Es tienne, Henri

STEPHANUS

THESAURUS GRAECAE LINGUAE

VOL. VI.

Λ – Ο

1954

AKADEMISCHE DRUCK- U. VERLAGSANSTALT

G R A Z

PHOTOMECHANISCHER NACHDRUCK DER
AKADEMISCHEN DRUCK- u. VERLAGSANSTALT
GRAZ, (AUSTRIA).

ΘΗΣΑΥΡῸΣ ΤΗ͂Σ ἙΛΛΗΝΙΚΗ͂Σ ΓΛΏΣΣΗΣ.

THESAURUS GRAECAE LINGUAE,

AB

HENRICO STEPHANO

CONSTRUCTUS.

POST EDITIONEM ANGLICAM NOVIS ADDITAMENTIS AUCTUM, ORDINEQUE ALPHABETICO DIGESTUM TERTIO EDIDERUNT

CAROLUS BENEDICTUS HASE,

INSTITUTI REGII FRANCIÆ SOCIUS, IN SCHOLA REGIA POLYTECHNICA REGIAQUE SPECIALI LINGUARUM ORIENTALIUM PROFESSOR, IN BIBLIOTHECÆ REGIÆ PARTE CODD. MSS. COMPLECTENTE CONSERVATOR, ETC., ETC.,

GUILIELMUS DINDORFIUS

ET

LUDOVICUS DINDORFIUS,

SECUNDUM CONSPECTUM AB ACADEMIA REGIA INSCRIPTIONUM ET HUMANIORUM LITTERARUM DIE 29 MAII 1829 APPROBATUM.

VOL. VI.

THESAURUS LINGUAE GRAECAE

AB

HENRICO STEPHANO

CONSTRUCTUS.

NOVA EDITIO AUCTIOR ET EMENDATIOR.

HENRICUS STEPHANUS, malis Græciæ et totius orbis christiani periculis graviter commotus, RODOLPHO II Imperatori, electoribus ceterisque principibus et ordinibus sacri Romani imperii, Ratisbonæ conventum habentibus, offert orationem qua eos ad expeditionem in Turcas fortiter et constanter persequendam hortatur.

A Λ, nota est undecimæ ap. Græcos literæ, quam λάμβδα s. λάβδα appellant [præter quas formas, de quibus infra, tertia interdum apparet λάμδα, ut in schol. Tzetz. Cram. An. vol. 3, p. 377, 33, et libro Zonaræ Lex. p. 1290] : ea est λεία [Plato Cratyl. p. 434, C : Τὸ λάβδα τῷ λείῳ καὶ μαλακῷ προσέοικεν· D : Τὸ λάβδα ἐγκείμενον οὐ τὸ ἐναντίον δηλοῖ σκληρότητος ; 435, A. Τῶν ἡμιφώνων γλυκύτατον Dionys. Hal. Comp. vv. p. 79, 13 Reisk.], ideoque ἡ γλῶττα ὀλισθαίνουσα [Plato l. c. p. 427, B : Ὀλισθάνει μάλιστα ἐν τῷ λάβδα ἡ γλῶττα] ea interdum pro ρ utitur : quo vitio οἱ τραυλίζοντες laborant, κόλαξ dicentes pro κόραξ. Eadem affinitatem aliquam habet cum litera ν. Unde Dores φίντατον dicunt et ἦνθον pro φίλτατον et ἦλθον : et Attici λίτρον pro νίτρον : sic in compositione πάλλευκον et παλίλλογον ac similia pro πάνλευκον et παλίνλογον : ut et Latini Illustris pro Inlustris, Collido pro Conlido. [Hæc fere ex Eust. Il. p. 312, 35 ; 483, 9 ; 918, 27 sq.] Atque adeo notæ harum literarum admodum similes sunt : nam τὸ λ est ν inversum : et vicissim. Est etiam numeralis nota, significans triginta : ut λ′, λα′, et sic deinceps : at acuti accentus apice præfixum triginta millia notat, hoc modo, ͵λ. [Alia literæ significatio est, de qua Galenus vol. 13, p. 978 (985) : Πλάγιον δὲ λ εἰς μὲν τὰ δεξιὰ ταῖς κεραίαις νεῦον δραχμὴν δηλοῖ <, εἰς δὲ τὰ εὐώνυμα ἡμίσειαν >. Subscripto ι libram sec. eundem ib. p. 985. HSt. in K :] Ut literæ quædam equis imprimebantur, sic etiam aliis quibusdam rebus, ut numismatibus, nec non clypeis. Nam Lacedæmonii quidem λ, ut pote primam nominis sui literam, clypeis suis imprimebant : ut Messenii illis finitimi, literam μ. Unde Eupolis ap. Eust. [Il. p. 293, 39] dixit τὰ Λάμβδα plurali numero pro Clypeis : scribens, Ἐξεπλάγην γὰρ ἰδὼν στίλβοντα τὰ λάμβδα [vel potius λάβδα, ut infra dicetur], i. e. τὰς κακωτικὰς ἀσπίδας, inquit Eust. [Eadem fere Photius v. Λάμβδα, addens οὕτως καὶ Θεόπομπος. Eodem referendum quod Hesych. Λάβδα interpretatur etiam ὅπλον. Ap. Eust. autem quod est κακωτικὰς, corrigendum Λακωνικάς. L. D.] Ap. Xen. sunt itidem clypei notati litera σ. [Et ibidem :] Jam vero quoniam in hunc sermonem ingressus sum, ea, quæ de aliis quoque literis in mentem mihi nunc veniunt, addenda his censeo : quum alioqui hic omissa, alium sibi locum, minus fortasse commodum, postulatura sint. Primum autem in iis locum literæ Λάμβδα dandum esse censeo, quod plura de ea quam de ceteris dicenda nunc occurrant. Præmonendusque est lector, B inveniri etiam Λάβδα : unde est Λαβδακισμὸς pro Λαμβδακισμὸς, ut infra docebitur. [V. exx. initio citata. Quibus addere licet Aristot. H. A. 3, 4, p. 514, 18 : Σχίζονται εἰς δύο ὡσπερεὶ λάβδα ἑκάτερα. Ubi nonnulli λάμβδα. Hesych. v. Αἰψηρά. Itaque formæ per μβ vocabulorum hujus stirpis librariis vel recentioribus tribuendæ videntur : a quibus vel Λάμβδακος pro Λάβδακος illatum notabimus infra. Λάβδα igitur restituendum etiam Eupolidi. L. D.] Sed habet alios quoque usus hoc Λάϐδα: Hesych. ait esse ὅπλον [de qua interpret. v. supra]: addens, esse στοιχεῖον ὑγρὸν καὶ ἀμετάϐολον, Literam liquidam et immutabilem: sicut et gramm. vulgo quatuor literas liquidas s. immutabiles esse tradunt, λ, μ, ν, ρ. In proverbio autem, quod Erasm. ex Aristoph. Eccl. [920] affert, Δοκεῖς δ' ἐμοὶ [δέ μοι] καὶ λάϐδα [λάμϐδα cod. Ravennas] κατὰ τοὺς Λεσϐίους, Fellatricem indicat, velut ænigmate primæ literæ, quæ communis Lesbiis, et vitio, quod ei genti tribuitur obscœna voce, sc. λειχάζειν. V. Λεσϐιάζειν. [Ausonius Epigr. 120: «Cui ipse linguam cum dedit suam, λάϐδα est.» Strato Anth. Pal. 12, 187, 6: Ἀμφοτέρους δὲ κρούων τοῖς φθονεροῖς Λάμϐδα καὶ Ἄλφα λέγε. Ad quæ v. annot. Jacobsii vol. 10, p. 77.] Ap. Herodot. Λάϐδα nom. est proprium mulieris, quæ erat filia Amphionis cujusdam ex iis, qui Bacchiadæ inter Corinthios appellabantur: de qua Pythicum oraculum editum fuit: Λάϐδα κύει, τέξει δ' ὀλοοίτροχον κτλ. V. 5, p. 202 meæ edit. [c. 92. Helladius Photii Bibl. p. 531, 23, Ptolem. Hephæst. ib. p. 151, 25. Λάμϐδα male scriptum in Etym. M. p. 199, 25. HSt. post alia:] His addendum est nomen Λαμϐδακισμὸς, s. Λαϐδακισμὸς, quo significatur Literæ λ crebra et odiosa repetitio, ut quidam volunt. Quintil. 1, 9 [5, 32]: Et illa per sonos accidunt, quæ demonstrari scripto non possunt, vitia oris et linguæ: ἰωτακισμοὺς, λαμϐδακισμοὺς, et ἰσχνότητας et πλατυασμοὺς, feliciores fingendis nominibus Græci vocant. Labdacismus, inquit Capella [5], est ubi L plurimum dissonat: ut si dicas, Sol et luna luce lucent alba, levi, lactea. At Diomedes [2] Lambdacismon esse ait, si Lucem prima syllaba vel Alma nimium plene pronuntiemus.

Λα, particula per se nihil significans, sed in compositione vim habens epitaticam, vehementiorem signif. reddens eorum quibus est præfixum: ut λάγνος dictum volut quasi λίαν γόνου ἔχων, vel λίαν γυναικώδης, per syncop.: λάμαχος pro λίαν μάχιμος. Ita ζα, et α. [Disputat adversus opinionem grammaticorum, ut Hesychii, Draconis p. 101, 19, Etym. M. v. Λαδρέοντι et alibi, Ruhnken. Epist. cr. p. 86. Qui etsi recte animadvertit inepte nonnulla ab illis huc referri, ipse immemor fuit eorum quæ aliter explicari nequeunt, ut λακαταπύγων, λακατάρατος. L. Dind.]

[Λάα. V. Λᾶς in Λάας.]

[Λάαγος. V. Λᾶγος.]

[Λάανα, ἐπίστατον, Hesychii gl. obscura.]

[Λάαρχος, ὁ, Laarchus, qui Arcesilaum Batti Felicis filium veneno sustulit. Plut. Mor. p. 260, 261; Polyæn. 8, 41. ā]

Λᾶας, ὁ, [ἡ, Nicand. Ther. 45: Ἠὲ σύγε Θρήισσαν ἐνὶ φλέξας πυρὶ λᾶαν, ἥθ' ὕδατι βρεχθεῖσα σελάσσεται], Lapis; quam Latinam vocem ex illa Græca originem habere puto; Saxum. Gen. est λάαος, per crasin λᾶος. In plur. λάαες, Lapides, per crasin λᾶες: unde dat. λάεσσιν. De λᾶς autem monosyllabo dicam infra. Hom. Il. Δ, 521: Ἀμφοτέρω δὲ τένοντε καὶ ὀστέα λᾶας ἀναιδὴς Ἄχρις ἀπηλοίησεν· Od. Λ, 597, de Sisyphi saxo: Ἔπειτα πέδονδε κυλίνδετο λᾶας ἀναιδής· qua autem signif. mihi videatur uti his in Il. adjectivo ἀναιδὴς, suo docui loco. [Orph. Lith. 656.] Il. Β, 319: Λᾶαν γάρ μιν ἔθηκε Κρόνου παῖς ἀγκυλομήτεω· Od. Λ, 593, de Sisypho: Λᾶαν βαστάζοντα· 595: Λᾶαν ἄνω ὤθεσκε ποτὶ λόφον. Sed et Il. Γ, 12: Τόσσον τις τ' ἐπιλεύσσει, ὅσον τ' ἐπὶ λᾶαν ἵησιν, Aliquis eatenus prospicit, quoad jaciat lapidem; q. d. Prospectus non est extra lapidis jactum, vel, ulterius quam ad lapidis jactum. [Eur. Phœn. 1157: Λᾶαν ἐμϐαλὼν κάρᾳ. Marcellus Anth. Pal. App. 50, 17. Perfrequens est etiam in Lithicis Orph. de variis lapidum generibus.] Et dat. λάεσσι, de quo dictum modo fuit, 80: Ἰοῖσίν τε τιτυσκόμενοι λάεσσί τ' ἔϐαλλον. [Epigr. Anth. Pal. 9, 688, 1: Τήνδε πύλην λάεσσιν εὐξέστοις ἀραρυῖαν. Manetho 6, 612.] Quibus ex ll. patet voc. λᾶας interdum esse potius Lapis, interdum contra potius Saxum: ut quum λᾶαν Sisyphi dicit; nam Latini poetæ Sisyphi lapidem vocant, potius quam Sisyphi saxum; itidemque proverbialiter dicitur Sisyphi saxum volvere, potius quam lapidem. Hesych. quoque λᾶας exp. λίθος, πέτρα, πέτρος. Ceterum quamvis poetarum sit potius hoc nomen, quam aliorum scriptorum, affertur tamen ex Aristot. De

A gen. anim. 1, [c. 5]: Τοὺς λάας [λᾶας HSt. Ms. Vind.] προσάπτουσιν αἱ ὑφαίνουσαι τοῖς ἱστοῖς, ubi λάας redditur Pondera, pro Ponderosis saxis. || Λᾶαν Hesych. vult et alia significare; de quibus eum consule. [Ῥηγμὶν καὶ θυλάκιον ἐν ᾧ οἱ ἡνίοχοι τὰς μάστιγας ἀποτίθενται, τινὲς δὲ μάστιγα.] || Λᾶς quoque monosyll. per contractionem factum ex λᾶας, idem significat, sc. Lapis, Saxum [Creticum voc. secundum grammat. in Bekkeri Anecd. p. 1096. De accentu v. Arcad. p. 125, 17]: unde [λᾶος genit. ap. Hom. Il. Μ, 462: Λᾶος ὑπὸ ῥιπῆς,] λᾶϊ dat. ap. Nicandr. Ther. 18: Σκορπίος ἀπροϊδὴς, ὀλίγῳ ὑπὸ λᾶϊ λοχήσας. [Apoll. Rh. 4, 1489: Λᾶϊ βαλών. Orph. Lith. 383, 413. Accusat. epigr. Anth. Plan. 4, 279, 4: Δομαῖον λᾶα. Philipp. A. Pal. 9, 708, 5; Callim. fr. ap. Strab. 1, p. 46. Nominat. dualis Hom. Il. Ψ, 329: Λᾶε ἐρηρέδαται δύο· Orph. Lith. 288. Plur. Callim. Del. 25: Τείχεα μὲν καὶ λᾶες· Mnasalc. Anth. Pal. 7, 491, 4: Λᾶες Σειρήνων· Manetho 4, 260. Genit. Il. Μ, 29: Φιτρῶν καὶ λάων, cujus de accentu paroxytono conf. Jo. Alex. Τον. παρ. p. 19, 1. Dativus, de quo supra

B HSt., in cod. Hesychii Λάεσι, λίθοις, quod a Musuro in λάεσσι mutatum, in epigr. Anth. Pal. 9, 670, 2: Ἔτευξεν ἀκτὴν ἀμφιρύτην λάεσι μαρμαρέοις· Agathiæ ibid. 152, 6: Ἐφ' ἁμετέροις λάεσιν ἠριπόμαν· App. 367, 2: Ἣν κτάνεν οὐχ ὁσίως λάεσι δεινὸς ἀνὴρ, apud Paul. Sil. Amb. 132, 256, et in inscr. ap. Burckhardt. *Reisen in Syrien* vol. 1, p. 372 ed. Gesen.: ut formam λάασι probabile sit imperitia librariorum illatam esse libris plerisque Orph. Arg. 609: Λάασι δ' εὐτύκτοις δωμήσατο οἶκον ἑκάστῃ, ubi λάεσι ex cod. Voss. restituit jam Schneiderus. Itaque recte Buttmannus in Gramm. v. Λᾶας formam solutam λᾶας peculiarem perhibuisse videtur nominativo et accusativo singularis, ut nonnisi metri caussa usurpata fuerit. Accusat. plur. Manetho 6, 417: Λᾶας βριαρούς. Philemo Lex. techn. s. 99 s. Zonar. p. 1279 quæ ponit: Λάας ὁ λίθος· κλίνεται λάα, καὶ λᾶς τοῦ λᾶ· ἡ εὐθεῖα τῶν πληθυντικῶν οἱ λαῖ, τῶν λῶν καὶ λάων, ficta pleraque sunt contra usum veterum. In eadem culpa est Theodosius De accentu p. 198, 12, qui ponens ὁ λάας (sic), τοῦ λᾶα,

C substantivum, non proprium nomen dicit. || Singulare est quod in Etym. M. p. 361, 21 ponitur: Ἐπὶ λάεϊ) λᾶς λαὸς λαΐ, καὶ πλεονασμῷ τοῦ ε λάεϊ. || Formam nominativi sing. paroxytonon Λάος in Soph. OEd. C. 195: Λέχριός γ' ἐπ' ἄκρου λάου βραχὺς ὀκλάσας, agnoscebat Herodianus ap. schol. (coll. Arcad. p. 37, 2, Etym. M. p. 552, 50) et ex genit. λᾶος formatam putabat, quo ipso mirum non maluisse uti poetam exemplo Homeri. Nam quod eadem forma utuntur Hyginus Fab. 153, p. 266: «Ob eam rem Laos dictus. Laos enim græce Lapis dicitur;» et Servius vel qui nomine ejus abutitur ad Virgil. Georg. 1, 63: «Λάοι (al. λάαι) enim Lapides dicuntur;» etiamsi non fallant libri, quod nolim affirmare cum Hemsterh. ad Poll. 10, 82, nihil facit momenti. L. D.] Sed est præterea sive Λᾶς, sive Λᾶ [Λὰ male ap. Steph. Byz. in Λὰ et Χνά. Sed Χνᾶ testatur Herodian. Π. μον. λ. p. 8, 8. Λὰς codex Scylacis ap. Millerum p. 207], nomen urbis Laconicæ, ita vocatæ, quod supra rupem altam sita sit: cujus ita meminit Lycophr. [95]: Καὶ Λᾶν περήσεις. [Hæc

D ex Eust. Il. p. 230, 2, et ad l. infra cit. Β, 585, tum ad Od. Λ, 597, ubi Ἠλείων ἐπίνειον dicit. Memorant urbem Laconicam etiam Thuc. 8, 92, Strabo 8, p. 364, Pausan. 3, 21, 7 et 24, 6, Ptolem. 3, 16, Scylax p. 17, Livius 38, 30, 31, ab Gelenio emendatus.] Ab hac urbe Dioscuri fuerunt dicti Λαπέρσαι, sc. διὰ τὸ πέρσαι Λᾶν, Quod Λᾶν evertissent. [V. Strab. l. c. et infra Λαπέρσα.] Hanc Eust. ex veterum fide scribit et ἡ Λᾶ fem. et ὁ Λᾶς masc. gen. appellatam. Ambigi autem an ejus incolæ sint Λαοὶ an Λᾶοι: ideoque ambigi quod dissentiant exemplaria. At Steph. B. habet duntaxat Λαοί. [In n. Λά: in Χνὰ enim Λάος. Numos inscriptos ΛΑΩΝ memorat Eckhel. D. N. vol. 2, p. 285, s. Mionnet. *Descr.* vol. 2, p. 228. || Ποταμὸν etiam ita vocari annotant Chœroboscus in Bekkeri Anecd. vol. 3, p. 1159, 10; 1181, 8, Etym. M. p. 553, 3. Ap. Hesychium codex π, quod πόλις est potius quam ποταμός.] || Homero autem fuit dicta Λάα per dialysin, Il. Β, [585]: Οἵ τε Λάαν εἶχον, ἠδ' Οἴτυλον ἀμφενέμοντο, ubi animadverte α prius corripi, posterius produci, contra quam in λᾶας et λᾶαν significantibus Lapidem, Saxum. || Composita fiunt a Λᾶς contracto, non a Λᾶας integro. Legitur enim Λαξεύω, Λατόμος, Λατύπος, etc. Invenitur autem et Λαοτύπος in Epigr. [Agathiæ Anth. Plan. 4, 59, 2], sed metri causa: quo tamen modo dicitur et Λαοξόος. Ceterum de hoc monendum lectorem existimavi, cavendum esse ne composita quædam a Λαὸς, Populus, quæ ο amiserunt, quale est λαγέτας, confundat cum compp. a Λᾶς.

[Λάας, α, ὁ, Laas, n. viri. Epimer. Hom. in Crameri Anecd. vol. 1, p. 267, 4 : Φέρεται δὲ ἱστορία ὅτι ἡ Μῆτις δυστοκούσης (l. δυστοκούσης) τῆς Ῥέας αὐτὴ μὲν ἔτεκε τέκνον ὃ ἐκάλεσε Λάαν, τῇ δὲ Ῥέᾳ τεκούσῃ τὸν Δία ἀντικατήλλαξεν τὸν Λάαν αὐτῆς τὸν παῖδα, ἵνα ὁ Κρόνος ἀντὶ Διὸς τὸν Λάαν καταπίῃ. Ζεὺς οὖν ἡβήσας εἰς τιμὴν τοῦ ἀντ' αὐτοῦ καταποθέντος λαοὺς ὠνόμασε τοὺς ἀνθρώπους. Unde corrigendus locus mendosissimus Etym. Gud. p. 362, 27, de quo iterum dicemus in Λαός. De genit. hujus nominis in α flexo et mensura ∪- v. Etym. M. p. 552 sq., ubi Δωρικὸν dicitur v. 53 et quidem λιθογλύφου v. 42. Conf. p. 553, 2, 5, Epimer. in Crameri Anecd. vol. 2, p. 388, 22, Draco p. 61, 22, Chœrobosc. in Bekkeri Anecd. p. 1182 : Ὁ Λάας τοῦ Λάα, Λάα περὶ λίθων γλυφῆς· οὗτος γὰρ λιθογλύφος ἦν· et ib. p. 1183. Λάος male scriptum, ubi pleraque illorum quæ sunt in Etym. M., repetuntur, in Epimer. Hom. Crameri Anecd. vol. 1, p. 258, 3 sq. Memorat nomen etiam Philemo Lex. technolog. s. 99. L. Dind.]

Λαβὰ, Hesychio σταγὼν, Gutta : quæ et λιβάς. [Glossa vitiosa, ex λιβὰς, ut videtur, corrupta.]

[Λαβάβηρ, λακανίσκη, Hesychii gl. obscura.]

[Λαβάζω, Capesso, verb. fictum, ut videtur, a Valcken. in originatione vocis Ἀλάβαστρον, Schol. in N. T. p. 132 : « A λαβὴ λαβάζω· hinc λαβαστὸς, ἡ, ὸν, significans proprie, Quod ansa prehendi potest. » V. Ἀλάβαστρον. Hase.]

[Λάβαι, αἱ, Labæ, πόλις ὡς Σάβαι, Χαττηνίας πόλις. Πολύβιος τρισκαιδεκάτῳ (9, 2). Τὸ ἐθνικὸν Λαβαῖος, ὡς Σαβαῖος κτλ., Steph. Byz.]

[Λαβὰν, Λαβάνιος. Gramm. in Crameri Anecd. vol. 2, p. 287, 5 : Τὰ ἀπὸ τῶν εἰς ἂν ὑπὲρ μίαν συλλαβὴν ὄντα διὰ τοῦ ιος παραγόμενα διὰ τοῦ ι γράφεται, οἷον Τιτὰν, Τιτάνιος, Παιὰν, Παιάνιος, Λαβὰν, Λαβάνιος.]

[Λαβαντὶς, ίδος, ἡ, Spica nardi, quæ vulgo Lavanda s. Lavendula. Hesych. : Ἴφοα (l. Ἴφυα), ἡ λυχνὶς, ἄνθος, ἔνιοι λάχανον, ὃ ἡμεῖς λαβαντίδα καλοῦμεν. Ducang.]

[Λάβαξ, ακος, ὁ, Labax, Lepreata. Pausan. 6, 3, 4. ᾰ]

[Λάβαρα, πόλις Καρίας. Ἀλέξανδρος δευτέρῳ περὶ Καρίας. Τὸ ἐθνικὸν Λαβαρεὺς ὡς Παταρεὺς, Steph. Byz.]

Λᾰβάργῡρος, ὁ, Qui pecuniam accipit, Qui nil nisi pecunia accepta facit. Ap. Athen. 9, [p. 406, D] quum Ulpianus dixisset, Τίς δ' αὕτη ἡ λιθίνη βαλλητὺς, οὐκ ἂν τι εἴποιμι, εἰ μὴ παρ' ἑκάστου μισθὸν λαβών· subjicit Democritus : Ἀλλ' ἔγωγε οὐκ ὢν λαβάργυρος ὡρολογητὴς, κατὰ τὸν Τίμωνος πρόδειπνον, λέξω τὰ περὶ τοῦ Ἡγήμονος. [Eust. Il. p. 1349, 10. Wakef.]

[Λάβαρις. V. Λαβύρινθος.]

[Λάβας. V. Λάβης. Λάβας Πύρρου inscriptum numo Laodiceæ Phrygiæ ap. Mionnet. *Descr.* vol. 4, p. 313.]

[Λάβαστρον, τὸ, εἶδος λίθου λευκοῦ, in Glossis iatricis Mss. Neophyti. Alabastrum. Ducang.]

[Λάβδα. V. Λ.]

[Λαβδάκειος, α, ον, Labdaceus, adj. a Λάβδακος. Soph. OEd. T. 267 : Τῷ Λαβδακείῳ παιδί· 1226 : Τῶν Λαβδακείων δωμάτων.]

[Λαβδᾰκίδης, ὁ, Labdacides, patron. a Λάβδακος, de ejus filio et posteris ap. Pind. Isthm. 3, 17, et sæpius ap. Sophoclem, Euripidem et alios. L. D. Τὰ Θηβαίων καὶ Λαβδακιδῶν πάθη Lucian. De salt. c. 41. Hase.]

[Λαβδᾰκισμός. V. Λ.]

[Λάβδᾰκος, ὁ, Labdacus, Laii regis Thebarum pater. Soph. OEd. T. 224, Eur. Phœn. 8, et alii poetæ et mythologi. Λάμβδακος male ap. Arcad. p. 51, 3.]

[Λάβδαλον, τὸ, Labdalum, ἄκρον τῶν Ἐπιπολῶν, Συρακουσίων (—χουσῶν) πλησίον. Θουκυδίδης ἕκτῃ (97), Steph. Byz. Diodor. 13, 7.]

[Λαβδάρεος, ὁ, Murex ligneus instar literæ λ formatus ap. Heron. De mens. p. 4. Schneid.]

A [Λαβδοειδὴς, ὁ, ἡ.] Medicis quædam ῥαφὴ, Sutura, est dicta Λαβδοειδὴς, sive Λαμβδοειδὴς, Sutura transversa in posteriore cranii parte, quam si a tergo spectes, figuram literæ Λ imitari videbitur. [Pollux 2, 37. Ubi alii λαμβδοειδεῖς, ut ap. Galen. vol. 2, p. 201; 4, p. 187, 513.] Appellatur etiam λαμβδοειδὴς ab Actuario divisio venæ cavæ inferioris, qua in duo crura abit, paulo supra initium ossis sacri. Eandem divisionem Galen. De anat. ven., elemento ν comparat. Gorr. Sonat autem λαμβδοειδὴς [Theolog. ar. p. 3. L. D. Tzetz. Hist. 11, 581.] literæ Lambda formam habens : eod. modo, quo dicitur Ὑοειδὲς sive Ὑψιλοειδὲς, Os quoddam in similitudinem literæ Υ bicorne, pluribus ossiculis contextum, ad radicem linguæ situm. Sunt qui etiam λαμβδοειδὲς appellent, communi cum capitis sutura nomine, a litera λ, quæ inversa, non est valde dissimilis literæ Υ. [Pollux 4, 133 : Ὄγκος δέ ἐστι τὸ ὑπὲρ τὸ πρόσωπον ἀνέχον εἰς ὕψος λαβδοειδεῖ τῷ σχήματι. Ubi alii λαβδοειδὲς et λαμβδοειδεῖ. Galen. ed. Lips. vol. 18, part. 2, p. 957 : Τὸ ἐπικείμενον ὀστοῦν τῇ κεφαλῇ τοῦ λάρυγγος ἔνιοι υἱοειδὲς (sic),
B ἔνιοι δὲ λαμβδοειδὲς ὀνομάζουσιν. L. Dind.]

[Λάβδωμα, τὸ, Figura formam habens literæ λ. Iambl. Arithm. p. 16. Schneider.]

[Λαβεᾶτις, ιδος, ἡ, Labeatis, regio Illyrica apud Polyb. 29, 2, 5, ubi v. annot. interpr.]

[Λᾰβεργὸς, ὁ, Hesychio in gl. Γαβεργὸς, δρουμισθωτὸς, restituendum conjeci vol. 2, p. 479, A, ubi si vera Musuri conjectura ἔργου, legendum μισθωτὴς, ut sit i. q. Ἐργολάβος, Operis redemptor. L. Dind.]

Λᾰβὴ, ἡ, Prehensio. [Æsch. Suppl. 935 : Τὸ νεῖκος δ' οὐκ ἐν ἀργύρου λαβῇ ἔλυσεν (Ἄρης). Pollux 2, 155 : Τὸ πρᾶγμα λῆψις, λαβή.] Plerumque dicitur de Ea qua athleta adversarium prehendit, i. e. de nexu in lucta, s. de nexu luctæ, ut Quintil. loquitur. [V. Eust. Il. p. 1327, 3, qui addit : Ἀντεδίδουν δὲ ἀλλήλοις ἢ νῶτον ἢ αὐχένα ἢ καὶ πόδα πολλάκις, ἵνα λυθῇ τὸ τοῦ ἀγῶνος ἰσόρροπον καὶ μὴ ἀνιάζωσιν οἱ θεαταί.] Alexander ap. Plut. [Mor. p. 180, B] : Οὐκ οἶδας ὅτι βελτίων οὐκ ἔστιν ἐν μάχῃ λαβὴ πώγωνος; Adversarium melius
C prehendi non posse quam ipsa barba, ad Parmenionem mirantem cur omnibus ad prælium paratis, nihil reliquum esse diceret, nisi ξυρᾶν τὰ γένεια τῶν Μακεδόνων. [Thes. c. 5 : Λαβὴν ταύτην (barbas) ἐν ταῖς μάχαις οὖσαν προχειροτάτην.] Plut. in Coriol. [c. 2] : Ὥστε καὶ θεῖν ἐλαφρὸν εἶναι, καὶ βάρος ἔχειν ἐν λαβαῖς καὶ διαπάλαις πολέμου δυσεκβίαστον· Apophth. [p. 186, D], de Alcibiade : Ἔτι παῖς ὢν ἐλήφθη λαβὴν ἐν παλαίστρᾳ. [Eadem formula improprie Mor. p. 78, B : Ὁ ἀνέκπληκτος ἐν τούτοις ἤδη δῆλός ἐστιν εἰλημμένος ἣν προσήκει λαβὴν ὑπὸ φιλοσοφίας.] Fabio [c. 5] : Ὥσπερ δεινὸς ἀθλητὴς λαβὴν ζητῶν, Quærens quo pacto hostem prehenderet. Id. [Mor. p. 87, B] : Λαβὴν ζητῶν περιοδεύει τὸν βίον, de inimico loquens, qui omnes occasiones observat, quibus adversarium prehendere queat. Alii interpr. Ansam nocendi. [Lucull. c. 3 : Εἰς λαβὰς ἥκων καὶ γεγονὼς ἐντὸς ἀρκύων· Mor. p. 979, A : Ὁ χάραβος ἐκείνων ἐν λαβαῖς γενομένων περιγίνεται ῥᾳδίως· Eumen. c. 7 : Περιπεσόντες ἀλλήλοις ἐν λαβαῖς ἦσαν καὶ διεπάλαιον Heliodor. Æthiop. 10, 31, p. 505 : Τὰς λαβὰς τῶν πα-
D λαισμάτων ὠδίνων.] Et metaph. Id. Symp. [p. 660, B] : Αἱ μὲν γὰρ παλαιόντων ἐπιβολαὶ καὶ ἕλξεις, κονιορτοῦ δέονται, ταῖς δὲ φιλικαῖς λαβαῖς ὁ οἶνος ἀφὴν ἐνδίδωσι, μιγνύμενος λόγῳ, ubi vicinam signif. habent λαβαὶ, Prehensiones, et ἐπιβολαὶ, Injectiones manuum. [Dionys. H. De adm. vi Dem. § 18, p. 1007, 7 : Τοῖς ἀθληταῖς τῆς ἀληθινῆς λέξεως ἰσχυρὰς τὰς ἁφὰς προσεῖναι δεῖ καὶ ἀφύκτους τὰς λαβάς· § 20 init. : Ἄτονος καὶ λαβὰς οὐ κραταιὰς ἔχουσά πώς ἐστιν ἡ λέξις.] Huc pertinet λαβὴν ἐνδοῦναι, παρέχειν, Præbere adversario unde te prehendat. [Λαβὴν ψόγου παρέχειν, Liban. vol. 4, p. 782, 1. Jacobs.] Plato Leg. [Reip. 8, p. 544, B] : Πάλιν τοίνυν ὥσπερ παλαιστὴς τὴν αὐτὴν λαβὴν πάρεχε, Da mihi eandem facultatem tui rogitandi et percunctandi, Bud. : qui ap. Eund. in Phædro p. 270 [236, B] : Περὶ μὲν τούτου ἐς τὰς ὁμοίας λαβὰς ἐλήλυθας, reddit, In eandem necessitatem. [Conf. Photius s. Suidas v. Ὁμοίας λαβάς. Æsch. Cho. 498 : Ἤτοι δίκην ἴαλλε σύμμαχον φίλοις ἢ τὰς ὁμοίας ἀντίδος βλάβας λαβεῖν. Λαβὰς Canterus.] Aristoph. Nub. [551] : Οὗτοι δ', ὡς ἅπαξ

παρέδωκεν λαβὴν Ὑπέρβολος, Τοῦτον δείλαιον χολετρῶσ' ἀεί. Plut. Cor. [c. 39] : Ἐπεβούλευεν ἀνελεῖν εὐθὺς, ὡς εἰ νῦν διαφύγοι λαβὴν ἑτέραν οὐ παρέξοντα. Lucian. [Hermot. c. 73] : Ἐπεί περ ἅπαξ τὴν πρώτην λαβὴν ἐνδεδώκατε αὐτῷ. [Cum eodem verbo Aristoph. Eq. 847 : Λαβὴν γὰρ ἐνδέδωκας· Lys. 671 : Εἰ γὰρ ἐνδώσει τις ἡμῶν ταῖσδε κἂν σμικρὰν λαβήν. Cum simplici Eq. 841 : Ἐπειδή σοι λαβὴν δέδωκεν. Demosth. p. 1420, 9 : Ὅπως μήποτε τοῖς ἐπιβουλεύουσι λαβὴν δώσετε. Dionys. A. rh. 8, 15 : Λαβὰς ἀντιλογίας διδοὺς τῷ βουλομένῳ ἐναντιοῦσθαι. Plut. Mor. p. 51, F : Ἄχρι οὗ λαβὴν παραδῷ καὶ ψαύοντι τιθασὸς γένηται· Cic. c. 20 : Κικέρωνι λαβὴν οὐδεμίαν εἰς ἔλεγχον παρέδωκεν.] || Morbo etiam tribuitur, et in primis febri, quum sc. hominem corripit, et veluti infestis manibus prehendit, Accessio febris : λαβή, inquit Galen. Lex. Hipp., ἐπισημασία, μάλιστα δὲ ἡ ἐκ περιόδου. [Conf. Λῆψις.] || In quibuslibet rebus id etiam dicitur, quo eas prehendimus, i. e. Ansa, Capulus, Manubrium [Gl. et, Λαβὴ δακτύλου, Acerrale. Demosth. p. 819, 25 : Μαχαιρῶν λαβάς. Alcæus apud Hephæstion. p. 58 : Λαβὰν τῶ ξίφεος.] Plutarch. [Mor. p. 597, A] : Τὴν χεῖρα τῇ λαβῇ τοῦ ξίφους ἐπιβεβληκώς. Herodian. 8, [4, 26] : Κοίλοις σκεύεσιν ἐμβαλόντες λαβὰς ἐπιμήκεις ἔχουσι, Manubria longiora. Sic Aristoph. Pac. [1258], λαβὰς ποιεῖν τοῖς κράνεσι, Ansas : ut Tibull., Ansaque compressos alligat arcta pedes. Schol. exp. ὠτάρια. Et λαβαὶ ἀμφίστομοι ap. Suid. [ex Soph. OEd. Col. 473] τὰ ὦτα τοῦ κρατῆρος : cur autem ἀμφίστομοι dicantur, ap. eum vide. Sunt qui huc referant etiam λαβὴν παρέχειν et ἐνδοῦναι, ut Lat. dicimur Ansam præbere, dare; citentque ex Plat. [Leg. 3, p. 682, E : Ὁ λόγος ἡμῖν] οἷον λαβὴν ἀποδίδωσι, Ansam præbet. Quibus ex Plut. [Mor. p. 724, E] addi potest : Πάλιν ἐχώμεθα τοῦ φοίνικος, ἀμφιλαφεῖς τῷ λόγῳ ἀφὰς διδόντος· et [p. 452, D] : Οὐχ οὕτως τὰ μαθήματα λαβὰς εἶναι φιλοσοφίας, ὡς τὰ πάθη τῶν νέων, αἰσχύνην, ἐπιθυμίαν, μετάνοιαν, ἡδονὴν, λύπην, φιλοτιμίαν· quorum sc. ἐμμελῆ καὶ σωτήριον ἀφὴν ἁπτόμενος ὁ λόγος καὶ ὁ νόμος, εἰς τὴν προσήκουσαν ὁδὸν ἀνυσίμως καθίστησι. Ap. Diog. L. quoque Xenocr. [4, 10] dicit τὰ μαθήματα λαβὰς εἶναι φιλοσοφίας, Studio bonarum artium apprehendi philosophiam, Cam. || Suid. λαβαῖς exp. non solum ἐπαφαῖς, [et cum Etym. M.] ἀφορμαῖς, sed etiam μέμψεσι. || Λάβη paroxytonωs ex Cyrillo affertur pro Excusatio. || Λαβή, in hunc locum rejeci, et literis majusculis scripsi, non tam propter ipsum, quam propter illa quæ ab eo derivata sunt vocabb., quorum aliqua remotam signif. habent.

Λαβήροις, Hesych. ποτιστηρίοις : infra Λάβιρος.

Λάβης, ητος, ὁ, Canis nomen, Aristoph. Vesp. [836 etc.], παρὰ τὸ λαμβάνειν. [N. pr. viri ap. Theocr. 14, 24, ubi genitivi forma Dorica : Ἐντὶ Λύκος, Λύκος ἐντὶ, Λάβα τῶ γείτονος υἱός. ᾶ]

Λαβίδιον, τὸ, Forcipicula, ut Bud. ap. Diosc. [1, 84 : Λαβιδίῳ καθ' ἕνα χόνδρον τοῦ λιβάνου ἅπτων πρὸς λύχνον ἐπιτίθει εἰς κοῖλον λοπάδιον. Hemst.] interpr.

[Λαβιδόω, Fibulo. Diosc. Parab. 1, 53 : Τὸ δέρμα τὸ ἐπάνω τῶν βλεφάρων λαβιδώσας. Angl. Constantin. Cærim. p. 265, D : Λαβιδοῦνται πάντα τὰ ἱππάρια καὶ γίνονται εὐνοῦχα· 266, D : Ὀφείλουσι δὲ λαβιδοῦσθαι καὶ εὐνουχίζεσθαι. L. Dind.]

[Λαβίκλη, ἡ. Pollux 6, 34 : Ἐρεῖς πίνακας, ὥσπερ τὰς λαβίκλας ὀνομαζομένας, πίνακας κοινούς. Omittit codex. Salmasius et Valesius Λάγκλας, Lanculas.]

[Λαβικὸν, τὸ, Lavicum, s. Λαβικοὶ, οἱ, Lavici, oppidum Latii. Diodor. 13, 6 : Λαβικοὺς ἐξεπολιόρκησαν. Libri Λαβίνους vel Λαβινίους. Singularis Λαβικὸν similiter corruptus in libris Strabonis 5, p. 230, apud quem τὸ παλαιὸν Λαβικὸν p. 237, itidemque ἡ Λαβικανὴ ὁδός. Λαβικανὸς οἶνος ap. Athen. 1, p. 26, F.]

[Λαβίνιον, τὸ, Lavinium, πόλις Ἰταλίας, Αἰνείου κτίσμα. Ἰόβας ἐν πρώτῳ. Ἀπὸ τῆς τοῦ βασιλέως θυγατρὸς Λαβινίας (ap. Dionys. A. R. 5, 61). Τὸ ἐθνικὸν Λαβινιάτης· λέγονται καὶ Λαβινῖται (-νῖται), Steph. Byz. Ab Lavinia, f. Latini, dicta etiam sec. Strabonem 5, p. 229, ubi Λαουίνιον, ut 230, 231 sq.]

[Λαβίον.] Λάβιον, τὸ, Manubrium, dimin. a λαβή, VV. LL. [Strabo 12, p. 540 : Τόπος λίθου λευκοῦ ... ὥσπερ ἀχόνας τινὰς οὐ μεγάλας ἐκφέρων, ἐξ ὧν τὰ λαβία τοῖς μαχαιρίοις κατεσκεύαζον.]

A Λάβιρος, Hesychio βόθυνος, Fovea. Supra Λάβηρος.

Λαβίς, ίδος, ἡ, Ansa, Capulus, Manubrium : ἡ λαβὶς τοῦ ξίφους ap. schol. Homeri [Il. A, 219], exponentem κώπη. [Galen. vol. 4, p. 185=vol. 2, p. 704 : Τρήσαντα κατὰ τὸν πυθμένα τὴν κύστιν ἐμβάλλειν ἔσω διὰ τοῦ τρήματος σμίλην, ἔχουσαν λαβίδα (Manubriolum) στρογγύλην, ὡς περιβληθέντος ἔξωθεν τοῦ λίνου τῇ κύστει σφιγχθῆναι περὶ τῇ λαβῇ τῆς σμίλης τὸν χιτῶνα τῆς κύστεως. Hase. Etym. M. p. 594, 9 : Τὸ κατακλεῖον τὴν θήκην τοῦ ξίφους, τὸ κατὰ τὴν λαβίδα, ὅπερ κρατεῖται, ubi 5 fuerat λαβή.] || Forceps. Es. 6, [6] : Καὶ ἐν τῇ χειρὶ εἶχεν ἄνθρακα ὃν τῇ λαβίδι ἔλαβεν. [Volsella qua callum in ore uteri extrahit. Hippocr. p. 687, 7 : Λαβίδι ὡς λεπτοτάτῃ προμηθευόμενος ἐξελκύσαι ἡσυχῇ. Foes. Geopon. 17, 12, 4 : Τὴν γλῶτταν καθαίρων ἀπὸ τῶν σκωλήκων λαβίδι ἐξαιρουμένων.] Ap. Joseph. [A. J. 8, 3, 7] in supellectili templi Salomonis, Λαβίδες καὶ ἅρπαγες, ubi Interpr. vertit Tenacula. [Tendicula, Gl.] || Fibula, Bud. ex Polyb. [6, 23, 11] : Οὗ τὴν ἔνδεσιν οὕτως ἀσφαλίζονται βεβαίως πυκναῖς ταῖς λαβίσι καταπερονῶντες. [Martyr. Al-
B phii, Philad. et Cyr. Actt. SS. Maii t. 2, p. 783, 38 : Ὑποδήματα σιδηρᾶ ... ὑποτεθῆναι (fort. ὑποδεθῆναι) διὰ λαβίδος σιδηρᾶς. Hase.] Λαβίς, Hesychio est σκεῦος χρυσοχοϊκὸν, dubium qua signif. [Significatione obscœna, ut videtur, in l. lacero Meleagri Anthol. Pal. 5, 208, 4 : Ἄρσην ἀρσενικαῖς λαβίσιν. || « Cochlearium parvulum, cujus manubrium tenue et oblongum crucicula in extremitate ornatum est, quo fragmenta panis Eucharistici a diacono in calicem demissa pro communione e calice idem educit. Prima et secunda Synodus Cpol. Act. 10 : Τὸ ἅγιον ποτήριον ἢ τὸν δίσκον ἢ τὴν λαβίδα. Liturgia præsanctificatorum : Τὴν ἁγίαν λαβίδα. Et alii. » Ducang.]

[Λαβόλος. V. Ληβόλος.]

[Λάβορα. V. Λάβωρα.]

[Λάβος, ὁ, Labus, mons Parthiam ab Hyrcania dividens. Polyb. 10, 29, 3; 31, 1.]

[Λαβότας, ὁ, Labotas, fl. Syriæ. Strabo 16, p. 751.]

[Λάβοτος, ὁ, Labotus (nisi tamen ibi est Λάφοτος), n. pr. scriptum in fictili. *Catal. di scelte ant. del*
C *princ. di Canino* p. 129, n. 1515. Hase.]

Λαβραγορέω, Procaciter loquor, Præceps s. Incontinens sum in loquendo, ut λαβροστομέω. [Hesych. Λαβραγορεῖν, σφοδρῶς δημηγορεῖν. « Forma Λαβρηγ. Schol. Hesiod. p. 114. » Schneid.]

Λαβραγόρης, ὁ, Procaciter loquax, Qui incontinentis oris est, ὁ λάβρος ἐν τῷ ἀγορεύειν, Eust. in Hom. Il. Ψ, [478] : Ἀλλ' αἰεὶ μύθοις λαβρεύεαι· οὐδέ τί σε χρὴ Λαβραγόρην ἔμεναι. Hesych. λαβραγόρης exp. etiam προπετὴς ἐν τοῖς λόγοις, et ἄκαιρος ἐν τῷ δημηγορεῖν. [Apollinar. Ps. 139, 25 : Ἀνέρα λαυραγόρην, ubi λαβρ. Wesseling. ad Diodor. vol. 2, p. 537, 75. Adamantius Physiogn. 2, p. 395 : Φλυάρου, λαβραγόρου.]

Λαβράζω, Procax et incontinens sum in loquendo, i. q. λαβρεύομαι. Nicand. Al. [159], de iis qui coriandrum potarunt : Οἱ μέν τ' ἀφροσύνῃ ἐμπληγέες, οἷά γε [τε] μάργοι Δήμια λαβράζουσι παραπλῆγές θ' ἅτε βάκχαι· sicut Paul. Ægin. quoque et Aetius scribunt coriandrum potum μανίαν ἐπιφέρειν ὁμοίαν τοῖς διὰ μέθην, eosque, qui id potarunt, λαλεῖν μετὰ αἰσχρολογίας. Schol.
D ibi exp. λάβρως φωνοῦσι : addens ex Hom. Il. Ψ, [474] : Τί πάρος λαβρεύεαι; et ex Æsch., Μὴ λαβροστόμει. [Λέγειν καὶ λαβράζειν, Tzetz. Hist. 1, 743; ἄπρακτα λαβράζειν καὶ κρώζειν ib. 10, 765. Jacobs. Idem in schol., Crameri Anecd. vol. 3, p. 373, 25 : Κάμινον λαβράζουσαν.] Item in VV. LL. [et ap. Zonar. p. 1290] ex Lycophr. [260] λαβράζων, [de aquila] Alis strepens, καὶ ἠχῶν τοῖς πτεροῖς. [Ita Tzetzes. Alia scholia μετὰ ὀργῆς καὶ λαβρότητος φερόμενος.] Hesychio λαβράζει est λάβρος γίνεται, ἀκολασταίνει, προπετεύεται.

Λαβράκιον, τὸ, Parvus labrax. Antiphan. ap. Athen. 14, [p. 662, B] : Τὸ δὲ λαβράκιον Ὀπτᾶν ὅλον. [Amphis 7, p. 295, F : Λαβρακίου τεμάχια. Scripturæ novitiæ λαυράκιον exx. annotavit Ducang. in Gloss. p. 793. Sic λαυράκων in Geopon. 20, 7, 1. αἱ L. Dind.]

[Λαβράκτης, ὁ, Loquax homo. Pratinas Athenæi 14, p. 624, F : Πρέπει τοι πᾶσιν ἀοιδὰ λαβράκταις Αἰολὶς ἁρμονία.]

[Λάβρανδα, τα, Labranda, κώμη Καρίας. Στράβων ιδ' (p. 659). Τὸ ἐθνικὸν Λαβρανδηνὸς καὶ Λαβράνδιος καὶ

Λαβρανδεὺς, Steph. Byz. Memorat locum etiam Herodot. 5, 119, ubi Λάβραυνδα cod. Med., ut Διὸς Λαβραύνδου est in inscrr. ap. Bœckh. vol. 2, p. 502, n. 2750; 570, n. 2896, Διὸς Λαμβραύνδου p. 469, n. 2691, e, 5. Λαβραδεὺς scriptum ap. Plut. l. in Λάβρυς citando, quod voc. v. Jovem Λαβρανδηνὸν memorat Strabo l. c., de quo cognomine v. ib. L. D. De bipenni, insigni proprio Jovis Λαβρανδέως, R.-Rochett. *Journ. des Sav.* 1838, p. 94, et C. O. Müller. *Handb. der Arch.* § 350, 7. Hase.]

[Λάβρανδος, ὁ, Labrandus, Cures. Etym. M. p. 389, 57.]

Λάβραξ, ᾱκος, ὁ, Labrax, piscis, qui ab Aristot. [H. A. 8, 2] numeratur inter eos qui præda laniatuque vivunt, lato oris rictu, unde escam totam una cum hamo faucibus corripit. A quo Λάβραξ Μιλήσιος proverbialiter [ex l. Aristoph. infra citando] in stolidum et avidum, ut pluribus tradit Erasm. in Chiliad., addens quosdam putare labracem esse, qui a Latinis Lupus. [Lupus marinus, Gl.] Alii autem id Lupi genus esse existimant, quod Varium Columella nominat. Dictum esse παρὰ τὸ λάβρως ἐσθίειν tradit Etym. ex Oppiano [Hal. 2, 130 : Λάβρακα σφετέρῃσιν ἐπικλέα λαβροσύνῃσιν] annotans esse ζῶον ἀδδηφάγον : sicut et Suid. [ex schol. Arist. Eq. infra cit.] παρὰ τὸ λάβρως καὶ ἀθρόως τὸ δέλεαρ καταπίνειν, διότι κέχηνεν αὐτοῦ τὸ στόμα. Sed et Athen. 7, [p. 310, E, seq. et Eust. Il. p. 1053, 17] eum παρὰ τὴν λαβρότητα dictum tradit, et Eust. [Il. p. 1033, 60] διὰ τὸ λίαν βορόν. Ap. eund. Athen. Archestratus dicit, θεόπαιδα λάβρακα, et Aristoph. [Eq. 361], Λάβρακας καταφαγὼν Μιλησίους [κλονήσεις, quo cum verbo, non cum λάβρακας, ut Athen. p. 311, D, facere videtur, accusativum Μιλησίους conjungit schol., apud quem λάβρακα codex Laurentianus unus. Suidas s. gramm. in Montef. Bibl. Coisl. p. 235, παροιμίαν esse dicit λάβρακας Μιλησίους, ὅταν ἐν ἀγορᾷ εἰς πλῆθος φανῶσιν· ἐν γὰρ τῇ Μιλήτῳ πλεῖστοί τε καὶ μέγιστοί εἰσιν. Ephippus ap. Athen. 7, p. 295, E : Λάβρακά θ' ἐφθόν. Ptolem. ib. 2, p. 71, B, citat Valcken.] Lucian. [D. mort. 8] : Ὥσπερ τις λάβραξ καὶ τὸ ἄγκιστρον τῷ δελέατι συγκατασπάσας. Plut. [Mor. p. 977, B] : Ὁ δὲ λάβραξ ὅταν περιπέσῃ τῷ ἀγκίστρῳ, βελουλκεῖ τῇ δεῦρο κἀκεῖ παραλλάξει τῆς κεφαλῆς, ἀνευρύνων τὸ τραῦμα· unde et Aristoph. ap. Athen. [p. 310, F] scribit omnium piscium esse σοφώτατον. Meminit et Plin. sub fin. l. 32 cujusdam placentis cauda Labri, inter ea quæ ex Ovidio piscium nomina affert, quæ ap. neminem alium reperiuntur; sed fortassis in Ponto illi nascuntur, ubi id volumen supremis suis temporibus inchoavit. Ap. Plautum autem [in Rudente] Labrax lenonis nomen est. [Inter pisces qui e mari capiuntur, enumeratur Fragm. med. ad Const. Pog. Ermerins p. 241, 9. Hase.]

Λαβρεία, ἡ, Præcipitantia s. Incontinentia et Procacitas in loquendo, ut λαβροστομία, στομαργία. [Hesychio ἡ τοῦ λόγου ἔκληψις, Zonaræ p. 1284, ἡ φλυαρία.]

Λαβρεύομαι, Incontinens vel Præceps sum in loquendo, λάβρως καὶ οὐ μετὰ σκέψεως λαλῶ, Eust. in l. illo, quem in Λαβραγόρης ex Hom. protuli. [Il. Ψ, 474 : Τί πάρος λαβρεύεαι; 478 : Αἰεὶ μύθοις λαβρεύεαι. Hesych. : Λαβρεύονται, ῥέουσι, μεγάλα βουλεύονται, θορυβοῦσι σφόδρα.] Veterum autem grammaticorum quidam λαβρεύειν exp. προγλωσσεύειν, Eust. [Il. p. 1312, 3. Λάβρως καὶ ἀθρόως λαλεῖν Hesych. Idem : Λαβρύσσει, λαβρεύει.]

[Λαβρηγορέω. V. Λαβραγορέω.]

[Λαβρηδὸν inter advv. in ηδον cum λαθρηδὸν ponit gramm. in Boisson. Anecd. vol. 1, p. 406. Nec videtur alterius esse dittographia. L. Dind.]

Λαβρόνιον, Hesychio Species poculi ampli : quale ἡ λαβρωνία.

[Λαβροπόδης, ὁ, Qui cum impetu fertur. Antiphilus Anth. Pal. 9, 277, 1 : Λαβροπόδη χείμαρρε.]

[Λαβροποσία, ἡ, Potus liberalior. Hippiatr. p. 54, 31. Hase.]

Λαβροποτέω, Avido et hiante ore bibo, Epigr. [Argentarii Anth. Pal. 10, 18, 4 : Τοῦ δὲ φίλας λαβροπότει κύλικας.]

Λάβρος, ὁ, ἡ [et α, ον, ap. Damocratem Galeni vol. 13, p. 811 : Ἔψε τ' ἐπὶ λάβρας καὶ διηνεκοῦς φλο-

A γός], Nimium vorax, λίαν βορὸς, λίαν βαρύς : nam utroque modo exp. Eustath. [Il. p. 1033, 57; 1066, 1, Od. p. 1781, 50, ubi non omnino improbat scripturam per υ pro β, sed hanc τοῖς ἀκριβεστέροις placere dicit. Sed nihili est λαῦρος pro λάβρος. Alia de etymologia v. in Etym. M.] Plerumque accipitur pro Avidus et qui hianti ore ingerere in ventrem omnia cupit. [Aristot. De generat. anim. 1, 4 : Τὰ εὐθυέντερα λαβρότερα πρὸς τὴν ἐπιθυμίαν τὴν τῆς τροφῆς· et ibid. : Πρὸς τὸ μὴ λάβρον ... εἶναι τὴν ἐπιθυμίαν.] Epigr. [Apollonidæ Anth. Pal. 11, 25, 3] : Μὴ φείσῃ, Διόδωρε, λάβρος δ' εἰς βάκχον ὀλισθὼν Ἄχρις ἐπὶ σφαλεροῦ ζωροπότει γόνατος. [Conf. Pind. Pyth. 4, 244 : Λαβροτατᾶν γενύων. Eur. Herc. F. 253 : Λάβρον δράκοντος γένυν. Nonnus Dion. 15, 200 : Ὠμοτόκου στόμα λάβρον λεαίνης. Tim. Locr. p. 103, A : Λαγνείας λαβροτάτας. Diod. 5, 26 : Διὰ τὴν ἐπιθυμίαν λάβρῳ χρώμενοι τῷ ποτῷ.] Et τὸ λάβρον, ejusmodi Aviditas hianti ore omnia devorandi. Plut. [p. 512, F] : Τὸ λάβρον τοῦτο, καὶ πρὸς τοὺς λόγους ὀξύπεινον ἀνακρουστέον. [Pind. Pyth. 2, 87 : Ὁ λάβρος
B στρατός· Ol. 2, 85 : Λάβροι παγγλωσσίᾳ γαρύετον. Pollux 6, 147, inter epitheta oratoris.] Λάβρος tribuitur etiam rebus inanimatis [Pind. Ol. 8, 36 : Ἐν μάχαις λάβρον ἀμπνεῦσαι καπνόν· Nem. 8, 46 : Λάβρον λίθον Μουσαῖον· Pyth. 3, 40 : Σέλας λάβρου Ἁφαίστου. Eur. Or. 697 : Πῦρ κατασβέσαι λάβρον] : ab Oppiano Cyn. 3, [104] : Οἷά τε πάτρης Περθομένης ὑπὸ δουρὶ, καὶ αἰθομένης πυρὶ λάβρῳ, Igni voraci s. rapido (nam et hæc a Lat. poetis tribuuntur); ab Hom. aquis et ventis, Il. Φ, [270] : Ποταμὸς δ' ὑπὸ γούνατ' ὀρώρει Λάβρος, ὕπαιθα ῥέων. [Dionys. Perieg. 1146 : Λαβρότατος ποταμῶν.] Item λάβρος ὄμβρος, Impetuosus et vehemens. [Herodot. 8, 12; Polyb. 11, 24, 9. Et similiter apud alios cum ὑετὸς etc. Eur. Iph. T. 1393 : Λάβρῳ κλύδωνι· Or. 344 : Λάβροις ἐν κύμασι· Herc. F. 863 : Οὔτε πόντος οὕτω κύμασι στένων λάβρος οὔτε γῆς σεισμός.] Apoll. Arg. 1, [540] : Πέπληγον ἐρετμοῖς Πόντου λάβρον ὕδωρ. [Hom. Il. O, 625 : Ὡς ὅτε κῦμα θοῇ ἐν νηὶ πέσῃσι λάβρον· Π, 385 : Ἦματ' ὀπωρινῷ, ὅτε λαβρότατον χέει ὕδωρ Ζεύς.] Item λαβρότερα ὕδατα, Vehementiora, Bud. ex Aristot.
C Meteor. [1, 12. Ποταμὸς Polyb. 4, 41, 6; 70, 8; χειμάρρους 40, 3, 2.] Hom. Il. B, [147] de Zephyro : Ὡς δ' ὅτε κινήσῃ ζέφυρος βαθὺ λήϊον ἐλθὼν Λάβρος, ἐπαιγίζων. Od. O, [292] : Τοῖσι δὲ [Τοῖσιν δ'] ἴκμενον οὖρον ἵει γλαυκῶπις Ἀθήνη Λάβρον, ἐπαιγίζοντα δι' αἰθέρος. Plut. Symp. 4, [p. 663, D] : Λάβρον πνεῦμα κυβερνῆται πολλαῖς μηχαναῖς ὑποφεύγουσι, Ventum rapidum, impetuosum; nam exp. σφοδρὸς, ῥαγδαῖος. [Æsch. Pers. 110 : Πνεύματι λάβρῳ. V. Nicol. ad Geopon. 9, 3, 5. Diodor. Exc. Photii vol. 2, p. 537, 75 : Λάβρῳ πυρετῷ συνεσχέθη.] Item ex Soph. [Aj. 1147], λάβρον στόμα, pro θρασὺ, Procax. [Theognis 634 : Βουλεύου δὶς καὶ τρὶς ὅ τοί κ' ἐπὶ τὸν νόον ἔλθῃ· ἀτηρὸς γὰρ ἀεὶ λάβρος ἀνὴρ τελέθει.] Aliter autem accipitur ap. [Simonidem] Plut. [Mor. p. 456, C] : Χρυσῷ δ' αἰγλήεντι συνήρμοσεν ἀμφιδασείας Κόρσας, καὶ στόμα λάβρον ὀπισθοδέτοισιν ἱμᾶσι, quasi φορβειᾷ τινι καὶ περιστομίοις τὸ ῥαγδαῖον ἐγκαθειργνύων, ut ipse Plut. addit. [Eur. Hel. 379 : Ὄμματι λάβρῳ· Cycl. 402 : Καθαρπάσας λάβρῳ μαχαίρᾳ σάρκας ἐξώπτα πυρί. Strato Anth. Pal. 12, 183, 1 : Τίς χάρις,
D Ἡλιόδωρε, φιλήμασιν, εἴ με λάβροισι χείλεσι μὴ φιλέεις ἀντιβιαζόμενος; || Neutro adverbialiter posito Paul. Sil. Anth. Pal. 5, 286, 2 : Ὁππότε δοιοὺς λάβρον ἐπαιγίζων ἶσος ἔρως κλονέει. Quod λάβρος dicit Hom. supra citatus, λάβρως Alciphron.]

|| Λάβρως, Voraciter, Incontinenter, Confertim, Impetuose, Rapide, ex Polyb. [4, 70, 7, ubi alii λάβρος], de torrente. [Æsch. Prom. 1021 : Αἰετὸς λάβρως διαρταμήσει σώματος μέγα ῥάκος. Aristot. H. A. 8, 5 : Τῇ βρώσει χρῆται λάβρως. Athen. 3, p. 113, F : Πλακοῦντα ἐσθίων λάβρως. Archestratus ib. 9, p. 399, E : Ἔσθιε λάβρως. Schol. Aristoph. Eq. 361 : Λάβρως τὸ δέλεαρ καταπίνει. Antyllus in Matthæi Med. p. 73 : Λ. τε καὶ πλέον πινέτω. Theognis 987 : Ἵππων, αἵτε ἄνακτα φέρουσι ... λάβρως. Theophr. H. Pl. 4, 7, 1 : Οὐχ ὕει ἀλλ' ἢ δι' ἐτῶν τεττάρων, καὶ τότε λάβρως. Aret. Acut. 1, 10 : Αἱμορραγίη διὰ ῥινῶν λάβρως. Diodor. 5, 26 : Ἄνεμοι καταιγίζοντες λάβρως. Alciphr. Ep. 3, 42 : Χαλεπῶς καὶ λ. ἐπαιγίζων ὁ βορρᾶς. Appian. Hisp. 18 : Ἄλλα πολλὰ ἀθρόως καὶ λ. ὥσπερ ἔνθους ἀπαγγειλάμενος· Annib. 48 :

Ἔπιπτον λ. καὶ ἀθρόως. L. D. Galen. vol. 18, part. 1, p. 729, 16 : Ἡ ... δυσεντερία λ. ὁρμᾶται καὶ ταχέως παύεται. Long. Past. 1, 5, de infante : Λ. εἰς ἀμφοτέρας τὰς θηλὰς μεταφέρον τὸ στόμα. Hippiatr. p. 34, 19 : Λ. ἐφελκύσασθαι τοῦ πόματος. Hase. Comparativo Cornutus De nat. d. p. 217 : Τῶν νέων λαβρότερον αὐτῷ (vino) χρωμένων. Orthographiam vitiosam per υ vocabulorum hujus stirpis infra memorat HSt.]

[Λαβροσία, ἡ.] Λαβροσιάων, Hesych. χορτασμῶν ἀκόσμων [χορτασμὸν ἀκόσμου codex], quales et λαβροσύναι, Avidæ vorationes quæ fiunt patulo s. hiante ore. [Legendum λαβροσυνάων. L. Dind.]

Λαβρόσσυτος, ὁ, ἡ, Impetuose ruens, Impetuoso cursu concitus. [Iterum HSt. :] Impetu ruens, Cursu concitus, VV. LL. [Æsch. Pr. 602 : Λαβρόσυτος ἦλθον. Sic enim librorum scripturam λαβρόσσυτος metro adversam correxit Elmslejus.]

Λαβροστομέω, Procax os habeo, Procaci ore sum, Procax sum in loquendo, Procaciter loquax sum. Æsch. [Pr. 327] : Μηδ' ἄγαν λαβροστόμει. Idem dicit, ἄγαν ἐλευθεροστομεῖς. Idem et λαβράζειν.

Λαβροστομία, ἡ, Procax os, Procax loquacitas, Procacitas oris, Incontinentia oris, τὸ τοῦ στόματος ἀχάλινον καὶ ἀκρατὲς καὶ ἀπύλωτον, ap. Aristoph. Ran. [838.] Hesych. exp. ἡ διάχρηστος [ἄχρηστος vel ἀδιάκριτος conjiciunt interpretes] λαλιά.

Λαβρόστομος, ὁ, ἡ, Qui habet στόμα λάβρον, i. e. est ore procaci s. garrulo, Procax, Loquax.

Λαβροσύνη, ἡ, Voracitas, Incontinentia, Procacitas. [Oppian. Hal. 5, 366 : Ἔξοχα δ' ἐχθοδοποῖς ἐνὶ κήτεσι μαργαίνουσι λαιμῷ λαβροσύνῃ τε κυνῶν ὑπέροπλα γένεθλα. Leonidas Anth. Pal. 6, 305, 1 : Λαβροσύνᾳ τάδε δῶρα... θήκατο· et ib. 7. Tryphiod. 423 : Οὐδὲ παλιμφήμων ἐκορέσσατο λαβροσυνάων. ὑ]

[Λαβρόσυτος. V. Λαβρόσσυτος.]

Λαβρότης, ητος, ἡ, idem. V. Λάβραξ. [Vehementia. Etym. M. p. 558, 55 : Δηλοῖ δὲ (λαῖλαψ) τὴν σφοδρὰν καὶ ἐπιτεταμένην λαβρότητα τοῦ πνεύματος. || Voracitas. Muson. ap. Stob. Fl. vol. 1, p. 368 : Ἡ ἀμετρία παρεχομένη τοὺς ὀψοφάγους ἀντὶ ἀνθρώπων ὑσὶν ἢ κυσὶν ὁμοιουμένους τὴν λαβρότητα. L. D. Et iisdem verbis Clem. Al. Pædag. 2, 1, 11 : Ὑσὶν ἢ κυσὶ διὰ τὴν λαβρότητα μᾶλλον ἢ ἀνθρώποις ὡμοιωμένους. Hase.]

Λαβροφαγέω, Avido et hianti ore voro. [Diog. L. 6, 28 : Λαβροφαγοῦντας ὁρῶντες τοὺς δεσπότας. Hemst.]

[Λαβρόω, ap. Lycophr. 705 : Χεῦμα Κωκυτοῖο λαβρωθὲν σκότῳ, Στυγὸς κελαινῆς νασμὸν, scholl. interpr. partim τὸ λάβρως φερόμενον, μετ' ἤχου, partim ὑψωθέν.]

[Λάβρυς, a Lydis appellabatur Securis. Testis est Plutarch. Quæst. Gr. p. 302, A : Λυδοὶ γὰρ Λάβρυν τὸν πέλεκυν ὀνομάζουσι. Xylander : « Labram enim Lydi vocant, quod Latini Securim. » Is cur verterit Labram, non Labryn, ut in Græco est, in promtu causa est. Ipse quippe Plut. hinc nomen derivat Jovis Labradensis, sive Labrandensis, qui cum ejusmodi securi apud Cares fingebatur. Hunc Jovem cum securi in nummo quodam exhiberi Begerus autumat in Thes. Brandenb. (vol. 1, p. 226.) Ælianus vero huic Jovi Labradensi non, uti Plut., πέλεκυν, Securim, sed ξίφος tribuit, N. A. 12, 30, ubi de hoc Jove quædam commemoraverat, addens, Εἰς τόδε ἄγαλμα ξίφος παρήρτηται καὶ τιμᾶται, καλούμενος Κάριός τε καὶ Στράτιος· et brevi post dicitur Jupiter appellatus Λαβρανδεὺς propter imbrem λάβρον, i. e. impetuosum. Jablonsk. V. de hoc cognomine Hemst. ad schol. Aristoph. Plut. 1003.]

[Λαβρύσσω.] Ap. Hesych. extat Λαβρύσσω in ead. signif., qua λαβρεύομαι et λαβράζομαι : unde λαβρύσσει, λαβρεύει, item δειλαίνει.

Λαβρωνία, ἡ, poculum quoddam Persicum, ἐκπώματος Περσικοῦ εἶδος, ἀπὸ τῆς ἐν τῷ πίνειν λαβρότητος, Athen. 11, [p. 484, C] idque πλατὺ τῇ κατασκευῇ καὶ μέγα καὶ ἔχον ὦτα μεγάλα. Idem ibid. masc. gen. dicitur Λαβρώνιος, substantive, et Λαβρώνιος ὄρνις. Profert autem ibi exempla ex Menandro, Hipparcho, Diphilo. [Λαβρωνία, quod est in libris Athenæi et ap. Eust. Il. p. 1066, 3, in λαβρώνια neutrum plur. mutavit Casaubonus quum in verbis Athenæi tum his Menandri : Κακτυπωμάτων πρόσωπα, τραγέλαφοι, λαβρώνια, pro quo λαβρώνιοι scriptum, ubi extrema versus pars repetitur, 11, p. 500, E. Quod genus est in

A ceteris ll. omnibus tum aliorum tum ipsius Menandri, et ap. Athen. p. 784, A, ubi λαβρώνιος, et Clem. Al. Pædag. 2, 3 initio, ubi λαβρώνιοι, pon20iturque ab Theognosto in Crameri Anecd. vol. 2, p. 55, 6 : Λαβρώνιος, εἶδος ἐκπώματος. Alterum vero ap. Hesych. : Λαβρόνιον, εἶδος ποτηρίου πλατέος· Λαβροῖον, εἶδος ποτηρίου· Etym. Gud. p. 359, 55 : Λαβώριον (sic), εἶδος ἐκπώματος, quos nominativos esse credibile est, Suidam : Λαβρώνιον, εἶδος ἐκπώματος, καὶ λαβρώνιος, et qui Athenæum ante oculos habuisse videtur, Photium : Λαβρωνεῖον, εἶδος ποτηρίου πλατὺ τῇ κατασκευῇ καὶ μεγάλα ὦτα ἔχον· οὕτως Μένανδρος. Nam quod ap. Athen. ipsum est p. 484, F : Δίδυμος δὲ ὅμοιον εἶναί φησιν αὐτὸ (αὐτῷ cod. Pal.) βομβυλιῷ ἢ βατιακίῳ, etiamsi non sit scribendum, ut Schweigh. scripsit, αὐτὸν, ad ἔκπωμα, quod fuerat ib. C, referre licet. Sed illa lexicographorum testimonia obstare videntur ne λαβρώνια bis in λαβρώνιοι mutandum putetur apud Athenæum.]

[Λάβρως. V. Λάβρος.]

B Λάβυζος, ἡ, Labyzus : aromatis s. thymiamatis genus myrrha suavius et pretiosius, ex quo, juncta myrrha, Persarum reges cidarin ferebant, ut testatur Hesych. v. Κίδαρις, et [Dino ap.] Athen. 12, [p. 514, A] in Sermone de luxu regum Persiæ. [Ἡ λάβυζος est non solum ap. Hesychium, sed etiam ap. Athen., quanquam ap. eundem paullo ante fuerat ἐκ σμύρνης καὶ τοῦ καλουμένου λαβύζου, in quibus illa τοῦ καλουμένου omittit epitome.]

[Λαβύνητος, ὁ, Labynetus, duo Babylonis s. Assyriæ reges cognomines, pater et filius, ap. Herodot. 1, 74, 77, 188, ubi libri plures paucioresve per ι in penultima.]

[Λάβυνος, ὁ, Labynus, fluvius. Etym. ap. Bast. ad Gregor. p. 388. Quod nomen restituendum Draconi p. 28, 24; 64, 14 : Τὰ διὰ τοῦ υνος ἐπ' εὐθείας μὴ ἔχοντα τὸ σ πρὸ τοῦ υ, ὑπὲρ δύο συλλαβὰς ὄντα, ἐκτείνειν θέλει τὴν πρὸ τέλους, κίνδυνος, εὔθυνος, Πάχυνος, λάμυος. Nam etiam Etym. testatur mediam produci. L. Dind.]

C Λαβυρίνθειος et Λαβυρινθώδης, ὁ, ἡ, Labyrintheus, Labyrintho similis. Catullus [Argon. 69, 114; add. Sedul. in pr. Op.] dicit Labyrinthei flexus; et Lucianus λαβυρινθώδης ἐρώτησις, Interrogatio intricata labyrinthi modo [Fugitiv. c. 10 : Δυσέξοδοι καὶ λαβυρινθώδεις ἐρωτήσεις, Inextricabiles et labyrintheæ interrogationes. Koenig. Aristot. H. A. 2, 1 : Τῶν δὲ διχαλῶν πολλὰ ἔχει ἀστράγαλον· πολυσχιδὲς δὲ οὐθὲν ὦπται τοιοῦτον ἔχον ἀστράγαλον, ὥσπερ οὐδ' ἄνθρωπος· ἀλλ' ἡ μὲν λὺγξ ὅμοιον ἡμιαστραγαλίῳ, ὁ δὲ λέων, οἷονπερ πλάττουσι, λαβυρινθώδη. Schneid. Synes. p. 246, D. Jacobs. Pollux 9, 118 : Ἱμᾶντος λαβυρινθώδης περιστροφή. Præfatio Opusculorum Michaelis Nicetæ apud Tafel. De Thessalonica p. 378 : Σφόδρα περιηγκωνισμένον καὶ λαβυρινθῶδες. Tzetz. ad Hesiodi Op. p. 10 ed. Gaisf. : Μὴ λαβυρινθώδει καὶ ἀσαφεῖ (τρόπῳ)· Hist. 9, 14 : Πλοκῇ λαβυρινθώδει. L. D. Philo vol. 1, p. 192, 36 : Λαβυρινθώδους καὶ δυσεκλύτου δόξης ἐστὶν εἰσηγητής. Hase.]

Λαβύρινθος, ὁ, [ἡ, Callim. Del. 311 : Σκολιοῦ λαβυρίνθου. Cod. Voss. σκολιῆς (sic). Etym. M. p. 554, 30 : Τὰς λαβυρίνθους. Nicephorus Greg. Hist. Byz. 3, 1, p.

D 31, F : Τὸν τρόπον ἁπλοῦς καὶ μὴ πολλὰς ἐξελίττειν εἰδὼς τὰς λαβυρίνθους περὶ τὸν λογισμόν. L. D.], Labyrinthus, Suidæ et Hesych. χοχλιοειδὴς τόπος. Plin. 36, 13, quatuor memorat labyrinthos, Ægyptium, Creticum, Lemnium, Italicum : inter alia dicens, ab Ægyptio sumpsisse Dædalum exemplar ejus labyrinthi quem fecit in Creta, sed centesimam tantum portionem ejus imitatum, quæ itinerum ambages occursusque ac recursus inexplicabiles continet, non brevi lacinia millia pass. plura ambulationis continentem, sed crebris foribus inditis ad fallendos occursus, redeundumque in errores eosdem. De Cretico, hæc Maro, Æn. 5, [588] : Ut quondam Creta fertur labyrinthus in alta Parietibus textum cæcis iter, ancipitemque Mille viis habuisse dolum : qua signa sequendi Falleret indeprensus et irremeabilis error. [Conf. Valckenar. ad Theocr. p. 234, A.] Et Ovid. Met. 8, [158] : Ponit opus turbatque notas (sub. Dædalus), et limina flexu Ducit in errorem variarum ambage viarum : Non secus ac liquidis Phrygius Mæander in undis

Ludit, et ambiguo lapsu refluitque, fluitque, Occurrensque sibi venturas aspicit undas, Et nunc ad fontes, nunc ad mare versus apertum, Incertas exercet aquas : ita Dædalus implet Innumeras errore vias, vixque ipse reverti Ad limen potuit : tanta est fallacia tecti. [Memorat etiam Apollodor. 3, 1 extr., ubi v. Heyn., Diodor. 1, 61, 97; 4, 61, 77, Strabo 10, p. 477, Plutarch. Thes. c. 15, Pausan. 1, 27, 10, Tzetz. Hist. 11, hist. 379; Etym. M. in v., Eust. ad Od. A, 320. V. Hœck. *Kreta* vol. 1, p. 56-68; 447-454. De aliis Eust. Il. B, 559 : Ἥτινι Ναυπλίᾳ ἐφεξῆς σπήλαια καὶ οἰκοδομητοὶ λαβύρινθοι· καλεῖται δὲ Κυκλώπεια, ex Strab. 8, p. 369.] Dicitur etiam ἐπὶ φλυάρων, quod ii soleant πολλοῖς λόγων κύκλοις χρῆσθαι, teste Hesych. et Suida [sive Photio].

[Λαβύρινθος. Hoc nomine in Ægypto scimus vocatum fuisse ædificium structuræ amplissimæ, valde sumtuosæ, et vere mirandæ, cui simile vix in toto orbe ostendi queat. Sed et nom. hoc nemini paulo humaniori ignotum esse potest. Fuit enim et in Creta Labyrinthus oppido celebratus, cujus memoriam in nummis conservarunt Gnossii, quales recenset Harduin. in Num. antiq. illustr. p. 254, et in imagine exhibet L. Begerus in Thes. Brandenb. Fuerunt et alii Labyrinthi; sed reliquos omnes vicit Labyrinthus Ægypti et ex hoc reliqui videntur esse derivati, quemadmodum illis etiam nomen Ægyptiaci Labyrinthi adhæsit. Marshamus tamen Labyrinthum Creticum Ægyptiaco antiquiorem censet, in Can. Chron. p. 291. Quæ veteres de stupenda Labyrinthii Æg. magnitudine, de incredibili ejus sumtuositate et magnificentia prædicant, fidem omnem superare videntur. V. Herodot. 2, 148, Diod. 1, 66, Strab. 17, p. 557, (Alciphr. Ep. 2, 4,) Melam 1, 9, Plin. 36, 13. Quibus ex recentioribus, qui rudera magnifici hujus operis viderunt, addi poterunt Vanslebi Relatio Itineris Æg. Gall. scripta, p. 268, 269, P. Lucæ Historia peregrinationis suæ tertiæ, an. 1714, vol. 2, p. 18, *Les Nouveaux Mém. des Missions*, vol. 5 et 7, Itinerarium Grangerii p. 150, 151, inprimis vero accuratissima R. Pocockii Descriptio Orientis, ac sigillatim Ægypti. De loco, in quo mirabile hoc ædificium erectum fuit, videtur aliquis esse inter veteres dissensus. Herodot., Diodor., Strabo, et tota fere veterum turba Labyrinthum locat prope lacum Mœridis, meridiem versus. Secundum Plin. vero 5, 4 in fine, Labyrinthus, in Mœridis lacu, nullo addito ligno exædificatus fuerat. Sed scriptores hi conciliari haud difficulter possunt. Erat enim in medio lacu Mœridis insula, cujus meminerunt, præter Plin., Herod. 2, 101, 149, et luculentius Diodor. 1, 52. In illa insula, quod scriptores iidem docent, conspiciebantur Pyramides, et alia quædam industriæ Ægyptiacæ monumenta eximia. Quumque omnes testentur, Labyrinthum inserviisse sepulcris regum et crocodilorum sacrorum, Diodorus insuper memoriæ prodidit, regem Mœridem, qui lacum effodisse creditur, sibi et uxori in illa insula sepulchra condidisse. Regis vero, qui Labyrinthum condidit, sepulcrum in ipso Labyrintho locant alii. Et satis apparet, insulam, et Labyrinthum in continenti, ad opus idem a conditore Labyrinthi fuisse destinatum. Minus certo constat, quis fuerit verus operis tam sumtuosi auctor. Plinius testatur, tradi Labyrinthum factum esse ante annos IIIMDC, Petesucco rege, sive Tithoe. Herodot. et ex eo Diodor. affirmant, Labyrinthum opus esse XII regum, cui coronidem imposuerit Psammetichus. Hinc Mela vocat Psammetichi opus Labyrinthum. Strabo opus ait fuisse Imandæ regis, quo nomine quemnam scriptor eximius designare voluerit, dicere difficile fuerit. Diodor. appellat Mendem. Satis perspicitur ex his, veras origines Labyrinthi Ægyptiis recte et certo cognitas haud fuisse, aut sacerdotes saltem eas, multarum fabularum cortice tectas, vulgum celare voluisse. In Dynastiis Manethonis, uti ab Africano et Euseb. reperiuntur dispositæ ap. Syncell., videtur dynastia XII ad nostrum negotium spectare. Nam in Africani Excerptis chronol. ex illa dynastia, rex IV nominatur Λαχάρης, et de illo additur, ὃς τὸν ἐν Ἀρσενοΐτῃ λαβύρινθον ἑαυτῷ τάφον κατεσκεύασεν. V. Syncell. p. 59. Idem vero p. 60, Eusebii Digesta affert,

A quæ de eodem rege hæc habent : Λάβαρις, ὃς τὸν ἐν Ἀρσενοΐτῃ λαβύρινθον ἑαυτῷ τάφον κατεσκεύασεν. Quæ si esset vera lectio, facile jam foret nom. Labyrinthi explicare et interpretari. Si enim Labaris, vel Labyris, verus auctor est illius Labyrinthi, tum vox hæc Labyrinthus commode exponi posset. Domicilium Labaris, vel Labyris. Certe Ægyptium *Tho*, Apoc. 3, 10, redditur οἰκουμένη. Sed dubitari potest, designaveritne vox illa totum semper orbem terrarum, quod vox Græca vulgo significat, an vero nonnunquam locum quemvis bene cultum et habitatum. Quod si posterius locum habet, Æg. *Labyrintho* recte et analogice significabit Ornatum et bene cultum Labyris habitaculum. *Toi* porro significat partem, portionem, sortem : esset proinde *Labyri ntoi* pars, possessio Labyris, Verum etiam atque etiam metuendum est, ne nomen hoc Eusebius ad sonum Labyrinthi contorserit, ut sic vocis hujus postremæ originationem facilem et commodam lectoribus præberet. Labaris hujus ceteroquin nulla uspiam mentio occurrit, ne apud illos quidem,
B qui in conditores Labyrinthi sollicita industria inquirunt. Mihi certum est, Israelitas, dum tota eorum gens servitute Ægyptiaca premeretur, ad construendum Labyrinthum, tum eum, qui in insula conspiciebatur, tum qui in continenti extabat, fuisse adhibitos (etc., quæ omittimus pariter atque etymologiam confirmandæ huic sententiæ adhibitam). Jablonsk. Plat. Euthyd. p. 291, B : Ἐνταῦθα, ὥσπερ εἰς λαβύρινθον ἐμπεσόντες οἰόμενοι ἤδη ἐπὶ τέλει εἶναι, περικάμψαντες πάλιν ὥσπερ ἐν ἀρχῇ τῆς ζητήσεως ἀνεφάνημεν ὄντες. Dionys. H. De Thuc. jud. § 40 : Πρὸς ταῦτα περὶ τὸν Ἀθηναῖον ἀποκρινόμενον λαβυρίνθων σκολιώτερα. Manetho 4, 334 : Μαρμαρυγὴν δ' ἀκτῖνος ὅταν σεληφόρος Ἑρμῆς ἀμφὶ Σεληναίης σκολιὸν λαβύρινθον ὀρίνῃ. L. D. Eust. Od. p. 1634, 20 : Ἐμφανῶς . δὲ λόγος ἐπὶ λόγῳ καὶ λαβύρινθος ἐμφαίνεται κτλ. Valck. Lucian. Lexiph. c. 16 : Ἠλέουν σε τῆς κακοδαιμονίας, ὁρῶν εἰς λαβύρινθον ἄφυκτον ἐμπεπτωκότα, καὶ νοσοῦντα νόσον τὴν μεγίστην, μᾶλλον δὲ μελαγχολῶντα· Bis Accus. c. 21 : Τοὺς μὲν ἀγκύλους ἐκείνους λόγους καὶ λαβυρίνθοις ὁμοίους ἀπέφυγε· Icaromen.
C c. 29 : Διαφόρους λόγων λαβυρίνθους ἐπινοήσαντες, οἱ μὲν (ἑαυτοὺς) Στωϊκοὺς ὠνομάκασιν, οἱ δὲ Ἀκαδημαϊκούς, ... Hermotim. c. 47 : Ἐγώ σοι φράσω, τὸ τοῦ Θησέως ἐκεῖνο μιμησόμεθα· καί τι λίνον παρὰ τῆς τραγικῆς Ἀριάδνης λαβόντες εἰσίμεν ἐς τὸν λαβύρινθον ἕκαστον, ὡς ἔχειν ἀπραγμόνως μηρυόμενοι αὐτὸ ἐξιέναι. (Etym. M. in v. : Ἐπεὶ δυσχερὲς τὸ ἐκβῆναι τὰς λαβυρίνθους, λαμβάνεται ἐπὶ τῶν ἀφύκτων λόγων, οὓς οὐδεὶς δύναται ἐκφυγεῖν. Aristid. vol. 1, p. 60 : Ὥσπερ ἐν λαβυρίνθῳ πολλαῖς καὶ χαλεπαῖς ἀπορίαις ἐντυχόντες· vol. 2, p. 79 : Ποίους λαβυρίνθους σοφίας ἀνελίττων;) Theocr. 21, 10 : Τοὶ κάλαμοι, τἄγκιστρα, τὰ φυκιόεντά τε λῆδα, ὁρμειαί, κύρτοι, καὶ ἐκ σχοίνων λαβύρινθοι, i. e. nassæ. Epigr. Anth. Pal. 9, 191, 1 : Πολυγνάμπτοις λαβυρίνθοις (de obscuro carmine Lycophronis). De cochlea marina Theodoridas ibid. 6, 224, 1 : Εἰνάλιε λαβύρινθε, τύ μοι λέγε, τίς σ' ἀνέθηκεν, ἀγρέμιον πολιᾶς ἐξ ἁλὸς εὑράμενος. Angl. || Lucian. Conviv. c. 6 : Δίφιλος ὁ λαβύρινθος ἐπίκλην. Tzetz. Exeg. p. 12, 15. V. Hesych. supra ap. HSt. Caji cujusdam liber Λαβύρινθος memoratur Photio Bibl. cod. 48, p.
D 11 et 12. ἄῢ]

[Λαβυρινθώδης. V. Λαβυρίνθειος.]

[Λάβυξος, ὁ, Labyxus, Eunuchus Persicus, ap. Ctesiam Photii Bibl. p. 37, 32 seq.]

[Λάβωρα, εἶδος ὀπώρας, Zonar. p. 1284. Libri duo ο super ω.]

[Λαβώτας, ὁ, Labotas, Echestrati f., rex Spartæ. Plut. Mor. p. 224, C, Pausan. 3, 2, 3, qui Λεωβώτην forma Ionica dici addit ab Herodoto 1, 65; 7, 204. Alius, harmosta Spartanus, ap. Xen. H. Gr. 1, 2, 18, ubi forma Att. Λαβώτη. V. etiam Ληβώτης.]

[Λαγαγεῖ, ἀφρίζει, Hesych. De qua gl. v. conjecturas interpretum. Sequitur Λαγάσσαι, ἀφεῖναι. Quod ab interpretibus ad χαλάσαι refertur, ut ejusd. gl. Λελασμένα, ἀφειμένα ad κεχαλασμένα.]

[Λαγανίζω, ap. Hippocratem p. 308, 14 : Καθότι καὶ οὐκ εὐθὺς πνέει μέγας, ἀλλὰ λαγανίζει πρῶτον, exponunt interpretes Lentum esse ac leniter flare. Verum etsi λαγανίζειν metaph. sumi potest pro Leviter spirare aut levi quodam et tectorio opere incrustare ac veluti colorare, quod a placentis leviter incrustatis translatum videri possit, existimo tamen aut λαγγαρίζει aut λαγγάζει legi posse. (Quæ v.) In quibusdam Mss. adscribitur λαγανίζει, χρωματίζει· λάγανον γὰρ εἶδος πλακοῦντος. Ex Foesii OEcon. Hipp.]

Λαγάνιον, τὸ, dimin. [a λάγανον], ap. Athen. 14, [p. 648, F].

Λάγανον, τὸ, Laganum : placentæ genus ex simila et oleo recente, teste Hesych. [qui interpretatur ut Suidas, et cetera quæ hic ponuntur addit, in quibus tamen pro ἀρτιβραχὴν ἐλαίῳ, unde ἀρτιβραχεῖ Musurus, Albertus conjiciebat ἄρτος βραχεὶς ἐλαίῳ.] Meminit et Athen. 3, [p. 110, A] hoc ex Aristoph. [Eccl. 843, ubi πόπανα libri omnes] exemplum afferens, Λάγανα πέττεται. Suidas quoque [sive Photius] esse dicit πλακουντάρια ὡς καπυρώδη, παρὰ τὸ λαγαρόν : afferens hunc l. ex 2 Reg. 6, [19] de Davide qui arca fœderis recepta sacrificabat : Γυναιξὶ καὶ ἀνδράσι καὶ νηπίοις διέδωκε κολλυρίδα ἄρτου καὶ ἐσχαρίτην, καὶ λαγανιστόν, καὶ μερίδα θύματος. Sed ibi scriptum καὶ λάγανον ἀπὸ τηγάνου, pro illis postremis ap. Suid. verbis. [Λάγανον τηγανιστὸν scrib. ex Josepho A. J. 7, 4, 2.] V. Ἴτρια. Λάγανος autem in Λάγηνος. [Athen. in Matthæi Med. p. 6, de panibus : Τὸ τῶν ἰτρίων καὶ τὸ τῶν λαγάνων γένος ἐστὶν ἀχυλότερον. Quas species conjungit etiam Galen. vol. 6, p. 312. Mœris p. 203 : Ἴτρια, πλάσματα λεπτὰ σησαμῇ πεπλασμένα (πεπασμένα Pierson.), λάγγανα κοινόν. Recte emendatum λάγανα. Idem vitium in cod. Photii. Gl. : Λάγανα, Tracta. Athen. 14, p. 647, E : Κάτιλλος δὲ ὀρνᾶτος ὁ λεγόμενος παρὰ Ῥωμαίοις οὕτω γίγνεται· θρίδακας πλύνας ξέσον, καὶ ἐμβαλὼν οἶνον εἰς θυείαν τρῖβε τὰς θρίδακας, εἶτα τὸν χυλὸν ἐκπιέσας σιλίγνιον συμφύρασον αὐτῷ καὶ συμπεσεῖν ἐάσας μετ' ὀλίγον τρῖψον εὐτόνως προσβαλὼν ὀλίγον στέατος χοιρείου καὶ πέπερι καὶ πάλιν τρίψας ἕλκυσον λάγανον κτλ. Frequens etiam in V. T. Alia v. in Lexx. Latinis. Conf. autem Λαλάγγιον. ἄά]

[Λαγαρία, ἡ, Lagaria, φρούριον Ἰταλίας πλησίον Θουρίων, τοῦ Ἐπειοῦ καὶ Φωκέων κτίσμα, ὡς Στράβων (6, p. 263). Ὁ πολίτης Λαγαριτανός· ὅθεν καὶ Λαγαριτανὸς οἶνος (ap. Strab. l. c.), Steph. Byz. Memorat etiam Lycophr. 930. Ubi nonnulli Λαγρίας vel Λαγγαρίας, quam scripturam una cum Λαγαρίας agnoscit Tzetzes, additque ἀπὸ Λαγγαρίδου νομέως ἐκεῖ νέμοντος, pro quo rectius, ut videtur, Λαγάριδος Etym. M. p. 554, 17. Λαγορία, ὄνομα πόλεως, Suidas; fortasse pro Λαγορία. ἄά]

Λᾰγᾰρίζομαι : accipiendum videtur pro Laxus fio et exinanior, in Aristoph. Vesp. [674] : Οἱ δὲ ξύμμαχοι ὡς ᾔσθοντό γε τὸν μὲν σύρφακα τὸν ἄλλον Ἐκ κηθαρίου λαγαριζόμενον [λαγαρυζόμενον libri complures cum Suidæ nonnullis in v. et in Λάγανα, et Ms. in Montefalc. Bibl. Coisl. p. 235 : quæ vera scriptura habenda erit, si huc referendum quod Theognostus in Cram. Anecd. vol. 2, p. 142, 28, inter verba in υζω ponit λαγαρύζω] καὶ τραγαλίζοντα τὸ μηδέν· ut sensus sit, eos gavisos esse quum viderent τὸν τῶν δικαστικῶν ὄχλον καὶ συρφετὸν (erat enim κηθάριον Fiscella quæ urnæ suffragiorum veluti infundibulum superimponebatur) non amplius tam tumido esse ventre, sed laxiorem fieri et evacuari, nec quidquam habere quod roderet : illa duo vocabula ἐκ κηθαρίου annectendo præcedentibus. Schol. tamen cum sequentibus jungit, λαγαριζόμενον exponi posse dicens vel λάγανα ἐσθίοντα vel ἀποξύοντα : ut sit ἀπὸ τῶν δικαστικῶν ἀγγείων ἀποξύοντα : sed parum ad rem. Hesych. λαγαρίζεσθαι esse ait τὸ πρὸς τὰς λαγόνας τὸν ἀγκῶνα προσάγειν πυκνὰ διαπείροντα τὴν χεῖρα. Ad meam expos. facit quod idem Hesych. Λαγαρίττεται affert pro μετριεύεται : nam qui modico victu utitur, is itidem ἐξ ὀγκώδους fit λαγαρὸς sive λαπαρός. [Est autem hæc forma Bœotica pro λαγαρίζεται, ut monuit etiam Valcken. Epist. ad Roever. p. 76. Photius : Λαγαριζόμενοι, σκαλεύοντες, τὰς λαγόνας τύπτοντες.]

[Λαγαρικὸν, τό. Codinus Orig. Cpol. n. 146 : Ἀπὸ γὰρ τῆς πολυποικιλίας τοῦ ἐδάφους δίκην θαλάσσης ἐφαίνετο ἐκ τῆς χρυσοῦ θέας τῶν κόσμων καὶ λαγαρικῶν καὶ τῶν κεφαλοκιονίων πάντων... Hic λ ornatum quendam sonat, ac forte eum qui ob tenuitatem et exilitatem est in aliquo pretio ... Continuator Theophanis 3, 42 : Ἐκ γὰρ λαγαρικῶν παμποικίλων τοῦτό τε κἀκεῖνο μαρμάρωται. Ubi perperam editum λακαρικῶν. Ducang.]

A [Λάγαρις. V. Λαγαρία.]

[Λαγαρίττομαι. V. Λαγαρίζομαι.]

[Λαγαροειδῶς, Ad modum λαγαροῦ στίχου, de quo in Λαγαρὸς, ap. Eust. Il. Γ, 172 : Διπαθὴς δὲ λ. ὁ ῥηθεὶς στίχος περὶ τὸ μέσον ἐν τῷ Φίλε ἑκυρέ.]

[Λαγαρόκυκλος, ὁ, ἡ. Eust. Od. p. 1464, extr. : Ὅτι δὲ κοιλότητά τινα ἡ λαγαρότης σημαίνει δῆλον ἐκ τοῦ λαγαρόκυκλος λύρα ἢ κιθάρα. Conferendus l. Philostrati in Λαγαρὸς citandus.]

Λᾰγᾰρὸς, ά, όν, a quibusdam exp. Arctus et Gracilis : ab aliis Laxus, [Strigosus, Fluxus add. Gl.] Vacuus, Non distentus nec plenus [τὸ μὴ ναστὸν Hesych.]; multo rectius. Ita enim Hippocr. De corde [p. 269, 3] : Ἀτὰρ ἥδε καὶ πάμπαν εὐρυκοίλιος, καὶ λαγαρωτέρη πολλῷ τῆς ἑτέρης. [Herodotus in Matthæi Med. p. 78 : Ἀγαθὸν ἐν πυρετοῖς λαγαρὰν διαφυλάσσειν τὴν κοιλίαν καὶ μὴ διατεταμένην ἔχειν. Theognost. in Cram. An. vol. 2, p. 20, 6 : Θώραξ λαγαρός. Aristoph. Eccl. 1167 : Καὶ τάσδε νυν λαγαρὰς τοῖν σκελίσκοιν τὸν ῥυθμόν. Quæ ad pedum agitationem et saltationem referri videntur. Xen. Eq. 1,
B 8 : Λαγαρὸς δὲ εἴη (ὁ αὐχὴν) τὰ κατὰ τὴν συγκαμπήν· ut Pollux dicit 1, 188 : Γόνυ (equi) λαγαρὸν πρὸς τὴν συγκαμπήν· Ven. 4, 1 : Τὰ κάτωθεν τῶν κενεώνων λαγαρὰ καὶ αὐτοὺς τοὺς κενεῶνας. (Pollux 5, 59 : Κενεῶνες λαγαροί.) 5, 30 : Λαγόνας ὑγράς, λαπάρας ἱκανῶς, alii λαγαρὰς, alii λαπαράς· 6, 5 : Σιμὰς, λαγαρὰς, σκοτεινὰς, de viis, ut videtur. Aristot. H. A. 9, 38 : Τῶν ἀραχνίων οἱ γλαφυρώτατοι. Theophr. H. Pl. 9, 10, 3 : Φασὶ δὲ τὸν ἐλεάτην (ἐλλέβορον) ... ποιεῖν τὸν οἶνον οὕτω διουρητικὸν ὥστε λαγαροὺς εἶναι πάνυ τοὺς πίνοντας. Diodor. 2, 54 : Αἱ δὲ ἀνάκωλοι καὶ λαγαραὶ ταῖς συστάσεσι (cameli) δρομάδες εἰσί. Quod schol. explicat καὶ συνεσφιγμέναι τὰς λαγόνας. Philostr. Imag. 1, 10, p. 779 : Καὶ ἡ χέλυς μέλαινα μὲν, διηκρίβωται δὲ κατὰ τὴν φύσιν καὶ λαγαροὺς περιβέβληται κύκλους. Quod difficile intellectu visum scholiastæ. De orbibus testitudinis naturalibus et rudioribus dici putabat Jacobsius. Sed v. Λαγαρόκυκλος.] Themist. Or. 6, [p. 222, D] : Τὴν πόλιν ἀντὶ λαγαρᾶς καὶ ὑποσόμφου μεστὴν ἐποίησεν ἀγλαΐας. [23, p. 297, A : Βρόχοι λαγαροὶ καὶ ἀσθενεῖς.] Athen. 3 : Πολ-
C λῶν καὶ μεγάλων ὄγκων εἰσενεχθέντων, μετὰ σμικρὸν χρόνον λαγαροὶ γινόμεθα· opposito ibi nomine λαγαρὸς nomini ὀγκώδης. [Id. 8, p. 363, A : Λάπτειν τὸ τὴν τροφὴν πέττειν καὶ κενούμενον λαγαρὸν γίγνεσθαι. Hemst. Ibid. : Ἀπὸ τοῦ λαγαροῦ ἡ λαγών. Plut. Poplic. c. 15 : Πέρα τοῦ καλοῦ διάκενοι καὶ λαγαροὶ φανέντες (columnæ)· Camill. c. 25 : Ἀνέβη (in Capitolium) καὶ προσέμιξε τὸ διατείχισμα χαλεπῶς καὶ μόλις κατὰ τὸ λαγαρώτατον.] Et ap. Suid. ex Epigr. [Pauli Sil. Anth. Pal. 5, 264, 6] : Καὶ λαγαρὸν δειρῇ δέρμα περικρέμαται. [Philostr. p. 846, 10 : Λαγαρᾷ καὶ ἀσθμαινούσῃ τῇ γαστρί. Jac.] Ib. [Philippi ib. 6, 231, 3], λαγαρὸν ποπάνευμα. Ubi et ipse exp. ὑπόκενον, ut Eust. quoque κοιλότητα hoc vocabulo significari ait qualis est τῶν λαγόνων. [Ipse Opusc. p. 128, 31 : Μεστὸς δὲ αὐτοῖς ὡς ἐπὶ πολὺ καὶ ὁ ἔξω κώρυκος, οἷς τὸν οἰκεῖον καὶ σύμφυτον θύλακον λαγαρὸν φυλάττουσιν· 147, 76 : Τὴν σάρκα ὑποκενῶν καὶ εἰς λαγαρὰν ἀποκαθιστῶν. Dio Chrys. vol. 1, p. 488 : Τὰ σώματα ὁρᾶται τὰ τῶν παντελῶς γερόντων ἐνδεδωκότα καὶ λαγαρά· p. 553 : Ἰσχνοτέροις γὰρ οὖσιν αὐτοῖς κεχαλάσθαι τὸν δεσμὸν καὶ
D λαγαρώτερον ἑκάστῳ περικεῖσθαι. Arcadius p. 70, 17, inter oxytona in ρος : Λαγαρὸς ὁ ἀσθενής.] Et gramm. λαγαρὸν versum vocant qui non eodem, i. e. pleno, tenore incedit, sed in medio laxior est et ὑπόκενος : eam ob rem et σφηκοειδὴς dictus : qualis hic Homeri [Od. K, 60] : Βῆ δ' εἰς Αἰόλου κλυτὰ δώματα. V. et Ἀκέφαλος et Προκοίλιος [et infra Λαγαρότης. Athen. 14, p. 632, D, Plut. Mor. p. 397, D, et in fr. de metro heroico vol. 10, p. 809, 810 ed. Reisk., vol. 5, p. 1285 ed. Wyttenb. || Adv. Λαγαρῶς, ap. Philostr. Imag. 2, 2, p. 813 : Ὁ ἵππος ὀξὺς ἄρα καὶ ἀφαιρεῖ γέλωτα. Λαγαρῶς γάρ μοι ἱππασθεὶς, θεῖε παῖ, καὶ τοιῷδ' ἵππῳ πρέπων, ὀχήσῃ ποτὲ καὶ ἐπὶ Ξάνθου καὶ Βαλίου, Jacobsius interpretatur ῥαθύμως, πόνῳ μετρίῳ, collata Hesychii gl. in Λαγαρίζομαι memorata Λαγαρίττεται, μετριεύεται, quam rectius explicat HSt.]

Λαγαρόομαι, οῦμαι, Ita laxus et vacuus fio : aliis Extenuor, Contrahor. Fluvius λαγαροῦσθαι dicitur quum excavatur et paulatim subsidit, ut hyeme quum astringitur gelu, in Epigr. [Philippi Thess. Anth. Pal.

9, 56, 3] : Ὀλισθὼν ἐς ποταμὸν ἤδη λαγαρούμενον. [Eustath. Opusc. p. 3, 73 : Ὁμοιόν τι ποιῶν ἐν τῷ τὸν ἐχθρὸν ἀμύνεσθαι, ὡσεὶ καὶ ἄνδρα γενναῖον λαγαρούμενον λιμῷ ἐφόρτιζεν ἐδωδίμοις ἀγαθοῖς.]

Λαγαρότης, ητος, ἡ, Ejusmodi laxitas et vacuitas, quum sc. aliquid distentum non est, sed inaniter laxum. [Heliod. Æthiop. 9, 15, de lorica serta : Ὡς ὁπλίζειν τε ἅμα, καὶ τῇ λαγαρότητι μὴ ἐμποδίζειν τοὺς δρόμους. Hase. Anon. ap. Suid. v. Λαγαρὸς citatus : Ἐμηχανῶντο δὲ ὅσα λαγαρότητι ἢ ἁπαλότητι πρὸς τὰς τοξείας ἀντήρκει. Eust. Od. p. 1464, 63 : Τὸ δὲ Τηλέμαχε, ποῖόν σε ἔπος φύγε, λαγαρότητα ἔπαθε κατὰ τοὺς παλαιοὺς διὰ τὴν λήγουσαν τοῦ Τηλέμαχε, ἥτις διὰ τὴν ἐν μέσῳ στίχου βραχεῖαν κατάληξιν λαγόνα οἷον ἐνθεῖσα τῷ στίχῳ λαγαρὸν ἐποίησε καλεῖσθαι, ὅπερ ἡ χυδαία γλῶσσα λαγρὸν λέγει.]

[Λαγαρύζω, Λαγαρύζομαι. V. Λαγαρίζομαι.]

[Λαγαρώδης, ὁ, ἡ, Gracilis. Schol. Aristoph. Ach. 245 : Εἰσὶ δὲ καὶ λαγαρώδεις (ἄρτοι) παρὰ τὸ λαγαρόν.]

[Λαγαρῶς. V. Λαγαρός.]

[Λαγάρωσις, εως, ἡ, i. q. λαγαρότης. Eust. Il. p. 1103, 18 : Στιχηρᾶς λαγαρώσεως πάθος. Wakef.]

Λαγάσσαι, Hesychio ἀφεῖναι, Dimittere. [Λαγγάσαι Angl., Χαλάσσαι male interpretes. V. Λαγαγεῖ. Referenda huc videtur ejusdem gl. : Λελασμένα, ἀφειμένα, ubi iterum κεχαλασμένα Ruhnkenius.]

[Λάγβατος, ὁ, Calcibus insultatus, Conculcatus. Steph. Byz. v. Ἀγβάτανα : Ἡρωδιανὸς ἐν τῷ περὶ συντάξεως στοιχείων ἐγκρίνει τὴν διὰ τοῦ κ γραφὴν (nominis illius), παραιτούμενος τὴν διὰ τοῦ γ, λέγων οὕτω· Μή τι ἄρα παρακινδυνεύει τὸ β ὑποτετάχθαι τῷ γ, ἐν οἷς ὑποτέτακται ἐν τῷ λάγβατα ὅρκια. Ex Herodiano fortasse sumpserat Theodosius De gramm. p. 6, 12, et Hesychius : Λαγβατὸν (sic), ἀνατετραμμένον. Οἱ δὲ λάγαν ἐμβάλλοντες. Quorum postrema corrupta sunt et alio pertinent. V. autem Λάξ.]

Λάγγα, Hesych. ἡ τῇ τροφῷ [τροφῇ codex] διδομένη μερίς. Vide et Λόγξ.

[Λαγγαδᾶς. V. Λαγκάδιον.]

[Λαγγάζω, Cesso.] Λαγγάζει, Hesychio ὀκνεῖ, Pigratur. [Addit autem : Οἱ δὲ λαγγεῖ.] Mox λαγγάσαι exp. περιφυγεῖν, et Λαγγεύει, φεύγει. [Antiatt. Bekk. p. 106, 5 : Λαγγάζει, ἀντὶ τοῦ ἐνδίδωσιν. Ἀντιφάνης Ἀντερώσῃ. Ad eandem stirpem, cujus est Longus, referebat indeque Cessandi notionem ducebat Hemsterh. ap. Koppiers. Observ. p. 19 et ad Poll. 9, 136. Cujus opinioni apta sunt Photii verba infra citanda. V. autem Λαγάσσαι, Λανίζω.]

Λαγγανώμενος, Hesychio περιϊστάμενος [qua de interpr. conf. Hemst. ad schol. Aristoph. Pl. 954], στραγγευόμενος. [Formam Λαγγονεύω ponit Photius in Λογγάσω, στραγγεύσομαι, ὃ ἡμεῖς λαγγάσω καὶ λαγγονεύσω λέγομεν.]

[Λαγγαρέω.] Λαγγαρεῖ, Hesychio ἀποδιδράσκει, Aufugit. [Initium vocabuli alludit ad gll. in Λαγγάζω positas, significatio et terminatio etiam ad Λασκαρεῖ, quod v.]

[Λαγγαρία. V. Λαγαρία.]

[Λάγγαρος, ὁ, Langarus, rex Agrianum. Arrian. Exp. 1, 5, 3.]

[Λαγγάς. V. Λαγκάδιον.]

[Λαγγεία, ἡ, Langia, fons Argolidis. Nicand. Alex. 105 : Ἄκρον ὑπὸ πρηῶνα Μελανθίδος, ἔνθα τε νύμφη Λαγγείη (Λαγγείης libri tres) πόμα κεῖνο Διὸς τεκμήρατο παιδί. Schol. : Λάγγεια (rectius fort. Λαγγεία) κρήνη τοῦ Ἄργους. Schneider. : « Langiam fontem in Nemeæa silva habet Vibius Sequester p. 103 ed. Oberlin. Commemorat etiam Statius Thebaid. 4, 277. » V. Λάγκεια.]

[Λαγγεύω. Λαγγονεύω. V. Λαγγάζω et Λαγγανώμενος.]

[Λαγγίς. V. Λαγκία.]

[Λαγγόβαρδοι, οἱ, Langobardi, gens Germaniæ. Ptolem. 2, 11. Nomen in Λαγκόσαργοι corruptum apud Strab. 7, p. 290, ut conjecerunt interpretes. Formæ Λαγγίβαρδος et Λογγίβαρδος sunt in libris Zonaræ Lex. p. 1280. Formis Λαγγοβάρδης, Λογγιβάρδης, Λογγοβάρδης promiscue utitur Procopius, raro forma in —ος.]

[Λαγγούριον. V. Λυγκούριον.]

[Λαγγώδης, ὁ, Tricosus, Gl. Ita pro λαγγώνδυς Toupius Emend. vol. 2, p. 200.]

Λαγγών, ὁ, Hesychio μετάβολος, ἔμπορος : qui et μαγγανευτής. [« Pro λαγγὼν scribere debuerat Hesych.

A Μάγγων, Mango. Glossæ : Mango, μετάβολος. » Pierson. ad Mœr. p. 264. Recte vero λαγγὼν in Etym. M. cum interpr. ὁ εὐθέως λανθάνων τοῦ ἀγῶνος καὶ φόβου, et in Gl. Cessator, Tricosus, nisi quod λάγγων scribendum.]

[Λάγδην, i. q. λάξ, quod v. Soph. fr. Phædræ apud Stob. Flor. vol. 2, p. 99 : Ἐν ᾗ τὰ μὲν δίκαια καὶ τὰ σώφρονα λάγδην πατεῖται.]

[Λαγείδης. V. Λᾶγος.]

Λαγεινὰ, Hesych. δεινά : qualia et ἀλεγεινά. [Pro ἀλγεινά.]

[Λάγειον. V. Λᾶγος.]

[Λάγειος, ὁ.] A λάγος est Λάγειος, ut κρέα λάγεια, teste Eust. [Mœris, Photius aliique gramm. in Λαγῷα. Gl. : Λαγεῖον κρέας, Leporina. Scribendum λάγειον. Zonar. s. Suidas in Λάγειον αἷμα.]

Λαγερὸς, Hesych. σμίλαξ [σμῖλαξ].

[Λάγεσις, ἡ, dea quædam apud Siculos, sec. Hesychium et Photium. Alia est Λάχεσις Parca. Albert.]

[Λᾶγέτᾶς, α, ὁ, Lagetas, n. viri in numis Philadel-

B phiæ Lydiæ ap. Mionnet. *Descr.* vol. 4, p. 102, n. 561, 562. Filii Dorylai, Mithridatis Euergetæ ducis, apud Strab. 10, p. 477, 478.]

Λαγέτης, ου, ὁ, Dux s. Ductor populi. Eustathio [Il. p. 453, 21] ὁ στρατηγὸς sive ἡγεμὼν, παρὰ τὸ λαοὺς ἄγειν. [Ib. p. 790, 61 : Τὸ δὲ λαὸν ἄγων, τὸν παρὰ τῇ τραγῳδίᾳ λαγέταν, ὅ ἐστι λαοῦ ἡγεμόνα, παρήγαγε.] Hesychio ἡγεμὼν, ὄχλον συναγαγών. [Pind. Pyth. 3, 85 : Λαγέταν γάρ τοι τύραννον δέρκεται, εἴ τιν' ἀνθρώπων, ὁ μέγας Πότμος· 4, 107 : Τάν ποτε Ζεὺς ὤπασεν λαγέτᾳ Αἰόλῳ καὶ παισὶ τιμάν· 10, 31 : Παρ' οἷς ποτε Περσεὺς ἐδαίσατο λαγέτας, δώματ' εἰσελθών· Ol. 1, 89 : Τέκε δὲ λαγέτας ἓξ ἀρεταῖσι μεμαλότας υἱούς.]

Λαγήναρχος, ὁ, Hesychio ὁ ἐξουσίαν ἔχων τοῦ οἴνου, Cui lagenarum s. vini dispensandi cura commissa est. [Λαγίναρχος vitiose ap. Hes.]

[Λαγηνος. V. Λάγυνος.]

Λαγηνοφορία, ἡ, Lagenarum s. Lagenæ gestatio. Plut. ap. Athen. 7, [p. 276, A] scribit [dicit] Alexandriæ Λαγηνοφορίαν fuisse Festum quoddam, in quo ἐδείπνουν

C κατακλιθέντες ἐπὶ στιβάδων, καὶ ἐξ ἰδίας ἕκαστος λαγήνου παρ' αὑτῶν φέροντες ἔπινον. [Libri meliores λαγυνοφορία. Λαγυνοφόρια recte Schweigh.]

Λαγὴς, Hesychio ὁ εἰς τὰ ἀφροδίσια καταφερής : qui Eidem λάγνης et λάγνος, Pronus in venerem, Libidinosus. [Pro λάγνης.]

[Λαγϊδεύς, έως, ὁ.] Λαγίδεος, Lepusculus, et λαγίδεος γεώρυχος, Cuniculus; nam id animal lepori assimile fossis se abscondere amat. Strabo 3, p. 62 [144] : Τῶν δ' ὀλεθρίων θηρίων σπάνις, πλὴν τῶν γεωρύχων λαγιδέων, οὓς ἔνιοι λεβηρίδας προσαγορεύουσι· λυμαίνονται γὰρ φυτὰ καὶ σπέρματα ῥιζοφαγοῦντες. [De cuniculis iterum ap. Strab. ib. p. 168 : Οὐδὲ τοὺς λαγιδεῖς ἐπιχωρίους εἶναί φασιν, et ex ll. Strabonis ap. Eust. Il. p. 35, 32, ad Dionys. 457, Opusc. p. 302, 46. De lepusculis vero ap. Plut. Mor. p. 971, D, Ælian. N. A. 7, 47, Poll. 5, 15.]

[Λαγίδης. V. Λᾶγος.]

Λαγίδης, ὁ, Catulus leporis, ὁ τοῦ λαγωοῦ γόνος, ut πελαργίδης, ὁ τοῦ πελαργοῦ, et λυκίδης, ὁ τοῦ λύκου. [Sui-

D das : Λαγίδης, ὁ τοῦ λαγωοῦ. Qui scripsisse videtur Λαγωοῦ, de qua nominis Λᾶγος depravatione in ipso dicemus. Λάγου volebant Tittmann. ad Zonar. p. 1280, et ante eum Huschk. Anal. p. 102, hic tamen non ignarus eorum quæ Pseudo-Philemo scribit Lex. technolog. s. 100 : Λαγίδης πατρωνυμικὸν ἐκ τοῦ λαγοῦ, ὡς ὁ τοῦ πελαργοῦ γόνος πελαργίδης, τοῦ λύκου λυκίδης, ἀλεκτορίδης, χηνίδης, περδικίδης. « Si sic ista scripsit Philemon, erravit procul dubio : hujus quidquid fuerit, ista saltem omnia, ut Græca sint et antiquiorum observatis congruant, in δεὺς sunt terminanda. » Valcken. ad Theocr. Adon. p. 402, B.]

[Λαγίδιον, τὸ, Lepusculus. Marc. Anton. 10, 10. Pollux 5, 15. Epit. Strab. l. 3, l. priori in Λαγιδεὺς cit., nisi librarius λαγιδίων posuit pro λαγιδέων. V. Λαγνίδιον.]

[Λάγινα, ων, τὰ, Lagina. Steph. Byz. : Λαγινία (cod. Vratisl. Λαγνία : scribendum Λάγινα), πολίχνιον Καρίας. Ἀπολλόδωρος Καρικῶν ις'. Τὸ ἐθνικὸν Λαγιναῖος καὶ Λαγινίτης καὶ θηλυκῶς Λαγινῖτις. (Idem in Ἑκατησία dixerat : Ναὸν τεύξαντες οἱ Κᾶρες τὴν θεὸν Λαγινίτην (-ῖτιν) ἐκάλεσαν ἀπὸ τοῦ φυγόντος ζῴου ἐκεῖ [lepore].) Ἔστι καὶ Λαγίνεια Βιθυνίας. Λαγίνων et Λαγίνοις de urbe Cariæ est apud Strabon. 14, p. 660, 663, priori loco dicentem : Ἔστι δ' ἐν τῇ χώρᾳ τῶν Στρατονικέων δύο ἱερὰ, ἐν μὲν Λαγίνοις τὸ τῆς Ἑκάτης ἐπιφανέστατον, πανηγύρεις μεγάλας συνάγον κατ' ἐνιαυτόν. Λαγίνων ap. Pasin. Codd. Taurin. vol. 1, p. 211, A. L. Dind.]

[Λαγινάπυτον loci nomen habet inscr. Cretica ap. Bœckh. vol. 2, n. 2554, p. 400, 153 : Ἐς Λαγινάπυτον ἐπὶ τὸ ἄντρον κἠς Καλλιόρασον ἐπὶ τὸ ἄντρον κἠς Μεταλλάπυτον ἐπὶ τὸν ποταμόν. L. Dindorf.]

[Λαγίνης, ὁ, Lepus. Constant. Manass. Chron. v. 171 : Καὶ κύνες καρχαρόδοντες, πτηνόποδες λαγῖναι. Cui Meursius in indice et Ducang. in Gloss. conferunt Nicet. Andron. Comn. 1, 4, p. 187, A : Ἔτι δὲ οἱ πτηνόποδες λαγίναι καὶ κύνες αἱ θηρευτικαί. Alia forma Constant. ib. v. 6199 : Τότε δὴ τότε τρομερὰ λαγίνα (al. liber λαγωὸς) καθωρᾶτο δράκων ὁ πρὶν βλοσυρωπός. Corripi autem videtur media, ut in Λάγινος.]

[Λαγινίτης, Λαγινῖτις. V. Λάγινα.]

[Λάγινον, Gallis Veratrum album, ap. interpol. Dioscor. c. 732. Ducang.]

[Λάγινος, η, ον, Leporinus. Æsch. Ag. 120 : Λαγίναν γένναν. Schneid. Imitatur Marc. Eugen. Ecphr. ed. Kayser. p. 161, 6 : Τὴν λ. ἐκείνην, ὡς ἡγεῖται λανθάνειν προσισχημένη (sic) τῇ γῇ. Hase.]

[Λάγιον. V. Λᾶγος.]

Λάγιον, τὸ, Lepusculus. [Xen. Ven. 5, 13. Pollux 5, 15. Λαγίον male in Gl. Nam alterum, quem analogia postulat, accentum testatur etiam Etym. M. p. 451, 19.]

[Λάγιος, ὁ, Lagius, Achæus. Polyb. 40, 5, 2.]

[Λαγὶς, ίδος, ἡ, Lagis, meretrix ap. Athen. 13, p. 592, C. L. Dind.]

[Λᾰγίσκα, ἡ, Lagisca, ἑταίρα τις ἧς Λυσίας (apud Athen. 13, p. 586, E, 592, E; et Strattis ib. D, et apud Harpocrationem, atque scriptorem Vitæ Isocratis a Mustoxyde editæ in Anecdotis Græcis) μνημονεύει, Photius s. Suidas. Vid. idem Photius Bibl. p. 488, 9. Λαγίσκα est ll. supra citatis omnibus, unde accusativus formandus Λαγίσκαν, quem in loco Strattidis exhibent Athenæus et Harpocratio, ut nihilo plus tribuendum videatur Pseudo-Plutarcho Vit. X oratt. p. 839, B, aut scriptori Vitæ Isocr. inferentibus pro illa formam Λαγίσκη et Λαγίσκην, quam loco Anaxandridis ap. Athen. 13, p. 570 : Νὴ τὸν Δί' ἤνθει τότε Λαγίσκη· ἦν δὲ τότε | καὶ Θεολύτη, ubi Λαγίσκιον conjecit Jacobsius. L. Dind.]

[Λαγκάδιον, τὸ, s. Λαγγάδιον, Vallis, ex scriptoribus Byzantinis annotavit Ducangius, addito etiam loco Jo. Moschi in Limon. c. 158 : Κῆπον δὲ ἔχουσι διεστηκότα ἀπ' αὐτοῦ σημείοις ἕξ, περὶ τὸ χεῖλος τῆς θαλάσσης, ὡς ἐπὶ λαγγάδα, et Georg. Acrop. Chron. c. 63, ubi memoratur locus juxta Thessalonicam ab situ dictus Λαγγαδᾶς.]

[Λάγκεια, ἡ, Lancia. Pausan. 3, 21, 2 : Ἐς ταύτην (fontem Πελλανίδα) λέγουσιν ὑδρευομένην ἐσπεσεῖν παρθένον, ἀφανισθείσης δὲ τὸ κάλυμμα ἀναφανῆναι τὸ ἐπὶ τῆς κεφαλῆς ἐν ἑτέρᾳ πηγῇ Λαγκείᾳ. Pauci Λαγκίᾳ. Cum Λάγγεια comparabat Schneiderus in illo n. citatus. Quod situ certe diversum.]

[Λαγκία, ἡ, Lancea. Pro Gallico nom. habuit Diodor. 5, 30 : Προβάλλονται λόγχας, ἃς ἐκεῖνοι λαγκίας καλοῦσι. Schweigh. Simile voc. annotat Hesychius : Λαγηὶς, δόρυ, ubi ordo literarum postulat Λαγγὶς, fortasse pro Λαγκὶς positum. Formas Λάγκη, Λαγκίδιον et verbum Λαγκεύω ex scriptoribus Byzantinis annotavit Ducangius. Λαγκιάριος est ap. Jo. Malalam p. 330, 3.]

[Λάγμα. V. Λαῖμα.]

[Λάγμος, ὁ, Lagmus, fluvius Ponti ap. Lycophr. 1333.]

Λάγνα, Hesychio κάμψα, κιβωτὸς, Capsa, Arca. [Κάμπτρα est ap. Hesych., ut in gl. ex qua hæc est depravata : Λάρναξ, κιβωτὸς, κάμπτρα. Quæ exx. addenda iis quæ citata sunt in Κάμπτρα.]

Λαγνεία, ἡ, et Λάγνευμα, τὸ, Hippocr. accipit pro Coitus s. Semen : De natura infant. [p. 248, 12] : Δίδυμα δὲ γίνονται ἀφ' ἑνὸς λαγνεύματος οὕτως. [Latiori signif. Libidinis s. Salacitatis Clemens Al. Pædag. 2, 10, p. 228. V. paullo post in Λάγνευμα.] Eodem l. [p. 242, 5], de viro : Ἢν λαγνεύῃ πολλὰ, εὐροώτερα γινόμενα τὰ φλέβια μᾶλλον ἐπάγει τὴν λαγνείην· i. e. τὸ σπέρμα, ut paulo post loquitur. Paulo ante [p. 241, 4] dicit ἐν τῇ λαγνείῃ, In coitu, In seminis emissione : ut et in l. De morbis intern. [p. 550, 34] : Ἀπέχεσθαι λαγνείης καὶ οἰνοφλυγίης, Abstinere a coitu et temulentia. [Aristot. H. A. 6, 21 : Ὅταν δ' ἐξαδυνατήσῃ (taurus) διὰ τὴν λαγνείαν· Probl. 1, 50; 4, 17.] Aristot. quoque pro Genitura s. Semine usurpasse dicitur. Ex ejus enim Probl. affertur, Τῇ λαγνείᾳ ὑπερβάλλει, pro Admodum genitali semine abundat. [Galen. vol. 19, p. 117, 1 : Λαγνείη δηλοῖ ποτὲ καὶ αὐτὸ τὸ σπέρμα. Aliter tamen ipse vol. 4, p. 587, 5 : Εἰ δέ τις συνεχέσι λαγνείαις ἐξεκένωσεν ἅπαν τὸ σπέρμα. Hase.] Alioqui λαγνεία accipitur et in malam partem pro Libidinositas, Salacitas, Libido immodica, Immoderata rei venereæ appetentia. Philo V. M. 3 : Οἰνοφλυγίαι καὶ ὀψοφαγίαι καὶ λαγνεῖαι καὶ ἄλλοι ἀπλήρωτοι ἐπιθυμίαι. Sic Xen. [Comm. 1, 6, 8] : Λαγνείᾳ δουλεύειν. Et Philo rursum l. 1 : Τὰ μὲν σώματα λαγνείαις, τὰς δὲ ψυχὰς ἀσεβείᾳ τῶν χρωμένων διέφθειραν. [Tim. Locr. p. 103, A : Ἐς λαγνείας λαβροτάτας ἄγοισαι. Palladas Anth. Pal. 10, 45, 8 : Ἐξ ἀκολάστου λαγνείας γέγονας καὶ μιαρᾶς ῥανίδος. Gl. : Λαγνεία, Luxuria. Vitiose eadem : Λαγνία, Luxuria; Λαγνίαι, Inglubie (sic).]

[Λαγνεστέρως, Lascivius. Epiphan. t. 1, p. 145, B : Λ. πολλάκις πολλὰ πράττειν. V. Λάγνης. Hase.]

[Λάγνευμα, τὸ, Libido. Clem. Al. Pæd. 2, 10, 98 : Τοιουτωνί τινων λαγνευμάτων οὐδὲ ἐπιμνηστέον. Nil. Epist. p. 27, 30 : Πληγαῖς τε αἰκίζεται λ. Hase. V. Λαγνεία.]

[Λαγνεύω, Ganio, Gl.] Λαγνεύειν, Libidinosum et salacem esse, Pronum esse ad res venereas. [Plut. Mor. p. 136, D : Μεθύειν ἢ λαγνεύειν.] Hippocr. De morbis intern. [p. 548, 27] utitur pro Rebus venereis uti, Semen emittere, σπερματίζειν, dicens, Ἢν γὰρ μεθυσθῇ παρὰ καιρὸν, ἢ λαγνεύσῃ, ἢ ἄλλο τι ποιήσῃ μὴ ἐπιτήδειον. Sic etiam in l. De genitura [p. 231, 44] dicit hoc indicio esse quod in coitu ἀποκρίνεται τὸ ἰσχυρότατον, quoniam ἐπὴν λαγνεύσωμεν, σμικρὸν οὕτω μεθέντες ἀσθενέες γινόμεθα. In eod. l. : Οἱ δὲ εὐνοῦχοι διὰ ταῦτα οὐ λαγνεύουσιν ὅτι σφέων ἡ δίοδος ἀμαλδύνεται τῆς γονῆς. Et rursum [p. 232, 27] : Ὁκόσοι δὲ παρ' οὖς τετμημένοι εἰσὶν, οὗτοι λαγνεύουσι μὲν καὶ ἀφίασιν, ὀλίγον δὲ καὶ ἀσθενὲς, καὶ ἄγονον. [Et alibi sæpius. Medio p. 1149, D : Ὁκότε λαγνεύοιτο.]

Λάγνης, s. Λάγνος, ὁ, [fem. λάγνη ap. schol. Paris. Apoll. Rh. 3, 541 : Ἱερὰ Ἀφροδίτης (ἡ περιστερά). Διὸ καὶ λάγνη. Sed vetera λάγνον, ut hoc quidem testimonium nullum sit. Nam aut λάγνον aut λάγνος scripserat grammaticus. Arcad. p. 62, 2 : Τὸ μέντοι λάγνος βαρύνεται· οὐκ ἔχει γὰρ ἴδιον θηλυκόν. L. D.] Hesychio καταφερὴς πρὸς τὰ ἀφροδίσια, περὶ πορνείαν ἐπτοημένος, Libidinosus, Lascivus, Salax : qualis in femineo genere μαχλὰς dicitur. [Ganeo, Gulator, Gl.] Meminit Suid. quoque harum vocum, scribens λάγνης pro λάγνος dici, et significare πόρνος, αἰσχρὸς, κατωφερὴς πρὸς τὰ ἀφροδίσια, Scortator, Turpiter in venerem pronus. [Sic etiam Photius. Id. : Λάγνης, οὐ λάγνος ὑπὸ τῶν Ἀττικῶν λέγεται. « Τοιαῦτα μέντοι πόλλ' ἀναγκαίως ἔχει πάσχειν, ὅταν λάγνην τὸν ὀφθαλμὸν φορῇς. » Ἡ δὲ ἀναλογία, οἶμαι, καὶ λάγνητα, ὡς Κράτητα καὶ Μάγνητα. Phrynich. Ecl. p. 184 : Λάγνης διὰ τοῦ η, ἀλλὰ μὴ λάγνος φάθι. Utramque formam ponit Pollux 6, 188. Priorem quæ multo rarior est, ex Æliani Epist. 9, alteram ex Aristot. H. A. 6, 21 init., Æliani N. A. 3, 16; 8, 17, V. H. 10, 13, Alciphr. Ep. 1, 6, Sext. Emp. Hypot. 3, 24, p. 176, citat Lobeck. Ad illam revocandus etiam Liban. vol. 4, p. 615, 25 : Οὐ λάγνις οὐδὲ ἄσωτος· 617, 2 : Εἰ λάγνις ὢν ὁ παῖς ἀνιᾷ, recepto utrobique ex codice λάγνης. Conf. etiam Etym. M. p. 670, 20 cum annot. Scriptor Timæi Locr. p. 104, E, ubi λάγνων genitivus est, utra usus sit incertum. L. D. Athenag. p. 119, 4; Aspas. ad Aristot. Eth. Nic. 4, f. 52, A. Hemst.] Meminit Eust. quoque [Od. p. 1412, 29; 1441, 24; 1597, 27, 30], scribens λάγνον dici videri vel quasi λάγονον, Admodum fœcundum seminis, vel quasi λάγυνον, Admodum mulierosum, itemque λάγνην quasi λαγύνην, particula λα utrobique habente vim epitaticam et posita pro λίαν [Hinc λάγυνος inter vocc. a γυνὴ ducta ap. Theognostum in Crameri Anecd. vol. 2, p. 88, 23] : Attice in superlativo dici λαγνίστατος pro λάγνιστος, ut κλεπτίστατος : synonymum esse οἰφώλης, κήλων, τιτὰν, μάχλος. [Formam λαγνίστατος memorat etiam Pollux l. c., Etym. M. p. 31, 13, habetque Aristot. H. A. 6, 22, Clemens Al. Pæd. 2, 10, p. 222 bis, ubi semel nonnulli λαγνιστοτάτοις. Ex qua depravatum videtur quod est ap. Epiphan. vol. 1, p. 1053, C, λαγνιαίτερος, cui defendendo adhiberi non possunt formæ πλησιαίτερος et similes. Formam λαγνότατος Chœroboscus Bekkeri Anecd. p. 1287.]

[Λαγνίδιον, τὸ, quod inter diminutiva in ιον cum πινακίδιον ponit grammat. in Crameri Anecd. vol. 2, p. 294, 25, scribendum videtur λαγίδιον. Minus enim probabile λαγύνιον. L. Dind.]

[Λαγνικὸς, ή, ὸν, Lascivus. Clemens Al. Pædag. p. 225 : Τὸ λαγνικὸν... ἐμφαίνοντος τοῦ ὀνόματος (τῆς λαγνείας).]

[Λάγνος. V. Λάγνης.]

[Λαγόβιος, ὄνομα κύριον, Suidas.]

[Λαγοβόλον. V. Λαγωβόλον.]

[Λαγόγηρως, ὁ. Suidas : Μύξος, ὁ λαγόγηρως παρ' ἡμῖν. (Liber unus λαγόγηρος.) Orneosophium jussu Michaelis imp. scriptum p. 254 : Καὶ δὸς, ἵνα φάγῃ τὸ ὄρνεον, ἢ τοὺς λεγομένους λαγογήρους παράβαλε τῷ ὀρνέῳ. Ducang. Lucian. Gall. c. 24 : Μυῶν πλῆθος ἢ μυγαλῶν. Schol. Ms. : Οὓς ἰδιωτικῶς φασι λαγογέρους. Leg. λαγογήρους. Bast. Ep. crit. p. 169.]

[Λαγοδαίτης, ὁ, Leporibus vescens. Æsch. Ag. 123 : Λαγοδαίτας, de aquilis.]

Λαγοθήρας, ὁ, Leporis venator, aquilæ species Hesychio, ead. forte, quæ λαγωφόνος Aristoteli. Sed videtur potius scrib. λαγωθήρας, nisi sit a λαγός. [Ita est. Leonid. Tar. Anth. Pal. 9, 337, 1 : Εὐάγρει, λαγόθηρα, de venatore.]

[Λαγοθηρέω, Lepores venor. Aristoph. Lys. 789 : Κᾆτ' ἐλαγοθήρει, ubi libri plures cum schol. ἐλαγοθήρα. Sed alterum recte tuetur Ravennas. Nam etiam Teleclidem ap. Polluc. 7, 135, ὀρνιθοθηρεῖν scripsisse puto, non ὀρνιθοθηρᾶν, formam non minus analogiæ adversam quam φιλοθηρᾶν, cui jure μακρὰ χαίρειν φράσαι se dicit Coraes ad Ælian. V. H. 9, 3, p. 319. Dudum etiam sublatum ὀνομοτοθηράω ap. Athen. 15, p. 674, F. L. Dindorf.]

[Λαγοκτονέω, Lepores interficio. Satyrus Anth. Pal. 10, 11, 2 : Εἴτε λαγοκτονέεις. Cod. Pal. λαγοκτενέεις.]

[Λαγοκύμηνον s. Λαγοκύμινον, τὸ, Cumini species, Lagopus (quod v.) ap. Interpol. Dioscor. c. 599. (4, 17, ubi λαγωοῦ κύμινον.) Glossæ iatricæ græcobarb. Mss. : Λαγοκύμηνον, μαίον. V. Petr. Bellon. l. 1 Observ. c. 26. Ducang. Tittmanni Gll. iatr. (præf. ad Zonar. p. cxviii) : Ἄβεος, ὃ λέγεται λαγοκύμινος. Rescr. Ἄμεος ... λαγοκύμινον. (Ἄμεον, τὸ λ. Salmas. Plin. Ex. p. 926, b, E.) Forma λαγοκύμινος nusquam alibi legitur. In Ms. Suffieldiano est Ἀμέως λαγοκύμινος. Angl. Quæ forma non videtur sollicitanda. ἄὐῖ]

[Λαγονάτη, ἡ. Galen. Lex. Hipp. p. 512 : Λαγώπυρος, ἡ λαγονάτη καλουμένη βοτάνη.]

[Λαγόνιον, τὸ, diminut. a λαγὼν, esse putabat Ducangius quod legitur ap. Constantin. Tact. p. 17 : Ὀφείλουσιν οἱ στρατιῶται ... ἔχειν καὶ ἕτερα θηκάρια ἐλαφρὰ δερμάτινα, ἵνα ... βαστάζωσιν ὀπισθοκουρβίων εἰς τὰ λαγγόνια τῶν ἱππαρίων.]

[Λᾱγόρᾱς, α, ὁ, Lagoras, Cretensis. Polyb. 5, 61, 9; 7, 15 sq. Est i. nomen q. Λεωγόρας.]

Λαγορεῖς, Hesych. ἐκκλησίαι. [Pro ἀγοραὶ, ut conjicit Albertus.]

[Λᾶγος, ὁ, Lagus, Ptolemæi primi regis Ægypti, ut vulgo credebatur, pater. Ab recentioribus nomen corrumpitur in Λαγὼς vel Λαγωός. Excerpta ex Arriani Exped. 4, 21, 7 (ubi Πτολεμαῖος ὁ Λάγου) in Mathem. vett. p. 364, 20 : Πτολεμαῖος ὁ Λαγώς. Genus Theocriti : Ἤκμασε δὲ κατὰ τὸν καιρὸν τοῦ Πτολεμαίου τοῦ ἐπικληθέντος Λαγωοῦ, ubi alii κατὰ Πτολεμαῖον τὸν ἐπικληθέντα Λαγὼν vel Λαγωόν. Schol. Id. 17, 14 : Πτολεμαῖον τὸν Λαγοῦ. Liber unus τὸν πατέρα τοῦ Λαγωοῦ. Adde quæ diximus in Λαγίδης. De accentu Epimer. Hom. in Crameri Anecd. vol. 1, p. 264, 2 : Ἓν ἀντιπίπτει τὸ Λάγος (scr. Λᾶγος) ἐπὶ τοῦ κυρίου, ὃ εἴδη (ἤδη) εἴρηται καὶ τρισυλλάβως, Λάαγος· « Λαάγου φίλος υἱὸς ἀρί-
A ζηλος Πτολεμαῖος· » οὐ φύσει οὖν δισυλλαβεῖ, ἀλλ' ἐκ τρισυλλάβου γέγονεν. Conf. Arcad. p. 47, 9. (Forma trisyllaba hujus nominis est etiam in inscr. Rhodia ap. Bœckh. vol. 2, p. 396, n. 2545, 1 : Ἀμφιλόχου τοῦ Λαάγου Πουτωρέως.) || Hinc patron. ap. Theocr. 17, 14 : Λαγίδας Πτολεμαῖος, ubi olim Ὁ Λαγίδας, metrum autem postulat Λαγείδας, ut est in inscript. Cypria ap. Bœckh. l. c. p. 336, n. 2613, 4 : Ὃν πρὶν ἐπ ἀνδρῶν θήκατο Λαγείδας κοίρανος ἡγεμόνα. Λαγίδας ponit Chœroboscus in Crameri Anecd. vol. 2, p. 235, 25 : Λαγίδης ι· τὰ γὰρ ἀπὸ τῶν εἰς ος διὰ τοῦ ιδης γινόμενα διὰ τοῦ ι γράφεται ... οἷον Λαγὸς (Λᾶγος) Λαγίδης. Etym. M. p. 165, 41; 554, 39. Λαγίδου et Λαγιδῶν est ap. Appian. Civ. 1, 111, Mithr. c. 121, Strabon. 17, p. 795, Λαγίδαι ap. Georg. Syncellum p. 308, C. || Λάγειον, τὸ, Lageum, Hippodromus Alexandriæ, ἀπὸ Λαγοῦ τινος, ut ait Etym. M. p. 533, 33, cum Gudiano in v. et in Λύκειον. Λάγου recte Chœrob. in Crameri An. vol. 2, p. 237, 26. Epiphan. vol. 2, p. 169, B : Λαγίδαι, οἱ ἀπὸ τοῦ Λάγου καταγόμενοι Πτολεμαῖοι, ὃς ἱππικὸν ἐν
B Ἀλεξανδρείᾳ κατασκευάσας Λάϊον ὠνόμασεν. Λάγιον ignarus Etymologi Petavius p. 383, qui etiam notat rationem nominis rationi temporum parum accommodatam. Scribendum esse Λάγειον docet Theognostus in Cram. An. vol. 2, p. 127, 27 : Τὸ Λάγειον παρὰ Ἀλεξανδρεῦσιν ἐν αὐτῇ τῇ πόλει μόνον λεγόμενον, ponens inter nomina in ειον. L. Dind.]

[Λαγοτροφεῖον.. V. Λαγωτροφεῖον.]

[Λαγούριον. V. Λυγκούριον.]

Λαγοῦσσαι, αἱ, Insulæ quædam, a leporum abundantia denominatæ. Fieri autem λαγόεσσα a λαγὸς, et per crasin λαγοῦσσα, tradit Eust. [Il. p. 306, 11], simili forma dici annotans Πιθηκοῦσσαι, Φυκοῦσσαι, Λεπαδοῦσσαι, Ἰχνοῦσσαι, Πιτυοῦσσαι. Lagussarum insularum meminit Plin. 5, 31. In eod. cap. Lagusam insulam Glaucum versus amnem sitam esse scribit. Strabo quoque 10, p. 211 [484] cujusdam Λαγούσας meminit. Athen. 1, [p. 30, D] : Λαγοῦσσαι νῆσοι ἀπὸ τῶν ἐν αὐταῖς λαγῶν. Ceterum ap. Eust., Athen., Plin. gemino σ scribitur, ap. Strab. et eund. Plin. simplici. [Steph. Byz. :
C Λάγουσα, νῆσος περὶ Κρήτην. Στράβων ι' (l. c.). Τὸ ἐθνικὸν Λαγουσαῖος ἢ Λαγούσιος.]

Λαγρὸν s. Λαγρὸς, Hesych. κραββάτιον, Grabatulus. At Λαγρονίτης, Eod. auctore, Placentæ species est. [Λαγρὸς forma græcobarbara pro Λαγαρὸς v. in Λαγαρότης.]

[Λαγύνιον, τό. V. Λάγυνος.]

[Λαγυνὶς, ίδος, ἡ, i. q. λάγυνος. Plut. Mor. p. 614, F : Ἡ γέρανος αὐτῇ (vulpi) καταγγείλασα δεῖπνον ἐν λαγυνίδι προὔθηκε λεπτὸν καὶ μακρὸν ἐχούσῃ τράχηλον.]

[Λαγυνίων, ὁ, Lagynio, cognomen parasiti Democlis. Athen. 13, p. 584, F.]

Λάγυνος, Effeminatus, Muliebris, secunda brevi, VV. LL. ex Gazæ Gramm. 3. [Voc. fictum a grammaticis, ut Arcadio p. 193, 24 et aliis, etymologiæ v. Λάγνος caussa, quod v.]

[Λάγυνος, ὁ, Lagena, Gl. HSt. in Λάγηνος :] Λάγηνος, ὁ, ἡ, Lagena. Rhianus [ap. Athen. l. infra cit.] : Ἥμισυ μὲν πίσσης Κωπίτιδος, ἥμισυ δ' οἴνου, Ἧδε λάγηνος ἔχει. Et in Epigr. [Marci Argent. Anth. Pal. 6, 248, 2] ap.
D Suid. : Κύπριδι κεῖσο λάγηνε· ubi vocatur κασιγνήτη βακχείας κύλικος, δείπνων ὅπλον ἑτοιμότατον, ὑγρόφθογγος, στειναύχην, necnon aliis epithetis : unde satis constat Poculi genus fuisse. Fuisse autem tale quod in itinere circumferri posset, ut hodieque utimur vel coriaceis, vel vitreis, vel stanneis aut ex lamina ferrea confectis, patet ex eo quod Athen. 10, [p. 422, C] dicit, Demetrium Phalereum Crateti Cynico σὺν τῇ πήρᾳ τῶν ἄρτων καὶ λάγηνον πέμψαι οἴνου. [Plut. Mor. p. 509, D : Κενὴ λάγηνος. Pictam videre licet in Heronis Spirit. p. 214.] Sed notandum est, ubique fere scriptum reperiri λάγυνος per υ in secunda syllaba, non ap. Suid. tantum sua serie, sed ap. Athen. etiam et Eust. [et Etym. M., Hesych. v. Πυτίνη] : ap. Hesych. etiam per ι λαγίναρχος : ita tamen ut series admittat τὴν διὰ τοῦ ἦτα γραφήν : quare eam rejiciendam non esse putavi, præsertim quum eam Latini quoque secuti sint, dicentes Lagena. [Alexandrinam hanc formam putabat Toup. ad schol. Theocr. 10, 13.] Ad Athen. vero ut redeam, scribit is 11, [p. 499, B] di-

cere quosdam λάγυνον esse Mensuræ nomen ap. Græcos, veluti χοᾶ et κοτύλην : capere autem cotylas Atticas duodecim : et Patris eam mensuram esse τὴν λάγανον [λάγυνον libri meliores]. Sed iis potius assentiendum qui poculi genus esse tradunt, non feminino solum, sed masculino etiam genere vocantes. Nicostrat. : Τῶν κατεσταμνισμένων Ἡμῖν λαγύνων πηλίκοι τίνες; Idem : Καὶ δυσχερὴς λάγυνος οὗτος πλησίον Ὄξους. Diphilus : Λάγυνον ἔχω κενὸν, θύλακον δὲ μεστόν. [Id. ib. 10, p. 422, C : Οἰνάριον εἰς λάγυνον. Valk.] Sic Lynceus Samius : Εἰς τοὺς παρ' ἐμοὶ πότους, ἐν οἷς λάγυνος κατ' ἄνδρα κείμενος οἰνοχοεῖτο πρὸς ἡδονὴν, διδοὺς ἑκάστῳ ποτήριον. [Λάγυνος οἴνου Plut. Mor. p. 822, E.] Feminino genere Rhianus supra dixit λάγυνον, ut et Aristot. in Thessalorum republica scribit Thessalos feminino genere dicere τὴν λάγυνον. [Mœris p. 246 : Λάγυνος ἀρρενικῶς Ἀττικοὶ, θηλυκῶς Ἕλληνες. Posidipp. Anth. Pal. 5, 134, 1 : Κεκροπὶ ῥαῖνε λάγυνε πολύδροσον ἰκμάδα Βάκχου. Marcus Argentar. 6, 248, 2; 9, 229, 3, ubi cum epithetis generis femin. Etym. M. p. 554, 18; Eust. Opusc. p. 304, 96; 339, 60.] Diminutivo Λαγύνιον [Lagena, Gl.] usus est Diphilus, dicens, Λαγύνιον Ἔχον βαδίζειν εἰς τὰ γεύμαθ' ὑπὸ μάλης. [Unde citat Pollux 10, 72. Apophth. Patr. in Coteler. Eccl. Gr. mon. vol. 1, p. 468, C : Λαγύνιον ὕδατος· ib. 554, B, etc. Etym. M. p. 563, 38 : Λήκυθος, ἀγγεῖον ἐλαιοδόχον, ἢ τὸ λεγόμενον λαγύνιον. Sed in Lex. schedographico ap. Ducang. in Gloss. p. 780, λήκυθος explicatur λαδικὸν, quod est voc. barbarum ex ἐλαδικὸν depravatum.] Quibus in ll. nota etiam τὸ υ produci : corripi autem in Epigr. [Anth. Pal. 11, 298, 3], ubi quidam dicit, Ἐν λαγύνῳ πίνουσα. [Ibid. 7 : Ξέστας γὰρ τριάκοντα μόνον λάγυνος ὅδε χωρεῖ, ut Brunckius conjecit pro λαγύνη τόδε. Mediam apud Atticos produci tradit etiam Draco p. 28, 25; 46, 19.]

[Λαγυνοφόρια, τά. V. Λαγηνοφορία.]

Λαγχάνω, λήξομαι [Plat. Reip. 10, p. 617, E, ap. Iones λάξομαι, α natura brevi, Herodoti 7, 144, quo referri videtur Hesychii gl. Λάξασθαι, κληρώσασθαι, ut bis scribendum sit -εσθαι. L. D.], Sortior, i. e. Sortes duco : ut κληροῦμαι. [Mico, Emico add. Gl.] Isocr. Areop. [p. 144, B] : Δημοτικωτέραν ἐνόμιζον ταύτην εἶναι τὴν κατάστασιν τῆς διὰ τοῦ λαγχάνειν γιγνομένης, ea quæ fit τῇ κληρώσει, ut ibid. loquitur. [Diodor. 4, 63 : Δόντες ἀλλήλοις ὅρκους ἔλαχον, καὶ συνέβη τῷ κλήρῳ λαχεῖν Θησέα. Jo. 19, 24 : Λάχωμεν περὶ αὐτοῦ τίνος ἔσται.] || Frequentius accipitur pro Sortito accipio, obtineo, Sorte accipio, aufero, mihi obtingit : et tunc est ἀποτέλεσμα τοῦ κληροῦσθαι : atque κληροῦνται μὲν πολλοὶ, λαγχάνει δὲ εἷς ὁ ἐπιτυχών [ut tradit etiam Ammonius p. 86]. Hom. Il. H, [171] de ducibus Græcorum sortes mittentibus ad eligendum, qui cum Hectore certaret : Κλήρῳ νῦν πεπάλαχθε διαμπερὲς, ὅς κε λάχῃσι, i. e. κληρώσασθε s. κλήρους βάλετε τίς ἂν λάχῃ, Sortes ducite quisnam sortito obtineat, ut contra Hectorem prodeat. Et mox, Ἢ Αἴαντα λαχεῖν ἢ Τυδέος υἱόν. [K, 430 : Πρὸς Θύμβρης δ' ἔλαχον Λύκιοι.] Et Ψ, [352] de iis, qui quadrigis certare volebant : Ἐν δὲ κλήρους ἐβάλοντο· Πάλλ' Ἀχιλεὺς, ἐκ δὲ κλῆρος θόρε Νεστορίδαο Ἀντιλόχου· μετὰ τόνδ' ἔλαχε κρείων Εὔμηλος... Τῷ δ' ἔπι Μηριόνης λάχ' ἐλαυνέμεν. [Cum infin. etiam O, 190 : Ἤτοι ἐγὼν ἔλαχον πολιὴν ἅλα ναιέμεν αἰεί. Pind. Ol. 6, 34 : Λάχε τ' Ἀλφεὸν οἰκεῖν. Æsch. Eum. 930 : Πάντα γὰρ αὗται τὰ κατ' ἀνθρώπους ἔλαχον διέπειν. Eur. Tro. 278 : Ὀδυσσεὺς ἔλαχ' ἄναξ δούλην σ' ἔχειν· 281 : Δολίῳ λέλογχα φωτὶ δουλεύειν.] Thuc. 8, [30] : Ἐπὶ Χῖον λαχόντες ἔπλεον, Quum id sorte eis obtigisset. [Æsch. Sept. 423 : Καπανεὺς δ' ἐπ' Ἠλέκτραισιν εἴληχεν πύλαις· 451 : Λέγ' ἄλλον ἄλλαις ἐν πύλαις εἰληχότα· 457 : Τὸν ἐντεῦθεν λαχόντα πρὸς πύλαις λέξω. Soph. Aj. 1284 : Ἕκτορος μόνος μόνου λαχών τε κἀκέλευστος ἦλθ' ἐναντίος. Herodot. 3, 128 : Παλλομένων δὲ λαγχάνει ἐκ πάντων Βαγαῖος.] Et cum gen., Apollonides Epigr. [Anth. Pal. 9, 228, 7] : Μητέρες ὡς ἀνίσου μοίρης λάχον. Item [Hom. Il. Ω, 400 : Τῶν μέτα παλλόμενος κλήρῳ λάχον ἐνθάδ' ἕπεσθαι. Æsch. Pers. 186 : Ἔναιον ἡ μὲν Ἑλλάδα κλήρῳ λαχοῦσα γαῖαν. Eur. Heracl. 36 : Κλήρῳ λαχόντας.] Xen. [Comm. 3, 9, 10], κλήρῳ λαχὼν, Sorte assecutus, Quum ei sorte obvenisset. [Herodot. 4, 94, 153 πάλῳ λαχόντα, et κλήρῳ 3, 83 (quorum hoc

A in κληρολαχεῖν corruptum in Etym. M. v. Πρύτανις, ex Harpocrat. corrigendo). Æsch. Sept. 55 : Πάλῳ λαχὼν ἕκαστος, eodemque alibi modo. Cum accusat. 376 : Ὡς τ' ἐν πύλαις ἕκαστος εἴληχεν πάλον, ubi pauci πάλῳ. Alia locutione Plut. Thes. c. 17 : Ἑλλάνικος δέ φησιν οὐ τοὺς λαχόντας ἀπὸ κλήρου καὶ τὰς λαχούσας ἐκπέμπειν τὴν πόλιν. Eust. Il. p. 694, 18 : Παρὰ μέντοι τοῖς ὕστερον καὶ ἀπὸ ψήφου λαχεῖν τις ἐλέγετό τι.] Sic Aristoph. Av. [1022] : Ἐπίσκοπος ἥκω δεῦρο, τῷ κυάμῳ λαχὼν, Faba eam dignitatem sortitus. Nam fabis olim sortiri solebant, ut suo loco dictum est. Judices quoque et magistratus dicuntur λαγχάνειν, quum sortito creantur et designantur, s. quum sorte eis obvenit ejusmodi munus. [Cum accus. Demosth. p. 1306, 14 : Ἔτι τοίνυν ἀρχὰς ἔλαχε καὶ ἦρξε δοκιμασθείς.] Æschin. [p. 54, 8] : Οὐκ ἐκ τοῦ δικαιοτάτου τρόπου λαχόντες προεδρεύειν, ἀλλ' ἐκ παρασκευῆς καθεζόμενοι· ἂν δέ τις τῶν ἄλλων βουλευτῶν ὄντως λάχῃ κληρούμενος προεδρεύειν, Inter ducendum sortes ei obveniat, ut sit præses. Λαγχάνει βουλεύειν, inquit Bud. p. 233, dicunt pro Creatur et
B designatur senator, et in curiam cooptatur; id enim sortito fiebat. Exemplum ex Dem. [p. 1346, 2] addit. [Plat. Gorg. p. 473, E. Inscr. Att. ap. Bœckh. vol. 1, n. 115, p. 157, 11.] Eos autem βουλευτὰς, postquam erant designati, censuram subire oportebat, antequam jurejurando adigerentur in leges : ut patet ex Lys. [p. 186 fin.] : Ἀποφαίνειν, εἴ τις τινὰ οἶδε τῶν λαχόντων ἀνεπιτήδειον ὄντα βουλεύειν, Ex iis, quibus sorte obvenerat munus senatorium, s. ex creatis et designatis senatoribus, Ex iis, qui in curiam cooptati erant. [Aristoph. Nub. 624 : Λαχὼν Ὑπέρβολος τῆτες ἱερομνημονεῖν· Pl. 277 : Ἐν τῇ σορῷ νυνὶ λαχὸν τὸ γράμμα σου δικάζειν.] Rursus idem Bud. ex Dem. [p. 1313, 24] subjungit, Ἔλαχον ἱερεύς. [Æschin. p. 57, 42 : Οὔτ' ἔλαχε τειχοποιὸς οὔτ' ἐχειροτονήθη ὑπὸ τοῦ δήμου.] Ex Eod. [p. 1369, 16] : Κατιδόντες Θεογένην λαχόντα βασιλέα, Designatum regem, h. e. regem sacrorum. Erat autem magistratus, qui præerat sacris Eleusiniis, et judicium habebat violatæ religionis, ut Romæ Rex sacrorum, qui etiam Sacrificulus a Liv. dictus est. Plato
C [Polit. p. 290, E] : Τῷ γὰρ λαχόντι βασιλεῖ φασὶ τὰ σεμνότατα τῶν ἀρχαίων θυσιῶν ἀποδεδόσθαι. [Dinarch. p. 106, 20 : Ἐμπορίου ἐπιμελητὴς λαχὼν ἀπεδοκιμάσθη.] Eod. modo ap. Plut. [Mor. p. 208, B] : Παρὰ πότον ποτὲ λαχὼν συμποσίαρχος. [Cum genitivo inscriptio Deliaca apud Bœckh. vol. 2, p. 226, 19 : Λαχὼν τοῦ Διονύσου, i. e. λαχὼν ἱερεύς. Aliter Demosth. p. 558, 15 : Ὁ μὴ λαχεῖν εὐχόμενος τῶν ἐξιόντων ὅτ' ἐκληροῦ. Ps.-Herodot. c. 2 : Πρὸς Ἰσμηνίην τὸν Βοιώτιον τῶν ἀποίκων λελογχότα.] Qui vero λαχόντες dicuntur, iidem et ἀναδεδειγμένοι et ἀποδεδειγμένοι, Designati, Bud.; alibi ex Dem. afferens, Τῶν κληρουμένων πρῶτος αἱρεῖσθαι ἔλαχον, Competitorum primus designatus sum. Ab Eod. λαχὼν exp. Cujus sors inter nominatos exiit : in hoc l. Plat. [Leg. 6, p. 765, B] : Τῶν μὲν, ὡς ἄπειρος ὁ λαχὼν, τῶν δ' ὡς ἔμπειρος· quod imperitus sit is, cujus sors inter nominatos exierit. [Conjungitur cum adjj. πρῶτος, ὕστατος et aliis similibus, ut sit Primum, ultimum aliumve locum sortiri. Reip. 10, p. 619, B : Τὸν πρῶτον λαχόντα ἔφη εὐθὺς ἐπιόντα τὴν μεγίστην τυ-
D ραννίδα ἑλέσθαι· 620, D : Εἰπεῖν ἰδοῦσαν ὅτι τὰ αὐτὰ ἂν ἔπραξε καὶ πρώτη λαχοῦσα· C : Κατὰ τύχην δὲ τὴν Ὀδυσσέως (ψυχὴν) λαχοῦσαν πασῶν ὑστάτην αἱρησομένην ἰέναι. Lucian. Adv. indoctum c. 9 : Ἔλαχε μέσος αὐτῶν ὁ Εὐάγγελος ᾄδειν.] || Λαγχάνειν δίκην, Dictare judicium, Litem intendere, Edere judicium et actionem : quod etiam Subscribere judicium dicitur, a more prisco deductum; sortes enim ab judicibus ducebantur, et quæ prima dica ex urna exierat, prima agebatur. Unde Virg. : Nec vero hæ sine sorte datæ, sine judice sedes : Quæsitor Minos urnam movet. Cic. In Verrem : Deinde ceteras dicas omnes illo foro M. Posthumius quæstor sortitus est, hanc solam in illo conventu reperiere sortitus. Alibi, Advenit dies, quo die ex instituto dicas sortiturum edixerat. Verum litigator litem λαγχάνει, sortitur et sorte exeuntem in judicium deducit : prætor autem dicas sortitur ἐν τῷ κληροῦσθαι, h. e., sortibus missis et eductis controversiarum agendarum ordinem constituit, vel quæstionum exercendarum. Hæc inter alia Bud. p. 22, 23, ex

Dem. ibi exx. proferens. Quibus addo ex eod. Dem. cum ejusd. Bud. interpret. : Προὐκαλεσάμην αὐτὸν, καὶ ἔλαχον αὐτῷ δίκην αἰκίας [ut p. 1256, 5], In judicium vocato intendere actionem injuriarum institi. [Id. p. 912, 1 : Λάβε δή μοι καὶ τὸ ἔγκλημα ὃ ἔλαχον αὐτῷ πέρυσιν. || Constructiones notandæ sunt cum præp. ὑπέρ, ap. Dionys. A. R. 2, 10 : Δίκας ὑπὲρ τῶν πελατῶν ἀδικουμένων λαγχάνειν. Cum præp. πρὸς, ut in exx. infra in pass. citandis, in psephismate ap. Harpocrat. v. Ναυτοδίκας cit. : Λαγχάνειν τῇ ἕνῃ καὶ νέᾳ πρὸς τοὺς ναυτοδίκας. Demosth. p. 1089, 17; 1160, 21. Cum præp. εἰς in Or. c. Neær. p. 1378, 10 : Λαγχάνουσι δίκην τοῖς Λακεδαιμονίοις εἰς τοὺς Ἀμφικτύονας χιλίων ταλάντων ὑπὲρ τῶν συμμάχων.] Isocr. [p. 347, A] : Τὰς δίκας ὑπὲρ τῶν ἰδίων ἐγκλημάτων λαγχάνουσι. [Plato Leg. 11, p. 938, B : Μηδενὶ λαχεῖν δίκην· 928, C : Ἔστω δίκην λαχεῖν ἐπιτροπίας· 10, p. 909, C : Δίκας ἀσεβείας τῷ ἐθέλοντι λαγχάνειν ὑπεχέτω.] Interdum autem cum gen. construitur, ubi tamen accus. δίκην subaudiri videtur. Isæus [p. 52, 17] : Διὰ δὲ ταῦτα ἔδοξέ τε ἡμῖν λαχεῖν τοῦ κλήρου κατ' ἀγχιστείαν, καὶ ἐλάχομεν τὸ μέρος ἕκαστος, Ideo sortiri dicam cum eo, qui pro hærede aut possessore aut alias possidebat, pro sua quisque parte cœpimus, Bud. Idem, Λαχόντος κατὰ τὸν νόμον τοῦ κλήρου, Quum dicam sortitus bonorum possessionem legitimo jure peteret. Ἔλαχε Νικοστράτου, Lege agere instituit de Nicostrati hæreditate, Bud. p. 18, in Παρακαταβολή. [Andocides p. 16, 7 : Λαγχάνει τῷ υἱεῖ τῷ ἑαυτοῦ τῆς ἐπικλήρου· 20 : Τὸν υἱὸν αὐτοῦ τοῦτον ᾧ λαχεῖν ἠξίωσε τῆς Ἐπιλύκου θυγατρός.] Dem. [p. 1173, 6] : Ἔλαχε τοῦ ἡμικλήρου [—ρίου], Egit in semissem petitionis hæreditatis, Bud. p. 114, in Ἐκποιεῖν. [Id. p. 554, 4 : Φόνου ἂν εἰκότως ἐμαυτῷ λαχεῖν. Et cum genit. τῆς ἐπικλήρου p. 1136, 4.] Aristides [vol. 1 p. 103] ap. Eund. : Οὐκοῦν ἐξούλης γε μόνοις ἡμῖν, εἰ οἷόν τέ ἐστιν εἰπεῖν, οὐδ' ἂν ἧς λάχοι τῆς γῆς, οὐ μᾶλλόν γε ἢ τῆς μητρός τινι, Quo fit ut uni, si fieri potest, ipsi simus quibuscum nemo unde vi agere possit ob regionem, quam incolimus, non magis quam matris cujusque nomine experiri quisquam cum filio ipsius jure potest. Rursum Isæus [p. 41, 16] : Ἐν ᾧ ἔλαχον τοῦ κλήρου λῆξιν οὗτοι. [Plato Leg. 5, p. 740, A : Ὡς δεῖ τὸν λαχόντα τὴν λῆξιν ταύτην νομίζειν κοινὴν αὐτὴν τῆς πόλεως ξυμπάσης.] Idem [p. 38, 8 : Κλήρου] λαχεῖν τὴν λῆξιν ἠξίωσεν, Hæreditatis petitione experiri, Bud. p. 233, ubi et Εἰληγμένος. [Ex Demosth. p. 873, 24 : Ἤδη τούτῳ ταυτησὶ τῆς δίκης εἰληγμένης. Id. p. 1265, 22 : Πρὸ τοῦ τὴν δίκην ληχθῆναι. Lysias p. 149, 2 : Τοὺς πέρυσιν ἄρξαντας, πρὸς οὓς αἱ δίκαι ἐλήχθησαν. Pollux 8, 90 : Δίκαι πρὸς αὐτὸν (regem) λαγχάνονται ἀσεβείας· 91 : Δ. πρὸς αὐτὸν λ. μετοίκων. Ib. 118 : Τὸ ἐπὶ Παλλαδίῳ· ἐν τούτῳ λαγχάνεται περὶ τῶν ἀκουσίων φόνων. Harpocr. v. Ἡγεμονία a Valck. cit. : Ἄλλαι πρὸς ἄλλους τῶν ἀρχόντων ἐλαγχάνοντο δίκαι. Et in Ὅτι πρός. || Λαχεῖν δίκης ponit Photius ante Λαχεῖν δίκην cum hac interpretatione : Τὸ παλαιὸν πολλῶν ὄντων οἳ ἐβούλοντο εἰς δικαστήριον εἰσιέναι, ἢ οἱ ἄρχοντες ἵνα κατὰ τάχος εἰσίωσιν, κλήρῳ λαχεῖν αὐτοὺς τῆς δίκης διέταττον· ἢ λαχεῖν δίκης ἐστὶν, ὥς ἔνιοι, οἷον τὸ τυχεῖν, ὥσπερ ὕπνου λαχεῖν καὶ τροφῆς καὶ τῶν τοιούτων.] || Obtineo, Obvenit s. Obtingit mihi, Sorte divina obtingit, Nanciscor, Adipiscor, ut etiam Lat. Sortior. Hom. Il. Ω, [70] : Τὸ γὰρ λάχομεν γέρας ἡμεῖς. [Σ, 327 : Λαχόντα τε ληΐδος αἶσαν.] Paulo post, Ὥς κεν Ἀχιλλεὺς Δώρων ἐκ Πριάμοιο λάχῃ, ἀπὸ θ' Ἕκτορα λύσῃ. [Od. E, 311 : Ἔλαχον κτερέων. Pind. Isthm. 7, 64 : Δωρίων ἔλαχεν σελίνων· fr. ap. Plut. Mor. p. 602, F : Πενθέων οὐχ ἔλαχον οὐδὲ στασίων. Soph. Antig. 699 : Οὐχ ἥδε χρυσῆς ἀξία τιμῆς λαχεῖν; Eur. Tro. 1192 : Ἀλλ' ὦ πατρῴων οὐ λαχὼν, ἕξεις ὅμως ἐν ᾗ ταφήσει. Addito adverbio lyricus (f. Pindarus) ap. Plut. Mor. p. 504, D : Κἀκεῖνον γὰρ ἐγώ φημι (vel φαμι) ἰοπλοκάμων Μοισᾶν εὖ λαχεῖν.] Synes. : Εἴ τινες εἶεν ἢ φύσεως λαχόντες, ἢ ἀγωγῆς εὐτυχήσαντες, Bonam indolem sortiti, consecuti, adepti. Sic Thuc. 2, [44] : Οἳ ἂν τῆς εὐπρεπεστάτης λάχωσι ... τελευτῆς. Philo De mundo : Ἐξαιρέτου τῆς κατασκευῆς ἔλαχεν ἄνθρωπος, Eximiam constitutionem sortitus est, Donatus est constitutione; at λαγχάνειν τιμῆς, Honore affici. Item cum accus. ap. Hesiod. [Th. 203] : Τιμὴν ἔχει, ἠδὲ λέλογχε Μοῖραν. [Pind. Ol. 11, 61 : Τίς δὴ ποταίνιον ἔλαχε στέφανον; Et alibi.] Soph. [Aj. 1058] :

A Ἣν δδ' εἴληχεν τύχην. [El. 751 : Οἷ' ἔργα δράσας οἷα λαγχάνει κακά. Eodemque modo sæpe Euripides et alii. Herodot. 7, 53 : Τοῖσι θεοῖσι οἳ Περσίδα γῆν λελόγχασι.] Inversa autem structura, et in malam partem. [Hom. Il. Ψ, 79 : Κὴρ, ἥπερ λάχε γεινόμενόν περ. Pind. Ol. 1, 53 : Ἀκέρδεια λέλογχεν θαμινὰ κακαγόρος.] Theocr. 4, [40] : Αἲ αἲ τῶ σκληρῶ μάλα δαίμονος, ὅς μ' ἐλελόγχει [με λελόγχῃ], pro ὃν ἐλελόγχειν s. εἴληχα. [Dio Cass. 43, 10 : Τὸν δαίμονα τὸν λαχόντα σε θεραπεύειν προσήκει. Alciphr. Ep. 3, 49 : Ὦ δαῖμον, ὅς με κεκλήρωσαι καὶ εἴληχας. Apoll. Rh. 2, 258 : Ἴστω δὲ δυσώνυμος, ἥ μ' ἔλαχεν κήρ. In bonam partem Pind. Pyth. 2, 27 : Τὰν (Junonem) Διὸς εὐναὶ λάχον.] Plato Tim. [p. 23, D], de Minerva : Ἡ τήνδε ἡμετέραν [τήν τε ὑμ.] πόλιν ἔλαχε, Nostræ civitatis præsidium sortita est. [Lysias p. 198, 5 : Ὁ δαίμων ὁ τὴν ἡμετέραν μοῖραν εἰληχὼς ἀπαραίτητος.] Aristot. De mundo [c. 6] : Τὴν ἀνωτάτω καὶ πρώτην ἕδραν ὁ θεὸς ἔλαχε· sicut Hom. Il. O, [192] de Neptuno, Plutone, et Jove regnum Saturni dividentibus : Ζεὺς δ' ἔλαχ' οὐρανὸν εὐρὺν ἐν αἰθέρι καὶ νεφέλῃσι.
B [Antimach. ap. Harpocrat. in Ἀδράστειαν : Θεὸς, ἣ τάδε πάντα πρὸς μακάρων ἔλαχεν. Valck. Eur. Or. 319 : Ποτνιάδες θεαὶ, ἀβάκχευτον αἳ θίασον ἐλάχετ' ἐν δάκρυσι καὶ γόοις· 963 : Κτύπον τε κρατὸς, ὃν ἔλαχ' ἁ κατὰ χθονὸς θεά· Phœn. 1576 : Ψυχρὰν λοιβὰν ἂν ἔλαχ' Ἅδας. Callim. Del. 74 : Ἐπεὶ λάχεν Ἴναχον Ἥρη, de quo usu conf. Ernest. ad l. infra cit. Ap. 43. Apoll. Rh. 1, 1226 : Νύμφαι ὅσαι σκοπιὰς ὀρέων λάχον ἢ καὶ ἐναύλους.] Item ap. Dem. λαγχάνειν τριήρεις, τόπον. [Cum accusat. pers. Callim Ap. 43 : Κεῖνος ὀϊστευτὴν ἔλαχ' ἀνέρα, κεῖνος ἀοιδὸν, de Apolline, sagittariorum et poetarum auspice. Dionys. A. R. 4, 83 : Δαίμονες, οἳ τοὺς πατέρας ἡμῶν λελόγχατε, Quibus majorum nostrorum tutela obtigit.] Res quoque aliqua λαγχάνειν dicitur, quæ sorte obtingit s. obvenit. [Hom. Od. I, 160 : Ἐς δὲ ἑκάστην (νῆα) ἐλάγχανον ἐννέα αἶγες. Eur. Hel. 213 : Αἰὼν δυσαίων τις ἔλαχεν, ὅτε σ' ἐτέκετο ματρόθεν Ζεύς.] Plato Leg. 5, [p. 745, E] : Ἐπονομάσαι καὶ καθιερῶσαι τὸ λαχὸν μέρος ἑκάστῳ τῷ θεῷ, Nominatim dicare partes singulas singulis diis, ut sorte obtigerunt, Bud. p.
C 233. [Pollux 8, 91 : Διανέμει τὸ λαχὸν, ἑκάστη φυλῇ τι μέρος. Probl. arithm. Anth. Pal. 14, 11, 4 : Τῶν λαχόντων τῷ νόθῳ. Strabo 9 extr. : Τὴν πρὸς νότον λαχεῖν φασι Δευκαλίωνι, τὴν δ' ἑτέραν Αἵμονι. Hierocl. Facet. 29 : Ἔλαχεν πρῶτον τῷ κουρεῖ. Alia interpretes ad argum. Demosth. Mid. p. 511, 5.] || Λαγχάνω transitive quoque [in aor. forma λέλαχον] capitur pro Participem reddo, Tribuo, Veluti sortem tribuo, ὡς λάχος δίδωμι, Eust. Hom. Il. X, [342] : Ὄφρα πυρός με Τρῶες καὶ Τρώων ἄλοχοι λελάχωσι θανόντα· O, [349] : Οὐδέ νυ τόνγε Γνωτοί τε γνωταί τε πυρὸς λελάχωσι θανόντα· Ψ, [75] spectrum Hectoris, Οὐ γὰρ ἔτ' αὖτις Νίσσομαι ἐξ Ἀΐδαο, ἐπήν με πυρὸς λελάχητε, Si hoc veluti sortitus a vobis fuerim, ut me cremetis. [Eadem forma intransitive utitur poeta anon. Anth. Pal. 7, 341, 4 : Αἴθε δὲ καὶ ψυχὰς χῶρος ἔεις λελάχοι. Locos aliorum poetarum spectant gll. Hesychii : Λελαχεῖν, θάψαι, et Λελαχήσομεν, λαχεῖν ποιήσωμεν, quod λελάχωμεν scribendum. HSt. in Ind. :] Λήχω, inus. thema, a quo λαγχάνω sua tempora mutuatur, ut λαμβάνω a λήβω, unde
D præt. perf. εἴληχα. Λαχόην, Æolice pro λαχοίην : hoc autem, Attice pro λάχοιμι, Etym. [M. p. 558, 31, sive Zonar. p. 1292, unde corrigendum esse l. grammatici in Crameri Anecd. vol. 4, p. 204, 4-6, animadvertit Ahrensius De dial. vol. 1, p. 101, not. 3, qui fragmentum Sapphicum, unde gl. petita, ap. Apollon. De constr. p. 247, 24 : Αἴθ' ἔγω, χρυσοστέφαν' Ἀφρόδιτα, τόνδε τὸν πάλον λαχοίην (liber unus λαχοίη, utrumque pro λαχόην), posuit ib. p. 259, 8. || Perfecti triplex forma est εἴληχα, λέλογχα, λέλαχα. Quorum prima Attica, altera poetarum tam epicorum, ut Homeri Od. Λ, 303, et aliorum, quam Atticorum propria et aliena est a prosa Attica. Thomas M. p. 322 : Ἐξείληχεν, οὐκ ἐκλέλογχε, quæ Grævius pro ἐξείλοχεν et ἐκλέλογχε restituit ad Lucian. Pseudosoph. c. 7 : Λέλογχα τὸ εἴληχα λέγοντος, ut mirum sit reliquisse eum ib. 5 : Ἑτέρου δὲ ἐκλελογχότας (εἰπόντας), διπλασιάζεις, ἔφη τοὺς ἐξειλοχότας, ubi easdem formas restitui supra in Ἐκλαγχάνω. Idem vitium eximendum Nicephoro Greg. Hist. Byz. 1, p. 5, A : Τῶν

πάνυ νωθροτάτην εἰλοχότων τὴν φύσιν. Pseudo-Lucian. Amor. c. 18 : Ἐπειδὴ Χαρικλῆς ἐλελόγχει πρότερον. Dionys. supra cit. || Penultima tertiæ plur. correpta Hom. l. supra cit., Empedocles v. 4, 301. || Tertiam annotavit Hesych. Λελάχασι, τετεύχασι. Nisi λελόγχασι scribendum. Formæ primæ pass. est ap. Demosth. p. 873, 24, supra cit., et Eur. Tro. 296 : Εἶτα τὰς εἰλη-γμένας καὶ τοῖσιν ἄλλοις αἰχμαλωτίδων ἄγω, Sorte tributas. Sic enim scripturam librorum εἰλεγμένας correxit Heathius. L. Dind.]

Λἄγωβολεῖον, τὸ, Locus ubi lepores figuntur, ἐν ᾧ τοὺς λαγωοὺς ἀγρεύουσι, Suidas.

Λαγωβολία, ἡ, Venatus leporum, quo sc. lepores figuntur. Callim. H. in Dianam [2] : Τῇ τόξα λαγωβολίαι τε μέλονται.

Λαγωβόλον, τὸ, Lignum quo lepores fugientes petuntur, ξύλον, ᾧ διαφεύγοντες οἱ λαγωοὶ βάλλονται, schol. Theocr. 4, [49] : Αἴθ' ἦν μοι ῥοικὸν τὸ λαγωβόλον, ὥς τυ πατάξω· 7, [128] : Ὁ δέ μοι τὸ λαγωβόλον ἁδὺ γελάξας ... ὤπασε· quod paulo ante κορύνην appellat. [Leonid. Anth. Pal. 6, 188, 1. Anon. A. Plan. 4, 258, 3. Pollux 4, 120; Etym. M. p. 807, 46. In Gl. Λαγοβόλον, Agolum (quod Festus interpretatur pastorale baculum, quo pecudes aguntur). || Forma Λαγωοβόλον Leonid. Tar. Anth. Pal. 6, 296, 2 : Καὶ λίνα καὶ γυρὸν τοῦτο λαγωοβόλον. L. D. Λαγωβόλα sculpta pictave videre licet ap. Visc. Mus. Piocl. t. 1, p. 90 et 98; Vas. Hamilt. ed. Florent. t. 4, tab. 11; conf. C. O. Müller. *Handb. der Arch.* § 387. Hase.]

Λαγωβόλος, ὁ, ἡ, Lepores impetens. Λαγωβόλα πτηνὰ, Epigr., Volucres quæ lepores impetunt, ut aquilæ et falcones. [Gl. : Λαγωβόλος, Pedum.]

[Λαγωδάριον, τὸ, Lepusculus. Philo vol. 1, p. 318, 18 : Σκυλάκων ἢ λαγωδαρίων. Wakef. Et p. 256, 31.]

Λαγωδίας, ὁ, dicitur Otus avis. Athen. 9, [p. 390, F] : Ἀλέξανδρος δὲ ὁ Μύνδιος καὶ προσαγορεύεσθαί φησιν αὐτὸν λαγωδίαν. Dubium tamen ibi est, an potius sit a nom. ἡ λαγωδία.

[Λαγῴδιον.] Λαγώδιον, τὸ, Lepusculus, a λαγὼς, ut καλώδιον a κάλως, Aristoph. [Ach. 520. « Nicet. Chon. : Φυγεῖν, ὡς λαγώδια (Andr. Comn. 1, 3, p. 183, D : Ἁλούσης τῆς πόλεως κατέπτησσον ὡς λαγώδια). Sic Calpurnius milites fugientes Lepores galeatos vocare solebat. » Koenig. Scripturam per ω agnoscit Etym. M. p. 486, 20, et ubi rationi non esse consentaneam concedit p. 550, 7, 19. Λαγώδιον scriptum etiam ap. Suidam.]

[Λαγώδους, ὁ, Dens leporinus. Hippiatr. p. 262, 5 : Λαγώδοντα ἢ ἐξώδοντα. Hase.]

[Λαγώειος. V. Λαγῷος.]

[Λαγωϊκὸς, ἡ, όν, Aptus ad leporum venationem. Achmes Onirocr. p. 256, 7, ubi distinguitur κυὼν λ. et ποιμενικός. Certe, ut ipse audivi in Peloponneso, hodieque Græci vocant Λαγωνικοὺς, inserto ν, Vergatos s. Canes graios L. Hase.]

Λαγωΐνης, Hesychio ὄρνις ποιός. [V. Λαγώς.]

Λάγων, όνος, ἡ, Hesych. est ὁ κενεὼν, Ilia [Gl.], Lateris cavitas laxior et exossis inter costas et coxendicem : dicta, ut Athen. [8, p. 363, A] vult, παρὰ τὸ λαπαρὸν [λαγαρὸν], ut Eust. [Il. p. 625, 15] παρὰ τὸ λήγειν ἐκεῖ τὰ ὀστώδη πλευρά : Homero vocata λαπάρα. [Eur. Hec. 559 : Ἔρρηξε λαγόνος εἰς μέσον. (Ubi singularis ponitur de utraque, ut ap. Aristoph. Vesp. 1193 : Ἤδη γέρων ὢν καὶ πολιὸς, ἔχων δέ τοι πλευρὰν βαθυτάτην καὶ χέρας καὶ λαγόνα καὶ θώρακ' ἄριστον. Sic enim cod. Venetus, καὶ λαγόνας Ravennas, λαγόνας τε ceteri ex emendatione metrici. Hippocr. p. 543, 45 : Μεταπίπτουσι δὲ (αἱ ὀδύναι) καὶ ἐς τὸν ὦμον καὶ ἐς τὴν κληῖδα καὶ ἐς τὸν τιτθὸν καὶ ἐς τὴν (ed. τὸν) λαγόνα. Quanquam hujus loci paullo alia ratio est. Etym. M. v. Μίτρα p. 589, 10 : Ἐφορεῖτο δὲ ἐσωτέρα τῆς λαγόνος ἡ χαλκῆ λεπίς.) Iph. T. 298 : Παίει σιδήρῳ λαγόνας· El. 826 : Δισσοὺς διαύλους ἱππίους διήνυσε κἀνεῖτο λαγόνας. Aristoph. Ran. 662 : Ἀλλὰ τὰς λαγόνας σπόδει. Callim. Lav. Min. 88 : Εἶδες Ἀθαναίας στάθεα καὶ λαγόνας. Et alii quivis. De bestia Theocr. 25, 247 : Ὑπὸ λαγόνας τε καὶ ἰξύν. Apoll. Rh. 2, 664. Et de canibus leporibusque sæpe Xen. Cyneg., ut 4, 1; 5, 10.] Terræ etiam tribuitur. [Dionys. A. R. 3, 24 : Παρὰ τὴν λαγόνα τοῦ ὄρους· 9, 23 : Ἦν δ' ὑπὸ λαγόνι κείμενον ὄρους. Galen. vol. 8, p.

A 289 : Ἐὰν οὕτως δεῖν φάσκῃ λαγόνων ἀκούειν, ὡς ἐπὶ τοῦ ὄρους τοῦ Βριλλησοῦ Καλλίμαχος εἴρηκε, Βριλλησοῦ λαγόνεσσιν ὁμούριον ἐκτίσσαντο. Sic enim Bentlejus fr. 185 pro λαγόνες εἰσὶ νόμου ὃν ἐκτήσαντο. Alciphr. Ep. 3, 23 : Μέλιτος οἷον αἱ Βριλήσιαι λαγόνες ἐξανθοῦσι, comparat Hemst. Plut. Arat. c. 22 : Πρός τινι παλινσκίῳ λαγόνι τοῦ κρημνοῦ.] Nonnus, χθόνιοι λαγόνες, Terræ cavitates et hiatus [et de mari id. Jo. 21, 60, λαγόνες ἅλμης], ut et ap. Athen. 11, [p. 471, E, ex Eubulo] de figulo, Ἔτευξε κοίλης λαγόνος εὐρύνας βάθος. Hesychio quoque λαγόνες sunt σχίσματα γῆς. [Theophyl. Simoc. Ep. 61. Boiss.] Affertur et Λαγωνόπονος, pro Iliorum dolor : sed perperam; pro eo enim scribendum λαγόνων πόνος.

[Λαγώνειος. V. Λαγῷος.]

[Λαγωνόπονος. V. Λαγών.]

[Λαγωοβόλον. V. Λαγωβόλον.]

Λἄγωὸς, ὁ, Lepus. Hom. Il. [K, 361 : Ἢ κεμάδ' ἠὲ λαγωόν·] X, [310] : Ἁρπάζων ἢ ἄρν' ἀμαλὸν ἢ πτῶκα λαγωόν· Od. P, [295] : Αἶγας ἐπ' ἀγροτέρας, ἠδὲ πρόκας, ἠδὲ λαγωούς. Lucian. [De hist. scrib. c. 56] : Συσὶν
B ἀγρίοις καὶ λαγωοῖς [λαγῴοις] καὶ ὑπογαστρίοις. [Phrynich. Ecl. p. 186 : Τὸ λαγωὸς οὐχ (Λακώνων pro οὐχ vitiose Cyrillus Ms. ap. Bernard. ad Thomam p. 564) ἔστιν. Ubi exx. Plut. Arat. c. 26 (add. l. ejusd. infra ap. HSt.) et supparium scriptorum indicavit Lobeckius, quibus addere licet Athen. 9, p. 400, D; 401, A, et recentiores his, quos citavit Sturzius De dial. Mac. p. 178, et exempla poetarum non Atticorum, ut Callimachi Dian. 95, 155, epigr. 32, 1, Arati infra ab HSt. memorati, Oppiani, aliorumque in Anthologia. Ab librariis interdum illatam hanc formam præter alios notarunt Oudendorp. ad Thomam p. 564, Jacobs. ad Philostr. p. 12, 20, cui eximenda videtur etiam p. 83, 21. Nam Aristot. H. A. 8, 28, p. 606, 24, non esse relinquendum λαγωοὶ, quum λαγοὶ sit pluribus in libris, nec λαγωοῦ 9, 33, ubi λαγὼς fuerat c. 32 extr., nec λαγωῶν Eth. Nicom. 3, 13, p. 1118, 18, ubi consentire videntur libri omnes, dubitari non potest. Theophrastum C. Pl. 6, 20, 4, forma non Attica liberavit Urbinas.] Hunc Nicand. [Al. 67] periphrastice vocat
C δερκευνέα σκίνακα, quoniam inter dormiendum non connivet oculis. Synonymως autem πτὼξ dicitur, a timiditate : sicut a villositate pedum δασύπους, et a velocitate ap. Lacedæmonios ταχίνας. || Est etiam Sidus cæleste ap. Arat. [338] : Cic. ibi Leporem interpr. [Eratosth. Catast. c. 34, ubi v. Schaubach.] || Λ. θαλάσσιος, Lepus marinus, Plin. dicens esse animal venenatum. Plut. [Mor. p. 983, F] : Τὸν θαλάττιον λαγωὸν, ὅς ἐστιν ἀνθρώπῳ θανάσιμος, κτείνουσιν αἱ τρίγλαι. [V. Hesychii gl. paullo post afferenda. || Avis. Artemid. 4, 56, p. 369 : Τὰ φιλόχωρα (avium genera) ὡς χελιδὼν καὶ λαγώς. Ubi hirundinem domesticam interpretatur Reiffius. Antonin. Lib. c. 21, p. 140 : Ὄρειος δ' ἐγένετο λαγὼς, ὄρνις ἐπ' οὐδενὶ φαινόμενος ἀγαθῷ. V. Λαγωδίας, Λαγωΐνης.] Quod vero ad etymon attinet, sunt qui a λα, partic. epitatica, et οὖς derivatum velint; nam prælongas aures id animal sortitum est : alii autem a λάειν, i. e. βλέπειν : inde fortassis, unde et δερκευνὴς σκίναξ a Nicandro appellatur. Ceterum non tantum λαγωὸς [cujus formæ de accentu acuto Arcad. p. 42, 26] di-
D citur, sed etiam Λαγὼς et Λαγός : imo Eust. ap. Hom. dubitari scribit an λαγωὸς derivetur a λαγὼς, pleonasmo literæ ο, an a λαγός. [Locos Eust. v. in ind. Devarii.] Verum Ionicum esse λαγὸς, Atticum autem λαγὼς, docet Eust. [Od. p. 1534, 14] ex Soph. [Amyco] afferens, Γλαῦκες, ἰκτῖνες, λαγοί. [Sumit autem sua Eust. ex Athen. 9, p. 400. Qui vulgarem hanc dicit formam, quum Attica sit λαγώς. Idem vero Ionicam p. 400, C, consentiente Phrynicho p. 186 : Λαγὼς ὁ Ἀττικὸς, διὰ δὲ τοῦ ο ὁ Ἴων, Thoma p. 564. Inepto discrimine Hesych. : Λαγὼς ὁ χερσαῖος, λαγὸς δὲ ὁ θαλάσσιος καὶ ποτάμιος. Accusat. sing. λαγὸν ex Amipsia affert Athen. l. c. p. 400, C : Λαγὸν ταράξας πῖθι τὸν θαλάσσιον. Genit. λαγοῖο ap. Nicandr. Alex. 465. Nominat. plur. λαγοὶ est ap. Theophr. De odor. fr. 4, 59, Philemonem in Stob. Fl. vol. 1, p. 79 Accusat. plur. λαγοὺς apud Polemonem Physiognom. 1, p. 209, 1, λαγὸς ap. Hesiod. Sc. 302 : Τοὶ δ' ὠκύποδας λαγὸς ᾕρευν. Quæ Dorica forma est.] Utitur autem hoc λαγὸς Plut. quoque [Mor. p. 670, E] de Judæis : Καὶ τοῦ λαγοῦ [codd. λαγωοῦ] φησί τις ἀπέχεσθαι

A τοὺς ἄνδρας, ὡς μυσαρὸν καὶ ἀκάθαρτον δυσχεραίνοντας τὸ ζῷον· paulo ante autem habetur λαγωοῦ. Idem Apophth. [p. 190, F] de Lysandro oppugnante Corinthum : Ὡς εἶδε λαγὼν ἐξαλλόμενον ἐκ τῆς τάφρου, Τοιούτους, ἔφη, φοβεῖσθε πολεμίους, ὧν οἱ λαγοὶ δι' ἀργίαν ἐν τοῖς τείχεσιν ἐγκαθεύδουσιν; [P. autem 407 (229, D) habetur λαγωοὶ in eodem apophth. HSt. Ms. Vind.] At λαγὼς frequentius est [nominat. ap. Theophr. De color. 49, genit. ap. Æsch. Eum. 26 : Λαγὼ δίκην Πενθεῖ καταρράψας μόρον. Aristoph. Eq. 909 : Κέρκον λαγώ], ac præsertim ap. Xen. Cyn. [8, 3] : Πολλὰ δὲ πλανᾶται ὁ λαγώς· et [4, 5] : Τὰ ἴχνη τοῦ λαγώ. Dem. [p. 314, 24] : Λαγὼ βίον ἔζης. Plut. : Τῷ βοῒ τὸν λαγὼ κυνηγετεῖν. Lucian. [Pseudosoph. c. 3] : Πολλοὶ λαγὼ [λαγῴ], Multi lepores. Sic Eupol. ap. Eust. : Βατίδες καὶ λαγὼ [λαγῴ] καὶ γυναῖκες εἰλίποδες. [Xen. Cyrop. 1, 6, 40 : Αἱροῦνται οἱ λαγῴ.] Athen. 9, [p. 400, D] : Τοσοῦτον πλῆθος γενέσθαι λαγῶν· 7 : Λαγῶν κἀλωπέκων. Epicrates ap. Athen. [13, p. 570, C] de aquilis : Ἐκ τῶν ὀρῶν πρόβατ' ἐσθίουσι καὶ λαγώς, Μετέωρ' ἀναρπάζοντες. [Aristoph. Ach. 878, in oratione Bœoti Xen. Anab. 4, 5, B 24 : Λαγὼς θηράσων. Et alibi. Aristot. H. A. 9, 32 : Θηρεύει λαγώς. Liber unus λαγούς. L. D. «Accusativum λαγὼ, sine ν, Eust. ap. Xenoph. crebrum esse tradit. Ap. Plut. vero in Apophth. Lycurgi, p. 401 bis habetur λαγών.» HSt. Ms. Vind. Athen. l. primo : Τρύφων δέ φησι, τὸν λαγὼν ἐπ' αἰτιατικῆς .. Ἀριστοφάνης ὀξυτόνως καὶ μετὰ του ν λέγει ... (Præter ll. ab Ath. appositos Vesp. 1203.) Ξενοφῶν δ' ἐν Κυνηγετικῷ χωρὶς τοῦ ν λαγῶ καὶ περισπωμένως ... (Libri Xenophontis in Cyneg. variant inter accentum acutum et circumflexum; in Cyrop. 1, 6, 40 et 2, 4, 19, etiam inter formas in ω et ων, quanquam hæc est nonnisi in paucissimis. Utramque probat Herodian. Philet. p. 439, priorem inter solœcismos refert Lucian. Pseudosoph. c. 3, recentiorum exx. nonnullis confirmavit Kœn. ad Greg. p. 165.) Τῇ δὲ λαγὼν ἡ διὰ τοῦ ω παραπλησίως προσαγορευομένη παρ' Εὐπόλιδι (l. paullo ante ab HSt. citato). Εἰσὶ δ' οἳ καὶ ταῦτ' ἀλόγως κατὰ τὴν τελευτῶσαν συλλαβὴν περισπωμένως προφέρονται. (Chœrobosc. in Bekkeri Anecd. p. 1197 : Σεσημείωται τὸ ὀρφῶς καὶ λαγῶς C περισπώμενα· ταῦτα γὰρ οὐκ ἐφύλαξαν τὸν τόνον τῶν κοινῶν· τοῦ μὲν γὰρ ὀρφῶς τὸ κοινὸν ὀρφὸς βαρυτόνως, τοῦ δὲ λαγῶς λαγωὸς ὀξυτόνως, ubi λαγὸς potius scribendum, ut est in Etym. M. p. 635, 38, ubi additur : Ὡς Ἡρωδιανός φησιν ὅτι ἐν τοῖς εἰς ως ὑπὲρ μίαν συλλαβὴν οὐδὲν περισπᾶται πλὴν τοῦ ὀρφῶς καὶ λαγῶς. Eandem prosodiam præcipit Arcad. p. 94, 5 : Τὸ δὲ λαγῶς καὶ ὀρφῶς περισπῶνται, et Jo. Alex. Τον. παραγγ. p. 8, 36 : Περισπᾶσθαι ... λαγῶς.) Δεῖ δὲ ὀξυτονεῖν τὴν λέξιν, ἐπειδὴ τὰ εἰς ος λήγοντα τῶν ὀνομάτων ὁμότονά ἐστι, κἂν μεταληφθῇ εἰς τὸ ω παρ' Ἀττικοῖς ... Οὕτως δ' ἐχρήσατο τῷ ὀνόματι καὶ Ἐπίχαρμος καὶ Ἡρόδοτος (1, 123, 124; 3, 108; 4, 134; 7, 57, ubi nonnulli λαγὼν) καὶ ὁ τοὺς Εἵλωτας ποιήσας. Εἶτα ἐστὶ τὸ μὲν Ἰακὸν λαγὸς ..., τὸ δὲ λαγὼς Ἀττικόν. Præter genit. λαγῶν supra ab HSt. memoratum, qui etiam ad nominat. λαγὸς referri potest, nominat. et accus. λαγὼς est ib. E, sed etiam λαγωοὶ et λαγωούς, ut supra diximus. ‖ De hominibus timidis Posidippus ap. Athen. 9, p. 376, F : Ἂν τύχῃ δ', ἐστὶν λαγώς. Philostr. V. Apoll. 4, 37, p. 177 : Ἀπολεῖ τοὺς νέους ὁ λαγὼς οὗτος, τρόμων καὶ ἀθυμίας D ἀναπιμπλὰς πάντα, ut ex libris legendum pro λόγος. Cit. Valcken. Δειλότεροι τῶν λαγῶν Lucian. Pisc. c. 34. ‖ Proverbia sunt ap. Hesych. et Photium, Λαγὼς καθεύδων, παροιμία ἐπὶ τῶν προσποιουμένων καθεύδειν. Λαγὼς περὶ τῶν κρεῶν. Δειλὸν ἄγαν (γὰρ Photius) τὸ ζῷον ὁ λαγώς. Ἐλέχθη δὲ, ἐπεὶ ἐκωμῴδουν ἐπὶ δειλίᾳ τοὺς Ῥηγίνους (ὅθεν καὶ ὁ Ῥηγῖνος λαγὼς ἐλέχθη· καὶ γὰρ τοὺς Ῥ. ἐπὶ δ. ἐκ. Photius). Καὶ ἐλέχθη ἐπὶ τῶν διακινδυνευόντων τὰς ψυχὰς (ταῖς ψυχαῖς recte Photius) καὶ πρὸς τοῦτο καρτερῶς ἀγωνιζομένων. Λαγὼ βίον ζῆν de iis qui suam propter imbecillitatem aliorum metu tenentur et injuriis expositi sunt, ap. Demosth. p. 314, 25, Lucian. Somn. c. 9, et quos ad illum citarunt intt. Prov. Ὁ Καρπάθιος τὸν λαγωὸν v. in Λαγωτροφέω. ‖ Ligaturæ genus. Cocchii Chirurg. p. 101, 28 : Ἐπιδεῖν δὲ ἐπιδέσει τῇ δυναμένῃ συνεργῆσαι τῇ τῶν ῥαφῶν συμβολῇ, τῷ λαγωῷ ἐπιδέσμῳ. Ibid. p. 8 ρκ', Λαγωὸς χωρὶς ὤτων· ρκα', Λαγωὸς σὺν ὤτοις· et p. 16, σξς', et p. 27, υιδ', Διμερὴς (φορβαία), ἣν τινες λαγωὸν χωρὶς ὤτων καλοῦσιν· υιθ', Λαγωὸς μετ' ὤτων. L. D.]

[Λαγὼς, ὁ, Lagos, cognomen Joannis cujusdam præfecti custodiæ prætorii ab imperatore Alexio Is. Angeli fratre ap. Nicetam Chon. p. 338, D seq.]

Λαγῷος, α, ον, Leporinus. Λαγῷα κρέα, Leporinæ carnes, Athen. 9, [p. 400, D]. Et λαγῷα absolute, subintellig. κρέα, Id. 14, [p. 641, F] de mensis secundis : Λ. καὶ κίχλαι κοινῇ μετὰ τῶν μελιπήκτων εἰσεφέρετο· et paulo post [p. 642, D] Alexis de tragematis, Παρέχειν ἄμητας, καὶ λαγῷα, καὶ κίχλας. [Gl. : Λαγῷα, Leporina. Mœris p. 247 : Λαγῷα τὰ μέρη τοῦ λάγου Ἀττικοὶ, λάγεια Ἕλληνες. «Herodianus Philetæro : Τὰ λαγῷα οὕτως ἔλεγον οὐ προστιθέντες κρέα. Ita Aristoph. Eq. 1192, 1193, 1199, Ach. 1006, Pac. 1150, 1196, 1312, Eccl. 843 aliique Comici ap. Athen. (supra citati) et Teleclid. p. 648, E. Conf. Casaub. Animadv. 9, 14. Semel Aristoph. addidit κρέα, Ach. 1110 : Κἀμοὶ λεκάνιον τῶν λαγῴων δὸς κρεῶν.» Pierson.] Item λαγῷαι τρίχες, Villi leporini. Plut. [Mor. p. 138, F] : Τὸ πῦρ ἐξάπτεται μὲν εὐχερῶς ἐν ἀχύροις καὶ θρυαλλίδι καὶ θριξὶ λαγῴαις. Quod vero ad scripturam attinet, Eust. [Od. p. 1821, 28] ι subscribit, in aliis autem libris id non observatur. ‖ Pro eod. dicitur et Λαγώνειος, si mendosum non est λαγώνεια ap. Hesych., quod exp. λαγοῦ κρέα. [Λαγῷα Pierson. ad Mœrin p. 248, λαγώεια Lobeck. Phryn. p. 187. Qua forma utitur Oppian. Cyn. 1, 491 : Λαγωείης ὑπ' ἀϋτμῆς· 519 : Λόχμῃσι λαγωείῃσι. L. D. Λαγῷα inter vestes delicatorum. Pseudochrys. t. 9, p. 906, D ed. Paris. alt. : Οὗτος περιεβάλλετο σηρικὰ καὶ λ. Id. ib. p. 875, B : Σὺ σηρικὰ καὶ λ. καὶ αἴγεια περιβέβλησαι, καὶ ὁ πένης ῥάκος οὐκ ἔχει. Hase.]

[Λαγωόφθαλμος. V. Λαγώφθαλμος.]

[Λαγωοφόνος, ὁ, ἡ, Lepores occidens. Oppian. Cyn. 1, 154, τρίαινα, pro quo Eutecnii Metaphrasis Λαγωφονεύτρια exhibet. Angl.]

Λαγώπους, οδος, ὁ, Pedes leporis habens, Plin. 10, 48, de avibus quibusdam Alpinis : Et præcipuo sapore lagopus; pedes leporino villo nomen ei hoc dedere. Idem Plin. 26, 8, Lagopodis herbæ meminit, quam alvum sistere scribit. Gorr. in segetibus nasci tradit, leporino pedi similem; alio nomine vocari λαγωοῦ κύμινον, Diosc. [4, 17. Galen. vol. 13, p. 201 : Λαγώπουν (sic) ξηραντικῆς δυνάμεώς ἐστιν, ὡς τὰ κατὰ γαστέρα ῥεύματα καλῶς ἐπιξηραίνειν.]

[Λαγώπυρος, ἡ.] Λαγώπυρον, Hippocr. τὸν λαγώποδα herbam nominavit, quasi leporis triticum, furfuribus, quum inaruit, simillimam, folio parvo quasi oleagino, longiore tantum : cruentis vulneribus eam imponens. Gorr. Ap. Hipp. De ulceribus [p. 878, C], fem. gen. dicitur ποίη ἡ λαγώπυρος, sicut et Lagopus Plinio fem. est. Ap. Galen. autem Lex. Hipp. [p. 514] pro Λάμπυρος, quod esse dicit τὴν λαγονάτην καλουμένην βοτάνην, quidam reponunt λαγώπυρος.

[Λαγώς. V. Λαγωός.]

[Λαγωσφαγία, ἡ, Leporum occisio. Agathias Anth. Pal. 6, 167, 4 : Ταχινῆς ἔργα λαγωσφαγίης.]

[Λαγωτροφεῖον, τὸ, Leporarium, Gl. In iisdem Λαγοτροφεῖον cum eadem interpretatione.]

Λαγωτροφέω, Lepores alo. Eust. [Od. p. 1821, 34] dicit Κάρπαθον λαγωτροφεῖν, contra quam Ithacam; sed illam suo malo : unde esse proverb., Ὁ Καρπάθιος τὸν λαγωὸν, sc. in suum exitium in Carpathum importavit.

Λαγωφαγία, ἡ, Leporum esus, Leporum comestio. Epigr. [Immo λαγωσφαγία, quod v.]

[Λαγώφθαλμος, ὁ, ἡ.] Λαγώφθαλμοι, Quibus superior palpebra sursum reducta est, adeo ut oculum totum contegere non possit, sed per somnum apertus maneat, sicut et leporibus, Gorr. Unde autem id vitium accidat, ap. Eund. reperies. Quod si inferiori palpebræ contingat, ἐκτρόπιον appellatur. V. et Cels. 7, [7 : «Nonnunquam nimium sub hac curatione excisa cute evenit ut oculus non contegatur, idque interdum etiam alia de causa fit. Λαγώφθαλμον Græci appellant.» Paul. Æg. 6, 10 : Λαγωφθάλμους καλοῦσι τοὺς τὸ ἄνω βλέφαρον ἀνεσπασμένον ἔχοντας. Auctor Definitt. med. (Galen. vol. 2, p. 271) : Λαγώφθαλμόν ἐστιν ἀνάσπασις τοῦ ἄνω βλεφάρου, ὥστε μὴ καλύπτειν ἐν τῷ καμμύειν ὅλον τὸν ὀφθαλμόν. Foes. Œc. Hipp. L. D. Galen. vol. 14, p. 681, 15 : Τὰ κολοβώματα πάντα, ὡς ἐπὶ τῶν χειλῶν καὶ ὀφθαλμῶν· διὸ καλοῦνταί τινες λαγώφθαλμοι καὶ λαγώχειλοι. Hase. || Inserto o Eust. Il. p. 812, 3 : Μνηστέον δὲ νῦν καὶ σοφοῦ εἰπόντος ἐπὶ βασιλεῖ περιελκομένῳ δώροις ὑπό τινος λαγωοφθάλμου τὸ Ἕλκει λαγὼς λέοντα χρυσίνῳ βρόχῳ. Wakef.]

[Λαγωφονεύτρια. V. Λαγωοφόνος.]

Λαγωφόνος, ὁ, ἡ, Lepores occidens. Λ. ἀετὸς, Aquila leporaria, VV. LL. : Bud. dicit esse Aquilæ genus, quod et μελαναίετος vocari autem Falconem. [Aristot. H. A. 9, 32. Unde λαγωσφόνος citat schol. Ven. Hom. Il. Ω, 315, quod ex λαγωοφόνος depravatum videtur, forma etiam ab Aristotele aliena. V. autem Λαγοθήρας. L. Dind.]

[Λαγώχειλος, ὁ, ἡ, Qui labia habet leporis instar fissa. Galen. vol. 1, p. 362, E.]

[Λαγώψωνον, τὸ, nunc apud Græcos vocatur Cyclamen europæum Linn. Hase.]

[Λαδαῖος. V. Λάδη.]

[Λαδακηνὸς οἶνος, Alex. Trall. 8, p. 148. Angl.]

[Λαδάμας, ὁ, Ladamas, n. viri in inscr. Thesp. hoc uno nomine constante ap. Bœckh. vol. 1, p. 801, n. 1675. ἅᾶᾶ]

[Λάδανον. V. Λήδανον.]

[Λαδαρμίου cujusdam mentio fit in inscr. Coa ap. Bœckh. vol. 2, p. 390, n. 2513.]

Λάδας, Hesychio ἔλαφος νεβρίας, Cervus juvencus.

[Λάδας, α, ὁ, Ladas, n. viri, quo duo fuerunt nobiles cursores, alter quidem Ægiensis, ap. Pausan. 2, 19, 7 ; 3, 21, 1 ; 8, 12, 5 ; 10, 23, 14. Maximus Π. κατ. 428 : Κουφοτέρους Λάδαο. Epigr. Anth. Plan. 4, 53, 1 : Λάδας τὸ στάδιον εἴθ' ἥλατο κτλ. ᾶᾶ.]

[Λάδεστα ἢ Λάδεστον, μία τῶν Λιβυρνίδων νήσων. Θεόπομπος κα' Φιλιππικῶν. Τὸ ἐθνικὸν Λαδεστανὸς, ὡς τῆς Αὐγούστας Αὐγουστανὸς, Steph. Byz.]

[Λαδεψὸς καὶ Τρανιψοί, ἔθνη Βιθυνῶν. Θεόπομπος ὀγδόῳ Ἑλληνικῶν, Steph. Byz.]

[Λάδη, νῆσος Αἰολίδος. Ἑκαταῖος Ἀσίᾳ. Τὸ ἐθνικὸν Λαδαῖος, Steph. Byz. Herodot. 6, 7, Thuc. 8, 17, 24, Strabo 14, p. 635, Polyb., et al.]

[Λαδίκεια, Λαδικεὺς, Λαδίκη. V. Λαοδ—.]

[Λαδικίνη, floris species, ap. Democritum chymicum ex cod. Reg. 618, f. 21. Ducang.]

[Λάδικος, ὁ, Ladicus, Acarnan. Polyb. 4, 80, 15. Ubi male Λαδικὸν scriptum. Suniensis Atticus in inscr. ap. Bœckh. vol. 1, p. 357, n. 244, 5. L. Dind.]

[Λαδισακίτης κόλπος ἐν τῇ Περσικῇ θαλάσσῃ. Μαρκιανὸς ἐν περίπλῳ αὐτῆς, Steph. Byz.]

[Λαδόκεια, τὰ, Ladocia, locus in agro Megalopolitano. Polyb. 2, 51, 3 ; 55, 2. In scriptura nominis quomodo varient libri v. ap. Schweigh., qui veram demonstrari annotavit loco Pausan. 8, 44, 1 : Κατὰ ταύτην τὴν ὁδὸν Λαδόκειά σφισιν ὠνόμασται τὰ πρὸ τοῦ ἄστεως ἀπὸ Λαδόκου τοῦ Ἐχέμου, quo tamen et ipso nomen loci corruptum est in libris, pariter atque ap. Plut. Cleom. c. 6, ubi Λεῦκτρα scriptum. Non multum autem interest Λαδ. scribatur an Λαοδ., quam formam haud pauci monstrant libri Polybii, et plerique servant Thucydidis 4, 134, ubi pro ἐν Λαοδικείῳ τῆς Ὀρεσθίδος, nonnisi pauci Λαδικίᾳ, nonnulli etiam Λαοδικείᾳ, plurimi Λαοδικίῳ.]

[Λάδοκος, ὁ, Ladocus. V. Λαδόκεια.]

Λάδομαι γνώμην, ap. Hesych. τίθεμαι. [Γνώμην pertinet ad verbum τίθεμαι.]

[Λᾶδος. V. Λαῖδος, Λῆδος.]

[Λαδρέω.] Λαδρέων, quasi λαρέων, ex λα et ῥέων, Impetuose et rapide fluens. Videtur enim μεγάλως id significare Etymologici auctori, quum λαδρέοντι exp. μεγάλως ῥέοντι. Qua expos. satis ostendit λα esse particulam epitaticam. Sed potest μεγάλως accipi etiam pro Late, Ample : et tum fuerit λαδρέων i. q. εὐρυρέων. [Non ῥέοντι dicendum erat, sed ῥέουσι. Epimer. Hom. ap. Cramer. Anecd. vol. 1, p. 123, 15 : (Δείδω) παρὰ τὸ δείω κατὰ πλεονασμὸν τοῦ δ, καὶ (f. ὡς) ἐν τῷ ὕδωρ, ὕωρ γὰρ, καὶ ἄχερδος, καὶ τὸ (f. τῷ) παρὰ τῷ Συρακουσίῳ, Λαδρέοντί δέ τοι μυκτῆρες. Ἔγκειται γὰρ τὸ λ ἐπιτατικὸν ῥέω ῥέοντι, ἀντὶ τοῦ μεγάλως ῥέουσι. Syracusanum Cramerus Epicharmum dici putabat. Sed videtur esse Sophron. L. Dind.]

[Λάδρομος, ὁ, Ladromus, Laco, qui ol. 57 vicerit, memoratur ap. Euseb. in Crameri Anecd. Paris. vol. 2, p. 145, 2, et ubi *Lagramus* scriptum, p. 148 ed. Mai.]

A [Λαδρωνια nomen esse perhibetur in numo Leucadis Acarnaniæ, ap. Mionnet. *Suppl.* vol. 3, p. 468, 105.]

Λαδωγενὴς, ἡ, Hesych. teste Venus dicitur, quod ἐπὶ τῷ Λάδωνι ἐγεννήθη, fluvio Arcadiæ. [In cod. Λαδωγενὴς... ἐγέννησεν. Et ineptum esse ἐγεννήθη, si de Venere ageretur, in mari, non in Arcadia nata, apertum est. Sed eo servato Ἀφροδίτη in Δάφνη mutabat Guietus. Quæ Ladonis filia perhibebatur.]

[Λάδων. V. Λήδανον.]

[Λάδων, ωνος, ὁ, Ladon, fl. Arcadiæ. Hesiod. Theog. 344. V. Λαδωγενής. Ubi est forma Λάδωνι, ut ap. Hesiodum Th. 334, Lycophr. 1041, Antipatrum Anth. Pal. 6, 111, 1, Strabon. 8, p. 389, Pausan. 8, 25, 2, etc. De qua simulque de altera Theodosius Περὶ κλίσεως τῶν εἰς ων βαρυτόνων Ms. : Τὸ Λάδων ὑπὸ Ἀντιμάχου διὰ τοῦ ω κλίνεται, « Ἐγγύθι δὲ προχοαὶ ποταμοῦ Λάδωνος ἦσαν (ἔασιν?). » Ὡσαύτως καὶ ὑπὸ Ἐρατοσθένους ἐκλίθη, « Λάδωνος περὶ χεῦμα. » Ἡ μέντοι Κόριννα διὰ ντ τὴν κλίσιν ἐποιήσατο τῷ λόγῳ τῶν μετοχῶν, οἷον, « Λάδοντος δονακοτρόφου. » Quæ sine verbis poetarum leguntur
B etiam ap. Chœroboscum ad Theodos. (qui v. in Cram. Anecd. vol. 2, p. 31, 31) ap. Bekker. vol. 3, p. 1393. Ceterum memorant fl. etiam Callim. Jov. 18, aliique multi. || Cognominem Bœotiæ fl., postea dictum Ismenium vel Ismenum, memorat Pausan. 9, 10, 6. || Draconem, qui mala Hesperidum custodiebat, Apoll. Rh. 4, 1396, et Pisander atque Hesiodus apud schol. ᾶ L. Dind.]

[Λαδωνὶς, ἡ δάφνη, in Glossis iatricis Mss. Neophyti, Laurus. Λαδωνίδα dicitur in Glossis botanicis Mss. Colberteis. Ducang. « Galen. l. 1 De compos. remed. κατὰ τόπους : Λαδωνίδος δὲ ὅτι τῆς δάφνης λέγει οὐκ ἂν οἶμαί τινα διαπορῆσαι. » Guiet. ad Hesych. v. Λαδωγενής.]

[Λαεδὸς, ὁ, avis nomen ap. Aristot. H. A. 9, 1, p. 610, 9 : Κορώνη δὲ καὶ ἐρωδιὸς φίλοι, καὶ σχοινίων καὶ κόρυδος, καὶ λαεδὸς καὶ κελεός. Ubi sunt varietates λάεδος, λαιδὸς, λιβυός. Λαιὸς, quod v., suspicabatur Schneiderus.]

[Λάεια, πόλις Καρίας. Ἑκαταῖος Ἀσίᾳ. Ὁ πολίτης Λαΐτης, ὡς Παυσανίας φησὶ πέμπτῳ, Steph. Byz.]

C Λάειος φόνος, dicitur ὁ τοῦ Λαΐου, Laii cædes. Suid. [V. Λάϊος.]

Λαεντιάριος, Hesychio λιθοξόος, Lapicida : suspectum.

[Λᾶεργὴς, ὁ, ἡ, Ex lapide factus, λίθινος schol. in Nicand. Ther. 708 : Ἐκ δὲ πελιδνὸν οὖρον ἀπηθῆσαι πλαδόων λαεργεῖ μάκτρῃ. Alii εὐεργεῖ, quod v.]

[Λαέρκης, ους, ὁ, Laerces, f. Hæmonis, pater Alcimedontis, Hom. Il. Π, 197, Ρ, 467. Aurifex Od. Γ, 425.]

[Λαέρκινον, τὸ, species Carpesii, quæ nascitur in Pamphylia circa Sidam. Galen. vol. 14, p. 72, 8 : Καὶ καλοῦσιν οἱ ἐπιχώριοι τὸ μὲν ἕτερον αὐτῶν λ., τὸ δὲ ἕτερον τὸ πικρόν. Hase.]

[Λαέρτη, ἡ, Laerte, castellum Ciliciæ, ap. Ptolem. 5, 5. Λαέρτης ap. Steph. Byz. in Σύαγρα, ubi dicit πλησίον Ἄδου καὶ Λαέρτου. Et sic Λαέρτης φρούριον est etiam ap. Strab. 14, p. 669, unde repetit Steph. Byz. additque : Ἀλέξανδρος δὲ καὶ ὄρος καὶ πόλιν φησί. Τὸ ἐθνικὸν Λαερτῖνος, ἄμεινον δὲ Λαέρτιος. Et hoc est in inscr. librorum Diogenis, ad quem Menagius p. 1 me-
D morat etiam formam Λαερτιεὺς ex Steph. Byz. v. Χολλίδαι, et mirum Eustathii commentum Il. p. 896, 62 : Ὁ Λαέρτης ἐν τοῖς τῶν σοφιστῶν βίοις. Qui non videtur genitivus formæ Λαέρτη. In numis ap. Mionnet. *Suppl.* vol. 7, p. 224, 225 est Λαερτειων. Possessivum Λαερτικὸς est ap. Galen. vol. 13, p. 186 : Ἄμεινόν ἐστι τὸ Ποντικὸν καρπήσιον τοῦ Λαερτικοῦ, si huc illud est referendum.]

[Λαέρτης, ὁ, Formicæ, item Vespæ genus. Ælian. N. A. 10, 42 : Μύρμηκα εἶδος θανατηφόρου φασὶν εἶναί τι καὶ λαέρτην ὄνομα ἔχειν τόνδε τὸν μύρμηκα τὸν προειρημένον· καὶ σφῆκας δέ τινας ἐκάλουν λαέρτας. Λέγει ταῦτα Τήλεφος ὁ κριτικὸς ὁ ἐκ τοῦ Μυσίου Περγάμου. « Nulla alibi mentio voc. hujus et diversam videtur habere originem Καρπήσιον Λαέρτιον e monte Pamphylio ap. Galenum. Conf. Cornar. ad l. De comp. med. sec. loca p. 331. » Schneider.]

Λαέρτης, ὁ, Laertes, [pater Ulixis] dictus [a verbo ἀερτάζω] quasi videlicet λᾶας ἀερτάζων, inquit Eust. [Od. p. 1475, 26 et Etym. M. p. 554, 47], λίθους αἴρων, κουφίζων, unde Λαερτιάδης et Λαέρτιος παῖς, Filius Laertis, Ulysses. [Λαέρτην præter Homerum et Tragicos, quorum ap. Ps.-Eurip. Iph. A. 204 est genitivi Dorica forma Λαέρτα, memorant Apollodorus et alii, idemque cognominem Argonautam 1, 9, 16, 8, cum Diod. 4, 48. Eundem Sophocles in Ajace et Philocteta et Euripides sæpius dicunt Λαέρτιον et Λάρτιον. Hujus formæ alia exx. annotarunt interpretes ad Ajac. 1. Patron. Λαερτιάδης est ap. Hom. Il. plurimis, Eur. Hec. 135, Λαρτιάδας Rhesi 907. Λαέρτας quidam est in numo Coo ap. Mionnet. *Suppl.* vol. 6, p. 571.]

[Λάζαρον, τὸ, Laser, Silphium. Occurrit ap. Alex. Trall. l. 11. Ducang.]

[Λάζᾰρος, ὁ, Lazarus, Mendicus ulcerosus. Lucæ 16, 20 seq. Alius, quem in vitam revocavit Christus, Joann. 11. || A quo Λάζαρος, Recens mortuus. Anon. Ms. in Homil. in Sabbatum Lazari, et ex eo Synaxarium in Triodio : Ἀπὸ τούτου χάριν καὶ πᾶς ἄνθρωπος ἄρτι θανὼν Λάζαρος λέγεται, καὶ τὸ ἐντάφιον ἔνδυμα πάλιν Λαζάρωμα καλεῖται, δηλοῦντος τοῦ λόγου εἰς μνείαν τοῦ πρώτου Λαζάρου ἔρχεσθαι. || Λαζαροῦν, Sepelire. Anon. Combefis. in Constantino Porphyrog. n. 53 : Τὸ πανάγιον αὐτοῦ σῶμα ταῖς οἰκείαις, ὡς ἔθος τοῖς νέοις ποιεῖν, λαζαρώσας. Anon. De locis Hierosol. c. 7 : Ὁ τόπος ὅπου ἐλαζάρωσαν τὸν Χριστόν. Ib. c. 1, ἡ Λαζάρωσις τοῦ Χριστοῦ, Sepultura vel potius Cadaver fasciis sepulchralibus involutum. Ducang.]

[Λαζικός. V. Λαζοί.]

Λαζίνης, Hesychio χαραδρίας, καλαρίας [καλλαρίας recte codex, a Musuro depravatus] ἰχθύς. [Conf. Μαζίνης, quæ vera scriptura videtur.]

[Λαζοὶ, οἱ, Lazi, gens Colchica. Steph. Byz., Σκυθῶν ἔθνος. Ἔστι καὶ χωρίον ἐν Πόντῳ Παλαιὰ Λαζική, ὡς Ἀρριανός (in Periplo Ponti Eux. p. 19. Idem Λαζοὺς memorat ib. p. 11, 12, Lucian. Toxar. c. 44, Diodorus Tars. Photii Bibl. p. 218, 8; Memno ib. p. 238, 39. Λαζοὺς et Λαζικὴν sæpe Procopius aliique multi scriptores Byzantini. L. D. Jo. Philop. De cr. mundi p. 153, 1 : Τῶν πάλαι μὲν Κολχῶν, νυνὶ δὲ Λαζῶν ὀνομαζομένων. Hase. || Adv. Λαζόθεν, Ex Lazis, Eust. Opusc. p. 279, 84 : Καλύμματος τοῦ περὶ κεφαλὴν, ὅπερ Λ. εἶχε τὴν ἀφορμήν.]

Λάζομαι, Prehendo, Arripio, Corripio : verbum poeticum i. significans q. in prosa λαμβάνω. Hom. Il. Θ, [389] : Ἐς δ' ὄχεα φλόγεα ποσὶ βήσετο, λάζετο δ' ἔγχος, Arripiebat, s. Prehendebat, Capiebat. [Sic alibi cum nominibus ἡνία, μάστιγα, πέτρον.] B, [418] : Πρηνέες ἐν κονίησιν ὀδὰξ λαζοίατο γαίην [γαῖαν], Dentibus terram corripiant, sive Mordicus terram prehendant : i. e. corruant. Apud Eundem, sermonem etiam aliquis λάζεται pro Excipit et veluti prehendit, altero suæ orationi finem imponente : Od. N, [254] : Πάλιν δ' ὅγε λάζετο μῦθον. Apollon. Rhod. 1, 911 : Λάζοντο δὲ χερσὶν ἐρετμά· 3, 1394 : Τετρηχότα βῶλον ὀδοῦσι λαζόμενοι. Gætulicus Anth. Pal. 6, 190, 1 : Λάζεο ... τάδε δῶρα. Formam Doricam, alibi in vulgarem corruptam, semel servarunt libri Theocriti 8, 84 : Λάσδεο τὰς σύριγγας. Ubi τᾶς σύριγγος libri nonnulli. HSt. in Ind. :] Λασδοίατο, Dorice pro λαζοίατο, h. e. λαμβάνοιτο, Hesych. [Musurus λαμβάνοιντο : codex, ut postulat ordo literarum, λαδ. et λαμβάνοιτο, quod in λαδδοίατο, formam Laconicam, mutabat Koen. ad Greg. p. 598. || Activum Λάζω, τὸ λαμβάνω, κρατῶ, aliquoties ponitur ab Etym. M., Arcadio p. 157, 16. Achæis tribuit grammat. in Bekk. An. p. 1095 fin. Ἀγκὰς ἔλαζε pro ἔμαρπτε male liber unus Hom. Il. Ξ, 346.] Λαζύμεναι quoque ap. Hesych. legitur, expositum λαμβάνουσαι. Sic Hippocr. etiam utitur et verbo λάζεσθαι et verbo λάζυσθαι, pro Accipere, Arripere, Concipere : Γυναικείων l. 1, [p. 595, 9] : Τὸ στόμα οὐκ ὀρθόν ἐστι τῆς μήτρης, ἀλλ' ἰδνοῦται, καὶ οὐ λάζυται τὴν γονήν. Ab Eod. in l. De locis in homine [p. 407, 49], σῶμα τὸ ξηρότερον πεφυκὸς dicitur νόσους λάζεσθαι καὶ μᾶλλον πονέειν, Morbos admittere : h. e., Morbis esse obnoxium : ut vicissim αἱ νόσοι λάζονται, Corripiunt et invadunt. Eod. l., Ἀπὸ ῥήγματος πυρετὸς οὐ λάζεται πλεῖον ἢ τρεῖς ἢ τέσσαρας ἡμέρας. Et De morbis 2, [p. 468, 13] : Ἢν σφακελίσῃ ὁ ἐγκέφαλος, ὀδύνη λάζεται ἐκ τῆς κοτίδος ἐς τὴν ῥάχιν. [Alios ll. plurimos indicavit Foes. Forma λάζυμαι frequens etiam ap. Eurip., ut
A Rhes. 877, Bacch. 503 : Λάζυσθε· Med. 956 : Λάζυσθε φερνὰς τάσδε, παῖδες, ἐς χέρας· Herc. F. 943 : Λάζυσθαι χρεὼν μοχλοὺς δικέλλας τε. Obscura est Hesychii gl. : Ἐλάζετο, ἐκαλινδεῖτο. Idem quod habet : Λελάσθαι, λαθέσθαι, λαβέσθαι, librario tribuendum videtur, λαθέσθαι male repetenti et corrumpenti, nec referendum ad v. λαζόμαι, ut volebat Heynius ad Il. E, 834. L. D.] Λάζω autem, diversam habet signif. Hesych. enim λάζειν esse dicit ὑβρίζειν [ἐξυβρίζειν], Injuriosum et insolentem esse : forsitan pecudum more quæ nimia pabuli ubertate lasciviunt : ut inde sit λὰξ et λακτίζειν. [Lycophr. 137 : Λάξας τράπεζαν. Schol., λακτίσας, καταπατήσας. Nicetas Chon. p. 196, C : Τὴν τράπεζαν λάξαντες συνέχεον τὴν ἑστίασιν· 136, B : Πολλοὶ ταῖς ῥαφίσι χαίρειν εἰπόντες, ἄλλοι τὸ ἱπποκομεῖν λάξαντες. Sine interpret. verbum λάζω ponit Herodian. Π. μον. λ. p. 23, 2.]

[Λαζούριον, τὸ, Lapis cyaneus s. Lazuli, item Color cœruleus, vulgo *Azur*. Arethas In Apocalypsim c. 21 : Ἐξ οὗ σαπφείρου φασὶ καὶ τὸ λαζούριον χρῶμα γίνεσθαι. Leontius De sphæra Arati p. 129 ed. Morelli : Καὶ
B ἄλλῳ βαθεῖ τινι χρώματι ἐπαλείψαντες οἷον τῷ καλουμένῳ λαζουρίῳ. Achmes Introd. in Astrolog. : Ὑγρός ἐστι καὶ χροιὰν τοῦ λαζουρίου ἔχει. Nonnus De morbor. curat. c. 143 : Ἢ τὴν Ἀρμενίαν βῶλον πίνειν ἢ τὸ λαζοῦριν. Et alii scriptores Byzantini ap. Ducangium. Vetus auctor ap. Salmasium Plin. Exerc. p. 93, a, D : Σάπφειρος, λίθος φαιὸς λαζουρόχροος, Lapis cærulei coloris. L. D.]

[Λαζουρόχροος, ὁ, ἡ. V. Λαζούριον.]

[Λάζυμαι. Λάζω. V. Λάζομαι.]

[Λαζὼν, όνος, ὁ, i. q. ἀλαζὼν, ut mobile est α initio vocc. quorundam, memoratur ap. Hesych. Pro ἀλαζὼν per errorem positum videtur interpretibus. Potuit certe grammaticum fallere locus ejusmodi ut Aristoph. Pac. 1069, ubi ὦ 'λαζών.]

[Λαηνὸς, ὁ, Laenus, n. viri in numo Dyrrhachii Illyr. ap. Mionnet. *Suppl.* vol. 3, p. 331, 131.]

Λαθάδαν, Clam, Clanculum, Latenter, λάθρα, Hesych. [Pro λαθρηδὸν vel λαθρηδά.]

Λάθαργος, ὁ, Clandestinus, λαθραῖος, ut Hesych. exp. Et λάθαργοι κύνες Eid. οἱ λαθραίως [immo λάθαργοι
C explicatur ἢ κύνες κρυφίως] δάκνοντες : ut et supra λήθαργος, et mox λαίθαργος. [Phrynich. in Bekkeri Anecd. p. 50, 30 : Λάθαργος κύων, ὁ λάθρα προσαλλόμενος καὶ χωρὶς ὑλακῆς δάκνων. Τοῦτο δὲ οἱ πολλοὶ παραφθείραντες λαθροδήκτην καλοῦσιν.] Eid. λήθαργοι sunt etiam σκώληκες : vel τὰ ξυόμενα ἀπὸ τῆς βύρσης ὑπὸ τῶν ἀρβήλων. Nicandri vero schol. λαθάργους exp. τοὺς ὑμένας et τὰ ξύσματα τῶν δερμάτων, in Ther. 422 : Οἷον ὅτε πλαδόωντα περὶ σκύλα καὶ δέρη ἵππων Γναμπτόμενοι μυδόωσιν ὑπ' ἀρβήλοισι λάθαργοι· ita λάθαργοι erunt Ramenta, quæ ex pellibus decidunt, dum σμίλαις raduntur. Pro λάθαργος in priori signif. dicitur etiam Λαίθαργος : unde λαιθάργῳ ποδὶ ap. Hesych. λαθραίῳ, Clandestino s. Latenti pede. Et λαίθαργοι κύνες, Eid. οἱ κρύφα [immo λαίθαργοι, κύνες κρύφα] δάκνοντες, Qui clam et latenter mordent. Sic et in Lex. meo vet. λαίθαργος κύων, ὁ λαθραίως δάκνων. [In Etym. M. : Λ. κύων, ὁ λαθραία (sic) δάκνων.] Soph. ap. Eust. [Od. p. 1493, 36] : Σαίνουσα δάκνεις, καὶ κύων λαίθαργος εἶ. Hoc vero λαίθαργος metaph. significat ἐπίβουλον ἄνθρωπον, κρύφα βλά-
D πτοντα· καὶ ἔστιν ἐκεῖνος, ὡσπερεί φασι, λαθροδήκτης, ἀπὸ κυνῶν, Eust. [Orac. ap. Aristoph. Eq. 1068 : Φράσσαι κυναλώπεκα, μή σε δολώσῃ, λαίθαργον, ταχύπουν. Pravo accentu ap. Theognost. Cram. Anecd. vol. 2, p. 9, 15, λαιθαργός. Vitiose idem 19, λαιθάργυνος. ᾰ L. D.]

Λᾰθασμὸς, ὁ, Oblivio, a quo Λαθασμῷ ap. Hesych., quod exp. λήθῃ, λησμοσύνῃ. [Post λαθασμῷ in cod. sunt syllabæ νίῃ, quæ si ad glossam olim pertinuissent, λαθασμονῇ potius scribendum foret quam, ut alii voluerunt, λαθασμονίῃ, vel nominativo λαθασμονή. Nam λήθη et λησμοσύνη scriptum ap. Hesychium. Sed formæ λαθασμὸς exx. duo scriptoris Byzantini recentissimi annotavit Ducang.]

Λαθήβης, ὁ, Juventæ oblitus s. immemor : de grandævo, cui in extrema senecta juventæ nulla memoria superest; est enim ea ætas obliviosa : ut Aristoph. dicit ἐπιλησμότατον γερόντιον. Hesych. λαθήβας simpliciter exp. γέροντας.

[Λάθησις, εως, ἡ, Oblivio. Tzetz. Exeg. in Il. p. 71, 5 : Λητὼ νοεῖται ψυχικῶς ἡ λάθησις. ᾰ]

A Λᾰθητικὸς, ή, ὸν, Qui latere potest. Aristot. Rhet. 1, [12] : Λαθητικοὶ δέ εἰσιν οἵ τ' ἐναντίοι τοῖς ἐγκλήμασιν· οἷον ἀσθενὴς περὶ αἰκίας, καὶ ὁ πένης καὶ ὁ αἰσχρὸς περὶ μοιχείας· de quibus paulo ante, Διὰ γὰρ ταῦτα δύνανται καὶ πράττειν καὶ λανθάνειν καὶ μὴ δοῦναι δίκην.

Λᾰθῐκηδὴς, ὁ, ἡ, Curarum oblivionem inducens, Curas oblivione tegens. Hom. Il. X, [83] : Εἴ ποτέ τοι λαθικηδέα μαζὸν ἐπέσχον, Τῶν μνῆσαι φίλε τέκνον, i. e. λήθην τῶν κακῶν ἐμποιοῦντα, ut Hesych. exp.; cui λαθικῆδες est etiam παυσίλυπον, λυσίκακον. Item Synes. Ep. 146 : Ἑλένη μὲν οὖν τὸ λαθικηδὲς φάρμακον Πολυδάμνα πόρε Θόωνος παράκοιτις· alludens ad Hom. Od. Δ, 220 : Φάρμακον ... Νηπενθές τ' ἄχολόν τε, κακῶν τ' ἐπίληθον ἁπάντων. [Alcæus ap. Athen. 10, p. 430, D; 481, A : Οἶνον λαθικάδεα. Crinagoras Anth. Plan. 4, 273, 1 : Λαθικηδέα τέχνης ἰδμοσύνην. Eust. Opusc. p. 118, 9; 137, 72, alludens ad l. Odyss.] Plut. [Mor. p. 657, D] de ebrietate : Ὑπνοφόρος καὶ λαθικηδής. Ap. Hesych. scribitur λαθικήδης. [Qui accentus recte habet in loco Æolici poetæ modo citato. Acutum testatur etiam Eust. Il. p. 920,
B 47, Etym. M.]

Λαθίνοστος, ὁ, ἡ, Redire oblitus, ὁ βραδύνων ἐπανελθεῖν, Hesych.

Λάθιος πηγὴ, Fons lethæus, Fons cujus aqua pota omnium rerum oblivionem menti inducit. In Lex. meo vet. [et Etym. M.] : Λάθιος κρήνη περὶ τὴν Οἴτην· ἥτις οὕτως ὠνόμασται διὰ τὸ τὸν Ἡρακλέα πιόντα ἐξ αὐτῆς, ἐπιλαθέσθαι τῶν ἐν ἀνθρώποις κακῶν.

Λαθίποινος, ὁ, ἡ, Punire oblitus : λαθίποινον, οὐ τιμωρούμενον, Hesych.

Λαθίπονος, ὁ, ἡ, Laborum et molestiarum oblitus, ἐπιλήσμων τῆς λύπης, schol. Soph. Aj. [711 : Ὅτ' Αἴας λαθίπονος πάλιν. Cum genit. Trach. 1023 : Λαθίπονον ὀδυνᾶν βίοτον. αἴ]

[Λαθιπορφυρὶς, ίδος, ἡ, avis nomen. Ibycus ap. Athen. 9, p. 388, E : Αἰολόδειροι λαθιπορφυρίδες, ubi libri αδοιπορφυρίδες, iidemque in verbis Athenæi λαθιπορφύρας. Quæ correxit Schweigh., explicavitque « nempe πορφυρὶς quæ λήθειν vel λαθεῖν, latere, amat : quem esse morem hujus avis modo docuerat Ath. »]

C Λᾰθίφθογγος, ὁ, ἡ, Vocis oblivionem inducens, Faciens ut loqui obliviscamur. Hesiod. Sc. [131] : Ὀϊστοὶ Ῥιγηλοὶ, θανάτοιο λαθιφθόγγοιο δοτῆρες.

Λᾰθιφροσύνη, Oblivio, Dementia. Citatur ex Apoll. Arg. 4, [356]; sed non exp.

Λαθίφρων, ονος, ὁ, ἡ, Cujus mens obliviosa est, Obliviosus, ἐπιλήσμων, Hesych. Mentis suæ oblitus, i. e. Stultus, Demens, ἄφρων.

Λάθος, τὸ, Oblivio, i. q. λήθη : Negligentia, VV. LL. Λάθει ap. Hesych. ἀκηδίᾳ, Incuria [quod Doricum videtur pro λῆθος, ut ap. Theocr. 23, 24 : Ἔνθα τὸ λᾶθος. Λάθος tamen significatione Halucinationis s. Erroris positum ex Byzantinis recentissimis annotavit Ducang. Est etiam in cod. Paris. schol. Apoll. Rh. 1, 556.]

Λαθοσύνη, ἡ, pro eod., quod potius Dor. est pro Ληθοσύνη. [Eur. Iph. T. 1272, ubi μαντοσύναν restitutum ex codd.]

[Λαθούριον, τὸ, in Glossis iatricis Mss. Neophyti ap. Ducang. : Ἄρακος, εἶδος λαθουρίου.]

D [Λάθουρος, ὁ, Lathurus, cogn. Ptolemæi VIII regis Ægypti ap. Strab. 17, p. 795, Clem. Al. Strom. 1, p. 396, quam scripturam ei quæ infra notabitur Λάθυρος præferendam putabat Salmas. Plin. Ex. p. 877, a, F.]

Λάθρα, Clam, Clanculum, [Furto, Furtim, Occulte, Absconse his add. Gl.] Latenter. [Soph. OEd. T. 618 : Οὑπιβουλεύων λάθρᾳ. Xen. H. Gr. 2, 4, 35 : Λάθρᾳ πέμπων. Et sæpe Plato aliique omnes.] Plut. [Mor. p. 269, D] derivans Calendæ a Celare s. Clam : Ὀνομάζουσι τὸν μὲν ἀφανισμὸν αὐτῆς καὶ τὴν κρύψιν, καλάνδας, ὅτι πᾶν τὸ κρύφα καὶ λάθρα, CLAM καὶ CELARE, τὸ λανθάνειν. Ap. Athen. 13 : Κλίμακα αἰτησάμενον εἰσβῆναι λάθρα. Item cum gen. ap. [Hom. H. Cer. 240 : Λάθρα φίλων γονέων. (Ubi tamen κρύβδα scribendum. Quod quum animadvertisset Vossius consuetudinem postulare Homeri, λάθρα correpto α defensum credidit exemplo ex putido Danaæ Euripidis prologo sumto : quo non melius est quod præbet Helenæ v. 829 : Κοινῇ γ' ἐκείνῃ ῥᾳδίως, λάθρ' οὐδαμοῦ, ubi λάθρᾳ δ' ἂν οὔ restitui.) Soph. OEd. T. 187 : Λάθρᾳ δὲ μητρὸς καὶ πατρός.] Eur. Andr. [310] : Λάθρα θυγατρὸς τῆς ἐμῆς, Clam filia mea, Inscia filia mea. [Xen. Anab. 1, 3, 8 : Λάθρᾳ τῶν στρατιωτῶν πέμπων.] Et Λάθρη pro eod. Hom. Od. P, [43] : Ὤχεο νηῒ Πύλονδε Λάθρη ἐμεῦ ἀέκητι φίλου μετὰ πατρὸς ἀκουήν, Clam, Me inscia. [Et alibi sæpe ap. Hom. ceterosque Epicos tam absolute quam cum genitivo. Item ap. Herodot. 8, 112; 9, 90. Iota subscriptum in libris utrique formæ haud raro additum (v. Bast. Ep. crit. p. 200, ad Gregor. p. 719, Paulssen. ad Anthol. Pal. 9, 385, 13) non vidi diserte agnitum a grammaticis, etsi λάθρᾳ videtur esse dativus substantivi, quod habet Manetho 2, 312 : Ὧν ἕνεκεν πάντων καὶ ὑπ' εἰδόσιν ἶφι μάχεσθαι λάθραις κερτομίαις τε κατὰ πτόλιας σοβέονται.] || Λάθρα, Hesych. exp. etiam ἠρέμα, ἡσύχως. [Hom. Il. T, 165 : Λάθρῃ γαῖα βαρύνεται ἠδὲ κιχάνει δίψα τε καὶ λιμός.] || Eleis λάθρα sunt αἱ δίκαι, ut Idem annotat; at tunc nomen plur. erit a Λάθρον. At Λαθρὸς idem videtur accipere pro Clandestino recessu.

[Λαθραιόδηκτος, ὁ, ἡ, Clam mordens. Photius ap. OEcumenium in Epist. ad Philipp. p. 671 : Judæi vocantur canes ἢ διὰ τὸ ἀναίσχυντον ἢ διὰ τὸ λαθραιόδηκτον Suicer.]

Λαθραῖος, ὁ, ἡ et α, ον, Clandestinus, [Furtivum huic add. Gl.] Clancularius, Latens, Occultus. [Æsch. Ag. 1229 : Δίκην ἄτης λαθραίου. Soph. Trach. 377 : Τίν' ἐσδέδεγμαι πημονὴν ὑπόστεγον λαθραῖον; 384 : Τὰ δὲ λαθραῖ' ὃς ἀσκεῖ μὴ πρέποντ' αὐτῷ κακά· 914 : Κἀγὼ λαθραῖον ὄμμ' ἐπεσκιασμένη 'φρούρουν· El. 1440 : Λαθραῖον ὡς ὀρούσῃ πρὸς δίκας ἀγῶνα. Eur. Ion. 45 : Λαθραῖον ὠδῖνα· Hel. 1575 : Ὑφ' εἵμασι ξίφη λαθραῖ' ἔχοντες. Aristoph. Ran. 1143 : Δόλοις λαθραίοις. Lycophr. 496 : Εἰς λέχος λαθραῖον· 1162 : Λαθραῖα κακκέλευθα· 1198 : Ὠδῖνας ἐξέλυσε λαθραίας γονῆς.] Eridanus [immo Eubulus, non qui in loco Eubuli paullo ante memoratur fluvius Eridanus] ap. Athen. [13, p. 569, A] : Μικροῦ πρίασθαι κέρματος τὴν ἡδονὴν, Καὶ μὴ λαθραίαν κύπριν αἰσχίστην. Ibid. Eubul. [p. 568, F] : Ὅστις λέχη γὰρ σκότια νυμφεύει λάθρα. Pro λαθραίαν κύπριν Phocyl. dicit γαμοκλοπέειν, et Latini Furtivos concubitus, s. Furtivam venerem. [Andocid. p. 31, 1 : Λαθραῖον θάνατον ἐπεβούλευσε Καλλίᾳ. Dio Cass. 66, 21 : Μὴ συμπεπιλημένας, ἀλλὰ ἀραιὰς καὶ λαθραίας τὰς ἀναπνοὰς ἔχων, de Vesuvio. Ubi ἐλευθέρας Zonaras. 67, 4 : Λαθραίοις φαρμάκοις ἀπήλλασσε. Comparativo Plato Leg. 6, p. 781, A : Γένος, ὃ λαθραιότερον ... ἔφυ.]

|| Λαθραίως, Clandestino, Clam, Clanculum, [Furtim huic add. Gl.] Latenter, κρύφα, Suid. [Hesychio ἀγνώστως. Æsch. Prom. 1079 : Οὐκ ἐξαίφνης οὐδὲ λαθραίως. Eur. Ion. 806 : Φροῦδος τῆσδε λ. πόσις· El. 26 : Μή τῳ λ. τέκνα γενναίῳ τέκοι. Hippocr. p. 78, G : Οὗτοι διαλεγόμενοι λ. τελευτῶσιν· 176, D : Κτείνει λ. Et alibi. Plato Leg. 8, p. 838, C; 9, p. 864, C. L. Dind. Diog. L. 1, 74. Hemst. Parthen. Narr. am. c. 13 : Λ. αὐτῇ (Harpalycæ) συνῆλθε. Galen. vol. 6, p. 753, 6 : Ἔνιοι δ' αὐτῶν ὡμολόγησάν μοι λ. Evang. Nicodem. p. 542, 13 Thil. : Εἶπεν αὐτοῖς λ. Hase. Cum genitivo Alciphr. Ep. 3, 27 : Λαθραίως τῆς μητρός. || Superlativo Antiphon p. 114, 26 : Ὡς μάλιστα δύνανται λαθραιότατα. Procop. Hist. arc. p. 59, B : Ὡς λαθραιότατα ἐντυχόντες.]

[Λαθραιότης, ητος, ἡ, Secretum, Arcanum. Procop. Anecd. p. 49, A : Τοῦ δὲ οὐ κρύβδην ἐξεταζομένου καὶ λαθραιότητι, ἅπερ εἰώθει, ἀλλ' ἐν δημοσίῳ. Λαθραίως ὥσπερ Alemannus. Sed correctione non opus videtur, ἅπερ pro ὥσπερ posito, ut in Ὅσπερ dicemus.]

[Λαθραιοφαγοποσία, ἡ, Clandestinus esus et potus. Typicum monasterii τῆς κεχαριτωμένης c. 40. Cit. Ducang.]

[Λαθραίως. V. Λαθραῖος.]

[Λαθρακάζων, χαλιναγωγῶν. Σικελοὶ, Hesych.]

[Λάθρη s. Λάθρῃ. V. Λάθρα.]

[Λαθρηδά. V. Λαθρηδόν.]

[Λαθρηδὶς, i. q. sequens. Grammat. in Bekkeri Anecd. p. 1310. Boiss. Est Theognostus Crameri An. vol. 2, p. 163, 25. Add. Jo. Alex. Τον. παραγγ. p. 38, 29. L. D.]

Λαθρηδὸν et Λαθρηδὰ, Clandestino, Clam, κρύφα Suidæ [Apollon. in Bekkeri Anecd. p. 611, 9 : Τοῦ λάθρα τὸ λαθρηδὸν, χωρὶς εἰ μὴ ὀνόματι τῷ λαθραίως παράκειται, ὥστε τὸ ἐντελὲς εἶναι λαθραιηδὸν καὶ ἐν συγκοπῇ λαθρηδόν. Inter λαθρηδὸν et λαθρηδὰ variant libri

Luciani Calumn. c. 21. Prius in suo invenerat grammat. in Boiss. Anecd. vol. 1, p. 406. Est etiam in epigr. Anytes Anth. Pal. 7, 202, 3 : Ἦ γάρ σ' ὑπνώοντα σίνις λαθρηδὸν ἐπελθὼν ἔκτεινεν. V. Λαθάδαν.]

[Λαθρία, ἡ, Lathria, f. Thersandri. Pausan. 3, 16, 6.]

Λαθρίδιος, α, ον, Clandestinus, i. q. λαθραῖος, ut λαθρίδιον γέννημα, Fœtus s. Partus clandestinus : quod Eubulus per risum dixit παρθένου ἀνάσυρμα, Poll. [3, 21. Tryphiodor. 225. Id. 484 : Δάκρυσι λαθριδίοισιν· 633 : Λαθρίδιον στενάχουσα. Orph. Arg. 886 : Ὅτε δὴ Μήδεια λίπεν δόμον Αἰήταο λαθριδίη. « Ἐν λαθριδίῳ, Clam, Theodor. Prodr. p. 233. » Jacobs. ῐῐ]

Λαθριδίως, Clanculum, Clandestino, i. q. λαθραίως. [Marc. Argentar. Anth. Pal. 5, 127, 2 : Καί ποτε πείσας αὐτὴν λ. εἶχον ἐπὶ κλισίῃ. Paul. Sil. ib. 262, 2.]

[Λαθρῐμαῖος, α, ον. HSt.] : Λαθρημαῖος in VV. LL. Spurius, Illegitimo coitu natus : ut λαθρίδιον γέννημα, paulo post. [In Ind. :] Sed rectius per ι scribitur Λαθριμαῖος. [Idem vitium notarunt Bast. Ep. cr. p. 155, et ap. Hesych. in Σκότιον Valck. Opusc. vol. 1, p. 221. Gl. : Λαθριμαῖον, Clandestinum.]

Λάθρῐος, α, ον et ὁ, ἡ, Clandestinus, Latens, Occultus. Epigr. : Λαθρίοις τενάγεσσι. [Menand. ap. Ps.-Lucian. Amor. c. 43 : Λάθριοι ἐπιθυμίαι. Marcus Arg. Anth. Pal. 9, 554, 1 : Λάθριος Ἡράκλεια καλῶν ὑπὸ χείλεσιν ἕλκεις. Philippus ib. 11, 33, 1 : Λάθριον ἑρπηστὴν σκολιὸν πόδα. Bion. 15, 6 : Λάθρια Πηλείδαο φιλάματα, λάθριον εὐνάν. Callim. H. Apoll. 104 : Ὁ φθόνος Ἀπόλλωνος ἐς οὔατα λάθριος εἶπεν· Del. 211 : Γαμέοισθε λάθρια καὶ τίκτοιτε κεκρυμμένα. Manetho 6, 207 : Λαθρίης τε Κυθήρης, de clandestino concubitu. Veneris epitheton, ut Σκοτία, est ap. Leonidam Anth. Pal. 6, 300, 1 : Λαθρίη ... ταύτην χάριν ἔκ τε πενέστεω κὴξ ὀλιγησιπύου δέξο Λεωνίδεω. Ita Brunckius, cui olim placuerat aliorum conjectura Λαφρίη. Suidas in Ὀνωρία ab Heinst. cit. : Ἤλω εἰς λάθριον ἐρχομένη λέχος. Dio Cass. 78, 18 : Ἐνδείξεις λαθρίους ἐπ' αὐτοῦ πεποιῆσθαι. Nisi λαθραίους scripserat, quod malebat Sturzius. « Prov. 21, 14 : Δόσις λάθριος, ubi tamen ed. Compl. λαθραῖος. Sap. 1, 1 : Φθέγμα λάθριον. || Λαθρίως, Clam. Job. 4, 12 sec. Compl. : Πρὸς ἐμὲ δὲ ἐλαλήθη λαθρίως, ubi al. λαθραίως. » Schleusn. Lex.]

[Λαθροβόλος, ὁ, ἡ, Clam feriens. Erycius Anth. Pal. 9, 824, 4 : Ἰξευταὶ (πεποιθότες) λαθροβόλῳ δόνακι.]

[Λαθρογαμία, ἡ, Clandestinum matrimonium. Can. 1 Concil. Laodic. : Μὴ λαθρογαμίαν ποιήσαντας. Angl. Jo. Jejun. Confess. p. 80, A. Hase.]

Λαθροδήκτης, ὁ, et Λαθροδάκνος, ὁ, ἡ [immo Λαθροδάκνης, ὁ], Clam mordens, Clanculum et latenter mordicans : prioris exemplum habes in Λαίθαργος [et in Gl. cum interpr. Clandestinus. « Ignatius, qui dicitur, Epist. ad Ephes. p. 220 : Κύνες λυσσῶντες, λαθροδῆκται. OEcumenius In c. 4 Ad Ephes. p. 640 : Τῶν κυνῶν οἱ λαθροδῆκται. » Suicer.] : posterioris hoc extat, Epigr. [Antiphanis Macedonis Anth. Pal. 11, 322, 6] in Grammaticos : Ἔρροιτ' εὐφώνων λαθροδάκναι κόριες, Cimices eloquentiam clanculum mordicantes, i. e. Eloquentiæ clandestini obtrectatores. [Λαθροδάκτης κύων, Palladii Vita Chrys. c. 6, p. 53. Angl. Et ipse Chrysost. t. 11, p. 131, A ed. Paris. alt. : Εἰσὶ γάρ τινες καθάπερ οἱ λαθροδῆκται τῶν κυνῶν ... οὗτοι χαλεπώτεροι τῶν ἐκ φανεροῦ τὴν ἔχθραν ἀναδεχομένων. Hase. Hesych. : Σιγέρπης, λαθροδάκτης. L. Dindorf.]

[Λαθροδιδασκᾰλέω, Clam doceo. Euseb. H. E. 4, 11 init., p. 154, 23 : Ποτὲ μὲν λαθροδιδασκαλῶν, ποτὲ δὲ πάλιν ἐξομολογούμενος.]

[Λαθροκᾰκοῦργος, ὁ, Clam maleficus. Marcus Eremita p. 31. || « Subst. Λαθροκακουργία, ἡ, fr. Homiliæ Jo. Chrysost. ap. Iriart. Catal. Matr. p. 7, b. » Osann.]

[Λαθροκοιτέω, Clam concumbo. Tzetz. Hist. 1, 441 : Θυέστης λαθροκοιτῶν· 526 : Ἡ Πασιφάη Μίνωος γυνὴ λαθροκοιτοῦσα. Cum dativo 544 : Λαθροκοιτεῖ Πτελέοντι.]

[Λαθροκοιτία, ἡ, Clandestinus concubitus. Tzetz. Hist. 1, 527 : Ταῖς λαθροκοιτίαις.]

[Λαθροκόρυζα, ἡ, Gravedinis species in accipitre. Demetr. Hieracosoph. 1, 67 : Εἴδη δέ ἐστι κορύζης τέσσαρα, ξηρὰ, ὑγρὰ, κατεχομένη ... λαθροκόρυζα καὶ στηθοκόρυζα. Ducang.]

[Λάθρον. V. Λάθρα.]

[Λαθρόνυμφος, ὁ, ἡ, Clam nuptus. Lycophr. 320 : Τῆς λαθρονύμφου πόρτιος.]

[Λαθροπόδης, ὁ, Qui clandestino pede incedit, progreditur. Antiphanes Macedo Anth. Pal. 9, 409, 4 : Λιτὰ δὲ δειπνῶν λαθροπόδας τρώκταις χερσὶ τίθησι τόκους.]

[Λαθρόπορος, ὁ, ἡ, Clam incedens. Acta junioris Bacchi p. 88 : Τὰς τοῦ θεοστυγοῦς ἔθνους λαθροπόρους ἀναζητήσεις. Adv. Λαθροπόρως ἐρευνᾶν ib. p. 98. Boiss.]

[Λαθρὸς, λαθραῖος, κρυφὸς, μυχὸς, Hesych, pro λάθριος, κρύφιος (fortasse etiam μύχιος), ut conjiciunt interpretes.]

[Λαθροφᾰγέω.] Λαθροφαγεῖν, Clam et furtim comedere. Pollux [6, 40] ex Metagene. [Ex eodem Antiatt. Bekkeri p. 106, 12. Habet etiam Eust. Opusc. p. 229, 92; 230, 1. « In Typico monasterii τῆς κεχαριτωμένης c. 49 inscribitur Περὶ τοῦ μὴ λαθροφαγεῖν. » Ducang.]

[Λαθροφαγία, ἡ, Clandestinus esus. Schol. Jo. Climac. p. 101. Boiss. Basil. t. 2, p. 242, C : Φυλάττου λαθροφαγίας ἁμαρτίαν. Hase. Eust. Opusc. p. 219, 38; 229, 88.]

[Λαθροφάγος, ὁ, ἡ, Qui clam vescitur. Hesych. in Ζοπαδασπίδας et Ζοφοδερκέας. « Suid. v. Ζοφοδερκέας, Basil. inter scholia in Jo. Climac. p. 214. » Boiss. Theognost. in Crameri Anecd. vol. 2, p. 20, 10.]

[Λαθροφθορέω, Clam et furtim corrumpo. Method. Conviv. virg. p. 91, 17 : Γαμίζων δὲ νομίμως καὶ μὴ λαθροφθορῶν. Hase.]

[Λαθροφονευτὴς, ὁ, Occultus homicida. Pseudochrys. t. 9, p. 860, A ed. Paris. alt. Hase.]

[Λαθρόω.] Λαθροῦν, Hesychio βλάπτειν, Lædere, Nocere.

Λαθυρὶς, ίδος, ἡ, herba quædam, quam Diosc. 4, 167, Tithymallum vocari scribit : cujus descriptionem ibid. reperies, et ap. Plin. 27, 11 [et Galenum vol. 13, p. 201. L. D. Id. Galen. vol. 14, p. 208 ed. Kühn. : Λαθυρίδων κόκκους. A. in censu eorum quæ difficulter concoquuntur Med. ad Const. Pogon. ed. Ermerins. p. 247, 11, ut ibi sit i. q. λάθυρος. Hase.]

[Λάθυρον, τὸ, Cicercula, Gl. Nisi scribendum λάθυρος vel λαθύριον, de qua forma in λαθήριον depravata v. Nicol. ad Geopon. 3, 10, 5.]

Λάθῠρος, ὁ, Cicercula [Gl.], Gaza : quam cicerculam Plin. 18, 12, scribit esse minuti ciceris, inæqualis, angulosi, veluti pisum. Theophr. H. Pl. 8, 3, [1] de leguminum differentiis : Τὰ δὲ προμηκέστερον (τὸ φύλλον ἔχει), οἷον ὁ πισὸς καὶ ὁ λάθυρος καὶ ὁ ὠχρός· paulo post [2] : Τὰ δὲ ἐπιγειόκαυλα, καθάπερ ὠχρὸς, πισὸς, λάθυρος. [Ib. 10, 5; C. Pl. 3, 22, 3.] Plut. [Mor. p. 286, E] scribit Pythagoricos aversatos esse fabas, Καὶ τὸν λάθυρον καὶ τὸν ἐρέβινθον, ὡς παρωνύμους τοῦ ἐρέβους καὶ τῆς λήθης, ad etymon alludens. [Λάθυρος cibus pauperum, ap. Athen. 2, p. 55, A. Valck.] ||Λάθυρος est etiam [Ptolemæi VIII] regis [Ægypti] nomen [cognomen] ap. Plin. [N. H. 2, 67; 6, 30. Plut. Coriol. c. 11 : Ἐνίοις δὲ τῶν βασιλέων καὶ σκώμματα παρέσχεν ἐπικλήσεις, ὡς Ἀντιγόνῳ τὸν Δώσωνα καὶ Πτολεμαίῳ τὸν Λάθυρον. V. Λάθουρος. || De accentu proparoxytono gramm. in Crameri An. vol. 2, p. 323, 25.]

[Λάθῠχος, ὁ, Lathychus, n. viri in numis Thessalicis ap. Mionnet. *Suppl.* vol. 3, p. 272, n. 79 seqq. L. Dind.]

[Λάθων, ωνος, ὁ, Latho, fl. Cyrenaicæ. Strab. 17, p. 836, Ptol. 4, 4. Alibi Ληθαῖος, quod v.]

[Λαὶ, ἐπὶ τῆς αἰσχρουργίας, Hesychius. Photius : Λαὶ κατὰ ἀποκοπὴν ἐπὶ τῆς αἰσχρολογίας. Ita citat Albertus. Codex λαιλαι sed « ιλ in litura; certe λ correctoris. Quid primo non liquet. » Porson.]

[Λαία, ἡ.] Λαιὰν Hesych. esse dicit ἐκκλησίαν [hanc interpretationem ad ἁλίαν refert Dorvillius] : item κτῆσιν : addens Dores λαῖαν dicere ἐπὶ τῆς λείας, de præda. [Λαῖαν illud inseruit Musurus. Scribendum λαίαν. Quæ forma nunc restituta Pindaro Ol. 11, 46 : Ὁ δ' ἄρ' ἐν Πίσᾳ ἔλσαις ὅλον τε στρατὸν λαίαν τε πᾶσαν Διὸς ἄλκιμος υἱὸς σταθμᾶτο ζάθεον ἄλσος πατρὶ μεγίστῳ. Ubi λείαν libri deteriores.]

[Λαιάεσσα. V. Ἐλαιήεις.]

[Λαϊάδας, α, ὁ, Laiadas, n. viri inscr. Delph. ap. Bœckh. vol. 1, p. 827, n. 1702, 18. Genit. in Chaliensi Bœot. ib. p. 780, n. 1607, 7. ᾱῐᾰᾱ]

[Λαιαῖοι, οἱ, Lææi, gens Pæonica. Thuc. 2, 96 : Ἀνίστη Ἀγριᾶνας καὶ Λαιαίους καὶ ἄλλα ὅσα ἔθνη Ποντικά. Deteriores libri Λεαίους. In Λάϊνοι corruptum est ap. Steph. Byz.]

[Λαιανδρὶς, ἴδος, ἡ, Læandris, uxor Anaxandri, regis Spartæ. Pausan. 3, 14, 4. Libri pauci Λεανδρίς.]

[Λαιανίτης κόλπος, ὁ, Læanites, sinus Arabiæ pars. Diodor. 3, 43 : Παραπλεύσαντι ταύτην τὴν χώραν ἐκδέχεται κόλπος Λαιανίτης. Ubi Wesselingius : « Sic ex vestigiis codd. refinxi (qui fere Λαϊνίτης vel Ἀλαϊνίτης), et Agatharchide (ap. Phot. p. 457, B, 3, p. 57 ed. Hudson.), cui κόλπος Λαιανίτης, sicuti accolæ Λαιανῖται Ptolemæo 6, p. 177, suffragante Salmasio in Solin. p. 346. Sinui accubabat urbs Æla s. Ælath, unde verius nomen ejus foret Αἰλανίτης aut Ἐλανίτης, ut Strabo (aliique, de quibus dictum in his formis). Discreparunt autem mire in ejus et sono et scriptura. Plin. 6, 28 : « Sinus intimus, in quo Leanitæ, qui nomen ei dedere. Regia eorum Agra et in sinu Læana, vel, ut alii, Ælana. Nam et ipsum sinum nostri Ælaniticum scripsere, alii Ælenaticum, Artemidorus Aleniticum, Juba Læaniticum. » Sed immerito : duravit urbi nomen Aila in seram ætatem, » etc.]

[Λαίας, ὁ, Læas, f. Oxyli. Pausan. 5, 4, 5. Alius Λαίας ib. 3, 15, 8. Priori loco non recte scribi Λαΐας constat testimonio Theognosti in Cram. An. vol. 2, p. 42, 5, inter τὰ διὰ τῆς αιας διφθόγγου δισύλλαβα ponentis Αἴας καὶ Λαίας. L. Dind.]

Λαίβα, Hesychio ἀσπὶς, πέλτη, quæ infra Λαῖτα [et Λαῖζα et Λαῖφα] : item τρίβος. [Recte interpretes τρίβων, de qua interpret. conf. dicenda in Λαῖδος. Ante hanc
δ
gl. est ap. Hes. in codice : Λαίας, ἀσπι. Κρῆτες. Quod λαίβας contra seriem scripsit Musurus. Theognostus Cram. An. vol. 2, p. 9, 15 : Λαίδας ἡ ἀσπὶς ἡ ἀπὸ βύρσης. Λαίδας cum eadem interpret. Zonar. p. 1284.]

[Λαϊβολέω, Lapido. Nicet. Chon. p. 189, C : Τὸν μὴ λαϊβολοῦντα. ᾱῐ]

[Λαϊβολία, ἡ, Lapidum jactus. Nicet. Chon. p. 339, B : Τὸν ἔπαρχον λαϊβολίας ἐκτρέπονται. ᾱῐ]

Λαῖγμα, τὸ, Hesychio περικεφαλαίας κόσμος. Mox tamen λαίγματα esse dicit πέμματα, σπέρματα, ἱερὰ ἀπάργματα. [Zonar. p. 1288 : Λαῖγμα τὸ ἱερὸν θῦμα. Postremam Hesychii interpret. referri ad l. Aristoph. in Λαῖμα citandum animadvertit etiam Schneider. Ad eundem l. referri videtur ejusdem Hesychii gl. Λαιτμάθημα, ut scrib. sit Λαῖγμα, θῦμα, quæ sequuntur autem σφοδρὸν ὅρμημα κτλ. ad proximum Λαῖτμα.]

Λάϊγξ, ιγγος, ἡ, Lapillus, Calculus, ψῆφος, μικρὰ ψῆφος. Hom. Od. Z, [94] : Παρὰ θῖν' ἁλὸς, ἧχι μάλιστα Λάϊγγας ποτὶ χέρσον ἀποπλύνεσκε θάλασσα, i. e., ut Eust. exp., τὰ σμικρὰ λιθάρια τὰ πρὸ τῶν χειλέων τοῦ ποταμοῦ. [Similia Hesych. Qui tamen addit, ἔνιοι, φράγγες, ubi φάραγγες Salmasius, ut est in gl. ejusd. : Λάκας, φάραγγας.] Od. E, [432] : Πολύποδος θαλάμης ἐξελκομένοιο Πρὸς κοτυληδονόφιν πυκιναὶ λάϊγγες ἔχονται, Parvi lapilli adhærent, s. Parvi calculi. [De grandioribus lapidibus Apoll. Rh. 1, 402; 4, 1678; Paul. Sil. Amb. 121. ᾱ L. D. Id. Paul. Sil. Descr. S. Soph. 2, 211 : Καὶ χλοερὸν λάϊγγος ἴδοις ἀμάρυγμα Λακαίνης. Hase.]

[Λαίγνος, λάσταυρος, Hesychius. V. Λαῖπος.]

[Λαίδας. V. Λαίβα.]

[Λαΐδας, α, ὁ, nom. viri esse videtur in inscr. Phoc. ap. Bœckh. vol. 1, p. 833, n. 1710, 6 : Προνοοῦντος Λαΐδα τοῦ (excidit nomen cui destinatus erat articulus). Simile Λαϊάδας, nisi ita scribendum. L. Dind.]

Λαίδιον, Hesychio ἀριστερὸν [et εὐώνυμον], Sinistrum, quod et λαιόν [et infra λαιδρόν].

Λαῖδος, Hesychio λῆδος, τριβώνιον : quod et Λᾶδος. [Glossam Photii et aliorum in Λαιὸς sub finem positam cum hac contulit Bernhardy ad Suidam v. Λαιά. Confusa in his et Hesychii præcedente et sequente vocc. λαιὸς, λᾶδος (sive λαῖδος pro hoc dixerit aliquis), λαιδρός. Conf. etiam Λαίβα.]

Λαιδρὸς, ἀ, ὸν, Hesychio [in Λαιδρὴ et Λαιδρὸς, fortasse etiam in Λαίδιον, quod v.] ἀριστερὸς, Sinister : item λαμυρὸς, ἀναιδὴς, θρασὺς, Impudens, Procax, Audax, itidemque scholiastæ Nicandri Ther. [689] : Σκύλακας γαλέης ἢ μητέρα λαιδρήν · Al. [576] : Γερύνων λαιδροὺς δαμάσαιο τοκῆας. [Schol. interpretatur etiam
A εὐκίνητος, ἁρπακτικός. Zonaras p. 1281, 1283 s. Theognost. in Cram. An. vol. 2, p. 9, 14, ὁ θρασὺς, ut Etym. M. Maximus Καταρχ. 377 : Λαιδρὸς ἀνήρ · 438 : Ἄνδρα λαιδρότερον. Hesychii gl. : Λαιφαὶ, ἀναιδεῖς, θρασεῖς, στυγναὶ, τολμηραὶ, huc refert Ruhnkenius.]

[Λαΐειος. V. Λάϊος.]

[Λαιετόν. V. Λήιτος.]

[Λαΐζω, Laicus s. Profanus, Secularis sum. Theodor. Stud. p. 417, C : Μοναχοὶ καὶ μονάζουσαι, λαϊκοὶ καὶ λαΐζουσαι. || Λαίσασθαι, κτίσασθαι, quod ponit Hesych., Doricum videtur pro ληίσασθαι, ut dicetur in Ληίζομαι. L. Dind.]

[Λαιητανοὶ, οἱ, Læetani, gens Iberica. Ptolem. 2, 6.]

[Λαίθαργος. V. Λάθαργος.]

[Λαιθαρύζω.] Λαιθαρίζειν, Hesychio λαμυρῶσαι. [Codex λαιθαρύζειν. Quo minus dubitandum idem esse verbum quod sequitur. Additur autem ap. Hesych. altera interpret. διαπράξασθαι.]

Λαιθυράζω, Suidæ χλευάζω, Irrideo, Derideo. [Sic etiam Zonar. p. 1292. Idem p. 1290 : Λαιθυράζειν, τὸ
B διὰ στόματος ψόφον ποιεῖν ἐπὶ τῷ μαζῷ, iisdemque fere verbis Theognost. Cram. An. vol. 2, p. 9, 8. V. Λαιθαρύζω.]

[Λαίιος, ὁ, Læius, magus, qui temporibus Antiochi Antiochiam peste liberavit, memoratur ap. Tzetz. Hist. 2, 920; 4, 527, schol. in Allegor. Iliad. in Crameri Anecd. vol. 3, p. 379, 15, quorum ll. primo et tertio libri variant inter Λάιος et Λαίιος, Exeg. in Il. p. 93, 4. Λήιος ap. Malalam p. 205, 9. L. Dindorf.]

Λαικάζω, Suidæ ἀπατῶ, Decipio. Significat etiam Scortor. Aristoph. [Thesm. 57 : Καὶ λαικάζει ·] Eq. [167] : Βουλὴν πατήσεις, καὶ στρατηγοὺς κλαστάσεις, Δήσεις, φυλάξεις, ἐν πρυτανείῳ λαικάσεις. Ibi enim schol. exp. πορνεύσεις. [Λαικάσει cod. Venetus, quam formam Coraes restituit Cephisodoro ap. Athen. 15, p. 689, F : Ὦ λακκόπρωκτε, βάκχαριν (scribendum βάκκαριν, ut dixi in h. v.) τοῖς σοῖς ποσὶν ἐγὼ πρίωμαι; λαικας δμαραβάκκαριν, scribendo λαικάσομ' ἄρα βάκχαριν (debebat λαικασομᾶρα βάκκαριν), Prostituam.]

[Λαικὰς, ἡ, ap. Aristæn. 2, 16 : Ἐγὼ τοίνυν ἡ λαικὰς
C τῶν κακῶν ἐμαυτὴν αἰτιῶμαι, librarii fortasse culpa pro λαικάστρια poni videtur.]

Λαικαστὴς, ὁ, pro πόρνος, Scortator, Qui corpore quæstum facit. Quo vocab. utitur Aristoph. Ach. [79] : Ἡμεῖς δὲ (sub. ἄνδρας ἡγούμεθα) λαικαστάς τε καὶ καταπύγονας. [Πόρνος interpretatur Hesych. in gl. a Musuro deleta.]

Λαικάστρια, ἡ, pro πόρνη, Meretrix, Prostibulum. Utitur Aristoph. ap. Athen. 13, [p. 570, B, sive Ach. 529 et ib. 537] dicens Peloponnesiacum bellum Græcis exarsisse ἐκ τριῶν λαικαστριῶν, Simætha, et duabus Aspasiis raptis a Megarensibus. Volunt hæc esse παρὰ τὸ κάζειν τὸ κοσμεῖν, et τὸ λα τὸ ἐπιτατικὸν, inserto ι. [Eust. Il. p. 741, 26. Wakef. Πόρνη interpretatur Hesych. in gl. a Musuro deleta, Chœrobosc. in Crameri Anecd. vol. 2, p. 178, 16, Theognost. ib. p. 98, 25, schol. Aristoph. Eq. 167.]

[Λᾱϊκὸς, ἡ, ὸν, Popularis, Vulgaris. Aquila, Symm., Theod. 1 Sam. 21, 4, Ezech. 48, 15. Schleusn. Est autem Contrarius sacerdoti. Ignatius Epist. ad Ma-
D gnesios p. 55 : Μὴ διάκονος, μὴ λαϊκός. Canon Apostol. 13 : Εἴ τις κληρικὸς ἢ λαϊκός. Clem. Al. Strom. 5, p. 562 : Κώλυμα λαϊκῆς ἀπιστίας. Hæc et alia citavit Suicer. Alia Ducangius.]

[Λαϊκόω, Profano. Deut. 20, 6 : Ἐλαΐκωσεν. Aquila Ezech. 7, 21 : Λαϊκώσουσιν. Deut. 28, 30 : Λαϊκώσεις. Inc. Ruth. 1, 12, cujus verba καὶ ἐγενόμην λελακκωμένη ἀνδρὶ in ed. Ald. et cod. Coislin. irrepserunt. Legendum λελαϊκωμένη, q. d. Publicata, Profanata. Schleusn. Lex.]

[Λαιλάξαι, τὴν γλῶσσαν ἐξελεῖν, Hesychius, idemque suo loco Λαλάξαι cum eadem interpretatione.]

[Λαιλάπετος, ὁ.] Ap. Hesych. legitur esseque dicitur ὅταν συννεφὴς καὶ ἀνεμώδης ὁ ἀὴρ ἦ [ἐστὶν codex] : sed suspectum. [Fortasse scribendum Λαιλαπώδης. L. D.]

[Λαιλᾰπίζω, Procella jacto, aufero. Aquila Ps. 57, 9 : Λαιλαπήσει (recte Kreyssigius λαιλαπίσει), ubi alii καταπίεται vel λαῖλαψ ἀρεῖ ὑμᾶς. Id. 49, 4, ἐλαιλαπίσθη, ubi alii καταιγίσθη.]

[Λαιλαπιστὴς, ὁ, Attonitus, Surdaster. Theodor.

Stud. p. 408, D : Οἱ λίθοι κράζουσι, καὶ σὺ σιωπηλὸς καὶ ἄφροντις; Ἡ ἀναίσθητος φύσις θεοῦ ἐπακήκοε καὶ αὐτὸς λαιλαπιστής; L. Dind.]

[Λαιλαποειδὴς, ὁ, ἡ, ut Germanus Dormit. B. Mar. p. 108. Boiss., sive Λαιλαπώδης, ut Hippocr. p. 942, G : Οὐρανὸς λαιλαπώδης καὶ ἐπινέφελος. Est et λαιλαπῶδες ὕδωρ, Aqua procellosa, nimbosa, quæ damnatur Hipp. aph. 17, s. 4, l. 6 Epid. Foes. Λαιλαπῶδες ὕδωρ quid Hippocrati sit, exponit Galen. Ad Epid. vol. 11, p. 496, E, etc. Hemst. Aquila Ps. 54, 9. Schleusn.]

[Λαίλας, ὁ τύραννος, ὑπὸ Λυδῶν, Hesych. Suidas : ὁ μὴ ἐκ γένους τύραννος. Quibus ἀλλ' ἐπιθέμενος addunt Zonar. p. 1281, Theognost. Cram. An. vol. 2, p. 9, 12.]

[Λαιλάχω, τὸ ψοφῶ, Zonaras p. 1290, Theognost. Cram. An. vol. 2, p. 9, 17, non sine vitio, ut videtur. Simillimum est λαταγῶ.]

[Λαῖλαψ.] Λαίλαψ [hunc accentum præcipiunt Regg. prosod. p. 423, 6, sed refellit α breve], ἄπος, [ὁ, addit HSt. Ms. Vind. Thomas M. p. 564 : Ἡ λαῖλαψ, οὐχ ὁ λαῖλαψ, addito ex. feminini ex Aristide petito. Masculino, quod recentioribus non infrequens esse monet Hemst., Ducas Hist. Byz. p. 187, B : Λαῖλαψ βαρύς], ἡ, [Procella, Gl.] Turbo : genus venti procellosi. Aristot. De mundo [c. 4, § 15] λαίλαπα et στρόβιλον esse dicit πνεῦμα βίαιον καὶ εἰλούμενον κάτωθεν ἄνω, Ventum violentum qui inferne sursum versus repente convolvitur. Turbinem et vorticem appellat Bud. : Hesych. esse dicit ἀνέμου συστροφὴν μετὰ ὑετοῦ, Venti vorticem cum imbre. [Μετὰ ἀνέμων ὄμβρος καὶ σκότος, Photius et al. Etym. Ms. Leid. ap. Hemsterh. ad Thomam p. 564 sq. : Λαῖλαψ, συστροφὴ ἀνέμου (vel ἄνεμος) ζοφώδης ἔπομβρος· λέγεται δὲ κυρίως τὸ κατ' ἐκπυρηνισμὸν γενόμενον κεραύνιον πνεῦμα, ὃ καὶ ἐκνεφίας παρὰ τοῖς φιλοσόφοις ὠνόμασται· οὗτος δὲ ἐκνεφίας καὶ μετὰ τὴν τῶν νεφῶν ἔκρηξιν κατὰ κύκλον καὶ περὶ τὴν γῆν εἰλεῖται καὶ πρὸς τὴν οἰκείαν αὖθις ἀνακάμπτει ἀρχὴν, ὅθεν καὶ λίθους ἐφέλκεται καὶ λέμβον ἀνασπᾷ καὶ χοῦν ἐπισύρεται... Ἐντεῦθεν δὲ καταχρηστικῶς καὶ πᾶς ἄγριος καὶ κινδύνου αἴτιος ἄνεμος λαῖλαψ ἐπονομάζεται.] Hom. Il. M, [375] : Ἐπ' ἐπάλξεις βαῖνον ἐρεμνῇ λαίλαπι ἶσοι· Δ, [278] : Νέφος Φαίνετ' ἰὸν κατὰ πόντον, ἄγει δέ τε λαίλαπα πολλὴν, Multum turbinis procellosi. [Π, 365 : Ὅτε τε Ζεὺς λαίλαπα τείνῃ. Ubi v. Eust.] Idem vento etiam λαίλαπα tribuit : h. e. συστροφὴν μετὰ ὑετοῦ. Il. P, [57] : Ἐλθὼν δ' ἐξαπίνης ἄνεμος σὺν λαίλαπι πολλῇ Βόθρου τ' ἐξέστρεψε καὶ ἐξετάνυσσ' ἐπὶ γαίῃ· Od. I, [68] : Νηυσὶ δ' ἐπῶρσ' ἄνεμον βορέην νεφεληγερέτα Ζεὺς Λαίλαπι θεσπεσίῃ. Itidem M, [400] de vento : Ἐπαύσατο λαίλαπι θύων. [Simonid. ap. Stob. Fl. vol. 3, p. 284 : Οἱ δ' ἐν θαλάσσῃ λαίλαπι κλονεύμενοι. Æsch. Suppl. 34 : Λαίλαπι χειμωνοτύπῳ. Archias Anth. Pal. 7, 147, 6 : Ἔτλης λαίλαπα δυσμενέων. Aratus Phæn. 760 : Χειμερίοις ἀνέμοις ἢ λαίλαπι πόντου. Plurali Orph. H. 18, 5 : Λαίλαπας, ὄμβρους. Polyb. 30, 14, 6 : Πάντα εἰκῇ καὶ φύρδην ἐπράττετο, καθαπερεὶ λαίλαπός τινος ἐκπεπτωκυίας εἰς αὐτούς. Plut. Timol. c. 28 : Λαίλαπος ὑγρᾶς ἐκ τῶν νεφῶν φερομένης. Λαῖλαψ ἀνέμου Marc. 4, 37, Luc. 8, 23.] Lucian. quoque pro Turbine procelloso usurpavit [Halcyon. c. 4] : Αἰθρίαν ἐξ ἐκείνης τῆς ἀνυποστάτου λαίλαπος καὶ ταραχῆς μεταθεῖναι.

Λαῖμα, τὸ, Aristoph. schol. et Suid. a λαιμὸς παραπεποιῆσθαι scribunt, atque adeo Euphronius in Aristoph. Av. [1559] : Σφάγι' ἔχων κάμηλον, ἀμνόν τιν', ἧς λαιμοὺς τεμὼν ὡς Ὀδυσσεὺς, πάλιν ἔβη· κᾆτ' ἀνῆλθεν αὐτῷ κάτωθεν, πρὸς τὸ λαῖμα τῆς καμήλου Χαιρεφῶν ἡ νυκτερὶς, exp. λαιμὸν, quum præcedat λαιμοὺς τεμών : alii autem αἷμα, afferentes ex Menandro, Καὶ λαῖμα [λαιμὰ Bentl.] βακχεύει λαβὼν τὰ χρήματα· quidam tamen ibi δέρμα scripserunt, quorum sententia improbatur. Nonnulli vero λαῖμα exposuerunt ὅρμημα, additque ibi schol. suo quoque tempore quosdam Asiaticos λαῖμα dixisse ἐπὶ τῶν ἀναιδῶν καὶ εὐτόλμων, idque magis convenire cum loco Menandri. [Λαῖτμα codex Venetus, qui hunc et proximum versum a manu rec. habet. Eandem scripturam ap. Suidam in λαῖμα præbet optimus cod. Paris. Scribendum λαῖγμα, quod Bentlejus restituit collata glossa Hesychii quam v. in Λαῖγμα. Photius p. 201, 14 : Λάγματα (sic), ἱερὰ ἀπάργματα. Suidas λαῖμα interpretatur ἱερὸν θῦμα. Theognostus in Crameri Anecd. vol. 2, p. 9, 13 :
A Λαῖγμα, τὸ ἱερόν. G. D. Photius · Λαῖμα, ἀπὸ τοῦ λαιμᾶν εἴρηται βρένθυμα.]

[Λαιμάζω. V. Λαιμάσσω.]

[Λαιμαλέος. V. Λιμαλέος.]

[Λαιμαργέω, Gulæ deditus sum, Deglutio. Schol. Aristoph. Nub. 1201. Προὐτένθευσαν) ἐλαιμάργησαν. Boiss. Porphyr. De abst. 1, 53, p. 90 : Ἔσονται μυρίοι καὶ οἱ ταῦτα λαιμαργήσοντες. Schneid. Cyrill. Catech. p. 150, B. Justin. Mart. p. 512, D : Πολλαῖς χερσὶ καὶ πλείοσι στόμασι λαιμαργεῖν ἐπιτετηδευκώς. Pseudochrys. t. 11, p. 900, C ed. Paris. alt. : Οὐκέτι λαιμαργεῖ, οὐκέτι τῷ τῆς γαστριμαργίας συνέχεται βρόχῳ. Hase.]

Λαιμαργία, ἡ, Gulositas, Ingluvies, Voracitas : λ. ἡ περὶ τὴν τροφὴν, Vorandi aviditas, Gulæ insatiata libido. [Plato Reip. 10, p. 619, B : Ὑπὸ ἀφροσύνης τε καὶ λαιμαργίας. Aristot. De partt. an. 4, 13 : Τῇ λαιμαργίᾳ τῇ περὶ τὴν τροφήν.] Item ex Plat. Leg. [10, p. 888, A] λ. τῶν ἡδονῶν [ἡδονῆς]. Ead. autem subest huic nomini signif. Insaniæ, quæ in Γαστρίμαργος declarata fuit supra. [Galen. vol. 2, p. 173, 14 : Ὑπὸ λαιμαργίας αὐ-
B τῆς τοῦτο συμβαίνειν. Clem. Al. Pæd. 2, 1, 7 : Λιχνείαν, λαιμαργίαν, ὀψοφαγίαν, ἀπληστίαν, ἀδηφαγίαν. OEcumen. In Apocal. p. 259, 6 ed. Cramer. : Αὐτὸν ὡσπερεὶ ἀκρασίᾳ νενικημένον λαιμαργίας. Hase. Philo vol. 1, p. 686, 7, et sæpe Plutarchus.]

Λαίμαργος, ὁ, ἡ, Gulosus, Gulæ deditus, Vorax, [Glutto, Gutturosus, Ganeo, Gl.] Λ. λύκοι, Epigr. [Bianoris Anth. Pal. 3, 252, 2.] Hesychio est φάγος, ἄπληστος, ἐπὶ τοῦ φαγεῖν μανιώδης. [Aristot. H. A. 8, 2 med. : Λαίμαργος δὲ μάλιστα τῶν ἰχθύων ὁ κεστρεύς ἐστι καὶ ἄπληστος· De partt. an. 3, 14 : Τὸ τῶν ἰχθύων γένος λαίμαργον πρὸς τὴν τροφήν ἐστι. Theophr. C. Pl. 1, 22, 1 : Τὰ σαρκοφάγα καὶ λαίμαργα ζῷα. L. D. Aspas. ad Aristot. 4 Eth. N. f. 51, a. Hemst. || Adv. Λαιμάργως, Voraciter. Etym. M. p. 222, 2, λ. διαιτᾶσθαι. Wakef. Stob. Floril. 124, 32 : Τοῦ πενθοῦντος λ. ἐσθίοντος. Greg. Nyss. t. 1, p. 381, A. Figurate id. t. 2, p. 121, C : Συῶν δίκην πρὸς τὰ χαμαιρριφῆ τῶν δογμάτων λ. ἐπιτρέχοντες. Hase.]

[Λαιμαργότης, ητος, ἡ, Voracitas. Philo vol. 1, p.
C 686, 41 : Πρὸς ἀπληστίαν καὶ λαιμαργότητα.]

[Λαιμάργως. V. Λαίμαργος.]

Λαιμάσσω, Insatiabili gulæ aviditate deglutio, ἀμέτρως ἐσθίω, Suid. [Theogn. Cram. An. vol. 2, p. 9, 21; Zonar. p. 1290. Aristoph. Eccl. 1178.] Pro eodem dicitur etiam Λαιμάω et Λαιμάζω. Hesych. enim λαιμάζουσιν, ἐσθίουσιν ἀμέτρως : λαιμᾷν, ἐσθίειν ἀμέτρως : λαιμάζειν exp. similiter ut λαιμᾷν. [Idem : Λαιμᾷ, εἰς βρῶσιν ὥρμηται. Theognost. Cram. An. vol. 2, p. 9, 21 : Λαιμῶ τὸ συνεχῶς μαίνεσθαι, quod ex ἐσθίειν natum videri potest. Voracitatis etiam significatio desideratur, etsi non alienum est insaniam addi, ut μανιώδης apud Hesychium in Λαίμαργος citatum. V. Λαῖμα.]

[Λαιμάω. V. Λαιμάσσω.]

[Λαιμήτομος, ὁ, ἡ.] Λαιμητόμους κεφαλὰς, Eur. [Iph. A. 776, ubi restitutum, quod metrum postulabat et infra ab HSt. ipso ponitur, λαιμοτόμους], Capita quibus juguli incisi sunt, jugulis incisis amputata. At Λαιμητόμος active pro Jugulum incidens : λ. ξίφη,
D Epigr. [Philippi Anth. Pal. 6, 101, 1 : Ξίφη τὰ πολλῶν κνωδάλων λαιμητόμα.]

[Λαιμίζω, Jugulo. Lycophr. 326 : Ἣν ἐς βαθεῖαν λαιμίσας Ποιμανδρίαν στεφηφόρον βοῦν δεινὸς ἄρταμος δράκων ῥαίσει.]

[Λαιμίον, τὸ, Imaguncula vel Protome. Eust. Il. p. 938, 56 : Ἰστέον δὲ ὅτι λαιμὸς ὁμωνύμως τῷ μέρει τοῦ σώματος λέγεται καὶ τὸ παρὰ τοῖς ὕστερον ἰδιωτικῶς φράσει ζωγραφικῇ λαιμίον λεγόμενον. Λέγεται γὰρ ὅτι κατὰ τὴν ἐν μέσῃ Πελοποννήσῳ Μεγάλην πόλιν... κατὰ τὸν τοῦ Ἀπόλλωνος θρόνον ἦν ἀπομεμιμημένος διὰ γραφῆς λαιμὸς, ἔχων γυναικὸς μορφήν. Δοκεῖ δὲ ἐκεῖνος ὁ λαιμὸς ἐπίσημος γενέσθαι, εἴπερ ἱστορίας ἠξίωται. Forma et orthographia Byzantina Jo. Malalas p. 265, 1 : Ὁλόσφυρον στηθάριν μολιβοῦν, ἔχοντα (h. e. ἔχον) λεμὶν τοῦ Ἄρεως. Quod recte Effigiem vel Imagunculam vertit Chilmeadus, ignorans locum Eustathii. Vicissim Ducang. App. Gloss. p. 118, nondum cognito l. Malalæ, ap. Eust. non recte verterat Vas amplum. L. Dind.]

Λαιμοδάκης, ὁ, ἡ, Gulam mordens, Epigr. [Philippi Anth. Pal. 6, 5, 2 : Γυρῶν δ' ἀγκίστρων λαιμοδακεῖς ἀκίδας.]

[Λαιμὸν ὄρος Arabiæ memorat Agatharch. Photii p. 457, 34, quod Diodoro 3, 45, Χαβῖνον dici non animadvertit Wesselingius. L. Dind.]

Λαιμοπέδη, ἡ, Canis collare, quod vocatur Millum, i. e. Cingulum circa collum ex corio firmo cum clavulis capitatis, cui intra capita insuitur pellis mollis, ne noceat collo duritia ferri, ut Varro describit 2, 9. Dicitur etiam Millus masc. gen. Vocatur autem λαιμοπέδη, quod ex eo canis jugulus ligetur, quasi pedica gutturis canis s. juguli. Ap. Suidam [ex epigr. Leonidæ Anth. Pal. 6, 35, 6] : Καὶ τὰν εὔρινον λαιμοπέδαν σκυλάκων. Ubi nisi εὐρίνων [ut est in cod. Pal.] scrib. sit, εὔρινος λ. dicta erit a ῥινὸς, τὸ δέρμα : fiunt enim hæc collaria ex corio firmo, ut ex Varr. didicimus. Λαιμοπέδη, ut et δεραιοπέδη, Pedica s. Laqueus, quo aves capiuntur, Epigr. Nam gulam s. jugulum ea pedica constringit. [Archias Anth. Pal. 6, 16, 4 : Πετεινῶν λαιμοπέδας.]

[Λαιμόρῦτος, ὁ, ἡ, De jugulo fluens, manans. Eur. Hel. 360 : Λαιμορύτου σφαγᾶς.]

Λαιμὸς, ὁ, Guttur, Gula, Jugulus, φάρυγξ, λάρυγξ, βρόγχος Hesychio : Pollux autem [2, 206] annotat ab Hom. στόμαχον vocari etiam λαιμὸν et λευκανίαν, nam gula ad stomachum usque pertinet, prope mentum incipiens. Homerus in Il. N, [387] : Ὁ δέ μιν φθάμενος βάλε δουρὶ Λαιμὸν, ὑπ' ἀνθερεῶνα, διαπρὸ δὲ χαλκὸν ἔλασσε· Τ, [209] : Οὔπως ἄν ἔμοιγε φίλον κατὰ λαιμὸν ἰείη Οὐ πόσις, οὐδὲ βρῶσις ἑταίρου τεθνειῶτος· Σ, [34] : Δείδιε γὰρ μὴ λαιμὸν ἀποτμήξειε σιδήρῳ. Sicut Lucan., Senilem jugulum confodiam; Ovid., Jugulum mucrone resolvere; Cic., Jugulis intenta tela, Dare jugulum, et Petere. Aristoph. [Av. 1560] : Λαιμοὺς τεμὼν, Qui jugulum resolvit ferro, ut Ovid. loquitur. [V. l. Eur. Suppl. infra cit. Idem plurali pro singulari Ion. 106 : Λαιμῶν ἐξάψει βρόχον· Phœn. 1092 : Ξίφος λαιμῶν διῆκε. Lycophr. 6 : Δαφνηφάγων φοίβαζεν ἐκ λαιμῶν ὄπα.] Lucian. [De hist. scr. c. 25] : Ἐνταμόντα τῇ ὑάλῳ τὸν λαιμόν. Id. [Nigrin. c. 16] : Διὰ λαιμοῦ καὶ δι' ἀφροδισίων. Theophyl. Ep. 17 : Τὸν λαιμὸν τοῖς δώροις τοῦ Λευκίππου ἐπέβυσεν. [Theocr. 13, 58 : Τρὶς μὲν Ὕλαν ἄϋσεν ὅσον βαθὺς ἤρυγε λαιμός.] Rursum Lucian. [Nigrin. c. 34] dicit τὸν μέγιστον [μήκιστον] ἀνθρώπου λαιμὸν, longum esse quatuor digitos, loquens de gulosis quibusdam liguritoribus. [Alia v. ap. Foes. Œcon. Hippocr. De bestiis Eur. Suppl. 1201 : Λαιμοὺς τρεῖς τριῶν μήλων τεμών· Hel. 1584. Apoll. Rh. 3, 1208 : Ἐπὶ δ' ἀρνειοῦ τάμε λαιμόν. Tullius Sabinus Anth. Pal. 9, 410, 4.] At λ. χύτους pro Vase amplo et capaci afferunt VV. LL. ex Epigr. [Philippi Thessal. Anth. Pal. 9, 232, 1.] Eust. [Il. p. 1271, 58] scribit λαιμὸς derivari a λάω, unde λαύω et ἀπολαύω, sc. διὰ τὸ ἀπολαυστικὸν τοῦ τόπου. [Eandem etymologiam proponit Theognostus in Cram. An. vol. 2, p. 64, 10. De alia signif. v. l. ejusd. in Λαιμίον positum. De accentu acuto Arcad. p. 60, 11.]

[Λαιμὸς adjectivum ponere videtur Hesychius : Λαιμὰ, λάμυρα. Quam gl. Bentlejus referebat ad l. Menandri in Λαῖμα citatum.]

Λαιμότμητος, ὁ, ἡ, Cui jugulus sectus est, Jugulatus; Capite truncatus, accipiendo partem pro toto. Eur. Phœn. [455] : Λαιμότμητον... κάρα Γοργοῦς. [Active Aristoph. Thesm. 1054 : Λαιμότμητ' ἄχη, Dolores jugulantes.]

Λαιμοτομέω, Jugulum incido, Jugulo. Apoll. Arg. 2, [840] : Λαιμοτόμησαν μῆλα. [4, 1601 : Ἅμα δ' εὐχωλῇσιν ἐς ὕδατα λαιμοτομήσας.] Plut. Othone [c. 2], de Tigellino : Ἐλαιμοτόμησεν ἑαυτόν. Strabo 7 : Ἡ δὲ ὑπερπετὴς τοῦ λέβητος, ἐλαιμοτόμει ἕκαστον τῶν αἰχμαλώτων. [Sext. Emp. p. 272, 24 : Λαιμοτομηθείσης τῆς Γοργόνος. Hemst. Const. Manass. Chron. p. 86. Boiss.]

Λαιμότομος, ὁ, ἡ, i. q. λαιμότμητος. Eur. Hec. [209] : Μόσχον δειλαία δειλαίαν εἰσόψει χειρὸς ἀναρπαστὰν σᾶς ἄπο, λαιμότομόν τ' Ἀΐδᾳ [θ' Ἅδᾳ] γᾶς ὑποπεμπομέναν σκότον. Nam ibi divisim quidam liber Ms. habet ἀπὸ λαιμότομον : sed quum præp. casui postponatur, accentus retrahendus est. At vulg. edd. scriptum habent ἀπολαιμότομον una voce. [Ion. 1055 : Γοργοῦς λαιμοτόμων ἀπὸ σταλαγμῶν. Manetho 1, 317; 4, 50 : Λαιμοτό-

A μου φάρυγος.] Ceterum pro illo λαιμότμητον κάρα [de quo supra], alibi [Iph. A. 776] dicit Eur. λαιμότομον κεφαλήν. Quod si una voce scribatur Ἀπολαιμότομος, vacabit præp. ἀπὸ, et jungenda erit cum τομος a τέμνω, q. d. ὁ ἀπότομος τὸν λαιμόν. Quum vero accentus in penult. transfertur, tunc active capitur, et est Λαιμοτόμος s. Ἀπολαιμοτόμος, Jugulum abscindens. [Active Iph. T. 444 : Ἵνα λαιμοτόμῳ δεσποίνας χερὶ θάνοι. Aristo Anth. Pal. 6, 306, 4 : Τὰν λαιμοτόμον σφαγίδα.]

[Λαιμώ. V. Λαμώ.]

[Λαιμωδέω.] Λαιμωδῶ, Suidæ δραπετεύω. [Theognost. Cram. An. vol. 2, p. 9, 23 : Λαιμοδεῖν, τὸ δρ. Λαιμφεύειν ap. Zonar. p. 1290. Hesych. : Λαμμωδεῖ, δραπετεύει. L. Dind.]

Λαιμώρη, ἡ, Suidæ [et Theognosto Cram. An. vol. 2, p. 9, 17] ἡ λαμυρίς. [Quam esse Cutem de gula boum dependentem infra dicemus.]

Λαιμώσσω s. Λαιμώττω, Gulæ ingerere et abligurire cupio; Famelicus sum, πεινάω, ut Nicandri schol. exp., afferens hunc Hippocratis [Hipponactis] l. : Λαιμώσ-

B σει δέ σου τὸ χεῖλος ὡς Ἡρώδου [ἐρωδιοῦ codd.]. Sed et ap. Nicandr. Ther. 470, de cenchrena serpente, Οὔρεα μαιμώσσων ἐπινίσσεται ὀκρυόεντα, pro μαιμώσσων in quibusdam libris reperiri λαιμώσσων annotat. [Eadem varietas Alex. 352 : Καί κε μελιζώροιο νέον κορέσαιο ποτοῖο ἀνέρα λαιμώσσοντα.]

Λαῖνα, ex Strabon. 5 [immo 4, p. 196] pro Læna : quæ et χλαῖνα. [‖ Amphora. Ducas Hist. Byz. p. 21, A : Ἦν γὰρ ἔχων ἀπὸ Ἰταλίας μερικὸν φορτίον ἐλαίου, ὃ καὶ πέπραχεν, καὶ τὰς λαίνας (vel λαΐνας) κενὰς ἔφερε. Similia quædam ex Byzantinis annotat Ducangius, a λάϊνος ducens.]

[Λαινᾶτος, ὁ, Lænas, cogn. Popillii ap. Polyb. 33, 7, 1.]

Λαΐνεος, α, ον, Lapideus, Epigr. [Hom. Il. X, 154 : Πλυνοὶ ... λαΐνεοι. Eur. Phœn. 115 : Λαϊνέοισιν Ἀμφίονος ὀργάνοις. Theocr. 23, 58 : Λαϊνέας ... κρηπῖδος. Zonar. p. 1286 : Λαΐνθη, λάρναξ λιθίνη. Λαϊνέη λάρναξ Tittm.] Item ap. Nonn. ἄγγεσι λαϊνέοις, Vasis lapideis [Jo. c. 2, 47] : Ὑγροχύτων ἀπὸ κόλπων Ἄγγεσι λαϊνέοις

C μετανάστιον ἤφυσεν ὕδωρ. Et paulo ante [28] : Λαϊνέῳ κενεῶνι καθάρσιον ἔβλυεν ὕδωρ. Item [c. 10, 115; c. 11, 29] : Λαϊνέοισι βελέμνοις, Jaculis s. Telis lapideis, i. e. Lapidibus. [Inscr. ap. Gruter. p. 1073, 4 : Τήνδ' ἀνέθηκεν Εὐξάμενος στήλην λαϊνέην ὁ Βάλης. Alia ap. Bœckh. vol. 1, p. 437, n. 373, 6 : Εἰκόνι λαϊνέῃ· quod idem legitur oratione soluta ib. vol. 2, p. 345, n. 2383, 5. Tit. Spart. ib. vol. 1, p. 673, n. 1397, 1 : Εἰκόνα λαϊνέην ἐρικυδέος ἀθλοθέταο. Hase. Mire, ut monuimus jam in Ἐλαΐνεος, Theognost. in Cram. An. vol. 2, p. 50, 14, inter τὰ εἰς ος λήγοντα καθαρὸν ὀξύτονα ὑπὲρ δύο συλλαβὰς παραληγόμενα τῇ νε συλλαβῇ ponit λαϊνεὸς, ἐλαϊνεὸς, addens λέγεται γὰρ καὶ ἄνευ τοῦ ε. αϊ]

[Λαίνιλλα, (Λαίνιλα, ὄνομα νήσου, pro quo al. liber Λαίνιλα, πόλις Zonaras p. 1287,) sine interpr. Suidas.]

Λάϊνος, η, ον et ὁ, ἡ, Lapideus. Hom. Il. M, [177] : Πάντη γὰρ περὶ τεῖχος ὀρώρει θεσπιδαὲς πῦρ Λάϊνον, ubi annotat Eustathius, si quis non per hyperbasin dicat τεῖχος λάϊνον, sed cum πῦρ proximo conjungat, θεσπιδαὲς πῦρ λάϊνον, exponens τὸ μὴ ἀπὸ ὕλης εὐεξάπτου,

D ἀλλ' ἐκ λίθων ἀποπαλλόμενον, ut λάϊνον quasi per epiphonema dicatur; duriusculum id esse et magis tragicum. [Λάϊνον corruptum judicavit Bentlejus : totum locum suppositum censuerunt veteres critici. Ibid. I, 144 : Λάϊνος οὐδὸς ... Φοίβου.] At λάϊνον ἕννυσθαι χιτῶνα, Γ, [56], Lapidibus obrui : ad verbum Lapideam induere tunicam : Ἦ τέ κεν ἤδη Λάϊνον ἕσσο χιτῶνα κακῶν ἕνεχ' ὅσσα ἔοργας, i. e. λιθόλευστος ἐγεγόνεις, ut Suid. exp. : ἐλιθάσθης ἄν, ut Eust. Idem dicitur et λάεσσι σκεπασθῆναι. [Eumath. Ism. p. 153 : Λάϊνον τῷ τυράννῳ τὸν χιτῶνα γυναῖκες ἐξυφανούμεθα. Koenig. Hom. Od. N, 106 : Κρητῆρες καὶ ἀμφιφορῆες λάϊνοι. Soph. Œd. C. 1596 : Λαΐνου τάφου. Eur. Tro. 5 : Λαΐνους πύργους· Herc. F. 979 : Λαΐνους ὀρθοστάτας· 1037 : Λαΐνοις ἀμφὶ κίοσιν· Iph. T. 997 : Κρηπῖδας λαΐνας. Theocr. 7, 149. Figurate idem 23, 20 : Λάϊνε παῖ καὶ ἔρωτος ἀνάξιε. Lycophr. 1469 : Λαΐνου στέγης. In prosa inscr. Hermion. ap. Bœckh. vol. 1, p. 594, n. 1193, 25 : Λαΐναν στάλαν, ut illa legit Müllerus. ‖ Formam contractam Λᾶνος intulit Jacobsius epigr. novitio Anth. Pal. App. 257, 3 : Εγκύρσας λάνᾳ στήλῃ ταχὺ καὶ σὺ δακρύσεις, ubi λαινεᾳ est in lapide. Sed fortasse primam imperite corripuit qui illa scripsit.]

Λαῖνος, Hesychio est et ἡ σιτοσπόρος γῆ, quæ etiam λαῖον : et ὁ ἀριστερὸς, Sinister, qui etiam λαιός.

[Λαῖνος. V. Λαός.]

Λαινόχειρ, affert Hesych. pro σκληρόχειρ, Qui dura est manu, Duras habens manus. [De qua gl. v. conjecturas interpretum.]

[Λαῖον. V. Λήιον. || Ap. Apoll. Rh. 3, 1335 : Εἵπετο δ' αὐτὸς βαθμὸν ἐπὶ στιβαρῷ πιέσας ποδὶ, pro βαθμὸν, quæ videtur esse pars aratri, cui pedem imponit arator, quo altius penetret, libri haud pauci λάϊον vel λαιόν. Cui glossas grammaticorum ap. Bast. ad Gregor. p. 893, in quibus λαῖον explicatur δρέπανον, Falx, contulit Wellauerus.]

[Λαιόπους, Sinistripes, inc. Gen. 30, 75. Vox suspecta. V. Schleusn. Lex. V. T.]

Λαιὸς, ὰ, ὸν, Sinister, Lævus, [Scævus huic add. Gl.]: idem ac ἀριστερός. Herodian. [4, 2, 5] : Ἐν τῷ λαιῷ μέρει, A sinistra. Hesychio est non solum ἀριστερὸς, sed etiam λαός : quod poeticum fuerit. [Tyrtæus ap. Dion. Chr. vol. 1, p. 92 : Λαιᾷ μὲν ἴτυν προβαλέσθε. (Apoll. Rh. 1, 495 : Λαιῇ ἀνασχόμενος· 2, 678.) Æsch. Prom. 716 : Λαιᾶς δὲ χειρὸς οἱ σιδηροτέκτονες οἰκοῦσι Χάλυβες. Eur. Heracl. 728 : Λαιόν τ' ἔπαιρε πῆχυν· Herc. F. 159 : Λαιᾷ χερί· Suppl. 705 : Κέρας τὸ λαιὸν ἡμῶν. Philostr. Imag. p. 869 : Τῇ λαιᾷ τοῦ δεξιοῦ λαβόμενος κέρως. Euseb. ap. Stob. Ecl. vol. 2, p. 412 : Ἡ μὲν αὐτέων ἐστὶν ἐκ δεξιῆς χειρὸς εἰσιόντων, ἑτέρη δὲ λαιία οὖσα. Scr. λαιή. Absolute Aratus Phæn. 159 : Αὐτὸν μέν μιν ... Διδύμων ἐπὶ λαιὰ κεκλιμένον δήεις. Heliodor. ap. Stob. Fl. vol. 3, p. 309 : Χώρη τις ὁδιτάων ἐπὶ λαιὰ κέκλιται. || Λαιὰ Suidas interpretatur etiam κολοβὰ, Mutila. Pro quo rectius ap. Photium et in Bachm. Anecd. vol. 1, p. 287, 10, κολόβιον. V. Λαῖδος.]

[Λάϊος, ὁ, Lajus, pater Œdipi, sæpe memoratus apud Tragicos aliosque poetas et mythologos. Unde adj. Λαΐειος, α, ον, pro quo male Λάειος ap. Suidam in Λάειος φόνος. Argum. Soph. Œd. T. 13 : Τὸν Λαΐειον ἐκδικηθῆναι φόνον. Forma poet. Λαΐήιος Soph. ib. 1216 : Λαΐήιον τέκνον. L. D. De sepulcro Œdipi, in quo scriptum, Κόλπῳ δ' Οἰδιπόδαν Λαΐου υἱὸν ἔχω, Letronn. *Journ. des Sav.* 1827, p. 501. HASE. || Forma contracta Λᾷος restituta Pind. Ol. 2, 42 : Ἐξ οὗπερ ἔκτεινε Λᾷον μόριμος αἰών. Memorat Apollon. De advv. p. 567, 7. || Alius Λάϊος memoratur in inscr. Attica ap. Bœckh. vol. 1, p. 381, A, 61.]

[Λάϊος vel Λαιὸς, ὁ, avis quædam. Aristot. H. A. 9, 19 : Ὅμοιος τῷ μέλανι κοττύφῳ ἐστὶ λαιὸς, τὸ μέγεθος μικρῷ ἐλάττων· οὗτος ἐπὶ τῶν πετρῶν καὶ ἐπὶ τῶν κεράμων τὰς διατριβὰς ποιεῖται, τὸ δὲ ῥύγχος οὐ φοινικοῦν ἔχει, καθάπερ ὁ κόττυφος. Antonin. Lib. c. 19, p. 124 : Εἰς τοῦτο (τὸ ἄντρον) παρελθεῖν ἐθάρρησαν Λάϊος καὶ Κελεὸς καὶ Κέρβερος καὶ Αἰγωλιὸς, ... καὶ ὁ Ζεὺς πάντας αὐτοὺς ἐποίησεν ὄρνιθας καὶ ἔστιν ἐξ αὐτῶν τὸ γένος τῶν οἰωνῶν λάϊοι καὶ κολοιοὶ (κελεοὶ Muncker. et Schneider. ad l. Aristot.) καὶ κέρβεροι καὶ αἰγωλιοί. Schneiderus ibid. etiam Λαεδὸς, de quo supra, ex hoc nomine depravatum suspicabatur.]

[Λαιοστάτης, ὁ, Qui ab læva parte stat. Pollux 4, 106, ubi de choro : Δεξιοστάτης, ἀριστεροστάτης, λαιοστάτης, τριτοστάτης. Ita Kuhnius ex cod. Antea λαυροστάτης, quod v. ἄ]

[Λαιοτομέω.] Λαιοτομεῖν pro ληϊοτομεῖν, Segetes demetere : initio [Theocr.] Idyllii [10], Οὐθ' ἅμα λαιοτομεῖς τῷ πλατίον· ubi et schol. λαῖον s. λήϊον esse dicit χωράφιον σιτοφόρον.

[Λαιπάνης vel Λαιπάνις sine interpret. Suidas. Non videtur cogitandam de λαίσπαις.]

Λαῖπος, Hesychio κίναιδος, λάσταυρος, Cinædus, Salax, Libidinosus : qualis et ὁ Λαίσκαπρος, et ὁ Λαισποδίας. [V. Λαίγυος (ex quo vel ex Λάγνος corruptum conjiciebat Valcken. Anim. ad Ammon. p. 41), Λαίσιτος.]

[Λαιπτύηρον. V. Λαπτυήρ.]

[Λαιρβηνός. Eckhel. D. N. vol. 3, p. 154, de numis Hieropolis Phrygiæ, qui inscripti sunt ΛΑΙΡΒΗΝΟΣ vel ΛΑΙΡΒΗΝΟΣ vel ΛΑΙΡΒΗΝΟΣ. : « Legendum videtur ΛΑΙΡ-

A ΒΗΝΟΣ, quod plures in hac lectione video conspirantes ... Voc. istud referendum ad solis caput, et esse captum ex indigenarum lingua dubium non videtur, » etc.]

[Λαῖρος, ὄνομα πόλεως vel νήσου Zonaræ p. 1287, et Favorino.]

[Λαΐς. V. Ληίς.]

[Λαΐς, ΐδος, ἡ, Lais, meretrix Corinthia, Hycaris (nam hanc veram hujus nominis scripturam esse dixi ad Diodor. 13, 6, ubi add. l. Paus.) Siciliæ nata, secundum Pausan. 2, 2, 5, Polemonem ap. Athen. 13, p. 588, B, qui etiam aliis multis hujus libri ll. et de hac agit et de cognomine juniore, item Corinthia meretrice, ib. p. 574, E, et 12, p. 535, C. Idem 13, p. 592, C, Ναΐς ap. Aristoph. Pl. 173 restituendum conjecit pro Λαΐς. Aliæ hujus nominis mulieres memorantur in inscrr. ap. Bœckh. vol. 1, p. 560, n. 1059; p. 800, n. 1660; vol. 2, p. 56, n. 1974. L. DIND.]

Λαισαινοφόρος, Hesychio ὁπλοφόρος. Forsan pro λαισηϊοφόρος.

B Λαισὰς, Hesych. ἡ παχεῖα ἐξωμίς.

Λαίσεα, μήλη Hesychio.

Λαισήϊον, τὸ, Clypeolus, Parmula : volunt esse ἀσπιδίσκιον θυρεοειδὲς ἐκ λασιων βυρσῶν αἰγείων [quomodo fere Zonaras p. 1289 et qui βαρβαρικὸν ὅπλον dicit Etym. M.], unde et nomen : vel ita κοῦφον ut etiam τῇ λαιᾷ commode gestari queat et agitari. Hom. Il. E, [453] et M, [426] : Δῄουν ἀλλήλων ἀμφὶ στήθεσσι βοείας Ἀσπίδας εὐκύκλους λαισήϊά τε πτερόεντα. [Scolion ap. Athen. 15, p. 695, F : Καὶ τὸ καλὸν λαισήιον, πρόβλημα χρωτός. Herodot. 7, 91 : Λαισήια εἶχον ἀντ' ἀσπίδων, ὠμοβοέης πεποιημένα. Τὸ κράνος interpretatur Theognost. in Cram. An. vol. 2, p. 9, 15. Memorat etiam Thomas M. p. 574.] Λεσήϊα πτερόεντα, Hesych. affert pro ἀσπιδίσκια τὰ κοῦφα : sed rectius per diphth. αι, λαισήϊα. [Λαισήια πτερ. picta in fictilibus græcis; conf. C. O. Müller *Handb. der Arch.* § 342, 6. HASE.]

[Λαισηϊοφόρος. V. Λαισαινοφόρος.]

Λαίσθη, ἡ, Suidæ αἰσχύνη, Turpitudo, Dedecus. [Λάσθη Valcken. et Ruhnk. Ep. crit. p. 87. Quod v. C Zonaras p. 1284 : Λαίσθη, ἡ ἀκολασία· 1287 : Λαίσθη, ἡ αἰσχύνη. Theognost. Cram. An. vol. 2, p. 9, 19 : Λαίσθη, ἡ αἰσχ., λαίσθα, ἡ ἀκ.]

[Λαισίνη, ὄνομα πόλεως Suidæ, Zonaræ p. 1284, Theognosto Cram. Anecd. vol. 2, p. 9, 14.]

Λαίσιτος, Hesychio κίναιδος, πόρνη [V. Λαῖπος. Vitiosa autem videtur forma hic posita, quam a σῖτος ducens Valcken. Anim. ad Ammon. p. 151 conferebat cum μισητὴ tam de libidinosis quam de voracibus feminis usurpato] : afferenti et Λαισκάπραν [Λαίσκαπραν codex] pro λαμυρὰν, Impudentem, Effrænem. Suidæ etiam et Etym. [s. Zonaræ p. 1283] Λαίσκαπρος est ὁ λάγνος καὶ λαμυρὸς, Perdite et impudenter libidinosus : παρὰ τὸ λα ἐπιτατικὸν, pleonasmo τοῦ ι, ut in μαιστροπὸς pro μαστροπός.

[Λαίσκαπρος. V. Λαίσιτος.]

[Λαισχύδης sine interpretatione Suidas. Quam præbent Theognostus Cram. An. vol. 2, p. 9, 17, et qui Λαϊσκέδης scribit, Zonaras p. 1281, ὁ βούπαις, ubi recte Tittmannus λαίσπαις.]

D Λαίσπαις, a Leucadiis dicitur ὁ βούπαις, teste Hesych. [Idem : Λαόπαις, βούπαις, ubi Λάσπαις Valcken. Anim. ad Ammon. p. 53, collato Λάσταυρος, λαίσπαις Ruhnk. Ep. cr. p. 86. V. Λαισκίδης. Λαίσπης male ap. Theognost. l. c. 18.]

Λαισποδίας, ου, ὁ, n. propr. : nonnulli vero esse volunt τὸν δρεπανώδεις πόδας ἔχοντα, Hesych. Aristoph. schol. scribit hunc Læspodiam habuisse κνήμην σαπρὰν ad talos usque obligatam. Sane κακόκνημον fuisse, ipse Aristoph. indicat, Av. [1569] : Τί ἐπ' ἀριστέρ' οὕτως ἀμπέχει; λαισποδίας εἶ τὴν φύσιν· et Eupolis : Ταδὶ τὰ δένδρα Λαισποδίας καὶ Δαμασίας Αὐταῖσι ταῖς κνήμαισιν ἀκολουθοῦσί μοι. Sunt qui et Ixionem ἐν ταῖς Ἀττικαῖς λέξεσιν ita vocari [immo Demetrium Ixionem ... ita vocatum putare] tradant, utpote ἀκρατῆ περὶ τὰ ἀφροδίσια ὥστε καὶ κτήνη σποδεῖν. Hæc inter alia schol. Aristoph. [Qui annotat etiam nomen viri esse ap. Thuc. 8, 86 (et 6, 105), Phrynichum aliosque comicos. Conf. autem Brunck. ad l. Arist. ἰᾶ]

Λαῖστον, Suidæ τὸ ἀχθεινὸν, Onerosum, Molestum.

[Ἄλαστον Ruhnk. Ep. cr. p. 87. Ἀρχεῖον pro ἀχθεινὸν Bernhardy, coll. quæ in Λήιτος ponentur.]

Λαῖστρον, τὸ, Hesychio ξυστῆρα, πτύον : quod et λίστρον. [Conf. Ληιστόριον.] Ap. Suidam oxytonωs λαιστρὸν, exp. πρυτανεῖον : quod potius λάϊτον dicitur. [V. Λήιτος.]

[Λαιστρ[υγονία], ἡ, n. navis Atticæ in inscr. Att. ap. Bœckh. *Urkunden über das Seewesen d. Att. Staates* I, b, 38. L. Dind.]

[Λαιστρῡγόνιος, α, ον, Læstrygonius, adj. ab nom. Λαιστρυγών. Hom. Od. K, 82, Ψ, 318 : Τηλέπυλον Λαιστρυγονίην. Ubi nonnulli male Λαιστρυγ. pro nomine, τηλέπυλον pro epitheto habuerunt. Λαιστρυγόνιος cum fem. Λαιστρυγονὶς annotavit Steph. Byz.]

[Λαιστρῡγὼν, όνος, ὁ, Læstrygon, n. gentile. Hom. Od. K, 119 : Λαιστρυγόνος Ἀντιφάταο. Thuc. 6, 2 : Παλαίτατοι μὲν λέγονται ἐν μέρει τινὶ τῆς χώρας Κύκλωπες καὶ Λαιστρυγόνες οἰκῆσαι, ὧν ἐγὼ οὔτε γένος ἔχω εἰπεῖν οὔτε ὁπόθεν εἰσῆλθον ἢ ὅποι ἀπεχώρησαν· ἀρκείτω δὲ ὡς ποιηταῖς τε εἴρηται καὶ ὡς ἕκαστός πη γιγνώσκει περὶ αὐτῶν. Theopomp. ap. Polyb. 8, 11, 13 : Λαιστρυγόνας τοὺς τὸ Λεοντῖνον πεδίον οἰκήσαντας. Strabo 1, p. 20 : Τῶν περὶ τὴν Αἴτνην καὶ Λεοντίνην (δυναστεῦσαί φησιν Ὅμηρος) Κύκλωπας καὶ Λαιστρυγόνας ἀξένους τινάς. Hesych. : Λαιστρυγόνες, οἱ νῦν Λεοντῖνοι. Conf. Silius It. 14, 125, 126, et quæ ex aliis scriptoribus Lat. collecta sunt in Lexicis Lat. || Gl. : Λωστρυγὼν, Striga. Λαιστρυγὼν Vulcanius. De accentu acuto Arcad. p. 10, 22.]

Λαῖτα, Hesychio πέλτη, Pelta : quæ supra Λαῖβα, et infra Λαῖφα.

[Λαΐτης, ὁ, Popularis, E vulgo, ap. Zachariam Papam l. 3 Dialog. c. 1. Ducang. Nihil huc pertinere videtur Hesychii gl. : Λαϊτῶν, τῶν δημοσίων τόπων. Quod λαΐτων potius scribendum cum HSt. in Λήιτος.]

[Λαΐτης. V. Λάεια.]

Λαῖτμα, τὸ, exp. πέραμα, διάστημα, πλάτος, Trajectus, Latitudo : s. Æquor. [Χάσμα, μέγα πέλαγος, κῦμα, βάθος, Zonar. p. 1290, Suidas, et ubi λαίταμα scriptum, Theognostus in Cram. An. vol. 2, p. 9, 10.] Hom. Od. E, [174] : Σχεδίῃ περάαν μέγα λαῖτμα θαλάσσης. Idem sine gen. θαλάσσης, subaudito tamen, H, [35] : Νηυσὶ θοῇσι τοίγε πεποιθότες ὠκείῃσι, Λαῖτμα μέγ' ἐκπερόωσι. [Sic et alibi sæpe, ut Il. T, 267 : Ἀλὸς ἐς μεγὰ λαῖτμα· Od. E, 409 : Τόδε λαῖτμα διατμήξας ἐπέρησα, ubi alii ἐτέλεσσα. Theocr. 13, 24 : Διεξάϊξε ... αἰετὸς ὡς μέγα λαῖτμα. Figurate Tryphiodor 119 : Ἠερίης ἅτε πηγῆς ἐξέχεεν μέγα λαῖτμα μελισταγέος νιφετοῖο, de oratione. Grammaticorum etymologias v. ap. schol. Apoll. Rh. 1, 1299.]

[Λάϊτον. V. Λήιτος.]

Λαῖτος, Hesychio ἀκήρατος, Incolumis, Lat. Hilarus. [Est ipsum lat. Lætus.]

Λαῖφα, Hesychio ἀσπίς : quæ [eidem] et Λαῖβα et Λαῖτα.

[Λαιφάνεια, ὄνομα πόλεως (?), Suidas. Alludit ad Λεβάδεια, quod infra ap. eundem.]

[Λαιφάσσω.] Λαιφάσσοντες, Hesychio ψηλαφοῦντες, qui et ἀφάσσοντες. [Nicand. Ther. 477 : Μή δή σε καταπλέξῃ καὶ ἀνάγχῃ πάντοθε μαστίζων οὐρῇ δέμας, ἐν δὲ καὶ αἷμα λαιφάξῃ, i. q. λάπτω, λαφύσσω, Sugo.]

[Λαίφη. Λαίφιον. V. Λαῖφος.]

[Λαιφόπτερος, ὁ, ἡ, Velis alatus. Const. Manass. Chron. 4056 : Ἀκάτους λαιφοπτέρους· 6232 : Σκάφεσι λαιφοπτέροις.]

Λαῖφος, τὸ, et Λαίφη, ἡ, Vestis s. Vestimentum : et quidem ex tenui stamine : λεπτὸν ἱμάτιον, ῥάκος, Vestis attrita et lacera. Hom. Od. N, [399] : Ἀμφὶ δὲ λαῖφος Ἕσσω ὅ κεν στυγέῃσιν ἰδὼν ἄνθρωπος ἔχοντα· Υ, [205] : Κἀκεῖνον ὀΐω Τοιάδε λαίφε' ἔχοντα κατ' ἀνθρώπους ἀλάλησθαι. [Hymn. Pan. 23 : Λαῖφος δ' ἐπὶ νῶτα δαφοινὸν λυγκὸς ἔχει.] Feminino genere ap. Suid. [et in Etym. M. v. Διερὸς, ex Callimacho] : Διερὴν ἀπεσείσατο λαίφην· quod exp. χλαμύδα, Chlamydem. [Χλανὶς pro χλαμὺς codd. Pariss. Ex quo depravatum videri possit quod Theognostus in Cram. An. vol. 2, p. 9, 18, ponit Λαιφύη, τὸ πρυτανεῖον, nisi quis λαῖφος malit. Interpretationem quo referri oporteat dicemus in Λήιτος. L. D.] || Neutrum λαῖφος significat non solum ἱμάτιον, sed etiam ἄρμενον, ἱστίον, Velum. [Alcæus ap. Heraclit. A Alleg. Hom. p. 14 : Λαῖφος δὲ πὰν ζάδηλον ἤδη. Æsch. Eum. 556 : Λαῖφος ὅταν λάβῃ πόνος· Suppl. 715 : Στολμοί τε λαίφους· 723 : Στείλασα λαῖφος. Sophocl. Trach. 561 : Οὔτε πομπίμοις κώπαις ἐρέσσων οὔτε λαίφεσιν νεώς. Callim. Del. 319 : Τὰ λαίφη ὠκέες ἐστείλαντο.] Ap. Plut. [Mor. p. 169, B, ex poeta] : Μέγα λαῖφος ὑποστολίσας. Sic Eur. Hec. [113] : Τὰς ποντοπόρους δ' ἔσχε σχεδίας Λαίφη προτόνοις ἐπερειδομένας· Or. [335] : Ἀνὰ δὲ λαῖφος ὥς τις ἀκάτου θοᾶς τινάξας δαίμων. [Hel. 407 : Κοὔποτ' οὔριον εἰσῆλθε λαῖφος, ὥστε μ' ἐς πάτραν μολεῖν. Et alibi utroque numero.] Idem in Hec. [1072] rursum dicit Λινόκροκον φάρος στέλλων pro λαῖφος στέλλων [ut Æsch. et Callim. supra citt.], Velum contrahens. [Contra Callim. Epigr. 5, 4 : Τείνας οἰκείων λαῖφος ἀπὸ προτόνων.] Ap. Hesych. reperio et Λαίφια, ῥάκη, Panni laceri : pro quo forsan λαίφεα ipse scripsit.

Λαίφυρον, ap. Suid. [et Zonar. p. 1290] τὸ ἀσθενὲς, Invalidum, Imbecille. [Sequitur Λαιφηρὸν, ταχύ. Mendi originem ostendit Theognost. Cram. An. vol. 2, p. 9, 9 : Λαιψηρὸν (λαιφηρὸν codex) τὸ ἀσθενὲς ἢ τὸ ταχύ.]

B [Λαιφὺς, δαπανωσιβόρος, Hesychius. Δάπανος ἢ βορὸς recte Albertus. Glossa alludit ad λαφύσσω.]

[Λάϊχος, ὁ, Laichus, n. viri in inscr. Att. ap. Bœckh. vol. 1, p. 524, n. 868, si recte ita legitur quod in lapide esse dicitur ΛΑΙΧΟΣ.]

[Λαιψηροδρόμος, ὁ, ἡ.] Λαιψηρόδρομος, Celeriter, Velociter currens, Volucer, ap. Eurip. [Iterum HSt. :] Λαιψηροδρόμος, et Λαιψηροκέλευθος s. Αἰψηροκέλευθος, ὁ, ἡ, Qui celeriter currit, et citato rapidoque motu viam carpit. Primum ap. Eur. [Iph. A. 207, ubi de Achille] extat, posteriora duo ap. Hesiod. Theog. 379 : Ἀργέστην ζέφυρον, βορέην λαιψηροκέλευθον. Ibi enim utraque habetur lectio, et λαιψηροκέλευθον et αἰψηροκέλευθον. Si quis tamen λαιψηρὸς ex αἰψηρὸς factum esse contendat addito λ, αἰψηρὸς autem ex adv. αἶψα derivatum esse dicat, non magnopere ei repugnaro. [Iterum HSt. :] Λαιψηροκέλευθος, Celeriter viam conficiens, Cujus via est celer, Velox, ut ap. Hesiod. Theog. : Ἀργέστην ζέφυρον, βορέην λαιψηροκέλευθον. Ubi legitur etiam αἰψηροκέλευθον.

C Λαιψηρὸς, ἁ, ὸν, etiam dicitur pro αἰψηρὸς, ut docet Hesych. : unde λαιψηρὰ γόνατα, et λαιψηροὶ πόδες, et λαιψηρὰ βέλη, ap. Hom. [Iterum HSt. :] Venio tandem ad Λαιψηρὸς, s. Αἰψηρὸς, quod ejusdem originis et signif. cum ψαρὸς (quatenus quidem pro ταχὺς accipitur), docebo ex Suida et schol. Aristoph., sc. derivatum esse a ψαίρω, et significare Velox, Celer, Agilis, Qui celeri concitatur motu : quia ipsum etiam ψαίρειν pro ταχύνειν usurpari putatur. Frequens utrumque ap. Hom. est, ut Il. [Φ, 264 : Ἀχιλῆα λαιψηρὸν ἐόντα·] Υ, [93] et X, [204] : Ὅς οἱ ἐπῶρσε μένος λαιψηρά τε γοῦνα· et [144] : Λαιψηρὰ δὲ γούνατ' ἐνώμα· K, [358] : Λαιψηρὰ δὲ γούνατ' ἐνώμα Φευγέμεναι. In quibus duobus posterioribus Il. illud λαιψηρὰ adverbialiter etiam accipi potest pro Agiliter, Velociter, Celeriter, Motu concitato, ut accipiendum est in Il. O, [269] et X, [24] : Λαιψηρὰ πόδας καὶ γούνατ' ἐνώμα· Il. [Φ, 278] : Λαιψηροῖς ὀλέσθαι Ἀπόλλωνος βελέεσσι, Celeribus s. Levibus Apollinis jaculis. [De re etiam Ξ, 17 : Ὀσσόμενον λιγέων ἀνέμων λαιψηρὰ κέλευθα. Lycophr. 531 : Πήδημα λαιψηρὸν δικών. D Pind. Ol. 12, 4 : Λαιψηροὶ πόλεμοι· Pyth. 9, 125 : Λαιψηρὸν δρόμον· Nem. 10, 63 : Λαιψηροῖς πόδεσσιν, eodemque cum nomine Eur. Hel. 555 et alibi. Alc. 494 : Ἀλλ' ἄνδρας ἀρταμοῦσι λαιψηραῖς γνάθοις. (Similiter Androm. 106 : Εἷλέ σ' ὁ χιλιόναυς Ἑλλάδος ὠκὺς Ἄρης. Wakef. Sed hic legendum videtur ὀξύς.) Fr. ap. Stob. Fl. vol. 1, p. 123 : Τὸ δ' ὠκὺ τοῦτο καὶ τὸ λαιψηρὸν φρενῶν. Neutro plur. adverbialiter Ion. 717 : Λαιψηρὰ πηδᾷ. Apoll. Rh. 4, 246 : Ἀνέμου λαιψηρὰ ἀέντος· 849 : Ἴμεν λαιψηρὰ δι' ὕδατος· 1, 926 : Ἔνθα σφιν λαιψηρὸς ἄη νότος· 886 : Λαιψηροῖο Ζεφύροιο· 758 : Λαιψηρῇσι πτερύγεσσι. Comparativo Oppian. Cyn. 4, 446 : Λαιψηρότεροί τε φέβονται. L. D.] Itidem αἰψηρὰ Hesych. exp. κοῦφα, ταχέα, qui etiam addit, Aristarchum in hoc l. Il. T, [276] : Ὣς ἄρ' ἐφώνησεν, λῦσεν δ' ἀγορὴν αἰψηρὴν, illud αἰψηρὴν accipere pro αἰψηρῶς, h. e. ταχέως, Cito, Celeriter, Statim, ut et ταχεῖα pro ταχέως in hoc hemistichio, Βάσκ' ἴθι, Ἶρι ταχεῖα· et εὐρεῖα pro εὐρέως, in hoc, Τότε μοι χάνοι εὐρεῖα χθών· cui lubens admodum assentior, præsertim quum Eust. quoque eum sequatur. Eodem modo interpretandus hic l. Od. Δ, [103] : Ἄλλοτε μέν τε γόῳ φρένα τέρπομαι, ἄλλοτε δ' αὖτε Παύομαι, αἰψηρὸς δὲ κόρος κρυεροῖο γόοιο, ut sit, Cito enim capit satietas lamentorum : secundum illud, Cito arescit lacryma, præsertim in alienis malis. Et, Nihil lacryma citius arescit. [Alia v. in Αἰψηρός.]

Λαιψηρὸν, [Photius et] Suid. a Laconibus dici scribit τὸ ἡμίξηρον, Semiaridum. [Hesychius : Μεσόψηρον, ἡμίξηρον. L. Dind.]

[Λαιψηρῶς, Celeriter, Velociter, ταχέως Hesychio.]

[Λαίω. Theognostus in Crameri Anecd. vol. 2, p. 9, 10 : Λαίεται τὸ κλύεται. Hesych. : Λαίζεται, καταλύεται, ἀπὸ τοῦ λαός. Λαίεται καὶ κατελεύσεται. Zonar. p. 1290, Suidas : Λαίεται, καταλύεται. Καταλεύεται, Lapidatur, Bosius, ut ap. Hesych. in utraque gl. Palmerius et Is. Vossius, qui etiam λᾶος. Ceterum etiam καὶ delendum in gl. secunda. || Λαίω τὸ βλέπω ἢ τὸ φονεύω, Video, Occido, ponit Theogn. ib. 13, Zonar. p. 1290. V. Λάω. L. Dind.]

[Λᾰκάζω, Clamito. Æsch. Sept. 186 : Αὔειν, λακάζειν· Suppl. 872 : Ἴυζε καὶ λάκαζε. Hesych. : Λακάζει, λέληκε, βοᾷ, ἀπὸ τοῦ λακεῖν. L. D. A verbo λακάζω duxerunt nonnulli vocem Λήκυθος. Letronn. *Journ. des Sav.* 1833, p. 619. Hase.]

Λακάθη, ἡ, Lacatha : ap. Theophr. H. Pl. 3, 4 [3, 1] in censu arborum campestrium : ibid. 7 [6, 1] λευκάρα, in numero τῶν εὐαυξεστάτων : perperam, ut volunt nonnulli, pro λάκαρα. Hesych. Λακάρτην et Λακάρην esse dicit δένδρον τι. [Posteriore l. Urbinas et alii λάκαρα, priori λακάρη Vind. et Medic.]

[Λάκαινα. V. Λάκων.]

Λακάνη, ἡ, idem ac λεκάνη, quod v. infra.

[Λακανίσκη. V. Λικανίσκη.]

[Λακανῖτις, ιδος, ἡ, Lacanitis, regio Ciliciæ. Ptolem. 5, 8.]

[Λακάρη, Λακάρτη. V. Λακάθη.]

[Λακαταπύγων, ονος, ὁ, Valde cinædus. Aristoph. Ach. 664 : Δειλὸς καὶ λακαταπύγων. Ubi libri deteriores λακοκαταπύγων et λακκοκαταπύγων. Simili errore Photius : Λακκατάρατοι, οἱ ἄγαν κατάρατοι καὶ λακκαταπύγων ὁ ἄγαν καταπύγων. V. quæ ex eodem afferemus in Λακκοσκάπερδον. Λακατάρατος ubi repererit non constat. Diversæ originis est quod infra notabimus Λαοκατάρατος, quanquam in compositis a λαὸς ο interdum omittitur. ᾱᾰᾰῡ]

[Λακατάρατος, ὁ, ἡ, Valde exsecrabilis. V. Λακαταπύγων. ᾱᾰᾰᾱ]

Λάκαφθον, τὸ, Lacaphthum : a Paulo Ægin. 7, 22, numeratur inter species aromatum ex quibus κῦφι τὸ ἡλιακὸν componitur : esseque dicitur φλοιὸς πίτυος ἢ ἑτέρου τινὸς δένδρου. Itaque ap. Plut. etiam De Is. et Os. [p. 383, E : Τὸ δὲ κῦφι, μίγμα μὲν ἐξ ἑκκαίδεκα μνῶν συντιθεμένων ἐστὶ, μέλιτος καὶ οἴνου ... καὶ θρύου καὶ λαπάθου, coll. Diosc. 1, 24] pro λαπάθου reponendum fuerit λακάφθου, p. 683, 1 meæ edit. [V. Νάρκαφθον.]

[Λακεδαιμονιάζω, Lacedæmoniis studeo, Lacedæmonisso. Aristoph. fr. Babylon. ap. Steph. Byz. in Λακεδαίμων.]

[Λακεδαιμόνιος, ὁ, Lacedæmonius, f. Cimonis ap. Thuc. 1, 45, Plut. Cim. c. 16. Alius vir Atticus ap. Demosth. p. 1301, 16, in Orat. c. Neæram p. 1360, 9.]

[Λᾰκεδαίμων, ονος, vocat. Λακεδαῖμον (v. Jo. Alex. p. 14, 14, Chœrob. ap. Bekker. Anecd. p. 1245, Theodos. ib. p. 1004, 27, Phot. v. Λακεδαιμῶν (Λακεδαῖμον), schol. Hom. Il. Γ, 132, ex Aristoph. Holcad. ap. schol. Nub. 699 hunc vocativum afferentes, Etym. M. p. 130, 41), ἡ, Lacedæmon. Steph. Byz. : Λ., πόλις ἐνδοξοτάτη τῶν ἐν Πελοποννήσῳ, ἡ Σπάρτη πρότερον ... Λακεδαίμονα δὲ οἱ μὲν ἀπὸ Λακεδαίμονος (f. Jovis et Taygetes, ap. Apollod. 3, 10, 3, 1, Pausan. 3, 1, 2 etc. Pater Eurydices, ap. schol. Apoll. Rh. 4, 1091. Unde Ζεὺς Λακεδαίμων ap. Herodot. 6, 56, ut conjungi cum nominibus heroum solent nomina deorum), ἢ ὅτι μετὰ τὴν τῶν Ἡρακλειδῶν κάθοδον συνθέμενοι κλήρῳ διανείμασθαι τὴν χώραν καὶ τὸν λαχόντα πρῶτον ταύτην λαβεῖν καὶ Λαχεδαίμονα ἢ Λαβεδαίμονα καλέσαι, διότι ἀγαθῷ δαίμονι, τουτέστι τύχῃ, ταύτην ἔλαβεν ὁ λαβὼν ἢ ἔλαχεν ὁ λαχὼν καὶ τροπῇ τοῦ β ἢ τοῦ χ εἰς κ Λακεδαίμων. (Similem etym. v. ap. Chœrob. l. supra cit. Pausan. 3, 11, 1 : Σπάρτη μὲν ὀνομασθεῖσα (ἡ πόλις) ἐξ ἀρχῆς, A προσλαβοῦσα δὲ ἀνὰ χρόνον καὶ Λακεδαίμων ἡ αὐτὴ καλεῖσθαι· τέως δὲ τὸ ὄνομα τοῦτο ἔκειτο τῇ γῇ. Ad utramque refertur jam ap. Homerum, de quo Strabo 8, p. 367 : Ὅτι δὲ Λ. ὁμωνύμως λέγεται καὶ ἡ χώρα καὶ ἡ πόλις δηλοῖ καὶ Ὅμηρος, λέγων χώραν σὺν τῇ Μεσσηνίᾳ (Od. Φ, 13). Hesych. non sine vitio : Λ., ἡ Σπάρτη, καὶ ποτὲ μὲν ἡ Πελοπόννησος, ἡ χώρα πᾶσα, ποτὲ δὲ πόλις ὁμώνυμος τῇ χώρᾳ. Herodot. 6, 58 : Ἐκ πάσης Λακεδαίμονος χωρὶς Σπαρτιητέων· 7, 234 : Ἔστι ἐν τῇ Λακεδαίμονι Σπάρτη πόλις ἀνδρῶν ,η μάλιστά χη. Et sæpe Xenophon, ut H. Gr. 4, 2, 12 : Ὅτι ἐγγύτατα τῆς Λακεδαίμονος. Thuc. 1, 18, etc. Scylax p. 16. Adjective Eur. Hel. 474 : Λακεδαίμονος γῆς. || Recentissimi adjectivo utentes dicunt Λακεδαιμονία sine articulo sive de terra sive de urbe, ut Georg. Sync. p. 185, D : Ἐν Λακεδαιμονίᾳ πρῶτος ἔφορος κατεστάθη. Chron. Pasch. p. 143, A : Χίλων ὁ τῶν ἑπτὰ σοφῶν ἔφορος ἐν Λακεδαιμονίᾳ ἐγένετο. Inter Λακεδαίμονι et -δαιμονίᾳ variant libri initio Comment. de invent. carminis Bucolici, Tzetzæ ad Lycophron. 335. Etym. M. p. 282, 4 : Δόκανα, τάφοι τινὲς B ἐν Λακεδαιμονίᾳ· 446, 51 : Θεράπνη, πόλις Λακεδαιμονίας· schol. Aristoph. Lys. 454, nisi ille Λακεδαίμονι scripserat. De terra cum articulo Hesych. v. Ἡ Λακεδαιμονίων, schol. Eur. Hec. 435, 641.. || Λακεδαίμων de urbe Pind. Pyth. 5, 69, Isthm. 1, 17 etc., Thucyd. 1, 57, 58, etc. Cratinus, quem testatur Photius in Lex., terram potius Spartam quam urbem Lacedæmonem vocasse videtur, nisi alium ejus locum spectavit Ælius Dion. ap. Eust. Il. p. 294, 43, qui ib. 27 : Οἱ δέ τινες καὶ αὐτῆς τῆς μιᾶς πόλεως τὸ μέν τι Λακεδαίμονα, τὸ δὲ Σπάρτην καλοῦσιν. || Discrimen transit etiam ad gentile, ut ap. Xen. H. Gr. 6, 4, 15 : Ὁρῶντες μὲν τῶν συμπάντων Λακεδαιμονίων τεθνεῶτας ἐγγὺς χιλίους, ὁρῶντες δ' αὐτῶν Σπαρτιατῶν ... τεθνηκότας περὶ τετρακοσίους. Diod. 11, 4 : Τῶν μὲν οὖν Λακεδαιμονίων ἦσαν χίλιοι, καὶ σὺν αὐτοῖς Σπαρτιᾶται τριακόσιοι. Sed ubi nihil interest cives urbis ab incolis terræ distingui, promiscue utrumque nomen usurpatur, ut ap. Herodot. 7, 228 : Τοῖσι δὲ Σπαρτιήτησι ἰδίῃ... Λακεδαιμονίοισι μὲν δὴ τοῦτο.) Ἔστι καὶ ἑτέρα Λακεδαίμων Κύπρου μεσόγειος. C Ὁ πολίτης Λακεδαιμόνιος (Simonid. ap. Diodor. 11, 33 : Λακεδαιμονίοις. Pind. Pyth. 4, 257 : Λακεδαιμονίων ἀνδρῶν. Eur. Tro. 250 : Τᾷ Λακεδαιμονίᾳ νύμφᾳ, et alii quivis), καὶ κτητικὸν Λακεδαιμονικός. (Schol. Aristoph. Pl. 173 [sec. Ald.], schol. Thuc. 3, 44?) Λέγεται καὶ Λακεδαίμονάδε ἐπίρρημα. De ceteris formis et vocabulis ab iis formatis HSt. :] Λάκων, ωνος, ὁ, Lacon : Incola Lacedæmonis s. agri Spartani. [Ap. Pind. Pyth. 11, 16 : Ξένου Λάκωνος Ὀρέστα· Aristophanem et alios quosvis Atticorum, exceptis Tragicis (nam Sophoclis l. continuo citandus est fabulæ satyricæ). Pro possessivo Soph. fr. Ἑλένης ἀπαιτ. ap. schol. Eur. Phœn. 301 : Λάκωνος ὀσμᾶσθαι λόγου. Pratinas ap. Athen. 14, p. 633, A : Λάκων ὁ τέττιξ. Hedylus Anth. Pal. 6, 292, 1 : Λάκωνες πέπλοι. Λάκων ἐξελιγμὸς ap. Psellum p. 123 ed. Boiss., Suidam v. Ἐξελιγμὸς et al. Cum nomine neutro, ut fit interdum in talibus, maxime in casibus obliquis, Geopon. 4, 11, 1 : Λάκωνος ὀστράκου κοπέντος. Gl. : Λάκων ὁ θηρευτὴς, Umber. Photius : Λάκωνες, κυβευτικοῦ βόλου ὄνομα. Conf. Pollux 7, 205, cui D Λάκωνες pro Λάκων reddendum ex codd.] Fem. Λάκαινα, Lacæna. [Theognis 1002 : Λάκαινα κόρη. Pind. fr. ap. Athen. 14, p. 631, C : Λάκαινα παρθένων ἀγέλα. Eur. Tro. 34 : Ἡ Λάκαινα Τυνδαρὶς Ἑλένη· et alibi sæpe. Aristoph. Lys. 78, etc. Antiattic. Bekk. p. 106, 22 : Λάκαιναν τὴν παρθένον φασὶ δεῖν καλεῖν, τὴν δὲ χώραν Λακωνικήν. Ἄλεξις Ἑλένης ἁρπαγῇ. Phrynichus Ecl. p. 341 : Λάκαιναν μὲν γυναῖκα ἐρεῖς, Λάκαιναν δὲ τὴν χώραν οὔκ, ἀλλὰ Λακωνικὴν, εἰ καὶ Εὐριπίδης παραλόγως (Androm. 194) · Ὡς ἡ Λάκαινα τῶν Φρυγῶν μείων πόλις. Non semel neque unum sic loquutum esse Euripidem satis constat ex ll. ejus ib. 151 : Ἐκ Λακαίνης Σπαρτιάτιδος χθονός· 209 : Ἡ Λάκαινα πόλις· Tro. 1110 : Γαῖαν Λάκαιναν· Helen. 1473, fr. Cresphont. ap. Strab. 8, p. 366, Ionis Chii ap. Sext. Adv. rhett. 24, p. 294 : Οὐ γὰρ λόγοις Λάκαινα πυργοῦται πόλις· Herodoti 7, 235 : Ἐπὶ τὴν Λάκαιναν χώρην· Xen. H. Gr. 7, 1, 25 : Ἀσίνην τῆς Λακαίνης. Ubi pauci Λακωνικῆς. Sed omnes 29 : Εἰς τὴν Λάκαιναν. Photius v. Λακεδαίμονα. De aliis rebus Pind. fr. Athen. 1, p. 28, A : Λάκαιναν κύνα· Soph. Aj. 8 :

Κυνὸς Λακαίνης· Xen. Cyn. 10, 1 : Κύνας Λακαίνας· 4 : Τῶν κυνῶν τῶν Λακαινῶν. Plato Parmen. p. 128, C : Αἱ Λάκαιναι σκύλακες. De poculis Aristoph. fr. Dætal. ap. Athen. 11, p. 484, F; 12, p. 527, C : Χῖον ἐκ Λακαινᾶν. Unde explicandus Achilles Tat. 2, 2, p. 27, 3 : Χῖον τὸν ἐκ Λακαίνης, non intellectus ab interpretibus. Hesych. v. Λάκαινα. Lucian. Hipp. c. 5 : Λακαίνῃ λίθῳ κεκοσμημένος. Themistius Or. 18, p. 223, A : Καλλύνονται τὰ ἐδάφη λίθῳ Λακαίνῃ. Ælian. N. A. 15, 10 : Λακαίνης πορφύρας. L. D. De marmore illo viridi Lacedæmoniorum, quod vocatur ὁ ἐκ Λακώνων λίθος Greg. Nyss. t. 1, p. 399, A, Λίθῳ τῷ Θεσσάλῳ καὶ Λάκωνι ib. t. 2, p. 860, C, Ὁ μὲν Φρυγίου λίθου, ἄλλος Λακωνικῆς ἢ Θεσσαλικῆς πλακός, Basil. t. 1, p. 396, C, accurate nuper egerunt P. Boblaye *Exp. scient. de Morée* t. 2, part. 2, p. 129-137, et Th. C. F. Tafel., De Thessalonica p. 449 sqq., s. in commentatione De marmore viridi veterum, *Abhandl. der Bay. Akad. der Wiss.* vol. 2, 1837, p. 143-150. Hase.]

|| Λακωνίζω, Lacones imitor. [Eupolis ap. Athen. 1, p. 17, D : Μισῶ λακωνίζειν, ταγηνίζειν δὲ κἂν πριαίμην. Confert Schweigh. quod Suidas ex Aristoph. Thesmophor. alteris (et omisso Arist. testimonio Hesych.) annotat, Λ., παιδικοῖς χρῆσθαι. Addendi Hesych. s. Photius v. Κυσολάκων. V. etiam Λακωνικός. Plato Protag. p. 342, E : Τὸ λακωνίζειν πολὺ μᾶλλόν ἐστι φιλοσοφεῖν ἢ φιλογυμναστεῖν. Demosth. p. 1267, 22 : Λακωνίζειν φασὶ καὶ τρίβωνας ἔχουσι.] Plut. Alcib. [c. 23] : Τῇ διαίτῃ λακωνίζων, Victus ratione Lacones imitans, Laconicam victus rationem sequens. Sic sermone s. idiomate, brevitate sermonis, moribus, aliquis Λακωνίζει. Plut. Symp. sept. sap. [p. 150, B] : Ὁ Χίλων Λακωνίσας, Laconico idiomate usus. Idem De garrul. [p. 513, A] : Ἐὰν δὲ βούληται Λακωνίζειν, αὐτὴν μόνην φθέγξεται τὴν ἀπόφασιν, Laconica sermonis brevitate uti. Philostr. Ep. 46 : Μὴ Λακώνιζε, ὦ γύναι· μηδὲ μιμοῦ τὸν Λυκοῦργον· ξενηλασίαν ἔρως οὐκ ἔχει, Hospitem arcendo ne imitere Lacedæmonios et Lycurgum. [Greg. Naz. Ep. 3 : Τὸ λακωνίζειν οὐ τοῦτό ἐστιν ὅπερ οἴει, ὀλίγας συλλαβὰς γράφειν, ἀλλὰ περὶ πλείστων ὀλίγας. Valck. Anim. ad Ammon. p. 122 : « Glossæ : Vacillant, λεκανίζουσι, βαμβαίνουσιν. Vulcanius, Casaub., et Bochart. Hieroz. 1, 3, 28, vocem λεκανίζουσι tentarunt : nemo, absit invidia, veram emendationem protulit. Repone λακωνίζουσι. Eædem Glossæ : Tibulo, σφάλλομαι, λακωνίζω, γλώσσῃ βαμβαίνω. »] Significat etiam Lacones sequi, Cum Laconibus facere, Laconibus studere. Xen. Hell. 4, [4, 2] : Κινδυνεύσει ἡ πόλις Λακωνίσαι· 7, [1, 44] : Πάλιν Λακωνιεῖ ἡ πόλις· et 6, [3, 14] : Ἐν ἑκάστῃ πολει οἱ μὲν Λακωνίζουσιν, οἱ δὲ Ἀττικίζουσι. [Ita sæpius Isocrates et alii. Perf. λελακωνίκασι in fragm. anonymi ap. Suidam.]

|| Λακωνικός, ή, όν, Laconicus, Laconibus proprius et peculiaris : ut [Λακωνικὴ σκυτάλη, Aristoph. Lys. 991, 992. Ἐπιστολὴ Comicus ap. Longin. De subl. 38, 5 : Ἀγρὸν ἔσχ' ἐλάττω γῆν ἔχοντ' ἐπιστολῆς Λακωνικῆς. Βραχυλογία Plat. Protag. p. 343, B.] Λακωνικοὶ κρατῆρες, Λακωνικαὶ μάχαιραι, Λακωνικὰ ξίφη : item Λακωνικὸν ὄνομα. [Aristoph. Eccl. 405 : Τιθύμαλλον ἐμβαλόντα τοῦ Λακωνικοῦ.] At Λακωνικὸν ἀπόφθεγμα dicitur de Brevi et acuto [Diodor. Exc. Vat. p. 17 : Τούτων ἕκαστον ὑπάρχον βραχὺ καὶ Λακωνικόν] : Λακωνικὸς χιτών, pro λεπτὴ ἐσθής [sec. Hesychium. V. de eodem locum Hedyli in Λάκων positum] : et Λακωνικὸς τρίβων, pro Pallio attrito, quali Lacedæmone utebantur. [Themistocl. Epist. 10, p. 30, A : Λακωνικοὶ κύνες. Marc. Eugen. Ecphr. p. 165, 4 Kays. : Κύνε δύω τούτω τῶν Λακωνικῶν τε καὶ εὐφυῶν. Hase.] In vituperio Λακωνικὸν τρόπον [sec. Suidam et al.] dicunt ἐπὶ δοσιπύγου : quod τὸ περαίνεσθαι et τὸ παρέχειν ἑαυτὰς τοῖς ξένοις Spartæ esset commune. In laude ap. [Aristoph. Lys. 276 : Ὅμως Λακωνικὸν πνέων·] Plut. : Ἐλευθέριον πάνυ καὶ Λακωνικόν [et Cleom. c. 32 : Τῆς καθ' ἡμέραν ὁμιλίας αὐτοῦ τὸ Λακωνικὸν καὶ ἀφελὲς τὴν χάριν ἐλευθέριον εἶχε]· et ap. Athen. 11 : Ἦν γὰρ οὐδὲν ἐν τῷ τρόπῳ Λακωνικὸν οὐδὲ ἁπλοῦν ἔχων, ἀλλὰ πολὺ τὸ πανοῦργον καὶ τὸ θηριῶδες. [Philostr. Imag. p. 799 : Λακωνικὸν μειράκιον. Hesych. : Λακωνικός, στερρός, ἀνδρεῖος.] Absolute etiam dicuntur Λακωνικοί, Λακωνική, Λακωνικαί. Nam Λακωνικοὶ dicitur pro Λακωνικοὶ ἄνδρες. [Quod est ap. Aristoph. Lys. 628. Absolute id. Pac. 212 : Κεἰ μὲν οἱ Λακωνικοὶ ὑπερβάλοιντο· Lys. 1228, Nub. 186.] Xen. Hell. 2, [4, 10] : Ἐβοήθουν αὐτοῖς σὺν τοῖς Λακωνικοῖς. Et Λακωνικὴ pro Λακωνικὴ χώρα s. γῆ, Ager Laconicus. [Aristoph. Pac. 245 : Τὸ γὰρ κακὸν τοῦτ' ἐστὶ τῆς Λακωνικῆς. Xen. H. Gr. 2, 2, 13 : Ἐν Σελλασίᾳ τῆς Λακωνικῆς. Et alibi. Τὴν Λ. χώραν 6, 2, 9.] Plut. : Τὴν Λακωνικὴν κακῶς ἐποίουν. Et Λακωνικαί, pro Λακωνικαὶ κρηπῖδες, Laconicæ crepidæ : quas et Ἀμυκλαΐδας vocabant ab oppido Laconico. [Aristoph. Thesm. 142 : Ποῦ Λακωνικαί; Eccl. 74, etc. Singulari Vesp. 1162. Schol. ib. 1153 : Ἀνδρεῖα ὑποδήματα ἢ ἀστειότερα. Σεμνὸν dicit etiam Photius. Athen. 5, p. 215, E : Ὑποδούμενος λευκὰς Λακωνικάς. Steph. B. in Λακεδαίμων : Λακωνική, εἶδος ὑποδήματος. Ἔστι καὶ ὄρχησις Λακωνική ... Εἰσὶ καὶ μάστιγες Λακωνικαί. Ἔστι καὶ εἶδος κλειδὸς Λακωνικῆς. Καὶ οὐδέτερον τὸ Λακωνικὸν σιδήριον ... εἰς ῥῖνας κτλ. Aristoph. Thesm. 422 : Κλειδία Λακωνίκ' ἄττα. Λακωνικὴ τάξις quid sit explicat Suidas. Alia Laconica memorat Pollux.] Item τὰ Λακωνικὰ pro Λακωνικὰ πράγματα. Æsch. C. Ctesiph. [p. 77, 30] : Τὰ Λακωνικὰ συστῆσαι. [De nomine s. gente Herodot. 7, 235 : Καταδουλωθείσης τῆς ἄλλης Ἑλλάδος ἀσθενὲς ἤδη τὸ Λακωνικὸν μοῦνον λείπεται.] Pro fem. Λακωνικὴ dicitur etiam Λακωνίς [Hom. H. Apoll. 410 : Πὰρ δὲ Λακωνίδα γαῖαν. Callimach. ap. Strabon. 1, p. 46 : Λακωνίδι γείτονα Θήρῃ. Paul. Sil. Amb. 147 : Λακωνίδος αἵματι κόχλου] : unde in Epigr. Λακωνίδες, Laconicæ, sub. mulieres : quæ et Λάκαιναι, ut supra dictum est. [Max. Tyr. Diss. 29, 6 : Θεραπαινίδων Λακωνίδων. || « Λακωνιάς, άδος, ἡ, Theodor. Prodr. Amar. *Notices* vol. 8, part. 2, p. 122, sive p. 458 Gaulm. » Boiss.] || Λακωνικῶς, Laconice, Laconico more, More Laconum. Athen. 2, [p. 67, D, ex Diphilo] : Δειπνεῖ Λακωνικῶς, Parce et frugaliter. [Plut. Mor. p. 157, C : Τοὺς εἰς μικρὰ κομιδῇ συστέλλοντας ἑαυτούς, ὡς στρογγύλως καὶ λ. βιωσομένους· 237, A : Γυμνασάμενον λ. || De brevitate orationis Alcib. c. 28. Diodor. 13, 52 : Συντόμως καὶ λ. διελέχθη. Scymn. Orb. descr. v. 14. Simpliciter schol. Aristoph. Lys. 81 : Λακ. φθέγγεται, Dialecto Laconica.] || Λακωνισμός, ὁ, Laconismus, Laconum imitatio : s. Breviloquentia. Laconica. Item Studium erga Lacones, Amicitia cum Laconibus. [Suidas : Λακωνισμός, ἡ πρὸς τοὺς Λάκωνας οἰκειότης. Ita Xen. H. Gr. 4, 4, 15 : Τοὺς φάσκοντας ἐπὶ λακωνισμῷ φεύγειν· 7, 1, 46. Diog. L. 2, 51.] || Λακωνιστής, ὁ, Qui Lacedæmoniis favet, Qui partes Lacedæmoniorum sequitur. Xen. Hell. 1, [1, 32] : Ἐκπίπτουσιν οἱ Λακωνισταὶ καὶ ὁ Λάκων ἁρμοστής. [Memorat etiam Steph. Byz. in Λακεδαίμων. || Qui Lacedæmonios imitatur. Plut. Phocion. c. 10 : Ἦν δέ τις Ἀρχιβιάδης ἐπικαλούμενος Λακωνιστής, πώγωνά τε καθειμένος ... καὶ τρίβωνα φορῶν ἀεὶ καὶ σκυθρωπάζων. || Athen. 5, p. 181, C : Οἱ δὲ Λακωνισταὶ λεγόμενοι (φησὶν ὁ Τίμαιος) ἐν τετραγώνοις χοροῖς ᾖδον.]

[Λακεδάμα, ὕδωρ ἁλμυρὸν, ἁλσὶ πεποιημένον, ὃ πίνουσιν οἱ τῶν Μακεδόνων ἀγροῖκοι, Hesych.]

[Λᾱκεδών, όνος, ἡ, Dor. pro ληκεδών, Vox. Timon ap. Sext. Emp. 11, 171, p. 721 Fabr. : Πολλῶν λακεδόνων λυμάντορες αἰπυδολωταί.]

[Λάκεια, ἡ, urbs Lusitaniæ ad Tagum. Strab. 3, p. 151. Sed scriptura est suspecta.]

[Λακέντιον, λάγιον (-ειον) αἷμα καὶ κρέας ἢ τὸ ἐκ σίτου γενόμενον σεμιδάλεον, in Lexico Ms. sched. Combefisii. Ducang. Ubi confusæ gll. etiam ap. Zonar. p. 1288 positæ : Λάγειον αἷμα καὶ κρέας, et infra Λακέντιον sine interpretatione. L. D. || Alio sensu, ut videtur, Doroth. Doctr. p. 795, B : Ἔφαγε σιωπῶν τὸ πρῶτον λακέντιν (sic), καὶ τὸ δεύτερον. Interpr., Parapsidem. Hase.]

[Λακέρα inter nomina trisyllaba in ερᾱ ponitur ap. Arcad. p. 101, 6.]

[Λᾰκέρεια, ἡ, πόλις Μαγνησίας. Ἑλλάνικος Δευκαλιωνείας πρώτῳ. Ἔστι καὶ τῆς Ἰταλίας ἄλλη. Τὸ ἐθνικὸν Λακερειεὺς καὶ Λακέρεια τὸ θηλυκόν, ὁμοφώνως τῷ πρωτοτύπῳ, Steph. Byz. Idem in Ἑρμιόνη : Ἐκαλεῖτο καὶ Λακέρεια. Priorem memorant Pind. Pyth. 3, 34 et Pherecydes ap. schol., Apollon. Rh. 4, 616. Λακαίρια male in Etym. M. p. 555, 13, ubi monuit Kulenkamp.]

[Λακερολογία, ἡ, Maledicentia. Epict. Enchiridii Paraphr. Christiana c. 48 ed. meæ. Schweigh.]

[Λακερός.] Λακερὸν, Hesychio εἰκαῖον : at Λακερωτὸν [λακερωτὰν], συνεσταλμένον.

Λακέρυζα, ἡ, Hesychio μεγάλα κράζουσα, κράκτρια, Vociferatrix, Clamatrix : item λάλος, φλύαρος, Loquax, Garrula, Nugatrix : necnon λοίδορος, Convitiatrix, Maledica. Epitheton est cornicis : crebro enim apud poetas [Hesiod. Op. 745, ap. Plut. Mor. p. 415, C, Aristoph. Av. 609, Arat. Phæn. 949, Apoll. Rh. 3, 929], λακέρυζα κορώνη : necnon transpositis primoribus syllabis κελάρυζα κορώνη, pro Vociferatrix, Garrula, Loquax. [Conf. de hac metathesi Eust. Il. p. 488, 19, Planud. in Bachm. An. vol. 2, p. 110, 10. Philostr. Imag. p. 871 : Τὸν κραγέτην κολοιὸν καὶ τὴν λακέρυζαν αὐτήν.] Ap. Plat. vero De rep. 10, [p. 607, B] : Ἡ λακέρυζα πρὸς δεσπότην κύων ἐκείνη κραυγάζουσα, itidem pro Vociferatrix, Loquax : vel etiam Latratrix. [De accentu proparoxytono Arcad. p. 96, 13.]

[Λακέρυζος, ὁ, masc. a λακέρυζα. Epigr. Anth. Pal. 9, 317, 1 : Χαίρω τὸν λακέρυζον ὁρῶν θεὸν εἰς τὸ φάλανθον βρέγμα ... τυπτόμενον, de Satyro. Ita Toup. in Add. ad Theocr. p. 392 correxit scripturam codicis λακόρυζον.]

[Λακερύζω. HSt. post Λακέρυζα :] Eandem signif. habere et verbum Λακερύζεσθαι, ait Hesych. [apud quem adversus ordinem alph. λακεράζεσθαι], cujus Suidas quoque meminit, esse dicens λογοποιεῖσθαι vel λοιδορεῖσθαι, Multa verba facere, Garrire : vel Convitiari, Maledicere. [Easdem interprett. ponit Photius.] Etym. habet λακερύζειν : scribit enim, ex κρῶ fieri κρύζα, et pleonasmo τοῦ ε κέρυζα : inde λακέρυζα, præfixa epitatica particula λα, quod esse ἡ μεγάλως κράζουσα : hinc fieri verbum λακερύζειν. Forsitan tamen et παρὰ τὸ λακεῖν hæc derivata videri queant.

[Λακερωτός. V. Λακερός.]

[Λακεστάδης, ου, ὁ, Lacestades, f. Hippolyti f. Rhopali. Pausan. 2, 6, 7.]

[Λακετανοὶ, οἱ, Lacetani, gens Iberica. Plut. Cat. maj. c. 11, ubi olim Λακεντανοὶ, quod ex Livio et Plinio correxerunt editores. Λακητανία de regione apud Dion. Cass. 45, 10.]

[Λᾰκέτᾱς, ὁ, cicadæ nomen. Ælian. N. A. 10, 44. V. et Thesaur. Par. sub v. Ἀκανθίας, ου, ὁ. Hase. A verbo λακεῖν formari monet Schneider. ad Aristot. H. A. 5, 24, p. 387.]

[Λακέω fingit Zonaras p. 1291 : Λακίσαι, σχίσαι. Καὶ λακῶ ὁμοίως. Quod ita non dicitur. V. etiam Λάσκω.]

[Λᾱκήδας, ου, ὁ, Lacedas, Argivus, ap. Pausan. 2, 19, 2, ubi libri variant inter terminationes -κίδεω, κίδου, κηδούδεα, κυδούδεα, κηδουδέα. Λακήδεω post Müllerum edd. novissimi, quum jam Wyttenbachius ad Plut. Mor. p. 89, E, Λακύδην regem Argivorum ibi nominatum contulisset cum Λεωκήδῃ Argivo ap. Herodot. 6, 127, cujus pauci tantum libri Λεωκίδης. Non esse cur dubitetur de nomine Λακήδας, etsi Λακύδης certis nititur testimoniis, ostendunt nomina Δημοκήδης et Δημοκύδης. L. Dind.]

[Λακηθμὸς, ὁ.] Λακηθμὸν, nonnulli quod Attici γλωσσοκόμιον, Hesych. [ap. quem est γλωσσοκόμον, quod γλωσσόκομον scribit Albertus.]

[Λάκησις, εως, ἡ, quibusdam est qui alias κλωγμὸς, Hesych. Hemst.]

[Λακητανία. V. Λακετανός.]

[Λακητὴρ, ῆρος, ὁ, Laceter. Strabo 14, p. 657 : Ἔχει δὲ (Cos ins.) πρὸς νότον μὲν ἄκραν τὸν Λακητῆρα· πρὸς δὲ τῷ Λακητῆρι χωρίον Ἁλίσαρνα. Ap. Agathemerum 1, p. 11 : Ἐπὶ Λακτῆρα τῆς Κῴας.]

[Λακία. V. Λακιάδαι.]

[Λακιάδαι, οἱ, δῆμος τῆς Οἰνηΐδος φυλῆς. Ὁ δημότης Λακιάδης. Ἀναγράφεται ὁ δῆμος Λακία καὶ ὁ δημότης Λακιεύς. (V. Bœckh. C. I. vol. 1, p. 199, B, ubi Λα...., quod Λακιεῖ scripsit Chandlerus.) Τὰ τοπικὰ ἐκ τῆς γενικῆς τῶν πληθυντικῶν μετὰ τῶν προθέσεων, Steph. Byz. Suidas : Ὦ Λακιάδαι, ἐπὶ τῶν μοιχῶν λέγεται. Δῆμος γὰρ τῆς Ἀττικῆς οἱ Λ., ἐν ᾧ ῥαφανῖδες πολλαὶ, αἷς ἐχρῶντο κατὰ τῶν ληφθέντων (μοιχῶν) ἐνυβρίζοντες. Ubi v. intt. coll. Hesychio v. Λακιάδαι. Pausan. 1, 37, 2 : Λακίου τέμενος ἥρωος καὶ δῆμος ὃν Λακιάδας ὀνομάζουσιν ἀπὸ τούτου. Libri Λακίδας. Plut. Alcib. c. 22, Cimon. c. 4. Philippidis comici fabula Λακιάδαι ap. Polluc. 9, 38; 10, 37. Λακκιάδης perspicue scriptum in inscr. Attica ap. Bœckh. vol. 1, n. 268, p. 370, 3, et in Chalcidensi vol. 2, p. 177, n. 2151. ῐ L. Dind.]

[Λακίδαι, βάλλει, Hesychius. De qua gl. v. conjecturas intt.]

[Λακιδαίμων.] Λακιδαίμονος, Hesychio ψοφοῦντος, ἠχοῦντος, Strepitantis, Sonitum s. Crepitum dantis : παρὰ τὸ λακεῖν. [Pro Λακεδαίμονος, ut videtur.]

[Λακιδίζω. V. Λάκος.]

[Λᾰκῐδοφορέω.] Ap. Hesych. compos. Λακιδοφορῶν, expositum οὐχ ὑγιής : ex consequente : quoniam qui ulcerosas tibias habent, λακίδας φοροῦσι, Pannos s. fascias circum eas ferunt. [Minus probabilis Heinsii suspicio ὑγιὲς scribentis.]

Λᾰκῐδόω, affertur pro Lacero, ab λακὶς derivatum. [Dioscorides Alexiph. præfat. p. 400, D (vol. 2, p. 12 Sprengel.) : Λακιδοῦσθαι διαπεπρῆσθαί τε πολλὰ μέρη τοῦ σώματος.]

[Λακιεύς. V. Λακιάδαι.]

Λᾰκίζω, significans itidem Lacero, Dilacero, Scindo [Lycophr. 1113 : Πᾶν λακίζουσ' ἐν φοναῖς ψυχρὸν δέμας. Statyllius Anth. Pal. 9, 117, 3 : Πολυκλαύτοιο κόμας λακίσασα καρήνου. Dionys. Alex. ap. Euseb. Præp. ev. 14, p. 774, A] : et quidem ita ut sonitum edat et crepitum id quod laceratur, scinditur, finditur s. rumpitur : velut ap. Suidam : Εὗρον τὸν χιτῶνα ᾑμαγμένον καὶ λελακισμένον· quod et ipse exp. ἐσχισμένον, afferens paulo post et hoc exemplum [Menandri Exc. p. 381 Nieb.], Εἶτα οἱ Τοῦρκοι περιέφερον τὸ φυλλῶδες τοῦ λιβάνου τῇ φλογὶ λακιζόμενον. [Epiphan. t. 1, p. 600, C : Λακιζόμενόν τε καὶ ῥιπτούμενον. Id. ib. p. 477, B : Δίκην νηὸς ... περὶ τὰς ὄχθας τοῦ λιμένος λακισθείσης. Hase. Agathias Anth. Pal. 4, 3, 60 : Ὁππόθι ταυρείοιο ποδὸς δουπήτορι χαλκῷ σκληρὰ σιδηρείης ἐλακίζετο νῶτα κονίης. ‖ Hesych. : Λακισθῆναι, ῥαγῆναι. Idem Λακίζει præterea interpretatur θωπεύει, de qua interpr. conf. Λασκάζω.]

[Λακιναρίδιον, τὸ, Ῥωμαῖοι, ὑπόδημα, Hesychius. Errat Hesych.; non enim est ὑπόδημα. Nihil aliud est quam Lacinia. Meursius. V. voc. sequens.]

[Λακινία, διὰ τοῦ ι τὸ κι καὶ τὸ νι, τὰ ἀμφιβαλλόμενα, καὶ ἄλλως ἀπὸ τοῦ Λακῖνος, Chœroboscus in Crameri Anecd. vol 2, p. 236, 12. Etym. M. : Λακινία πόλις· ἀπὸ τοῦ Λακῖνος· ὅθεν καὶ τὸ νι ι.]

[Λακινία, ἡ. Neophytus De calamitatibus Cypri n. 2 : Καὶ τοιαῦτα ὡς πάντας τοὺς αὐτοὺς πλουσίους ἐπιλαθέσθαι πλούτου αὐτῶν, λαμπρῶν οἰκημάτων, συγγενῶν, οἰκετῶν, ἀνδραπόδων, πλήθους ποιμνίων, βουκολίων, λακινιῶν, βοσκημάτων παντοίων. Porcellos intelligi opinatur Int. (in Coteler. Eccl. Gr. mon. vol. 2, p. 458, C.) Ducang.]

[Λακίνιον, τὸ, ὄρος Κρότωνος. Λυκόφρων (856)· Καὶ Λακινίους (Λακινίου libri) μυχούς. Τὸ ἐθνικὸν Λακίνιος. Καὶ τὸ κύριον τοῦ ἥρωος, ἀφ' οὗ τὸ ὄρος. Τὸ θηλυκὸν Λακινιάς. Καὶ ἡ χώρα Λακινία, ὡς Κυδωνία, καὶ τὸ ἐθνικὸν Λακινιάτης, Steph. Byz. Λακίνιον est in orac. ap. Diodor. Exc. Vat. p. 9 : Λακινίου ἄκρου· ap. Theocr. 4, 33 : Τὸ ποταῷον τὸ Λακίνιον. Ubi schol., ἀκρώρειά τις ἔχουσα ἱερὸν Ἥρας, et ἀκρωτήριον ἀπό τινος Λακίνου Κερκυραίου τοῦ ὑποδεξαμένου Κρότωνα φεύγοντα. Strabo 6, p. 261, 262, 281, Polyb. 3, 56, 4, etc. Λακίνιον ἱερὸν Ἥρας Scylax p. 5. Λακινίας Ἥρας Diod. 13, 3. Λακινιάδος δόμον Ἥρης Dionys. Per. 371. Λακινία τόπος male Suidas, etsi Λακινία ponitur etiam ab Etymol. M. et Chœrob. in Λακινία citatis. Λακῖνον cum Steph. nominat etiam schol. Theocr., Λακίνιον schol. Lycophr. l. c. et 1006, Diodor. 4, 24, Iambl. V. Pythag. p. 102 ed. Kiessl., inter utramque formam variatur ap. Serv. ad Virg. Æn. 3, 552, et in Etym. M. : Λακίνιον, ὄρος Κρότωνος, ἀπὸ ἥρωος Λακινίου ὠνόμασται, quibus adduntur quæ in Λακινία posuimus. Chœrob. in Cram. Anecd. vol. 2, p. 236, 14 : Λακῖνος ι καὶ προπερισπᾶται etc., quæ non sinunt dubitare hanc ab eo formam positam esse, ut ib. 13 et 19. ᾰῑῐ L. Dind.]

[Λάκιος, ὁ, Lacius, n. viri in inscr. Cea ap. Bœckh. vol. 2, p. 291, n. 2367, 1 : Λάκιος τὸν βωμὸν εἵσατο. Fratris Antiphemi, Gelæ conditoris, ap. Steph. Byz. in Γέλα, ducis colonorum, qui Phaselidem condiderunt, ap. Athen. 7, p. 297, E; 298, A. V. Λακιάδαι. L. Dind.]

Λᾰκὶς, ίδος, ἡ, dicitur σχίσμα, ῥαγὰς, διακοπὴ, Fissura s. Scissura facta cum crepitu : ex eo quod τὸ σχισθὲν ἢ διακοπὲν ἔλακε [sec. Etym. M. et schol. Hom. Il.

Ξ, 25, sive Eust., quibuscum conf. Orio p. 96, 27. Alcæus ap. Heraclit. Alleg. Hom. p. 14 : Λαῖφος δὲ πὰν ζάδηλον ἤδη καὶ λάκιδες μεγάλαι κατ' αὖτο. Æsch. Pers. 125 : Βυσσίνοις δ' ἐν πέπλοις πέσῃ λακίς· Suppl. 121 : Πολλάκι δ' ἐμπίτνω ξὺν λακίδι λίνοισιν.] Utitur hoc voc. Aristoph. pro Frusto panni lacerando avulso, pro Fragmento : synonymum ei faciens ῥάκος, ῥάκιον, ῥάκωμα, τρύχος : in Acharn. nimirum. Ibi enim Dicæopoli roganti, Δός μοι ῥάκιόν τι τοῦ παλαιοῦ δράματος, respondet Euripides, Τὰ ποῖα τρύχη; Et mox [424], Ποίας ποθ' ὡ' νὴρ [ἀνὴρ] λακίδας αἰτεῖται πέπλων; Quumque ille tandem dixisset, Τηλέφου δὸς ἀντιβολῶ σέ μοι τὰ σπάργανα· Ὦ παῖ, inquit, δὸς αὐτῷ Τηλέφου ῥακώματα, Telephi pannos, laceros sc. : s. Fascias Telephi laceras et pannosas. [Æsch. Cho. 28 : Λινοφθόροι δ' ὑφασμάτων λακίδες· Pers. 835 : Λακίδες ποικίλων ἐσθημάτων. Etym. M. p. 51, 42 : Τὰς δι' ὀξυτάτων ῥαφίδων ἰωμένας τὰ διερρηγμένα τῶν ἱματίων. Cod. Lugd. Bat. ap. Hemst. ad Thom. p. 26, τὰς λαβίδας (-κίδας).] Itidem Hesych. λακίδας esse dicit σπαδόνας s. σπαράγματα ἱματίων : et [l. Alcæi supra citatum spectans] τὰ λεπτὰ τῶν ἀρμένων σχίσματα, Tenuia carbasorum fragmina. [De assulis et fragminibus navium Diodor. 14, 72 : Αἱ ἐκ τῶν ἐμβόλων ἀναρρηττόμεναι λακίδες ἐξαίσιον ἐποιοῦντο ψόφον.] Eid. λακὶς est non solum ῥαγὰς et σχίσμα, Ruptura, Scissura : et ἐμβολὴ, ῥαφὴ, h. e., Pannus s. Frustum panni quod ἐμβάλλεται καὶ ἐνράπτεται ἱματίῳ διεῤῥωγότι : verum etiam τραῦμα, Vulnus : afferenti et λακὶς χθονὸς pro χάσμα γῆς, Hiatus et ruptura terræ. [De hiatu etiam ap. Diodor. 13, 99 : Τῆς μὲν τριήρους ἐπὶ πολὺν ἀνέρρηξε τόπον, τοῦ δὲ στόματος ἐναρμοσθέντος εἰς τὴν λακίδα κτλ. Sic enim Dobræus pro ἀκίδα.]

Λάκισμα, τὸ, significans i. q. λακίς : ut λακίσματα μελῶν ap. Suid., quod exp. τῶν σαρκῶν ἀποσχίσματα, Frusta et fragmina quæ vel avulsa sunt lacerando, vel putrescendo deciderunt. [Τὰ σχ. τὰ ἀποπίπτοντα τῶν σ. Zonar., σχίσμα Photius. De pannis vestimentorum Eur. Tro. 497 : Τρυχηρὰ περὶ τρυχηρὸν εἱμένην χρόα πέπλων λακίσματα. Et ap. Hesychium, qui huic voc. easdem signiff. quas proximo Λακὶς tribuit.]

[Λἄκιστὸς, ἡ, ὸν, Scissus, Laceratus. Lucian. Piscat. c. 2 : Καὶ μὴν ἄριστον ἦν καθάπερ τινὰ Πενθέα ἢ Ὀρφέα, λακιστὸν ἐν πέτραισιν εὑρέσθαι μόρον. (Id. Tragodop. v. 116 : Οὐδ' ὠμὰ λακιστὰ κρέα σιτούμεθα ταύρων. Hase.) Antiphanes ap. Athen. 7, p. 303, F : Τῆς τε βελτίστης μεσαῖον θυννάδος Βυζαντίας τέμαχος ἐν τεύτλου λακ.στοῖς κρύπτεται στεγάσμασι.]

[Λάκκα, Lacca, Anchusa, ap. Myrepsum sect. de Antidot. c. 123. V. Λάχχα. Ducang.]

Λακκαῖος, ὁ, Cisterninus : ut λακκαῖον ὕδωρ, Aqua cisternina, Aqua ex cisterna s. fossa subterranea. Anaxilas [Athenæi 3, p. 124, F] : Ὕδατός τε λακκαίου παρ' ἐμοῦ τουτί [τό τί vel το τι libri scripti, ut videtur, fortasse pro τοδί] γέ σοι Γένοιθ' [νόμιζ' libri meliores] ὑπάρχειν. Et rursum, Ἴσως τὸ λακκαῖόν γε ὕδωρ ἀπόλωλεν. At λάκκου vocabulo usus est Apollodorus Gelous [ib. p. 125, C] in hac significat., dicens : Ἀγωνιῶσα τόν τε τοῦ λάκκου κάδον Λύσασα καὶ τὸν τοῦ φρέατος, εὐτρεπεῖς Τὰς ἱμονιὰς πεποίηκας : aperte distinguens λάκκον et φρέαρ. Ita ut sit Cisterna, Fossa subterranea in qua colligitur aqua et asservatur : dicente Aristoph. quoque Eccl. [154] : Ἐν τοῖσι καπηλείοισι λάκκους ἐμποιεῖν Ὕδατος. [Stadiasm. mar. magn. vol. 2, p. 437, 1 ed. Gail. : Ὕδωρ ἔχει λακκαῖον ἐν τῷ φάραγγι· conf. Letronn. *Journ. des Sav.* 1829, p. 117. Hase. Gl. : Λακκαῖοι, Laccarii. Vitiose et inepte Zonar. p. 1288 : Λάκκαιον ὕδωρ καὶ ὄρος· Suidas : Λάκαιον ὕδωρ, τὸ ἀπὸ Λακαίνης.]

[Λακκαρεὺς, έως, ὁ. Gl. : Λακκαρεῖς, Laccarii.]

[Λακκάριος, ὁ, Laccarius, Gl.]

[Λακκάω, Stagno. Apophthegm. Patrum in Pœmene n. 169 (in Coteler. Eccl. Gr. monum. vol. 1, p. 632, B) : Λέγει αὐτῷ ὁ γέρων, Ἄφες τὸν λογισμόν σου λακκᾶν, μόνον τὸν ἀδελφόν σου μὴ θλίψῃς. Ducang.]

[Λακκευτὸς, ὁ, Saginatus. Nicetas Choniat. p. 855, 2 : Τὴν σωματικὴν πλάσιν λακκευτοῦ συὸς εὐτραφέστερος. V. Λακκίζω.]

[Λακκιάδης. V. Λακιάδαι.]

Λακκίζω, pro Fodio affertur : sed sine exemplo. [Suid. in Ἐλάκκισε. Hemst. Λάκκον ποιῶ interpr. Zonar.

A p. 1290. Eust. Opusc. p. 259, 17 : Ὡς φυλάξει τις ἀπίους ... λακκίσας εὔθετον γῆν. || Sagino. Id. ib. p. 229, 44 : Λιπαίνεται, παχύνεται, πλατύνεται, εἰς ὅσον οὐδὲ τὰ λακκιζόμενα τῶν θρεμμάτων. V. Λακκευτός.]

[Λάκκιος, ὁ, Laccius (masc. enim genus ponendum videtur), minor portus Syracusarum. Diodor. 14, 7 : Τὰ πρὸς τῷ μικρῷ λιμένι τῷ Λακκίῳ καλουμένῳ νεώρια. Dorvill. ad Charit. p. 282=370 : « Totus lapidibus erat constratus hodieque se talem fuisse indicat ... Quia igitur constrati putei et cisternæ speciem præferebat, Λάκκιος dictus. »]

[Λακκόπεδον, τὸ, Sacculus testiculorum. V. Ὄσχεος.]

Λακκόπλουτος, ὁ, ἡ, Ex fossa ditatus, Ex cisterna dives factus. Callias Atheniensis a Comicis λακκόπλουτος dicitur διὰ τὸ περιτυχεῖν χρυσῷ εἰς φρέαρ βεβλημένῳ, inquit Hesych. Sic Suid. [sive Photius] scribit Xerxe Salaminio prælio fugato, fugientibusque iis qui Athenas tenebant Persis, famulos Persæ cujusdam qui domi Calliæ ἐστάθμευεν, πολὺν χρυσὸν ἐμβαλεῖν εἰς λάκκον, In puteum s. cisternam subterraneam : id aurum
B Calliam, barbaris reditus spe prærepta, invenisse, et supra modum locupletatum, λακκόπλουτον inde dictum fuisse. [Conf. Plut. Aristid. c. 5. Themist. Or. 23, p. 294, A. Alciphr. Epist. 1, 9 : Πρὸς ἕνα ἢ δεύτερον τουτωνὶ τῶν λακκοπλούτων.]

[Λακκοποιὸς, ὁ, Lacunarius, Gl.]

[Λακκοπρωκτία, ἡ, Latitudo podicis. Eupolis Athenæi 1, p. 17, E. Schweigh.]

Λακκόπρωκτος, ὁ, ἡ, Qui podicem habet latum et profundum in modum λάκκου : ap. Aristoph. Nub. [1330], cui synonymum facit εὐρύπρωκτος. [Cephisodorus Athenæi 15, p. 689, F : Ὦ λακκόπρωκτε. Μοχθηρὸν dicit Pollux 6, 127. V. etiam Λακκοσκάπερδον.]

Λάκκος, ὁ, Fossa, Fovea. Plut. Polit. præc. [p. 812, A] : Ἔτυχον ἐν ὁδῷ παῖδες ἐκ λάκκου τινὸς ἀστράγαλον ἐκκόπτοντες. In Psalmis Davidicis λάκκος et τάφος ponuntur pro Morte et periculo : quoniam foveæ et fossæ fiunt vel in insidiis vel in morte. Dicit igitur David. [Ps. 27, 1] : Ὁμοιωθήσομαι τοῖς καταβαίνουσιν εἰς λάκκον. Et rursum [39, 2] : Ἀνήγαγέ με ἐκ λάκκου ταλαιπωρίας.
C [Basil. M. vol. 1, p. 106, B : Οὐ πάνυ ἐπὶ καλοῦ εὑρίσκομεν τὸ ὄνομα τοῦ λάκκου τεταγμένον ἐν ταῖς θείαις γραφαῖς, ὡς οὐδὲ τὸ φρέαρ ὕδατος ἐπὶ χείρονος κτλ. Valck. || Photius (coll. Lex. rh. in Bekk. An. p. 276, 20) : Λάκκος, ὄρυγμά τι κατασκευαζόμενον ἐν οἰκίᾳ ὄμβρους ὑποδέξασθαι ἢ πρὸς ἄλλων τινων ἀπόθεσιν.] Attici, inquit Suid. [sive Photius], et ceteri Græci, ὀρύγματα ὑπὸ τὴν γῆν ποιοῦντες εὐρύχωρα καὶ στρογγύλα καὶ τετράγωνα, καὶ ταῦτα κονιῶντες, οἶνον ὑπεδέχοντο καὶ ἔλαιον εἰς αὐτὰ, καὶ ταῦτα λάκκους ἐκάλουν. Cic. dicit Cellam vinariam et oleariam : Ulpianus Cellam vini et olei. Quidam et Cisternam interpr. : necnon Lacum [et Lacunam, ut Gl.] Latinorum hinc esse volunt nonnulli. [Herodot. 4, 195 : Ἐσχέουσι (τὴν πίσσαν) ἐς λάκκον ὀρωρυγμένον ἀγχοῦ τῆς λίμνης· 7, 119 : Ἔτρεφον ὄρνιθας χερσαίους καὶ λιμναίους ἔν τε οἰκήμασι καὶ λάκκοισι. Æschines p. 12, 12 : Τῶν οἰκοπέδων καὶ τῶν λάκκων, ubi obscœna significatio subest, ut in λακκόπρωκτος. « Aristoph. Eccl. 154 : Ἐν τοῖς καπηλείοις λάκκους ἐμποιεῖν ὕδατος. Xen. Anab. 4, 2, 22 : Οἶνος πολὺς, ὃν ἐν λάκκοις κονιατοῖς εἶχον.
D Demosth. p. 845, 17 : Τὸν λάκκον συντρίψας. Alexis ap. Athen. 4, p. 170, C : Οὐ λάκκον, οὐ φρέαρ. Euphron ib. 9, p. 380, A : Ἔρριψαι εἰς τὸν λάκκον. Macho ib. 13, p. 580, A : Ψυχρὸν γ' ἔχεις τὸν λάκκον. (Aristophon in Λακκαῖος citatus.) Jerem. 6, 7 : Ὡς ψύχει λάκκος ὕδωρ. » Valck. Male igitur Thomas ab eodem cit. p. 157 : Βόθρος, οὐ βόθυνος οὐδὲ λάκκος· ταῦτα γὰρ οὐχ ἴσασιν Ἀττικοί. || « Jugulum. Hypatus Ms. De partibus corp. humani : Σφαγὴ, ὁ λάκκος τοῦ τραχήλου. Ap. eund. Ἰνίον exponitur Ὀπισθόλακκος, Occipitium. (V. Ἐπίλακκος.) || Puteus. Glossæ Mss. ad Gabriæ fabulas : Πρὸς φρέαρ) εἰς λάκκον. || l. q. λάκκα, quod v. Arrian. Peripl. m. Erythr. (p. 4) : Περιζώματα καὶ καυνάκαι καὶ σινδόνες ὀλίγαι καὶ λάκκος χρωμάτινος. » Ducang. Malc. « Genus esse vestis præcedentia ostendunt. Sic supra : Ἄβολοι νόθοι χρωμάτινοι. Colorias vestes intelligit, quæ ex Ægypto in Arabiam invehebantur. » Salmas. Plin. Ex. p. 816, b, B.]

Λακκοσκάπερδον, Hesych. dici scribit τὸν λακκόπρωκτον. [Photius : Λακκοσκαπέρδαν, ἀντὶ τοῦ λ. ἢ μέγαν σκάπερδον, ὡς καὶ λακκαταράτους τοὺς ἄγαν καταράτους. M. recens in marg. Λακκοσκαπέρδας λέγεται ὁ κατάρατος. Itaque λακκόπρωκτον ap. Hesych. non videtur pro interpretatione habendum.] Ap. Eund. reperio et alia duo composita, Λακκοσπέδα et Λακκοσχέας. Is enim quum attulisset λακκοσπέδα τοῦ σκελετοῦ, subjungit, διαχαλασθέντος ὀσχέου, καὶ τῶν διδύμων κρεμασθέντων, vocatur λακκοσπέδα : Λακκοσχέας autem, Euphronius τοὺς διὰ παντὸς καθειμένον ἔχοντας αὐτό : dici vero ὄσχεον s. ὀσχέαν, τὸ ἀγγεῖον ὅπου οἱ δίδυμοι ἐμβέβληνται [similiter Photius, addens : Λακκοσχέων (scr. -σχεῶν), μαλακῶν] : qua de re vide et quæ ex Polluce afferam in Ὄσχεος. Utitur vero vocab. λακκοσχέας Lucian. [Lexiph. c. 12] : Μῶν ἐκεῖνον φῂς Δίωνα τὸν καταπύγωνα καὶ λακκοσχέαν;

[Λακκοσχέας. V. voc. præcedens.]

[Λακκόω scriptura vitiosa. V. Λαικόω.]

[Λακκώδης, ὁ, ἡ. Geopon. 3, 3, 11 : Τὴν ὀρεινήν τε καὶ λακκώδη (γῆν), Aptam foveis, quippe siccam, interpretantur interpretes.]

[Λάκμος, ὁ, Lacmus, vel Λάκμων, ωνος, ὁ, Lacmon. Steph. Byz. : Λάκμων, ἄκρα τοῦ Πίνδου ὄρους, ἐξ ἧς ὁ Ἴναχος καὶ Αἴας ῥεῖ ποταμὸς, ὡς Ἑκαταῖος ἐν πρώτῳ. Ἔστι δὲ παρώνυμον, ὡς ἀπὸ τοῦ Λάκμωνος. Τὸ ἐθνικὸν Λακμώνιος. Strabo 7, p. 316 : Ἑκαταῖός φησιν ἀπὸ τοῦ αὐτοῦ τόπου τοῦ περὶ Λάκμον τόν τε Ἴναχον ῥεῖν καὶ τὸν Αἴαντα... Ad formam Λάκμος, pro qua Λάκμων apud Hecatæum legisse videatur Steph. Byz., comparat Casaub. quæ 6, p. 271 dixerat : Ῥεῖ γὰρ ἀπ' ἄκρας Πίνδου, φησὶν ὁ Σοφοκλῆς, Λάκμου τ' ἀπὸ Περραιβῶν (Inachus fl.). Λάκμωνος οὔρεος mentionem facit etiam Herodot. 9, 93. Lycophr. 1020 : Λακμωνίου πίνοντες Αἴαντος ῥοάς. Schol. : Ἡ τοῦ Πίνδου ὄρους ἄκρα Λακμωνία καλεῖται. 1389 : Λακμώνιοί τε καὶ Κυτιναῖοι Κόδροι. Pravo accentu schol. : Περραιβοὶ ἀπὸ ὄρους Λακμῶνος. Male etiam Zonar. p. 1284 inter θηλυκὰ ponit Λάκμων, ἡ κορυφὴ τοῦ ὄρους. (Eandem interpretationem ponens Theognostus in Cram. An. vol. 2, p. 35, 8, flecti in genitivo dicit Λάκμονος, ut φράδμονος et ἴδμονος, incertum quam recte, quum Lycophron certe tueatur Λάκμωνος.) Ad adjectivum Tittmannus refert ejusd. gl. p. 1289 : Λαμώνιον, ὄνομα ὄρους, scribens Λακμώνιον. De formæ Λάκμος accentu paroxytono Arcad. p. 58, 16. L. Dind.]

[Λακόπεδον. V. Ὄσχεος.]

[Λακοπεῖν, πυνθάνεσθαι. Λακόπιον, πυθίον. Λάκοποι, ἀρχή τις, ἔνθα οἱ κλέπται κρίνονται, Hesychii gll. obscuræ, sed ad similia, ut videtur, referendæ.]

Λάκος, ab λακεῖν, quod est ἠχεῖν, significat ἦχος, ψόφος, Sonus, Sonitus, Strepitus, Crepitus, teste Hesych.

[Λάκος, τό.] Λάκη, Hesychio a Cretensibus τὰ ῥάκη dici scribit : afferens et Λακηδίξαι, pro διαρρῆξαι, quod infra Λακίσαι. [Λακιδίξαι Valck. Ep. ad Roever. p. 67. Λάκος cum λακὶς confert Salmas. Plin. Ex. p. 99, b, G.]

[Λακοσχέας. V. Λακκοσκάπερδον.]

Λακπάτέω, Calce premo, pulso, Planta pedis calco : unde λακπατῆσαι ap. Hesych. λακτίσαι, καταπατῆσαι, ἀνατρέψαι. [Idem vitiose Λακκατήσας, πατήσας.] Ap. Lucian. autem et Eust. divisis etiam vocibus reperitur λὰξ πατῆσαι. [Photius : Λακπατεῖν, Φερεκράτης Πετάλῃ· « Παίειν με, τύπτειν, λακπατεῖν, ὠθεῖν, δάκνειν. »]

Λακπάτητος, s. Λαξπάτητος, ὁ, ἡ, Calce pressus, pulsatus, Planta pedis calcatus. Eust. [Il. p. 625, 21, coll. p. 796, 5] de λὰξ ἐμβῆναι loquens, Ἐξ οὗ, inquit, παρὰ Σοφοκλεῖ [Ant. 1275] τὸ, Λαξπάτητον ἀντρέπων χαράν· ὅ τινες λακπάτητον διὰ τοῦ κ γράφουσι. Dicitur vero λαξπάτητος ut ἔξχλινος et ἔξπους, quæ Attica esse scribit Etym. V. Λεωπάτητος.

[Λάκρη (vel potius Λάκρα), Ardeola. Demetr. Hieracosoph. 2, 27, p. 45 : Ἀρδιόλης δὲ λειφθείσης, ἥνπερ καὶ λάκραν τινὲς τῶν ἐπιχωρίων προσαγορεύουσιν, ἐρωδιὸν δὲ οἱ παλαιοὶ τῶν Ἑλλήνων ἐκάλεσαν. Ducang.]

[Λακρατείδης. V. Λακρατίδης.]

[Λακράτης, ους, ὁ, Lacrates, Spartanus, olympionica, Xen. H. Gr. 2, 4, 33. Dux Thebanorum, Diodor. 16, 44, 49. Dux Ætolorum, Pausan. 10, 20, 4. F. Pyrrhi ib. 6, 19, 8. Pythagoreus Metapontinus ap. Iambl. V. Pyth. c. 36, p. 524 Kiessl. ᾱᾰ]

[Λᾱκρᾰτίδης, ὁ, Lacratides, n. viri. Aristoph. Ach. 220 : Καὶ παλαιῷ Λακρατίδῃ τὸ σκέλος βαρύνεται. Hesych. : Λακρατίδης· Ἀριστοφάνης φησὶ, Παλαιὸν Λακρατίδην, τὰ ψυχρὰ βουλόμενος δηλοῦν· ψυχροὶ γὰρ οἱ γέροντες. Antiquum aliquem archontem fuisse Darii tempore narrat scholiasta ex Philochoro. Λακρατίδης quidam hierophanta memoratur ab Isæo p. 64, 18. Alius, Λακρατίδας scriptus, ap. Plut. Pericl. c. 35 et Lysandro c. 30. Sed quum non intelligatur quomodo hoc nomen producta syllaba penultima poni potuerit, recte Bentlejus Λακρατείδῃ correxisse videtur : quod non patronymicum est ab Λακράτης derivatum, sed patronymici simile, de quo genere dixit Etym. M. p. 166, 3. G. Dind.]

[Λακρίνης, ους, ὁ, Lacrines, Spartanorum ad Cyrum legatus. Herodot. 1, 152. Ita potius quam Λακρατίδης pro Λακρίδης legendum videtur ap. Themistocl. Ep. 3, 4, ubi Λακρίδης Athen. memoratur. Incertum etiam quod in inscr. Æginet. ap. Bœckh. vol. 2, p. 175, n. 2142, exstat. : Ἐρατὼ Λακρείδα θυγάτηρ. ᾱῐ L. Dind.]

Λακρὶς et Λάκτις, Hesychio κώπη, τορύνη. [Pro forma priori, quæ fortasse alterius dittographia est, Lobeck. ad Phryn. p. 257, λακτρίς. Κώπη etsi scribendum videri possit κωταλὶς, de quo dicemus in Λάκτις, tamen ne ipsum quidem omnino alienum est. Sic in l. Homerico de quo Eust. in Λάκτις citandus, huic ipsi instrumento comparatur remus.]

[Λάκριτος, ὁ, Lacritus, sophista Phaselita, adversus quem Demosthenis oratio exstat p. 923-943. Alius, Pythagoreus Metapontinus, ap. Iamblich. V. Pyth. 36, p. 524 Kiessl. Aliorum in inscr. Tegeat. ap. Bœckh. vol. 1, n. 1513, p. 669, b, 18, in epistolis Phalarideis 53, sqq. ᾱῐ]

[Λάκτα, Species casiæ. Glossæ iatricæ Mss. cod. Reg. 1047. V. Ruellium l. 1, c. 23. Ducang.]

Λακτίζω, ίσω, ιῶ, de cujus formatione v. quæ dicam in Λὰξ, Calco, Calce pulso, premo, Calcitro [Gl. Xen. Hipparch. 1, 4 : Οἱ λακτίζοντες ἵπποι· Comm. 2, 2, 7 : Ἤδη χακόν τί σοι ἔδωκεν (ἡ μήτηρ) λακτίσασα; Aristot. De partt. an. 4, 10 : Τοῖς ὄπισθεν χρῆται κώλοις, λακτίζοντα τὸ λυποῦν. De equo Poll. 1, 198.] Plut. [Mor. p. 997, A] : Οὔθασι συῶν ἐπιτόκων ἐναλλόμενοι καὶ λακτίζοντες. Pind. [Pyth. 2, 95] : Ποτὶ κέντρον λακτιζέμεν, Adversus stimulum calces, sc. jactare, ut Donat. ap. Terent. subaudit. [Æsch. Ag. 1624 : Πρὸς κέντρα μὴ λάκτιζε. Eur. Bacch. 794. Id. fr. Peliad. ap. schol. Pind. l. c. : Πρὸς κέντρα μὴ λάκτιζε τοῖς κρατοῦσί σου· Iph. T. 1396 : Οἱ δὲ ἐκαρτέρουν πρὸς κῦμα λακτίζοντες.] Alex. Aphr. Probl. 2, 31 : Τὰ σφαζόμενα ζῶα λακτίζει συνεχῶς τοὺς πόδας, ubi nota λακτίζειν τοὺς πόδας pro τοῖς ποσὶ, ut Hom. loquitur : et de brutis dici ut Lat. Calcitrare : item, Calcibus cædere et verberare. Liv. : Quorsum asinus cædit calcibus? Virg. : Tollit se arrectum quadrupes et calcibus auras Verberat. Interdum cum accus. construitur et significat Calce peto, contingo, Cædo s. Concido calcibus, Calcibus insulto, Calces incutio, Calce pulso, premo, verbero; sic enim Latini loquuntur. Interdum vero præter accus. illum additur etiam dat. instrumenti, ubi et verbo Calco redditur. Hom. Od. Σ, [97] de Iro ab Ulysse prostrato : Κὰδ δ' ἔπεσ' ἐν κονίῃσι μακὼν, σὺν δ' ἤλασ' ὀδόντας, Λακτίζων ποσὶ γαῖαν· X, [86] de Eurymacho ab Ulysse vulnerato et collabente : Ὁ δὲ χθόνα τύπτε μετώπῳ, Θυμῷ ἀνιάζων, ποσὶ δὲ θρόνον ἀμφοτέροισιν Λακτίζων ἐτίναξε. Longin. [13, 1, ex Plat. Reip. 9, p. 596, A] : Λακτίζοντες, καὶ κυρίττοντες ἀλλήλους σιδηροῖς κέρασι καὶ ὁπλαῖς. [Λακτίζων ποσὶ Poll. 5, 94.] Demetr. Phaler. : Οὐδὲ βαδίζοντες, ἀλλ' οἷον λακτίζοντες τὴν γῆν. Aristoph. [Lys. 799 : Βούλομαί σε, γραῦ, κύσαι κἀνατείνας λακτίσαι·] Nub. [135] : Ἀμαθής γε, νὴ Δί', ὅστις οὑτωσὶ σφόδρα Ἀπεριμερίμνως τὴν θύραν λελάκτικας. Terent. quoque in Eun. dicit Calcibus insultare fores. [Thesm. 509 : Τὸ γὰρ ἦτρον τῆς χύτρας ἐλάκτισεν.] Et λακτίζειν τὸ ἔδαφος, Solum calce ferire et supplodere, ut stomachantes pueri solent, Bud. ex Chrysost. [Æsch. Ag. 885 : Τὸν πεσόντα λακτίσαι πλέον. Improprie Pind. Isthm. 3, 84 : Φλὸξ αἰθέρα λακτίζοισα. Æsch. Prom. 883 : Κραδία δὲ φόβῳ φρένα λακτίζει. Strato Anth. Pal. 12, 16, 2 : Μὴ κρύπτῃς τὸν ἔρωτα, Φιλόκρατες· αὐτὸς ὁ δαίμων λακτίζειν κραδίην ἡμετέρην ἱκανός. || Figurate Æsch. Ag. 390 : Ἀνδρὶ λακτίσαντι μέγαν Δίκας βωμόν. Eur. Rhes. 411 : Ὧν σὺ λακτίσας πολλὴν χάριν φίλων νοσούντων ὕστερον βοηδρομεῖς.] Et Λακτίζομαι, Calcibus petor, pulsor, verberor, ut supra. [Xen. Anab. 3, 2, 18 : Ὑπὸ ἵππου λακτισθείς.] Lucian. [Timon. c. 17] : Πρὸς ἐνίων ἀτίμως λακτιζόμενος καὶ λαφυσσόμενος. Lucill. [Anth. Pal. 11, 104, 3] : Λακτισθεὶς δ' ὡς εἶχε τὸ καίριον, Insultatus calcibus. Idem Lucian. [De gymnas. c. 9 extr.] : Λακτιζόμενος εἰς τὴν γαστέρα ὑπὸ τῶν ἀνταγωνιστῶν. Aliquando pro Calcor accipitur. Synes. Ep. 44 [p. 182, D] : Ἀλλ' εἴ τις ἱματίοις αἴσθησις ἦν, τί ἂν οἴει πάσχειν αὐτὰ λακτιζόμενα καὶ νιτρούμενα καὶ πάντα τρόπον κναπτόμενα; Dum calcantur. Sed et in Luciani l. ἀτίμως λακτιζόμενος commodius potest reddi Calcatus et pedibus obtritus, more eorum, quæ despicantes abjicimus et conculcamus : sunt autem verba Pluti.

[Λακτικὸς, ἡ, ὸν, Calce feriens, unde λακτικὴ, sc. τέχνη, opp. πυκτικὴ, OEnomaus Eusebii Pr. ev. 5, 34, p. 230, B. Λακτικὸς, Calceus, Gl. « Adv. Λακτικῶς, Catal. Clarkii Gaisf. p. 40. » Boiss.]

Λάκτιμα, Hesychio i. q. λάκτισμα, Ictus calce incussus.

Λάκτις, ἡ, Stimulus, Scutica, VV. LL. || Tudicula, Pistillum, quo sc. ita materiam aliquam pinsant, ut fullones calcibus pannos calcant; nam ii λακτίζεσθαι quoque dicuntur : unde Etym. exp. τορύνη et σκυτάλη [dicit Etym. σημαίνει ἡ λέξις σκυτάλην, quod κώταλιν, ut est ap. Suidam, scribendum cum Ducangio Gl. p. 776, quod voc. v. Eust. Od. p. 1675, 56, interpr. τὸ τῆς ἀθήρης κίνητρον], in hoc Callimachi versu, Αὖθις ἀπαιτίζουσαν ἔχνων εὐεργέα λάκτιν. Nicandri quoque schol. λάκτιν i. esse scribit q. ἀλετρίβανον Atticis, Pistillum salibus conterendis. || Rudicula, Spatha, Cochlear, quo aliquid in mortario aut olla miscetur et agitatur, τὸ κίνητρον, schol. Nicandri Ther. 108 : Ἔπειτα δὲ λάζεο τυκτὴν Εὐεργῆ λάκτιν, τὰ δὲ μυρία πάνπα ταράσσειν Συμφύρδην. [V. etiam Λακρίς. || Arcadius p. 35, 6, quod ponit : Λάκτις ἡ τρυγὼν, et per se mirum et propter omissam vulgarem interpretationem suspectum est. Sed scribendum videtur ἡ τορύνη. L. D.]

[Λακτίδες, αἱ τῆς Δήμητρος ἱέρειαι, ἀπὸ τόπου, Hesych.]

[Λάκτϊσις, εως, ἡ, i. q. sequens. Ephræm. Cæsar. p. 21, 774 : Οὗπερ θανόντος λακτίσει Διοσκόρου. L. D.]

[Λάκτισμα, τὸ, Calces, Gl. Calcatus, Calcitratus. Æsch. Ag. 1601 : Λάκτισμα δείπνου ξυνδίκως τιθεὶς ἀρᾷ. Lycophr. 835 : Λαφρίου λακτίσμαθ' Ἑρμαίου ποδός. Diodor. 4, 59 : Λακτίσματι τύπτων. Grammat. ap. Boiss. in *Notices* vol. 10, p. 231 : Λὰξ, τὸ λάκτισμα. L. D. De jumentis Greg. Nyss. t. 1, p. 338, B : Πλῆξαι αὐτὸν τοῖς τῶν ἡμιόνων λακτίσμασιν. Hippiatr. p. 54, 15 : Ὑπομένειν τὰ ὑπὸ τῆς ὀργῆς λακτίσματα. De hominibus Prochir. Basil. p. 256, 13 ed. Zachar. : Εἰ εὕρωσι διὰ ξύλων τελείων ἢ λίθων μεγάλων ἢ λακτισμάτων τὸν φόνον γεγενημένον. Hase. V. Λάκτιμα.]

[Λακτισμὸς, ὁ, i. q. λάκτισμα. Hesych. : Σκαρθμοῖς, λακτισμοῖς.]

[Λακτίσσω. V. Λακτίζω.]

Λακτιστὴς, ὁ, [Calcator, Calcitrosus, Gl.] Calcitro : ut Gellius [4, 2], Equus mordax et calcitro, Xen. [Comm. 3, 3, 4. Pollux 1, 198. « Hoc convicio notatus qui Socratem ἐλάκτισε, ap. Plut. Mor. p. 10, C. » Hemst. Quint. Maecius Anth. Pal. 9, 403, 2 : Ληνοῦ λακτιστής.]

Λακτιστικὸς, ἡ, ὸν, pro eod. : ζῶα, ὑποζύγια, Quæ calcibus verberare et cædere solent.

[Λακτοκονία, ἡ, θυμελέα, in Glossis iatricis Mss. ex cod. Reg. 190, Thymelea. In aliis scribitur λαγοκονία. Ducang.]

[Λακύδης, ους, ὁ, Lacydes, philosophus, novæ Academiæ auctor, ap. Athen. 10, p. 438, A; 13, p. 606, C, Diog. L. 4, 59 seq., Plut. Mor. p. 63, E, Cic. Tusc. 5, 37, Plin. N. H. 10, 22, 26. ᾱῡ]

[Λακύδων, ὁ, Lacydon, portus Massiliæ. Eustath. ad Dionys. v. 75 : Ἀγαθὸς τοῖς Μασσαλιώταις λιμὴν ὁ Λακύδων. Numus Massiliæ ap. Eckhel. D. N. vol. 1, p. 68 : ΛΑΚΥΔΩΝ.]

Λάκυρος, Hesychio στεμφυλίας οἶνος.

[Λάκχα. V. Λάκκα. Ubi Ducang. alias annotat formas : Λαχᾶς Christianus chymicus Ms. (Zosimus Panopol. ap. Salmas. Plin. Ex. p. 810) : Ὥσπερ δὲ χοοποιηθεὶς, ὅ ἐστι λάχιον, ὃ καλοῦσι λαχᾶν (λακχὰν Salm.) οἱ λαχωταὶ, τουτέστιν οἱ ἰνδικοβάφοι, λοιπὸν εὐμόρφως διὰ νίτρου καὶ θερμοῦ ὅλον ἀφίησιν ἑαυτοῦ τὸ εἶδος τὸ αἱμωπόν. Democritus chymicus Ms. : Ἔστι δὲ ὁ τῆς Γαλαθίας [sic] σκώληξ καὶ τὸ τῆς Ἀχαΐας ἄνθος, ὃ καλοῦσι Λακχὰν, καὶ τὸ τῆς Συρίας, ὃ καλοῦσι ῥίζιον. Conf. Salmas. l. c. et p. 816-7, ubi rectius scribere videtur λάκχαν, a λάκχα, ut supra λάκκα, quam λακχὰν, ab λακχὰς, quod nihili foret, vel λακχᾶν. Idem ibidem p. 810, b, C, disputat de origine nominis λάκκα vel λάκχα.]

[Λάκχων, Λακχωτὴς (sic enim scrib. videtur potius quam λαχ.) v. in Λάκχα.]

[Λάκων. V. Λακεδαίμων. Numum Prienes inscriptum Πριη. Λακων. memorat Mionnet. *Suppl.* vol. 6, p. 297, n. 1369, viri nomen putans. Ita ap. Thuc. 3, 52 memoratur Λάκων f. Aimnesti Platæensis, proxenus Lacedæmoniorum. Samius ap. Iamblichum V. Pythag. p. 530 ed. Kiessl. ᾰ]

[Λάκων, ωνος, ὁ, Dor. pro Λήκων, n. viri Sybaritæ ap. Theocr. 5, 2 etc. ᾱ]

[Λακωναρία, ἡ, Lacunar, et fortasse Λακωνάριος, α, ον, Lacunarius. Epist. Constantini M. ad Macarium ap. Euseb. Vit. Const. 3, 32 et alios : Τὴν δὲ τῆς βασιλικῆς καμάραν πότερον λακωναρίαν ἢ δι' ἑτέρας τινὸς ἐργασίας γενέσθαι σοι δοκεῖ παρὰ σοῦ γνῶναι βούλομαι. Εἰ γὰρ λακωναρία εἶναι μέλλοι, δυνήσεται καὶ χρυσῷ καλλωπισθῆναι τὸ λειπόμενον. Et ibid. : Πρὸς ἐμὲ ἀνενεγκεῖν οὐ μόνον περὶ τῶν μαρμάρων τε καὶ κιόνων, ἀλλὰ καὶ περὶ τῶν λακωναριῶν.]

[Λακωνιάς. Λακωνίζω. Λακωνικὸς, ἡ, όν. Λακωνικῶς. Λακωνίς. Λακωνισμός. V. Λακεδαίμων.]

[Λακωνομᾰνέω, Laconum imitatione insanio. Aristoph. Av. 1281 : Ἐλακωνομάνουν. Phrynich. in Bekk. An. p. 50, 13.]

[Λαλάγγη, ἡ, panis genus, ut supra λάγανον. Suidas : Κολλυρίζω, τὸ τὰς (liber unus τοὺς) λαλάγγας τηγανίζω, καὶ ἐπιχωρίως κολλύρια, τὰ λαλάγγια. Quæ altera forma est etiam ap. Photium : Λάγανα (ubi τὰ λαλάγγια suprascriptum a correctore sec. Dobræum in Corrigendis), πλακουντάρια ὡς καπυρώδη. Schol. Taurin. Aristoph. Pl. 138 : Ψαιστός ἐστιν ἄλευρον ἐλαίῳ δεδευμένον, ὃ φασιν ἰδιωτικῶς λαλάγγιον. L. Dind.]

[Λαλάγγιον. V. Λαλάγγη.]

Λᾰλᾱγέω, Clamo, Vociferor, Resono, et quasi loquentem imitor : Hesych. λαλαγεῦσαι, λαλοῦσαι. Suidas autem λαλαγεῦσαν, ἐμμελῶς φωνοῦσαν, in Epigr. [Pauli Sil. Anth. Pal. 6, 54, 9] : Τὰν δὲ πάρος λαλαγεῦσαν ἐν ἄλσεσιν ἀγρότιν ἀχὼ Πρὸς νόμον ἁμετέρας τρέψε λυροκτυπίας, ubi λαλαγεῦσα ἠχὼ dicitur, ut supra quoque λάλος. [Marianus ib. 9, 668, 11 : Αἱ δὲ πέριξ λαλαγεῦσιν ἀηδόνες. Pind. Ol. 2, 107 : Τὸ λαλαγῆσαι κρύφον τε θέμεν ἐσλῶν καλοῖς ἔργοις· 9, 43 : Μὴ νῦν λαλάγει τὰ τοιαῦτα. Theocr. 5, 48 : Ταὶ δ' ἐπὶ δένδρῳ ὄρνιχες λαλαγεῦντι· 7, 139 : Τέττιγες λαλαγεῦντες. Leonidas Anth. Pal. 10, 1, 1 : Ὁ πλόος ὡραῖος· καὶ γὰρ λαλαγεῦσα χελιδὼν ἤδη μέμβλωκεν. Cic. Ad Att. 9, 18, 3 : « Inde exspecto equidem λαλαγεῦσαν illam tuam. » Quanquam variat scriptura. « Greg. Naz. vol. 2, p. 86, A. » Boiss.] Oppian. de dentibus quoque λαλαγεῖν dicit, Cyn. 3, [352] : Τοῖον λαλαγεῦσιν [τοῖοι σελαγεῦσιν] ὀδόντες, Frendent, Crepant, Crepitant; nam id quoque de dentibus dicitur, ut supra in Κόμπος et Κομπέω annotatum fuit. [Simile huic vitium esse videtur in epigr. Philodemi in Anth. Pal. 9, 412, 3, ubi ζαλαγεῦσα.] || Λαλαγεῦσαι, ἀθρόαι οὖσαι, Hesych.

Λαλαγὴ, ἡ, Clamor, Vociferatio, ut λάλαξ : κραυγὴ Hesychio. [Oppian. Hal. 1, 135 : Σκάρον, ὅς δὴ μοῦνος ἐν ἰχθύσι πᾶσιν ἀναύδοις φθέγγεται ἰκμαλέην λαλαγήν. Schneid. Sic quoque Jo. Philop. De cr. mundi p. 188, 18 : Καὶ τὸν σκάρον δέ φασι λαλαγὴν ἀφιέναι τινὰ, τοῖς βραγχίοις περιπλεκομένου τοῦ ὕδατος. Hase. Theodor. Prodr. l. 1 de Rhodanthe : Μακραῖς λαλαγαῖς ἐξεγείρειν τινὰ, Magnis clamoribus aliquem excitare. Koenig. Chœrobosc. ap. Bekk. An. p. 1394, a.]

[Λαλάγη, ἡ, Lalage, n. pr. mulieris, paroxytonon sec. Arcad. p. 105, 7. Cognomen Romanum Liviæ cujusdam est in inscr. ap. Murator., ut annotavit Furlanettus ad Forcellinum, oblitus Horatii sæpius Lalagen suam memorantis. L. Dind.]

Λαλάγημα, τὸ, Sonitus, Jubilum, ἀναφώνημα, ἤχημα, ut Suidas in hoc l. [Dioscoridis Anth. Pal. 6, 220, 15] exp. : Ἰρήν σοι θαλάμην, ζωάγρια καὶ λαλάγημα Ἀντίθεμαι.

Λαλαγήτης, ὁ, Nugator, ματαιολόγος, Hesych. [Scribendum λαλαγητής.]

Λαλάζω, Vociferor : unde Hesych. λάλαζε, βόα : λαλάξαντες, βοήσαντες : λαλάξαι, τὴν γλῶσσαν ἐξελεῖν. [Ap. eundem suo loco λαιλάξαι cum eadem interpretatione.] Anacreon ap. Athen. 10, p. 447, A : Μηδ' ὥστε κῦμα πόντιον λάλαζε. Ἀλαλάζω hinc ducit Etym. M. p. 55, 55. V. etiam Λαιλάξαι.]

Λαλάκονις, ap. Hesych. ψηφώδης κόνις, Arena calculosa, Sabulum calculosum; quoniam fortassis quum calcatur, λαλεῖ s. λαλαγεῖ. [Duo vocabula esse videntur. Conf. Λάλλα.]

[Λάλακος. Photius : Λεκάνη, παρώνυμος τοῦ λέκους, οὐχὶ ἀπὸ τοῦ λάλακος· λάλαικος (sic) δὲ πλατὺ καὶ ἐκπέταλον καὶ ἀναπεπταμένον ἀγγεῖον.]

Λαλαμὶς [Λάλαβις codex], λαῖλαψ : quidam λαιμάτμησις scribunt. Hesych. [Confertur ejusdem gl. non minus obscura Λαιτμάθημα, σφοδρὸν ὅρμημα, ἀπὸ τοῦ θοοῦ, quam ex parte tentavimus in Λαῖγμα.]

Λάλαξ, ἄγος, ὁ, Clamor, Vociferatio, Sonitus, Tumultus, ut λαλαγή : unde Epigr. [Leonidæ Tar. Anth. Pal. 7, 198, 6], λαλάγων ἐφυπνιδίων [nunc ἐφ' ὑπνιδίῳ πατάγῳ]. || Λάλαγες, Hesychio χλωροὶ βάτραχοι περὶ τὰς λίμνας, οὓς ἔνιοι κεμβέρους. Apud Latinos quoque poetas rana Garrula et Loquax dicitur. [V. Λάσαγξ.] Addit tamen, quosdam dicere λάλαγας esse εἶδος ὀρνέου, Avis quoddam genus. [Etym. M. p. 555, 45 et explicatius Chœrob. in Bekk. An. p. 1394, a : Σεσημείωται τὸ λάλαξ λάλαγος διὰ τοῦ γ κλιθέν· περὶ οὗ ἔστιν εἰπεῖν ὅτι ἀπὸ τοῦ λαλαγὴ ἐγένετο τοῦ σημαίνοντος τὸν θόρυβον. ἄ]

[Λαλασσὶς, ίδος, ἡ, Lalassis, urbs Isauriæ. *Lalasis* scriptum ap. Plin. N. H. 5, 27, 23. Sed gentile Λαλασσεων est in numis ap. Eckhel. D. N. vol. 3, p. 29. V. Wesseling. ad Antonin. p. 212, qui nomen regionis Λαλασσίδος restituit Ptolemæo 5, 8, ubi Δαλασίδος.]

Λαλέω, Loquor. [For, Fabulor, add. Gl.] Lucill. Epigr. : Μὴ πάνυ πολλὰ λάλει, Ne loquare valde multa. Lucian. [Demonact. c. 51] : Ὀλίγα μὲν λαλῶν, πολλὰ δὲ ἀκούων. Plut. [Mor. p. 502, C] : Λαλοῦντι μὲν πρὸς τοὺς οὐκ ἀκούοντας, μὴ ἀκούοντι δὲ τῶν λαλούντων· Lyc. [c. 19] : Ἡ πρὸς τὸ λαλεῖν ἀκρασία κενὸν λόγον ποιεῖ καὶ ἀνόητον. [Simpliciter loqui est ap. Aristoph. Thesm. 267 : Ἢν λαλῇς δ', ὅπως τῷ φθέγματι γυναικιεῖς εὖ· Pac. 539 : Οἷον πρὸς ἀλλήλας λαλοῦσιν αἱ πόλεις διαλλαγεῖσαι καὶ γελῶσιν ἄσμεναι· Ran. 761 : Παρακούων δεσποτῶν ἅττ' ἂν λαλῶσι. Axioch. p. 366, D : Λαλῆσαι οὔπω δυνάμενον ἃ πάσχει (παιδίον).] Rursum Lucian. [Vit. auct. c. 3] de Pythagoricis : Ἀφωνίη, καὶ πέντε ὅλων ἐτέων λαλέειν μηδὲν, ubi opp. ἀφωνία et λαλεῖν, ut Lat. Loqui et Tacere. Id. [Scyth. c. 6] : Ὁ [ἐπὶ συννοίας] λαλῶν ἑαυτῷ. Plus autem est λέγειν et διαλέγεσθαι : unde plerumque pro Temere et inconsiderate verba fundere ponitur, ac de ἀκριτομύθοις, ut Hom. appellat, dicitur : unde Eupolis ap. Plut. [Alcib. c. 13] : Λαλεῖν ἄριστος, ἀδυνατώτατος λέγειν. [Phrynich. Bekk. An. p. 51, 3 : Λαλεῖν τοῦ λέγειν διαφέρει· τὸ μὲν ἐπὶ τοῦ φλυαρεῖν, τὸ δὲ λέγειν ἐπὶ τοῦ ἱκανοῦ λέγειν.] Sicut Sallust. De Catilina [c. 5] : Satis loquentiæ, sapientiæ parum. Item, Loquax magis quam facundus, Gell. 1, 15. [Conf. Lynceus ap. Athen. 6, p. 242, C. Plut. Mor. p. 909, A : Ὥσπερ ἐπὶ τῶν πιθήκων· λαλοῦσι μὲν γὰρ οὗτοι, οὐ φράζουσι δέ. Valck. Soph. Phil. 110 : Πῶς οὖν βλέπων τις ταῦτα τολμήσει λαλεῖν; fr. ap. Stob. Fl. vol. 1, p. 321 : Αἰδὼς γὰρ ἐν κακοῖσιν οὐδὲν ὠφελεῖ· ἡ γὰρ σιωπὴ τῷ λαλοῦντι σύμμαχος. Aristoph. Vesp. 1135 : Ἔχ', ἀναβαλοῦ τηνδὶ λαβὼν καὶ μὴ λάλει· Eccl. 1058 : Ἕπου ... καὶ μὴ λάλει· 119 : Ὅσαι λαλεῖν μεμελετήκασί που. — Τίς δ' ἡμῶν οὐ λαλεῖν ἐπίσταται; Lys. 442 : Ὁτιὴ καὶ λαλεῖ· Ran. 954 : Τουτουσὶ λαλεῖν ἐδίδαξα· 1492 : Σωκράτει παρακαθήμενον λαλεῖν. Xen. Cyrop. 1, 4, 12. || Cum dativo pers. ut Lucianus supra ap. HSt., Aristoph. Eccl. 16 : Καὶ ταῦτα συνδρῶν οὐ λαλεῖς τοῖς πλησίον, Effaris, Eloqueris. Lys. 138 : Τί βάρβιτος λαλεῖ κροκωτῷ, τί δὲ λύρα κεκρυφάλῳ; Eq. 348 : Λαλῶν ἐν ταῖς ὁδοῖς σεαυτῷ. Callias ap. Athen. 10, p. 454, A : Καὶ τοῦτο λέξασ' εἶτα δὴ σαυτῇ λάλει. Theocr. 27, 56 : Ἀλλάλαις λαλέοντι τεὸν γάμον αἱ κυπάρισσοι. Polyb. 30, 1, 6 : Πεπεισμένων αὐτὸν

A πλάγιον ἐν τῷ πολέμῳ γεγονέναι, λαλοῦντα τῷ Περσεῖ καὶ τοῖς καιροῖς ἐφεδρεύοντα· 31, 20, 13 : Φανερῶς ἐλάλει καὶ συνέταττε τοῖς ναυτικοῖς. Cum præpos. περὶ Aristoph. Lys. 627 : Λαλεῖν γυναῖκας οὔσας ἀσπίδος χαλκῆς πέρι. Et sæpius in V. T., ubi sunt etiam constrr. λαλεῖν πρός τινα, μετά τινος, Exod. 4, 30, Reg. 2, 25, 28 etc., et in N. T. Cum adjectivo Demosth. p. 1124, 25 : Τῷ ταχέως βαδίζειν καὶ λαλεῖν μέγα οὐ τῶν εὐτυχῶς πεφυκότων ἐμαυτὸν κρίνω. Cum adverb. p. 578, 16 : Ἔνδηλοί τινες ἦσαν ἀχθόμενοι τῶν πάνυ τούτῳ λαλούντων ἡδέως.] Demetr. Phal. : Ὁ γὰρ οὕτω διαλεγόμενος, ἐπιδεικνυμένῳ ἔοικε μᾶλλον, οὐ λαλοῦντι. Improprie autem Lucian. [De salt. c. 63 extr.] : Δοκεῖς ταῖς χερσὶν αὐταῖς λαλεῖν· ut Tibull., Digiti cum voce locuti. Et Simonides ap. Plut. [Mor. p. 346, F] : Τὴν μὲν ζωγραφίαν, ποίησιν σιωπῶσαν προσαγορεύει· τὴν δὲ ποίησιν, ζωγραφίαν λαλοῦσαν. [|| Clamando excito. Gl. cod. Dorv. Aristoph. Pl. 740 : Τὸν δεσπότην ἤγειρον) ἐλάλησα. Quod recentioris esse Græcismi monet Hemst. Ejusdem est quod Tzetzes dicit Hist. 8, 873 : Ἀποπληξίαν οὐ λαλῶ

B νῦν καὶ ἡμιπληξίαν. || De avibus Moschus 3, 47 : Ἀδονίδες πᾶσαί τε χελιδόνες, ἃς λαλέειν ἐδίδαξε. De locustis Theocr. 5, 34 : Καὶ ἀκρίδες ᾇδε λαλεῦντι. Idem, qui dicitur, 20, 29 : Κἢν αὐλῷ λαλέω κἢν δώνακι κἢν πλαγιαύλῳ, de eo qui tibiis canat. Anaxandrides ap. Athen. 4, p. 182, D : Μάγαδιν λαλήσω μικρὸν ἅμα σοι καὶ μέγαν. De eo qui voce canit Moschus 3, 113 : Δοῦναι λαλέοντι τὸ φάρμακον. De simiis dictum v. supra in l. Plutarch. a Valcken. citato. || De voce et sono quem repercuterent muri Byzantii eorumque turres, Dio Cass. 74, 21 : Εἰ τῷ πρώτῳ ἐνεβόησέ τινα ἢ καὶ λίθον ἐνέρριψεν, αὐτός τε ἤχει καὶ ἐλάλει, et ibidem paullo ante.] Et voce ac signif. pass. ap. Synes. Ep. 125 : Καλὸν γὰρ ἐν εἰρήνῃ λαλεῖσθαι ταῦτα, ὡς ἡμεῖς αὐτοὺς τρέφομέν τε καὶ σώζομεν, In pace dici ista. [Aristoph. Thesm. 578 : Καὶ νῦν ἀκούσας πρᾶγμα περὶ ὑμῶν μέγα ... κατ' ἀγορὰν λαλούμενον. Demetr. De elocut. § 62 : Σχεδὸν ἅπαξ τοῦ Νιρέως ὀνομασθέντος ἐν τῷ δράματι μεμνήμεθα οὐδὲν ἧττον ἢ τοῦ Ἀχιλλέως καὶ τοῦ Ὀδυσσέως καίτοι κατ' ἔπος ἕκαστον λαλουμένων σχεδόν.

C Valck. Ubi nunc καλουμ., cujus permutationis aliud ex. v. in Ἐκλαλέω. Xen. Eph. 1, 9, p. 15, 4 : Ὦ φωτὸς ἡδίων ἐμοὶ κόρη καὶ τῶν πώποτε λαλουμένων εὐτυχεστέρα, Omnium unquam celebratarum, Int. Chron. Pasch. p. 431, 19 : Οὗτός ἐστιν Ἡρώδης ὁ εἰς τὰς Πράξεις λαλούμενος, De quo loquuntur Acta Apost. Eust. Od. p. 1755, 21 : Πάρεστιν ὁ λαλούμενος Ὀδυσσεύς. L. D.]

[Λάλη, ἡ, Loquela. Lucian. Lexiph. c. 14 : Τὸ γὰρ ἐρεσχηλεῖν ἀλλήλους συχνάκις λάλης θηγάνη γίγνεται, Coticula loquelæ.]

Λάληθρος, ὁ, ἡ, Garrulus, Loquax. Epigr. [Anth. Pal. 12, 136, 3] : Λάληθρον θῆλυ γένος, Garrulum genus femineum, VV. LL. : λάληθρον, λάλον, Hesych. [Lycophr. 1319 : Τὴν λάληθρον κίσσαν. Phrynich. Bekk. Anecd. p. 50, 6 : Λάληθρον τὸν λάλον καὶ διὰ τοῦ λαλεῖν κακουργοῦντα.]

Λάλημα, τὸ, Sermo, Loquacitas, ex Eur. [Andr. 937 : Κἀγὼ κλύουσα τούσδε Σειρήνων λόγους, σοφῶν, πανούργων, ποικίλων λαλημάτων, ἐξηνεμώθην μωρίᾳ. Ubi item dicitur de personis mulierum. « Eubulus ap.

D Athen. 6, p. 229, A : Λοπὰς παφλάζει βαρβάρῳ λαλήματι. » Valck. Moschus 3, 8 : Κακαὶ φρένες, ἁδὺ λάλημα. Paulus Sil. Anth. Pal. 5, 262, 1 : Τὸ λάλημα τὸ μείλιχον. Eust. Opusc. p. 258, 73 : Τοιαῦτά τινα τὰ λαλήματα τοῦ καθηγητοῦ. Theodor. Stud. p. 453, D : Λάλημα ἅγιον. || Passive de homine, Fabula. Reg. 1, 9, 7 : Ἐγένετο λάλημα εἰς γυναῖκας· 36, 3 : Ἀνέβητε λάλημα γλώσσῃ καὶ εἰς ὀνείδισμα ἔθνεσι. Reg. 3, 9, 7 : Ἔσται Ἰσραὴλ εἰς ἀφανισμὸν καὶ εἰς λάλημα εἰς πάντας τοὺς λαούς. V. Λαλιά.] Dicitur etiam de Homine loquaci et garrulo, ut κρόταλον. Soph. Ant. [320] : Οἴ μ' ὡς λάλημα δῆλον ἐκπεφυκὸς εἶ, i. e. περίτριμμα τῆς ἀγορᾶς, πανοῦργος, schol. [Ἄλημα ex scholio τὸ περίτριμμα τῆς ἀγορᾶς, Schneiderus.]

[Λάλησις, εως, ἡ, Sermo. Gramm. in Bekk. An. p. 438, 4. Boiss. Hesych. v. Ἠλάλησα. Dahler. Achmes Onirocr. p. 48, 19 : Ἐξοχὰς (dentium) πρὸς ἐμποδισμὸν τῆς λαλήσεως. Hase. Pollux 2, 125.]

Λαλητέος, α, ον, Dicendus, Prædicandus, Epigr. [in Euripidem Anth. Pal. 7, 47, 2 : Ἅπασ' Ἀχαιὶς μνῆμα σόν γ', Εὐριπίδη· οὔκουν ἄφωνος, ἀλλὰ καὶ λαλητέος. Λαλητέον improbat Thomas p. 566, ῥητέον præcipiens. Memorat etiam Theognostus in Cram. An. vol. 2, p. 50, 29.]

Λαλητικὸς, ἡ, ὸν, Loquax, Garrulus, ex Aristoph. [Eq. 1381], Vim habens loquendi, ut homo, Bud. ex Damasc.

Λαλητὸς, ὁ, active, pro Loquendi facultatem habens, Qui loqui potest: λ. ζῶον, Eust. [Il. p. 873, 19, Opusc. p. 76, 40], i. e. λαλοῦν, de homine. [Job. 38, 14 : Λαλητὸν αὐτὸν ἔθου ἐπὶ γῆς. || Sirac. 18, 33 est Loquelæ hominum obnoxius, Famosus. Schleusn. Memorat etiam Etym. M. p. 588, 54, Arcad. p. 81, 27.] Pro quo et λαλητικός.

Λαλητρὶς, ίδος, ἡ, Garrula, Loquax, Epigr. [Agathiæ Anth. Pal. 5, 237, 7, de hirundine.]

Λαλιὰ, ἡ, Loquela, [Elocutio huic add. Gl.] Sermo. [Hermesianax ap. Athen. 13, p. 598, F, 78 : Πᾶσαν ῥυόμενον λαλιήν. Ubi Ruhnken. Ep. cr. p. 297 : Λαλιὴ in bonam partem pro στωμυλίᾳ sumitur. Leonid. Anth. Pal. 7, 440, 8 : Ἴθῦναι κοινὴν εὐκυλίκην λαλιήν.] Ap. Suidam : Ἦν δὲ ὁ Ἀρκεσίλαος ἐν τῇ λαλιᾷ διαστατικὸς τῶν ὀνομάτων, καὶ παῤῥησιαστὴς ἱκανῶς· quæ verba habentur ap. Diog. L. Arcesilao p. 197 [4, 33. De colloquio Aret. p. 73 : Μῦθοι καὶ λαλιὴ μὴ θυμοδακεῖς. Polyb. 32, 9, 4 : Ἔκ τινος χρήσεως βιβλίων καὶ τῆς περὶ τούτων λαλιᾶς. Plut. Pyrrh. c. 5 : Κωμάσας παρὰ τὴν ἀδελφὴν ἐχρῆτο λαλιᾷ περὶ τούτων. De sermone Polyb. Exc. Vat. p. 448 : Ἐφ' ὅσον οἷόν τε διαφεύγοντες τὸ λίαν ἐπαχθὲς τῆς περὶ τούτων λαλιᾶς. Plurali Joseph. B. J. 2, 8, 15 : Τὰς λαλιὰς παραχωροῦσιν ἀλλήλοις. Dicæarch. p. 182 ed. Marx. : Περίεργοι ταῖς λαλιαῖς. Schol. Eur. Hec. 399 : Τῶν ἐμῶν προσαγορεύσεων καὶ λαλιῶν. Eust. Opusc. p. 55, 3 : Τὴν σαφήνειαν τὴν τῶν Ἑλληνικῶν λαλιῶν.] Accipitur etiam in malam partem : sicut et Lat. Loquela, ut quum Cic. dicit Fallacem loquelam, unde et pro Loquacitate ponitur. [Definitt. Plat. p. 416 : Λαλιὰ ἀκρασία λόγου ἄλογος. Pluribus describit Theophrastus Charact. 7, περὶ λαλιᾶς.] Plut. Sympos. [p. 715, A] : Πολύφωνος ὁ οἶνός ἐστι, καὶ λαλιᾶς ἀκαίρου καὶ φρονήματος ἡγεμονικοῦ καταπίμπλησιν· sec. Horatium, Fœcundi calices, quem non fecere disertum? Ib. [p. 716, F] : Τὸ δὲ ληρεῖν οὐδέν ἐστιν ἀλλ' ἢ λόγῳ κενῷ χρῆσθαι καὶ φλυαρώδει· λαλιᾶς δ' ἀτάκτου καὶ φλυαρίας εἰς τὸ ἄκρατον ἐμπεσούσης, ὕβρις καὶ παροινία τέλος. Idem [ib. p. 650, E] dicit μέθης σύμπτωμα esse πλεονασμοὺς λαλιᾶς. Item ap. Aristoph. Nub. [931] λαλιὰν ἀσκῆσαι· Ran. [1069] : Εἶτ' αὖ λαλιὰν ἐπιτηδεῦσαι, καὶ στωμυλίαν ἐδίδαξας. [Æschines p. 34, 29 : Τὴν ὑπερόριον λαλιὰν ἀγαπῶντες ἐν τοῖς οἰκείοις πράγμασιν. De rumore Polyb. 3, 20, 5 : Κουρεακῆς καὶ πανδήμου λαλιᾶς, et cum eod. epith. 14, 7, 8. Id. 1, 32, 6 : Ἦν λαλιά τις εὔελπις παρὰ τοῖς πολλοῖς. « Maccab. 2, 8, 5 : Λαλιά τις τῆς εὐανδρίας αὐτοῦ διεχεῖτο πανταχοῦ, Fama virtutis. Sir. 19, 5 : Ὁ μισῶν λαλιὰν, Pruritum male de aliis loquendi. 42, 11 : Ne filia impudica ποιήσῃ σε ἐπίχαρμα ἐχθροῖς λαλιὰν, Sermonem vulgi, Fabulam. » Schleusn. V. Λάλημα.] VV. LL. annotant, Genus declamationum, quod totum ad voluptatem et delectandos auditores comparatum est, Græcos λαλιὰν vel λαλιὰς vocasse. [« Λαλιὰ, Oratio vel Compellatio, qua alicui privatim gratulamur, aliquem laudamus, prosequimur abeuntem, quæ inde προπεμπτικὴ dicitur. Menander Διαιρ. ἐπιδ. p. 621 (in Walzii Rhett. vol. 9, p. 247 seqq., coll. anon. vol. 3, p. 572, 600) de hoc genere orationum agens non docet accurate quomodo a ceteris λόγοις differant; sed ita tamen eorum characterem describit, ut videantur esse chriæ quædam extemporaneæ. Unde præcipit ut forma dicendi in iis sit simplex, incomta, et non multum artis prodens; neque etiam accurato ordine, quem disciplina rhetorica postulat, disponantur. Deinde προπεμπτικὴν λαλιὰν definit λόγον μετ' εὐφημίας τινὸς προπέμποντα ἀπιόντα. Unde patet λαλιὰς dici Orationes privatim et a privatis habitas, atque differre a λόγοις, quorum usus sit in foro, in concione, in judiciis. Talis λαλιὰ est v. c. ὅταν ὁ παιδευτὴς προπέμπῃ τὸν ἀκροατὴν vel ἑταῖρος ἑταῖρον. Conf. Menand. l. c. p. 624 sq., Phot. Bibl. cod. 165, et Wernsdorf. ad Himer. Ecl. 1, p. 20. » Ernest. Lex. rhet. Ἐγκωμιαστικὴν προσφώνησιν dicit anon. ll. citt., non, ut ἐγκώμια, partibus suis absolutas, propter temporis brevitatem vel alias caussas. Λαλιὰ εἰς Ἀσκληπιὸν Aristidis exstat vol. 1, p. 36 sqq.]

[Λαλικὸς, ἡ, ὸν, Ad orationem, λαλιὰν, pertinens. Greg. Naz. t. 1, p. 903, C : Χρὴ φεύγοντα τὸ λογοειδὲς ὅσον ἐνδέχεται, μᾶλλον εἰς τὸ λαλικὸν ἀποκλίνειν. Perperam interpr. : Ad loquacitatem potius declinare. Verte : Ad simplicis familiarisque sermonis formam. Hase.]

[Λαλιὸς, ἀ, όν.] Λάλιος, Garrulus, Loquaculus, Loquax, Epigr. λαλίην ἑταίρην, Amicam facundam, VV. LL. [Meleager Anth. Pal. 5, 149, 1 : Τίς μοι Ζηνοφίλαν λαλιὰν παρέδειξεν ἑταίραν· 171, 2 : Τοῦ λαλιοῦ στόματος· 7, 417, 9 : Τὸν λαλιὸν καὶ πρεσβύτην. Hesychio eximendam esse hanc formam diximus in Γοιδοῦλος. Aliena est enim ab oratione grammatici, eidemque in Λαοὶ recte exemta ab Is. Vossio. Verus autem accentus est λαλιὸς sec. Arcad. p. 41, 3 : Τὰ εἰς λιος ὑπερτρισύλλαβα προπαροξύνεται ... Τὸ μέντοι λαλιὸς πελιὸς ὁ πολιὸς, σκολιὸς, ... ὡς τρισύλλαβα ὀξύνεται, et Theognostum in Crameri Anecd. vol. 2, p. 57, 32 : Τὰ διὰ τοῦ λιος τρισύλλαβα ὀξύτονα ... λαλιός. L. Dind.]

Λάλις, poet. pro λάλος, εὔγλωττος, VV. LL. [Fictum ex λαλιός.]

[Λαλίσανδα, τὰ, Lalisanda, πόλις Ἰσαυρικὴ, ὡς Καπίτων Ἰσαυρικῶν πρώτῳ. Τὸ ἐθνικὸν Λαλισανδεύς. Οἱ δὲ νῦν Δαλίσανδα ταύτην φασὶ καὶ Δαλισανδεώτας, Steph. Byz. Librarii errore deceptum fuisse Stephanum conjiciebat Wesseling. ad Hierocl. p. 710.]

[Λαλίχμιον, τὸ, Lalichmium. Pausan. 6, 23, 7 : Ἐν τούτῳ τῷ γυμνασίῳ καὶ βουλευτήριόν ἐστιν Ἠλείοις ... καλεῖται δὲ Λαλίχμιον τοῦ ἀναθέντος ἐπώνυμον.]

Λάλλαι, αἱ, qua voce Hesych. vocari scribit τὰς παραθαλασσίους καὶ παραποταμίους [παρὰ ποταμοὺς codex] ψήφους, Calculos, qui sunt in litore maris aut ripis fluminum, quæ etiam κρόκαι et κροκάλαι, et λάϊγγες, ut supra dictum fuit. Forsan autem a strepitu s. sonitu, quem edunt hujusmodi lapilli, dum a maris fluctibus pulsantur, aut a pedibus supergredientium calcantur, ita denominati sunt. [Etym. M. p. 555, 47 : Λάλλαι δέ εἰσιν αἱ ψῆφοι αἱ παραθ. αἱ ὑπὸ τῶν κυμάτων κινούμεναι καὶ ψόφον τινὰ ἀποτελοῦσαι. Quæ ex Philoxeni ἐν τῷ περὶ τῆς Ἰάδος διαλέκτου petita esse docet Orio p. 95, 18. Pro ἄλλαι restituit Ruhnk. in Auct. ad Hes. Theocrito 22, 39 : Αἱ δ' ὑπένερθεν λάλλαι κρυστάλλῳ ἠδ' ἀργύρῳ ἰνδάλλοντο ἐκ βυθοῦ. V. Λαλάκονις.]

[Λαλοβαρυπαραμελορυθμοβάτης, ὁ, κάλαμος, Garrulus, importunus, cantici rhythmum prætergrediens. Pratinas ap. Athen. 14, p. 617, E.]

[Λαλόεις, εσσα, εν, Loquax, i. q. λάλος. Evenus Anth. Pal. 9, 122, 3 : Τὸν λάλον ἁ λαλόεσσα.]

Λάλος, ὁ, ἡ, Qui loquitur, Vocalis. [Loquax, Argutus, Verbosus, Locutor, Linguax, Gl.] Lucian. [Vitt. auct. c. 3] : Ἐγὼ γὰρ λάλος, οὐκ ἀνδριὰς εἶναι βούλομαι, ad Pythagoram, qui indicebat suis discipulis ἀφωνίην καὶ πέντε ὅλων ἐτέων λαλέειν μηδέν. Interdum Loquax, Loquaculus, Locutuleius, Blatero, Linguax, de homine stulta et immodica blaterante, et cujus lingua tam prodiga infrænisque est, ut fluat semper et æstuet colluvione verborum teterrima, quemadmodum Gellius 1, 15, interpr. [Eur. Suppl. 462 : Ἧσσον λάλον σου πεμπέτω τιν' ἄγγελον. Aristoph. Ach. 716 : Εὐρύπρωκτος καὶ λάλος· 934 : Ἐπεί τοι καὶ ψοφεῖ λάλον τι καὶ πυρορραγές· Pac. 653 : Λάλος καὶ συκοφάντης, de Cleone. Thesm. 393 : Τὰς λάλους. Theocr. 5, 75. Plato Gorg. p. 515, E : Περικλέα πεποιηκέναι Ἀθηναίους λάλους. Aristot. Polit. 3, 4 fin. : Γυνὴ λάλος.] Plut. [Mor. p. 622, D], de amore : Λάλον ποιεῖ τὸν σιωπηλόν. Id. [ib. p. 552, A] : Σώφρονας τοὺς πολίτας καὶ φιλεργοὺς ἐκ πολυγέλων καὶ λάλων κατασκευάσαντες. Et Athen. 10, [p. 449, F, ex Eubulo] de podice : Οὗτος γὰρ αὐτός ἐστιν ἄγλωττος λάλος, Elinguis blatero. Alicubi autem Loquax, Garrulus. Epigr. [Meleagri Anth. Pal. 7, 417, 10], λάλον γῆρας, Cic. Loquax senectus. In Iisdem, λάλος ἠχὼ, et λάλος σειρήν. [Et ψαλμὸς ap. Philodem. ib. 11, 41, 5. Et πτέρυγες ap. Meleagrum ib. 7, 195, 4.] Item Plut. [Mor. p. 721, C], de ære : Εὔφωνος καὶ λάλος· ut Mart., Garrula sistra. Et Lucian. [De saltat. c 52], de Argo nave : Τὴν λάλον αὐτῆς τρόπιν· nam fatidica erat ea ratis, ut Val. Flacc. testatur. [Orph. Arg. 707 : Διὰ πέτρας Κυανέας ἤμειψε λάλος τρόπις. Philostr.

Epist. 21, p. 922 : Ὅτι τρύζοι αὐτῆς τὸ ὑπόδημα καὶ λίαν εἴη λάλον, citat Valck.] Rursum Plut. [Mor p. 89, B] : Ἡ φιλία τανῦν ἰσχνόφωνος γέγονεν ἐν τῷ παρρησιάζεσθαι, καὶ τὸ κολακεῦον αὐτῆς λάλον ἐστὶ, τὸ δὲ νουθετοῦν, ἄναυδον. At τὸ λάλον, Loquacitas, Plut. [Philostr. Im. p. 769, A : Μετέχειν οἶμαι αὐτὰ (τὰ βρέφη) τοῦ λάλου. Valck. || Transitive, ut supra εὔλαλος, quod v., Disertum faciens. Anacreont. 13, 7 : Οἱ δὲ Κλάρου παρ' ὄχθαις δαφνηφόροιο Φοίβου λάλον πιόντες ὕδωρ μεμηνότες βοῶσιν. Schol. Eur. Phœn. 222 : Μυθεύονται δὲ ὅτι καὶ τὸ τῆς Κασταλίας ὕδωρ λάλον ἦν, πλασάμενοι τοῦτο οὐκ ἀπὸ τοῦ λαλεῖν ἐκεῖνο, ἀδύνατον γὰρ, ἀλλ' ἀπὸ τοῦ ποιεῖν τοὺς ἄλλους μαντικοὺς κτλ. L. Dind.]

|| Λαλίστερος, α, ον, Loquacior, compar. irreg. a λάλος. Aristoph. Ran. [91] : Εὐριπίδου πλεῖν ἢ σταδίῳ λαλίστερα. [Alexis ap. Athen. 4, p. 133, C; Aristot. H. A. 4, 9.] Λαλίστατος, Loquacissimus, Eur. Cycl. [315.] Eust. [Il. p. 215, 12] dicit λαλίστερος videri παρειλκύσθαι ἐκ τοῦ λάλιστος : at λάλιστος esse pro λαλίστατος, ut κλέπτιστος pro κλεπτίστατος. [Plut. Mor. p. 622, E : Πρὸς πάντα λάλος ὢν ἔρως λαλίστατός ἐστιν ἐν τοῖς ἐπαίνοις. Lucian. Somn. c. 2. Photius : Λαλίστατον τὸ κατὰ λόγον σοφόν. Λέγεται δὲ καὶ ὁ εὔγλωττος καὶ εὔφωνος. In Ἀλύστατος corruptum ap. Hesychium.]

[Λάμαξις, ἡ, Lamaxis, Lesbia quædam, quæ Pachetis ducis Athen. libidinem effugit, sec. Agathiam Anth. Pal. 7, 614, 1. ά]

Λαμάς, Hesych. μῦς.

[Λᾱμᾰχίππιον, τὸ, Lamachippium, dimin. a Λάμαχος cum ἵππος composito, Aristoph. Ach. 1206.]

Λάμαχος, ὁ, Hesychio ἄμαχος, ἀκαταγώνιστος : ex λα epitatico : unde possis interpretari etiam Strenue et valide pugnans. Est et nomen propr. ducis cujusdam Athen.. qui φιλοπόλεμος et ῥιψοκίνδυνος prædicatur. [Ap. Thucydidem et Aristoph. in Acharn. aliisque fabulis. Alius qui encomium scripserat Alexandri et Philippi regum Macedoniæ, ap. Plut. Demosth. c. 9. Alii ap. Phot. Bibl. p. 234 sq., ap. Phalar. Epist. 58.]

Λάμβαι, Hesychio τὰ χάσματα : et οἱ μόνοι τῶν ἀνθρώπων, et ἰχθῦς. [Interpretationes alludunt ad vocc. λαῖμα, λάμια, λάμνη.]

Λαμβάνω, [(λήψω raro vel apud recentissimos, ut Georg. Pachym. Andronic. p. 64, B : Ὅπου καὶ ἀδελφοὺς προσλήψετε θεραπεύσαντες, si vera scriptura,) λήψομαι, Ionice λάμψομαι, apud Herodot 1, 199, etc., Dorice λαψοῦμαι, unde λαψῇ Theocr. 1, 4, 10], Capio, Accipio. Tempora autem sua, excepto præt. imperf., sumit ab inus. Λήβω, et fut. a Λήβομαι : dicitur enim λήψομαι. Sed in præt. usurpatur εἴληφα Atticum, non λέληφα : itidemque in pass. εἴλημμαι. Frequens est et aor. 2 ἔλαβον, regulariter ille quidem formatus a λήβω. [De formis v. in fine. Capio, Accipio, Nanciscor, ap. Hom. Il. Z, 427 : Ἂψ ὅγε τὴν ἀπέλυσε λαβὼν ἀπερείσι' ἄποινα· K, 545 : Εἴπ' ἄγε μ', ὦ πολύαιν' Ὀδυσεῦ, ὅππως τούσδ' ἵππους λάβετον, καταδύντες ὅμιλον Τρώων, ἤ τίς σφωε πόρεν θεὸς ἀντιβολήσας; Pind. Ol. 6, 57 : Τερπνᾶς δ' ἐπεὶ χρυσοστεφάνοιο λάβεν καρπὸν Ἥβας· Isthm. 4 extr. : Λάμβανέ οἱ στέφανον· Pyth. 2, 93 : Φέρειν δ' ἐλαφρῶς ἐπαυχένιον λαβόντα ζυγὸν ἀρήγει. Æsch. Ag. 37 : Οἶκος αὐτὸς εἰ φθογγὴν λάβοι· Sept. 818 : Ἕξουσι δ' ἣν λάβωσιν ἐν ταφῇ χθονὸς (παμπησίαν). Soph. El. 548 : Φαίη δ' ἂν ἡ θανοῦσά γ', εἰ φωνὴν λάβοι (Plato Protag. p. 361, A : Ἡ ἄρτι ἔξοδος τῶν λόγων, εἰ φωνὴν λάβοι)· 1008 : Ὅταν θανεῖν χρῄζων τις εἶτα μηδὲ τοῦτ' ἔχῃ λαβεῖν· 1303 : Τὰς ἡδονὰς πρὸς σοῦ λαβοῦσα κοὐκ ἐμὰς ἐκτησάμην. Eur. Or. 266 : Τίν' ἐπικουρίαν λάβω; Bacch. 327 : Μαίνει γὰρ ὡς ἄλγιστα κοὔτε φαρμάκοις ἄκη λάβοις ἄν· 266 : Ὅταν λάβῃ τις τῶν λόγων ἀνὴρ σοφὸς καλὰς ἀφορμάς· Iph. T. 1016 : Νόστον ἐλπίζω λαβεῖν· 1432 : Ἡνίκ' ἂν σχολὴν λάβω. Aristoph. Av. 1384 : Ἐκ τῶν νεφελῶν καινὰς λαβεῖν ἀναβολάς.] Xen. Cyrop. 3, [2, 28] : Παρὰ δὲ τοῦ Ἰνδοῦ ἡδέως ἂν λάβοιμι (χρήματα) εἰ διδοίη. [Aristoph. Eq. 439 : Βούλει τῶν ταλάντων ἓν λαβὼν σιωπᾶν; Aristot. Polit. 5, 11 med. : Δαπανῶντα δωρεὰς τοιαύτας ἐφ' αἷς τὰ πλήθη χαλεπαίνουσιν, ὅταν ἀπ' αὐτῶν μὲν λαμβάνωσιν ἐργαζομένων. Et eodem modo pass. paullo post, unde HSt. affert infra in pass.] Ap. Eund. λαβεῖν et δέξασθαι inveniuntur copulata : Τοὺς μέντοι λαβόντας καὶ δεξαμένους τὰ δῶρα, Cyrop. 1, [4, 26]. qui tamen l. omnino mihi suspectus est. [Injuria. Conjun-

A git etiam Demosth. p. 384, 9 : Τούτοις χρήματ' ἐκεῖνος ἠβούλετο δοῦναι. Οὐκ ἐδέξαντο οὐδ' ἔλαβον ταῦτα οἱ τῶν Θηβαίων πρέσβεις.] Posset alioqui convincere frivolam esse distinctionem, quam inter λαμβάνειν et δέχεσθαι statuit Ammon.; sed alii multi, qui hic citantur, id possunt convincere. [Ammon. p. 87 : Λαβεῖν ἐστι τὸ κείμενόν τι ἀνελέσθαι, δέξασθαι δὲ τὸ διδόμενον ἐκ χειρός (Eran. Philo p. 170, τὸ ἀν. μηδενὸς διδόντος, δ. δὲ τὸ παρά τινος προτεινόμενον). Glossæ nomicæ : Διαφέρει τὸ λ. τοῦ δ. Τὸ γὰρ λ. ἐνδυνάμως νοεῖται, τὸ δὲ δέξασθαι, κἂν οὐχ οὕτως τις ἐδέξατο, ἵνα ἔχῃ. Διὰ τοῦτο οὐ δοκεῖ τις λαβεῖν, ὅπερ μέλλει ἀποκαθιστᾶν. Ammonii distinctio justo angustior potius est quam inepta. Est enim λαμβάνειν, Sumere, Capere, δέχεσθαι, Accipere : quæ verba et apud Græcos et apud Latinos ut re differunt, ita in multis locutionibus sine discrimine usurpantur.] Aristot. Eth. 1 : Εἰ αὐτὸς μὲν θέλει λαμβάνειν, διδόναι δὲ μὴ, Si ipse accipere quidem vult, at dare nequaquam. Thuc. 2, [97] : Λαμβάνειν μᾶλλον ἢ διδόναι. [1, 33 : Ἀσφάλειαν καὶ κόσμον οὐχ ἧσσον διδόντες ἢ ληψόμενοι παραγίγνονται. Aristoph. Eccl. 783 : Οὐχ ὡς τι δώσοντ',

B ἀλλ' ὅπως τι λήψεται.] Isocr. autem verbo λαμβάνειν opposuit non διδόναι, sed ἀποτίνειν, C. Soph. [p. 293, E] : Πολὺ ἂν δικαιότερον ἀποτίνοιεν ἢ λαμβάνοιεν ἀργύριον, Multo justius pecuniam pendant quam accipiant. [Plato Gorg. p. 520, C.] Sic μισθὸν λαμβάνειν quum ap. alios, tum ap. Lucian. [Tox. c. 59.] Ipsique μισθοφόροι dicuntur itidem λαμβάνειν ἀργύριον. Quo pertinet ad Thuc. : Δραχμὴν γὰρ ἡμέρας ἕκαστος ἐλάμβανε. [Conf. 3, 17. Aristoph. Av. 1074 : Ἢν ἀποκτείνῃ τις ὑμῶν Διαγόραν τὸν Μήλιον, λαμβάνειν τάλαντον.] Dicitur et σπονδὰς λαμβάνειν καὶ δεξιὰν, Xen. Hell. 4, [1, 29], ut Lat. Accipere fœdus et fidem. Et Anab., Πιστὰ δοὺς καὶ λαβὼν, Data acceptaque fide. [Ap. Xenoph. et alios. V. Πιστὸς et Πίστις. Ὅρκον Eur. Suppl. 1188.] Item ὠφέλειαν λαμβάνειν, ut Lat. Utilitatem capere, et plur. quoque ὠφελείας λαμβάνειν ex Plat. [De qua formula aliisque similibus iterum HSt. infra. Sic Aristoph. Pac. 1123 : Τῶν κωδίων ἁλάμβαν' αὐτὸς ἐξαπατῶν· Ach. 906 : Λάβοιμι μεντἂν κέρδος ἀγαγὼν καὶ πολύ.] Et ap.

C Isocr. [p. 42, E], ἐπίδοσιν λαμβάνειν, Incrementum capere. [Id. p. 215, E : Πρὸς τὸ μνηστεύεσθαι λαβούσης ἡλικίαν. Sic dicitur λαμβάνειν αὔξησιν, γένεσιν, διάρθρωσιν, σύστασιν, τέλος ap. Aristot. De generat. an. 2, 1, et 6, aliosque. De formulis πλέον, ἀρχὴν, τέλος λαβεῖν v. in Πολὺς, Ἀρχὴ, Τέλος.] At ὕψος λαμβάνειν ex Thuc. [1, 91] paulo durius fuerit ad verbum, Altitudinem capere, pro Altum fieri. [Λαμβάνειν τὸν ὄροφον, Evadere in tectum, Adipisci tectum, Suid. in Εὐρύβατος. Hemst.] || At vero λαμβάνειν τὴν θυγατέρα, Xen. Hell. 4, [1, 14] non simpliciter Accipere filiam, sed potius Accipere in uxorem, matrimonium. [Plato Crit. p. 50, D : Δι' ἡμῶν ἔλαβε τὴν μητέρα σου ὁ πατήρ.] Invenitur autem et λ. γυναῖκα, quod brevius reddi possit verbo Ducere, sc. Ducere uxorem. [Eur. Alc. 324 : Γυναῖκ' ἀρίστην ἔστι κομπάσαι λαβεῖν. Isocr. p. 216, A : Λαμβάνειν γυναῖκας τὰς πρωτευούσας. Sic dicitur λαβεῖν γάμους, Eur. Iph. A. 486 : Οὐ γάμους ἐξαιρέτους ἄλλους λάβοιμ' ἄν, εἰ γάμων ἱμείρομαι; Et alibi ap. eundem γάμον, λέχος, λέκτρα, κῆδος. || Dicitur etiam cum du-

D plici accus., ut Xen. Cyrop. 8, 4, 16 : Ἢν τὴν θυγατέρα μου γυναῖκα λαμβάνῃς. Alia constructione Jo. Malalas p. 355, 8 : Ἔλαβεν αὐτὴν εἰς γυναῖκα· ut idem aliter p. 459, 13 : Ἔλαβεν αὐτοὺς εἰς συμμαχίαν.] || Alicubi vero aptius redditur Percipere, quam Accipere. [Aristoph. Nub. 1123 : Λαμβάνων οὔτ' οἶνον οὔτ' ἄλλ' οὐδὲν ἐκ τοῦ χωρίου.] Xen. [Comm. 2, 7, 2] : Λαμβάνομεν δὲ οὔτε ἐκ τῆς γῆς οὐδὲν, οὔτε ἀπὸ τῶν οἰκιῶν, Nihil percipimus. [Plato Reip. 1, p. 347, B : Λάθρα ἐκ τῆς ἀρχῆς λαμβάνοντες (μισθόν). Polyb. 1, 4, 11 : Δυνηθείη ἂν καὶ τὸ χρήσιμον καὶ τὸ τερπνὸν ἐκ τῆς ἱστορίας λαβεῖν.] Sic autem et illud paulo ante allatum ὠφέλειαν λαμβάνειν, verti etiam possit commode Utilitatem percipere. [Soph. OEd. T. 1004 : Καὶ μὴν χάριν γ' ἂν ἀξίαν λάβοις ἐμοῦ. Eur. Hel. 1411 : Ὡς ἂν τὴν χάριν πλήρη λάβω.] || Alicubi etiam potius verbo Sumere : ut quod ex Dem. [p. 229, 12] affertur λαμβάνειν δίκην, Sumere pœnas. [Eur. Bacch. 1313. (Ποινὰς Tro. 360.) Et alii in Δίκη p. 1489, A, memorati. De eadem formula significatione Pœnas dandi posita v. infra. Polyb. 37, 2, 7 : Τιμωρίας βούλεσθαι παρ' αὐτοῦ λαμβάνειν. V. infra in construct. cum παρά.] At vero λαμβάνειν εἰς τὰς χεῖρας ap. Plat., Sumere vel Accipere in manus : licet illud frequentius hoc esse videatur. [De cujus locutionis usu figurato v. in Χείρ. Æschines p. 16, 15 : Λαβὼν εἰς τὴν ἑαυτοῦ χεῖρα τὰ ἱερά. Soph. El. 1120 : Δός νιν ἐς χέρας λαβεῖν. (Alia constructione Niceph. Gregor. Epist. p. 13 Mustoxyd. : Ὅσον καὶ σμικρῷ παιδὶ καλάμης φάκελλον ἀνὰ χεῖρας λαβεῖν. Et Ms. ap. Lambac. Bibl. Cæs. vol. 7, p. 205, A : Λαβὼν ἐπὶ χεῖράς σου πέπλον.) Proprie etiam Pind. Ol. 1, 18 : Δωρίαν ἀπὸ φόρμιγγα πασσάλου λάμβανε· Pyth. 4, 193 : Χρυσέαν χείρεσσι λαβὼν φιάλαν. Æsch. Pers. 524 : Λαβοῦσα πέλανον ἐξ οἴκων ἐμῶν· Suppl. 481 : Κλάδους τε τούτους αἶψ' ἐν ἀγκάλαις λαβὼν βωμοὺς ἐπ' ἄλλους θές. Soph. OEd. T. 913 : Τάδ' ἐν χεροῖν στέφη λαβούσῃ. Eur. Alc. 190 : Λαμβάνουσ' ἐν ἀγκάλαις ἠσπάζετο. Plato Reip. 7, p. 517, B : Τὸν ἐπιχειροῦντα λύειν εἴ πως ἐν ταῖς χερσὶ δύναιντο λαβεῖν καὶ ἀποκτείνειν. De veste induenda Herodot. 2, 37 : Ἄλλην σφι ἐσθῆτα οὐκ ἔξεστι λαβεῖν οὐδὲ ὑποδήματα ἄλλα· 4, 78 : Λάβεσκε ἂν Ἑλληνίδα ἐσθῆτα. Improprie Aristoph. Pac. 521 : Πόθεν ἂν λάβοιμι ῥῆμα μυριάμφορον. Plato Soph. p. 267, D : Πόθεν ὄνομα ἑκατέρῳ τις αὐτῶν λήψεται πρέπον; Isocr. p. 51, E : Ἐκεῖθεν (a rebus Trojanis) γὰρ δίκαιον τὰς πίστεις λαμβάνειν τοὺς ὑπὲρ τῶν πατρίων ἀμφισβητοῦντας. Polyb. 5, 20, 7 : Οἱ Μεσσήνιοι τἄλλα πάντα κακῶς βουλευσάμενοι ... παρ' αὐτόν γε τὸν κίνδυνον ὅμως τὸ δυνατὸν ἐκ τῶν πραγμάτων ἔλαβον πρὸς τὴν ἑαυτῶν σωτηρίαν· 5, 63, 1, Ἐκ τῶν ἐνδεχομένων τὸ δυνατὸν ἔλαβον πρὸς τὸ παρόν· 6, 38, 4 : Τὸ δυνατὸν ἐκ τῶν ἐθισμῶν εἴληπται καὶ πρὸς κατάπληξιν καὶ διόρθωσιν τῶν συμπτωμάτων. || Cum accus. personæ Æsch. Suppl. 725 : Ἐγὼ δ' ἀρωγοὺς ξυνδίκους θ' ἥξω λαβών. Soph. Aj. 1098 : Σύμμαχον λαβών· 1115 : Πλείους κήρυκας λαβὼν καὶ τὸν στρατηγόν. Aristoph. Lys. 1112 : Ἀλλ' οὐχὶ χαλεπὸν τοὔργον, εἰ λάβοι γέ τις ὀργῶντας· 1128 : Λαβοῦσα δ' ὑμᾶς λοιδορῆσαι βούλομαι κοινῇ δικαίως. Polyb. 1, 69, 1 : Πρῶτον λαμβάνων τοὺς ἡγεμόνας· et ib. 7, pro quo 70, 2, τοὺς προεστῶτας εἰς τὰς χεῖρας λαμβάνων. || Quomodo cum præp. πρὸς conjungit Xen. Anab. 2, 5, 28 : Ὅπως τὸ στράτευμα πᾶν πρὸς ἑαυτὸν λαβὼν φίλος ᾖ Τισσαφέρνει· 4, 5, 32 : Ὅπου τινὰ τῶν συγγενῶν ἴδοι, πρὸς ἑαυτὸν ἀεὶ ἐλάμβανεν. Similiter Demosth. p. 239, 17 : Ὤιχετο ἐκείνους λαβὼν εἰς τὸ μηδ' ὁτιοῦν προορᾶν τῶν μετὰ ταῦτα· 754, 26 : Τῶν ἀδικουμένων ἐστὶν ὅταν ποθ' ὑφ' αὑτοῖς λάβωσι τὸν ἠδικηκότα, τότε τιμωρήσασθαι.] || Λαμβάνειν ἔργον, Suscipere aliquod opus, ex Xen. [Comm. 1, 7, 2, ubi ληπτέον. Conf. Ἐργολάβος. Quod tamen Conducendi potius significatione dicitur, de qua v. infra. Suscipiendi vero Pind. Nem. 10, 22 : Εὔχορδον ἔγειρε λύραν καὶ παλαισμάτων λάβε φροντίδα. Herodot. 3, 71 : Τὴν ἐπιχείρησιν ταύτην μὴ οὕτω συντάχυνε ἀβούλως, ἀλλ' ἐπὶ τὸ σωφρονέστερον αὐτὴν λάμβανε. Eur. Iph. A. 1124 : Τίν' ἂν λάβοιμι τῶν ἐμῶν ἀρχὴν κακῶν; Plato Reip. 1, p. 337, D : Ἵνα Σωκράτης αὐτὸς μὲν μὴ ἀποκρίνηται, ἄλλου δ' ἀποκρινομένου λαμβάνῃ λόγον καὶ ἐλέγχῃ.] || Οὐκ ἂν λάβοιμι ap. Aristoph., Non acceperim; sed Lat. Non meream. At Gallica Græcis ad verbum respondent, *Je n'en prendrois pas grand' chose, Je n'en prendrois pas dix escus, Je n'en voudrois pas tenir.* Aristoph. Vesp. [508] : Ἐγὼ γὰρ οὐδ' ἂν ὀρνίθων γάλα Ἀντὶ τοῦ βίου λάβοιμ' ἄν, οὗ με νῦν ἀποστερεῖς. Qua signif. dicitur itidem οὐκ ἂν δεξαίμην, ut apparet ex iis, quæ scripsi in Δέχομαι. [|| Recipio, Admitto, ut δέχομαι. Pind. Ol. 1, 80 : Ὁ μέγας δὲ κίνδυνος ἄναλκιν οὐ φῶτα λαμβάνει. Aliter Polyb. 3, 107, 10 : Τὸ στρατόπεδον πεζοὺς μὲν λαμβάνει περὶ τετρακισχιλίους, ἱππεῖς δὲ διακοσίους. Quo referri licet quod est in Herodiani Epim. p. 4 : Οὐδὲν τῶν πάνυ καινολέκτων λαμβάνομεν.]

|| Λαμβάνειν ἐν νῷ, ad verbum Accipere in mente, pro Animadvertere, Recordari, ut ap. Polyb. [2, 35, 6] vertit Bud. p. 555. Tale est autem ap. Xen. [Cyrop. 3, 3, 51] λαμβάνειν [βεβαίως] ἐν ταῖς γνώμαις. Plautus certe verbo Accipere ita est usus cum ablativo Corde. Sunt vero et qui interpr. Complecti mente. [Pind. Ol. 8, 6 : Μαιομένων μεγάλαν ἀρετὰν θυμῷ λαβεῖν. Herodot. 3, 41 : Νόῳ λαβὼν ὡς οἱ εὖ ὑπετίθετο Ἄμασις· 51 : Νόῳ λαβὼν καὶ τοῦτο· 9, 10 : Φρενὶ λαβόντες τὸν λόγον. Plato Protag. p. 314, B : Τὸ μάθημα ἐν αὐτῇ τῇ ψυχῇ λαβόντα· Parm. p. 143, A : Ἐὰν αὐτὸ τῇ δια-

A νοίᾳ μόνον καθ' αὑτὸ λάβωμεν· Reip. 6, p. 496, B : Ταῦτα πάντα λογισμῷ λαβών· Leg. 10, p. 898, E : Νῷ μόνῳ καὶ διανοήματι λάβωμεν αὐτοῦ πέρι τὸ τοιόνδε· Tim. p. 26, B : Οὐκ οἶδ' εἰ δυναίμην ἅπαντα ἐν μνήμῃ πάλιν λαβεῖν. Alia constructione Athen. 8, p. 364, A : Ἐπὶ νοῦν οὐ λαμβάνοντες τὰ εἰρημένα. De mente absolute Plato Phileb. p. 62, D : Οὐκ οἶδ' ὅ,τι τις ἂν βλάπτοιτο πάσας λαβὼν τὰς ἄλλας ἐπιστήμας, ἔχων τὰς πρώτας· Theæt. p. 199, E : Τὸν θηρεύοντα τότε μὲν ἐπιστήμην λαμβάνοντα· Polit. p. 295, B. Et aliter Theæt. p. 208, D : Τὴν διαφορὰν ἑκάστου ἂν λαμβάνῃς ᾗ τῶν ἄλλων διαφέρει, λόγον, ὥς φασί τινες, λήψει· Reip. 7, p. 534, B : Ἦ καὶ διαλεκτικὸν καλεῖς τὸν λόγον ἑκάστου λαμβάνοντα τῆς οὐσίας· Soph. p. 221, B : Τῆς ἀσπαλιευτικῆς πέρι σύ τε κἀγὼ συνωμολογήκαμεν οὐ μόνον τοὔνομα, ἀλλὰ καὶ τὸν λόγον περὶ αὐτὸ τοὔργον εἰλήφαμεν ἱκανῶς· Leg. 1, p. 638, C : Πάντες οἱ λόγῳ τι λαβόντες ἐπιτήδευμα καὶ προθέμενοι ψέγειν. Quem l. cum altero Ion. p. 532, E : Λάβωμεν τῷ λόγῳ, Heindorfius contulit tertio Phædri p. 246, D : Τὴν αἰτίαν τῆς τῶν πτερῶν ἀποβολῆς λάβωμεν. Tim. B p. 64, A : Ὧδ' οὖν κατὰ παντὸς αἰσθητοῦ καὶ ἀναισθήτου παθήματος τὰς αἰτίας λαμβάνωμεν. Annot. suam ad Plotin. vol. 3, p. 145, memorat Creuzerus.] Huc pertinet λαμβάνειν πρὸ ὀφθαλμῶν, ex eod. Polyb. [2, 35, 8], ad verbum Accipere ante oculos, pro Ante oculos sibi ponere, oculos mentis, inquam : unde redditur et uno verbo Considerare. At ὄψει λαβόντες affertur pro Oculis conspicati. Λαμβάνειν alio etiam modo ad animum refertur : ut quum dicitur λαμβάνει με δέος, ἔλαβέ με δέος, Cepit me metus, Incessit me metus, i. e. animum meum. Utitur autem Plato [Leg. 3, p. 699, D] illo λαμβάνει με δέος. Idem dixit in Epist. [2, p. 313, D] : Ἄλλαι σε ἀπορίαι λήψονται, Aliæ dubitationes s. difficultates animum tuum incessent, Animo tuo suborientur. Hom. autem Il. A, [387] : Ἀτρείωνα δ' ἔπειτα χόλος λάβε, Atriden ira cepit, subiit. [Idemque cum aliis ejusmodi nominibus, ut ἄλγος, ἀμφασίη, ἄτη, ἄχος, μένος, πένθος, τρόμος, φόβος. Et alii quivis cum his similibusque vocc., ut ἔρως, θαῦμα, ἵμερος, φθόνος, πόνος, ὕπνος, νόσος, πυρετός, ὀδύνη, σπασμός et aliis. Θεός, δαί- C μων, Herodot. 4, 79.] Xen. Cyrop. 5, [5, 6] : Ἄχος αὐτὸν ἔλαβεν, Mœstitia illum cepit, incessit eum s. animum ejus, ut ap. Liv., Incessit mœstitia animos. At Herodot. [1, 165], Ἔλαβέ με πόθος, Incessit me cupido, vel animum meum : ut dixit idem Liv., Cupido incessit animos juvenum sciscitandi. Denique ut Latini, Nos oblivio capit, sic Græci, λήθη λαμβάνει. Ceterum ut dicitur δέος ἔλαβέ με, ita vicissim θάρσος ἔλαβέ με, Fiducia me cepit, Animum subiit. Sed convertuntur etiam verba interdum in hoc loquendi genere, legiturque et ἔλαβον θάρσος, ut in Θάρσος docui. [Sic σθένος λ. Soph. El. 334, 347. Ὀργὴν Eur. Suppl. 1050. Γνώμην Demosth. p. 889, 10. Id. p. 743, 22 : Ταύτην τὴν ὀργὴν καὶ νῦν ἐπὶ τουτονὶ λάβετε.] Quo modo dicitur et ἔλαβον ἐλπίδα, s. λαμβάνω ἐλπίδα aut ἐλπίδας, a Xen. [Cyrop. 4, 6, 7] et Isocr. Itidem vero ap. Lat. convertuntur quædam loquendi genera, quibus adhibetur verbum Capio : Cepit me metus, Cepi metum ; Accepi metum, Terent. : Cepi dolorem ex ea re, Cepit me dolor, Invasit me dolor. [Hom. Od. K, 461 : Εἰσ- D όκεν αὖτις θυμὸν ἐνὶ στήθεσσι λάβητε. Soph. OEd. C. 729 : Ὁρῶ τιν' ὑμᾶς ὀμμάτων εἰληφότας φόβον νεωρῆ, ubi libri consentiunt in plurali.] Affertur autem et γέλως ἔλαβε ex Dem. [p. 1263, 9] pro Risus invasit. [Simile est Æsch. Pers. 365 : Κνέφας δὲ τέμενος αἰθέρος λάβῃ.] || Ceterum hoc verbo Invadere redditur λαμβάνειν et cum aliis accuss., qui a proxime præcedentibus omnino alioqui sunt diversi : ut quum dicitur λαμβάνειν τὴν ἀρχήν, a Xen. [Anab. 3, 4, 8], et λαμβάνειν πόλεις a Dem. [Polyb. 1, 24, 10, et al.] Quibus tamen in ll. possimus et verbo Capere uti. Xen. Hell. 3, [1, 7] : Ἦν δὲ καὶ ἃς ἀσθενεῖς οὔσας καὶ κατὰ κράτος ὁ Θίμβρων ἐλάμβανε, Quasdam minus validas cepit vi. [Sic apud eundem et alios quosvis de locis rebusque, ut navibus.] Et illud λαμβάνειν ἀρχὴν exponi etiam potest Assequi imperium : Isocr. Ad Phil. [p. 94, D] : Ὅτε τὴν ἀρχὴν τῆς θαλάττης ἐλάμβανον. [Soph. Ant. 1163 : Λαβών τε χώρας παντελῆ μοναρχίαν. Significatione Capiendi de præda Hom. Od. I, 41 : Ἐκ πόλιος δ' ἀλόχους καὶ κτήματα πολλὰ λαβόντες δασσάμεθα. Pind. Nem.

3, 77 : Αἰετὸς ἔλαβεν αἶψα, τηλόθε μεταμαιόμενος, δαφοινὸν ἄγραν ποσίν· Pyth. 4, 48 : Κείναν λάβε σὺν Δαναοῖς εὐρεῖαν ἄπειρον. Soph. Phil. 1431 : Ἃ δ' ἂν λάβῃς σὺ σκῦλα. Et sæpissime apud Xen., ut Anab. 2, 1, 10 : Τί δεῖ αὐτὸν αἰτεῖν καὶ οὐ λαβεῖν ἐλθόντα, aliosque historicos. De captura Aristoph. Eq. 865 : Ὅταν μὲν ἡ λίμνη καταστῇ, λαμβάνουσιν οὐδέν· 867 : Καὶ σὺ λαμβάνεις, ἣν τὴν πόλιν ταράττῃς. || Significatione Assequendi (munus quodpiam) cum infinitivo jungit Dio Cass. 42, 20 : Ὕπατος ἔτη πέντε ἐφεξῆς γενέσθαι καὶ δικτάτωρ... λεχθῆναι ἔλαβε· 42, 28, et alibi. || Cum duplici accus. Soph. Phil. 675 : Τὸ γὰρ νοσοῦν ποθεῖ σε ξυμπαραστάτην λαβεῖν· 1007 : Λαβὼν πρόβλημα σαυτοῦ παῖδα τόνδε. Isocr. p. 86, E : Πάντας ὑπηκόους αὐτοὺς εἴληφεν· 99, C : Πρὶν ἂν λάβῃ τις τοὺς Ἕλληνας ἢ συναγωνιζομένους ἢ πολλὴν εὔνοιαν ἔχοντας.] || Λαμβάνειν jungitur et aliis accuss., cum quorum nonnullis locum habet itidem Capio, Accipio : cum nonnullis autem alio utendum est verbo : καιρὸν λαβεῖν, Occasionem capere, Polyb. 1, [36, 4 : Λόγον, ὃν πειρασόμεθα διασαφεῖν, οἰκειότερον λαβόντες τοῦ παρόντος καιροῦ. Diodor. 18, 46 : Λήψεσθαι καιρὸν οἰκεῖον ταῖς ἰδίαις ἐπιβολαῖς. Eidem 1, 60, Τότε τοῦ μίσους καιρὸν λαβόντες, restituendum esse λαβόντος conjeci coll. 15, 1, Exc. Vat. p. 41, 14. V. etiam Καιρὸς p. 817, B. Eur. Ion. 659 : Χρόνῳ δὲ καιρὸν λαμβάνων.] Ex quo Cam. affert etiam ἔννοιαν λαβεῖν pro Conjecturam capere : Ἔννοιαν λαβεῖν ἀπὸ μέρους τῶν ὅλων, Conjecturam capere totius de parte. [Locos Polybii aliorumque v. in Ἔννοια. Προθυμίαν Soph. Trach. 670. Φρόνησιν Phil. 1078. Eur. Herc. F. 626 : Σύλλογον ψυχῆς λαβὲ τρόμου τε παῦσαι.] Et ex Eod. [1, 31, 6] : Ἐν χάριτι καὶ δωρεᾷ λαμβάνειν, Gratiæ et beneficii loco accipere. [Ἐν φέρνῃ 28, 17, 9.] At λαμβάνειν Idem interpr. Facere, cum accus. πεῖραν et διάπειραν [quæ v.] : vertit enim Periculum facere. Possit autem fortasse reddi et Documentum capere. Alicubi autem λαμβάνειν cum suo accus. redditur unico verbo Lat., ut αἵρεσιν λαμβάνειν, pro Eligere. [Male : est Eligendi potestatem, optionem nancisci.] Cujus tamen generis loquendi non recte exemplum affertur ex Soph. Aj. p. 17 [265] : Πότερα δ' ἄν, εἰ νέμοι τις αἵρεσιν, λάβοις; quum hic accus. αἵρεσιν non cum λάβοις, sed cum νέμοι jungatur. [Demosth. p. 947, 20 : Λαβὼν αἵρεσιν αἱρεῖται τὸ ἀσπιδοπηγεῖον, Optione data.]

|| Λαμβάνειν pro Accipere, i. e. Pati, Bud. ex Xen. OEc. [1, 8] : Ἀλλὰ καταπίπτων ἀπ' αὐτοῦ (τοῦ ἵππου) κακὸν [κακὰ] λαμβάνῃ, Malum patiatur. Ad verbum, Malum accipiat : Gall. *Gardez de prendre mal :* sicut et Noxam capere, Colum. [Ib. 9, 11 : Μή τι κακὸν λάβῃ παρ' ἡμῶν· Conv. 4, 50 : Ὅταν τι κακὸν λάβωσι. Demosth. p. 294, 22 : Ὅταν τι κακὸν τὸ σῶμα λάβῃ. Soph. OEd. C. 796 : Κάκ' ἂν λάβοις τὰ πλείον' ἢ σωτήρια. Aristoph. Nub. 1310 : Κακὸν λαβεῖν τι.] Ideo autem subjungo hunc usum verbi λαμβάνω proxime præcedentibus, quod ut ibi animus, ita hic corpus dicatur λαμβάνειν. Ut autem λαμβάνειν est hic Pati, ita est Sustinere, in αἰτίαν λαμβάνειν : quod pro αἰτίαν ὑπέχειν ex Thuc. [6, 60] affertur, ac redditur etiam Incurrere in crimen. [Δίκην ap. Herodot. 1, 115 : Ἐς ὃ ἔλαβε τὴν δίκην. Id. 7, 39 : Τὴν μὲν ἀξίην οὐ λάμψεαι.] Ceterum Latini quoque cum certis quibusdam accuss. utuntur verbo Accipere pro Pati, ut quum dicunt Damnum vel Plagas accipere : quod itidem, a Græcis, ac nominatim a Dem. [p. 1261, 2, Xenoph. et aliis] dicitur πληγὰς λαμβάνειν : sicut et vicissim διδόναι, Plagas accipere et inferre. [Τραύματος ἄλοχα Eur. Rhes. 796.] Tale est autem et λαμβάνειν ὑπώπια, Aristoph. [Vesp. 1386. Omisso ejusmodi nomine cum dativo instrumenti Jo. Malalas p. 426, 8 : Γολιὰθ λίθῳ λαβὼν ἔπεσε, ut apud eundem διδόναι dicitur de vulnerante.] Sed et πράγματα λαμβάνειν huc pertinet, Xenoph. Reip. Laced. [2, 10], pro Molestia affici. [Æsch. Sept. 1021 : Ταφέντ' ἀτίμως τοὐπιτίμιον λαβεῖν. Soph. OEd. T. 1494 : Τοιαῦτ' ὀνείδη λαμβάνων· Trach. 254 : Οὕτως ἐδήχθη τοῦτο τοὔνειδος λαβών. Λύπην ib. 331. Πημονὰς 1189. Μίασμα OEd. T. 1012, Eur. Or. 517. Hel. 202 : Λήδα δ' ἐν ἀγχόναις θάνατον ἔλαβεν· Ion. 790 : Τὸ δ' ἐμὸν ἄτεκνον ἔλαβεν ἄρα βίοτον· Med. 43, συμφοράν· Hel. 846 : Λήψομαι πολὺν ψόγον· Ion. 600 : Γέλωτ' ἐν αὐτοῖς μωρίαν τε λήψομαι, et similiter alibi, Ζη-

A μίαν Demosth. p. 155, 12. || In bonam partem Pindarus Ol. 11, 23 : Ἄπονον δ' ἔλαβον χάρμα παῦροί τινες. Soph. Trach. 820, τέρψιν· Antig. 275, τἀγαθόν· fr. Tympanist. ap. Plut. Paul. Æm. c. 1, χάρμα. Eur. Or. 502 : Τὸ σῶφρόν τ' ἂν ἔλαβ' ἀντὶ συμφορᾶς. Et alibi cum ἡδονή, χαρά, τέρψις et similibus.]

|| Λαμβάνειν videtur aliquando reddi posse et verbo Concipere : ut illud ἐν νῷ λαμβάνειν, de quo supra dictum fuit, potest fortasse reddi alicubi Mente s. Animo concipere. || Et mulier ἐν γαστρὶ λαμβάνει, itidem Concipit, συλλαμβάνει. [Hippocr. p. 107, B : Ὁκόσαι τῶν γυναικῶν μὴ δύνανται ἐν γαστρὰ λ. et ibid. in seqq. Sine præpos. Ms. ap. Lambec. Bibl. Cæs. vol. 7, p. 205, B : Γυνή, ἣν μὴ λαμβάνειν γαστρὶ κτλ. Æsch. Cho. 128 : Γαῖαν, ἣ τὰ πάντα τίκτεται, θρέψασά τ' αὖθις τῶνδε κῦμα λαμβάνει. Alia constructione Ms. ap. Lambec. Bibl. C. vol. 8, p. 234, A : Λαβοῦσα κατὰ γαστρὸς ἐγέννησα αὐτόν. Nicon. in Pandecte Ms. serm. 52 : Καὶ αὐτὴ δελεασθεῖσα ὑπὸ ψαλτοῦ τινος τούτῳ συνεφθάρη, καὶ λαβοῦσα κατὰ γαστρὸς ἔτεκε, citavit Ducangius, qui B ponit etiam λαμβάνειν ἐπὶ γαστρός.]

|| Λαμβάνειν, Consequi, Assequi, Adipisci, Comparare, ut εὔνοιαν λαμβάνειν, ex Thuc. Et δόξαν λαμβάνειν, ex Aphthon., Gloriam consequi. [Æsch. Ag. 275 : Οὐ δόξαν ἂν λάβοιμι βριζούσης φρενός. Eur. Hel. 841 : Πῶς οὖν θανούμεθ', ὥστε καὶ δόξαν λαβεῖν· Herc. F. 292, κακήν. Plato Polit. p. 290, D, σεμνήν. Hom. Od. A, 298 : Οὐκ ἀΐεις οἷον κλέος ἔλλαβε δῖος Ὀρέστης; Soph. Phil. 1347 : Κλέος ὑπέρτατον λαβεῖν. (Eur. El. 1084)· El. 1006 : Βάξιν καλὴν λαβόντε δυσκλεῶς θανεῖν· Aj. 494 : Βάξιν ἀλγεινὴν λαβεῖν τῶν σῶν ὑπ' ἐχθρῶν. Aristoph. Thesm. 833 : Λαμβάνειν τιμήν τινα.] Item δύναμιν λαμβάνειν, Plato Epist. [6, p. 322, D] : Ταύτην δ' αὖ τὴν δύναμιν Ἑρμείας μοι φαίνεται φύσει τε καὶ τέχνῃ δι' ἐμπειρίας εἰληφέναι. Item συγγνώμην λαμβάνειν, Dem., Veniam consequi, Venia donari. Et [p. 321, 10] : Ἄδειαν λαβόντες, Impunitatem adepti. [Cum accus. personæ Aristoph. Eccl. 947 : Εἴθ', ὦ θεοί, λάβοιμι τὴν καλὴν μόνην.] || Habet vero et aliam verbi Comparare signif., sc. pro Emere : ut quidem exp. ap. Aristoph. C [Ran. 1236] λαμβάνειν τι ὀβολοῦ, et [Pac. 1263], λαμβάνειν δραχμῆς. [Nub. 1396 : Τὸ δέρμα τῶν γεραιτέρων λάβοιμεν ἂν ἀλλ' οὐδ' ἐρεβίνθου. Sine genitivo Xen. Conv. 2, 4 : Πόθεν ἄν τις τοῦτο τὸ χρίσμα λάβοι; Οὐ μὰ Δί' ἔφη, οὐ παρὰ τῶν μυροπωλῶν. || « Conduco. Euphron ap. Athen. 9, p. 379, F : Ὥστε μηδένα μισεῖν με διὰ τοῦτ', ἀλλὰ πάντας λαμβάνειν, de coquo. » Valck. Qui eodem modo interpretatur Theocr. 15, 8 : Ταῦθ' ὁ πάραρος τῆνος ἐπ' ἔσχατα γᾶς ἔλαβ' ἐνθὼν ἰλεόν, οὐκ οἴκησιν) « Minus bene reddiderunt, Occupavit. Schol. ἐμισθώσατο : reddi etiam potuit Emit. Recte paulo post id ipsum verbum ἠγόρασε interpretatur v. 20 : Ἑπτὰ δραχμῶν πέντε πόκως ἔλαβ' ἐχθές. Photius : Λαβὼν κυρίως καὶ ἀγοράσας καὶ μισθωσάμενος. »]

|| Λαμβάνειν, Prehendere, Apprehendere, Corripere. Hom. Il. B, 261 : Εἰ μὴ ἐγώ σε λαβὼν, ἀπὸ μὲν φίλα εἵματα δύσω· Π, 762 : Ἕκτωρ μὲν κεφαλῆφιν ἐπεὶ λάβεν, οὐχὶ μεθίει. Ib. [Γ, 369] : Κόρυθος λάβεν· et [Σ, 155] : Ποδῶν λάβε, et [Α, 407], γούνων. [Aristoph. Av. 1760 : Πτερῶν ἐμῶν λαβοῦσα. Et cum genitivo partitivo Ran. D 1263 : Τῶν ψήφων λαβών. Plato Conviv. p. 213, D : Λαβόντα τῶν ταινιῶν.] Interdum autem et cum accus. aut expresso, aut subaudito. [Il. Ω, 465 : Λάβε γούνατα. Sic alibi cum accus. χεῖρα et aliis quibusvis.] Sic pass. λαμβάνεσθαι in prosa. [Cum genit. simul et accus. pers. Eur. Hec. 523 : Λαβὼν δ' Ἀχιλλέως παῖς Πολυξένην χερός. Xen. Anab. 1, 6, 10 : Ἔλαβον τῆς ζώνης τὸν Ὀρόντην· Eq. 8, 3 : Τὸν παντάπασιν ἄπειρον τοῦ διαπηδᾶν (ἵππον) λαβόντα δεῖ τοῦ ἀγωγέως καταβεβλημένου προδιαβῆναι. Cum accusat. pers. Soph. Phil. 101 : Δόλῳ Φιλοκτήτην λαβεῖν· et alibi. 617 : Ἑκούσιον λαβών· Antig. 916 : Καὶ νῦν ἄγει με διὰ χερῶν οὕτω λαβών. Aristoph. Av. 1055 : Λαβέτω τις αὐτόν. Demosth. p. 605, 21 : Ἐπὶ ταῖς εὐθύναις ἕκαστον τούτων λαμβάνοντες κολάσετε. Vel rei, Aristoph. Thesm. 262 : Ταμὰ ταυτὶ λάμβανε· Ran. 165 : Σὺ δὲ τὰ στρώματ' αὖθις λάμβανε· Av. 357 : Λαμβάνειν τε τῶν χυτρῶν· Ach. 1168 : Λίθον λαβεῖν βουλόμενος. Atque sic alibi sæpissime aoristi maxime imperativo λαβὲ significatione Capiendi vel Accipiendi. Rariori structura Jo. Malalas p. 397, 8 : Λαβόντες

εἰς κραβαταρέαν τὸ λείψανον αὐτοῦ.] || Λαμβάνω, Deprehendo. [Hom. Il. Λ, 106 : Ὦ ποτ' Ἀχιλλεὺς ... δίδη ... ποιμαίνοντ' ἐπ' ὄεσσι λαβών. Æsch. Prom. 194 : Ποίῳ λαβών σε Ζεὺς ἐπ' αἰτιάματι;] Dem. [p. 1367, 26] : Τόν τε νόμον, ὃς οὐκ ἐᾷ ἐπὶ ταύταις μοιχὸν λαβεῖν κτλ. [Conf. ib. 1369, 12. Soph. Aj. 1295 : Μητρὸς ἐξέφυς Κρήσσης, ἐφ' ᾗ λαβὼν ἐπακτὸν ἄνδρ' ὁ φιτύσας πατήρ· Lysiam p. 94, 32 : Ἐπὶ δάμαρτι τῇ ἑαυτοῦ μοιχὸν λαβὼν, et alios comparavit Toup. Emend. vol. 1, p. 155, ad Suidæ gl. Ἐγκατῳκοδόμησεν.] Xen. [Cyrop. 1, 6, 36], λαμβάνειν τοιαῦτα ἁμαρτάνοντας τοὺς πολεμίους. Ap. quem tamen [ibid. 35], Λαμβάνειν ἀτάκτους τοὺς πολεμίους, redditur potius [pejus] Adoriri, VV. LL. [Soph. Phil. 1051 : Οὐκ ἂν λάβοις μου μᾶλλον οὐδέν' εὐσεβῆ· OEd. T. 461 : Κἂν λάβῃς μ' ἐψευσμένον· 605 : Ἐάν με τῷ τερασκόπῳ λάβῃς κοινῇ τι βουλεύσαντα· 1031 : Τί δ' ἄλγος ἴσχοντ' ἐν κακοῖς με λαμβάνεις; Eur. Herc. F. 223 : Ἑλλάδα κακίστην λαμβάνων ἐς παῖδ' ἐμόν. Aristoph. Vesp. 759 : Μή νυν ἐγὼ 'ν τοῖσι δικασταῖς κλέπτοντα Κλέωνα λάβοιμι. Plato Gorg. p. 488 : Ἐάν με λάβῃς νῦν μὲν σοὶ ὁμολογήσαντα, ἐν δὲ τῷ ὑστέρῳ χρόνῳ μὴ ταῦτα πράττοντα.] Non solum autem pro Deprehendo, sed et pro Teneo, Convinco, Damno : cujus signif. exempla Bud. affert p. 10, 555, ex Dem. Quæ posterior signif. videtur et huic Herodiani convenire loco, 3, [13, 16] : Ἤδη γοῦν τινας καὶ λαβὼν ἐπὶ τοιαύταις ὑπηρεσίαις ὁ Σεβῆρος ἐκόλασε. At, Ἔλλαβε πορφύρεος θάνατος καὶ μοῖρα κραταιή, ap. Hom. [Il. E, 83] Cam. vertit Abstulit, ubi tamen Polit. utitur verbo Deprehendere. [Sic de morbis, ut Aristoph. Eccl. 417 : Πλευρῖτις ἡμῶν οὐδέν' ἂν λάβοι ποτέ.] In quibusdam autem ll. vel Comprehendo, vel etiam Capio reddi potest : proverb., Ειληφεν ἡ παγὶς τὸν μῦν. [Obstringo jurejurando, ap. Herodot. 3, 74 : Πίστι τε λαβόντες καὶ ὁρκίοισι. || Excipio. Hom. Od. H, 255 : Καλυψὼ, ἥ με λαβοῦσα ἐνδυκέως ἐφίλει τε καὶ ἔτρεφεν. Similiter Soph. OEd. T. 276 : Ὥσπερ μ' ἀραῖον ἔλαβες, ὧδ', ἄναξ, ἐρῶ· Col. 284 : Ἀλλ' ὥσπερ ἔλαβες τὸν ἱκέτην, ἐχέγγυον ῥύου με. || De recuperando Apollodor. 2, 7, 5, 1 : Τὸ δὲ κέρας Ἀχελῷος λαμβάνει, quod paullo ante amiserat.]

|| Λαμβάνειν ap. Dialecticos Sumere quasi suo jure, i. e. tanquam firmum, vel per se probatum, quod vulgo Supponere et ponere : ita Bud., quem v., et Comm. p. 144, 197. [Bud. l. priori : « Aristot. in 1 prior. Analyt. : Ἔστω γὰρ ζῶον μὲν ἐφ' οὗ α, τὸ δὲ θνητὸν ἐφ' οὗ β, καὶ ἀθάνατον ἐφ' οὗ γ, ὁ δὲ ἄνθρωπος οὗ τὸν ὅρον δεῖ λαβεῖν ἐφ' οὗ τὸ δ. Ἅπαν δὴ ζῶον λαμβάνει ἢ θνητὸν ἢ ἀθάνατον ...... Ὥστε κατὰ τοῦ δ τὸ α λαμβάνει ὑπάρχειν. » Cum duplici accusat. Aristot. Metaphys. 4 fin., p. 120, 8 : Τὸν δυνάμενον ψεύσασθαι λαμβάνει ψευδῆ. || Apud grammaticos cum ἔξωθεν conjunctum est Supplere. Schol. Æsch. Pers. 121 : Ἵνα πρὸς τὸ ἀπύων ἔξωθεν λαμβάνῃς ἔσται· 122 : Ἔξωθεν λαμβανομένου τοῦ ἔσται.]

|| Λαμβάνειν cum quibusdam accuss. redditur et passivo verbo, ut λ. αἰδῶ τινα Soph. Aj. [345], ad verbum Accipere pudorem aliquem, pro Pudore aliquo affici, tangi. Sic πράγματα λαμβάνειν, pro Molestia affici, ut dictum est in Λαμβάνειν pro Accipere, i. e. Pati. Sed et illud αἰτίαν λαμβάνειν, quod ibid. habetur, reddi etiam potest Accusari, Insimulari. Itidem χώραν λαμβάνειν redditur passivo verbo Constitui a Cam. in Xen. Cyrop. 4, [5, 37] : Ἃ δ' ἂν ἀσύντακτα ᾖ, ἀνάγκη ταῦτα ἀεὶ πράγματα παρέχειν, ἕως ἂν χώραν λάβῃ. [Polyb. 3, 78, 5 : Τὸν πόλεμον λαμβάνειν τὴν τριβὴν, Trahi.]

|| Λαμβάνειν ap. Thuc. observavi et in signif. verbi Accipere, qua dicitur Quo animo accipias; In bonam partem accipias, in malam, Quam in partem accipias : ubi et verbo Interpretari locus est. [Sic idem dicit μειζόνως λαμβάνειν. V. Μέγας et Μειζόνως. HSt. ad Dionys. A. R. 3, 19 : Τὸ πρὸς τοὺς οἰκείους ἀγωνιστὰς ἑκάστοις συμπαθὲς ἐπὶ τὸ βεβουλευμένον ἐλάμβανε τὰ πρασσόμενα) « Verbo λαμβάνειν eodem modo utitur quo Thuc., quum dicit λαμβάνειν εἰς τὸ μεῖζον, quod genus loquendi Livius imitatus est. Mire etiam hoc dictum est ἐπὶ τὸ β. ἐλ. τὰ πρ. pro Ita geri singula opinabatur ut ea geri debere cogitabat. »] Fortasse autem huc pertinet et illud Polybii [1, 31, 6] antea citatum, Ἐν χάριτι καὶ δωρεᾷ λαμβάνειν. [Plut. Alcib. c. 18 : Ὀργῇ δ' ἅμα καὶ φόβῳ τὸ γεγονὸς λαμβάνοντες. Menander ap.

A Clem. Al. Str. 2, p. 422, C : Ἐπαριστέρως γὰρ αὐτὸ (τὸ πρᾶγμα) λαμβάνεις. Hemst. Similiter Theophr. H. Pl. 4, 11, 4 : Διαφέρειν τῶν ἄλλων καλάμων, ὡς καθόλου λαβεῖν, εὐτροφίᾳ τινὶ τῆς φύσεως. Hipparch. Plat. p. 227, C : Εἴ τις ὀρθῶς λαμβάνοι τὸν φιλοκερδῆ, Definiat. Et aliter Ps.-Demosth. p. 1401, 14 : Ὁ μὲν οὖν ὡσπερεὶ μάλιστ' ἂν ἐρωτικὸν λάβοις τοῦ λόγου, περὶ τοῦτ' ἐστίν. Et apud grammaticos sæpissime λαμβάνειν ἐπί τινος, Dicere, Usurpare de aliquo. V. index Etym. M. in v. Cum præp. πρὸς Dio Cass. 57, 1 : Πρὸς τὸ ἐναντιώτατον πάντα λαμβάνοντες. Plut. Cic. c. 13 : Τοῦτο πρὸς ἀτιμίαν ὁ δῆμος ἔλαβεν. Sequente genitivo, cui accusativum substituebat Reiskius, Flamin. c. 7 : Οὐχ ὅπερ εἰκὸς ἦν, πρὸς δέους ἔλαβον οἱ στρατηγοὶ τὴν ἀλλήλων γειτνίασιν. Inter utrumque casum variant libri Josephi A. J. 8, 1, 3 : Λαβὼν πρὸς ὀργῆς ὁ βασιλεὺς τὸν λόγον. || Aliter ap. Thuc. 3, 20 : Τὴν ξυμμέτρησιν τῶν κλιμάκων οὕτως ἔλαβον· et ap. schol. ib. : Ἔλαβον τὸ ὕψος τοῦ τείχους, καὶ πρὸς τοῦτο ἡρμόσαντο τοὺς κλίμακας· ἔλαβον δὲ ἐκ τῶν πλίνθων τῶν ἐπῳκοδομημένων ἀλλήλαις. Quæ Wessel. ad
B Diod. 17, 82, confert cum verbis illius : Σαφὲς δ' οὐδὲν ἐκ διαστήματος ἦν ἰδεῖν, ἀλλὰ μόνῳ τῷ καπνῷ δηλουμένων τῶν κωμῶν ἐλάμβανον οἱ Μακεδόνες οὗ κατοικοῦσιν ἐφιστάμενοι. Quæ tamen lacunosa videntur. Lycurg. p. 156, 14 : Οὐδ' ἐντεῦθεν τὸ μέγεθος τῶν ἁμαρτημάτων ἐλάμβανον.] || Quinetiam ita utitur Thuc. alicubi verbo λαβεῖν, ut Lat. suo Accipere, quum dicunt Accipere pro Auribus accipere. [Soph. Phil. 234 : Τὸ καὶ λαβεῖν πρόσφθεγμα τοιοῦδ' ἀνδρὸς ἐν χρόνῳ μακρῷ. Plat. Theæt. p. 208, D : Λαβὲ δὴ οὗ χάριν εἴρηται. || De visu Soph. Phil. 537 : Ὄμμασιν θέαν λαβόντα· 656 : Ὥστε κἀγγύθεν θέαν λαβεῖν. || Constructiones præterea notandæ cum præp. παρὰ seq. genitivo ap. Soph. Phil. 1232 : Παρ' οὗπερ ἔλαβον τάδε τὰ τόξα· OEd. T. 1039. Aristoph. Ran. 251 : Τουτὶ παρ' ὑμῶν λαμβάνω. Herodot. 8, 10 : Παρὰ βασιλέος δῶρα λάμψεται. Et ap. alios quosvis non tantum Accipiendi, sed etiam Sumendi significatione, ut ap. Demosth. p. 1024, 23 : Παρ' ἐμοῦ λαβεῖν ἐν ὑμῖν τὸ δίκαιον (ut τιμωρίαν ap. Polyb. 37, 2, 7)· 342, 15 : Τίνων προσήκει τῇ πόλει λόγον παρὰ πρεσβευτοῦ λαβεῖν.
C Item in deteriorem partem, ut ap. Xen. OEc. 9, 11 : Μήτι κακὸν λάβῃ (ἡ ταμία) παρ' ἡμῶν ἀμελοῦσα. Cum præp. πρὸς seq. genitivo ap. Soph. El. 12 : Πρὸς σῆς ὁμαίμου ... λαβών· et alibi. Cum præp. ἀπὸ et ἐκ seq. genit. rei vel personæ, ap. Xen. Reip. Lac. 15, 3 : Γέρα ἀπὸ τῶν θυομένων λαμβάνειν· Comm. 2, 9, 4 : Εὐφυέστερος ἢ ὡς ἀπὸ τῶν συκοφαντιῶν λαμβάνειν. Sic enim aut τοῦ συκοφαντεῖν esse scribendum pro συκοφαντῶν, quod est in libris, recte est animadversum. Demosth. p. 1341, 26 : Ζῶντες ἀπὸ τοῦ συκοφαντεῖν οὔ φασι λαμβάνειν ἀπὸ τῆς πόλεως. Argum. orat. Demosth. c. Androtion. fin. : Ὁ Διόδωρος ἰδιώτης ὢν ἔλαβεν ἀπὸ τοῦ Δημοσθένους τὸν παρόντα λόγον. Tzetz. Hist. 9, 528 : Ἔσχηκε ταύτην σύνευνον λαβὼν ἀπὸ τοῦ Σίμμα. Exx. constructionis cum præp. ἐκ v. antea. A quibus differt hoc Xen. Cyrop. 2, 2, 26 : Ἀνθρώπους ἐκ πάντων, οἳ ἂν ὑμῖν δοκῶσι ..., τούτους λαμβάνετε. Cum genitivo pers. sine præpos. ap. Dion. Cass. 45, 23 : Τοὺς μὲν μηδὲν ἐθελήσαντας αὐτῷ προΐεσθαι καὶ τὰ δοθέντα αὐτοῖς ἀφελόμενος, τοῖς δ' ὧν αἰτήσας ἔλαβε, καὶ ἐκεῖνα καὶ τἄλλα
D πάντα πωλήσας.]

|| Λαμβάνομαι, Capior. Quod λαμβάνομαι tempora sua excepto præt. imperf. mutuatur a Λήβομαι, sicut sc. act. λαμβάνω a λήβω. Sed rarum est præsens itidemque præt. imperf. in signif. pass., quum contra ἐλήφθην pro Captus sum, et ab eo derivata, frequenti sint in usu. Itidemque præt. εἴλημμαι, et partic. εἰλημμένος. [Æsch. Sept. 38 : Οὔτι μὴ ληφθῶ δόλῳ. Soph. Ant. 328 : Ἐὰν δέ τοι ληφθῇ τε καὶ μή· 1076 : Ἐν τοῖσιν αὐτοῖς τοῖσδε ληφθῆναι κακοῖς· Ph. 68 : Εἰ τὰ τοῦδε τόξα μὴ ληφθήσεται. Herodot. 7, 239 : Ἐπικίνδυνον ἦν μὴ λαμφθείη. Demosth. p. 1470, 24 : Καιρῷ τινι ληφθεὶς καὶ οὐκ ἀδικήματι.] Aristot. Polit. 5, [11 med.] : Λόγον τε ἀποδιδόντα τῶν λαμβανομένων καὶ δαπανωμένων. [Polyb. 4, 3, 11 : Βουλόμενος ὠφελεῖσθαι μερίτης γιγνόμενος τῶν λαμβανομένων, Prædæ.] Et τὸ λαμβανόμενον ap. Dialecticos pro τὸ λῆμμα, s. πρότασις, Propositio, Bud. p. 144, 197. Et τὰ λαμβανόμενα ἄμεσα, ex Alex. Aphr. [Bud. l. priori : « Alex. in primo Τῶν τοπικῶν, de syllogismo apodictico loquens : Οὐ μόνον δὲ δεῖ τὰ

λαμβανόμενα πρῶτα εἶναι τῇ φύσει κτλ.» Ptolem. Harmon. p. 1, C : Τὰς ὁλοσχερέστερον λαμβανομένας διαφοράς· 23, D : Ληφθέντος ἀριθμοῦ τοῦ πρώτου δυνατοῦ δεῖξαι.] Itidemque participia ληφθεὶς et εἰλημμένος, Captus. Τὰ δεινότατ' ἐργαζόμενον ληφθῆναι, Dem. Sic αὐτόφωρος ληφθεὶς, Deprehensus, Manifestus, Bud. Aristoph. Pl. [455] : Ἐπ' αὐτοφώρῳ δεινὰ δρῶντ' εἰλημμένω, ubi tamen est potius Deprehensi. [Demosth. p. 798, 10 : Ἐπὶ τοῖς αὐτοῖς ἀδικήμασι καὶ πλεονεκτήμασι πάλιν εἴληπται.] Ap. Dinarchum autem εἴληψαι, Convictus es : Καὶ οὐ δώσων δίκην ὑπὲρ ὧν εἴληψαι πεποιηκώς. [Cum partic. vel adjectivo etiam Soph. Trach. 803 : Τοιαῦτα πατρὶ βουλεύσασ' ἐμῷ καὶ δρῶσ' ἐλήφθης· Phil. 908 : Δεύτερον ληφθῶ κακός; Aristoph. Plut. 1145 : Ὁπότε τι ληφθείην πανουργήσας ἐγώ. Herodot. 2, 89. Plato Reip. 10, p. 609, C : Ὅταν ληφθῇ ἀδικῶν. || Structura compendiaria Isæus p. 64, 12 : Συμφορᾷ γὰρ τοῦ πάππου χρησαμένου καὶ ληφθέντος εἰς τοὺς πολεμίους. Sic dicitur ἁλίσκεσθαι εἰς. || Usus improprii alia exx. sunt ap. Plat. Phædr. p. 266, D : Καλόν πού τι ἂν εἴη ὃ τούτων ἀπολειφθὲν ὅμως τέχνῃ λαμβάνεται; Epin. p. 983, A : Ἀποδείξεσι γὰρ ἱκαναῖς λαμβάνεται· Reip. 7, p. 524, D : Εἰ ὁρᾶται ἢ ἄλλῃ τινὶ αἰσθήσει λαμβάνεται τὸ ἕν· Parmen. p. 130, A : Ἐν τοῖς λογισμῷ λαμβανομένοις. Aristot. De generat. anim. 3, 10 : Ἐκ μὲν οὖν τοῦ λόγου τὰ περὶ τὴν γένεσιν τῶν μελιττῶν τοῦτον ἔχειν φαίνεται τὸν τρόπον καὶ ἐκ τῶν συμβαίνειν δοκούντων περὶ αὐτάς· οὐ μὴν εἴληπταί γε τὰ συμβαίνοντα ἱκανῶς, ἀλλ' ἐάν ποτε ληφθῇ, τότε τῇ αἰσθήσει μᾶλλον τῶν λόγων πιστευτέον. Longin. De subl. 9, 7 : Εἰ μὴ κατ' ἀλληγορίαν λαμβάνοιτο. Cujus generis exx. v. in activo.] || Λαμβάνεσθαι νόσῳ, Morbo corripi. Unde est περικεφαλαίᾳ λαμβάνεσθαι, Corripi eo dolore capitis, qui περικεφαλαία vocatur. [Soph. Trach. 446 : Τῇδε τῇ νόσῳ ληφθέντι. Isocr. p. 388, C : Τοιαύταις νόσοις ἐλήφθημεν. Herodot. 1, 138 : Ξεῖνον πάντα τὸν λαμβανόμενον ὑπὸ τούτων ... ἐλαύνουσι ἐκ τῆς χώρης. Similiter Lucian. Nigrin. c. 37 : Ὁπόσοι αὐτῶν τῇ Ῥέᾳ λαμβάνονται.]

|| Λαμβάνομαι frequentius est in signif. activa [media], ponQiturque interdum, sicut et de λαμβάνω dictum est, pro Prehendo, Apprehendo. [Eur. Med. 496 : Δεξιὰ χείρ, ἧς σὺ πολλ' ἐλαμβάνου· Heracl. 48 : Λαμβάνεσθ' ἐμῶν πέπλων.] Lucian. [Asin. c. 23] : Λαμβάνεταί με [μου] ἐκ τῆς οὐρᾶς· in quo tamen loquendi genere potius omittitur præp. ἐκ, ponPiturque solus genitivus. Est autem multo crebrior aor. 2 [Hom. Od. E, 325 : Ἐλλάβετ' αὐτῆς. Soph. Phil. 761 : Βούλει λάβωμαι δῆτα καὶ θίγω τί σου; Eur. Med. 899 : Λάβεσθε χειρὸς δεξιᾶς. Or. 1172 : Ἑνὸς γὰρ εἰ λαβοίμεθ', εὐτυχοῖμεν ἄν. Aristoph. Ach. 1214 : Λάβεσθέ μου, λάβεσθε τοῦ σκέλους. Herodot. 4, 64 : τῆς κεφαλῆς· 9, 76, τῶν γουνάτων], et ejus partic. λαβόμενος : Ὁ παῖς λαβόμενος τοῦ ἱματίου, Plato De rep. [1, p. 327, B], Quum vestem prehendisset : Charmide [Parm. p. 126, A] : Καί μου λαβόμενος τῆς χειρός. [Cum accusat. Aristot. H. A. 4, 7, p. 532, 25 : Φασί τινες τῶν ἁλιέων ... λαβέσθαι ποτὲ τοιοῦτον τοῦ πολυαγκίστρου τῷ ἄκρῳ. Sed libri duo omittunt τοιοῦτον, cum aliis post ἄκρῳ addentes αὐτοῦ. Aliud ex. Polybii 5, 94, 5, ex libris correctum. || Improprie Soph. OEd. C. 373 : Εἰσῆλθε τοῖν τρισαθλίοιν ἔρις κακή, ἀρχῆς λαβέσθαι καὶ κράτους τυραννικοῦ. Plato Phil. p. 65, B : Πρῶτον δέ γε ἀληθείας λαβοῦ· Polit. p. 309, D : Ἀνδρεία ψυχὴ λαμβανομένη τῆς τοιαύτης ἀληθείας.] || Bud. autem non solum pro Prehendo et corripio, sed et pro Nanciscor poni docet. Synes. : Ἐὰν λάβωμαι σχολῆς, Si otium nactus fuero. [Plato Tim. p. 44, B : Πάλιν αἱ περίοδοι λαμβανόμεναι γαλήνης. Ἐξουσίας Reip. 8, p. 554, C, Demosth. p. 779, 27. Καιροῦ p. 675, 9. Ἀφορμῆς Polyb. 1, 69, 8. Ἐλπίδος 37, 2, 7.] || Idem ap. Andoc. λαμβάνομαι τῶν ἱερῶν [p. 21, 31; τοῦ βωμοῦ p. 16, 34, 40] vertit, Aram tenui, Aræ adhæsi. [Thuc. 3, 24 : Λαβόμενοι τῶν ὁρῶν διαπεφεύγουσιν ἐς τὰς Ἀθήνας. Quod imitatur Dio Cass. 40, 25. Qui ib. 35 dixit : Εἴ πως ἐπιτηδείου τινὸς χωρίου, ὥστε πεζῇ δι' αὐτοῦ τοῦ ὕδατος διελθεῖν, λάβοιτο.] Et pro Reprehendo, Increpo : ut addit idem Bud., qui tamen paulo post ap. Plat. [Leg. 1, p. 637, B] λάβοιτ' ἄν σου exp. Te convincere posset atque corripere. [Herodot. 2, 121, 4 : Ὡς δὲ χαλεπῶς ἐλαμβάνετο ἡ μήτηρ τοῦ περιεόντος παιδός. Ubi ἐπελ. edd. vett.]

At pro Reprehendere manifeste ponitur in hoc l. Gregor. scribentis Eudoxio, Λαμβάνονταί σου τινές, αἰσθάνομαι γὰρ ὡς φιλοκαλοῦντος. [Schol. Soph. El. 541 (539) : Λαμβάνονται τινὲς τοῦ ποιητοῦ· ad v. 597 : Ὥσπερ ἐπιλαμβανομένη αὐτῆς. Valck. Sic Philostr. V. Apoll. 1, 21, p. 27 dicit : Λαβόμενος ἑαυτοῦ ὁ εὐνοῦχος, quod c. 15, p. 17 dixerat : Ἐρυθριῶσί τε καὶ αὑτῶν ἐπιλαμβάνονται. Etym. M. p. 741, 35 : Ὁ δὲ Ἡρωδιανὸς λαβόμενος αὐτοῦ λέγει κτλ. || Ap. Dion. Cass. 54, 21 : Οἱ Γαλάται τοῦ Αὐγούστου λαβόμενοι δεινὰ ἐποίησαν, ὥστε καὶ ἐκεῖνον τὰ μὲν συνάχθεσθαι σφίσι, τὰ δὲ καὶ παραιτεῖσθαι, vertitur, Augustum nacti.]

|| Λήβω, Suidæ i. q. λαμβάνω, Capio, Prehendo, Accipio : activum, cum accus. construi dicit; passivum, cum genitivo. Sed parum usitatum est hoc thema nisi in futuris et temporibus inde formatis. [Aor. medii cum reduplicatione ap. Hom. Od. Δ, 388 : Τόν γ' εἴπως σὺ δύναιο λοχησάμενος λελαβέσθαι. Quo referenda videtur Hesychii gl. vitiosa : Λελάσθαι, λαθέσθαι, λαβέσθαι, post Λελάχωσι posita extra ordinem, nisi potius delendum λαβέσθαι. Imperfecti tertiæ plur. forma Alex. in papyro Ægypt. ap. Forshall. *Description of the Greek Papyri in the British Museum* part. 1, p. 40, XIV, 30 : Εαν λαβωσι τους αρτους εκτ.ληρους (scr. ἐκ πλήρους), καθως αι προτεραι διδυμαι ελαμβανεσαν (sic, pro ἐλαμβάνοσαν, ut videtur, quod est Ezech. 22, 12, ut ἐλάβοσαν ib. 32, 24). Ἔλαβα pro ἔλαβον ponit Eust. Od. p. 1759, 21, cujus plur. ἐλάβαμεν, ἐλάβατε memorat Chœroboscus in Bekk. An. p. 1270 med. De aoristis primis med. et activi v. sub finem. Aoristi secundi formæ frequentativæ tertia sing. est in fr. Hesiodi ap. Tzetz. ad Lycophr. 344 et al. : Πάντα γὰρ ὅσσα λάβεσκεν, ap. Herodot. 4, 78, et ubi ἐλάβεσκον est in libris, 130. Conjunctivi tertiæ sing. epica λάβῃσι apud Epicos. De accentu secundæ sing. imperativi aor. Attico λαβὲ, vulgari λάβε, v. Arcad. p. 148, 26, Jo. Alex. p. 21, 11, schol. Hom. Il. A, 85, et quos indicat Pierson. ad Mœr. p. 193. Photius in Lex. : Λαβέ ὀξυτονεῖν φασι τοὺς περὶ Ἀρίσταρχον παρὰ τὴν χρῆσιν καὶ τὸ ἔθος. Male igitur λάβε scribitur ap. Æsch. Eum. 125 et alibi. Mediæ formæ accentum λαβοῦ Atticis tribuit Arcad. p. 173, 4. (Photius : Λαβοῦ ὡς καλοῦ καὶ τὰ ὅμοια, τὸ λαβέ.) Neque alio usa videtur dialectus communis. Sed pluralis non quem analogia postulat λάβεσθε, sed paroxytonum λαβέσθε memorat schol. Hom. Il. Σ, 266 : Τυραννίων παρώξυνε τὸ πίθεσθε, ἀγνοῶν ὅτι μεταγενεστέρων Ἰώνων ἐστὶ τὰ τοιαῦτα, πιθέσθε, λαβέσθε. || Formam quam Syracusanam dicit, λάβον, ponit Etym. M. p. 302, 38, Ms. Gregorii Cor. p. 340, et grammat. ei subjectus p. 658. || Perfectorum activi et passivi duplex vel triplex forma est, communis εἴληφα (cujus conjunctivus εἰλήφωσι est ap. Plat. Polit. p. 269, C), εἴλημμαι, rarior et Ionica λελάβηκα, λέλημμαι vel λέλαμμαι. Prioris tertiæ plur. forma Alex. εἴληφαν est in pap. Ægypt. ap. Reuvens. *Troisième lettre* p. 94, in Ms. ap. Bandin. Catal. Bibl. Med. vol. 1, p. 45, B, med. Passivi tertiæ plur. Ionica ap. Eust. Opusc. p. 114, 65 : Οἱ ταῖς βίβλοις ἐμπεριειλήφαται. V. paullo post. De altera Epim. Hom. in Crameri Anecd. vol. 1, p. 268, 19 : Ὁ μέλλων τοῦ λαβῶ λαβήσω, καὶ παρ' Εὐπόλιδι λελάβηκα. Λελήφαται, ἀπὸ τοῦ λήβω ... τὸ τρίτον λέληπται, τὸ πληθυντικὸν ἰακῶς λελήφαται. (V. paullo ante.) Activi λελάβηκα exx. Herodoti et aliorum Ionice vel Dorice loquutorum citavit Valck. ad 3, 42. Partic. μεταλελαβηκότεσσι est ap. Archimed. Aren. p. 527, 671 ed. Wallis. Passivo λέλημμαι inter Atticos usi sunt Æsch. Ag. 876, Eur. Ion. 1113, Bacch. 1100 (quo referri videtur Antiatticistæ notatio p. 105, 30 : Λελάβημαι, ἀντὶ τοῦ εἴλημμαι, Ἡρόδοτος ἕκτῳ καὶ τετάρτῳ, Εὐριπίδης Βάκχαις, cujus errorem notavit jam Valck. ad Herod.), Cycl. 433, Aristoph. Eccl. 1090. Λέλαπται, εἴληπται est apud Hesychium, λελάφθω ap. Archimed. Tetrag. p. 130, 39. Quod pronuntiandum α producta, ut ἐλάφθη Aren. p. 516, 134, 149, 154 seq. Sed (Ionicum) ἀναλελάφθαι, quod afferunt Hesych. et Erotianus p. 72, cum cod. Dorvill. recte mutatur in ἀναλελάμφθαι, de quo in Ἀναλαμβάνω, ut λάμψομαι, ἐλάμφθην etc. sunt ap. Herodotum. Ad eandem formam referendum frequens ap. Hippocratem ἀπολελαμμένος pro ἀπειλημμένος, de quo v. in Ἀπολαμβάνω. Infinitivum futuri me-

dii λαμψεῖσθαι Ocello ap. Stob. Ecl. vol. 1, p. 424 : Μήτε ἀρχὰν εἰληφέναι τὸ κινούμενον μήτε τελευτὰν λαμψειν ο δη, restituit Valck. l. c. Similem formam Ἐξέλαμψεν, qui est aor. prior, annotavimus in Ἐκλαμβάνω p. 467, D. Communem habet Psellus Epist. apud Tafel. De Thessalon. p. 364 : Ἀπολήψαιμι δὲ, εἰ ... ἀξιώσεις. Neque est cur ἀπολήψομαι scripsisse putetur. Medio Theodor. Stud. p. 232, D : Αὐτὸς γάρ ἐστιν, δέσποτά μου, ὁ τὸ τριπόθητον ὑμῶν τέκνον προσλαβόμενος, ὥσπερ καὶ τὰ προλαβόντα προσληψάμενος. Sed ap. Charit. 3, 1, p. 56, 7, quod est ἀναλήψας, jam Dorvillius correxit ἀνανήψας. De formis Λήμψομαι et similibus dictum in Ἐπιληπτικός.]

[Λάμβδα. Λαμβδακισμός. V. Λ.]

[Λαμβδαραία, ἡ, Tignum, Canterius, Lambda figuram exhibens. Leo in Tactic. c. 11, § 26, ubi machinam bellicam describit : Ἦν δὲ τοιοῦτον· κανόνια δύο σύμμετρα λαβὼν ξύλινα τριῶν που σπιθαμῶν ἢ ὀλίγῳ πλέον, λαμβδαραίαν συνέμιξεν. Ducang. Λαμπαδάρια ex cod. Palatino annotat Meursius, cui λαμβδαραῖα scribendum videbatur. Sed vitiosa videtur diphthongus. V. Λαβδάρεος.]

[Λαμβδοειδής. V. Λαβδοειδής.]

[Λαμέδων, οντος, ὁ, Lamedon, f. Coroni, rex Sicyonis, Pausan. 2, 5, 8; 2, 6, 3 et 5. I. q. Λαομέδων.]

[Λαμεών, ῶνος, ὁ, quod inter vocc. in εων cum λυμεὼν ponit Herodianus Epim. p. 199, dittographia esse videtur voc. proximi. A λαμὸς, Gula, repetebat Bast. ad Greg. p. 225. Quod quidem ponit schol. Horatii Epist. 1, 13, 10 : «Lama est Vorago. Λαμὸς enim est Ingluvies.»]

[Λαμητῖνοι, οἱ, Lametini. Steph. Byz. : Λαμητῖνοι, πόλις ἀπὸ Λαμήτου ποταμοῦ πρὸς Κρότωνι. Ἑκαταῖος Εὐρώπῃ, Ἐν δὲ Λάμητος ποταμὸς, ἐν δὲ Λαμητῖνοι. Ὁ πολίτης Λαμητῖνος. Per ι in secunda aliquoties cod. Vratisl., quod non disconvenit ordini literarum, sed Λαμητίαις δίναισιν de hoc fluvio est etiam ap. Lycophr. 1085. Et apud Aristot. Polit. 7, 10 : Τὴν ἀκτὴν ταύτην τῆς Εὐρώπης Ἰταλίαν τοὔνομα λαβεῖν, ὅση τετύχηκεν ἐντὸς οὖσα τοῦ κόλπου τοῦ Σκυλλητικοῦ καὶ τοῦ Λαμητικοῦ.]

[Λάμεια. Horapoll. 2, 109 : Πῶς ἄνθρωπον λάμειαν ἔχοντα. Ἄνθρωπον λάμειαν ἔχοντα βουλόμενοι σημᾶναι σκάρον ζωγραφοῦσιν. Οὗτος γὰρ μόνος τῶν ἰχθύων μαρυκᾶται καὶ πάντα τὰ προσπίπτοντα ἰχθύδια ἐσθίει. Libri plerique λάμιαν, unus, qui etiam καρυκᾶται, λάκεαν. Λαίμειαν et λαιμὸν, quæ conjiciunt interpretes, parum apta aut probabilia videntur.]

Λάμια, s. Λαμία [priorem accentum ponunt Regg. prosod. p. 438, 77, Draco p. 20, 21, ubi male λάμνια, Epim. Hom. in Cram. An. vol. 1, p. 370, 22, ubi male Λάμεια], ἡ, Hesychio est θηρίον, Bestia quædam. Plin. [N. H. 9, 24] Lamias a Græcis numerari ait in planorum piscium altero genere, quod pro spina cartilaginem habet. Nicander Colophonius ἐν ταῖς Γλώσσαις scribit τὸν καρχαρίαν, Piscem, vocari etiam λαμίαν et σκύλλαν. [Hæc ex Eust. Od. p. 1714, 33, qui Il. p. 838, 61, ducit a λέλαμμαι, et per ι scribi testatur p. 265, 43. Aristot. H. A. 5, 5 : Σελάχη ἐστὶ ... βοῦς καὶ λάμια· 9, 37. Λαμίας inter σκληρόσαρκα memorat Galen. vol. 6, p. 398.] Sunt qui lamiam esse dicant animal facie muliebri, ab inferiore parte pedibus equinis. Philostr. λαμίας inter τὰ φάσματα numerat. Ap. eum enim l. 4, [c. 25, p. 165] Apollonius Menippi cujusdam sponsam esse dicit μίαν τῶν ἐμπουσῶν, ἃς λαμίας τε καὶ μορμολυκεῖα οἱ πολλοὶ ἡγοῦνται· ἐρῶσι δὲ ταύτας, καὶ ἀφροδισίων μὲν, σαρκῶν δὲ, καὶ μάλιστα ἀνθρωπείων, ἐρῶσι· καὶ πάλλειν τοῖς ἀφροδισίοις οὓς ἂν θέλωσι δαίσασθαι. Tandemque Apollonio instante, acriusque semper torquente τὸ φάσμα, fassa est ἔμπουσα εἶναι, καὶ πιαίνειν ἡδοναῖς τὸν Μένιππον εἰς βρῶσιν τοῦ σώματος· nam τὰ καλὰ καὶ νέα τῶν σωμάτων solere σιτεῖσθαι ἐπειδὴ αὐτοῖς ἀκραιφνὲς τὸ αἷμα. [Schol. Aristid. vol. 3, p. 42 : Λαμίας καὶ τὰ τοιαῦτα φάσματα. V. Λάμιον.] Sic fere Apuleius lamias appellat duas sagas s. incantatrices. Duris Samius Libycorum 2 narrat Lamiam fuisse mulierem pulcram : quum Jupiter rem cum ea habuisset, ab Junone zelotypa adactam ad prolem necandam : ex hoc mœrore factam deformem, aliarum pueros rapuisse et interfecisse : eam Junonis ob iram noctes

A diesque insomnes duxisse, ut eo majore esset in luctu : Jovis vero miseratione exemptiles tandem nactam oculos quos pro libito modo tollere, modo apponere posset : ab eodem obtinuisse ut in quam vellet se mutaret formam : testis schol. Aristoph. [Pac. 757, coll. Vesp. 1030], qui Beli et Libyæ fuisse filiam ait. [Mater Scyllæ sec. Stesichorum ap. schol. Apoll. Rh. 4, 828.] Item Diod. S. 20, p. 754 [c. 41] ex antiquis fabulis refert Lamiam fuisse reginam forma insignem, feris autem moribus infamem : eam, quum omnes ipsius liberi morerentur, aliæ autem mulieres prole fœcundæ essent, mœrore et invidia percitam, jussisse ex ulnis illarum infantes rapi et confestim occidi : ideo etiamnum mentionem mulieris illius esse formidabilem pueris, ut quæ devorare infantes perhibeatur : quo modo et Horat. [A. P. 340], Neu pransæ Lamiæ puerum vivum extrahat alvo : si quando ebria esset, licentiam permisisse omnibus faciendi quod liberet : ita ipsa non curiosius inquirente quid ageretur, famam fuisse eam oculos suos conjecisse εἰς μάρB σιπον s. ἄρσιχον, temulentia ista versa in incuriam et cæcitatem. Eodem prope modo Plut. [Mor. p. 515, F] scribit fabulam esse, τὴν Λαμίαν οἴκοι μὲν εὕδειν τυφλὴν, ἐν ἀγγείῳ τινὶ τοὺς ὀφθαλμοὺς ἔχουσαν ἀποκειμένους· ἔξω δὲ προϊοῦσαν περιτίθεσθαι καὶ βλέπειν. [Aristoph. Pac. 757. Vesp. 1035 : Φωνὴν δ' εἶχεν χαράδρας ... Λαμίας δ' ὄρχεις ἀπλύτους· 1178 : Πρῶτον μὲν ὡς ἡ Λάμι' ἁλοῦσ' ἐπέρδετο. Ubi schol. : Ὅτι οὐκ οὖσαν τὴν Λάμιαν ὑποτίθεται. Διὸ τὸ χ. Τοῦτο δὲ ἐν μύθῳ λέγεται. Idem ad Eccles. 77, de Lamia Ὑπὲρ ἧς ὁ Φερεκράτης (Κράτης recte restitutum ex Athenæo, Polluce et schol. Plat.) λέγει ἐν τῷ ὁμωνύμῳ δράματι ὅτι σκυτάλην ἔχουσ' ἐπέρδετο. Strabo 1, p. 19; Lucian. Philops. c. 2; Plut. Mor. p. 515, F; Tzetz. Hist. 9, hist. 297. «Marc. Antonin. 11, 23, Socrates τὰ τῶν πολλῶν δόγματα Λαμίας ἐκάλει.» Valck. Qui alios de Lamia ll. annotavit ad Theocr. Adon. p. 346. Fuit etiam fabula sic inscripta non tantum Cratetis, de quo supra, sed etiam Euripidis, de qua v. Matthiæ p. 208, qui non inspexerat locum Photii Ad Amphilochium p. 347 ed. Montef.]

C ‖ Lamia fuit etiam nomen tibicinæ cujusdam et meretricis [Quas sæpius memorat Athenæus. Item uxoris Demetrii Phalerei ap. Chœrob. in Λάμιον cit. Filiæ Neptuni ap. Paus. 10, 12, 1] : necnon urbis, a qua Λαμιακὸς πόλεμος ap. Diod. S. 18, [8, Strab. 9, p. 433]. Meminit et [Polyb. 20, 11, 3, Strabo l. c. et alibi,] Pausan. Att. [1, 3; 8, 4] Lamiæ et Λαμιακοῦ τέλματος. Ejus incolæ, Λαμιεῖς vel Λαμιῶται, teste Steph. [Prioris formæ exx. sunt ap. Strab. 1, p. 60 et in numis, qui Λαμιέων, ap. Mionnet. *Suppl.* vol. 3, p. 286. Addit autem Steph. B., dictam esse vel ab Lamia Trachiniorum regina vel ab Lamo f. Herculis, atque exstare etiam aliam cognominem Ciliciæ urbem, quam Λάμον dicit Ptolem. 5, 8.]

[Λαμιακός. V. Λάμια.]

[Λαμίας. V. Λάμιος.]

[Λαμιεύς. V. Λάμια.]

[Λάμιον, τὸ, Vorago. Chœroboscus in Crameri Anecd. vol. 2, p. 239, 13 sive Bekkeri p. 1395 et Etym. M. p. 555, 54 : Λάμια ... καὶ προσηγορικὸν καὶ σημαίνει τὰ D χάσματα. Οὕτω Διογενιανός. V. Λάμβαι. Nisi pro χάσματα leg. φάσματα, coll. quæ in Λάμια dicta sunt.]

Λάμιος, Hesychio πρίων vel πέλεκυς : et nom. propr. pauperis cujusdam ξυλοφόρου, qui et Λαμίας, teste schol. Aristoph. [Verba Hes. sunt : Λάμιαν, τὸν πριόνα ἢ ὁ Λάμιος πέλεκυς. Ἦν τοῖς (τις Musurus) Ἀθήνησιν, ὃν ἐκωμῴδει (ὃς ἐκωμῳδεῖτο vel ὃν ἐκωμῴδουν). Λέγεται δὲ καὶ Γνησίθεός τις ἐξ ἐπιθέτου Λάμιος. Photius : Λάμιος, ἐκαλεῖτό τις Ἀθήνησιν οὕτω καὶ Μνησίθεος. Unde Hesychio reddendum videtur Μνησίθεος. Sch. Aristoph. Eccl. 77 : Ἔγωγέ τοι τὸ σκύταλον ἐξηνεγκάμην τὸ τοῦ Λαμίου τουτὶ καθεύδοντος λάθρᾳ) Λάμιός τις πένης καὶ ἀπὸ ξυλοφορίας ζῶν. Διὸ καὶ βακτηρίαν ἐξενέγκασα αὐτοῦ φησιν εἶναι. Κωμῳδεῖται γὰρ καὶ ὡς δεσμοφύλαξ. Ἀρσινικῶς δὲ Λαμίαν. Λάμιος quidam Rhamnusius memoratur in inscr. Att. ap. Bœckh. vol. 1, p. 169, n. 124, 3. Spartanus ap. Diod. 16, 48. Idem nomen inscriptum numo Ambraciæ ap. Mionnet. *Descr.* vol. 2, p. 51, 39, estque Lamius Ambraciota etiam ap. Polyb. 17, 10, 9. Conf. Λάμια. L. Dind.]

[Λἄμίππη, ἡ, Lamippe, Niobæ filia sec. Pherecydem ap. schol. Eur. Phœn. 159. L. Dind.]

[Λάμϊς, ὁ, Lamis, Megarensis, qui coloniam duxit in Siciliam, ap. Thuc. 6, 4.]

[Λἄμίσκη, ἡ, Lamisce, mulier, ap. Dioscorid. Anth. Pal. 7, 166, 1.]

[Λαμίσκος, ὁ, Lamiscus, Tarentinus in Plat. Epist. 7, p. 350, B. Conf. Valck. Ep. ad Rœver. p. LX. Samius ap. Palæphat. proœm. 4. Lucanorum rex, ap. Heracl. Pont. De rebuspubl. c. 20. L. Dind.]

[Λαμιώδης, Λαμιώτης. V. Λάμια.]

[Λαμματίζειν. Andreas Cretensis De humana vita p. 235 : Ποῖος ἐν μήτρᾳ ζωγράφος σκιογραφεῖ καὶ χρωματουργεῖ ζῶον καὶ χρόας ἐντίθησι καὶ γράφει ποιότητας καὶ λαμματίζει βάθη καὶ χαρακτῆρα συνίστησι. Sic Ms. codicem præferre monet editor, qui in hac voce hæret. Videtur leg. βαμματίζει, Tingit. Ducang.]

Λάμμενον, Hesych. λαλοῦντα : nisi forte λάλμενον. [Alii λαλούμενον, ut poscit series alphab.]

[Λάμνα, ἡ, Lamna, Lamina. Gl. : Λάμνα, Lamella. Gl. Mss. : Ὕσπληξ καὶ σιδηροῦ (scr. σιδηροῦς. L. Dind.) ὀχεύς, ὃν λάμναν καλοῦσιν. Basilic. l. 44, t. 15, c. 3 : Ἐσκευασμένος ἄργυρος ἐστιν ὁ μὴ ὢν ἐν βώλῳ ἢ λάμναις ἢ σφραγῖδι. Ducang.]

[Λαμναῖος, ὁ, Lamnæus, fl. prope Barygaza, ap. Arrian. Peripl. m. Erythræi p. 25.]

[Λαμνεῖον, τὸ, Tignum. Moschion De morb. mul. c. 138 : Λαμνεῖα μολίβδινα τοῖς νεφροῖς αὐτῶν ἐπιθεῖναι. Ducang. Qui ponit etiam « Λαμνίζειν, In laminam diducere. Anon. Chymicus in cod. Reg. Ms. 311 : Λαβὼν χαλκὸν ἐξελάμνισον [sic] καὶ χομάτια τετράγωνα. »]

[Λάμνη, ἡ, Piscis ingens. Oppian. Hal. 1, 370 : Ἀταρτηρῆς τε δυσάντεα χάσματα λάμνης· 5, 36 : Τίς δὲ τόσον χλούνης φορέει σθένος ὅσσον ἄαπτοι λάμναι· 358 : Λάμνης δὲ σκύμνοισιν ὅτ' ἀντήσωσ' ἁλιῆες· 364 : Ὀλέσσαι λάμνην. V. Schneider. Hist. pisc. p. 139.]

[Λαμνίζω. V. Λαμνεῖον.]

[Λαμνὸς, ὁ, Lamna. Testam. Ms. Salomonis : Ἐάν τις γράψῃ εἰς λαμνὸν κασσιτερινὸν, ἰαθῶθ etc. Ducang.]

[Λαμόδοχος, n viri esse perhibetur in numo Saleno Phrygiæ ap. Mionnet. *Descr.* vol. 4, p. 360, ubi Ιουλ. Λαμοδοχου, quod in alio, in quo Παυλ. Μολοσσου esse ferebatur, restituebat idem *Suppl.* vol. 7, p. 615, n. 574.]

[Λαμόπτης, ὁ ἐπιτηλείας, Hesych. Ἐπιτηλίας Sopingius. Qui propter λήμην ægre cernit interpretatur Schneider.]

[Λαμός. V. Λαμεών.]

[Λάμος, ὁ, Lamus, f. Neptuni, princeps vel rex Læstrygonum, sec. Eust. ad Hom. Od. K, 81. Hesychio etiam ἡ χώρα τῶν Λαιστρυγόνων, Suidæ πόλις eorundem, ut schol. interpr. Λάμου πτολίεθρον, quod est ap. Hom. || F. Herculis. V. Λάμια. || Urbs Ciliciæ. V. ibid. et Wesseling. ad Hierocl. p. 709. || Fl. Ciliciæ. Ptolem. 5, 8, Strabo 14, p. 671. Steph. B., qui addit : Καὶ ἡ παρ' αὐτὸν χώρα Λαμωσία, ὡς Ἀλέξανδρος ὁ πολυΐστωρ ἐν πρώτῳ Λυκιακῶν. Τὸ ἐθνικὸν Λαμούσιος. Simile est Λαμῶτις, quod v. infra. Fl. Heliconis Pausan. 9, 31, 7.]

[Λαμπᾰδάριος, Lampadarius. Manetho in Apotelesmatis ascendentium Mss. : Κανδηλάπτας, λαμπαδαρίους, etc. || Ordo ecclesiasticus, Acolythus, Ceroferarius, apud Latinos. Panagiota in Catech. Russorum : Ἀναγνώστης, ψάλτης, λαμπαδάριος. || Λαμπαδάριοι inter Officia ecclesiastica recensentur in catalogis eccles. Cpol. in cod. Allat. : Οἱ λαμπαδάριοι καθαρίζουσι τὰς λαμπάδας. || Λαμπαδάριος ex clero Palatino. Codinus De off. 6, 4 : Λαμπαδάριος καὶ κρατῶν τὸ χρυσοῦν διβάμπουλον, etc. Ex Ducangii Gl.]

[Λαμπαδαρχέω, Λαμπαδαρχία, quod v., Fungor. Inscr. ap. Peyssonel. *Observ. hist.* p. 284 : Λαμπαδαρχήσαντα τῶν μεγάλων ἱερῶν. Schneid. Inscr. Paria edita *Kunstblatt* 1836, n. 12, p. 47.]

[Λαμπαδάρχης. V. Λαμπαδάρχος.]

Λαμπαδαρχία, ἡ, videtur esse Munus publicum, quo fungebatur is qui in illo solemni certamine cursoribus lampades suppeditabat et alios sumptus qui ad eos ludos requirebantur. Aristot. Polit. 5, 8 : Λειτουργεῖν τὰς δαπανηρὰς μὲν, μὴ χρησίμους δὲ λειτουργίας, οἷον χορηγίας καὶ λ., καὶ ὅσαι ἄλλαι τοιαῦται. [Rhet. Alex. c. 30 : Ὑπὲρ λαμπαδαρχίας ἢ ὑπὲρ γυμνασίου.]

A [Λαμπάδαρχος, ὁ, Liturgus, de quo v. in Λαμπαδαρχία. Inscr. Cea ap. Bœckh. vol. 2, p. 288, 31. Λαμπαδάρχην inscr. Apam. ap. Pocock. Inscrr. ant. p. 12, 9, 3.]

[Λαμπαδεύω, Pro facibus utor. Diodor. 20, 7 : Λαμπαδεύσειν ἁπάσας τὰς ναῦς.] Λαμπαδεύομαι, Lampada fero, VV. LL. ap. Suid., citantem hunc l. : Ἀριστόγονος οὖν Διονυσίου μύστης λαμπαδεύεσθαι μέλλων, εἶτα μέντοι τὰ δεξιὰ παρείθη μέρη. Ipse tamen Suid. huic loco nullam expos. apponit. [Clem. Al. p. 503, 3, sec. Platonem, Nuptiæ dant ἀθανασίαν ... παισὶ παίδων μεταλαμπαδευομένην λαμπαδεύεσθαι. Valck. Philo vol. 1, p. 478, 23 : Τὸ ἀρετῆς φέγγος ὁ λαμπαδευόμενον ἐπαλλήλοις διαδοχαῖς ἰσόχρονον γενήσεται κόσμῳ. Hemst. Schol. Soph. OEd. C. 1047 : Λαμπάσιν ἀκταῖς ταῖς λαμπαδευομέναις καὶ καταλαμπομέναις καὶ δαδουχουμέναις ὑπὸ τῆς μυστικῆς φλογός.]

Λαμπαδηδρομία, ἡ, Cursus in quo faces s. lampades accensæ manu gestabantur, certabaturque quis primus ad scopum perveniret non extincta lampade. Schol. Aristoph. [Ran. 131] : Λαμπαδηδρομίαι γίνονται τρεῖς
B ἐν τῷ Κεραμεικῷ, Ἀθηνᾶς, Ἡφαίστου, Προμηθέως. [Pro quo λαμπαδιδρ. scriptum in Etym. M. p. 504, 18. V. Λαμπαδοδρομία.]

[Λαμπαδηκόμος, ὁ, Lampadum minister. Synes. Encom. calv. p. 74, D : Ἑνὸς φαλακροῦ, ὃν τέως λαμπαδηκόμον ὄντα καὶ φῶς ἅπτοντα χειροποίητον, νουθετοῦσιν ἀπηλλάχθαι πραγμάτων. Ita libri meliores : olim λαμπηδοκόμον.]

Λαμπαδηφορέω, Lampadem gesto, gestans cursu certo, i. q. λαμπαδουχέω. [Aristid. vol. 1, p. 279 : Κἀκ τούτου αὐτός τε λαμπάδα λαμβάνω καὶ πάντες ἐλαμπαδηφόρουν οἱ ἐν τῇ ἀγορᾷ. Etym. M. p. 244, 40 : Ἐν τοῖς γάμοις λαμπαδηφορεῖν. Theodor. Stud. p. 465, D : Λαμπαδηφορούσαις.]

Λαμπαδηφορία, ἡ, Lampadis gestatio, Certamen illud quo lampada gestantes cursu contendunt. Herodot. 8, p. 123 [c. 98], loquens de cursoribus et equis per Persiam certis stationibus dispositis, per quos nuntii ad regem feruntur, et quorum ὁ πρῶτος δραμὼν παραδιδοῖ τὰ ἐντεταλμένα τῷ δευτέρῳ, ὁ δὲ δεύτερος τῷ
C τρίτῳ, dicit apud Græcos similem esse τὴν λαμπαδηφορίην, τὴν τῷ Ἡφαίστῳ ἐπιτελέουσι. [Liber unus λαμπαδιφορίη, quam formam notamus etiam in Λαμπαδηφόρος. Ac Theognostus Cram. Anecd. vol. 2, p. 95, 31, inter composita in —ιφόρος ponit etiam Λαμπαδιφόρος. Conf. Γραμματηφόρος, et quæ de duplicibus ejusmodi compositorum formis diximus in Add. ad Ἐλπιδιφόρος. Sed λαμπαδηφόρος, etiamsi ne λαμπαδιφόρος quidem falsum sit, tuetur l. Æschyli in illo citandus. Λαμπαδηφορία est etiam in schol. Vat. Eur. Rhes. 55. L. D.]

Λαμπαδηφόρος, ὁ, Qui facem s. lampadem gestat. Et λαμπαδηφόροι δρομεῖς, Pausan., Cursores qui facem manu gestantes cursu certant, ut supra dictum est. Hesych. scribit λαμπαδηφόρον dici τὸν νικήσαντα τὴν λαμπάδα, Certamen illud quo lampades ferebantur. [Rectius Lex. rhet. in Bekk. An. p. 277, 24 : Λαμπαδηφόροι δὲ καλοῦνται ὅτι τὰς λαμπάδας ἔφερον. Æsch. Ag. 312 : Τοιοίδ' ἔτοιμοι λαμπαδηφόρων νόμοι. Philetæri comici fabulam Λαμπαδηφόρους citat Athen. 10, p. 418, C. Quæ apud Suidam v. Φιλέταιρος vulgo Λαμπαδοφόροι,
D in libro uno Λαμπαδιφόροι scribitur, de qua forma v. in Λαμπαδηφορία. Λαμπαδηφόρος testatur etiam Eust. Il. p. 521, 5, consentiuntque in eodem libri Poll. 7, 134, qui in proximo σκιαδηφόροι variant inter hoc et σκιαδοφόροι atque σκιαδιφόροι. Λαμπαδιφόρων vicissim est in Gretseri Opp. vol. 2, p. 145, B. L. Dind.]

[Λαμπαδία, n. mulieris ap. Gregor. Nyss. vol. 2, p. 197, C : Λαμπαδία ὄνομα αὐτῇ (τῇ παρθένῳ). L. D.]

[Λαμπαδίας, ου, ὁ, genus stellæ. Ms. Laurent. : Ὁ λαμπαδίας, ὅμοιος λαμπάδι καιομένῃ. Osann. Diog. L. 7, 152 : Κομήτας καὶ πωγωνίας καὶ λαμπαδίας πυρὰ εἶναι ὑφεστῶτα. Jo. Malalas p. 454, 8 : Ἀστὴρ, ὃν ἔλεγόν τινες εἶναι λαμπαδίαν. Jo. Laurent. De mens. 4, 73, inter εἴδη κομητῶν. Plin. N. H. 2, 25, 90 : Lampadias ardentes imitatur faces. » V. Λαμπαύρας. || Inscriptio gemmæ, quæ virum sinistra scutum, dextra facem repræsentat gestantem, ap. Brœndsted. *Reisen in Griechenland* vol. 2, p. XXII : ΛΑΜΠΑΔΙΑΣ. Nomen vel potius substantivum esse i. q. λαμπαδοῦχος significans conjicit Brœndstedius p. 291. ἀΐᾶ L. Dind.]

Λαμπαδίζω, i. q. λαμπαδουχέω, λαμπαδηφορέω, Lampadem ferens curro. Aristoph. schol. [Ran. 131] loquens de λαμπαδηφόροις cursoribus, Ὅταν οἱ πρῶτοι λαμπαδίζοντες ἀφεθῶσι, Iis qui primi lampadem ferunt, ex carceribus emissis.

[Λαμπαδικὸς, ἡ, ὸν, i. q. λαμπαδοῦχος. Schol. Lycophr. 732, ἀγών.]

[Λαμπαδιοδρομέω. V. Λαμπαδοδρομέω.]

Λαμπάδιον, τὸ, Parva lampas, Facula, Funale [Gl.]. Plato De rep. 1, init. : Λαμπάδια ἔχοντες διαδώσουσιν ἀλλήλοις, ἁμιλλώμενοι τοῖς ἵπποις; ad eum qui dixerat, Οὐδ' ἴστε ὅτι λαμπὰς ἔσται πρὸς ἑσπέραν ἀφ' ἵππων τῇ θεῷ; [H. e. Dianæ in Bendideis. Conf. Bœckh. *Staatshaush.* vol. 1, p. 397. « Athen. 6, p. 268, D : Ὥσπερ λαμπάδιον κατασείσαντος Κρατίνου. » Valck. Voc. λαμπάδιον probat Thomas p. 566, habetque præter Dinarchum ap. Harpocrationem et Photium s. Suidam Plut. Pyrrh. c. 13 : Λαβὼν λαμπάδιον ὥσπερ οἱ μεθύοντες· Cic. c. 32 : Λαμπάδια καὶ δᾷδας ἱστώντων ἐπὶ ταῖς θύραις. Philostr. Imag. 1, p. 766 : Τὸ ἐν τῇ δεξιᾷ λαμπάδιον, et ib. in seqq. Dio Cass. 56, 2 : Ἀϊδίῳ διαδοχῇ γενῶν, ὥσπερ τινῶν λαμπαδίων. V. etiam l. Phrynichi in Λαμπτὴρ citandum.] Philo [vol. 1, p. 36, 7 : Καθάπερ λαμπάδιον ἀρχῆς καὶ δυναστείας ἀπὸ τοῦ πρώτου διαδοθὲν φυλάττοντες·] V. M. 3, de candelabro : Ἐπὶ δὲ πάντων (τῶν κλάδων) λαμπάδιά τε καὶ λύχνοι ἑπτὰ, Lampades et Lucernæ. || Λαμπάδια dicuntur etiam Linamenta, quæ vulneribus induntur. Aristoph. Ach. [1176] : Ὀθόνια, κηρωτὴν παρασκευάζετε, Ἔργ' [Ἔρι'] οἰσυπηρὰ, λαμπάδιον περὶ τὸ σφυρόν. Ἀνὴρ τέτρωται χάρακι, διαπηδῶν τάφρον· ubi Suid. scribit per λαμπάδια quosdam intelligere τὰ ἔμμοτα, quosdam ἐπιδέσμου speciem quandam, quosdam τὸν νάρθηκα τῶν ἰατρῶν τὸν ναρθηκίζοντα τὸ σφυρὸν, quosdam τὸ λεπτὸν χειρίδιον : quarum exposs. priores duæ sunt verisimiliores : et confirmantur hoc l. qui ap. eund. Suid. habetur [Dionis Cass. 68, 8] : Τραϊανὸς ὁ βασιλεὺς τοὺς ἐν πολέμῳ τετρωμένους ἐθεράπευεν· ἐπιλειπόντων δὲ σφᾶς τῶν ἐπιδέσμων, οὐδὲ τῆς ἑαυτοῦ ἐσθῆτος ἐφείσατο, ἀλλ' εἰς τὰ λαμπάδια αὐτὴν κατέτεμε πᾶσαν. Aristoph. schol. ait ὀθόνια a Medicis vocari etiam λυχνώματα, quæ ead. esse puto cum λαμπαδίοις. [Pollux 10, 149. Hesych. in v. cum annot. Wesselingii.] || Λαμπάδιον, a Polluce 4, [154] numeratur etiam inter personas comicas, quæ ἰδέαν τριχῶν ἔχει πλέγματος εἰς ὀξὺ ἀπολήγοντος : unde et denominatam scribit a crinium plexu in acutum desinente instar lampadis sive funalis. [Fuit autem inter νέων γυναικῶν πρόσωπα, ut est ib. 151. Dicæarch. p. 16 Huds. : Τὸ τρίχωμα ἀναδεδεμένον μέχρι τῆς κορυφῆς, ᾧ (ὃ Hemsterh. ad Arist. Plut. 1139) δὴ καλεῖται ὑπὸ τῶν ἐγχωρίων λαμπάδιον. Lucret. 4, 1159 : « Muta pudens est. At flagrans, odiosa, loquacula λαμπάδιον fit. »]

[Λαμπάδιος, ὁ, ap. Heliodor. Æthiop. 1, 17, p. 32, 2 : Τὸν νεὼν τῆς Ἴσιδος ἐπερχόμενος λαμπαδίῳ πυρὶ τὸν ὅλον ἐδόκει καταλάμπεσθαι, ut Coraes monet, ἢ κτητικῶς ἐκδέξασθαι χρὴ, ἵν' ᾖ Λαμπάδων πυρὶ, ἢ εἰς αὐτὸ τοῦτο τὸ Λαμπάδων μεταποιητέον (ut 7, 8, p. 267 : Ὑπὸ λαμπάσιν ἡμμέναις ἐπὶ τὸν νεὼν τῆς Ἴσιδος κατήγετο).]

[Λαμπάδιος, ὁ, Lampadius, n. viri apud Photium Bibl. p. 87, 8. Et ib. p. 86, 7.]

Λαμπαδιστὴς, ὁ, i. q. λαμπαδοῦχος, λαμπαδηφόρος : ut λαμπαδισταὶ ἀγῶνες, schol. Aristoph. [Ran. 131. Inscr. Attica ap. Bœckh. vol. 1, p. 357, n. 242 : Τοὺς λαμπαδιστάς. L. D. Diog. L. 9, 62 : Σώζεσθαι αὐτοῦ (Pyrrhonis) ἐν Ἦλιδι ἐν τῷ γυμνασίῳ λαμπαδιστάς (pictos).]

[Λαμπαδιφορία, Λαμπαδιφόρος. V. Λαμπαδηφ–.]

[Λαμπαδοδρομέω, Cum face curro. Schol. Aristoph. Vesp. 1198 : Λαμπάδα ἔδραμες) Εἰ οἶδας σεαυτὸν λαμπαδοδρομήσαντα. Ὅτι γὰρ καὶ ἠγωνίζοντο δρόμῳ λαμπάδας ἔχοντες ἐν τῷ Κεραμεικῷ φανερόν. Male Ald. λαμπαδιοδρ.]

[Λαμπαδοδρομία, ἡ, Certamen currendi cum facibus. Lex. rhet. in Bekk. An. p. 228, 11 : Γυμνασίαρχοι, οἱ ἄρχοντες τῶν λαμπαδοδρομίων (immo -ιῶν) τὴν ἑορτὴν τοῦ Προμηθέως καὶ τοῦ Ἡφαίστου καὶ τοῦ Πανὸς, ὑφ' ὧν οἱ ἔφηβοι ἀλειφόμενοι κατὰ διαδοχὴν τρέχοντες ἧπτον τὸν βωμόν. V. Λαμπαδηδρομία, cujus formæ comparatio femininam suadet pro neutra.]

[Λαμπαδοδρομικὸς, ἡ, ὸν, Ad hunc cursum pertinens. Schol. Pind. Ol. 13, 56, ἀγών.]

A [Λαμπαδόεις, εσσα, εν, Faces gestans. Orph. H. 39, 11 : Λαμπαδόεσσ', ἁγνὴ, de Cerere.]

Λαμπαδουχέω, Facem manu teneo, Manu lampadem tenens cursu contendo. Schol. Aristoph. Ran. [1087] exponens hæc verba, Λαμπάδα δ' οὐδεὶς οἷός τε φέρειν ὑπ' ἀγυμνασίας ἔτι νυνὶ, scribit solitos fuisse λαμπαδουχεῖν ἐν Ἡφαιστείοις καὶ Παναθηναίοις : Athenis autem fuisse Gymnasium, ἐν ᾧ ἐλαμπαδηφόρουν οἱ γυμνάζοντες : et τὸν τῆς λαμπάδος ἀγῶνα τρίτον Ἀθήνησιν ἀγαγέσθαι, Festo Promethei, Vulcani et Panathenæis. [Gretseri Opp. vol. 2, p. 142, B : Τὴν ἡμέραν λαμπαδουχεῖ. Theodor. Stud. p. 289, D : Λαμπαδουχεῖν τὸν φωτοφόρον. L. Dind.]

[Λαμπαδουχία, ἡ, idem q. λαμπαδηφορία. Lycophr. 1179 : Ὅσοι μεδούσης Στρυμόνος Ζηρινθίας δείκηλα μὴ σέβουσι λαμπαδουχίαις. « Pseudo-Chrys. Serm. 5, vol. 7, p. 245, 27. » Seager. Nilus Epist. p. 375, 387.]

Λαμπαδοῦχος, ὁ, ἡ, Facem tenens. Et metaph. λ. ἁμέρα, Eur. [Iph. A. 1505], Dies lucifera, quæ facem manu tenens omnibus prælucet. [Dicitur potius de die

B nuptiali. V. Λαμπάς.] Sic Virg., Postera quum prima lustrabat lampade terras Orta dies. Et de sole ap. Silium, Rutilantem attollens lampada Titan. At λ. ἀγὼν [ap. schol. Aristoph. Ran. 131], Certamen quo facem manu tenentes cursu contendebant. [Lycophr. 734 : Πλωτῆρσι λαμπαδοῦχον ἐντυνεῖ δρόμον. Theodor. Stud. p. 614, ϛβ', 3 : Ὦ λαμπαδοῦχε τοῦ τριλαμποῦς ἡλίου. Niceph. Greg. Hist. Byz. 4, 1 : Οἷα πλανήτας ἐν νυκτὶ ἐπὶ τὸν λαμπαδοῦχον καὶ ὁδηγὸν συνδραμεῖν. L. Dind.]

[Λαμπαδοφορέω, Facem gesto, præfero, Illustro, leg. videtur ap. Theodor. Stud. p. 581, A : Νῦν δὲ ὡς ἐπ' ὄρους ἀρετῶν διὰ τῆς ὁμολογίας ἀναβεβηκὼς ἐμφανὴς ἐγένου τῷ κόσμῳ καὶ λαμποφορεῖς ἡλίου φωτεινότερον σὺν τῷ λόγῳ καὶ τὸν βίον, εἰς δόξαν τοῦ πατρὸς ἡμῶν τοῦ ἐν τοῖς οὐρανοῖς. L. Dind.]

[Λαμπαδοφανῶς, Lucide. Athan. vol. 2, p. 355. Kall.]

[Λαμπαδοφόρος. V. Λαμπαδηφόρος.]

[Λαμπάζω, Luceo. Manetho 4, 318 : Φαινούσαις δ' ἀκτῖσιν ὅταν Κρόνος εἰς Ἀφροδίτην λαμπάζῃ.]

[Λαμπαῖος. V. Λάμπη.]

C Λαμπὰς, άδος, ἡ, Lampas, Fax, [Candelabra, Facula, Tæda add. Gl.] Funale, i. q. δετὴ ap. Hom., ut testatur Athen. 15, [p. 701, A] : quo voc. significatur Fasciculus ex festucis aut virgultis aridis compactus : quo accenso prælucemus alicui. [Æsch. Sept. 433 : Φλέγει δὲ λαμπὰς διὰ χερῶν ὡπλισμένη (πυρφόρου)· Eum. 1022 : Πέμψω τε φέγγη λαμπάδων σελασφόρων. Soph. Tr. 1198 : Λαμπάδος σέλας. Eur. Rhes. 95 : Αἴθουσι πᾶσαν νύκτα λαμπάδας πυρός· Hel. 639 : Ἂν ὑπὸ λαμπάδων κόροι ξυνομαίμονες ὤλβισαν· et Ion. 1474, ubi faces nuptiales dicuntur, ut Hel. 723. Schol. Eur. Phœn. 1377 : Ἐχρῶντο κατὰ τὸ παλαιὸν ἐν τοῖς πολέμοις ἀντὶ σαλπιγκτῶν πυρφόροις· οὗτοι δὲ ἱεροὶ ἦσαν Ἄρεως, ἑκατέρας στρατιᾶς προηγούμενοι μετὰ λαμπάδος, ἣν ἀφιέντες εἰς τὸ μεταίχμιον ἀνεχώρουν ἀκίνδυνοι. Signum per faces propagatum sæpe memoratur in Æschyli Agam. Frequens voc. etiam ap. Aristoph., ut Ran. 340 : Ἔγειρε φλογέας λαμπάδας ἐν χερσὶ τινάσσων· etc.] Non tantum vero de iis dicitur facibus, sed etiam de funalibus et cereis. Plut. Probl. Rom. init. [p. 263, F] : Πέντε λαμπάδας ἅπτουσιν ἐν τοῖς γάμοις, ἃς κηρίωνας ὀνομάζουσι.

D [Ducang. in Gloss. : « Major cereus tedæ instar, quæ Græcis λαμπὰς dicitur, quem Imperator in solenniorihus festivitatibus in ecclesia præ manibus tenet, quum cerei ceteri Procerum nude κηροὶ dicerentur. Id diserte docet Codin. De off. pal. Cpol. 12, 7, » etc.] Plut. Lyc. [c. 12 prope fin.] : Πιόντες δὲ μετρίως, ἀπίασι δίχα λαμπάδος· οὐ γὰρ ἔξεστι πρὸς φῶς βαδίζειν οὔτε ταύτην οὔτε τὴν ἄλλην ὁδόν. Sic Plin., Redire a cœna prælucente funali : Aur. Vict. De viris illustr. [38] : Duillio concessum est ut prælucente funali et præcinente tibicine a cœna publice rediret. [Thuc. 3, 24 : Ἑώρων τοὺς Πελοποννησίους τὴν ἐπ' Ἀθηνῶν φέρουσαν μετὰ λαμπάδων διώκοντας.] Athen. 14, de Bacchi comitibus : Νάρθηκας καὶ λαμπάδας φέρουσι. [Id. 5, p. 197, E : Λαμπάδας φέροντες βυσσίνας. Valck.] Solebant etiam in quodam certamine δρομαίῳ gestare faces, et qui eo certamine victor evaserat, Minervæ facem consecrabat, ut discimus ex Plat. De rep. 1 init., cujus verba v. in Λαμπάδιον [ubi nihil de Minerva, sed ἡ θεὸς intelligenda est Diana, nec magis apud Pausaniam], et ex Pausan. Att. p. 23 [c. 30, 2], ubi de hoc certamine hæc exstant verba : Ἐν Ἀκαδημίᾳ δέ ἐστι Προμηθέως βωμὸς, καὶ θέουσιν ἀπ' αὐτοῦ πρὸς τὴν πόλιν ἔχοντες καιομένας λαμπάδας· τὸ δὲ ἀγώνισμα, ὁμοῦ τῷ δρόμῳ φυλάξαι τὴν δᾷδα ἔτι καιομένην ἐστίν· ἀποσβεσθείσης δὲ οὐδὲν ἔτι τῆς νίκης τῷ πρώτῳ, δευτέρου δὲ ἀντ' αὐτοῦ μέτεστιν· εἰ δὲ μηδὲ τούτῳ καίοιτο, ὁ τρίτος ἐστὶν ὁ κρατῶν· εἰ δὲ καὶ πᾶσιν ἀποσβεσθείη, οὐδείς ἐστιν ὅτῳ καταλείπεται ἡ νίκη. Schol. autem Aristoph. [Ran. 131] scribit, si fax extincta, ab eo qui primus excurrerat, projiceretur, secundo cursori id indicio fuisse, quo ut excurreret, moneretur : nam Aristoph. dicit ἀφιεμένην τὴν λαμπάδα ἐντεῦθεν (sc. ex turri τοῦ Κεραμεικοῦ) θεῶ. In honorem autem Vulcani, ob repertum ignem, certamen id primum institutum fuisse, Ister ap. Suid. [s. Photium v. Λαμπάδος] annotat. [Conf. schol. ib. 1119, ubi triplex tale certamen apud Athenienses memoratur, Panathenæis, Prometheis, Hephæsteis institutum, ut in Lex. rh. Bekk. An. p. 277, 22, et ap. Harpocrat., Polemone auctore usum, Eur. Ion. 1076. Pani sacratum certamen hujusmodi ab Atheniensibus memorat Herodot. 6, 105. Quem cum Prometheo conjungit etiam Photius v. Λαμπάς. Quina igitur Athenis fuerunt ejusmodi certamina.] Item ap. Aristoph. Vesp. [1202] λαμπάδα τρέχειν, Hoc certamine contendere : Ὡς ἧ κάπρον Ἐδιώκαθές ποτ' ἢ λαγών, ἢ λαμπάδα Ἔδραμες. [V. Λαμπαδοδρομία. Theophr. Char. 29, 1 : Λαμπάδα τρέχων. Epigr. Anth. Pal. App. 148, 3 : Λαμπάδα γὰρ ζωᾶς με δραμεῖν μόνον ἤθελε δαίμων, τὸν δὲ μακρὸν γήρως οὐκ ἐτίθει δόλιχον. Alcæus ib. 12, 29, 2 : Πρώταρχος καλός ἐστι καὶ οὐ θέλει, ἀλλὰ θελήσει Ὕστερον· ἡ δ' ὥρη λαμπάδ' ἔχουσα τρέχει.] Unde et Lampadem poscere et tradere, quæ proverbialiter quoque usurpantur. Persius [6, 61] : Qui prior es, cur me in decursu lampada poscis? Lucr. [2, 78] : Et quasi cursores vitai lampada tradunt : de parentibus, quos Plato Leg. 6, p. 267 [776, B] scribit oportere γεννᾶν καὶ ἐκτρέφειν παῖδας, καθάπερ λαμπάδα τὸν βίον παραδιδόντας ἄλλοις ἐξ ἄλλων. Hesych. vero λαμπάδα scribit vocari ipsum Certamen, et Eum qui eo certamine victor evaserit, λαμπαδηφόρον nominari. Apud Latinos autem Lampas alias etiam habet signiff. [De certamine Xen. Vectig. 4, 52 : Τὴν τροφὴν ἀπολαμβάνοντες πλείω ἢ ἐν ταῖς λαμπάσι γυμνασιαρχούμενοι. Ubi nonnulla de his certaminibus Schneiderus. Isæus p. 62, 20 : Γεγυμνασιάρχηκε λαμπάδι. Andocides p. 133, 13 : Νενικηκὼς λαμπάδι. Eademque formula per accusativum inscrr. Att. ap. Bœckh. vol. 1, p. 357, n. 244; p. 364, n. 257. Alius generis festum, quod a Gallis celebraretur, Λαμπὰς dictum, memorat Lucian. De Syr. d. c. 18.] || Λαμπὰς dicitur et in meteoris. Plin. 2, 26, quum docuisset emicare etiam faces, quæ nonnisi quum decidunt et transcurrunt, videantur, subjungit, Earum duo genera : λαμπάδας vocant plane faces : alterum βολίδας. Distant, quod faces vestigia longa faciunt, priore ardente parte : βολὶς vero perpetua ardens, longiorem tradit limitem. Aristot. De mundo [c. 4 post med.] : Πολλαὶ δὲ καὶ ἄλλαι φαντασμάτων ἰδέαι θεωροῦνται, λαμπάδες τε καλούμεναι καὶ δοκίδες καὶ πίθοι, καὶ βόθυνοι, κατὰ τὴν πρὸς ταῦτα ὁμοιότητα ὧδε προσαγορευθεῖσαι. [Diod. 16, 66 : Δι' ὅλης τῆς νυκτὸς προηγεῖτο λαμπὰς καιομένη κατὰ τὸν οὐρανόν. || « Figurate Eumath. Ism. p. 289 : Ἀφροδίτης πνεῦμα παρθενικὴν λαμπάδα κατέσβεσε, de virgine corrupta. » Koenig. || De sole ejusque radiis Soph. Ant. 879 : Οὐκέτι μοι τόδε λαμπάδος ἱρὸν ὄμμα θέμις ὁρᾶν ταλαίνᾳ. Eur. Suppl. 991 : Τί φέγγος, τίν' αἴγλαν ἐδίφρευε τόθ' ἅλιος σελάνα τε κατ' αἰθέρα, λαμπάδ' ἵν' ὠκυθόαι νύμφαι ἱππεύουσι δι' ὄρφνας· Ion. 1468 : Ἀελίου δ' ἀναβλέπει λαμπάσιν. Conf. Æsch. Cho. 290. De fulminibus Eur. Bacch. 244 : Ὃς ἐκπυροῦται λαμπάσιν κεραυνίαις vel κεραυνίοις, ut Suppl. 1011, et Bacch. 594 : Ἅπτε κεραύνιον αἴθοπα λαμπάδα. De die Eur. Med. 352 : Εἴ σ' ἡπιοῦσα λαμπὰς ὄψεται θεοῦ.] || Hesychio λαμπάδες sunt ἀστέρες τινὲς, ὀφθαλμοὶ, Oculi. [Schol. Apoll. Rh. 3, 288 : Βάλλεν ἐπ' Αἰσονίδην ἀμαρύγματα) Τὰς λαμπάδας τῶν ὀφθαλμῶν λέγει. Sed Paris. λαμπηδόνας. || De lucerna ubi dici videtur, ap. Mœr. p. 245 : Λυχνοῦχος Ἀττικοὶ, λαμπὰς ἢ φανὸς, Pierson. conjiciebat λαμπτήρ, quod v. De lucernis quæ oleo aluntur Matth. 25, 1, etc.]

A || Tormentorum genus, VV. LL. ex Cyrillo. || Λαμπὰς dicta est a quibusdam et ἡ λυχνὶς [ἡ] ἀγρία, Gorr. ex Diosc. [Noth. c. 522 (3, 105). Ducang. || Adjective Soph. OEd. C. 1048 : Λαμπάσιν ἀκταῖς. Schol. : Περὶ Ἐλευσῖνα, ἀπὸ τῶν αὐτόθι ἐν τοῖς μυστηρίοις λαμπάδων.] || Meretricis cujusdam cognomen ap. Athen. 13, [p. 583, E], sicut λαμπυρὶς et λύχνος.

[Λαμπὰς, άδος, ἡ, Lampas, meretrix Attica. V. paullo ante. Navis Attica ap. Bœckh. *Urkunden über das Seewesen* IV, b, 4; h, 31; X, b, 158. L. Dind.]

[Λαμπὰς Ponti Euxini memoratur ab Arriano Peripl. p. 20, Λαμπάδες Scymno fr. v. 79. Alia cum insulis Melite et Gaulo ab Scylace p. 50, de qua dubitabat Palmerius.]

[Λαμπαυγέτις. V. Λαμπραυγέτις.]

[Λαμπαύρας, sideris nomen, Procl. Paraphr. Ptolem. 1, 9, p. 33, dicti etiam Λαμπαδίας, in Ptolemæi Tetrabiblo 1, 8. Struv.]

[Λάμπεια, ἡ, Lampia. Steph. Byz. : Α., ὄρος Ἀρκαδίας. Παρθένιος Ἀνθίππῃ. Τὸ ἐθνικὸν δύναται καὶ Λαμπειάτης καὶ δίχα τοῦ ι. Memoratur Apollonio Rhod. 1, 127, B Diod. 4, 12, Strab. 8, p. 341, Pausan. 8, 24, 3. || Schol. Pind. Ol. 7, 60 : Οἱ δὲ ἐπίνειον Ἄργους (τὴν Λέρναν φασίν)· ἡ νῦν καλεῖται Λάμπεια.]

Λαμπετάω, Luceo, Splendeo, Fulgeo, i. q. λάμπω. Hom. Il. A, [104, Od. Δ, 662, Hesiod. Sc. 390] : Ὄσσε δέ οἱ πυρὶ λαμπετόωντι ἐΐκτην. Apud Latinos quoque ignes et faces fulgere dicuntur. Alibi autem de Hectore irato et in pugnam ruente dicit ejus oculos πυρὶ δαίεσθαι, ut et hic de Agamemnone, qui Calchanti succensebat. [Hesiod. Theog. 310 : Ἄστρα τε λαμπετόωντα. Apoll. Rh. 3, 1362 : Τείρεα λαμπετόωντα. Manetho 2, 117 : Ὁλκὸς δ' αὖτε γαλαξίεω βαιὸς μὲν ὁρᾶται λαμπετόων μοίρῃ. Orph. Lith. 89, 291.]

[Λαμπέτεια, ἡ, Lampetia. Steph. Byz. : Α., πόλις Βρεττίας. Πολύβιος ιγ'. Τὸ ἐθνικὸν Λαμπετειάτης ἢ Λαμπετειανὸς τῷ ἐπιχωρίῳ τύπῳ. Λαμπετινὸς γὰρ οὐ δύναται εἶναι διὰ τὴν παράληξιν τῆς διφθόγγου. Refertur huc Lycophr. 1068 : Ἔνθα Λαμπέτης Ἱππωνίου πρηῶνος εἰς τηθὺν κέρας σκληρὸν νένευκεν. V. Tzschuck. ad Pompon. Melam C vol. 3, part. 2, p. 414.]

[Λαμπέτειον, τὸ, σῆμα ἐν Λέσβῳ, ἀπὸ Λαμπετοῦ (scr. Λαμπέτου) τοῦ Ἴρου, Steph. Byz.]

[Λαμπέτης. V. Λαμπέτεια et Λαμπέτειον.]

[Λαμπέτης, ὁ, fingit Etym. M. indeque ducit v. λαμπετῶ. Wakef. Schol. Hom. Il. A, 104. L. Dind.]

[Λαμπετίδης, ὁ, Lampetides, patron. a Λάμπος, f. Laomedontis, Hom. Il. O, 526 : Δόλοψ ... Λαμπετίδης, ὃν Λάμπος ἐγείνετο, φέρτατος ἀνδρῶν. Mira formatio advertit grammaticos.]

Λαμπετίη, ἡ, Lampetia, Solis filia, quæ ejus armenta cum Phaethusa sorore in Sicilia pascere poetarum fabulis perhibetur, ut docet Eust. et Hom. [Od. M, 132, 375, Apoll. Rh. 4, 973. || Λαμπετία, n. navis Atticæ ap. Bœckh. *Urkunden über das Seewesen* IV, b, 30. L. Dindorf.]

[Λαμπέτιος, ὁ, Lampetius, n. viri ap. Photium Bibl. p. 13, A et B, et sæpius ap. Isidorum Pel. in Epistolis. L. Dindorf.]

[Λαμπέτις, ιδος, ἡ, Lucens, Fulgens. Lucian. Tra-D gœdop. 103 : Λαμπέτις ἠώς.]

[Λάμπετος. V. Λαμπέτειον.]

[Λαμπετώ. V. Λαμπιτώ.]

[Λαμπεύς. V. Λάμπη, Λαμπίας.]

Λάμπη, ἡ, Crassior spuma vino innatans, [τὸν παχὺν ἀφρὸν τὸν ἐπιπολάζοντα τῷ οἴνῳ φασὶν, Hesych., quibus additur καὶ τοῖς ἄλλοις ὑγροῖς in gl. Photii, cui per errorem præfixum lemma λαμπρός] a nitore et candore dicta, vel, ut Erot. exp., τὸ ἐφιστάμενον τῆς δεδολωμένης οἴνης ἐν τῷ ὄξει, ἔτι δὲ κολυμβάσιν ἐλάαις, οἷόν τι λίπος κολλῶδες : ap. quem scribitur non solum λάμπη, sed et λαμπὴ, accentu in ultimam translato [ut ap. Photium. L. D. Plut. Mor. p. 1073, A : Κώνωπες χαίρουσι λάμπῃ καὶ ὄξει, τὸν δὲ πότιμον καὶ χρηστὸν οἶνον φεύγουσιν. Diosc. 5, 87 : Ἄχρι μηδεμία ἐφίστηται λάμπη, de ære usto, ubi λάπη Cornarius. Schneid. ||Sunt et λάμπαι Actuar. 1, 18, περὶ οὔρων, Bullæ quædam in urinæ superficie innatantes, veluti crassæ spumulæ quæ vino insident. Foes. Ap. Galenum vol. 8, p. 762 : Τοῦ λαμπώδους πάντως μὲν ἀφρώδους ὄντος, εἴγε λάμπειν ἴσμεν τὸ τοῖς οὔροις ἐποχούμενον λευκὸν, legendum λάμπην. Ceterum v. Λάπη. L. Dindorf.]

[Λάμπη, ἡ, Lampe. Steph. Byz. : Ἀργυρίππα, πόλις τῆς Δαυνίας ... Αὕτη Λάμπη ἐκαλεῖτο. Ἄρποι Berkelius. ‖ Idem : Λάμπη πόλις Κρήτης, Ἀγαμέμνονος κτίσμα, ἀπὸ Λάμπου τοῦ Ταρραίου. Τὸ ἐθνικὸν Λαμπαῖος. Κλαύδιος δὲ Ἰούλιος Λαμπέας αὐτούς φησιν. Ἔστι καὶ δευτέρα τῆς Ἀκαρνανίας. Καὶ τρίτη τῆς Ἀργολίδος, ὡς Φίλων. Ξενίων δὲ ἐν Κρητικοῖς διὰ δύο ππ γράφει τὴν πόλιν τὴν Κρητικὴν καὶ διὰ δύο λλ καὶ διὰ τοῦ η. Ubi pro λλ Berkelius αα. Ita vero, nisi quis tertiam formam comminisci velit, sublato διὰ δύο ππ, pro sequenti καὶ διὰ τοῦ η, duce cod. Vratisl., qui καὶ διὰ δύο ηη, scribendum καὶ διὰ δύο ππ, i. e. Λάππα, quæ ipsa forma est ap. Dion. Cass. 36, 1, et Ptolem. 3, 17. « Λάμπην habet Polyb. (4, 53, 6; 54, 5; 55, 1), cujus incolas vocat Λαμπαίους, et Dio Cass. (51, 2). In Notitia eccles. (et ap. Hierocl. Synecd. p. 650) Λάμπαι. Ap. Scylacem p. 18, Λαμπαια ... Lappen in eadem Creta constituunt Ptolem. (3 extr.), Dio (36, 1). Theophrast. (H. Pl. 2, 6, 9) : Ἐν τῇ Λαππαίᾳ (libri male Λαπαίᾳ). Denique in marmoribus (infra citt.) habemus ΛΑΠΠΑΙΟΝ et ΛΑΜΠΑΙΩΝ.» Eckhel. D. N. vol. 2, p. 314, qui in seqq. demonstrare studuit duas exstitisse urbes Lampen et Lappen, in numis vero, qui præter ΛΑΠΠΑΙΩΝ habere videbantur ΛΑΜΠΑΙΩΝ, scribendum conjecit Κασσωπαίων. In inscr. ap. Bœckh. vol. 2, p. 428, n. 2584, ubi inter ΛΑΠΠΑΙΟΝ et ΛΑΜΠΑΙΩΝ variant apographa, alterum minus habere videtur fidei. Unum idemque nomen esse ostendit Xenionis, ut animadvertit jam Hœckius *Kreta* vol. 1, p. 388, testatio. Ceterum formam Λαμπεὺς ex Claudio citatam ab Stephano, Straboni 10, p. 475, ubi Φοίνικα τὸν Λάμπεω, restituendam conjecit Tzschuckius, scribens Λαμπέων, quod etiam Λαμπαίων scribere licet. L. Dind.]

Λαμπηδὼν, όνος, ἡ, Scintilla, σπινθὴρ, λαμπυρὶς, Hesych. [Fulgor, Splendor, Ardor, Candor, Nitor; Λαμπηδόνες, Fulgores, Gl. Diodor. 3, 37 : Διὰ τοῦ πυρωποῦ τῶν ὀφθαλμῶν ἀστραπῇ παραπλησίας τὰς λαμπηδόνας προσβάλλοντας. Plut. Mor. p. 894, D : Ἡ ἐξαίφνης λαμπηδὼν ἀνακλωμένη· Æmil. Paul. c. 18 : Ἐνέπλησαν λαμπηδόνος χαλκοῦ τὸ πεδίον. « Liban. vol. 3, p. 308, 19; Callistr. Stat. p. 897, 10.» Jacobs. Hesych. : Φαύσιγγες· ἄλλοι δὲ λαμπηδόνας. Schol. Philostr. Her. p. 440 ed. Boiss. : Ἀστραπῇ) λαμπηδόνι.]

Λαμπήνη, ἡ, ut ἅρμα et ἅμαξα, ap. Polluc. 10, c. 12 [§ 51, 52] in censu τῶν ὀχημάτων, Vehiculorum, ex Soph. [et Menandro, ex quo affert etiam Photius, quibus add. Posidippi testimonium ap. eund. 10, 139, quæ omnia satis superque tuentur voc. λαμπήνη] : sed metuo ne perperam pro ἀπήνη, Rheda, Vehiculum mulare. Ap. Suidam λαπήνη. [Quæ varietas est etiam in libris Reg. 1, 26, 5. Jesaiæ 66, 20 : Ἐν λαμπήναις ἡμιόνων. Hesych., Photius, Suidas, ἅμαξα βασιλικὴ, ϐηδίον περιφανὲς, ἅρμα σκεπαστόν. Chœroboscus in Crameri Anecd. vol. 2, p. 209, 20 : Ἀπὸ τοῦ λάμπω γίνεται ἀπήνη. Ap. Photium male Λαμπίνη et Λαμπιστίνη scriptum. Alia v. ap. intt. Hesychii et Ducangium. ‖ Idem annotavit l. Basilii Ep. 232, vol. 3, p. 355, C : Ἔδειξας γὰρ ὅτι διὰ μὲν τῶν λαμπηνῶν πρὸς τοὺς νυκτερινοὺς διεγείρεις καμάτους, ubi recte editor : « Lampades vel Candelas cereas sententia h. l. interpretari cogit : quo sensu Lampenas interdum usurpari probant Martinius et Cangius » et Placidus Gloss.]

[Λαμπηνικὸς, ἡ, όν. Num. 7, 3 : Ἓξ ἁμάξας λαμπηνικάς. Ubi Eusebius Emissenus : Τὰς διατρόχους λέγει, ἅς τινες ζηρώτια καλοῦσι. Legendum διτρόχους et βιρώτια aut potius βιρότια, Birotia (Birota), Quæ duabus nituntur rotis. Schleusner. Lex.]

Λαμπηρὸς, ἀ, ὸν, a λάμπη s. λαμπὴ in Lex. Hipp. Galeni [p. 514], Spumosus, Spumeus : Λαμπηρὰ, inquit, τὰ ἀφρώδη· λάμπει γὰρ ὁ ἀφρός. Ubi pro λάμπει repono λάμπη. In VV. LL. autem perperam scribitur λαμπτηρὸς pro λαμπηρός. [Ap. Erotianum p. 244 : Λάπυρον, τὸ ὑγρὸν, ubi cod. Dorvill. λάππυρον, et λάμπρον cod. HSt., vera videtur scriptura olim recepta λαπαρόν.]

[Λάμπης Ægineta, qui memoratur ap. Themist. Or. 23, p. 297, D, scribendus est Λάμπις. V. Reisk. ad Plut. Mor. p. 788, A.]

A Λαμπίας, ὁ, vocatur sol, Hesych. : Eidem tamen λαμπίας est etiam λαμπεὺς, φῶς. [Novæ caput glossæ esse λαμπεὺς putabat Jensius.]

[Λαμπιδὼ, οῦς, ἡ, Lampido, regis Spartanorum Archidami conjux, mater Agidis. Plat. Alcib. 1 p. 124, A, Plut. Agesil. c. 1 : cui nomini simillimum Λαμπιτώ.]

[Λάμπις, ιδος, ὁ, Lampis, n. viri apud Longum 4, 29. Alius in moneta Mileti ap. Mionnet. *Suppl.* vol. 6, p. 265, 1190. Alius ap. Demosth. p. 690 ult., 905 etc. Acarnanis ap. Lucian. D. mort. 27, 7. Elei ap. Pausan. 5, 5, 1 etc., Lacedæmonii, 5, 8, 7. V. Λάμπης.]

[Λαμπιτὼ, οῦς, ἡ, Lampito, n. mulieris Spartanæ in Aristophanis Lysistrata. Supra fuit Λαμπιδώ. Samia meretrix, Demetrii Phalerei amica, qui ab illa ipse dictus est Lampito, ap. Athen. 13, p. 593, E, F. Quæ Λαμπετὼ dicitur Diog. L. 5, 76, Suidæ v. Δημήτριος, et Hesychio Mil. p. 16 ed. Orell.]

[Λάμπιχος, ὁ, Lampichus, Gelæ tyrannus. Lucian. D. mort. 10, 4 et 2.]

Λαμπόδιον, Elleborum nigrum, VV. LL. perperam B pro μελαμπόδιον.

[Λαμπόνιος. V. Λαμπώνιος.]

Λάμπος, ὁ, Auroræ equus quidam, a fulgore et splendore dictus. Hom. Od. Ψ, [246] : Λάμπον καὶ Φαέθονθ', οἵ τ' Ἠῶ πῶλοι ἄγουσι. Hector quoque Il. Θ, [185] ejusd. nominis equum habet : Ξάνθε τε, καὶ σὺ Πόδαργε, καὶ Αἴθων, Λάμπε τε δῖε. [‖ F. Laomedontis, Il. Τ, 147, Ο, 526 etc. F. Ægypti, Apollod. 2, 1, 5, 8. F. Tarrhæi. V. Λάμπη. Alios memorat Pausanias. Arcadius p. 66, 22 : Λάμπος κύριον, λαμπὸς δὲ τὸ ἐπίθετον.]

Λαμπουρὰ, ἡ, in VV. LL. Vulpis genus albicante cauda.

[Λάμπουρις, ιδος.] Λαμπουρὶς, ἡ, est Vulpes, ἀλώπηξ, cui canes quidam similes sunt. Hesychio quoque λάμπουρις et [eodem vitio quod infra notamus] λάμπυρις est ἀλώπηξ. [Λαμπουρὶς scriptum etiam ap. Photium ex Æschylo afferentem. Sed vera scriptura est λάμπουρις. Etym. M. p. 474, 4 : Σεσημείωται τρία (non oxytona ut alia in ουρις), λάμπουρις, ἡ ἀλώπηξ, Τόμουρις, ὄνομα πόλεως, καὶ ἵππουρις. Lycophr. 344 : Τῆς Σισυ- C φείας δ' ἀγκύλης λαμπουρίδος, de Ulixe. 1393 : Τῆς παντομόρφου βασσάρας λαμπουρίδος, de Mestra f. Erysichthonis. Altero l. liber unus cum Etym. M. p. 190, 55, λαμπυρίδος, utrumque vitiose pro λαμπούριδος. L. Dindorf.]

Λάμπουρος, ὁ, Lucentem caudam habens, Cujus cauda fulget. Canis nomen ap. Theocr. 8, [65] : Ὦ Λάμπουρε κύων, οὕτω βαθὺς ὕπνος ἔχει τυ; canis, inquam, nomen, ut schol. tradit, vel ἀπὸ τοῦ λαμπρὰν ἔχειν τὴν οὐρὰν, aut πυῤῥὰν, Rufam, Rutilam : vel παρὰ τὸ λαμπουρὶς ἴσως εἶναι. [De accentu proparoxytono Arcad. p. 73, 11.]

[Λαμποφορέω. V. Λαμπαδοφορέω.]

[Λαμπρὰ, ἡ, navis Att. ap. Bœckh. *Urkunden* I b, 39. ‖ Demus Atticus. V. Λαμπτρά. L. Dind.]

[Λαμπραυγέτις, ιδος, ἡ, Splendida. Manetho 1, 301, et 4, 201 : Ζῆνα δ' ὅταν Φαέθοντα βάλῃ λαμπραυγέτις ἀκτίς. Priori loco vulgo λαμπαυγέτις, altero λαυπραύγετις.]

[Λαμπραυγὴς, ὁ, ἡ, Splendidus. Manetho 4, 415 : D Ἀκτῖσι φαέθουσι βάλῃ λαμπραυγέσι κόσμου. « Const Manass. Chron. p. 2, C; 67, D, Amat. 3, 21, ἥλιος.» Boiss.]

[Λαμπρειμονέω, Sum λαμπρείμων, quod v. Charito 3, 1 : Λαμπρειμονεῖ. Eust. Opusc. p. 187, 25; 324, 19. Suidas.]

[Λαμπρειμονία, ἡ, Splendidus vestitus. V. Λαμπροειμονία.]

Λαμπρείμων, ονος, ὁ, ἡ, Qui splendide induitur s. vestitur, Splendide indutus et cultus. [Hesych., λαμπρὰ ἱμάτια ἔχων. Ubi v. Albert.] Hippocr. Epist. 138 [p. 1277, 48] : Ὁρέω γυναῖκα καλήν τε καὶ μεγάλην, λαμπρείμονα. Pro quo dicitur et Λαμπροείμων, quod a Suida exp. λαμπροφορῶν, pro quo perperam in VV. LL. Lucernam ferens.

[Λαμπρεύς. V. Λαμπραί.]

[Λαμπριάδας, α, ὁ, Lampriades, unde Τοὶ Λαμπριάδα τοὶ δαμόται ap. Theocr. 4, 21, ubi schol. ducit a Λαμπρίας, de quo et ipsum nihil compertum habuisse apparet. ἰᾶᾶ]

[Λαμπρίας, ὁ, Lamprias, n. viri, cujus notissimum

ex. est frater Plutarchi, ap. quem memoratur Mor. p. 385, D, et alibi. Ejusdem nominis avus Anton. c. 28, et filius, cujus superest catalogus librorum a patre scriptorum. Coqui ap. Euphronem Athen. 4, p. 379, E. Aliorum ap. Lucian. D. mer. 3, Aristænet. p. 78. ἴᾰ]

[Λαμπρίζω, Splendidum reddo, Purgo. Pempelus Stob. Flor. vol. 3, p. 124 : Τὰ μὲν γὰρ (τῶν φιτυσάντων ἱδρύματα) καλλυνόμενα καὶ λαμπριζόμενα ὑφ' ἁμέων ἑκάστοτε συνεύχεται ἁμῖν δωτίνας ἀγαθάς. Ita codex. Vulgo λαμπυριζόμενα.]

[Λαμπρόβιος, ὁ, ἡ, Lautus, Gl. « Paulus Alex. l. 1.» Schneid.]

[Λαμπρόβουλον ap. Hesych. in Ἀγλαόμητις citatum librarii error est, de quo v. annot. interpr.]

[Λαμπροδόμητος, ὁ, ἡ, Splendide ædificatus. Const. Manass. Chron. v. 6273, μονή. Boiss.]

[Λαμπροειδής, ὁ, ἡ, Splendidus. Athan. vol. 2, p. 363, C : Λαμπροειδῆ κατεσκεύασε τὴν παναγίαν σάρκα. Kall.]

[Λαμπροειμονία, ἡ, Splendidus vestitus. Nicetæ Chon. p. 37, D : Τῆς λοιπῆς λαμπροφορίας βασιλικωτάτης μετεῖχε, codex barbarogr. p. 73, 23, λαμπροειμονίας. V. Λαμπρειμονία.]

[Λαμπροείμων. V. Λαμπρείμων.]

[Λαμπρόζωνος, ὁ, ἡ, Splendidum habens cingulum. Hesych. v. Ἁβρομίτρας.]

[Λαμπροκλῆς, έους, ὁ, Lamprocles, Socratis f. Xen. Comm. 2, 2. Poeta dithyrambicus ab Athenæo et aliis citatus.]

[Λαμπρόκλωστος, ὁ, ἡ, Pisid. Opif. p. 417.]

[Λαμπρολογέω, Splendide loquor, Jacto. Eumath. p. 317 : Καὶ γένος καὶ πατρίδα λαμπρολογεῖ καὶ ἄλλα πολλὰ καταγλωσσαλγεῖ.]

[Λαμπρόμᾰχος, ὁ, Lampromachus, isthmionices ap. Pind. Ol. 9, 90.]

[Λαμπρομοιρίαι, αἱ, Partes lucidæ Zodiaci. Vox recentiorum astrologorum. Joannes Camaterus in Zodiaco Ms. cap. Π. λαμπρομοιριῶν ap. Ducang. in Gloss. App. p. 118.]

[Λαμπρὸν, τὸ, Ignis, Flamma, Ignis fulgor. Glossæ S. Benedicti : Focus, λαμπρός. (Scribendum λαμπρὸν, ut est in Gl. Cyrilli et Philoxeni.) Glossæ Græcobarb.: Τόπος ὅπου ἅπτουσι λαμπρὸν ἤτοι πῦρ. Alibi : Καὶ ἦψε λαμπρὰ πολλά. Κεκαυμένον. λαμπρόν... εἰς λαμπρὸν ἢ εἰς τὴν στίαν ἤγουν ἑστίαν. Apophthegm. Patrum n. 6 : Οὐκ ἀρκεῖ σοι ὅτι ὅλως εἶδες λαμπρόν. Aliique Byzantini ap. Ducang.]

[Λαμπρόπεπλος, var. script. ap. Const. Manass. Chron. v. 6630. Boiss.]

[Λαμπρόπιστος, ap. Hesych. in Ἀγλαόπιστος, quod v.]

[Λαμπρόπους, οδος, ὁ, ἡ, Qui splendidos, nitidos pedes habet. Schol. Hom. Il. A, 538 : Ἀργυρόπεζα) λαμπρόπους.]

[Λαμπροπρεπής, ὁ, ἡ, Lucidus. Christ. Pat. 891, ἦμαρ.]

Λαμπροπυρσόμορφος, ὁ, ἡ, Cujus facies rutilo splendore coruscat, Corusco aspectu fulgens, Angeli epith., ap. Gregor. Naz.

Λαμπρὸς, ὰ, ὸν, Splendidus, Fulgidus, Clarus: cui opp. ὁ ζοφερὸς, ap. Plut. De primo frig. [p. 948, D.] Hom. Il. [A, 605]: Ἐπεὶ κατέδυ λαμπρὸν φάος ἠελίοιο, Clarum solis lumen. [Δ, 77 : Ἀστέρα λαμπρόν· Epigr. in Midam, Hesiod. Theog. 18 et al., σελήνη.] X, [30] de canicula : Λαμπρότατος μὲν ὅγ' ἐστὶ, κακὸν δέ τε σῆμα τέτυκται. [Æsch. Sept. 389 : Λαμπρὰ πανσέληνος· Pers. 504 : Λαμπρὸς ἡλίου κύκλος· iisdemque verbis Soph. Ant. 416. Et similiter alibi.] Thuc. 7 : Ἦν μὲν γὰρ σελήνη λαμπρά. [Dionys. A. R. 3, 27 : Πρὶν ἡμέραν λαμπρὰν γίνεσθαι.] Plut. [Mor. p. 469, A]: Τὰς ὄψεις ἀπὸ τῶν ἄγαν λαμπρῶν τιτρωσκομένας ἀποστρέφοντες ταῖς ἀνθηραῖς καὶ ποώδεσι χροιαῖς παρηγοροῦμεν· sicut alibi [p. 537, A] dicit τὴν ὀφθαλμίαν πρὸς ἅπαν τὸ λαμπρὸν ἐκταράσσεσθαι. [De aliis rebus, ut Il. N, 132 : Λαμπροῖσι φάλοισι· P, 269 : Λαμπρῇσιν κορύθεσσι. Pind. Pyth. 4, 198, ἀκτῖνες· 241, δέρμα, de vellere aureo; 8, 101, φέγγος. Eur. Iph. T. 29 : Διὰ δὲ λαμπρὸν αἰθέρα πέμψασά με· Bacch. 1268 : Λαμπρότερος ἢ πρὶν (ὁ αἰθήρ)· Med. 829 : Διὰ λαμπροτάτου βαίνοντες αἰθέρος. Aristoph. Nub. 269 : Λαμπρός τ' Αἰθήρ. Plato Phædr. p. 250, B : Κάλλος λαμπρόν· Soph. p. 254, A : Διὰ τὸ λαμπρὸν τῆς χώρας. Cum inf. Tim. p. 60, A : Τὸ λεῖον καὶ διακριτικὸν ὄψεως διὰ ταῦτά τε ἰδεῖν λαμπρὸν καὶ στίλβον. Xen. Conv. 7, 4 : Λαμπρὰν φλόγα· Cyneg. 4, 1 : Ὄμματα λαμπρά.] Et λαμπρὰ ἐσθὴς, Vestis splendida et fulgida. Idem [Mor. p. 144, D] : Οἱ προσιόντες ἐλέφασιν ἐσθῆτα λαμπρὰν οὐ λαμβάνουσιν, οὐδὲ φοινικίδας, οἱ ταύροις· his enim coloribus illa animantia irritantur. [Hom. Od. T, 234 : Λαμπρὸς δ' ἦν (χιτὼν) ἠέλιος ὥς. Et de amicto vestibus splendidis Xen. Cyrop. 2, 4, 5 : Ἐβουλόμην σε ὡς λαμπρότατον φανῆναι. Polyb. 10, 4, 8 et 5, 1, τήβενναν et ἐσθῆτα λαμπρὰν, de toga candida. Wessel. ad Diodor. 1, 91 : Οὔτε ἐσθῆτας λαμπρὰς περιβάλλονται) « Candidas, ut ἱμάτιον λ. 20, 7, et Theophr. Char. 21 cum Casaub. nota, et Act. Ap. 10, 30. Ceteroqui λαμπρὸν subinde de cocco et purpura, monente Salmas. in Tertull. Pall. p. 182. » De candida Lucæ 23, 11 : Περιβαλὼν αὐτὸν ἐσθῆτα λαμπράν. Euseb. V. Const. 4, 62 : Λαμπροῖς καὶ βασιλικοῖς ἀμφιάσμασι. Cyrill. Hom. 4 ad Neophytos : Λευκὰ καὶ λαμπρὰ πνευματικά. Ducang. Conf. Λαμπρότης, et quorum de loco Lucæ disputationes citat Triller. ad Thomam p. 566. Diodor. 20, 7 : Προελθὼν ἐπὶ τὴν δημηγορίαν ἐστεφανωμένος ἐν ἱματίῳ λαμπρῷ. || Hippocr. p. 295, 3 : Οὗτοι ἂν ὑγιηροί τε εἴησαν καὶ λαμπροὶ, de iis qui colore sunt vegeto et nitido.] || Splendidus et Magnificus. Demosth. C. Mid. : Λ. καὶ πλούσιος. [Id. p. 564, 11 : Ὁμολογῶ Μειδίαν ἁπάντων τῶν ἐν τῇ πόλει λαμπρότατον γεγενῆσθαι.] Item, Λ. καὶ φιλότιμος ἐν τούτοις. Phalar. [Ep. 88, p. 254] : Ὠρέχθην μοναρχίας ἵν' ἔχοιμι λαμπρὸς εἶναι πρὸς τοὺς φίλους, Splendidus et liberalis erga amicos. [Xen. Conv. 1, 4 : Τὴν κατασκευήν (convivii) μοι λαμπροτέραν φανῆναι.] At λ. γάμοι, Splendidæ nuptiæ, Lautæ et opiparæ, Evangelus ap. Athen. 14, [p. 644, E] : Τὸ δὲ δεῖπνον ἐντελὲς καὶ μηδενὶ Ἐλλιπὲς, λαμπροὺς γένεσθαι βουλόμεσθα τοὺς γάμους. [Ath. ipse 12, p. 554, D : Ἐπιλαβόμεναι οὐσίας λαμπρᾶς. Aristoph. Pac. 859 : Νυμφίον... λαμπρόν.] At λ. ἵππος ap. Xen., Præclarus equus, Eq. [11, 1] : Πομπικῷ καὶ μετεώρῳ καὶ λ. ἵππῳ. [Τὰ ἐν τῇ ἱππικῇ λαμπρὰ id. Hipparch. 1, 11. De equo Eq. 11, 6 : Δεῖ ἀπὸ σημείων ἑκόντα πάντα τὰ κάλλιστα καὶ λαμπρότατα ἐπιδείκνυσθαι. Similiter Demosth. p. 377, 26 : Τοῦτο γάρ ἐστι τὸ λαμπρόν· et iisdem similibusve verbis 430, 27; 1267, 25. Et de homine p. 329, 24 : Ἐν τίσιν οὖν σὺ νεανίας καὶ πηνίκα λαμπρός; 427, 16 : Τοὺς κινδύνους ἐν οἷς ἦσαν ἐκεῖνοι λαμπροί. Plato Hipp. min. p. 368, D : Ἐν ᾧ σὺ οἴει λαμπρότατος εἶναι.] Item λ. λόγος ap. Hermog. Splendida et illustris oratio. V. l. quem Bud. p. 760 ex eo auctore affert in Λαμπρύνομαι. [V. Λαμπρότης. « Λαμπρὰ νοήματα, Sententiæ grandes, Splendidæ; θεατρικὰ etiam vocat Sopat. Διαιρ. p. 343, et al. πομπικά. » Ernest. Lex. rh. Similiter Aristoph. Av. 1388 : Τῶν διθυράμβων τὰ λαμπρά. Id. Pl. 144 : Εἴ τί γ' ἐστὶ λαμπρὸν καὶ καλὸν ἢ χαρίεν ἀνθρώποισι.] At λαμπραὶ ἐλπίδες, Ampla spes; λαμπρὸς ἐν ἐλπίσι, Qui amplam spem animo concepit, Cui luculenta spes affulsit. Plut. Artox. [c. 30] : Ἤδη μὲν ἦν ταῖς ἐλπίσι λαμπρὸς, ὑπὸ τῆς Ἀτόσσης ἐπαιρόμενος. [De pulcro et formoso Thuc. 6, 54 : Γενομένου Ἁρμοδίου ὥρᾳ ἡλικίας λαμπροῦ.] || Clarus, Illustris, de nominis fama, Præclarus. [Pind. Nem. 8, 34 : Ἐχθρὰ πάρφασις, ἃ τὸ μὲν λαμπρὸν βιᾶται, τῶν δ' ἀφάντων κῦδος ἀντείνει σαθρόν. Soph. Trach. 379 : Ἦ κάρτα λαμπρὰ καὶ κατ' ὄμμα καὶ φύσιν Ἰόλη· OEd. C. 1143 : Οὐ γὰρ λόγοισι τὸν βίον σπουδάζομεν λαμπρὸν ποιεῖσθαι. Eur. Suppl. 440 : Καὶ ταὔθ' ὁ χρῄζων λαμπρός ἐστι· 608 : Τὸν εὐτυχίᾳ λαμπρὸν ἄν τις αἱροῖ μοῖρα πάλιν. Poeta com., qui male Eurip. dicitur, ap. Stob. Fl. vol. 1, p. 415 : Λαμπρῷ τε πλούτῳ καὶ γένει γαυρούμενον, ubi male olim λαμπρῶς. Aristoph. Lys. 43 : Τί δ' ἂν γυναῖκες φρόνιμον ἐργασαίατο ἢ λαμπρόν; Herodot. 6, 125 Οἱ δὲ Ἀλκμαιωνίδαι ἔσαν μὲν καὶ τὰ ἀνέκαθεν λαμπροὶ ἐν τῇσι Ἀθήνῃσι· 7, 154 : Ἀνὴρ ἐφαίνετο ἐν τούτοισι τοῖσι πολέμοισι ἐὼν ὁ Γέλων λαμπρότατος. Xen. Cyneg. 1, 13 : Ὀδυσσεὺς καὶ Διομήδης λαμπροὶ καὶ καθ' ἓν ἕκαστον. Thuc. 1, 138 : Παυσανίαν καὶ Θεμιστοκλέα, λαμπροτάτους γενομένους τῶν καθ' ἑαυτοὺς Ἑλλήνων.] Isocr. Ad Phil. [p. 100, A, coll. 202, C] : Ἐξ ἀδόξων γενέσθαι λαμπρούς· Archid. [p. 118, E] : Λαμπρότερον καὶ παρὰ πᾶσιν ἀνθρώποις ὀνομαστότερον. Xen. Hell 5, [2, 28] : Ἦν τοῦ λαμπρόν τι ποιῆσαι πολὺ μᾶλλον ἢ τοῦ ζῆν ἐραστής. [7, 2, 15 : Τρόπαιον ἵσταντο λαμπρόν· Cyrop. 1, 4, 17 : Λαμπρότερον ἂν φανῆναι τὸ ἔργον τῆς θήρας· Hier. 8, 6 : Τὰ καλὰ λαμπρότερα ἀναφαίνειν. Plut. Marcell. c. 30 : Τένος δ' αὐτοῦ λαμπρὸν ἄχρι Μαρκέλλου. ||« Hinc Λαμπρότατοι, Græcis scriptoribus qui Latinis Viri clarissimi. Glossæ : Clarissimus, Λαμπρότατος. Athanas. Apolog. p. 784 : Οἱ λαμπρότατοι ἔπαρχοι τοῦ ἱεροῦ Πραιτωρίου· 785 : Τοῦ λαμπροτάτου πατρικίου,» etc. Ducang. Id. Athanas. vol. 1, p. 196, D : Τῷ λαμπροτάτῳ κόμητι. Eust. Opusc. p. 358, 8 : Λαμπρότατε κύριέ μου. Conf. Letronn. *Journ. des Sav.* 1837, p. 738. ||De jactantia Eur. Suppl. 902 : Οὐκ ἐν λόγοις ἦν λαμπρὸς, ἀλλ' ἐν ἀσπίδι δεινὸς σοφιστής. Conf. l. Soph. OEd. C. paullo ante cit. Id. ibid. 721 : Ὦ πλεῖστ' ἐπαίνοις εὐλογούμενον πέδον, νῦν σοι τὰ λαμπρὰ ταῦτα δεῖ φαίνειν ἔπη.] ||Clarus, ut dicitur Clara vox, i. e. Alta et elata : unde λαμπρόφωνος. [Plat. Phileb. p. 51, D : Τὰς τῶν φθόγγων (ἡδονὰς) τὰς λείας καὶ λαμπράς. Demosth. p. 403, 16 : Λαμπρᾷ τῇ φωνῇ. Pollux 2, 116.] Plut. [Mor. p. 258, B] : Λαμπρὸν ἀνωλόλυξε. Quo loquendi genere utitur et in Amat. [p. 768, D. De rebus conspicuis Xen. Ven. 5, 5 : Τὸ ἔαρ παρέχει τὰ ἴχνη λαμπρά· 6, 22. De vultu sereno et hilari, OEd. T. 781 : Εἰ γὰρ ἐν τύχῃ γέ τῳ σωτῆρι βαίη λαμπρὸς ὥσπερ ὄμματι. Xen. H. Gr. 4, 5, 10 : Λαμπροὶ καὶ ἀγαλλόμενοι τῷ οἰκείῳ πάθει. Hesychio φαιδρός. || Purus, Limpidus. Æsch. Eum. 695 : Βορβόρῳ θ' ὕδωρ λαμπρὸν μιαίνων. Xen. H. Gr. 5, 3, 19 : Τῶν λαμπρῶν καὶ ψυχρῶν ὑδάτων. Alia Triller. ad Thomam p. 567. De aere Hippocr. p. 290, 16 : Τῷ ἠέρι χρώμενοι οὐ λαμπρῷ, ἀλλὰ χνοώδει τε καὶ διερῷ. De die Thomas l. c. : Λαμπρὰ ἡμέρα, οὐ καθαρά. Quod repetit Suidas. || Λαμπρὰ ἡμέρα de Die festo (et quidem resurrectionis Christi) dictum v. ap. Ducangium in Gloss. et Append. p. 118, Suicer. in Thes. eccles. || Apertus, Manifestus. Æsch. Eum. 797 : Ἀλλ' ἐκ Διὸς γὰρ λαμπρὰ μαρτύρια παρῆν. Soph. Trach. 1176 : Ταῦτ' οὖν ἐπειδὴ λαμπρὰ συμβαίνει. Thuc. 7, 55 : Γεγενημένης τῆς νίκης λαμπρᾶς ἤδη καὶ τοῦ ναυτικοῦ. Alciphr. Ep. 3, 38 : Ἦν δὲ οὗτος λαμπρὰ ζημία, quomodo dicitur φανερὰ, καθαρὰ ζημία.] || At λ. ἄνεμος, Ventus vehemens. [Æsch. Ag. 1181 : Λαμπρὸς δ' ἔοικεν ἡλίου πρὸς ἀντολὰς πνέων ἐσάξειν. Ubi alia exx. annotavit Blomf.] Synes. Ep. 4 : Ἔπειτα δὲ καὶ νότος συνεπιλαμβάνει λαμπρός. [Herodot. 2, 96, Polyb. 1, 44, 3; 60, 6. Schweigh. (Hinc id. 11, 19, 5 : Πολλάκις αὐτοῖς λαμπρᾶς ἐπιπνεούσης τῆς τύχης. Liban. Ep. 394 : Ὁ φθόνος ἔπνει λαμπρὸς, collatus ab Lennepio cum l. Phalaridis Ep. 68, p. 206, ubi λαμπρότερον φυσήσας, pro quo alii libri πνεύσας.) Similis est usus de quo Schweigh. in Lex. Polyb. : « Τὸ τῆς φύσεως λαμπρὸν, Splendor, Vigor ingenii, Acre ingenium, 7, 12, 3. Τὸ λ. τῆς προθυμίας αὐτῶν, Ardor quo affectum suum (in matrem) declararunt, 23, 18, 7. Ἐγίγνετο μάχη λαμπρὰ, Acris pugna, 10, 12, 15. Τοσούτῳ λαμπρότερος ἦν ὁ κίνδυνος (quia erat veluti μονομαχικὴ φιλοτιμία), 1, 45, 9. Λαμπρὸς ἐν τοῖς κινδύνοις, Acris in pugna, 24, 1, 6. Τῇ τῆς ψυχῆς γενναιότητι λαμπρότερος ἦν ἢ πρόσθεν, Acrior, Vehementior, 16, 5, 7. (Conf. Λαμπρότης.) Ψυχῇ χρώμενοι λαμπρᾷ, Acri, Vivido, Calido homines ingenio. » || Neutro adverbialiter posito Hom. Il. E, 6 : Ἀστέρι, ὅστε μάλιστα λαμπρὸν παμφαίνησι· N, 265 : Κόρυθες καὶ θώρηκες λαμπρὸν γανόωντες. Pind. Nem. 7, 66 : Ἐν τε δαμόταις ὄμματι δέρκομαι λαμπρόν.]

|| Λαμπρῶς, Splendide, Luculenter, Clare. [Plato Tim. p. 27, B : Τελέως τε καὶ λ. ἔοικα ἀνταπολήψεσθαι τὴν τῶν λόγων ἑστίασιν. Xen. Cyneg. 4, 5 : Μεταθείτωσαν δὲ ταχὺ καὶ λ. Dionys. A. R. 9, 24 : Λ. ἠγωνίσαντο. Diodor. 12, 3 : Λ. ἀγωνισάμενος. Pro ἐρρωμένως pauci ib. 13, 66; pro γενναίως 67. Plut. Marcell. c. 26 : Λ. ἐμβαλλόντες· Camill. c. 29 : Ὡπλισμένος λ. Cat. maj. c. 10 : Καὶ τἄλλα προὐχώρει λ. Et similiter alibi.] ||Splendide et magnifice. Xen. [Cyrop. 2, 4, 1] : Βούλεται γάρ σε ὡς εὐκοσμότατα καὶ λαμπρότατα προσελθεῖν. Strabo : Προσοδεύονται λ. ἀπὸ τῶν ἐρίων, Amplos et largos reditus percipiunt. [Isocr. p. 18, D : Οἴκει τὴν πόλιν ταῖς μὲν κατασκευαῖς λ. καὶ βασιλικῶς. Menander ap. Stob. Fl. vol. 1, p. 332 : Λ. ζῶσιν οἷς χαλεπώτερον τοῦ περιποιήσασθαί τι τὸ φυλάξαι βίον. Plut. Marcell. c. 30 : Ταφῆναι λ. 8 : Τῶν λαφύρων μεταδοῦναι λ. « Athen. 14, p. 656, D : Τοῦ Ἱέρωνος ἀποστέλλοντος αὐτῷ τὰ καθ' ἡμέραν λ.,
A πωλῶν τὰ πλείω ὁ Σιμωνίδης ἑαυτῷ μικρὸν μέρος ἀπετίθετο. » Hemst.] || Clare, Aperte. [Æsch. Prom. 835 : Λαμπρῶς κοὐδὲν αἰνικτηρίως προσηγορεύθης ἡ Διὸς κλεινὴ δάμαρ.] Synes. Ep. 67 : Ἀπεδείχθη λ. ἅπαντα τἀναντία, Demonstrata sunt clare omnia. || Aperte, Manifesto, φανερῶς, paulo alia signif. Thuc. 2 [1, 49] : Ἐπειδὴ ἡ τροπὴ ἐγίνετο λ., Postquam aperte terga dabant. [7, 67 : Ἐνταῦθα δὴ λ. ἐλέγετο ἤδη κτλ.] 8, [75] : Λ. ἤδη ἐς δημοκρατίαν βουλόμενος καταστῆσαι τὰ ἐν τῇ Σάμῳ· 2, [7] : Λελυμένων λ. τῶν σπονδῶν, Aperte planeque soluto fœdere. [Photius s. Suidas : Λαμπρῶς τὸ φανερῶς, οὐ τὸ ἐνδόξως καὶ παρὰ Θουκυδίδῃ (l. postremo) καὶ παρὰ τοῖς ἄλλοις τοῖς παλαιοῖς. Hippocr. p. 91, D : Τὰ ἐπιμήνια λ. καὶ καθαρῶς ἐπιφαίνεσθαι.] Synes. Ep. 3 : (Πάλαι μὲν ἐπαλλακεύετο) λάθρα τῇ πόλει, ἔπειτα λαμπρῶς τῇ πόλει. [Aristid. vol. 1, p. 351, 8 : Τηνικαῦτα ὁμίχλη τε κατέβη βαθεῖα καὶ ψακάς τις διέθει· καὶ παρελθόντων εἴσω λαμπρῶς ἤδη τὸ ὕδωρ παρῆν. Jacobs. || Acriter, Vehementer. Thucyd. 7, 71 : Ἔτρεψάν τε τοὺς Ἀθηναίους καὶ ἐπικείμενοι λαμπρῶς ... κατεδίωκον. Polyb. 4, 57,
B 10 : Ἀνέῳξε τοῖς Αἰτωλοῖς τὰς πύλας· οἱ δὲ παρεισπεσόντες ἀπερινοήτως λαμπρῶς ἐχρήσαντο τοῖς πράγμασιν· ὃ καὶ παραίτιον ἐγένετο... τοῖς Αἰτωλοῖς τῆς ἀπωλείας. Ubi in malam partem dicitur. L. D. Liban. vol. 4, p. 776, 1 : Ὁ δὲ καὶ λ. ἐκινεῖτο, πολλὴν ἔχων ὀργῆς ἀφορμὴν τὴν δυναστείαν, τὸν ἔρωτα. Jacobs. Dorvill. ad Charit. 5, 8 fin. : Λαμπρῶς ἀπελογήσατο) « In bonam partem passim. Aliquando in deteriorem : ut Heliodor. 4, 168 dicit λ. ἡττῆσθαι· 7, 355 λ. ἀπειπόντος. Notat fere Omnino, Prorsus, ut ap. eund. 9, 418 : Ἡ δὲ Συήνη λ. ἤδη πολιορκίᾳ περιεστοίχιστο· 421 accipitur ut hic. » || Comparat. Λαμπροτέρως, Theod. Prodr. in Notitt. Mss. vol. 8, p. 154. Elberling. Pro quo Eurip. Epist. 5 : Ἑστίᾳ λαμπρότερον ἢ ἐμοὶ φίλον ἦν. Superlativi adverbialiter positi ex. v. supra.]

[Λαμπρὸς, ὁ, Focus. V. Λαμπρόν.]

[Λάμπρος, ὁ, Lamprus, n. viri ap. Plat. Menex. p. 236, A, saltandi magistri Sophoclis ap. Athen. 1, p. 20, F, in inscr. Att. ap. Bœckh. vol. 1, n. 155, p. 246, 65, in numo Chio ap. Mionnet. *Descr.* vol. 3, p. 276,
C n. 63. De accentu paroxytono v. Arcad. p. 74, 9. L. D.]

[Λαμπρόσπορος, ὁ, ἡ, Splendide satus. Const. Manass. Chron. v. 6713 : Γένους λαμπροσπόρου. Boiss.]

[Λαμπροστόλιστος, ὁ, ἡ, Splendide indutus, ornatus, Splendidus. Const. Manass. Chron. v. 6586 : Τῆς κακίας τὸ στυγνὸν τοιαύτην λ. ἠμαύρωσεν ἡμέραν. Boiss.]

[Λαμπροτέρως. V. Λαμπρῶς in Λαμπρός.]

Λαμπρότης, ητος, ἡ, Splendor, Fulgor, Claritas. [Xen. Anab. 1, 2, 18 : Τὴν λαμπρότητα καὶ τὴν τάξιν τοῦ στατεύματος. Polyb. 11, 9, 1, τῶν ὅπλων. De vestis candidæ splendore Zacharias Papa Dial. 4, 13 : Στολὰς λευκὰς ἠμφιεσμένους (ἄνδρας), οἵτινες τῷ φωτὶ τοῦ προσώπου αὐτῶν τὴν λαμπρότητα τῶν ἱματίων ὑπερέβαλλον.] Plut. [Mor. p. 626, D] : Ἐκλύωσι τὴν ἄγαν λαμπρότητα τοῦ φωτός. [Improprie Xen. Hipparch. 22 : Τῇ τῆς φυλῆς λαμπρότητι κεκοσμῆσθαι· Eq. 11, 9 : Ἔστ' ἂν περ ἐπιδεικνύηται τὴν λαμπρότητα (equus).] || Splendor nominis, Illustre, nomen, Claritas. [Herodot. 2, 101 : Τῶν δὲ ἄλλων βασιλέων οὐ γὰρ ἔλεγον οὐδεμίαν ἔργων ἀπόδεξιν, κατ' οὐδὲν εἶναι λαμπρότητος, πλὴν ἑνός. Thuc.
D 4, 62 : Τὰς τιμὰς καὶ λαμπρότητας ἀκινδυνοτέρας ἔχειν τὴν εἰρήνην· 6, 17 : Τοὺς τοιούτους ὅσοι ἔν τινος λαμπρότητι προέσχον· 7, 75 : Ἀπὸ οἵας λαμπρότητος καὶ αὐχήματος τοῦ πρώτου ἐς οἵαν τελευτὴν ἀφῖκτο.] Isocr. Hel. enc. [p. 211, B] : Εἰδὼς τὰς λαμπρότητας καὶ τὰς ἐπιφανείας οὐκ ἐκ τῆς ἡσυχίας, ἀλλ' ἐκ τῶν πολέμων καὶ τῶν ἀγώνων γιγνομένας· Archid. [p. 137, C] : Αἱ γὰρ ἐπιφάνειαι καὶ λαμπρότητες οὐκ ἐκ τῆς ἡσυχίας, ἀλλ' ἐκ τῶν ἀγώνων γίνεσθαι φιλοῦσιν. [415, E : Τήν τε γὰρ ἀπειρίαν τὴν αὐτοῦ καταπεπλῆχθαι καὶ τὴν λαμπρότητα τὴν ὑμετέραν. Diodor. 16, 66 : Τὴν λ. τῶν πράξεων. || Magnificentia, Liberalitas. Demosth. p. 565, 22 : Τίς οὖν ἐστιν ἡ λ. ἢ τίνες αἱ λειτουργίαι καὶ τὰ σεμνὰ ἀναλώματα τὰ τούτου;] || Apud Hermog. Orationis splendor, Splendidum dicendi genus, Splendida et illustris oratio; nam sic Cic. quoque appellat. [Ernest. Lex. rhet. : « Λ., Genus dicendi splendidum, gravitatem et quoddam μέγεθος orationi concilians, docente Hermog. l. 1 Π. ἰδ. p. 98 (vol. 3, p. 243-249 ed. Walz., coll. schol. Planud. vol. 5, p. 499; Jo. Sicel. vol. 6, p. 266; anonymi vol. 7, p.

999 sq.), se exserit in fiducia oratoris, qua utitur in veritate declaranda, in rebus præclare gestis celebrandis. In figuris (σχήμασι) λαμπρότητα habent in primis negationes et asyndeta (ut in ll. Demosth. ex Or. pro cor. p. 325, 291, 258, ab Herm. citatis). Membra orationis λαμπρὰ sunt plerumque longiora. Aristoteli Poet. 24, p. 190 (p. 1460, 4) λαμπρὰ λέξις est Dictio ornata et cum aliqua arte et studio expolita, quod fit τῷ διαπονεῖν τῇ λέξει. Sic Phot. Bibl. cod. 6 de Gregor. Nyss. τὴν φράσιν λαμπρὸς καὶ ἡδονῆς ὠσὶν ἀποστάζων. Mox κάλλος λαμπρότητα et τὸ ἡδύτατον conjungit. Ap. Philostr. V. Soph. 1, p. 527 λαμπρότητες τοῦ λόγου, h. e. Splendide dicta, Lolliano sophistæ tribuuntur. Dionys. H. in Jud. Isocr. c. 12 in hoc oratore laudat τὴν λαμπρότητα τῶν ὑποθέσεων, quatenus ea dicendi argumenta delegit quæ vel honestate sua vel utilitate ad remp. gerendam vel virtutes commendandas aliis plerisque præstarent.» Conf. Pollux 4, 32. || De animo Vigor, Acritudo, Acrimonia. Polyb. 32, 23, 1 : Εὐμένης τῇ μὲν σωματικῇ δυνάμει παραλελυμένος ἦν, τῇ δὲ τῆς ψυχῆς λαμπρότητι προσαντεῖχεν· ut ib. in seqq. λαμπρός. Diodor. 4, 40 : Ῥώμῃ σώματος καὶ ψυχῆς λαμπρότητι διενέγκαντα τῶν ἡλικιωτῶν ἐπιθυμῆσαί τι πρᾶξαι μνήμης ἄξιον. || Candor, Perspicuitas, Gl. || Appellatio honorifica, ap. Athanasium vol. 1, p. 196, A : Τὴν σὴν λαμπρότητα· Eust. Opusc. p. 324, 12 : Περιέτυχον καθ' ὁδὸν τῷ καλλίστῳ αὐταδέλφῳ τῆς σῆς μεγαλοπαρόχου λαμπρότητος.]

Λαμπρότοξος, ὁ, ἡ, Qui splendidum arcum habet. Schol. et Eust. ad Hom. Il. A, 37.]

[Λαμπροφαής, ὁ, ἡ, Splendido lumine fulgens. Manetho 4, 53. Orph. H. 77, 2, Ἠώς. Andr. Cret. p. 240.]

[Λαμπροφάνής, ὁ, ἡ, i. q. λαμπροφαής. Paul. Alex. Apot. L. 4. Schneid. Adv. Λαμπροφανῶς in Combefis. Auct. Patr. noviss. 1, p. 462, B, L. Dind.]

[Λαμπρόφθαλμος, ὁ, ἡ, Qui splendidos habet oculos. Hesych. v. Γλαυκῶπις.]

[Λαμπρόφθογγος, ὁ, ἡ, Alta voce clamans. Theod. Prodr. p. 129, κῆρυξ.]

[Λαμπροφορέω, Splendidam vestem gesto. Martyr. S. Acacii n. 15 : Εἶδον λαμπροφοροῦντάς τινας. Ducang. Iobius ap. Photium cod. 222, p. 595 : Οἱ φωτιζόμενοι ἑπτὰ ἡμέρας λαμπροφοροῦσι· et p. 597. Suicer. Phot. v. Λαμπροείμων. || Splendeo. Athanas. vol. 2, p. 341 : Ὅσον διαφέρει τῆς σελήνης ὁ ἥλιος, τοσοῦτον ὑπερέχει καὶ λαμπροφορεῖ ἡ τῶν ἀγγέλων οὐσία τῆς οὐσίας τῶν ψυχῶν τῶν ἀνθρώπων. Suicer. Sententia postulare videtur προφέρει vel προτερεῖ.]

Λαμπροφορία, ἡ, Splendidæ vestis gestatio. Gregor. : Λαμπροφορία καὶ φωταγωγία, Splendidæ vestis et luminis gestatio. [Greg. Naz. Or. in Heron. init., Basil. schol. ad Greg. Naz. in Notitt. Mss. vol. 2, part. 2, p. 133. Boiss. Can. 102 Concilii in Trullo : Πρὸς τὴν ἄνω λαμπροφορίαν καλούμενος ἄνθρωπος. Suicer. Constant. Cærim. p. 436, C. L. Dind.]

Λαμπροφόρος, ὁ, ἡ, Splendidam s. Candidam gerens vestem : λαμπρείμων. [Glossæ Mss. ex cod. Cæsareo (editæ ab Lambecio Bibl. Cæsar. vol. 6, p. 360, B) : Σκρινιάριοι, λαμπροφόροι, τουτέστι χαρτουλάριοι. Ducang. Dies resurrectionis Christi vocatur λαμπροφόρος ἡμέρα. Pentecostarium : Ἀρχόμεθα δὲ ἀναγινώσκειν ἀπ' αὐτῆς, δηλονότι τῆς λαμπροφόρου ἡμέρας... Theophanes Orat. 26, p. 187 : Προετοιμασθῶμεν ὑπαντῆσαι Χριστῷ κατὰ τὴν λαμπροφόρον ἀνάστασιν καθαραῖς ἐλλαμπόμενοι πράξεσιν. Vocatur autem ita non solum quod mentes hominum illustraret et de splendidæ vitæ æternitate commonefaceret, sed etiam quod luminibus omnia cereisque accensis illuminarentur, ut colligitur ex Greg. Naz. Or. 42, quæ est 2 in Pascha, p. 676. Suicer.] Suidæ Lucernam gerens, λυχνοφορῶν, ex Aristoph. [Lys. 1002, ubi pro vera librorum scriptura, Ἅπερ λυχνοφορίοντες, glossema exhibet ex margine illatum Ὥσπερ λαμπροφόροι ὄντες, quo utitur etiam in Ἀποκεκύφαμεν, sed cujus auctor λαμπτηροφόροι scripsisse videtur. L. Dind.]

[Λαμπροφωνεύομαι, i. q. sequens. Herodian. Philet. p. 436 Piers., Hesych. v. Βαλανεύειν.]

Λαμπροφωνέω, Alta voce clamo, ἀμαρτύρως affertur. [Psellus Charact. Patrum p. 130 fin. : Λαμπροφωνεῖν ὡς ὁ μέγας Βασίλειος. Boiss.]

A Λαμπροφωνία, ἡ, Vocis splendor, i. e. elegantia. Habet autem λαμπρὰ φωνὴ metaphoram ejusd. generis cum ea quæ est in λευκὴ φωνή, quod a Demetr. Phalereo, ut quidem vulgo vocant, affertur. [Clara s. Sonora vox, Phot. Bibl. cod. 265, p. 1474. Oppositum est τὸ ἰσχνόφωνον : v. Plut. Vit. dec. rhet. in Isocrate; cui eodem sensu Philostratus Soph. p. 504, τὸ ἐλλιπὲς τοῦ φθέγματος tribuit : v. Λευκός. Splendorem vocis, fortasse ex eadem metaphora, commemorat Cicero Brut. c. 71. Sic et Plin. 20, 6, 21, de porro : « Voci splendorem affert.» Conf. Cresoll. Vac. Aut. L. 3, p. 482. Ernest. Lex. rhet. || Vocis vis. Herodot. 6, 60, ubi de præcone. Wakef. Pollux 2, 112; 6, 148.]

Λαμπρόφωνος, ὁ, ἡ, Splendidam vocem habens, i. e. Elegantem. [Demosth. p. 329, 25 : Ἐν τίσιν οὖν σὺ νεανίας καὶ πηνίκα λαμπρός; Ἡνίκ' ἂν εἰπεῖν κατὰ τούτων τι δέῃ, ἐν τούτοις λαμπροφωνότατος, μνημονικώτατος, ὑποκριτὴς ἄριστος, τραγικὸς Θεοκρίνης. Pollux 2, 111. Plut. Mor. p. 840, A.]

[Λαμπροψυχία, ἡ, Magnitudo animi, Magnificentia.
B Const. Manass. Chron. v. 6272 : Κἂν γνῶναι θέλῃ τις αὐτοῦ τὰ τῆς λαμπροψυχίας, ἡ λαμπροδόμητος μονὴ πιστώσεται τὸ πρᾶγμα. L. Dind.]

Λαμπρόψυχος, ὁ, ἡ, Qui egregio et præstanti animo est, μεγαλόψυχος. [Ita interpretantur Suidas et Antiatt. p. 106, 6, hic quidem addens : Ἀραρὼς Πανὸς γοναῖς. Const. Manass. Chron. v. 3299 : Φιλόκαλος, φιλόκοσμος, λ., ἀστεῖος· 4791 : Τὰ δ' ἄλλα καὶ λ. ἦν καὶ μεγαλογνώμων· 6253.]

[Λαμπρυντής, ὁ. HSt. in Φρυακτής :] Diog. L. in Antisthene [6, 7] narrat illum πομπῆς γινομένης intuitum equum φρυακτὴν dixisse Platoni : Ἐδόκεις μοι καὶ σὺ ἵππος ἂν εἶναι λαμπρυντής. Ubi etiam observa vocem Λαμπρυντής : quæ de equo dicta, Ostentatorem ferociæ s. alacritatis significare videtur. Ab interprete autem redditur Præclarus. [Addit autem Diogenes : Τοῦτο δέ, ἐπεὶ συνεχὲς ὁ Πλάτων ἵππον ἐπῄνει.]

[Λαμπρυντικός, ή, όν, Splendidum faciens, Purgans. Diosc. 2, 164 : Σμῆγμα γίνεται ῥυπτικὸν καὶ λαμπρυντικὸν προσώπου.]

C Λαμπρύνω, Illustro, [Lucido, Clarifico, Declaro add. Gl.] Splendorem affero, Lucidum et clarum reddo. [Pollux 1, 149 : Ἐλάμπρυνον τοὺς θώρακας.] Et Λαμπρύνομαι, Illustror, Lucidus et splendidus reddor. [Claresco, Candifico, Gl.] Xen. Reip. Lac. [11, 3] de æreo clypeo, quem gestare Lacones solebant : Τάχιστα λαμπρύνεται, καὶ σχολαιότατα ῥυπαίνεται, ubi nota opponi sibi mutuo λαμπρύνεσθαι et ῥυπαίνεσθαι. [Hesych. : Φοίνικι φαεινόν· φοινικίνῳ χρώματι λελαμπρυσμένον· et schol. Il. O, 538.] Pass. [med.] vox active quoque capitur, ib. [13, 8] : Καὶ ὅπλα δὲ λαμπρύνεσθαι προαγορεύεται· Hell. 7, [5, 20] : Πάντες δὲ ἠκονῶντο καὶ λόγχας καὶ μαχαίρας, καὶ ἐλαμπρύνοντο τὰς ἀσπίδας. [Improprie dictum non valde probat Thomas p. 4 : Ἀγάλλω κάλλιον ἢ λαμπρύνω ... καὶ ἀγάλλομαι ἢ λαμπρύνομαι. Pollux 4, 31 de oratore : Ἐπαινέσαι, λαμπρῦναι, ἀποφαιδρῦναι. « Ὅσα ἄλλα λαμπρύνει ἄνδρας, Philostr. V. S. 2, p. 589, 6; 532, 14, 16. Ὅπως οἱ τὰ ἐπινίκια λαμπρύνῃ, Dion. Cass. 51, 13 (ubi nunc ἐπιλ.). Τὸ σῶμα μετὰ τῆς ἐσθῆτος λαμπρυνόμενοι, Porphyr.
D Abst. 2, p. 65, 37.» Hemst. Amicitia λαμπρύνει δόξαν, ἀμαυροῖ ἀδοξίαν, Dio Chr. 1, p. 135. Jacobs.] Λαμπρύνειν dicitur etiam de oculis, quum clariores redduntur. Aristoph. Pl. [635] : Ἀντὶ γὰρ τυφλοῦ Ἐξωμμάτωται καὶ λελάμπρυνται κόρας, Claræ ejus pupillæ redditæ sunt, Claritas ejus oculis restituta est, i. e. ἀνέβλεψε, Visum recuperavit. [Versus ex Phineo Soph. repetitus sec. schol. Æsch. Eum. 104 : Εὕδουσα γὰρ φρὴν ὄμμασιν λαμπρύνεται.] || Λαμπρύνομαι, Illustror, Nobilitor, Clarus reddor. Theod. H. E. 4 : Παντοδαπῇ μὲν λαμπρυνόμενος ἀρετῇ, πάσης δὲ τῆς Σκυθίας τὰς πόλεις ἀρχιερατικῶς ἰθύνειν πεπιστευμένος. [Οἰκείᾳ ἀρετῇ λαμπρύνεσθαι, Philostr. V. S. 1, p. 522, 2. Hemst. Pollux 5, 159 : Εὐδοξεῖν, λαμπρύνεσθαι, ἀκμάζειν δόξῃ.] || Λαμπρύνεται, Hesychio φαιδρύνεται, de sereniore et hilariore vultu, ut videtur. || Λαμπρύνω et λαμπρύνομαι, Magnifice me ostento. Xen. Eq. [10, 1] : Ἤν τις βουληθῇ ἵππῳ μεγαλοπρεπεστέρῳ τε καὶ περιβλεπτοτέρῳ ἱππάζεσθαι, τοῦ μὲν ἕλκειν τε τὸ στόμα τῷ χαλινῷ καὶ μυωπίζειν τε καὶ μαστιγοῦν τὸν ἵππον, ἃ οἱ πολλοὶ ποιοῦντες

λαμπρύνειν οἴονται, ἀπέχεσθαι δεῖ, Si quis velit equo ad agitationem magnificam et speciosam uti, omnino ab eo, quod plerique faciunt in opinione præclaræ equitationis, abstinendum, os ut frænis laceremus, Cam. Quibus addi potest λαμπρυνομένων ap. Suid., quod exp. καυχωμένων καὶ νικώντων ἐν τοῖς ἅρμασι. [Ex Aristoph. Eq. 556, cui conferendus Eur. El. 966 : Καὶ μὴν ὄχοις γε καὶ στολῇ λαμπρύνεται. Ib. 1039 : Κἄπειτ' ἐν ἡμῖν ὁ ψόγος λαμπρύνεται, οἱ δ' αἴτιοι τῶνδ' οὐ κλύουσ' ἄνδρες κακῶς.] || Magnificentiam ostento, Largitionis splendore me illustro; cujus signif. duo exx. ex Aristot. Eth. 4, [4 et 6] habes ap. Bud. p. 760. [Thuc. 6, 16 : Ὅσα αὖ ἐν τῇ πόλει χορηγίαις ἢ ἄλλῳ τῳ λαμπρύνομαι. Valck. Περὶ τὰς εὐωχίας λαμπρυνόμενοι, Strab. 14, p. 640. Hemst. Plut. Niciæ c. 26 : Ἀνὴρ θεοφιλὴς καὶ πολλὰ καὶ μεγάλα λαμπρυνάμενος πρὸς τὸ θεῖον · Alex. M. c. 70 : Τά τ' ἄλλα θαυμαστῶς ἐλαμπρύνατο. Pollux 3, 119.] || Idem Bud. ibid. in quodam Hermog. l. interpr. Ad alacritatem me compono, Magnifice gestio et loquor. Potest etiam reddi Splendida oratione exorno, Splendide verba facio, Magnifice et luculenter dissero. Plut. [Mor. p. 870, D] : Θουκυδίδης γοῦν ἀντιλέγοντα ποιῶν τῷ Κορινθίῳ τὸν Ἀθηναῖον ἐν Λακεδαίμονι, καὶ πολλὰ περὶ τῶν Μηδικῶν λαμπρυνόμενον ἔργων καὶ περὶ τῆς ἐν Σαλαμῖνι ναυμαχίας. V. et quendam Hermog. l. in Ἐλλάμπομαι. [ῡ]

[Λάμπρυσμα, τὸ, Ornamentum. Phrynich. Bekk. p. 47, 22 : Κονίαμα, τὸ λ. τὸ γινόμενον ἐκ τοῦ κονιάματος · 71, 19 : Τοῦ φαλοῦ, ὅπερ ἐστὶ τὸ λάμπρυσμα. Hesych. s. Etym. M. p. 232, 40 : Γλαύνους, τὰ λ. τῶν περικεφαλαίων, οἷον ἀστέρας. Cyrillus Ms. Brem. : Ἀγλάϊσμα, κάλλος, λάμπρυσμα.]

[Λαμπρῶς. V. Λαμπρός.]

Λαμπτὴρ, ῆρος, ὁ, Fax fulgens. Soph. Aj. [285]: Ἡνίχ' ἕσπεροι λαμπτῆρες οὐκέτ' ἦθον, Faces vesperi coruscantes, i. e. Stellæ vespertinæ, Ignes et lucernæ vespertinæ; nam schol. exp. ὅτε οὐκ ἔφαινον ἔτι οἱ ἕσπεροι ἀστέρες · ἢ ὅτε ἐσβέσθησαν οἱ λύχνοι. Suidæ hoc in l. sunt οἱ κατὰ τὴν οἰκίαν φαίνοντες λύχνοι. [Eandem interpret. bis ponunt scholia alteri præferendam. De sole Eur. Rhes. 60 : Εἰ γὰρ φαεννοὶ μὴ ξυνέσχον ἡλίου λαμπτῆρες. Manetho 4, 426 : Ἀκτῖσιν, στίλβουσι φλογὸς λαμπτῆρσι.] Galen. quoque ap. Hippocr. De morb. 2 [De intern. aff. p. 546, 44 : Ἡ δὲ γαστὴρ οἴδρος καὶ μεγάλη, ὥσπερ λαμπτὴρ, ubi codd. λαπτὴρ,] λαμπτῆρα esse scribit Eum quem vulgo φανὸν appellant : ap. Atticos autem et alios, ἐν ᾧ ξύλα κατεκαίετο παρέχοντα φῶς : quinetiam τὸν δᾷδον et τὸν λύχνον interdum λαμπτῆρα dici. [Pollux 6, 103 : Λυχνοῦχος ὁ νῦν φανός · φανὸς δὲ λαμπὰς καὶ λαμπτήρ. Schol. Aristoph. Ach. 936 : Λυχνοῦχον, ὃν λέγομεν φανὸν ἢ λαμπτῆρα, et Hesych. in Λυχνοῦχος. Photius : Λαμπτὴρ, ὁ νῦν φανός · φανὸς δὲ ἡ ἐκ κλημάτων δέσμη. Tim. Lex. Plat. p. 172 : Λαμπτὴρ, φανός. Valcken. Anim. ad Ammon. p. 146 : Λυχνοῦχον καὶ λαμπτῆρά φασι τὸν νῦν φανόν · φανὸν δὲ τὴν λαμπάδα.) « Egregiam Nunnesii emendationem (ad Phryn. p. 60 Lob., pro φασὶ τὸν νοῦν φανὸν δὲ) non dubitavi in textum recipere. Ad corruptam scripturam accedit Thomæ M. nota (p. 588) : Λυχνοῦχον καὶ λαμπτῆρά φασι · φανὸν δὲ τὴν λαμπάδα, quæ ad eandem rationem videtur emendanda. » Phrynichus Bekkeri An. p. 50, 23 : Λυχνοῦχος, λαμπτὴρ, φανὸς διαφέρει. Λυχνοῦχος μέν ἐστι σκεῦός τι ἐν κύκλῳ ἔχον κέρατα, ἔνδον δὲ λύχνον ἡμμένον διὰ τῶν κεράτων τὸ φῶς πέμποντα · λαμπτὴρ δὲ χαλκοῦν ἢ σιδηροῦν ἢ ξύλινον λαμπάδιον ὅμοιον, ἔχον θρυαλλίδα · φανὸς δὲ φάκελός τινων συνδεδεμένος καὶ ἡμμένος. Artemid. 5, 20 : Ἔδοξέ τις τὸν δοῦλον αὐτοῦ, ὃν μάλιστα παρὰ τοὺς ἄλλους ἐτίμα, φανὸν γεγονέναι τοῦτον ὅνπερ λαμπτῆρα καλοῦσι, ubi postrema non erat quod sublata vellet Ruhnkenius ad Tim. Apud Æneam Tacticum c. 10 extr., p. 35, distinguntur : Λύχνα, οἱ δὲ δᾷδας, οἱ δὲ λαμπτῆρας.] Eustathio λαμπτῆρες sunt φανοὶ et λυχνίαι s. ἐσχάραι μετέωροι, ἐφ' ὧν δᾷδες ἀνημμέναι ἐτίθεντο [Hesych. : Λαμπτὴρ, ἐσχάρα, ἐφ' ἧς ἔκαιον ἐν μέσῳ τῶν οἴκων, εἰς τὸ φωτίζειν αὐτοῖς, ξηρὰ ξύλα καὶ δᾴδια. Ἀττικοὶ δὲ τοὺς καιομένους λύχνους λέγουσι] : qua signif. accipitur Od. Σ, 306 : Αὐτίκα λαμπτῆρας τρεῖς ἵστασαν ἐν μεγάροισιν, Ὄφρα φαείνοιεν · περὶ δὲ ξύλα κάγκανα θῆκαν, Αὖα πάλαι, ... Καὶ δαΐδας κατέμισγον. Ubi annotat Eust. λαμπτῆρας esse quas suo tempore rustici vocabant

A λυχνίας, ἐφ' ὧν δᾷδες κείμεναι ἐπὶ δόρπον ἀνάπτονται, ἢ ξύλα ξηρά : veteribus autem grammaticis λαμπτῆρας esse ἐσχάρας μετεώρους ἢ χυτρόποδας, ἐφ' ὧν ἔκαιον. [Conf. 343, T, 63. Eur. Rhes. 109 : Ὅστις πυρὸς λαμπτῆρας ἐξήρθης κλύων φεύγειν Ἀχαιούς. De lucerna ad scribendum adhibenda sive candelabro Iph. A. 34 : Σὺ δὲ λαμπτῆρος φάος ἀμπετάσας δέλτον γράφεις. Xen. Conv. 5, 2 : Τὸν λαμπτῆρα ἐγγὺς προσενεγκάτω, qui § 9 λύχνος dicitur.] Ap. Xen. accipitur pro Face s. Lychno aut Laterna, qua in navi utuntur, et sibi et sequentibus navigiis lucem præbentes [ut ap. Diod. 20, 75 : Ἀκολουθεῖν τῇ στρατηγίδι νηὶ, προσέχοντας τῷ λαμπτῆρι] : quales sunt et φανοὶ, qui in turribus suspenduntur ut navigantibus præluceant : Hellen. 5, p. 319 [1, 8] : Ἐπηκολούθει κατὰ τὸν λαμπτῆρα ὑπολειπόμενος ὅπως μὴ φανερὸς εἴη. [Pollux 10, 116 : Ἐκαλεῖτο δὲ καὶ λαμπτὴρ ὁ λυχνοῦχος · ἐν γοῦν τῷ δευτέρῳ τῶν Φιλίστου βιβλίων εἴρηται, « Καὶ τὰς νύκτας ἐπαίρεσθαι λαμπτῆρας ἀντιπεφραγμένους. » Cui Toup. ad Longin. 40, 2 confert Polyæn. 5, 10 : Λαμπτῆρα δ' ἦρε τὸ πρόσθεν μέρος πεφρα-
B γμένον, ὅπως μὴ γνωρίζοιεν ἀπὸ τοῦ φωτὸς οἱ πολέμιοι τὸν ἐπίπλουν. V. Casaub. ad Sueton. Cæsar. c. 31, p. 141-2 ed. Wolf. Qui affert Empedocl. 304 : Ὡς δ' ὅτε τις πρόοδον νοέων ὡπλίσσατο λύχνον ... ἅψας παντοίων ἀνέμων λαμπτῆρας ἀμουργούς. Olympiod. in Meteorol. 4, 49 : Οἱ λαμπτῆρες, τουτέστι τὰ διαφανῆ κέρατα, ἐν οἷς ἐντίθενται αἱ λαμπάδες νύκτωρ. Plut. Mor. p. 281, A, B, C. Conf. id. p. 893, C, Theophr. fr. 1 De sens. 7; fr. 3 De igni 12, 22, Aristot. H. A. 4, 5 extr., De gener. anim. 5, 1, et qui ξυλίνους memorat Philo Belop. p. 93. De laternis in gratiam navigantium accensis Aristid. vol. 1, p. 83, 240, 540.] Pro Face accipitur et ap. [Eurip. in fr. Inus ap.] Plut. [Mor. p. 507, B] : Μικροῦ γὰρ ἐκ λαμπτῆρος Ἰδαῖον λέπας Πρήσειεν ἄν τις, καὶ πρὸς ἄνδρ' εἰπὼν ἕνα, Πύθοιντ' ἂν ἀστοὶ πάντες, Parva face Idæos colles facile aliquis combusserit. [Hel. 865 : Ἡγοῦ σὺ μὲν φέρουσα λαμπτήρων σέλας.] Id. [Mor. p. 759, F] de Gnathænio meretrice : Ἐφ' ἕσπερον δέουσα λαμπτῆρος, σέλας ἐκδεχομένη. [Æsch. Ag. 22 : Ὦ χαῖρε, λαμπτὴρ νυκτὸς, i. q. 8 λαμπάδος τὸ σύμβολον. Cho.
C 537. Lycophr. 385.] Similiter ap. Xen. quoque Conv. [5, 2] accipitur pro Face s. Lychno convivis discedentibus prælucente. [Immo de Candelabro in mensa posito, ut modo diximus. De facibus, ut videtur, Plut. Alex. M. c. 35. Notanda est locutio ap. Aristid. vol. 1, p. 353 : Λουσάμενος ὑπὸ λαμπτῆρος. Gl. Candela. || Bacchi epitheton. V. Λαμπτήρια.]

[Λαμπτήρια, τὰ, festum Bacchi Λαμπτῆρος dicti. Pausan. 7, 27, 3 : Τοῦ ἄλσους τῆς Σωτείρας (apud Pellenenses Achaiæ) ἱερὸν ἀπαντικρὺ Διονύσου Λαμπτῆρός ἐστιν ἐπίκλησιν. Τούτῳ καὶ λαμπτήρια ἑορτὴν ἄγουσι καὶ δᾷδάς τε ἐς τὸ ἱερὸν κομίζουσιν ἐν νυκτὶ κτλ. Libri λαμπτηρίαν contra usum linguæ in nominibus festorum pluralis genus neutrum postulantem.]

[Λαμπτηροκλέπτης, ὁ. Lucifur vertit Scaliger ap. Lycophr. 846, ubi de Perseo dicitur oculum Gorgonum communem comprimente et lumen adimente.]

[Λαμπτηρὸς, scriptura vitiosa. V. Λαμπηρός.]

[Λαμπτηρουχέω, Lampadem gesto, Luceo, Splendeo. Const. Manass. Chron. v. 120 : Ὡσεὶ χαλκὸς ἐρυθραυγὴς
D Ἑρμῆς ἐλαμπτηρούχει. Boiss.]

[Λαμπτηρουχία, ἡ, Tædarum exhibitio. Æsch. Ag. 890 : Τὰς ἀμφί σοι κλαίουσα λαμπτηρουχίας ἀτημελήτους αἰέν.]

Λαμπτηροφόρος, ὁ, ἡ, Qui lampadem, facem, lucernam præfert. Athen. 4, [p. 148, B] de Cleopatra : Πᾶσι δὲ λαμπτηροφόρους παῖδας Αἰθίοπας παρέστησε, Face prælucentes asseclas digredientibus repræsentavit. Bud. [V. Λαμπροφόρος.]

[Λαμπτραὶ, δῆμος τῆς Ἐρεχθηΐδος, ὡς Διόδωρός φησι. Δύο δ' εἰσὶ Λαμπτραὶ, αἱ μὲν παράλιαι (πάραλοι liber Paris. unus, παράλιοι Suid. et Phot.), αἱ δὲ καθύπερθεν. Ἀριστοφάνης Ἀμφιάρεῳ, « Λαμπτρεὺς ἔγωγε τῶν κάτω, » Harpocr. Demosthenis testimonium p. 1236, 15; 1237, 35, citaverat initio glossæ, cui præpositum Λαμπτρεῖς. Sed ap. Demosth. Λαμπρεὺς scriptum utrobique, ut p. 742, 17, ut ap. Isæum p. 47, 15, in libris nonnullis Pausan. 1, 31, 3, ap. Strab. 9, p. 398, Hesych., qui etiam pagi nomen singulare Λαμπρὰ bis ponit errore librarii, ut animadverterunt interpretes, denique

Photium, qui tamen etiam Λαμπτρεῖς et Λαμπτραὶ ponit in gl. ab Harpocratione repetita, quam Suidæ quoque codex unus ponit post Λαμπτρὶς, quod recte Gaisfordum in Λαμπρεῖς mutare, ut glossa tota eadem sit quæ ap. Harpocrationem ponitur, Photii codex ostendit, qui item Λαμπτρὶς pro Λαμπτρεῖς exhibet in eadem. In inscriptionibus ap. Bœckh. vol. 1, p. 171, n. 125, 11; p. 504-5, n. 670-6, etc., et ap. Lebas. *Inscr.* fasc. 5, p. 144, quum semper sit Λαμπτρεὺς, relinquendas aut restituendas esse apparet has formas non modo Demostheni, ex quo citare Harpocrationem supra dixi, sed etiam Pausaniæ, cujus multi conservarunt libri, pariterque ceteris omnibus. Eandem ap. Ammonium De diff. p. 32 et Photium p. 206 Pors. in Λαμπριεὺς corruptam notavit Lebas. l. c. p. 145. Λαμπτεὺς est in inscr. ap. Bœckh. vol. 1, n. 137, p. 183, 6. L. Dind.]

Λαμπῦρίζω, Lampyridem refero, Cicendelæ instar luceo. [Theophr. De lapid. fr. 2, 58: Ἔστι δ' ἄμμος, ἣν συλλέγουσι λαμπυρίζουσαν· 59: Οἰόμενος ἔχειν τὴν ἄμμον χρυσίον διὰ τὸ λαμπυρίζειν.] Diosc. 5, 99: Στίμμι δὲ κράτιστόν ἐστι τὸ στιλπνότατον καὶ λαμπυρίζον. Plin. quoque in stibio, i. e. lapide spumæ candidæ nitentisque, non tamen translucentis, magis probari feminam ait, quum ea niteat, mas contra minus radiet. [Hesych.: Σκαλτωμίζειν, λαμπυρίζειν. Pempelus Pythag. apud Stob. Fl. vol. 3, p. 124. (V. Λαμπρίζω.) Hemst.]

[Λαμπῦρὶς, ίδος, ἡ. HSt. in Λαμπουρίς:] Λαμπουρὶς, sicut et Λαμπυρὶς, est etiam Lampyris, Noctiluca, Cicindela [Gl.], Insecti genus. Plin. 11, 28, de pennis insectorum, et scarabæorum generibus: Lucent ignium modo noctu, laterum et clunium colore lampyrides, nunc pennarum hiatu refulgentes, nunc vero compressu obumbratæ, non ante matura pabula aut post desecta conspicuæ. Et 18, 26: Estque signum illius maturitatis (sc. hordei) et horum sationis commune, lucentes vespere per arva cicindelæ. Ita appellant rustici Stellantes volatus, Græci vero Lampyridas. Et initio cap. seq.: Videsne ut fulgor igni similis alarum compressu tegatur, secumque lucem habeat et nocte? Aristot. H. A. 5, 19, appellat πυγολαμπάδας, quod respondet huic λαμπουρίς: nam πυγὴ et οὐρὰ synonyma sunt. At vero Hesych. λαμπυρίδα esse dicit ζωΰφιον ἐκ φρυγάνων γινόμενον. Diversum autem a cicindela esse dicunt Nitedulam, i. e., ut Serv. exp., Musculum quendam a nitore cutis sic dictum. [Λαμπυρὶς ponitur ap. Hesychium etiam in v. Λαμπηδὼν, tanquam interpretatio, fortasse per errorem. Aristot. De partt. an. 1, 3: Πτερωτὸν καὶ ἄπτερον· ἔστι γὰρ ἄμφω ταὐτὸν, οἷον μύρμηξ καὶ λαμπυρίς. Photius v. Πυριλάμπη. Idem: Πυριλαμπὶς τὸ ζῶον καλεῖται ὑπὸ τῶν Ἀττικῶν, οὐ λαμπυρίς. Λαμπουρὶς in libris nonnullis Suidæ v. Πυριλαμπίς. Qui librariorum error est, ut λαμπυρὶς pro λάμπουρις, quem in Λάμπουρις notavi. L. D.] || Λαμπυρὶς, nomen meretricis ap. Athen. 13, [p. 583, E], ut et λαμπάς.

[Λαμπυρίων, ωνος, ὁ, Lampyrio, heres Stratonis physici, ap. Diog. L. 5, 61.]

[Λαμπυρός.] Pro Λαμπυρὸν autem, quod ap. Hesych. legitur, exponiturque εὔλαλον, εὐτράπελον, καταπληκτικὸν, ex Eust. et vet. meo Lex. reponendum λαμυρός: quæ scriptura ordini literario in Hesych. Cod. non repugnat.

[Λάμπυρος. V. Λαγώπυρον.]

Λάμπω, ψω, Luceo, Splendeo, Fulgeo. [Niteo, Mico, Rutilo, add. Gl. Hom. Il. Δ, 432: Ἀμφὶ δὲ πᾶσι τεύχεα ποικίλ' ἔλαμπε· K, 154: Τῆλε δὲ χαλκὸς λάμφ' ὥστε στεροπή· Λ, 66: Πᾶς δ' ἄρα χαλκῷ λάμφ' ὥστε στεροπή· 45: Τῆλε δὲ χαλκὸς λάμπε. Hesiod. Sc. 71: Πᾶν δ' ἄλσος λάμπεν ὑπὸ δεινοῖο θεοῦ. Æsch. Pers. 167: Μήτ' ἀχρημάτοισι λάμπειν φῶς. Soph. Ant. 1007: Ἐκ δὲ θυμάτων Ἥφαιστος οὐκ ἔλαμπεν. Eur. Rhes. 306: Πέλτη χρυσοκολλήτοις τύποις ἔλαμπε· Hel. 1477: Ἅς οὔπω πεῦκαι πρὸ γάμων ἔλαμψαν. Aristoph. Eccl. 13: Μόνος δὲ μηρῶν εἰς ἀπορρήτους μυχοὺς λάμπεις, de lucerna. Pac. 755: Οὗ δεινότατοι μὲν ἀπ' ὀφθαλμῶν Κύννης ἀκτῖνες ἔλαμπον. Theocr. Id. 20, 24: Λευκὸν τὸ μέτωπον ἐπ' ὀφρύσι λάμπε μελαίναις. Et imperf. frequent. 24, 19: Ἀπ' ὀφθαλμῶν δὲ κακὸν πῦρ ἐρχομένοις λάμπεσκε· 25, 141: Οὕνεκα πολλὸν ἐν ἄλλοις βουσὶν ἰὼν λάμπεσκεν.

A Xen. Comm. 4, 7, 7: Λίθος ἐν πυρὶ ὢν οὔτε λάμπει κτλ.] Aristot. De mundo [c. 4 med.]: Κατὰ δὲ τὴν τοῦ νέφους ἔκρηξιν πυρωθὲν τὸ πνεῦμα καὶ λάμψαν, ἀστραπὴ λέγεται, Apulejo interpr. Quando nubecula patefecerit cœlum, ignescunt penetrales spiritus, emicatque lux clara, hoc dicitur Coruscare. Aristoph. [Nub. 395], λάμπων πυρὶ κεραυνὸς, Igni fulgens. [Hom. Il. N, 474: Ὀφθαλμὼ δ' ἄρα οἱ πυρὶ λάμπετον. Pollux 5, 57: Λάμπουσαι αἱ κόραι.] Greg. Naz.. Ὑπὲρ χιόνα λάμψαντες, Nive splendidiores, nitidiores. [Cum inf. Aristoph. Av. 1710: Προσέρχεται γὰρ οἷος οὔτε παμφαὴς ἀστὴρ ἰδεῖν ἔλαμψε χρυσαυγεῖ δόμῳ. || Metaph. ap. Pind. fr. ap. Clem. Al. Strom. 4, p. 586: Λάμπει δὲ χρόνῳ ἔργα· Ol. 1, 23: Λάμπει δέ οἱ κλέος· Isthm. 1, 22: Λάμπει δὲ σαφὴς ἀρετὰ σφίσιν (ut Eur. Andr. 777: Ἁ δ' ἀρετὰ καὶ θανοῦσι λάμπει, quod etiam Malalæ p. 122, 19, vel potius quem is sequitur scriptori, locum Euripidis imitato, restituendum videtur pro θανοῦσα λ.)· 3, 41: Ἀλλ' ἀνεγειρομένα (φάμα) χρῶτα λάμπει. Æsch. Ag. 772: Δίκα δὲ λάμπει μὲν ἐν δυσκάπνοις δώμασιν. Soph. El. 66: Κἀμὲ
B ἄστρον ὣς λάμψειν ἔτι· OEd. T. 187: Παιὰν δὲ λάμπει· 473: Ἔλαμψε φάμα. Eur. Ion. 476: Οἷς ἂν λάμπωσιν ἐν θαλάμοις νεάνιδες ἧβαι. Sic λάμπουσα de Amica formosa et λάμπων de Amasio ap. Poll. 3, 71. Λάμπουσαι παρειαὶ id. 2, 87.] Plato Ep. 7, [p. 335, D]: Διὰ πάντων ἀνθρώπων λάμψασα δόξα. [Phædr. p. 250, D: Κάλλος... ἔλαμπεν.] Sic Aristoph. Vesp. [62]: Οὐδ' εἰ Κλέων γ' ἔλαμψε τῆς τύχης χάριν· quo fere modo Horat. dicit Imperio fulgens; Cic., Homo eo splendore, ea virtute. [Polyb. 6, 43, 3: Ὥσπερ ἐκ προσπαίου τινὸς τύχης σὺν καιρῷ λάμψαντας τῆς ἐναντίας πεῖραν εἰληφέναι μεταβολῆς. Gl.: Λάμπει, Pollet; Λάμψας, Pollens. Aliter Aristoph. Eq. 550: Ἵν' ὁ ποιητὴς ἀπίῃ χαίρων κατὰ νοῦν πράξας φαιδρὸς λάμποντι μετώπῳ, quomodo etiam λαμπρὸς dici supra diximus. || Transitive, Lucere facio. Eur. Ion. 83: Ἅρματα μὲν τάδε λαμπρὰ τεθρίππων ἥλιος ἤδη λάμπει κατὰ γῆν· Phœn. 226: Ὦ λάμπουσα πέτρα πυρὸς δικόρυφον σέλας· Hel. 1131: Δόλιον ἀστέρα λάμψας. Lycophr. 345: Ὅταν λάμψῃ κακὸν φρύκτωρον. Antipater Thess. Anth. Pal. 6, 249, 4: Λάμψω φέγγος. Apollodor. 2, 4,
C 10, 4: Πυρὸς ἐξ ὀμμάτων ἔλαμπεν αἴγλην. Theodor. Stud. p. 328, A: Οὗτος γὰρ (deus) ἐν καρδίᾳ δεχθεὶς φῶς ἔλαμψε, τὰ πάθη ἐμείωσεν. || Perf. sec. activi, Luceo, Eur. Andr. 1025: Οὐδ' ἔτι πῦρ ἐπιβώμιον ἐν Τροίᾳ θεοῖσιν λέλαμπεν καπνῷ θυώδει· Tro. 1295: Λέλαμπεν Ἴλιος. In fr. Archelai restitui eidem in Ἐλλάμπω p. 757, B. L. D.] Et Λάμπομαι pass. voce pro λάμπω, etiam Splendesco, Illucesco, Illuminor, Illustror. Hom. Il. [Π, 71: Κόρυθος... λαμπομένης·] Σ, [492]: Δαΐδων ὕπο λαμπομενάων, ut Fax fulgens ap. Tibull. Il. Υ, [46]: Τεύχεσι λαμπόμενον, βροτολοιγῷ ἶσον Ἄρηϊ· et [156]: Τῶν δ' ἅπαν ἐπλήσθη πεδίον καὶ ἐλάμπετο χαλκῷ Ἀνδρῶν ἠδ' ἵππων. Latini quoque Arma fulgere dicunt, et Ferro splendenti lancea. Et Hesiod. Sc. [60]: Τεύχεσι λαμπομένους σέλας ὡς πυρὸς αἰθομένοιο· ad imitationem Il. X, [134]: Χαλκὸς ἐλάμπετο εἴκελος αὐγῇ Ἢ πυρὸς αἰθομένοιο ἢ ἠελίου ἀνιόντος [ἀνιόντος]. Aliquanto post [142]: Ἠλέκτρῳ θ' ὑπολαμπὲς ἔην, χρυσῷ τε φαεινῷ Λαμπόμενον, ut Cic. Parad., Fulgentia ebore et auro tecta. [Hom. Il. O, 608: Τὼ δέ οἱ ὄσσε λαμπέσθην· H.
D Merc. 113: Λάμπετο δὲ φλόξ· H. in Sol. 13: Καλὸν δὲ περὶ χροῒ λάμπεται ἔσθος. Eur. Med. 1194: Πῦρ μᾶλλον δὶς τόσως τ' ἐλάμπετο. Strato Anth. Pal. 12, 178, 1: Ἐξεφλέγην ὅτε Θεῦδις ἐλάμπετο παισὶν ἐν ἄλλοις οἷος ἐπαντέλλων ἀστράσιν ἠέλιος. Apoll. Rh. 1, 437: Σέλας πάντοσε λαμπόμενον θυέων ἄπο· 1282: Πεδία δροσόεντα φαεινῇ λάμπεται αἴγλῃ· Z, 1070: Κόρυθας δεινὸν λαμπομένας. De sideribus Arat. 681, 986.] Prosæ quoque scriptt. passivo utuntur tam pro Illustror et Fulgesco, quam pro Luceo, Fulgeo. Xen. Anab. 3, [1, 11]: Ἔδοξεν αὐτῷ, βροντῆς γενομένης, σκηπτὸς πεσεῖν εἰς τὴν πατρῴαν οἰκίαν, καὶ ἐκ τούτου λάμπεσθαι πᾶσαν, ubi pass. capitur, sicut et ap. Aristot. De mundo [c. 2], Ἀὴρ ὑπὸ κινήσεως λαμπόμενος, Agitatione illustratus. Neutraliter vero Lucian. [Asin. c. 51]: Λύχνος τῷ πυρὶ λαμπόμενος· sicut et ap. Aristoph. Ran. [293] de empusa: Πυρὶ γοῦν λάμπεται ἅπαν τὸ πρόσωπον, Igneo fulgore coruscat. [Hom. Il. O, 623: Λαμπόμενος πυρὶ πάντοθεν. Hesiod. Sc. 145: Ὀσσοισιν πυρὶ λαμπομένοισι. Eur. Iph. T. 1155: Ἀδύτοις ἐν ἁγνοῖς σῶμα λάμπονται πυρί.]

Basil. : Λίθοις λαμπομένην, Gemmis fulgentem : ut alibi, Μαρμάροις περιλαμπόμενοι; de ædibus splendidis. At metaph. ap. Gregor. : Ὦ βροντῶν ἀπὸ γῆς σὺ, καὶ οὐδὲ μικροῖς σπινθῆρσι τῆς ἀληθείας λαμπόμενε, Illuminate s. Illustrate. [Epigr. Anth. Pal. 9, 191, 4 : Ἁρμονίαν γὰρ γνώσεαι, ἧς γενεὴ λάμπεται ἐν Μεγάροις. Passive Michael Nicetas ap. Tafel. De Thessalon. p. 356 : Ὡς τούτῳ πυρσῷ κατὰ τὴν τοῦ βίου νυκτομαχίαν λαμπώμεθα.]

Λαμπώδης, ὁ, ἡ, In quo spuma innatat, ὁ ἔχων ἐφιστάμενα ὅμοια λάμπῃ, Erotian., reprehendens Bacchium, qui λαμπῶδες acceperat pro λαμπρὸν καὶ καθαρόν. Sed ap. Erot. [p. 238] scribitur etiam Λαπώδης : quam scripturam ipse quoque agnoscit, dicens Bacchium inserere μ, et legere λαμπώδης. [Λαμπῶδες οὐρηθὲν dicitur Hippocr. p. 74, E, et 148, A, Urina spumea aut spumam innatantem habens aut splendens, limpida et coruscans. Et Galen. in Prorrh. p. 197, 55 (ed. Bas.) λαμπῶδες, ἀφρῶδες, Spumosum, exponit. At Erot. ... λαπῶδες legisse videtur, quemadmodum λαππῶδες etiam Galen. et λαμπῶδες ap. Hipp. agnoscit et ἀπὸ τῆς λάμπης et ἀπὸ τοῦ λάππειν deduci scribit. Foes. OEcon. Gl. cod. Dorv. Aristoph. Plut. 402 : Νὴ τὸν οὐρανόν) Διὰ τὸ λαμπῶδες τοῦ οὐρανοῦ τοῦτον ὄμνυσι πρὸς τὸ τυφλός. Liber Laurent. λαμπρόν. V. autem Λάπη.]

[Λάμπων, κυβιστικὸς (κυβευτικὸς) βόλος. Οὕτως Εὔβουλος, Photius. Varia de hoc jactu hariolatur Schleusner. in Cur. nov. p. 175, ignarus Pollucis 7, 205, qui ex Κυβευταῖς Eubuli petitum docet voc.]

Λάμπων, ωνος, ὁ, Lampon, nom. proprium viri. [Filii Laomedontis, qui Homero Λάμπος, ap. Apollodor. 3, 12, 3, 11, ubi Λάμπονα Ms. Dorv., unde Λάμπον Heynius. Aliorum ap. Pind. Nem. 5, 4, Isthm. 4, 23; 5, 3, 62, Herodot. 9, 21, 78, 90. Vatis Athen. sæpius memorati ab Aristoph., cujus v. schol. Av. 521.] Sed et Solis equorum alter dicitur Λάμπων, alter autem Φαέθων, schol. Soph. p. 40. [Et canis apud Antipatrum Anth. Pal. 9, 417, 1.]

[Λαμπώνεια, ἡ, Lamponia. Steph. B : Λ., πόλις Τρῳάδος. Ἑκαταῖος Ἀσίᾳ. Τὸ ἐθνικὸν (θηλυκὸν cod. Vratisl.) Λαμπωνεύς (Λαμπωνειεύς Berkel.). Ἑλλάνικος δὲ Λαμπώνιον αὐτήν φησι. Καὶ (hoc omittit cod. Vratisl.) τὸ ἐθνικὸν Λαμπωνιεύς. Λαμπώνιον etiam Herodoto 5, 26, Λαμπωνία Straboni 13, p. 610, item Hellanicum memoranti, sed non sequenti, ut videtur, in forma nominis. Probabilius autem est Stephano restituendas esse formas Λαμπωνία et Λαμπωνιεὺς quam Straboni diphthongum.]

[Λαμπώνιος, ὁ, Lamponius, n. ducis Italicorum ap. Diodor. Exc. p. 540, 87. Λαμπόνιος ap. Plut. Sull. c. 29, male.]

[Λαμύνθιος, ὁ, Lamynthius, ποιητὴς ἐρωτικῶν μελῶν, Photius. Memoratur ab Athen. 13, p. 597, E; 605, E, qui Milesium dicit.]

[Λᾰμῠρεύομαι, Garrio. Eust. Opusc. p. 259, 79 : Ἔτι λαμυρεύεται ὁ πατὴρ καὶ περὶ σταφυλῶν ὁπόσα ἐκείνῳ ἐπέρχεται.]

Λαμυρία, ἡ, Facundia, Lepores. Item Loquacitas : necnon Procacitas, Protervia, Impudentia : ut ab Etym. quoque exp. et στωμυλία, et ἀλόγιστος ἀνδρεία, Inconsiderata virilitas, Temeritas. Plut. sane [Mor. p. 66, B] : Ἔγγιστα φαίνονται λαμυρίας καὶ θρασύτητος. Idem [p. 693, C] scribit, si mulier nimium se ornet, et tandem τῆς περὶ τὸν κεστὸν ἅπτηται γοητείας, περιεργίαν τὸ χρῆμα καὶ λαμυρίαν μὴ πρέπουσαν γαμετῇ γεγονέναι. [Lucull. c. 6 : Πραικία τις τῶν ἐφ᾽ ὥρᾳ καὶ λαμυρίᾳ διαβοήτων· Anton. c. 24 : Βωμολοχίᾳ καὶ λ. In bonam partem Eustath. ap. Tafel. De Thessalonica p. 403 : Τὴν ἀγοραιαν στωμυλίαν εἰς εὐγενῆ λαμουρίαν (sic) μετέθηκας.] || Dicitur hoc vocab. significari interdum et καθαρότης, Puritas, Limpiditas : quo modo Thuc. dixisse [legitur ap. Thomam p. 568] λαμυρὰν πηγὴν, pro καθαρὰν καὶ ἡδεῖαν, Fontem purum limpidumque et suavem. [Quod Hemst. inferebat 2, 15, ubi nunc φανερῶν τῶν πηγῶν οὐσῶν. Cui obstare ipsius Thomæ (quamvis non omnino veram) notationem : Οὐδεὶς τῶν ῥητορικῶν τῷ ὀνόματι τούτῳ ὅλως ἐχρήσατο, animadvertit Lobeck. ad Phryn. p. 292.]

[Λαμυρίζω.] Λαμυρίζειν affertur pro Purum et splendidum esse : quod tamen potius λαμπυρίζειν.

[Λαμυρὶς, ίδος, ἡ, i. q. λωγάνιον, Cutis de collo ani-
A malium quorundam, boum maxime, dependens. Schol. Lucian. Lexiph. c. 3 : Ἔοικε δὲ οὐ βοὸς λέγειν λωγάνιον, ἀλλὰ ζώων ἑτέρων τὸ στηθόνιον. Τὸ τῶν βοῶν δὲ ἄχρηστον τοῦτο τὸ μέρος, ὃ καὶ λαμύριδα (legendum λαμυρίδα) φασί. Conf. autem Λαιμώρη.]

Λᾰμῠρὸς, ἁ, ὸν, ὁ, s. Λάμυρος (utroque enim modo scriptum reperitur), [ab Hesychio s. Photio] exp. λάλος, εὔλαλος, στωμύλος, εὐτράπελος, Disertus, Loquaculus, Facetus. [Lepidus, Gl.] In malam potius partem Impudenter loquax, Procaciter lepidus, Scurrilis. [Καταπληκτικὸς Hesychio s. Photio. Phrynichus Epit. p. 291 : Λάμυρος· οἱ νῦν μὲν τὸν ἐπίχαριν τῷ ὀνόματι σημαίνουσιν, οἱ δ᾽ ἀρχαῖοι τὸν ἰταμὸν καὶ ἀναιδῆ. Rarum omnino est apud veteres, et uno confirmatum exemplo Xen. in Λαμυρῶς ponendo. Quod ignorabat Thomas in Λαμυρία citatus, non apte usurpavit Antiatticista in Λαμυρῶς memorandus.] Significat etiam generalius Procax, Impudens, Protervus, Modum excedens audacia. Ap. Suid. [ex epigr. Meleagri Anth. Pal. 5, 180, 2], Βροτολοιγὸς ἔρως τὰ πυρίπνοα τόξα
B Βάλλει, καὶ λαμυροῖς ὄμμασι πυκνὰ γελᾷ. [Cum eodem nomine id. ib. 12, 109, 2.] Et rursum : Ἐσβέσθη δὲ τὰ φίλτρα καὶ κυλίκων αἱ λαμυραὶ προπόσεις [ex epigr. adesp. ib. 7, 221, 4. Dioscorid. ib. 450, 6 : Εἰ δέ τις ἡμέας αἰσχύνων λαμυρὰν ἔπλασεν ἱστορίην, κτλ.]. Plut. Adv. Col. [p. 1124, B] : Θήρα μειρακίων λαμύρων καὶ προπετῶν. Et in Alcib. [c. Cor. comp. c. 1] : Πολιτείαν δὲ τὴν Ἀλκιβιάδου τὴν ἄγαν λαμυρὰν, καὶ τὸ μὴ καθαρεῦον ἀνχγωγίας ἢ βωμολοχίας. [Id. Marii c. 38 : Ὄνος προσβλέψας τῷ Μαρίῳ λαμυρόν τι καὶ γεγηθός. Eunap. p. 58, 3 (33, 3) : Τοῦ παιδίου τῷ περιττῶς καλῷ καὶ λαμυρῷ δηχθέντες καὶ ἁλόντες. Valck.] Et ap. Athen. [4, p. 163, D; 7, p. 279, F], Γαστὴρ ἧς οὐ λαμυρώτερον οὐδὲν, Protervius, Impudentius s. Improbius : κύντερον, ut alibi : unde et λυγρὴν, οὐλομένην et κακοεργὸν Hom. eam appellat. Mare etiam et lacus vocant λαμυρούς, a vastitate quasi impudente. Etym. enim λαμυρὰν dici τὴν θάλασσαν, velut ἤλιθα πολλήν. Itemque Synes. Ep. 148 : Τὴν μεγάλην λίμνην τὴν λαμυράν. [De his ll. Ruhnk. Ep. cr. p. 89 : « Etym. M. : Λαμυρὸς ὁ λάλος, ...
C καὶ λαμυρὴν τὴν θάλασσαν, οἷον πολλήν. Mirifice pro ἁλμυρήν. Vel pueri ex Homero norunt θαλάσσης ἁλμυρὸν ὕδωρ. Possis tamen grammaticum defendere sic, ut λαμυρὰν θάλασσαν, Mare horridum intelligas. Nam Hesych. et Suidas λαμυρὸν etiam explicant καταπληκτικόν. Recte Theocr. 25, 234 : Λαμυροὺς δὲ χανὼν ὑπ᾽ ὀδόντας ἔφηνε. Nicand. Th. 294 : Σμερδαλέον δ᾽ ἐπί οἱ λαμυρὸν πέφρικε κάρηνον. Atque his exx. confirmatur constans omnium librorum lectio in Synes. (l. c.), quam Petavius in ἁλμυρὰν mutavit. » Loco Nicandri Schneiderus ascripsit gll. anon. in Bandini Catal. Bibl. Med. vol. 2, p. 272 : Λαμυρὸν δοκεῖ τὸ πλατὺ καὶ εὐρύχωρον λέγεσθαι, et Etym. M. : Λαμυρὸν τὸ πολὺ καὶ ἄθρουν.]

|| Λαμυρῶς, Diserte, Lepide [Synes. p. 36, B : Μεταχεχειρισμένη σοφιστικῶς, τουτέστι λ. ἀπηγγελμένη καὶ δεξιῶς. Nicetas Chon. p. 137, A : Ὁ βασιλεὺς εὐγλωττίαν εὐτυχηκὼς καὶ λόγου ἔμφυτον χάριν πεπλουτηκὼς οὐ λ. ἐπέστελλε μόνον κτλ. Eust. Opusc. p. 350, 91 : Σοφιστικῶς καὶ λ. ἔχοντι τοῦ νοός] : s. Loquaciter, Scurriliter,
D Procaciter, Proterve. Xen. Symp. [8, 24] : Εἰ δὲ λαμυρώτερον λέγω, μὴ θαυμάζετε· ὁ γὰρ οἶνος συνεπαίρει [ubi corrigendam monui gl. Antiatt. p. 106, 19 : Λαβύραν (λαμυρὸν) Ξ. Σ. σημαίνει τὸ χαίρειν (χαρίεν)] : ut et Hom. dicit Od. Ξ, [463] : Οἶνος γὰρ ἀνώγει Ἠλεὸς, ὅστ᾽ ἐφέηκε πολύφρονά περ μάλ᾽ ἀεῖσαι, Καί θ᾽ ἁπαλὸν γελάσαι, καί τ᾽ ὀρχήσασθαι ἐνῆκεν. Et Horat. : Fœcundi calices quem non fecere disertum? [Ælian. N. A. 1, 14 : Εἰ δὲ λαμυρώτερον ταῦτα τῇ κράσει τῶν ὀνομάτων εἴρηται κτλ. Annotavit etiam Suidas.]

[Λαμυρόω, Lascivio. Hesychius : Λαιθαρίζειν, λαμυρῶσαι.]

[Λαμυρῶς. V. Λαμυρός.]

[Λάμφιλος. V. Λάφιλος.]

[Λαμψάκη. V. Λάμψακος.]

Λάμψᾰκος, ἡ, Lampsacus : urbs [Troadis memorata Herodoto 5, 117, Thucydidi, Xenophonti et aliis, cujus situm describit Strabo 13, p. 589], cujus incolæ Λαμψακηνοί. Sic dicta est ex eventu, quod conditoribus ejus oraculo jussum fuit urbem condere ubi luxisset. V. Etym. [Ἀπὸ Λαμψάκης ἐπιχωρίας τινὸς κόρης (filiæ Mandronis, regis Bebrycum) dictam perhibent Plut. Mor. p. 254, F seq., Steph. Byz. Idem memorat gent. Λαμψακηνός, ή, όν, cujus in numis et apud scriptores, ut Herodotum 6, 37, 38, Xenoph. Anab. 7, 8, 3, aliosque historicos et geographos frequentia sunt exx., ut nihil tribuendum videatur inscriptioni ap. Gruterum C. I. vol. 1, part. 1, p. 95, ab Eckhelio D. N. vol. 2, p. 357 citatæ, in qua Λαμψαχίων (sic).]

[Λαμψάνη, V. Λαψάνη.]

Λάμψις, εως, ἡ, Splendor, Fulgor. Greg. Naz : Ὡδεύσομεν πρὸς τὴν λ. [Philo vol. 1, p. 72, 21 : Ἡλίου ἀνατείλαντος ἀφανεῖς αἱ τῶν ἄλλων ἀστέρων λάμψεις. Baruch. 4, 2 : Διόδευσον πρὸς τὴν λάμψιν κατέναντι τοῦ φωτὸς αὐτῆς. Achmes Onir. 156, p. 127 : Εὑρήσει χαρᾶς λάμψιν.]

[Λάμψος, Lampsus. Steph. Byz. : Λ., μοῖρα τῆς Κλαζομενῶν (nisi scr. -νίων) χώρας, ἀπὸ Λάμψου παιδὸς Καδίδρου (Κυδρίδου cod. Vratisl.), ὡς Ἔφορος τρίτῳ. Τὸ ἐθνικὸν Λάμψιος.]

[Λαμώ, ἡ, Lamo. Schol. Aristoph. Eq. 62 : Μακκὼ γὰρ καὶ Λαμὼ ἐγένοντο ἐνεαί, τουτέστι βαρέως νοοῦσαι. Λαιμὼ Suidas v. Μεμακκοακότα. L. Dind.]

Λάμων, Gramiosus : qui et γλάμων.

[Λάμων, ωνος, ὁ, Lamon, n. viri in Longi Pastoralibus p. 1 seqq. L. Dind.]

[Λαμωτίς, ίδος, ἡ, Lamotis, regio Ciliciæ, in qua Lamus urbs. Ptolem. 5, 8, ubi Λαμώτιδος scriptum. Isauriæ urbs Ἀντιόχεια Λαμωτὶς memoratur Stephano Byz. in Ἀντιόχεια. Ubi v. Berkel.]

[Λανάριος, ὁ, Carminator. Schol. Apoll. Rh. 1, 177 : Λανάριοι καλοῦνται οἱ κτενισταί. Verbum Λαναρίζειν, Carminare, sine testimonio annotavit Ducang. Idemque ex Byzantinis Λανᾶτον de Veste lanea. Varro L. L. 5, 23 : « Lana Græcum, ut Polybius et Callimachus scribunt » Quod ad λάχνη refertur.]

[Λάνασσα, ἡ, Lanassa, f. Agathoclis. Diodor. Exc. p. 490, 47; 496, 48; Plut. Pyrrh. c. 10.]

[Λάνδινα, in numis Hipponii Bruttiorum « incertum sitne cognomen Palladis aut quid aliud significet. » Eckhel. D. N. vol. 1, p. 174.]

Λανηθάς, Hesychio δευτερίας οἶνος, Vinum secundarium, Lora.

Λανθάνεμον ὥραν, Simonides ap. Aristot. H. A. 5, [8] vocat Tempus, quo silent venti. Gaza vertit Clementiam temporis. [Nunc λαθάνεμον, quod v. in Ληθάνεμος.]

Λανθανόντως, Latenter [Gl.], Clam, Ita ut nemo sentiat et animadvertat, λάθρα, λαθραίως, λαθριδίως. Herodian. 8, [2, 6] : Οἱ πλεῖστοι γὰρ αὐτῶν ἠγανάκτουν καὶ λ. ἦλγουν· 7, [9, 24] : Λ. δὲ εὔνοιαν ἑαυτῷ παρὰ τῶν στρατιωτῶν μνώμενος, Clanculum sibi militum animos concilians. [Pollux 6, 209. Dio Cass. 66, 5. Theodor. Stud. p. 270, C. L. Dind. Philes De anim. 70, 4; 83, 20. Jacobs. Schol. Plat. Gorg. 27, 5. Cramer.]

Λανθάνω, ήσω, [Dorice λασῶ, Theocr. 14, 9 : Λασῶ δὲ μανείς ποκα. Photius : Λαθὼν ἀντὶ τοῦ λησόμενος. Quem participii aoristi pro futuro usum apud Byzantinos, quos conjunctivo hujus temporis ita uti constat, notavi in ll. nonnullis Exc. Constantin. ex Diodoro : v. annot. ad vol. 2, p. 567, 13 ed. Wessel. L. D.] a λήθω, unde formatur ut λαμβάνω a λήβω, μανθάνω a μήθω : aor. 2 ἔλαθον, præt. med. λέληθα, Lateo, Celo : sicut a Plut. in Λάθρα cit. exp. [Male : nam est Celor, non Celo, quod κρύπτειν dicere debebat. Eur. Hipp. 466 : Λανθάνειν τὰ μὴ καλά. Soph. OEd. T. 246 : Τὸν δεδρακότ', εἴτε τις εἷς ὢν λέληθεν εἴτε πλειόνων μέτα. Eur. Rhes. 940 : Μὴ δόκει λεληθέναι.] Xen. Cyrop. 6, [4, 3] : Καὶ λανθάνειν μὲν ἐπειρᾶτο· in Symp. opp. ἔλαθες et κατάδηλος ἐγένου. Isocr. Evag. : Οὐδ' αὐτὸς λαθεῖν ἐζήτησε, Ne ipse quidem clam tulit. Thuc. 8 : Λαθόντες τὸ πλεῖστον τοῦ πλοῦ καὶ φθάσαντες, Latenter confecta navigatione. Sic 3, [112] : Ἔλαθόν τε καὶ ἔφθασαν προκαταλαβόντες, Clam præoccuparunt. Ib. [106] : Ἔλαθον καὶ προσέμιξαν τοῖς Ἀμπρακιώταις, i. e., λαθόντες προσέμιξαν. [Xen. Anab. 4, 6, 11 : Κλέψαι τι πειρᾶσθαι λαθόντας. Inter utramque constr. variant libri 1, 3, 17.] Et τὰ λανθάνοντα, Quæ latent et occulta sunt. Ita Plut. Π. πολυπραγμοσύνης [p. 518, C] dicit eam esse φιλοπευστίαν τῶν ἐν ἀποκρύψει καὶ λανθανόντων. Sic ap. Herodian. 4, [9,

A 1] : Οὐχ εἰδὼς τὴν τοῦ βασιλέως λανθάνουσαν γνώμην· 8, [8, 5] : Αἰφνιδίως ἣν εἶχον γνώμην λανθάνουσαν ἐξέφηναν. Sic, λαθεῖν τὸ μέλλον βουλόμενος. Aliquando cum accus. personæ construitur et partic.; quorum tamen alterum nonnunquam omittitur : h. e., vel accusativus vel participium. Hom. Od. Θ, [93] : Ἔνθ' ἄλλους μὲν πάντας ἐλάνθανε δάκρυα λείβων· Il. X, [277] : Ἂψ δ' Ἀχιλῆϊ δίδου· λάθε δ' Ἕκτορα ποιμένα λαῶν· Ψ, [326] : Ταῦτα δ' ἐγὼν αὐτὸς τεχνήσομαι, ἠδὲ νοήσω, Στεινωπῷ ἐν ὁδῷ παραδύμεναι· οὐδέ με λήσει. [Pind. Pyth. 3, 27 : Οὐδ' ἔλαθε σκοπόν. Æsch. Ag. 796 : Οὐκ ἔστι λαθεῖν ὄμματα φωτός. Eur. Iph. T. 1027 : Φύλακες, οὓς οὐ λήσομεν.] Ita aliquis dicitur λαθεῖν τινὰ ποιούμενός τι, Quum clam s. inscio eo facit, Quum latenter et eo non animadvertente cogitata perficit et ipsum quasi fallit. [Od. M, 220 : Μή σε λάθῃσι κεῖσ' ἐξορμήσασα· N, 270 : Λάθον δέ ἑ θυμὸν ἀπούρας. Pind. Ol. 6, 36 : Οὐδ' ἔλαθ' Αἴπυτον κλέπτουσα. Soph. El. 1403 : Αἴγισθος ἡμᾶς μὴ λάθῃ μολὼν ἔσω. Eur. Or. 209 : Μή κατθανών σε σύγγονος λέληθ' ὅδε· Heracl. 338 : Μή λάθῃ με προσπεσών. Herodot.

B 8, 25 : Οὐδ' ἐλάνθανε τοὺς διαβεβηκότας ταῦτα πρήξας· 9, 22 : Ταῦτα γινόμενα ἐλελήθει τοὺς ἄλλους ἱππέας. Thuc. 8, 10 : Ὅπως μὴ λήσουσιν αὐτοὺς αἱ νῆες ... ἀφορμηθεῖσαι.] Sic Thuc. 1, [65] : Ἔκπλουν ποιεῖται λαθὼν τὴν φυλακήν, Enavigat clam præsidio. Æschin. [p. 67, 11] : Ὁρώντων, φρονούντων, βλεπόντων ἔλαθον ὑμῶν ὑφελόμενοι. [Id. p. 74, 13.] Xen. [Cyrop. 4, 2, 5] : Ἔλαθον ἡμᾶς ἀποδράντες, Clam nobis fugerunt. Id. [ib. 3, 1, 19] : Ἔλαθες προκατασκευάσας, Clam antea struxisti. Lucian. [Demosth. enc. c. 35] : Λανθάνομεν αὐτὸν οὐ τεχνάζοντες, οὐκ ἐπιχειροῦντες, οὐ βουλευόμενοι, Nostræ technæ, molimina et consilia eum non latent; Non latere eum possumus, quidquid machinemur. [Sic dicitur Λάθε βιώσας, qua de formula v. Toup. ad Suidæ gl. Λάθε β. ‖ Alia constructione Aristoph. Eq. 465 : Οὔκουν ἐν Ἄργει μ' οἷα πράττει λανθάνει. Herodot. 8, 106 : Ἐδόκεες θεοὺς λήσειν οἷα ἐμηχανῶ τότε. Similiter cum duplici accusat. Eur. Iph. A. 516 : Λάθοιμι τοῦτ' ἄν· ἀλλ' ἐκεῖν' οὐ λήσομεν. Xen. H. Gr. 3, 1, 19 : Ἃ δὲ ᾤήθη χρῆναι λαθεῖν ..., οὐδὲν τούτων ἱκανὸς γενόμενος διαπράξασθαι. Et

C ib. : Ἃ δὲ ᾤήθης λαθεῖν χρῆναι, οὕτω σε οἶδε λαθόντα κτλ.] Et sine casu ap. [Hom. Il. N, 721 : Οἱ δ' ὄπιθεν βάλλοντες ἐλάνθανον·] Aristoph. [Eccl. 98] : Λήσομεν ξυστειλάμενοι θαἰμάτια, Latebit eos nos succinxisse vestimenta, Non sentient nos vestes succinxisse. [Ach. 990 : Ὡς καλὸν ἔχουσα τὸ πρόσωπον ἄρ' ἐλάνθανες· Pl. 775 : Οἵοις ἄρ' ἀνθρώποις ξυνὼν ἐλάνθανον. Herodot. 7, 218 : Ἀναβαίνοντες ἐλάνθανον οἱ Πέρσαι. Æsch. Eum. 256 : Μὴ λάθῃ φύγδα βάς. Soph. El. 914 : Οὔτε δρῶσ' ἐλάνθαν' ἄν.] Et cum partic. pass. [Soph. Phil. 506 : Τὸν βίον σκοπεῖν μάλιστα μὴ διαφθαρεὶς λάθῃ. Xenoph. Anab. 1, 1, 9 : Τοῦτο δ' αὖ οὕτω τρεφόμενον ἐλάνθανεν αὐτῷ τὸ στράτευμα. Thuc. 4, 133 : Ἔλαθεν ἀφθέντα πάντα.] Dem. : Ἔλαθεν ἐμὲ διεφθαρμένος, Clam me et inscio me corruptus est. Isocr. Ad Phil. [p. 106, E] : Λήσουσιν ἡμᾶς τοσοῦτοι γενόμενοι τὸ πλῆθος, Latebit nos tantum eorum esse numerum. Item λέληθα ὅτι : Isocr. Paneg. : Οὐ λελήθασιν ὅτι ἐπαινοῦσιν, pro οὐ λελήθασιν ἐπαινοῦντες. [Xen. Comm. 3, 5, 24 : Οὐ λανθάνεις με ὅτι ... λέγεις· OEc. 1, 19, Conv. 3, 13. Plato Theæt. p. 174, B : Τὸν

D τοιοῦτον ὁ γείτων λέληθεν οὐ μόνον ὅ, τι πράττει, ἀλλ' ὀλίγου καὶ εἰ ἄνθρωπός ἐστι. Cum infin. scriptor De orig. carm. bucolici edd. Theocriti præmissus sub finem : Καὶ οὕτως ἔλαθεν ἔθος γενέσθαι κἂν τοῖς ἐφεξῆς.] Dicitur etiam aliquis seipsum λανθάνειν ποιῶν τι vel πάσχων τι, Quum imprudens id facit, Quum ignorat se id facere, sive Quum non sentit et animadvertit se illud facere, vel sibi id accidere. [Soph. fr. Alet. ap. Stob. Flor. 36, 16 : Ἀνὴρ γὰρ ὅστις ἥδεται λέγων ἀεί, λέληθεν αὑτὸν τοῖς ξυνοῦσιν ὢν βαρύς.] Plut. De def. orac. : Οὐδ' αὑτοὺς ἡμᾶς λανθάνομεν ἐν λόγοις ἀτόποις γεγονότες, Minime vero nos imprudentes in isto sermone alieno absurdoque versamur. Xen. [OEc. 18, 9] : Ταῦτα τοίνυν ἐλελήθει ἐμαυτὸν ἐπιστάμενος· et [15, 11] : Οἴομαι δὲ πάνυ καὶ λεληθέναι πολλὰ σεαυτὸν ἐπιστάμενον αὐτῆς, Existimo te multa admodum hujus artis scire, quæ tu te ignorare putes. [Anab. 6, 3, 22 : Ἐλάνθανον αὑτοὺς ἐπὶ τῷ λόφῳ γενόμενοι. Plato Cratyl. p. 393, B : Λανθάνω καὶ ἐμαυτὸν οἰόμενος Et alibi.] Frequentius vero accus. personæ omittitur. [Soph. El. 744 : Λανθάνει στήλην ἄκραν παίσας. Xen. Reip. Ath. 1, 19 : Λελήθασι μανθάνοντες ἐλαύνειν τῇ κώπῃ. Plat. Theæt. p. 164, C : Λανθάνομεν ταῦτὰ ποιοῦντες.] Athen. [12, p. 549, B] : Ἔλαθεν ὑπερσαρκήσας, Non animadvertit se in corpulentiam immodicam evadere. Alia hujus signif. exx. ap. Bud. habes p. 899. Sic Plut. De def. orac. [p. 418, D] : Αὐτοὶ δὲ παραφυλάττωμεν αὐτοὺς, μὴ λάθωμεν ἀτόπους ὑποθέσεις καὶ μεγάλας τῷ λόγῳ διδόντες, Demus operam ne inepta et magna principia imprudentes in disputatione posuisse videamur. Synes. Ep. 51 : Ἐλάθομεν ἐξηνυκότες ὅσον ἔδει, Non sensimus nos confecisse viæ quantum oportebat. Sic Aristoph. Vesp. [517] : Ἀλλὰ δουλεύων λέληθας, Ignoras te servire; s. οὐκ αἰσθάνει, ut alibi loquitur. Nub. [242] : Πόθεν δ' ὑπόχρεως σκυτὸν ἔλαθες γενόμενος; Unde insciens alienum æs conflasti? Alibi dicit, Οὐκ ἔγνως ὑπόχρεως γενόμενος. Item Plato [Gorg. p. 487, D], Λήσετε διαφθαρέντες, Imprudenter peribitis. Xen. [Comm. 1, 2, 34] : Μὴ δι' ἄγνοιαν λάθω τι παρανομήσας, Ne quid per ignorantiam imprudens contra leges committam. In hoc autem Plat. Phæd. l. [p. 109, C] : Ἡμᾶς οὖν οἰκοῦντας ἐν τοῖς κοίλοις τῆς γῆς, λεληθέναι, καὶ οἴεσθαι ἄνω ἐπὶ τῆς γῆς οἰκεῖν, Bud. interpr. Falli; sed et ita potest reddi, Nos ignorare habitare nos in cavis terræ locis, et putare supra terram habitare. Dicitur etiam res aliqua λανθάνειν τινὰ, ut Lat. Latere, pro Ignota et obscura esse. [Pind. ap. Dionys. De comp. vv. p. 308 Sch. : Ἐν Ἀργείᾳ Νεμέᾳ μάντιν οὐ λανθάνει φοίνικος ἔρνος.] Aristoph. [Nub. 380] : Τουτί μ' ἐλελήθει, Id me latuerat. Isocr. Ad Phil. : Οὐ λέληθέ με, Non me latet. Plut. De lib. educ. [p. 9, F] : Μὴ λανθανέτω τοίνυν μηδὲ τοῦτο τοὺς πατέρας, Nec vero et hoc parentes lateat, Nec vero et hoc parentes ignorent. [Xen. OEc. 11, 25 : Ἐμὲ γὰρ δὴ τοῦτο ἐλάνθανεν. Cum infin. Pind. Pyth. 5, 23 : Τῷ σε μὴ λαθέτω Κυράνᾳ γλυκὺν ἀμφὶ κᾶπον Ἀφροδίτας ἀειδόμενον παντὶ μὲν θεὸν αἴτιον ὑπερτιθέμεν. Plut. Aristid. c. 17 : Ἔλαθε δ' αὐτὸν σύνθημα δοῦναι τοῖς Ἕλλησιν. Ubi Obliviscendi significatione dicitur. Ignorandi vero Pausan. 9, 41, 1 : Καὶ σφᾶς λέληθε Θεόδωρον καὶ Ῥοῖκον Σαμίους εἶναι τοὺς διαχέαντας χαλκὸν πρώτους. Cum particula Xen. OEc. 9, 8 : Οὕτω γὰρ ἧττον λανθάνει ὅπως πρὸς τὸ τέλος ἐκβήσεται. Cum præpos. idem Hier. 2, 5 : Τὸ μὲν οὖν τὸ πλῆθος περὶ τούτου λεληθέναι οὐ θαυμάζω. Plato Leg. 10, p. 903, C : Σὲ δὲ λέληθε περὶ τοῦτο αὐτὸ ὡς γένεσις ἕνεκα ἐκείνου γίγνεται πᾶσα. Absolute schol. Hom. Il. N, 745 : Θεραπεύει δὲ τὸν Ἕκτορα λεληθόσιν ἐπαίνοις. Nicet. Eugen. 1, 181, a Boiss. cit. : Μήπως ἀποδράσωμεν ἐν λεληθότι.]

|| Λανθάνειν dicuntur etiam quorum nomen obscurum est. Aristid. Panath. : Μέγα καὶ φανερὸν σύμβολόν ἐστι τοῦ προέχειν εὐθὺς ἐξ ἀρχῆς, οὐχ ὅσον λανθάνειν, Magnum id est indicium hujus civitatis præstantiæ inde jam ab initio, nedum eam obscuro nomine non fuisse, Bud. p. 912. || A Λανθάνομαι quoque s. potius Λήθομαι quædam tempora, pro Latere. Lucian. [De sacrif. c. 14] : Ἧκον ἐς τὴν Αἴγυπτον ὡς δὴ ἐνταῦθα λησόμενοι τοὺς πολεμίους, Quasi ibi clam inimicis suis futuri, Putantes fore ut ibi suos inimicos laterent. [Apoll. Rh. 3, 737 : Ὄφρα τοκῆας λήσομαι ἐντύνουσα ὑπόσχεσιν. Aristot. Analyt. pr. 2, 19, p. 66, 31 : Τοῦτο δ' ἡμᾶς οὐ λήσεται. V. Photii glossam initio positam. Aliquanto minoris fidei est præsens λανθάνοιτο pro λανθάνοι positum ap. Aristot. Poet. c. 17 : Δεῖ δὲ τοὺς μύθους συνιστάναι καὶ τῇ λέξει συναπεργάζεσθαι ὅτι μάλιστα πρὸ ὀμμάτων τιθέμενον· οὕτω γὰρ ἂν ἐναργέστατα ὁρῶν ὥσπερ παρ' αὐτοῖς γιγνόμενος τοῖς πραττομένοις εὑρίσκοι τὸ πρέπον καὶ ἥκιστ' ἂν λανθάνοιτο τὰ ὑπεναντία. Ubi λανθάνοι poscit usus, ut λανθάνῃ ap. Æneam Tact. c. 31 extr. ab Schneidero in Suppl. cit. : Ὡς ἂν μηδὲν λανθάνηται εἰς τὴν πόλιν εἰσφερόμενον μήτε ὅπλον μήτε γράμματα (vel γράμμα).] || Sed frequentius pro Obliviscor, sicut et λήθομαι. [Hom. Il. I, 537 : Ἢ λάθετ' ἢ οὐκ ἐνόησεν. Æsch. Cho. 682 : Μηδαμῶς λάθῃ. Nicetas ap. Tafel. De Thessalonica p. 357 : Γερόντιον σοροπηγεῖν ἑαυτῷ λανθανόμενον. Eumath. p. 38 : Ῥόδον οὐκ εἶχεν ὁ στέφανος λανθανομένου τοῦ τεχνίτου. Tzetz. Hist. 9, 756 : Εἰκὸς δὲ καὶ λανθάνεσθαι τίνων εἰσὶ τὰ ἔπη.] Cum gen. Hom. Od. M, [227] : Καὶ τότε δὴ Κίρκης μὲν ἐφημοσύνης ἀλεγεινῆς Λανθανόμην· A, [308] : Οὔποτε λήσομαι αὐτῶν· [A, 554 : Οὐκ ἄρ' ἔμελλες οὐδὲ θανὼν λήσεσθαι ἐμοὶ χόλου;] I, [97] : Νόστου τε λαθέσθαι· A, [65] : Πῶς ἂν ἔπειτ' Ὀδυσῆος ἐγὼ

A θείοιο λαθοίμην; [Il. K, 99 : Φυλακῆς ἐπὶ πάγχυ λάθωνται.] Et [perf. forma epica eademque Dorica, prout α natura breve aut longum est,] λέλασμαι, Oblitus sum. Il. Ψ, [69] : Εὕδεις αὐτὰρ ἐμεῖο λελασμένος· E, [834] : Νῦν δὲ μετὰ Τρώεσσιν ὁμιλεῖ, τῶν δὲ λέλασται· Od. N, [92] : Ἀτρέμας εὗδε λελασμένος ὅσσ' ἐπεπόνθει. [Theocr. 2, 158 : Ἀμῶν δὲ λέλασται;] Dicitur etiam aliquis fortitudinis et strenuitatis suæ λελάσθαι, Oblitus esse, quum sui quasi oblitus succumbit. [Rariorem infinitivum annotavit Hesych.] Il. [Λ, 313] : Τυδείδη, τί παθόντε λελάσμεθα θούριδος ἀλκῆς; Od. Ω, [40] : Κεῖσο μέγας μεγαλωστὶ λελασμένος ἱπποσυνάων· cui opp. μνήσασθαι ἀλκῆς ap. Eund. [Aor. Il. N, 835 : Ἀργεῖοι δ' ἑτέρωθεν ἐπίαχον οὐδ' ἐλάθοντο ἀλκῆς· X, 282 : Ὄφρα σ' ὑποδδείσας μένεός τ' ἀλκῆς τε λάθωμαι. Æsch. Suppl. 731 : Ἀλκῆς λαθέσθαι τῆσδε μηδαμῶς ποτε. Soph. El. 1287 : Πρόσοψιν, ἃς ἐγὼ οὐδ' ἂν ἐν κακοῖς λαθοίμαν· fr. Mys. ap. Stob. Fl. 26, 4 : Βραχὺν χρόνον λαθέσθαι τῶν παρεστώτων κακῶν. Eur. Hel. 1233 : Τῶν πάρος λαθώμεθα· Hipp. 289 : Τῶν πάροιθε μὲν λόγων λαθώμεθ' ἄμφω· B Suppl. 86 : Θανοῦσα τῶνδ' ἀλγέων λαθοίμαν· Med. 1248 : Λαθοῦ παίδων σέθεν. || Attica perfecti forma Λέλησμαι, Soph. El. 342 : Κείνου λελῆσθαι. Eur. Phœn. 850 : Οὔπω λελήσμεθα· fr. Dictys ap. schol. Soph. Aj. 787 : Τί μ' ἄρτι πημάτων λελησμένην ὀρθοῖς; Plato Phædr. p. 252, A : Μητέρων τε καὶ ἀδελφῶν λέλησται. || Futuro tertio Eur. Alc. 198 : Τοσοῦτον ἄλγος, οὗ ποτ' οὐ λελήσεται. || Aoristi duplex est forma poetica, activa λέλαθον, Oblivisci feci, et media λελαθόμην, Oblitus sum, aliis tamen potius quam primis personis usitata. Hom. Il. O, 60 : Ὄφρα ... λελάθῃ ὀδυνάων. Poeta lyricus apud Stob. Ecl. vol. 1, p. 174, 9 : Πόλιν τε τάνδε βαρυφρόνων λελάθοιτε συντυχιᾶν. Conf. Ἐκλανθάνω. || Significatione Latendi Apoll. Rh. 2, 226 : Ἀλλά κε ῥεῖα αὐτὸς ἑὸν λελάθοιμι νόον· 3, 779 : Πῶς γάρ κεν ἐμοὺς λελάθοιμι τοκῆας φάρμακα μησαμένη; Orph. Arg. 874 : Ὣς τ' ἦλθε διὲκ μεγάρων λελαθοῦσα. || Medio Hom. Il. Δ, 127 : Οὐδὲ σέθεν, Μενέλαε, θεοὶ μάκαρες λελάθοντο· T, 136 : Οὐ δυνάμην λελαθέσθ' Ἄτης· Π, 200 : Μήτις μοι ἀπειλάων λελαθέσθω. Sappho ap. schol. Hermog. in Walz. C Rhett. vol. 7, part. 2, p. 883, 9 : Λελάθοντο δὲ μαλοδροπῆες. Phanocles ap. Stob. Fl. vol. 2, p. 478 : Ἶν' ἐν χροῒ σήματ' ἔχουσαι κυάνεα στυγεροῦ μὴ λελάθοιντο φόνου. Liber unus 'κλελάθοιντο. Et sæpius recentiores Epici. || Significatione Latendi Hesiod. Theog. 471 : Μῆτιν συμφράσσασθαι ὅπως λελάθοιτο τεκοῦσα παῖδα φίλον. Quod injuria notari videtur a Buttmanno Gr. v. Λανθάνω. Alia de formis v. in Ἐκλανθάνω, Ἐπιλανθάνω, Λήθω L. Dindorf.]

[Λανίζω.] Λανίζει, Hesychio λαγγάζει, βρέχει.

[Λανίκη, ἡ, Lanice, Alexandri M. nutrix. Athen. 4, p. 129, A. Ubi Curtio 8, 2, 21 : « Hellanice, quæ Alexandrum educaverat », idem nomen restituit Schweigh., collato Arriano Exp. 4, 9, 4, Æliano V. H. 12, 26. Infra Λαονίκη. ᾶῖ]

[Λάνισος, ὁ, inter trisyllaba in ισος cum Λάρισος posuit Theognostus in Crameri An. vol. 2, p. 73, 15.]

[Λάνοβρις, ἡ, Lanobris, insula Lusitaniæ, ap. Marcianum Heracl. p. 76, qui v. p. 167.]

[Λανὸν, λίθον, Hesych. Λᾶν Albertus.]

D [Λᾶνος. V. Λάϊνος.]

[Λανούβιον, τὸ, Lanuvium, urbs Latii, Ptolem. 3, 1. Male Steph. Byz. : Λαούντιον, μητρόπολις τῶν Λατίνων. Διονύσιος ε' Ῥωμαϊκῆς ἱστορίας. Τὸ ἐθνικὸν Λαουντῖνος. In quibus confusa nomina Lavinii et Lanuvii, quorum illud est apud Dionys. l. cit. c. 12, quem ipsum l. respicit Stephanus, alterius gentile Λανουβῖνος (nam Lavinii esse Λαουινιάτης vel Λαβινιάτης ipse suo loco dixit) ib. 61, in Λαουνίων et Λανουηίων corruptum in libris.]

Λὰξ, Calce, Calcibus, Extremo pede. [Calcia, Calx, Carcer, Gl.] λήγοντι μέρει τοῦ ποδὸς, Eust., a λήξω fut. verbi λήγω derivans, ut ποὺς a παύσω fut. verbi παύω. Hom. Il. [Z, 65] : Λὰξ ἐν στήθεσι βὰς ἐξέσπασε μείλινον ἔγχος· Π, 503 : Ὁ δὲ λὰξ ἐν στήθεσι βαίνων Ἐκ χροὸς εἷλκε δόρυ· 862 : Δόρυ χάλκεον ἐξ ὠτειλῆς Εἴρυσε λὰξ προσβάς. [Theognis 815 : Βοῦς μοι ἐπὶ γλώσσῃ κρατερῷ ποδὶ λὰξ ἐπιβαίνων ἴσχει κωτίλλειν· 847 : Λὰξ ἐπίβα δήμῳ κενεόφρονι. Theocr. 26, 23 : Λὰξ ἐπὶ γαστέρα βᾶσα.] Apoll. Arg. 2, [220] : Ἐπ' ὀφθαλμοῖσιν ἐριννὺς Λὰξ ἐπέδη, Calcibus in oculos insiliit. Ib. [106] : Τὸν μὲν ὑπὸ στέρνοιο, θοῷ ποδὶ λὰξ ἐπορούσας Πλῆξε. Plut. [Mor. p. 457, C] ex quodam poeta : Βαῖνε λὰξ ἐπὶ τραχήλου, βαῖνε καὶ πέλα χθονί. [Æsch. Cho. 644 : Τὸ μὴ θέμις γὰρ οὐ λὰξ πέδοι πατούμενον · Eum. 110 : Καὶ πάντα ταῦτα λὰξ ὁρῶ πατούμενα· 541. Bianor Anth. Pal. 9, 273, 3 : Πῶλον ἐν ποσὶ λὰξ πατέοντα τοίχους. Marc. Argentar. ib. 270, 2 : Οὐδ' ἄλλων λὰξ ἐδάρυνα χορούς.] Usus hujus adverbii est etiam in prosa. Lucian. [Lexiph. c. 10] : Λὰξ πατήσας ᾤχετο. Synes. Ep. 104 : Οὐδὲ πὺξ ἐντενεῖν, οὐδὲ λὰξ ἐναλεῖσθαι τῶν ἐπιεικεστέρων τινὶ, Neque calcibus incursurum esse. [Hesych. et alii : Λὰξ ἐντείνων, λακτίσματι τύπτων. Λὰξ ἐνάλλεσθαι ponit Pollux 3, 150, etc.] Et ap. Eust. ex Comicis, λὰξ ἐμβῆναι, Calcibus insultare : quemadmodum dixit Hom. Od. [P, 233] : Λὰξ ἔνθορεν ἀφραδίῃσι. Rursum λὰξ πατῆσαι v. in Ἀπολακτίζω. Et λὰξ κινῆσαι πρός τινα, Calcibus petere, Lucian. [Asin. c. 31] : Ἐπεὶ δὲ ἅπαξ κακὰ πάσχων πολλὰ, οὐκέτι φέρων, πρὸς αὐτὸν λὰξ ἐκίνησα, εἶχεν ἀεὶ τοῦτο τὸ λὰξ ἐν μνήμῃ · pro quo ibid. dicit ἀπολακτίζειν. Λὰξ dicitur de Ea etiam plantæ parte, quæ in digitos desinit. Hom. Od. O, [44] : Νεστορίδην ἐξ ἡδέος ὕπνου ἔγειρεν Λὰξ ποδὶ κινήσας · schol., τῷ μεγάλῳ δακτύλῳ τοῦ ποδὸς νύξας, τῷ πλατεῖ τοῦ ποδὸς, et Eust., τῷ ὑποκάτω μέρει τῶν τοῦ ποδὸς δακτύλων. [Schol. Apoll. Rh. 2, 106 : Λὰξ κατὰ μέν τινας σημαίνει τὸν ὑπὸ τῶν δακτύλων τοῦ ποδὸς ψόφον · κατὰ δὲ Ποσειδώνιον τὸ ὑποκάτω τῶν τοῦ ποδὸς δακτύλων λὰξ καλεῖται. Οὕτω γὰρ ἐκεῖνος ἐξηγεῖται καὶ τὸ παρ' Ὁμήρῳ Λὰξ π. κ. Photius s. Suidas : Λὰξ δέ ἐστιν ὁ ὑπὸ τοὺς δακτύλους τοῦ ποδὸς ποιὸς ψόφος.] Il. K, [157] : Τὸν παρστὰς ἀνέγειρε Γερήνιος ἱππότα Νέστωρ, Λὰξ ποδὶ κινήσας, ὄτρυνέ τε, νείκεσέ τ' ἄντην, Ἔγρεο. Ceterum λὰξ prius esse quam λακτίζω, seu vera sit ea, quæ illi datur, etym., seu minus, verisimile mihi visum est; ponique κ pro ξ in λακτίζω, sicut et in Λακπατέω. Quid si vero λακτίζω quasi λακπατίζω dici putemus? [Alia de origine v. apud schol. Dionysii in Bekkeri Anecd. p. 941, Apollon. ib. p. 551, 12. || Antiatt. ib. p. 106, 20 : Λὰξ βῆναι καὶ λὰξ πατῆσαι λέγεσθαί φασι, λὰξ δὲ κάθου μὴ λέγεσθαι.]

[Λαξάδαι, Ἀθήνησι, Hesych. Alludit ad Λακιάδαι.]

[Λάξευμα, ατος, τὸ, Scalptura. Anon. Progymn. in Walzii Rhett. vol. 1, p. 640, 27 : Ὁ ἑρμογλύφος πῶς ἂν εἴποις τοὺς λίθους ἀπέξεσε ... ἢ πῶς αὐτοὺς τοῖς λαξεύμασι κατεποίκιλεν. L. Dindorf.]

[Λάξευσις, εως, ἡ, Incisio lapidis. Schol. Theocr. 6, 18 : Ἀπὸ γοῦν τοῦ γράφειν τοῦ δηλοῦντος τὸ ξέειν γίνεται γραμμὴ ἡ λάξευσις. Boiss. Gl. Diodori 1, 63, ad voc. ξεστουργία ascripta, p. 73, 41.]

Λαξευτήριον, τὸ, q. d. Lapicidarium, Instrumentum ferreum, quo lapicidæ utuntur, λιθοτόμον σιδήριον, Hesych. [et Photius s. Suidas. Psalm. 73, 7 : Ἐν πελέκει καὶ λαξευτηρίῳ κατέρραξεν αὐτήν. Quem l. spectat Hesychii gl. Λαξευτηρίῳ, ubi v. intt. Alia exx. annotavit Ducangius. Ms. apud Lambec. Bibl. Cæs. vol. 8, p. 706, B : Τὰ κατατετμημένα τοῖς τῶν ἀσεβῶν λαξευτηρίοις. Adjective Anna Comn. p. 111, C : Διά τινων λαξευτηρίων ὀργάνων. L. Dindorf.]

Λαξευτὴς, ὁ, Lapidum scalptor, Lapicida [Lapicidinarius, Gl.] : qui et λαοξόος, et λατύπος, necnon λατόμος dicitur : itidem vero λιθοξόος, et λίθων ἐργάτης a Luciano. [Manetho 1, 77 : Ἤτοι λαξευτὰς ἢ τέκτονας ἢ λιθοεργούς. Thom. M. v. Λατόμος p. 571.]

[Λαξευτικὸς, ἡ, ὸν, Ad lapicidas pertinens, Lapicidarius. Eust. Il. p. 341, 28 : Λαξευτικὴν διαθήτην· Opusc. p. 35, 7 : Λαξευτικαῖς πληγαῖς. Theod. Hyrtac. Epist. 8, p. 54 fin. Boiss. Λαξευτικὴ juncta τέχνῃ χαλκευτικῇ et τῇ τεκτόνων, Phot. Bibl. cod. 215, p. 173, 14. Hemst. Anon. Progymn. in Walzii Rhett. vol. 1, p. 640, 28 : Τὴν λαξευτικὴν ἑτέρα διαδέχεται τέχνη, Scalpturam.]

Λαξευτὸς, ἡ, ὸν, i. q. λελαξευμένος. Luc. 23, 53 : Καὶ ἔθηκεν αὐτὸ ἐν μνήματι λαξευτῷ, ubi redditur Monumento, quod erat ex lapide excisum : a vet. autem Interpr. simpliciter In monumento exciso. [Deuteron. 4, 49 : Ὑπὸ Ἀσηδὼθ τὴν λαξευτήν· et sæpius apud Aquilam.]

Λαξεύω, quasi λᾶν s. λᾶας ξέω, Lapides scalpo, polio. Sed dicitur generalius de iis qui Lapicidæ a Lat. vocantur, et aliis nominibus λατόμοι ac λατύποι : unde λαξεύω exp. etiam, Lapides incido. [Schol. Lycophr. 523; Eust. Il. p. 230, 3.] Interdum vero et pro Incido simpliciter, cum accus. λίθον [Eumath. p. 14 : Ἃ πάνθ' ὁ τεχνίτης ἐν Πεντέλης ἐλάξευσεν εἰς ποδὸς ἀνάπαυλαν] : unde etiam ab ejus pass. Λαξεύομαι est partic. λελαξευμένος, diciturque λελαξευμένος λίθος, Incisus lapis, aut etiam Operi aptatus. Sed a LXX λελαξευμένος λίθος vocatus fuit Quadratus lapis, ut scribit Bud. Judith. [1, 2] : Καὶ ᾠκοδόμησεν ἐπ' Ἐκβατάνων κύκλῳ τείχη ἐκ λίθων λελαξευμένων.

Λάξις, ἡ, Sortitio; nam Hesych. λάξεων [λαξίων] exp. κληρώσεων, λήξιων [λήξεων]. || Sors, Distributio per sortes. Suidas λάξιν ap. Herodot. exp. μερισμὸν, κλῆρον, μίξιν [λῆξιν pro μῖξιν Ruhnk. Ep. cr. p. 130] : ex cujus l. 4, [21] in VV. LL. affertur, Λάξιν δευτέρην ἔχοντες Βουδῖνοι ὑπεροικέουσι τουτέων, Supra hos habitant, quæ secunda portio est, Budini. [Ibid. paullo ante : Ἡ πρώτη τῶν λαξίων Σαυροματέων ἐστί. Ex Herodoto duxerat etiam Gregor. Cor. p. 534, ubi male receptus accentus λᾶξις, quem recte repudiat Schweigh. ad l. Her. Diversa enim Dor. λᾶξις pro λῆξις et Ion. λάξις pro λάχεσις. Etiam Callim. Jov. 80, dudum vel ex libris restitutam oportuit formam λῆξιν pro λάξιν in carmine non Dorico.] Etymologico autem λάξις est οἰκοδόμημα αἱμασιᾶς. [« Cod. Gud. habet Λέξις, ἡ οἰκοδόμησις, αἱμασιὰς λέξαντες. Ex his igitur, deletis verbis ὅ ἐστιν, ap. Etym. scribendum puto Λέξις, οἰκοδόμημα, addito Αἱμασιὰς λέξαντες ἀλωῆς ἔμμεναι ἕρκος ex Od. Ω, 223, cujus vestigia in vulg. αἱμασιᾶς deprehendebantur. » Kulenkamp. Verior scriptura est οἰκοδόμησις. Hesych. : Λαῦξις, κλῆρος, μερίς. Vitiose, ut videtur, pro λάξις.]

[Λαξοϊκός. V. Λαοξοϊκός.]

[Λαξόος. V. Λαοξόος.]

[Λαξπάτητος. V. Λακπάτητος.]

[Λᾱοβόρος, ὁ, ἡ, Populum devorans. A. κύων, de Satana, Synes. p. 347, A. Jacobs.]

[Λᾱοβότειρα, ἡ, Populum pascens, alens. Orph. Lith. 708 : Γαίης ἐριβώλου λαοβοτείρης.]

[Λᾱόβοτος, ὁ, ἡ, i. q. præcedens. Hesych. : Λαοβότον, ἀνθρωποτρώφον. Scribendum videtur Λαοβότων, ἀνθρωποτρόφων.]

[Λᾱόγονος, ὁ, Laogonus, f. Biantis, Trojanus, Hom. Il. Υ, 430. Onetoris, item Trojanus, Π, 604. De accentu proparoxytono ἐν τοῖς ἀκριβεστέροις τῶν ἀντιγράφων monet Eust. Il. p. 1213, 41.]

[Λᾱογόρας, ου, ὁ, Laogoras, rex Dryopum. Apollod. 2, 7, 7, 4, ubi v. Heyn.]

[Λᾱογόρη, ἡ, Laogore, Cinyræ f., Apollod. 3, 14, 3, 4. Alibi Λαοδίκη.]

[Λᾱογραφία, ἡ, Census vertitur Maccab. 3, 2, 28 : Πάντας δὲ τοὺς Ἰουδαίους εἰς λαογραφίαν καὶ οἰκετικὴν διάθεσιν ἀχθῆναι. Λαογλυφίαν coll. 4, 14, Valck.]

[Λαοδαμάντεια. V. Λαομεδόντεια.

[Λᾱοδαμάντειον, τὸ, Laodamanteum. Scylax in Descriptione Africæ p. 44 : Ἀπὸ Λευκῆς ἀκτῆς εἰς Λαοδαμάντειον λιμένα πλοῦς ἥμισυ ἡμέρας. Ἀπὸ δὲ Λαοδαμαντείου λιμένος εἰς Παραιτόνιον λιμένα πλοῦς ἥμισυ ἡμέρας. Λαοδαμάντιον scriptum ap. Ptolem. 4, 5.]

[Λαοδάμας, αντος, ὁ, Populum domans. Æsch. Sept. 343 : Λαοδάμας Ἄρης. Eust. Opusc. p. 56, 11 : Ἀνδροδάμαντα, ὡς εἴ τις εἴποι λαοδάμαντα. ἀάā]

[Λαοδάμας, αντος, ὁ, Laodamas, f. Antenoris, Trojanus, Hom. Il. O, 516. F. Alcinoi, regis Phæacum, Od. H, 170 etc. Alius ap. Plat. Epist. 11. Phocæensis quidam ap. Herodot. 4, 138; Ægineta ib. 152, f. Eteoclis 5, 61, de quo v. Heyn. ad Apollod. 3, 7, 3, 2. Alii alibi. Vocat. Λαοδάμα annotat Chœrob. in Bekk. Anecd. p. 1183 extr.]

[Λαοδάμεια, ἡ, Laodamia, f. Bellerophontis. Hom. Il. Z, 197, Apollod. 3, 1, 1, 5. F. Alcmæonis ap. schol. Hom. Il. Π, 175. F. Amyclæ ap. Pausan. 10, 9, 5. F. Alasti ap. Eust. Il. p. 325, 22. Nutrix Orestis sec. Stesichorum ap. schol. Æsch. Cho. 728. In inscr. Ithac. ap. Bœckh. vol. 2, p. 41, n. 1927 est : Σαφφου Λαωδαμιας. ἀᾶ]

[Λαοδίκεια, ἡ, Laodicea, n. urbibus pluribus commune. Steph. Byz. : Λ., πόλις τῆς Συρίας ἡ πρότερον Λευκὴ ἀκτὴ λεγομένη καὶ πρὸ τούτου Ῥάμιθα ... Λέγεται δὲ ἀπὸ Λαοδίκης τῆς μητρὸς Σελεύκου τοῦ Νικάτορος. Ἔστι δὲ καὶ ἑτέρα Λυδίας, Ἀντιόχου κτίσμα τοῦ παιδὸς

τῆς Στρατονίκης. Τῇ γὰρ γυναικὶ αὐτοῦ ὄνομα Λαοδίκη (V. A
idem in Ἀντιόχεια) ... Ἔστι δὲ καὶ ἄλλη Λυκαονίας, καὶ Μηδίας ἑτέρα. Strabonis aliorumque de singulis testimonia annotarunt interpretes, qui etiam gentilis Λαοδικεὺς in numis et alibi frequentis exx. attulerunt. Formæ apud Latinos interdum usurpatæ Λαοδικηνὸς, unde Λαοδικηνὴ ap. Ptolem. 5, 15, de regione, aliud ex. præbet ἄγχουσα Λαδικίνη ap. Democritum De methodo tingendæ purpuræ ap. Salmas. Plin. Ex. p. 808, b, E. Fem. Λαοδίκισσα exx. duo sunt ap. Lebas. *Inscr.* fasc. 5, p. 157, 221; 159, 225, 3. || Λαοδικηα pro Λαοδικεια scriptum in numo ap. Mionnet. *Suppl.* vol. 7, p. 581, 430. || Forma trisyllaba Λαδικεὺς et quadrisyllaba Ladicia vel Laudicia sunt ap. Synes. Epist. 127 et in ll. ab Wesselingio ad Antonin. p. 148, Hierocl. p. 582, Herodot. 2, 181, citatis, ubi Λαδίκη mulier Cyrenæa, Amasidis regis conjux, memoratur. || Λαοδίκη de urbe Syria Dionys. Per. 915. ᾰῐ L. Dind.]

[Λαοδίκη s. Λαδίκη, ἡ, Laodice, Ladice, n. mulieris. V. Λαοδίκεια. Λαοδίκη, f. Priami, est ap. Hom. Il. Z, 252, Agamemnonis I, 145, 287. Puella Hyperborea ap. B
Herodot. 4, 33, 35. Aliæ ap. Apollodorum, Pausaniam et alibi. V. Clinton. Fast. vol. 3, p. 586.]

[Λαοδίκῐος, ὁ, Laodicius, mensis Asianorum duodecimus, respondens diebus 25 Augusti — 23 Septembris, in Hemerologio Flor. ap. Ideler. Chronolog. vol. 1, p. 414. L. Dind.]

[Λαόδικος, in versibus Socratis ap. Diog. L. 2, 42: Αἴσωπός ποτ' ἔλεξε Κορίνθιον ἄστυ νέμουσι μὴ κρίνειν ἀρετὴν λαοδίκῳ σοφίῃ, Coraes præfat. ad Æsopum p. 15, scribendum conjicit λαοδόκῳ, quod sit i. q. λαοδογματικῇ.]

[Λαόδικος, ὁ, Laodicus, pater Theognetes, matris Iasonis, ap. schol. Apoll. Rh. 1, 46.]

[Λᾱοδογματικὸς, ἡ, ὸν, Vulgi opinionem sequens. Strab. 2, p. 104: Ἀλλὰ μὴν Πολύβιός γε ἐστιν ὁ ὅλας δογματικὰς καλῶν ἀποφάσεις, ἃς ποιεῖται περὶ τῶν ἐν τούτοις τοῖς τόποις διαστημάτων. Λαοδογματικὰς recte Tyrwhittus hic et ubi similiter peccatum 10, p. 465. V. Λαοδογματικῶς.]

Λαοδογματικῶς, Ita ut vulgo s. populo videtur, Ex C
multitudinis opinione, VV. LL. [Strab. 7, p. 317: Τοιαῦτα καὶ τοῦ Ἐρατοσθένους ἔνια παρακούσματά ἐστι λ., καθάπερ Πολύβιός φησι. V. in adjectivo.]

[Λαοδόκειον s. Λαοδόκεια. V. Λαδόκειον.]

[Λαόδοκος. V. Λαόδικος.]

[Λᾱόδοκος, ὁ, Laodocus, f. Antenoris, Trojanus, Hom. Il. Δ, 87, Græcus P, 699. Frater Talai, Orph. Arg. 146, qui Apollonio Rh. Λεωδόκος. F. Priami, Apollod. 3, 12, 5, 13. F. Phthiæ et Apollinis, ap. eund. 1, 7, 6. Nemeonica quidam 3, 6, 4, 5. Citharœdus, Ælian. V. H. 4, 2. Postremis locis duobus Λαόδοκος scriptum, quum ceteris aut Λαοδόκος sit aut casus ambigui accentus. Sed Λαόδοκος scribendum, ut Δημόδοκος, quod male Δημοδόκος interdum scribi supra diximus. Utrumque evertitur præcepto Arcadii, diserte ponentis proparoxytonon Λαόδοκος p. 88, 7. Vitiosus accentus tamen deceperat fortasse jam Eustathium Il. p. 447, 29, qui λαοδόχον interpretatur. L. Dind.]

[Λᾱοηγησία, ἡ, Populi imperium. Justinus Mart. p. 146, A: Ναυῆ τὸν διαδεξάμενον τὴν λ. μετὰ Μωσέα.] D

[Λᾱοθαμβὴς, ὁ, ἡ, Populo s. Populis stupendus. Anon. H. in Virgin. 12.]

[Λᾱοθόη, ἡ, Laothoe, pellex Priami, f. Altis, regis Lelegum. Hom. Il. Φ, 85, X, 48. F. Thespii, Apollod. 2, 7, 8, 4. Thestoris ex Apolline mater, schol. Apoll. Rh. 1, 139; Echionis ex Mercurio, Orph. Arg. 134.]

[Λαοὶ s. Λᾶοι. V. Λᾶας.]

[Λαοίτης, ὁ. Τὰ διὰ τοῦ οιτης βαρύτονα, μὴ ὄντα παρώνυμα, διὰ τῆς οι διφθόγγου γράφονται· δαμοίτης· ἀγροίτης ... λαοίτης, Excerpt. e Theognost. Canon. cod. Barocc. 50, Can. 249. Cramer. Corrigendus igitur error typogr. in Anecd. Oxon. vol. 2, p. 46, 3, ubi Λοίτης scriptum. Est autem epitheton Jovis et Neptuni ap. Pausan. 5, 24, 1, ubi forma Dorica: Παρὰ δὲ τοῦ Λαοίτα Διὸς καὶ Ποσειδῶνος Λαοίτα, παρὰ τούτων τὸν βωμὸν (in Alti Jovis Olympici luco positum) Ζεὺς ἐπὶ χαλκοῦ βάθρου. Eidem ib. 14, 4, non debebat inferri ex conjectura Buttmanni Λαοίτιδι Ἀθηνᾷ, quum verissimam scripturam ληΐτιδι præbuisset codex. L. Dind.]

[Λᾱοκατάρατος, ὁ, ἡ, A populo exsecratus. Symm. Prov. 11, 26. Kall.]

[Λᾱοκόων, ωντος, ὁ, Laocoon, f. Porthaonis, Argonauta. Apoll. Rh. 1, 191. || F. Antenoris, sacerdos Neptuni vel Apollinis, qui equi lignei fraudem perspexit, ap. Quintum 12, 391 seqq, Virg. Æn. 2, ubi v. Servius ad v. 201. Genitivus Λαοκόοντος scriptus ap. Tzetz. ad Lycophr. 344, 347. Rectius Λαοκόωντος, ubi cognominis pater Thesproti memoratur, ap. Steph. Byz. v. Ἀμβρακία. ΛαϜοκόϜων cum digamma scriptum memorat Priscian. 1, 4, 22; 6, 13, 69, apud quem 6, 6, 29 item male Λαοκόοντος. Forma contracta Λαοκῶν est ap. Herodian. Il. μον. λ. p. 10, 3, Arcad. p. 12, 17. L. Dindorf.]

[Λᾱοκόωσα, ἡ, Laocoosa, Apharei conjux, Theocr. 22, 206. Unde citat sch. Apoll. Rh. 1, 151.]

[Λᾱοκρᾰτέομαι, Populi vel potius Plebis imperio regor. Menander De encom. p. 94: Εἰ δὲ (πόλιν) λαοκρατουμένην ἐπαινοίης, ὡς δημοκρατουμένην. V. sequens voc.]

[Λαοκρατία, ἡ, Populi vel Plebis imperium. Menander l. c.: Δημοκρατίᾳ δὲ (παρακειμένη κακία ἐστὶ) λαοκρατία. Sed λαὸς dici in malam partem de plebe urbis aliis quam his duobus probandum est testimoniis, in quibus facilis est correctio δ' ὀχλοκρατία, et δ' ὀχλοκρατουμένην, quæ usitata sunt in hac caussa vocabula. Ac liber unus ὀχλοπλουτοκρατία pro vicino πλουτοκρατία, quod ad proximum λαοκρατία pertinere animadversum etiam in ed. Walzii vol. 9, p. 752. L. D.]

[Λαοκρίτης, ὁ, Judex popularis. Papyr. Gr. Mus. Taurin. p. 7, l. 3. Cramer.]

[Λαοκῶν. V. Λαοκόων.]

[Λάομαι. V. Λῶ.]

[Λᾱομάκαιρα, ἡ, Quam populus s. populi beatam prædicat s. prædicant. Anon. H. in Virg. 12.]

[Λᾱομέδεια, ἡ, Laomedia, Nereis. Hesiod. Th. 257.]

[Λᾱομεδόντεια, ἡ, Laomedontia. Steph. Byz.: Λαοδαμάντεια, νῆσος ἐν Λιβύῃ. Ἀρτεμίδωρος ἐν ἐπιτομῇ τῶν ἕνδεκα. Ἐκαλεῖτο δὲ Λαομεδόντεια ἴσως ἀπὸ Λαομέδοντος τοῦ Τρωός. Τὰ ἐθνικὰ ἀμφότερα Λαομεδοντίτης καὶ Λαοδαμαντίτης. || Idem in Λάμψακος scribit: Ἐπαφρόδιτος δὲ Πιτύειαν ὑφ' Ὁμήρου ταύτην κληθῆναι διὰ τὸ πιτύων ἔχειν πλῆθος, Λαομεδοντίαν καλουμένην, ubi item scribendum videtur Λαομεδόντειαν, si omnino ad Lampsacum quoque hoc nomen pertinuit.]

[Λαομεδόντειος. V. Λαομεδόντιος.]

[Λαομεδοντιάδης, ὁ, Laomedontiades, patronym. ab Λαομέδων. Hom. Il. O, 527. Orph. Lith. 383. ῐᾱ]

[Λαομεδόντῐος, α, ον, Laomedontius, adj. ab Λαομέδων. Pind. Isthm. 5, 27: Λαομεδοντίαν ἀμπλακίαν. Eur. Tro. 822: Λαομεδόντιε παῖ. Formam Λαομεδόντειος ponit Etym. M. p. 226, 52.]

[Λαομέδων, οντος, ὁ, Laomedon, Herculis et Melines Thespiadis f. Apollod. 2, 7, 8, 2. F. Ili, rex Trojæ, ap. Hom. Il. E, 269 etc., aliosque poetas et mythologos. Alius ap. Pausan. 10, 27, 3. Messenius quidam ap. Diodor. 14, 40. Mytilenæus, Syriæ post Alexandri M. mortem præfectus, ib. 18, 3 etc. || Forma contracta Λαυμέδων ex codd. reddenda Lycophroni 952. L. Dindorf.]

[Λαομένης, ὁ, Laomenes, Herculis et Thespiadis f. sec. conjecturam Heynii ap. Apollod. 2, 7, 8, 3, ubi Λαυομένης.]

[Λαομήδης, ους, ὁ, Laomedes, Herculis et Omphales f. sec. Palæph. 25, 4, ubi liber unus Λαμήδη. Diodoro 4, 31, Λάμος.]

[Λᾶον. V. Λήιον.]

[Λαονίκη, ἡ, Laonice, uxor Lebadi. Pausan. 9, 39, 1.]

[Λαόνῑκος, ὁ, Laonicus, n. viri in numis Cymes Æolidis ap. Mionnet. *Suppl.* vol. 6, p. 13, n. 96, 98, pro quo Μόνικος et Μόνιχος est n. 99, 100. Alius in Michaelis Apostolii Menexeno ap. Lambec. Bibl. Cæs. vol. 7, p. 245, C. L. Dind.]

[Λᾱονόμη, ἡ, Laonome, mater Amphitruonis, Pausan. 8, 14, 2. F. Amphitruonis et Alcumenæ, schol. Apoll. Rh. 1, 1241. Cod. Paris. Λαονόη. Mater Calliari, conditoris urbis Locr. Calliari ap. Steph. Byz. v. Καλλίαρος. L. Dind.]

[Λᾱοξοϊκὸς, ἡ, ὸν, Ad lapicidarum artem pertinens. Hesych.: Ὄρυξ, λαοξοϊκὸν σκεῦος. « Λαοξικὸς (sic) διαβήτης schol. Ven. Il. B, 272 : sed lege λαοξοϊκὸς, ut λιθοξοϊκὸς, vel λαξοϊκός. Hesych. v. Λαξόος : dicitur λαοξόος, ut κεραοξόος, Il. B, 334. Conf. et Schow. ad Hesych. v. Σταφύλη, ubi Λαξοϊκός. Bast. Sed λαοξοϊκὸς fuisse videtur in codice, in quo literam inter α et ξ expunxit Musurus. Λαξοϊκὸς Eust. p. 341, 26. L. Dind.]

Λᾱοξόος, ὁ, ead. forma dictum, qua λιθοξόος, Lapidum scalptor, potius quam Lapicida. Hesych. habet Λαξόοι, exponens λιθουργοὶ et οἰκοδόμοι. At in VV. LL. λαοξόος legitur. [Sic in Epigr. Anth. Pal. App. 305, 1 : Πραξιτέλους ἤνθουν λαοξόος οὔτι χερείων. V. etiam Λαοξοϊκός. || « Forma trisyllaba etiam ap. Jo. Philopon. in Aristot. Analyt. prior. fol. 4, 6. » Creuzer.]

[Λᾱοξουργέω, i. q. λαξεύω. Schol. Ambros. Hom. Od. Ξ, 223 : Τὸ ὀφέλλειν οἴκους, ὅ ἐστιν οἰκοδομεῖν καὶ λαοξουργεῖν. Elberl.]

[Λᾱοπᾰθής, ὁ, ἡ, A populo toleratus. Æsch. Pers. 945 : Λαοπαθῆ ἁλίτυπά τε βάρη. Schol., τὰ ἐν χέρσῳ καὶ θαλάσσῃ τοῖς Πέρσαις συμβάντα.]

[Λαοπαίκτης. V. Λαυπίκτης.]

[Λαόπαις. V. Λαίσπαις.]

[Λαοπίζω. Hesych. : Λαοπίζειν ἢ λαπίζειν, τοὺς λαοὺς εἰς ὀπὴν ἄγειν καὶ ἐπιστροφὴν διὰ τῆς ἀλαζονίας. Repetitur hoc λαοπίζει paullo post loco alieno post Λαπίζει (quod verbum v.), et ante gl. ad Λαπίθαι pertinentem ponitur, quæ gens nihil cum hoc verbo commune habet. Finxerint grammatici ad explicandum λαπίζω an alicubi invenerint λαοπίζω incertum est.]

[Λᾱοπλᾰνής, ὁ, ἡ, i. q. sequens. Phot. Contra Manich. 1, p. 67 in Wolf. Anecd. : Τὸ λαοπλανὲς ἐκεῖνο καὶ κακομήχανον τέρας. Boiss.]

[Λαοπλάνος, ὁ, ἡ, Qui populum s. populos decipit. Joseph. A. J. 8, 8, 5. « Saracenica Sylb. p. 66; Photius Epist. 151; Ignatius Epist. p. 67 Voss.; Joann. monachus in Anecd. meis vol. 4, p. 199 fin. » Boiss. Λαοπλάνος τις δαίμων Pallad. Vit. Chrysost. p. 65. Euseb. H. E. 7, p. 342, 28. Ματρέας οὗτος λαοπλάνος ἦν, Suid. Ap. Athen. p. 1. p. 19, D, πλάνος tantum legitur. Balsam. ad Can. Conc. 6, in Trull. p. 235, E. Hemst. Theodor. Stud. p. 139, A; 451, A.]

[Λαοπόρος, ὁ, ἡ, Populum trajiciens. Æsch. Pers. 113 : Λαοπόροις μηχαναῖς, de pontibus.]

[Λαοργός. V. Λεωργός.]

[Λᾶος. V. Λᾶας.]

Λᾱός, ὁ, Turba, Populus. Hom. Il. N, [833] : Τῇ [Τοὶ] δ' ἅμ' ἕποντο Ἠχῇ θεσπεσίῃ, ἐπὶ δ' ἴαχε λαὸς ὄπισθεν. [Ubi de exercitu dicitur, ut alibi sæpe apud Epicos. Λαοὶ ἀσπισταὶ Δ, 90 etc.] Π, [129] : Δύσσεο [Δύσεο] τεύχεα θᾶσσον, ἐγὼ δέ κε λαὸν ἀγείρω. [B, 115 : Καί με κελεύει δυσκλέα Ἄργος ἱκέσθαι, ἐπεὶ πολὺν ὤλεσα λαόν· 578 : Ἅμα τῷγε πολὺ πλεῖστοι καὶ ἄριστοι λαοὶ ἕποντο. Insolentius N, 710 : Ἀλλ' ἤτοι Τελαμωνιάδῃ πολλοί τε καὶ ἐσθλοὶ λαοὶ ἕπονθ' ἕταροι, οἵ οἱ σάκος ἐξεδέχοντο, ubi ἄλλοι unus liber Vindobon.] I, [116] : Ἀντί νυ πολλῶν Λαῶν ἐστὶν ἀνήρ, ὅν τε Ζεὺς κηρὶ φιλήσῃ· X, [205] : Λαοῖσιν δ' ἀνένευε καρήατι δῖος Ἀχιλλεύς. [Æsch. Pers. 593 : Λέλυται γὰρ λαὸς ἐλεύθερα βάζειν, ὡς ἐλύθη ζυγὸν ἀλκᾶς· 729 : Παμπήδην δὲ λαὸς πᾶς κατέφθαρται δόρει· Cho. 365 : Δοριχμῆτι λαῷ.] Synes. Ep. 57 : Καὶ φωνὰς ἀφῆκεν ἐπὶ συνεστώτων καὶ περιεστώτων λαῶν, Coram congregato et circumstante populo, turba et multitudine. [De concione Aristoph. Eq. 163. De bacchantibus Ran. 219. De spectatoribus 676.] Item Il. Λ, [675] : Λαοὶ ἀγροιῶται. [Sic λαὸν νασιώταν Pind. Pyth. 9, 56, ἵππαιχμον Nem. 1, 17. Æsch. Suppl. 89: Μερόπεσσι λαοῖς· 517 : Λαοὺς συγκαλῶν ἐγχωρίους. De formula ποιμὴν λαῶν v. in Ποιμήν. Sic dicitur λαῶν ἄναξ, κοίρανος, ὄρχαμος etc. Cum ἔθνος conjungitur Il. N, 495 : Ὣς ἴδε λαῶν ἔθνος ἐπισπόμενον ἑοῖ αὐτῷ. Timo ap. Euseb. Pr. ev. p. 762, A : Λαῶν ἔθνεα κοῦφα.] Aliquando additur nomen regionis aut urbis. Π, [368] : Λεῖπε δὲ λαὸν Τρωϊκὸν, Populum Trojanum. O, [218] : Ὣς εἰπὼν λίπε λαὸν Ἀχαιϊκὸν Ἐννοσίγαιος. [Vel gentis. Il. Z, 223 : Ὅτ' ἐν Θήβῃσιν ἀπώλετο λαὸς Ἀχαιῶν. Æsch. Pers. 91 : Ἀπρόσοιστος γὰρ ὁ Περσῶν στρατὸς ἀλκίφρων τε λαός· 770 : Λυδῶν δὲ λαὸν καὶ Φρυγῶν ἐκτήσατο· 1017 : Ἰάνων λαός. Soph. Ph. 1243 : Ξύμπας Ἀχαιῶν λαός. Et genitivo Eur. Ion. 29 : Ἐλθὼν λαὸν εἰς αὐτόχθονα κλεινῶν Ἀθηνῶν.] Item cum pronomine σὸς vel ἐμὸς, vel ἑὸς, Od. X, [54] : Σὺ δὲ φείδεο λαῶν

A σῶν· Θ, [524] : Ὥστε ἐξῆς πρόσθεν πόλιος λαῶν τε πέσησι, sub. ἑῶν. [Et cum genitivo nominis. Il. Δ, 47 : Καὶ Πρίαμος καὶ λαὸς ἐϋμμελίω Πριάμοιο. Soph. OEd. T. 144 : Κάδμου λαόν. Plurali verbi singularis nominis collectivi jungitur Π, 156 : Σοὶ γάρ τε μάλιστά γε λαὸς Ἀχαιῶν πείσονται. Cum adjectivo Pind. Ol. 8, 30 : Δωριεῖ λαῷ. Æschyl. ap. Athen. 12, p. 528, C : Ὅθεν καλεῖν Κουρῆτα λαὸν ἤνεσαν.] Quidam λαὸς a λάας derivant, eo quod jactis in aversum lapidibus Deucalion et Pyrrha λαοὺς repararint. Atque hinc Virg. [Georg. 1, 63] : Unde homines nati, durum genus. Et Ovid. Metam. 1, [414] post fabulam de humano genere, Deucalionis et Pyrrhæ precibus ex saxis post terga jactatis reparato, Unde genus durum sumus experiensque laborum, Et documenta damus, qua simus origine nati. Item Pind. [Ol. 9, 50] ap. Eust. : Ἄτερ δ' εὐνᾶς ὁμόδαμον κτησάσθαν λίθινον γόνον· λαοὶ δ' ὀνόμασθεν. [Epicharm. ap. schol. Pind. Apollodor. 1, 7, 2, 6.] Eust. vero [Il. p. 23, 32] et aliam rationem addit, quoniam Cecrops videns Atticam πολυανθρωποῦ-
B σαν, convocabat τὸν ὄχλον, et numerum notabat λάεσιν, Lapidibus, unoquoque unum jaciente. [Hæc ex Philochoro ap. schol. ad l. Pindari.] Affert tamen et aliam etym. [ib. sive, ubi λίαν ponit pro λα, p. 682, 39], derivans a λα epitatico et αὔειν, i. e. φωνεῖν, quoniam πολύφωνος est ὁ λαός. [Simili modo jacto a nutricibus Jovis post terga pulvere orti sunt Idæi Dactyli : Etym. p. 465, 35. Hemst. Alia de etymologia v. in Epimer. Hom. in Crameri Anecd. vol. 1, p. 264—265, ubi de signif. additur p. 265, 9 : Σημειωτέον δὲ ὅτι οὐχ ἁπλῶς τὸν ὄχλον σημαίνει, ἀλλὰ τὸν ὑποτεταγμένον, et cetera quæ v. in Λεώς. Ex illis autem corrigendum Etym. Gud. p. 362, 21, simulque fragm. quod citat Hesiodi ap. Strab. 7, p. 322 : Ἤτοι γὰρ Λοκρὸς Λελέγων ἡγήσατο λαῶν, τούς ῥά ποτε Κρονίδης Ζεὺς ἄφθιτα μήδεα εἰδὼς λεκτοὺς ἐκ γαίης ἀλέους (λαὸς Etym. Gud.) πόρε Δευκαλίωνος. Nam ἀλέας scribendum esse cum Wesselingio et aliis docent Epim. Hom. : Ἡσίοδος παρὰ τὸ ἀλὲς τὸ σημαῖνον τὸ ἀθροῦν. Quæ ad hoc fragm. referri patet vel ex Etym. Gud. Dualem
C bis habet Hesychius in gll. a Musuro deletis : Λαὼ, λαὸς (sic), δυϊκῶς. Λαὼ, λαοὺς, ὄχλους. Apud Atticos exclusum ab oratione prosa, frequentarunt recentiores. Fœdus Byzantiorum cum Prusia rege ap. Polyb. 4, 52, 7 : Ἀποδοῦναι Προυσίαν Βυζαντίοις τάς τε χώρας καὶ τὰ φρούρια καὶ τοὺς λαοὺς καὶ τὰ πολεμικὰ σώματα. De spectatoribus Plut. Mor. p. 1096, B : Ὁ λαὸς τυφλοῦται. Diodor. 1, 57 : Ταῖς πρὸς ἀλλήλους τῶν λαῶν ἐπιμιξίαις· 3, 45 : Ἡ χώρα οὐ τυγχάνει τῆς ἐνδεχομένης ἐπιμελείας διὰ τὴν τῶν λαῶν ἀπειρίαν· 5, 7 : Τοὺς λαοὺς κοινῇ μετὰ τῶν ἐγχωρίων πολιτεύεσθαι ποιήσας· 59 : Μετά τινων λαῶν κατέπλευσεν εἰς τὴν Ῥόδον. De exercitu Exc. p. 496, 52 : Ἐμβιβάσας τὸν λαόν· 506, 62 : Ἦν δὲ ὁ λαὸς ὁ τῶν Ῥωμαίων ἕνδεκα μυριάδες· 511, 87 : Στρατηγὸς ἀναγορευθεὶς ὑπό τε τοῦ λαοῦ καὶ Καρχηδονίων. Alia plurima exx. citat Ducangius. De civibus sive populo præter principes Luc. 7, 29, Act. 5, 26, Achmes in Onirocr., ut p. 16, c. 13; p. 17, c. 15; p. 21, c. 20, 21. Idem eadem signif. c. 13, p. 16 : Ἐὰν δὲ τοῦ κοινοῦ λαοῦ καὶ τῶν μεγιστάνων ἤ τις· c. 22, p. 22 : Εἰ
D μέν ἐστι τῶν ἀρχόντων, εἰ δὲ τοῦ κοινοῦ λαοῦ· et c. 23, p. 23. || Ap. Byzantinos est etiam Multitudo, cui contrarii Clerici. V. Ducang. Eust. Opusc. p. 38, 46. || De forma Attica Λεὼς quæ suo loco habet HSt., noluimus separare a ceteris cum hac forma compositis. De utriusque usu apud Herodotum Schweigh. in Lex. : « Promiscue modo communem formam modo Atticam λεὼ; modo eam quæ verissime Ionica poterat videri Ληὸ; præferunt libri : τριβομένῳ τῷ λαῷ (vel ἄλλῳ) 2, 124, omnes; τὸν λαὸν 2, 129 edd. ante Gronov., qui τὸν λεὼ ex Med., sed τὸν λεὼν ed. Wess. cum plerisque codd. Τὸν λεὼν τετρῦσθαι omnes 1, 22, et λεὼν πολλὸν καὶ ἄλκιμον εἶναι τοὺς Ἀθηναίους 8, 136. Rursus, αἰτήσας λαὸν Σπαρτιήτας edebatur ante Gron. 5, 42, ubi ληὸν plurimi probatissimique codd. » In compositis cum λαὸς nominibus quum ap. Herodotum sæpe sit Λα, Λαο, Λευ, Λεω, aut insignis facta est mutatio scripturæ primitivæ vocabulorum hujus stirpis, literis orthographiæ antiquæ ΛΕΟ, i. e. ΛΗΟ, male acceptis, aut forma ληὸς librariis tribuenda paullo eruditioribus

quam et Hesychius retulit : Ληὸν, ἔθνη καὶ ὄχλον, et Arcad. p. 36, 24 : Λαὸς καὶ ληὸς, et scriptor Epimer. Hom. supra cit., p. 265, 7 : Τὸ λαὸς ἄτρεπτος (— ον) ἔμεινε παρ' Ὁμήρῳ, καίτοι τῇ μεταγενεστέρᾳ Ἰάδι τραπὲν, Ληὸν ἀθρήσας, Ἱππῶναξ. L. Dind.]

[Λᾶος, Laus, urbs Lucaniæ, ἀπὸ Λάου ποταμοῦ sec. Steph. Byz., qui Apollodori utitur testimonio et gentile ponit Λαΐνος, cujus ex v. in numo ap. Mionnet. *Suppl.* vol. 1, p. 300, 676. Urbem fluviumque cognominem memorat etiam Strabo 6, p. 253, 255, idemque p. 253 ponit Λᾶος κόλπος, quod Λαΐνος scrib. videri potest. Fluvium Ptolem. 3, 1. Urbem Diodor. 14, 101, et Herodot. 6, 21, ubi Λάον, quem esse veriorem accentum non licet colligere ex α non in η mutato : nam etiam in compositis cum λαὸς et nomine Λάϊος aliisque α longum ab eo est servatum. L. Dind.]

[Λᾱοσεβὴς, ὁ, ἡ, A populo cultus. Pind. Pyth. 5, 95 : Μάκαρ μὲν ἀνδρῶν μέτα ναῖεν, ἥρως δ' ἔπειτα λαοσεβής.]

[Λαοσθενίδας, ὁ, Laosthenidas, scriptor rerum Creticarum, Diod. 5, 80. ἄϊ]

Λᾱοσσόος, ὁ, ἡ, Populum servans, Populi servator s. tutor, epith. Apollinis : item Minervæ, quæ et Σωσίπολις nominatur. Nisi a σόω significante Concito derivare malis : quod sc. Bellona populos ad arma conciat. [Utramque etymologiam ponit Hesychius et Etym. M. Iterum HSt. :] Λαοσσόος, Populos servans, concitans. Priori signif. Apollo et Minerva dicuntur λαοσσόοι, ὡς λαοὺς σόοντες, h. e. σώζοντες [immo hi quoque altera significatione : de priori v. quæ in fine dicentur] : at Ἔρις dicitur λαοσσόος, ἡ σείουσα h. e. ἡ κινοῦσα καὶ παρορμῶσα εἰς πόλεμον : eod. sensu Ἄρης quoque λαοσσόος dicitur, ὁ λαοὺς παρορμῶν, διώκων, Eust., qui et Minervam hoc posteriori sensu λαοσσόον dici posse scribit, quippe quæ bellica dea sit. Hom. [Il. N, 128 : Οὔτε κ' Ἀθηναίη λαοσσόος·] Od. X, [210] : Οἰόμενος λαοσσόον ἔμμεν [ἔμμεν' HSt. Ms. Vind.] Ἀθήνην· Il. Υ, [48] : Ὦρτο δ' Ἔρις κρατερὴ λαοσσόος· [79 : Λαοσσόος Ἀπόλλων·] P, [398] : Οὐδέ κ' Ἄρης λαοσσόος, οὐδέ κ' Ἀθήνη Τόν γε ἰδοῦσ' ὀνόσαιτ'. [Orph. Lith. 10 : Λαοσσόον Ἡρακλῆα· 58 : Λαοσσόος Ἀργειφόντης.] Tribuitur hominibus quoque, Od. O, [244] : Αὐτὰρ Ὀϊκλείης λαοσσόον Ἀμφιάρηα, sc. ἔτικτε, ubi Eust. λαοὺς σόοντα, ἤτοι διώκοντα κατ' ἀνδρίαν, σώζοντα διὰ μαντικῆς. Hesiod. Sc. [37] : Ἀμφιτρύων λαοσσόος, ἀγλαὸς ἥρως. [Conf. ib. 3, 54. Et rebus ap. Pind. Pyth. 12, 24 : Λαοσσόων μναστῆρ' ἀγώνων, de certaminibus populum congregantibus. || Significationem Servantis populum s. populos, quam ponunt schol. Hom. et lexicographi, ascivit Nonnus Jo. 7, 117 : Χριστὸς ἄναξ λαοσσόος· 8, 1 : Ἰησοῦς δ' ἀγόρευε, χέων λαοσσόον αὐδὴν, Εἰμὶ φάος κόσμοιο λιπαυγέος. Λαοσσὸς male scriptum apud Photium. De accentu paroxytono v. Arcad. p. 42, 7.]

[Λᾱοσυνάκτης, ὁ. Inter officia et dignitates magnæ Ecclesiæ Cpolitanæ erat officium Laosynactarum, qui Diaconos congregebant, et intonabant, ne quis ex ipsis abesset; convocabant etiam Principes et populum in Ecclesiam. Suicer. Citatur in Ψάλτης Jo. Episcopus Citri in Resp. : Ἀναγνωστῶν δὲ ὀφφίκια ταῦτα· ὁ δομεστικὸς τοῦ δεξιοῦ χοροῦ, ὁ δομεστικὸς τοῦ ἀριστεροῦ, λαοσυνάκτης ὁμοίως, ὁ παρά τινων λεγόμενος πρωτοψάλτης. Angl. Leo Allat. De templis 3. Kall. Eust. Opusc. p. 15, 68. « Codin. De off. c. 1. Perperam λαοσυνάπτης appellatur in cod. Allatiano, in quo duo esse dicuntur : Οἱ δύο λαοσυνάπται συνάγουσι τοὺς διακόνους. » Ducang. Qui etiam Λαοσυνάκτατον de officio ejus annotavit ex Balsam. ad Can. 17 Apostol.]

[Λαοσυναξία, ἡ, Conjuratio. In Quæstionibus ad Nicetam, Metropolitanum Thessalonicensem : Ὁ λαοσυναξίας ἐκμελετῶν, τίνι ἄρα ἐπιτιμίῳ ὑπόκειται; Quod in Quæstione est λαοσυναξία, id in Responsione appellatur συνωμοσία et φρατρία, Conjuratio, Conspiratio. Suicer.]

[Λᾱοτέκτων, ονος, ὁ, Faber lapidarius. Crinagor. Anth. Pal. 7, 380, 2 : Τὸ σῆμα ξεστὸν ὀρθῇ λαοτέκτονος στάθμῃ.]

[Λαοτίνακτος, ὁ, ἡ, Lapide quassus. Bianor Anth. Pal. 9, 272, 6 : Λαοτίνακτον ὕδωρ. ἄϊ]

[Λᾱοτόμος, ὁ, Lapicida. Manetho 4, 325 : Λαοτόμους (ita jam Hemsterh. ad Lucian. Somn. c. 12, pro λαοτόμου) τε πέτρης σκληρώδεος ἐγρεσιοίκους· 6, 416 : Λαοτόμους τ' ἔρδουσιν. Paul. Sil. Amb. 116, 139. Adjective Menander Exc. p. 443, 5 : Ὄργανα λαοτόμα.]

[Λᾱοτόρος, ὁ, ἡ, Lapicida. Paul. Silent. Ambo 140, 169, 218, 263, Ecphr. 188, 231.]

Λᾱοτρόφος, ὁ, ἡ, Populum alens, nutriens. At Λαότροφος, ὁ, ἡ, Qui a populo alitur s. nutritur. Pro diversitate enim accentus signif. mutat. [Pind. Ol. 5, 4 : Πόλιν λαοτρόφον· 6, 60 : Αἰτέων λαοτρόφον τιμάν τιν' ἑᾷ κεφαλᾷ.]

[Λᾱοτύπος, ὁ, Lapicida. Agathias Anth. Plan. 4, 59, 2, Theæt. ib. 221, 2. Paul. Sil. Amb. 155, 265. Conf. Λατύπος. Adjective Lapidarius. Alcæus Mytil. Anth. Pal. 7, 429, 3 : Λαοτύποις σμίλαις κεχολαμμένον.]

[Λαουινιασηνή, ἡ, Laviniasene, regio Cappadociæ, ap. Strab. 12, p. 534, 540, 560.]

[Λαουίνιον. V. Λαβίνιον.]

[Λᾱοφθόρος, ὁ, ἡ, Populum perdens. Theognis 781 : Στάσιν Ἑλλήνων λαοφθόρον.]

[Λᾱοφόνος, ὁ, ἡ, Populum occidens. Theocr. 17, 53 : Λαοφόνον Διομήδεα. Ἀνδροκτόνον interpretatur Hesychius.]

[Λαοφόντη, ἡ, Laophonte, f. Pleuronis, sec. schol. Apoll. Rh. 1, 146. Ms. Paris. Λαοφώντη. Pro Λεοφόντη Apollodoro 1, 7, 7, 1 restituit Heynius.]

Λᾱοφόρος, ὁ, ἡ, Populos ferens. Et λαοφόρος ὁδὸς, Via publica s. pervulgata : a crebra multitudine, quæ per eam commeat. Eadem et Regia, Prætoria, Consularis, Militaris, ut nonnulli scribunt : quoniam reges etc. magna cum frequentia et per latas vias tritissimasque iter facere solent. Hom. Il. O, [681] de equite desultorio : Σεύας ἐκ πεδίοιο μέγα προτὶ ἄστυ διώκει Λαοφόρον καθ' ὁδόν. [Theocr. 25, 155 : Λαοφόρου... κελεύθου. Nicand. Al. 218.] In prosa λεωφόρος dicitur.

[Λαοφῶν, ῶντος, ὁ, Laophon, pater Calligiti Megarensis, Thuc. 8, 6.]

[Λαοχάρης, ὁ, ἡ, Populo s. Populis lætitiam afferens. Anon. H. in Virg. 12.]

Λάπαγμα, τὸ, Id ipsum quod evacuando educitur : λαπάγματα, λαγαρὰ, Hesych.

Λάπαγμὸς, ὁ, Evacuatio, Exinanitio : λαπαγμῶν, ἐκκενώσεων, Hesych. Λάπαξις, idem, Aristot. Phys. 2. Et in Probl. s. 23 fin. : Οὐ πᾶς πόνος ποιεῖ λάπαξιν, ἀλλ' ὁ μὴ ποιῶν σύντηξιν, i. e. οὐ πᾶς πόνος λαπάττει, Galen. [Aret. p. 112, 12 : Ἢν δὲ βίης ἢ λαπάξιος ἡ ὑστέρη δέηται.]

[Λᾰπαδνὸς, ή, όν, Imbecillus. Æsch. Eum. 562 : Τὸν οὔποτ' αὐχοῦντ' ἰδὼν ἀμηχάνοις δύαις λαπαδνόν. Libri λέπαδνον.]

Λαπάζω et Λαπάσσω s. Λαπάττω, Evacuo, Inanio : λαφύττειν γὰρ καὶ λαπάζειν, τὸ ἐκκενοῦν καὶ ἀναλίσκειν, Athen. 8, [p. 363, A] a λάπτειν, quod itidem pro ἐκκενοῦν accipitur. [Phot. : Λαπάττων, παλάσσων καὶ λαρον (l. λαπαρὸν) ποιῶν. Similes glossas habent ceteri lexicogr.] Dicitur plerumque de ventris evacuationibus s. alvi dejectionibus. Galen. : Ἡ δὲ εὔροια τοῖς μὲν δι' ἕδρας ἐκκριθήσεσθαι μέλλουσιν, ὑπό τε τοῦ μελικράτου γενήσεται καὶ τῶν ἐδεσμάτων ὅσα λαπάττει τὴν γαστέρα. Idem : Οὔκουν ὅταν ἤτοι κατὰ τὴν ἕδραν ἤ τι τῶν πλησίον μορίων ἀρχὴ φλεγμονῆς γίγνηται, γαστέρα λαπάξεις, Nequaquam alvum duces, i. e. κενώσεις, Bud. Et Λαπάζομαι s. λαπάττομαι, Evacuor. Aristot. Probl. s. 23 fin. : Οἱ τροχαζόμενοι ἰσχυρὸν πονοῦσι πόνον καὶ οὐ λαπάττονται, Qui curriculo eunt vehementer laborant, non tamen evacuantur : pro quo paulo ante dicit, Λιπαροὶ γίνονται οἱ νέοντες ἐν τῇ θαλάττῃ, Alvus eis lubrica fit. [V. de hoc l. HSt. in Λαπαρός.] Erot. quoque λαπάσσουσαι exp. κενοῦσαι, μαλάσσουσαι, ap. Hippocr., videturque ei hæc vox a λάπαθον derivari; sed rectius alii λάπαθον hinc deducunt. [Hipp. p. 151, A : Τὰ παρ' οὖς λαπάσσει βηχία μετὰ πτυαλισμῶν ἰόντα, Tubercula ad aures emolliunt tussiculæ, quæ cum crebris oris salivationibus procedunt. Quod etiam repetitur p. 82, E, sed pro λαπάσσει (vitiose) ἀπαλλάσσει scribitur. Sic etiam λαπάσσεσθαι, Evacuari, Emolliri, Discuti, Deprimi, Subsidere, Detumescere, Exinaniri, Evacuari et evanescere significat, et de abdominis tumore dicitur, aph. 28 sect. 2 lib. 6 Epid. : Ἐπὶ τὸ ἦτρον ἐλαπάσσετο, Circa abdomen emolliebatur. Et de tuberculis ad aures quum intro retrahuntur et disparent, Aph. 1 sect. 4, lib. 6

A Epid.: Τουτέων λαπασσομένων ὑποστροφὴ γίνεται, Iis evanescentibus fit morbi reversio. Ubi λαπάσσεσθαι προστέλλεσθαι καὶ ἀφανίζεσθαι, quod est Retrahi, Reprimi et evanescere, explicat Galen. (Sed pro λαπάσσεσθαι ἀπαλλάττεσθαι ponitur lib. Π. χυμῶν, et lib. Π. κρισίων, ubi eadem sententia repetitur.) Πολλάκις δ' ἤδη μεμαθήκατε τὸ ἔθος αὐτοῦ, τὴν κατὰ τὸ λαπάσσεσθαι φωνὴν ἐπὶ πάντα τὰ ὁπωσοῦν προστελλόμενα φέροντος, ἐπειδὴ κενώτερα γίνεται. Foes.] Idem ap. Eund. ἐλάπαξεν exp. similiter ἐμάλαξεν. [P. 1133, D: Μέρος τι ἐλάπαξεν· F: Καὶ τὰ ἄνω οὐχ ἐλάπαξεν οὐδέν.] Et Galen. Lex. Hipp., Λαπαχθῆναι, inquit, κυρίως μὲν τὸ κενωθῆναι, διὰ τοῦτο δὲ καὶ τὸ μαλαχθῆναι. [Hippocr. p. 403, 49: Κὴν μὲν λαπαχθῇ (ἡ γαστὴρ) δειπνῆσαι· et rursum: Ἢν δὲ μὴ λαπαχθῇ· et p. 12, 21.] Primario igitur signif. Evacuo, Inanio: secundario, Mollio. Idem Galen. Comm. in Prognost. [p. 39, 24] λαπάττειν τὴν γαστέρα exp. κενοῦν καὶ προστέλλειν τὰ τῆς γαστρὸς οἰδήματα, Gorr. Hesych. vero λαπάττων exp. μαλάσσων, λαγαρὸν ποιῶν. [Et Ἐλαπάχθη, συνεστάλη. Æsch. Sept. 47, 531: Λαπάξειν ἄστυ Καδμείων βίᾳ· Agam. 130: Κτήνη Μοῖρα λαπάξει,
B pro Μοῖρ' ἀλαπάξει restituebat Elmslejus, præbuitque codex Triclinianus. Formam λαπάζω ex Æschylo affert Eust. Il. p. 65, 28.]

[Λαπάθη. V. Λάπαθος.]

[Λαπάθιον. V. Λαπίθιον. Vitiosa etiam Hesychii gl.: Λαπάθιον, ἡ λέξις ἀπὸ Λαπίθου πόλεως, τὸν ἠλίθιον. Nam urbs dicitur Λάπηθος.]

[Λαπαθοειδής, ὁ, ἡ, Lapatho similis. Diosc. Notha p. 447, E: Φύλλα ὡς λαπαθοειδῆ.]

Λάπαθος, ἡ, [ὁ] et Λάπαθον, τὸ, Fossa, Terræ sulcus evacuando excavatus, Eust. [Od. p. 1490, 62 s. Etym. M. p. 57, 20 et grammat. Bekk. Anecd. p. 374, 14]: Δημόκριτος τοὺς βόθρους, οὓς οἱ κυνηγοὶ σκάπτοντες, φρύγανα καὶ κόνιν ἐπ' αὐτοῖς ἐπιβάλλουσιν, ἵνα τὰ θηρία ἐμπίπτωσι, λαπάθους καλεῖ, διὰ τὸ κεκενῶσθαι ὀρυχθέντας. [Conf. Etym. M. v. Ἀλαπάζειν.] Suidæ autem [et Photio] neutro gen. λάπαθον est ὄρυγμα εἰς θηρίων ἐνέδραν: et Hesychio quoque λάπαθον [λαπίθιον], ὄρυγμα. Itidem in meo Lex. vet. scribitur Atticos λάπαθα vocare τὰ ὀρύγματα τῶν θηρίων: fortassis quoniam λανθάνουσι τοὺς
C θεωροῦντας. || Λάπαθος, et Λάπαθον, Lapathum, herbæ nomen. Eust. [Il. p. 423, 41], Etym. [p. 57, 17, ubi masc., ut in Λάπαθος] et Lex. meum vet. habent fem. gen. λάπαθος, a λαπάσσειν derivantes, quoniam olus est, quod ventrem ἐκκενοῖ et ἁπαλύνει, ut ipsi scribunt. [Forma fem. Etym. M. p. 551, 15: Τῷ καυλῷ τῆς λαπάθης.] Ap. Diosc. autem [2, 140] et alibi [ut Theophr. H. Pl. 7, 1, 2; 2, 7, ubi etiam ἄγριον et ἥμερον distinguuntur, et alibi,] frequentius reperitur neutro gen. λάπαθον, quod ipsum Diosc. quoque tradit μαλάσσειν τὴν κοιλίαν ἑψηθέν. Plin. 20, 21, locutus de lapatho sativo: Est autem et sylvestre, quod alii Oxalidem appellant, sativo proximum, foliis acutis, colore betæ candidæ, radice minima: nostri vero Rumicem: alii Lapathum Cantherinum. [Λάπαθον, λάχανον, Rumex, Lapathium, Gl. ἄά]

[Λαπακτικὸς, ἡ, ὸν, Molliens, Evacuans. Xenocr. De alim. ex aquatil. 1, 8, p. 2 ed. Cor.: Θαλάσσιοι (pisces) λαπακτικοὶ γαστρός. Galen. De potest. simpl. 3,
D vol. 2, p. 18, 22, 25; 5, p. 40, b, 46 Ald. Struv.]

[Λάπαξις, εως, ἡ, i. q. λαπαγμὸς, quod v.]

Λαπάρας, Hesychio κατωφερὴς πρὸς τὰ ἀφροδίσια: qui et λάγνος. [Λαισκάπρας, κατωφερεῖς Ruhnken.]

[Λαπάρα.] Λαπάρη, ἡ, et Λαπαρὸν, τὸ, dicitur Pars ea corporis, quæ posita est inter costas nothas et ossa quæ ad ilia pertinent. [Abdomen; Λαπάρα ἀνθρώπου, Ilia, Gl.] Ratio nominis est, quod inanis sit et desideat. Proprie enim τὸ λαπαρὸν significat Inane et vacuum, sicut λαπάξαι Exinanire. Sed et omne quod desidit, Græci λαπαρὸν appellant, translato vocabulo ab eo quod communiter accidit. Siquidem omne quod vacuum est, necessario desidit. Galen. Comm. 2 εἰς τὸ Ἰητρεῖον [vol. 12, p. 51, E], et similiter initio Comm. 2 εἰς τὸ Προγνωστ. [p. 134, 47 ed. Bas.] scribit eam partem omnino vacuam videri, si cum supernis infernisque partibus, utrisque osseis, conferatur. Idem vero Comm. 2 εἰς τὸ Π. ἀγμῶν [vol. 12, p. 224, F], annotat se de vocabulo τῆς λαπάρας dicere posse, adductum experimento Hippocratis, ac poetæ usu, tum ipso morbo, Eam significare partem, quæ inter ossa pectoris, et quæ proprie appellatur Ossa ilium, est interjecta. Attamen Idem Comm. 3 εἰς τὸ Π. ἄρθρων, ait, id quod inter ossa singularum costarum est, ab Hippocr. eo libro λαπαρὸν appellari, qua parte musculi sunt dicti μεσοπλεύριοι. Erot. autem, non quod inter costas medium est, sed ipsam costam, λαπάρην dictam fuisse ab Hippocr. scripto prodidit. Hæc Gorr. [Foes. OEcon. Hipp.: « Λαπάρην aut λαπάρας pro Lateris inanitate et mollitudine usurpat Hippocr. p. 485, 32: Ὀδύνη λαμβάνει ἀπὸ τῶν σπλάγχνων ἐς τὴν νειαίρην γαστέρα καὶ τὴν λαπάρην· 549, 13: Ὀδύνη ἐμπίπτει ἐς τὴν λαπάρην καὶ ἐς τὴν κοιλίην· 590, 37: Κατὰ τὴν λαπάρην ῥαγῆναι· 51: Προσκειμένου τοῦ στόματος τῶν μητρέων τῇ λαπάρῃ, etc. 409, 42: Φέρεται ὑποκάτω τοῦ σπληνὸς ἐς τὴν λαπάρην τὴν ἀριστερὴν, etc. Λαπάρας autem usurpat p. 414, 41: Ὀδύναι πολὺ ἰσχυρότεραί εἰσιν αἱ ἐς τὰς λαπάρας καὶ ἐς τὰς κληῖδας· 298, 47, τὴν λ. καὶ τὸν κενεῶνα jungit, quum tamen utrumque de lateris inanitate dicatur, p. 540, 46: Ὀδύναι πιέζουσιν αὐτὸν ἐς τὴν λαπάρην καὶ ἐς τὸν κενεῶνα· 480, 48: Ὀδύνη ἴσχει τοὺς κενεῶνας καὶ τὰς λαπάρας. Atque eo mihi spectare Erotianus videtur, quum λαπάρην τὴν πλευρὰν ap. Hipp. exponit, aut certe l. p. 415, 29, respicere, in quo λαπάρην τὴν πλευρὰν intelligere non est absurdum... Λαπαρὸν etiam τῆς πλευρῆς Hipp. significat id Quod inter singula costarum ossa interjectum est et eam lateris inanitatem ac mollitudinem quæ inter utramque costam interjacet, ubi sunt masculi intercostales, p. 817, A: Οἱ ὀχετοὶ οἱ κατὰ τὸ λαπαρὸν τῆς πλευρῆς ἑκάστης παρατεταμένοι. »] Ap. Hom. autem Eust. i. esse annotat, q. κενεῶνα (nam κενὸς et λαπαρὸς synonyma sunt, uti mox dicetur), i. e. τὸν ὑπὸ τὰς πλευρὰς τοῦ σώματος τόπον λαπαχθέντα καὶ κενὸν ὀστῶν: Hesych. autem τὰ παρὰ ταῖς πλευραῖς [τοῦ σχήνους], et λαγόνας, vocari λαπάρας annotat. Hom. Il. Γ, [359], Η, [253]: Ἀντικρὺ δὲ παραὶ λαπάρην διάμησε χιτῶνα Ἔγχος· [Π, 318: Λαπάρης δὲ διήλασε χάλκεον ἔγχος·] Χ, [306]: Ὣς ἄρα φωνήσας εἰρύσατο φάσγανον ὀξὺ, Τό οἱ ὑπὸ λαπάρην τέτατο, μέγα τε, στιβαρόν τε. [Herodot. 6, 75: Cleomenes cultro corpus convulnerans προὔβαινε ἐκ τῶν κνημέων ἐς τοὺς μηροὺς, ἐκ δὲ τῶν μηρῶν ἐς τὰ ἰσχία καὶ τὰς λαπάρας. Hemst. Id. 2, 86: Παρασχίσαντες (τὸν νεκρὸν) παρὰ τὴν λαπάρην.] VV. LL. autem annotant ex Comm. 2 Galen. εἰς τὸ Π. ἀγμῶν [p. 557, 21 ed. Bas.], non solum ab eo λαπάρας collocari supra λαγόνας, dicique esse medias inter thoracis ossa, et quæ proprie λαγόνες vocantur; sed etiam esse Morbum, qui eam partem infestet, quæ inter thoracis et iliorum ossa subsidit. [Hesych.: Λαπάραι ... Διοκλῆς δὲ τὴν ἐκκεκενωμένην κοιλίαν. Λαπάρας ... κοιλίας ἐκκεκενωμένας. Quæ tamen ad adjectivum referenda et acuenda in ultima videntur. ἄά]

[Λαπαρόν. V. Λαπάρη.]

Λᾰπᾰρὸς, ὰ, ὸν, Vacuus, Inanis. Dicitur aliquando de ventris inferioris vacuitate, et quasi jejunitate; citaturque ex Aristot. H. A. 8, Λαπαροὶ γίνονται, Ventre salubriter evacuantur. [Ib. 24: Ἐὰν καρδίαν ἀλγήσῃ (equus), σημεῖον δέ· λαπαρὸς ὢν ἀλγεῖ.] Similiter ex Ejusdem Probl. p. 83 [23, 29] Bud. affert λαμπαρὸς, addens esse pro λαγαρὸς, nisi sit menda: ibi tamen non λαπαρὸς reperio, sed λιπαρός: quærit enim ibi Aristoteles: Διὰ τί οἱ νέοντες ἐν τῇ θαλάττῃ λιπαροὶ γίνονται· pro quo λιπαροὶ γίνονται, paulo post dicit λαπάζονται: adeo ut ibi pro λιπαροὶ videatur legissse λαπαροὶ, a λαπάζω, quod Inanem et Evacuatum significat. [Sic λαπαρὴ κοιλίη Hippopcr. 40, 12, et p. 544, 25, de ventris aut tumoris inanitate et vacuitate in aqua intercute: Πινέτω φάρμακον δὶς τῆς ἡμέρας, ἕως ἂν λαπαρὸς γένηται. Et p. 611, 31, λαπαρὴ γαστὴρ, in uteri hydrope. Et p. 398, 20: Ἢν λαπαρῷ ἐόντι καῦσος ἐπιγένηται, Liquidam alvum habenti. Et p. 108, D, λαπαραὶ dicuntur mulieres quibus ventris tumor subsidit aut depressus est. Hæc et alia Foes. OEc.] Quæ vero corporis pars neutro genere λαπαρὸν dicatur, ex præcedd. patuit ubi de Λαπάρα dictum est. || Tenuis, ἰσχνὸς, ὑπεσταλμένος Hesychio; ἁπαλὸς Erotiano, Mollis, sicut apud Hippocr. Π. ἀγμῶν [p. 763, C] capitur, quum ait, Προσκεφάλαιον λίνεον ἢ ἐρινεὸν, μὴ σκληρὸν, λαπαρὸν, ubi exp. Laxum et molle: quemadmodum et Gorr. ex Hippocr. 6 Epidem. [s. 3, aph. 23] ὀδύνην λαπαρὰν citans, interpr. Dolorem mollem et laxum, qui fit sine phlegmone et tensione. [Neque absimili notione εἰλεὸς λαπαρὸς sumitur p. 1056, D, Tenuioris intestini morbus levis, mollis, non intensus et sine inflammatione, quem ἐπιεικῆ vocat Aret. Foes. Idem comparat λαπαρὰ ὑποχόνδρια, Præcordia mollia, non tensa, p. 166, F; 1050, F; 54, 3, quæ μαλακὰ 56, 20. Quo refert quod Erot. exp. ἁπαλά. Et p. 469, 36 : Γαργαρεὼν οὐ μέγας, ἀλλὰ λαπαρός· 550, 43 : Λαπαρὸς σπλήν· 43, 16 : Ὑπογόνδριον λαπαρὸν καὶ ἀνώδυνον. Permutatum cum λαγαρὸς v. in illo.]

|| Λαπαρῶς, Galen. Comm. in Epid. 3 exp. κενῶς : quoniam τὸ κενὸν ἐκ τοῦ λαπαροῦ σημαίνεται. [Hippocr. p. 1062, H : Ὑποχονδρίου ἔντασις λαπαρῶς.]

[Λαπαρότης, ητος, ἡ, Mollitudo. Hippocr. p. 1137, A : Ὑπὸ λαπαρότητος κοιλίης.]

[Λαπαρῶς. V. Λαπαρός.]

[Λαπάσσω s. Λαπάττω. V. Λαπάζω.]

[Λἄπέρσαι, οἱ, Lapersæ, Dioscuri. Hesych. : Λαπέρσας Δίδυμος τοὺς Διοσκόρους ἀπὸ Λαπέρσας πόλεως. V. Λᾶ. Steph. Byz. : Λαπέρσα, θηλυκῶς, ὄρος Λακωνικῆς, οὗ μέμνηται Ῥιανὸς ἐν Ἠλειακῶν πρώτῳ, ἀπὸ τῶν Λαπερσῶν Διοσκούρων. Τὸ ἐθνικὸν Λαπερσαῖος. Διπτύχοις Λαπερσίοις de Dioscuris est ap. Lycophr. 511; Ζηνὶ τῷ Λαπερσίῳ 1369. Etymologiæ grammaticorum ab Λᾶς et πέρθειν ducentium adversari mensuram primæ animadvertit Lobeck. Paralip. p. 78.]

Λάπη, (s. Λαπὴ,) ἡ, Pituita. Ex Hippocr. De morbis [p. 466, 37] : Ἐμέει σίαλα καὶ λάπην. [Plures alios ll. Hipp. indicavit Foes. In quibus semper scriptum λάπη.] Ap. Athen. [4, p. 132, E] ex Diphilo : Διὰ γὰρ τὸ πλῆθος τῶν παρ' αὐτοῖς ἰχθύων Πάντες βλιχανώδεις εἰσὶ καὶ μεστοὶ λαπῆς [λάπης Schweigh. De quo accentu conf. quæ dicta sunt in forma Λάμπη. Quæ recentioribus non videtur eripi posse, etsi nihil præsidii habeat in Arcadii de paroxytono λάμπη testimonio p. 113, 8, quod n. pr. Λάμπη spectare videtur. Sed Æschylo Eum. 387, Ἀνηλίῳ λάμπᾳ, antistrophicum ἀτιμίας χυρῷ vindicat λάπᾳ. Hesych. : Λαπτής. Λαπτὴν ἔλεγον τὸν παχὺν ἀφρὸν τὸν ἐπιπολάζοντα τῷ οἴνῳ πηλώδη, ἄλλοι βόρβορον, ὕλην (ἰλὺν intt.), ἄλλοι τὸν ἐπὶ τῇ ἅλμῃ ἐφιστάμενον καὶ ταῖς λίμναις. Οἱ δὲ τὸν ἐπὶ τοῦ γάλακτος ὑμενώδη πηλόν. Pro πηλὸν scribendum videtur πιμελὴν, quum τὴν sit in codice, non τόν. Caput glossæ autem recte animadvertunt interpretes fuisse Λάπην. ἅ L. Dindorf.]

[Λάπη, ἡ, Lape. Strabo 9, p. 426 : Ἀπὸ τοῦ δρυμώδους ὠνόμασται ὁμωνύμως (Bessa Locridis), ὥσπερ καὶ Νάπη ἐν τῷ Μηθύμνης Πεδίῳ, ἣν Ἑλλάνικος ἀγνοῶν Λάπην ὀνομάζει.]

[Λάπηθος, ἡ, Lapethus, πόλις Κύπρου, ὕφορμον ἔχουσα καὶ νεώρια. (Hæc sunt verba Strabonis 14, p. 682, ubi Λάπαθος, ut ap. Hesychium : Λαπάθιον, ἡ λέξις ἀπὸ Λαπίθου πόλεως, τὸν ἡλίθιον.) Ἀλέξανδρος Ἐφέσιος, « Βήλου δ' αὖ Κίτιόν τε καὶ ἱμερόεσσα Λάπηθος. » Τὸ ἐθνικὸν Λαπήθιος καὶ Λαπηθεὺς, Steph. Byz. Scripturam vitiosam Λάπιθος, quæ in nomine urbis et fl. cognominis est etiam ap. Polyb. 40, 12, 6, Ptolem. 5, 14, ad Hierocl. Synecd. p. 307, notavit et ap. Diodor. 19, 62, et ubi Λαπήθιος 59, et ubi τὸν τῆς Λαπηθίας βασιλέα 79, post alios correxit Wesselingius. Λήπηθις ap. Scylacem p. 41, ex cod. ap. Miller. p. 228 corrigendum Λάπηθος. Numum Goltzianum Λαπηθέων inscriptum solus ipse vidit Goltzius. De accentu proparoxytono v. Arcad. p. 49, 23, ubi item scriptum Λάπιθος. ἅ]

Λαπήνη, ἡ, Suidæ ἅμαξα, Rheda : quæ et Λαμπήνη et ἀπήνη.

[Λαπηρὸς, quod ponitur ap. Arcadium p. 71, 15, scribendum λυπηρός.]

[Λαπιδόρχας, ὁ μεγάλους ὄρχεις ἔχων, Etym. M.]

[Λαπίζω.] Λαπίζει Hesych. exp. σταυροῦται [γαυροῦται Guietus. Idem : Λαπῆναι, λαπισθῆναι]. Alioqui λαπίζειν est ἀλαζονεύεσθαι, teste Etym. [et Lex. rhet. Bekk. An. p. 277, 27], Insolentius et arrogantius se efferre, Jactitare se. [Photius : Λαπιεῖς, λαπίξεις. Idem : Λαπήττειν, τὸ ψεύδεσθαι καὶ ἀλαζονεύεσθαι, καὶ λαπήκτης ὁ ψεύστης διὰ τοῦ κ, ὡς σαλπίγκτης, συρίγκτης· οἱ δὲ Δωριεῖς διὰ τοῦ σ λαμπιστὴν καὶ λαμπίζειν. Quæ mendosa sunt et confusa. Nam et λαπικτὴς et in fine λαπιστὴν et λαπίζειν scribendum, nec formas in ιστης sed in ικτας

A Doricas esse constat. V. autem Λαοπίζω et Λαπίσμα. || Eust. Od. p. 1761, 27 : Λέγει δὲ (Aristophanes grammat.) καὶ λαπίζειν παρὰ Σοφοκλεῖ τὸ συρίζειν.]

[Λαπίθη, ἡ, Lapithe. Steph. Byz. : Λ., πόλις Θεσσαλίας, ὡς Ἐπαφρόδιτος ἐν τοῖς Ὁμηρικοῖς, ἀπὸ Λαπίθου τοῦ Περίφαντος. Οἱ οἰκήτορες Λαπίθαι, οὐχ ἀπὸ τῆς πόλεως, ἀλλ' ἀπὸ τοῦ ἔθνους .... Λαπίθαι γὰρ ἔθνος Θετταλίας. Lapithæ memorantur ab Homero Il. duobus ll., M, 128, 181, de quibus aliis de caussis dubitarunt veteres critici, et Od. Φ, 297, Hesiodo Sc. 178, Pind. Pyth. 9, 14, Sophocle in fr. Lemn. ap. Steph. Byz. v. Δώτιον, Eur. Andr. 791, Theocr. 15, 141, Apoll. Rh. 1, 40, 41, Isocr. p. 213, A, Strabone 7, p. 329; 9, p. 437 etc., Scymno Orb. Descr. 116, Apollodoro et aliis, Lapithas eponymus etiam a Diodoro 4, 69 et schol. Apoll. Rh. 1, 41, qui Apollinis et Stilbes filium dicit, Martis filium Hesychius in Λαοπίζει. Eust. Il. p. 336, 43 : Οἱ πρὸ βραχέων μνημονευθέντες Λαπίθαι οὐ μόνον ἐθνικὴν ἔννοιαν ὑποβάλλουσιν, ἀλλ' ἔστιν ὅτε καὶ σκωπτικὴν, ἵνα ὁποῖος ὁ Πινδαρικὸς πίθων, τοιοῦτός τις εἴη καὶ ὁ Λαπίθης

B πείθων λαὸν κατά τινα πίθωνα προσέχειν αὐτῷ, coll. p. 537, 42, quem l. in Λαπιστὴς posuit HSt., Od. p. 1909, 55. (Aliam non meliorem etymologiam proponit Il. p. 895, 63.) Quos ll. Jacobsius adhibuit Asclepiadi Anth. Pal. 5, 181, 4 : Οὐ τροχιεῖ τις τὸν Λαπίθην; ληστὴν, οὐ θεράποντ' ἔχομεν. || Λαπίθου patris Lesbi mentionem facit Diodor. 5, 81. || Alium Lapitham memorat Pausan. 3, 20, 7, a quo dictum sit Λαπίθαιον in Taygeto Laconiæ, de quo Steph. B. : Ἔστι καὶ Λαπίθαιον ὄνομα ὄρους τῆς Λακωνικῆς. Conf. Apollodor. 3, 10, 3, 3. Ἀρκαδικοῦ ὄρους Λαπίθου meminit Pausan. 5, 5, 8. || De numis qui inscribuntur ΑΠΟΛΛΩΝ . ΣΩΤΗΡ . ΛΑΠΙΘΩΝ (sic) vide Eckhel. D. N. vol. 2, p. 139, et T. Combe *A descr. of the ancient marbles in the British Museum* part. 4, p. 28. || Apud Phaniam Anth. Pal. 6, 307, 1 : Εὐγάθης Λαπιθανὸς ἐσοπτρίδα καὶ φιλέθειρον σινδόνα ... ἀπέπτυσε, putatur esse Thessalus. Quod nisi certiori testimonio confirmari possit, non dubitem præstare scripturam codicis Εὐγαθῆς, ut sit adjectivum, Λαπιθανὸς autem n. pr. ἅἅ L. Dindorf.]

C [Λαπίθαιον. Λαπιθανός. Λαπίθης. V. Λαπίθη.]

Λαπίθιον, Hesychio ὄρυγμα τὸ κενωτικόν : necnon Olus sylvestre edule : quod et λαπάθιον s. λάπαθον. [Quæ vera scriptura est. Distinguendum autem post ὄρυγμα. V. Λάπαθος.]

[Λαπικτάς. V. Λαπίζω.]

Λάπισμα, τὸ, Jactantia, κόμπος, καύχημα. Cic. Ad Att. 9, 16, [13] : Ego hunc ita paratum video peditatu, equitatu, classibus, auxiliis Gallorum, quos Matius ἐσάλπιζεν, ut puto : sed ccc.m. dicebat peditum, equitum lx., polliceri sumptu suo annos decem. Sed sit hoc λάπισμα : magnas habet certe copias : et habebit non ille vectigal, sed civium bona. [Etiam pro ἐσάλπιζεν nunc restitutum ἐλάπιζεν.]

Λαπιστὴς, ὁ, Jactator, Hesychio καυχητὴς, ψεύστης, φλύαρος, ὁ ἐγγὺς τοῦ προπετοῦς, Gloriator, Nugator, Mendax, Temerarius : item τρυφερὸς, μὴ ἔχων φροντίδα, Delicatus et mollis, Nihil pensi habens. Innuit autem idem Hes. hæc derivata esse παρὰ τοὺς Λαπίθας, quæ gens fuit Thessalica ferox : ut sane et Eust. [Il.

D p. 537, 42] λαπίθην dici ait αὐχηματίαν : addens, παρὰ τὸ τοὺς λαοὺς εἰς ὄπιν ἄγειν καὶ ἐπιστροφὴν οἷς πείθει τινὰ περιαυτολογούμενος : sed id etymon videtur coactum. [Λαπιστὴς, ψεύστης, προπετὴς, Photius et Suidas. Sirac. 20, 6. De forma λαπικτὴς v. Λαπίζω.]

Λαπίστρια, ἡ, affert Hesych. itidemque [Photius et] Suidas pro θέλουσα εὐωχεῖσθαι, item ῥεμβομένη, μετεωριζομένη.

[Λάπος, θὴς, δοῦλος, Hesych. Legendum videtur λάτρις. L. Dind.]

[Λάππα. Λάππη. V. Λάμπη.]

[Λάππω. V. Λαμπώδης.]

[Λαπρέπης, ους, ὁ, Laprepes, n. viri, restituendum Ps.-Euripidi Epist. 2, p. 500, 5 ed. Lips. : Ἄσπασαι Χιονίδην τε καὶ Λαπρέτην. Alia ejusdem forma est Λεωπρέπης. L. Dind.]

[Λαπτὴρ scriptura vitiosa. V. Λαμπτήρ.]

[Λάπτης, ὁ, Ligurritor. Hesych. : Λάπτας, τοὺς ῥοφοῦντας.]

[Λαπτικὸς, ἡ, ὸν, Evacuans. Eust. Od. p. 1413, 3 :

Ὁ Ἀθήναιος (l. in Λάπτω, quod v., cit.) ἐκ τοῦ λάπτειν A τὴν λέξιν (εἰλαπίνην) ἐτυμολογεῖ διὰ τὸ λαπτικὸν τῆς τοιαύτης λαμπρᾶς παρασκευῆς καὶ δάπανον.]

[Λαπτυὴρ, σφοδρῶς πτύων, Hesych. Confertur ejusdem gl. : Λαιπτύηρον, ἀναπεπλασμένον, ἰσχυρόν.]

Λάπτω, ψω, [Lambo, Gl.] Lambendo bibo, more canum, luporum et animantium τῶν καρχάρων, Eust. [Il. p. 65, 32. Schol. Aristoph. Nub. 51. Λάψαι, τῇ γλώττῃ πιεῖν Photius s. Suidas, Hesych. Idem : Λάπτοντες, πίνοντες τῇ γλώσσῃ· πεποίηται δὲ ἀπὸ τῶν κυνῶν τῶν τοιούτων οὕτω πινόντων μετὰ ψόφου.] Aristot. H. A. 8, [6 init.] : Πίνει δὲ τῶν ζώων τὰ μὲν καρχαρόδοντα, λάπτοντα· τὰ δὲ συνόδοντα σπᾷ, οἷον ἵπποι καὶ βόες· ἡ δὲ ἄρκτος οὔτε σπᾷ, οὔτε λάπτει [οὔτε σπάσει οὔτε λάψει], ἀλλὰ κάψει· καὶ τῶν ὀρνέων δὲ τὰ μὲν ἄλλα σπάσει. Unde Plin. 11, 73 : In potu, quibus serrati dentes, lambunt : quibus continui dentes, sorbent, ut equi et boves : neutrum ursi, sed aquam quoque morsu vorant. Est autem verbum πεποιημένον, ex genere eorum, quæ ὁρίζονται τὰ κατὰ μίμησιν ἐκφερόμενα πάθους ἢ πράγματος, sicut et σίζω, Demetr. Phal. Hom. Il. II, B [160] de lupis præda satiatis : Ἀπὸ κρήνης μελανύδρου Λάψοντες γλώσσῃσιν ἀραιῇσιν μέλαν ὕδωρ ἄκρον. [Callim. ab Etym. M. v. Εἶαρ cit. : Τὸ δ' ἐκ μέλαν εἶαρ ἔλαπτεν. Ita Bentlejus pro ἔδαπτεν, ut in versibus de Actæone ap. Apollod. 3, 4 fin. : Οὗτοι δ' Ἀκταίου (ita corrigenda scriptura codd. οὗ δ' ἀκταίου, quæ forma etiam paullo ante male est ab Ægio obliterata) πρῶτοι φάγον αἷμά τ' ἔλαψαν, Ruhnken. ad Callim. fr. 247, pro ἔδαψαν. L. D.] Plut. De solert. anim. [p. 971, A] : Οἱ δὲ τοὺς δασύποδας διώκοντες (sc. κύνες), ἐὰν μὲν αὐτοὶ κτείνωσιν, ἥδονται διασπῶντες, καὶ τὸ αἷμα λάπτουσι προθύμως. Ælian. [V. H. 1, 4], de Ægyptiis canibus : Οὐκ ἀθρόως, οὐδὲ ἀνέδην, οὐδὲ ἐλευθέρως ἐκ τοῦ ποταμοῦ πίνουσιν, ἐπικύπτοντες ἅμα καὶ ὡς διψῶσι λάπτοντες· ὑφορῶνται γὰρ τὰ ἐν αὐτῷ θηρία. Idem [N. A. 6, 53] de iisdem : Τὴν μὲν ὄχθην παραθεῖν, λάπτειν δὲ τῇ γλώσσῃ ὡς ἂν μή τι τῶν κάτωθεν ἀνερπύσαν εἶτα ἐξαρπάσειεν αὐτούς. Et Plin., Certum est canes juxta Nilum amnem currentes lambere, ne crocodilorum aviditati occasionem præbeant. [Cum genit. Eust. Opusc. p. 44, 44 : Λάπτουσι σαρκῶν τε καὶ αἵματος· 85, 74 : Λάπτειν αἵματος. C Hesych. : Λάψοι, πίοι τῇ γλώττῃ.] || Λάψαι est etiam Plenis se proluere poculis, Confertim se ingurgitare mero, et ἀθρόως πιεῖν, Athen. 11, [p. 485, A] ubi de λεπαστὴ sermo est, citans ex Aristoph. : Τὸ δ' αἷμα λέλαφας τοὐμὸν, ὦ 'ναξ δέσποτα, quasi ἄθρουν ἐξέπιες. Item ex Pherecr. ibid. [D] : Τῶν θεατῶν δ' ὅστις διψῇ, λεπαστὴν λαψάμενος μεστὴν ἐχαρύβδισε· ubi observa etiam vocem mediam. [Quæ restituenda videtur in gl. Photii : Λαπτώμενος, ἀπὸ τοῦ λάπτειν εἴρηται, ὁ αἰσχρολοιχὸς, Ligurritor, Fellator, et Hesychii : Λαμπτώμενος ἢ Λάπτων, ἀναλίσκων, ἀπὸ τοῦ λάπτειν, ubi series literarum postulat λαπτώμενος. Alterum ex eodem ex. medii v. infra.] || Λάπτειν, Evacuare, Exinanire, ἐκκενοῦν, ut multis in ll. Eust. tradit [Il. p. 423, 38; 625, 18, Od. p. 1413, 6] : item τὸ γίνεσθαι λαγαρόν τινα ἐκπεττομένης καὶ κενουμένης τῆς τροφῆς, ex Athen. hanc expos. afferens, qui 8, [p. 363, A] εἰλαπίνη hinc derivat, λάπτειν esse dicens τὴν τροφὴν ἐκπέττειν, καὶ κενούμενον, λαγαρὸν γίνεσθαι. D [Verba Athenæi sunt : Τὰς δὲ τοιαύτας εὐωχίας Αἰσχύλος καὶ Εὐριπίδης εἰλαπίνας ἀπὸ τοῦ λελαπάχθαι. Λάπτειν δὲ τὸ τὴν ... γίγνεσθαι. Ὅθεν ἀπὸ μὲν τοῦ λαγαροῦ ἡ λαγὼν ..., ἀπὸ δὲ τοῦ λαπάττειν λαπάρα. In quibus apertum est ferri non posse inter duplex λαπάττει positum λάπτειν, sed λαπάττειν ab librario in λάπτειν depravatum esse, ut mox in cod. epitomes est ἀπὸ τοῦ λάπτειν λαπάρα, atque hoc vitium decepisse Eustathium, ut de suo fingeret voc. λαπτικὸς, quod v., quum deberet dicere λαπακτικός. L. D.] || Λάπτει, λαμβάνει, ap. Hippocr., Gorr. ex Erot. [p. 242, ubi Λαίπτει codex Dorvill., additurque Βακχεῖος γράφει λάζεται. Hesychii gl. : Λάπτει, ἀναλαμβάνει, πίνει, confert Foes. et locum Hippocr. annotat p. 268, 25 : Λάπτουσα (ἡ καρδίη) τοῦ πνεύμονος τὸ ποτόν. HSt. in Ind. :] Λαπῆναι, Hesychio λαπισθῆναι : a λάπτω. Λάψων [Λάψ. codex], Eodem auctore est ὑποκοιλαίνων τὴν γλῶσσαν, καὶ ἀναφέρων [— ρει codex] τὸ ὕδωρ μετά τινος ἤχου· Suidas vero λάψοντες exp. ἐπιθυμητικῶς ἔχοντες τοῦ πίνειν, Cupientes bibere : respiciens ad Hom. Il. II, [161] de lupis : Ἀγεληδὸν ἴασιν ἀπὸ κρήνης μελανύδρου Λάψοντες γλώσσῃσιν ἀραιῇσι μέλαν ὕδωρ. Sed eo in l. λάψοντες non præsentis, sed futuri temporis signif. habet, formatum a them. λάπτω : quemadmodum Hesych. quoque λάψονται per fut. exp. τῷ ἄκρῳ τῆς γλώσσης πίονται. [Idem : Ἔλαψα, διέφθειρα. Κύπριοι.]

[Λαπύρια, τὰ, inter ficuum species memorat Athen. 3, p. 78, A. Codex epitomes καπύρια, probante Schweigh. L. Dindorf.]

[Λάπυτος, ὁ, Lapytus, Acanthius, ap. Hippocr. p. 1127, B. L. Dind.]

[Λαπώδης. V. Λαμπώδης.]

[Λάρανδα, τὰ, Laranda, πόλις Λυκαονίας. Ὁ πολίτης Λαρανδεύς. Χάραξ τρίτῳ Χρονικῶν. Τὸ θηλυκὸν Λαρανδὶς, Steph. Byz. Strabo 12, p. 569, Ptolem. 5, 6. Gentile Λαρανδεὺς ap. Diod. 18, 22.]

[Λαράσιος, ὁ, Larasius, cogn. Jovis in numo Trallium Lydiæ, de quo v. conjecturam Eckhelii D. N. vol. 3, p. 124.]

[Λάρβασον, τὸ, Stibium. Dioscor. 5, 99 : Τοῦτο οἱ μὲν στίβι, οἱ δὲ λάρβασον ἐκάλεσαν.]

[Λάρδος, Laridus, Gl.]

[Λαρδοῦς, ῦ, ὁ. «Theophyl. Simoc. 8, 13, de quodam Constantino Lardy a Phoca cum Mauricio interfecto : Τόν τε λεγόμενον παρὰ τῷ πλήθει Λάρδυν. Chron. Pasch. hunc vocat Λάρδιν.» Ducang. Ubi Λάρδυν restitui ex cod. Vat. p. 694, 8. Sed accentus in ultima ponendus sec. Arcadium p. 92, 14 et Chœroboscum in Bekkeri Anecd. p. 1195, C, qui inter τὰ εἰς υς ὑπὲρ μίαν συλλαβὴν περισπώμενα ponit ὁ Λαρδῦς, τοῦ Λαρδῦ, et D τῷ Λαρδῦ, diminutivumque dicit cum Arcadio. Scribendum autem esse etiam in genitivo Λαρδῦ cum circumflexo constat ex Draconis de his nominibus præcepto p. 104, 21. L. Dind.]

Λαρίεθος, Hesychio φλόϊνον στεγάστριον, Tegmen ex ex stœbe. [Alludit ad Λάρκος.]

[Λαρίκη, ἡ, Larice, regio Indoscythiæ, ap. Ptolem. 7, 1. Λαρικὴ ibid. init.]

[Λάριμνον, τὸ, Thuris genus. Strabo 16, p. 778 : Γίνεται δ' ἐν τοῖς Σαβαίοις καὶ τὸ λάριμνον εὐωδέστατον θυμίαμα. Agatharchid. Photii p. 459, 15 : Κομίζουσι τὸν εὐώδη καρπὸν τὸν ἐν τῷ πέραν φυόμενον (ἀραβιστὶ δὲ λέγεται λάριμναν), μεγίστην ἔχοντα τῶν ἄλλων θυμιαμάτων εὐωδίαν.]

[Λάριμος. V. Λάρινος.]

[Λαρίνα. V. Λαρινός.]

[Λάρινα, ἡ, Larina. Steph. Byz. : Λ., πόλις Δαυνίων. Τὸ ἐθνικὸν Λαριναῖος.]

[Λαριναῖος, ὁ.] Λαριναῖον Hesych. a piscatoribus dicit vocari κύρτον ἐκ λεχαίας [cod. λεχέας, unde λευχέας recte restituisse videntur interpretes] : afferens et Λαρινευτὴς pro ἁλιεύς. Sed λαριναῖον exp. etiam μέγαν : qui et λαρινός. [V. Λάρινος.]

[Λαρινᾶτις, ιδος, ἡ, Larinas ager, in confiniis Appuliæ, Polyb. 3, 101, 3.]

[Λαρινευτὴς, ὁ, Piscator. V. Λαριναῖος.]

[Λαρινεύω, Sagino. V. Λαρινός.] Λαρινεύεσθαι, Hesychio σιτεῖσθαι.

[Λᾱρῖνὸς, ὁ.] Λαρινοὶ βόες affert Hesych. [Photius : Λαρινοὶ, οἱ πίονες, σιτιστοὶ, λιπαροί] pro εὐτραφεῖς, Saginati, Bene habiti. Sic Xenophanes Colophonius ap. Athen. [9, p. 368, E] : Πέμψας γὰρ κωλῆν ἐρίφου, σκέλος ἤραο πῖον Ταύρου λαρινοῦ τίμιον ἀνδρὶ λαχεῖν. Idem Athen. 9, [p. 376, B] scribit Achæum et Eratosthenem τοὺς σύας appellasse λαρινούς, translate ἀπὸ τῶν λαρινῶν βοῶν : quos sic vocatos fuisse vel ἀπὸ τοῦ λαρινεύεσθαι, q. e. σιτίζεσθαι, Saginari : ut ap. Sophron. [ibid.] : Βόες δὲ λαρινεύονται· vel a Larina, pago Epirotico : vel a pastore Larino. Eust. [Il. p. 1243, 11, Od. p. 1383, 1] ita dici vult διὰ τὸ παχὺ καὶ μέγα δέρμα ἔχειν : particula λα significante τὸ λίαν, et nomine ῥινὸς, denotante τὸ δέρμα : ut et Suid. dicit quosdam syllabam ρι δασύνειν, ut sit μεγαλορίνους : talesque boves in Chaonia esse, dictos κεστρινούς : atque ita Aristoph. [Av. 465] dixisse, Ζητῶ τι λαρινὸν ἔπος ὃ τὴν τούτων θραύσει ψυχὴν, pro μέγα, ἀπὸ μεταφορᾶς τῶν βοῶν. [Pac. 925 : Λαρινῷ βοΐ.] Meminit tamen et ceterarum etymologiarum : scribens videl., Apollodorum λαρινοὺς exponere εὐτραφεῖς : verbum enim λαρινεύειν significare σιτεύειν : vel a Larino bubulco, qui Herculi boves furatus est : quosdam et παρὰ τὸ λαρὸν eos nominatos censere. [Hæc omnia, partim etiam a Photio et Tzetza Hist. 8, 186 posita, repetuntur ex schol. ad l. Pacis.] Sane λαρινὸς ab Eod. exp. etiam ἡδὺς, Jucundus, Suavis, ut λαρός. [De accentu in ultima monitum ab Herodiano ap. schol., Arcadio p. 65, 23.]

Λάρινος, Hesychio ἰχθὺς ποιὸς, Piscis quidam. [Oppian. Hal. 3, 399, Καὶ λαρινὸν εἷλε καὶ ἔθνη τραχούρων servavit liber unus. Ceteri λάριμον. Itaque λάρινον scribendum. ᾱῐ]

[Λάριος λίμνη, juxta Comum urbem Galliæ Transpadanæ, Larius Lacus, ap. Strab. 4, p. 192, 204, 209 etc., Ptolem. 3, 1.]

[Λᾰρὶς, ἴδος, ἡ, i. q. λάρος. Leonidas Tar. Anth. Pal. 7, 652, 5 : Ἰχθυβόροις λαρίδεσσιν· 654, 5 : Ἁλιζώοις λ.]

[Λᾶρις, ὁ, Laris, fl. Italiæ, ap. Lycophr. 725, ubi male Λάρις, quum secunda vix producatur.]

[Λάρισα, ἡ, Larisa. Steph. B. : Λ., πόλις πρώτη Θεσσαλίας ἡ πρὸς τῷ Πηνειῷ, ἣν Ἀκρίσιος ἔκτισε. Δευτέρα ἡ Κρεμαστὴ, ὑπό τινων δὲ Πελασγία. Τρίτη ἐν τῇ Ὄσσῃ χωρίον. Τετάρτη τῆς Τρῳάδος, ἥν φησιν Ὅμηρος (Il. B, 841 coll. P, 301), Τῶν οἳ Λάρισαν ἐριβώλακα. Πέμπτη Αἰολίδος περὶ Κύμην τὴν Φρικωνίδα. Ἕκτη Συρίας, ἣν Σύροι Σίζαρα καλοῦσιν. Ἑβδόμη Λυδίας. Ὀγδόη Θεσσαλίας πρὸς τῇ Μακεδονίᾳ. Ἐνάτη Κρήτης. Καὶ ἐν τῇ Ἀττικῇ ἐστι Λάρισα, καὶ ἡ ἀκρόπολις τοῦ Ἄργους Λάρισα. Καὶ ὁ πολίτης Λαρισαῖος, καὶ Λαρισαῖος Ζεύς. Στράβων δὲ (13, p. 620) κώμην φησὶν Ἐφέσου (i. e. τῆς Ἐφεσίας), ἐν ᾗ Ἀπόλλων Λαρισηνός. Testimonia de singulis urbibus ab Strabone ceterisque geographis, historicis, aliisque scriptoribus petenda pleraque annotarunt interpretes. Recte autem Berkelius animadvertit de Attica Larisa deceptum esse Stephanum vitio librorum Strab. 9, p. 440, ubi Καρικῇ Palmerius pro Ἀττικῇ, quod in cod. Paris. 1397, vol. 3, p. 350, 27 ed. Gall., ... σγικῇ scriptum videri traditur. Idem annotavit ap. Strabon., quem sequitur Steph., l. c. p. 440 non esse Λαρισσαῖος (hoc enim reponendum ex cod. Vratisl. pro Λαρισεὺς), sed Λαρίσσιος Ζεὺς et Λαρίσσιον πεδίον de campo ad Creticam Larisam sito. Sed Juppiter quum etiam a Pausan. 2, 24, 3, Λαρισαῖος dicatur, ap. Strab. quoque præferendum videtur Λαρισαῖος, nisi etiam Λαρισαῖον πεδίον. Hanc enim adj. gentilis formam et numi Larisarum ap. Eckhelium et Mionnetum et scriptorum testimonia constanter tuentur. Ceterum agit de nonnullis harum urbium, quarum numerum augere licet ex l. Strab. p. 440, etiam schol. Apoll. Rh. 1, 580 et 40 (ubi ex Hellanico memorat filium Pelasgi (sec. Strab. 13, p. 621, Piasi, regis Pelasgorum) Larisam, etiam a Paus. 2, 24, 1, commemoratam ; sororem Cyrenes, 2, 500). || Forma Ionica Ληρισαῖος est ap. Herodot. 9, 1, 58, et ap. eund. 1, 149 plur. Λήρισαι de Æolica. || De scriptura nominis per simplex σ constat non modo ex numis sed etiam ex disertis grammaticorum testimoniis, ut Arcadii p. 77, 14, qui inter τὰ εἰς σος ὑπερδισύλλαβα ἔχοντα τὴν πρὸ τέλους συλλαβὴν εἰς ι ἐκτεταμένον λήγουσαν ponit Λάρισος ab Λάρισα factum, Chœroboscus in Crameri Anecd. vol. 2, p. 236, 8-11, quibus addenda quæ diximus in Ἔμεσα p. 829, C (ubi v. 4 pro ν leg. ι), D, si librorum bonorum, hanc formam haud raro præbentium, levior videatur auctoritas. Ita quum secunda producatur, Λαρεισαίως de more scriptum in cod. Palat. Anthol. 6, 305, 3, ubi ollæ Larisææ memorantur, de quibus v. conjecturas interpretum. || De forma Λάσα ab Hesychio annotata v. in Λάσα.]

[Λαρισαία, ἡ, Larisæa, regio circa Larisam. Λαρισαία Troadis ap. Strab. 13, p. 605. Λαρισαῖαι πέτραι, τῆς Μυτιλήνης ἀπὸ πεντήκοντα σταδίων κατὰ τὴν ἐπὶ Μηθύμνης ὁδὸν 9, p. 440. ᾱῑ L. Dind.]

Λαρισσοποιοὶ, οἱ, ex Aristot. Polit. 3 affertur pro Conditores Larissæorum. Locus est cap. 1, ubi Gorgias Leontinus dicit : Καθάπερ ὅλμους εἶναι τοὺς ὑπὸ τῶν ὁλμοποιῶν πεποιημένους, οὕτω καὶ λαρισσαίους τοὺς ὑπὸ τῶν δημιουργῶν πεποιημένους· εἶναι γάρ τινας λαρισσοποιούς. Sed videtur in ambiguo lusisse, quod Λάρισσα sit et urbis nomen, cujus incolæ Λαρισσαῖοι, et nomen ὅπλου, quod et σάρισσα, cujus artifex λαρισσοποιὸς nominatur. [Aliam conjecturam protulit Schneiderus, qui male scripsit Λαρισσαιοποιούς.]

A [Λάρισος, ὁ, Larisus, fl. Elidis. Xen. H. Gr. 3, 2, 23, Strabo 8, p. 387; 9, p. 440, Pausan. 6, 26, 10, etc. aliique ab Schneidero ad l. Xenoph. citati. Minerva ab hoc Lariso dicta Λαρισαία ap. Pausan. 7, 17, 5. De scriptura nominis etiam in libris frequenti, et agnita ab Theognosto in Cram. An. vol. 2, p. 73, 16, per simplex σ v. in Λάρισα. ᾱῐ]

[Λάριχος, ὁ, Larichus, frater Sapphus ap. Athen. 10, p. 424, F, Suidam v. Σαπφώ. Larichum patrem Erigyi et Laomedontis memorat Arrian. Exp. 3, 6, 8, Ind. c. 18, p. 96.]

[Λαρκᾰγωγὸς, ὁ, Corbem gestans. Eurip. fr. Autol. ap. Polluc. 10, 111 : Τοὺς ὄνους τοὺς λαρκαγωγοὺς οἴσειν ἐξ ὄρους ξύλα. « Versus trochaicus est, nisi quod οἴσειν e loco suo ejectum sit : lege, Τοὺς ὄνους τοὺς λαρκαγωγοὺς ἐξ ὄρους οἴσειν ξύλα, vel forte, ut sententia continuetur, λαρκαγωγοὺς, οἶσιν ἐξ ὄρους ξύλα. » Bentl. Epist. ad T. Hemst. p. 64 ed. Lugd. Bat. 1807. Trimetros restituit Musgravius.]

[Λαρκάνη, ἡ Θεσσαλία, Hesych.]

B [Λάρκας, ὁ, Larcas, qui Phalanthum prodidit Iphiclo, ap. Ergiam Athenæi 8, p. 360, F.]

Λαρκίδιον, τὸ, Parvus corbis, Aristoph. [Acharn. 340, Pollux 10, 111. ῐῐ]

[Λάρκιον, τὸ, i. q. præcedens. Pollux 10, 111.]

[Λάρκος.] Λαρκὸς, ὁ, Hesychio ἀνθράκων φορμὸς, s. πλέγμα φορμῷ ὅμοιον ἐν ᾧ ἄνθρακας φέρουσιν, ὁτὲ δὲ καὶ ἰσχάδας, Corbis ex vimine plexus quo carbones ferunt, interdum et caricas. Suid. paroxytonωs habet λάρκος, dicens et ipse esse πλέγμα κοφινῶδες ἢ ψιαθῶδες ἐν ᾧ φέρονται ἄνθρακες : dicente Aristoph. Ach. [350] : Ὑπὸ τοῦ δέους δὲ τῆς μαρίλης μοι συχνὴν Ὁ λάρκος ἐπετίλησεν [ἐνετίλησεν] ὥσπερ σηπία, h. e., τῆς ἀπὸ ἀνθράκων σποδιᾶς ἀφῆκεν ὁ λάρκος ὑπὸ ἀγωνίας ὥσπερ σηπία τὸν θόλον· sepiæ enim quum captantur, atramentum suum effundere solent turbandæ aquæ causa, ne conspiciantur ab insidiatoribus. [Conf. ib. 333.] Exp. et generalius φορμὸς, κόφινος. [Ex Lysia citant Harpocratio et Photius, qui interpretatur etiam ἀνθρακικὸν σκεῦος. Sæpius memorat etiam Pollux.]

C [Λαρκοφορέω, Corbem fero. Dio Cass. 52, 25 : Τῶν φορμοφορησάντων καὶ λαρκοφορησάντων.]

[Λαρνακίδιον, τὸ, Arcula. Ephræm. Cæsar. 3615. Osann.]

[Λαρνάκιον, τὸ, Capsula. Symm. Sam. 1, 6, 8.]

[Λαρνᾰκόγυιος, ὁ, ἡ, Qui membra habet similia λάρνακι. Theocr. Fistula, Anth. Pal. 15, 21, 16 : Λαρνακόγυιε, χαίροις. Schol. ap. Jacobs. vol. 3, p. 820 : Τὸ μὲν οὖν χαίροις πρὸς τὸ ἄψυχον ἀποδοτέον. Λαρνακόγυιον δὲ τὸν Πᾶνα, ἐπεὶ χηλόπους ἐστί. Λάρναξ δὲ ἡ χηλὸς καὶ ἡ κιβωτός· ταυτὸν δ' ἐστί· διὰ δὲ τὸ ἑξῆς δηλοῖ. Secundum hunc igitur poeta luserit confusis inter se vocabulis χηλὴ, Ungula, et χηλὸς, Cista, satis inepte.]

[Λαρνακοειδῶς, Nicet. Paphl. p. 44 in Martyrum Triade edita a Combef. Paris. 1666. Boiss.]

[Λαρνακοφθόρος, ὁ, ἡ, In arca perdens. Lycophr. 234 : Λαρνακοφθόρους ῥιφάς.]

Λάρναξ, ᾰκος, [ὁ, Anon. Combef. in Constantino Porphyrog. n. 53, ap. Ducang. v. Λαζαροῦν citatus : Τοῦ λάρνακος εὐτρεπισθέντος. Et sæpissime Constantinus D ipse Cyrim. 2, 42. Alia exx. v. ap. Jacobs. ad Anthol. Palat. 7, 327, 1; 344. L. D.] ἡ, Capsa, Arca, Loculus, Conditorium. Hom. Il. Σ, [413] de Vulcano : Ὅπλα τε πάντα Λάρνακ' ἐς ἀργυρέην συλλέξατο τοῖς ἐπονεῖτο. [Theocr. 15, 33 : Ἁ κλᾷξ τᾶς μεγάλας πᾶ λάρνακος ad quæ v. Valcken. p. 333 sq. Herodot. 3, 123 : Λάρνακας ὀκτὼ πληρώσας λίθων.] Ω, [795] de ossibus Hectoris : Καὶ τά γε χρυσείην ἐς λάρνακα θῆκαν ἑλόντες Πορφυρέοις πέπλοισι καλύψαντες. [Leonid. Tar. Anth. Pal. 7, 478, 2; anon. 7, 340, 2, Bianor. 9, 278, 1. Antonin. Lib. c. 32.] Joseph. De capt. Jud. : Δύο λάρνακας ὡς εἰς ἐκκομιδὴν νεκρῶν παρεσκευασμένη. Sic Thuc. 2, [34] : Ἐπειδὴ δὲ ἡ ἐκφορὰ ᾖ, λάρνακας κυπαρισσίνας ἄγουσιν ἅμαξαι φυλῆς ἑκάστης μίαν, Quum efferendum funus est, arcas ex cupresso currus singularum tribuum singulas ducunt. Plut. [Mor. p. 968, F] et Lucian. [De dea Syr. c. 12] Δευκαλίωνος λάρνακα dicunt quam Sacræ literæ arcam Noæ, h. e. navigium arcæ modo structum. [Conf. Steph. Byz. in Λαρνασσὸς cit., Apollod. 1, 7, 2, 5.] Ovid. Ratem Deucalionis dicit Metamorphos. l. 1. [De nave quæ Jordanem trajecit Anth. Pal. 1, 62, 1. Puellas vitiatas cum adulteris vel infantibus in λάρναχι in mare projectas v. ap. Simonidem a Dionysio De comp. vv. c. ult., p. 221, cit., Apollod. 2, 4, 1, 3, schol. Apoll. Rh. 4, 1091, Diod. 5, 62, Pausan. 3, 24, 3; 10, 14, 2. Unde explicanda videtur Hesychii gl. Ἐκ λάρνακος, νόθος. Arsinoen a Phegei filiis λάρναχι inclusam et Tegeam transportatam narrat Apollod. 3, 7, 5, 9; ovum ab Nemesi editum in λάρναχι ab Leda servatum idem 3, 10, 7, 3, Adonin a Venere εἰς λάρνακα conditum 3, 14, 4, 5. Pastorem Musis litantem, ideoque a domino λάρναχι inclusum, Theocr. 7, 78. Thoantem ab Hypsipylea in λάρναχι in mare demissum, Apoll. Rh. 1, 621. De arca artificiosis ornata emblematis, in qua Cypselus recens natus est absconditus, v. Pausan. 5, 17, 5 seq. De alia, quam Troja retulit Eurypylus, et Vulcanus fabricatus ferebatur, id. 9, 49, 2.] A Suida quoque exp. σορὸς, κιβωτὸς, Loculus, Arca, in hoc l.: Ἐς λάρνακας μετὰ τῶν νεκρῶν δι' ἀγγέλων τινῶν, καὶ ἐς ἀῤῥίχους ὀπώρας ἐχούσας, ἢ καλάμους ὀρνιθευτῶν τὰ γράμματα ἐμβαλόντες.

[Λαρνασσὸς, ὁ, Larnassus. Steph. Byz. v. Παρνασσός: Ἐκαλεῖτο δὲ πρότερον (vel πρόσθεν cum cod. Vratisl.) Λάρνασσος (scr. Λαρνασσὸς, ut est ap. schol. Apoll. Rh. 2, 711) διὰ τὸ τὴν Δευκαλίωνος λάρνακα αὐτόθι προσενεχθῆναι. Λαρνησσὸς scriptum in Etym. M. v. Παρνασὸς, ubi Andro hujus fabulæ auctor citatur. L. Dind.].

[Λαροειδὴς, ὁ, ἡ, Gaviæ similis. Schol. Lycophr. 76: Κέπφος, θαλάσσιον ὄρνεον λαροειδές.]

Λαρὸς, ὁ, ἡ, Jucundus, Gratus, Voluntati nostræ acceptus. Schol. enim Apoll. [Rh. l. infra cit.] a λῶ τὸ θέλω derivat: alii quasi λίαν ἀρηρὸς dictum volunt. Hom. Il. P, [572]: Λαρόν τέ οἱ αἷμ' ἀνθρώπου. [T, 316: Λαρὸν παρὰ δεῖπνον ἔθηκας.] Od. M, [283]: Λαρὸν τετυκοίμεθα δόρπον. Et in superl., Od. B, [349]: Οἶνον ἐν ἀμφιφορεῦσιν ἄφυσσον Ἡδὺν, ὅτις μετὰ τὸν λαρώτατος ὃν σὺ φυλάσσεις· ubi quædam exemplaria λαρώτερος habent. [Est autem forma epica pro λαρότατος. De utraque agitur in Epim. Hom. Cram. An. vol. 1, p. 279, 23.] Apoll. Arg. 1, [456]: Εἴδατα, καὶ μέθυ λαρόν. Et λαροῖς ποσὶ, Hesiod., Pedibus visu jucundis, ap. schol. Apoll. [et Etym. M. Apollonius 3, 933: Οὕνεκεν οὔτε τι λαρὸν οὔτ' ἐρατὸν κούρη κεν ἔπος προτιμυθήσαιτο ἠιθέῳ, εὖτ' ἂν σφιν ἐπήλυδες ἄλλοι ἔπωνται. Agathias Anth. Pal. 7, 602, 2: Οὐδ' ἔτι σοι κεῖνο τὸ λαρὸν ἔπος ἕξεται ἐν στομάτεσσι. Anon. 9, 571, 4: Λαρὰ δ' ἀπὸ στομάτων φθέγξατο Βακχυλίδης. Moschus 2, 92: Τοῦ δ' ἄμβροτος ὀδμὴ τηλόθι καὶ λειμῶνος ἐκαίνυτο λαρὸν ἀϋτμήν. (De quo genere loqui videtur etiam Herodian. Π. μον. λ. p. 35, 12: Λαρὸς, ἔνθεν θηλυκὸν παρὰ Σοφοκλεῖ ἐν Ἰνάχῳ καὶ σασχυτρίνων λαρὸς εὔτατ' ἐπὶ κῦμα ἐκροὰς ἐπώμοσα λαρὸς ἀνήρ· ἔνθεν τὸ οὐδέτερον, λαρὸν τετυκοίμεθα δόρπον. Ubi si εὔτατ' ex ἔπτατ' depravatum sit, pars verborum corruptissimorum ad avem λάρον, de qua paullo post agit, referenda erit.) Dionys. Per. 936: Θύοις ὕπο λαρὸν ὀδωδεν. Oppian. Hal. 4, 16: Δάκρυ δέ σοι προβαλεῖν λαρὸν γάνος. Alcæus Messen. Anth. Plan. 4, 226, 1: Ἔμπνει, Πὰν, λαροῖσιν, ὀρειβάτα, χείλεσι μοῦσαν. Append. 306, 6: Καὶ δὲ παρὰ πλευρὰς ἄνθεα λαρὰ φύοις, de terra. || Diversa vocc. confundunt Suidas, qui cum Photio interpretatur etiam χλιαρὸν, quod ad λιαρὸς pertinet, et Hesychius, qui ἄπληστον, quod ad λάρον avem pertinere ostendit ipsum quod appensum est λαβρόν (sic), animadversumque est interpretibus. Idem quod etiam σπάνιον explicat, alio niti errore videtur, de quo nimis incerta est conjectura. Apud Oppian. Cyneg. 4, 84: Ἀταρπιτὸν, ᾗ ἔνι πολλὸς λαρὸν πιόμενος ποταμηπόρος ἰθὺς ὁδεύει, de leone Libyco, præstare videtur λάβρου, quod similiter dictum notavimus in Λάβρος. || Comparativo adverbialiter posito Simonid. Anth. Pal. 7, 24, 10: Καί μιν ἀεὶ τέγγοι νοτερὴ δρόσος, ἧς ὁ γεραιὸς (Anacreon) λαρότερον μαλακῶν ἔπνεεν ἐκ στομάτων. De accentu acuto v. Arcad. p. 68, 1. L. Dind.]

Λάρος [de acc. Λᾶρος v. infra], ὁ, Larus: s. Gavia. [Fulica, Ardea addunt Gl. Hom. Od. E, 51: Σεύατ' ἔπειτ' ἐπὶ κῦμα, λάρῳ ὄρνιθι ἐοικὼς, ὅστε κατὰ δεινοὺς κόλπους ἁλὸς ἀτρυγέτοιο ἰχθῦς ἀγρώσσων πυκινὰ πτερὰ δεύεται ἅλμῃ, de Mercurio.] Aristot. H. A. 5, 9: Ἡ δὲ αἴθυια καὶ οἱ λάροι τίκτουσιν ἐν ταῖς περὶ θάλασσαν πέτραις· ἀλλ' ὁ μὲν λάρος, τοῦ θέρους, ἡ δὲ αἴθυια, ἀρχομένου τοῦ

A ἔαρος. Unde Plin. 10, 32: Gaviæ in petris nidificant mergi et in arboribus: gaviæ æstate pariunt, mergi incipiente vere. Itidem λάρος ὁ λευκὸς [ap. Aristot. H. A. 8, 3] Gaza vertit Gavia alba: dicente et Apuleio Aurei asini 5: Avis peralba illa gavia, quæ super fluctus marinos pinnis natat, demergit sese propere ad Oceani profundum gremium. [Memorat etiam Artemidor. 2. 17.] Eandem sunt qui κέπφον esse velint et καύηκα, [V. Hemsterh. ad schol. Aristoph. Plut. 913. Producta priori syllaba Ar. Av. 567: Ἢν δ' Ἡρακλέει θύῃ τις βοῦν λάρῳ ναστοὺς μελιτούττας. Atque hanc mensuram Atticam dicit in vv. λᾶρος, γάρος, κᾶρος Arcad. p. 196, 14. Sed libri Aristophanis ναστοὺς θύειν, omittentes ex parte θύῃ. Quod θύησι scribendum conjicit Meinek. Com. vol. 2, p. 78, servato θύειν, sed deletis verbis τις βοῦν, quæ ex varietate, quam ad verba proximi versus Ἢν δὲ Ποσειδῶνί τις οὖν θύῃ, annotavit scholiasta, nasci potuerunt.] Verum quum avis hæc sit ἁρπακτικὴ καὶ ἀδδηφάγος, Rapax et vorax: ideo Λάρος κεχηνὼς proverbio dicitur ἐπὶ τῶν ἁρπακτικῶν καὶ

B κλεπτῶν [apud Aristophan. Eq. 956] teste Suida: ut et Aristoph. Nub. [591]: Κλέωνα τὸν λάρον δώρων ἑλόντες καὶ κλοπῆς, Cleonem larum s. gaviam: h. e. hominem avarum et rapacem s. furacem. [Et ap. Matronem parodum, Athen. 4, p. 134, E, est parasitus Chærephon πεινῶντι λάρῳ ὄρνιθι ἐοικώς. Schweigh. Athen. 11, p. 411, E: Τοιοῦτον αὐτὸν (Herculem) ὑποστησάμενοι ταῖς ἀδηφαγίαις καὶ τῶν ὀρνέων ἀποδεδώκασιν αὐτῷ τὸν λάρον τὸν προσαγορευόμενον βουφάγον. Valck. Idem addit l. ejusd. 2, p. 44, D: Ὑδροπότης δ' ἦν καὶ Λάμπρος ὁ μουσικὸς, περὶ οὗ Φρύνιχός φησι Λάρους θρηνεῖν, ἐν οἷσι Λάμπρος ἐναπέθνησκεν. V. autem Λαρὸς in fine.] Sunt etiam qui homines stupidos λάρους appellari dicant a stupiditate ejus avis, [quæ facile capi se patitur. Schweigh.] quo sane modo κέπφους, ut supra docui. [Sic λάρους Fatuos homines dixit Lucian. Tim. c. 12, ubi v. Hemst. Schweigh. Λάρου βίον ζῆν de hominibus mari jactatam vitam viventibus Ælian. Epist. 18. V. Hemsterh. ad l. Luc. et Callim. fr. 111. Λάρος ἐν ἕλεσι, παροιμία ἐπὶ τῶν

C ταχὺ ἀποδιδόντων, Suidas. Νεμέσει pro ἕλεσι Photius vitiose. De accentu paroxytono v. Arcad. p. 67, 27; 196, 13.]

Λαρτιάδης, et Λάρτιος, per synalœphen pro Λαερτιάδης et Λαέρτιος: itemque Λάρτης pro Λαέρτης. [V. Λαέρτης.]

[Λάρυγγᾶς, ὁ, Garrulus. Is. Porphyrog. in Allatii Exc. p. 308. Boiss.]

[Λαρυγγιάω. V. Λαρυγγίζω.]

[Λάρυγγίζω.] Λαρυγγίζειν significat τὸ πλατύνειν τὴν φωνὴν καὶ μὴ κατὰ φύσιν φθέγγεσθαι, ἀλλ' ἐπιτηδεύειν περιεργότερον τῷ λάρυγγι χρῆσθαι, teste Harpocr., s. Latius diducto gutture vociferari et clamitare. Dem. Pro cor. [p. 323, 1]: Ἐπάρας τὴν φωνὴν καὶ γεγηθὼς καὶ λαρυγγίζων, ᾤετο ἐμοῦ κατηγορεῖν. Lucian. [Lexiph. c. 24]: Καὶ ὁ τῦφος δὲ, καὶ ἡ μεγαλαυχία, καὶ ἡ κακοήθεια, καὶ τὸ βρενθύεσθαι, καὶ λαρυγγίζειν ἀπέστω. Et ap. Suid.: Οἱ δὲ κόρακες περιϊπτάμενοι ἄνω καὶ κάτω, θορυβοῦμενοι καὶ κεκραγότες μετὰ πολλῆς ἀσελγείας, οἷον οἱ κόρακες λαρυγγίζουσι· quod itidem exp. βοῶσι, Vociferantur,

D Clamitant. [Thomas M. p. 571: Λαρυγγίζω γάρ φαμεν οὐ τὸ ἐσθίω, ἀλλὰ τὸ εὐήχως λέγω. Athen. 9, p. 383, F: Καὶ μαγείρων μὲν ἅλις, μὴ καί τις αὐτῶν τὰ ἐκ Δυσκόλου Μενάνδρου βρενθυόμενος λαρυγγίσῃ τάδε. Valck. Ps.-Lucian. Amor. c. 36: Ἐπηρμένῃ φωνῇ λαρυγγίζων· Rhet. Præc. c. 19 et al. citant intt. Thomæ et Herodiani Philet. p. 436. Hesych.: Λαρυγγίζων, λάρυγγα θεραπεύων.] Aristoph. non neutraliter solum et absolute usurpat hoc verbum, sed active etiam cum accus. Illo modo [Eq. 358]: Λαρυγγιῶ καὶ Νικίαν ταράξω· hoc [ibid.], Λαρυγγιῶ τοὺς ῥήτορας, quod Suid. exp. non tantum καταβοήσομαι τῶν ῥητόρων, Occlamabo oratoribus, verum etiam τὸν φάρυγγα ἐκτεμῶ καὶ κατασιγάσω τοὺς ῥήτορας, Præciso gutture faciam conticescere: quoniam τμηθέντος τοῦ λάρυγγος vocem emittere nemo potest. [Synes. Epist. 147, p. 287, B: Ὁ μείουρος κύων ἐγκωμίου τυγχάνει, ὅτι οἶμαι δίκαιός ἐστι τὰς ὑαίνας οὐκ ὀρρωδῶν καὶ λαρυγγίζων τοὺς λύκους. Gl.: Λαρυγγίζει, Suffocat.] Invenitur vero et aliud verbum a λάρυγξ derivatum, nimirum Λαρυγγιάω, i. prope significans quod λαρυγγίζω. Agathias Epigr. [Anth. Pal. 11, 382, 1] in medicos; Κεῖτο [μὲν Ἀλκιμένης] κεκακωμένος ἐκ πυρετοῖο Καὶ περὶ λευκανίην βραγχὰ λαρυγγιόων, Raucum stertens in gutture, s. Raucos gutture ronchos edens. [Tatian. p. 244, B : Λαρυγγιῶσί τε οἱ ταύτης (τῆς σοφίας) ἐφιέμενοι καὶ κοράκων ἀφίενται φωνήν. Valck.]

[Λαρυγγικὸς, ή, όν, in Actis SS. Maji vol. 5, p. 185, *A : Δεσμῷ λαρυγγικῷ περιεχόμενον, vertitur Gutturis angustiis. L. Dind. V. Λαρυγγιτής.]

[Λαρύγγιον, τὸ, Guttur. Apophth. Patr. in Cotel. Eccl. Gr. mon. vol. 1, p. 634, E : Δαβὶδ ὅτε μετὰ τοῦ λέοντος συνέβαλε, τοῦ λαρυγγίου αὐτοῦ κατέσχεν αὐτὸν, καὶ εὐθέως ἀπέκτεινεν αὐτόν. Ἐὰν οὖν καὶ ἡμεῖς κατάσχωμεν τοῦ λαρυγγίου καὶ τῆς κοιλίας ἑαυτῶν, νικῶμεν διὰ τοῦ θεοῦ τὸν ἀόρατον λέοντα. L. Dind.]

[Λαρύγγισμα, ατος, τὸ, Vociferatio. Greg. Naz. vol. 1, p. 2, C : Τῶν τελείων οἱ ἐμβριθέστεροι λόγοι καὶ τὰ σοβαρὰ λαρυγγίσματα. Theophyl. vol. 3, p. 726, E : Μακρῶν λαρυγγισμάτων.]

Λαρυγγισμὸς, ὁ, Clamor et vociferatio quæ fit gutture latius diducto : v. in Κλωσμὸς s. Κλωγμός. [Plut. B Mor. p. 129, A : Κοράκων μὲν λαρυγγισμοῖς καὶ κλωσμοῖς ἀλεκτορίδων.]

Λαρυγγιτὴς vel pro Vociferator, vel pro Vorator, Lurco, reperio ap. Athen. [6, p. 246, F] in sermone de parasitis s. episitiis, ex Pherecr. comico : Τοῦτον πανταχοῦ Ἄγω λαρυγγιτὴν ἐπὶ μισθῷ ξένον. Hesych. sane λαρυγγίζω exp. etiam λάρυγγα θεραπεύω. [Nunc partim ex libris λαρυγγικόν τιν'.]

Λαρυγγὸς, ὁ, Hesychio ματαιολόγος, Nugator.

[Λαρυγγοτομέω, Guttur seco. Paul. Æg. 6, 33, p. 186, 29.]

[Λαρυγγοτομία, ἡ, Gutturis sectio. Paul. Æg. 6, 33. Cæl. Aurel. Chron. 3, 4, 39 : « Est etiam fabulosa arteriæ ob respirationem divisura, quam laryngotomiam vocant, et quæ a nullo sit antiquorum tradita, sed caduca atque temeraria Asclepiadis inventione affirmata. »]

[Λαρυγγόφωνος, ὁ, ἡ, Gutturi similiter sonans. Sopater ap. Athen. 4, p. 175, C : Οὔτε τοῦ Σιδωνίου λαρυγγόφωνος ἐκκεχόρδωται τύπος, de organo quodam C musico.]

Λάρυγξ, υγγος [et υγος sec. Etym. M. p. 788, 37 : Ὁμοίως δὲ (ut φάρυγος) καὶ λάρυγος Ἀττικῶς, nisi error subest, quum in præcedentibus de genere horum vocc. agatur, et genus potius masculinum Atticis proprium dicendum fuit grammatico, ut aliis dicitur continuo citandis], ὁ, [Photius : Λάρυγγα ἀρρενικῶς λέγουσιν· οὕτως Εὔπολις (aliique infra citandi). Τὴν φάρυγγα θηλυκῶς addit Herodian. p. 475 Piers. Τῆς λάρυγγος est in Etym. M. p. 221, 40], Guttur, [Gula, Gurgulio add. Gl.] : colli pars anterior, opposita τῷ στομάχῳ. Ita enim Aristot. H. A. 1, [12] : Αὐχὴν δὲ, τὸ μὲν μεταξὺ προσώπου καὶ θώρακος· καὶ τούτου τὸ μὲν πρόσθιον μέρος, λάρυγξ· τὸ δὲ ὀπίσθιον, στόμαχος. [Rufus De partt. corp. h. 1, p. 50 : Ἑξῆς τράχηλος, οὗ τὸ μὲν ἔμπροσθεν βρόγχος καὶ τραχεῖα ἀρτηρία, ἡ δὲ κατὰ μέσον ἐπανάστασις λάρυγξ.] Galen. Comm. in Aphor. [l. 4, 34] λάρυγγα vocari scribit τὴν οἷον κεφαλὴν τῆς τραχείας ἀρτηρίας, Veluti caput et ostium asperæ arteriæ : ut Gorr. quoque laryngem esse dicit superiorem asperæ D arteriæ partem, s. principium asperæ arteriæ faucibus continuum, tribus constans cartilaginibus, præcipuum vocis instrumentum. Eam arteriæ partem nominari φάρυγγα etiam, scribit Galen. 1 De usu partium, quum tamen proprie, teste Eod., pharynx ante laryngem consistat. Pollux quoque [2, 207] discrimen facit inter λάρυγγα et φάρυγγα, scribens τὸν φάρυγγα esse στομάχου ἀρχὴν, ὡς βρόγχου λάρυγγα : et Thomas Magister [p. 570] φάρυγγα quidem esse τὴν τῆς φωνῆς διέξοδον, λάρυγγα autem, τὴν τῶν σιτίων εἴσοδον, Eam partem per quam cibus in stomachum intrat : dicente Aristoph. Ran. [575] : Ἐγὼ δὲ τὸν λάρυγγ' ἂν ἐκτέμοιμί σου ... ᾧ τοὺς κόλικας [χόλικας] κατήσθιες [κατέσπασας. Eur. Cycl. 158 : Μῶν τὸν λάρυγγα διεκάναξέ σου καλῶς, de vino.] Et mirum est, inquit, quod ex voce φάρυγξ non facimus verbum, sed ex voce λάρυγξ, sequens tamen signif. voc. φάρυγγος : nam λαρυγγίζειν dicimus non τὸ ἐσθίειν, sed τὸ εὐήχως λέγειν. Veruntamen hoc discrimen perpetuum non est, quum Aristoph. λάρυγγα A appellet non solum Cibi, sed etiam Vocis vehiculum s. meatum : Eq. [1363] : Ἐκ τοῦ λάρυγγος ἐκκρεμάσας Ὑπέρβολον, Ex gutture τοῦ συνηγόρου suspenso Hyperbolo eum dejecturus in barathrum : pœna inflicta ei parti quæ maxime peccarat, gutturi sc. per quod causas deblaterarat. [Ἀνόσιοι λάρυγγες, Voraces, Eubulus ap. Athen. 3, p. 113, F. Schol. Aristoph. Eq. 960 : Ψωλὸν γενέσθαι δεῖ σε μέχρι τοῦ μυρρίνου) παρὰ Διφίλῳ ἐν τοῖς Ἐναγίσμασι παραπεποίηται ἄχρι τοῦ λάρυγγος.]

Λαρυδοὶ, Hesychio τύλοι οἱ ἐν τῷ ἀρότρῳ, Clavi in aratro.

[Λαρύζω.] Λαρύζει, Hesychio βοᾷ, Clamat, Vociferatur : ἀπὸ τοῦ λάρυγγος. [V. Λαρύνω.]

[Λάρυμνα, ἡ, Larymna, oppidum Bœotiæ, ap. Strab. 9, p. 405, qui p. 406 : Κατὰ Λάρυμναν τῆς Λοκρίδος τὴν ἄνω· καὶ γὰρ ἑτέρα ἐστὶν, ὡς εἴπομεν, ἐπὶ τῇ θαλάττῃ, ἡ Βοιωτιακὴ, ᾗ προσέθεσαν Ῥωμαῖοι τὴν ἄνω. Locrensem dicit Scylax p. 23, Lycophr. 1146. Bœoticam Polyb. 20, 5, 7, ubi Λαβρύναν. Pausan. 9, 23, 7, ibidem cognominem filiam Cyni memorans, olim Opuntiam fuisse, postea Bœoticam factam narrat. V. Müller. Orchom. p. 57. Gent. Λαρυμνεὺς est in inscr. ap. Bœckh. vol. 1, p. 771, n. 1590, 11 ; Λαρυμναίῳ in alia vol. 2, p. 44, p. 1936, 10. L. Dind.]

[Λάρυμνος, ὁ, Larymnus, pater Eubœæ. Promethidas ap. Athen. 7, p. 296, B. L. Dind.]

[Λαρύνθιος, ὁ, Larynthius, epitheton Jovis ap. Lycophr. 1092.]

[Λαρύνω. Grammat. De vocibus animalium apud Valck. Anim. ad Ammon. p. 231 : Περιστερὰ λαρύνει. Cum λαρύζω confert Schneider.]

[Λαρύσιον, τὸ, Larysium. Pausan. 3, 22, 2 : Διονύσου ὄρος ἱερὸν Λαρύσιον καλούμενόν ἐστιν ὑπὲρ τοῦ Μιγωνίου (Laconiæ).]

Λαρωντίδων, dicebant ἐν τοῖς ἀθροίσμασιν, ut ἐπῳδῶν, Hesych.

[Λᾶς. V. Λᾶας.]

[Λᾶς, ὁ, Las, n. pr. urbis. V. Λᾶας. || Hominis, de quo Pausan. 3, 24, 10 : Ἐν δὲ Ἀραίνῳ καλουμένῳ χωρίῳ (Laconiæ) τάφος Λᾶ καὶ ἀνδριὰς ἐπὶ τῷ μνήματι ἔπεστι. Τοῦτον τὸν Λᾶν οἰκιστὴν εἶναι λέγουσιν οἱ ταύτῃ, καὶ ἀποθανεῖν φασιν ὑπὸ Ἀχιλλέως.]

Λάσα, Hesychio τράπεζα πληρεστάτη, Mensa refertissima. Λάσαν Idem dici scribit τὴν Λάρισσαν.

[Λάσαγξ.] Λάσαγγες, Hesychio οἱ περὶ τὰς λίμνας χλωροὶ βάτραχοι, Virides paludum ranæ, quæ supra λάλαγγες.

[Λασαία, ἡ, Lasæa. Act. Apost. 27, 8 : Πόλις Λασαία (Cretæ). De qua v. conjecturas Hœckii *Kreta* vol. 1, p. 434, 441, aliorumque ap. Schleusner. Lex. N. T.]

[Λασάνιον, τὸ, Olus, λάχανον. Favorinus : Λασανίαι Γραικιστὶ αἱ πρασιαί. Zacharias Dial. 3, 4 : Πάντα δὲ τὰ τοῦ κήπου λασάνια τὰ μὴ ὄντα εἰργασμένα εἰργάσαντο. Ubi Gregor. M. : Cuncta horti illius spatia quæ inculta fuerant coluerunt. Ducang. In glossa Favorini Zonaras p. 1289 λασάνια.]

Λάσανον, τὸ, Chytropus. Hesych. enim et Suid. [et Mœris p. 250] λάσανα dici scribunt τοὺς χυτρόποδας : Suid. et μαγειρεῖα ὅπου τῇ βουλῇ σκευάζεται μετὰ τὰς θυσίας κρέα : itemque schol. Aristoph. Pac. [893] : Ἐνταῦθα γὰρ Πρὸ τοῦ πολέμου τὰ λάσανα τῇ βουλῇ ποτ' ἦν. [V. de hac signif. infra et in fine dicenda.] Hesych. λάσανα exp. etiam βάραθρα καὶ ἀφοδευτηρίους δίφρους, Cloacas, Sellas familiares : h. e. Loca aut Vasa ad deponendum ventris onus : ut et Pollux 10, c. 9 [§ 44,] λάσανα dici non solum ἐπὶ τοῦ ἀκινήτου ἀποπάτου, verum etiam ἐπὶ τοῦ τιθεμένου, qui alio nomine δίφρος et διφρίσκος nominatur. [Quomodo interpretatur etiam Mœris p. 250.] Quibus verbis hæc subjungit exx. Aristoph. Proagōne : Οἴ μοι τὰ λάσανα γίνοιτό [Οἴμοι τάλας ... Πόθεν ἂν λ. γένοιτό] μοι. Pherecr. Crapatallis : Πρὸς τῇ κεφαλῇ μου λάσανα καταθεὶς πέρδεται. [Photius : Λάσανα χυτρόποδες κυρίως· ἤδη δὲ καὶ τὸ παραπλήσιον, ἐφ' ὧν ἄν τις ἴπνον ἐπιστήσειεν ἤ τι τῶν τοιούτων καὶ τῶν ὁμοίων, ἐφ' ὧν ἕψεταί τι καὶ φρύγεται. Καὶ ἐφ' ὧν ἀπεπάτουν ἔλεγον. Οὕτω Φερ.] Idem et præcedentis signif. meminit eod. l. c. 24 [§ 99], scribens τὸν χυτρόποδα comperiri et λάσανα vocatum, ut ex Diocle in Apibus, Ἀπὸ λασάνων θερμὴν ἀφαιρήσω. [Conf.

Eupolis ap. Mœrin p. 250. «Λάσανον Hippocrati p. A 261, 13 pro Sella familiari ad ventris onera exoneranda sumi videtur, aut tripode ollario, aut simili quadam in altum exstructa sella, in quam puerpera desideat, ut fœtus sua gravitate dependens, sensim secundas extrahat : Τὸ δὲ χορίον ἢν μὴ ῥηϊδίως ἐκπίπτῃ μάλιστα μὲν ἐᾶν πρὸς τὸ ἔμβρυον προσκρεμᾶσθαι, καὶ τὴν λεχὼ προτίθεσθαι, ὥσπερ ἐπὶ λασάνου. Ἔστω δὲ κατεσκευασμένον ὑψηλόν τι, ἵνα τὸ ἔμβρυον ἐκκρεμάμενον συνεπισπάσαι τῷ βάρει ἔξω. Ibid. : Ἢν δὲ μὴ δύνηται καθῆσθαι ἐπὶ τοῦ λασάνου, ἐπ' ἀνακλίτου δίφρου τετρυπημένου καθήσθω. Δίφρος simpliciter dicitur p. 586, 40.» Foes. Ejusd. p. 888, D : Ἐπὶ λασάνοισι (vulgo σανίσιν) ὡς στενοτάτοισιν· et Epict. Diss. 1, 19, 17 addit Schneider. Singularis est etiam in epigr. Bassi Anth. Pal. 11, 74, 8. Phrynichus Bekkeri p. 51, 8 : Λάσανα ὡς ἡμεῖς ἐφ' ὧν ἀποπατοῦμεν. Quibus Antiatt. p. 106, 30 addit : Πλάτων Ποιητῇ· μετενήνεκται δὲ ἀπὸ τούτου καὶ ἐπὶ τοὺς μαγειρικοὺς βαύνους.] Hesych. λάσανα et τὰ ὀπίσθια τῶν μηρῶν, ἀπὸ τῆς δασύτητος. [Similiter Etym. M. : Λάσανον, ἐφ' οὗ οἱ δασεῖς τόποι οἰζοῦσιν (ἵζουσιν) ... λάσεα δὲ τὰ B περὶ τὸν φόρτον, pro δασέα ... ὄρρον vel πρωκτόν] : schol. Aristoph. τοὺς δασεῖς μηρούς. [ᾰᾰ]

Λασανοφόρος, ὁ, ἡ, Qui lasanum hero suo introfert : ut ap. Horat. [Sat. 1, 6, 109], Pueri lasanum portantes œnophorumque. Eo voc. utitur Plut. [Apophth. p. 182, C.] Ibi enim Alexander Magnus, Ἑρμοδότου αὐτὸν ἐν τοῖς ὑπομνήμασιν ἡλίου παῖδα γράψαντος, respondit, Οὐ ταῦτά μοι σύνοιδεν ὁ λασανοφόρος.

Λάσαρον Κυρηναϊκόν, ap. Apsyrtum in Hippiatr. Laser Cyrenaicum, quod Hippocr. ὀπὸν σιλφίου appellat. [Ducang. : Λασάριον, Λάσαρον, Λάσσαρον, Laser. Lexicon Neophyti : Λάσαρον καὶ Λάσαρ ὁ ὀπὸς τοῦ σιλφίου. Pelagonius in Hippiatr. 1, 22 : Λασάρου κόκκιον ὡσεὶ λεπτοκάρυον μικρόν. Eumelus 1, 29 : Λασάρου ῥίζης ὡς κυάμου μέγεθος. Utitur etiam Alexander Trallian. l. 2. Λάσσαρον scribit Myrepsus s. de zulapiis c. 26. Gloss. : Laser, Ὀπὸς, Λασάριον.» Idem in Append. p. 207 : «Liber miraculorum SS. Cosmæ et Damiani c. 8 : Προστάττουσιν αὐτῇ λάσαρ μετὰ γλήχωνος μίξασαν C πιεῖν.» Vitiose Hesych. ante Λάρεις : Λάγανον, ὀπὸς δριμύς.]

[Λάσδομαι. V. Λάζομαι.]

[Λασθαίνω. V. Λάσθη.]

[Λασθένεια, ἡ, Lasthenia, Arcadissa, Pythagorea, ap. Iambl. V. Pythag. c. 36 extr. Mantinensis apud Diog. L. 3, 46, ubi v. Menagius.]

[Λασθένης, ους, ὁ, Lasthenes, unus ex septem ducibus Thebanorum ap. Æsch. Sept. 620. Olynthius ap. Demosth. p. 99, 22 etc. Cretensis ap. Diodor. Exc. p. 632, Phlegont. Trall. Photii Bibl. p. 84, 29.]

Λάσθη, ἡ, Suidæ αἷμα, Sanguis : afferenti hæc exx. : Λέγουσι δὲ ὅτι οὐδὲ προσθέτους οὐδὲ ἐπάκτους κόμας ἐκ τῆς ὕβρεως καὶ λάσθης ἐς τὴν χρείαν παρελάμβανεν, ἀλλὰ ἃς εἶχε συμφυεῖς ἀσκῶν καὶ ἐκτείνων. Et rursum, Οἱ δὲ Μεσσήνιοι σὺν λάσθῃ καὶ γέλωτι, ὥσπερ ἄθυρμα, τῶν Σπαρτιατῶν τὰ πρῶτα τοῦ Διὸς ἀναθήματα διέσπειραν. Sed ea expos. proculdubio, licet et in veteri codice, mendosa est, ac suspicor reponendum χλεύασμα aut χλεύη aut tale quid [Veram scripturam Αἰλιανὸς, cujus sunt illa quæ sequuntur, præbuit codex] : quemadmodum D ab Hesychio etiam exp. χλεύη et ὀλιγωρία, necnon αἰσχρολογία, αἰσχύνη, ut sit Illusio, Contemptus, Probra, Contumelia : exp. tamen et λήθη, Oblivio : afferens [cum Photio] et λάσθας pro συμφορὰς, Calamitates, quo significatu ap. Athen. 8, [p. 335, E, et in Anth. Pal. 7, 345, 4, ubi αἰσχύνην margo cod. Pal.] in epitaphio Philænidis : Μή μ', ὦ μάταιε ναῦτα, τὴν ἄκραν κάμπτων, Χλεύην τε ποιεῦ καὶ γέλωτα καὶ λάσθην, Ne me ludibrio, risui et contemptui habeas. [Herodot. 6, 67 : Ἐπὶ γέλωτί τε καὶ λάσθῃ εἰρώτα τὸν Δημάρητον.] Ac ut λάσθη exp. χλεύη, ὀλιγωρία, αἰσχρολογία [αἰσχύνη Gl. Herodot. 6, 67. V. Λαίσθη. Λοιδορία Etym. M. p. 568, 45] : ita Λάσθων, κακολογῶν, Maledictis incessens : et Λάσθαι, παίζειν, ὀλιγωρεῖν, λοιδορεῖν, Ludificari, Ludos facere, Despectui habere, Conviтiis proscindere : et Λάσθω, χλευαζέτω, Irrideat, Illudat. Pro quo habet et Λασάσθω, exponens itidem χλευαζέτω. Necnon Λασθαίνειν affert pro κακολογεῖν, Maledictis impetere. [Et Ἐλασθαίνομεν, ἠκολασταίνομεν.] Affert et Λασθὸν pro αἰσχρὸν, Turpe, Probrosum. Porro quod ad λάσθω attinet et λάσθαι, videri queant per sync. posita pro λασάσθω et λάσασθαι, a them. λάσθω [λάζω? Angl.] faciente fut. 1 λάσω : si modo mendo carent.

[Λασία, ἡ, Lasia. Plin. N. H. 4, 12, 65 : «Callimachus (Andron ins.) Lasiam (cognominatam tradit). » Idem ib. 56 Lasiam contra agrum Trœzenium sitam insulam memorat, et aliam 5, 31, 35, contra Lyciam sitam, ibidemque 39 Lesbum ita appellatam tradit.]

[Λασθός. Λάσθω. V. Λάσθη.]

Λᾰσῐαύχην, ενος, ὁ, ἡ, Hirtam et villosam cervicem habens : ap. Hom. Hymn. [in Merc. 224] et Aristoph. [Ran. 822 : Λοφιᾶς λασιαύχενα χαίτην. Soph. Antig. 357 : Λασιαύχενά θ' ἵππον. Theocr. 25, 272 : Λασιαύχενα βύρσαν θηρὸς τεθνειῶτος. Improprie Ep. 5, 5 : Ἐγγὺς δὲ στάντες λασιαύχενος ἄντρου ὄπισθεν, de antro virgultis hirto et hispido.]

Λασιδεὺς, Hesych. θρασὺς, ἄπληστος, Audax, Inexpletus. [Supra λαιδρός. L. Dind.]

Λασῖνος, ὁ, Hesychio ἄφρων, ἐπιλήσμων, Demens, Obliviosus. [Λασίνους Ruhnk. in Auct. sine caussa.]

[Λασιόθριξ, ὁ, ἡ, Villosus, Pilosus, Hirsutus. Oppian. Hal. 4, 369 : Λασιότριχας αἶγας. Nonn. Dion. 38, 359 : Κλονέων λασιότριχι παλμῷ, Concussa juba terrens (leo). Wakef. Orac. Sibyll. 7, p. 355 med. Boiss.]

[Λασιόκνημος, ὁ, ἡ, Qui tibiis est hirsutis. Oppian. Cyn. 2, 186 : Λασιοκνήμοισι λαγωοῖς.]

[Λασιόκωφος.] Λασιοκώφους Hesych. vocari scribit τοὺς κωφοὺς, Surdos : quum potius sonet Surdos ex nimia aurium hispiditate : ut a [Photio et] Suida λασιόκωφος exp. λάσια τὰ ὦτα ἔχων ὡς συγκεχωφῶσθαι καὶ ἀναισθητεῖν. [Fefellit grammaticos librorum quorundam, velut Clarkiani et aliorum, vitium in Plat. Phædr. p. 253, E : Περὶ ὦτα λασιόκωφος, ubi alii recte λάσιος, κωφός. Alterum legebat jam Synes. Enc. calv. p. 67, D : Εἰ δὲ καὶ Πλάτων ... τὸν ἄδικον ἵππον περὶ ὦτα λασιόκωφον λέγει, τί καὶ καλὸν ἐννοεῖ περὶ τῶν τριχῶν κτλ. Schol. Josephi Rhacendyt. in Walz. Rhett. vol. 1, p. 530, inter ὀνόματα ποικίλα μηδὲ κοινὰ, ἔγκριτα μέντοι ponit τὸν σφόδρα κωφὸν dictum λασιόκωφον.]

Λασιόμαλον, τὸ, Hesych. μῆλον τὸ ἔχον χνοῦν, Malum lanuginosum, Malum lanugine quadam hirtum.

[Λάσιον. V. Λάσιος.]

Λάσιος, ὁ, ἡ et α, ον, Hirsutus, Hirtus, Hispidus, Setosus. [Horridus add. Gl.] Hom. Il. Ω, [125] : Ὄϊς λάσιος μέγας. [Theocr. Id. 12, 4 : Ὅσσον ὄϊς σφετέρης λασιωτέρη ἀρνός· Ep. 4, 17 : Λάσιον τράγον· Id. 7, 15. 22, 42 : Λασίαις μελίσσαις. Soph. Phil. 184 : Λασίων θηρῶν. Theocr. Id. 11, 31 : Λασία ὀφρύς· 25, 257 : Λασίοιο καρήατος. Apoll. Rh. 4, 1605 : Λασίης χαίτης. Xen. Eq. 2, 4 : Τὰ λασιώτατα (equi)· Ven. 8, 8 : Τῶν ποδῶν λασίων ὄντων.] Philostr. Epist. 25 : Φοβερώτερος καὶ λέων ὁ λάσιος, Leo hirtus et villosus. [Imag. 2, 25, p. 851 : Ἐς ὁπλὴν λάσιοι (equæ). Synes. Enc. calv. p. 67, C : Αἱ λάσιοι (κύνες).] Et ap. Oppian. Cyn. [3, 171] ursa hyemale frigus horret, Καὶ λασίη περ ἐοῦσα, Quantumvis hispida sit et setosa. Homo etiam λάσιος dicitur Qui hispidus est et pilosus. Aristoph. Nub. [347] : Ἢν μὲν ἴδωσι κομήτην ἄγριόν τινα τῶν λασίων τούτων. [Theocr. 11, 50 : Αἰ δέ τοι αὐτὸς ἐγὼν δοκέω λασιώτερος ἦμεν. Plato Tim. p. 76, C : Λασίαν ... κεφαλήν· Phædr. p. 253, E : Περὶ ὦτα λάσιος.] Theophyl. Epist. 15 : Νεανίας τὸ περιστέρνιον λάσιος. [Eadem constructione Lucian. D. deor. 4, 1 : Λάσιος τὰ σκέλη· Zeux. 5 : Λάσιος τὰ πολλά.] Id signum virilitatis et animositatis esse volunt : quin et animi cordati ac pectoris consulti : laudante Hippocr. etiam [p. 91, B] στῆθος τετράγωνον καὶ λάσιον. Inde ap. Hom. esse λάσιον κῆρ, pro Animosum cordatumque pectus, Virile et bene consultum pectus : quale ab eod. πυκνὸν dicitur. Il. Π, [553] : Ἀχαιοὺς Ὦρσε Μενοιτιάδαο Πατρόκλῆος λάσιον κῆρ· et [Β, 851] : Παφλαγόνων δ' ἡγεῖτο Πυλαιμένεος λάσιον κῆρ. [Et vitiose] Λανὸν κῆρ, Hesychio σοφωτάτη ψυχὴ, Consultum pectus. [Plato Theæt. p. 194, D : Ὅταν λάσιόν του τὸ κέαρ ᾖ. Et ib. E. V. Synes. Encom. calv. p. 67, A, cum annot. Petavii.] Sic ap. Athen. 15, [p. 699, C] : Ὡς Ἀγαθοκλῆος λάσιαι φρένες ἤλασαν ἔξω. Et [Il. Α, 189] : Λασίοις στήθεσσι. [Neutro gen. Lucian. D. mar. 1, 1 : Τὸ λάσιον αὐτοῦ· et ib. 5.] Terra etiam et locus aliquis λάσιος dicitur, Qui herbidus est, arboribusque et fruticibus consitus : cui opp. ψιλὸς, æquipollet δασύς. Xen. Hell. 4, [2, 19] : Καὶ γὰρ ἦν λάσιον τὸ χωρίον. [Cyrop. 1, 4, 16 : Ἐκ τῶν λασίων τὰ θηρία ἐξελᾶν εἰς τὰ ἐργάσιμα. Plat. Cratyl. p. 420, E : Τὰ ἄγκη δύσπορα καὶ τραχέα καὶ λάσια ὄντα.] Philo V. M. 1 : Ἅπασα ἡ χώρα λάσιος. Sic in Epigr. [Mariani Anth. Pal. 9, 669, 9], λασίη ὄχθη. At Lucian. [Prometh. c. 13] : Ἡ γῆ ὕλαις ἀνημέροις λάσιος, Sylvis agrestibus horrens et veluti hispida : ut Horat., Hispidi agri : et Stat., Saxa hirta dumis. [Apoll. Rh. 1, 747 : Ἐν δὲ βοῶν ἔσκεν λάσιος νομός· 2, 1270 : Λασίοισιν ἐπὶ δρυὸς ἀκρεμόνεσσιν· 3, 581. Theocr. 25, 134 : Ἐκ λασίοιο ἐς πεδίον δρυμοῖο· 26, 3 : Λασίας δρυὸς ἄγρια φύλλα. Nicand. Ther. 69 : Λασίοισιν ἀεὶ φύλλοισι κατήρης· 439 : Λασίῃ φηγῷ· 901 : Λασίων ἰάμνων. Superlativo Dio Cass. 39, 44 : Τὰ λασιώτατα τῶν ὀρῶν· 40, 2.] Neutrum vero λάσιον Galen. apud Hippocr. exp. σινδόνην, Sindonem s. Linteum : forsitan villosum et veluti hirtum : ut Hesych. sane λάσιον ὕφος esse dicit τὸ δασὺ, Hirtum villis, Villosum. Vide Λάσσια. [Ubi scribit :] Λάσσια [nunc λάσια ex codd.], Pollux 7, c. 16 [§ 74] vocata fuisse scribit τὰ μαλλοὺς ἔχοντα χειρόμακτρα, Mantilia hirsuta, Mantilia lanugine quædam hirta, ὡς ἀπὸ τῆς δασύτητος : s. σινδόνια ἐπεστραμμένα, hæc afferens exempla : nam Sapphonem Μελῶν 5, dicere ἀμφὶ λάβροις λασσίοις [λασίοις] εὖ ἐπύκασε. Et Theopomp. comicum in Ulyssibus, de ministro, λάσσιον ἐπιβεβλημένος. [Theopompi testimonio utitur etiam Erotian. p. 244, addens Artemidorum grammaticum λινοῦν ὕφος δασὺ dicere.] Galen. in Lexico Hipp. unico σ habet λάσιον, exponens σινδόνην, Sindonem [Photius λινοῦν περίζωμα], ut et ap. Hesychium legitur Λάσιον ὕφος, τὸ δασύ. [Rectius fortasse distinguitur post λάσιον, ut ap. Erotianum, qui interpr. ὀθόνιον.] Ita ut λάσιον dicatur pro λάσιον ὕφασμα, Textum hirtum et villosum : indeque λασιουργία, Ejusmodi hirti texti confectio. [Adv. Λασίως, Philostr V. Soph. 2, p. 552 : Κομᾶν τε συμμέτρως καὶ τῶν ὀφρύων λ. ἔχειν. ᾰ]

[Λάσιος, ὁ, Lasius, procus Hippodamiæ, Pausan. 6, 21, 10.]

[Λασιόστερνος, ὁ, ἡ, Qui hispido pectore est. Agathias Anth. Pal. 7, 578, 2 : Λασιοστέρνων κέντορα παρδαλίων. ᾰῐ]

[Λασιόταυρος. V. Λάσταυρος.]

[Λασιότης, ητος, ἡ, Hirsutia. Eust. Od. p. 1638, 39 : Λέγει δὲ νῦν λαχμὸν τὴν ἐκ τῆς λάχνης λασιότητα.]

[Λασιότριχος, ὁ, ἡ, Pilosus, Villosus. Oppian. Cyn. 1, 474 : Λασιότριχον (genus canum).]

[Λασιουργία, ἡ.] Λασιουργίας, Hesychio ἱστουργίας, quæ et ταλασιουργίας, et δημοσιουργίας. Vide et Λάσσια [in Λάσιος. Barker. ad Etym. M. p. 1083. Angl.]

[Λασιόομαι, Hispidor. Eust. Opusc. p. 256, 95 : Λασιούμενοι ταῖς θριξίν.]

Λασίοφρυς, ὁ, ἡ, Qui hirsutis est superciliis, ut Virg. Hirsutumque supercilium, promissaque barba. [Hesych. v. Μελάνοφρυς.]

[Λασιοχαίτης, ὁ, Qui capillis est densis. Herodian. Epimer. p. 166. Boiss.]

[Λασιόω, Hispido. Eustath. ap. Tafel. De Thessalon. p. 403 : Ἔτι παῖδά με ὄντα καὶ οὐδὲ εἰς ἴουλον ἀρτιφυῆ λασιούμενον. L. Dind.]

Λασίσματα, τὰ, quod Hesych. dici scribit ὡς σοφιστοῦ τοῦ Λάσου καὶ πολυπλόκου, ut sit Imitamenta Lasi, Astus et sophismata qualibus Lasus utebatur : fertur enim hic τοὺς ἐριστικοὺς εἰσηγήσασθαι λόγους, teste Suida.

Λασιτὸς, Hesychio κίναιδος, Cinædus. Idem et Λαίσιτος attulerat pro κίναιδος, πόρνη, Cinædus, Scortum, Prostibulum [quæ forma intrusa est in hanc gl., ubi post κίναιδος sequitur ἢ λεσιτὸς πόρνη] : quod et Λάσθη. [V. Λαῖπος, Λάστη.]

[Λασιχνεύω.] Λασιχνεύουσα, Siculis πλανωμένη [Errans], Hesych.

[Λασιώδης, ὁ, ἡ, Hirsutus. Nicet. Eugen. 6, 471 : Τὴν λασιώδη τρίχα. Boiss.]

[Λᾰσῐὼν, ῶνος, ὁ.] Affertur et Λασίωνες pro Loca densa et arbustis hirta, s. Tesqua : cujus expositionis vestigia et ap. Hesych. extant. [Cujus gl. est : Λασίων, πόλις ἢ χωρίον. Οἱ δὲ δρυλασίωνας.] Legitur vero id voc. ap. Nicandr. sed properispωmenωs, Ther. 28 : Ἢ ἀνὰ βήσσης Ἐσχατιὴν, ὅθι πλεῖστα κινώπετα βόσκεται ὕλην, Δρυμοὺς καὶ λασιῶνας· ubi schol. quoque exp. δασεῖς τόπους καὶ ὑλώδεις. [Ibid. 489.]

[Λασίων, ωνος, ὁ, Lasion, oppidum s. castellum Triphyliæ vel Elidis, ap. Xen. H. Gr. 3, 2, 30; 7, 4, 12, Polyb. 4, 72-74, ubi semper Λασιὼν, Diodor. 14, 17; 15, 77. Accentum acutum, qui est etiam apud Nonnum Dion. 13, 288, commendant analogia nominis Σικυὼν et quæ Arcadius tradit p. 17 initio. Gentile Λασιωνεὺς est ap. Xen. H. Gr. 4, 2, 16, ubi Λασιωνίων scripsit Schneiderus, qua forma utitur Antipater Anth. Pal. 6, 111, 3 : Παῖς ὁ Θεαρίδεω Λασιώνιος εἷλε Λυκόρμας, et Euphorion ap. Athen. 2, p. 44, F : Λασύρτας Λασιώνιος. L. Dind.]

[Λασίως. V. Λάσιος.]

[Λασκάζω.] Hesychius affert et Λασκάζει pro φλυαρεῖ, Nugatur, Garrit : item pro θωπεύει, Blanditur : et pro ῥηγνύει, Rumpit. [Conferenda ejusd. gl. : Λακίζει, θωπεύει, ῥηγνύει, ῥήσσει.]

[Λασκαρέω.] Λασκαρεῖ, Hesych. διαφεύγει. [Codex λασκωρεῖ, ut poscit ordo literarum. Glossa eodem modo corrigenda interpretibus videtur ut Δασκάζει, quod v. Alludit ad eandem Λαγγαρεῖ, quod v.]

[Λάσκω, λακήσομαι, Aristoph. Pac. 381 : Εἰ μὴ τετορήσω ταῦτα καὶ λακήσομαι· 384 : Λακήσεται. De ceteris temporibus v. in fine.] Λάσκειν, Hesychio λέγειν, φθέγγεσθαι : quod supra λαίειν. [Idem : Λάσκεις, λέγεις. Photius : Λάσκε, λέγε. Æsch. Ag. 596 : Καὶ γυναικείῳ νόμῳ ὀλολυγμὸν ἄλλος ἄλλοθεν κατὰ πτόλιν ἔλασκον· 865 : Καὶ τὸν μὲν ἥκειν, τὸν δ' ἐπεισφέρειν κακοῦ κάκιον ἄλλο πῆμα λάσκοντας δόμοις. Aristoph. Ach. 1046 : Τοιαῦτα λάσκων. Lycophr. 460 : Σφῷ πατρὶ λάσκε τὰς ἐπηκόους λιτάς.] Utitur hoc verbo Eur., sed in signif. specialiore et restrictiore, idque active cum accus., nimirum pro Probrose et cum convitiis dicere, Maledictis incessere : Andr. [672] : Ξένης δ' ὕπερ Τοιαῦτα λάσκες [λάσκεις] τοὺς ἀναγκαίους φίλους ; Id enim sonat ἐλοιδόρεις, ἐκακολόγεις. Nisi malis ὑλάκτεις : ut ap. Hesych. λάσκουσι κύνες pro ὑλακτοῦσι : ut sit etiam Clamose dicere modo canis latrantis. [Eandem interpretationem ponunt schol. Ven. Aristoph. Eq. 1018 : Κύνα, ὃς πρὸ σέθεν λάσκων κτλ., ubi plerique χάσκων vel δάκνων. Eur. Rhes. 724 : Τί λάσκων; El. 1214 : Βοὰν ἔλασκε τάνδε. Hesych. : Ἔλασκεν, ἤλασεν, ἐκάλεσεν, glossa confusa et corrupta, sed fort. etiam ad hoc verbum referenda.] Λακεῖν dicitur esse aor. 2 verbi ληκεῖν, præsentis vicem gerens, significans nimirum Sonare, Resonare, Insonare, Sonitum dare : vel Crepare, Strepere. Hesych. hoc verbo λακεῖν denotari ait ἰδίωμα ἤχου, Proprium quendam et peculiarem sonum : generaliter tamen exponens etiam ἤχησεν, Sonuit, Insonuit, Resonuit, Sonitum dedit. Eust. quoque dicit esse ποιόν τινα ἦχον ἀποτελεῖν : proprium τῶν ἀψύχων. Hom. Il. Υ, [277] : Ἡ δὲ διαπρὸ Πηλιὰς ἤϊξεν μελίη, λάκε δ' ἀσπὶς ὑπ' αὐτῆ, Sonitum s. Crepitum dedit. Et Ν, [616] Pisandro icto λάκεν ὀστέα, Crepuere, ἦχον ἀπετέλεσαν θραυσθέντα. Et Ξ, [25] : Οἱ δ' ἀλλήλους ἐνάριζον Μαρνάμενοι· λάκε δέ σφι περὶ χροῒ χαλκὸς ἀτειρὴς Νυσσομένων ξίφεσίν τε καὶ ἔγχεσιν ἀμφιγύοισι· æs enim, s. arma ærea ferreave, ensibus aut hastis pulsata, crepitant et ipsa et sonitum reddunt. [Æsch. Sept. 153 : Ἔλακον ἀξόνων βριθομένων χνόαι.] Idem partic. præt. λελακυῖα accepit pro Latrans [Od. Μ, 85] : Ἔνθάδ' ἐνὶ Σκύλλη ναίει δεινὸν λελακυῖα· reddens sc. φωνὴν ὅση σκύλακος νεογιλῆς γίνεται : nisi malis generalius Vociferans, Clamans. [Aor. medii Hom. H. Merc. 145 : Οὐδὲ κύνες λελάκοντο.] || Usurpatur etiam ἐπὶ ἐνάρθρων, a Tragicis inprimis, pro φωνεῖν, Vocem edere, Sonare, Loqui. [Æsch. Ag. 614 : Τοιόσδ' ὁ κόμπος ..., οὐκ αἰσχρὸς ὡς γυναικὶ γενναίᾳ λακεῖν· 1427 : Περίφρονα δ' ἔλακες· Cho. 788 : Διὰ δίκας πᾶν ἔπος ἔλακον.] Ita sane Soph. λακεῖν dicit pro φθέγξασθαι, Sonare, Effari : Ant. [1094] : Μή πώποτ' αὐτὸν ψεῦδος ἐς πόλιν λακεῖν. [Trach. 824 : Τοὔπος τὸ θεοπρόπον, ὅ τ' ἔλακεν (deus) ... ἀναδοχὰν τελεῖν πόνων τῷ Διὸς αὐτόπαιδι.] Eur. [Iph. T. 461]. : Ἔλακεν ἀγγελίας, Nuntios retulit s. nuntiavit. [Alc. 347 : Οὔτ' ἂν φρέν' ἐξαίροιμι πρὸς Λίβυν λακεῖν αὐλόν· Ion. 776 : Κακὸν ἄκρον ἔλακες. Et alibi.] Et Aristoph. [Pl. 39] ap. Eust. : Τί δῆθ' ὁ Φοῖβος ἔλακεν ἐκ τῶν στεμμάτων ; Quid sonuit ? h. e. Effatus est, Enuntiavit, Dixit. Idem

Aristoph. Ach. [410] : Τί λέλακας; non tam pro φθέγγῃ, φωνεῖς, Dicis : quam pro κέκραγας, Clamitas, Latras : vel etiam Garris. [Brevi α Hom. Od. M, 85 : Ἔνθα δ' ἐνὶ Σκύλλη ναίει δεινὸν λελακυῖα. Producto, quæ Atticis usitata mensura est, Æsch. Prom. 407 : Πρόπασα δ' ἤδη στονόεν λέλακε χώρα. Eur. Hipp. 55 : Πολὺς δ' ἅμ' αὐτῷ προσπόλων ὀπισθόπους κῶμος λέλακεν· Hec. 678 : Ζῶσαν λέλακας· 1110 : Οὐ γὰρ ἥσυχος λέλακ' ἀνὰ στρατὸν Ἠχώ. Forma per η Hom. Il. X, 141 : Κίρκος ὀξὺ λεληκώς. Aratus 914 : Ἐρωδιὸς περίαλλα λεληκώς· 972, ὀξὺ λεληκώς. Aristot. H. A. 9, 32, p. 618, 31 : Οὐ γὰρ μινυρίζει οὐδὲ λέληκεν, de aquilæ genere quodam, ubi liber unus λέλυκεν, quod ipsum quoque λέληκεν est potius quam λέλακεν. Hesiodo Op. 205 : Δαιμονίη, τί λέληκας; nunc restitutum ex libris et schol. Eur. Or. 159, quum λέλακας legeretur cum libris paucis. Altero utitur etiam Eust. Opusc. p. 195, 85 : Ἐκεῖνό ποτε καὶ μόνον ὑποφωνοῦντα δαιμόνιόν τι λέληκας, ἐχόμενος ὑπὸ τοῦ κρείττονος, h. e. ut videtur : Δαιμόνιον τί λέληκας; Simonid. Carm. de mul. 15 : Πάντῃ δὲ παπταίνουσα καὶ πλανωμένη λέληκεν. || Aor. priori Aristoph. Pac. 382 : Μή νυν λακήσῃς. Theodor. Stud. p. 405, B : Ἐπειδὴ πρὸς κέντρα λακτίζων ἧς, ἐλάκησας πρηνής, exprimens l. Act. 1, 18 : Πρηνὴς γενόμενος ἐλάκησε μέσος. L. D. Jo. Chrys. Orat. ad Antioch. p. 768, B : Πρὶν ἢ τὸν οὐδὸν ὑπερβῆναι τῶν βασιλείων, ἐλάκησεν ἄφνω μέσος. Id. t. 8, p. 44, 12 ed. Savil. : Μέσον λακήσας ἀπώλετο. Epiphan. t. 2, p. 735, A : Ἔνδον ἐν τοῖς ἀβάτοις καθεζόμενος εὑρέθη λακήσας. Hase.] || Hesych. λάκε exp. non solum ἤχησεν, ἐψόφησε : sed etiam ἐθλάσθη, συνετρίβη, Confractum est : ex consequente collecto antecedente : quomodo ap. Lat. quoque Crepare dicitur interdum pro Cum crepitu rumpi. Rursum verbo λακῆσαι et λακίσαι Hesych. et alias tribuit signiff. Λακῆσαι enim exp. πατάξαι, Pulsare : Λακίζει autem non solum ῥηγνύει, ῥήσσει, sed etiam θωπεύει, Blanditur, Blandimentis delinit, Adulatur. [Præsens Λακέω, quod ponunt Gl. cum interpr. Crepo, nullum est in dialecto communi : nec magis Λακέω, Scindo, ut supra diximus; etsi tanquam ab hoc themate formatur partic. aoristi, sed neutra signif. positum ab Aristophane, διαλακήσασα, de quo in Διαλακέω diximus. Ubi notanda etiam syllaba λα producta, metri anapæstici licentia, ut putabat Buttmannus in Gramm. v. Λάσκω.]

[Λασόνιοι, οἱ, Lasonii, n. gentis. Herodot. 3, 90 : Μυσῶν καὶ Λυδῶν καὶ Λασονίων καὶ Καβαλίων. Libri plurimi Ἀλυσονίων. 7, 77 : Καβηλέως δὲ οἱ Μήονες, Λασόνιοι δὲ καλεύμενοι, τὴν αὐτὴν Κίλιξι εἶχον σκευήν.]

Λάσος, ὁ, Lapis, qui et λᾶς. Hesych. enim λάσων affert pro λίθων. Alioqui Λάσος est et nom. propr. [Hermionensis musici, de quo v. Suidas cum annotat. interpretum, Herodot. 7, 6. Quod scribendum esse Λᾶσος constat ex Aristoph. Vesp. 1411 : Ἔπειθ' ὁ Λᾶσος εἶπεν. || Ejusdem nominis urbs exstitit Cretæ, « cujus unus Plinius (N. H. 4, 12, 59, ubi *Lasos*) meminit, cui numum hactenus unicum olim vindicavi : ΛΑΤΙΩΝ. Λατίων pro Λασίων Doricum est, ut Θατίων pro Θασίων. In marmoribus sæpe Λατιων ἁ πολις Chishull. Ant. Asiat. (s. Bœckh. C. I. vol. 2, p. 398, n. 2554, ubi tamen de urbe est ἐν Λατωι et ἐς Λατων, ut appareat Λάτιος nihil commune habere cum oppido Laso. Quod clarissime docet etiam Steph. Byz. v. Καμάρα, eam urbem olim vocatam esse Λατω referens ex Creticis Xenionis. Camaram autem constat vicinum Olunti oppidum fuisse), quæ docent fuisse Lasios Oluntiis finitimos, etc. » Eckhel. Doctr. N. vol. 2, p. 315—6. Cum Λασαία, de qua supra, conferebat Hœck. *Kreta* vol. 1, p. 434.]

[Λαστάρνη, ἡ, μάστιξ, Scutica, Hesych.]

Λασταυροκάκκαβον, τὸ, ap. Chrysipp. Περὶ καλοῦ καὶ ἡδονῆς [ap. Athen. 1, p. 9, C] est βρῶμα quoddam sic nominatum ὡς ἂν τῆς κατασκευῆς αὐτοῦ οὔσης περιεργοτέρας, inquit Suidas. Itidem Eustath. p. 1724 : Τὸ παρὰ πολλοῖς λασταυροκάκκαβον καλούμενον ἔδεσμα.

Λάσταυρος, ὁ, Cujus ὁ ταῦρος, λάσιος est, Hirsutus s. Hispidus ea parte quæ ταῦρος dicitur, i. e. ea veluti διασφᾶγι [διασφάγι] quæ est inter anum et scrotum interjecta. A Comico πέπαικται pro λασιόταυρος, ut Eust. tradit [Il. p. 259, 4 etc.]. Exp. et Salax, Insigniter mutoniatus : ut λα sit epitaticon, et ταῦρος pro Ipso pene accipiatur. [Etym. M. : Λάσταυρος, παρὰ τὸ λᾶς· οἴδαμεν γὰρ τί σημαίνει παρὰ τοῖς Ἀττικοῖς. Λάσιος Sylburgius. Legendum potius τὸ λασιόταυρος vel λάσιος καὶ ταῦρος, quum ad ταῦρος referri postrema appareat.] Hesychio λάσταυροι sunt οἱ περὶ τὸν ὄῤῥον δασεῖς, καὶ πόρνοι τινὲς ὄντες. Quæ prior expos. convenit cum ea quam Eust. affert. [Photius : Λάσταυροι, λασιόταυροι καὶ ἐξωστρηκότες σφόδρα.] Suidas quoque exp. ὁ δασὺς τὸν ταῦρον, ὡς λασιόταυρός τις ὢν, sed et πόρνος : afferens ex quodam, quem non nominat [Theopompo ap. Polyb. 8, 11, 6, Athen. 4, p. 167, B] : Εἴ τις ἐν τοῖς Ἕλλησιν ἢ τοῖς βαρβάροις λάσταυρος τὸν τρόπον, οὗτοι πάντες ἑταῖροι τοῦ βασιλέως ἦσαν. [Schol. Aristoph. Ran. 510; Hesych. in Λαίγυος. Hemst. Proprie Meleager Anth. Pal. 12, 41, 4 : Δασυτριώγλων δὲ πίεσμα λαστaύρων μελέτω ποιμέσιν ἀγροβόταις. Mœris p. 249 : Λάσιος ὁ παρηβηκὼς καὶ λάσιον τὸν ταῦρον ἔχων, Ἀττικοί, πρόχειρος καὶ τολμηρὸς Ἕλληνες. Λάσταυρος Berglerus, ut ap. Phrynichum p. 195 : Λάσταυρος οἱ μὲν νῦν χρῶνται ἐπὶ τοῦ πονηροῦ καὶ ἀξίου σταυροῦ, οἱ δὲ ἀρχαῖοι ἐπὶ τοῦ καταπύγονος. Priori signif. Alciphr. Ep. 1, 37 extr. : Φυσῶν ἑαυτὸν ὁ λάσταυρος· et in ep. Ms. ap. Valckenar. Anim. ad Ammon. p. 41 : Νικίας ὁ λάσταυρος. || Formam diminutivam annotat Etym. M. p. 159, 30 : Εἴρηται ὑποκοριστικῶς (ἄστρις pro ἀστράγαλος), ὡς ὁ λάσταυρος λάστρις.]

[Λάστη, ἡ.] Λάσται, Hesychio πόρναι, Prostibula, Scorta : quæ et Λάσιτοι s. Λαίσιτοι.

[Λάστος ὁ Ἀκράγας τὸ παλαιὸν καὶ ἡ Μῆλος, Hesych. Schowius : « In μῆλος primam literam delevit Musurus : scriptum videtur : Τμῆλος. »]

[Λαστρατίδας, α, ὁ, Lastratidas, Eleus, Pausan. 6, 6, 3. ᾰῐᾱ]

[Λάστρις, ὁ, dimin. a λάσταυρος, quod v.]

Λάστρον, τὸ, ex Theophr. H. Pl. 1, affertur pro Arboris genere, quod μηδόλως δέχεται θεραπείαν. Verum quum Gaza Celastrum vertisse dicatur, non dubito quin perperam scriptum sit pro κήλαστρον s. κήλαστρος : cujus mentio 1, 15; 3, 6. [Et 1, 3, 6 Schn.]

[Λασὸν Thespiensem bis memorat Polyb. 27, 1, 1, ubi Λασῆν codex Monac., Λάσυν scribendum putabat Schweigh.]

[Λασύρτας, ὁ, Lasyrtas, n. viri Lasionii ap. Euphorionem Athenæi 2, p. 44, F.]

[Λαταγεῖον, τὸ, Pelvis, in quam cottabo ludentes potum dejiciebant.] Ap. Suidam reperio et Λαταγεία, et Λαταγὰς, sed sine expos. : tantum enim fem. ea esse dicit. Si mendo carent, videtur hoc i. esse q. λάταξ s. λατάγη : illud, i. q. κοτταβισμὸς s. ἀποκοτταβισμὸς, h. e. Lusus ille, quo reliquiæ potus ex poculo alte sublato in subjectam pelvim ita dejiciuntur, ut sonum reddant. Sed notandum, in vet. Ms. Cod. legi, Λαταγεῖα, καὶ θηλυκὸν Λαταγάς. [Λαταγεῖα recte codd. Pariss., ut est in Κοτταβίζειν : Εἰς χαλκᾶς δὲ φιάλας, αἳ καλοῦνται λαταγεῖα, ἀνεῤῥίπτουν βάλλοντές τι πόμα.]

[Λαταγέω.] Λαταγεῖ Hesych. exp. ψοφεῖ, τύπτει, Strepit, Percutit. Sane verb. Λαταγεῖν significat Strepitum s. sonitum reddere effusis ταῖς λάταξιν : ut ap. Lucian. Lexiph. [c. 3] : Ὑμεῖς δὲ ἴσως ᾤεσθε μὴ λαταγεῖν τοὺς κοττάβους.

[Λατάγη. V. Λάταξ.]

Λαταία, ἡ, affertur pro Gladiolus, Culter, qui majori gladio adjungitur. Ap. Hesych. legitur, sed non sua serie, nimirum ante Λατύπη : ita ut videatur scrib. Λατταία gemino τ : exp. vero παραξιφὶς καὶ ἡ περὶ ζώνην μάχαιρα, Gladiolus, Pugio.

Λάταξ, ᾰγος, [ὁ ap. schol. Aristoph. Pac. 1243 : sed recte cod. Ven. ταῖς pro τοῖς,] ἡ, Hesychio ψόφος ὁ ἀπὸ κοττάβων γινόμενος, Sonitus s. Strepitus, qui inter cottabizandum editur potus reliquiis ex poculo in altum sublato in pelvim subjectam defusis : Suidæ λάταξ est ἡ μεγάλη σταγὼν, Magna gutta : ex Epigr. [Agathiæ in Anthol. Palat. 5, 296, 6] in exemplum afferenti, Λατάγων πλήγμασι [παίγμασι] τερπόμενος· parum recte; nam λάταξ, s. λατάγη, Athen. [11, p. 479, E] dicitur τὸ ἐκπίπτον ἐκ τῆς κύλικος (quæ sc. κότταβος s. κοττάβιον dicitur) ὑγρόν. Quo sensu ibid. dicit, de cottabismo loquens : Ἔδει γὰρ εἰς τὸν ἀριστερὸν ἀγκῶνα ἐρείσαντα, καὶ τῇ δεξιᾷ κυκλώσαντα, ὑγρῶς ἀφεῖναι τὴν λάταγα. Sic aliquanto post dicit μάνην vocari τὸ ἐπὶ τοῦ κοττάβου ἐφεστηκὸς, ἐφ' οὗ τὰς λάταγας ἐν παιδιᾷ ἔπεμπον. Et rursum in expos. loci cujusdam Aristoph. : Ἐκπώματα ᾔτουν καὶ τὸ τοῖς ἀποκοτταβίζουσι δὲ ὀξύβαφον τιθέμενον, εἰς ὃ τὰς λάταγας ἐγχέουσι. Nec vero ille tantum sic usurpat hoc vocab., et cum eo Pollux [6, 85, 110; 9, 122, 128, et Hesychius et Photius], sed etiam vetustiores his poetæ. Dionysius cognomento Chalcus, de cottabizantibus [ap. Athen. 15, p. 668, F] : Ὄμματι βηματίσασθε τὸν αἰθέρα τὸν κατακλινῆ [κατὰ κλίνην] Εἰς ὅσον αἱ λάταγες χωρίον ἐκτέταται· solebant enim αἱ λάταγες poculo in sublime elevato dejici. [Alcæus apud eundem 11, p. 481, A : Λάταγες ποτέονται κυλιχνᾶν ἀπὸ Τηιᾶν.] Et Critias in Elegiis : Κότταβος ἐκ Σικελῆς ἐστὶ χθονὸς ἐκπρεπὲς ἔργον, Ὃν σκοπὸν εἰς λατάγων τόξα καθιστάμεθα. Ubi ut ὁ κότταβος dicitur Siculum esse inventum, ita Dicæarchus Milesius [Messenius secundum libros meliores] in libro de Alcæo [apud Athen. 15, p. 666, B] scribit τὴν λατάγην [λάταγα schol. Aristoph. Pac. 1243] quoque esse Σικελικὸν ὄνομα. [Callimachus ap. Athen. 15, p. 668, C : Πολλοὶ καὶ φιλέοντες Ἀκόντιον ἧκαν ἔραζε οἰνοπόται Σικελὰς ἐκ κυλίκων λάταγας.] Soph. in Inacho τὴν λάταγα appellat ἀφροδισίαν, Veneream, quoniam οἱ ἐρώμενοι in primis solebant ἀποκοτταβίζειν : qua de re plura in Κότταβος. [Forma Λατάγη, quam testatur etiam Eust. Il. p. 1170, 55, est ap. Tzetz. Hist. 6, 859 : Λατάγη τε καὶ κότταβος. Nihili vero est λαταγὰς ap. Suidam in Κοτταβίζειν et Λαταγεῖα, quod λάταγας potius, ut animadvertit Bernhardy, scribendum quam λατάγας. Ita λαταγὰς pro λάταγας contra codicem scriptum erat ap. Mœrin p. 253. L. Dind.] || Ad λάταξ porro ut redeam, est id et Animalis nomen, et quidem quadrupedis, amphibii, aerem, non humorem, recipientis, crocodili more : πλατύτερον est ἐνυδρίδος, dentesque habet validissimos : siquidem noctu exit, dentibusque excindit τὰς περὶ τὸν ποταμὸν κερκίδας : habet τρίχωμα σκληρὸν καὶ τὸ εἶδος μεταξὺ τοῦ τῆς φώκης τριχώματος καὶ τοῦ τῆς ἐλάφου, ut tradit Aristot. H. A. 8, 5, ubi Gaza quoque Latacem vocat. [Conf. 1, 1 med.] At Latacen Plin. 26, 4, in sermone de herbis magicis, dari solitam a Persarum rege legatis, ut quocunque venissent, omnium rerum copia abundarent. [ᾰ]

Λάταυρος, Etym. τὸ ἱμάτιον, quoniam, inquit, ἀναλογεῖ λωπία τῷ δέρματι. Ita et Lex. meum vet.

[Λατιάρια, τὰ, Latiaria, Feriæ Latinæ. Dio Cass. 47, 40.]

[Λατιάριος, ὁ, Latiaris, cognomen Jovis in Latio culti, de quo v. Lexica Latina. Euseb. De laud. Constantini p. 757, 16. L. Dind.]

[Λάτιλος. V. Λάτος.]

[Λατινάναξ, ακτος, ὁ, Latinorum imperator. Ephræmius Cæs. 9513. Osann. ᾱῐᾰ]

[Λατινάρχης, ὁ, Latinorum dux. Ephræm. Cæs. 8163, 9547. Osann.]

[Λατινελέγκτης, ὁ, Qui Latinos confutat. Fabric. Bibl. Gr. vol. 11, p. 586. Boiss.]

[Λατινιανός, ὁ, Latinianus, cogn. Rom. in inscr. Ephes. ap. Bœckh. vol. 2, p. 611, n. 2979, ubi Αἰμίλιος Λατενιανός (sic).]

[Λατινιάς. V. Λατινίς.]

[Λατινικός, ή, όν, Latinus. Dio Cass. 53, 18 : Τὰ Λατινικὰ ῥήματα. Ms. ap. Tittmann. ad Zonar. p. cxi : Παίονες γένος Λατινικόν. Schol. Philostr. Her. p. 412 : Λέξις Λατινική. Eust. Od. p. 1554, 33 : Ἐν Λατινικῷ λεξικῷ· Opusc. p. 305, 13. Adv. Λατινικῶς, Latino more, ap. eund. p. 299, 5 : Λ. ἡμᾶς ἀπέπνιγον. Latina lingua, in scholio Tzetzæ ap. Cram. An. vol. 3, p. 383, 12 : Πωμήριον λ. λέγεται.]

[Λατίνιος, ὁ, Latinius, cogn. Rom. in inscr. Pelop. ap. Bœckh. vol. 1, p. 654, n. 1336, 1 : Μάρκον Λατίνιον.]

Λατινίς, ίδος, ἡ, Latina : ut in Epigr. [Christod. Ecphr. 303], Λατινὶς μοῦσα, Latina musa. [Nonnus Jo. 19, 102 : Λατινίδι ἰωῇ. L. D. || Λατινιάς, άδος, ἡ, Paul. Sil. Descr. S. Soph. 31, 164. Boiss.]

Λατινιστί, Latine, Latinorum ritu, Latinorum sermone : quod et Ῥωμαϊστί, a Roma Latini soli capite. [Etym. Gud. v. Ἐξκούβιτος.]

[Λατινοήθης, ὁ, ἡ, Latinorum morem sequens. Eust. A Od. p. 1658, 63 : Ὅπερ οἱ λατινοήθεις μεθοδεύσαντες ... βιάζονται τὸν πώγωνα τῇ συνεχεῖ ἐν χρῷ κουρᾷ δοκεῖν πάντοτε ἄρτι γενειάσκειν. Boiss.]

Λατῖνος, ὁ, Latinus : filius Ulyssis et Circes, progenitor Italorum, qui ab eo Λατῖνοι dicti sunt, Latini. [Λατῖνον memorant Hesiod. Th. 1013, coll. Jo. Laurentio Exc. ante l. De mensibus p. 12 ed. Rœther., Steph. Byz. v. Πραινεστόν, Strabo 5, p. 228, qui de terra scribit p. 229 : Ἑξῆς δ' ἡ Λατίνη κεῖται, ἐν ᾗ καὶ ἡ τῶν Ῥωμαίων πόλις, πολλὰς συνειληφυῖα καὶ τῆς μὴ Λατίνης πρότερον ... Ἐπελθόντα δὲ Λατῖνον τὸν τῶν Ἀβοριγίνων βασιλέα ... συμμάχοις χρήσασθαι τοῖς περὶ τὸν Αἰνείαν ἐπὶ τοὺς γειτονεύοντας Ῥουτούλους ... Πάλιν δὲ τῶν Ῥουτούλων συμβαλόντων εἰς μάχην τὸν μὲν Λατῖνον πεσεῖν, τὸν δὲ Αἰνείαν νικήσαντα βασιλεῦσαι καὶ Λατίνους καλέσαι τοὺς ὑφ' αὑτῷ. Primus memorat Theophr. H. Pl. 5, 8, 1 : Μέγιστα δὲ καὶ παρὰ πολὺ τὰ ἐν τῇ Κύρνῳ (δένδρα) φασὶν εἶναι· τῶν γὰρ ἐν τῇ Λατίνῃ καλῶν γινομένων ὑπερβολῇ καὶ τῶν ἐλατίνων καὶ τῶν πευκίνων (μείζω γὰρ ταῦτα καὶ καλλίω τῶν Ἰταλικῶν) οὐδὲν εἶναι πρὸς τὰ B ἐν τῇ Κύρνῳ. (Hæc enim librorum optimorum scriptura haud dubie præferenda conjecturis Schneideri et qui hujus ed. non utebatur Niebuhrii Hist. Rom. vol. 1, p. 22.) Ib. 3 : Ἡ τῶν Λατίνων ἔφυδρος πᾶσα. Ib. 9, 15, 1 : Τήν τε Τυρρηνίαν καὶ τὴν Λατίνην. Lycophr. 1254 : Ὑπὲρ Λατίνους Δαυνίους τ' ᾠκισμένην. Orph. Arg. 1246 : Σαρδῷον δ' ἱκόμεσθα βυθὸν κόλπους τε Λατίνων. Ἡ Λατίνη, de terra, et Λατίνη ὁδός, de via Latina ab urbis Romæ porta Latina, Λατῖνοι de Latinis ap. Strab. eodem aliisque libris passim, Polybium, et alios recentiorum. Hesych. : Λατῖνοι, Ῥωμαῖοι. L. Dind.]

[Λατῖνος, ὁ, Latinus, cogn. Rom. in inscr. Ephes. ap. Bœckh. vol. 2, p. 601, n. 2955 : Μ. Πομπώνιος Λατεῖνος.]

[Λατινόφρων, ονος, ὁ, ἡ, Latinorum partes sequens. Germanus in Cotel. Eccl. Gr. mon. vol. 2, p. 480, B : Μετὰ τῶν λατινοφρόνων. Panaret. Chron. Trapez. p. 362, 56 : Διὰ τὸ λατινόφρον. L. Dind.]

[Λάτιον, τό, Jus Latii, Latinitas. Strabo 4, p. 186 : Νέμαυσος, ἔχουσα τὸ καλούμενον Λάτιον· 191 : Δεδώκασι C δὲ Λάτιον οἱ Ῥωμαῖοι καὶ τῶν Ἀκουϊτανῶν τισι. Libri Λατεῖον, altero loco Λατίνιον, Λατίον. Λάτιον Coraes, ut est ap. Appian. Civ. 2, 26 : Πόλιν Νεόκωμον ὁ Καῖσαρ ἐς Λατίου δίκαιον ἐπὶ τῶν Ἄλπεων ᾤκιχει, ὧν ὅσοι κατ' ἔτος ἦρχον, ἐγίγνοντο Ῥωμαίων πολῖται· τόδε γὰρ ἰσχύει τὸ Λάτιον. Ab Latino Latium græca adjectivi forma foret Λατίειον.]

[Λάτιος. V. Λάσος.]

[Λάτις. V. Λάτος.]

Λατμενεία, ἡ, Hesychio δουλεία : quæ et ἀτμενία.

[Λάτμος, ὁ, Latmus, mons, ἡ, urbs Ioniæ s. Cariæ, unde dictus ὁ Λατμικὸς κόλπος, ἐν ᾧ Ἡράκλεια ἡ ὑπὸ Λάτμῳ λεγομένη ... Ἐκαλεῖτο δὲ πρότερον Λάτμος ὁμωνύμως τῷ ὑπερκειμένῳ ὄρει· ὅπερ Ἑκαταῖος μὲν ἐμφαίνει τὸ αὐτὸ εἶναι νομίζων τῷ ὑπὸ τοῦ ποιητοῦ Φθιρῶν ὄρει λεγομένῳ (ὑπὲρ γὰρ τῆς Λάτμου φησὶ τὸ Φθιρῶν ὄρος κεῖσθαι), τινὲς δὲ τὸ Γρίον φασίν, ὡς ἂν παράλληλον τῷ Λάτμῳ κτλ., Strabo 14, p. 635. Memorat montem Pausan. 5, 1, 5. Λάτμον genere neutro schol. Apoll. Rh. 4, 57. Adj. Λάτμιος, α, ον, Theocr. 20, 39 : Ἀπ' D Οὐλύμπω δὲ μολοῖσα Λάτμιον ἂν νάπος ἦλθε. Apoll. Rh. 4, 57 : Λάτμιον ἄντρον. Ubi v. schol. Diodor. 5, 51 : Κᾶρες ἐκ τῆς νῦν Λατμίας. De Ἡρακλείᾳ Λάτμου vide etiam Wesseling. ad Hierocl. p. 687, qui quas notavit alterius nominis corruptelas augeri licet vitioso Ἡρακλ. Λακμῶν in Ms. ap. Pasin. Codd. Taurin. vol. 1, p. 208, D. De accentu paroxytono Arcad. p. 58, 19. Obscura ex parte Hesychii gl. : Λάτμος, πόλις καὶ ἥρως (ὄρος intt.) καὶ ποταμὸς καὶ ἴχνη. L. Dind.]

[Λατομεῖον. V. Λατόμιον.]

Λατομέω, Lapides incido, Ex lapidibus extruo. [Diod. 3, 12 : Τὰ λατομούμενα θραύσματα· 5, 39 : Οἱ τὴν γῆν ἐργαζόμενοι τὸ πλεῖον πέτρας λατομοῦσι διὰ τὴν ὑπερβολὴν τῆς τραχύτητος. Antig. Car. c. 177 : Ἐκ τοῦδε τοῦ ὕδατος λίθους λατομήσαντες. Justin. M. p. 227, C : Ἡμεῖς ἐκ τῆς κοιλίας τοῦ Χριστοῦ λατομηθέντες. Thom. M. p. 571. Activi et passivi exx. ex S. S. v. ap. Schleusner.]

[Λατόμημα, τό, Lapis excisus. Diodor. 3, 13 : Λαμβάνοντες ὡρισμένον μέτρον τοῦ λατομήματος ἐν ὅλμοις λιθίνοις τύπτουσι σιδηροῖς ὑπέροις.]

[Λατομητὸς, ἡ, ὸν, Saxo inciso formatus vel excavatus. Origen. C. Cels. 2, p. 103. Seager. Strabo 14, p. 670 : Κλίμακα ἔχουσα λατομητήν· 16, p. 763.]

Λατομία, ἡ, pro λατόμιον, et quidem usitatius. Lat. quoque Latomia, aut etiam Latumia; sed frequentius plur. numero. Lucill. [Anth. Pal. 11, 253, 3] : Ἢ ποίου σε μύλου κόψατο λατομιῶν; Plut. [Mor. p. 334, C] : Οἷος ἦν πάλιν αὖ Διονύσιος ὁ τὸν ποιητὴν Φιλόξενον εἰς τὰς λατομίας ἐμβαλὼν, quem l. affert et Erasm. in Prov., Εἰς λατομίας : sed debuit potius ille prov. integrum scribere, Ἄπαγέ με εἰς τὰς λατομίας. Origo autem proverbii esse putatur ab illo Philoxeno in latumias Syracusanas conjecto : de quo loqui creditur et Plato in fine Epist. 2, quæ est ad Dionys. : Τὸν ἐκ τῶν λατομιῶν εὖ ἐποίησας ἀφείς· sed ibi quoddam vet. exempl. habet λιθοτομιῶν. Utebatur autem Dionysius tyrannus latumiis illis pro carcere, atque adeo carceris nomen habebant, ut et Cic. testatur. [Athen. 1, p. 7, A. Valck. Describit Ælian. V. H. 12, 44, ab eodem cit., ubi v. Perizon.] Sed et Romæ carcerem fuisse hoc nomine, quidam annotant ex Livio. [V. Lexica Latina v. Lautumia. Λατομίας s. Lapicidinas quarundam regionum memorat Strabo, ut Massiliæ 4, p. 181, Laconicæ 8, p. 367, Tunetis 17, p. 834, ubi etiam urbs cognominis, ut ap. Diod. 20, 6.]

[Λατομίαι, αἱ, Latomiæ, insulæ sex prope Astaboram fl. Æthiopiæ, ap. Strab. 16, p. 770.]

[Λατομικὸς, ἡ, ὸν, Lapicidinarius. Diodor. 3, 12 : Τὴν πέτραν λατομικῷ σιδήρῳ καταπονοῦσι μυριάδες ἀκληρούντων ἀνθρώπων, coll. Agatharch. ap. Photium p. 448, 3 ed. Bekker.]

Λατόμιον, τὸ, Lapicidina, [Gl.] Bud. ex Strab. [5, p. 238; 9, p. 395; 12, p. 577; 14, p. 645, 658] : ap. quem tamen suspicatur scrib. λατομεῖον. [Ita scribitur 12, p. 538, minus recte, ut videtur. Λατόμιον in inscrr. ap. Bœckh. vol. 2, p. 69, n. 2032, et ubi alii λατομιν, p. 72, n. 2043. L. Dind.]

[Λατομὶς, ίδος, ἡ, Lapicidarum instrumentum. Agatharchides Photii p. 449, 4 : Εὑρίσκονται ἔτι καθ' ἡμᾶς ἐν τοῖς χρυσείοις τοῖς ὑπ' ἐκείνων κατασκευασθεῖσι λατομίδες χαλκαῖ διὰ τὸ μήπω τὴν τοῦ σιδήρου κατ' ἐκεῖνον τὸν χρόνον ἐγνωρίσθαι χρείαν. Cit. Wakef.]

Λατόμος, ὁ, Lapicida [Gl.] : Λατόμος, ἀπὸ τοῦ τέμνειν, ut λατύπος ἀπὸ τοῦ τύπτειν, Eust. [Il. p. 230, 3.] Apud quem etiam scribitur λατόμος, non λάτομος, ut habent VV. LL. et Hesych. : Pollux [7, 118] : Ἡ δὲ σφύρα τῶν λατόμων χαλεῖται τύκος. [Thomas M. p. 571. Sæpius est in V. T., ut Reg. 1, 5, 15.]

[Λατόπολις, εως, ἡ, Latopolis, urbs Ægypti, τιμῶσα Ἀθηνᾶν καὶ τὸν λάτον Strabo 17, p. 817. Id. p. 812 : Λάτον τῶν ἐν τῷ Νείλῳ τινὰ ἰχθὺν (τιμῶσι) Λατοπολῖται. Conf. Steph. Byz. in Ἀγχυρῶν. Numum urbis v. ap. Eckhel. D. N. vol. 4, p. 108 sive Mionnet. *Suppl.* vol. 9, p. 147, 7. Latopoliten nomum ap. Plin. N. H. 5, 9, 9, Letopoliten dicendum fuisse animadvertit Cellar. Geogr. ant. vol. 2, p. 821. V. Eckhel. l. c. Lato dicitur Antonino Itin. p. 160, ubi Wesseling. : « Λατὼ typus urbium est Ægyptius. Passim quidem Λάτων dicitur, uti in Actis S. Pachomii c. 9 : Ἐκκλησία Λάτων, et μονὴ Παχνοὺμ, οὖσα ἐν τῇ ἐνορίᾳ τῆς πόλεως Λάτων, et Λάτων πόλις ap. Stephanum in Ἀγχυρῶν, quam Salmasius, ut Holsteinii notæ indicant, in Λατοῦς πόλιν non satis justa caussa mutabat. Λάττων vitiose Hierocli (p. 732) dicitur. Nec tamen hæc efficient ut Lato, quomodo in Notitia et Theodoreto Therap. p. 51, damnandum sit. Formatum est, ut Λεοντὼ, Ἀντινὼ, etc. » L. Dindorf.]

Λάτος, ὁ, Latus, piscis qui candidissimus et suavissimus est, quocunque paratus modo. Unde Archestratus : Τὸν δὲ λάτον τὸν κλεινὸν ἐν Ἰταλίᾳ πολυδένδρῳ Ὁ Σκυλλαῖος ἔχει πορθμὸς, θαυμαστὸν ἔδεσμα. Auctor Athen. 7, [p. 311, E sqq. Ubi Casaub. : « Λάτος, opinor, veræ Græciæ fuit incognitus; et id nomen, nisi fallor, vel Italicum, vel Ægyptiacum. » Strabo 17, p. 812, 817, 823. Theodor. E. Π. Θ. p. 51, 44. Hemst. V. Λατόπολις. Λάτος barytonon sine interpretatione ponit Arcad. p. 78, 22. Prorsus incertum an ad hoc voc. referenda sit gl. Etym. Gud. p. 363, 17 : Λάτις, εἶδος ἰσχύος (ἰχθύος exprimitur in indice p. 1211). Ἔστι δὲ μακρὸν τὸ τις. Alludit huc nomen piscis æque obscu-

A rum in Geopon. 20, 7, 1, p. 1242 : Ἐγχελέων, κηρύκων, λατίλος, πορφύραι, λαυράκων, ubi λαυτίλου, πορφύρας suspicatur Nicolaus.]

[Λατραβάζω.] Λατραβάζειν, Hesych. ἀσήμως λαλεῖν : afferens et Λατραβὸς pro λαμυρός : at Λατραβῶν pro ἀλαζονευόμενος. [Idem : Ἐλατράβιζον· τὸ βωμολοχεύειν καὶ πανουργεῖν λατραβίζειν ἔλεγον.]

[Λατραβία. V. Λατραπία.]

[Λατραβίζω. V. Λατραβάζω.]

[Λατραβός. V. Λατραβάζω.]

[Λατράζω.] Λατράζειν, Hesych. βαρβαρίζειν, Barbarizare, Barbare loqui.

[Λάτραμυς, ὁ, Latramys, f. Thesei et Ariadnes, sec. schol. Apoll. Rh. 3, 996, ubi Λατραμῦν cod. Paris.]

Λατραπία, Hesych. λαμυρία μετὰ ἐρυθριάσεως : pro quo forsan scrib. λατραβία, quum λατραβὸς afferat pro λαμυρός.

Λάτραψ, Hesychio ὑετὸς, Nimbus : qualis fere λαῖλαψ.

Λατρεία, ἡ, Servitus. Plut. Symp. [p. 160, B] :
B Ὥσπερ εἰ διαποροῖεν αἱ Δαναΐδες τίνα βίον βιώσονται, καὶ τί πράξουσιν ἀπαλλαγεῖσαι τῆς περὶ τὸν πίθον λατρείας καὶ πληρώσεως, Servitute implendi dolii. Et λ. ἀγενὴς [ἀγεννὴς], Lucian. [Apol. pro merc. cond. c. 4], Servitus illiberalis et indigna. Sic Soph. [Aj. 503] : Οἵας λατρείας ἀνθ' ὅσου ζήλου τρέφει, Quas servitutes, δουλείας. [Trach. 830 : Πῶς γὰρ ἂν ὁ μὴ λεύσσων ποτ' ἔτ' ἐπίπονον ἔχοι λατρείαν; Pind. Nem. 4, 54 : Λατρείαν Ἰαωλκὸν Πηλεὺς παρέδωκεν Αἱμόνεσσιν. Ubi λατρίαν restituit Schmidius. Æsch. Prom. 966 : Τῆς σῆς λατρείας, de Mercurio Jovis ministro. Eur. Tro. 824 : Ζηνὸς ἔχεις κυλίκων πλήρωμα, καλλίσταν λατρείαν· Phœn. 226 : Φοιβείαισι λατρείαις. De Herculis apud Omphalen servitio ap. Apollod. 2, 6, 4, 1.] || Cultus, Servitus religionis, August. De civit. Dei 5, 15. Sic λ. τοῦ θεοῦ ap. Plat. Apol. Socr. [p. 23, C, θεῶν Phædr. p. 244, E. Pollux 1, 21. De S. S. v. Schleusner. Athanas. vol. 1, p. 202, C : Διὰ τῆς ἐμῆς πρὸς θεὸν λατρείας. L. D.]

[Λατρειομενον, quod est in inscr. Elea ap. Bœckh. vol. 1, p. 26, n. 11 : Αι δε μα συνεαν, ταλαντον κ αργυρο
C αποτινοιαν τοι Δι Ολυνπιοι τοι καδαλεμενοι λατρειομενον, Ahrensius De dial. vol. 1, p. 281 interpretatur λατρηιώμενον, Consecratum, ab act. λατρειόω.]

Λάτρευμα, τὸ, Servitium, Ministerium, Cultus, Epigr. [Soph. Tr. 357 : Οὐ τἀπὶ Λυδοῖς οὐδ' ἐπ' Ὀμφάλῃ πόνων λατρεύματα. De Apolline oraculum Delphicum sibi restitui volente Eur. Iph. T. 1275 : Πολύχρυσα θέλων λατρεύματα σχεῖν. De hominibus, ut Servitium ap. Latinos, Eur. Tro. 1105 : Ἰλιόθεν ὅτι με πολυδάκρυτον Ἑλλάδι λάτρευμα γᾶθεν ἐξορίζει.]

Λατρεὺς, έως, ὁ, Apollo, item Neptunus, a servitio Laomedonti in extruendis muris impenso, VV. LL. Ita i. foret q. λάτρις, i. e. ἐπιμίσθιος. [Lycophr. 393.]

[Λατρευτέος, α, ον, Colendus. Theodor. Stud. p. 99, B : Οὐ γὰρ τὸ πρωτότυπον οὐ λατρευτέον, τοῦτο (τούτου) καὶ τὸ παράγωγον ἀποπτυστέον· 521, D : Οὐδὲ αὐτῇ Θεοτόκῳ λατρευτέον. Ib. : Οὕτως οὐδὲ τῇ Χριστοῦ εἰκόνι λατρευτέον, Serviendum. L. Dind.]

Λατρευτὴς, ὁ, Cultor, VV. LL. [Ms. ap. Lambec. Bibl. Cæs. vol. 8, p. 707, D : Ἧς δὲ ἂν θρησκείας φανείη
D σημεῖον τῷ ναῷ τούτῳ δηλούμενον τῶν τριῶν, ἐκείνοις τούτου καὶ λατρευταῖς εἶναι παραχωρήσει. L. Dind.]

[Λατρευτικὸς, ἡ, ὸν, Servilis. Theodor. Stud. p. 82, A : Ἡ λατρευτικὴ (προσκύνησις) τοῦτο, καὶ ἐπὶ θεοῦ μόνον, ἐπὶ δὲ τῶν ἄλλων αἱ ἄλλαι. Βασιλεῖς τε γὰρ καὶ ἄρχοντες προσκυνοῦνται πρὸς ἡμῶν, δεσπόται πρὸς δούλων, πατέρες πρὸς τέκνων, ἀλλ' οὐχ ὡς θεοί, καίπερ ἰσοτύπου οὔσης τῆς προσκυνήσεως, ἀλλὰ μὴ τῆς διανοήσεως· ἄνθρωποι γάρ. Et p. 176, C; 412, D, E; 521, D; 552, C, D. L. Dind. Superstitiosus. Procl. Paraphr. Ptol. 3, 18, p. 225. Struv. || Adv. Λατρευτικῶς, item de cultu deorum, Tzetz. Exeg. Il. p. 33, 20; 35, 2; 36, 2, 7. Anna Comn. p. 129, D; 293.]

[Λατρευτὸς, ἡ, ὸν, Servilis. Hesych. : Λατρευτὸν, δουλικόν. Exod. 12, 16; Num. 29, 7. || Colendus. Theodor. Stud. p. 490, A : Ἐπειδὴ δὲ αὖθις φῂς λατρευτὴ καὶ ἡ Χριστοῦ εἰκών· 579, D : Καθ' ὑπόθεσιν εἰ ληφθείη λατρευτὸς ὁ ἥλιος ἢ τὸ τρίγωνον σχῆμα· ibidemque et E, 589, D. Adv. Theodor. Stud. p. 579, C : Καὶ λατρευτῶς, ὡς φῂς, προσακτέον τὴν προσκύνησιν Χριστῷ. L. D.]

Λατρεύω, Servio, Famulor. [Hesych. : Λατρεύει, ἐλεύθερος ὢν δουλεύει. Solon ap. Stob. Fl. vol. 1, p. 238 : Ἄλλος γῆν τέμνων πολυδένδρεον εἰς ἐνιαυτὸν λατρεύει. Æsch. Prom. 968 : Κρεῖσσον γὰρ, οἶμαι, τῇδε λατρεύειν πέτρᾳ ἢ πατρὶ φῦναι Ζηνὶ πιστὸν ἄγγελον. Qui versus referuntur ad verba Promethei in Λατρεία posita, et Mercurio, non, ut nunc fit non apte, Prometheo tribuendi sunt, quod etiam interpunctione ante et post οἶμαι, quod per ironiam dicitur, posita indicavimus. Soph. Trach. 35 : Τοιοῦτος αἰὼν ἐς δόμους τε κἀκ δόμων ἀεὶ τὸν ἄνδρ' ἔπεμπε λατρεύοντά τῳ· OEd. C. 105 : Ἀεὶ μόχθοις λατρεύων τοῖς ὑπερτάτοις βροτῶν. Eur. Cycl. 24 : Καλοῦσι δ' αὐτὸν ᾧ λατρεύομεν Πολύφημον· Ion. 124 : Λατρεύων τὸ κατ' ἦμαρ· 152 : Εἴθ' οὕτως ἀεὶ Φοίβῳ λατρεύων μὴ παυσαίμαν.] Xen. Cyrop. 3, [1, 36] : Ἐγὼ μὲν κἂν τῆς ψυχῆς πριαίμην ὥστε μήποτε λατρεῦσαι ταύτην· erat enim αἰχμάλωτος. Plut. Probl. Gr. [p. 299, A] : Κατέχειν παρ' ἑαυτῷ λατρεύσοντας, de quibusdam juvenibus ad Minoem ab Atheniensibus missis. [De Herculis apud Omphalen servitio Apollod. 2, 6, 2, 7, de Apollinis apud Admetum 3, 10, 4, 4.] Metaph. quoque capitur. Phocyl. [112] : Καιρῷ λατρεύειν. [Xen. Ages. 7, 2 : Δυνατώτατος ὢν ἐν τῇ πόλει φανερὸς ἦν μάλιστα τοῖς νόμοις λατρεύων.] Isocr. Hel. Enc. [p. 217, C] : Τοὺς δὲ τῷ κάλλει λατρεύοντας, φιλοκάλους καὶ φιλοπόνους νομίζομεν εἶναι. Lucian. [Nigr. c. 15], λατρεύειν τῇ ἡδονῇ. Item Serviliter colo, ut Bud. interpr. ap. Lucian. [ib. c. 23] de cœnipetis : Νῦν δὲ λατρεύοντες εἰς ἀπόνοιαν (τοὺς δυνάστας) ἄγουσι. Apud Eccles. autem scriptt. accipitur pro Religiose colo. Damasc. p. 70 : Οὐκ ἀπροσκύνητον τὴν σάρκα λέγοντες· προσκυνεῖται γὰρ ἐν τῇ μιᾷ τοῦ λόγου ὑποστάσει· οὐ τῇ κτίσει λατρεύοντες. Idem p. 8, de Trinitate loquens : Μίαν βασιλείαν ἐν τρισὶ τελείαις ὑποστάσεσι γνωριζομένην τε καὶ προσκυνουμένην μιᾷ προσκυνήσει, πιστευομένην τε καὶ λατρευομένην ὑπὸ πάσης λογικῆς κτίσεως. Et λατρεύοντες, Cultores Dei ubique vocantur ab Apostolo in Ep. ad Hebr. [10, 2.] Bud. [Ib. 9, 14 : Λατρεύειν Θεῷ ζῶντι. Alia v. ap. Schleusner. Pollux 1, 20 : Λατρεύων θεοῖς. Locus Damasc. expressus ex Rom. 1, 25 : Ἐλάτρευσαν τῇ κτίσει παρὰ τὸν κτίσαντα, ut anonymi quem citat Suidas vel potius qui Suidæ glossam intulit : Λατρεύω, τὸ τιμῶ, αἰτιατικῇ, ὡς τὸ, Οὐκ ἐλάτρευσαν τὴν κτίσιν οἱ θεόφρονες παρὰ τὸν κτίσαντα. Δοτικῇ δὲ ἐπὶ τοῦ θύω, ὡς τὸ Λατρεύειν ζῶντι Θεῷ. || Cum accus. personæ vel loci conjungit etiam Eur. Iph. T. 1115 : Ἔνθα τᾶς ἐλαφοκτόνου θεᾶς ἀμφίπολον κούραν παῖδ' Ἀγαμεμνονίαν λατρεύω· El. 130 : Τίνα πόλιν τίνα δ' οἶκον, ὦ τλᾶμον σύγγονε, λατρεύεις; Et significatione Agrum colendi in Fab. Æsop. græcobarb. p. 160 : Καὶ εἰς γεωργὸς ἐλάτρευε τὴν γῆν. Quem l. indicavit Ducangius. Similiter construi constat verbum θεραπεύω. Cum accus. rei construitur Eur. Ion. 129 : Καλόν γε τὸν πόνον, ὦ Φοῖβε, σοὶ πρὸ δόμων λατρεύω. || Passivo præter Damasc. supra ab HSt. citatum Theod. Stud. p. 552, C : Οὐ λατρεύεται ἡ εἰκὼν Χριστοῦ, ἀλλ' ὁ ἐν αὐτῇ προσκυνούμενος Χριστός. Theognost. in Cram. An. vol. 2, p. 2, 17 : Ὁ ὑπὸ σοῦ καθαρῶς λατρευόμενος κύριος. L. Dind.]

[Λάτρης. V. Λάτρις.]

[Λάτριος, α, ον, Famularis, Servilis, Mercenarius. Pind. Ol. 11, 29 : Λάτριον μισθόν. Manetho 1, 275 : Καὶ λάτρια ἔργα πείσονται. Maximus Καταρχ. 474 : Ἄρνυσθαι μισθῷ ἐπὶ λατρίῳ. V. Λατρεία.]

[Λάτριος, ὁ, Latrius, cogn. viri in inscr. Chia ap. Bœckh. vol. 2, p. 203, n. 2217, 10 : Πομπηίου Λατρίου.]

Λάτρῐς, ιδος, ιος, ὁ, ἡ, Servus, Famulus, Serva, Famula, Ancilla : μισθουργὸς, λεπτουργὸς, μίσθιος ἐργάτης, παιδίσκη ὑπηρετοῦσα, δούλη, Hesych. : et λάτριες Eid. sunt δοῦλοι. [Theognis 302 : Πικρὸς καὶ γλυκὺς ἴσθι καὶ ἀργαλέος καὶ ἀπηνὴς λάτρισι καὶ δμωσίν· 487 : Μή σε βιάσθω γαστὴρ ὥστε κακὸν λάτριν ἐφημέριον. Soph. Trach. 70 : Λυδῇ γυναικί φασί νιν λάτριν πονεῖν, de Hercule.] Athen. 6, [p. 264, C] diversa servorum nomina recensens, Εὐριπίδης δὲ ἐν Φρίξῳ λάτριας αὐτοὺς (sc. τοὺς πενέστας) ὀνομάζει διὰ τούτων, Λάτρις πενέστης ἀμὸς ἀρχαίων δόμων. [Idem Rhes. 715 : Βίον δ' ἐπαιτῶν εἷρπ' ἀγύρτης τις λάτρις· Tro. 424 : Ἦ δεινὸς ὁ λάτρις, de Talthybio præcone, ut ib. 702 : Τόνδ' Ἀχαϊκὸν λάτριν· Suppl. 639 : Καπανεως γαρ ἦ λάτρις· Iph. A. 868 : Οἶδά σ' ὄντ' ἐγὼ παλαιὸν δωμάτων ἐμῶν λάτριν· Ion. 4 :

A Ἑρμῆν, μεγίστῳ Ζηνὶ δαιμόνων λάτριν· 1343 : Ὁ θεός σ' ἐβούλετ' ἐν δόμοις ἔχειν λάτριν· Hel. 728. Bianor Anth. Pal. 11, 364, 1. Οὐ καθ' ἡμᾶς de hoc voc. dicit Pollux 3, 78.] Eust. [Il. p. 1246, 10; 1750, 63] ex Aristoph. gramm. : Λάτρις, ὁ ἐπιμίσθιος· ἀλλ' ὅμως ἐπὶ δούλων τέτακται· καὶ θῆτες, ὄντες ἐλεύθεροι, μισθοῦ ὑπουργοῦσιν, ὡς καὶ Ἀπόλλων, sc. ap. Eur. in prologo Alcestidis. Idem Eust. alibi annotat, λάτριν quibusdam esse simpliciter θεράποντα, quibusdam τὸν κατὰ πολεμικὴν περίστασιν ἁλόντα καὶ εἰς δουλείαν ἀπαχθέντα : adeo ut λάτρις tribus modis exponatur, Famulus, Servus in bello captus, Quem belli jure aliquis servum sibi comparavit, δοῦλος δορύκτητος s. αἰχμάλωτος : et Mercenarius, ut idem sit cum θής. [Cum Eust. ad verbum fere convenit Ammonius. Conf. Hesych. in Λατρεύω citatus. Figurate Archias Anth. Pal. 6, 39, 3 : Ἀραχναίοιο μίτου πολυδινέα λάτριν ἄτρακτον.] Sicut vero in Eccl. scriptt. legitur Θεοῦ δοῦλος, Servus; ita et λάτρις ap. Synes. Hymn. [4, v. 234] : Γόνυ σοι κάμπτων, ἴδε τοῦτο, λάτρις πίπτω κατὰ γᾶς ἱκέτας ἀλαός. [Greg. Naz. Ep. 192
B in Murat. Anecd. p. 177 : Τὴν δὲ τραχεῖαν καὶ προσάντη μοι τρίβον λείαν τιθείης εὔπορόν τε σῷ λάτρι.] Fem. gen. dicitur etiam Λάτρις, Serva, Famula, δούλη, παιδίσκη. [Eur. Hec. 609 : Ἀρχαία λάτρι· Tro. 422 : Σώφρονος δ' ἔσει λάτρις γυναικός· 450 : Τὴν Ἀπόλλωνος λάτριν, de Cassandra. 492 : Θυρῶν λάτριν κλῇδας φυλάσσειν τὴν τεκοῦσαν Ἕκτορα· Phœn. 220 : Φοίβῳ λάτρις γενόμαν· Herc. F. 823 : Κἀμὲ τὴν θεῶν λάτριν Ἶριν.] Synes. Hymn. : Οἶσι ψυχὰν θωπευομέναν γᾶ λάτριν ἔχει · sicut alibi ejusd. anima dicit, Κατέβαν ἀπὸ σοῦ χθονὶ θητεῦσαι· ἀντὶ δὲ θήσσας γενόμαν δούλα. [Theodor. Stud. p. 550, C : Μοναστήριον φρουροῦν τὰς καταλειφθείσας θυγατέρας ἐν πνεύματι λάτριδας Θεῷ.] Apud Suid. habetur etiam Λάτρης, per η : λάτρης, inquit, λάτρου, θηλυκὸν δὲ λάτρις, θεράπαινα, δούλη : cujus tamen λάτρης nulla proferuntur exempla, nec ea scriptura vel ap. Athen. vel Hesych. vel Etym. vel Eust. reperitur. [Codex Vossianus cum Bruxell. λάτρις pro λάτρης, ille etiam θηλυκὸν δὲ ἡ λάτρις. Minime probabilis Valckenarii Anim. ad Ammon. p. 99 conjectura λάτρις, λάτριδος,
C quod ipse Suidas mox unum agnoscat λάτρις per ι. Nam recentioris potius illa grammatici annotatio est, vitiosa scriptura decepti, ut alius, qui λάτρης ponit, in Crameri Anecd. vol. 2, p. 362, 5. Recte igitur omittit cod. Paris. A.] Sed et ap. ipsum Suid. paulo post verba cit., hæc scribuntur : Λάτρις τὸ ἁπλοῦν, διὰ τοῦ ι, εἰδωλολάτρης δὲ, διὰ τοῦ η ἐν συνθέσει. Præterea hic l. [Simonidis Anth. Pal. 6, 217, 9] ap. Eund. : Δείσας ἡμιγύναικα θεοῖς [θεῆς] λάτριν, ὃς τάδ' ὄρεια [τάδε Ῥείᾳ cod. Pal.] Ἐνδυτὰ καὶ ξανθοὺς ἐκρέμασε πλοκάμους, quem subjungit post λάτρις in fem. gen. acceptum, ad masc. pertinet. [Λάτρις Thessalis tribuit gramm. in Bekkeri Anecd. p. 1095 extr. Secundam corripi testatur etiam Draco p. 41, 16; 62, 19.]

Λάτρον, τὸ, Merces, μισθὸς, Aristoph. gramm. apud Eust. [Il. p. 1246, 9] et Suid. Hesychio autem μίσθιον. [Λάτριον vel μισθὸν interpretes. Æsch. Suppl. 1011 : Οἴκησις δὲ καὶ διπλῆ πάρα· τὴν μὲν Πελασγὸς, τὴν δὲ καὶ πόλις διδοῖ οἰκεῖν λάτρων ἄτερθεν. Ubi male scribitur λατρῶν. L. D. Callim. fr. 238, ap. Suidam s. Etym. M.
D in Ἀστριας citatus : Δέκα δ' ἀστριας αἴνυτο λάτρον. Ubi Ruhnkenius : Varro L. L. 6, p. 74 : « Latrones dicti ... qui conducebantur mercede. Ea enim merces dicitur græce λάτρον. » Festus : « Latrones eos antiqui dicebant, qui conducti militabant, ἀπὸ τοῦ λάτρου. »] Unde derivatum volunt esse λάτρις : ut λάτρις sit ὁ μισθουργός. Videtur tamen contra λάτρον esse proprie Merces quæ servo datur. [Conf. Epimer. in Crameri Anecd. vol. 2, p. 362, 6, Etym. M. p. 557, 34.]

[Λάττα, ἡ, μυῖα, Musca, apud Polyrrhenios Cretæ, sec. Hesychium.]

[Λάτταβος, ὁ, Lattabus, Ætolus. Polyb. 9, 34, 11.]

[Λατταία. V. Λαταία.]

[Λατταμύας, ὁ, Lattamyas, Thessalus, ap. Plut. Camill. c. 19. Λατταμίαν scriptum Mor. p. 866, F, sed Λατταμύαν in libro uno, hoc est Λατταμύαν. Simile nomen est Ἐξαμύας, quod eodem modo in Ἐξαμύνας corruptum notavimus supra. Mensura est igitur ᾰῡᾰ. Λάτα an huc pertineat incertum. L. Dind.]

[Λάτυμνον, τὸ, Latymnum, mons. Theocr. Id. 4,

19 : Τὸ βαθύσκιον ἀμφὶ Λάτυμνον. Schol. ὄρος Κρότωνος. A
Male alius : Τὸ δὲ Λ. τινες ὄρος τῆς Λακωνικῆς φασιν. ἄ]

Λᾱτῡπέω, Lapides incido. Ex Lycophr. autem [523 : Οὐκ ἂν τὰ χειρώνακτες ἐργάται διπλοῖ ... ἐλατύπησαν] affertur pro Muros ex lapidibus extruo.

Λατύπη, [λατυπὴ ὀξυτόνως ap. Theognostum in Crameri Anecd. vol. 2, p. 116, 25, fortasse non minus vitiose quam sequens χαμαιτυπὴ pro χαμαιτύπη,] ἡ Quod ex lapidibus abraditur, τὸ τῶν λίθων ἀπόξεσμα, ut habet Eustath. [Il. p. 230, 4], nisi quod plurali utitur, scribens τὰ τῶν λίθων ἀποξέσματα. Hesych. autem dicit λίθου τὸ ἀποπελέκημα. [Strabo 17, p. 808 : Ἐκ τῆς λατύπης σωροί τινες πρὸ τῶν Πυραμίδων κεῖνται.] At Suid. [s. Photius] exp. τὸ λεπτὸν τοῦ λίθου. In VV. LL. λατύπη, magis peculiari signif., Quod a lapidibus marmorarii abradunt. Plut. [Mor. p. 954, A] : Οἱ δὲ χαλκεῖς τῷ πυρουμένῳ καὶ ἀνατηκομένῳ σιδήρῳ μάρμαρον καὶ λατύπην παραπάσσουσι, Sed et fabri ferrarii candenti liquescentique ferro marmor aut lapidum cæmenta inspergunt, Turn. Item Terra figlina, Terra Cimolia, Gypsum, VV. LL. ex schol. Aristoph. [Nub. B
260, 261 et Pind. Pyth. 5, 124. V. Pollux 9, 104 cum annot. interpretum.] Suidæ autem [et Photio] λατύπη est etiam λιθουργική, cujus tamen signif. nullum exemplum habetur. Bud. vero testatur præterea Plut. λατύπην inter χαλκέως instrumenta numerare. [Mor. p. 156, B : Χαλκεὺς κόλλησιν σιδήρου καὶ στόμωσιν πελέκεως μᾶλλον (ἂν ποιῆσαι ἔργον αὐτοῦ) ἤ τι τῶν ἕνεκα τούτου γενομένων (leg. γινομένων) ἀναγκαίων, οἷον ἀνθράκων ἐκζωπύρησιν ἢ λατύπης παρασκευήν. Ubi apertum eadem qua supra signif. dici Ramenti.]

[Λατυπικὸς, ἡ, ὸν, Lapicidis proprius. Hesych. : Εὐσμίλωτα, εὖ κατεσκευασμένα ἀπὸ τῆς λατυπικῆς σμίλης. Porphyrius ap. Cyrill. C. Julian. p. 208, B : Σωκράτην πατρῴᾳ τέχνῃ χρώμενον τῇ λατυπικῇ.]

Λατύπος, ὁ, Lapicida. Sed proprie sonat Qui tundit s. percutit lapides, a v. τύπτειν, s. potius ejus aorist. ἔτυπον. Exp. vero et λαοξόος. Usum autem esse nomine λατύπος Sophoclem testatur Pollux [7, 118, in Priamo fabula, ut intelligitur coll. 10, 147], addens ἐργαλεῖα horum λατύπων vocari ab Eod. λείας et γλαρίδας, si tamen ita scripsisse Poll. credimus. [Hippocr. p. 773, C
B. Philippus Thess. Anth. Pal. 7, 554, 1. Eust. Il. p. 230, 3. Conf. Λαοτύπος.]

[Λᾰ́τύσσω.] Λατύσσει, Hesychio πτερύσσεται, Alas expassas quatit : item νήχεται, Nat, Natat : præterea ταράσσει, τινάσσει, τύπτει, λακτίζει, Conturbat, Quatit s. Quassat, Verberat, Calce impetit. [Medio Oppian. Cyn. 2, 437 : Πέρδικες ... λατυσσόμενοι πτερύγεσσιν. Passivo Hal. 1, 628 : Θάλασσα ... λατυσσομένη πτερύγεσσιν. In schol. Apoll. Rh. 1, 1299 : (Λαῖτμα) παρὰ τὸ λατύπεσθαι ὑπὸ τῶν κυμάτων, Schneiderus restituebat λατύσσεσθαι. Aliter cod. Paris. Apud Oppianum est var. δατυσσόμενοι, quod verbum aliter dictum supra notavimus. De verbi λατύσσω origine v. Ruhnk. Ep. cr. p. 86.]

[Λατώ. V. Λάσος, Λατόπολις.]

Λατῷος, ὁ, Latous, fluvius sic dictus ex eo, quod apud eum Latona partum ediderit. Etym. M.

[Λατώρεια, vel Λατωρεία, ἡ, Latorea. Athen. 1, p. 31, D : Ἀλκίφρων δ' ὁ Μαιάνδριος περὶ τὴν Ἐφεσίαν φησὶν εἶναι ὀρείαν κώμην, τὴν πρότερον μὲν καλουμένην Λητοῦς, νῦν δὲ Λατωρείαν, ἀπὸ Λατωρείας Ἀμαζόνος. Λατόρειαν et Λατορείας Eustathius.]

[Λαυαγήτα, ἡ, Lanageta, n. mulieris esse videtur in inscr. ap. Bœckh. vol. 1, p. 690, n. 1466 : Λαυαγήτα Ἀντιπάτρου ἱέρεια.]

Λαυκᾰνία, ἡ, Guttur, Gula : λαιμὸς, φάρυγξ, seu [sec. Hesychium et al.] τὸ ἀπηρτημένον τοῦ γαργαρεῶνος : παρὰ τὸ λαύειν, q. e. ἀπολαύειν, quia ex cibo potuque voluptatem ea pars præ cæteris sentiat, ut tradunt grammatici. Hom. Il. [X, 325 : Φαίνετο δ', ᾗ κληῗδες ἀπ' ὤμων αὐχέν' ἔχουσι, λαυκανίην·] Ω, [642] : Νῦν δ' ἤδη σίτου πασάμην, καὶ αἴθοπα οἶνον Λαυκανίης καθέηκα, πάρος γε μὲν οὔ τι πεπάσμην. [Apoll. Rh. 4, 18. Agathias Anth. Pal. 9, 642, 6, πειναλέη. || Λαυχάνη, Hesychio γλῶττα.]

[Λαυκάνιον, τὸ, i. q. λαυκανία. Schol. Plat. Hipp. Hipp. min. Cramer.]

Λαύκη, Hesych. φοβερὰ, Terribilis, Horrenda : forsan pro γλαυκή : nam et hoc illam habet signif.

[Λαυμέδων. V. Λαομέδων.]

Λαύξει, Hesych. affert pro κρατεῖ : necnon pro εὐφραίνει, δαίνυται, Oblectat, Epulatur. [Ad Λαύω inter alia referunt interpretes.]

[Λαυξία, δαρήσει, Κρῆτες, Hesych. vitiose. Codex δαρή, litera super η posita quæ obscurius expressa est ap. Schowium.]

[Λαυπαίκτης, ὁ. Schol. Basilic. ad l. 21, p. 582 : Λέγει δὲ ταπεινοὺς ἐν τοῖς σκηνικοῖς ἀγῶσι διάγοντας τοὺς καὶ βωμολόχους, οὓς καὶ λαυπαίκτας ἡ συνήθεια καλεῖ τῶν ἰδιωτῶν. Legendum forte Λαοσπαίκτας, ut intelligantur Ludiones qui populum Ludicris oblectant. Ducang. Qui voluit λαοπαίκταις. Quod recte dici potuit etiam λαυπαίκτης.]

[Λαύρα.] Λαῦρα, ἡ, Vicus, Platea, ῥύμη, στενωπὸς, δίοδος, Hesych. et Suidas, dictam volentes, quia δι' αὐτῆς οἱ λαοὶ ῥέουσι, sicut et Eustath. [Il. p. 1033, 61; 1066, 1], exponens δημοσίαν ὁδόν : sed alibi [Od. p. 1921, 56] ex rhetorico Lex. λαῦρα exp. ἀμάρα [sic Mœris p. 252 : Λαύρας καὶ τὰς ἀμάρας Ἀριστοφάνης (Pac. 99 : Τούς τε κοπρῶνας καὶ τὰς λαύρας· 157 : Ποῖ παρακλίνεις τοὺς μυκτῆρας πρὸς τὰς λαύρας). Inanis tamen est Schæferi ad Gregor. p. 506 defensio vitiosi τὰ ἄφοδα in Etym. M. p. 557, 46, quod sit Cloaca, quum ceteri grammatici ibidem citati consentiant in ἄμφοδα et ἄμφοδοι, librariorumque vulgaris sit error μ sic omittendi], et λαῦραι, ῥύμαι, κῶμαι, στενωποὶ, ὑπόνομοι : ipse vero στενὴ ὁδὸς, ἄμφοδος. Dicta tamen λαῦρα videri possit quasi λαῦρα ὁδὸς, Lata via, sicut et πλατεῖα substantive a πλατύς : unde Lat. Platea. Hom. Od. X, [127] : Ἀκρότατον δὲ παρ' οὐδὸν ἐϋσταθέος μεγάροιο Ἦν ὁδὸς ἐς λαύρην· et [136] : Ἄγχι δ' Αὐλῆς καλὰ θύρετρα, καὶ ἀργαλέον στόμα λαύρης. [Pind. Pyth. 8, 90 : Κατὰ λαύρας δ' ἐχθρῶν ἀπάοροι πτώσσοντι. Herodot. 1, 180 : Πυλίδες ἐπῆσαν, ὅσαιπερ αἱ λαῦραι, τοσαῦται τὸν ἀριθμόν. Theocr. Ep. 4, 1 : Τήναν τὰν λαύραν κάμψας.] Mimnermus [Hermesianax] ap. Athen. 13, [p. 598, D] : Μαχηδονίης πάσας κατενίσατο λαύρας. Ath. 12, [p. 540, F] : Τὴν παρὰ τοῖς Σαμίοις λαῦραν ἀντικατεσκεύασεν ἐν τῇ πόλει· et mox, Ἡ μὲν Σαμίων λαῦρα στενή τις ἦν ῥύμη (nam hoc ῥύμη a quibusdam additur) γυναικῶν. Ibid. [p. 541, A] quidam dicit se novisse apud suos quoque Alexandrinos λαύραν τινὰ καλουμένην μέχρι καὶ νῦν εὐδαιμόνων, ἐν ᾗ πάντα τὰ πρὸς τρυφὴν ἐπωλεῖτο. Eust. autem [Od. p. 1922, 3] quum ex Athen. hæc verba attulisset, desumpta ex loco, quem paulo ante ascripsi, Λαῦρον ἀντεσκεύασε στενήν τινα οὖσαν καὶ πληθύουσαν τῶν πρὸς ἀπόλαυσιν, subjungit, Εἶεν δ' ἂν τοιαῦται λαῦραι καὶ οἱ ἐν ταῖς πόλεσι λεγόμενοι ἔμβολοι. Idem Eust. l. illum ipsum Athenæi ita suis Comm. inseruit p. 1082 : Παρὰ τοῖς Σαμίοις λαῦραν ἀντεσκεύασε τῷ τῶν Σάρδεων ἀγκῶνι γλυκεῖ προσαγορευομένῳ, ζηλώσας τὰ τῶν Λυδῶν μαλακά· ἦν δὲ ἡ τοιαύτη λαῦρα, στενή τις καὶ γυναικῶν δημιουργῶν πλήθουσα καὶ τῶν πρὸς ἀπόλαυσιν· ubi Eust. tradit eum λαῦραν dicere στενήν τινα περιοχὴν, ἀκολούθως Ὁμήρῳ : at δημιουργοὺς γυναῖκας, vocasse λόγῳ σεμνότητος τὰς οἷον δημοτικὰς καὶ ἐργασίαν προϊσχομένας δημίαν s. δημοσίαν, Meretrices publicas : quæ ab aliis et σποδησιλαῦραι et πανδοσίαι et λεωφόροι. Alibi quoque ex λαῦρα et σποδεῖσθαι comp. esse dicit
D σποδησιλαῦρα, i. e. πόρνη : παρὰ τὸ διατρίβειν ταπολλὰ ἐν ταῖς ὁδοῖς : vel, ut antiqui exp., δημοσίᾳ συμπλέκεσθαι : nam σποδεῖσθαι dici etiam ἐπὶ μίξεως : quæ et χαμαιτύπη, μανιόκηπος, λύκαινα, ἀνασεισίφαλλος, μύζουρις, σατύρα, εἰλίπους, γεγωνοκώμη. [Plut. Proverb. § 61 : Ἡ Σαμιακὴ λαῦρα στενωπὴ ἦν παρὰ Σαμίοις, ἐν ᾗ τὰ πέμματα ἐπιπράσκετο. Sotades ap. Athen. 14, p. 621, B, turpi sensu τὸ τρῆμα τῆς ὄπισθε λαύρης, Viæ posticæ. Valck. In Ind. :] Λαύρη, Ionice pro λαύρα : Hesychio ῥύμη στενὴ, στενωπὸς, Vicus angustus, Angiportus : afferenti et Λαυροστάται, pro οἱ ἐν τοῖς μέσοις ζυγοὶ ὄντες ἔν τισι στενωποῖς μὴ θεωρούμενοι : quales sunt deteriores : quum οἱ χείρους soleant μέσοι ἵστασθαι. Addit, quosdam exponere ἐπιτεταγμένοι πρῶτοι καὶ ἔσχατοι. [Hesychio emendando et explicando adhibendus Photius : Λαυροστάται, μέσοι τοῦ χοροῦ (χωροῦ codex, ut videtur)· οἱονεὶ γὰρ ἐν στενωπῷ εἰσι· φαυλότεροι δὲ οὗτοι. Οὕτω Κρατῖνος. Pro λαιοστάται legebatur olim ap. Polluc. 4, 106; quod nisi aliunde confirmetur, eo minus admitti poterit, quum et supervacuum redda-

tur proximo ἀριστεροστάτης nec λαυροστάτης videatur aut ap. Pollucem aut apud ceteros grammaticos librariis tribui posse, quibus facilius fuit ad λαιοστάτης per propinqua composita ἀριστεροστάτης et δεξιοστάτης aberrare. || « Λαύρα, Vicus constans pluribus ædificiis, idem ac ἄμφοδος et apud recentiores monasteria cum multis cellis. Casaub. copiose in Athen. 12, c. 10. » Valck. Ad hanc signif. referri potest Hesychii interpr. τόπους πρὸς ὑποχώρησιν ἀνειμένους. Ecclesiasticorum et Byzantinorum exx. plurima annotavit Ducang. in utroque Glossario. Idemque Λαυρίτης de monachis ejusmodi Lauræ ex Jo. Moschi in Limon. c. 4 : Μετὰ τὸ διωχθῆναι τοὺς νέους λαυρίτας ἐκ τῆς νέας λούρας.]

[Λαυράκιον. V. Λαβράκιον.]

Λαύρειον, τὸ, Suidæ τόπος Ἀττικὸς ποιῶν μέταλλα, [Photio, ap. quem Λαυρεῖον, τόπος τῆς Ἀττικῆς, ἐν ᾧ τὰ ἀργύρεια ἦν μέταλλα·] ut et Hesych. λαύρεια esse dicit quæ Athenis vocantur [vel potius essent] χρυσᾶ μέταλλα, Aurifodinæ. [V. etiam Λαῦρον. Λαύρειον primus memorat Herodot. 7, 144, ubi perpauci libri Λαυρίου, tum Thucyd. 2, 55, ubi plerique Λαυρίου, nonnulli Λαυρείου, pauci etiam Λαυρίου ὄρους, de quo Dukerus : « Λαύριον sine adjectione illa fere dicunt veteres. Schol. Aristoph. Eq. 361 Λαύριον, at 1091 Λαύρειον. Suidas quoque variat. Et in Thuc. 6, 91 Λαυρείου, sed ibi itidem alii Λαυρίου. » Θαυρίῳ schol. Æsch. Pers. 236, a Casaubono ad l. Strabonis correctus. Λαυρίου etiam libri Pausan. 1, 1, 1. Λαυρείῳ meliores Suidæ in Γλαὺξ ἵπταται, ubi repetit locum secundum schol. Arist., omnes in Λαύρειον. Inter utramque formam libri Andocidis p. 6 bis. Contra per ι omnes cum Hesychio in Γλαῦκες Λαυριωτικαὶ, ubi etiam Λαυρίῳ, ap. Aristoph. Av. 1106 : Γλαῦκες ὑμᾶς οὔποτ' ἐπιλείψουσι Λαυριωτικαὶ, ubi metrum fert etiam scripturam per ει. Ac falsam esse scripturam per ι certissimis evincere licet testimoniis Etym. M. p. 533, 34 : Τὰ διὰ τοῦ ειον τρισύλλαβα ἰδιάζοντα... Λαύρειον τόπος ἐν Ἀττικῇ ἔχων μέταλλα, coll. Gud. p. 375, 1, Theognosti in Crameri Anecd. vol. 2, p. 127, 32, inter nn. pr. proparoxytona trisyllaba in ειον ponentis : Σέρρειον, ἡ πόλις, Λαύρειον ὄνομα τόπου· ἰδιάζει τοῦτο Ἀθήνησι· Stephanique Byz. in Σέρρειον... τὸ ἐθνικὸν Σερρειεὺς καὶ Σερρεώτης, ὡς τοῦ Λαύρειον, Λαυρεώτης, ubi Λαύρεον codex Vratislav. Non dubitandum igitur quin Pausaniæ restituendum sit Λαύρειον, Aristophani vero Λαυρειωτικαὶ, pro quo dictum fuisse videtur etiam Λαυρεωτικὸς, ut Ἡρακλεώτης dicitur et Ἡρακλειώτης. Inter Λαυρεωτικὴ et Λαυριωτικὴ variant libri Plut. Niciæ c. 4. Dixit de argentifodinis Laurii Bœckh. in Actis Acad. Berol. a. 1815, p. 85 seqq. L. Dind.]

[Λαυρέντιος, ὁ, Laurentius, n. viri ap. Suidam v. Ἐπίνικος, et Joannis Lydi, cujus scripta quædam supersunt.]

[Λαυρεντὸν, τὸ, Laurentum, oppidum Latii. Strabo 5, p. 229, 232. Λαυρέντια, ὄνομα πόλεως Suidas, quod scribendum Λαυρεντία (Λαβρεντία cod. A). Sic enim in feminina deformare solent recentiores nomina aliorum generum. V. etiam Λωρεντόν. Arcadio p. 83, 6, Λαυρεντὸς est urbs Sicula. Adject. Λαυρεντῖνος est ap. Polyb. 3, 22, 11 sec. conjecturam Ursini. L. Dind.]

[Λαυρεὼν, ῶνος, ὁ, Lauretum, ut videtur. Theognostus in Crameri Anecd. vol. 2, p. 28, 29 : Λαυρεὼν, λαυρεῶνος. V. Λαῦρον. L. Dind.]

[Λαυρήτη, ἡ. Lycophr. 1007 : Οὐδ' ἄτερ πόνων πύργους διαρραίσουσι Λαυρήτης γόνοι. Schol. : Ἤτοι οἱ Κροτωνιᾶται. Λαύρη γὰρ πόλις Κρότωνος ἀπὸ Λαύρης θυγατρὸς Λακινίου. Liber unus Λαυρίτας, alius Λαβρήτων.]

[Λαύριον. V. Λαύρειον. Λαύριον πεδίον Sindorum memorat Apoll. Rh. 4, 321.]

Λαῦρις, Hesychio κλῆρος, μερὶς, Sors, Portio : quæ et χαῦνος. [Λαῦξις est apud Hesychium. V. Λάξις.]

[Λαυρίτης. V. Λαύρα. ῑ]

[Λαυριωτικός. V. Λαύρειον.]

Λαῦρον, Hesych. esse dicit μέταλλον ἀργύρου ap. Athenienses, Argentifodinam : addens tamen et δάφνην, Laurum. [Prior interpretatio refertur ad Λαύρειον : altera ad lat. Laurus. Nisi etiam græce ita dictum fuit. V. Λαυρεών.]

Λαῦρος, i. q. λάβρος : licet Eust. [Il. p. 1065, 63] λάβρον esse velit λίαν βορὸν, at λαῦρον dictum a λα epitatico et ῥέον, Valde fluens, ubi exp. λαβρότατον ὕδωρ ap. Hom. Alibi autem [Od. p. 1781, 50] ab αὖρα quosdam deducere scribit, ut in λαῦρος ἄνεμος. In iis tamen ll. pleraque exempll. scriptum habent λάβρος, sicut et Il. Π, 384 : Ὡς δ' ὑπὸ λαίλαπι πᾶσα κελαινὴ βέβριθε χθὼν Ἤματ' ὀπωρινῷ, ὅτε λαβρότατον χέει ὕδωρ Ζεὺς, pro λαυρότατον, Eust., meus Hom. Ms. habet λαβρότατον per β, sicut et supra λάβρον ὕδωρ tam ex eod. Hom., quam Apollon. et Aristot. In VV. LL. exp. Latus, μέγας, πολὺς, citantibus ex Herodot. [1, 180], λαῦραι πυλίδες. [Mendose : locus est, Κατὰ δὲ ὦν ἑκάστην ὁδὸν ἐν τῇ αἱμασιῇ τῇ παρὰ τὸν ποταμὸν πυλίδες ἐπῆσαν, ὅσαιπερ αἱ λαῦραι, τοσαῦται ἀριθμόν. Angl.] Λαύρως, Late, Abunde, VV. LL. [Vitiose, ut ap. Hesych. in Λαυφθάζω memoratum.] Supra λάβρως. [Λαῦρος, fictum a grammaticis voc., ut diximus in Λάβρος, ponitur etiam in Epimer. Crameri Anecd. vol. 2, p. 355, 4, inter nomina in αυρος, habeturque librariorum culpa quum alibi tum ap. Pind. Pyth. 2, 87. Theodor. Stud. p. 50, B : Λαῦρος πυρετὸς, nisi quis exceptos velit recentissimos ejusmodi scriptores.]

[Λαυροστάτης, ὁ. V. Λαύρα.]

Λαυροστομέω, Procaciter et præcipitanter loquor, Pleno ore blatero. Æsch. [Pr. 327] : Μηδ' ἄγαν λαυροστόμει· supra λαβροστόμει. [Quod verum.]

[Λαύρως. V. Λαῦρος.]

[Λαυσαϊκὸν, τὸ, Historia SS. Patrum conscripta a Palladio Episcopo Helonopoleos, inscripta Lauro Præposito, quæ prælegi solet in ecclesia statis diebus. Triodium feria 2, hebdom. 1 Jejunior. : Ἀνάγνωσις τὸ Λαυσαϊκὸν, et al. ap. Ducang.]

[Λαῦσος, ὁ συνετὸς καὶ ὄνομα κύριον, Zonar. p. 1282 et Cyrill. Prior interpretatio ad Λάσιος est referenda. L. Dind.]

Λαυστὴρ, Hesychio μοχθηρὸς, Malus, Improbus : vel οἴκου λαύρα. [Interponitur inter hæc Ὅμοιον δὲ τῇ δυνάμει τὸ ὄνομα. Interpretationem μοχθηρὸς Valck. Anim. ad Ammon. p. 35 referebat ad αὐστηρὸς, sine specie veri.]

Λαύστρανον, quidam λύκον, Lupum, quidam φρέατος ἅρπαγα, Uncinum s. Harpaginem, qua extrahitur aqua ex puteo, Hesych. [Cujus verba sunt, Λαύστρανον, τινὲς λύκον, τινὲς φρέατος ἅρπαγα. Αὔστραν, ἥν τινες λ. Valck. Anim. ad Ammon. p. 35.]

Λαύτεια, τὰ, affertur pro Munera et Xenia, quæ legatis exterarum gentium dono mittuntur. Vox tamen ea non Græca, sed Lat. est. Scribit enim Plut. Probl. Rom. [p. 275, C] λαύτεια Romæ dicta fuisse ξένια, ἃ οἱ ταμίαι τοῖς πρεσβεύουσιν ἔπεμπον, ut et Festus, Lautia, quæ dabantur legatis hospitii gratia, olim Daucia vocata. Unde Liv. : Locus lautiaque legatis præberi jussa.

[Λαυφθάζω.] Λαυφθάζει, Hesychio σπεύδει, Festinat. At Λαυφθάσσει, Eid. λαύρως ἐσθίει, Avide comedit : quod fere et λαφύσσει.

[Λαυχάνη. V. Λαυκανία.]

Λαύω, Fruor : pro quo usus obtinuit comp. Ἀπολαύω. Eust. enim [Il. p. 1271, 58, coll. 531, 12] λαιμὸς a λάω deducit, unde sit λαύω et ἀπολαύω : sed nullum usus verbi λαύω exemplum affert, sicut nec alii, quod quidem sciam. [Signif. eandem ponit Etym. M. p. 558, 33; 563, 2.] Videtur autem potius λαυκανία a λαύω, et λαιμὸς a λάω derivare, sicut et rationi consentaneum est, siquidem hæc sunt ejus verba : Λαυκανία δὲ παράγεται, ὅθεν καὶ ὁ λαιμός· ὡς γὰρ ἐκ τοῦ Λάω, λαμὸς καὶ λαιμὸς, οὕτως ἐκ τοῦ Λάω, λαύω, λαυκανία, ὁ ἀπολαυστικὸς, φασὶ, τόπος. Sed quod attinet ad λάω, pro ἀπολαύω, si Aristarcho subscribere volemus, Hom. eo usum esse dicemus Od. [T, 229, 230] : Ἀσπαίροντα λάων, et, Ὁ μὲν λάε νεβρὸν ἀπάγχων. Totus autem l. est hic : Ἐν προτέροισι πόδεσσι κύων ἔχε ποικίλον ἐλλὸν, Ἀσπαίροντα λάων· τὸ δὲ θαυμάζεσκον ἅπαντες, Ὡς οἱ χρύσεοι ὄντες ὁ μὲν λάε νεβρὸν ἀπάγχων, Αὐτὰρ ὃ ἐκφυγέειν μεμαὼς ἤσπαιρε πόδεσσι. Aristarchus, inquit idem Eust., λάων exp. ἀπολαύων : ex quo λαιμὸς et λαυκανία, atque adeo ipsum ἀπολαύειν, pleonasmo literæ υ. Unde et λάε νεβρὸν ἄγχων, i. e. ἀπέλαυεν, ἐτρύφα. [Conf. Hellad. infra cit.] Sed aliæ duæ afferuntur harum vocum λάων et λάε exposs. ab eod.

gramm. [Βλέπων et ὑλάων, quarum priorem, quæ sola vera est, verbo λάω tribuit etiam Il. p. 649, 19; 811, 61, Od. p. 1585, 64, Opusc. p. 142, 43. In Ind. :] Hesychius λάε νεβρὸν ἀπάγξας [immo ὁ μὲν λάε νεβρὸν ἀπάγχων, verba Homeri supra cit.,] exp. ἐψόφησε, ἐφθέγγετο : et λαήμεναι, φθέγγεσθαι. [Has explicationes Albertus refert ad λάκε et λακήμεναι. Idem huc trahit ejusdem gl. : Λακέμεναι, φάγεσθαι, quod in φθέγγεσθαι mutat. Sed verbo λάω illam signif. tribuit etiam Photius : Λάων, δεδορκώς· ... ἔνιοι δὲ ἀπέδωκαν φθεγγόμενος, μαχόμενος ἄμφω. Quam gl. apertum est referri ad l. Odyss.] Alii λάειν esse dicunt Videre : unde ἀλαὸς, Qui non videt, Cæcus : teste Suida [s. Etym. M. p. 57, 6; 554, 22, Hellad. Photii Bibl. p. 531, 4] : ut Hesych. etiam λάετε affert pro σκοπεῖτε, βλέπετε : et λᾷν pro ὁρᾷν. [Hom. H. Merc. 360 : Αἰετὸς ὀξὺ λάων.] Λαῦσαι, Hesychio παριππεῦσαι τοῖς δεσπόταις, Hero a latere adequitare.

[Λαφάης, ους, ὁ, Laphaes, tyrannus Argivorum. Pausan. 2, 21, 8. Phliasius statuarius, 2, 10, 1; 7, 26, 6. ᾱᾰ]

[Λαφάνης, ους, ὁ, Laphanes, Arcas ex Azania, Herodot. 6, 127. Alius in inscr. Acarn. ap. Bœckh. vol. 2, p. 3, n. 1794, a, 5. ᾱᾰ]

Λαφθάνη, Hesychio γλῶσσα, Lingua.

Λαφθία, Hesychio ἡ ἀσπὶς, Scutum s. Clypeus. [V. Λαῖφα.]

[Λάφιλος, ὁ, Laphilus, Lacedæmonius, ap. Thuc. 5, 24, ubi libri pauci Λάμφιλος vel similiter, ut ib. 19. Ejusdem nominis Attica forma est Λεώφιλος, q. v. ᾱῐ]

Λάφνη, Pergæi pro δάφνη, Laurus, Hesych.

Λαφὸς, Hesychio ὁ ἀριστερᾷ χειρὶ χρώμενος, Qui læva s. sinistra utitur manu, Lævus, Sinister.

[Λαφρία, ἡ, Prædatrix, epith. Minervæ, sec. schol. quasi Λαφυρία, Lycophr. 356, 985, 1416. || Epith. Dianæ. Anon. ap. Suidam v. Βαθεῖα κόμη et Βαθύπλουτος citatus : Εὐδαίμονα καὶ βαθύπλουτον εἶναι τὴν Λαφρίαν Ἄρτεμιν. Pausan. 4, 31, 7 : Δαμοφῶντός ἐστι τούτου καὶ ἡ Λαφρία καλουμένη παρὰ Μεσσηνίοις· σέβεσθαι δὲ σφίσιν ἀπὸ τοῦδε αὐτὴν καθέστηκε. Καλυδωνίοις ἡ Ἄρτεμις ἐπίκλησιν εἶχε Λαφρία. Μεσσηνίων δὲ οἱ λαβόντες Ναύπακτον παρὰ Ἀθηναίων ... παρὰ Καλυδωνίων ἔλαβον ... Τὸ μὲν δὴ τῆς Λαφρίας ἀφίκετο ὄνομα ἔς τε Μεσσηνίους καὶ ἐς Πατρεῖς Ἀχαιῶν μόνους· 7, 18, 8 : Πατρεῦσι δὲ ἐν ἄκρᾳ τῇ πόλει Λαφρίας ἱερόν ἐστιν Ἀρτέμιδος· ξενικὸν μὲν τῇ θεῷ τὸ ὄνομα, ἐσηγμένον δὲ ἑτέρωθεν καὶ τὸ ἄγαλμα. Καλυδῶνος γὰρ καὶ Αἰτωλίας τῆς ἄλλης ὑπὸ Αὐγούστου βασιλέως ἐρημωθείσης διὰ τὸ ἐς τὴν Νικόπολιν τὴν ὑπὲρ τοῦ Ἀκτίου συνοικίζεσθαι καὶ τὸ Αἰτωλικὸν, οὕτω τὸ ἄγαλμα τῆς Λαφρίας οἱ Πατρεῖς ἔσχον, ὡσαύτως δὲ καὶ ὅσα ἄλλα ἀγάλματα ἔκ τε Αἰτωλίας καὶ παρὰ Ἀκαρνάνων. Τὰ μὲν πολλὰ ἐς τὴν Νικόπολιν κομισθῆναι, Πατρεῦσι δὲ ὁ Αὔγουστος ἄλλα τε τῶν ἐκ Καλυδῶνος λαφύρων, καὶ δὴ καὶ τῆς Λαφρίας ἔδωκε τὸ ἄγαλμα, ὃ δὴ καὶ ἐς ἐμὲ ἔτι ἐν τῇ ἀκροπόλει τῇ Πατρέων εἶχε τιμάς. Γενέσθαι δὲ ἐπίκλησιν τῇ θεῷ Λαφρίαν ἀπὸ ἀνδρὸς Φωκέως φασί· Λάφριον γὰρ τὸν Κασταλίου τοῦ Δελφοῦ Καλυδωνίοις ἱδρύσασθαι τὸ ἄγαλμα τῆς Ἀρτέμιδος τὸ ἀρχαῖον. Οἱ δὲ τῆς Ἀρτέμιδος τὸ μήνιμα τὸ ἐς Οἰνέα ἀνὰ χρόνον τοῖς Καλυδωνίοις ἐλαφρότερον γενέσθαι λέγουσι, καὶ αἰτίαν τῇ θεῷ τῆς ἐπικλήσεως ἐθέλουσιν εἶναι ταύτην. Τὸ μὲν σχῆμα τοῦ ἀγάλματος θηρεύουσά ἐστιν· ἐλέφαντος δὲ καὶ χρυσοῦ πεποίηται· Ναυπάκτιοι δὲ Μέναιχμος καὶ Σοΐδας εἰργάσαντο· τεκμαίρονται δὲ σφᾶς Κανάχου τοῦ Σικυωνίου καὶ τοῦ Αἰγινήτου Κάλλωνος οὐ πολλῷ γενέσθαι τινὶ ἡλικίαν ὑστέρους. Ἄγουσι δὲ καὶ Λαφρίᾳ ἑορτὴν τῇ Ἀρτέμιδι οἱ Πατρεῖς ἀνὰ πᾶν ἔτος, ἐν ᾗ τρόπος ἐπιχώριος θυσίας ἐστὶν αὐτοῖς, cujus sequitur descriptio. Anton. Lib. c. 14, p. 266 : Κασσιεπείας τῆς Ἀραβίου καὶ Φοίνικος τοῦ Ἀγήνορος ἐγένετο Κάρμη· ταύτῃ μιγεὶς Ζεὺς ἐγέννησε Βριτόμαρτιν· αὕτη φυγοῦσα τὴν ὁμιλίαν τῶν ἀνθρώπων ἠγάπησεν ἀεὶ παρθένος εἶναι, καὶ παρεγένετο πρῶτα μὲν ἐπ' Ἄργος ἐκ Φοινίκης παρὰ τὰς Ἐρασίνου θυγατέρας Βύζην καὶ Μελίτην καὶ Μαίραν καὶ Ἀγχιρόην· ἔπειτα δ' ἐκ τοῦ Ἄργους εἰς Κεφαλληνίαν ἀνέβη, καὶ αὐτὴν ὠνόμασαν οἱ Κεφαλλῆνες Λαφρίαν, καὶ ἱερὸν ἤγαγον ὡς θεῷ.]

[Λαφριάδαι, οἱ, Laphriadæ. Hesych. : Λαφριάδα, φρατρία ἐν Δελφοῖς. Λαφριάδαι Angli.]

[Λάφριος, ὁ, Laphrius. V. Λαφρία. || Epitheton Mercurii. Lycophr. 835 : Λαφρίου λακτίσμαθ' Ἑρμαίου πο- **A** δός. Schol. : Λάφριος ὁ φιλόξενος· λέγει δὲ τὸν Ἑρμῆν ἐπιθετικῶς.]

[Λάφυγμα, τος, τὸ, i. q. λαφυγμός. Epigr. ap. Welcker. Syllog. epigr. n. 54, 13, p. 78 : Κρυερῶν λαφύγματα νούσων, Impetus. Passov.]

Λαφυγμὸς, ὁ, Deglutitio, Helluatio. Aristoph. Nub. [50] : Ὄζων ... μύρου, κρόκου, καταγλωττισμάτων, Δαπάνης, λαφυγμοῦ, schol. τῆς περὶ τὰ ἐδέσματα πολυτελείας, i. e. ἀσωτίας, et λαφυγμὸν ait dici τὸ ἀπλήστως ἐσθίειν, citans ex Eupol., Λαφύσσεται λαφυγμὸν ἀνδρεῖον πάνυ. [Schol. Brunck. addit : Ἔστι δὲ καὶ ὁ λαφυγμὸς κατὰ μέν τινας τὸ αὐτὸ (quod καταγλώττισμα), κατὰ δέ τινας ἡ ἄλογος καὶ καθ' ὑπερβολὴν δαπάνη. Leonidas Anth. Pal. 6, 305, 1 : Λαβροσύνᾳ τάδε δῶρα φιλευλείχῳ τε Λαφυγμῷ θήκατο. L. Dind.]

Λάφυγξ, ὁ, Morsus, VV. LL. [Vox nihili.]

Λαφύκτης, ὁ, Liguritor, Helluo [ita Gl., in quibus Λαφυκτὴς scriptum], ὁ ἐπὶ μέθῃ ἀναλίσκων πολλὰ, Eust. [Il. p. 1246, 33.] Et Athen. 11, [p. 485, A] de λεπαστὴ loquens : Ὠνομάσθη ἀπὸ τῶν εἰς τὰς μέθας καὶ τὰς ἀσω- **B** τίας πολλὰ ἀναλισκόντων, οὓς λαφύκτας καλοῦμεν.

[Λαφυκτικὸς, ἡ, ὸν, Rapax. Georg. Pachym. Mich. Pal. p. 209, A : Τὰς ναῦς ἄνδρες ἐπλήρουν νεανικοὶ, τὰς ὁρμὰς καὶ τὰς προθυμίας λαφυκτικοί. L. Dind.]

[Λάφυξις, εως, ἡ, Consumtio. V. Λάφυρα.]

Λᾰφῡρᾰγωγέω, Spolio, Prædor, Deprædor, Diripio. [Apollodor. 2, 7, 7, 8 : Λαφυραγωγήσας τὴν πόλιν.] Plut. Galba [c. 5] : Καὶ τὰ μὲν Γαλατῶν, ὅταν ὑποχείριοι γένωνται, λαφυραγωγήσεσθαι. Proprie autem est Spolia abduco. [Mor. p. 5, F. Gl. : Λαφυραγωγηθεὶς, Spoliatus. Ἀδόκιμον dicit Thomas p. 743.]

[Λαφυραγώγημα, ατος, τὸ, Præda. Nicetas Chon. p. 230, D : Ἐλιπάνθησαν τοῖς λαφυραγωγήμασι. L. Dind.]

Λαφυραγωγία, ἡ, affertur pro Præda : quum potius significet Manubiarum portationem. Suidas tamen et ipse λείαν exp. per λαφυραγωγίαν, Prædam, Manubias. [Etym. M. p. 7, 39 : Λείαν, ὅ ἐστι λαφυραγωγίαν. Zonaras : Λαφ., ἡ αἰχμαλωσία. Quod eadem Prædæ significatione dici constat. Epiphan. vol. 1, p. 475. « Socrat. H. E. 6, 6. Schol. Eur. Or. 1434, Phœn. 288. » Kall **C** Ἀδόκιμον vocat Thomas p. 743.]

[Λαφυραγωγὸς, ὁ, Prædator, Gl. Schol. Hom. Il. K, 460. Wakef. Ubi gen. fem., ut ap. schol. Lycophr. 985. Masculinum Polyæno 8, 16, 6 pro φυγαγωγοὶ restituit Lobeck. ad Phryn. p. 383 et ante eum Valck. in Mss.]

[Λαφυρέω, Spolio. Judith 15, 11 : Ἐλαφύρησε πᾶς ὁ λαὸς τὴν παρεμβολήν. Ita scribitur in Lexx. V. T., estque hæc forma restituenda in Actis SS. Maji vol. 5, p. 188, E : Ἐλαφύρισεν τὰ τῆς ἱερουργίας λαμπρὰ, nisi etiam formam λαφυρίζω introduxerit consuetudo recentiorum. Sed edd. V. T. ἐλαφύρευσεν. L. Dind.]

[Λάφυρον, τό.] Λάφυρα, τὰ, Exuviæ, Spolia, [Manubiæ, Præda add. Gl.] τὰ ἐκ τῶν πολεμίων σκηνῶν καὶ πόλεων ἐκκενούμενα, Eust. [Od. p. 1413, 7 et Athen. l. c.] etymologiam simul exprimens : addens tamen esse qui velint compositum esse ἀπὸ τοῦ τῷ λαῷ φύρεσθαι. Idem alibi, Λαφύττειν, inquit, καὶ λαπάζειν, ὥσπερ καὶ ἀλαπάζειν, κατὰ πλεονασμὸν τοῦ α, τὸ ἐκκενοῦν καὶ ἀναλίσκειν ἐστίν· ὅθεν καὶ τὰ διαρπαζόμενα ἐν τῷ ἀλαπάζεσθαι, **D** ἤγουν πορθεῖσθαι, πόλιν, λάφυρα λέγεται παρὰ τὴν λάφυξιν. Quod et Athen. confirmat [8, p. 362, F], afferens etymologiam vocabuli εἰλαπίνη. Volunt autem [Hesychius aliique grammatici] λάφυρα proprie esse Quæ vivo hosti detrahuntur, at σκῦλα Quæ mortuo. [Æsch. Sept. 278 : Λάφυρα δάων· 479 : Λαφύροις δῶμα κοσμήσει πατρός· Ag. 578 : Θεοῖς λάφυρα ταῦτα δόμοις ἐπασσάλευσαν.] Soph. [Aj. 92] : Καί σε παγχρύσοις ἐγὼ Στέψω λαφύροις. [Trach. 646 : Ὁ Διὸς Ἀλκμήνας κόρος σεῦται πάσας ἀρετᾶς λάφυρ' ἔχων ἐπ' οἴκους. Eur. Rhes. 179 : Καὶ μὴν λαφύρων γ' αὐτὸς αἱρήσει παρών· Herc. F. 416: Τὰ κλεινὰ δ' Ἑλλὰς ἔλαβε βαρβάρου κόρας λάφυρα. Xen. H. Gr. 5, 1, 24 : Ἀποδόμενος τὰ λάφυρα· Ages. 4, 6 : Νομίζεται παρ' ἡμῖν παρὰ τῶν πολεμίων λάφυρα μᾶλλον πειρᾶσθαι ἢ δῶρα λαμβάνειν.] Plut. De deo Socr. [p. 598, D] : Ἑστίαι πλήρεις οὖσαι παντοδαπῶν λαφύρων· Coriol. [c. 39] : Τὸν τάφον ὅπλοις καὶ λαφύροις κοσμήσαντες ὡς ἀριστέως καὶ στρατηγοῦ· Alex. [c. 25] : Ἀποστέλλων πολλὰ τῶν λαφύρων Ὀλυμπιάδι καὶ Κλεοπάτρᾳ καὶ τοῖς φίλοις. Pausan. Att. [27, 1] : Λάφυρα ἀπὸ Μήδων, Μασιστίου θώραξ, καὶ ἀκινάκης Μαρδονίου. [Schweigh. Lex. Polyb. : « Τὰ λ. 3, 17, 7, sunt ἡ κατασκευὴ, Supellex, ib. 10, quæ distinguuntur (ut 2, 62, 2) a τοῖς σώμασι, Captivis, quorum pretium (ἀξία) erat ἡ ὠφέλεια, Præda, quæ militibus cedebat, 7, coll. 10. » || Singulari Strabo 5, p. 222 : Προεβάλλοντο ἐρύματα, ὥστε μὴ λάφυρον ἑτοιμον ἐκκεῖσθαι τοῖς ἐπιπλεύσασιν. Polyb. 2, 62, 12 : Τὸ πᾶν λάφυρον ἐποίησαν μετὰ τῶν σωμάτων τάλαντα τριακόσια· 17, 4, 8 : Τὸν νόμον τὸν διδόντα τὴν ἐξουσίαν ὑμῖν ἄγειν λάφυρον ἀπὸ λαφύρου. Quæ 5, 1, ita explicantur : Τοῖς Αἰτωλοῖς ἔθος ὑπάρχει μὴ μόνον πρὸς οὓς ἂν αὐτοὶ πολεμῶσι, τούτους αὐτοὺς ἄγειν καὶ τὴν τούτων χώραν, ἀλλὰ κἂν ἕτεροί τινες πολεμῶσι πρὸς ἀλλήλους ὄντες Αἰτωλῶν φίλοι καὶ σύμμαχοι, μηδὲν ἧττον ἐξεῖναι τοῖς Αἰτωλοῖς ἄνευ κοινοῦ δόγματος καὶ παρεῖναι ἀμφοτέροις τοῖς πολεμοῦσι καὶ τὴν χώραν ἄγειν τὴν ἀμφοτέρων. Ap. eund. 4, 26, 7, et 36, 6, τὸ λάφυρον ἐπικηρύττειν κατά τινος, Jus prædandi, Deprædationem pronunciare.]

[Λαφυροπωλεία, ἡ, Hastarium, Gl. Scr. Λαφυροπωλία.]

Λαφυροπωλεῖον, τὸ, Officina dividendis spoliis. Polyb. 4, p. 65 a tergo [c. 6, 3] : Ὦ λαφυροπωλείῳ χρησάμενοι, διῆγον ἐν τούτῳ πρὸς τὰς ἁρπαγάς. [Aristocl. ap. Euseb. Præp. ev. 15, p. 792, A. Hemst. V. Λαφυροπώλιον, quæ usitatior horum compositorum forma est.]

Λαφυροπωλέω, Spolia vendo. Construitur nonnunquam cum accus., et tunc exp. Spolia et exuvias alicui detractas vendo, Vendo ea quibus aliquem spoliavi; vel, ut Bud. interpr., Sub hasta divendo, Auctionor. [Xen. Anab. 6, 6, 22 : Ἔμειναν ἡμέρας ἑπτὰ λαφυροπωλοῦντες.] Diod. S. in Hist. Alex. [17, 14] : Τοὺς δ' αἰχμαλώτους λαφυροπωλήσας, ἤθροισεν ἀργυρίου τάλαντα τετρακόσια. Polyb. 5, [24, 10] : Λαφυροπωλήσας πᾶσαν τὴν λείαν. Athen., περὶ ἀσώτων loquens : Κατατρέχοντες τὸν ἀγρὸν, καὶ διαρπάζοντες τὴν οἰκίαν, λαφυροπωλοῦντες τὰ ὑπάρχοντα. [Hesych. : Λαφυροπωλεῖ, αἰχμαλωτίζει. Quod est potius λαφυραγωγεῖ.]

Λαφυροπώλης, ὁ, Spoliorum venditor, Qui exuvias divendit. Xen. Reip. Lac. [13, 11] : Ἢν δὲ ληΐδα ἄγων (τις ἔλθῃ, τοῦτον ὁ βασιλεὺς ἀποπέμπει) πρὸς λαφυροπώλας· Hell. 4, [1, 26] : Ἵνα πολλὰ ἀπαγάγοι τὰ αἰχμάλωτα τοῖς λαφυροπώλαις. A Plut. λαφυροπώλης dicitur etiam Qui captivos vendit, Bud. [Mor. p. 209, C, Ages. c. 9.]

[Λαφυροπώλησις, εως, ἡ, Spoliorum venditio. Nicet. Urb. cap. p. 404, D.]

Λαφυροπώλιον, τὸ, Forum vendendæ prædæ, ut ἀρτοπώλιον. VV. LL. [Strabo 14, p. 664. Hemst. V. Λαφυροπωλεῖον.]

Λαφύσσω s. Λαφύττω, Avide deglutio, [Heluor, Turburcinor, Gl.] ῥαγδαίως καταπίνω, Eust. Hom. Il. Λ, [175], Ρ, [63] de leone bovem ex armento prosternente : Τῆς δ' ἐξ αὐχέν' ἔαξε λαβὼν κρατεροῖσιν ὀδοῦσι Πρῶτον, ἔπειτα δέ θ' αἷμα καὶ ἔγκατα πάντα λαφύσσει. [Lucian. Asin. c. 27 : Ἑώρων γὰρ τοὺς κύνας εἰς τοὐπτανεῖον παρεισιόντας καὶ λαφύσσοντας πολλὰ καὶ ὅσα ἐν γάμοις πλουσίων νυμφίων.] Bud. interpr. Devoro, Helluor, Consumo per luxum, in Lucian. [Tim. c. 17] : Πρὸς ἐνίων μὲν ἀτίμως λακτιζόμενος καὶ λαφυσσόμενος καὶ ἐξαντλούμενος, ὑπ' ἐνίων δὲ, ὥσπερ στιγματίας δραπέτης, πεπεδημένος. Agathias Schol. [Anth. Pal. 11, 379, 6, ubi aliter ex cod.] : Οὐ γὰρ ἔγωγε Βήσομ' ὑφ' ἡμετέρῃ γαστρὶ λαφυξόμενος, Deglutiendus s. Devorandus. Ap. Suid. duo habentur exx., alterum de esculentis, alterum de poculentis. Ex Æliano, Οὗτοι οἱ ἀετοὶ λαφύξουσι τῶν ἐλεφάντων τὰ σπλάγχνα, de signis militaribus. Et aliunde, Οἱ δὲ Πέρσαι φρέασι περιτυχόντες λαφύττουσιν ἀπληστότερον, καὶ ἐς μέγα κακοῦ ἀποκλίνουσι. In priori l. exp. διασπαράξουσι, ἀφειδῶς θοινήσονται· in posteriori autem commodius reddetur, Hauriebant, Absorbebant. [Priori interpretationi, quæ omnino vim verbi optime exprimit, accommodatissimi loci ejusd. N. A. 4, 45 : Τὴν δὲ (ursam) λαφύξαι τοῖς ὄνυξι τοῦ δειλαίου τὴν γαστέρα· et Eust. Opusc. p. 118, 20 : Τὰ στόματα τῶν ἐθελόντων λαφύσσειν· maximeque 140, 15 : Λαφύσσειν καὶ σπαράσσειν τοὺς ἐλεεινοὺς πτωχούς. Heliodor. Æthiop. 2, 19, p. 77 : Λύκοι τινὲς ἢ θῶες ἐλάφυσσον τὰ ἀεὶ τετμημένα.] Athenæus libro 8, [p. 362, A] de εἰλαπίνη loquens, quod itidem a λάπτω derivat, scribit λαφύττειν esse τὸ δαψιλῶς καὶ ἐπὶ πολὺ λαπάττειν καὶ ἐκκενοῦν : paulo ante vero λαφύττειν et λαπάζειν exp. ἐκκενοῦν καὶ ἀναλίσκειν : addens, poetas ἀλαπάζειν ab ead. origine derivatum accipere ἐπὶ τοῦ πορθεῖν : et τὰ διαρπαζόμενα κατὰ τὴν λάφυξιν, vocari λάφυρα. Eust. vero quodam in l. [Il. p. 944, 30] ab ἀφύσσειν deducit verbum λαφύσσω, minus recte. Hesych. [et Photius et Suidas] λαφύξας exp. διασπαράξας, ἀφειδῶς θοινησάμενος : Λαφύσσει, σπαράσσει, λάπτει, καταπίνει, μετὰ θυμοῦ ἐσθίει, σπεύδει. [Aoristus activi est etiam ap. Orph. Lith. 120, Quint. 10, 316, Aretæum p. 101, 21 : Ἱκανὴ γὰρ ἡ νοῦσος τὰ πάντα λαφύξαι. Medii ap. Lycophr. 321 : Πρὶν λαφύξασθαι γάνος. Præsens medii ap. Eupolin in Λαφυγμὸς citatum.]

Λαφύστιος, ὁ, Helluo, Gulosus, Gurges, i. q. λαφύκτης, Suidæ λαίμαργος. [Epigr. Anth. Plan. 1, 15, 1 : Ποῦ σοι κεῖνα κύπελλα, λαφύστιε; Lycophr. 215 : Λαφυστίαις γνάθοις· 791 : Κτῆσίν τε θοίναις Πρωνίων λαφυστίαν. Schol. ἀντλουμένην.] Erat et Ζεὺς Λαφύστιος, cui Phrixus, quum in Colchos pervenisset, arietem, quo transfretarat, mactavit, schol. Apoll. Arg. 2, [655]. Meminit et Pausan. Att. [24, 2], ubi ab Orchomeniis ita appellari scribit. [Conf. id. 9, 34, 5, ubi etiam ὄρος Λαφύστιον memoratur. Hesychius : Λαφύστιον, ὄρος Βοιωτίας, καὶ Λαφύστιος ὁ ἐντεῦθεν. Διόνυσος Λαφύστιος memoratur ab Etym. M., indidem appellatus.] Λαφύστιον est etiam Mons Bœotiæ, a quo Bacchum Λαφύστιον appellatum esse tradit Etym. [Vid. et Excerpt. ex Theognost. Canon. cod. Barocc. 50, can. 758 (Anecd. Oxon. vol. 2, p. 125, 14). Cramer. Hinc Λαφύστιαι γυναῖκες de bacchis ap. Lycophr. 1237.]

[Λαφύστιος, ὁ, Laphystius, sycophanta, obtrectator Timoleontis. Plut. Timol. c. 37. Corruptum nomen in libris Cornelii Nep. Timol. c. 5, 2.]

[Λαφύω. Λαφύειν τὸ εἰς αὐτὸν (αὑτὸν) ἀσχημονεῖν, Hes.]

[Λάφωνοι, λίαν ἄφωνοι, Hesychii gl. obscura, de qua v. conjecturas interpretum.]

Λαχαίνω, Fodio, σκάπτω Eust., ὀρύσσω Hesych. : quod dictum putant παρὰ τὸ λίαν χαίνειν. Ubi enim fossæ ducuntur, terra hiat. [Moschus 4, 96 : Τάφρον μεγάλην ἐλάχηνε. Apoll. Rh. 3, 222 : Κρῆναι, ἃς ἐλάχηνεν Ἥφαιστος. Callim. ap. Steph. Byz. v. Αἴδηψος : Λαχαινέμεν ἔργα σιδήρου. Lycophr. 624 : Ἢν μή τις χέρσον λαχήνῃ, βουσὶν αὔλακας τεμών. Paul. Sil. Amb. 115 : Τὸ δ' ἔνερθε λαχήσας λαοτόμος κοίληνεν. Λαχήνας restituit Græfius. Eust. Opusc. p. 255, 64 : Λαχαίνων φυτά· 16, 24 : Γῆ βοθρευομένη καὶ λαχαινομένη.]

[Λαχᾶνᾶς, ᾶ, ὁ, Olitor, Olerum sator. Indiculus XII Apostolorum, editus a Cotelerio, de S. Bartholomæo : Λαχανᾶς τὸ ἐπιτήδευμα. Ubi alius cod. νομαρρίτης ἤτοι λαχάνια φυτεύων. Inde forte nomen sortitus rex ille Bulgariæ, ex infima et vili ortus stirpe, Λαχανᾶς appellatus. Ducang. V. Eust. Opusc. p. 350, 83 et Λαχανωνυμία. Ducang. in Append. p. 119 : « Joannes Episcopus Carpathi Ms. : Καὶ ὁρᾷ ἄγγελον λέγοντα αὐτοῦ· Οὔπω ἐγένου κατὰ τὸν λαχανᾶν τοῦτον ἐν τῷδε τῷ τόπῳ. » Λαχανᾶς, ᾶ, inter diminutiva ponit Chœroboscus in Bekkeri Anecd. p. 1186, C.]

Λαχανάριον, τὸ, Olusculum. [Olearium, Gl.]

Λαχανεία, ας, ἡ, i. q. λαχανισμὸς paulo post, Olerum lectio s. collectio. Joseph. De captivit. [B. J. 4, 9, 8] : Ὅσοι γοῦν λαχανείας ἕνεκεν ἢ φρυγανισμοῦ προεληλύθεσαν ἔξω πυλῶν, διέθειρε· quod alibi dixit ἐπὶ λαχάνων καὶ φρυγάνων συλλογήν. [Κῆπος λαχανείας, Hortus oleribus consitus, Deuter. 11, 10. Sine interpret. ponit Suidas.]

[Λαχάνευμα, τὸ, Olus. Procl. Paraphr. Ptol. 2, 8, p. 118. Struv.]

[Λαχανεὺς, έως, ὁ, Olitor. Proculus Proleg. Hesiodi Op. p. 5 ed. Gaisf. : Ὁ λαχανεὺς Εὐριπίδης.]

Λαχανεύομαι, Esui sum oleris modo. Diosc. : Τὰ δὲ πρόσφατα τῶν φύλλων λαχανεύεται εἰς προσοψήματα. Id. [2, 145] de atriplice : Λαχανεύεται δὲ ἑφθὸν τοῦτο τὸ λάχανον· de crithmo [ib. 156] : Λαχανεύεται ἑφθόν τε καὶ ὠμὸν ἐσθιόμενον, καὶ ταριχεύεται ἐν ἅλμῃ, Estur crudum coctumve, Bud. ex Plin. || Videtur etiam accipi pro Oleribus victito, Olera colligo, Oleris loco colligo. Lucian. [Lexiph. c. 2] : Γηπαττάλους τινὰς ἀνορύξας, καὶ τῶν σχανδίκων καὶ βρακάνων λαχανευσάμενος, ἔτι δὲ χάχρυς πριάμενος. [|| Ἱστορεῖται : .. τινὰ (πεδία) καὶ λαχανεύεσθαι τῷ τετάρτῳ σπόρῳ, Strab. 5, p. 242 extr. Olera producere, Int. Hemst.]

[Λαχανηλόγος, ὁ, Qui olera colligit. Leonidas Anth. Pal. 9, 318, 3 : Καὶ λαχανηλόγῳ ἔσσο καὶ αἰγινομῆι προσηνής.]

A

Λαχανηρὸς, ά, ὸν, i. q. λαχανώδης. Theophr. H. Pl. 7 init. : Ἐν ᾧ συμπεριλαμβάνονταί πως καὶ τὰ λαχανηρὰ καὶ τὸ σιτῶδες, καὶ πρῶτον περὶ τοῦ λαχανώδους λεκτέον, ubi synonyma sunt λαχανηρὰ et λαχανώδη : 1, 8 [11, 3, etc. Ponit etiam Suidas].

[Λαχανήτης, ὁ, unde λαχανῆται, cum λαχανοπῶλαι ponitur ap. Polluc. 7, 196, sed omittitur in cod. Jungerm. Λαχανῖται suspicabatur Schneider.]

[Λαχανηφόρος, ὁ, Olera ferens, serens. Eust. Od. p. 1547, 27, 37, schol. Theocr. 1, 46. Boiss. Manetho 4, 258, ἄνδρες. || Forma Λαχανοφόρος ap. schol. Pal. ad l. Odyss. H, 127. Elberling.]

Λαχανιὰ, ἡ, Locus oleribus consitus, VV. LL. [Hesych. (et Suidas) v. Πρασιαί. Boiss. Schol. Ambros. Hom. Od. H, 127, ubi Vulg. λαχανεῖαι. V. Λαχανεία.]

[Λαχανίδιον, τὸ, Olusculum. Hesych. v. Κιχώρια. Boiss. Etym. Gud. p. 129, 17; Orio p. 190, 35. ἄἄῖ]

[Λαχανίζω.] Λαχανίζομαι, Olera lego, λάχανα συλλέγω [Etym. M.], ut ξυλίζομαι, φρυγανίζομαι, Suid. [et Photius, qui comparandi non interpretandi caussa addunt verba ξυλ. et φρυγ.] Erasm. Chil. [Sueton. Aug. c. 87 : « Et Betizare pro Languere, quod vulgo Lachanizare dicitur, » ubi Casaub. affert e Glossario, Λαχανίζουσι, βαμβαίνουσι, Vacillant, sic corrigens vitiosum λεχανίζουσι. Ibid. legitur etiam Λακωνίζω, Titubo, similiter corrigendum. Angl. Et sine interpret. Λαχανίζω. Sunt autem etiam apud Suetonium varietates *laganizare*, *lachonizare*, *laconizare*, ut refert Oudendorpius. In Gl. Λακωνίζω defendi a Valck. supra diximus. Quanquam ejus parum probabilis sententia est.]

B

Λαχανικὸς, ἡ, ὸν, Ad olera pertinens : τὰ λ., Oleracea s. Olera, ut λαχανώδη et λαχανηρά. [Theophr. C. Pl. 3, 19, 1.]

[Λαχάνιον, τὸ, Olusculum. Diog. L. 2, 134. Boiss. Teles Stob. Fl. vol. 3, p. 272 : Ἠρκεῖτο τρίβωνι καὶ μάζῃ καὶ λαχανίοις. Sed uterque codex λαχάνοις. V. Λαχανᾶς.]

[Λαχάνιος, α, ον, Oleribus aptus. Julian. Cæs. p. 329, D : Ὀστρακίοις ἐπαμησάμεναι γῆν λαχανίαν.]

C

Λαχανισμὸς, ὁ, Olerum lectio s. collectio : λαχάνων συνάθροισις, schol. Thuc. [3, 111] : Ἐπὶ λαχανισμὸν καὶ φρυγάνων ξυλλογὴν ἐξελθόντες.

[Λαχανίτης. V. Λαχανήτης.]

[Λαχανοειδής, ὁ, ἡ, voc. fictum a Tzetza ap. schol. Nicandri Al. 570, ad explicandum λαχειδής.]

[Λαχανοθήκη, ἡ, Olerum repositorium, vocab. ap. Athen. 11, p. 784, B, pro quo fortasse Λαγανοθήκη scriptum oportuerat. Schweigh.]

[Λαχανοκομέω, Olera curo. Const. Manass. Chron. 2302 : Καὶ φυτοσκάφοι γίνονται καὶ λαχανοκομοῦσιν.]

Λάχανον, τὸ, Olus, a λαχαίνω dictum παρὰ τὸ λαχαίνεσθαι ἤτοι σκάπτεσθαι τὴν γῆν ἐπὶ φυτεύσει αὐτοῦ. Theophr. H. Pl. 7, [1, 2] : Καλοῦμεν λάχανα τὰ πρὸς τὴν ἡμετέραν χρείαν, Olera vocamus, quibus in cibo utimur. [Plato Reip. 2, p. 372, C : Βολβοὺς καὶ λάχανα.] Athen. 2, [p. 70, A] ἑψητὰ λάχανα : et κνιστὰ λάχανα et συγκοπτὰ [9, p. 373, A], Olera minutatim concisa : θερινὰ λάχανα, ap. Eund. : ἄγρια λάχανα, Olera agrestia, Aristoph. Pl. [298, Thesm. 451. Ὄμβρια, quæ post pluviam nascuntur, Hesych. v. Μύκαι. Λεπτὰ Mœris v. Συρμαίαν p. 351. || Locus ubi veneunt olera. Suidas : Λαχάνοις, τοῖς λαχανοπωλίοις. Sic Aristoph. Lys. 557 : Νῦν μὲν γὰρ δὴ καὶ ταῖσι χύτραις καὶ τοῖς λαχάνοισιν ὁμοίως περιέρχονται, ubi bis Brunckius κἀν, ut usus postulat. Toupius confert Alexin ap. Athen. 8, p. 338, E : Ὥστε γίγνεται ἐν τοῖς λαχάνοις τὸ λοιπὸν ἡμὶν ἡ μάχη.] || Λάχανα, quod ex vimine connexum, currui ad sedendum imponitur, τὸ ἐπὶ τῆς ἀπήνης πεπλεγμένον, ἐν ᾧ καθέζονται, Hesych. [Πλόχανα Ruhnken. in Auct.]

D

[Λαχανόπτερος, ὁ, ἡ, Qui alas habet olerum. Lucian. Ver. Hist. 1, 13.]

Λαχανοπωλεῖον, τὸ, Locus ubi olera venduntur. [Olitorium, Gl. Λαχανοπωλίοις scriptum apud Suidam v. Λαχάνοις.]

Λαχανοπώλης, ὁ, Olerum venditor. [Olerator, Gl. Pollux 7, 196.]

[Λαχανοπωλήτρια, ἡ, Olerum venditrix. Aristoph. Thesm. 387. Photius et Hesych. v. Σχάνδιξ. Pollux 7, 199.]

[Λαχανοπώλιον, τό. V. Λαχανοπωλεῖον.]

[Λαχανόπωλις.] Λαχανοπῶλις, ιδος, ἡ, γυνὴ, [Olerum venditrix] de matre Euripidis. [Aristoph. Vesp. 497. Schol. Ach. 468, Ran. 1501. Pollux 7, 199. De accentu proparoxytono v. Arcad. p. 36, 1.]

[Λαχανοφαγία, ἡ, Olerum esus. Hippocr. p. 550, 56 : Γίνεται δὲ ἀπὸ λαχανοφαγίης τρωξίμων πολλῶν · 1230, 5 : Ἐκ λαχανοφαγίης, μάλιστα δὲ πράσων καὶ κρομμύων.]

[Λαχανοφόρος. V. Λαχανηφόρος.]

Λαχανώδης, ὁ, ἡ, Oleraceus : λαχανώδη, Oleracea, et quæ ex olerum genere sunt, ipsa olera : λ. κρόκοι, Diosc. [1, 25 in Aldina; nunc aliter], Usum oleris præbentes, Bud. [Theophr. H. Pl. 1, 3, 4, C. Pl. 3, 17, 8.]

[Λαχάνωνος sine interpretatione ponit Suidas. Λαχανῶνος quidem foret genit. substantivi Λαχανὼν, quod esset i. q. λαχανία. Λαχάνωνος autem est genit. nominis Λαχάνων, cujus exemplum est in Theophylacti Simoc. Epist. 29. L. Dindorf.]

[Λαχανωνυμία, ἡ, Nomen Lachanæ vel ab oleribus ductum. Tzetz. Hist. 4, 558 : Σὺ πλέον ἐπαυχῶν τῇ λαχανωνυμίᾳ. Ubi tangit nomen quod fuit viro cui scriberet epistolam Τῷ κυρίῳ Ἰωάννῃ τῷ Λαχανᾷ v. 472, quod v.]

[Λαχάρης, ου, ους, ὁ, Lachares, Atheniensium tyrannus ol. 120, ap. Pausan. 1, 25, 7 etc., Plut. Demetr. c. 33 et alibi, qui alium cognominem memorat Anton. c. 68. Alius est in numo Cymes Æolidis ap. Mionnet. *Suppl.* vol. 6, p. 7, 42. Forma genitivi Λαχάρου est ap. Suidam v. Μητροφάνης, Σουπηριανός. ἄἄ]

[Λαχαρίδης, ου, ὁ, Lacharides, n. viri Eleusinii in inscr. ap. Bœckh. *Urkunden* p. 384, 392. ἄἄῖ L. D.]

[Λαχᾶς, ὁ, Lachas, fl. Tegeæ. Dinias ap. Herodian. Π. μον. λ. p. 8, 16 sive ap. Cramer. Anecd. vol. 3, p. 263, 17 : Λέγεται γὰρ τοὺς Λακεδαιμονίους, καθ' ὃν ἐν Τεγέᾳ χρόνον ἦσαν αἰχμάλωτοι, δεδεμένους ἐργάζεσθαι διὰ τοῦ πεδίου τὸν Λαχᾶν ποταμόν. L. Dind.]

Λάχεια, ἡ, Hesychio εὔσκαφος καὶ εὔγειος : παρὰ τὸ λαχαίνεσθαι, q. e. σκάπτεσθαι πυκνῶς, ut sit Fossu facilis, Bonum habens solum. Hom. Od. I, [116] : Νῆσος ἔπειτα λάχεια παρὲκ λιμένος τετάνυσται. Ubi schol. quoque iisdem verbis exp. · alii propr. esse nomen volunt : nonnulli et ἐλάχεια scribunt, exponentes σμικρὰ, Parva, ut in Ἐλαχὺς docui. [K, 509 : Ἔνθ' ἀκτή τε λάχεια καὶ ἄλσεα Περσεφονείης. Ad utrumque l. v. schol. et Eust. Cum ἐλάχεια confunditur in H. Ap. 197.]

[Λαχειδής, ὁ, ἡ, ap. Nicand. Al. 581 : Ἤν γε μὲν ἐκ φρύνοιο θερειομένου ποτὸν ἴσχῃς ἠέ τι καὶ κωφοῖο λαχειδέος, ὅστ' ἐνὶ θάμνοις εἴαρι προσφύεται μορόεις λιχμώμενος ἔρσην. Schol. : Δασέος, ὡς οἱ πρὶν ἐξηγησάμενοί φασιν, ἢ ὡς οἴεται ὁ Τζέτζης πρασίζοντος, λαχανοειδέος, καὶ ἐν συγκοπῇ λαχειδέος. Ἄλλως, λαχειδέος, τοῦ δασέος ἢ μικροῦ, ἐὰν ἐλαχειδέος. Conf. quæ dicentur in Λαχύφλοιος.]

Λάχεσις, εως [et ιος : v. Chœrob. in Bekkeri Anecd. p. 1193, 1] ἡ, Lachesis, una ex Parcis : quam Aristot. De mundo [c. 7] tradit τετάχθαι κατὰ τὸ μέλλον, quoniam εἰς πάντα ἡ κατὰ φύσιν μένει λῆξις. Ita vero dictam volunt, quoniam vitæ, quæ sorte obtingere ab ethnicis dicitur, præest, et ἐπίκληροί τῷ μὲν ἀγαθὸν, τῷ δὲ ἐναντίον. V. Κλωθώ. [Hesiod. Th. 218, Sc. 258, poeta lyricus ap. Stob. Ecl. vol. 1, p. 172, Pind. Ol. 7, 64, Plato et mythologi, Plut. Mor. p. 644, A. Inscr. Spart. ap. Bœckh. vol. 1, p. 683, n. 1444, 8 : Μοιρῶν Λαχέσεων καὶ Ἀφροδίτης ἐνοπλίου. || Sors. Orac. Bacidis ap. Herodot. 9, 43 : Τῇ πολλοὶ πεσέονται ὑπὲρ λάχεσίν τε μόρον τε. ἄ]

Λάχη, ἡ, Sors, habetur in VV. LL. Hesychio λάχη est ἀποκλήρωσις, λῆξις : quo modo exposuit etiam λάξις. [Fingere hoc v. sibi videtur Etym. M. p. 569, 37. Æsch. Sept. 914 : Τάφων πατρῴων λαχαί. Inepte schol. A, αἱ σκαφαὶ, melius B, ἢ ἀντὶ τοῦ διορύξεις (a λαχαίνω) ... ἢ, ὃ καὶ κρεῖττον, ἀντὶ τοῦ κληρώσεις. Scribendum autem λάχαι. L. Dind.]

[Λάχης, ητος, ὁ, Laches, Athen. in bello Peloponnes. dux ap. Thuc. 3, 86 etc., Aristoph. Vesp. 240, qui etiam alium virum cognominem appellat Lys. 303. Nomine Lachetis inscriptus dialogus est inter Platonicos. Alii memorantur ap. Demosthenem et alios. Genit. Λάχου ap. Pseudoplut. Vit. x oratt. p. 847, C. ά]

[Λάχησις, εως, ἡ, Sortitio. Schol. Lycophr. 1141 : Δύο παρθένους πέμποντας ἐπὶ κλήρῳ καὶ λαχήσει. Wakef. Et 1144 : Λάχησιν. Antiquior forma est Λάχεσις.]

[Λαχησμός. V. Λαχισμός.]

[Λάχιον. V. Λάκχα. || Zonaras quod ponit Λάχιον τὸ λάχος, ὁ κλῆρος, ex λαχὸν corruptum videtur. L. D.]

[Λαχισμὸς, ὁ, Sortitio, Gl. Scribendum. Λαχησμός. L. Dindorf.]

[Λαχμὰν, panis genus ap. Syros. Athen. 3, p. 113, C. Hebr. לחם *Lechem*, Chald. לחמא *Lachma*. Bochart Canaan 2, 7.]

Λαχμητήριον, τὸ, et Λαχμὸς, ὁ, Eust. [Il. p. 674, 24] derivat ex λαχεῖν, Sortiri : sed non exponit.

Λαχμὸς, ὁ, Sors, κλῆρος, ut Soph. et Theocr. [8, 30] scholl. exp., dicentes poeticum esse. Eust. [Od. p. 1521, 48] ea signif. λαχεῖν exp. διὰ λαχμοῦ κτήσασθαι, Sortito obtinere. [Ἡ διὰ λαχμῶν (μαντική), Josephus Hypomn. p. 327. Hemst. Schol. Callim. Jov. 80, Harlej. Od. I, 335, ubi male per γ, Plat. Leg. 1, p. 630, E, Lycophr. 1349.] || Exp. etiam λακτισμὸς, Calcitratio, ap. Antimachum, Λαχμὸν δ' οὐ δείδιεν ἵππων, Etym. Sic vero et Hesych. λαχμῶν exp. ἱππείων λακτισμῶν. [Ubi ambiguum ad glossam an ad interpretationem pertineat ἱππείων : nisi accusativis repositis hic quoque locum Antimachi spectari quis putet : quæ Is. Vossii conjectura fuit. Sequitur ap. Hesych. : Λαχμὸν κούρης βάρος λακτισμὸς, gl. corrupta.] || Pilorum densitas, ἡ ἐκ τῆς λάχνης λασιότης, Eust. Hom. Od. I, [444] : Ὕστατος ἀρνειὸς μήλων ἔστειχε θύραζε Λαχμῷ στεινόμενος, ubi schol. exp. δασύτητι τῶν μαλλῶν : sicut Hesych. quoque λαχμῷ στεινόμενος exp. τῇ δασύτητι καὶ τοῖς μαλλοῖς πεπυκνωμένος. Annotat tamen eo l. Eust. quosdam cum Herodiano malle scribere λάχνῳ, sicut Etym. quoque Seleucum scribere tradit, ut idem cum λάχνη. [Scripturæ λάχνῳ vestigia servat etiam Hesychii gl. Λαχνοστηνομένον post Λαχνοῦται in cod. repetita.]

Λαχναῖος, ὁ, et Λαχνήεις, εσσα, εν, Lanuginosus, Villosus, Pilosus, Hirsutus, Hispidus. Quorum prius in Epigr. [Crinagoræ Anth. Pal. 9, 439, 1 : Βρέγμα πάλαι λαχναῖον] : secundum ap. Hom. Il. B, [743] : Φῆρας ἐτίσατο λαχνήεντας· ubi schol. quoque exp. δασεῖς, βαθύτριχας, seu, ut Hesiod. [Op. 511] loquitur, τῶν λάχνη δέρμα κατάσκιον, Quorum pellis villosa lanugine operta est. Rursum Il. Σ, [415] : Αὐχένα τε στιβαρὸν καὶ στήθεα λαχνήεντα· appellans στήθεα λαχνήεντα quæ alibi λάσια, Hirsuta, Pilis hirta : ut Hesych. quoque λαχνήεντα exp. τετριχωμένα, τριχώδη, δασέα, Pilosa, Hispida. [I, 548 : Δέρματι λαχνήεντι. Apoll. Rh. 1, 1312 : Λαχνῆέν τε κάρη.] Idem Hom. et ὄροφον λαχνήεντα vocat Tectum foliis et frondibus hirtum, ut quod conficitur ex frondibus et arundinibus : Il. Ω, [451] : Καθύπερθεν ἔρεψαν Λαχνήεντ' ὄροφον λειμωνόθεν ἀμήσαντες. [Oppian. Cyn. 3, 37 : Ὄχλος οὐκέτι λαχνήεις (leonum). Forma Dor. ap. Pind. 1, 19 : Στέρνα λαχνάεντα. Forma contracta Λαχνῆς ap. Arcad. p. 24, 21.]

Λάχνη, ἡ, Lanugo, Pili lanuginis modo molles : [Villus (sic), Gl.] ἁπαλὸν τρίχωμα. Hom. Od. Λ, [319]: Πρὶν σφῶϊν ὑπὸ κροτάφοισιν ἰούλους Ἀνθῆσαι, πυκάσαι τε γένυς εὐανθεῖ λάχνῃ. [Pind. Ol. 1, 68 : Ὅτε λάχναι νιν μέλαν γένειον ἔρεφον. Simias Alæ 2 : Δάσκια βέβριθα λάχνᾳ γένεια.] Il. K, [134] : Οὔλη δ' ἐπενήνοθε λάχνη· B, [219] de Thersite : Ψεδνὴ δ' ἐπενήνοθε λάχνη. [Antistius Anth. Plan. 4, 243, 6 : Οὔτι σ' ὀνήσει ἡ λάχνη. Nicand. Ther. 331 : Βλεφάρων δὲ μέλαιν' ἐξέφθιτο λάχνη.] Hesychio est δασεῖα τρίχωσις s. χαίτη, et ἡ χροχὶς [χροχ.. codex], ἡ ἐποῦσα τοῖς ἱματίοις τρίχωσις : item ὕλη, δασύτης, derivanti παρὰ τὸ λάσιον. Eidem, itemque Suidæ, λάχνη est ὁ ἀφρὸς τῆς θαλάσσης [κεφαλῆς inepte ap. Photium], Spuma maris : quæ et ἁλὸς ἄχνη. [Quorum vocc. confusionem fefellisse grammaticos annotavit Albertus.] Nicand. λάχνην vocavit etiam Pellem lanugine hirtam, Pellem hirsutam pilis mollioribus, Ther. [690] : Ἢ μητέρα λαιδρὴν Ἀγρεύσεις πρόσπαιον, ἀποσκύλαιο δὲ λάχνην· de fele. Ibi enim schol. exp. δέρμα, verba illa ἀποσκύλαιο λάχνην, interpretans ἐκδείρας. [Conf. 204. Hesiod. Op. 511 : Τῶν καὶ λάχνη δέρμα κατάσκιον. Soph. Trach. 690 : Σπάσασα κτησίου βοτοῦ λάχνην. Apoll. Rh. 1, 325 : Δέρμα ταύροιο λάχνῃ μέλαν. Oppian. Hal. 2,

A 369 : Τοίη μιν λάχνη δυσπαίπαλος ἀμφιβέβηκεν· Cyneg. 3, 140. Eust. Il. p. 207, 25; 330, 10; 774, 15.] Idem et herbarum comas λάχνην appellavit, Al. [410] : Περὶ δ' αἴνυσο λάχνην Πηγάνου, Folia cum flore : scholiaste tamen florem tantum intelligente. [Oppian. Hal. 4, 167: Κύρτους γὰρ σκιάσαντες ὑπὸ πτόρθοισι μυρίκης ἢ κομάρου πετάλοισι τευηλόσιν ἠὲ καὶ ἄλλῃ λάχνῃ· 380 : Τὸν δὲ φυτῶν λάχνῃσι περὶ στόμα πάντα πύκασσαν. Eust. Il. p. 774, 17. Ex græco latinum Lana post alios ducebat Varro L. L. 5, 23, quod ad λάχνη referebat Schweigh. ad Polybii fr. gramm. 90.]

[Λαχνῆς. V. Λαχνήεις.]

[Λάχνιος, adj. a λάχνη. Λαχνία Hecatæ epitheton in gemma abrax. Berolinensi ap. Tœlken. *Geschn. Steine* p. 452, ab horrida forma crinium ejus, ut videtur, ductum. Osann.]

[Λαχνόγυιος, ὁ, ἡ, Hirsutus membris, corpore. Eur. Hel. 378 : Θηρῶν λαχνογυίων.]

Λάχνος, pro λαχνήεις, quod est δασὺς, dicitur, ut tradit Suid. [δασὺς Photio] : qua de re et in Λαχμός.

B [Λαχνόω.] A λάχνη est verbum Λαχνοῦται, significans τριχοῦται, δασύνεται, Pilosus fit et hispidus, teste Hesychio, ap. quem et præt. pass. λελάχνωσαι pro δασὺς εἶ, Hirtus es, s. Factus es hispidus et pilosus. [Solon qui dicitur ap. Philon. vol. 1, p. 25, 28 : Γένειον ... λαχνοῦται. Strato Anth. Pal. 12, 178, 3 : Ὅτε νυχτὶ λαχνοῦται, de adolescente hispido jam et barbato.]

[Λαχνώδης, ὁ, ἡ, Hispidus, Hirsutus, Herbidus, Herbosus. Eur. Cycl. 539 : Λαχνῶδες οὖδας ἀνθηρᾶς χλόης. Schol. Nicandri Ther. 762 : Ἔγχνοα, ἤτοι λαχνώδη.]

[Λάχνωσις, εως, ἡ, Hirsutia. Hippocr. p. 44, post Philon. De Septen. Boiss. Theol. arithm. p. 43.]

Λάχον, τὸ, quod in VV. LL. affertur sine ullo auctore, falsum sine dubio est. [Fictum ex partic. λαχόν. Scribitur autem in Lex. Septemv. : « Λάχον, ου, τὸ, et Λάχος, εος, τὸ, Sors. Cyrillus masculinum facit. » Unde receptum videtur in Ps.-Sophoclis Clytæmnestram : Ὁδηγὸν ὅστις τὸν λάχον ζητεῖ, τυφλός.]

Λάχος, τὸ, Sors, h. e. Id ipsum quod sorte obtin-

C git, quod sorte obvenit. Gregor. : Σὸς γὰρ ἔγωγε Λάτρις, σὸν δὲ λάχος, σὺ δέ μοι Θεὸς οἷος ἄνωθε. A Theognide quoque [592 : Ῥηιδίως δὲ φέρειν ἀμφοτέρων τὸ λάχος] pro Fortuna et sorte hominis accipi testatur Bud. Et ap. Suid. ex fabulis : Τοῦτο μὲν οὖν πρῶτον λάχος οἴσομαι. Item, Ἐν οἷς ἦν καὶ συὸς ἀγρίου μέγα λάχος. Hesychio quoque [et Photio] λάχος est κλῆρος, μέρος. [Κλῆρος etiam Timæus p. 173. Iisdem signiff. quas ponit HSt. Pind. Ol. 7, 58 : Ἔνδειξεν λάχος Ἀελίου· Nem. 10, 85 : Ἔστι σοὶ μὲν τῶν λάχος. Æsch. Eum. 5 : Πρῶτον μὲν εὐχῇ τῇδε πρεσβεύω θεῶν τὴν πρωτόμαντιν Γαῖαν· ἐκ δὲ τῆς Θέμιν, ἣ δὴ τὸ μητρὸς δευτέρα τόδ' ἕζετο μαντεῖον· ἐν δὲ τῷ τρίτῳ λάχει ... καθέζετο Φοίβη· 310 : Λάχη τὰ κατ' ἀνθρώπους ὡς ἐπινωμᾷ στάσις ἁμά· 335 : Τοῦτο γὰρ λάχος μοῖρ' ἐπέκλωσεν ἐμπέδως ἔχειν· 344 : Γιγνομέναισι λάχη τάδ' ἐφ' ἁμὶν ἐκράνθη· 386 : Ἀτίετα διόμεναι λάχη· 400 : Τῶν αἰχμαλώτων χρημάτων λάχος μέγα· Cho. 361 : Μόριμον λάχος. Soph. Antig. 1303 : Τοῦ πρὶν θανόντος Μεγαρέως κλεινὸν λάχος, de eo qui pro patria se devoverat. Ubi libri λέχος.

D Apoll. Rh. 1, 1082 : Ἄλλοι μέν ῥα πάρος δεδμημένοι εὐνάζοντο ὕπνῳ ἀριστῆες πύματον λάχος· 3, 1340 : Ἦμος δὲ τρίτατον λάχος ἤματος ἀνομένοιο λείπεται ἐξ ἠοῦς. Moschus 2, 2 : Νυκτὸς ὅτε τρίτατον λάχος ἵσταται. Callim. ap. schol. Pind. Nem. 10, 1 : Ἄργος ἴδιόν περ ἐὸν λάχος (Junonis). Xen. Anab. 5, 3, 9 : Παρεῖχε δὲ ἡ θεὸς τοῖς σκηνῶσιν ... τῶν θυομένων ἀπὸ τῆς ἱερᾶς νομῆς λάχος. Alciphr. Ep. 3, 29 : Ἐκ τούτων λάχος σοι ... ἀπέσταλκα.]

[Λαχύφλοιος, ὁ, ἡ, Qui parva habet folia. Nicand. Al. 269 : Κασταναοῦ καρύοιο λαχυφλοίοιο κάλυμμα. Schol. ἐλάχιστον φλοιὸν ἔχοντος, μικροφύλλου. Alii libri ταχυφλ. vel δασυφλ. Interpretatio alludit ad ἐλαχυφλ., quo recepto etiam alia mutanda essent. Nisi forte poetam eruditum vocabulum Homericum λάχεια secus acceptum ad formam λαχυφλ. eadem signif. usurpandam impulit. V. autem Λαχειδής.]

Λάχως, affertur pro Quasi. [In Lex. Septemv. Est nihili.]

[Λαχωτής. V. Λάκχα.]

[Λάψα, γογγυλὶς, Περγαῖοι, Hesych.]

Λαψάνη, ἡ, Olus agreste edule, teste Hesych. Ex Plin. interpr. Cymam sylvestrem. Inde proverb. Lapsana vivere. [Λαμψάνη, Inula, Gl., ut ap. Diosc. 2, 142. Utraque orthographia invenitur etiam apud Latinos, ut notatum in Lexx. Latinis, quæ v. Ducangius : « Ammon episcopus in Epist. de vita et conversat. SS. Pachomii et Theodori n. 16 : Εἴς τινα νῆσον τοῦ ποταμοῦ ἀπέσταλτο, ὥστε τὰς λεγομένας λαψάνας συναγαγεῖν. Λαψάνιον in Paralipomenis de S. Pachomio n. 15 : Καταρτίσαι μικρὰ βρώματα τοῖς ἀδελφοῖς, ἅπερ ἐστὶν λαψάνια, μετὰ ὄξους καὶ ἐλαίου. » Λαμψάκη vitiose in Etym. M. p. 209, 18.]

Λαψάρων, Hesychio τῇ χειρὶ ποτίζων sive ἁπτόμενος. [V. conjecturas interpretum.]

[Λάψις, εως, ἡ, Linctus. Aristot. H. A. 8, 6. V. Λάπτω.]

[Λάω. V. Λαίω, Λαύω, Λῶ.]

Λαώδης, ὁ, ἡ, Popularis, VV. [Plut. Crass. c. 3 : Ἐν δὲ τοῖς δείπνοις ἡ μὲν κλῆσις ἦν ὡς τὰ πολλὰ δημοτικὴ καὶ λαώδης. Georg. Pachym. Mich. Palæol. p. 184, C, Andron. p. 53, E. « Muson. Ep. ad calc. Collect. Epistologr. Ald. » Boiss.]

[Λάων, ωνος, ὁ, Laon, mediæ, ut videtur, comœdiæ poeta ap. Stob. Flor. vol. 3, p. 489, Dicæarchum De vita Græciæ p. 191 ed. Marx., 28 Buttm. L. D.]

Λέα s. Λεὰ, ἡ, Lapis s. pondus, quod textores staminibus appendunt. [Et in Ind.] : Λέα, Etymologo ὁ ἐν τοῖς ἱστίοις λίθος, Lapis quem textores stamini inter texendum appendunt : quæ et λεία et ἀγνύς. Hesych. oxytonως habet λεὰς, exponens et ipse τὰς ἀπὸ τῶν ἱστῶν κρεμαννυμένας ἄκρας. [V. Λεία.]

[Λέαγρος, ὁ, Leagrus s. Leager, f. Glauconis, Atheniensium dux, Herodot. 9, 75 ; pater Glauconis, Thuc. 1, 51, Pausan. 1, 29, 5.]

Λεάδα, Hesychio ἡ ἐξοχὴ τῶν πετρῶν, Rupium eminentia. [V. Λεδδὰ, ubi πτερνῶν scriptum. Pertinere autem videtur ad Λέα s. Λαία vel Λεία.]

[Λεάδης, ους, ὁ, Leades, n. viri in numis Chalcidis Eubœæ ap. Mionnet. *Descr.* vol. 2, p. 304, n. 27, 28 : ΕΠΙ ΛΕΑΔΕΟΣ. Λεάδης f. Astaci, qui Eteoclum in bello Eteoclis cum Polynice occiderit, memoratur Apollod. 3, 6, 8, 2, quod frustra in Λειάδης mutabat Heynius. L. Dind.]

Λέαινα, ἡ, Leæna : fem. ex masc. λέων, ut Λάκαινα ex Λάκων. [Æsch. Ag. 1258 : Αὕτη δίπους λέαινα συγκοιμωμένη λύκῳ, de Clytæmnestra. Soph. Aj. 987 : Σκύμνον λεαίνης. Eur. Med. 187 : Τοκάδος δέργμα λεαίνης· 1342 : Λέαιναν οὐ γυναῖκα. Theocr. 23, 19 : Κακᾶς ἀνάθρεμμα λεαίνας, λάϊνε παῖ. Herodot. 3, 108.] At λέαινα ἐπὶ τυροκνήστιδος, Hesychio σχῆμα συνουσίας ἀκόλαστον : quod ipsum testatur et Suid. v. Τυρόκνηστις. [Ex Aristoph. Lys. 231.]

[Λέαινα, ἡ, Leæna, n. muliebre. Concubinæ Aristogitonis et Harmodii, ap. Pausan. 1, 23, 2, Athen. 13, p. 596, F ; Demetrii Poliorcetæ ap. eund. 6, p. 253, B ; 13, p. 577, C, D. N. navis Atticæ, in inscr. ap. Bœckh. *Urkunden* II, 60 ; IV, b, 26.]

[Λέαινος, ὁ, Leænus, n. pr. viri. Theognost. Anecd. Ox. vol. 2, p. 66, 31. Cramer.]

Λεαίνω, ἀνῶ, Lævio, Polio, Complano, i. q. λειαίνω. [Plato Tim. p. 66, C : Ὁπόταν λεαίνῃ τὰ τραχυνθέντα· Conv. p. 191, A : Λεαίνοντες τὰς τῶν σκυτῶν ῥυτίδας. Lucian. Cyn. c. 14 : Λεαίνοντες καὶ ψιλούμενοι πᾶν τοῦ σώματος μέρος.] Philo De mundo : Μέχρις ἂν τὸν τύπον λεάνασα λήθη, ἀμυδρὸν ἐργάσηται ἢ παντελῶς ἀφανίσῃ, Interliniens et complanans. [Dionys. De comp. vv. p. 66, 3 : Τὴν ἀκοήν τινες ἦχοι τραχύνουσι καὶ λεαίνουσι. Philostr. Imag. 2, p. 828 : Πρᾶος τὴν ῥῖνα καὶ τὸ ἐπίχολον αὐτῆς λεαίνων τῷ ὕπνῳ· 833 : Λεαίνων (βραχίων) τὰ κύματα εἰς τὴν νῆξιν. Figuratius Herodot. 8, 142 : Λεήνας τὸν Μαρδονίου λόγον. « Mare λεαίνει τὴν θῖνα τῷ κύματι, Himerius p. 220. Λεαίνειν τὴν φωνὴν Philostr. p. 193. Λεάνασα Phile Propr. anim. 47, 4. » Jacobs.] || Contero, Frio, Comminuo, s. potius Conterendo friandoque et molendo, ex asperis et scrupeis in lævem pulverem redigo. Deleo, Gl. Xenoph. Comm. 1, 4, 6 : Τοὺς γομφίους λεαίνειν (cibos). Herodot. 1, 200 : Ἐσβάλλουσι ἐς ὅλμον καὶ λεήναντες ὑπέροισι σῶσι διὰ σινδόνος· 4, 122 : Ἐστρατοπεδεύοντο τὰ ἐκ τῆς γῆς φυόμενα λεαίνοντες.] Aristot. [De respir. c.

A 11 : Λεαίνειν τὴν τροφήν· De partt. an. 3, 1 : Τοὺς γομφίους πλατεῖς, ἵνα λεαίνωσιν·] H. A. 2, [c. 5] : Λεαίνει ὥσπερ κρίμνα, Molit et comminuit ut furfures crassiores. [Nicand. Alex. 201 : Κνίδης τε μίγα σπερμεῖα λεήνας· 545 : Δοίδυκι λεήνας. Pass. Plato Polit. p. 270, E : Αἱ παρειαὶ λεαινόμεναι. Heliodor. 2, p. 105 : Θαλάσσης ἀπὸ κύματος εἰς γαλήνην ἄρτι λεαινομένης. Med. Musonius Stob. Fl. vol. 1, p. 369 : Ἀσκῶν καὶ ἐθίζων ἑαυτὸν αἱρεῖσθαι σῖτον, οὐχ ἵνα λεαίνηται τὴν κατάποσιν, ἀλλ' ἵνα ῥωννύηται τὸ σῶμα. « Theopompus ap. Athen. 6, p. 260, E : Ξυρούμενοι καὶ λεαινόμενοι διετέλουν. Maximo Tyr. Diss. 4, § 6 restituit Markl., qui vid. Sic Timæus Ath. 12, p. 518, A : Λεαινόμενοι τὰ σώματα. Theopomp. de occidentalibus populis λεαινόμενοι τὰ σώματα ... πιττοῦνται καὶ ξυροῦνται τὰ σώματα. Ib. p. 522, D, eo luxus devenere ὥστε καὶ τὸν ὅλον χρῶτα παραλεαίνεσθαι καὶ τῆς ψιλώσεως ταύτης τοῖς λοιποῖς κατάρξαι. » Valck.]

|| Λειαίνω, Lævigo, [Polio, Deleo, add. Gl.] Lævo, ut λειόω. Hom. Il. [Δ, 111] de quodam fabricante arcum corneum : Πᾶν δ' εὖ λειήνας, χρυσέην ἐπέθηκε κορώνην. Item Complano : Hesych. λειανῶ, λείαν καὶ ὁμαλὴν ποιήσω. Il. O, [260] : Αὐτὰρ ἐγὼ προπάροιθε κιὼν ἵπποισι κέλευθον Πᾶσαν λειανέω, τρέψω δ' ἥρωας Ἀχαιούς· Θ, [260] : Λείηναν δὲ χορὸν, καλὸν δ' εὔρυναν ἀγῶνα, i. e. λεῖον ἐποίησαν, Hesych. Philo De mundo : Πάντα δὲ διὰ πάντων ἤδη λελειάνθαι, In planitiem abiisse. [Hesych. : Λάϊγγες, λίθοι ὑπὸ ὕδατος λελιασμένοι. Quod λελειασμένοι scribendum videtur. L. D.] || Λειαίνω exp. etiam Mollio, Tero, Molo, Pinso, Subigo. [Nicand. Th. 95. Medio ib. 646. Pass. Theoph. Nonn. vol. 1, p. 228. Λιαίνω scriptum ap. Photium, in Gl., quæ interpretantur Deleo, Exacesco, et alibi in libris haud raro.]

[Λεαμήδης, ους, ὁ, Leamedes, n. viri in numo Dyrrhachii Illyrici ap. Mionnet. *Descr.* vol. 2, p. 39, 111.]

[Λεάνδρειος, α, ον, Leandreus, adj. ab Λέανδρος. Paulus Sil. Anth. Pal. 5, 232, 2 : Ἐν δὲ Λεανδρείοις χείλεσι πηγνυμένη.]

[Λεανδρίας, ὁ, Leandrias, Spartanus, ap. Diodor. 15, 54, qui Λεανδρίδας scripsisse videtur, nisi forte præstat Κλεανδρίδας, quod notum est nomen Spartanum. ῐᾰ L. Dind.]

[Λεανδρίς. V. Λαιανδρίς.]

[Λέανδρος, ὁ, Leander, n. viri, cujus notissimum ex. est amasius Heronis, Abydenus, de quo exstat carmen Pseudo-Musæi. Alii sunt ap. Plut. Mor. p. 256 sq. et alibi.]

[Λεάνειρα, ἡ, Leanira, f. Amyclæ, uxor Arcadis, Apollod. 3, 9, 1, ubi Λεαίνειρα est in libris nonnullis.]

[Λέανσις, εως, ἡ, Contritio. Matthæi Med. p. 318 : Μετὰ τὸ αὐτάρκως ἔχειν τῆς λεάνσεως. L. D. || Levigatio. Tzetz. Hist. 5, 304 : Οὐχ ὥσπερ ἐν Λυκόφρονι τὴν λέανσιν λαβοῦσα (λέξις) ἐξ ἑπομένων λέξεων. Elberl. Forma per ι Clemens Al. Pæd. p. 263 : Τὸ καλλώπισμα τὸ λειάνσεως. Wakef.]

Λεάντειρα, ἡ, Lævigans. Suid. ex Epigr. [Phæniæ Anth. Pal. 6, 295] : Λεάντειράν τε κίσηριν.

[Λεαντέον, Levigandum. Diosc. 5, 103.]

[Λεαντὴρ, ῆρος, ὁ, Qui levigat, comminuit. De pistillo in Matthæi Med. p. 317 fin. : Οὔτε ὑποπεσεῖται (τὰ ἀρωματικὰ) τῷ λεαντῆρι. Forma per ει in Gl. : Λιαντήρ, Liaculum, pro λειαντήρ. L. Dind.]

Λεαντικὸς, ή, όν, Lævigandi vim habens, [λειῶσαι δυνάμενος Hesychio,] ut λ. οἶνος, Vinum, cui facultas est lævem et lubricum reddendi, Aristot. Probl. [3, 14. Λεαντικὰ, medicorum sermone sunt Quæ vim lævigandi s. leniendi habent, ut λεαντικὸν ἀρτηρίας, Athen. 2, p. 57, C ; 58, D. Schweigh. Matthæi Med. p. 334 : Λεαντικοῖς χρώμεθα ἐπὶ ἀρτηρίας ξανθείσης, et in seqq. Adv. Λεαντικῶς, Eust. Il. p. 118, 9 : Συγκαθίζειν λ. τῇ καταψήσει τὰ ἐπανιστάμενα.]

[Λεαρχὶς, ίδος, ἡ, Learchis, n. mulieris. Tatian. Adv. Græcos 33, p. 270, D : Λεαρχίδα Μενέστρατος (ἐχαλκούργησεν). L. Dind.]

[Λέαρχος, ὁ, Learchus, f. Athamantis et Inus, Apollod. 1, 9, 1 ; 3, 4, 3, 6. Atheniensis quidam ap. Thuc. 2, 67. I. q. Λάαρχος, quod n. v., ap. Herodot. 4, 160, ubi libri plerique bis Ἀλίαρχος, quod ex Ἄλαρχος, hoc autem ex Λάαρχος depravatum judicabat Valck.]

[Λέβα, πόλις ὑπὸ Θρακῶν, Hesychius.]

[Λεβάδεια, ἡ, Lebadea, urbs Bœotiæ, ab Lebado Atheniensi dicta, quum vocaretur Midea, sec. Pausan. 9, 39, 1. Herodot. 8, 134, Xen. Comm. 3, 5, 4, Strabo 9, p. 413, 414, 423, inscrr. ap. Bœckh. vol. 1, p. 746, n. 1569, 5, 18, et ubi Λεβαδεα est, n. 1678, b, p. 802. Vitiosam esse scripturam Λεβαδία, non infrequentem in libris, ostendit etiam gentile Λεβαδεὺς ap. Polyb. 27, 1, 4, et in inscrr. Lebad. ib. n. 1603, p. 779; 1621, 9, p. 787, et vol. 2, p. 44, n. 1936, 8. Aliud in alia Lebad. vol. 1, p. 759, n. 1575, 1 : Χαροπίνω ἄρχοντος Βοιωτοῖς, Λεβαδειείοις δὲ Κα..... Inter Λεβαδειεων et Λεβαδειηων variant apographa ib. n. 1588, 1, p. 770. Adj. hinc ductum Λεβαδιακὸς ap. Aristot. H. A. 8, 28, ubi alii libri Λεβαδικὸς, quod verum videtur. || Formam Λιβαδία suo loco ponunt Photius, et qui Λιβαδεία scribit, Suidas. Conf. Jacobs. ad Ælian. N. A. 17, 10. ἃ L. Dind.]

[Λεβάδη, ἡ, Lebade, urbs Lydiæ. Plin. N. H. 5, 29, 31 : « Obiit et Archæopolis substituta Sipylo et inde illi Colpe et huic Lebade. »]

[Λέβαδος, ὁ, Lebadus, Atheniensis, a quo dicta Λεβάδεια, quod v.]

[Λεβαία, ἡ, Lebæa, urbs superioris Macedoniæ. Herodot. 8, 137.]

[Λέβεδος, ἡ, Lebedus, urbs Ionum Lydiæ. Herodot. 1, 142, Thuc. 8, 19, Strab. 14, p. 643. Gent. Λεβέδιος, α, ον, in numis ap. Mionnet. *Suppl.* vol. 6, p. 228, ap. Pausan. 1, 9, 7, etc., Strab. l. c.]

Λέβερνοι, οἱ, Suidæ πλοῖα πολεμικὰ, τριήρεις νῆες : eadem quæ Λίβερνοι et Λιβυρνίδες, Liburnicæ naves. [Photius s. Etym. M. in Τριήρεις.]

[Λεβήνη, ἡ, Lebene, oppidum Cretæ. Strabo 10, p. 478 : Ἐκ Λεβῆνος. Alii Λεβήνου et, quod rectius videtur, Λεβήνης. Sic ap. Pausan. 2, 26, 9 : Ἐν Λεβήνῃ τῇ Κρητῶν. Apud Ptolem. 3, 17, Λεβήνα. Simile oppidum Creticum est Βήνη. Λεβηναῖον, ἱερὸν, Suidas, fortasse ex Philostr. V. Ap. 4, 34, p. 174, ubi Æsculapii ἱερὸν Λεβηναῖον memoratur, et mira additur etymologia, ἐπειδὴ ἀκρωτήριον ἐξ αὐτοῦ κατατείνει λέοντι εἰκασμένον. L. Dind.]

[Λεβηριδωτὸς, ὁ, Qui exuvias habet. Theod. Prodr. Ep. in Lazer. Misc. 1, 64 s. Notitt. Mss. vol. 6, p. 542 : Κατὰ τοὺς ὄφεις λεβηριδωτοὶ καὶ φολιδωτοί. Boiss.]

Λεβηρὶς, ἴδος, ἡ, Exuviæ, Pellis deposita : Hesychio τὸ λέπος τοῦ κυάμου, Cortex fabæ, Pellicula fabæ detracta [λέπος interpretatur etiam Photius s. Suidas in Τυφλότερος λεβηρίδος] : item τὸ τοῦ ὄφεως γῆρας ὃ ἀποδύεται, Senium serpentis quod exuit : Plinio Membrana s. Senectus anguium, l. 29, c. 5 ; Anguina vernatio, l. 30, c. 3 ; Vernatio annua, alibi : item simpliciter Senectus et Vernatio, l. 7, c. 30, et l. 29, c. 6 ; Pellis exuviæ, alibi : ut et Exuviæ Virgilio in Georgicis. [Vernatio interpr. etiam Gl.] Statius Senium et squallentes annos vocat, Lucretius Vestem : hic, l. 3, Vestemque relinquere ut anguis Gauderet. Et 4, Quum lubrica serpens Exuit in spinis vestem. Ille, Theb. 4 : Seu lubricus alta Anguis humo verni blanda ad spiramina solis Erigitur liber senio et squallentibus annis : nam, inquit Lactant. grammat., deposita pelle dicuntur serpentes in juventutem redire : id autem ætatis senium deponere, quum comederint herbam quæ Marathron dicitur : quemadmodum et Nicand. Ther. [31] scribit serpentem, Τῆμος ὅτ' αὐαλέων φολίδων [φολάδων] ἀπεδύσατο γῆρας, Μῶλυν ἐπιστείχειν, et ὄμμασιν ἀμβλώσσειν· quapropter φεύγοντα τὸν φωλεὸν, quærere μαράθρου ὄρπηκα : quem βοσκηθέντα reddere ipsum ὠκύν τε καὶ αὐγήεντα, ex tardo et segni celerem et agilem, ex cæcutiente acri præditum visu. Ubi nota eum γῆρας vocare hanc τὴν λεβηρίδα, quæ et σύφαρ appellatur a Lycophr. : τῆς λεβηρίδος autem vocabulo utitur Joseph. Antiq. Jud. [3, 7, 2], de cingulo summi Pontificis : Ζώνη διακένως ὑφασμένη ὥστε λεβηρίδα δοκεῖν ὄφεως, Zona ita texta ut cava et inanis sit ut exuvium serpentis. [Holoboli schol. in Dosiadæ Aram : Νεάζει γὰρ ὁ ὄφις τῇ τῆς παλαιᾶς λεβηρίδος ἀπεκβολῇ.] Ubi ut τῇ λεβηρίδι ὄφεως tribuitur τὸ διάκενον, ita proverbio dicitur Κενώτερος λεβηρίδος, Inanior serpentis senio : velut ap. Athen. 8, [p. 362, B] : Πάντας γὰρ ἐπιστομίζειν πειρώμενος, οὐδενὸς μὲν ἀμαθίαν κατέ- A γνως, σαυτὸν δ' ἀποφαίνεις κενώτερον λεβηρίδος. [Eust. Op. p. 135, 36.] Ap. Suidam [s. Hesychium, qui alterum ex Aristophane affert, quo ipso et Strattide comico testibus utitur etiam Erotian. p. 244] et alia proverbia, nimirum Γυμνότερος ὑπέρου καὶ λεβηρίδος, de admodum nudo et paupere : necnon Τυφλότερος λεβηρίδος, de prorsus cæco. [Addit autem Hesych. s. Photius : Τάττουσι δὲ τὴν λέξιν ἐπὶ τέττιγος καὶ συνόλως ἐπὶ τῶν ἀποδυομένων τὸ γῆρας. Et in Λεβηρὶς, Τινὲς δὲ ἄνδρα Λέβηριν γενέσθαι πτωχόν.] Galen. quoque in Lex. Hipp. [p. 514] λεβηρίδα dici scribit τὸ τοῦ ὄφεως γῆρας : ab aliis vero exponi κόγχην κενήν : forsitan respiciens ad hunc l. Γυναικ. l. 1, [p. 625, 41] : Ἢν δὲ ἔτι ἐνέχηται τὸ χωρίον, λεβηρίδος ὅσον ὀβολὸν τρίβειν ἐν οἴνῳ, καὶ πίσαι. [Est etiam p. 667, 11. Alciphr. Ep. 3, 19 : Λεπτότερόν μοι τὸ δέρμα λεβηρίδος. || Cuniculus. Strabo 3, p. 144 : Τῶν γεωρύχων λαγιδέων, οὓς ἔνιοι λεβηρίδας (al. λεβορίδας, epitome λιβηρίδας) προσαγορεύουσι. Unde repetit Eust. ad Dionys. v. 457. V. Λέπορις. Erotian. l. c. : Πηλέμαχος (olim Πολέμαχος, quasi Πολέμαρχος, Casaub. B ad l. Strabonis tacito Τηλέμαχος) δὲ ὁ γραμματικὸς εὐηθέστερον (— ροι cod. Dorv.) φησὶ δυσαναγωνιστοῦ (δυσανταγωνίστου HSt., qui etiam scripturam δυσαγωνίστου memorat) καὶ λιμοποιοῦ ζώου μικροῦ ὄνομα εἶναι τὴν λεβηρίδα, μικρῷ λαγωῷ ὁμοίου· ὃ Ῥωμαῖοι μὲν κουνίκλουν καλοῦσι, Μασσαλιῶται δὲ λεβηρίδα. Photius : Λ., ὄρνεόν τι δυσοιώνιστον, Avis mali ominis. Quod etiam Erotiano restituendum.]

Λεβηρὸς, ex Hippocr. affertur pro Humidus, ὑγρὸς, sed perperam ; scrib. enim λιβηρός.

Λέβης, ητος, ὁ, Lebes [Cacabus, Pollubrum, Aena, Caldarium, Aeneum, Scutra, Gl.] : a λείβειν dictus, quoniam in eum τὸ ὕδωρ λείβεται, Funditur, Eust. ex Athen. [11, p. 475, D.] Dicitur Vas plerumque æneum, quo aliquid igni applicamus, ut bulliat. Hom. Il. Φ, [363] : Ὡς δὲ λέβης ζεῖ ἔνδον ἐπειγόμενος πυρὶ πολλῷ, Κνίσση μελδόμενος ἁπαλοτρεφέος σιάλοιο. [Pind. Ol. 1, 26 : Καθαροῦ λέβητος, in quo Pelops coctus est. Frequens etiam apud Tragicos. Herodot. 6, 58 : Κατὰ τὴν πόλιν (Spartam post mortem regis) γυναῖκες περιιοῦσαι λέβητα C κροτέουσι. Phylarchus ap.] Athen. 4, [p. 150, E] : Λέβητας ἐπέστησε χρεῶν παντοδαπῶν μεγάλους. Eod. l. dicit χαλκοῦς λέβητας, ut Ovid., Operoso ex ære lebetes. [Æsch. Cho. 686, Soph. Trach. 556.] Et alibi λεβήτων ὑποθήματα, Tripodes. [Æschyl. fr. Athamantis ap. Athen. 2, p. 37, F : Τὸν μὲν τρίπους ἐδέξατ' οἰκεῖος λέβης. « Antiphanes ib. 1, p. 27, D : Ἐξ Ἄργους λέβης. » Valck.] In certaminibus etiam donabantur lebetes. Hom. Il. Ψ, [259] : Νηῶν δ' ἔκφερ' ἄεθλα, λέβητάς τε τρίποδάς τε. Sic Virg. Æn. 5, [266] : Tertia dona facit geminos ex ære lebetas. [Pind. Isthm. 1, 20 : Ἔν τ' ἀέθλοισι θίγον πλείστων ἀγώνων καὶ τριπόδεσσιν ἐκόσμησαν δόμον καὶ λεβήτεσσιν φιάλαισί τε χρυσοῦ. Diotimus (olim Callimachus) Anth. Pal. 9, 391, 3 : Κεῖται δέ σφιν ἀγὼν οὐ χαλκέου ἀμφὶ λέβητος. Soph. fr. Acrisii ap. Athen. 10, p. 466, B. Id. El. 1401 : Ἡ μὲν ἐς τάφον λέβητα κοσμεῖ.] || Pelvis lavandis manibus, Malluvium, χέρνιβον, χερνίβιον : nam et in ipsum λείβεται τὸ ὕδωρ : ut Eust. ex vett. gramm. tradit. Hom. Od. Γ, [440] : Χέρνιβα δέ σφ' Ἄρητος ἐν ἀνθεμόεντι λέβητι Ἤλυθεν ἐκ θαD λάμοιο φέρων, Aquam lavandis manibus in florido malluvio. Od. Α, [137] : Χέρνιβα δ' ἀμφίπολος προχόῳ ἐπέχευε φέρουσα Καλῇ, χρυσείῃ, ὑπὲρ ἀργυρέοιο λέβητος· atque ita illis gramm. λέβης est Vasculum, quod lavantium manibus supponitur, excipientibus aquam ἐκ προχόου, Ex gutturnio, in quo affertur ipsa χέρνιψ, Aqua lavandis manibus. Unde et Pollux 6, c. 14 [§ 92] : Χέρνιβα μὲν τὸ ὕδωρ Ὅμηρος καλεῖ, πρόχουν δὲ τὸ ὑδροφόρον ἀγγεῖον, λέβητα δὲ τὸ ὑποδεχόμενον. Sed et Athen. 11, [p. 468, C] citans ex Hom. [Il. Ψ, 267] : Ἄπυρον κατέθηκε λέβητα, et ex Ione exponens ἄχραντον πυρὶ, eo significari ait τὸν ἐπιτήδειον εἰς ψυχρῶν ὑδάτων ὑποδοχὴν, vel τὸν πρὸς ψυχροποσίαν εὔθετον. Sunt igitur duo λεβήτων genera ap. Hom. πυριβήτης et ἀπύρωτος, ut Athen. tradit 11, [ib. D, E] in Ἀμφίθετον. Dicitur etiam de Pelluvio, i. e. Vase, in quo pedes abluuntur, quod et λεκάνη. Hom. [Od. Τ, 386] ap. Polluc. [10, 77] : Γρηῢς δὲ λέβηθ' ἕλε παμφανόωντα Τῷ πόδας ἐξαπένιζεν, ὕδωρ δ' ἐπεχεύατο πουλύ. [Formam Bœot. Λέβεις annotant Theognost. in Cram. Anecd.

vol. 2, p. 43, 11, Chœrob. in Bekk. Anecd. p. 1366, b. L. Dindorf.] A

[Λεβητάριον. V. Λεβήτιον.]

[Λεβητίζω, In lebete coquo. Lycophr. 199 : Σάρκας λεβητίζουσα δαιταλουργίᾳ.]

Λεβήτιον, ac Λεβητάριον, τὸ, Parvus lebes. Λεβήτιον ab Athenæo [4, p. 169, C] ponitur inter μαγειρικὰ σκεύη, citante Anaxippi comici quendam locum. [Cum χαλκίον ponit Herodianus Philet. p. 450, Pollux 10, 95.] Pollux autem [6, 92; 10, 76] scribit λεβήτιον dici posse etiam λέβητα, Malluvium : item τὸ λεκάνιον, quod vomituris supponitur. [Alterius formæ Ducangius annotavit exx. Germani patr. Cpol. in Mystag. : Τότε δὲ κομίζεται τὸ ὕδωρ θερμότατον εἰς μικρὸν λεβητάριον· Heronis Spirit. p. 187, D (et 157, D; 219, B) : Ἐπὶ τοῦ ὕδατος ἐπινηχέσθω λ. Memorat inter ea ἐν οἷς θερμαίνεται τὸ ὕδωρ et μαγείρου σκεύη Pollux 10, 66, 95, ipseque utitur ib. 165. Matthæi Med. p. 182 : Μεταξὺ τῆς διαστάσεως τῶν σκελῶν θεῖναι χύτραν ἢ λεβήτιον, ἔχον ἄνθρακας ἡμμένους.]

[Λεβητοειδής. V. Λεβητώδης.] B

[Λεβητοπόνος, ὁ, Theod. Prodr. Ep. 71.]

Λεβητοχάρων, ὁ, Lebete s. Lebetibus gaudens, Athen. 8, [p. 347, D] ex Cercida Megalopolitano. [Λεβητοχάρις (-ρης) cod. epitomes. Cum Πατελλοχάρων et Τραπεζοχάρων confert Bergler. ad Alciphr. 3, 54, a χαίρειν et ipse repetens. Hominem gulosum, lebetibus perniciosum, interpretatur Jacobs. ad Antholog. vol. 9, p. 488, ut a Χάρων repetatur. V. Οἰνοχάρων. ᾰ]

Λεβητώδης, ὁ, ἡ, Lebetis formam habens, referens. Athen. 11, [p. 468, E] de dactyloto poculo : Ἔστι δὲ χαλκεῖον ἐκπέταλον, λεβητῶδες, ἐπιτηδείως ἔχον πρὸς ὑδάτων ψυχρῶν ὑποδοχάς. Eod. l. ἀμφίθετον dicit esse χάλκεόν τι καὶ ἐκπέταλον, λεβητῶδες. [Schol. Apoll. Rh. 2, 54. Wakef. Forma Λεβητοειδής, Eust. Il. p. 1298, 36; 1300, 6.]

Λεβητωνάριον, τὸ, Prusaensium dialecto, dicitur χιτὼν μοναχικὸς ἐκ τριχῶν συντεθειμένος, Cilicium monachicum, ut tradit Suidas.

Λεβιανὸς, ὁ, Lebianus : piscis. Dorion in l. de Piscibus, τὸν λεπτῖνον nominat λεβιανὸν, addens esse qui dicant eum esse τὸν αὐτὸν τῷ δελκανῷ. Testis Athen. l. 3, [p. 118, B, ubi λεβίαν restituit Casaubonus.] C

Λεβίας, ου, ὁ, Lebias : piscis, alio nomine dictus ἥπατος, ὅμοιος φάγρῳ, μονήρης, καρχαρόδους καὶ σαρκοφάγος, Athen. 7, [p. 301, C, D; 3, p. 118, B, et ubi male λέβιοι, D, et 4, p. 132, D. Vitioso accentu λέβιαι ap. Poll. 6, 48. V. Λέβιον. ῐᾰ]

Λεβίνθιοι, Hesychio ἐρέβινθοι, Cicer.

[Λέβινθος, ἡ, Lebinthus, una Sporadum. Strabo 10, p. 487.]

[Λέβιον.] Λέβια, Hesychio τὰ λεπίδας ἔχοντα, Squamigera s. Squamata : necnon ἰχθῦς λιμναῖοι, Pisces lacustres. [Fortasse pro λεβίαι. Photius : Λέπραι, λεπίδας ἔχοντα ταρίχη· καὶ λεβίαι καλοῦνται. L. Dind.]

[Λέβιος. V. Λεβιανός.]

[Λεβορίς. V. Λεβηρίς.]

Λέγαι γυναῖκες, ab Archilocho dictæ feruntur Mulieres libidinosæ et lecti semper appetentes. [Etymol. in Ἀσελγαίνεις. Valck.]

Λεγαίνειν, mutatione literæ pro λεχαίνειν dictum volunt, q. e. τοῦ λέχους ἐπιθυμεῖν. [Etym. M. l. in Λέγαι cit.] D

[Λεγατάριος, Legator, Gl.]

Λεγατεύειν, Legare, ex Lat. Legatum, in Pand. Gr. Rectius infra Ληγατεύειν, in Ληγάτον.

Λεγεὼν, ῶνος, ἡ, Hesych. auctore est Agmen militare, constans viris sexies mille, sexcentis sexaginta sex : secundum Suid. ἑξακισχίλιοι στρατιῶται. Id voc. recentiores Græci mutuati sunt ex Latino Legio. Etym. tamen derivat ex λέγω significante συλλέγω, eam ob rem exp. στίφος τὸ ἐκλεκτόν. [Matth. 26, 53. Et sæpius apud rerum Rom. scriptores. Macarius Hom. p. 29, A : Λεγεῶνα δαιμόνων. Λεγιὼν in inscr. Argiva apud Bœckh. vol. 1, p. 582, n. 1128, 6; 583, n. 1133, 5. Λεγιωνάριον, Legionarium, in Aphrodis. ib. p. 525, n. 2803. L. Dind.]

[Λέγμα, ατος, τὸ, Sermo. Hesych. : Λέγμα, τὸ εἰπεῖν. Wakef.]

[Λέγνη, ἡ.] Ap. Callimachi schol. [Dian. 12] reperio etiam Λέγναι. Nam quum λεγνωτὸν exposuisset τὸ ἔχον ᾦαν, h. e. τὸ ἔχον τὸ ἀπολῆγον τοῦ ἱματίου, subjungit, Λέγναι enim dicuntur αἱ ᾦαι, τὰ λώματα, οἱ κροσσοὶ, quos Hom. θυσάνους appellat. Item ap. Hesych. reperio Λέγνα, τὸ ἔσχατον : et Λέγνη, τὸ παρυφαινόμενον ἱματίῳ τῷ ἄκρῳ, ᾦα. [Τὸ π. τῇ παραστροφῇ· διόπερ ἦν παχὺ περὶ τὴν ᾦαν ἐκ ῥάμματος est ap. Hesych. Quæ quomodo interpretentur et emendent interpretes v. in ed. Albert.]

Λέγνον, τὸ, Fimbria quæ assuitur extremæ vestis oræ, τὰ περὶ τὰς ᾤας τῶν ἱματίων : s. ipsæ Vestimentorum extremitates et oræ : unde Hippocr. [p. 656, 10] λέγνα per metaph. vocat τὰ ἄκρα τοῦ στομίου τῆς μήτρας, Extremitates orificii matricis, quæ et ἀμφίδια [ἀμφίδεα] appellat, teste Galeno in Lex. Hipp. [p. 514], in quo et ὀσχίῳ affert pro τῇ περὶ τὸ στόμα τῆς μήτρας ἑλικοειδεῖ ἐπαναστάσει. [Zonar. p. 1297 : Λέγνον, τὸ εἰλητὸν καὶ ποικίλον. Λέγυνον vitiose Theognost. Cram. p. 9, 27, cum iisdem interpretatt. V. Etiam Λίγνον. L. D.]

Λέγνος, ὁ, Hesychio ἄνανδρος, σῖτος ὁ μὴ ἁδρός.

[Λεγνόω.] Λεγνῶσαι ap. Hesych. extat expositum ποικίλαι [ποικῖλαι], Variare, Variegare.

[Λεγνώδης, ὁ, ἡ.] Ap. Hesych. extat Λεγνώδεις, expositum ποικίλας, Varias, Variegatas. [Photius : Λεγνῶδες, ποικίλον.]

Λεγνωτὸς, ἡ, ὸν, ut in Λέγνη docui, a schol. Callim. redditur ὁ ἔχων ᾦαν, Fimbriatus, Institam habens : qui et κροσσωτὸς, s. θυσανωτός. Utitur autem eo voc. Callim. initio Hymni in Dianam [12] : Ἐς γόνυ μέχρι χιτῶνα Ζώννυσθαι λεγνωτόν. [Ubi Virgatam vertit Ernestus, Spanhem. confert Christodor. Ecphr. 309, item de Diana dicentem : Ἦν δ' ἐπὶ γούνων παρθένιον λεγνωτὸν ἀναζωσθεῖσα χιτῶνα. Conf. Viscont. Mus. Piocl. vol. 1, p. 62, e. Nicand. Th. 726 : Τεῦ δ' ἐπὶ νώτῳ λεγνωταὶ στίλβουσι διαυγέες ἐν χροῒ ῥάβδοι. L. Dind.]

[Λέγουσμα. V. Λείουσμα.]

Λέγω, ξω, λέλεχα, pro quo usurpatur potius aor. 1 ἔλεξα, Lego, i. e. Colligo. Hom. Il. Ψ, 239 : Ὀστέα Πατρόκλοιο Μενοιτιάδαο λέγωμεν, schol. ἀναλέγωμεν. [Od. Ω, 72, Σ, 359 : Αἱμασιάς τε λέγων· Ω, 224. Pind. Pyth. 8, 55 : Θανόντος ὀστέα λέξαις υἱοῦ. Moschus 2, 70 : Ἀγλαΐην πυρσοῖο ῥόδου χείρεσσι λέγουσα.] At Il. Ω, 793, voce passiva [media] utitur eadem in re : Ὀστέα λευκὰ λέγοντο κασίγνητοι ἕταροί τε. Sic autem et alibi λέγεσθαι usurpat, ubi Eust. συνάγειν exp. [Nicand. Th. 752 : Χειροδρόποι δ' ἵνα φῶτες ... λέγονται ὄσπρια. Apoll. Rh. 3, 807 : Φάρμακα λέξασθαι θυμοφθόρα· 899 : Ἄνθεα ποίης λεξάμεναι. Callim. Lav. Min. 115 : Τὰ δ' υἱέος ὀστέα μάτηρ λεξεῖται. || Photius : Λέγειν ἀντὶ τοῦ οἰκοδομεῖν καὶ συλλέγειν. Etiam Hesych. interpr. οἰκοδομεῖν.] || Interdum vero λέγω accipi putatur ab Hom. pro Deligo, Lego, non Colligo, i. e. ἐκλέγω s. ἐπιλέγω, aut ἐπιλέγομαι, affertque Hesych. quoddam λέγοντες, quod vult significare vel ἐκλέγοντες, vel συνάγοντες : cui synonymum addit et συναθροίζοντες. Sic et Hom. Il. B, 126 : Τρῶας μὲν λέξασθαι ἐφέστιοι ὅσσοι ἔασιν, exp. ἐπιλέξασθαι : exp. autem et aliter, ut statim docebo. Et Hesych. verba ista [Il. N, 276] : Εἰ γὰρ νῦν περὶ [παρὰ] νηυσὶ λεγοίμεθα, exp., εἴ τις τοὺς ἀρίστους εἰς μάχην διαλέγοι· sed addit et συνάγοι. [Idem : Λέγεσθαι, συνάγειν, ἀθροίζειν, ἐκλέγειν. Ἔλεξεν, ἠρίθμησεν. Hom. Il. Θ, 508 : Ἐπὶ δὲ ξύλα πολλὰ λέγεσθε· Od. Ω, 108 : Οὐδέ κεν ἄλλως κρινάμενος λέξαιτο κατὰ πτόλιν ἄνδρας ἀρίστους. Pind. Pyth. 4, 189 : Λέξατο πάντας ἐπαινήσαις Ἰάσων.] Huc pertinet λέγω, quod Discerno, Dijudico interpr. Bud. p. 645, ex Cic. ap. Plut. || Numero, Percenseo : quam signif. manasse ex prima existimo, qua ponitur pro Colligo : quod postquam aliqua collegimus, ea numerare soleamus. Hom. Od. Δ, 452 : Ἐν δ' ἡμέας πρώτους λέγε κήτεσιν, i. e. κατηρίθμει. Dixerat autem in fine versus proxime præcedentis, Λέκτο δ' ἀριθμὸν, schol. itidem ἠρίθμησεν, Lat. Recensuit numerum. Et Od. Ξ, 197 : Οὔτι διαπρήξαιμι λέγων ἐμὰ κήδεα θυμοῦ. Et voce pass. [med.] Il. N, 275 : Τί σε χρὴ ταῦτα λέγεσθαι; i. e. μετρεῖν καὶ ἀπαριθμεῖσθαι, Eust. : qui addit quosdam tradidisse non uti Homerum verbo λέγειν pro λαλεῖν, sed verbo μυθεῖσθαι loco illius, sicut et nomine μῦθος loco nominis λόγος : qua de re dicam et mox. Ceterum in illo quoque l., quem modo protuli ex Il. B, Τρῶας μὲν λέξασθαι, non ἐπιλέξασθαι solum exp., sed et καταριθμήσασθαι : et id quidem ab auctore brev. scholl.; nam Eust. priore illa expos. contentus est. [Aor. Od. Δ, 451 : Πάσας δ' ἄρ' ἐπῴχετο, λέκτο δ' ἀριθμόν.] || Λέγομαι pro Dissero, Loquor, διαλέγομαι, λαλῶ. Hom. Il. Υ, 244 : Ἀλλ' ἄγε μηκέτι ταῦτα λεγώμεθα, νηπύτιοι ὥς, ubi Eust. scribit λεγώμεθα aperte hic accipi pro διαλεγώμεθα s. λαλῶμεν, licet multi ex vett. negarint in hac signif. apud Hom. inveniri. Idem vero hanc gramm. veterum opinionem alibi refutat ex iis ll., in quibus Hom. dicit, Ἀτρεκέως κατάλεξον, utens verbo κατάλεξον pro eo, quod alibi dicit ἀγόρευσον : Il. K, 406 : Ἀλλ' ἄγε, μοὶ τόδε εἰπὲ καὶ ἀτρεκέως κατάλεξον. Sed infirmum est hoc Eustathii argumentum, quum de simplici locuti sint veteres, non de composito. [Hesychius : Λελεγμένος, διαλογιζόμενος ἢ διαλεγόμενος. Λελεχμένος ordinem literarum poscere animadvertit Is. Vossius.] || Λέγομαι, pass., Deligor, Recenseor : unde ἐλέχθην, Il. Γ, [188] : Μετὰ τοῖσιν ἐλέχθην. Hesych. ἐλέχθη, ἠριθμήθη. [Id. : Λέγοντο, συνήγοντο καὶ τὰ ὅμοια. N, 276 : Εἰ γὰρ νῦν παρὰ νηυσὶ λεγοίμεθα πάντες ἄριστοι ἐς λόχον· Od. I, 335 : Αὐτὰρ ἐγὼ πέμπτος μετὰ τοῖσιν ἐλέγμην. Callim. Del. 16 : Ἀλλά οἱ οὐ νεμεσητὸν ἐνὶ πρώτῃσι λέγεσθαι.] || Λέγομαι, sicut et λέγω, pro Colligo, Deligo, Recenseo, Dissero, in ll. paulo ante citatis leges; sed habet et peculiarem aliquam signif., sc. pro Cubo, Jaceo, aut etiam Dormio. [Il. Δ, 131 : Ὅθ' ἡδέϊ λέξεται ὕπνῳ.] Od. Δ, [305] : Ἀτρείδης δ' ἐκάθευδε μυχῷ δόμου ὑψηλοῖο, Πὰρ δ' Ἑλένη τανύπεπλος ἐλέξατο δῖα γυναικῶν, ubi tamen potest intelligi et comp. παρελέξατο per tmesin. [Il. I, 666 : Πάτροκλος δ' ἑτέρωθεν ἐλέξατο· Ξ, 350 : Τῷ ἔνι λεξάσθην· P, 102 : Ἤτοι ἐγὼν ... λέξομαι εἰς εὐνήν. Apoll. Rh. 4, 794 : Οὕνεκεν οὐκ ἔτλης εὐνῇ Διὸς ἱεμένοιο λέξασθαι.] Quinetiam pro Cubare facio, Dormitum dimitto, ponitur activa vox λέγω ab eod. poeta. [Il. Ξ, 252 : Ἐγὼ μὲν ἔλεξα Διὸς νόον· Ω, 635 : Λέξον νῦν με τάχιστα.] Sed λέγεσθαι ponitur etiam simpliciter pro κεῖσθαι et κάθησθαι : de qua signif. lege Eust. [Il. p. 250, 34; 850, 46. Il. B, 435 : Μηκέτι νῦν δήθ' αὖθι λεγώμεθα. In Ind. :] Ἔλεκτο, Ionica s. poetica syncope pro ἐλέλεκτο, s. ἐλέγετο, Cubabat. Hesiod. [Sc. 46] : Ἔλεκτο σὺν αἰδοίῃ παράκοιτι [παρακοίτι. Hom. Od. Υ, 50 : Ἔνθ' ἄρα καὶ τότ' ἔλεκτο. Imperativi duplex forma est Λέξο et Λέξεο, Il. Ω, 650 : Ἐκτὸς μὲν δὴ λέξο, γέρον φίλε· Od. K, 320 : Μετ' ἄλλων λέξο ἑταίρων, ubi al. λέξαι, pro λέξε', ut conjiciebat Porson. Il. I, 617 : Σὺ δ' αὐτόθι λέξεο μίμνων εὐνῇ ἐνὶ μαλακῇ· T, 598 : Σὺ δὲ λέξεο τῷδ' ἐνὶ οἴκῳ. Ib. I, 67 : Φυλακτῆρες δὲ ἕκαστοι λεξάσθων παρὰ τάφρον.] Ἄλεκτο Hesych. affert pro ἐκοιμήθη : pro quo potius ἔλεκτο dicendum, a λέγομαι, κοιμῶμαι : est autem hoc ἔλεκτο Ionicum pro ἐλέλεκτο.

|| Λέγω, Dico, Loquor. Λέγω τοῦτο, Dico hoc, Loquor hoc. [Hom. Od. Ψ, 308 : Πάντ' ἔλεγε. Pind. Ol. 13, 44 : Οὐκ εἰδείην λέγειν ποντιᾶν ψάφων ἀριθμόν. Æsch. Prom. 197 : Ἀλγεινὰ μέν μοι καὶ λέγειν ἐστὶν τάδε· 972 : Καὶ σὲ δ' ἐν τούτοις λέγω· Sept. 451 : Λέγ' ἄλλον.] Dem. [p. 319, 27] : Καίτοι τίς ὁ τὴν πόλιν ἐξαπατῶν; οὐχ ὁ μὴ λέγων ἃ φρονεῖ; Æsch. C. Ctes. : Ὥστε μὲ μὴ βούλεσθαι λέγειν ἃ τούτῳ πέπρακται. Plut. Ad Coloten : Ἄλλα μὲν ἔλεγεν, ἄλλα δὲ ἔπραττε. Item λέγειν λόγον, λόγους, ut dicetur in Λόγος. [Λέγειν τά τινος, Caussam alicujus agere. Demosth. p. 105, 23 : Οὐκ ἦν ἀσφαλὲς λέγειν ἐν Ὀλύνθῳ τὰ Φιλίππου· 25 : Οὐκ ἦν ἀσφαλὲς λέγειν ἐν Θετταλίᾳ τὰ Φιλίππου. Sic λέγειν κρίσεις, Causas dicere, ap. Polyb. 32, 9, 11.] Et λέγω cum acc. rei, sequente præp. [ἀμφὶ, Æsch. Sept. 1012 : Οὕτω μὲν ἀμφὶ τοῦδ' ἐπέσταλται λέγειν. Eur. Hec. 580 : Τοιάδ' ἀμφὶ σῆς λέγω παιδός. Vel] περὶ [Æsch. Eum. 114 : Ἀκούσαθ' ὡς ἔλεξα τῆς ἐμῆς περὶ ψυχῆς. Soph. Aj. 151 : Περὶ γὰρ σοῦ νῦν εὔπιστα λέγει. Thuc. 2, 48 : Λεγέτω μὲν οὖν περὶ αὐτοῦ ὡς ἕκαστος γιγνώσκει. Plat. Phæd. p. 79, B : Τί οὖν περὶ ψυχῆς λέγομεν;] Epist. Philippi ap. Dem. [p. 161, 20] : Περὶ μὲν οὖν τούτων πολλὰ λέγειν ἔχων ἔτι δίκαια. Sic, λέγω ταῦτα περὶ σοῦ, ap. Xen., sequente etiam alia constr. cum præp. πρὸς, ut mox docebo. [Cum κατὰ seq. genit., Adversus, ap. Soph. Aj. 156 : Κατὰ δ' ἄν τις ἐμοῦ τοιαῦτα λέγων οὐκ ἂν πείθοι. Cum ἐπὶ Æsch. Suppl. 625 : Λέξωμεν ἐπ' Ἀργείοις εὐχὰς ἀγαθάς. Xen. H. Gr. 1, 5, 2. Cum ὑπὲρ Soph. El. 554 : Τοῦ τεθνηκότος θ' ὕπερ λέξαιμ' ἂν ὀρθῶς. Demosth.

A p. 106, 5 : Λέγειν ὑπὲρ Φιλίππου. Xen. H. Gr. 1, 7, 16 : Ἔλεξεν ὑπὲρ τῶν στρατηγῶν τάδε.] Et cum adv., ut Plut. Pol. præp. [p. 804, A.] : Ἀλκιβιάδην δὲ Θεόφραστος ἱστορεῖ μὴ μόνον ἃ δεῖ λέγειν, ἀλλὰ καὶ ὡς δεῖ βουλόμενον. Isocr. Panath. [p. 238, A] : Τοῖς εἰκῇ καὶ φορτικῶς καὶ χύδην ὅ, τι ἂν ἐπέλθῃ λέγουσιν. Dem. [p. 248, 10] : Ὦ λέγων εὐχερῶς ὅ,τι ἂν βουληθῇς. Junxit autem cum eod. adv. Aristot. Pol. 7, [c. 17] : Ἐκ τοῦ γὰρ εὐχερῶς λέγειν ὁτιοῦν τῶν αἰσχρῶν, γίνεται καὶ τὸ ποιεῖν σύνεγγυς. Sic κακῶς λέγειν, Male loqui, Malis uti verbis. Soph. [ap. Plut. Mor. p. 504, C] : Δρῶν γὰρ εὖ, κακῶς λέγεις. Habet vero et aliam signif. κακῶς λέγειν, et quidem frequentiorem, de qua infra. [Æsch. Ag. 1204 : Οὐ γὰρ εὖ λέγει· Suppl. 500 : Εὖ γὰρ ὁ ξένος λέγει. Eur. Hec. 300 : Μηδὲ τῷ θυμουμένῳ τὸν εὖ λέγοντα δυσμενῆ ποιοῦ. Soph. El. 252 : Εἰ δὲ μὴ καλῶς λέγω, σὺ νίκα. Passivo Aristoph. Vesp. 1012 : Νῦν μὲν τὰ μέλλοντ' εὖ λέγεσθαι μὴ πέσῃ φαύλως χαμάζ' εὐλαβεῖσθε.] || Item λέγω cum dat. personæ, aut cum accus. præfixam habente præp. πρός. Interdum et cum accus. personæ adjunctum
B habente et accus. rei, aut adverbium. [Hom. Il. B, 222 : Ἀγαμέμνονι δίῳ λέγ' ὀνείδεα· Od. E, 5 : Τοῖσι δ' Ἀθηναίη λέγε κήδεα πόλλ' Ὀδυσῆος. Pind. Ol. 8, 43 : Ὡς ἐμοὶ φάσμα λέγει· Pyth. 2, 22 : Ταῦτα βροτοῖς λέγειν. Æsch. Prom. 442 : Καὶ γὰρ εἰδυίαισιν ἂν ὑμῖν λέγοιμι· Sept. 273 : Δίρκης τε πηγαῖς ὕδασί τ' Ἰσμηνοῦ λέγω, ut in Ἐπεύχομαι scribendum dixi pro οὐδ' ἀπ' Ἰσμηνοῦ.] Xen. : Ἐμοὶ τοῦτο λέγεις. Ap. Eund. [Cyrop. 1, 3, 14, etc.] λέγω πρός σε. [Æsch. Ag. 857 : Οὐκ αἰσχυνοῦμαι τοὺς φιλάνορας τρόπους λέξαι πρὸς ὑμᾶς· Suppl. 742 : Λέγω πρὸς εἰδότα.] Aliquando autem præcedentibus et aliis constrr., ut quum dicit Idem, Ταῦτα ἐξέσται μοι λέγειν περὶ σοῦ πρὸς οὓς βούλῃ φίλους ποιήσασθαι. [Cum accus. rei Soph. Antig. 753 : Τίς δ' ἔστ' ἀπειλὴ πρὸς κενὰς γνώμας λέγειν; fr. Aload. ap. Stob. Fl. 43, 6 : Κοὐκ οἶδ' ἅ,τι χρὴ πρὸς ταῦτα λέγειν. Plato Conv. p. 214, D : Μηδὲν λέγε πρὸς ταῦτα. Xen. Comm. 3, 9, 12. Cum præp. εἰς Plato Phædr. p. 252, B : Λέγουσι δέ τινες δύο ἔπη εἰς τὸν Ἔρωτα. Xen. Comm. 1, 5, 1 : Ἐπισκεψώμεθα εἴ τι προὐβίβαζε λέγων εἰς αὐτὴν (τὴν
C ἐγκράτειαν) τοιάδε. Diodor. 11, 50 : Τὸν χρησμὸν ἔφασαν εἰς οὐδὲν ἕτερον ἢ τὸ παρὸν λέγειν. Ubi Wesselingius confert Dion. Chrys. Or. 32, p. 381, A : Ὃν (λόγον) εἰς Ὀρφέα καὶ ὑμᾶς ἔλεγεν. Ephes. 5, 32 : Τὸ μυστήριον τοῦτο μέγα ἐστίν· ἐγὼ δὲ λέγω εἰς Χριστὸν καὶ εἰς τὴν ἐκκλησίαν. Alia signif. cum eadem præp. Xen. Anab. 5, 6, 28 : Λέγειν εἰς ὑμᾶς· Cyrop. 8, 5, 22 : Ταῦτα εἰς τὸ μέσον λέγειν.] At cum accus. personæ, cui adjunctus est etiam accus. rei, λέγω σε κακὰ πολλὰ, ap. Aristoph. [Eccl. 435], Multas contumelias adversus te jacto, ubi tamen et ὀνομάζω exp. : sicut, Ταῦτά με λέγουσιν affertur pro His nominibus me appellant. [Ex Aristoph. Nub. 452 : Ταῦτ' εἴ με λέγουσιν ἀπαντῶντες, ubi nunc καλοῦσ' ἀπαντῶντες. Plato Ep. 13, p. 360, D : Οὐδεὶς οὐδὲν φλαῦρον ἔλεγε τὸν ἄνδρα. Passivo sic Leg. 4, p. 713, A : Χρῆν δ', εἴπερ τοῦ τοιούτου τὴν πόλιν ἔδει ἐπονομάζεσθαι, τὸ τοῦ ... θεοῦ ὄνομα λέγεσθαι. Nisi potius hic est Dici.] Multo autem frequentius est cum adverbio : εὖ, καλῶς, κακῶς λέγω σε, Bene et Male loquor de te, Maledico tibi.
D Sed εὖ λέγω σε, aut καλῶς, redditur etiam Laudo te, ut vicissim κακῶς λέγω σε, Vitupero te, Detraho tibi. [Duplici constructione Æsch. Ag. 445 : Στένουσι δ' εὖ λέγοντες ἄνδρα τὸν μὲν ὡς μάχης ἴδρις. Soph. El. 1028.] Eur. [Tro. 914] : Εὖ λέγω σε. [Alc. 1070 : Οὐκ ἔχοιμ' ἂν εὖ λέγειν τύχην.] Plut. Apophth. : Λέγειν καλῶς τοὺς ζῶντας. Est autem alioqui rarius hoc adv. in isto loquendi genere quam alterum. Et λέγειν κακῶς πάντας ap. Eund. Sic Dem. : Εἰ κακῶς ἔλεγον τουτονὶ καὶ προπηλακίζειν ἐπεχείρουν· et [p. 488, 21] : Μὴ λέγειν κακῶς τὸν τεθνεῶτα. [Æsch. Eum. 413 : Λέγειν δ' ἄμομφον ὄντα τοὺς πέλας κακῶς. Soph. El. 524; Eur. Med. 457; Plato Euthydem. p. 284, E. Duplici constructione Socrates H. E. 6, 22, p. 341, 1 : Ταῦτα καὶ τὰ τοιαῦτα πλείονα τοῦ Λεοντίου κακῶς τοὺς Ναυατιανοὺς λέγοντος.] Interdum autem λέγω σε, pro Loquor de te. [Aliter Æsch. Ag. 672 : Καὶ νῦν ἐκείνων εἴ τίς ἐστιν ἐμπνέων, λέγουσιν ἡμᾶς ὡς ὀλωλότας.] Plato De rep. 1, [p. 348, D] : Τοὺς τὰ βαλάντια ἀποτεμόντας [ἀποτέμνοντας] λέγω. [V. paullo post in Λέγω δή.] Alicubi λέγω σε exp.

etiam Voco, Appello. [Æsch. Prom. 943 : Σὲ τὸν σοφιστὴν ... λέγω· Ag. 1035 : Εἴσω κομίζου καὶ σύ· Κασσάνδραν λέγω· Cho. 456 : Σέ τοι λέγω. Soph. Aj. 1228.] Aristoph. Pl. [1099] : Σέ τοι, σέ τοι λέγω. Et ὀνόματι λέγειν τινὰ, Plato in Apol. Socr. [p. 21, C], Nomine dicere aliquem, pro Nominare aliquem. [Appellandi significatione aliter Æsch. Eum. 48 : Οὔτοι γυναῖκας, ἀλλὰ Γοργόνας λέγω. Cum duplici accus. sic Herodot. 1, 32 : Ἐκεῖνο δὲ, τὸ εἴρεό με, οὔκω σε ἐγὼ λέγω, i. e. πάντων ὀλβιώτατον. || Reputo. Soph. Antig. 183 : Καὶ μείζον' ὅστις ἀντὶ τῆς αὑτοῦ πάτρας φίλον νομίζει, τοῦτον οὐδαμοῦ λέγω· 468 : Εἰ δὲ τοῦ χρόνου πρόσθεν θανοῦμαι, κέρδος αὔτ' ἐγὼ λέγω· 940 : Ἐγὼ οὔτ' ἄνανδρον τήνδε τὴν πόλιν λέγων οὔτ' ἄβουλον τοὔργον τόδ' ἐξέπραξα· 1299 : Ὧν ἐγὼ μάλιστα μὲν τὴν σὴν Ἐρινὺν αἰτίαν εἶναι λέγω. Valck. Alibi hujusmodi in locis reddi potest Numero, ut Xen. OEc. 11, 20 : Ἐν τοῖς ἱππικωτάτοις καὶ πλουσιωτάτοις λεγόμενόν σε ἐπιστάμεθα. Ps.-Dio Chr. vol. 2, p. 122 : Καὶ γὰρ ἦν νεμεσητὸν τὸν αὐτὸν ἄνδρα νῦν μὲν ἐν θεοῖς λέγειν, νῦν δ' οὐδ' ἐν ἀνθρώποις.] || Ut autem λέγω cum accus. personæ aliquando redditur alio verbo quam Dico, sic et cum acc. rei aptius interdum vertere possumus Commemoro, Narro, ut ap. [Æsch. Ag. 555 : Μόχθους γὰρ εἰ λέγοιμι καὶ δυσαυλίας.] Isocr. Ad Phil. [p. 90, E] : Καὶ τί δεῖ με λέγειν τὰ παλαιὰ, καὶ τὰ πρὸς τοὺς βαρβάρους; Ad Nic. [p. 38, E] : Τί δεῖ καθ' ἕκαστον λέγοντα διατρίβειν; Sic in Paneg. : Οὐχ ὁρῶ τί δεῖ λέγοντα διατρίβειν. [Xen. Comm. 5, 2, 28 : Τοὺς ἀσθενοῦντας οἷα ὑβρίζει τί δεῖ λέγειν;] Ita reddi potest et sequente infin. vel partic. ὅτι, seu ὡς, ut ἔλεγεν αὐτὸν ταῦτα πεποιηκέναι, vel ἔλεγεν ὅτι αὐτὸς ταῦτα ἐπεποιήκει, Narrabat eum hæc fecisse; aut simpliciter etiam Dicebat. [Cum inf. Pind. Pyth. 2, 59 : Εἴ τις λέγει ἕτερον... γενέσθαι ὑπέρτερον. Æsch. Pers. 200 : Καὶ ταῦτα μὲν δὴ νυκτὸς εἰσιδεῖν λέγω. Aliique omnes passim. Cum part. ὡς Æsch. Pers. 754 : Λέγουσι δ' ὡς σὺ μὲν μέγαν τέκνοις πλοῦτον ἐκτήσω. Soph. El. 347 : Ἥτις λέγεις ὡς ἐκδείξειας ἄν. Aristoph. Vesp. 781 : Καὶ λέγεται γὰρ τουτογὶ ὡς οἱ δικασταὶ... ἔγνωσαν. Et duplici constructione 1284 : Εἰσί τινες οἵ μ' ἔλεγον ὡς καταδιηλλάγην. Sic Xen. Cyrop. 7, 3, 5 : Τὴν γυναῖκα λέγουσιν ὡς κάθηται χαμαί· idemque sæpe, ut alii quivis, cum part. ὅτι. Duplici constructione Cyrop. 8, 6, 16 : Οἱ πολλάκις λεγόμενοι ὅτι βασιλέως υἱὸς καταβαίνει, βασιλέως ἀδελφὸς, βασιλέως ὀφθαλμός.] || Sed interdum λέγω cum infin., et quidem ap. Thuc. etiam, pro Jubeo : quo exp. modo et in isto loquendi genere, κλαίειν σοι λέγω, vel οἰμώζειν σοι λέγω. [Et χαίρειν, ἐρρῶσθαι, quæ v. in illis verbis. Æsch. Ag. 925 : Λέγω κατ' ἄνδρα, μὴ θεὸν, σέβειν ἐμέ. Xen. Anab. 1, 3, 8 : Πέμπων αὐτῷ ἄγγελον ἔλεγε θαρρεῖν· 7, 6, 14 : Πάντες ἐλέγετε σὺν Σεύθῃ ἰέναι. Plato Theæt. p. 209, D : Εἰ μὲν γὰρ προσδοξάσαι λέγει..., πάνυ γελοία γίγνεται ἡ ἐπίταξις. De oratore suadente cum inf. vel accusativo Demosth. p. 27, 7; 38, 1. || De rebus Pind. Ol. 8, 43 : Ὣς ἐμοὶ φάσμα λέγει. Æsch. Sept. 647 : Δίκη δ' ἄρ' εἶναί φησιν, ὡς τὰ γράμματα λέγει· 697 : Ἀρὰ λέγουσα κέρδος πρότερον ὑστέρου μόρου. Aristoph. Eq. 1021 : Ταυτὶ... οὐκ οἶδ' ὅ,τι λέγει· 1041 : Ταῦτ' οἶσθ' ὅ,τι λέγει; 1059 : Τί τοῦτο λέγει, πρὸ Πύλοιο; Herodot. 1, 124 : Τὰ δὲ γράμματα ἔλεγε τάδε· 187 : Ἐνεκόλαψε γράμματα λέγοντα τάδε· et alibi. Thuc. 6, 54 : Ἐπίγραμμα λέγον τάδε. Xen. H. Gr. 1, 1, 23 : Γράμματα λέγοντα τάδε· Conv. 8, 30 : Πυκινὰ φρεσὶ μήδεα εἰδώς. Τοῦτο δ' αὖ λέγει, Σοφὰ φρεσὶ βουλεύματα εἰδώς. Plato Phæd. p. 160, E : Ἐνυπνίων τινῶν ἀποπειρώμενος τί λέγοι. Demosth. p. 9, 11 : Ὁ παρὼν καιρὸς μόνον οὐχὶ λέγει φωνὴν ἀφιεὶς ὅτι κτλ. 599, 14 : Ὡς ὁ νόμος λέγει· 610, 25 : Οὐ ταῦτα λέγουσιν οἱ νόμοι. ||Infinitivus cum adjectivis conjungitur, Æsch. Sept. 971 : Διπλᾶ λέγειν· 992 : Ὀλοὰ λέγειν· Eum. 34 : Δεινὰ λέξαι.] || At λέγω δὴ redditur Inquam, Id est, Videlicet. Aristot. De mundo [6, p. 400, 27], Οὕτως ὑποληπτέον καὶ ὑπὸ τῆς μείζονος πόλεως, λέγω δὴ τοῦδε τοῦ κόσμου. [Alii libri δέ. Λέγω δὴ vero omnes 5, p. 396, 33. Alia utriusque formulæ, inter quas sæpe variant libri, exx. collegit Boissonad. *Notices* vol. 10, p. 147. Sine illis particulis ib. 1, p. 391, 25 : Διὰ τὸ ἀθέατοι τῶν κρειττόνων εἶναι, κόσμου λέγω καὶ τῶν ἐν κόσμῳ μεγίστων, ubi est var. λέγω δὲ, et sæpe apud Tragicos, ut Æsch. Sept. 489 : Ἅλω δὲ πολλὴν, ἀσπίδος κύκλον

A λέγω· 609 : Οὗτος δ' ὁ μάντις, υἱὸν Οἰκλέους λέγω. Soph. Tr. 9 : Μνηστὴρ γὰρ ἦν μοι ποταμὸς, Ἀχελῷον λέγω. Herodot. 7, 144 : Νέας ποιήσασθαι διηκοσίας ἐς τὸν πόλεμον, τὸν πρὸς Αἰγινήτας λέγων. Isocr. p. 277, D : Σὺ μὲν πεποίησαι τοὺς λόγους, ἐμὲ λέγων. || Pro accusativo sæpe etiam repetitur casus qui præcesserat. Æsch. fr. Ὅπλων κρίσ. ap. schol. Soph. Aj. 190 : Ἀλλ' Ἀντικλείας ἆσσον ἦλθε Σίσυφος, τῆς σῆς λέγω τοι μητρός. Demosth. p. 96, 3 : Τούτων τῶν τὴν Ἀσίαν οἰκούντων λέγω. Polyb. 10, 40, 9 : Οὗ μεῖζον [ἂν] ἀγαθὸν εὔξασθαί τις τοῖς θεοῖς οὐ τολμήσειε, λέγω δὲ βασιλείας. Aristid. vol. 1, p. 109 : Ὧν ἁπάντων μνημονεῦσαι, μὴ ὅτι τῶν ἰδίᾳ λέγω μεταστάντων. Et Aristoteles ll. supra memoratis aliique ab Lobeckio ad Soph. Ajac. p. 286 et in Auctario p. 558 citati. Simili usu et constructione Plato Conviv. p. 202, B : Παρὰ πάντων. — Τῶν μὴ εἰδότων πάντων λέγεις ἢ καὶ τῶν εἰδότων; Demosth. p. 17, 2 : Ὅσα ἀνάγκη στρατοπέδῳ χρωμένους τῶν ἐκ τῆς χώρας λαμβάνειν, μηδενὸς ὄντος ἐν αὐτῇ πολεμίου λέγω. Comparanda autem cum his quæ de Εἰ-
B πεῖν diximus in Ἔπω p. 1946, A, et exx. Soph. El. 1222 : Τὴν Εὐρυτείαν οἶσθα δῆτα παρθένον; — Ἰόλην ἔλεξας· Platonis Parm. p. 137, C : Ἐμὲ γὰρ λέγεις τὸν νεώτατον λέγων· Theæt. p. 198, A : Μαθήσει δ' ἐνθένδε σαφέστερον τί λέγω. || Aliæ formulæ notabiliores sunt Τί λέγω; corrigentis se et dicta sua retractantis. Aristoph. Eccl. 298 : Τὰς ἡμετέρας φίλας· καίτοι τί λέγω; φίλους γὰρ χρῆν μ' ὀνομάζειν. Et τί λέγων, Quo prætextu, Polyb. 1, 17, 12 : Τί λέγων κατέχει νῦν Ἐχῖνον καὶ Θήβας. Τὶ, Οὐδὲν, Μηδὲν λέγω, Dico aliquid, nihil. Xen. Cyrop. 1, 4, 20 : Ἔδοξέ τι λέγειν τῷ Ἀστυάγει· 2, 4, 16 : Ἄν τί σοι δόξω λέγειν. Plato Soph. p. 248, C : Οὐκοῦν λέγουσί τι; Crat. 404, A : Κινδυνεύεις τι λέγειν· Leg. 9, p. 861, E : Σκοπεῖσθε δὲ εἴτε τι λέγω λέγων ἃ μέλλω λέγειν, εἴτε καὶ μηδὲν τὸ παράπαν. Aristoph. Nub. 644 : Οὐδὲν λέγεις, ὤνθρωπε· Eq. 334 : Νῦν δεῖξον ὡς οὐδὲν λέγει τὸ σωφρόνως τραφῆναι. || Participium apud Herodotum additur verbo Φημὶ, 3, 156 : Νῦν τε, ἔφη λέγων, ἐγὼ ὑμῖν, ὦ Βαβυλώνιοι, ἥκω μέγιστον ἀγαθόν· 5, 36 : Ἄλλως μέν νυν
C οὐδαμῶς, ἔφη λέγων, ἐνορᾶν ἐσόμενον τοῦτο· 49 : Λυδῶν δὲ, ἔφη λέγων ὁ Ἀρισταγόρης, οἵδε ἔχονται Φρύγες. ||Apud eundem in epistolarum initiis usitatæ formulæ sunt, 3, 40 : Ἄμασις Πολυκράτεϊ ὧδε λέγει· et 122. Idem 8, 140, in oratione legati : Ἄνδρες Ἀθηναῖοι, Μαρδόνιος τάδε λέγει. Similiter de dicente per nuntium Xen. Anab. 1, 9, 25 : Κῦρος ἔπεμπε βίκους οἴνου ἡμιδεεῖς, λέγων ὅτι... ἐπιτύχοι· 7, 4, 5 : Ἀφιεὶς τῶν αἰχμαλώτων... ἔλεγεν ὅτι... κατακαύσει. || I. q. Cano, de poetis, ut εἰπεῖν. Plato Ion. p. 533, E : Πάντες γὰρ οἵ τε τῶν ἐπῶν ποιηταὶ οἱ ἀγαθοὶ οὐκ ἐκ τέχνης, ἀλλ' ἔνθεοι ὄντες... πάντα ταῦτα τὰ καλὰ λέγουσι ποιήματα. Anacreont. 1, 1 : Θέλω λέγειν Ἀτρείδας, θέλω δὲ Κάδμον ᾄδειν.] ||Recito, Lego, Dem. [p. 234 extr. : Λέγε τοίνυν μοι τὸ ψήφισμα τουτὶ λαβὼν, ὃ σαφῶς οὑτοσὶ εἰδὼς παρέδη. Λέγε. Et alibi similibus in locis. Cum ἀνάγνωθι conjungitur p. 327, 13; 363, 10, ubi pauci λαβέ. (Quæ inter se distinguit etiam Isocr. p. 87, C : Καίτοι μ' οὐ λέληθεν ὅσον διαφέρουσι τῶν λόγων ... οἱ λεγόμενοι τῶν ἀναγιγνωσκομένων.) Plato Theæt. p. 143, 6, C : Λαβὲ τὸ βιβλίον καὶ λέγε. Sic εἰπεῖν de recitante dictum notavimus p.
D 1946, A, etsi utrumque non recte dicitur poni pro Lego, sed est Dico, ut ap. Æsch. Suppl. 625 : Λέξωμεν ἐπ' Ἀργείοις εὐχὰς ἀγαθάς et in aliis ejusmodi ll.] || Pass. autem Λέγομαι, Dicor. [Pind. Nem. 3, 30 : Λεγόμενον τοῦτο προτέρων ἔπος ἔχω· Pyth. 5, 108 : Λεγόμενον ἐρέω· Nem. 8, 20 : Πολλὰ γὰρ πολλᾷ λέλεκται. Æsch. Sept. 424 : Τοῦ πάρος λελεγμένου μείζων. Aristoph. Pl. 647 : Ἐν τοῖς λεγομένοις εἴσει τάχα. Et similiter alibi.] Sed τὸ λεγόμενον aliquando per parenthesin ponitur pro Quod dici solet, dicitur proverbio, Ut habet proverbium, Ut est in proverbio. Plato De rep. 2, [p. 362, D] : Οὐκοῦν, τὸ λεγόμενον, ἀδελφὸς ἀνδρὶ παρείη. [Gorg. p. 514, E : Τὸ λεγόμενον δὴ τοῦτο· Soph. p. 261, B : Τὸ κατὰ τὴν παροιμίαν λεγόμενον. Id. Theæt. p. 176, B : Ὁ λεγόμενος γραῶν ὕθλος· Leg. 6, p. 782, C : Ὀρφικοί τινες λεγόμενοι βίοι. Et similiter alibi.] Item λέγεται impersonaliter, ut Lat. Fertur, Fama est. Xen. [Comm. 1, 2, 40] : Λέγεται Ἀλκιβιάδην Περικλεῖ διαλεχθῆναι. [Plat. Leg. 3, p. 695, C : Εἰς Πέρσας ἐλθεῖν

τὴν ἀρχὴν λέγεται. Thuc. 2, 49 : ⌞Ὡς λέγεται.⌟ Sed personaliter etiam usurpatur, sicut Lat. Fertur, in hac signif., et quidem frequentius. [Pind. Ol. 6, 29 : Ἃ τοι Κρονίῳ λέγεται Εὐάδναν τεκέμεν· Pyth. 3, 88 : Λέγονται μὰν βροτῶν ὄλβον ὑπέρτατον οἳ σχεῖν. Sine inf. Isthm. 3, 25 : Τοὶ μὲν ὦν Θήβαισι τιμάεντες ἀρχᾶθεν λέγονται. Quem l. Musgravius comparat cum Eur. Or. 331 : Ἵνα μεσόμφαλοι λέγονται μυχοί, ut sit Celebrantur. Sed est simpliciter Dicuntur, ut ap. Malalam p. 77, 16 : Εἰς τὸ μαντεῖον, ἔνθα λέγεται τὰ Πύθια θερμά. Soph. OEd. T. 292 : Θανεῖν ἐλέχθη πρός τινων ὁδοιπόρων.] Xen. Cyrop. 1 init. : Πατρὸς μὲν δὴ λέγεται ὁ Κῦρος γενέσθαι Καμβύσου. Tale est et hoc [Comm. 2, 5, 2] : Νικίας λέγεται ἐπιστάτην εἰς τἀργυρεῖα πρίασθαι ταλάντου. [Mutata constructione Xen. Cyrop. 2, 1, 5 : Τοὺς Ἕλληνας οὐδέν πω σαφὲς λέγεται εἰ ἕπονται. Cum infinitivo OEc. 7, 40 : Οἱ εἰς τὸν τετρημένον πίθον ἀντλεῖν λεγόμενοι· Hist. Gr. 6, 3, 8 : Οἱ λεγόμενοι αὐτόνομοι εἶναι. || Futuri forma media nonnisi significatione passiva ponitur, ut Soph. OEd. C. 1186 : Οὐ γάρ σε πρὸς βίαν παρασπάσει γνώμης ἃ μή σοι ξυμφέροντα λέξεται. Eur. Alc. 323 : Αὐτίκ' ἐν τοῖς μηκέτ' οὖσι λέξομαι· Hec. 906 : Σὺ μέν, ὦ πατρὶς Ἰλιάς, τῶν ἀπορθήτων πόλις οὐκέτι λέξει. Photius : Λέξεται, λεχθήσεται. Sed Cyrillus λελέξεται, qua forma utitur Thuc. 3, 53, Plato Crat. p. 433, A, Reip. 5, p. 457, B. Forma λεχθήσομαι Plato Tim. p. 67, C, Soph. p. 251, D.] ||Λέγω, Loquor eloquenter, diserte, Eloquor. [Soph. OEd. T. 545 : Λέγειν σὺ δεινός, μανθάνειν δ' ἐγὼ κακός. Id. ap. Tryphonem II. τρόπων p. 741, 15 : Οἱ γὰρ γύνανδροι καὶ λέγειν ἠσκηκότες. Eur. Bacch. 270 : Λέγειν οἷός τ' ἀνήρ. Plato Reip. 7, p. 549, A : Οὐκ ἀπὸ τοῦ λέγειν ἀξιῶν ἄρχειν· Epin. p. 976, B : Ἐν τῇ τοῦ λέγειν ῥώμῃ. Xen. Cyrop. 1, 5, 9 : Οἱ λέγειν προθυμούμενοι δεινοὶ γενέσθαι, οὐχ, ἵνα εὖ λέγοντες μηδέποτε παύσωνται τοῦτο μελετῶσιν, ἀλλ' ἐλπίζοντες τῷ λέγειν εὖ πείθοντες κτλ.] Eupolis [ap. Plut. Alcib. c. 13] : Λαλεῖν ἄριστος, ἀδυνατώτατος λέγειν, Loquentiæ multum (et Sallustius hoc nomine est usus), eloquentiæ nihil habens. Sic δυνάμενος λέγειν, ap. Æschin., Eloquentia valens. Thuc. quoque dixit de Pericle 1, [140], Λέγειν τε καὶ πράσσειν δυνατώτατος, ubi tamen possis etiam exponere simpliciter Oratione potentissimus, præstantissimus. [Id. 7, 8 : Κατὰ τοῦ λέγειν ἀδυνασίαν.] Quamvis autem hanc signif. habeat λέγω per se etiam, additur tamen ei interdum εὖ, ut ab Eurip. [Plat. Leg. 4, p. 709, B, Demosth. p. 1341, 16 et Xen. l. supra cit.], aut aliud hujusmodi adverb. Bud. p. 645, λέγω scribit esse Oratorie loquor, Concionor, δημηγορῶ : affertque exemplum ex Dem. [p. 53, 3 : Αἰτιωμένων ἀλλήλους τῶν λεγόντων· 176, 27 : Οἱ λέγοντες.] Addere autem potes, Orationem habeo, simpl. Verba facio. [In Ind. :] Λεξοῦντι, Dor. pro λέξουσι, Dicent. Εἴλεγμαι, Att. pro λέλεγμαι. [Perfecti activi formæ Λέλεχα exx. rara sunt vel apud recentiores et recentissimos, ut Galen. vol. 8, p. 545, Theodor. Stud. p. 349, B; 393, C; 547, E, et ubi male λέλεγε scriptum, p. 141, C. Aliam memorant grammatici. Hesych. : Λέλεγα, εἴρηκα. Quod λέλογα potius scribendum. Idem : Λέλογας, εἴρηκας. Photius : Λέλογας, ἀντὶ τοῦ εἴρηκας λέγουσι. Forma εἴλεγμαι in compositis potius cum Διά, Ἐκ, Ἐπί, Κατά, Σύν, quæ v., usurpatur. In iisdem perf. act. formatur Εἴλεχα vel Εἴλοχα. V. quæ dicentur in Συλλέγω. Cujus alteram formam, alia significatione positam, annotavit, ut videtur, Hesych. : Λελογχυῖα, λεχὼ γενομένη. Quod λελοχυῖα scribendum conjecit Sopingius. Imperf. frequent. Λέγεσκε memorant Epim. Hom. in Crameri Anecd. vol. 1, p. 309, 19; 376, 19, et Etym. M. ll. in ind. citatis. Optativi præs. formam λεγοίη Apollon. in Bekk. An. p. 524, 3. L. Dind.]

[Λεγωνῆσαι, ἀντὶ τοῦ παῖσαι, οὕτως Ἀριστοφάνης, Photius. Aliquid lucis huic glossæ affert glossa Hesychii ex eodem depromta loco Aristophanis : Λετωνῆσαι, ἀφειδῶς παῖσαι κατὰ τῶν ἰσχίων, quæ nunc cum præcedente, Λετμός, ἀναδρήσσει τὸ σῶμα Ἀμερίας φησί, ipsa quoque vitiosa, est confusa. Nihil autem illi λετωνῆσαι præsidii est in glossa ejusdem grammatici ab Alberto collata Ἐλέταιον, ἔπαιον, ἐπάτασσον, quam ad Λέπειν spectare non fugit interpretes. An scribendum sit λαγονίσαι, ut πυγίζειν dicitur et τὰς λαγόνας σποδεῖν ab Aristophane ipso, in medio relinquo. L. Dindorf.]

Λεδδά, Hesych. ἡ ἐξοχὴ τῶν πτερνῶν. [V. Λεάδα.]

Λεδρεῖται, Hesych. φροντίζει, θέλει, βούλεται, Curæ habet, Vult.

[Λέδων, οντος, ὁ, Ledon, vir autochthon et urbs Phocidis ab eo dicta, cujus cives Λεδόντιοι. Pausan. 10, 2, 2; 3, 2; 33, 1.]

[Λεεῖται, in inscr. Argiva ap. Bœckh. vol. 1, p. 584, n. 1136 : Οἱ Λεεῖται Λ. Κορνήλιον Ἰνγένουον, obscura signif.]

Λέη, Hesych. eand. habere signif. ait : videtur tamen Ionice potius positum pro λεία. [Ὁμοίως quod est ap. Hesych., ad λεία etiam Albertus, minus probabiliter ad Λεδδά retulit Is. Vossius.]

Λεηλἄσία, ἡ, Prædatio, [Vastatio add. Gl.] Ipsa actio agendi prædam. Apoll. Arg. 2, [302] : Ἱρεύσαντο Μῆλα, τά τ' ἐξ Ἀμύκοιο λεηλασίης ἐκόμισσαν, Oves quas inter prædandum Amyco abegerant. Hesychio est αἰχμαλωσία, λῃστεία, ἁρπαγή, μάχη, ἀδικία. [Αἰχμαλωσία etiam Photio. Xen. Hier. 1, 36 : Τὸ ἀκόντων παιδικῶν ἀπολαύειν λεηλασίᾳ ἔμοιγε δοκεῖ ἐοικέναι μᾶλλον ἢ ἀφροδισίοις.]

[Λεηλἄτεύω, i. q. sequens. Photius : Λεηλατεύειν, λῃστεύειν, ἁρπάζειν. Legendum esse λεηλατεῖν ostendit Suidæ gl. Λεηλατεῖ, item in λεηλατεύει corrupta in Bachm. An. vol. 1, p. 288, 31. L. Dind.]

Λεηλατέω, Prædam ago, λείαν ἀπελαύνω, ut Herodian. loquitur, Prædando abigo, προνομεύειν βιάζομαι, ut ab Hesych. exp. Pro Prædam ago capitur ap. Soph. Aj. [342] : Ἦ τὸν εἰσαεὶ λεηλατήσει χρόνον, i. e. λείαν ἐλάσει, λῃστεύσει, πορθήσει, schol. Xen. [Cyrop. 1, 4, 17] : Λεηλατεῖν ἐκ τῆς Μηδικῆς. [H. Gr. 2, 4, 4 : Ὅτι ἐκ τῶν ἀγρῶν λεηλατήσοιεν· eademque locutione 4, 8, 30. Ib. 4, 4, 15 : Ὀλίγοις λεηλατῶν. Absolute 5, 2, 43; 5, 3, 1. Eur. Rhes. 293, Hec. 1143.] Quum vero accus. additur, capitur pro Prædor ⌞Gl.], Deprædor, Depopulor : ut λείαν ποιῶ. [Herodot. 2, 152 : Λεηλατεῦσι τὸ πεδίον· 5, 101 : Λεηλατῆσαι τὴν πόλιν. Epist. Philippi ap. Demosth. p. 280, 8.] Herodian. 3, [9, 6] : Τήν τε χώραν λεηλατήσας, Agrum depopulatus, Polit. Plut. Camillo [c. 17] : Ἀνδραποδίζεσθε καὶ λεηλατεῖτε καὶ κατασκάπτετε τὰς πόλεις αὐτῶν. [Pass. Æneas Tact. c. 16, p. 47 : Ἐὰν δέ σε λάθῃ ἢ φθάσῃ τὰ ἐκ τῆς χώρας λεηλατηθέντα. Plut. Mor. p. 133, A : Φιλόλογον ἄνδρα ... βιβλίον ἢ λύριον οὐ προΐενται τῇ γαστρὶ λεηλατούμενον. L. D.]

[Λεηλάτησις, εως, ἡ, Prædatio. Æneas Tact. c. 16, p. 46 : Ἐάσαι τούτους πρότερον καταφρονῆσαι καὶ καταφρονήσαντάς σου ἐπὶ λεηλάτησιν καὶ πλεονεξίαν ὁρμῆσαι. L. Dindorf.]

[Λεηλατικός, ή, όν, Prædaceus, Gl.]

Λεία, ἡ, Instrumentum lapicidarum, complanandis poliendisque et lævigandis lapidibus aptum. Pollux 7 sub fin. c. 26 [§ 118] : Καὶ ἐργαλεῖα τῶν λατύπων ὀνομάζει λείας καὶ γλαφυρίδας [γλαρίδας]. Sed Λεῖα dicuntur Lapides, quos textores stamini appendunt, ut fila magis contendantur. Pollux 7 sub fin. c. 10 [§ 36] : Ἄγνυθες δὲ καὶ λεῖα [λεῖοι Falckenburgius, λεῖαι Jungermannus ad 10, 125], οἱ λίθοι οἱ ἐξηρτημένοι τῶν στημόνων κατὰ τὴν ἀρχαίαν ὑφαντικήν· forsan quia pondere suo stamen quasi complanant; nam eo pondere sublato fila plana non sunt, sed quædam assurgunt. [In Ind. :] Λεία, a Suida exp. non solum Præda, sed etiam ὁμαλὴ ὁδός, ut substantive positum sit pro λεία ὁδός, Via lævigata et complanata, ex adjectivo λεῖος. Alioqui λεῖαι dicuntur etiam Lapides s. Pondera, quæ textores staminibus appendunt : quo modo Hesych. usurpavit hoc vocab., ἀγνῖθας, s. ἀγνύστας, exponens λείας. Pollux [l. c.] habet λεῖα, neutraliter et pluraliter, scribens ἄγνυθας et λεῖα esse τοὺς λίθους τοὺς ἐξηρτημένους τῶν στημόνων. Hosce lapides Etym. Λέας vocat, Hesych. [in h. v. citatus] etiam λεάς, uterque sine diphthongo : pro quo ap. Aristot. reperio λαιάς, De gener. animal. 5, [7] : Ὥσπερ ἂν εἴ τις χορδὴν κατατείνας, σύντονον ποιήσειε τῷ ἐξάψαι τὸ βάρος, οἷον αἱ τοὺς ἱστοὺς ὑφαίνουσαι· καὶ γὰρ αὗται τὸν στήμονα κατατείνουσαι, προσάπτουσι τὰς καλουμένας λαιάς· quam lectionem Gaza quoque agnoscit, interpretans Lævas. [Ib. 1, 4 : Οὐθὲν γάρ εἰσι μόριον τῶν πόρων οἱ ὄρχεις, ἀλλὰ πρόσκεινται καθάπερ τὰς λαιὰς προσάπτουσιν αἱ ὑφαίνουσαι τοῖς ἱστοῖς. Ubi λαΐας ex libro uno annotavit Bekkerus.

A Disseruit de his ponderibus Schneider. in Indice ad Scriptt. rei rust. vol. 4, p. 380, idemque in Lex. annotavit exx. Heronis Spirit. p. 218, quibus addere licet Autom. p. 256, D; 259, D, etc.]

Λεία, ἡ, Præda, i. e. Corpora ipsa rerum quæ capta sunt, ut Gell. [13, 24] exp., qualia sunt Mancipia et Jumenta; at λάφυρα dicuntur Exuviæ, et quæ in urbium direptionibus auferuntur. [Soph. Aj. 145 : Ὀλέσαι Δαναῶν βοτὰ καὶ λείαν, ἥπερ δορίληπτος ἔτ' ἦν λοιπή Trach. 764 : Δώδεκ' ἐντελεῖς ἔχων, λείας ἀπαρχὴν, βοῦς. Eur. Andr. 15 : Δούλη ... Νεοπτολέμῳ δορὸς γέρας δοθεῖσα λείας Τρωικῆς ἐξαίρετον· Tro. 610 : Ἀγόμεθα λεία σὺν τέκνῳ· Rhes. 326 : Οὐ παρὼν κυνηγέταις αἱροῦσι λείαν.] Plut. Coriol. [c. 13] : Πολλῇ λείᾳ θρεμμάτων καὶ ἀνδραπόδων περιτυχών. Xen. Hell. 1, [3, 2] : Λείαν ἅπασαν κατέθεντο ἐς Βιθυνούς. [De quo l. v. infra.] Item λείαν ἄγειν, ἀπάγειν, ἐλαύνειν, ἀπελαύνειν, Prædam agere, ut Liv. loquitur. Xen. Cyrop. 5, [3, 1] : Πολλοὶ δὲ καὶ λείαν πλείστην ἄγοντες. Herodian. 3, [14, 2] : Καὶ κατατρέχοντας τὴν χώραν, λείαν τε ἀπαγαγεῖν καὶ πορθεῖν τὰ
B πλεῖστα· 7, [3, 3] : Λείαν αἰχμαλώτους ἀπάγειν τῶν ἐχθρῶν. [Plut. Marc. c. 12 : Ἐν λόγῳ λείας φερομένων.] Claudian. quoque Captivam prædam dicit. Idem [6, 2, 14] : Κατατρέχων τε καὶ καθιππεύων Μεσοποταμίαν, λείας ἀπήλαυνε. Item λείαν λαβεῖν, Prædam capere : Cic. : Capta crudelissime ex fortunis alicujus præda. Thuc. 6, [95] : Λείαν τῶν Λακεδαιμονίων πολλὴν ἔλαβον, ἣ ἐπράθη ταλάντων οὐκ ἔλαττον πέντε καὶ εἴκοσι· 2, [94] : Καταδραμόντες τῆς Σαλαμῖνος τὰ πολλὰ, καὶ ἀνθρώπους καὶ λείαν λαβόντες. Item λείαν ποιεῖν, Prædam facere : Cic., Maximos quæstus prædasque fecisse. At paulo aliter Sallust., Regnum ejus sceleris sui prædam fecit. Et λείαν ποιῶ τινα, Deprædor aliquem. Thuc. 8, [41] : Καὶ τὴν χώραν καταδρομαῖς λείαν ἐποιεῖτο, Incursionibus deprædabatur. Plut. Coriol. [c. 28] : Τά τε σώματα λείαν ἐποιήσατο, καὶ τὰ χρήματα διήρπασε. Synes. Ep. 107 : Τῶν πολεμίων μὲν ἐπεχόντων καὶ λείαν ἅπαντα ποιουμένων, Omnia deprædantibus. [|| Deprædatio intelligenda Xen. Anab. 5, 1, 8 : Ἐπὶ λείαν ὑμῶν ἐκπορεύσονταί τινες· 17 : Ἐπὶ λείαν ἐξῄεσαν οἱ Ἕλληνες· aliis-
C que ll. similibus. Plurali H. Gr. 1, 2, 5 : Ἐπεὶ οἱ Ἀθηναῖοι ἐκ τοῦ στρατοπέδου διεσκεδασμένοι ἦσαν κατὰ τὰς ἰδίας λείας. Isocr. p. 71, D : Ἐπὶ λείαν ἐλθόντες.] || Λείη, Hesychio ἡ τῶν θρεμμάτων ἀγέλη : quemadmodum schol. Soph. Aj. [25] : Ἐφθαρμένας γὰρ ἀρτίως εὑρίσκομεν Λείας ἁπάσας καὶ κατηναρισμένας, hic λείας exp. τὰ ποίμνια, τὰ βοσκήματα : vel etiam Pecudes prædando abactas. [Diodor. 19, 21 : Ἦν δὲ καὶ λείας παντοδαπῆς πλῆθος, ἣν διεδίδου δαψιλῆ τοῖς στρατιώταις· 94 : Ἐπιθέσθαι τοῖς βαρβάροις ἄφνω καὶ τὴν λείαν πᾶσαν ἀποτεμέσθαι· ibid. : Ποτίζουσι δὲ καὶ τὴν λείαν δι' ἡμερῶν τριῶν· 96 : Διελόμενοι τὴν λείαν. Sic intelligendum etiam Xen. H. Gr. loco supra ab HSt. cit. 1, 3, 2 : Οἱ Καλχηδόνιοι ... τὴν λείαν ἅπασαν κατέθεντο ἐς τοὺς Βιθυνοὺς Θρᾷκας. Nam sequitur : Ἀλκιβιάδης δὲ ἐλθὼν ἐς τοὺς Βιθυνοὺς ἀπῄτει τὰ τῶν Καλχηδονίων χρήματα. HSt. in Ind. :] Λείη, Ionice pro λεία, Præda, Pecudum grex. Interdum pro λεία, Lævis, ex λεῖος. [De formis Dor. Λαία et Ion. Ληίη v. supra et infra suis locis. Μυσῶν λεία v. in Μυσός.]

D [Λειαγόρη, ἡ, Liagore Nereis, ap. Hesiod. Theog. 257.]

[Λειαίνω. V. Λεαίνω.]

[Λείανδρος V. Λέανδρος.]

[Λείανσις. V. Λέανσις.]

[Λειαντήρ. V. Λεαντήρ.]

Λείαξ, ακος, ὁ, i. q. λεῖος, VV. LL. Etym. derivat a λεῖος, sed non exp. [In Ind. :] Λίαξ, Hesychio παῖς ἀργιγένειος [ἀρτιγένειος] : forsitan παρὰ τὸ λεῖος, quod læves et glabras genas habeat. [Sic dicitur ψίλαξ. V. Piers. ad Mœrin p. 419, Barker. ad Etym. M. p. 1102-3.]

[Λειάς.] Pro Λειάδες ap. Hesych., quod exp. λειμῶνες καὶ κάθυγροι τόποι, puto scrib. Λειβάδες : quod sit a λείβω, sicut λιβάδες a λίβω : ut, sicut λείβηθρον et λειμὼν, λειβὰς sit Locus riguus, qualia sunt prata.

[Λειαύστηρος, ὁ, ἡ, ap. Polluc. 6, 15 : Καὶ ὁ μὲν οἶνος, πῶμα, καὶ πόμα, καὶ ποτόν· ἡδὺς, ἐπαγωγὸς, γλυκὺς, αὐστηρὸς, λειαύστηρος, Jungerm. interpretatur verbis Plinii N. H. 24, 14, Dulcia cum quadam acrimonia.]

[Λειβδὴν, Guttatim, Etym. M. p. 781, 26. Wakef.]

Λείβηθρον, τὸ, Rivus, Aquæ ductus, i. q. ἀμάρα ap. Hom. Eust. [Il. p. 1235, 58] ex Lex. rhet. Λείβηθρον, ὀχετὸς ὑδραγωγός. [Ὑδραγωγικὸς Photius et Suidas, ὀχετὸς, ὑδρ. ap. Eust. interposita interpunct. Hesych. : Λ., ῥεῖθρον, ὀχετὸν, κρουνόν.] Idem et Λίβηθρον dicitur, ut εἴλη et ἴλη. [De qua forma, etiam in libris Pollucis 9, 46 lecta, HSt. infra : « Λίβηθρον, Incilis fossa, Aquæ ductus. VV. LL. V. Λείβηθρον. » Photius et] Eust. [ib.] ex Ælio Dionysio, λίβηθρα, ἔφυδρα χωρία, καὶ διαῤῥύσεις ὑδάτων. [Οὕτως Εὔπολις, addit Photius s. gramm. Bachm. Anecd. vol. 1, p. 291, 13.] Sed frequentius per diphthongum scribitur, ut tradit Eustath., qui [Od. p. 1471, 29] etiam exp. τόπος ὕδασι κατάῤῥυτος χρηστοῖς, Locus irriguus; tuncque idem foret cum λειμὼν, Pratum. || Λείβηθρα, plur. num. dicitur etiam mons quidam Macedoniæ, ap. Lycophr., VV. LL. [Non hoc nomen est apud Lycophronem, sed adjectivum, quod v. infra, 275 : Λειβηθρίην σκοπήν· 410 : Λειβήθριοι πύλαι. Montem memorant Orph. Arg. 50 : Λειβήθρων τ' ἄκρα κάρηνα· 1371 : Λειβήθρων ἐς χῶρον. Strabo 9, p. 410, Τὸ Λείβηθρον, ubi λίβεθρον antiquissimus Paris. 1397, vol. 3, p. 515, 27, sed idem paullo ante Λε........ pro Λειβηθρίδων) et 10, p. 471, ubi plerique per diphthongum Λείβηθρον.] Ita autem locus ille appellatur παρὰ τὸ κατάῤῥυτος εἶναι, καὶ ὕδατι λείβεσθαι, Eust. [Il. p. 1235, 62.] Plut. Alex. [c. 14] : Τὸ περὶ Λείβηθρα τοῦ Ὀρφέως ξόανον. Libethra ap. Plin. 4, 9, fons est Magnesiæ. [Hesych. : Λείβηθρον ... καὶ τόπος ἐν Μακεδονίᾳ καὶ τὸν Ἑλικῶνα. Ubi v. Palmerius et Albertus, qui postrema sic emendat κατὰ τὸν Ἑλ. vel καὶ κατὰ τὸν Ἑλ. Oppidum Macedoniæ ejusque gentile est ap. Pausan. 9, 30, 9 : Ἤκουσα ... ὡς ἐν τῷ Ὀλύμπῳ πόλις οἰκοῖτο Λίβηθρα ἢ ἐπὶ Μακεδονίας τέτραπται τὸ ὄρος, et in seqq. Λιβήθριοι, ut Λιβήθρους ap. Cononem Photii p. 140, 37.] Cujus gentile est Λειβήθριοι, Populi eum locum incolentes : ap. quos vixisse Orphea scribunt. [Apud Eustath. ll. citatis et p. 1476, 28. Unde prov. Ἀμουσότερος Λειβηθρίων apud Aristæn. Ep. 1, 27, de quo parœmiographi. Bœoticum Libethrium memorat Pausan. 9, 34, 4 : Κορωνείας δὲ σταδίους ὡς τεσσαράκοντα ὄρος ἀπέχει τὸ Λιβήθριον· ἀγάλματα δὲ ἐν αὐτῷ Μουσῶν τε καὶ Νυμφῶν ἐστιν ἐπίκλησιν Λιβηθρίων, καὶ πηγαὶ, τὴν μὲν Λιβηθριάδα (pauci libri -θρίδα) κτλ. Cui constanter reddenda forma per ει, quam testantur etiam loci Orphei et Virgilii Ecl. 7, 21, « Nymphæ, noster amor, Libethrides, » altera librariis relinquenda. Formam Λειβηθρὶς habet Strabo 9, p. 410, ubi Λειβηθρίδων νυμφῶν, formam Λειβηθριὰς idem 10, p. 471, ubi Λειβηθριάδων, in versu Maximi 141 : Νῦν δ' ἄγε μοι κούρη Πιμπληιὰς ἔννεπε Μοῦσα pro Πιμπληιὰς ponit Tzetz. ad Lycophr. 410 et in Exeg. Il. p. 30, 12, pro quo male Λειβηθριὰς Hist. 6, 948.]

[Λειβῆνος, ὁ Διόνυσος, Hesych.]

Λείβω, ψω, Libo, i. q. σπένδω. Ea signif. autem Libare dicitur, qua diis libare merum, i. e. ex patera fundere in eorum honorem. Hom. Il. Ω, [306] : Εὔχετ' ἔπειτα στὰς μέσῳ ἕρκεϊ, λεῖβε δὲ οἶνον Οὐρανὸν εἰσανιδὼν, καὶ φωνήσας ἔπος ηὔδα, Ζεῦ πάτερ· Od. B, [432] : Στήσαντο κρητῆρας ἐπιστεφέας οἴνοιο, Λεῖβον δ' ἀθανάτοισι θεοῖς, de Telemacho cum suis navem solventibus. Virg. Æn. 8, [279] : In mensam læti libant divosque precantur : sicut et Priamus in illo priore Homeri loco precatur, postquam libavit. Il. Ω, [285] de Hecuba Priamo libaturo pateram porrigente : Οἶνον ἔχουσ' ἐν χειρὶ μελίφρονα δεξιτερῆφι, Χρυσέῳ ἐν δέπαϊ, ὄφρα λείψαντε κιοίτην· de Hecuba, inquam, quæ pateram porrigens, ait, Τῆ σπεῖσον Διῒ πατρὶ καὶ εὔχεο οἴκαδ' ἱκέσθαι, ubi nota synonymos poni σπένδειν et λείβειν. Et Hesiod. [Op. 722] : Διῒ λείβειν αἴθοπα οἶνον, Jovi libare nigrum vinum. [Æsch. Suppl. 981 : Θύειν τε λείβειν τε. Eur. Ion. 1033 : Ὅταν σπονδὰς θεοῖς μέλλωσι λείβειν. || Stillo, Gl. Callim. Apoll. 37 : Αἱ δὲ κόμαι θυόεντα πέδῳ λείβουσιν ἔλαια.] Dicitur etiam δάκρυα λείβειν, Lacrymas fundere in honorem alicujus, ut diis ex patera vinum. Qua significatione Ovidius De Ponto 1 : Jure igitur lacrymas Celso libamus adempto : Hom. Od. E, [84] : Πόντον ἐπ' ἀτρύγετον δερκέσκετο δάκρυα λείβων· Π, [214] : Ἀμφιχυθεὶς πατέρ' ἐσθλὸν ὀδύρετο δάκρυα λείβων· sed frequentius reperitur εἴβων pro λείβων. Utitur ead. phrasi et [Æsch. Sept. 51 : Δάκρυ λείβοντες· Eum. 54 : Ἐκ δ' ὀμμάτων λείβουσι δυσφιλῆ λίβα. Soph. OEd. C. 1251 : Δι' ὄμματος ἀσταχτὶ λείβων δάκρυον.] Eur. [Andr. 417. Callim. Del. 121. Orph. Arg. 546 : Δάκρυα λειβέμεν ὄσσων.] Pro Fundere s. Diffundere accipi potest et in Dem. Phal. ex Plat. de sono musico, Ὅταν δ' ἐπέχων μὴ ἀνίῃ, ἀλλὰ κηλῇ, τὸ δὴ μετὰ τοῦτο ἤδη τήκει καὶ λείβει· ubi annotat Demetr. λείβει esse ἐμφαντικώτερον quam τήκει, et propius ad poeticam phrasin accedere : estque ibi τήκειν et λείβειν metaphorice sumptum pro Delectatione perfundere, Rebus gratis animum quasi liquefacere, et ut diffluat facere; nam sequitur, ἕως ἂν ἐκτήξῃ τὸν θυμόν. Est autem l. ille Plat. De rep. 3, [p. 411, B]. Similis metaph. et Alcæi in Κατείβω. Λείβομαι, Fundor ut vinum ex patera a libantibus : interdum etiam neutraliter Fluo. [Eur. Phœn. 1522 : Λειβομένοισιν δακρύοισιν.] Xen. Cyrop. 6, [4, 3] : Ἐλείβετο δὲ αὐτῇ τὰ δάκρυα κατὰ τῶν παρειῶν. Hesiod. Sc. [389] de apro dentes acuente : Ἀφρὸς δὲ περὶ στόμα μαστιχόωντι Λείβεται. [Plato Tim. p. 82, D : Λειβόμενον ἀπὸ τῶν ὀστῶν καὶ στάζον.] Bud. λείβεσθαι exp. τήκεσθαι, Liquescere, quocum paulo ante a Plat. copulatur. Plut. Sympos. 5, p. 847 [681, B] : Ὥστε ῥεῖν καὶ λείβεσθαι ἐρωτικὸν, ὅταν ἐμβλέπῃ τοῖς καλοῖς, i. e. ἐντήκεσθαι, ut ibid. loquitur. Sed si ibi exponamus Liquescere, erit ὕστερον πρότερον : nec enim aliquid fluit, antequam liquescat. [Aristoph. Eq. 327 : Ὁ δ' Ἱπποδάμου λείβεται θεώμενος, quod scholia explicant λυπεῖται, καταλείβεται τοῖς δάκρυσιν. Cum accus. et dat. Eur. Andr. 532 : Λείβομαι δακρύοις κόρας. Cum dat. Anyte Anth. Pal. 7, 646, 2 : Χλωροῖς δάκρυσι λειβομένα· Meleager ib. 6, 163, 7 : Ὅπλα λύθρῳ λειβόμενα βροτέῳ· Erycius 7, 36, 4 : Τύμβος Ὑμηττείῳ λειβόμενος μέλιτι. Figurate Pind. Pyth. 12, 10 : Θρῆνον, τὸν ἄϊε λειβόμενον. || Medio Æsch. Prom. 400 : Ῥαδινὸν λειβομένα ῥέος παρειὰν νοτίοις ἔτεγξα παγαῖς. Sic dicitur δάκρυα εἴβεσθαι.]

[Λείγη, Liger, eris, Gl. pro Λείγηρ, qui est fl. Galliæ, ap. Strab. 4, p. 177 etc. V. Λίγειρ.]

Λειεντερέω, affertur pro Laboro lævore s. fluxu intestinorum.

Λειεντερία, ἡ, Lævitas intestinorum [Celso 2, 7 et 8], Continua et æquabilis intestinorum superficies, cibos incoctos elabi sinens. Male in VV. LL. et λυεντερία cum υ. [Describit Hippocr. p. 105, B; 522, 47. Foes. OEc. Hipp. Poeta de vir. herb. 97 ap. Fabric. B. Gr. vol. 2, p. 646 : Σπληνός τε πόνον λειεντερίην τε.]

[Λειεντερικὸς, ἡ, ὸν, i. q. sequens. Rufus p. 180 Matth. : Πολλάκις δὲ καὶ δυσεντερία γίνεται τῷ ἀνθρώπῳ καὶ τὰ λειεντερικὰ, ἀφ' ὧν εἰς ὕδρωπα περιίστανται. L. D. Psellus in Boiss. Anecd. vol. 1, p. 217. Osann.]

[Λειεντεριώδης, ὁ, ἡ, Qui lævitate intestinorum laborat. Κοιλίαι λ. Hippocr. p. 79, D, Aphor. 4, 12. Alex. Trall. 8, p. 150.]

[Λείζομαι. V. Ληίζομαι.]

[Λειχνάριον, Λειχνίζω, Λεῖχνον. V. Λιχν—.]

[Λείχριχον.] Λείχριχα, Hesychio sunt σειραὶ, σχοινία, πλέγματα.

[Λείχτης, ὁ, Linctor, Gl., ubi vitiose λίκτης.]

[Λειμακὶς, ίδος, ἡ, Quæ est in pratis. Orph. Arg. 635 : Σπέος νυμφῶν λειμακίδων. Libri λιμνακίδων. Quod correxit Ruhnk.]

[Λειμακώδης, ὁ, ἡ. HSt. :] Λιμακώδης ex Hippocr. pro Herbidus, βοτανώδης : necnon Humidus. Sed rectius per ει diphth. [Galenus in Exeg. (p. 516). Verum λειμακώδης legitur per ει melius p. 291, 25 : Ἡ δὲ Σκυθέων ἐρημίη καλευμένη πεδιάς ἐστι καὶ λειμακώδης· 294, 50 : Κοῖλα χωρία καὶ λειμακώδεα. Foes. V. Λεῖμαξ.]

[Λεῖμαξ. V. de prosodia et genere fem. Herodian. Cramer. Anecd. vol. 3, p. 284, 4.] Λείμαξ, ἄκος, et Λειμὰς, άδος, ἡ, Pratum. Eurip. Phœn. [1587] : Λωτοτρόφον κατὰ λείμακα. [Bacch. 867 : Νεβρὸς χλοεραῖς ἐμπαίζουσα λείμακος ἡδοναῖς. Auctor Μεταλλέων, Pherecrati tributæ fabulæ, ap. Athen. 15, p. 685, B : Κανθρύσκου μαλακῶν τ' ἴων λείμακα καὶ τριφύλλου. Epigr. Anth. Pal. 9, 788, 10 : Καὶ θαλερῶν πεδίων λείμακες ἀμβρόσιοι.] Hesychio λείμαξ est non solum λειμὼν, sed etiam χωρίον, ἐν ᾧ λειμὼν, χωρίον ἐπίπεδον : Suidæ autem, σύμφυτος τόπος, κῆπος. Et λει-
A μάδες, eid. Hesych. νοτεροὶ καὶ πιώδεις [ποώδεις vel ποιώδεις Guietus] τόποι : quibus verbis subjungit, Ἔστι δὲ καὶ ζῶον ὅμοιον κοχλίᾳ, ὃ καλοῦσι λεῖμα, Limacem. [Λείμακες ... λείμακα post Arnaldum et Salmasium Schneider. in Ind. ad Scriptt. R. R. v. Limax p. 237.] A λείμαξ autem est compar. Λειμακέστερος, Herbidior aut Viridior in modum prati : λειμακέστεροι ap. Suid. dicuntur οἱ σύμφυτοι καὶ σύνδενδροι τόποι, Loci arboribus consiti. [Erotian. p. 240 : Λιμακέστεροι, λιμακώδεις. Λέγονται οἱ λιμνώδεις καὶ κατάφυτοι καὶ ὁμαλοὶ τόποι. Hippocr. p. 289, 25 : Αἱ δὲ λειμακεστέροις τε καὶ ἐλώδεσι (φύσιες ἐοικυῖαι). Quod λειμακωδέστερος scribendum videtur. V. Lobeck. Paralip. p. 288.]

[Λειμάς. V. Λεῖμαξ.]

[Λειμηρός. V. Λιμηρός.]

Λεῖμμα, τὸ, Quod relictum est, Reliquiæ. Et in plur. ap. [Herodot. 1, 119 : Ὁρᾷ τοῦ παιδὸς τὰ λείμματα·] Plut. [Mor. p. 78, A] : Τοῦτον μὲν εὐωχεῖ τὰ σὰ λείμματα καὶ τρέφει. || Λεῖμμα Pythagorici vocant, quod ex duabus sectionibus minus est : τῶν τμημάτων ἀνί-
B σων ὄντων τὸ ἔλαττον, quia τοῦ ἡμίσεος ἀπολείπει. Plut. [Mor. p. 1018, E. Conf. id. ibid. p. 1017, F; 1020, C—F; 1021, E; 1022, A, B.] Item Hemitonium minus in symphonia vocatur a Plat. λεῖμμα et δίεσις, dividiturque in duo σχίσματα. VV. LL. ex Boethio 2, 27. [Aristid. Quint. 1, p. 40 : Λεῖμμα δὲ ἐν ῥυθμῷ χρόνος κενὸς ἐλάχιστος. Ptolem. Harmon. 1, p. 23, etc. Theo De mus. c. 14, 15, 34, 36. Hinc adj. Λειμματιαῖος, α, ον, ap. Bryenn. Harm. p. 396, B; 397, A; 404, B. L. Dindorf.]

[Λειμματίζω, in Apoll. Dysc., Excerpt. mea p. 11. Bast.]

Λειμόδωρον, τὸ, Limodorum; herba quæ fœnum græcum suffocat radici ipsius a primo exortu adnascens, ut Theophr. tradit C. Pl. 5, 22. [V. Αἱμόδωρον.]

Λειμὼν, ῶνος, ὁ, Pratum, Locus irriguus, εἰς ὃν ὕδωρ λείβεται, Eust. [Il. p. 254, 43, et al.] etymologiam simul exprimens : vulgo autem λιβάδιον vocari scribit, itidem a λείβω, ut et λίβηθρον sive λείβηθρον pro Loco riguo. Hom. Od. Δ, [605] : Ἐν δ' Ἰθάκῃ οὔτ'
C ἂρ δρόμοι εὐρέες, οὔτε τι λειμών· E, [72] : Ἀμφὶ δὲ λειμῶνες μαλακοὶ σίου ἠδὲ σελίνου Ἤνθεον. Sic enim legit Ptolemæus Evergetes, non ἴου, ut docet Athen. 2, [p. 61, C] de sio loquens. Causam autem cur sic legat, ibid. affert. [Hesiod. Th. 279 : Ἐν μαλακῷ λειμῶνι. Æsch. Prom. 653 : Πρὸς Λέρνης βαθὺν λειμῶνα· Suppl. 540 : Λειμῶνα βούχιλον· 560, χιονόβοσκον. Soph. Trach. 188 : Ἐν βουθερεῖ λειμῶνι· 200 : Τὸν Οἴτης ἄτομον ὃς λειμῶν' ἔχεις· Aj. 655 : Παρακτίους λειμῶνας· et utroque numero sæpius Euripides.] Chæremon ap. Athen. 13, [p. 608, E] : Θηρωμένων τὰ λειμώνων τέκνα, Flores : quos idem poeta [ib.] ἔαρος τέκνα appellat, Ἀνθηροῦ τέκνα ἔαρος πέριξ στρώσαντες. Aristoph. Ran. [449] : Χωρῶμεν εἰς πολυρρόδους Λειμῶνας ἀνθεμώδεις. Xen. [Cyn. 5, 15] : Τοὺς λειμῶνας, τὰς νάπας, τὰ ῥεῖθρα. [Cyrop. 1, 4, 11 : Τὰ ἐν τοῖς ὄρεσι καὶ λειμῶσι θηρία.] || Hesychio ἀνθηρὸς τόπος, αὐλὼν, θάλασσα. [Figurate Plato Soph. p. 222, A : Πλούτου καὶ νεότητος λειμῶνας ἀφθόνους. Plut. Mor. p. 1088, D : Νομὰς καὶ λειμῶνας ἀμφιλαφεῖς ἡδονῶν. Clem. Al. p. 313, 29 :
D Πλέξας στέφανον ἐξ ἀκηράτου λειμῶνος, ex Eurip. Hippol. 73 (ubi confert Valck. Themist. Or. 15, p. 185, A : Ἐκ τῶν Πλάτωνος καὶ Ἀριστοτέλους λειμώνων δρεψαμένῳ ἄνθη ἀκήρατα ... στεφάνους πλέξαι τῷ βασιλεῖ ἀνθρωπίνης εὐδαιμονίας). Id. p. 322, 16 : Ἀποστολικοῦ λειμῶνος τὰ ἄνθη δρεπόμενος· 736, 20, variis constat floribus; 28, sua Stromata λειμῶνος δίκην πεποικίλθαι. Eust. p. 1154, 5 : Ἐνταῦθα λειμὼν ἐκφραστικὸς ἐξήνθησεν. Auctor Vitæ Homeri p. 403, vocat opus suum στέφανον ἐκ λειμῶνος πολυανθοῦς καὶ ποικίλου. Themist. p. 307, D : Παιδείαν ξυλλέγουσιν ἐκ μὲν Ἀπόλλωνος λειμώνων αἱ Μοῦσαι. Valck. in Mss. et ad Jo. Chrysost. Or. priorem in Paul. init. : Οὐκ ἄν τις ἁμάρτοι λειμῶνα ἀρετῶν ... καλέσας τὴν Παύλου ψυχήν. « Ἐπὶ τὸν τῆς σοφίας παρακύψας λειμῶνα, Liban. vol. 1, p. 376, 16. Λειμὼν Ποινῆς καὶ Ἐρινύων, Himer. p. 118. Προσώπου λειμὼν Liban. vol. 4, p. 587, 14. Nonnus Dion. 10, 190 : Ποσῶν (nunc ῥόδων) ἐρυθαίνετο λειμών. » Jacobs. || Inter librorum inscriptiones λειμὼν vel λειμῶνες memoratur Plinio Præf. N. H. 23, Gellio Præf. N. A. 6; Λειμὼν

Pamphili ab Suida in Præfat. et in Πάμφιλος. Philostr. Imag. 2, p. 811, 2 : Λειμὼν ὁ περὶ τὰς ἐσθῆτας καὶ τὰ ἐν αὐταῖς χρώματα. Achill. Tat. 1, 19 : Τοσοῦτος ἦν Λευκίππης ἐπὶ τῶν προσώπων ὁ λειμών· 16 : Τὸ κάλλος ἐπιδείκνυται (pavo) λειμῶνα πτερῶν. (Ælian. N. A. 5, 21 : Ἔοικεν ἀνθηρῷ λειμῶνι, de cauda pavonis.) Aristæn. 1, 10 : Τοσοῦτον ἐξεφοινίχθη τὸ πρόσωπον ὡς δοκεῖν ὅτι τῶν παρειῶν ἔνδον εἶχέ τινα ῥόδων λειμῶνα. Nicetas Eug. 4, 125 : Λειμὼν δοκεῖ μοι σὸν πρόσωπον, παρθένε, ubi Boiss. contulit Eumath. 1, p. 49 : Ὅλος Χαρίτων λειμών, de Amore picto; Const. Manass. Chron. p. 53, B : Λειμῶνα φέρουσα κάλλους ἐν τῷ προσώπῳ· Jo. Chrys. Hom. in Josephum : Τὴν ὄψιν ὥσπερ λειμῶνα διανθίζουσα· Philostr. Ep. 38 : Ἡ σὴ κεφαλὴ λειμὼν πολλὰ ἄνθη φέρων ἐστίν· Musæi 59 : Ἢ τάχα φαίης Ἠροῦς ἐν μελέεσσι ῥόδων λειμῶνα φανῆναι. Nicephorus Progymn. p. 437, 30 : Μέγαν οὕτω λειμῶνα κάλλους ὁρῶν· 440, 2 : Εὐανθὴς ἦν τὸν τοῦ προσώπου λειμῶνα· 485, 17 : Ἔνδον μέγας κάλλους λειμὼν ἐπανθεῖ. || Signif. obscœna, ut κῆπος, Eur. Cycl. 173 : Ψαῦσαι χεροῖν λειμῶνος.] || Locus trans Tmolum versus austrum, ubi delubrum Caystri Penthesileæ filii et Asiæ herois et Lydorum regis monstratur, juxtaque fluens Caystrus fluvius, VV. LL. ex Strab. [14, p. 649, 650.] Idem et Eust. ex Eod., dicens quosdam ita accipere hoc Homeri Il. B, [467] : Ἀσίῳ ἐν λειμῶνι, Καϋστρίου ἀμφὶ ῥέεθρα, et Ἀσίῳ facere gen. ab Ἀσίας pro Ἀσίου. Alii vero quoddam Asiæ pratum ibi intelligere malunt; alii Pratum limosum, ἄσιος deducentes ab ἄσις, i. e. ἰλύς, Limus, ut pluribus ille docet. At Virg. cecinit Georg. 1 : Jam varias pelagi volucres et quæ Asia circum Dulcibus in stagnis rimantur prata Caystri, ubi Serv. Asia dictum hic esse ab Asia palude tradit. [Λειμὼν in Orco, ubi Minos, Rhadamanthus et Æacus mortuos judicant, ap. Plat. Gorg. p. 524, A. In πεδίῳ ἀληθείας Phædr. p. 248, B. Λειμὼν Ἄτης ap. Empedoclem v. 23, ubi v. Karsten. || Locus prope urbem Hermionem ap. Pausan. 2, 35, 3 : Κρήνας τὴν μὲν σφόδρα ἔχουσιν ἀρχαίαν, τὴν δὲ ἐφ' ἡμῶν πεποιήκασιν (Hermionenses)· ὄνομα δέ ἐστι τῷ χωρίῳ Λειμών, ὅθεν ῥεῖ τὸ ὕδωρ ἐς αὐτήν. || F. Tegeatæ ap. eund. 8, 53, 2.]

[Λειμωνάριον, τό. Inscriptio libri ap. Photium Bibl. cod. 198, p. 161, 23 : Σύνοψις τοῦ μεγάλου καλουμένου λειμωναρίου, ὃ ἀπαγγέλλει τοὺς βίους καὶ τὰ ἔργα τῶν περὶ Ἀντώνιον τὸν μέγαν ἀκμασάντων κτλ. Jacobs. Conf. de ejusmodi Λειμωναρίοις s. Παραδείσοις Pasin. Codd. Taurin. vol. 1, p. 187, B—188. ἄϊ L. Dind.]

[Λειμώνη, ἡ, Limone, n. urbis Perrhæbicæ, postea in Ἠλώνη mutatum, ap. Strab. 9, p. 440; mulieris, ap. Aristæn. Ep. 1, 3. V. Λειμωνίς. L. Dind.]

Λειμωνήρης βοτάνη, Herba pratensis, ἡ ἐν τῷ λειμῶνι, Suidas.

Λειμωνία, ἡ, substantive exp. Prati viror, ἡ ἐν τῷ λειμῶνι χλόη. [V. autem Λειμώνιος.]

Λειμωνιάς, ἄδος, et Λειμωνίς, ίδος, ἡ, Pratensis. [Soph. Phil. 1454 : Νύμφαι τ' ἔνυδροι λειμωνιάδες.] Apoll. Arg. 2, [655] : Τίκτε δέ μιν νύμφη λειμωνιάς, Nympha pratensis : ut ὀρειάς et δρυάς. [Serv. ad Virg. Ecl. 10, 62. Wakef. Orph. H. 50, 4. Πνοαὶ 28, 12; Ὧραι 42, 3; Αὖραι 80, 3. Vitiose ap. Eust. Il. p. 344, 34 : Βοτάνη λειμωνειάς. L. D.] Et λειμωνὶς ποίη, Pratensis herba, ap. Dionys. P. [756, quem dicere videtur Eust. Op. p. 342, 7], ut λειμωνία πόα paulo post ap. Soph. [Epimer. Hom. in Cram. Anecd. vol. 1, p. 83, 26 : Λειμωνίδων νυμφῶν. L. Dind.]

Λειμωνιάτης λίθος, ὁ, Limoniates, gemma quæ Plinio [37, 10] eadem videtur cum smaragdo : dicta a pratensi virore. [Species lapidis pretiosi apud anon. Ms. De virtutibus lapidum. V. Psellum De lapidibus p. 346. Ducang. ἴᾶ]

Λειμώνιον, τὸ, herba est, quam alii Neuroïdes appellant, Diosc. 4, 6, ubi ejus descriptionem reperies. Plin. 20, 8 : Est et beta sylvestris, quam Limonium vocant, alii Neuroïdes.

Λειμώνιος, α, ον, Pratensis, ut λ. πόη, Soph. Aj. [601] : Ἰδαίᾳ μίμνω λειμωνίᾳ ποίᾳ, In pratensi herba Idæ. [Corrupta librorum scriptura et ab aliis aliter tentata : v. annot. interpr. Æsch. Ag. 560 : Λειμώνιαι δρόσοι· fr. ap. schol. Aristoph. Nub. 1367, ἄνθεα. Theocr. Id. 18, 39, φύλλα. Apoll. Rh. 1, 1061, πεδίον·

A 4, 976, ἕλος. Dionys. A. R. 1, 37 : Ἡ ἕλειος καὶ λειμωνία βοτάνη.] Et λ. γῆ, Pratensis terra, Gaza ap. Theophr. [C. Pl. 3, 6, 8] : Τὴν γοῦν λειμωνίαν καὶ ἔφυδρον σχεδὸν οἱ πλείους ὁμολογοῦσιν ἀγαθὴν εἶναι· C. Pl. 3 : Λ. γῆ, ἡ κούφη καὶ μὴ πίειρα καὶ ἔφυδρος, quam vitibus commodam esse dicit. [Alios ll. indicat Schneider. in Ind. Aristot. H. A. 5, 27 : Λειμώνιαι ἀράχναι.] Λειμωνία dicitur etiam Anemones species quædam, quasi Pratensis. Theophr. H. Pl. 6, [8, 1] : Καὶ τῆς ἀνεμώνης ἡ λ. καλουμένη. Et Plin. 21, 11 : Deinde alterum genus anemones, quæ Limonia vocatur. A Theophr. H. Pl. 6, [4, 3] inter φυλλάκανθα numeratur; sed perperam ibi scribitur ἡλυλειμωνία. [V. Schneider. in annot. et Indice.]

[Λειμωνίς. V. Λειμωνιάς.]

[Λειμωνὶς, ίδος, ἡ, Limonis. Schol. Æschinis ad p. 175, 6 ed. Reisk., p. 746 ejusd. : Ἀνὴρ εἷς τῶν πολιτῶν) Ἱππομένης ἀπὸ Κόδρου καταγόμενος· ἡ δὲ θυγάτηρ Λειμωνίς. Οὕτω Καλλίμαχος. « Sic apographa Taylori et Griesbachii, item schol. Meadianus. Goensianum

B autem dat λυμωνίς. » Reisk. Heraclid. Polit. c. 1, de eadem : Ἐπὶ τῇ θυγατρὶ Λειμώνῃ. L. Dind.]

[Λειμωνῖτις, ιδος, ἡ, Pratensis. Cum λειμωνία ponit Suidas. Nicet. Chon. p. 82, A : Πόας τὰς λειμωνίτιδας.]

Λειμωνοειδής, ὁ, ἡ, Prato similis, Floridus, Herbidus. [Cebes Tab. c. 17. Boiss. Hesych. in v.]

Λειμωνόθεν, Ex prato : v. Λαχνήεις. [Λειμωνόθε Theocr. 7, 80 : Λ. φέρβον ἰοῖσαι.]

Λείνα, Cyprii ἔρια, Lanas, Hesych. Infra Λήνεα. [Codex Λειν., litera ultima erasa.]

Λεῖξαι, οἱ, Lixæ : militum famuli. Suidæ γένος τῶν ἐργαστικῶν καὶ παραστρατευομένων ἀνθρώπων, πάσης τάξεως ἐκτὸς ὑπάρχον, ut quod et armis et fide careret, militibus tantum subserviens in ferendis armis sarcinisque et rebus ad victum necessariis, item in detrahendis et congerendis exuviis interfectorum : hos omnes fuisse λίχνους, et quo jure qua injuria quæstum fecisse. Λειξοῦραν dictam fuisse Lucrandi cupiditatem talem, qualis lixarum est. Hesychio vero λειξοῦρα est τὸ δῶρον, παρὰ τὸ λείχω. Sed videtur Lixa

C Latinum potius quam Græcum esse. Nonius enim Marcell. scribit veteres aquam vocasse Lixam : inde Lixas dictos, qui militibus aquam ad castra vel tentoria solent ferre : Pompejus, Lixas esse, qui exercitum sequuntur quæstus gratia : sic dictos, quod extra ordinem sint militiæ, eisque liceat quod libuerit.

[Λειξοῦρα. V. Λεῖξαι.]

[Λειξουρεύομαι, Luxurior. Leo in Tact. c. 20, 83 : Δύο γὰρ τὰ μέγιστα ἐντεῦθεν συμβαίνει κακά· καὶ γὰρ οἱ στρατιῶται λειξουρευόμενοι ἄποροι γίνονται καὶ οἱ ἄρχοντες ἄνανδροι προχειρίζονται. Cit. Ducang.]

[Λειξουρία, ἡ, Luxuria, Aviditas, Ingluvies. Glossæ Mss. et Favorinus (s. Zonaras p. 1296) : Λειξουρία, ἡ λαιμαργία, ἡ πλεονεξία. Nicetas in Alexio Angelo l. 2, n. 2 : Οὐχ ἔλαττον δὲ καὶ ἡ λειξουρία τῶν περὶ αὐτὸν καὶ τὸ πρὸς συλλογὴν χρημάτων ἄπληστόν τινων καὶ ἀκόρεστον. Ducang.]

[Λείξουρος, ὁ, Avidus, Luxuriosus. (Zonaras p. 1294.) Glossæ Mss. : Λείξουρος, ὁ πλεονέκτης. Nicetas in Alexio l. 3, n. 2 : Τὸ ἁρπαλέον καὶ πρὸς κέρδος λείξουρον τῶν ἀν-

D δρῶν. Ubi codex alius πρὸς κέρδος ἑτοιμοτρεχές. Ducang. Moschop. Π. σχ. p. 167 f. Boiss.]

Λειόβατος, ὁ, ἡ, q. d. Lævigradus. Ap. Athen. 7, [p. 312, B] piscis, quem alio nomine ῥίνην vocari scribit, esse vero λευκόσαρκον. [Ἰχθύς τις τῶν λευκοσάρκων etiam Hesychio. Archestratus ap. Athen. 7, p. 319, E : Ῥίνης ἢ πλατυνώτου λειοβάτου.] VV. LL. Læviraiam interpr. [Aristot. H. A. 2, 16 : Λειόβατος καὶ νάρκη. Rufus p. 80 Matth. : Λειοβάτους καὶ νάρκας. Photius : Λ., ἰχθύος εἶδος· ἔστι δὲ ὅμοιον νάρκῃ. Chœroboscus in Crameri Anecd. vol. 2, p. 237, 29, s. Etym. M. Conf. Λεώβατος. L. Dind.]

Λειογένειος, ὁ, Læve mentum habens. Quem λειογένειον a Tibullo ita describi puto, Juvenis, cui lævia fulgent Ora, nec amplexus aspera barba terit. Hanc enim veram esse signif. ap. Herodot. arbitror, 5, [20] ἄνδρας λειογενείους vocantem. Quod autem quidam interpr. λειογένειος Eum cui tenuis et mollis est barba, vel Qui est in prima lanugine, minime probo. [Memorat Pollux 2, 10.]

[Λειόγλωσσος s. Λειόγλωττος, ὁ, ἡ, Levis lingua, Blandiloquus. Symm. Theod. Prov. 6, 24.]

[Λειογρᾶφία, ἡ, Plana pictura. Criminationes eccles. Latinæ in Coteler. Eccl. vol. 3, p. 502, B : Οὐδὲ γράφουσιν εἰκόνας ἁγίων πλὴν τῆς σταυρώσεως τοῦ Χριστοῦ, καὶ ταύτην οὐ διὰ λειογραφίας, ἀλλ' ἀναπέμπτην ὥσπερ τε τῶν γλυπτῶν. V. Coteler. p. 667. L. Dind.]

[Λειοειδής, ὁ, ἡ, Levem speciem habens. Greg. Nyss. vol. 3, p. 623, B : Τὴν ἡδεῖαν τῆς θαλάσσης ὄψιν ἐν λειοειδεῖ τῇ αὐγῇ δι' ἠρεμαίου τοῦ πνεύματος γλαφυρῶς ἐπιφρίσσουσαν. Wakef.]

[Λειοθαλασσία, ἡ. Theophr. H. Pl. 7, 4, 2 : Διαιροῦσι ῥαφανῖδος γένη τὴν μὲν Κορινθίαν, τὴν δὲ Κλεωναίαν, τὴν δὲ λειοθαλασσίαν, τὴν δὲ Βοιωτίαν ... τὴν δὲ λειοθαλασσίαν, ἣν ἔνιοι καλοῦσι Θρᾳκίαν, ἰσχυροτάτην πρὸς τοὺς χειμῶνας. Athenæus hæc afferens 2, p. 56, F, bis λειοθασίαν. Et ἄπλυτοι ῥαφανῖδες, ἃς καὶ Θασίας ὠνόμαζον, sunt ib. E. Pro quo θαλασσίας scriptum ap. Hesychium v. Ἄπλυτοι ῥαφανῖδες. Sed cum Athenæo consentit etiam Plin. N. H. 19, 5, 25, ubi repetens verba Theophrasti bis ponit Liothasiam. Itaque hoc probavit Schneiderus, et λεῖος ad foliorum vel caulium levorem referendum conjecit.]

Λειοκάρηνος, ὁ, ἡ, Glabrum caput habens. [Pollux 2, 26. ἄ]

Λειόκαυλος, ὁ, ἡ, Lævem caulem habens, Cui scapus lævis est, Plin. : Theophr. H. Pl. 7, 8, [2] : Τούτων δὲ ἀπαράβλαστα τὰ λειόκαυλα κρόμμυον, πράσον, σκόροδον.

[Λειοκονία, ἡ. Niceph. Gregor. Hist. Byz. 7, 12, p. 276, 14 : Τὸν κίονα ... λειοκονίᾳ στερρᾷ περιειλήφασι, Lævi et firmo tectorio induxerunt, Int.]

Λειοκόνιτος, Hesychio κόνις διαλελυμένη, item τελείωσις, quod λείως significet τελείως, Perfecte, Integre, Plane. [Verba Hesychii sunt : Λειοκόνιτος, ἡ τελείωσις κόνις διαλελυμένη · λ. γὰρ τ. Quod scribendum videtur ἡ τελείως ὡς κόνις διαλελυμένη. Est autem hoc voc. vix diversum ab eo quod Hesych. et Photius infra ponunt Λεωκόρητος (— κόριτος cod. Hes.), Hesychius quidem etiam præposito indice dittographiæ Λεωκόνιτος ἤ. Et scripturam —κον— tuetur non solum quod additur κόνις, sed etiam, quod ipse Hesychius posuit : Κονίζεσθαι, φθείρεσθαι. Parum enim probabilia sunt quæ de scriptura —κορητος scripsit Barker. ad Etym. M. p. 1100 et de glossa λειοκόνιτος p. 1103 seqq.]

Λειοκόρης, ὁ, Hesychio ὁ τελείως [τελείους cod.] ἐκκεκαυμένους [ἐκκεκομμένους Guietus] τοὺς ὀφθαλμοὺς ἔχων. Ordo alphabeticus pro eo requirit Λειψοκόρης. [Potius Λειωκόρης, quod ponit Barker. ad Etym. M. p. 1102. Cui simile quodammodo λεωκόρητος, de quo in Λειοκόνιτος dictum, etsi hæc omnia valde incerta.]

[Λειοκῡμονέω.] Ap. Suidam Λειοκυμονοῦσιν αἱ νῆες, quum utuntur æquore pacato et tranquillo, silentibus ventis.

Λειοκύμων θάλασσα, dicitur Pacatum s. Stratum mare : quum non est veluti asperum fluctibus, sed tanquam complanatum. Lucian. [Ver. H. 2, 4] : Εὔδια πάντα, καὶ πλοῦς οὔριος καὶ λειοκύμων ἡ θάλασσα. [Theodor. Prodr. p. 165. Jac. Nicet. Eugen. 4, 2. Boiss. Anna Comn. p. 210, B. L. Dind.]

Λειόμερος, Hesychio ταχυδιάνοιος. [Quum glossa ponatur inter Λεῖον et Λειοῦρος, vocabulum cum nomine a π incipiente latere credibile est, velut quod Pergerus conjecit λειοπόρος vel potius λειόπορος.]

Λειόμῐτος, ὁ, ἡ, Suidas ex Epigr. [Philippi Anth. Pal. 6, 247, 2] affert, cum hoc pentametro, Παλλάδος ἱστοπόνου λειομίτου κάμακος, sed non exp. Videtur λειόμιτος κάμαξ dici Pertica illa transversa cui appenduntur αἱ λεῖαι ad complananda stamina.

[Λεῖον, τό.] Λεῖον Hesychio est non solum ὁμαλὸν, sed etiam ὁ σῖτος. [Photius : Λεῖα, ἄρουραι. V. Λήιον.]

[Λειοντῆ. V. Λεόντεος.]

[Λειοντοκόμος, i. q. λεοντοκόμος. Boethius Planudis p. 27, 16. Boiss.]

[Λειοντομάχης, ὁ, Qui cum leone pugnat. Theocr. Epigr. 20, 2 : Τὸν λειοντομάχαν. ἄ].

Λειοντοπάλης, ὁ, pro λεοντοπάλης, Qui luctatur cum leone. [Erycius Anth. Pal. 9, 237, 3 : Τῷ λειοντοπάλα, de Hercule. ἄ]

[Λειόπεδον, τὸ, Planus campus, voc. etymologiæ caussa fictum in Epim. Hom. Cram. An. vol. 1, p. 78, 21. L. Dind.]

[Λειοπετρία. V. Λεωπετρία.]

[Λειοποιέω, Contero. Geopon. 20, 26 : Φάκιον μετὰ ξηροαμύλου λειοποιήσας. || Levigo. Heliodor. ap. Oribas. in Cocchii Chirurg. p. 97, 5 : Ἐὰν δὲ μετὰ τὴν θραῦσιν ἄνω μᾶλλον (l. ἀνώμαλος ὁ) τῆς ἐκτρήσεως τόπος ᾖ, τῷ λεγομένῳ περιξυστῆρι λειοποιείσθω. Cit. Schneider. L. Dindorf.]

[Λειοποίησις, εως, ἡ, Levigatio. Heliodor. ap. Oribas. in Cocchii Chirurg. p. 97, 32 : Μετὰ δὲ τὴν τοῦ ὀστέου ἀναίρεσιν ἡ ξῦσις πρὸς λειοποίησιν τοῦ κρανίου δοκιμαζέσθω. Male scriptum λειωποίησιν.]

Λειόπους, οδος, ὁ, ἡ, Qui lævibus pedibus est, vel planis : a λεῖος, quod Hesych. exp. ὁμαλός : ita λειόποδες a plantæ planitie dicuntur, qui Latinis Planci, teste Cam., ut in quibus concavum s. convexum pedis non est.

[Λειοπώγων, ωνος, ὁ, Qui levem s. nullam barbam habet. Const. Manass. Chron. v. 612 : Ἄτριχα, λειοπώγωνα, γυναικοπροσωπίαν. Boiss.]

Λεῖος, α, ον, Lævis, [Glaber add. Gl. Aristoph. ap.] Athen. 7, [p. 299, B] : Λεῖος ὡς [ὥσπερ] ἔγχελυς. [De imberbi, quomodo dictum λογογράφοις tribuit Thomas M. p. 928, Theocr. 5, 90 : Κῆμὲ γὰρ ὁ Κρατίδας τὸν ποιμένα λεῖος ὑπαντῶν ἐκμαίνει. Strato Anth. Pal. 12, 13, 1 : Ἰητροὺς εὗρόν ποτ' ἐγὼ λείους δυσέρωτας · 222, 1 : Παιδοτρίβης λεῖον προδιδάσκων. Lucian. D. mer. 7 : Λεῖός μοι, φασὶ, Χαιρέας. Cum accus. schol. Aristoph. Ran. 48 : Κλεισθένης ἦν λεῖος τὸ γένειον.] Lucian. [Tim. c. 29] : Ὡς δὲ λεῖος εἶ καὶ ὀλισθηρὸς καὶ δυσκάθεκτος καὶ διαφευκτικὸς, Lævis et lubricus, et retentu difficilis. Aristot. [H. A. 9, 37] de polypis : Πορεύεται δὲ ἐπὶ τοῦ τραχέος, τὸ δὲ λεῖον φεύγει · Plin., Soli mollium in siccum exeunt, duntaxat asperum, lævitatem odere. [Herodot. 7, 9 : Τὸ κάλλιστον χωρίον καὶ λειότατον (ubi cod. Flor. λεότατον). Xenoph. Anab. 4, 4, 1 : Ἐπορεύθησαν διὰ τῆς Ἀρμενίας πεδίον ἅπαν καὶ λείους γηλόφους. Valck. Aristot. H. A. 5, 17 : Γίνονται δ' οἱ μὲν κάραβοι ἐν τοῖς τραχέσι καὶ πετρώδεσιν, οἱ δὲ ἀστακοὶ ἐν τοῖς λείοις. Hemst. Plato Critiæ p. 118, A : Λεῖον καὶ ὁμαλὲς πεδίον. Themist. Or. 18, p. 217, A : Τοῖς λείοις καὶ ἀναπεπταμένοις δαπέδοις. Contrarius Silvoso ap. Xen. Reip. Ath. 2, 12 : Οὐδ' ἔστι τῇ αὐτῇ ξύλα καὶ λίνον, ἀλλ' ὅπου λίνον ἐστὶ πλεῖστον, λεία χώρα καὶ ἄξυλος. Alia exx. de locis dicti v. infra ap. HSt. Hom. Il. Δ, 484 : Αἴγειρος λείη.] Theophr. [H. Pl. 1, 10, 2] : Τὰ ὕπτια ποωδέστερα καὶ λειότερα. Plin., Foliorum pars inferior a terra herbido viret colore : ab eadem læviora. [Ibid. 3, 7, 1 : Περὶ τὸ λεῖον τοῦ στελέχους · 8, 2 : Τὸ ξύλον ἔχειν λειότερον.] Thuc. 2, [97] : Ὅσα ὑφαντά τε καὶ λεῖα, Texta et lævia. [Plato Polit. p. 310, E : Λεῖον ... ὕφασμα. Xen. Comm. 3, 10, 1 : Τὰ τραχέα καὶ τὰ λεῖα · Eq. 4, 3 : Τὰ ὑγρά τε καὶ λεῖα τῶν σταθμῶν · 9, 9 : Χαλινοὶ οἱ λεῖοι ἐπιτηδειότεροι τῶν τραχέων. Plato Tim. p. 63, E : Λείου καὶ τραχέος παθήματος. Et similiter alibi. Foes. OEc. Hipp. : « Λεῖον Læve dicitur et quod sibi continuum est et cohærens, æquabilemque habet superficiem, et nulla ex parte divulsam, velut ὑπόστασις λείη, Sedimentum læve ac minime divulsum in bonis urinæ notis annumeratur in Progn. Sic τὸ γλίσχρασμα τῆς πτισσάνης λεῖον, hoc est Viscositas ptissanæ lævis, probatur p. 385, 4, ubi τὸ λεῖον ἀντικεῖσθαι τῷ τραχύνοντι scribit Galenus. Ut vero τὸ λεῖον bono est, sic interdum etiam in excrementis vituperabiles notas habet, velut et λεῖον διαχώρημα πονηρὸν in colliquationis excrementis ponitur p. 40, 15. Ubi scribit Galenus : Λεῖον δὲ γίνεται πᾶν ὁτιοῦν τῶν ἐκκρινομένων τοῦ σώματος, ἢ διὰ τὸ ὁμαλὴν πέψιν ἔχειν, ὥστε μηδὲν αὐτοῦ διαπεφευγέναι μέρος τὴν ἐκ τῆς φύσεως ἀλλοίωσιν, ἢ διὰ ἰσχυρὰν σύντηξιν, ὡς μηδὲν ἐνταῦθα μόριον τῆς ὕλης ἀπαθὲς ὑποληφθῆναι ... Λεῖον etiam Depile, Glabrum et læve significat, p. 1090, G ; ἄτριχον exp. Galen. et hispido aut piloso opponitur. Rursus aph. 21 sect. 3 lib. 6 Epid. λεῖον in toto corpore spectatur et cutis corporis planitiem atque æquabilitatem significat, cui τὸ φρικῶδες, hoc est Horridum, opponitur, quod cutis asperitatem et inæqualitatem indicat. »] Item ex Epigr., λεῖος πετράων, Lævis nec asper saxis. [Hom. Od. E, 443 : Χῶρος, λεῖος πετράων.] Et τὸ λεῖον, Lævor, Lævitas : ut τὸ θερμὸν, Calor. [Plato Tim. p. 60, A : Τὸ λ. καὶ διακριτικὸν ὄψεως.] Item Pulvis, ex Aristot. H. A. 4. [De cibis dulcibus Tim. Locr. p. 101, A : Λεῖά τε καὶ γλυκέα.] Metaph. quoque accipitur, ut [ap. Æsch. Prom. 648 : Παρηγόρουν λείοισι μύθοις. Plato Crat. p. 406, A : Πρὸς τὸ ἥμερόν τε καὶ λεῖον (τοῦ ἤθους). Idem de voce Tim. p. 67, B : Τὴν δὲ ὁμοίαν ὁμαλήν τε καὶ λείαν, τὴν δ' ἐναντίαν τραχεῖαν. Et Phil. p. 51, D : Τὰς τῶν φθόγγων τὰς λείας καὶ λαμπράς (ἡδονάς)· Polit. p. 307, A : Περὶ φωνὰς γιγνόμενα λεῖα καὶ βαρέα·] λεῖα ὀνόματα ap. Rhetores, τὰ γλαφυρόν τι ἔχοντα, sc. τὰ διὰ φωνηέντων, ἢ πάντων, ἢ διὰ πλειόνων : ut Αἴας : quibus opp. τὰ τραχέα, ut βέβρωκε. [Verba Demetrii Eloc. 176. Id. 48 : Ὁ Θουκυδίδης πανταχοῦ σχεδὸν φεύγει τὸ λεῖον καὶ ὁμαλὲς τῆς συνθέσεως. Dionys. De comp. vv. c. 22, p. 165, λείας et συνεξεσμένας ἁρμονίας tribuit λέξει εὐεπεῖ καὶ λεληθότως ὀλισθαινούσῃ διὰ τῆς ἀκοῆς. Et p. 171 ὀνόματα λεῖα καὶ μαλακὰ καὶ παρθενωπὰ jungit. Ex Ernest. Lex. rh.] Item ap. Plut. Ad Colot. [p. 1122, E] : Λεῖα καὶ προσηνῆ κινήματα τῆς σαρκός. [V. Hesychii gl. infra cit.] In Epigr. [Archiæ Anth. Pal. 7, 278, 8], λείη ἡσυχίη. Aristoph. [Ran. 1003] : Πνεῦμα λεῖον καὶ καθεστηκὸς, ubi potest accipi pro Placidus; nam Lævis eo sensu usurpatum ap. Lat. non reperio. [Philostr. V. Ap. 3, 52, p. 136 : Ἐπιβὰς νεὼς ἐκομίζετο λείῳ καὶ εὐφόρῳ πνεύματι· V. Soph. 1, 16, p. 503 : Τὸ δὲ τοῦ λόγου πνεῦμα ἐλλιπέστερον μὲν, ἡδὺ δὲ καὶ λεῖον, ὥσπερ ἡ τοῦ Ζεφύρου αὔρα· 2, 14, p. 564 : Τὸ πνεῦμα οὐ σφοδρὸν, ἀλλὰ λεῖον καὶ καθεστηκός. Et alii ap. Lobeck. ad Soph. Aj. 673. De mari Herodot. 2, 117 : Εὐαέϊ τε πνεύματι χρησάμενος καὶ θαλάσσῃ λείῃ.] Tullio est Dulcedine movens, ap. Aristipp. : Λεῖος εἰς κίνησιν ἀναδιδόμενος, Dulcitudine sensum movens. [V. Diog. L. 2, 86 et ejus interpretes.] || Hesych. λείας exp. etiam ὁμαλὰς, εὐθείας : nam quæ complanata sunt, lævia sunt, non aspera. [Hom. Il. Ψ, 330 : Λεῖος δ' ἱππόδρομος· 359 : Λείῳ πεδίῳ.] Λεία ὁδὸς, Homero Od. K, [103], Via plana, i. e. Vehicularis, ᾗ ἁμαξιτός. [Hesiod. Op. 286. Plato Leg. 8, p. 833, B : Λειοτέρας ὁδοῦ. Herodot. 9, 69 : Διὰ τοῦ πεδίου τὴν λειοτάτην τῶν ὁδῶν.] Et λεία, eidem Hesychio προσηνὴς καὶ καλή. [Vide supra. Homerus Odyss. I, 134 : Ἐν δ' ἄροσις λείη. De operibus λειουργῶν, quod voc. v., in inscriptione apud Bœckh. vol. 1, p. 284, § 11, λεῖα ἐκπεπονημένα ἄνευ κατατομῆς, et sæpius ibidem λεία ἐργασία. De vestimento p. 249, 1 : Χιτωνίσκιον κτενωτὸν λεῖον.] || Λεῖα dicuntur etiam Quæ trita et infricata sunt, et ex grumosis scrupeisque in lævem pulverem redacta : unde λειοτριβεῖν, ita Conterere, ut lævia fiant : Λείων τοῦ θείου περιπαττομένων, Sulphuris insperso pulvisculo. [Theoph. Nonn. vol. 1, p. 336 : Κηκῖδα λείαν μετὰ κεδρίας.]

[|| Λείως, adv. Iisdem signiff. quæ in adjectivo notatæ sunt, Plato Theæt. p. 144, B : Οὕτω λ. τε καὶ ἀπταίστως καὶ ἀνυσίμως ἔρχεται ἐπὶ τὰς μαθήσεις. Plut. Marcell. c. 14 : Ὁλκάδα προσηγάγετο λ. καὶ ἀπταίστως καὶ ὥσπερ διὰ θαλάσσης ἐπιθέουσαν· Mor. p. 384, A : Τὸ σῶμα διὰ τῆς πνοῆς κινούμενον λ. καὶ προσηνῶς ὑπνοῦται· et similiter alibi. Alciphr. Epist. 1, 10 : Οἱ δελφῖνες ἀνασκιρτῶντες καὶ τῆς θαλάττης ἀνοιδουμένης λ. ἐφαλλόμενοι. Photius cod. 119, p. 93, 39 : Ἔστι δὲ τὴν φράσιν (Pierius presbyter) ὡς ἐξ αὐτοσχεδίου ὁμαλῶς τε καὶ λ. καὶ ἠρέμα φερόμενος. Hesych. in Λειοκόνιτος, quod v. HSt. :] Λείρως, Hesychio ῥᾳδίως, Facile : et δεινῶς, σφόδρα, Acriter, Vehementer : et τελείως, καλῶς, Perfecte, Pulcre. [Recte interpretes Λείως.]

Λειόστρᾰκος, ὁ, ἡ, Lævi testa intectus : λειόστρακα autem substantive exp. Læves testæ. [Aristot. H. A. 4, 4, ubi adjective. In Matthæi Med. p. 25 : Αἱ δὲ γλυκυμαρίδες χαριέστεραι τῶν λείων ὀστρακίων κόγχων, scribendum esse λειοστράκων intellectum fere ab editore.]

Λειόστρεια, Ostreæ læves, Ostrea quæ scabra non sunt.

[Λειοσώμᾰτος, ὁ, ἡ, Qui levi corpore est. Eubulus ap. Athen. 7, p. 300, C : Αἵ τε λιμνοσώματοι Βοιώτιαι παρῆσαν ἐγχέλεις θεαί. Emendandum λειοσώματοι. Valck.]

Λειότης, ἡ, Lævitas [Gl.], Lævor. [Æsch. Prom. 493 : Σπλάγχνων τε λειότητα. Xen. Eq. 10, 6 : Τῇ λειότητι αὐτοῦ (freni)· et ib. 7. Plato Tim. p. 46, C : Ἡ τῶν κατόπτρων λ. 65, C : Τραχύτησί τε καὶ λειότησιν,

A et iisdem verbis Aristot. De partt. anim. 2, 2.] Theophr. [H. Pl. 6, 6, 4] : Τῶν ῥόδων πολλαὶ διαφοραὶ πλήθει τε φύλλων καὶ ὀλιγότητι, καὶ τραχύτητι καὶ λειότητι, καὶ χροιᾷ καὶ εὐοσμίᾳ· Plin., Differunt rosæ multitudine foliorum, asperitate, lævore, colore, odore. Plut. Erot. [p. 765, C] : Ἀτόμων ὑπὸ λειότητος καὶ γαργαλισμοῦ θλιβομένων· De deo Socr. [p. 588, F] : Τροχαλὰ ταῖς κατασκευαῖς ὑπὸ λειότητος ἐνδίδωσι πρὸς τὸ κινοῦν. Et λειότης πετρῶν ap. Eund., Lævor et Lubricitas. A ὀνομάτων ap. rhetores et grammaticos, Lenitas, quum sc. consonantium crebra σύγκρουσις non fit, aut fit quidem, sed quæ aspera non sit; nam et in hoc l. Hom. [Il. Δ, 125], Λίγξε βιὸς, λειότης inesse dicitur. [V. Demetr. De eloc. c. 299, περὶ λειότητος. Dionys. Isocr. c. 13. Τὴν λειότητα τῶν φθόγγων memorat ib. c. 2. Aristot. De gener. anim. 5, 7 : Λειότητι καὶ τραχύτητι (vocis) διαφέροντα ἀλλήλων. Plurali Mich. Psellus ap. Tafel. De Thessalon. p. 362 : Σαφηνίζων τὰ ὑψηλὰ μεθόδοις, φημὶ τομαῖς τισι καὶ λειότησι. || Planities. Cinnamus p. 172, A : Πεδία παρ' αὐτὴν τέταται λειότητος

B ἐπὶ πλεῖστον ἥκοντα.]

Λειοτρῐβέω, Contero s. Contundo et comminuo, ita ut lævigetur, i. q. λειόω et λεαίνω. Geopon. : Λειοτριβήσας ἔμβαλλε, pro eo quod Colum. dixit, Ea postea terito, et amphoris singulis infricato. [Ibid. 17, 11; 20, 34.] Item ex Galeno affertur λειοτριβοῦντες pro In farinam terentes. [Alex. Trall. 2, 50; Diosc. 1, 6; Theoph. Nonn. vol. 1, p. 288; 2, p. 314.]

Λειοτριβὴς, ὁ, ἡ, Qui ita tritus et tusus est ut sit λεῖος, Tritu s. Tritura lævigatus, Minutim tusus, contusus, contritus. Qua signif. et λεῖος usurpatur. Diosc. 3, 59 : Τὰ δὲ φύλλα λεῖα μετὰ μέλιτος ἐπιτιθέμενα, Folia trita et cum melle imposita. Ib. 80 : Αἱ δὲ ῥίζαι λεῖαι σὺν μέλιτι καταπλασθεῖσαι, Contritæ radices et cum melle illitæ.

[Λειοτρῐχέω.] Λειοτριχεῖν, Lævi capillo præditum esse. Affertur et λειοτριχεῖν ποιεῖ pro Pilos lævigat et expolit. [Ex Aristot. H. A. 8, 9.]

[Λειοτριχιάω, i. q. præcedens. Sophron Athenæi 3, p. 106, E : Θᾶσαι μὰν ὡς ἐρυθραί τ' ἐντὶ καὶ λειοτρι-

C χιῶσαι.]

[Λειουργέω.] Λειουργῶ, Reddo λεῖον, Lævigo, Expolio, Complano. [Clem. Al. Pæd. 3, p. 261 : Τοιοῦτοι γὰρ οἱ τῶν ἀγεννεστέρων ζηλωταὶ παθῶν ἅπαν τὸ σῶμα τοῖς βιαίοις τῆς πίττης ὁλκοῖς λελειουργημένοι. Suidas : Λελειουργημένα, κεχαλλωπισμένα. Per ι scriptum ap. Photium.]

[Λειουργὸς, ὁ, Qui plana facit. Inscr. Att. ap. Bœckh. vol. 1, n. 9, p. 23, 6. Sic enim suppletur quod est in lapide ΟΥΡΓΟΙ. V. Bœckh. p. 285, A.]

Λείουρος, Hesychio αἴλουρος, Felis : forsan παρὰ τὸ λείαν οὐρὰν ἔχειν, Lævibus et æqualibus præditam pilis.

Λειούσματα, s. Λεγούσματα, Galatis εἶδος καταφράκτου, ut tradit Hesych.

Λειόφλοιος, ὁ, ἡ, Lævem corticem habens. Λειόφλοια δένδρα, Basil. [Theophr. H. Pl. 1, 5, 2; 9, 4, 2. Λειοφλοιότερον, C. Pl. 5, 7, 2.]

Λειόφυλλος, ὁ, ἡ, Lævia folia habens, non aspera.

[Λειόχρως et Λεόχρως pro ὁμόχρους in l. Aristotelis quodam scriptum in libris Athenæi 7, p. 312, F.]

D Λειόω, Lævigo, Lævo, i. e. Lævem reddo, Complano, et asperitatem omnem tollo. [Theodor. Stud. p. 253, B : Λειοῦτε τὴν ἐπιγραφὴν, Expungite, Delete. Heliodor. ap. Oribas. in Cocchii Chirurg. p. 97, 26 : Τὸ ὀστέον ξύσει λειούσθω. L. D. Marcell. Sid. 83 : Ὕδασι λειωθεῖσα δορή. Schneid.] || Friando et conterendo, ex grumoso et scrupeo atque aspero in lævem pulverem redigo, i. q. λειοτριβέω, εἰς λεπτὰ τρίβω, διακόπτω : nam et ita exp. [Theoph. Nonn. vol. 1, p. 50 : Κάρυα βασιλικὰ λεῖου μετ' ἐλαίου· et alibi sæpe cum ceteris medicis. Passivo vol. 2, p. 302 : Μέλισσα ἡ βοτάνη λειουμένη σὺν ἐλαίῳ. HSt. in Indice :] Λειεῦμαι, Ionice poni dicitur pro λειοῦμαι, Comminuor, Conteror, Contundor.

Λειπάζεσθαι, affertur pro Residuum esse : quod et λοιπάζεσθαι.

[Λειπανάβατον, τὸ, Sacrificium in quo deest ἀνάβατον, Fermentum. Balsamon ad Conc. 6, can. 10 : Ἄζυμα τὰ λεγόμενα λειπανάβατα. Ducang. Rectius Λιπανάβατα.]

[Λειπανδρέω, et cetera composita cum verbo Λείπω, quæ HSt., pravam sequutus scripturam librorum, per diphthongum scripta posuerat, v. in Λιπ—. Quam scripturam multi confirmant loci poetarum, quum alterius non meliora quam formæ ἐλλειπὴς, supra nobis notatæ, testimonia reperiantur. Diphthongum qui in utrisque probabat Orus, refellitur ab Origene in Chœrobosci Orthogr. Crameri Anecd. vol. 2, p. 239, 6—11 (ubi delenda videntur verba male repetita ἔλιπον παρ' Εὐφορίωνι), sive Ms. ap. Bekker. ad Apollon. De constr. p. 414. L. Dind.]

[Λειπόκεντρα, τὰ, Reliqua ex clavis calceorum, Quæ ex iis supersunt. Demetr. Cpol. Hieracosoph. 1, c. 148 : Κρηπίδων παλαιῶν ἡλάρια, τὰ λεγόμενα λειπόκεντρα. Ducang. Rectius est λιπόκεντρα.]

Λειπὸν, Hesychio τὸ ἐλλειπὲς ὂν, Defectum : at λοιπὸν, Reliquum, Residuum. Λεῖπον vero, vide in Λεῖχνον [in Λίχνον posito. Λειπὸν autem scribendum λεῖπον].

[Λειπτέον, Relinquendum. Eur. Herc. F. 1385 : Οὐ λειπτέον τάδ', ἀθλίως δὲ σωστέον. Plato Reip. 3, p. 400, B : Τίνας τοῖς ἐναντίοις λ. ῥυθμούς· Criton. p. 51, B : Οὐδὲ λ. τὴν τάξιν.]

Λειπυρίας πυρετὸς, dicitur Febris continua, in qua simul externa frigent, interna uruntur : ut Gorr. inter alia tradit, quem consule : et Aetium 5, 89 [et Galen. Comm. 2 in Progn. p. 136, 10, ad Aphor. 4, 48. Foes. OEc. Hipp.] Actuarius II. διαγν. πυρετῶν 2, 1 : Ὁ δὲ λειπυρίας, ἱκανὸν ἐπάγων ῥῖγος, οὐκ ἔκδηλον ἐπάγει καὶ τὴν ἐπ' αὐτῷ θέρμην, ὡς ἔξεστι καὶ ἐξ αὐτοῦ εἰδέναι τοῦ ὀνόματος· λείπεται γὰρ πυρὸς, ἤτοι θέρμης. [HSt. in Ind. :] Λιπυρίης, Ionice pro λειπυρίας, Hippocr. De judic. [p. 53, 15] : Φιλέει ἐς λιπυρίην περιΐστασθαι. [Ubi genere fem. dici docent sequentia : Καὶ ἡ λιπυρίη τῆς αὐτῆς ἡμέρης λαμβάνει τε καὶ μεθίησι ... Ἐὰν δὲ μὴ μεθίῃ αὐτὸν ἡ λιπυρίη ἐν ταῖς τεσσαράκοντα ἡμέραις. Sed p. 479, 20 : Ἀπώλετο ὑπὸ λιπυρίου· ubi tamen λύπης legisse videri Calvum annotavit Foesius, quod et ipsum ad λιπυρίης duceret, ut est p. 467, 10 : Αὕτη ἡ νοῦσος γίνεται μάλιστα ἐκ λιπυρίης. Ceterum per ι scribitur etiam adj. Λιπυριώδης, ὁ, ἡ, p. 1288, 19 : Τοὺς ἐν λιπυριώδει πυρετῷ χρονίους· sed Λειπυρικὸς, ἡ, ὸν, p. 134, E : Τὰ λειπυρικὰ μὴ χολέρας ἐπιγενομένης οὐ λύεται, quod Λιπυρικὸς scribendum.]

Λείπω, f. ψω, præt. φα, pro quo potius in usu est med. præt. λέλοιπα, Linquo (quod verbum magis alioqui poeticum quam oratorium, ab hoc λείπω factum crediderim, ut dictum sit Liquo pro Lipo, deinde Linquo, interjecta litera n), Relinquo. Hom. Od. I, [337] de Cyclope : Αὐτίκα δ' εἰς εὐρὺ σπέος ἤλασε πίονα μῆλα Πάντα μάλ', οὐδέ τι λεῖπε βαθείης ἔκτοθεν αὐλῆς, In speluncam oves omnes compulit, nec ullam reliquit extra caulam. [Sic alibi. Pind. Ol. 6, 45 : Τὸν μὲν κνιζομένα λεῖπε χαμαί.] Item pro Relinquo, ea signif., qua dicimur hæredibus aliquid relinquere : Il. B, 107, de sceptro : Ἀτρεὺς δὲ θνήσκων ἔλιπε πολύαρνι Θυέστῃ. Αὖταρ ὁ αὖτε Θυέστ' Ἀγαμέμνονι λεῖπε φορῆναι. Ap. eund. poetam de sceptro dicitur etiam [A, 235], Ἐπειδὴ πρῶτα τομὴν ἐν ὄρεσσι λέλοιπεν. [E, 157 : Πατέρι δὲ γόον καὶ κήδεα λυγρὰ λεῖπε· Od. N, 403 : Παιδὶ, τὸν ἐν μεγάροισιν ἔλειπες.] Legimus ap. Eund. [B, 396] de scopulo, Τὸν δ' οὔποτε κύματα λείπει Παντοίων ἀνέμων, Eum nunquam relinquunt fluctus, vel deserunt, ab eo nunquam recedunt. Item dicitur aliquis moriens λείπειν φάος ἠελίοιο, ab Eod., Relinquere lumen solis : Il. Σ, [11] : Μυρμιδόνων τὸν ἄριστον ἔτι ζώοντος ἐμεῖο Χερσὶν ὑπὸ Τρώων λείψειν φάος ἠελίοιο, ubi animadverte etiam constructionem : q. d. Relicturum lumen solis inter manus. Alii autem exp. Sub manibus; quidam etiam A manibus : et λείψειν, Amissurum. [(Conf. Aristoph. Ach. 1185.) De loco Il. I, 447 : Ὅτε πρῶτον λίπον Ἑλλάδα· N, 620 : Λείψετέ θην οὕτω γενέας Δαναῶν. De persona O, 136 : Αὐτίκα γὰρ Τρῶας μὲν καὶ Ἀχαιοὺς λείψει· Π, 369 : Λεῖπε δὲ λαὸν Τρωικόν· Δ, 470 : Τὸν μὲν λίπε θυμός· E, 696 : Τὸν δ' ἔλιπε ψυχή. Absolute Od. Ξ, 134 : Ψυχὴ δὲ λέλοιπεν· 213 : Νῦν δ' ἤδη πάντα λέλοιπεν. Atque his similibusque modis sæpe apud Tragicos et alios quosvis, ut pauca de rarioribus adjecisse sufficiat. Cum inf. Soph. Phil. 653 : Ὡς λίπω μή τῳ λαβεῖν. Cum βίος El. 1444 : Βίον λελοιπότα. Eur. Hel. 226 : Ὁ δὲ σὸς ἐν ἁλὶ κύμασί τε λέλοιπε βίοτον. Μηδένα λιπεῖν, Neminem reliquum facere, Plat. Reip. 8, p. 567, B : Ὑπεξαιρεῖν τούτους, ἕως ἂν ... λίπῃ μηδένα, ὅτου τι ὄφελος. Xen. Cyrop. 4, 2, 18 : Τούτων μηδένα λιπεῖν· H. Gr. 2, 3, 41 : Ἐξῆν αὐτοῖς μηδένα λιπεῖν. Et Cyrop. 4, 2, 24 : Ὡς ἐλαχίστους τῶν πολεμίων λιπεῖν. De moriente Plato Leg. 11, p. 923, E : Ἐὰν ἄρρενας μὴ λείπῃ. Notabili constructione epigr. ap. Bœckh. C. I. vol. 1, p. 586, n. 1152, 5 : Ἐπ' ἀνδρὶ δὲ παῖδα λέλοιπα ὀκταέτιν.] || Affertur autem in VV. LL. et λείπω τὸν βίον ὑπὸ σοῦ, ex Plat. [Leg. 9, p. 872, E], pro Relinquo vitam abs te, i. e. Interficior abs te : ut sc. tale sit, quale θνήσκειν vel ἀπολέσθαι ὑπό τινος, Mori s. Interire ab aliquo. In aliis autem ll. morientem dicitur λείπειν ψυχή. Est et ubi θυμὸς morientis ὀστέα λείπειν dicitur. [V. supra.] Utuntur et prosæ scriptores, sed frequentius compositis ἀπολείπω et καταλείπω. Xen. [Cyrop. 3, 1, 1] λείπειν τὸν δασμὸν dixit, i. e. Relinquere pensionem tributi, pro Desinere pendere tributum. [Ib. 34 : Διπλάσια Κυαξάρῃ ἀπόδος, ὅτι ἔλιπες τὴν φοράν. Demosth. p. 1190, 4 : Ἐπειδὴ δ' ἡ δίαιτα ἦν, ἔλιπε τὴν μαρτυρίαν· 1365, 21 : Ἔλιπεν ὁ Φράστωρ τὸν ὅρκον καὶ οὐκ ὤμοσεν.] In nonnullis autem ll. aptius redditur verbo Desero : ut quum dicitur λείπειν τὴν τάξιν ab Æschine [p. 74, 37, Platone Conv. p. 179, A, Apol. p. 29, A, et alibi modo cum articulo modo sine, Demosth. p. 200, 14; 737, 25] : unde est λειποτάκτης, qua forma dicitur etiam λείπειν τὴν τοῦ δικαίου τάξιν pro Viri boni officium deserere, Bud. De λείπω autem neutraliter posito dicetur infra.

|| Λείπομαι, pass., interdum quidem signif. activæ vocis sequitur, et accipitur pro Relinquor, ab utrisque scriptt. : ut Hom. [Il. Ψ, 640 : Οὕνεκα δὴ τὰ μέγιστα παρ' αὐτόφι λείπετ' ἄεθλα· Od. X, 250 : Οἱ δ' οἶοι λείπονται ἐπὶ πρώτῃσι θύρῃσι· Il. K, 453 : Τριτάτη δ' ἔτι μοῖρα λέλειπται· N, 256 : Εἴ τί τοι ἔγχος ἐνὶ κλισίῃσι λέλειπται· X, 334 : Νηυσὶν ἐπὶ γλαφυρῇσιν ἐγὼ μετόπισθε λελείμμην· Ω, 742 : Ἐμοὶ δὲ μάλιστα λελείψεται ἄλγεα λυγρά. Hesiod. Op. 198 : Τὰ δὲ λείψεται ἄλγεα λυγρὰ θνητοῖς ἀνθρώποισι. Hymn. Merc. 195 : Οἱ μὲν ἔλειφθεν οἵ τε κύνες ὅ τε ταῦρος.] Od. N, [286] : Αὐτὰρ ἐγὼ λιπόμην ἀκαχήμενος ἦτορ. [Idem aoristus signif. passiva alibi sæpe usurpatus ab Homero et Apoll. Rhodio, scriptore argumenti metrici Soph. Phil. 5 : Πληγεὶς ὑπ' ἔχεως ἐλίπετ' ἐν Λήμνῳ νοσῶν, in prosa ne Luciano quidem De Syr. dea c. 12 et ubi ἐλείπετο cod. Gorlic., 24, videtur concedendus, nedum aliis, quibus ab Schæf. ad Gregor. p. 463, librariorum erroribus decepto, imputatur. Præs. Æsch. Pers. 140 : Λείπεται μονόζυξ. Plat. Reip. 2, p. 363, D : Γένος κατόπισθε λείπεσθαι τοῦ ὁσίου. Et alii quivis. Futuro Soph. Phil. 1071 : Ἦ καὶ πρὸς ὑμῶν... λειφθήσομ' ἤδη;] Et Thuc. 3, [11] : Αὐτόνομοί τε ἐλείφθημεν, Relicti sumus liberi, Libertas nobis relicta est. [8, 81 : Ἕως ἂν τι τῶν ἑαυτοῦ λείπηται μὴ ἀπορήσειν αὐτοὺς τροφῆς.] Nonnunquam vero redditur Reliquum esse, Superesse : quo verbo reddi potest et cum ἐλπὶς ap. Plat. [Ep. 8, p. 355, D], Οὐ λείπεται ἐλπὶς, Non superest spes : ubi tamen etiam verbum Relinqui locum habet. [Eur. Tro. 676 : Ἐμοὶ γὰρ οὐδ', ὃ πᾶσι λείπεται βροτοῖς, ξύνεστιν ἐλπίς. Æsch. Pers. 480 : Ναῶν ταγοὶ τῶν λελειμμένων.] Sed in soluta oratione [pariterque apud poetas] sæpe ponitur pro Vincor, Superor, Inferior sum, sumpta metaphora a cursoribus, qui a tergo relinquuntur : quo respexisse puto Horat. De arte poet., Occupet extremum scabies : mihi turpe relinqui est. [Æsch. Pers. 344 : Μή σοι δοκοῦμεν τῇδε λειφθῆναι μάχῃ;] Polyb. [5, 101, 6] : Λείπονται Ῥωμαῖοι μάχῃ μεγάλῃ. Antipater Epigr. [Anth. Pal. 11, 224, 2] : Οἴμοι ὑπὸ θνητοῦ λείπομαι ἀθάνατος. [Eur. fr. Danaes ap. Stob. Fl. vol. 3, p. 55 : Πανταχοῦ λελείμμεθα πᾶσαι γυναῖκες ἀρσένων ἀεὶ δίχα· et cum præp. ἐν in fr. Inus ib. p. 55 : Ἔν τε γὰρ τοῖσιν καλοῖς πολλῷ λέλειπται· ut Herodot. 7, 8 : Ὅκως μὴ λείψομαι τῶν πρότερον γενομένων ἐν τιμῇ τῇδε· 48 : Τὸ ναυτικὸν τὸ ἡμέτερον λείψεσθαι τοῦ ἐκείνων, ubi etiam notandum futurum λείψομαι pro λειφθήσομαι.] Sed frequentius omittitur præp. hæc, si bene memini, interdumque additur et dat. aut accus. rei, in qua quis vincitur. Thuc. 1, [10] : Νομίζειν τὴν στρατιὰν ἐκείνην μεγίστην

μὲν γενέσθαι τῶν πρὸ αὐτῆς, λειπομένην δὲ τῶν νῦν. Eur. [Suppl. 904]: Λείπομαί σου γνώμῃ, Superor a te consilio. [Tro. 667 : Τῇ φύσει λείπεται. Xen. H. Gr. 7, 4, 24 : Πλήθει ἐλείποντο. Herodot. 7, 86 : Καμήλους ταχυτῆτα οὐ λειπομένας ἵππων. Ubi deteriores ταχυτῆτι.] Thuc. [6, 72] : Λειπόμενος ξύνεσιν οὐδενὸς, Qui a nemine prudentia superatur: quo sensu dixeris etiam Prudentia nemini secundus. [Cum partic. Xen. OEc. 18, 5 : Ταῦτα οὐδὲν ἐμοῦ λείπει γιγνώσκων.] Plato [Leg. 9, p. 881, B], Μηδὲν λείπομαί σου. [Crates Anth. Pal. 11, 218, 1 : Χοιρίλος Ἀντιμάχου πολὺ λείπεται. Xen. Anab. 7, 7, 31 : Οὐδὲν πλήθει ἡμῶν λειφθέντες.] Plut. : Τούτου δὲ οὐδέν τι λειπόμενον ἔργον ἀρετῇ. Quibus in ll. λείπεσθαι reddi potest Superari, Inferiorem esse. [Alia Schweigh. in Lex. Polyb., Toup. ad Longin. c. 35, 1. Diversa constructione Soph. Trach. 266 : Ὡς τῶν ὧν τέκνων λείποιτο πρὸς τόξου κρίσιν.] At in hoc Thuc. l. 2, [85] commodius hoc quam illo modo reddideris, Καὶ οὐ τοσούτῳ ᾤοντο σφῶν αὐτῶν τὸ ναυτικὸν λείπεσθαι, γεγενῆσθαι δέ τινα μαλακίαν. [Ib. 87 : Ὑμῶν δὲ οὐδ' ἡ ἀπειρία τοσοῦτον λείπεται ὅσον τόλμῃ προέχετε.] Redditur et Cedo: ut in Polyb. [1, 62, 6] : Τοῦ αὐτοῦ νομιστέον εἶναι ἡγεμόνος τὸ δύνασθαι βλέπειν τόν τε τοῦ νικᾶν, ὁμοίως δὲ καὶ τὸν τοῦ λείπεσθαι καιρόν. [Eur. Med. 76 : Παλαιὰ καινῶν λείπεται κηδευμάτων.] Interdum etiam redditur, ut certe reddendum est, verbo Abesse. Synes. : Λειπομένῳ δὲ παραπολὺ τῆς ἀξίας. [Ps.-Demosth. p. 1409, 16 : Μὴ λειφθῶ τῷ λόγῳ τῶν τότε γεγενημένων. Longin. De subl. 34, 1 : Ὥστε τῶν μὲν πρωτείων ἐν ἅπασι τῶν ἄλλων ἀγωνιστῶν λείπεσθαι, πρωτεύειν δὲ τῶν ἰδιωτῶν. Ubi τῷ πρωτείῳ malebat Valcken. Cum dat. pers., ut videtur, inscr. ap. Bœckh. vol. 2, p. 564, n. 2884, 6 : Ἄνδρα γὰρ εἶδεν τῶν πρὶν λειτουργῶν οὐδενὶ λειπόμενον· coll. alia ib. p. 640, n. 3052, 15 : Βουλόμενοι οὖν καὶ ἡμεῖς τοῖς εὐνόως διακειμένοις ἐν χάριτος μέρει μὴ λείπεσθαι.] Ex Soph. autem [Aj. 543] affertur λελειμμένος λόγου pro Eo, ad cujus aures sermo non pervenit, et qui a sermone quasi exclusus fuerit. [Improprie etiam Eur. Or. 1085 : Ἦ πολὺ λέλειψαι τῶν ἐμῶν βουλευμάτων· Hel. 1246 : Λέλειμμαι τῶν ἐν Ἕλλησιν νόμων· Hipp. 324 : Ἔα μ' ἁμαρτεῖν· οὐ γὰρ εἰς σ' ἁμαρτάνω. — Οὐ δῆθ' ἑκοῦσά γ', ἐν δὲ σοὶ λελείψομαι. Quibus Matthiæ contulit Soph. OEd. C. 495 : Ἐμοὶ μὲν οὐχ ὁδωτά· λείπομαι γὰρ ἐν τῷ μὴ δύνασθαι μηδ' ὁρᾶν, δυοῖν κακοῖν. Sententia autem est, Non consilio in me peccas, sed tecum ego occidero.] || Sed interdum etiam λείπεσθαι in propria significat. verbi Relinqui : pro quo dicitur potius A tergo relinqui. [Hom. Od. I, 448 : Οὔτι πάρος γε λελειμμένος ἔρχεαι οἴων· Il. Ψ, 523 : Τόσσον δὴ Μενέλαος ἀμύμονος Ἀντιλόχοιο λείπετ'· ἀτὰρ τὰ πρῶτα καὶ ἐς δίσκουρα λέλειπτο· 529 : Αὐτὰρ Μηριόνης λείπετ' ἀγακλῆος Μενελάου δουρὸς ἐρωήν. Æsch. Prom. 856 : Κίρκοι πελειῶν οὐ μακρὰν λελειμμένοι. Eur. Hipp. 1244 : Ὑστέρῳ ποδὶ ἐλειπόμεσθα· El. 643 : Ψόγον τρέμουσα δημοτῶν ἐλείπετο· Herc. F. 1173 : Ἥπου λέλειμμαι καὶ νεωτέρων κακῶν ὕστερος ἀφῖγμαι· Heracl. 732 : Λειφθεὶς δεινὰ πείσομαι μάχης· Or. 1041 : Οὐδὲν σοῦ ξίφους λελείψομαι.] Thuc. 1, [131]: Εἶπον τοῦ κήρυκος μὴ λείπεσθαι, Ne a caduceatore relinqueretur a tergo, i. e. Ne antevertetur a caduceatore, Ne tardior esset caduceatore. [Similiter apud Herodot. 7, 168 : Οὐδεμιῇ κακότητι λειφθῆναι τῆς ναυμαχίης· 9, 19 : Ὁρέοντες ἐξιόντας Σπαρτιήτας οὐκ ἐδικαίευν λείπεσθαι τῆς ἐξόδου Λακεδαιμονίων. Absolute 7, 229 : Ἀριστόδημον δὲ λιποψυχέοντα λειφθῆναι. Xen. Cyrop. 6, 4, 29 : Τοὺς προϊόντας τοῦ καιροῦ ἢ λειπομένους· Anab. 7, 3, 43 : Ἕπεσθε, κἂν λειφθῆτε, τῷ στίβῳ τῶν ἵππων ἕπεσθε.] || Item λείπομαι βασιλῆος, VV. LL. ex Herodoto [8, 113] pro Desero regem. [|| Cum præp. ἀπὸ Hom. Il. I, 444 : Ὡς ἂν ἔπειτ' ἀπὸ σεῖο, φίλον τέκος, οὐκ ἐθέλοιμι λείπεσθαι. Soph. Trach. 1275 : Λείπου μηδὲ σὺ, παρθέν', ἀπ' οἴκων. Hermesianax ap. Athen. 13, p. 597, F : Πολλὸν ἀπ' εὐρείης λειπόμενος πατρίδος. Herodot. 9, 66 : Λειπομένου Μαρδονίου ἀπὸ βασιλέος. || Λείπομαί τινος, Deseror, Destituor re aliqua, ap. Pind. Isthm. 2, 11 : Κτεάνων λειφθεὶς καὶ φίλων. Soph. Antig. 548 : Καὶ τίς βίος μοι σοῦ λελειμμένῃ φίλος; El. 474 : Γνώμας λειπομένα σοφᾶς· Trach. 937 : Ὁ παῖς οὔτ' ὀδυρμάτων ἐλείπετ' οὐδέν. Eur. Alc. 407 : Νέος ἐγὼ λείπομαι φίλας μονόστολός τε ματρός· Med. 52 : Πῶς σοῦ μόνη Μήδεια λείπεσθαι θέλει; 1310 : Καί σ' ἀπολείψω σου λειπόμενος· fr. Andromed. ap. Stob. Fl. vol. 2, p. 459 : Ὅσοι γὰρ εἰς ἔρωτα πίπτουσιν βροτῶν, ἐσθλῶν ὅταν τύχωσι τῶν ἐρωμένων, οὐκ ἔστι ποίας λείπεται τόδ' ἡδονῆς· Ion. 680 : Ἄπαις καὶ λελειμμένη τέκνων. Axiochi p. 366, D : Οὐ λείπεται οὐδεμιᾶς ἀλγηδόνος. Plato Menex. p. 246, E : Τούτου λειπόμενα. « Paul. Æg. p. 1, 27 : Ἐπιτομὴ πολλῶν εἰς τὸ παντελὲς λειπομένη νοσημάτων. » Hemst. De egentibus Justin. M. Apol. 1, 67, p. 84, A : Ἐπικουρεῖ ὀρφανοῖς τε καὶ χήραις καὶ τοῖς διὰ νόσον ἢ ἄλλην αἰτίαν λειπομένοις. || Aor. pass. forma epica Apoll. Rh. 1, 45 : Οὐδὲ μὲν Ἴφικλος Φυλάκῃ ἔνι δηρὸν ἔλειπτο· 824, etc. || Med. aor. Ἐλιπόμην, Reliqui, Eur. Herc. F. 169 : Οὔκουν τιμωροὺς ἐμοὺς χρήζω λιπέσθαι· Apoll. Rh. 1, 955 : Κεῖσε καὶ εὐναίης ὀλίγον λίθον ἐκλύσαντες... ὑπὸ κρήνῃ ἐλίποντο· 4, 452 : Ἦμος δ' Ἀρτέμιδος νήσῳ ἔνι τήν γ' ἐλίποντο· Herodot. 1, 186 : Μνημόσυνον τόδε ἄλλο ἐλίπετο, aliisque ll. ab Schweigh. indicatis. Plut. Æmil. Paul. c. 36 : Υἱῶν, οὓς ἐμαυτῷ μόνους ἐλιπόμην διαδόχους.]

|| Λείπω neutraliter positum, Desum, Deficio, pro cujus signif. exemplo affertur ex Aristoph. Pl. [859] : Ἤνπερ μὴ λείπωσιν [Ἀλίπωσιν] αἱ δίκαι. [Plato Leg. 6, p. 759, E : Τὸν λιπόντα προαιρείσθωσαν αἱ τέτταρες φυλαὶ, ὅθεν ἂν ἐκλίπῃ. Athen. 6, p. 245, F : Παρὰ Πτολεμαίῳ ματτύης περιφερομένης καὶ κατ' ἐκεῖνον ἀεὶ λειπούσης.] Et ex Galeno 1 Ad Glauc. : Τὸ λεῖπον ἀντεισάγειν. [Polyb. 4, 38, 9; 13, 2, 2.] Item in libris τι λείπει dicitur, ubi aliquid deest, i. e. ubi aliqua verba seu pauca s. multa desunt. [Cum præp. ἀπὸ Ms. ap. Wallis. Opp. vol. 3, p. 149, C : Τὸ παρὸν κεφάλαιον καὶ τὰ ἐφεξῆς ἰστέον ὡς ἀπὸ πάντων παλαιῶν βιβλίων λείπουσιν.] Et cum gen., ut τριάκοντα ἔτη dicuntur λείπειν δυοῖν, q. d. Defici duobus, i. e. anni, qui trigenarium numerum efficerent, nisi deessent duo. [Inscr. Daulid. ap. Bœckh. vol. 1, p. 850, b, 20 : Εἴ τι λείπει τῷ ἀριθμῷ ... τετρακοσίων ... πλέθρων.] Polyb. 3, [22, 2] : Ταῦτα δ' ἐστὶ πρότερα τῆς Ξέρξου διαβάσεως εἰς τὴν Ἑλλάδα τριάκοντ' ἔτεσι, λείπουσι δυοῖν· qua in signif. usitatius est δέουσι. Interdum vero in hujusmodi ll. genitivus non additur, ut quum scribit idem Polyb. [1, 63, 5] : Μικρῷ λείπουσιν ἑπτακοσίοις σκάφεσι. [6, 30, 2 : Ἔστι τὸ πλῆθος τῶν συμμάχων πάρισον τοῖς Ῥωμαϊκοῖς στρατοπέδοις, λεῖπον τοῖς ἐπιλέκτοις. Cum dativo Polyb. 10, 18, 8 : Τί λείπει τῶν ἐπιτηδείων αὐταῖς. Longus 3, c. 14 : Τοῦτο γὰρ δὴ λείπειν τοῖς Φιλητᾶ παιδεύμασιν. Oribas. Cocchii p. 58, 22 : Ὅσον οὖν εἰς ἀσφάλειαν αὐτῷ διὰ τὴν στενότητα λείπει. Phalarid. Epist. 26 : Δύο σοι μυριάδες ἐκλογισμῶν λελοίπασιν.] || Λείπω redditur interdum Absum : ut λείπω μικρὸν τοῦ θήλεος τὴν ἰδέαν, Parum absum a femina, quod ad speciem attinet. At in VV. LL., Parum a feminea specie disto. Bud. autem λείπω vertit Minor sum, hoc in l. Polybii, ubi habet et alterum genitivum [1, 56, 4] : Τοῦ δὲ ὄρους ἡ περίμετρος τῆς ἄνω στεφάνης οὐ λείπει τῶν ἑκατὸν σταδίων. Ap. Plat. vero Leg. [5, p. 728, A] Παντὸς λείπει redditur Longissime abest, Tota via aberrat. Affertur et cum infin., Λείπει τοσοῦτον ἄγονος εἶναι, pro Tantum abest, ut sit sterilis. [Alia constructione Soph. OEd. T. 1232 : Λείπει μὲν οὐδ' ἃ πρόσθεν ᾔδεμεν τὸ μὴ οὐ βαρύστον' εἶναι. || Cesso. Soph. El. 514 : Οὔ τί πω ἔλιπεν ἐκ τοῦδ' οἴκου πολύπονος αἰκία. Eur. Herc. F. 133 : Τὸ κακοτυχὲς οὐ λέλοιπεν ἐκ τέκνων· Hel. 1157 : Οὔποτ' ἔρις λείψει κατ' ἀνθρώπων πόλεις. Aoristi primi activi ἔλειψα, memorati a Macrobio De diff. p. 724, et a Phrynicho improbati p. 364, exx. non infrequentia sunt apud inferioris ætatis scriptores : v. Ἐκλείπω et alia composita, de quibus Lobeck. ad Phryn. p. 713-6. Λείψας quod Aristophani, in Andromeda scilicet, tribuit Antiatticista p. 106, 24, in nomine poetæ erravit. Aor. frequentativum annotavit Etym. M. p. 330, 16 : Ἐλείψασκον, λείπω, λείψω, ἔλειψα, ἔλειψαν, πληθυντικὸν, ἐλείψασκον, Ἰωνικῶς.]

[Λειπώδιν. V. Λιπώδιν.]

[Λειριόεις. V. Λείριον.]

Λείριον, τὸ, Lilium, seu Lilii species; nam Diosc. 3, 116, scribit κρίνον τὸ βασιλικὸν a nonnullis vocari λείριον : cujus florem esse στεφανωματικὸν, assumi in coronamenta. Meminit et Theophr. τοῦ λειρίου, H. Pl. 9, 16, [6] scribens ephemeron habere folium simile τῷ ἐλλεβόρῳ s. τῷ λειρίῳ. Ita enim reponendum esse ex Plin. patet, qui l. 25, c. ult., dicit ephemeron habere folia lilii, sed minora : ex Diosc. 4, 85, ubi et ipse dicit τὸ ἐφήμερον φύλλα ὅμοια ἔχειν κρίνῳ, λεπτότερα δέ. [Nicand. fr. 2, 27 et 70.] Idem rursum Theophr. H. Pl. 6, 6, [9] τὸν νάρκισσον quoque vocari tradit λείριον a nonnullis : ut et Suid. scribit λείριον ab Atticis vocari τὸ ἄνθος τοῦ ναρκίσσου, Florem narcissi. Theophr. tamen cap. ult. manifestum discrimen inter λείριον et νάρκισσον ponit. [Quem respiciens Pollux 6, 107 : Ὅμηρος μὲν τὰ ἄνθη πάντα λείρια κέκληκε, τὸν δὲ νάρκισσον ὁ Θ. λείριον. Ceteros ejus ll. v. ap. Schneider. in indice. Hom. H. Cer. 427 : Καὶ ῥοδέας κάλυκας καὶ λείρια. Pind. Nem. 7, 79 : Μοῖσά τοι κολλᾷ χρυσὸν ἔν τε λευκὸν ἐλέφανθ' ἁμᾶ καὶ λείριον ἄνθεμον ποντίας ὑφελοῖσ' ἐέρσας. Schol. : Τινές φασιν εἶναι κουράλιον ... οἱ δὲ ποντίαν δρόσον τὴν πορφύραν φασὶ διὰ τὴν τοῦ κογχυλίου βαφὴν, λείριον δὲ ἄνθος τὸ ἔριον. V. annot. intt. Exc. Phrynichi in Bekk. An. p. 50, 17 : Λείριον, ἔστιν ἕτερον παρὰ τὸ κρίνον, τὰ μὲν ἄλλα ὅμοιον, πλατύτερα δὲ τὰ φύλλα ἔχον· διὸ καὶ ταὐτὸν ἔδοξέ τισιν.] Idem lexicographus λείρια vocari scribit non solum τὰ κρίνα, Lilia; sed generaliter etiam τὰ ἄνθη, hoc hujus signif. exemplum afferens ex Epigr. [Pompeji. jun. Anth. Pal. 7, 219, 2] : Ἡ μούνη χαρίτων λείρια δρεψαμένη. [Signiff. tres modo positas memorat etiam schol. Apoll. Rh. 1, 879 : Ὡς δ' ὅτε λείρια καλὰ περιβρομέουσι μέλισσαι. Nicand. Ther. 543 : Λείρια δ' ὡς ἴα τοῖο περιστρέφει.] Itidemque Hesych. et Etym. λείρια nominari ajunt τὰ ἄνθη : et Eust. λείριον non solum esse Speciem floris, ἴον secundum quosdam, secundum alios κρίνον, sed generaliter etiam πᾶν ἄνθος : unde Λειριόεις dici pro ἀνθηρὸς, Floridus [schol. Aristoph. Pl. 589] : aliis tamen exponentibus ἐπιθυμητὸς, ἡδὺς, προσηνὴς, εὔχρους, quod talia sint τὰ ἄνθη : nonnullis etiam ἁπαλὸς, Tener. [Λειριόεντα, Photio ἁπαλὰ παρὰ τὴν λειότητα· λείριον γὰρ τὸ ἄνθος· προσηνῆ, τερπνά.] Hi τὸ λείριον, significans ἄνθος, sic vocatum volunt διὰ τὸ λεῖον εἶναι, pleonasmo τοῦ ρ, eamque ob rem rectius scribi per ει diphthongum : quum et citra diphthongum simplici ι scriptum reperiatur λίριον. [De qua scriptura HSt. infra.] Utitur porro hoc derivato λειριόεις Hom., ut Il. N, [830] : Ὁ τοι χρόα λειριόεντα Δάψει, Floridam teneramque cutem; Γ, [152] de cicadis : Δενδρέῳ ἐφεζόμενοι ὄπα λειριόεσσαν ἱεῖσι, Vocem suavem. [Hesiod. Th. 41 : Θεᾶν ὀπὶ λειριοέσσῃ. Quintus 2, 418 : Ἠοῦς υἱός, ὃν λειριόεσσαι Ἑσπερίδες θρέψαντο.] Sic affertur et Λείριος Ἀπόλλων ex Apollon. Arg. 4, pro Suavi [Ap. Apoll. 4, 903 est : Ἵεσαν ἐκ στομάτων ὄπα λείριον, ut ap. Orph. Arg. 251. De Apolline HStephanum fefellit error typogr. in Lex. Septemv.] : ut ap. Suid. quoque reperio Λειρόφθαλμος expositum ὁ προσηνεῖς ἔχων τοὺς ὀφθαλμοὺς, Qui miti et placido aspectu est. [Sed v. Λιρόφθαλμος.] Ad prius vero λείριον ut redeam, ex eo derivatur Λειριόεις, Lilinus, Liliaceus : λ. κάρη, Nicandr. Al. [406.] pro Lilii flos, ad verbum Lilinum caput.

Λείρϊνος, η, ον, Liliaceus, Lirinus, Ex lilio factus, Lilio similis. In priore signif. Diosc. 3, 116, de Irio s. lilio regio : Ἀφ' οὗ καὶ τὸ χρίσμα κατασκευάζεται ὅ τινες λείρινον, οἱ δὲ σούσινον καλοῦσι. Id Plin. quoque Lirinum unguentum s. oleum vocat, 21, 5; 23, 4. In posteriore signif. Theophr. H. Pl. 3, sub fin. cap. ult., ubi smilacem habere scribit ἄνθος λευκὸν καὶ εὐῶδες λείρινον· nam ita scrib. esse pro ἠρινὸν, Plin. docet 16, 35, scribens smilacem esse flore candido olente lilium. Ex ejusd. Theophr. H. Pl. [3, 13, 6] affertur et Λειρώδης pro Liliaceus, Lilium s. Lirium referens, cum hoc exemplo, Λειρώδη εὐωδίαν ἔχει, pro, Redolet lilium; sed videndum ne scrib. sit λειριώδης, tetrasyllabws. [Ita Schneider.]

[Λειριοπολφανεμώνη, ἡ, voc. ex λείριον, πόλφος et ἀνεμώνη, quæ v., compositum. Pherecrates ap. Athen. 6, p. 269, D.]

[Λεῖρις, ιος, ὁ, Liris, fl. Campaniæ, ap. Strab. 5, p. 233, 237, 238.]

[Λειριώδης. V. Λείρινος.]

Λειρὸς [Λειρὼς cod.], Hesychio ὁ ἰσχνὸς καὶ ὠχρὸς, Gracilis s. Macilentus et Pallidus. [V. Ποδαλείριος.] Sic et λειρίας [ληρίας cod.] κύνας dici scribit τὰς κατισχνω-

A μένας καὶ ἀποβαλούσας τὰς τρίχας, Quæ emacruerunt et pilos amiserunt; addens etiam, ἢ τὸν μικρὸν λάγων [λαγών].

[Λειρώδης. V. Λείριον.]

[Λείρως. V. Λείως in Λεῖος.]

Λεϊστὸς, Prædabilis, ληϊστὸς, VV. LL. [V. Ληϊστός.]

Λειταὶ, Hesychio sunt ἱκεσίαι, Supplicationes : quæ et λιταί.

Λείτειραι, affert Hesych. pro ἱέρειαι, Sacrificæ : necnon Λείτορες pro ἱέρειαι itidem, quum potius sonet ἱερεῖς, Sacerdotes, Sacrificos : et quidem Eos qui pro populo preces et supplicationes Deo mittunt : παρὰ τὸ λίσσεσθαι. [V. Λητήρ.]

[Λείτη, ἡ, Lite, n. mulieris in lap. Pario ap. Bœckh. vol. 2, p. 346, n. 2384, 1 : Τὴν ἀξιολογωτάτην καὶ πάντα ἀρίστην Αὐρ. Λείτην Θεοδότου.]

Λειτῖνος, Hesychio πέμματος εἶδος.

[Λεῖτον. V. Λήιτον.]

Λειτὸν, Hesych. exp. βλάσφημον, Blasphemum, Maledicum.

B Λειτουργέω, Publicum munus obeo. Dem. [p. 260 extr.] : Ἦν γὰρ αὐτοῖς ἐκ μὲν τῶν προτέρων νόμων συνεχκαίδεκα λειτουργεῖν. [Isocr. p. 161, C : Ἐκ τῆς ἰδίας οὐσίας ὑμῖν λειτουργούντων.] Xen. [Comm. 2, 7, 6] : Τῇ πόλει πολλάκις λειτουργεῖν. Et λειτουργίαν λειτουργεῖν, v. in Λειτουργία ex Dem. [p. 1209, 2 et Aristot. Polit. 4, 4. Id. ibid. λειτουργεῖν περὶ τὰς ἀρχὰς et λ. ταῖς οὐσίαις. Polyb. 6, 33, 6. Inscr. ap. Bœckh. vol. 2, p. 364, 27 : Λειτουργὲν ἅπαξ ἀνὰ πρεσβύτατα δωρεὰν πάντας, ὁμοίως δὲ καὶ τὸς ἐκ τούτων γενομένος ... λειτουργὲν τὰν πράταν ἐπιμηνιείαν δωρεάν.] Item pass. Λειτουργεῖσθαι, et τὰ λελειτουργημένα, ap. eund. Dem. || Apud Eccles. scriptores, pro Fungi publico ecclesiæ munere, Fungi aliquo munere ecclesiastico, Obire aliquod ministerium circa cultum Dei. Act. 13, 2 : Λειτουργούντων δὲ αὐτῶν τῷ Κυρίῳ. Et ἱερεὺς λειτουργῶν, Ad Hebr. 10, [11]. Ex Historia ecclesiastica affert Bud. λειτουργεῖν pro Fungi sacerdotali munere. Item pro Prædicationis officio fungi, ex OEcum. In Acta. [Fungor, Gl.] || Sed ut λειτουργὸς ac λειτουργία, sic et hoc
C verbum λειτουργῶ generalius ad alia etiam munera s. ministeria extenditur : λειτουργεῖν τῷ σώματι, ap. Lys. Bud. vertit Munus personale obire. [Ælius Gallus Anth. Pal. 5, 49, 1 : Ἡ τρισὶ λειτουργοῦσα πρὸς ἓν τέλος ἀνδράσι Λύδη.] Athen. de nuptiis Alexandri loquens, p. 223 [12, p. 538, E, Charetis verbis] : Ἐπὶ πέντε δὲ ἡμέρας ἐπετελέσθησαν οἱ γάμοι, καὶ ἐλειτούργησαν πάνυ πολλοὶ καὶ Ἑλλήνων καὶ βαρβάρων, Ministrarunt, Bud. Ex Aristot. autem [Polit. 7, 16] λειτουργεῖν περὶ τεκνοποιΐαν, pro Operam dare procreandis liberis. Apud Eund. [De juv. et senect. c. 3] pro Obire simpliciter, quum dicit ἐργασίαν λειτουργεῖν pro Munus obire, De vita et morte : Φανερὸν τοίνυν ὅτι μίαν μέν τινα ἐργασίαν λειτουργεῖ ἡ τοῦ στόματος δύναμις, ἑτέραν δὲ ἡ τῆς κοιλίας. [Polyb. 6, 33, 6 : Τῶν τριῶν σημαιῶν ἀνὰ μέρος ἑκάστη ἑκάστῳ τῶν χιλιάρχων λειτουργεῖ λειτουργίαν ταύτην. De forma Λητουργέω v. in Λήιτος. De forma Λιτουργέω in Λιτουργός. || Verbale λειτουργητέον apud Theodor. Stud. p. 260, A; 329, D. L. Dind.]

Λειτούργημα, τὸ, i. q. λειτουργία, sed minus usita-
D tum. [Plut. Mor. p. 161, E; Ages. c. 36, δημόσιον. Eust. Opusc. p. 41, 59 : Ἐνθυμοῦ οἵῳ βασιλεῖ πρεσβεύειν τεταγμένος εἶτα ἐντρέπῃ τὸ λ. 182, 50 : Πληροῖς τὸ πρέπον λ.]

[Λειτουργητέον. V. Λειτουργέω.]

Λειτουργία, ἡ, Ministerium publicum, Munus publicum : ut ejus qui τριήραρχος, ejus qui χορηγὸς, ejus qui ἑστιάτωρ, ejus qui γυμνασίαρχος appellabatur : quæ a schol. Dem. recensentur. Videmus certe Isocr. [p. 391, D] τὸ χορηγεῖν inter λειτουργίας enumerare: Ἢ κάλλιον ἐχορήγησαν ἢ μεγαλοπρεπέστερον τὰς ἄλλας λειτουργίας ἐλειτούργησαν. [Pollux 3, 143.] Sic et τὴν τριηραρχίαν in Ejusdem Symm. [p. 163, B. Et alibi sæpe ap. eundem ceterosque oratores, ut Lysiam p. 163, 21 : Ἡγούμενος ταύτην εἶναι τὴν λειτουργίαν ἐπιπονωτάτην διὰ τέλους τὸν πάντα χρόνον κόσμιον εἶναι καὶ σώφρονα. Plato Leg. 12, p. 949, C : Ἡ τοιούτων τινῶν ἄλλων κοινῶν κοσμήσεων ἢ λειτουργιῶν. Frequens est etiam in inscriptionibus. Dixit de liturgiis Bœckh. OEc. Ath. vol. 1, p. 481 seqq.] Ap. Polyb. sæpe de muneribus castrensibus, s. ministeriis. [3, 93, 4; 6, 33, 6 et 35, 5; 10, 16, 5.] Et generalius quoque interdum pro Ministerium ap. Lucian. [De salt. c. 6 : Ἕτοιμος φιλικὴν ταύτην λειτουργίαν ὑποστῆναι καὶ παρασχεῖν τὰ ὦτα.] Bud. Sic etiam ap. Aristot. OEc. 2 [immo 1, 3], ubi dicit uxorem esse ducendam οὐ μόνον ἕνεκα λειτουργίας τῇ φύσει, ἀλλὰ καὶ ὠφελείας, Non modo ut munere naturæ fungamur, Bud. [Eth. Nic. 8, 16 : Λειτουργίαν γίνεσθαι καὶ οὐ φιλίαν, εἰ μὴ κατ' ἀξίαν τῶν ἔργων ἔσται τὰ ἐκ τῆς φιλίας· 9, 6 : Ἐν τοῖς πόνοις καὶ ταῖς λειτουργίαις ἐλλείποντες. Diodor. 1, 63 : Τριάκοντα μυριάδες ταῖς τῶν ἔργων λειτουργίαις προσήδρευσαν· 73 : Οἱ μάχιμοι καλούμενοι καὶ πρὸς τὰς λ. τὰς εἰς τὴν στρατείαν ὑπακούοντες. Et de cultu deorum 21 : Τὸ τρίτον μέρος τῆς χώρας αὐτοῖς δοῦναι πρὸς τὰς τῶν θεῶν θεραπείας τε καὶ λειτουργίας. L. Dind. Αἱ τῶν οἰκετῶν λειτουργίαι Athen. 15, p. 639, A. Hemst. Figuratius Aristot. De partt. anim. 2, 3 : Ἡ πρώτη φανερὰ τοῖς ζώοις λ. διὰ τοῦ στόματος οὖσα· 3, 14.] || Publicum ecclesiæ munus, Munus quo quis fungitur in Ecclesia, Functio muneris alicujus ecclesiastici, Ministerium quod obitur circa cultum Dei, quod vulgo *Le service divin.* [Munus sacrum, Munitas, Gl. Lucas 1, 23 : Ἐπλήσθησαν αἱ ἡμέραι τῆς λειτουργίας αὐτοῦ. V. Schleusn.] Theodor. H. E. 4 : Ταῦτα δὲ εἰπὼν, καὶ τὴν ἑσπερινὴν λειτουργίαν συνήθως ἐπιτελέσας, Vespertinis precationibus peractis, Bud. Peculiariter autem Cœnam Domini, λειτουργίαν dixerunt Theologi quidam Græci, sicut et ἱερουργίαν. Paulus vero et pro Eleemosyna est usus aliquot locis. [Quibus de signiff., itemque de λειτουργίᾳ τελείᾳ, v. Ducang. Idem v. de signif. Libri ecclesiastici, continentis Missarum celebrandarum seriem.]

Λειτουργικὸς, ή, όν, q. d. Ministerialis, Ministratorius, Ministrator, ut λειτουργικὰ πνεύματα. Ad Hebr. 1, [14. Hesych. : Λειτουργικὰς, ἱερατικὰς, ex Exod. 31, 10, ubi στολὰς λ. Σκεύη Num. 7, 5. || Τὸ λειτουργικὸν, Missale, Rituale. Nomocanon in Cotel. Eccl. Gr. mon. vol. 1, p. 87, A : Εἴ τις τοῦ ἱερέως τὸ λειτουργικὸν κρατήσῃ. || Suidas : Λειτουργική, κυρίως μὲν ἡ ἱερατική, καταχρηστικῶς δὲ ἡ δουλική (ὑπηρεσία addit Zonar.).]

Λειτουργὸς, ὁ, pro ληϊτουργὸς [s. λητουργὸς, quod v. in Λήϊτος], de quo dictum modo fuit, et idem significat, Λειτουργὸς, Munifex [Gl.], in castris, ap. Polyb. [3, 93, 5 etc.] Bud. [Inscr. Branchid. ap. Bœckh. vol. 2, p. 563, n. 2881, 13 : Λειτουργὸς τῶν ἐν παισὶ λειτουργιῶν πασῶν· p. 565, n. 2886, 1 : Προγόνων λειτουργῶν τῆς πόλεως· p. 563, n. 2882, 7 : Τέλιος λειτουργός. L. D.] Dicitur etiam λειτουργὸς θεοῦ, θεῶν, Minister Dei. Utitur Plut. [Mor. p. 417, A], itemque Philo. Paulus eod. modo dixit λειτουργὸν Ἰησοῦ Χριστοῦ, Ad Rom. 15, [16]. In Epist. autem ad Hebr. 8, [2] legitur, Τῶν ἁγίων λειτουργός· 1, [7] de angelis : Καὶ τοὺς λειτουργοὺς αὐτοῦ, πυρὸς φλόγα. Apud Dionys. autem De Eccles. Hier. λειτουργοὶ sunt Diaconi, ut ἱερεῖς, πρεσβύτεροι, etc. Bud. [Basil. Epist. 289 : Μὴ παρόντος ἱερέως ἢ λειτουργοῦ. Ducang.]

[Λείτωρ. V. Λείτειραι.]

[Λειφαιμέω, Λείφαιμος. V. Λιφ—.]

[Λείφηθρον, τό.] Λείφηθρα, Hesychio λείψανα, Reliquiæ. [Λείφητρα est ap. Hes. Legendum videtur Λιφ— : terminationem enim non præstem.]

[Λειχάζω, Fello, Gl.]

Λειχανὸς, Hesychio teste est φθόγγος τῆς κιθάρας, qui et λιχανός. [Quod solum verum.]

Λειχὴν, ῆνος, ὁ [et ἡ : v. infra], Lichen, Summæ cutis asperitas cum leni pruritu. [Depetigo, Impetigo, Mentagra, Mentigo, Gl.] Deterior quidem est pruritu, ut qui sine asperitate sit, sed lenior quam psora aut lepra, adeo ut si jejuna saliva quotidie defricetur, sanescat : increscens vero, et extremam cutem in furfures resolvens, in psoram transit, atque inde in lepram, ubi pro furfuribus piscium quasi squamulæ concrescunt. Λειχῆνος nomine illum etiam impetiginosum morbum, Mentagram Romanis appellatum, sed multo magis ferum et agrestem ob id dictum, Plin. comprehendit, qui definitur ab eo non squamis, ut lepra, sed fœdo cutis furfure, totos primum vultus, deinde vero et colla pectusque et manus occupante, oculis tantum immunibus. Fuit autem, ut idem auctor est, novus morbus et ante Tiberii principatum prorsus incognitus. Nec vero in iis tantum notis feritas ejus erat, sed quod admodum contagiosus esset, soloque osculo vel contactu non humilem aut mediam plebem, sed solos proceres invaderet. Omnes fere λειχῆνα interpr. Impetiginem ; at Corn. Celsus non ita, sed Papulam videtur vocare, cujus duas, quas habet et lichen, differentias statuit, feram et mitiorem; nam quæ ab eo describitur impetigo, sine dubio lepra est. Gorr., Plin. : v. 26, 1. [Jo. Chrys. In Rom. serm. 20, vol. 3, p. 174, 20 : Οὔτε κολοβόχερχον, οὔτε ψωραγριῶντα, οὔτε λειχῆνα ἔχοντα, ἐπετρέποντο ἀναφέρειν. Seager. V. Hippocr. p. 114, D, E. Theophr. De sud. 14 : Τοὺς λειχῆνας. Theoph. Nonn. vol. 2, p. 227 cum annot. Bernardi. Matthæi Med. p. 263 : Λιχῆσι (sic) καὶ ψώραις· 276 : Ἕρπησι καὶ λειχῆσι. Pollux 4, 193.] || Callus in equorum genibus et supra ungulas in flexu earum partium induratus, teste eod. Gorr., secuto Diosc. 2, 45, ubi et ipse dicit λειχῆνας ἵππων esse τύλους κατ' ἐπιγραφὴν ἐντετυλωμένους παρὰ τοῖς γόνασι καὶ παρὰ ταῖς ὁπλαῖς. Sic Plin. 28, 11 : Lichene item equi cum oleo infuso per aurem. [Matthæi Med. p. 311 : Ἵππου λιχῆνι.] || Herbæ species, quam aliqui βρύον appellant, quoniam saxis adhæret. Sunt qui putent esse Hepaticam in officinis dictam. Sane Diosc. 4, 53, scribit λειχῆνα τὸν ἐπὶ τῶν πετρῶν a quibusdam βρύον vocari; esse enim βρύον προσεχόμενον ταῖς ἐνδρόσοις πέτραις. Nominis ratio ea esse videtur, quoniam, ut idem Diosc. tradit ibid., λειχῆνας θεραπεύει. [Feminino genere Nicander Ther. 945 : Καταχνήθειν τε χαμηλὴν ἵππειον λειχῆνα. Schol. : Βοτάνη ἡ ἱππολειχὴν θεραπευτική, θεραπεύουσα τὰς λειχῆνας, ἣν λέγουσιν ἱπποσέλινον. Quæ ratio præstat alteri ab alio propositæ : Ἰστέον ὅτι γίνονται ἐπὶ τῶν γονάτων τῶν ἵππων λειχῆνες, ἃς ἀποξύειν κελεύει καὶ τρίβοντας διδόναι πιεῖν ... χαμηλὴν δὲ λειχῆνα εἶπε, διότι ἐν τοῖς κάτω τῶν ἵππων μέλεσι γίνεται κτλ. || Hesych. interpr. etiam ἐπὶ τῶν πετρῶν φυκία τινὰ, et τῶν χωρίων τὰ ψιλά.]

[Λειχήνη, Ruscus, apud Interpol. Diosc. c. 728 (4, 146). Ducang.]

Λειχηνιάω, Lichene laboro. Theophr. C. Pl. 5, 12 [9, 10] : Λειχηνιᾶν τῇ ἐλαίᾳ συμβαίνει, quod interpr. Accidit oleæ impetigo.

[Λειχηνώδης, ὁ, ἡ, Lichene laborans. Hippocr. p. 1127, C; Alex. Trall. 11, p. 630; Theoph. Nonn. vol. 1, p. 320.]

[Λειχήνωρ, ορος, ὁ, Lichenor, n. muris, Batrachom. 204, 218.]

[Λείχιον inter neutra hyperdisyllaba. proparoxytona in χιον ponit Theognost. Cram. An. vol. 2, p. 125, 16.]

[Λειχομύλη, ἡ, Lichomyle, n. muris, Batrachom. 29. ὕ]

[Λειχοπίναξ, ακος, ὁ, Lichopinax, n. muris, Batrachom. 100, 232. ῐ]

Λείχω, [ξω, quod ponitur in Gl.], Lambo, Lingo [Gl. Æsch. Ag. 828 : Ἄδην ἔλειξεν αἵματος τυραννικοῦ· Eum. 106 : Ἦ πολλὰ μὲν δὴ τῶν ἐμῶν ἐλείξατε. Aristoph. Eq. 103 : Ἐπίπαστα λείξας δημιόπρατα. Aristot. H. A. 6 fin. : Ἂν ἅλα λείχωσιν.] Theophr. De signis imbrium et ventorum [fr. 6, § 15] : Βοῦς τὴν προσθίαν ὁπλὴν λείξας χειμῶνα ἢ ὕδωρ σημαίνει· ἐὰν δὲ εἰς τὸν οὐρανὸν ἀνακύπτων ὀσφραίνηται, ὕδωρ. Unde Plin. sub fin. libri 18 : (Ventosos imbres et hyemem significant) boves cœlum olfactantes, seque lambentes contra pilum. Aratus, περιλιχμησάμενοι. || Obscœno sensu, Aristophan. Eq. [1285] : Τὴν γὰρ αὑτοῦ γλῶτταν αἰσχραῖς ἡδοναῖς λυμαίνεται Ἐν κασαυρίοισι λείχων τὴν ἀπόπτυστον δρόσον. De cinædis autem et impudicis mulierculis dicitur Fellare et Ore morigerari.

[Λειψανδρέω, Viris deficio. Tzetz. Hist. 1, 779 : Λειψανδρησάσης τῆς χώρας. Jacobs.]

Λειψανδρία, ἡ, i. q. λειπανδρία [λιπανδρία], Virorum penuria, quæ et λειπανδρία supra. Hesychio itidem λεῖψις ἀνδρῶν.

[Λείψανδρος, ὁ, ἡ, Virum deserens. Schol. Eur. Or. 250. Kall.]

[Λειψανηλόγος, ὁ, ἡ, Reliquias colligens. Philippus Anth. Pal. 6, 92, 4 : Πτωχὸς πόδας τε τούσδε λειψανηλόγους.]

Λείψᾰνον, τὸ, quod eandem formationem habet

[quam λεῖψις], minime rarum est, atque adeo frequentius etiam quam λεῖμμα s. λείμματα. Dicitur autem itidem λείψανον sing. etiam numero, sicut et λείψανα, pro eo, quod Lat. pluraliter tantum dicunt Reliquiæ [Gl.]; variisque de rebus usurpatur. [Eur. Med. 1387 : Κατθανεῖ Ἀργοῦς κάρα σὸν λειψάνῳ πεπληγμένος· Tro. 711 : Ἐνθάδ' αὐτὸν λείψανον Φρυγῶν λιπεῖν· El. 554 : Τοῦ ποτ', Ἠλέκτρα, τόδε παλαιὸν ἀνδρὸς λείψανον φίλων κυρεῖ; Andr. 774 : Οὔτοι λείψανα τῶν ἀγαθῶν ἀνδρῶν ἀφαιρεῖται χρόνος· fr. Cress. ap. Athen. 3, p. 97, A : Νόμος δὲ λείψαν' ἐκβάλλειν κυσίν. Apoll. Rh. 2, 193, δαιτός.] Lucill. in Epigr. [Anth. Pal. 11, 205, 1] : Οὐδὲν ἀφῆκεν ὅλως Διονύσιε λείψανον Αὔλῳ Εὐτυχίδης δειπνῶν, ἦρε δὲ πάντ' ὀπίσω, Nullas reliquias suæ cœnæ. [Meleager ib. 7, 476, 2 : Δάκρυά σοι ... δωροῦμαι στοργᾶς λείψανον. Arion ib. 155, 3 : Ἐνταῦθα κεῖμαι, λείψανον παντὸς βίου.] Item alicujus urbis dirutæ reliquiæ vocantur λείψανα, ab Herodiano [4, 18, 10], qui etiam alicubi [3, 1, 15] ἐρείπια illi adjungit hac in signif., i. e. Rudera. [Aristoph. Vesp. 1066 : Ἀλλὰ κἀκ τῶν λειψάνων δεῖ τῶνδε ῥώμην νανικὴν σχεῖν. Plato Critiæ p. 110, E : Τὸ νῦν αὐτῆς (terræ) λ.] Interdum vero λείψανα vocantur Quæ supersunt ex cadaveribus : qua signif. dixit [Soph. El. 1113 : Φέροντες αὐτοῦ (Orestis) σμικρὰ λείψανα ... θανόντος. Plato Phæd. p. 86, C : Τὰ λείψανα τοῦ σώματος.] Herodian. 3, [15, 15] : Τὰ τοῦ πατρὸς λείψανα, utens et alibi hoc nomine in ista signif. Sic Plut. quum alibi, tum in Sympos. sept. sap. [p. 162, E] : Βουλομένων κατὰ χρησμὸν ἀνελέσθαι τὰ λείψανα καὶ θάψαι παρ' αὐτοῖς· sed Idem alicubi addidit gen. σωμάτων, qui alioqui relinqui videtur subaudiendus. [De coma defuncti præcisa Xen. Eph. 3, 2, p. 56, 5.] Latini quoque Reliquias hac in signif. dixerunt, qui etiam aliquando peculiariter reliquos ex crematis corporibus cineres ita vocarunt, et ossa ac reliquias interdum copularunt. Nostrates vero Reliquias, quas dicunt *Reliques*, et *Des reliquaires*, peculiariter nominarunt reliquias corporum eorum hominum, quos pro sanctis habent. [De qua signif. plura vide apud Ducang.]

Λεῖψις, εως, ἡ, q. d. Relictio, a λέλειψαι, ut λεῖμμα præcedens a λέλειμμαι : sed nullum affertur exemplum usus hujus verbalis λεῖψις. [Etym. M. Wak.]

[Λειψιφαής, ὁ, ἡ, i. q. sequens. Maximus Καταρχ. 455.]

[Λειψίφως, ωτος, ὁ, ἡ, Lumine carens. Eustath. Il. p. 811, 63. Hemst. Λειψίφωτος ead. signif. Paul. Alex. l. 2. Schneider. ῐ]

[Λειψόθριξ, ῐχος, ὁ, ἡ, Glaber. Ælian. N. A. 14, 4 : Τῶν λειψοτρίχων μερῶν. Memorat Theognost. in Cram. An. vol. 2, p. 82, 8.]

[Λειψοχόρης. V. Λειοχόρης.]

[Λειψοσέληνον, τὸ, Lunæ defectus. Diosc. Noth. p. 476, F : Τὴν ῥάμνον ἥν τις ἄρῃ ἐν λειψοσελήνῳ καὶ βαστάζῃ, ὠφελεῖ πρὸς φάρμακα. Ducang.]

[Λειψυδρέω, Aqua careo. Georg. Pachym. Mich. Pal. p. 343, C; Cinnamus p. 20, A. L. Dind. Nicet. Annal. 2, 5.]

Λειψυδρία, ἡ, Aquæ defectus s. penuria. Theophr. C. Pl. 5, 16 [12, 1] : Δι' ἔνδειαν τροφῆς, οἷον ἡ λειψυδρίαν ἡ χώρας χαχίαν. [Polyb. 34, 9, 6; Strabo 16, p. 740; Heliodor. 9, 22, p. 443 extr. Hemst.]

Λειψύδριον, τὸ, Lipshydrium, locus Atticæ, dictus ab aquarum inopia. In eo obsessos quosdam fortes viros Pisistratus vicit : unde prov. Ἐπὶ λειψυδρίῳ μάχη, in infelicem exitum virorum strenuorum. [Scolion ap. Athen. 15, p. 695, E; Herodot. 5, 62; Aristoph. Lys. 655. Hesych.]

[Λειωγόρας. V. Λεωγόρας.]

Λειώδης, ὁ, ἡ, Lævis, Planus, ὁμαλὸς Suidæ. Item nom. proprium [ὁ, Liodes, procus Penelopæ, Hom. Od. Φ, 144, Χ, 310], ut Idem annotat, et Etym. [Jo. Alex. Τον. παραγγ. p. 13, 19, Chœrob. in Bekk. An. p. 1238, 1243.]

[Λειώκριτος, ὁ, Liocritus, f. Arisbantis, Hom. Il. P, 344. Procus Penelopæ, Od. B, 242, X, 294. De etymologia v. Eust. Od. p. 1443, 56.]

[Λειωλεθρία. V. Λιολεθρία.]

Λείωμα, τὸ, Id ipsum quod lævigatum et complanatum est; Id quod friando et conterendo in pulvere redactum est; Tritum, Lomentum. [Theophr. fr. 2, 55 : Γένη δὲ κυάνου τρία ... βέλτιστος δ' ὁ Αἰγύπτιος εἰς τὰ ἄκρατα λειώματα.]

A

[Λειών. V. Λέων.]

[Λείως. V. Λεῖος.]

Λείωσις, εως, ἡ, Levigatio, Ipsa actio lævigandi s. lævem et lubricum reddendi. Exp. in VV. LL. Evacuatio, Resolutio. [Plut. Mor. p. 129, D, ubi inter caussas morborum memorat πλῆθος, ἡ λείωσιν, κόπον, interpretes conjecerunt ἠλίωσιν.]

[Λειωτέος, α, ον, Lævigandus. Geopon. 9, 5, 6 : Δρεπάνῳ δὲ ὀξεῖ τὴν τομὴν λειωτέον πανταχόθεν. Wakef.]

[Λεκαλέος. V. Ληκαλέος.]

[Λεκανάριον, τὸ, diminit. sequentis λεκάνη, sine testimonio ponit Schneider.]

Λεκάνη, ἡ, Pelvis, Catinus, Patina, [Lancla primæ et postremæ interpr. add. Gl.] Attice pro communi λακάνη, quod factum est ex intensiva particula λα et verbo χαίνειν, propterea quod sit πλατὺ, Suid.; qui itidem exp. τὸ μεῖζον τῶν ὀξυβάφων καὶ ἐκπέταλον, Magnum acetabulum et patulum : itemque schol. Aristoph., qui Comicus utitur hoc vocab. Av. [1142] : Ἐρωδιοὶ ἐπηλοφόρουν λεκάναισι· Nub. [906] : Αἰβοῖ, τουτὶ καὶ δὴ χωρεῖ τὸ κακόν, δότε μοι λεκάνην, Præbete mihi pelvim s. catinum, sc. ut vomam; nauseam enim movebunt frigida ipsius verba. Ita ibi schol. et Suid. [Ex Suida et schol. Ar. Av. corrigenda Photii gl. vitiosa (delenda supra apud nos in Λάλακος) : Λεκάνη, παρώνυμος τοῦ λέκους, οὐχὶ ἀπὸ τοῦ λάλακος· λάλαικος δὲ πλατὺ καὶ ἐκπέταλον καὶ ἀναπεπταμένον ἀγγεῖον, et scribendum ἀπὸ τοῦ λα. Λέκος δὲ πλατὺ κτλ. Addit autem Photius : Ἀλλ' οἱ παλαιοί, ὃ ἡμεῖς λεκάνην, ποδανιπτῆρα ἐκάλουν, et alia quæ v. in Λεκάνιον et Λέκος. Theopomp. ap. Athen. 11, p. 458, C : Σπόγγος, λεκάνη, πτερόν. Ubi Casaubonus præter alia affert l. Cratini ap. Polluc. 10, 76 : Μῶν βδελυγμία σ' ἔχει; Πτερὸν ταχέως τις καὶ λεκάνην ἐνεγκάτω. Idem Poll. 4, 182, inter instrumenta medicorum ponit λεκάνη.] Itidem Plut. [Mor. p. 801, B] : Αἰτοῦντα λεκάνην καὶ πτερὸν ὅπως ἐμέσῃ. At Athen. 5, [p. 197, B] : Λεκάναι χρυσαῖ δυοκαίδεκα, in pompa Ptolemæi Philadelphi, ubi et φιάλαι, οἰνοχόαι, ἀλειπτρα, ὑδρίαι, μαζονόμια, κυλίκια. [Pollux 6, 85 : Θεόπομπος ὁ κωμικὸς εἴρηκεν ὀρνίθων λεκάνην. Conf. Pherecrat. ib. 60. Τρυγὸς λεκάνη id. 9, 124. L. D. Ὄξος λαβών νυν εἰς λεκάνην τιν' ἐγχέας, Alexis ap. Athen. 9, p. 383, D. Ath. ib. p. 409, F : Ἴσως δὲ καὶ τὴν λεκάνην οὕτως ἔλεγον, ἐν ᾧ τρόπῳ καὶ χειρόνιπτρον. Valck. Inscr. ap. Bœckh. vol. 2, p. 668, n. 3071, 8 : Λεκάνην ἐς ποτήρια καὶ ἄλλην ποδανιπτῆρα. Inter χαλκώματα memorat Polyb. 22, 11, 10. ᾰ]

B

C

[Λεκανίδιον. V. Λεκάνιον.]

[Λεκανίζω. V. Λακωνίζω.]

Λεκάνιον, τὸ, et Λεκανὶς, ίδος [Plut. Mor. p. 828, A], et Λεκανίσκη [Pollux 10, 84, Teleclides ap. Athen. l. infra citando], ἡ, Parva pelvis, Parvus catinus, Parva patina. [Patella, Gl. Xen. Cyrop. 1, 3, 4 : Ἐπὶ πάντα ταῦτα τὰ λεκάνια διατείνειν τὰς χεῖρας. Pollux 6, 85; 10, 76.] Aristoph. Ach. [1110] : Κἀμοὶ λεκάνιον τῶν λαγῴων δὸς κρεῶν. [Photius : Λεκάνιον καὶ λεκανίδα, ἀγγεῖα ὦτα ἔχοντα πρὸς ὑποδοχὴν ὄψων καὶ τοιούτων τινῶν. Οὕτως Ἀριστοφάνης.] Athen. 4 : Κρέας ὕειον καὶ λεκάνιον πτισάνης. [Ap. Aristoph. quidem λεκάνιον legitur, idque voc. etiam Suid. ex eodem Comici loco enotavit. Sed ap. Athen. 4, p. 149, F, vetustæ membranæ cum editis Λεκάριόν τι πτισάνης, non λεκάνιον, exhibent, et λεκάρια, non λεκάνια, habet etiam Pollux 10, 86. Idem voc. eidem Polluci 6, 85, pro vitioso κελάρια restituendum esse perspecte viderunt recentiores editores. Videndumque ne idem voc. a Suida quoque in sua scrinia sit relatum. Quum enim in vett. edd. omnibus sic legatur, Λεκάνια καὶ λεκανίδια, λεκάνια καὶ λεκανίδες, Kuster. quidem posterius λεκάνια tacite ejecit : suspicari autem subit, tenendum fuisse posteriori loco λεκάνια, priori vero loco, λεκάρια scriptum oportuisse. (Kusterus ita non sine codicibus, in quibus nunc scribitur : Λεκάνια, λεκανίδια. Λεκάνια καὶ λεκανίδες, τὰ μείζονα τῶν ὀξυβάφων κτλ., ut duæ sint glossæ, quarum altera ex schol. Aristoph. l. c. ducta est. Schweighæuseri conjecturæ non favet ordo literarum, favent vero Photius et gramm. Bachm. An. vol. 1, p. 289,

D

10, λεκάρια interpretati λεκανίδια. Sed λεκάριον, quod et illis et Polluci eximendum putabat Gaisfordus, tuentur Hesychii glossa in Λέκος memoranda, Phrynichus p. 176, et analogia voc. λέκος, cujus dimin. est λεκάριον. L. D.) Diminutivi vocabuli forma Λεκανὶς usus est Teleclides comicus ap. Athen. 6, p. 268, C (ubi metri caussa Porsonus λεκανίσκαισιν δ'). Schweigh.] Altera duo dimin. ap. Hesych. leguntur, λεκανίδας esse dicentem κεραμέας λοπάδας [καὶ ἐν αἷς ἔνθρυπτα ἔφερον τοῖς νεογάμοις. Conf. Photius : Λεκανεις· ἐν τοῖς ἐπαυλίοις (quod v.) οἱ πατέρες ταῖς νύμφαις δῶρα ἔπεμπον, ἐν μὲν ταῖς κοιτίσι χρυσία ἐν δὲ ταῖς λεκανίσι παρθενικὰ παίγνια. Λεκανεις, κεραμέα λοπὰς, καὶ τὰ ἐκπέταλα τρύβλια. Conf. idem in Κέραμον] : λεκανίσκην vero ἐκπέταλον τρυβλίον [τρύβλιον. Λακανίσκη ap. eund. in Λαβάβηρ. Ex Aristophane affert Pollux 6, 86, idemque 10, 84. Ponit etiam Arcad. p. 107, 15.] Suid. præter λεκάνια et λεκανίδας affert et aliud diminut. Λεκανίδια, omnia hæc esse dicens τὰ μείζονα τῶν ὀξυβάφων καὶ ἐκπέταλα. [Λεκανὶς et λεκανίδιον etiam Pollux 6, 85; 10, 149 et 84. L. D. Et schol. Dionys. in Bekk. Anecd. p. 794. Boiss. Λεκανίδιον Eust. Od. p. 1402, 16, et per errorem libri nonnulli Xen. Cyrop. 1, 3, 4.]

[Λεκανὶς. Λεκανίσκη. V. Λεκάνιον, Λεκαρύταινα.]

[Λεκανοειδὴς, ὁ, ἡ, Pelvis figuram habens. Schol. Clem. Al. Pædag. ad p. 188 ed. Potteri : Κάνθαρος τὸ λεκανοειδές.]

[Λεκανομαντεία, ἡ, Divinatio ex pelvi. Pseudo-Callisth. ap. Fabr. Bibl. Gr. vol. 14, p. 148; Psell. De dæmon. ap. Allat. De engastrimytho p. 424; Pseudo-Antisthenes ap. eund. p. 423. Boiss. Tzetz. Hist. 2, 634, ubi male λεκανομαντίαις, ut ap. Combefis. Hist. Monothel. p. 718, B, Genesium p. 33, B. L. Dind. Potter. Antiq. vol. 1, p. 350.]

[Λεκανόμαντις, ὁ, Qui ex pelvi vaticinatur. Strabo 16, p. 762; Tzetz. Hist. 2, 633.]

[Λεκανοσκοπία, ἡ, Pelvis inspectio et vaticinatio ex illa. Manetho 4, 213.]

[Λεκάριον, τό.] Annotat Pollux [10, 86, coll. 6, 85] in δημιοπράταις [—τοῖς] reperiri Λεκάρια, τρυβλία, ὀξύβαφα, ἐμβάφια. [V. Λεκάνιον.]

[Λεκαρύταινα, ἡ, εὐρεῖα, Photius. Sic Ἀρύταινα, quod v., Eustathio est εἶδος λεκανίδος.]

Λεκιθίτης, ὁ, Qui ex vitello est, s. In quo vitelli sunt : ut λεκιθίτης ἄρτος, s. πλακοῦς, ᾧ παραμέμικται καὶ ὠοῦ λέκιθος, Eust. [Od. p. 1914, 51], ut ap. Athen. 3, [p. 114, B] ex Seleuco : Ἐνίταν [Ἐτνίταν] δέ φησιν ἄρτον εἶναι λεκιθίτην. Et aliquanto ante, Εὐνίτας ἄρτος ὁ προσαγορευόμενος λεκιθίτης. Scribitur enim prius εὐνίτας, postea ἐνίτας. [Canticum Rhodiorum ib. 8, p. 360, C : Ἁ χελιδὼν καὶ λεκιθίταν οὐκ ἀπωθεῖται. Valck. ῒί]

[Λεκιθοειδὴς. V. Λεκιθώδης.]

[Λεκῐθολᾰχᾰνόπωλις, ιδος, ἡ, Quæ pisa et olera vendit. Aristoph. Lys. 458.]

Λεκιθοπώλης, ὁ, Qui vitellos vel pisa vendit : vel accipiendo totum pro parte, et genus pro specie, Qui ova aut legumina vendit. Et fem. Λεκιθόπωλις, sc. γυνὴ, Mulier quæ ejusmodi vendit. Aristoph. Pl. [427] : Οἴεσθε δ' εἶναι τίνα με; respondet Chremylus, Πανδοκεύτριαν, Ἢ λεκιθόπωλιν· οὐ γὰρ ἂν τοσουτονὶ Ἐνέκραγες ἡμῖν οὐδὲν ἠδικημένη· ubi schol. exp. ᾠόπωλιν, dicens synecdochice per λέκιθον, i. e. τὸ χρυσίζον τοῦ ᾠοῦ s. τὸ ξανθὸν τοῦ ᾠοῦ, intelligi Ipsum ovum. Exp. tamen et ὀσπριόπωλιν, dicens itidem per Pisum leguminis speciem, intelligi ipsa Legumina in genere. [Lucian. Lexiph. c. 3. Masc. ponit Suidas. Fem. per υ in secunda scriptum nonnullis in libris schol. Aristoph.]

Λέκῐθος, ἡ, Vitellus, Ovi luteum [Gl.], ὁ τοῦ ᾠοῦ κρόκος, ut Martial. dicit Croceos vitellos, τὸ ξανθὸν s. ὠχρὸν τοῦ ᾠοῦ. [Hippocr. p. 671, 55 : Ὠῶν λέκιθος.] Aristot. H. A. 6, [3] : Τὰ δίδυμα τῶν ᾠῶν δύο ἔχει λεκίθους· ὧν τὰ μὲν διείργει τοῦ μὴ εἰς ἄλληλα συγκεχύσθαι τὰ ὠχρὰ τοῦ λευκοῦ λεπτὴ διάφυσις· τὰ δὲ οὐκ ἔχει τὴν διάφυσιν, Ova gemella binis constant vitellis, qui ne invicem confundantur, facit nonnullis prætenue quoddam septum albuminis medium. [Ibid. : Τὸ περὶ τὴν λέκιθον συμβαῖνον.] Diosc. 2, 54, de ovo : Ἡ λ. αὐτοῦ χρησίμη πρὸς ὀφθαλμῶν περιωδυνίαν, ὀπτηθεῖσα σὺν κρόκῳ. Unde Plin. 29, 3 : Lutea ovorum cocta ut indurescant, ad-

A misto croco modice, illita dolores oculorum mitigant. Alex. Trall., Τὰς τῶν ᾠῶν λεκίθους ἁπαλωτάτας· alibi autem masc. gen. ap. eum reperitur, Οἱ τῶν ᾠῶν λέκιθοι ἐπιτήδειοι, ubi tamen per υ scribitur, sicut et ap. Diosc. [et in libris pluribus Pollucis 6, 57, 58; 7, 198, Aristophanis l. infra citato et ap. Suidam in Νεοττός. V. etiam Λεκιθώδης.] || Hesych. λέκιθον exp. τὸ τοῦ ᾠοῦ λεπίδιον, Corticem s. Putamen ovi. || Masc. gen. Pisum [Gl.], ὄσπριον κροκοειδὲς, Eust. [Od. p. 1572, 53.] Sed et Aristoph. schol. [Pl. 427] et Suidas dicunt esse εἶδος ὀσπρίου, ὃ καλεῖται πῖσον, διὰ τὸ ἐοικέναι τὴν χροιὰν λεκίθῳ ᾠοῦ. [Galen. l. De boni et mali succi cibis p. 356, 11, λέκυθον esse scribit τὸ ἐκ τῶν ἀλεσθέντων ἄλευρον ἑψόμενον ἐν ὕδατι προσεμβαλλομένου τινὸς λίπους. Foes. OEc. Hipp. Exc. Phrynichi in Bekk. An. p. 50, 4 : Λέκιθος ἐπὶ τοῦ κρόκου τοῦ ᾠοῦ ἰατροὶ λέγουσι. Κάνθαρος δὲ οὕτως, ἀληλεσμένον τι ἐξ ὀσπρίων.] Athen. 4, [p. 157, B] de Homero : Σύγγραμμα αὐτοῦ τὸ περιέχον λεκίθου καὶ φακῆς σύγκρισιν· quæ verba citans Eustath. subjicit distinctionis gratia, Λεκίθου δὲ, δηλονότι οὐ τοῦ ἐν τοῖς ᾠοῖς, ἀλλὰ ὀσπρίου κροκοειδοῦς· ὅπερ

B ἀρσενικῶς λέγεται ὁ λ. Videtur ergo masc. gen. ὁ λ. dici de Piso, at fem. genit. ἡ λ. de Ovi luteo s. Vitello : adeo ut suspecta sit scriptura in l. Alex. Trall. posteriore. Galen. λέκιθον in Lex. Hipp. exp. φακῶν τὸ ἔνδον τοῦ λέπους : nam et lens, cui detractus est cortex, lutea est. [Hippocr. p. 667, 17, nisi quis malit hanc Galeni explicationem ad p. 610, 3, referre, ubi scribitur ἐπίπασσε δὲ λεκίθῳ φακῶν. Sic enim leg. censeo, et ap. Gal. λεκίθῳ φακῶν τῷ ἔνδον τοῦ λέπους libentius scribam. Foes. OEc. Hipp.] Quidam vero existimarunt esse, quam ἀραχίδα vocat Hippocr.; alii vero Pisum et Aracum genus esse, ut tradit Gorr., addens aliquanto post, Λέκιθος, Pulmentarium ex leguminum farina, s. Leguminum lomentum elixatum. Tantum autem λέκιθος et ἔτνος inter se differunt, quantum ipsa leguminum farina ab ipsis leguminibus fresis differt. Itaque quoties κυάμινον ἔτνος dicitur, pro Faba fresa elixata intelligitur; sed κυαμίνη λέκιθος Fabæ farinam elixatam significat : sic πτισσά-

C νης λέκιθος [ap. Hippocr. p. 637, 14] et ὀρόβινος λέκιθος aliorumque leguminum dicitur. Hæc ille, scribens ubique λέκυθος per υ, quæ etiam scriptura alicubi reperitur, nec male convenit cum etymo, quod mox ex grammaticis afferam. [Sic Λεκύθῳ in fr. Metagenis ap. Erotian. p. 314.] || Λέκιθον VV. LL. interpr. etiam Guttum olearium, Ampullam capacem : quam expos. apud nullum Græcorum gramm. reperio, ideoque falli ejus auctores puto vicinitate vocabuli λήκυθος. Dictum autem putant λέκιθον, Vitellum, διὰ τὸ λέπει κεῦθεσθαι. [Λεκῦθος ponere videtur Arcad. p. 49, 23.]

Λεκιθώδης, ὁ, ἡ, Luteus, Croceus, Vitelli s. Lutei in ovo colorem imitans : λ. χολὴ, ap. Medicos, quam sunt qui Vitellinam bilem interpr., cujus sc. color et consistentia ovorum crudorum vitello similis est : crassa et summe flava, media fere inter naturalem bilem et eam, quæ ad summam malignitatem pervenit, ut inter alia docet Gorr. Diversa ab hac dicitur esse ξανθὴ χολὴ, et ὠχρὰ χολὴ, quamvis pro λέκιθος dicatur τὸ ξανθὸν τοῦ ᾠοῦ, τὸ ὠχρὸν τοῦ ᾠοῦ. [Hippocr.

D p. 1123, B : Οὔρων ὑπόστασις λεκιθώδης· 477, 16 : Ἦν δὲ οἷον λεκιθοειδὲς ἀπορρυῇ τῇ πρώτῃ.] At in VV. LL. ex Theophr. H. Pl. 4, [8, 11] : Λεκιθῶδες γίνεται, affertur pro In speciem albuminis vertitur, quasi λέκιθος esset etiam Albumen ovi, quum sit Luteum. [Phanias Athenæi 9, p. 406, C, ubi λεκιθώδη libri deteriores. Matthæi Med. p. 33 : Λεκιθώδης χυμός.]

[Λέκιον. V. Λεκός.]

[Λεκὶς, ίδος, ἡ, Pelvis.] Ap. Epicharmum, Λεκίδας, reperiri annotat Pollux 10, c. 23 [§ 86] in Niobes [Hebes] Nuptiis dicentem, Λεκίδα καὶ ἐμβάφια δύω. [Et in Scirone, Πηλίων λεκίς. Iamblich. V. Pythag. s. 119, p. 256 : Λεκίδων χρουσιν. Hesych. : Λεκὶς, παροψίς.]

Λεκίσκιον, τὸ, legitur ap. Hippocr. sub fin. libri De victu in morb. acutis [p. 407, 8] : Ῥοφήματα δὲ μήκωνος τῆς λευκῆς ὑποτρίψας ὁκόσον λεκίσκιον, ὕδατι διεὶς σηταγίου πλύματι ἀλεύρου, οὕτω διαγέτω τὴν ἡμέρην. [Ib. 30 : Τοῖσιν ὑδρωπιώδεσι μηκώνιον λεκίσκιον Ἀττικὸν στρογγύλον. Acetabulum parvum verti, Pollucem autem Λεκίσκον legisse videri annotat Foes. V. Λέκος.]

[Λεκίσκος, ὁ.] Hippocratem annotat Pollux 10, c. 23 [§ 87], ἐν τῷ Πρὸς τὰς Κνιδίας δόξας, dixisse Λεκίσκον. [V. Λεκίσκιον.]

Λέκκη et Λεκτὴ [Λακτὴ codex contra ordinem alphab.], Hesych. Chlæna, χλαῖνα; quæ et δεκτή. [Eodem interpretes referendam conjecerunt gl. post Λέκριχα positam : Λακτῆρες, εἶδός τι λάμνων. Quam alio pertinere putabat Kusterus. Albertus ad gl. Λακτή : « Salmas. in Vopisc. p. 398, A, Λέκκος (pro quo λάκκος erat apud Arrianum) et Λέκκη Græcis auctoribus pro Læna sumi monuit ex hoc ipso l. Supra Δεκτὴ, χλαῖνα. Alterum ex altero corrigendum. Conf. Salm. in Solin. p. 602, B, Wesseling. Observ. 1, 10. Cyrill. Lex. Ms. Voss. : Λεκτὸς, ἀποίκιλτος πέπλος. »]

[Λέκκον, δῆμος Ἀντιοχίδος φυλῆς, Hesychius.]

Λεκὸς, significat τρυβλίον [τρύβλιον] teste Hesych., qui et λύχιον ac λυχάριον hoc sensu dici ait : si tamen ita scripsit, et non potius λέκιον ac λεκάριον. Meminit et Pollux hujus voc., sed paroxytonωs scriptum habens λέκος. Nam 10, [87] de mensa et vasis mensariis loquens, scribit ἐν τοῖς δημιοπράταις [—τοις] reperiri Λέκος, itemque Hipponactem dixisse λέκος πυροῦ : pro quo infra [vitiose] λέσχος πυρῶν. Ibid. affert et derivata quædam ex hoc λέκος. [Apud Hesychium, cujus in gl. bis ponitur λεκάριον, quorum alterum in λεκάνιον mutabat Hemst., veram scripturam esse λέκος et λεκάριον confirmant quæ diximus in Λεκάνιον. Photius : Λέκος καὶ λεκίσκιον, καὶ λεκάνη καὶ λεκανὶς, τὰ ἐκπέταλα τρύβλια. Οὕτως Ἀριστοφάνης.]

Λέκρανα, Hesych. dici tradit pro ὠλέκρανα, i. e. ἀγκῶνας. [Verba ἢ ὠλέκρανα, quæ sunt corruptæ scripturæ emendatio, Musurus adjecit. Photius : Λέκρανα, οἱ ἀγκῶνες.]

Λέκρικα, Hesychio σειραὶ, σχοινία.

Λέκροι, Hesychio ὄζοι τῶν ἐλαφίων, Cervulorum rami. || Λικροὶ, Hesychio οἱ ὄζοι τῶν ἐλαφείων κεράτων, Cervinorum cornuum rami. [Quod priori quoque glossæ restituendum.]

[Λεκτέος, α, ον, Dicendus. Xen. Anab. 5, 6, 6 : Ὅμως δὲ λεκτέα ἃ γιγνώσκω· Reip. Lac. 2, 12 : Λεκτέον δέ μοι δοκεῖ εἶναι καὶ περὶ τῶν παιδικῶν ἐρώτων. Plato Reip. 2, p. 378, A : Οὐ λεκτέοι ... ἐν τῇ ἡμετέρᾳ πόλει· C : Τοιαῦτα λεκτέα μᾶλλον πρὸς τὰ παιδία· Tim. p. 46, E : Τῶν ὄντων ᾧ νοῦν μόνῳ κτᾶσθαι προσήκει, λεκτέον ψυχήν· Reip. 3, p. 392, A : Οἵους τε λεκτέον καὶ μή· 398, B : Ἅ τε λεκτέον καὶ ὡς λεκτέον εἴρηται. Isocr. p. 24, D : Τὰ τοιαῦτα λεκτέον· 99, B : Λεκτέον περὶ ὧν ὑπεθέμην· 322, A : Πολλῶν ἔτι μοι λεκτέων ὄντων.]

[Λέκτης, Dicentarius, Gl.]

Λεκτίκιον, τὸ, Lectica, VV. LL. ex Alex. Trall. [9, p. 524. Apophth. Patr. in Cotel. Eccl. Gr. mon. vol. 1, p. 413, B : Ἐν λεκτικίῳ βληθείς. Alia citat Ducang. Etym Gud. : Λ., κιβώριον ἐκ ξύλων, ὃ ἔχουσιν αἱ παρθένοι πρὸς τὸ καλύπτεσθαι αὐτάς. Pro quo λεκτῖσι scriptum ap. Symmachum Jesaiæ 66, 20.]

Λεκτικὸς, ἡ, ὸν, Orationi et sermoni accommodatus, Bud. ex Aristot. De poet. [c. 4] : Μάλιστα γὰρ λεκτικὸν τῶν μέτρων τὸ ἰαμβεῖόν ἐστι. [Sic ibid. : Ἐκβαίνοντες τῆς λεκτικῆς ἁρμονίας. Et Rhet. 3, 8 : Τῶν ῥυθμῶν ὁ ἡρῷος σεμνὸς καὶ οὐ λεκτικός. Ubi Sermo communis sive prosa intelligitur. V. Λεκτικῶς. Similiter Ps.-Demosth. p. 1401, 19 : Τοῖς λεκτικοῖς τῶν λόγων ἁπλῶς καὶ δμοίως οἷς ἂν ἐκ τοῦ παραχρῆμά τις εἴποι πρέπει γεγράφθαι· τοῖς δ' εἰς τὸν πλείω χρόνον τεθησομένοις ποιητικῶς καὶ περιττῶς ἁρμόττει συγκεῖσθαι. « Λεκτικαὶ ἀρεταὶ, Dicendi s. Orationis virtutes, Dionys. H. Cens. 2, 11, et λεκτικὸν εἶδος pars historiæ quæ oratione cernitur. Conf. id. De comp. vv. 1, p. 4, ubi τόπος λ., Qui ad verba et elocutionem pertinet. » Ex Ernesti Lex. rhet.] Idem Bud. scribit a Xen. [Comm. 4, 3, 1, et superlativo Cyrop. 5, 5, 46] dici et πρακτικὸς eadem forma. Polluci autem [4, 25] videtur esse Eloquens. [Dicax, Gl. Inter larvas scenicas νέων γυναικῶν a Polluce 4, 151, 152 memoratur λεκτική.]

[Λεκτικῶς, de prosa, Dionys. De comp. vv. p. 201, 6 R. : Ἑνὸς τοῦ μεταξὺ κώλου συγκειμένου λεκτικῶς ... τὸ συμπλεκόμενον τούτῳ πάλιν κῶλον ἐκ δυοῖν συνέστηκε μέτρων.]

[Λεκτὸν, τὸ, Lectum, promontorium Troadis. Hom. Il. Ξ, 283 Herodot. 9, 114, Thuc. 8, 101 Aristot.
A H. A. 5, 15, Hermesianax ap. Athen. 13, p. 598, C, et geographi. De accentu acuto et etymologia nominis, ἀπὸ τοῦ ἐν αὐτῷ κατακλιθῆναι Δία καὶ Ἥραν, schol. ad l. Homeri.]

Λεκτὸς, ὁ, Delectus, Collectus. Λ. στρατὸς, Soph. Et in OEd. T. [19] λεκτοὶ pro ἐπιλεχθέντες. || Ponitur vero λεκτοὶ ab Eod. pro ἀριστεῖς, ut Gall. dixeris *Gens d'eslite*, vel *Personnes d'eslite*, quam signif. Hesych. quoque [qui etiam λεκτὸν interpretatur ὡς σεμνὸν] dat nomini λεκτοί. [Duplicem vel triplicem Sophoclis usum HSt. finxit e Lex. Septemv., in quo, Sophoclis nomine addito, λεκτὸς explicatur ἀριστεὺς, σεμνὸς, ἐπίλεκτος, quarum interpretationum duæ priores ex Hesychio sumtæ sunt : στρατὸς unde duxerit HSt., quum non sit apud Sophoclem, in medio relinquimus. Æsch. Pers. 795 : Ἀλλ' εὐσταλῆ τοι λεκτὸν ἀροῦμεν στόλον. Eur. Suppl. 356 : Λεκτοὺς Ἀθηναίων κόρους· Hec. 525 : Λεκτοί τ' Ἀχαιῶν ἔκκριτοι νεανίαι. Ἡρώων Apoll. Rh. 4, 831.]

Λεκτὸς, ἡ, ὸν, q. d. Dicibilis [Gl. Soph. Phil. 638 :
B Ἀλλ' ἔστ' ἐκείνῳ πάντα λεκτὰ, πάντα δὲ τολμητά. Eur. Hipp. 875 : Κακὸν οὐ τλητὸν οὐδὲ λεκτόν. Aristoph. Av. 422 : Ὄλβον οὔτε λεκτὸν οὔτε πιστόν. Sextus Emp. Adv. mathem. 1, 3, 20, p. 219 : Δεῖ τὰ διδασκόμενα λεκτὰ τυγχάνειν] : ut contra ἄλεκτος, q. d. Indicibilis. Item Qui in dictis s. verbis consistit. [Plut. Mor. p. 1116, B; 1119, E, F; schol. Hom. Il. B, 349.]

Λέκτριος, ὁ, Qui lecto aliquem excipit. Unde in Epigr. λεκτρία γραμματικὴ, Susceptrix, Quæ suscipit etiam lecto ut hospita. In iisd. Epigr. pro Copulatione ipsa conjunctioneque in lecto et nuptiis. Ita VV. LL. Sed quod ad l. priorem ex Epigr. allatum attinet, male eum citarunt : scr. enim, πάντων δέκτρια γραμματική : errore orto ex similitudine, quæ in mss. vett. codd. est inter τὸ Λ et τὸ Δ. Locus est l. 2, p. 138 meæ ed. Estque id δέκτρια non ex δέκτριος, sed ex δέκτωρ s. δεκτὴρ aut δέκτης. [V. Δέκτρια (ubi leg. 400, 6). || Λέκτριος, ὁ, In lecto recumbens. Gregor. Naz. Carm. 5, 94. Schneid.]

Λεκτρίτη, Hesychio θρόνῳ ἀνάκλισιν ἔχοντι, Sellæ in
C qua velut in lectulo recumbi potest.

[Λεκτροκλόπος, ὁ, Adulter. Orac. Sib. p. 121 : Λεκτροκλόποι.]

Λέκτρον, τὸ, Lectus, Cubile. Licet autem λέγομαι exponatur Cubo, tamen in expos. nominis hujus λέκτρον, priorem locum non dedi nomini Cubile, ut ostenderem simul unde Latini suam illam vocem Lectus acceperint; nec enim mihi dubium est, quin hæc sit vera voc. hujus derivatio, potius quam a lectis herbis, aut ab alliciendo. Est porro hoc observatione dignum, sicut Latini suum Lego, i. e. Colligo, a λέγω mutuati sunt, ita etiam Lectus a λέκτρον mutuatos esse, quum alioqui nequaquam eam verbi λέγομαι signif. retinuerint, a qua fit λέκτρον. Hom. Od. T, [516] : Κεῖμαι ἐνὶ λέκτρῳ· Ψ, [32] : Καὶ ἀπὸ λέκτροιο θοροῦσα· et [254] : Ἀλλ' ἔρχευ· λέκτρονδ' ἴομεν, γύναι· et [295] : Οἱ μὲν ἔπειτα Ἀσπάσιοι λέκτροιο παλαιοῦ θεσμὸν ἵκοντο. [Pind. Nem. 8, 6 : Διὸς Αἰγίνας τε λέκτρον. Eur. Alc. 177 : Ὦ λέκτρον. De matrimonio Soph. Tr. 791 : Τὸ δυσπάρευνον λέκτρον σου τῆς ταλαίνης· OEd. T. 976 : Καὶ
D πῶς τὸ μητρὸς λέκτρον οὐκ ὀκνεῖν με δεῖ. Eur. Or. 1080 : Σὺ δ' ἄλλο λέκτρον παιδοποίησαι λαβών· 1658 : Πυλάδη δ' ἀδελφῆς λέκτρον, ᾧ ποτ' ᾔνεσας, δός· Med. 436 : Τᾶς ἀνάνδρου κοίτας ὀλέσασα λέκτρον. De concubitu Ion. 545 : Ἦλθες ἐς νόθον τι λέκτρον; Ælian. V. H. 4, 26 : Ἠλέκτραν ἐκάλεσαν διὰ τὸ ... μὴ πεπειρᾶσθαι λεκτρου.] Et plur. aliquoties ap. Eund., sed posito pro singul. Od. Υ, [58] : Κλαῖε δ' ἄρ ἐν λέκτροισι καθεζομένη μαλακοῖσιν· et [141] : Οὐκ ἔθελ' ἐν λέκτροισι καὶ ἐν ῥήγεσσι καθεύδειν. Sic autem Latini Strata plur. numero dicunt. [Pind. Pyth. 3, 26, Nem. 5, 30, Æsch. Pers. 130, Soph. Phil. 677, et sæpe Euripides. Qui etiam λέκτρων κοίτας Alc. 925, ut Æsch. Pers. 544, εὐνάς, et Euripides ipse Herc. F. l. infra citando. Improprie vel de Matrimonio s. Concubitu vel de Conjuge Soph. OEd. T. 260 : Ἔχων δὲ λέκτρα καὶ γυναῖχ' ὁμόσπορον· OEd. C. 528 : Ἦ ματρόθεν δυσώνυμα λέκτρ' ἐπλήσω. Et sæpe Eur., addito interdum genitivo, ut Phœn. 14 : Ἐπεὶ δ' ἄπαις ἦν χρόνια λέκτρα τάμ' ἔχων ἐν δώμασιν· Or. 559 : Ἐς ἀνδρὸς ᾔει λέκτρα· 1009 : Λέκτρα τε Κρήσσας Ἀερόπας δολίας

δαλίοισι γάμοις· 1672 : Λέκτρ' ἐπήνεσ', ἡνίκ' ἂν διδῷ πατηρ· Med. 286 : Λυπεῖ δὲ λέκτρων ἀνδρὸς ἐστερημένη· 594 : Εὖ νῦν τόδ' ἴσθι μὴ γυναικὸς οὕνεκα γῆμαί με λέκτρα βασιλέων ἃ νῦν ἔχω· 639 : Θυμὸν ἐκπλήξασ' ἑτέροις ἐπὶ λέκτροις· 1348 : Οὔτε λέκτρων νεογάμων ὀνήσομαι· Andr. 36 : Αὐτὴ δὲ ναίειν οἶκον ἀντ' αὐτῆς θέλω τόνδ', ἐκβαλοῦσα λέκτρα τἀκείνης βίᾳ· Hel. 7 : Ὃς τῶν κατ' οἶδμα παρθένων μίαν γαμεῖ Ψαμάθην, ἐπειδὴ λέκτρ' ἀφῆκεν Αἰακοῦ· Ion. 819 : Λαβὼν δὲ δοῦλα λέκτρα νυμφεύσας λάθρᾳ τὸν παῖδ' ἔφυσεν· Herc. F. 344 : Σὺ δ' ἐς μὲν εὐνὰς κρύφιος ἠπίστω μολεῖν τἀλλότρια λέκτρα δόντος οὐδενὸς λαβών· 798 : Ὦ λέκτρων δύο συγγενεῖς εὐναί, de Jovis et Amphitruonis cum Alcumena concubitu. Ib. 1316 : Οὐ λέκτρα δ' ἀλλήλοισιν ὧν οὐθεὶς νόμος συνῆψαν. || Agathyllus ap. Dionys. A. R. 1, 49 : Παῖδας δοιάς, Κωδώνης λέκτρα καὶ Ἀνθεμόνης, ubi de filiabus dici videtur ex duabus susceptis mulieribus. Cit. Hemst. || Hesych. interpretatur non tantum κραββάτια, sed etiam : Κατὰ τὴν πόλιν ἐξέδρα καὶ προσωπεῖα, Λάκωνες.] Videntur porro grammatici nomen hoc a λέλεκται formare voluisse, pleonasmo literæ ρ : sed posse et a 3 pers. plusquamp. formari.

[Λεκτροχαρής, ὁ, ἡ, Concubitu gaudens, epith. Veneris in Orph. H. 54, 9.]

[Λέκυθος. Λεκυθώδης. V. Λεκιθ —.]

[Λέκυνθος, i. q. λέκιθος, ap. Pseudo-Democritum Φυσ. καὶ Μυστ. V. Notitt. Mss. vol. 6, p. 318. Boiss.]

[Λέλεγες etc. V. Λέλεξ.]

Λελεγίες, Hesychio κόχλακες s. χοχλιώδεις τόποι.

[Λελεγίζω, τὸ κιθαρίζω, Cithara cano, ponit Theognostus in Cram. An. vol. 2, p. 9, 28.]

[Λέλεξ, εγος, ὁ, Lelex, autochthon, primus Lacedæmoniorum rex. (De accentu v. Arcad. p. 19, 2.) Apollodor. 3, 19, 3, 2. Pausan. 3, 1, 1 : Ὡς δὲ αὐτοὶ Λακεδαιμόνιοι λέγουσι, Λέλεξ αὐτόχθων ὢν ἐβασίλευσε πρῶτος ἐν τῇ γῇ ταύτῃ, καὶ ἀπὸ τούτου Λέλεγες, ὧν ἦρχεν, ὠνομάσθησαν. Id. 4, 1, 1 : Ἀποθανόντος Λέλεγος, ὃς ἐβασίλευεν ἐν τῇ νῦν Λακωνικῇ, τότε δὲ ἀπ' ἐκείνου Λελεγίᾳ καλουμένῃ· 1, 39, 6 : Δωδεκάτῃ ὕστερον μετὰ Κᾶρα τὸν Φορωνέως γενεᾷ λέγουσιν οἱ Μεγαρεῖς Λέλεγα ἀφικόμενον ἐξ Αἰγύπτου βασιλεῦσαι καὶ τοὺς ἀνθρώπους κληθῆναι Λέλεγας ἐπὶ τῆς ἀρχῆς αὐτοῦ. Quibus similia scribit 1, 44, 3, ubi Neptuni et Libyæ filium dicit. Τοὺς ἔχοντας τὴν Μεγαρίδα Λέλεγας memorat 4, 36, 1. De iisdem 7, 2, 8 : Λέλεγες τοῦ Καρικοῦ μοῖρα. Strabo 14, p. 660 : Πολλῶν λόγων εἰρημένων περὶ Καρῶν ὁ μάλισθ' ὁμολογούμενός ἐστιν οὗτος ὅτι οἱ Κᾶρες ὑπὸ Μίνῳ ἐτάττοντο τότε Λέλεγες καλούμενοι. Id. 7, p. 321 : Τοὺς Λέλεγας τινὲς μὲν τοὺς αὐτοὺς Καρσὶν εἰκάζουσιν· οἱ δὲ συνοίκους μόνον καὶ συστρατιώτας· διόπερ ἐν τῇ Μιλησίᾳ Λελέγων κατοικίας λέγεσθαί τινας, πολλαχοῦ δὲ τῆς Καρίας τάφους Λελέγων καὶ ἐρύματα ἔρημα, Λελέγια καλούμενα. Ἥ τε νῦν Ἰωνία λεγομένη πᾶσα ὑπὸ Καρῶν ᾠκεῖτο καὶ Λελέγων· ἐκβαλόντες δὲ τούτους οἱ Ἴωνες αὐτοὶ τὴν χώραν κατέσχον· ἔτι δὲ πρότερον οἱ τὴν Τροίαν ἑλόντες ἐξήλασαν τοὺς Λέλεγας ἐκ τῶν περὶ τὴν Ἴδην τόπων τῶν κατὰ Πήδασον καὶ τὸν Σατνιόεντα ποταμόν. Ὅτι μὲν οὖν βάρβαροι ἦσαν οὗτοι καὶ αὐτὸ τὸ κοινωνῆσαι τοῖς Καρσὶ νομίζοιτ' ἂν σημεῖον. Ὅτι δὲ πλάνητες καὶ μετ' ἐκείνων καὶ χωρὶς καὶ ἐκ παλαιοῦ καὶ αἱ Ἀριστοτέλους πολιτεῖαι δηλοῦσιν. Ἐν μὲν γὰρ τῇ Ἀκαρνάνων φησὶ τὸ μὲν ἔχειν αὐτῆς Κουρῆτας, τὸ δὲ προσεσπέριον Λέλεγας, εἶτα Τηλεβόας, ἐν δὲ τῇ τῶν Αἰτωλῶν τοὺς νῦν Λοκροὺς Λέλεγας καλεῖ· κατασχεῖν δὲ καὶ τὴν Βοιωτίαν αὐτούς φησιν· ὁμοίως δὲ καὶ ἐν τῇ Ὀπουντίων καὶ Μεγαρέων· ἐν δὲ τῇ Λευκαδίων καὶ αὐτόχθονά τινα Λέλεγα ὀνομάζει... Μάλιστα δ' ἄν τις Ἡσιόδῳ πιστεύσειεν οὕτω περὶ αὐτῶν εἰπόντι, Ἤτοι γὰρ Λοκρὸς Λελέγων ἡγήσατο λαῶν, τούς ῥά ποτε Κρονίδης Ζεὺς... λεκτοὺς ἐκ γαίης ἀλέας πόρε Δευκαλίωνι. Τῇ γὰρ ἐτυμολογίᾳ τὸ συλλέκτους γεγονέναι τινὰς ἐκ παλαιοῦ καὶ μιγάδας αἰνίττεσθαί μοι δοκεῖ· καὶ διὰ τοῦτο ἐκλελοιπέναι τὸ γένος· 13, p. 611 : Καθ' Ὅμηρον μέντοι ταῦτα πάντα ἦν Λελέγων, οὓς τινὲς μὲν Κᾶρας ἀποφαίνουσιν, Ὅμηρος δὲ χωρίζει (Il. K, 429)· Πρὸς μὲν ἁλὸς Κᾶρες... καὶ Λέλεγες... Ἕτεροι μὲν τοίνυν τῶν Καρῶν ὑπῆρξαν· ᾤκουν δὲ μεταξὺ τῶν ὑπὸ τῷ Αἰνείᾳ καὶ τῶν καλουμένων ὑπὸ τοῦ ποιητοῦ Κιλίκων· ἐκπορθηθέντες δὲ ὑπὸ τοῦ Ἀχιλλέως μετέστησαν εἰς τὴν Καρίαν καὶ κατέσχον τὰ περὶ τὴν νῦν Ἁλικαρνασσὸν χωρία. Disserit de gentis exiguitate ib. p. 619, memoratque etiam aliis ll. pluribus. Miletum Cariæ, ut olim habitatam ab Lelegibus, primum Λελεγηΐδα dictam narrat Didymus ap. Steph. Byz. v. Μίλητος. Hinc Λελεγήιον εἶμα de veste Milesia Alexander Ætolus ap. Parthen. Erot. c. 14, 27. Hesych. : Λελεγηΐς, ἡ Λακεδαίμων πάλαι.]

Λελεπρὶς, piscis quidam, qui et φυκὶς, teste Hesych. [V. Λέπραι.]

Λεληθότως, Latenter, Clam, [Furtim add. Gl.] Ita ut nemo sentiat et animadvertat. [Axioch. p. 365, C : Οἱ καρτεροὶ λόγοι ὑπεκπνέουσι λ. Dionys. De comp. vv. p. 165, 6 : Λ. ὀλισθαίνουσα διὰ τῆς ἀκοῆς. Cic. Ep. ad fam. 9, 2, Ad Att. 6, 5. Arrian. Epict. 1, 16, 17. Memorat etiam Pollux 6, 209. Κρύφα pro eo dicendum esse monet Herodian. p. 433 Pierson.]

Λελίζω, pro ἑλελίζω dicitur. Hesych. enim λέλιξεν affert pro ἐλέλιξεν, h. e. διέσεισε, Concussit, Quassavit, s. Torsit Contorsit. [Vitiose.]

[Λελιημένως, ἐπιθυμητῶς, Zonar. p. 1302. Liber unus duplici μ. Quod alludit ad Λελιμμένως. Utrumque est potius ἐπιθυμητικῶς, Cupide. Quanquam de λελιμμένως etiam activum usurpatum fuit λίπτω.]

[Λελιχκός. V. Λελισκός.]

[Λέλιοι, οἱ, Lelii, gens, Orph. Arg. 1071.]

Λελισκὸς, piscis quidam, Hesych. [Λελιχκὸς est ap. Hesych.]

Λελογισμένως, Prudenter, Re bene perpensa et bene subducto calculo, Eur. [Iph. A. 1021.] Et Herodot. 3, [104] : Ἐπὶ τὸν χρυσὸν λελογισμένως ἐλαύνουσι. [Pollux 4, 11.]

[Λελοξουμένως, Oblique. Synesius ap. Fabric. B. Gr. vol. 8, p. 240. Cramer. Pro λελοξωμένως vel λελοξευμένως.]

[Λελυμένως, Passim, Gl. Hippocr. p. 194. « Basil. Schol. Greg. Naz. in Notitt. Mss. vol. 11, part. 2, p. 116. » Boiss. Chion. Ep. 7, p. 28 : Λ. καὶ ἀπροκαλύπτως ἐδήλωσα. Hemst.]

[Λεμάνα λίμνη, ἡ, Lacus Lemanus, ap. Strab. 4, p. 186, ubi est genit. Λεμάνης, 204, ubi nominat. ἡ Λεμάνα λίμνη, et 208, ubi accus. τὴν λίμνην τὴν Λεμάνην.]

Λεμβάδιον, τὸ, qui Cornelio Tacito est Lembunculus, Parvus lembus. [Const. Manass. Chron. 3766 : Τοῖς λεμβαδίοις τοῖς πυκνοῖς. Boiss. Cinnamus p. 45, B; 54, B; 65, B, et aliquoties Nicetas. V. Lobeck. ad Phrynich. p. 74. ἄτ]

[Λέμβαρχος, ὁ.] Λέμβαρχοι, Qui lembo præsunt s. præfecti sunt : Etymologo οἱ ἐν τῷ ἐφολκίῳ πλέοντες [et qui οἱ τοῖς ἐφολκίοις πλέοντες, Photio, quæ verba ap. Hesychium sequenti gl. Λέμβος addita sunt] : Hesychio vero λιπόδερμοι. [Quod ad aliam gl. pertinet. V. Λέπανος.]

[Λεμβευτικὸς λόγος, liber ab Heraclide conscriptus, cui propterea Λέμβου cognomen adhæsit. Diogen. L. 5, 94. Rationem tituli non capio. Hemst.]

[Λέμβιον, τὸ, diminut. a λέμβος, n. pr. meretricis ap. Rufinum Anth. Pal. 5, 44, 1 : Λέμβιον, ἡ δ' ἑτέρα Κερκούριον, αἱ δύ' ἑταῖραι, αἰεὶ ἐφορμοῦσιν τῷ Σαμίων λιμένι.]

Λέμβος, ὁ, Lembus. [Alveum, Alveus, Gl.] Hesychio Parvum navigium, quod et ἐφόλκιον dicitur [Theocr. 21, 12 : Γέρων τ' ἐπ' ἐρείσμασι λέμβος] : ut et Suidas esse dicit Parvum navigium, μικρὸν πλοῖον, hæc afferens exx. : Ἑτέρους δ' ἐν χειμῶνι σφοδρῷ λέμβοις ἐξέπεμψαν. Et rursum, Πλεῖν δὲ λέμβοις λ', καὶ πολεμεῖν τοῖς Αἰτωλοῖς κατὰ θάλατταν. Idem in dat. etiam λέμβει dici scribit, neutro genere, ex nominat. λέμβος. [Ap. Liban. vol. 4, p. 525, 21, Ms. Paris. n. 3015, τοῦ λέμβους pro τοῦ λέμβου sec. Bast. Ep. crit. p. 79.] Thuc. [2, 83] λεπτὰ πλοῖα vocat hosce λέμβους, ut schol. ipsius annotat. Ceterum ὁ λέμβος est ex genere navium τῶν ταχυπλοουσῶν καὶ κατασκοπικῶν, ut κελήτιον et ἁλιάς. Polyb. 1, [53, 9] : Ἀνήγγειλαν οἱ προπλεῖν εἰθισμένοι λέμβοι τὸν ἐπίπλουν τῶν ὑπεναντίων· quas naves Thuc. πρόπλους, Xen. πρωτόπλους vocat, Plut. κατασκοπικὰ πλοῖα, quoniam explorandi causa ceteræ classi præmitti soleant, utpote leves et veloces; nam leve esse navigium et ab uno remige impelli valens, Virg. etiam docet in Georg. 1, [201] : Vix adverso flumine lembum Remigiis subigit si brachia forte remisit; Atque illum in præceps prono rapit alveus amne.

Sed sunt et grandiores lembi, quos Liv. actuariis navigiis annumerare videtur, dicens Dec. 4, l. 4 [34, 35]: Præter duos lembos, qui non plus quam sedecim remis agerentur. Sane Dec. 3, 1 Actuarias naves vocat, quas Polyb. [3, 46, 5] λέμβους ῥυμουλκοῦντας. Atque adeo maritimis pugnis et profectionibus utiles esse lembos, patet ex Eod. et ex Diodoro. Sic enim ille l. 2 Decadis 4 [32, 21]: Centum triginta Issiaci lembi maritimam oram vastare, et expositas prope in ipsis litoribus urbes cœperint oppugnare. Hic, 20, [85]: Ἀθροίσας τοὺς ἁδροτάτους τῶν λέμβων, καὶ τούτους καταφράξας σανίσι, καὶ θυρίδας κλειστὰς κατασκευάσας, ἐνέθετο μὲν τῶν τρισπιθάμων ὀξυβελῶν τοὺς ποῤῥωτάτω βάλλοντας. [Demosth. p. 883 fin.: Διαμαρτὼν τοῦ λέμβου· 884, 5. || Figurate Anaxandrides ap. Athen. 6, p. 242, F: Ὄπισθεν ἀκολουθεῖ κόλαξ τῳ, λέμβος ἐπικέκληται.]

Λεμβώδης, ὁ, ἡ, Lembo similis. [Aristot. De incess. anim. c. 10: Πλοίου πρῷρα λεμβώδους.]

Λέμμα, τὸ, Cortex, Liber, Id quod decorticando aufertur. [Hippocr. p. 641, 44: Σικύης λέμματα.] Anaxilas ap. Athen. 6, [p. 254, D] adulatorem σκώληκι assimilans: Εἰς οὖν ἄκακον ἀνθρώπου τρόπον Εἰσδὺς, ἕκαστος ἐσθίει καθήμενος, Ἕως ἂν ὥσπερ πυρὸν, ἀποδείξῃ κενόν. Ἐπειθ' ὁ μὲν λέμμ' ἐστὶν, de eo, cui adulator medullam et pulpam omnem erosit. [Alexis] apud Eund. 2, [p. 55, C]: Τοὺς θέρμους φαγὼν, Ἐν τῷ προθύρῳ τὰ λέμματα κατέλιπεν· paulo post λέπος dicit. [Matthæi Med. p. 195: Μήκωνος λέμμασι· 267: Ῥοιᾶς λέμμασι. Eust. Opusc. p. 259, 62: Καρυΐνου λέμματος. Mœris p. 243: Λέμμα ἀντὶ τοῦ λέπισμα Ἕλληνες, λέπος κοινόν. Quæ non satis vera et fortasse corrupta esse animadvertit Piersonus, quum λέμμα sit vel ap. Aristoph. Av. 673: Ἀλλ' ὥσπερ ᾠὸν νὴ Δι' ἀπολέψαντα χρὴ ἀπὸ τῆς κεφαλῆς τὸ λέμμα κᾆθ' οὕτω φιλεῖν. Nec probabile aliarum rerum potius quam ovi corticem intellexisse grammaticum. Addidit autem Piers. exx. Æliani N. A. 4, 12: Τὸ τοῦ ᾠοῦ λέμμα (perdicis), et Synesii p. 70, B: Τριχῶν αὐτὴν (caput humanum) ἀγάλλει (natura) κάλλεσιν, ὥσπερ ἀθέρων τινῶν ἢ λεμμάτων.] Dicitur etiam de Cortice nondum detracto, i. e., de Tunica plantam aut semen aut alia, quæ cortice teguntur, ambiente. Theophr. H. Pl. 4, [11, 6] de calamo: Ὅταν ξυλλέξωσι, τιθέασιν ὑπαίθριον τοῦ χειμῶνος ἐν τῷ λέμματι. Plin. 16, 26, dicit Tenues per ambitum tunicas; itidem de calamo loquens: quod Gaza imitatus est. [Matthæi Med. p. 45: Τὰ Εὐβοϊκὰ κάρυα σὺν τῷ ἐντὸς λέμματι, τῷ ὄντι σὺν τῷ καρύῳ.] || Erotiano ἡ ἐπιδερματίς. [Plato Tim. p. 76, A: Τῆς σαρκοειδοῦς φύσεως λέμμα τὸ νῦν λεγόμενον δέρμα. Unde citat Photius. || Pollux 6, 51, ἰχθύων λέμματα.]

Λέμνα, τὸ, plantæ genus in Orchomenio lacu nascens, Theophr. H. Pl. 4, 11 [10, 1]. Sunt qui λέμμα scribant, et sic dictum existiment, quod sit veluti λεπίς.

Λεμὸς, Hesychio φάρυγξ, λάρυγξ: qui potius λαιμός.

Λεμφὸς, Hesychio ὁ μυξώδης καὶ μάταιος, Mucosus, Stolidus; ἀνόητος, ἀπόπληκτος, Amens, Mentis attonitæ. Ammon. [p. 87] paroxytonως habet Λέμφος, scribens ab Atticis λέμφους vocari τοὺς κορυζώδεις καὶ μυξώδεις: ut ap. Menandrum, Γέρων ἄθλιος λέμφος. [Photius: Λέμφος, ἀνόητος, μυξώδης.] Rursum Hesych. λέμφοι affert pro αἱ πεπηγμέναι μύξαι, Mucus induratus et veluti conglaciatus. [Similiter Photius in Λέμφους, Mœris p. 251, ubi v. Piers. Thom. M. p. 573: Λέμφος ἡ κόρυζα, ὡς τὸ κορύζης καὶ λέμφου ἔμπλεως, παρὰ Λιβανίῳ (vol. 4, p. 630, 21). Καὶ λέμφος ἀρσενικῶς ὁ κορυζώδης καὶ μυξώδης. Sic Liban. ib. p. 615, 19: Οὐχ οὕτω λέμφος οὐδ' ἀνόητός τις ἐγώ.] Meminit Eust. quoque utriusque signif., paroxytonως utrobique scriptum habens. Λέμβος, inquit p. 1761, et ἐφόλκιον, dicitur σκάφος s. πλοῖον: quod et ἐφολκίδα quidam appellavit: at λέμφος per φῖ, non per βῆτα, dicitur secundum veteres ἡ πεπηγυῖα μύξα ἐκ τῶν μυκτήρων: unde et λέμφος vocatur ὁ εὐήθης, Fatuus, Stultus: quoniam εἰς μωρίαν διέσκωπτον τοὺς ῥεομένους ἐκ τῶν μυκτήρων: ex quo et ἀπομύξαι τινὰ dicunt τὸ ἐξαπατῆσαι, Decipere. Verum et τὰ μυξώδη κρέα vocabantur λέμφοι: at vocabulum hoc novum est nec in vulgari sermone usitatum. Hæc ille. [Distinguit eadem Tzetz. Hist. 6, hist. 47, ubi

A est accus. λέμφος, et inscript. περὶ λέμφους, ab nominat. Λέμφος, τό. Photius: Λέμφοι, τὰ θνησείδια τῶν θρεμμάτων καὶ ξηρὰ ὑπὸ νόσου.]

[Λεμφώδης, ὁ, ἡ, Stolidus. Schol. Lucian. Lexiph. c. 18: Ἀποπλήκτους καὶ λεμφώδεις.]

[Λέμωνος sine interpretatione ponit Suidas.]

[Λεντιάριος, ὁ, in inscr. Att. ap. Bœckh. vol. 1, p. 381, n. 275, 71: Θυρωρὸς Κορνήλιος Δημήτριος, λεντιάριος Μέλισσος Διοφάντου, videtur esse minister gymnasii, qui lintea ministraret athletis.]

Λέντιον, τὸ, Hesych. esse dicit περίζωμα ἱερατικὸν, Cinctum sacerdotalem. Meminerunt hujus voc. Suid. quoque et Etym., sed neuter exp.: hic a verbo λειαίνειν derivat, quod sit καθαίρειν, ac per syncopen dictum vult quasi λειάντιον. Sed vana hæc etymol.: nam vox est a Græcis recentioribus tantum usurpata, et mutuata ex Latino Linteum. Joann. 13, [4]: Λαβὼν λέντιον, διέζωσεν ἑαυτόν. Greg. Naz.: Λεντίῳ διαζώννυται, Linteo præcingitur. [Lat. Linteum. Arrian. Peripl. M. Rubr. p. 4: Λέντια καὶ δικρόσσια, et alia

B citat Ducang. Angl. Eust. Op. p. 298, 17.]

[Λὲξ, γὸς, monosyllabum, non addita signif., nisi quod ab λέγω dicit duci, ponit grammaticus in Βὸρξ citatus. Ἔθνος interpretatur Arcad. p. 125, 5. Qui quum et ipse inter monosyllaba ponat, prohibet conjecturam Λέλεξ. Conf. Lobeck. Paralip. p. 100.]

Λεξείδιον, s. Λεξίδιον, τὸ, Dictiuncula, Vocula, Vocabulum. Scribit Etym. λεξείδιον cum diphth. Atticum esse, ex gen. λέξεως: λεξίδιον, Ionicum, ex gen. λέξιος. Eand. rationem esse in ῥησείδιον, et ῥησίδιον. [Per ει ap. Arrian. Epict. 3, 5, Clem. Al. Strom. 1, p. 328, Phot. Epist. 156, p. 211, Suidam, Herodian. Epim. p. 239, Theodos. De gramm. p. 70, 26, Theognost. in Cram. An. vol. 2, p. 238, 18.]

[Λεξείδριον, Pallad. V. Chrys. p. 40 (p. 16, E, Montf. vol. 13). Boiss. Aut λεξείδιον scribendum aut λεξύδριον.]

[Λεξείω, Dicturio, Gl.]

[Λεξίας, ὁ, ab λέξω formatum, ponit Etym. M. p. 588, 34.]

C [Λεξιγράφος, ὁ, Lexici scriptor, Vocabularius. Ms. apud Bekker. Anecd. p. 1094: Κασσιανοῦ Λογγίνου καὶ ἑτέρων λεξιγράφων. Λεξογράφος male ap. Jo. Laur. De magistr. p. 18, 36, Proculum ad Hesiod. Op. 631. Non videtur enim hæc forma defendi formis δίλεξος, μονόλεξος, πολύλεξος, de quibus v. suis locis. L. D. Tzetz. Exeg. Il. p. 72, 27; 101, 21.]

[Λεξίδιον. V. Λεξείδιον.]

[Λεξίθηρ, ρος, ὁ, Vocabulorum auceps. Epiphan. Hær. p. 785, B: Προπηδήσαντες οἱ λεξίθηρες· 801, D: Περιελείπετο τοῖς λεξιθήρεσι τὸ τοῦ ἁγίου πνεύματος πρόσωπον. Λεξίθηρσι Gronov. ad l. Gellii in Λεξιθηρέω citandum. De accentu paroxytono v. Lobeck. ad Phryn. p. 628, qui formam λεξίθηρος affert ex Gloss. Alberti p. 76. Constit. Apost. 3, 5, vol. 1, p. 280: Ὑπαρχέτω πᾶσα χήρα ... μὴ λεξίθηρος, μὴ δισσολόγος.]

[Λεξιθηρέω, Verba aucupor, Vocabulorum elegantias capto. Gellius N. A. 2, 9: « Nimis minute ac prope etiam subfrigide Plutarchus in Epicuro accusando λεξιθηρεῖ. » Socrates H. E. 6, 22, p. 341, 27: Λεξιθηρεῖ δὲ

D ἐν αὐτοῖς (τοῖς βιβλίοις) καὶ ποιητικὰς παραμίγνυσι λέξεις.]

[Λεξιθηρία, ἡ, Vocabulorum aucupium. Clem. Al. Pæd. p. 125: Οὐ γάρ μοι τῆς λ. μέλει τὰ νῦν.]

[Λεξίθηρος. V. Λεξίθηρ.]

[Λεξικογράφος. V. Λεξικός.]

Λεξικὸν, τὸ, nominatur Liber in quo vocabula sua serie posita explicantur: vulgo Dictionarium, Vocabularium. [Exx. plura sunt ap. Photium cod. 145 et seqq., Bekker. Anecd. p. 1094 et alibi passim apud grammaticos recentiores.]

Λεξικὸς, vulgo redditur Dictionarius, Vocabularius. A Gaza in l. De mens. Atticis, Suidas vocatur λεξικὸς, quod vocabula sua serie posita explicet et interpretetur: cujusmodi scriptores vocantur etiam Λεξικογράφοι. [Etym. M. p. 221, 33.]

[Λεξίλογος, ὁ. Ap. Critiam Athen. 1, p. 28, C: Φοίνικες δ' εὗρον γράμματ' ἀλεξίλογα, pro vulg. γράμματ' ἀλεξίλογα rectius fortasse legitur λεξίλογα vel λεξιλόγα, Literæ colligentes sermonem, Verba et sermonem conservantes. Schweigh. Recte habet ἀλεξ.]

Λέξις, εως, ἡ, Dictio, i. e. Elocutio, Oratio, Sermo, Stylus. [Plato Reip. 3, p. 396, B : Ἔστι τι εἶδος λέξεώς τε καὶ διηγήσεως· E : Ἔσται αὐτοῦ ἡ λέξις μετέχουσα ἀμφοτέρων μιμήσεώς τε καὶ τῆς ἄλλης διηγήσεως· et alibi.] Aristot. De poet. [c. 6] : Λέγω δὲ λέξιν, τὴν διὰ τῆς ὀνομασίας ἑρμηνείαν· ὃ καὶ ἐπὶ τῶν ἐμμέτρων καὶ ἐπὶ τῶν λόγων τὴν αὐτὴν ἔχει δύναμιν. Lucian. [De hist. conscr. c. 43] : Ἡ λ. δὲ, σαφὴς, καὶ πολιτικὴ, οἵα ἐπισημότατα δηλοῦν τὸ ὑποκείμενον. Plut. De garr. [p. 511, B] : Θαυμάσαντος τῆς λέξεως τὸ εὔογκον, καὶ τὸ λιτὸν, ἐν βραχεῖ σφυρήλατον νοῦν περιεχούσης. Ib. [p. 510, E] de re eadem : Ὧν πολὺς νοῦς ἐν ὀλίγῃ λέξει συνέσταλται. [Schol. Hom. Il. Υ, 67, p. 533, 16 : Πρὸς τὴν τοιαύτην ἐπίλυσιν οἱ μὲν ἀπὸ τῆς λέξεως κατηγοροῦντες κτλ. et ib. 30 : Οὗτος μὲν οὖν τρόπος ἀπολογίας ... τοιοῦτός ἐστιν ἀπὸ τῆς λέξεως.] VV. LL. ex Hermog., λ. πεζὴ, Oratio soluta, et ἡ λ. ἡ τῶν πολλῶν, ex Aristot. [Rhet. 3, 8 : Ὁ δ' ἴαμβος αὐτή ἐστιν ἡ λέξις ἡ τῶν πολλῶν], pro eo, quod Cic., Vulgaris sermo. [Plat. Apolog. p. 17, D : Ξένως ἔχω τῆς ἐνθάδε λέξεως. Crates Περὶ τῆς Ἀττικῆς λέξεως citatur ap. Athen. 9, p. 366, D. || Cum genitivo Plat. Hipp. maj. p. 300, C : Τῆς τῶν παρόντων λέξεως λόγων.] Et λέξεως σχήματα, Verborum figuræ, dictionis, elocutionis, sermonis, orationis, ex Quint. || Orationis venustas, Isocr. [p. 87, E?], Dionys. H. teste Bud. Idem tradit λέξιν ab Aristot. vocari Dictionem propriam, ut γλῶτταν Dictionem peregrinam, hoc in l. libri De poet. [c. 25] : Ταῦτα δὲ ἐξαγγέλλεται λέξει, ἢ καὶ γλώτταις καὶ μεταφοραῖς. || Vocabulum, Verbum. Qua in signif. poni et Dictio, vulgus existimat, quum Valla, qui scripsit Dictionem appellari Oratoriam et facundam orationem, nimis hujus vocabuli significationem restringens, ab illa autem generali signif. fieri Dictio, quæ est Vocabulum, Verbum. [Polyb. 2, 22, 1 : Ἡ λέξις αὕτη (Gæsati)· 6, 46, 10 : Χωρὶς τῶν ὀνομάτων καὶ ταῖς λέξεσι κέχρηται ταῖς αὐταῖς.] Plut. in Pol. præc. [p. 804, A] : Πολλάκις ἐν αὐτῷ τῷ λέγειν ζητοῦντα καὶ συντιθέντα τὰς λέξεις, ἐνίσχεσθαι καὶ διαπίπτειν. Lucian. [Lexiph. c. 24] : Οὐ πρότερον τὰς διανοίας τῶν λέξεων προπαρεσκευασμένος. Et ap. Athen. [11, p. 485, E] citatur quidam Moschus, ἐν Ἐξηγήσει Ῥοδιακῶν Λέξεων. [Hinc Lexica et Glossaria sæpe inscripta Λέξις vel Λέξεις, additis etiam nominibus generis, ut κωμικὴ, τροπικὴ, ῥητορικαὶ, vel scriptoris, ut Πλατωνικαὶ, ῥητόρων, etc. V. *Quarterly Review* vol. 22, p. 305. || « Intelligitur etiam λέξις non modo Unum quoddam verbum, sed etiam Plura verba, Integra phrasis, quæ alias ῥῆσις. Sic Athen. 7, p. 275, B : Κρατῶ γὰρ καὶ τῆς λέξεως, Nam et ipsa (auctoris) verba teneo. Id. p. 177 (?) : Τῇ λέξει δὲ ταύτῃ ἐχρήσατο, Verbis autem usus est his.» Schw. Polyb. 8, 11, 5 : Αὐταῖς λέξεσιν, αἷς ἐκεῖνος κέχρηται, κατατετάχαμεν. Dionys. A. rh. 9, 11, p. 367, 9 : Ἐπαγγέλλεται οὐ μόνον ἐρεῖν αὐτὰ, ἀλλὰ (καὶ) αὐτὴ λέξει λέγει κτλ. De oratione Plato Reip. 3, p. 396, C : Ἐπειδὰν ἀφίκηται ἐν τῇ διηγήσει ἐπὶ λέξιν τινὰ ἢ πρᾶξιν ἀνδρὸς ἀγαθοῦ. V. HSt. initio.] Et αὐταῖς λέξεσι, κατὰ λέξιν, Plut. [Mor. p. 869, E, D, Dionysius et alii], quod Lat. dicitur Ad verbum. [Lucillius Anth. Pal. 11, 140, 5 : Μή με βάλῃς κατὰ λέξιν ἕλωρ καὶ κῦρμα γενέσθαι. « Ἕλ. καὶ κ. γ. homerice, κατὰ λέξιν grammatice dictum. Ut τὰ παρὰ λέξιν dicendi proprietati contrariam rationem significant, sic proprie dicta κατὰ λέξιν dicuntur λέγεσθαι. » Jacobs. Ap. Cic. Ad Att. 16, 4, παρὰ λέξιν, Contra proprie loquendi rationem.] Synes. autem dixit etiam ἐπὶ λέξεως. [Marin. V. Proc. c. 9 : Ἅπαντα πρὸς τοὺς ἑταίρους τὰ τῶν πράξεων ἐπ' αὐτῶν λέξεων. De nomine proprio Steph. Byz. in Ὕχαρα, et quem Schneiderus citat, Photius Bibl. p. 130, 39.]

[Λεξιφάνης, ους, ὁ, Lexiphanes, q. d. Verborum ostentator, inscriptus exstat libellus Luciani. Poeta comicus ap. Alciphr. Ep. 3, 71. ῐᾰ]

[Λεξογράφος. V. Λεξιγράφος.]

[Λεξύδριον, τὸ, i. q. λεξείδιον. Schol. Greg. Naz. Stel. p. 73, schol. Dionysii in Bekk. Anecd. p. 857, 17. V. Λεξείδριον.]

[Λεοκαιος, ὁ, Leocæus, nom. viri esse videtur in numo Clazomenio apud Mionnet. *Suppl.* vol. 6, p. 86, 38.]

[Λεόνεον, τὸ, Sorbum, i. q. βάμμα, quod v. vol. 2, p. 103, B. L. Dind.]

[Λεόνιππος, ὁ, Leonippus, Mithridatis legatus, ap. Memnon. c. 53, Phot. cod. 224, p. 237 sqq.]

[Λεόννατος, ὁ, Leonnatus, dux Alexandri M. ap. Diodor. l. 17 et 18, Pausan. 7, 6, 6, Arrianum, Plutarchum, Dexippum Photii cod. 82, p. 64, 41, ubi per ω et simplex ν, et alios. Libri accentum acutum plerumque in penultima collocant, quod non videtur fieri posse. Λεόννατος scriptum in libris melioribus Suidæ.]

[Λεοντάγχωνος, ὁ, Leonem strangulans, in Callim. Ep. 36 : Τίν με, λεοντάγχωνε, συοκτόνε, φήγινον ὄζον θῆκε τίς; Ἀρχῖνος. Ποῖος; ὁ Κρής. Δέχομαι, Lobeck. ad Phryn. p. 565 scribendum conjicit λεοντάγχ', ὦνα, Valckenarius λεόνταγχ', ὧδε, ut nominat. sit λεοντάγχης vel λεόνταγχος, quorum illud conferendum Hipponacteo κυνάγχα. Λεοντάγχωνε defendere conatus est Hemsterhus. ap. Bast. ad Greg. Cor. p. 593, qui suam et D. J. Lennepii addit conjecturam λεοντόχλαινε.]

[Λεοντάριον, τὸ, Imaguncula leonis. « Acta Conc. Flor. initio : Χρυσᾶ λεοντάρια ἐν τῇ πρύμνῃ εἶχε. » Du-Cang. Inscr. ap. Burckhardt. *Reisen in Syrien* vol. 1, p. 500 ed. Gesen. : Τὴν θύραν σὺν νικαρίοις καὶ μεγάλῃ νίκῃ καὶ λεονταρίοις καὶ πάσῃ γλυφῇ. V. etiam Λεοντόχασμα. L. Dind. ᾰῐ]

[Λεοντάριον, τὸ, Leontiolum, dimin. ab Λεόντιον, n. muliebri. Epicurus ap. Diog. L. 10, 5 : Φίλον Λεοντάριον.]

[Λεοντάρνη, ἡ, Leontarne. Eust. Il. p. 270, 36 : Λ. κώμη περὶ τὸν Ἑλικῶνα ἢ κρήνη, κληθεῖσα οὕτω διότι Ἀδράστου θύοντός φασιν ἐκεῖ λέων τὸν ἄρνα ἥρπασε. Brevius schol., ἀπὸ τοῦ αὐτόθι λέοντος. Memorat Lycophr. 645, ubi πόλιν Βοιωτίας dicit Tzetzes.]

[Λεοντᾶς, ᾶ, ὁ, Leontas, n. viri in Charta Borgiana 5, 27. Aliorum in inscrr. ap. Bœckh. vol. 1, p. 650, n. 1326; p. 656, n. 1341; p. 663, n. 1363.]

[Λεοντεαῖος, ὁ, Leonteæus. Σκύλακος τοῦ Λεοντεαίου mentio fit in inscr. ap. Bœckh. vol. 2, p. 597, 6.]

[Λεοντεία, ἡ, Ferocia. Polemo Physiogn. 1, 6, p. 220 : Οἱ δὲ πάντες ἀνεστηκότες (ὀφθαλμοὶ) λεοντείαν καὶ ματαιότητα καὶ μανίαν τῶν ἀνδρῶν κατηγοροῦσιν. Λαγνεία scribendum putabat Sylburgius. Πάντες, quod omittit etiam Adamantius p. 348, ex ἐπανεστηκότες ortum videtur.]

[Λεοντείδης sine interpretatione ponit Suidas.]

Λεόντεος, et Λεόντειος, et Λεόντιος, α, ον, Leoninus, Qui leonis est, Qualis leonis est. Illo modo, Oppian. Cyn. 3, 233 : Γενύεσσι λεοντείῃσι, Malis leoninis. Et Hesych. λεόντειος δορὰ, pro δέρμα τοῦ λέοντος. [Suidas : Λεοντεία δορά. Ὁ δὲ τὴν λεοντείαν αὐτίκα περιεβάλλετο. Schol. Soph. Aj. 26 : Τῆς λεοντείας δορᾶς. Æschyl. fr. Κηρύκων ap. Pollucem 10, 186 : Σισύρνης τῆς λεοντέας. Ita codd. pro λεοντίας, h. e. λεοντείας. Δορᾶς addebat Toupius. Theocr. 24, 134, λ. δέρμα.] Hoc, Gregor. : Λεόντειον εἶδος προβάλλεσθαι, Leoninam speciem præ se ferre. Sic Epigr. [Marci Argentar. Anth. Pal. 9, 221, 2], λεοντεία βία, Leonina vis. [Et λεόντειον βρύχημα ap. Suidam. Eust. Op. p. 252, 82 : Βρυχώμενος λεόντειον. Combefis. Auct. noviss. vol. 1, p. 465, D : Λεόντειον βρέμων. Plut. Mor. p. 966, C : Ὄνυχος λεοντείου· Demetr. c. 27. Basil. V. Theclæ p. 249, B : Λεόντειος σκύμνος.] Item Λεοντεία dicitur pro λεοντεία δορά : et Λεοντέη [ut ap. Herodot. 7, 69 : Λεοντέας ἐναμμένοι], ac per contr. Λεοντῆ, itidem pro Λεοντέη s. Λεοντῆ δορὰ, Leonina pellis, Leonis spolium s. exuvium. Ap. Suidam : Ὁ δὲ τὴν λεοντείαν αὐτίκα περιεβάλετο. Herodian. 1, [14, 16] de Commodo Imperatore : Ἀποδυσάμενός τε τὸ Ῥωμαῖον καὶ βασίλειον σχῆμα, λεοντῆν ἐπεστρώννυτο [ὑπεστρ.] καὶ ῥόπαλον μετὰ χεῖρας ἔφερεν, Herculis more. Aristoph. Ran. [46] : Ὁρῶν λεοντῆν ἐπὶ κροκωτῷ κειμένην. Metaph. Plato Cratylo [p. 411, A], Ὅμως δὲ, ἐπειδήπερ τὴν λεοντῆν ἐνδέδυκα, οὐκ ἀποδειλιατέον. [Photius s. Suidas : Τὴν λεοντῆν ἐνδύου ἴσον τῷ γενναΐζου. Conf. Plut. Mor. p. 387, E, Eust. Il. p. 375, 2.] Et ap. Plut. Apophth. [p. 190, E] Lysander Heraclides dicit, Ὅπου μὴ ἐφικνεῖται ἡ λεοντῆ, προσραπτέον εἶναι ἐκεῖ τὴν ἀλωπεκῆν· innuens, dolis utendum ubi viribus superare non datur. || Λειοντῆ, Ionice pro λεοντῆ, Pellis leonina, Epigr. [Anth. Plan. 4, 185, 4.] || At λεοντεία βοτάνη, s. λεόντειος πόα, dicitur Orobanche, Herba quæ ervum et cetera legumina suffocat, in Geopon. [2, 42, 3], dicta etiam ὀσπρολέων, quasi Leguminarius leo. Et λεόντιος πόρος, auctore Hesych. dictus Alpheus fluvius, quoniam ἐπὶ ταῖς πηγαῖς αὐτοῦ λεόντων εἴδωλα ἀφίδρυται. [Λεόντειος, ut postulat ordo literarum, Is. Vossius.] Ap. Plinium Leontios, in gemmarum numero: 37, 11: Sunt et a leonis pelle et pantheræ nominatæ Leontios et Pardalios.

[Λεοντεύς, έως, ὁ, Leonteus, f. Coroni, inter duces Græcorum ad Trojam memoratur Hom. Il. B, 745, M, 130, ubi accusat. Λεοντῆα, ut Ψ, 837, gen. Λεοντῆος, etc., ap. Apollodor. 3, 10, 8, 2. Ad quem referendum quod de Arguræ in Eubœa civibus scribit Steph. Byz. in Ἄργουρα: Καλοῦνται δὲ Λεοντῖνοι ἀπὸ Λεοντέως. || Lampsacenus, Epicuri, dum Lampsaci viveret, amicus. Strab. 13, p. 590. Idem nomen est in numis Mytilenes ap. Mionnet. *Descr.* vol. 3, p. 58, n. 173 seq., *Suppl.* vol. 6, p. 73 seq., in inscr. Attica ap. Bœckh. vol. 1, p. 396, III, 18. Argivum Tragicum et Tarentinum Pythagoreum memorat Fabric. in Bibl. Gr. Λεοντεὺς, non addens quid sit, ponit Orio p. 49, 9. L. Dind.]

[Λεοντῆ. V. Λεόντεος. Λεοντὴ (sic), Helenæ nomen ap. Ptolem. Hephæst. in Phot. Bibl. p. 149, 32 (23 Roulez.).]

Λεοντηδὸν, Leonino more, Leonino ritu, Leonum in modum. [Maccab. 2, 11, 11: Λεοντηδὸν ἐντινάξαντες εἰς τοὺς πολεμίους.] Hesych. affert et Λεοντίδιον pro ἰσχυρῶς κατὰ τὸν λέοντα, Valide leonis more, ubi existimo subaudiri τρόπον, ut sit, Leonino more. [Λεοντηδὸν recte interpretes coll. loco Maccab.]

[Λεοντήσιος. V. Λεόντιον.]

[Λεοντία, ἡ, Leontia, Phocæ imp. uxor, ap. Theophyl. Hist. 8, 10.]

[Λεοντιάδης, ὁ, Leontiades, Thebanus, ap. Thuc. 2, 2, Xen. H. Gr. 5, c. 2 et 4 sæpius. Schneider. ad 5, 2, 25: «Plutarch. Agesil. c. 23, 24, Pelopid. c. 5, Mor. p. 596, C, ubique Λεοντίδην nominat. Sed cum Xen. facit Demosth. C. Neær. p. 1378, 20, ubi pater ejus Eurymachus ὁ Λεοντιάδου nominatur, et Herodot. 7, 205, 233, ubi Λεοντιάδης et Εὐρύμαχος pater et filius, duces Thebanorum, nominantur.» Alius in inscr. Ægiensi ap. Bœckh. vol. 1, p. 711, n. 1542, 9. ῐᾰ]

Λεοντιαῖος, α, ον, affertur pro Leoninus, Ad leonem pertinens; sed sine exemplo. [Λεόντειος Lobeck. ad Phryn. p. 543.]

[Λεοντίασις, εως, ἡ, species morbi qui ἐλεφαντίασις, quod v., dicitur, ab specie corporis leonina. Oribasius p. 61 ed. Mai.: Οἱ δὲ ὀλίγον πρὸ ἡμῶν καὶ διαφορὰς εἰσηγήσαντο τοῦ πάθους, τὴν μὲν ἀρχὴν αὐτοῦ λεοντίασιν καλοῦντες, ὅτι τὸ σῶμα δυσῶδες γίνεται καὶ ὅτι χαλῶνται (αἱ) γνάθοι καὶ παχύνεται τὰ χείλη. L. Dind.]

[Λεοντιάω, Leonis personam fero. Tzetz. Hist. 4, 937: Ὄνοις λεοντιῶσιν. Elberl.]

[Λεοντίδαι. V. Λεοντίς.]

Λεοντῐδεύς, έως, ὁ, Leonis catulus: cujus plurale οἱ λεοντιδεῖς. [Ælian. N. A. 7, 47: Λεόντων σκύμνοι καὶ λεοντιδεῖς ὀνομάζονται, ὡς Ἀριστοφάνης ὁ Βυζάντιος μαρτυρεῖ. Eust. Od. p. 1625, 45. Id. Opusc. p. 346, 46: Καὶ λέων, ἐπὰν ὁ λεοντιδεὺς αὐτῷ ἀνθρώποις λάθοι πεσὼν ὑποχείριος, ἀλκῆς λαθόμενος ἐδραπέτευσε. Pro quo p. 211, 91: Ὁ καλὸς λεοντιδὴς βασιλεύς. Simile vitium notavimus in Λαγίδης. L. Dind.]

[Λεοντίδης. V. Λεοντιάδης.]

Λεοντικὴ, ἡ, Leontice, Plinio teste 25, 11, herba, quæ et Cacalia. [Diosc. 4, 123.]

[Λεοντικὸς, ή, όν, Leoninus. Theod. Prodr. in Notitt. Mss. vol. 8, p. 85: Τῇ λεοντικῇ στολῇ. Boiss. Τὰ λεοντικὰ initiationis genus ap. Porphyr. De abst. 4, 16, p. 351: Ὁ τὰ λ. παραλαμβάνων περιτίθεται παντοδαπὰς ζῴων μορφάς. Jacobs.]

[Λεοντῖνοι, οἱ, Leontini, oppidum Siciliæ. Thuc. 6, 3: Λεοντίνους οἰκίζουσι καὶ μετ' αὐτοὺς Κατάνην. Scymn. Orb. descr. 281, ubi Λεοντὴ est in codice, Scylax p. 4. Λεόντιον Ptolem. 3, 4. Unde gentile Λεοντῖνος, η, ον, ut ap. Herodot. 7, 154: Ζαγκλαίους τε καὶ Λεοντίνους· Thuc. 3, 86: Οἱ Συρακόσιοι καὶ Λεοντῖνοι· 6, 50: Λεοντίνους ἐς τὴν ἑαυτῶν κατοικιοῦντες, et 5, 4: Ἐν τῇ Λεοντίνῃ· ap. Steph. Byz. in Ἄβαντις, Xen. H. Gr. 2, 3, 5, aliosque, et in numis Λεοντίνων. V. etiam Λεοντεύς.]

A [Λεόντῐον, τὸ, dimin. a λέων, Parvus leo. Theognost. in Bekk. An. p. 1394, B.]

[Λεόντιον, τὸ, Milium solis, λιθόσπερμον ap. Interpol. Diosc. c. 564 (3, 148). Ducang.]

[Λεόντιον, ἡ, Leontium, amica Epicuri, Diog. L. 10 4, Athen. 13, p. 593, B, (et Phylarch. ib. C), qui Leontium meretricem memorat ib. 585, D, et amicam Hermesianactis p. 597, A. Alia in inscr. Leucadia ap. Bœckh. vol. 2, p. 39, n. 1921, 7. L. Dind.]

[Λεόντιον, τὸ, Leontium. V. Λεοντῖνοι. || Urbs Achaiæ, ap. Polyb. 2, 41, 8; 5, 94, 5. Gent. Λεοντήσιος, 26, 1, 8.]

[Λεόντῐος, ὁ, Leontius, n. viri, ut poetæ in Anthol. et quos recensuit Fabricius in Bibl. Gr. Alii sunt ap. Plat. Reip. 4, p. 439, in inscr. ap. Bœckh. vol. 2, p. 428, n. 2583 et al.]

[Λέοντις, ιδος, ὁ, Leontis, n. viri in inscr. Samothrac. ap. Bœckh. vol. 2, p. 181, n. 2160, 1: Ναυαρχοῦντος Λεόντιδος τοῦ Λεόντιδος· et ib. 13, 14, 15. L. Dind.]

[Λεοντὶς, ίδος, ἡ, Leontis, tribus Attica, ab Leo
B Orphei filio, dicta sec. Photium v. Λεοντὶς et Λεωκόριον, coll. Pausan. 1, 5, 2; 10, 10, 1, Ps.-Demosth. p. 1398, 4, ubi Λεωντίδαι receptum ex libris nonnullis, ut p. 1327, 16, quod congruit et etymologiæ illi et literarum ap. Hesychium ordini, qui Λεοντὶς ponit inter Λέων et Λεωπέτρα, ut Λεωντὶς scripsisse videatur. Ac Λεωντὶς nomen navis infra notabimus. Sed Λεοντὶς est in inscrr. Atticis non modo iis quæ ο habent pro ω, sed etiam ubi ο et ω scriptura discernuntur, ap. Bœckh. vol. 1, p. 377, n. 272, 16; 389, II, 14, et in libris Xen. H. Gr. 2, 4, 27, Pollucis 8, 110. In aliis rursus est Λεωντίς. V. Bœckh. vol. 1, p. 383, n. 275. L. Dindorf.]

Λεοντίσκος, ὁ, dimin. Leunculus, Parvus leo: quod est et nom. proprium, ut et Λεόντιος, et Λεοντίων. [In numis Sami, Mileti, Smyrnæ, ap. Athen. 13, p. 576, E, filium Ptolemæi Lagi hujus nominis memorantem, et alibi.]

[Λεόντῐχος, ὁ, Leontichus, n. viri in epigr. Callimachi 61, 1, Philippi Anth. Pal. 6, 103, 7, ap. Pausan.
C 7, 5, 13.]

[Λεοντίων, ωνος, ὁ, Leontion, n. viri. V. Λεοντίσκος.]

[Λεοντοβάμων, ονος, ὁ, ἡ, Leonem habens pro basi. Æschylus in fr. Sisyphi ap. Poll. 10, 78: Λεοντοβάμων ποῦ σκάφη χαλκήλατος; ᾱ]

[Λεοντόβοτος, ὁ, ἡ, Leones pascens. Nonnus Dion. 1, 21: Ῥείης λεοντοβότοιο θεαίνης. A leonibus depastus, Strabo 16, p. 747, ubi de terra.]

[Λεοντόγαλα, ὀπὸς Κυρηναϊκὸς, Laserpicium, Glossæ iatricæ Mss. apud Ducang., qui vid.]

[Λεοντόγνωμος, ὁ, ἡ, Qui mente leonina est. Joannes Vita Joannis Damasceni p. 231. Boiss.]

[Λεοντοδάμας, ὁ, Leones domans. Lucian. Pro imag. c. 19: Ὡς ὁ τὸν Ὠρίωνος κύνα ἐπαινῶν ἔφη ποιητὴς λεοντοδάμαν αὐτόν. Quem Pindarum esse conjecit Schneiderus fr. 53 Bœckh. ᾰᾱ]

[Λεοντοδέρης, ὁ, Leoninæ pelli similis lapis. Orph. Lith. 613: Ἀλλ' οἷος πάντων προφερέστατος, εἴ κέ μιν εὕροις εἶδος ἔχοντα δαφοινὸν ἀμαιμακέτοιο λέοντος· τῷ καί μιν προτέροισι λεοντοδέρην ὀνομῆναι ἥνδανεν ἡμιθέοισι.
D Ita Tyrwhittus pro λεοντοσέρην, coll. Plin. N. H. 37, 10, 54: «Leoninæ pelli similis (Achatæ).»]

[Λεοντόδιφρος, ὁ, ἡ, Curru leonibus juncto vectus. Philipp. Thessalon. Anth. Pal. 6, 94, 6: Λεοντόδιφρε Ῥέη.]

[Λεοντοειδὴς, ὁ, ἡ, Leonis formam referens. Ælian. N. A. 12, 7: Λεοντοειδοῦς σώματος. Geopon. 19, 2, 1: Χαροποὺς τοῖς ὄμμασι καὶ λεοντοειδεῖς. «Orig. C. Cels. 6, p. 295.» Seager. Adv. Λεοντοειδῶς, Acta Jun. Bacchi p. 99 Combef., Jo. Damasc. Ep. ad Theoph. de imag. Edess. p. 122. Boiss.]

[Λεοντόθυμος, ὁ, ἡ, Qui leonino animo est. Jo. Diacon. in Bandini Anecd. v. 19; Const. Manass. Chron. 2233.]

Λεοντοκέφᾰλος, ὁ, ἡ, Leoniceps, Leonis caput habens. Lucian. [Hermot. c. 44]: Κυνοκεφάλους τινὰς ὄντας καὶ λεοντοκεφάλους ἀνθρώπους. [Inscr. Attica edita *Kunstblatt* 1836, n. 77, p. 318: Ἡγεμόνες λεοντοκέφαλοι. L. D.]

[Λεοντοκέφαλος, ἡ, Leontocephalus, urbs Asiæ minoris. Plut. Themist. c. 30.]

[Λεοντοκομέω, Leones curo. Improprie Eust. Opusc. p. 165, 80 : Πέφρικα τὸ κάρχαρον τοῦτο θηρίον τὴν ἔχθραν, καθὰ καὶ αὐτὸν δαίμονα, ὃς αὐτὴν λεοντοκομεῖ, Qui eam instar leonis alit.]

Λεοντοκόμος, ὁ, Curator leonis, Cui datum est negotium curandi leones. Oppian. Cyn. 3, [53] : Λεοντοκόμων αἰζηῶν. [Philostr. p. 712. Jacobs. Georg. Pachym. Andron. p. 299, C. Etym. M. L. Dind.]

Λεοντόκρᾶνον, τὸ, Hesych. esse dicit Ἀμαζονικὸν ὅπλον, forsitan Leonino capite.

Λεοντοκροκόττας, ὁ, Leocrocutas. Plin. 8, 20 : Leocrocutam, pernicissimam feram, asini fere magnitudine, cruribus cervinis, collo, cauda, pectore leonis, ore ad aures usque rescisso, dentium locis osse perpetuo.

[Λεοντομάχος, ὁ, ἡ, Cum leone vel leonibus pugnans. Epim. Hom. in Cram. An. vol. 2, p. 48, 29; 49, 1, Arcad. p. 89, 2. L. Dind.]

[Λεοντομένης, ὁ, Leontomenes, n. viri ap. Polyæn. 6, 7, 2. Filii Tisameni ap. Pausan. 7, 6, 2.]

Λεοντομῐγής, ὁ, ἡ, Leonis mixtione s. initu genitus : λ. κύνες, Pollux [5, 38], Canes canum et leonum coitu prognati.

[Λεοντόμορφος, ὁ, ἡ, Qui est figura leonina. Jo. Malal. vol. 1, p. 152 : Ποιοῦσα (Circe) τοὺς μὲν λεοντομόρφους. Elberl. Horapoll. Hierogl. 1, 21, p. 29 Leem.]

[Λεοντομύρμηξ, κος, ὁ, Leonica formica. Arcad. p. 19, 9. Videtur referri ad μύρμηκας ab Herodoto 3, 102 descriptos.]

[Λεοντόπαρδος, ὁ, Leopardus. Achmet. Onirocr. c. 273.]

Λεοντοπέτᾰλον, τὸ, Leontopetalon, herba ap. Diosc. 3, 110, Plin. 27, 11, ubi et Rhapeion dici scribit. Sonat Folium leonis.

[Λεοντοπίθηκος, ὁ, Simia leonina, inter genera simiarum ap. Philostorg. H. E. 3, 11, p. 493, 21. ἵ]

Λεοντοπόδῐον, τὸ, Leontopodion, herba ap. Diosc. 4, 131, et Plin. 26, 8. Sonat Pes leonis.

[Λεοντόπολις, εως, ἡ, Leontopolis, urbs Ægypti. Strab. 17, p. 802. Ptolem. 4, 5 : Λεοντοπολίτης νομὸς καὶ μητρόπολις Λεόντων πόλις. Diodor. 1, 84 : Ἐν τῇ Λεόντων πόλει, ubi olim Λεοντοπόλει. Λεοντὼ ap. Xen. Eph. p. 76, 7. « Quod tueri se potest exemplo Hierocl. in Synecd. p. 728, Eusebii et Nili Doxopatrii, quos ad Hierocl. et Antonin. Itin. p. 153 laudat Wesseling., admonens Λεοντὼ esse terminationem Ægyptiam. » Locella. Gent. Λεοντοπολίτης est in numis ap. Mionnet. *Descr.* vol. 6, p. 531, Strab. 17, p. 802, 812. Alexandriam Ægypti ita vocatam διὰ τὸν τῆς Ὀλυμπιάδος Ἀλέξανδρον, ἧς ἡ γαστὴρ ἐσφραγίσθαι λέοντος εἰκόνι λέγεται, perhibet Eust. ad Dionys. 254 ex Steph. Byz. v. Ἀλεξάνδρεια.]

[Λεοντόπους, οδος, ὁ, ἡ, Qui leoninos pedes habet. Eur. fr. OEdipi ap. Erotian. v. Ὑπείλλει, Ælian. N. A. 12, 7, Athen. 15, p. 701, E : Οὐρὰν ὑπίλασ' ὑπὸ λεοντόπουν βάσιν, de sphinge.]

[Λεοντοπρόσωπος, ὁ, ἡ, Qui leonina facie est. Schol. Eur. Phœn. 416 (411 Matth.) : Τὴν λεοντοπρόσωπον σφίγγα.]

[Λέοντος σκοπὴ et βωμὸς Arabiæ memorantur ap. Strab. 16, p. 774. Λέοντος κώμη Phrygiæ ap. Athen. 2, p. 43, B.]

[Λεοντόστηθος, ὁ, Qui pectore leonino est, Joannis Cpolitani cogn. ap. Panaret. Chron. Trapez. p. 366, 58, 90.]

[Λεοντοτροφία, ἡ, Leonum nutritio. Ælian. N. A. 6, 8.]

[Λεοντοῦχος. Marinus V. Proculi p. 47 Fabr. : Δηλοῖ δὲ ἡ τῶν ὕμνων αὐτοῦ πραγματεία, οὐ τῶν παρ' Ἕλλησι μόνον τιμηθέντων ἐγκώμια περιέχουσα, ἀλλὰ καὶ Μάρναν Γαζαῖον ὑμνοῦσα καὶ Ἀσκληπιὸν λεοντοῦχον. Boisson. : « Nescio an hic l. possit lucem accipere ex his Pselli ad Oracula p. 77 : Ἓν τῶν ἐν οὐρανῷ δώδεκα ζωδίων λεγομένων ἐστὶν ὁ λέων, οἶκος ἡλίου λεγόμενος, οὗ τὴν πηγήν, ἤτοι τὴν αἰτίαν τῆς λεοντοειδοῦς ἐξ ἀστέρων συνθέσεως, λεοντουχον ὁ Χαλδαῖος καλεῖ. »]

Λεοντοφόνον, τὸ, dictum et Animal quoddam, Plin. 8, 38 : Leonthophonon accipimus vocari parvum, nec aliubi nascens quam ubi leo gignitur : quo gustato, tanta illa vis ac ceteris quadrupedum imperitans illico expiret. Haud immerito igitur odit leo visumque

A frangit, et citra morsum exanimat : ille contra urinam spargit prudens, hanc quoque leoni exitialem. [Hesych. : Θηρίδιόν τι πλανώμενον ἐν Συρίᾳ. Aristot. Mir. c. 146 (158) : Κατὰ Συρίαν εἶναί τι φασὶ ζῷον, ὃ καλεῖται λεοντοφόνον· ἀποθνήσκει γὰρ ὁ λέων, ὡς ἔοικεν, ὅταν αὐτοῦ φάγῃ. Ubi Ælian. N. A. 4, 18 et alia annotarunt intt.]

[Λεοντοφόνος, ὁ, ἡ, Leonicida, Interfector leonis, Ep. [Agathiæ Anth. Pal. 6, 74, 3 : Λεοντοφόνοις ἐπὶ νίκαις.]

Λεοντοφόρος, ὁ, ἡ, Leoniger, Qui leonem fert. [Lucian. Hermot. c. 44 : Ἦν τῷ λεοντοφόρῳ τούτῳ κλήρῳ ἐν ἀρχῇ ἐντύχῃς. « Nomen navis Ptolemæi Cerauni, ap. Memnonem Photii Bibl. p. 226, 21. » Jacobs.]

[Λεοντόφρων, ονος, ὁ, Leontophron, f. Ulixis et Euippes Thesprotidis, aliis Doryclus vocatus, sec. Eust. Od. p. 1796, 51.]

[Λεοντοφυής, ὁ, ἡ, Leone natus, Leoninus. Eur. Bacch. 1196 : Ἄγραν τάνδε λεοντοφυῆ.]

[Λεοντόχαρον, τὸ, Polium, Diosc. Notha 3, 114. Boiss.]

[Λεοντόχασμα, τὸ, Leonis fauces effictæ, ex quibus B aqua e fontibus educitur. Continuator Theophanis 3, 44 : Αὐτοῦ που περὶ τὴν πλευρὰν τοῦ πρὸς τὸ εὖρος σίγμα καὶ δύο χαλκᾶ λεοντοχάσματα ἐπεπήγεσαν. Huc referenda verba anonymi, de templo S. Sophiæ p. 261 : Ἐποίησε δὲ εἰς τὴν φιάλην γυρόθεν στοὰς φρεατικὰς δώδεκα καὶ λέοντας λιθίνους ἐρεύγεσθαι ὕδωρ κτλ. Et infra : Ἐκάλεσε καὶ τὸν τόπον λεοντάριον. Ducang.]

Λεοντόχλαινος, ὁ, ἡ, Chlænam ex leonis spolio habens, Herculis epith. in Epigr. [Archiæ Anth. Plan. 4, 94, 8.]

[Λεοντόχορτος, ὁ, ἡ, Ab leone devoratus, Schneiderus affert ex Æschylo ap. Eustath. Od. p. 1625, 43, ubi est Λεοντοχόρταν βούβαλιν νεαίτερον (νεαίρετον). De qua forma, si modo ita scripserat poeta, non λεοντόχορτον, dixit Lobeck. Paralip. p. 466.]

[Λεοντόψυχος, ὁ, ἡ, Qui animo leonino est. Schol. Hom. Il. E, 639.]

[Λεοντώ, οῦς, ἡ. V. Λεοντόπολις.]

Λεοντώδης, ὁ, ἡ, Leoninus, s. Leoni similis, Qualis est leonum. [Plato Reip. 9, p. 590, A : Τὸ λεοντῶδές C τε καὶ ὀφιῶδες.] Aristot. Polit. 8, [4] : Τοῖς ἡμερωτέροις καὶ λεοντώδεσιν ἤθεσι. Plut. Alex. [c. 2] : Κύειν παῖδα θυμοειδῆ καὶ λεοντώδη τὴν φύσιν. Et neutr. τὸ λεοντῶδες, Leonina natura, Leoninum ingenium, Leoninus animus, De fort. Alex. 2 : Οὐ διεφύλαττον αὐτοῦ τὸ ἀρρενωπὸν καὶ λεοντῶδες· Fabio [c. 1] : Τὸ μεγαλόψυχον καὶ λ. ἐν τῇ φύσει καθορῶντες αὐτοῦ. [Plotin. p. 4, G. Creuzer.]

Λεοντωδῶς, Leonino more, ritu, Leonum in modum. Athen. 4, [p. 152, A] : Προσφέρονται δὲ ταῦτα καθαρίως [καθαρείως] μέν, λ. δὲ ταῖς χερσὶν ἀμφοτέραις αἴροντες ὅλα μέλη καὶ ἀποδάκνοντες.

[Λεοντών, ῶνος, ὁ, mensis, ap. Ptolem. Math. comp. 9, p. 170, 14 ed. Halm. Conf. Letronn. *Journ. des Sav.* 1839, p. 654. L. Dind.]

[Λεόντων πόλις, ἡ, urbs Cœlesyriæ ap. Scylacem p. 42, Strab. 16, p. 756. V. etiam Λεοντόπολις.]

[Λεοντώνυμος, ὁ, ἡ, Tzetz. Epist. 2, p. 268; Jo. Damasc. Ep. ad Theoph. de imag. Edess. p. 122, λ. θήρ, de Leone Imperatore. Boiss.]

[Λεόπαρδος, ὁ, Leopardus. Ignat. Epist. ad Rom. p. D 272 : Δεδεμένοι δέκα λεοπάρδοις, ὅ ἐστι στρατιωτικὸν τάγμα. Anonymus August. c. 12. Schneid. et Struv. Coteler. vol. 2, p. 27, 28 (qui affert ex Vita S. Antonii Opp. Athanasii vol. 2, p. 458 : Λεόντων, ἄρκτων, λεοπαρδάλων). Pearson. Vind. Ign. p. 391, etc. Valck. Theognost. in Bekk. An. p. 1394, B.]

[Λεόποδον, τὸ, Leopodum. Hippias ap. Athen. 6, p. 259, B : Τὸ τοῦ Κνωποῦ σῶμα ἐξεβράσθη ταῖς Ἐρυθραῖς κατὰ τὴν ἀκτήν, ἣ νῦν Λεόποδον καλεῖται. Ἣ pro ἣ Schweigh. in Indice vol. 9, p. 458.]

[Λεουργός. V. Λεωργός.]

[Λεόφρων, ονος, ὁ, Leophron, olympionica ap. Athen. 1, p. 3, E. Λαόφρων aut Λεώφρων scrib. conjicit Cas.]

Λεπᾰδευόμενος, Hesychio συνάγων λεπάδας, h. e. θαλασσίας κόγχας μικρὰς προσφυομένας ταῖς πέτραις, s. τὰ πρὸς ταῖς πέτραις κεκολλημένα κογχύλια ὀστρέων ἐλάττω. [Λεπάδας συλλέγων interpretatur Photius.]

Λεπάδια, ap. Hesych. legitur, expositum ἱμάντες πλατεῖς οἷς ἀναδέονται οἱ τράχηλοι τῶν ἵππων πρὸς τὸ ζυγόν. Sed perperam pro λέπαδνα, ut est ap. Hom.

[Λεπαδνιστήρ. V. Λέπαδνον.]

Λέπαδνον, τὸ, Lorum latum, quo equi collum ad jugum religatur, Hesych., Eust. Aliis vero Lorum circa pectus equi, aliis μασχαλιστήρ. [Apoll. Lex. H. p. 437 : Λέπαδνα, ἱμάντες στηθιαῖοι πλατεῖς οἱ περὶ τοὺς τραχήλους ἐπιτιθέμενοι καὶ πρὸς τὸν ζυγὸν ἀναδεσμούμενοι, ἃ νῦν λέγεται λέπαμνα διὰ τοῦ μ, καὶ παρ' ἄλλοις τῶν ποιητῶν.] Hom. Il. E, [730] : Αὐτὰρ ἐπ' ἄκρῳ (ῥυμῷ) Δῆσε χρύσειον καλὸν ζυγὸν· ἐν δὲ λέπαδνα Κάλ' ἔβαλε χρύσεια. [T, 393. Æsch. Pers. 191 : Λέπαδν' ἐπ' αὐχένων τίθησι (equis)· Ag. 219 : Ἐπεὶ δ' ἀνάγκας ἔδυ λέπαδνον. Aristoph. Eq. 768 : Κατατμηθείην τε λέπαδνα. Epigr. Anth. Pal. 9, 742, 2. Photius præter Λέπαδνα suo loco ponit etiam Λέπατνα, utrumque eadem significatione.] Polluci [1, 147] λέπαδνα sunt τὰ ὑπὸ τοὺς αὐχένας ἑλιττόμενα ; et Λεπαδνιστῆρες, τὰ αὐτῶν ἄκρα. [Λέπαδνος ponitur vitiose ap. Theognostum Canon. p. 9, 29.]

[Λεπάζω. Λελεπασμένον, πεπεμμένον, οὕτως Στράττις, Photius. Hesychio εἰς πέψιν ἧκον, Concoctum. s. Coctum.]

Λεπαῖος, α, ον, Montanus, Arduus, Præruptus, ut rupes, promontoria. Eur. [Hipp. 1248] : Λεπαίας χθονός· et [Iph. T. 324], Νάπας λεπαίας. [Ὀφρύην Heracl. 395.] A λέπω Eust. cum λεπὰς derivari posse existimat [Il. p. 1246, 28, Od. p. 1863, 53].

[Λέπαμνον. V. Λέπαδνον.]

Λέπανος s. Λέπανθος, Tarentinis λιπόδερμος, Apella, Recutitus, Hesych.

Λέπαργος, ὁ, ἡ, Albus. Λέπαργος βοῦς, ὁ λαπάρας ἔχων λευκάς, ἀλλὰ καὶ λέπαργός φασιν ἡ χιὼν παρὰ τὸ λευκαίνειν τὸ λέπας, Eust. [Od. p. 1430, 59 ; 1676, 5, et ap. Hesych. HSt. in Ind. :] V. et Ἀμορμεύειν. [Ubi affert Nicand. Th. 349 : Νωθεῖ ... λεπάργῳ, de asino. Schol. λεπάργῳ παρὰ τὸ τὴν λαγόνα ἔχειν λευκὴν, vel ut Etym. κοιλίαν. Æsch. in fr. ap. Aristot. H. A. 9, 49 : Κίρκου λεπάργου. Theocr. 4, 45 : Σίτθ' ὁ λέπαργος. Zonar. p. 1295 : Λ., ἡ χιών. Eadem Theognostus in Cram. An. vol. 2, p. 9, 29, qui vitiose 26 : Λεπρὸς, ὁ διάλευκος.]

Λεπὰς, άδος, ἡ, Concha petris adhærens, Lopas Plauto : Nonius [p. 551, 5] : Lopades, genus conchæ marinæ. Plaut., Addite lopades, echinos, ostreas. Gaza Patellam vertit. Galeno Lex. Hipp. λεπάδες sunt αἱ ταῖς πέτραις προσεχόμεναι κόγχαι. Cum quo consentit hic Synesii l. in Epist. : Ἡ δὲ λεπὰς, ὄστρεόν ἐστι κοῖλον, ὅπερ ἐπειδὰν λάβηται πέτρας, ἀπισχυρίζεται. Aristoph. Pl. [1096] : Τὸ γραΐδιον Ὥσπερ λεπὰς τῷ μειρακίῳ προσίσχεται· Vesp. [105] : Ὥσπερ λεπὰς προσεχόμενος τῷ κίονι. Aristot. H. A. 4, [4] : Λεπὰς ἀγρία, ἣν καλοῦσι θαλάττιον οὖς. [Et alibi sæpius in eadem. De partt. anim. 4, 3 med. : Αἱ καλούμεναι λεπάδες.] Eust. a λέπω derivat, fortassis vel ob tenue putamen : vel quod petris adhæreat, ut arbori cortex. Hesychio vero λεπάδες sunt τὰ πρὸς ταῖς πέτραις κεκολλημένα κογχύλια ὀστρέων ἐλάττω. Aristoph. grammat. ap. Athen. 3, [p. 85, F] de ostreis dicit λεπάδας similes esse ταῖς καλουμέναις τελλίναις : ubi affert quendam Alcæi l. || Ἡ ὀρειώδης λεπὰς ap. Eust. [Il. p. 488, 18] fortassis ea signif., qua λέπας. Nam Λέπας [cujus genitivum ponit Cyrillus in Vocc. accentu dist. ap. Valck. Anim. ad Ammon. p. 139 : Λέπας, τοῦ λέπατος], τὸ, Rupes, Promontorium : Ammonio ὄρους ἀπόσπασμα, Suidæ ἀκρωτήριον, in hoc l. ex Epigr. [Anth. Pal. 6, 23, 2] : Ὃς τόδε ναίεις Εὐστιβὲς αἰθυίαις ἰχθυβόλοισι λέπας· sicut et schol. Nicandr. exp. ἀκρωτήριον, Ther. 146 : Κοίλη τε φάραγξ καὶ τρηχέες ἀγμοὶ, Καὶ λέπας ὑλῆεν· τόθι δίψιος ἐμβατέει σήψ. [Similiter interpretatur Hesychius. Simonid. Anth. Pal. 7, 496, 1 : Ἠερίη Γεράνεια, κακὸν λέπας. Æsch. Ag. 284 : Πρὸς Ἑρμαῖον λέπας Λήμνου· 298 : Πρὸς Κιθαιρῶνος λέπας. Et sæpe Euripides aliique poetæ.] In Epigr. [Platonis Anth. Pal. 9, 823, 1] : Λέπας δρυάδων λάσιον. Ap. Plut. [Mor. p. 507, B] : Μικροῦ γὰρ ἐκ λαμπτῆρος Ἰδαῖον λέπας Πρήσειεν ἄν τις, Idæos colles. Cujus signif. est et κνημός. Scholiastæ Theocr. λέπας est τοῦ ὄρους τὸ ἄκρον, Summitas montis, Vertex, Cacumen, Jugum. [Ἀκραῖον λέπας, collem prope Syracusas, memorat Thuc. 7, 78.] || Λέπας Pollux videtur accipere etiam pro λεπὰς, quum 6, c. 9 [§ 51, ubi nunc est καὶ ἑψητῶν δὲ λοπάς] ita scribit, Καὶ ἑψητὸν δὲ λέπας, εὐτελές τι βρωμάτιον ἦν, ὥσπερ καὶ τριγίας· loquitur vero ibi περὶ τῶν ἐκ θαλάττης βρωμάτων : sicut et Hesych., quum λέπας exposuisset τὸ ἄναντες, subjungit, καὶ τὸ τῇ πέτρᾳ προσισχόμενον κογχύλιον. [Utrumque nomen memorant et distinguunt etiam Ammon. p. 87 et Thomas M. p. 584. Vitiose ap. Photium Λαπαδες, τὰ ὄστρεα, καὶ λαπάδες τὰ ἀγγεῖα.] (ε written above Λαπαδες)

[Λέπασμα, τὸ, Membrana, Tunica. Schol. Nicandri Ther. 184 : Χιτὼν ἐστι λέπασμα, ὃς ... καλύπτει τοὺς ὀδόντας αὐτῆς. Wakef.]

Λεπαστὴ, [vel Λεπάστη sec. Eust. Il. p. 1246, 31, ut ap. Photium : Λεπάσται, κυλικές τινες οὕτως ἐκαλοῦντο. Κρατῖνος. Sed acutum ponit Arcad. p. 115, 3,] ἡ, sc. διὰ τὸ λεπτὸν καὶ ἐκπέταλον κατὰ τὰς λεπάδας. Athen. autem 11, [p. 485, A-F] dictam scribit παρὰ τὸ λάψαι, i. e. ἀθρόως πιεῖν : quo facere videtur l. quidam Pherecratis supra in Λάπτω citatus. Dicitur autem λεπαστὴ κύλιξ, s. φιάλη, vel absolute, subaudiendo alterum horum, de poculo ampliore. Antiphan. : Μεγάλαισιν οἴνου χαίροντα λεπασταῖς· Theopomp. : Λεπαστὴ πάνυ πυκνὴ Ἦν ἐκπιοῦσ' ἄκρατον· Teleclid. : Μελιχρὸν οἶνον ἕλκειν

B ἐκ λεπαστῆς ἡδύπνου. Alia exx. habes ap. Athen., ubi et κύλικα λεπαστὴν ex Aristoph. [Idem Pac. 916 : Ἐπειδὰν ἐκπίῃς οἴνου νέου λεπαστήν.] In expos. vero hujus vocab. non idem omnes sentiunt. Amerias enim λεπαστὴν vocari scribit τὴν οἰνοχόην : ut Pollux quoque [qui conf. 6, 19, 95] λεπαστὴν non solum esse ἔκπωμα dicit [10, 75], sed etiam οἰνοχόην, citans hunc ex Aristoph. Gerytade l., qui et ap. Athen. [l. c. B] extat : Περιέφερε δ' ἐν κύκλῳ λεπαστὴν ἡμῖν ταχὺ προσφέρων παῖς, ἐνέγχει τε σφόδρα χυανοχευθῆ [χυανοβενθῆ]· qua voce Athen. significari scribit τοῦ ποτηρίου τὸ βάθος, pro Poculo profundo accipiens, Aristoph. vero gramm. et Apollodorus dicunt esse genus Calicis : Nicander Coloph. ita Dolopas vocare Calicem. Moschus ἐν Ἐξηγήσει Ῥοδιακῶν λέξεων, esse κεραμεοῦν ἀγγεῖον, Vasculum figulinum, simile ταῖς λεγομέναις πτωματίσιν, ἐκπεταλώτερον δέ. [Varro in schol. Majano ad Virg. p. 9 : « Lepestam vas dicebant, ubi erat vinum in mensa appositum, aut Galejam, aut Sinum. Tria enim hæc sunt similia, pro quibus nunc Acratoforon ponitur. »

C Schneid. Idem Varro L. L. 5, 26 : « Vas vinarium grandius Sinum ab sinu, ... item dicta Lepeste, quæ etiamnunc in diebus sacris Sabinis vasa vinaria in mensa deorum sunt posita : apud antiquos scriptores Græcos inveni appellari poculi genus δεπέσταν etc. » Quæ ad λεπαστὴν referri Müllero assentitur Letronn. *Observ. sur les noms des vases* p. 56. Lepista, genus vasis aquarii, Festo p. 85, aliisque grammaticis Latinis. L. Dindorf.]

Λεπαστὶς, ap. Hesych. οἰνοχόη, et εἶδος κύλικος.

Λέπαστρον, τὸ, Hesychio σκεῦός τι ἁλιευτικόν [Instrumentum piscatorium].

[Λέπατνον. V. Λέπαδνον.]

[Λεπέτυμνος, ὁ, Lepetymnus, mons Methymnæ Lesbi, ap. Theophr. De aquis 1, 4 : Ἐν Μηθύμνῃ ἀπὸ τοῦ Λεπετύμνου· Philostr. Her. p. 716, Tzetz. ad Lycophr. 384, 1098. N. viri ap. Steph. Byz. in Μήθυμνα, ex fr. Λέσβου κτίσεως in Parthen. Erot. 21, 2, correctum. Conf. de utroque Antig. Caryst. c. 17.]

[Λεπεῖν. V. Λέπω.]

D Λεπίδιον, τὸ, Lepidium Plinio : herba quæ et ἰβηρὶς appellatur, teste Galeno [vol. 13, p. 635 sq.] et Paulo Ægin., etiamsi de utroque seorsim Diosc. [2, 205] tradiderit, qui et γιγγίδιον a plerisque appellari auctor est. [Columella 12, 8, 3 : « Sunt qui sativi vel etiam silvestris lepidii herbam quum collegerunt in umbra siccent » etc. Aetius Serm. 13 : Λάχανόν ἐστιν ἐν Συρίᾳ φύλλα ἔχον σελίδος (σερίδος ?) λεπτόφυλλον· καλεῖται δὲ λεπίδιον, καὶ μετὰ γάλακτος ταριχεύεται· οὗτινος τῇ ῥίζῃ τὰ ἔρια βάπτεται καὶ μέλανα γίνεται· ... ἔστι δὲ ἡ ῥίζα λευκὴ, πάχος ἔχουσα δακτυλιαῖον· ταύτην δεῖ ξηραίνοντας ... ἀφαιρεῖσθαι τὸν φλοιὸν τῆς ῥίζης καὶ βρέχειν ἐν ὄξει. Schneid. Athen. 3, p. 119, B : Ταῦτα δὲ τὰ βρώματα ὅτι πολλῷ ἡδίω ἐστὶ τῶν παρὰ σοὶ περισπουδάστων κόττα καὶ λεπίδιοι (vel λεπίδιον) πειραθέντες ἴσασι. Ubi deteriores libri λέπιδοι vel λεπίδιον. Λέπιδοι, addito quem Casaubonus desideraverat articulo οἱ, G. Dindorfius, qui eandem formam restituendam conjicit 9, p. 385, A : Εἰπόντος δὲ καὶ ἄλλου ἥδιστον γεγονέναι καὶ τὸν μετ' ὀξυλιπάρου ἀλεκτρυόνα, ὁ Οὐλπιανὸς ἔφη, Ὀξυλίπαρον δὲ τί ἐστι ; πλὴν εἰ μὴ καὶ κόττανα ἡμᾶς (ἡμῖν Schweigh.) καὶ λέπιδιν, τὰ πάτριά μου νόμιμα βρώματα, ὀνομάζειν μέλλετε. Λέπιδιν vel λεπίδιν Gesenius in Ephem. Hal. 1841, n. 42, p. 331, annumerandum putabat formis in ιν pro ιον jam antiquiori ætate apud Græcos in Syria usitatis, de quibus dixit in Thes. L. Hebr. vol. 2, p. 1116. || Lamina. Hero Autom. p. 255, B : Ὑπὸ τοῦτο λεπίδιον ἔστω· ibidemque paullo post, et 256, A. Corruptum est λεπίδιον, quod legitur ap. Hesych. v. Λέκιθον. ïï L. Dind.]

Λεπιδοειδὴς, ὁ, ἡ, Qui squamæ forma est, Squamæ formam habens. Galen. : Καὶ τὸ τοῦ κροτάφου ὀστοῦν λεπιδοειδεῖς ἔχει ἐπιβολὰς, Applicamenta squamatim incumbentia, Bud. [Galen. vol. 4, p. 188 : Τοῖς λεπιδοειδέσιν ὀστοῖς.] Sunt vero λεπιδοειδεῖς duæ lineæ in cranio, utrimque singulæ, a recta sutura, quam ὀβελιαίαν dicunt, æquidistantes : quæ per capitis longitudinem a posteriori parte in priorem super aures seruntur. Fiunt autem duobus inter se cohærentibus ossibus, non per suturam quidem, quæ species est συναρθρώσεως, sed sincipitis osse descendente paulatim in squamæ speciem attenuato, et in os subingrediente, quod ab auribus ascendit : proindeque eas nonnulli non suturas simpliciter, sed vel suturas λεπιδοειδεῖς Squamarum modo compactas, vel προσκολλήματα λεπιδοειδῆ vocant. Sunt autem hæ suturæ inter ossa temporum et os sincipitis mediæ. Gorr. [Conf. Pollux 2, 37.]

Λεπιδόχαλκος, ὁ, Æris squama, quæ λεπὶς etiam absolute dicitur. Celsus 2, 22, de dejectione alvi : Dabantque aut nigrum veratrum, aut filiculam, aut squamam æris, quam λεπιδόχαλκον Græci vocant, aut lactucæ marinæ lac.

[Λεπιδόω, Squamo. Hippocr. p. 774, B : Διὰ τὸ λεπιδοῦσθαι (τὰ ὀστέα) καταξηρανθέντα καὶ σαπρὰ γενόμενα. Sext. Emp. p. 14 fin. : Τὰ ἐπτερωμένα ἢ λελεπιδωμένα.]

Λεπιδωτὸς, ἡ, ὸν, Squamatus, Squameus, Squamosus, Squamiger : λ. δέρμα, Pellis squamosa [Herodot. 2, 68, de crocodilo loquens]. Ovid. dicit Membranam squameam. Aristot. in 4 De partt. anim. [c. 13] quædam esse dicit τριχωτὰ, quædam φολιδωτὰ, quædam λεπιδωτά : quod et H. A. 3, 12. [Et 2, 13; 6, 13.] Est autem φολὶς in reptantibus humi, quæ λεπὶς in natantibus; sed durior, ut draconum. Plinio, Quæ animal pariunt, pilos habent : quæ ova, pennas aut squamas, aut corticem, aut testam, ut testudines : aut cutem puram, ut serpentes. [Herodot. 9, 22 : Θώρηκα χρύσεον λ. Dio Cass. 78, 37. || Contraria signif. Desquamati ponere videtur Pollux 6, 49 : Καὶ τιλτὸν δὲ τάριχος τὸ λεπιδωτὸν ἐκάλουν. Quod mire explicat Kust.] || Λεπιδωτὸς dicitur etiam Piscis quidam ap. Herodot. 2, [72]. Valla Squamosum interpr. Ab Athen. 7, [p. 309, B, sec. Dorionem] λεπιδωτὸς vocatur etiam κυπρῖνος. Plut. [Mor. p. 358, B] : Εἰς τὸν ποταμὸν ῥιφῆναι καὶ γεύσασθαι τόν τε λεπιδωτὸν αὐτοῦ καὶ τὸν φάγρον καὶ τὸν ὀξύρυγχον. [Λεπιδωτῶν πόλις Ægypti memoratur a Ptolemæo 4, 5.] || Lepidotes gemma ap. Plin. 27, 10, [37], quæ squamas piscium variis coloribus imitatur. [Orph. Lith. 284, 287. Apud Plinium alii *Lepidotis*. Verior forma videtur Lepidotos, ut est ap. Orph.]

Λεπίζω, i. q. λέπω, [Squameo, Excortico, Gl.] Decortico, Cortice nudo, Diosc. [Philo Belop. p. 88, D : Ἀμυγδάλων γλυκέων λελεπισμένων. L. D. Hesych. : Πτίλος, ὁ μαδαρὸς καὶ λελεπισμένος τοὺς ὀφθαλμούς. Hemst. Id. : Ὀλόπτειν, λεπίζειν, τίλλειν, κολάπτειν.] Exp. etiam Pellem detraho, ἐκδέρω. [Polyb. 10, 27, 11 : Τοὺς κίονας χρυσαῖς λεπίσι περιειλῆφθαι, τὰς δὲ κεραμίδας ἀργυρᾶς εἶναι πάσας· τούτων δὲ τὰ πλεῖστα λεπισθῆναι κατὰ τὴν Ἀλεξάνδρου καὶ Μακεδόνων ἔφοδον· 23, 2, 7 : Κατεδίκασαν ἱεροσυλίας, διότι λεπίσαιεν τὴν τοῦ Διὸς τράπεζαν, ἀργυρᾶν οὖσαν. V. gl. Hesychii in Λέπω citandam, aliamque Etym. M. in Ἐλεσπὶς positam. Conf. etiam Λοπίζω.]

[Λέπιον, τὸ, Squama. Hippocr. p. 192, B : Λέπια ἐξέρυθρα φλυκταινούμενα, Tenues squamæ cum pustulis. || Cortex. Schol. Dionys. in Bekk. Anecd. p. 794, 29, inter proparoxytona in ιον ponit Λέπιον, ὁ φλοιός. Boiss. Sic interpretatur etiam Hesychius. « Λέπιον pro λεπὶς ap. Moschionem De morbis mulierum c. 121 et 137. » Ducang.]

Λεπὶς, ίδος, ἡ, i. q. λέπος, s. λέπισμα, Epigr. [Philippi Anth. Pal. 6, 102, 4 : Κάρυον χλωρῶν ἐκφανὲς ἐκ

A λεπίδων, et Diodori Zonæ ib. 22, 4] pro Putamine nucis. [Schol. Luciani De conscr. hist. c. 5 : Λοπὰς τὸ βρῶμα καὶ ἡ περικειμένη ἔξωθεν τοῦ κρομύου λεπίς. Schol. Ar. Pac. 198 : Κοῖλον εἶναι τὸν οὐρανὸν, ὥσπερ τοῦ ᾠοῦ τὴν λεπίδα.] || Plerumque pro Squama [Gl.] accipitur. Athen. 8, [p. 357, C] de piscium quodam genere, quod δαρτὸν appellatur : Τραχεῖαν ἔχει τὴν ἐπίφυσιν τοῦ δέρματος, οὐ λεπίσιν, ἀλλ᾽ οἷον ἔχουσιν αἱ βατίδες καὶ ῥῖναι. [Aristot. H. A. 1, 1; 3, 10, etc. Matthæi Med. p. 49, 50. De serpente ap. Nicandr. Th. 153 : Ἄλλῳ δ᾽ ἐγχλοάουσα λεπὶς περιμήκεα κύκλον ποικίλον αἰόλλει. Ubi schol. : Ἡ δὲ λεπὶς γράφεται ἔν τισι λοφίς· εἴρηται δὲ μεταφορικῶς ἀπὸ τῶν ἰχθύων. Pro quo φολὶς conjicit Schneiderus. V. Λοπίς.] Et λεπὶς χαλκοῦ ap. Diosc. 5, [Rufum p. 52 Matth.,] Æris squama Plinio : quam et λεπίδα Medici κατ᾽ ἐξοχὴν appellant. Plin. 34, 11 : Similiter ex eis fit, quam vocant λεπίδα, et sic adulteratur flos, ut squama væneat pro eo. Est autem squama hæc decussa vi clavis, per quos panes ærei ferruminantur, in Cypriis maxime officinis. Differentia hæc est, quod squama
B excutitur ictibus iisdem panibus : flos cadit sponte. Squamæ est alterum genus subtilius, ex summa sc. lanugine decussum, quod vocant στόμωμα. Eam Diosc. 5, 90, λεπίδα στομώματος appellat. [Hippocr. p. 614, 15 : Λεπίδα καὶ λωτοῦ πρίσματα, Squama æris, Int. Heliod. Chirurg. p. 158, πρίονος.] Λεπὶς dicitur et de Ferri squama. [Squama s. Lamella ferrea squamæ formam referens. Herodot. 7, 61 : Κιθῶνας χειριδωτοὺς ποικίλους, λεπίδος σιδηρέης ὄψιν ἰχθυοειδέος. Schweigh. Λεπίδας χρυσᾶς τοῦ τῆς Ἥρας ἀγάλματος, Suid. in Δημήτριος ὁ ἐπίκλην I. Hemst. Tzetz. Hist. 2, 122 : Λεπίσι τε καὶ γιγγλυμίοις. Conf. Schneider. Ecl. phys. p. 260. Jacobs.] In hoc autem Diosc. l., Ἀνάγει δὲ καὶ λεπίδας, Bud. interpr. Extrahit vero et squamas ossium : quam λεπίδα Celsus 7, 3, de excidendis ossibus, intelligere videtur, quum ait, Si quod etiam os adustum est, a parte sana recedit, subitque inter integram atque emortuam partem caruncula, quæ quod abscessit, expellat : eaque fere, quia testa tenuis et angusta est, squama est : id λεπὶς a Græcis
C nominatur. [Squamulæ quæ per urinam redditæ vesicæ exulcerationem minantur. Hippocr. aph. 4, 81. Foes. || Theophr. H. Pl. 4, 14, 13 : Ὅταν αἰθρίας οὔσης αἱ λεπίδες καταφέρωνται. Schneiderus : « Λεπίδες debetur Scaligero pro ῥεπίδες A. B. Vind. Med. Sunt quæ in simili narratione de Scythia Herodotus πτερὰ vocans per aerem volitare ait. » Conf. C. Pl. 5, 12, 11.] || Ex Donato exp. etiam Lamina et Lama. [Lamna, Lamina, Gl. Polyb. in Λεπίζω citatus. Diodor. 20, 91 : Τὰ πάχη τῶν ἀψίδων σεσιδηρωμένα λεπίσιν ἰσχυραῖς. Et infra : Τὰς τρεῖς πλευρὰς τῆς μηχανῆς ἔξωθεν συνεκάλυψε λεπίσι σιδηραῖς καθηλωμέναις. Plut. Phocion. c. 18 : Οἰκία χαλκαῖς λεπίσι κεκοσμημένη.] || Est et Morbi genus, quem Lat. Porriginem vocant, Bud.; nam in porrigine inter pilos quædam quasi squamulæ surgunt et a cute resolvuntur, quæ interdum madent, multo sæpius siccæ sunt, ut Celsus docet. [V. etiam Λοπίς.]

Λέπισμα, τὸ, Cortex detractus, Id quod decorticando ablatum est, aufertur, i. q. λέμμα. Diosc. 1, 22, de narcaphtho : Ἔστι δὲ φλοιῶδες, συκαμίνου λεπίσματι
D ἐοικὸς, Sycomori libro. Galen. Ad Glauc. : Λεπίσματα ῥοιᾶς, Mali Punici corium, Malicorium. [V. Λέμμα, quod λέπισμα interpr. Hesychius. LXX Gen. 30, 37.]

[Λεπισμὸς, ὁ, Decorticatio. Theod. Stud. p. 352, C : Τοιοῦτον τὸ κατὰ τὸν πατριάρχην Ἰακὼβ ἐπὶ τῶν ῥάβδων λεπισμῷ (Genes. 30, 37). L. Dind.]

Λεπιστὴς, ὁ, ψεύστης [Mendax], Hesych. [Etym. M. p. 436, 11. Wakef.]

[Λεπιστὸς, ὁ, Decorticatus. Levit. 23, 14 : Ἁπαλὰ καὶ λεπιστά. Eust. Il. p. 1246, 28.]

[Λέπορις. Varro R. R. 3, 12, 6 : « Ego arbitror a Græco vocabulo antiquo (dictum leporem), quod eum Æoles Bœotii λέποριν appellabant. » Conf. id. De l. Lat. 5, 20, ubi Siculis Græcis tribuitur. His scripturam λεβορὶς pro λεβηρὶς, de qua in Λεβηρὶς dictum, defendebant interpretes Gallici Strabonis vol. 1, p. 412.]

[Λέπος, ὁ. V. Λέπος, τό.]

Λέπος, ους, τὸ, idem [quod λέμμα, quod v. Alexis] ap. Athen. 2, [p. 55, C] : Οὐδενὸς γὰρ πώποτε Ἀπέβαλλεν ὀσπρίου λέπος· paulo ante λέμμα dicit. [Gl. : Λέπος ὀσπρίου, Siliqua. Nicand. Th. 943 : Ἀγροτέρης σταφίδος λέπος.] Lucian. [Icaromenipp. c. 19] : Ἢ κυάμου λέπος ἢ πυροῦ ἡμίτομον. Ap. Erotian. vero [p. 240] pro λέποι, quod exp. λεπίσματα, puto scrib. λέπη. [Alii λόποι, quod v.] Dicitur etiam de Cortice adhuc ambiente plantam, aut legumen, i. e. Tunica, ut et λέμμα. [Gl. : Λέπος δένδρου, Cortex.] Alex. Aphr. [Probl. 1, 1]: Καρποὺς καὶ σπέρματα λέπεσιν ἢ σώμασιν ὑγροῖς ἢ ξυλώδεσιν ἢ δέρμασιν ἠσφαλίσατο, Tunicis, Gaza. [Rufus p. 178 ed. Matth. : Τοῦ λέπους ἀφαιρεθέντος (mali Cydonii).] Piscium quoque squamæ λέπη dicuntur. Pollux 6, c. 15 [51, 94] quædam τροφῆς λείψανα et χορήματα recensens, κογχυλίων κόχλους, καὶ ὀστρέων κόγχους, καὶ ἰχθύων λέπη, καὶ καράβων ὄστρακα, καὶ κρεῶν ὀστᾶ, καὶ ὀπώρας μίσχους. || Etymologistæ est etiam δέρμα. || Λέπη ab Eur. vocari et τὰ ἀκρωτήρια τῶν ὀρῶν, tradit schol. Apoll. [Rh. 1, 1266], qua signif. dicitur et λέπας. [Nisi forte putes scr. λέπα, τὰ, ex Etym. M. p. 328, 26: Ὅθεν καὶ λέπα τὰ ἀκρότατα τῶν ὀρέων. Valck. Anim. ad Ammon. p. 139.]

[Λεποφόρος, ὁ, ἡ, voc. obscurum et fortasse vitiosum ap. Hesych. : Σήραγγες, ... πόροι γῆς λεποφόροι ἢ πέτραι. L. Dind.]

Λέπρα, ἡ, Lepra, [Depetigo, Impetigo add. Gl.] Plinio et Scrib. Largo, i. e. Asperitas cutis profundior cum pruritu, ea in squamas resolvens: ex melancholico humore orta: qui pruritus a lepra, ut et a psora, inseparabilis est, sed tantus in lepra, ut æger vehementissime etiam scabendo nullo modo juvetur, sed omnis potius generis ulcera et phlegmonas præterea accersat. Ab ejus autem humoris qualitate et malignitate piscium instar squamulæ e summa cute discedunt, materiam semper subministrante colliquatione quadam subjectæ carnis et totius corporis, facta a calore præter naturam. Squamulis autem illis inter cetera differt a psora, quæ non squamulas, sed furfuracea tantum corpora ex se remittit: adeo ut media sit inter psoram et elephantiasin lepra, et psora quidem ad lepram prævia sit, lepra autem ad elephantiasin. Hæc inter alia Gorr., qui in quatuor differentias lepram distinguit, prout magis minusve humor uritur, et malignus evadit. Sub finem addit, a Latinis dici Impetiginem non quidem quæ λειχὴν vocatur et Mentagra, sed quæ a Corn. Celso descripta est l. 5. Ab Avicenna dicitur Albaras nigra, et Impetigo excorticativa, quod cutis per cortices squamasque resolvatur, ut idem Gorr. tradit. Paul. Ægin. et Actuar. dicunt esse τραχυσμὸν ἐπιφανείας μετὰ κνησμοῦ καὶ ἀποτήξεως σώματος, sed διὰ τοῦ βάθους ἐπινέμεσθαι τὸ δέρμα κυκλοτερῶς, καὶ φολιδοειδεῖς ἀφιέναι λεπίδας : unde et nomen invenisse : ψώραν vero esse ἐπιπολαιοτέραν, καὶ πιτυρώδη ἀφιέναι σώματα. Plut. [Mor. p. 670, F] : Οἱ βάρβαροι τὰς ἐπιλευκίας καὶ λέπρας δυσχεραίνουσι· mox [671, A] : Πᾶσαν ὧν ὑπὸ τὴν γαστέρα λέπρας ἀνάπλεων καὶ ψωρικῶν ἐξανθημάτων ὁρῶμεν. Idem [ib. p. 353, F] : Τῶν τὸ γάλα πινόντων ἐξανθεῖ τὰ σώματα λέπραν καὶ ψωρικὰς τραχύτητας. Diosc. de lepidio [2, 205] : Ἀφίστησι δὲ καὶ λέπρας· de quo Plin., Lepras et psoras tollit. V. et Λεπρύνομαι. [Herodot. 1, 138 : Ὃς ἂν τῶν ἀστῶν λέπρην ἢ λεύκην ἔχῃ. Hippocr. p. 114, D : Λειχῆνες καὶ λέπραι καὶ λεῦκαι. Theophr. De sud. 13 : Λειχῆνας καὶ λέπραν. L. D. Char. 20 : Λέπραν ἔχων ἢ ἀλφόν. Aristid. vol. 2, p. 408, 8 : Τοὺς ἀλφοῖς ἢ λέπρᾳ ποικίλους. Ælian. N. A. 10, 16 : Ἀλφῶν ὑποπίμπλαται καὶ λέπρας. Valck. Photius : Λέπραι, λεπίδας ἔχοντα ταρίχη· καὶ λεβίαι καλοῦνται.]

Λεπράς, άδος, ἡ, Scabra, Aspera. Theocr. 1, [40] : Τοῖς δὲ μέτα γριπεύς τε γέρων πέτρα τε τέτυκται Λεπράς ἐφ' ᾇ σπεύδων μέγα δίκτυον ἐς βόλον ἕλκει· i. e. τραχεῖα καὶ ἐκλεπρωθεῖσα. Alii exposuerunt Alba, ex fluctuum alluvio : alii Alta, a λέπας significante Cacumen montis, sed prior expositio melior est. [Eust. autem Il. p. 1246, 28 : Λεπρὰς π., ἐφ' ἧς αἱ λεπάδες. Oppian. Hal. 1, 129 : Χθαμαλαὶ ψαμαθώεες ἄγχι θαλάσσης λεπράδες. V. Λέπρεος.]

Λεπράω, vel Λεπριάω, Scaber fio, vel sum : ut λεπριῶντες ὄνυχες ap. Diosc. [1, 102], Scabri ungues, Plinio et Celso : ut infra λεπροί. Aristoph. autem λεπρᾶν κεράμειον ὀξηρὸν dixit pro μυδᾶν, ap. Polluc. [7, 162], quale A fere est λοπᾶν infra, quod Theophrastus exp. μαδᾶν s. μυδᾶν, ut quidam legunt. [Λεπράω, Hippocr. p. 1146, G : Παῖς ἐλέπρα τὴν κύστιν. LXX Levit. 22, 4, Exod, 4, 6, Num. 12, 10. Clemens Al. Strom. p. 389, a Wakef. citatus. Τοῖς τὰς ὄψεις λεπριῶσι, ex schol. Aristoph. Av. 149 affert Hemst., Porphyr. De abstin. 3, 7, p. 232 : Ψωριᾷ καὶ λεπριᾷ, Lobeck. ad Phryn. p. 80.]

[Λεπρέα, ἡ, Leprea, f. Pyrgei, ap. Pausan. 5, 5, 5.]

[Λεπρέας, Λεπρεάτης, Λέπρειον. V. Λέπρεος et Λεπρεύς.]

[Λεπρέος, ὁ, Lepreus, f. Pyrgei, ap. Pausan. 5, 5, 4, Λέπρεος scribendus videtur. Similiter ib. 3 peccatum in accentu oppidi Leprei. L. Dind.]

[Λέπρεος, ὁ, Λέπρειον, τὸ, Λεπρεᾶται, οἱ, sunt nomina propria. [Urbis Elidis, ap. Herodot. 4, 148, ubi accusativo : Λέπρεον· Thuc. 5, 31, ubi Λεπρέου, Pausan. 5, 5, 3, ubi bis Λέπρεος, Aristoph. Av. 149, ubi τὸν Ἠλεῖον Λέπρεον, Polyb. 4, 77, 9, et ubi τὸ, 79, 2, Scylacem p. 16. Λέπριον male ap. Ptolem. 3, 16, quod Λέπρεον scribendum aut Λέπρειον, quam formam memo- B rant Theognost. in Cram. An. vol. 2, p. 128, 1, schol. Aristoph., ap. Callim. Jov. 39 : Καυκώνων πτολίεθρον, ὃ Λέπρειον πεφάτισται· Tzetz. Hist. 5, 682. Ab asperitate soli ductum nomen esse monet Hemsterhus. ad Theocr. Id. 1, 40. Tzetzes l. c. : Ὅτι τόπος τὸ Λέπρειον, νῦν δὲ λέπρεον τὸν λεπρὸν λέγω. Τὸ Λέπρειον μὲν τόπος τίς ἐστι τῆς Τριφυλίας ἀπὸ τοῦ πέτρας τὰς ἐκεῖ Λεπράδας πεφυκέναι καὶ τοὺς ἐκεῖ λεπροῦσθαι δὲ ποιότητι τοῦ τόπου. (Conf. Pausan. 5, 5, 5, schol. Arist. Av. l. c.) Νῦν τὸν λεπρὸν δὲ λέπρεον, ὡς ἔφην, ὀνομάζω, ἀπὸ εὐθείας λέπρειος, συστείλας τὸ ἰῶτα, οὐκ ἀπὸ τῆς εὐθείας δὲ λεπραῖος τοῦ λεπραίου. Qua de forma postquam nonnulla addiderat, pergit : Ταῦτα μὲν πάντα (adjectiva in —αιος) δίφθογγον ἔχειν γραφήν μοι νόει. Τὰ δ' ἐκ τοῦ εας ἐν μιᾷ τῇ συλλαβῇ πρὸ τέλους, εἰς ἄλφα δὲ κλινόμενα πάντα μοι ψιλογράφει, Ἀντέας καὶ ταυρέας δὲ καὶ τὸ λεπρέας λέγω. Gentilis forma Ionica Λεπρεῆται est ap. Herodot. 9, 28, vulgaris Λεπρεᾶται ap. Thuc. 5, 31, Xen. H. Gr. 3, 2, 25 etc., Strab. 8, p. 345, 355. Λεπρεᾶτις, ιδος, ἡ, de regione p. 345. Gentile Λέπρεοι ἢ Λεπρεᾶται ponit Hesych. Schol. Aristoph. quod dicit conditores illius C urbis a vicinis propter λέπραν vocatos esse Λεπρεώτας, urbemque eludendi convicii caussa dixisse Λέπρεον, incertum videtur an et ipsum scribendum sit Λεπρεάτας. Λεπρεατῶν et Λεπρεῖς est ap. Heraclid. Polit. c. 14, quorum alterum Λεπρεεῖς scripsit Coraes, conferens Πτελεεῖς Πτελεᾶται, Φενεεῖς Φενεᾶται.]

[Λεπρεύς, έως, ὁ, Lepreus, f. Cauconis et Astydamiæ. Athen. 10, p. 411, C; 412, A, B. Λεπρέας Γλαύκωνος Ælian. V. H. 1, 24, ubi v. Perizon.]

[Λεπριάω. V. Λεπράω.]

Λεπρικὸς, ἡ, ὸν, ut λ. φάρμακα ap. Diosc., Medicamenta lepris tollendis.

[Λεπρίνης, ὁ, n. pr., ap. Suidam, scribendum videtur Λεπτίνης, sed ut Suidæ error sit potius quam librarii, etsi potuit a λεπρὸς formari Λεπρίνης, ut Λεπτίνης a λεπτός. L. Dind.]

Λεπρὸς, ὰ, ὸν, [Leprosus, Depetigosus vel Depetiginosus, Scabiosus, Gl.] Scaber, Scabrosus, Asper ex decedentibus ex eo squamulis : ut dicitur Scaber myr- D rhæ cortex : a λέπος, quasi λεπηρός : ut λεπροὶ ὄνυχες, Scabri ungues, Celso et Plinio. Diosc. 2, 140, de lapathi radicibus : Θεραπεύουσι λέπρας, λειχῆνας, ὄνυχας λεπρούς. Unde Plin. 20, 21 : Hippolapathi radices privatim ungues scabros detrahunt. Idem eod. l. c. 206, de ranunculo : Ὄνυχας λεπροὺς καὶ ψώρας ἀφίστησι καὶ στίγματα ἐξαίρει. Quod ita Plin. sub fin. l. 25 : Ad lepras et psoras eis utuntur, et ad tollenda stigmata. || Et λεπροὶ, Leprosi, h. e. quorum cutis in scabras quasdam squamulas resolvitur. Theophr. C. Pl. 2, 8 fin. [6, 4], de quibusdam aquis : Καὶ γὰρ ἄνθρωποι λουόμενοι, λεπροὶ γίνονται, καὶ τὰ φυτὰ παραπλησίαν τινὰ λαμβάνει διάθεσιν. [De locis asperis Hippocr. De aere § 79 : Οὔρεσι λεπροῖσί τε καὶ ἀνύδροισι· 123 : Λεπρὰ, ἄνυδρα καὶ ψιλά. Ubi ante Coraen bis λεπτός. Schneid. Lycophr. 642 : Ἀκτὰς λεπράς. Oppian. Hal. 3, 340 : Ὃς πέτρῃσιν ἀεὶ λεπρῇσι γέγηθε. Inscr. Rhodia ap. Bœckh. vol. 2, p. 571, n. 2905, 1, (D) 12 : Ἀπὸ δὲ τῶν ἐγκολάπτων ὅρων εἰς τὸν ἀπέναντι βουνὸν λεπρὸν ἐθήκαμεν ὅρον.] Ap. Aristoph. ἱμάντες ἐκ λεπρῶν variis modis exp. Sunt enim qui subaudiant βοῶν : quod talium coria sint firmiora : alii esse volunt Locum urbis, ubi erant τὰ βυρσεῖα. V. et alia ap. Schol. et Suid. v. Ἀγορανόμος, ubi facit nomin. Λεπρός. Ach. [723] : Ἀγορανόμους δὲ τῆς ἀγορᾶς καθίσταμαι Τρεῖς τοὺς λαχόντας· τοὺς δ' ἱμάντας ἐκ λεπρῶν : solebant autem olim οἱ λογισταὶ loris cædere τοὺς τῆς ἀγορᾶς. Suid. [De accentu v. Arcad. p. 74, 10.]

[Λεπρότης, ητος, ἡ, Leprosi status vel conditio. Jo. Chrys. Hom. 24, vol. 5, p. 150, 39. Seager.]

Λεπρόω, et Λεπρύνω, Scabrum reddo, Scabris veluti squamulis obduco. Et Λεπρόομαι ac Λεπρύνομαι, Scaber fio, Scabris squamulis obducor. Nicand. Ther. [156] de anguibus : Πολέες δ' ἀμάθοισι μιγέντες Σπείρῃ λεπρύνονται ἀλινδόμενοι ψαμάθοισι, schol. τραχύνονται, λευκαίνονται, Exasperantur, Albescunt, utrumque sumptum putans a λέπρα : quod qui ea laborant, utrumque perpetiantur : et λέπραν generaliter dicit esse τὴν ἐν τοῖς σώμασι παρὰ φύσιν λευκότητα. [Ib. 262 : Χροιῇ δ' ἐν ψαφαρῇ λεπρύνεται.] In VV. LL. Λεπρόομαι est etiam Lepram patior. [Reg. 2, 5, 1, 27; 15, 5. V. Λέπρεος. Item Λεπρόω, Leprosus sum, Aq. Theod. Exod. 4, 6.]

[Λεπρύνω. V. Λεπρόω.]

Λεπρώδης, ὁ, ἡ, Leprosus, Scaber. [Rufus p. 227 ed. Matth. : Ψωρώδεις ἢ λεπρώδεις. Improprie Ælian. N. A. 2, 41 : Τινὲς καλοῦνται λεπρώδεις αὐτῶν, σπάσασαι τὸ ὄνομα ἐκ τῶν χωρίων, ἅπερ οὖν πέτρας ἔχει λεπτάς τε καὶ ἀραιάς κτλ. V. Λεπώδης. L. Dind.]

[Λεπρωσίου· ἄρχοντες ἦσαν ἐν Μακεδονίᾳ Λεπρῶνες οὕτω καλούμενοι, Lex. rhet. Bekk. An. p. 277, 2.]

[Λέπρωσις, εως, ἡ, Lepra. Tzetz. Hist. 10, 148. Boiss.]

Λεπτᾰκῖνὸς, ἡ, ὸν, Minutulus, Vesculus. Epigr. [Ammiani Anth. Pal. 11, 102] εἰς λεπτούς· Ἐξαίρων ποτ' ἄκανθαν ὁ λεπτακινὸς Διόδωρος Αὐτὸς ἐτρύπησεν τῷ ποδὶ τὴν βελόνην. [Phrynichus in Bekkeri An. p. 49, 31 : Λεπτακινὸν, οἷον ἀκριβὲς καὶ ἐπὶ λεπτὸν πεφροντισμένον. De homine Jo. Malalas p. 231, 12. Gl. : Λεπταχίνης, Gracilis, vel pro —κιγῆς vel pro —κινός.]

Λεπτᾰλέος, α, ον, Tenuis, Subtilis. Apoll. Arg. 2, [31] Θέτο φᾶρος λεπταλέον [libri nonnulli λεπτόμιτον. 3, 875 : Χιτῶνας λεπταλέους· 4, 169 : Λεπταλέῳ ἑανῷ], ut λεπτὸν φᾶρος ap. Hom. [Antipater Anth. Pal. 6, 174, 2 : Λεπταλέον στάμονα.] || Exp. etiam Gracilis, ut λεπτός. [Improprie Hom. Il. Σ, 571 : Λίνον δ' ὑπὸ καλὸν ἄειδεν φωνῇ λεπταλέῃ. Unde sumunt Eustath. Expos. in Jo. Damasc. Can. ap. Lambec. Bibl. Cæs. vol. 5, p. 557, B, et alii ap. Wernick. ad Tryphiod. 471. Callim. Dian. 243 : Ὑπήεισαν δὲ λεπταλέον σύριγγες. Apoll. Rh. 3, 709, ἰωή. Nicand. Th. 847, νοτίς. Palladas Anth. Pal. 10, 75, 1, ἠέρα· Agathias 7, 204, 2, λύγοις· Nonnus Dion. 9, 230, ποδῶν. Orph. Lith. 449 : Λεπταλέην ἄχνην· et de hominibus 207, ut Manetho 5, 165 : Λεπταλέοι θυμοῖσι καὶ ἀδρανέες μελέεσσι. L. Dind.]

[Λεπτάριον, τὸ, Minutum, Gl.]

Λεπτεπίλεπτος, ὁ, Gracilis supra graciles. Epigr. [Nicarchi Anth. Pal. 11, 110, 2] : Τρεῖς λεπτοὶ πρώην περὶ λεπτοσύνης ἐμάχοντο Τίς προχριθεὶς εἴη λεπτεπιλεπτότερος. [Λεπτεπίλεπτον, τὸ, Minutum minuti. Arsenius monachus in Zanatæ Geomantia græce versa ap. Lambec. Bibl. Cæs. vol. 7, p. 555, B : Εἰ βούλει σημειώσασθαι τὰς μοίρας τῶν ἀστέρων καὶ τῶν λεπτῶν τοὺς ἀριθμοὺς καὶ τῶν λεπτεπιλέπτων. Nicetas Chon. p. 247, D : Τί τὴν ἐκείνου γνῶσιν διαδραμὼν λεπτεπίλεπτον, item de astrologo. || Apud Heronem i. q. ἀσσάριον. V. Dupuy *Mém. de l'Acad.* vol. 28, p. 703. L. Dind.]

[Λεπτερέβινθος, ὁ, Cicer, Gl.]

[Λεπτέω.] Λεπτεῖν, Hesychio πλέκειν, dictum ἐπὶ τῶν πενιχρῶν. Pro quo ap. Suid. λεπτὰ ξαίνειν, λεπτὴν πλέκειν. Scribit enim, Λεπτὰ ξαίνειν dici ἐπὶ τῶν πενιχρῶς διαγόντων τὸν βίον : et Λεπτὴν πλέκειν itidem prov. esse ἐπὶ τῶν πενήτων, veluti ἀκριβῆ, στενήν : unde esse λεπτολόγον. Idem ap. Apostolium.

[Λεπτὴ ἄκρα sinus Arabii memoratur a Ptolem. 4, 5.]

[Λεπτηγορέω, Minutissima quæque recenseo, Cæsar. Dial. 1 Interrogat. 28 : Μὴ λεπτηγοροῦσης τῆς Γραφῆς τὰ φυσικὰ ἡμῶν ὄργανα. Suicer.]

[Λεπτηκὴς, ὁ, ἡ.] Λεπτηκέα, Hesychio λεπτῆς ἐργασίας ποιηθέντα, Subtilia, Subtili et exquisito artificio ela-

A borata. Idem et λεπτηκεῖς affert pro λεπτὰς, Subtiles. [Hoc etiam ap. Photium.]

[Λεπτηκοπέω. V. Λεπτοκοπέω.]

[Λεπτίνης, ους, ὁ, Leptines, Atheniensis, adversus quem exstat oratio Demosthenis, de quo v. Wolf. in Proleg. p. 35, Bœckh. *Urkunden* p. 242. Dionysii majoris frater ap. Plat. Epist. 13, Diodor. 14, 48 etc. et alios. Idem pariterque Polybius alios quosdam hujus nominis viros memorat aliis ll. ἴ]

[Λεπτινίσκος, ὁ, Leptiniscus, nomen fabulæ Antiphanis ap. Athen. 14, p. 641, F.]

Λεπτῖνος. V. Λεβιανός.

[Λέπτις μεγάλη, Leptis magna, etiam Neapolis dicta (vel simpliciter Λέπτις ap. Polyb. 1, 87, 7, Strab. 17, p. 835), et μικρὰ ap. Ptolem. 4, 3, urbes Africæ. Gent. Λεπτίτης ap. Suidam in Κορνοῦτος, et Steph. Byz. in Τέργις. L. Dind.]

[Λεπτῖτις, ιδος, ἡ, Geopon. 3, 3, 12, κριθὴ, Hordeum tenue, Int.]

Λεπτόβλαστος, ὁ, ἡ, Tenuia germina edens. [Theophr.

B C. Pl. 3, 7, 11.]

[Λεπτοβόης, ὁ, Qui voce tenui utitur. Cyrill. Alex. In Jo. p. 258.]

[Λεπτόβυρσος, ὁ, ἡ, Qui tenui corio est. Schol. Aristoph. Eq. 316 : Μοχθηροῦ βοὸς, ἰσχνοῦ καὶ λεπτοβύρσου.]

[Λεπτόγαστρος, ὁ, ἡ, Cui tenuis est venter. Hippocr. p. 1133, C.]

[Λεπτόγαιον, τὸ, Creta. Schol. Basil. 15, p. 243 : Ruta, τουτέστι ψάμμος, κριτάριον ἤτοι λεπτόγαιον καὶ τὰ ὅμοια. Sed videtur legendum λευκόγαιον, ut habetur 16, 1, 9. Ducang.]

Λεπτόγαιος γῆ, Theophr. H. Pl. 2. A. πατρὶς, Lucian. [ap. quem est λεπτόγεως], Cujus solum macrum est, ut Plin. 15, 19, Cujus agri pingues non sunt, sed parum feraces.

[Λεπτογεα (sine accentu), κακὸς ἀγρὸς, λεπτὴ γῆ, λυπρὰ, Photius et Suidas. Quod ex una de sequentibus formis depravatum esse animadverterunt interpretes.]

Λεπτόγειος, ὁ, ἡ, Cujus solum tenue et minime

C pingue est. [Polyb. ap.] Athen. [8, p. 332, A, 34, 10, 3] : Εἶναί τε λεπτόγειον τὸ πεδίον, Tenue et macilentum s. macrum, Plin. [Theophr. C. Pl. 3, 6, 8 : Ἡ λεπτόγειος (terra)· 1, 6, 9 : Ἐν τῇ λεπτογείῳ ἄμεινον τὸ ἔαρ.]

[Λεπτογένεσις, εως, ἡ, Parva Genesis. Epiphan. (vol. 1, p. 287, B : Ὡς ἐν τοῖς Ἰωβηλαίοις εὑρίσκεται, τῇ καὶ Λεπτογενέσει καλουμένῃ) in Fabr. Cod. Pseudep. V. T. p. 128. Kall. V. Coteler. ad Constitt. Apostol. 6, p. 278. Ducang.]

Λεπτόγεως, ὁ, ἡ, Cujus solum tenue est et non pingue, Hesych. [Thuc. 1, 2; Theophr. H. Pl. 8, 8, 6; Strabo 6, p. 282; Alciphr. 3, 35; Lucian. Enc. patriæ c. 10. Schol. Aristoph. Ach. 75.]

Λεπτογνώμων, ωνος, ὁ, ἡ, Cujus subtilis est sententia [vel mens]. In VV. LL. Subtilis, Acer, Argutus. Puto extare hoc compos. ap. Aristoph. [Lucian. Jov. trag. c. 27 : Συνεῖναι εἰς ὑπερβολὴν ὀξύς ἐστι καὶ λ.]

[Λεπτόγραμμος, ὁ, ἡ, Literis minutis scriptus. Lucian. Conviv. 17 : Λεπτόγραμμόν τι βιβλίον.]

Λεπτόγρᾰφος, ὁ, ἡ, Exiguis et tenuibus literis de-

D scriptus. Lucian. [Vit. auct. c. 23] : Ἀνάγκη πολλὰ προπονῆσαι, λεπτογράφοις βιβλίοις παραθήσοντα [παραθήγοντα] τὴν ὄψιν, καὶ σχόλια συναγείροντα.

[Λεπτοδάκτῠλος, ὁ, ἡ, Qui digitis est gracilibus. Pisid. Opif. p. 415. « Λεπτοδακτύλους παρθένους Philes Propr. anim. 67, 2. » Jacobs.]

Λεπτοδερμᾰτος, ὁ, ἡ, Tenuem pellem s. cutem habens. [Var. script. in l. Aristot. in Λεπτόδερμος cit.]

Λεπτοδερμία, ἡ, Corii s. Corticis tenuitas. [Theophr. C. Pl. 3, 5, 3.]

Λεπτόδερμος, ὁ, ἡ, pro λεπτοδέρματος dicitur. [Hippocr. p. 487, 20; 557, 18. Superlat. Aristot. Probl. 10, 5, De partt. anim. 2, 13, De gener. anim. 5, 2.]

[Λεπτόδομος, ὁ, ἡ, Tenuiter structus. Æsch. Pers. 112 : Πίσυνοι λεπτοδόμοις πείσμασι.]

[Λεπτοεπεω, i. q. λεπτηγορέω. Cyrill. Alex. p. 1.]

Λεπτόθριξ, χος, ὁ, ἡ, Qui tenui pilo s. capillo est. [Hesych. v. Τανύθριξ. Wakef.]

Λεπτόθρῐος, ὁ, ἡ, Tenuia habens folia : proprie de ficu dicitur, abusive de aliis etiam arboribus aut herbis, pro λεπτόφυλλος : velut ap. Nicandr. Ther. 875 : Λεπτοθρίοιο κονίζης.

Λεπτόϊνος, Tenues nervos s. exiles fibras habens, [Theophr. H. Pl. 3, 9, 3. ῐ]

[Λεπτοκάλαμος, ὁ, ἡ, Qui exilem s. tenuem culmum habet. Theophr. H. Pl. 8, 9, 2; Galen. vol. 4, p. 312 Basil.; schol. Aristoph. Ran. 233. ᾰᾰ]

Λεπτόκαρπος, ὁ, ἡ, Cujus fructus tenuis est. Diosc. 3, 29, de abrotono : Τὸ δὲ ἕτερον, ἄῤῥεν καλεῖται, κληματῶδες, λ. ὡς ἀψίνθιον, Gracilibus ramis ut absinthium, Ruell. : qui videtur legisse Λεπτόκαρφος, ut quædam habent exempll.

[Λεπτοκάρυον, τὸ, in Geopon. 10, 3, 3 etc. et apud Polluc. 1, 232, ubi tamen codd. λεπτὰ κάρυα, ponunt Gl. cum interpret. Avellanum, Corilum, Contus, Avellana, et Λεπτοκάριον, Colurna, Λεπτοκάρυα, Avolana, Avelanæ, Abellaneæ, Λεπτοκαρύϊνον ἢ κράνινον, Colurnum. Nuces Avellanas s. Abellanas et Colurnum, quod sit i. q. κράνινον s. ex corno factum, memorant scriptores Latini. Diosc. 1, 179 : Τὰ Ποντικὰ κάρυα, ἃ ἔνιοι λεπτοκάρυα καλοῦσιν, attulit Schneiderus. Formam Λεπτόκαρον ex Byzantinis recentissimis annotavit Ducangius. ᾰῡ]

Λεπτόκαρφος, ὁ, ἡ, Festucam s. Surculum tenuem habens. Diosc. 3, 27, de absinthio marino : Ὧ ἀντὶ θαλλοῦ οἱ Ἰσιακοὶ χρῶνται· ἔστι δὲ ἡ πόα λ., ἐοικυῖα ἀβροτόνῳ μικρῷ. Pro quibus Plin. 27, 7 : Hujus ramum Isiaci præferre solent, angustius priore : at 32, 9, dicit esse terrestri exilius. Explicat igitur v. λεπτὸν, sed non κάρφος, licet illud comparativo gradu compenset; nam dicit esse angustius et exilius terrestri absinthio. Diosc. eodem l. 29, abrotonum masculum quoque κληματῶδες et λεπτόκαρφον esse dicit, sicut absinthium, licet quædam exemplaria habeant λεπτόκαρπον, ut supra indicatum est. Sed illam lectionem sequitur Ruell. Similiter etiam c. 40, de acino : Πόα ἐστὶ λεπτόκαρφος.

Λεπτόκαυλος, ὁ, ἡ, Qui exili caule s. scapo est.

[Λεπτόκνημος, ὁ, ἡ, Qui tenuibus est tibiis. Adamant. Phys. p. 374 : Λεπτοκνημότερα.]

[Λεπτοκοπέω, Comminuo, Tundo, Gl.] Λεπτοκοπεῖν, Minutatim contundere s. concidere, λεπτῶς κόπτειν : unde particip. præt. pass. λελεπτοκοπημένος. [Dioscor. 5, p. 351, G. Hemst. Inc. Jesaiæ 27, 9. Aq. Symm. Theod. Jes. 28, 28 : Ἄρτος δὲ λεπτοκοπηθήσεται. Vitiose Gl. : Λεπτηκοπέω, Frio.]

[Λεπτοκυμία, ἡ, Undæ tenues, lenes. Hesych. v. Φρίκα. Schol. parvus Hom. Il. Ψ, 692. Hemst.]

[Λεπτολάχανον, τὸ, Olusculum, Minuta olera. Paralip. de S. Pachomio n. 15 et plur. n. 29. Apophth. Patr. in Gelasio n. 6 (Cotel. Eccl. mon. vol. 1, p. 418, A) : Διὰ τὴν ἀσθένειάν σου φάγε λεπτολάχανον. Ducang. Λεπτολάχανα, Pallad. Hist. Laus. 2. Boiss. ᾰᾰ]

[Λεπτολεσχής, Λεπτολεσχία. V. Λεπτολόγος.]

Λεπτολογέω s. Λεπτολογέομαι, Minuta et subtilia disputo, Subtiliter et argute dissero, σμικρολογέομαι, Bud. p. 799, 804, exx. ex Aristoph. [Nub. 320 : Λεπτολογεῖν ἤδη ζητῶ], et Luciano [Prometh. c. 6 : Ψυλλῶν πηδήματα διαμετροῦντας, ὡς δῆθεν τὰ ἀέρια λεπτολογουμένους] afferens : p. 799, ap. Damasc. interpr. Enucleate explico. [Eust. Opusc. p. 162, 70 : Οὐ λεπτολογήσαντι τὸ σμικρολόγον τῆς γυναικός· 204, 5 : Οὐ μὴν οὐδὲ ὁπόσοι φύσιν λεπτολογοῦσι. Achmes Onirocr. præfat. ex cod. Vindob. suppleta ab Lambecio Bibl. Cæs. vol. 7, p. 565, A : Οἱ τὴν ἀκριβῆ ἀλήθειαν ἀκριβολογησάμενοι καὶ λεπτολογίσαντες, quod per η scribendum. Psellus Charact. Patr. p. 127, a Boiss. cit. : Τὰς δὲ Ἡροδότου Μούσας οὐχ ὡς ἐκεῖνος λεπτολογεῖ, ἀλλ' ἀξιωματικὰς ἐργάζεται καὶ σεμνάς. Herodian. Philet. p. 443 : Ἐξονυχίζειν τὸ λεπτολογεῖσθαι. Pass. Dio Cass. 55, 28 : Οὐδένα λεπτολογηθέντα ὠφελήσειε. Philostr. V. Soph. 2, p. 568 : Αὐτὴ ἡ ἀττίκισις λεπτολογεῖσθαι μᾶλλον δόξει. Eust. Opusc. p. 145, 10 : Εἰ καί τι διαφορᾶς ἤδη λελεπτολόγηται ἐν αὐτοῖς. Hesych. : Διεσμιλευμένων, λεπτολογηθέντων.]

Λεπτολόγημα, τὸ, quod et Λεπτολογία, ἡ, Subtilis de minimis rebus disputatio. [Λεπτολογία Pollux 2, 123. Philostr. V. Ap. 1, p. 21 : Οὐδὲ λεπτολογίᾳ ἐδίδου, οὐδὲ διῆγε τοὺς λόγους. Schol. Aristoph. Nub. 130 : Λόγων ἰσχνῶν λεπτολογίας· Ran. 935. Epiphan. vol. 1, p. 43, A : Εἰ δὲ ἐν ῥῆμα πρὸς ἓν θελήσει τις κατὰ λεπτολογίαν ἀκοῦσαι ἑρμηνευόμενον. Phrynichus Bekkeri p. 49, 8 : Λεπτολογία, σημαίνει τὸ περὶ τῶν μικρῶν φροντίζειν καὶ ἀδολεσχεῖν· ἢ σημαίνει ἡ κνιπότης. Eust. Opusc. p. 186, 16; 210, 93. Ex Hermippi Δημόταις citat Photius. Alia v. in Ernesti Lex. rhet.]

[Λεπτολογημένως, Subtiliter. Tzetz. Exeg. Il. p. 129, 9; 132, 3, pro λελεπτολογημένως.]

[Λεπτολογία. V. Λεπτολόγημα.]

Λεπτολογιστὴς, Argutator, Gellio, ὁ λεπτὸς εἰς τὸ λογίσασθαι, schol. Aristoph. Av. [318] : Ἄνδρε γὰρ λεπτολογιστὰ [λεπτὼ λογιστὰ] δεῦρ' ἀφίκονθ' ὡς ἐμέ.

[Λεπτολόγος, ὁ, ἡ.] Λεπτολεσχεῖς, et Λεπτολόγους, Aristoph. vocare dicitur Philosophos de rebus levioribus subtiliter et nimis anxie disputantes nugantesque. Unde Λεπτολεσχίαι, Subtilia nugamenta. Λεπτολόγος, Qui subtiliter et minutatim disserit de aliqua re, Argutus. [Aristoph. Ran. 876 : Μοῦσαι, λεπτολόγους ξυνετὰς φρένας αἳ καθορᾶτε. Ptolem. Anth. Pal. App. 70, 4 : Τὸ λεπτολόγου σκῆπτρον Ἄρητος ἔχει. In malam partem Philostr. V. Soph. 1, p. 515, 1 : Ταυτὶ περὶ αὐτοῦ λέγουσιν οἱ λεπτολόγοι καὶ νωθροὶ καὶ μηδὲν ἀπ' αὐτοσχεδίου γλώττης ἀναπνέοντες.]

[Λεπτολόγως, Subtiliter, Minutatim. Epiphan. vol. 1, p. 43, A : Τῷ βουλομένῳ λεπτολόγως ἀκούειν αὐτὰ δὴ τὰ ῥήματα αὐτοῦ παραθησόμεθα.]

Λεπτομέρεια, ἡ, Tenuitas partium s. Exilitas, Galen. Item Subtilitas. [Tim. Locr. p. 98, E : Διὰ τὰν λεπτομέρειαν. Plut. Mor. p. 882, A, etc.]

Λεπτομερὴς, ὁ, ἡ, Tenuibus partibus constans, Tenuis, Exilis, [Minutus, Gl.] ut Aristot. De cœlo 3, [5] : Πάντων δὲ τῶν στοιχείων λεπτομερέστατον τὸ πῦρ. [Tim. Locr. p. 100, E : Τὸ θερμὸν λεπτομερές· 98, D : Εἶδος πυρὸς λεπτομερέστατον. Ptolem. Geogr. 1, 22 : Τῆς καταγραφῆς λεπτομερεστέρας τε ἅμα καὶ σαφεστέρας ἀποτελεσθησομένης. Tzetz. Hist. 10, 159 : Λεπτομερεῖ τῷ λόγῳ. Quod ap. Alciphr. Ep. 1, 1 est : Τῶν λεπτομερῶν ἰχθύων, Berglerus scribendum vidit λεπτοτέρων, ut est ep. 18, ubi item λεπτομερῶν codex Vindob.]

‖ Λεπτομερῶς, quod itidem accipitur interdum pro Subtiliter, Excutiendo singula quæque, licet minuta, ut exp. Erasm. in Prov. Tenuiter diducis. [Μικρομερῶς Hesychio. Offatim, Minutim, Gl. Λ. διεξιέναι Photius Bibl. p. 4, 26. Λεπτομερέστερον, adv., Anna Comn. p. 271; Theod. Prodr. in Notitt. Mss. vol. 8, p. 154. Elberl. Tzetz. ad Hesiod. p. 11, 9 Gaisf. Boiss.]

[Λεπτομεριμνία, ἡ, Anxia cura. Cornut. c. 18, p. 180 : Ὥσπερ εἰς τὰ σπλάγχνα ἐκ λεπτομεριμνίας ἐκβιβρωσκομένη. Sic codex, ut videtur; in serie λεπτομερυπνοίας. Ὡσπερεὶ τὰ Hemsterhusius in Ἐκβιβρώσκω vol. 3, p. 377, C.]

[Λεπτομέριμνος, ὁ, ἡ, Scrupulosus, Anxius, Gl.]

[Λεπτομερῶς. V. Λεπτομερής.]

Λεπτόμητις, exp. Prudens consilium : ab Hesych. ἡ δασεῖα ψυχὴ, Animus cordatus, qualis sub hirsuto s. hispido pectore latet : tamen Idem, ubi Hom. [Il. K, 226] juvenibus tribuit λεπτὴν μῆτιν, exp. ἀσθενὴς βουλὴ καὶ ἐπίνοια, Pectus invalidum ad capienda consilia et excogitandas astutias.

Λεπτόμιτος, ὁ, ἡ, Tenui licio s. filo textus, Subtili filo factus : Λεπτόμιτον φάρος, Eur. [Andr. 832. V. Λεπταλέος.]

[Λεπτομυθέω, i. q. λεπτολογέω. Cyrill. In Jo. p. 207, 1064.]

Λεπτὸν, τὸ, Minutum quoddam numi genus, quale κέρμα. [Minutia, Gl.] Drachma sex obolis æstimatur, obolus sex chalcis, chalcus septem leptis. Luc. [21, 2] : Βάλλουσαν λεπτὰ δύο· quem l. Chrysost. exponens dicit, Δαψιλὴς καὶ φιλότιμος ἡ ἐκ τῶν δύο λεπτῶν ἐλεημοσύνη, τουτέστιν ἐκ τῶν δύο ὀβολῶν, accipiens λεπτὸν pro Obolo. Vulgo Minutum interpr. [Moneta minutior, unde nomen, Sexmillesima pars solidi. Hesych. : Κοδράντης τὸ πᾶν ἢ τὸ τέταρτον τῆς φόλλεως ἢ λεπτόν, τὸ δὲ λεπτὸν ἑξακισχιλιοστὸν ταλάντου, ὅ ἐστι νόμισμα ἐν ᾧ κόκκοι τρεῖς. Epiphanius : Ἑξακισχίλια λεπτὰ τοῦ ταλάντου, ἃ λεπτὰ καλεῖται ἀσσάρια. Cod. Reg. 3502 : Δηνάριον ἦν τὰ ἑξήκοντα ἀσσάρια, ἃ καὶ λεπτὰ λέγονται. Rursum : Λεπτὰ καλοῦνται τὰ ἀσσάρια ἢ τὰ νουμμία. Artemidor. 2, 63 : Λεπτὰ καὶ χάλκεα νομίσματα. Hæc et alia Ducang. in Gloss. et Append., qui etiam Λεπτὰ ψηφία memorat ex Rationali Peræq. Alexii Comn. (in Anal. Benedict.

A sive Coteler. Monum. vol. 4, p. 370 etc.). || De feminino Hesych. : Λεπτὰς καὶ παχείας, Ζάλευκος ἐν Νόμοις τὰς δραχμὰς, λεπτὰς μὲν τὰς ἑξωβόλους, παχείας δὲ τὰς πλέον ἐχούσας.]

[Λεπτόνευρος, ὁ, ἡ, Qui tenuibus nervis est. Adamant. Phys. 2, 1, p. 375, ubi λεπτονευροτέραν Sylburgius pro λεπτὸν εὐρυτέραν, quum ἀνευροτέρα sit apud Aristotelem.]

Λεπτόνητος, ὁ, ἡ, Subtiliter netus, Ex stamine subtili textus. Eubul. ap. Athen. 13, [p. 568, F] : Πώλους κύπριδος ἐξησκημένας, Ἐν λεπτονήτοις [λεπτοπήνοις libri meliores] ὑμέσιν ἑστώσας· appellans λεπτονήτους ὑμένας, Vestimenta s. Peplos ex tam subtili filo textos, ut videantur esse membranæ.

[Λεπτόομαι. Gl. : Λεπτοῦμαι, Macreo.]

[Λεπτόπηνος. V. Λεπτόνητος.]

Λεπτοποιέω, Tenuem s. Gracilem reddo, Extenuo. [Oribas. p. 190 ed. Mai. : Τοῦ ἐλασματίου τὸ πέρας λελεπτοποιημένον. L. Dind.]

[Λεπτοποίησις, εως, ἡ, ap. Basil. M. vol. 3, p. 582, B : Ἔμελλε γὰρ (ἡ τροφὴ), εἰ μὴ ὀξέως κατατεμνομένη τῇ γαστρὶ παρεπέμπετο, ἐν τῇ λεπτοποιήσει διαφορεῖσθαι παρὰ τοῦ ὕδατος, de alimentis comminuendis et conterendis.]

[Λεπτοποιητέον, Tenuandum, Comminuendum. Dioscor. 5, 103.]

Λεπτόπους, οδος, ὁ, ἡ, Tenues s. Graciles habens pedes. [Schol. Aristoph. Av. 1292 : Τὴν παροιμίαν Πέρδικος σκέλος ἐπὶ τῶν λεπτοπόδων.]

[Λεπτοπρόσωπος, ὁ, ἡ, Qui tenui vultu est. Is. Porphyrog. in Allatii Exc. p. 316.]

Λεπτόπυγος, ὁ, ἡ, Tenues et exiles nates habens, aut Macras et graciles. Opponitur vero his [adjectivis λεπτόπυγος, ἀπόπυγος, λισπόπυγος] εὔπυγος et καλλίπυγος. V. Πυγίδιον.

[Λεπτόρινος, ὁ, ἡ, Qui exili naso est. Jo. Malal. vol. 1, p. 129, 399. Elberl. Rectius scribitur λεπτόρρινος.]

[Λεπτόρραβδος, ὁ, ἡ, Diosc. 4, 148?]

[Λεπτόρριζος, ὁ, ἡ, Qui tenues habet radices. Schol. Theocr. 5, 123.]

[Λεπτόρρινος. V. Λεπτόρινος.]

[Λεπτόρρυτος, ὁ, ἡ, Tenuiter fluens. Hippocr. p. 1279, 58 : Λεπτόρρυτον ὕδωρ κατὰ πρηνοῦς τοῦ λόφου θέον. « Psellus Opusc. p. 185 med. » Boiss.]

Λεπτὸς, ἡ, ὸν, Tenuis, cui opponitur παχὺς, quod est Crassus. [Exilis, Macer, Lentus, Pressus, add. Gl.] Proprie dicitur Tenuis instar corticum et squamularum, quæ alicunde avelluntur, ut λεπτὰ καὶ πιτυροειδῆ σώματα ἐκ τῆς ἐπιφανείας τῆς κεφαλῆς in πιτυριάσει decedere dicit Paulus Ægin. De quo morbo Actuar. : Κνηθομένων τὴν κεφαλὴν ἀποπίπτει ὥσπερ τινὰ λεπτὰ πίτυρα. Sic Hom. [Il. I, 661 : Λίνοιό τε λεπτὸν ἄωτον·] Od. Θ, [280] : Ἠΰτ' ἀράχνια λεπτὰ, Ut fila tenuis aranei, ap. Lucret. Od. E, [231] et K, [544] : Λεπτὸν φᾶρος. [H, 97, πέπλοι· K, 223, θεάων ἔργα· P, 97, ἠλάκατα. Absolute B, 96; Ω, 130 : Ὕφαινε λεπτὸν καὶ περίμετρον. Cui φᾶρος additur, ubi illa repetuntur, T, 140.] Il. X, [511], εἵματα λεπτὰ, Ex filo tenui et subtili. Σ, [595] : Λεπταὶ ὀθόναι· Ψ, [854] : Ἐκ δὲ τρήρωνα πέλειαν Λεπτῇ μηρίνθῳ δῆσεν ποδός. [Sic Eur. Med. 949 : Λεπτόν τε πέπλον. Et alibi. Thuc. 2, 49 : Τῶν πάνυ λεπτῶν ἱματίων. Xen. Cyn. 2, 4 : Λεπτοῦ λίνου. « Huc pertinet λεπτῆς ἐργασίας ποιηθέντα, quomodo Hesych. exponit Λεπτηχέα. Ephræm Syr. p. Τλξν, 34, ἔργα λεπτά. Æschin. In Tim. p. 14, 3; Hesych. in Παρενθῆκαι. » Hemst. || Tenuis, h. e. Angustus, non latus. Xen. Cyrop. 5, 4, 46 : Ἀνάγκη οὕτω πορευομένων ἐπὶ λεπτὸν καὶ ἀσθενὲς τὸ μάχιμον τετάχθαι. Polyb. 1, 27, 7 : Τῶν Ῥωμαίων συνθεασαμένων ἐπὶ λεπτὸν ἐκτεταμένους (præstare videtur ἐκτεταγμένους) τοὺς Καρχηδονίους (in prœlio navali)· 3, 115, 6 : Διέκοψαν ῥᾳδίως τὴν τῶν ὑπεναντίων τάξιν, ἅτε δὴ τῶν μὲν Κελτῶν ἐπὶ λεπτὸν ἐκτεταγμένων, αὐτοὶ δὲ πεπυκνωκότες ἀπὸ τῶν κεράτων ἐπὶ τὰ μέσα. || Tenuis, h. e. Minutus. Hom. Il. Υ, 497 : Ὡς δ' ὅτε τις ζεύξῃ βόας τριβέμεναι κρῖ λευκὸν, ῥίμφα τε λέπτ' ἐγένοντο βοῶν ὑπὸ πόσσ' ἐριμύκων· Ψ, 506 : Οὐδέ τι πολλὴ γίγνετ' ἐπισσώτρων ἁρματροχιὴ κατόπισθεν ἐν λεπτῇ κονίῃ. Aristoph. Nub. 177 : Κατὰ τῆς τραπέζης καταπάσας λεπτὴν τέφραν. Foes. OEc. Hipp. : « Λεπτὴ γλήχων, Tenue pulegium, ὀρίγανος λεπτὴ, Tenue, h. e. diligenter tritum, p. 622, 22, 36. In succis aut humoribus Liquidum aut consistentiæ tenuitatem significat, velut in urinis ἀντὶ τοῦ ὑδατώδους ponitur sec. Galenum ad Aph. 7, 32, cui τὸ παχὺ opponitur. Sic p. 466, 46, κυκεὼν λεπτὸς, Liquidus et sorbilis, qui respondet τῷ παχέϊ, qui neque sorberi neque bibi potest. P. 468, 2, κέγχρον λεπτὸν, Milium tenue, et ib. p. 469, 3; 473, 26; 474, 6. Χυλὸν πτισάνης λεπτὸν 464, 55. Λεπτὸν ῥάκος p. 265, 45; et ῥάκει λεπτοτάτῳ p. 266, 27; ὀθόνια λεπτὰ ib. 55. » Tenuis, s. contrarius Crasso, etiam ap. Hom. Il. Υ, 275 : Ἧ λεπτότατος θέε χαλκὸς, λεπτοτάτη δ' ἐπέην ῥινὸς βοός. Hesiod. Op. 495 : Λεπτῇ δὲ παχὺν πόδα χειρὶ πιέζῃς. Pind. Pyth. 12, 25 : Λεπτοῦ διανισσόμενον χαλκοῦ· fr. ap. Liban. Epist. 144, p. 491 : Μηδ' οὕτως οἵου τὰ ἡμέτερα κατὰ Πίνδαρον ἐπὶ λεπτῷ δένδρῳ βαίνειν. Eur. Or. 146 : Σύριγγος ὅπως πνοὰ λεπτοῦ δόνακος· fr. ap. Cic. Ad fam. 16, 8 : Ψῦχος δὲ λεπτῷ χρωτὶ πολεμιώτατον. Sappho fr. 2, 10 : Λέπτον δ' αὔτικα χρῶν πῦρ ὑπαδεδρόμακεν. Xen. Eq. 1, 3 : Οἱ παχεῖς (ὄνυχες) πολὺ τῶν

B λεπτῶν διαφέρουσιν. Polyb. 6, 22, 4 : Τὸ κέντρον ἐπὶ λεπτὸν ἐξεληλαμένον καὶ συνωξυσμένον.] Et λεπτὰ γράμματα, Plut. [Ἄκραι λεπταὶ Herodot. 8, 107. Τὰ λεπτὰ τῶν προβάτων ib. 137. Xen. Cyrop. 1, 4, 11, item de bestiis.] Λ. πλοῖα, Thuc. [2, 83], Ex tenui ligno; sed Parva, schol. exp. [Cum eod. nomine Herodot. 7, 36, Demosth. p. 219, 14. Aristoph. Pac. 69 : Λεπτὰ κλιμάκια ποιούμενος· Lys. 1207 : Πυρίδια λεπτά. Conf. de signif. Parvi Reisk. ad Constantin. vol. 2, p. 535.] Dicitur etiam de aliis, ut et Lat. Tenuis, plerumque pro Exiguus, Parvus : ut, Λεπτὰς ἐλπίδας ἔχειν περὶ τοῦ μέλλοντος, ap. Aristid., ut Cic. dicit Inani et tenui spe. [Aristoph. Eq. 1244 : Λεπτή τις ἐλπίς ἐστ', ἐφ' ἧς ὀχούμεθα. Demosth. p. 1472, 13 : Λεπτὴν καὶ ἄδηλον ἔχει τὴν ἀσφάλειαν.] || Gracilis [Gl.], Macer, cui itidem opp. Crassus. [Aristoph. Eccl. 539 : Ψῦχος γὰρ ἦν, ἐγὼ δὲ λεπτὴ κἀσθενής. Qui l. conferendus Euripideo paullo ante citato. Similiter id. Nub. 1017 : Στῆθος λεπτόν. Xen. Ven. 5, 30, τράχηλον.] Athen. 13 : Παρασίτου τινὸς ἀπαντήσαντος λεπτοῦ ἐξ ἀρρωστίας, Ὡς ἰσχνός; ἔφη. Eod.

C l. [p. 569, B] Xenarchus dicit in lupanari licere eligere ἥ τις ἥδεται, Λεπτῇ, παχείᾳ· στρογγύλῃ, μακρᾷ. Eod. l. [p. 580, E, ex Machone] : Ἰδοῦσ' ἔφηβόν ἡ Γνάθαιν' ἰσχνὸν πάνυ Καὶ μέλανα, λεπτόν θ'. Ita λεπτὸν ἔντερον, Gracile intestinum, etiam Tenue, i. e. Superior intestinorum pars membranea, teres, a ventriculi fundo incipiens, et desinens qua cæcum incipit. Dicitur ad differentiam Crassi : dividitur autem in tres partes, ecphysin, jejunum, et ileon : quod postremum totius nomine λεπτὸν absolute vocatur. Gorr. ex Galeno. [Hippocr. p. 169, B : Τὰ κατ' ὀσφῦν καὶ τὸ λεπτὸν χρόνια ἀλγήματα· 191, B : Στρόφοι περὶ τὸ λεπτὸν ἐμπίπτοντες· 202, D, G. Pollux 2, 209, 210. Gl. : Λεπτὰ ἔντερα, Lactes; Λεπτὰ ἔντερα τῶν ἐρίφων, Lactes. || Ἀργυρίου Ῥοδίου λεπτοῦ mentio fit in inscrr. Mylas. ap. Bœckh. vol. 2, p. 475, n. 2693, e, 5, 11, 13; 2693, f, 1. De numis sic dictis v. in Λεπτόν.] || Rarus, ἀραιὸς, Galen. ap. Hipp. [Lex. p. 514. Quod ad p. 412, 36 : Ὁ δὲ ῥόος, ὥστε ἀφ' ὑψηλοτέρων καὶ λεπτὰ τὰ ἀντικωλύοντα ἔχων, ῥεῖ.] Sic λεπτὴ χιὼν Eustathio [Od. p. 1770,

D 21], ἡ ἀραιά. [Soph. Antig. 256 : Λεπτὴ δ' ἄγος φεύγοντος ὣς ἐπῆν κόνις. Xen. OEc. 17, 8 : Ἦν δέ γε ἡ γῆ ἡ μὲν λεπτοτέρα, ἡ δὲ παχυτέρα; — Τί τοῦτο λέγεις; ἆρά γε τὴν μὲν λεπτοτέραν, ὅπερ ἀσθενεστέραν; — Τοῦτο λέγω. Quibus Schneiderus comparat Theophr. H. Pl. 8, 6, 2 : Πλεῖον ἡ πεῖρα καὶ ἀγαθὴ δύναται φέρειν τῆς ὑφάμμου τε καὶ λεπτῆς. Sic dicitur λεπτόγειος s. λεπτόγεως. || Pauper, Cujus tenuis est res familiaris. Polyb. 25, 8, 3 : Ἀφελόμενος τὴν χώραν ταύτην διέδωκε τοῖς λεπτοῖς. Schol. Aristoph. Vesp. 197 : Τῷ λεπτῷ δήμῳ· 285, 513. De quibus etiam proverbio dicebatur : Λεπτὴν πλέκειν, testibus Hesychio et Photio. Cui conferendum aliud apud Suidam : Λεπτὰ ξαίνεις, ἐπὶ τῶν πενιχρῶς διαγόντων τὸν βίον. || Lenis. Æsch. Ag. 882 : Ἐν δ' ὀνείρασι λεπταῖς ὑπαὶ κώνωπος ἐξηγειρόμην ῥιπαῖσι θωΰσσοντος. De voce Lycophr. 686 : Πεμφίδων ὄπα λεπτήν. Et de luce Apoll. Rh. 2, 670 : Λεπτὸν δ' ἐπιδέδρομε νυκτὶ φέγγος.] || Subtilis [Gl.], ad animum etiam transfertur : λ. νοῦς, Eur. [Med. 529], Mens subtilis et acuta. [Ib. 1081 : Πολλάκις ἤδη διὰ λεπτοτέρων μύθων ἔμολον.

Idem ap. Aristoph. Ach. 445 : Πυκνῇ γὰρ λεπτὰ μηχανᾷ φρενί.] Et Aristoph. Nub. [230, 741], Λεπτὴν φροντίδα, et [359] λεπτοτάτους λήρους dicit, Subtiles philosophorum ridens argutias. [Lysistr. 28 : Λεπτόν ἐστι τοὐρριπτασμένον. Heraclit. Alleg. Hom. p. 492 : Δεῖ δὲ ἡμᾶς οὐδὲ τὰ μικρὰ παροδεύειν, ἀλλὰ καὶ δι' ἐκείνων τὴν λεπτὴν ἐξετάζειν Ὁμήρου φροντίδα. Callim. Epigr. 29, 3 : Λεπταὶ ῥήσιες Ἀρήτου, confert Schneider.] Item ex Galeno Ad Glauc. λεπτὴ γνώμη, Exacta intelligentia et subtilis. [Aristoph. Nub. 1404 : Γνώμαις λεπταῖς.] At λ. νόημα exp. Consilium et sententia implicatior, nec multis exposita et obvia. Ap. Hom. [Il. K, 226 : Μοῦνος δ' εἴπερ τε νοήσῃ, ἀλλά τε οἱ βράσσων τε νόος λεπτὴ δέ τε μῆτις· Ψ, 590 : Κραιπνότερος μὲν γὰρ νόος (νέου ἀνδρὸς), λεπτὴ δέ τε μῆτις], Eust. λ. μῆτις exp. ἡ ἰσχνὴ καὶ εὐδιάλυτος βουλή. [Λεπτὸν, τὸ, Subtile vel accuratum dicendi genus. Dionys. H. Cens. 5, 6, p. 435, de Hyperide : Τούτου ζηλωτέον μάλιστα τῶν διηγήσεων τὸ λεπτὸν καὶ σύμμετρον. Ernest. Lex. rhet. De hominibus Aristoph. Av. 317 : Ἄνδρε λεπτὼ λογιστά. Hippocr. p. 295, 25 : Ἐς τὰς τέχνας παχέες, οὐ λεπτοὶ οὐδ' ὀξέες.] || Λ. εἰσίθμη, Eustathio ap. Hom. [Od. Z, 264] στενὴ δίοδος, Angusta via. [Neutro plur. adverbialiter posito Eur. Or. 224 : Λεπτὰ γὰρ λεύσσω κόραις. Quod schol. interpr. ἀσθενῆ. Singulari Aristoph. Av. 235 : Ὅσα τ' ἐν ἄλοκι θαμὰ βῶλον ἀμφιτιττυβίζεθ' ὧδε λεπτὸν ἡδομένᾳ φωνᾷ.]

[|| Λεπτῶς, Subtiliter, Gl. Amphis apud Athen. 10, p. 448, A : Διὰ τὸ λ. καὶ πυκνῶς πάντ' ἐξετάζειν. Plato Reip. 10, p. 607, C : Οἱ λ. μεριμνῶντες. Athen. 11, p. 497, E : Κρουνιζόντων λ., Leniter.]

[Λέπτος, ὁ, Leptus, cogn. viri in numo Smyrn. ap. Mionnet. *Descr.* vol. 3, p. 196, n. 993 : Σμυρναιων Νικιας Λεπτος.]

[Λεπτόσαρκος, ὁ, ἡ, Qui tenui carne est. Schol. Theocr. 5, 94 : Αἱ ἄκυλοι λεπτόσαρκοι. Geop. 10, 64, 3.]

Λεπτοσκελὴς, ὁ, ἡ, Qui tenuibus est cruribus, Gracilia crura habens. [Aristot. De partt. anim. 4, 8 : Αἱ μαῖαι λεπτοσκελεῖς· H. A. 2, 14 : Λεπτοσκελέστεραι τῶν χερσαίων. L. D. Polemon p. 182. Wakef.]

[Λεπτοσπάθητος, ὁ, ἡ, Tenuiter textus. Soph. fr. Niobes ap. Plut. Mor. p. 691, D : Λεπτοσπαθήτων χλανιδίων ἐρειπίοις. ᾰ]

[Λεπτόσπερμος affertur ex Diosc.]

[Λεπτόστομος, ὁ, ἡ, Qui tenui ore est. Aristoteles ap. Athen. 3, p. 88, B : Ἡ δὲ πίννη λεπτόστομον, τὸ δὲ ὄστρεον παχύστομον.]

[Λεπτοσύνη. V. Λεπτότης.]

[Λεπτοσύνθετος, ὁ, ἡ, Tenuiter compositus. Antiphanes ap. Athen. 10, p. 449, C : Λεπτοσυνθέτοις τρυφῶντα μυρίοις καλύμμασιν.]

Λεπτοσχῐδὴς, ὁ, ἡ, Tenuibus incisuris s. rimis diffissus, Tenues habens incisuras s. fissuras. Λεπτοσχιδεῖς dicuntur Calceorum genus quoddam, de quibus in Σχισταί. [Pollux 7, 85, 87.]

[Λεπτόσωμος, ὁ, ἡ.] Λεπτόσωμοι, Qui tenui et gracili corpore sunt, ἰσχνοὶ, Eust. [Il. p. 1288, 40.]

[Λεπτοτάτως, Tenuissime. Schol. Theocr. 5, 6 : Ποππύζειν τὸ λ. φωνεῖν. Wakef.]

[Λεπτοτέρως, Tenuius, ex Anaxandride affert Antiatticista p. 106, 18, ex Jo. Laur. Lydo De magistr. 1, 48 indicavit Osann.]

Λεπτότης, ἡ, et Λεπτοσύνη, ἡ, Tenuitas, [Macritas, Macies, add. Gl.] Exilitas, Gracilitas : cujus exemplum in Λεπτεπίλεπτος. [Plato Tim. p. 58, B : Ἀὴρ λεπτότητι δεύτερος ἔφυ· 61, E : Τὴν λεπτότητα τῶν πλευρῶν καὶ γωνιῶν· 85, C : Αἵματος, ἵνα συμμέτρως λεπτότητος ἴσχοι καὶ πάχους. Aristot. H. A. 2, 17 : Κατὰ πάχη καὶ λεπτότητας.] Et λ. τοῦ σώματος ap. Athen. 12, sicut ibid. dicit λεπτὸν σῶμα et ἰσχνόν. [Plat. Leg. 1, p. 646, B : Σώματος λεπτότητά τε καὶ αἶσχος. Diodor. 5, 46 : Στολὰς λινᾶς τῇ λεπτότητι καὶ μαλακότητι διαφόρους. Plut. Mor. p. 669, C : Ἀέρα λεπτότητι καὶ καθαρότητι πρόσφορον.] || Subtilitas [Gl.], Argutia. Aristoph. Nub. [153] : Ὦ Ζεῦ βασιλεῦ, τῆς λεπτότητος τῶν φρενῶν. [Lucian. Bis accus. c. 2 : Μυρία ἄττα πράττειν καὶ σχεδὸν ἀνέφικτα ὑπὸ λεπτότητος.]

[Λεπτοτομέω, Minutatim seco, Comminuo. Strabo 15, p. 727 : Τὴν δὲ γλῶσσαν λεπτοτομήσας. Eust. Opusc. p. 63, 2 : Οὐδ' ἂν ἐσμικρολογοῦντο οἱ χαλκεύοντες, λεπτοτομοῦντες ἐπὶ φόνοις τὸν σίδηρον· 111, 27 : Τῆς κόνεως, ἣν A ἡ γῆ λεπτοτομοῦσα ἀναπέμπει· 154, 76 : Ἡ γῆ εἰς ἀτόμους λεπτοτομεῖται.]

[Λεπτοτράχηλος, ὁ, ἡ, Qui tenui collo est. Alexander Myndius ap. Athen. 9, p. 392, C : Ὁ θῆλυς ὄρτυξ λ. ἐστι. Sed λευκοτράχ. conjicit Boissonadius.]

[Λεπτότρητος, ὁ, ἡ, Minutatim perforatus, Tenuia habens foramina. Galen. Comp. med. sec. gen. 5, κόσκινον. Diosc. 5, 138, σπόγγους.]

Λεπτότρῐχος, ὁ, ἡ, Qui tenuibus est pilis, Cam. Unde compar. λεπτοτριχώτερος, Qui pilo est tenuiori. [Aristot. H. A. 3, 11 : Οἱ λεπτότριχοι μάλιστα· 4, 11 : Τὸ θῆλυ λεπτοτριχώτερον· De partt. anim. 5, 3 : Ἔστι δ' ἔνια τῶν παχυδέρμων λεπτότριχα.]

Λεπτουργέω, Subtilia opera conficio artificio exquisito : ut cælatores et sculptores, et similes alii artifices. Plut. [Æmil. Paul. c. 37] : Εὐφυὴς ἐν τῷ τορνεύειν καὶ λεπτουργεῖν. [Mor. p. 997, D : Τερέτροις καὶ σκεπάρνοις καὶ ὅσα λεπτουργεῖν πέφυκεν. Eust. Opusc. p. 342, 9 : Ὁποῖα οὐδὲ ἀράχνης ἂν λεπτουργήσειεν.] Ex Plat. autem [Polit. p. 262, B] pro Subtiliter partiri et dis- B tinguere, metaph. a subtilibus artificibus : Ἀλλὰ γὰρ λεπτουργεῖν οὐχ ἀσφαλές. [Ib. p. 294, D : Λεπτουργεῖν καθ' ἕνα ἕκαστον. Themist. Or. 1, p. 14, D : Νόμος οὐχ ἄν ποτε δύναιτο συστῆναι λεπτουργεῖν πρὸς τὰ ἀδικήματα ἐγχειρῶν· 2, p. 39, D : Λεπτουργεῖν καὶ ἀπομηκύνειν τὸν λόγον· 26, p. 316, B : Ξύμπασα ἡ δίαιτα ἡ ἀνθρωπίνη ἀθρόως ἅπασα ἐλεπτουργήθη. Procul. ad Tim. p. 1 et 2 citat Hemst. Eust. Opusc. p. 168, 13 : Οὐ γὰρ παχυλῶς αὐτοὺς (τοὺς ἄθλους) ἐξειργάσαντο, ἀλλ' ἐπιμελέστατα ἐλεπτούργησαν· 326, 61 : Εἰς ἀμίμητον αὐτὸ (τὸ στιχίδιον) ἐλεπτούργησας σκάριφον. Idem fere q. λεπτολογεῖν est ap. Eur. Hipp. 923 : Ἀλλ' οὐ γὰρ ἐν δέοντι λεπτουργεῖς.]

[Λεπτουργὴς, ὁ, ἡ, Subtiliter, Tenuiter factus. Homer. H. Sol. 14 : Καλὸν δὲ περὶ χροῒ λάμπεται ἔσθος, λεπτουργές. L. D. Nicander Athenæi 4, p. 133, D : Τμῆγε δὲ γογγυλίδος ῥίζας καὶ ἀκαρφέα φλοιὸν ἦκα καθηράμενος λεπτουργέας. Schweigh.]

Λεπτουργία, ἡ, Confectio operis subtilis [Joseph. A. J. 3, 6, 4, p. 135 : Σινδόνες ὑφασμέναι, ὁμοίως κατὰ λεπτουργίαν ταῖς ἐκ τῶν ἐρίων πεποιημέναι. Eust. Opusc. p. 328, C 88 : Τὴν λ. ὁποῖον ἀράχνης τεχνάζεται. « Λεπτουργίαι ἀπὸ ξύλου apud Euseb. 10, 4. Ἐδάφους λεπτουργία apud Photium De nova Ecclesia. Bito De machinis bell. (p. 109) : Οὐ γὰρ χρεία ἐπὶ τῶν τοιούτων ἔργων ῥυκανήσεως λεπτουργίας. Constant. Manass. p. 5 ex cod. Allatii : Ὃν θείων ἐμηρύσαντο δακτύλων λεπτουργίαι. » Ducang. Aliter Themist. Or. 34, p. 448, 19 : Πλείων τοῦ ἀνδρὸς (Aristotelis) ἡ πολυπραγμοσύνη καὶ ἡ λ.]; vel etiam Opus exquisito et subtili artificio factum : quod tamen λεπτούργημα potius dici potest.

Λεπτουργὸς, ὁ, Subtilium operum artifex, Qui exquisitissimo et subtilisisimo artificio opus aliquod conficit : ut Callicrates et Myrmecides ap. Plin. 7, 21. Diod. S. [17, 115] in descriptione funeris Hephæstionis : Ἀρχιτέκτονας ἀθροίσας καὶ λεπτουργῶν πλῆθος. [Faber tignarius, Gl., ubi Salmasius Lignarius emendat, Gallis *Menuisier*. Eustath. in Vita S. Eutychii P. Cpol. n. 55 : Λεπτουργός τις ἤνεγκεν πρὸς τὸν μακάριον παιδίον. Leo Tact. 5, 7, et Constant. in Tact. p. 12, 20, Mauric. Strat. 12, 6, ex quibus patet λεπτουργοὺς non esse D vermiculatorum ac tessellatorum artifices, uti interpretantur viri docti ap. Harmenopol. 3, 8, 42. V. Basilii t. 2, p. 464. Ducang. Lex. Ms. ex cod. Reg. 3183 : Τέκτων, κοινὸς τεχνίτης ὁ λαοξόος καὶ ὁ τῶν ξύλων ἤγουν ὁ λεπτουργός. Hesych. : Κεροπλάστης, λεπτουργός.]

[Λεπτοϋφὴς, ὁ, ἡ, Subtiliter textus, Tenuis. Alciphr. 3, 41; Nicet. Eugen. 2, 268. Boiss. Hesych. in Ἀμόργινα. Hemst. Schol. Soph. Tr. 611. ῠ]

[Λεπτοφαὴς, ὁ, ἡ, Qui tenuiter lucet. Nonn. Dion. 5, 170 : Λεπτοφαὴς σέλας ὑγρὸν ἀπέπτυεν Ἰνδὸς ἀχάτης. Libri λεπτοφανής. Correxit Schneiderus.]

Λεπτόφλοιος, ὁ, ἡ, Qui tenui et subtili est cortice. [Theophr. H. Pl. 1, 5, 2, C. Pl. 3, 7, 12.]

Λεπτοφυὴς in VV. LL. affertur ex Nonno, pro Qui natura est tenui, Tenuis, Gracilis. Sed Natura tenuis [tenui] non satis apte dici videtur; ac malim certe, Qui tenuis est s. gracilis natura, vel Qui natus est tenuis.

Λεπτόφυλλος, ὁ, ἡ, Tenuia folia habens : λ. δάφνη, Laurus tenui folio, ex Gaza ap. Aristot. Probl. 1, 58. [Theophr. H. Pl. 3, 9, 5.]

Λεπτοφωνία, ἡ, Exilitas vocis.

Λεπτόφωνος, ὁ, ἡ, Tenuem vocem habens, i. e. Exilem, Cui vox est exilis. [Aristot. H. A. 4, 11 : Τὰ θήλεα λεπτοφωνότερα. Pollux 4, 64, 114.]

[Λεπτοχαράκτηρος, ὁ, ἡ, Qui tenui est facie sive parva. Is. Porphyrog. in Allatii Exc. p. 313. Jo. Malalas p. 103, 6; 243, 9; 269, 3.]

[Λεπτοχειλὴς, ὁ, ἡ, i. q. sequens. Aristot. H. A. 4, 4 : Τὰ μὲν γὰρ λεπτοχειλῆ ἐστιν, οἷον οἱ μύες, τὰ δὲ παχυχειλῆ. Libri nonnulli λεπτόχειλα et παχύχειλα.]

Λεπτόχειλος, ὁ, ἡ, Tenuia habens labra, cui ap. Xen. Symp. [5, 7] opp. ὁ παχέα ἔχων τὰ χείλη, Cui crassa sunt labra, Labeo. [V. Λεπτοχειλής.]

Λεπτόχυλος, ὁ, ἡ, Qui tenuis succi est. [Λεπτοχυλότερα, Theophr. C. Pl. 6, 16, 5.]

[Λεπτόχυτος, ὁ, ἡ, Tenuiter fusus. Const. Manass. Chron. 154 : Κούφως ἠλαφρίζοντο πρὸς λιμνασμοὺς ἀέρος, περιρροιζοῦντες τὰς αὐτοῦ χύσεις τὰς λεπτοχύτους.]

[Λεπτοψάμαθος, ὁ, ἡ, Qui tenuem habet arenam. Æsch. Suppl. 4 : Ἀπὸ προστομίων λεπτοψαμάθων Νείλου. Sic enim correcta librorum scriptura λεπτοβαθῶν vel λεπτομαθῶν.]

[Λεπτόψηφος, ὁ, ἡ. Plin. 36, 11, 57 : «Rubet porphyrites in eadem Ægypto, ex eo candidis interveniientibus punctis leptoseptos vocatur.» Ita libri plerique. Leptopsephos, ut Salmasius Plin. Ex. p. 396, b, G, unus Toletanus. Leucostictos, quod est in edd. nonnullis, qua auctoritate nitatur incertum est.]

[Λεπτόω. V. Λεπτόομαι.]

[Λεπτυνέω, Tenuis, Exilis, Gracilis fio, restituendum conjicit Reiskius in Theocr. Id. 11, 69 : Ἆμαρ ἐπ' ἆμαρ ὁρεῦσά με λεπτυνέοντα, pro λεπτὸν ἐόντα. Simile est βαρυνέω ap. eundem 2, 2, ubi vulgo male βαρὺν εὖντα. Propria autem harum formarum significatio intransitiva et correpta antepenultima.]

[Λέπτυνις, ἡ.] Λέπτυνιν, ap. Lycophr. [49 : Λέπτυνιν οὐ τρέμουσαν οὐδαίαν θεόν] quidam dictum volunt τὸν Ἅδην, Plutonem : quidam τὴν Περσεφόνην, Proserpinam : utpote λεπτύνουσαν τὰ σώματα τῶν ἀποθνησκόντων : quidam τὴν ψυχὴν, Animam, ut quæ sit λεπτομερέστατον quippiam. Auctor Etymol.

[Λέπτυνσις. V. Λεπτυσμός.]

Λεπτυντικὸς, ἡ, ὸν, Attenuandi vim habens, Tenuem et gracilem reddere potens. Diosc. [5, 89] de squama æris : Δύναμιν ἔχει σταλτικὴν, λεπτυντικὴν, νομῶν ἐφεκτικὴν, Vim astrictoriam, extenuantem. Athen. 8, [p. 356, D, ex Diphilo Siphn.] de sepia : Ὁ δ' ἀπ' αὐτῆς χυλὸς λεπτυντικός ἐστιν αἵματος. [Athen. 2, p. 59, B. Sæpe in Matthæi Med., ut p. 25 : Λεπτυντικοὶ καὶ ταρακτικοὶ κοιλίας· 65 : Λεπτυντικὴν τῶν χυμῶν.]

Λεπτύνω, Tenuo, Attenuo, Tenuem reddo. [Extenuo, Macero, Minuo add. Gl. Aristot. H. A. 8, 10 : Λεπτύνουσι δ' αἱ ὁδοί. Matthæi Med. p. 199 : Τοῖς τὰ πνεύματα λεπτύνουσι. Plut. Mor. p. 689, D : Λεπτύνει τὴν τροφήν· 688, B. Ms. Leid. Thomæ p. 536 : Ἔστι δὲ συντρίβειν κυρίως τὸ εἰς χνοῦν λεπτύνειν.] || Gracilem reddo, ἰσχναίνω. Unde λελεπτύνθαι ap. Athen. 12, [p. 552, E] quod et πεφιλιππῶσθαι dicebatur, a quodam Philippo, de quo ibid. : Ὁ λιμὸς ὑμῶν τὸν καλὸν τοῦτον δακὼν Φιλιππίδου λεπτότερον ἀποδείξει. [Gl. : Λεπτύνεται, Marcescit. Xen. Conv. 2, 17 : Τοὺς ὤμους λεπτύνονται. Aristot. H. A. 3, 5 : Ὥστ' ἐν τοῖς σφόδρα λελεπτυσμένοις πάντα τὸν ὄγκον φαίνεσθαι πλήρη φλεβίων. Præsenti 3, 11.] || Subtile reddo. [De acie, ut λεπτυσμὸς, Polyb. 3, 113, 8 : Λεπτύνων τὸ τούτων σχῆμα. Leo Tact. 7, 69, p. 609 ed. Meurs. : Λεπτύνονται ἤτοι μερίζονται αἱ ἀκίαι. || Medio Eustath. Opusc. p. 142, 61 : Καί πως ἤδη λεπτυνάμενος εἰς νοῦν καὶ ἰσχνολογεῖν ἐπιπνευσθεὶς, ubi tamen legendum videtur λεπτυνόμενος. L. Dind.]

[Λέπτυξις, ἀπὸ τοῦ λέπους καὶ τῆς χωρίσεως, Hesychius. De qua glossa non satisfaciunt conjecturæ interpretum.]

Λεπτυσμὸς, ὁ, et Λέπτυνσις, εως, ἡ, Attenuatio, Extenuatio, qua aliquid tenue aut gracile redditur. [Hippocr. p. 107, G : Αἴτιον τῆς λεπτύνσιος. Hero in Mathem. vett. p. 148, A. Λέπτυσις male ap. Theoph. Nonn. vol. 2, p. 268.] || Speciatim vero λεπτυσμὸς dicitur, quum phalangis numerus imminuitur, ὅταν τὸ βάθος τῆς φάλαγγος συναιρῆται, καὶ ἀντὶ τῶν ις' ἀνδρῶν ἐλάττους γίνωνται, Suidas.

A [Λεπτύχανον, scriptura vitiosa pro Λεπύχανον, quod v.]

[Λέπτω, Edo. Photius in gl. inter Λεπτὰ et Λεπτήκεις posita : Λέπτει, κατεσθίει. Οὕτως Εὔπολις. Λέπει Meinek. Com. vol. 3, p. 76.]

[Λεπτῶς. V. Λεπτός.]

[Λέπυον inter nomina in υον recenset Arcad. p. 121, 21.]

[Λεπυρίζω, Cortico, Cortice tego. Schol. Nicandri Th. 804 : Τὸν λεπυρὸν ἤγουν τὸν λεπυριζόμενον στάχυν. Wakef.]

Λεπύριον, τὸ, ap. Hippocr. [p. 242, 27] i. q. λέπυρον s. λεπυρὸν, i. e. Cortex. [Theocr. 5, 95 : Λεπτὸν ἀπὸ πρίνοιο λεπύριον.] || Putamen. Aristot. H. A. 5, [15] : Ἐκ λεπυρίων, ex putaminibus. [De ovorum putaminibus Hippocr. p. 236, 40; 247, 31.] || Squama; nam λεπύρια ἔχει ap. Theophr. H. Pl. 4, interpr. Squamatus est. [Hippocr. p. 236, 40 : Ὠοῦ ὠμοῦ τὸ ἔξω λεπύριον.]

Λεπυριόω, Excortico. Item Deglubo, Glumas excutio : λεπυριῶσαι, ἐξαχυριῶσαι, Hesych.

B Λεπυριώδης, i. q. λεπυρώδης, Corticatus, Corticosus, Putamine tectus. Et τὰ λεπυριώδη, Ipsa putamina, Cellæ putamineæ, VV. LL. [Ex Aristot., ut videtur, H. A. 5, 15 : Ἀφιᾶσιν ἀρχόμενα κηριάζειν γλισχρότητα μυξώδη, ἐξ ἧς τὰ λεπυριώδη συνίσταται.] || Multis tunicis tectus, ut et λεπυρώδης. [Theophr. H. Pl. 4, 6, 2; 7, 9, 4; 12, 1; 13, 9.]

Λεπυρὸν, τὸ, Putamen ovi, et Cortex mali Punici, i. e. Malicorium, τὸ τοῦ ὠοῦ ἢ τὸ τῆς ῥοιᾶς ἐπικάλυμμα, Suid., ὀξυτόνως scribi dicens. In VV. LL. autem accentus in antep. collocatur, sicut et ap. Eust. scribitur. [Et Batrachom. 131 : Ἡ δὲ κόρυς τὸ λέπυρον ἐπὶ κροτάφοις καρύοιο, ap. Diosc. Parab. 1, 95 : Καρύου βασιλικοῦ λέπυρον· Hesych. in Φλοῦς, Eustath. Opusc. p. 259, 60; 345, 66, et in Gl. : Λέπυρον κριθῆς, Putamen, Gluma.] Bud. ex Gaza interpr. Putamen, Squama, Tunicula, ut cæparum. [|| Λέπυρα τῶν κοβαθίων in Glossis chymicis mss. εἰσὶ τὰ θειώδη, πλέον δὲ ἀρσενίκην. Ducang. Gl. : Λέπυρα, Follis luporum.]

Λεπυρὸς, ὰ, ὸν, Corticatus, Corticosus, Gluma tectus, Gluma horrens : λ. στάχυς, Spica horrens gluma, Ni-

C cand. Ther. [803.] || Apud Eund. [ib. 136], Λεπυρὴ γενέθλη (Putamini ovi inclusum genus, vel squamigerum) καθ' ὕλην Ὠοτόκοι ὄφιες λεπυρὴν θάλπουσι γενέθλην.

Λεπυρώδης, i. q. φλοιώδης, s. Tunicis multiplicibus obvolutus, ut κρόμμυον, βολβὸς, Bud. ex Gazæ interpr. ap. Theophr. H. Pl. 1, [6, 7]. || Squamatus, Squamosus. Theophr. H. Pl. 9, [9, 16].

Λεπύχανον, i. q. λέπυρον, Eust. [Od. p. 1863, 49], ea signif. ex Theopompo comico afferens, de Ulysse: Χιτῶνά μοι Φέρων δέδωκας δαίδαλον, ὃν εἴκασεν Ἀρισθ' Ὅμηρος κρομύου λεπυχάνῳ. Sic Plut. [Mor. p. 684, B]: Τῶν ἄλλων καρπῶν τὸ ἔξωθεν ὑπὸ τοῦ φλοιοῦ περιεχομένων, καὶ τὰ καλούμενα λεπύχανα καὶ κελύφη καὶ ὑμένας καὶ λοβοὺς ἐπιπολῆς ἐχόντων, ὁ τοῦ μήλου φλοιὸς ἐντός ἐστι κολλώδης χιτὼν καὶ λιπαρός. Sed perperam ibi scribitur Λεπτύχανα, sicut et in VV. LL. [Hesych. : Φλοῦς, λεπύχανον. Hemst. Diosc. Parab. 1, 95 (?), λεπεόχανα. Schneid.]

Λέπω, ψω, Decortico, Delibro, Corticem s. Librum detraho, Putamen et squamam detraho, Athen. 4,

D ex Aristoph., de Pythagorica cœna, Μάζης μελαγχρῆ μερίδα λαμβάνων λέπει, i. e. ἐκλεπίζει, Eust. eum l. citans. [De quo v. infra. Thomas M. p. 573. Nicander ap. Athen. 3, p. 72, B : Κυάμους λεψας. Improprie Apollodor. ap. Athen. 7, p. 280, E : Λεπομένους ὁρᾶν αὐτοὺς ὑφ' αὑτῶν, quod Quasi excoriantes alter alterum interpretatur Schweigh.] || Verbo λέπεσθαι utuntur Athenienses etiam ἐπ' ἀσελγοῦς καὶ φορτικῆς δι' ἀφροδισίων ἡδονῆς. Athen. 14, [p. 663, D] : Τοὖψον λαβοῦσαι τοῦτο τἀπεσταλμένον Σκευάσατ', εὐωχεῖσθε, προπόσεις πίνετε, Λέπεσθε, ματτυάζετε. Quæ verba Eustath. quoque [Od. p. 1752, 3] citat, addens sic accipi et δέφεσθαι. [HSt. in Ind. :] Λεπεῖν, Hesychio τύπτειν, Verberare, Percutere. [Idem : Ἐλέπουν, οἷον ἐλέπιζον τύπτον καὶ μαστιγῶν.] Apud schol. Aristoph. [Ach. 723] paroxytonωs Λέπειν, τύπτειν. [Phrynichus Bekkeri p. 51, 5 : Λέπειν τὸ ἐκδέρειν μαστιγοῦντα. Nicarchus Anth. Pal. 9, 330, 10 : Τῷ ῥοπάλῳ τὰν κεφαλὰν λέπομες. Similia Koen. ad Gregor. p. 275. || Edo. Antiphanes ap. Athen. 4, p. 161, A : Πρῶτον μὲν ὥσπερ πυθαγορίζων ἐσθίει ἔμψυχον οὐδὲν, τῆς δὲ πλείστης τουβολοῦ μάζης μελαγχρῆ μερίδα λαμβάνων λέπει. V. Λέπτω. Addendus autem exemplis hujus verbi l. schol. Apoll. Rh. in Ἐλεσπὶς citatus, coll. Etym. M. ibidem memorato.]

[Λεπώδης, ὁ, ἡ, Squamosus, Gl. Etym. M. p. 328, 24, in Ἐλεσπίδες, quod voc. v. supra p. 716, C. Sed schol. Apoll. Rh. ibidem citatus πετρώδεις. Etymol. tamen scripsisse videtur λεπώδης, ut λεπρώδης, quod v. supra.]

[Λέρνα. V. Λέρνη.]

[Λέρνη, ἡ, Lerne, lacus et fluvius Argolidis, locusque vicinus, in quo hydra ab Hercule interfecta. Æsch. Prom. 652 : Λέρνης βαθὺν λειμῶνα· 677 : Λέρνης ἄκρην. Eur. Phœn. 613 : Λέρνης ὕδωρ· Herc. F. 420 : Λέρνας ὕδραν. Lycophr. 1293. Strabo 8, p. 368 : Χωρίον δι' οὗ ῥεῖ ποταμὸς ἡ Λέρνη καλουμένη, ὁμώνυμος τῇ λίμνῃ, ἐν ᾗ μεμύθευται τὰ περὶ τὴν Ὕδραν· p. 371 : Ἡ δὲ Λέρνη λίμνη τῆς Ἀργείας ἐστὶ καὶ τῆς Μυκηναίας, ἐν ᾗ τὴν Ὕδραν ἱστοροῦσι· διὰ δὲ τοὺς γενομένους καθαρμοὺς ἐν αὐτῇ παροιμία τις ἐξέπεσε Λέρνη κακῶν. (Hesych. : Λέρνη κακῶν, παροιμία διὰ τὸ τοὺς Ἀργείους (τὰ) καθάρματα εἰς αὐτὴν βαλεῖν (l. βάλλειν, ut in Prov. Bodlej. ap. Gaisf. p. 71, A, et alios) ἢ διὰ τὸ τὸν Δαναὸν τῶν Αἰγυπτιαδῶν ἐκεῖ καταθεῖναι τὰς κεφαλάς. Λέρνη θεατῶν· παροιμία τίς ἐστιν Ἀργολικὴ Λέρνη κακῶν, ἣν ἀποδιοπομπούμενοι ἔλεγον· τὰ γὰρ ἀποκαθάρματα εἰς τοῦτο τὸ χωρίον ἐνέβαλον (-βαλλον). Λέρνην οὖν θεατῶν ἔφη ὁ Κρατῖνος τὸ θέατρον διὰ τὸ σύμμικτον εἶναι καὶ παντοδαπὸν ὄχλον ἔχειν. Photius, Suidas, Arsenius Viol. p. 334 : Λέρνη θεατῶν καὶ Λέρνη κακῶν, ἀντὶ τοῦ κακὸν θέατρον, Κρατῖνος. Οἱ μὲν διὰ τὴν ὕδραν, οἱ δὲ διὰ τὸ τοὺς Ἀργείους τὰ καθάρματα ἐκεῖ ἀποφέρειν· ὁ γὰρ Δαναὸς ἐν τῇ Λέρνῃ τὰς κεφαλὰς τῶν Αἰγυπτιαδῶν ἀπέθετο, καὶ ὡς εἰκὸς ἐφ' ὕβρει ἐκέλευσε τὰ δυσοιώνιστα (δεισαια vitiose Photius, quum δυσοιώνιστα commendetur etiam eo quod Hesychius ponit ἀποδιοπομπούμενοι) ἐκεῖ ῥίπτειν.) Apollod. 2, 1, 4, 10 : Τὰς ἐν Λέρνῃ πηγάς· 5, 10 : Τὰς κεφαλὰς τῶν νυμφίων ἐν τῇ Λέρνῃ κατώρυξαν. Λέρνη inter urbes Laconicæ mediterraneas memoratur a Ptolemæo 3, 16, inter Argolicas ab Statio Theb. 2, 433, Pomponio Mela 2, 3. V. schol. Pind. infra cit. || Forma Λέρνα de fonte Corinthi est ap. Pausan. 2, 4, 5 : Πηγὴ καλουμένη Λέρνα. Idem 2, 36, 6 : Κατιόντων δὲ ἐς Λέρναν· 7 : Ἡ δὲ Λέρνα ἐστὶ πρὸς θαλάσσῃ. Dat. Λέρνῃ ib. 15, 5; 24, 2, ut α nominativi corripi videatur. Λέρναν ter ap. Lucianum D. mar. 6, 2, 3; Plut. Cleom. c. 15. || Adj. Λερναῖος, α, ον, vel ὁ, ἡ, ap. Hesiod. Th. 314 : Ὕδρην Λερναίην. Pind. Ol. 7, 33 : Πλόον Λερναίας ἀπ' ἀκτᾶς εὐθὺν ἐς ἀμφιθάλασσον νομόν (ubi schol. : Τουτέστιν ἀπὸ τοῦ Ἄργους· ἡ γὰρ Λέρνη κατὰ μέν τινας κρήνη, κατὰ δέ τινας λοχμῶδες χωρίον, ἐν ᾗ μυθεύουσι καὶ τὴν ὕδραν καταδεδυκέναι· φασὶ καὶ τὴν ἄβυσσον κρήνην αὐτόθι εἶναι. Ἕτεροι δὲ καὶ πόλιν φασίν. ... Φερεκύδης δὲ καὶ πόλιν φησὶν, οἱ δὲ ἐπίνειον Ἄργους, ἣ νῦν καλεῖται Λάμπεια. Nullam illarum explicationum, quas memorat schol., non veram esse monet Hemsterh. ad locum Luciani modo cit.). Soph. Trach. 574 : Θρέμμα Λερναίας ὕδρας· 1094 : Λερναίαν θ' ὕδραν. Eur. Phœn. 126 : Λερναῖα νάματα· 195 : Λερναίᾳ τριαίνᾳ· Ion. 191 : Λερναῖον ὕδραν. Lucian. Amor. c. 2 : Κάρηνα Λερναῖα τῆς παλιμφυοῦς ὕδρας. || Hesychius quod ponit sine explicatione Λερναία χολὴ, parœmiographi autem proverbium fuisse ἐπὶ τῶν ὀργίλων καὶ τραχέων perhibent, ἀπὸ τῆς ὕδρας ductum, ad hydræ virus ab Apoll. Rh. 4, 1404, et Diodoro 4, 11, memoratum referri monuerunt interpretes. || Λερναῖα, τὰ, Lernæa, festum Corinthiorum vel Argivorum. Pausan. 2, 36, 7 : Ἡ δὲ Λέρνα ἐστὶ πρὸς θαλάσσῃ καὶ τελετὴν Λερναῖα ἄγουσιν ἐνταῦθα Δήμητρι· 8, 15, 9 : Ἐν δὲ τῇ Κράθιδι τῷ ὄρει Πυρωνίας ἱερόν ἐστιν Ἀρτέμιδος, καὶ τὰ ἔτι ἀρχαιότερα παρὰ τῆς θεοῦ ταύτης ἐπήγοντο Ἀργεῖοι πῦρ ἐς τὰ Λερναῖα. Altero loco liber unus Λέρνεα, veriori, ut videtur, accentu.]

[Λέρνος, ὁ, Lernus, f. Prœti. Apoll. Rh. 1, 135, 202, 203; Orph. Arg. 211.]

[Λέρος, ἡ, Lerus, una Sporadum, apud Herodot. 5, 125, Thuc. 8, 27, Strab. 10, p. 488, 489, 635; cujus incolæ male audiebant, unde Phocylidis dictum ferebatur : Λέριοι κακοὶ, οὐχ ὁ μὲν, ὃς δ' οὔ κτλ. ap. Strab. l. c., Eust. ad Dionys. 530.]

[Λεσβιάζω.] Λεσβιάζειν, Lesbiorum mores obscœnos imitari, s. Lesbiorum obscœnitatem, in fellando sc. Lucian. [Pseudolog. c. 28] : Πρὸς θεῶν εἰπέ μοι τί πάσχεις, ἐπειδὰν κἀκεῖνα λέγωσιν οἱ πολλοὶ, λεσβιάζειν σε καὶ φοινικίζειν; Hæc conjunxit et Galen. De fac. simpl. med. 10. Habetur autem λεσβιάζειν et ap. Aristoph. [Ran. 1308], quod quidam interpr. etiam Ore morigerari, ex Suet. [Αἰσχροποιεῖν interpretatur Eust. Il. p. 741, 23.]

[Λεσβιακός. Λεσβιάς. V. Λέσβος.]

[Λεσβίζω.] Λεσβιεῖν tanquam a them. Λεσβίζω extat ap. Aristoph. Vesp. [1346] : Μέλλουσαν ἤδη λεσβιεῖν τοὺς ξυμπότας, Quæ eras ore morigeratura compotoribus. [Hesych. et Photius : Λεσβίσαι· αἰτίας εἶχον ἀτόπους αἱ ἀπὸ Λέσβου, et μολῦναι τὸ στόμα· Λέσβιοι γὰρ διεβάλλοντο.]

Λέσβιον, τὸ, a quibusdam dicitur quod ab aliis φάλκις, h. e. τὸ τῇ στείρᾳ προσηλούμενον, Pollux 1, [85] titulo de partibus navis. [Id. 7, 122 : Καὶ Λέσβιον δὲ καὶ ἐκφατνώματα καὶ κῦμα μέρη ἔργων ἐν Αἰσχύλου Θαλαμοποιοῖς, Ἀλλ' ὁ μέν τις Λέσβιον φάτνωμά τι κῦμ' ἐν τριγώνοις ἐκπεραινέτω ῥυθμοῖς. Scribendum esse Λέσβιον φατνώματι (vel φατνώμασι) κῦμ' ἐν τρ., collato Vitruvio 4, 6, 2 : « Sculpendum est cymatium Lesbium cum astragalo, » intellexerunt interpretes et Schneider. in Lex. (De cymate s. cymatio conf. R. Rochett. *Monum. inéd.* vol. 1, p. 301.) Verba Pollucis nisi gravius ab librariis corrupta sunt, quam ut deleto ἐκ ante φατνώματα restituantur, grammaticum Æschylea non intellexisse produnt. Ceterum addit Schneiderus locum Aristotelis Eth. Nic. 5, 14, perinde ad architecturam pertinentem : Τοῦ γὰρ ἀορίστου ἀόριστος καὶ ὁ κανών ἐστιν, ὥσπερ καὶ τῆς Λεσβίας οἰκοδομῆς ὁ μολίβδινος κανών· πρὸς γὰρ τὸ σχῆμα τοῦ λίθου μετακινεῖται καὶ οὐ μένει ὁ κανών.] Ab Athen. vero 11, [p. 486, B, C] λέσβιον dicitur esse Poculi species, ap. Hedylum in Epigr. [Anth. Pal. App. 31, 4] : Πορφυρέης λέσβιον ἐξ ὑέλου· forsitan sic dictum est, quod in Lesbo confieret aut in usu esset, a qua et Λεσβία σταγὼν, Λέσβιος οἶνος. [Herodot. 4, 61 : Μάλιστα Λεσβίοισι κρητῆρσι προσικέλους.]

[Λέσβιος, ὁ, Lesbius, nomen viri in numo Cymes Æol. ap. Mionnet. *Descr.* vol. 3, p. 8, 40, in inscr. ap. Bœckh. vol. 1, p. 640, n. 1296, 4.]

[Λεσβίς. V. Λέσβος.]

[Λεσβόθεμις, ιδος, ὁ, Lesbothemis, Mytilenæus statuarius, ap. Athen. 4, p. 182, F; 14, p. 635, B.]

[Λεσβοκλῆς, έους, ὁ, Lesbocles, Lesbius, ap. Strab. 13, p. 617. Conf. schol. Hom. Il. T, 90.]

[Λέσβος, ἡ, Lesbus, uxor Macaris, conditoris Lesbi, ap. schol. Hom. Il. Ω, 44. || Insula maris Ægæi. Hom. Il. Ω, 544, etc., ceterique quivis poetæ, historici et geographi. Unde adj. Λέσβιος, α, ον, Lesbius, ap. Pind. fr. ap. Athen. 14, p. 635, D, et alios plurimos. Prov. Λεσβίων ἄξια, ἐπὶ τῶν ἀπράκτων, ap. Photium et Suidam, Λέσβιος ᾠδὸς ap. eosdem et parœmiogrr. Et Λεσβιακὸς, ἡ, ὸν, Lesbiacus, ap. Eust. Il. p. 741, 34 : Τὰ Λεσβιακά. Et Λεσβὶς, ίδος, ἡ, ap. Hom. Il. I, 129, 271, Pherecratem ap. schol. Aristoph. Ran. 1343, ubi Λεσβιὰς, et Eust. Il. p. 741, 24, et in epigr. Leonidæ Tar. Anth. Pal. 6, 211, 2 : Λεσβίδος κόμης. Pro quo dicitur etiam] Λεσβιάς, άδος, ἡ, quod exp. Fellatrix [ab Hesychio in Λεσβιάζειν. Simpliciter de Lesbia Hermesianax ap. Athen. 13, p. 598, C : Ἄμμιγα Λεσβιάσι. Antipater Thessalon. Anth. Pal. 9, 26, 4 : Λεσβιάδων Σαπφὼ κόσμον ἐϋπλοκάμων. Diodor. Sard. ib. 6, 348, 5, Agathias ib. 7, 614, 2. Adverbia Λεσβόθι, Lesbi, in Etym. M. p. 25, 13; Λεσβόθεν, Lesbo, ib. et ap. Hom. Il. I, 660, Plat. Anth. Pal. 9, 506, 2.]

[Λεσβῶναξ, ακτος, ὁ, Lesbonax, n. viri in inscr. et numis Mytil. ap. Bœckh. vol. 2, p. 193, n. 2182, Mionnet. *Descr.* vol. 3, p. 48, n. 116, *Suppl.* vol. 6, p. 64, n. 83. Rhetoris, cujus duæ supersunt declamationes : v. Fabric. B. Gr. vol. 2, p. 871. Alius libellum Περὶ σχημάτων Ammonio adjunxit Valckenarius.]

[Λέσιτος. V. Λάσιτος.]

[Λέσπις.] Λέσπιν Hesych. exponit μεγάλην, ὑδρηλὴν, Magnam, Aquosam : Didymus τὴν καταδυομένην εἰς πέλαγος : alii νοτερὰν et βαθεῖαν. Sunt etiam qui λόχμην. [V. conjecturas interpretum.]

[Λεσυρὸς, ὁ, fl. Iberiæ ap. Steph. Byz. in Ὕοψ.]

[Λεσχάζω, Loquor, Fabulor, Garrio. Theogn. 613 : Σιγᾶν δ' οὐκ ἐθέλουσι κακοὶ κακὰ λεσχάζοντες.]

[Λεσχαίνω, i. q. præcedens, vel διαλέγομαι sec. Phrynich. in Bekk. An. p. 21, 30. Callimach. ap. Herodian. Π. μον. λ. p. 9, 20 : Πολλὴν τυφεδῶνα λεσχαίνεις. Perictyone ap. Stob. Fl. vol. 3, p. 186 : Λεσχαίνουσά τε καὶ ἀκούουσα καλά. Etym. M. in cod. Havn. apud Blochium ad p. 508, 13. Photius in Λέσχη.]

Λεσχαῖος, Expositor, ἐξηγητής, ut scribit Hesych., et ὁμιλητής : quod nomen pro Discipulo ab eo hic accipi crediderim, de qua signif. dicam in Λεσχηνώτης.

[Λεσχάρα, ἡ, Schola. Zonar. p. 1296 et Etym. M. : Λεσχάραι (Λεσχέραι Zonaras), οἷον αἱ σχολαὶ, ἀπὸ τοῦ λέξαι τι, ἐκεῖ γὰρ ὡμίλουν. Cod. Gud. Λευχάραι, Havn. Λευκάραι (ut λεύχης pro λέσχης libri Athenæi 1, p. 32, C), uterque addito post ὡμίλουν loco Odyss., ab HSt. in Λέσχη citato. Videtur igitur λεσχάρα aut ex hoc ipso λέσχη depravatum, aut fictum ab eo qui communis originis vocabula putaret λέσχη et ἐσχάρα, ut ignis utrique est communis. Nam Hesych. quod ponit non dissimilis formæ verbum Λεσχηρεῖ, ipsum est incertum.]

[Λεσχασμὸς, ὁ, Garritus. Theod. Prodr. Ep. in Lazer. Misc. 1, 68= Notitt. Mss. vol. 6, p. 544. Boiss.]

Λέσχη, ἡ, Sermocinatio, Confabulatio, Budæo etiam Circularis fabulatio vel Conciliabulum. [Soph. OEd. C. 167 : Λόγον εἴ τιν' οἴσεις πρὸς ἐμὰν λέσχαν· Antig. 160 : Ὅτι σύγκλητον τήνδε γερόντων προὔθετο λέσχην. Eur. Hipp. 384 : Μακραί τε λέσχαι· Iph. A. 1001 : Στρατὸς γὰρ ἀργὸς ... λέσχας πονηρὰς καὶ κακοστόμους φιλεῖ. Poeta ap. Athen. 1, p. 32, C : Οὐ μόνον ὕδατος αἶσαν, ἀλλά τι καὶ λέσχης οἶνος ἔχειν ἐθέλει. Libri λεύχης, quod vitium notatum etiam in Λεσχάρα. Phalæcus Anth. Pal. 13, 6, 6 : Μνᾶμα τῶ χαρίεντος ἔν τε λέσχᾳ ἔν τ' οἴνῳ. Epicrates ap. Athen. 2, p. 59, F : Τὸ γὰρ ἐν λέσχαις τοιαῖσδε τοιαῦτα ποιεῖν ἀπρεπές.] Callim. Epigr. [2, 3] : Ἐμνήσθην δ' ὁσσάκις ἀμφότεροι Ἥλιον ἐν λέσχῃ κατεδύσαμεν, In confabulatione. [Ælian. N. A. 6, 58, ubi eadem phrasis, confert Jacobsius.] Herodot. [9, 71] : Γενομένης λέσχης ὃς γένοιτο αὐτέων ἄριστος. Apud Eund., qui sæpe hoc nomine utitur, 2, [32] : Καί κως ἐκ λόγων ἄλλων ἀπικέσθαι ἐς λέσχην περὶ τοῦ Νείλου, exp. Cam. ἀπικέσθαι ἐς λέσχην, Incidisse in mentionem. [Æsch. Eum. 366 : Ζεὺς ἔθνος τόδε λέσχας ἃς ἀπηξιώσατο.] Apud Plutarch. autem Turn. reddidit Conciliabulum. [Loci Plutarchi sunt Lycurg. c. 16, 24, 25, ubi de Spartana, de qua v. infra; Mor. p. 298, D, ubi de Chalcidica; 412, D, ubi de Cnidia.] || Locus ubi confabulamur cum nostris congerronibus. Sed ex Hom. et Hesiodo affertur peculiarius dictum de Loco publico, in quem convenientes mendici confabulabantur. Hom. Od. Σ, [328] : Οὐδ' ἐθέλεις εὕδειν χαλκήϊον ἐς δόμον ἐλθὼν, Ἠέ που ἐς λέσχην. Hesiod. [Opusc. 491] : Πὰρ δ' ἴθι χάλκειον θῶκον καὶ ἐπ' ἀλέα λέσχην. Scribo autem ἐπ' ἀλέᾳ, ut et ap. Eust. habetur : ap. quem plura de hoc vocab. legere potes, item ap. Hesych. et Etym. [Vera scriptura est ἐπαλέα. Ib. 499 : Ἥμενον ἐν λέσχῃ.] Suid. scribit λέσχας appellata fuisse Loca, quo convenientes philosophabantur. [Eadem Harpocratio et Photius ex Hieroclis Φιλοσοφουμένων libro 1.] Exp. etiam κάμινον ap. Hesiod. [Inscr. Att. ap. Bœckh. vol. 1, p. 132, n. 93, 23 : Τὴν δ' ἐν τῇ λέσχῃ (στῆσαι στήλην). Proculus ad l. Hesiodi : Ὅτι δὲ τοὺς ἀλεεινοὺς οἴκους οἱ πένητες κατελάμβανον, ἐν οἷς συγκαθήμενοι ἐν λαλιαῖς ἦσαν, δῆλον, καὶ ὅτι λέσχας ἐκάλουν τούτους· καὶ γὰρ ἐν Ἀθήναις ἦσαν τοιοῦτοι τόποι, καὶ ὠνομάζοντο λέσχαι ἑξήκοντα καὶ τριακόσιαι. Ps.-Herodot. V. Hom. c. 12 : Κατίζων ἐν ταῖς λέσχαις τῶν γερόντων· ibid. : Ἔλεξε ... τὸν λόγον ὃν καὶ ἐν ταῖς λέσχαις ἔλεγεν. Cratinus ap. Athen. 4, p. 138, E : Ἐν ταῖς λέσχαισι (Lacedæmoniorum). Λέσχην Spartæ memorat Pausan. 3, 14, 2, et quæ Poecile diceretur, 3, 15, 8, Delphicam 10, 25, 1, ubi plura addit de λέσχαις jam Homeri temporibus apud Græcos usitatis. Agit de h. v. etiam Valck. Anim. ad Ammon. p. 210 sq.] Quod autem ad etymum vel potius etyma attinet, inter alia hoc affertur, ut sit λέσχη dicta παρὰ τὸ λέχος, quod sc. λέχος ibi haberent mendici.

[Λέσχημα, τὸ, i. q. λέσχη. Hippocr. Epist. p. 1285, 27 : Οὐκ ἄπειρος σὺ τῶν τοιούτων λεσχημάτων.]

A Λεσχηνεία, ἡ, Confabulatio; Loquacitas, ut exp. in Platonis Axiocho [p. 369, D] aut ejus, quicumque est auctor illius Dialogi : Σὺ μὲν ἐκ τῆς ἐπιπολαζούσης τανῦν λεσχηνείας τὰ σοφὰ ταῦτα εἴρηκας. VV. LL. exp. et Contumelia, Calumnia, ὕβρις, Suid.

Λεσχηνευτής, ὁ, Confabulator. [Athen. 14, p. 649, C.]

Λεσχηνεύω, Sermocinor, Confabulor, Garrio. [Appian. Civ. 2, 91 : Ἐς τὸ πρόσθεν ἐβάδιζε λεσχηνεύων τοῖς πρέσβεσι. Photius Epist. 156 : Εἰ καί σοι γραμματικευομένῳ καὶ ταῖς τῶν ποιητῶν λεσχηνεύοντι μελέταις τὸ ἐγκομβώσασθαι βαρβάρου φωνῆς ἔδοξεν.] Item Λεσχηνεύομαι : Erot. [p. 244] ap. Hippocr. [p. 454, 9] λεσχηνευομένου, ὁμιλοῦντος : et Galen. ap. Eund. [p. 88, C, ubi cum dativo, ut p. 24, 6] ἐλεσχηνευσάμην (ita enim reponendum esse puto pro ἐληχενευσάμην) exp. ἐπὶ πλεῖστον διελέχθην. [Heraclitus ap. Clem. Al. Protr. p. 44 : Ὁκοῖον εἴ τις τοῖσι δόμοισι λεσχηνεύοιτο. « Ὁ ἀντιλεγόμενος καὶ πολλὰ λεσχηνευόμενος Democrates ap. Stob. Flor. Append. p. 41 ed. Gaisf. Jacobs.] Pass. etiam significatione λεσχηνευθέντα, Hesych. μυθολογηθέντα, B φλυαρηθέντα. [Quo verbo interpretatur etiam Photius.]

[Λεσχηνέω.] Λεσχηνεῖ Hesych. exp. ὁμιλεῖ, μυθολογεῖ. [Confabulatur. Λεσχηνεύει Dorvill. ad Charit. p. 285. V. Λεσχηρέω.]

Λεσχηνίτης, ὁ, est ap. Suidam et ab eo exp. ὑβριστής. Quidam interpr. Contumeliosus (ut λεσχηνεία, Contumelia), Calumniator.

Λεσχηνόριος, ὁ, dictus Apollo a confabulationibus, quod interdiu homines inter se confabulentur, quum alioqui nocte alii seorsum ab aliis quiescant. Phurnut. [c. 97] : Καὶ λεσχηνόριον δ' αὐτὸν προσηγόρευσαν διὰ τὸ τὰς ἡμέρας ταῖς λέσχαις καὶ τῷ ὁμιλεῖν ἀλλήλοις συνέχεσθαι τοὺς ἀνθρώπους, τὰς νύκτας δὲ καθ' ἑαυτοὺς ἀναπαύεσθαι. Quidam vero non λεσχηνόριον, sed λεσχηνάριον, ex illo afferunt, haud scio an commisso per imprudentiam errore in scriptura, an vetus aliquod exemplar sequentes. Ap. Suidam certe habemus non λεσχηνόριον [quod nunc ex libris restitutum], sed λεσχηκόριον : et quidem pro Apollinis itidem cognomento. [Ex Harpocr. s. Photio : Κλεάνθης δέ φησιν ἀπονενεμῆσθαι τῷ Ἀπόλλωνι τὰς λέσχας· ἐξέδραις δὲ ὁμοίας γίνε- C σθαι· καὶ αὐτὸν δὲ τὸν Ἀπόλλω παρ' ἐνίοις Λεσχηνόριον (codex Photii Λέσχην ὄρειον) ἐπικαλεῖσθαι. Conf. Plut. Mor. p. 385, C.]

[Λεσχηνώτης, ὁ.] Ap. Diog. L. [2, 4] est Λεσχηνῶται in Epist. Anaximenis ad Pythagoram : quem etiam l., quum in vulg. edd. sit ἐλλιπὴς, ex vet. Cod. ἀναπληρώσω : quum enim ita legatur in vulg. edd., Ἡμέες δὲ οἱ λεσχηνῶται ἐπιδεξιοίμεθα δ' ἔτι τοῖς ἐκείνου λόγοις, contra in vet. exempl. ita legitur, Αὐτοί τε μεμνῴμεθα τοῦ ἀνδρὸς, οἵ τε ἡμέων παῖδές τε καὶ λεσχηνῶται· deinde ἐπιδεξιοίμεθα, etc. quod etiam verbum suspectum esse possit. [« Habes et in epistola Thaletis ad Pherecyd. Ubi vide Annot. H. S. » HSt. Ms. Vind.] Ceterum hic λεσχηνῶται sunt qui putarunt sonare Literarum studiosi, et in VV. LL. exp. Violenti et Contumeliosi. Ego vero existimo λεσχηνῶται potius sonare Discipuli, ex eo sc. quod cum præceptore sermocinari s. confabulari soleant. Quam meam interpr. confirmare videtur hic alterius Epist. l., quæ illam proxime se- D quitur : Σὺ δὲ εἶ καταθύμιος μὲν Κροτωνιήτῃσι, καταθύμιος δὲ (quæ etiam duo verba ex vet. cod. addo) καὶ τοῖσι ἄλλοισιν Ἰταλιώτῃσι· φοιτέουσι δέ τοι λεσχηνῶται καὶ ἐκ Σικελίης. Quinetiam nomen ὁμιλητής pro mea illa interpr. facere videtur; nam ut λεσχηνεία exp. ὁμιλία, sicut et λέσχη, nihil prohibet, quominus λεσχηνώτης eadem ratione exponamus ὁμιλητής : at hoc nomen pro Discipulo interdum accipi notissimum est. Huc adde quod utitur verbo φοιτέουσι, a quo est φοιτητής, quod itidem significat Discipulus. [De accentu Theognostus Can. p. 44, 34.]

Λεσχηρέω, Sermocinor, Confabulor. Ab Hesych. exp. ὁμιλῶ, item κόπτω. [Corruptum ex Λεσχηνέω. Κόπτει autem Sermones cædit interpretantur, qui non ex σκώπτει, quæ parum apta Trilleri conjectura est, corruptum putarent.]

[Λέσχης, ὁ, q. d. Sermocinator, Disertus. Steph. Byz. : Ἀναριάκη, τὸ ἐθνικὸν Ἀναριάκης, ὡς λέσχη, λέσχης. L. D. Conf. Etym. M. v. Νάκη s. Epim. Hom. Cram. An. vol. 1, p. 297, 32, si subst. dicunt grammatici.

Timon ap. Diog. L. 9, 40 : Δημόκριτον περίφρονα, ποιμένα μύθων, ἀμφίνοον λέσχην.]

[Λέσχης, ὁ, Lesches, Pyrrhæus vel Mytilenæus Lesbius, poeta cyclicus, de quo v. Fabric. B. Gr. vol. 1, p. 376 sq. Genitivus Λέσχεω est in Proculi Chrestom. p. II ed. Bekker. Nominativus, qui ex illo fictus videatur, Λέσχεως apud Pausan. 10, 25, 5 seqq., ubi in margine unius de Parisinis ad s. 6 : Ὅτι οὗτος τὴν εὐθεῖάν φησιν ὁ Λέσχεως τοῦ λε, τεχνικοὶ δὲ ὁ Λέσχης, τοῦ (sic). Alius Λέσχης memorari videtur in inscr. Tenia ap. Bœckh. vol. 2, p. 269, 54, si recte ita legitur.]

[Λεσχίδης, ὁ, Leschides, poeta epicus, Eumenis regis comes, ap. Suidam in v. et Κρηπιδούμενος. ῐ]

[Λεσχόμαχος, ὁ, voc. nihili, affertur in Lexicis ex Timonis Sillorum fragm. apud Euseb. Præp. 14, p. 763, C : Σχέτλιοι ἄνθρωποι κάκ' ἐλεγχέα, γαστέρες οἶον, τοίων ἔκ τ' ἐρίδων ἔκ τε στοναχῶν (margo ed. Viger. ἴσ. στοχασμῶν) πέπλασθε, in hunc modum depravato in editionibus Theodoreti Græc. aff. cur. p. 732 ed. Schulz., 66 Gaisf. : Ποίων ἔκ τ' ἐρίδων καὶ λεσχομάχων πεπλάνησθε, ubi hæ sunt librorum apud Gaisfordum et Schulzium varietates : Τοίων νυκτερίδων ἐκ λ. πέπλησθε, B, et in marg. ἔκ τε στοχασμῶν πεπλάνησθε. Τῶν νυκτερίδων λίαν καὶ στοχασμῶν πέπλησθε, C, Τοιῶν (sic) νυκτερίδων ἐν λεσχομάχων πεπλάνησθε, et Τοίων ἔκ τ' ἐρίδων ἔκ τε στοχασμῶν πεπλάνησθε, Ursinus in margine (ex libris et Eusebio). Sed dudum Schulzius comparaverat locum Empedoclis, quem ab Timone expressum esse fugit poetæ Agrigentini editores, ap. Clem. Al. Strom. 3, p. 517 : Ὢ πόποι, ὢ δειλὸν θνητῶν γένος, ὢ δυσάνολβον, οἵων ἐξ ἐρίδων ἔκ τε στοναχῶν ἐγένεσθε. Unde ἔκ τε στοναχῶν restituendum Timoni, quem non est probabile cum Empedocle confusum esse a Clemente. L. Dindorf.]

Λέσχος, [vitiose] ap. Athen. in sermone περὶ τῶν κορωνιστῶν [8, p. 359, E], ex Phœnice iamborum poeta : Ἐσθλοὶ κορώνῃ χεῖρα πρόσδοτε κριθῶν, Τῇ παιδί τ' Ἀπόλλωνοϲ, ἢ λέσχος πυρῶν, Ἢ ἄρτον. Pro quo supra λέκος πυρῶν, Pollux ex Aristoph., Catinum s. Scutellam tritici.

Λετμὸς ἀναδρήσσει τὸ σῶμα, Hesych. ex Ameria ; sed non sine mendi suspicione.

[Λετρεὺς, έως, ὁ, Letreus, f. Pelopis. Pausan. 6, 22, 8.]

[Λετρῖνοι, οἱ, Letrini, oppidum Elidis, ab Letreo f. Pelopis conditum. Pausan. 6, 22, 8. Gent. Λετριναῖος, α, ον, ib. 10, ap. Lycophr. 158, apud quem etiam Λέτριναν, de urbe, 54. Ap. Xen. H. Gr. 3, 2, 25 : Προσεχώρουν Λετρῖνοι καὶ Ἀμφίδολοι · 30 : Λετρίους καὶ Ἀμφιδόλους · et 4, 2, 16 : Σφενδονῆται ... Λετρίνων καὶ Ἀμφιδόλων, nomen olim leviter corruptum ex libris correctum est.]

Λετωνῆσαι, Hesych. ἀφειδῶς παῖσαι κατὰ τῶν ἰσχίων. [V. quæ in Λεγωνῆσαι dixi. L. Dind.]

Λευγᾰλέος, α, ον, ab Hesych. et Eust. [ll. in indice citatis] exp. ὀλεθριώδης, Perniciosus : ab Hes. etiam χαλεπὸς, δεινὸς, Difficilis, Gravis : necnon κακὸς, Malus. [Λευγαλέος cum λυγρὸς ut πευκάλιμος cum πυκνὸς componendum monet Buttmann. Lexil. vol. 1, p. 19.] Apoll. [Rh. 1, 295] : Μή μοι λευγαλέας ἐνιβάλλεο, μῆτερ, ἀνίας. [Λευγαλέοιο φόνου 1, 619, ἄτης 2, 439, et similiter alibi.] Hom. Il. Υ, [109] : Μὴ δέ σε πάμπαν Λευγαλέοις ἐπέεσσιν ἀποτρεπέτω καὶ ἀρειαῖς · Ι, [119] : Ἀλλ' ἐπεὶ ἀασάμην, φρεσὶ λευγαλέῃσι πιθήσας, Ἂψ ἐθέλω ἀρέσαι, Atroci s. Pernicioso animo : ut et schol. exp. φρεσὶ δειναῖς, ὀλεθρίαις. Sic alibi [Il. Φ, 281, Od. Ε, 312, Ο, 359] λευγαλέον θάνατον dicit. [Et Il. Ν, 97 : Πολέμοιο λευγαλέοιο · et Ξ, 387 : Δαΐ λευγαλέῃ. Hesiod. Op. 523 : Ἤματι χειμερίῳ, ὅτ' ἀνόστεος ὃν πόδα τένδει ἔν τ' ἀπύρῳ οἴκῳ καὶ ἤθεσι λευγαλέοισιν · 752 : Λευγαλέη ... ποινή.] Exp. ab Hesych. etiam οἰκτρὸς, Miserabilis : ut pro Miser, Ærumnosus, Calamitosus Hom. quoque utitur Od. Π, [273] : Πτωχῷ λευγαλέῳ ἐναλίγκιον ἠδὲ γέροντι. [Ο, 399 : Κήδεσιν ... λευγαλέοισι · Υ, 203, ἄλγεσι. Theognis 1174 : Λευγαλέου κόρου. Nicand. Th. 836 : Λευγαλέοιο τυπεὶς ὑπὸ κέντρου.] Accipiunt et pro Invalidus, ἀσθενὴς, ap. Eund. Od. Β, [61] : Λευγαλέοι τ' ἐσόμεσθα. [Explicat Hesychius etiam οἰστρώδης, Furiosus, Rabiosus. || Item εὐτελὴς, Vilis. Sic Philetas ap. Strab. 3, p. 168 : Λ. χιτὼν πεπινωμένος. || Madidus. Λευγαλέα, διάβροχος, οὕτω Σοφοκλῆς, Photius. Λευγαλέον, τὸ ὑγρὸν, Σοφ. Μύρῳ λευγαλέῳ, Etym. M. Conf. Καταλευγαλέος.]

Λευγαλέως, Graviter, Acerbe. Apoll. Arg. 2, [129] : Λευγαλέως ... ἐφόβησαν. [3, 703 : Διαρραισθέντας ἰδέσθαι λευγαλέως.] Hom. pro Tristi animo, Non sine tristitia et gravi acerboque dolore : Il. Ν, [723] : Ἔνθα κε λευγαλέως νηῶν ἄπο καὶ κλισιάων Τρῶες ἐχώρησαν ποτὶ Ἴλιον.

Λεύγη, Hesychio μέτρον τι γάλακτος. [« Pro γάλακτος scr. Γαλατικόν. Leucas s. Leugas intelligit, quod nomen hodieque Galli retinent. » Vales.]

[Λεύθω, quod inter verba in ευθω ponit Arcad. p. 156, 15, scribendum ἐλεύθω, quam formam fingunt grammatici. L. Dind.]

[Λευιάθαν, δράκων, νοῦς μέγας Ἀσσύριος, Suid. Vox Hebr. לויתן Leviathan, quo magna quædam bellua, Crocodilus multorum opinione, designatur, servata est in Græca versione Aquilæ et Symmachi Job. 3, 8 ; 40, 20. Sunt qui nomen ex Ægypto oriundum putent. Testantur vero alii nullum talis vocis vestigium reperiri in libris Copticis, et Crocodilum ap. Ægyptios appellatum fuisse χαμψα. Tewater. ad Jablonsk. Op. 1, p. 437.]

Λευίτης, ὁ, Levita : apud Judæos ἱερεὺς, Sacerdos : quoniam familia Levi ἱερατείας τάξιν ἐπλήρου. [Ab ἱερεῦσι distinguuntur Luc. 10, 32, coll. 31, Jo. 1, 19, Act. 4, 36. Schleusn.] Meminit horum et Plut. Symp. 4 fin., sed profanam appellationis causam afferens. Ibi enim quum dixisset Judæos Bacchum colere, et ejus in honorem θυρσοφορίαν agitare, Καὶ κιθαρίζοντες, inquit, ἕτεροι προϊᾶσιν, οὓς αὐτοὶ Λευΐτας προσονομάζουσιν, εἴτε παρὰ τὸν λύσιον, εἴτε μᾶλλον παρὰ τὸν εὔϊον τῆς ἐπικλήσεως γεγενημένης. Dicitur significare etiam διάκονος, Minister, Famulus.

[Λευιτικὸς, ή, όν, Ad Levitas pertinens. Hebr. 7, 11 : Διὰ τῆς Λευιτικῆς ἱερωσύνης. Clem. Al. Strom. 3, p. 543 : Ἡ Λευιτικὴ φυλή.]

[Λευκὰ, ῶν, τὰ, Leuca, oppidulum prope Tarentum. Strab. 6, p. 281. Mons Cretæ, id. 10, p. 475, Theophr. H. Pl. 4, 1, 3, Λευκὰ ὄρη Ptolemæo 3, 17, schol. Callim. Dian. 41, ubi singulari Λευκὸν utitur poeta.]

[Λευκάδιος. V. Λευκάς.]

[Λευκάζω, Candeo. Eust. Opusc. p. 311, 86 : Εἴποις ἂν αὐτὴν ὁποῖά τινι περιθέτῳ λευκάζοντι χρώματι τῇ πιμελῇ κεχρῶσθαι καθ' ὅλου τοῦ σώματος.]

[Λευκάθεα, τὰ, Leucathea, sacra quædam, ut videtur, gentis Echinadarum in inscr. Teja ap. Bœckh. vol. 2, p. 654, n. 3066, 25 : Ἀναγγεῖλαι αὐτῶν τὸν στέφανον τοῖς Λευκαθέοις μετὰ τὰς σπονδὰς, ἐν ᾗ ἂν γίνηται ἡμέρᾳ ἡ συμμορία. L. Dind.]

Λευκαὶ, αἱ, locus quidam Idæ montis, unde Λευκαῖναι, αἱ, Castaneæ nuces, VV. LL. ex Galeno Π. εὐχυμίας [vol. 6, p. 426 : Οἵ γε μὴν ἐμοὶ πολῖται, καθάπερ οὖν καὶ ἄλλοι τῶν ἐν Ἀσίᾳ, Σαρδιανάς τε καὶ Λευκήνας ὀνομάζουσιν αὐτὰς (τὰς βαλάνους) ἀπὸ τῶν χωρίων, ἐν οἷς πλεῖσται γεννῶνται Τὸ μὲν οὖν ἕτερον τῶν ὀνομάτων τούτων εὔδηλόν ἐστιν ἀπὸ τίνος γέγονε · Λευκῆναι δὲ ἀπὸ χωρίου τινὸς ἐν τῷ ὄρει τῇ Ἴδῃ τὴν προσωνυμίαν ἐσχήκασιν, ὃ πληθυντικῶς ὀνομάζουσι παραπλησίως τῷ Θῆβαι. Nomen loci rectius scribi videtur Λεῦκαι, adjectivum vero scribendum Λευκηναί. L. Dind.]

[Λεῦκαι, αἱ, Leucæ, locus Peloponnesi, ditionis Argivorum, ap. Polyb. 4, 36, 5. Oppidulum prope Smyrnam, ap. Scylacem p. 37, Strab. 14, p. 646. Infra Λεύκη. Insulæ quædam prope Cinypem, fl. Africæ, ap. Scylacem p. 47 ed. Huds. et 238 ed. Miller.]

[Λευκαία. V. Λευκέα.]

[Λευκαιθίοπες, οἱ, Leucæthiopes, gens Africæ, ap. Agathem. Geogr. 2, 5, p. 40, Ptolem. 4, 6.]

[Λευκαὶ κάμινοι, et νάπαι, αἱ, inter Marmaricæ κώμας μεσογείους memorantur Ptolem. 4, 5.]

Λευκαίνω, Dealbo [Gl.], Candidum facio, Album reddo. [Hom. Od. Μ. 172 : Λεύκαινον ὕδωρ ξεστῇς ἐλάτῃσιν. Eur. Cycl. 17 : Γλαυκὴν ἅλα ῥοθίοισι λευκαίνοντες · Iph. A. 156 : Λευκαίνει τόδε φῶς ἤδη λάμπουσ' ἠώς. Quibus similia contulit Wernick. ad Tryphiod. 669. De capillis Mich. Psellus ap. Lambec. Bibl. Cæs. vol. 7, p. 478, C : Τρίχας λευκαίνει μελαίνας. Similiter Theocr. 14, 70 : Ἐπισχερὼ ἐς γένυν ἕρπει λευκαίνων ὁ χρόνος. || Figurate, ut infra λευκὸς, Explico, Theod. Stud. p. 301, C : Ἐλεύκανε τὸ πρόβλημα.] Et Λευκαίνομαι, Dealbor, Albus reddor. [Candeo, Candico, Gl. Nonnus Dion. 9, 105 : Τοῖχοι δ' ἀχλυόεντες ἐλευκαίνοντο μελάθρου. Wakef. Perf. λελευκασμένος ap. Diphil. Athen. 2, p. 54, B, schol. Eur. Hec. 641, 643.] Item neutraliter Albus s. Candidus sum, Albeo. [Aristot. De gen. anim. 1, 21 : Μεταβεβληκότος τοῦ ᾠοῦ ἐκ τοῦ ὠχρὸν εἶναι εἰς τὸ λευκαίνεσθαι.] Theophyl. Ep. 15 : Ἡ δὲ χροιὰ τοῦ σώματος οὔτε πρὸς τὸ θηλυπρεπὲς ἐλευκαίνετο, οὔτε πρὸς τὸ μελάντερον κατεσκίαστο. Item, Λευκαίνομαι τὴν τρίχα, Albescunt mihi pili, i. e. Canesco. [|| Albeo, Albesco, Candio (Candeo), Gl. interpretatur etiam activum. Sic Nicand. Al. 170 : Ἀφροῖο νέην κλύδα λευκαίνουσαν.]

[Λευκαῖος, n. viri esse videtur in numo Clazomenio Mionnet. *Descr.* vol. 3, p. 63, 8. || Jovis cognomen. Pausan. 5, 5, 5 : Γενέσθαι οἱ Λεπρεᾶταί σφισιν ἔλεγον ἐν τῇ πόλει Λευκαίου Διὸς ναόν. Λυκαίου Palmerius, quod v.]

Λευκάκανθα, ἡ. V. supra in Ἄκανθα λευκή. [Theophr. H. Pl. 6, 4, 3; Dioscor. 3, 22. ᾰ]

Λευκάλφιτος, ὁ, ἡ, epitheton Eretriæ, παρὰ τὸ λευκὰ ἄλφιτα φέρειν, Eust. [Il. p. 280, 8, ex Athenæo infra citato.] At λευκὰ ἄλφιτα Hesych. dici scribit τὰ ἐκ κέγχρου : quam κέγχρον innuit etiam λευκὴν nominari. Sopater ap. Athen. 4, [p. 160, B] : Ἐρέτριαν ὡρμήθημεν εἰς λευκάλφιτον. Archestr. vero Lesbum prædicat λευκότερ' αἰθερίας χιόνος φέρειν ἄλφιτα.

[Λευκάμπυξ, ῦγος, ὁ, ἡ, Qui album habet redimiculum. Pro λευκὸς Oppian. Hal. 4, 238 : Πυρὸς λευκάμπυκος αὐγή. Schneid. Liber unus apud Rittershusium, aliusque apud Schneiderum λευκάμπυγος, quasi λευκάντυγος voluisset librarius.]

[Λευκανθεμὶς, ίδος, ἡ. V. Λευκάνθεμον.]

Λευκάνθεμον, τὸ, Anthemidis species, ut tradit Diosc. 3, 154. Plinius etiam 22, 21, Anthemidem ab aliquibus Leucanthemum et Leucanthemidem vocari scribit. [V. Λευκάς.]

Λευκανθὴς, ὁ, ἡ, Florem album habens: unde λευκανθὲς κάρα, ap. Soph. [OEd. T. 752], Canum caput, per catachresin. [Pind. Nem. 9, 23 : Λευκανθέα σώματα. Meleager Anth. Pal. 12, 165, 1 : Λευκανθὴς Κλεόβουλος. Nicander Ther. 530 : Λευκανθέος ἄγνου.]

Λευκανθίζω, Albi floris more candeo, λάμπω Hesychio. [Herodot. 8, 27 : Προείπας αὐτοῖσι, τὸν ἂν μὴ λευκανθίζοντα ἴδωνται, τοῦτον κτείνειν. Alciphr. Ep. 3, 30 : Λευκανθίζουσιν οὐχ οἱ λόφοι μόνον (nive). Stob. Flor. vol. 1, p. 174 : Γύψῳ λευκανθίζουσαν σπουδάζειν θαυμάζεσθαι τὴν οἰκίαν. Cassii Probl. 27 : Ὑγρὰ διαυγῆ καὶ λευκανίζοντα. Λευκανθίζοντα Schneiderus, quanquam eandem formam infra notabimus ex Gl. Passivo Cantic. 8, 5 : Τίς αὕτη ἡ ἀναβαίνουσα λελευκανθισμένη;]

[Λευκανθὶς, ἡ, Const. Manass. Chron. p. 125 (?). Boiss.]

Λευκανία, ἡ, regionis Italicæ nomen est, quam Latini Lucaniam appellant : ejusque incolæ Λευκανοὶ, Lucani [ap. Lycophr. 1086, Dionys. Perieg. 362, aliosque geographos et historicos. V. etiam Λευκωσία. Fem. gent. Λευκανίδες (πόλεις) ap. Strab. 6, p. 253.]

Λευκᾰνία, ἡ, i. q. λαυκανία, ut λεκάνη i. q. λακάνη, h. e. Guttur, Gula. Hom. Il. X, [325] : Ἧ κληῖδες ἀπ' ὤμων αὐχέν' ἔχουσι Λευκανίης, ἵνα τε ψυχῆς ὤκιστος ὄλεθρος. Et Epigr. [Agathiæ Anth. Pal. 11, 382, 2] : Περὶ λευκανίην [codex λαυχ.] βραγχὰ λαρυγγιόων. [Nicand. Th. 131. Orph. Lith. 548, ubi pluralis de collo Gorgonis. Pollux 2, 97, 206.]

[Λευκανίζω, Albesco, Albeo, Gl., pro λευκανθίζω, ut videtur, quod v.]

[Λευκανίηθεν, Ex gula. Oppian. Hal. 1, 755 : Τότε δ' αὖτις ἀνέπτυσε λευκανίηθεν. ᾱῐ]

Λευκανίηνδε, Ad gulam. Apollon. Arg. 2, [192] : Α. φορεύμενος. Ubi schol. annotat λευκανίην quosdam interpretari τὸ ἀπηρτημένον τοῦ γαργαρεῶνος : Ameriam, λαιμὸν, βρόγχον.

Λευκανόθεν, Ex gutture, s. Ex imo gutture.

[Λευκανοί. V. Λευκανία.]

[Λεύκανσις, εως, ἡ, i. q. λευκασμός. Aristot. Phys. ausc. 5, 6, p. 230, 23.]

[Λευκαντέον, Dealbandum. Diosc. 2, 105 : Α. δὲ κηρὸν οὕτω.]

[Λευκαντὴς, ὁ, Dealbator, Gl.]

A [Λευκαντικὸς, ἡ, ὸν, Albans. Schol. Plat. Theæt. p. 360 : Τὴν λευκαντικὴν δύναμιν. Adv. Λευκαντικῶς, Sext. Emp. Adv. Log. 1, 344, p. 437.]

[Λευκάνωρ, ορος, ὁ, Leucanor, Bospori rex. Lucian. Toxar. c. 44. ᾰ]

[Λευκάρα. V. Λακάθη.]

[Λευκάργιλλος, ὁ, ἡ, Albam terram, argillam habens. Strabo 9, p. 440, ubi simplici λ. Geopon. 9, 4.]

[Λευκαρία, ἡ, Leucaria, conjux Itali, mater Romæ, ap. Plut. Rom. c. 2, Λευταρία vel Λευταρνία scripta in libris Tzetzæ ad Lycophr. 702, ubi Ausonis mater dicitur. Λευκανία est in libro uno Plutarchi. Λευταρία vel Λευταρνία alludit ad urbem Campanam hujus nominis, infra memorandum. L. Dind.]

Λευκαρίων, pro Δευκαλίων dicitur : et Λευκάριον pro Λευκάδιον, mutatione τοῦ λ εἰς δ καὶ ρ. Etym. [Λευκαρίωνος (genit.), ὄνομα κύριον, Suidas.]

Λευκὰς, άδος, ἡ, Alba, Candida, i. q. λευκή. Nonn. [Jo. c. 3, 20], λευκὰς χαίτη, Alba coma, s. Cana; nam et λευκαὶ dicuntur Cani, subaud. τρίχες, Pili. Eid. [ib.
B c. 16, 95] λευκὰς φωνή, Vox clara, ut λαμπρὰ φωνή. Sic et Demetr. Phal. scribit metaphorice dici λευκὴν φωνήν. || Λευκὰς est etiam Herbæ nomen ap. Diosc. 3, 113, ubi duo ejus genera facit : quæ vero ea sit, nemo tradidit. Hermolaus et Ruell. scripsere herbam quandam esse in vinetis nascentem, mercuriali similem et congenerem, sed nullum auctorem secuti, Gorr. De hac Nicand. Ther. 848 : Ἠὲ σὺ ποίης Λευκάδος ἠρύγγου τε τάμοις ἀθεραΐδα ῥίζαν, ubi annotat schol. ignorari quæ herba sit, Antigonum autem exponere λευκάδεσμον. [Verba scholiastæ ex libris nunc ita scripta : Ἀντίγονος μέντοι τὴν λευκὴν ἄκανθαν λέγει, ὁ δὲ Νίκανδρος τὴν λευκάνθεμον. Ubi pro nomine ipsius Nicandri reponendum videri potest nomen unius de interpretibus, qui alibi memorantur in scholiis. In Apophthegmatis Patrum in Cotel. Eccl. Gr. mon. vol. 1, p. 471, B : Ἔπιον οἱ φοίνικες καὶ ἐκβάλλουσι λευκάδας· C : Οὕτως ἐστὶ τὸ πνεῦμα τὸ ἅγιον· ὅταν καταβῇ εἰς τὰς καρδίας τῶν ἀνθρώπων, ἀνανεοῦνται καὶ ἐκβάλλουσι λευκάδας ἐν τῷ φόβῳ τοῦ θεοῦ, vertitur Germina.]

C [Λευκὰς, άδος, ἡ, Leucas, ap. Hom. Od. Ω, 11 : Πὰρ δ' ἴσαν Ὠκεανοῦ τε ῥοὰς καὶ Λευκάδα πέτρην. De qua v. Eust. et schol. ad v. 1, et Hesych. || Peninsula posteaque insula Acarnaniæ proxima, ap. Thuc. 1, 30; 2, 30, 80, etc., Xen. H. Gr. 6, 2, 3, Demosth. p. 120, 1; 1304, 8, aliosque, sec. Ephorum ap. Strab. 10, p. 452, indeque Eust. Il. p. 306, 44, Od. p. 1964, 48, ab Leucadio, Penelopes fratre, Icarii f. ita dicta, sec. Strab. ipsum ἀπὸ τοῦ Λευκάτα, de quo addit : Πέτρα ἐστὶ λευκὴ τὴν χρόαν, προκειμένη τῆς Λευκάδος εἰς τὸ πέλαγος καὶ τὴν Κεφαλληνίαν, ὡς ἐντεῦθεν τοὔνομα λαβεῖν. Ἔχει δὲ τὸ τοῦ Λευκάτα Ἀπόλλωνος ἱερὸν καὶ τὸ ἅλμα τὸ τοὺς ἔρωτας παύειν πεπιστευμένον, cujus de antiquitate nonnulla addit. Τοῦ Λευκάτα iterum dicit p. 456, 461, ubi de rupe loquitur, ut Ps.-Plut. Mor. p. 236, D. Τὸν Λευκάταν Scylax p. 13, ex cod. ap. Millerum p. 204 emendandus. Cujus nominis mediam produxit Virg. Æn. 3, 274 : « Mox et Leucatæ nimbosa cacumina montis. » Ἀπὸ Λεύκου τοῦ Ὀδυσσέως ἑταίρου, qui etiam Λευκάτου Ἀπόλλωνος templum condiderit, dictum
D perhibet Ptolem. Heph. ap. Phot. Bibl. p. 153, 7-10. Idem in Lex. : Λευκάτης, σκόπελος τῆς Ἠπείρου κτλ. Ap. Eur. Cycl. 165 : Ῥῖψαι δ' ἐς ἅλμην Λευκάδος πέτρας ἄπο, ἅπαξ μεθυσθεὶς, scribendum esse, non λευκάδος (quod Albam esse putavit int. Latinus), ut est ap. Anacreontem ab Hephæstione p. 130 Gaisf. citatum : Ἀρθεὶς δηὖτ' ἀπὸ Λευκάδος πέτρης ἐς πολιὸν κῦμα κολυμβῶ μεθύων ἔρωτι, monere neglexerunt qui ipsos hos locos inter se compararunt. Conf. etiam insignis l. Menandri e Leucadia ap. Strab. l. c., ubi est Λευκάδος ἀκτῆς. Λευκάδος αἰπὺν ὄχθον dicit Philippus Anth. Pal. 6, 251, 1. Λευκάδα ἄκραν Ptolem. 3, 14. || Unde gent. Λευκάδιος ap. Herodot. 8, 45, 47; 9, 28, Thuc. 1, 27; 3, 81, etc. || Urbs Cœlesyriæ, unde item gent. Λευκάδιος, de qua v. Eckhel. D. N. vol. 3, p. 337, idemque ib. 345 de Leucade Decapolis. N. mulieris in inscr. ap. Caylus *Recueil* vol. 2, tab. LII, 2 : Λευκὰς χαλὴ χαῖρε.]

[Λευκασία, ἡ, Leucasia, fl. Messeniæ, ap. Pausan. 4, 33, 3.]

[Λευκάσιον, τὸ, Leucasium, locus Arcadiæ, ap. Pausan. 8, 25, 2.]

[Λεύκασμα, τὸ, Candor. Theod. Prodr. p. 165, χιόνος.]

Λευκασμὸς, ὁ, Dealbatio; Candor, VV. LL.

Λεύκασπις, ιδος, ὁ, ἡ, Album clypeum habens. Hom. Il. X, [294] : Δηΐφοβον δ' ἐκάλει λευκάσπιδα, μακρὸν ἀΰσας, ubi Eust. annotat, Οἷα ἐπίσημον, ὡς εἰκὸς, ἔχοντα λευκὸν σάκος· καθὰ καὶ Ἀργεῖοι παρὰ Σοφοκλεῖ [Ant. 106] λευκάσπιδες ἱστοροῦνται. [Eur. Phœn. 1099 : Λεύκασπιν Ἀργείων στρατόν. Xen. H. Gr. 3, 2, 15 : Κᾶρας λευκάσπιδας. Plut. Cleom. c. 23.]

[Λεύκασπις, ιδος, ὁ, Leucaspis, n. pueri ap. Anacreontem Athen. 14, p. 635, C. Idem inscriptum numis Syracusarum ap. Mionnet. *Descr.* vol. 1, p. 303, Eckhel. D. N. vol. 1, p. 246, qui de h. n. : « Unus, quod norim, Diodorus 4, 23, Leucaspin memorat, qui in hoc tractu Sicanorum dux cæsus est ab Hercule, cum quo viribus impar congressus heroicos post obitum honores est consecutus. » Conf. de heroum in numis nominibus Raoul-Rochett. *Monum. inéd.* vol. 1, p. 245. || Λεύκασπις λιμὴν Marmaricæ memoratur ab Strabone 17, p. 799, **Ptolem.** 4, 5.]

[Λευκάτας. V. Λευκάς.]

[Λευκαυγὴς, ὁ, ἡ, Candidus cum splendore. Antiphanes Athen. 14, p. 623, B : Τενθὶς μεταλλάξασα λευκαυγῆ φύσιν. « Const. Manass. Chron. 203. » Boiss.]

[Λευκαχάτης, ὁ, genus achatis. Plin. 37, 10, 1. Quem l. v. in Ἀχάτης.]

Λευκέα, ἡ, Eustathio [Od. p. 1453, 10] ὁ τῆς λεύκης φλοιός. [Hesychio autem σχοῖνος. Gl. : Λευκαία ἐν θεάτροις, Spartum. Hesychius : Σιλλὸν, λευκαίας σχοινίον. Artemid. 3, 59. Athen. 5, p. 206, F : Εἰς δὲ σχοινία λευκαίαν μὲν ἐξ Ἰβηρίας. Ubi λευκέαν epitome et Eust. l. c. Inscr. Rhodia ap. Bœckh. vol. 2, p. 392[c], III, A, b, 79 : Στεφανωθεὶς πρᾶτος λευκαίας στεφάνῳ· B, b, 118 : Λευκαίας στεφάνῳ. || Adjectivum ap. Hesychium in Μασχάλην ubi Τοῖς λευκίνοις σχοινίοις, de forma suspectum fuit Schneidero.]

[Λευκεία, ἡ, n. mulieris in inscr. ap. Bœckh. vol. 1, p. 513, n. 765, 16, sive Anth. Pal. App. vol. 3, p. 970.]

Λευκεῖον, τὸ, vox susp. in VV. LL. ex Theophr. H. Pl. 4, [7, 8] pro Viola matronalis. Sed fortasse ibi putet aliquis scrib. λευκόϊον.

[Λευκελεφάντινος, ὁ.] Λευκελεφάντινα, Hesychio λευκὰ ὡς ἐλεφάντινα [Candida instar eboris].

[Λευκενδύτης, ὁ, Alba veste amictus. Timarion in Notitt. Mss. vol. 9, p. 221. Elberl. ῠ]

Λευκερῖνεὸς, ὁ, Hesychio Ficus species. Idem tradit Athen. 3, [p. 76, C, ex eoque Eust. Il. p. 1205, 5] subjungens, forsitan hanc esse quæ fert τὰ λευκὰ σῦκα, afferensque hunc ex Hermippo iambum, Τὰς λευκερινεὼς δὲ χωρὶς ἰσχάδας. [Scribendum Λευκερίνεως, de cujus generis nominibus dixi in Δαμαρίππεως. L. D.]

Λευκέρυθρος, ὁ, ἡ, Alborem rubori admixtum habens, Bud. ex Aristot. [Nicet. Eugen. 1, 149 : Καὶ συνδιεχρώσατο, καθὰ ζωγράφος, ταύτης τὸ σῶμα λευκέρυθρον ἡ φύσις. Boiss. Λευκοέρυθρος Proc. Paraphr. Ptol. 3, 16, p. 203. Struv.]

[Λευκερυθρόχρους, ὁ, ἡ, Qui est albi et rubri coloris. Nicet. Eugen. 1, 133 : Πυρσὸν αἰγλήεντα λευκερυθρόχρουν. Boiss.]

[Λευκερυθροφωσφόρος, ὁ, ἡ, Candidus, ruber et lucifer. Nicet. Eugen. 2, 246 : Ἡ φύσις ἀγαλματοῖ σε λευκερυθροφωσφόρον. Boiss.]

Λευκερώδιος, ὁ, Alba ardea s. Alba ardeola : ardearum species ap. Aristot. H. A. 9, 18, Plin. 10, 60; 11, 37.

Λεύκη, ἡ, [Populus, Gl.] Populus alba, seu, ut Virg. appellat, Populus candida : quam ἐξαιγειροῦσθαι, i. e. In nigram mutari, tradit Theophr. C. Pl. 2, [16, 2]. Diosc. 1, 110 : Λεύκης τοῦ δένδρου ὁ φλοιὸς ἰσχιάδας ὠφελεῖ καὶ στραγγουρίας· unde Plin. 24, 8 : Populi albæ cortex potus ischiadicis et stranguriæ prodest. [Aristoph. Nub. 1007 : Λεύκης φυλλοβολούσης. Theocr. 2, 121 : Κρατὶ δ' ἔχων λεύκαν, Ἡρακλέος ἱερὸν ἔρνος. Demosth. p. 313, 24 : Θιάσους ἐστεφανωμένους τῇ λεύκῃ. Locum Athenis quendam appellat Andocides p. 17, 24 : Οἱ παρασυλλεγέντες ὑπὸ τὴν Λεύκην.] || Vitiligo alba [Gl. : Λευκὴ, Vitiligo] : cutis carnisque præter naturam albedo; neque enim ad solam cutem, sed ad subditam etiam carnem vitium hoc pertinet : qua

A invalescente, alimentum non jam in rubram carnem vertitur, sed in prorsus albam, qualis est polypodum et locustarum, ceterorumque crustaceorum, exangui et alba carne præditorum : sed et sensus, ac præsertim tactus, in ea affectione obtusiores redduntur : ut inter alia Gorr. tradit, addens, Id malum videtur esse, quod vulgo nostri homines Lepram albam vocant, quodque Avicenna Albaras album nuncupavit. Differt autem a lepra et elephantiasi, quod hæc sint cum asperitate cutis, rosione, pruritu et squamulis : λεύκη vero cutim habeat lævem sine ulla aspredine et rosione. Nomen habet vel ἀπὸ τῆς λευκότητος, vel a quadam similitudine cum populo arbore, quam λεύκην appellant : ut enim foliis et cortice candida est, sic et cutis ejus, quem is morbus occupavit. Paul. Ægin. 4, 5 : Ἡ λεύκη μεταβολή τίς ἐστι τοῦ χρωτὸς ἐπὶ τὸ λευκότερον, ὑπὸ γλίσχρου τε καὶ κολλώδους γινομένη φλέγματος· quomodo autem λεύκη et ἀλφὸς differant, Actuar. docet. Diosc. videtur etiam ἀλφὸν λευκὸν vocare τὴν λεύκην, 3, 52, de ruta. [Conf. Foes. OEcon. Hippocr.
B (ubi affert locos ejus p. 114, D; 201, B; 424, 25, 28). Herodot. 1, 138 : Ὃς ἂν λέπρην ἢ λεύκην ἔχῃ. Schweigh. Nicand. Th. 333, 859. Plato Tim. p. 85, E; Aristot. De generat. an. 5, 4, et sæpius in H. A.] Idem cum hoc morbo esse videtur, qui a Plut. dicitur Ἐπιλευκία supra in Λέπρα. || Λεύκη dicitur a quibusdam τὸ ἀνδρόσαρκες, Diosc. [3, 140.] Mercurialis esset nisi per folium huic alba linea transcurreret, Gorr. [Hesych. interpr. etiam ἐν ταῖς χωνείαις ἡ ὑφισταμένη ἄμμος. || Creta, Gl. V. in Λευκός. || De accentu paroxytono Eust. Il. p. 907, 11.]

[Λεύκη καλούμενον πεδίον Laconiæ (Λεῦκαι Polybio 5, 19, 8, sec. interpretes) memoratur Straboni 8, p. 363.]

[Λευκὴ, ἡ, Leuce, insula Achilli sacra, quam φαεννὰν νᾶσον dicit Pind. Nem. 4, 49, Λευκὴν νῆσον Strabo 2, p. 125; 7, p. 306, coll. Pausan. 3, 19, 11, Λευκὴν ἀκτὴν Eur. Iph. T. 436, et ἐντὸς Εὐξείνου πόρου sitam Andr. 1262. De origine nominis Tzetzes ad Lycophr. 188 : Τὴν λευκὴν νῆσον τοῦ Εὐξείνου πόντου, ἢ τὴν λευ-
C καινομένην ἐκ τοῦ ἀφροῦ τῶν κυμάτων ἢ κατὰ Διονύσιον τὸν περιηγητὴν (544) ὅτι πολλὰ λευκὰ ζῷα ταύτην κατοικεῖ, οἷον λάροι, κύκνοι καὶ πελαργοί. Veterum de situ ejus opiniones exploravit Kœhlerus *Mém. de l'Acad. de St. Pétersbourg* vol. 10, p. 542 seqq. Harpocr. : Λευκὴ ἀκτὴ, Λυσίας ἐν τῷ πρὸς Ἀλκιβιάδην (p. 142). Πλειόνων οὐσῶν Λευκῶν, ὡς Δημήτριος ὁ Μάγνης δηλοῖ, ἔοικε τῆς ἐν Προποντίδι μνημονεύειν ὁ ῥήτωρ νῦν. Λευκὴ ἀκτὴ τῆς Θρηΐκης ap. Herodot. 7, 25, eadem quæ Chersonesi Thraciæ dicitur apud Ps.-Demosth. p. 86, 16, et simpliciter Λευκὴ vocatur in epigr. ib. 22. Eubœæ ap. Strab. 9, p. 399, Africæ 10, p. 489; 17, p. 800, ap. Ptol. 4, 5, Syriæ postea Laodicea dicta ap. Steph. Byz. v. Λαοδίκεια. Λεύκην Diodor. 15, 18 dicit quas Λεύκας ab Scylace et Strabone dici in Λεῦκαι annotavimus.]

[Λευκὴ κώμη, ἡ, in regione Nabatæorum Arabum, memoratur ap. Strab. 16, p. 780, 781, Arrianum Peripl. M. Erythr. p. 11. Λευκὴ νῆσος ap. eund. p. 30.]

[Λευκηναί. V. Λευκαί.]

D Λευκηπατίας vel Λευχηπατίας, ὁ, olim dicebatur Timidus. Ajunt quorundam hepati vitium quoddam accidere, quod eos timidos reddat : ejus autem vitiati indicium pallor est, qui timidos arguit. Erasm. Chil. [Zenob. Prov. 4, 87 aliique parœmiographi, et qui λευχηπατίας, Suidas, εὐήθης Phrynicho Bekkeri p. 51, 7.]

[Λευκήπειρος, ὁ, ἡ, Qui albam habet terram. Geopon. 2, 6, 39 : Ὅσαι (πέτραι) λευκήπειροι.]

[Λευκὴ πέτρα, ἡ, i. q. Λευκοπέτρα, quod v.]

Λευκήρετμος navis, [Pseud.-]Eur., q. d. Albiremis, Albos habens remos [Iph. A. 283].

[Λευκήρης, ὁ, ἡ, Albus. Æsch. Pers. 1056 : Καί μοι γενείου πέρθε λευκήρη τρίχα.]

[Λευκίζω, Dealbo, Candidum facio. Lev. 13, 19, tres codd. Holm. Schleusn.]

[Λεύκιμμα, vitium scripturæ pro λεύκωμα, quod v.]

[Λευκίμμη, ἡ, Leucimme, promontorium Corcyræ ap. Strab. 7, p. 324, et, cujus libri multi Λευκίμνη, Thuc. 1, 30, 47, 51; 3, 79, Λεύκιμμα Ptolem. 3, 14.]

[Λευχίνας, ὁ, n. viri, si recte legitur in inscr. Bœot. ap. Bœckh. vol. 1, p. 796, n. 1644, ubi ΛΕΥ.ΙΝΑΣ.]

[Λευχίνη πέτρα, Suidas.]

Λεύχῖνος, ὁ, Populeus [Gl.], Populneus, Populnus. Aristot. OEc. 2 [fine], στέφανος λ.

[Λευχῖνος, ὁ, Leucinus, n. viri Delii in inscr. Attica ap. Bœckh. vol. 1, p. 253, 19. L. Dind.]

[Λεύχιος, ὁ, Lucius.] Λεύχιον et Λεύχολλον Græci dicunt quem Latini Lucium et Lucullum : hi, a luce; illi, παρὰ τὸ λευκόν. [Λεύχιος in inscr. ap. Bœckh. vol. 1, p. 452, n. 413, et ubi simul Λουκίας scriptum, p. 565, n. 2885, et passim apud rerum Romanarum scriptores. Λεύχολλος apud Diodorum, Strabonem, Plutarchum aliosque, libris interdum inter Λεύχολλος et Λούχουλλος variantibus.]

[Λευχίππειος, α, ον, Leucippeus, adj. ab nom. pr. Λεύχιππος. Τὰ Λευχίππεια ... τῶν βιϐλίων Psellus p. 52, 2. Cit. Boiss.]

[Λευχίππη, ἡ, Leucippe, f. Oceani, Hom. H. Cer. 418, Pausan. 4, 30, 4. Conjux Euenoris, Plat. Critiæ p. 113, C. Aliæ apud alios.]

[Λευχιππίδες, αἱ, Leucippides, filiæ Leucippi, de quibus v. Apollodor. 3, 11, 2, cum annot. Heynii, et qui omnem de iis fabulam exposuit, Werfer. in Actis Monac. 2, 4, p. 500 seqq. Earum sacerdotes Spartæ institutæ ipsæ quoque dictæ Λευχιππίδες. V. Pausan. 3, 13, 7; 16, 1. Has memorat Eur. Hel. 1466 : Κόρας Λευχιππίδας.]

[Λεύχιππος, ὁ, ἡ, Qui albis utitur equis. Pind. Ol. 6, 95 : Λευχίππου θυγατρός· Pyth. 4, 117, πατέρων· fr. ap. schol. Pyth. 4, 206, Μυχηναίων. Ibycus ap. Athen. 2, p. 58, A : Τοὺς λευχίππους χούρους. Soph. El. 706, Eur. Hel. 640. Theocr. 13, 11 : Λεύχιππος Διὸς Ἀώς. Aliter Pind. Pyth. 9, 86 : Λευχίπποισιν ἀγυιαῖς. De litera x non in χ mutata v. Eust. Il. p. 83, 2.]

[Λεύχιππος, ὁ, Leucippus, f. Herculis ap. Apollod. 2, 7, 8, 7. F. Perieris, aliique plures ejusdem nominis sunt ap. eundem et Pausaniam aliosque. De inscr. numorum Metaponti Lucaniæ Λευχιππος v. Eckhel. D. N. vol. 1, p. 156, Raoul-Rochett. *Monum. inéd.* vol. 1, p. 56, 246. L. Dind.]

Λευχίσχος, ὁ, piscis ex mugilum genere, paulo tamen candidior et minus capitatus, VV. LL. ex Galeno [vol. 6, p. 390. Hicesius ap. Athen. 7, p. 306, E; Eust. Il. p. 950, 8. V. Λευχόρινος.]

Λευχίτης, ὁ, Hirci nomen ap. Theocr. a candore denominati, ut μεσίτης a μέσος, ita λευχίτης a λευκός : 5, [147] : Οὗτος ὁ λευχίτας, ὁ χορυπτίλος, εἴ τιν' ὀχεύσεις Τᾶν αἰγᾶν, φλασῶ τυ. [Λευχίτης ἱπποδρομίας, Creta, Gl. ἴ]

[Λευχοϐαφής, ὁ, ἡ, Candido colore tinctus. Schol. Soph. OEd. T. 733.]

Λευχοϐραχίων, ὁ, ἡ, Candida brachia habens, pro Pulchra, a parte totum, eodem modo, quo dicitur λευχώλενος. [Const. Manass. Chron. 1160. Jacobs. Schol. Hom. Il. A, 55. Photius s. Suidas in Λευχώλενος. ἄἴ]

Λευχόγαιος, ὁ, ἡ, Cujus terra alba est. Plin. 18, 11, de creta : Invenitur hæc inter Puteolos et Neapolim in colle Leucogæo appellato. [Sic de colle s. collibus illis utroque numero idem alibi. Leucogæa de gemma Leucographia 37, 10, 59. || Forma Λευχόγειος Theophr. C. Pl. 2, 4, 4 : Ἡ σπιλὰς καὶ ἔτι μᾶλλον ἡ λευχόγειος ἐλαιοφόρος· 3, 6, 8 : Τὴν λευχόγειον (ἀγαθὴν εἶναι) ἐλαίαις. Conf. Lobeck. ad Phryn. p. 298 sq. Schol. Callim. ap. 76 citat Boiss. L. D. Gl. : Λευχόγειος, Creta, Cretifodina. Glossæ iatricæ mss. Neophyti : Ἄργιλος ἡ σμηχτικὴ ἢ λευχόγειος ἢ χιμωλία. Basilic. 60, 12, 57, ex Africano : Ἐξορύξαι λευχόγειόν μου. Ita ap. schol. ad l. 28, p. 376. V. Λεπτόγαιον. Ducang. || Forma Λευχόγεως, scholl. Apoll. Rh. 1, 826, Soph. OEd. C. 702. Inter λευχόγεως et λευχόγαιος variant libri Strabonis 9, p. 439.]

Λευχογράφέω, Albo colore depingo. Aristot. Poet. [c. 15] : Εἰ γάρ τις ἐναλείψειε τοῖς καλλίστοις φαρμάχοις χύδην, οὐκ ἂν ὁμοίως εὐφράνειε καὶ λευχογραφήσας εἰκόνα.

Λευχογραφὶς, ἴδος, ἡ, Leucographis, Plinio [27, 11] : Est autem Lapis in Ægypto nascens, qui quum subviridis appareat, tamen si ad cotem affricetur, aut asperius pallium, locum dealbat : quo etiam lintea illustriora redduntur. Gorr. ex Aet. [V. Μόροχθος.]

A Leucographiam etiam Plin. [37, 10] commemorat, quo nom. Galactiten lapidem vocari scribit. [Paul. Æg. 7, p. 245. Ducang.]

[Λευχοδάκτῦλος, ὁ, ἡ, Qui candidis est digitis. Nicet. Eugen. 4, 83. Boiss.]

[Λευχοδέρμᾰτος, ὁ, ἡ, Qui pellem albam habet. Hesych. v. Λευχοδίφθεροι.]

[Λευχόδερμος, i. q. præced. Georg. Pisid. De V. V. v. 118. Boiss. Id. Opif. p. 424, 433.]

[Λευχοδίφθερος, ὁ, ἡ.] Λευχοδίφθεροι, λευχοδέρματοι, Hesych., Albis pellibus s. rhenonibus amicti.

[Λευχοείμων. V. Λευχείμων.]

[Λευχοέρυθρος. V. Λευχέρυθρος.]

[Λευχόζωτος, ὁ, ἡ.] Λευχόζωτος : Hesychio auctore τῆς γῆς alia vocatur λευχόζωτος, alia μελάνζωτος : sed quænam eæ sint, non exponit.

[Λευχόη, ἡ, inter Marmaricæ χώμας μεσογείους memoratur a Ptolem. 4, 5.]

[Λευχοθέα, ἡ, fictum voc. ap. Plut. Mor. p. 440, F : Ὡς εἴ τις ἐθέλοι τὴν ὅρασιν ἡμῶν λευχῶν μὲν ἀντιλαμ-

B ϐανομένην λευχοθέαν καλεῖν, μελάνων δὲ μελανοθέαν.]

Λευχοθέα, ἡ, Leucothea : Matuta dea, ut Plut. interpr. in Camillo [c. 5. Albunea mater, Matuta, Gl.] Etymologo ἡ Ἰνὼ, Ino : sic dicta quod in furorem acta, per album campum qui circa Megaridem est, currens, sese in mare dejecerit. [Hom. Od. E, 333 : Κάδμου θυγάτηρ καλλίσφυρος Ἰνὼ, Λευχοθέη, ἣ πρὶν μὲν ἔην βροτὸς αὐδήεσσα, νῦν δ' ἁλὸς ἐν πελάγεσσι θεῶν ἐξέμμορε τιμῆς. Ubi v. Eust.] Myrsilus λευχοθέαν dicit non solum τὴν Ἰνὼ, sed λευχοθέας appellat etiam τὰς Νηρηΐδας, Nereidas nymphas : forsan quod per albicantes maris undas cursitent, ut ἡ χυμοθόη. Itidem Hesychio λευχοθέαι sunt πᾶσαι αἱ πόντιαι. [Cum Etymologo Valck. Anim. ad Ammon. p. 163 comparat schol. Pind. Ol. 2, 51 : Ἡ Λευχοθέα Νηρηὶς γενομένη. Pind. Pyth. 11, 2 : Κάδμου χόραι, Σεμέλα, Ἰνὼ δὲ Λευχοθέα ποντιᾶν ὁμοθάλαμε Νηρηΐδων. Eur. Iph. T. 270, Apollod. 3, 4, 3, 7, Diodor. 5, 55. Λευχοθέας ἱερὸν Colchidis memorat Strabo 11, p. 498.]

[Λευχοθόας. V. Λυχοθόας.]

C [Λευχοθραχία, ἡ, ἄμπελος, Geopon. 5, 17, 4 : Ἡ λευχὴ ἄμπελος λέγεται ἐν Βιθυνίᾳ Λευχοθραχία.]

Λευχόθριξ, ῖχος, ὁ, ἡ, Qui candido est capillo s. niveis pilis. [Eur. Bacch. 112 : Λευχοτρίχων πλοχάμων. Aristoph. Av. 971 : Λευχότριχα χριόν. Callim. Cer. 120, ἵπποι. Strab. 16, p. 784, πρόϐατα.]

[Λευχόθρομϐος, ὁ, ἡ. Constant. Manass. Amat. 6, 51 : Πρόσωπον ῥαντίσαντα ῥανίσι λευχοθρόμϐοις, de lacrimis albis et manantibus. Cit. Boiss.]

[Λευχοθώραξ, ᾶχος, ὁ, ἡ, Qui albo thorace utitur. Xen. Anab. 1, 8, 9.]

[Λεῦχοι, οἱ, Leuci, gens Gallica apud Strab. 4, p. 193.]

[Λευχοΐνος. V. Λευχόϊον.]

Λευχόϊον, τὸ, Alba viola : τὸ λευχὸν ἴον. Violarum enim differentia consistit ἐν τῷ ἄνθει : nam id est vel λευχὸν, Album s. Candidum : vel μήλινον, Melinum, ejus coloris cujus sunt mala cotonea : vel χυανοῦν, Cyani colore : vel πορφυροῦν, Purpureum, inquit Dioscor. 3, 138. Sic Plin. 34, 12 : Ex eo candidum colo-

D rem sentientem violam, λευχόϊον appellant. [Λευχοΐου χαρπὸν τὸ τοῦ ἴου τοῦ λευχοῦ σπέρμα dici ap. Hippocr. scribit Galen. Lex. (p. 514). Usurpat Hippocr. p. 570, 48; 571, 24, etc. Foes. Theophr. H. Pl. 6, 8, 1 : Τῶν δ' ἀνθῶν τὸ μὲν πρῶτον ἐχφαίνεται τὸ λευχόϊον. Theocr. 7, 64 : Λευχοΐων στέφανον. Polyb. 34, 8, 5.] Ap. Plut. [Mor. p. 45, F et alibi] et Athen. : Μαλαχῶν ἄνθεα λευχοΐων. [Calta, Viola, Gl. Unguentum e violis confectum, Theophr. De odor. § 27 : Συντίθενται τὰ μύρα τὰ μὲν ἀπ' ἀνθῶν, οἷον τὸ λευχόϊον. Quæ repetens Athen. 15, p. 689, D, exhibet λευχόϊνον, ut in loco Hicesii ibidem citato : Τὸ λευχόϊον (μύρον) καὶ εὐῶδες καὶ σφόδρα πεπτιχὸν, λευχόϊνον præbuerunt libri. Itaque in l. Philonidis ap. eund. 15, p. 675, C : Λευχόϊον δὲ (στέφανον) χινητιχὸν ὄντα χεφαλῆς, Schweigh. conjicit λευχόϊνον. Sic Philodemus Anth. Pal. 11, 34, 1 : Λευχοΐνους πάλι δὴ χαὶ ψάλματα. ἴ]

Λευχόχαρπος, ὁ, ἡ, Cujus fructus albi sunt. Theophr. [H. Pl. 3, 18, 6] : Τῶν λευχοχάρπων ὁ μὲν ἁδρὸν καὶ πυχνὸν καὶ συνεστηχότα τὸν χαρπὸν ἔχει. Pro quibus Plin.,

Hederarum fructum candidum ferentium, aliis densus acinus.

Λευκόκαυλος, ὁ, ἡ, Cujus caulis albus est. Theophr. H. Pl. 7, 4, 6] de apii generibus : Τούτων δὲ πάλιν τὰ μὲν λευκόκαυλα, τὰ δὲ πορφυρόκαυλα ἢ ποικιλόκαυλα· Plin., Et caulis aliorum candidus est, aliorum purpureus, aliorum varius.

Λευκοκέρατες, οἱ, Alba habentes cornua, Hesych., vel διὰ τὸ τοὺς ἐν Εὐβοίᾳ βοῦς λευκοὺς εἶναι, vel fortassis pro λαμπροὶ, Lucidi, Splendidi. [Probabilis est Salmasii conj. Λευκόκρατες, etiam ordine literarum commendata.]

[Λευκόκερκος, ὁ, ἡ, Qui alba cauda est. Hesych. : Μάλουρις, λευκόκερκος. Sic enim HSt. pro λευκοκέρως.]

[Λευκοκέφαλος, ὁ, ἡ, Qui albo capite est. Hesychius in Λευκόκρας.]

[Λευκόκηρος, ὁ, ἡ, Ex alba cera factus. Hesych. : Δατὺς, νύμφη λευκόκηρος. Sic enim correcta scriptura codicis λευμοκήρως.]

[Λευκοκόμᾱς, α, ὁ, Leucocomas, n. viri ap. Theophrastum in Erotico ap. Strab. 10, p. 478, Cononem Narrat. 16, Phot. Bibl. p. 133, 29.]

Λευκόκομος, ὁ, ἡ, Qui candida est coma, Albente præditus coma. Plin. 13, 19, de malis Punicis : Samia et Ægyptia distinguuntur erythrocomis et leucocomis. [Femin. ap. Poll. 4, 139. Forma Λευκοκόμης Tzetzæ Posth. 659 ex libris restituta est pro altera.]

[Λευκοκράμβη, ἡ, Alba crambe. Geopon. 12, 1, 4.]

Λευκόκρας, τος, ὁ, ἡ, Hesychio λευκοκέφαλος, Candidum habens caput.

[Λευκοκύμων, ονος, ὁ, ἡ, Qui albis est undis. Eur. Or. 993 : Λευκοκύμοσιν ᾐόσιν. ῡ]

[Λευκοκῷος, ὁ, Leucocous. Plin. N. H. 14, 8, 10 : « Coi (vini) marinam aquam largiorem miscent (Græci), idque translatum in album mustum leucocoum appellatur. »]

[Λευκολέοντες, οἱ, genus vestimenti, cui leonum figuræ intextæ essent, ap. Constantin. in Cærim., ad quod v. præf. Reiskii p. XII ed. Lips.]

[Λευκόλῐθος, ὁ, ἡ, Qui candidi lapidis est. Inscr. ap. Bœckh. vol. 2, p. 126, n. 2059 : Εἰς στήλην λευκόλιθον· p. 517, n. 2782, 29 : Τὰς λευκολίθους παραστάδας. L. D. Strabo 5, p. 236; 12, p. 567. Substant. ap. Procop. Ædif. 2, 5 : Ἐκ τοῦ λευκολίθου καλουμένου, σφαλεροῦ ὄντος καὶ μαλακοῦ λίαν.]

[Λευκολῑνής, ὁ, ἡ, Qui est ex albo lino. Inscr. ap. Bœckh. vol. 1, p. 246, 11, 17.]

Λευκόλῐνον, τὸ, Album linum, ex Herodoto [7, 25, 34, 36. Ælian. N. A. 5, 3. V. Salmas. Plin. Ex. p. 538.]

[Λεύκολλα, portus Cypri insulæ, ap. Strab. 14, p. 682. Promontorium Pamphyliæ, ap. Plin. N. H. 5, 27, 26. Insula cum oppido prope Lyciam ib. 31, 35. Λευκόλλειος conjectura valde incerta restituendum nonnulli putarunt Straboni 9, p. 437, ut esset lapidis genus sive Pamphylium sive Luculleum. V. annot. interpretum.]

[Λεύκολλος. V. Λεύκιος.]

[Λευκολόφᾱς, ὁ, i. q. λευκόλοφος. Eur. Phœn. 120 : Τίς οὗτος ὁ λευκολόφας; N. pr. Λευκολόφας est ap. Aristoph. Eccl. 644.]

[Λευκολοφίδης, ὁ, Leucolophides, pater Adimanti. Eupolis ap. schol. Aristoph. Ran. 1561, ubi contra versum legebatur Λευκολόφου, quomodo propter versum dixisse eundem hominem videtur Aristoph. l. c. : sic enim commutari constat formas nominum propriorum primitivas et patronymicas. Λευκολοφίδου etiam Xen. H. Gr. 1, 4, 21, Plato Protag. p. 315, E. ῐ]

Λευκόλοφος, ὁ, ἡ, Albam cristam habens : λ. τρυφάλεια, Aristoph. [Ran. 1016] : nam λευκοὺς λόφους galeis apponi solitos fuisse patet ex ll. e Xen. et Alcæo in Λόφος citandis. [Ἐρξίωνι τῷ λευκολόφῳ (Λευκολόφου Bergk. p. 234), Anacr. ap. Athen. 11, p. 498, C. Hemst. Philetas ap. Steph. Byz. v. Φλιοῦς citatus : Φλιοῦς, ἣν αὐτὸς δείματο λευκόλοφος. || Crinagoras Anth. Pal. 7, 636, 2 : Ποιμὴν ὦ μάκαρ, εἴθε κατ' οὔρεος ἐπροβάτευον κἠγὼ, ποιηρὸν τοῦτ' ἀνὰ λευκόλοφον. Conferunt interpretes λευκόπετρον, quod v.]

[Λευκόλοφος, ὁ, Leucolophus. V. Λευκολοφίδης. Alium memorat Isæus De Menecl. hered. § 3.]

Λευκομαινὶς, ίδος, ἡ, Mæna candida. Poliochus ap.
A Athen. 7, [p. 313, C] : Τοὺς βόακας, ἄν ποτ' ἔλθῃ, λευκομαινίδας καλεῖν. [V. Plin. N. H. 9, 26.]

[Λευκόμαλλος, ὁ, ἡ, Qui albo est vellere. Eust. Il. p. 403, 44.]

[Λευκόμαντις, ιδος, ἡ, Leucomantis, n. mulieris Cypriæ. Plut. Mor. p. 766, C.]

[Λευκομέλας, αινα, αν, Albus et niger, Subniger, Canus. Tzetz. ad Lyc. 334 : Κυρίως μαῖρα λέγεται ἡ λευκομέλαινα αἶξ. Herodian. Epimer. p. 163 : Φαιὸς ὁ λ.]

[Λευκομέτωπος, ὁ, ἡ, Qui candida fronte est. Etym. M., Hesych. (v. Φαλαρός.) Wakef. Hippiatr. p. 253. Gl. Cenedus, Callidus, de quibus v. conjecturas intt.]

[Λευκόμορφος, ὁ, ἡ, Qui alba est figura, Albus. Theodos. Diac. Acroas. 1, 227 : Γῆν λευκόμορφον. Boiss.]

Λευκομφάλιος, ὁ, ἡ, Ficus quædam, quæ προδρόμους fert, Athen. [3, p. 77, C] ex Theophr. C. Pl. 3 [5, 1, 8. ᾰῐ]

[Λευκὸν πεδίον, τὸ, Cariæ, memorat Pausan. 4, 35, 11. Λευκὸν τεῖχος, partem urbis Memphidis, Thuc. 1, 104, Diodor. 11, 74 sqq.]

B [Λευκονόη, ἡ, Leuconoe, demus Atticus tribus Leontidis, cujus δημόται Λευκονοεῖς. V. exx. ap. Bœckh. C. I. vol. 1, p. 151, 395, n. 285, 12; 505, n. 677. Qui notavit etiam scripturam Λευκονοιεὺς ap. Harpocrationem (s. Suidam), qui addit Λευκόνοιον, δῆμος τῆς Λ., ὡς Διόδωρος. Pro quibus Suidas τῆς Λ., οἱ Λευκόνοι. (Photius : Λευκόνιον, δῆμος Λεοντίδος, οἳ καὶ Λευκόνιοι. Similiter Λευκονιεὺς olim ap. Ælian. V. H. 10, 7.) Sed quod idem huic nomini præmittit : Λευκόνιον, ὄνομα τόπου, et apud Zonaram ponitur p. 1298 : Λευκόνιον, τόπος, scribendum Λευκώνιον, quod v. infra. L. Dind.]

[Λευκόνοτος. V. Νότος.]

[Λευκοόπωρος, ὁ, ἡ.] Λευκόπωρος, Poma s. Fructus albos ferens, Epigr. [Leonidæ Anth. Pal. 9, 56, 3 : Ἡ λευκοόπωρος ἐγὼ καὶ ἐφώριος. « Ficos præ maturitate jam albescentes et flavescentes interpretatur Brodæus. Verum peculiare ficorum genus intelligendum videtur (de quo in Λευκερινεός). » Jacobs.]

Λευκοπάρειος s. Λευκοπάρῃος, ὁ, ἡ, Candidas habens genas. [Meleager Anth. Pal. 5, 160, 1 : Δημὼ λευκοπάρειε. Hesych. v. Μαλλοπάρανος. ᾰ]

C Λευκοπάρυφος, ὁ, ἡ, Cujus vestis candido limbo prætexta est, vesti candidus limbus s. candida fimbria attexta est, ut homines frugi, qui sumptuosis vestimentis uti minime gaudent : unde Alexander Macedo ap. Plut. Apophth. [p. 180, E], laudantibus quibusdam Antipatri εὐτέλειαν, utpote ἀθρύπτως διαιτωμένου καὶ αὐστηρῶς, inquit, Ἔξωθεν Ἀντίπατρος λευκοπάρυφός ἐστι, τὰ δὲ ἔνδον ὁλοπόρφυρος· innuens eum in externo vestitu esse hominem frugi, interno autem luxu animi diffluere. [ᾰῠ]

[Λευκόπεπλος, ὁ, ἡ, Qui albo utitur peplo. Corinna ap. Hephæst. p. 107 : Ταναγρίδεσσι λευκοπέπλοις. Improprie de die candido et lucido Hipponax ap. Tzetz. Exeg. Il. p. 84, 1 : Παρ' ᾧ σὺ λευκόπεπλον ἡμέρην μείνας. Const. Manass. Chron. 34 : Λευκοπέπλου λαμπραυγοῦς ἡμέρας γενομένης.]

Λευκοπέταλος, ὁ, ἡ, Gemma quæ candorem nivis ex auro distinguit, Plin. 37, 10. [Λευκοπέτηλος, Albis foliis præditus, probabiliter restituit Hermannus poetæ De virib. herb. 8 ed. Sillig. Osann.]

D [Λευκοπέτρα, ἡ, Leucopetra. Strabo 6, p. 211 : Πρὸς Λευκοπέτραν τῆς Ῥηγίνης· 259 : Ἀπὸ δὲ τοῦ Ῥηγίου πλέοντι πρὸς ἕω Λευκοπέτραν καλοῦσιν ἄκραν ἀπὸ τῆς χρόας ἐν πεντήκοντα σταδίοις, εἰς ἣν τελευτᾶν φασι τὸ Ἀπέννινον ὄρος. Quæ repetit Eust. ad Dionys. 78, qui Λευκὴν πέτραν vocat ib. et 363. Memorat etiam Ptolem. 2, 1.]

[Λευκόπετρον, τὸ, Nuda rupes. Polyb. 3, 53, 5; 10, 30, 5. Conf. Λευκόλοφος.]

[Λευκόπηχυς, ὁ, ἡ, Qui ulnas habet candidas. Eur. Bacch. 1206 : Λευκοπήχεσι χειρῶν ἀκμαῖσι· Phœn. 1351 : Ἐπὶ κάρα λευκοπήχεις κτύπους χεροῖν.]

[Λευκόπινος, in Glossis chymicis Mss. ἐστὶν ὁ βάπτων εἰς βάθος καὶ μὴ ἀποπτύων. Ducang.]

[Λευκοπίων, ονος, ὁ, ἡ, Albus et pinguis. Schol. Aristoph. Ran. 1124.]

[Λευκόπλευρος, ὁ, ἡ, Qui candidis est lateribus s. candido latere. Schol. Theocr. 4, 45. Wakef.]

Λευκοπληθὴς ἐκκλησία, ex Aristoph. [Eccl. 387], Albis plena.

[Λευκοποιέω, Album facio. Lex. ap. HSt. in Σχινίζομαι citatum.]

[Λευκοποίκιλος, ὁ, ἡ, Albus et variegatus. Schol. Theocr. 4, 45. Wakef.]

[Λευκοποιὸς, ὁ, ἡ, Albans. Schol. Barocc. Soph. Aj. 615 Erf.: Γήρᾳ λευκοποιῷ.]

[Λευκοπόρφυρος, ὁ, ἡ, Candidus et purpureus. Nicet. Eugen. 1, 121 : Χρυσοῦν φαεινὸν λευκοπόρφυρον φάρος. Boiss.]

[Λευκόπους, οδος, ὁ, ἡ, Qui candidis est pedibus. De nudipedibus Eur. Cycl. 72 : Βάκχαις σὺν λευκόποσιν. Aristoph. Lys. 665. Anacreont. 31, 5 : Ὁ λ. Ὀρέστης. Hesych. in Ἀργυρόπεζα, Ποδάργης.]

[Λευκοπρεπὴς, ὁ, ἡ, Candore splendens. Æsch. Sept. 90 : Βοᾷ δ' ὑπὲρ τάφρων λευκοπρεπὴς λεὼς ὄρνυται ἐπὶ πόλιν. Ubi in libris editis interpolatum ὁ λεύκασπις ὄρνυται λαὸς εὐπρεπής. G. Dind.]

[Λευκοπρόσωπος, ὁ, ἡ, Qui vultu candido est. Nicet. Eugen. 1, 123 (?). Boiss.]

Λευκόπρωκτος, ὁ, ἡ, Cui albus podex, Candidas habens nates. Callias ap. schol. Aristoph. [Av. 151]: Οὓς ἂν μάλιστα λευκοπρώκτους εἰσίδῃς. Synonymum λευκόπυγος.

[Λευκόπτερος, ὁ, ἡ, Qui candidas habet alas. Æsch. Prom. 993 : Λευκοπτέρῳ δὲ νιφάδι. Eur. Hipp. 752 : Ὦ λευκόπτερε Κρησία πορθμίς· Tro. 848 : Τᾶς λευκοπτέρου ἁμέρας.]

[Λευκοπτέρυξ, ὑγος, ὁ, ἡ, i. q. præced. Ion ap. schol. Aristoph. Pac. 835 : Ἀοῖον ἀστέρα, ἀελίου λευκῇ πτέρυγι πρόδρομον. Λευκοπτέρυγα Bentlejus.]

Λευκόπυγος, ὁ, ἡ, Albas nates habens, quod est mollium et effeminatorum. [Hesych., Photius et] Suidas λευκοπύγους dici ait τοὺς δειλοὺς, ut contra μελαμπύγους, τοὺς ἀνδρείους. [Alexin sic dixisse tradit Eust. Il. p. 863, 29.] Itidem λευκόπρωκτοι a Platone comico dicuntur Molliculi et effeminati.

[Λευκοπύρα, τῆς Ἀντιοχίδος φυλῆς δῆμος, Hesych.]

[Λευκόπυρος, ὁ, ἡ, i. q. σεμίδαλις, Simila, Similago. Philo vol. 1, p. 614, 22 : Κτήνεσιν, ἢ πτηνοῖς, ἢ λευκοπύροις· 669 init. : Ὧν (oleum et thus) ἐπιδράττεται σὺν τοῖς λευκοπύροις ὁ ἱερεύς. Schneid.]

[Λευκόπυρρος, ὁ, ἡ, Albus et ruber. Theophr. De color. 44 : Τῶν ἀνθρώπων τῶν ἐμπύρρων τὰ τριχώματα λευκόπυρρα γίνεται. L. D. Is. Porphyrog. in Allatii Excerptis p. 306. Boiss.]

[Λευκόπυρσος, ὁ, ἡ, Pisid. p. 394.]

Λευκόπωλος, ὁ, ἡ, Candidos pullos habens, Quem nivei equulei vehunt, Solis epith., item diei, s. lucis : ut ap. Soph. Aj. [673] : Ἐξίσταται δὲ νυκτὸς αἰανῆς κύκλος Τῇ λευκοπώλῳ φέγγος ἡμέρᾳ φλέγειν. [Pind. Pyth. 1, 66 : Λευκοπώλων Τυνδαριδᾶν. Eur. Herc. F. 29, Phœn. 606. Plut. Camill. c. 7, τέθριππον.]

[Λευκόπωρος scriptura vitiosa pro λευκοόπωρος, quod v.]

[Λευκόρειθρος, ὁ, ἡ, Qui alba habet fluenta. Const. Manass. Chron. 225 : Ὁ Νεῖλος ὁ λευκόρειθρος.]

[Λευκόρινος, ὁ, Piscis qui Græcis λευκίσκος dicitur, Gallis *Vendoise*. Petr. Bellon. De pisc. 1, p. 314. Ducang.]

Λευκόροδον, τὸ, Alba s. Candida rosa : τὸ λευκὸν ῥόδον. [Ligustrum, Saliunca, Gl.]

Λεῦκος, ὁ, avis proprium nomen ap. Philostr. in Heroic., ut quidam annotant. At in VV. LL. scriptum est λευκὸς, et exp. Ardeola. Ibid. additur esse Avem ex ardeolarum genere ap. Aristot. [H. A. 9, 2, 8, ubi ὁ πελλὸς, ὁ λευκὸς κτλ.] : vel potius epithetum duntaxat quod jungi debeat cum ἐρωδιὸς, præsertim quum et comp. nomine λευκερώδιον appellet. Sed Plin. Aristotelem sequens, ardeolarum tria genera enumerat, leucon, asteriam, pellon. [|| Piscis. Theocr. ap. Athen. 7, p. 284, A : Ἱερὸν ἰχθὺν, ὃν λεῦκον καλέουσιν. Λεῦκον ἢ γλαῦκον Eust. Il. p. 1067, 41, sua ex conjectura, ut putabat Schweigh., quum in λεῦκον consentiat epitome.]

Λεῦκος, ὁ, retracto in priorem accentu, nomen proprium ap. quendam Comicum qui citatur ab Athen. [Socii Ulixis, Hom. Il. Δ, 491. V. Λευκάς. Filii Talo ap. Lycophr. 1218.] Sic autem et ap. Gallos *Blanc* aliquorum virorum et *Blanche* aliquarum feminarum est nomen, sed ita ut hac in re sæpe male rebus suis

A nomina conveniant. [Fluvii Assyriæ n. ap. Ptolem. 6, 1. Macedoniæ, ap. Plut. Æmil. Paul. c. 16, 21.]

Λευκὸς, ἡ, ὸν, Albus, Candidus : γάλα [conf. Plut. Mor. p. 695, E], χιὼν, ὀστέα, ὀδόντες, [πῆχυς, λίθος (q. v.), λέβης, σῆμα, ἄλφιτα, κρῖ, φᾶρος, ἱστίον, etc.] ap. Hom., Album lac, Alba nix, Alba ossa, Albi dentes. Huic opp. μέλας, ut ap. Latini Niger s. Ater opponi solet Albo. Il. Γ, [103] : Οἴσετε δ' ἄρν' ἕτερον λευκὸν, ἑτέρην δὲ μέλαιναν Γῇ τε καὶ ἠελίῳ. Hesiod. Sc. [294] : Λευκοὺς καὶ μέλανας βότρυας. [Idem ib. 146 : Τοῦ καὶ ὀδόντων μὲν πλῆτο στόμα λευκὰ θεόντων. Comparativo Hom. Il. K, 437 : Λευκότεροι χιόνος (equi). Pind. Nem. 4, 81 : Στάλαν παρίου λίθου λευκοτέραν. Superlativo Aristoph. Eccl. 699 : Καλλίστη καὶ λευκοτάτη. Nudum nonnulli dici putarunt Eur. Bacch. 664 : Βάκχας, αἳ τῆσδε γῆς οἰστροισι λευκὸν κῶλον ἐξηκόντισαν· 861 : Ἆρ' ἐν παννυχίοις χοροῖς θήσω ποτε λευκὸν πόδα· Ion. 219. Conf. Λευκόπους, Λευκόω. Sed illis quidem locis convenientior est signif. Candidi.] Dicitur autem λευκὸς in prosa quoque de variis rebus, i. e. Albedinis genera ha-
B bentibus : neque enim λευκὰ ἱμάτια tantum ibi legimus [Plat. Crit. p. 44, A], et interdum λευκὰ sine adjectione : Λευκὰ φοροῦσιν ἐν τοῖς πένθεσιν, ap. Plutarch., et Ἀμφιεννύουσι λευκοῖς. Affertur vero et in sing. λευκὸν ἀμπέχεται, ex Aristoph. Ach. [1024]; item λευκὸς οἶνος, quo pertinet illud ap. Hesiod., λευκοὶ βότρυες, item λευκὸς ἄργυρος, item λευκὴ θρὶξ, λευκαὶ τρίχες [Anacreon ap. Ath. 13, p. 599, C : Τὴν μὲν ἐμὴν κόμην, λευκὴ γάρ· et ap. Julian. Misopog. p. 366, B : Λευκαὶ μελαίναις ἀναμεμίξονται τρίχες. Æsch. Cho. 282 : Λευκὰς κόρσας. Soph. Ant. 1092. Et similiter λευκῷ γήρᾳ Aj. 624. Plato Polit. p. 270, E] : sed etiam λευκὸς ἀνὴρ, Qui albus est facie, s. candidus : ut in prov. Οὐδὲν λευκῶν ἀνδρῶν ὄφελος. [Hesych. : Λευκοὶ, οἱ δειλοί. Conf. Eust. Il. p. 455, 35, ubi etiam proverbii mentionem facit. Eundem p. 863, 29 : Τὸ λευκὸν ἐλοιδορεῖτο τοῖς παλαιοῖς, citat Valck. Aristoph. Thesm. 191 : Σὺ δ' εὐπρόσωπος, λευκὸς, ἐξυρημένος, γυναικόφωνος, ἁπαλός. Conf. Eccl. 428. Xen. H. Gr. 3, 4, 19. Id. OEc. 10, 2 : Ὅπως λευκοτέρα ἔτι δοκοίη. De curru albis equis juncto Xen.
C Cyrop. 8, 3, 12 : Ἡλίου ἅρμα λευκόν. Λευκὸν ζεῦγος ap. Demosth. p. 565, 27. Infinitivo junxit Plato Phædr. p. 253, D : Λευκὸς ἰδεῖν.] Sic Philostr. Ep. 26 : Ὑάκινθος μὲν οὖν λευκῷ μειρακίῳ, πρέπει δὲ νάρκισσος μέλανι. Sciendum est autem, sicut λευκὰ interdum sine adjectione ponitur pro λευκὰ ἱμάτια, sic et λευκαὶ inveniri quum alibi, tum in Epigr. pro λευκαὶ τρίχες, ea sc. forma, qua dicitur etiam πολιαὶ, et a Latinis itidem Cani. Ab illo autem λευκὰ ἱμάτια factum est λευχειμονεῖν pro λευκοῖς εἵμασιν ἀμφιέννυσθαι, ut Gall. dicitur *S'habiller de blanc*, *S'accoutrer de blanc*, *Porter du blanc*. Hoc præterea est animadvertendum, quod et ad alia colorum nomina pertinet, quamvis λευκὸν χρῶμα dicatur, aut λευκὸν, subaud. χρῶμα. Plut. tamen [Mor. p. 53, D] dixisse de chamæleonte : Ἁπάσῃ χροιᾷ πλὴν τοῦ λευκοῦ συναφομοιοῦται. At in Alcibiade [c. 23] regularius locutus est, utens nomine χρῶμα, ubi de eodem animali, chamæleonte sc., sermo ei est : Πλὴν ἐκεῖνος μὲν, ὡς λέγεται, πρὸς ἓν ἐξαδυνατεῖ χρῶμα, τὸ λευκὸν, ἀφομοιοῦν ἑαυτόν. [Plato Theæt.. p. 153, D.
D Λευκὸν, Albedo, Gl. Plato Lys. p. 217, E : Ἐγένοντο λευκοῦ παρουσίᾳ λευκαί. Tzetz. Antehom. 116 : Λευκῷ δηριόωσα. Cum artic. Aristoph. Eq. 1279 : Νῦν δ' Ἀρίγνωτον γὰρ οὐδεὶς ὅστις οὐκ ἐπίσταται, ὅστις ἢ τὸ λευκὸν οἶδεν ἢ τὸν ὄρθιον νόμον. De qua formula varia schol. || De piscibus Aristot. H. A. 6, 13 : Ὠοτοκοῦσι πάντες οἵ τε λεπιδωτοὶ καὶ οἱ λευκοὶ καλούμενοι πάντες. || Improprie Pind. Pyth. 4, 109 : Πεύθομαι γάρ νιν Πελίαν ἄθεμιν λευκαῖς πιθήσαντα φρασὶν ἁμετέρων ἀποσυλᾶσαι βιαίως ἀρχεδικᾶν τοκέων. Schol. interpr. partim contrarias eis quas μελαίνας dixisset Homerus, ut esset i. q. ἐπιπολαίους, partim κενάς. Pindaro obversatum videtur ejusdem Homeri illud, φρεσὶ λευγαλέῃσι πιθήσας. Hesychius (s. Photius et Suidas) : Λευκαὶ φρένες, μαινόμεναι, λαμπραὶ, ἀγαθαὶ, ἥμεροι vel ἡμέραι. (Nisi postrema pertinent ad Λευκαὶ ἡμέραι.) Λευκῶν πραπίδων, κακῶν φρενῶν.]

|| Λευκὸς a λεύσσω, i. e. Video, derivat Etym., cui derivationi subscribit etiam Eust. [Il. p. 87, 13]: quem et ego sequens, locum ei hic dedi. Huc autem

pertinet, quod Gallice dicimus *Une couleur fort voyante*, i. e. εὐσύνοπτος.

|| Λευκαὶ ἔμπλαστροι, Emplastra quædam alba, lenia, fere non gravibus vulneribus accommodata, præcipueque senilibus. Quale est, quod habet cerussæ p. 51, sevi vitulini curati et ceræ, singulorum p. 48, olei heminas tres, ex quibus ea cerussa coquitur. Cels. 5, 19. || Λευκὴ ῥίζη, ap. Hippocr. [p. 477, 49; 571, 50; 573, 42] ἡ τοῦ δρακοντίου, Galen. Sed et sylvestre raphani genus, quod Græci Agrion, Pontici Armon, alii Leucen vocant, Latini Armoraciam, ut tradit Plin., ap. quem est Leuca gemma, quæ aliis λευκογραφίς. [Λευκὴ γῆ, de creta, Eust. ad Dionys. v. 254 : Γῆν μὲν μὴ εἶναι πρόχειρον, ἧς χρεία ἦν τῇ διαγραφῇ κατὰ τὸ σύνηθες, ἀλφίτοις δὲ διαγραφῆναι αὐτὴν (Alexandriam, quum condenda esset), quæ petita sunt ex Steph. Byz. v. Ἀλεξάνδρεια. V. in Λεύκη.] || Τὸ λευκὸν τοῦ ᾠοῦ, Album ovi, Albumen ovi, Plin. autem ap. Aristot. τὸ λευκὸν [De generat. anim. 3, 2; 4, 4] vertit etiam Album liquorem; nam hæc illius verba, Ἡ ἀρχὴ τοῦ νεοττοῦ ἐστὶν ἐκ τοῦ λευκοῦ, vertit, Ipsum animal ex albo liquore ovi corporatur. || At τὸ λευκὸν τοῦ ὀφθαλμοῦ, Album oculi, Celso. Et τὰ λευκὰ ὑποφαίνοντες ap. Aristot., non addito gen. [De pituita dicti parum aptum exemplum Hippocratis p. 224, 37 : Τοῦτο ἓν ἐὸν... γίνεσθαι καὶ γλυκὺ καὶ πικρὸν καὶ λευκὸν καὶ μέλαν, posuit Foes.] Λευκὰ Aristoteli H. A. 7, 1, Quæ eveniunt feminis admodum puellis, ut menstrua in pubertate, VV. LL. ex Gazæ interpretatione. [Hippocr. p. 1128, H : Ἑτέρη λευκοῖς θυγατέρα ἔτεκεν, ἑτέρη ἐρυθροῖς.]

|| Λευκὸς, Limpidus : λευκὸν ὕδωρ ap. Hom. [Il. Ψ, 282, Od. E, 70, Hesiod. Op. 737] τὸ διαυγές. [Æsch. Suppl. 24, Eur. Hel. 1336.] Sic Erymanthus ap. Callim. H. in Jovem [19], λευκότατος ποταμῶν, Limpidissimus fluviorum. Et ap. Eund. H. in Cerer. [123], λευκὸν ἔαρ et λευκὸν θέρος schol. exp. λαμπρόν. At vero ap. Hesiod. quidam ver λευκὸν [πολιόν?] dici putarunt ab hilaritate quam affert. || Serenus : unde et ipsa γαλήνη, Serenitas, Tranquillitas maris, ab Hom. vocatur λευκὴ, Od. K, [94] sc. vicissim turbati maris fluctibus nigror tribuitur. Crediderim tamen posse hic quoque quandam Limpitudinis signif. habere hoc nomen. || Λευκὴ ἡμέρα, Faustus s. Felix dies : quo dixerunt modo et Latini poetæ Diem s. Lucem candidam, si bene memini. [Æsch. Pers. 300 : Ἐμοῖς μὲν εἶπας δώμασιν φάος μέγα καὶ λευκὸν ἦμαρ νυκτὸς ἐκ μελαγχίμου· Ag. 668 : Ἔπειτα δ' Ἅδην πόντιον πεφευγότες λευκὸν κατ' ἦμαρ, οὐ πεποιθότες τύχῃ, ἐβουκολοῦμεν φροντίσιν νέον πάθος. Soph. fr. Atham. ap. Antiatt. Bekk. p. 106, 33, qui interpretatur τὴν ἀγαθήν. Aj. 709 : Λευκὸν εὐάμερον πελάσαι φάος.] Sed vocatur λευκὴ ἡμέρα Dies etiam ille quo genio indulgemus. Et λευκὴν ἡμέραν διάγειν, quod exp. etiam Hilariter et jucunde diem transigere, affertur que ex Silio, Albosque dies horasque serenas. [Herodian. p. 477 ed. Piers., 473 ed. Lobeck. et Thom. p. 574, ubi interpretes annotarunt Photii ex Eupolide, Antiatticistæ p. 106, 33, ex Sophocle citantium glossas et recentiorum, ut Themistii Or. 13, p. 178, D, Philostr. V. Ap. 4, 42, p. 182, exempla. Zenob. 6, 13 ex Menandri Λευκαδίᾳ affert λευκὴν ἡμέραν pro ἀγαθήν. (Exc. Phryn. Bekk. An. p. 50, 15 : Λευκὸν ἀγαθὸν, σημαίνει τὸ μέγα καὶ λαμπρὸν ἀγαθόν.)] Sed meam illam interpretationem sumpsi ex Plutarch. Pericle [c. 27], qui etiam docet sumptam hanc λευκῆς ἡμέρας appellationem ἀπὸ τοῦ λευκοῦ κυάμου. Item λευκὴ ψῆφος, ut Lat. Albus calculus, a Luciano [Harmonid. c. 3] copulata cum σώζουσα. V. et Eust. p. 917 [et Hesych. cum annot. interpretum. De λευκῇ στάθμῃ v. in Στάθμη.] || Perspicuus, Dilucidus, ut λόγος. Sic λ. στίχος, Epigr. [Philippi Anth. Pal. 11, 347, 5], Versus cujus sententia est perspicua. Possit autem, ut opinor, hæc metaphorica signif. conjungi cum ea qua dicitur de limpitudine aquæ; nam perspicuitas est quædam orationis veluti limpitudo. [Strato ap. Athen. 9, p. 383, A : Οὐχὶ λευκὰ σὺ ἐρεῖς σαφέστερόν θ' ὃ βούλει μοι λέγειν; Τὸ λευκὸν εἶδος λόγου, Genus dicendi candidum, quod Photius Bibl. cod. 193 in Maximi libris asceticis laudat, Ernest. in Lex. rhet. interpretatur Puritatem et nitorem, conferens Quinct. Institt. 10, 1, 113, ubi Messalam nitidum et candidum appellat, sed usitatiorem (et hic

A quoque præferendam) significationem esse monens Evidentiæ et Perspicuitatis, de qua etiam in Λευκότης. Addit autem Hesychii gl. : Λευκὸν, τὸ σύνηθες, quod confert cum Candido orationis genere ap. Quinct. 10, 1, 21, i. e. Aperto et facili ad intelligendum, et quas Asinius Pollio ap. Senec. Controv. l. 3, dicebat Sententias albas, h. e. simplices et apertas. « Isidor. Pelus. Epist. 4, 91, p. 461, B : Τὸ Αἰσχίνου σαφὲς καὶ τὸ λευκόν. » Jacobs. || De voce Aristot. Top. 1, 15, p. 106, 30 : Τὸ λευκὸν τὸ ἐπὶ τῆς φωνῆς καὶ τοῦ χρώματος οὐ τῇ αὐτῇ αἰσθήσει κρίνομεν, ἀλλὰ τὸ μὲν ὄψει, τὸ δ' ἀκοῇ. Suidas in Λευκόν : Λευκὴ λέγεται φωνὴ ἡ εὐήκοος. Pollux 2, 117 : Φωνὴν λευκὴν, ἐκκεκαθαρμένην. Sextus Adv. mus. p. 364 : Ὥσπερ φαιάν τινα, μέλαιναν καὶ λευκὴν φωνὴν ἀπὸ τῶν πρὸς τὴν ὅρασιν αἰσθητῶν κεκλήκαμεν. Philostr. V. Ap. 5, 21, p. 205 : Ἔστι δὲ εὔπνοια μὲν, ἣν τορὸν καὶ λευκὸν ἢ τὸ πνεῦμα.]

[|| Λευκῶς, Clare. Philostr. V. Apoll. 4, 39, p. 180 : Οὐχ ἄγαν λευκῶς τῆς φωνῆς ἔχων. Schneid. Libri non hoc præbent, sed ἀγλευκῶς, pro quo ἀγροικικῶς edi-

B tum. Athanas. vol. 1, p. 124, A : Ἀποδειχθέντα λευκῶς. Comparativo Theod. Stud. p. 386, E : Ἵνα γνοίης ἔτι λευκότερον. Superlativo Euseb. H. E. 1, 2, p. 7, 16 : Αὐτῆς τῆς σοφίας ἐπακοῦσαι πάρεστι διὰ Σολομῶντος λευκότατα ὧδέ πως τὰ περὶ ἑαυτῆς μυσταγωγούσης.]

[Λευκόσαρκος, ὁ, ἡ, Qui candida carne est. Xenocr. De aquat. § 38. Boiss. Athen. 7, p. 312, B.]

[Λευκόσκαρος, Scarus albus. Psellus Epistola in Seebodii Misc. crit. 2, 4, p. 605 : Μὴ ὡς ἑνὸς τοῦ λευκοσκάρου καταφρόνησον· et infra illuc respiciens : Ὁρᾷς δὲ καὶ τὴν ψῆφον· λευκὴ τῷ ὄντι καὶ φερώνυμος· τοῦ φιλιποῦ (sic) χρώματος. Καὶ ὁ σκάρος, οὐκ ἀηδὲς σύμβολον· λαλίστατος γὰρ ὁ ἰχθῦς καὶ κῆρυξ τῆς ἡμετέρας φιλίας καὶ διαθέσεως. Idem mox p. 611 : Πάλιν ὁ δοῦλός σου δεξιοῦμαί σε τὸν δεσπότην μου καὶ βασιλέα τρισὶ λευκοσκάροις. Ὁ δὲ ἀριθμὸς μυστικὸς, καὶ θεῖον τὸ ὄνομα· τό τε λευκὸν τοῦ ἰχθύος ἐκφαντικὸν τῆς σῆς καθαρότητος. Ἀλλὰ καὶ ὁ σκάρος μόνος τῶν ἰχθύων λαλίστατος, καὶ ἐστὶν ὡσανεὶ ἰχθῦς μουσικὸς, σύμβολον καὶ οὗτος τῆς σῆς εὐστρόφου γλώττης καὶ μουσικῆς. Osann.]

C Λευκοστεφὴς, ὁ, ἡ, Hesychio κεραυνόβλης [Λευκοστεφῆ τὰ κεραυνόβλητα], Fulmine ictus, forsan quod is fulgore quasi coronari videatur et cingi. [Æsch. Suppl. 191 : Λευκοστεφεῖς ἱκτηρίας· 333 : Λευκοστεφεῖς ἔχουσα νεοθρέπτους κλάδους.]

Λευκόστικτος, ὁ, ἡ, Albis punctis s. maculis distinctus, Albis notis compunctus. [Pseud-] Eur. [Iph. A. 221] : Λευκοστίκτῳ τριχὶ βαλίους πώλους, Equos varios, sc. quorum pili albis notis s. maculis distincti sunt. [V. Λεπτόψηφος.]

[Λευκόστολος, ὁ, ἡ, Qui candida veste amictus est. Clem. Al. Strom. 5, 8, p. 676 : Ἐπιγένης ἐν τῷ περὶ τῆς Ὀρφέως ποιήσεως (δηλοῦν φησι) Μοίρας τὰ μέρη τῆς σελήνης, τριακάδα καὶ πεντεκαιδεκάτην καὶ νουμηνίαν· διὸ καὶ λευκοστόλους αὐτὰς καλεῖν τὸν Ὀρφέα φωτὸς οὔσας μέρη.]

[Λευκοσυρία, ἡ, Leucosyria. Schol. Apoll. Rh. 2, 948 : Τινὲς δὲ τῶν ἀρχαίων Λευκοσυρίαν αὐτὴν (Assyriam) ἐκάλουν. Et ib. 964.]

Λευκόσυρος, ὁ, Syrus albus s. candidus, [Βαβυλώνιος] λευκόχροος, Hesych. Ita dicuntur Æthiopes [Syri] albi,

D ad differentiam nigrorum. [Strabo 12, p. 542 : Μέχρι Λευκοσύρων, οὓς ἡμεῖς Καππάδοκας προσαγορεύομεν· 554 : Λευκοσύρων δ' οὐ οὐδὲ Σύρων οὐδὲ Καππαδόκων (μέμνηται Ὅμηρος)· 16 initio : Δοκεῖ τὸ τῶν Σύρων ὄνομα διατεῖναι ἀπὸ μὲν τῆς Βαβυλωνίας μέχρι τοῦ Ἰσσικοῦ κόλπου, ἀπὸ δὲ τούτου μέχρι τοῦ Εὐξείνου τὸ παλαιόν. Οἱ γοῦν Καππάδοκες ἀμφότεροι, οἵ τε πρὸς τῷ Ταύρῳ καὶ οἱ πρὸς τῷ Πόντῳ, μέχρι νῦν Λευκόσυροι καλοῦνται, ὡς ἂν ὄντων τινῶν Σύρων καὶ μελάνων· οὗτοι δ' εἰσὶν οἱ ἐκτὸς τοῦ Ταύρου· λέγω δὲ Ταῦρον μέχρι τοῦ Ἀμανοῦ διατείνων τοὔνομα. Schol. Apoll. Rh. l. in Λευκοσυρία citato : Τὴν δὲ τῶν Ἀσσυρίων χώραν Λευκόσυρον (-ρίαν?) φησὶ καλεῖσθαι Ἄντρων ἐν τῷ περὶ Πόντου κατὰ ἀντίφρασιν τῶν ἐν τῇ Φοινίκῃ Σύρων .... Ὅτι δέ τινες τοὺς Ἀσσυρίους Λευκοσύρους λέγουσί φησι καὶ Ἀρτεμίδωρος. Cappadoces ita vocatos esse et Strabo tradit alibi sæpius et Marcianus Peripl. p. 73, et Photius, addens καὶ οὓς οἱ Ἴωνες Σύρους. V. etiam Ptolem. 5, 6.]

[Λευκόσφυρος, ὁ, ἡ, Qui candidis est suris. Theocr. 17, 32 : Λευκοσφύρου Ἥβας.]

A [Λευκοσώματος, ὁ, ἡ, Qui candido corpore est. A. ἄρτοι Antiphanes ap. Athen. 3, p. 112, D.]

[Λευκόταρσος, ὁ, ἡ, Qui candidis est plantis. Nicet. Eugen. 2, 343 : Τῇ λευκοτάρσῳ τῶν ποδῶν σου συνθέσει.]

Λευκότης, ητος, ἡ, Albedo, Albor, Candor [Gl. Plato Reip. 10, p. 617, A, et alibi.] Aristot. Eth. 1, 6 : Τόν τ' ἀγαθοῦ λόγον ἐν ἅπασιν αὐτοῖς τὸν αὐτὸν ἐμφαίνεσθαι δεήσει, καθάπερ ἐν χιόνι καὶ ψιμμυθίῳ τὸν τῆς λευκότητος. [Perspicuitas dicendi. Etym. M. p. 337, 53. Wakef. Eunap. p. 21, 21 : Οὐδὲ ἔχει λευκότητά τινα· mox ἀσαφῆ. Valck.]

[Λευκοτριχέω, Candidos s. Canos crines habeo. Strabo 6, p. 263 : Ὁ Κρᾶθις τοὺς ἀνθρώπους ξανθοτριχεῖν καὶ λευκοτριχεῖν ποιεῖ λουομένους. Eust. in Dionys. P. v. 373.]

[Λευκότροφος, ὁ, ἡ.] Λευκότροφα μύρτα, ap. Aristoph. Av. [1100] esse dicit schol. τὰ λευκὰ καὶ τρυφερὰ, qualia esse τὰ μήπω πεπανθέντα.

[Λεύκου πεδίον, τὸ, locus Megaridis ap. schol. Hom. Od. E, 334, Hesych., et Etym. M. in Λευκοθέα p. 561, 43. Λευκοῦ male scriptum ap. schol. et Etym. L. D.]

B [Λευκουργέω, Albo. Inscr. Aphrodis. ap. Bœckh. vol. 2, p. 502, n. 2749, 5 : Τὰς πυλίδας ... ἀνέστησεν καὶ ἐλευκούργησεν. L. Dind.]

[Λεύκουρος, ὁ, ἡ, Qui albam habet caudam. Hesych. in Μάλουρος.]

[Λευκουφής, ὁ, ἡ, Qui est candidæ texturæ. Eust. Od. p. 1530, 58 : Ἀργύφεον ἤτοι λευκουφὲς φᾶρος. ὑ]

Λευκοφαής, ὁ, ἡ, Qui albus videtur, Candidus aspectu. [Eur. Iph. A. 1054 : Λευκοφαῆ ψάμαθον. Alii λευκοφανῆ. Nonni Dion. 15, 231 : Λευκοφαὴς σελάγιζε μέσος γυμνούμενος αὐχήν. Olim λευκοφυής. Eust. Opusc. p. 239, 89 : Λευκοφαῆ μάργαρον.]

Λευκόφαιος, ὁ, ἡ, Ex albo et fusco mixtus, Candidus fusco colore permixtus. Plin. 32, 10 : Adalligatur in panno leucophæo. [Pollux 7, 129, inter colores : Λευκόφαιον. Σῦκα λευκόφαια memorat Athen. 3, p. 78, A. V. Λευκόφλοιος.]

[Λευκοφανής. V. Λευκοφαής. « Jo. Gaza T. M. 2, 70. » Cramer. Chron. Pasch. p. 301, 13 : Ἄγγελοι λευκοφανεῖς. L. Dind.]

C [Λευκοφάνης, ὁ, Leucophanes, f. Euphemi et Lamaches, a quo genus ducebat Battus, conditor Cyrenes. Tzetz. Lyc. 886.]

[Λευκόφανον, in Glossis chymicis Mss. ἐστὶ τὸ δῦνον εἰς βάθος. Ducang.]

Λευκόφθαλμος, ὁ, ἡ, Qui candidis s. albidis est oculis. Est et Gemmæ nomen, de qua Plin. 37, 9 : Leucophthalmos, rutila alias, oculi speciem candidam nigramque continet.

[Λευκοφλεγματέω. V. Λευκοφλεγματίας. Hippocr. p. 194, G : Τοὺς λευκοφλεγματοῦντας διάρροια παύει.]

Λευκοφλεγματίας ὕδρωψ (qui et σαρκίτης, s. ἀνὰ σάρκα), Qui totius corporis superficiem alba pituita plenam in tumorem extollit. [Λευκοφλεγματία ἢ λευκοφλεγματίας aquæ inter cutem species quæ ἀνασάρκα vocatur. Λευκοφλεγματίαν καὶ ὑποσάρκα dicit Celsus 3, 21. Λευκοφλεγματίας autem dicitur ab alba pituita in toto corporis habitu et vasis redundante, ut scribit Galen. Comm. ad aph. 76 lib. 7 et Comm. ad aph. 29 lib. 7, his verbis : Σύνηθές ἐστι καὶ τοῖς ἄλλοις ἰατροῖς ὀνομάζειν τινὰ λευκοφλεγματίαν ὕδερον, ἢ γοῦν ὡς καὶ πελιδνοῦ τινος
D φλέγματος, ἢ ὡς κατὰ μὲν τὸν ἑαυτοῦ λόγον ὑπάρχοντος ἀεὶ λευκοῦ, δι' ἐπιμιξίαν δέ τινα τῶν ἄλλων χυμῶν μεταβάλλοντος τὸ ἀκριβὲς τῆς χρόας. Quam certe nominis notationem Aurelianus etiam amplectitur Tard. Pass. 3, 8, eamque λευκοφλεγματίαν Græce, Latine vero Intercutem nominat, etsi λευκοφλεγμαντίαν passim habent vitiose scriptum exemplaria. Λευκὸν φλέγμα dicitur Hippocrati aph. 29 lib. 7 et lib. Π. χρισίων (p. 55, 53) et lib. 1 De morb. (p. 447, 28 et 36; 449, 12) et l. 2 (p. 486, 10). Quemadmodum etiam Aretæus Π. χρον. παθ. 2, 1 (p. 49, 24) ἀνασάρκα λευκὸν φλέγμα vocat, in eamque hydropis speciem pueros propensiores facit. Alioqui sane λευκὸν φλέγμα cachexiam quandam pituitosam aut malum corporis habitum Hippocr. significat, in quo plurima hujuscemodi pituita alba vel livida ex aliorum quorundam humorum commixtione, tum in vasis, tum in toto corporis habitu coacervata est, quæ hydropis quoddam est rudimentum, ad eumque viam facit, ut aph. 76 lib. 7 et lib. Π. παθῶν (p. 520, 50; 522, 15) et lib. Π. τῶν ἐντὸς παθῶν (p. 543, 17) et lib. De aere, loc. et aq. (p. 284, 4). Sic etiam Aurelianus λευκοφλεγματίαν hydropis initium esse scribit. Λευκοφλεγματοῦντες in Coac. Prænot. (p. 194, G) qui hujusmodi hydropis vitio laborant dicuntur, et λευκοφλεγματώδης lib. 4 Epid. (p. 1121, H), quæ pituita alba referta est, et λευκοφλέγματος ibidem (p. 1133, B), ἡ γραίη λευκοφλέγματος, Anus pituita alba redundans. Et λευκοφλεγματίαι lib. 3 Epid. st. pest. (p. 429, 36, Hipp. p. 1090, G), Quibus ex frigida intemperie hepatis et partium solidarum pituitosus sanguis per totum carnosum genus suffunditur, et in toto corporis habitu coacervatur, ita ut cutis omnis intumescat et infletur. Ubi scribit Galen. : Οἱ δὲ λευκοφλεγματίαι πρόδηλοι δήπου ψυχρᾶς κράσεως ὄντες, εἴ τι μεμνήμεθα τῶν ἐν τοῖς περὶ κράσεως εἰρημένων· ἔστι δ' αὐτοῖς μαλακὴ καὶ ὑποιδός πως ἡ σὰρξ ἐγγὺς τῇ τῶν ἑαλωκότων ὑδέρῳ τῷ λευκοφλεγματίᾳ καλουμένῳ. Foes. Œc. Hippocr. ἄϊα]

[Λευκόφλεγμος, ὁ. Psellus in Boiss. Anecd. vol. 1, p. 222 : Ὕδρωψ ὁ λευκόφλεγμός ἐστι τῇ φύσει. Osann.]

[Λευκόφλοιος, ὁ, ἡ, Qui albo est cortice. Posidonius ap. Athen. 14, p. 649, D : Τὸ καλούμενον βιστάκιον, ὃ δὴ καὶ βοτρυώδη τὸν καρπὸν ἀφίησι, λευκόφλοιον ὄντα καὶ μακρόν. Libri meliores λευκόφαοιον, λευκοφύοιον, epitome λευκοφαῆ. Λευκόφαιον conj. Schweigh.]

[Λευκοφόντης Hesych. explicat v. Ἀργειφόντης, quod v.]

[Λευκοφορέω, Candidas vestes fero. Jo. Moschi Prat. Spirit. c. 66, p. 1081. Suicer.]

Λευκοφορινόχροος, ὁ, ἡ, Albam cutem habens. [Philoxenus Athenæi 4, p. 147, D : Σχελίδας λευκοφορινοχρόους.]

Λευκοφόρος, ὁ, ἡ, Albam s. candidam vestem ferens, Albatus, Candidatus. Ammian. in Epigr. [Anth. Plan. 2, 20, 2] : Τέχνης ῥητορικῆς δαίμονα λευκοφόρον. [Codin. Orig. p. 68. Boiss. Eust. Opusc. p. 239, 69.] At Plin. 35, 16 : Sinopidis Pontici selibra, silis lucidi libris 10, et melini Græciensis duabus, mistis tritisque una per dies 12, leucophorum fit, h. e. Glutinum auri, quum inducitur ligno. [Geopon. 5, 2, 2, ἄμπελος.]

[Λευκοφρύη, Λευκοφρυηνή. V. Λεύκοφρυς.]

Λεύκοφρυς, ὁ, ἡ, Candida habens supercilia, ex Herodoto 3, [57] λεύκοφρυς ἀγορὴ, pro Cana fori facies : in quodam oraculo : Ἀλλ' ὅταν ἐν Σίφνῳ πρυτανήϊα λευκὰ γένηται, Λεύκοφρύς τ' ἀγορὴ, i. e. ὅταν ἡ ἀγορὴ καὶ τὸ πρυτανήϊον Παρίῳ λίθῳ ἀσκηθῇ, ut postea contigit. [De accentu proparoxytono v. Epim. Hom. in Cram. Anecd. vol. 1, p. 112, 31, Etym. M. p. 246, 15; 565, 16. Idem confirmatur n. pr. Λεύκοφρυς, quod v., mensura. L. Dind.]

[Λεύκοφρυς, υος, ἡ, Leucophrys, 1. Tenedi, a Tene illuc delato sic dictæ, n. antiquius, διὰ τὸ λευκὰς ἔχειν ὀφρῦς ἤγουν ἐξοχὰς παρὰ τοὺς αἰγιαλοὺς sec. Eust. Il. p. 33, 23, ap. Lycophr. 346, Diod. 5, 83, ubi v. Wess., Strab. 13, p. 604, Pausan. 10, 14, 3, Heracl. Pont. c. 7, et quos ad eum citat Kœlerus. 2. Urbs ad Mæandrum prope Magnesiam Ioniæ sita. Xen. H. Gr. 4, 8, 17 : Ὁρμώμενος ἐξ Ἐφέσου τε καὶ τῶν ἐν Μαιάνδρου πεδίῳ πόλεων Πριήνης τε καὶ Λευκόφρυος καὶ Ἀχιλλείου ἔφερε καὶ ἦγε τὴν βασιλέως. De eadem 3, 2, 19 : Λεύκοφρυν, ἔνθα ἦν Ἀρτέμιδος ἱερὸν μάλα ἅγιον. Nicander ap. Athen. 15, p. 683, C : Λεύκοφρυς (libri Λεύκοφρυν) Ληθαίου Μάγνητος ἐφ' ὕδασιν εὐθαλέουσα. Μαγνητων Λευκοφρυς vel Λευκοφρυς Μαγνητων inscriptum numis Magnesiæ Ioniæ ap. Mionnet. *Suppl.* vol. 6, p. 236 seqq., Μαγνητων Λευκοφρυνην (Λευκοφρυηνη?) p. 237, n. 1033. ΛΑΓΡΟΦΡΥΝΗ ΜΑΓΝΗΤΩΝ in numo Hunteriano scribendum esse ΛΕΥΚΟΦΡΥΝΗ conjecit Eckhel. D. N. vol. 2, p. 526, rejecta prava Sestinii conjectura Λευκοφροσύνη, quam sequi videtur Mionnet. *Suppl.* vol. 6, p. 235, n. 1025. Sed Λευκοφρυηνή potius scribendum, ut perspicue scriptum in numo Otaciliæ, quem ex Occonis Imperat. numism. p. 146 citat Harduinus Op. sel. p. 96, et in inscr. Magnesia ap. Bœckh. vol. 2, p. 582, n. 2914, A : Ἱέρεια ἐγένετο Ἀρτέμιδος Λευκοφρυηνῆς. Nam ibid. B, ubi eadem verba sunt, in Λευκοφρυ desinunt literarum reliquiæ. Eadem forma aut restituta est aut superest restituenda eundem Dianæ Leucophryenes cultum memorantibus Straboni 14, p. 647, Pausan. 1, 26, 4; 3, 18, 9, Appiano Civ. 5 9, quibus ll.

inter formam Λευκοφρυηνὴ, partim acuto partim pravo accentu gravi notatam, et formam Λευκοφρύνη variant libri. *Leucophryene* recte plerique Taciti Ann. 3, 62. Schol. Clementis autem ad l. infra citandum, qui scribit : Λευκοφρύνη Ἄρτεμις ἐν Μαγνησίᾳ ὀνομάζεται, ipse potius in culpa esse videtur. Secus judicabat Buonarrotus *Osservat. istor.* p. 90, qui librorum et numerorum, ut putabat, sequutus scripturam Λευκοφρύνη, Occonem erroris arguebat, qui Λευκοφρυηνὴ exhibuisset pro Λευκοφρύνη. Ap. Clementem vero Protr. p. 39 : Ἐνταῦθα τῆς Λευκοφρύνης (Ms. Λευκοφροσύνης) τὸ μνημεῖον οὐκ ἄξιον παρελθεῖν ἑπομένους Ζήνωνι τῷ Μυνδίῳ, ἣ ἐν τῷ ἱερῷ τῆς Ἀρτέμιδος ἐν Μαγνησίᾳ κεκήδευται (et, qui locum Clementis repetit, Theodoretum p. 315 ed. Gaisf. : Τὴν δὲ Λυκοφρόνην ἐν τῷ ἱερῷ τῆς Ἀρτέμιδος ἐν Μαγνησίᾳ ταφῆναι Ζήνων ὁ Μύνδιος ἔφη), et Arnobium Adv. gent. 6, 6 : « Leucophrynæ monumentum in fano apud Magnesiam Dianam esse Myndius profitetur ac memorat Zeno, » scripsisse aut scribere debuisse Λευκοφρύη animadvertit Bœckh. l. c. p. 582. Quam Mandrolyti filiam dicit Hermesianactem sequutus Parthen. Erot. c. 5, 5. L. DIND.]

[Λευκοφυής, vitium scripturæ pro Λευκοφαής, quod v.]

[Λευκόφυλλος, ὁ, ἡ, Qui albis est foliis. Diosc. 4, 104. Ῥάβδος λευκόφυλλος, quæ nascatur in fl. Phaside, memoratur a Pseudoplutarcho De fl. p. 1152, D].

[Λευκόχαλκος, ὁ, Orichalcum, ὀρείχαλκον, in Corona pretiosa. DUCANG.]

[Λευκοχαράκτηρος, ὁ, ἡ, Qui albo vultu est, s. alba facie. Is. Porphyrog. in Allatii Exc. p. 315. BOISS.]

[Λευκοχειροσαρκόνυξ, ὕχος, ὁ, ἡ, Qui candidis est manibus, carne, unguibus. Nicet. Eugen. 1, 123. BOISS.]

Λευκοχίτων, ὁ, ἡ, Alba indutus tunica, Tunicam candidam habens s. gerens. Metaph. Hom. [Batrachom. 37] ἤπατα λευκοχίτωνα dicit Hepata alba tunica intecta : quoniam ejusmodi pellicula s membranula veluti tunica vestiuntur. [ῐ]

[Λευκόχλωρος, ὁ, ἡ, Albus et viridis. Aretæus p. 45, 44 : Τοῦ λ. εἴδεος· 46, 19 : Ἐπὶ τὸ λευκότερον χροιῇ μὲν λευκόχλωροι.]

[Λευκόχριστος, Albo colore tinctus. Ulpian. ad Dem. Ol. 3, p. 36 R. : Τὸ ποιῆσαι τὰς ἐπάλξεις λευκοχρίστους.]

[Λευκοχροέω, Albo sum colore, ap. Hippocr. Epid. 1, p. 667 Lind. (p. 954, D, Foes.), ubi λευκοχροεῦντες, sed ap. Foes. ὑπολευκόχρωτες, ut ap. Galen. Comm. vol. 5, p. 177. Λευκοχροεῦντες cod. ap. Foes. p. 1339. STRUV.]

Λευκόχροια, ἡ, Candicantia, Candidus s. Albus color. [Plut. Mor. p. 892, E.]

Λευκόχροος, s. Λευκόχρους, ὁ, ἡ, Qui albi coloris est, Candicans s. Albicans colore. [Albianus, Gl. Eur. Phœn. 322 : Ἐμὰν λευκόχροα ... κόμαν. Eadem forma Ptolem. Geogr. 7, 2 : Τοὺς κατανεμομένους αὐτὴν ὁμοίως λευκόχροας τε καὶ δασεῖς. Altera Aristot. De gener. an. 1, 20 : Ταῖς λευκοχρόοις καὶ θηλυκαῖς. Nicetas Eugen. 1, 144 : Μαργάρων λευκοχρόων. Jo. Malalas p. 277, 18 : Ἦν δὲ ... λευκόχροος. Et alii recentiorum. V. Λευκόχρως. Formam Λευκοχροίου pro λευκοχρόου ap. Hippocr. p. 1008, G, notavit Struvius. Conf. quæ diximus in Εὔχροιος.]

Λευκόχρῡσος, ὁ, ἡ, Aureus, interveniente candida vena : ut Plin. 37, 9 : Fiunt et leucochrysi (sc. lapides s. gemmæ), interveniente candida vena.

[Λευκοχρωμᾰτος, ὁ, ἡ, i. q. sequens. Phintys ap. Stob. Flor. vol. 3, p. 85 fin. HEMST.]

Λευκόχρως, ωτος, ὁ, ἡ, i. q. λευκόχροος, Qui albo s. candido est colore, Colore albicans s. candidans, Qui albo s. nitido est corpore. In qua signif. ex Epigr. [Theocr. 2, 1 : Δάφνις ὁ λ.] affertur. [Atticam hanc formam, vulgarem λευκόχρους dicunt Mœris p. 252, Thomas p. 575. Epist. ad Eustathium apud Tafel. De Thessalonica p. 357 : Μᾶλλον ἂν ἐπεπείσμην τὸν Αἰθιοπικὸν τουτονὶ γραμματοκομιστὴν εἰς λευκόχρωτα μεταβαλεῖν. Arcad. p. 93, 23. L. DIND.]

Λευκόψαρος, ὁ, Albicans in cinereum colorem, Bud. in Hippiatr. : Τοὺς δὲ λευκοψάρους, οὓς καλοῦσι μύρωνας, μὴ παραλαμβάνειν, μηδὲ ποιεῖσθαι ἐξ αὐτῶν τὸ ὀχεῖον. [Iterum HSt.] : Λευκόψαρος, Qui simul ψαρὸς est et albus.

Λευκόω, Album reddo, Dealbo. [Albo, Gl. Æneas Tact. c. 31, p. 96 : Γράψαντα μέλανι, ἔπειτα λευκώσαντα ἀφανίζειν τὰ γράμματα. L. D.] Et Λευκόομαι pro eod.

A Xen. Hell. 2, p. 278 [4, 25] : Ὅπλα ἐποιοῦντο, οἱ μὲν ξύλινα, οἱ δὲ οἰσύϊνα, καὶ ταῦτα ἐλευκοῦντο· 7, p. 377 [5, 20] : Προθύμως μὲν ἐλευκοῦντο οἱ ἱππεῖς τὰ κράνη, κελευοντος ἐκείνου· paulo post dicit, Πάντες δὲ ἠκονῶντο καὶ λόγχας καὶ μαχαίρας καὶ ἐλαμπρύνοντο τὰς ἀσπίδας. [Mæcius Anth. Pal. 9, 403, 3 : Λεύκωσαι πόδα γαῦρον, de pede nudando. V. Λευκόπους, Λευκός.] Et in passivo [Pindarus Isthm. 3, 87 : Λευκωθεὶς χάρα μύρτοις. Plato Leg. 6, p. 785, A : Ἐν τοίχῳ λελευκωμένῳ.] Dem. p. 143 [1132, 8], λελευκωμένον γραμματεῖον, Albo colore inductum : Κἂν ἀπὸ τοῦ γραμματείου γνοίη τις ἐν ᾧ ἡ μαρτυρία γέγραπται, ὅτι τὰ ψευδῆ μεμαρτύρηκε· λελευκωμένον τε γάρ ἐστι καὶ οἴκοθεν κατεσκευασμένον· paulo post dicit, Ἐν μάλθῃ γεγραμμένην τὴν μαρτυρίαν.

[Λεῦκτρα, ων, τὰ, Leuctra, locus Bœotiæ inter Platæas et Thespias ap. Xen. H. Gr. 5, 4, 33 etc., aliosque historicos et geographos, ut Strab. 9, p. 414. Laconiæ ap. Pausan. 3, 21, 7 ; 3, 26, 4, ubi semel Λεῦκτρον pro Λεῦκτρα est in libris nonnullis. Et Λεῦκτρον est Ptolemæo 3, 16, Plutarcho Pelop. c. 20, Straboni
B 8, p. 360, qui τῶν ἐν Βοιωτίᾳ Λεύκτρων ἄποικον vocat, et 361. Λεῦκτρον Achaicum memorat id. ib. p. 387, Arcadiæ Xen. H. Gr. 6, 5, 24, ubi Λεύκτρῳ pro Λεύκτρων restituit Wolfius, Pausan. 8, 27, 4, Plut. Pelop. c. 20. Λεῦκτρα dicit Thuc. 5, 54, Plut. Cleom. c. 6, ubi perperam sollicitatum est. || Adj. Λευκτρικὸς, ἡ, ὸν, Leuctricus, de Bœoticis, ap. Polyb. 2, 41, 7 : Πρὸ τῶν Λευκτρικῶν· 8, 13, 3 : Τοῖς Λευκτρικοῖς καιροῖς.]

[Λευκτρὶς, ίδος, ἡ. V. Λεῦκτρος.]

[Λεῦκτρος, ὁ, Leuctrus, Bœotus, a quo dicta Leuctra Bœotiæ. Diodor. 15, 54; Etym. M. p. 561, 50. Cujus de accentu v. Arcad. p. 74, 14. Nullum fuisse hominem ita vocatum colligere licet ex Plut. Pelop. c. 20, qui Λευκτρίδας Scedasi filias perhibet, ab loco, ubi sepultæ essent, Λευκτρίδας dictas.]

[Λευκυανίας, ὁ, Leucyanias, fl. Elidis in Alpheum se effundens, a quo dictus Bacchus Λευκυανίτης, cujus templum propinquum esset. Pausan. 6, 21, 5.]

[Λευκώδης. In paraphraste edito Dionysii Periegetæ ad v. 745, p. 22, hæc reperiuntur : Γάλα δὲ εἶπε λευ-
C κὸν, διὰ τὸ ἐν ἐκείνῳ λευκῶδες, καὶ γὰρ οὐχ ὁρᾶται σκιά. Locus est emendandus e schol. inedito ita : Διὰ τὸ πηκτῶδες, ἐν ἐκείνῳ γὰρ οὐχ ὁρᾶται σκιά. BAST.]

Λευκώλενος, ὁ, ἡ, Candidos habens lacertos, Quæ niveis est brachiis s. ulnis, λευκοβραχίων, ut Il. A, [55] et alibi sæpe ap. Hom. [pariterque de aliis mulieribus ap. hunc et Pindarum aliosque poetas], λευκώλενος Ἥρη, synecdochice pro καλὴ καὶ εὐπρεπὴς, Venusta et decora. Ubi qui allegorice interpr. Junonem aerem, epith. hoc ei tribui dicunt propter perspicuitatem.

Λεύκωμα, ατος, τὸ, Id ipsum quod dealbatum est. Dicitur plerumque pro λελευκωμένον γραμματεῖον, i. e. pro Tabella albo colore inducta, Bud. p. 185, ex Dem. [p. 707, 12]. Sed et Lys. [p. 163, 1] pro Ejusmodi tabella s. πυξίῳ, ut Dem. schol. exp., usurpat. [Conf. Hesych. v. Ἐν λευκώμασι. KUST. Prov. Append. Vat. 1, 80. VALCK.] Turn. in annot. in Præfat. Plinii, quum dixisset in albo nomina judicum scribi solita fuisse, et alia multa jurisdictionis causa, ut edicta quædam et leges prætoris, nefasque fuisse album cor-
D rumpere, item nomina decurionum, addit, Album autem quid sit, ita a [Photio s.] Suida [et, ubi πίναξ pro τοῖχος, in Lex. rh. Bekk. An. p. 276, 15] explicatur, Λ. τοῖχός ἐστιν ἀληλιμμένος γύψῳ πρὸς γραφὴν πολιτικῶν πραγμάτων ἐπιτήδειος, Album paries est gypso illitus, ad negotiorum civilium descriptionem aptus. Itaque album a charta distinguit Ulpian. : Si quis id quod jurisdictionis perpetuæ causa, non quidem prout res incidit, in albo vel in charta vel in alia materia propositum erit, dolo malo corruperit. Est tamen album charta etiam et tabula in qua aliquid scribebatur, ut verbi gratia in qua erant judicum nomina scripta ; sic in qua decurionum, in qua senatorum. Dion [Cass. 55, 3] : Τά τε ὀνόματα συμπάντων τῶν βουλευόντων εἰς λεύκωμα ἀναγράψας ἐξέθηκε, καὶ ἐξ ἐκείνου καὶ νῦν κατ' ἔτος οὕτω ποιεῖται, Et nomina omnium senatorum in album relata extulit, atque ex eo tempore sic quotannis fieri solet. Sic pontifex max. in albo historiam describebat. Cic. : Res omnes singulorum annorum mandabat literis pont. max. efferebatque in album,

et proponebat tabulam domi, potestas ut esset populo cognoscendi. Hæc ille. [Alios Dionis Cass. ll., similiter sæpe hoc v. usi, v. in indice. Inscr. ap. Bœckh. vol. 2, p. 287, 40 : Ἀναγράφειν δὲ εἰς λεύκωμα ἐτήσιον τοὺς ἀεὶ νικῶντας. L. D. Diog. L. 6, 33 : Ἐγγράψας τὰ ὀνόματα εἰς λεύκωμα τῶν πληξάντων περιῄει ἐξημμένος. VALCK. Pollux 8, 104, et inter instrumenta aucupum 10, 171.] ‖ Significat etiam Album ovi, et Albuginem oculorum, [Album, Albumen, Albura, Albugo, Gl.] quod etiam λεύκωσις dicitur. Hippiatr. : Ἄριστον δὲ τοῦτο εἰς λεύκωμα τῶν ὀφθαλμῶν. Diosc. : Καθαίρει τὰ λευκώματα καὶ τὰ ἐπισκοτοῦντα ταῖς κόραις. [Nicephorus Call. ap. Lambec. Bibl. Cæs. vol. 8, p. 123, B : Ὀφθαλμῶν ἐπιχύσεις τε καὶ λευκώματα. Eust. Il. p. 427, 38. L. D. Scholl. Aristoph. Pl. 635, Æsch. Prom. 498. HEMST.] Ab Alex. in Probl. dicitur Λεύκωμον, ut ἄργεμον. Hæc Bud. p. 185. Sed in l. illo Alexandri, Probl. 1, 114, ubi λεύκωμον pro λεύκωμα dictum scribit ut ἄργεμον, exponens Alba cicatrix in oculis, vett. libri habent λεύκωμα, in quibus sic legitur, Ἐν οὖν τοῖς λευκώμασι τῆς οὐλῆς πυκνωσάσης τοὺς πόρους τοῦ κερατοειδοῦς χιτῶνος, pro λευκώμοις, ut habent vulg. edd. Sic pro Λεύκιμμα ap. Etym. reponendum λεύκωμα ex Suida, et pro εἰλημμένος, ἀληλιμμένος, et sic leg. : Λεύκωμα, πίναξ γύψῳ ἀληλιμμένος, πρὸς γράμματα πολιτικὰ ἐπιτήδειος.

[Λευκωματίζω, Albugine inficio. Schol. Æsch. Pr. 498 : Ἐπάργεμα κυρίως τὰ λευκωματισθέντα παρὰ τὸ ἀργόν.]

[Λευκωματώδης, ὁ, ἡ, Albugini similis. Erotian. p. 66 : Ἄργεμον, πάθος τι περὶ τοὺς ὀφθαλμοὺς λευκωματῶδες· ὃ δὴ ἐκ τῆς παρεπομένης λευκότητος ὠνομάσθη.]

[Λευκών, ῶνος, ὁ, Populetum, Gl.]

[Λεύκων, ωνος, ὁ, Leucon, Athamantis et Themistus f. Apollod. 1, 9, 2, 3, ubi v. Heyn. ‖ Veteris comœdiæ poeta. ‖ Bospori reges plures, ap. Demosth. p. 466, Æneam Tact. c. 5, et alios ap. Clinton. Fast. vol. 2, p. 283 seq., Bœckh. C. I. vol. 2, p. 93. Alii alibi. ‖ Locus Africæ, ap. Herodot. 4, 160.]

[Λευκώνη, ἡ, Leucone, mulier, Cyanippi Thessali conjux. Parthen. Erot. c. 10. V. Λευκώνιος. L. DIND.]

[Λευκώνης, ὁ, Herculis et unius ex Thespiadibus fr., ap. Apollod. 2, 7, 8, 5, nomen vix sanum.]

[Λευκωνία. V. Λευκώνιον, Λευκωσία.]

[Λευκωνίδαι, οἱ, Leuconidæ, Leuconis posteri. Ælian. V. H. 6, 13 : Ἡ τῶν Λευκωνιδῶν περὶ Βόσπορον (τυραννίς).]

[Λευκώνιον, τὸ, Leuconium, locus insulæ Chii. Thuc. 8, 24 : Ἐν Λευκωνίῳ. Feminina forma Polyæn. 8, 66 : Χίοις πρὸς Ἐρυθραίους πόλεμος ἦν Λευκωνίας πέρι. V. Λευκόνιον.]

[Λευκώνιος κρήνη. Pausan. 8, 44, 8 : Ἔστι δὲ κατὰ τὴν ἐς Τεγέαν ὁδὸν Λευκώνιος καλουμένη κρήνη· θυγατέρα δὲ Ἀφείδαντος λέγουσιν εἶναι τὴν Λευκώνην, καὶ οὐ πόρρω τῶν Τεγεατῶν οἱ ἄστεος μνῆμά ἐστιν.]

[Λευκωπεύς, έως, ὁ, Leucopeus, Porthaonis f. ap. Apollod. 1, 7, 10, 2, n. ex Λυκωπεύς, ut videtur, corruptum, de quo v. Heyn.]

Λευκώπης, ὁ, Albus aspectu, Qui intuentium oculis albus apparet. Fem. Λευκῶπις, Alba aspectu. Scio tamen in VV. LL. reddi, Habens oculos albos; sed cum mea interpr. consentit expos. quam dat Hesych. nomini Λευκωπίας, exponens λευκὸς ὀφθῆναι.

Λευκωπίας v. supra post Λευκώπης. [Quæ forma reddenda videtur Eustathio Il. p. 455, 37 : Ἐν λεξικῷ ῥητορικῷ κεῖται ὅτι λευκοὶ οἱ δειλοὶ καὶ λευκώπιοι οἱ αὐτοί, ut scribatur λευκωπίαι. L. DIND.]

[Λευκῶπις. V. Λευκώπης.]

[Λευκωπός. V. Μεγαλωπός.]

[Λευκῶς. V. Λευκός.]

[Λευκωσία, ἡ, olim dicta Samothracia, sec. Aristotelem ap. schol. Paris. Apoll. Rh. 1, 917, ubi Λευκοσία scholia antiquiora. Λευκωνία est ap. Eust. Il. p. 1340, 14. Λευκανία ap. Heraclid. Pont. c. 21, qui addit ita dictam διὰ τὸ λευκὴν εἶναι.]

Λευκωσία, ἡ, una Sirenum. VV. LL. [Quam memorat Stephanus Byz. v. Σειρηνοῦσσαι. Plin. N. H. 3, 7, 13 : « Contra Pæstanum sinum Leucasia est, a Sirene ibi sepulta appellata. » Dionys. A. R. 1, 53 : Νήσῳ προσέσχον, ᾗ τοὔνομα ἔθεντο Λευκασίαν ἀπὸ γυναικὸς ἀνεψιᾶς Αἰνείου περὶ τόνδε τὸν τόπον ἀποθανούσης. Strabo 2, p. 123 : Πρόσγειοι δὲ (νῆσοι)... Καπρέαι καὶ Λευκασία καὶ

A ἄλλαι τοιαῦται. Λευκωσία omnibus his ll. Salmas. Plin. Exerc. p. 49, quam formam præbet margo libri unius Solini p. 10, B, et confirmat *Lectosia* Festi p. 86 ed. Lindem., maximeque Lycophr. 723 : Ἀκτὴν δὲ τὴν προὔχουσαν εἰς Ἐνιπέως | Λευκωσία ῥιφεῖσα, ipsiusque Strabonis libri 6, p. 252 : Νῆσος Λευκωσία, ἐπώνυμος μιᾶς τῶν Σειρήνων, et p. 258, et Tzetzæ Hist. 1, 337. Hexametri initio qui posuerunt poetæ Latini, synizesin potius admisisse quam secundam corripuisse videntur. L. DIND.]

Λεύκωσις, εως, ἡ, Albugo, i. q. λεύκωμα, de Morbo oculorum in Hippiatr., ut γλαύκωσις, Bud. [Dealbatio, vox chymistarum. Zosimus Panop. Ms. : Γινώσκειν ὑμᾶς θέλω ὅτι πάντων κεφάλαιόν ἐστιν ἡ λεύκωσις· μετὰ δὲ τὴν λεύκωσιν εὐθὺς ξανθοῦται τὸ τέλειον μυστήριον· ἡ λεύκωσις καῦσίς ἐστιν· ἡ δὲ καῦσις ἀναζωπύρησις. Glossæ chymicæ Mss. Τέλος τῆς λευκώσεως καὶ ἀρχὴ τῆς ξανθώσεως. DUCANG. Ms. ap. Lambec. Bibl. Cæs. vol. 6, p. 397, C : Ἀνεπιγράφου φιλοσόφου περὶ θείου ὕδατος τῆς λευκώσεως.]

Λευμυρία, affertur pro Loquacitas, Facetiæ : Jucunditas : necnon Puritas : itemque Λευμυρὸν ὕδωρ pro Pura aqua : sed metuo ne perperam pro λαμυρία et λαμυρόν : nulla enim horum mentio ap. Græcos lexicographos, sed illorum.

B

Λεῦραι, Hesychio εὑρίσκειν : quod et Εὗραι s. Εὑρεῖν.

[Λευρός, ά, όν.] Λευρά, λεῖα Hesychio, Lævis : afferenti itidem λευρᾶς [σωφροσύνης] pro [τελείας,] ὁμαλῆς καὶ μὴ τραχείας, ταπεινῆς, κοίλης : et λευρῷ pro ὁμαλῷ, πλατεῖ [ex Hom. Od. H, 123 (coll. orac. ap. Herodot. 1, 67) : Λευρῷ ἐνὶ χώρῳ. Æsch. Prom. 369 : Τῆς καλλικάρπου Σικελίας λευροὺς γύας· 394 : Λευρὸν οἶμον αἰθέρος· Suppl. 508 : Λευρὸν κατ' ἄλσος νυν ἐπιστρέφου τόδε] : ut ap. Eur. quoque in Hec. [699] : Ἐν ψαμάθῳ λευρᾷ πόντου, schol. exp. πλατείᾳ καὶ ὁμαλῇ, sed affert et λευρᾶς σωφροσύνης pro τελείας καὶ ταπεινῆς. [Bacch. 982 : Λευρᾶς ἀπὸ πέτρας· Phœn. 836 : Δεῦρ' ἐς τὸ λευρὸν πέδον ἴχνος τιθεῖσα. Pind. Nem. 7, 27 : Λευρὸν ξίφος. Lycophr. 159 : Λευρὰν πέτραν· 268 : Λευρᾶς δι' αὔλακος. Oppian. Hal. 3, 343 : Λευρὴ δέ οἱ εἴσοδος ἔστω. De accentu Arcad. p. 69, 25.]

C [Λεῦρος, ὁ, Leurus, n. viri Thessali in epigr. Anth. Pal. 11, 16, 1.]

[Λευρῶς, ὁμαλῶς, Plane, Zonar. p. 1302.]

[Λεύς, ὁ, forma Dorica pro λᾶς, Lapis, ap. Pausan. 3, 22, 1 : Γυθείου τρεῖς μάλιστα σταδίους ἀπέχει ἀργὸς λίθος· Ὀρέστην λέγουσι καθεσθέντα ἐπ' αὐτοῦ παύσασθαι τῆς μανίας· διὰ τοῦτο ὁ λίθος ὠνομάσθη Ζεὺς καππώτας, κατὰ γλῶσσαν τὴν Δωρίδα, restituendum conjecit Sylburgius.]

Λευσιμοδίκον [λευσιμοδίκτης codex], Hesych. τῆς λιθοβολήτου τιμωρίας : nisi potius scripsit λευσίμου δίκης.

Λεύσιμος, ὁ, ἡ, Lapidatorius, Lapidatus. Eur. Or. [50] : Εἰ χρὴ θανεῖν νὼ λευσίμῳ πετρώματι, Ἢ φάσγανον θήξαντ' ἐπ' αὐχένος βαλεῖν, Mori per lapidationem congestis saxis. In Ejusd. Heraclidis [765] λεύσιμον ἄλγος· ita enim vet. cod., non Ἄργος. [Ib. 60 : Ἐς Ἄργος, οὗ σε λεύσιμος μένει δίκη, et cum eod. nomine Or. 613. Ib. 863 : Πότερα λευσίμῳ χερὶ... πνεῦμ' ἀπορρῆξαί με δεῖ; Ion. 1236 : Λεύσιμοι καταφθοραί· 1239 : Θανάτου λεύσιμον ἄταν. Æsch. Ag. 1118 : Θύματος λευσίμου· 1617 : Δημορριφεῖς ... λευσίμους ἀράς.]

D

Λευσμός, ὁ, Lapidatio; Malorum cumulus, schol. Æsch. [Eum. 189], Herodiano σύστημα καὶ ἄθροισμα, VV. LL. [Chœroboscus in Crameri Anecd. vol. 2, p. 258, 3 : Σκόλοπος διὰ τοῦ ο ἡ παραλήγουσα. Εὐριπίδης, Τίς ἔσθ' ὁ μέλλων σκόλοπος ἢ λευσμοῦ τυχεῖν. Ita Cramerus. Codex λεσμοῦ. L. DIND.]

Λεύσσω, Video, Aspicio. Verbum est solis poetis usitatum. Hom. Il. Γ, [110] : Οἷς δ' ὁ γέρων μετέῃσιν, ἅμα πρόσσω καὶ ὀπίσσω λεύσσει· A, [120] : Λεύσσετε γὰρ τόγε πάντες ὅ μοι γέρας ἔρχεται ἄλλῃ· Π, [70] : Οὐ γὰρ ἐμῆς κόρυθος λεύσσουσι μέτωπον. [Pind. Pyth. 4, 145 : Σθένος ἀελίου χρύσεον λεύσσομεν. Frequens est apud Tragicos, ut Æsch. Prom. 144 : Λεύσσω· 561 : Τίνα φῶ λεύσσειν τόνδε; Trach. 407 : Εἰ μὴ κυρῶ λεύσσων μάταια· OEd. Col. 135 : Ὃν ἐγὼ λεύσσων περὶ πᾶν οὔπω δύναμαι τέμενος γνῶναι ποῦ μοί ποτε ναίει· 705 : Ὁ γὰρ αἰὲν ὁρῶν κύκλος λεύσσει νυν μορίου Διός· Aj. 890 : Ἄνδρα μὴ λεύσσειν ὅπου. Imperf. ap. Apoll. Rh. 1, 547 : Πάντες δ' οὐρανόθεν λεῦσσον θεοὶ... νῆα. Theodor. Prodr. p. 398 : Ἐλεύσσετε. Idem ex libris restitutum Æsch. Pers. 710, ubi olim ἔλευσας, ut λεύσατε pro λεύσσετε nonnulli Eur. Androm. 1227, cujus aoristi non alia afferuntur exempla quam Manethonis, optativo λεύσειε usi 5, 43; 6, 487, 620. Imperf. freq. λεύσεσκεν est ap. Empedocl. ab Iamblicho V. Pyth. 5, 67, Porphyr. V. Pyth. s. 30 citatum (444 ed. Karsten.), quod λεύσσεσκεν scribendum.] Interdum vero cum præp. εἰς, s. ἐς: Od. Θ, [171]: Οἱ δέ τ' ἐς αὐτὸν Τερπόμενοι λεύσσουσιν. [Soph. Œd. T. 1254: Εἰς ἐκεῖνον περιπολοῦντ' ἐλεύσσομεν. Eur. Phœn. 596: Ἐς χέρας λεύσσεις ἐμάς. Et alibi. Aliter Orph. Arg. 770: Ἐς μόθον αὐτίκα λεύσσοι, Ad pugnam spectaret. Cum ἐπὶ Hom. Il. E, 771: Ἥμενος ἐν σκοπιῇ, λεύσσων ἐπὶ οἴνοπα πόντον. || Addito accusativo adjectivi Eur. Or. 224: Λεπτὰ γὰρ λεύσσω κόραις· 389: Δεινὸν δὲ λεύσσεις ὀμμάτων ξηραῖς κόραις. Æsch. Pers. 81: Κυανοῦν δ' ὄμμασι λεύσσων φονίου δέργμα δράκοντος. De mortuo Soph. Trach. 829: Ὁ μὴ λεύσσων. De vivente Eur. Phœn. 1084: Εἰ λεύσσει φάος, et Tro. 269: Ἆρά μοι ἀέλιον λεύσσει;] Dici etiam putatur de iis quæ videmus oculis mentis, s. animadvertimus: cujus tamen signif. nullum exemplum affertur. [Eur. Hipp. 1106: Λείπομαι ἔν τε τύχαις θνατῶν καὶ ἐν ἔργμασι λεύσσων.] Ceterum dissentiunt sæpe codd. in hujus verbi scriptura: his simplex σ, illis geminum habentibus. At Eust. [Il. p. 64, 12] aliique nonnulli grammatt. in præs. quidem tempore, gemino, at in futuro, simplici scribendum esse tradiderunt. Fieri enim putavit Heraclides verbum Λεύσσω a Βλέπτω, hoc modo: Ex Βλέπτω, a quo sc. est Ἀβλεπτῶ, faciunt Æoles Βλέσσω, ut Ἐνίσσω ex Ἐνίπτω, et Πέσσω ex Πέπτω, et Ὄσσω ex Ὄπτω, deinde interjecto υ, et adempto β, Λεύσσω. Sed ap. Eust. p. 1398, referentem istam Heraclidis formationem, repono Βλέπτω pro Βλέπω, quum alioqui non procedat formationis analogia. [Βλέπτω Etym. M. p. 562, 5. Idem de futuri σ simplici ib. 8.]

[Λεύσσων, ωνος, ὁ, Leusson, n. canis ap. Xen. Ven. 7, 5, ubi simplici σ scriptum, ut ap. Chœroboscum in Bekkeri Anecd. p. 1395, a: Λεύσων, Λεύσωνος· ὄνομα δὲ τοῦτο κυνός. V. Λεύσσω. L. Dind.]

Λευστήρ, ῆρος, ὁ, Lapidator, λιθοβόλος, ut ap. Lycophr. [1187] accipi testatur Etym. [Æsch. Sept. 199: Λευστῆρα δήμου δ' οὔτι μὴ φύγῃ μόρον. Eur. Tro. 1039: Βαῖνε λευστήρων πέλας.] Sed et Hesych. λευστῆρα exp. φονέα, λίθοις ἀναιροῦντα. Est autem vocab. criminosum, ut et Lapidator ap. Cic. Pro domo sua [c. 5]: Percussor, lapidator, fori depopulator, obsessor curiæ. Exp. etiam Dignus qui lapidetur, lapidatione per populum facta summoveatur, ἄξιος καταλευσθῆναι, h. e. λιθοβοληθῆναι, Suid., citans hoc exemplum, Ὁ δὲ παλαμναῖος καὶ λευστὴρ ἐκεῖνος ᾔτησεν ἐπωνυμίαν λαβεῖν Εὐτυχής. Et ex Æliano: Ἵνα τὸν τῶν κακῶν αἴτιον καὶ λευστῆρα ἀφανίσωσι. [Conf. N. A. 5, 15. Herodot. 5, 67: Πυθίη οἱ χρᾷ, φᾶσα Ἄδρηστον μὲν εἶναι Σικυωνίων βασιλέα, ἐκεῖνον δὲ λευστῆρα. Ληϊβόλος confert Valck. V. etiam Ληιστήρ.]

Λευστός, Lapidatus; nam Hesych. λευστὰ exp. λιθοβόλητα: item et ὁρατὰ [Visa], a λεύσσω.

[Λεύσων. V. Λεύσσων.]

[Λευταρνία, ἡ, Leutarnia, urbs Campaniæ, ap. Lycophr. 978, cujus liber unus per ε, ut est ap. Strab. 6, p. 281: Μυθεύουσι δ' ὅτι τοὺς περιλειφθέντας τῶν γιγάντων ἐν τῇ κατὰ Καμπανίαν Φλέγρᾳ, Λευτερνίους καλουμένους Ἡρακλῆς ἐξελάσειε... Διὰ τοῦτο δὲ καὶ τὴν παραλίαν ταύτην Λευτερνίαν προσαγορεύουσιν. V. etiam Λευκαρία.]

[Λευτυχίδης. V. Λεωτυχίδης.]

Λευχειμονέω, Albis induor, λευκοφορῶ. [Plat. Reip. 10, p. 617, E: Λευχειμονούσας (Μοίρας).] Herodian. 8, [7, 4]: Οἱ λευχειμονοῦντες καὶ δαφνηφόροι θεῶν πατρίων ἕκαστοι προσεκόμιζον ἀγάλματα, Candidati ac laureati, Polit. [Strabo 11, p. 520. Hemst. Philostr. p. 802, 31; Himerius p. 542; Theoph. Simoc. Hist. 4, p. 197, 8 ed. Bonn. Jacobs. Λευχιμονοῦντας scriptum in inscr. Stratonic. ap. Bœckh. vol. 2, p. 483, a, 8. L. Dind.]

[Λευχείμονος, i. q. sequens. Cyrill. Præf. Catech. p. 2, B, ubi λευχείμονον, est pro λεύχειμον ut videtur.]

Λευχείμων, ονος, ὁ, ἡ, Qui albis vestimentis indutus est, Albis indutus, Albatus, Horat., i. q. λευκοφόρος. [Candidatus, Gl., in quibus ponitur etiam forma Λευ-

A κοείμων. «Porphyr. ap. Euseb. Præp. ev. p. 113, C, τὴν λευχείμονα Hecaten.» Valck. Orph. H. 50, 10: Παρθένοι λευχείμονες. Aristid. vol. 1, p. 298, 314, de iis qui sacra obirent. Eust. Opusc. p. 239, 80: Ὁ προέχων ἐκεῖνος λευχείμων· Il. p. 524, 32. Theophyl. Sim. p. 21, A.]

[Λευχηπατίας. V. Λευκηπατίας.]

Λεύω, εύσω, Lapido, Lapidibus obruo, appeto, Jactu lapidum incesso, i. q. λιθάζω. Philo De mundo: Σφαττομένοις ἢ καὶ λευομένοις ἢ ἐμπιπραμένοις. Plin. pro Lapidari dicit Facta per populum lapidatione summoveri. Et λευσθεὶς ap. Hesych. λιθοβοληθείς. Videtur autem dici λεύω quasi λαεύω. [Eur. El. 328: Πέτροις τε λεύει μνῆμα· Iph. A. 1350: Σῶμα λευσθῆναι πέτροισι. Soph. Œd. C. 435: Τὸ λευσθῆναι πέτροις. L. D. Thucyd. 5, 60, λεύειν. Λευσθῆναι Dion. Chrys. p. 518, C; 519, B. Hemst.]

Λεχαία, ἡ, sub. πόα, dicitur Herba quædam lectis s. toris extruendis apta. [Apoll. Rh. 1, 1183, φυλλάς.] Ita Hesych. λαριναῖον a piscatoribus vocari tradit κύρ-
B τον τὸν ἐκ λεχαίας [codex λεκέας, unde λευκέας intt.]. Ap. Theophr. et λεχαία legitur et λοχαία, ut in Λοχαῖος docebo.

[Λεχαίνω.] Affertur et verbum Λεχαίνειν, pro Lectum, h. e. Concubitum, appetere: pro quo supra et λεγαίνειν. [Etym. M. v. Ἀσελγαίνειν.]

Λέχαιον, τὸ, navale Corinthiorum, teste Hesychio et Suida, [ὄνομα ὄρους Zonaræ p. 1298]: cujus crebra mentio ap. Historicos [ut Xenophontem, et Geographos, aliosque, primum apud Simonidem ab schol. Eur. Med. 20 citatum, Callimachum Del. 271, ubi Ποσειδάωνι Λεχαίῳ scriptum in libris, quasi sit cognomen dei, Λεχαίου scribendum conjecit Hemsterhus. Λεχαῖον ap. Ptolem. 3, 16, Harpocrationem, Dion. Chr. vol. 1, p. 198, sed recte cod. Λέχαιον. Λευχαῖον cod. Hesychii. Λέχαιος eclogarius Diodori p. 497, 89. V. autem Λέχης. L. Dind.]

[Λεχαῖος, ὁ, Qui est in lecto sive nido. Æsch. Sept. 292: Δράκοντας ὥς τις τέκνων ὑπερδέδοικεν λεχαίων δυσευνάτορας πάντροφος πελειάς. Libri λεχέων. V. etiam Λε-
C χαία. Quo referri videtur quod Theognostus Can. p. 9, 30 ponit: Λεχαῖος τὸ λέχος ἐνποιοῦν.]

[Λεχεάτης, ὁ, cognomen Jovis. Pausan. 8, 26, 6: Διὸς ἱδρύσαντο (Alipherenses) Λεχεάτου βωμόν, ἅτε ἐνταῦθα τὴν Ἀθηνᾶν τεκόντος. ᾱ]

Λεχεποίης, ὁ, comp. ex λέχος, Ferens herbas lectis et stibadiis idoneas. Hom. Il. Δ, [383]: Ἀσωπὸνδ' ἵκανον βαθύσχοινον λεχεποίην· ubi schol. quoque exp. βαθεῖαν πόαν ἔχοντα ἐξ ἧς ἐστὶ καὶ λέχος ποιῆσαι, i. e. κοίτην, Herbas ferens ex qua lecti quoque s. tori extrui possunt. Idem Hom. [Il. B, 697] dicit et Πτελεὸν λεχεποίην eand. ob causam. [Et Τευμησσὸν, H. Apoll. 46, Ὀγχηστὸν 88.] Ex Herodoto vero λεχεποίη affertur pro Ripæ gramineæ. [Imperita et absurda citatio. Apud Herod. 9, 43, in Bacidis vaticinio, ut ap. Hom. Il. Δ, 383, fluvius Asopus cognominatur λεχεποίης, ubi commode Valla ἐπὶ Ἀσωπῷ λεχεποίῃ Latine Gramigeris ripis Asopi reddidit. Schweigh.]

Λεχέρνα, Argivis θυσία ἐπιτελουμένη τῇ Ἥρα, Hesych.

Λεχήρης, ὁ, ἡ, Lecto affixus, ὁ ἀεὶ ἐν λέχει ὑπάρχων.
D Œdipus ap. Eur. Phœn. [1555]: Τί μ', ὦ παρθένε, βακτρεύμασι τυφλοῦ ποδὸς ἐξάγαγες εἰς φῶς λεχήρη σκοτίων ἐκ θαλάμων οἰκτροτάτοις δακρύοις; [Etym. M. v. Ὄρθρος.]

Λεχήρια, Hesychio ἐνήλατα.

[Λέχης, ὁ, Leches, f. Neptuni et Pirenes, a quo dictum Lechæum, navale Corinthiorum, ap. Pausan. 2, 2, 3.]

Λεχμάδα [cod. λεχμάδ..], Hesychio ἤλεκτρον.

[Λεχμία χωνευτὰ sine interpretatione ex Antiq. Cpol. s. 6 annotavit Ducang.]

[Λεχοέσας, Hesychio κατακοιμισθείς. Eidem Λέχνη, τόπος. Glossæ obscuræ.]

[Λέχομαι. HSt. in Λέχος:] Sunt qui hoc vocabulum derivatum velint ex verbo Λέχομαι, significante Dormio, Cubo [V. Clark. ad Il. B, 515. Angl. Hesych.: Λεύχεται, κοιμᾶται. Λέχεται interpretes]: afferentes et activum Λέχω, pro Facio dormire, cum his exemplis ex Homero: Il. Θ, [519]: Λέξασθαι περὶ ἄστυ θεοδμήτων ἐπὶ πύργων. Et ex Il. I, [67]: Φυλακτῆρες δὲ ἕκαστοι Λέξασθον παρὰ τάφρον· i. e. κατακλινθήτωσαν. Sed hic Eust. potius sequendus, qui aoristos istos medios deducit a them. λέγω s. λέγομαι, ut suo loco docui in Λέγω. Ap. Hesych. reperio et aliud verbum, Λεχόωντο sc., expositum συνεκάθηντο, Considebant: quum potius sonare videatur Cubitum se conferebant, In lecto se ad capiendum somnum componebant.

Λέχος, ους, τὸ, Lectus. [Cubile, Gl. Eust. Od. p. 1793, 50: Λέχος μὲν ἡ κλίνη, εὐνὴ δὲ ἡ ἐπ' αὐτὴν στρωμνή· 1943, 2.] Hom. Od. Ψ, [189]: Ἐν λέχει ἀσκητῷ. Hesiod. Theog. [798]: Στρωτοῖς ἐν λεχέεσσι. Rursum Il. Γ, [391]: Ἐν θαλάμῳ καὶ δινωτοῖς λεχέεσσι· Od. Α, [440]: Παρὰ τρητοῖς λεχέεσσι· Il. Ω, [720]: Τρητοῖς ἐν λεχέεσσι θέσαν. At Od. Δ, [730]: Ἐκ λεχέων ἀναγεῖραι· Γ, [403]: Τῷ δ' ἄλοχος δέσποινα λέχος πόρσυνε καὶ εὐνήν. Et Od. Ψ, [291]: Στόρεσαν λέχος ἐγκονέουσαι· de famulis. Et Il. [Α, 31] de Briseide captiva: Ἱστὸν ἐποιχομένην καὶ ἐμὸν λέχος ἀντιόωσαν· Θ, [291]: Ἠὲ γυναῖκ' ἥ κέν τοι ὁμὸν λέχος εἰσαναβαίνοι. Hesiod. Theog. [939]: (Ζηνὸς) ἱερὸν λέχος εἰσαναβᾶσα. Rursum Idem de viro [912]: Δήμητρος πολυφόρβης εἰς λέχος ἦλθεν. Et rursum [508]: Ἠγάγετο Κλυμένην, καὶ ὁμὸν λέχος εἰσανέβαινεν. Et Scut. [16]: Πρὶν λεχέων ἐπιβῆναι ἐϋσφύρου Ἠλεκτρυώνης. Apud Homerum rursum [Od. Θ, 269]: Λέχος δ' ᾔσχυνε καὶ εὐνὴν Ἡφαίστοιο ἄνακτος· de Venere adultera. [Æsch. Prom. 556: Ἀμφὶ λουτρὰ καὶ λέχος σόν· 895: Λεχέων Διὸς εὐνάτειραν· Ag. 411: Ἰὼ λέχος καὶ στίβοι φιλάνορες· 1197: Λέοντ' ἄναλκιν ἐν λέχει στρωφώμενον. Soph. OEd. T. 821: Λέχη δὲ τοῦ θανόντος ἐν χεροῖν ἐμαῖν χραίνω· 1243: Ἵετ' εὐθὺ πρὸς τὰ νυμφικὰ λέχη. Cum εὐνή, ut supra λέκτρον, Antig. 425: Ὅταν κενῆς εὐνῆς νεοσσῶν ὀρφανὸν βλέψῃ λέχος.] Et ap. Athen. 13: Ὅς τις λέχη γὰρ σκότια νυμφεύει λάθρα, Πῶς οὐχὶ πάντων ἐστὶν ἀθλιώτατος; Hesych. affert et λέχος στυγερὸν pro γάμον στυγνόν: annotans λέχη vocari etiam ἐφ' οἷς τοὺς νεκροὺς κοσμοῦσι. Eid. λέχος est μίξις, συνουσία, Concubitus, Coitus: ut qui in lecto fieri soleat. Ita Soph. Trach. p. 345 [v. 360] dicit: Κρύφιον ἔχειν λέχος, pro ἐν κρυφίῳ λέχει μίσγεσθαι. [Ib. 514: Ἱέμενοι λεχέων. Ex eodem hæc sunt notanda. Trach. 27: Λέχος γὰρ Ἡρακλεῖ κριτὸν ξυστᾶσα· 1227: Τοῦτο κήδευσον λέχος· Aj. 211: Ἐπεί σε λέχος δουριάλωτον στέρξας ἀνέχει θούριος Αἴας· 491: Ἐπεὶ τὸ σὸν λέχος ξυνῆλθον· Antig. 573: Ἄγαν γε λυπεῖς καὶ σὺ καὶ τὸ σὸν λέχος· 1225: Ἀποιμώζοντα τὸ δύστηνον λέχος· 1303: Κωκύσασα τοῦ πρὶν θανόντος Μεγαρέως κλεινὸν λέχος. Et similiter sæpe Euripides de Nuptiis, Concubitu, Conjuge. Ap. Aristoph. legitur in ll. tragœdiam imitantibus Pac. 844, 1758, Th. 891. « Anon. ap. Suidam in Ὀνωρία: Ἤλω εἰς λάθριον ἐρχομένη λέχος.» Hemst.] || Est indidem et adverbium Λέχοσδε, significans εἰς λέχος, Lectum versus, Ad lectum. Hom. Il. Γ, [447]: Ἦ ῥα, καὶ ἄρχε λέχοσδε κιών, ἅμα δ' εἵπετ' ἄκοιτις.

[Λέχος pro Λεχὼ, Puerpera. Moschopulus: Λεχὼ, ἡ κοινῶς λέχος. Ducang.]

[Λέχουσα vel potius Λεχοῦσα, ut hodie apud Græcos, Puerpera. Nomocanon ap. Coteler. Eccl. Gr. mon. vol. 1, p. 118, B: Γυνὴ ἐὰν ἀποθάνῃ λέχουσα.]

Λέχριος, ὁ, ἡ et α, ον, Obliquus: πλάγιος, λοξὸς, Hesych.: itidemque Suidæ, afferenti hoc hemistichium [Agathiæ in Anth. Pal. 5, 294, 10]: Διαδὺς λέχριος ἐν θαλάμῳ. [Soph. OEd. C. 195: Ἦ στῶ; Λέχριός γ' ἐπ' ἄκρου λᾶου βραχὺς ὀκλάσας. Eur. Med. 1168: Λεχρία πάλιν χωρεῖ τρέμουσα κῶλα· Hec. 1025: Ἀλίμενόν τις ὡς ἐς ἄντλον πεσὼν λέχριος ἐκπέσῃ φίλας καρδίας. Callim. Del. 236: Τυτθὸν ἀποκλίνασα καρήατα λέχριος εὕδει. Diog. L. 8, 91: Παρὰ δ' αὐτὸν λέχριος στὰς ἐλιχμήσατο στολήν, citat Hemst. Xen. Ven. 4, 3: Τιθεῖσαι τὰς κεφαλὰς ἐπὶ γῆν λεχρίας. Pollux 5, 79: Λεχρίοις παρέβλεψε τοῖς ὄμμασι.]

[Λεχρίως, πλαγίως, Oblique, Zonaras p. 1302.]

Λέχρις, affertur pro Oblique, πλαγίως. [Apoll. Rh. 1, 1235: Λέχρις ἐπιχριμφθείς· 3, 238: Λέχρις δ' αἰπύτεροι δόμοι ἕστασαν ἀμφοτέρωθεν, et ib. 1160. Ἐκ πλαγίου, πλαγίως, schol.]

Λεχὼ, οῦς, ἡ, Jacens s. Decumbens in lecto, et quidem peculiariter Puerpera [Gl.], quoniam in puerperio decumbendum est feminis, quæ et τοκάς. [Eur. El. 652: Λεχώ μ' ἀπάγγελλ' οὖσαν ἄρσενος τόκῳ. Et ib. 654, 1108. Aristoph. Eccl. 530.] Oppian. Cyn. 3, [208]:

A Ἡ δὲ λεχώ περ ἐοῦσα καὶ ἀσθενέουσα τόκοισι, Παιδὶ λυγρῷ πολεμιζομένῳ μήτηρ ἐπαμύνει. Sic in Epigr. [Phædimi Anth. Pal. 6, 271, 3]: Οὕνεκα οἱ πρηεῖα λεχοῖ δισσὰς ὑπερέσχες Χεῖρας, ἄτερ τόξων πότνια νισσομένη· ubi Suid. exp. ἀρτιτόκου, Recens enixæ. [Orph. H. 1, 10: Μούνην γάρ σε καλοῦσι λεχοί. Ib. 2: Ὠδίνων ἐπαρωγὲ, λεχῶν ἡδεῖα πρόσοψι. Schol. Apoll. Rh. 2, 1010: Τημελοῦσι τοὺς ἄνδρας ὥσπερ λεχούς. Alia recentiorum exx. indicavit Pierson. ad Mœr. p. 247. De locutione λεχὼ κεῖσθαι v. Jacobs. ad Philostr. 1, p. 41, 19, de forma novitia λεχὼς vel λεχῶς idem ibid., Kayser. ad Philostr. De gymn. p. 133, de forma λεχῶσα, ex λεχοῦσα, de qua supra, nata, Jacobs. ad Ælian. N. A. 12, 14.] Legitur et ap. Hippocr. De morb. 1.

[Λεχώεις, εσσα, εν.] Λεχῶεν Hesych. exp. ὑλῶδες βοτανῶδες, Fruticosum, Herbosum: forsitan tamen λεχώεις s. λεχόεις i. significat q. λεχεποίης, Præbens herbas extruendis toris.

[Λεχωϊάς, άδος, ἡ, Puerpera, Parturiens. Nonn. Dion. 48, 848: Λεχωιὰς ἄγχυτο νύμφη· Jo. 1, 35: Οὓς
B φύσις οὐχ ὤδινε λεχωιάς.]

Λεχώϊος, et Λεχωΐς, ΐδος, ἡ, [hoc ap. Callim. Del. 56, 124, Dian. 127, Apoll. Rh. 4, 136, Nonnum Dion. 48, 839, 867], Ad puerperium pertinens: ut et Suid. λεχώϊα exp. τὰ ἐπὶ τῇ λοχείᾳ συμβαλόντα, in hoc ex Epigr. [Dioscoridis Anth Pal. 7, 166, 5] allato l., Κόραι τῇ παιδὶ λεχώϊα δῶρα φέρουσαι. Sic Apoll. Arg. 2, [1014]: Λοετρὰ λεχώϊα τοῖσι πένονται, Lustrica balnea qualia puerperis parari solent. [Nonn. Dion. 48, 807: Θῆλυ γάλα στάζουσα λεχώιον ἄρσενι μαζῷ. Callim. Jov. 14: Ἔνθεν ὁ χῶρος (ubi Rhea Jovem peperit) ἱερὸς, ... ἀλλά ἑ Ῥείης... καλέουσι λεχώιον.] Ap. Nonn. [Jo. c. 9, 3] λεχωΐδες ὧραι, Tempora partus: ap. quem et λεχωῒς γυνὴ, Mulier ex partu decumbens, Puerpera: quæ et λεχὼ, ut dictum est, et τοκάς. [Dion. 48, 832: Παρθένε, τίς σ' ἐτέλεσσε λεχωΐδα μητέρα παίδων;]

[Λεψιεύς, εως, et Λέψιος, ὁ, Lepsieus s. Lepsius, epitheta Apollinis apud Lycophr. 1207, 1454, quorum ll. ad alterum Tzetzes: Ὁ δεινὰ καὶ κεχαλυμμένα λέγων ἀπὸ μεταφορᾶς τοῦ λέπους.]

C Λεωβάτος, ἡ, Via publica et Vehicularis, a populi per eam commeantis frequentia. Hesych. tamen simpliciter exp. ὁδὸς, ἰχθὺς σελαχώδης. [V. Λειόβατος, qui accentus huic etiam formæ restituendus.]

[Λεωβώτης. V. Λαβώτας.]

[Λεωγόρας, ου, ὁ, Leogoras, pater Andocidis, ap. Aristoph. Nub. 109, ubi v. schol., Vesp. 1269, Thuc. 1, 51. Quem Pausan. 7, 4, 2 memorat Λεωγόρον, f. Proclis, regem Sami, in libris partim sic partim Λεώγορον, Λεώγορτον, Ἐλεώγορον (vel -ωγόρον, ωγόρου) dictum, Λεωγόραν dicendum puto. || Forma Λειωγόρας de patre Andocidis in inscr. Att. ap. Bœckh. vol. 1, p. 344, A, 22.]

[Λεωδάμας, αντος, ὁ, Leodamas, n. viri in numo Colophonio ap. Mionnet. *Suppl.* vol. 6, p. 97, n. 107. Aliorum ap. Æschinem, Demosthenem et in inscrr. ἄἄ]

[Λεωδάναξ, ὁ, Leodanax, miræ nomen formæ, perspicue legi traditur in lapide Tenio ap. Bœckh. vol. 2, n. 2338, p. 267, 123. Alioqui Λεωδάμας fuisse videatur.]

D [Λεώδης, ὁ, ἡ, Vulgaris, Gl. Supra Λαώδης, nisi hic quoque ita scribendum. || Λεώδης, ὁ λιθόλευστος, Theognost. Can. p. 9, 32.]

[Λεώδικος, ὁ, Leodicus, n. viri Siphnii in lapide ap. Bœckh. *Urkunden* xvi, b, 185.]

[Λεώδοκος, ὁ, Leodocus, f. Biantis Argonauta, Apoll. Rh. 1, 119.]

[Λεωκήδης, ὁ, Leocedes, Phidonis, Argivorum tyranni, f. ap. Herodot. 6, 127. Ejusdem nominis alia forma supra annotata est Λακήδης: sic enim scribendum pro Λακήδας v. 1 et 8, et v. 3 Λακήδου.]

Λεωκόνιτος s. Λεωκόρητος, Hesychio λεωλέθριος, παντελῶς ἐξολοθρευόμενος, Plane perditus. [Photius: Λεωκόρητος, ἐξωλοθρευμένος· τὸ γὰρ λέως ἐστὶ τελέως· Ἀρχίλοχος « Λείως γὰρ οὐδὲν ἐφρόνεον· » καὶ λεουργὸς ἀπὸ τούτου, ὁ μεγαλουργός. Delendum igitur videtur ap. Hesychium λεωλέθριος ex vicino λεώλεθρος, quod v., natum, et ἐξωλοθρευμένος scribendum. Theognost. Can. p. 9, 32: Λεωκόνητος, ὁ ἐφθαρμένος. Conf. Λειοκόνιτος. L. D.]

[Λεωκόριον. V. Λεώς.]

A [Λεωκράτης, ους, ὁ, Leocrates, n. viri, ducis Athen. ap. Thuc. 1, 105. Aliorum apud Lycurgum in Orat. c. Leocratem, Demosthenem et in numis et inscrr. ᾰ]

[Λεωκρίνης, ους, ὁ, Leocrines, citatur ab Etym. M. v. Κρῖσα, p. 515, 20.]

[Λεώκρῐτος, ὁ, Leocritus, dux Pharnacis, ap. Polyb. 25, 4, 1, Diodor. Exc. p. 576, 81. Alii duo ap. Pausan. 1, 26, 2; 10, 27, 1.]

[Λεωκύδης, ους, ὁ, Leocydes, Megalopolitanorum dux ap. Pausan. 8, 10, 6, ubi est var. Λεωκίδης. V. Λακήδης. Alius ap. Hippocr. p. 1127, D. ῡ L. Dind.]

[Λεώλεθρος, ὁ, Penitus perditus. Hesych. : Λεώλεθρος, παντελῶς ἐξωλοθρευμένος. Formam vitiosam Λεωλέθριος v. in Λεωκόνιτος.]

Λεώλης, ὁ, Hesychio τελείως ἐξώλης, Plane perditus. [Barker. ad Etym. M. p. 1102.]

Λεωλογέω, Populum percenseo. Phœnix Colophon. ap. Athen. 12, [p. 530, E] de Nino : Οὐ λεωλογεῖν ἐμάνθαν', οὐκ ἀμιθρῆσαι.

[Λεωμεδ... inscriptum numis Chiis ap. Mionnet. *Descr.* vol. 3, p. 271, n. 64, 65.]

Λέων, οντος, ὁ, Leo [apud Homerum etiam Leæna sec. veteres apud Eust. Il. p. 1098, 48; 1248, 15] : qui poetis dicitur Λείων, metri gratia inserto ι, more Ion. : necnon Λῖς. Hom. Il. P, [61], Od. Z, [130] : Ὥστε λέων ὀρεσίτροφος ἀλκὶ πεποιθώς· Il. O, [630] : Ὥστε λέων ὀλοόφρων βουσὶν ἐπελθών· M, [42] : Λέων σθένεϊ μενεαίνων [βλεμεαίνων]. Idem Od. Δ, [335], P, [126] : Κρατεροῖο λέοντος· Il. Σ, [161] : Λέοντ' αἴθωνα, ut Lat. Fulvum leonem. Et Od. Λ, [610], χαροποὶ λέοντες· qui Catullo Cæsii leones. [Et sæpe apud Tragicos et alios omnes, ut Aristotelem in H. A.] Idem poeta utitur et alteris duobus, λείων et λῖς : priore, Il. E, [782], O, [592] : Λείουσιν ἐοικότες ὠμοφάγοισι· posteriore, Λ, [239] : Ἕλκ' ἐπί οἱ μεμαὼς ὥστε λῖς· Il. P, [109] et Σ, [318] : Ὥστε λῖς ἠϋγένειος. [Vir fortis et animosus. Galen. vol. 5, p. 118, D. Hemst. Aristoph. Thesm. 514 : Λέων λέων σοι γέγονεν· Pac. 1189 : Ὄντες οἴκοι μὲν λέοντες, ἐν μάχῃ δ' ἀλώπεκες, quod dictum imitati alii. Similiter Nonnus Dion. 14, 123 : Νόσφι μόθοιο λέοντες, ἐνὶ πτολέμοις δὲ λαγωοί. Eurip. Orph. 1401 : Ἦλθον ἐς δόμους λέοντες Ἕλλανες δύο διδύμω· 1555 : Ἥκω κλύων τὰ δεινὰ καὶ δραστήρια δισσοῖν λεόντοιν. Similis phrasis est ap. Plat. Reip. 9, p. 590, B : Ὅταν τις τὸ θυμοειδὲς ἐθίζῃ ἐκ νέου ἀντὶ λέοντος πίθηκον γίγνεσθαι. Alia ib. 1, p. 341, C : Οἴει γὰρ ἄν με οὕτω μανῆναι ὥστε ξυρεῖν ἐπιχειρεῖν λέοντα καὶ συκοφαντεῖν Θρασύμαχον· Leg. 4, p. 707, A : Καὶ λέοντες ἂν ἐλάφους ἐθισθεῖεν φεύγειν τοιούτοις ἔθεσι χρώμενοι.] Est λέων et nom. Sideris cœlestis, ex numero duodecim zodiaci signorum, ap. Arat. [147 etc.] et ceteros Astronomos. [Eratosth. Catast. 12.] Latini itidem Leonem appellant. Sed et Piscis genus hoc nomine dicitur, Hesych. : Plin. sub fin. l. 32 : Sunt lacertorum genera loligo volitans, locustæ, leones, quorum brachia cancris similia sunt, reliqua pars locustæ. Itidem 9, 31, leones in cancrorum genere numerat; ut et Athen. 3, [p. 106, C] in genere τῶν ὀστρακοδέρμων. Serpens etiam quidam vocatur λέων, alio nomine κεγχρίνης dictus. Nicand. Ther. [464] : Δήεις κεγχρίνεω δολιχὸν τέρας, ὅντε λέοντα Αἰόλον αὐδάξαντο περίστικτον φολίδεσσι. Nominis rationem in Κεγχρίνης attuli. [Ex Nicandro Artemidor. 2, 13 fin., ubi Reiff. intulit χαμαιλέων.] Λέων dicta fuit Elephantiasis etiam. Ita enim Aret. [Diut. m. sign. 2, p. 69, 14] : Ἐκίκλησκον δὲ καὶ λέοντα τὸ πάθος, τοῦ ἐπισκυνίου ὁμοιότητος εἵνεκεν. At λέων κρηνοφύλαξ, Leo fontis custos, dicta fuit Athenis ærea leonis effigies super fonte eo, ex quo aqua afferebatur ἐν ταῖς πρὸς ὕδωρ δίκαις, Pollux. Λέων, ut idem Poll. tradit, 4, c. 14 [§ 104] dictum fuit etiam ὀρχήσεως φοβερᾶς εἶδος : ab Athen. vero 14, [p. 629, F] λέων numeratur inter γελοίας ὀρχήσεις, Saltationes ridiculas. [Λέων, Orobanche apud Interpolat. Dioscor. c. 360 (2, 171). Ducang.] Denique Λέων est nom. proprium, ut et Lat. Leo. [Filii Lycaonis ap. Apollod. 3, 8, 3. Trœzenii ap. Herodot. 7, 180 : Ἔσφαξαν τὸν εἷλον τῶν Ἑλλήνων πρῶτον καὶ κάλλιστον· τῷ δὲ σφαγιασθέντι τούτῳ οὔνομα ἦν Λέων· τάχα δ' ἄν τι καὶ τοῦ οὐνόματος ἐπαύροιτο. Regis Spartani ap. eund. 1, 65; 7, 204. Alii hujus nominis Spartani et Athenienses sunt ap. Thuc. 3, 92; 6, 28, 61, Xen. in H. Gr., Plat. Apol. p. 32, C, D, Demosth. p. 400 fin., Pausaniam. Aliorum in numis mentio fit.]

[Λέων, οντος, ὁ, Leo, locus. Thuc. 6, 97 : Παντὶ τῷ στρατεύματι ἐκ τῆς Κατάνης σχόντες κατὰ τὸν Λέοντα καλούμενον. || Ptolem. 3, 15 : Λέων ἄκρον (Eubœæ). Ib. 17 : Λέων ἄκρα (Cretæ lateris australis). Idem 5, 15 : Λέοντος ποταμοῦ ἐκβολαί (Phœnices).]

[Λεωνᾶς, ᾶ, ὁ, Leonas, sophista Isaurus, de quo v. Suidas cum annot. Kusteri. Syrus luctator ap. Artemidor. 4, 82.]

[Λεωνίδαιον, τὸ, Leonidæum, in Alti, Jovis luco, memorat Pausan. 5, 15, 1.]

[Λεωνίδας, α et ου, ὁ, Leonidas, sive Λεωνίδης, Leonides, n. viri, cujus notissimum ex. est rex Spartanorum ad Thermopylas occisus, ap. Herodot. l. 7, et alibi, ubi Λεωνίδης, Aristoph. Lysistr. 1254, et alios, ejusdemque nominis secundus ap. Polyb. 4, 35, 11 et alios. Stoicus ap. Strab. 14, p. 655. Alii apud Pausaniam, in numis et alibi. ῐ]

B [Λεωντὶς, ίδος, ἡ, Leontis, navis in inscr. ap. Bœckh. *Urkunden* x, e, 96 : Ἐπὶ τὴν Λεωντίδα. V. etiam Λεοντίς. L. Dind.]

[Λεώνῠμος, ὁ, Leonymus, Crotoniata, ap. Pausan 3, 19, 12.]

Λεωπάτητος, ὁ, ἡ, A populo calcatus, Prorsus conculcatus, a λεὼς significante παντελῶς. Creon ap. Soph. in Ant. [1273] : Θεὸς τότ' ἄρα τότε μέγα βάρος ἔχων Ἔπαισεν, ἐν δ' ἔσεισεν ἀγρίαις ὁδοῖς, Οἴμοι λεωπάτητον ἀντρέπων χαράν, schol. τὴν μεγάλως καταπατουμένην, et τὴν μεθ' ὕβρεως ἀπωθουμένην. Scribitur tamen ibi et λακπάτητον contra quam metri leges ferant : quam scripturam Eust. quoque agnoscit, ante in Λακπάτητος hunc l. citans, et ille schol. qui exp. τὴν χαρὰν λὰξ πατήσας. [Recte nunc ap. Soph. λακπάτητος. De metro fallitur HSt.]

[Λεωπετρία.] Λεωπέτρα, λίθος λεῖος, Hesych., Petra lævis. Suid. habet λεωπετρία, expositum itidem λεία πέτρα : hocque exemplum affert, Δυνατόν ἐστιν ἀπό τινος λεωπετρίας ἀπόβασιν ποιησαμένους ἐκ θαλάττης εἰς

C τὴν χεῤῥόνησον, κατὰ νώτου γενέσθαι τῶν πολεμίων. [Λεωπέτρα ex Hesych., qui corruptus videtur. Scrib. λεωπετρία. (Ita codex.) Diod. 3, 16 : Τὰς σάρκας (τῶν ἰχθύων) ἐπί τινος λ. κατατιθέμενοι. Agatharchides p. 92 : Τὴν δὲ σάρκα τῶν ἰχθύων εἰς λ. συναγαγόντες πατοῦσιν ἐκτενῶς. Et ita Alexandrini Bibliorum Interpretes in Ezechiele (24, 7, 8; 26, 4, 14). Brunck. Tertio loco schol. interpretatur γῆν πεπατημένην καὶ συμπεπιλημένην. Λειοπετρία scriptum ap. Zonar. p. 1296, Λεοπετρία ap. Photium.]

[Λεωπλάνος, ὁ, ἡ, i. q. λαοπλάνος, Populum s. Populos decipiens. Joann. monach. in Anecd. meis vol. 4, p. 235 fin. Boiss.]

[Λεωπρέπης, ους, ὁ, Leoprepes, pater Simonidis Cei, commemoratus ab Herodoto 7, 228, ipsoque in fragm. apud Aristid. vol. 2, p. 379, Plut. Mor. p. 785, A, et in marm. Pario ap. Bœckh. vol. 2, p. 297, 70. Spartanus, cujus f. Theasides est ap. Herodot. 6, 85.]

Λεωργὸς, ὁ, ap. Æsch. Prom. [4] : Τόνδε πρὸς πέτραις Ὑψηλοκρήμνοις τὸν λεωργὸν ὀχμάσαι, Ἀδαμαντίναις πέδησιν, ubi schol. varie exp., sc. τὸν ἔχοντα ἔργον τοῖς

D λαοῖς ἀπαγγέλλειν τὰ τῶν θεῶν ἔργα καὶ βουλεύματα : vel τὸν τοὺς λαοὺς ἐργασάμενον, nam finxisse homines creditur : vel τὸν τοῖς λαοῖς ἔργα παρασχόντα διὰ τοῦ πυρὸς, quoniam ignis, quem diis surripuerat, usum hominibus ostendit : vel τὸν ἄξιον γενέσθαι ἔργον καὶ παρανάλωμα λάων, h. e. Lapidum. Suid. hunc l. citans exp. τὸν ὑπὲρ τοῦ λαοῦ ἀποθνήσκοντα : item πάντολμον : quemadmodum Bud. quoque pro Audaci, Temerario, Præcipiti et Confidenti accipi tradit in Xen. Apomn. 1, [3, 9] : Νῦν τοίνυν νόμιζε αὐτὸν θερμουργότατον εἶναι καὶ λεωργότατον, quippe qui εἰς μαχαίρας ἐκυβίστα, et in ignes insiliebat. [Eodem gradu Ælian. N. A. 16, 5 : Ἀδελφοὺς εἶχεν, οἵπερ οὖν ἀνδρωθέντες ἐκδικώτατοί τε γίνονται καὶ λεωργότατοι. Themist. Or. 26, p. 314, B : Λεωργόν με ἀποκαλοῦντες καὶ ὑπεροπτην τῶν πατρῴων ἐθῶν. Archiloch. ap. Stob. Ecl. vol. 1, p. 124 et alios : Σὺ δ' ἔργ' ἐπ' ἀνθρώπων ὁρᾷς λεωργα καθέμιστα.] Hesych. autem λεωργὸν exp. κακοῦργον, πανοῦργον, ἀνδροφόνον. Videndum autem, num deduci possit et a λεῶς, quod Galen. ap. Hippocr. accipi scribit pro παντελῶς, ἅπαν, et πανοῦργος ac λεωργὸς synonyma prorsus erunt. [HSt. in Ind. :] Λιωργὸς, Hesychio κακοῦργος. [Λεωργὸς Ruhnk. Ep. cr. p. 88. Sed λειωργὸς scribendum videtur, ut λειωλεθρία, quod v. in Λιολεθρία.] || Λεουργὸς, ap. Polluc. 3, c. 28 [§ 134] synonymum est hisce, θρασὺς, πάντολμος, ῥιψοκίνδυνος, et similibus : sed ait ipsum esse φορτικὸν, quamvis a Xen. quoque usurpatum. Infra rectius λεωργός : atque ita scriptum ap. eund. Xen. [Photius : Λεωργόν· ἐν τῷ ω, καὶ Ἀττικοὶ καὶ Ἴωνες· καὶ Ξενοφῶν (l. c.) « θερμουργότατον καὶ λεωργότατον. » Δωριεῖς δὲ διὰ τοῦ ου, λεουργόν. V. ejud. gl. in Λεωκόνιτος positam. Tertiam formam annotavit Hesychius : Λαοργὸς, ἀνόσιος, Σικελός. Salmasius Σικελοί.]

[Λεῶρες, τὸ ἄωρον. Λεωρία, ἡ χαλεπή. Utrumque ap. Theognost. Can. p. 9, 31.]

[Λέως, Plane. Galen. Gloss. p. 514 : Λεῶς, παντελῶς, ἅπαν (ἅπαντα codd.) scribendum λέως. Quod pro τελέως usurpari scribunt Apollon. De pronom. p. 334 (74), A, Etym. M. p. 560, 31, hoc quidem diserte notato accentu gravi.]

Λεὼς, ὼ, ὁ, Attice dicitur pro λαὸς, ut νεὼς pro ναός. Soph. [Aj. 565], ἐνάλιος λεὼς, Populus marinus. [Trach. 194 : Μηλιεὺς ἅπας λεώς· OEd. C. 43 : Ὅ γ' ἐνθάδε λεώς· 741 : Πᾶς Καδμείων (nonnulli Καδμεῖος) λεώς· 884 : Ἰὼ πᾶς λεώς· Antig. 733 : Θήβης τῆσδ' ὁμόπτολις λεώς. Eur. Suppl. 467 : Καδμεῖος λεώς· Iph. T. 960 : Παλλάδος λεών. Et similiter alibi. Aristoph. Pac. 61 : Ἡμῶν τὸν λεών· 920, etc.] Lucian. Harm. [c. 2] : Ὁ γάρ τοι πολὺς οὗτος λεὼς αὐτοὶ μὲν ἀγνοοῦσι τὰ βελτίω· Hermot. [c. 72] de scriptoribus fabulosis : Καὶ ὅμως ὁ πολὺς λεὼς πιστεύουσιν αὐτοῖς. [Plurali Soph. Aj. 1100 : Ποῦ δὲ σοὶ λεῶν ἔξεστ' ἀνάσσειν, ὧν ὅδ' ἤγαγ' οἴκοθεν. Et in formula sollemni Ἀκούετε λεῴ ap. Aristoph. Av. 448 etc. || Inter Epicos formam λεὼς ne recentiores quidem magnopere frequentarunt, ut Orph. Arg. 752, ubi Ruhnk. Ep. cr. p. 256 confert epigr. in Marm. Oxon. p. 109 : Πᾶς ἐδάκρυσε λεώς. In prosa Plato Leg. 4, p. 707, E : Τίς ὁ κατοικιζόμενος ὑμῖν λεὼς ἔσται ; Reip. 5, p. 458, D : Πρὸς τὸ πείθειν τε καὶ ἕλκειν τὸν πολὺν λεών. Dionys. A. R. 1, 68 : Τοῦ λεὼ τὴν πλείω μοῖραν. Sic enim cod. Vat. pro λαοῦ. || De accentu dat. plur. λεῴς v. Jo. Alex. Τον. παραγγ. p. 20, 14. || De signif. quæ dicenda erant pleraque exhibuimus in Λαός. Quibus hic add. Epim. Hom. in Cram. An. vol. 1, p. 265, 9 : Σημειωτέον δὲ ὅτι οὐχ ἁπλῶς τὸν ὄχλον σημαίνει, ἀλλὰ τὸν ὑποτεταγμένον· Ἑκαταῖος γὰρ τὸν Ἡρακλέα τοῦ Εὐρυσθέως λεὼν λέγει, καίτοι ἕνα ὄντα. L. D.] || Nom. proprium viri : unde Λεωκόριον, Suid. [Λεωκόριον, τόπος τῆς Ἀττικῆς ... Ἐλίμωξέ ποτε ἡ Ἀττικὴ, καὶ λύσις ἦν τῶν δεινῶν παιδὸς σφαγή. Λεὼς οὖν τις τὰς ἑαυτοῦ θυγατέρας ἐπιδέδωκε καὶ ἀπήλλαξε τοῦ λιμοῦ τὴν πόλιν, καὶ ἐκ τούτου ἐκλήθη ὁ τόπος Λεωκόριον. Eadem fere schol. Thuc. 1, 20. Addit autem Suidas in alia gl. sive Photius p. 218 in medio Ceramico fuisse illud sacellum : idem ex Phanodemi Atthide tradiderat Harpocratio, apud quem Λεωκόρειον scriptum. Λεωκόριον etiam ap. Demosth. p. 1258, 25; 1259, 6, Hegesiam Strab. 9, p. 396. De nominibus puellarum v. intt. Suidæ. Λεωκόραι conjuncte scriptum in libris Demosth. p. 1398, 5, Diodor. 17, 15. Ab eodem dicta ferebatur tribus Λεοντὶς (vel Λεωντὶς, pro quo mire Λεῶνις, ut Θεῶνις a Θέων, Etym. M. p. 397, 19), quod v.]

[Λεωσθένης, ους, ὁ, Leosthenes, dux Atheniensium ap. Diodor. 15, 95. Alius in bello Lamiaco, ap. Diodor. l. 18, Pausan. 1, 1, 3 etc., Strabon. 9, p. 433. Legitur nomen etiam in inscr. ap. Bœckh. *Urkunden* XVI, c, 25, 125.]

[Λεώστρᾰτος, ὁ, Leostratus, n. viri Attici in mon. ap. Bœckh. *Urkunden* x, d, 140, ap. Demosth. p. 1083, 8, et Suidam.]

[Λεωσφέτερος, ὁ, Quem quis gente fecit suum, Civis. Herodot. 9, 33 : Τὸν, ἐόντα Ἠλεῖον, Λακεδαιμόνιοι ἐποιήσαντο λεωσφέτερον. Quod paullo post dicitur πολιήτην σφέτερον. Divise λεῷ σφέτερον scribi voluerat Reiskius.]

[Λεώτης, ὁ, Leotes, n. viri ap. Themistocl. Ep. 11, 1, ubi ἀρχιερεὺς dicitur. L. Dind.]

A [Λεωτρεφίδης, ὁ, Leotrephides, n. viri Attici in inscr. ap. Bœckh. *Urkunden* XI, a, 83, 165. ῐ]

[Λεωτροφίδης, ὁ.] Λεωτροφίδου λεπτότερος καὶ Θυμάντιδος [Θουμάντιδος] : proverbialiter de summe macris : fertur enim Leotrophides fuisse admodum gracilis et macilentus. Suid. [Ex schol. Aristoph. Av. 1406. Lucian. De histor. scrib. 34 : Ἀπὸ Λεωτροφίδου Μίλωνα ἐξεργάσασθαι. Λεωτροφίδην Atheniensium ducem memorat Diodor. 13, 65. ῐ]

[Λεωτυχίδης, ου, ὁ, Leotychides, f. Menaris, rex Spart. ap. Herodot. 6, 65 etc., Anaxandridis 8, 131, ubi semper est forma Ion. Λευτυχίδης. Λεωτυχίδης ap. Thuc. 1, 89, Plat. Alcib. 1 p. 124, A, et de filio Agidis, ap. Xen. H. Gr. 3, 3, 1 seq., ubi etiam genit. Λεωτυχίδου, pro quo Λεωτυχίδα Ages. 1, 5. Memorantur partim etiam a Diodoro et Pausania. Ὁ τοῦ Λεωτύχου hoc nomen interpretatur Suidas. ῠῐ]

[Λεωφάνης, ους, ὁ, Leophanes, n. viri ap. Aristot. De gen. an. 4, 1 med., Theophr. C. Pl. 2, 4, 12, ubi v. Schneider. ᾰ]

B [Λεώφῐλος, ὁ, Leophilus, n. viri ap. Archilochum ab Herodiano Π. σχημ. p. 57, 3, citatum.]

[Λεωφόντης, Leophontes, dictus Bellerophon, antequam alterum nomen acciperet, sec. schol. et Eust. ad Hom. Il. Z, 155.]

Λεωφόρος, ὁ, ἡ, i. q. λαοφόρος supra [Strata, Itiner, Regia, Gl.] : λεωφόρος ὁδὸς, eadem quæ λαοφόρος Homero. [Eur. Rhes. 881 : Λεωφόρους πρὸς ἐκτροπάς.] Philo V. M. 1 : Τὸ δὲ μεσαίτατον, ἐν ᾧ ἡ ῥῆξις ἐγένετο, ἀναξηρανθὲν, ὁδὸς, εὐρεῖα καὶ λ. γίνεται, de mari in duas partes scisso, cujus medium resiccatum latam et militarem viam aperuerat, Turn. Herodian. 8, [5, 12] : Αἵ τε λ. ὁδοὶ καὶ ἀτραποὶ πᾶσαι ἐφυλάττοντο ὡς μηδένα διαβαίνειν, Omnes viæ publicæ et calles. Aliquando autem omittitur subst. ὁδὸς, et subaudiendum relinquitur. [Plato Leg. 6, p. 763, C : Τῶν ἐκ τῆς χώρας λεωφόρων εἰς τὴν πόλιν ἀεὶ τεταμένων.] Philo De mundo : Ἐν ἀπείρῳ χρόνῳ ταῖς ἐπομβρίαις ἀπὸ περάτων ἐπὶ πέρατα πᾶσα λεωφόρος ἐγεγένητο, In tempore infinito imbris vi terra a fronte ad calcem ad viæ vehicularis C æquabilitatem complanata. Herodian. 8, [8, 16] : Καταλιπόντες τὰ σώματα ἐῤῥιμμένα ἐπὶ τῆς λεωφόρου, In via publica ; 3, [12, 25] : Τὸ σῶμα ῥίπτουσιν εἰς τὴν λ., ὡς ἂν πᾶσι φανερὸν γένοιτο. Et τῆς λ. ἐκτραπῆναι, A via militari divertere, Bud. [Figurate Isidor. Pelus. Epist. 5, 485, p. 703, C : Πᾶσαν ὡς εἰπεῖν λεωφόρον ψυχαγωγίας καὶ τέρψεως ἀνατέμνων. Jacobs.] At λ. ὁδοὺς μὴ στεῖχε symbolice Pythagoras dixit pro γνώμῃ πολλῶν μὴ ἀκολούθει, Eust. [Il. p. 1082, 46 ; 1329, 34.] Cui et λ. γυναῖκες dicuntur Meretrices publicæ, quæ etiam δημιουργοὶ et σποδησιλαῦραι et πανδοσίαι, ut infra quoque in Σποδησιλαῦραι dicetur. Nominatim autem ex Anacr. affertur λεωφόρος dictum de muliere publice prostante [ab Eust. l. secundo et Suida v. Μυσάχνη. De portis Herodot. 1, 187 : Ὑπὲρ τῶν μάλιστα λεωφόρων πυλέων τοῦ ἄστεος τάφον ἑωυτῇ κατεσκευάσατο. Libri multi λαοφόρων. V. quæ diximus in Λαός. De urbe Pollux 9, 19, ubi tamen etiam alia epitheta adjungit ad vias magis quam urbes accommodata.]

[Λεώφρων. V. Λεόφρων.]

D [Λεωχάρης, ους, ὁ, Leochares, statuarius Atticus, ap. Plat. Epist. 13, p. 361, A, Pausan. 1, 1, 3 etc., Plinium et al. Contra alium ejusdem nominis Atheniensem exstat oratio Demosthenis p. 1080 sqq. Memorat Leocharem quendam etiam Isæus p. 50 sqq. ᾰ]

[Ληβόλος, ὁ.] Ληβόλε, Hesychio λιθοβόλε : forsan pro λαβόλε, ex λᾶς. Exponit etiam pass. ἄξιε λιθασθῆναι : qui et λεύσιμος. [V. Λευστὴρ, quod eodem modo dupliciter interpretantur grammatici.]

Ληβολία, ἡ, affert Hesych. pro δημοσία κοπρία, Forica, Publicum sterquilinium. [Ληβόλιτα Pierson. ad Mœr. p. 96.]

[Ληβώτης, ὁ, Lebotes, forma Ionica, n. viri, quod supra Λαβώτας, in inscr. ap. Bœckh. vol. 2, p. 224, 4.]

Ληγάτον, Suidæ τὸ ἐν διαθήκαις λιμπανόμενον, Quod testamento relinquitur. Et Ληγατάριος, Magistratus quidam ap. Romanos. Et Ἐληγάτευσε pro ἀπένειμε. [Ληγατεύω, Lego, Gl.] Ex Lat. Legatum. [V. Ducang.]

Λήγω, ξω, Cesso, Desino, Finem facio. Hom Il. I, [97] : Ἐν σοι μὲν λήξω, σέο δ' ἄρχομαι· Φ, [248] : Οὐδ' ἔτ' ἔληγε μέγας θεὸς, ὦρτο δ' ἐπ' αὐτῷ Ἀχροκελαινιόων. Hesiod. Op. [366]: Ἀρχομένου δὲ πίθου καὶ λήγοντος κορέσασθαι, Μέσσοθι φείδεσθαι. [Aristoph. Pac. 332 : Τουτογὶ τὸ σκέλος ῥίψαντες ἤδη λήγομεν τὸ δεξιόν.] Xen. Cyrop. 7, [5, 42] : Ἕωθεν ἀρξάμενοι ἀκούειν τῶν προσιόντων, οὐκ ἐλήξαμεν πρόσθεν ἑσπέρας. Alex. Aphr. : Ἐν μείζοσι λήγουσι, In majoribus finem faciunt s. terminantur. [Alia constructione Appian. Hisp. c. 73 : Φόβον καὶ δόξαν ἐμφήνας ἐργασομένου τι δεινὸν ἐπὶ τῶν ὀνειδῶν ἔληξε. Pausan. 8, 52, 1 : Τὸ μετὰ τοῦτο ἐς ἀνδρῶν ἀγαθῶν φορὰν ἔληξεν ἡ Ἑλλάς.] Rursus [de re Pind. Pyth. 4, 292 : Λήξαντος οὔρου. Æsch. Ag. 1535 : Ψακὰς δὲ λήγει. Soph. Aj. 258 : Ὀξὺς νότος ὣς λήγει· Phil. 638 : Πόνου λήξαντος. Herodot. 7, 216 : Ἡ ἀτραπὸς λήγει. Xen. Anab. 7, 6, 6 : Ἡ ἡμέρα οὕτως ἔληξε. Demosth. p. 731, 10 : Περὶ λήγοντα τὸν ἐνιαυτόν.] Xen. [Cyrop. 5, 3, 7] : Μήποτέ σοι λήξειεν αὕτη ἡ μεταμέλεια, Nunquam tibi desinat et finem faciat hæc pœnitentia, i. e. Nunquam desinas ejus rei pœnitentiam agere, Nunquam non ejus rei te pœniteat. [Cyrop. 2, 2, 16 : Ταῦτα μὲν δὴ ἐνταῦθα ἔληξεν. Et alibi sæpe similiter apud Xenoph., Platonem et alios. Λήγουσαι χελιδόνες contrariæ ταῖς φαινομέναις ap. Dioscor. 2, 211, ab Hemst. citatum.] Interdum cum gen. construitur. Hesiod. Theog. [47] : Ζῆνα, θεῶν πατέρ', ἠδὲ καὶ ἀνδρῶν, Ἀρχόμεναί θ' ὑμνεῦσι θεαὶ, λήγουσί τ' [alii libri λήγουσαι : unde scribendum mihi videri ὑμνεῦσιν ἰδὲ λήγουσαι ἀοιδῆς alibi dixi] ἀοιδῆς, Et in eo canendi finem faciunt. Hom. Il. A, [319] : Οὐδ' Ἀγαμέμνων Λῆγ' ἔριδος. [H. Cer. 410 : Λήξαις χόλου. Soph. OEd. C. 340 : Ἐξ ὅτου νέας τροφῆς ἔληξε. Eur. Rhes. 71 : Λῆξαι ὕπνου· El. 340, μόχθου, et similiter alibi.] Xen. Cyrop. 2, [4, 21] : Ἐπεὶ δ' ἔληξαν τῆς θήρας. [Ages. 1, 37 : Ἐπεὶ οἱ Ἀθηναῖοι τῆς ἀρχῆς ἔληξαν· Apol. 8 : Ἀντὶ τοῦ ἤδη λῆξαι τοῦ βίου.] Isocr., λήγειν τῶν πόνων, Cessare a laboribus, Finem facere laborum : παύεσθαι. Et ex Plat. Epist. [7, p. 337, A] : Λήγω τῶν κακῶν, Desino in malis versari. Aliquando cum partic. Il. Φ, [224] : Τρῶας δ' οὐ πρὶν λήξω ὑπερφιάλους ἐναρίζων Πρὶν ἔλσαι κατὰ ἄστυ, Non cessabo interficere, desinam obtruncare. [I, 191 : Δέγμενος Αἰακίδην ὁπότε λήξειεν ἀείδων. Æsch. Pers. 364 : Εὖτ' ἂν φλέγων ἀκτῖσιν ἥλιος χθόνα λήξῃ. Et alibi apud Tragicos, ut Eur. Ion. 182 : Οὐ λήξω τοὺς βόσκοντας θεραπεύων. Xen. Ages. 11, 2 : Ὑμνῶν οὔποτ' ἔληγεν.] Et ap. Plat. Leg., Λήγω ποιῶν. Sic ap. Eund. in Epist. [7, p. 326, D] : Ἀναγκαῖον δ' εἶναι ταύτας τὰς πόλεις εἰς τυραννίδας τε καὶ ὀλιγαρχίας καὶ δημοκρατίας μεταβαλλούσας μηδέποτε λήγειν, Nunquam desinere mutari. [Et similiter alibi.] Vox etiam aliqua ap. gramm. dicitur λήγειν, ut Lat. Desinere, Finiri, Terminari. Item λήγοντα in regione aliqua dicuntur fines et termini, s. limites quibus terminantur. Plut. [Mor. p. 870, B] : Κέλης ἐλαυνόμενος αὐτῷ συνέτυχε περὶ τὰ λήγοντα τῆς Σαλαμινίας. || Λήγω transitive quoque capitur pro παύω, Desinere et cessare facio. Hom. Od. X, [63] : Οὐδέ κεν ὣς ἔτι χεῖρας ἐμὰς λήξαιμι φόνοιο Πρὶν πάσαν μνηστῆρας ὑπερβασίαν ἀποτῖσαι· Il. Φ, [305] : Οὐδὲ Σκάμανδρος ἔληγε τὸ ὃν μένος, ἀλλ' ἔτι μᾶλλον Χώετο Πηλείωνι· N, [424] : Ἰδομενεὺς δ' οὐ λῆγε μένος· i. e. ἔπαυε. [Pass. gramm. in Cram. An. vol. 2, p. 313, 6 : Πάντα τὰ εἰς μ λήγοντα ἐνεργητικὰ μακρᾷ θέλει παραλήγεσθαι, βραχείᾳ δὲ λήγεσθαι· et ib. 8. L. Dind.]

[Λήδα, ας (v. Herodian. in Cram. An. vol. 3, p. 247, 27-30), ἡ, Leda, f. Thestii, conjux Tyndarei, apud Hom. Od. Λ, 298, Pindarum, ceterosque poetas et mythologos. Forma epica Λήδη est etiam ap. Eust. Il. p. 384, 18, Od. p. 1687, 16, et Suidam. Formam Dor. Λῆδα memorat Eust. l. secundo. L. Dind.]

[Λήδανον. V. Λῆδον.]

[Ληδάριον. V. Λῆδος.]

[Λήδας, ου, ὁ, Ledas, n. viri in Etym. M. p. 465, 14.]

Ληδεῖν, Hesychio κοπιᾷν, κεχμηκέναι : afferenti itidem Ληδήσας pro κεχμηκὼς, κοπιάσας, Labore fractus, Defessus. [Pro ἀηδεῖν et ἀηδήσας, ut vidit Salmasius.]

[Ληδίον, Λήδιον, Λῄδιον. V. Λῆδος.]

Λῆδον, τὸ, Ledum s. Ladum : cisti genus, simili quo cistus modo nascens, sed foliis longioribus et nigrioribus, quæ verno tempore quiddam pingue attrahunt. Ex eo fit, quod dicitur Λήδανον : capras enim ajunt matutinis pastibus ladum rodere, deinde ne-

A bula sole discussa, madentibus rore villis pinguem illum succum abstergere, quod viscosus sit et villis facile adhærescat; huncque postmodum depecti, colari et in offas cogi. Alii tradunt, quum pingue hujus plantæ insideat, attractis funiculis herbam eam convolvi, atque ita offas fieri. Diosc. 1, 129; Plin. 12, 17. Sed Plin. herbam vocat et ladam et ledam : succum detersum, et ladanum et ledanum. Sunt, inquit l. c., qui herbam in Cypro ex qua ladanum fiat, ledam appellent : etenim illi ledanum vocant. Et 26, 8 : Lada appellatur herba, ex qua ladanum fit in Cypro barbis caprarum adhærescens. Herodot. 3, 128 [112, coll. 107] λήδανον vocat τὸ λάδανον : Τὸ δὲ δὴ λήδανον, τὸ Ἀράβιοι καλέουσι λάδανον, ἐν δυσοδμοτάτῳ γινόμενον, εὐωδέστατόν ἐστι· τῶν γὰρ αἰγῶν τῶν τράγων ἐν τοῖσι πώγωσι εὑρίσκεται ἐγγινόμενον, οἷον γλοιὸς ἀπὸ τῆς ὕλης. [Galen. vol. 2, p. 160 ed. Bas. : Μετρίως στῦφον, ὁποῖόν ἐστι τὸ λάδανον. Wakef. Frequens est etiam apud alios Medicos. Hesych. : Λάδανον, τὸ μὲν ἀπὸ τῶν πωγώνων τῶν αἰγῶν καὶ τὸ κέρας (τοῦ κέρως Palmerius), τὸ δὲ ἀπὸ
B τῆς βοτάνης ληδῶν. Salmas. Plin. Exerc. p. 258, b, E : « Lexicon iatricum vetus : Ὑποχισθίς ἐστιν εἶδος ἄνθους, ὃ γίνεται μέσον τῶν χαμοκισσάρων. Οἵτινες γεωργοῦσι τὸ λάδανον, συνάγουσι ταύτην Ἰουλίῳ καὶ Μαΐῳ καὶ συνθλῶσι καὶ ἐκπιέζουσι καὶ τιθέασιν ἐν ἡλίῳ τὸν ὀπὸν, ἕως ἂν γένηται εἰς σύστασιν ξηράν.... Ubi ladanum, quod ex quodam cisthi genere *ledo* vocato colligebatur, confundit cum eo succo, qui exprimebatur ex hypocisthide. Aetius herbam ledam, ex qua ladanum fiebat, patria tantum distinguit a cistho : nec enim aliud genus esse, sed ille cisthus qui *ledon* vocabatur, in calidis locis nascebatur. Κισθὸς ἢ λάδων ἐξ οὗ τὸ λάδανον. Aliis dicitur λῆδον. Unde *leda* herba Plinio l. 13. At l. 26 *ledon* vocatur. Sic enim ibi scribunt libri : *Ledon* appellatur herba etc. Vulgo editur *lada*. Haud facile dicas utrum sit ὁ λήδων an τὸ λῆδον. In antiquissimo codice Aetii scribitur λίδων pro λήδων. Ap. Hesychium quoque scribendum videtur βοτάνης λήδωνος. Paulus Æg. λάδωνα vocat. Alias τὸ λῆδον herba : pingue roscidum, quod ex eo colligebatur, λήδανον, etc. » De recentioribus formis
C hujus voc. v. Boisson. ad Herodian. Epim. p. 224.]

Λῆδος, εος, ους, τὸ, Vestis ex panno raro aut detrito : Philemoni [ap. Etym. M.] εὐτελὲς τριβώνιον s. χλαμύδιον παλαιόν. Dores, inquit Didymus [ap. Eust. Il. p. 1147, 1, et qui etiam Λῆδος et Ληδάριον memorat Pollucem 7, 48], τὸ λῆδος dicunt λᾶδος, ut Alcman, Λᾶδος εἱμένα καλόν. [Theocr. 21, 10, Τά φυκιόεντά τε λῆδα corruptum videtur ex δέλητα, forma supra nobis relata vol. 2, p. 979, B, et cum forma δελήτιον comparanda. Quod animadvertit Briggsius, qui tamen de accentu fallebatur, δελῆτα scribens. Δέλεαρ enim dicitur, non δελέαρ. L. D.] Inde Ληδάριον, et Ληδίον, sive Λήδιον, τὸ, itidem τριβώνιον εὐτελές. Suidas ληδάριον esse dicit εὐτελὲς ἱμάτιον θερινὸν, θέριστρον, Vestem vilem, qualis æstate ferri solet : tunc enim leves rarasque ac magis detritas induunt vestes : ut Aristoph. Av. [716] : Χρὴ χλαῖναν πωλεῖν ἤδη, καὶ ληδάριόν τι πρίασθαι. [Et ib. 915.] Ad præcedens λήδιον quod attinet, Philemo et Didymus ipsum παροξύνουσι, Eust. vero [Od. p. 1686, 52] προπαροξύνει, itemque Hesych.
D et Suid. Sed addit Eust. scrib. per η cum ι ascripto s. subscripto, utpote derivata παρὰ τὸ λεῖον. Ap. Hesych. sane διαλελυμένως reperio Ληΐδιον, εὐτελὲς ἱμάτιον : ut et ap. [Machonem] Athen. 13, [p. 582, D] καινὸν ληΐδιον [λήδιον. Clearchus ap. eund. 6, p. 256, F : Τοὺς τοῦ μειρακίου πόδας ἐπὶ τοῖς αὑτοῦ γόνασι λεπτῷ ληδίῳ συνημφιακώς. Philostr. V. Apoll. 4, 20, p. 158 : Τῶν χλανιδίων καὶ τῶν ληδίων· 21, p. 160 : Λήδια ἀνασείειν λέγεσθε ἔπιπλα, Lintea nautica, Vela.] Et Ληϊδιώδεις, τριβωνιώδεις : pro λήδιον et ληδιώδεις. [Vitiose apud Suidam : Λήιον, εὐτελὲς κολόβιον. Et apud Photium : Ληιδίῳ δὲ τριβωνώδης.]

[Λήζω. V. Ληΐζω.]

[Ληθαίη. V. Ληθαιών.]

Ληθαῖος, α, ον, Lethæus, Oblivione obruens. Synes. De insomn. [p. 141, C] : Ὅτε μὲν ἂν ἐξελθούσαις γένοιτο πόμα ληθαῖον, ἄλλος εἰπάτω, Poculum lethæum, obliviosum, oblivionis. Virg., Amnem Lethæum dicit; Ovid., Aquas Lethæas; Lucan., Ripæ Lethææ oblivia. [Sine substantivo Theod. Hyrtac. Ep. 15 : Εἰ μὴ

λήθαιον πέπωκας. Jacobs.] Et ληθαῖον ὕπνου πτερὸν, i. e. A
τὸ λήθην τῶν κακῶν ἐμποιοῦν, s. ἐπίληθον, ut Hom.
loquitur. Callim. H. in Del. [233] : Κείνη δ' οὐδέποτε
σφετέρης ἐπιλήθεται ἕδρης, Οὐδ' ὅτε οἱ ληθαῖον ἐπὶ πτερὸν
ὕπνος ἐρείσει. [Nonnus Dion. 7, 141 : Ὄμμασι γὰρ
Ληθαῖον ἀμεργομένη πτερὸν ὕπνου. L. D.] Sic Virg.
Georg. 1 : Urunt lethæo perfusa papavera somno.
[Lycophr. 1127 : Μαρανθὲν αὖθι ληθαίῳ σκότῳ. Bassus
Anthol. Pal. 9, 279, 1 : Ληθαίης ἀκάτοιο, de cymba
Charonis. Theognis quod dicit 1216 : Πόλις γε μέν
ἐστι καὶ ἡμῖν καλὴ, Ληθαίῳ κεκλιμένη πεδίῳ, non
videtur huc pertinere. || Orph. Lith. 195, de la-
pide galactite : Οἵ δ' ἄρα μιν λήθαιον ἐφήμισαν, οὕνεκεν
αἰεὶ μεμνῆσθαι κακότητος ὀϊζυρῆς ἀπερύκει θνητοὺς ἀθανάτους τε. Hoc enim accentu scribitur etiam in epi-
tome, incertum an recte.] || Ληθαία, λαθραία, Clan-
destina, Hesych. [V. Λήθιος.]

[Ληθαῖος, ὁ, Lethæus, fl. Gortynen, oppidum Cretæ,
perfluens, ap. Strab. 10, p. 478; 14, p. 647, Ptol. 3,
17, et in Ἀναγραφῇ Ἑλλάδος Dicæarcho tributa v. 126,
ubi Λήθαιον cod. Paris. ap. Miller. p. 285. || Magne- B
siam ad Mæandrum præterfluens ap. Anacreontem ab
schol. Hephæst. p. 124 citatum, Pausan. 1, 35, 6 etc.,
Strab. 12, p. 554; 14, p. 647, ubi addit : Ἕτερος δ'
ἐστὶ Ληθαῖος ὁ ἐν Γορτύνῃ καὶ ὁ περὶ Τρίκκην ... καὶ ἔτι
ἐν τοῖς Ἑσπερίταις Λίβυσι (de quo v. etiam in Λάθων
et Λήθων). Nicand. in fr. ap. Athen. 15, p. 683, C :
Ληθαίου Μάγνητος ἐφ' ὕδασιν. Quo refertur ab nonnullis
l. Theognidis in præcedenti Ληθαῖος citatus.]

[Ληθαιὼν, ῶνος, ὁ, Lethæon, mons Italiæ. Lycophr.
703 : Ληθαιῶνος ὑψηλὸν κλέτας. Quo Zonaræ glossam
p. 1303 : Ληθαίη, ὄρος, referendam suspicabatur
Tittmannus.]

[Ληθάνεμος, ὁ, ἡ, Ventorum oblitus. Aristot. H. A.
5, 8 : Καθάπερ καὶ Σιμωνίδης ἐποίησεν ὡς ὁπόταν χειμέριον κατὰ μῆνα πινύσκῃ Ζεὺς ἤματα τεσσαρακαίδεκα,
λαθάνεμόν τέ μιν ὥραν καλέουσιν ἐπιχθόνιοι, ἱερὸν παι-
δοτρόφου ποικίλας ἀλκυόνος, de diebus halcyoniis. ᾰ]

[Ληθάνω. V. Λήθω.]

[Ληθαργέω, Obliviscor. Cum genitivo Jo. Malalas
p. 118, 13 : Παρέμενον εἰς τὴν αὐτὴν νῆσον ληθαργοῦντες C
τῆς ἑαυτῶν πατρίδος. Cum accusativo Apophth. Patrum
in Cotel. Eccl. Gr. mon. vol. 1, p. 586, A : Ἐμνήσθη
τὸν λόγον ὃν ἐληθάργησε. Alia constructione Malalas p.
155, 3 : Ἐληθαργήσαμεν διὰ τί ἤλθομεν· 9 : Ἐληθαργήσαμεν διὸ ἤλθομεν. Pass. Oblivioni trador. Inscr. Aphrodisiad. recens ap. Bœckh. vol. 2, p. 525, n. 2804, 13:
Τὸν ἀνανεωτὴν τῶν ληθαργηθεισῶν τέρψεων. V. Ληθαργίζω.
L. D. Jo. Chrys. Hom. 141, vol. 5, p. 888, 13 : Τέθαπται ἡ Δαλιδὰ, λεληθάργηται ἡ Ἰεζάβελ. Seager.]

Ληθαργία, ἡ, sive Λήθαργος, ὁ, Frigida et humida
cerebri intemperies a pituita frigidiore et humidiore
cerebrum madefaciente, febrem lentam, oblivionem,
marcorem, inexpugnabilem pene dormiendi necessitatem inducens. Oportet autem humorem, a quo fit,
frigidum esse et simul humidum : alioqui non jam
λήθαργος, sed κατοχὴ s. κατάληψις excitatur, medius
inter phrenitidem et lethargum affectus : quem tamen
Alex. Trall. sub lethargo comprehendit, et non legitime Lethargum appellat. Consequitur autem febris
lethargum, qua in re, præter alias differentias, a caro D
lethargus differt; febris enim τὸν κάρον solet præcedere, eaque vehementior : itaque sopores, qui per
febrium circuitus συμπτωματικῶς ægrotos premunt,
magis καρωτικοὶ sunt quam ληθαργικοί; est enim ὁ κάρος
velut symptoma quoddam, λήθαργος per se consistit,
et cerebri actiones labefactat. Hæc inter alia ex Gorr.,
qui post duas lethargicorum differentias, addit, omnes
esse obliviosos, stupidos, mente captos, crebro osci-
tare et hiare, ac sæpe hiante ore persistere, velut os
claudere oblitos : urinæ, quam reddunt, jumentorum
lotio similem, sæpe in manus sumpta matula, se tenere
non meminisse. Celsus dicit phrenesi esse contrarium;
esse enim in eo marcorem et inexpugnabilem pene
dormiendi necessitatem, quum in illa sit difficilis
somnus et prompta ad omnem audaciam mens. Plinius
modo Lethargum vocat, ut et Celsus et alii, modo
Veternum. Horat., Grandi lethargo oppressus; Quintil.,
Gravi lethargo pressus. [Locos Hippocr. p. 484, 17;
488, 54, et alia annotavit Foes. in Œc. Hipp. Aristot.

De somno et vig. c. 3 : Ἐν τοῖς ληθάργοις. Lycophr.
241 : Μητρὸς οὐ φράσας θεᾶς μνήμων ἐφετμὰς, ἀλλὰ λη-
θάργῳ σφαλείς. Antonin. Lib. c. 23, p. 152 : Ἐμβάλλει
ταῖς κυσὶν, αἳ ἐφύλαττον αὐτὰς, λήθαργον καὶ κυνάγχην.
Thomas p. 575 : Λήθαργος καὶ ἡ ληθώδης νόσος καὶ ὁ
ταύτην νοσῶν. Ἀττικοὶ μὲν οὖν λήθαργον ἐπὶ τῆς νόσου
φασίν· ἐπὶ δὲ τοῦ ταύτην νοσοῦντος ἐπιλήσμων.]

Ληθαργίζω, Lethargo laboro, Marcore et inexpu-
gnabili pene dormiendi necessitate oppressus sum, s.
Inexcitabili somno oppressus sum, ut Seneca loquitur.
[Pass. schol. Pind. Nem. 6, 30 : Ὁ δὲ Πραξιδάμας οὐχ
ἐποίησε ληθαργησθῆναι τὸν ἑαυτοῦ πατέρα, μὴ ἀργησάντων
τῶν ἀγωνισμάτων. Repositum est ληθαργισθῆναι. Sed
haud dubie scribendum ληθαργηθῆναι. L. Dind.]

[Ληθαργικὸς, ἡ, όν.] Ληθαργικοὶ, οἱ, Qui lethargiæ
morbo laborant. Marc. Empir. : Ad diutinos capitis
dolores, etiam veternosos, quos Græci ληθαργικοὺς
vocant, et phreneticos. Similiter et Plin. 20, 4, quum
dixisset veternosis prodesse quam acerrimos rhapha-
nos mandere, paulo post addit, Hydropicis quoque
ex aceto aut sinapi sumpti, et lethargicis. Horat. quoque dicit Lethargicus. [Epigr. Anth. Pal. 9, 141, 1 :
Κοινῇ πὰρ κλισίῃ ληθαργικὸς ἠδὲ φρενοπλὴξ κείμενοι.
Hippocr. p. 137, B; Hicesius ap. Athen. 15, p. 689, C.]

Λήθαργος, ὁ, ἡ, Qui cito obliviscitur alicujus rei, ὁ
τῇ λήθῃ ταχὺς, Eur. schol. Similiter autem Hesychio
est ὁ ἐπιλήσμων, et Suidæ. [Obliviosus, Gl.] Sed et
equorum οἱ ἀβλημεῖς καὶ νωθροὶ dicuntur λήθαργοι, ut
Iidem tradunt : qui sc. natura sua ignavi et torpidi
sunt, ac calcarium cito obliviscuntur. Sic ex Zeno-
doto λήθαργοι affertur pro Torpidi ac segnes. [Phry-
nichus Epit. p. 416 : Λήθαργος· οὕτω Μένανδρος (v. p.
418)· οἱ δ' ἀρχαῖοι Ἀθηναῖοι ἐπιλήσμονα καλοῦσιν· οὗ καὶ
πειστέον. Thomas post verba in Ληθαργία citata : Μένανδρος δὲ καὶ τὸν νοσοῦντα λήθαργον λέγει. Meleager
Anth. Pal. 5, 152, 3 : Ἄγρυπνος μίμνει σε· σὺ δ', ὦ λήθαργε φιλούντων, εὕδεις· 12, 80, 5 : Αὐτίκα γὰρ, λήθαργε
κακῶν, πάλιν εἴ σε φυγοῦσαν λήψετ' Ἔρως κτλ. Λήθαργοι
καὶ κατάφοροι ex Alex. Trall. 3, 6, p. 189, et λήθαργος
καὶ ἀμνήμων ex schol. Aristoph. Eq. 1028 (?), Lex.
rhet. p. 251 (?), annotavit Lobeckius. || Pro λαίθαργος,
quod v. in Λάθαργος, positum agnoscitur ab Hesychio
s. Suida : Λήθαργος, ἐπιλήσμων, ἐπίβουλος, καὶ κύων ὁ
προσσαίνων μὲν, λάθρᾳ δὲ δάκνων, et Ps.-Herodiano p.
471 Piers., 464 Lob. : Ἐπιλήσμων ὁ ἐπιλανθανόμενος·
λήθαργος δὲ κύων ὁ κρύφα δάκνων, legiturque in epigr.
ap. Polluc. 5, 47 (coll. 46) et Ps.-Dionem vol. 2, p.
121 : Ἀνδρὶ μὲν Ἱππάμων ὄνομ' ἦν, ἵππῳ δὲ Πόδαργος,
καὶ κυνὶ Λήθαργος, καὶ θεράποντι Βάβης. Sed Anthol.
Pal. 7, 304, 2, ubi Pisandro tribuitur, codex Pal.
Θήραγρος, suprascripto Λήθαργος. || Ὁ. V. Ληθαργία.]

[Ληθαργώδης, ὁ, ἡ, i. q. ληθαργικὸς et λήθαργος.
Diosc. Ther. c. 15 : Ληθαργώδεις γίνονται (a cenchro
morsi). Galen. vol. 7, p. 153 : Λ. καταφοραί.]

Ληθεδᾰνὸς, ὁ, i. q. ληθαῖος. Lucian. [De salt. c. 79]:
Ὥσπερ τι φάρμακον ληθεδανὸν, καὶ κατὰ τὸν ποιητὴν
νηπενθές τε καὶ ἄχολον πιών. Hom. dicit ἐπίληθον, Oblivionem inducens. [Philops. c. 39. Ps.-Lucian. Philopatr. c. 27. Ληθεδανὸς sine interpretatione ponit Suidas.
V. etiam Ληθηκής.]

Ληθεδὼν, όνος, ἡ, Oblivio, i. q. λήθη. Apud Suidam
ex Epigr. [Tullii Laureæ Anth. Pal. 7, 17, 4] : Εἰς
ταχινὴν ἔρρε τοιάδε ληθεδόνα· ut Lat. In oblivionem
venire pro Oblivione obrui s. tegi. [Agathias Anth.
Plan. 4, 244, 4 : Εἴχετο ληθεδόνι. Suidas ponit etiam
Ληθεδόνος ὄνομα πηγῆς. Memorat etiam Theognostus
Canon. p. 32, 13. Eodem pertinet, quod in Ind.
posuit HSt. :] Ap. Hesych. Λήθεδον, exp. λύσις : sed
suspectum. [Recte interpretes Ληθεδὼν, λῆσις.]

Λήθη, ἡ, Oblivio, Memoria abolita. [Soph. Phil.
878 : Ἐπειδὴ τοῦδε τοῦ κακοῦ δοκεῖ λήθη τις εἶναι κἀνά-
παυλα. Eur. Bacch. 282 : Ὕπνον τε, λήθην τῶν καθ'
ἡμέραν κακῶν· Or. 213.] Plut. Symp. 3, 3 [p. 650, E]
συμπτώματα τῆς μέθης enumerans : Τρόμοι μὲν ἄρθρων,
ψελλισμοὶ δὲ γλώσσης, πλεονασμοὶ δὲ λαλιᾶς, ὀξύτητες δὲ
ὀργῆς, λῆθαί τε καὶ παραφοραὶ διανοίας· Erot. [p. 750, B]:
Λήθη δὲ λόγων, λήθη δὲ πάτρας. Sicut vero ap. Lat. dicitur Oblivio aliquem capere, ita λήθη αἱρεῖν ap. Græcos. Hom. Il. B, [33] : Μηδέ σε λήθη Αἱρείτω, εὖτ' ἄν σε
μελίφρων ὕπνος ἀνήῃ, Cave te horum mandatorum

oblivio capiat. [Lycophr. 767 : Μὴ τοσόσδ' ὕπνος λάβοι λήθης.] Eod. sensu Dem. [p. 320, 5] : Ἡ τοσοῦτον ὕπνον καὶ λήθην ἅπαντας ἔχειν ὥστ' οὐ μεμνῆσθαι τοὺς λόγους οὓς ἐδημηγόρεις. Item Tradere oblivioni et παραδιδόναι λήθῃ sibi respondent. Lucian. [Diss. c. Hes. c. 1] : Ἀλλὰ τὸ μέρος τοῦτο πᾶν λήθῃ παραδέδωκας, Hanc totam partem oblivioni tradidisti. [Gl. : Λήθῃ παρέδωκεν, Abolevit. Λήθῃ δίδωμι, Oblitero. Λήθῃ περιτρέπει, Obliterat.] Item ἐμποιεῖν λήθην, quod Hom. dicit ἐπιλήθειν et ἐκληθάνειν. [Plato Phil. p. 63, E : Δι' ἀμέλειαν λήθην ἐμποιοῦσαι.] Isocr. Ad Dem. 2 [p. 2, D] : Ὥστε μηδὲ τὸν ἅπαντα χρόνον δύνασθαι λήθην ἐμποιῆσαι τῶν ἐκείνοις πεπραγμένων. Eo sensu Æschin. [p. 83, 21] : Ἑτέρων παρεμβολῇ πραγμάτων εἰς λήθην ἡμᾶς βούλεται τῆς κατηγορίας ἐμβαλεῖν· quod Oblivione obruere dicunt Latini. [Idem p. 25, 26 : Ἐπειδὰν ἀπὸ τῆς ἀπολογίας ἀποσπασθῆτε καὶ τὰς ψυχὰς ἐφ' ἑτέρων γένησθε, εἰς λήθην ἐκπεσόντες τῆς κατηγορίας. Alia formula Herodot. 8, 79 : Ἐξεκαλέετο Θεμιστοκλῆα ἐόντα ... ἐχθρὸν τὰ μάλιστα· ὑπὸ δὲ μεγάθεος τῶν παρεόντων κακῶν λήθην ἐκείνων ποιεύμενος ἐξεκαλέετο, θέλων αὐτῷ συμμῖξαι. Eademque Polyb. 18, 16, 2. Thuc. 2, 49 : Τοὺς δὲ καὶ λήθη ἐλάμβανε παραυτίκα ἀναστάντας τῶν πάντων. (Pro quo λήθην λαμβάνειν, Oblivisci, Ælian. N. A. 4, 35, et alii ap. Schleusner. in Lex. N. T. v. Λήθη.) Plato Theæt. p. 144, B : Λήθης γέμοντες (Dio Chr. vol. 1, p. 202 : Κραιπάλης καὶ λήθης τὰς ψυχὰς γέμοντες)· Phædr. p. 248, C : Ψυχὴ λήθης τε καὶ κακίας πλησθεῖσα· 250, A : Ὥστε λήθην ὧν τότε εἶδον ἱερῶν ἔχειν· 275, A : Τοῦτο τῶν μαθόντων λήθην μὲν ἐν ψυχαῖς παρέξει· 276, D : Εἰς τὸ λήθης γῆρας ἐὰν ἵκηται (qua de formula v. Toup. ad Suidam v. Λήθη)· Menex. p. 248, C : Τῆς τύχης μάλιστ' ἂν εἶεν ἐν λήθῃ. Suidas in Ἀρχίλοχος : Ὅτι τῶν σπουδαίων οὐδὲ θανόντων οἱ θεοὶ λήθην τίθενται. Xen. OEc. 12, 11 : Τὸ μεθύειν λήθην ἐμποιεῖ πάντων τῶν πράττειν δεομένων· Comm. 1, 2, 21 : Ὁρῶ καὶ τῶν διδασκαλικῶν λόγων τοῖς ἀμελοῦσι λήθην ἐγγιγνομένην· 3, 12, 6 : Λήθη καὶ ἀθυμία πολλοῖς ... εἰς τὴν διάνοιαν ἐμπίπτουσιν. Passive 2, 1, 33 : Οὐ μετὰ λήθης ἄτιμα κεῖνται, Oblivioni traditi. || Rarior pluralis est ap. Tim. Locr. p. 103, B : Λῆθαι.] || Λήθη fingitur etiam Dea quædam oblivionis, quam Lat. quoque Lethen appellant. Plut. Symp. 7 [p. 705, B] : Οὐχ ὀρθῶς οἱ παλαιοὶ παῖδα Λήθης τὸν Διόνυσον· ἔδει γὰρ πατέρα προσαγορεύειν. Id. De S. N. V. [p. 566, A] commemorat quendam τῆς λήθης τόπον, sicut Aristoph. quoque Ran. [186 et Dionys. A. R. 8, 52], τὸ Λήθης πεδίον. Est et Λήθης fluvius quidam. Plut. [Mor. p. 272, D], ex Cicerone de D. Bruto : Λυσιτάνειαν [—τανίαν] ἐπελθὼν, καὶ πρῶτος ἐπέκεινα στρατῷ διαβὰς τὸν τῆς Λήθης ποταμόν. [V. Strabo 3, p. 153. Λήθης nominat. et Λήθην accusat. est ap. Appian. Hispan. c. 71, 72.] Lucian. [Tim. c. 54] : Καθάπερ τὸ λήθης ὕδωρ ἐκπιών. De quo Lucan. 9 : Quam juxta Lethes tacitus perlabitur amnis, Infernis, ut fama, trahens oblivia venis. Et Ovid., Non ego, si biberes securæ pocula Lethes, Excidere hæc credam pectore posse tuo. [Simonid. Anth. Pal. 7, 25, 6 : Οὐχ ὅτι λείπων ἠέλιον λήθης ἐνθάδ' ἔκυρσε δόμων. Diodor. 1, 96 : Πύλας Κωκυτοῦ καὶ Λήθης. Pausan. 9, 39, 8 : Χρὴ πιεῖν αὐτὸν (in sacris Trophonii) Λήθης ὕδωρ καλούμενον, ἵνα λήθη γένηταί οἱ πάντων ἃ τέως ἐφρόντιζε. Geopon. Procem. 4 : Φιλοσοφίαν τε καὶ ῥητορικὴν ἤδη παρερρυηκυίας καὶ πρὸς ἀχανῆ βυθὸν τῆς λήθης καταδεδυκυίας. ||] Dorice autem dicitur Λάθα pro Λήθη, Oblivio. Plut. [Mor. p. 110, E, ex poeta quodam] : Ἅπαντες ἀΐδαν ἦλθον καὶ Λάθας δόμους. [Pind. Ol. 2, 20 : Λάθα δὲ πότμῳ σὺν εὐδαίμονι γένοιτ' ἄν· 7, 45 : Ἐπὶ μὰν βαίνει λάθας νέφος· Nem. 8, 24 : Ἦ τιν' ἄγλωσσον μὲν, ἦτορ δ' ἄλκιμον, λάθα κατέχει ἐν λυγρῷ νείκει· 10, 24 : Ἔνθα νικάσαις δὶς ἔσχεν Θεαῖος εὐφόρων λάθαν πόνων. Soph. OEd. T. 870 : Οὐδὲ μήν ποτε λάθα κατακοιμάσει (vel μήποτε ... κατακοιμάσῃ, ut Elmslejus : aliter μάν scribendum)· et alibi.]

[Ληθηκὴς, ὁ, ἡ.] Ληθηκὲς, Hesychio εἰς λήθην ἄγον τὸ φάρμακον [ἄγων τὰ φάρμακα codex, ut ἄγοντα legendum videatur, et ληθηκέα, cujus vocabuli ultima litera a Musuro addita est, quum ληθηκὲ. sit in codice], ubi puto expungendum τό. [De similibus compositis v. Pierson. ad Mœr. p. 79. Huic gl. comparanda videtur altera non suo loco posita post Ληκυθιάδες : Ληθύϊνον. τὸ εἰς λήθην ἄγον φάρμακον. Et Photii s. Suidæ : Λήθην

A κυνῶν· λήθην ἐμποιούντων φάρμακον (φαρμάκων Porson., ut est ap. Suidam). Quod ad Ληθεδανὸν referebat Tittm. ad Zonar. p. 1305.]

Ληθημόνοισι, Hesych. ληθάργοις. [Fortasse pro ληθήμοσι.]

[Λήθης, ὁ, Lethes fl. V. Λήθη.]

Λήθιος, Hesychio est λαθραῖος, Clandestinus. [Ληθαῖος Albertus, ut supra. Zonaras p. 1305 : Λήθαιον ὕδωρ, ἐπιληστικὸν καὶ λήθιον πόμα, scripsisse videtur λῆθον.]

[Ληθομέριμνος, ὁ, ἡ, Qui ærumnarum oblivionem affert vel obliviscitur. Orph. H. in Noct. 6.]

[Λῆθον Hesychio βαλιόν.]

[Ληθοποιὸς, ὁ, ἡ, Oblivionem inducens. Leontius in Maii Coll. Vatic. vol. 1, p. 77. Osann.]

[Λῆθος, ὁ, Lethus, Pelasgus, Hom. Il. B, 843, P, 288. Suidas.]

[Λῆθος, τό. V. Λᾶθος.]

Ληθότης, ητος, ἡ, Oblivio, ἡ ἐπιλησμοσύνη Suidæ [λησμοσύνη Zonaræ p. 1303].

Λήθω, σω, Lateo. Hom. Il. Ω, [563] : Καὶ δέ σε

B γιγνώσκω, Πρίαμε, φρεσὶν, οὐδέ με λήθεις, Ὅττι θεῶν τίς σ' ἦγε θοὰς ἐπὶ νῆας Ἀχαιῶν· Od. T, [91] : Πάντως θαρσαλέη κύον ἀδδεὲς, οὔτι με λήθεις Ἕρδουσα μέγα ἔργον, Nec me latet facinus quod admisisti, Nec me clam est, Nec me celare potes; nam λανθάνειν Plutarcho est Celare. Il. Ω, [477] : Τοὺς δ' ἔλαθ' εἰσελθὼν Πρίαμος, Clam illis ingressus est. [Hic est aor. verbi λανθάνω, quod v.] Od. M, [17] : Οὐδ' ἄρα Κίρκην Ἐξ Ἀΐδεω ἐλθόντες ἐλήθομεν· Il. Ω, [13] : Οὐδέ μιν ἠὼς Φαινομένη λήθεσκεν ὑπεὶρ ἅλα, Nec clam eo aurora apparuit. Pro Celare non incommode [ad sententiam : nam ad linguam aliena ab usu veterum est signif. transitiva] accipi potest Od. T, [151] de Penelope, quæ retexendo telam procos eludebat : Ὣς τρίετες μὲν ἔληθον ἐγὼ καὶ ἔπειθον Ἀχαιοὺς, Celabam et clam habebam illos, sc. animi mei cogitata et voluntatem. [Soph. El. 1359 : Πῶς οὕτω πάλαι ξυνών μ' ἔληθες; OEd. T. 1325 : Οὐ γάρ με λήθεις· Antig. 532 : Λήθουσά μ' ἐξέπινες.] Xen. Ag. [6, 5] : Φθάνων δὲ ὅπου τάχους δέοι, λήθων δὲ ὅπου τοῦτο συμφέροι, Latens, vel etiam Celans. [Id.

C OEc. 7, 31 : Ἴσως τι καὶ ἀτακτῶν τοὺς θεοὺς οὐ λήθει.] Opp. ei et μέμνημαι, ubi si quis in priore signif. nolit, possit accipere pro Oblivisci facio, sicut Ληθάνω usurpatur, sc. pro λαθέσθαι ποιῶ. [Cujus ex. v. in Ἐκληθάνω, quo spectat Hesychii gl. Ληθάνει, λανθάνειν ποιεῖ.] Ap. Hom. Il. Ψ, [648], Nestor ad Achillem, Ὥς μευ ἀεὶ μέμνησαι ἐνηέος, οὐδέ σε λήθω Τιμῆς ἧς τέ μ' ἔοικε τετιμῆσθαι μετ' Ἀχαιοὺς, pro δι' ἧς τιμῆς, Quo honore inter Achæos me affici deceat non te latet. [Ambiguum transitivæ signif. ex. est Maximi Καταρχ. 77 : Λήσει δ' ἐρατῆς καὶ ἀκηράτου εὐνῆς. || Forma Dor. Pind. Ol. 1, 64 : Εἰ δὲ θεὸν ἀνήρ τις ἔλπεταί τι λαθέμεν ἔρδων, ἁμαρτάνει. Soph. El. 222 : Οὐ λάθει μ' ὀργά· Phil. 207 : Οὐδέ με λάθει ... αὐδά. || Pro λήθομαι, Obliviscor, Simonid. Anth. Pal. 7, 25, 9 : Μολπῆς δ' οὐ λήθει μελιτερπέος.] || Λήθομαι, Obliviscor. Il. A, [495] : Θέτις δ' οὐ λήθετ' ἐφετμῶν Παιδὸς ἑοῦ, Non obliviscebatur mandatorum filii sui. E, [319] : Οὐδ' υἱὸς Καπανῆος ἐλήθετο συνθεσιάων· P, [759] : Οὖλον κεκλήγοντες ἴσαν, λήθοντο δὲ χάρμης· I, [259] Nestor ad

D Achillem iratum, Σὺ δὲ λήθεαι· ἀλλ' ἔτι καὶ νῦν Παῦε, ἔα δὲ χόλον θυμαλγέα. [Æsch. Ag. 39 : Ὡς ἑκὼν ἐγὼ μαθοῦσιν αὐδῶ κοὐ μαθοῦσι λήθομαι.] Δ, [127] : Οὐδὲ σέθεν, Μενέλαε, θεοὶ μάκαρες λελάθοντο· pro ἐλάθοντο. [De hac aor. forma v. in Λανθάνω, ibidemque de perfecto λέλησμαι, quod huic verbo commune est cum illo.] Et pass. signif. ex Soph. [El. 1248] : Οὐδέποτε λησόμενον, pro λήθης τυχεῖν μὴ δυνάμενον. [In Ind. :] Λάθομαι, Dor. pro λήθομαι. Ex Epigr. λάθεται, Immemor est, Non meminit, Oblitus est, λέλησται. [Pind. Ol. 8, 72 : Ἀΐδα τοι λάθεται. Soph. El. 168 : Ὁ δὲ λάθεται ὧν τ' ἔπαθ', ὧν δ' ἐδάη. Aoristi forma passiva Theocr. 2, 46 : Τόσσον ἔχοι λάθας ὅσσον ποκα Θασέα φαντὶ ἐν Δίᾳ λασθῆμεν ἐϋπλοκάμω Ἀριάδνας, ubi fidem non merentur libri qui ad alias formas, ut λελαθέσθαι, aberrant.]

[Ληθώ. V. Λητώ.]

[Ληθώδης, ὁ, ἡ, Obliviosus. Hesych. et Etym. M. : Κῶμα, ὕπνος, ληθώδης καταφορά. Thom. M. p. 575.]

[Λήθων, ὁ, Lethon, fl. Libyæ. Ptolem. ap. Athen.

2, p. 71, B, Eust. Od. p. 1822, 26. V. Λάθων et A Ληθαῖος.]

[Ληθώρα, ἡ, cum πληθώρα ponitur ab Theognosto Canon. p. 107, 26, in verbis ex margine, ut videtur, insertis, sed utrumque perperam scribitur —ῶρα. L. Dindorf.]

Ληϊάδης, Prædando captus, abductus, Captivus, αἰχμάλωτος, Hesych. [Quod suspectum, ut ex proximo Ληιάδας natum.]

Ληϊάνειρα, Hesychio ἡ ποιοῦσα τοὺς ἄνδρας γυναικῶν ἐρᾷν, Quæ facit, ut viri mulieres ament, ἀπὸ τοῦ ληΐζεσθαι τοὺς ἄνδρας. [Nisi Δηιάνειρα scribendum, ut in Βωτιάνειρος diximus.]

Ληϊὰς, άδος, ἡ, Prædando capta, abacta. Unde ληϊάδας, ap. Hesych. ἐκ λείας αἰχμαλώτους συλληφθείσας. Eust. ληϊστὰς, αἰχμαλώτους, Captivas. Hom. Il. Υ, [193]: Ληϊάδας δὲ γυναῖκας ἐλεύθερον ἦμαρ ἀπούρας ἦγον. Apoll. Arg. 4, [35]: Ἀφνειοῖο διειλυσθεῖσα δόμοιο ληϊὰς, Puella s. Mulier prædando rapta ex opulenta domo se subducit, ἔτ' ἀηθέσσουσα δύης, καὶ δούλια ἔργα Εἶσιν ἀτυζομένη, schol. αἰχμάλωτος, δορυάλωτος. [Idem 1, 612: B Ἔχον δ' ἐπὶ ληιάδεσσι τρηχὺν ἔρον. Et alibi.]

[Ληιβότειρα. V. Ληιβοτήρ.]

Ληϊβότης, et Ληϊβοτὴρ, ῆρος, ὁ, Qui segetem depascit: quorum postremum Suidas [et Zonar. p. 1302] esse dicit epith. apri. Inde fem. Ληϊβότειρα, s. Ληϊβοτείρη [hoc η nonnisi in genit. et dat. cadit], Ionice, Quæ segetes depascitur et arva vastat: Hesych. ληϊβοτείρης, τῆς τὸ λήϊον πεδίον βοσκομένης. Utitur vero Hom. dicens σῦν ληϊβοτείρην. [Ληιβοτείρης Od. Σ, 29. Ælian. N. A. 5, 45. Jacobs.]

[Ληίδιον. V. Λῆδος.]

Ληΐδιος, α, ον, Prædando captus, Captivus, αἰχμάλωτος. Et ληϊδίη ap. Oppian. itidem pro αἰχμάλωτος, Eust. [Il. p. 877, 45]; qui ab Homerico ληῒς derivat. Item ληΐδιαι χεῖρες, ex Epigr. [Juliani Ægypt. Anth. Plan. 4, 203, 2], Captivæ manus. [Id. Anth. Pal. 6, 20, 2: Ἑλλάδα νικήσασαν ὑπέρβιον ἀσπίδα Μήδων Λαῒς θῆκεν ἑῷ κάλλεϊ ληιδίην.]

Ληΐζω, σω, Prædor, Deprædor, Prædas agendo infesto, Depopulor. [Zonar. p. 1306: Ληΐζει, αἰχμαλωτίζει, ἁρπάζει, λαφυραγωγεῖ.] Thuc. 4, p. 135 [c. 41]: C Ἐλήϊζόν τε τὴν Λακωνικὴν καὶ πλεῖστα ἔβλαπτον, ὁμόφωνοι ὄντες, i. e. λείαν ἐποιοῦντο τὴν Λακωνικὴν, ut supra loquitur. [Libri pauci ἐληΐζοντο, et vicissim 3, 85, pauci ἐλήϊζον pro ἐληΐζοντο, ut nihil huic exemplo tribuendum sit.] Et Ληΐζομαι quoque signif. activa pro ληΐζω. [Herodot. 4, 112: Θηρεύοντές τε καὶ ληιζόμενοι. Xen. Anab. 5, 1, 9: Σχολὴ τοῖς πολεμίοις ληΐζεσθαι. Appian. Pun. c. 24: Ἐληΐζετο ἐς τὰς τροφάς.] Idem Thuc. 1, [5]: Ἐληΐζοντο δὲ καὶ κατ' ἤπειρον ἀλλήλους· 5, p. 197 [c. 115]: Ἐκήρυξαν δὲ, εἴ τις βούλεται παρὰ σφῶν Ἀθηναίους ληΐζεσθαι. [Andocid. p. 13, 37: Ἐληίσω ἢ κατὰ γῆν ἢ κατὰ θάλατταν τοὺς πολίτας τοὺς σεαυτοῦ. Xen. Anab. 4, 8, 22: Ἐληΐζοντο τὴν Κολχίδα· 7, 2, 34, τὴν χώραν· 7, 3, 31: Πολλοὺς ἄνδρας καὶ γυναῖκας κατακτήσει, οὓς οὐ ληΐζεσθαι δεήσει, ἀλλὰ αὐτοὶ φέροντες παρέσονται πρὸς σὲ δῶρα. Alia constructione H. Gr. 5, 1, 1: Ληΐζεσθαι τὸν βουλόμενον ἐκ τῆς Ἀττικῆς· Anab. 6, 1, 1. Diodor. 11, 88: Τυρρηνῶν ληιζομένων τὴν θάλατταν. Palæph. c. 29: Ἐληΐζετο τὰ παραθαλάσσια χωρία. ‖ Capio, Aufero. Hom. Il. Σ, 28: Δμωαὶ, ἃς Ἀχιλεὺς ληΐσσατο Πάτροκλός τε· Od. Α, 398: Δμώων, οὕς μοι ληΐσσατο δῖος Ὀδυσσεύς. Hesiod. Op. 320: Ἠ δγ' ἀπὸ γλώσσης (ὄλβον) ληΐσσεται. Antipater Thess. Anth. Pal. 9, 266, 4: Τοὺς γὰρ Ἀθήνης αὐλοὺς ἐκ Φρυγίης οὗτος ἐληίσατο. Bianor ib. 223, 4: Πτηνὸν δ' ὁ πτερόεις ἰὸς ἐληίσατο. Herodot. 3, 47: Θώρηκα ἐληίσαντο· 4, 145, γυναῖκας· 6, 86, χρήματα. Eudocia p. 162: Ἄλλας τε χόρας ἐληίσατο καὶ Εὐρώπην. Passivo Apoll. Rh. 4, 400: Οἷά τε λῃισθεῖσαν ὑπότροπον οἴκαδ' ἄγοντο. Hesych.: Λῃισθέντος, κλαπέντος, ἀφαιρεθέντος· et Photius s. Suidas in Λῃισθείς. Et dnbitanter Photius in Ληΐζεται.] Metaphorice quoque accipitur. Hesiod. Op. [700]: Οὐ μὲν γάρ τι γυναικὸς ἀνὴρ ληΐζετ' ἄμεινον Τῆς ἀγαθῆς· τῆς δ' αὖτε κακῆς οὐ ῥίγιον ἄλλο, Nullam meliorem faciet s. nanciscetur prædam, quam si bonam uxorem sibi comparet, Nulla meliore potietur præda. [Imitatur Simonides ap. Clem. Al. Str. 6, p. 744. Plato Epin. p. 976, A: Ὅσων ὧραι ψύχει καὶ καύματι... ληΐζονται τὴν τῶν ζώων φύσιν. Ληιζόμενος τελώνης Pollux 9, 32.] Etym. scribit ληΐζεσθαι proprie esse τὸ τὰ σιτοφόρα χωρία ἐκκόπτειν, a λήϊον, Seges, derivans: καταχρηστικῶς autem dici ἐπὶ τῶν ἀπὸ πολέμου κτηθέντων. Sed rectius a ληΐη derivatur. [Parthenius in Etym. M. v. Ἄρπυς p. 148, 34: Ἀμφοτέροις ἐπιβὰς ἄρπυς ἐλίσατο. Valck.] Λῄζομαι ex Epigr. [Tullii Gem. Anth. Pal. 3, 410, 2: Ὁ κἀκ θανάτου κέρδεα λῃζόμενος] affertur pro ληΐζομαι positum. Sed pro eo scrib. potius λῄζομαι per η cum ι subscr. [Eadem forma Eur. Tro. 866: Ὃς ἐξ ἐμῶν δόμων δάμαρτα ξεναπάτης ἐλῄσατο· 373: Ἑκούσης κοὐ βίᾳ λελησμένης· Med. 256: Ἐκ γῆς βαρβάρου λελησμένη· Hel. 475: Οὔ τί που λελῄσμεθ' ἐξ ἄντρων λέχος; (Quo referri licet Hesychii gl.: Ἐλεήσατο, ᾐχμαλώτευσεν, διήρπασεν, ἀφείλατο, ἐλῄστευσεν, ut animadvertit Wessel. Probab. p. 41.) Et quum in prosa λῃστὴς dicatur, non ληιστὴς, nihil caussæ est cur ληΐζομαι potius quam λῄζομαι tribuatur prosæ orationis scriptoribus, qui certe non κληΐζομαι dixerunt, sed κλῄζομαι. ‖ Doricam formam annotasse creditur Hesychius: Λαίσασθαι, κτίσασθαι. Ubi λαΐσασθαι, κτήσασθαι, Albertus cum Kustero, collatis gll. Λαιαν, κτῆσιν, de qua v. in Λεία, et Ληίσασθαι, κτήσασθαι. ‖ De forma per ε HSt.:] Λεΐζομαι, Prædor, Epigr. [Anth. Pal. 6, 169, 4: Τὸν τὰ Διωνύσου δῶρα λεϊζόμενον. Hesych.: Ἐλείσθη, ἐλῃστεύθη. Ubi tamen series postulat potius Ἐλῃίσθη.] Et Λειΐζομαι, pro eod., ex Epigr. [Quod nihili.]

Ληΐη, ἡ, Præda, i. q. λεία, ex eoque factum dialysi Ionica: ut βασιληΐη pro βασιλεία. Herodot. 4, [103]: Ἀπὸ ληΐης ζῶσι, Vivunt ex præda s. ex rapto, ut Ovid. [Met. 1, 144] loquitur. Idem 1 [2, 152]: Κατὰ ληΐην ἐκπλώσαντες, Prædabunde, Prædandi gratia. Idem [1, 161], Ληΐην ποιεύμενος τῷ στρατῷ, Prædas agens exercitu. Ex Eod. affertur ληΐη θέσθαι, quod mendosum videtur, pro Diripere. [Ex 4, 202: Τοὺς λοιποὺς τῶν Βαρκαίων ληΐην ἐκέλευσε θέσθαι τοὺς Πέρσας. De præda s. re rapta 4, 64: Τῆς ληΐης μεταλαμβάνει τὴν ἂν λάβωσι· 8, 123: Μετὰ τὴν διαίρεσιν τῆς ληΐης.] ‖ Hesychio ληΐη est non solum προνομία [et οἰκονομία, quorum hoc fortasse ex altero, quod προνομεία scribendum videtur, ortum est], sed etiam βοσκήματα, sicut et λεία supra. [Eidemque Λήια (sic), κτήνη, βρώματα, ἐφόδια, χρήματα, quæ ad ληΐη pertinere animadverterunt interpretes.]

[Λήιμνος. V. Λήιον.]

[Ληϊνόμος, ὁ, Agricola. Archias Anth. Plan. 4, 94, 2: Ληινόμοι γειαρόται Νεμέης.]

[Λήινος ὕμνος, καὶ Λήναιος Διόνυσος, Zonaras p. 1302. Quo referendum videtur quod Suidas sine interpretatione ponit Ληίνιος. Scribendum autem erit Λίνος, quod εἶδος ὕμνου suo loco dicit Suidas, nisi quis præferat Ληναῖος, quod conjecit Bernhardy. L. D.]

Λήϊον, τὸ, Ionica dialysi pro λεῖον s. λαῖον, quod est Seges: seu, ut Hesych. vult, πύρινος καρπὸς, Triticea frux, Triticeæ fruges. Aristoph. schol. λήϊον ὡραῖον vocari scribit τὴν πρώτην ἔκφυσιν τῶν πυρῶν. Ex Aristot. vero H. A. 9, [6] λήϊον τοῦ σίτου, pro Herba tritici. [Arrian. Exp. 1, 4, 1: Διέβαλον ᾗ τὸ λήιον ἦν σίτου βαθύ.] Poetæ frequentius utuntur pro Arvo segetibus consito, Campo segetum: quod est σιτοφόρον χωρίον. Hom. D Il. Β, [147]: Ὡς δ' ὅτε κινήσῃ ζέφυρος μέγα [βαθὺ] λήϊον ἐλθών. [Conf. Α, 560.] Sic Hesiod. Sc. [288]: Ἔην βαθὺ λήϊον· οἵ γε μὲν ἤμων Αἰχμῇς ὀξείῃσι κορυνιόεντα πέταλα Βριθόμενα σταχύων. [Hom. Il. Ψ, 599: Ληίου ἀλδήσκοντος. Herodot. 1, 19: Ἄφθη τὸ λήιον ἀνέμῳ βιώμενον· 193: Ἀρδόμενον ἐκ τοῦ ποταμοῦ ἁδρύνεται τὸ λήιον.] Λῆον, Etym. per synæresin dici scribit pro λήϊον, q. e. σιτοφόρον χωρίον, Ager frugibus consitus. Pro λήϊον ap. Theocr. reperio Λαῖον: 10, [21]: Τὺ μόνον κατάβαλλε τὸ λαῖον. Et [42]: Δάματερ πολύκαρπε, πολύσταχυ, τοῦτο τὸ λαῖον Εὐεργόν τ' εἴη, καὶ κάρπιμον ὅττι μάλιστα. [Bis scribendum videtur λᾷον. Apollon. Bekk. An. p. 567, 7: Καὶ ὃν τρόπον ἦν τι πάλιν ὄνομα τὸ λήιος, ἀφ' οὗ λάϊος καὶ λάϊον καὶ λάϊα καὶ ἐν συναιρέσει πάλιν τοῦ α λᾶα, « Τίς μοι τὰ λᾶα ἐκτίλλει, » Σώφρων, καὶ σὺν τῷ ι γράφεται. Eust. Il. p. 193, 34: Τὸ δ' αὐτὸ (λήιον) καὶ λαῖον Δωρικῶς λέγεται. Διὸ συνελὼν ὁ Θεόκριτος λαῖον αὐτὸ λέγει, ὥσπερ αὖθις τὰ λήια λῆα ποιεῖ ἡ συναίρεσις, καθὰ καὶ τὸ ληΐδιον λήδιον κτλ. 862, 55: Ἰστέον δὲ ὅτι τὸ λήιον τρέψαν μὲν τὸ η εἰς α καὶ συναιρεθὲν λαῖον εὕρηται παρὰ Θεοκρίτῳ. Ἄλλως δὲ κατὰ συναίρεσιν λῆον αὐτὸ παραδιδόασιν οἱ τεχνικοί. Formam Λεῖον supra annotavimus. L. D.] Hesych. affert et Ληΐμνος pro εὔδοτος, derivatum hinc etiam ipsum, ut videtur. Λήϊμος interpretes.] || Apud Suidam et Λήϊον, εὐτελὲς κολόβιον, in ms. etiam cod.

[Λήιος, Seges, Gl. V. Λήιον.]

[Λήιος. Hesych. : Λήιοι, ἱεροὶ καὶ ἄγγελοι. V. Λῄτη.]

Ληΐς, ΐδος, ἡ, i. q. λεία s. ληΐη. [Præda, Gl.] Hom. Il. Λ, [676] : Ληΐδα δ' ἐκ πεδίου συνελάσσαμεν ἤλιθα πολλὴν, Πεντήκοντα βοῶν ἀγέλας, τόσα πώεα οἰῶν, Τόσσα συῶν συβόσια, τόσ' αἰπόλια πλατέ' αἰγῶν, Ἵππους τε ξανθὰς, ubi nota quæ ληΐδος nomine comprehendat : non manubias, nec exuvias, sed pecudes : sicut et de λεία supra dictum fuit. Od. Ξ, [86] : Καί σφιν Ζεὺς ληΐδα δοίη. Ab Eust. [et Suida] active quoque exp. λαφυραγωγία [Od. Γ, 106 : Πλαζόμενοι κατὰ ληΐδα. Xen. Reip. Lac. 13, 11 : Ἢν δέ (τις) ληΐδα ἄγων (ἔλθῃ, τοῦτον ὁ βασιλεὺς ἀποπέμπει) πρὸς λαφυροπώλας] : ab Hesych. etiam μερὶς, ψιλὴ κτῆσις : a Tzetze autem ἡ τῶν τετραπόδων κτῆσις, derivante a λήϊα, quod τετράποδα significat, quippe quæ τὰ λήϊα κατανέμεται, in Hesiod. Theog. [442] de Hecate : Ῥηϊδίως δ' ἄγρην κυδνὴ θεὸς ὤπασε πολλὴν, Ῥεῖα δ' ἀφείλετο φαινομένην, ἐθέλουσά γε θυμῷ. Ἐσθλὴ δ' ἐν σταθμοῖσι σὺν Ἑρμῇ ληΐδ' ἀέξειν, Βουκολίας τ', ἀγέλας τε, καὶ αἰπόλια πλατέ' αἰγῶν. Sed commode ibi exponere possumus Pecora, Pecudes : sicut λεία et ληΐη exp. βοσκήματα : quæ inde ληΐς s. λεία dicuntur, quoniam a prædonibus abigi solent. [Theocr. Id. 25, 97 : Πᾶν δ' ἄρ' ἐνεπλήσθη πεδίον ... ληΐδος ἐρχομένης· 116 : Ἀνδρὸς ληΐδ' ἑνός.] Καταχρηστικῶς autem ληΐς dicuntur etiam χρήματα, schol. Apollonii, dicens proprie esse τὰ ἐκ λαφυραγωγίας : sic autem accipit hunc l. 1, [695] : Εἴ κεν ἐπιτρέψητε δόμους καὶ ληΐδα πᾶσαν Ὑμετέρην ξείνοισι καὶ ἀγλαὸν ἄστυ μέλεσθαι· sed ibi quoque pro Pecoribus accipi forsan possit. [Hesych. : Ληΐδα, μερίδα λεῖαν, τὴν ψιλὴν κτῆσιν.] || Ληΐδας Hesych. exp. etiam αἰχμαλώτους : qua signif. et ληϊάδες dicuntur. [Hoc sensu Æschyl. Sept. 331 : Βοᾷ δ' ἐκκενουμένα πόλις, λαΐδος ὀλλυμένας μιξοθρόου. Schol. λαοῦ, id est τῶν αἰχμαλώτων ἐν τῷ φθείρεσθαι ἀνάμικτον βοὴν ποιούντων. Brunck. || Idem Hesych. Ληΐς explicat etiam βούλησις, Voluntas, Consilium. Quod Laconicum putabat et pro λῆσις positum Koen. ad Gregor. p. 252, ut Μῶα pro Μοῦσα et similia.]

[Ληΐς, ΐδος, ἡ, Leis, Ori f. Pausan. 2, 30, 5.]

Ληϊσθιῶν, Hesychio τρεπόμενος. [V. Λησθέων.]

Ληϊσμαδία, Hesychio αἰχμάλωτος, λεληϊσμένη.

[Ληισμὸς, ὁ, Prædatio, Raptus. Nicetas Chon. p. 230, C : Ἐξιέναι ἐπὶ λησμῷ· 254, A ; 304, C. L. Dind.]

Ληϊστὴρ, ῆρος, et Ληΐστωρ, ορος, ὁ, Prædator, Prædo. Hom. Od. Γ, [72] : Ἦ μαψιδίως ἀλάλησθε, Οἷά τε ληϊστῆρες ὑπεὶρ ἅλα, οἵ τ' ἀλόωνται Ψυχὰς παρθέμενοι, κακὸν ἀλλοδαποῖσι φέροντες ; [Et alibi ap. Homerum et Apoll. Rh. aliosque. V. etiam Λευστήρ.] Ο, [426] : Ἀλλά μ' ἀνήρπαξαν Τάφιοι ληΐστορες ἄνδρες Ἀγρόθεν ἐρχομένην, Viri prædatores. [Nicand. Ther. 347. Frequens est etiam apud Nonnum et Manethonem.] Item ex Epigr. [Macedonii Anth. Pal. 9, 649, 3], ληΐστορι χαλκῷ, Prædatitia pecunia : et ληΐστορι μύθῳ, ex Nonno [Jo. c. 18, 100], Furtivo sermone. [|| Formam Ληστὴρ, quam separare nolumus ab reliquis hujus formæ vocabulis, v. infra suo loco.]

Ληϊστὴς, ὁ, i. q. ληϊστὴρ, proprie ὁ τὰ τετράποδα ἀπελαύνων, Etym. [Hom. H. Bacch. 7 : Ἐυσσέλμου ἀπὸ νηὸς λησταὶ προγένοντο. Apoll. Rh. 1, 750 : Λησταὶ Τάφιοι. Antipater Anth. Pal. 7, 640, 4 : Ληιστέων ταχινὴ δίκροτος.]

Ληϊστόριον, Hesychio est πτύον ἐφ' οὗ τὸ πῦρ φέρεται. [Conf. Λαΐστρον.]

Ληϊστὸς, ἡ, ὸν, Prædando captus, Inter prædandum raptus, Prædando acquisitus, ὁ ἐκ λείας καὶ λῃστείας κτητὸς, Etym. Item Qui prædando capi s. comparari potest. Hom. Il. Ι, [408] : Ληϊστοὶ μὲν γάρ τε βόες καὶ ἴφια μῆλα, Κτητοὶ δὲ τρίποδες καὶ ἵππων ξανθὰ κάρηνα· Ἀνδρὸς δὲ ψυχὴ πάλιν ἐλθεῖν οὔτε λεϊστὴ Οὔθ' ἑλετὴ, ἐπεὶ ἄρ κεν ἀμείψεται ἕρκος ὀδόντων, Prædando recuperari non potest. Ubi habes ληϊστοὶ a ληΐζομαι, et λεϊστὴ a λεΐζομαι : quæ scriptura verior est, et in meo vet. Homeri cod. extat : quidam tamen impressi libri habent λεϊστή. Ad quem l. Homeri allusit Plut. II. φιλα-

A δελφ. [p. 481, E], quum ait, Ληϊστοὶ μέν τε φίλοι καὶ συμπόται, κτητοὶ δὲ κηδεσταὶ καὶ συνήθεις, τῶν πρώτων ὥσπερ ὅπλων ἢ ὀργάνων διαφθαρέντων, ἀδελφῶν δὲ ἀντίκτησις οὐκ ἔστι. [V. Hesych. in v. cum annot. Schol. Lycophr. 105 : Ληΐτιν) Ληιστὴν, αἰχμάλωτον.]

Ληϊστοσάλπιγγες, dicti fuerunt Tyrrheni, quod prædones essent et primi tubas invenerint. Hesych. [qui dicit tantum ἐπειδὴ πρῶτοι σάλπιγγος εὑρεταὶ γεγόνασιν. Emendatius Photius : Ληστοσαλπίγκτας, τοὺς Τυρρηνοὺς, ἀπὸ Πισαίου (de quo conf. Plin. N. H. 7, 56, 201) τοῦ εὑρόντος. Pollux 4, 87 : Καὶ Μένανδρος δέ τινας καλεῖ ἀριστοσαλπιγκτὰς λῃστὰς σαλπιγκτάς. Ληιστοσαλπιγκτὰς Valesius, qui ληστοσ. scribere debebat. Non verisimile autem et ἀριστ. et ληστ. fuisse apud Menandrum, quorum aut prius est alterius dittographia aut alterum non est a Menandro petitum.]

[Ληϊστὺς, ύος, ἡ, Prædatio. Herodot. 5, 6 : Ζῆν ἀπὸ πολέμου καὶ ληιστύος.]

[Ληΐστωρ. V. Ληιστήρ.]

Λήϊτα, τὰ, Hesychio κτήματα [Opes. Ad ληΐη re-

B ferri, ut quod ab eodem ponitur λήια, animadverterunt interpretes].

Λῄτη, Hesychio ἱέρεια (quæ et λείτειρα) : necnon λιτή. [V. Λητή. Conf. etiam Λήιοι in Λήιος notatum.]

Ληϊτιαὶ, Hesychio ἡγεμονίαι, στρατεῖαι, λαφυραγωγίαι. [Diversa hic confusa, ληιστεῖαι s. λῃστεῖαι, et λῃτεῖαι vel quomodocunque hoc scribatur voc., ad λήιτος referendum.]

Ληΐτις, ιδος, ἡ, Prædatrix, ἀγελείη, ap. Hom. Il. Κ, [460] de spoliis s. exuviis Doloni detractis : Καὶ τάδ' Ἀθηναίῃ ληΐτιδι δῖος Ὀδυσσεὺς Ὑψόσ' ἀνέσχεθε χειρὶ, ubi ληΐτις epith. est Minervæ, a ληΐς, Eust., sicut supra Eid. ἀγελείης epith. ab eod. poeta tribui dixi. [Ληιστὶς male scriptum ap. Phurnutum De nat. d. c. 20, p. 187. Reddendum hoc cognomen ex cod. Lugdunensi priori l. Pausaniæ 5, 14, 5 : Τέταρτα καὶ πέμπτα Ἀρτέμιδι θύουσι καὶ ληΐτιδι Ἀθηνᾷ, quæ verba pessime in ceteris depravata sunt.] || Ληΐτις est etiam αἰχμάλωτος, ut Index in Eust. habet : verba autem ejus, unde hæc sumpta est expositio, quia ambigua videntur, ascri-

C bam [Il. p. 877, 45] : Ληΐδα δὲ ὑποκοριστικῶς ἢ μάλιστα παρωνύμως τὴν λείαν εἰπόντος Ὁμήρου, ληΐδιην ἐντεῦθεν Ὀππιανός φησι τὴν αἰχμάλωτον, ὁ δὲ Λυκόφρων [105] ληΐτιν. [Ib. p. 818, 26, Od. p. 1458, 4.] Confirmari autem hoc ex Etym. potest, qui ληϊάδας et ληΐτιδας ἐπὶ τῶν γυναικῶν dici scribit τὰς αἰχμαλώτους. [Apoll. Rh. 1, 818, κούρῃ.]

[Ληϊτοάρχης, ὁ.] Ληϊτοάρχαι ap. Hesych. Qui præerant sacrificiis, et ταῖς ἑστιάσεσι : quod sc. publice hæc fierent. [Et ἀρχαὶ καὶ ἱερεῖς.]

Λήϊτος, Publicus, δημόσιος, ut Hesych. scribit in verbo Ληϊτουργεῖν. [Quod idem ponit Λήϊτα, κτήματα, ad ληΐη potius pertinet.] Idem autem et Plut. [l. infra cit.] testatur, sc. λήϊτον olim appellatum fuisse τὸ δημόσιον [Λῃτὸν male ap. Phot.] : unde etiam derivatum esse verbum Λειτουργεῖν. Herodotus autem 7, [107] Achæorum vocabulum esse scribit : significans illis Prytaneum, i. e. Curiam. [Quomodo interpretatur etiam Etym. M. HSt. in Ind. :] Λῃτὸν, Idem esse dicit δημόσιον, Publicum : quod supra λήϊτον. Sic Λῃτουργὸς, af-

D fertur pro λειτουργός [Thomas M. p. 574 : Οἱ μὲν λητουργὸς διὰ τοῦ η, ἤτοι ὁ τὰ λήιτα ἔργον ἔχων· λήιτα γὰρ λέγεται τὰ δημόσια. Οἱ δὲ διὰ διφθόγγου] : et Λῃτουργεῖν pro λειτουργεῖν, Publicum obire munus. [Mœris p. 252 : Λῃτουργεῖν διὰ τοῦ η Ἀττικοὶ, διὰ δὲ τῆς ει διφθόγγου Ἕλληνες· λήιτον γὰρ τὸ δημόσιον. Piersonus : « Λῃτουργεῖν s. Λητουργεῖν in scriptoribus Atticis penitus obliterarunt librarii, ubique forma vulgari supposita λειτουργεῖν, » additque verba Ammonii p. 89 : Λητουργεῖν διὰ τοῦ η ... τὸ τῷ δήμῳ ὑπηρετεῖν· λῆτον γάρ φασι τὸ δημόσιον. Lex. rhet. Bekk. An. p. 277, 29 : Λειτοῦργεῖν οἱ παλαιοὶ Ἀθηναῖοι διὰ τοῦ η ἔλεγον λητουργεῖν· λητὸς γὰρ τὸ δημόσιον ἀρχεῖον· οἱ οὖν ἐν τῷ λητῷ ἐργαζόμενοι οὗτοι λειτουργοῦσιν. Ὅπερ νῦν διὰ τῆς ει διφθόγγου λέγεται. V. Λῄταρχος.] Sed hæc scrib. potius per ι subscr. s. ascriptum τῷ η : ut sane scriptum ap. Plutarch. Probl. Rom. [p. 280, A], ubi scribit λῆτον ad suam usque ætatem ἐν πολλοῖς τῶν Ἑλλήνων νόμων τὸ δημόσιον scriptum inveniri. Ubi etiam rectius properispomenως λῆτον, ut λεῖτον. [Romuli c. 26 : Λήιτον γὰρ τὸ δημόσιον ἔτι καὶ νῦν Ἕλληνες ... ὀνομάζουσιν. Sic enim Pierson. l. c. pro τὸν δῆμον.] Λάϊτον, Hesychio τὸ ἀρχεῖον, Archivum : afferenti et Λαΐτων pro δημοσίων τόπων, Dorice pro ληΐτων. Perperam ap. Suidam, Λαιετὸν τὸ ἀρχεῖον : et Λαιστρὸν, τὸ πρυτανεῖον, pro Λάϊτον, ἀρχεῖον s. πρυτανεῖον. [Zonaras p. 1288 et Theognostus Canon. p. 9, 11 : Λαίετον, τὸ ἀρχεῖον. Zonar. iterum ib. : Λαιτρὸν, τὸ ἀχρεῖον (sic) καὶ λαιτρὸν τὸ πρυτανεῖον. Theogn. ib. 16 : Λαιτὸν, τὸ ἀχρεῖον, λαιτρὸν, τὸ πρυτανεῖον. Et 18 : Λαιφύη, τὸ πρυτανεῖον, ubi caput glossæ ex λαῖφος vel λαίφη corruptum et ad alienam ab eo interpretationem relatum.]

[Λήϊτος, ὁ, Leitus, dux Bœotorum. Hom. Il. B, 494, Z, 35, N, 91, P, 601. F. Alectoris, Argonauta, apud Apollod. 1, 9, 16, 8.]

Ληϊτουργέω, Opus aliquod publicum facio etc., ut dictum in Λειτουργέω. [Ponitur ab Hesychio.]

Ληϊτουργὸς, ὁ, q. d. Opus publicum faciens, quod ad publicum pertinet, Qui munus aliquod publicum obit, Minister publicus. Ab Hesych. ληϊτουργοὶ exp. ὑπουργοὶ et δημιουργοί.

[Ληιτῶ, τὸ λειτουργῶ ponit Etym. Gud. p. 365, 6, 11.]

[Ληκάω. V. Ληκέω.]

[Ληκεδών. V. Λακεδών.]

Ληκέω, Sono, Crepitum s. Strepitum cieo : unde volunt esse aor. 2 ἔλακον, et præt. med. λέλακα, de quibus supra in Λακεῖν [sub Λάσκω posito]. || Hesych. ληκεῖ exp. non solum κροτεῖ, βοᾷ : afferens item ληκῆσαι pro πατάξαι, ὑλακτῆσαι : sed etiam φοβεῖ, Terret, crepitu sc. aut strepitu. [Suidas : Ληκεῖν, τὸ φωνεῖν. || Forma Dorica Theocr. 2, 24 : Ἐγὼ δ' ἐπὶ Δέλφιδι δάφναν αἴθω, χὠς αὕτα λακεῖ μέγα καππυρίσασα, κτλ.] Affert Idem et Ληκᾶν pro πρὸς ᾠδὴν ὀρχεῖσθαι : at pass. [ut Photius] ληκᾶσθαι exp. etiam περαίνεσθαι. Quomodo accipiendum quod Suidas ex Aristoph. [Thesm. 493] affert, Μάλισθ' ὅταν ὑπό του ληκώμεθα τὴν νύχθ' ὅλην· quod et ipse exp. κινώμεθα, Subagitemur. [Quæ tanquam Pherecratis affert Photius, et ex eodem ληκῆσαι pro πλησιάσαι. Pollux 5, 93, inter verba hujusmodi : Τὰ τεθρυλημένα, ἃ δὴ παίζουσιν οἱ κωμικοὶ, ληκεῖν, δριμύττειν.]

[Λήκημα, τὸ, Crepitus. Cleomedes Meteor. 2, p. 112, inter vocc. Epicurea memorat ληκήματα. Bakius : « In hanc lectionem plerique libri et schol. Mosqu. conspirant : Balf. ληκίσματα. Casaub. ad Diog. L. λακίσματα, Leid. 1 κλίματα, Aug. λημήματα cum gl. κροτήματα. »]

[Ληκίνδα, ap. Lucian. Lexiph. c. 8 : Λ. ἔπαιζεν, Ludebat crepitu. Inter adverbia de lusibus in ινδα apud Apollon. in Bekk. An. p. 562, 18. In δαληκίνδα corruptum ap. Theognost. Can. p. 164, 13. Incertum an huc pertineat Suidæ gl. Ληχινθάδιος (superscr. δ), ubi libri Λήχινθα, ληχινθα (superscr. δ'), ληχινθάδας, quæ videri possunt ex λήχινθα et supra scripto δ conflata esse. Alii ad Hesychii gl. Ληχυθιάδες retulerunt.]

[Ληκτήριος, α, ον.] Ληκτηρία νῆσος, Lycophroni [966] ἡ εὐκατάληκτος καὶ εὐπεριόριστος, Suis terminis finita et circumscripta, Eust. [Od. p. 1623, 34. Id. 1391 : Χερσόνησον τοῦ πάλαι ληκτηρίαν θεᾷ Κυρίτᾳ πάμπαν ἐστυγημένου. Ubi active accipiunt scholl.]

[Ληκτικὸς, ή, όν, Terminalis. Schol. Dionys. in Bekk. Anecd. p. 816, 22, 25. Boiss. Greg. Cor. p. 347.]

Ληκτὸς, Hesychio καταληκτὸς [immo καταληπτὸς, unde ληπτὸς pro ληκτὸς Heinsius], Suis finibus, in quos desinit, terminatus : cui oppos. ἄληκτος, Infinitus, Indesinens.

[Ληκύθειος, α, ον, vel ὁ, ἡ, Ampullans. Schol. Hephæst. p. 34 ed. Gaisf. : Ληκύθιόν φασιν αὐτὸ (τὸ τροχαϊκὸν δίμετρον καταληκτικὸν, τὸ καλούμενον Εὐριπίδειον) ἢ δι' Ἀριστοφάνην σκώπτοντα τὸ μέτρον (Ran. 1208 etc.) ἢ διὰ τὸν βόμβον τὸν τραγικόν ... διὸ καὶ Καλλίμαχος Μοῦσαν ληκυθίαν τὴν τραγῳδίαν λέγει. Ληκυθείαν vel, quod præstat, ληκύθειον Bentlei. ad fr. 319 ex schol. Pind. Ol. 1, p. 15 ed. Bœckh., ubi post similia illis quæ sunt ap. schol. Heph. additur : Ὅθεν καὶ Κ. τὴν τραγῳδίαν ληκύθιον Μοῦσάν φησι. Conf. Ἐπιληκυθίστρια.]

[Ληκύθη, πόλις, Zonaras p. 1304. Theognostus Canon. p. 109, 22 : Ἔστι τὸ Ληκύθη ἡ πόλις τὴν

A ἄρχουσαν ἔχον διὰ τοῦ η καὶ τὴν μετ' αὐτὴν διὰ τοῦ υ ψιλοῦ. ὔ L. Dind.]

[Ληκυθιάζω. V. Ληκυθίζω.]

[Ληκυθιὰς, άδος, ἡ.] Ληκυθιάδες Hesychio sunt ἐνώτια ποιὰ, Inaures quædam. [V. Ληκίνδα.]

Ληκυθίζω, Pigmentis oratoriis exorno et illustro. Strabo 13, [p. 609] : Μηδὲν ἔχειν φιλοσοφεῖν πραγματικῶς, ἀλλὰ θέσεις ληκυθίζειν, ubi quidam interpr. etiam Elucubrare, Ad lucernam, cui oleum ex lecytho affunditur, multo studio componere. Sic et ap. Cic. ληκύθους accipiunt pro Scriptis magno studio evigilatis, et lucubrationibus. Per ληκύθους intelligunt etiam Locos communes summo artificio expolitos, in quibus perpoliendis et exornandis lecythi atque arculæ illæ adhibitæ sint : unde ληκυθίζειν capiunt pro Locis communibus aliquid amplificare atque exornare. V. et Λήκυθος. || Ampullor, Ampullis et sesquipedalibus verbis utor, quod genus loquendi ex Horat. habes in Λήκυθος. Aristoph. schol. [Ach. 589] ληκυθίζειν exp. μεῖζον βοᾶν, καὶ ψοφεῖν : quoniam λήκυθος πεφυσημένη ἦχον ἀποτελεῖ : ap. Suid. autem perperam scribitur

B ληχυΐζειν. [Pollux 4, 114 : Εἴποις δ' ἂν ὑποκριτὴς ... ληκυθίζων, λαρυγγίζων. Idem eidem 7, 182, pro ληκυθιάζειν restituendum conjecit Jungermannus. Monet autem Schneiderus alteram signif. repeti ab signif. Gurgulionis, de qua in Λήκυθος. Aliter explicatur in Exc. Phryn. Bekk. An. p. 50, 8 : Ληκυθίζειν, ὁπόταν βούλωνται οἱ φωνασκοῦντες κοῖλόν τι φθέγμα ποιεῖν, ὥσπερ εἰς ληκύθους προϊέμενοι.]

Ληκύθιον, τὸ, Parva lecythus, Parva ampulla. [Demosth. p. 736, 7 : Ἱμάτιον ἢ ληκύθιον.] Capitur pro simplici λήκυθος, ut in proverb. Λιπαρώτερος ληκυθίου, Pinguior lecytho : quod et Λιπαρώτερος λύχνου, in eos, quos edacitas habitior non reddit. V. Erasm. Chil. || Metrum τροχαϊκὸν ἑφθημιμερὲς, quod et Euripideum, Aristoph. schol. [Ran. 1233 seqq. || Figurato usu, de quo in Ληκυθίζω et Λήκυθος, Synesius p. 55, C, declamatorem ληκύθιον αἰτεῖν. Jacobs. || Ληκύθιον (hoc poscit ordo literarum pro ληθύθιον) πυρὸς τὶς παρὰ

C Καρσὶν κάλλιστος, τὸ δὲ αὐτὸ καὶ Ληκυθηδὸν, Hesychius ex conjectura Palmerii. Legitur vulgo π. τ. περικάρσιον κ. Angl. || De forma Byzantina Ducangius : « Lex. Ms. Colberteum : Ληκύθιον καὶ λέκυνθος (leg. videtur λήκυνθος), ἀγγεῖον ἐλαίου. Lex. Ms. ad schedographiam (Boiss. Anecd. vol. 4, p. 390, 468) : Λήκυθος δὲ τὸ λαδικὸν, ὃ καὶ ληκύνθιόν τε. Apophth. Patr. (in Cotel. Eccl. Gr. mon. vol. 1, p. 528, B) : Ἐχρέματο ληκύνθιον· mox : Τὰ ληκύνθια. »]

Ληκυθισμὸς, ὁ, Cantillatio, Frigillatio, VV. LL. A Suida exp. εὐφωνία, in hoc l. : Περιενεγκεῖν εὐστρόφως καὶ κεκλασμένως τὸν λ. τῶν αἰσχρῶν καὶ γελοίων ᾀσμάτων. [Plut. Mor. p. 1086, E.]

[Ληκυθίων, ωνος, ὁ, Lecythio, n. viri ap. Lucian. Fugit. c. 32. ὔ]

Ληκυθιστὴς, ὁ, Qui cavam vocem edit, h. e. talem, qualem vasa cava, si pulsentur, κοιλόφωνος Hesychio. [Photio et] Suidæ autem μικρόφωνος : quomodo apud Soph. accipi scribit.

Ληκυθοποιὸς, ὁ, Qui lecythos conficit, ampullas olearias s. unguentarias fabricatur. [Ampullarius, Gl.

D Strabo 15, p. 717. Pollux 7, 182.]

[Ληκυθοπώλης, ὁ, Qui ampullas vendit. Pollux 7, 182.]

Λήκυθος, ἡ, Lecythus, Vas olearium, Ampulla olearia, ἐλαιοδόχον ἀγγεῖον, Eust., dictum scribens quasi ἐλαιόκυθος, παρὰ τὸ ἔλαιον χεύθειν, in Hom. Od. Z, [79] : Δῶκε δὲ χρυσείῃ ἐν ληκύθῳ ὑγρὸν ἔλαιον. Plut. Π. ἀοργησ. loquens de iis, qui ex omnibus vasis unum aliquod, quo utantur eligunt : Οὕτω δὲ καὶ πρὸς ληκύθους ἔχουσι καὶ πρὸς στλεγγίδας, ἀγαπῶντες ἐκ πασῶν μίαν. [Conf. Mor. p. 59, F.] Aristoph. Av. [1588] : Ἔλαιον οὐκ ἔνεστιν ἐν τῇ ληκύθῳ, Non est oleum in lecytho, ubi eum volunt allusisse ad ἔλεος, ut significet non esse precibus locum apud inexorabilem. [Plato Charm. p. 161, E, Hipp. min. p. 368, C. Aristot. Eth. Nic. 4, 5 : Σφαῖρα ἢ λ. ἡ καλλίστη ἔχει μεγαλοπρέπειαν παιδικοῦ δώρου. L. D. Athen. 13, p. 584, F : Νικὼ παρασίτου τινὸς ἀπαντήσαντος λεπτοῦ ἐξ ἀρρωστίας, Ὡς ἰσχνὸς, ἔφη. — Τί γὰρ οἴει με ἐν τρισὶν ἡμέραις καταβεβρωκέναι; — Ἤτοι τὴν λήκυθον, ἔφη, ἢ τὰ ὑποδήματα. Valck. Philo Belop. p. 102, D : Λήκυθον καινήν. Schn.]

|| Ampulla unguentaria, s. Arcula pigmentaria. [Μυροθήκη, βησίον ὑάλινον Hesychio.] Aristoph. Pl. [810]: Αἱ δὲ λήκυθοι Μύρου γέμουσι, τὸ δ' ὑπερῷον, ἰσχάδων. Athen. 4 : Ἄλλαι φέρουσαι ληκύθους μύρου, ἑκάστη δύο. Et λήκυθος μύρου apud Suidam, quam Atticos ἀλάβαστρον vocare scribit. [Et λ. μυρηρὰ apud Poll. 6, 105; 7, 177; 10, 119, 120.] Et Sophocl. in Androm. [ap. Poll. l. c.] αὐτοχείλεσι ληκύθοις, μονολίθους ἀλαβάστρους significans. In priore tamen l., quem ex Aristoph. citavi, potest etiam accipi pro ὄλπη, Vas olearium : dicit enim puteos oleo repletos esse, at vasa olearia unguentis. Ap. Eund. in Concion. [1101], Ἔχειν λήκυθον πρὸς ταῖς γνάθοις, in anus, quæ rugas pigmentis dissimulant, et quæ quasi totam arculam pigmentariam in suas malas effuderunt, ut Cic. dicit totam arculam pigmentorum effusam esse in scripta Isocratis, si bene memini. [Arist. ib. 538 : Ἀλλ' ἔμ' ἀποδύσασ', ἐπιβαλοῦσα τοὔγκυκλον, ᾤχου καταλιποῦσ' ὡσπερεὶ προκείμενον, μόνον οὐ στεφανώσασ' οὐδ' ἐπιθεῖσα λήκυθον· 1032 : Καὶ ταινίωσαι καὶ παράθου τὰς ληκύθους, de vetula morti propinqua, cui jam defunctorum apparatus colligendus esset.] Ponitur etiam pro Pigmentis oratoriis, Bud., sic accipiens ap. Cic. Ad Att. [1, 14]: Totum hunc locum, quem ego varie in meis orationibus, quarum tu Aristarchus es, soleo pingere, de flamma, de ferro; nosti illas ληκύθους; valde graviter pertexuit. Sic accipit ap. Plin. Epist. 2 [libri 1]: Non tamen omnino Marci nostri ληκύθους fugimus, quoties paulum itinere decedere non intempestivis amœnitatibus admonebamur. Supra autem dixerat, Tentavi enim imitari Demosthenem semper tuum : Calvum nuper meum, duntaxat figura orationis. Turn. in eo l. Plinii accipi scribit de Oratione amœna et pigmentis orationis perpolita. Horatium vero de Oratione tumida et magnifica interpretari : eadem enim qua Cic. translatione dixisse [A. P. 97] : Projicit ampullas et sesquipedalia verba, quod est, Orationis amplitudinem et superbiam omittit. Et alio l. [Ep. 1, 3, 14] : An tragica desævit et ampullatur in arte? Et hoc genus translationis profectum esse a tumore ampullarum, quæ λήκυθοι Græce dicuntur; sed orationis elegantiam et amœnitatem cum magnificentia et gravitate plerumque conjungi solere : et hinc se arbitrari explicandum Strabonis illud multis obscurum existimatum, ἀλλὰ θέσεις ληκυθίζειν. V. Ληκυθίζειν. || Λήκυθος, Hesychio [et scholiastæ Plat. Hipp. min. p. 334] est τὸ μεταξὺ τοῦ λαυκανίου καὶ αὐχένος ἠχῶδες [Quod inter guttur et cervicem est sonumque edit, Gurgulio. Addit autem schol. Plat., ὥς φησι Κλέαρχος].

[Λήκυθος, ἡ, Lecythus, castellum Macedoniæ prope Toronam. Thuc. 4, 113, 114, 116.]

[Ληκυθουργός, ὁ, Qui ampullas facit. Plut. Pericle c. 12.]

[Ληκυθοφόρος, ὁ, Qui ampullas fert. Pollux 3, 154 : Καὶ τὸν παῖδα ἐρεῖς ληκυθοφόρον.]

[Ληκύνθιον. V. Ληκύθιον.]

[Ληκώ, ἡ, Membrum virile, Hesychio τὸ μόριον. Photius : Λ. τὸ μόριον λέγουσι τὸ ἀνδρεῖον.]

[Λήκων, i. q. μήκων, Papaver, in glossis iatricis ap. Ducang. Gl. p. 1096.]

[Λήλαντον πεδίον, τὸ, Lelantus campus, Eubœæ. Hom. H. Apoll. 220 : Στῆς δ' ἐπὶ Ληλάντῳ πεδίῳ. Theognis 892 : Ληλάντου δ' ἀγαθὸν κείρεται οἰνόπεδον. Theophrast. H. Pl. 8, 8, 5 : Τῆς Εὐβοίας ἐν τῷ Ληλάντῳ. Cognominem fluvium Lelantum Eretriæ memorat Plinius N. H. 4, 12, 21. Inter Ληλ. et Λιλ. variant libri Strabonis, qui sæpius nominat, 1, p. 58; 10, p. 447. Per ι male etiam ap. Ælian. V. H. 6, 1 : Τεμένη ἀνῆκαν τῇ Ἀθηνᾷ ἐν τῷ Λιλάντῳ ὀνομαζομένῳ τόπῳ, ubi Ληλάντῳ ... πεδίῳ Coraes. Ap. Callim. Del. 289 : Πεδίον Ληλάντιον, ut in epitome Strabonis l. 1, p. 316 ed. Cor. Per diphthongum ap. Hesych. : Ληλάντειον πεδίον τῆς Εὐβοίας ὠνομασμένον ἀπὸ Ληλάντου βασιλέως, ubi aliorum grammaticorum similes glossas annotarunt interpretes, ut schol. Callim. Del. 289, ubi male Λήλαντος βασιλέως, quanquam etiam Eust. Il. p. 1198, 3, ponit Λίλας, a quo ducatur Λιλάντειον, quod nomen quum repetit a verbo λιλαίω, agnoscit ι in prima.]

Λῆμα, ατος, τὸ, [Voluntas, Animus, Indoles. Pind. Pyth. 3, 25 : Καλλιπέπλου λῆμα Κορωνίδος· 8, 47 : Γενναῖον λῆμα· Nem. 1, 57 : Ἐκνόμιον λῆμα υἱοῦ· 3, 79 : Ἀεθλοφόρου λήματος. Æsch. Sept. 448 : Ἀνὴρ δ' ἐπ' αὐτῷ, κεἰ στόμαργός ἐστ' ἄγαν, αἴθων τέτακται λῆμα· 616 : Οὐχ ὡς ἄθυμος οὐδὲ λήματος κάκῃ· Pers. 55 : Τοξουλκῷ λήματι πιστούς· fr. Νεανίσκων ap. Hesych. v. Ἀρείφατον λῆμα, quod interpretatur ἰσχυρὸν, Ἄρει ἐοικός. Eur. Med. 348 : Ἥκιστα τοὐμὸν λῆμ' ἔφυ τυραννικόν· Alc. 981 : Οὐδέ τις ἀποτόμου λήματός ἐστιν αἰδώς· Rhes. 499 : Λῆμά τ' ἀρκούντως θρασύς· Bacch. 1000 : Μανείσᾳ πραπίδι παρακόπῳ τε λήματι· Heracl. 3 : Ὁ δ' ἐς τὸ κέρδος λῆμ' ἔχων ἀνειμένον· 199 : Οἶδ' ἐγὼ τὸ τῶνδε λῆμα καὶ φύσιν· Cycl. 596 : Πέτρας τὸ λῆμα κἀδάμαντος ἕξομεν. Quorum ll. nonnulli referri possunt etiam ad seq. signif.], i. q. παράστημα, Præsens animus, Virilis fortisque animus, Acer animus et præsens : s. Animi præsentia, Animi fortitudo. [Soph. OEd. C. 877 : Ὅσον λῆμ' ἔχων ἀφίκου, ξέν', εἰ τάδε δοκεῖς τελεῖν. Eur. Rhes. 209 : Ἄγαμαι λήματος· Heracl. 702.] Synes. Ep. ad Fratrem : Νῦν ἔδει τοῦ γενναίου λήματος, νῦν τῶν ἐκείνου χειρῶν. Sic Joseph. [B. J. 3, 10, 4] : Δεῖ λήματος· οὐδὲν τῶν μεγάλων φιλεῖ δίχα κινδύνου κατορθοῦσθαι, ut Virgil. dixit, Nunc animis opus, Ænea, nunc pectore firmo. Ita ap. Aristoph. [Ran. 463], λῆμα ἔχω, Sum præsenti animo : et ap. Herodot. 7, [99] : Ὑπὸ λήματός τε καὶ ἀνδρηΐης ἐστρατεύετο. [Id. 9, 62 : Λήματι καὶ ῥώμῃ οὐκ ἕσσονες ἦσαν.] Sed non semper de Præsente et forti animo dicitur, verum etiam de Timido, ut ex epith. patet. Nam ut Joseph. dicit γενναῖον λῆμα : et Eur. Iph. [T. 609, A. 1422] : Ὦ λῆμ' ἄριστον· et Aristoph. Nub. [457] : Λῆμα μὲν πάρεστι τῷδέ γ' οὐκ ἄτολμον, ἀλλ' ἕτοιμον· et Ran. [602] : Ἐγὼ παρέξω 'μαυτὸν ἀνδρεῖον τὸ λῆμα· ita idem ib. [499] : Βλέψον εἰς τὸν Ἡρακλειοξανθίαν, Εἰ δειλὸς ἔσομαι καὶ κατά σε τὸ λῆμ' ἔχων. Et Eur. [Alc. 723] : Κακὸν τὸ λῆμα, κοὐκ ἐν ἀνδράσιν, τὸ σόν. Idem λῆμα et λῆμα τεθηγμένον usurpat etiam pro Animo irato s. Ira : ut in Med. [119] : Δεινὰ τυράννων λήματα· ut qui χαλεπῶς ὀργὰς μεταβάλλουσι. [Ib. 177 : Εἴ πως βαρύθυμον ὀργὰν καὶ λῆμα φρενῶν μεθείη.] Et Or. [1625] : Μενέλαε, παῦσαι λῆμ' ἔχων τεθηγμένον. [De impudenti animo Soph. OEd. C. 960 : Ὦ λῆμ' ἀναιδές. In deteriorem partem etiam El. 1427 : Μηκέτ' ἐκφοβοῦ μητρῷον ὥς σε λῆμ' ἀτιμάσει ποτέ.] Ex Herodoto vero [5, 111], λήματος πλέος pro Solertiæ plenus. [Id. 5, 72 : Ἔργα χειρῶν τε καὶ λήματος.] Videtur derivatum παρὰ τὸ λῶ, q. e. θέλω, Volo : unde et ab Hesych. λῆμα exp. non solum φρόνημα, ἀνδρεία, τόλμα, sed etiam βουλὴ, βούλευμα, δόγμα, ἀξίωμα, Voluntas, Consilium, Decretum s. propositum animi : qui itidem λημάτων ὀρθρινῶν affert pro θελημάτων ταχινῶν. [Conf. Λῄς.] At pro λῆμα, quod idem Hesych. esse dicit κέρδος, δῶρον, Lucrum, Donum, duplici μ scrib. λῆμμα.

Λημᾰλέος, α, ον, Gramiosus, Lippus : qui et λάμων ac γλάμων. Lucian. Lexiph. [c. 4] : Ἀπερυθριάσαι ποιήσει τοὺς ὀφθαλμοὺς καὶ μηκέτι λημαλέους εἶναι, μηδὲ διερὸν βλέπειν. [Sine interpr. ponit Suidas.]

[Λημάτίας, ὁ. HSt. in Λῆμα :] Sed ut ad superius λῆμα redeam, quo significatur Animi præsentia, Animi confidentia s. præfidentia, Animus præsens, Fortis et confidentia plenus animus : derivatum inde adj. Λημάτίας, i. q. supra λῆμα ἔχων, λήματος πλέος, Præfidenti et præsenti animo præditus : Hesychio et Suidæ itidem φρονηματίας, μεγαλόφρων, γεννάδας. [V. Λημᾰτιάω. ᾰῐᾱ]

[Λημᾰτίας, ὁ, Lippus, Gl.]

Λημᾰτιάω, i. q. λημᾰτίας εἰμὶ, s. λῆμα ἔχω, Præsenti animo sum : ut et Suid. ap. Aristoph. Ran. [494], λημᾰτιᾷς καὶ ἀνδρεῖος εἶ exp. μεγαλοφρονεῖς, Magno et virili animo es. [Schol. : Γράφεται καὶ λημᾰτίας χωρὶς τοῦ ι, οἷον μεγαλόφρων καὶ ἰσχυρός. Quam scripturam spectare videntur gll. grammaticorum in Λημᾰτίας citatæ, neque alteri postponam.]

[Λημᾰτίζω, i. q. λημᾰτόω (non enim ita scribendum videtur), ap. Hesychium in Λελημένοι : Λελημᾰτίσθαι γὰρ τὸ τῇ διανοίᾳ πρὸς πᾶν ὁρμητικῶς ἔχειν. Quanquam non apparet quid totum hoc Λελημᾰτίσθαι ... ἔχειν commune habeat cum gl., cui est annexum, quæ λελιῆσθαι potius requirit, quum nunc quidem et ordo literarum et additum γὰρ obstent quominus caput glossæ putetur λελημᾰτίσθαι. L. Dind.]

[Ληματιον, τό.] Λημάτια Hesych. exp. non solum φρονήματα, sed etiam βουλεύματα : et cum eo Suid. [sive Photius. Ex λήματα depravatum videtur.]

Λῃματόω, significat λῆμα παρέχω, Animum addo, Animo præsenti et confidenti munio : unde præt. pass. λελημάτωμαι, quod Hesych. exp. λῆμα ἔχω εἰς τὸ ἔργον.

Λημάω, Lippio [Gl.], Gramiosos oculos habeo, Gramias s. Glamas oculorum patior. [Hippocr. p. 101, G : Ὀφθαλμοὶ λημῶντες. L. D. Λημᾷ καὶ παχύνεται τὸ ὄμμα, Synes. p. 138, D. Jac.] Lucian. [Tim. c. 2] : Λημᾷς δὲ καὶ ἀμβλυώττεις, καὶ ἐκκεκώφωσαι τὰ ὦτα· Dial. Sim. et Pol. [D. mort. 9, 2] : Γέροντα λημῶντα προσέτι καὶ κορυζῶντα. At Aristoph. [Nub. 327] : Νῦν γέ τοι ἤδη καθορᾷς αὐτάς, εἰ μὴ λημᾷς κολοκύνταις, Nisi cucurbitis lippis : h. e. λήμας ἐν τοῖς ὀφθαλμοῖς ἔχεις μεγάλας ὡς κολοκύντας. Pl. [581] : Ἀλλ', ὦ Κρονικαῖς γνώμαις [λήμαις] ὄντως λημῶντες τὰς φρένας ἄμφω, Uterque Saturninis animis lippientes : h. e. uterque animis excæcati et stulti, ut qui olim sub Saturno vivebant. [Hesych. : Λημᾶν χύτραισι (χύτραις ἢ Albertus) κολοκύνταις, παροιμία, χύτραις λημῶ καὶ κολοκύνταις, ἐπὶ τῶν ἀμβλυωττόντων πάνυ. Ubi plura de his formulis v. ap. Albertum.]

Λήμη, ἡ, i. q. γλήμη s. γλάμα, Gramiæ, [Glama, Grama, Gl.] Lippientes oculi : s. Sordes oculorum : quum lacrymæ et pituita concrescit, ac veluti glutinat palpebras : Hesychio λευκὸν ὑγρὸν ἐν ὀφθαλμοῖς συνιστάμενον, ἡ περὶ τοὺς κανθοὺς τῶν ὀφθαλμῶν πεπηγυῖα σύστασις, ἡ ἐκρέουσα τῶν ὀφθαλμῶν ἀκαθαρσία. [Hippocr. p. 37, 19 : Ἢν λῆμαι φαίνωνται περὶ τὰς ὄψιας. Aristoph. Lys. 301 : Οὐ γὰρ ἄν ποθ' ὧδ' ὀδὰξ ἔβρυκε τὰς λήμας ἐμοῦ (fumus). Improprie in l. ejusd. in Λημάω cit. «Λήμην ἀφαιρετέον Synesius p. 47, C. Jacobs.] Metaph. et per jocum Pericles apud Aristot. Rhet. 3, [10] Athenienses jussit τὴν Αἴγιναν ἀφελεῖν, τὴν τοῦ Πειραιέως λήμην, seu, ut Plut. Apophth. [p. 186, C] habet, ὥσπερ λήμην τοῦ Πειραιῶς. Ap. Athen. vero 8 [3, p. 99, D, ubi v. Casaub.] Demades dicit Æginam esse λήμην τοῦ Πειραιῶς. [Periclis dictum qui præterea retulerint aut imitati sint annotavit Wyttenb. ad l. Plut.]

[Λημία, ἡ, Lippitudo. Hippocr. p. 943, D : Σμικραὶ λημίαι.]

[Λημίον, τὸ, Sordes minutulæ lippientium. Hippocr. p. 153, A : Λημία μικρὰ περὶ αὐτάς (τὰς ὄψιας).]

Λῆμμα, ατος, τὸ, Res quæ accipitur. [Acceptum, Gl.] Antigonus ap. Plut. [Mor. p. 182, E] : Θρασύλλου τοῦ κυνικοῦ δραχμὴν αἰτήσαντος αὐτὸν, Ἀλλ' οὐ βασιλικὸν, εἶπε, τὸ δόμα· τοῦ δ' εἰπόντος, Οὐκοῦν τάλαντον δός μοι, Ἀλλ' οὐ κυνικὸν, ἔφη, τὸ λῆμμα· ubi nota sibi opponi δόμα et λῆμμα. Item δωροδόκημα, Quod dono et muneri datum accipitur, Munus, quo aliquis corrumpitur [δῶρον interpretatur Hesychius] : unde Dem. [p. 325, 13] Æschini probrose objicit quod sit ἐπὶ τὸ λῆμμα ῥέπων. Generalius pro Captura accipitur, i. e. pro Lucro et Emolumento, quod alicunde capitur, pro Reditu et Obventione, ut πόρος, πρόσοδος. [Soph. Ant. 313 : Ἐκ τῶν γὰρ αἰσχρῶν λημμάτων τοὺς πλείονας ἀτωμένους ἴδοις ἂν ἢ σεσωσμένους. Λήμματα et ἀναλώματα contraria ap. Anaxandrid. ab Antiatt. Bekk. p. 106, 25, citatum, Plat. Leg. 11, p. 920, C, Lysiam p. 905, 1.] Aristot. Polit. 6, [c. 7 fine] : Τὰ λήμματα γὰρ ζητοῦσιν οὐχ ἧττον ἢ τὴν τιμήν. Dem. [p. 523, 24] : Τοῦτον εἱλόμην τὸν ἀγῶνα, ἀφ' οὗ μηδέν ἐστι λῆμμα λαβεῖν ἐμοί· et [p. 157, 8 : Πάντα τὰ τῆς πόλεως καὶ] τὰ σφῶν αὐτῶν μικροῦ λήμματος πωλοῦντες. [P. 60, 4 : Οὐδὲν λῆμμ' ἂν οὐδεὶς ἔχοι πρὸς οἷς ἐγὼ πεπολίτευμαι καὶ λέγω δεῖξαι προσηρτημένον· 687, 25 : Οὕτω πωλοῦσιν ἐπευωνίζοντες καὶ πολλοῖς ἀπὸ τῶν αὐτῶν λημμάτων γράφοντες πᾶν ὅ τι ἂν βούλωνται· 1105, 24 : Λῆμμά τι κέρδους· 1201, 9 : Τῶν ἄλλων λημμάτων τοῦ ἀργυρίου.] Isocr. Areop. [p. 144, D] : Εἴ τι λῆμμα παραλελοίπασιν οἱ πρότερον ἄρχοντες, Si quid emolumenti et capturæ. Similiter ap. Plut. in Pericle [c. 9] : Θεωρικοῖς καὶ δικαστικοῖς λήμμασιν, ἄλλαις τε μισθοφοραῖς καὶ χορηγίαις συνδεκάσας τὸ πλῆθος, exp. Capturis ex ærario. [Nicarch. Anth. Pal. 6, 285, 9 : Παντός σοι δεκάτην ἀπὸ λήμματος οἴσω. Pausan. 5, 13, 3 : Ἔργον δὲ αὐτῷ πρόσκειται τὰ ἐς τὰς θυσίας ξύλα τεταγμένου λήμματος καὶ πόλεσι παρέχειν καὶ ἀνδρὶ ἰδιώτῃ.] || Λῆμμα, ut τὸ λαμβανόμενον, Sumptio

A [Gl.], Cic. [Divin. 2, 53, 108] interprete : προσλαμβανόμενα autem Assumpta, et προσλήψεις Assumptiones, ex quibus oriuntur τὰ ἐπιφερόμενα, s. ἐπιφορὰ, Illatio et συμπέρασμα : quæ λήμματα Aristot. appellat etiam προτάσεις. Alex. Aphr. : Ἐκ τῶν οἰκείων μὲν τῇ ἐπιστήμῃ λημμάτων, οὐκ ἀληθῶν δὲ, τὸν συλλογισμὸν ποιεῖται. Diog. L. Zen. [7, 76] : Λόγος δέ ἐστι τὸ ξυνεστηκὸς ἐκ λήμματος ἢ λημμάτων καὶ προσλήψεως καὶ ἐπιφορᾶς. Major autem propositio ap. Dialecticos λῆμμα plerumque κατ' ἐξοχὴν appellatur. [Clem. Al. Strom. p. 916 : Τὸ οἰκεῖον ἐπενεγκεῖν συμπέρασμα τοῖς λήμμασιν συλλογίσασθαι μόνον ἐστὶν, τὸ δὲ καὶ τῶν λημμάτων ἕκαστον ὑπάρχειν ἀληθὲς κτλ., et in seqq.] Unde λημμάτιον, δίλημμα, μονολήμματος. || Velut Titulus et argumentum, ejus nempe, quod tractandum sumitur atque proponitur, VV. LL. citantia ex Martiali, 14, [2] : Lemmata si quæris cur sint ascripta, docebo : Ut, si malueris, lemmata sola legas. Et alio loco, Vivida quum poscas epigrammata, mortua ponis Lemmata. [« Λῆμμα, Sententia, quatenus ad res pertinet et a λέξει differt. Dionys. De vi Dem. c. 20,
B p. 1013 : Ἐν τούτοις οὐ μέμφομαι τὸν ἄνδρα τοῦ λήμματος· γενναία γὰρ ἡ διάνοια· τὸ δὲ τῆς λέξεως λεῖον καὶ μαλακὸν αἰτιῶμαι. Longin. (10, 1, pro quo λῆψις ib. 3, et) 40, 4. Hinc et ἄκρα λήμματα Longinus dixit de Notionibus quæ eminentem aliquam vim habeant, c. 11, 3. Subtilius idem 15, 10, accipit pro Sententia aliqua, quæ ceteris argumentis additur. V. Suidas in h. v. Pro Argumento et materia quam quis sibi sumit tractandam, Plin. Epist. 4, 27. » Ernest. Lex. rhet. || Λήμματα, inquit Moschopulus Π. σχεδ. p. 167, καὶ αἱ προφητεῖαι, ἃς ἔλεγον οἱ προφῆται κατεχόμενοι ὑπὸ τοῦ ἁγίου πνεύματος. Vox inaudita, inquit HSt. in Dial. de bene instituendis Græcæ ling. stud., quasi λήμματα prophetiæ dictæ fuerint, quod has ληπτοὶ seu θεόληπτοι dictarint. Ducang. Photius s. Suidas : Λήμματα, προφητεῖαι· λέγεται δὲ καὶ τὰ ἐξ οἰκείας καρδίας ἀποφθέγματα. Ubi Nahum 1, 1 : Λῆμμα Νινευὴ, βιβλίον ὁράσεως Ναοὺμ τοῦ Ἐλκεσαίου· Habac. 1, 1 : Τὸ λῆμμα ὃ εἶδεν Ἀμβακοὺμ ὁ προφήτης, et alia contulerunt interpretes.]

C [Λημματίζω, i. q. λαμβάνω. Apollon. De constr. p. 101, 27 : Τὰ μὲν ἄλλα τῶν πτωτικῶν ἀπ' εὐθείας λημματιζόμενα γενικὴν καὶ τὰς ὑπολοίπους πτώσεις πρὸς ἀκολουθίαν τῆς εὐθείας ἀποτελεῖ. Schneider.]

[Λημματικὸς, ἡ, ὸν, ap. Hippocr. p. 22, 49 : Πρὸς τὸν καιρὸν εὔθετοι καὶ λημματικοὶ, vertitur In occasione prudenter captanda appositi et accommodati.]

Λημμάτιον, τὸ, Propositiuncula, Sumptiuncula, si dimin. hæc formari possint a Sumptio et Propositio, ut λημμάτιον a λῆμμα. Magent. in libro Aristot., qui Π. ἑρμηνείας inscribitur, Προσλάβωμεν τέσσαρά τινα λημμάτια ἔξωθεν. V. et Bud. p. 197. [Zachar. Mityl. Dial. p. 189 med. Boiss. Zonar. p. 1306 : Λημμάτιον, ὅπερ εἴληπται πρὸς κατασκευήν τινος ὡς ὁμολογούμενον. Ubi v. Tittmann. Ptolem. Math. comp. 1, p. 53, B ed. Halm. Theodor. Stud. p. 579, B. L. Dind.]

[Λημματισμὸς, ὁ, Captura, Lucrum. Nicet. Annal. 2, 5, et ap. Fabric. B. Gr. vol. 6, p. 405. Boiss. Germanus in Cotel. Eccl. Gr. mon. vol. 2, p. 474, A : Ἐφέσει λημματισμῶν.]

D [Λημναῖος, Λημνιὰς, Λημνικὸς, Λήμνιος, Λημνὶς, Λημνόθεν. V. Λῆμνος.]

Λημνίσκος, ὁ, Lemniscus : Fasciola coloria dependens ex coronis, auctore Festo : ut et Servius ap. Virg. Æn. 5, [269] scribit poetam his verbis, Puniceis ibant evincti tempora vittis, significare Lemniscatas coronas quæ sunt de frondibus et discoloribus fasciis. Et Plin. 21, 3, de Crasso divite : Primus argento auroque folia imitatus, ludis suis coronas dedit : accesseruntque et lemnisci, quos adjici, ipsarum coronarum honos erat propter Hetruscas, quibus jungi nisi aurei non debebant. Ita et Plut. Sylla [c. 27] : Θύσαντος, δάφνης στεφάνου τύπον ἔχων ὁ λοβὸς ὤφθη καὶ λημνίσκων δύο κατηρτημένων. [Polyb. 18, 29, 12 : Στεφάνους ἐπιρρίπτοντες καὶ λημνίσκους.] Hesych. innuit Syracusanum esse vocab. : eos enim λημνίσκους vocare τὰς στενὰς ταινίας, Strictas fascias, Angustas tænias. [Dittographiam esse τὰς στενὰς (cod. σθενὰς) et ταινίας animadverterunt interpretes. L. D. Athen. 5, p. 200, C : Καθ' ὅλην ἐξίπταντο τὴν ὁδὸν (aves), λημνίσκοις τοὺς πόδας δεδεμέναι πρὸς τὸ ῥαδίως ὑπὸ τῶν θεωμένων ἁρπάζεσθαι. Posidon. ap. eund. p. 210, D : Μελιπήκτων καὶ στεφάνων ἐκ σμύρνης καὶ λιβανωτοῦ σὺν ἀνδομήκεσι λημνίσκων πιλήμασι χρυσοῖς (χρυσῶν πιλήμασι 12, p. 540, C) πλήθη. Valck. Epigr. Anth. Pal. 12, 123, 2 : Πυγμῇ νικήσαντα τὸν Ἀντικλέους Μενέχαρμον λημνίσκοις μαλακοῖς ἐστεφάνωσα δέκα.] || Apud Medicos λημνίσκος a fasciolæ similitudine dicitur Linamentum oblongum quod vulneri inditur ex genere τῶν ἐμμότων, s. τιλτῶν, ut Paulus vocat, τιλμάτων, ut Apsyrtus, τελαμώνων, ut Herodotus : Heraclides ap. Galen. τῶν Κ. τόπους 3, μακρὸν μοτὸν appellat. Et ita Celsus quoque 7, 28 : Intus, inquit, implicitum in longitudinem linamentum, λημνίσκον Græci vocant, in aceto tinctum demittere. Sunt qui ex Catone Turundam, ex Colum. Pannos interpretentur : malo ego ex Celso, Linamentum oblongum, s. Linamentum in longitudinem implicitum. Aetius 14, 7, de abscessibus sedis : Διόπερ συμφέρει λημνίσκον ποιήσαντα, καὶ ἐμβάπτοντα τῷ τετραφαρμάκῳ, ἐντιθέναι εἰς τὴν ἕδραν. Et Paul. Ægin. 6, 24 : Μεγάλου δὲ ὄντος τοῦ ἀποστήματος, καὶ πλειόνων διαιρέσεων, διάσυρτόν τινα λημνίσκον δι' αὐτῶν ἀγάγωμεν. V. Μοτός.

[Λημνομέδα, ἡ, fabula Strattidis comici, hoc simili ve modo scripta in libris Athenæi et aliorum, quos v. ap. Meinek. Com. vol. 1, p. 231; vol. 2, p. 771. Non ineptum est Λιμνομέδα, quod est nonnullis in libris Athenæi.]

Λῆμνος, ἡ, Lemnus, insula Thraciæ finitima, sacra Vulcano. [Hom. Il. A, 593, etc. aliique plurimi. Steph. Byz. : Ἀπὸ τῆς θεοῦ, ἣν Λῆμνόν φασι.] Ejus incolæ dicuntur Λήμνιοι, Lemnii. Sed Λήμνιος adj. quoque usurpatur, ut et Lemnius, pro Qui Lemniorum est, s. Qualis Lemniorum est : ut [Soph. Ph. 800 : Λημνίῳ πυρί· 986 : Λημνία χθών· fr. Lemn. ap. Etym. M. p. 26, 16 : Λημνίας βοός·] Aristoph. [Pac. 1162], Λήμνιαι ἄμπελοι. Feminæ ejus insulæ dicuntur Λήμνιαι, Lemniæ [et Dorice Λάμνιαι, ap. Pind. Pyth. 4, 252]: necnon Λημνιάδες, Lemniades. [Schol. Aristoph. Lys. 298. Forma Dorica ap. Pind. Ol. 4, 22 : Λαμνιάδων γυναικῶν. || Λημνὶς Nicand. Th. 865 : Μίλτου Λημνίδος. Demosth. p. 793, 26, ubi nunc Λημνίαν, olim Λημνίδα.] Hisce Venus ob sui neglectum dicitur immisisse fœtorem, ita ut mariti ipsas aversarentur, et cum Thracicis feminis consuescerent : quamobrem zelotypia tactæ, et maritos et Thressas occidere. Ex quo facinore Λήμνιον κακὸν dicitur τὸ μέγα κακὸν, Magnum et audax malum, teste Suida : quod et ex Plut. Erotico [p. 755, C] patet, Νεανικὸν τὸ τόλμημα καὶ Λήμνιον ὡς ἀληθῶς. [Æsch. Cho. 633 : Κακῶν δὲ πρεσβεύεται τὸ Λήμνιον· 634 : Λημνίοισι πήμασιν. Herodot. 6, 138 : Ἀπὸ τούτου τοῦ ἔργου (quod Pelasgi in Lemno raptas mulieres Atticas cum sobole ex iis nata interfecissent) καὶ τοῦ προτέρου τούτων, τὸ ἐργάσαντο αἱ γυναῖκες, τοὺς ἅμα Θόαντι ἄνδρας σφετέρους ἀποκτείνασαι, νενόμισται ἀνὰ τὴν Ἑλλάδα τὰ σχέτλια ἔργα πάντα Λήμνια καλέεσθαι. Hesych. : Λήμνια, φοβερά, μοχθηρά.] Sic Λημνίᾳ χειρὶ dicitur pro ὠμῇ καὶ παρανόμῳ, ab eod. Lemniarum facinore [sec. Suidam, ἀπὸ τῆς μοχθηρίας Hesych., ut idem Λήμνια explicat μοχθηρά]. Necnon Λημνία δίκη pro κακίστη, auctore [Photio s.] Suida. Eodem modo Λήμνιον βλέπων, s. Λήμνιον κακὸν βλέπων, pro Truculentum et vindictæ avidum vultum præferens [ap. Hesych. Photium et al.]. At Λήμνιον πῦρ proverbialiter dici tradunt [Photius s. Suidas], quoniam in Lemno sit ἀναφορά τις πυρὸς χαλεπή. [Aristoph. Lys. 299 : Κἄστιν γε Λήμνιον τὸ πῦρ τοῦτο πάσῃ μηχανῇ. Pro quo sine varietate legitur ap. Lycophr. 227 : Λημναίῳ πυρί ... Λήμνιος est ubi metrum postulat, ib. 462. Λημνία Minerva ἀπὸ τῶν ἀναθέντων καλουμένη memoratur a Pausan. 1, 28, 2. Steph. Byz. memorat etiam adj. Λημνικός.] || Apud Hesych. legitur et λήμνων, expositum νήσων, Insularum : ac si λῆμνος non proprium tantum sit, sed appellativum etiam, de Quavis insula dici solens. || Ab eadem insula locale adv. Λημνόθεν, Ex Lemno. Suid. [Lucian. De domo c. 29. Dorice Λαμνόθεν ap. Pind. Pyth. 1, 52.]

[Λημότης, ητος, ἡ, Lippitudo. Schol. Aristoph. Nub. 326 : Δεικνύων τὴν ὑπερβολὴν τῆς λημότητος.]

[Λημυκαὶ, γένος τι ἐπιστήμων ἐν Μεταποντίῳ, Hesych.]

[Λημώδης, ὁ, ἡ, Lippus. Alex. Trall. 2, p. 151=49, ὀφθαλμία.]

Λὴν, Hesych. dici scribit pro λίαν, Valde : per syncop. pro λίην.

[Ληνᾰγόρᾱς, ὁ, Lenagoras, n. vinitoris, ap. Macedonium Anth. Pal. 6, 56, 2.]

[Λῆναι.] Ληναὶ, αἱ, Arcadibus [sec. Hesychium] dictæ βάκχαι, Bacchæ, Mulieres bacchantes : ut alii volunt, Torcularium nymphæ, in Epigr. [Boethi Anth. Pal. 9, 248, 2 : Διόνυσος κωμάζων Λήναις σύν ποτε καὶ Σατύροις. Dionys. Per. 702 : Μετὰ Ληνάων ἱερὸν χορὸν ἐστήσαντο· 1155 : Ἁβραὶ Ληνάων νεβρῖδες. Inter comites Bacchi memorat etiam Strabo 10, p. 468, et Clemens Al. Protr. p. 19. Quibus ll. omnibus Λῆναι scribitur, non Ληναὶ, ut ap. Hesychium. Incertus est accentus in inscr. Theocr. Id. 26. Ap. Philostratum Imag. 1, 23, p. 797; 25, p. 800, plerique libri ληνοῖς et ληναίους, pauci ληναῖς et ληνάς.]

[Λήναια. Ληναιεύς. V. Ληναῖος.]

[Ληναΐζω, Bacchor. Clem. Al. Protr. p. 3 : Τοὺς ληναΐζοντας ποιητὰς, τέλεον ἤδη παροινοῦντας. Heraclitus ib. p. 30 : Διόνυσος, ὅτεῳ μαίνονται καὶ ληναΐζουσιν (ληραίνουσιν ap. Plut. Mor. p. 362, A). Sine interpretatione ponit Suidas.]

[Ληνᾰϊκὸς, ἡ, όν. V. Ληναῖος.]

[Ληναιοβάκχιος, ὁ, Lenæobacchius, mensis in inscr. Astypal. ap. Bœckh. vol. 2, p. 382, n. 2484, 15 : Τοὶ πρυτάνιες τοὶ πρυτανεύοντες Ληναιοβάκχιον στεφανωσάντω αὐτὸν τοῖς Διονυσίοις ἐν τῷ ἀγῶνι τῶν τραγῳδῶν. L. D.]

Ληναῖος, ὁ, Bacchus : ὁ Διόνυσος, teste Hesychio, proculdubio quoniam torcularibus et vini expressioni præest [ut scribit Diodor. 3, 63. Alcæus Mess. Anth. Pal. 9, 519, 1 : Πίομαι, ὦ Ληναῖε, πολὺ πλέον ἢ πίε Κύκλωψ. Orph. H. 49, 5; 51, 2]. Unde et Virg. Georg. 2, [529] : Huc, pater o Lenæe, tuis hæc omnia plena Muneribus. Itemque idem poeta Lenæos latices, Lenæum honorem, ut et Lenæa dona Statius, dicit pro Bacchicum, Vinum intelligens. Prædicatur enim Bacchus Consitor uvæ, Racemifer, Lætitiæ dator. Orpheus sane in λυσίου ληναίου ὕμνῳ eum canit φερέκαρπον, παυσίπονον θνητοῖσι, Χάρμα βροτοῖς φιλάλυπον, εὔφρονα πᾶσιν. Sic autem inchoat eum Hymnum [49] : Κλῦθι μάκαρ Διὸς υἷ' ἐπιλήνιε, Βάκχε διμάτωρ : ἐπιλήνιον ibi appellans quem mox ληναῖον, quod τοῖς ληνοῖς præsit. Festum quod in honorem τοῦ Ληναίου agitatur, τὸ ἱερὸν Διονύσου, vocatur Λήναιον, Lenæum, teste Etym., ut et schol. Aristoph. [Ach. 201] λήναιον esse scribit ἐν ἀγροῖς ἱερὸν τοῦ Διονύσου, sic dictum διὰ τὸ πρῶτον ἐν τούτῳ τῷ τόπῳ ληνὸν τεθῆναι : quæ sacra ab Aristoph. vocari τὰ κατ' ἀγροὺς Διονύσια : alibi [Eq. 544] itidem scribens τὰ λήναια Athenis fuisse ἑορτὴν εἰς Διόνυσον, in qua ad suam usque ætatem poetas solitos certare carminibus ad risum compositis. Et rursum [503] τὸν τῶν Διονυσίων ἀγῶνα bis quotannis peragi solitum : primum, verno tempore in urbe, quo tempore tributa Athenas ferebantur : secundum ἀγῶνα celebratum fuisse in agris, dictum ἐπὶ ληναίῳ, quo tempore nulli erant peregrini, extremo mense autumni, quem hyems insequebatur. Ita igitur Aristoph. Ach. [504] : Ὁ ἐπὶ ληναίῳ τ' ἀγὼν (sub. ἐστὶ), Κοὔπω ξένοι πάρεισιν. [Aliter Steph. Byz. : Λήναιος, ἀγὼν Διονύσου ἐν ἀγροῖς ἀπὸ τῆς ληνοῦ. Ἀπολλόδωρος ἐν τρίτῳ Χρονικῶν.] Et ap. Dem. [p. 517, 26] : Ἐπὶ ληναίῳ πομπή. [Plat. Protag. p. 327, D : Οἷοί περ οὓς ... Φερεκράτης ἐδίδαξεν ἐπὶ Ληναίῳ. De Ληναίῳ, quem demum appellat Steph. Byz., glossas grammaticorum collegit et disseruit Bœckh. l. infra cit. p. 69—72.] At τῶν ληναίων vocabulo utitur Athen. 4, [p. 130, D, ex Hippolochi epistola] : Λήναια καὶ χύτρους θεωρῶν· λήναια appellans Festum Lenæorum, s. τὸν ἐπὶ ληναίῳ ἀγῶνα. [Λήναια scriptum etiam apud Aristoph. Ach. 1155, Alciphr. 1, 4, Zonaram p. 1306, Suidam, in argum. Aristophanis Ranarum et Vesparum, et alibi. Ληναῖα male in Hymn. Orph. 53, 9, et schol. Plat. p. 407. De Lenæorum festo, mense Gamelione, qui Ionibus Lenæon dicebatur, agi solito, et distinguendo ab Anthesteriis et Dionysiis utrisque, v. Bœckh. in Comment. Acad. Berol. a. 1816-7, p. 47-124. L. D.] Qui et Ληναϊκὸς ἀγὼν dicitur a Posidippo ap. eund. Athen. 10, [p. 414, E] epigrammate in Phylomachum :

Ἐκ γὰρ ἀγώνων Τῶν τότε ληναϊκῶν ἦλθ' ὑπὸ Καλλιόπην· A ita enim reponendum videtur pro ληναϊκήν. [Ληναϊκὸν θέατρον ap. Poll. 4, 121. Plut. Mor. p. 338, D : Διδασκαλίας δύο Ληναϊκάς. Memorat cum Ληναιεὺς etiam Steph. Byz., idemque Ληναιεὺς iterum in Ἁλαὶ Ἀραφηνίδες. || Gent. a Λῆνος, quod v.]

[Λήναιος, ὁ, Lenæus, n. viri in numo Mileti ap. Mionnet. *Suppl.* vol. 6, p. 266, n. 1195. Atheniensis in inscr. ap. Bœckh. vol. 1, p. 517, n. 803. Ληναῖος in epigr. Theonis Anth. Pal. 7, 292, 1, contra Philoponi ap. HSt. Append. ad Thes. p. 38 præceptum : Λήναιος, vir, antepenacute; Ληναῖος, Bacchus, penult. circumfl. L. Dind.]

Ληναΐτης, ὁ, pro ληναϊκὸς, dicitur ab Aristoph. Eq. [544] : Θόρυβον χρηστὸν ληναΐτην, ἵν' ὁ ποιητὴς ἀπίῃ χαίρων κατὰ νοῦν πράξας φαιδρὸς λάμποντι προσώπῳ, Plausum Lenaicum; eo enim qui vicisset poeta suis carminibus, excipi solebat, et lætus sereno vultu discedere ex certamine. [ᾱĭ]

[Ληναιτόκυστος, ἡ, nomen meretricis ap. Athen. 13, p. 583, E, vix sanum.] B

Ληναιὼν, ῶνος, ὁ, dicebatur mensis in quo agitabantur λήναια, a festo illo τῶν ληναίων, quod in honorem Bacchi Lenæi a torcularibus cognominati celebrabatur. Hesych. scribit conjicere Plutarchum τὸν ληναιῶνα μῆνα esse eum qui βουκάτιος dicitur, ut pote qui sit ψυχρός: quosdam vero τὸν ἑρμαῖον, qui post [si κατὰ, quod est ap. Hesychium, in μετὰ mutatur] τὸν βουκάτιον est. Athenienses enim τὴν τῶν ληναίων ἑορτὴν ἐν τούτῳ ἄγειν. Meminit ejus Hesiod. Op. [502.] Ibi enim quum jussisset θέρευς ἔτι μέσσου ἐόντος ποιεῖσθαι καλιὰς, quoniam οὐκ αἰεὶ θέρος ἐσσεῖται : præcipit simul ἀλεύασθαι μῆνα τὸν ληναιῶνα, utpote in quo sint κάκ' ἤματα, βουδόρα πάντα, et πηγάδες αἵτ' ἐπὶ γαῖαν Πνεύσαντος βορέαο δυσηλεγέες τελέθουσι. Ubi schol. vult ληναιῶνα esse Hybernum mensem, Ægyptiis dictum χυὰκ, Romanis Januarium [Zonar. p. 1303 : Λ., Ἰαννουάριος μήν. Eodemque modo Etym. Gud. p. 368, 55] : Lex. meum vetus ληναιῶνα, s. ποσειδεῶνα, Februarium. Sed nec huic nec illi assentiendum puto, verum potius scholiasti Aristoph., qui scribit τὰ λήναια agitari solita ἐν τῷ μετοπώρῳ, autumnali tempore, postquam αἱ ὀπῶραι collectæ erant. Et rursum, τὸν ἐπὶ ληναίῳ ἀγῶνα in agris celebratum fuisse quo tempore peregrini Athenis non erant, quoniam χειμὼν τὸ λοιπὸν ἦν : ut clarum hinc sit, fuisse mensem autumnalem, et quidem eum qui in hyemem inclinaret, Octobrem sc. aut Novembrem : præsertim quum idem ille Hesiodi schol. τὸν ληναιῶνα sic dictum velit, vel quoniam ἡ τῶν οἴνων συγκομιδὴ κατὰ τοῦτον ἐγίνετο, quæ in Octobrem plerumque incidit, vel quoniam in eo τῷ τῶν ληνῶν αἰτίῳ Διονύσῳ ἑορτὴν τὴν λεγομένην ἀμβροσίαν ἐτέλουν, quæ Romanis Brumalia dicitur, a Baccho qui nominatur βροῦμος. Hæc ille. Ubi etiam nota eum τὰ λήναια ead. esse velle quæ Latinis Brumalia dicuntur, h. e. Sacra quæ circa brumam agitantur, i. e. solstitium hybernum; brumam enim id tempus proprie appellant : ut et Cic. indicat, ap. Aratum canens, Titan brumali reflectens tempore cursum. Sed hac de re ἐπέχω. [Mensem Lenæonem (pro quo ΛΗΝΑΙΟΣ, mensis quintus Asianorum, est in Hemerologio ap. Ideler. D Chronol. vol. 1, p. 414, ut ibid. Ἑκατομβαῖος pro Ἑκατομβαιὼν) respondisse Gamelioni Attico sive exeunti Decembri et majori Januarii parti, non ut est in Lexico ap. HSt. supra et Menologio apud eund. in Append. ad Thes. p. 225, A ed. vet. (Λ. ὁ καὶ Ποσειδεὼν ὁ Φεβρουάριος), Posideoni, ostendit Bœckh. l. in Ληναῖος cit. p. 51, ex monum. ap. Caylus *Recueil*, vol. 2, tab. 70, ubi, ut in Hemerologio, post Posideonem ponitur. Memoratur præterea in fœdere Magnetum et Smyrnæorum p. 9 ed. Maitt., in literis Dolabellæ ad Ephesios ap. Joseph. A. J. 14, 10, 12, ab homine Smyrnæ degente ap. Aristid. vol. 1, p. 280.]

[Ληνὰς, vox nihili. V. Ληνός.]

[Ληνεύω.] Hesych. affert et verbum ληνεύουσι pro βακχεύουσι, Bacchantur.

[Ληνεὼν, ῶνος, ὁ, Locus in quo est torcular. Geopon. 6, 1, 3.]

[Λήνη. V. Λῆναι.]

[Λήνης, Helenium. Dioscor. 1, 28, et in Append. c. 27, p. 442.]

[Ληνιαῖος. V. Λινιαῖος.]

Ληνὶς, ίδος, ἡ, i. q. ληνὴ, Baccha. Suid. enim ληνίδα esse dicit τὴν βάκχην, Baccham : παρὰ τὸν [al. τὴν, τὸ Etym. M. et Gud. p. 368, 12] ληνόν : itidemque Etym. [Eust. Il. p. 629, 30. Zonaras vero p. 1304 : Ληνὶς, ἡ μέθη.]

[Ληνοβατέω, Uvas calco. Jo. Chrys. In Ps. 41, vol. 1, p. 610, 11. Seager. Anon. in Anecd. meis vol. 4, p. 464 fin. Boiss. Nicet. Ann. 2, 6, p. 48. Eust. Opusc. p. 150, 53, et pass. p. 355, 30 : Ληνοβατηθεισῶν τῶν ῥαγῶν. Ληνοπατεῖν scriptum apud Hesychium v. Τραπεῖν.]

Ληνοβάτης, ὁ, Calcator, Qui uvas τῷ ληνῷ ἐμπατεῖ : aliis Vinitor. [Calcator, Torculator, Gl. Himer. Or. 6, 3. V. Ληνὸς sub finem.]

[Ληνοδώρα, ἡ, Lenodora, mater Arati poetæ, sec. Vitam ejus p. 48 ed. Bekk., pro quo Ληνοφίλας est in altera, ut Ληνοδώρας ex patris Ἀθηνοδώρου nomine repetitum videatur.]

[Ληνοπατέω. V. Ληνοβατέω.]

Ληνὸς, ὁ, [ἡ], Aquatio s. Locus ubi aqua præbetur pecoribus. Hom. H. Merc. 104 : Ἀκμῆτες δ' ἵκανον ἐς αὔλιον ὑψιμέλαθρον καὶ ληνοὺς προπάροιθεν ἀριπρεπέος λειμῶνος. Philostr. V. Apoll. 6, 27, p. 267 : Ἀμφορέας Αἰγυπτίους τέτταρας οἰνοχοήσας ἐς ληνὸν, ἀφ' ἧς ἔπινε τὰ ἐν τῇ κώμῃ πρόβατα κτλ. Genes. 30, 38 : Παρέθηκε τὰς ῥάβδους, ἃς ἐλέπισεν, ἐν τοῖς (al. ταῖς) ληνοῖς τῶν ποτιστηρίων. Schneid. Harmenop. 2, 3, 100, citat Ducang.] Lacus torcularii preli, nimirum ὅπου σταφυλὴ πιέζεται, Ubi uvæ prelo exprimuntur. [Torcularium, Torcular, Torculare, Torculum, Calcatorium, Lacus, Gl. Theocr. 7, 25 : Ἦ τινος ἀστῶν λανὸν ἐπιθρώσκεις; 14, 16 : Βύβλινον εὐώδη τετόρων ἐτέων σχεδὸν ὡς ἀπὸ λανῶ· 25, 28 : Φυτοσκάφοι, οἳ πολυεργοὶ ἐς ληνοὺς ἱκνεῦνται.] Macedon. Epigr. [Anth. Pal. 11, 63, 3] : Αὐτὰρ ἐμοὶ κρητὴρ μὲν ἔοι δέπας, ἄγχι δὲ ληνός. [Sic alibi in Anthologia et sæpius in Geoponicis. Item ap. Diodor. 3, 63, schol. Ven. Hom. Il. Σ, 564, Steph. Byz. in Ληνὸς, et sæpius apud Heron. Spirit. p. 174. Conf. Ληνίς. De re vel tempore ejus in epigr. Anth. Plan. 4, 289, 1 : Αὐτὸν ὁρᾶν Ἰόβακχον ἐδόξαμεν ἡνίκα ληνοῖς ὁ πρέσβυς νεαρῆς ἦρχε χοροιμανίης. Ubi Ληναῖς (vel potius Λήναις) conjiciebat Jacobsius.] Itidem Poll. [7, 151] ληνὸν dici scribit Id cui ἐμπατοῦνται αἱ σταφυλαὶ, In quo calcantur uvæ, Torcular calcatorium. Idem Poll. 7, c. 5 [§ 22 et 179] et 10, c. 24 [§ 102] de panificis et coqui vasis, tradit a Menandro in Δημιουργῷ, ληνὸν vocari τὴν κάρδοπον s. τὴν μαγίδα, τὴν μάκτραν, quæ et σκάφη nominatur : h. e. Alveum in quo farina subigitur. Rursum idem Poll. 10, c. 31 [§ 150] σοροποιοῦ σκεύη esse scribit σορὸν, πύελον, κιβωτὸν, ληνόν. Nam Erastum et Corycum in Epistola quadam ad Platonem scribere, ληνὸν ἀσσίαν τῆς σαρκοφάγου λίθου : et mox de ead. re subjungere, Καίτοι πόθεν ληνοὺς τοσαύτας λήψομαι; Itidem Hesychio ληνοὶ sunt σοροί, πύελοι. [Quibuscum conjungit Pollux 3, 102; 8, 146. V. id. 7, 160. Phrynich. in Bekk. An. p. 51, 14 : Ληνούς, οὐ μόνον ἐν αἷς τοὺς βότρυς πατοῦσιν, ἀλλὰ καὶ τὰς τῶν νεκρῶν σοροὺς ἀπὸ τῆς ὁμοιότητος τῆς κατασκευῆς. Sic bis genere feminino in inscriptionibus Thessalon. ap. Bœckh. vol. 2, p. 57, n. 1979, 1981.] Idem Hesych. ληνοὺς esse dicit etiam τῶν ἁρματίων [ἁρματείων] δίφρων τὰς κοιλότητας : ut et Ælius Dionys. apud Eustath. p. 1307, γρώνη, inquit, vocatur τὸ κοῖλον τοῦ ἁρματίου δίφρου εἰς ὃ τὰς μάστιγας οἱ ἡνίοχοι ἀπετίθεντο : hoc ipsum vero et ληνὸν quidam dixere. Quin et Mali nautici conceptaculum appellare ληνόν. Athen. 11, [p. 474, F] : Τοῦ ἱστοῦ τὸ μὲν κατωτάτω, πτέρνα καλεῖται, ἣ ἐμπίπτει εἰς τὸν ληνόν. Pro quo ληνὸς ap. Polluc. legitur Ληνάς, l. 1, c. 9 [§ 91]. Ita enim ibi, Τὸ μὲν ὑποδεχόμενον τὸν ἱστὸν, ληνάς· τὸ δὲ ἐναρμοζόμενον αὐτῷ, πτέρνα· sed rectius ap. Athen. ληνός. [Sic vero etiam ap. Poll. jam pridem e melioribus codd. correctum est. Schweigh.] Idem et ἱστοδόκη dicitur παρὰ τὸ ὑποδέχεσθαι τὸν ἱστόν. [|| Pars navium. Pollux 2, 80 : Τὸ ἀκρορίνιον ὅλον σφαίριον, καὶ τὰ μὲν ἔξωθεν τοῦ σφαιρίου ἑκατέρωθεν ὑπῆναι ἢ πτερύγια· τὰ δὲ ἔνδοθεν μύξαι τε καὶ θαλάμαι· τὸ δὲ ἔδαφος αὐτῶν ληνοί. || «Ληνοὶ sunt Hippocrati Alvei aut Loculi quidam, h. e. Cavitates excavatæ, aut Conceptacula quædam, p. 865, A : Καταγλύφους δὲ ὥσπερ ληνοὺς λείας ἔχειν τετραδακτύλους εὖρος καὶ βάθος. Καπέτους dicit p. 834, B, alibi. Foes. Galen. vol. 4, p. 188 : Τὴν πλευρὰν ἑκατέραν τῆς διπλῆς μήνιγγος ἐν τοῖς κάτω μέρεσιν, ἔνθα πρῶτον ἐμπίπτει τῷ κρανίῳ, κἄπειτα καὶ ἐκεῖ ἐμβαλὼν διὰ τῆς τομῆς τὴν σμίλην, ἄνω βιάζεσθαι πειρῶ μέχρι τῆς κορυφῆς, ἔνθα συμβάλλουσιν ἀλλήλαις αἱ δύο φλέβες, ἥντινα χώραν Ἡρόφιλος ὀνομάζει ληνόν. Ἔστι δ' αὕτη μὲν, ἣν ἐκεῖνος οὕτως ὀνομάζει, διὰ βάθους μᾶλλον κτλ., et sæpius in seqq., eodem genere fem. L. D.] || Ληνὸν Suid. allegorice in Sacris literis vocari ait τὴν ἐκκλησίαν : et ληνοβάτας, τοὺς ἱερεῖς. Sic ἀμπελὼν et ἀμπελουργὸς pro iisdem.

Λῆνος, ους, τὸ, Lana. Æsch. Eum. p. 272 [v. 44] : Ἐλαίας θ' ὑψιγέννητον κλάδον Λήνει μεγίστῳ σωφρόνως ἐστεμμένον Ἀργῆτι μαλλῷ. Solebant enim supplices præferre ramum oleaginum candidæ lanæ villo coronatum. Hesych. duplici accentu hoc vocab. scriptum habet : nam et proparoxytonως affert λήνεα pro ἔρια, et perispωmenως ληνεῖ pro ἐρίῳ. [Quod λήνει scribendum. Apoll. Rh. 4, 173 : Μαρμαρυγῇ ληνέων· 177 : Βεβρίθει λήνεσσιν ἐπηρεφές (ἄωτον). Nicand. Al. 452 : Εὔτριχι λήνει.]

[Λῆνος, χώρα τῶν Πισαίων. Ὁ πολίτης Ληναῖος. Φλέγων μη' ὀλυμπιάδι, Steph. Byz. Gentilis ex. e numo Caracallæ apponit Holstenius.]

Ληξίαρχεῖον, τὸ, Hesychio γραμματεῖον εἰς ὃ τοὺς νόμους ἐνέγραφον : sicut in albo quoque leges prætoris et edicta quædam scribi solita fuisse Turnebus supra in Λεύκωμα docuit.

[Ληξιαρχία, ἡ, ap. gramm. in Bekk. An. p. 191, 9 : Ληξιαρχικόν· κατεγράφοντο οἱ μέλλοντες ὀνομαστὶ, καὶ τοῦτό ἐστιν ἡ λ. Boiss.]

[Ληξιαρχικὸς, ἡ, όν.] Ληξιαρχικὸν γραμματεῖον, quod et γραμματεῖον simpliciter, et ληξιαρχικὸν, et λεύκωμα, Album, Liber in quem puerorum nomina referebantur qui jam tutelæ suæ facti erant : παρὰ τὸ λήξεων ἄρχειν, h. e. τῶν κλήρων τῶν ἰδίων : erant enim tum αὐτεξούσιοι, h. e. sui juris, et statuere de facultatibus suis poterant. Bud. p. 185, ex Isæo [p. 66, 14], Dem. [p. 1091, 9; 1306, 21], et Æschine [p. 3, 28; 14, 37. Add. Isocr. p. 176, D. Pollux 8, 104, 105, Harpocratio in Ληξιαρχικὸν γραμματεῖον, Schœmann. De comit. p. 379.] Ejus autem ἐγγραφῆς tempus erat pubertas, ut ex Lycurgi oratoris verbis liquet, quæ ex Orat. κατὰ Λεωχάρους a Bud. ib. citantur. Et εἰς τὸ λ. παρεγγραφῆναι, In tabulas tribus suæ obrepsisse, s. falso inscriptum esse. Lucian. vero per translationem et jocum dixit [Jov. trag. c. 26] : Ἐγγεγραμμένος εἰς τὸ τῶν δώδεκα ληξιαρχικὸν, i. e. λεύκωμα : cujus dictionis imitatione Album Latine dicitur. Bud.

Ληξίαρχοι, οἱ, Magistratus quidam Athenis, qui tum alios, tum eos, qui jam suæ tutelæ facti erant, et jam poterant ἄρχειν τῶν λήξεων, i. e. Hereditatis paternæ, in album civitatis inscribebant, Pollux [8, 104].

Ληξιπύρετος, ὁ, ἡ, Faciens cessare febrem : λ. ἀντίδοτος, ap. Nic. Myrepsum, Antidotum sedans et finiens febrem : λ. φάρμακα, ap. Eund. Sic ληξιπύρετος compositio ap Marc. Empir. c. 16, Utile ad horrores febrem præcedentes, quæ circuitum habet, datum ante horam accessionis, sed prius corpore perfricato oleo salido. Prodest et iis qui sine horrore circuitu febrium vexantur : quamobrem ληξιπύρετος hæc compositio dicitur. Legitur et ap. Plin., cujus verba habes in Πεπτικός. Minus recte ap. Nic. Myr. scribitur Ληξοπύρετος. [Alex. Trall. Ep. de lumbr., Lobeck. ad Phryn. p. 771, qui hujus formæ affert exx. Galeni vol. 13, p. 543, A : Ἔστι δὲ καὶ ληξοπύρετος ἀγαθή· 851, C : Ἄλλο καλεῖται ληξοπύρετον. Angl. Ληξιπύρετα vero ap. eund. Galen. vol. 13, p. 906, contra Ληξοπύρετα ap. Theophan. Nonnum vol. 1, p. 422, 432, sed libris etiam alteram formam ostendentibus. Add. Theognost. Canon. p. 82, 8. ἴῦ]

Λῆξις, εως, ἡ [a λήγω], Cessatio, παῦσις Suidæ. Item Terminatio. [Ita Gl. Æsch. Eum. 504 : Λῆξιν ... μόχθων. Apoll. Rh. 1, 1086 : Λῆξιν ὀρινομένων ἀνέμων. Schol. Hom. Il. P, 761.] || Λῆξις, ab inus. λήχω, pro quo λαγχάνω, Sortitio [Appian. Civ. 4, 53 : Ὡς Λιβύης ἁπάσης ἐν τῇ λήξει τῶν τριῶν ἀνδρῶν Καίσαρι νενεμημένης] : plerumque de Sortitione causæ, i. e. Exordio, Bud. Isæus [p. 52, 20] : Ἡ μὲν λ. τοῦ κλήρου διεγράφη, ἡ δὲ τῶν ψευδομαρτυριῶν δίκη εἰσῄει, Sortitione hereditatis circumducta falsi judicium constitutum est, Bud. p. 106. Idem, Ἐν ᾧ ἔλαχον τὴν κλήρου λῆξιν οὗτοι, eo modo quo dicitur λαγχάνειν δίκην κλήρου, Dictare judicium, Litem intendere, Edere judicium et actionem, Sortiri dicam, et hæreditatem jure petere. [P. 46, 32 : Κατὰ φύσιν μᾶλλον τὰς λήξεις ἐποιήσαντο.] Dem. [p. 1096, 20] : Ὁ μήπω ἐν τῷ οἴκῳ τῷ Ἀρχιάδου ὢν ὅθ' ἡ λ. αὕτη τοῦ κλήρου ἐγένετο, Qui nondum erat in familia Archiadæ, quum sortitio petitionis hæreditatis facta est. [P. 727, 6 : Ἐκ τῆς λήξεως καὶ τῶν γραμμάτων, ἐφ' οἷς ἕκαστος εἰσήχθη, ποιεῖ τὴν ἔκτισιν· 903, 25 : Ἀπατούριος παρὰ τοὺς νόμους τὴν λῆξιν πεποίηται· 1085, 13 : Τοῦ οἴκου μέχρι τῆς ἡμετέρας λήξεως ἠρημωμένου· 1332, 14 : Δίδωσι (τὴν γραφὴν) πρὸς τὴν λῆξιν Μνησαρχίδῃ.] Plato Leg. 8, [p. 846, B] : Λήξεων δὲ περὶ δικῶν καὶ προσκλήσεων καὶ κλητόρων, De sortitionibus causarum, vocationibus in jus, de iis quos attestari oportet. [Sic Reip. 4, p. 425, D, etc.] Hæc ex Bud. In hac signif. ab Harpocr. et Suida exp. ἔγκλημα. Et aliquando subauditur δίκης aut alius genit. Dem. : Οὐκ οὖν ἐν ταύταις ταῖς λήξεσιν ὡμολόγηκεν ἀπειληφέναι τὰ τοῦ πατρὸς γράμματα. Sic Isæus p. 46 : Μαίνεσθαι αὐτὸν ἡγούμεθα τῇ λήξει, qui sc. ἠμφισβήτει ἡμῖν ἅπαντος τοῦ κλήρου. [Id. p. 86, 35 : Τῆς πρὸς ἐμὲ λήξεως. Addito δίκη id. p. 84, 23 : Πρὶν γενέσθαι τὰς λήξεις τῶν δικῶν ἡμῖν. Pollux 6, 177; 8, 29.] || Sors, Id ipsum quod sorte obtingit, Portio, Conditio, κλῆρος, μερίς. [Plato Critiæ p. 109, C : Μίαν ἄμφω λῆξιν εἰληχατον· ib. p. 113, B. Apollodor. 2, 8, 4, 4 : Πρώτη λῆξις Ἄργος. Callimacho Jov. 80, ubi male nunc λᾶξιν, restitutum voluisse videntur Bentlejus et Ruhnk. Ep. cr. p. 129. Sed præstat λάξιν, de quo supra diximus. L. D.] Philo V. M. 3 : Μετὰ τὴν τελευτὴν τοῦ πατρὸς, στέρησιν τῆς πατρῴας λήξεως ὑποτυπώσασαι, διὰ τὸ τὰς κληρουχίας ἄῤῥεσι δίδοσθαι, Post mortem patris veritæ ne assignatione paterna privarentur, s. portione agri quæ patri sorte assignata fuerat : quam κληρουχίαν ibi appellat. Philo V. M. 1 : Τὴν συμμαχίαν ἀπολιπόντες πρὸ καιροῦ τὰς λήξεις λαβεῖν ἐπειγόμεθα. Sic ap. Pausan. p. 51 [2, 24, 5] λήξεις τρεῖς dicuntur in partitione regnorum. Idem eod. l. : Κοινωνὸν γὰρ ἀξιώσας ἀναφῆναι τῆς ἑαυτοῦ λήξεως, Quem partis suæ consortio dignum censuerat. Theophyl. Ep. 29 : Ῥίψαντες τοίνυν τὰ τῆς πενίας τῇ πενίᾳ, ἐφ' ἑτέραν μεταστησόμεθα λῆξιν. Synes. de insomn. : Ὑπόσχεσιν βελτίονος λήξεως, Melioris sortis et conditionis. Idem Ep. 27 : Ὁ παρ' ἡμῖν ποτε τυχὼν ἀμείνονος λήξεως, Qui apud nos aliquando præstantiorem obtinuit conditionem. [Id. p. 89, C : Τὴν περίγειον λῆξιν. Callistr. Stat. p. 897 : Τὴν ἀέριον λῆξιν τέμνειν. Lucian. Amor. c. 22 : Τὴν ὑγρὰν καθ' ὕδατος εἴληχε λῆξιν. Schneid. Alia exx. v. ap. Suidam.] Et sors beatorum λῆξις dicitur a Dionys., quam idem et χριστοειδῆ λῆξιν et ἀποκλήρωσιν appellat. [Porphyr. De abstin. 4, 18, p. 361 : Ἐκείνους μακαρίζουσι τὴν ἀθάνατον λῆξιν ἀπολαμβάνοντας. Theoph. Simoc. Hist. 3, p. 131, 22 ed. Bonn. : Πρὸς τὴν ἀκήρατον λῆξιν μεταχωρῆσαι. Jacobs. Eustath. Opusc. p. 334, 50 : Ὁπότε τὴν καθ' ἡμᾶς ζωὴν ἀποθέμενος πρὸς τὴν ἐκεῖσε λῆξιν μετάρῳ. Authent. Coll. 9, 7, 124, 4 : Τοῦ τῆς εὐσεβοῦς λήξεως πατρὸς ἡμῶν. Chron. Pasch. p. 681, 10 : Θεοδόσιον τὸν τῆς εὐσεβοῦς λήξεως· 690, 19 : Κωνσταντίνου τοῦ τῆς θείας λήξεως. Similia v. apud Suicer. et Creuzer. ad Procul. in Plat. Alcib. p. 74.] Λῆξις, s. πατρῴα λῆξις, Hereditas, κλῆρος, κληρονομία, Portio quæ ex bonis paternis sorte obvenit. Pollux [8, 104] : Ἡ δὲ πατρῴα οὐσία, καὶ λῆξις ἐκαλεῖτο. [Sedes, Euseb. H. E. 9, 10. Mendham. Ora, Greg. Naz. Or. 10, p. 164 : Ἀλλ' ἑῴα τε ὁμοῦ λ. καὶ ἑσπέριος. Strong. De imperio etiam Eust. Opusc. p. 281, 25 : Περί τε τὰ τῆς ἑῴας λήξεως καὶ τὰ ἑσπέρια· 97, 35 : Ἰθύνοντος τὴν Ῥωμαϊκὴν λῆξιν τοῦ παμμάκαρος Ἰωάννου τοῦ Κομνηνοῦ· 207, 76 : Οἱ τῆς ἑῴας λήξεως.]

[Ληξιφάρμακα, τὰ, ap. Galen. vol. 13, p. 906, vitium est scripturæ pro ἀλεξιφ.]

[Ληξοπύρετος. V. Ληξιπύρετος.]

[Λῆον. V. Λήτον.]

[Ληός.] Λῆον Hesycn. exp. ἔθνη καὶ ὄχλον. [Scribendum ληὸν, ut in Λαὸς diximus.]

Ληπτέος, Capiendus, Capessendus, Suspiciendus. Xen. [Comm. 1, 7, 2]: Ἔργον ληπτέον. Significat etiam Sumendus. [Aristoph. Eq. 603: Ληπτέον μᾶλλον. Xen. Cyrop. 8, 1, 10: Ἤδει ὅτι ἐκ τούτων αὐτῷ ... ἐπιστάτας ληπτέον εἴη. Plato Soph. p. 226, A: Ὁρᾷς ὡς ἀληθῆ λέγεται τὸ ποικίλον εἶναι τοῦτο τὸ θηρίον, καὶ τὸ λεγόμενον οὐ τῇ ἑτέρᾳ ληπτέον (qua de formula v. in Ἕτερος vol. 3, p. 2143, B)· Phil. p. 34, D: Πρότερον ἔτι φαίνεται ληπτέον ἐπιθυμίαν εἶναι· 61, A: Ἦ καί τινα τύπον αὐτοῦ ληπτέον· Protag. p. 356, B: Τὰ μείζω ἀεὶ καὶ πλείω ληπτέα. || Accipiendus. Xen. Reip. Lac. 9, 5: Πληγὰς ὑπὸ τῶν ἀμεινόνων ληπτέον.]

Ληπτὴς, ὁ, Qui capit, prehendit. [Acceptor, Gl. Zonar. p. 1302: Λήπτης (sic), ὁ λαμβάνων.]

Ληπτικὸς, ή, όν, Ad capiendum s. accipiendum proclivis. Aristot. Eth. 4, 1: Πλουτεῖν δὲ οὐ ῥᾴδιον τὸν ἐλευθέριον, μήτε ληπτὸν ὄντα μήτε φυλακτικόν. [Ib.: Ληπτικοὶ δὲ γίνονται διὰ τὸ βούλεσθαι μὲν ἀναλίσκειν κτλ.]

Ληπτὸς, ή, όν, Captus, Perceptus, qui capi percipive potest, Epigr. [Agathiæ Anth. Pal. 11, 354, 6], τὰ ληπτὰ καὶ τὰ νοητά. [Plato Reip. 7, p. 529, D: Ἃ δὴ λόγῳ καὶ διανοίᾳ ληπτά. L. D. Ἀριθμῷ ληπτοὶ, Euseb. In Hes. p. 567, C. Hemst. I. q. ἐπίληπτος. Aristot. Probl. 10, 43. Seager. || Adv. Ληπτῶς, Greg. Nyss. vol. 2, p. 24, A: Τὴν Εὔαν οὐ γεννητῶς οὐδὲ πάλιν ἀναιτίως, ἀλλὰ ληπτῶς ἤτοι ἐκπορευτικῶς ἐκ τῆς οὐσίας τοῦ ἀναιτίου Ἀδὰμ ἐξελθοῦσαν, Per sumptionem, Int. L. D.]

Ληραίνω, i. q. ληρῶ, Nugor. Greg. Naz. [Stel. 1, p. 70 Montac.]: Καὶ ληραίνουσι συλληρεῖν. [Heraclitus ap. Plut. Mor. p. 362, A, de quo l. v. in Ληναΐζω. Παραφρονεῖν, φλυαρεῖν int. Hesych. Tatian. Adv. Græcos 33, p. 270, D: Ληραίνει γὰρ διὰ δόξης μᾶλλον πολλῆς τῶν παρ' ὑμῖν θεῶν τὰ ἐπιτηδεύματα. L. Dind.]

Ληρέω, Nugor, Ineptio, Deliro. [Soph. Tr. 435: Τὸ γὰρ νοσοῦντι ληρεῖν ἀνδρὸς οὐχὶ σώφρονος. Schol., μαινομένῳ συμφλυαρεῖν. Aristoph. Eq. 536: Ὃν χρῆν διὰ τὰς προτέρας νίκας πίνειν ἐν τῷ πρυτανείῳ καὶ μὴ ληρεῖν, de Cratino. Ran. 923: Ἐπειδὴ ταῦτα ληρήσειε καὶ τὸ δρᾶμα ἤδη μεσοίη.] Plut. Symp. 8 init. [p. 716, F] scribit ληρεῖν non aliud. esse quam λόγῳ κενῷ χρῆσθαι καὶ φλυαρώδει. Aristoph. Nub. [500]: Τί ληρεῖς; [Thesm. 622: Ληρεῖν μοι δοκεῖς.] Idem dicit Attico more Ran. [512]: Ληρεῖς ἔχων. Item λῆρον ληρεῖν, ut dicam in Λῆρος. [Cum accus. etiam Ran. 1377: Ὠόμην ἂν αὐτὸν αὐτὸ ληρεῖν. Id. Plut. 508: Ξυνθιασῶτα τοῦ ληρεῖν καὶ παραπαίειν. Plato Lys. p. 205, A: Ληρεῖ τε καὶ μαίνεται. Et alibi. Themist. Or. 2, p. 37, B: Τὸν ληρήσαντα τὴν βασιλείαν. Cum περὶ Isocr. p. 235, B: Περὶ ὧν ἄλλοι τινες ληροῦσιν· 239, D: Ληροῦντας περὶ αὐτῶν. Tzetz. Hist. 8, 813: Λάθρᾳ καθ' ἡμῶν ληρεῖς ἀπρεπεστάτως.] Dem. [p. 116, 6] ληρεῖν et τετυφῶσθαι copulat. Idem non semel dicit [p. 325, 1], εἰ δεῖ μὴ ληρεῖν, pro eo, ut opinor, quod Gallice diceremus *S'il faut parler à bon escient*, vel *S'il faut parler rondement*. Bud. exp., Si recte loqui volumus et proprie vereque. Utitur eod. dicendi genere et Æschin.: Lucian. autem [Pro lapsu in sal. c. 1] post ληρεῖν addidit ὑφ' ἡλικίας, quod nihil aliud est quam Delirare; habet autem hanc signif. et sine illa adjectione. [Foes. OEc. Hipp.: « Λῆρος Delirium et levem desipientiam aut mentis vacillationem significat Hippocrati in Pythione Epid. l. 3, ubi ληρῆσαι μετρίως παραφρονῆσαι exp. Galen., qui etiam scribit: Εἴωθε γὰρ αὐτὸς ἄλλοτε ἄλλοις ὀνόμασιν ἐνδείκνυσθαι τὸ ποσὸν τῆς παραφροσύνης, ληρῆσαι καὶ παραληρῆσαι καὶ παραφρονῆσαι ... λέγων κτλ. »]

Λήρημα, ατος, τὸ, Nugamentum, Deliramentum. [Plato Gorg. p. 486, C. Jos. Genes. De reb. Cpol. p. 9, A.]

Λήρησις, εως, ἡ, Nugatio, Deliratio, Delirium, Aretæo [Diut. m. sign. 1, 6, p. 37], pro quo Hippocr. λῆρος, ut infra dicetur. [Plut. Mor. p. 504, B, et 716, F, λ. πάροινος.]

[Λήριον, ἡ, Lerium, n. mulieris ap. Alciphr. Ep. 3, 17, libris tamen dissentientibus et ad Λειριώνη ducentibus, quomodo scribendum videtur n. Λειριόνη, quod est ib. 45.]

[Ληρόκριτος ab Epicuro vocatus Democritus ap. Diogen. Laert. 10, 8, Hesych. Miles. p. 22 Orell.]

[Ληρολογέω, Nugas loquor, Nugor. Theodor. Stud. p. 257, C: Πολύ με ληρολογῆσαι τὴν ὑπόθεσιν ἡ ἄκρα ταπεινοφροσύνη τῆς ἁγιωσύνης σου ὡς δεχομένη πεποίηκε. L. Dindorf.]

[Ληρολόγημα, ατος, τὸ, Nugæ. Epiphan. vol. 1, p. 660, D; 1062, A. Ληρολογία, ἡ, ead. signif. ib. p. 209, D; 286, D.]

[Ληρολόγος, ὁ, Nugator. Irenæus Adv. hæres. 1, c. 5, § 3. Boiss.]

[Ληροπετώδης, ὁ.] Ληροπετώδη, Hesychio ληρώδη, Delirum.

Λῆρος, ὁ, vel plur. Λῆροι, Nugæ, Ineptiæ, Tricæ. Dicitur tam de verbis frivolis s. futilibus, quam de rebus nihili, et quæ frivolæ sunt, nulliusque usus; atque adeo quæ sunt ejusmodi, ut eas floccifacere debeamus. Prius autem illius signif. exx. proferam, quod eam verbum ληρῶ sequatur potius quam alteram. Aristoph. Pl. [23]: Λῆρος· οὐ γὰρ παύσομαι Πρὶν ἂν φράσῃς κτλ., Nugæ sunt quæ a te dicuntur, Vana sunt et futilia ista; Nugaris quum ista dicis. Idem ibid. [517], Λῆρον ληρεῖς, Attico more dictum: quod perinde est ac si Latine dicas, Nugas nugaris. Et Στόακες, quo nomine Stoici vocantur per contemptum, ab Hermia ap. Athen. dicuntur ἔμποροι λήρου. [De cibis Alexis ap. Athen. 2, p. 60, A: Παροψίδες καὶ λῆρος. Archestratus 3, p. 105, A: Ἀλλὰ παρεὶς λῆρον πολυώνυμον ἀστακὸν ὠνοῦ. (Conf. id. 7, p. 278, C.) 5, p. 217, A: Ὅλως δὲ λῆρός ἐστι τῷ Πλάτωνι τὸ Συμπόσιον. Valck.] Apud Galen. Π. φυσ. δυνάμ. 2, λῆρος μακρὸς, Nugæ prolixæ. [Cicero Ad Attic. 16, 1, 4: « Λῆρος πολὺς in vino et in somno istorum. » Conf. 14, 21, 4. L. Dind.] Interdum etiam est Delirium, Deliramentum; de qua signif. pluscula apud Suidam in Λῆρος extant. Λῆρος, inquit Gorr., significat ap. Hippocr. multis in ll. μετρίαν παρακοπὴν, παραφροσύνην, Galen. initio Comm. 3 in l. 3 τῶν Ἐπιδημ., similiter extremo l. 3 Π. δυσπνοίας, per παραλήρους Eos significans qui leviter desipiunt. Verum Aetius λῆρον videtur facere certam quandam speciem delirii, scribens l. 6, λῆρον differre ἀπὸ τῆς μωρώσεως, quod μωρὸς consequentia dicat et faciat, ληρώδης autem sine ulla connexione ex hoc transeat in aliud: quodque μώρωσις pueris præsertim et adolescentibus accidat, λῆρος autem senibus. Oritur cerebro frigidiore facto, sive interna s. externa de causa. || Ut ponitur pro Nugæ et Delirium s. Deliramentum, sic et pro Nugax, Nugator, Vaniloquus, Delirus. [Pollux 6, 29, inter epitheta convivæ λάλος, λῆρος, φλύαρος. Conf. id. 5, 121. Thomas p. 898: Λῆρος καὶ ἡ ληρωδία καὶ ὁ ληρῶν. Hesych.: Λῆρος, μάταιος, φλύαρος, ψεύστης.] Sic autem in priore illo Aristoph. l. schol. existimat λῆρος posse et pro φλύαρος accipi. At Suidas postquam λῆρος exposuit φλύαρος, et ματαιόφημος, subjungit hoc exemplum, Πολλὰ γάρ μοι ταῦτα καὶ ἐκ μειρακίων ἐδόκει λῆροί τε καὶ φλήναφοι· ubi tamen ego λήρους hic potius φλυαρίας quam φλυάρους significare, et τοιαῦτα pro ταῦτα, item μειρακίου pro μειρακίων reponi debere existimo. [Xenarch. ap. Athen. 6, p. 225, C: Οἱ μὲν ποιηταὶ λῆρός εἰσιν· οὐδὲ ἓν καινὸν γὰρ εὑρίσκουσιν. Lucian. p. 719, 21: Τῷ λήρῳ ἐκείνῳ γέροντι. Valck. Idem Dial. meretr. 10, 3, Gallo c. 6.] || Λῆρος frequenter, imo frequentius etiam fortasse alteram illam signif. habet, sc. pro Res frivola, nihili, vana, nullius pretii, digna quam flocci faciamus, Tricæ. Aut in plur. Res frivolæ, etc. Aristoph. Pl. [589]: Λήροις ἀναδῶν τοὺς νικῶντας, τὸν πλοῦτον ἐᾷ παρ' ἑαυτῷ, ubi tamen alio etiam posse videri allusisse poetam putat schol. Vel Tricæ et Apinæ. Dem. [p. 36, 18]: Τὰς ὁδοὺς, ἃς ἐπισκευάζομεν, καὶ κρήνας, καὶ λήρους. [Ps.-Dem. p. 175, 5: Δημοσίᾳ μὲν ἡ πόλις ἡμῶν τὰς ὁδοὺς ἀγαπᾷ κατασκευάζουσα καὶ κρήνας καὶ κονιάματα καὶ λήρους. Conferunt interpretes cum Aristophanico κρουνοχυτρολήραιος, quod v.; Toup. ad Longin. fr. 7: Σεμνότερα εἰρήκασι περὶ αὐτῶν καὶ οὐκ ἀναθυμιάσεις οὐδ' ἀέρας οὐδὲ πνεύματα καὶ λήρους, cum his et loco Alexidis ap. Athen. 8, p. 336, E: Τί ταῦτα ληρεῖς φληναφῶν ἄνω κάτω Λύκειον, Ἀκαδήμειαν, Ὠδείου πύλας, λήρους σοφιστῶν;] Aristot. Polit. 1, [c. 6 med.], λῆρον et οὐθενὸς ἄξιον pro eodem dixisse videtur. [Aristoph.

Ran. 809 : Λῆρόν τε τἄλλ' ἡγεῖτο τοῦ γνῶναι πέρι φύσεις ποιητῶν. (Lys. 860 : Λῆρός ἐστι τἄλλα πρὸς Κινησίαν.) Xen. Anab. 7, 7, 41 : Καίτοι Ἡρακλείδη γε λῆρος πάντα δοκεῖ εἶναι πρὸς τὸ ἀργύριον ἔχειν ἐκ παντὸς τρόπου. Amphis ap. Athen. 1, p. 34, F. Valck. Plato Leg. 3, p. 698, A : Λῆρος πρὸς χρυσὸν καὶ ἄργυρόν ἐστιν ἑκάστοτε τὰ λεγόμενα τίμια. Et similiter alibi.] || In etymo nominis λῆρος grammatici ληροῦσι, ac vere λῆρος est, meo quidem judicio, quod de etymo nominis λῆρος afferunt. Λῆρος, inquit Etym., ὁ διαῤῥέων, καὶ τὴν μνήμην λανθάνων, παρὰ τὸ λήθω, λήσω, λῆρος. Quæ scribens ille, duas etymologias confundit, unam sc. a ῥῶ, alteram a λήθω. Illam autem a ῥῶ sequitur Eust. [p. 1078, 51], quæ certe non æque manifeste ληρώδης deprehenditur ac altera, sed verbo ληρεῖν, non autem ipsi nomini eam tribuens, quum tamen alioqui sit potius ληρεῖν a λῆρος, quam contra, quod et Etym. censuit, præterea vero ῥεῖν accipiens in alia signif., sc. pro λέγειν : scribit enim, ληρεῖν nihil aliud esse quam πολλὰ λέγειν, Multa dicere : ex λα intensitiva particula, et ῥῶ, quod est λέγω.

[Λῆρος, ὁ, ἡ, Nugax. Jo. Malalas p. 204, 5 : Οὐδεὶς δὲ κτίζων πόλιν εἰς ὄνομα τεθνηκότος αὐτὴν καλεῖ· ἔστι γὰρ λῆρον. Tzetz. ad Hesiodi Op. 566 fin. : Ταῦτά εἰσι τὰ λῆρα μυθύδρια. L. D. Λῆρον Theod. Hyrtac. in Anecd. meis vol. 3, p. 67 med., neutrum ab adjectivo λῆρος. Idem p. 68, 3, λῆροι λειμῶνες et λῆροι ἥρωες. Boiss. || Adv. Λήρως, Nugatorie. Tzetz. Hist. 13, 337 : Λέγοντες λ. καὶ πεφυρμένως. Jacobs.]

[Ληρὸς, ὁ.] Oxytonon ληροὶ Hesych. exp. τὰ περὶ τοῖς γυναικείοις χιτῶσι κεχρυσωμένα [Inaurata circa tunicas mulierum. Hedylus Anth. Pal. 6, 292, 2 : Τοί τε Λάκωνες πέπλοι καὶ ληρῶν οἱ χρύσεοι κάλαμοι. Quæ citantur apud Suidam in gl., cujus lemma excidit. Jacobsius : «Festus : Leria ornamenta tunicarum aurea. V. Scalig. ad Varron. p. 136 et Taubmann. ad Plaut. Aul. 4, 5, 51, p. 175.» Lucian. Lexiph. c. 9 : Ἐγὼ, ἦ δ' ὅς, λῆρόν τινα ἐκρότουν καὶ ἐλλόβια καὶ πέδας τῇ θυγατρὶ τῇ ἐμῇ. Libri plerique λεῖρον. Scribendum cum Guieto ληρὸν, si quid tribuendum est locis supra citatis. Λῆρον et λεῖρον explicare studet schol. In λῆρον vero consentire videntur libri Pollucis 5, 101, ubi ex comœdia affertur inter κόσμους. Apud Photium accentus in cod. omissus a pr. manu.]

[Ληρόσοφος, ὁ, Stulte sapiens. Jo. Chrys. Paneg. in Babyl. 2, hom. 64, vol. 5, p. 464, 39 (vol. 2, p. 566, E Montf.). Seager.]

[Ληροσχεδοπλόκος, ὁ, Qui nugaces schedas componit. (V. Σχέδη.) Tzetz. Hist. 12, 231 : Τὰ ἀμαθῆ καθάρματα, τὰ ληροσχεδοπλόκα. Elberl.]

[Ληρωδέω, Nugor. OEcumen. In 2 Epist. Petri p. 213, 21; Herodian. Epimer. p. 78; Basil. ad Greg. Naz. Stel. 2, in Notitt. Mss. vol. 11, part. 2, p. 112. Boiss. Schol. Hesiodi Sc. 34 : Παῦσαι μύθους ληρωδῶν ἀλλοκότους. Pass. aor. ληρωδηθὲν Theodor. Stud. p. 161, E. L. Dind. Photius Bibl. cod. 8, p. 4, 1.]

[Ληρώδημα, ατος, τὸ, Nugæ. Suidas in Λεόντιος. Καὶ οὗτος etc. Hemst.]

Ληρώδης, ὁ, ἡ, Nugatorius, Nugax. [Plato Theæt. p. 174, D : Λ. δοκεῖ εἶναι.] Aristot. Rhet. 3, [13, 2] : Γίγνεται κενὸν καὶ ληρῶδες. Sic autem et Plut. hæc duo nomina copulat, ut vidisti in exemplo, quod protuli in Ληρῶ. [Aristot. H. A. 6, 31 : Ὁ λεχθεὶς μῦθος ... λ. ἐστι. L. D. Galen. vol. 7, p. 385, C. Hemst. Schol. Hom. Il. Ψ, 471. Pollux 5, 120; 6, 119. || Adv. Ληρωδῶς, Hippocr. p. 181.]

[Ληρωδία, ἡ, Nugæ. Basil. Sel.' V. Thecl. p. 250; Herodian. Epimer. p. 77, 78. Boiss. Jo. Chrys. In Gen. or. 5, vol. 1, p. 28, 13; 47, 12. Seager. Thomas p. 898, improbans p. 576, ubi alia exx. annotavit Sallier. Ὕβρις interpretatur Herodian. Epim. l. c.]

[Ληρωδῶς. V. Ληρώδης.]

[Λήρων, ωνος, ὁ et ἡ, Lero, viri et insulæ nomen. Strabo 4, p. 185 : Μετὰ δὲ τὰς Στοιχάδας ἡ Πλανασία καὶ Λήρων, ἔχουσαι κατοικίας· ἐν δὲ τῇ Λήρωνι καὶ ἡρῷόν ἐστι τὸ τοῦ Λήρωνος· κεῖται δ' αὐτὴ πρὸ τῆς Ἀντιπόλεως.]

[Λήρως. V. Λῆρος, ὁ, ἡ.]

Λησθέων, Hesychio στρεφόμενος : pro quo supra ληϊσθιῶν : proculdubio igitur ascribendum s. subscr. ei ι.

[Λησίκακος. V. Λυσίκακος.]

A [Λησίμβροτος, ὁ, Fur, qui homines fallit. Hom. H. Merc. 339 : Οὐδ' ἀνδρῶν ὁπόσοι λησίμβροτοί εἰσ' ἐπὶ γαίῃ.]

[Λησίπονος, ὁ, ἡ, Ærumnarum oblivionem inducens, συζυγίη, in varietate lect. Pauli Silent. Anth. Pal. 5, 221, 4. Boiss.]

[Λῆσις, εως, ἡ, λῆστις, quod v. Conf. etiam Ληθεδών. ||] Λῆσις Hesychio βούλησις, αἵρεσις, Voluntas, Propositum : verbale, ut existimo, verbi λῶ, quod est θέλω, unde et λῆμα derivari posse dixi.

[Λησμονέω, Obliviscor. Ex. ex proverbiis Græcobarbaris Mss., in quo est ἐλησμόνησε τὸ χρέος, annotavit Ducang. in Gl. v. Ἀλησμονή. Vitiosa cum interpretatione, ut videtur, Gl. : Λησμονηθέντες, Inlimati. Vulcanius vitium esse putabat in voc. Græco. L. D.]

[Λησμονὴ, ἡ, Oblivio, Gl. V. Ἐπιλησμονή.]

Λησμοσύνη, ἡ, Oblivio. Hesiod. Theog. 55, de filiabus Μνημοσύνης, i. e. Musis : Λησμοσύνην τε κακῶν ἄμπαυμά τε μερμηράων. [Soph. Antig. 151 : Ἐκ μὲν δὴ πολέμων τῶν νῦν θέσθε λησμοσύναν. Ephræm Syr. vol.
B 1, p. 185, C. ῠ L. Dindorf.]

Λήσμων, ονος, ὁ, ἡ, Obliviosus, Immemor. Themist. Π. φιλίας [p. 268, C] : Οὕτω τῶν ψυχῶν αἱ μὲν ἄγονοι χαρίτων καὶ λήσμονες, καὶ πρὸς φιλίαν ἀχρεῖοι, Bud.

Λῆσος, ὁ ἐν τῇ ῥάχει τοῦ σκορπίου λαμπρὸς ἀστὴρ, Hesych. [«Dicta videtur stella in aculeo caudæ Scorpii quæ لسعة vulgo *Lesath*, i. e. Ictus scorpii. V. Scaliger. ad Manil. p. m. 481.» Albert.]

[Ληστάδαι, Lestadæ, vicus Naxi. Aristoteles ap. Athen. 8, p. 348, B.]

[Λῃστάναξ, ακτος, ὁ, Latronum dux, rex. Frequens ap. Theod. Prodr. Rhod., ut p. 10, 41, 109, 113, 114. Boiss. ᾰ]

[Λῃσταρχεῖον, τὸ, Confugium latronum. Jo. Canabutzes Ms. fol. 19 : Καὶ τέλος ἀπὸ τῶν χρημάτων τῆς λῃστείας ἔκτισαν καὶ τὴν Ῥώμην, ἵνα ἔχωσιν αὐτὴν λῃστήριον, ἤγουν ὅπερ λέγουσιν οἱ κοινοὶ, λῃσταρχεῖον. Ducang. App. Gloss. p. 120.]

[Λῃσταρχέω, Latronibus præsum. Jo. Malal. vol. 2, p. 93. Elberl. Jo. Chrys. Ad Theodor. 1, vol. 6,
C p. 81, 37. Seager.]

[Λῃστάρχης. V. Λήσταρχος.]

[Λῃσταρχία, ἡ, q. d. Ductus prædonum. Ephræm. Cæsar. 7292, p. 174 : Ἄργος παρεστήσατο πᾶν λῃσταρχίᾳ. Osann.]

Λήσταρχος, ὁ, Princeps prædonum, Princeps latro, Bud. ex Clem. Alex. [De div. serv. p. 959. Polyæn. 4, 9, 3; Jo. Malal. p. 382, 11; 446, 2. Sine interpr. ponunt Gl.] Λῃστάρχης pro eodem. Plut. [Crass. c. 22] : Νομὰς λῃστάρχης. Alterum autem λήσταρχος agnoscunt Suidas et Hesych., exponentes λῃστῶν ἀρχηγός. [Hesych. etiam ἀρχιλῃστής.]

Λῃστεία, ἡ, Præda, h. e. Ipsa prædandi s. prædas agendi actio. [Latrocinium, Gl. Eadem vitiose Λῃστία, Latrocinium, Grassatura.] Aristot. Polit. 1, 5 : Οἱ δ' ἀπὸ θήρας ζῶσι· καὶ θήρας ἕτεροι ἑτέρας· οἷον, οἱ μὲν ἀπὸ λῃστείας, οἱ δ' ἀφ' ἁλιείας, οἱ δ' ἀπ' ὀρνίθων ἢ θηρίων ἀγρίων· ubi nota eum λῃστείαν facere speciem τῆς θήρας, Venationis; nam prædones sua quoque exercent aucupia et venationes, sed improba et nefaria. Thuc.
D 1, p. 2 [c. 5] : Ἐτράποντο πρὸς λῃστείαν, καὶ προσπίπτοντες πόλεσιν ἀτειχίστοις καὶ κατὰ κώμας οἰκουμένοις, ἥρπαζον καὶ τὸν πλεῖστον τοῦ βίου ἐντεῦθεν ἐποιοῦντο. [8, 40 : Μὴ περιιδεῖν τὴν μεγίστην τῶν ξυμμαχίδων πόλεων ... λῃστείαις πορθουμένην. Plato Leg. 7, p. 823, E : Λῃστείας ἵμερος ἐπελθών. Xen. H. Gr. 6, 2, 1 : Ἀποκναιόμενοι ... λῃστείαις ἐξ Αἰγίνης· Anab. 7, 7, 9 : Ἀπὸ λῃστείας τὸν βίον ἔχοντα. Passive Charito 8, 4 : Σὺ γὰρ εἶ ὁ καὶ λῃστείας καὶ δουλείας με ἀπαλλάξας.]

[Λῄστειρα, ἡ, Prædatoria, Prædatrix. Ναῦς λ. Ælian. N. A. 8, 19. Zonar. p. 1302 : Λῃστειρῶν, λῃστρικῶν.]

[Λῄστευμα, τὸ, Prædatio. Theod. Prodr. p. 94. Elb.]

Λῃστεύω, Prædor, [Latrocinor, Expilo add. Gl.] i. q. ληΐζομαι, nisi quod neutraliter capitur, ut et Prædor, i. e. Prædonem ago, Ex rapto vivo, Prædas ago. Dem. [p. 46, 14] : Λῃστεύειν ἀνάγκη, καὶ τούτῳ τῷ τρόπῳ τοῦ πολέμου χρῆσθαι τὴν πρώτην. Herodian. 1, [10, 2] : Κώμαις τε καὶ ἀγροῖς ἐπιτρέχων ἐλῄστευεν, In vicos agrosque factis incursionibus prædas agebat,

h. e. ἐλεηλάτει, λείας ἤγαγε, λείας ἀπήγαγε s. ἀπήλαυνε, ut supra loquitur. [Diod. 2, 48 : Πολλὴν τῆς ὁμόρου χώρας κατατρέχοντες λῃστεύουσιν· 5, 9 : Τῶν Τυρρηνῶν λῃστευόντων τὰ κατὰ θάλατταν· Exc. p. 570, 61 : Τῶν πλεόντων ἐλῄστευον οὐκ ὀλίγους· 572, 84 : Τοὺς μὲν ἐμπόρους ἐλῄστευε. Plut. Thes. c. 10 : Λῃστεύοντες τοὺς παριόντας. Xen. Eph. 4, 1 : Τοὺς παριόντας λῃστεύειν· ubi alia exx. indicat Abresch. Λῃστεύων τελώνης Pollux 9, 32.] Thuc. autem schol. 1, p. 2 [c. 4 extr.] dicit etiam λῃστευομένη χώρα, Quæ a prædonibus infestatur. [Diodor. 2, 55 : Ὑπό τινων Αἰθιόπων μετὰ τοῦ συνόντος λῃστευθεὶς ἀπήχθη πρὸς τὴν παραθαλάττιον τῆς Αἰθιοπίας. Ach. Tat. 6, 16 : Ὕβρις αὕτη ἐστὶ πειρατική· λελῄστευμαι καὶ τοὔνομα.]

[Λῃστὴρ, ῆρος, ὁ, i. q. λῃστής. Epigr. Anth. Pal. 7, 737 : Ἐνθάδ' ἐγὼ λῃστῆρος ὁ τρισδείλαιος ἄρηι ἐδμήθην.]

Λῃστήριος, i. q. λῃστικὸς, Prædatorius. At Λῃστήριον, i. q. λῃστικὸν, Ipsi prædones, Prædatorum agmen. [Latrocinium, Latrunculus, Gl. Xen. H. Gr. 5, 4, 42 : Ἐκπέμπων λῃστήρια ἔφερε καὶ ἦγε τοὺς Θηβαίους. Æschin. p. 27, 8.] Plut. Pomp. [c. 26], de bello piratico loquens : Οὐ μὴν πρότερον ἐπ' αὐτοὺς ἐξέπλευσεν ἢ παντάπασι καθῆραι τῶν αὐτόθι λῃστηρίων τὸ Τυρρηνικὸν πέλαγος· ubi λῃστήριον accipi etiam potest pro Latrocinium, ut Bud. interpr. in Luciano [Contempl. c. 17] : Καὶ λῃστήρια καὶ κώνεια καὶ πυρετοὶ καὶ δικασταὶ καὶ τύραννοι. Plut. Sylla [c. 3] λῃστήριον Νομαδικὸν dicit Prædones Numidicos. [Diod. in Exc. Photii p. 529, 70 : Παντὸς αὐτὴν (Siciliam) ἠλευθέρωσε λῃστηρίου. Xen. Eph. 1, 14 : Ἀνδρὸς ἄρχοντος λῃστηρίου· 3, 1 : Ἐνενόει συλλεξάμενος νεανίσκους ἀκμάζοντας συστήσασθαι πάλιν τὸ λῃστήριον. Et ib. 2 etc. || I. q. λῃσταρχεῖον, quod v.]

Λῃστὴς, ὁ, [sec. Priscianum etiam ἡ, nisi fallit scriptura 5, 2, 10, ubi ponit : «Hic et hæc latro, ut ὁ λῃστὴς καὶ ἡ λῃστής.» Nam et λῃστρὶς locum habere videtur, quum non tantum de communibus, sed etiam de mobilibus loquatur] i. q. ληϊστὴς, ex eoque factum per synæresin, i. e. Prædator, Prædo. Xen. Hell. 6, [4, 35] : Ἄδικος δὲ λῃστὴς καὶ κατὰ γῆν καὶ κατὰ θάλασσαν· quod hominum genus se ποριστὰς vocare solitum honestiore vocabulo, Aristot. Rhet. 3, [2, 3] scribit. Soph. Phil. [643] : Οὐκ ἔστι λῃσταῖς πνεῦμ' ἐναντιούμενον Ὅταν παρῇ κλέψαι τε χ' ἁρπάσαι βίᾳ. [Eur. Alc. 769 : Πανοῦργον κλῶπα καὶ λῃστήν τινα· Cycl. 12 : Γένος Τυρσηνικὸν λῃστῶν· 112 : Λῃστὰς διώκων· 222 : Λῃσταί τινες κατέσχον ἢ κλῶπες χθόνα;] Xen. Hell. 3, [4, 19] : Τοὺς ὑπὸ τῶν λῃστῶν ἁλισκομένους βαρβάρους, A prædonibus captos. Dem. [p. 162, 11] : Λῃστὰς ὁμολογεῖτε καταπέμπειν· quibus interceptis dicit se τὸν τόπον τοῖς πλέουσιν ἀσφαλῆ παρεσχηκέναι. [Cum genit. Soph. OEd. T. 535 : Φονεὺς ὢν τοῦδε τἀνδρὸς ἐμφανῶς λῃστής τ' ἐναργὴς τῆς ἐμῆς τυραννίδος. Lycophr. 1143 : Κύπριδος λῃστὴν θεᾶς. Q. Mæcius Anth. Plan. 4, 198, 3 : Φρενοκλόπε, λῃστὰ λογισμοῦ, de amore. Demosth. p. 140, 18 : Ἐν μέσῃ τῇ Ἑλλάδι αὐξανομένου λῃστοῦ τῶν Ἑλλήνων.] Quod vero ad scripturam attinet, non quidem in omnibus libris ι scribitur, sed subscribi tamen frequentius solet. [Λῃστὰς in inscr. ap. Bœckh. vol. 2, p. 32, n. 1886, 5.]

Λῃστικὸς, ή, όν, Prædatorius. [Plato Soph. p. 222, C : Τὴν λῃστικὴν καὶ ἀνδραποδιστικήν.] Λ. βίος, Vita prædatoria, Aristot. Polit. 1, [8, ubi λῃστρικὸς est]. Et λ. ἔθνη, Gens quæ ex rapto vivit, quæ prædis et latrociniis victitat, Aristot. Polit. 8, 3 : Ἃ λῃστικὰ μέν ἐστιν, ἀνδρείας δ' οὐ μετειλήφασι, de Pontica et Epirotica gente. [Appian. 5, fr. 6, 1 : Τὰ σκάφη τὰ λῃστικά.] At τὸ λῃστικὸν, subaudi σύστημα, ut Thuc. [1, 4] schol. infra in Λῃστρικὸς subaudit, dicuntur Ipsi prædones, Prædonum agmen, ut τὸ στρατιωτικὸν, Ipsi milites, et τὸ δορυφορικὸν, Ipsi satellites. Thuc. 1, [13] : Τὰς ναῦς κτησάμενοι τὸ λ. καθῄρουν, Prædones tollebant, Latrocinia profligabant. 2, [69] : Καὶ τὸ λ. τῶν Πελοποννησίων μὴ ἐῶσιν αὐτόθεν ὁρμώμενον βλάπτειν τὸν πλοῦν τῶν ὁλκάδων, Prædones Peloponnesios. Rursum 1, [4] : Τό τε λ. καθῄρει ἐκ τῆς θαλάσσης ἐφ' ὅσον ἠδύνατο. Sic sæpius Dio Cassius. Demostheni p. 668, 26, λῃστικὸν πλοῖον pro λῃστρικὸν, et Aristidi vol. 1, p. 570 πλοίοις λῃστικοῖς pro λῃστρικοῖς restituta sunt ex libris optimis. Et quum ap. Aristid. vol. 1, p. 113 : Τὸ λῃστικὸν ἅπαν καὶ βαρβαρικὸν, item λῃστρικὸν sit in libris nonnullis, rectissime Pierson. ad Herodian. p. 450 ib. p. 540, τοῦ Τυρρηνῶν λῃστικοῦ correxisse videtur pro λῃστρικοῦ. Alia exx. v. ap. Lobeck. ad Phryn. p. 242.]

Λῃστικῶς, More prædonum, prædatorio. Thuc. 6, [104] : Καὶ λῃστικώτερον ἔδοξε παρεσκευασμένους πλεῖν· 1, [10] : Πλοῖα τῷ παλαιῷ τρόπῳ λῃστικώτερον παρεσκευασμένα, Veteri more magis in piraticum modum ædificata.

Λῆστις, ιος, ἡ, i. q. λήθη, ut λῆστιν ἔχειν, Oblivisci, Oblivioni tradere, mandare, ἐπιλανθάνεσθαι. Soph. OEd. C. p. 290 [584] : Τὰ δ' ἐν μέσῳ, Ἢ λῆστιν ἴσχεις ἢ δι' οὐδενὸς ποιῇ, i. e. ἢ ἐπιλέλησαι ἢ οὐ φροντίζεις. [Libri deteriores λῆσιν. Eodem modo variatur ap. Critiam Athenæi 10, p. 432, E : Λῆστις δ' ἐκτήκει μνημοσύνην πραπίδων, ab Hemst. citatum. Sine librorum dissensu Eur. Cycl. 171 : Κακῶν τε λῆστις. Memorat etiam Eust. Od. p. 1493, 30; 1741, 44.]

[Λῃστογνώστης, ὁ, Latronum cognitor. Quorum officium sic exponitur in Nov. 14 Justiniani c. 4 : Ἐπὶ τούτῳ μόνον γινώσκουσι (οἱ λῃστογνῶσται) τοὺς κλέπτας, ἐφ' ᾧ τι κέρδος ἑαυτοῖς τοῖς τε ἄρχουσιν αὐτῶν θηρᾶν. Ducang.]

[Λῃστοδιώκτης, ὁ, Latronum persecutor. Chronic. Pasch. vol. 1, p. 604. Coraes. Latroniculator, Gl. Anastas. Sinait. in Psalmum 6 addit Ducang. Jo. Malal. p. 382, 16. L. D. Novell. 28, 6; 29, 5. Osann.]

[Λῃστοδίωκτος, ὁ, Ab latronibus agitatus. Xen. Eph. 1, 6, p. 12, 1 : Ἀμφότεροι φεύξονται ὑπεὶρ ἅλα λυσσοδίωκτοι. Λῃστοδίωκτοι Hemsterh.]

[Λῃστοδόχος, ὁ, Qui latrones excipit. Socrat. H. E. 5, p. 285, 12 : Τοὺς λῃστοδόχους οἴκους καταστραφῆναι ἐκέλευσε.]

[Λῃστοκράτωρ, ορος, ὁ, Dux prædonum. Theod. Prodr. 5, 3, p. 186. Jacobs. ᾶ]

Λῃστοκτόνος, ὁ, ἡ, Prædonum interfector. Epigr. [Palladæ Anth. Pal. 11, 280, 1] : Βέλτερον ἡγεμόνος λῃστοκτόνου εἰς κρίσιν ἐλθεῖν Ἢ τοῦ χειρούργου Γενναδίου παλάμας, Ducis prædones s. latrones interficientis : quos φονέας ibi appellat.

Λῃστὸς, i. q. ληϊστὸς, Prædabilis, VV. LL.

[Λῃστοσαλπιγκτής. V. Ληιστοσάλπιγγες.]

[Λῃστοτροφέω, Prædatores alo. Tatian. C. Gr. p. 264, C=p. 85 Worth.]

Λῃστρικὸς, ή, όν, i. q. λῃστικός. Λ. νῆες, Naves prædatoriæ, ut Liv., Omnem oram a Malea prædatoriis navibus infestam habenti. Et λ. ναῦς, Thuc. [4, 9. Appian. Pun. 25 : Τὰς λῃστρικὰς (ναῦς) ἐκώλυον.] Item λ. πλοῖον, pro eod., Piraticum navigium. [Thomas p. 524. Diod. 3, 43 : Λῃστρικὰ σκάφη.] Aristot. Polit. 1, 5 : Βίος νομαδικὸς, γεωργικὸς, λῃστρικὸς, ἁλιευτικὸς, θηρευτικὸς, i. e. ὁ ἀπὸ λῃστείας, ὁ διὰ λῃστείας ποριζόμενος τὴν τροφὴν, ut ibid. loquitur. [Diod. 2, 48 : Βίον λῃστρικόν. Appian. Mithrid. 96 : Ὁ λ. πόλεμος. Xenoph. Eph. 1, 14 : Πρὸ τοῦ δουλείαν λῃστρικὴν ἰδεῖν· 4, 4 : Ἐν τῷ ἄντρῳ τῷ λῃστρικῷ. Heliodor. 1, 33 : Τὰς κώμας τὰς λῃστρικάς.] || Λῃστρικοὶ, Qui latrocinia exercent, ex rapto vivunt, prædis agendis se exercent, Prædones. Strabo p. 129 [7, p. 293] : Λῃστρικοὶ ὄντες καὶ πλάνητες οἱ Κίμβροι. Idem, Οὔτε γὰρ τὴν τοιαύτην αἰτίαν τοῦ λῃστρικοὺς καὶ πλάνητας εἶναι τοὺς Κίμβρους ἀποδέξαιτ' ἄν τις. Plut. Quæst. Rom. de quodam Macello, p. 247 [277, E] : Βίαιον ἄνδρα καὶ λῃστρικὸν γενόμενον, καὶ περικόψαντα πολλοὺς, μόλις ἁλῶναι καὶ κολασθῆναι. [Joseph. A. J. 8, 7, 6 : Ἔχοντι περὶ αὐτὸν στῖφος λῃστρικόν. Basilius M. vol. 2, p. 1201, ab Sallierio ad Thomam p. 576 citatus : Περιυβρίζει καὶ ἀτιμοῖ ὁ θαυμαστὸς νεανίσκος μετὰ τοῦ λῃστρικοῦ συντάγματος. Alia exx. hujus formæ v. ap. Lobeck. ad Phryn. p. 242.] || Τὸ λῃστρικὸν, i. q. τὸ λῃστικὸν supra, et τὸ λῃστήριον, Ipsi prædones, Prædonum agmen, σύστημα. Thuc. 1, p. 2 [c. 4] : Τό, τε λῃστρικὸν καθῄρει ἐκ τῆς θαλάττης ἐφόσον ἠδύνατο· sic enim quidam libri habent, etiam manuscripti : schol. tamen λῃστικὸν legit, et discrimen statuere videtur inter λῃστικὸν et λῃστρικόν : sic enim habet, Λῃστικὸν, τὸ σύστημα, ἤγουν τοὺς λῃστάς· λῃστρικὸν δὲ, τὸ κτῆμα. [Quæ ascripta sunt etiam in margine Photii.] Ita λῃστρικὸν fuerit Prædaceum, Prædatitium, ut Gell. Prædacea pecunia, Prædatitia pecunia. [Alio discrimine Thomas p. 576 : Λῃστρικὸν πλοῖον, λῃστικὸν δὲ σύνταγμα, addito loco Thucydidis. Simonides Anth. Pal. 5, 161, 5 : Ἀλλὰ σὺν αὐταῖς νηυσὶ τὰ ληστρικὰ τῆς Ἀφροδίτης φεύγετε· quod imitatur Nicarch. ib. 96, 3 : Ἀλλὰ νέοι, πανδημὶ τὰ ληστρικὰ τῆς Ἀφροδίτης φεύγετε.] A

Ληστρικῶς, Prædonum more, ut λῃστικῶς. [Strabo 2, p. 126; 12, p. 575; Plut. Mor. p. 330, D; Maxim. Conf. vol. 2, p. 45, B; Theod. Stud. p. 476. L. D.]

Ληστρίς, ίδος, ἡ, Prædatoria, Prædatrix. [Plut. Thes. c. 9: Ληστρίδα γυναῖκα.] Λ. νῆες, Naves prædatoriæ s. piraticæ, quæ ληστρικαὶ paulo ante. [Demosth. p. 1237, 10 : Ληστρίδων νεῶν· 1432, 8 : Τριήρεις αἱ ληστρίδες. Diod. 16, 5 : Ληστρίσι πολλαῖς πλέοντες ἄπλουν παρεσκεύαζον ... τὴν θάλατταν· 82 : Δώδεκα ληστρίσι τοὺς πλέοντας ληιζόμενον. Et sæpius Plutarchus. Pollux 1, 83.]

[Ληστρὸς, Prædativus, Gl. Pro ληστρικὸς, ut videtur.]

[Λήστρων (sic), Latrina, Gl.]

Λῆται, Hesych. ἄνεμοι, Venti : qui et βῦκται, ubi leg. ἄηται.

[Ληταῖος. V. Λήτη.]

[Λήταρχος, ὁ, ap. Lycophr. 991 : Ὅταν θανὼν λήταρχος ἱερίας σκύλαξ πρῶτος κελαινῷ βωμὸν αἱμάξῃ βρότῳ, B schol. interpr. δημόσιος ἱερεύς, Sacerdos publicus; λῆτον γὰρ τὸ δημόσιον. Recte autem liber Viteb. Λήταρχος, quam scripturam postulant quæ in Λήιτος dicta sunt.]

[Λήτειρα. Λητή. V. Λητήρ.]

[Λήτη, ἡ, Lete. Πόλις Μακεδονίας, ἀπὸ τοῦ πλησίον ἱδρυμένου Λητοῦς ἱεροῦ, ὡς Θεαγένης Μακεδονικοῖς. Τὸ ἐθνικὸν Ληταῖος· οὕτω γὰρ ἱστορεῖται Νέαρχος Ληταῖος κτλ. Steph. Byz. Ejusdem formæ exx. in numis v. ap. Mionnet. *Suppl.* vol. 3, p. 81. Λητὴ memoratur etiam a Ptolem. 3, 13, Zonara p. 1304, et ex Hyperide et Marsya juniore ab Harpocratione. Λιτὴ male apud Suidam. Vitiosum esse accentum Λητὴ, qui est ap. Steph. Byz. et reliquos, ostendit Theognost. Can. p. 117, 15, inter barytona in ητη ponens Λήτη, ἡ πόλις. L. Dindorf.]

[Λητὴρ, ῆρος, ὁ.] Λητῆρες Hesychio sunt ἱεροὶ στρεφανοφόροι ἀθάμαντες [Ἀθαμᾶνες Guietus] : afferenti etiam Λήτειραι pro ἱέρειαι τῶν σεμνῶν θεῶν. [Callim. ap. schol. Soph. OEd. C. 489 : Νηφαλίας καὶ τῇσιν ἀεὶ μελιηδέας ὄμπας λήτειραι καίειν ἔλλαχον Ἡσυχίδες.] Et Λητὴ C [et Ληίτη, quod Λῃτὴ vel Λητὴ scrib. videtur] pro ἱέρεια, Sacerdos, Sacrifica. Supra hæc per ει in prima syllaba, et infra per ι, utpote παρὰ τὸ λίσσομαι : eaque scriptura melior. [Immo deterior. Scribendum esse λήτειραι animadvertit Blomfieldus ad Callim. fr. 123, p. 239. Sic etiam Λῃτήρ. V. Λήταρχος.]

[Λητογένεια, ἡ, Latona genita. Forma Dor. Æsch. Sept. 148 : Λατογένεια κούρα.]

Λητογενὴς, ὁ, ἡ, Latona genitus, de Apolline [Forma Dor. Eur. Ion. 465.]

Λητοΐδης, ὁ, Latonæ filius. [Hom. H. Merc. 158 etc., Hesiod. Sc. 479, aliique poetæ. Forma Dor. Λατοΐδας Pind. Pyth. 1, 12; plur. Λατοΐδαι, 4, 3. ῐ]

[Λητοΐος, ὁ, Letoius, n. viri, in quem exstat epigr. Agathiæ Anth. Pal. 7, 551, 1. Conf. Theodoret. H. E. 4, 11, Basil. M. vol. 3, p. 589, A, Liban. Epist. ll. in indice citatis. Præfert autem Valesius ad Theodor. scripturam Λητώιος, quæ est et in libris Theodoreti nonnullis et in Palatino Anthologiæ et ap. Photium D Bibl. p. 12, 39, ubi male Λιτώιος. Sed ita in l. Anthol. aut Λητῷος scribendum esset aut ω corripiendum. Præstat vero Λητόϊος, cum Λητοΐδης comparandum. Formam Byzantinam Λητόϊς ponere voluisse vel debuisse videntur Suidas et Zonaras p. 1309, ubi Λιτόεις, pro quo Zonaræ liber unus Λητόεις. Per η ap. Theodor. Stud. p. 262, C : Τοῦ Λητόη. Λητόϊον ib. p. 270, A. L. Dindorf.]

[Λητὸν, Λῆτον. V. Λήιτος.]

[Λητοπολίτης νομὸς, ὁ, Letopolites nomus Ægypti, in numis ap. Mionnet. *Descr.* vol. 6, p. 532, et ap. Strab. 17, p. 807. Λητουπολίτης ap. Ptolem. 4, 5. V. etiam Λατόπολις, Λητοῦς πόλις. ῐ]

Λῆτος, Hesychio λιμὴν ἢ θάλασσα, Portus s. Mare : nisi forte scripsit λίμνη, Lacus. [V. conjecturas interpretum.]

[Λητουργέω, Λητουργός. V. Λήιτος.]

[Λητοῦς πόλις Αἰγύπτου. Ἔστι δὲ μοῖρα Μέμφιδος, καθ' ἣν αἱ πυραμίδες ... Τὸ ἐθνικὸν Λητοπολίτης, Steph. Byz. Memorat etiam Ptolem. in Λητοπολίτης citatus.]

[Λητοφίλα. V. Λανοδώρα.]

Λητὼ, οῦς, ἡ, Latona, mater Apollinis et Dianæ : [apud Homerum ceterosque poetas et mythologos. Forma Dor. Λατὼ ap. Æsch. Eum. 323, et alios. Accusativus Λατῶν in inscr. ap. Bœckh. vol. 2, p. 399, 180.] Volunt autem τὴν Λητὼ ex eo dictam, quod sit ἐπιλησμονικὴ τῶν κακῶν. [V. Plat. Cratyl. p. 406, A. Ubi addit a multis Ληθὼ vocari. Conf. Theognost. Can. p. 118, 21. Νὺξ interpretantur Etym. Gud. p. 369, 22, Zonar. p. 1304, ubi v. Tittm. Conf. Eustath. Il. p. 22, 29 etc. De forma nominativi Λητῷ (ut Φιλυτῷ est in inscr. Deliaca apud Bœckh. vol. 2, p. 246, n. 2310, a) v. Herodian. ap. Chœroboscum in Bekkeri An. p. 1204, C, ubi male Λήτῳ; de accusativi Æolicis Λήτων et Λήτω et Ionica Λητοῖν iidem ib. p. 1202—3, de alia Ionica Λητοῦν interpretes Gregorii Cor. p. 428. De accentu vulgari Λητῶ, non Λητῶ, Apollon. De pron. p. 112, C, schol. Hom. Il. B, 262. || N. mulieris, Euagoræ regis Cypri conjugis, ap. Lucian. Pro imag. c. 27. L. Dind.]

[Λητῴα, ἡ, Letoa, insula Cretæ adjacens, ap. Ptolem. 3 extr.]

[Λητώεια, τὰ, Latonia, ludi Latonæ sacri, in moneta Tripolis Cariæ ap. Mionnet. *Descr.* vol. 3, p. 390, n. 503. Conf. Eckhel. D. N. vol. 4, p. 444.]

[Λητωεὺς, δῆμος ἐν Ἀλεξανδρείᾳ, ὡς Τρύφων ἐν τῷ περὶ παρωνύμων, ὅτι παρὰ τὸ Λητὼ (leg. Λητῷος) κτητικὸν σχηματίζεται, Steph. Byz.]

[Λητωιὰς, άδος, ἡ, i. q. Λητωίς. Callim. Dian. 83; Oppian. Cyn. 1, 109; Coluth. 32.]

[Λητώιος. V. Λητῷος.]

[Λητωὶς, ίδος, ἡ.] Λητωῒς κούρη, Latonæ filia, Epigr. [Alexander Ætol. ap. Macrob. Sat. 5, 22; Apoll. Rh. 2, 938 etc. Forma Dor. Λατωὶ Perses Anth. Pal. 6, 272, 1.]

[Λήτων vel Λητ., quod inscriptum numis Cyrenaicis, Mionnet. *Suppl.* vol. 9, p. 197, refert ad Læam Cyrenaicæ insulam. Est fortasse in inscr. ap. Bœckh. vol. 2, p. 557, B.]

[Λητῷον, τὸ, Templum Latonæ in ins. Delo. Athen. 14, p. 614, B. In Lycia ap. Strab. 14, p. 665. Ἄλσος ib. p. 651, 652.]

Λητῷος, α, ον, sive Λατῷος, Latonius. [Priori forma Æsch. fr. Xantr. ap. Galen. vol. 9, p. 385 : Οὔτ' ἀστερωπὸν ὄμμα Λητῴας κόρης. Soph. El. 570 : Λητῴα κόρη. Et alibi. Altera in epigr. Anth. Pal. 6, 280, 5 : Λατῴα, de Diana. || Formam solutam Λητώιος ponit Theognostus in Canon. p. 57, 17. L. Dind.]

[Ληχμὸς, ὁ.] Ληχμὸν, Hesych. λῆξιν, Sortitionem. [Antimachus ab Etym. M. p. 371, 22 cit. (fr. 61=41) : Ληχμὸν δ' ἐμπάζεσθαι ἀλεείνων.]

[Ληψήμανδος, πολίχνιον Καρίας. Τὸ ἐθνικὸν Ληψημανδεύς. Κράτερος ἐνάτῳ περὶ ψηφισμάτων, Steph. Byz. Lampsemandus vel similiter in libris Plinii N. H. 5, 31, 36.]

Λῆψις, εως, ἡ, Acceptio, cui ἀντίκειται δόσις [Philipp. 4, 15; Sirac. 42, 7], sicut et ap. Cic. Donatio et Acceptio; εἰσφορὰ et λῆψις, Illatio et sumptio, ut λαμβανόμενα et εἰσφερόμενα, λήμματα et εἰσφοραί. [Soph. fr. Creusæ ap. Stob. Fl. vol. 3, p. 336 : Ἥδιστον δ' ὅτῳ πάρεστι λῆψις ὧν ἐρᾷ καθ' ἡμέραν. Plato Reip. 1, p. 332, A : Ἐάνπερ ἡ ἀπόδοσις καὶ ἡ λῆψις βλαβερὰ γίγνηται· 346, D : Ἡ τοῦ μισθοῦ λ. Plurali p. 343, D, Alc. 1 p. 123, A. Aristot. Rhet. 1, 6 : Τάς τε λήψεις τῶν ἀγαθῶν ... καὶ τὰς τῶν κακῶν ἀποβολάς. Contraria προέσει Eth. Nic. 2, 7. Ptol. Harmon. 1, p. 25, B : Τὴν τῶν πλειόνων λήψεων συναγωγὴν, ubi sequitur Τρὶς τοῦ διὰ τεσσάρων λαμβανομένου.] || Prehensio, Captio [Captura Gl.] : si ea signif. Captionem dicere possumus, qua Capere s. Prehendere fugitivum, Capere urbem. Lucian. [De hist. conscr. c. 38] : Τὴν Δημοσθένους λῆψιν καὶ τὴν Νικίου τελευτήν. Item de re inanimata, quæ fugere nos videtur, ap. Plut. [Mor. p. 960, F] : Τῶν μὲν ὠφελίμων λήψεις καὶ διώξεις, διακρούσεις δὲ καὶ φυγὰς τῶν ὀλεθρίων καὶ λυπηρῶν. Ubi nota ei opponi διακρούσεις. [Aristot. De partt. an. 3, 1 : Πρὸς τὰς λήψεις τῶν ζωδαρίων· 4, 10 : Αἱ καμπαὶ τῶν δακτύλων καλῶς ἔχουσι πρὸς τὰς λήψεις καὶ πιέσεις.] De urbibus autem, quæ capiuntur, aut hostibus, frequens ap. Thuc. est, 4, p. 157

[c. 114] : Τοὺς πράξαντας πρὸς αὐτὸν τὴν λῆψιν τῆς πόλεως· 5, p. 196 [c. 110] : Δι' οὗ τῶν κρατούντων ἀπορώτερος ἡ λῆψις, ἢ τῶν λαθεῖν βουλομένων, ἡ σωτηρία· 7, p. 240 [c. 25], ἡ τοῦ Πλημμυρίου λ. [Λῆψις Accessionem (febris) Hippocrati significat, aut primum accessionis insultum, ut p. 944, F : Ἀπὸ τῆς πρώτης λήψιος· 1161, E : Ἡ καρδίη περὶ τὴν λῆψιν δεινή· et 1235, A. Rursus p. 453, 40 : Ὅταν τοῦ πυρετοῦ ἔῃ συνεχὴς λῆψις. Foes. Timæus Lex. p. 154 : Καταβολή, περιοδικὴ λῆψις πυρετοῦ. || I. q. λῆμμα apud rhetores, quod v. Gl. : Λῆμψις, Acceptio, Persecutio. De qua orthographia diximus in Λαμβάνω.]

[Ληψοδοσία, ἡ, ap. Epiphan. vol. 1, p. 104, C : Καὶ τούτου ἕνεκα οἱ πλείους τῶν ἐθνῶν, ὅπου δ' ἂν ἴδωσι τοιούτους, οὔτε ἐπὶ κοινωνίᾳ ἡμῖν προσφέρονται ληψοδοσίας ἢ γνώμης ἢ ἀκοῆς λόγου θείου, οὔτε τὴν ἀκοὴν ἐντιθέασιν, vertitur, Neque ea causa est cur nullas nobiscum velint neque dati acceptique neque consilii ... societatem conjungere.]

[Ληψολιγόμισθος, ὁ, ἡ, Accipiens parvam mercedem. Ap. Ephippum Athen. 11, p. 509, C : Τῶν ἐξ Ἀκαδημίας τις ὑπὸ Πλάτωνα καὶ Βρυσωνοθρασυμαχειοληψικερμάτων πληγεὶς ἀνάγκῃ, ληψολιγομίσθῳ τέχνῃ συνών τις... ἔλεξεν, restituebant Hemsterhusius et alii, quum in libris sit ληψιγομίσθῳ vel λιψιγομίσθῳ, quod in ληψιλογομίσθῳ mutabat Meinek. Com. vol. 3, p. 333.]

[Λί. V. Λίαν.]

Λιάζω, [Inclino, quam primitivam esse signif. collato adj. Ἀλίαστος pluribus ostendit Buttmann. Lexil. vol. 1, p. 73-5.] Agito, Jacto, Turbo : Hesych. λιάζει, ῥίπτει, ταράσσει, λίαν σπουδάζει, Admodum properat, Magnam adhibet diligentiam. Affert idem et λιάσαι pro χωρίσαι, Separare. [Et ἐκκλῖναι. Ex. activi v. paullo post.] Sane pass. Λιάζεσθαι [ab Hesychio ipso] exp. χωρίζομαι, ἀποχωρίζομαι, ἐκκλίνω, Separo me, Declino, Devito, etiam Abscedo, Secedo. Hom. Il. A, [349] : Ἑτάρων ἄφαρ ἕζετο νόσφι λιασθείς· Λ, [80] : Ὁ δὲ, νόσφι λιασθεὶς, Τῶν ἄλλων ἀπάνευθε καθέζετο· O, [520 coll. Φ, 255] : Τῷ δὲ Μέγης ἐπόρουσεν ἰδών· ὁ δ' ὕπαιθα λιάσθη Πουλυδάμας. [543 : Ὁ δ' ἄρα πρηνὴς ἐλιάσθη· Υ, 418 : Προτὶ οἷ δ' ἔλαβ' ἔντερα χερσὶ λιασθείς· Ψ, 879 : Αὐτὰρ ἡ ὄρνις ... αὐχέν' ἀπεκρέμασεν, σὺν δὲ πτερὰ πυκνὰ λίασθεν. Ubi schol. : Οὕτως Ἀρίσταρχος διὰ τῶν δύο σ, quod ad scripturam λίασσεν refert Heynius. Quacum Hesychii glossam Ἐλίασεν, ἐτίναξεν comparat Buttm. l. c. p. 74. Habet activum Lycophr. 21 : Οἱ δ' οὖσα ... ναῦται λίαζον, quod ἀπεχώριζον, ἔλυον et similiter interpretantur scholiastæ. Eustath. Opusc. p. 347, 78 : Ἐχρῆν ἀσίγητον λιάζειν.] Nonnunquam construitur cum præpp. Cum ἐκ pro Existo, Egredior, Exeo, Proripio me, [hanc signif., ductam ex l. Eur. Hec. infra citato, verbo non inesse animadvertit Buttm. l. c. p. 75, etsi illi tribuerunt jam vett. grammatici, ducentes a λίαν, ut Apoll. De pron. p. 42, C, unde Photius : Λιάζειν, λίαν ἐσπουδακέναι.] Od. E, [462] : Ὁ δ' ἐκ ποταμοῖο λιασθεὶς Σχοίνῳ ὑπεκλίνθη. Cum εἰς pro Abeo, Discedo, Δ, [838] : Λιάσθη ἐς πνοιὰς ἀνέμων, In auras abiit, Evanuit. Cum πρὸς et δεῦρο, Eo, Venio. Eur. [Hec. 100] : Σπουδῇ πρός σ' ἐλιάσθην. Hom. Il. X, [12] : Οἱ δή τοι (Troes sc.) εἰς ἄστυ ἄλεν, σὺ δὲ δεῦρο λιάσθης. [Ψ, 231 : Ἀπὸ πυρκαϊῆς ἑτέρωσε λιασθεὶς κλίνθη κεκμηώς.] Idem λιάζεσθαι cum πρὸς constructum posuit pro Inclino, Demitto me : Il. Υ, [420] : Ἔντερα χερσὶν ἔχοντα λιαζόμενον ποτὶ γαίῃ. Construxit Idem et cum ἀμφί : Ω, [96] : Ἀμφὶ δ' ἄρα σφι λιάζετο κῦμα θαλάσσης, Cobibat, Claudebat se. Hesych. λιαζόμενοι affert etiam pro σκιρτῶντες. [Et ex l. Hom. Λιάζετο pro ἠπλοῦτο. Frequenter hoc v. utitur etiam Apoll. Rh. Plusquamperf. Moschus 4, 118 : Ὡς ἐν γῇ λελίαστο σακέσπαλος Ἰφικλείης.] Ἀλιάσθη Hesych. affert pro ἀπῴχετο, Abibat, Abiit : forsan autem scrib. ἐλιάσθη.

[Λιαίνω. V. Λίασμα.]

Λιάμαθοι, Etymologo οἱ αἰπόλοι, ἀπὸ τοῦ εἶναι λίαν ἀμαθεῖς, Pastores caprarii, ut qui admodum sint indocti et rudes. || Λιαμάθῳ αἰγιαλῷ, Hesych. pro λίαν ἀμαθώδει, Admodum arenoso, a λίαν et ἄμαθος. [Utrumque ex Ἀλιαμάθῳ, de quo v. in Ἀλίμαθον, depravatum, et ab Etym. M., interpretatione corrupta αἰπόλοι decepto, ulterius detortum, ut animadvertit Ruhnken. V. etiam Λίγμος.]

Λίαν, et Λίην, Ionice, quo uti solet Hom., Valde, Admodum, [Il. A, 553 : Καὶ λίην σε πάρος γ' οὔτ' εἴρομαι οὔτε μεταλλῶ·] Od. A, 46 : Καὶ λίην κεῖνός γε ἐοικότι κεῖται ὀλέθρῳ· Ξ, [282] : Δὴ γὰρ κεχολώατο λίην, i. e. πάνυ. Invenitur autem et priore brevi. [Il. Ξ, 368 : Κείνου δ' οὔτι λίην ποθὴ ἔσσεται.] N, [243] : Οὐδὲ λίην λυπρή. Sed in soluta oratione [et apud alios omnes præter Iones] dicitur λίαν, non λίην. [Pind. Pyth. 1, 90 : Μὴ κάμνε λίαν δαπάναις. Æsch. Prom. 123 : Διὰ τὴν λίαν φιλότητα βροτῶν· 1033 : Ὡς ὅδ' οὐ πεπλασμένος ὁ κόμπος, ἀλλὰ καὶ λίαν εἰρημένος. Soph. El. 1172 : Ὥστε μὴ λίαν στένε· et sæpissime Eurip., qui etiam cum καὶ Hec. 1286 : Ἐπείπερ οὕτω καὶ λίαν θρασυστομεῖ (ut aliquoties Polybius, de quo v. Schweigh. in Lex.), et cum articulo Hipp. 264 : Οὕτω τὸ λίαν ἧσσον ἐπαινῶ τοῦ μηδὲν ἄγαν· Phœn. 584 : Μέθετον τὸ λίαν· Andr. 866, et alibi. Frequens est etiam in comœdia. Xen. H. Gr. 2, 1, 5 : Τὴν λίαν ὕβριν τούτου· Anab. 6, 1, 28 : Ἐκεῖνο ἐννοῶ μὴ λίαν ἂν ταχὺ σωφρονισθείην. Plato Prot. p. 350, B : Καὶ λίαν γε θαρροῦντας· Crat. p. 415, C : Τὸ λίαν ἰσχύς τίς ἐστι. Demosth. p. 71, 9 : Αἱ πρὸς τυράννους αὗται λίαν ὁμιλίαι.] Isocr. Archid. [p. 125, D] : Λίαν ἀνόητός ἐστιν· Areop. [p. 155, D] : Δέδοικα μὴ πόῤῥω λίαν τῆς ὑποθέσεως ἀποπλανηθῶ. Aristot. Poet. [c. 25, 11] : Ἡ λίαν λαμπρὰ λέξις. Quamvis autem λίαν i. sit quod πάνυ, invenitur tamen aliquando illud copulatum cum hoc ἐκ παραλλήλου, idque Attice [sec. Eust. Il. p. 972, 46. Ipse p. 1277, 49 : Τῇ κωμῳδίᾳ λίαν πάνυ τὸ τοιοῦτον ὑπερεσπούδασται. V. Koppiers. Obs. p. 52, Lobeck. Paralip. p. 62.] Sic etiam in λίην τόσον apud Hom. [Od. O, 405 : Οὔτι περιπληθὴς λίην τόσον, ἀλλ' ἀγαθή] annotatur esse διπλῆ ἐπίτασις. At vero Paul. dixit ὑπὲρ λίαν ad augendam epitasin : 2 Ad Cor. 11, 5 : Λογίζομαι γὰρ μηδὲν ὑστερηκέναι τῶν ὑπὲρ λίαν ἀποστόλων, q. d. Iis, qui supraquam valde sunt apostoli, i. e. Qui summi sunt apostoli, s. eximii. Idem autem iisdem verbis repetit, 12, 11. [Cum comparativo Theophyl. Hist. p. 187, A : Ἐγνώσθη τὰ κατὰ ταύτην τὴν χώραν λίαν ἀκριβέστερον· aliisque locis in ind. ed. Bonn. citatis, idemque sæpius cum superlativo, ut Eryxiæ p. 393, E : Ὅπως ἂν βέλτιστα λίαν πράττοι. Cyrill. Al. vol. 1, part. 1, p. 170, E : Εὐτεχνέστατα λίαν. Theodor. Stud. p. 387, B. De ancipiti mensura prioris ap. Hom. ceterosque poetas constat ex ll. supra citatis et monitum est a Photio v. Λύων. Secundam corripuerunt recentiores, ut Gregor. Naz. || Λὶ pro λίαν dixerat Epicharmus sec. Strab. 8, p. 364 : Ἐπίχαρμος τὸ λίαν λὶ λέγει. Al. Λῖ. Λιπόνηρος, quod v., confert Ruhnken. Ep. crit. p. 88. || Formam Λὴν v. suo loco.]

[Λίαξ. V. Λείαξ.]

Λιαρὸς, pro χλιαρὸς, dicitur initiali dempta litera. Frequens ap. Hom., ut Il. X, [149], de duobus apud Scamandrum fontibus s. scaturiginibus : Ἡ μὲν γὰρ ὕδατι λιαρῷ ῥέει, ἀμφὶ δὲ καπνὸς Γίνεται ἐξ αὐτῆς ὡσεὶ πυρὸς αἰθομένοιο· Ἡ δ' ἑτέρη θέρεϊ προρέει εἰκυῖα χαλάζῃ, Ἢ χιόνι ψυχρῇ, ἢ ἐξ ὕδατος κρυστάλλῳ· ubi nota τῷ χλιαρῷ s. λιαρῷ opponi summe s. extreme frigidum : ideoque λιαρὸν hic Athenæus simpliciter accipit pro θερμὸν, Calidum : sic exponens λιαρὸν 2, [p. 41, C] : Ἆρά γε τοῦτο λιαρόν ἐστιν, ἀφ' οὗ πυρὸς ἀτμὶς καὶ καπνὸς ἔμπυρος ἀναφέρεται. Ibidem dicit eundem Homerum εἰδέναι καὶ τὴν χλιαροῦ φύσιν πρὸς τὰ τραύματα. Ideoque Eurypylum vulneratum ex eo καταιονεῖν : nimirum Il. Λ, circa finem [830] : Ἀπ' αὐτοῦ δ' αἷμα κελαινὸν Νίζ' ὕδατι λιαρῷ, ἐπὶ δ' ἤπια φάρμακα πάσσε, Atrum sanguinem tepida ablue aqua. [Od. Ω, 45. Apoll. Rh. 3, 300 : Λιαροῖσιν ἐφαιδρύναντο λοετροῖς· 876 : Λιαροῖσιν ἐφ' ὕδασι Παρθενίοιο (ubi schol. expl. λαμπρὸν καὶ καθαρόν)· 1064 : Λιαροῖσι παρηΐδα δάκρυσι δεῦεν.] Idem rursum et αἷμα λιαρὸν vocat Sanguinem tepidum s. calidum, eod. libro [477]. Idem porro et οὖρον λιαρὸν dicit Ventum temperatum et placidum : qui non nimium vehemens est et impetuosus, sed lenis et placidus, ut Od. E, [268] et H, [266] : Οὖρον δὲ προέηκεν ἀπήμονά τε λιαρόν τε. Sic Apollon. Arg. 2, [1032] : Λιαρὴ γὰρ ὑπὸ κνέφας ἔλλιπεν αὔρη. [Ib. 1245 : Λιαροῖο φορεύμενοι ἐξ ἀνέμοιο· 4, 572 : Λιαρῷ περιγηθέες οὔρῳ. De somno Hom. Il. Ξ, 264 : Ὕπνον ἀπήμονά τε λιαρόν τε. Oppian. Hal. 2, 279 : Λιαρὸς καὶ ἀθέσφατος ἱδρώς.

|| Diversam ab ll. superioribus signif. ponere videtur Theognost. Canon. p. 147, 4 : Λίω καὶ αὐτὸ διφορεῖται, γεγονὸς ἀπὸ τοῦ λῶ λιῶ τοῦ δηλοῦντος τὸ θέλω, ἀφ' οὗ καὶ τὸ λιαρὸν, ὡς καὶ τὸ χαλῶ χαλερόν· τὰ γὰρ προσηνῆ θελητά. Sic Eust. in l. postremo Il. interpr. ἡδὺς, et Il. p. 46, 5 ἱλαρός. L. Dind.]

Λίασμα, ατος, τὸ, pro χλίασμα reperitur. Axionicus ap. Athen. 8, [p. 342, B] : Χλωρῷ τρίμματι βρέξας, ἢ τῆς ἀγρίας ἅλμης λιάσμασι σῶμα λιπάνας, πυρὶ παμφλέκτῳ παραδώσω. Ubi ἅλμης λίασμα vocat ἅλμην λιαρὰν, Muriam tepidam, s. ἅλμην θερμὴν, ut ibid. appellat. Eodemque modo et λιαίνω dici posset pro χλιαίνω. [Hesych. : Ἐλιάνθη, ἐχλιάνθη.] Certe Læna pro χλαῖνα dicunt Latini etiam. [Πάσμασι pro λιάσμασι Erfurdtius.]

[Λιαστὴς, quod sine interpretatione posuit Suidas, ex præcedenti λιασθεὶς corruptum conjecit Bernhardy.]

[Λϊβᾰδϊαῖος τόπος, i. q. sequens, ap. Ducam Hist. Byz. p. 195, A.]

Λιβάδιον, τὸ, Locus irriguus, ab ea signif. vocabuli λιβὰς, qua accipitur pro τόπος ἔνυδρος, Hesychio χωρίον βοτανῶδες, Locus herbidus, Eustathio [Il. p. 1358, 54] i. q. λειμὼν, Pratum; nam et ipsum herbidus et irriguus locus est : dicit autem Eust. esse vocabulum τῆς πολλῆς γλώσσης. [Eust. ipse Procem. in Pind. p. 54, 35 : Ταχὺ ἀπορρέουσι τοῖς μελίσμασι, καὶ τοῦ Ὁμηρικοῦ ὠκεανοῦ μακρὰν μένοντες, ἀγαπητὸν εἰ καὶ εἰς ἀξιόλογα λιβάδια καταστάζοιεν. Jacobs. Thomas M. p. 572 : Λειμὼν, τὸ κοινῶς λεγόμενον λιβάδιον. Alia exx. v. ap. Ducang. Λειβάδιον male in Crameri An. vol. 2, p. 301, 32. Formam Byzantinam ponere videtur Etym. Gud. p. 369, 27 : Λιβάδην διὰ τὸ λίαν βαδέον (sic) εἶναι ἤγουν εὐδιάβατον. Ubi illud βαδέον alludit ad formas Βαδία et Βάδιμος, de quibus quæ suis locis dicta sunt, augeri possunt exemplis codicis Paris. A Horapollinis Hierogl. 2, 100, p. 103 ed. Leem. (s. ap. Bachm. An. vol. 2, p. 416) : Ὄχνος βαδίας, et Cyrilli Al. vol. 1, part. 1, p. 245, A : Βάδιμον ἥκιστα τοῖς καθ' ἡμᾶς χρῆμα. || De Styge Strabo 8, p. 389 : Περὶ Φενεὸν δ' ἐστὶ καὶ τὸ καλούμενον Στυγὸς ὕδωρ, λιβάδιον ὀλεθρίου ὕδατος, νομιζόμενον ἱερόν. De scaturigine aquæ Plut. Mor. p. 913, C : Ὀρύττοντες παρὰ τὸν αἰγιαλὸν ἐντυγχάνουσι ποτίμοις λιβαδίοις. Non est igitur recentioribus hoc vocab. ita proprium ut credidit Barker. ad Arcad. p. 274, qui plura illic et ad Etym. M. p. 954 ejus exempla contulit, quibus nonnulla addere licet Eustathii in Opusculis. || Herodian. Epim. p. 77 : Λιβάδιον, ὁ μικρὸς σταλαγμὸς, Guttula.] || Λιβάδιον dicitur a quibusdam Centaurium minus, quoniam secundum fontes nascitur. Plin. 25, 6. [ῐᾰῐ]

Λἴβάζω, Stillo, Gutto, ἀπηθῶ ὑγρὸν, Hesych. Unde λιβάσαν, ap. Eund. στάξαν, et λιβάσει [λιβάζει, quod λιβάξεις cum Kustero scribit Albertus], ἀποῤῥυήσει, ἀποφθερεῖ : a metaph. τῆς λιβάδος : et λιβάσεις, σοβήσεις, φθαρεὶς, ap. Eund. [Photius : Λιβάζεις, ἀπορρυεὶς ἢ ἀποφθαρεὶς. Λιβάζω, φθερῶ. Quæ eodem modo corrigenda. Λιβάζουσα γῆ, Pollux 1, 238. Medio Antiphan. Anth. Pal. 9, 258, 1 : Ἡ πάρος εὐύδροισι λιβαζομένη προχοῇσι, de fonte.]

[Λῐβᾰναὶ, πόλις Συρίας, ταῖς Ἄτραις γειτνιάζουσα. Ἀῤῥιανὸς Παρθικῶν ἐνάτῳ, Steph. Byz. Codex Vrat. Λίβανα.]

[Λιβάνη, ἡ, Thus, θυμίαμα, in Corona pretiosa pro λίβανος. Ducang.]

[Λιβανήιος, ὁ, Qui est ex monte Libano. Apollin. Ps. 28, 12, μόσχος.]

[Λιβανία, ἡ, Libania, n. saltatricis, in quam exstat epigr. Leontii Anth. Plan. 4, 288.]

[Λιβανιάνειον δόγμα, κελεῦον ἀτιμοῦσθαι τοὺς πλαστογράφους memorat Psellus Περὶ καινῶν λέξεων p. 112 ed. Boiss.]

[Λιβανίδιον, τὸ, Thusculum, dimin. a λίβανος, ap. Menandrum Athen. 9, p. 385, E : Ἐπιθυμιάσας τῷ Βορέᾳ λιβανίδιον. Ita Bentlejus. Libri ἴδιον. ῐᾱῐ]

[Λιβανίζω, Thus redoleo. Dioscor. 3, 37 (?). Schneid.]

Λιβανικὸς, ἡ, ὸν, Thureus.

[Λιβάνινος, Turinus, Gl.]

[Λιβάνιον incerta signif., nisi sit i. q. λίβανος, legitur ap. Hesychium v. Κιννάμωμον. Sed corruptum videtur ex λιβάνων.]

[Λιβάνιος, ὁ, Libanius, n. rhetoris, cujus scripta

A supersunt. Alii memorantur a Basilio M. et Fabricio in B. Gr.]

[Λιβανίτης gent. a monte Libano ponit Steph. Byz. in Λιβαναί. De fem. HSt. :] Λιβανῖτις, ιδος, ἡ, proprium nom. deæ cujusdam, Lucian. [Adv. ind. c. 3 : Καί μοι πρὸς τῆς Λιβανίτιδος ἄφες ... τὸ μὴ σύμπαντα σαφῶς εἰπεῖν. Venerem intelligunt interpretes, cujus in monte Libano templum memorat Euseb. V. Const. 3, 53. Anon. ap. Godofredum in Exegesi totius Mundi § 10 : Ἡλιόπολις, ἡ πλησιάζει τῷ Λιβάνῳ ὄρει, γυναῖκας εὐμόρφους βόσκει, αἳ παρὰ πάντων ὀνομάζονται Λιβανότιδες (sic), ὅπου τὴν Κύπριν μεγαλύνως (sic) σέβουσι· φασὶ γὰρ αὐτὴν ἐκεῖ οἰκεῖν καὶ ταῖς γυναιξὶ τὴν χάριτα τῆς εὐμορφίας διδόναι· et Epigr. Anth. Plan. 4, 202, 1, confert Jacobs. Anth. vol. 11, p. 198; 12, p. 19. || Quæ est in s. ex monte Libano. Apollin. Ps. 91, 23, κέδρος. || Epiphan. vol. 1, p. 423, A : Λιβανίτιδος ἡ δύναμις, de thure, ut videtur. Nisi legendum λιβανωτίδος. ῐᾱῐ]

[Λιβανοειδής. V. Λιβανώδης.]

[Λιβανοχαΐα, ἡ, Atturatio, Gl.]

B [Λιβανομάννα, ἡ, Thus mannæ. H. Orph. 19, inscr. : Διὸς ἀστραπέως θυμίαμα λιβανομάνναν.]

Λιβανόμαντις, εως, ὁ, Qui ex thure incenso vaticinatur. Eust. [Il. p. 1346, 38] θυοσχόους, ἐμπυροσκόους et λιβανομάντεις vocari a vett. tradit τοὺς διὰ τῶν ἐπιθυμιωμένων μαντευομένους.

[Λίβανον, τὸ, i. q. λίβανος. Jo. Malal. p. 272, 16 : Βάλλεσθαι ἐν τῷ πυρὶ τῶν φυλλοδαφνῶν λίβανον πολύ.]

Λιβανοπώλης, ὁ, Qui thus vendit, Pollux [7, 196. Sed delendum cum cod. voc. ex dittographia natum.]

Λίβανος, ὁ, [ἡ, de quo genere v. infra et in signif. arboris], Thus [Gl.] : a λίβω, Stillo [V. de etymologia quæ in fine dicentur] : scribit enim Plin. 11, 14, thuriferam arborem succum quendam amygdalæ modo emittere : et prægnanti cortice inciso, prosilire inde spumam pinguem. Ibid. dicit etiam Thuris guttas. Ap. Diosc. 1, 82 : Λίβανος [ὁ ἄρρην καλούμενος, de quo v. Nicol. ad Geopon. 7, 13, 2] σταγονίας, a stillando dictus, ἄτομος, Ἰνδικὸς, Ἀραβίας [ὀροβίας], qui et κοπίσκος : et ἀμωμίτης, et ὀροβίας, Qui guttis minoribus

C ciceris magnitudine destillat. Et μάννα λιβάνου, Micæ thuris concussu elisæ. V. Theophr. H. Pl. 9, 4, et Dioscor. l. c. : et Plin. 12, 14. [Philippus Anth. Pal. 6, 231, 6 : Χὼ μελίπνους λίβανος· 240, 5 : Ἀτμὸν λιβάνοιο. Antip. Thess. 9, 93, 4. Dionys. Per. 938. Hippocr. p. 265, 43; 621, 50. Genere fem. Nicand. Ther. 107. Phrynich. p. 187 : Λίβανον λέγε τὸ δένδρον, τὸ δὲ θυμιώμενον λιβανωτὸν, εἰ καὶ διὰ τὴν ποιητικὴν (ἄδειαν excidisse conjicit Lobeck.) λίβανον καὶ τοῦτο Σοφοκλῆς λέγει. Ἄμεινον δὲ Μένανδρος ἐν τῇ Σαμίᾳ φησὶ, Φέρε τὸν λιβανωτὸν, σὺ δ' ἐπίθες τὸ πῦρ, Τρύφη. Lobeck. : « Ammonium p. 89 quam Phrynichum hic sequi maluit Thomas p. 577, qui, ut λίβανος pariter de arbore quam de lacrima dicatur concedit, λιβανωτὸν nisi de thure dici vetat; cui Theophrastum opponunt λιβανωτὸν (quod v.) etiam de arbore dicentem. Sed neque is magnam in hac re auctoritatem habet, neque multum valet ad sententiam Phrynichi oppugnandam, si Eur. Bacch. 144 : Συρίας δ' ὡς λιβάνου καπνός· Anaxandrid. com. Athen. 4, p. 131, D, atque recentiores Diod. 3,

D 42, Herodian. 4, 8, Galen. vol. 15, p. 964, B, aliique ab Albertio Observ. philol. p. 9 citati, thus, quod Aristophanes et Plato λιβανωτὸν dicere solent, arboris nomine vocaverunt. De singulis locis nemo præstet, quum sæpe codices inter se dissentiant, Herodot. 4, 75, Joseph. Ant. 3, 6, 136, sed liberiorem fuisse hujus vocis usum vel ex eo colligi licet, quod similiter χελώνη de supellectile testudinea et σαρδὼ pro sardonyche et μέλισσα pro melle usurpantur. Tum etiam ipse Menander (supra citatus) ἐπιθυμιάσας λιβανίδιον. Hoc totum ad ἀκυρολογίαν refert Polybius Sardianus in Bibl. Matrit. p. 148 : Εἴ τις λέγει λιβανωτὸν μὲν τὸ δένδρον, λίβανον δὲ τὸ θυμίαμα. » Inscite Etym. Gud. p. 369, 30 : Λίβανος καὶ λιβανωτὸς διαφέρει. Λίβανος μὲν γὰρ τὸ ὄρος, λιβανωτὸς δὲ τὸ ἀπὸ τοῦ δένδρου δάκρυον.] || Λίβανος dicitur etiam ipsa Arbor thurifera : ut Theophrast. [H. Pl.] 9, 4, [3] dicit σμύρναν habere φύλλον τὸ τοῦ λιβάνου. Et [Herodot. 4, 75 : Κέδρου καὶ λιβάνου ξύλον'] φλοιὸς λιβάνου ap. Diosc. 1, 83, Cortex thuriferæ arboris; nam thus pro ipsa arbore a Latinis usurpatum non reperio. Colum. Thuream plantam vocat, A Virg., Thuream virgam : Plin., Arborem thuriferam. [Nicander ap. Athen. 15, p. 684, B : Σαμψύχου λιβάνου τε νέας (νέους) κλάδας. Femin. genere dixerat Pindarus in fr. ap. Plut. Mor. p. 120, C, ut videtur, et apud Athen. 13, p. 574, A : Αἵ τε τᾶς χλωρᾶς λιβάνου ξανθὰ δάκρη (ut scribendum monui in Add. ad vol. 2, v. Δάκρυ) θυμιᾶτε, unde retulerunt Photius et Zonar.] || Mons a tergo Tyri insulæ, Plin. 5, 20. [Geopon. 11, 15, 1 : Λίβανος Σύριον ὄνομα καὶ ἐν ὄρει καὶ ἐν φυτῷ. Nicolaus : « Recte Græco nomini originem assignat orientalem, unde cum re ipsa Græciæ illatum est. Appellatur autem in toto oriente eodem modo. Arabia, quod profert, dicit Loban, unde λίβανος; Hebræi Lebonah; Syri Lebontha, inde forte λιβανωτὸς s. λιβανωτόν, At non de Libano monte nomen habet, ut quidam nugantur, quam derivationem merito explodunt Salmas. Exerc. Plin. p. 744 et Homon. c. 97, p. 152, ac Bochart. Phaleg. l. 2, c. 18 pr., sed ab candore; nam לָבַן significat *albus fuit* : nempe candidum thus B primatum obtinet ap. Theophr., Diosc., Plinium aliosque. Inde quoque mons iste nomen mutuatus est, quoniam *nivibus semper fidus* est, ut Tacitus loquitur. » Memoratur mons Libanus a Polybio 5, 45 seqq., Strabone 16, p. 742 etc., Dionysio Per. 901 et alibi. Viri nomen est in inscr. Bœot. ap. Bœckh. vol. 2, p. 769, n. 1586, 11. Servi in Locr. ib. p. 857, n. 1756. L. D.]

Λιβανοφόρος, ὁ, ἡ, Thuriferus. Athen. 12, [p. 517, B] λ. χώρα. [Dioscor. 1, 81 : Ἐν Ἀραβίᾳ τῇ λιβανοφόρῳ, ubi est var. λιβανωτοφόρῳ.]

[Λιβανόχρους, ὁ, ἡ, Qui thurei est coloris. Strabo 15, p. 703 : Λίθους δ' ὀρύττεσθαι λιβανόχρους. De quibus v. Plin. N. H. 37, 10, 62.]

[Λιβανόω, Thuri misceo. Macc. 3, 5, 45 : Οἴνου λελιβανωμένου. Arcad. p. 162, 1.]

Λιβανώδης, ὁ, ἡ, Thureus, Thus referens, Thuris modo odoratus. [[Philostr. Imag. p. 807 : Ἐν ἡδείᾳ καὶ λιβανώδει πόᾳ. Wakef. Forma Λιβανοειδὴς Dioscor. 3, 97.]

[Λιβανωτίζω, Thus adoleo. Strabo 16, p. 784 : Σπένδοντες καὶ λιβανωτίζοντες. || Thuri similis sum. Dioscor. 3, 98 : Ἐγκριτέον δὲ αὐτοῦ τὸ εὔχρουν, λιβανωτίζον τοῖς χόνδροις, Thuris glebarum granorumve simile.] C

[Λιβανώτινος, η, ον, Thureus. Athen. 15, p. 689, B : Λιβανώτινον μύρον.]

[Λιβανώτιον, τό, Tusculum, Gl.]

Λιβανωτὶς, ίδος, ἡ, Libanotis, Rosmarinus [Gl. Theophr. H. Pl. 9, 11, 10 : Τῶν δὲ λιβανωτίδων, δύο γάρ εἰσιν, ἡ μὲν ἄκαρπος, ἡ δὲ κάρπιμος. Rufus p. 69 ed. Matth. : Λιβανωτίδος ὀβολόν. Matthæi Med. p. 253 : Λινόσπερμα μετὰ λιβανωτίδος.] Plin. 19 fin. : Libanotis odorem thuris reddit, murrha myrrhæ : mox, Quidam eam nomine alio Rosmarinum appellant. Et 20, 16 : Altera (cunilago odorem habet) thuris, quam Libanotidem appellamus. Hæc ille. Λιβανωτὶς autem dicitur, quoniam ejus radix ὄζει λιβάνου, Diosc. 3, 87. Nicand. Ther. [850] : Ἄμμιγα χαχρυφόρῳ λιβανωτίδι. [|| Thuribulum. V. Λιβανωτρίς.]

[Λιβανωτόν. V. Λιβανωτός.]

Λιβανωτοπωλέω, Thus vendo, Pollux [7, 196] ex D Aristoph.

Λιβανωτοπώλης, ὁ, Qui thura vendit. Cratin. apud Athen. 14, [p. 661, E] : Οἰκεῖ τις, ὡς ἔοικεν, ἐν τῷ χάσματι Λιβανωτοπώλης· supra λιβανοπώλης. [Pollux 7, 196.]

Λιβανωτὸς, ὁ, et Λιβανωτὸν, τὸ, Thus : tantum pro Liquore thuriferæ arboris concreto, non etiam pro ipsa Arbore : λίβανος vero utrumque significat. [V. Λίβανος.] Aristoph. Ran. [871] : Λιβανωτὸν δεῦρό τις καὶ πῦρ δότω, Ὅπως ἂν εὔξωμαι· Pl. [703] : Οὐ λιβανωτὸν γὰρ βδέω. [Plato Leg. 8, p. 847, B : Λιβανωτὸν μήτι τις ἀγέτω κτλ.] Et λιβανωτοῦ αἰθάλη, λιγνὺς, Thuris fuligo, Diosc. Et λιβανωτοῦ δένδρον, Theophr. [H. Pl. 9, 4, 2], Arbor thurifera, λίβανος. Masc. gen. reperitur apud [Aristot. Meteor. 4, 9 fin.,] Theophr. [H. Pl. 9, 1, 6, Lucian. Asin. c. 12,] et Plut.; at neutro ex Herodoto affertur. [Herodot. 2, 86 : Τῶν ἄλλων θυωμάτων πλὴν λιβανωτοῦ· 3, 107 : Τὸν λιβανωτὸν συλλέγουσι· 6, 97 : Λιβανωτοῦ τριηκόσια τάλαντα ἐθυμίησε. Masculino etiam Menander præter l. in Λίβανος citatum, ap. Athen. 4, p. 146, E, Diodor. 2, 49, et incerto genere 5, 41.] Suid. utrumque agnoscit : Λιβανωτὸν καὶ λιβανωτὸς, ὁ καρπὸς τοῦ λιβάνου· λίβανος δὲ, αὐτὸ τὸ δένδρον. [Alciphr. Ep. 2, 4, p. 328, 124 : Λιβανωτὸν ἄρρενα καὶ στύρακα. Quod Bergler. confert cum Virg. Ecl. 8, 65 : « Mascula thura. » V. Geopon. 16, 5, 1, et quæ in Λίβανος dicta sunt.] Ap. Hippocr. vero [p. 669, 28] est et λιβανωτοῦ καρπός : quo nomine Galen. Thus significari existimat : tunc autem pro Thurea planta caperetur. [Μάννα λιβανωτοῦ Geopon. 6, 6, 1. Φλοιὸς 20, 2, 1. || Locus ubi veneunt thura. Eupolis ap. Pollnc. 9, 47 : Περιῆλθον εἰς τὰ σκόροδα καὶ τὰ κρόμμυα καὶ τὸν λιβανωτόν. Chamæleon ap. Athen. 9, p. 374, B : Ὅτε μὴ νικῴη, λαμβάνων ἔδωκεν εἰς τὸν λιβανωτὸν κατατεμεῖν. || Thuribulum. Apocalyps. 8, 3 : Ἄγγελος ἦλθε καὶ ἐστάθη ἐπὶ τὸ θυσιαστήριον, ἔχων λιβανωτὸν χρυσοῦν.]

Λιβανωτοφόρος, ὁ, ἡ, Thuriferus : ut [Herodot. 2, 8 : Λιβανωτοφόρα αὐτοῦ (montis) τὰ τέρματα εἶναι· 3, 107 : Τὰ δένδρεα ταῦτα τὰ λιβανωτοφόρα·] λιβανωτοφόρος χώρα, Athen. [V. Λιβανοφόρος.] Et ἡ λ., subaudi χώρα, pro ead. Plut. Apophth. [p. 179, E] de Alexandro : Ἐπιθυμιῶντι δὲ τοῖς θεοῖς ἀφειδῶς αὐτῷ, καὶ πολλάκις ἐπιδραττομένῳ τοῦ λιβανωτοῦ, παρὼν Λεωνίδης ὁ παιδαγωγὸς, Οὕτως, εἶπεν, ὦ παῖ, δαψιλῶς ἐπιθυμιάσεις ὅταν τῆς λιβανωτοφόρου κρατήσῃς. Sic Plin. 12, 14 : Alexandro magno in pueritia sine parsimonia thura ingerenti aris, pædagogus Leonides dixerat, ut illo modo, quum devicisset thuriferas gentes, supplicaret. [Ἡ λ. Strabo 16, p. 774, 782.]

Λιβανωτρὶς, ίδος, ἡ, Thurea planta. Plut. [Mor. p. 477, B], ex Carneade : Αἱ λιβανωτρίδες, κἂν ἀποκενωθῶσι, τὴν εὐωδίαν ἐπὶ πολὺν χρόνον ἀναφέρουσι. Budæus vero ita hunc l. interpretans, Odorata rorismarini fruteta, quamvis accisis stirpibus aut etiam convulsis exhausta, suaveolentiam tamen ad multum tempus referunt, videtur legisse λιβανωτίδες. [Thuribula intelligenda esse animadvertit Reiskius. De iisdem apud Hesychium : Κυλιχνίδες, πυξίδες, ἄλλοι λιβανατρίδες (λιβανωτρίδες Salmasius). Sed rectius Photius : Κυλιχνίδα, τὴν ἰατρικὴν πυξίδα· ἔσθ' ὅτε δὲ καὶ τὴν λιβανώτιδα (sic). Pro quo λιβανωτοὶ in Etym. utroque. Sic etiam in Gl. ponitur : Λιβανωτὶς, Acerra, Turibulum, Rosmarinus, et Λιβανωτρὶς, Accepturaria, Turibulum, Acerra. Sed una vera forma videtur Λιβανωτὶς, quæ est non tantum ap. Polyæn. 4, 8, 2, sed etiam in inscrr. Bœotia ap Bœckh. vol. 1, p. 748, b, 21, Branchid. vol. 2, p. 554, 25. L. Dind.]

Λιβὰς, άδος, ἡ, Gutta, Stillicidium. Hesychio et Suidæ est σταγὼν, κρήνη, Fons, Scaturigo aquam effundens Latex. [Liquor, Gl. Geopon. 2, 6, 14 : Λιβάδας καλεῖσθαι τὰ ἀπὸ τῶν ὀμβρίων ὑδάτων διηθούμενα καὶ κατὰ γῆς ἐν στεγνοῖς καὶ σκιεροῖς τόποις συνεστηκότα, καθάπερ ἐν ἀγγείοις. Conf. ib. 41. Æsch. Pers. 613 : Λιβάσιν ὑδρηλαῖς παρθένου πηγῆς μέτα. Soph. Phil. 1216 : Σὰν λιπὼν ἱερὰν λιβάδα. Eur. Androm. 116. Πετρίνα πιδακόεσσα λιβάς· 534 : Λισσάδος ὡς πέτρας λιβὰς ἀνήλιος· fr. Andromedæ ap. schol. Arist. Lys. 962 : Ποῖαι λιβάδες; Callim. Apoll. 112 : Πίδακος ἐξ ἱερῆς ὀλίγη λιβάς. Apoll. Rh. 4, 606 : Φαεινὰς ἠλέκτρου λιβάδας· 1735, γάλακτος. Antipat. Sid. Anth. Pal. 6, 291, 4 : Δροσερᾶν πίομαι ἐκ λιβάδων. Theophr. H. Pl. 2, 4, 4 : Ξηραινομένων τῶν λιβάδων. Diodor. 3, 42 : Ὕδατος οὐκ ὀλίγαι πηγαὶ καὶ λιβάδες. Dionys. A. R. 1, 55 : Οὐκέτι πλήθουσιν, ὥστε καὶ ἀπορρεῖν, αἱ λιβάδες. Dioscor. 3, 126 : Περὶ λιβάδας καὶ ἐνύδρους τόπους, et Hesych. in Λωτὸς cit. Hemst.] Philo V. M. 1 : Μηδεμίας ἐνορωμένης διαυγοῦς λιβάδος, Quum nullus cerneretur limpidus latex. Agathocles ap. Athen. 12, [p. 515, A] scribit ἐν Πέρσαις εἶναι καὶ χρυσοῦν καλούμενον ὕδωρ· εἶναι δὲ τοῦτο λιβάδας ἑβδομήκοντα, καὶ μηδένα πίνειν ἀπ' αὐτοῦ ἢ μόνον βασιλέα καὶ τὸν πρεσβύτατον αὐτοῦ τῶν παίδων. Strabo 8, [p. 379] de Corintho, Φρέατα καὶ ὑπόνομοι λιβάδες διήκουσι δι' αὐτῆς. [Phot. et] Suidas exp. σταγόνα, κρήνην, ἔνυδρον τόπον, qualia sunt prata, οἱ λειμῶνες et λείβηθρα, afferens ex Epigr. [Thyilli Anth. Pal. 6, 170, 3], Καὶ λιβάδες, καὶ ταῦτα βοτειρικὰ [βοτηρικὰ Πανὶ] κύπελλα. Idem adhuc specialius λιβάδα exp. τὸν σταλαγμὸν τῶν δακρύων, Stillas lacrymarum. [De lacrimis Eur. Iph. T. 1106 : Ὦ πολλαὶ δακρύων λιβάδες, αἳ παρηίδας εἰς ἐμὰς ἔπεσον.] || Hesych. λιβάδα exp. etiam θεραπείαν. [De qua interpretatione conjecturas Reinesii commemoravit Albertus. Φρεατίαν scribendum putabat Jacobs. ad Anthol. vol. 7, p. 368.] || Eid. Hesychio λιβὰς est etiam adjectivum : nam λιβάδων exp. λιπαρῶν, πιόνων, εὐτραφῶν. [Videri potest dittographia sequentis λιπαρῶν.]

[Λίβας pro Λίψ, Ventus Africus, in cod. Reg. 2147, fol. 59 v. : Ὁ δὲ λίβας ἐκ τοῦ πυρὸς θερμὸς καὶ ξηρὸς etc. Titul. : Περὶ λίβα. Ducang. App. Gloss. p. 120.]

[Λίβατος, fere i. q. βάτος, Raia batus. Psellus in Boiss. Anecd. vol. 1, p. 185. Osann.]

Λιβδούμεθα, Etym. derivat ἀπὸ τῆς λιβάδος, exponens ἐμβυθιζόμεθα : unde, inquit, et Ino cognominata est βύνη, quoniam βεβύθισται, Submersa est. Euphorion vero βύνην appellat τὴν θάλασσαν, Mare : ut, Πολύτροφα δάκρυα βύνης : dicere volens τοὺς ἅλας, Salem. Sed potest hoc λιβδούμεθα et per synalœphen factum esse ex ἀλιβδοῦμαι, q. e. εἰς ἅλα βυθίζομαι. Hæc ille et Lex. meum vet. [Etym., cujus sententiam non satis recte reddit HSt., deceptus videtur vitio λιβδούμεθα pro Ἀλιβδυόμεθα, quæ nota est verbi forma.]

Λιβδύειν, Hesychio ἀφορίζειν, Determinare, Separare. [Ἀλιβδύειν, ἀφανίζειν, Suicerus.]

Λίβερνα, τά, et Λιβερνίδες, αἱ, Suidæ εἶδος πλοίου, Navigii genus. Infra λιβυρνίδες, Liburnicæ naves. [Photius : Λίβερνα, καράβια. Quæ interpret. ponitur etiam ap. Suidam.] Idem Suid. λίβερνον dictum fuisse ait Locum illum, in quem hiantem Curtius se præcipitarat cum equo. Historiam ap. eum vide, et ap. Livium. [Λιβερνοὶ pro Λιβυρνοὶ cod. Scylacis ap. Miller. p. 201. Zosim. 5, 20 : Πλοῖα... λίβερνα καλούμενα, ἀπό τινος πόλεως ἐν Ἰταλίᾳ κειμένης ὀνομασθέντα. V. etiam Λέβερνοι. ἵ L. Dind.]

[Λίβηθρον. V. Λείβηθρον.]

Λἴβηρὸς, Humidus, Stillans. Unde λιβηρῷ ap. Galen. Lex. Hipp. [p. 516] ὑγρῷ. [Exprimere videtur l. p. 745, E : Κηρωτῇ μαλθακῇ καὶ λείῃ καὶ καθαρῇ. Sed pro λείῃ Galenus adscribit quædam exemplaria λιβηρῷ habere, idque sicco ex adverso respondere. Foes. V. etiam Λιβρός.]

[Λιβιανὸν, τὸ, unguentum oculorum, ap. Alex. Trall. 2, p. 139, 148. Struv. Galen. vol. 13, p. 443.]

[Λἴβϊκὸς, ἡ, ὸν, Inter meridiem et occidentem hibernum situs. Proculi paraphr. Ptolem. p. 101, E : Ἐν τοῖς λιβυκοτέροις τόποις, τουτέστιν ἀπὸ μεσουρανήματος μέχρι τοῦ δύνοντος. Scribendum λιβικωτέροις. Conf. Βορρόλιψ. L. Dind.]

[Λιβοκτόνος, ὁ. Leonis imp. Orac. in Rutgersii V. L. 5, 8, p. 476, 93 : Δράκοντα συρίξουσι τὸν λιβοκτόνον, Libys (sic) interfectorem, Int.]

Λιβόνοτος, ὁ, et Λιβοφοίνιξ, ικος, ὁ, Libonotus. Aristot. De mundo [c. 4] : Τὸν δὲ ἐπὶ θάτερα μεταξὺ λιβὸς καὶ νότου, οἱ μὲν λιβόνοτον, οἱ δὲ λιβοφοίνικα καλοῦσι, Qui spirat altrinsecus inter Aphricum et Austrum, hunc alii λιβόνοτον quasi Africaustrum, alii λιβοφοίνικα vocant. Plin. 2, 47 : Inter λίβα et νότον, compositum ex utroque medium, inter meridiem et hybernum occidentem, λιβόνοτον. [Geopon. 1, 11, 5 : Ὁ νότος ἀπὸ τῆς μεσημβρίας φερόμενος ἔχει μεσάζοντας αὐτὸν τὸν Λιβόνοτον καὶ Εὐρόνοτον.]

Λίβος, τὸ, Gutta, Stilla. [Herodian. Epim. p. 77 : Λίβος οὐδέτερον, ὁ σταλαγμός.] Ap. Hippocr. autem Galen. [Lex. p. 516] λίβος exp. ἐπίσταγμά τι τῶν ὀμμάτων ἐγχυματιζόμενον, Stillationem humoris ex oculis, ut Gorr. interpr. Fit autem a λίβω [λείβειν recte libri meliores], quod proprie videtur significare τὸ στάζω, ut idem Gal. annotat. [De lacrimis Æsch. Cho. 448 : Ἑτοιμότερα γέλωτος ἀνέφερον λίβη. Et sec. Casauboni et aliorum conjecturam Ag. 1428 : Λίβος αἵματος, Gutta sanguinis, ubi λίπος est in libris. || Libum. Chrysippus ap. Athen. 14, p. 647, D. Memorat etiam Arcad. p. 64, 22.]

[Λιβουρνία, ἡ, Liburnia, regio Liburnorum, de quibus v. in Λιβυρνοὶ, ap. Procop. Goth. 1, 7, 15, 16.]

[Λιβοφοῖνιξ. V. Λιβόνοτος.]

Λιβρὸς pro λιβηρός : nam λιβρὸν Hesych. exp. δίϋγρον, σκοτεινὸν, μέλαν [additque ἢ λιβρὸν σέλας. Photius λιβρον (sine accentu), τὸ σκοτεινὸν καὶ ἀόρατον· οἱ τραγικοί. Etym. M. p. 564, 49 : Λ. ὁ σκοτεινὸς (παρὰ τὸ

A λίαν ἔρεβος addit Gud.), καὶ λιβρὴν τὴν λίαν ἐρεβεννὴν, διότι ἐπίθετον τῆς νυκτός· ἢ λιβηρὴν διὰ τὴν λιβάδα διὰ τὸ ἔνδροσον τῆς νυκτός] : sicut et Erot. [p. 242] ap. Hippocr. λιβρῷ, σκοτεινῷ καὶ μέλανι. [De qua gl. conjecturas Foesii et Heringæ v. ap. Franzium. V. etiam Jacobs. ad Anthol. vol. 7, p. 212 (ad Dosiad. Ar. 1, Anth. Pal. 15, 25, 1), et Λιμβρός.]

[Λιβυαιγύπτιοι, οἱ, ap. Plin. 5, 8, quos interiori ambitu Africæ ad meridiem versus superque Gætulos, intervenientibus desertis, primos habitare scribit.]

[Λιβυαφιγενής, ὁ, ἡ, In Libya natus, ex Ibyco memorat Herodian. Π. μον. λ. p. 38, 13. Sic enim Blochius pro Λεβ.]

[Λιβύη.] Λιβύα, ἡ, dicitur Libyum regio. [Africa, Gl.] Plin. initio libri 5, Africam Græci Λιβύαν appellare, et mare ante eam, Libycum. Hom. Od. Δ, [85] : Καὶ Λιβύην, ἵνα τ' ἄρνες ἄφαρ κεραοὶ τελέθουσι. [Ξ, 295. Æsch. Suppl. 316; Eur. Hel. 404, etc.; Xen. Comm. 2, 1, 10; Herodot. 4, 41 seqq., qui ab Libye indigena

B muliere dictam tradit 45, quam Epaphi filiam dicunt Apollodor. 2, 1, 4, Pausan. 1, 44, 3 et alii. Alias nominis rationes duas affert Serv. ad Virg. Æn. 1, 22 (coll. Eust. Od. p. 1485, 7) : « Dicta Libya vel quod inde Libs flat, h. e. Africus, vel, ut Varro ait, quasi Λιπνία (al. λείπουσα) τοῦ ὕειν, egens pluviæ. » Geographorum testimonia omittimus.] Plut. Symp. [p. 631, D] : Πρὸς Ὀκταούϊον ἐκ Λιβύης εἶναι δοκοῦντα. [Forma Dor. Λιβύα ap. Pind. Pyth. 4, 6, etc.] || At Λιβύας Hesych. exp. τὰς μελαίνας ὑδρίας ἐπὶ τοῖς τάφοις τιθεμένας. [Hac signif. scribendum videtur Λίβυες, quod v. ὕ]

Λιβύηθε et Λιβύηθεν, Ex Libya, Ex Africa. [Theocr. 1, 24 (ubi Λιβύαθε); Nicand. Alex. 368; Dionys. Per. 46, 222; Niceph. Blemmyd. Geogr. p. 5.]

[Λιβυχὴ, ἡ, Anchusa, in Nothis Dioscor. 4, 23 : Οἱ μὲν κατάγχουσαν, οἱ δὲ Λιβυχήν.]

Λιβυκὸς, ἡ, ὸν, Libycus, Africus, Punicus. [Eur. fr. Phaeth. ap. Longin. De subl. c. 15, 4 : Λιβυκὸν αἰθέρα. Herodot. 4, 192 : Τὸ οὔνομα τοῦτό ἐστι Λιβυκόν. Xen. Cyrop. 6, 2, 8 : Τῆς Λιβυκῆς διφρείας.] Epigr.

C [Apollinarii Anth. Pal. 11, 399, 7] : Νῦν Λιβυκοὺς κάνθωνας ὀχούμενος, Invectus asinis Libycis. Et Λιβυκὸν πέλαγος, Strabo, Libycum mare, Plin. Athen. 2, Λιβυκὸν πέπερι, et Λιβυκοὶ βολβοί. Et ap. Plin. 20, 10 : Libycus asparagus, qui et Sylvestris asparagus, item Corruda. Et Λ. θηρίον, Suid., τὸ ἐξηλλαγμένον : quo pertinet proverb. de Africa. [Conf. Hesych.] Et Λιβυκὸν ὄρνεον, τὸ μέγα : v. Eund. [Ex Aristoph. Av. 65.] Λιβυκοὶ λόγοι, Fabulæ Libycæ, a quodam Libye inventore, ut Chamæleon ap. Hesych. tradit. Aristot. Rhet. 2, [c. 20] de exemplo : Τούτου δὲ ἓν μὲν παραβολὴ, ἓν δὲ λόγοι, οἷον οἱ Αἰσώπειοι καὶ Λιβυκοί. [Λιβυκὸν ὄρος, τὸ, in finibus Ægypti occidentem versus memorat Herodot. 2, 8, 24.]

[Λίβυον, τό. Dioscor. 4, 112 : Λωτὸς ἄγριος, οἱ δὲ λίβυον καλοῦσιν.]

[Λιβυὸς, ὁ, Libyus, avis, quæ a galgulo odio dissidet, Aristot. H. A. 9, 1.]

[Λιβύργη, ἡ, inter nomina hyperdisyllaba in γη barytona quæ consonam habeant ante γη, recenset

D Arcad. p. 105, 12, fortasse errore librarii pro Ἐλιβύργη, quod v. L. Dind.]

[Λἴβυρνοὶ, οἱ, Liburni, ap. Strab. 6, p. 270; 7, p. 317, et alios. Stephanus Byzant. : Λιβυρνοὶ, ἔθνος προσεχὲς τῷ ἐνδοτέρῳ μέρει τοῦ Ἀδριατικοῦ κόλπου. Ἑκαταῖος Εὐρώπῃ. Τὸ ἐθνικὸν (θηλυκὸν Vratisl.) Λιβυρνὶς καὶ Λιβυρναῖοι. Ὠνομάσθησαν δὲ ἀπό τινος Λιβυρνοῦ, ἀφ' (ὑφ') οὗ εὕρηται τὰ Λιβυρνικὰ σκάφη, καὶ Λιβυρνικὴ μανδύη, εἶδος ἐσθῆτος. HSt. :] Λίβυρνον, τὸ, Hesychio πολεμικὸν πλοῖον, Bellicum navigium, [Liburnum, Gl.] : quod et Λιβυρνὶς [Λίβυρνος in Etym. M. v. Γαῦλος] et Λιβυρνικὸν πλοῖον dicitur, Liburnica : a Liburnis s. Liburna gente, rei nauticæ et bellicæ peritissima. Appian. et Lucian. scribunt, Liburnos fuisse gentem Illyricam, quæ Ionium mare et insulas ejus celeribus et levibus navigiis prædaretur : unde etiamnum Romanos τὰ κοῦφα καὶ ὀξέα δίκροτα appellare λιβυρνίδας. Ista Appiani verba sunt [in Illyr. c. 3] : hæc, Luciani in Amoribus [c. 6] : Ἐπ' Ἰταλίαν μοι πλεῖν διανοουμένῳ, ταχυναυτοῦν σκάφος εὐτρέπιστο τούτων τῶν δικρότων, οἷς μάλιστα χρῆσθαι Λιβυρνοὶ δοκοῦσιν. Plura de his navigiis v. ap. Bayf. De re navali, p. 22, 23, 24 [in Gronovii Thes. vol. 11, p. 573 sq. Λιβυρνίδες Plut. Pomp. c. 64, Anton. c. 67. Λιβυρνικὰ Cat. maj. c. 54. Λιβυρνικαὶ ponit Suidas. De insulis Apoll. Rh. 4, 564 : Λιβυρνίδες εἰν ἁλὶ νῆσοι, Ἴσσα τε Δυσκέλαδός τε καὶ ἱμερτὴ Πιτύεια. Dionys. Per. 385, 491, et Strabo 2, p. 124, etc. Adj. Λιβυρνικὸς, ἡ, ὸν, ap. Æschylum a Polluce 7, 60 cit. : Λιβυρνικῆς μίμημα μανδύης χιτών. Strabo 7, p. 315. Λιβυρνὴ πόλις ibid.]

Λίβυς, υος, ὁ, Afer, Libys, Pœnus, Qui ex regione versus λίβα sita oriundus est. [Pind. Pyth. 9, 121; Soph. El. 702; Thuc. 1, 104.] Herodian. 7, [5, 19] de Gordiano : Ἀφρικανὸν ἐκάλεσαν ἀφ' ἑαυτῶν· οὕτω γὰρ Λίβυες ὑπὸ Μεσημβρίαν τῇ Ῥωμαίων φωνῇ καλοῦνται. ‖Λίβυς dicitur etiam de vento Africo in Epigr. pro λίψ. [Philippi Thessalon. Anth. Pal. 9, 290, 1 : Ὅτ' ἐξ ἀήτου Λίβυος, ἐκ ζαοῦς Νότου συνεζοφώθη πόντος. Ita recte, ut videtur, Planud., quum Λιβύος, αἶζαοῦ sit in cod. Pal., in quo vix aliud quid latet, velut Λιβὸς ἰδὲ ζαοῦς.] ‖Λίβυς λωτὸς, αὐλὸς, Libyca fistula : dicitur autem Λίβυς αὐλὸς, ut Duris ap. Athen. 14, [p. 618, C] tradit, quoniam Seirites, qui primus τὴν αὐλητικὴν invenisse putatur, erat Λίβυς τῶν Νομάδων, ὃς καὶ κατηύλησε τὰ μητρῷα πρῶτος. Eur. Alc. [345]: Οὐ γάρ ποτ' οὔτ' ἂν βαρβίτου θίγοιμ' ἔτι, Οὔτ' ἂν φρέν' ἐξάροιμι πρὸς Λίβυν λακεῖν αὐλόν. [Herc. F. 684. Iph. A. 1036 : Λωτοῦ Λίβυος· Tro. 644. Hel. 1479 : Λίβυες οἰωνοί.] Sunt etiam quidam serpentes λίβυες, quos Nicandri schol. in Ther. vocat ἀμμώδεις, quoniam tales plerumque in Libya reperiuntur [490]: Οὓς ἔλοπας, λίβυάς τε πολυστεφέας τε μυάγρους φράζονται. [Eandem signif. annotavit Hesychius. ‖ Vasa sepulcris imposita. Hesych. : Λιβύας (scr. Λίβυας), τὰς μελαίνας ὑδρίας, ἐπὶ τοῖς τάφοις τιθεμένας. Conf. Millingen. *Peint. ant. et inéd.* p. IV. L. D.] ‖ Nom. proprium viri. [Filii Epiri, Thebes patris, ap. schol. Hom. Il. I, 383. Fratris Lysandri ap. Xen. H. Gr. 2, 4, 28, dicti sec. Diod. 14, 13, a cognomine regulo Cyrenaico, Lysandri hospite.] Fem. est Λίβυσσα, Africa, Punica : Λ. [γυνὴ Pind. Pyth. 9, 109, Soph. fr. Ajacis Locr. ap. Poll. 7, 70 s. schol. Aristoph. Av. 934 : Σπολὰς Λίβυσσα. Eur. Bacch. 990 : Γοργόνων Λιβυσσᾶν. Lycophr. 1014, ψάμμον, et absolute de terra 1016 (ut in epigr. Pandectis Flor. inserto 5 : Ἀσίης τε δορυκτήτου τε Λιβύσσης Εὐρώπης τε). Pollux 7, 100, λίθος·] ὄρνις, Struthocamelus, ap. Suid. Et ἅλς Λίβυσσα, Mare Libycum s. Africum. Callim. [Eratosthenes] ap. Athen. 2, [p. 36, F] de vino, Κυμαίνει δ' οἷα Λίβυσσαν ἅλα Βορρῆς ἠὲ νότος. Libycum mare dicit Plin. At de Λίβυσσα ἀήδων, v. Hesych. ‖ Castellum Bithyniæ maritimum, cujus gentile Λιβυσσαῖος, Steph. B. et Plin. [5, 43. Pausan. 8, 11. Neutrum Λίβυ ponit Steph. B.]

[Λίβυσσα, Λιβυσσαῖος. V. Λίβυς.]

[Λιβυσσάτιδες, τινὲς τῶν νυμφῶν οὕτω καλοῦνται, Hesych. In cod. simplici σ.]

[Λιβυστιάς. V. Λιβυστίς.]

[Λιβυστικᾶτον, τὸ, medicamentum, ap. Alex. Trall. 9, p. 156; 10, p. 566.]

[Λιβυστικὸν, τὸ, herba, Alex. Trall. 7, p. 112. Huc fort. referendum quod est in Gl. Λιβυστικὸν, Libysticum. Memorat etiam Galen. vol. 13, p. 203, 970.]

[Λιβυστικὸς, ἡ, ὸν, Libycus. Æschyl. fr. Myrmid. ap. schol. Aristoph. Av. 804 : Μύθων τῶν Λιβυστικῶν· Eum. 292 : Ἐν τόποις Λιβυστικοῖς· Suppl. 278 : Λιβυστικαῖς ... γυναιξίν. Eurip. fr. (Lamiæ) ap. Diodor. 20, 41 : Λαμίας τῆς Λιβυστικῆς. Apoll. Rh. 4, 1233 : Πελαγόσδε Λιβυστικόν. Dionys. Per. 480 : Λιβυστικὸν ὅρμον. Λιβυστικὸν pro Λιβυκὸν libri nonnulli Herodoti 4, 192, alii Λιβυστῖνον. Utrumque annotavit Steph. Byz. ‖ Id. : Λιβυστῖνοι, ἔθνος παρακείμενον Κόλχοις, ὡς Διόφαντος ἐν Πολιτικοῖς, οὗ θηλυκὸν Λιβυστίνη.]

[Λιβύστιος gent. adj. a Λίβυς memorat Steph. Byz.]

[Λιβυστίς, ίδος, ἡ, Libyca. Apoll. Rh. 4, 1753 : Ἠπείροιο Λιβυστίδος. Dionys. Per. 614 : Λιβυστίδος ἀμφιτρίτης. Arcad. p. 35, 19. Unde HSt. :] Λιβύτις γαῖα, ex Epigr. [Christodori Ecphr. 138, ubi Λιβυστίδος nunc restitutum pro Λιβύτιδος] pro Libyca regio. [Cum Λιβυστιὰς memorat Steph. Byz.]

[Λιβυφοίνιξ, ῖκος, ὁ, unde] Λιβυφοίνικες ap. Plin. 5, A 4, Qui Byzantium incolunt. Sunt autem Βύζαντες Stephano Λίβυες περὶ Καρχηδόνα. [Polyb. 3, 33, 15, Scymn. Orb. descr. 196, Diodor. 17, 113, cujus libri male Λιβοφοίνικες 20, 55, ut Strabonis 17, p. 835, Stephani B. in Κανθήλη. Nam υ diserte testatur etiam Etym. M. v. Ἡμικύκλιον.]

Λιβυφοίτης, ὁ, Qui Libyam frequentat. At Hesych. ex Juba, ὁ ἐπιγινόμενος Λίβουσι [Λίβυσι, in cod. vero τὸ ἐπιγνύμενον λιβυσινόβας, unde τὸν ἐπιγινόμενον Λίβυσιν, Ἰόβας, fecit Musurus.]

Λίβω, i. q. λείβω, ut ἴλη, i. q. εἴλη : sunt enim hæc ex genere τῶν διττολογουμένων. Unde Hesych. λίβει, σπένδει, ἐκχινεῖ. Galen. quoque [Lex. Hipp. in Λίβος, p. 516] λίβειν scribit proprie videri significare τὸ στάζειν.

[Λίβων, ὁ, Libo, Eleus, architectus, ap. Pausan. 5, 10, 3.]

Λίγα, pro λιγέα, facta sync. pro λιγέως (quod v. in Λιγύς). Hom. Od. Θ, [527] : Ἀμφ' αὐτῷ χυμένη λίγα κωκύει. Et Il. Τ, [284] : Ἀμφ' αὐτῷ χυμένη λίγ' ἐκώκυε. B [Apoll. Rh. 4, 837 : Ζεφύρου λίγα κινυμένοιο· 1159 : Ὀρφῆος λίγα φημίζοντος· 1407 : Λίγ' ἔστενον. Alcman ap. schol. Hom. Il. Ν, 588 : Λίγ' ἀείσομαι.] Sic vero et ὦκα dicitur pro ὠκέα s. ὠκέως.

Λιγαίνω, ex adv. λίγα, Stridulum et argutum sono. Ex Epigr. de Apolline canente cithara. Suidas vero λιγαινούσης [λιαινούσης Photius et libri meliores Suidæ, pro λειαινούσης] exp. πραϋνούσης, Demulcentis. [Hom. Il. Λ, 685 : Κήρυκες δ' ἐλίγαινον. (Photius : Λιγαίνων, κηρύσσων. Hesych. : Λίγαινον, ἐκήρυσσον.) Æsch. Sept. 873 : Δόλος οὐδεὶς μὴ 'κ φρενὸς ὀρθῶς με λιγαίνειν. Apoll. Rh. 1, 740 : Ἀμφίων... φόρμιγγι λιγαίνων. Moschus 3, 82 : Καὶ βώτας ἐλίγαινε. Meleager Anth. Pal. 9, 363, 7 : Σύριγγι νομεὺς ἐν ὄρεσσι λιγαίνων. Synes. Hymn. 2, p. 316, C : Πάλι μοι λίταινε (λίγαινε), θυμὲ, θεὸν ὀρθρίοισιν ὕμνοις. Marinus Anth. Pal. 9, 197, 5 : Ὃς βιοτὴν θεοτερπέα σεῖο λιγαίνων γράψε τάδε. Achill. Tat. 2, 1 : Ἔπειτα δέ τι καὶ τῆς ἁπαλῆς Μούσης ἐλίγαινε. Dionys. De vi Demosth. c. 44, p. 1094, 15 : Οὔτε δὴ τὸν ἐν δικαστηρίοις λόγον ᾤετο δεῖν κωτίλλειν καὶ λιγαίνειν. Passivo C Aratus Phæn. 1007 : Οἷα τὰ μὲν βόωσι λιγαινομένοισιν ὁμοῖα. Max. Tyr. Diss. 3, 8, p. 41 : Ὁμήρῳ ὑπὸ Καλλιόπης λιγαινομένῳ, Homero qui musicæ suæ suavitatem Calliopæ debet, Int. ‖ Hesychius : Λιγαίνει, μαστιγοῖ, et ὀξέως ἐφορμᾷ. Photius : Λιγαίνειν, τὸ τύπτειν· ὥσπερ λέγειν εἰώθαμεν τὸ ξαίνειν. (Eadem Eust. Il. p. 860, 44, e Lexico rhetorico.) Λιγαίνειν, ὀξέως ὁρμᾶν.]

[Λίγαναρ, εἶδος τέττιγος, Λάκωνες, Hesych.]

[Λιγγαῖος. V. Λίγγος.]

[Λιγγεύς. V. Λιγκεύς.]

[Λίγγιος. V. Λίγγος.]

[Λίγγις, ὁ, Lingis, inter homines feroces, cui frater fuerit Illus (a Byzantinis historicis memoratus), refertur ab Suida vv. Βίαιος et Λίγγις.]

[Λίγγος, φρούριον Κασσανδρέων. Ἀπολλόδωρος ἐν Χρονικῶν τρίτῳ, ὅς καὶ τὸ ἐθνικὸν Λιγγαῖος. Ἔστι δὲ καὶ Λίγγιος καὶ Λίγγιος κόλπος, Steph. Byz.]

[Λιγγαύριον. V. Λυγκούριον.]

Λίγγω, Strideo s. Strido, Stridorem edo : verbum a sono fictum. Sed præsentis nulla, aoristi 1 aliqua D reperiuntur exempla : ut Hom. Il. Δ, [125] de sagitta ex arcu jamjam mittenda, Λίγξε βιὸς, νευρὴ δὲ μέγ' ἴαχεν. [Etym. M. in Σίζω : Τὸ Λίγξε βιὸς μίμησίς ἐστι τοῦ ἤχου, ὃν ἀφιεμένου τοῦ βέλους ποιεῖ ἡ νευρά ... Τοῦ λίγξε ἀορίστου ὄντος μὴ ζήτει θέμα μήτε (l. μηδὲ) ἄλλο τι, quibus addit Nicandri (?) præsens fingentis ἐπιλίζω reprehensionem. V. quæ diximus in Ἐπιλλίζω, ubi Ἐπιλίγξαι fortasse scribendum ap. schol. Hom. Od.] Hesych. λίγξαντα exp. non solum ἠχήσαντα, et ὀλισθήσαντα, sed etiam ἐπιθυμήσαντα. [De altera interpretatione conf. annot. Alberti. Pravo accentu apud Theognostum Can. p. 16, 9 : Λιγγῶ τὸ ἠχῶ καὶ λίγξω τὸ ἠχήσω. L. Dind.]

[Λίγγωνες, οἱ, Lingones, gens Gallica. Polyb. 2, 17, 7. Λίγγονες apud Strabonem 4, p. 193, etc., Λόγγονες ap. Ptolemæum.]

Λίγδα, Hesychio ἡ ἀκόνη, Cos : et ἡ κονία, Lixivium, s. Pulvis. [Conf. Λίγδος. Pro ἀκόνη Salmas. χοάνη. Pro κονία Hemst. χωνεία, qui etiam de plurali in utraque interpr. restituendo cogitabat, ut λίγδα esset neutr. pl.]

[Λιγδαρεοχύτης, ὁ.] Λιγδαρεοχύταις [-ται], ap. Hesych. οἱ ἐν ταῖς λίγδαις (infra τοῖς λίγδοις), h. e. χοάναις, τὰς σάρκας ἔχοντες. [Λιγδεαροχύται mire Toup. Add. ad Theocr. Id. 25, p. 404. Interpretum conjecturas ap. ipsos legere licet.]

[Λιγδεύω.] Hesych. affert verb. Λιγδεύει pro ἀπηχεῖ ὅσον ἐπιψαῦσαι τῆς ἐπιφανείας. [Verba ὅσον... ἐπιφανείας pertinere ad Λίγδην animadvertit Albertus, qui ad ἀπηχεῖ confert ἠθεῖται in Λίγδος memorandum, unde reponit ἀπηθεῖ.]

Λίγδην, Strictim : ut dicitur Strictim attondere : oppositum τῷ Tondere per pectinem : h. e. Superficiem tantum perstringendo, Summas tantum radendo partes, In superficie tantum : quod et ἀκροθιγῶς : ut et schol. Hom. Od. X, [227] : Ἀμφιμέδων δ' ἄρα Τηλέμαχον βάλε χεῖρ' ἐπὶ καρπῷ Λίγδην, ἄκρον δὲ ῥινὸν δηλήσατο χαλκὸς, exp. ὥστ' ἐπιλίξαι [V. quæ de h. v. diximus in ipso et in Λίγγω], h. e. ἐπιψαῦσαι ἐπιπολαίως μόνον τὴν ἔξωθεν ἐπιφάνειαν τοῦ σώματος. Id quod ex ipso etiam poeta clarum est, expositionis loco subjungente, Ἄκρον δὲ ῥινὸν δηλήσατο χαλκὸς, Summam cutem læsit ferrum. Itidem et Hesych. λίγδην ἐκλάξαι affert pro μὴ κατὰ βάθους, ἀλλ' οἷον ἐπίγραφον. [De qua gl. v. annot. interpretum et quæ in Ἐπίγραφος diximus. Λίγδην autem eodem fere modo interpr. Photius s. Suidas.]

Λίγδος, Hesych. χοάνη ἐν ᾗ χωνεύουσι, s. τόπος χοάνης [τύπος, χοάνη intt.] : item θυεία [θυία cod.] : ut sit et Fornacula in qua metalla conflant, et Mortarium, Pila : quæ alio nomine ἴγδη dicitur, et ὅλμος. Hac posteriore signif. Nicand. Ther. [589, 618] usurpasse dicitur. Rursum Hesych. λίγδους a quibusdam exponi dicit λίκνα τῶν ἀργυρίων. [De quibus v. conjecturas intt.] Ap. Eund. et Λίγδοι [Λίσποι Suicer., quod v.], οἱ προστετριμμένοι τῶν ἀστραγάλων. [Photio χῶνος τρήματα ἔχων συνεχῆ τέσσαρα παραπλήσια, δι' ὧν ὁ χαλκὸς ἠθεῖται. Eadem Eust. Il. p. 1229, 27, Od. p. 1926, 52, ubi Ælium Dionys. aliosque veteres λίγδον interpretari dicit etiam κονίαν (altero l. χωνείαν) ἀλοιφὴν, et λίγδους eosdem χωνευτήρια, χοάνας, τὴν τῶν νομισμάτων διατύπωσιν. De signif. κονίας conf. Λίγδα, de ἠθεῖται, quod ponunt Photius et Eust., Λιγδεύω.]

[Λίγεια, ἡ, Ligia, Siren. Lycophr. 726, Steph. Byz. v. Σειρηνοῦσσαι, Eust. Od. p. 1586, 13; 1709, 46. L. D.]

[Λίγειρ inter barytona in ειρ recensent Arcadius p. 20, 17, et qui fluvii nomen dicit Theognostus Canon. p. 41, 25. Fluvius Λίγειρ περὶ Πλάταιαν memoratur ab Steph. B. in Βέχειρ, cui Galliam recte substituunt interpretes. Nam est fl. Galliæ, qui supra Λείγηρ, per ι in priori scriptus etiam ap. Marcianum Her. p. 46 etc. (p. 82 seqq. ed. Miller.), Ptolem. 2, 8. De orthographia secundæ, in qua libri variant inter ε, η, ει, constare jam videtur testimonio Arcadii et Theognosti. L. Dindorf.]

[Λιγείως cum λιγέως ponit Suidas. Similes formæ ex conjectura illatæ sunt Oppiani Cyn. 4, 411 : Κινύμεναι πτέρυγές τε λιγήια συρίζουσι, ubi libri λιγέα, Heliodori Æth. 6, 5, p. 270 : Λίγειόν τι ἀνακωκύσασα, ubi libri λίγιον vel λύγιον, quod διωλύγιον scribendum conjiciebat Bast. ad Aristæn. p. 428 ed. Boiss. L. D.]

[Λιγέως. V. Λιγύς.]

Λιγηπελὲς, s. Ὀλιγηπελὲς, Hesych. [apud quem ἡ ὀλιγηπελὲς addidit Musurus] dici scribit ἀσθενὲς, ἀγεννὲς, Invalidum, Degener. [Ex Ὀλιγηπελὲς decurtatum. Λιγ.πενὲς codex.]

[Λιγήρης, quod Arcad. p. 25, 4, inter adjectiva in ης ponit post ξιφήρης, quid sit non liquet.]

[Λίγηρος, ὁ, lapis ap. Georgium Chronogr. in Crameri Anecd. vol. 4, p. 229, 3 : Ὁ πρῶτος στίχος εἶχε σάρδινον ... ὁ δὲ τρίτος λίγηρον, ἀμέθυσον καὶ ἀχάτην. Corruptum videtur.]

[Λιγκεὺς inter nomina quæ γ habent post ι recenset Theognost. Can. p. 16, 7. Ap. Lycophr. 1240 : Τυρσηνία Λιγγεύς τε, θερμῶν ῥεῖθρον ἐκβράσσων ποτῶν, ubi est fluvius Italiæ, libri vel sic vel Λυγγεὺς, plerique Λυγκεὺς, propius vero, si recte ap. Theognostum scriptum per γκ, idemque nomen dicitur. L. Dind.]

[Λιγνεία. V. Λιγνός.]

[Λίγνον, τὸ, Bandum, Gl.] Λίγνα, Pollux [7, 62] esse dicit τὰ ἐν τῷ ἱματίῳ ἑκατέρου μέρους, ab ea sc. parte qua non est ἡ ὦα, i. e. a parte interiore. [Λέγνα interpretes, quod v.]

Λιγνὸς, Etym. scribit derivari vel a λύγος vel a λυγίζω, quasi λιγινὸς [λυγινὸς], sed non exp. Sunt qui interpr. Flexilis. [Λεπτὸς interpretatur Etym. Gud. || Pollux 6, 42 : Λίχνος, λιχνεία, λίγνος componit cum γαστρίμαργος, λαιμαργία et similibus. Λίχνως conjicit Seberus. Casaubonus ap. Jungerm. confert Eustrat. In Aristot. Eth. Nic. 3, p. 48 : Περὶ λαιμὸν ἡ τῶν βρωμάτων ἡδονὴ, ἐν οἷς ἡ λιγνεία, περὶ δὲ τὰ αἰδοῖα τὰ ἀφροδίσια, ἐν οἷς ἡ λαγνεία.]

Λιγνυόεις, εσσα, εν, et Λιγνυώδης, ὁ, ἡ, Fuliginosus : αἰθαλώδης. Apoll. Arg. 2, [133] : Ἐπὶ πρὸ δὲ λιγνυόεντι Καπνῷ τυφόμεναι [conf. 3, 1291] · qui eod. l. [1007] dicit, Κελαινῇ λιγνύϊ καὶ καπνῷ κάματον βαρὺν ὀτλεύουσι, pro αἰθάλῃ, s. Fumo densiore, Fumo spissiore fuliginis in modum. Ap. Alex. Aphrod. [Probl. 1, 21] λιγνυώδη περιττώματα, Fuliginosa itidem excrementa, s. Fuligini similia, nigrore videlicet. Ap. Hippocr. vero Galen. λιγνυώδης exp. μελαίνουσα, Denigrans : propterea quod ἡ λιγνὺς sit μέλαινα. [Theodoret. vol. 4, p. 514, 519, 528 ed. Schulz., cum nominibus πνεῦμα et περίττωμα. Galen. vol. 3, p. 59 : Λιγυώδη τε καὶ καπνώδη.]

Λιγνὺς, ύος, ἡ, Fuligo [Gl.], s. Fumus : τὸ καπνῶδες τοῦ πυρὸς, inquit schol. Nicandri, qui et τὴν φλόγα, Flammam, a Nicandro appellari λιγνὺν annotat, Al. 51, ubi poeta dicit, Ἠὲ σιδηρήεσσαν ἀπὸ τρύγα, τήν τε καμίνων Ἔντοσθεν χοάνοιο διχῇ πυρὸς ἤλασε λιγνύς. [Æsch. Sept. 494 : Τυφῶν' ἱέντα πυρπνόον διὰ στόμα λιγνὺν μέλαιναν.] Item vel pro Flamma, vel pro Fumo accipi potest in Soph. Ant. [1127] : Σὲ δ' ὑπὲρ διλόφου πέτρας Στέροψ ὄπωπε λιγνύς. Ibi enim schol. exp. λαμπρὸς καπνός. Idem poeta λιγνὺν metaphorice vocat περικεχυμένην φλογώδη νόσον, teste eod. schol., in Trach. [796], ubi Hyllus de Hercule ardente medicatis flammis dicit, Τότ' ἐκ προσέδρου λιγνύος διάστροφον Ὀφθαλμὸν ἄρας, εἶδέ μ' ἐν πολλῷ στρατῷ Δακρυῤῥοοῦντα. [Hic quoque proprie dicitur. Aristoph. Lys. 319 : Λιγνὺν δοκῶ μοι καθορᾶν καὶ καπνόν · Thesm. 281 : Ὑπὸ τῆς λιγνύος. Antipater Anth. Pal. 7, 637, 5 : Ἀγγελίην θείῳ καὶ λιγνύι μηνύουσα. Tryphiodor. 322 : Λιγνὺν αἰθαλόεσσαν ἕλιξ ἀνεκήκιε σειρή. Quæ Homero per errorem tribuunt Etym. M. et Gud. Hippocr. p. 670, 43 : Λιγνὺς καὶ αἴθαλος.] Ap. Diosc. 1, 97, est λιγνύς τις τῆς ὑγρᾶς πίσσης, Fuligo atræ picis : cujus conficiendæ rationem ibi tradit, inter alia dicens, Ἄλλο ὑγρὸν ἐπίχεε ἕως ἂν αἰθαλώσῃς λιγνὺν αὐτάρκη. Et c. 86, quum præcedente capite docuisset quo modo conficienda sit ἡ αἰθάλη τοῦ λιβανωτοῦ, subjungit, Τὸν αὐτὸν τρόπον σκευάζεσθαι καὶ τὴν ἐκ τῆς σμύρνης καὶ ἐκ τῆς ῥητίνης καὶ ἐκ τοῦ στύρακος λιγνὺν, necnon λιγνὺν τὴν ἐκ τῶν λοιπῶν δακρύων : synonymως usurpans λιγνὺν et αἰθάλην, Fuliginem : ut et Plin. dicit, Fornacum balnearumque fuligine : h. e., excremento nigro quod ipsis ex fumo adhæret. [Plurali Polyb. 34, 11, 18 : Αἱ φλόγες καὶ αἱ λιγνύες. Accusat. λιγνύας ap. Strab. 6, p. 277, λιγνῦς p. 274. Λίγνην bis vitiose, ut annotavit Wakef., ap. Greg. Nyss. vol. 3, p. 249, C. υ accusativi productum habet Tryphiod. l. c.]

[Λιγνυώδης. V. Λιγνυόεις.]

Λιγνωτὸς, ἡ, ὸν, Pingui similis; ap. Nicandr. enim in Ther. [726] de asterio phalangio, Τοῦ δ' ἐπὶ νώτῳ Λιγνωταὶ στίλβουσι διαυγέες ἐν χροῒ ῥάβδοι, schol. exp. λιπώδη. [Schneider. e codd. correxit λεγνωταί : Eutecnii quoque Paraphr. habet ποικίλαι γραμμαί : glossa Gœtt. λεπταὶ, ποικίλαι. V. plura in Schneideri Animadv. et Cur. postt. Angl. || Λ. γλῶσσα, Lingua fuliginosa, nigra, atra fuligine tincta, ex vehemente incendio, Epid. 3, 12, τὴν ἐπικεχρωσμένην οἷον λιγνύι τινὶ, ξηρὰν οὖσαν ἐξ ἀναθυμιάσεως. Quem l. indicare videtur Galen. in Exeg. (p. 516), ubi ἡ μελαίνουσα exp. Ex eod. l. γλῶσσα λιγνυώδης exp. Erotianus (p. 112) μέλαινα καὶ τεφρώδης. Fit autem διὰ τὴν ὑπερβάλλουσαν φλόγωσιν. Sic Epid. 6, 5, 13 : Αὖαι γλῶσσαι ἀπὸ ἐγκαύσιος λιγνυώδεος. Λιγνυῶδες σίαλον, Saliva fuliginosa et atra in pulmonis morbo, p. 479, 33, velut λιγνυώδεα πτύελα p. 179, D. Foes. OEc. Hipp.]

Λὶγξ πλάγιος, Hesychio καμπτὴρ πλάγιος, s. σχαστηρία πλαγία. [In cod. nonnisi hæc : Λίγξ .. λάγιος, κ.

σχιστηρία.] — Λὶξ, Hesych. πλάγιος, Obliquus : et λίθος A
πλατὺς, Lapis latus. [Λὶγξ, λὶξ, λικερὸς, λικρὸς, λικριφὶς, λέχρις, λέχριος, Licus, Liquus; Liquis, Obliquus, Oblicus. V. Scalig. ad Festum v. Sublicium. Schneid. Conf. Lobeck. Paralip. p. 105.]

[Λὶγξ, ποταμὸς Μαυριτανίας καὶ πόλις. Τινὲς δὲ Λίξον γράφουσι καὶ Λίξους τοὺς πολίτας, Steph. Byz. Strabo 16, p. 825 : Πολίχνιον, ὅπερ Τίγγα καλοῦσιν οἱ βάρβαροι, Λίγγα δὲ Ἀρτεμίδωρος προσηγόρευκε, Ἐρατοσθένης δὲ Λίξον. Τῆς Λιγγὸς ib. 826.]

[Λιγόχρυτος. V. Λιγύκροτος.]

Λίγος, ὁ, affertur pro Stridulus, in VV. LL. [Pro Λιγὺς, quod v.]

[Λιγουρία, Λίγουροι. V. Λίγυς.]

[Λιγουροκώτιλος, η, ον, Stridulus et garrulus. Corinna ap. Hephæstion. p. 107 : Μέγα δ' ἐμὴ γέγαθε πόλις λιγουροκωτίλης ἐνοπῆς. Est forma Bœot. pro λιγυροκ., et ου brevi dicitur.]

[Λιγυάοιδος, ὁ, Qui stridulum s. argutum canit, inter composita cum ᾄδω hypertrisyllaba barytona refert Arcad. p. 86, 23.] B

[Λιγυαστάδης, ὁ, cogn. Mimnermi poetæ διὰ τὸ ἐμμελὲς καὶ λιγὺ sec. Suidam in Μίμνερμος. Boiss. Soloni ap. Diog. L. 1, 61 restituit Bergkius : Μεταποίησον Λιγυαστάδη (ἀγυιὰς ταδὶ libri).]

Λιγυηχὴς, ὁ, ἡ, Stridulum s. Canorum resonans, Argutum tinniens : ut κιθάρη λιγυηχὴς, Epigr. [Bianoris Anth. Pal. 9, 308, 3, ubi Dor. λιγυαχέϊ.]

Λιγύθροος, et Λιγυρόθροος, ὁ, ἡ, q. d. Argutisonus, Canorus : ut λιγύθροος ἠχὴ, ex Dionys. Alex. [Perieg. 574] : et λιγυρόθροος [falso] ex Eod. [Orac. Sibyll. p. 28, 45 : Ποικίλα τε πτηνῶν λιγυρόθροα, τραυλίζοντα. Christodor. Ecphr. 69 : Λιγύθροος Σαπφώ, et sæpius in seqq. de aliis poetis vel poetriis. L. D. Nonn. Dion. 1, 423 : Δόλον οὐ γίνωσκε λιγύθροον. Coluth. 276, νύμφη. Wakef.]

[Λιγύκροτος.] Suidas et Λιγόκρυτον pro λιγύκροτον dici scribit, Stridulum s. Argutum edens crepitum. [Alterum, quod om. Ms. A, prioris emendationem esse monet Kusterus. Suidas iterum : Λιγυρώτατον, λιγύκροτον. Quæ gl. ipsa quoque corrupta est et ex duabus fortasse conflata, quum minime rationi consentanea sit interpretatio poeta dignior quam grammatico.] C

[Λιγύμολπος, ὁ, ἡ, i. q. λιγύθροος. Hom. H. in Pan. 19, 19 : Νύμφαι ὀρεστιάδες λιγύμολποι.]

Λιγύμοχθος, ὁ, ἡ, Stridula voce s. cantu laborans. Aristoph. Av. [1381] : Ὄρνις γενέσθαι βούλομαι λιγύμυθος ἀηδὼν, annotat schol. scribi etiam λιγύφθογγος et λιγύμοχθος : sc. διὰ τὸν μόχθον s. θρῆνον τὸν ἡδυτάτως ἐξ αὐτῆς εἰς τὸν παῖδα γενόμενον, ubi etiam reddere possis Stridula voce ærumnas et miserias suas efferens.

Λιγύμυθος, ὁ, ἡ, Qui stridula aut canora voce fabulatur, lusciniæ epith. : v. Λιγύμοχθος.

Λιγυπνείων, ex Hom. pro ἡδεῖαν πνοὴν ἔχων, Dulce spirans : si non potius divisim scrib. λιγὺ πνείων (id enim Eust. innuit), in Od. Δ, 566, ubi poeta dicit λιγυπνείοντας ἀήτας.

[Λιγύπνοιος, ὁ, ἡ, Stridens spirando, s. q. d. Stridule spirans. Hom. H. Ap. 28 : Ἐξῄει χερσόνδε λιγυπνοίοις ἀνέμοισιν.]

[Λιγύπνοος, ὁ, ἡ, i. q. præcedens. Coluth. 309 : Νομὸν οἰονόμοιο λιγύπνοον Ἀπόλλωνος. L. Dind.] D

[Λιγυπτερόφωνος, ὁ, ἡ, Stridulum alis edens sonum. Orac. Sibyll. p. 28, 46 : Ξουθά, λιγυπτερόφωνα, ταράσσοντ' αἰθέρα ταρσοῖς.]

[Λιγυπτέρυγος, ὁ, ἡ, i. q. præcedens. Meleager Anth. Pal. 7, 195, 2 : Ἀκρὶς, ἀρουραίη Μοῦσα, λιγυπτέγυρε.]

[Λίγυρ, υρος, ὁ, Ligur s. Ligus, i. q. Λίγυς, ponitur nter barytona in υρ ab Arcadio p. 19, 18.]

[Λιγυρία, ἡ, Liguria. V. Λίγυς.]

Λιγυρίζω, Cano : vel potius Argute et concinne cano : ut λιγαίνω. Hesych. enim λιγυρίζει exp. μελῳδεῖ. [Lucian. Lexiph. c. 2 : Τοὺς ἐργάτας λιγυρίζοντας τὴν θερινὴν ᾠδήν.]

[Λιγύριον. V. Λίγυρος.]

[Λιγύρισμα, ατος, τὸ, Cantus dulcis. Pseudo-Chrys. Serm. 95, vol. 7, p. 531, 39. Seager.]

[Λιγυρόθροος. V. Λιγύθροος.]

[Λιγυρόκτυπος, ὁ, ἡ, Stridulum edens strepitum. Apollin. Metaphr. p. 262.]

[Λίγυρος, ὁ.] Λίγυρον, sive Λιγύριον, dictum inde [ab Liguria] putant Ligurium lapidem. Joseph. A. J. [3, 7, 6] : Λίθοι δώδεκα μεγέθει καὶ κάλλει διαφέροντες, οὐ κτητὸς ἀνθρώποις κόσμος διὰ τιμῆς ὑπερβολὴν ὄντες, σαρδόνυξ, τόπαζος, σμάραγδος, ἄνθραξ, ἴασπις, σάπφειρος, λίγυρος, ἀμέθυστος, ἀχάτης, χρυσόλιθος, ὄνυξ, βήρυλλος pro quo Exodi 28, [19] λιγύριον [ubi alii λιγυρίς· v. ibid. 39, 10], et in veteri versione Ligurius, in nova Lyncurius. Quam scripturam si sequamur, erit Succinum, s. Electrum, quod alni sudare feruntur ad Padum, qui Ligurum Vagiennorum finibus visendo fonte profluit. Ac probabilis esset hæc opinio, nisi Josephus diceret has gemmas incomparabiles esse magnitudine et pulcritudine. Sed huic responderi objectioni queat, olim in pretio fuisse ob raritatem, nunc ob copiam esse viliorem. [Eust. Opusc. p. 240, 30. V. Λυγκούριον.]

Λιγυρόπνοος, s. Λιγυρόπνους, ὁ, ἡ, i. q. λιγυπνείων supra, h. e. Argutum spirans, Stridulum s. Argutum flatu sonum reddens. [Poeticum dicit Pollux 4, 72.]

Λιγυρὸς, ά, ὸν, a λιγὺς derivatum, idem cum ipso significans, nimirum Stridulus, Argutus, s. Argutum stridens: interdum et Canorus, Vocalis. Epith. est flatus s. venti, cantus et vocis. Hom. Il. Ψ, [215] : Ὦρτο δὲ κῦμα Πνοιῇ ὑπὸ λιγυρῇ· itemque N, [590]. Idem in Od. M, [44 et alibi] : Σειρῆνες λιγυρῇ θέλγουσιν ἀοιδῇ. Et Hesiod. Op. [657] : Ἔνθα με τοπρῶτον λιγυρῆς ἐπέβησαν ἀοιδῆς. [Sc. 278 : Λιγυρῶν συρίγγων. Moschus 3, 71 : Ὦ ποταμῶν λιγυρώτατε. Dionys. Per. 834 : Κύκνων λιγυρὴν ὄπα. Manetho 6, 370 : Λιγυρῆς κιθάρης.] Eur. [Med. 205] : Λιγυρὰ ἄχεα βοᾷ, Stridulos et argutos præ dolore clamores edit. [Λ. φωνὴ Pollux 2, 117, αὔλημα, πνεῦμα, 4, 72, 73.] Rursum Il. Λ, [532] : Μάστιγι λιγυρῇ ἵμασεν καλλίτριχας ἵππους, Arguta scutica : nam argutum sonitum reddit verbere. [Soph. Aj. 242 : Παίει λιγυρᾷ μάστιγι διπλῇ. Pind. Ol. 6, 82 : Ἀκόνας λιγυρᾶς. Manetho 5, 269 : Εὔμουσον λιγυρόν (ἄνδρα). Nympharum epith. est ap. Orph. H. 50, 9.] Utuntur hac voce prosæ etiam scriptores, quamvis ποιητικωτέρᾳ : ut [Plato Phædr. p. 230, C : Τὸ εὔπνουν τοῦ τόπου ... θερινόν τε καὶ λιγυρὸν ὑπηχεῖ τῷ τῶν τεττίγων χορῷ·] Aristot. H. A. 9, [17] : Λιγυρὰν φωνὴν ἔχει, Vocem habet argutam s. canoram. [Idem De aud. p. 804, 21 : Λιγυραὶ δ' εἰσὶ τῶν φωνῶν αἱ λεπταὶ καὶ πυκναί, καθάπερ καὶ ἐπὶ τῶν τεττίγων καὶ τῶν ἀκρίδων καὶ αἱ τῶν ἀηδόνων, καὶ ὅλως ὅσαις λεπταῖς οὔσαις μηθεὶς ἀλλότριος ἦχος παρακολουθεῖ. Ὅλως γὰρ οὐκ ἔστιν οὔτ' ἐν ὄγκῳ φωνῆς τὸ λιγυρὸν οὔτ' ἐν ταῖς τῶν φθόγγων ἀφαῖς, ἀλλὰ μᾶλλον ὀξύτητι καὶ λεπτότητι καὶ ἀκριβείᾳ. Διὸ καὶ τῶν ὀργάνων τὰ λεπτὰ καὶ σύντονα καὶ μὴ ἔχοντα κέρας τὰς φωνὰς ἔχει λιγυρωτέρας. L. D. Λιγυρὸς ποιητὴς Diog. L. 5, 94. Hemst. Lucian. Phalar. 1 c. 11 : Μέλη λιγυρώτατα· Bacch. 7, πνεῦμα. Plut. Mor. p. 974, A : Τῶν λι υρῶν κύκνου καὶ ἀηδόνος. « Dionys. De vi Demosth. c. 36, p. 1067, 6 : Τὴν γλαφυρὰν καὶ λιγυρὰν (ἁρμονίαν). Hesych. : Λιγυρὸν, ἡδὺ, γλυκύ. » Ernest. Lex. rhet. Pardalis λιγυρὸν ἐπιπνέουσα τοῦ δόλου Philes Propr. an. 36, 11. Jacobs.] Pro Jucundum, Suave, Isocr. in Epist. ad Philipp. [p. 414, A] : Ἔτι δὲ καὶ σύμβιον εἶναι, ἁπάντων ἥδιστον καὶ λιγυρώτατον. [Xenoph. Ven. 4, 1 : Οὐρὰς μακρὰς, ὀρθὰς, λιγυράς. Unde referre videtur Pollux 5, 59. Ap. Apollod. Poliorc. p. 46, 34, ab Hemst. citatum : Οὕτως ἐξηρτημένοι οἱ μηροὶ συνέχονται ὑπὸ μηρῶν ιγ', τριῶν μὲν συνεχόντων, ὀκτὼ δὲ ἀντερειδόντων, ἐν δὲ τῇ ἀρχῇ καὶ τῷ τέλει ἀνὰ ἑνὸς οὔτε συνεχόντων οὔτε ἀντερειδόντων, ἀλλὰ τοῖς μηροῖς ἐπικειμένων καὶ τῇ βύρσῃ συνερραμμένων, ὧν τὸ πλησιάζον τῷ ῥώσταχι λιγυρόν ἐστι καὶ εὐκαμπὲς, ὥστε μὴ παρεμποδίζειν τὸν κόρακα, vertitur Mollis et flexibilis, quomodo etiam apud Xenoph. interpretabatur Weiskius, ut ὑγρὰς, εὐκαμπεῖς est apud Arrianum 5, 9.] || Λιγυρῶς, i. significans q. λιγέως, Stridule, Argute, Canore : interdum et Suaviter, Concinne : ut Donat. quoque ap. Terent. λιγυρὸν esse dicit Suave, indeque deduci Latinum verbun Ligurio. [Theocr. 8, 71 : Λ. ἀεῖδεν. Lucian. D. mar. 8, 2 : Ἦσε πάνυ λ. Plut. Mor. p. 874, B : Μῦθον λ. ἠγόρευκεν. Comparativo p. 397, A : Γλαύκης οὐ φθέγγεται λιγυρώτερον.]

[Λίγυρος, ὁ, Ligyrus, n. viri in inscr. Att. ap. Bœckh. vol. 1, p. 384, III, 26. L. Dind.]

[Λιγυρόφωνος, ὁ, ἡ, Qui arguta voce est. Theophil. Ad Autol. 2, 52. Schleusn.]

[Λιγυρτιάδης, ὁ, Ligyrtiades, pater Mimnermi poetæ sec. Suidam, cui persimile est ipsius Mimnermi sec. eundem Suidam cognomen Λιγυαστάδης. ΐϊά.]

[Λιγύρων, ωνος, ὁ, nomen Achillis, antequam vocaretur Achilles. Apollod. 3, 13, 6, 4, ex eoque schol. Lycophr. 178.]

[Λιγυρῶς. V. Λιγυρός.]

Λιγὺς, εῖα [immo εια sec. Arcadium p. 95, 23 : Τὰ ἀπὸ ὀξυτόνων προπερισπῶνται ... πλὴν τοῦ λίγεια καὶ ἐλάχεια ἀπὸ τοῦ λίγυς καὶ ἐλάχυς. Quod scrib. λιγὺς, ut de ἐλαχὺς monuimus in illo vol. 3, p. 689, A. Conf. Theognostus Can. p. 99, 14, Philemo Lex. techn. s. 10, Etym. M. p. 565, 5], ὺ, Stridulus, Argutus, s. Argutum stridens : interdum et Canorus, Jucundus. Hom. Il. Ξ, [17] et Od. Γ, [289], Λιγέων ἀνέμων. [Λιγὺς οὖρος Od. Γ, 176; Δ, 357. Pind. Ol. 9, 51.] Idem alibi, λιγὺς ἀγορητής : nimirum Il. B, [246] in oratione Ulyssis ad Thersitem : Θέρσιτ' ἀκριτόμυθε, λιγύς περ ἐὼν ἀγορητής. [Moschus 2, 98 : Αὐλοῦ Μυγδονίου λιγὺν ἦχον · 4, 24 : Κλάζουσα μάλα λιγὺ πότνια μήτηρ. Manetho 6, 752 : Λιγὺν ὕμνον. Æsch. Pers. 332 : Αἴσχη τε Πέρσαις καὶ λιγέα κωκύματα · Suppl. 112 : Πάθεα λιγέα βαρέα. Apoll. Rh. 4, 1299 : Λιγέα κλάζουσι νεοσσοί.] Femin. Λιγεῖα, s. Λίγεια, itidem Stridula, Arguta, Canora. In Epigr. [et Hom. Il. I, 186 etc.], Φόρμιγγι λιγείῃ. [Od. Ω, 62 : Τοῖον γὰρ ὑπώρορε Μοῦσα λίγεια. Æsch. Ag. 1146 : Λιγείας μόρον ἀηδόνος. Soph. OEd. C. 671 : Ἔνθ' ἁ λίγεια μινύρεται ... ἀηδών. Eur. Heracl. 892 : Λίγεια λωτοῦ χάρις. Plato Phædr. p. 237, A : Μοῦσαι δι' ᾠδῆς εἶδος λίγειαι. Et eliso ι Theocr. 22, 221 : Λιγεῶν μειλίγματα Μουσῶν. || Vitiosum est quod apud Suidam ponitur : Λιγότερος (sic per ο, quasi prima producatur), ὀξύτερος, et ex λιγύτερος corruptum, ut supra Λίγος ex Λιγύς. ΐϋ L. D.] || Adv. Λιγέως, Stridule, Argute, s. Arguto cum stridore. Hom. Od. Π, [216] : Κλαῖον δὲ λιγέως ἁδινώτερον ἤτ' οἰωνοὶ, Φῆναι ἢ αἰγυπιοί. [Il. T, 5. Apoll. Rh. 3, 463 : Ἦχα δὲ μυρομένη λιγέως ἀνενείκατο μῦθον.] Hesiod. Sc. [233] : Ἰάχεσκε σάκος μεγάλῳ ὀρυμαγδῷ Ὀξέα καὶ λιγέως. Rursum Il. Ψ, [218] de ventis, Φυσῶντες λιγέως, pro λιγὺ πνείοντες, ut alibi dicit : h. e. Stridulum spirantes, Argutum flantes. Idem λιγέως in laude etiam ponit pro Argute, Canore, Suaviter : Il. Γ, [214] de Menelao : Ἀγόρευε Παῦρα μὲν, ἀλλὰ μάλα λιγέως, ἐπεὶ οὐ πολύμυθος Οὐδ' ἀφαμαρτοεπής. Sic et Il. T, [82] et Od. Υ, [274] : Λιγύς περ ἐὼν ἀγορητὴς, in bonam itidem partem, Argutus, Canorus, Suaviter loquens. [Manetho 2, 334 : Πολυτρήτοις λιγέως μέλποντας ἐν αὐλοῖς · 6, 1 : Ἐλθέ μοι, ὡς προτέρην λιγέως ἥρμοσσας ἀοιδήν.] Pro λιγέως dicunt poetæ etiam Λιγύ. [V. in Λιγυπνείων.]

Λίγυς, υος, ὁ, ἡ, Ligur : et plur. Λίγυες, Ligures : gens ejus regionis Italicæ, quæ ab ipsis dicitur Λιγυρία, Liguria. [Primus memorat Hesiod. ap. Strab. 7, p. 300 : Αἰθίοπας τε Λίγυς τ' ἠδὲ Σκύθας ἱππημολγούς. Sic enim librorum scripturam Αἰθίοπας τε Λιγυστὶ δὲ Σκ. ί. correxit Bernhardy Eratosth. p. 42, aliter post alios Niebuhrius in Scriptis min. vol. 1, p. 365. Tum Æsch. fr. Prom. sol. ap. Strab. 4, p. 183 : Ἥξεις δὲ Λιγύων εἰς ἀτάρβητον στρατόν. Herodot. 5, 9 etc., Thuc. 6, 2 et geographi aliique. Ἀπὸ Λιγύρου ποταμοῦ dictos perhibet Steph. Byz. || Λιγουρία de regione et Λίγουροι de incolis (Λιγούριοι Gotth. 1, 15, scrib. videtur Λίγουροι) frequentat Procopius. V. ind. ed. Bonn. || Λίγυες in exercitu Xerxis ap. Herodot. 7, 72, suspecti sunt nominis. V. intt. De accentu paroxytono v. Eust. Il. p. 96, 4. ΐϋ]

[Λίγυσμα, ατος, τὸ, Greg. Naz. Sent. jamb. tetr. 17.]

[Λιγυστὴς pro Λίγυς libri nonnulli Diod. 11, 56, ubi Λυγχηστὴς restituit Wesseling.]

[Λιγυστιὰς, άδος, ἡ, Ligustica. Dionys. Per. 76 : Ἑξείης δ' ἐπὶ τοῖσι Λιγυστιὰς ἕλκεται ἅλμη.]

Λιγυστικὸν, τὸ, Ligusticum : herba sic appellata, quod in Liguria utplurimum reperiatur, in Apennino monte, teste Diosc. 3, 58. Itidem Plin. 19, 7 : Ligusticum sylvestre est in Liguriæ suæ montibus : seritur ubique : suavius sativum, sed sine viribus : Panacem aliqui vocant. [Laserpitium Siler Linn., Ligusticum Levisticum Linn.]

A Λιγυστικὸς, ἡ, ὸν, Ligusticus : ut Λιγυστικὸν πέλαγος, Mare Ligusticum [ap. Strabon. 2, p. 106. Id. p. 122 : Τῇ Λιγυστικῇ, ut Aristot. Meteor. 1, 13, Theophr. De lapid. 16, Polyb. 2, 31, 4 etc. Strabo 4, p. 204 : Τὸ Λιγυστικὸν ἔθνος. Soph. fr. Triptolemi ap. Dionys. A. R. 1, 12 : Λιγυστική τε γῆ σε δέξεται. Lycophr. 1312.]

[Λιγυστῖνος, ὁ, Ligustinus. Lycophr. 1356 : Λιγυστίνοισι. Polyb. 1, 17, 4 etc., sed ubi male semper scriptum Λιγυστινοί. (Λιγυστίνη recte 7, 9, 65.) Diodor. Exc. p. 509, 23, ubi codex Λιγυστῆνοι. Λιγυστινοὶ χιτῶνες male ap. Strab. 4, p. 202. Add. Steph. B. in Λιγυστίνη et Miller. ad Scymn. p. 297.]

[Λιγυστὶς, ίδος, ἡ, Ligustica, de Circe, Eur. Tro. 437. Apoll. Rh. 4, 553 : Νήσους τε Λιγυστίδας.]

Λιγύφθογγος, ac Λιγύφωνος, ὁ, ἡ, Argutam vocem edens, Stridulum et argutum sonans : s. Canorus, Argutus. Hom. Il. B, [442] : Κηρύκεσσι λιγυφθόγγοισι κέλευε Κηρύσσειν. [Theognis 241 : Σὺν αὐλίσκοισι λιγυφθόγγοισι. Antipater Thess. Anth. Pal. 9, 266, 2 : Λιγυφθόγγῳ ἐπὶ Γλαφύρῳ. Vitiose ap. Hesych. Ἰλιγγίφθογ-

B γοι.] Et Hesiod. [Th. 275, 518] : Ἑσπερίδες λιγύφωνοι. [Hom. Il. T, 350 : Ἅρπη λιγυφώνῳ. H. Merc. 475 : Λιγύφωνον ἑταίρην, de cithara. Theocr. 12, 7 : Λιγύφωνος ἀοιδοτάτη πετεηνῶν. Meleager Anth. Pal. 9, 363, 16 : Ὀρνίθων γενεὴ λιγύφωνον ἀείδει. Dionys. Per. 529 : Λιγύφωνος ἀηδών. Dio Chr. vol. 2, p. 21 : Τῶν λ. ὀρνέων.]

[Λιγυφωνέω, Argutam vocem edo. Schol. Theocr. 8, 30 : Ἰύζειν τὸ λιγυφωνεῖν. Wakef.]

[Λιγυφωνία, ἡ, Vox arguta. Schol. Clem. Al. p. 125, 14. Boiss.]

Λιγύφωνος, ὁ, ἡ, Argutam vocem habens, s. Canoram, ut Ἑσπερίδες λιγύφωνοι. Idem valet λιγύφθογγος. [Quod v.]

[Λίγω pro ὑμνῶ, grammat. anonym. in Anecd. meis vol. 2, p. 355, v. 291. Boiss. Etym. M. p. 565, 11.]

[Λίδη, ἡ, Lide, mons Cariæ ap. Herodot. 1, 175.]

Λιδρίον, Hesychio τρυβλίον, Scutella. [Pro λίστριον, ut videtur.]

[Λίζω.] Λίζει, Hesychio βήσσει, στάζει, παίζει, Tussit, Stillat, Ludit. [Et Λίζουσι, παίζουσιν. V. conjecturas

C interpretum. Aliud verbum Λίζω, unde sint vv. λίγδην et λίστρον, ponit Eust. Od. p. 1926, 39.]

[Λίζων.] Λίζονες, pro ὀλίζονες, h. e. ἐλάσσονες, Minores, Hesych. [Idem : Λίζον, ἔλαττον.]

[Λίηβρις, πόλις Φοινίκων, ὡς Ἡρωδιανός. Τὸ ἐθνικὸν Λιηβρίτης, ὡς Συβαρίτης. Ἑκαταῖος Περιηγήσει Αἰγύπτου, Steph. Byz.]

Λίημος, Hesychio ψάμαθος, Arena. [Ex Λιήμαθος, Ἁλιήμαθος corruptum putabat Ruhnk. V. Λιάμαθοι.]

[Λίην. V. Λίαν.]

[Λίηνος, λιθοπυργία, Hesych.]

Λίηφος, δεινὸς, Acer, s. Atrox, Hesych.

[Λῐθᾰγωγὸς, ὁ, ἡ. Pollux 10, 148 : Εἴποις δ' ἂν καὶ μηχανὴν λιθαγωγὸν, Machinam saxigeram.]

Λιθάζω, Lapido [Gl.], Lapidibus obruo, Chrysost. : Παρὰ Ἰουδαίων λιθαζόμενος, Lapidibus appetitus. Capitur etiam simpliciter pro Jacio, Conjicio, βάλλω. Arrian. [Appian., ut conjecerunt interpretes] ap. Suid. : Κελεύσαντος δὲ Τατίου τὸν χρυσὸν ἐς τὴν παῖδα ἐλίθαζον, ἔς τε τιτρωσκομένη κατεχώσθη · qualis historia extat ap.

D Plut. [Rom. c. 17. Polyb. 10, 29, 5; Strabo 15, p. 705.]

[Λιθαχὸς inter nomina in αχὸς ponitur ab Arcadio p. 51, 7.]

Λίθαξ, ἄκος, ὁ, ἡ, Hesychio Petra lubrica vel aspera. Sed adj. potius accipitur ap. Hom. Od. E, 415 : Μήπως μ' ἐκβαίνοντα βάλῃ λίθακι ποτὶ πέτρῃ Κῦμα μέγ' ἁρπάξαν · et rectius ibi schol. λίθακι πέτρῃ exp. λιθώδει πέτρᾳ ὑποπεπταμένῃ τῇ θαλάσσῃ ἢ ἐξεχούσῃ. [Lapis, Saxum, Aratus Phæn. 1112 : Πυκινῇσι κελευόμενα λιθάκεσσιν. Orph. Arg. 611 : Ἐν δ' ἄρ' ἐπειγόμενοι Μινύαι ... λιθάκεσσιν ἀρηρότα βωμὸν ἔτευξαν. Quod Hom. dicit λιθάδεσσιν. Tryphiodor. 621 : Βαλλόντων λιθάκεσσι καὶ ὠκυμόροισιν ὀϊστοῖς. De cippo Heraclid. Sin. Anth. Pal. 7, 392, 6 : Κωφὸν στησάμενοι λίθακα. De pumice Paul. Sil. ib. 6, 207, 4 : Λίθακα τρητὴν σπόγγῳ εειδομένην. De gemmis Manetho 6, 343 : Ἐπ' ἀνθηραῖς λιθάκεσσιν σφρηγίδων γλυφέας.] Nicand. substantive capit pro Loco aspero, ut schol. exp. in Ther. 150 : Τῶν οἱ μὲν λίθακάς τε καὶ ἔρμακας ἐνναίοντες. Etiam ψώρα, Hesych. [Forma diminutivum esse monent schol. Dionysii in

Bekk. An. p. 635, 17, Eust. Od. p. 1540, 52-55, Pierson. ad Mœr. p. 419.]

[Λιθαόριον, Acervus lapidum, Aq. Ps. 78, 1. Scribitur ibi etiam λιθόριον. Schleusn.]

[Λιθαργύρεος, ὁ. V. Λιθαργύριος.]

[Λιθαργύρινος, ὁ, Ex spuma argenti factus. Aristot. Soph. elench. 1, 1. Kall. Niceph. Greg. Hist. 10, c. 6 : Ὡς χρυσὸν καθαρὸν ἐκ μετάλλων κιβδήλων ἀνώρυξε πᾶν, εἴ τι λιθαργύρινόν τε καὶ χολοβάφινον ἦν ἐκεῖ καταλελοιπυῖα.]

[Λιθαργύριος.] Λιθαργύριον Stesichorus in Helena dicit τὸν ποδονιπτῆρα, ut testatur Athen. 10, [p. 451, D, ubi nunc λιθαργύρεος, Ex spuma argenti factus, restitutum est.] Ibid., λιθάργυρος ὄλπη in Achæi quodam gripho de κύρβις, ubi videtur accipere pro Vasculo ex lapide candido et quasi coloris argentei.

[Λιθάργῦρον, τὸ, Spumargentea, Gl.]

Λιθάργῦρος, ἡ, Spuma argenti [argentea, Gl.] : medicamentum metallicum, non sponte quidem nascens, sed in secundis fornacibus emergens, dum plumbum vel ejus arena ab argento aut auro secernitur : λιθάργυρον Græci appellarunt nomine ex argento et lapide composito, ortæ rei duritiem designantes : Latini vero Argenti spumam, nascentis rei spumam magis explicantes, et cocturæ potius eventum contemplati, quæ ex plumbo et argento eam veluti recrementum spumam redderet : non quod ex argento solo ejusmodi spuma prodeat, sed quod ex plumbo et argento nata, fuerit apud antiquos frequentior quam ullum aliud lithargyri genus. Diosc. triplicem ejus facit differentiam : unam ex arena, quam μολυβδῖτιν vocant : alteram ex mistura plumbi et argenti, quam ἀργυρῖτιν nominant : tertiam ex mistura plumbi et auri, quæ χρυσῖτις dicitur. Sunt autem hæc duo non materiæ tantum, sed et colorum nomina : ἀργυρῖτις enim candida est, ut χρυσῖτις fulva. Hæc inter alia ex Gorr. Confer Diosc. 5, 102, et Plin. 33, 6. Diosc. 6, 27 : Λιθάργυρος δὲ ποθεῖσα βάρος ἐπιφέρει στομάχῳ καὶ κοιλίᾳ. Unde Scrib. Largus c. 51 : Spuma argentea pota, quam Græci λιθάργυρον dicunt, ventris infert gravitatem. Nicand. [Al. 607] : Ἐχθομένη δέ σε μή τι λιθάργυρος ἀλγινόεσσα λήσειεν. Hippocr. vocat etiam ἀργυρίου ἄνθος. [Λιθάργυρος λευκὴ in Glossis chymicis mss. ἐστὶ ψιμμίθιον. Ducang.]

[Λιθαργῠροφᾰνής, ὁ, ἡ, Spumæ argenti similis. Diosc. 5, 100.]

[Λιθᾰρίδιον, τὸ, Lapillus, Gemma; Ψηφίον, τὸ λιθαρίδιον, Gl. Alex. Trall. 3, p. 61.]

Λιθάριον, τὸ, Lapillus. [Gemma add. Gl.] Theophr. H. Pl. 3, [7, 5]. Phrynich. tamen Attice dici λιθίδιον scribit, non λιθάριον [p. 180 : Λιθάριον πάνυ φυλάττου, λιθίδιον δὲ λέγε. Thomas p. 577. Recentiorum, velut Dioscoridis 1, 84, Philostrati V. S. 2, 1, 10, Pseudoplut. De fluv. p. 1163, C, et aliorum exx. indicavit Lobeck., Byzantinorum Ducangius. ᾶῐ]

[Λιθαρομαργαρίταρον, τὸ, Gemma. Chrysobulla Jo. Alexii Comn. Trapez. ap. Pasin. Codd. Taur. vol. 1, p. 223, B, E. L. Dind.]

Λῐθάς, άδος, ἡ, Lapillus, Lapis. Hom. Od. Ξ, [36] : Σεῦεν κύνας ἄλλυδις ἄλλῃ Πυκνῆσιν λιθάδεσσι· Ψ, [193] : Θάλαμον δέμον ὄφρ' ἐτέλεσσα Πυκνῆσιν λιθάδεσσι, Lapidibus : nec enim ibi necessario diminutivum est, Eust. [Æsch. Sept. 159 : Ἀκροβόλων δ' ἐπάλξεων λιθὰς ἔρχεται. De lapillis pretiosis s. Gemmis in Ms. ap. Bandin. Catal. Bibl. Med. vol. 1, p. 236, 233. L. D.]

[Λιθασμός, ὁ, Lapidatio. Greg. Naz. Epist. 103, p. 848. Strong. Const. Manass. Chron. p. 62. Boiss. Jo. Chrys. in Ep. ad Hebr. serm. 27, vol. 4, p. 567, 36. Seager. Schol. Soph. Aj. 245.]

[Λιθαστής, ὁ, Lapidarius, Lapidator, Gl. Theodor. Prodr. Epigr. p. 210, 8 f. ed. Souvigny. Boiss.]

[Λιθαστικός, ή, όν, schol. Æsch. Sept. 182 : Λευστῆρα) λιθαστικόν.]

[Λιθάω.] Λιθόωσα ap. Hesych. ἡ πολύλιθος, Lapidosa, Saxosa, poetice quasi a Λιθάω. [|| Photius : Λιθῶντας, τρισυλλάβως, οὐ λιθιῶντας· Πλάτων ια' Νόμων· καὶ βραγχᾶν λέγουσιν, οὐ βραγχιᾶν· καὶ ἕτερα τοιαῦτα. Apud Plat. 11, p. 916, A : Ἀνδράποδον λιθιῶν, ex librorum plurium scriptura λίθων, restituendum λιθῶν, ut suspicatus erat Lobeck. ad Phryn. p. 80.]

[Λιθεία s. Λιθία, ἡ, Materia saxorum ad ædificia, Lapidum omne genus ad ædificandum adhibitum. Polyb. 4, 52, 7; Strabo 9, p. 437. || De gemmis. HSt. :] Λιθείας, Suidæ πολυτελείας τὰς λιθέας λεγομένας. [Inter λιθείας et λιθέας variant etiam libri Diodori 1, 46. Et λιθέα est apud Aquilam Cant. 5, 11, aliosque ab Ducangio indicatos. Inter λιθεία et λιθία ap. Strab. l. c., et ubi de gemmis dicitur, 15, p. 717. Λιθία scriptum etiam ap. Arrian. Peripl. m. Erythr. p. 32, 35.]

Λίθειος, α, ον, et ὁ, ἡ, i. q. λίθινος. Λ. πύλη, Suid. [Schol. Æsch. Pr. 563 : Διὰ βολῆς λιθείας. Wakef. Addit autem Suidas : Λίθιος δὲ θῶκος. Cujus formæ fides nulla est, sed λίθεος potius scribendum quam λίθινος. L. Dind.]

[Λιθένδῠτος. Antiq. Cpol. de statuis Maximiani Herculii et uxoris : Αὐτοῦ μὲν καὶ τῆς γαμετῆς χαλκενχύτων καὶ μέρος λιθενδύτων, αὐτῆς δὲ ἐκ πορφύρου μαρμάρου περιέχουσα. Id est, ut interpretor, Statua Maximiani confecta erat ære fusili, insertis subinde lapillis pretiosis. Ita Anon. de templo S. Sophiæ p. 258 : Τὸν δὲ ἄμβωνα μετὰ τῆς σωλέας ἐποίησε σαρδονύχων, ἐντιθέμενος καὶ πολυτίμους λίθους. Et mox : Καὶ χρυσίον πολὺ ἐνέδυσε ἐπάνω τῆς σωλέας. Ducang. Scribendum videtur etiam χαλκενδύτων.]

Λίθεος, α, ον, Lapideus, Saxeus, ut λίθινος. Hom. Il. Ψ, [202] : Βηλῷ ἔπι λιθέῳ· Od. Ν, [107] : Ἐν δ' ἱστοὶ λίθεοι περιμήκεες.

[Λιθεύω. Etym. M. p. 561, 52 : Λευρὸν, τὸ λεῖον καὶ πλατὺ, ἀπὸ τοῦ λίαν εὐρύ· ἢ λελιθευμένου· λεύειν γὰρ τὸ λίθους βάλλειν. Λελιθολογημένον Gud. p. 367, 21.]

[Λιθηλογής, ὁ, ἡ, Lapides legens, congerens. Crinagoras Anth. Pal. 6, 253, 6 : Λιθηλογέες θ' Ἑρμέω ἱδρύσιες.]

Λιθήσιος, Apollo dicitur ὁ ἐν τῷ Μαλέᾳ λίθῳ προσιδρυμένος, teste Suida [in gl. ex Steph. Byz. illata], qui ita a λίθος fieri dicit, ut Μαραθήσιος a Μάραθος : pro quo ap. Steph. B. Μαραθούσιος. [Sed Μαραθήσιος ap. eund. in Λιθήσιος, ubi hæc Rhiani auctoritate traduntur.]

[Λιθία. V. Λιθεία.]

Λιθιακά, τὰ, Liber de lapidibus tractans : ut liber Orphei περὶ Λίθων. [Quem Tzetzes Λιθικὰ dicere solet. Libri περὶ λίθων.] Vita Dionysii, qui inscripsit De situ Orbis [p. 81, 4 : Ὁ δὲ Διονύσιος... συγγράψαι καὶ ἄλλα βιβλία λέγεται, Λιθιακά τε καὶ Ὀρνιθιακὰ..., ὧν τὰ μὲν Λιθιακὰ ἐνεκρίθησαν.]

Λιθίασις, εως, ἡ, [Calculositas, Gl.] Calculi generatio in vesica : quamvis ille in renibus etiam creari possit, nemo tamen λιθιᾷν et λιθιῶντας usurpavit nisi de iis quibus in vesica molestus est. [Hippocr. Aph. 3, 26; p. 512, 27. Definitur autem auctori Definitt. med. p. 398, 39, γένεσις ἐν κύστει λίθου, δι' οὗ κωλύεται τοῦ οὔρου ἔκκρισις, et πάθος διατάσεις τῆς κύστεως ἐπιφέρων. Foes.] Dicitur et in oculis Morbus exteriori palpebrarum parte, in quo alba quædam et crassa callis aut lapillis similia apparent, oculum pungentia, ut scribit τῆς Εἰσαγωγῆς auctor : ap. quem tamen incertum est partene palpebram exteriori an potius interiori insideant. Gorr. [Sic autem definit auctor Isag. p. 386, 25 : Λ. ἐστιν ὅταν ἐκστραφέντων τῶν βλεφάρων ὅμοια πώροις περὶ τὰ βλέφαρα ὑπάρχῃ λευκὰ καὶ παχέα καὶ οἷον λίθοις ἐμφερῆ νύσσοντα τὸν ὀφθαλμόν· et Aetius 2, 3, 28, qui ἰόνθοις παρεμφερῆ. Foes. OEc. Hipp.]

Λιθιάω, Calculo laboro, a λίθος, Calculus, cujus exemplum habebis in Τηκόλιθος. [Λιθιῶν, Calculosus, Gl.] In qua signif. Scrib. Larg. et Marc. Emp. utuntur etiam vocabulo Lapis, ut quum dicunt, Si lapis in renibus innatus fuerit. [Hippocr. p. 192, H; 286, 38. Theophr. H. Pl. 7, 6, 3.] Diosc. [3, 148] de lithospermo, Λίθους θρύπτει· quo Plin. quoque calculos frangi pellique tradit. Id. [1, 176] de amygdalis amaris, Δυσουριῶσι δὲ καὶ λιθιῶσι σὺν γλυκεῖ βοηθεῖ. Unde Plin. 23, 8 : Calculosis et difficili urinæ in passo efficaces sunt. Machon ap. Athen. 13, [p. 578, E] : Δοκεῖ δὲ λιθιᾷν, ὡς ἔοιχ', ἡ Μανία· in quam paulo post Phryne æmula acerbiore joco dicit, Εἰ λίθον εἶχες, ἀποψήσασθαι ἄν σοι ἔδωκα· nam ἐτύγχανεν αἰτίαν ἔχουσα λιθιᾷν, Athen. [Id. 3, p. 90, E : Τοῖς λιθιῶσι καὶ ἄλλοις (f.

ἄλλως) δυσουροῦσιν εὔθετοι. Valck. Philostr. V. S. 1,
A 25, 11 : Λιθιώντων αὐτῷ τῶν ἄρθρων. Addito accusat. Alex. Aphr. p. 66 ed. Ideler. : Διὰ τί αἱ θήλειαι βραδέως λιθιῶσι τὴν κύστιν. Pollux 4, 187. V. etiam Λιθάω.]

Λιθίδιον, τὸ, et Λιθὶς, ίδος, ἡ, Lapillus, Parvus lapis. [V. Λιθάριον. Λιθίδιον Plato Phæd. p. 110, D : Τὰ ἐνθάδε λιθίδια. Lucian. Quom. hist. scrib. c. 4 : Πρὸς μικρόν τι λιθίδιον προσπταίσαντα. Plut. Mor. p. 979, B : Τοὺς ἐχίνους ἑρματιζομένους λιθιδίοις. Galen. vol. 5, p. 23 : Τὸ σμικρὸν ἐκεῖνο λιθίδιον, de magnete. De pretiosis lapillis s. gemmis Clem. Al. Pæd. 3, 2, p. 252 fin. : Τοῖς ἀπὸ Ἰνδίας καὶ Αἰθιοπίας πεποικιλμένοις μαρμαίρουσι λιθιδίοις. || De lapillis etiam πενταλίθοις dictis, Pollux 9, 126. || De calculis Hippocr. p. 215, F : Λιθιδίων οὔρησιν· G : Λιθίδια διουρέει. L. Dind.]

Λιθίζω, Lapidem refero s. imitor, In lapidem colore vergo. Plin. 37, 7, de carbunculis gemmis : Qui languidius ac lividius ex Indicis lucent, λιθίζοντας appellari Callistratus dicit.

[Λιθικὸς, ἡ, ὸν, Ad calculos pertinens. Paul. Æg. 6,
B 60 : Τοῖς λιθικοῖς ἤγουν ἐξασκελέσιν ἐπιδέσμοις χρησώμεθα. || Ad lapides pertinens, in inscr. carminis Orpheo tributi Λιθικά. V. Λιθιακά. L. Dind.]

Λίθϊνος, ὁ, ἡ [ut apud Leonidam Anth. Pal. 9, 719, 3 : Δῆσε βάσει λιθίνῳ. Diog. L. 2, 33 : Τὰς λιθίνους εἰκόνας. Tzetz. Hist. 4, 433 : Νιόβη δὲ καὶ λιθίνους ἐκείνας κατεθρήνει. Λίθινος ὑδρία ex Theophylacto citat Sylburg. ad Dionys. A. R. 2, 23; et η, ον], Lapideus, Saxeus [Gl. Pind. Ol. 7, 86 : Λιθίνα ψᾶφος· 9, 49 : Λίθινον γόνον· Pyth. 10, 48 : Λίθινον θάνατον· Nem. 3, 51 : Λιθίνῳ τέγει· Isthm. 1, 25 : Λιθίνοις δίσκοις. Aristoph. Av. 214 : Νεὼς λιθίνους. Herodot. 2, 141 : Ὁ βασιλεὺς ἕστηκε λίθινος. Thuc. 5, 47 : Ἐν στήλῃ λιθίνῃ. Et alii quivis.] Lucian. [Tim. c. 43] : Ἀνδριάντες λίθινοι. Et Epigr. [Nicarchi Anth. Pal. 11, 113, 1] : Τοῦ λιθίνου Διὸς ἐχθὲς ὁ κλινικὸς ἥψατο Μάρκος, Saxeum Jovem, i. e. Statuam Jovis ex lapide. Athen. 11 : Οἰνοχόην καὶ κύπελλον λίθινα· 10, λ. πίθος· 13, [p. 606, A, ex Alexide] λίθινος κόρη, Puella saxea : Λιθίνης ἐπεθύμησεν κόρης ἄνθρωπος. [Phanias Anth. Pal. 6, 304, 8 : Λιθίναν
C οὐ γὰρ ἔχω φάρυγα. Rufinus 5, 41, 2 : Τίς ψυχὴν λιθίνην εἶχε; « Λ. καὶ ἀδαμάντινος, Liban. vol. 3, p. 341, 17. Id. vol. 4, p. 149, 7; 160, 21; 170, 22. » Jacobs.] Item τὰ λίθινα, Statuæ lapideæ s. marmoreæ. Xenoph. Reip. Lac. [3, 6] : Ἐκείνων ἧττον ἂν φωνὴν ἀκούσαις ἢ τῶν λιθίνων· ἧττον δ' ἂν ὄμματα μεταστρέψαις ἢ τῶν χαλκῶν. Sic Epigr. : Τιμῆς εἵνεκα τῶν λιθίνων, Statuarum lapidearum honorandarum causa.

Λιθίνως, Adinstar lapidis s. saxi. Xen. Symp. [4, 24] : Πρόσθεν μὲν γὰρ ὥσπερ οἱ τὰς γοργόνας θεώμενοι, λ. ἔβλεπε πρὸς αὐτὸν, καὶ λ. [hoc λ. delendum] οὐδαμοῦ ἀπῄει ἀπ' αὐτοῦ, Saxeis oculis intuebatur : i. e. Immotus saxi more.

[Λιθίον, τὸ, Lapillus. Pausan. 2, 25, 8 : Λιθία δὲ ἐνήρμοσται πάλαι, ὡς μάλιστα αὐτῶν ἕκαστον ἁρμονίαν τοῖς μεγάλοις λίθοις εἶναι.]

[Λιθίς. V. Λιθίδιον.]

[Λιθίσκος, ὁ, Saxulum, Gl.

[Λιθοβλὴς, ῆτος, ὁ, ἡ, i. q. sequens. Tzetz. Hist. 3, 246 : Θνήσκει λ.]

Λιθόβλητος, ὁ, ἡ, Lapidibus petitus s. impetitus.
D At λιθόβλητος εὐστοχία, de jactu lapidum quasi collimante, s. de collimatione cum jactu lapidum facta. Epigr. [Antipatri Anth. Pal. 9, 3, 2], de nuce arbore : Παισὶ λιθοβλήτου παίγνιον εὐστοχίης. [Paulus Sil. ib. 5, 270, 2, κεχρύφαλα. Nonnus Paraphr. Jo. c. 8 extr. : Λιθοβλήτου νιφετοῖο. Inter λιθόβλητος et λιθοβόλητος variant libri Suidæ in Λιθόλευστος. Λιθόβλητος schol. Soph. Aj. 253, unde gl. petita, et Zonar. p. 1308. Quod recte præfert Albert. ad Hesych. v. Λιθολεύστης.]

Λιθοβολέω, Lapido [Gl.], Lapidibus peto, Lapidibus obruo. Marc. 12, [4] : Κἀκεῖνον λιθοβολήσαντες ἐκεφαλαίωσαν. [Et aliquoties in V. T. Plut. Mor. p. 1011, E. Schol. Lucian. Piscat. c. 10, ubi al. λιθοβολεύσαντες, Eur. Or. 46. Passivo in Crameri Anecd. vol. 2, p. 319, 10.]

[Λιθοβόλημα, ατος, τὸ, Lapidis jactus. Theod. Prodr. p. 286. Elberling.]

[Λιθοβολήσιμος, ὁ, ἡ, Lapides jaciens, Lapidans. Schol. Eur. Or. 50 : Ἐν πετρώματι λιθοβολησίμῳ. Boiss. Et ib. 432 Matth. In Moschop. schol. ad Hesiodi Op. 538 : Πετρώματι λευσίμῳ, ἤγουν λιθοβολισίμῳ, Schæfer. ad Greg. Cor. p. 533 corrigit λιθοβολησίμῳ.]

[Λιθοβόλητος, ὁ, ἡ, Lapidibus petitus. Hesych. in Λευσίμου δίκης, Photius s. Suidas in Λιθόλευστος. Sed v. Λιθόβλητος.]

[Λιθοβολία, ἡ, Lapidatio. Diodor. 3, 49 : Εὐθετώτατοι πρὸς λιθοβολίαν. Levit. 24, 16, sec. cod. Oxon. : Λιθοβολίᾳ λιθοβολείτω, ubi ceteri λίθοις. « Schol. Æsch. Eumen. 189. » Boiss.]

[Λιθοβόλια, ων, τὰ, festum apud Trœzenios, ab lapidatis virginibus quibusdam dictum, ap. Pausan. 2, 32, 2, ubi scriptura librorum λιθοβολίαν secundum analogiam ejusmodi nominum in λιθοβόλια mutata est. De quo monitum erat jam ab Angl. in Ἀστυδρόμια.]

[Λιθοβολίσιμος. V. Λιθοβολήσιμος.]

[Λιθοβολισμὸς, ὁ, Lapidum jactus. Schol. Æsch. Sept. 546 : Πυκνοῦ κροτησμοῦ) σφοδροτάτου συνεχοῦς λιθοβολισμοῦ.]

[Λιθοβολιστικὸς, ἡ, ὸν, i. q. λιθοβολήσιμος, quocum permutatur in schol. Eur. Or. 442, a Boiss. cit.]

[Λιθοβολίτης. V. Λιθολεύστης.]

Λιθοβόλος, ὁ, ἡ, [Lapidator, Gl., et Λιθοβόλοι, Fundibali,] Lapides jaculans, Lapidibus impetens : λ. μηχανὴ, Joseph. [B. J. 5, 6, 3. Philo Belop. p. 77, B : Περὶ τοῦ κληθέντος ἀεροτόνου καταπάλτου, λιθοβόλου δ' ὄντος. Bito De mach. p. 105, A : Λιθοβόλου ὀργάνου. Absolute Polyb. 8, 7, 2 : Τοῖς εὐτονωτέροις καὶ μείζοσι λιθοβόλοις καὶ βέλεσι. Philo Belop. p. 93, A : Εἰς ἕκαστον ἄμφοδον δοτέον ἐστὶ λιθοβόλων (l. -λον) δέκα μνῶν καὶ καταπάλτας δύο· et ib. B : Τοῖς καταπέλταις καὶ λιθοβόλοις· Bito De mach. p. 102, B; 107, A, Hero Belop. p. 122, C. Maccab. 1, 6, 51 : Ἔστησεν ἐκεῖ πυρόβολα καὶ λιθόβολα. Scr. πυροβόλα et λιθοβόλα. Masculino Philo Belop. p. 98, A : Τοὺς πετροβόλους καὶ τοὺς ὀξυβελεῖς ἐπιστήσας· 99, C : Ὅθεν οἱ λιθοβόλοι ἀφίενται· ubi intelligitur καταπέλτης, quod addit Diod. 20, 48 : Καταπέλτας ὀξυβελεῖς καὶ λιθοβόλους παντοίους.] Et λιθοβόλος subaud. ἄνθρωπος vel ἀνὴρ, aut tale quid, Qui lapides jaculatur, seu, ut Valla ap. Thuc. vertit, Qui de manu lapides jacit. [Plato Critiæ p. 119, B : Γυμνῆτας λιθοβόλους καὶ ἀκοντιστάς. Philo Belop. p. 101, C. Pollux 1, 131. Dion. Chrys. Orat. 12, p. 380 citat Boisson.] Athen. 5 : Ἐφ' οὗ λιθοβόλος ἐφειστήκει τριτάλαντον λίθον ἀπ' αὐτοῦ ἀφιεὶς καὶ δωδεκάπηχυ βέλος, Saxa tritalentaria telaque missilia duodeviginti pedum, facile ejaculans. Bud. [De discrimine pro diverso accentu schol. Hom. Il. Γ, 354 : Ὥστε διαφέρειν τὸ λιθοβόλος τοῦ λιθόβολος· τὸ μὲν γὰρ παροξυνόμενον σημαίνει τὸν λίθους βάλλοντα, τὸ δὲ προπαροξυνόμενον τὸν ὑπὸ λίθου βεβλημένον, ὡς παρ' Εὐριπίδῃ ἐν Φοινίσσαις (1062)· Λιθόβολον εἷμα (αἷμα) κατειργάσω. V. Arcad. p. 88, 19.]

[Λιθόγληνος, ὁ, ἡ, Lapideum oculum s. Lapideos oculos habens. Epith. Medusæ, Nonni Dion. 47, 592 : Λιθογλήνοιο Μεδούσης. Idem de Niobe 48, 456 : Ταντάλιδος προπάροιθε λιθογλήνοιο προσώπου. Sic infra Λιθοδερκής.]

[Λιθογλύπτης, ὁ, Qui lapides scalpit, Statuarius. Jo. Chrys. In Ps. 4, vol. 1, p. 552, 12. Seager. Hesychius aliique lexicogrr. in Λιθουργός.]

Λιθογλυφὴς, ὁ, ἡ, In lapide insculptus. [De sepulchri cavitate Nonn. Jo. c. 20, 34 : Βραδὺς ἔνδον ἴχανε λιθογλυφέος κενεῶνος. Wakef.]

[Λιθογλυφία, ἡ, Lapidum scalptura. Manetho 4, 130 : Ἔν τε γεωμετρίῃσι καὶ ἐν τελετῇσιν ἀρίστους, ἔν τε λιθογλυφίαισι θεῶν νηῶν τε θεμέθλοις. Λιθογλυφέεσσι Riglerus.]

Λιθογλύφος, ὁ, Qui lapides scalpit s. incidit, Statuarius, ἑρμογλύφος, λιθοξόος : nam ea pro synonymis a Luciano [Somn. fine] accipi tradit Bud. [Sculptor marmorarius, Sculptor, Gl. Galen. vol. 2, p. 5. L. D.]

[Λιθογλώχιν, ινος, ὁ, ἡ, Lapideam habens cuspidem, Acutos habens lapides. Nonnus Dion. 6, 138 : Λιθογλώχινα πύλης παρὰ λαϊὸν ὀχῆα· 40, 354 : Καί οἱ ὀπιπτεύοντι λιθογλώχινες ἀγυιαὶ μαρμαρυγὴν ἀνέφαινον ἀμοιβαίοιο μετάλλου.]

[Λιθογνωμικὸν librum Philostrati primi memorat Suidas in Φιλόστρατος. De forma voc. conf. Lobeck. ad Phryn. p. 383.]

[Λιθογνώμων, ονος, ὁ, ἡ, Lapidum explorator. Julian. Or. 2, p. 91, B : Οὐκ ἐθελήσει φαυλότερος εἶναι κριτὴς τῶν λιθογνωμόνων καὶ τῶν βασανιζόντων τὸ χρυσίον, ubi Gemmarium Int.]

[Λιθογόνος, ὁ, ἡ, Lapides gignens. Diosc. Parab. 2, 111 : Τοῦτο καὶ τὰ λιθόγονα (scr. λιθογόνα) ὕδατα καθαίρει συνεψόμενον.]

[Λιθοδαιμόνον, Lapis dæmonis, Alberto magno, Lapis bicolor, ut arcus dæmonis qui Iris vocatur. Anon. de oxymelite : Μόλιβδον καὶ λιθοδαιμόνον, ἐλχάντερις, λύσας μεθ' ὕδατος, ἄλειψε [sic] μετὰ τὸ ξηρανθῆναι καὶ οὕτως ὄπτα. Ducang.]

Λιθόδενδρον, τὸ, quibusdam τὸ κοράλλιον, Gorr. ex Diosc. [5, 139. V. Λίθος.]

Λιθοδερκής, ὁ, ἡ, Γοργὼ, quasi Lapideo aspectu, Epigr. [Antiphili Byz. Anth. Plan. 4, 147, 3.]

Λιθόδερμος, ὁ, ἡ, Pelle lapidea tectus, Corio munitus : cujus durities propemodum lapidea. Dicitur et de hominibus. Aristot. Rhet. init. : Πολλοὶ γὰρ στεῤῥοὶ καὶ λιθόδερμοι καὶ ταῖς ψυχαῖς ὄντες δυνατοὶ, γενναίως ἐγκαρτεροῦσι ταῖς ἀνάγκαις.

Λιθοδικτέω, Lapidibus impeto, a δίκω, i. e. βάλλω, Suidas [et Zonar. p. 1312.]

[Λιθόδμητος, ὁ, ἡ, Lapidibus structus. Philodem. Anth. Pal. 9, 570, 4 : Ἐν μονοκλίνῳ δεῖ με λιθοδμήτῳ, δέσποτι, πετριδίῳ εὕδειν ἀθανάτως. Pro quo Λιθοδόμητος, Joseph. A. J. 15, 11, 5 : Συνεδέδετο ὁ τέταρτος στοῖχος λιθοδομήτῳ τείχει.]

[Λιθοδόμητος. V. Λιθόδμητος.]

Λιθοδόμος, ὁ, Faber s. Architectus lapidarius, Qui ex lapidibus ædificia struere novit. Xen. Cyrop. 3, [2, 11] : Ὁπόσοι τέκτονες εἶεν καὶ λιθοδόμοι. [Libri Pollucis 7, 118 hoc voc. citantis e Xenophonte variant inter λιθοτόμος et λιθοδόμος. Ap. eundem 1, 161 : Οἱ πρὸς τοῦτο (murum exstruendum) ἐπιτήδειοι, λιθοδόμοι, λιθολόγοι, τέκτονες, est var. λιθοδότοι, quæ Piersono ad Mœr. p. 254, dittographia sequentis λιθολόγοι videbatur, quod Xenophonti restituendum putabat Valckenarius ap. Piersonum, ut in ll. ejusdem in h. v. citandis. Λιθοτόμοι apud Xen. et Pollucem idem Opusc. vol. 2, p. 288. Procop. De ædif. p. 18, D : Ἡνίκα οἱ λιθοδόμοι διώρυσσον οὗπερ ἐμνήσθην ἀρτίως.]

[Λιθοδρόμος, Pisid. Opif. p. 403.]

Λιθοειδής, ὁ, ἡ, Lapidis speciem gerens. Et λιθοειδὲς os ap. Medicos, Petrosum, pars ossis temporalis, protensis suturæ τῆς λαμβδοειδοῦς finibus terminata; petræ enim s. rupi videtur similis non duritie modo, sed et specie. Gorr. [Ex Galeno vol. 4, p. 13. Plato Tim. p. 74, A : Λιθοειδεῖ περιβόλῳ.]

[Λιθοεργής, ὁ, ἡ, Lapideum faciens. Oppian. Cyn. 3, 222 : Οὐχὶ μέτωπον ἀθρεῖς λιθοεργέος ἄγχι Μεδούσης. Wakef.]

[Λιθοεργὸς, ὁ, Faber lapidarius. Manetho 1, 77 : Ἤτοι λαξευτὰς ἢ τέκτονας ἢ λιθοεργούς. || Ὁ, ἡ, Lapideum faciens. Dioscorides Anth. Pal. 6, 126, 3 : Γοργόνα τὰν λιθοεργόν.]

[Λιθοθεσία, ἡ, Lapidum coagmentatio. Euseb. Præp. ev. p. 432, A : Μηχανὰς πρὸς τὰς λιθοθεσίας. Wakef.]

[Λιθοθήρας, ὁ, Lapidum venator, collector. Tzetz. Hist. 11, 518.]

Λιθοθλάω, Lapidem aut Lapides frango; Lapide frango, VV. LL. [Vitiose.]

Λιθοκάρδιος, ὁ, ἡ, Qui lapideo corde est, Cui cor saxeum est. Basil. : Ὑπὸ λιθοκαρδίων καὶ ἀπεριτμήτων ἀνθρώπων. [Schol. Eur. Or. 121. Wakef. Joann. monach. in Anecd. meis vol. 4, p. 291, 13. Boiss. Quæst. Græcor. ad Christ. p. 536, E (Appendicis Justini Mart. ed. Paris. 1742).]

Λιθοκέφαλος, ὁ, ἡ, Lapideo et duro capite præditus. Athen. 7, [p. 305, D] ex Aristot. : Τὰ μὲν λιθοκέφαλα [epitome λειοκέφαλα], ὡς κρέμυς· τὰ δὲ, σκληρότατα.

Λιθοκόλλα, ἡ, Glutinum, quo lapides ferruminantur et conglutinantur. Diosc. 5, 164 : Ἡ λ., μίγμα οὖσα μαρμάρου ἢ λίθου Παρίου καὶ ταυροκόλλης.

Λιθοκόλλητος, ὁ, ἡ, Ex lapidibus conglutinatus et compactus. Metaph. Soph. Tr. [1262] : Ψυχὴ σκληρὰ, χάλυβος λιθοκόλλητον στόμιον παρέχουσ', schol. λίθινον καὶ σκληρὸν χαλινὸν σαυτῇ ἐπιβαλοῦσα. || Cui lapides pretiosi agglutinati sunt, Gemmis lapillisque distinctus ac picturatus : ut λ. στέφανοι. [Theophr. De lap.

A 35 : Οἷς τὰ λιθοκόλλητα χρῶνται (λίθοις), ἐκ τῆς Βακτριανῆς εἰσι.] Athen. 4, [p. 147, F] : Ἐν ᾧ πάντα χρύσεα καὶ λ. περιττῶς ἐξειργασμένα ταῖς τέχναις, Omne instrumentum aureum, gemmis etiam consertum, singulari vasculorum opificio. [Callixenus ap. eund. 5, p. 200, B : Χιτῶνας διαχρύσους καὶ λιθοκολλήτους. Chares 12, p. 514, F : Λιθοκόλλητος ἄμπελος χρυσῆ.] Plut. Alex. [c. 32] : Περιτραχήλιον σιδηροῦν λιθοκόλλητον, ut Baccatum monile, Virg.; Gemmosa monilia, Apul. Sic λ. χλιδὼν, Diod. S. [3, 47]; λ. φιάλαι, Athen. [2, p. 48, F, et ποτήρια Parmenio ap. eund. 11, p. 782, A (et Theophr. Char. 25, 2), κρατὴρ Eratosth. ib. p. 482, B], ut Gemmata potoria, Plin. [V. Menand. fr. Παιδίου ap. Polluc. 10, 187. Πελειάδα Ælian. V. H. 12, 1, p. 139 med. ed. Cor. Absolute Strabo 16, p. 779 : Καὶ γὰρ θυρώματα καὶ τοῖχοι καὶ ὀροφαὶ δι' ἐλέφαντος καὶ χρυσοῦ καὶ ἀργύρου καὶ λιθοκολλήτου τυγχάνει διαπεποικιλμένα.]

[Λιθόκολλος, ὁ, ἡ, i. q. præcedens. Inscr. ap. Chishull. Antiq. p. 70, 9 (Bœckh. vol. 2, p. 551, n. 2852, 47) : Ψυκτὴρ βαρβαρικὸς λιθόκολλος, ἐπιγεγραμμένος Σωτείρας.
B Schneid. Ap. Heliodor. Æth. 7, 27, p. 304, περιαυχενίοις λιθοκολλήτοις scripsit Coraes pro λιθοκόλλοις. Cit. Boiss.]

[Λιθοκονία, ἡ, legitur ap. Hesychium inter explicationes voc. Στηὰ pro στιὰ sic scripti. Videtur esse Pavimentum lapideum, ut ὀστρακοκονία est testaceum.]

[Λιθοκοπετέομαι, Lapidibus petor. Papyri Gr. in Maii Auctt. class. vol. 5, p. 354 et 358. Osann.]

Λιθοκοπία, ἡ, Ictus lapide factus, ἡ ἐκ λίθων βολὴ Suidæ.

[Λιθοκοπικὸς, ἡ, ὸν, Ad lapides cædendos aptus. Eust. Od. p. 1533, 10 : Λιθοκοπικὸν σκεῦος. Λιθοκοπικὴ τέχνη, Theodoret. Therap. 1, p. 8, 18.]

Λιθοκόπος, ὁ, Lapicida, Latomus, λιθοτομίας, Pollux [7, 118] ex Dem. [p. 1159, 9. Hesych. in Λιθουργός.]

[Λιθοκρήδεμνος, ὁ, ἡ, Lapideam coronam habens. Coluth. 102 Bekk. : Λιθοκρήδεμνον ὑπὸ πρηῶνος ἐρίπνην κουρίζων ἐνόμευε Πάρις πατρώια μῆλα.]

[Λιθοκτονία, ἡ, Lapidatio. Epigr. Anth. Pal. 9, 157, 6 : Ποίνιμος ἔκτεινεν φῶτα λιθοκτονίη.]

C [Λιθοκύβος, ὁ, Cubus. Const. Apost. 7, 35 : Οἶδεν οὐρανὸς τὸν ἐπὶ μηδενὸς αὐτὸν καμαρώσαντα ὡς λιθόκυβον. Jobi 38, 38 : Κεκόλληκα δὲ αὐτὸν ὥσπερ λίθῳ κύβον, Grevio scribendum videtur λιθόκυβον vel λιθοκύβοις. Schleusn. Lex. V. T. v. Κύβος.]

[Λιθολάβος, ὁ, ut videtur, Instrumentum ad calculos (ex vesica) extrahendos. Galen. vol. 2, p. 396 : Λιθολάβῳ τὸν λίθον κομιζόμεθα.]

[Λιθολαμπής, ὁ, ἡ, Lapidibus splendens. Constant. Manass. Chron. 4787 : Στέφος καταμάργαρον λιθολαμπές. Boiss.]

Λιθολευστέω, Lapido, Bud. [Theodoret. vol. 4, p. 94 ed. Schulz. Schol. Aristoph. Ach. 232 s. Suidas v. Παλληνικόν. Nicephorus in Walz. Rhett. vol. 1, p. 466, 8, ubi pass.]

Λιθολεύστης, ὁ, Lapidator, Qui lapidibus impetit, λιθοβολίτης, Hesych. [Λιθόλευστος, λιθοβόλητος vel λιθόβλητος, Albertus.]

Λιθόλευστος, ὁ, ἡ, Lapidatus, Per lapidationem factus, ut λιθόβλητος. Soph. [Aj. 253] : Πεφόβημαι λι-
D θόλευστον ἄρην [ἄρη], i. e. λιθόβλητον φόνον, schol., Cædem lapidatione factam. [Callim. Epigr. 43, 5 : Ἡ λιθόλευστος κείνη. Alexander Ætol. ap. Parthen. Erot. c. 14, v. 12 : Τὸν λ. ἔρων. Diodor. 3, 47 : Λ. ὑπὸ τῶν ὄχλων. Pseudoplut. Parall. p. 313, B.]

Λιθολεύω, Lapido, VV. LL. [Verbum contra Græcæ linguæ analogiam formatum. Angl.]

Λιθολογέω, Lapides lego s. seligo operi idoneos. [Poll. 7, 118. Conf. Valck. Oratt. p. 379 = Opusc. vol. 2, p. 288. Schæf.]

Λιθολόγημα, ατος, τὸ, Ex lectis lapidibus constructum ædificium, Strues ex lectis lapidibus. Xen. Cyrop. 6, p. 99 [3, 25] : Οἰκίας οὔτε ἄνευ λιθολογήματος ὀχυροῦ, οὔτε ἄνευ τῶν στέγην ποιούντων, οὐδὲν ὄφελος. [Hesych. : Λ., ἐκ λίθων οἰκοδόμημα. Lex. rhet. Bekk. An. p. 277, 4 : Λιθολογήματα, τὰ νῦν λιθόστρωτα (λιθόστρατα codex). Pollux 7, 121.]

[Λιθολογία, ἡ, ap. Mœrin p. 53 : Αἱμασιὰ Ἀττικοὶ, λιθολογία ἢ τὸ ἐκ χαλίκων συγκείμενον Ἕλληνες, Pierson. scribendum conjecit λιθολόγημα.]

[Λιθολόγιος, Fructuum custodis in horto ædicula, sic dicta quod is lapidibus collectis aves et fures abigat. Lex. Ms. Vet. Test. : Ὀπωροφυλάκιον, λιθολόγιος, τόπος ἐφ' ᾧ τὴν σκηνὴν ἔχει ὁ φυλάσσων ὀπώραν παντοίαν. Ducang. App. Gl. p. 120. V. Cyrill. ap. Schleusner. Lex. V. T. v. Ὀπωροφ., qui rectius distinguit λιθολόγιος τόπος, pro quo λιθολόγιστος in Lex. Ms. Havn. ap. Osann.]

Λιθολόγος, ὁ, Qui lapides legit, colligit, etiam seligit operi idoneos. Thuc. 6, p. 212 [c. 44] : Λιθολόγους καὶ τέκτονας καὶ ὅσα εἰς τειχισμὸν ἐργαλεῖα. Hesychio [et Suidæ] λιθολόγοι sunt οἰκοδόμοι : sed magis proprie λιθοδόμοι. [Xen. H. Gr. 4, 4, 18 : Ἐλθόντες πανδημεὶ μετὰ λιθολόγων καὶ τεκτόνων· et cum eodem nomine 4, 8, 10. Plato Leg. 9, p. 858, B; 10, p. 902, E. Alia exx. v. ap. Ruhnk. ad Tim. p. 174. De usu verbi λέγω significatione Ædificandi v. Kuster. ad Suidam.]

[Λιθομᾰνὴς, ὁ, ἡ. Isid. Pelus. Ep. 1, 152 : Τὸν λιθομανῆ καὶ χρυσολάτριν Θεόφιλον, Insano lapillorum amore flagrantem, Int. Boiss.]

[Λιθομανία, ἡ, Construendorum ædificiorum furor. Pallad. V. Chrys. p. 51.]

[Λιθομάργᾰρον, τὸ, vel Λιθομάργᾰρος, ὁ, Margarita, Gemma. Ephræm. Cæsar. p. 93, 3762 : Τὴν ἐν χρυσαργύρῳ τε λιθομαργάροις ἐσθήμασί τε ποικίλοις τιμαλφέσιν οὐσίαν ἀμύθητον. Alia Ducang. L. Dindorf.]

[Λιθομυλία, ἡ, ap. Suidam, ubi λιθομυλίᾳ κατέστρωσε, perperam scribi pro λίθῳ μυλίᾳ, Molari lapide, recte judicavit Schneiderus. Λίθῳ μυλίᾳ nonnulli ap. Suidam in Ἀππία ὁδὸς, λιθομυλίᾳ vitiose Zonar. in ead. gl. p. 242. V. Μυλίας.]

[Λιθόξεστος, ὁ, ἡ, Ex lapidibus sculptus. Sibylla ap. Clem. Protr. p. 44, 11 : Εἰδώλοις ἀλάλοισι λιθοξέστοισιν.]

[Λιθοξόᾰνος, ὁ, ἡ. Nonn. Dion. 4, 273 : Λιθοξοάνοιο νηοῦ, Lapideis statuis ornati, Int.]

[Λιθοξοεῖον, τὸ, Lapidicina (l. Lapicidina), Gl.]

[Λιθοξοέω, Lapidem vel Lapides scalpo Theod. Prodr. Rhod. 3, 70, p. 105 : Ἑρμῆς ὃν σοφὸς λιθοξόος λιθοξοήσας κτλ. Et iisdem verbis 4, 333, p. 169. Elberl.]

[Λιθοξοϊκὸς, ἡ, όν.] Λιθοξοϊκὸν ἐργαλεῖον, Instrumentum scalpendis lapidibus s. poliendis. [Etym. M. v.
C Γλαρίς. L. D. Schol. Plat. Euth. p. 372, 15. Cramer.]

Λιθοξόος, ὁ, [Lapidicinarius, Gl. pro Lapicidinarius,] Qui lapides scalpit, polit, radendo complanat. Plut. [Mor. p. 74, E] : Οἱ λιθοξόοι τὰ πληγέντα καὶ περικοπέντα τῶν ἀγαλμάτων ἐπιλεαίνοντες καὶ γανοῦντες. [Qui lapides s. marmora radenda polit, ut apte coagmentari possint. Hi non statuas perficiebant, sed marmora et lapides expoliebant, at subinde utramque artem unus homo exercebat. V. Hemst. ad Lucian. Somn. c. 12. Bast. Timo Phl. ap. Diog. L. 2, 19; Rufinus Anth. Pal. 5, 15, 5; Manetho 6, 419. Pollux 1, 12. Improbat voc. Thomas M. p. 365, ubi Luciani Somn. c. 2 aliorumque recentiorum exx. nonnulla indicarunt intt.]

[Λιθοπλίνθῐνος, η, ον, Lateritius. Const. Manass. Chron. 5226 : Ὕπνωττεν οὖν ἐπί τινος λιθοπλινθίνης κλίνης. Boiss.]

[Λιθοποιέω, In lapidem muto. Gregor. Nyss. vol. 2, p. 208, B : Τὰ ἁπαλὰ λιθοποιῶν. L. Dind.]

Λιθοποιὸς, ὁ, Calculum gignens : ut λιθοποιὸς χυμὸς,
D Alex. Aphr. [Probl. 1, 109], Succus calculum generans. [Lucian. Imag. c. 1, Μέδουσα.]

[Λιθοπριστὴς, ὁ, Serrarius, Lapidarius, Gl. Rectius Λιθοπρίστης, ut κυμινοπρίστης. Et sic ap. Poll. 10, 148, λ. πρίων.]

[Λιθοπτέριον, τὸ σκολοπένδριον, in Glossis iatricis mss. ex cod. Reg. 190, Scolopendrion, Asplenon. Stephani Magnetis Empirica mss. : Σκολοπένδριον καὶ λιθοπτέριον καλούμενον πότισον. Ducang.]

[Λιθοπυργία, ἡ, ap. Hesych. in Λίηνος citatum.]

[Λιθόριον. V. Λιθαόριον.]

Λιθόῤῥῑνος, ὁ, ἡ, i. q. λιθόδερμος, a ῥινὸς significante δέρμα. Emped. [v. 221 Karsten.] ap. Plut. [Mor. p. 618, B] : Κηρύκων τε λιθοῤῥίνων χελύων τε [τε χελωνῶν]· nam et Plin. scribit murices firmioris testæ esse, sicut et concharum genera. Iidem pisces dicuntur ὀστρακόδερμοι, Testacea pelle tecti. [Hom. H. Merc. 48 : Πειρήνας διὰ νῶτα λιθορρίνοιο χελώνης. Libri διὰ ῥινοῖο. Quod correxit Pierson. Verisim. p. 156.]

A Λίθος, ὁ, ἡ, Lapis, Saxum. [Rupes add. Gl.] Hom. [Il. Δ, 510 : Ἐπεὶ οὔ σφι λίθος χρὼς οὐδὲ σίδηρος.] Od. Ψ, [103] : Σοὶ δ' αἰεὶ κραδίη στερεωτέρη ἐστὶ λίθοιο· Τ, [494] : Ἕξω δ' ὡς ὅτε τις στερεὴ λίθος, ἠὲ σίδηρος· Il. Π, [212] : Ὡς δ' ὅτε τοῖχον ἀνὴρ ἀράρῃ πυκινοῖσι λίθοισι Δώματος ὑψηλοῖο, βίας ἀνέμων ἀλεείνων. [Τρηχὺς λ. ib. Ε, 308, ὀκριόεις Θ, 327, ξεστὸς Ζ, 244. Pind. Ol. 8, 55 : Μὴ βαλέτω με λίθῳ τραχεῖ φθόνος· Nem. 8, 47 : Σεῦ δὲ πάτρᾳ Χαριάδαις τε λάβρον ὑπερεῖσαι λίθον Μουσαῖον, de carmine. Æsch. fr. Prom. sol. ap. Strabon. 4, p. 183 : Ἑλέσθαι δ' οὔ τιν' ἐκ γαίας λίθον ἕξεις. Soph. fr. Cedal. ap. Photium in Λευκὴ στάθμη et alibi cit. : Λευκῷ λίθῳ. Eur. Cycl. 401 : Πρὸς ὀξὺν στόνυχα πετραίου λίθου. Et alii quivis.] Aristot. Rhet. 3, [4] ex Platone : Ἐοίκασι τοῖς κυνιδίοις, ἃ τοὺς λίθους δάκνει, τῶν βαλλόντων οὐχ ἁπτόμενα. [De locis lapidosis Xen. Ven. 5, 15 : Ἔρχονται εἰς τὰ ῥεῖθρα, τοὺς λίθους, τὰ ὑλώδη· 18 : Τοὺς λίθους, τὰ ὄρη.] Et proverb. Πάντα λίθον κινεῖν, Omnem lapidem movere. [Et Ὑπὸ παντὶ λίθῳ σκορπίος, de quibus Suidas et parœmiographi. Et λίθον ἕψειν, de
B quo in Ἕψω p. 2635, A. Et ὥσπερ λίθον ζῆν ap. Platonem Gorg. p. 494, A, et ibid. B : Οὐδὲ λίθου βίον λέγεις. Idem Conviv. p. 198, B : Μὴ αὐτόν με λίθον τῇ ἀφωνίᾳ ποιήσεις.] Ceterum gramm. quidam putarunt λίθος masculinum esse, quum simpliciter Lapidem significat, at fem., quum de Lapide pretioso dicitur, aut polito. At ego existimo quidem in hac posteriore signif. feminini potius quam masculini esse generis, sic tamen ut interdum etiam sit masculini : veluti quum dicit Pausan. Att. : Ἄγαλμα λευκοῦ λίθου. [Et ib. 1, 19, 6, στάδιον· 22, 4, ὀροφὴ, de marmore. V. Letronn. *Journ. des Sav.* 1837, p. 305, 373.] Ibid. : Ἐκοσμήθησαν λίθῳ κογχίτῃ. Et Plutarch., λίθος Λακωνικὸς [de quo v. supra in Λακεδαίμων], quum Themistius appellet Λακωνικὴν, ut mox docebo. [Pind. Nem. 4, 81 : Παρίου λίθου λευκοτέραν. Photius s. Suidas : Λίθων χοαὶ, ἄργυρος καὶ χρυσός· καὶ γὰρ Εὐριπίδης φησὶ, Λευκοὺς λίθους ἔχοντες αὐχοῦσιν μέγα. Incerto genere Herodot. 2, 44 : Σμαράγδου λίθου. Xen. Anab. 3, 4, 10 : Ἦν ἡ κρηπὶς λίθου ξεστοῦ κογχυλιάτου· Vectig. 1, 4 : Πέφυκε
C λίθος ἐν αὐτῇ, ἐξ οὗ κάλλιστοι μὲν ναοὶ κτλ. Eumath. p. 13 : Τὰ κυκλόθεν ἐκόσμει τοῦ φρέατος λίθος Χῖος ὁ ἐκ Λακαίνης καὶ Θετταλὸς ἑτέρωθεν, male intellectis, ut videtur, usus verbis Achillis Tat., de quibus in Λακεδαίμων diximus p. 51, A, ubi casu omissa Hesychii gl. Χῖον τὸν ἐκ Λακαίνης.] Vicissim autem in priore etiam signif. femininum esse videmus in uno ex iis ll., quos protuli ex Hom. [Cui add. Il. Μ, 287 : Λίθοι θαμειαί. Quod Ionicum dicit Porphyr. Quæst. Hom. c. 8, p. 229.] At exempla pro illa grammaticorum observatione facientia, sunt hæc. Aristoph. Nub. [766] : Τὴν λίθον Ταύτην ἑώρας τὴν καλὴν, τὴν διαφανῆ; Et ἡ λίθος Ἡρακλεία [hoc voc. non est ap. Th.] ap. Theophr. [H. Pl. 9, 18, 2, Plat. Ion. p. 533, D, E]; itidemque ἡ μαγνῆτις λίθος quum ap. eum [fr. 2, 41], tum ap. ceteros [ut Eur. fr. OEnei ap. Suidam v. Ἡρακλείαν λίθον. V. in utroque nomine]. Sic ἡ μαργαρῖτις λίθος, Athen. [3, p. 93, B] ex Theophr. [immo ex Androsthene, ex Theophrasto vero ibid. : Τῶν ... λίθων ἐστὶ καὶ ὁ μαργαρίτης καλούμενος], Unio. Et τιμία λίθος, Pretiosus lapis. [Παρίας λίθου ap.
D Suidam.] Themist. : Καὶ καλλύνεται τὰ ἐδάφη λίθῳ Λακαίνῃ καὶ Λιβύσσῃ καὶ Αἰγυπτίᾳ. [Λίβυσσα Poll. 7, 100, et Εὐβοῒς ibidem. Λυδία λίθος Soph. ap. Hesych. in Ἡρακλεία λίθος. Pollux 7, 102.] Invenitur autem et peculiariter dictum λίθος de Lydio lapide, quo probatur aurum. Basil. : Καὶ τοῦ χρυσοῦ τὴν διαφορὰν τῇ λίθῳ προστρίβοντες δοκιμάζομεν. [Plato Gorg. p. 486, D : Τούτων τινὰ τῶν λίθων, ᾗ βασανίζουσι τὸν χρυσόν.] Sic autem et pro Magnete ap. Aristot. In Epigr. autem ἁ λίθος ἁ μικρὰ de Sepulcrali lapide, s. Sepulcro. [Conf. Callim. Epigr. 7, 1.] Quo et Alciphr. modo usus est, Κωφὴ λίθος καὶ σποδιά. [Et incerto genere Crinagoras Anth. Pal. 7, 380, 3. Locus Alciphronis 1, 33, p. 228 : Κεῖται ἡ πάσαις μέλουσα χάρισι κ. λ. καὶ σπ., rectius ab Jacobsio ad Anthol. vol. 12, p. 295, confertur cum Epigr. adesp. 717 (Append. 338), 3 : Κεῖται λίθος ὡς ἡ πάνσοφος· et Theognid. 568 : Κείσομαι ὥστε λίθος ἄφθογγος. De aliis lapidibus in Gl. : Λίθος μυλίτης, Lapis molaris; Λίθος πυρώδης, Silex; Λίθοι οἱ τῶν ὅρων, Grumi. Plato Tim. p. 61, B : Τὰ ἔλαττον ἔχοντα ὕδατος

ἢ γῆς τό τε περὶ τὴν ὕαλον γένος ἅπαν ὅσα τε λίθων χυτὰ εἴδη καλεῖται· quibuscum comparandus, quem Schneider. citat, Epinicus Athen. 10, p. 432, C : Συγκυρκανήσας ἐν σκύφῳ χυτῆς λίθου. Conferendus videtur etiam Photius in Λίθων χοαὶ paullo ante citatus. (Aliter Hesychius : Λ. χ., αἱ διὰ λίθων ἐκχύσεις καὶ χύτρινοι· χοὰς δὲ ἐκ λίθων ὑπονόμους καὶ χυτρίνους, οὓς καὶ διώρυγας.) Λίθοι πολυτελεῖς de lapillis pretiosis, s. gemmis apud Callixenum Athenæi 6, p. 202, D, Joseph. A. J. 12, 2, 4, Lucian. Imag. c. 11. Τίμιοι ap. Herodian. 5, 2, 10, etc. Λίθον μέλανα, ὃν καὶ μυλίτην ὀνομάζουσι κόχλακα, Galen. in Exeg. Hippocr. ex p. 680, 41. Λίθοι πότιμοι qui dicantur v. ap. Suidam et interpretes. De aliis generibus hæc fere Ducangius : « Λίθος δένδριος, τὸ κοράλιον in Glossis iatricis Mss. Neophyti. Oribasius Ms. l. 13 : Τὸ δὲ κουράλιον, ὅπερ ἔνιοι λιθόδενδρον ἐκάλεσαν, δοκεῖ μὲν εἶναι φυτὸν ἐνάλιον. — Λίθος Ἄσιος τὸ κισσήριον in iisdem Glossis. V. Lexicon Rulandi. — Λίθος Συριακὸς, ὁ Τηκόλιθος ibid. — Λίθος Διονυσίου in Glossis chym. ἄσβεστος. — Λιθοφρύγιός ἐστι στυπτηρία, ibid. — Λίθον τὸν οὐ λίθον, ἄσβεστον εἶναι λέγουσιν καὶ αἰθάλην λειουμένην μετ' ὄξους, ibid. Niceph. Blemm. Ms. de chymia : Λαβὼν σὺν θεῷ λίθον τὸν οὐ λίθον, ὃν λέγουσι λίθον τῶν σοφῶν, ἐν ᾧ εἰσι τὰ δ' στοιχεῖα. V. Lexicon Rulandi p. 273. — Λίθος Λεοντικὴ, Milium solis, Λιθόσπερμον ap. Interpol. Dioscor. c. 564. » Lapis pyrites simpliciter dici videtur λίθος in fr. Menandri ex Μέθῃ, de quo diximus in Ἕτερος p. 2140, B : Εἶτ' οὐκ εἶχεν οὐ πῦρ, οὐ λίθον, οὐκ ἄλλο τοιοῦθ' ἕτερον.] || Calculus vesicæ, Bud. ex Aristot. [H. A. 3, 15.] V. Λιθιάω. || Anchora, quod veteribus lapides usum anchorarum præstarent, Eust. [Il. p. 1164, 1.] || Discus, in qua signif. dictum vult Eust. [Il. p. 1591, 18] παρὰ τὸ λίαν θέειν, quum alioqui in generali signif. lapidis, derivet a λίαν τεθεῖσθαι, addens διὰ τὸ φύσει βρίθον. [|| Calculus lusorius. Theocrit. 6, 18 : Τὸν ἀπὸ γραμμᾶς κινεῖ λίθον.] || Locus ubi vendebantur mancipia, Pollux [3, 78, 126]. Quo dixit modo Cic. In Pis., Duos de lapide emptos. || Ap. Aristoph. [Ach. 683, Pac. 680] τὸ βῆμα et τὸ δικαστήριον τὸ ἐν πνυκὶ, VV. LL. V. et Λιθωμόται paulo post. [Ὁ τοῦ κήρυκος λίθος, Plut. Solon. c. 8. SCHNEID.] || Λίθοι, Homines bardi et stupidi, Aristoph. [Nub. 1202. Plat. Hipp. maj. p. 292, D : Ἦ εἴ μοι παρεκάθησο λίθος καὶ οὗτος μυλίας μήτε ὦτα μήτ' ἐγκέφαλον ἔχων. Similiter Clem. Al. Protr. p. 4, 19 : Λίθων ἀναισθητότερος. || De formula Δία λίθον ὀμνύειν v. intt. Polybii 3, 25, 6.]

[Λιθοσπᾰδὴς, ὁ, ἡ, Ex lapidibus evulsis factus. Soph. Ant. 1216 : Ἁρμὸν χώματος λιθοσπαδῆ.]

Λιθόσπερμον, τὸ, Lithospermum, ob σπέρμα λιθῶδες dictum : item ἡράκλειον, διὰ τὴν περὶ τὸ σπέρμα ἰσχὺν, Diosc. 3, 158; de quo Plin. 17, 11 : Aliqui Ægonychon vocant, alii Dios pyron, alii Heracleon : herba quincuncialis fere, foliis duplo majoribus quam rutæ, ramulis surcolosis, crassitudine junci. Gerit juxta folias singulas veluti barbulas, et earum in cacuminibus lapillos candore et rotunditate margaritarum, magnitudine ciceris, duritia vero lapidea. Nec quicquam inter herbas majore quidem miraculo aspexi : tantus est decor velut aurificum arte alternis inter folia candicantibus margaritis : tam exquisita difficultas lapidis ex herba nascentis. [Galen. vol. 10, p. 544. Λιθόσπερμα, τὸ σκολοπένδριον, in Glossis iatricis Mss. Neophyti. DUCANG.]

Λιθοσόος, s. Λιθοσσόος, ὁ, ἡ, Lapidum jactu fugans, Lapidator. Nonn. [Jo. c. 8, 193] : Λιθοσσόον ἑσμὸν ἐάσας.

[Λιθοστεγὴς, ὁ, ἡ, Lapidibus tectus. Schol. Lycophr. 350 : Θαλάμους τοὺς λιθοστεγεῖς.]

[Λιθοστερέμνιος, ὁ, ἡ, Saxi instar durus. Nicet. Eugen. 6, 552 : Τῆς καρδίας σου τῆς λιθοστερεμνίου. BOISS.]

[Λιθόστρεα, apud Myrepsum 18, 7, Ostrea, quæ in petris et rupibus capiuntur, Pisces aspratiles. DUCANG.]

Λιθόστρωτος, ὁ, ἡ, Lapidibus stratus. Plin. 36, 28 : Pavimenta originem apud Græcos habent elaborata arte, picturæ ratione, donec lithostrota expulere eam. Aliquanto post, Lithostrota cœptare jam sub Sylla, parvulis certe crustis : extat hodieque quod in Fortunæ delubro Præneste fecit. Pulsa deinde ex humo pavimenta in cameras transiere ex vitro. [Soph. Ant. 1204 : Πρὸς λιθόστρωτον κόρης νυμφεῖον Ἅδου κοῖ-
A λον. Inscr. Amathus. ap. Bœckh. vol. 2, p. 445, n. 2643 : Ἀπὸ τοῦ Ἡραίου ἕως τοῦ λιθοστρώτου. Arrian. Epict. 4, 7, 37 : Σοὶ μέλει πῶς ἂν ἐν λιθοστρώτοις οἰκήσητε. Λ. ἔδαφος Pollux 7, 121. Locos V. T. indicat Schleusn. Alios Wyttenb. in Ind. Plutarch. « Const. Manass. Chron. p. 86 Meurs. (2209) : Κλίνας λιθοστρώτους. » BOISS. V. etiam Λιθολόγημα. Gl. : Λιθόστρωτα, Delapidata. Hinc verbum apud Ducam Hist. Byz. p. 147, A : Ὁ τοῦτο τολμήσας ἄξιος λιθοστρωθῆναι, Lapidari, nisi potius scribendum λιθοστρωτηθῆναι.]

[Λιθότεχνος, Pseudocallisthen. Vita Alex. M. in Fabric. B. Gr. vol. 14, p. 150. OSANN.]

[Λιθοτομεῖον, τὸ, Lapidicina, Gl. pro Lapicidina.]

[Λιθοτομέομαι, Calculus mihi exsecatur. Paul. Æg. 6, 60 : Τῶν λιθοτομουμένων παῖδες μὲν ... εὐθεράπευτοι. L. DINDORF.]

Λιθοτομία, ἡ, Officina lapicidarum, Lapicidina, Locus ubi lapides exciduntur. [Herodot. 2, 8, etc.] Paus. Att. p. 24 : Ὄρη ἔνθα λιθοτομίαι. [Idem 3, 21, 4.] Idem et λατομία. [Quocum permutatur Plat. Epist. 2,
B p. 314, E.] Thuc. 7, p. 263 [86] : Κατεβίβασαν ἐς τὰς λιθοτομίας· et [87] : Τοὺς δ' ἐν ταῖς λιθοτομίαις οἱ Συρακούσιοι χαλεπῶς τοὺς πρώτους χρόνους μετεχείρισαν, de Atheniensibus captivis. Unde Festus, Syracusani Latomias et appellant et habent adinstar carceris : ex quibus locis excisi sunt lapides ad extruendam urbem. [Xen. H. Gr. 1, 2, 14; Demosth. p. 1252, 8.] Et Lucian. [De hist. scr. c. 38] : Εἰς τὰς λιθοτομίας ἐμβαλεῖν, ut Cic. In latumias conjicere; Plaut., In lapicidinas facite deductus siet. V. Λατομία. [|| Calculi exsectio. Paul. Æg. 6, 60 : Ἐπὶ τὸν τῆς λιθοτομίας χωρήσωμεν τρόπον. L. DINDORF.]

Λιθοτομίας, ὁ, i. q. λιθοκόπος, Pollux [7, 118, ubi nunc αἱ λιθοτομίαι pro ὁ λιθοτομίας].

[Λιθοτομικὸς, ἡ, ὸν, unde ἡ Λιθοτομικὴ, Ars statuaria, ap. Cyrill. C. Julian. p. 208, A : Εἴργαστο σὺν τῷ πατρὶ τὴν λιθοτομικήν.]

Λιθοτόμος, ὁ, Lapicida, ut λιθοκόπος. [Cæmentarius, Gl. V. Λιθοδόμος.] || Chirurgus calculum exscindens. [De instrumento Paul. Æg. 6, 60 : Λαβόντες τὸ καλού-
C μενον λιθότομον. Scr. λιθοτόμον, ut est ap. Severum De clyst. p. 47 ed. Dietz. L. D.] At Λιθότομος, Incisus a lapide, ex Cyrillo.

[Λιθοτράχηλος, ὁ, ἡ, Qui lapideæ est cervicis, Pertinax. Cyrill. C. Julian. p. 213, B : Ὁ σκληροκάρδιος καὶ λ. ἐκεῖνος λαός.]

[Λιθοτριβικὸς, ἡ, όν.] Λιθοτριβικὴ, Ars lapides elaborantium ad operum ornamenta, VV. LL. V. Λιθουργική.

[Λιθοτυπία, Ind. ad Leon. Diac. 270. BOISS.]

Λιθουλκέω, Lapides traho, extraho, eximo. Item Ægre traho, veluti ponderosum saxum; nam λιθουλκεῖν Hesychio est τὸ μόλις τι ἕλκειν : [Photio et] Suidæ autem λιθουλκῆσαι, τὸ στῆσαι ἐπὶ τῆ; βάσεως τὸ ἀνάθημα.

[Λιθουλκὸς, ὁ.] Λιθουλκοὶ, Qui lapides trahunt sive extrahunt ex lapicidinis. [Pollux 7, 118 : Λιθουλκὸν, εἰ μὴ τοῦτο φῂς ὑπηρετικήν τινα εἶναι τῇ τεκτονικῇ τέχνῃ.] Plin. Exemptores vocat, 36, 15. [De instrumento Paul. Ægin. 6, 60 : Τῇ διὰ τοῦ λιθουλκοῦ ἀναβολῇ τοῦτον ἐξέλωμεν.]

[Λιθουργεῖον, τὸ, Lapicidæ officina. Isæus p. 55, 26 :
D Τὰ ἀναθήματα ἐν τοῖς λιθουργείοις ἔτι κυλινδεῖται. SEAGER.]

Λιθουργέω, Lapides elaboro. In VV. LL. λιθουργήσει, In lapidem vertet : ut λιθουργεῖν sit Lapidem reddere. [Exod. 35, 10 : Λιθουργῆσαι τὸν λίθον. || Lapidem facio. Philostr. Imag. 1, 11, p. 20, 37 : Τὰς Ἡλιάδας γεωργήσει αὐτίκα (Eridanus fl.)· αὔραις γὰρ καὶ κρυμοῖς, οὓς ἀναδίδωσι, λιθουργήσει (illarum lacrimas). Epigr. Anth. Pal. 3, 11, 4 : Γυῖα λιθουργήσας (Perseus Polydectis).]

[Λιθουργὴς, ὁ, ἡ, Ex lapide factus. Aristeas De LXX Interprr. p. 255 ed. van Dale.]

[Λιθουργία, ἡ, Lapidum elaboratio. Bruti Epist. 37. Thom. M. p. 571.]

[Λιθουργικὸς, ἡ, ὸν, unde] Λιθουργικὴ, ἡ, Peritia eximendorum lapidum. Lysias [fr. 25, 31] ap. Suid. : Διὰ τὸ τρεῖς τέχνας ἐργάζεσθαι, τήν τε λιθουργικὴν καὶ λιθοτριβικὴν, καὶ πρὸς τούτοις τὸ τετρυφηκέναι, ubi Suid. λ. accipit ἣν ἐν τοῖς μετάλλοις ἐργάζονται οἱ τέμνοντες τοὺς λίθους : at λιθοτριβικὴν, ἣν μετίασιν οἱ καταξαίνοντες καὶ καταχοσμοῦντες τοὺς λίθους. [Λιθουργικὰ, τὰ, Exod.

31, 5, i. q. λιθουργικὴ τέχνη ib. 28, 11. V. Hemsterh. ad Lucian. Somn. c. 12. Σιδήρια λιθουργικὰ ap. Polluc. 7, 125, nisi ex dittographia proximi σ. λιθουργὰ ortum est.]

Λιθουργὸς, ὁ, [Lapidarius, Gl.] Qui lapides elaborat, Faber qui lapides scalpit et operi aptat, λιθοκόπος, λιθογλύπτης, Hesych. Thuc. 4, p. 144 [69] : Σίδηρος καὶ λιθουργοὶ καὶ τἄλλα ἐπιτήδεια, ubi scribitur et πλινθουργοί : paulo post dicit, Ἐκ τοῦ προαστείου λίθοις καὶ πλίνθοις χρώμενοι, καὶ κόπτοντες τὰ δένδρα. Ib. p. 122 [c. 4] : Σιδήρια μὲν λιθουργὰ οὐκ ἔχοντες, λογάδην δὲ φέροντες λίθους, ubi videtur σιδήρια λιθουργὰ accipere non tam pro Ferramentis ad elaborandos quam ad eximendos lapides. Schol. exp. λαξευτήρια, Scalpendis et poliendis lapidibus apta. [V. Λιθουργικός. Greg. Nyss. vol. 2, p. 208, D : Λιθουργοῖς ὀργάνοις. L. D.] Plut. Pericle [c. 12] : Τέκτονες, πλάσται, χαλκοτύποι, λιθουργοί. || Statuarius. Aristot. Eth. Nicom. 6, 7. V. Hemsterh. l. in Λιθουργὸς citato.]

[Λιθουρία, ἡ, Morbus calculos mingentium. Schol. Pind. Pyth. 1, 87, 89, 96 (3, 1). Boiss.]

Λιθοφορέω, Lapides fero s. porto, Comporto lapides. Thuc. 6, p. 230 [c. 98] : Ἐκώλυον τοὺς Ἀθηναίους λιθοφορεῖν· at paulo post dicit, Λίθους καὶ ξύλα ξυμφοροῦντες. [Pollux 7, 118.]

[Λιθοφόρος, ὁ, Falangiarius, Gl. De quo voc. v. Ducang. in Gloss. Lat. Genus catapultæ, ut λιθοβόλος ap. Polyb. 4, 56, 3 : Λιθοφόρους τέτταρας. Diodor. 13, 78, idemque ibid. 79 et Callixenus ap. Athen. 5, p. 208, D : Κεραῖαι λιθοφόροι. Plut. Galb. c. 8. « Greg. Naz. Ep. 7, p. 771, ποταμός. » Strong.]

[Λιθοφόρος, ὁ, Lithophorus, cogn. viri in inscr. Eleus. ap. Bœckh. vol. 1, p. 448, n. 399 : Μ. Αὐρήλιον Λιθοφόρον. L. Dind.]

[Λιθοφρύγιος. V. Λίθος.]

[Λιθόχροος, ap. Tzetz. Posth. 272 : Βριθὺ δ' ἄρα κτυπέων λιθόχροος ἔμπεσεν ἀγροῖς (torrens), in μιλτόχροος mutabat Jacobsius, ut paullo ante fuerat.]

[Λιθόχρυσος, ὁ, ἡ, ap. Const. Manass. Chron. 696 : Πολυτελέσι σκεύεσιν ἐχρῆτο λιθοχρύσοις, Vasis ex auro et gemmis, Int. Boiss.]

[Λιθόψωκτος, ὁ, ἡ, Lapides perpoliens. Manetho 4, 326 : Λαοτόμους ἠδὲ λιθοψώκτῳ καμάτῳ βίον ἰθύνοντας.]

Λιθόω, In lapidem verto, Lapidem facio. Et Λιθόομαι, Lapidesco, In lapidem vertor et induresco, Lapis fio. [Aristot. De gen. an. 5, 3 : Τὰς ἀκάνθας σκληρὰς καὶ λελιθωμένας· De partt. an. 1, 1. Plut. Mor. p. 577, F. De pavimento Pollux 7, 121.]

[Λιθρίδιον, τὸ ἐρυθρόδανον, in Lexico Ms. Neophyti, Erythrodanum. Ducang. App. Gl. p. 121.]

[Λιθρινάριον, τὸ, Rubellio, piscis. Schol. Oppiani Hal. 1, 97, ad ista : Ξανθοί τ' ἐρυθῖνοι, λιθρινάρια· alius ῥούσια, nostris *Rougets*. Ducang.]

[Λίθρος, ὁ, Lithrus, mons Ponti. Strabo 12, p. 556.]

Λιθώδης, ὁ, ἡ, Lapidosus [ita Gl., et Glarea, Scrupeus], Lapideus. Philo De mundo : Ὑπεργάζεσθαί τε τὴν σκληρόγεων καὶ λιθωδεστάτην γῆν, Solum prædurum ac lapidosum s. glareosum. V. M. 1 : Ὄρη λιθωδέστατα, Saxosissimi montes. [Xen. Eq. 4, 4 : Ἐν ὁδῷ λιθώδει. Plato Theæt. p. 194, E : Οἱ τραχὺ λιθῶδές τε (κέαρ) ἔχοντες. Aristot. A. H. 8, 2, τόποι. Theophr. De lapid. 65 : Λιθωδεστέρα μᾶλλόν ἐστιν ἢ γεώδης. || Adv. Λιθωδῶς ap. Aetium : Ὅσα προσπήγνυται τοῖς χαλκείοις λιθωδῶς, Casaub. ad Athen. 2, 7, p. 93, 25, interpretatur Quæ in morem lapidum æreis vasis adhærent.]

Λιθωδία, ἡ, Saxositas, Saxea durities, σκληρότης, Eust. [Il. p. 24, 7.]

[Λιθωδῶς. V. Λιθώδης.]

[Λίθωμα, ατος, τὸ, in Timarione in Notitt. Mss. vol. 9, p. 209 : Τὰ ἐπὶ τῶν δακτύλων λιθώματα, de arthritici digitorum tuberculis.]

[Λιθωμότης, ὁ.] Λιθωμόται, Hesychio sunt δημηγόροι ἐπὶ τοῦ λίθου ὀμνύντες : dicit autem [in h. v. et in Λίθος] λίθον esse τὸ ἐν τῇ θείᾳ ἐκκλησίᾳ βῆμα. Qualis consuetudo Athenis quoque fuit, ut ex Dem. Or. c. Cononem [p. 1265, 6] discimus, qui ait, Πρὸς τὸν λίθον ἄγοντες καὶ ἐξορκοῦντες. [V. Harpocrat. v. Λίθος, Aristotelis et Philochori testimonia addentem. Sequitur autem HSt. scripturam Harpocrat. s. Photii vel Suidæ in l. Demosth., cujus libri βωμὸν ... ἐξορκίζοντες.] Ita

A λιθωμόται fuerint Qui ad λίθον deducunt et ibi juramentum exigunt. [Plut. Solon. c. 25 : Ἴδιον δ' ἕκαστος τῶν θεσμοθετῶν (ὤμνυεν ὅρκον) ἐν ἀγορᾷ πρὸς τῷ λίθῳ κτλ. confert Schneider. V. Λίθος.]

[Λιθώπης, ὁ, Lapidis aspectum habens. Tryphiod. 68 : Ὀφθαλμοὺς δ' ἐνέθηκε λιθώπεας ἐν δυσὶ κύκλοις γλαυκῆς βηρύλλοιο καὶ αἱμαλέης ἀμεθύστου. || Fem. Λιθῶπις, ιδος, ἡ, Nonn. Dion. 30, 265 : Σθεινοῦς ἴδες ὄμμα λιθώπιδος, ut supra de Gorgone λιθόγληνος et λιθοδερκής.]

Λίθωσις, εως, ἡ, Mutatio in naturam saxeam. Plut. [Mor. p. 953, E] : Πῆξις δὲ εἰς ἀλλοίωσιν τελευτᾷ καὶ λίθωσιν, Glacies in commutationem naturæ saxeumque rigorem desinit. [Διὰ λιθώσεως ποικίλης de opere musivo intelligendum videtur ap. Aristeam De int. LXX p. 111, 9 ed. Haverc.]

[Λιθωτὸς, ὁ, unde λιθωτὰ pro λίθινα est in libris nonnullis Herodoti 2, 69.]

Λικερτίζειν, Hesych. σκιρτᾶν, Saltare s. Lascivius saltare. [Conjecturas interpretum v. ap. ipsos. Fugit Albertum Ducangii opinio, qui « Fort. Λικεντίζειν,

B Licentiari. »]

Λίκηνον, Hesychio ἀγγεῖον ὀστράκινον, Vas testaceum.

Λίκιγξ, ut vult schol. Aristoph. [Ach. 1034], dicitur ἡ ἐλαχίστη βοὴ τοῦ ὀρνέου, Minima et exilissima avis vox.

[Λικίνιοι καλοῦνται ἰδιωτικῶς ἀπὸ τοῦ Λικινίου οἱ ἀγρίως χολάζοντες, Eust. Od. p. 1834, 29.]

[Λικμάζω.] Λικμάζειν, Hesychio περιέχειν, Continere, Comprehendere.

[Λικμαῖος, α, ον.] Ap. Suidam nomen Λικμαῖος legitur, cum hoc exemplo [Zonæ Anth. Pal. 6, 98, 1] : Δηοῖ Λικμαίῃ· vocari autem Ceres Λικμαία videtur, quoniam ejus beneficio fruges acceptæ ferebantur, ipsaque dare credebatur quod ventilaretur s. vannaretur.

[Λικμὰς, άδος, ἡ. V. Λιχμάς.]

Λικμάω, Ventilo, Vanno [Gl.], h. e. Ventilabro s. Vanno purgo. Hom. Il. E, [500] : Ὡς δ' ἄνεμος ἄχνας φορέει ἱερὰς κατ' ἀλωὰς Ἀνδρῶν λικμώντων· i. e. τὰ ἄχυρα ἀπὸ τοῦ σίτου διαχωριζόντων. Meminit Suid. quoque

C hujus verbi, scribens λικμήσοντας dici ἐπὶ τῆς ἅλω, a them. λικμῶ, quod est πτυάζω, et τὸ σίτον καθαίρω : at λιχμήσονται per χ, esse λείξουσι, a them. λιχμάω. [Λικμῶ, Photio κοσκινεύω, διασκορπίζω. Xen. OEc. 18, 6 : Καθαροῦμεν τὸν σῖτον λικμῶντες, et alibi. Bacchylides Anth. Pal. 6, 53, 4. Pass. Plut. Mor. p. 701, C : Πνεῦμα λικμωμένοις (καρποῖς) ἐπιγιγνόμενον. « Basil. Schol. Greg. Naz. in Notitt. Mss. vol. 11, part. 2, p. 91. » Boiss.]

[Λίκμησις, εως, ἡ, Ventilatio. Greg. Naz. vol. 1, p. 386. Moschop. ad Hesiodi Op. 588.]

[Λικμητήρ. V. Λικμητής.]

Λικμητήριον, τὸ, Ventilabrum, [Ventilamentum huic add. Gl.] Vannus, Id quo fruges purgari solent ab aceribus et paleis, πτύον, Hesych.

Λικμητηρὶς, ίδος, ἡ, dicitur τρύγοιπος ἐν ᾧ διηθοῦσι τὴν τρύγα, Qualus per quem fæx percolatur. [Pollux 1, 245 : Θρῖναξ, σμινύη, πτύον ἢ πτεόν. Καὶ λικμητηρὶς δὲ καλεῖται, τρύγοιπος, ἐν ᾧ διηθοῦσι τὴν τρύγα. Ubi interpungendum esse sic ut ad præcedentia, non ad sequens

D τρύγοιπος referatur λικμητηρὶς, animadvertit Jungermannus, et confirmat Hesychius Λιχμὰς (Λικμὰς) interpretatus θρῖναξ, quod ipsam explicat πτύον.]

Λικμητὴς et Λικμητὴρ, ῆρος, ὁ, Ventilator [ita Gl. in Λικμητής], Vannator, Qui vanno s. ventilabro frumentum purgat. Hesychio ὁ ἀποχωρίζων τοὺς καρποὺς καὶ τὰ ἄχυρα : Suidæ ὁ τὸ πτύον κατέχων. [Λικμητὴς Bacchus ap. Servium ad Virg. Georg. 1, 166. Boiss.] Sed Hesych. prius λικμηταὶ exp. etiam διασκορπισταὶ, Dissipatores, Disjectores : metaph. sumpta a ventilatoribus. [Hom. Il. N, 590 : Λικμητῆρος ἐρωῇ. Λικμητὴς memorat Pollux 1, 222.]

[Λικμητικὸς, ή, όν, Ventilans. Eust. Il. 135, 43, πτύου λ.]

[Λικμητὸς, ὁ, Ventilatio. Nicænetus Anth. Pal. 6, 225, 5 : Δράγματα, ὅσσ' ἀπὸ λικμητοῦ δεκατεύεται. Hesych. in Σκώλυξ, ubi τὸ συναχθὲν εἰς λικμητὸν, citat Hemst., Greg. Neoc. 94, Routh. V. Λικμός.]

[Λικμήτωρ, ορος, ὁ, Ventilator. Pseudo-Chrys. Serm. 83, vol. 7, p. 499, 24. Seager. Λ. ἀρετῆς λογισμὸς ap.

Georgidam Gnomol. Boiss. An. vol. 1, p. 53. Jacobs. Qui imitantur locum Prov. 20, 26.]

[Λικμίζω.] Λικμίζει Hesych. exponit ἀλοᾷ, Triturat : quum potius, ut λικμᾷ, sit Vannat, Ventilat. [Ordo literarum postulat Λικμήσει. Amos 9, 9 Alex. λικμιῶ pro λικμήσω. Quod ex λικνίζω corruptum conjiciebat Schleusner.]

Λικμὸς, ὁ, Ventilabrum, s. Vannus [Gl., quæ addunt Cribrum, et accentum in prima ponunt] : unde dat. λικμῷ, Hesych. πτύῳ. [Fort. ex Amos 9, 9 : Ὃν τρόπον λικμᾶται ἐν τῷ λικμῷ. Ubi al. κοσκίνῳ, al. male λικμητῷ.]

Λικμοφόρος, ὁ, affertur pro Vannifer s. Vanniger : sed pro eo scribitur etiam λικνοφόρος.

[Λικνάριον et Λεικνάριον, τὸ, Vannulus, Gl.]

[Λικναφόρος. V. Λικνοφόρος.]

[Λικνητὴς, ὁ, Ventilabrum, Gl.]

[Λικνίζω et Λεικνίζω, Vanno, Vannio, Gl. V. Λικμίζω.]

Λικνίτης, ὁ, Bacchi epith., ἀπὸ τῶν λίκνων ἐν οἷς τὰ παιδία κοιμῶνται, inquit Hesych., qui λίκνον exp. etiam κανοῦν, Canistrum. [Orph. H. 45, 1; 51, 3. Servius ad Virg. Georg. 1, 166. Memorat etiam Steph. B. in Χυτόν. Vitiose Photius : Λικνευτης ἐπὶ δὲ τοῦ Διονύσου, pro Λικνίτης, ἐπίθετον Δ. L. Dind.]

Λικνοειδὴς, ὁ, ἡ, Vanno similis : Suidæ ὁ ῥυπαρὸς, Sordidus. [Eandem interpretationem ponit Zonar. p. 1308. Isid. Pelus. Ep. 2, 273 : Ζητεῖν περὶ γῆς ἢ (εἰ?) κύλινδρός ἐστιν ἢ λικνοειδὴς, ἢ κέντρον τοῦ παντός. Boiss.]

Λίκνον, τὸ, i. q. λικμός : ut enim λικμὸς exp. πτύον, ita et hoc λίκνον : necnon et κόσκινον, Cribrum, ut λικμᾷν quoque volunt esse κοσκινεύειν. [Vannus, Gl. Eadem Λίκνον βαβαλιστήριον, Cunabulum. De cunis Hom. H. Merc. 21 : Οὐκέτι δηρὸν ἔκειτο μένων ἱερῷ ἐνὶ λίκνῳ· 150 : Ἐσσυμένως δ' ἄρα λίκνον ἐπῴχετο κύδιμος Ἑρμῆς· et sæpius ibid. Aristot. Meteor. 2, 8 fin. Themist. Or. 18, p. 224, C : Ὁ σεβαστὸς ἐκ τοῦ λίκνου καὶ τῶν σπαργάνων. De forma per ει HSt. :] Λεῖκνον, Ventilabrum : τὸ πτύον Suidæ : ut et Etym. scribit eo vocabulo significari τὸ πτυάριον : qui etiam addit, διφορεῖσθαι hanc vocem, et per ει diphthongum, et per ι simplex : ac diphthongo quidem scriptum, pleonasmo τοῦ ι fieri ex λέκνον, hoc autem, ex λέχος : nam veteres filios suos διὰ τὸ πολύγονον cubitum posuisse ἐν τοῖς πτυαρίοις : unde ap. Callim. [Jov. 47] : Σὲ δὲ κοίμισεν Ἀδράστεια Λείκνῳ ἐνὶ χρυσῷ· sin per simplex ι, fieri ex verbo λικμᾷν, quasi λίκμον : quosdam vero ipsum vocare λεῖπον, propterea quod καταλείπει τὰ χρήματα, καὶ τὰ ἄχυρα ἀποβάλλει. Hæc ille, et ex parte Lex. meum vetus. [Alias etymologias proponit Chœrobosc. in Cram. An. vol. 2, p. 236, 28, qui ipse quoque utramque scripturam agnoscit.] Hesych. λεῖκνα esse dicit κανᾶ ἐφ' οἷς τὰ λήϊα (h. e. τοὺς πυρίνους καρποὺς) ἐπετίθεσαν : afferens et λείκνοισι προτρέπεσθαι [προστρέπεσθαι, quod refertur ad l. Tragici, de quo v. in Ἐργάνη], exponensque λεῖκνα ἱστάντες προσάγεσθαι. Suidas λεῖκνον esse dicit κόσμον βακχικὸν, Ornamentum Bacchicum : ut in Epigr. [Phalæci Anthol. Pal. 6, 165, 6] : Φορηθὲν πολλάκι μιτροδέτου λεῖκνον ὕπερθε κόμης. [Ubi nunc λίκνον, ut ap. Callimachum.] Inde et Λικνοστεφὴς, ὁ, ἡ, Vanno redimitus. Apud Hesych. λικνοστεφεῖ pro λίκνον στεφανούμενος θρησκεύει : verbo deducto ex λικνοστεφὴς, ut Λικνοφορέω [Cribrum fero] fit ex λικνοφόρος : quo verbo utitur Polemon ap. Athen. 11, [p. 478, D] dicens, Ὁ δὲ τοῦτο βαστάσας, οἷον λικνοφορήσας, τούτων γεύεται. [Harpocrat. s.] Suidas scribit τὸ λίκνον esse ἐπιτήδειον πρὸς πᾶσαν τελετὴν καὶ θυσίαν : quique hoc fert, vocari Λικνοφόρον. Ita sane Athen. 5, [p. 198, E] in pompa Philadelphi, Θίασοι παντοδαποὶ, καὶ αἱ τὰ λίκνα φέρουσαι. Et Dem. [p. 313, 28] in Æschinem : Ἔξαρχος καὶ προηγεμὼν καὶ κιστοφόρος καὶ λικνοφόρος καὶ τὰ τοιαῦτα ὑπὸ τῶν γραϊδίων προσαγορευόμενος. Sic et Virg. Georg. 1, [166] dicit, Arbuteæ crates et mystica vannus Iacchi. [Λικναφόρος per α in inscr. Sozopol. ap. Bœckh. vol. 2, p. 75, n. 2052, 2. Fem. αἱ λικνοφόροι, Callim. Cer. 127. L. Dindorf.]

Λικριφὶς, Oblique, In obliquum, s. Ex obliquo : Suidæ εἰς πλάγιον, Hesychio ἐκ πλαγίου. Hom. Il. Ξ, [463] : Ἀλεύατο κῆρα μέλαιναν Λικριφὶς ἀΐξας. Et rursum Od. Τ, [451] : Ὁ δέ μιν φθάμενος ἔλασεν σῦς Γουνὸς

A ὕπερ', πολλὸν δὲ διήφυσε σαρκὸς ὀδόντι Λικριφὶς ἀΐξας. [ῐῐ]

[Λικροί. V. Λέκροι.]

[Λίκτης, ὁ, Linctor, Gl. vitiose pro Λείκτης.]

[Λίκυμνα, Licymna, arx Tirynthis, ab Licymnio dicta. Strabo 8, p. 373.]

[Λἰκύμνιος, ὁ, Licymnius, frater Alcumenæ, ap. Hom. Il. B, 663, ceterosque poetas et mythologos. Rhetor, Poli magister, de quo v. intt. Plat. Phædr. p. 267, C, ubi adj. hinc ductum : Ὀνομάτων Λικυμνίων, ut de alio ap. Aristoph. Av. 1242 : Λιγνὺς δὲ σῶμα καὶ δόμων περιπτυχὰς καταιθαλώσῃ σου Λικυμνίαις βολαῖς, de quo l. v. conjecturas schol. et Hesychii. De Licymnio Chio lyrico v. Fabric. B. Gr. vol. 2, p. 128. Histrionem memorat Alciphr. 3, 48.]

[Λίλαια, ἡ, Lilæa, urbs Phocidis. Hom. Il. B, 523, Lycophr. 1073, et geographi. Gentile Λιλαιεὺς ponit Steph. Byz. Adv. Λιλαίηθεν, Ex Lilæa, ap. Hom. H. Apoll. 242. Filia Cephisi Lilæa memoratur ab schol. Hom. Il. B, 523. ῐ]

Λιλαίομαι, ap. poet. i. q. γλίχομαι in prosa, Cupio, B Appeto, Desidero. Ac ut γλίχομαι construitur interdum cum gen., interdum cum inf. : ita et hoc. Cum infin., pro Cupio : Hom. Il. Ξ, [331] : Ὡς [Εἰ] νῦν ἐν φιλότητι λιλαίεαι κοιμηθῆναι [εὐνηθ.]· Od. Υ, [27] : Μάλα δ' ὦκα λιλαίεται ὀπτηθῆναι· Ο, [307] : Προτὶ ἄστυ λιλαίομαι ἀπονέεσθαι. [Omisso inf. Od. Λ, 223 : Ἀλλὰ φόωσδε τάχιστα λιλαίεο.] Cum gen., pro Appeto, Desidero. Il. Γ, [133] : Ὀλοοῖο λιλαιόμενοι πολέμοιο· Od. Μ, [328] : Λιλαιόμενοι βιότοιο· Ν, [31] : Ὡς δ' ὅτ' ἀνὴρ δόρποιο λιλαίεται. Et Α, [315] : Μή μ' ἔτι νῦν κατέρυκε, λιλαιόμενόν περ ὁδοῖο. Hesychio λιλαίεσθαι est non tantum ἐπιθυμεῖν, ὀρέγεσθαι, sed etiam σπεύδειν, Festinare, Properare. Λιλεῖ, Idem affert pro φθονεῖ, ἐπιθυμεῖ, Invidet, Appetit. Λελιημένος putatur esse particip. præt. perf. a them. λιλαίομαι. Sane exp. προθυμούμενος, ἔνθερμος ὢν, Cupiens, Ardenti desiderio accensus : ut ap. Hom Il. Δ, [465] : Ἕλκε δ' ὑπὲκ βελέων λελιημένος, [ὄφρα τάχιστα τεύχεα συλήσειε· Ε, 690 : Παρήϊξεν λελιημένος, ὄφρα τάχιστα ὤσαιτ' Ἀργείους. Ubi absolute poni participium neque cum seq. particula conjungi ostendit etiam Μ, 106, Π, 552 : C Βὰν ἰθὺς Δαναῶν λελιημένοι]. Ac ut λιλαίομαι cum gen. construitur, ita et hoc particip. : velut ap. Apoll. Arg. 1, [1165] : Λελιημένοι ἠπείροιο, i. e. ἐφιέμενοι, ἐπιθυμοῦντες, Magno desiderio flagrantes terræ, i. e. Cupientes appellere ad continentem. Hesych. affert et λελίηται, pro τεθέρμανται, Accensus est, Ardet, Flagrat, desiderio sc. : et Λελιῆσθαι pro θέλειν, ὁρμᾷν, σπεύδειν. [Orph. Arg. 1259 : Εὐρυβίην Πηλῆα πόσιν λελίητο ἰδέσθαι. Et sæpius Apoll. Rh.]

[Λίλαιος, ὁ, Lilæus, Persa ap. Æsch. Pers. 308, 969.]

[Λιλύβαιον, τὸ, Lilybæum, ἡ πρὸς δύσιν ἄκρα τῆς Σικελίας. Ἑκαταῖος Εὐρώπῃ. (V. præter geographos Polyb. 1, 42, 6.) Ἔστι καὶ πόλις (ap. Polybium sæpius, Diodor. 13, 54 et alios). Καὶ τὸ ἐθνικὸν Λιλυβαῖος (Diod. 11, 86) καὶ Λιλυβαίτης (vel potius Λιλυβαΐτης, ut est ap. Diod. Exc. p. 534, 14, vel Λιλυβαιίτης, ut in numis, de quibus intt., unde Λιλυβαιῖτις, ιδος, ἡ, de regione ap. Polyb. 1, 39, 12), καὶ Λιλυβηὶς, Steph. Byz. Apoll. Rh. 4, 919 : Λιλυβηΐδα ἄκρην. De accentu proparoxytono Λιλύβαιον v. Arcad. p. 120, 26. In libris sæpe D scribitur Λιλυβαῖον vitiose, ut ap. Diodor. Exc. p. 498. Λιλύβη ap. Dionys. Per. 469, 470. ῐῡ]

Λῑμαγχέω, χῶ, Fame neco, Inedia neco, λιμοκτονῶ, ad verbum, Fame strangulo, q. d. Angina inediæ suffoco. Bud. C. p. 869. Pro eodem dicitur λιμαγχονῶ, quod vide infra. [Hippocr. p. 86, A : Ὁ λιμαγχεόμενος εἰ πλείονα φάγῃ τε καὶ πίῃ· 785, E : Αἱ σάρκες τῶν μὴ ἀπὸ τέχνης ὀρθῶς λελιμαγχημένων.]

[Λιμαγχία, ἡ, Inedia sive, ut Cælius Aurel. Chron. 1, 5, p. 336 vertit, Immodica abstinentia. Rufus p. 3 ed. Clinch. et p. 65 Matth.]

[Λιμαγχικὸς, ἡ, ὸν, Fame confectus, Inediam ferens. Hippocr. p. 1006, C : Ἐν τοῖσι λιμαγχικοῖσιν αἱ μετριότητες ἀπὸ τουτέων σκεπτέαι.]

Λιμαγχονάω [hæc forma omittenda erat], et Λιμαγχονέω, i. q. λιμαγχῶ, unde λιμαγχονούμενον ap. Basil. [vol. 2, p. 16, A], Bud. Comm. p. 869, 870. [Hippocr. p. 839, G : Δεῖ ἰσχναίνειν καὶ λιμαγχονέειν. Schol. Apoll. Rh. 2, 1031 : Τὸν βασιλέα λιμαγχονοῦσι. Anon. de S. Theodoro v. 260, p. 48, et sæpius in V. T. Pass. etiam ap. Galenum vol. 5, p. 177, Stobæum Flor. vol. 1, p. 365, schol. Aristoph. Pl. 287. Ex Theodor. Prodr. Am. p. 53 affert Jacobs. Medio Theodor. Stud. p. 427, C : Ὡσαύτως ᾐκίσαντο, ἔκτειναν, ἐλιμαγχονήσαντο καὶ ὅσα ἄλλα τούτοις ἑπόμενα.]

[Λιμαγχόνη, ἡ, Cruciatus famis, Inedia. Anon. de S. Theodoro 219, p. 40 : Εἰς καθαίρεσιν πλάνης καὶ θανατούσης ἔκλυσιν λιμαγχόνης. Herodian. Epim. p. 76. Nicet. Eugen. in argum. v. 3 citat Boiss.]

[Λιμαγχόνησις, εως, ἡ, i. q. præcedens. Theodor. Stud. p. 494, E : Εἵρκται, λιμαγχονήσεις, λεηλασίαι· 568, E : Τὰς λιμ. L. Dind.]

[Λιμαγχονία, ἡ, i. q. præcedens. Vita S. Syncleticæ n. 18 : Οὐ μόνον γὰρ τῇ τοῦ ἄρτου λιμαγχονίᾳ ἠρκεῖτο, ἀλλά γε καὶ τῇ τοῦ ὕδατος ὀλιγοδείᾳ. Ducang. Phot. Ep. p. 136, 32 : Λ. καὶ μυρίοις ἄλλοις κακοῖς. Vita Nili jun. p. 118, 17 : Συγκλείσεις τε καὶ λ. Hase.]

[Λιμαγχονικὸς, ἡ, ὸν, quod legitur ap. Galen. vol. 3, p. 62, in verbis Hippocr. in Λιμαγχικὸς citatis, librarii error videtur. L. Dind.]

[Λιμαία, ἡ, Limæa (nisi masc. ponendum Λιμαίας), fl. Hispaniæ. Strabo 3, p. 153 : Ὁ τῆς Λήθης (ποταμὸς), ὅν τινες Λιμαίαν ... καλοῦσι. Casaub. : « Sic Plin. (N. H. 4, 22, 115 : Æminius, quem alibi quidam intelligunt, et Limæam vocant). Mela 3, 1 (et Plin. 4, 20, 112 : Flumen Limia) vocat Limiam : Ptolem. (2, 6, ubi Λιμίου, quod etiam ab Λιμίας duci potest), Limium. »]

Λιμαίνω, Esurio, Fame laboro. Herodot. [7, 25] : Ἵνα μὴ λιμήνειε ἡ στρατιή. [In δειμαινούσης corruptum erat 6, 28.]

[Λιμακώδης, scriptura vitiosa pro λημακώδης, q. v.]

[Λιμάλεος, α, ον.] Λιμαλέον, Hesych. ῥυσὸν, λεπτὸν, Rugosum, Tenue, Macrum. [Id. : Λαιμαλαιὸν (—αλέον), ῥυσόν. Et similiter in similibus glossis, quas contulit Albert., ex hac ipsa, ut videtur, corruptis.]

[Λιμάσσω, ap. Suidam : Λιμαγχονῶ, πνίγω καὶ λιμάσσω, in Λιμώσσω mutandum conjecit Portus.]

[Λιμβεία, ἡ, Luxuria. Herodian. Epim. p. 77, Moschop. Π. σχεδ. p. 40, 166. Λιμβία male ap. Hesych. v. Λιχνία.]

[Λιμβεύω sine interpr. ponit Herodian. Epimer. p. 77. Est Ligurio, Luxurior. Cit. Boiss. Medio Hesych. : Λιχνεύειν, λιμβεύεσθαι, Moschop. Π. σχεδ. p. 40, 166, uterque ab Alberto ad Hesych. v. Λιμβὸν citatus.]

[Λιμβίζομαι, i. q. λιμβεύομαι, ap. Moschop. Π. σχεδ. p. 166, pro quo Λιμβάζομαι apud Phavor. Albert. ad Hesych. v. Λιμβόν.]

[Λιμβὸς, ὁ.] Λιμβὸν, Hesychio λίχνον, ἄπληστον, Catillonem, Insatiabilem. [Ephr. Syr. p. Θ. ε. Τὸν πρόχειρον ἐν τῇ ὑπηρεσίᾳ λιμβόν (ἀποκαλεῖ). Conf. Etym. M. p. 566, 22 : Λιμβὸς, παρὰ τὸ λίαν καὶ τὴν βόσιν τὴν τροφὴν, ὁ σφόδρα περὶ ταύτην ἔχων. Abresch. Photius s. Suidas in Λίχνος, Moschop. Π. σχεδ. p. 40, 166. Albert. Λίμβος, Ligurius, Ganeo, Ligurio, Glutto, Gl.]

Λιμβρὸς, ὁ, Suidæ et Etym. [in Etym. M. hæc explicatio ponitur in Λιβρός· in Λιμβρὸς vero ἡ σκοτεινὴ νὺξ, παρὰ τὸ λίαν βαίνειν. Suidas : Λιμβρὸς, ἡ νὺξ ἡ σκοτεινή·] ὁ σκοτεινὸς, Tenebrosus, Obscurus. Etym. rursum alludens ad rationem nominis λιβρὴν, esse dicit τὴν λίαν ἐρεβεννὴν, epith. noctis. Sed addit, per syncop. etiam dictum videri posse pro λιβηρὰν, παρὰ τὴν λιβάδα, διὰ τὸ ἔνδροσον τῆς νυκτός : quod magis probo : ut μ insertum postea fuerit ad efficiendum sonum pleniorem, sicut in κόμπος et similibus. [V. Λιβρός.]

[Λιμέναι. V. Λίμναι.]

[Λιμενάριον, τὸ, Portus. Chronic. Pasch. vol. 1, p. 598, 18 : Ἔκτισεν ἐκεῖ λιμενάριον. Coraes.]

Λιμενάρχης, ὁ, Portus s. Portuum præfectus, Qui præest portui s. portubus. In VV. LL. λιμενάρχαι, Qui locis maritimis præsunt, unde trajectus est ad exteras nationes. At Bud. in Pand. Limenarchæ reponens pro Liminarchæ, simpliciter exp. Portuum præfecti. [Portitor, Gl.]

Λιμεναρχία, ἡ, Portus s. Portuum præfectura, Munus ejus qui est portus s. portuum præfectus.

[Λιμέναρχος, ὁ, Limenarchus, n. fictum ap. Alciphr. Ep. 1, 17. L. Dind.]

[Λιμενήιον, τὸ, Limeneium, ap. Herodot. 1, 18 : Ἔν τε Λιμενηίῳ χώρης τῆς σφετέρης (Milesiorum), ubi Ἔν τε ἐν λιμενηίῳ nonnulli, quod Ἐλλιμενηίῳ esse putavit Reiskius. Sed Λιμένειον, ὄνομα τόπου, ponitur etiam ap. Suidam.]

Λιμενήοχος, ὁ, ἡ, Qui a portu continetur. At Λιμενηόχος, Qui portum continet : ut λ. ἄκρην, i. e. Promontorium. Apoll. Arg. 2, [965] vocat λιμενηόχον, ubi schol. hanc ex accentu differentiam annotat, Ἐὰν μὲν τὴν συνεχομένην, προπαροξυτόνως· ἐὰν δὲ τὴν συνέχουσαν τὸν λιμένα, παροξυτόνως. [Λιμενίοχος, ὁ τὸν λιμένα ἔχων Suidas, duplici vitio. Λιμενίοχος etiam Etym. M. p. 432, 27, λιμενήοχος p. 566, 30, ex l. Apoll.]

[Λιμενηρός. V. Λιμηρός.]

[Λιμενῆτις. V. Λιμενῖτις.]

[Λιμενία, ἡ, Limenia, urbs Cypri, ap. Strab. 14, p. 683.]

[Λιμενία, ἡ, i. q. λιμενῖτις. Pausan. 2, 34, 11 : Ἀφροδίτης ναός ἐστιν (apud Hermionenses) ἐπίκλησιν Ποντίας καὶ Λιμενίας τῆς αὐτῆς.]

Λιμενίζω, In portu sum, VV. LL. [Polyæn. 4, 7, 7 : Ὑπὸ κρημνῷ λιμενίζοντι ναυλοχῶν, Qui portum faceret.]

[Λιμένιος, ὁ, Portumnus, epith. Jovis. Anon. De vita Arati p. 275, C ed. Petav. : Λ. καὶ κερδῷος τοῖς ἐμπόροις. Hase.]

[Λιμένιος, ὁ, Limenius, n. viri, ap. Liban. Ep. 206.]

[Λιμενίσκιον, τὸ, dimin. a λιμὴν, Porticulus. Synes. p. 167, A : Λιμενισκίῳ χαρίεντι.]

[Λιμενίσκος, ὁ, Porticulus, Gl.]

Λιμενίτης, ὁ, In portu versans, Qui portum incolit. [Leonidas Anth. Pal. 10, 1, 7; Antiphil. 10, 17, 1. Damascium Photii p. 347, 32 : Ἁλώσῃ ὑπὸ τῶν λιμενιτῶν φυλακτήρων, citat Hemst. Steph. B. in Λιμήν.] Qua signif. dictum quidam annotant fem. Λιμενῖτις, ἡ, φυκὶς, Epigr. [Apollonidis Anth. Pal. 6, 105, 1 : Φυκίδα σοι λιμενῖτιν, Ἄρτεμι, δωρεῦμαι. Λιμενῖτι Ἄρτεμι conjicit Jacobsius. Liber Pal. cum Suida Λιμενῆτιν.]

[Λιμενοειδὴς, ὁ, ἡ, Portus speciem habens. Epim. Hom. in Cram. An. vol. 1, p. 444, 14. L. Dind.]

[Λιμενοποιία, ἡ, Portus s. Portuum constructio. Tzetz. Hist. 2, 87.]

[Λιμενοποιικὸς, ἡ, ὸν, unde τὰ λιμενοποιικὰ ap. Philon. Belop. p. 49, A, Quæ ad portuum constructionem pertinent.]

Λιμενορμίτης, ὁ, Qui ad portum applicare facit. Hoc enim suspicor voce ista significari, at in VV. LL. ex Epigr. [Thyilli Anth. Pal. 10, 5, 8] affertur λιμενορμίτης Πρίηπος pro Portuum custodiæ præfectus. [ῑ]

[Λιμενοσκόπος, ὁ, ἡ, Portus s. Portuum observator vel observatrix, custos. Callim. Dian. 259 : Πότνια Μουνυχίη, λιμενοσκόπε· Anth. Pal. 13, 10, 2 (fr. 114) : Ζανὸς λιμενοσκόπω. Antipater 10, 25, 1 : Φοῖβε, Κεφαλλήνων λιμενοσκόπε.]

[Λιμενουργία, ἡ, i. q. λιμενοποιία. Tzetz. Hist. 11, 621 : Πῶς χρεὼν κατασκευάζεσθαι τὰ τῆς λιμενουργίας.]

Λιμενοφυλακία, ἡ, Munus custodiendi portus, Aristot. [Pol. 6, 8.]

Λιμενοφύλαξ, ακος, ὁ, Portus custos s. Portuum. [Æneas Tact. c. 29. ῠ]

[Λίμεντερος, ὁ, Limenterus, n. fictum ab ventre esuriente, ap. Alciphr. Ep. 3, 59. L. Dind.]

[Λιμενῶτις, χερρόνησος Κελτική, Steph. Byz.]

Λιμὴν, ένος, ὁ, Portus. Ab Hom. λιμένες dicuntur νηῶν ὄχοι s. ὀχοὶ, Od. E, [404]; item ναύλοχοι, Δ, [846]. Legitur et λιμὴν εὔορμος, necnon πάνορμος ap. Eund. [Prius etiam ap. Eur. Tro. 125. De discrimine vv. Λιμὴν et Ὅρμος Wolf. præf. Il. p. 54 : « Usu vulgari λιμὴν et ὅρμος promiscue dicebantur; apud poetam hoc discrimine sunt, ut λιμὴν totum portum significet, ὅρμος partem ejus propiorem terræ; ex quo ὅρμος λιμένος dici græce potuit, non item λιμὴν ὅρμου; et plenis velis dirigitur navis in λιμένα, demissis porro agitur in ὅρμον. » Schol. Lycophr. 737 : Καταχρηστικῶς λέγεται ὅρμος ὁ λιμήν· λιμὴν γὰρ λέγεται τὸ ὅλον πλάτος καὶ ὁ κόλπος, ὅπου καταίρουσιν αἱ ὁλκάδες· ὅρμος δὲ ἡ στάσις μιᾶς ἑκάστης ὁλκάδος.] Ap. Thuc. autem 1, [93] dicuntur αὐτοφυεῖς quidam λιμένες, q. d Nativi [Εὔστομος λ. v. in Εὔστομος p. 2455, D; 2456, D.] Ap. Eund. 8, στόμα λιμένος legimus. Sic et Plut. Demetrio [c. 8] : Τοῖς γὰρ στόμασι τῶν λιμένων ἀκλείστοις ἐπιτυχὼν ὁ Δημήτριος, καὶ διεξελάσας ἐντὸς, Cum classe per angustias portuum intro et penitus irrumpens, Bud. [Plurali de uno Hom. Od. N, 195, Eur. El. 459 : Ἐν λιμέσι Ναυπλίοισι· Andr. 749, Hel. 521, Hec. 1293. Conf. Aristot. Rhet. 3, 6. Schweigh. Lex. Polyb. : « Οἱ ἐν Τάραντι λιμένες, οἱ Ταραντῖνοι λιμένες, de portu Tarentino, 10, 1, 1 et 5, coll. 8, 36, 3. Sic de Nova Carthagine 10, 8, 2, coll. 10, 10, 1. De Lilybæo 1, 42, 7, coll. 1, 44, 3. » Conf. Jacobs. ad Achill. Tatium 5, 15. || Galen. vol. 4, p. 296, 33 : Θετταλοὺς τὴν ὑφ' ἡμῶν προσαγορευομένην ἀγορὰν λιμένα ὀνομάζειν. Dio Chrysost. Orat. 11, vol. 1, p. 315 : Καθάπερ θετταλίζοντα ἢ κρητίζοντα, οἷον εἰ τὴν ἀγορὰν ἐκάλει λιμένα, Θετταλῶν ἀκούσας. (Conf. Xenoph. Vect. 4, 40 : Διὰ τὸ ἐν λιμένι καὶ τὰς ἀγορὰς αὐξάνεσθαι.) Hesych. : Λιμὴν ἀγορὰ καὶ ἐνδιατριβή. Πάφιοι. || Figurate Æsch. Pers. 250 : Ὦ Περσὶς αἶα καὶ πολὺς πλούτου λιμήν (conf. Eur. Or. 1077 : Δῶμα πατρὸς καὶ μέγας πλούτου λιμήν)· Suppl. 471 : Κουδαμοῦ λιμὴν κακῶν. Soph. Aj. 683 : Ἄπιστός ἐσθ' ἑταιρίας λιμήν· Ant. 1000 : Ἐς θᾶκον, ἵν' ἦν μοι παντὸς οἰωνοῦ λιμήν. Eur. Med. 769 : Οὗτος γὰρ ἀνὴρ λιμὴν πέφανται τῶν ἐμῶν βουλευμάτων. V. Ruhnk. ad Longin. § 9, Jacobs. ad Anth. vol. 7, p. 123. Dionys. A. R. 1, 58 : Λιμὴν τῆς πλάνης ἥδε ἡ γῆ μόνη λείπεται. || Signif. obscœna Empedocles : Σχιστοὺς λιμένας Ἀφροδίτης, (ἐν οἷς ἡ τῶν παίδων γένεσίς ἐστιν) ap. schol. Eur. Phœn. 18. Quod Jacobsius contulit cum Soph. OEd. T. 1208 : Ὦ μέγας λιμὴν αὑτὸς ἤρκεσεν παιδὶ καὶ πατρὶ θαλαμηπόλῳ πεσεῖν, et Macedon. Anth. Pal. 5, 235, 6 : Ἀλλ' ἐμὲ τὸν ναυηγὸν ἐπ' ἠπείροιο φανέντα σῶε, τεῶν λιμένων ἔνδοθι δεξαμένη. Empedocles ipse v. 217 : Κύπριδος ὁρμισθεῖσα τελείοις ἐν λιμένεσσιν.] Dictum autem λιμένα tradit Eust. [Il. p. 919, 15; 1519, 63] παρὰ τὸ λίαν μένειν, ad differentiam τοῦ τε κυμαίνοντος πόντου, et τῶν ἐγγὺς τῆς γῆς εὐρίπων. Eandem vero et nomini λίμνη dat derivationem, ut infra docebo.

Λιμήρης, ὁ, ἡ, Etym. ex Pindaro affert, idemque, ut et Lex. meum vet., per sync. dictum vult, vel pro λιμενήρης, a nom. λιμὴν, vel pro λειμωνήρης, ex nom. λειμών. [Λιμήρη, Πίνδαρος, quod est in Etym. M., dudum animadversum est ex Λιμηρὴ Ἐπίδαυρος corruptum esse.]

Λιμηρὸς, ὰ, ὸν, Famelicus. Et λ. ἐργασία, Suid. ex Epigr. [Antipatri Sid. Anth. Pal. 6, 47, 2.] Puto autem vocari λιμηρὰν, quæ artificem suum famelicum reddit, ut pote nullum quæstum ei afferens. [Theocr. 10, 57 : Τὸν τεὸν λιμηρὸν ἔρωτα. Epigr. Anth. Pal. 7, 546, 1 : Κορωνοβόλον, πενίης λιμηρὸν ὄργανον. Manetho 2, 456 : Λιμηρὴν πενίην. Alciphr. Ep. 1, 9 : Τὸ μὲν γὰρ ἐπὶ λεπτῶν κερμάτων ἀποδίδοσθαι καὶ ὠνεῖσθαι τὰ ἐπιτήδεια λιμηρὰν φέρει τὴν παραμυθίαν. L. D. Philo vol. 1, p. 675, 40 : Λιμηρὰ καὶ λοιμώδης νόσος. Id. ib. p. 516, 12 : Λ. κενώσεως, Famelica quadam penuria. Hase.] Item Epidaurus λιμηρὰ vocata [ap. Thuc. l. infra citando et alibi], detorto nomine hoc ex λιμενηρὰ, Portuosa, Hesych., Suid., schol. Thuc. [4, 56, post Strab. 8, p. 368.] Sed λειμηρὰ etiam scribi ἀπὸ τῶν λειμώνων, tradit Eust. [Il. p. 287, 34.] At vero ap. Steph. B. perperam λειμηρὴ cum ει, quum sequatur διὰ τὸ πολλοὺς ἔχειν λιμένας : præter ea Λακωνικὴν eam dicit. [Alteram orthographiam sequitur schol. Thuc. 7, 26, ubi interpretatur τῆς καταξήρου, τῆς ἐνδεοῦς. Suidas interpretatur primum πενιχρὰν, tum τὴν λιμώττουσαν, additque ἔνθεν τοι καὶ λιμηρὰν τὴν Ἐπιδαυρίαν συκοφαντοῦντες ἐκάλουν.]

Λίμινθες, Hesych. ἔλμινθες, Lumbrici.

[Λιμνᾱγενής, ὁ, ἡ, Limnis vel In lacu natus, ponit Hesych. ante gl. Λίμναι, ἐν Ἀθήναις τόπος ἀνειμένος Διονύσῳ, ὅπου τὰ Λήναια ἤγετο.]

[Λιμναεὺς, έως, ὁ, gent. a Λίμναι, vico Spart., in inscrr. Lacon. ap. Bœckh. vol. 1, p. 618, n. 1241, a, 2; b, 5; p. 620, n. 1243, 3; p. 634, n. 1274, 2; p. 667, n. 1377.]

Λιμνάζω, Stagno [Gl.] Restagno. Et Ἐλλιμνάζω, pro eodem. Λιμνάζειν et ἐλλιμνάζειν, inquit Bud., ap. Basil. p. 274 [de quo v. in Ἐλλιμνάζω], pro Stagnare. [Aristot. H. A. 3, 3 med. : Ὡς οὔσης τῆς κοιλίας μορίου τῆς φλεβὸς, ἐν ᾧ λιμνάζει τὸ αἷμα. Meteor. 1, 3 : Ἐν τοῖς λιμνάζουσι τόποις τῆς γῆς. Bato ap. Athen. 14, p. 639, E : Τὴν πρότερον λιμνάζουσαν χώραν ἅπασαν γεγυμνῶσθαι Diodor. 4, 18 : Ἐποίησε λιμνάζειν τὴν χώραν. || Figurate, Eust. Opusc. p. 166, 8 : Τοῖς θαύμασι λιμνάζεις ἄπλετα· 170, 67 : Εἰ καὶ μὴ τοῖς μύροις λιμνάζει (sanctus).] Invenitur λιμνάζω junctum etiam casui, sc. accusativo. [Dio Chr. vol. 1, p. 337 : Ἔτι γὰρ καὶ νῦν οἱ ποταμοὶ λιμνάζουσι τὸν τόπον.] Philo : Ἀναχεόμενος πλημμυρεῖ καὶ λιμνάζει τὰς ἀρούρας, Auctis aquis exundans superfunditur arvis stagnante gurgite, Turn. [Aristot. Probl. 25, 2 : Ὅσοι ποταμοὶ λιμνάζουσιν εἰς ἕλη ἢ ὅσα ἕλη λιμνάζονται. « Ἐλιμνάζετο ὁ ποταμὸς, Servius in schol. ined. ad Il. Φ, 235 (242 fin.). » Hemst. Galen. vol. 4, p. 59, 13 : Ὀχετός τις λιμνάζων, ἀργὸς καὶ μάταιος. Id. vol. 6, p. 711, 12 : Λιμνάζειν τὸν ποταμόν· et 4, p. 185, 17 : Οἷον λιμνάζοντος τοῦ αἵματος. Hase. Joseph. A. J. 1, 3, 5 : Εὑρὼν ἔτι λιμναζομένην (terram).]

[Λίμναι. V. Λίμνη.]

[Λιμναία. V. Λιμναῖος. || Κώμη τοῦ Ἄργους. Τὸ ἐθνικὸν Λιμναῖος. Θουκυδίδης δὲ διὰ τοῦ ν τὴν β' συλλαβὴν, Steph. Byz. Ap. Thuc. quum 2, 80; 3, 106 sit item Λιμναία, ν ex αι corruptum videtur, ut aliam formam posuerit Steph. B. Notandum etiam quod Λιμναία ponitur ante Λίμναι. Ἄργους autem si scripsit Steph. Byz., duxit ex eo quod apud Thuc. est loco priori Ἀργείας, quoa Ἀγραίας scribendum conjecit Palmerius. Λιμναίαν memorat etiam Polyb. 5, 5, 14; 6, 5; 14, 2.]

[Λιμναῖον, τὸ, Limnæum, in Laconia, Dianæ sacrum, memorat Pausan. 3, 16, 6. V. etiam Strab. 8, p. 364.]

[Λιμναῖον, τὸ, herba ap. Diosc. 3, 9.]

Λιμναῖος, α, ον, Paluster, Lacuster. [Herodot. 7, 119 : Ὄρνιθας ... λιμναίους. Aristoph. Ran. 211 : Λιμναῖα κρηνῶν τέκνα, de ranis. Av. 272, de ave, ut Arat. 942. Lycophr. 189 : Λιμναίων ποτῶν. Nicand. Al. 307 : Λιμναίου κάστορος· 589 : Λιμναίης φρύνης. Et similiter sæpius Aristot. in H. A. et al.] Τὰ λιμναῖα τῶν ὑδάτων, Plut. [Mor. p. 725, B.] Et ap. Athen. 8 : Σῆψις γὰρ ὕδατος τὸ λιμναιόν ἐστι· 2 : Τὰ δὲ τῶν ὑδάτων στάσιμα, χαλεπὰ, ὡς τὰ λιμναῖα καὶ τὰ ἑλώδη, ubi animadverte τῷ λιμναῖα adjungi ἑλώδη, sicut adjungitur a Plut. τῷ παράλιμνα, in l. quem modo protuli. [Hippiatr. p. 110, 5 : Βατράχους λ. Heliod. 1, 31 : Λιμναία σκάφη. Id. 9, 5 : Λιμναίῳ στρατιώτῃ χερσαῖον ἐφοπλίσας. Menand. Prot. Hist. p. 399, 1 ed. Bonn. : Ἐκ τῶν λ. ὑδάτων. Hase.] Item λ. καὶ φίλυδρον φυτὸν Plut. [Mor. p. 399, F. || Λιμναία βδέλλα, Hirudo, Gl.] || Λιμναῖοι, Venti spirantes ex paludibus s. stagnis. Hesych. λιμναῖοι, ἄνεμοι ἀπὸ τῶν λιμνῶν πνέοντες. Nisi forte ἄνεμοι jungi debet cum λιμναῖοι. [|| Λιμναῖος, cogn. Bacchi. V. Λίμνη.] Λιμναία poetice per παραγωγὴν pro λίμνη, Eust. [Od. p. 1758, 57. || Λιμναία, cogn. Dianæ. V. Λίμνη. || Λιμναῖοι, οἱ, Limnæi, gens τὸν Παντικάπην διαβάντι in fr. Peripli Ponti Euxini p. 3 ed. Hudson.]

[Λιμναῖον, τὸ, Limnæum, Laconiæ, ap. Strab. 8, p. 364.]

[Λιμναῖος, ὁ, Limnæus, Asiæ dynasta quidam ap. Polyb. 5, 90, 1. Philippi legatus ad T. Quinctium 18, 17, 4. Polemocratis f. 29, 3, 6. Vir quidam in inscr. Mylas. ap. Bœckh. vol. 2, p. 476, d, n. 2694, a, 17. L. Dindorf.]

Λιμνὰς, άδος, ἡ, Lacustris, Palustris, λιμναία. Theocr. [5, 17] : Οὐ μὰν οὔτ' αὐτὰς [οὐ ταύτας] τὰς λιμνάδας, sc. νύμφας [quod sequitur ap. Theocr.], h. e. τὰς ἀναστρεφομένας ἐν ταῖς λίμναις. [Λιμνάδος ἱερὸν memoratum a Pausan. 3, 7, 4, N. Heinsio ad Ovid. Met. 5, 98 scribendum videbatur λιμνάτιδος.]

[Λιμνασία, ἡ, Stagnatio. Aristot. Probl. 25, 2 : Διὰ τὸ ἐνεῖναι ἐν τῇ λιμνασίᾳ.]

[Λίμνασμα, τὸ, i. q. sequens. Constant. Manass. Chron. 6353 : Ἠρύοντο λιμνάσματα τῶν εὐεργετημάτων.]

[Λιμνασμὸς, ὁ, Lacus. Const. Manass. Chron. 153 : Κούφως ἠλαφρίζοντο πρὸς λιμνασμοὺς ἀέρος· 1336 : Ἀνδροκτασίαι καὶ βοαὶ καὶ λιμνασμοὶ τῶν λύθρων· 1680, αἱμάτων. Et cum eodem nomine Eust. Opusc. p. 166, 21.]

[Λιμνᾶται, οἱ, Limnatæ, Spartani, ap. Pausan. 3, 16, 9.]

[Λιμνᾶτις. V. Λίμνη.]

[Λιμνεία, ἡ, et Λίμνευσις, εως, ἡ, Stagnatio. Zonaras p. 1304 : Λημνία γῆ καὶ γυνή· λιμνεία δὲ ἡ λίμνευσις.]

Λίμνη, ἡ, Stagnum, Palus. Item Lacus, ut [Hom. Il. B, 711 : Παραὶ Βοιβηίδα λίμνην· E, 709 : Λίμνῃ Κηφισίδι. Τριτωνὶς ap. Pind. et al.] Μαιῶτις λίμνη [ap.

Æsch. Prom. 419 et alios], quæ Lat. et Mæotis palus. A [Γοργῶπις λ. Æsch. Eum. 9. Μηλὶς λ. Soph. Tr. 636. De lacu Acherontio Eur. Alc. 445, Ἀχεροντίαν, 905, χθονίαν, Plat. Phæd. p. 113, A, Ἀχερουσιάδα. Frequens est etiam ap. Herodotum et alios omnes.] Quidam Com. [Antiphanes] ap. Athen. [7, p. 304, A]: Παρὰ λίμνην γὰρ γεωργῶν τυγχάνω, Τὰ δ' ἐγχέλια γράφομαι λειποταξίου. Xen. Hell. 3, [2, 18]: Λίμνη πλέον ἢ σταδίου ὑπόψαμμος, ἀέννασς, ποτίμου καὶ θερμοῦ ὕδατος. Paus. Att.: Ῥεῖ δὲ καὶ ποταμὸς ἐκ τῆς λίμνης. Aristot. [H. A. 6, 2]: Τῶν μὲν γὰρ ὀρνίθων λευκά ἐστι τὰ ὠὰ, οἷον περιστερᾶς καὶ πέρδικος· τῶν δὲ ὠχρὰ, οἷον τῶν περὶ τὰς λίμνας· pro quibus Plin., Ovorum alia sunt candida, ut columbis, perdicibus: alia pallida, ut aquaticis. Idem λίμνας vertit Stagna, quum pro his Theophrasti [H. Pl. 4, 2, 2] de ficu Ægyptia loquentis, Εἰς βόθυνον δὲ ἐμβάλλουσι καὶ εἰς τὰς λίμνας εὐθὺς, vertit, Cæsa statim stagnis mergitur. || Ab Hom. passim [ut Il. N, 32: Βαθείης βένθεσι λίμνης· Φ, 317: Νειόθι λίμνης· Od. Γ, 1: Ἠέλιος δ' ἀνόρουσε λιπὼν περικαλλέα λίμνην. Et Hesiod. Th. 365: Γαῖαν καὶ βένθεα λίμνης. Suidas: Λ. ἡ θάλασσα παρ' B Ὁμήρῳ, καὶ ὁ Ὠκεανὸς (utroque voc. interpretatur etiam Hesych.) καὶ οἱ ποταμοί· ὥστε γενικὸν ὄνομά ἐστι. Photius: Λ. τὴν θ. κυρίως.] dicitur et de Mari, qua signif. a Virg. dictam itidem putant Paludem nonnulli, qui legunt Æn. 1, [608]: Palus dum sidera pascet; sed magis recepta et modis omnibus melior est altera lectio, Polus. [Sic Simonid. ap. Dionys. De comp. vv. p. 222: Κινηθεῖσά τε λίμνα. Æsch. Suppl. 529: Λίμνᾳ ... πορφυροειδεῖ. Soph. in fr. Laoc. ap. schol. Arist. Ran. 678, et OEnomai ap.] Aristoph. Av. [1338]: Ὡς ἂν ποταθείην ἀτρυγέτου γλαυκᾶς ὑπὲρ οἶδμα λίμνας. [Eur. Hipp. 744: Ὁ ποντομέδων πορφυρέας λίμνας· Hec. 446: Ἐπ' οἶδμα λίμνας. Et alibi.] Volunt autem quidam gramm., ex quibus est Eust., dictum esse λίμνη, unde et λιμὴν, sc. παρὰ τὸ λίαν μένειν: quidam vero post λίαν addunt καὶ διόλου. || Nomen gymnasii ap. Trœzenem, VV. LL. ex Eur. Hipp. [1133 et 228, ubi v. Valck. || Mater Melampygi ap. Photium s. Suidam v. Μελαμπύγου.] At plur. Λίμναι, locus Atticæ, unde Λιμναῖος appellatus Bacchus [ap. Steph. Byz., Aristoph. C Ran. 216, Thuc. 2, 15, Athen. 10, p. 437, D, qui addit ex. Callimachi fr. 280, etiam ab schol. Ran. citatum, in quo Λιμναίῳ δὲ χοροστάδας ἦγον ἑορτὰς, quod Λιμναῖοι scriptum ap. Steph.] V. Eustathium [Il. p. 871, 42, ubi sua petiit ex Athen. 11, p. 465, A], et Dem. Κατὰ Νεαίρας [p. 1370 sq.] At scholiastæ Callim. [Dian. 172] est et δῆμος Atticæ ubi colebatur Diana. [Conf. Hesych. in Λίμναι. || Λίμναι, urbs prope Sestum Chersonesi Thr. ap. Strab. 14, p. 635, et Steph. Byz. Milesiorum ap. Scymn. Orb. descr. 704. Vicus in finibus Laconiæ et Messeniæ, ap. Pausan. 3, 2, 6; 4, 31, 3, Strabon. 6, p. 257; 8, p. 362, 363. Λίμναι Pisidiæ, aliis male Λιμέναι, ap. Wessel. ad Hierocl. p. 672. || Λιμναῖος, α, ον, Limnæus. Ἀρτέμιδος Λιμναίας templum Sicyone exstructum memorat Pausan. 2, 7, 6. || Λιμναῖα ap. Eust. l. c.: Νύμφαι ... τοῖς κατὰ κρᾶσιν ὑγροῖς ἐπιστατοῦσαι, ὧν μέρος ἐστὶν οὗ καὶ τὰ Λιμναῖα.] Λίμνα Dorice pro λίμνη. Soph. ita vocat τὴν θάλασσαν, Mare, ut et Hom. interdum. At λιμνὰ, ex Theocr. Pharmac. [Id. 2] affertur pro λιμναία, Palustris: perperam. Ibi enim scriptum Λιμνᾶτις, Dor. pro λιμνῆτις, D v. 55: Τί μευ μέλαν ἐκ χροὸς αἷμα Ἐμφὺς ὡς λιμνᾶτις ἅπαν ἐκ βδέλλα πέπωκας; [Λιμνάτιδος Ἀρτέμιδος templum ap. Epidaurios memorat Pausan. 3, 23, 10; et in loco Messeniæ Λίμναι dicto 4, 31, 3, et, ut videtur, 4, 4, 2; Patris 7, 20, 7; in itinere ex Tegea Lacedæmonem versus, 8, 53, 11. Λιμνῆτις Ἄρτεμις in Limne Trœzenis culta memoratur ab schol. Eur. Hipp. 1133. Add. epigr. Anth. Pal. 6, 280, 3, Artemid. 2, 35. L. D. De Diana Limnatide Patris culta R. Rochette *Journ. des Sav.* 1836, p. 517; de Λίμναις demo Atticæ, ut opinatur schol. Callim. Del. v. 172, Leak. *Demi* vers. a Westermann. p. 241. Hase. ᾰ]

[Λιμνήδιον, Sym. Sethi De ichnel. p. 82, 84, 306. Boiss.]

[Λίμνηθεν, E lacu. Apoll. Rh. 4, 1579: Λίμνηθεν ὅτ' εἰς ἁλὸς οἶδμα βάλητε.]

[Λιμνησία, ἡ, Limnesia. Galen. vol. 7, p. 205: Ἰάματα διὰ λιμνησίας.]

[Λιμνήσιον, τὸ, Centaurium majus, Diosc. Notha 3, 8; minus, 9. Antyllus Oribasii p. 297 ed. Matth. Schneid. Democrates ap. Galen. vol. 13, p. 862.]

[Λιμνήσιος, ὁ, Limnesius, n. ranæ in Batrachom. 221.]

[Λίμνησις, ἡ, Spuma salium, Adarca. Galen. vol. 6, p. 434, 7: Δι' εὐφορβίου καὶ λιμνήσεως, ἣν ἀδάρκην τε καὶ ἄδαρκον ὀνομάζουσι. Nisi tamen scribend., λιμνήστιδος. Hase.]

[Λιμνῆστις, ιδος, ἡ, i. q. præcedens. Antyllus Oribasii p. 90, 313 Matth. Schneid. Diosc. Noth. 3, 8. Boiss. Aretæus p. 80, 41, 42; 82, 48. Λιμνηστρίδος, ap. Galen. vol. 13, p. 858, scribendum videtur λιμνήστιδος. Similem formam ex anonymo De remediis post Moschionem annotavit Ducang.: Λιμνιστὴρ, ἀδάρκη, βερενικάριον. L. Dind.]

Λιμνήτης, ὁ, i. q. λιμναῖος, Suidæ tamen λιμνήτης ἰχθὺς, ὁ ἀπὸ τῆς θαλάσσης, ab ea λίμνης signif., si mendo caret ille Suidæ l., qua pro Mari ponitur. [Achmes contra, Onir. p. 273, 9, distinguit ὄρνιθας ἐναλίους et λιμνήτας. Hase. Λιμνήτης ponit etiam Theognost. Canon. p. 45, 27.] Λιμνῆτις, fem., i. q. λιμναία. [In Ind.:] Λιμνᾶτις, Dor. pro λιμνῆτις, v. [utrumque in] Λίμνα.

[Λιμνία, ων, τὰ, Limnia, locus Trapezuntinus, unde Λιμνικὸν, τὸ, utrumque in Panareti Chron. Trapezuntino p. 362, 70 seqq.]

[Λιμνιάδες Νύμφαι, pro λιμναῖαι, ut est in vet., schol. Paris. Apoll. Rh. 4, 1412. Nam ita scripturam codicis Λημνιάδες correxit Schæfer.]

[Λιμνίον, τὸ, Lacusculus. Aristot. Mirab. ausc. c. 122 (112).]

[Λίμνιος, α, ον, ap. Athen. 8, p. 355, D: Λιμνία ἔγχελυς, in λιμναία mutatum est, libris, quantum constat, in λιμνία consentientibus.]

[Λιμνίσκος, ὁ, Lemniscus. Epiphan. De mensur. (p. 165, A): Λιμνίσκος ὑπ' αὐτῶν τῶν ἰατρῶν καλῶς ἐκλήθη διὰ τὸ λιμνάζειν κλυζόμενον τὸν μοτὸν ἐν τοῖς τόπου ὑγροῖς. Occurrit ibi pluries. Ducang.]

[Λιμνόβιος, ὁ, ἡ, In lacubus vivens. Ælian. N. A. 6, 10: Τῶν Αἰθιόπων ὅσον τὸ λιμνόβιόν ἐστι, πέρα τῆς ἐκ τῶν ἰχθύων τροφῆς μεμαθηκὸς σιτεῖσθαι οὐδὲ ἕν.]

[Λιμνοειδῶς, Eust. in Dionys. P. p. 48.]

Λιμνοθάλασσα s. Λιμνοθάλαττα, ἡ Stagnum maritimum, Lacus maritimus, Bud. ap. Aristot. H. A. 8, [13. V. id. De generat. an. 3, 11.] Additque λιμνοθάλατταν vocari a Strabone, quem æstuaria maris efficiunt Burdegalæ. [1, p. 49; 3, p. 159; 4, p. 184, 190; 5, p. 212, 225; 7, p. 312, etc. Angl. Galen. vol. 6, p. 711, 11: Εἰσὶ δὲ καὶ λίμναι τινὲς τοιαῦται, καὶ καλοῦσιν ἐνίας αὐτῶν λιμνοθαλάττας, ἔνθα ποταμὸς μέγας ἐργάζεται λίμνην, συνάπτουσαν θαλάττῃ· conf. id. ib. p. 709, 9; 714, 5; 719, 2; 723, 14, etc. Hase. ᾰ]

[Λιμνομάχης, ὁ.] Λιμνομάχαι παῖδες, Hesych., Pueri pugilatu certantes in loco, qui Λίμναι vocabatur. [ᾰ]

[Λιμνομέδα. V. Λημνομέδα.]

Λιμνόομαι, οῦμαι, In paludem s. lacum abeo et exundo, In paludem redundo, Bud. afferens ex Theophrast. [C. Pl. 5, 14, 2]: Λελιμνωμένου τοῦ πεδίου. Sed λελιμνωμένον πεδίον exp. etiam Aqua stagnante repletus campus. [Præsentis et aoristi exx. Theophrasti annotavit Schneider. in Ind. Strabo 5, p. 240: Λιμνωθέντας τόπους.]

Λιμνόστρεα, τὰ, q. d. Paludis ostrea s. paludum. At VV. LL. exp. simpliciter Ostreæ, ex Aristot. H. A. 4, [4] ubi perperam quædam exempll. λιμόστρεα et λιμόστεα habent: De gen. anim. 3, [11]: Λιμνόστρεα τῶν ὀστρακηρῶν. [Conf. Strab. 3, p. 145. Schneid.]

[Λιμνοσώματος, ὁ, ἡ. Eubulus Athenæi 7, p. 300, C, λ. ἐγχέλεες, Anguillæ paludum incolæ. Schweigh. V. Λειοσώματος.]

Λιμνουργὸς, ὁ, Qui circa paludes opus aliquod facit, ut qui eas purgat. At VV. LL. exp. Lacunas purgans. [Plut. Mario c. 37.]

Λιμνοφυὴς, ὁ, ἡ, In palude s. stagno natus, ortus: δόναξ Epigr. [Anth. Pal. 6, 23, 8.]

Λιμνοχάρης, ὁ, ἡ, Palude gaudens, Qui stagno delectatur et in eo vivit. Sed ap. auctorem Batrachomyomachiæ [12, 211] est Λιμνόχαρις, ὁ, proprium nomen ranæ. [Λιμνοχαρὴς Ernestus cum Barnesio, quod Λιμνοχάρης scribendum foret. Cum Λιμνόχαρις comparandum Ὑδρόχαρις ib. 224, quod item scribendum est Ὑδροχάρης. V. Θυμοχάρης, Νικοχάρης.]

Λιμνώδης, ὁ, ἡ, Paludosus. Exp. et Paludem imitans. At qui Paluster exp., cum λιμναῖος perperam confundunt. [Palustris, Gl. Polyb. 3, 78, 8 : Τοὺς λιμνώδεις τῶν τόπων· 4, 42, 4 : Τότε συμβήσεται καὶ τὸν Πόντον ... γλυκὺν καὶ λιμνώδη γενέσθαι.] Plut. [Mor. p. 590, E] : Τὸ δὲ, οὐ καθαρὸν, ἀλλὰ συγκεχυμένον καὶ λιμνῶδες. [Philo vol. 1, p. 477, 44 : Εἰ γὰρ περιττὸν ἀναχυθείη τὸ ῥεῦμα, λ. καὶ τελματῶδες ἀντὶ καρποφόρου γῆς ἔσται τὸ πεδίον. Galen. vol. 6, p. 221, 9 : Λιμνώδους χωρίου. Hase.] Et τὸ λ. τοῦ Στρυμόνος ap. Thuc. [5, 7.]

[Λιμνώρεια, ἡ, Limnorea, Nereis, ap. Hom. Il. Σ, 41, Apollod. 1, 2 extr.]

[Λῑμοδοξέω, Gloriam esurio. Philo vol. 2, p. 273, 22 : Οἱ λιμοδοξοῦντες. Wakef. Id. ib. p. 534, 13 : Λιμοδοξῶν. Hase.]

[Λιμοδοξία, ἡ, Fames gloriæ. Philo vol. 1, p. 290, 1.]

[Λιμόδορον. V. Αἱμόδωρον.]

Λιμοδωριεῖς, οἱ, Qui fame adacti aliquo demigrant, a Doriensibus, qui ex Peloponneso fugerunt, annonæ inopia, VV. LL. V. Erasm. Chil. in Λιμοδωριεῖς, ex Plut. [prov. 34] et Hesych., ubi etiam aliam affert expos., scribens ita dictos videri, Qui vagantes famem afferebant. [Hesych. : Λιμοδ. οὕτως ἐκλήθησαν οἱ ἀπὸ Πελοποννήσου, ἀφορίας χαλεπῆς ἐκεῖ γενομένης ἀποικισθέντες διὰ ταύτην τὴν αἰτίαν, καὶ κατοικήσαντες περὶ Ῥόδον καὶ Κνίδον. Δίδυμος δὲ τοὺς περὶ τὴν .ύτην (Οἴτην Musurus) κατοικοῦντας οὕτω λέγεσθαι διὰ τὸ λιμώττειν καὶ μοχθηρὰν ἔχειν ταύτην (quod voc. corruptum putabat Heinsius). Suidas : Λιμοδωριεῖς, Πελοποννησίων οἱ διὰ λιμὸν μετοικήσαντες εἰς Ῥόδον καὶ Κνίδον. V. Scylax p. 24.]

Λιμοδωριέω, Fame compulsus aliquo demigro, VV. LL. [Ex præcedenti voc. fictum.]

[Λιμόδωρον. V. Αειμόδωρον.]

[Λιμοθνὴς, ὁ, ἡ, Fame moriens. Æsch. Ag. 1274 : Λιμοθνὴς ἠνεσχόμην.]

Λιμοκίμβιξ, ἴκος, ὁ, Qui ad famem usque parcus est, sordidus. Vel, Quem sordes ad tolerandam famem impellunt, ad suum defraudandum genium, ut Terent. loquitur. His enim modis puto vim hujus vocabuli posse exprimi, quod alioqui Eust. [Od. p. 1828, 10], sicut et κυμινοκίμβιξ, vult idem esse cum κίμβιξ.

[Λιμοκόλαξ, ἄκος, ὁ, Assentator propter famem. Phrynichus Bekkeri p. 50, 3 : Λιμοκόλακες, οἱ διὰ λιμὸν κολακεύοντές τινα.]

Λιμοκτονέω, Fame neco, conficio, Galen. [Activo et passivo Hippocr. p. 406, 8; 597, 12; 885, F; 1238, D; Plat. Reip. 9, p. 588, E; Strabo 11, p. 517.]

[Λιμοκτόνησις, εως, ἡ, i. q. sequens. Theodor. Stud. p. 325, D; 381, D. L. Dind.]

Λιμοκτονία, ἡ, q. d. Cædes quæ fit per famem. Ap. Plat. [Prot. p. 354, A] pro Summa inedia et exitiali a medico imperata, Bud. p. 869. Ap. Alex. Aphr. autem λιμοκτονία exp. simpliciter Summa fames s. esuritio, Probl. l. 1, [84] : Ἐπὶ τῶν ὑγιαινόντων ἐν λιμοκτονίᾳ κέχρηται τῷ φλέγματι ἡ φύσις πρὸς τροφήν. Galen. λιμοκτονίη ap. Hippocr. [p. 400, 37, coll. 370, 8] exp. ἀσιτία παντελὴς, Abstinentia omnimoda, Gorr., vel, ἡ ἐπὶ τοῖς πόμασι μόνοις δίαιτα.

Λιμοκτόνος, ὁ, ἡ, Fame enecans, Famem mortiferam afferens.

[Λιμομαχέω, Fame oppugno. Passiv. Jo. Chrysost. ap. Anast. Sin. Quæst. p. 118, 24 : Λιμομαχούμενος. Hase.]

[Λιμόξηρος, ὁ, ἡ, Famelicus, Gl. || Λιμοξήρως, Famelice, Gl.]

[Λιμοποιὸς, ὁ, ἡ, Famis auctor. Euseb. Præp. ev. p. 260. Wakef. Erotian. p. 244 : Λιμοποιοῦ ζώου, Quod famem affert.]

Λῑμὸς, ὁ, [Photius : Λιμὸν, ἀρρενικῶς οἱ Ἀττικοὶ τὴν λιμόν,] et alicubi etiam ἡ [sic quidem Polyb. 1, 84, 9, pro vulg. τοῦ λ. vetustiores præstantioresque alioqui codd. dant τῆς λ. Sic etiam Aristoph. Ach. 743, ubi monet schol. esse hoc Doricæ dialecti. Schweigh. V. HSt. infra. Hom. H. Cer. 311 : Λιμοῦ ὑπ' ἀργαλέης. Callim. ap. Suid. v. Λιμὸς cit. : Κακῆς λιμοῦ. Bion 6, 4 : Ὅτ' ἄνδρασι λιμὸς ἐλαφρά. Philipp. Thess. Anth. Pal. 9, 89, 1 : Λιμὸν ὀϊζυρήν· Palladas 11, 313 : Ἀργυρέη λιμῷ τις ἐς εἰλαπίνην με καλέσσας ἔκτανε, quod mox di-

A citur ἀργυροφεγγεῖ λιμῷ, de convivio, ubi plus argenti quam ciborum esset. Lobeck. ad Phryn. p. 188 : Τὴν λιμὸν Δωριεῖς, σὺ δὲ ἀρσενικῶς τὸν λιμὸν φάθι) « Fem. genus recte Doriensi dialecto adscribi patet ex eo quod Aristoph. Megarensem hoc genere utentem facit, quodque Spartæ in Apollinis templo Λιμὸς erat διὰ γραφῆς ἀπομεμιμημένος, ἔχων γυναικὸς μορφὴν, Athen. 10, p. 452, B. » Idem memorat Sexti de utroque genere notationem Adv. gramm. 1, 149, et recentiorum inde a V. T. interpretibus exx. nonnulla, velut Jo. Malalæ p. 60, 11, Suidæ v. Βούλιμος. Frequens est etiam ap. Tzetzen in Hist., ut 1, 112, 223 etc.], Fames [de quo Gl., Plurale non habet (ut λιμὸς)], Esuries. Hom. Il. [Τ, 166] : Ἠδὲ κιχάνει Δίψα τε καὶ λιμὸς, Sitis et fames. Od. Δ, [369], Μ, [332] : Ἔτειρε δὲ γαστέρα λιμός· Κ, [177] : Μνησόμεθα βρώμης, μηδὲ τρυχώμεθα λιμῷ. Ab Eod. λιμὸς eleganter dicitur invadere γούνατα, Genua. Et λιμῷ θανέειν ap. Eund., Fame mori, Od. Μ, [342] ubi etiam dicit mortem eorum, qui fame moriuntur, esse mortis genus longe omnium B miserrimum : Πάντες μὲν στυγεροὶ θάνατοι δειλοῖσι βροτοῖσι, Λιμῷ δ' οἴκτιστον θανέειν καὶ πότμον ἐπισπεῖν. [Conf. Thuc. 3, 59, Dionys. A. R. 6, 86.] Interdum conjunguntur λιμὸς et λοιμὸς, Fames et pestis, pestilentia. Hesiod. Op. [241] : Λιμὸν ὁμοῦ καὶ λοιμόν. [Conf. Thuc. 2, 54, Plut. Coriol. c. 13, Mor. p. 322, A.] Creditur vero et eadem esse utriusque derivatio, ut docebo infra. [Pindari et Tragicorum aliorumque poetarum similia exx. omittimus, exceptis locutionibus nonnullis, ut Æsch. Cho. 259 : Τοὺς δ' ἀπωρφανισμένους νῆστις πιέζει λιμός. Et impropria ap. Eur. El. 371 : Ἤδη γὰρ εἶδον ... λιμόν τ' ἐν ἀνδρὸς πλουσίου φρονήματι γνώμην τε μεγάλην ἐν πένητι σώματι. Prov. Λιμῷ Μηλίῳ v. ap. Aristoph. Av. 186, coll. schol. et parœmiogrr.] Extat passim et ap. prosæ scriptt. nomen hoc λιμός. Xen. Cyrop. 3, [1, 3] : Τῷ λιμῷ καὶ τῇ δίψῃ μάχεσθαι· ut δίψα et λιμὸς ab Hom. copulantur in l., quem modo protuli. Et λιμῷ πιέσαντες [H. Gr. 2, 3, 41], item, Εἷλον λιμῷ Ἀκράγαντα, ap. Eund. [ib. 1, 5, 21. Herodot. 6, 139 : Πιεζόμενοι λιμῷ· 7, 49 : Λέγω τὴν χώρην λιμὸν C τέξεσθαι· 170 : Λιμῷ συνεστεῶτας· et 9, 89, συστάντας· 8, 115 : Ταῦτα δ' ἐποίευν ὑπὸ λιμοῦ. Plato Conv. p. 207, B : Τῷ λιμῷ παρατεινόμενα. Et alibi λιμῷ ἀπόλλυσθαι, ἀποθανεῖν.] || Λιμὸς, ut ait Galen., πεῖνα εἰς ἄκρον ἥκουσα δι' ἀπορίαν σιτίων, Extrema fames a ciborum penuria, sive ea voluntarie, sive præter voluntatem feratur. Idem ergo genere λιμὸς et πεῖνα, solaque magnitudine differunt. Est enim πεῖνα modicæ suctionis in ventriculo sensus, λιμὸς vero, magnæ et vehementis. Sic enim ap. Hippocr. intelligitur, tum eo aphorismo, quo scribit, Ὅκου λιμὸς οὐ δεῖ πονέειν· tum altero, qui ita scriptus est, Τοῖσι σώμασι τοῖσιν ὑγρὰς τὰς σάρκας ἔχουσι δεῖ λιμὸν ἐμποιέειν· λιμὸς γὰρ ξηραίνει τὰ σώματα. His enim aphorismis ἀσιτίαν proprie significat, sicut et l. 2 τῶν Ἐπιδ., ubi ait, Ἐν Αἴνῳ ὀσπριοφαγέοντες ἐν λιμῷ, σκελέων ἀκρατέες ἐγένοντο. Significat vero etiam ap. Hippocr. Vehementem et insatiabilem ciborum aviditatem, quæ κυνώδης ὄρεξις appellatur : Aphor. 2, 21 : Λιμὸν θώρηξις λύει. Neque enim hæc secundum naturam, ut ait Galen., fames est, sed mor- D bosa, quam vini potus solvit. Gorr. [De inedia ægrotorum ap. Hippocr. p. 11, 20; 420, 6.] || Λιμὸν dici etiam Hominem sordidum et præparcum, quidam annotant ex Eustath. [Od. p. 1828, 7] : ap. quem [Od. p. 1504, 37; 1631, 3] legitur et quod dixi de λιμὸς in fem. genere. At vero Etym. Doricum esse tradit hunc usum, sicut λιμὸς masc. genere, Atticum. || Λιμὸς a λέλειμμαι derivatum putatur, quæ est 1 præt. τοῦ λείπομαι, abjecto ε, ut in quibusdam aliis, de quibus lege Eust. [Il. p. 194, 41, Od. p. 1562 extr.] Hoc autem sequendo etymum, fames vocata fuerit λιμὸς quasi ἔνδεια, Defectus.

[Λιμοῦ πεδίον, τὸ, τόπος τῆς Ἀττικῆς sec. Hesychium. Zenob. 4, 93 : Λιμοῦ π. Αὕτη τάττεται ἐπὶ τῶν ὑπὸ λιμοῦ πιεζομένων πόλεων· τόπος γάρ ἐστιν οὕτω καλούμενος. Καὶ λέγουσιν ὅτι λιμοῦ ποτε κατασχόντος ἔχρησεν ὁ θεὸς ἱκετηρίαν θέσθαι καὶ τὸν Λιμὸν ἐξιλεώσασθαι· οἱ δὲ Ἀθηναῖοι ἀνῆκαν αὐτῷ τὸ ὄπισθεν τοῦ πρυτανείου πεδίον. Paullo aliter Diogenian. 6, 13, Lex. rhet. in Bekk. An. p. 278, 4.]

[Λιμουργὸς, ὁ, i. q. λιμοποιὸς, ap. Dion. Chr. vol. 2, p. 43 : Ἔστι πλῆθος οὐκ ὀλίγον ὥσπερ ἔξωθεν τῆς πολιτείας· τούτους δὲ εἰώθασιν ἔνιοι λιμουργοὺς καλεῖν κτλ., ubi Wessel. λιμνουργοὺς, in cod. scribitur λινουργούς.]

[Λιμούστης, ὁ, Limustes, n. fictum ab λιμῷ, ap. Alciphr. Ep. 3, 70.]

[Λιμοφορεύς. V. Λιμοφόρος.]

Λιμοφόρος, ὁ, ἡ, Famem afferens. At Epigr. [Palladæ Anth. Pal. 11, 371, 1] λιμοφορήων δίσκων, a nom. Λιμοφορεὺς, non Λιμοφόρηος, ut habent VV. LL. : Μή με κάλει δίσκων ἐπιΐστορα λιμοφορήων.

Λιμόψωρος, ὁ, ἡ, Strigositas et scabies, qua tam homines quam jumenta in fame corripiuntur, Cam. ex Suida, quem vide. [Polyb. 3, 87, 2. L. D. Alia forma Hippiatr. p. 188, 8 : Τῇ δὲ λιμοψώρᾳ καλουμένῃ. Hase.]

Λιμπάνω, Linquo, deriv. a λείπω : unde ἀπολιμπάνω, etc. [Καταλιμπάνω interpr. Suidas. Memorat etiam Arcad. p. 161, 22; 196, 2. L. D. Jo. Chrys. In Matth. p. 387, E : Καὶ τὰ παρ' ὑμῶν ἐλιμπάνετε. Hase.]

[Λίμυρα, ων, τὰ, Limyra, oppidum Lyciæ, apud Strab. 14, p. 666, et Steph. B. Cives Λιμυρεῖς, ap. eundem et Athen. 12, p. 528, B. || Forma singul. Λιμύρα, ἡ, ap. Basil. M. vol. 3, p. 331, C : Ἐν Λιμύρᾳ Διάτιμον. V. Wessel. ad Hierocl. p. 683. Fl. Λίμυρος, ὁ, Limyrus ap. Strab. l. c. et Ptolem. 5, 3 (qui etiam urbem Λιμύρα scriptam memorat). Qui scribitur Λιμυρὸς ap. Quintum 8, 103. L. Dind.]

[Λιμυρικὴ, ἡ, Limyrice, Indiæ regio, ap. Arrian. Peripl. m. Erythr. p. 30, 32, 36.]

[Λίμυρος. V. Λίμυρα.]

[Λιμφεύω.] Λιμφεύειν Hesychio est ἀπατᾶν, Decipere, Fallere : forsan a nomine Λιμφὸς, quod ab Eod. exp. συκοφάντης, μηνυτὴς παρανόμων, Sycophanta, Delator rerum contra leges admissarum : item et φειδωλὸς, Parcus.

Λιμώδης, ὁ, ἡ, Famelicus, Tolerandæ fami obnoxius. [Hippocr. p. 37, 5 : Ἐπανερέσθαι χρὴ μὴ ... λιμῶδές τι ἔχῃ αὐτὸν, quod Erotian. p. 236, ab Eustachio et Foesio correctus, explicat μεγάλη τροφῆς ἀπορία.] Κενὴ καὶ λιμώδης τράπεζα, Plut. [Mor. p. 703, F. Ib. p. 751, A : Ἀπορούμενοι (aquilæ quædam) πολλάκις ἀναφθέγγονταί τι λιμῶδες καὶ ὀδυρτικόν (conf. Symmach. Job. 30, 7 : Ἠχοῦντες λιμῶδες· 325, C : Λεπτὸς ἦν καὶ λιμώδης ὁ ὕπνος (anserum in Capitolio).] Et Athen. 6 : Λιμῶδες γὰρ ὄντως ἡ ῥαψῳδία. [Alciphr. Ep. 1, 25 : Καθήμενον ἐπὶ ταῖς τῆς Ἀττικῆς ἐσχατιαῖς λιμῶδες καὶ αὐχμηρὸν ἐρυγγάνειν.]

[Λίμωξις, εως, ἡ, Fames. Theod. Hyrt. Ep. 30, in Notitt. Mss. vol. 6, p. 3 : Ἀπολύσας τὸν ἵππον λιμώξεως. Elberling. German. CPol. Contra Bogom. p. 113, C Grets. : Τῆς ψυχολέθρου λ. Hase.]

Λιμώσσω s. Λιμώττω, [Fameo, Gl.] i. q. λιμαίνω, et quidem usitatius; diciturque λιμώττω a λιμὸς ead. forma, qua λοιμώττω a λοιμός. [Galen. Comm. ad Hippocr. Aph. 2, 16 : Λιμώττειν ἐκείνους φαμὲν ὅσοι δι' ἀπορίαν σιτίων εἰς ἄκρον ἥκουσι πείνης κτλ. Foes.] Lucian. [De luctu c. 9] : Ἄσιτος καὶ λιμώττων ἐν αὐτοῖς πολιτεύεται. [Alciphr. Ep. 1, 21 : Λιμώττοντα λιμώττοντι συνεῖναι διπλοῦν τὸ βάρος. Joseph. Ant. J. 14, 5, 1 : Τοῦ στρατεύματος λιμώττοντος.] Theophyl. in quadam Epist. [19] : Λιμώττων πλουτεῖς, βρόχοις ὥσπερ χρυσοῖς ἀπαγχόμενος. Et cum gen. ap. Eund., λιμώττειν χρυσοῦ· at Latine dixeris per accus. Esurire aurum : Epist. 10 : Λυσιτελῶς λιμώττει χρυσοῦ τὸ ἀνθρώπειον γένος, Σωσίπατρε· ἐντεῦθεν γὰρ καὶ τέχναι τῷ βίῳ εἰσήχθησαν καὶ πόλεις ᾠκίσθησαν, Utiliter aurum esurit humanum genus. [Forma Λιμώσσω Phanias Anth. Pal. 6, 307, 8.]

[Λιναγερτέω.] Λιναγερτουμένη, Induta veste linea, Vili veste induta, ἐνημμένη λινᾶ [λίνα est ap. Hes.] κακοείμων, ita Hesych., qui addit et Λινεργοῦσα. [Λιναγρετουμένη conjiciunt Angli.]

[Λιναγρέτης, ὁ, Reti captus. Lycophr. 237 : Αἰθυιόθρεπτος, πορκέων λιναγρέτης. Schol. ὁ ἀγρευθεὶς ἐν λίνοις καὶ δικτύοις τῶν πορκέων καὶ ἁλιέων. Λινάγρετος Scaliger. || Philes De anim. propr. 102, 6, p. 340 : Δέον γε μὴν λαβόντα (purpuram) τὸν λιναγρέτην, αὐτοῖς μὲν ὀστράκοισι θλᾶν ἐξαπίνης λίθου βολῇ βαρείᾳ ἐν μιᾷ μόνῃ. Ita Pauwius pro κιναγέρτην, quod est in cod., vertens Piscatorem.]

Λίναια, τὰ, ἔρια, [Lanæ] Hesych. [Quæ gl. literarum
A ordini adversatur, post Λίνδος posita, ut Λίνεα scribendum videatur.]

Λιναῖος, α, ον, Ex lino factus, VV. LL. sine auctore. [Hippocr. p. 472, 12 : Μοτοὺς τοὺς λιναίους· 679, 46 : Ῥάκει λιναίῳ. Æneas Tact. c. 29, p. 88 : Θώρακες λιναῖοι. Memorat etiam Etym. Gud. p. 261, 22. Inter λιναῖαι et λινέαι variatur ap. Bitonem De mach. p. 112 fin.]

[Λίναμαι, τρέπομαι, gl. obscura Hesychii, cui Ἐπιλίνημι, quod v., conferunt intt.]

Λινάριον, τὸ, et Λινίσκος, ὁ, Parvum filum, Funiculus, VV. LL. sine auctore. At Eust. [Il. p. 574, 30] postquam dixit ἐκλινῆσαι pro διεκφυγεῖν τὰ λίνα, in usu esse apud multos Asiaticos suo tempore, addit, οἳ καὶ τὰ τοιαῦτα λίνα, λινάριά φασιν. Idem alibi [Od. p. 1451, 62] scribit hoc vocab. λινάρια pro θηρατικὰ δίκτυα, quum ab aliis usurpari, tum ab accolis Pamphyliæ. Eidem Eustathio est Λινίσκος diminutive ὁ λεπτότατος λίνος, Tenuissimum linum, in quodam l., quem affert p. 1164, [16, Callistrati ap. Athen. 5, p. 200, C, ubi
B vera scriptura λημνίσκοις ex libris melioribus est restituta. Etym. Gud. p. 371, 8 : Λίνος, τὸ λινάριον. L. D. Similiter Linum Achmes Onirocr. p. 195, 17, 19, 22 vocat λινάριον, et p. 187, 2 λινάριν. Eodem nomine, λινάρι, hodie usurpant Græci Linum. Hase.]

[Λίνδιοι, οἱ, Lindii, n. loci, ap. Thuc. 6, 4 : Τῇ μὲν πόλει ἀπὸ τοῦ Γέλα ποταμοῦ τοὔνομα ἐγένετο, τὸ δὲ χωρίον, οὗ νῦν ἡ πόλις ἐστὶ καὶ ὃ πρῶτον ἐτειχίσθη, Λίνδιοι καλεῖται.]

[Λίνδομαι. Hesych. : Λίνδεσθαι, ἁμιλλᾶσθαι. Confert Albertus ejusd. gl. : Ἄλιντος, ἅμιλλα.]

[Λινδόνιον, τὸ, πόλις τῆς Βρεττανίας. Μαρκιανὸς ἐν περίπλῳ αὐτῆς. Τὸ ἐθνικὸν Λινδονῖνος, Steph. Byz. Est Londinum.]

[Λίνδος, aromatis genus. Eust. Il. p. 315, 18 : Ἰστέον ὅτι λίνδος οὐ μόνον Ῥοδία πόλις, ἀλλὰ καί τι ἀρωματικὸν εἶδος, ὡς δῆλον ἐκ τοῦ Ὀσμὴ λιβάνου, σμύρνης, καλάμου, στύρακος (adde βάρου, de quo dixi in Supplem. vol. 2, v. Βᾶρος), λίνδου, ὥς φησιν Ἀθήναιος (Mnesimachi verba afferens 9, p. 403, D). Conf. id. Od. p. 1524,
C 11. L. Dindorf.]

[Λίνδος, ἡ, Lindus, urbs Rhodi, ap. Hom. Il. B, 656, Herodot. 1, 144, Thuc. 8, 44 et alios. Eust. Il. p. 315, 21, quod Λίνδον etiam urbem Siciliæ quandam ab Stephano Byz. memorari dicit, ex Λίνδιοι, quod v., repetitum videri potest. Berkelius ex lacuna librorum Stephani Byz., Holstenius ex permutatione nominum Λίνδος et Λίχινδος, quod v., explicabat. Gent. Λίνδιος, α, ον, Lindius, ap. Herodot. 7, 153, et Apollod. 2, 1, 4, 8 (ubi de Minerva Lindia, de qua conf. Herodot. 2, 182), Lycophr. 923 et alios. Quo fortasse referendum quod Suidas ponit : Λίνδιος, ὄνομα κύριον. Prov. Λίνδιοι τὴν θυσίαν, ἐπὶ τῶν δυσφήμως ἱερουργούντων, memorant Hesych. et parœmiogrr. || Ὁ, filius Cercaphi et Cydippes, conditor urbis Lindi, Pind. Ol. 7, 74, Steph. Byz.]

Λίνειος μίτος, Lineum stamen, Suidas.

Λίνεος, οῦς, έα, ῆ, εον, οῦν, Lineus. Philostr. Epist. : Λινοῦς χιτὼν ὡς ὁ τῆς Ἴσιδος. [Gl. : Λινοῦν, Linteum.] Et λινοῦν χιτώνιον, ap. Eund. [et Plat. Epist. 13, p.
D 363, A.] Sic λινοῦν ἱμάτιον, et in plur. λινᾶ ἱμάτια, Alex. Aphr. In fem. λινῆ ἐσθὴς, et λιναῖ ἐσθῆτες. [Aristoph. fr. Amphiarai ap. Herodian. Π. μ. λ. p. 39, 17 : Προσκεφάλαιον τῶν λινῶν. Herodot. 1, 195 : Κιθῶνι λινέῳ· 3, 47, θώρηξ (ut ap. Xen. Cyrop. 6, 4, 2, Anab. 4, 7, 15, de quibus HSt. in Λινοθώραξ)· 4, 74, εἵματα· 7, 36, ὅπλα, Rudentes. Ἱμάτιον λ. etiam ap. Plat. Crat. p. 389, B. Aristot. H. A. 9, 13, σφαῖρα. || Forma novitia Λινὸς ap. Etym. M. p. 566, 37 : Λινόν) τὸ λῖνος (sic) σημαίνει τὸ ἔριον· λινὸν δὲ τὸ λινοῦν. Τὸ ἔριον ἀπὸ τῆς λειότητος· ἢ τὸ λεπτὸν ὕφασμα λινὸν ἔλεγον παρὰ τὸ λίαν νενῆσθαι. Quæ tamen ap. Zonaram p. 1312, ipsum quidem scribentem λινὸν, ita sunt concepta et mutata, ut ap. illum quidem etiam λίνον locum habeat. Sed λινὰ correpta ultima, quam Attici tamen circumflectant, annotat Philemo Lex. s. 79. ῐ]

[Λῑνεργέω, Linea facio, ut videtur, ap. Hesych. in Λιναγερτέω citato.]

Λινεργὴς [ὁ, ἡ], ἱστὸς, Ex lino facta tela, ex Dionys. P. [1116. Lycophr. 716, κλῶσις.]

Λινεὺς, έως, ὁ, Hesychio [et Photio] ὁ κεστρεὺς ἰχθὺς, Mugil piscis : forsan quoniam ex filis piscatoriis escam furatur : nam et Plin. 32, 2 : Scit, inquit, et mugil esse in esca hamum, insidiasque non ignorat : aviditas tamen tanta est ut cauda verberando excutiat cibos. [Callias com. in Cyclopibus ap. gramm. Bekk. An. p. 474, 35. Athen. 7, p. 286, B.]

[Λινεύω, Reti capio. Arrian. Peripl. m. Erythr. p. 10 : Ἐν δὲ ταύτῃ τῇ νήσῳ καὶ γυργάθοις αὐτὰς (testudines) ἰδίως λινεύουσιν, ἀντὶ δικτύων αὐτοὺς καθιέντες.]

[Λινιαῖος. Etym. Gud. p. 495, 21 : Σαβιθά· τοῦτο Συριακόν ἐστιν ὄνομα, ὃ ἑρμηνεύεται λινιαῖον ἄντλημα, παρὰ τῷ Ἀσκαλωνίτῃ. Ληνιαῖον Epiphan. vol. 2, p. 182, D, ubi marg. λημνιαῖον.]

[Λινίδιον, τὸ, Filum lineum. Bito De mach. p. 106, B : Ἐν λινιδίοις ὑπαρχέτωσαν. L. Dind.]

[Λινὶς, ίδος, ἡ, Lignum altum in medio navis, ubi alligatur malum. Etym. M. p. 478, 29 : Ἱστοπέδη, ὁ ἐν μέσῳ τῆς νεὼς κοῖλος τόπος, ὅν τινες λινίδα καλοῦσιν, εἰς ὃν ὁ ἱστὸς ἐντίθεται. Ducang. Ληνίδα Sylburg., et tacito HSt. in Ἱστοπέδη, item Scaliger ap. Ammonium in Ἱστοδόκη, ubi eadem. Sic dicitur ληνὸς, quod comparavit Valcken.]

[Λινίσκος. V. Λινάριον.]

[Λινοβάτης, ὁ, Qui super linum incubat. Cosmas Vest. Laud. Zachariæ in cod. Reg. 1468, fol. 12, a : Λ. βότρυος, de uva passa. Vox enotata ab E. Miller. *Journ. des Sav.* 1839, p. 219. Hase.]

Λινόδεσμος, ὁ, ἡ, Ex lino vinculum habens, s. Lineum : aut Ex filo. || In VV. LL. exp. Lineum vinculum, quod tamen non convenit cum exemplo, quod subjungitur ex Aristide, Λινοδέσμῳ σχεδίᾳ, de rate Xerxis. [Æsch. Pers. 68, unde repetit Aristid. vol. 1, p. 152.]

Λινόδετος, ὁ, ἡ, Lino vinctus, Bud. ap. Aristoph. Nub. [763], eadem forma dici tradens, qua σιδηρόδετος. Et λινοδέτοις χαλινοῖς, q. d. Lino vinctis frænis, pro Retinaculis navis, Eur. [Iph. T. 1043.]

Λινόδρῦς, ὕος, ἡ, quibusdam dicta, quæ alio nomine χαμαίδρυς, Diosc. [3, 102.]

[Λινοειδὴς, ὁ, ἡ, Lino s. linteo similis. Caten. in Actt. Apost. ed. Cramer. p. 317, 1. Hase.]

[Λινοεργὴς, ὁ, ἡ, Ex lino factus. Oppian. Hal. 3, 444 : Οὐ μὲν δὴ μελάνουρον ἀποίσεαι οὔτ' ἐνὶ κύρτῳ ῥηϊδίως ἀπαφὼν οὔτ' ἐν λινοεργέϊ κύκλῳ. Libri nonnulli λινοερκέϊ.]

[Λινοερκὴς, ὁ, ἡ, Lino munitus. Nonn. Dion. 26, 54 : Οἳ λινοερκέϊ κύκλῳ Γάζον ἐπυργώσαντο λινοπλέκτοισι δομαίοις. V. Λινοεργής.]

[Λινόζευκτος, ὁ, ἡ, Lino junctus. Oppian. Hal. 4, 79 : Λινοζεύκτῳ ὑπὸ δεσμῷ.]

Λινόζωστις, εως, ἡ, Mercurialis herba. [Hippocr. p. 653, 52 : Λινοζῶστιν (sic) ἐσθιέτω· ut 654, 4 : Λινοζῶστις ἂν ἁρμόζοι· 1210, F : Ῥοφήσαντι λινοζῶστιν· 1226, E : Λινοζώστιος ὕδωρ ὑπήγαγεν· 1234, D : Ἀπὸ ὕδατος λινοζώστιος.] Diosc. 4, 191 : Λινόζωστις, οἱ δὲ παρθένιον, οἱ δὲ Ἑρμοῦ βοτάνιον καλοῦσιν. [Gl. vitiose : Λινόζεστον, βοτάνη, Herba mercurialis; Λινοζώστης, βοτάνη. Lex. botan. ap. Boiss. An. vol. 2, p. 400 : Λινοζωστης (sine accentu) τὸ παρθενοῦδιν. Genit. λινοζώστεως ap. Theoph. Nonn. vol. 2, p. 85. L. D. It. Galen. vol. 14, p. 760, 2 : Σπέρμα λινοζώστεως· conf. vol. 19, p. 128, 13. At eod. vol. 19, p. 96, 2, λινοζώστιδος. Accus. λινόζωστιν ib. p. 146, 12 et 13. Λινόζωστις Anon. De cibis ed. Ermerins. p. 255, 10. Hase.]

[Λινοθήρας, ὁ, Qui lino s. reti capit. Inscr. epigr. Antipatri Sidon. Anth. Pal. 7, 172 : Εἰς Ἀλκιμένην λινοθήραν.]

Λινοθώρηξ, ηκος, ὁ, ἡ, Lineo thorace indutus, Lineo thorace utens (de quorum thoracum usu ap. Xen. mentio est, ut in Θώραξ admonui). Ajax filius Oilei, ap. Hom. Il. B, [529], ὀλίγος μὲν ἔην, λινοθώρηξ· at vero Ajax Telamonius ap. Soph. [Aj. 179] χαλκοθώραξ. Conspici autem λινοῦς θώρακας, quum alibi, tum in Apollinis Grynæi luco, scripsit Pausan. Att. [21, 9], non ad prælia, sed ad venationes idoneos; nam refringi in iis leonum et pardorum quoque dentes. Cam. [Ἄμφιος λινοθώρηξ Il. B, 830. Hase.]

[Λινοκαλάμη, ἡ, Stipula lini. Jos. 2, 6. Schol. Aristoph. Lys. 736; Eust. in Dionys. P. 525; Theoph.

A Nonn. vol. 1, p. 12. Hippocr. p. 580, 46; 674, 8, et Diodor. 1, 60, ubi de λίνου καλάμῃ, confert Schneid. ἄα]

Λινοκάλαμις, ἡ, Linum agreste, VV. LL. [Λινοκαλαμὶς (sic) Diosc. Notha 2, 125.]

Λινοκάρυκες, οἱ, Qui lina vendunt, οἱ τὰ λίνα πωλοῦντες, Hesych. : cujus si exemplaria mendo carent, puto λινοκάρυκες accipiendum pro λινοκήρυκες, mutatione Dorica literæ η in α.

Λινόκλωστος, ὁ, ἡ, ut λ. ἠλακάτα, Epigr. [Anth. Pal. 7, 12, 4], Colus in qua netur linum. [Theod. Prodr. p. 162, φάρος. Elberling.]

[Λινόκομα Ermerins. Anon. De cibis p. 265, 14, putat esse i. q. λινόσπερμον, quod v. Hase.]

Λινόκροκος, ὁ, ἡ, Ex lino factus, et croceo colore tinctus; utrumque enim comprehendere videtur hoc comp., quo utitur Eur. Hec. [1081] : Ναῦς ὅπως ποντίοις πείσμασι λινόκροκον φᾶρος στέλλων, ubi schol. tradit ita vocari λαῖφος. At in VV. LL. λινόκροκον exp. simpliciter Lineum.

Λίνον, τὸ, Linum. [Aristoph. Ran. 364 : Ἀσκώματα
B καὶ λίνα καὶ πίτταν διαπέμπων εἰς Ἐπίδαυρον. Herodot. 2, 105 : Λίνον μοῦνοι οὗτοι ἐργάζονται· 4, 74. Xen. Reip. Ath. 2, 11, 12. Cyneg. 2, 4 : Τὰς ἄρκυς Φασιανοῦ ἢ Καρχηδονίου λεπτοῦ λίνου. Plato Polit. p. 280, C : Τὴν ἐκ τῶν λίνων δημιουργίαν.] Λίνου σπέρμα κεκομμένον, Thuc. 4, [26, Aretæus p. 76, 6]. Theophr. C. Pl. 4, [5, 4] : Ἄτοπον δὲ καὶ λόγου δεόμενον εἰ καὶ τὸ λίνον ἐξαιροῦται. Sæpe pro Lineo filo, s. potius generaliter pro quovis filo : ut [Eur. Or. 1431 : Ἃ δὲ λίνον ἠλακάτᾳ δακτύλοις ἕλισσε· 1435. Tro. 537 : Κλωστοῦ δ' ἀμφιβόλοις λίνοισι. Aristoph. Ran. 1347 : Λίνου μεστοῦ ἄτρακτον·] λίνον Parcæ, Parcarum, ap. Hom. Il. Υ, [128] : Ὕστερον αὖτε τὰ πείσεται ὅσσα οἱ αἶσα Γεινομένῳ ἐπένησε λίνῳ, ὅτε μιν τέκε μήτηρ. Sic Od. Η, [198] : Ἔνθα δ' ἔπειτα Πείσεται ἅσσα οἱ αἶσα κατακλῶθές τε βαρεῖαι Γεινομένῳ νήσαντο λίνῳ, ὅτε μιν τέκε μήτηρ. [Callim. Lav. Min. 104 : Μοιρᾶν ὧδ' ἐπένευσε λίνα. Theocr. 1, 139 : Τά γε μὰν λίνα πάντα λελοίπει ἐκ Μοιρᾶν.] Sic autem a Latinis poetis Fila Parcarum dicuntur, item Stamina, et Pensa, ut ab Horatio, Atra fila trium sororum.
C Interdum vero Linum itidem pro quovis Filo poetis Latinis : sic autem et Celsus Lina pro Filis usurpavit. Sed hoc observandum est, quum in λίνον Græci priorem syllabam corripiant, Latinos contra in Linum producere. [Nihil fieri potest ὑπὲρ τὸ λίνον, Fatum, Lucian. Jov. conf. c. 2. Ib. c. 7 : Ὑμῖν ἐς ἄπειρον ἐκπίπτει τὸ πρᾶγμα καὶ ἀΐδιος ἡ δουλεία γίγνεται ὑπὸ μακρῷ τῷ λίνῳ στρεφομένη. Valck.] || A quibusdam dici τὸν κνίδειον κόκκον traditur a Diosc., quod frutex, qui granum Cnidium profert, sativo lino similis sit. || Λίνου appellationem acceperunt etiam quædam, quæ ex lino fiebant. Interdum enim est Chorda citharæ, quod olim ex lino fieri solerent : quo interpretati sunt modo quidam [ap. schol.] Hom. Il. Σ, [570] : Λίνον δ' ὑπὸ καλὸν ἄειδε κτλ. sed affertur alia hujus l. expositio, quæ magis recepta est, ut infra declarabo. [V. Hesych. cum annot. intt., Greg. Cor. p. 524.] || Rete, s. proprie Quod ex lino est. Il. Ε, [487] : Ἁψῖσι λίνου ἁλόντε πανάγρου. Et πλεκτὰ λίνα, Epigr. [Antipatri Anth. Pal. 6, 118, 4. Theocr. 27, 16 : Μὴ βάλλῃ σε (Diana)
D καὶ ἐς λίνον ἄλλυτον ἔλθῃς· (8, 58 : Ἀγροτέροις δὲ λίνα·) ap. Athen. 7, p. 284, B : Καί κε λίνα στήσαιτο καὶ ἐξερύσαιτο θαλάσσης ἔμπλεα. Dio Chr. vol. 2, p. 350 : Οὐκ ὀλίγοις λίνοις θηρεύεται δόξα. Valck. Gl. : Λίνον κυνηγετικὸν, Retium.] || Linea piscatoria, sed proprie Quæ est ex lino. Hom. Il. Π, [408] : Ὡς ὅτε τις φὼς Πέτρῃ ἔπι προβλῆτι καθήμενος ἱερὸν ἰχθὺν Ἐκ πόντοιο θύραζε λίνῳ καὶ ἤνοπι χαλκῷ, Ὣς εἷλκ' ἐκ δίφροιο κεχηνότα δουρὶ φαεινῷ. [Æsch. Cho. 506 : Φελλοὶ δ' ὡς ἄγουσι δίκτυον, τὸν ἐκ βυθοῦ κλωστῆρα σώζοντες λίνου. Quod Lobeck. Paralip. p. 350, 50 confert cum Joseph. in Walz. Rhett. vol. 3, p. 525, 22 : Τὸν ἀγρευτῆρα λίνον ἀνέσπασε ... πλήθοντα κτλ. Alii in λίνου mutandum conjecerunt. (Masculinum ponit etiam Etym. Gud. p. 371, 8 : Λῖνος τὸ λινάριον, et Etym. M. in verbis in Λίνεος citatis, et Suidas : Λίνος, τὸ δίκτυον, Λίνος δὲ παρὰ Θηβαίοις φιλόσοφος, ubi ordini literarum adversatur scriptura olim recepta Λίνον, quæ est apud Zonaram p. 1309, cujus tamen liber unus Λῖνος.) Leonidas Anth. Pal. 11, 199, 3 : Οὐ λίνον, οὐ κάλαμον προσ-

ἄγων ... σύρει πάντα τὰ νηχόμενα.] || Textum quoddam ex lino, λεπτὸν ἱμάτιον, ut Didymus exp. in Od. N, [73] : Καδδ' ἄρ Ὀδυσσῆϊ στόρεσαν ῥῆγός τε λίνον τε. Et aliquanto post, Πρῶτον Ὀδυσσῆα γλαφυρῆς ἐκ νηὸς ἄειραν Αὐτῷ σύν τε λίνῳ καὶ ῥήγει σιγαλόεντι. Eo autem involutus dormiebat Ulysses, s. substratum erat illi dormienti. Dicit enim in proxime sequente v., Καδδ' δ' ἄρ ἐπὶ ψαμάθῳ ἔθεσαν δεδμημένον ὕπνῳ. Sic autem in priore illo l. sequitur, ἵνα νήγρετον εὕδοι. Sed in VV. LL. sine auctore dicitur esse Linteum in quo dormitur. [Hesychio τὸ ὑποστρωννύμενον τοῖς κοιμωμένοις, οἵ (l. ὅ) τινες τύλην εἶναι νομίζουσι. De veste Æsch. Suppl. 120, 132 : Πολλάκι δ' ἐμπίτνω ξὺν λακίδι λίνοισιν ἢ Σιδονίᾳ καλύπτρᾳ.] || At vero pro Linteis, i. e. Carbasis, Velis, ex Apoll. Arg. 1, [565] : Καδδ' αὐτοῦ λίνα χεῦον. [1280 : Κυρτώθη δ' ἀνέμῳ λίνα μεσσόθι. Lucian. Amor. c. 6 : Ἠρέμα πιμπλαμένου τοῦ λίνου. Valck.] Hesych. λίνῳ, ἐρίῳ. [Prov. Λίνον λίνῳ συνάπτεις ἐπὶ τῶν τὰ αὐτὰ πρασσόντων ex Strattide, Platone Euthyd. p. 298, C, Aristide vol. 2, p. 143, memorant Suidas s. Photius, Hesych. et parœmiographi.]

[Λίνον, τὸ, χωρίον τῆς Ἑλλησποντίας· Στράβων τρισκαιδεκάτη (p. 588) ... Οἱ οἰκοῦντες Λινούσιοι (ap. Strab. i. e., οἱ Λινούσιοι κοχλίαι), Steph. Byz. Ap. Strab. et in cod. Vratisl. Stephani est Λίνον. Alium locum cognominem memorat Lycophr. 994 : Λίνου θ' ἁλισμήκτοιο δειραίαν ἄκραν, ubi schol. : Λίνος καὶ Λῖνον διαφέρει· οὐδέτερον δὲ ἀκρωτήριον τῆς Ἰταλίας.]

[Λινοπάξ. V. Λινοπλήξ.]

[Λινόπεπλος, ὁ, ἡ, Qui linea veste indutus est. Philippus Anth. Pal. 6, 231, 1 : Λινόπεπλε δαῖμον. V. Λινοχίτων.]

[Λινόπλεκτος, ὁ, ἡ, Lino plexus. Nonn. Dion. 26, 56 : Λινοπλέκτοισι δομαίοις. V. Λινοερκής et Λινοτειχής.]

[Λινοπληγής. V. Λινοπλήξ.]

Λινόπληκτος, ὁ, ἡ, ut λ. θηρία, Implicitæ retibus feræ, intra casses obseptæ. Ita VV. LL. sine auctore, quod suspectum est. [Plut. Mor. p. 642, A : Ὁ μὲν πλεῖστος ἦν λόγος τῶν παρόντων ὅτι φόβον τὸ πάθος (τὸ λυκοσπάδας γενέσθαι), οὐ θυμὸν ἐνεργάζεται τοῖς ἵπποις, καὶ γιγνόμενοι ψοφοδεεῖς καὶ πρὸς ἅπαν εὐπτόητοι τὰς ὁρμὰς ὀξυρρόπους καὶ ταχείας ἴσχουσιν, ὥσπερ τὰ λινόπληκτα τῶν θηρίων, de bestiis quæ retibus implicitæ elabi ex iis tentant et cautius vitant postea.]

Λινοπλήξ, ὁ, ἡ, i. est q. φρενοπλήξ, si Hesych. pariter et Suidæ credimus; nam horum uterque gen. λινοπλῆγος exp. φρενοπλῆγος : quod ab alia nominis λίνον aut λίνος signif. esse putandum est. [Jo. Chrys. In 1 Cor. serm. 25, vol. 3, p. 403 : Οὐχ ἀφίημί σε ἐρωτᾶν, ἵνα μὴ ψοφοδεὴς γένῃ μηδὲ λινοπλήξ. Seager. Id. t. 1, p. 824, A ed. Paris. alt. : Πάντα ὑφορᾶται καὶ δέδοικε, λινοπλῆγός τινος ζώου οὐδὲν ἄμεινον διακείμενος. Hase. Thomas p. 578 : Λινοπὰξ, ὡς ἀκανθοπλὴξ, οὐ λινόπαξ. Pro λινοπλήξ. Numenius ap. Athen. 7, p. 321, B : Σαργὸν, λινοπληγέστατον ἰχθὺν, quod Retia maxime perfringentem interpr. Schweigh. Ubi proprie ponitur de pisce, quum improprie ponatur de homine in ll. supra citatis. Quo componitur HStephani dubitatio v. Λινόπληκτος. Superlativum illum autem ab Λινοπληγής potius repetendum esse monuit Lobeck. Paralip. p. 288.]

Λινοπλόκος, ὁ, ἡ, Retia plicans, complicans, Piscator. [Nonn. Jo. c. 21, 9. Wakef. Const. Manass. Chron. p. 95, 131. Boiss. Linarius, Linteo, Gl.]

Λινοπλύνας, q. d. Lini lotor, τριβεύς, Hesych. [Γριπεὺς Kuster. Corrupta etiam gl., quam in Λινοπλύντης tacite mutans Oudendorp. ad Thomam p. 721, mentionem facit Eustathii Od. p. 1956, 40 : Τὸ δὲ πλύνειν, ὃ νῦν ἐπὶ λινέου φάρους ἐρρέθη, γναφεύειν ἢ κναφεύειν ἐπὶ τῶν ἐριωδῶν λέγεται.]

[Λινοποιός, ὁ, Linarius, Gl. Schol. Aristoph. Thesm. 942 : Οἱ Αἰγύπτιοι λινοποιοί εἰσιν.]

Λινοπόρος, ὁ, ἡ, ut λινοπόροις αὔραις, Eur. [Iph. T. 411], Lina, i. e. Vela pertranseuntibus ventis, i. e. perflantibus. At VV. LL. Velivolis ventis.

[Λινοπτάζω. V. Λινοπτάω.]

Λινοπτάω, et Λινοπτάομαι, Retia speculor, Defixos in retia oculos habeo : unde metaph. Aristoph. Pac. [1178] : Ἐγὼ δ' ἕστηκα λινοπτώμενος, ubi exp. Observans, ut solent aucupes observare aves incidentes in

A retia : quia schol. dicit esse sumptum ἀπὸ τῶν εἰς τὰ λίνα πιπτόντων ὀρνίθων. [Dicit schol. : Λινόπτας φησὶν Ἀριστοτέλης τοὺς τὰ θηρευτικὰ λίνα φυλάττοντας, ὡς καὶ οἰνόπτας τοὺς οἰνοφύλακας. Ἀπείρως δὲ ἀπὸ τῶν ... ὀρν.] At Hesych. λινόπτης vult ἀπὸ τῶν κυνηγετικῶν δικτύων esse dictum. [Dicit Hesych. : Λ., ὁ ἐν τοῖς κ. λ. ἑστὼς καὶ ἀποσκοπῶν τὰ ἐμπίπτοντα θηρία.] Addit etiam τοὺς περιεργοτέρους dicere λινοπτᾶσθαι, τὸ λίαν κατεπτηχέναι. [Verba schol. Ar. sunt : Οἱ δὲ περιεργότερον τὸ λ. κ., τοῦτο λ. λέγουσιν. Sic enim cod. Ven. pro περιεργότεροι.] At Suidas λινοπτωμένη secus exp., ubi ejus exemplaria suspecta sunt. Λινοπτάζω ap. Hesych., quod exp. per proxime præcedens λινοπτῶ. [Λινοπτάζει, λινόπτ. (λινοπτᾷ Musurus), ἐπιλινεύει (quod verbum ex hoc l., ubi prava expulit Musuri correctio, inserendum apud nos vol. 3, p. 1679, A, deletis in Ἐπιλινάω verbis « Idem - 144. »), περιβλέπει. De forma hac v. Lobeck. ad Phryn. p. 608. Grammaticorum interpretatio si vera est nec fallit scriptura, permira est syllabæ λιν apud Aristoph. productio.]

B [Λινόπτερος, ὁ, ἡ, Qui linteas habet alas s. lintea vela. Æsch. Pr. 468 : Λινόπτερ' εὗρε ναυτίλων ὀχήματα.]

[Λινοπτέρυξ, ὕγος, ὁ, ἡ, i. q. λινόπτερος. Oppian. Cyn. 1, 121 : Λινοπτερύγων ὅπλα νηῶν· 4, 61.]

Λινόπτης, ὁ, ἡ, Qui retia speculatur, venatoriis retibus adstans diligenter observat an feræ in eas incidant. Utitur Aristot. : Pollux quoque [5, 17] meminit hujus voc., et post eum Hesych. [Qui interpretatur : Ὁ ἐν τοῖς κυνηγετικοῖς λίνοις ἑστὼς, καὶ ἀποσκοπῶν τὰ ἐμπίπτοντα θηρία. Similiter Photius, qui addit : Ἀθηναῖοι δὲ καὶ τοὺς φυλάσσοντας τὰς οἰκίας ὁμοίως ἔλεγον.]

[Λινορραφής, ὁ, ἡ, Lino consutus. Æsch. Suppl. 134 : Πλάτα μὲν οὖν λινορραφής τε δόμος ἅλα στέγων. HSt. in Τυλία :] Pollux 10, [39] ex Sophoclis Iocle affert Ἀλλὰ καὶ λινόῤῥαφος τυλεία. Sic enim reponendum ibi pro λινογράφος, quod habent vulgg. edd. Nisi forte scribendum λινορραφὶς, ut Id. 7, [191] ex eod. Soph. affert λινορραφὶς τυλία· quanquam et ibi vulgg. edd. perperam habeant κλινοῤῥαφίς. Nam quod ad hoc κλινοῤῥαφὶς attinet, nullo id modo convenire arbitror
C cum τυλία· nisi forte accipiamus pro Clinæ insutus, Lecto discubitorio insutus. Λινοῤῥαφὶς autem optime quadrat, utpote quo significetur vel Consuta ex panno lineo, vel Consuta lineis filis : quod et de λινόῤῥαφος dictum intellige. At λινογράφος aperte mendosum est. Nota igitur hic obiter ista adjectiva, nimirum Λινόῤῥαφος et Λινοῤῥαφίς : item Κλινοῤῥαφίς. [Utroque loco verum esse λινορραφῆ τυλεῖα recte judicavit Hemsterh. || Signif. activa, Lina consuens, Nonnus Dion. 23, 131 : Λινορραφέων ἁλιήων.]

Λῖνος [Λίνος] priore producta [immo correpta], unde est ap. Hom. Il. Σ, [570] : Λῖνον [Λίνον] δ' ὑπὸ καλὸν ἄειδε, nomen est proprium herois, filii Uraniæ [et Apollinis, ap. Theocr. 24, 103, et alios. V. Heyn. ad Apollod. 1, 3, 2], teste Hesiodo, qui etiam scribit de illo [in fr. ap. schol. Hom.] : Ὃν δὴ ὅσοι βροτοί εἰσιν ἀοιδοὶ καὶ κιθαρισταὶ Πάντες μὲν θρηνοῦσιν ἐν εἰλαπίναις τε χοροῖς τε [εἰλαπίναις ἠδὲ χοροῖσιν HSt. Ms. Vind.], Ἀρχόμενοι δὲ Λίνον καὶ λήγοντες καλέουσιν. [Herodot. 2, 79 : Τοῖσι (Ægyptiis) ἄλλα τε ἐπάξιά ἐστι νόμιμα καὶ δὴ
D καὶ ἄεισμα ἕν ἐστι Λίνος, ὅσπερ ἔν τε Φοινίκῃ ἀοίδιμός ἐστι καὶ ἐν Κύπρῳ καὶ ἄλλῃ, κατὰ μέντοι ἔθνεα οὔνομα ἔχει, συμφέρεται δὲ ὡυτὸς εἶναι τὸν οἱ Ἕλληνες Λίνον ὀνομάζοντες ἀείδουσι, ὥστε πολλὰ μὲν καὶ ἄλλα ἀποθωυμάζειν με τῶν περὶ Αἴγυπτον ἐόντων, ἐν δὲ δὴ καὶ τὸν Λίνον ὁκόθεν ἔλαβον. Φαίνονται δὲ αἰεί κοτε τοῦτον ἀείδοντες. Ἔστι δὲ Αἰγυπτιστὶ ὁ Λίνος καλεύμενος Μανέρως. Ἔφασαν δέ μιν Αἰγύπτιοι τοῦ πρώτου βασιλεύσαντος Αἰγύπτου παῖδα μουνογενέα γενέσθαι, ἀποθανόντα δ' αὐτὸν ἄνωρον θρήνοισι τούτοισι ὑπ' Αἰγυπτίων τιμηθῆναι, καὶ ἀοιδήν τε ταύτην πρώτην καὶ μούνην σφίσι γενέσθαι. Schweigh. : « Quod Ægyptiorum illud canticum idem esse cum Græcorum Lino statuit Herodotus, id suo judicio arbitratuque fecit; quemadmodum etiam carmen in Cypro et Phœnice cani solitum, quo quidem Adonis plangebatur, ad eundem Linum retulit : cum quo congruit quod Lesbiam poetriam Sapphonem uno eodemque carmine simul Linum et Adonidem cecinisse Pausanias docet 9, 29. Denique quum duorum Linorum fata, qui et ab aliis et a Pausania l. c. et Suida memorantur, quo-

rum alter ab Hercule, alter ab Apolline occisus perhibetur, parum vel in Ægyptium Maneron, qui ἄνωρος mortuus esse ferebatur, vel in Adonidem conveniant; intelligi par est eam de Lino traditionem spectasse Herodotum, quæ Apollinis hunc filium, infans quum esset, a canibus pastoritiis discerptum memorabat, ut est in schol. Il. Σ, 570, et ap. Cononem Narr. 19, qui præ ceteris conferendus. » Linus, f. Lycaonis, est ap. Apollodor. 3, 8, 3. Λίνος καὶ Λιτυέρσας inter σκαπανέων ᾠδὰς καὶ γεωργῶν refertur a Polluce 1, 38. Alios recenset Fabric. in Bibl. Gr. L. D. De Lino picto in fictilibus R. Rochett. *Journ. des Sav.* 1836, p. 353. Linum, Herculis magistrum, in protypo agnovit Viscont. Mus. Pioclem. t. 4, p. 78. Hase. || De λίνος pro λίνον posito v. in illo.]

Λινόσαρκος, ὁ, ἡ, q. d. Lineam carnem habens, id est Ex lino : λινόσαρκοι τροφαλίδες, ap. Antiphanem [Athenæi 10, p. 455, F], αἱ λεπταὶ καὶ ἁπαλαί, Eust. [Il. p. 1339, 18.]

Λινόσπαρτον, τὸ, Gaza Linigenistam reddidit apud Theophr. H. Pl. 1, 8 [5, 2], ubi tamen pro λινοσπάρτου legitur et separatim, λίνου σπάρτου : quum alioqui Plin. Theophrastum Sparti meminisse neget. Quidam vero λινόσπαρτον nihil aliud esse putarunt quam Spartum, ex quo Plin. 19, 1, Asiam lina ad retia præcipua facere dixit. [Sprengel. Hist. rei herb. p. 79.]

[Λινόσπερμα, τὸ, i. q. sequens. Galen. De compos. medic. sec. loc. 2, p. 101, l. 44 et p. 101, b, l. 17. Alex. Trall. 3, p. 178, 8; p. 426, 11; p. 636. Struv. Theophanes Nonn. vol. 1, p. 12 : Λινόσπερμα ξηρὸν κατάκαυσον.]

Λινόσπερμον, τὸ, Lini semen [Gl.] Alex. Aphr. Probl. 1, [67 fin.] : Λ., ξηρὸν μὲν τῇ φαντασίᾳ καὶ τῷ φαινομένῳ, ὑγρὸν δὲ τῇ δυνάμει καὶ τῇ ἀληθείᾳ. [Schol. Nicandri Al. 134. Wakef. Artemid. Onirocr. 1, 68. Galen. vol. 6, p. 446, 6 : Λ. ἑψόμενον ἐν ὕδατι· conf. vol. 14, p. 383, 2; vol. 19, p. 668, 6 et 9. Id. vol. 14, p. 364, 12 : Λινοσπέρμου κεκαυμένου καὶ σεσημένου· 365, 12 : Λ. πεφρυγμένου· 497, 1, Λ. χυλόν. V. Λινόκομα. Hase. Theoph. Nonn. vol. 1, p. 298, etc.]

Λινοστᾰσία, ἡ, Retium collocatio, ut quidam exp. At in VV. LL. ex Epigr. [Agathiæ Anth. Pal. 9, 766, 6] pro Laqueo, quod fixus stet. [Antip. Sid. ib. 76, 6 : Ἦν γὰρ ἀοιδῶν φειδὼ κὴν κωφαῖς ... λινοστασίαις. Et al.]

[Λινοστᾰτέω, Retia tendo. Oppian. Cyn. 4, 64 : Ὧδε καὶ ἐν τραφερῇ κέλομαι θηρήτορας ἄνδρας πανταίνειν ἑκάτερθεν ἐπιπνείοντας ἀήτας, ὄφρα λινοστατέωσι.] Λινοστατεῖσθαι ex Plat. pro Illaqueari, In casses incidere, VV. LL. Affert autem Eust. [Il. p. 1164, 21] ex Plat. : Ἐθηρεύετο λινοστατούμενος, ὑπὸ ἔρωτος δηλαδή. [Verba ἐθηρεύετο λινοστατούμενος non apud ipsum Platonem, sed in epitoma Athenæi repererat. Scilicet ap. Athen. 5, p. 219, D, hæc verba leguntur : Κυνηγεῖ δὲ ὁ καλὸς Σωκράτης (nempe τὸν Ἀλκιβιάδην), ἀλλ' οὐχ αὐτὸς θηρεύεται, ὡς ὁ Πλάτων ἔφη, λινοστατούμενος ὑπὸ Ἀλκιβιάδου, Venatur Socrates Alcibiadem, non Alcibiades venatur Socratem, ut ait Plato, eique retia tendit. Ipso verbo λινοστατεῖσθαι non usum esse Platonem eo in l., quem respicit Athen., sed in eandem sententiam aliis, monui ad Athen. Schweigh. Long. Pastor. 2, 13 : Ἐν ταῖς εὐκαίροις φαινομέναις τῶν ὁδῶν ἐλινοστάτουν. Hase.]

[Λινοστολία, ἡ, Amictus lineus. Plut. Mor. p. 352, C : Οὔτε φιλοσόφους πωγωνοτροφίαι ποιοῦσιν οὔτε Ἰσιακοὺς αἱ λινοστολίαι. Manetho 4, 344.]

[Λινόστολος, ὁ, ἡ, Amictus lino. Orac. Sibyll. 5, p. 640 : Καί τις ἐρεῖ τῶν ἱερέων λινσόσσιος ἀνὴρ, ubi al. cod. λισόσσιος, Castalio autem vertit, Amictus lino, scrib. videtur λινόστολος. Struv. Quod prima producta dictum comparandum foret cum ἀφθῖτως ib. p. 641.]

[Λινόστροφον, τὸ, εἶδος βοτάνης, Marrubium, Gl.]

[Λινόστροφος, ὁ, ἡ, E lino nexus. Oppian. Hal. 3, 76, θῶμιγξ.]

[Λινοτειχής, ὁ, ἡ, Lineum habens murum. Steph. Byz. : Γάζος, πόλις Ἰνδική ... λινοῦν ἔχουσα τεῖχος, καθὰ Διονύσιος ἐν τρίτῃ Βασσαρικῶν ... Λινοτειχέα Γάζον.]

Λινοτόμος, ὁ, ἡ, Qui linum secat. Hesych. tamen λινοτόμοι exp. non solum οἱ τὰ λίνα διατέμνοντες, sed addit καὶ ὑγιῆ δεικνύντες. [Præstigiator, qui fila secat, quæ mox integra ostendat. V. Albert.]

A [Λίνουλκος, ὁ, ἡ, Lino tractus, netus. Ion Athenæi 10, p. 451, E, χλαῖνα. Λινόκλως Lobeck. ad Phryn. p. 612. Alioqui λινουλκὸς scribendum.]

[Λινουργεῖον, τὸ, Officina lini. Strabo 4, p. 191; 16, p. 739 s. Steph. B. v. Βόρσιππα.]

[Λινουργέω, Linum colo. Schol. Pind. Pyth. 4, 376 : Ἔχουσι δὲ καὶ λινουργοῦσι τὴν καλάμην.]

[Λινουργία, ἡ, Lini cultura. Strabo 11, p. 498 : Ἡ δὲ λινουργία καὶ τεθρύληται. Pollux 7, 72.]

Λινουργὸς, ὁ, Qui linum elaborat, apparat, q. d. Qui in lino operatur, circa linum opus aliquod facit. [Lineo, Lintearius, Gl. Strabo 3, p. 160 : Λινουργοὶ δὲ ἱκανῶς οἱ Ἐμπορῖται. Pollux 7, 72. L. D. Epiphan. t. 1, p. 602, B : Λινουργοῖς καὶ ἀργυροχόοις. Hase.] Sed ex Oppian. [Ixeut. 3, 23] affertur λινουργοὶ, quod sit quarundam avicularum nomen. [Nomen lapidis. Plut. Mor. p. 1164, B : Εὑρίσκεται δὲ καὶ λίθος πελιδνὸς τῷ χρώματι λινουργὸς καλούμενος ἀπὸ τοῦ συγκυρήματος· ἐὰν γὰρ βάλῃς αὐτὸν εἰς ὀθόνιον, δι' ἔρωτος ἕνωσιν τὸ σχῆμα λαμβάνει καὶ ἄργιον (λίνον?) γίνεται κτλ.]

B [Λινοῦς. V. Λίνεος.]

[Λινούσιος. V. Λίνον.]

[Λινοϋφεῖον s. Λινῠφεῖον, τὸ, Textrina. Euseb. V. Constant. 2, 34, p. 553, 6 a Boiss. cit. : Γυναικείοις ἢ λινοϋφίοις ἐμβληθέντες. Quod cum Lobeckio ad Phryn. p. 677 scribendum videtur λινοϋφείοις, et λινυφείοις ap. Sozom. H. E. 1, 8, p. 18, 8 : Γυναικείοις ἢ λινυφίοις ὑπηρετεῖν. Nimis enim incertum λινοῦφια in inscr. ap. Bœckh. vol. 2, p. 557, B, 9. L. Dind. V. Salmas. ad Scriptt. H. Aug. vol. 2, p. 723. Schneid.]

[Λινοϋφής, ὁ, ἡ, Ex lino textus. Etym. M. p. 558 : 49 : Λαῖφος, λινοϋφὲς, ἄρμενον. Wakef. Gud. p. 371, 12 : Λινοϋφὲς, τὸ ἄρμενον.]

[Λινόϋφος, ὁ, Linteator, Lini textor, Gl.]

[Λινοῦχος, ὁ, Retiarius, Gl.]

[Λινοφθόρος, ὁ, ἡ, Lineas vestes corrumpens. Æsch. Cho. 25 : Λινοφθόροι δ' ὑφασμάτων λακίδες ἔφλαδον ὑπ' ἄλγεσιν.]

[Λινοφορέω, Lineam vestem gero. Margo codicis Eumathii ap. Gaulminum in annot. p. 6 : Ἱερῷ χιτῶνι) ἱερεῖς καὶ κήρυκες λινοφοροῦσι. L. Dind.]

C Λινοχίτων, ονος [ωνος], ὁ, ἡ, Tunicam lineam indutus : generalius, Lineam vestem indutus; nam ap. Hesych. est Λινόπεπλος, pro hujus expositione. [ῐ]

Λινοχλαίνης, ὁ, Lineam chlænam indutus, ex Dionys. Per. [1096 : Ὠρείτας τ' Ἀραβάς τε λινοχλαίνους τ' Ἀραχώτας. Ubi paucissimi —νας, etiam ad sonum deterius.]

[Λινόχλαινος, ὁ, ἡ, i. q. præcedens. Nonn. Dion. 26, 59 : Λινοχλαίνων στίχα πύργων, de urbis Gazi turribus. V. Λινοτειχής.]

[Λινόχρῡσος, ὁ, Lineus pannus auro intextus. Theophanes a. 7 Justini jun. : Καὶ κατὰ τοῦ ζώσματος αὐτοῦ εἶχεν εἰς τὰς ψύας λινόχρυσα ἱμάτια. Mox : Ἐν δὲ τῇ κεφαλῇ λινόχρυσον φακιόλιον ἐσφενδονισμένον. Ducang., V. Jo. Malal. p. 457, 16, 18.]

Λινόω, Lino vincio, generalius pro Vincio.

[Λιντὴρ, ῆρος, ὁ, Linter, navis ap. Priscian. l. 5, (3, 16) qui vocem ap. Græcos receptam innuit masculino genere, tametsi Linter ap. Latinos in feminino usur-

D petur. Ducang.]

[Λίντιον pro λέντιον, quod v., libri Nonni Jo. c. 13, 22.]

[Λινύας, inter nomina inter υας ponit Theognost. Can. p. 42, 28.]

[Λινυφαρία, ἡ, Lini textrix. Vita Ms. S. Epiphanii : Γεήπονον ἔχων πατέρα καὶ λινυφαρίαν μητέρα. Cit. Ducang. Angl. Et de eadem in alia Epiphanii Vita edita in ejus Opp. t. 2, p. 318, A : Λινυφαρία ὑπῆρχεν. Hase.]

[Λινῠφεῖον. V. Λινοϋφεῖον.]

[Λινυφικὸν, τὸ, Opus textorium. Geronticon apud Niconem in Pandecte Ms. Serm. 45 : Εἶπε δὲ καὶ τῷ πέμπτῳ, καὶ σὺ ἐργάζῃ; Ὁ δὲ ἔφη, τὰ λινυφικά. Ducang. Cassianus Ms. : Ἐγὼ ἐν κοινωνίᾳ τῆς Θηβαΐδος ἤμην ἔργον ἔχων τὸ λινυφικόν. Idem in Append. p. 121.]

[Λίνυφος, ὁ, Lintes, Gl. Pro Linteo. V. Λινόϋφος.]

[Λινῳδία, ἡ, Canticum in Linum. Schol. Hom. Il. Σ, 570 : Φασὶ δὲ αὐτὸν (Linum) ἐν Θήβαις ταφῆναι καὶ τιμηθῆναι θρηνώδεσιν ᾠδαῖς, ἃς λινῳδίας ἐκάλεσαν κτλ. L. Dindorf.]

Λίνωσις, εως, ἡ, et Ἀπολίνωσις [quod v.], Ligatio.

[Λίξ. V. Λίγξ. || Clemens Al. Strom. p. 672 : Λίξ ἐστιν ἡ γῆ κατὰ ἀρχαίαν ἐπωνυμίαν.]

[Λίξα, πόλις Λιβύης, ὡς Ἀλέξανδρος ἐν πρώτῳ Λιβυκῶν, ἀπὸ Λίξου ποταμοῦ. Τὸ ἐθνικὸν Λίξιος, Λιξίτης, καὶ Λιξᾶται παρά τισι, Steph. Byz. Λιξῖται ap. Pausan. 1, 33, 5, Hannon. Peripl. p. 2, 3, 4, qui etiam fluvium Λίξον memorat. Λίξα autem urbs dicitur etiam ap. Ptolem. 3, 1, quæ aliis Λίξος, de qua forma v. in Λίγξ.]

[Λίξος, ὁ, Lixus, f. Ægypti ap. Apollod. 2, 1, 5, 7. Urbs Mauritaniæ, supra Λίγξ et Λίξα, quæ v.]

Λιολεθρίᾳ, Hesych. exp. παντελεῖ ὀλέθρῳ. [Λεωλεθρίᾳ Ruhnk. Ep. cr. p. 88. Λιωλεθρίᾳ Barker. ad Etym. M. p. 1102. Sed verum est Λειωλεθρία.]

Λιοπέτριον, Hesychio λίθος λεῖος, Lapis lævis. [Pro Λειοπέτριον.]

[Λίπα. V. Λίπας.]

[Λῐπάζω, Ungo. Nicander Th. 90 : Εἰ ... γυῖα πέριξ λιπάσειας · 112 : Γυῖα δὲ πάντα λίπαζε.]

Λῐπαίνω, Pinguefacio, Pinguem reddo. [Oppian. Hal. 4, 357 : Κρείασιν αἰγείοισιν ὁμοῦ κνίσῃ τε λιπήνας ἄλφιτα. Aspasia ap. Athen. 5, p. 219, C : Χαρᾶς ὕπο σῶμα λιπαίνω ἱδρῶτι, ubi similiter dicitur ut ap. Nicandr. Ther. 97 : Γυῖα λιπαίνοις, Unge. Aret. p. 78, 49 : Λιπαίνειν τὴν κεφαλήν. || Figurate Eur. Bacch. 575 : Τὸν (fluvium) ἔκλυον χώραν ὕδασι καλλίστοισι λιπαίνειν · Hec. 454 : Ἀπιδανὸν γύας λιπαίνειν. Unde duxisse videtur Lycophr. 886, 1408. Hesychius : Ἐλίπανας ... πλουσίαν ἐποίησας. « Theophyl. Sim. Hist. 6, p. 258, 13 ed. Bonn. : Δώροις λαμπροῖς τὸν ηὐτομοληκότα λιπάνας. » Jacobs. Aliter Philo p. 721, D, ab Hemst. cit. : Ἱλαραῖς μεταδόσεσι λιπαίνειν.] A cujus pass. Λιπαίνομαι est λιπανθεὶς ap. Greg., Pinguefactus, Obesus. [Eust. Opusc. p. 229, 43 : Ὅτι δέ τις λεπτὸς τὸν μονήρη βίον ὑπεισελθὼν λιπαίνεται. Perf. schol. Hom. Od. T, 72 : Λιπόω, ἤτοι τῇ πιμελῇ λελίπασμαι. Hesychium in Ἀρχολίπαροι ... ἐκ τοῦ ἄρχειν λιπαινόμενοι, affert Hemst. || Medio, Mihi ungo, Crinagor. Anth. Plan. 4, 273, 1 : Αὐτός σοι Φοίβοιο πάϊς λαθικηδέα τέχνης ἰδμοσύνην, πανάκῃ χεῖρα λιπηνάμενος, στέρνοις ἐνεμάξατο.]

[Λῐπανδρέω. Nam in Λιπ— posuimus composita per diphthongum scripta quum ab aliis, ut diximus in Λειπ—, tum ab Herodiano Epim. p. 78 et Græcis hodiernis.] Λειπανδρεῖν, Viris defici, Virorum penuria laborare, ut Suid. scribit [verbis Diogenis L. 2, 26] : Βουληθέντας τοὺς Ἀθηναίους, διὰ τὸ λειπανδρεῖν, αὐξῆσαι τὸ πλῆθος, ψηφίσασθαι γαμεῖν μὲν ἀστὴν μίαν, παιδοποιεῖσθαι δὲ καὶ ἐξ ἑταίρας. [Strabo 6, p. 279. Hemst. Id. ib. p. 259, 272; 8, p. 362. « Idem 14, p. 671. Tzetz. Hist. 1, 779. » Boiss.] Rursum ap. Suidam in Ms. cod. pro Λειπανδρεῖν habetur [vitiose] Λειπανδρεῖον, quod interpretantur nonnulli Decretum de virorum penuria emendanda latum, quo videlicet permittebatur civibus ut ex urbica uxore et ex meretrice susciperent liberos, ut ea ratione virilis sexus, qui minutus erat, augeretur.

[Λιπανδρία.] Λειπανδρία, ἡ, Virorum penuria. [Strabo 13, p. 596 : Ἡ γὰρ χηρεία λιπανδρία τίς ἐστιν, οὐκ ἀφανισμὸς τέλειος. Eust. Il. p. 77, 7. Utroque loco scriptum per ει.]

[Λίπανδρος, ἡ, Virum deserens, ut videtur, ponit Etym. M. p. 669, 6.]

[Λιπανθρωπία, ἡ, Penuria hominum. Eust. Il. p. 23, 39, ubi per diphthongum.]

[Λίπανσις, εως, ἡ, q. d. Pinguefactio, Pinguedo. Achmes Onir. c. 77, p. 55 : Ἐάν τις ἴδῃ κατ' ὄναρ ὅτι τὰ στήθη αὐτοῦ ἐλιπάνθησαν, πολύζωος ἔσται ἀναλόγως τῆς λιπάνσεως · et c. 79, p. 56. Antyllus in Matthæi Med. p. 329 : Ἄκοπα εὔχρηστα ἐφ' ὧν προσμόνου καὶ παρεδρευτικῆς λιπάνσεως χρεία. ῐ L. Dind.]

[Λιπαντικὸς, ἡ, ὸν, Ungens. Schol. Hom. Od. Z, 227 : Λιπαρῷ ἢ λιπαντικῷ ἐλαίῳ. Wakef.]

[Λίπαξος, ἡ, Lipaxus, urbs Macedoniæ. Herodot. 7, 123, Orph. Arg. 154. Steph. Byz. : Λίπαξος, πόλις Θρᾴκης. Ἑκαταῖος. Τὸ ἐθνικὸν Λιπάξιος. Feminini generis esse docet Arcad. p. 66, 11. ῐ]

[Λιπάρα, ἡ, Lipara a Liparo dicta Meligunis, maxima insularum Æoliarum. Thuc. 3, 88, Callim. Dian. 47, Diodor. 5, 9; 14, 56, Strabo 6, p. 275, etc. Urbem insulæ cognominem nominat Polyb. 1, 21, 5, Diod. 4, 67; 5, 9, Ptolem. 3, 4. Pluralem memorat Steph. Byz., habetque Archestr. ap. Athen. 3, p. 105, A, Polyb. 34, 11, 19. || Adj. Λιπαραῖος, α, ον, Liparæus s. Liparensis, ponit Steph. Byz., unde αἱ Λιπαραίων νῆσοι, ap. Diod. 14, 103, Strab. 1, p. 54, etc., et αἱ Λιπαραῖαι νῆσοι, ap. Polyb. 1, 25, 4, de insulis Æoliis universis, ἡ Λιπαραίων πόλις ap. Aristot. Meteor. 2, 8. Λιπαραίου Ἁφαίστοιο Theocr. 2, 133. Lapis Λιπαραῖος ap. Orph. Lith. 686, Theophr. De lapid. 14, ubi v. Schneider. || Forma Λιπαρεὺς in genit. Λιπαρέων ex cod. correcta ap. Strab. 6, p. 256, eximenda est etiam Plutarcho Camill. c. 8. ῐᾰᾱ L. Dind.]

[Λῐπᾰράμπυξ, ὕκος, ὁ, ἡ, Splendidum habens redimiculum. Pind. Nem. 7, 15 : Μναμοσύνας λιπαράμπυκος.] Λιπαράμπυκα Θασίαν, Aristoph. [Ach. 671] vocat Lagenam s. Phialam vini Thasii, λιπαροῦ vocabulo utens, διὰ τὸ ἡδὺ τοῦ οἴνου, ἄμπυκος autem, παρὰ τὸ σκεπάζειν καὶ καλύπτειν τὸν οἶνον, quod ἄμπυξ dicatur τὸ περιέχον. Ita schol. [Conferendum λευκάμπυξ, quod supra retulimus, nihil aliud fere quam λευκὸς significans.]

[Λιπαραυγὴς, ὁ, ἡ, Nitidus, Splendidus. Philoxenus ap. Athen. 14, p. 643, A : Τὰς λιπαραυγεῖς πορθμίδας. Hemst.]

Λῐπᾰρέω, Assiduus sum, Persevero, Persto. Herodot. [5, 19] : Μηδὲ λιπάρεε τῇ πόσει. [Cum participio 3, 51 : Ἐλιπάρεε ἱστορέων · 9, 45. Absolute 1, 86 : Λιπαρεόντων αὐτῶν · 9, 111 : Κείνης λιπαρεούσης. Participio 1, 94 : Τέως μὲν διάγειν λιπαρέοντας.] Item, Assidue rogo et instanter, Flagito, Efflagito [Gl. Æsch. Prom. 528 : Τοῦτ' οὐκέτ' ἂν πύθοιο, μηδὲ λιπάρει · 1004 : Εἰσελθέτω σε μήποθ' ὡς ἐγὼ ... λιπαρήσω τὸν μέγα στυγούμενον. Soph. OEd. T. 1435 : Καὶ τοῦ με χρείας ὧδε λιπαρεῖς τυχεῖν; OEd. C. 776 : Εἴ σοι λιπαροῦντι μὲν τυχεῖν μηδὲν διδοίη · 1201 : Λιπαρεῖν οὐ καλὸν δίκαια προσχρῄζουσιν. Plat. Crat. p. 413, B, et alibi]. Interdum vero et generalius pro Rogo, Oro, Postulo. Xen. [Cyrop. 1, 4, 6 : Οὐκέθ' ὁμοίως λιπαρεῖν ἐδύνατο · OEc. 2, 16 :] Ὅσα νῦν λιπαρεῖς παρ' ἐμοῦ μανθάνειν · Apol. [23] cum infin. itidem : Τὸ δὲ μὴ ἀποθανεῖν οὐκ ᾤετο λιπαρητέον εἶναι. Aristoph. Ach. [452], Λιπαρῶν τε Εὐριπίδην. [Ubi nunc λιπαρῶν τ'. Εὐριπίδη, vocativo. Philippus Thess. Anth. Pal. 9, 290, 6 : Ἀρωγοναύτας δαίμονας Λυσίστρατος ἐλιπάρησεν. De Polybio Schweigh. in Lex. : « Λιπαρῶν ταύτην καὶ καταπραΰνων 8, 21, 7, i. q. Consolans. Ἐξιλάσκεσθαι τὸ θεῖον προσκυνοῦντα καὶ λιπαροῦντα τὰς τραπέζας καὶ τοὺς βωμούς, 32, 25, 7, Aras omnes assectantem. »] At Herodian. junxit et dat. pers. Copulatur interdum cum δέομαι. [Ap. Plat. Crat. p. 391, C, Herodian. 3, 12, 20. Idem ib. 15, 9 : Λιπαροῦντες αὐτὸν ὑπὲρ ὁμονοίας. Pass. Xen. H. Gr. 3, 5, 12 : Οἱ ἐν τῷ πρὸς ὑμᾶς πολέμῳ μάλα λιπαρούμενοι ὑπ' ἐκείνων πάντων καὶ πόνων καὶ κινδύνων ... μετεῖχον.]

Λῐπᾰρὴς, ὁ, ἡ, Assiduus, Sedulus, Qui assiduus est in aliqua re facienda, Qui instanter rem aliquam facit, Bud. ex Plut. [Ti. Gracch. c. 6] : Λιπαρεῖς ἦσαν δεόμενοι · quod vertit, Instanter orabant. Cui addo locum omnino similem ex l. Π. δυσωπ. [p. 534, D] : Καὶ λιπαρὴς ἐγίνετο ταῖς δεήσεσι προσβιαζόμενος. Lucian. [Abdic. c. 4] : Καὶ πόνῳ πολλῷ καὶ προμηθείᾳ λιπαρεῖ χρησάμενος ἐξέμαθον τὴν τέχνην. [Plato Crat. p. 413, A : Ἅτε λιπαρὴς ὢν περὶ αὐτοῦ · Hipp. min. p. 369, D : Εὑρήσεις γάρ με λιπαρῆ ὄντα περὶ τὰ λεγόμενα ὑπὸ τούτου · 372, A : Ὡς λιπαρής εἰμι πρὸς τὰς ἐρωτήσεις τῶν σοφῶν.] Sed alicubi λιπαρὴς sine adjectione, ead. propemodum signif. dixisse videtur. [Mor. p. 611, F : Τὴν ψυχὴν ποιεῖ λιπαρῆ περὶ ταῦτα 665, E : Τὰ μὲν ἄλλα παρίεσαν ὁμολογοῦντες, περὶ δὲ τῶν ... ἀκοῦσαί τι βουλόμενοι λιπαρεῖς ἦσαν. Et alibi.] Soph. OEd. C. p. 308 meæ edit. [1119] : Ὦ ξεῖνε, μὴ θαύμαζε πρὸς τὸ λιπαρές · de quo l. aliisque lege quæ habent meæ in hunc poetam Annotationes. [El. 1378 : Ἄναξ Ἄπολλον, ἵλεως κλύε ἐμοῦ ... ἥ σε πολλὰ δὴ ἀφ' ὧν ἔχοιμι λιπαρεῖ προὔστην χερί. Aristoph. Lys. 673 : Οὐδὲν ἐλλείψουσιν αὗται λιπαροῦς χειρουργίας.] At λ. πυρετὸς Luciano [De hist. scr. c. 1] pro συνεχὴς, Continua febris, Bud. Volunt autem quidam gramm. λιπαρὴς dictum ἀπὸ τοῦ λίαν παρεῖναι : quibus subscribit et Hesych. [Ab librariis confusum cum λιπαρὸς v. ap. Schneider. Ind. ad Theophr., Schæfer. Melet. p. 53.]

|| Λιπαρῶς, et Λιπαρέως per dialysin, Assidue, Jugiter, Flagitanter, Instanter orando, Bud. ex Athen. [Plato Protag. p. 315, E : Οὐκ ἐδυνάμην ἔγωγε μαθεῖν ἔξωθεν, καίπερ λ. ἔχων ἀκούειν, τοῦ προδίκου· 335, B : Οὐδ' ἐγὼ λ. ἔχω ... τὴν συνουσίαν ἡμῖν γίγνεσθαι· Leg. 11, p. 931, C : Ἐν εὐχαῖς λ. παρακαλοῦντες θεούς. Plut. Mor. p. 243, F : Καταφιλοῦσαι λ. Joseph. A. J. 1, 2, 1 : Τοῦ θεοῦ λ. ἐγκειμένου. « Λ. προσκαρτερεῖν ἀνιαρῷ διηγήματι, Synes. p. 110, D. Λ. ἔχειν περὶ τέχνην, Themist. p. 25, C.» Jacobs. Galen. vol. 6, p. 3, 1 : Λ. βοηθῆσαι. Heliod. 2, 6 : Λ. ἐγκείμενος· et plural. Philo vol. 1, p. 147, 42 : Λ. ἐγκείμενοι περιέχεσθε. Phalaris Ep. p. 72, 13 ed. Schæf. : Καὶ ὑμῖν δὲ ἐπισκήπτω λ. ὡς οἷόν τε. Hase. Alia exx. v. ap. Toup. ad Suid. v. Λιπαρῶς.]

[Λιπάρησις, εως, ἡ, Supplicatio. Dionys. A. R. 1, 81 : Οὐ πρὸς οἶκτον οὐδὲ λιπαρήσεις τραπόμενος. Wakef. Tzetz. Hist. 9, 528 : Πειθοῖ καὶ λιπαρήσεσι. Elberling. Memno Photii Bibl. p. 236, 37. Pollux 6, 177, πρέσβεων. τᾶ]

[Λιπαρητέον. V. Λιπαρέω.]

Λῐπᾰρία, ἡ, Assiduitas, Sedulitas, Assidua obtestatio, et q. d. Flagitantia; ut λιπαρῶς, Flagitanter, Bud. Ap. Herodot. [9, 21] : Λιπαρίῃ ἀντέχομεν, exp. Strenue resistimus. [Ib. 70 : Ἀρετῇ καὶ λιπαρίῃ ἐπέβησαν τοῦ τείχεος. Hesych. : Τείνοντο (Hom. Il. Ι, 468), ἐξετείνοντο διὰ τὴν λιπαρίαν. Alia v. ap. Suidam. L. D. Diphth. scribitur minus bene in Ep. Dionys. ap. Euseb. Hist eccl. p. 261, B : Τῇ προθυμίᾳ καὶ λιπαρείᾳ τῶν ἀδελφῶν. Hase.].

[Λῐπᾰρία, ἡ, Pinguedo, Gl. «Dioscor. 1, 49 : Ἀνίησι λιπαρίαν τινά.» Wakef.]

[Λῐπᾰρἰάζω, Pinguis sum. Grammat. in Cram. An. vol. 2, p. 470, 18 : Ἐλιπάνθη, ἐλιπαρίασεν, ἐπιάνθη.]

[Λιπαρὶς, Dapalis pœna, Gl. Leg. cœna.]

[Λίπαρις, ὁ, Liparis, fl. Ciliciæ. V. Λιπαρός.]

[Λιπαροβῶλαξ, ἄκος, ὁ, ἡ, Qui pinguis est glebæ. Const. Manass. Chron. 62 : Ὅση λιπαροβῶλαξ, γῆν ὁ τεχνίτης κέκληκε θεὸς ὁ παντεργάτης· (226 : Τὰς λιπαροβώλακας ἀρούρας Αἰγυπτίων· 4977 : Αὖλαξ λιπαροβῶλαξ·) Amat. 6, 22. Boiss.]

[Λιπαρόγειος, ὁ, ἡ, i. q. sequens. Schol. Hom. Il. Σ. 541.]

Λιπαρόγεως, ὁ, ἡ, Pinguem terram habens, Qui pingui solo est.

Λιπαρόζωνος, ὁ, ἡ, Nitidam et splendidam, ac veluti unctam, zonam habens. Eur. Phœn. [178] : Ὦ λιπαροζώνου θύγατερ Ἀελίου Σελαναία, Solis splendore cincti filia Lucina, Cam. [Iterum HSt. :] Λιπαρόζωνος, Elegantem zonam habens. Dicitur autem et de sole ab Eur. Phœn. pro εὐπρεπέστατος, ut schol. Sed malim simplicius exponere Splendidam zonam habens, i. e. Splendide cinctus; quippe qui suo sit splendore velut cinctus.

[Λιπαρόθρονος, ὁ, ἡ, Qui est splendidæ sedis, Splendidam habens sedem. Æsch. Eum. 806 : Λιπαροθρόνοισιν ἡμένας ἐπ' ἐσχάραις. Poeta lyricus ap. Stob. Ecl. phys. vol. 1, p. 174 : Λιπαροθρόνους τ' ἀδελφὰς (l. -φεὰς) Δίκαν καὶ ... Εἰράναν. L. Dind.]

Λιπαροκρήδεμνος, ὁ, ἡ, [Hom. Il. Σ, 382 : Χάρις λ.] Elegantes vittas s. pulcras habens, pro Eleganter compta, intelligendo ex parte totum. Quidam tamen λιπαρὰ κρήδεμνα esse putarunt τὰ λευκὰ καὶ λεῖα, sicut ἀργᾶντες ταῦροι sunt οἱ διὰ πιμελὴν λευκοὶ, Eust. [Θεαὶ λιπαροκρήδεμνοι, auctor Cypriorum ap. Athen. 15, p. 682, F. Valck. H. Cer. 25, Ἑκάτη· 459, et Orph. Arg. 623, Ῥέη.]

Λιπαρόμματος, ὁ, ἡ, Qui est nitentibus oculis, et pulcris, ut Bud. vertit in hoc Aristot. l. [Physiogn. p. 57 Franz.], Γλαφυροὶ, λευκόχροοι, λιπαρόμματοι. Alibi autem [ib. p. 59] dicit λιπαρὸν τὸ ὀμμάτιον καὶ μάργον, ut Idem annotat. [Licymnius ap. Sext. Emp. p. 701, 1 : Λιπαρόμματε μᾶτερ ... Ὑγεία. Hemst.]

Λιπαροπλόκᾰμος, ὁ, ἡ, Cui nitida est coma, nitidi sunt capilli, s. pulcri, Hom. [Il. Τ. 126 : Εἶλ' Ἄτην κεφαλῆς λιπαροπλοκάμοιο] de muliere. Dicitur et εὐπλόκαμος s. ἐϋπλόκαμος, de ea, cui pulcra est coma. Sed his nominibus vocatur et quæ pulcra est, s. formosa, intelligendo ex parte totum. [Pind. fr. ap. Philon vol. 2, p. 511, 8 : Λιπαροπλοκάμου Λατοῦς.]

[Λιπαροποιέω, Pinguem facio. Hesych. v. Καταλιπαίνειν.]

[Λιπαροποιὸς, ὁ, ἡ, Qui pinguem facit. Eust. Il. p. 743, 34 : Λιπαρὰς θέμιστας, ὅ ἐστι λιπαροποιοὺς καὶ εὐδαιμονεῖν ποιούσας.]

Λῐπᾰρὸς, ά, όν, Pinguis. Aristot. [H. A. 3, 20] τῶν λιπαρῶν esse dicit κνίσσαν, ut ἐλαίου καὶ ἐλαιωδῶν, at λιγνὺν, τῶν πιόνων. Plato Cratylo [p. 427, B] : Τὸ λιπαρὸν καὶ τὸ κολλῶδες, καὶ τἄλλα πάντα τὰ τοιαῦτα. [Tim. p. 60, A : Στίλβον λιπαρόν τε· 82, D : Τὸ ἀπὸ τῶν νεύρων ἀπιὸν γλίσχρον καὶ λιπαρόν· 84, A : Ἐκ λιπαροῦ καὶ λείου. Superlat. Tim. p. 82, D.] Apud Hom. λιπαρὸν est epith. ἐλαίου, quem λίπ' ἐλαίῳ pro λιπαρῷ ἐλαίῳ dicere docui et paulo ante. Hinc autem λιπαρὸς etiam dicitur Oleo (quod itidem Pingue vocat Virg.) unctus : atque adeo exp. Unctus, Nitidus. Hom. Od. Ο, [331] : Αἰεὶ δὲ λιπαροὶ κεφαλὰς καὶ καλὰ πρόσωπα, exp. etiam Delibuta unguento capita habentes. [Bacchylides vel Simonides Anth. Pal. 13, 28, 4 : Λιπαρὰν ἔθειραν. Theocr. 5, 91. Πλόκαμον Callim. Lav. Min. 32.] Aristoph. Pl. [616] : Λουσάμενος, λιπαρὸς χωρῶν ἐκ βαλανείου· Nub. [998] : Ἀλλ' οὖν λιπαρός γε καὶ εὐανθὴς ἐν γυμνασίοις διατρίψεις. [Xen. Reip. Lac. 9, 5 : Λιπαρὸν οὐ πλανητέον· H. Gr. 6, 4, 16 : Τῇ δ' ὑστεραίᾳ ἦν ὁρᾶν, ὧν μὲν ἐτέθνασαν οἱ προσήκοντες, λιπαροὺς καὶ φαιδροὺς ἐν τῷ φανερῷ ἀναστρεφομένους· Comm. 2, 1, 31 : Ἀπόνως μὲν λιπαροὶ διὰ νεότητος φερόμενοι, ἐπιπόνως δὲ αὐχμηροὶ διὰ γήρως περῶντες. De palæstra ipsa Theocr. 2, 51 : Λιπαρᾶς ἔκτοσθε παλαίστρας. Lucian. Amor. c. 3.] Huc pertinet Vitruv. 8, [3, 8] ubi de fontibus et lacubus loquitur, necnon de fluminibus : Alii autem per pingues terræ venas profluentes, uncti oleo erumpunt, uti Solis, quod oppidum est Ciliciæ, flumen nomine Λιπαρὴς [Liparis], in quo natantes aut lavantes, ab ipsa aqua unguntur. Et λ. πόδες ap. Hom. [Il. Β, 44, etc.], Nitidi : habes tamen et alias explicationes ap. Hesych. [De pane uncto vel tincto Aristoph. fr. Γεωργ. ap. Stob. Fl. vol. 2, p. 401 : Ἄρτον λιπαρὸν καὶ ῥάφανον φέροντι. Id. fr. Tagenist. ap. Athen. 3, p. 96, C : Ἅλις ἀφύης μοι· παρατέταμαι γὰρ τὰ λιπαρὰ κάπτων. V. Λιπαραὶ τράπεζαι infra ap. HSt. et quæ annotavit Foes. in Λιπαρῶς citandus.] || Λιπαρὸς videtur etiam dici de homine Pingui, i. e. obeso [Gl., quæ addunt Pastus, Grassus (sic), Adiposus], a quodam Comico [Anaxandride] ap. Athen. [6, p. 242, E] : Λιπαρὸς περιπατεῖ; ζωμὸς κατωνόμασται. [Aristoph. Nub. 1011 : Ἕξεις ἀεὶ στῆθος λιπαρόν. V. ll. paullo ante citatos. De bestiis Xenoph. Cyrop. 1, 4, 11 : Τὰ θηρία ὡς ... λιπαρὰ ἐφαίνετο.] || Alicubi reddi potest Pinguis, Opimus, Opiparus, Opulentus. [Hom. H. Ap. 38 : Χίος, ἣ νήσων λιπαρωτάτη εἰν ἁλὶ κεῖται. Theognis 947 : Πατρίδα κοσμήσω, λιπαρὴν πόλιν. Pind. quum alibi, ut Ol. 13, 106 : Λιπαρᾷ Μαραθῶν· 14, 3 : Λιπαρᾶς Ὀρχομενοῦ· Pyth. 2, 3 : Λιπαρᾶν Θηβᾶν· tum de Athenis Nem. 4, 18, Isthm. 2, 20, et ap.] Aristoph. [Eq. 1329, qui conf. Ach. 638, 639. Idem] Nub. [298] de Attica, Λιπαρὰν χθόνα Παλλάδος. [Conf. Eur. Iph. T. 1130, Alc. 452, Tro. 801. De loco Pindarus etiam in fr. ap. Clem. Al. Strom. p. 731 : Οὐλύμπου λιπαρὰν καθ' ὁδόν. Callim. Del. 155 : Οὐ λιπαρὸν νήεσσιν Ἐχινάδες ὅρμον ἔχουσαι· 164 : Νῆσον, ἐπεὶ λιπαρή τε καὶ εὔβοτος. Orph. H. 58, 4 : Λιπαροῦ ἄντρου. De aquis Æsch. Suppl. 1029 : Λιπαροῖς χεύμασι γαίας τόδε μειλίσσοντες οὖδας.] Et λ. ἄροσις ex Apoll. [Rh. 1, 868.] Huc pertinet λιπαραὶ τράπεζαι ap. Gregor., pro Opiparæ mensæ, Lautæ mensæ. Sic autem et Pingues mensæ ap. Catull. exponendum censuerim, aut etiam Luxuriosæ. [Eodem referre licet Callim. ap. schol. Pind. Pyth. 10, 49 : Τέρπουσιν λιπαραὶ Φοῖβον ὀνοσφαγίαι.] || At λ. καλύπτρα, ap. eundem poetam [Il. Χ, 406, Apoll. Rh. 3, 445] exp. etiam λευκὴ, λεία. || Et λιπαρὰ κρήδεμνα ei [Od. Α, 334 etc.] sunt τὰ ἔκδηλα καὶ λαμπρὰ, de quibus lege Eustath. [Od. p. 1743, 57], itidemque de λιπαρὸν ἱμάτιον. [Partim huc partim ad proxima referri possunt Theocr. 23, 8 : Οὐχ ὅσσων λιπαρὸν σέλας. Et 22, 19 : Λιπαρὰ δὲ γαλάνα ἀμ πέλαγος, ut Callim. Ep. 5, 5 : Εἰ δὲ γαληναίη λιπαρή. Lucian. Amor. c. 11 : Τῆς θεοῦ λ. γαλήνη πομποστολούσης τὸ σκάφος. Apoll. Rh. 4, 691 : Λιπαροῖσι θρόνοισι. Orph. Hymn. 59, 8, ἥβης.] || Alicubi non solum Nitidus, sed et Pulcer exponi potest: quo etiam modo λιπαροὶ πόδες ap. Hom. a nonnullis exp.: Bud. a Luciano [Amor. c. 13, λιπαρὰ χεῖλη] poni testatur et pro Præclarus, Insignis, Bellus. [Hesiod. Th. 63: Ἔνθα σφὶν λιπαροί τε χοροὶ καὶ δώματα καλά· 901: Δεύτερον ἠγάγετο λιπαρὴν Θέμιν.] Jam vero λιπαρὸς exp. et Opulentus, Beatus: ut et κρήδεμνα λιπαρὰ alibi [Od. N. 388, ubi de muris Trojæ dicitur] quidam volunt esse τὰ εὐδαίμονα. Sic λ. γῆρας, ap. [Hom. Od. Λ, 136, etc., Pind. Nem. 7, 99,] Lucian., Synes., Senectus beata: de quo loquendi genere dicam et in Λιπαρῶς. Sed et pro εὐδαιμονεῖν ποιῶν, ut λιπαραὶ θέμιστες ap. Hom. [Il. I, 156], αἱ εὐδαιμονεῖν ποιοῦσαι. [Sic Eust. Vertendum hic quoque Largas.] || Λιπαραὶ, Medicis genus medicamenti. Diosc.: Μίγνυται δὲ λιπαραῖς. Celsus: Medicamenta lenia, λιπαρὰς Græci vocant. Bud. Λιπαραὶ ἔμπλαστροι, inquit Gorr., Lenia emplastra dicuntur ap. Celsum 5, 19, quæ medicamentis pinguibus constant: differentia in eo ἀπὸ τῶν ἀλιπαίνων [ἀλιπάντων rectius ap. Aetium], quæ constant ex medicamentis non pinguibus. Plura utriusque generis exempla Celsus eo loco profert. [Plinius Græcam appellationem retinuit et Liparas vocat 23, 9; 33, 6. Galen. l. 1 τῶν Κατὰ τόπους p. 166, 48, πεπειραμένας λιπαρὰς, Usu cognita et experta emplastra lenia vocat, ex Archigene. Foes. Œcon. Hipp.] || Λιπαρὸν ap. eosd. Medicos Pingue, saporis genus est. Sic autem dicitur quod unguinis modo sublinit et replet, mitigatque exasperatas et quasi erosas linguæ partes, sed absque ulla delectatione. In hoc enim a dulci differt, quod manifesta cum suavitate idem præstat. Est vero fortassis et pingue ipsum dulce, aut certe ex dulcium genere: sicut putarunt quidam, qui pauciores quam octo gustus differentias esse contendunt. Dicitur et πῖον: quanquam Galen. Comm. in l. 6 τῶν Ἐπιδ. videatur τὸ πῖον genus constituere τοῦ λιπαροῦ καὶ τοῦ γλυκέος: quo loco scribit Hippocr. τὸ χολῶδες ἀπὸ πίονος procreari. [V. etiam Λιπαρότης.]

|| Λιπαρῶς, Pinguiter, Nitide, ut sc. nitent, quæ oleo sunt uncta. [Aristoph. Eccl. 652: Σοὶ δὲ μελήσει, ὅταν ᾖ δεκάπουν τὸ στοιχεῖον, λιπαρῶς χωρεῖν ἐπὶ δεῖπνον. Recte Bentlejus λιπαρῷ.] Ap. Hom. autem λιπαρῶς γηρασκέμεν est Beate senectutem transigere, i. e. In affluentia rerum ad senectutem beate transigendam necessariarum. Vel, Senectutem degere morborum et omnis adversæ fortunæ expertem. Od. Δ, [210]: Ὡς νῦν Νέστορι δῶκε διαμπερὲς ἤματα πάντα Αὐτὸν μὲν λιπαρῶς γηρασκέμεν ἐν μεγάροισιν, ubi Eust., εὐδαιμόνως καὶ ὡς ἄν τις εἴποι τρυφερῶς, ἀνενδεῶς, ὡς ἐκ μεταφορᾶς τῶν λιπώντων ζώων. [Imitatur Artemid. 5, 74.] Legimus vero et λιπαρὸν γῆρας ap. eundem poetam, ex quo Lucian. et alii mutuati sunt. Od. Λ, [135]: Ὡς κέ σε πέφνῃ Γήρᾳ ὑπὸ λιπαρῷ ἀρημένον, ubi idem gramm. λιπαρὸν γῆρας esse dicit τὸ δίχα νόσου καὶ τῆς ἐκεῖθεν τηκεδόνος· καὶ ἄλλως δὲ, τὸ εὔδαιμον: cui opponi paulo post χαλεπὸν γῆρας. [Leviter et Molliter, p. 785, H: Χρὴ δὲ καὶ ἀνατρίβειν τὸν ὦμον ἡσυχέως καὶ λιπαρῶς. Sic postea μαλακαῖσι χερσὶν dicitur, quod hoc l. λιπαρῶς. P. 616, 23, ἕψειν λιπαρῶς de his quæ Molliter et blande coquuntur, ut ib. 21 λάχανα λιπαρὰ, Olera mollia, leniter cocta. Ex Foes. Œcon. Hipp. L. D. Galen. vol. 6, p. 677, D: Λιπαρῶς ἠρτυμένον. Hippiatr. p. 109, 18: Ἐνάλειφε λ. Hase.]

[Λίπαρος, ὁ, Liparus, n. viri ap. Æschinem p. 47, 9. Ins. Liparæ conditoris ap. Diod. 5, 7.]

[Λιπαροστέλεχος, ὁ, ἡ, Qui pinguis est trunci. Const. Manass. Chron. 92: Πίτυς λ.]

Λιπαρότης, ητος, ἡ, Pinguedo, Pinguitudo, Gaza ap. Theophr. A. τῶν ὀμμάτων, Plut. [Mor. p. 670, E], Nitor, ut λιπαρὰ ὄμματα dicuntur Nitentes oculi. V. Λιπαρόμματος. [Aristot. H. A. 3, 20: Ὑπάρχει δ' ἐν τῷ γάλακτι λιπαρότης· De vitæ brev. c. 6.] || Λιπαρότητα, inquit Gorr., ex iis, quæ ante περὶ τοῦ λιπαροῦ dicta sunt, satis patet esse gustabilem qualitatem, quæ sine voluptate, aut ea longe minori quam dulcia exhibent, linguam linit et subungit. Valde affinis est dulcedini, de qua v. in Γλυκύτης. Dubito an apte Lat. dici possit. Pinguedo enim et pinguitudo non sunt vera hujus qualitatis nomina, sed potius substantiæ, quam πιμελὴν appellant. [|| Λιπαρὰ διαχωρήματα, Pingues alvi

A ejectiones, quales esse solent in febribus deurentibus et colliquationem denunciantibus, Hippocr. p. 1090, H. In urinis λιπαρότητες αἱ ἄνω ἐφιστάμεναι ἀραχνοειδέες, p. 40, 52, Pinguedines araneorum telis similes innatantes. Ex Foes. Œcon. L. D. De butyro Galen. vol. 6, p. 683, 16: Πόσον αὐτῷ λιπαρότητος μέτεστι· de nucibus id. ib. p. 610, 7. Nemes. De nat. hom. p. 196, 8: Πικρότης, ἁλμυρότης, λ. Hase.]

[Λιπαροτράπεζος, ὁ, ἡ, Qui lautæ est mensæ. Constant. Man. Chron. 3376: Λιπαροτράπεζον πανδαισίαν· 4993, ἑστίασιν· 5350, δεῖπνον. ἄ]

[Λιπαρόχροος, ὁ, ἡ, Qui nitidi est coloris. Theocr. 2, 165: Χαῖρε, Σελαναία λιπαρόχροε. Ib. 102: Ἄγαγε τὸν λιπαρόχρων εἰς ἐμὰ δώματα Δέλφιν, pauci λιπαρόχρουν.]

[Λῐπᾰρῶς, Pinguiter. V. Λιπαρός.]

[Λῐπᾰρῶς, Assidue. V. Λιπαρής.]

Λῐπᾰρώψ, ῶπος, ὁ, ἡ, Pinguem faciem habens s. delibutam. Ap. Athen. autem [4, p. 146, F] quidam [Philoxenus Cyth.] λιπαρῶπα τράπεζαν, i. e. Mensam, vocavit τὴν λιπαράν.

B Λίπας, pro λίπος, siquidem sequamur Herodian. gramm. scribentem ap. Eust. [Od. p. 1560, 27], ut ὕδος, ὕδας, et γῆρος, γῆρας, sic etiam dici λίπος et λίπας: unde esse ap. Hom. λίπ' ἐλαίῳ, quum aliis plerisque Il., tum Il. K, [577]: Τὼ δὲ λοεσσαμένω καὶ ἀλειψαμένω λίπ' ἐλαίῳ· ut sc. λίπα quidem sit genus, ἔλαιῳ autem, species. Sed magis recepta eorum est sententia, qui λίπα ex λιπαρῷ factum esse per apoc. censuerunt. Affert vero Eust. et aliud exemplum usus illius nominis λίπας, hoc sc. ex eod. poeta [Od. Z, 227], Λοέσσατο καὶ λίπ' ἄλειψε· videtur tamen esse elisum non α simplex, sed α cum ι subscripto; cujus ille rei mentionem nullam facit. Idemque et in λίπ' ἐλαίῳ dicendum esset, si illam Herodiani expos. sequi vellemus. Sed quidam tradiderunt λίπα esse indeclinabile. Utut sit, eo utuntur et solutæ orationis scriptores. Thuc. 1, [6]: Λίπα μετὰ τοῦ γυμνάζεσθαι ἠλείψαντο. Theophr. H. Pl. 9, [8, 5] de legendis herbis loquens: Κελεύουσι γὰρ τὰς μὲν κατ' ἀνέμους ἱσταμένους τέμνειν, ὥσπερ ἑτέρας τέ τινας καὶ τὴν θαψίαν, ἀλειψαμένους λίπα.
C Lucian. [Lexiph. c. 5]: Ὁ δὲ λίπα χρισάμενος ἐλυγίζετο. Quidam vero, ex quibus Joannes gramm., λίπ' ἐλαίῳ exposuerunt λίπει τῷ ἐξ ἐλαίας: sed exploditur ista expos. [In Ind.:] Λίπα Suidas per apoc. dictum vult pro λιπαρὸν, Pingue. Sic λίπ' ἐλαίῳ pro λιπαρῷ ἐλαίῳ: ut ap. Hesiod. Ἔργ. [520]: Καὶ λίπ' ἐλαίῳ χρισαμένη. Utuntur prosæ etiam scriptt. τῷ λίπα pro λιπαρὸν ἔλαιον. [Hippocr. p. 603, 55: Χρίεσθαι καὶ λίπα· 649, 43: Χρῖσμα δὲ λίπα ἔστω· 656, 55: Ἔλαιον μὴ προσφέρειν μηδ' ἄλλο τι πῖον μηδὲ λίπα ἔχον· 657, 23: Ἐλαίῳ χρίων λίπα τὰς χεῖρας· 658, 3: Τὼ μηρὼ τῷ ῥοδίνῳ ἀλειφέσθω λίπα.] Thuc. [4, 68]: Λίπα γὰρ ἀλείψεσθαι ὅπως μὴ ἀδικῶνται. Ælian. [ap. Suidam]: Ὁπόταν γὰρ προσίωσι κινδυνεύοντες, λίπα ἀλείφονται. Itemque Theophr. H. Pl. [l. c.]: Λίπα ἀλειψάμενος. [Pausan. 8, 19, 2: Λίπα ἀληλιμμένοι ἄνδρες. Alia phrasi Dio Cass. 53, 27: Ἐπειδήπερ οἱ Λακεδαιμόνιοι γυμνοῦσθαί τε ἐν τῷ τότε χρόνῳ καὶ λίπα ἀσκεῖν μᾶλλον ἐδόκουν. || Substantivum declinabile est ap. Aret. p. 130, 43: Λίπας παλαιὸν ἢ νέον· 74, 33: Λίπαϊ ἐλαίης· 54: Χρίειν οἰνανθίνῳ ἢ
D κροκίνῳ λίπαϊ· 75, 52: Ξὺν λίπαϊ· 78, 51: Λίπαϊ σικυωνίῳ ἢ γλευκίνῳ ἢ παλαιῷ· 80, 16; 96, 42. ἴα]

Λίπασμα, ατος, τὸ, ap. [Hippocr. p. 381, 20,] Plut. [Mor. p. 771, B: Λ. σαρκοποιὸν ἢ χαυνωτικὸν σαρκός], Res quæ pinguefacit. [LXX Nehem. 8, 12 et alibi; v. Schleusn. Lex. s. h. v. Λ. ὀφθαλμῶν Lacrimam appellabat Epicurus, improbante Cleomed. Doctr. circ. p. 112, 5; ad quem l. conf. Bake p. 429. Eodem respexit Phot. Ep. p. 231, 4: Τὸν τὰ λ. τῶν ὀφθ. κατὰ ψυχὴν μᾶλλον πεπονθότα ἢ φθεγξάμενον· quæ nullo modo intellexit interpres. Hase. Eust. Opusc. p. 258, 94: Οὐ μὴν ἐν ἁπλότητι ἔλαιον, ἀλλ' ὅτι αὐτὸ καὶ μόνον ἡδὺ λίπασμα καὶ πιότατον καὶ οἷον χρηστὸν εἶναι τραπέζαις μοναχικαῖς. Geopon. 15, 3, 4: Οὔτε λιπάσματα οὐδενὶ προσίπταται (τὸ ζῷον). || Unguentum, Manetho 4, 345. Wakef.]

Λιπασμὸς, ὁ, q. d. Pinguefactio, Saginatio: λ. σώματος, Chrysost. [t. 11, p. 104, E ed. Paris. alt. Id. figurate t. 1, p. 275, B: Λιπαινόμενος τῷ τῶν ἁμαρτημάτων λ. Procop. Comment. in Es. p. 660, A. Anon.

Cat. in Psalm. t. 1, p. 290, 20 : Εὐθαλεῖς εἰσὶ διὰ τὸν λ. Hase. Unctio. Diosc. Alexiph. c. 14 : Ἐμϐροχή τε καὶ λιπασμὸς ὅλου τοῦ σώματος. Wakef.]

[Λἰπαυγέω, Lumine careo, Caligo. Basil. De vita S. Theclæ 1, p. 266 : Ἡ Τρύφαινα τῷ μεγέθει τῆς ἐπὶ τῇ Θέκλᾳ ἀνίας λιποψυχήσασά τε καὶ λιπαυγήσασα. « Λιπαυγοῦντα ὄμματα ib. p. 194. » Hemst.]

Λἰπαυγὴς, ὁ, ἡ, Splendore s. Lumine defectus, Obscurus. Orph. H. [17, 2] : Ταρτάριον λειμῶνα βαθύσκιον ἠδὲ λιπαυγῆ. [Λιπαυγέσιν ὀφθαλμοῖς, Marc. Sidet. 56, p. 99 Schneider. Plato Jun. Anth. Pal. 9, 13, 1, de cæco. « Const. Manass. Chron. p. 3. » Boiss.]

[Λιπαυρέω.] Λιπαυρεῖ, Hesychio αὔρα ἐπιλέλοιπεν [Aura deficit].

Λἰπάω, q. d. Pingueo, Pinguis sum, Obesus sum, Plut. [Mor. p. 206, F] de Cæsare loquens : Οὐ τούτους ἔφη δεδιέναι τοὺς βαναύσους καὶ λιπῶντας, ἀλλὰ τοὺς ἰσχνοὺς καὶ ὠχρούς. A Bud. λιπᾷν exp. etiam Turgere pingui. [Callistratus Stat. p. 904 : Ὁ χαλκὸς εὐτραφῆ καὶ λιπῶσαν ἐπεδείκνυτο τὴν σάρκα. De manibus nitidis Charitum, ut videtur, Callim. in fr. ap. schol. Pind. Nem. 4, 10 : Ἐλέγοισι δ' ἐνιψήσασθε λιπώσας χεῖρας. Dionys. Per. 1112 : Θεσπέσιον λιπόωντες, Nitentes.] Hinc partic. poet. et Ion. λιπόων pro Pinguis, Nitidus, ut sc. pinguia nitent; unde λιπόωντα πέμματα, Pinguentia [ap. Leonid. Alex. Anth. Pal. 6, 324, 1], et λιπόων κεκρύφαλος, VV. LL. Reticulum nitidum et splendidum instar pinguium, in Epigr. [Antipatri Thess. Anth. Pal. 7, 413, 4. Callim. ap. schol. Soph. OEd. T. 919 : Λυκείου καλὸν ἀεὶ λιπόων κατὰ δρόμον Ἀπόλλωνος. Nicand. Al. 487 : Μαλάχης λιπόωντας ὀράμνους. Λιπόω pro ῥυπόω olim Hom. Od. Τ, 72.] In iisd. vero annotatur λιπᾷν dici arbores quum pinguescunt atque unguinosiores fiunt, quod maxime germinationis tempore accidit; quæ enim tali materiæ naturalis inest pinguitudo et succus, per id tempus augetur atque turgescit : aperto quidem argumento, quia si tum ad imum castrentur, per torulum effluet ille liquor atque humor pinguis, ac quasi salivarius lentor emanabit. Ita igitur affectæ arbores, λιπῶντα δένδρα vocantur. Theophr. H. Pl. 3, 6 : Ὥρα δὲ καὶ πρὸς τὸ τέμνεσθαι τὰ ξύλα τότε, διὰ τὸ λιπᾷν· ἐν γὰρ τοῖς ἄλλοις καιροῖς οὐκ εὐπεριαίρετος ὁ φλοιός. Sic autem et alibi, ubi tamen vulg. edd. pro λιπᾷν habent λοπᾷν. [|| Ungo. Nicand. Th. 81 : Εἴ γε μὲν ἐς τεῦχος κεραμήιον ἠὲ καὶ ὄλπην κεδρίδας ἐνθρύπτων λιπόοις εὐηρέα γυῖα. Quod γυῖα λιπάσειας dicit 90, et λίπαζε 112. || Quod Zonaras ponit p. 1313 : Λιπόμενος, ὁ ἀπολειφθεὶς, λειπόμενος δὲ ὁ ἀπολιμπανόμενος, δίφθογγον. Λιπώμενος δὲ ὁ λιπαρῶν, ι καὶ μέγα, non minus vitiosum quam quod Suidas : Λιπῶσι, λιπαρῶσι.]

[Λιπέλαιον, τὸ, ponit Serv. ad Virgil. Ecl. 5, 68 : Pinguis olivi) « Quod Græci λιπέλαιον dicunt. »]

[Λιπερνέω. V. Λιπερνής.]

Λἰπερνὴς, ὁ, ἡ, Hesychio ὁ ἐκ πλουσίου πένης, s. ὁ ἐξ ἀγροῦ εἰς πόλιν πεφευγώς, Qui ex divite factus est pauper, Qui ex agro in urbem confugit : ut sit ὁ λιπὼν τὰ ἔρνη, Qui plantas destituit. [Pupillus, Orbus, Gl. Ap. Diodorum 12, 40 in versu Aristoph. Pac. 602 : Ὦ σοφώτατοι γεωργοὶ, pro σοφώτατοι scriptum λιπερνῆτες, quod fuisse apud Archilochum, quem imitatur, et Cratinum testatur schol. Photius : Λιπέρνητες (sic) ... τὸ δὲ ὄνομα καὶ παρὰ τοῖς κωμικοῖς, ὅταν παρῳδῶσι τοὺς Ἴωνας. ||] Suidas habet Λιπερνῆτις, exponens πτωχὴ, Mendica, Paupera : παρὰ τὸ λείπεσθαι ἐρνέων, q. e. φυτῶν. Idemque et Λιπερνοῦντας affert pro πενιχροὺς, Pauperes. In vet. meo Lex. scriptum λιπερνίτης. Sic enim ibi, Λιπερνίτης, et fem. Λιπερνῖτις, significat τὸν ἐνδεῆ καὶ πτωχὸν, Egenum, Mendicum : ut Οὐ γάρ μοι πενίη πατρώϊος, οὐδ' ἀπὸ πάππων Εἰμὶ λιπερνίτης· derivatum παρὰ τὸ λείπεσθαι ἐρνέων, q. e. φυτῶν : nam ἔρνος dicitur τὸ φυτόν. Aristoxenus λιπερνίτας dicit τοὺς ἁλιεῖς καὶ τοὺς θαλασσίους, Piscatores et eos qui in mari victum quærunt : utpote qui cura arborum neglecta τὸ ὕδωρ διφῶσι. [Hæc in veteri lexico, quo usus est, non comparent. Hemst.] Idem est ap. Etym. [Longo Past. 2, 22 : Ποίοις ποσὶν ἄπειμι παρὰ τὸν πατέρα καὶ τὴν μητέρα ἄνευ τῶν αἰγῶν, ἄνευ χλόης, λιπεργάτης ἐσόμενος, Schæf. restituit λιπερνίτης. Paul. Sil. Ecphr. Soph. 1010 : Οὐδὲ λιπερνήτης τελέθει βροτὸς ὃν σὺ νοήσῃς. Macedonius Anth. Pal. 9, 649, 5 : Οὐδὲ λιπερνήτης

A κενεῷ καὶ ἀκερδέϊ μόχθῳ κλαῦσε. Quæ verior scriptura est quam λιπερνίτης.]

[Λιπερνῆτις, Λιπερνίτης, Λιπερνῖτις. V. Λιπερνής.]

Λιπεσήνωρ, ἡ, Maritum deserens, Adultera, ex schol. Eur. Or. [249, sive potius e Stesichoro apud schol. Conf. Suchfort. p. xxv. Boiss.]

Λἰπήμερος, Qui statum diem deseruit, Qui statuto die præsto non fuit. Ionicum est. [Hesychio, οἱ ἐν τῷ προσήκοντι χρόνῳ μὴ γεννώμενοι, Qui stato tempore non generantur. Sic dicitur Ἀλιτήμερος, ex quo tamen non dixerim λιπήμερος esse corruptum.]

Λιπητὸς, Tempus quo germinantes arbores, habitiores atque pleniores fiunt, et succo pinguiore turgent. [V. Λοπητός.]

[Λἰπόϐιος, ὁ, ἡ.] Λιπόϐιοι, Qui vitam deseruerunt, Vita defuncti, νεκροὶ, Hesych.

Λἰποϐλέφαρος, ὁ, ἡ, κύκλος, Orbis cui palpebræ desunt, ap. Nonn. [Jo. c. 9, 6] pro Eo qui oculo est destitutus.

[Λιποϐοτἄνέω.] Λειποϐοτανεῖ, Deficitur herbis, Gra-

B mine et pabulo caret. Ap. Plut. Apophth. [p. 182, E] rhetor quidam dicit, Χιονοϐόλος ἡ ὥρα γενομένη λειποϐοτανεῖν ἐποίησε τὴν χώραν.

[Λιπογάλακτος, ὁ, ἡ, Lacticularius, Lacticulosus, Gl. Per ει Eust. Od. p. 1752, 10 : Τὰ παρὰ τοῖς ῥήτορσι μετάχοιρα, τὰ τῶν ὑῶν ὀψίγονά φασι καὶ λειπογάλακτα. Est i. fere q. infra Λιπόθηλος. ἄ]

[Λιπόγἄμος, ὁ, ἡ, Matrimonium deserens. Eur. Or. 1305 : Τὰν λιπόγαμον, de Helena.]

[Λιπόγεως, ὁ, ἡ, Terra carens. Macar. Hom. p. 145, C. L. Dind.]

[Λιπόγληνος, ὁ, ἡ, Oculis captus, Cæcus. Nonnus Dion. 37, 517 : Λιπογλήνοιο προσώπου.]

[Λιπόγλωσσος, ὁ, ἡ, Lingua carens. Nonnus Dion. 4, 325 : Λιπογλώσσοιο κούρης· 12, 77 : Λιπογλώσσοιο σιωπῆς· 26, 281 : Λιπογλώσσοιο γενέθλης.]

[Λιπογνώμων.] Λειπογνώμων, ονος, ὁ, ἡ, sonat q. d. Quem deficiunt gnomones, Destitutus dentibus qui gnomones dicuntur. Ita enim malo quam, Qui reliquit gnomones. Utrumque autem [ἀγνώμων et λειπογνώμων]

C ap. Polluc. [1, 182] legitur, conjungentem τέλειοι ἵπποι, et γεγηρακότες et ἀγνώμονες, λειπογνώμονες. Sed Germanica ed. habet γεγηρακότε, ἀγνώμονε, λειπογνώμονε, sine σ : errore forsitan nato ex quadam notula, quæ quum nihil aliud valeat quam ε, existimata fuit valere ες. Utut sit, errorem illum sequentia, vel potius ex eo occasionem alius sumentia VV. LL. annotant in voce Λειπογνώμων, dentes illos de quibus dictum est, γνώμονε plurali numero dici. Atque ut ad Polluc. redeam, Idem [7, 184] λειπογνώμονα usurpari vult et περὶ ἀρνός : Τὸν δὲ ἔτειον ἄρνα, εἴποις ἂν ἀμνὸν, ἢ ἀρνίον· εἶτα εἴποις ἀρνὸν, ὃς καὶ ἀρὴν παρὰ ποιηταῖς, εἶτα λειπογνώμονα. [De bove Lucian. Lexiph. c. 6 : Βοὸς λειπογνώμονος κωλῆν. De equis Etym. M. p. 4, 1 : Τριάκοντα μηνῶν γινόμενοι ἐκβάλλουσι τοὺς πρώτους ὀδόντας, εἶτα ἐνιαυτοῦ παρελθόντος τοὺς δευτέρους, καὶ μετ' ἄλλον ἐνιαυτὸν τέλειοί εἰσιν οἱ τεττάρων ἡμίσεων (ἥμισυ recte Eudemus) ἐτῶν· ἀφ' οὗ καὶ λειπογνώμονες καλοῦνται οἱ μηκέτι διὰ τῶν ὀδόντων γνωσθῆναι δυνάμενοι. De forma veriori per ι HSt. in Ind. :] Λιπογνώμων, i. q.

D λειπογνώμων : Hesych. exp. non solum ἀπογεγηρακὼς et ἀποϐεϐληκὼς τοὺς ὀδόντας illos qui sunt γνώρισμα τῆς ἡλικίας, sed etiam ὁ τέλειος τῇ ἡλικίᾳ. [Similiter schol. Plat. Leg. 1, 8, p. 453 : Ἐκ μεταφορᾶς τῆς ἀπὸ τῶν τετραπόδων καὶ λειπογνώμονας τοὺς ἀπογεγηρακότας, ἐν οἷς ἐλελοίπει τὸ γνώρισμα.]

[Λιπογραμμᾰτος, ὁ, ἡ, Qui litera (quadam) caret. Per ει Suidas v. Νέστωρ Ἰλιάδα γράψας λειπογράμματον. Eust. Od. p. 1379, 55 : Ὀδύσσειαν λειπογράμματον.]

Λιπόγυιος, ὁ, ἡ, Artubus destitutus, et specialius Destitutus pedibus, Mancus, Epigr. [Plat. jun. Anth. Pal. 9, 13, 1, Philippi ib. 11, 3.]

[Λιποδεής.] Λειποδεὴς, ὁ, ἡ, Egenus, Inops, Pauper, ex Pythag. [Ep. ad Hieron. p. 107 in Collect. Genev. : Μέτριος ἀνὴρ καὶ λ.]

[Λιποδερμέω, Verpus sum. Hippiatr. p. 86.]

Λιπόδερμος, ὁ, i. q. λειπ., Apella, h. e. Quem pellicula glandem tegens destituit. [Curtus, Gl. Eadem : Λειπόδερμος, Verpus, Apella. « Hesych. in Λέμϐαρχοι, Λέπανος, Φοξός. Schol. Aristoph. Eq. 960. » Hemst.

Galen. vol. 19, p. 445, 11 (=vol. 2, p. 274) : Λιπ. ἐστιν ἔλλειψις τοῦ σκέποντος τὴν βάλανον δέρματος, ὡς μηκέτι ἀποσύρειν δύνασθαι. Hase. Hippiatr. p. 194. Λειπ. p. 90. L. D. Et ap. Soran. De arte obst. c. 77, p. 189. Boiss.]

[Λιποδρἄνέω.] Λειποδρανεῖν, Viribus ad agendum necessariis defici, Imbecillum esse et ad res gerendas inhabilem. [De altera forma HSt. :] Λιποδρανούσας, Viribus in agendo defectas, al. Animi defectione laborantes, de mulieribus. [Galen. vol. 7, p. 518, A.]

[Λιποδρἄνής, ὁ, ἡ, Imbecillus. Per ει ap. Aretæum p. 57, 18.]

[Λιπόδωρος, ὁ, Lipodorus, n. viri ap. Diod. 18, 7.]

Λιπόζυγος, ὁ, ἡ, Qui societatis jugum deseruit, ut Hesych. quoque λιποζύγων exp. μοναζόντων.

[Λιπόθηλος, ὁ, ἡ, Mamma destitutus, i. fere q. λιπογάλακτος. Geopon. 19, 6, 8 : Τὰ δὲ τικτόμενα διὰ χειμῶνος λειπόθηλα γίνεται διὰ τὴν δυσκρασίαν τοῦ ἀέρος.]

[Λιπόθριξ, ιχος, ὁ, ἡ, Capillis defectus, Calvus. Ælian. N. A. 17, 4. Jacobs. Nonnus Dion. 11, 510 : Λιπότριχι κόρσῃ.]

[Λιπόθροος, ὁ, ἡ, Voce carens, Mutus. Nonnus Dion. 4, 327 : Λιπογλώσσοιο δὲ κούρης δάκρυσι μιμηλοῖσι λιπόθροος ἔστενεν Ἠχώ.]

[Λιποθῡμέω.] Λειποθυμέω, Animo deficio s. deficior. [Deficio, Gl.] Diosc. 3, 36, de pulegio : Λειποθυμοῦντάς τε ἀνακτᾶται σὺν ὄξει. Plin. de mentha, Magna societas cum hac ad recreandos defectos animo, cum surculis suis in ampullas vitreas aceti utrisque dejectis. [Greg. Naz. Epist. 7. Strong. Pallad. Hist. Laus. p. 1026, E : Παρ' ὀλίγον ἐλιποθύμησα. Hase. Theophrast. fr. 10, 1. Athen. 2, p. 297, A : Λαγὼν λειποθυμοῦντα ὑπὸ τῆς διώξεως, citat Hemst. Libri duo λυποθυμοῦντα. Scribendum λιποθ. Λιποθυμέω, Hippocr. p. 652, 55, Joseph. A. J. 8, 15, 5.]

[Λιποθύμημα, ατος, τὸ, Animi deliquium. Per ει Tzetz. Hist. 12, 393, a Boiss. cit.]

[Λιποθυμία.] Λειποθυμία, ἡ, Animi defectio, deliquium. [Defectio. Hippocr. p. 425, 42.] Plut. Alex. [c. 63] : Ταῖς λειποθυμίαις ἔγγιστα θανάτου συνελαυνόμενος · et [19] : Καὶ τὰ περὶ τὴν αἴσθησιν ἀσαφῆ καὶ μικρὰ κομιδῆ γενέσθαι, λειποθυμίας ἐπιπεσούσης. [Herm. Trism. Iatrom. p. 40, 15 : Λειποθυμία καὶ ἀνορεξία. Hase.] Alex. Aphr. Probl. 2, [66 fin.] : Ὄξος καὶ γλήχων ἀνακτᾶται λειποθυμίαν.

[Λιποθυμικὸς, ἡ, ὸν, Qui animi deliquium patitur. Hippocr. p. 425, 52, ubi per diphthongum.]

[Λιπόθυμος.] Λειπόθυμος, ὁ, ἡ, Animo deficiens, defectus, s. Quem animus deficit.

[Λιπόκρεως.] Λειπόκρεως, ὁ, ἡ, Carnibus defectus, Minime carnosus, Macilentus [Gl.], ἰσχνότατος Suidæ. [Forma in ος Tzetzes Hist. 11, 60 : Λίσποι δ' εἰσὶν οἱ τὰς πυγὰς ἔχοντες λειποκρέους. L. Dind.]

[Λιποκτέᾰνος, ὁ, ἡ, Opibus carens, Pauper. Paul. Sil. Ecphr. 993 = 576 : Χεῖρα λιποκτεάνοισιν ἐπαρκέα. In Λιποκτενίασσα corruptum ap. Chœroboscum in Crameri Anecd. vol. 2, p. 239, 11, notavit editor.]

[Λιπομαρτύριον.] Λειπομαρτύριον, τὸ, Desertio testimonii dicendi ; Actio in desertores testimonii. Pollux περὶ δικῶν, l. 8, [36] : Λειπομαρτύριον δὲ κατὰ τῶν ἰδόντων μὲν, καὶ μαρτυρήσειν ὁμολογησάντων, ἐν δὲ τῷ καιρῷ τὴν μαρτυρίαν ἐκλειπόντων. [Dem. p. 1190, 5, ubi recte nunc per ι. ῠ]

[Λιπόμαστος, ὁ, ἡ, Mammis carens. Greg. Naz. 2, p. 139.]

Λιπομήτωρ, ορος, ὁ, ἡ, Qui matrem reliquit. Epigr. [Philippi Anth. Pal. 9, 240, 1 : Λιπομήτορα παῖδα.]

[Λιπομορία.] Λειπομορία, ἡ, Arbor (forte Oliva) quæ trunco fracto ex radice germina emittit et pullulat, Hesych.

[Λιπόναυς, ὁ, ἡ, Naves deserens. Æsch. Ag. 212 : Πῶς λιπόναυς γένωμαι.]

[Λιποναύτης.] Λειποναύτης, ὁ, Qui nautas socios deserit. Ap. Suidam, Ἐδογματοποιήσατο δὲ τοὺς κατὰ τὴν Ἑλλάδα λειποναύτας γεγονότας ἀναζητῆσαι, καὶ τὰς χεῖρας ἀποκόψαι πάντων. [Theocr. 13, 73 : Ἡρακλέην δ' ἥρωες ἐκερτόμεον λιποναύταν. Memorat etiam Chœroboscus Cram. An. vol. 2, p. 239, 11. L. Dind.]

[Λιποναύτιον, τό.] Λειποναύτιον, Nautarum sociorum desertio. Eod. nomine vocabatur et Lis quæ intende-

A batur iis qui nautas socios vel sociam classem deseruissent ; nam perinde in ejusmodi desertores animadvertebatur, ut in desertores militiæ, qui λειποτάκται vocabantur. Polluc. [8, 42] : Λειποναυτίου μὲν ἐκρίνετο ὁ τὴν ναῦν ἐλλείπων, ὥσπερ ὁ τὴν τάξιν, λειποταξίου. [Conf. id. 6, 154 ; 8, 40.]

[Λιπόνεως.] Λειπόνεως, ὁ, ἡ, Qui navale certamen deserit : λειποτάκτης, ut Suidas exp. in Περίνεως : qua signif. dicitur et λειποναύτης. [Demosth. p. 1226, 15. Seager. Lucian. Catapl. c. 3, Contempl. c. 1. Grammat. Bekk. An. p. 412, 30. De altera forma HSt. :] Λιπόνεως, Qui navem destituit, Navis desertor.

Λιπόνηρος, Eximie improbus, Insigniter nequam, λίαν πονηρὸς, Hesych. [Cum Epicharmeo Λὶ pro λίαν confert Ruhnk. Ep. cr. p. 88.]

[Λιπόξαϊς, ὁ, Lipoxais, Scytha, ap. Herodot. 4, 5 et 6, ubi plerique male, ut videtur, Λειπόξαϊς, pauci de melioribus Λιπόξαϊς vel quod eodem redit Νιτόξαϊς.]

[Λιπόξῠλος, ὁ, ἡ, vox ambiguæ signif. ap. Empedocl. v. 125 : Ἀλλ' ἄγε τῶνδ' ὄαρων προτέρων ἐπιμάρτυρα δέρ-

B κευ, εἴτι καὶ ἐν προτέροισι λιπόξυλον ἔπλετο μορφῇ · 150 : Εἰ δ' ἔτι σοι περὶ τῶνδε λιπόξυλος ἔπλετο πίστις. Utroque loco sententia poscit significationem Manci, Debilis vel similem. Interpretum opiniones v. ap. Karsten.]

[Λιπόπαις, δος, ὁ, ἡ, Liberis carens. Manetho 4, 585 : Λέχη λιπόπαιδα.]

[Λιπόπατρις, ιδος, ὁ, ἡ, Exul, Fugitivus. Per diphthongum Eustath. in Dionys. 1017 init. Etym. M. p. 518, 41. Nicet. Eugen. 5, 107 a Boiss. cit. Λιπόπατρις, Nonn. Dion. 1, 131 ; 3, 303. Leontius philos. Anth. Pal. 15, 12, 8 : Μισῶ Λωτοφάγων γλυκερὴν λιπόπατριν ἐδωδήν. Etym. M. p. 759, 41.]

[Λιποπάτωρ, ορος, ὁ, ἡ, Patrem deserens. Eur. Or. 1305 : Τὰν λιποπάτορα. ᾰ]

[Λιπόπνοος et contr. Λιπόπνους, ὁ, ἡ, Spiritu carens. Orph. H. 17, 9 : Λιπόπνοον ἄκριτον Ἅδην. Meleager Anth. Pal. 12, 132, 5 : Μύροις δ' ἔρραινε λιπόπνουν. Antipater Sid. Anth. Plan. 4, 133, 5 : Ἁ δὲ λιπόπνους κέκλιται. Philostr. ib. 110, 5 : Οἷα λιπόπνους τήκεται.]

C [Λιπόπολις, ὁ, ἡ, Qui urbem deseruit. Hesych. in Λιπερνής, Photius in Λιπερνῆτες. Forma poet. Λιπόπτολις Nonn. Dion. 9, 278.]

[Λιποπτόλεμος, ὁ, ἡ, Bellum deserens. Nonnus Dion. 35, 389 : Λιποπτολέμου Διονύσου. Wakef.]

[Λιπόπτολις. V. Λιπόπολις.]

[Λιποπωγωνία, ἡ, Barbæ defectus. Crates ap. Etym. M. p. 698, 10, ubi male per ει.]

Λιπόῤῥινος, ὁ, ἡ, Pelle destitutus, et quidem ea quæ dura sit. Nicand. Al. [550] λιπόῤῥινον σαυραν vocat τὴν σαλαμάνδραν, utpote quæ οὔτε δέρμα ἔχει οὔτε λεπίδα : nisi forte propterea quoniam λίπος ἀφίησιν ἀπὸ τοῦ δέρματος : nam γλίσχρος est et λιπώδης. [Nonn. Dion. 1, 44 : Λιπορρίνοιο νομῆος, de Marsya.]

[Λίπορτος, βακτηρία, Hesychii glossa obscura, etiam literarum ordini adversa.]

Λίπος, τὸ, Pinguedo, Pinguitudo, Adeps [Gl. Soph. Ant. 1022 : Ἀνδροφθόρου βεβρῶτες αἵματος λίπος · fr. Polyid. ap. Porphyr. De abst. 2, p. 135, Clement. Al. Strom. 4, p. 565 : Λίπος τ' ἐλαίας, de oleo, ubi ap.

D Clem. ἐλαίου, quod voc. Tragicorum unus habet Eur. Iph. T. 633. Callim. Apoll. 38 : Οὐ λίπος Ἀπόλλωνος ἀποστάζουσιν ἔθειραι.] Athen. : Τῶν οὖν λιπαρῶν ἀφαιρεῖται τὸ λίπος ἡ πύρωσις. Philo V. M. 3 : Καὶ τελευταῖον προσαγαγὼν τὸν ἀρχιερέα πολλῷ λίπει τὴν κεφαλὴν ἀλείφει. Theophr. πιότητα et λίπος copulavit, H. Pl. 9 : Ὅσα πιότητά τινα ἔχει καὶ λίπος. [Gl. interpretantur etiam Sevum, Pinguamen, Popa, Sebrum, Inglubies; Λίπος ἄνευ σαρκὸς, Arvina; Λίπος, ἐν ᾧ τοὺς ἄξονας χρίουσιν, Axungia. Accentum λῖπος male præcipiunt Draco p. 62, 16; 118, 10, Regg. prosod. p. 429, 39, refellitque præter Callim. supra citatum Lycophr. 579 : Ἀλοιφαῖον λίπος · Palladas Anth. Pal. 9, 377, 8 : Χηνὸς ἄλιστα λίπη · Philippus ib. 6, 101, 5 : Ζωμήρυσίν τε τὴν λίπους ἀφρηλόγον · et qui sæpe habet Nicander in Ther. et Alexiph.]

[Λῐποσαρκέω, Carnibus deficior. Theophr. H. Pl. 8, 10 ; Hippiatr. p. 86.]

[Λιποσαρκία, ἡ, Carnis defectus Macies. Per ει Jo. Diac. ad Hesiod. Sc. 268.]

Λιπόσαρκος [Hippocr. p. 1279, 57], seu Λιποσαρκὴς, ὁ, ἡ, vel Λειπόσαρκος [ap. schol. Theocr. 4,22. Hemst.], q. d. Qui deficitur carne. Unde exp. Macilentus [Synes. p. 180, C. Jacobs.]: ut λιποσαρκὴς παρειὰ, Epigr. [Macedonii Anth. Pal. 11, 374, 1. Manetho 1, 55 : Δάκτυλα σηπόμενοι λιποσαρκέα. Oppian. Cyn. 2, 106, ubi λιποσαρκὲς in λιπόσαρκοι mutavit Schneiderus. L. D. Hippiatr. p. 194, 30 : Λιπόσαρκα καὶ λιπόδερμα. Epigr. ap. Welck. Sylloge p. 98, n. 67 : Εἰπεῖν τίς δύναται, σκῆνος λιπόσαρκον ἀθρήσας· conf. Olfers *Ein Grab bei Kumæ*, p. 42. Hase.]

[Λιποσθενὴς, ὁ, ἡ, Viribus defectus. Nonnus Dion. 14, 101. Wakef.]

[Λιποσιτέω, Cibo careo. Λειποσιτῶ sine interpr. ponit Suidas.]

Λιπόσκιος, ὁ, ἡ, Qui umbrosas reliquit tenebras, Clarus, ex Nonno [Jo. c. 1, 169. Dion. 2, 93. Wakef.]

[Λιποστέφανος, ὁ, ἡ, Coronis carens.] Λιποστεφάνων φύλλων, ex Epigr. [Pauli Sil. Anth. Pal. 6, 71, 1.]

[Λιποστράτευτος, ὁ, Qui militiam deserit. Per diphthongum Ms. ap. Bekker. ad Apollon. De constr. p. 414 (239, 12): Λέγει δὲ ὁ Ὧρος ὅτι πάντα τὰ παρὰ τὸ λείπω διὰ τῆς ει διφθόγγου γράφεται, οἷον λειποστράτευτος, λειποταξία, λειποστράτιον κτλ. Λειποστράτευτος, quod dicitur ut ἀστράτευτος, omittitur ap. Chœroboscum in Crameri An. vol. 2, p. 239, 8, ubi cetera pleniora sunt. Nisi forte scribendum Λειποστρατιώτη;. L. Dind.]

[Λιποστρατέω, Militiam desero. Per ει schol. Aristoph. Eq. 226 : Κατηγόρησε γὰρ αὐτῶν ὡς λειποστρατούντων.]

Λιποστρατία, ἡ, et Λιποστράτιον, τὸ, Militiæ desertio, τὸ μὴ θέλειν στρατεύεσθαι, schol. Thuc. [1, 99.] Prius ap. Hesych. legitur, posterius ap. Thuc. et Philon. [Ex iisdem HSt. affert] Λειποστρατία, ἡ, et Λειποστράτιον, τὸ, Desertio expeditionis s. militiæ. Priore utitur Herodot. [5, 27]; posteriore Thuc. 1, p. 32 [c. 99; et 6, 76]. Sic Philo V. M. 1 [vol. 2, p. 132, 32 et 33]: Μὴ λειποτάξιον, μὴ λειποστράτιον [, μηδὲν] ἄλλο τῶν ἐφ' ἥττῃ διαπεπραγμένοι, Nec ordinem nec militiam deseruisse. [Λιποστρατίη ex Herodoto annotare videtur Hesych. Λειποστρατία et Λειποστράτιον ex Thuc. affert Thomas p. 572. Λιποστράτιον annotarunt etiam Pollux 8, 40, Lex. rhet. Bekk. An. p. 276, 33, et gramm. ib. p. 436, 3. Addit autem HSt.:] Affertur et Λειποστράτιος pro Eo qui militiam deserit s. recusat. [Suidas : Λιποστράτιος, ὁ τὴν στρατιὰν καταλιμπάνων.]

[Λιποστρατιώτης, ὁ, i. q. præcedens. Appian. Pun. c. 195 : Τοῦ νόμου λειποστρατιώτην (al. λειποστρατιώτη vel —τικὴν) ἐν τοῖς πολέμοις ἡγουμένου τὸν ἀποχωροῦντα πορρωτέρω σάλπιγγος ἀκοῆς. Annotavit etiam Pollux 6, 151. Conferendum Λιποναύτης.]

[Λιποσωμασία, ἡ, Tenuitas corporis, Macies. Achmes Onir. c. 113 inscr. p. 77 : Περὶ λειποσωμασίας ἤτοι ἰσχνάνσεως. L. Dind.]

[Λιποσωρεῖαι, αἱ, Clivi, ubi scilicet colles et tumuli subsidunt. Anon. Ms. De castramet. : Ἐκτὸς τῶν τοιούτων γνώρισμά τι γινέσθω ἢ τάφος μικρὸς ἢ ἀπὸ χωμάτων βουνίταια μικρὰ ἢ λιποσωρεῖαι, ἵνα μὴ ἀσκόπως τινὲς τῶν τοῦ ἰδίου στρατεύματος περιπίπτοντες τοῖς τοιούτοις καταβλάπτωνται. Ducang.]

[Λιποτακτέω. De qua forma v. HSt. in Λιποτάκτης.] Λειποτακτέω, Desero [Gl.] ordinem, stationem. [Plut. Mor. p. 241, A.] Philo De mundo, Ὡς ἀποδιδράσκουσα καὶ λειποτακτοῦσα, Ut fugax, et stationis suæ ordinisve desertrix, Bud. [Joseph. De Maccab. p. 510 Haverc. : Λειποτακτήσητε τὸν αἰῶνα. Jacobs. Ephræm. p. 560, B. OEcum. In Apocal. ed. Cramer. p. 202, 7 : Οὐκ ἐλιποτάκτησας. Partic. Anon. Vita Eliæ Spel. Actt. SS. Sept. t. 3, p. 850, 72 : Λιποτακτήσαντος· et Niceph. Mag. Vita Sym. Styl. ib. Maio t. 5, p. 330, 65 : Δέει τῶν βαρβάρων λιποτακτήσαντας. Hase. Pass. Nicomach. Arithm. p. 106 Ast. : Ἡ πρόβασις εὐοδώσει μὴ λειποτακτουμένη.]

Λιποτάκτης, ὁ, Qui ordinem suum deserit, Suidæ ὁ τὴν τάξιν αὐτοῦ καταλιπὼν, φυγὰς, afferenti et particip. verbi Λιποτακτέω, sc. λιποτακτήσας, itidem pro τὴν τάξιν αὐτοῦ καταλιπὼν, φυγών. || Λειποτάκτης, ὁ, Desertor [Gl.] ordinis, stationis, loci in acie, Qui locum deseruit, ut Horat. loquitur in versu quem protuli in Ἄτακτος. [Vitiose Gl. : Λειπότακτος, Depopulator.] Quomodo autem differat λειποτακτης ἀπὸ τοῦ ἀτακτοῦντος

A s. ἀτάκτου, supra docui ex schol. Dem. in illo ipso v. Ἀτακτῶ. [Dionys. A. R. 8, 79.]

[Λιποταξία.] Λειποταξία, ἡ, Desertio ordinis, loci in acie, Deserere locum in acie, Deseruisse. Dem. [p. 568, 8]: Ὦ πρὸς θεῶν, πότερον τελωνίαν καὶ πεντηκοστὴν καὶ λειποταξίαν καὶ στρατείας ἀπόδρασιν καὶ πάντα τὰ τοιαῦτα ἁρμόττει καλεῖν, ἢ φιλοτιμίαν. Ubi observa ad λειποταξίαν adjungi στρατείας ἀπόδρασιν, sicut paulo post ex Philone afferam λειποστράτιον adjunctum ad λειποτάξιον : quum tamen Bud. scribat λείπειν τὴν τάξιν Æschinem dixisse ubique pro Fugere ex exercitu. [Diodor. argum l. 12, p. 476, 72. Thomas p. 572.] || Dicitur autem et genere neutro Λειποτάξιον : ac præsertim ejus gen. cum nomine δίκη, s. γραφή. Dicitur enim λειποταξίου δίκη s. γραφὴ, Accusatio deserti ordinis, s. loci in acie. [Demosth. p. 547, 27 : Λιποταξίου γραφὴν κατεσκεύασε κατ' ἐμοῦ · 999, 12 : Λιποταξίου προσεκλήθη. Plato Leg. 12, p. 943, D. V. etiam lexicogrr. in Λειποτ.] Quidam vero generalius etiam interpr. Accusatio desertæ militiæ : quum tamen Philo V. M. 1, [§ 59,
B p. 132] ad λειποτάξιον adjungat λειποστράτιον, scribens, Ἐν δὲ ταῖς εὐθύναις ἀνεπίληπτοι δοκιμασθῶσιν οἱ σύμμαχοι, μὴ λιποτάξιον, μὴ λιποστράτιον, μηδὲν ἄλλο τῶν ἐφ' ἥττῃ διαπεπραγμένοι. Scribo autem per ι solum ambo illa nomina, ut in Philonis ed. scripta extant; ac certe reperitur et alibi scriptura hæc Λιποτάξιον, sicut etiam Λιποταξία. Sed hæc minus mihi placet, quamvis ea et in aliis quibusdam a v. λείπειν derivatis spectetur, sed ita scribendo respicitur ad aor. 2 λιπεῖν. Pollux [8, 40]: Λιποναυτίου μὲν ἐκρίνετο ὁ τὴν ναῦν ἐλλείπων, ὥσπερ ὁ τὴν τάξιν, λειποταξίου. Tale est λειποταξίου προσεκλήθη, Dies ei ob desertum in acie locum dicta est. [Heliod. Æth. 9,19: Τιμωρίαν λιποταξίου προορῶντες. Hase.] Jocose autem Archestr. [Antiphanes] ap. Athen. [7, p. 304, A]: Τὰ δ' ἐγχέλεια γράφομαι λειποταξίου [γράψομαι λιποταξίου Porsonus. Unde convincitur error Eustathii in Ἐγχέλειος vol. 3, p. 133, D, citati. Addit autem HSt. :] Is vero qui locum in acie deserit, dicitur Λειποτάξιος, sive Λειποταξίας, Qui locum in acie deserit. Exp. etiam Desertor aciei, nec non Desertor, sine adjectione :
C sc. ne hic quidem servato discrimine de quo paulo ante dictum est. [Quæ ficta sunt ex Λιποτάξιον et Λιποταξία.]

[Λιποτονέω, Tonum amitto. Per ει Nicom. Harm. 9 : Τῇ πολλῇ λειποτονῆσαν παραπομπῇ τὸ πνεῦμα. Wakef.]

[Λιποτριχέω, Pilos deperdo. Galen. vol. 14, p. 530, 14 : Τοὺς λιποτριχοῦντας τὸ γένειον. Hase.]

Λιποτρῐχὴς, ὁ, ἡ, Depilis, Quem pili destituerunt, Epigr. [Carphylid. Anth. Pal. 9, 52, 2 : Κρᾶτα λιποτριχέα.]

[Λιπότριχος, ὁ, ἡ, i. q. λιπόθριξ. Nonn. Dion. 26, 159 : Λιπότριχον ἄντυγα κόρσης. Wakef.]

[Λιποτρόφια παρὰ Νεοπτολέμῳ Chœrobosc. Cram. An. vol. 2, p. 239, 9, inter exx. compositorum cum λιπο– per ι scriptorum. Scribendum videtur λιποτροφία, ἡ, nisi λιποτρόφιον dictum fuit ut λιπομαρτύριον et λιποτάξιον. L. Dind.]

[Λίπουρος, ὁ, ἡ, Cauda carens. Callim. ap. schol. Aristoph. Av. 873 : Τῇ καὶ λίπουρα καὶ μόνωπα θύεται.]

Λιποφεγγὴς, ὁ, ἡ, Quem lumen deficit, Cæcus.
D [Musæus 238 : Λιποφεγγέα νυκτὸς ὁμίχλην. Manetho 1, 65.]

Λιπόφθογγος, ὁ, ἡ, Quem vox destituit, Mutus. [Nonn. Jo. c. 11, 158. Wakef. Id. Dion. 26, 288 : Λιποφθόγγων ἀπὸ λαιμῶν.]

[Λιποψῡχέω.] Λειποψυχέω, [Deficio, Gl.] Animo linquor, Animus me deficit, s. Animo deficio, Linquente animo collabor. Xen. Hell. 5, [4, 58] : Οὐκ ἐδύναντο σχεῖν τὸ αἷμα πρὶν ἐλειποψύχησε. Isocr. [p. 392, B]: Τετρωμένον αὐτὸν καὶ βαδίζειν οὐ δυνάμενον, ἀλλὰ λειποψυχοῦντα [ἀλλ' ὀλιγοψυχοῦντα cod. Urbin.], ἀπεκόμισα ἐπὶ τὸ πλοῖον μετὰ τοῦ θεράποντος τοῦ ἐμοῦ φέρων ἐπὶ τῶν ὤμων. [Liban. vol. 4, p. 165, 20 : Τρόμῳ κατείλημμαι καὶ λειποψυχῶ. Cod. Mon. n. 113 μικροψυχῶ. Jacobs.] Ap. Herodian. vero 6, [9, 12] : Τρέμων καὶ λειποψυχῶν μόλις, εἰς τὴν σκηνὴν ἐπανέρχεται, Polit. vertit Exanimatus. || Dicitur etiam Λιποψυχέω, sine diphthongo. Xenarch. comicus ap. Athen. 6, [p. 225, D] de piscium venditoribus : Ἦσαν δὲ πληγαί· καιρίαν δ' εἰληφέναι Δόξας, καταπίπτει· καὶ λιποψυχεῖν δοκῶν, Ἔκειτο νεκρός.

Itidemque in Epigr. [Antipatri Anth. Pal. 9, 23, 2] λιποψυχεῖν legi annotatur itidem pro Animo concidere: nec non pro Agere s. Efflare animam : quo sensu ap. Hom. quoque ἡ ψυχὴ dicitur λιπεῖν τινα. [Peyron *Stele greca* p. 9, 17 : Ἁπάντων δὲ διὰ τὴν ἀπορίαν λελιποψυχηκότων. Λιποψυχοῦντος ὑπὲρ γαμέτου inscr. Caralit., ex conj. probabili Phil. Le Bas *Inscr. de la grotte de la Vipère* p. 13. Hase. Ex Sophoclis Peleo annotavit Antiatt. p. 106, 13. Add. Aristot. De somno c. 3.] Ap. Thuc. [Herodot. 7, 229] vero λειποψυχεῖν dicitur sumi etiam pro Ignavum esse. [‖ De foliis floribusque quæ vim et vigorem amittunt, Hippocr. p. 1278, 49. Hemst.]

Λιποψυχία, sive Λειποψυχία, ἡ, Defectio s. Deliquium animi, Examinatio, i. q. λειποθυμία, nisi quod hæc proprie significare videtur Defectionem animosæ facultatis, τοῦ θυμοῦ s. τοῦ θυμοειδοῦς : illa vero, Defectum et exolutionem animalis facultatis, notis sc. ejus apparentibus, ut Gorr. annotavit : qui etiam addit, quum ἡ θυμοειδὴς δύναμις in corde sedem habeat, idcirco ἐν τῇ λειποθυμίᾳ cordis facultatem præcipue laborare : ideoque τὴν λειποθυμίαν esse Defectum facultatis vitalis : et quanquam ex ipso nominis etymo ἡ λειποθυμία ad Vitalis facultatis defectum, ut ἡ λειποψυχία ad Animalis, pertinere videatur, attamen per eam facultatum omnium contingere exolutionem, ut sensu motuque ægri non destituantur minus quam animo. De discrimine autem λειποψυχίας et τῆς συγκοπῆς, plura vide ap. Eund. Herodotus 1, [86] de Crœso : Ἀνενειχάμενόν τε καὶ ἀναστενάξαντα ἐκ πολλῆς λειποψυχίης, ἐς τρὶς ὀνομάσαι τὸ Σόλων, Resipiscentem et respirantem ex animi deliquio. [Aristot. De somno 2, 3; Plut. Mor. p. 695, A, Agesil. c. 27.]

[Λιποψυχώδης.] Λειποψυχώδης, ὁ, ἡ, Hippocr. De victu in m. ac. : Λειποψυχώδεα, πονηρά. Ubi cum illo λειποψυχώδεα subauditur substantivum συμπτώματα, ut Galen. innuit in Comm. Sunt autem λειποψυχώδεα συμπτώματα, Symptomata qualia sunt in animi deliquio, vel Symptomata conjuncta cum animi deliquio; vel etiam αὐταὶ αἱ λειποψυχίαι.

[Λιπόω. V. Λιπάω.]

Λίπτω, Hesychio est ἐπιθυμῶ, Cupio, Desidero, Appeto : ut et ap. Nicand. Ther. 126 : Ἢ ὅτε δὴ λίπτῃσι μεθ' ὃν [ἑὸν] νομὸν, schol. exp. ἐπιθυμίαν σχῇ [σχοίη] νομοῦ, i. e. βοσκῆς. [Apoll. Rh. 4, 813 : Ὃν Νηιάδες κομέουσι τεοῦ λίπτοντα γάλακτος. Lycophr. 131 : Λίπτοντα κάσσης ἐκβαλὼν πελειάδος· 353. Hesych. : Ἔλιπτεν, ἐπιθυμητικῶς ἤσθιεν. Medio Æsch. Sept. 355 : Οὔτε μεῖον οὔτ' ἴσον λελιμμένοι· 380 : Μάχης λελιμμένος. Unde afferre videtur Zonaras p. 1300. Natura breve esse ι hujus verbi annotat Etym. M. p. 673, 7, Draco p. 52, 16; 79, 23; 100, 12.]

[Λιπυρίης, Λιπυριχὸς, Λιπυριώδης. V. Λειπυρίας.]

Λιπώδης, ὁ, ἡ, Pinguis : τὸ λιπῶδες, Pinguedo, quam humor copiosus et exiguus calor gignunt, Alex. Aphr. Probl. 2, [70]. VV. LL. [Conf. Cypr. Actt. SS. Sept. t. 7, p. 223, 43 : Αἱματῶδες, ἀφρῶδες, λιπῶδες. Hase. Theophr. H. Pl. 3, 12, 1 : Φύλλον ... λιπωδέστερον.]

[Λιπῶδιν, ἡ.] Λειπώδινος, Suida teste genit. est ex nom. λειπῶδιν. Videtur significare Quem [Quam] dolores reliquere, Doloribus exemptus [exempta], et quidem partus doloribus.

[Λιραίνω, Impudens sum. Hesych. : Λιραίνει, ἀναιδεύεται.]

Λίρινος, η, ον, Liliaceus, Lilinus, Ex lilio confectus : λ. ἔλαιον, τὸ ἀπὸ τοῦ λιρίου, Galen. : qui etiam addit, quosdam sine ν scribere λίριον pro λίρινον : hoc autem vocari non tantum κρίνινον, sed etiam σούσινον, et ἀνέθινον, quorum postremum mendosum est : nec satis tutum reponere vel ἀνήθινον vel ἀνθινὸν, ut quidam volunt. [Galen. vol. 19, p. 119, 1. Hase.]

Λίριον, τὸ, pro λείριον dicitur, Lilium, Lilium regium, βασιλικὸν κρίνον, ut supra docui. Hesych. exp. non solum κρίνον, Lilium, sed etiam ἄνθος, Flos : ut supra et λείριον.

[Λιρνύτεια, πόλις Παμφυλίας. Ἑκαταῖος Ἀσίᾳ. Τὸ ἐθνικὸν Λιρνυτεύς, Steph. Byz.]

[Λιρὸς, ά, όν.] Λίρος cum ι, pro ἀναιδὴς, Impudens, Eust. [Od. p. 1856, 64] derivat a λίαν et ῥῶ : ut sit

A proprie λίρος, Qui verbosus est, ubi non convenit, ὁ παρὰ τὸ δέον πολυλόγος καὶ ἀκαιροπαῤῥησιαστής. Dixerat autem antea δούλην ἀναιδῆ vocari etiam posse λίρην, quod λίρος sit ἀναιδής. Suid. tamen aliam affert derivationem, sc. a λίαν et ὁρᾶν : quam etymologiam sequi malim, si alterutram sequi necesse habeam. Hesych. vero nullam quidem affert, sed exp. ἀναίσχυντος, ἀναιδὴς, θρασύς : scribitque ὀξυτόνως, si non mentiuntur ejus exemplaria. [Acutum præcipit Arcad. p. 68, 14, quomodo scriptum est ap. Draconem p. 118, 8, in Etym. M. p. 562, 40. Utrumque accentum ponit Zonar. p. 1309. In Ind. :] Hesych. non solum oxytonως habet λιρὸς, expositum ἀναίσχυντος, ἀναιδὴς, θρασὺς, Inverecundus, Impudens, Audax; sed etiam properispomenως [ut Apollon. Lex. H. p. 434] Λῖρος : nam in λειριόεντα annotat, τὸ λῖρος, quod significet τὸν ἀναιδῆ, scribi διὰ τοῦ ἰ : ut ap. Callim., Λῖρος ἐγώ· derivatum autem esse παρὰ τὸ λίαν : nam ἀμέτρως πορεύεσθαι τοὺς τοιούτους. [Alexander Ætol. ap. Parthen. 14, 30 : Ἡ δ' ἐπὶ οἷ λιρὰ νοεῦσα γυνὴ ... μυλακρίδα λᾶαν ἀνήσει. Λι-
B ρότερον comparativus sine interpr. ponitur ab Suida.]

Λιρόφθαλμος, ὁ, ἡ, Qui oculis est impudentibus et audacibus, Suid. [V. Λείριον. « Meletius ms. De natura hominis (Cram. An. vol. 3, p. 70, 16) : Τοὺς δὲ μεγαλοφθάλμους καὶ ἀτενὲς ἐνορῶντας λιροφθάλμους τινὲς ὠνόμασαν. » Schneid.]

[Λὶς, ιός.] Λῖς, ὁ, Leo. [Hesiod. Sc. 172 : Μέγας λῖς, et sæpe Theocritus. Exx. Homerica nominativi HSt. posuit in Λέων. Nominativi accentum circumflexum probabat Æschrio ap. schol. Il. Λ, 239, et Eust. p. 841, 25, acutum testantur Arcad. p. 125, 2; 193, 2, Herodianus ap. Chœrob. Bekk. An. p. 1259 seq., idemque ibid. eundem genitivi λιός. De mensura confusius Draco p. 62, 22 : Λίς, λιὸς, τὸ λι ἀδιαφόρως εὑρίσκεται, ὡς ἐπὶ τὸ πλεῖστον δὲ ἐκτεταμένως, quibus addit exx. Hom. et Theocr. de nominativo. Sed nominativi correpti exempla nulla sunt, quem produci ipse tradit p. 36, 14; 103, 8, post Herodianum Π. μ. λ. p. 19, 2.] Accus. λῖν, ut [Hom. Il. Λ, 480 : Ἐπί τε λῖν ἤγαγε δαί-
C μων σίντην. Ubi λῖν' pro λῖνα, Dorice, nonnulli apud Eust. et schol. Eur. Bacch. 1173 : Νέον λῖν.] Theocr. [13, 6] : Ὃς τὸν λῖν' ὑπέμεινε. [De accentu accusativi, quem Herodianus circumflecti, Aristarchus acui volebat, v. schol. et Eust. ad Il. Λ, 480, Arcad. p. 130, 19, Etym. M. v. Λὶς, Lobeck. Paralip. p. 85. De plurali Chœrob. Bekk. An. p. 1194 : Εἰ καὶ εὕρηται τὸ λὶς συνεσταλμένον ἔχον τὸ ι, ὡς ἐπὶ τοῦ Ὥστε λὶς ἠϋγένειος ποιητικῶς, ὡς παρ' Ἐμφορίωνι ἐν Μομψοπίᾳ (Εὐφ. – Μοψ.), ὡς ἐπὶ τοῦ οἱ ἐπιθύουσι βῶν (fortasse legendum Ὅτ' ἐπιθύουσι | βωσὶ) λίες, καὶ πάλιν, Κάπροι τε λίες τε, ἀλλ' οὖν καὶ ἐκτεταμένον ἔχει αὐτὸ, ὡς ἐπὶ τοῦ Λῖες μέντοι λίεσσιν. Quæ confusa esse, quum in verbis Homericis Ὥστε λὶς ἠϋγένειος ι producatur, animadvertit Meinek. ad Euphor. p. 79. Apertum etiam postrema esse Callimachi, de quo schol. Il. Λ, 480 : Τὸ γὰρ πληθυντικὸν παρὰ Καλλιμάχῳ, Αἱ μέν ῥα λίεσσιν, ὡς μύεσιν, et Etym. M. p. 567, 9 : Τὸ δὲ πληθ. παρὰ Κ. λίες (l. λῖες) καὶ λίεσιν (vel potius λίεσσιν), ὡς μύεσι, ut Λῖες μέν ῥα scribendum sit ap. Chœrob., ut scripsit Mein., nisi quis μέν τε præferendum putet. L. Dind.]

D Λὶς per apocopen usurpatur a poetis pro λισσὴ, Lævis, Glabra, λεία. Hom. Od. Μ, [79] : Πέτρη γὰρ λὶς ἐστι, περιξεστῇ εἰκυῖα. Sic et paulo ante, v. 64.

Λῖς, λιτὸς, dicitur Tenue et subtile linteum : λινοῦν s. λεπτὸν περιβόλαιον. Hom. Il. Ψ, [254] : Ἐν κλισίῃσι δὲ θέντες, ἑανῷ λιτὶ κάλυψαν. Et Od. Α, [131] : Αὐτὴν δ' ἐς θρόνον εἷσεν ἄγων ὑπὸ λῖτα πετάσσας, Substrato linteo. Sic Il. Θ, [441] : Ἅρματα δ' ἀμβωμοῖσι τίθει κατὰ λῖτα πετάσσας, Circumdato linteo. Sunt tamen qui λῖτα hic esse velint plurale, ex singul. λῖτον : inter quos Athen. est. Is enim [2, p. 48, C] in sermone περὶ ποικίλων στρωμάτων, scribit Homerum τῶν στρωμάτων τὰ μὲν κατώτερα esse dicere λῖτα, h. e. λευκὰ καὶ μὴ βεβαμμένα ἢ πεποικιλμένα : τὰ δὲ περιστρώματα appellare ῥήγεα. [Od. Κ, 352 : Τάων ἡ μὲν ἔβαλλε θρόνοις ἔνι ῥήγεα καλὰ πορφύρεα καθύπερθ', ὑπένερθε δὲ λῖθ' ὑπέβαλλεν. Thuc. 2, 97 : Ὅσα ὑφαντά τε καὶ λεῖα, ubi schol. : Τὰ λιτὰ, πρὸς ἀντιδιαστολὴν τῶν ὑφαντῶν καὶ πεποικιλμένων, confert Schneider.] Sed sing. accus. esse λῖτα, patet vel ex dativo λιτί : quem Eust. putat μεταπεπλάσθαι ex λιτῷ. Veruntamen et in Epigr. [Hadriani Anth. Pal. 6, 332, 3] pluraliter usurpatum hoc λῖτα reperitur : ut ap. Suid., Ἄνθετο λῖτα δύω πολυδαίδαλα· ubi et ipse pluraliter exp. καταπετάσματα. [Non λῖτα δύω, quod primum de conjectura posuisse HStephanum fugit editores Anthol., sed δοιὰ λίτα est apud Suidam et in libris Anthol., quod quum metro adversetur, corruptum esse apparet.] Sane Etym. negat assentiendum Ascaloniti [Ptolemæo Ascalonitæ], qui dat. λιτὶ et accus. λῖτα putet a λὶς derivari : ut enim a κλάδος μεταπέπλασται κλαδὶ, κρόκα a κρόκη : ita hæc a λιτῷ et λιτόν. [Orph. Arg. 875 : Λῖτι καλυψαμένη ἑανῷ· 1221. V. Ἑανὸς p. 8, A, B. De accentu λῖτι vel λιτὶ, λῖτα vel λιτὰ v. Eust. et schol. ad Il. Hom., de voc. ipso Apollon. Bekk. Anecd. p. 596, 13, Wolf. Anal. fasc. 4, p. 501-9.]

[Λίσαι, αἱ, Lisæ, urbs Macedoniæ. Herodot. 7, 123.]

Λισγάριον, τὸ, Ligo. Utitur hoc v. schol. Theocr. [4, 10] in exponendo σκαπάνη : ut inde conjiciam fuisse linguæ vulgaris. [Ducang. : « Λίσγος, Occa, βωλοκόπον σκεῦος. Portio : Pala ferrea qua fossæ cavantur, Hier. Germano. Λισγάριον, Ligo, schol. Th. l. c. Suidas in Etymologico : Λισγάριον, σκαφείδιον καὶ σκάφιον. (In Lexico : Σκαφείδιον, τὸ λισγάριον.) Λισκάριν eadem notione habet Zachar. Pap. Dial. 3, 14 : Ἐν τῷ κήπῳ τοῦ μοναστηρίου ἐργαλεῖον σιδηροῦν, ὅπερ λισκάριν ὀνομάζεται, ῥιφῆναι πεποίηκεν. Εἶθ' οὕτως τοῖς μαθηταῖς αὐτοῦ εἶπεν, Ἀπέλθετε καὶ λισκάρια, ἃ ἔχετε, ταῦτα ἐν τῷ κήπῳ ῥίψατε. » L. D. In Græcia audivi de rusticis, adhuc λισγάρι dici occam s. irpicem, i. e. cratem dentatam quæ injecto semine supertrahitur. Est autem illa ibi rudi simplicitate : perfectior in Galliis vocatur *herse*. Hase.]

Λίσκος, Hesychio δίσκος.

[Λισός. V. Λισσός.]

[Λίσπη, ἡ, Talus medius dissectus. Plato Conv. p. 193, A : Ὅπως μὴ καὶ αὖθις διασχισθησόμεθα καὶ περίιμεν ἔχοντες ὥσπερ οἱ ἐν ταῖς στήλαις κατὰ γραφὴν ἐκτετυπωμένοι, διαπεπρισμένοι κατὰ τὰς ῥῖνας, γεγονότες ὥσπερ λίσπαι. Schol. : Αἱ λεῖαι καὶ ἐκτετριμμέναι καὶ ἄπυγοι λίαν καὶ οἱ διαπεπρισμένοι ἀστράγαλοι. (Hesych. : Λίσπαι, οἱ ἠκρωτηριασμένοι τὰ κάτω μέρη.) Alteram interpretationem ponunt etiam Photius et Phrynich. Bekk. p. 50, 12 : Λίσπη ἐστὶν ἡ ἀποτετριμμένη ἀστράγαλος, et ib. 68, 2, et schol. Aristoph. in Λίσπος afferendus. De talis divisis schol. Eur. Med. 610 citat Schneider. Male autem Photius et Suidas : Λέγονται δὲ καὶ οἱ Ἀθηναῖοι ἐπιθετικῶς λίσπαι.]

Λισπόπυγος, ὁ, ἡ, Attritas nates habens et exiles. [Phrynich. Bekk. An. p. 50, 11 : Λισπόπυγος ὁ ἀποτετριμμένην ἔχων τὴν πυγήν· λίσπη γάρ ἐστιν ἡ ἀποτετριμμένη ἀστράγαλος.] Λισπόπυγοι a Comicis dicebantur Athenienses, quod quum magna ex parte nautici essent, ob sedendi assiduitatem depyges reddebantur. Sunt etiam qui eos dicant inde a Theseo usque fuisse λεπτοὺς τὰ ὀπίσθια : de quo in fabulis est, ὅτι ἑλκόμενος ὑπὸ Ἡρακλέους κατέλιπεν ἐπὶ τῆς πέτρας τὴν πυγὴν, ut Aristoph. schol. [Eq. 1365, ubi vitiosum λισπόπυγας pro λισποπύγους correxit Kusterus] inter alia docet. Pollux 2, [184] : Οἱ δὲ ἐνδεῶς πυγῶν ἔχοντες, λίσποι καὶ ὑπόλισποι καλοῦνται, καὶ λισπόπυγοι, ἐφ' ᾧ μάλιστα Ἀθηναῖοι κωμῳδοῦνται. Hesych. ἀποπύγους quoque scommatice dici scribit. Cui ἀπόπυγος respondet Latinum Depygis, s. Depugis, quo Horat. Satyr. utitur, Depygis, nasuta, brevi latere ac pede longo est : intelligens per Depygem, quæ nates habet macras, graciles, et depressas. Idem et Pyga dixit. [Conf. Bœttiger. Amalth. vol. 3, p. 327. Hase.]

Λίσπος, η, ον, Attritus s. Detritus usu. Aristoph. Ran. [848] : Στοματουργὸς ἐπῶν βασανίστρια, λίσπη Γλῶσσα, ubi schol. exp. ἐκτετριμμένην καὶ λείαν, sive λίαν ἐκτετριμμένην καὶ ὀλισθηράν : unde λίσπους ἀστραγάλους dici τοὺς τετριμμένους, quos esse δυστροπικοὺς ἐν τῷ παίζειν. Itidem aliquos dici λίσπους τὰ ἰσχία : unde λισποπύγους. [Quod v.] Utrumque epith. Atheniensibus per risum a Comicis tribuitur, utpote nepotibus Thesei, qui fertur ἐν ᾅδου προσχεθῆναι τῇ πέτρᾳ ἀπὸ τῶν γλουτῶν, Hesych. [Verba scholiastæ sunt : Λίσπη, τῷ τόνῳ, ὡς κίστη. Ἀπολλώνιος δὲ ὀξύνει, ὡς ψιλή. Λίσπη δὲ, ἡ ἐκτετριμμένη καὶ λεία· οὕτω γὰρ λέγονται οἱ

A τοιοῦτοι ἀστράγαλοι· ἀφ' οὗ καὶ οἱ λίσποι τὰ ἰσχία. Καλλίστρατος δὲ θηρίδιον λεπτὸν σφόδρα· ἀφ' οὗ καὶ οἱ τὰ ἰσχία λεπτοὶ λίσποι λέγονται. Ἄλλως· λίαν ἐκτετριμμένη καὶ ὀλισθηρὰ γλῶσσα διὰ τὸ ἐν τοῖς λόγοις εὐαπόφυκτον. Ἄλλως· λίσπους καλοῦσι τοὺς ὑφ' ἡμῶν καλουμένους στρυφνοὺς ἀστραγάλους· οἱ τοιοῦτοι δὲ δυστροπικοί εἰσιν ἐν τῷ παίζειν. Hesych. vitiose : Λίγδοι, οἱ προστετριμμένοι τῶν ἀστραγάλων. V. etiam Λίσφος. Eust. Il. p. 1088, 34 : Τοῦ ἰσχνοῦ καὶ ἀττικῶς εἰπεῖν λίσπου.]

[Λίσσα. V. Λίσσος.]

Λισσάνιος, ὁ, Laconibus ἀγαθὸς, Bonus, Hesych. [Aristoph. Lys. 1171, ubi λυσσάνιε, quod recte Is. Vossium ad Hesychium in Λισσάνιε mutare ostendit Photii gl. : Λισσάνιε, ἀγαθὲ ἢ φίλε Λάκωνες. ἄϊ]

Λισσὰς quoque dicitur pro λισσὴ, Glabra, Lævis, ex attritu sc. : ut λισσάδες πέτραι, Eur. [Andr. 534] pro λισσαί. [Herc. F. 1148 : Πέτρας λισσάδος. Æsch. Suppl. 794.] Sic Apoll. Arg. 2, [731] : Τῇ δ' ὑπὸ πέτραι Λισσάδες ἐῤῥίζωνται ἁλίβροχοι· ἀμφὶ δὲ τῇσι Κῦμα κυλινδόμενον μεγάλα βρέμει. [Theocr. 22, 37. Plut. Mor.
B p. 90, D. Cum aliis nominibus Apoll. Rh. 4, 956 : Τὰς δὲ καὶ αὐτὸς ἄναξ κορυφῆς ἐπὶ λισσάδος ἄκρης, nisi absolute hic dicitur. Ib. 1717 : Ἀνάφην δέ τε λισσάδα νῆσον ἴσχον. Absolute Oppian. Hal. 2, 320 : Ὡς καὶ πουλύποδος δειλὸν δέμας ἑλκομένοιο λισσάδι μυδαλέη περιφύεται. Plut. Mario c. 23 : Κρημνῶν ὀλισθήματα καὶ λισσάδας ἀχανεῖς ἐχόντων· Crass. c. 9 : Κρημνοὺς ἀποτόμους καὶ λισσάδας.]

[Λισσὴν, Λισσής. V. Λισσός.]

[Λισσιεὺς, Λίσσιος. V. Λίσσος.]

[Λίσσιος, ὁ, Lissius, n. viri ap. Bœckh. *Urkunden* p. 97.]

Λίσσομαι, Supplico, Supplex oro, Precor, de Chryse sacerdote, Hom. Il. A, [15] : Καὶ ἐλίσσετο πάντας Ἀχαιούς. [Soph. Aj. 368 : Μὴ, λίσσομαί σ', αὔδα τάδε. Et sæpe Euripides.] Sed alicubi dicitur λίσσομαί σε, sequente infin., Supplex oro ut etc. Exemplum est hoc [ib. 174] : Οὐδέ σ' ἔγωγε Λίσσομαι εἵνεκ' ἐμεῖο μένειν. [Pind. Pyth. 4, 207 : Δεσπόταν λίσσοντο ναῶν συνδρόμων κινηθμὸν ... ἐκφυγεῖν πετρᾶν.] Dicitur autem et λίσσεσθαι
C Deum, ut Il. A, [502] de Thetide legitur, Λισσομένη προσέειπε Δία Κρονίωνα ἄνακτα. Sic Apoll. Arg. 2, [336] : Θεοὺς λίσσεσθαι. [Aristoph. Pac. 382 : Μή νυν λακήσης, λίσσομαί σ', Ἑρμίδιον (vel potius Ἑρμήδιον, ut dictum vol. 3, p. 2043, B. Quanquam in l. Luciani Ἑρμάδιον libri meliores). Conjunctivo Hom. Il. X, 418 : Σχέσθε, φίλοι, καί μ' οἷον ἐάσατε, κηδόμενοί περ ἐξελθόντα πόληος ἱκέσθ' ἐπὶ νῆας Ἀχαιῶν· λίσσωμ' ἀνέρα τοῦτον κτλ. Soph. OEd. C. 1560 : Εἰ θέμις ἐστί μοι τὰν ἀφανῆ θεὸν καὶ σὲ λιταῖς σεβίζειν ἐννυχίων ἄναξ, Ἀϊδωνεῦ, λίσσωμαι ... ἐκτανύσαι, pro λίσσομαι restituit G. Dindorfius.] Alicubi vero accusativo pers. additur dat. rei velut instrumentalis, Od. A, [35] : Τοὺς δ' ἐπεὶ εὐχωλῇσι λιτῇσί τε ἔθνεα νεκρῶν Ἐλλισάμην. [I, 224 : Ἐμὲ μὲν πρώτισθ' ἕταροι λίσσοντ' ἐπέεσσι. Addita præpos. Pind. Isthm. 5, 42 : Νῦν σε νῦν Εὐχαῖς ὑπὸ θεσπεσίαις λίσσομαι παῖδα ... ἀνδρὶ τῷδε τελέσαι.] Sed plerumque ponitur infin. omisso accus., cujus hoc exemplum est aliquanto post, Αὐτὰρ ἔγωγε Λίσσομ' Ἀχιλλῆϊ μεθέμεν χόλον, ubi hoc etiam obiter animadverte, quis hic sit usus dativi
D casus, ne te vulgaris ad verbum interpretatio decipiat, quæ habet Precor Achillem; hanc enim sequendo, diceremus λίσσομαι jungi etiam dativo, cujus alioqui constructionis exemplum nullum affertur; et multo etiam convenientius est illi l. Ἀχιλλῆϊ exponere τοῦ εἰς Ἀχιλλῆα, s. κατὰ τοῦ Ἀχιλλῆος : perinde ac si dixisset παύεσθαι τοῦ χολοῦσθαι τῷ Ἀχιλλῆϊ. Sic Il. Θ, [372] : Λισσομένη τιμῆσαι Ἀχιλλῆα πτολίπορθον· T, [304] : Λισσόμενοι δειπνῆσαι, ὁ δ' ἠρνεῖτο στεναχίζων, Rogantes ut prandium sumeret. [Absolute Od. Γ, 98 : Λίσσομαι, εἴ ποτέ τοί τι πατὴρ ἐμὸς ... ἐξετέλεσσε ... τῶν νῦν μοι μνῆσαι καί μοι νημερτὲς ἔνισπε. Pind. Ol. 12, 1 : Λίσσομαι, παῖ Ζηνὸς Ἐλευθερίου, Ἱμέραν εὐρυσθενέ' ἀμφιπόλει, Σώτειρα Τύχα· Pyth. 1, 71 : Λίσσομαι, νεῦσον, Κρονίων. Æsch. Suppl. 748 : Μόνην δὲ μὴ πρόλειπε· λίσσομαι, πάτερ. Et similiter sæpe Sophocles.] || Item λίσσομαί σε τοῦτο, sed rarius, ut Od. P, 138 : Ταῦτα δ' ἅ μ' εἰρωτᾷς καὶ λίσσεαι. At in VV. LL. affertur pro hujus constructionis exemplo, ex Od. [B, 210], Λίσσομαι ὑμέας ταῦτα, ubi subaudiri dicitur εἰς. [Il. I, 585 :

A Πολλὰ δὲ τόνγε κασίγνηται καὶ πότνια μήτηρ ἐλλίσσοντο. Omisso nomine pers. Eur. Med. 153 : Μηδὲν τόδε λίσσου.] || Invenitur λίσσομαι præterea cum gen. subaud. præp. ὑπὲρ, vel διὰ : ut quum dicitur λίσσεσθαι γούνων, quum aliis plerisque ll. [Od. X, 337], tum Il. I, 451 : Ἡ δ' αἰὲν ἐμὲ λισσέσκετο γούνων, ubi annotat Eust. vel esse defectum præpositionis, ut sit pro ὑπὲρ γούνων, διὰ γούνων : vel deesse partic., ut sit pro ἁπτομένη γούνων : cujus ἐλλείψεως mentionem et paulo post faciam. [Sine præpos cum nomine numinis Od. B, 68 : Λίσσομαι ἠμὲν Ζηνὸς Ὀλυμπίου ἠδὲ Θέμιστος ... σχέσθε, φίλοι. Cum præp. πρὸς Pind. fr. ap. Aristid. vol. 2, p. 379 : Πρὸς Ὀλυμπίου Διός σε λίσσομαι ... με δέξαι. Soph. El. 428 : Πρός νυν θεῶν σε λίσσομαι τῶν ἐγγενῶν ἐμοὶ πιθέσθαι μηδ' ἀβουλίᾳ πεσεῖν. Eur. Hipp. 312, Hec. 1127.] Alicubi vero ὑπερ adjungitur. [Il. X, 338 : Λίσσομ' ὑπὲρ ψυχῆς καὶ γούνων σῶν τε τοκήων, μή με ἔα παρὰ νηυσὶ κύνας καταδάψαι Ἀχαιῶν·] Od. O, 261, 262 : Ὦ φίλ', ἐπεί σε θύοντα κιχάνω τῷδ' ἐνὶ χώρῳ, Λίσσομ' ὑπὲρ θυέων καὶ δαίμονος, Supplex oro per sacrificia, et per ipsum numen. At vero Il. O, 660 : Λίσσεθ' ὑπὲρ τεκέων γουνούμενος ἄνδρα ἕκαστον, jungitur ὑπὲρ τεκέων potius cum γονούμενος, quum sequatur v. 665 : Τῶν ὕπερ ἐνθάδ' ἐγὼ γουνάζομαι οὐ παρεόντων, ubi etiam additur infin. Commisit autem errorem ibi quoque vulg. ad verbum interpretatio, quæ ὑπὲρ τεκέων, quod sonat Per liberos, exp. Pro liberis. [Cum præp. πρὸ hac signif. ap. Eur. Tro. 1045 : Ἐγὼ πρὸ κείνων καὶ τέκνων σε λίσσομαι.] || Ut autem hic λίσσετο γουνούμενος, sic et Il. X, [240] : Λίσσονθ' ἑξείης γουνούμενοι· quo utitur et alibi. Nihil est autem aliud ἐλίσσετο γουνούμενος quam ἐλίσσετο γούνων, quo sæpe uti hunc poetam dictum modo fuit. Sed quod ad ἔλλειψιν attinet, quæ est in hoc loquendi genere, malim dicere subaudiri λαβὼν, quam præp. ὑπὲρ, aut διὰ, cum Eust. : quoniam invenio, Od. Z, [142] : Ἢ γούνων λίσσοιτο λαβὼν εὐώπιδα κούρην· K, [264] : Αὐτὰρ ὅγ' ἀμφοτέρῃσι λαβὼν ἐλίσσετο γούνων. Potest autem et ἁψάμενος subaudiri eodem sensu, quum legatur Il. Υ, [469] : Ὁ μὲν ἥπτετο χείρεσι γούνων, Ἱέμενος λίσσεσθαι. Quæ lo-
C quendi genera varians dicit Λ, [60] : Νῦν δίω περὶ γούνατ' ἐμὰ στήσεσθαι Ἀχαιοὺς Λισσομένους. At vero λισσομένη Thetis Il. [Θ, 371], Γούνατ' ἔκυσσε, itemque Ἔλλαβε χειρὶ γενείου. Sed quicquid sit, quod in hoc loquendi genere subaudiri debet, sciendum est ei respondere, quod dicimus vernaculo sermone, *Prier à deux genous*, quum dicimus *Il m'a prié à deux genous*, pro *Il m'a prié se mettant à deux genous.* || Λίσσομαι, in fut. scribi unico σ annotat Eust. [Od. K, 526], de qua scriptura disseram in Λίτομαι. || Est et activa vox Λίσσω ap. Eust. [Od. p. 1398, 34], scribentem Λίσσω originem fortasse habuisse a verbo Λίπτω, quod est ἐπιθυμῶ, quia ἐπιθυμεῖ πως καὶ ὁ λισσόμενος περί τινος. Quinetiam ap. Hesych. legimus Λίσσει expositum παρακαλεῖ, ut sit a Λίσσω. [In Ind. :] Λίσσαι et Λιάσσαι, Hesych. exp. ὁρμῆσαι, βρίσαι. [Quod interpretes mire ad Ἀΐσσαι referunt. Videtur potius aoristus verbi Λιάζω, quod v. De interpret. βρῖσαι v. Albert.] Idem Hesych. affert λίσσωμεν pro ἐάσωμεν. Λισάσκετο, Ion. pro ἐλίσατο. Alii tamen deducere ma-
D lunt a them. Λισάσκομαι, Supplico, derivatum παρὰ τὸ λίσασθαι, ex verbo λίσσομαι. [V. supra, ubi recte duplici σ. Sed etiam simplici recte scribi aoristum, ubi prima brevi opus, ostendunt exx. Il. A, 394 : Ἐλθοῦσ' Οὔλυμπόνδε Δία λίσαι· et supra citatum Od. Λ, 35, et N, 273, etc.]

Λισσός, ἡ, ὸν, Lævis, Glaber, i. q. λεῖος, unde forsitan et derivatum est : alii dictum volunt quasi λίαν ἴσος, Admodum æquus et planus. Hom. Od. E, [412] : Ἀμφὶ δὲ κῦμα Βέβρυχε ῥόθιον, λισσὴ δ' ἀναδέδρομε πέτρη, Petra lævis et glabra, ex crebro sc. fluctuum incursu : Γ, [293] : Ἔστι δέ τις λισσὴ αἰπεῖά τε εἰς ἅλα πέτρη. [Schol. Ambros. : Τινὲς δὲ κύριον ὄνομα τὴν νῦν Βλεισσήνην καλουμένην. Ὁ δὲ Κράτης σὺν τῷ ιν γράφει Λίσσιν. Vulg. : Ἢ κατὰ μεταπλασμὸν εἶπεν τὸν νῦν παρὰ τοῖς Κρησὶ σὺν τῷ β Βλίση (Βλισσὴ Eust.), eadem addens de Cratete, cui Βλισσὴν tribuit Eust. Stephanus Byz. in Φαιστός· Ἔστι δὲ τῆς Φαιστιάδος καὶ ὁ καλούμενος Λισσής. Ὅμηρος· Ἔστι δέ τις Λισσὴς αἰπ. κτλ. Unde apud Strab. 10 p. 479 : Καὶ Ὀλύσσην δὲ τῆς Φαιστίας, Salmas. Plin. Ex. p. 118, b, F, ὁ Λίσσης, Coraes rectius ex codice, qui ὁ Λίσσην præbebat, ὁ Λισσὴν emendavit. Atque hoc ipsum posuisse videtur, si minus Steph. Byz., certe Crates, ut σὺν τῶι ν potius scripserit schol. quam τῷ ιν. Ceterum λισσὴ cum πέτρα conjungit etiam Apoll. Rh. 4, 922. L. D.] Apollon. dixit etiam Arg. 2, [383] : Λισσῇ ἐπικέλσετε νήσῳ, quod exp. ὁμαλῇ, Planæ, Non asperæ : nisi malis A fluctibus attritæ, ut λισσὴ πέτρα dicitur. [Schol. : Ἀμερίας δὲ ἐν Γλώσσαις λισσὸν τὸ ὑψηλὸν ἀποδίδωσιν. Dosiadas Anth. Pal. 15, 25, 11 : Λισσαῖσιν ἀμφὶ δειράσιν ὅσαι νέμονται Κυνθίαις. Diodor. 20, 41 : Ἀνέτεινε λισσὴ πέτρα. De accentu acuto Arcad. p. 113, 23.] || Hesych. et alias huic voci signiff. tribuit; nec enim tantum λισσοὺς affert pro [δεομένους et] ἡσυχῇ φαλακρούς, sed etiam λισσὸν pro ἄναντες, ἀπότομον, ὑψηλὸν, Acclive, Arduum, Præruptum, Abruptum, Altum : necnon ἔλαττον, quod potius λίζον, et ἄθλιον

[Λίσσος, ὁ, ἡ. Πόλις Ἰλλυρίας, καὶ Ἀκρόλισσος. Τὸ ἐθνικὸν Λίσσιος καὶ Λισσιεὺς, Steph. Byz. Polyb. 2, 12, 3 etc., Diod. 15, 13 (ubi libri Λισσὸς), Plut. Anton. c. 7, Strabo 7, p. 316, Ptolem. 2, 17. Λισσὸς Cretæ apud eund. 3, 17, quem accentum testatur Herodian. Π. μον. λ. p. 38, 26, inter δισύλλαβα εἰς ος ὀξυνόμενα φύσει μακρὰ quale est χρυσὸς ponens Λισσὸς πολίχνιον Κρήτης. Hanc esse Μέλισσαν Scylacis p. 18 ed. Huds. suspicati sunt Meursius et Vossius, δὲ vel μὲν Λίσσα scribentes. || Fluvius Λίσσος Leontinorum Siciliæ memoratur Polybio 7, 6, 5, Thraciæ Herodoto 7, 108, 109, cujus libri nonnulli Λίσος. || Arcadius p. 75, 12 : Τὰ εἰς σος δισύλλαβα ἀρσενικὰ μονογενῆ παραληγόμενα διχρόνῳ ἐκτεταμένῳ βαρύνεται ... Τὸ δὲ λισὸς ὀξύνεται καὶ τὸ Μυσὸς ἐθνικόν. Non liquet quid dicat. Ἰδαῖος Ῥόδιος, υἱὸς Λισσοῦ, ἐποποιὸς, memoratur ab Suida.]

[Λισσόω. V. Λίσσωμα.]

[Λίσσω. V. Λίσσομαι.]

[Λίσσωμα, ατος, τὸ, et Λίσσωσις, εως, ἡ, ap. Aristot. H. A. 1, 7 : Τοῦ δὲ κρανίου κορυφὴ καλεῖται τὸ μέσον λίσσωμα τῶν τριχῶν· τοῦτο δ' ἐνίοις διπλοῦν ἐστιν· γίγνονται γάρ τινες δικόρυφοι οὐ τῷ ὀστῷ, ἀλλὰ τῇ τῶν τριχῶν λισσώσει, Æquamentum vertit Gaza. Schneiderus in Add. vol. 2, p. 289 confert quod 6, 3, p. 561, 13 : Τοῦτο δὲ τὸ σημεῖον (punctum in ovo) πηδᾷ καὶ κινεῖται ὥσπερ ἔμψυχον, καὶ ἀπ' αὐτοῦ δύο πόροι φλεβικοὶ ἔναιμοι ἐλισσόμενοι φέρουσιν αὐξανομένου εἰς ἑκάτερον τῶν χιτώνων τῶν περιεχόντων, libri nonnulli præbent λελισσωμένοι. Alia scriptura usus suo loco HSt. :] Λύσωμα τριχῶν ex Aristot. H. A. 3 affertur pro Æquamentum s. Discrimen capillorum, i. e. Vertex, Gaza interpr. [Huic scripturæ consentiunt Gl., in quibus est Λύσωμα, Discriminale, et Λυσωμάτιον, Discerniculum.]

Λιστραίνω, et Λιστρεύω, Complano, Pavio, Læve et æquabile reddo. Hesych. λιστρεύοντα, ξύοντα, περισκάπτοντα, ut et Suid. λιστραίνω affert pro σκάπτω, Fodio. [Ex Hom. Od. Ω, 227 : Τὸν δ' οἶον πατέρ' εὗρεν ἐϋκτιμένῃ ἐν ἀλωῇ λιστρεύοντα φυτόν. V. sequens voc.]

Λιστῆρες, ap. Hesych. reperio expositum οἱ λιστρεύοντες, necnon οἱ πρὸς ταῖς ὑποκαιομέναις χύτραις ἱστάμενοι σπινθῆρες.

[Λίστριον. V. Λιδρίον, Λίστρον.]

Λίστρον, τὸ, dicitur σκαφίον s. πτύον σιδηροῦν, Scaphula s. Ventilabrum ferreum, qualibus uti solebant in complanando paviendoque solo : unde et ὁμαλιστρον atque ἐδαφίστριον [ἐδαφιστήριον est ap. Hesych.] exp. Exp. vero et ξυστὴρ, Radula. Eust. quoque dicit esse πτύον σεσιδηρωμένον et ξύστρον, in Hom. Od. X, [455] ubi poeta canit : Λίστροισιν δάπεδον πύκα ποιητοῖο δόμοιο ξῦον. [Lycophr. 1348 : Λίστροις ἤρειψεν πάγον. Schol. ξύλοις, ἀξίναις, δικέλλαις. Moschus 4, 101 : Ἤτοι ὁ λίστρον ἔμελλεν ἐπὶ προὔχοντος ἐρείσας ἀνδήρου καταδῦναι κτλ.] Pollux 6, 13 [§ 89], et 10, 24 [§ 98] in censu vasorum s. instrumenti culinarii, scribit Λίστρον sive Λίστριον antiquis dictum fuisse quod recentioribus τηγανοστρόφιον : forsitan a forma superioris λίστρου. [Memorat λίστρον etiam 1, 245; 10, 129, inter instrumenta rustica. V. etiam Λιστρωτός.] Hesych. quoque λίστριον dictum fuisse tradit, quod sua ætate τηγανοστρόφιον [—στροφον male Photius] : addens, quosdam esse velle μέτρον τι μεθ' οὗ ἐπὶ τὸ τήγανον ἄλευρον ἐπιχέουσι, Mensuram quandam, qua farinam in sartaginem infundunt. [Phrynichus Epit. p. 321 : Κοχλιάριον· τοῦτο λίστρον Ἀριστοφάνης ὁ κωμῳδοποιὸς λέγει· καὶ σὺ δὲ οὕτω λέγε. Exc. Phryn. p. 51, 9 : Λιστρίον, τὸ ὑπὸ τῶν πολλῶν καλούμενον κοχλιάριον. Ὅμηρος μὲν λίστρον τὸν ξυστῆρα, οὗ ὑποκοριστικὸν λίτριον κτλ. De mensura Schneider. in Suppl. v. Μύστρον affert locum Didymi Alex. De mensuris lign. et lapid. § 20 : Μύστρια, ἃ δὴ λίστοια ὀνομάζουσιν, quæ teneant duo κοχλιάρια.]

[Λίστρος. V. Λιστρωτός.]

Λιστρόω, Pavio, Complano, Rado. [Eust. Il. p. 1229, 26 : Λιστρῶσαι τὸ ξῦσαι καὶ ὁμαλίσαι.]

Λιστρωτὸς, ἡ, ὸν, Pavitus, Complanatus, Rasus, ὁμαλὸς, λιθόστρωτος, Hesych. Sed hoc posterius minus quadrat, huic præsertim loco ap. Nicandr. Ther. init. [29] : Αἴ [καί] τε παρὲξ λιστρωτὸν ἅλω δρόμον. Ibi enim et schol. exp. ὁμαλὸν καὶ ἐξυσμένον : quoniam λίστροι dicuntur ξυστῆρες. Ubi nota hoc λίστροι, pro λίστρα : si tamen ita scripsit. [Λίστρον tacito Schneiderus. Male. Nam λίστρος, ὁ ξυστὴρ, inter nomina in ρος recensetur ab Etym. M. p. 587, 43.]

[Λίσφος, ὁ.] Λίσφοι, Atticis dicuntur τὰ ἰσχία, παρὰ τὸ λείπεσθαι αὐτὰ σαρκῶν. Sed δύνανται καὶ λέσφοι εἶναι. Ita Lex. meum vet. et ex parte Etym. [et Suidas], qui etiam addit, κατὰ τὴν ὀσφύν. [Mœris p. 245 : Λίσφους Ἀττικοὶ, ἀπύγους Ἕλληνες.]

[Λισφόω.] Ap. Hesych. reperio et verbum Λισφώσασθαι, ἐλαττώσασθαι, ac si λίσφος significet etiam Minutus, Exilis : indeque Λισφόω, Attenuo, Minuo.

Λίσχρος, s. Λισχρὸς, pro γλίσχρος s. γλισχρὸς dicitur. [Photius et] Suidas enim λίσχρος affert pro φειδωλὸς, Parcus, Tenax : et Hesych. adv. Λισχρῶς pro φειδωλῶς, σκνιφῶς, Parce, Tenaciter. || Λίσχροι, eid. Hesych. sunt τὰ στροφικὰ τῶν σπερμάτων [Semina quæ vertuntur aratro, ad agrum stercorandum. « Conf. Γλίσχρος et Corais Ἄτακτα 1, p. 295. » Creuzer.]

[Λισχρῶς. V. Λίσχρος.]

Λἴτάζομαι, i. q. λιτανεύω, i. e. ἱκετεύω, s. παρακαλῶ, δέομαι, εὔχομαι, Supplicor, Precor, Hesych. [et Photius s. Suid. Oppian. Cyn. 2, 373 : Τοῖά τις ἂν δόξειε λιταζομένους ἀγορεύειν. Greg. Naz. Epigr. 192, qui primam, ni fallit scriptura, male produxit. Eust. Opusc. p. 173, 61. « Eust. Il. p. 36, 1. » Seager. Inscr. græca nuper Augustoduni reperta, *Annal. de phil. chrét.* 1841, p. 18 : Λιταζέ με, φῶς τὸ θανόντων, sec. conj. P. Secchi Romani. Aliter Franz *Christl. Denkm. von Autun* p. 44, 8 : Σὲ λιτάζομε (i. e. λιτάζομαι), φ. τὸ θ. Hase.]

[Λιταῖαι, πόλις Λακωνικῆς. Ἀπολλόδωρος ἑβδόμῳ. Οἱ πολῖται Λιταιεῖς, Steph. Byz. Berkelius : « Λιταὶ) Sic Salmasius in Palat. invenit, quod sine dubio longe melius quam hactenus vulgatum Λιταῖαι, unde profecto nulla ratione formari potest civium nomen Λιταεῖς, pro quo etiam, eodem Salmasio monente, ex Palat. Mss. Λιταιεῖς excudi curavimus. »]

[Λἴταίνω, Supplico. Eur. El. 1215.]

[Λιταῖος in numo Magnesiæ Ionicæ, λίτανος explicatum a Cavedonio in *Bull. dell' instit.* 1837, p. 41. Osann.]

Λἴτᾰνεία, ἡ, [Litatio, Gl., in quibus male Λιτανία, quæ forma eximenda etiam Alciphroni Ep. 1, 31,] Supplicatio [Gl.], Supplices preces, Precatio, Obsecratio. Hinc Gall. *Letanies* pro *Litanies*. [Suidæ παράκλησις. Dionys. A. R. 4, 67 : Πολλὰς λιτανείας ἐκείνου ... ποιησαμένη. Maccab. 2, 3, 20; 10, 16. Porphyr. De abst. 2, 37, 40, De antro N. 33. « Processio ecclesiastica. Symeon Thessalonic. in Op. contra Hæres. : Λιτανεία δέ ἐστι παράκλησις πρὸς θεὸν καὶ ἱκεσία κοινὴ καὶ δι' ὀργὴν ἐπιφερομένην καὶ χάριν εὐχαριστίας ὑπὲρ ἀγαθῶν ἐκδωρηθέντων. V. Codin. De off. 15, 1, et al. » Ducang. Conf. Suicer. Thes. Suppl. p. 1630 sqq.]

[Λιτανευτικὸς, ἡ, ὸν, Supplicans. Scholl. Æsch. Suppl. 816, Pind. Pyth. 4, 385.]

[Λιτανευτὸς, ἡ, ὸν, i. q. præcedens. Hesych. : Ἀμφιλίτην, τὴν λιτανευτήν. Nisi passive hic dicitur, Cui fiunt preces. Idem : Λιτή, λιτανευτή. Quod de precibus active dici pro λιτανευτικὸς intelligitur ex iis quæ dicentur in Λιτός.]

Λιτανεύω, i. q. λίτομαι s. λίσσομαι, Supplico, [Depreco, Lito, add. Gl.] Supplex oro. Hom. Il. X, [414] : Πάντας δ' ἐλλιτάνευε κυλινδόμενος κατὰ κόπρον, ubi tamen scribitur et ἐλιτάνευε unico λ, sicut et Od. H, [145] in l. alioqui simili : Θαύμαζον δ' ὁρόωντες· ὁ δ' ἐλλιτάνευεν Ὀδυσσεύς. Sic autem et ἐλλισάμην quædam exempll. habent, ubi reliqua ἐλισάμην unico λ. Interdum cum infin., sicut λίσσεσθαι, Il. Ψ, [196] : Πολλὰ δὲ καὶ σπένδων χρυσέῳ δέπαϊ λιτάνευεν ἐλθεῖν. Sic Hesiod. [Th. 469] : Φίλους λιτάνευε τοκῆας Μῆτιν συμφράσσασθαι. [Theocr. 2, 71 : Καί μ' ἁ τροφὸς κατεύξατο καὶ λιτάνευσε τὰν πομπὰν θάσασθαι.] Additur etiam ei interdum gen. γούνων, sicut et verbo λίσσεσθαι addi antea docui. Utitur autem hoc verbo et [Pind. Nem. 5, 32 : Πολλὰ γάρ μιν παντὶ θυμῷ παρφαμένα λιτάνευεν· 8, 8 : Πολλά νιν πολλοὶ λιτάνευον ἰδεῖν·] Xen. [H. Gr. 2, 4, 26. Plato Reip. 3, p. 388, B; Menander ap. Donat. ad Terent. Andr. 3, 3, 12, ubi recte scribitur λιτάνευε pro λιτάνεχε. Dionys. A. R. 4, 76 : Τοὺς θεοὺς εὐχαῖς λιτανεύσαντες. Strabo 15, p. 713. Suidas in gl. ex marg. illata Λιτανεύειν, δοτικῇ. || « Processionem obire, facere, ap. Theophan. a. 7 Marciani. V. Goar. ad Euchölog. p. 770. » Ducang.]

[Λἴτᾰνος, ὁ, Precatorius. Æsch. Sept. 102 : Πέπλων καὶ στεφέων πότ', εἰ μὴ νῦν, ἀμφὶ λίταν' ἕξομεν; Sic enim librorum scripturam λιτὰν correxit Seidler. De vers. dochm. p. 192, coll. Suppl. 809, μέλη λίτανα.]

[Λίταρβα, ων, τὰ, Litarba, locus prope Antiochiam, ap. Julian. Epist. 27, Euagr. H. E. 6, 11.]

[Λίταξ, Scrupus, Gl.]

[Λιταργίζω.] Λιταργίζειν, Festinare, Celeri gradu proficisci. Aristoph. Pac. [561] : Εἶθ' ὅπως λιταργιοῦμεν οἴκαδ' ἐς τὰ χωρία, i. e. συντόμως δραμούμεθα, schol. derivans παρὰ τὸ λίαν ἀργόν. [Hesych. : Λιταργίζειν, τροχάζειν. Λιταργιοῦμεν, ὀξυνοῦμεν, ταχυνοῦμεν. Photius : Λιταργίζειν, τρέχειν. Λιταργίσαι, κνίσαι.]

Λιταργισμὸς, ὁ, Rapidus cursus aut fuga. Aristoph. schol. [Nub. 1253] scribit λιταργισμοὺς vocata fuisse τὰ σκιρτήματα, Saltus, s. Saltus lascivos. Afferens et aliud etymon : nimirum λίτην dici τὴν θύραν, Januam, et ἀργὸν, Celerem.

Λίταργος, ὁ, ἡ, Suidæ ὁ ἀργὸς, Velox, Celer. [Chœrob. Cram. An. vol. 2, p. 236, 25 : Λιταργόν· σημαίνει δὲ τὸν ταχύν· διὰ τοῦ ι γράφεται· παρὰ γὰρ τὸ λίαν ἀργὸν γέγονεν ταχύ (εἶναι ἤγουν ταχὺν Etym. in gl. Λίταργος κύων). V. Λητήρ. L. Dind.]

Λιτάρας, Hesychio τοὺς ἱερεῖς, Sacerdotes, Sacrificos. [V. Λητήρ.]

[Λἴτασμὸς, ὁ, Supplicatio. Nicet. Annal. p. 197, D.]

[Λιτεύεσθαι, παρακαλεῖσθαι, Suidas. Nisi ex λιτάζεσθαι depravatum est.]

Λἴτή, ἡ, Supplicatio, Supplices preces, Obsecratio. Sed usurpatur potius numerus plur. Hom. Od. Λ, [34] : Τοὺς δ' ἐπεὶ εὐχωλῇσι λιτῇσί τε ἔθνεα νεκρῶν Ἐλλισάμην. [Pind. Ol. 2, 88; 8, 8. Frequentant cum ceteris Epicis etiam Tragici cum verbis εὔχεσθαι, ἐπεύχεσθαι, ἱκετεύειν, πέμπειν. Cum genitivo numinis Æsch. Sept. 214 : Μακάρων λιτάς. Eur. Suppl. 262 : Οὐδὲν ἡμῖν ἦρχεσαν λιταὶ θεῶν. Alia constructione idem El. 594 : Ἵει λιτὰς εἰς θεούς. Herodot. 1, 105 : Δώροισι καὶ λιτῇσι ἀποτρέπει τὸ προσωτέρω μὴ πορεύεσθαι. Plut. Comp. Alcib. et Cor. c. 4, Anton. c. 85. Eust. Opusc. p. 134, 95; 333, 9.] Ceterum quod ad hujus nominis formationem attinet, eam magis probo, quam minus probat Eust. p. 725 : Καὶ ἡ λιτὴ δὲ ἀπὸ τοῦ αὐτοῦ γινομένη ῥήματος (τοῦ λίσσεσθαι,) ὑποστολὴν ἔπαθε τοῦ σ· sed interjicit per parenth., εἰ μὴ ἄρα ἐκ τοῦ λιτω παράγεται. Gregor. usus est de precibus, quæ funduntur Deo. || Λιταὶ, Homero [Il. I, 502, Orph. Arg. 106] sunt etiam Deæ præsides supplicationum s. supplicum precum. [I. q. ἱέρεια. V. Λητήρ, coll. quæ in Λητὴρ dicta sunt. || Processio ecclesiastica. Philotheus in Ord. sacri minist. p. 7 : Εἰ μέντοι ἐστὶ λιτὴ μετὰ τὴν ἀπόλυσιν. Et alii ap. Ducang.]

Λίτη. V. Λιταργισμός.

[Λιτὴρ, ῆρος, ὁ.] Λιτῆρα θαλλὸν, Hesychio τὸν ἱκέσιον, Ramum supplicem. [Simile est Λητὴρ, quod v. Quanquam ramo accommodatius videtur Λιτὴρ ab λιτὴ formatum quam Λητὴρ ab λήιτον.]

Λιτήσιος, ὁ, ut λ. αὐχὴν, Nonn. [Jo. c. 4, 112], Supplex cervix.

[Λιτόβιος, ὁ, ἡ, Qui tenui victu utitur. Strabo 15, p. 701 : Τοῖς ἄλλοις Ἰνδοῖς κοινὰ ἱστόρηται τὸ μακρόβιον ... καὶ τὸ λιτόβιον καὶ τὸ ὑγιεινόν. Wakef.]

Λιτοβόρος, ὁ, Hesychio εὐτελῶς τραφεὶς, Tenuiter et frugaliter eductus, Vili et tenui assuetus victui.

Λιτοδίαιτος, ὁ, ἡ, pro eod. : unde τὸ λιτοδίαιτον et τὸ λιτὸν τῆς διαίτης dicitur Victus tenuis, s. Victus tenuitas et frugalitas. [Dionys. A. R. 2, 49. Wakef.]

Λίτομαι, i. q. λίσσομαι, sed non perinde usitatum. Hom. Od. Ξ, [406] : Πρόφρων κεν δ' ἤπειτα Δία Κρονίωνα λιτοίμην· Il. Π, [47] : Οἷ αὐτῷ θάνατόν τε κακὸν καὶ κῆρα λιτέσθαι, ubi annotat Eust. [et schol.] λιτέσθαι, quod παροξύνεται, sicut λαβέσθαι, grammatico cuidam [Ptolemæo], quem Ascalonitam vocat, placuisse προπαροξύνειν, utpote ab indicat. λίτομαι : sed admittit potius alteram scripturam. [Conf. Etym. M. in Λιτέσθαι.] Ap. eund. Eust. [p. 1044 sq.] Heraclides, doctissimus, meo quidem judicio, grammaticus, scribit ex Λίσσομαι factum esse Λίττομαι, deinde omisso altero τ, Λίτομαι : quam opinionem refert Eust., postquam dixit, sequens alios quosdam gramm., λίσσομαι dici in præs. gemino σ, at λίσομαι in fut., unico σ, et λίτομαι ac λιτόμενοι scribi unico τ, non λίττομαι et λιττόμενοι gemino, quod sit tertiæ conjugationis barytonorum. [Hom. H. 16, 5 : Καὶ σὺ μὲν οὕτω χαῖρε, ἄναξ· λίτομαι δέ σ' ἀοιδῇ. Aristoph. Thesm. 313 : Θεῶν γένος λιτόμεσθα ταῖσδ' ἐπ' εὐχαῖς φανέντας ἐπιχαρῆναι. Meleager Anth. Pal. 5, 165, 1 : Ἕν τόδε... λίτομαί σε, φίλη Νύξ. Frequens est etiam in hymnis Orph.] Et act. vox Λίτω ap. Eust., sed absque exemplo.

[Λιτοργός. V. Λιτουργός.]

Λιτὸς, ὁ, [ἡ, ὸν] Hesychio ἁπλοῦς, ψιλὸς, εὐτελὴς [postremis duobus vocc. interpretatur etiam Photius], Simplex, Nudus, Vilis : redditur et Tenuis [Gl. Eadem Purus, et Λιτὰ, Pura], Exiguus. Dicitur de omnibus iis quibus nulla superflua cura adhibita est, Non elaborata exquisite, Inculta. Epicurus in Epist. [ap. Diog. L. 10, 130] : Τὸ μὲν φυσικὸν πᾶν, εὐπόριστόν ἐστιν· οἵ τε λιτοὶ χυλοὶ ἴσην πολυτελεῖ διαίτῃ τὴν ἡδονὴν περιφέρουσι. Unde Cic., Naturæ divitias parabiles esse, et tenuissimo victu, i. e. contemptissimis escis et potionibus, minorem voluptatem non percipi quam rebus exquisitissimis ad epulandum. Sic Phocyl. [76] jubet ξεινίζειν ταχέως λιταῖσι τραπέζαις. [Τροφὴ Aret. p. 127, 19.] Et Plut. Symp. 7, [p. 709, B] vetat λιτῷ περὶ δίαιταν παρακαθίζειν πολυτελεῖς καὶ ἀκολάστους. [Callim. Lav. Min. 25 : Λιτὰ λαβοῖσα χρίματα. Arat. 824 : Μή οἱ ποικίλλοιτο κύκλος, φαίνοιτο δὲ λιτὸς ἁπάντῃ. « Λιτὴ ἡ διὰ μόρων, Simplex ex moris compositio, Galen. l. 6 Κατὰ τόπ. p. 249, 49, ex Archigene. Et ἡ διὰ κωδύων λιτὴ Critonis, 7, p. 261, 20. » Foes. OEc. Hipp. Sic λιτὴ σικύη Aret. p. 133, 38.] Necnon λιτὰ δῶρα dicuntur Munera exigua et non sumptuosa s. magnifica : ut et in Epigr. [Gemini Anth. Pal. 7, 73, 1], Ἀντὶ τάφου λιτοῖο, Pro sepulcro vili nec magnifice extructo. [Antipater Thessal. ib. 7, 18, 1 : Λιτὸς ὁ τύμβος ὀφθῆναι.] Quin et terra λιτὴ dicitur quæ exculta et laborata non est, Inculta : ut ap. Athen. [7, p. 296, E] ex Alexandro : Ἦν ἠελίῳ φαέθοντι Ἐν μακάρων νήσοισι λιτὴ φύει εἴαρι γαίῃ [γαῖα. Confert Schneiderus Orph. Arg. 91 : Νείατον εἰς κευθμῶνα λιτῆς εἰς πυθμένα γαίης, et Hesychii gl. : Λιτὴ χθὼν, ἀπὸ τοῦ προσκυνεῖσθαι καὶ λιτανεύεσθαι, quam probabiliter conjicit ad similem locum, non recte ab Hesychio acceptum, referri. Apertum est autem λῖτὸς in locis Alexandri et Orphei diversæ stirpis et alius significationis esse vocabulum quam λιτὸς, cujus priorem corripuisse videtur Nonnus Dion. 17, 59 : Ἀγρονόμων λιτὰ δεῖπνα, sed alii omnes produxerunt, de qua mensura diserte monitum etiam ab Suida. Ita præter poetas supra citatos scriptor epigrammatis ap. Bœckh. C. I. vol. 2, p. 216, n. 2258, 8 : Λειτὴ τοὐμὸν ἔχει σῶμα λαχοῦσα πέτρη. Qua eadem orthographia Photius : Λειτὸν τὸν πένητα· οὕτω Μένανδρος, fort. in fr. ap. Stob. Fl. vol. 1, p. 3 : Ἀπραξία γὰρ λιτὸν οὐ τρέφει βίον. Ubi de pauperculo dicitur, ut ap. Antiphilum Anth. Pal. 6, 250, 1 : Λιτὸς ἐγὼ τὰ τύχης, ὦ δεσπότι. Callim. Apoll. 10 : Ὅς μιν (Apollinem) ἴδῃ, μέγας οὗτος, ὃς οὐκ ἴδε, λιτὸς ἐκεῖνος· ὀψόμεθ' ὦ Ἑκάεργε, καὶ ἐσσόμεθ' οὔποτε λιτοί. Manetho 4, 283, et ubi comparativo utitur 2, 488; 3, 312. De Polybio Schweigh. in Lex. : « Tenuis in victu et cultu, λιτὸς καὶ αὐτάρκης, 6, 48, 7. Λ. κατὰ τὴν περικοπὴν, 10, 25, 5; κατὰ τὴν σίτησιν, 11, 10, 3. Σιτίοις λιτοῖς χρῆσθαι, 8, 37, 1. Λιτὴ ἐσθὴς, 8, 21, 8. Περικεφάλαιον λιτὸν, 6, 22, 3; πολισμάτιον, 32, 23, 3. » De Plut., similiter sæpe usurpante, v. Wyttenb. in Ind. || « Λ., Submissus, Humilis, contrarius τῷ ὑψηλῷ, magnifico poetæ. Dionys. Cens. c. 11, p. 423 : Ὁ Εὐριπίδης οὔτε ὑψηλός ἐστιν, οὔτε μὴν λιτὸς, ἀλλὰ κεχραμένῃ τῆς λέξεως μεσότητι κέχρηται. — Λιτὴ λέξις, Dictio simplex, non ornata, ἀκόσμητος. Id. Jud. Thucyd. c. 23, p. 863. In Jud. Demosth. c. 2 jungitur λιτὴ καὶ ἀφελὴς, hac addita interpretatione, ut sit ἡ δοκοῦσα κατασκευὴν καὶ ἰσχὺν τὴν πρὸς ἰδιώτην ἔχειν λόγον καὶ ὁμοιότητα. Dionys. Comp. vv. c. 3, p. 13, πραγμάτια λιτὰ καὶ βιωτικὰ junxit, Res tenues, argumenta orationis e communi humilique vita petita, quale est apud Homerum Ulyssis cum subulco colloquium. Ernest. Lex. rhet. Aristot. Rhet. 3, 16 : Ἁπλούστερος ὁ λόγος οὗτος· ἐκεῖνος δὲ ποικίλος καὶ οὐ λιτός.] Substantive τὸ λιτὸν dicitur pro ἡ λιτότης, Vilitas, [ἁπλότης Suidæ,] Tenuitas, Frugalitas, Simplicitas : ut τὸ λιτὸν τῆς διαίτης, et τὸ λιτὸν τῆς ἐσθῆτος, ap. Plut. Et ap. Cic. Epist. 7, 26 : Lex sumptuaria, quæ videtur λιτότητα attulisse, ea mihi fraudi fuit. [Diodor. 2, 59 : Τὴν λιτότητα (in victu) διώκουσι. Porphyr. De abstin. 4, 6, p. 310 : Λιτότητα ἐπετήδευσαν καὶ καταστολήν· 13, p. 341 : Ἡ λιτότης ἡ περὶ τὴν δίαιταν. Plut. Sertor. c. 13 : Κατεσκευασμένον ἔχοντι θαυμασίως τὸ σῶμα ῥώμῃ καὶ τάχει καὶ λιτότητι· Ages. c. 36 : Τῇ στεφανωτρίδι βύβλῳ ἠσθέντα διὰ τὴν λιτότητα· Pomp. c. 2 : Τῆς περὶ τὴν δίαιταν λιτότητος· Agid. c. 7 : Σωφροσύνῃ καὶ λιτότητι τὰς ἐκείνων ὑπερβαλόμενος τρυφάς.] Dicitur Λιτότης et Figuræ genus qua res magna modestiæ causa extenuatur verbis. [Servius ad Virg. Georg. 1, 125 : « Non tarda) Id est strenuissima : nam Litotes figura est. » Et ib. 129.] Λιτὰ, adv. pro λιτῶς, Epigr.

|| Λιτῶς, Tenuiter, Simpliciter : ἁπλῶς, ἀφελῶς. [Artemid. p. 219, 17 ed. Reiff. : Λ. ἔχουσα καὶ ἀμελοῦσα ἑαυτῆς. Id. p. 98, 22 : Ἡψημένα λ. Diog. L. 6, 105 : Λ. βιοῦν. Justin. Epist. p. 34, A. Actt. Conc. t. 2, p. 842, A : Λ. φάσκειν, ubi perperam interpr., Deprecative. Hase. Frugaliter, Tzetz. Hist. 1, 881; 3, 34, τρεφομένοις. Elberl. Isidor. Anth. Pal. 7, 156, 2 : Ἰξῷ καὶ καλάμοισιν ἀπ' ἠέρος αὐτὸν ἔφερβεν Εὔμηλος λιτῶς. Ἀσθενῶς, ἁπλῶς, ἢ ἀσφαλῶς (quod tacito emendat HSt.) Hesych.]

[Λῖτὸς, ἡ, ὸν, Supplicans. Pind. Ol. 6, 78 : Ἐδώρησαν ... λιταῖς θυσίαις πολλαῖσιν Ἑρμᾶν· Pyth. 4, 217 : Λιτάς τ' ἐπαοιδὰς ἐκδιδάσκησεν σοφὸν Αἰσονίδαν· fr. ap. Eust. Opusc. p. 56, 30 : Λιτὴν Ἠῶ. Hesych. : Λιτὴ, ἡ λιτανευτή.]

[Λίτος, ὁ, Litus, n. viri. Regg. prosod. p. 424, 14.]

[Λιτότης. V. Λιτός.]

[Λιτουργὸς, ὁ.] Λιτουργοὶ δημοσίων, affertur pro Ministri publici, qui potius λειτουργοὶ s. λητουργοί. Ita enim et Ammonius ex Didymi Comm. in Il. 2. Λητουργεῖν per η, et Λιτουργεῖν per ι, differunt : nam τὸ Λητουργεῖν significat τῷ δήμῳ ὑπηρετεῖν : quia λῆτον dicitur τὸ δημόσιον, ut λήϊτον ἀμφεπένοντο. At vero Λιτουργεῖν, est κακὰ λέγειν, Maledicere. [Scriptura per ι vocc. hujus stirpis (quam memorat etiam grammat. Bachm. An. vol. 2, p. 369, 5) neque in libris, infrequens, velut in Gl., quæ ponunt Λιτουργεῖν, Λιτούργημα, Λιτουργία, Λιτουργὸς, quum eadem vv. ponant etiam in Λειτ—, neque in lapidibus : v. Bœckh. C. I. vol. 1, p. 312, n. 181, 21; p. 603, n. 1226, 8; 681, n. 1435, 8; p. 853, n. 1738, 12. Λιτουργεῖν pro Male dicere qui dixerit non constat.] Hesych. vero λιτούριον affert pro κακοῦργον, Maleficum. [Λιτουργὸν Valck. Anim. ad Ammon. p. 146, ex Simonid. Carm. in mul. 12 : Τὴν δ' ἐκ κυνὸς λιτουργὸν αὐτομήτορα, ubi al. λιτοργόν. Quod ab ὀργῇ repetendum esse monet Welckerus ad l. Sim.]

[Λῖτοφαγία, ἡ, Tenuis victus. Thalass. Cent. 4, 31 : Ὡραία νηστεία ἡ λιτοφαγίαν ἔχουσα. « Schol. Jo. Climac. p. 214. » Boiss.]

Λίτρα, ἡ, Libra [Pondo add. Gl. Eadem Λίτρα καὶ ἥμισυ, Sesquilibra] : mensuræ et ponderis nomen

A

duodecim continentis uncias. Passim de pondere usurpant : quamobrem ubi ambiguitas est, addunt vel μέτρῳ, vel σταθμῷ. Galen. τῶν Κ. γένη 1 : Σταθμὸς ἔστω μιᾶς λίτρας ἑκατέρου, συναμφοτέρων δὲ, ἴσον ἐλαίου μέτρον. Et Plaut. Laserpitii libram pondo diluunt. Et sic passim ap. Scrib. Largum. Verum id scire oportet, libram et unciam mensuralem, atque adeo mensuram omnem, certam atque immobilem semper fuisse : pondera autem rerum omnia fere varia esse, pro eorum, quæ expenduntur, varietate. Attamen ut Plin. pro Mina vertit Libram, quæ tamen quatuor drachmis est minor : ita Græci contra nonnunquam centum drachmis libram, non minam, exprimunt, ubi quatuor drachmæ redundant. Testatur id Gal. τῶν Κ. γένη 6 : Ποτὲ μὲν γὰρ ἀντὶ τῆς λίτρας, ρ' δραχμὰς γράφουσιν αὐτοί· ποτὲ δὲ, ἀντὶ τῆς μνᾶς. [Gl. Aristoph. Plut. 381 : Μνᾶς) λίτρας.] Et similiter ibid. 1 : Ὥστε ἡ αὐτὴ ἀναλογία σώζεται, μηδὲν μέγα διαφέροντος εἴτε ταῖς ἑκατὸν δραχμαῖς τῶν μεταλλικῶν, εἴτε ταῖς ἐνενήκοντα ἓξ, αἱ δύο κοτύλαι τοῦ ἐλαίου μιγνύοιντο. Ad hunc vero l. Scribonii Largi, In libra denarii octoginta

B

quatuor apud nos, quot drachmæ ap. Gr. incurrunt : ad hunc inquam l. respondetur, Scribonium pleraque medicamenta vertisse ex Græcis, qui τῷ libra usi sunt in suis compositionibus, dividentes eam more Romano in duodecim uncias, unciam vero in septem drachmas, denarios intelligentes : ita ut more illorum Scribonius locutus videatur : alioqui libra drachmarum est sex et nonaginta. Hæc inter alia Gorr. [Athen. 7, p. 311, F : Τὸ μέγεθος καὶ ὑπὲρ διακοσίας λίτρας ἔχοντες· 10, p. 414, F : Κρεῶν λίτρας εἴκοσιν· et p. 415, B. Valck. Nicand. Al. 329. || Libræ sidus. V. Ideler. De nominibus siderum p. 177. Schneider.]

|| Λίτρα est etiam Numismatis genus, et id parvi admodum pretii. Pollux enim 9, [80 sqq.] tradit Siculis τὴν λίτραν facere ὀβολὸν Αἰγιναῖον [Hesychius : Λ., ὀβολὸς, οἱ δὲ νόμισμα παρὰ Σικελοῖς] : unde ἡμίλιτρον et δεκάλιτρον dici pro τὸ ἥμισυ τοῦ ὀβολοῦ et τοὺς δέκα ὀβολούς : nec vero Dores solum ita usurpare, poetas in primis, sed Atticos etiam Comicos. Dores, ut Epicharm. : Ἄλλα δὲ λίτραν, αἱ δ' ἀν' ἡμίλιτρον δεχόμεναι.

C

Atticos, ut Diphil. in Siculo, Μηδὲν δ' ἔχειν Εἰ μὴ κικίννους ἀξίους λίτραιν δυοῖν. [Photius : Λίτρα· ἦν μὲν καὶ νόμισμά τι, ὡς Δίφιλος· ἐπὶ δὲ τοῦ σταθμοῦ Ἐπίχαρμός τε καὶ Σώφρων ἐχρήσαντο. Antiatt. p. 105, 32 : Λίτρα ἦν μὲν καὶ νόμισμα Σικελικόν· ὅτι δὲ καὶ ἐπὶ τοῦ σταθμοῦ, Ἐπίχαρμος Ἐλπίδι ἢ Πλούτῳ. Epim. in Cram. An. vol. 2, p. 396, 26 : Λίτρα σημαίνει τρία, παρὰ μὲν τοῖς Σικελιώταις τὸ νόμισμα καὶ τὸν ὀβολὸν, παρὰ δὲ τῇ κοινῇ συνηθείᾳ σταθμόν.] Idem tradit Pollux 4, c. 24, [§ 73], afferens et ex Sophrone duo exx., hæcque subjungens : Aristot. in Agrigentinorum Republ. quum dixisset, Ἐζημιοῦντο πεντήκοντα λίτραις, subjicit, Ἡ δὲ λίτρα δύναται ὀβολὸν Αἰγιναῖον. In Himeræorum vero Republ. scribit Sicilienses τοὺς δύο χαλκοῦς vocare ἑξάλιτρα [ἑξᾶντα] : sex autem, ἡμίλιτρον, Obolum, λίτραν : Corinthium staterem, δεκάλιτρον, ut qui δέκα ὀβολοὺς δύναται. [V. Bentlei. Phalar. p. 412 sq., Bœckh. *Metrolog. Untersuch.* p. 292 sqq. || Photius : Λίτρα, τὴν νομισμοδόκην καλοῦσι· τὴν δὲ αὐτὴν καὶ λιτροδόκην καλοῦσιν.] Per risum vero λίτραν ἐτῶν ζήσας quidam

D

[Palladas] in Epigr. [Anth. Pal. 10, 97, 1] dixisse fertur pro Modico temporis. Nota τῆς λίτρας compendiaria hæc est, λ, et hæc, λ̸ . [V. Montefalc. Palæogr. p. 359, 369, Galen. vol. 13, p. 750. Ceterum λείτρας scriptum in inscr. Bospor. ap. Bœckh. vol. 2, p. 71, n. 2040, 7.]

[Λιτραῖος, α, ον, Libralis, Gl. Palladas Anth. Pal. 11, 204, 2 : Ῥήτορα Μαῦρον ἰδὼν ἐτεθήπεα, ῥυγχελέφαντα χείλεσι λιτραίοις φθόγγον ἱέντα φόνον. Galen. vol. 13, p. 657 : Καλεῖται ὑπὸ Ῥωμαίων ὁμωνύμως ὁ λιτραῖος σταθμὸς τῶν στερρῶν σωμάτων τῷ λιτραίῳ μέτρῳ τῶν ὑγρῶν. Infra Λιτριαῖος. De utraque forma v. Lobeck. ad Phryn. p. 545.]

[Λιτρασμὸς, ὁ, Libratio, Gl. V. Λιτρισμός.]

[Λιτριαῖος, α, ον, i. q. λιτραῖος, quod v. Dionys. A. R. 9, 27 : Ἦν δ' ἀσσάριον χάλκεον νόμισμα, βάρος λιτριαῖον.]

Λίτρις, Hesychio πυξὶς σωματοδόχος, Loculus, Arca.

[Λιτρισμὸς, ὁ, Enumeratio librarum, in Rationario

A

apud Montefalc. Palæogr. p. 362, ubi est inscriptio : Ἀρχὴ σὺν θεῷ λιτρισμῶν, quod ita interpretatur Montef. Rectius Redactio ad libras, ut supra Δηναρισμός. Anon. ap. Lambec. Bibl. Cæs. vol. 7, p. 513, A : Τάλαντον κατὰ μὲν τὸν λιτρισμὸν ρκε' λιτρῶν ὑπάρχει. (Is anonymus est Epiphan. t. 2, p. 183, A. Hase.) Ita legendum videtur pro λιτρασμὸς, quod v. L. Dind.]

[Λιτροβούλης, vox obscura Ducangio ap. Theodor. Lectorem Ecl. 2 de Timotheo patr. Cpol. : Ὃν ἐκάλουν λιτροβούλην καὶ κήλωνα διά τινα ἔργα τῶν ὀνομάτων ἁρμόδια. Ducang.]

[Λιτροδόκη, ἡ, νομισμοδόκη, Numorum receptaculum, Phot. in Λίτρα. Wakef.]

[Λιτρόμηλον, τὸ, Tzetz. Hist. 9, 347, 353.]

Λίτρον, τὸ, Attice pro νίτρον dicitur, Nitrum. [Herodoti 2, 86, Ταριχεύουσι λίτρῳ nunc receptum ex melioribus pro νίτρῳ, ut ib. 87, et ap. Plat. Tim. p. 60, D; 65, D. Phrynich. Epit. p. 305 : Νίτρον· τοῦτο Αἰολεὺς μὲν ἂν εἴποι, ὥσπερ οὖν καὶ ἡ Σαπφὼ, διὰ τοῦ ν· Ἀθηναῖος δὲ διὰ τοῦ λ λίτρον. Greg. Cor. p. 148 : Οἱ

B

Ἀττικοὶ τὸ νίτρον λίτρον. Photius : Λίτρον, οὐ νίτρον Ἀττικοί. Οὕτως Ἀριστοφάνης (in Thesmoph. secundis ap. Poll. 7, 95). Mœris p. 245 : Λίτρον Ἀττικοὶ, νίτρον Ἕλληνες. Nicand. Alex. 337, 532. Utriusque formæ exx. sunt ap. Theophr., indicata ab Schneidero in ind. Quæ inconstantia librariis, toties in h. v. sic peccantibus, non Theophrasto imputanda videtur, qui una forma antiquiori usus esset λίτρον. L. D. Alexis fr. ap. Diog. L. 3, 27 : Γνώσῃ λίτρον καὶ κρόμμυον. Hase.] Unde Λιτρώδης, ὁ, ἡ, pro νιτριώδης, Nitrosus, ut ap. Athen. 2, [p. 42, A] : Ὕδατα τραχύτερα καὶ λιτρωδέστερα. [Idem pro νιτρώδη restitutum ib. p. 41, F. Aret. p. 135, 19 : Τὰς λιτρώδεις τὰς ποιητὰς σφαίρας. Plat. Tim. p. 65, E : Τῆς λιτρώδους ἕξεως. Hic quoque olim νιτρώδους.]

[Λίτρος, ὁ, Litrus, n. viri ap. Nonnum Dion. 13, 432.]

[Λιτροσκόπος, ὁ.] Λιτροσκόπους Hesych. dici scribit τοὺς ἀργυραμοιβοὺς, ἀπὸ τοῦ Σικελικοῦ νομίσματος, quod λίτρα vocatur. Itidem κολλυβισταί. [Photius : Σοφοκλῆς λιτροσκόπον φησὶ τὸν ἀργυραμοιβὸν ἀπὸ τοῦ νομίσματος.]

C

[Λιτρώδης. V. Λίτρον.]

Λίττω, affertur pro Cupio : quod potius λίπτω dicitur.

Λιτυέρσας [s. Λιτυέρσης], ὁ, Lityersas, cantionis genus sic dictum a Lityersa Midæ filio spurio, qui fuisse perhibetur ᾠδικώτατος. [Hæc ex Hesychio.] Fertur Celænas incoluisse, viatoresque excepisse et coegisse secum θερίζειν : deinde capita eorum amputasse, et truncum corporis in manipulos involvisse : ipse tandem ab Hercule interfectus fuisse. Ita [Photius s.] Suid., qui etiam subjungit, Εἰς τιμὴν τοῦ Μίδου θεριστικὸν ὕμνον ἐπ' αὐτῷ συντεθῆναι. [V. Athen. 10, p. 415, B; 14, p. 619, A, et al. ap. intt. Suidæ.] Pollux [4, 54] esse dicit σκαπανέων ᾠδὴν καὶ γεωργῶν, Cantionem fossorum et agricolarum, et quidem Phrygiacorum. [In Ind. :] Λυτιέρσης, perperam quidam cod. pro λιτυέρσης. [Omnes, ut videtur, Theocr. 10, 41 : Θᾶσαι δὴ καὶ ταῦτα τὰ τῶ θείω Λυτιέρσα. Quæ scriptura est quidem etiam ap. Tzetzen Hist. 2, 40, ubi etiam per τ scriptum (ut ap. schol. Luciani in Bachm. Anecd. vol. 2, p. 326, 23) Λυτιέρτου in inscr. et v. 571, 592, sed

D

codd. ambo Λιτυ—, quod quum apud Hesychium, Photium et Suidam confirmetur ordine literarum, sitque etiam ap. Eust. Il. p. 1236, 60, et ex Theocrito p. 1164, 10, illi est restituendum. Inter Λιτιέρσης et Λιτέρσας vel Λιτέρσης variant libri Pollucis 1, 38. Addunt autem Photius s. Suidas versum Menandri ex Carthaginiensi : Ἄδοντα Λιτυέρσην ἀπ' ἀρίστου τέως. L Dind.]

[Λίτυον, τὸ, Lituus. Plut. Rom. c. 22 : Τὸ καλούμενον λίτυον. Tzetz. Exeg. Il. p. 84, 18; Zonaras in v. V. Creuzer. ad Jo. Laur. De mens. p. 230.]

[Λιτῶς. V. Λιτός.]

[Λἴφαιμέω.] Λειφαιμέω, Sanguine deficior, s. destituor, Exanguis et Pallidus reddor. Aristot. Probl. [4, 8] : Τῶν γὰρ φοβουμένων τὰ ἄνω λειφαιμεῖ, τὰ δὲ κάτω ὑγραίνεται, καὶ ἡ κοιλία λύεται. Sic Lat. dicitur aliquis Metu exanguis esse. [Const. Manass. De reb. Arist. et Callitheæ 3, 54, p. 351. Boiss. De forma veriori per ι HSt. in Ind. :] Λιφαιμεῖ, Hesychio λείπει τῷ αἵματι, s. αἱμοῤῥοεῖ, Sanguine deficitur, unde partic. λιφαιμήσας. [Appian. Gall. 10 ap. Suidam in v.]

[Λίφαιμος.] Λείφαιμος, ὁ, ἡ, ὁ λειπόμενος αἵματος, Qui sanguine deficitur, Cui sanguis deficit, Cui minus est sanguinis quam oportet. Galen. Comm. 4 in Hippocr. De diæta in morbis acutis [p. 405, 51], λειφαίμους exp. τοὺς ἐνδεὲς ἔχοντας αἷμα, κἂν μηδέπω σαφῶς ὦσιν ἄχροοι. Quem sequens Gorr. scribit, λειφαίμους proprie dictos τοὺς ἀχρόους, Decolores; sed non eos tantum, verum omnes, quibus minus est sanguinis quam oportet, etiam si colore nondum prorsus sint destituti: eos vero, qui aliam ob causam corpore sint male affecto, κακόχρους a medicis vocari. In VV. LL. λείφαιμοι, Decolores et pallidi, quasi sanguine carentes, exangues, Hippocr. [p. 643, 8; 645, 31. Empedocl. ap. Aristot. De respir. c. 7, v. 275 Karsten.: Πᾶσι λίφαιμοι σαρκῶν σύριγγες πύματον κατὰ σῶμα τέτανται. Etym. M. p. 669, ex Oro: Ἐπὶ δὲ μετοχῆς ὁμοίως ἔκθλιψις γίνεται, λιπὼν, λίπανδρος, λίφαιμος.]

[Λιφερνέω.] Λιφερνοῦντες Hesych. affert pro ἐν σύνδένδρῳ τόπῳ προσφιλῶς διάγοντες, In arboroso loco amice degentes. [Joseph. A. J. 11, 5, 5: Τούτοις ἑτέρους ἑπτὰ στάχυας πλησίον, λιφερνοῦντας καὶ ἀσθενεῖς ὑπὸ ἀδροσίας, conferunt interpretes, quod etiamsi non sit scribendum λιπερνοῦντας, ut voluit Bernardus, quum compositum a λείπειν et ἔρνος, quod etiam ἕρνος scribi suo loco diximus, aspiratam admittat, nihil tamen prodest glossæ Hesychii, cui φιλερνοῦντες restituebat Guietus. Λιφερνῶν sine interpr. ponit Suidas.]

[Λιχάζω. HSt. in fine v. Λιχὰς, q. v.:] Unde Λιχάζω derivatum videtur, Per prærupta dejicio; nam λιχάζειν [Λιχάξαι] Cretenses dicunt ῥίψαι, βάλλειν [βάλαι], Hesych.: qui λιχάζει exp. etiam ἐπιθυμεῖ, Lambere cupit: quod ad λείχειν pertinet.

[Λιχανοειδὴς, ὁ, ἡ, Qui spectat ad λιχανὸν, Qui est in modum λιχανοῦ. Aristoxenus Harm. 1, p. 26 Meib.: Τόπος λ., Locus in cithara, ubi habetur λιχανός. Adde Aristid. Quintil. De mus. p. 12, 13, 132, Bacchium Mus. p. 11 Meib. Osann. Tonus harmonicus apud Bryenn. Harm. p. 378. Cramer.]

Λῐχᾱνὸς, ὁ, Index digitus: a λείχω dictus, quoniam eum in opsonia immissum lingimus ad condimentum explorandum. Sunt tamen qui ἀπὸ τοῦ λίαν χαίνειν dictum velint, quoniam inter hunc et pollicem magnus sit hiatus. [Addito δάκτυλος Hippocr. p. 618, 41; 1159, B, etc. Athen. 1, p. 15, D.] Lucian. [Tim. c. 54]: Ἀκριβῶς τὰ τρύβλια τῷ λιχανῷ ἀποσμήχων· sicut Id. [Gallo c. 14], Ὁ τὸ τρύβλιον περιλείχων. [Diog. L. 6, 35: Ἐὰν οὖν τις τὸν μέσον (δάκτυλον) προτείνας πορεύηται, δόξει μαίνεσθαι· ἐὰν δὲ τὸν λιχανὸν, οὐκέτι. Jul. Afric. Cest. p. 306, 12. Georg. Al. Vita Chrys. p. 222, 26. Hase.] V. Λιχνεία. || Est etiam nomen φθόγγου, h. e. Sonitus, in harmonia. Vitruv. 5, 4: Qui Lichanos in harmonia dicitur, ab hypate distat hemitonium: in chroma translatus progreditur duo hemitonia: in diatono distat ab hypate tria hemitonia. Boethius inter citharæ chordas lichanon numerat. Aristot. Probl. s. 19, q. 9: Ἐὰν δὲ τὴν λίχανον κινήσῃ, ἤ τινα ἄλλον φθόγγον, τότε φαίνεται διαφέρειν, ubi nota diversitatem accentus et generis. Puto autem dici τὴν λίχανον subintelligendo χορδὴν, ut ap. Virg., Centauro invehitur magna, subaud. navi. [Sic ap. Diod. 3, 59, ap. utrumque accentu proparoxytono. Acuto ap. Plut. Mor. p. 1029, A, etc. Repetitur autem appellatio chordæ ab digito quo pulsaretur.]

[Λιχάνωρ, ορος, ὁ, Lichanor, n. viri in inscr. Chæron. ap. Bœckh. vol. 1, p. 1581, p. 762. Est i. nomen q. supra Λειχήνωρ. L. Dind.]

Λιχὰς, άδος, ἡ, Mensura interstitii inter pollicem et et indicem distentos. Pollux [2, 158] περὶ τῶν τῆς χειρὸς μέτρων loquens: Εἰ δὲ τὸν μέγαν δάκτυλον τῷ λ. ἀντιτείνας, ἀπὸ τοῦ μεγάλου πρὸς τὸν λιχανὸν μετρεῖς, τὸ μέτρον λιχὰς nominatur. [Hero Geom.: Λιχὰς δὲ λέγεται τὸ τῶν δύο δακτύλων ἄνοιγμα, τοῦ ἀντίχειρος λέγω καὶ τοῦ λιχανοῦ, τοῦτο καὶ κοινόστομον (χυνόστομον Coraes) λέγουσί τινες. Schneid. Photius in Σπιθαμή.] || Hesychio autem λιχάδες sunt omnia ὄστρεα et κογχύλια, et [λίθοι et] ψῆφοι. [Λιχάδες, αἱ, Lichades, insulæ tres ad oram Eubœæ septentrionalem. Strab. 1, p. 60; 9, p. 426, ubi ab Licha (Herculis ministro) dictas tradit. V. etiam Plin. N. H. 4, 12, 20.] || At Λίχας, α, ου, ὁ nomen

A proprium viri. [Famuli Herculis ap. Soph. in Trachiniis, Apollod. 2, 7, 7, 11. Spartanorum quorundam ap. Herodot. 1, 67, 68, ubi forma Ion. Λίχης, Thuc. 5, 22, 50 etc., Xen. Comm. 1, 2, 61, H. Gr. 3, 2, 21. Vitiosam esse scripturam Λείχας, quam ex libris correxi ap. Xen., ostendit etiam metrum in ll. Soph., ubi prima corripitur. Λίχα βωμοὶ ap. Strab. 16, p. 774.] || Λίχας Hesychio est etiam ἀπότομος. [V. Λιχάζω.]

[Λιχὴν, ῆνος, ὁ, Impetigo. Æsch. Cho. 281: Λιχῆνας ἐξέσθοντας ἀρχαίαν φύσιν· Eum. 785, 815: Λιχὴν ἄφυλλος, ἄτεκνος. V. autem Λειχὴν, quæ verior forma est, si quid tribuendum loco Nicandri in illa cit. L. D. Leo phil. Consp. med. ed. Ermerins. p. 213, 12: Ὁ λιχὴν γίνεται ἐπὶ θερμῷ καὶ σεσηπότι αἵματι. Hase.]

[Λιχηνωτὸς, Impetigosus (Impetiginosus), Gl.]

[Λίχινδος, πόλις Σικελική. Φίλιστος Σικελικῶν τρίτῳ. Τὸ ἐθνικὸν Λιχινδῖνος, Steph. Byz. Λιχανδ— bis cod. Vratisl.]

Λιχμάζω et Λιχμάω, Lambo, Lingo, i. q. λείχω. [Eur. Bacch. 698: Καταστίκτους δορὰς ὄφεσι κατεζώ-

B σαντο λιχμῶσιν γένυν.] Oppian. Cyn. 3, [168]: Ὡς ἄρκτος λιχμῶσα φίλους ἀνεπλάσσατο παῖδας· sicut et Plin. scribit ursam informem carnem, quam parit, lambendo paulatim figurare, et Ælian.: Ἡ ἄρκτος τίκτει σάρκα ἄσημον, εἶτα τῇ γλώττῃ διαρθροῖ αὐτὴν, καὶ οἱονεὶ διαπλάττει. [Λιχμήσουσι, λείξουσι, Hesych. Forma epica participii Quint. 5, 40: Δράκοντες αἰνὸν λιχμώωντες· 6, 200.] Et Λιχμάομαι pro λιχμάω [Lambo, Gl.]. Idem eod. l. [163]: Λιχμᾶται γλώσσῃ τε φίλον γόνον, Lingua lambit caram sobolem. Aristoph. Vesp. [1033, Pac. 756]: Ἑκατὸν δὲ κύκλῳ κεφαλαὶ κολάκων οἰμωξομένων ἐλιχμῶντο Περὶ τὴν κεφαλὴν, de Cyne meretrice. [Ubi olim male ἐλιχνῶντο. Quod agnoscunt schol. et Hesych.] Ad quem l. alludens Plut. Pol. præc. [p. 807, A] de Cleone: Τοὺς μὲν φίλους ἀπήλασεν, ἑκατὸν δὲ κύκλῳ κεφαλαὶ κολάκων οἰμωζομένων ἐλιχμῶντο περὶ αὐτόν. [Theocr. 24, 20: Ἀλλ' ὅτε δὴ παίδων λιχμώμενοι ἐγγύθεν ἦλθον. Nicand. Al. 582. Diog. L. 8, 91: Ἐλιχμήσατο στολήν. Appian. Hisp. c. 96: Δέρματα ἕψοντες ἐλιχμῶντο· Mithrid. c. 38: Δέρματα καὶ βύρσας ἕψοντας

C καὶ λιχμωμένους τὸ γιγνόμενον ἐξ αὐτῶν. Et alibi.] Dracones quoque et serpentes dicuntur λιχμάζειν, quum sibila vibrantes ora lambunt. Hesiod. Sc. [234] de duobus draconibus, Ἐπικυρτώοντε κάρηνα. Λίχμαζον δ' ἄρα τώγε, μένει δ' ἐχάρασσον ὀδόντας· Virg. Æn. 2, itidem de duobus anguibus, Ardentesque oculos suffecti sanguine et igni Sibila lambebant linguis vibrantibus ora. Apud Eund. est partic. Λελειχμότες cum ει, [per sync. pro λελειχμακότες,] Theog. [826]: Ἐκ δέ οἱ ὤμων Ἦν ἑκατὸν κεφαλαὶ ὄφιος, δεινοῖο δράκοντος, Γλώσσῃσι δνοφεροῖσι λελειχμότες [—τος]. Hesych. λιχμάζειν exp. περιλείχειν τὸ ἴδιον στόμα. [Nicand. Th. 229: Γλώσσῃ λιχμάζων. Nonnus Dion. 44, 111: Γλῶσσα πέριξ λίχμαζεν ὑπήνην. Oppian. Hal. 2, 250: Ὃν πόδα λιχμάζουσιν. Imperf. freq. Mosch. 2, 94: Καί οἱ λιχμάζεσκε δέρην.]

[Λιγμαίνω, Lambo. Oppian. Cyn. 3, 174: Βόσιος χατέουσα πόδας χεῖράς τε λιγμαίνει· Hal. 2, 250, ubi plerique λιχμάζουσιν.]

Λιχμὰς, άδος, ἡ, Quæ lambitur, θρίναξ καὶ ἁπαλὴ

D πόα καὶ χαμαιπετὴς, ἣν τὰ ἑρπετὰ ἐπιλείχουσι, Hesych. [Primam interpr. pertinere ad Λιχμὰς ex iis quæ in Λιχμητήρ diximus intelligitur.]

[Λιχμάω. V. Λιχμάζω.]

Λιχμήρης, ὁ, ἡ, Exerta lingua os lambens. Nicand. Ther. [206], de ichneumone congrediente cum aspide: Τῆμος δ' ἠὲ κάρη λιχμήρεος ἑρπηστᾶο Σμερδαλέης ἔβρωξεν [ἔβρυξεν] ἐπάλμενος. [Al. 37: Ὕρακας λιχμήρεας.]

[Λιχνάζω, pro λιχμάζω, ponit Hesych. in gl.: Λιχνάζων, περιλείχων τὸ στόμα, ubi Λιχμάζων Musurus contra ordinem literarum.]

[Λιχνάομαι. V. Λιχμάζω. Ponitur etiam in Gl. Λιχνῶμαι, Ligurio.]

Λιχνεία, ἡ, Liguritio, Catillatio, [Ingluvies, huic add. Gl.] Gulositas, [Xen. Reip. Lac. 5, 4: Λιχνείας ἢ οἰνοφλυγίας, et plur. OEc. 1, 22, Plat. Reip. 7, p. 519, B.] Plut. Apophth. Lac. [p. 226, A] de Lycurgo catulos duos educante: Τὸν δὲ ἐκ τοῦ ἀμείνονος, περὶ λιχνείας μόνον ἤσκησε· paulo ante [p. 225, F]: Τὸν μὲν εἴθισε περὶ λιχνείας οἴκοι ἐᾶσαι; Ad catillationes assuefecit.

Assuefecit lingendis catillis. Lucian. [Tim. c. 55]: Ὅ, A τι περ λιχνείας καὶ ἀπληστίας ὄφελος, de avido quodam liguritore omnibus inhiante : de quo ibid. dicit, Καρύκης τὸ γένειον ἀνάπλεως, χυνηδὸν ἐμφορούμενος, ἐπικεκυφὼς, καθάπερ ἐν ταῖς λοπάσι τὴν ἀρετὴν εὑρήσειν προσδοκῶν, ἀκριβῶς τὰ τρύβλια τῷ λιχανῷ ἀποσμήχων, ὡς μηδὲ ὀλίγον τοῦ μυττωτοῦ καταλίποι· ubi aperte explicat quid sit λιχνεία. Athen. 8, τὰς Ἀρχεστράτου λιχνείας dicit, qui ὑπὸ φιληδονίας γῆν πᾶσαν καὶ θάλασσαν περιῆλθεν, ἀκριβῶς τὰ πρὸς γαστέρα ἐξετάσας, et librum edidit, quem Γαστρολογίαν inscripsit. [Id. p. 120 (?), περί τι. Synes. p. 44, A. WAKEF. Πύχνωσις interpretantur Photius et Suidas. « Figurate λιχνείᾳ πάσης πολυμαθίας, Theodor. Metoch. p. 464. » JACOBS.] || Λιχνεῖαι dicuntur etiam τὰ λιχνεύματα, Ea quæ avide abligurire s. catillare cupimus. Plut. Apophth. [p. 225, F], de catulo quodam ad λιχνείας assuefacto, Ἀγαγὼν εἰς τὴν ἐκκλησίαν, ἔθηκεν ἀκάνθας καὶ λιχνείας τινάς. [Sic et Nicol. Damasc. in eadem Lycurgi historia, p. 449, 15, 26. HEMST.]

Λίχνευμα, τὸ, Cupediæ s. Cupedia, Catillonum illi- B cia, Delicatæ dapes, et quibus avido palato inhiamus. Sophron ap. Athen. 3, [p. 86, E] : Γλυκύχρεων κογχύλιον χηρᾶν γυναικῶν λίχνευμα· paulo ante ex alio poeta, de ostreis : Τὰ κομψὰ δήπου ταῦτα νωγαλεύματα. Cujus generis sunt etiam χναύματα et περικόμματα et μυττωτά, Gratæ catillonibus cupediæ.

[Λίχνευσις, εως, ἡ, Cupiditas. Nicet. Chon. p. 155, D; 317, A; 324, B.]

Λιχνεύω, Ligurio, Catillo, Catillonem ago, More catillonis ligurio, et cupediis inhio. [Photio et] Suidæ λιχνεύουσα est λίχνως ζητοῦσα, Avide quærens. [Activum ponit etiam Hesych. Lucian. Piscat. c. 48 : Εἴληψαι λιχνεύων περὶ τὰς πέτρας. Plut. Comp. Demosth. cum Cic. c. 2 : Ἰσχύειν μὲν γὰρ διὰ λόγου τὸν πολιτευόμενον ἀναγκαῖον, ἀγαπᾶν δ' ἀγεννὲς καὶ λιχνεύειν τὴν ἀπὸ τοῦ λόγου δόξαν· Mor. p. 713, C : Τὸ δὲ μέλος καὶ τὸν ῥυθμὸν (δεῖ) ὥσπερ ὄψον ἐπὶ τῷ λόγῳ καὶ μὴ καθ' αὑτὰ προσφέρεσθαι μηδὲ λιχνεύειν.] Et Λιχνεύομαι pro λιχνεύω, [Ligurio, Gl.] Item Cupio, Avide cupio, λίχνως ζητῶ. Plut. [Mor. p. 347, A] de Thucydide : Ἀεὶ τῷ λόγῳ C ἁμιλλᾶται πρὸς τὴν τῶν ζωγράφων ἐνάργειαν, οἷον θεατὴν ποιῆσαι τὸν ἀκροατὴν, καὶ τὰ γινόμενα περὶ τοὺς δρῶντας ἐκπληκτικὰ καὶ ταρακτικὰ πάθη τοῖς ἀναγινώσκουσιν ἐνεργάσασθαι λιχνευόμενος. [Liban. vol. 4, p. 1069, 11 : Τῶν ὀφθαλμῶν λιχνευομένων εἰς ὅρασιν τὸ κάλλος εἰς τὴν ψυχὴν διωλίσθαινε. SCHNEID. Synes. p. 90, A : Ὅ τι ἕκαστος εἰδείη σοφὸν, περὶ ἅπαντα ἐλιχνεύετο. JACOBS. Eust. Op. p. 198, 61 : Θεὸς τοῖς λιχνευομένοις τὴν πρόγνωσιν ἀνεκάλυψε· 208, 39 : Ὁ τὰ θεῖα λιχνευόμενος· 312, 92 : Καὶ τοῦτο μὲν τοιοῦτον, ἵνα μὴ περὶ τὸ ἐφετὸν ἐπὶ πλέον ἔχω λιχνεύεσθαι· et absolute 313, 33.]

[Λιχνόβορος, ὁ, ἡ Vorax. Antiphilus Anth. Pal. 9, 86, 1, μῦς.]

[Λιχνόγραυς, αος, ἡ, Vorax s. Liguriens anus. Timo Phlias. ap. Diog. L. 7, 15 : Φοίνισσαν ἴδον λιχνόγραυν.]

Λίχνος, ὁ, ἡ, Liguritor, Qui cupediis ita est deditus ut lingat digitos s. catinos, Catillo, [Gulosus, Ligurius, Ligurio, Ganeo, huic add. Gl.] Cupes. [Gl. : Λεῖχνοι, Lurcones.] A Suida exp. ὁ προαπτόμενος τῶν ὄψεων : item λαίμαργος, i. e. Gulosus. V. et Hesych. D [qui præter interpretationes ab HSt. infra positas reddit etiam λιμβὸς, προαπτόμενος.] Plato De rep. 1, [p. 354, B] : Οἱ λ. τοῦ ἀεὶ παραφερομένου ἀπογεύονται ἁρπάζοντες πρὶν τοῦ προτέρου μετρίως ἀπολαῦσαι, Qui cupediis dediti sunt. [Xen. Comm. 1, 2, 2.] Et metaph. ap. [Plat. Reip. 9, p. 579, B : Λίχνῳ ὄντι αὐτῷ τὴν ψυχήν·] Gregor. : Τὴν ἔφεσιν λιχνοτέροις. Idem dixit ὄμματα λιχνὰ, Oculos libidinose cernentes, Bud. [Callim. fr. ap. Lucian. Amor. c. 49 : Κούροισιν ἔπ' ὄμματα λίχνα φέροντες. Ælian. ap. Suid. in Λίχνος. HEMST. Cinnamus p. 248, λ. ὀφθαλμόν τινι ἐπιρρίπτειν. KOENIG.] Plut. De lib. educ. [p. 3, A], loquens de duobus catellis, quos Lycurgus educarat, Τὸν μὲν ἀπέφηνε λίχνον καὶ σινάμορον, τὸν δὲ ἐξιχνεύειν καὶ θηρᾶν δυνατὸν, qui λίχνος ἐπὶ τὴν λοπάδα ὥρμησε. In Institutis autem Laced. dicit eum λίχνον hunc ἐθίσαι περὶ λιχνείας. Et ap. Athen. [3, p. 89, A] ex Apollodoro, Λιχνότερα τᾶν πορφυρᾶν, prov. in gulosos : quod alios ad colorem purpureum referre scribit, qui jucundo aspectu ad se oculos attrahat; alios ad purpuræ gulositatem : quæ opinio verior est; scribit enim Plin. 9, 37, eas avido hiatu conchas, quæ illis esca proponuntur, appetere. V. et Erasm. Prov. Purpura voracior. [Id. Athen. 4, p. 148, E : Τὰ περὶ τὴν τροφὴν λίχνοι. VALCK. Clem. Al. Pæd. 2, p. 169 : Τὴν λίχνου ζωήν. Superlat. Aristot. H. A. 8, 4 : Οἱ δ' ὄφεις καὶ λιχνότατοι τῶν ζῴων εἰσίν. Lucian. Jov. trag. c. 52. Etym. M. p. 515, 40.] Et τὸ λίχνον, pro ἡ λιχνεία, Cupedo, Gulositas. [De cibis Clem. Al. Pæd. p. 170 : Ἀφεκτέον τῶν λίχνων τούτων βρωμάτων.] || Ὀψοφάγος, λαίμαργος, ἐπιθυμῶν, πολυπραγμονῶν [ap. Hesych.], metaph. sumpta a catillonibus, qui avide quibuslibet patinis inhiant. [|| Improprie Eur. Hipp. 913 : Ἡ γὰρ ποθοῦσα πάντα καρδία κλύειν κἂν τοῖς κακοῖσι λίχνος οὖσ' ἁλίσκεται. Idem, ut visum est nonnullis, ap. Stob. Fl. vol. 3, p. 75 : Τό τ' ἄρσεν ἀεὶ τοῦ κεκρυμμένου λίχνον. De accentu barytono v. Arcad. p. 62, 7.]

|| Λίχνως, Gulose, Avide, Voraciter, More catillonum et liguritorum. [Orig. Contra Cels. p. 466, A : Λ. ἥδοντο. Id. ib. p. 740, A : Λ. μεταλαμβάνοντες παράνομον ἡδονήν. Basil. t. 1, p. 403, A : Λ. ἔχεις περὶ τὰ ἄνθη· et 830, B : Λ. ἐπτόηνται. Niceph. Mag. Vita Sym. Styl. Actt. SS. Maii t. 5, p. 352, 33 : Λ. τε περὶ τὴν ὄρεξιν ἔχον. HASE. Phot. v. Λιχνεύουσα.]

[Λιχνοτένθης, ὁ, Liguritor. Pollux 6, 122.]

[Λιχνότης, ητος, ἡ, Gulositas. Suidas : Τενθεία, σιναμωρία, λιχνότης, ex schol. Aristoph. Av. 1690.]

Λιχνοφιλάργυρος, ὁ, ἡ, Qui λίχνος quidem est, sed φειδωλός. Hesych. ex Philolai [Philyllii] Urbibus.

[Λιχνώδης, ὁ, ἡ, i. q. λίχνος, anon. ap. Suidam v. Σοβαρός. WAKEF. Jo. Clim. p. 13, 2 : Οὐ γὰρ πάντων τὰ κοινόβια, διὰ τὸ λιχνῶδες. HASE.]

[Λίχνως. V. Λίχνος.]

Λίχος, ους, τὸ, Condimentum delicatum, Gulæ et palati illicium, ut λίχνευμα. Pollux 6, [61] : Ἔλεγον δέ τι καὶ ἐπίπαστα λίχη [λείχειν], ἦν δὲ ἔτνος, καὶ ἐπιπάττοντες ἀλφίτων λεπτῶν καὶ ἐλαίου, ἤσθιον. [Delenda hæc.]

[Λίχω, voc. fictum a Tzetze Hist. 7, 268 : Ὀρταλίχους (λέγουσιν) ὡς λίχοντας ὀρούειν.]

Λὶψ, ἰβὸς, ἡ, Petra, unde aqua stillat : πέτρα, ἀφ' ἧς ὕδωρ στάζει, Hesych. [Idem : Ἄλιψ, πέτρα, quod Ἁ λὶψ scribebat Ruhnk.] Quo modo accipi potest locus ille, qui ex Epigr. [Anth. Pal. 9, 142, 3] citatur, Λίβα τήνδε μολόντες [ἀενάου πόματος]· ubi exp. λιβάδα, sicut Etymologo quoque λὶψ est λιβὰς, item [et Zonaræ p. 1309] ἧττα. [I. q. λιβὰς, Gutta. Æsch. Eum. 54 : Ἐξ ὀμμάτων λείβουσι δυσφιλῆ λίβα. Apoll. Rh. 4, 1454 : Μυῖαι ἀμφ' ὀλίγην μέλιτος γλυκεροῦ λίβα. De libatione Æsch. Cho. 292 : Φιλοσπόνδου λιβός· fr. Epig. ap. schol. Pind. Isthm. 6, 10 : Διὸς Σωτῆρος εὐκταίαν λίβα. Incerta signif. in fr. Heliad. ap. Athen. 10, p. 424, D : Ἀφθονεστέραν λίβα. || Hesychius interpr. etiam ἐπιθυμία, cui λιψουρία conferunt intt.]

Λὶψ, ἰβὸς, ὁ, [Africus, Carba, ventus, Gl.] venti nomen. Aristot. De mundo [c. 4] : Τῶν ζεφύρων λὶψ ἄνεμος, ὁ ἀπὸ τῆς χειμερινῆς δύσεως πνέων, Africus ex Favoniis spirat ab occasu brumali. [Conf. Meteor. 2, 6.] Gell. 2, 22 : Favonius, qui Græce vocatur ζέφυρος : is adversus Eurum flat. Tertius Africus, qui Græce vocatur λίψ : is adversus Vulturnum flat. Plin. 2, 47 : A meridie Auster, et ab occasu brumali Africus : νότον et λίβα nominant. Et 18, 34 : Ex adverso Aquilonis ab occasu brumali Africus flabit, quem Græci λίβα vocant. Ubi notandum, sicut νότος a νοτὶς dicitur denominatus, ita λίβα a λίβω, s. λὶψ aut λιβάς. [Conf. Strab. 1, p. 29. Herodot. 2, 25 : Ὅτε νότος καὶ ὁ λὶψ, ἀνέμων πολλὸν τῶν πάντων ὑετώτατοι. Theophr. fr. 5, 51; 6, 1, 20; 2, 11. Theocr. 9, 11 : Δαμαλᾶν, τάς μοι ἁπᾶσας λὶψ ... ἀπὸ σκοπιᾶς ἐτίναξεν. Lucian. Navig. c. 8 : Ἡλίκον ἀνίσταται κῦμα καὶ μάλιστα περὶ τὸν λίβα, ὁπόταν ἐπιλάβῃ καὶ τοῦ νότου. Plurali Polyb. 10, 10, 3, Diod. 3, 29, Strabo 16, p. 772. Ptolem. Math. comp. 8, vol. 2, p. 102, D : Σχηματισμὸς ὁ καλούμενος μεσημβρινὸς λὶψ, ὅταν τοῦ ἡλίου ἐπὶ τοῦ μεσημβρινοῦ ὄντος ὁ ἀστὴρ ᾖ ἐπὶ τοῦ πρὸς δυσμὰς ὁρίζοντος· 103, D : Σχ. ὁ καλούμενος ὀψινὸς λὶψ, ὅταν ὁ ἀστὴρ σὺν τῷ ἡλίῳ ἐπὶ τοῦ πρὸς δυσμὰς ὁρίζοντος γίνηται. L. D. Creberrime memoratur in papyris Ægyptiis ad indicandum loco.

rum situm, opponiturque ἀπηλιώτῃ, quasi sit ipse Favonius, qui spirat ab occasu æquinoctiali. Peyron. Papyr. Gr. mus. Taur. part. 2, p. 63, 3; *Pap. di Zoide* p. 6, 11, et alibi. Interdum quoque conjungitur cum aliis ventorum nominibus, ad cœli regionem intermediam significandam. Peyron. Pap. Taur. part. 1, p. 26, 27 : Οἰκίαν, ἥ ἐστιν ἐκ τοῦ ἀπὸ νότου καὶ λιβὸς (μέρους) τῆς Διοσπόλεως, In parte austro-occidentali. A nautis tamen Græcis ventus flans ex regione quæ est inter meridiem et occasum, hodieque vocatur λίβας. Favonium, si recte intellexi, Italica voce dicunt πονέντε. Hase.]

[Λιψοπροτόνοις, τὰ ἄρμενα τοῖς σχοινίοις τὰς ἐξ αἵματος καθαρσίας, gl. obscura Hesychii. Λειψοπροστόνοις Cyrillus.]

[Λιψουρία, ἡ, Urinandi libido. Æsch. Cho. 756.]

Λιψύδριον, Locus quidam ἄνυδρος, ex re sic dictus. [Supra rectius Λειψύδριον.]

[Λίω verbum ponit Arcad. p. 164, 27, fictum a grammaticis, ut Etym. M., ad explicanda tempora verbi λιάζω, quod v.]

[Λιώδης, λιθόλευστος, Lapidatus, Hesychio.]

[Λιωργός. V. Λεωργός.]

Λόβαι, Hesych. αἱ χεῖρες.

Λόβιον, τὸ, pro ipso primitivo λοβός : h. e. Gibba hepatis pars, quam Fibram nonnulli vocitant. Hesychio τὸ ἄκρον τοῦ ἥπατος. [Fructus smilacis, Diosc. 2, 176. « Nicolaus Myrepsus 4, 44 : Ὥσπερ κηπαία σμῖλαξ, ἣν καὶ λόβια καλοῦμεν. Aetius 19, 25. » Ducang. in Gl. et Append. Λόβια, Fasiolia, Fasioli, Gl.]

Λοβός, ὁ, Ima auris pars et carnosa, quam Gaza interpr. Fibram ap. Aristot. H. A. 1, 11. [Sic etiam Gl. et Pinnula, et Λοβὸς ὠτίου, Lamna, Lana. Pollux 2, 85.] Hesych. et Suid. scribunt λοβοὺς vocari τὰ ἄκρα πάντα, proprie vero τῶν ὤτων τὰ κάτω : unde λώβην facta ἐκτάσει dici τὴν διὰ τῶν ὤτων τιμωρίαν, et λωβὸν eum qui sic mutilatus sit. Hom. Il. Ξ, [182] : Ἐν δ' ἄρα ἕρματα ἧκεν ἐϋτρήτοισι λοβοῖσι Τρίγληνα μορόεντα [conf. H. in Ven. 8. Lycophr. 1401 : Ἐξ ἄκρων λοβῶν φθέρσας κύφελλα. Lucian. Amor. c. 41 : Λίθους Ἐρυθραίους κατὰ τῶν λοβῶν ἠρτημένους]· quæ ἕρματα propterea dicuntur ἐλλόβια. Suid. et idem Hesych. scribunt λοβοὺς ἐν τῇ θυτικῇ nominari etiam σημεῖόν τι ἐν τῷ ἥπατι : h. e., Extremas hepatis partes quas extispices considerare solebant in viscerum inspectione. [Æsch. Prom. 495 : Χολῆς λοβοῦ τε ποικίλην εὐμορφίαν· Eum. 158 : Ὑπὸ φρένας, ὑπὸ λοβόν. Eur. El. 827 : Λοβὸς μὲν οὐ προσῆν σπλάγχνοις. Plato Tim. p. 71, C; Aret. p. 20, 38, 41.] Sic λοβὸς ἥπατος [Fibra, Gl.] dicitur a [Nicandro Th. 560 et] Gregorio : et a Luciano [Lexiph. c. 6] : Λοβὸς ἐκ ταγήνου. [Gl. : Λοβὸς καρδίας, Fibra; Λοβοὶ τῶν σπλάγχνων, Lactes. Λοβοὶ ἡπατίαι et πνευμονίαι ap. Poll. 2, 215.] Præterea λοβὸς dicitur τὸ ἀγγεῖον τοῦ ἐρεβίνθου, τοῦ κυάμου, et similium seminum : h. e., Siliqua s. Folliculus quo semen veluti vagina clauditur. Frequens in hac signif. ap. Theophr., ap. quem hinc ἔλλοβα et ἐλλοβοσπέρματα et πολύλοβα nominantur. [V. index Schneideri.] Denique λοβοὶ et φασήολοι s. φάσηλοι dicuntur quos antiqui, Hippocrates et Diocles, δολιχοὺς appellarunt, Dolichi s. Phaseli, inquit Galen. De facult. aliment. 1, 28. Ubi etiam hæc subjungit : Theophrastus, inquit, λοβοὺς nominat τὰ περιέχοντα τὸ σπέρμα τῶν τοιούτων ὀσπρίων, ut sunt φακὸς, ὄροβος, πισὸς, κύαμος, θέρμος : quemadmodum enim frumentacea semina spicis continentur, ita hæc λοβοῖς, siliquis s. folliculis. Et τοὺς δολιχοὺς etiam ipsos οἱ λοβοὶ περιέχουσι : quam ob rem arbitror fructum totum ab hujus temporis hominibus appellari λοβοὺς, ut ἀστάχυας ὅλους τοὺς σιτηροὺς καρποὺς. Item Aetius 1 in serie τοῦ Δ, Qui nunc, inquit, ab omnibus nominantur λοβοὶ, ab antiquis vocabantur δόλιχοι et φασίολοι : præ ceteris vero λοβοὶ appellantur, quoniam τούτων μόνον ἐν τοῖς ἔχουσιν ἀμφίεσμα λοβοὺς, ὅλος ὁ καρπὸς ἐσθίεται ὡς ἐπιτοπολύ : plerumque enim et fructus et folliculus ipsius una cocti comeduntur, non item alia legumina. [Λοβοὶ etiam significant ap. Galen. l. 4 Κατὰ τόπ. p. 211, 50; 215, 24, rosarum candidas in foliis partes, quas ungues et ὄνυχας vocant. Quibus detractis ὠνυχισμέναι et ἐξωνυχισμέναι rosæ dicuntur ib. p. 215, 37, quod χωρὶς

A τῶν λοβῶν dixit Galen. Foes. Œc. Hipp. Gl. : Λοβὸς ὀσπρίου, Siliqua, eademque cum interpr. λοβὸς τῶν χεδρόπων, et Λοβοὶ, Valvuli. Nicand. Th. 536 : Πολλάκι δ' αὖ καὶ σπέρμα, τότε λοβὸς ἀμφὶς ἀέξει. Julian. Or. 5, p. 175, C : Ἐνί τινες κέχρηνται σπέρματι τοῖς λοβοῖς, οὐ σπέρμα μᾶλλον ἢ λάχανον αὐτὸ νομίζοντες εἶναι. Scripturam per β significatione Folliculi, qua dicitur etiam λοπὸς, injuria suspectam habuit Pierson. ad Mœr. p. 243. De accentu acuto v. Arcad. p. 46, 1.]

[Λοβόω, In λοβοὺς divido. Nicet. Annal. 21, 3, ὄφις εἰς ὁλκοὺς λοβούμενος. Schneid. Georg. Pis. Hex. v. 1575, Σφίγμα σαρκὸς γίνεται λωβουμένης, in λοβουμένης mutare volebat Salmas. Confut. animadv. Ant. Cercoetii p. 80. Hase.]

[Λοβρίνη, ἡ, cognomen Rheæ ap. Nicand. Al. 8 : Ῥείης Λοβρίνης. Schol. : Εἰσὶ δὲ τὰ Λόβρινα ὄρη Φρυγίας ἢ τόπος Κυζίκου· δύο γὰρ ὄρη εἰσὶν ἐν Κυζίκῳ Δίνδυμον καὶ Λόκρινον (sic). Al. : Λοβρίνης· οὕτω καλεῖται ἡ Ῥέα ἀπὸ τοῦ ὄρους τῆς Κυζίκου, ὃ καλεῖται Λοβρίνιον (—ινον ?), ὅπου (ὅπερ al.) ἱερόν ἐστι τῆς Ῥέας. ι]

B Λοβώδης, ὁ, ἡ, Siliquæ s. Folliculo similis, Siliquaceus.

[Λόβων, ωνος, ὁ, Lobo, n. Argivi, scriptoris περὶ ποιητῶν, Diog. L. 1, 112. Boiss.]

Λογάδην, Lecte, Electe, ἐπιλέκτως. [De militibus selectis cum ἀριστίνδην et κρατιστίνδην ponit Pollux 1, 176. Λ. ἀθροίζειν ponit idem 6, 175.] Thuc. 4, [31] : Ἔρυμα αὐτόθι ἦν παλαιὸν, λίθων λ. πεποιημένον, Ex lapidibus selectis [potius Collectis, Collectitiis. Schæf. ad Dionys. H. De comp. vv. p. 295]. Et 6, [66] : Ἔρυμά τε, ᾗ εὐεφοδώτατον ἦν τοῖς πολεμίοις, λίθοις λ. καὶ ξύλοις διαταχέως ὤρθωσαν. Id. [4, 4] : Λ. φέροντες λίθους, Lectos lapides comportantes. [Plut. Oth. c. 6 : Τὴν γυναῖκα παρέπεμπον αὐτῷ λ. ἱππεῖς. L. D. Joseph. A. J. 4, 8, 5 : Βωμὸς εἷς ἐκ λίθων μὴ κατειργασμένων, ἀλλὰ λ. συγκειμένων. || Prosa oratione. Hadrian. Isag. p. 27. Hase. ἄ]

[Λογαδικὸς, ἡ, ὸν, Selectus. Eust. Opusc. p. 205, 41 : Ἐπεποίθει μὲν γὰρ καὶ τῇ λογαδικῇ τάξει, ὅση τε ὑπ' αὐτῷ ἀλείπτῃ εὖ μάλα τὰ θεῖα ἠσκήσατο κτλ. 207,

C 25 : Ἔστιν ἀναλέξασθαι λογαδικοὺς ἄνδρας.]

[Λογάδιον, τὸ, Species medicamenti. In cod. Reg. 2686 in collectione medicamentorum ab Euphemio Siculo et Philippo Xero confectorum fol. 457 : Ἀπὸ φωνῆς Φιλίππου ἰατροῦ τοῦ Ξηροῦ σύνθεσις λογαδίου. Ex Ducang. Gl. Append. p. 121. « Theoph. Nonn. De cur. morb. p. 150, 3 ed. Bern. Id. ib. p. 52, 7 : Τὴν ἱερὰν διδόναι τοῦ λογαδίου, Potionem sic nominatam. » Hase. Quod in Gl. scribitur : Λογάδιον, Ratiuncula, ex Λογάριον depravatum videtur.]

[Λογαῖος, α, ον, i. q. λογάς. Ibycus Strabonis 1, p. 58, λίθος.]

[Λογάνιον, quod sine interpr. ponit Suidas, ex alio voc. depravatum videtur.]

[Λογᾰοιδικὸς, ἡ, όν. Hephæst. p. 43 : Ἔστι δέ τινα καὶ λογαοιδικὰ καλούμενα δακτυλικὰ, ἅπερ ἐν μὲν ταῖς ἄλλαις χώραις δακτύλους ἔχει· τελευταίαν δὲ τροχαϊκὴν συζυγίαν· ἔστι δ' αὐτῶν ἐπισημότατα, τό τε πρὸς δύο δακτύλοις ἔχον τροχαϊκὴν συζυγίαν, καλούμενον δὲ Ἀλκαϊκὸν δεκασύλλαβον· « Καί τις ἐπ' ἐσχατίαισιν οἰκεῖς· » καὶ τὸ

D πρὸς τρισὶ, καλούμενον Πραξίλλειον, « Ὦ διὰ τῶν θυρίδων καλὸν ἐμβλέποισα, παρθένε, τὰν κεφαλὰν, τὰ δ' ἔνερθε νύμφα. » Schol. : Λογαοιδικὰ ταῦτα καλεῖται, ὅτι ὁ μὲν δάκτυλος ἀοιδὸς μᾶλλον ἐπιτήδειος, ὁ δὲ τροχαῖος λογογράφοις. Λογαοιδικὸν οὖν καλεῖται τὸ μέτρον ὡς ἐκ δακτύλου καὶ τροχαίου συγκείμενον, ἀοιδικὸν μὲν διὰ τὸν δάκτυλον, ἐπειδὴ εὔρυθμος· λογικὸν δὲ διὰ τὸν τροχαῖον. Διὸ καὶ οἱ παλαιοὶ κέχρηνται αὐτῷ, ὅτι θέλουσι τρέχειν λόγον· τοιαύτη δὲ ἡ ῥητορικὴ καταλογάδην οὖσα. V. et p. 49 : Ὥσπερ δὲ ἐν τῷ δακτυλικῷ ἦν τι λογαοιδικὸν, οὕτω κἂν τοῖς ἀναπαιστικοῖς τὸ εἰς βακχεῖον περαιούμενον. Schol. p. 176 : Τὸ δακτυλικὸν βαίνεται μὲν κατὰ μονοποδίαν, αὔξεται δὲ μέχρι ποδῶν ἓξ· ἔχει δὲ διαφορὰς τρεῖς· τὸ μὲν γὰρ αὐτοῦ ἐστὶ κοινὸν, τὸ δὲ Αἰολικὸν, τὸ δὲ λογαοιδικόν. Aristid. Quintil. De musica p. 194 Gaisf. : Πάλιν τὰ μὲν αὐτῶν ἐξ ὁλοκλήρων ἄρχεται τῶν ποδῶν, ὧν τὰς ἐπωνυμίας ἔχει, τὰ δὲ ἐξ ἐλαττόνων, ὡς τὰ λογαοιδικά· 196 : Τινὲς δὲ κἂν ταῖς πρώταις χώραις μόναις ἀμείβοντες τὸν δάκτυλον, καὶ τοὺς ἀνισοχρόνους αὐτῶν δισυλλάβων τίθενται, ποιοῦσι τὰ καλούμενα λογαοιδικά. Schol. Eurip. Or. 1381 : Τὸ ιε' ὅμοιον ἐφθημιμερὲς, ὃ καλεῖται λογαοιδικὸν, διὰ τὸ ἔχειν ἐπὶ τῷ τέλει τροχαϊκὴν συζυγίαν. Angl. Ap. Diog. L. 4, 65, exstant versus scripti τῷ λογαοιδικῷ καὶ Ἀρχεβουλείῳ μέτρῳ. Hase.]

Λογαριάζω, i. q. λογίζομαι, Rationem ineo, Computo, ap. Moschop. [Eust. in Dionys. P. 907; scholl. Soph. Aj. 451, Aristoph. Pl. 381, et al. ap. Ducang.]

Λογαριασμὸς, ὁ, [Computatio. Schol. Lucian. Catapl. c. 4. Alia exx. v. ap. Ducang.]

Λογαριαστὴς, ὁ, i. q. λογισμὸς et λογιστὴς, Computatio et Computator, ap. eund. Moschop. [Lex. ms. cod. Reg. 1078 : Λογιστὴς, ὁ λογαριαστής. Aliique plures ap. Ducang.]

[Λογάριον. V. Λογίδιον. Conf. Λογάδιον.]

Λογὰς, άδος, ὁ, ἡ, Delectus, Selectus, Electus [Gl.], i. q. ἐκλεκτὸς, ἐπίλεκτος. Est autem masculini et fem. generis, sicut ἐθὰς, quum hujus terminationis verbalia soleant esse tantum feminina. Plerumque vero plurali numero effertur. Exempla ex Euripide, Pausania et Basil. habes ap. Bud. initio p. 184. Herodot. 1, [36, 43] dicit λογάδας νεηνίας, Delectos adolescentes. Plerumque λογάδες absolute ponitur pro λογάδες νεανίαι aut στρατιῶται. [Eur. Andr. 324 : Στρατηγῶν λογάσιν Ἑλλήνων. Addito νεανίαι Hec. 544. Herodot. 8, 124 : Τριηκόσιοι Σπαρτιητέων λογάδες· 9, 21, 63.] Thuc. 5, [67] : Ἀργείων οἱ χίλιοι λογάδες, οἷς ἡ πόλις ἐκ πολλοῦ ἄσκησιν τῶν ἐς τὸν πόλεμον δημοσίᾳ παρεῖχε· et p. 185 [c. 60] : Λογάδες ἀφ' ἑκάστων ἀξιόμαχοι δοκοῦντες εἶναι· 6, p. 231 [c. 100] : Τριακοσίους μὲν σφῶν αὐτῶν λογάδας, καὶ τῶν ψιλῶν τινὰς ἐκλεκτοὺς ὡπλισμένους. Herodian. modo cum ἐπίλεκτοι copulat λογάδες, modo ἐπίλεκτοι λογάδες dicit [8, 5, 11] : Σὺν ἐπιλέκτοις καὶ λογάσιν ἀπ' Ἰταλίας πάσης ἀνδράσιν· et [6, 11] : Τοὺς ἀπὸ Ῥώμης ἐπιλέκτους καὶ τοὺς ἀπὸ τῆς Ἰταλίας λογάδας ἤθροιζεν, Delectos milites : 2, [13, 21] : Προὔπεμψε λογάδας ἐπιλέκτους, Electissimos quosque milites. [Non de militibus Menander De encom. p. 255, 24 : Ἄνδρας λογάδας σοφίας καὶ ἀρετῆς τροφίμους. L. D. Gregor. Nyss. vol. 2, p. 225, D : Ἀνδρὸς λογάδος καὶ ὀνομαστοῦ. Hemst. Cyrill. Adv. Julian. p. 28, D : Πλούταρχός τε καὶ ἕτεροι τῶν παρ' αὐτοῖς λογάδων. Eust. Opusc. p. 43, 57; 78, 93, et alibi.] Item λογάδες λίθοι, Selecti lapides, οἱ ἐπίλεκτοι καὶ οὐχ οἱ ἐπιτυχόντες, Thuc. schol. [ad 6, 66], dicens sic ap. eum accipi l. 4, [c. 4 et 31. Eust. Opusc. p. 170, 71, Od. p. 1851, 35]. Et Epigr. [Archiæ Anth. Pal. 15, 51, 6] fem. gen. λογάδα στρατιὴν, Delectum exercitum. [Absolute Eust. Opusc. p. 14, 75 : Ὁμοίαν λογάδα καὶ ὁμάδα συστήσασθαι· 239, 61 : Σὺν ἐμοὶ λογὰς ἱερωτάτη ἐκεῖσε καὶ λοιπὸς δὲ μυρίος ὅσος ὅμιλος· 272, 96. || « Λογάδες φωναὶ, vel λέξεις, Voces lectæ, elegantes, et veluti propriæ oratori, qui etiam in singulis vocabulis delectum adhibere debet. Photius inprimis in scriptorum veterum censuris hac voce utitur : conf. cod. 265. Deinde et λογάδες dicti sunt eloquentes, ut ap. Himer. Orat. 14, 16, et 23, 4; v. ad priorem locum quæ notavit Wernsdorf. p. 637. » Ernest. Lex. rhet.] || Λογάδες dicuntur etiam Oculi, οἱ ὀφθαλμοὶ, Suid., ex Epigr. [Paulli Sil. Anth. Pal. 5, 270, 6] citans, Ἰνδώη δ' ὑάκινθος ἔχει χάριν αἴθοπος αἴγλης, Ἀλλὰ τεῶν λογάδων πουλύ γ' ἀφαυροτέρην. Nicandri autem schol. λογάδας esse dicit τὰ λευκὰ τῶν ὀφθαλμῶν, Album in oculo, Ther. 291, in descriptione hæmorrhoi serpentis : Τοῦ μὲν ὑπὲρ νιφόεντα κεράατα διοιὰ μετώπῳ Ἔγκειται· πάρνοψι φάη λογάδας τε προσεικής. [Pollux 2, 70 : Τὸ μετὰ τὴν κόρην λευκὸν ἅπαν σφενδόνη καὶ λογάς. HSt. in Ind. :] Λογχὰς ex Etym. affertur pro Albugo oculi, Album in oculo. Sed simul annotatur, scribi etiam λογάς. Hesych. sane λογάδας quibusdam esse dicit τὰ λευκὰ τῶν ὀφθαλμῶν, quibusdam τοὺς ξανθοὺς, quibusdam τὰς ὄψεις, quibusdam etiam τὰς λευκὰς ψήφους. [Etym. M. p. 572, 36 : Λογχάδες, τὰ ἐπὶ τῶν ὀφθαλμῶν λευκά. Καλλίμαχος, « Ὅστις ἀλιτροὺς αὐγάζειν καθαραῖς οὐ δύναται λοχάσιν. » Εἴρηται δὲ οἷον λοχάδες, ἐν αἷς αἱ κόραι λοχῶσι καὶ οἷον λέχος εἰσὶν αὐταῖς, ἢ οἷον λευκάδες κατὰ συγγένειαν τοῦ χ πρὸς τὸ γ, ἢ ὅτι λοξοῦνται ἐν τῷ βλέπειν κατὰ τὰς ἐπιστροφάς. Σώφρων ἐν Θυνοθήραις « Λοξῶν τὰς λογχάδας ». Οὕτω Σωρανός. Meletius Cram. An. vol. 3, p. 69, 5 : Ὁ ἐπιπεφυκὼς δὲ χιτὼν λογάδες καλεῖται παρὰ τῷ ποιητῇ· Λοξῶν, φησὶ, τὰς λογάδας (al. cod. λαγάδας). Ὁ δὲ Καλλίμαχος (sequitur fr. Callimachi in quo λαγάσι idem codex vitiose). Λοιάδες, αἱ κόραι τῶν ὀφθαλμῶν, vitiose Theognost. Can. p. 22, 6.]

Λογάω, q. d. Dicturio, Dicere s. Fari et disserere cupio, verbum fictum ad formam desiderativorum, ut τομάω, κουριάω. Lucian. [Lexiph. c. 15] : Ἀλογίαν ἡμῖν ἐπιτάττεις, ὡς ἀστόμοις οὖσι καὶ ἀπεγλωττισμένοις· ἐμοὶ δὲ ἡ γλῶττά τε ἤδη λογᾷ, καὶ δὴ ἀνηγόμην γε ὡς ἀρχαιολογήσων ὑμῖν.

[Λόγβασις, ιος, ὁ, Logbasis, n. viri Selgensis ap. Polyb. 5, 74 seq.]

[Λογγάζω.] Λογγάζει, Hesych. ὀκνεῖ, διατρίβει, Pigratur, Tempus terit : afferens itidem λογγάσαι pro ἐνδιατρίψαι et στραγγεύεσθαι, Prolongare tempus. [Photius : Λογγάσω, στραγγεύσομαι· ὃ ἡμεῖς λαγγάσω καὶ λαγγανεύσω λέγομεν. Phrynichus Bekk. p. 50, 33 : Λογγάζειν, τὸ διαδιδράσκειν τὸ ἔργον, προφασιζόμενόν τινα πρόφασιν· καὶ τοῦτο Ἀριστοφάνης τίθησιν ἐπὶ ἵππων προσποιούμενος (—ποιουμένων) χωλεύειν. Pollux 9, 136 : Φαῦλον τὸ λογγάζειν ἐν τοῖς Κήρυξι τοῖς Αἰσχύλου. V. Λαγγάζω.]

[Λογγανὸς, ὁ, Longanus, fl. Siciliæ, per Mylæum campum currens. Polyb. 1, 9, 7. Λοίτανος ap. Diodor. Exc. p. 499, 20. V. Λόγγη.]

[Λογγασία, ἡ.] Hesychius λογγασίην innuit esse νηὸς καὶ ἱστίου ἔρεισμα [Fulcrum navis et veli]. Λογγασία Hesychio sunt ἐξ ὧν τὰ πρυμνήσια δέουσι τῶν νεῶν. [V. Λογγών. Rationem horum vocc. ab verbo λογγάζω repetitam reddere conatur Hemsterh. ad Poll. 9, 136. Ac Photius post verba in Λογγάζω posita addit : Αἰσχύλος δὲ ἐξ ὧν τὰ ἀπόγεια δοῦσιν Λογγάσια. V. etiam Λόγγη.]

[Λογγᾶτις, ιδος, ἡ, cogn. Minervæ ap. Lycophr. 520, 1032. Schol. ad l. priorem : Λογγᾶτις (τιμᾶται παρὰ Βοιωτοῖς)· Λογγὰς γὰρ χωρίον Βοιωτίας.]

[Λογγεύω.] Λογγεύειν, Hesychio βάπτειν, Tingere, Mergere. [Θάπτειν, Sepelire, Kuster. et alii. Hesych. infra : Λοιτεύειν, θάπτειν. Quod verum esse in ipso dicetur.]

Λόγγη, ἡ, Hesychio τάφος, Sepulcrum, Bustum. [Verum est λοίτη, quod v.]

[Λογγίβαρδοι s. Λογγόβαρδοι, οἱ, et Λογγιβαρδία, s. Λογγοβαρδία, ἡ, de Longobardis eorumque terra post Ptolem. 2, 11, sæpe Agathias aliique Byzantini, Λογγίβαρδοι Tzetzes Hist. 6, 683. Supra Λαγγόβαρδοι.]

[Λόγγουρος, ap. Lycophr. 868 : Ἀλεντία κρείουσα Λογγούρου μυχῶν, ubi al. Λογγάρου, Λογγόρου, Λογγύρου, Λογκούρου, sec. schol. est λίμνη Σικελίας.]

Λογγὼν, ῶνος, ὁ, i. q. λογγασία, s. λογγασίη [quod v.]. Vocantur λογγῶνες, οἱ ἐπὶ τῶν λιμένων τρητοὶ λίθοι, οὓς τρυπῶσιν, ἵν' ἐξαρτῶσιν ἐξ αὐτῶν τὰ σχοινία τῶν νεῶν, inquit Etym. et Lex. meum vet. : sed addit ille, hosce λογγῶνας dictos fuisse etiam λογγάσια. Sunt igitur Lapides in portu pertusi, in eum finem ut per eorum foramina trajectis funibus puppis religari queat : quem usum hodie annuli in portubus præbent. [Vitiose Suidas : Λογγῶνος, τοῦ λιθοχλιμένος. V. etiam proximum voc.]

[Λογγώνη, ἡ, Σικελίας πόλις. Ὁ πολίτης Λογγωναῖος. Φίλιστος δεκάτῳ, Steph. Byz. Annotat Holstenius locum Diodori Exc. p. 508, 70 : Εἰς δὲ τὸν Λόγγωνα Κατάνης φρούριον ὑπῆρχε καλούμενον Ἰτάλιον. Quod eclogarii commentum videtur, qui quum scriptum vidisset Λόγγωνι pro Λογγώνῃ, hinc fixit Λόγγων, ut urbem Ἐντελλῖναν ex gentili Ἐντελλῖνος et alia similia. In Etym. M. tamen p. 569, 41, est : Λογγὼν) ἐν Συρακούσαις λιμένες εἰσὶ διττοὶ λογχῶνες (sic)· λογγῶνες δὲ καλοῦνται οἱ ἐπὶ et cetera quæ v. in Λογγών. Gud. p. 372, 18 : Λογγῶνες, ἐν Σ. λ. εἰσὶ διττοί· λογγῶνες δὲ κτλ.]

[Λογεία, ἡ, Collecta. Papyrus Ægypt. ap. Forshall. *Descr. of the Greek Papyri in the British Mus.* part. 1, p. 2, 7 : Ηὐδόκησάς με τῆς τιμῆς τοῦ ἡμίσους τοῦ τρίτου λογείας τῶν κειμένων νεκρῶν κτλ. V. Λογεύω, Λογία. L. D. Peyron. Pap. Gr. mus. Taur. part. 2, p. 58, 6. Hase.]

Λογεῖον, τὸ, locus quidam theatri, Etym., Lex. meum vet. [Pollux 4, 123]. Pulpitum in scena, super quo stantes histriones fabulam recitant. Vitruv. 5, 8 : Ita tribus centris ampliorem habent orchestram Græci, et scenam recessiorem, minoreque latitudine pulpitum, quod λογεῖον appellant; ideoque apud eos tragici et comici actores in scena peragunt. Et mox,

Ejus logei altitudo non minus debet esse pedum decem, non plus duodecim. Id. Hesych. λόγιον appellat. [Quod λογεῖον scribendum, ut ap. Synesium p. 28, A: Ἐν τῷ λογίῳ ἀποδοῦναι καὶ σχεδιάσαι τέχνην θέας ἀξίαν. Ap. Timæum Lex. p. 191 : Λέγει γοῦν τις, λόγιόν ἐστι πῆξις ἐστορεσμένη ξύλων, Ruhnk. scribendum animadvertit λογεῖον. Gl. : Λόγιον τὸ τοῦ θεάτρου, Pulpitum. Phrynich. Ecl. p. 163 : Ἔνθα μὲν κωμῳδοὶ καὶ τραγῳδοὶ ἀγωνίζονται, λογεῖον ἐρεῖς, ἔνθα δὲ οἱ αὐληταὶ καὶ οἱ χοροὶ, ὀρχήστραν. Plut. Thes. c. 16 : Οἱ τραγικοὶ πολλὴν ἀπὸ τοῦ λογείου καὶ τῆς σκηνῆς ἀδοξίαν αὐτοῦ κατεσκέδασαν· Dem. c. 34 : Ὅπλοις μὲν συνέφραξε τὴν σκηνὴν καὶ δορυφόροις τὸ λογεῖον περιέλαβεν· Mor. p. 823, B : Μικρὸν ἡμέρας μέρος ἐπὶ τοῦ βήματος ἢ τοῦ λογείου πολιτευόμενος.] Suidæ autem λογεῖον est δικαστήριον, Locus in quo causæ dicuntur, oratores dicunt, causas peragunt. || Moschopulo διδασκαλεῖον, Locus in quo περὶ τοὺς λόγους διατρίβουσι. || Os, quoniam per id ὁ λόγος, Sermo, prodit. Pollux 2, [98] : Τὸ δὲ ἔνδον τῶν χειλέων, στόμα, ὥσπερ καὶ ἡ τῶν χειλέων τομή· ὑπὸ δὲ ἐνίων καὶ λογεῖον κέκληται μάσταξ. || In sacris autem Literis dicitur τὸ μάντευμα, ὅπερ ἐφόρει ὁ ἱερεὺς, ἐν ᾧ ἦσαν ἐγκεχολαμμένοι οἱ ιβʹ λίθοι, Suid. Exod. 28, [26] : Καὶ ἐπιθήσεις ἐπὶ τὸ λ. τῆς κρίσεως τὴν δήλωσιν καὶ τὴν ἀλήθειαν· καὶ ἔσται ἐπὶ τοῦ στήθους Ἀαρὼν, ὅταν εἰσπορεύεται εἰς τὸ ἅγιον· ubi vet. versio interpr. Rationale : nova autem, Pectorale. Id autem pectorale sacerdotis, in quo duodecim lapides nomina filiorum Israel inscripta habentes, λογεῖον dictum fuit, quod Dei responsa per id pectorale quærerentur, s. quod Deus per sacerdotem ornatu pectoralis indutum responsa sua daret, ut ex Hebræorum etiam Rabbinorum auctoritate traditur. In eo autem cap. semel scribitur λόγιον, sicut et ap. Philon. [Apud hunc aliter hodie vol. 2, p. 226, 13 : Σύμπας δ' ὁ τόπος καλεῖται λογεῖον ἐτύμως, ἐπειδὴ κτλ. Sed Joseph. A. J. 3, 7, 5 : Ἐσσήνης μὲν καλεῖται· σημαίνει δὲ τοῦτο κατὰ τὴν Ἑλλήνων γλῶτταν λόγιον. Contra ead. ed. Haverc. Aristeas De leg. tr. p. 113, 13 : Λογεῖον. It. Greg. Nyss. t. 2, p. 926, C : Τὸν ἐπὶ τοῦ στήθους κόσμον, ᾧ ὄνομα λογεῖόν τε, καὶ δήλωσις, καὶ ἀλήθεια. Hase.] || Etymologistæ εἶδος κρατῆρος, sicut λόγιον Hesychio.

Λογέμπορος, ὁ, Qui verborum mercaturam exercet, verba vendit. De sophistis dictum, VV. LL. [Artemid. 2, 70, p. 258. Schol. Eur. Hipp. 950 Matth. : Ἐν λόγοις ἐμπορεύου, καθάπερ οἱ λεγόμενοι λογέμποροι. Wakef. Accentum paroxytonon λογεμπόρος testatur et miratur Eust. Il. p. 463, 40, Od. p. 1447, 47.]

Λογεύς, έως, ὁ λογογράφος, VV. LL. [Sic interpretatur Lex. cod. Paris. 2720 ap. Bast. ad Greg. Cor. p. 893. Schol. Dionys. Bekk. An. p. 658, 15 : Γραμματική ἐστι τέχνη θεωρητικὴ τῶν παρὰ ποιηταῖς τε καὶ λογεῦσι· λογεῖς δὲ λέγουσι τοὺς ἱστορικοὺς καὶ φιλοσόφους καὶ ἰατροὺς καὶ ὅσους ἐν τῷ χορῷ τῶν λογίων τιθέναι δίκαιον. Ib. p. 667, 24, 32. De oratore Plut. Mor. p. 813, A : Ἰφικράτης μελέτας λόγων ποιούμενος ἐν οἴκῳ πολλῶν παρόντων ἐχλευάζετο· καὶ γὰρ εἰ λογεὺς ἀγαθὸς, ἀλλὰ μὴ φαῦλος ἦν, ἔδει τὴν ἐν τοῖς ὅπλοις δόξαν ἀγαπῶντα τῆς σχολῆς ἐξίστασθαι τοῖς σοφισταῖς.]

[Λογεύω, Colligo. Papyrus Ægypt. ap. Forshall. *Descr. of the Greek Pap. in the British Mus.* part. 1, XV, 7, p. 41 : Διαιτωμένων δὲ καὶ ἐξ ὧν ἐλόγευεν. Pass. ib. I, 50 : Ὠνῆς τῶν λογειομένων (sic) δι' αὐτῶν χάριν τῶν κειμένων νεκρῶν ἐν Θυναβουνουν· pro quo rectius λογευομένων in ead. formula ib. p. 5, annot. 44. L. D. Peyron. Pap. Gr. mus. Taur. part. 2, p. 45, 24 : Προσομολογοῦμεν ... μηδὲ λογεύσειν μήτε οἶνον μηδ' ἄλλο μηθὲν καθ' ὀντινοῦν τρόπον μηδὲ μὴν ὁμοίως θεραπεύσειν μηδὲ λογεύσειν τοὺς κατοικοῦντας ἐν ταῖς ἀλλήλων κώμαις κτλ., Se non esse collecturos. Bœckh. ap. Buttmann. *Erkl. der gr. Beischr.* p. 11, annot. 1 ex inscr. Ægypt. a Letronn. explanata : Ὁ δὲ ἂν παρὰ τὸ δίκαιον λελογευμένον ἢ πεπραγμένον ᾖ. Hase.]

Λογία, ἡ, Collecta, Id quod in Ecclesiis conferebatur et colligebatur ad tenuiorum paupertatem sublevandam. Apud Cic. autem Collecta est quod in convivium conferebatur symbolum : Collectam a conviva Crasse exigis. Suid. scribit Chrysostomum in ἑρμηνείᾳ Epistolæ ad Cor. λογίαν vocare τὴν συλλογὴν, dicentem, Περὶ δὲ τῆς λογίας τῆς εἰς τοὺς ἁγίους· quæ verba habentur 1 Cor. 16 initio, ubi annotat Chrys.
A eum transire ad τὴν ἐλεημοσύνην et τὴν εἰς τοὺς ἁγίους ἐπικουρίαν : et paulo post subjungit, Λογίαν δὲ τὴν συλλογὴν καλεῖ, qua sc. ἕκαστος συνεισφέρει τι. Has λογίας s. συλλογὰς s. ἐλεημοσύνας ad subveniendum pauperibus collatas, Paulus alibi vocat εὐλογίας. Suidæ autem et Hesych. λόγιαι [λογίαι, in cod. Hes. λόγειαι] sunt etiam ἐκλογαὶ, καρποφορίαι, ἐπιλογαί. [Λογίαι scriptum etiam ap. Theodor. Stud. p. 450, E. Sed scripturam per diphthongum, quæ est etiam in cod. Hesychii, commendant analogia et papyri Æg. in Λογεία citati auctoritas. Locum Maccab. 2, 12, 43 : Ποιησάμενος κατ' ἀνδρολογίαν κατασκευάσματα εἰς ἀργυρίου δραχμὰς δισχιλίας ἀπέστειλεν εἰς Ἱεροσόλυμα, ut emendandum annotavit Valcken., qui ex codicis Alexandrini scriptura κατ' ἀνδρολόγειον εἰς ἀργυρίου restitutum voluisse videtur κατ' ἄνδρα λογείαν, deleto κατασκευάσματα. L. Dindorf.]

Λογίατρος, ὁ, Verbis tenus medicus, artem medicinæ profitens. [Menag. Amœn. Jur. 35, p. 235. Boiss. Galen. vol. 8, p. 670, F. Hemst. Et vol. 3, p. 145, et
B alibi.]

Λογίδιον, τὸ, et Λογάριον, τὸ, Verbulum, Dictiuncula, Oratiuncula, ut Cam. interpr. Isocr. Contra Soph. [p. 295, B] : Οὗτοι μὲν τὰ τοιαῦτα λογίδια διεξιόντες, Tales dictiunculas exequentes. [Eryxias p. 401, E : Ἐτάραττέ γε αὐτὸν τὸ λογίδιον.] Aristoph. [Synes. p. 66, D] ap. Suid. : Οὐ φανοῦμαι δὲ στρογγύλων λογάριά τινα καὶ προνόμια, i. e. λόγους, ut ipse exp. In hoc autem l. [Theogneti] ap. Athen. 3, [p. 104, B] : Τῶν γὰρ ἐκ τῆς ποικίλης Στοᾶς λογαρίων ἀναπεπλησμένος νοσεῖς, accipi commodius potest pro Sermunculis, Disputatiunculis. [Id. 6, p. 270, D : Λογάρια δειπνοῦμεν· 8, p. 331, C : Οὐδὲν φερομένους οἴκοθεν ἢ λογάρια. Demosth. p. 421, 20 : Λογάρια δύστηνα μελετήσας. Plut. Mor. p. 1119, C, et sæpius Themistius aliique recentiorum. Ex Phædone philosopho citant Pollux 2, 122, Antiatt. Bekkeri p. 107, 1, Photius. Inter vocc. ὀγκηρὰ Joseph. Rhacend. in Walz. Rhett. vol. 3, p. 526, 6, refert λογάριον ἀντὶ τοῦ λογύδριον. || Λογάριον ap. Ulpian. in l. 3 D. de penu leg. : « Sed et chartas
C ad ratiunculam, vel ad λογάριον paratas, contineri appellatione penoris. » Ubi Basilic. 44, 12, 3, λογοθέσια, Alciatus significari existimat Chartas s. Adversaria, quæ fiunt caussa describendi quod quotidie in victualibus expenditur, quale est quod Diurnum veteres vocant. Certe recentioribus λογάριον et λογάριν est Summa pecuniæ, Certa quantitas numorum. Jo. Mosch. Limon. c. 184 : Οὐ λογάρην, οὐ χρῆμα, ubi Int. perperam Librum. Zachar. Dial. 1, 9 : Τὸ λογάριν ὅπερ ἔλαβεν ἐν τῇ ἀρχῇ αὐτοῦ εἶχεν. Theod. Paph. Vita Ms. S. Spiridionis : Ἀγοράσας τὸ βλησίδιον ἐκ τοῦ λογαρίου τοῦ ἁγίου. Constant. Admin. Imp. c. 51 : Ἐγένετο λογαρίου ἀπαίτησις. Infra : Ἠρετίσαντο μὴ ταξιδεῦσαι, ἀλλὰ δοῦναι ἱππάρια χίλια ... καὶ λογάριον κεντηνάριον ἕν. Eclogæ Leonis et ejusd. Constantini 22, 1 : Ἐάν τις ἐγγράφως ἢ ἀγράφως λογάριον ἢ ἀργύριον ... δανείσεται. Et alibi. Ex Ducang. Gl. Add. Eust. Opusc. p. 47, 65; 83, 65.] || Λογίδιον, Fabella. Aristoph. Vesp. [64]. Ἀλλ' ἔστιν ἡμῖν λογίδιον γνώμην ἔχον. Est nobis fabella. [ῐ ᾰῐ]

D [Λογίδριον (sic), τὸ, Jo. Damasc. Ep. ad Theoph. de imag. p. 133. Boiss. Quod aut λογίδιον aut λογύδριον scribendum.]

Λογιεύς, έως, ὁ, Orator, Qui causas dicit, ὁ ῥήτωρ, Pollux [2, 122] ex Critia. [De forma, nisi fallit scriptura, v. Lobeck. ad Phrynich. p. 255.]

[Λογίζω, σκέπτομαι, Considero Suidas; λογαριάζω, Computo, Zonaras.] Λογίζομαι, ίσομαι, ιοῦμαι, Rationem ineo sive subduco, Computo, Supputo, Expensam fero. Aristophanes Vesp. [656] : Καὶ πρῶτον μὲν λόγισαι φαύλως μὴ ψήφοις, ἀλλ' ἀπὸ χειρὸς, Rationes confice non calculis, Ne imposito calculo rationes computes : ut Colum., Imposito calculo perfecti operis rationem computant. [Ran. 1263 : Καὶ μὴν λογιοῦμαι ταῦτα τῶν ψήφων λαβών. Herodot. 2, 145 : Τούτῳ μύρια λογίζονται εἶναι (ἔτεα) ἐς Ἄμασιν· et ib. : Ἀεί τε λογιζόμενοι καὶ ἀεὶ ἀπογραφόμενοι τὰ ἔτεα· 7, 28 : Καὶ εὗρον λογιζόμενος ἀργυρίου δύο χιλιάδας ἐούσας μοι ταλάντων· 194 : Λογιζόμενος εὗρέ οἱ πλέω ἀγαθὰ τῶν ἁμαρτημάτων πεποιημένα. Et similiter sæpe Xen. aliique

Passive Herodot. 3, 95: Τὸ χρυσίον τρισκαιδεκαστάσιον λογιζόμενον.] Dicitur et Componere s. Conficere s. Putare rationes cum aliquo. Quum vero casus additur, vertitur Computo, Supputo, Imputo, Expensum fero; In rationem induco, Rationibus infero. [Soph. Trach. 944: Τοιαῦτα τἀνθάδ' ἐστίν· ὥστ' εἴ τις δύο ἢ καὶ πλέους τις (libri nonnulli πλείους τις, ut scribendum videri possit κἀπὶ πλείους) ἡμέρας λογίζεται, μάταιός ἐστιν· οὐ γάρ ἐσθ' ἥ γ' αὔριον, πρὶν εὖ πάθῃ τις τὴν παροῦσαν ἡμέραν· Aj. 815: Ὁ μὲν σφαγεὺς ἕστηκεν ᾗ τομώτατος γένοιτ' ἄν, εἴ τῳ καὶ λογίζεσθαι σχολή. Eur. Alc. 692: Ἦ μὴν πολύν γε τὸν κάτω λογίζομαι χρόνον, τὸ δὲ ζῆν σμικρὸν, ἀλλ' ὅμως γλυκύ· 789: Τὸν καθ' ἡμέραν βίον λογίζου σὸν, τὰ δ' ἄλλα τῆς τύχης· Rhes. 981: Ὦ παιδοποιοὶ συμφοραὶ, πόνοι βροτῶν, ὡς ὅστις ὑμᾶς μὴ κακῶς λογίζεται, ἄπαις διοίσει, κοὐ τεκὼν θάψει τέκνα· Herc. F. 295: Σκέψαι δὲ τὴν σὴν ἐλπίδ', ᾗ λογίζομαι. Duplici cum accusat. Aristoph. Vesp. 745: Λογίζεταί τ' ἐκεῖνα πάνθ' ἁμαρτίας ἃ σοῦ κελεύοντος οὐκ ἐπείθετο. Xen. Cyrop. 1, 2, 11: Μίαν ἄμφω τούτω τὼ ἡμέρα λογίζονται.] Aristoph. Pl. [381]: Καὶ μὴν φίλος γ' ἄν μοι δοκεῖς νὴ τοὺς θεοὺς Τρεῖς μνᾶς ἀναλώσας γε, λογίσασθαι δώδεκα, Imputaturus duodecim. [Nub. 20: Ἵν' ἀναγνῶ λαβὼν ὁπόσοις ὀφείλω καὶ λογίσωμαι τοὺς τόκους.] Aristot. in Œcon. 2, [c. 33 med.]: Αἰσθόμενος ὅτι εὐώνων ἐπιτετύχηκεν, αὐτῷ δὲ μέλλει ἐκτετιμημένα λογίζεσθαι, Probe intelligens illum ea, quæ vili emerat, prægmagno esse imputaturum. Et pass. ap. Xen. Cyrop. 3, [1, 33]: Χρήματα δὲ σὺν τοῖς θησαυροῖς, οἷς ὁ πατὴρ κατέλιπεν, ἐστὶν, εἰς ἀργύριον λογισθέντα, τάλαντα πλείω τῶν τρισχιλίων, Numaria ratione computata, Argenti habita ratione. [H. Gr. 6, 1, 19: Ὁπλῖται ἐλογίσθησαν οὐκ ἐλάττους δισμυρίων. Medio 3, 5, 23: Ἐλογίζοντο τὸ ἱππικὸν ὡς τὸ μὲν ἀντίπαλον πολύ. Per parenthesin Manetho 5, 324: Εἰ δ' Ἄρης ἠοῦς γε μεσουρανέοιτο, λογίζου, δὴ πολλῶν μήτηρ ἐπὶ δάκρυσιν ἔσται ἄτεχνος. Cum præp. πρὸς Demosth. p. 63, 12: Πρὸς τοὺς οἰομένους ... ἐκεῖνα βούλομαι λογίσασθαι. Lysias p. 908 ed. R.] || Metaph. capitur pro συλλογίζομαι, Collatis utrimque rationibus et subducto veluti calculo aliquid certi concludo, Numeris subductis summam colligo, Ex præmissis, ut vocant, colligo aliquid et statuo. Rom. 3, [28]: Λογιζόμεθα οὖν πίστει δικαιοῦσθαι ἄνθρωπον, χωρὶς ἔργων νόμου, Colligimus igitur, fide justificari hominem, συλλογιζόμεθα, Theophyl. Sic et Rom. 6, [11]: Οὕτω καὶ ὑμεῖς λογίζεσθε ἑαυτοὺς νεκροὺς μὲν εἶναι τῇ ἁμαρτίᾳ, ζῶντας δὲ τῷ Θεῷ, Ita etiam vos colligite. [Cum inf. fut. Herodot. 8, 136: Οὕτω ἐλογίζετο κατύπερθέ οἱ τὰ πρήγματα ἔσεσθαι· 7, 176. Xen. Anab. 2, 2, 13. Idemque sæpe cum aliis quibusvis sequente inf. præs. vel particulis ὅτι, ὡς.] || Collatis utrimque rationibus, et subducto veluti calculo aliquid certi statuo, Mecum reputo, Censeo. [Ineo consilium, Animadverto, Reor, Opinor, Arbitror, Existimo, Perpendo, Gl.] Ad Rom. 8, [18]: Λογίζομαι γὰρ ὅτι οὐκ ἄξια τὰ παθήματα τοῦ νῦν καιροῦ πρὸς τὴν μέλλουσαν δόξαν ἀποκαλυφθῆναι εἰς ἡμᾶς, Nam statuo minime esse paria, quæ præsenti tempore perpetimur, gloriæ in nobis retegendæ. [Cum infin. Eur. Or. 555: Ἐλογισάμην οὖν τῷ γένους ἀρχηγέτῃ μᾶλλόν μ' ἀμῦναι τῆς ὑποστάσης τροφᾶς, Rationibus subductis patri potius quam matri opitulandum censui.] Aliquanto diversa signif. accipitur pro Mecum reputo et perpendo, Considero, Rationem habeo: itidem ab iis sumpta metaph., qui calculorum subductione aliquid inquirunt. [Soph. OEd. T. 460: Ταῦτ' ἰὼν εἴσω λογίζου. Eur. Andr. 126: Γνῶθι τύχαν, λόγισαι τὸ παρὸν κακὸν, εἰς ὅπερ ἥκεις· 316: Ταῦτ' οὖν λογίζου, πότερα κατθανεῖν θέλεις ἢ τόνδ' ὀλέσθαι σῆς ἁμαρτίας ὕπερ· 398: Τὰ δ' ἐν ποσὶν οὐ ... λογίζομαι κακά. Aristoph. Eq. 1275: Λοιδορῆσαι τοὺς πονηροὺς οὐδέν ἐστ' ἐπίφθονον, ἀλλὰ τιμὴ τοῖσι χρηστοῖς, ὅστις εὖ λογίζεται. Herodot. 7, 8, 3: Ἀγαθὰ ἐν αὐτοῖσι τοσάδε ἀνευρίσκω λογιζόμενος.] Xen. Cyrop. 2, [2, 14]: Εὑρήσεις δὲ καὶ σὺ, ἢν ὀρθῶς λογίζῃ, ἀληθῆ λέγοντα. Dem. [p. 12, 24]: Ἆρά γε λογίζεταί τις ὑμῶν, ὦ ἄνδρες Ἀθηναῖοι, καὶ θεωρεῖ τὸν τρόπον δι' οὗ μέγας γέγονεν; Idem, Λογίσασθε πρὸς ὑμᾶς αὐτοὺς, Vobiscum perpendite. Thuc. 1, [76]: Μέχρις οὗ τὰ ξυμφέροντα λογιζόμενοι, τῷ δικαίῳ λόγῳ νῦν χρῆσθε, Utilitatis vestræ rationem ducentes. At vero ap. Plat. [Tim. p. 30, A]: Λογισάμενος οὖν εὕρισκεν

A ἐκ τῶν κατὰ φύσιν ὁρατῶν οὐδὲν ἀνόητον, Cic. interpr., Quum rationem igitur habuisset, reperiebat nihil esse eorum quæ natura cernerentur, non intelligens. Herodian. 4, [5, 5]: Εἴ τις ὀρθῇ κρίσει καὶ μὴ διαθέσει τῇ πρὸς τὸν πεσόντα, τὸ πεπραγμένον λογίζοιτο, τήν τε αἰτίαν αὐτοῦ ἐξετάζοι. [Cum præp. περὶ seq. genit. Herodot. 2, 22: Ἀνδρὶ λογίζεσθαι τοιούτων πέρι οἵῳ τε ἐόντι. Xen. Comm. 4, 3, 11: Περὶ ὧν αἰσθανόμεθα λογιζόμενοι. Cum genit. Soph. fr. Phrygum ap. Stob. Fl. vol. 1, p. 226: Τοὺς εὐγενεῖς γὰρ κἀγαθοὺς, ὦ παῖ, φιλεῖ Ἄρης ἐναίρειν· οἱ δὲ τῇ γλώσσῃ θρασεῖς, φεύγοντες ἄτας, ἐκτός εἰσι τῶν κακῶν. Ἄρης γὰρ οὐδὲν τῶν κακῶν λογίζεται. Achmes Onir. c. 12, p. 14: Οἱ γὰρ μάγοι κοσμόφρονές εἰσι, μηδὲν τῆς ἐκεῖθεν ἀνταποδόσεως λογιζόμενοι. || Perf. Eur. Iph. A. 386: Ἀλλ' ἐν ἀγκάλαις εὐπρεπῆ γυναῖκα χρῄζεις, τὸ λελογισμένον παρεὶς καὶ τὸ καλὸν, ἔχειν; 922: Ὑψηλόφρων μοι θυμὸς αἴρεται πρόσω, ἐπίσταται δὲ τοῖς κακοῖσί τ' ἀσχαλᾶν μετρίως τε χαίρειν τοῖσιν ἐξωγκωμένοις· λελογισμένοι γὰρ οἱ τοιοίδ' εἰσὶν βροτῶν ὀρθῶς διαζῆν τὸν βίον γνώμης μέτα. Neutro Lucian. Epist. ad
B Nigrinum: Τὸ τοῦ Θουκυδίδου (in Λογισμὸς citandi) ὅτι ἡ ἀμαθία μὲν θρασεῖς, ὀκνηροὺς δὲ τὸ λελογισμένον ἀπεργάζεται.] || Inde accipitur pro Cogito [Gl.], ἐνθυμοῦμαι. 1 Cor. 13, [5]: Ἡ ἀγάπη οὐ λογίζεται τὸ κακὸν, Non cogitat malum. [Sed verba ista apostoli alii nescio an rectius in hanc sententiam accipiunt, οὐ μνησικακεῖ, Non refert in rationes peccata aliorum, ut illa exprobret. At idem verbum λογίζομαι, sequente infinitivo, Herodot. ea notione utitur, qua Latine dicimus Cogito, Statuo hoc facere, Mecum constituo. Sic quidem ille 7, 176: Ἐκ ταύτης (τῆς κώμης) ἐπισιτιεῖσθαι ἐλογίζοντο, E quo vico rei frumentariæ prospicere statuerunt. Schweigh.] || Reputo, Æstimo, ea signif. qua dicimur aliquid Nihili æstimare, pro Nihili facere, Pro nihilo habere, ἐν οὐδενὶ λόγῳ s. ὑπολόγῳ τίθεσθαι. [Herodot. 1, 38: Τὸν ἕτερον (παῖδα) οὐκ εἶναί μοι λογίζομαι· 2, 46: Τὸν Πᾶνα τῶν ὀκτὼ θεῶν λογίζονται εἶναι· 3, 65: Σμέρδιν μηκέτι ὑμῖν ἐόντα λογίζεσθε. Schweigh. Lex.] Etiam passive interdum. Act. 19, [27]: Ἀρτέμιδος ἱερὸν εἰς οὐδὲν λογισθῆναι.
C Rom. 8, [36]: Ἐλογίσθημεν ὡς πρόβατα σφαγῆς. 1 Cor. 13, [11]: Ὡς νήπιος ἐλογίζθην [ἐλογιζόμην]. At Synes. Epist. 57: Λαμπρόν τι λογίσασθαι περὶ ἑαυτοῦ, Magnifice de se sentire. || Imputo, Alicujus veluti rationibus infero. 2 Cor. 5, [19]: Μὴ λογιζόμενος αὐτοῖς τὰ παραπτώματα αὐτῶν. Et in pass. signif. Ad Rom. 4, [3]: Ἐλογίσθη τῷ Ἀβραὰμ ἡ πίστις εἰς δικαιοσύνην, Imputata fuit Abrahamo fides pro justitia. Interdum vero non tam Imputo, quam Tribuo exponi potest. Gregor. Macc. Enc.: Τὰ τῶν παίδων τῷ πατρὶ λογίζεσθαι, τῶν ἐννομωτάτων καὶ δικαιοτάτων, Facta liberorum patri imputare et attribuere. Synes. Ep. 4: Σὺ μὲν οὖν ἀρετῇ λογιῇ τὴν φιλοφροσύνην τῶν ἐγχωρίων, Virtuti tribues. Ead. Epist.: Τὴν νύκτα τῇ μετ' αὐτὴν ἡμέρᾳ λογίζονται, Noctem diei quæ post illam noctem illucescit, tribuunt. Similiter ap. Eund.: Ἐγὼ θεὸν ἡγεμόνα τοῦ παραδόξου λογίζομαι, Hujus rei causam ipsi divino numini attribuendam censeo, Bud. [Λογίζομαι ἐπὶ λογοθεσίου, Imputo, Gl.] Et λογίζομαι pass. signif. Imputor, Tribuor, Ad Rom. 4, [4]: Τῷ δὲ ἐργαζομένῳ
D ὁ μισθὸς οὐ λογίζεται κατὰ χάριν, Non imputatur ex gratia. [Gl.: Λογίζεσθαι, Accepto ferri.]

[Λογικεύομαι, Ratiocinor. Crates Epist. ined. 7 in Notitt. Mss. vol. 11, part. 2, p. 25: Καὶ τἄλλα δὲ ὧδε ποιεῖν μαθήσῃ, μὴ φοβεῖσθαι ἐθιζόμενος, μὴ μόνον λογικεύεσθαι. Olympiodor. In Phileb. p. 239: Θεολογεῖ καὶ νοῦ πέρι καὶ ψυχῆς διαλέγεται καὶ ἠθολογεῖ καὶ φυσιολογεῖ καὶ λογικεύεται πολλαχοῦ. Boiss. Damascius in Platon. Parmen. mscr. cod. Monac. fol. 272: Καὶ ἤδη τισὶν ἔνδοξον λογικεύεσθαι πρὸς ἐπίδειξιν. Creuzer. Eustrat. In 1 Nicom. p. 18, A; 30, B; Cyrill. Alex. vol. 4, p. 248.]

Λογικὸς, ή, ὸν, Qui sermocinari potest, Sermocinans, Sermocinator, Sermonis compos. [Thomas p. 147: Λογικὸς ὁ λόγῳ χρώμενος.] Gregor. Π. ἀνθρώπου: Οὕτω τοίνυν τοῦ νοῦ διὰ τῆς ὀργανικῆς ταύτης κατασκευῆς ἐν ἡμῖν μουσουργοῦντος τὸν λόγον, λογικοὶ γεγόναμεν· quod Damasc. dicit λαλητικοί. || Eloquens, Facundus, ab ea signif. verbi λέγειν, qua ponitur pro Eleganter dicere. Gregor. in Epitaph. patris: Ἀλλ' ἦν τῶν μὲν λόγῳ δυνατῶν εὐσεβέστερος, τῶν ὀρθῶν δὲ τὴν διάνοιαν λογικώτερος, Bud. At λ. βίος Polluci [4, 40] i. est q. et παιδευτικός : quod videtur sonare q. d. Vitam literariam, i. e. ejus qui in literis versatur, τοῦ ἐν λόγοις διατρίψαντος. || Dialecticus, Pertinens ad scientiam disserendi : λ. ἐπιχειρήματα, λ. μέθοδος : a quibus quomodo differant ἀποδεικτικὰ ἐπιχειρήματα et ἀποδεικτικὴ μέθοδος, v. ap. Bud. Comm. p. 182, ex Philopono. [Λ. δυσχέρειαι Aristot. Metaphys. 3, p. 67, 14; 13, p. 290, 21. Ἀπόδειξις De generat. anim. 2, 8.] Et λογική, subaud. τέχνη, Ars disserendi. Cic. De fato [1] : Explicandaque vis est ratioque enuntiationum, quæ Græci ἀξιώματα vocant : quæ de re futura quum aliquid dicunt, deque eo quod possit fieri aut non possit, quam vim habeant, obscura quæstio est, quam περὶ δυνατῶν appellant : totaque est logicæ, quam rationem disserendi voco. Et De fin. 1, [7] : Jam in altera parte philosophiæ, quæ est quærendi ac disserendi, quæ λογικὴ dicitur, iste vester plane inermis ac nudus est. Et Tusc. 4, [14] : Habes ea quæ de perturbationibus enucleate disputant Stoici : quæ λογικὰ appellant, quia disserentur [disseruntur HSt. Ms. Vind.] subtilius. [Ad Att. 13, 19 : « Hæc Academica cum Catulo, Lucullo, Hortensio contuleram. Sane in personas non cadebant. Erant enim λογικώτερα, quam ut illi de iis somniasse unquam viderentur. »] Chrysippus ap. Lucian. [Vitar. auct. c. 21] ad eum qui dicebat se οὐ μανθάνειν quid diceret : Οὐ γὰρ εἶ συνήθης τοῖς ἡμετέροις ὀνόμασιν, οὐδὲ καταληπτικὴν φαντασίαν ἔχεις· ὁ δὲ σπουδαῖος ὁ τὴν λογικὴν θεωρίαν ἐκμαθὼν, ταῦτ' οἶδεν. [Ernest. Lex. rhet. : « Λογικοὶ ἀγῶνες sunt αἱ ἐπιδείξεις, Declamationes, quatenus iis unice τῶν λόγων, h. e. eloquentiæ, laus captatur, magisque orationis quam rerum ratio haberi solet, ap. Philostr. Soph. 1, p. 522, in Vita Dionysii. Λογικὰ ἐπιχειρήματα Sophronio ap. Photium cod. 5, sunt formæ dicendi oratoriæ, quatenus differunt ab oratione simplici, vulgari et minus comta, quæ ibi λόγος ἀπόλυτος καὶ ἀσύνδετος dicitur. Interpres latinus ibi absurde vertit, Logicas argumentationes. Sensum videre poterat ex verbo apposito περιηνθισμένος, quod in eum tantum cadit, cujus oratio propter artem et compositionis concinnitatem placet. Porro ubi τὸ λογικὸν opponitur τῷ νομικῷ, illud significat quæstionem de re, hoc, de scripto, quas Rationalem, et Legalem appellat Quintil. 3, 5, p. 126. Sic et Hermogeni Στάσ. p. 86 dicitur στάσις νομικὴ et λογική, illa, quæ versatur περὶ τὸ ῥητὸν, hæc περὶ τὸ πρᾶγμα. Illa postulat πίστεις ἀτέχνους, hæc ἐντέχνους. De his v. schol. Hermog. p. 86 Ald. » V. Walz. Rhett. vol. 7, p. 190, θ'.] || Apud Rhetores autem λογικὸς πούς dicitur Pes in prosa oratione usitatus. Demetr. Phal. [c. 42] : Ὁ μὲν ἡρῷος, σεμνὸς καὶ οὐ λογικὸς, ἀλλ' ἠχώδης, οὐδὲ ἔρρυθμος, ἀλλ' ἀνάρρυθμος, Nec solutæ orationi aptus. Ibid. [c. 41] dicit pæonem παραλαμβάνεσθαι εἰς τοὺς λόγους, Adhiberi in prosa, ac τὸ μεγαλοπρεπὲς quidem accipere ex syllaba longa, at vero τὸ λογικὸν, Id quod aptum est solutæ orationi, ex brevibus : synonymως igitur dicit εἰς τοὺς λόγους παραλαμβάνεσθαι, et esse λογικόν. [Dionys. De comp. vv. p. 64, 15 R. : Δεδειγμένης τῆς διαφορᾶς ᾗ διαφέρει μουσικὴ λογικῆς κτλ. Diog. L. 5, 85 : Καὶ οὗτοι μὲν λογικοί· ποιηταὶ δὲ κτλ., citat Coraes.] || Rationalis, [cui Ratiocinalis add. Gl.] h. e. Ratione præditus, Ratione utens : ita philosophi dicunt hominem esse ζῶον λογικόν. [Tim. Locr. p. 99, E : Τᾶς ἀνθρωπίνας ψυχᾶς τὸ μὲν λογικὸν κτλ., et ibid. et 102, E.] Plut. [Mor. p. 450, D], ex Chrysippo : Τοῦ λογικοῦ ζώου φύσιν ἔχοντος προσχρῆσθαι εἰς ἕκαστα τῷ λόγῳ, καὶ ὑπὸ τούτου κυβερνᾶσθαι. Item ap. Plut. τὸ τῆς ψυχῆς (μέρος) ὅσον λογικὸν, Ea pars animi quæ mentis et rationis sit particeps, quæ mentis et consilii est; utroque enim modo Cic. interpr. p. 11 mei Lex. Cic. Ead. signif. λογικὴ φύσις ac λογικὴ σύνεσις. Philo De mundo : Λογικῇ φύσει τὸ ἐμμέθοδον οἰκεῖον, Naturæ rationali. Basil. Homil. 9 : Ποίαν οὐχὶ σύνεσιν λογικὴν ἀποκρύπτουσι; Quam humanam intelligentiam et prudentiam non superant? Item λ. μῦθος ap. Aphthon. init. Progymn., Fabula qua homo aliquid fecisse fingitur, ἐν ᾧ τι ποιῶν ἄνθρωπος πέπλασται. Apud rhetores autem est et λογικὴ

A στάσις, Status rationalis. Quintil. 3, 5 : Illud jam omnes fatentur, esse quæstiones aut in scripto aut in non scripto : in scripto, sunt de jure : in non scripto, de re : illud, legale, hoc, rationale Hermagoras atque eum secuti vocant : i. e. νομικὸν et λογικόν. [V. supra.] At λογικοὶ ἰατροὶ, Medici qui ratione et methodo propria morborum remedia investigabant, Gorr. [Confusum cum λόγιος v. in illo.]

|| Λογικῶς, Verbis, Disserendi modo, VV. LL. [Iamblich. ap. Stob. Fl. vol. 3, p. 147 : Καὶ εἴ τι φυσικὸν δόγμα ἀνευρίσκομεν, λ. αὐτὸ βεβαιούμεθα, καὶ ὅσα περὶ θεῶν σκεπτόμεθα, λόγος διαλεκτικός ἐστιν ὁ συγκατασκευάσας. Theodor. Stud. p. 409, A : Πραγματικῶς καὶ λογικῶς λυττῶσα.] || Cum ratione, More eorum qui ratione utuntur. [Aristot. Metaphys. 6, p. 132, 12 ed. Brand. : Πρῶτον εἴπωμεν ἔνια περὶ αὐτοῦ λογικῶς, ὅτι ἐστὶ τὸ τί ἦν εἶναι ἑκάστου ὃ λέγεται καθ' αὑτό· 163, 3 : Τοῦτο δ' ἐστὶ τὸ τί ἦν εἶναι, ὡς εἰπεῖν λ. 134, 8 : Ὥσπερ ἐπὶ τοῦ μὴ ὄντος λ. φασί τινες εἶναι τὸ μὴ ὂν οὐχ ἁπλῶς, ἀλλὰ μὴ ὄν· 11, p. 240, 6 : Διὰ τὸ λ. ζητεῖν.] Plut. De
B orac. Pyth. Λ. : ἕκαστα καὶ σοφῶς φράζειν, de avibus quibus existimabant χρῆσθαι φθεγγομέναις τὸν θεὸν, quarum garritu auspicibus oracula reddere sciscitantibus putabant. [Λογικώτερον, adv., Porph. Isag. c. 1.]

[Λογικότης, ητος, ἡ, Rationabilitas, Rationalitas. Eust. Od. p. 1953, 44 : Προσώπων ποιότητι πρέποντα... ἐν σκιαῖς εἰδώλων σωζόντων τὴν λογικότητα. Permutatum cum λογιότης v. in illo.]

[Λογικῶς. V. Λογικός.]

Λόγιμος, ὁ, ἡ [vel η, ον], Mentione dignus, Memorabilis, ἀξιόλογος, λόγου ἄξιος, Celebris, Nobilis. Herodot. 8, [65] : Παρὰ Μήδοισι λόγιμος γενόμενος· [conf. 9, 24.] 2, [98] : Ἄνθυλλα ἐοῦσα λογίμη πόλις. [6, 106 : Πόλι λογίμῃ. Ita pro λογίμῳ Schweigh. cum libro uno, huc referens λογίμη πόλις, quod ex Herodoto citare videtur Pollux 2, 122. Sed ipse ordo horum verborum docet hoc petitum esse ex l. ab HSt. citato.] Supra quoque ἀξιόλογοι πόλεις. Accipique potest λόγιμος non tantum pro Celebris et Qui in omnium ore est, sed etiam pro Æstimabilis, Æstimatione dignus, quem ἐν λό-
C γῳ s. ὑπὸ λόγῳ τίθεσθαι consuevimus. [His ll. Schweigh. in Lex. addit 1, 143, πόλισμα· 171, ἔθνος· 2, 111, ἱρά· 9, 37, τῶν Τελλιαδέων ἐὼν λογιμώτατος, etc. Pollux 1, 176, στρατιῶται. Dio Cass. 39, 43 : Τοὺς λογιμωτάτους (captivorum) ἀποσφάξας τοὺς ἄλλους ἐπώλησε· 41, 23 : Τοὺς λογιμωτάτους ἠφίει. Id. fr. Peiresc. 56, p. 25, 59 : Ἦν (Scipio) καὶ φύσεως ἀρετῇ κράτιστος καὶ παιδείᾳ λογιμώτατος.]

[Λόγιμος, ὁ, Logimus, n. viri ap. Philostr. V. Soph. p. 601, 1.]

[Λογίνα, ἡ. Hephæstio p. 45 : Ἐπίχαρμος ἐν Λόγῳ καὶ Λογίννᾳ. Gaisf. : « Ita hujus fabulæ titulum scribendum esse me monuit Porsonus. Λογίννα femininum est τοῦ Λόγος. Mss. habent λογίνα. Λογγίνος Turn. et schol. In Athenæo 3, p. 106, E, Ms. Ven. dat. λογιναι, et 8, p. 338, D, λόγον εἶναι. Ms. Hesychii λόγειαι. » Veram scripturam esse Λογίνα constat ex Theognosto Canon. p. 114, 3, Λογίνη ponente inter nomina in ίνη, si idem nomen dicit. L. Dind.]

[Λόγιον, τὸ, Verbulum. Schol. Aristoph. Ran. 973 :
D Ἐπυλλίοις) ἀντὶ τοῦ λογίοις μικροῖς, nisi legendum λόγοις. L. Dind.].

Λόγιον, τὸ, Oraculum, Responsum [Eloquium his add. Gl.] divinum. Tradunt autem gramm., λόγια proprie dici Responsa data καταλογάδην, Oratione soluta [Suidas et schol. Thuc. 2, 8]; χρησμοὺς autem, versibus. Hæc Latinis et Fata sunt, a fando : ut, Arcanaque fata Dicta meæ genti. Et, Retinet longævus aruspex Fata canens. Hæc Cam., addens, falsum esse discrimen illud grammaticorum, quamvis et hic Thucydidis 1, [8] l. astipulari videatur, Καὶ πολλὰ μὲν λόγια ἐλέγετο, πολλὰ δὲ χρησμολόγοι ᾖδον. Philo V. M. 1 : Τὰ μὲν πρότερα πάντα ἐστὶ λόγια καὶ χρησμοὶ, τὰ δὲ μέλλοντα λέγεσθαι, γνώμης τῆς ἐμῆς εἰκασίαι, Oracula et vaticinationes. Eod. l. : Φοβηθέντες μὴ χρησμοὺς καὶ λόγια θεσπίσῃ, Ne oracula et effata caneret. [Eur. Heracl. 406 : Χρησμῶν δ' ἀοιδοὺς πάντας εἰς ἓν ἁλίσας ἤλεγξα καὶ βέβηλα καὶ κεκρυμμένα λόγια παλαιὰ, τῇδε γῇ σωτήρια. Herodot. 1, 64 : Τὴν Δῆλον καθήρας ἐκ τῶν λογίων· 8, 62 : Τὰ λόγια λέγει ὑπ' ἡμέων αὐτὴν δέειν κτισθῆναι.]

Aristoph. Vesp. [799]: Ὅρα τὸ χρῆμα, τὰ λόγι' ὡς περαίνεται, Oracula ut eveniant, Ut evenit quod prædictum fuit oraculis. [Id. Eq. 120, etc.] Rursum Philo V. M. 2: Τῶν λογίων γὰρ τὰ μὲν ἐκ προσώπου τοῦ Θεοῦ λέγεται δι' ἑρμηνέως τοῦ θείου προφήτου, τὰ δ' ἐκ πεύσεως καὶ ἀποκρίσεως ἐθεσπίσθη, τὰ δ' ἐκ προσώπου Μωϋσέως ἐπιθειάσαντος, καὶ ἐξ αὐτοῦ κατασχεθέντος· quæ λόγια dicuntur etiam θέσφατα, et φῆμαι, a φημί, ut hoc λόγια a λέγω. Ecclesiastici autem scriptt. λόγια appellant Testimonia Prophetarum et Apostolorum, Cam. [V. Hasius ad Theodos. De expugn. Syracus. p. 269.] Et θεῖα λ., Greg. Naz., Divina oracula, Sacræ literæ. Similiter et Suidas λόγιον exp. ἡ θεία καὶ ἡ θεόπνευστος γραφή: addens sic accipi etiam λόγος ap. David.: Ὑπέμεινεν ἡ ψυχή μου εἰς τὸν λόγον σου. Exp. tamen etiam ὑπόσχεσις. [Cum inf. ap. Herodot. 4, 178: Ταύτην τὴν νῆσον Λακεδαιμονίοισί φασι λόγιον εἶναι κτίσαι· 8, 60, 3: Σαλαμῖνι ἐν τῇ ἡμῖν καὶ λόγιον ἐστι τῶν ἐχθρῶν κατύπερθε γενέσθαι. Diodor. ap. Georg. Sync. p. 194, D: Φησὶ γὰρ Αἰνείᾳ γενέσθαι λόγιον τετράπουν αὐτῷ καθηγήσασθαι πρὸς κτίσιν πόλεως.] || Hesychio ὁ τῆς σκηνῆς τόπος, ἐφ' οὗ ὑποκριταὶ λέγουσι, εἶδος κρατηρίσκου, supra λογεῖον. || At τὸ λόγιον ap. Philonem Turn. interpr. Rationale, V. M. 3: Οὗτοι δ' ἐνηρμόζοντο τῷ προσαγορευομένῳ λογίῳ, τὸ δὲ λόγιον τετράγωνον, διπλοῦν κατεσκευάζετο, quibus λόγιον, quod Rationale appellatur, consertum erat. Aliquanto post, Τοὺς ἐπὶ τῶν στέρνων δώδεκα λίθους ἐκ τριῶν κατὰ τέτταρας στοίχους, τοῦ συνέχοντος καὶ διοικοῦντος λόγου τὸ σύμπαν, τὸ λόγιον, Rationale rationis universitatem continentis atque temperantis. Hieron. Ad Fabianum: Rationale etiam dicitur genus vestis, apud Hebræos Soham, Græce λογίον: nos Rationale possumus appellare. Pannus est brevior ex auro, habens magnitudinem palmi per quadrum, et duplex, ne facile rumpatur. Idem infra Λογεῖον.

Λόγιος, ὁ, ἡ, interdum, ut quidam volunt, pro ἐλλόγιμος, Celebris, Memorabilis. Philo V. M. 1: Οὐκ ἐθελησάντων αὐτὸν μνήμης ἀξιῶσαι τῶν παρ' Ἕλλησι λογίων, Nobilissimis Græciæ scriptoribus, Turn. [Hic l. ad seq. signif. referendus.] || Λόγιος, inquit Bud. p. 182, ap. antiquos dicebatur Qui in unaquaque natione patria instituta interpretari et eloqui poterat, h. e. Historiæ et antiquitatis peritus, et in ea re facundus. [Pind. Pyth. 1, 94: Ὀπιθόμβροτον αὔχημα δόξας οἶον ἀποιχομένων ἀνδρῶν δίαιταν μανύει καὶ λογίοις καὶ ἀοιδοῖς· Nem. 6, 47: Πλατεῖαι πάντοθεν λογίοισίν ἐντι πρόσοδοι νᾶσον εὐκλέα τάνδε κοσμεῖν. Herodot. 1, 1: Περσέων οἱ λόγιοι.] Aristot. sic usus est, Polit. 6, [10]: Φασὶ γὰρ οἱ λ. τῶν ἐκεῖνα κατοικούντων, Ἰταλόν τινα γενέσθαι βασιλέα τῆς Οἰνωτρίας. [Polyb. 6, 45, 1; Diod. 2, 4; Dionys. A. R. 5, 17.] Postea omnes Diserti sic appellari cœperunt. Hesychio quoque λόγιος est ὁ τῆς ἱστορίας ἔμπειρος, πεπαιδευμένος. Et Moschopulo ἄριστος ἐν λόγοις. Cam. itidem interpr. Doctus et eruditus, ap. Herodot. 2, [77] quum ait, Ægyptii qui tenent ea loca quæ conseri solent, Μνήμην ἀνθρώπων πάντων ἐπασκέοντες, λογιώτατοί εἰσι μακρῷ τῶν ἐγὼ ἐς διάπειραν ἀπικόμην, Omnes homines memoria complectentes, doctissimi viri sunt omnium quos ego comperi. [Conf. ib. 2, ubi al. male λογιμώτατοι. Id. 4, 6: Οὔτε ἄνδρα λόγιον οἴδαμεν γενόμενον πάρεξ ... Ἀναχάρσιος. Aristot. Polit. 2, 8: Ἱππόδαμος ... λόγιος περὶ τὴν ὅλην φύσιν εἶναι βουλόμενος, πρῶτος τῶν μὴ πολιτευομένων ἐνεχείρησέ τι περὶ πολιτείας εἰπεῖν τῆς ἀρίστης.] Item Λόγιος Ἑρμῆς dicitur quasi Studiorum et literarum eloquentiæque præses. Vide locum Synes. ex Ep. ad Pylæm. [101, p. 240, B] ap. Bud. p. 182. Lucian. [Pseudol. c. 24]: Κακὸν κακῶς σε ὁ Λόγιος Ἑρμῆς ἐπιτρίψειεν αὐτοῖς λόγοις. Sic accipit idem Bud. ap. eund. Luc. p. 104 [Pro merc. cond. c. 2]: Εὖ ἂν ἡμῖν ἔχοι, καὶ τῷ Λογίῳ θύσομεν, sub. Ἑρμῇ. [Iamblich. ap. Stob. Fl. vol. 3, p. 146. Menand. in Walz. Rhett. vol. 9, p. 319, 15. Phrynich. Ecl. p. 198: Λόγιος· ὡς οἱ πολλοὶ λέγουσιν ἐπὶ τοῦ δεινοῦ εἰπεῖν καὶ ὑψηλοῦ οὐ τιθέασιν οἱ ἀρχαῖοι, ἀλλ' ἐπὶ τοῦ τὰ ἐν ἑκάστῳ ἔθνει ἐπιχώρια ἐξηγουμένου ἐμπείρως. « Recte Thomas et Mœris ab Atticis λογίους dici τοὺς πολυΐστορας contendunt, a vulgo scribentium τοὺς λεκτικούς. Hoc sensu Philo De Cherub. p. 127, D: Τὸ στόμα τῶν πάνυ λογίων ἀπέρραψε λόγιος ἐξ ἀφώνου γενόμενος. Plut. Pomp. c. 51, Cic. c. 48, Lucian. Gall. c. 2. Tum etiam

A viri Prudentes et periti λόγιοι dicuntur Dion. A. R. 6, 1, ubi male interpres Magnaminos dicit; ἰατρὸς λόγιος Heliod. 4, 7, et Procop. Pers. 16, p. 154, B, Goth. 4, 10, p. 590, A. Denique etiam Qui literis et artibus exculti sunt, τὸ λόγιον γένος Heliod. 3, 19, p. 134, Philo V. Mos. p. 603, A, Constant. Or. de Them. p. 221, D. Ex quo dii quoque et artium præsides θεοὶ λόγιοι vocari solent. Pro λογιώτατος male λογικώτατος substitutum est in Alcidam. Or. Ulyss. p. 5 (186) et Philon. De charit. p. 716. (De Alcid. monuerat etiam Fischer. ad Weller. vol. 1, p. 7, ab Schæf. cit.) » Lobeck. Sic sæpe etiam Eust. in Opusc. Alia exx. v. ap. Toup. ad Suidam v. Διογενιανὸς et interpretes Thomæ p. 579, Mœridis p. 249. Neutro genere, sine articulo, in epigr. Anth. Pal. App. 346, 1: Τιμῆς ἄρχοντος λογίου χάριν ἐστήσαντο βουλὴ καὶ βασιλεῖς τὸν σοφὸν Εὐσέβιον.] || Fatidicus et vates. Plut. Sylla [c. 7]: Τυῤῥηνῶν δὲ οἱ λ. μεταβολὴν ἀπεφαίνοντο ἀποσημαίνειν τὸ τέρας. Ibid. λογιωτάτους Vaticiniorum interpretes peritissimos vocat, Bud. p. 183, addens et quendam alium ex
B Luciano locum. Similiter in Lex. suo ex Arriano p. 204 [Exp. 7, 16, 8], affert οἱ λόγιοι τῶν Χαλδαίων, exponens, τὰ λόγια ἐξηγούμενοι, et Vates. || Magnificus, μεγαλοπρεπής. Dem. Phaler. [c. 38] loquens de characteribus dicendi: Ἄρξομαι δ' ἀπὸ τοῦ μεγαλοπρεποῦς, ὅνπερ νῦν λόγιον ὀνομάζουσι· ubi forsan etiam λόγου ἄξιον et quem ἐν λόγῳ s. ὑπολόγῳ τίθεσθαι tunc temporis solerent, significare potest, ut sit Æstimatione dignus, Qui magni fieri solet. Sunt et qui vertant Disertus. [Ita Gl., in quibus additur, Facundus, Eloquens, Elegans. || Λογίως, Diserte, Eloquenter, Eleganter, Gl.]

Λογιότης, ητος, ἡ, Facundia, Eloquentia [Gl.]: ἡ δύναμις τῆς φράσεως. [Plut. Mor. p. 205, A; 486, F; 348, D, et al. In Λογικότης depravatum ap. Athanas. C. gent. c. 32, p. 33, E, notavit Lobeck. ad Phryn. p. 198, qui significationis Facundiæ addit ex. Philonis V. Mos. p. 615, A: Ἡ ἀνθρωπίνη λογιότης κατὰ σύγκρισιν τῆς θείας ἀφωνία ἐστί. Et latioris, qua dicitur de Eruditione, Nicetæ Annal. 8, 5, p. 137, A, coll. quæ in Λόγιος dicta sunt. De Intelligentia Eust. Opusc. p. 135, 22:
C Οὐχ ἄξιον λογιότητος ἀνθρωπίνης ἀπορεῖν διὰ τί ποτε ὁ θεὸς τοῦτον μὲν ... κατήντλησεν ἀγαθοῖς κτλ. Compellatio honorifica ap. Basil. inter Epistolas Libanii n. 1582, p. 718: Τῆς σῆς λογιότητος.]

[Λογίς, ἡ. Anecdot. Oxon. vol. 1, p. 224, 31, v. Κηφισίδι: Ὄνομα παρώνυμον ἀποτελεῖται ἀπὸ τῶν εἰς ις θηλυκὸν ὀξύτονα· δρυμὸς δρυμίς, ἀφ' οὗ δρυμίδες νύμφαι· λόγος, λογίδες σεμναί. Cramer.]

[Λόγισις, εως, ἡ, i. q. λογισμός. Phrynichus Bekkeri An. p. 36, 29. Boiss.]

Λόγισμα, τὸ, Id ipsum quod in rationibus supputandis alicui imputatur. Antiphanes ap. Athen. [1, p. 8, D]: Βίος θεῶν γάρ ἐστιν, ὅταν ἔχῃς ποθὲν Τἀλλότρια δειπνεῖν, μὴ προσέχων λογίσμασι, de cœnis ἀσυμβόλοις.

[Λογισμομαχέω, i. q. γνωσιμαχέω, quod v. Tzetz. in Crameri Anecd. vol. 3, p. 367, 4. L. Dind.]

Λογισμὸς, ὁ, Supputatio, Computatio, Ratiocinium. [Λογισμὸς λογοθεσίου, Ratiocinium, Gl.] Ap. Suidam, Λογισμὸν τοῦ πλήθους ἐποιήσαντο. Æschin. [p. 62, 8]: Ὅταν περὶ χρημάτων ἀνηλωμένων διὰ πολλοῦ χρόνου κα-
D θεζώμεθα ἐπὶ τοὺς λογισμούς. Thuc. 4, [122]: Αἰσθόμενος ἐκ λογισμοῦ τῶν ἡμερῶν ὅτι ὕστερον ἀφεστήκοιεν, Ex supputatione dierum, Inita ratione dierum. Id. 3, [20]: Ἔμελλον οἱ μέν τινες ἁμαρτήσεσθαι, οἱ δὲ πλείους τεύξεσθαι τοῦ ἀληθοῦς λογισμοῦ, Consequi verum numerum ex inita ratione. [Id. 5, 68: Ἐκ τοιοῦδε λογισμοῦ ἔξεστί τῳ σκοπεῖν τὸ Λακεδαιμονίων τότε παραγενόμενον πλῆθος. Xen. Comm. 4, 7, 8: Λογισμοὺς μανθάνειν, et ib. 2, 21, ἀποφαίνεσθαι. H. Gr. 3, 4, 2: Πρὸς δὲ τούτῳ τῷ λογισμῷ καὶ αὐτὸς ξυνεξελθεῖν αὐτῷ ἐβούλετο. Ib. 27: Τοῦτο δ' ἐποίησαν τοιῷδε λογισμῷ, ὡς, εἰ ὁ αὐτὸς ἀμφοτέρων ἄρχοι, τό τε πεζὸν πολὺ ἂν ἰσχυρότερον εἶναι κτλ. Plato Reip. 10, p. 603, A: Μέτρῳ καὶ λογισμῷ· Phædr. p. 274, C: Ἀριθμὸν καὶ λογισμόν.] Synes. Ep. 57: Λογισμοὺς δεχομένῳ τῆς καθ' ἡμέραν ἢ τῆς κατ' ἔτος δαπάνης, Rationes acceptanti. Et λαμβάνειν λογισμὸν infra in Λογισταί. [Ἀποδιδόναι Poll. 8, 54. Ἐπὶ λογισμὸν ἔρχεσθαι Plato Euthyphr. p. 7, B. Dionysius Isæo p. 330 ed. Reisk. Isæi.] Et λογισμῷ τοῦ ξυμφέροντος, Utilitatis habita ratione. Thuc. 2, [40]: Οὐ τοῦ ξυμφέροντος μᾶλ-

λον λογισμῷ ἢ τῆς ἐλευθερίας τῷ πιστῷ ἀδεῶς τινὰ ὠφελοῦμεν, Non utilitatis magis habita ratione, quam libertatis nostræ fiducia. Non multum absimili signif. ap. Herodian. 2, [3, 23] : Λογισμῷ πάντα καὶ κατ' ἀξίαν ἑκάστου νέμειν, Habita ratione meritorum. || Ratiocinatio, Reputatio, Cogitatio. [Ratio, Respectus, Animus, Tractatio, his add. Gl. Eadem : Λογισμὸν ἔχων, Rationabilis. Hippocr. p. 25, 44 : Ὁ λ. μνήμη τίς ἐστι ξυνθετικὴ τῶν μετ' αἰσθήσεως ληφθέντων. Eidem p. 399, 52 : Ὅκως μὴ διαλήσεταί τις τῶν προφασίων μήτε τῶν κατὰ λογισμὸν μήτε ὁκόσα ἐς ἀριθμὸν ἄρτιον ἢ περισσὸν δεῖ φανῆναι, Causæ quæ sola ratiocinatione comprehenduntur. Foes.] Synes. Ep. 4 : Τούτους ἑλίττων τοὺς λογισμοὺς, Has mecum volutans cogitationes, Hæc mecum reputans et ratiocinans. Ep. 137 : Ἐνταῦθα ἤδη τοῦ λογισμοῦ γινόμενος, Θεῷ βραβευτῇ τὴν συντυχίαν ἡμῶν ἀνατίθημι, Illa cogitatione jam versans. Philo V. M. 2 : Τὰ μὲν οὖν τῶν ἄλλων νόμιμα εἴ τις ἐπίῃ τῷ λογισμῷ, Si quis mente perlustret et secum reputet. Plut. [Cic. c. 47] : Ὁ λ. αὐτὸν εἰσῄει τῆς ἀπορίας, Subiit reputatio. Isocr. Symm. : Περὶ ἧς μηδεὶς πώποτε λογισμὸς αὐτοῖς εἰσῆλθεν · pro quo, inverso loquendi genere dicitur, ἢ μηδενὶ εἰς λογισμὸν ἦλθεν. Dem. [p. 557, 1] : Μὴ τοιοῦτός τις ὑμῖν λ. ἐμπέσῃ. [Id. p. 671, 21 : Αἰσθόμενος οὗ ἦν κακοῦ καὶ λογισμὸν λαβὼν ὅτι ληφθήσεται.] At ἑαυτῷ λογισμὸν διδόναι, sicut et λόγον ἑαυτῷ διδόναι, Rem secum æstimare et perpendere. Plut. : Ὁ δὲ λογισμὸν ἑαυτῷ διδοὺς, Secum ipse rem æstimans, ratiocinans, Sese respiciens, Bud. [Philostr. V. Ap. 4, 33 : Λογισμὸν αὑτῷ διδοὺς τῆς ὄψεως.] Alicubi exp. etiam Consilium, Cogitatio, Deliberatio, quia βουλεύεσθαι et λογίζεσθαι idem esse tradit Aristot. Eth. 6, 1. [Aristoph. Ran. 973 : Τοιαῦτα μεντοὐγὼ φρονεῖν τούτοισιν εἰσηγησάμην λογισμὸν ἐνθεὶς τῇ τέχνῃ καὶ σκέψιν, ὥστ' ἤδη νοεῖν ἅπαντα καὶ διειδέναι. Menander fr. Imbr. ap. Stob. Fl. vol. 1, p. 87 : Οὐκ ἔστιν οὐδὲν, πάτερ, ἐν ἀνθρώπου φύσει μεῖζον λογισμοῦ · id. ib. vol. 2, p. 374 : Τὰ γὰρ πολ- μηρὰ τῶν ὄχλων ἔχει ἐν τοῖς λογισμοῖς τὰς ἐπιδείξεις δυσκόλους · vol. 3, p. 348 : Τὸν πλησίον γὰρ οἴεται μᾶλλον φρονεῖν ὁ τοῖς λογισμοῖς τοῖς ἰδίοις πταίων ἀεί · vol. 1, p. 75 : Πολλοὺς λογισμοὺς ἡ πονηρία κυκλοῖ. Locos Platonis aliorumque plurimos omittere licet. Λ. νόθος ap. Plat. Tim. p. 52, B, et Tim. Locr. p. 94, B, ad quem v. annot. Gelderi p. 52, dicitur Ratiocinatio adulterina per analogiam.] || Accipitur etiam pro Ipsa ratione, vel Consilio et ratione cum Cic., aut etiam Mente. [Xen. Comm. 4, 3, 11 : Λογισμὸν ἡμῖν ἐμφῦσαι, ᾧ περὶ ὧν αἰσθανόμεθα λογιζόμενοί τε καὶ μνημονεύοντες καταμανθάνομεν κτλ.] Epicur. [ap. Diog. L. 10, 144] : Τὰ δὲ μέγιστα καὶ κυριώτατα ὁ λογισμὸς (sc. τοῦ σοφοῦ) διῴκει, Cic. interpr., Maximæ et gravissimæ res consilio sapientis et ratione administrantur. Plut. De solert. anim. [p. 960, A] : Μετέχειν ἁμωσγέπως πάντα τὰ ζῷα διανοίας καὶ λογισμοῦ. Greg. in Macc. Enc. : Αὐτοκράτορα εἶναι τῶν παθῶν τὸν λογισμόν. Plut. De virt. mor. : Ὅπου ἡττᾶται τοῦ πάθους ὁ λογισμός. Dem. [p. 526, 17] : Ὀργῇ καὶ τρόπου προπετείᾳ φθάσας τὸν λογισμὸν ἁμαρτὼν ἔπταισε, Ira præcipiti atque temeritate lapsum rationi antevertisse. Idem [p. 527, 17] : Ἄν τις ἄφνω, τὸν λογισμὸν φθάσας, ἐξαχθῇ τι πρᾶξαι. Thuc. 2, [11] : Οἱ λογισμῷ ἐλάχιστα χρώμενοι, θυμῷ πλεῖστα εἰς ἔργον καθίστανται. Qui ratione et consilio minime utuntur, ita potius impelluntur ad rem gerendam. [(Formulam λογισμῷ χρώμενος inter laudes regis ponit Pollux 1, 40.) Ib. 40 : Τοῖς ἄλλοις ἀμαθία μὲν θράσος, λογισμὸς δὲ ὄκνον φέρει. Polyb. 2, 35, 3 : Θυμῷ μᾶλλον ἢ λογισμῷ · 4, 71, 1 : Τὰ μὲν ἀφίστατο τοῖς λογισμοῖς τοῦ βιάζεσθαι καὶ πολιορκεῖν τὴν πόλιν. Pollux 8, 77 : Οὐ κατέχων τὸν λογισμὸν, ἐπιτρέπων πάντα τῷ θυμῷ.] Item, ἐντὸς λογισμῶν εἶναι, Mentis compotem esse, Apud se esse. Plut. Alex. [c. 32] : Οὐκ ἔφη σωφρονεῖν αὐτὸν, οὐδὲ ἐντὸς εἶναι τῶν λογισμῶν. [Alias formulas ap. eund. et alios usitatas memorat Wyttenb. in Indice.] Pro quo dicitur et ἐπὶ λογισμῶν εἶναι, itidem Rationis et mentis compotem esse. Basil. : Εἰ μὴ τῷ πλάσματι καὶ τοῦτο προστραγῳδοῦσιν ὅτι ἐγενόμην καὶ ἔκφρων ποτέ · ἐπὶ γὰρ τῶν λογισμῶν ὑπάρχων τῶν ἐμαυτοῦ, οὐδὲν οἶδα ποιήσας τοιοῦτον · ubi opp. ἔκφρων et ὁ ἐπὶ τῶν λογισμῶν ὑπάρχων τῶν ἑαυτοῦ. Contra Gregor. dicit, Τίς οὕτω κοινῶν ἔξω λογισμῶν, Sensus communis expers. Et Ammian. [Lu-

A cian.] Epigr. [Anth. Pal. 11, 433, 2] : Μήτε λόγον κοινὸν, μήτε λογισμὸν ἔχων, Nec sensu communi præditus. [Alia formula Theodor. Stud. p. 507, B : Τοὺς λογισμοὺς ἀπώλεσα.] || At λογισμὸς pro συλλογισμὸς, v. in Συλλογισμός. || [Confessio peccatorum sacramentalis, ἐξομολόγησις. Alexius Comnen. in Nov. de electionibus n. 21 : Ἵνα μὴ ἀντὶ ποιμένων λύκοι εὑρεθῶσί τινες τοὺς λογισμοὺς ἀνθρώπων ἀναδεχόμενοι. Niceph. Greg. l. 4 de Mich. Imp. : Τῷ Ἰωσὴφ πατριάρχῃ τοὺς λογισμοὺς ἐξηγόρευεν. Et alii ap. Ducang. || Λογισμοὶ, Suffragia. Tzetz. Hist. 6, 546 : Μετὰ μικρὸν ἐν λογισμοῖς τὸν ἄνδρα ζημιοῦσιν (Coriolanum Romani). L. Dind.]

[Λογιστεία, ἡ, Munus logistæ s. agoranomi. Zonar. p. 27 : Ἀγορανομίας, λογιστείας. Εἴρηται δὲ ἐπὶ τῶν ἐπισκοπούντων τὰ τῶν πόλεων ὤνια. Suidas λογιστίας. Male. Per diphthongum etiam in inscr. Rhod. ap. Bœckh. vol. 2, p. 393, n. 2529 : Τετιμαμένον καὶ ἀπὸ τοῦ μεγίστου αὐτοκράτορος καθέδρᾳ καὶ λογιστείᾳ τᾶς ἱερᾶς συνόδου ἐς Νέμεα καὶ Πύθια · Aphrodisiad. ib. p. 496, n. 2741, 9 : Ἑπόμενος τῇ κατὰ τὴν λογιστείαν τάξει. Ubi
B dicitur de munere logistæ qui rationibus pecuniarum ad ludos faciendos præesset : de quo v. etiam in Λογιστεύω et Λογιστής.]

Λογιστέον, Ratiocinandum, Considerandum, Cogitandum. [Plato Tim. p. 61, D; Menander ap. Plut. Mor. p. 103, D. L. Dind. Heliodor. 1, 15; Nicet. Eugen. 1, 86. Boiss. Theod. Prodr. p. 266. Elberl. Imputandum, Tribuendum. Jo. Chrys. In 2 Cor. serm. 8, vol. 3, p. 593, 14. Ducendum, Habendum, idem In Ephes. serm. 18, vol. 3, p. 852, 7. Seager.]

[Λογιστευτής, ὁ, Computator. Constitt. Apostol. 2, 25, p. 238 : Τὰ εἰσφερόμενα ἐπὶ προφάσει πενήτων ἑκούσια καλῶς οἰκονομείτω ... ὡς ἔχων θεὸν λογιστευτὴν τούτων τὸν ἐγχειρίσαντα αὐτῷ ταύτην τὴν οἰκονομίαν. L. D.]

Λογιστεύω, Computo. Suidæ λογιστεῦσαι est ἀπαριθμῆσαι, ἀναμετρῆσαι, citanti hunc l. : Οὐ δυνάμενος ἢ οὐ βουλόμενος λογιστεῦσαι τὰ πεπραγμένα, καὶ μισῆσαι τὰ κακῶς πραχθέντα · ubi tamen malim vertere Æstimare. [Curo, Gl. Philostr. Soph. 1, 19, 3 : Ἐλογίστευε πικρῶς τοὺς Σμυρναίους, de curatore urbis, ut in inscr. ap.
C Lebas *Inscr.* fasc. 5, p. 95, n. 180. De rationatore impensarum in ludos factarum in inscr. ap. Reines. cl. 3, 36, p. 313, 14. Legitur etiam in Spart. ap. Bœckh. vol. 1, p. 673, n. 1399, 2, Aphrodisiadis vol. 2, p. 522, n. 2790, 12. Euseb. H. E. 9, 2 : Ἐδόκει δὲ λογιστεύειν τὰ κατὰ τὴν πόλιν. V. Λογιστής. « Μὴ λογιστεύειν τοὺς τὸν ἡμέτερον τρόπον μὴ φρονοῦντας, Atticus apud Socrat. H. E. 7, p. 373, 34. Vales., Non ut eos discernas. » Hemst.]

Λογιστήριον, τὸ, Locus ubi sedebant ii qui λογισταὶ dicebantur. Pollux 9, [44] de partibus theatri : Λογιστήριον, ἵνα λογισταὶ συνεκάθιζον. [2, 119.] Harpocr. et Suidas [s. Photius] tradunt λογιστήρια esse τὰ τῶν λογιστῶν ἀρχεῖα, ap. Dinarchum et Andocidem [p. 10, 38, Lysiam p. 158, 40]. In VV. LL. λογιστήριον dicitur esse Locus in quo exercitus recensetur, et stipendia militiæ numerantur. [Strabo 16, p. 752 : Ἐνταῦθα δὲ (Pellæ) καὶ τὸ λογιστήριον τὸ στρατιωτικόν. Tabularium, Gl.] Λογιστήρια dicuntur etiam Scholæ calculatoriæ, ratiocinatorum. Item Scholæ in quibus dis-
D seritur. Synes. Ep. 54 : Καὶ οἶσθά τινας ἐν λογιστηρίοις ἀποδύντας, ἢ πάντως ἀπὸ μιᾶς γέ του συμφορᾶς ἀναπεισθέντας ἐς μεσημβρίᾳ τοῦ βίου φιλοσοφεῖν. [|| Rationarium. Diodor. Exc. Vat. p. 75 : Δοῦλος καὶ μόνον οὐ μετὰ χεῖρας ἔχων ἔτι τὸ λογιστήριον.]

[Λογιστήριος, α, ον, Rationarius, Gl. Pollux 10, 158 : Τράπεζαν λογιστηρίαν.]

Λογιστής, ὁ, Ratiocinator, Supputator, Calculator. Plut. De ira cohib. [p. 464, A] : Ἐπιτρόποις τισὶ καὶ λογισταῖς καὶ διοικηταῖς. Suidæ λογισταὶ sunt οἱ μεθοδικοὶ καὶ περίψηφοι. Peculiariter autem Athenis dicebantur Ratiociniorum præfecti, quibus rationes reddebantur publicæ administrationis. Etym. dicit λογιστὰς fuisse decem ἄρχοντας κληρωτοὺς, ἐφ' ὧν πάντες οἱ ἄρχοντες ἀρχήν τινα, λόγον ἀπέφερον τῶν διῳκημένων. Suidas quoque et Harpocr. dicunt fuisse decem numero, οἳ τὰς εὐθύνας τῶν διῳκημένων ἐξελογίζοντο ἐν ἡμέραις λ', ὅταν τὰς ἀρχὰς ἀπόθωνται οἱ ἄρχοντες. Pollux vero [8, 99] scribit duos fuisse λογιστὰς, alterum τῆς βουλῆς, alterum τῆς διοικήσεως : hosque a senatu sorte deligi solitos ad id munus ut παρακολουθήσωσι τοῖς διοικοῦσι. Aristot. Polit. 6, c. ult., dicit oportere esse quandam inter ceteras ἀρχὴν τὴν ληψομένην λογισμὸν καὶ προσευθυνοῦσαν : subjungens, Καλοῦσι δὲ τούτους, οἱ μὲν, εὐθύνους· οἱ δὲ, λογιστάς· οἱ δὲ, ἐξεταστάς· οἱ δὲ, συνηγόρους. Dem. [p. 266, 9] : Εἶτα παρὼν, ὅτε ἐμὲ εἰσῆγον οἱ λογισταὶ, οὐ κατηγόρεις; Itane vero quum tute adesses non mihi crimina objecisti coram ratiociniorum præfectis? [Conf. id. p. 406, 26. V. Bœckh. OEc. Athen. vol. 1, p. 204 seqq. et in Museo Rhen. Niebuhrii vol. 1, p. 58 seqq. Memorantur λογισταὶ etiam in inscrr. Teniis ap. Bœckh. vol. 1, p. 338, n. 203, 18; p. 339, n. 204, 16, etc. || Schol. Aristoph. Ach. 720 : Ἀγορανόμους δὲ οὓς νῦν λογιστὰς καλοῦμεν. Valesius ad Ammian. 14, 7, 17 : « Curator est is qui pecuniam reip. et generaliter quidquid ad rem civitatis pertinet administrat, ut notum est ex Pandectis Juris : qui Græco vocabulo Logista nuncupatur, quemadmodum est in Lege 3 Cod. de Modo multandi. Glossæ veteres de Magistratibus, Curator, φροντιστὴς καὶ λογιστής. (Gl. interpretantur etiam Tabularius, Pensitator. Philostorg. H. E. 3, p. 502, 2 : Οὐδὲ λογιστὴν, ἀντεῖπεν, ἔξεστί σοι προχειρίσασθαι.) Eorum officium Λογιστεία dicitur in lege 15 D. de Excusatione tutorum : Λογιστεία πόλεως οὐδὲ εἰς ἀριθμὸν μιᾶς ἐπιτροπῆς προχωρεῖ, Curatio civitatis. » Λογιστὴς magistratus memoratur etiam in inscrr. Att. ap. Bœckh. vol. 1, p. 419, n. 353, 33 : Λογιστὴς τῆς πατρίδος ἡμῶν· Aphrodisiadis vol. 2, p. 517, n. 2782, 14 : Λογιστὴν μετὰ ὑπατικοὺς δοθέντα τῆς Κυζικηνῶν πόλεως· p. 522, n. 2791, Trall. p. 586, n. 2926; p. 589, n. 2933, 10, Ephes. p. 610, n. 2977, 7. Λογισταὶ in Rhodia p. 392^{b}, n. 2525^{b}, 54 et Issensi p. 12, n. 1834, 5.] || Æstimator, Dem. [p. 11 extr.] : Δίκαιος λ. τῶν παρὰ τῶν θεῶν ἡμῖν ὑπηργμένων καταστάς, Justus æstimator. Greg. Naz., οἱ πικροὶ τῆς θεότητος λογισταὶ, Æstimatores et expensores, Bud. Rursum Dem. [p. 304, 6] : Λογισταῖς ἅμα καὶ μάρτυσι τοῖς ἀκούουσιν ὑμῖν χρώμενος.

[Λογιστία. V. Λογιστεία.]

Λογιστικὸς, ή, όν, [Ratiocinator, Cogitator, Gl.] Calculatorius, Qui ratiocinatorius s. calculatorius est : ut λογιστικὴ τέχνη [Plat. Charm. p. 165, E], vel λογιστικὴ, sub. τέχνη vel ἐπιστήμη, Ars calculatoria, Scientia ratiociniorum. [Plato Gorg. p. 451, B, etc. Eademque signif. τὸ λογιστικὸν Charm. p. 174, B. Inscr. Issensi ap. Bœckh. vol. 2, p. 12, n. 1834, 5 : Ἀναγράψαι τοὺς λογιστὰς τὸ δόγμα τοῦτο ἐς τὸν λογισμὸν τὸν λογιστικόν.] Λογιστικὸς dicitur etiam Qui ejus artis peritus est, Qui computandi et numerandi arte pollet. [Xen. Comm. 1, 1, 7 : Ἄνθρωπον λογιστικόν.] Plato De rep. 7, [p. 526, B]. Et Epigr. l. 2 [Anthol. Pal. 11, 267, 1] : Κερκίδος οὐ χρήζεις ὁ λογιστικὸς, Tu ratiocinator et supputator, i. e., Tu geometra et mathematicus. || Rationalis, Rationis et mentis compos, ὁ ἐπὶ λογισμῶν ὑπάρχων τῶν ἑαυτοῦ, Basil., Qui ratione uti potest. Xen. Hell. 5, [2, 28] : Οὐ μέντοι λογιστικός γε οὐδὲ φρόνιμος πάνυ ἐδόκει εἶναι. Et λογιστικὴ ὄρεξις ap. Aristot. Rhet. 1, [c. 10, 3], quam ibid. vocat. τὴν μετὰ λόγου ὄρεξιν, Quæ fit ratione et consilio : cui opp. τὴν ἀλόγιστον ὄρεξιν, s. τὴν ἄλογον : utroque enim ibi utitur. Et τὸ λογιστικὸν, subaud. τῆς ψυχῆς μέρος, Pars animi in qua inest ratio atque consilium, ut Cic. interpr. p. 184 mei Lex. Cic. [Plato Reip. 4, p. 439, D : Τὸ μὲν ᾧ λογίζεται λογιστικὸν προσαγορεύοντες τῆς ψυχῆς.] Plut. [Mor. p. 656, C] : Τοῦ ἀκροθώρακος ἔτι μὲν ἰσχύειν τὸ φανταστικὸν, ἤδη δὲ τεταράχθαι τὸ λ. [Superlativum λογιστικώτατος et adv. λογιστικῶς ponit Pollux 4, 163 et 2, 123.]

[Λογιστὶς, ἡ, quod inter ἐπιθετικὰ ὀξύτονα cum χεραστὶς et λιβυστὶς recenset Arcad. p. 35, 19, scribendum Λιγυστίς. L. Dind.]

[Λογιστονόμος, ὁ. Manetho 4, 160 : Ἔν τε λογιστονόμοισιν ἀεὶ πολυπρήκτορας ἔργοις, Rationarius, Gronovio interpr.]

[Λογίως. V. Λόγιος.]

[Λογογραφεὺς, έως, ὁ, ap. Dionys. Dinarch. c. 11, p. 660, 9 : Ὥστε Δεινάρχῳ λογογραφεῖ χρῆσθαι, scribendum λογογράφῳ.]

Λογογραφέω, Scribo orationes forenses aut scriptito, Scribo historiam. Plut. de Demosthene [Comp.

A Dem. et Cic. c. 3], Λογογραφῶν κρύφα τοῖς ἀντιδίκοις [Demosth. c. 6 : Λογογραφῶν ἐπ' αὐτούς.] Item Gregor : Ὃς νῦν λογογραφῶ τὴν τοῦ ἀνδρὸς πολιτείαν, simpliciter Scribo [Gl., et eadem, Scripto], Bud. [Τὸν στρατηγὸν ἐλογογράφει ταῖς ὕβρεσιν, Theoph. Sim. Hist. 7, p. 273, 15. Jacobs. || Rationes conscribo, ap. Codin. De off. c. 1, 9. Ducang.]

[Λογογράφημα, τὸ, Scriptum oratorium. Anon. in Walzii Rhett. vol. 3, p. 571, 14 : Οἶμαι δὲ ὡς τὰ τοιαῦτα προοίμια παρεισέδυσαν τὴν ἀρχὴν ἐν τοῖς λογογραφήμασιν ἀπὸ τῶν παρὰ τοῖς παλαιοῖς ῥήτορσι πραγμάτων ἐν τοῖς αὐτῶν λόγοις ἱστορικοῖς. L. D. Schol. Ms. ad Clem. Alex. Pæd. 2, 2. Bast.]

[Λογογράφης, Scriba, Gl. Pro Λογογράφος.]

Λογογραφία, ἡ, Orationum scriptio, Historiæ scriptio. Sed Hermog. λογογραφίαν ab oratione distinguit, ut Platonis scripta, Bud. [Ernest. Lex. rhet. : « Λ. dicta de illo scriptionum genere, quæ non usui publico et foro destinatæ sunt, sed in umbra et otio scriptæ. Sic Hermog. Περὶ ἰδ. 2, p. 344 distinguit in-
B ter πανηγυρικὸν τὸ ἐν λογογραφίᾳ et τὸ ἐν ζητήμασι πολιτικοῖς vel πολιτικόν. Ex illo genere sunt scripta Platonica, ut Panegyricus Socratis, deinde laudationes funebres, quæ in concione et publice habebantur. » Plato Phædr. p. 257, E : Σύνοισθά που καὶ αὐτὸς ὅτι οἱ μέγιστον δυνάμενοί τε καὶ σεμνότατοι ἐν ταῖς πόλεσιν αἰσχύνονται λόγους τε γράφειν καὶ καταλείπειν συγγράμματα ἑαυτῶν, δόξαν φοβούμενοι τοῦ ἔπειτα χρόνου μὴ σοφισταὶ καλῶνται. Quibus addit : Λανθάνει σε ὅτι οἱ μέγιστον φρονοῦντες τῶν πολιτικῶν μάλιστ' ἐρῶσι λογογραφίας τε καὶ καταλείψεως συγγραμμάτων· et 258, B : Ἐὰν ἐξαλιφθῇ καὶ ἄμοιρος γένηται λογογραφίας τε καὶ τοῦ ἄξιός εἶναι συγγράφειν, πενθεῖ, de legum latoribus loquens. V. Λογογράφος. Demades p. 79 : Προσελθὼν δὲ τοῖς κοινοῖς οὐκ εἰς δίκας καὶ τὴν ἀπὸ τῆς λογογραφίας ἐργασίαν ἔθηκα τὸν πόνον. Ms. ap. Fabric. Bibl. Gr. vol. 6, p. 196 Harl. : Εἰσαγωγικὸν περὶ λογογραφίας. Ms. ap. Lambec. Bibl. Cæs. vol. 7, p. 279, A : Διὰ τί τὸ διαλογικὸν εἶδος τῆς λογογραφίας ἐπετήδευσε (Plato). Pollux 2, 121.]

[Λογογραφικὸς, ή, όν.] Λογογραφικὴ, sc. τέχνη, Ars
C scribendi orationes, ex Plat. [Phædr. p. 264, B. Ammon Proleg. ad Aristot. Περὶ ἑρμηνείας p. 2 : Οὐ γὰρ δὴ καθάπερ Δημήτριος τὸ περὶ λογογραφικῆς ἰδέας βιβλίον συγγράψας καὶ οὗτος αὐτὸ ἐπιγράψας περὶ ἑρμηνείας ἀξιοῖ καλεῖν ἑρμηνείαν τὴν λογογραφικὴν τέχνην. Pollux 2, 121. || Prosarius. Thomas p. 25, v. Ἀκεστής; p. 138, v. Βαβαί; p. 703, v. Πεπληγώς. || Adv. Λογογραφικῶς ap. Polluc. 6, 40 (?.)]

Λογογράφος, ὁ, Qui orationes conscribit, Orator. Plut. De def. orac. [p. 417, F] : Καὶ ταῦτα ποιητὰς καὶ λογογράφους ἐν θεάτροις ἀγωνιζομένους λέγειν ἐῶντες. [Conf. Mor. p. 358, F. Λογογράφοι ποιηταῖς contrarii etiam ap. Aristot. Rhet. 2, 11, ut sint prosæ orationis scriptores. (Et ap. Dionys. Hal. De comp. vv. p. 93, 8, De Thuc. jud. c. 20, p. 858, 6.) Ita singulis fere paginis Eust. ad Homerum. Ex Ernest. Lex. rhet. Palæphat. præf. 5. Valck.] Sed interdum etiam in vituperium : Dem. [p. 417 extr.] : Λογογράφους τοίνυν καὶ σοφιστὰς ἀποκαλῶν τοὺς ἄλλους, καὶ ὑβρίζειν πειρώμενος, αὐτὸς ἐξελεγχθήσεται τούτοις ὢν ἔνοχος· sic enim
D Demosthenem vocarat Æschines [p. 13, 24; 78, 26], tanquam per convitium [Conf. p. 420, 3. Plat. Phædr. p. 257, C : Καὶ γάρ τις αὐτὸν (Lysiam) ἔναγχος τῶν πολιτικῶν τοῦτ' αὐτὸ λοιδορῶν ὠνείδιζε καὶ διὰ πάσης τῆς λοιδορίας ἐκάλει λογογράφον. Quibus p. 258, C, addit summos in civitate viros legibus scribendis non vereri λογογράφους se præbere] : et ap. Dinarchum [p. 104, 19], Καὶ ἀντὶ μὲν λογογράφου καὶ μισθοῦ τὰς δίκας γράφοντος, ubi per contemptum dicitur, sicut et Lat. Rabula. [Dicæarch. p. 141 ed. Fuhr. : Διατρέχουσι δέ τινες ἐν τῇ πόλει λογογράφοι, σείοντες τοὺς παρεπιδημοῦντας καὶ εὐπόρους τῶν ξένων κτλ. Hesych. : Λ., ὁ δίκας γράφων. Quæ tamen gl. quum post Λογοποιὸν posita sit, Piersono ad Mœr. p. 244, capite Λογοποιὸς defecta videbatur, sine caussa, quum eandem interpretationem ponat Photius. Conf. etiam schol. ad l. Plat.] Latius etiam accipitur; nam Hermogenes Platonem quoque vocat λογογράφον, et Thuc. λογογράφους vocat Historicos in sui operis præfatione [1, 21, et Polyb. 7, 7, 1] : adeo ut λ. videatur posse appellari Quicunque oratione so-

luta scribit. [Rursus cum historicis conjungit Dionys. A. R. 1, 73 : Παλαιὸς μὲν οὖν οὔτε συγγραφεὺς οὔτε λογογράφος ἐστὶ Ῥωμαίων οὐδὲ εἷς. Λογογράφους et λογοποιοὺς ita distinguit Jo. Sicel. Comm. in Hermog. Rhett. vol. 3, p. 486, 27 : Διαφέρει δὲ λογογράφος καὶ λογοποιός, καθὰ ἐκεῖνος μὲν τὰ ὄντα γράφει, ὁ δὲ λογοποιὸς πλαστουργός ἐστι τῶν μὴ ὄντων, ὥσπερ οἱ μῦθοι καὶ αἱ μελέται καὶ τὰ πεζὰ δράματα. Ammonius : Λογογράφος ἐστὶν ὁ τοὺς δικανικοὺς λόγους γράφων· λογοποιὸς δὲ ὁ λόγους τινὰς καὶ μύθους συντιθείς. || Tabularius, Allectus, Gl. V. Λογογραφεὺς et Λογογράφης.]

[Λογοδαιδαλία, ἡ, Verborum artificium. Ausonius Epist. 14, 26. Elberling.]

Λογοδαίδαλος, ὁ, Orationum ingeniosus concinnator, Orationum peritus artifex, Qui orationes vario artificio elaborat, et quasi variegat, Qui quasi vermiculati sermonis concinnitate utitur. Plato Phædro [p. 266, C] : Τόν γε βέλτιστον λογοδαίδαλον Βυζάντιον ἄνδρα. Φ. Τὸν χρηστὸν λέγεις Θεόδωρον; Cic. Oratore [c. 12] : Hæc tractasse Thrasymachum Chalcedonium primum, et Leontinum ferunt Gorgiam : Theodorum inde Byzantium, multosque alios quos λογοδαιδάλους appellat in Phædro Socrates. Quintil. 3, 1. [Pollux 2, 125.]

Λογόδειπνον, τό, q. d. Cœna sermocinatrix, Athen. in Præfatione suorum librorum, quos Δειπνοσοφιστῶν inscripsit [p. 1, B].

Λογοδηρία, ἡ, ap. Athen. Verborum contentio, pugna, Altercatio inanis. [Athen. 1, p. 22, E : Ἕως ἂν τῆς λογοδιαρροίας ἀπαλλαγῶσι. Sic Casaub. edidit ex Mss. et Eustathio, quum prius legeretur λογοδηρίας : in Timonis versu præcesserat ἀπείριτα δηριόωντες. Hemst.]

Λογοδιάῤῥοια, ἡ, q. d. Verborum profluvium, Profluentia loquendi, ut Cic. Partit. Dicitur autem jocose hoc verbum de garrulis, quasi eorum lingua laboret morbo, qui διάῤῥοια quidem vocatur, Profluvium, sed de alvi profluvio dici solet. Athen. 4, [p. 159, E] : Ἀλλ' ἐπειδὴ οὗτοι, ἔφη, ὦ συμποσίαρχε, ὑπὸ λογοδιαῤῥοίας ἐνοχλούμενοι μὴ πεινῶσι. [Eust. Od. p. 1632, 19. V. Λογοδηρία.]

Λογοδιδάσκἄλος, ὁ, Artis dicendi magister. Sonat tamen simpliciter Dicendi magister. Cam. [Pollux 2, 125. Theodor. Metoch. Misc. p. 732 : Συνηγοριῶν καὶ κατηγοριῶν λ. L. Dind.]

[Λογοείδεια, ἡ. HSt. in forma vitiosa] Λογοειδία, in poemate Vitium quoddam, quum nihil cultus splendorisve habet, sed nugax est et futile. Ita VV. LL. sine exemplo. Fortassis autem λογοειδία dicitur in poemate quum non assurgit, sed humi repit, solisque metris a soluta oratione differt. [Dionys. De comp. vv. p. 420 Sch. : Κακία ποιήματος ἡ καλουμένη λογοείδεια δοκεῖ τις εἶναι.]

Λογοειδής, ὁ, ἡ, Solutæ orationis speciem præ se ferens : unde λογοειδεστέρα συνθήκη, Hermog. [in Walzii Rhett. vol. 3, p. 208, 11. De versibus Eust. Il. p. 718, 25 : Τὸ κοινὸν τῆς γραφῆς, ἐξ ἧς οἱ λογοειδεῖς γίνονται στίχοι, idemque Od. p. 1676, 16, Plut. De metris vol. 5, p. 1285 ed. Wytt., schol. Hephæstionis p. 179, 5; 184, 33, ponentes exemplum versus λογοειδοῦς Homericum (Il. Λ, 630) Ἵππους τε ξανθὰς ἑκατὸν καὶ πεντήκοντα. || Forma Λογώδης, ead. signif. ap. Aristox. Harmon. El. 1, p. 18 : Τοῦ λογώδους κεχώρισται ταύτῃ (τῷ διαστηματικὴν ἐν αὐτῷ δεῖν τὴν τῆς φωνῆς κίνησιν εἶναι) τὸ μουσικὸν μέλος· λέγεται γὰρ δὴ καὶ λογῶδές τι μέλος τὸ συγκείμενον ἐκ τῶν προσῳδιῶν τὸ ἐν τοῖς ὀνόμασι. || Aliter Philostr. V. Apoll. 1, 19, p. 23 : Φωνὴ δὲ ἦν τῷ Ἀσσυρίῳ ξυμμέτρως πράττουσα· τὸ γὰρ λογοειδὲς οὐκ εἶχεν, ἅτε παιδευθεὶς ἐν βαρβάροις, Oratorium. Apud Theod. Metoch. vero Misc. p. 137, ex contrario diversa sunt oratorium et λογοειδές, quum conjungantur τὸ ἀῤῥητόρευτον καὶ λογοειδές.] || Λογοειδὴς a λόγος, Ratio. Themist. p. 28 : Τὸ λογοειδὲς τῶν ζῴων, Similitudo rationis in quibusdam animantibus, ut in avibus nidificatio. [Theophrast. Metaphys. p. 315, 9 ed. Brandis. : Οὐ γὰρ ἂν εἴη κίνδυνος πρῶτον μὴ λογοειδές.]

[Λογοειδία, vitium scripturæ pro λογοείδεια, quod v.]

[Λογοειδῶς, Oratorie. Eust. Il. p. 873 extr. : Ἐν οἷς ὅρα ὅτι τε λογοειδῶς καὶ σαφῶς καὶ κατὰ τὴν λείαν ἀπαριθμεῖται καὶ ὡς οὐκ ἂν εἴπέ τις ἄλλως οὐδὲ ἐν λόγῳ πεζῷ. Wakef. Anon. ad Aristot. Rhet. p. 15 : Ὁ Περικλῆς
A καὶ ὁ Θεμιστοκλῆς ῥητορικαῖς χάρισιν ἐκόσμουν τὸν λόγον καὶ λογοειδῶς ἀφηγοῦντο τὰ τῆς πόλεως μήπω τῆς ῥητορικῆς τεχνωθείσης. Theodor. Metoch. Misc. p. 147 : Τὰ εὐτελέστερα τῶν πραγμάτων ... ἐπιμελείᾳ τινὶ τῆς γλώττης ἐξαίρειν ὁπηοῦν καὶ λογοειδῶς ἀπαγγέλλειν.]

[Λογοθεσία, ἡ, Discussio, Gl. Bito De machinis p. 105, 15. || Civiles rationes, ap. Harmenopulum l. 1, tit. 4, § 48. Ducang.]

[Λογοθέσιον, τό, Ratiocinium, Gl. OEcum. In Epist. Judæ p. 228 : Τὸ πᾶσιν ἀνθρώποις μετὰ τὴν ἀπὸ τοῦ σώματος ἔξοδον λογοθέσιον. Basil. Seleuc. Or. 27, p. 150 : Λογοθέσιον ἡμᾶς ἀπεκδέχεται καὶ κρίσις ἀπαράτρεπτος. Jo. Chrysost. Hom. 18 in Epist. ad Rom. : Λογοθεσίου ἡμέρα, de ultimi die judicii. Hæc et alia Suicer. || Scrinium Logothetæ, in quo servabantur publicarum functionum et vectigalium chartæ. In edicto 12 Justiniani : Λ. πολιτικῶν πόρων. Λ. στρατιωτικὸν in Conc. Nicæno II p. 45. Et al. ap. Ducang. || Rationarium. Eust. præf. Comment. in Dionys. p. 68, 17 : Ἀνελίξας σου τὸ τῆς ψυχῆς λ., καὶ ἡμᾶς ἐγγράπτους ὀφειλέτας ἐφευ-
B ρηκώς, βαρὺς ἐμπίπτεις.]

Λογοθετέω, Rationem reposco, Ratiocinor [Gl.], Computo. Photius p. 325 : Οὐ δεῖ οὖν λογοθετεῖν τὸν δημιουργὸν ἐφ' οἷς οἰκονομεῖ τὸν κόσμον, Bud. [Anastas. Sinait. Orat. in defunctos : Οἱ δεινοὶ τελῶναι καὶ λογοθέται λογοθετοῦντες. Schol. Ms. Jo. Climaci ad c. 113 : Ὁ καθ' ἡμέραν ἑαυτὸν λογοθετῶν καὶ κρίνων. Ducang. Cum accus. epimythium fab. Æsop. 282 : Πρὸς τοὺς ἄρχοντας λογοθετοῦντας τοὺς ὑπ' αὐτούς. Photius Bibl. p. 183, 19. V. in Λογοθέτης. || « Logothetæ dignitatem exerceo. Nicetas in Murzuphlo n. 1 : Ἡμᾶς μὲν ἀπὸ οὐδεμιᾶς εὐσχήμονος προφάσεως τοῦ τοῖς σεκρέτοις λογοθετεῖν παραλέλυκεν. » Ducang. || Passivo Achmes Onir. c. 130, p. 96 : Ἐὰν ἴδῃ τις νεκρὸν ἀσθενοῦντα, τοῦτο νοείτω ὅτι λογοθετεῖται παρὰ θεοῦ ὑπὲρ ὧν ἔπραξε. Theodor. Stud. p. 408, D.]

Λογοθέτης, ὁ, Rationum perscriptor, Rationalis, Bud. ex Cyrillo, qui de dæmonibus dicit, Οἱ τελωνάρχαι καὶ λογοθέται καὶ πρακτοψηφισταί. [Ratiocinator, Discussor, Disputator, Gl. Basil. Imp. in Parænet. c.
C 50 : Κἂν γὰρ ἑτέρους πταίοντας λογοθετεῖς, ἀλλὰ καὶ αὐτὸς τῶν σεαυτοῦ σφαλμάτων λογοθέτην ἔχεις τὸν θεόν. Procop. Gotth. 3, 1 : Ἦν Ἀλέξανδρός τις ἐν Βυζαντίῳ τοῖς δημοσίοις ἐφεστὼς λογισμοῖς· λογοθέτην ἑλληνίζοντες τὴν τιμὴν ταύτην καλοῦσι Ῥωμαῖοι· et ib. c. 21, Hist. arc. c. 18, 24. Ducang. Qui v. de variis logothetarum apud Byzantinos sive civilium sive ecclesiasticorum generibus.]

Λογοθεώρητα signa, VV. LL. ex Cæl. Aurel. Med. Chr. 3, 2, [19] : Sin vero occulta fuerit solutio, quam Græci ἄδηλον appellant, aut immensa signa, quæ Græci λογοθεώρητα vocarunt. Sed fortasse scrib. potius disjunctim λόγῳ θεωρητά (quid autem significet λόγῳ cum illa voce, in Λόγος dicetur), et pro Immensa reponi aliud vocabulum debet.

Λογοθήρας, ὁ, ea forma qua dicitur ὀρνιθοθήρας, Qui verba aucupatur, Verborum captator. Philo V. M. 3, [p. 685, A] : Οὐχ ὅπερ μεθοδεύουσιν οἱ λογοθῆραι καὶ σοφισταί. Cic. ead. metaphora eademque de re dixit, Aucupium delectationis, in Oratore : Ne elaborata concinnitas, et aucupium delectationis manifesto de-
D prehendatur.

[Λογοθωπεία, ἡ, Blanditiæ per verba, Blanda oratio. Gregor. Neocæsar. ap. Allat. ad S. Eustath. p. 136, 1. Boiss.]

[Λογοϊατρεία, ἡ, Curatio verbis tenus. Philo vol. 1, p. 526, 38. Conf. Λογίατρος.]

[Λογοκλοπεία, ἡ, Orationum furtum. Diog. L. 8, 54 : Καταγνωσθεὶς ἐπὶ λογοκλοπείᾳ.]

[Λογοκοπέω, Sermones cædo. Cum accus. Eust. Opusc. p. 279, 74 : Συχνὰ τοῦτο λογοκοπήσας.]

[Λογολεσχέω.] Λογολεσχεῖν, Blaterare, Nugari. [Eust. Il. p. 437, 24, Opusc. p. 106, 91. « Const. Manass. Chron. 336 : Καὶ τί μακρὰ λογολεσχεῖν;» Boiss. Philemo Lex. technol. sect. 152.]

Λογολέσχης, ὁ, Blatero, Blaterator, Nugator, Loquax : ut exp. Bud. in Gregor. : Στῆναι δ' ὅμως ἀναγκαῖον πρὸς τοὺς λογολέσχας, καὶ μὴ ἐρήμην ἁλῶναι, λόγον ἔχοντας. Sic Epigr. [Lucillii Anth. Pal. 11, 140, 1] : Τούτοις τοῖς παρὰ δεῖπνον ἀοιδομάχοις, λογολέσχαις. Fit ex λόγος et λέσχη, a quo et ἀδολέσχης.

[Λαγομάγειρος, ὁ, Orationum coquus. Suidas v. Ἀντιφῶν Ἀθηναῖος. Boiss. ἄ]

Λογομᾰνέω, Literis et disciplinis vehementer incumbo, Bud. p. 833, ap. Chion. [Ep. 15], cujus locum affert. Sed hoc addo, proprie sonare quasi quis dicat, Literarum insano quodam amore teneor : Gall. *Il est enragé après l'estude.*

Λογομᾰχέω, Verbis pugno, velitor, Rixor, Dionys. Areop. [Ep. 8, p. 451, 1 (p. 603, D ed. Ven. : Ἑκάστης ἡμέρας αὐτὰ λογομαχῶν). Boiss. Tim. 2, 2, 14. Eust. Opusc. p. 47, 96 : Λογομαχῶν διαλεκτικῶς. Medio p. 64, 73 : Διαλαβόντες ἄνδρα τινὰ καὶ γυναῖκα λογομαχουμένους εἰ εὐλογητέοι ἔσονται.]

Λογομαχία, ἡ, Pugna quæ committitur verbis; Budæo Verborum velitatio [Plaut. Asin. 2, 2, 41], Loquax contentio, ex Eust. Hom. Il. A, [304] : Ὡς τώ γ' ἀντιβίοισι μαχεσσαμένω ἐπέεσσι. [Conf. id. Opusc. p. 205, 61.] Potest et uno verbo exponi Rixa. [Tim. 1, 6, 4. Theodor. Stud. p. 454, A; 458, C.]

Λογομάχος, ὁ, Qui verbis pugnat, contentione verborum delectatur, Argutator, quales sunt sophistæ. Gregor. : Μή μοί τις ἐπιφυέσθω πάλιν τῶν λογομάχων. [Achmes Onir. c. 12, p. 14 : Αἱρεσιάρχης λογομάχος ἔσται ψευδής. L. Dind.]

[Λογομετρία, ἡ, Basil. Ms. in Greg. Naz. cod. 573, fol. 21 recto. Bast.]

[Λογόμῑμος, ὁ, Logomimus, Festivus scurra, qui varios hominum sermones festive imitari novit, Athen. 1, p. 19, C, ubi v. nott. Schweigh.]

Λογομύθιον, τὸ, Oratio fabulosæ narratiunculæ, Cam. [Pollux 2, 123.]

[Λογονεχόντως, Prudenter, Secundum rationem. Isocr. Areop. p. 152, A : Δικαίως καὶ λ. Cramer. Rectius scribitur divisim λόγον ἐχόντως. V. Ἐχόντως.]

[Λογοπείθεια, ἡ, Verbis obsequium præstitum. Athanas. vol. 2, p. 311. Kall.]

[Λογοπλάθος, ὁ, i. q. λογοποιὸς, Qui fabulas fingit. Phryn. Bekkeri p. 50, 20, ὁ λόγους καὶ μύθους πλάττων, ὡς Αἴσωπος.]

Λογοποιέω, Fabulas confingo, scribo, Fingo poetarum more, de quibus etiam usurpat hoc verbum Isocr. [p. 229, A] : Καὶ πολλὰς ἄλλας ἀνομίας ἐλογοποίησαν κατὰ τῶν θεῶν. Sic autem et [Xen. Cyrop. 2, 2, 13 : Ὥσπερ ἔνιοι καὶ ἐν ᾠδαῖς καὶ ἐν λόγοις οἰκτρὰ ἄττα λογοποιοῦντες εἰς δάκρυα πειρῶνται ἄγειν·] Plato De rep. 2, [p. 378, D] : Καὶ τοὺς ποιητὰς ἐγγὺς τούτων ἀναγκαστέον λογοποιεῖν. [Leg. 1, p. 636, C : Πάντες Κρητῶν τὸν περὶ τὸν Γανυμήδη μῦθον κατηγοροῦμεν, ὡς λογοποιησάντων τούτων.] Generalius etiam pro Confingo, Mentior, Rumorem falsum spargo. [Thuc. 6, 38 : Ἐνθένδε ἄνδρες οὔτε ὄντα οὔτε ἂν γενόμενα λογοποιοῦσιν.] Dem. [p. 69, 17] : Καὶ λογοποιοῦσί τινες περιϊόντες ὡς Ἐλάτειαν τειχιεῖ. Id. [p. 578, 15] : Ὅθ' οὕτως, ὡς ἀπήλλαγμαι, περιϊὼν ἐλογοποίει. [Conf. p. 54, 15. Isocr. p. 97, B : Τῶν αὐτῶν κακῶν ἐπιθυμοῦντες ὧνπερ οἱ λογοποιοῦντες, qui antea φλυαροῦντες· De antid. p. 453, 144 : Τοὺς ἐν τοῖς ἰδίοις συλλόγοις λογοποιεῖν δυναμένους. Et aliquoties ceteri Oratores.] Dicitur item λογοποιῶ τοῦτο πρός σε. Philo : Καὶ πρὸς ἑτέρους ἕτεροι τοιαῦτα ἐλογοποίουν, ubi exponi etiam potest simplicius Tales rumores vel sermones jactabant. [Alia constructione Polyb. 28, 2, 4 : Οἱ βουλόμενοι λογοποιεῖν κατὰ τῆς πόλεως. Dio Chr. vol. 2, p. 165 : Οἷα ἐλογοποίουν περὶ τῆς πρεσβείας. (Athenag. p. 281, A : Ἃ περὶ ἡμῶν λογοποιοῦσιν.) Et ibid. : Οἱ δὲ ἐλογοποίουν ὅτι ... δῴη.] Sic certe et alibi invenitur simpliciter positum et generaliter pro Rumorem aliquem spargere, disseminare, Dictitare aliquid, Perhibere. [Verbigero his add. Gl.] Lucian. [Contempl. c. 12] : Ἦν Κῦρος, ὡς λογοποιοῦσί τινες, ἐπίῃ Λυδοῖς, χρυσᾶς μαχαίρας σὺ ποιήσῃ. [V. etiam Λογοποιΐα. Cum inf. Sozom. H. E. 2, 23, p. 74, 25 : Λογοποιοῦντες τοῦτον πεφονεῦσθαι παρὰ Ἀθανασίου. || In argum. Eur. Phœniss. primo quod est : Κρέων τοὺς ... πεσόντας οὐχ ἔδωκεν εἰς ταφὴν, Πολυνείκην δὲ ἀκήδευτον ἔρριψεν, Οἰδίπουν δὲ φυγάδα τῆς πατρίδος ἀπέπεμψεν, ἐφ' ὧν μὲν οὐ φυλάξας τὸν ἀνθρώπινον νόμον, ἐφ' ὧν δὲ τὴν ὀργὴν λογοποιήσας, vertitur, Iracundiæ obsequens. || Gl. : Λογοποιεῖται, Verbum commodat.]

Λογοποίημα, τὸ, q. d. Fabulamentum, Fabula, Commentum, Mendacium. Affert autem Pollux [2

A 122] ex Plat. [Non ex Plat., cujus nomen delendum cum codd. Antiphanes ap. Athen. 6, p. 224, C : Ἐγὼ τέως μὲν ᾤόμην τὰς Γοργόνας εἶναί τι λογοποίημα. Tzetz. Hist. 9, 624.]

[Λογοποιητικὸς, ἡ, όν.] Λογοποιητικὴ τέχνη, Cam. affert ex Platonis Euthyd. [l. in Λογοποιικὸς cit.] : postquam dixit λογοποιοὺς appellari Artifices orationis.

Λογοποιΐα, ἡ, Fabularum confectio, scriptio, Mendaciorum confectio. [Pollux 2, 121. Theophr. Char. 8 : Ἡ λ. ἐστι σύνθεσις ψευδῶν λόγων καὶ πράξεων ὧν βούλεται ὁ λογοποιῶν. Ὁ δὲ λογοποιὸς τοιοῦτός τις οἷος ἀπαντήσας τῷ φίλῳ εὐθὺς καταβαλὼν τὸ ἦθος καὶ μειδιάσας ἐρωτῆσαι Πόθεν σύ; κτλ. Charito 3, 2 : Λογοποιΐαι δὲ ἦσαν τίς ἡ νύμφη. Eust. Opusc. p. 24, 70 : Κατά τινα παλαιὰν λ. || Preces. Symmach. Psalm. 101, 1, ubi LXX δέησις. Schleusn. || Rationum expositio. Ms. ap. Pasin. Codd. Taurin. vol. 1, p. 102.]

[Λογοποιικὸς, ἡ, όν, Ad orationes faciendas pertinens, Oratorius. Plato Euthyd. p. 289, C : Εἰ τὴν λογοποιικὴν τέχνην μάθοιμεν.]

B Λογοποιὸς, ὁ, [Fabulator, Gl.] Fabularum confictor, Fabularum scriptor, ut quando Æsopus appellatur λογοποιὸς, quum ab aliis [ut Herodoto 2, 134], tum ab Athen. [5, p. 219, A.] Testatur autem et Eust. [Il. p. 29, 26] eum vocari λογοποιὸν pro μυθογράφον, ubi hunc usum nominis λόγος, a quo est λογοποιὸς pro λογογράφος [quæ quomodo inter se differant v. in Λογογράφος], antiquum existimare videtur, sicut vicissim usum nominis μῦθος pro λόγος ap. Hom. ceterosque vett. poetas extare scimus. Sed de λόγοι Eustathio non assentior, quum ap. Hom. rarum sit, adeo ut etiam usquam apud eum extare negarint veteres quidam gramm., sicut in ea v. dicetur : significet autem ipsi simpliciter Verba, quum in eo quem ibi proferam loco, tum in isto, Il. O, 393 : Καὶ τὸν ἔτερπε λόγοις· eandemque et ap. Hesiod. signif. habeat. Crediderim igitur potius λόγους primum fuisse appellata Quævis fabulosa, s. mendacia, ut et Latini utuntur nomine Verba : deinde Fabulas, quales sunt Æsopicæ, aliæque, idem nomen accepisse. Ceterum generalius

C Qui fabulas, i. e. mendacia, confingit, [Mendax, Gl.] Vaniloquus, Qui falsos rumores spargit, Rumigerulus. Dem. [p. 704 extr.] : Κατὰ τὴν ἀγορὰν λογοποιοὺς καθίεσαν ὡς ἁπλᾶ μὲν ἕτοιμοι τὰ χρήματα ἐκτίνειν. Sic usus est et Synes. non semel : Epist. 44 : Ὁ λογοποιὸς ὁ τιτρώσκων ἐξ ἀφανοῦς, καὶ τοὺς λογοποιοὺς καταισχῦναί τε καὶ κατασιγάσαι [unde citat Thomas p. 581]· 104 : Τοιοῦτοί τινες ἐφοίτων λογοποιοὶ, ἄλλος ἄλλοθεν ἥκειν φάμενοι. [V. Theophrast. in Λογοποιΐα cit. Charit. 6, 8 : Τότε καὶ ὄναρ βασιλέως λογοποιοὶ καὶ μάντεις ἔφασκον τὰ μέλλοντα προειρηκέναι. Cum gen. Theodor. Stud. p. 149, D : Λογοποιὲ τοῦ ψεύδους.] || Orator, Historicus [Gl.], Bud., nulla tamen exx. harum signiff. afferens; sed ap. Isocr. [p. 104, B, De antid. p. 453, 145] λογοποιοὶ opponuntur Poetis, s. potius ab illis distinguuntur [ut ab Nicostrato Stob. Fl. vol. 3, p. 89, Thoma p. 473, schol. Aristoph. Pl. 424, 1145] : a Xen. autem [Cyrop. 8, 5, 28] videtur peculiarius poni pro Historicis. [Verba illa non esse Xenophontis recte judicarunt Schneiderus aliique. L. D. Harpocr. : Λ., ὁ ὑφ'

D ἡμῶν ἱστορικὸς λεγόμενος. Ἰσοκράτης Βουσίριδι, καὶ Ἡρόδοτος ἐν τῇ δευτέρᾳ. Sic Ἑκαταῖος ὁ λ., Herodot. 2, 143; 5, 36, 125. Vocab. λόγος enim præter alias signiff. etiam hanc habet, ab HSt. prætermissam, ut Historiam vel Narrationem denotet : qua de signif. v. Wessel. et nos in Præf. ad Herodot. p. 26. Sic et ipse Herodotus ab Arriano Ἀναβ. 3 sub fin. λογοποιὸς nominatur. Schweigh. Alia exx. v. ap. Pierson ad Mœr. p. 244. Qui de scriptoribus cujusvis generis dicti exx. addit Platonis Reip. 3, p. 392, A : Ποιηταὶ καὶ λογοποιοί (quanquam hic quidem Fabularum scriptores dicere videtur), Themistii Or. 15, p. 184, D, Aristidis vol. 1, p. 200, 205, 257, 270, 335 (quorum locorum tribus postremis item conjungitur cum ποιητής). De prosæ scriptoribus est etiam ap. scholl. Eurip. Hec. 975 Matth. : Ποιηταὶ καὶ λογοποιοί· Aristoph. Plut. 83 : Τὸ μὲν μονώτατος εὕρηται ἐν τοῖς λογοποιοῖς· 93.] Λογοποιὸς exp. etiam Orationis artifex, Cam. ap. Plat. [Euthyd. p. 289, D : Ἡ τῶν λογοποιῶν τέχνη· et ib. antea : Ὁρῶ τινας λογοποιοὺς, οἳ τοῖς ἰδίοις λόγοις, οἷς αὐτοὶ ποιοῦσιν, οὐκ ἐπίστανται χρῆσθαι. Et ib. E. ||Mœris (et Hesychius) quod scribit p. 244 : Λογοποιὸν τὸν... συνήγορον διὰ τῶν λόγων, Piersonus non habebat cujus testimonio comprobaret, nisi forte Platonico ex Euth., si ita capiendum esset. || Tabularius, Gl.]

[Λογοπρᾱγέω, Ratiocinor, Sermocinor. Eust. Od. p. 1759, 3 : Οὗ (ἦν) τὸ κοινὸν καὶ τετριμμένον ἦν μετὰ τοῦ ν, ὃ πολλὰ λογοπραγήσας Ἡρακλείδης ἐσπάραξεν. Cum accus., ut sit Rationem posco, Opusc. p. 22, 57 : Οὐχ ἀνακρίνομεν λογοπραγοῦντες ἡμᾶς αὐτούς· 82, 56 : Λογοπραγεῖς με. Ib. p. 109, 77 : Λογοπραγεῖτε τὰ ἐν ἐμοὶ τῆς φιλίας ζυγά. Pass. p. 242, 41 : Αὐτίκα λογοπραγεῖται πρὸς βίαν ὁ διακονητής, καὶ ἢ... καταγινώσκεται κτλ. 248 : Δέδιας μή ποτε ἁμαρτὼν λογοπραγηθῇς. « Basil. Macedo Præc. c. 38 f. Λογοπραγέομαι, schol. Isocr. p. 441 Cor. » Boiss.]

[Λογοπρᾱγία, ἡ, Discussio, Ratio. Zonaras ad Canon. 25 Conc. Antiocheni : Λόγους δὲ τὰς λογοπραγίας καλεῖ. Anna Comn. 15, p. 485 : Λογοπραγίαι τῶν προνοουμένων. Ducang.]

[Λογοπραγμονέω, i. q. λογοπραγέω. Basil. Macedo Præc. ap. me ad Anecd. Gr. vol. 4, p. 336, n. 2 : Οἱ τὰ σὰ λογοπραγμονοῦντες οὐδεμίαν ἕξουσι λαβὴν τοῦ μέμφεσθαι τὰ προσπίπτοντα. Boiss.]

Λογοπράτης, ὁ, Verborum venditor. Qua signif. causidici omnes ac rabulæ, λογοπράται appellari possint. Sed in VV. LL. annotant ex Gregor. λογοπράτης pro epitheto Judæ, quod Christum, Λόγον Dei, vendiderit. [ᾱ]

[Λογοπώλης, ὁ, Qui orationes vendit. Philostr. V. S. 1, p. 526, 21; Philo vol. 1, p. 526, 38. Hemst.]

Λόγος, ὁ, Dictum, Verbum, Sermo, Oratio, Verba. [Undecim vocabuli signiff. enumerat schol. Dionysii in Cram. An. vol. 4, p. 327 sq. Anacreon ap. Maxim. Tyr. Diss. 24 extr. : Ἐμὲ γὰρ λόγων εἵνεκα παῖδες ἂν φιλοῖεν. Simonid. ap. Clem. Al. Strom. 4, p. 585 : Ἔστι τις λόγος τὰν ἀρετὰν ναίειν δυσαμβάτοις ἐπὶ πέτραις. Pind. Nem. 9, 6 : Ἔστι δέ τις λόγος ἀνθρώπων τετελεσμένον ἐσλὸν μὴ χαμαὶ σιγᾷ καλύψαι. Æsch. Sept. 218 : Ἀλλ' οὖν θεοὺς τοὺς τῆς ἁλούσης πόλεος ἐκλείπειν λόγος· Ag. 750 : Παλαίφατος δ' ἐν βροτοῖς γέρων λόγος τέτυκται. Soph. Trach. 1 : Λόγος μέν ἐστ' ἀρχαῖος ἀνθρώπων φανείς. Plato Polit. p. 272, B : Τόνδε δ' ὃν (βίον) λόγος ἐπὶ Διὸς εἶναι· Reip. 2, p. 366, B : Ὡς ὁ τῶν πολλῶν ... λόγος. Et similiter alibi. In libris Æliani frequenter cum nominibus gentilibus, ut Ἀττικός, Δήλιος, Ἰνδός, Περσικός, et similibus, ut νομευτικός, ποιμενικός.] Plato Symp. [p. 195, B] : Ὁ γὰρ παλαιὸς λόγος εὖ ἔχει, ὡς ὅμοιον ὁμοίῳ ἀεὶ πελάζει, Nam scitum est vetus illud dictum, Simile semper se adjungere simili. Vel, Vetus illud verbum, ut Terent. Scio tamen ibi exponi etiam Proverbium, sicut Verbum ap. Terent.; sed possumus reddere et Dictum proverbiale (liceat enim ita παροιμιακὸν interpretari), ad retinendam vocem illam Dictum, eod. plane modo a Dico formatam, quo λόγος a λέγω. Itidem porro dixit Philo : Πίστις γάρ, ὡς ὁ παλαιὸς λόγος, τῶν ἀδήλων τὰ ἐμφανῆ. Rursum vero Plato De rep. 1, [p. 330, A] λόγον appellat hæc, quæ Themistocles Seriphio cuidam respondet, Nec hercle, si ego Seriphius essem, nobilis; nec si tu Atheniensis esses, clarus unquam fuisses. Itemque hæc, Nec in summa inopia levis esse senectus potest etc. : subjungit enim illi Themistoclis responso, Καὶ τοῖς δὴ μὴ πλουσίοις, χαλεπῶς δὲ τὸ γῆρας φέρουσιν, εὖ ἔχει ὁ αὐτὸς λόγος, ὅτι οὔτ' ἂν ὁ ἐπιεικὴς κτλ., Quod Themistoclis dictum accommodari potest ad eos qui etc. Vel, ut Cic. vertit, Quod eodem modo potest dici. Sic Herodian. [3, 14, 7] : Παντὸς λόγου θᾶττον· et ap. Synes. [Ep. 51], Θᾶττον ἢ λόγος, Dicto citius. [Heliodor. 1, 15 : Λόγου ταχίων. Koenig.] Et apud Platonem, Οἱ λόγοι καὶ ἔργα, Dicta et facta. [Soph. OEd. T. 517.] Sed frequentius occurrit λόγος pro Sermo, Oratio, Verba. [Æsch. Prom. 520 : Ἄλλου λόγου μέμνησθε· τόνδε δ' οὐδαμῶς καιρὸς γεγωνεῖν, ἀλλὰ συγκαλυπτέος ὅσον μάλιστα.] Xen. Hell. 4, [1, 30] : Ἦρξατο λόγου ὁ Φαρνάβαζος· καὶ γὰρ ἦν πρεσβύτερος, Inchoavit sermonem. Aristoph. Nub. [1408] : Ἐκεῖσε δ' ὅθεν ἀπέσχισάς με τοῦ λόγου, μέτειμι, pro ἀπέσχισάς μοι τὸν λόγον, Abrupisti mihi sermonem, Interpellasti. Isocr. Evag. [p. 200, E] : Περὶ μὲν οὖν Κόνωνος
A ἄλλος ἡμῖν ἔσται λόγος, De Conone alius nobis erit sermo. Ita quidem ad verbum, sed Latinius dixeris, De Conone alius erit dicendi locus; simplicius, De Conone alibi a nobis dicetur. [Plato Phædr. p. 235, E : Περὶ οὗ ὁ λόγος. Et ap. alios quosvis. Plur. Xen. Anab. 2, 5, 16 : Ἀκούων σου φρονίμους λόγους.] || Λόγος, sicut et plur. λόγοι, alicubi redditur apte et nomine plur. Verba, ut τί δεῖ λόγου; quod Latine, Quid verbis opus est? Aristot. Rhet. 2 : Περὶ ὧν γὰρ ἴσμεν καὶ κεκρίκαμεν, οὐδὲν ἔτι δεῖ λόγου. Dem. [p. 16, 26] : Ἡλίκα γ' ἐστὶ τὰ διάφορα, ἐνθάδε ἢ ἐκεῖ πολεμεῖν, οὐδὲ λόγου προσδεῖν ἡγοῦμαι. Commode λόγον reddiderimus nomine hoc Verba, in aliis etiam quibusdam loquendi generibus; præsertim vero ubi λόγῳ et ἔργῳ opponuntur: sic enim Latini inter se opp. Verbis aut Verbo, et Re, vel Re ipsa, aut Revera. [Æsch. Prom. 336 : Ἔργῳ κοὐ λόγῳ τεκμαίρομαι. (Sept. 847 : Ἦλθε δ' αἰακτὰ πήματ' οὐ λόγῳ.) Soph. El. 59 : Ὅταν λόγῳ θανὼν ἔργοισι σωθῶ; 63 : Λόγῳ μάτην θνήσκοντας· 357 : Μισεῖς μὲν λόγῳ, ἔργῳ δὲ τοῖς φονεῦσι τοῦ πατρὸς ξύνει.] Thuc.
B 1, [128] : Τῷ μὲν λόγῳ ἐπὶ τὸν Ἑλληνικὸν πόλεμον, τῷ δὲ ἔργῳ τὰ πρὸς βασιλέα πράγματα βουλόμενος πράσσειν· 6 : Λόγῳ μὲν γάρ, τὴν ἡμετέραν δύναμιν σώζοι ἄν τις, ἔργῳ δέ, τὴν αὐτοῦ σωτηρίαν. Sic Isocr. Panath. [p. 277, B] : Λόγῳ μέν, ἐπὶ θήραν, ἔργῳ δ' ἐπὶ κλοπείαν τῶν ἐν τοῖς ἀγροῖς κατοικούντων. Idem vero alibi τῷ λόγῳ et τῇ ἀληθείᾳ inter se opp., ut hic λόγῳ et ἔργῳ. Ap. Thuc. autem adversatur etiam τῷ ὄντι huic τῷ λόγῳ : et sunt qui λόγον in hujusmodi locis exp. Prætextum, Simulationem. [Herodot. 5, 20 : Παρίζει Πέρσῃ ἄνδρα Μακεδόνα ὡς γυναῖκα τῷ λόγῳ.] Sed et in aliis quibusdam dicendi formulis inter se opp. λόγος et ἔργον. [Xen. Comm. 1, 2, 59 : Τοὺς μήτε λόγῳ μήτε ἔργῳ ὠφελίμους ὄντας. Demosth. p. 21, 16 : Ὅπως μὴ λόγους ἐροῦσι μόνον οἱ παρ' ἡμῶν πρέσβεις, ἀλλὰ καὶ ἔργον τι δεικνύειν ἕξουσι· 108, 5 : Λέγοντος ὡς ... ἔστιν οὐδὲν ἀλλ' ἢ λόγοι τὰ παρ' ἐμοῦ, δεῖ δ' ἔργων τῇ πόλει· 540, 10 : Ὁ δ' οὐ λόγος ἀλλ' ἔργον ἤδη.] Interdum jungitur dat. λόγῳ cum εἰπεῖν, diciturque λόγῳ εἰπεῖν, ut Lat. Verbis consequi. Herodian. 8, [6, 16] : Οὐδ' εἰπεῖν ἐστι λόγῳ
C τῆς ἡμέρας ἐκείνης τὴν ἑορτήν, Nemo verbis ullis consequi possit, Ulla oratione consequi. Exp. et Oratione complecti, in simili Dem. l. Est autem velut παρέλκων ibi hic dat.; at in isto Thuc. l., 1, [22] : Καὶ ὅσα μὲν λόγῳ εἶπον ἕκαστοι, sunt qui λόγῳ exp. Orando, In iis, quas habuerunt, orationibus. [Herodot. 1, 129 : Ἀστυάγης δέ μιν ἀπέφαινε τῷ λόγῳ σκαιότατόν τε καὶ ἀδικώτατον ἐόντα πάντων ἀνθρώπων· 5, 84 : Οἱ δὲ ἀπέφαινον λόγῳ ὡς οὐκ ἀδικοῖεν· et ib. 94, ἀποδεικνύντες, et 8, 61, ἐδήλου λόγῳ.] In VV. LL. affertur et λόγον λέγειν ex Dem. [p. 121, 20], sicut λόγους λέγειν ex Aristoph. [Eccl. 411], pro Verba facere : de quo loquendi genere dicam et paulo post. Sed quod attinet ad prius illud εἰπεῖν λόγῳ ex Herodiano prolatum, eo referri possunt hæc loquendi genera, λόγου κρεῖττον, μεῖζον : ita enim appellant quod nemo possit λόγῳ εἰπεῖν. [Herodot. 2, 35 : Ἔργα λόγου μέζω· et ib. 148; 7, 147.] Thuc. 2, [50] : Γενόμενον γὰρ κρεῖσσον λόγου τὸ εἶδος τῆς νόσου, Morbi species hujusmodi, quæ nulla oratione explicari posset. Ad verbum, Superior ora-
D tione, omni facultate orationis. Interdum additur et παντός, ut in isto Philonis l. : Πῶς οὐ περιμάχητα καὶ παντὸς λόγου κρείττονα καθέστηκε. Itidem vero dicunt λόγου, παντὸς λόγου μεῖζον : ὑπὲρ λόγον, Gregor., Supra quam dici potest. [« Ita et Demosth. Philipp. 2, (p. 68, 20) : Μείζω ἢ ὡς τῷ λόγῳ τις ἂν εἴποι. » HSt. Ms. Vind.] Præterea legitur ἑνὶ λόγῳ [Plato Phædr. p. 241, E : Λέγω ἑνὶ λόγῳ· Gorg. p. 524, D : Ἑνὶ δὲ λόγῳ. Et alibi], et ἑνὶ δὲ λόγῳ εἰπεῖν, Lat. Uno verbo, Ut uno verbo absolvam. Et pro eod. [ap. Herodot. 2, 37] ὡς εἰπεῖν λόγῳ, vel secundum alios, Ut ita dicam, aut Prope dixerim. [Herodot. 1, 61 : Μετὰ δέ, οὐ πολλῷ λόγῳ εἰπεῖν, χρόνος διέφυ. Æsch. Prom. 46 : Πόνων γάρ, ὡς ἁπλῷ λόγῳ, τῶν νῦν παρόντων οὐδὲν αἰτία τύχη. Quo cum adjectivo sæpius etiam alio modo conjungit, ut dictum in Ἁπλοῦς.] Voc. λόγος redditur apte Verbum et in hoc loquendi genere, λόγου ἕνεκα, χάριν : itidem enim Latini dicunt Verbi causa, gratia. [Dicis causa add. Gl. Plato Theæt. p. 191, C : Θές μοι λόγου ἕνεκα ἐν ταῖς ψυχαῖς ἡμῶν ἐνὸν κήρινον ἐκμαγεῖον.] Aristot.

Eth. 6, 12 : Ἔστω γὰρ, λόγου χάριν, τὸν τυχόν. [Conf. id. Polit. 3, 9. Plato Leg. 6, p. 781, D : Εἰ δὴ δοκεῖ λόγου γ' ἕνεκα μὴ ἀτυχῇ τὸν περὶ πάσης τῆς πολιτείας γενέσθαι λόγον· Crit. p. 46, D : Κατάδηλος ἐγένετο ὅτι ἄλλως ἕνεκα λόγου ἐλέγετο. Polyb. 10, 22, 7 : Δημήτριος ὁ Φαληρεὺς ἕως λόγου τὸ τοιοῦτον ὑπέδειξε.] Quinetiam λόγος singul., sicut et plur. λόγοι, dicunt Græci eo sensu, quo Latini Verba, et nos quoque ad verbum *Paroles* : quum dicimus, *Ce sont paroles; Ce ne sont que paroles* : quod a nobis Itali mutuati dicunt eodem sensu *Paròle*, pro Fabulæ, i. e. Mendacia. [Theognis 254 : Ἀλλ' ὥσπερ μικρὸν παῖδα λόγοις μ' ἀπατᾷς.] Λόγος, inquit Bud., interdum pro Vanitate et Mendacio ponitur, ut Verba Latine. Dem. [p. 871, 7]: Λόγος ταῦτα καὶ παραγωγὴ τοῦ πράγματός ἐστι, Verba sunt hæc, et impostura a proposito vos abducens. [Id. p. 488, 2 : Εἰ δὲ ταῦτα λόγους καὶ φλυαρίας εἶναι φήσει, ἐκεῖνό γ' οὐ λόγος· 962, 22 : Τὰ μὲν οὖν πολλὰ ὧν Ἀπολλόδωρος ἐρεῖ, νομίζετ' εἶναι λόγον καὶ συκοφαντίας. Idem de Prætextu p. 10, 27 : Οὐδὲ γὰρ λόγος οὐδὲ σκῆψις ἔθ' ὑμῖν τοῦ μὴ τὰ δέοντα ποιεῖν ὑπολείπεται· 93, 5 : Τἄλλα μέν ἐστι λόγοι ταῦτα καὶ προφάσεις.] Idem p. 171, λόγους λέγειν exp. Inaniter verba fundere, Verba loquaciter facere : quo crediderim modo exponi debere et ap. Aristoph. [Vesp. 1320 : Προσέτι λόγους λέγων, ἀμαθέστατ', οὐδὲν εἰκότας τῷ πράγματι], non simpliciter, Verba facere, VV. LL. [Ach. 299 : Οὐκ ἀνασχήσομαι· μηδὲ λέγε σύ μοι λόγον· ὡς μεμίσηκά σε Κλέωνος ἔτι μᾶλλον, quæ Ravennatis scriptura est, quum λέγε δὴ σὺ λόγον sit in ceteris, scribendum μηδὲ λέγε μοι λόγους. Eur. Med. 321 : Ἀλλ' ἔξιθ' ὡς τάχιστα· μὴ λόγους λέγε. Demosth. præter l. ab HSt. citatum p. 121, 20 : Οὐ λόγους ἐμαυτοῦ λέγων, ἀλλὰ γράμματα τῶν προγόνων τῶν ὑμετέρων δεικνύων· 1324, 5 : Μὴ ἐᾶτε λόγους λέγειν. Alius generis est quod idem dicit p. 329, 18 : Ἵνα μὴ λόγον ἐκ λόγου λέγων τοῦ παρόντος ἐμαυτὸν ἐκκρούσω, ubi liber unus λόγους. L. D.] Sed hoc addo iis quæ a Bud. de hac signif. nominis λόγος dicuntur, Græcos interdum ei adjungere adverbium ἄλλως : Plut. Symp. sept. sap. [p. 149, B, ubi v. Wyttenb.] : Λόγος, ἔφη, ταῦτα ἄλλως ἐστίν. Synes. : Μὴ λόγον ἄλλως οἰηθῇς τὴν παραίνεσιν· alibi [Ep. 147] : Μὴ λόγον ἄλλως οἰηθῇς, τὸ μηδὲ μέχρις ἅλων τοὺς δεῦρο κεχρῆσθαι θαλάττῃ. Sed et Fabulæ Æsopicæ, λόγοι Αἰσώπειοι [ap. Aristot. Rhet. 1, 20], et in sing. itidem λόγος, Bud. p. 174. [V. supra.] Ceterum λόγοι ap. Hom. extare falso negarunt quidam ex veteribus gramm. [ap. Eust. Il. p. 633, 41; 931, 1], quum ap. eum legamus Od. A, [56, H. Merc. 317] : Αἰεὶ δὲ μαλακοῖσι καὶ αἱμυλίοισι λόγοισι, Mollibus et blandis verbis. [Il. O, 393 : Καὶ τὸν ἔτερπε λόγοις. Inanem esse observationem, repetitam a Thoma p. 196, monet Eust. ad l. Od. Nam orationem scriptam, ut nonnullis visum, intellexisse grammaticos neque constat neque credibile est. Semel in Il. reperiri annotat etiam schol. ad l. Il. Conf. de usu voc. ap. Epicos et Lyricos Næk. Chœril. p. 118 sq.] Utitur et Hesiod. [Th. 890, Op. 78, 787, ubi item cum αἱμύλιος, ut cum ψευδής 229. Singulari Op. 106 : Εἰ δ' ἐθέλεις, ἕτερόν τοι ἐγὼ λόγον ἐκκορυφώσω.] V. Λογοποιός.

|| Λόγος, de Dei Filio, ap. Joannem, ab aliis Verbum, ab aliis Sermo, et rectius : qua de re lege Annott. in N. T., simulque quos peculiares usus ibi habeat. [V. Joann. 4, 41, et quæ de signif. Doctrinæ, qua dicitur Lucæ 1, 2 etc., præter Suicerum Schleusner. Lex. N. T. vol. 2, p. 42. Usum Philonis Jud. quum communem, tum peculiarem τοῦ θείου λόγου, collatis locis omnibus explicavit Grossmannus Quæstionum Philonearum altera De Λόγῳ Philonis Lips. 1829 edita.]

|| Λόγοι, sicut et λόγος, in variis loquendi generibus redditur Sermo, Oratio. [Addimus hic nonnulla quæ notabiliora videntur, alibi non commodius ponenda. Herodot. 8, 59 : Πολὺς ἦν ὁ Θεμιστοκλέης ἐν τοῖσι λόγοισι, οἷα κάρτα δεόμενος. Xen. Anab. 6, 2, 9 : Οἱ δὲ λόγοι ἦσαν αὐτοῖς ὡς αἰσχρὸν εἴη ἄρχειν ἕνα Ἀθηναῖον κτλ. H. Gr. 5, 2, 21 : Λόγοι ἐγένοντο ἀργύριον ἀντ' ἀνδρῶν ἐξεῖναι διδόναι. Plato Soph. p. 238, B : Ὡς φησιν ὁ λόγος· et alibi cum eodem verbo.] Sunt etiam peculiariter λόγοι Orationes eorum qui oratores vocantur, ut Demosthenis, Ciceronis, et aliorum. Sed et πολιτικοὶ

A λόγοι ex Aristot., Civiles causæ. [Qua signif. contraria λόγος et μῦθος, ποίησις, ᾠδή. Plat. Leg. 7, p. 816, A : Φθεγγόμενος εἴτ' ἐν ᾠδαῖς εἴτ' ἐν λόγοις· 8, p. 835, A : Κατὰ λόγον καὶ κατ' ᾠδάς· Phæd. p. 61, B : Ποιεῖν μύθους, ἀλλ' οὐ λόγους· Gorg. p. 523, A : Ἄκουε δὴ λόγον, ὃν σὺ μὲν ἡγήσει μῦθον, ἐγὼ δὲ λόγον· Reip. 3, p. 390, A : Ὅσα ἄλλα τις ἐν λόγῳ ἢ ἐν ποιήσει εὔρηκε. Aristot. H. A. 6, 35 : Λέγεταί τις περὶ τοῦ τόκου λόγος πρὸς μῦθον συνάπτων.] Illorum autem loquendi generum exempla proferam, prius tamen aliqua præterea eorum in quibus habetur singul. λόγος. Thuc. 1, [97] : Καὶ τὴν ἐκβολὴν τοῦ λόγου ἐποιησάμην, Digressionem orationis. Plut. De puer. educ. [p. 7, A] : Ἐπανάγω γὰρ πρὸς τὴν ἐξ ἀρχῆς τοῦ λόγου ὑπόθεσιν· De orac. def. [p. 420, F] : Ὃν ἄρτι περὶ τῆς μεταστάσεως καὶ φυγῆς τῶν δαιμονίων ἀφῆκε λόγον, ἀναλαβεῖν δίκαιός ἐστι. Lucian. De saltat. [c. 64] : Ἐπεὶ δὲ κατὰ τὸν Νέρωνα ἐσμὲν τῷ λόγῳ· et [c. 49] : Ἀλλὰ κἂν εἰς τὴν Κρήτην ἀφίκῃ τῷ λόγῳ· et [c. 19] : Ἄξιον δὲ, ἐπεὶ τὴν Ἰνδικὴν καὶ τὴν Αἰθιοπίαν διεξεληλύθαμεν, καὶ ἐς τὴν γείτονα αὐτῶν Αἴγυπτον καταβῆναι
B τῷ λόγῳ. [Plur. Xen. Comm. 1, 2, 31 : Λόγων τέχνην μὴ διδάσκειν· Cyneg. 1, 14 : Λόγους καὶ πολέμους ἀγαθοί. Plato Phædr. p. 260, D : Τὴν τῶν λόγων τέχνην. ||Hinc Oratio prosa, contraria carmini. Aristot. Rhet. 3, 1 : Ἑτέρα λόγου καὶ ποιήσεως λέξις ἐστίν· 2 : Ἡ ποιητικὴ λέξις οὐ ταπεινὴ, ἀλλ' οὐ πρέπουσα λόγῳ· ibid. : Ἐπὶ τῶν μέτρων ... ἐν τοῖς ψιλοῖς λόγοις· ibid. : Τοῦτο πλεῖστον δύναται καὶ ἐν ποιήσει καὶ ἐν λόγοις. De signif. Historiæ v. in fine.] Et ut Latini dicunt Verba facere, sic Græci λόγους ποιεῖσθαι : quod et pro Orationem habere. [Demosth. p. 818, 8 : Ἐποιήσατο λόγους περὶ τούτων. De colloquentibus, Plato Prot. p. 348, A : Πρὸς ἀλλήλους τοὺς λόγους ποιεῖσθαι.] Isocr. Areop. [p. 151, C] : Ἐγὼ δ', εἰ μὲν πραγμάτων πέρι ἀγνοουμένων καὶ καινῶν τοὺς λόγους ἐποιούμην, ... εἰκότως ἂν ἔσχον τὴν αἰτίαν ταύτην. Dicit vero et λόγον ποιεῖσθαι ead. signif. [Et Plato Phæd. p. 115, D, Phædro p. 270, A, Prot. p. 317, C, Soph. p. 239, A. Cum alio verbo Pind. Pyth. 4, 132 : Πάντα λόγον θέμενος σπουδαῖον.] Ἐν λόγοις εἶναι, Hominum sermone celebrari, Bud. ex Xen. Cyneg. [1,
C 11.] Λόγων γενομένων, ap. Thuc., Habito sermone. Et, Πολλῶν λόγων γενομένων, ap. Eund., Multis ultro citroque dictis. Εἰς τοιούτους λόγους ἐμπίπτειν, Dem. [p. 312, 20], In hunc sermonem incidere, delabi. Xen. autem [Cyrop. 2, 2, 1] dicit etiam Ἀφίκετο εἰς τόνδε τὸν λόγον, q. d. Devenit in hunc sermonem. Ἐν τούτοις τοῖς λόγοις ἦσαν, Xen. Cyrop. 4, [4, 1], In hoc sermone erant, pro Sermo illis erat de his rebus. Λόγον ἐμβάλλειν περί τινος, vel λόγους, Xen. [ib. 2, 2, 19] et Isocr., Sermonem de re aliqua injicere, quod et Jacere sermonem dicitur. [Æsch. Prom. 311 : Εἰ δ' ὧδε τραχεῖς καὶ τεθηγμένους λόγους ῥίψεις· Eum. 201 : Τοσοῦτο μῆκος ἔκτεινον λόγου. Soph. Trach. 679. Eur Hec. 1177 : Ὡς δὲ μὴ μακροὺς τείνω λόγους· Rhes. 834 : Πλέκων λόγους. Λέγειν λόγους Xen. Cyrop. 1, 6, 10. Id. 11, 4 : Πολὺν λόγον ἐχόντων τινῶν περὶ αὐτοῦ ἤκουον. Item προσφέρειν λόγον, ut Lat. Inferre sermonem. Herodot. [3, 134] : Προσέφερε Δαρείῳ λόγον τοιόνδε. [Ps.-Eur. Iph. A. 97 : Οὗ δή μ' ἀδελφὸς πάντα προσφέρων λόγον ἔπεισε τλῆναι δεινά. Xen. Cyrop. 6, 1, 31 : Προσ-
D ενεγκεῖν αὐτῇ λόγους περὶ συνηθείας· H. Gr. 7, 2, 5, Ages. 5, 4. Et φέρειν Herodot. 9, 4. Et ἔχειν, 7, 158 : Ἄνδρες Ἕλληνες, λόγον ἔχοντες πλεονέκτην ἐτολμήσατε ἐμὲ σύμμαχον... παρακαλέοντες ἐλθεῖν· 9, 78 : Ὃς ἀνοσιώτατον ἔχων λόγον ἵετο πρὸς Παυσανίην. Quod aliter dictum quam ap. Xen. paullo ante citatum.] Sed ap. Plat. [Phædr. p. 270, E] : Πρὸς οὓς [ὁ] τοὺς λόγους προσοίσει, exp. Apud quos verba faciet. At διδόναι λόγον, Dare vices loquendi et percunctandi, et vicissim respondere percunctanti. Bud. p. 174 ex Plat. [Phæd. p. 76, B, Theæt. p. 169, A. Verba facere, ap. Eur. Hipp. 986 : Ἐγὼ δ' ἄκομψος εἰς ὄχλον δοῦναι λόγον, εἰς ἥλικας δὲ κὠλίγους σοφώτερος· Hel. 482 : Εὔνους γάρ εἰμ' Ἕλλησιν οὐχ ὅσον πικροὺς λόγους ἔδωκα δεσπότην φοβουμένη. Similis locutio Eur. Or. 153 : Πῶς ἔχει; λόγου μετάδος, ὦ φίλα.] Sed ap. eund. Plat. διδόναι λόγους exp. etiam Dare potestatem dicendi, s. veniam : Leg. 11, [p. 929, B] : Δότω δὲ καὶ τῷ υἱῷ λόγους ἴσους, Parem det potestatem dicendi. [Eur. Hel. 907 : Δὸς τοὺς ἐναντίους λόγους ἡμῖν κατ' αὐτῆς. Xen. H. Gr. 5, 2, 20 :

Ἐδίδοσαν οἱ Λακεδαιμόνιοι τοῖς συμμάχοις λόγον καὶ ἐκέλευον συμβουλεύειν.] Sic Thuc. 3, [53] : Ἀλλ' αὐτοὶ λόγον ᾐτησάμεθα, Potestatem dicendi, s. Veniam, petiimus. Item διδόναι λόγον, Causæ dicendæ potestatem facere [Demosth. p. 26, 18; 27, 9. Eademque signif. ποιεῖν λόγον p. 73, 18 : Οὐχ ἵν' εἰς λοιδορίαν ἐμπεσὼν ἐμαυτῷ μὲν ἐξ ἴσου λόγον παρ' ὑμῖν ποιήσω κτλ.] : et λόγου τυχεῖν [ap. Demosth. p. 349, 5; 371, 14], de iis quibus facta est hæc potestas, Bud. p. 174. At Synes., Μηδενὶ λόγον δοὺς, Epist. 61, pro Cum nemine locutus. Idem vero dixit, Ἀνδρὶ κατὰ βραχὺ δόντι μοι καὶ λαβόντι τὸν λόγον, pro Quocum paucis eram collocutus. Herodot. autem dixit 3, [76] : Ἐνταῦθα ἐκστάντες τῆς ὁδοῦ ἐδίδοσαν αὖτις σφισι λόγους· quod exp. Contulerunt inter se sermones. Dicitur etiam aliquis ἑαυτῷ λόγον διδόναι alia signif. [ad quam referendus erat etiam l. Herod.], ut docebo in Λόγος, Ratio. [Papyr. Æg. Peyroni fasc. 1, p. 32, 21 : Καὶ μέρος ἐγ νόμου βεβαιώσεως, καθ' ὃ ἔφη δεῖν τοὺς ἀντιδίκους συνίστασθαι τὸν λόγον πρὸς τοὺς ἀποδομένους αὐτοῖς, Litem instituere. Confert Peyronus p. 120 Demosth. p. 972, 17 : Ἐμοὶ πρὸς τούτους λόγος ἐστὶ, τούτοις δὲ ὁ λόγος ἔστω πρὸς τὸν ναύκληρον, Mihi actio est in istos, et al. ap. Kypk. Obs. sacr. vol. 2, p. 103, pap. Æg. p. 36, 10 : Τὸν περὶ τῆς βεβαιώσεως λόγον συνστήσωνται· 13 : Τὸν ἐξ εὐθυδικίας λόγον συνίστασθαι. || De constructione cum præpositionibus exemplis tritissimæ omnium constructionis cum περὶ supra citatis addenda conjunctio cum κατὰ Xen. H. Gr. 2, 3, 35 : Οὐχ ἦρχον δὴ τοῦ κατ' ἐκείνων λόγου. Matth. 12, 32 : Ὃς ἂν εἴπῃ λόγον κατὰ τοῦ υἱοῦ τοῦ ἀνθρώπου. Et cum ὑπὲρ Soph. Ant. 748 : Ὁ γοῦν λόγος σοι πᾶς ὑπὲρ κείνης ὅδε. Demosth. p. 384, 17 : Εἶπε λόγον οὐχ ὑπὲρ Θηβαίων ἀλλ' ὑπὲρ ὑμῶν ἄξιον εἰρῆσθαι.]

|| Λόγος, Sermo, Rumor; sed a Latinis itidem Sermo pro Rumore in nonnullis loquendi generibus usurpatur. [Batrachom. 8 : Ὡς λόγος ἐν θνητοῖσιν ἔῃ. Æsch. Prom. 731 : Ἔσται δὲ θνητοῖς εἰσαεὶ λόγος μέγας τῆς σῆς πορείας· Ag. 869 : Εἰ δ' ἦν τεθνηκὼς, ὡς ἐπλήθυνον λόγοι· Suppl. 294 : Μὴ καὶ λόγος τις Ζῆνα μιχθῆναι βροτῷ; Soph. El. 417 : Λόγος τις αὐτήν ἐστιν εἰσιδεῖν πατρὸς δευτέραν ὁμιλίαν· Phil. 165 : Ταύτην γὰρ ἔχειν βιοτῆς αὐτὸν λόγος ἐστὶ φύσιν.] Thuc. 6, [46] : Διῆλθεν ὁ λόγος, ὅτι κτλ. [Xen. Cyrop. 4, 2, 10, ubi al. διεδόθη. Utrumque sæpius est ap. Dionem Cass.] Plut. De def. orac. [p. 419, D] : Ταχὺ τὸν λόγον ἐν Ῥώμῃ σκεδασθῆναι, Rumorem sparsum fuisse, Famam rei dissipatam fuisse. Et plur. ap. Eund. in Sertorio [c. 25] λόγους διαδιδόναι, Rumores in vulgus disseminare : λόγος κατεῖχε, ap. Eund. In Colot. [et Mor. p. 275, A.] Sic autem Latini Sermonem pro Rumore usurpantes, dicunt Sermo datus per totam civitatem, et Dispersus sermo, vel Dissipatus, et Increbuit sermo, Serere sermones. Et pro eo quod hi dicunt, Ut fama est, ferunt, illi ὡς λόγος, subaudientes ἐστί. [Æsch. Eum. 4 : Ὡς λόγος τις· Suppl. 230 : Κἀκεῖ δικάζει τἀπλακήμαθ', ὡς λόγος, Ζεὺς ἄλλος. Eur. Rhes. 493 : Λόγος γ' ἦν ὡς ἔπλευσ' ἐπ' Ἴλιον.] Herodian. 1, [14, 7] : Κομισθὲν ἀπὸ Τροίας, ὡς λόγος. Philo : Τάχα μὲν, ὡς λόγος, διὰ τὸ μὴ πόρρω ζώνης διακεκαυμένης εἶναι. Sed interdum λόγος ἔχει dicunt, sequente infin., ut ap. Philon. : Τὰς μὲν γὰρ εἰσκρίνεσθαι λόγος ἔχει σώμασι θνητοῖς. Alia autem exx. Bud. affert p. 176. [Cum ἔχει conjuncti unum Athen. 13, p. 592, E. Soph. OEd. C. 1573 : Ὃν κνυζᾶσθαι λόγος αἰὲν ἔχει. Plato Epin. p. 987, B : Ὁ Ἑωσφόρος ... Ἀφροδίτης εἶναι σχεδὸν ἔχει λόγον. De usu Herodoteo Schweigh. in Lexico : «Fama. Παρ' ἡμέας περὶ σέο λόγος ἀπῖκται πολλὸς, 1, 30. Ὡς ὁ πολλὸς λόγος Ἑλλήνων, 1, 75. Λόγος ἐστὶ seq. accus. cum inf. 2, 75; 3, 5, 115; 7, 129, 198. Τὰ λόγος (ἐστὶ) παρ' Ἀθηναίων ... μαρτύρια θέσθαι, 8, 55. Alia formula, Ὅσπερ λόγον ἔχει τὴν Πυθίην ἀναπεῖσαι, 5, 66. Ἵνα λόγος σε ἔχῃ πρὸς ἀνθρώπων ἀγαθὸς, 7, 5; ὅπως λόγος σε ἔχῃ μέζων, 9, 78. || Narratio quælibet, præsertim quæ fit ore tenus. Τὰ μὲν αὐτοὶ ὁρέομεν, τὰ δὲ λόγοισι ἐπυνθανόμεθα, 2, 148. Sic ᾔδεα γὰρ λόγῳ, 2, 150. Ἀμφὶ τούτου διξὸς γίνεται λόγος, 3, 32. Ἔστι λόγος περὶ αὐτοῦ ὑπ' Αἰγυπτίων λεγόμενος, 2, 47. Τῆς πέρι λέγεται ὅδε ὁ λόγος, 2, 135; 4, 12, 77; 7, 214. || Narratio allegorica, Fabula. Ἔλεξέ σφι λόγον, 1, 141. Hinc Æsopus ὁ λογοποιός. » Xen. Comm. 2, 7, 13 : Εἶτα οὐ

A λέγεις αὐταῖς τὸν τοῦ κυνὸς λόγον. Plat. Phæd. p. 60, D : Τοὺς τοῦ Αἰσώπου λόγους.] V. et Λόγος, Ratio. Ceterum huc pertinet λόγου μεγάλου εἶναι ap. Herodot., quod tamen non debet reddi Magnæ famæ esse, sed Magni nominis esse. [Eur. Phœn. 1250 : Ἐν σοὶ ... Ἄργει εὐκλεᾶ δοῦναι λόγον· Heracl. 165 : Κακὸν λόγον κτήσει πρὸς ἀστῶν.] || Λόγον παρέχειν ea signif. qua Cic. dicit Sermonem dare, v. in Λόγος, Opinio. [|| De jussu Æsch. Pers. 363 : Πᾶσιν προφωνεῖ τόνδε ναυάρχοις λόγον· Prom. 17 : Ἐξωριάζειν γὰρ πατρὸς λόγους βαρύ· 40 : Ἀνηκουστεῖν δὲ τῶν πατρὸς λόγων οἷόν τε πῶς; De imperio Soph. OEd. C. 66 : Ἄρχει τις αὐτῶν ἢ 'πὶ τῷ πλήθει λόγος; — Ἐκ τοῦ κατ' ἄστυ βασιλέως τάδ' ἄρχεται. — Οὗτος δὲ τίς λόγῳ τε καὶ σθένει κρατεῖ; Xen. Cyrop. 1, 6, 3 : Κατὰ τὸν σὸν λόγον διατελέσω ἐπιμελούμενος.] Λόγου ἄξιος, q. d. Sermone dignus, Mentione s. Memoratu dignus, Memorabilis : quod et comp. ἀξιόλογος. [Λόγου ἄξιον, Operæ pretium, Gl. Herodot. 4, 28 : Οὐκ ὕει λόγου ἄξιον οὐδέν.] Polyb. : Οὐδὲν ἔπραξαν ἄξιον λόγου. Thuc. 6, [64] : Ὅθεν ὑπὸ τῶν ἱππέων οὐ βλάψονται ἄξια λόγου. Quo modo
B Gall. dicimus, *Ce n'est pas chose qui vaille le parler, Non pas pour dire.* [Aristot. Rhet. 2, 24 : Τὸ τὸν λόγον εἶναι σπουδαιότατον, ὅτι οἱ ἀγαθοὶ ἄνδρες οὐ χρημάτων ἀλλὰ λόγου εἰσὶν ἄξιοι. Diodor. 1, 2 : Τοὺς ἀγαθοὺς ἄνδρας ἀξίους λόγου προσαγορεύομεν, ὡς τούτους (al. τοῦτο, non male, si deleatur τὸ) τὸ πρωτεῖον τῆς ἀρετῆς περιπεποιημένους.] At διδόναι τῷ λόγῳ Bud. vertit Memoriæ prodere, in Gregor. : Ὁ δὲ μάλιστά μοι τῶν ἐκείνου θαυμάζειν, καὶ οὐδὲ βουλομένῳ παρελθεῖν δυνατὸν, τοῦτο δὴ δώσω τῷ λόγῳ. In alio Ejusd. l., Τοῦτο δώσω τῷ λόγῳ, vertit Hoc scribam. || Colloquium. [De sermone inter colloquentes Simonid. Carm. de mul. 91 : Οὐδ' ἐν γυναιξὶν ἥδεται καθημένη ὅκου λέγουσιν ἀφροδισίους λόγους Æsch. Cho. 679 : Πεύθομαι γὰρ ἐν λόγῳ. Xen. Cyrop. 1, 4, 25 : Πάντες τὸν Κῦρον διὰ στόματος εἶχον καὶ ἐν λόγῳ καὶ ἐν ᾠδαῖς.] Ut εἰς λόγους προκαλέσασθαι, Thuc. 3, Ad colloquium vocare : ἔρχεσθαι, Ad colloquium venire. Xen. [H. Gr. 2, 4, 42] : Τοὺς στρατηγοὺς αὐτῶν ἐς λόγους ἐλθόντας ἀπέκτειναν. Sic autem locutus ante eum fuerat [Soph. OEd. C. 1164 : Σοί φασιν αὐτὸν ἐς
C λόγους ἐλθεῖν· Aristoph. Vesp. 473 : Ἐς λόγους ἔλθωμεν ἀλλήλοισι· et paullo aliter Eurip. Hel. 905 : Οὐκ ἐς λόγους ἐλήλυθ', ἀλλὰ σὲ κτενῶν, Non colloquendi caussa veni,] Thuc., sed τῷ ἰέναι utens pro ἐλθεῖν, 3 : Τοῖς τε ἱκέταις ἤεσαν ἐς λόγους. Idem hac signif. dicit 4 : Συνῆλθον ἐς λόγους· 3 : Κατέστησαν ἐς λόγους. [Eur. Phœn. 771 : Σοὶ μὲν γὰρ ἡδὺς ἐς λόγους ἀφίξεται. Et sæpius Xenophon utroque numero. Alia phrasi Eur. Hel. 916 : Ἅ σ' οἶμαι διὰ λόγων ἰόντ' ἐμοῦ κατηγορήσειν. Εἰς λόγους ἄγειν Xen. H. Gr. 4, 1, 2, συναγαγεῖν τινι 4, 1, 29. Polyb. 22, 21, 12 : Ταύτῃ διὰ λόγων ἐν Σάρδεσι γενόμενος.] Et, Τῷ Κλεομένεϊ ἐν λόγῳ ἦν, Herodot. [3, 148], Cum Cleomene colloquebatur. [De eodem Schweigh. : « Ἐς λόγους ἐλθεῖν τινι 1, 86; 9, 44. Ἐς λόγους συνελθόντες 1, 82. Ἐς λόγους ἦλθον Μαρδόνιος καὶ Ἀρτάβαζος 9, 41. Ἀπικέσθαι ἐς λόγους Ἐτεάρχῳ 2, 32; 5, 49. Τῷ ἐς λόγους ᾔε 5, 94. Huc referendum et illud videtur 8, 59 : Πολὺς ἦν ἐν τοῖσι λόγοισι. » Polyb. 1, 83, 8 : Κομισάμενοι διὰ λόγου τοὺς αἰχμαλώτους.] || Disputatio, Disceptatio, de qua signif. v. Bud. p. 179.
D [Xen. Comm. 4, 6, 15 : Ὁπότε τι τῷ λόγῳ διεξίοι· et alibi.] Plato Philebo [p. 41, B] : Προσιστώμεθα δὲ, καθάπερ ἀθληταὶ, πρὸς τοῦτον αὖ τὸν λόγον, Aggrediamur igitur hanc quoque disputationem, Bud. Sic autem et alibi sæpe quum ap. illum scriptorem, tum ap. alios. Interdum vero reddi commode potest et nomine Quæstio. Sed hoc sciendum est, posse λόγος in quibusdam ll. reddi vel altero horum nominum, vel simpliciter Oratio. [Referri ad hunc locum potest λόγος ἥττων et κρείττων, ap. Aristoph. in Nubibus, Plat. Apol. p. 18, B, etc., Xen. OEc. 11, 25, de caussa inferiori et potiori.] Huc autem pertinet, Λόγος ἐστί μοι πρός σε, ex Dem., pro Contendo tecum. [P. 206, 27 : Οὐ γὰρ ἂν ἡγοῦμαι περὶ τούτου μόνον ἡμῖν εἶναι τὸν λόγον πρὸς ἐκείνους· 477, 24 : Πρῶτος πάλιν περὶ τῆς ἡγεμονίας ἐποίησε τῇ πόλει τὸν λόγον πρὸς Λακεδαιμονίους εἶναι· 942, 17 : Ἐμοὶ μὲν οὖν ἔστιν ... πρὸς τούτους ὁ λόγος. Hinc « Ἐπὶ λόγον ἄγειν τι, In disceptationem adducere, 3, 11, 3; 15, 19, 7. » Schweigh. Lex. Polyb.] || Ἔξω τοῦ λόγου λέγοντες [-τος], ap. Plat. [Leg. 12, p. 949, B]

exp. A re proposita orationem abducentes. Bud. quoque οὐκ ἔξω λόγου significare ait, Non extra propositum, Non abs re. [Aliter dictum v. infra in signif. Rationis.] || Opinio. Gregor. : Ὥσγε δὴ ὁ ἐμὸς λόγος, Duntaxat ut mea est opinio. Idem, Καὶ οὗτος τῶν θυσιῶν ὁ λόγος, ὡς ὁ ἐμὸς λόγος, Et hæc est sacrificiorum ratio, ut mea fert opinio. Dicit autem et Κατά γε τὸν ἐμὸν λόγον, hac signif. [Xen. Cyrop. 3, 1, 15 : Κολαστέον ἄρ' ἂν εἴη κατά γε τὸν σὸν λόγον τὸν πατέρα · Conv. 5, 7 : Ἔοικα κατὰ τὸν σὸν λόγον καὶ τῶν ὄνων αἴσχιον τὸ στόμα ἔχειν.] Et λόγον παρέχειν, Opinionem præbere et suspicionem, ex qua hominum sermo excitatur : quod Cic. Sermonem dare dixit. Affert autem Bud. exemplum hujus generis loquendi ex Polyb. [3, 89, 3], sed usus est ante eum Thuc. [et Isæus p. 89, 12 : Λόγον ἐν τῷ δήμῳ παρέσχε μὴ πόλεμον ἡμῖν ... ποιήσειε.] Meminit autem ille hujus signif. nominis λόγος p. 174, 175, 176. [Herodot. 8, 6 : Ἔδει δὲ μήτε πύρφορον τῷ ἐκείνων λόγῳ ἐκφυγόντα περιγενέσθαι. Xen. Comm. 3, 10, 12 : Τἄλλα ὡσαύτως ἔοικεν ἔχειν τῷ σῷ λόγῳ.]

|| Λόγος, Liber, Tractatus. Herodot. 5, [36] : Ὡς δεδήλωταί μοι ἐν προτέρῳ [τῷ πρώτῳ] τῶν λόγων, Superiore libro, Cam. Et 1, [184] : Τῶν ἐν τοῖς Ἀσσυρίοισι λόγοις μνήμην ποιήσομαι, De his in libris historiæ Assyriæ mentionem facturus sum, Cam.; ubi tamen aliter potius accipere malim. [Ib. 106 : Ἐν ἑτέροισι λόγοισι δηλώσω · 2, 161 : Τὴν ἐγὼ ἐν τοῖσι Λιβυκοῖσι λόγοισι ἀπηγήσομαι. Et ἐν τοῖσι ὄπισθε λόγοισι 7, 213; 1, 75; ἐν τοῖσι πρώτοισι τῶν λόγων, 7, 93. Ἑκαταῖος ἐν τοῖσι λόγοισι, 6, 137. Singulari 2, 38 : Τὰ ἐγὼ ἐν ἄλλῳ λόγῳ ἐρέω. Et de opere universo 6, 19 : Ἐπεὰν κατὰ τοῦτο γένωμαι τοῦ λόγου · et ib. : Τῶν μνήμην ἑτέρωθι τοῦ λόγου ἐποιησάμην · 7, 152 : Τοῦτο τὸ ἔπος ἐχέτω μοι ἐς πάντα τὸν λόγον. Ex Schweigh. Lex.] Sic autem λόγος, Liber, et ap. ceteros scriptt. Galen. : Κατὰ τὸν ἕβδομον λόγον, Septimo libro : pro quo dicit alibi ἕβδομον γράμμα. Apud Lucian., Ἀληθοῦς ἱστορίας λόγος πρῶτος, et ejusdem λόγος δεύτερος. Sic ap. Plut., Περὶ τῆς Ἀλεξάνδρου τύχης ἢ ἀρετῆς λόγος πρῶτος, et λόγος δεύτερος. Quinetiam subaudiendum putatur hoc substantivum in nonnullis librorum inscriptionibus : ut ap. eund. Plut., Ἐρωτικὸς pro ἐρωτικὸς λόγος, itidemque Παραμυθητικὸς, pro παρ. λόγος. In aliis autem ll. potest vel substantivum hoc λόγος, vel βιβλίον, aut aliud hujusmodi subaudiri : veluti quum dicitur Πλουτάρχου Περὶ παίδων ἀγωγῆς, aut Ξενοφῶντος Περὶ ἱππικῆς. Ap. Xen. itidem habetur Οἰκονομικὸς λόγος : ubi Ciceroni quoque λόγος est Liber; verum Ἱππαρχικὸς, ac Κυνηγετικὸς, sine λόγος : quum tamen alioqui eadem sit in his quoque ratio. Quinetiam ipse in fine libri Περὶ ἱππικῆς, loquens περὶ τοῦ ἱππαρχικοῦ, scribit : Ἃ δὲ ἱππάρχῳ προσῆκεν εἰδέναι τε καὶ πράσσειν, ἐν ἑτέρῳ λόγῳ δεδήλωται. [Ages. 10, 3 : Μὴ θρῆνόν τις τοῦτον τὸν λόγον νομισάτω · H. Gr. 6, 4 fin. : Ἄχρι οὗ ὅδε ὁ λόγος ἐγράφετο · Cyrop. 4, 5, 26 : Ὁ δὲ Κῦρος αὐτῷ ἐπέστελλε πρὸς μὲν Πέρσας λέγειν ἃ καὶ πρόσθεν ἐν τῷ λόγῳ δεδήλωται · 8, 1, 7 : Ὡς δ' ἐν τῷ λόγῳ δεδήλωται Κῦρος καταστησάμενος ... τὴν ἀρχήν · Anab. 2, 1, 1 : Ἐν τῷ ἔμπροσθεν λόγῳ δεδήλωται · et ἐν τῷ πρόσθεν λόγῳ 3, 1, 1, etc.] || Λόγοι, Studia literarum et disciplinæ liberales, Bud. p. 176, 177, ex Synes. [Epist. 90 : Ναὶ μὰ τοὺς λόγους. Conf. Ep. 73, p. 220, D : Εἰπὲ, πρὸς τῶν λόγων. Boiss.], Gregor. [Naz. Or. 20, p. 325, A : Τῶν ἐμῶν λόγων αὕτη (ἡ Καισαρέων πόλις) καθηγεμὼν καὶ διδάσκαλος. Boiss.] Unde οἱ ἀμφὶ τοὺς λόγους et οἱ περὶ τοὺς λόγους τοὺς ἐλευθερίους, Literati homines, ex eod. Greg. Et οἱ ἐπὶ λόγοις εὐδόκιμοι, ex Herodiano [6, 1, 8], Homines insigni doctrina præditi. Contra autem οἱ ἐκτὸς λόγων ὄντες, pro Illiterati, ut vicissim οἱ ἐντὸς λόγων ὄντες, Literati, Bud. p. 179. At in VV. LL. est οἱ ἐν λόγοις ὄντες ex Aristot., pro Studiosi doctrinarum. Sed peculiariter οἱ ἔξωθεν λόγοι, Studia externa, et literæ disciplinæque nihil ad scripta Evangelica consecrataque pertinentes, quæ Seculares appellantur. Bud. ex Chrysost. Eodem autem sensu dicitur ἡ ἔξωθεν παιδεία a Gregor. [Λόγων συνθέτης, Rerum scriptor. Pausan. 10, 26, 1 : Ξενοδίκης μνημονεύσαντα οὐκ οἶδα οὔτε ποιητὴν οὔτε ὅσοι λόγων συνθέται. Cui 1, 38, 7 : Οἱ μὲν Ἑρμοῦ παῖδα εἶναι ... λέγουσι, τοῖς δέ ἐστι πεποιημένα Ὤγυγον εἶναι πατέρα. Ἐλευσίνιοι γὰρ ἀρχαῖοι τῶν

A λόγων ἄλλα τε πλάσασθαι δεδώκασι μάλιστα ἐς τὰ γένη, restituendum esse ... Ἐλευσίνι · οἱ γὰρ ἀρχ. τῶν λ. συνθέται ἄλλα τε πλ. δοκοῦσι, μάλιστα δὲ ἐς τὰ γένη, dixi in Δάειρα p. 847, B. Himer. Ecl. 13, 27, p. 228 : Τίς ποιητὴς ἢ λόγων συνθέτης · et Or. 7, 5, p. 520, ubi λογοσυνθέτης codex Rom.]

|| Λόγος, Ratio, a qua signif. est ἄλογος, Ratione carens. Aristot. Rhet. 1, [c. 10, 3] : Τῶν δὲ ἐπιθυμιῶν αἱ μὲν ἄλογοί εἰσιν, αἱ δὲ μετὰ λόγου · Eth. 9, 8 : Καὶ διαφέρων τοσοῦτον ὅσον τὸ κατὰ λόγον ζῆν τοῦ κατὰ πάθος. Et λόγον ἔχει, quod est Rationi consentaneum : pro quo et Consentaneum dicitur sine adjectione. [Aristot. De anima 3, 9 : Τὸ λόγον ἔχον καὶ τὸ ἄλογον.] Dem. : Οὐ γὰρ ἔχει λόγον, σώζειν μὲν τὰ χρήματα διὰ τῆς ἐμῆς μητρὸς ζητεῖν, Neque enim rationi consentaneum est, Nec enim consentaneum est. Contra λόγον ἔχειν, Consentaneum rationi esse, Ratione non carere. [Demosth. p. 1090, 12 : Τὸ μὲν ποιεῖν τι τῶν νομιζομένων ἐκώλυσεν ἡμᾶς τῷ τετελευτηκότι, πατὴρ ὢν αὐτὸς ἐκείνου, ὡς ἔχει λόγον.] Exp. autem λόγον ἔχει et Probabile est, Verisimile est, ap. Plut. [Plat. Epin. p. 988, B : Λόγον καὶ
B πολὺν καὶ καλὸν ἔχει.] Philo : Ὃν δ' ἔχει λόγον, Cujus quæ sit ratio. Atque ut dicitur aliquid λόγον ἔχειν, sic etiam aliquis : Gall. *Vous avez raison de faire cela, d'avoir faict cela.* Plato Apol. Socr. [p. 34, B] : Τάχ' ἂν ἔχοιεν λόγον βοηθοῦντες, ubi tamen exp. Non mirum sit fortasse, si opem ferant. [« Τοῦτο ... ὅμως λόγον ἔχει, ἐκεῖνο μηδ' ὑπὸ λόγον πίπτει, Hoc rationem habet, illud ratione omni destituitur, 8, 12, 12. Οὗτοι πολὺν ἔχουσι λόγον καὶ φαινόμενον ὑπὲρ τῶν καθ' αὑτοὺς δικαίων, 17, 14, 5. Τὸ τῶν ἀνθρώπων γένος δοκοῦν πανουργότατον εἶναι τῶν ζῴων, πολὺν ἔχει λόγον τοῦ φαυλότατον ὑπάρχειν, Multæ sunt causæ cur, ib. 15, 15. Μηδ' ὑπὸ λόγον πίπτει ἡ ἀδικία αὐτῶν, 4, 15, 11, i. q. ibid. πρᾶγμα πάντων ἀλογώτατον. Ὑπὸ τὸν λόγον ἄγειν τι, Reputare aliquid, 15, 34, 2. » Schweigh. Lex. Polyb.] Qua porro signif. aliquid dicitur λόγον ἔχειν, ead. et λόγου ἔχεσθαι, et aliquis etiam interdum λόγου ἔχεσθαι [Herodot. 7, 5, 6; 8, 60, ubi tamen vertendum Sermo], necnon τῷ λόγῳ ἕπεσθαι a Plut. [Aristoph. Vesp. 469 : Οὔτε τιν'
C ἔχων πρόφασιν οὔτε λόγον εὐτράπελον, ubi tamen Oratio est potius quam Ratio. De formula λόγος vel ὁ λόγος αἱρεῖ v. in Αἱρέω. Cui hæc addit Schweigh. in Lex. Polyb. : « Πρὸς τίνα λόγον ποιεῖται τοιαύτην παραίτησιν, Qua caussa, Quid spectans, 40, 6, 5. Οὐδενὶ λόγῳ, Præter rationem, Nulla caussa, Temere, 16, 10, 3: Πρὸς οὐδένα λόγον αἰτεῖ τοῦτο, Nullam caussam habet cur hoc postulet, 28, 11, 7. Πολλὰς ἀφορμὰς ἔχει πρὸς πραγμάτων λόγον, Ad res gerendas, 5, 35, 10. Μεγάλα συνεβάλλετο τοῦτο Καρχηδονίοις εἰς πραγμάτων λόγον, 2, 13, 1. Οὐδὲν εἰς πραγμάτων λόγον, Nihil notabile, 29, 9, 16. Ξύλα εἰς σφηκίσκων λόγον, Conficiendis palis, 5, 89, 6. Εἰς ἀργυρίου λόγον ἀδικεῖσθαι, Injuriam pati ratione pecuniæ, 11, 28, 8. Πάνυ πρὸς λόγον γίγνεται τοῦτο, Facit ad caussam, ad rem, 11, 50 (?), 6. » Similiter ut in loco ante postremum posito Lysias p. 157, 30 : Οὐ μόνον πρὸς δόξαν ἀλλὰ καὶ εἰς χρημάτων λόγον λυσιτελεῖ μᾶλλον ὑμῖν ἀποψηφίσασθαι. Et Dinarch. p. 97, 40 : Περὶ τῶν ἄλλων ἀδικημάτων τῶν εἰς ἀργυρίου λόγον ἀνηκόντων. Diodor. 1, 49 : Ὃ συγκεφαλαιούμενον
D εἰς ἀργυρίου λόγον εἶναι μνῶν τρισχιλίας καὶ διακοσίας μυριάδας.] At λόγον ἔχειν τινὸς, ut Lat. Rationem habere alicujus, alio sensu, ut docebo infra. [Hac signif. dicitur etiam ubi conjungitur cum v. λαμβάνειν, Percipere, Intelligere, ut ap. Plat. Leg. 1, p. 645, B : Τὸν μὲν λόγον ἀληθῆ λαβόντα ἐν ἑαυτῷ περὶ τῶν ἕλξεων τούτων · 2, p. 653, B : Ἡδονὴ καὶ λύπη ἂν ὀρθῶς ἐν ψυχαῖς ἐγγίγνωνται μήπω δυναμένων λόγῳ λαμβάνειν, λαβόντων δὲ τὸν λόγον συμφωνήσωσι τῷ λόγῳ · Reip. 3, p. 402, A : Πρὶν καὶ λόγον δυνατὸς εἶναι λαβεῖν · 7, p. 534, B : Ἦ καὶ διαλεκτικὸν καλεῖς τὸν λόγον ἑκάστου λαμβάνοντα τῆς οὐσίας;] Item κατὰ λόγον γίγνεται, Cum ratione fit, Non abs re fit, Plut. [Plato Polit. p. 283, C : Ἵνα κατὰ λόγον ἐπαινῶμεν. Et alibi sæpe. Frequens est etiam ap. Polybium quum simplex κατὰ λόγον tum formula ἐκ τοῦ s. τῶν κατὰ λόγον, cujus exx. v. ap. Casaub. et Schweigh. in Lex.] Cui opp. παρὰ λόγον, Præter rationem, Contra quam rationi consentaneum sit. Sed hoc παρὰ λόγον aliter etiam accipitur, ut ostendam in Παράλογος. Interdum vero κατὰ λόγον generalius etiam

pro Ut decet. Ap. Lucam autem Act. 18, 14 : Εἰ μὲν οὖν ἦν ἀδίκημά τι ἢ ῥᾳδιούργημα πονηρὸν, ὦ Ἰουδαῖοι, κατὰ λόγον ἂν ἠνεσχόμην ὑμῶν, quidam κατὰ λόγον interpr. Merito, at vett. Interprr. Recte. Ego certe puto κατὰ λόγον hic sonare ad verbum, *Par raison :* ea signif. qua dicimus, *Il eust falu par raison que je vous eusse ouys* : sed ἠνεσχόμην ἂν ὑμῶν, sonare puto quod diceremus *J'eusse pris la patience de vous ouyr, Je vous eusse ouys par raison*, vel *comme de raison*, i. e., *C'eust esté raison que je vous eusse ouys.* Sic autem et hæc Græca Κατὰ λόγον ἂν ἠνεσχόμην ὑμῶν, resolvo in ἔσχεν ἂν λόγον ἐμὲ ἀνασχέσθαι ὑμῶν, Rationi consentaneum fuisset, vel Consentaneum fuisset me patienter vos audire. [Cum præp. πρὸς Plato Prot. p. 343, D : Τοῦτο γὰρ οὐδὲ πρὸς ἕνα λόγον φαίνεται ἐμβεβλῆσθαι. Cum genit. Æsch. Sept. 519 : Ὑπερβίῳ τε πρὸς λόγον τοῦ σήματος σωτὴρ γένοιτο Ζεύς. Eur. Hipp. 437 : Οὐ γὰρ περισσὸν οὐδὲν οὐδ' ἔξω λόγου πέπονθας.] A Dem. [p. 120, 13] λόγος et αἰτία copulantur : Οὐ γὰρ ἄνευ λόγου καὶ δικαίας αἰτίας, ut si Latine dicas Non absque ratione et causa. [I. q. Caussa est quum conjungitur cum præp. ἐξ, ut ap. Æsch. Cho. 515 : Ἐκ τίνος λόγου; Soph. Phil. 731 : Τί δήποθ' ὧδ' ἐξ οὐδενὸς λόγου σιωπᾷς; Eur. Andr. 548 : Ἐκ τίνος λόγου νοσεῖ δόμος; || Referri huc potest etiam quod aliquoties est ap. Herodotum et alios ὁ ἀληθὴς λόγος, velut 1, 120 : Οἱ ἀληθέϊ λόγῳ βασιλέες, Revera, Reapse reges. 5, 41 : Ἔχουσαν αὐτὴν ἀληθέϊ λόγῳ. Plato Phædr. p. 270, C : Τὸ τοίνυν περὶ φύσεως σκόπει τί ποτε λέγει Ἱπποκράτης τε καὶ ὁ ἀληθὴς λόγος· Tim. p. 51, E : Τὸ μὲν ἀεὶ μετὰ ἀληθοῦς λόγου, τὸ δὲ ἄλογον. Et ὀρθὸς λόγος ap. eund. Phæd. p. 73, A, etc. || Et quod i. est interdum q. Notio, Significatio, Definitio. Plat. Reip. 1, p. 343, A : Πᾶσι καταφανὴς ἦν ὅτι ὁ τοῦ δικαίου λόγος εἰς τοὐναντίον περιειστήκει· Leg. 10, p. 895, E : Μῶν οὖν οὐ ταὐτὸν ἑκατέρως προσαγορεύομεν, ἄν τε τὸν λόγον ἐρωτώμενοι τοὔνομα ἀποδιδῶμεν ἄν τε τοὔνομα τὸν λόγον, ἄρτιον ὀνόματι καὶ λόγῳ κτλ.] || Λόγος ὁριστικὸς ap. Philosophos, Ratio substantiæ, h. e. Finitio Item λόγος ὁριστικὸς, quasi Ratio finitrix. Dicitur et λόγος φυσικὸς, necnon λόγος simpliciter. Ap. Eosdem, κατὰ πρῶτον λόγον, vel κατὰ δεύτερον, Primaria ratione et causa, Per se; Secundaria ratione et per accidens. De quibus lege Bud. p. 180, 181. || Λόγοι, Rationes quibus causæ et effectus cognoscuntur, Plato Tim. [p. 29, B], quorum quidam sunt μόνιμοι et ἀμετάπτωτοι : de quibus Bud. p. 183. || [Ratiocinium, Calculatio, Gl. Eur. Rhes. 309 : Στρατοῦ δὲ πλῆθος οὔτ' ἂν ἐν ψήφου λόγῳ θέσθαι δύναι' ἄν. Quomodo intelligendum in locutionibus] Λόγον διδόναι, ὑπέχειν, ap. Oratt., Rationem reddere et causam dicere. [Demosth. p. 227, 26; 371, 20.] Sic autem et alii solutæ orationis scriptores loquuntur interdum. [Xen. H. Gr. 1, 1, 28 : Εἴ τις ἐπικαλοίη τι αὐτοῖς, λόγον ἔφασαν χρῆναι διδόναι· Cyrop. 1, 4, 3 : Διδόναι λόγον ὧν ἐποίει καὶ λαμβάνειν παρ' ἄλλων· OEc. 11, 22 : Λόγον διδόναι καὶ λαμβάνειν.] Quinetiam plur. λόγους ὑποσχεῖν ap. Xen. [H. Gr. 1, 7, 4 etc.], ut vides ap. Bud. p. 173, sicut Lat. plur. Rationes cum verbo reddere, aliisque nonnullis. [Plat. Protag. p. 338, D, etc.] Itidem vero λόγον λαμβάνειν ap. [Xen. supra citatum et] Dem. quum alibi, tum Phil. 4, [p. 101, 17] (Cic. itidem Accipere rationes dixit) : Τὸν μὲν τῶν χρημάτων λόγον παρὰ τούτων λαμβάνειν, τὸν δὲ τῶν ἔργων παρὰ τοῦ στρατηγοῦ. Æschines autem dixit etiam παραλαμβάνειν τὸν λόγον. [Εἰς λόγον καθίστασθαι, Demosth. p. 903, 20; 1029, 7. Lysias p. 183, 25 : Οἱ μὲν ἄλλοι τῆς αὐτῶν ἀρχῆς κατὰ πρυτανείαν λόγον ἀναφέρουσι.] Invenitur et λόγον [ἀπαιτῶ, Demosth. p. 868, 5, αἰτῶ, Plat. Polit. p. 285, E,] ἀπαιτοῦμαι, Rationem [reposco,] reposcor. At Plato in Protagora : Οὐδέν σοι ὑπὸ λόγον τίθεμαι, pro Non postulo rationem reddi, Cam. : sed vide et Ὑπόλογος. [Demosth. p. 988, 24 : Ἐν τῷ λόγῳ τῆς ἐπιτροπῆς· 1089 extr. : Ὁ μὲν τοίνυν τοῦ πράγματος λόγος καὶ τὸ ἁπλοῦν περὶ τῆς κληρονομίας οὕτως ἔχει. Id. p. 385, 11 : Τοῦτο δὲ καλὸν καὶ σεμνὸν εἰς ἀρετῆς λόγον καὶ δόξης, Ratione habita virtutis. Quibus similia sunt paullo ante memorata εἰς χρημάτων, εἰς ἀργυρίου λόγον. Cum genitivo etiam ap. Herodot. 3, 99 : Ἐς δὲ τούτου λόγον οὐ πολλοί τινες αὐτῶν ἀπικνέονται· 7, 9 : Οὐκ ἦλθον ἐς τούτου λόγον ὥστε μάχεσθαι, ubi λ. partim est Ratio, partim Consi-

A lium, de qua signif. in fine dicemus. Referri ad hanc signif. potest etiam Eur. Or. 151 : Λόγον ἀπόδος ἐφ' ὅ,τι χρέος ἐμόλετέ ποτε, quanquam etiam Orationem s. Verba intelligere licet. Ἔξω λόγου τίθεσθαι, In rationem non referre, Plut. Mor. p. 671, A : Ἔξω λόγου τιθέμενοι τὰ τὴν γένεσιν καὶ τὴν φύσιν ἐν αὐτοῖς ἔχοντα τούτοις.] || Λόγον ἔχειν, Rationem habere alicujus. [Æsch. Prom. 231 : Βροτῶν δὲ τῶν ταλαιπώρων λόγον οὐκ ἔσχεν οὐδένα.] Herodot. 2 : Καὶ τοῦ γε λόγον μάλιστα ἄξιόν ἐστιν ἔχειν. [Conf. id. 1, 62, 115.] Dem. [p. 294 extr.] : Οὐδ' οὕτως ἀποστατέον τῇ πόλει τούτων ἦν, εἴπερ ἢ δόξης, ἢ προγόνων, ἢ τοῦ μέλλοντος αἰῶνος εἶχε λόγον, Si rationem haberet, Bud. At Cam. vertit, Si quidem respectu tangeretur aut existimationis, aut majorum, aut posteritatis. [Pind. Ol. 8, 4 : Ἐμπύροις τεκμαιρόμενοι παραπειρῶνται Διὸς εἴ τιν' ἔχει λόγον ἀνθρώπων πέρι. Antiatt. Bekk. p. 107, 4 : Λόγον ἔχων (ἔχειν recte Suidas), ἀντὶ τοῦ φροντίζειν. Θεόπομπος Φιλιππικοῖς (-κῶν α' Suidas).] Dicitur autem et λόγον ποιεῖσθαί τινος, ead. illa signif., quod exp. etiam Non curare. [Herodot. 1,
B 4, 13, aliisque ll. ab Schweigh. indicatis, qui addit ejusd. 1, 117 : Τοῦ μὲν βουκόλου τὴν ἀληθηίην ἐκφήναντος λόγον ἤδη καὶ ἐλάσσω ἐποιέετο· 7, 156 : Ὁ δὲ, ἐπεί τε παρέλαβε τὰς Συρηκούσας, Γέλης μὲν ἐπικρατέων λόγον ἐλάσσω ἐποιέετο.] Herodot. [1, 33] : Οὔτε λόγου μιν ποιησάμενος οὐδενός. Et Theocr. 3, [32] : Οὕνεκ' ἐγὼ μὲν Τὶν ὅλος ἔγκειμαι, τὺ δέ μευ λόγον οὐδένα ποιῇ, ubi tamen multo significantius est quam si Lat. dicas, Nullam mei rationem habes. [Activo 2, 61 : Ὁ δέ μευ λόγον οὐδένα ποιεῖ.] At Gall. ad verbum et servata metaph. commodissime expresseris, *Mais tu ne fais aucun conte de moy, Mais tu ne tiens aucun conte de moy;* sed alterum illud *Fais* respondet verbo ποιῇ. Dicitur autem eadem signif. ἐν οὐδενὶ λόγῳ τίθεσθαι, quod sonat quidem ad verbum Gall. *Ne mettre point en conte,* sed accipitur tamen pro altero illo *Ne faire aucun conte,* pro Negligere, Contemnere, Floccifacere. Plut. [Pomp. c. 41] : Τῶν Ἀράβων βασιλέως ἐν οὐδενὶ λόγῳ τὰ Ῥωμαίων τιθεμένου. [Conf. Mor. p. 287, C; 1060, E. Et ἐν οὐδενὶ λόγῳ ποιεῖσθαί τι vel τινα ap. Herodot. 1,
C 153; 3, 50; 7, 14, 57. (Sine verbo 9, 69 : Οὗτοι μὲν δὴ ἐν οὐδενὶ λόγῳ ἀπώλοντο.) Xen. H. Gr. 7, 1, 26. Polyb. 11, 23, 8 : Οὐ μικρὸν λόγον θέμενος. Pertinet huc etiam locutio ap. Plut. Mor. p. 872, C : Τὸ Θηβαίων ἱππικὸν οὐδενὶ λόγῳ διαφθαρῆναι.] Habet porro hanc signif. nomen istud λόγος, et absque his verbis; dicitur enim, Ἐμοῦ οὐδεὶς λόγος ἐστὶ, pro Nullo numero habeor : addit autem et hanc interpr. Bud., Nulla opinione præditus sum. Itidem vero μείων λόγος, Xen. Cyrop. 5, p. 76 [3, 26], ubi subauditur ἐστί. [Herodotus, quum hac tum inversa constructione, ἔθνος ἦν λόγου ἐλαχίστου, 1, 143. Τοὺς λόγου πλείστου ἐόντας ἔκτειναν, 3, 146. Ἐόντες λόγου πρὸς βασιλῆος, 4, 138. Λόγου οὐδενὸς γινόμεθα πρὸς Περσέων, 1, 120. Λόγος οὐδεὶς ἐγένετο, 1, 19. Ἐσθῆτος ποικίλης λόγος ἐγίνετο οὐδὲ εἷς, 9, 80. Τῶν ἦν ἐλάχιστος ἀπολλυμένων λόγος, 4, 135. Ἦν δὲ λ. οὐδεὶς τοῦ ἀπολλυμένου, 7, 223. Μαρδονίου δὲ, ἤν τι πάθῃ, λόγος οὐδεὶς γίνεται, 8, 102. Ex Schweigh. Lex.] Additur interdum περί. Aristoph. Ran. [87] : Περὶ ἐμοῦ δ' οὐδεὶς λόγος Ἐπιτριβομένου τὸν ὦμον οὑτωσὶ σφό-
D δρα. Sed hic lectorem monendum putavi, ne alterum verborum eorund. usum cum hoc confundat; ut enim dicitur ἐμοῦ λόγος οὐδεὶς, sic vicissim ἐμοῦ λόγος τις sed hoc aliam etiam signif. habet : Xen. Cyrop. 6, p. 97 [3, 10] : Ἐπὶ τούτοις ἤρετο ὁ Κῦρος, ἡμῶν δ', ἔφη, λόγος τις ἦν παρ' αὐτοῖς; Hic enim non interrogat an aliquam eorum rationem haberent, aut utrum in aliquo numero essent apud eos; sed an aliquis de illis rumor apud eos sparsus esset : ut apparet ex hoc responso, Ναὶ μὰ Δί' ἔφασαν, καὶ πολύς γε, ὡς ἐγγὺς ἤδη ἦτε προσιόντες. Ac certe ut in Aristoph. l., quem modo protuli, abundare præp. περὶ, ita hic vicissim deesse merito videri possit; atque adeo omissam esse suspicarer, nisi similem hujus nominis usum ap. eundem scriptorem extare scirem. [Pind. Nem. 7, 21 : Ἐγὼ δὲ πλέον' ἔλπομαι λόγον Ὀδυσσέος ἢ πάθεν διὰ τὸν ἁδυεπῆ γενέσθ' Ὅμηρον. Eademque constructione Herodot. 9, 58 : Καὶ τούτων μὲν ἑτέρωθι ἔσται λόγος. Plat. Apolog. p. 26, B : Πρὸς αὐτῶν τούτων τῶν θεῶν, ὧν νῦν ὁ λόγος ἐστίν.] Huc pertinet et illud, quod de Megarensibus

dictum fuit, Οὔτ' ἐν λόγῳ, οὔτ' ἐν ἀριθμῷ· quod habes ap. Erasm. Prov., Megarenses, neque tertii, neque quarti. Unde Callim. [Epigr. 26, 5] sumpsit οὐ λόγος, οὐδ' ἀριθμός: Τῆς δὲ ταλαίνης Νύμφης, ὡς Μεγαρέων, οὐ λόγος οὐδ' ἀριθμός. At Theocr. [14, 48] pro οὔτ' ἐν λόγῳ, οὔτ' ἐν ἀριθμῷ, dixit, Οὔτε λόγω τινος ἄξιοι, οὔτ' ἀριθματοὶ, ubi animadverte, λόγω ἄξιοι, quod est Dorice pro λόγου ἄξιοι, non accipi in vulgo recepta signif., quam et ipsam retuli supra, sed perinde esse ac si diceretur οὔτε λόγου τινὸς ἀξιούμεθα, οὔτε ἀριθμοῦ, οὐχ ἄξιοι νομιζόμεθα τοῦ τίθεσθαι ἐν λόγῳ, ἢ ἐν ἀριθμῷ· accipiendo τίθεσθαι passive. [Tyrtæus ap. Stob. vol. 2, p. 367: Οὔτ' ἂν μνησαίμην οὔτ' ἐν λόγῳ ἄνδρα τιθείμην. Eadem signif. Soph. Aj. 477: Οὐκ ἂν πριαίμην οὐδενὸς λόγου βροτὸν ὅστις κεναῖσιν ἐλπίσιν θερμαίνεται.] || Ceterum ut huic interpretationi adhibentur ablativi Numero et Loco, dicendo, Nullo in numero esse, Nullo in loco esse, poni, sic et aliis locis aliter adhiberi solent: Ἐν λόγῳ συμμάχων λέγονται, Numero sociorum censentur, VV. LL. [ex Herodoto 8, 68: Σοὶ δὲ ἐόντι ἀρίστῳ ἀνδρῶν πάντων, κακοὶ δοῦλοί εἰσι, οἳ ἐν σ. λ. λ. εἶναι, ἐόντες Αἰγύπτιοι κτλ. Sic 3, 125: Ἐν ἀνδραπόδων λόγῳ ποιεύμενος εἶχε· 7, 122: Κατεῖχε σφέας ἐν ὁμήρων λόγῳ ποιεύμενος· 3, 120: Σὺ γὰρ ἐν ἀνδρῶν λόγῳ; Ex Schweigh. Lex.] Ibid. ex Aristot.: Ἐν φαρμάκου λόγῳ ἡ τροφή, Medicamenti loco cibus est. Item [OEc. 2, 16]: Εἰς ἀργυρίου λόγον νόμισμα σιδηροῦν κόπτειν, Argenti loco numum ferreum cudere. [Λόγῳ πράσεως, Dotis (?) titulo; Λόγῳ προικὸς, Dotis titulo, Gl. « Vice alterius rei, Pro aliquo. Cedren. p. 468: Φ' κεντηνάρια ἐχώσαμεν εἴς τινα τόπον λόγῳ τῶν ἀδελφῶν σου τῶν Καισάρων. Harmenop. 1, 4, 80: Λόγῳ διατροφῆς στρατιωτῶν, Pro militum sustentatione, In commeatum militarem. Codin. Off. 16, 10: Ὑπὸ τοῦ κούρσου πρῶτον μὲν δίδοται ἡ πενταμοιρία λόγῳ τοῦ βασιλέως, δεύτερον ἀπὸ τοῦ καθόλου φοσσάτου λόγῳ τοῦ μεγάλου δομεστίκου. » Ducang. Alia Reisk. ad Constantin. Cærim. p. 305 ed. Bonn., Reitz. Gloss. Theophil. v. Λόγος. Ejusdem signif. formulæ sunt εἰς λόγον et ὑπὸ λόγον, de quibus dixi in indice ad Jo. Malalam.]

|| Λόγος in alia etiam signif. Rationis, vide in Λόγος, Proportio.

|| Λόγον ἑαυτῷ διδόναι, Rationem secum inire, Ratiocinari secum, Bud. Ob quas interprett. locum istum dandum putavi huic loquendi formulæ, nimirum post Λόγος, Ratio. Exp. tamen et Æstimare ac perpendere. [Plato Soph. p. 230, A: Λόγον ἑαυτοῖς δόντες. Demosth. p. 1103, 18: Λόγον δ' ἐμαυτῷ διδοὺς εὑρίσκω τοῖς δικάσασι μὲν τότε πολλὴν συγγνώμην οὖσαν. (Quod Eur. Med. 872 dicit: Ἐγὼ δ' ἐμαυτῇ διὰ λόγων ἀφικόμην.)] Alicubi vero et Conjectura colligere, ut videbis p. 174, ubi ex Andocide et Plut. affert exempla. Fortassis autem ex Herodoto sumpta fuit illa dicendi formula, ap. quem non raro occurrit [Ἑωυτῷ λόγον ἔδωκε (περὶ τοῦ ὀνείρου), 1, 33. Ἐδίδου λόγον ἑωυτῷ περὶ τῆς ὄψιος, 1, 209. Δοῦναί σφι λόγον καί σφι ἀδεῖν, 3, 45 etc. Plur. ἐδίδοσαν αὖτίς σφισι λόγους, 3, 76; 6, 138. Sequente conjunctione 6, 86: Ἐμεωυτῷ λόγους ἐδίδουν καὶ ὅτι ἐπικίνδυνός ἐστι αἰεί κοτε ἡ Ἰωνίη ... καὶ διότι κτλ. 4, 102: Οἱ Σκύθαι δόντες σφίσι λόγον ὡς οὐκ οἷοί τε εἰσι κτλ. 5, 75: Κορίνθιοί σφι αὐτοῖσι δόντες λόγον ὡς οὐ ποιοῖεν τὰ δίκαια]; ac certe ap. eum videtur et pro Deliberare alicubi accipi: quæ signif. huic etiam Plut. l. convenit, ubi adjicitur particula εἰ: De orac. def. [p. 419, C]: Πάντας ἐκπλαγῆναι, καὶ διδόντας ἑαυτοῖς λόγον εἴτε ποιῆσαι βέλτιον εἴη τὸ προστεταγμένον, εἴτε μὴ πολυπραγμονεῖν, ἀλλ' ἐᾶν οὕτως.

|| Λόγος pro ἀναλογία, Proportio: unde κατὰ λόγον ap. [Herodot. 1, 186: Τὰς καταβάσιας ... ἀνοικοδόμησε πλίνθοισι ὀπτῇσι κατὰ τὸν αὐτὸν λόγον τῷ τείχεϊ· 2, 109: Ὅκως κατὰ λόγον τῆς τεταγμένης ἀποφορῆς τελέοι. Xen. Cyrop. 8, 6, 11: Ὃς ἂν ἐμοὶ κατὰ λόγον τῆς δυνάμεως πλεῖστα ἅρματα ... ἀποδεικνύῃ. Plato Leg. 3, p. 676, B: Κατὰ τὸν αὐτὸν τοῦ πλήθους λόγον. Polyb. 9, 20, 3: Αὔξειν ἢ μειοῦν κατὰ λόγον ἀεὶ τῶν προσγιγνομένων ἢ ἀποχωριζομένων·] Aristot. H. A.: Καὶ τοῦτο τὸ μόριον φαίνεται μεῖζον ὂν ἢ κατὰ λόγον τοῦ ὅλου σώματος, Proportione, Bud.; a quo et hæc scribuntur, Proportio in numeris et phthongis: unde ἄλογον, Quod proportionem non habet: quod etiam ἀσύμμετρον appellatur.

A Idem λόγον ἔχειν exp. Proportionem habere et rationis similitudinem, i. e. ἀνάλογον εἶναι et ἀναλογεῖν. Plato Phædone [p. 110, D], inquit Cam., quæ nascantur, proportione nasci dicit, i. e. ἀνάλογον, in illa præclara et eximia terra: et ἀνὰ τὸν αὐτὸν λόγον, Pro pari portione, esse perfectam lapidum naturam. [Cum genit. Plato Tim. p. 29, C: Ἀνὰ λόγον ἐκείνων ὄντας. Cum dat. Alcib. 2 p. 145, D: Καὶ τἄλλα δήπου ἀνὰ λόγον τούτοις.] Et Bud. iis, quæ modo protuli, subjungit Synes. Ep. ad Jo.: Νῦν δὲ τὰ ἁμαρτήματα λόγον ἔχει πρὸς τὰς ἀνεκπλύτους κηλῖδας, i. e., inquit, Peccata vero sunt instar macularum quæ elui nequeunt. Sed quidam ibi interpr. Rationem habent ad maculas. Sicut in isto Ejusd. l., Τῶν μελιττῶν ὁ βόμβος εἰς ἡδονῆς λόγον οὐδεμιᾷ παραχωρῶν μουσικῇ, Ad voluptatis rationem. Hic tamen εἰς ἡδονῆς λόγον malim vertere, Si habenda sit ratio voluptatis, s. potius Si spectetur voluptas, Si voluptatem spectes. [Cum præp. πρὸς Polyb. 6, 30, 3: Τὸ βάθος αὔξοντες τούτοις πρὸς λόγον· 9, 15, 3: Οὕτω γὰρ ἂν μόνως δύναιτο συμμετρεῖσθαι πρὸς λόγον τὰ διανύσματα.
B Plut. Mor. p. 945, D: Τοῦτον πρὸς Ἥλιον ἔχουσα τὸν λόγον ὃν ἡ γῆ ἔχει πρὸς Σελήνην.] || Mens: λόγῳ θεωρητὰ, pro νοητὰ, Mente percepta, Bud. p. 183, ubi λόγος ab eo exp. etiam Animi conceptio. Sed et p. 175, itidem Mentis conceptus, necnon Cogitatio ab eo redditur, ap. Themist., ex quo hæc inter alia affert, Οἱ δὲ τὰς ἰδέας λέγοντες, ἃ μηδὲ τῷ λόγῳ χωριστὰ, ταῦτα καὶ ὑποστάσει χωρίζουσι. Sic autem ap. Plat. Parmenide [p. 165, B], λόγῳ λαβεῖν et τῇ διανοίᾳ pro eodem.

|| Λόγος, vel plur. λόγοι aliis etiam modis alicubi reddi potest pro loco, s. pro re, de qua agitur: ut, ex. gr., ita orationem s. verba significat interdum, ut etiam ponatur pro [Argumento s.] Re quæ verbis exprimitur, et illis velut continetur. [Æsch. Prom. 193: Πάντ' ἐκκάλυψον καὶ γέγων' ἡμῖν λόγον· Pers. 246: Τάχ' εἴσει πάντα ναμερτῆ λόγον· Ag. 582: Πάντ' ἔχεις λόγον· 600: Ἄνακτος αὐτοῦ πάντα πεύσομαι λόγον· Sept. 226, Pers. 343: Ὧδ' ἔχει λόγος. « Σαφῶς προπεπυσμένοι πάντα λόγον, Herodot. 1, 21, 111, 112. Μηδενὶ ἄλλῳ τὸν λόγον τοῦτον εἴπῃς, 8, 65. Τὸν ἐόντα λέγειν λόγον, 1, 95. Ἔφαινε
C τὸν ἐόντα λόγον, 1, 116. Τὸν ἰθὺν ἔφαινε λόγον, 1, 118. Referri huc potest 8, 51: Πρὶν ἢ τὸν Εὐρυβιάδεα προθεῖναι τὸν λόγον τῶν εἵνεκα συνήγαγε τοὺς στρατηγούς. » Ex Schweigh. Lex. Xen. Cyrop. 1, 5, 3: Τοῖς λόγοις τούτοις πειθόμενοι. Et alibi sæpe similiter. Plato Parm. p. 128, C: Τῷ Παρμενίδου λόγῳ· Phæd. p. 88, D: Ὁ λόγος οὗτος· aliisque ll. similibus.] Hinc fit ut δέχεσθαι τοὺς λόγους τινὸς, quod proprie sonat Admittere verba alicujus, ponatur ab Herodoto et Thuc. [4, 16 init.], pro Assentiri petitioni alicujus. Nonnunquam etiam λόγος s. λόγοι accipiuntur pro Conditio s. Conditiones. Plato in Epist.: Ἥξειν ὡμολόγησα ἐπὶ τούτοις τοῖς λόγοις, quam signif. habet et apud Thucydidem, ni fallor. [Schweigh. in Lex. Herodot.: « Ἐνδεξαμένου τὸν λόγον καὶ ὁμολογήσαντος ἐπὶ τούτοισι, 1, 60. Ἐπὶ λόγῳ τοιῷδε τάδε ὑπισχνέομαι, ἐπ' ᾧ στρατηγὸς γενήσομαι, 7, 158. Ἔταμον ὅρκια ἐπὶ λόγῳ τοιῷδε, 9, 26. Ἐπὶ τοῖσι αὐτοῖσι λόγοισι τοῖσι καὶ αὐτὸς, 9, 33. » Xen. H. Gr. 2, 2, 19: Ἐρωτώμενοι ἐπὶ τίνι λόγῳ ἥκοιεν, εἶπον ὅτι αὐτοκράτορες περὶ εἰρήνης. Consilium intelligere
D licet quum in l. Herodoti 7, 9, in signif. Rationis citato, οὐκ ἦλθον ἐς τούτου λόγον ὥστε μάχεσθαι, tum in his qui formulam κοινῷ λόγῳ habent, 1, 141: Τοῖσι Ἴωσι ἔδοξε κοινῷ λόγῳ πέμπειν ἀγγέλους ἐς Σπάρτην· 166: Στρατεύονται ἐπ' αὐτοὺς κοινῷ λόγῳ χρησάμενοι Τυρσηνοὶ καὶ Καρχηδόνιοι· 2, 30. Et 3, 119: Ἀρρωδήσας μὴ κοινῷ λόγῳ οἱ ἓξ πεποιηκότες ἔωσι ταῦτα. Et in hoc ib. 36: Οἱ δὲ θεράποντες καταχρύπτουσι τὸν Κροῖσον, ἐπὶ τῷδε τῷ λόγῳ ὥστε εἰ μὲν μεταμελήσει τῷ Καμβύσῃ, δῶρα λάμψονται. || « Verbum, Sermo, ut hæ voces sumuntur ap. Latinos inferioris ævi, sc. Pollicitatio, Securitas verbo data alicui, Jusjurandum veteri interpreti Novellarum Justiniani 5, 17, 123. Moschus Limon. c. 36: Λέγει αὐτῷ, Δός μοι λόγον ὅτι κτλ. Theodorus Lect. Eccl. 2: Ἐπιτραπεὶς τὸν λόγον δοῦναι ὁ Μακεδόνιος. Chron. Alex. a. 13 Theodosii jun.: Προσέφυγον ἐν τῇ Ἑλλάδι φοβηθέντες· καὶ πέμψασα ἀπήνεγκεν αὐτοὺς ὑπὸ λόγον, καὶ ἐποίησεν αὐτοὺς ἀξιωματικούς. Theophanes p. 315: Πολλὰ κάστρα ὑπὸ λόγον παρέλαβεν. Ead. p.: Ταῦτα ἰδόντες καὶ ἀπογνόντες ἔλαβον λόγον τῆς ἑαυτῶν ἀπαθείας. Ita

λόγος ἀσυλίας in Edicto 2 Justiniani c. 1, etc. » Duc.]

[Λόγος, ὁ, Logus, n. viri in inscr. Att. ap. Bœckh. vol. 1, p. 393, n. 284, col. 2, 6. V. Εὔλογος n. pr.]

[Λογοσκόπος, ὁ, Explorator dictorum. Pallad. V. Chrys. p. 51 : Οὐδὲν γὰρ αὐτῷ ἐλάνθανε τῶν πανταχοῦ πραττομένων ἢ λαλουμένων, ἔχοντι ἐργοσκόπους καὶ λογοσκόπους, ἵνα μὴ ἄλλως εἴπω.]

[Λογοστρόφος, ὁ, Verborum vertendorum artifex. Theodor. Metoch. Misc. p. 732 : Συνηγοριῶν καὶ κατηγοριῶν λογοδιδάσκαλος καὶ λογοστρόφος. Simile quod ib. dicitur Πολυστρόφοις λογισμοῖς. L. Dind.]

[Λογοσυλλεκτάδης, ὁ, Qui oratione utitur collecticia. Eust. Od. p. 1309, 3 : Οἱ μὴ γεννῶντες ῥητορείας οἰκείας, ἀλλ', ὡς εἰπεῖν, λογοσυλλεκτάδαι ὄντες. ᾰ L. D.]

[Λογοσυνάκτης, ὁ, Ratiocinator. Basilic. 18, 2, 5, 6.]

[Λογοσυνθέτης, ὁ, var. script. pro λόγων συνθέτης. V. Λόγος, Liber, in fine, p. 370, A.]

[Λογοτέχνης, ὁ, Verborum artifex. Doxopatrius in Walz. Rhett. vol. 2, p. 90, 6 : Πῶς οὐχὶ καὶ τὸν δίκην ὕλης τὸν λόγον αὐτὸν κοσμοῦντα λογοτέχνην εἶναι νομίσομεν;]

[Λογοτεχνία, ἡ, Artificium oratorium. Nicet. Eugen. Epist. vol. 2, p. 8 : Εὐνοίας ἄρα τῆς σῆς τὸ πρᾶγμα, οὐ τῆς ἐμῆς λογοτεχνίας λογίζομαι. Boiss.]

[Λογότροπος.] Λογοτόπος, ap. Philosophos dicitur τὸ ἐξ ἀμφοτέρων σύνθετον, ut, Si vivit Plato, spirat Plato : at primum est, ergo et secundum. Ita Suidas, ap. quem vide plura. Dialectici id vocant Syllogismum hypotheticum. [Λογότροπος Kusterus ex Diog. L. 7, 77.]

Λογούριον, τὸ, Hesychio ὕαλος, Vitrum. At λυγκούριον. [Bis hæc gl. legitur ap. Hesych. Priore loco, ubi addit Λάκωνες, series potius λογιούριον postulat, paulo post vero λογκούριον. Sic infra : Λυγιουργόν, τὸ ἤλεκτρον, ubi series λυγκούριον, aut simile, requirit. Albert.]

[Λογοφίλης, ὁ, i. q. sequens. Philo vol. 1, p. 58, 38 : Μωυσῆς δὲ λογοφίλην μὲν αὐτὸν οἶδε, φρόνιμον δὲ οὐδαμῶς. Wakef.]

[Λογόφιλος, ὁ, Verborum amans, captator. Zeno ap. Stob. Ecl. eth. vol. 2, p. 214 : Μηδ' εἶναι φιλόλογον, λογοφίλον (scr. λογόφιλον) δὲ μᾶλλον, μέχρι λαλιᾶς ἐπιπολαίου προβαίνοντα. Id. Flor. vol. 2, p. 50 : Ζήνων τῶν μαθητῶν ἔφασκε τοὺς μὲν φιλολόγους εἶναι, τοὺς δὲ λογοφίλους.]

[Λογόω. Λογόομαι, Rationalis fio. Athanas. C. Arianos 4, vol. 1, p. 486 : Οὐκέτι ὡς γηΐνης, ἀλλὰ λοιπὸν, λογωθείσης τῆς σαρκὸς διὰ τὸν τοῦ θεοῦ λόγον. Et alibi. Suicer. Eust. Opusc. p. 81 : Οὐδὲ ζῷον οὐδέ τις ἑτέρα τῶν ἀλλοφύλων φύσεων, ἃ καὶ αὐτὰ λελόγωται τρόπον τινά. L. Dind. Greg. Pal. p. 13.]

[Λογύδριον, τὸ, Ratiuncula, Gl., ubi vitiose λογόδριον, Libellus, Oratiuncula. Phot. Bibl. p. 124, 18; Tzetz. Hist. 12, 247; Suid. v. Τεχνύδριον, Theodor. Stud. p. 195, E; Pachom. in Mingarelli Catal. codd. Nan. p. 276. Theophan. Homil. p. 339, C, citat Jacobs., Jahn. Symb. ad Philostr. p. 141, Boiss. V. Λογάριον in Λογίδιον positum et Λογίδριον. Utriusque scripturæ exx. plura annotavit Ducang. Λογοιδρύων male ap. Jo. Laurent. De magistr. Rom. p. 286. Aliam diminutivi formam supra putavimus esse Λόγιον. Sed locus in illa citatus rectius refertur ad sequens Λόγιον.]

[Λογχάζω, Hasta pugno. Hesych. in Δοράζει (quod v.). Hemst.]

Λογχαῖος, et Λογχήτης s. Λογχίτης, ὁ, Lanceatus. Quorum illud, ap. Suid. legitur, expositum ὁ μετὰ λόγχης : hoc, de satellite dicitur, Lanceario, ut Sueton. vocat. [Herodian. Epim. p. 78 : Λογχίτης, ὁ λόγχην βαστάζων. ῑ]

[Λογχάριον, τὸ, Lanceola. Posidon. ap. Athen. 4, p. 176, B. Schol. Psalm. 54, 21. Ex glossis exx. nonnulla notavit Ducang. Add. Pasin. Codd. Taurin. vol. 1, p. 190, B.]

[Λογχὰς, vitium scripturæ pro λογὰς, quod v.]

[Λογχάσθην, εἶδος ὅπλου dicit Suidas, qui in Ἐφαπτίδας hunc ponit locum anonymi : Οἱ δὲ ψιλοὶ Ῥωμαίων ἕκαστος αὐτῶν εἶχον ἐφαπτίδα καὶ κνημῖδα τε καὶ λογχάσθην καὶ ἀκόντιον, διόλου σιδήρου πεποιημένον.]

[Λογχεύω, Hasta jaculor. Inscr. epigr. Adæi Anth. Pal. 9, 300 : Εἰς Πευκέστην ταῦρον τὸν καλούμενον ζόμβρον λογχεύσαντα. Eust. Opusc. p. 166, 30 : Λόγχῃ νυγέντα τὸν ζωοδότην ἡ θεωρήσασα, καὶ ῥομφαίᾳ τῆς λύπης

A διελαθεῖσα, σὺν λογχευθέντι λαλοῦσα Δημητρίῳ ὑπὲρ ἄνακτος λόγχην αὐτοῦ καρδίαις ἐχθρῶν ἔμπηξον. Theod. Stud. p. 143, E; 148, B. « Germanus in Hist. eccles. p. 177 : Τὰ δ' ἄλλα τῶν θείων δώρων οὐ λογχεύονται μετὰ τῆς λόγχης σταυροειδῶς, Non dissecantur cultro, in modum crucis cultro adhibito. » Suicer. V. Λόγχη in fine.]

Λόγχη, ἡ, Lancea, [Spiculum, Hasta, add. Gl.] ut Festus etiam testatur, Lancea, inquiens, a Græco dicta, quam illi λόγχην vocant. [Pind. Nem. 8, 30 : Ὑπ' ἀλεξιβρότῳ λόγχᾳ· 10, 60 : Χαλκέας λόγχας. Et sæpe ap. Tragicos et alios quosvis. Cum δόρυ pleonastice conjungit Eur. Tro. 1318 : Δορός τε λόγχαν. Ælianus vero N. A. 8, 10 : Ὁ τρόπος τῆς μάχης τοιοῦτός ἐστιν· οἱ μὲν ἄνθρωποι δόρατα ἰσχυρὰ λόγχας ἀφιᾶσιν, ex interpretatione grammatici accepisse videtur inutile λόγχας. L. D.] Ap. Aristot. De poet. [16, 2] : Λόγχην φοροῦσι γηγενεῖς. Xen. Eq. [12, 14] : Τὴν λόγχην ἀφῇ. [Et alibi sæpe.] Chion in Epist. [4, p. 27] : Οἱ Θρᾷκες, πρὶν εἰς ἐφικτὸν ἐλθεῖν, ἠκόντισαν τρεῖς λόγχας
B ἕκαστος. In Epigr. Venabulum quoque λόγχη appellatur. Pollux [10, 143] λόγχην esse dicit τὸ προὖχον σιδήριον τοῦ δόρατος, quod et αἰχμὴ, ἐπιδορατὶς, Cuspis, Mucro : unde πλατυλόγχους dici Quorum hastilia latis cuspidibus præfixa sunt. Ita sane Xen. Hell. 7, [5, 20] : Ἠκονῶντο λόγχας καὶ μαχαίρας. Et Aristoph. Holcadibus [ap. Polluc. 10, 144], Λόγχαι δ' ἐκαυλίζοντο καὶ ξυστὴ χάμαξ. [Λόγχαι ἀκοντίων id. 5, 20.] At quum Lysimachus dicit se τῇ λόγχῃ ἅπτεσθαι τοῦ οὐρανοῦ, Cuspidem cum suo hastili intelligit. [Λόγχη, proprie Spiculum hastæ. Herodot. 7, 69 : Αἰχμὰς εἶχον· ἐπὶ δὲ, κέρας δορκάδος ἐπῆν ὀξὺ πεποιημένον τρόπον λόγχης· 78 : Εἶχον αἰχμὰς μικρὰς, λόγχαι δὲ ἐπῆσαν μεγάλαι. Nempe αἰχμὴ tota hasta est, cujus partes ἡ λόγχη et τὸ ξυστὸν, 1, 52. (Xen. An. 4, 7, 16 : Δόρυ μίαν λόγχην ἔχον· 5, 4, 12 : Παλτὸν ἔμπροσθεν μὲν λόγχην ἔχον. Et alibi. L. D.) Proverbialiter dicitur, Οὐκ ἐκ θύμβρας λόγχη γίνεται, E thymbra (satureia) non conficitur hasta, Demochares ap. Athen. 5, p. 215, C. Schweigh. || De sagittis Soph. Trach. 512 : Τόξα καὶ λόγχας ῥόπαλόν τε τινάσσων
C (Hercules). || De militibus hastatis Eur. Phœn. 441 : Ἀγὼ μεθήκω δεῦρο μυρίαν ἄγων λόγχην· fr. Belleroph. ap. Justin. Mart. p. 41, B : Λόγχης ἀριθμῷ πλείονος κρατούμεναι. Soph. OEd. C. 1312 : Οἳ νῦν ξὺν ἑπτὰ τάξεσι ξὺν ἑπτά τε λόγχαις τὸ Θήβης πεδίον ἀμφεστᾶσι πᾶν. Schol. : Ἕκαστον σύστημα ἑνικῶς ὀνομάζει λόγχην, ὡσεί τις ἐπὶ πολλῶν ἵππων εἴποι τὴν ἵππον. || Cultellus hostiæ consecrandæ et a tota panis massa separandæ deputatus, qui quum lanceæ τῆς κεντησάσης τὴν πλευρὰν τοῦ κυρίου figuram habeat, vice illius lanceæ, quæ latus Domini effodit, sacrificio admovetur, unde θεία, ἁγία vel simpliciter λόγχη in exx. ap. Ducang. et Suicer.]

Λόγχη, ἡ, Ionum idiomate dicitur λῆξις, μερὶς, Sors, Portio : παρὰ τὸ λαγχάνειν, teste Etym. et Hesych. Cujus signif. hoc ille exemplum affert ex Ione, Ἐκ τῆς τέως λόγχης λόγχας ποιεῖν. Huc pertinet λόγχαι quod Hesych. exp. ἀπολαύσεις, Fruitiones. [V. Hesych. in Δίλογχον. Kuster.]

[Λογχὴ, ἡ, Lonche, nomen canis ap. Xen. Cyn. 7, 5, ubi male Λόγχη, quum accentum acutum nominis
D proprii testetur Arcadius p. 115, 24. Eodem modo non semel illic peccatum, ut alibi diximus. Sic igitur scribendum videtur etiam in n. navis ap. Bœckh. *Urkunden* p. 89. L. Dind.]

Λογχήρης, ὁ, ἡ, Lanceatus, Eur. [Iph. A. 1067.]

[Λογχήτης. V. Λογχαῖος.]

[Λογχηφόρος. V. Λογχοφόρος.]

[Λογχίας, ὁ, signum in cœlo. Chron. Pasch. p. 597, 14 : Τῷ αὐτῷ ἔτει ἐφάνη ἐν τῷ οὐρανῷ σημεῖον μέγιστον ἀπό τινων λεγόμενον σάλπιγξ, ἀπό τινων δὲ λογχίας, καὶ ἀπό τινων δοκίς. Codex Vat. λοχίας. L. Dind.]

[Λογχίδιον, τὸ, Lanceola. Hesychius : Ζιφύνια, λογχίδια μικρά.]

[Λογχῖμος, ὁ, Ad hastam pertinens. Æsch. Ag. 404 : Λιποῦσα δ' ἀστοῖσιν ἀσπίστορας κλόνους λογχίμους. ῐ]

[Λογχὶς, ίδος, ἡ, Lancea. Lycophronides ap. Athen. 15, p. 670, E : Ἀνατίθημί σοι... τὰν θηροφόνον λογχίδ', ἐπεί μοι νόος ἄλλα.]

[Λογχίτης. V. Λογχαῖος.]

Λογχῖτις, ιδος, ἡ, Lonchitis : herbæ nomen est sic

dictæ quoniam ἐν περικαρπίοις σπέρμα ἔχει τρίγωνον, ὅμοιον λόγχῃ, ut Diosc. tradit 3, 161, duas ejus species enumerans. V. et Plin. 25, 11, ubi inter alia, Lonchitis, inquit, non, ut plerique existimaverunt, ead. est quæ Xiphion aut Phasganion, quanquam cuspidi similis semine. [Galen. vol. 13, p. 204. L. D. Limonium, Diosc. Noth. 4, 16, Asplenium, 3, 141.]

[Λογχοβολέω, Hasta jaculor. Pseudo-Chrys. Serm. 11, vol. 7, p. 269, 40. Seager. Gretseri Opp. vol. 2, p. 147, C : Ζιβύναις ὀξέσιν ἐλογχοβόλησεν αὐτόν.]

[Λογχοδρέπᾰνον, τὸ, Lancea falcata. Constantin. Cærim. p. 387, A : Λογχοδρέπανα κ΄. Adjective Chron. Pasch. p. 70, 14 : Λογχοδρεπάνῳ ξίφει. L. D. Suidas; schol. Lycophr. 836, 843; Nonnus 1, 76, p. 154 ed. Montac. Boiss.]

[Λογχοειδὴς, ὁ, ἡ, Mucroni vel Lanceæ similis. Diosc. 4, 146 : Τὸ φύλλον λ. Theod. Stud. p. 352, A.]

[Λογχοποιία, ἡ, Hastarum fabrica. Ms. ap. Lambec. Bibl. Cæs. vol. 7, p. 198, A, sive Cramer. Anecd. vol. 4, p. 255, 21, 29; Coteler. Patr. vol. 1, p. 551, ubi varie depravatum legitur; Moschop. p. 59 ed. Titz. L. Dind.]

[Λογχοποιὸς, ὁ, ἡ, Lanceas faciens. Eur. Bacch. 1205 : Λογχοποιῶν ὄργανα.]

Λογχοφόρος, ὁ, ἡ, Qui lanceam fert. [Lancearius, Lanciarius, Gl. Eur. Hec. 1089 : Θρήκης λογχοφόρον γένος. Aristoph. Pac. 1294, Xen. Cyrop. 2, 1, 5, et sæpe Polybius et Plutarchus. || Forma Λογχηφόρος, Theodor. Galeom. v. 120, Nicet. Annal. 2, 6, p. 48, A; 6, 3, p. 101, D, schol. Æsch. Pers. 147.]

[Λογχόω.] Λογχοῦσθαι, Mucronatim in acutum desinere. [Aristot. Eth. Nicom. 3, 2 : Λελογχωμένον δόρυ. || De veste, ut infra λογχωτὸς, Jo. Laur. De magistr. 2, 4, p. 98 : Στολῇ ... χρυσῷ λελογχωμένῃ. L. Dind.]

[Λογχών. V. Λογγών.]

[Λογχωτὸν, τὸ, Atramenti sutorii genus, Diosc. 5, c. 114. || Λογχωτὸν, τὸ χάλκανθον, in Glossis iatricis Mss. Neophyti. Ducang.]

Λογχωτὸς, ἡ, ὸν, Mucronatus, Cuspidatus, Mucroni s. Cuspidi similis, aut etiam lanceæ, [Lanceatus, Gl.] Suid. ex Epigr. [Agathiæ Anth. Pal. 6, 172, 2] : Καὶ τὸ δίθυρσον Τοῦτο [τὸ] λογχωτόν. [Bacchylid. ap. Stob. Fl. vol. 2, p. 402 : Ἐγχεά τε λογχωτά. Eur. Bacch. 761 : Λογχωτὸν βέλος. || De vestibus Jo. Laur. De magistr. Rom. 1, 17, p. 36 : Χιτῶνες λογχωτοί· quod ipse vertit 2, 4, p. 100 : Λαγκιολάταις (Lanciolatis) ἀντὶ τοῦ λογχωταῖς. V. Lexica latina v. Lanciola. L. D.]

[Λογώδης. V. Λογοειδής.]

[Λόγωσις, εως, ἡ, Verbificatio. Cyrill. De Trin. c. 24, p. 30 : Ὅτε περὶ τῆς σαρκὸς τὸν λόγον ποιούμεθα, θέωσιν καὶ λόγωσιν καὶ ὑπερύψωσιν καὶ χρῖσίν φαμεν. Suicer. V. Λογόω. Quibus verbis Suicerus nihil aliud significari monet quam fideles per regenerationem ad naturam τοῦ λόγου, Verbi incarnati, aliquo accedere modo, quemadmodum iidem dicuntur θεοῦσθαι et ἀποθεοῦσθαι.]

[Λοετρ— V. Λουτρ—]

Λοΐα, Hesychio ἐκκλησία ἢ ὀλεθρία, Concio s. Perniciosa. [Quas interpretatt. ad ἀλία et λοίγια in λοΐα depravata referunt interpretes.]

[Λοιάδες, αἱ κόραι τῶν ὀφθαλμῶν, quod inter nomina ab λοι incipientia ponit Theognost. Can. p. 22, 6, non vidit ex λογάδες, quod supra retulimus, depravatum esse. L. Dindorf.]

[Λοιβαῖος, α, ον, Libatorius. Athen. 12, p. 512, E : Πόθεν παρῆλθεν εἰς τοὺς ἀνθρώπους τὸ τῆς λοιβαίας κύλικος μηδὲν ὑπολείπεσθαι. Theognost. Can. p. 22, 6 : Λοιβαῖον, ἔνσπονδον.]

Λοιβάσιον, τὸ, Vas quo libatur, ut λοιβεῖον paulo post : specialiter autem Quo oleum libabant in deorum sacris. Athen. 11, [p. 486, B] ex Clearcho et Nicandro Thyatireno : Λοιβάσιον, κύλιξ, ᾧ τὸ ἔλαιον ἐπισπένδουσι τοῖς ἱεροῖς· σπονδεῖον δὲ, ᾧ τὸν οἶνον. [Epicharmus ap. eund. 9, p. 408, D. Eust. Od. p. 1476, 27. *Læbasius*, Sabinum nomen Bacchi, a Græco λοιβὴ, memoratur ab schol. Virgil. Georg. 1, 7. ἄϊ.]

Λοιβάομαι, Libo : λοιβᾶται, Hesych. σπένδει, θύει.

Λοιβεῖον, τὸ, Libamen; nam Suid. exp. θῦμα. Sed videtur potius significare Vas quo libatur, specialiter quo oleum diis libatur. Sic enim Pollux 10, [65] de iis

A quibus ἐν τῷ σπένδειν utimur : Καί που καὶ σπονδεῖον, ᾧ τὸν οἶνον ἐπισπένδουσι· καὶ λοιβεῖον, ᾧ τοὔλαιον. Sed in ejus cod. perperam scribitur Λειβεῖον : at λοιβεῖον veram esse scripturam ostendit σπονδεῖον a σπένδω, ut λοιβεῖον a λείβω : utpote quæ a præt. med. formentur. Idem et λοιβάσιον paulo ante. [Plut. Æmil. Paul. c. 33 : Ἀργυρᾶ λοιβεῖα. Quod in ἀργυραμοιβίαν vel ἀργυρομοιβίαν corruptum in libris Marcelli c. 2.]

Λοιβὴ, ἡ, Libatio, [Libamen add. Gl.] Sacrum quod vino fit, θυσία οἴνου, Hesych.; δι' ὑγρῶν θυσία, Moschopulus. [Hom. Il. Δ, 49 : Λοιβῆς τε κνίσης τε· I, 500 : Λοιβῇ τε κνίσῃ τε· Od. I, 349 : Σοὶ δ' αὖ λοιβὴν φέρον. Pind. Nem. 11, 6 : Λοιβαῖσιν ἀγαζόμενοι· fr. ap. Dionys. De comp. vv. p. 306. Æsch. fr. Epigon. ap. schol. Pind. Isthm. 6, 10 : Λοιβὰς Διὸς μὲν πρῶτον ὡραίου γάμου Ἥρας τε. Soph. Phil. 8, et plurali El. 52, 270. Eur. Iph. T. 164 : Βάκχου τ' οἰνηρὰς λοιβάς. Et alibi utroque numero.] Plato Leg. [10, p. 906, D] λοιβὴ οἴνου, Libatio vini. [Hermes ap. Stob. Ecl. eth. vol. 2, p. 972. De accentu acuto v. Arcad. p. 104, 13.]

B Λοιβὶς, ίδος, ἡ, Calix quo vinum in sacris deorum libatur; nam λοιβίδας ab Antimacho Colophonio vocari τὰ σπονδεῖα, Nicander ap. Atheu. 11, [p. 486, B] docet. Perperam autem ap. Hesych. λοιβίδες, σπονδεῖαι, pro σπονδεῖα.

[Λοιγαῖος, α, ον.] Λοιγαία ἐσθὴς ex Lycophr. [973] pro Vestis lugubris.

[Λοιγάω s. Λοιγέω, in inscr. Muratorii p. 1026, 2 (s. Montefalc. Palæogr. p. 173) : Οὐδένα λοιγήσασα, οὐ μειχροῦ ψυχὴν, οὐ μεγάλου χραδίην, Nemini nocui. Schneid. Qui dubitans de hoc v. mirum quod non correxit λυπήσασα. Vicissim ibidem ἐπύησα scriptum pro ἐποίησα.]

Λοιγήεις, εσσα, εν, et Λοίγιος, ὁ, ἡ, Perniciosus, Exitialis. Priore utitur Nicand. Al. [207] τὸ τοξικὸν appellans λοιγῆεν. Posterius, frequens ap. Hom. : ut Il. A, [573] : Ἦ δὴ λοίγια ἔργα τάδ' ἔσσεται, οὐδέ τ' ἀνεκτά. Et Ψ, [310] : Τῷ τ' οἴω λοίγι' ἔσεσθαι. Ut ex Nonno quoque [Jo c. 7, 171] λοίγιος ὥρη pro Funesta hora. [Apoll. Rh. 1, 469 : Μή νύ τι πῆμα λοίγιον ἔσσε-

C σθαι. Lycophr. 795.]

[Λοιγὴς, ὁ, ἡ, i. q. præcedens. Nicander Al. 256 : Λοιγέϊ συρμῷ· Th. 921 : Λοιγέϊ τύψει.]

[Λοιγίζω, Perdo. Theognost. Can. p. 22, 8 : Λοιγισθῆναι, ἀπολέσθαι. L. Dind.]

[Λοίγιος. V. Λοιγήεις.]

[Λοιγίστρια, ἡ, Perditrix, ὀλοθρεύτρια, Hesychio, bis ponenti, semel suo loco, tum vitiose scriptum λογίστρια inter Λογισμὸς et Λογιστὴς, ut Zonaras p. 1318.]

Λοιγὸς, ὁ, Hesychio ὄλεθρος, Pernicies, Exitium, necnon θάνατος, Mors. Hom. Il. Θ, [130] et A, [310] Ἔνθα κε λοιγὸς ἔην, καὶ ἀμήχανα ἔργα γένοντο· A, [341] Χρειὼ ἐμεῖο γένηται ἀεικέα λοιγὸν ἀμῦναι Τοῖς ἄλλοις· [Hesiod. Sc. 240.] Φ, [138] : Τρώεσσι δὲ λοιγὸν ἀλάλκοι. [Ib. 134 : Τίσετε Πατρόκλοιο φόνον καὶ λοιγὸν Ἀχαιῶν. Pind. Nem. 9, 37 : Ἀμύνειν λοιγὸν Ἐνυαλίου. Æsch. Eum. 679 : Μηδέ τις ἀνδροκμὴς λοιγὸς ἐπελθέτω· Cho. 402. || Adjective ex conjectura Salmasii in epigr. Erycii Anth. Pal. 7, 368, 2 : Ἐκ δέ μ' Ἀθηνῶν λοιγὸς Ἄρης Ἰταλῶν πρίν ποτ' ἐληίσατο. Ubi Jacobsius : « Λαι-

D γὸς cod. Pal., λυγρὸς Brunck. cum Planud. Prætuli conjecturam Salmasii λοιγός. Nicand. Th. 6 : Ἐπὶ λοιγὸν ὀδόντα· 733 : Ἔμετον ... λοιγὸν ἀραχνήεντα. Greg. Naz. t. 2, p. 99, n. 34, 7 : Λοιγὸς ὄλεθρος. Cod. Pal. λυγρός. » Πονηρὸς præter φθορὰ interpretatur etiam Theognost. Can. p. 22, 8. De accentu acuto hujus voc. Arcad. p. 47, 8.]

[Λοιγωντίαν, φρατρίαν, Hesychius.]

[Λοιδίας. V. Λυδίας.]

Λοιδορέω, Convitior, Maledico, Probris insector, Probrose objicio. [Arrogo, Maledico, Detrecto, Gl. Pind. Ol. 9, 40 : Τὸ λοιδορῆσαι θεούς. Æsch. Eum. 197. Et sæpius Eur., semel etiam cum duplici accusat., Hel. 1171 : Ἐγὼ δ' ἐμαυτὸν πόλλ' ἐλοιδόρησα δή, ut Plato Theæt. p. 174, C, etc.] Aristoph. Nub. [1138] : Λοιδοροῦσί με· Eq. [1271] : Λοιδορῆσαι τοὺς πονηροὺς οὐδὲν ἔστ' ἐπίφθονον, Ἀλλὰ τιμὴ τοῖσι χρηστοῖς, ὅστις εὖ λογίζεται. [Xen. Anab. 3, 4, 49 : Λοιδοροῦσι τὸν Σωτηρίδην· Conv. 4, 32. Et alibi apud hunc et Platonem tam Conviciandi quam Objurgandi significatione, quas in medio distinguit HSt.] Plut. De solert. anim. [p. 975, B]: Ἰχθῦς δὲ, τοὺς ἀμαθεῖς καὶ ἀνοήτους, λοιδοροῦντες ἢ σκώπτοντες ὀνομάζομεν· Apophth. [p. 182, D]: Οἰμώξετε εἰ μὴ μακρότερον ἀποστάντες λοιδορήσετε ἡμᾶς, de Antigono, cui maledicebant in tentorio milites abesse eum putantes, quum adesset. Idem, Ὁ λοιδορῶν ἕτερον οἷς αὐτὸς ἔνοχός ἐστιν, οὐ λανθάνει λοιδορῶν μᾶλλον ἑαυτὸν ἢ ἐκεῖνον. [Ubi subest constructio cum accus. rei, qua utitur Aristot. Eth. Nic. 4, 14: Οἱ νομοθέται ἔνια λοιδορεῖν κωλύουσιν. Alia constructione Diod. 20, 33: Ἐλοιδόρησε τὸν Ἀρχάγαθον εἰς τὴν τῆς μητρυιᾶς μοιχείαν. Cum adjectivo Plut. Mor. p. 98, A: Τῇ τύχῃ, ἣν τυφλὴν λοιδοροῦμεν.] Ab Isocr. Busir. [p. 222, C] synonymως dicitur λοιδορεῖν τινα, et βλασφημεῖν περί τινος. [Cum dat. Antonin. Lib. c. 22, p. 146: Νύμφαι μετέβαλον τὸν Τέραμβον, ὅτι αὐταῖς ἐλοιδόρησε. Maccab. 2, 12, 14: Τοῖς περὶ τὸν Ἰούδαν λοιδοροῦντες.] Et Λοιδοροῦμαι, Convitiis afficior, Probris afficior, Maledicitur mihi. [Xen. H. Gr. 5, 4, 29: Μὴ λελοιδορημένος εἴη ὑπ' Ἀγησιλάου. Et sæpius Plato.] Isocr. [p. 24, A]: Εὕροι δ' ἄν τις αὐτοὺς ἐν μὲν ταῖς πρὸς ἀλλήλους συνουσίαις λοιδοροῦντας καὶ λοιδορουμένους· Busir. [p. 222, E]: Παρὰ τοῖς λοιδορουμένοις ὑπ' αὐτοῦ μᾶλλον ἀγαπώμενον ἢ παρὰ τοῖς ἐγκωμιαζομένοις, Convitio affectis, ubi nota sibi opponi λοιδορεῖσθαι et ἐγκωμιάζεσθαι. [Philemon ap. Stob. Fl. vol. 1, p. 372: Ἥδιον οὐδὲν οὐδὲ μουσικώτερόν ἐστ' ἢ δύνασθαι λοιδορούμενον φέρειν· ὁ λοιδορῶν γὰρ, ἂν ὁ λοιδορούμενος μὴ προσποιῆται, λοιδορεῖται λοιδορῶν.] Plut. Pol. præc.: Τὸ λεχθὲν ὑπὸ ῥώμης καὶ συνέσεως τοῦ λοιδορηθέντος, ἐπὶ τοὺς λοιδορήσαντας ἀναστρέφειν ἔοικεν· Apophth.: Λοιδορηθεὶς εἰς τὴν τῶν ὀμμάτων ἀσθένειαν, Ἀνθρώπινον (ἔφη) πάθος ὀνειδίζεις, ubi synonymως ponuntur λοιδορεῖν et ὀνειδίζειν. [Et Mor. p. 88, E seqq.] Λοιδορεῖσθαι accipitur etiam act. pro λοιδορεῖν. [Convitior, Gl. Plato Reip. 1, p. 329, D:] Σεριφίῳ λοιδορουμένῳ, ἀπεκρίνατο, quod Cic., Seriphio in jurgio respondit. [Aristoph. Eccl. 567: Μὴ λοιδορεῖσθαι. Xen. Conv. 6, 8, 9.] Plerumque cum dat. [Aristoph. Pl. 456: Τί λοιδορεῖ ἡμῖν προσελθοῦσ' οὐδ' ὁτιοῦν ἀδικουμένη; Pac. 57: Λοιδορεῖται τῷ Διί· Eq. 1400: Μεθύων τε ταῖς πόρναισι λοιδορήσεται.] Lucian.: Τί μοι λοιδορῇ; Plato Charm. [p. 154, A]: Λοιδορουμένους ἀλλήλοις. Et cum accus. rei, Æschin. [p. 29, 17]: Λοιδορίας ψευδεῖς οὐκ ἐμοὶ μόνον λοιδορούμενοι, ἀλλὰ καὶ τοῖς ἄλλοις. Et cum dat. instrumenti ap. Synes. Ep. 79 [p. 225, B]: Ἐγκραγὼν γὰρ αὐτῷ δίς που καὶ τρὶς, καὶ τοῖς ἐξ ἁμάξης λοιδορησάμενος, Convitiis illis maledicens, quæ tanquam ex plaustro jactari solent. [Forma passiva aor. Demosth. p. 1257, 23: Λοιδορηθέντος δ' αὐτοῖς ἐκείνου καὶ χαλεπήναντος αὐτούς. Galen. vol. 5, p. 176: Ὥσπερ οὖν καὶ ὁ Λεόντιος ἐδυνήθη λοιδορηθεὶς ἑαυτῷ τῆς περὶ τὸ θεάσασθαι τοὺς νεκροὺς ἀκρασίας προελθεῖν μὴ θεασάμενος αὐτούς. Eadem usitata in composito Διαλοιδοροῦμαι. L. D.] Item Plut. [Nicia c. 2]: Εἰς δυσγένειαν λοιδορεῖσθαι, quod Cic. dicit Ignobilitatem generis objicere. Item ex Aristoph. [Nub. 62]: Περὶ τοὐνόματος δὴ ταῦτ' ἐλοιδορούμεθα, pro De nomine hæc inter nos convitia ingerebamus, Ita contendebamus. [1353: Καὶ μὴν ὅθεν γε πρῶτον ἠρξάμεσθα λοιδορεῖσθαι ἐγὼ φράσω· Ran. 857: Λοιδορεῖσθαι δ' οὐ θέμις ἄνδρας ποιητὰς ὥσπερ ἀρτοπώλιδας. Cum πρὸς seq. accus. pers. Exod. 17, 2: Ἐλοιδορεῖτο ὁ λαὸς πρὸς Μωυσῆν.] || Reprehendo, Objurgo, Bud. p. 334 ex Isocr. Areop. [p. 154, D]: Καὶ πρὸς τούτοις τοὺς γεγονότας ἐκ καλῶν κἀγαθῶν ἀνδρῶν, καὶ πολὺ χείρους τῶν πατρῴων, λοιδορῶ.] Sic Plato Ep. 7, [p. 324, C]: Ὑπὸ πολλῶν γὰρ τῆς τότε πολιτείας λοιδορουμένης, exp., Quum resp. illius temporis improbaretur a multis. || Increpo. Xen. Cyrop. 1, [4, 9]: Ἐνταῦθα μὲν δὴ ὁ θεῖος αὐτῷ ἐλοιδορεῖτο, Eum avunculus increpabat. [Sequente ἐπὶ cum dat. rei Xen. Ages. 7, 3: Ἐλοιδορεῖτο μὲν ἐπὶ τοῖς ἁμαρτήμασιν, ἐτίμα δ' εἴ τι καλὸν πράττοιεν. Cum genit. rei Achill. Tat. 1, 6, p. 11, 10: Ἐπειδή με ἤγειρεν ὁ οἰκέτης, ἐλοιδορούμην αὐτῷ τῆς ἀκαιρίας.]

Λοιδόρημα, τὸ, Convitium, Probrum, h. e., Id ipsum quod probrose objicitur. Aristot. Eth. 4, 8: Τὸ γὰρ σκῶμμα, λοιδόρημά τί ἐστι. Et λοιδόρημα ποιεῖσθαί τινα, Convitiis vexare, Probris insectari. Plut. [Mor. p. 607, A]: Τὸν πτωχὸν λοιδόρημα ποιοῦνται, καὶ τὸν φαλακρὸν, καὶ τὸν μικρόν.

A Λοιδορημάτιον, τὸ, Convitiolum. Aristot. Rhet. 3, [2]: Ὁ Ἀριστοφάνης σκώπτει ἐν τοῖς Βαβυλωνίοις ἀντὶ μὲν χρυσίου χρυσιδάριον, ἀντὶ δ' ἱματίου ἱματιδάριον, ἀντὶ δὲ λοιδορίας λοιδορημάτιον, de ὑποκορισμῷ loquens, ὃς ἔλαττον ποιεῖ τὸ κακὸν καὶ τὸ ἀγαθόν.

[Λοιδόρησις, εως, ἡ, Convitium. Plato Leg. 12, p. 967, C: Λοιδορήσεις ἐπῆλθον ποιηταῖς. Exod. 17, 7.]

[Λοιδορησμός. V. Λοιδορισμός.]

[Λοιδορητέον, Conviciandum. Maxim. Tyr. 3, 3: Οὐ τῇ ἡδονῇ λοιδ., ἀλλὰ τοῖς χρωμένοις ἡδονῇ κακῶς. Wakef. Theodorus Gaz. in Anecd. meis vol. 5, p. 417, 8. Boiss.]

[Λοιδορητικὸς, ἡ, ὸν, Convicians. Aristot. Eth. Eudem. 2, 3; Iambl. V. Pyth. 171, p. 145; Etym. M. p. 690, 12.]

Λοιδορία, ἡ, Convitium, Maledictum: interdum pro Ipsa actione. [Aristoph. Nub. 934: Παύσασθε μάχης καὶ λοιδορίας· Vesp. 1207: Εἷλον διώκων λοιδορίας. Xen. Hier. 1, 14. Frequens utroque numero est etiam ap. Platonem.] Plut.: Ὁ φαῦλος βίος ἐφ' ἑαυτὸν ἕλκει τὰς λοιδορίας. Thuc. [2, 84]: Βοῇ τε χρώμενοι καὶ πρὸς ἀλ- B λήλους ἀντιφυλακῇ τε καὶ λ., οὐδὲν κατήκουον τῶν παραγγελλομένων, Mutuis convitiis et jurgiis. Dem. Phaler.: Φευξούμεθα τὰ σκώμματα ὥσπερ λοιδορίας. Demosth. [p. 229, 9]: Ἐχθροῦ μὲν ἐπήρειαν ἔχει καὶ ὕβριν καὶ λοιδορίαν καὶ προπηλακισμόν· et [p. 151, 20]: Τὸ πρᾶγμα εἰς γέλωτα καὶ λ. ἐμβαλόντες. Idem Pro cor. [p. 268, 16] quid inter λοιδορίαν et κατηγορίαν discriminis sit, docet, Τὴν μὲν κατηγορίαν ἀδικήματα ἔχειν ὧν ἐν τοῖς νόμοις εἰσὶν αἱ τιμωρίαι, τὴν δὲ λοιδορίαν βλασφημίας, ἃς κατὰ τὴν αὐτῶν φύσιν τοῖς ἐχθροῖς περὶ ἀλλήλων συμβαίνει λέγειν.

[Λοιδορίζω, forma novitia pro λοιδορέω. Theodor. Prodr. in *Notices* vol. 8, p. 198, 11: Κἂν οὖν κατ' αὐτῶν ἐξοπλίω τὸ στόμα, ὡς λοιδοριῶ τὴν μισάγαθον νόσον. L. Dind. V. Λοιδοριστὴς et Hemst. ad schol. Aristoph. Pl. 592.]

[Λοιδορικὸς, ἡ, ὸν, Convicians. Schol. Hephæst. p. 81, 158: Ἔστι δὲ τὸ μέτρον (iambicum) λοιδορικόν.]

Λοιδορισμὸς, ὁ, Convitiatio, s. Convitia: Objurgatio cum convitiis. Rejicit hanc v. Thomas M. [p. 581], C et pro ea uti jubet voce λοιδορία. [Pro λοιδορησμὸς illatum erat ab Kustero Aristoph. Ran. 758, et ex deterioribus libris Philostr. V. Soph. 2, p. 617. Formam per η, quam ponunt Photius et Suidas, et testatur etiam Herodian. Epim. p. 180, solam probari posse apud scriptores, qui ignorarent formam novitiam λοιδορίζω, animadvertit Bergler. ad Alciphr. 1, 22. Eadem ex libro Guelferb. restituenda Thomæ suusque ei error relinquendus, quo liberatus erat scriptura λοιδορισμός.]

[Λοιδοριστὴς, ὁ, i. q. sequens. Hesych. v. Κόβειρος.]

Λοίδορος, ὁ, Convitiator, Qui probro afficit, Maledictus. Plut. [Mor. p. 177, D], de Philippo: Τὸν δὲ λοίδορον ἐξελάσαι τῶν φίλων κελευόντων, οὐκ ἔφη ποιήσειν, ἵνα μὴ περιιὼν ἐν πλείοσι κακῶς λέγῃ· est igitur Qui vel coram vel absens alicui maledicit. || Adj. ap. [Eur. Cycl. 534: Πυγμὰς ὁ κῶμος λοίδορόν τ' ἔριν φιλεῖ· Menandrum ap. Harpocrat. et alios v. Πομπείας citatum: Ἐπὶ τῶν ἁμαξῶν εἰσὶ πομπεῖαί τινες σφόδρα λοίδοροι·] Synes. Ep. 67: Γέγονεν ἀνάγκη καὶ τὸ γραμματεῖον τὸ D λ. εἰς κοινὸν ἅπασιν ἀναγνωσθῆναι, Librum maledicum et famosum recitari. [Epigr. ap. Gruter. p. 655, 2: Οὐ λοίδορα ῥήματα πέμψας. Meleager Anth. Pal. 5, 176, 4: Ἦν δ' εἴπω λοίδορα.] Et τὸ λοίδορον, Maledicentia, Convitia. Plut. [Mor. p. 810, D]: Δημοσθένης ἐν τῷ δικανικῷ τὸ λοίδορον ἔχει μόνῳ, οἱ δὲ Φιλιππικοὶ καθαρεύουσι καὶ σκώμματος καὶ βωμολοχίας ἁπάσης· ubi τὸ λ et σκῶμμα fere synonymως accipit. V. supra ex Plut., Λοιδοροῦντες ἢ σκώπτοντες. [Adv. Λοιδόρως. Strabo 14, p. 661: Τῷ κοινῷ ὀνόματι ἰδίως καὶ λ. ἐχρῶντο οἱ Ἕλληνες κατὰ τῶν Καρῶν. Hemst. Εὐτελὲς dicit Pollux 8, 81, habetque etiam Greg. Naz. vol. 2, 19, C.]

[Λοῖθος. V. Λοιτός.]

[Λοῖχορ, κέγχρος, Hesych. Quod inter Laconica refert Meursius.]

[Λοιμεύομαι, Noceo.] Hesych. affert et Λοιμεύηται pro φθοροποιῇ. [Prov. 19, 19: Ἐὰν δὲ λοιμεύηται. Indicativum ponit Suidas, fortasse in conjunctivum mutandum. Nam etiam in codice Hesychii φθοροποιεῖ scriptum.]

[Λοιμέη νεαρή, Juvenilis pestilentia aut juvenilis temeritatis pestilentia, recens pernicies. Sic vocat artis inexperientiam aut methodi ignorationem quæ in tirones cadit, Hippocrat. p. 28, 22 (Γίνεται τοίνυν πάμμαχος ἀτυχίη μετὰ λοιμέης νειαρῆς, ἀφροντιστεῦσα εὐπρεπίης). Foes. Qui confert sequens λοίμη. Zwingerus et Heurnius in marg. λοιμίης. Græcum foret λύμης νειάτης.]

[Λοίμη, ἡ.] Hesych. affert et λοίμης pro τῆς λοιμικῆς νόσου : a nomin. Λοίμη, significante i. q. λοιμὸς, Pestis, Morbus contagiosus, Morbus gliscens et late serpens per populum.

[Λοιμία. V. Λοιμέη.]

Λοιμικὸς, ἡ, ὸν, et Λοιμώδης, ὁ, ἡ, Pestilens. [Pestilentiosus add. Gl. Thuc. 1, 23: Ἡ λοιμώδης νόσος. Theophr. fr. 14, 5 : Φθορὰ λοιμώδης. Aristot. H. A. 8, 19 : Νόσημα λοιμῶδες.] Plut. Pericle [c. 34]: Λοιμώδης ἐνέπεσε φθορὰ, καὶ κατενεμήθη τὴν ἀκμάζουσαν ἡλικίαν καὶ δύναμιν. Idem in Probl. Rom. [p. 289, D]: Λοιμώδη νόσον ἐν Ῥώμῃ γενομένην πάντας ὁμαλῶς διαφθεῖραι τοὺς ἐπὶ σκηνὴν προερχομένους. [Lycophr. 1205: Λοιμικῶν τοξευμάτων. Frequens est ap. Polybium et Diodorum cum nomm. διάθεσις, κατάστασις, περίστασις.] Longin. [c. 44, 9] : Ἐν τῇ τοιαύτῃ λοιμικῇ τοῦ βίου διαφθορᾷ. Sic λοιμικὴ ἀπόῤῥοια ap. Alex. Aphrod. Et λοιμώδη ἕλκη ap. Polluc. [4, 204. Λοιμικῶν νόσων causa Apollo, Heraclit. A. H. p. 419. Conf. p. 425. Valck. Hippocr. Epist. p. 1271, 2 : Νοῦσος ἡ καλουμένη λοιμική. || Λοιμονικὸς, perperam pro λοιμικὸς, Acta Eustathii p. 14 Combef. Boiss. || Adv. Λοιμικῶς, Sext. Emp. p. 570. Struv. Oribas. p. 197 ed. Mai.]

[Λοίμιος, epith. Apollinis, ap. Macrob. Sat. 1, 17. Elberling.]

Λοιμὸς, ὁ, Pestis, [Pestilentia, Lues, add. Gl.] : φθοροποιὸς νόσος ex aeris intemperie, inquit Suidas : ut et Empedocles physicus ap. Plut. [Mor. p. 515, C], ὄρους τινὰ διασφάγα βαρὺν καὶ νοσώδη κατὰ τῶν πεδίων τὸν νότον ἐμπνέουσαν ἐμφράξας, λοιμὸν ἔδοξεν ἐκκλεῖσαι τῆς χώρας. Hippocr. ἐπιδήμιον νόσημα vocat hujusmodi contagiosum morbum, ut qui per totum populum grassetur. Hom. Il. A, [61]: Εἰ δὴ ὁμοῦ πόλεμός τε δαμᾷ καὶ λοιμὸς Ἀχαιούς. Hesiod. Op. [241]: Τοῖσιν δ' οὐρανόθεν μέγ' ἐπήγαγε πῆμα Κρονίων, Λιμὸν ὁμοῦ καὶ λοιμόν· ἀποφθινύθουσι δὲ λαοί. [Herodot. 7, 171.] Sic Plut. Coriol. [c. 13] : Τοὺς μὲν ὑπὸ λιμοῦ διολλύναι τῶν πολιτῶν. τοὺς δὲ λοιμῷ προσβάλλειν. [Æsch. Pers. 715: Λοιμοῦ τις ἦλθε σκηπτός; Suppl. 659 : Μήποτε λοιμὸς ἀνδρῶν τάνδε πόλιν κενῶσαι. Soph. OEd. T. 28. Herodot. 8, 115 : Ἐπιλαβὼν λοιμὸς τὸν στρατὸν καὶ δυσεντερίη κατ' ὁδὸν διέφθειρε. Plat. Leg. 4, p. 709, A : Λοιμῶν ἐμπιπτόντων.] Metaphorice res etiam aut homo λοιμὸς vocatur, et Pestis itidem ap. Lat., pro Æque exitialis ac pestis : Hesychio φθοροποιὸς, Suidæ φθορεύς. [Demosth. p. 794, 5 : Ὁ φαρμακὸς, ὁ λοιμός. Reg. 1, 10, 27 : Υἱοὶ λοιμοὶ εἶπαν· 25, 17 : Υἱὸς λοιμός· 30, 22 : Ἀνὴρ λοιμὸς καὶ πονηρός· aliisque multis V. T. ll., de quibus conf. Schleusner. et Suicer. De re Symmach. Prov. 20, 1 : Λοιμὸς οἶνος. || Fem. Reg. 1, 1, 16 : Μὴ δῷς τὴν δούλην σου εἰς θυγατέρα λοιμήν.]

[Λοιμότης, ητος, ἡ, Pestis. Additam. Esther. 16, 5: Τῇ τῶν ἀναξίως δυναστευόντων λοιμότητι.]

[Λοιμοφάγος, Pestilifer, Gl. Pro λοιμοφόρος, ut videtur.]

[Λοιμοφόρος, Pestimus, Gl.]

[Λοιμόω, Peste laboro. Euseb. Præp. ev. 5, p. 208, C, si sana est lectio. Hemst. Verba sunt Ἐλοίμωσαν δὲ πάντες Ἀθηναῖοι δι' ἑνὸς ἀνδρὸς θάνατον. Legendum videtur ἐλοίμωξαν. L. Dind.]

[Λοιμώδης. V. Λοιμικός.]

[Λοίμωξις, εως, ἡ, ap. Theod. Prod. in Notitt. Mss. vol. 6, p. 540, 541, 542, 546, 547, Variolæ : v. Du Theil. ibid. p. 532. Elberling.]

[Λοιμώσσω, s.] Λοιμώττω, Peste laboro, Peste infestor. Lucian. [Scythæ c. 2] : Ὅτι παύσονται τῷ λοιμῷ ἐχόμενοι ἢν τοὺς στενωποὺς οἴνῳ πολλῷ ῥάνωσι· τοῦτο συχνάκις γενόμενον, ἔπαυσε μηκέτι λοιμώττειν αὐτούς· εἴτε ἀτμούς τινας πονηροὺς ὁ οἶνος σβέσας τῇ ὀδμῇ, κτλ. [De hist. scrib. c. 15. Schol. Aristoph. Plut. 627, Eq. 84.]

[Λοιπαδάριον, τὸ, Reliquarium, Gl. Eust. Opusc. p.
A 358, 5 : Ἀξιοῦμεν τὴν σὴν ἐνδοξότητα συνεργίαν δοῦναι αὐτῷ, ὥστε ἀπαιτῆσαι ἃ κατέλιπε λοιπαδάρια. L. D. Suidas in Λοιπάς.]

Λοίπαδος, nautici veli genus est, i. q. ἀκάτιος ἱστὸς, ut nonnullis placet, Pollux [1, 91 : Καλεῖται δέ τι καὶ λοίπαδος· ἐνίοις δὲ ἀκάτιος δοκεῖ. Libri λοίτασος vel quod eodem redit λόγγασος. Cui λογγασία comparat interpres. Quod tamen alius est significationis.]

[Λοιπάζω, Reliquo, Gl. V. Λοιπάς. Cosmas Topogr. Christ. p. 194, C : Ἓξ ἦσαν μῆνες παρελθόντες τοῦ ἐνιαυτοῦ καὶ ἓξ ἔτι λοιπαζόμενοι. Theophil. Inst. 2, 20, 494 : Ὁ δεσπότης ἀπῄτει αὐτὸν τὰ λοιπασθέντα. Scholiastæ Aristoph. Pl. 227 restitui ex codd. Rav. et Ven. : Ὅπερ ἧκον ἄγοντες λοιπασθὲν (λειφθὲν vulgo) ἀπὸ τῆς θυσίας. G. Dindorf.]

[Λοιπὰς, άδος, ἡ, Reliquarium, Gl.] Λοιπάδες et Λοιπάζεσθαι, ut Lat. Reliqua et Reliquari : v. Bud. in Annott. post. in Pand., ubi tamen nullum exemplum affert usus harum Græcarum vocum. At vero in quadam Constit. Justiniani [147] invenio ἐλλείμ-
B ματα, quum in ejus tit. sit λοιπάδες. [Apophth. Patr. in Abrah. n. 3 : Ὕπαγε, πρῶτον ποίησον τὰ γεγραμμένα, καὶ τότε ἔρχῃ, καὶ γράφω σοι καὶ τὴν λοιπάδα. Ducang. Jo. Chrys. Serm. 24, vol. 5, p. 149, 12 : Ὁ βασιλεὺς λοιπάδας χρημάτων ἀφίησιν, ὁ δὲ ἱερεὺς λοιπάδας ἁμαρτημάτων. Seager. Ejusd. Chrys. locum vol. 6, p. 704, E, annotat Abresch. ad Suidam. Idem Suidas : Ἔκδεια, ἡ χεχρεωστημένη λοιπάς. Psellus Synops. 445 : Τὰ περὶ συγχωρήσεως λοιπάδων δημοσίων. Theophilus l. in Λοιπάζω citato.]

[Λοιπασμὸς, ὁ. Scriptor Philopatr. c. 20 : Τοὺς τῶν ἐξισωτῶν καταλείπει ἐλειπασμοὺς καὶ τὰ χρέα τοῖς δανεισταῖς ἀποδώσει. Scribe λοιπασμούς. Λοιπασμοὶ sunt Residua vel reliqua tributorum. Ἐξισωταὶ sunt peræquatores, de quibus notavi ad Eusebium. H. Vales. in annot. ms.]

[Λοιπογραφέω, Reliquo, Gl. Inscr. Tenia ap. Bœckh. vol. 2, p. 258, 23 : Δύο μὲν συγγραφὰς καταλελειμμένας ὑπὸ τοῦ πατρὸς αὐτῷ κατὰ τῆς πόλεως ἐκ τῶν τόκων ... ἐλοιπογράφησεν χωρὶς ἀργυρίου κομιδῆς παρακληθεὶς ὑπὸ
C τοῦ δήμου. L. Dind.]

[Λοιπογραφία, ἡ, Reliquatio, Gl.]

Λοιπὸς, ἡ, ὸν, Reliquus, Qui superest. Et plur. οἱ λοιποὶ, Reliqui, Ceteri. [Pind. Ol. 1, 97 : Ὁ νικῶν δὲ λοιπὸν ἀμφὶ βίοτον ἔχει μελιτόεσσαν εὐδίαν· 2, 17 : Ἰανθεὶς ἀοιδαῖς εὔφρων ἄρουραν ἔτι πατρίαν σφίσιν κόμισον λοιπῷ γένει· 4, 14. Θεὸς εὔφρων εἴη λοιπαῖς εὐχαῖς· Nem. 7, 67 : Ὁ δὲ λοιπὸς εὔφρων ποτὶ χρόνος ἕρποι. De posteris Isthm. 3, 57 : Ὅς αὐτοῦ πᾶσαν ὀρθώσαις ἀρετὰν κατὰ ῥάβδον ἔφρασεν θεσπεσίων ἐπέων λοιποῖς ἀθύρειν. Æsch. Prom. 476 : Τὰ λοιπά μου κλύουσα · et alibi sæpissime utroque numero. Rarius est ὁ λοιπὸς de uno, ut apud Apollodor. a Valck. cit. 3, 6, 8, 3 : Μελάνιππος δὲ ὁ λοιπὸς τῶν παίδων. Et de Altero ap. Clem. Al. Strom. p. 787 : Θάτερον τῶν ἰχθύων ... τὸν λοιπὸν δέ. Notabile etiam hoc Demosth. p. 553, 2 : Μετρία δίκη παρὰ τῶν φίλων ἐστὶν, ἄν τι δοκῶσι πεποιηκέναι δεινὸν, μηκέτι τῆς λοιπῆς φιλίας κοινωνεῖν.] Et τὸ λοιπὸν, Reliquum, Reliqua pars, ut τὸ λ. τῆς ἡμέρας, Xen. [Anab. 3, 4, 16.] Sæpe Quod superest, faciendum sc. aut dicendum.
D [Id. Conv. 4, 1 : Λοιπὸν ἂν εἴη ἡμῖν ἀποδεικνύναι.] Isocr. Panath. [p. 250, E] : Λοιπὸν οὖν ἐστὶν οὐδὲν ἄλλο πλὴν, αἰτησάμενον τῷ γήρᾳ συγγνώμην ..., ἐπανελθεῖν εἰς τὸν τόπον ἐκεῖνον οὗπερ ἐξέπεσον εἰς τὴν περιττολογίαν ταύτην· Paneg. [p. 93, E] : Τί λοιπὸν ἔσται τοῖς ἀντιλέγουσιν, ἢν ἐπιδειχθῶσι κτλ. [Eur. Hec. 784 : Ὄλωλα, κοὐδὲν λοιπὸν, Ἀγάμεμνον, κακῶν. || Τὰ λοιπὰ ap. Marcum Argent. Anth. Pal. 5, 128, 3 : Στέρνα περὶ στέρνοις, μαστῷ δ' ἐπὶ μαστὸν ἐρείσας, χείλεά τε γλυκεροῖς χείλεσι συμπιέσας Ἀντιγόνης καὶ χρῶτα βαλὼν πρὸς χρῶτα, τὰ λοιπὰ σιγῶ, μάρτυς ἐφ' οἷς λύχνος ἐπεγράφετο, confertur cum Aristænet. 1, 17 : Τὰ δ' ἄλλα, οἶδας γὰρ ὁποῖα τὰ λοιπὰ, νόει μοι κατὰ σαυτόν. Sed quod in simili caussa scribitur ap. Dion. Chrys. vol. 1, p. 274 : Ἀλλ' αὐτά που τὰ λοιπὰ δηλοῖ παρὰ πολλοῖς γινόμενα, ὥς γε ἄπληστος τῶν τοιούτων ἐπιθυμιῶν ... ἐπὶ τὴν ἀνδρωνῖτιν μεταβήσεται, τοὺς ἄρχοντας αὐτίκα μάλα καὶ δικάσοντας καὶ στρατηγήσοντας ἐπιθυμῶν καταισχύνειν, ex dittographia illatum est pro αὐτά που δηλοῖ τὰ παρὰ τοῖς π. γ.] || Item εἰς τὸ λοιπὸν τοῦ χρόνου, Dem., In reliquum tem-

pus, In posterum, Posthac. Sed frequentius absque hoc genitivo dicitur εἰς τὸ λοιπὸν [Æsch. Pers. 526 : Ἐς τὸ λοιπόν· Eum. 709. Thuc. 3, 44, et alii plurimi], et τὸ λοιπὸν, necnon in gen., τοῦ λοιποῦ [Aristoph. Pac. 1084, Herodot. 2, 109, et addito χρόνου Soph. El. 817. Ἐκ τοῦ λοιποῦ Xen. Conv. 4, 56, H. Gr. 3, 4, 9. Ἐκ τῶν λοιπῶν Plato Leg. 4, p. 709, E, Epist. 3, p. 316, D] : quod exp. etiam Deinceps, [In posterum, Gl.] Xen. Cyrop. 3, [3, 8] : Οὕτως οὖν χρὴ καὶ τὸ λοιπὸν ἄνδρας ἀγαθοὺς εἶναι. [Aliisque ll. plurimis.] Invenitur autem scriptum in hujusmodi ll. et τολοιπόν. Dem. Phil. 1, [p. 44, 12] : Οὐκέτι τοῦ λοιποῦ πάσχοιμεν ἂν κακῶς. [Sine articulo Pind. Pyth. 1, 37 : Ὁ δὲ λόγος ταύταις ἐπὶ συντυχίαις δόξαν φέρει λοιπὸν ἔσσεσθαι ... κλυτάν· 4, 141 : Ὑφαίνειν λοιπὸν ὄλβον. Cum artic. 5, 118 : Θεός τέ οἱ τὸ νῦν τε πρόφρων τελεῖ δύνασιν καὶ τὸ λοιπὸν ὄπισθε· Nem. 7, 45. Æsch. Eum. 683 etc. cum Soph. et aliis quibusvis. Τό γε λοιπὸν Philodem. Anth. Pal. 5, 126, 5. Eur. Hel. 698 : Εἰ καὶ τὰ λοιπὰ τῆς τύχης εὐδαίμονος τύχοιτε, πρὸς τὰ πρόσθεν ἀρκέσειεν ἄν. Xen. H. Gr. 1, 1, 27 : Προθύμους εἶναι καὶ τὰ λοιπὰ, ὥσπερ καὶ τὰ πρότερα. Plato Tim. p. 27, B : Τὰ λοιπὰ ὡς περὶ πολιτῶν ἤδη ποιεῖσθαι τοὺς λόγους. Διὰ λοιποῦ in inscr. ap. Bœckh. vol. 2, p. 368, VIII, 28 : Ὅστις παραλαβὼν διὰ λοιποῦ παρὰ τοῦ ἐπισσόφου τάν τε δέλτον ... φυλάξει.] || Quod superest, inquit Turn., et ap. Lucret. plerumque est Deinceps, Postea, In reliquum, Igitur, Postremo, et quod Græci λοιπὸν dicunt : ut, Neque nobilitas, neque gloria regni, Quod superest, animo quoque nil prodesse putandum : i. e., τὸ λοιπὸν οὐδὲ τῇ ψυχῇ λυσιτελεῖν οἰητέον. Iterum, Omnimodis expertus eris quam quisque det ordo Formarum speciem totius corporis ejus, Quod superest, si forte voles variare figuras. I. e., Deinceps, Postea, λοιπόν. Rursum, Neque quod superest procrescere, alique, i. e. οὐδὲ λοιπὸν αὐξηθῆναι, i. e. Deinceps, In reliquum, Postea. [Postsecus, Jam, Porro, Gl.] Hæc ille. [Λοιπὸν, λοιπὸν ἤδη (vel τὸ λοιπὸν ἤδη), De cetero, Deinde, Posthac, Abhinc, Porro, Polyb. 1, 12, 4; 1, 17, 1; 3, 34, 1; 4, 13, 4; 4, 28, 4; 5, 4, 5; 5, 71, 6; 5, 103, 8. Λοιπόν τε 1, 19, 4, nisi λοιπὸν δὲ scribendum. Schweigh. Lex. Alciphr. Ep. 3, 9 : Ἀποπειρώμενος τῶν σκυλακίων εἰ λοιπὸν ἐπιτήδεια κατὰ δρόμον· 33 : Οὕτως ἀφηλικέστερος γεγονὼς, ὅτε ἤδη λοιπὸν υἱιδοῦς καὶ θυγατριδοῦς ἔχομεν· 70 : Αἱ μὲν οἰκίαι τῶν πλουσίων πᾶσαί μοι λοιπὸν ἀπεκέκλειντο. Philostr. V. Apoll. 2, 39, p. 91 : Ἐν τῇ λοιπὸν ἑαυτοῦ γῇ, ubi v. Olear. Aliique plurimi recentiorum.] || In VV. autem LL. affertur pro Itaque, ex Alex. Aphr. Probl. 1 : Ὁ στόμαχος παράκειται τῇ τραχείᾳ ἀρτηρίᾳ, καὶ λοιπὸν αὐτὴ τὸν στόμαχον θλίβει. [Λοιπὸν, Proinde igitur, Polyb. 2, 68, 9; 4, 32, 5; 10, 45, 2. Schweigh. Lex. || Λοιπὸς sine articulo ponunt recentissimi, ut Constantin. Cærim. p. 19, D : Πατρικίων τε καὶ λοιπῶν ὀφφικιαλίων. Tzetz. Hist. 4, 557 : Ἵνα μὴ λέγων καὶ λοιποὺς λόγων ποιήσω μῆκος. Notabili formula id. ib. 714 : Καὶ τὰ λοιπὰ δὲ τῶν λοιπῶν, ἵνα μὴ γράφω μάτην, τὴν πέτρινον Νιόβην τε καὶ Μέμνονος τὴν στήλην. Et simili verborum pleonasmo 6, 466 : Μετὰ τῶν ἄλλων τῶν λοιπῶν δουλομιχτῶν μοι τάττε. L. Dind.]

[Λοισθεῖον, τὸ, et forma Ion. Λοισθήιον.] Unde Λοισθήϊα, Ion. pro Λοισθεῖα, Præmia quæ ultimo dantur : quæ et λοισθήϊα ἄεθλα. Hom. Il. Ψ, [785] : Ἀντίλοχος δ' ἄρα δὴ λοισθήϊον ἔκφερ' ἄεθλον Μειδιόων. [Dicitur ut πρωτεῖον. V. autem sequens Λοισθεύς.]

Λοισθεὺς, έως, ὁ, de Eo peculiariter qui in certamine aliquo cursorio ultimus est. Hom. Il. Ψ, [751] : Ἡμιτάλαντον δὲ χρυσοῦ λοισθῆϊ [λοισθήϊ] ἔθηκεν.

[Λοίσθη, ἡ. Λοίσθημα, τό.] Ap. Hesych. reperio Λοίσθησι, expositum τοῖς κατωτάτοις ἄκροις τῶν ὠτίων. Et Λοίσθημα, τέλος, πέρας ἔσχατον. [Memorat etiam Theognost. Can. p. 22, 9.]

Λοίσθιος, α, ον et ὁ, ἡ, et Λοῖσθος, ὁ, [femin. Nicet. Chon. p. 190, D : Ὡς χοὴ ἐπιτάφιος καὶ λοιβή τις λοίσθη. L. D.] Ultimus, Postremus. Hom. Il. Ψ, [536] : Λοῖσθος ἀνὴρ ὤριστος, ἐλαύνει μώνυχας ἵππους. Hesiod. Theog. [921] : Λοισθοτάτην δ' Ἥρην θαλερὴν ποιήσατ' ἄκοιτιν. [Epigr. Anth. Pal. App. 147, 8 : Λοισθοτάτας χάριτας. Forma λοῖσθος est etiam in var. script. Soph. OEd. C. 583, et in fragm. Philoct. ad Trojam apud Stob. Fl. vol. 3, p. 460. Eur. Hel. 1597 : Ὁ μέν τις

A λοῖσθον ἀρεῖται δόρυ. Et aliquoties ap. Lycophronem. Altera Æsch. Ag. 119 : Βλαβέντα λοισθίων δρόμων· Cho. 500 : Καὶ τῆσδ' ἄκουσον λοισθίου βοῆς· Eum. 734 : Ἐμὸν τόδ' ἔργον λοισθίαν κρῖναι δίκην. Soph. Ant. 895 : Ὧν λοισθία 'γώ· 1220 : Ἐν λοισθίῳ τυμβεύματι. Et sæpe ap. Euripidem.] Et in Epigr. [Anytes Anth. Pal. 7, 646, 1] : Λοίσθια δὴ τάδε. Et ap. Nonnum [Jo. c. 5, 107] : Λοίσθιος ἔρχεται ὥρη. Apoll. [Rh. 2, 559] cum genit., Λοίσθιον ἄλλων, Ceterorum omnium ultimum. Ex Soph. vero [Aj. 468, Antig. 1304] λοίσθιον adverbialiter pro Ad postremum. [Pind. Pyth. 4, 266 : Εἴ ποτε χειμέριον πῦρ ἐξίκηται λοίσθιον. Theocr. 27, 13. Addito articulo Eur. Herc. F. 23 : Τὸ λοίσθιον δὲ Ταινάρου διὰ στόμα βέβηκ' ἐς Ἅδου. Plurali Theocr. 5, 13 : Καὶ νῦν με τὰ λοίσθια γυμνὸν ἔθηκας.] Utitur hoc vocab. Plato quoque, quamvis poetis usitatiore : dicens in Phædone [quod Lexico Septemv. credidit HSt., etsi nihil tale est in Phædone], τὰ λοίσθια πνεῖν, pro Ducere extremum spiritum. [Niceph. Callist. ap. Lambec. Bibl. Cæs. vol. 8, p. 122, A : Θνήσκων καὶ πνέων τὰ λοίσθια.
B L. Dindorf.]

[Λοισθογενέθλος, ὁ, ἡ, Theod. Prodr. Ep. p. 8, 34.]

[Λοῖσθος. V. Λοίσθιος.]

[Λοίσθων.] Λοίσθωνας Hesych. esse dicit τοὺς ἀκρατεῖς περὶ τὰ ἀφροδίσια, Incontinentes et immodice libidinosos. [V. seq. voc.]

Λοισθώνη, ἡ, ap. Suidam ἡ θρασεῖα, Audax. [Ἡ omisit Zonaras p. 1317. Unde Λαίσθων Bernhardy, quod pro Λοίσθων ponere debuerat Hesychius. V. autem Λάσθη et Λαίσθη.]

[Λοιτανός. V. Λογγανός.]

[Λοιτεύω.] Λοιτεύειν, Hesychio θάπτειν, Sepelire [et Zonaræ p. 1319, qui ponit etiam Λοιεῦσαι, θάψαι], afferenti Λοιτὴ pro τάφος, Sepulcrum. [Quod scribendum videtur λοίτη, quomodo et ap. Herodianum Π. μ. λέξ. p. 42, 33 scriptum, λοίτη inter nomina in ιτη ponentem cum δροίτη et χοίτη, et ap. Theognostum Can. p. 117, 28 scribendum diserte præcipitur : Τὰ διὰ τοῦ οιτη δισύλλαβα βαρύτονα διὰ τῆς οι διφθόγγου γράφονται, Λοίτη (scr. λοίτη), Προίτη, si idem ab illis nomen di-
C citur, itaque redarguitur scriptura supra memorata Λογγεύω et Λόγγη. L. Dind.]

Λοιτὸς, Hesychio λοιμὸς, Pestis : pro quo supra Λοίθον, λιμός : sed perperam, ut opinor. [Pro Λοιγός.]

[Λοιχὸς, ὁ λαίμαργος, tanquam primitivum compositi τραπεζολοιχὸς posuit Etym. M. p. 516, 6.]

Λόκαλος, ὁ, ex Aristot. H. A. 2, [17] pro Ciconia avis.

[Λόκκη. V. Λόκμη.]

Λόκμη, Hesychio χλαμὺς ἐφαπτή : pro quo in Epigr. λόκκη : l. 2 titulo εἰς συμποτικὰ ἀστεϊσματα, ubi Antipater [Thess. Anth. Pal. 11, 20, 1] ait, Φεύγεθ' ὅσοι λόκκας ἢ λοφνίδας ἢ καμασῆνας Ἄδετε, ποιητῶν φῦλον ἀκανθολόγων· si tamen non Busta hic cum aliis eo nomine intelligenda sunt. [Arcad. p. 106, 23, qui inter barytona in κη ponit λόκη, ἡ χλαμὺς, simplici an duplici κ scriptum exhibuerit, dubium videtur, non dubium debuisse duplici.]

[Λοκόζος, πόλις Φρυγίας, ἣν ᾤκουν Θρᾷκες Λοκόζιοι. Κατεκλύσθη δὲ, ὡς Ξάνθος ὁ Λυδὸς, ὃς καὶ διὰ τοῦ ξ γράφει
D ἐν τόποις, Λοκοξίτας τούτους καλῶν, Steph. Byz.]

[Λοκός. V. Λοκρός.]

[Λοκρία κρήνη, ὅπου οἱ Λοκροὶ ἐστρατοπεδεύσαντο, prope Locros Epizephyrios, ap. Strab. 6, p. 259.]

[Λοκρῖνος κόλπος, ὁ, Lucrinus sinus, Campaniæ, ap. Strab. 6, p. 244, 245.]

[Λοκροὶ, οἱ, Locri s. Locrenses, quadruplices, Ἐπιζεφύριοι, Ἐπικνημίδιοι, Ὀζόλαι, Ὀπούντιοι, quæ nomina v. Primi Λοκροὺς memorant Hom. Il. B, 527 sq., N, 686, 712, et Hesiod. Sc. 25, tum Pind. Ol. 8, 22; 10, 15, etc., Soph. Trach. 788, Eur. Rhes. 700, Herodotus, Thuc. ceterique historici et geographi. Prov. Λοκρῶν σύνθημα ap. Eust. Il. p. 275, 43, ἐπὶ ἀπατεώνων· δοκοῦσι γὰρ Λοκροὶ Πελοποννησίοις συνθέμενοί ποτε εἶτα Ἡρακλείδαις βοηθῆσαι. Hesychius : Λοκρῶν ξύνθημα, παροιμία ἐπὶ τῶν παρακρουομένων. Λοκροὶ γὰρ τὰς συνθήκας παρέβησαν τὰς πρὸς τοὺς Πελοποννησίους. Eadem fere Photius et Suidas, qui Λοκρῷ ξυνθήματι. Conf. Polyb. Exc. Vat. p. 386, ubi huc refertur prov. Λοκροὶ τὰς συνθήκας, quod parœmiographi et ipsum quidem ἐπὶ τῶν ψευδομένων usurpari, sed ad Locros Epizephyrios referri perhibent. || Adjective Lycophr. 1429 : Λοκρὸν ῥόδον. Et cum eodem nomine Const. Manass. Amat. 4, 76; 8, 9. || Fem. Λοκρὶς de variis hujus nominis regionibus, Aristoph. Av. 152, Xen. H. Gr. 3, 5, 4, Theophr. De vent. 44, Polyb. 17, 10, 4, Pausan. 6, 19, 5, et al. Λοκρίδες κύνες Xen. Ven. 10, 1, Pollux 5, 37, νῆες Thuc. 4, 1, παρθένοι Strab. 13, p. 600, 601. Fuerunt etiam Anaxandridis et Posidippi comicorum fabulæ Λοκρίδες. Aliam fem. formam Λόκρισσα apud Nossidem Anth. Pal. 7, 718, 3 sustulerunt Brunckius et Porsonus ap. Gaisford. ad Hephæst. p. 10. || Adj. Λοκρικὸς, ή, όν, Locricus, ap. Strab. et Athen. 14, p. 639, A : Ἄσματα τὰ Λοκρικά· 15, p. 197, B : Ὠδαὶ αἱ Λοκρικαὶ καλούμεναι. Pollux 4, 65 : Ἁρμονία Λοκρική. Prov. Λοκρικὸς βοῦς, ἐπὶ τῶν εὐτελῶν· Λοκροὶ γὰρ ἀποροῦντές ποτε βοῶν πρὸς δημοτελῆ θυσίαν ὑποθέντες ξύλα μικρὰ καὶ σχηματίσαντες βοῦν οὕτως τὸ θεῖον ἐθεράπευσαν, in Bodl. n. 620, et apud ceteros parœmiographos. Et adv. Λοκριστὶ, Modo Locrico, ap. Athen. 14, p. 625, E : Ἡ Λ. ἁρμονία. L. D. Schol. Pind. Ol. 10, 17. Boiss.]

Λοκρὸς, ὁ, ex Dionys. affertur pro Placidus, Mollis. Alioqui est gentile nomen. [De quo in Λοκροί. Et proprium viri, filii Jovis et Mæræ, ap. Eust. Od. p. 1688, 63, Physci, a quo dicti sunt Locri, ap. eund. Il. p. 277, 19, Hesiodum in fr. ap. Strab. 7, p. 322, Scymnum Orb. descr. 589. Parii statuarii ap. Pausan. 1, 8, 4.] Hesychio Λοκὸς et Λοκρὸς est φαλακρὸς, Calvus. [Λοκὸς aut Λοκρὸς alterius est dittographia.]

[Λόλλαι, τῶν Λολλῶν, ὄνομα τόπου, Suidas.]

[Λολλοῦν, τὰ παιδία τὸν θεόν· οὕτως Ἕρμιππος Photius. Hesychius : Λόγχ.., τὰ παιδία τῶν θεῶν· κέχρηται τῇ λέξει Ἕρμιππος, vitiose uterque.]

[Λόμβη.] At Λόμβαι, Hesychio teste dicuntur αἱ τῇ Ἀρτέμιδι θυσιῶν ἄρχουσαι : ἀπὸ τῆς κατὰ τὴν παιδιὰν σκευῆς, quoniam οἱ φάλητες ita nominantur. [V. sequens voc. Neglexerunt interpretes Hesychii emendationem HStephani παιδιὰν pro παιδείαν.]

[Λομβό:.] Λομβοὺς, Hesychio τοὺς ἀπεσκολυμμένους [Recutitos].

[Λομεντὸς, quod cum Λαυρεντὸς ponit Arcad. p. 83, 6, ut Σικελικὰς πόλεις, ex Λωρεντὸς corruptum videri potest, quod tamen non diversum est ab Λαυρεντός.]

[Λομούρδιος, ὁ, Lomurdius, n. viri in mon., de quo Rochett. *Monum. inéd.* vol. 1, p. 104 : Λομούρδιος Ἡρακλῆς ἐτῶν κ' ἥρως. L. Dind.]

[Λονδίνιον, τὸ, Londinum, urbs Britanniæ. Ptolem. 1, 3. Supra Λινδόνιον, quæ forma propior voc. Celtico *Lin*, Palus. Londinium dixerunt Latini.]

Λόνδις, Hesychio βωμολόχος, εἴρων, Scurra.

[Λόξευμα, τὸ, Obliquitas. Manetho 1, 307; 4, 479 : Πόλου λοξεύματα.]

Λοξεύω, et Λοξόω, exp. Obliquo, Obliquum reddo. [Liban. vol. 4, p. 1072, 22 : Τῆς δὲ σπασάσης καὶ λοξευσάσης τὸν ὀφθαλμὸν πρὸς τὸν ἔρωτα. Schneid. V. Διαλοξεύω.] Posteriore usus est Proclus De sphæra. [Λοξῶν τὰς λογάδας Sophron ap. Etym. M. p. 572, 42. Hemst. Pass. Achill. Tat. Isag. in Arat. p. 169, A : Καταβαίνει δὲ λοξούμενος. Aristot. Metaphys. p. 252, 1 Brand. : Κατὰ τὸν λελοξωμένον, et in seqq. L. D. Schol. Arat. Phæn. 58 : Ἡ κεφαλὴ αὐτοῦ λελόξωται. Boiss.]

Λοξίας, ὁ, [Obliloquis (sic), Gl.] Apollinis est epith., vel παρὰ τὸ λοξῶς μαντεύεσθαι, vel παρὰ τὸ λοξῶς πορεύεσθαι : obliquis enim flexibus cœlum percurrit, et olim obscuris ambagibus responsa consulentibus dabat. Macrob. Saturn. 1, 17 : Loxias cognominatur, uti ait OEnopides, ὅτι ἐκπορεύεται τὸν λοξὸν κύκλον ἀπὸ δυσμῶν εἰς ἀνατολὰς κινούμενος, i. e., quod obliquum circulum ab occasu ad orientem pergit : aut, ut Cleanthes scribit, ἐπειδὴ καθ' ἕλικας κινεῖται· λοξαὶ γάρ εἰσι καὶ αὗται· vel quod flexuosum pergit iter : vel quod transversos in nos a meridie immittit radios, quum simus ad ipsum septentrionales. [Achill. Tat. Isag. in Arat. p. 169, A : Ὁ ζωδιακὸς καὶ λοξίας ὑπό τινων καλεῖται, ἐπειδὴ ἥλιος τὰς ὁδοὺς ἐν αὐτῷ πορεύεται λοξός. Ἐν δὲ τῷ ἡλίῳ ὁ Ἀπόλλων, ὃς καλεῖται Λοξίας ὑπὸ τῶν ποιητῶν, εἶναι πιστεύεται.] Utitur hoc epith. [præter Pindarum et Tragicos, Herodot. 1, 91, ubi forma Ion. Λοξίης,] **Aristoph. substantive, Pl. [8] : Τῷ δὲ Λοξίᾳ, Ὃς θε-**

A σπιῳδεῖ τρίποδος ἐκ χρυσηλάτου, Μέμψιν δικαίαν μέμφομαι. [Ubi etymologiam ab λοξὴ et ἴα absurdam comminiscitur schol., ut Eust. Il. p. 794, 54, Tzetzes ad Lycophr. 1467. Ceterum Photius : Λοξίας· εἰώθασι τὸν πρὸ τῶν θυρῶν ἱδρυμένον βωμὸν τοῦ Ἀπόλλωνος Λοξίαν καὶ Ἀπόλλω προσαγορεύειν καὶ Ἀγυιᾶ. ῑᾰ]

Λόξις, Obliquitas : quo usus esse dicitur Ocellus [2 fin. : Εὖ δὲ ἔχει καὶ ἡ λόξις τῶν ζῳδίων τοῦ πόλου πρὸς τὴν τοῦ ἡλίου φοράν. Ubi Patricius λοξὺς, codd. λόξωσις. Schneid. Delendum igitur voc. nihili.]

[Λοξοβάδιστικὸς, ή, όν. Niceph. Blemm. Logica p. 79 : Ὡς τὸ λοξοβαδιστικὸν τῷ καρκίνῳ, Obliquus gressus. Boiss.]

[Λοξόβαμος, ὁ, ἡ, i. q. sequens. Greg. Naz. vol. 2, p. 55, A, 713 : Ἢ καὶ λοξοβάμοισι καὶ ὀκταπόδεσσι παγούροις. Ubi α male corripitur.]

Λοξοβάμων, ονος, ὁ, ἡ, et Λοξοβάτης, ὁ, Oblique incedens, Obliquis flexibus iter faciens. [Prius ap.] Hesych. [qui interpretatur πλαγίως περιπατοῦσιν. Alterum Batrach. 296 : Λοξοβάται. ᾰ et ᾱ]

B [Λοξοβάτης. V. Λοξοβάμων.]

[Λοξοβλεπτέω, Oblique cerno. Thom. M. v. Διάστροφοι ὀφθαλμοὶ οἱ ... λοξοβλεπτοῦντες, ubi olim —βλεποῦντες, quod vitium notarunt Valck. in Mss., Bast. ad Greg. Cor. p. 748 et alii.]

[Λοξοδρόμος, ὁ, ἡ, Oblique currens. Pisid. Opif. 51 : Βροντῶν ἐκ νεφῶν λοξοδρόμων. Boiss. Apollin. Metaphr. p. 393.]

[Λοξοειδὴς, ὁ, ἡ, Obliquus. Diodor. 4, 27 : Σχολιοὺς τοὺς ἀγκῶνας ἔχουσα. Gloss. cod. Vindob. τουτέστι λοξοειδεῖς. L. D. Adv. Λοξοειδῶς, Oblique, Pisid. Opif. p. 408. « Nicet. Eugen. 2, 217. » Boiss.]

[Λοξοεργέω, Perverse ago. Theodor. Stud. p. 188, E · Πῶς δὲ καὶ οἷόν τε ὀρθοδοξεῖν τὸν λοξοεργοῦντα ; L. Dind.]

[Λοξοκίνητος, ὁ, ἡ, Oblique motus. Schol. Hesiod. Op. 381. ῐ]

[Λοξονοέω, Perverse sentio. Theodor. Stud. p. 331, E : Τὸν Χριστὸν οἱ ἀντικείμενοι οὐ μόνον οὐκ εἰκονίζεσθαι λέγουσί τε καὶ λοξονοοῦσι. L. Dind.]

[Λοξοπεριπάτητος, ὁ, ἡ, i. q. λοξοβάμων. Gloss. ad Hom.

C Batrach. 296. Wakef. ᾰ]

Λοξοπολέω, Oblique vagor : aliis Transversus feror.

[Λοξοπορέω, Oblique incedo. Plut. Mor. p. 890, E : Λοξοπορῶν ὁ ἥλιος.]

Λοξὸς, ή, όν [et ὁ, ἡ, ap. Hesych. in Βαννάται, ubi αἱ λοξοὶ ... ὁδοί. Nisi λοξαὶ scribendum. Nihil præsidii est in versu Macedonii infra cit., quum ἕλιξ interdum etiam masculini generis esse constet. L. Dind.], Obliquus, [Limus, Transversus, huic add. Gl.] Non rectus. [Theognis 536 : Οὔποτε δουλείη κεφαλὴ ἰθεῖα πέφυκεν, ἀλλ' αἰεὶ σκολιὴ καὐχένα λοξὸν ἔχει. Tyrtæus ap. Stob. Fl. vol. 2, p. 363 : Θαρσεῖτ'· οὔπω Ζεὺς αὐχένα λοξὸν ἔχει. Eurip. fr. Thesei ap. Athen. 10, p. 454, C : Λοξαὶ (γραμμαί). Aratus 58 : Λοξὸν δ' ἐστὶ κάρη · 322 : Λοξὸς ὑποκέκλιται Ὠρίων · 527. Apoll. Rh. 2, 582 : Ἤμυσαν λοξοῖσι καρήασιν. Macedonius Anth. Pal. 5, 227, 8 : Λοξὸς ἕλιξ ῥυτίδων. Dionys. Per. 148 · Λοξαὶ ... κέλευθοι · 548 : Λοξοτέρῃ ... στροφάλιγγι.] Aristot. De mundo [c. 3], Λοξὴ πρὸς τὴν οἰκουμένην, Positu ad terrarum orbem inflexo : de Taprobane insula.

D Sic a [Diog. L. 7, 155,] Proclo et a ceteris astronomis zodiacus circulus vocatur λοξὸς κύκλος, Circulus obliquus. [Aristot. Metaphys. p. 245, 1 Brand. : Ὁ ἥλιος καὶ ὁ λοξὸς κύκλος. Diodor. 1, 98 : Τὸν ἡλιακὸν κύκλον, ὡς λοξὴν ἔχει τὴν πορείαν. Aristot. Meteor. 1, 4 : Τῶν διαθεόντων ἀστέρων ἡ πλείστη λοξὴ γίνεται φορά · 2, 4. Theophr. fr. De sensu 73 : Ἐκ περιφερῶν μὲν, λοξῶν δὲ τῇ θέσει πρὸς ἄλληλα.] Apud Historicos et τοὺς τακτικοὺς est etiam quædam λοξὴ φάλαγξ, Phalanx obliqua, de qua v. Ælian. et Appendicem Vocabulorum militarium. [Α. φ. ἡ τὸ μὲν ἕτερον κέρας, ὁπότερον ἂν προῄρηται, πλησίον τῶν πολεμίων ἔχουσα, καὶ ἐν αὐτῷ τὸν ἀγῶνα ποιουμένη, τὸ δὲ ἕτερον ἐν ἀποστάσει δι' ὑποστολῆς ἔχουσα, δεξιὰ μὲν ἡ τὸ δεξιὸν προβεβλημένη, λαιὰ δὲ ἡ τὸ λαιόν. De vultu, quo referri videtur interpr. in Gl. posita Torvus, Apoll. Rh. 3, 665 : Ὄμματα δέ σφιν λοξὰ παραστρωφῶνται ὑπὸ ζυγοῦ. Agathias Anth. Pal. 5, 242, 7 : Ἀνέρα λοξὸν ἰδοῦσα. Damagetus Plan. 4, 95, 3 : Καταντίον ὄμμα βαλόντες λοξόν. Cui Jacobsius **contulit Gregor. Naz. in Vita sua p. 28, D : Κάπροι** λοξὸν βλέποντες ἐμπύροις τοῖς ὄμμασιν. Callim. Epigr. 22, 5 : Μοῦσαι γὰρ ὅσους ἴδον ὄμματι ἄχρι βίου πολιοὺς οὐκ ἀπέθεντο φίλους. Quæ quum ab schol. Hesiodi Theog. 82 ita scripta citentur : ... ὅσους βλέμματι εἶδον μὴ λοξῶς vel λοξῷ, πολιοὺς κτλ., Bentlejus restituit ὅσους ἴδον ὄμματι παῖδας μὴ λοξῷ, cui Ruhnk. contulit Apoll. Rh. 4, 476 : Ὀξὺ δὲ πανδαμάτωρ λοξῷ ἴδεν οἷον ἔρεξεν ὄμματι· Nonn. Dion. 30, 39 : Ὄμματα λοξὰ τίταινε χόλου κήρυκι σιωπῇ· Blomfield. præter Sophronem in Λοξόω citandum, locos Antipatri Thess. Anth. Pal. 7, 531, 6 : Δερκομένα λοξαῖς, οἷα λέαινα, κόραις· Solonis ap. Plut. Sol. c. 16 : Νῦν δέ μοι χολούμενοι λοξὸν ὀφθαλμοῖς ὁρῶσι πάντες ὥστε δήιον· Theocriti 20, 13 : Χείλεσι μυχθίσδοισα καὶ ὄμμασι λοξὰ βλέποισα· Anacreontis Od. 61 : Πῶλε Θρηκίη, τί δή με λοξὸν ὄμμασι βλέπουσα νηλεῶς φεύγεις; anonymi ap. Suidam v. Διονυσίων σκωμμάτων : Λοξὰ βλέπων καὶ δεδορκώς· Oppiani Cyn. 1, 259 : Λοξῇσιν δ' ἄθρησαν ἀνιάζοντες ὀπωπαῖς. Sic apud Latinos Horat. Ep. 1, 14, 37 : « Non istic obliquo oculo mea commoda quisquam limat. » Alia in re Aristæn. 1, 27 : Ἡ δὲ διαμωκωμένη καὶ ὑποβλέπουσα λοξόν· et Apoll. Rh. 3, 444 : Ἐπ' αὐτῷ δ' ὄμματα κούρη λοξὰ παρὰ λιπαρὴν σχομένη θηεῖτο καλύπτρην· etc. || Figurate de obscuris Apollinis oraculis Lucian. Dial. deor. 16, 1. Cornutus De nat. d. c. 32, p. 226 : Λοξῶν καὶ περισκελῶν ὄντων τῶν χρησμῶν οὓς δίδωσι Λοξίας ὠνόμασται, aliique in Λοξίας citati. Lycophr. 14 : Ἄνειμι λοξῶν ἐς διεξόδους ἐπῶν· 1467 : Λοξὸν ἦλθον ἀγγέλλων σοὶ τόνδε μῦθον. De Apolline ipso Lucian. Jov. trag. c. 28. « Λοξόν, τό, Dictio obliqua, flexuosa, αἰνιγματώδης. Eunap. in Vita Plotini p. 19 ed. Commel. Conf. Cresoll. Theatr. 2, 5, et voc. πλάγιος, vel πλαγιασμός. Hesych. : Λ., πλάγιος, ἐπικαμπής. » Ernest. Lex. rh.] || Λοξῶς, [Lime, Gl.] Oblique. Dicitur λοξῶς πρός τινα ἔχειν is qui alieniore erga aliquem est animo et suspectum eum habet, eique fidere non audet : pro ὑπόπτως. Polyb. [4, 86, 8] : Εὗρε τὴν διαβολὴν οὖσαν ψευδῆ· διὸ καὶ τὸν μὲν Ἄρατον ἀπὸ ταύτης τῆς ἡμέρας ἀεὶ καὶ μᾶλλον ἀπεδέχετο καὶ κατηξίου, πρὸς δὲ τὸν Ἀπελλῆν λοξότερον εἶχε. [Proprie Etym. M. p. 569, 48 : Λοξίας παρὰ τὸ λοξῶς ἰέναι τὸν ἥλιον διὰ τοῦ ζωδιακοῦ.]

[Λόξος, ὁ, Loxus, scriptor de physiognomonia ap. Orig. C. Cels. 1, 33, p. 351, C, ubi v. Spencer. L. D.]

[Λοξοσύστροφος, ὁ, ἡ, Oblique contortus. Λοξοσυστρόφοις λόγοις de oratione Thucydidis Tzetzes p. 584 ed. Bekker. stereot., 133 scholl. ed. Paris. L. Dind.]

[Λοξοτενής, ὁ, ἡ, Obliquus. Paul. Sil. Ecphr. 632, κελεύθους.]

Λοξότης, ητος, ἡ, Obliquitas. [Strabo 2, p. 90 : Ἡ λοξότης τῆς διαμέτρου. Plut. Mor. p. 906, B ; 907, A, τοῦ χαυλοῦ. || Improprie, Obscuritas. Plut. Mor. p. 409, C : Τὴν λοξότητα τῶν χρησμῶν καὶ ἀσάφειαν. Eust. Il. p. 164, 25 : Τὴν ἐν τοῖς χρησμοῖς λοξότητα.]

Λοξοτρόχις, ιδος, ἡ, Oblique currens, Per ambages obscure verba volvens. Ex Epigr. [Anth. Pal. 9, 191, 4 : Ἄγγελος οὓς βασιλεῖ ἔφρασε λοξοτρόχις] affertur de Cassandra dictum.

[Λοξόφθαλμος, ὁ, ἡ, Qui obliquis oculis est. Procul. Paraphr. p. 204.]

[Λοξοχρήσμων, ονος, ὁ, ἡ, Qui obliqua oracula edit. Schol. Lycophr. 1467 : Λ. γὰρ ἦν (Apollo).]

[Λοξόω. V. Λοξευω.]

[Λοξώ, οῦς, ἡ, Loxo, filia Boreæ, ap. Callim. Del. 292, Nonnum Dion. 5, 489, Etym. M. p. 641 extr.]

[Λοξῶς. V. Λοξός.]

Λόξωσις, εως, ἡ, Obliquatio. Strabo eo usus fertur pro Obliquitas. [Ptolem. Math. comp. 2, p. 88, B : Διὰ τοῦ κανονίου τῆς λοξώσεως. Et alibi. Plut. Mor. p. 890, E : Τὴν λόξωσιν τοῦ ζωδιακοῦ κύκλου. L. D. V. Λόξις. Synes. in epigr. p. 312, C : Ζωδιακοῦ λοξώσιας. Plotin. p. 211, B. Creuzer. || Obscuritas, τῶν λόγων, Tzetz. ad Hesiod. Op. 412, p. 222 ed. Gaisf. L. Dind.]

[Λοπαδάγχης, ὁ, Patinarum strangulator. Athen. 3, p. 113, F : Ὑμεῖς δ', ὦ λοπαδάγχναι, κατὰ τὸν αὐτὸν ποιητὴν Εὔβουλον, λευκῶν ὑπογαστριδίων, ἑτέροις οὐ παραχωροῦντες φθέγγεσθε, καὶ τὰς ἡσυχίας οὐκ ἄγετε, ἕως ἂν τις ὑμῖν, ὡς κυνιδίοις, ἄρτων ἢ ὀστέων προσρίψῃ. Λοπαδάγχαι Casaub. post Dalecampium.]

Λοπαδαρπαγίδης, ὁ, Patellæ raptor. Itidem in voracem. Ap. Athen. 4, [p. 162, A] in philosophos : Ὀφρυα- A νασπασίδαι, ῥινεγκαταπηξιγένειοι, σακκογενειότροφοι καὶ λοπαδαρπαγίδαι. [ᾰῐ]

[Λοπαδεύω, ap. Oribas. p. 65 ed. Mai. : Ἀντίδοτος δὲ ἡ διὰ τῶν ἐχιδνῶν συνεχῶς καὶ ἐπὶ μήκιστον λαμβανομένη πολλῶν ἐξέκοψε τὴν διάθεσιν, αὐταί τε αἱ ἐχίδναι ἐσθιόμεναι· οὐ γὰρ ἄβρωτοι τυγχάνουσι σκευασθεῖσαί τινα τρόπον, ὥστε καὶ ἄλλως λοπαδεύοντες ἐσθίουσιν ἔνιοι τῶν ἐπ' ἐρημίας βιούντων, Coctionem quandam et apparatum, ut edules fiant viperæ, significare videtur. Antiatt. Bekk. An. p. 105, 17 : Κόγχος ἐν τῇ συνηθείᾳ λέγεται βρωμάτιόν τι λοπαδευόμενον, de faba κόγχος, quod v., dicta. Forma simile est quod supra retulimus λεπαδεύομαι, sed significatione diversum. L. Dind.]

Λοπάδιον, τό, Parva patella. [Patella, Gl.] Aristoph. Pl. [812] : Ὀξὶς δὲ πᾶσα καὶ λοπάδιον καὶ χύτρα Χαλκῆ γέγονε. [Pollux 6, 90 ; 10, 95, 106, ex Eubulo. Conf. Axionic. ib. 122. Inepte Thomas p. 583 : Λοπάδιον, οὐχὶ λοπάς, addito loco Arist., qui ipse etiam λοπὰς dixit alibi. Apud Menandrum Athenæi 4, p. 132, F : Ἀρκαδικὸς τοὐναντίον ἀθάλαττος ἐν τοῖς λοπαδίοις ἁλίσκεται, B Bentlejus interpretabatur Patellas piscibus elixandis aptas. Nec videntur conchæ hic intelligi posse, ut in Geopon. 20, 18, 1 : Λάβε λοπάδια γ' τῆς θαλάσσης τὰ περὶ τὰς πέτρας γινόμενα, καὶ τούτων ἐκθλίψας τὴν σάρκα ἐπίγραψον αὐτῶν εἰς ὄστρακον τὰ ὑποκείμενα. V. Λοπάς.] || Nom. meretricis, [Timocles ap.] Athen. [13, p. 567, F.]

[Λοπαδίσκος, ὁ, Patella. Schol. Aristoph. Vesp. 962 : Ἔστι δὲ εὐτελὲς προσόψημα ἐν λοπαδίσκοις σκευαζόμενον.]

[Λοπάδουσα, νῆσος κατὰ Θάψον τῆς Λιβύης, ὡς Ἀρτεμίδωρος ἑβδόμῳ γεωγραφουμένων. Τὸ ἐθνικὸν Λοπαδουσσαῖος, Steph. Byz. Inter Λοπάδουσα et Λοπάδουσσα variant libri Strab. 17, p. 834. Λοπαδοῦσα ap. Ptolem. 4, 3. Rectius Λοπαδοῦσσαι scribitur ap. Athen. 1, p. 30, D, quanquam libri consentiunt in simplici σ, in prima autem variant inter Λε et Λο, quibus de formis v. dicenda in Λοπάς.]

Λοπαδοφυσητής, ὁ, scommate dictum in quendam ἐπὶ ὀψοφαγίᾳ διαβόητον Dorionem, ap. Athen. [8, p. 338, B] ex Mnesim. : Καὶ τῆς νυκτὸς Δωρίων ἔνδον Ἔστιν παρ' C ἡμῖν λοπαδοφυσητής. Sic enim ap. Eust. [Il. p. 1151, 13] scribitur : ap. Athen. vero [olim] λοπαδιφυσήτης.

Λοπάς, άδος, ἡ, Patella, [Patena, Patina add. Gl.] : itidem a λέπω, quod instar corticis sit λεπτή. Plut. Apophth. [p. 182, F] : Γόγγρον ἕψοντος καὶ τὴν λοπάδα σείοντος. Euphanes [Euphron] ap. Athen. 8, [p. 343, B] : Ὡς εἶδεν ἐν πλήθει νέων Μεστὴν ζέουσαν λοπάδα Νηρείων τέκνων. Antiph. [Alexis] ap. Eund. 2, [p. 60, B] : Τὴν λοπάδ' ὀρύττων ἀποδέδειχα κόσκινον. Archestr. ap. Eund. 1, [p. 5, C] de coctione piscium : Οὐδὲ λοπὰς κακόν ἐστιν, ἀτὰρ τὸ τάγηνον ἄμεινον. [Clem. Al. p. 143, A : Οἱ περὶ τὰς λοπάδας ἀσχολούμενοι. Jac.] Et Crates ap. Plut. [Mor. p. 125, F] proverbialiter, Μὴ πρὸ φακῆς λοπάδ' αὔξων ἀεὶ ἐς στάσιν ἄμμε βάλῃς, ubi forsan posset accipi etiam pro Olla; nam exp. et χύτρα. Et ap. Aristoph. [Vesp. 511] : Ἐν λοπάδι πεπνιγμένον· unde videtur λοπάδα operculo obturari solitam. [Id. Eq. 1034 : Νύκτωρ τὰς λοπάδας καὶ τὰς νήσους διαλείχων. (Et in voc. ficto Eccl. 1215, λοπαδοτεμαχοσελαχο κτλ.) Aristot. H. A. 9, 40 : Λοπάδα τιθέντες καὶ κρέας εἰς D αὐτὴν ἐμβάλλοντες. Lucian. De histor. scr. c. 26, ubi errorem scholiastæ λοπὰς et λοπὸς confundentis notavit Hemst. ad Ar. Pl. 813. ||Pro λεπάς, quod v., præbent Urbinas et alii libri Theophr. H. Pl. 4, 6, 7. Quod comparandum cum λοπάδιον et Λοπαδοῦσσα. Atque *Lopas* de Concha marina etiam ab Nonio Marc. 15, 9, annotatum est ex Plauto, apud quem alibi *Lepas*.] || Morbus arborum, quem Plin. Patellam itidem interpr. : de quo Theophr. H. Pl. 4, 16, ubi pro ἧλοι αὐτῶν sunt qui reponant ἡλίου καῦσις. Locum eum Theophr. cum Plinii interpret. habes in Ἧλος. Et paulo post, Νοσεῖ δὲ συκῆ, καὶ ἐὰν ἐπομβρία γένηται, τά γε πρὸς τὴν ῥίζαν ὥσπερ μαδᾷ· τοῦτο δὲ καλοῦσι λοπάδα· Plin. 17, 14 : Sive imbres nimii fuere, alio morbo ficus laborat, radicibus madidis. Gaza ibi Glabrationem vertit. [V. infra.] || Secundum Suidam λοπὰς Syracusanis est τὸ τήγανον : ap. Theopomp. autem et Comicos ἡ σορός. [Τὴν θεὸν male Photius, Theopompi testimonio usus. V. Hemst. ad Pollucem p. 1273.] Vocatur vero sic et ὁ ἐν τῇ Ἑλλάδι γινόμενος λίθος:

quod postremum ap. Hesych. quoque reperio. [Ἧλος ἐν ἐλαίᾳ ap. utrumque Coraes ad Xenocrat. p. 156, de qua signif. HSt. modo dixit.] || Λοπάσι, κλέπταις, Suid. [Photius et gramm. Bachm. An. p. 292, 9. Quod ex λωποδύταις detortum videri potest, quod sic fere interpretantur grammatici.]

[Λοπάω. V. Λοπιάω.]

Λοπητὸς, ὁ, Tempus illud anni, quum cortices arborum turgescunt et exemptiles fiunt, ut Bud. tradit ex Theophr. H. Pl. 5 init., ubi modo λοπητὸς, modo κοπητὸς, modo λοπετὸς scribitur; sed bis λοπητός: adeo ut ex eo cetera emendanda sint: quamvis et ibi λιπητὸς, majore facta mutatione, nonnulli reponant.

Λοπία, ἡ, ap. Theophr. H. Pl. exp. Corticis turgor, Quum humor est sub cortice: v. Λοπάω.

Λοπιάω s. Λοπάω, Cortice turgesco, Cortice turgido sum: quod plantis circa germinationem accidit. Theophr. C. Pl. 5, [9, 9]: Τῇ δὲ συκῇ καὶ νόσημά τι συμβαίνει περὶ τὰς ῥίζας καὶ μικρὸν ἐπάνω, ὃ καλοῦσι λοπᾷν· τοῦτο δ' οἷον μύδησίς τίς ἐστι τῶν ῥιζῶν διὰ τὴν πολυϋδρίαν· quod et λοπάδα infra vocat. Idem H. Pl. 5 init.: Τότε γὰρ εὐπεριαίρετος ὁ φλοιὸς, ὃ καλοῦσι λοπᾷν, διὰ τὴν ὑγρότητα τὴν ὑπογινομένην αὐτῷ· ubi scribitur etiam λοπιᾶν. Id. 4, [15, 3]: Περὶ γὰρ τὴν βλάστησιν ἐλάτης καὶ πεύκης, ὅτε καὶ λοπῶσι, τοῦ θαργηλιῶνος ἢ σκιῤῥοφοριῶνος ἄν τις περιέλῃ, παραχρῆμα ἀπόλλυται· qua parenthesi omissa, Plin. 17, 24, cetera ita interpretatur: Abieti enim et pino si quis (corticem) detraxerit sole taurum vel geminos transeunte, quum germinant, statim moriuntur. Sed sunt qui et ibi λιπᾷν reponant pro λοπᾷν, sicut legitur H. Pl. 3, [5, 1]: Διὸ καὶ τρίσλιποι· πᾶν γὰρ δὴ δένδρον, ὅταν βλαστάνῃ, λιπᾷ· πρῶτον μὲν ἄκρου ἔαρος, εὐθὺς ἱσταμένου τοῦ θαργηλιῶνος· itidem de picea et abiete, ut in l. præcedente. Et [5, 3]: Ὥρα δὲ καὶ πρὸς τὸ τέμνεσθαι τὰ ξύλα τότε, διὰ τὸ λιπᾷν· ἐν γὰρ τοῖς ἄλλοις καιροῖς οὐχ εὐπεριαίρετος ὁ φλοιός. [Etiam his ll. nunc λοπ.] Si igitur λιπᾷν scribetur, erit a λίπος, et λιπᾷν dicetur arbor, quum in germinando radix pingui tumore turget: si vero λοπᾷν, erit a λόπος, et λοπᾷν dicetur, quum itidem in germinando radix turgida quodammodo abscedit et deglubitur. Hesych. λοπῶντα exp. λεπιζόμενον ἢ λοπιζόμενον. [Ap. Zonar. p. 1319: Λοπῶντα, λεπιζόμενα, Tittmannus λεπιζόμενον.]

Λοπίζω, Decortico, ut λεπίζω. [Photius: Λοπίζω, οὐ λεπίζω. Ap. Theophrastum pro λεπίζω præbet liber Urbinas, ut in ll. ab Schneid. in indice citatis. Hesych.: Λοπίξαι, λαμπρῦναι (hactenus etiam Zonaras p. 1319) ἢ λεπιδῶσαι. V. Λοπιάω in fine.]

Λόπιμος, ὁ, ἡ, Qui ex eorum genere est, quæ excorticari possunt, Qui est ex genere eorum, quæ cortice s. putamine tecta sunt. Ita λ. κάρυον a densiore cortice dictum volunt, quanquam secundum Eust. [Od. p. 1863, 50] οὐκ ἔστιν ἐνστῆναι στερεῶς εἰ τῆς αὐτῆς τῷ λέπῳ ἐστὶ σημασίας. Athen. 2, [p. 53, B]: Ποντικῶν καλουμένων καρύων, ἃ λόπιμα τινὲς ὀνομάζουσι, μνημονεύει Νίκανδρος. Pag. sequenti quum dixisset Diphilum κάστανα vocare etiam Σαρδιανοὺς βαλάνους, ex ejusd. Nicandri Georg. addit, Λόπιμον κάρυόν τε Εὐβοέεις, βάλανον δὲ μετεξέτεροι καλέσαντο. [Galen. vol. 6, p. 357: Ἔνιοι δὲ λοπίμους αὐτὰς (castaneas) ὀνομάζουσιν. Schol. Nicand. Al. 271: Τῶν δὲ καστάνων τὸ μὲν σαρδιανὸν, τὸ δὲ λόπιμον, τὸ δὲ μαλακὸν κτλ.] Aetius l. 1 in Δρῦς: Ἄρισται δὴ τῶν βαλάνων πασῶν εἰσὶν αἱ καστάνιαι, καὶ αἱ λόπιμοι ὀνομαζόμεναι, ubi inter βαλάνους quidem recensentur λόπιμοι, sed a castaneis distinguuntur. Dubium autem an pro Ponticis nucibus capiantur, ut paulo ante tradit Athen. [Λόπιμα, Castana, Castania, Castaneæ, Gl. Hesychio κάστανα vel Εὐβοϊκά.]

Λοπὶς, ίδος, ἡ, Squama, i. q. λεπὶς, schol. Aristoph. Vesp. [790]: Κᾆπειτ' ἐπέθηκε τρεῖς λοπίδας μοι κεστρέων. [Nicand. Alex. 467: Τοῦ δ' ἤτοι λοπίδων μὲν ἴδε πλύματος πέλει ὀδμὴ, ubi olim λεπίδων. Ejusd. Ther. 154, ubi schol. memorat var. λοφὶς pro λεπὶς, de serpente dictum, item fortasse fuerat λοπίς. Inter λεπὶς et λοπὶς variatur etiam in fr. Empedoclis ap. Aristot. Meteor. 4, 9, p. 387, 5, ubi φλονίδες scripsit Karstenius v. 224, et apud Æneam Tact. c. 20: Ἄριστον δὲ τὰς βαλάνους μὴ ἐξαιρετὰς εἶναι, ὑπὸ δὲ λοπίδος σιδηρᾶς κατέχεσθαι ...

A Τὸν δὲ καρκίνον ἐσκευάσθαι, ὅπως ὑπὸ τὴν λοπίδα κάθηται.]

Λόπισμα, τὸ, Cortex, Putamen, Eust. [Od. p. 1863, 51], i. q. λέπυρον et λεπύχανον. [Λέμμα Photio.]

Λοπὸς, ὁ, Cortex, i. q. λέπος et λέπυρον: unde Erot. [p. 242] ap. Hippocr. [p. 799, D; 845, F] λόπῳ exp. φλοιῷ, λεπίσματι. Apud quem λόπῳ scribitur, sicut et ap. Hesych. et Suid., cui λόπος est πᾶν λέπος, φλοιὸς, δέρμα λεπτὸν, ξηρόν. [Sed λοπὸς ap. Hipp. ll. citatis et p. 803, F.] || Λοπὸς dicitur etiam de Multiplici tunica cæpas vestiente, ut et λέπυρον. Eust. [Il. p. 1246, 29, Od. p. 1739, 54; 1863, 47] exp. κρομύου τὸ λέπυρον, scribens ὀξυτόνως: Suid. ἡ παρακειμένη ἔξωθεν κρομύου λεπὶς, scribens παροξυτόνως: ut Hesych. Quæ scriptura non caret ratione, ut λόπος ita dicatur a λέπω, sicut λόγος a λέγω, πλόκος a πλέκω, σπόρος a σπείρω, τόκος ab inus. τέκω, et alia similia. Adde quod quum ap. Erot. et Hesych. in priori etiam signif. ita scribitur. Od. T, [233]: Τὸν δὲ χιτῶν' ἐνόησα περὶ χροῒ σιγαλόεντα Οἷόν τε κρομύοιο λοπὸν κατὰ ἰσχαλέοιο. [|| Squamæ s.
B Desquamationes quæ in impetigine aut porrigine affrictu decidunt, ap. Hipp. p. 1002, C: Λοποὶ καὶ μάδησις τριχῶν. Foes.] || Vestimentum, quod et λῶπος ac λώπη, Anacreon ap. Eust. [Il. p. 1001, 39, Od. p. 1421, 64]: Καδδὲ λοπὸς ἐσχίσθη, quod exp. κατεσχίσθη τὸ ἱμάτιον. Alibi autem scribit λόπος, et neutro genere usurpat: siquidem Πηνελόπην dictam tradit παρὰ τὸ πένεσθαι περὶ λόπος: derivans inde et λώπιον, per ectasin: est autem ei λόπος ὕφασμα λεπτὸν κατὰ κρομύου λοπόν: sic et infra τὸ λῶπος. [Theognost. Can. p. 68, 30: Τὰ διὰ τοῦ οπος δισύλλαβα ἀπαρασχημάτιστα ἁπλᾶ διὰ τοῦ ο μικροῦ γραφόμενα σπάνιά ἐστιν· ἔστι γὰρ τὸ λόπος, ὃ δηλοῖ τὸ λαμπρόν· κόπος, τόπος· τὸ σκοπὸς καὶ ὀπὸς ἐναντία περὶ τόνον, οὐ περὶ γραφήν· λῶπος δὲ τὸ ἱμάτιον διὰ τοῦ ω μεγάλου σεσημείωται. Λόπος vel Λοπὸς quod pro λῶπος poni putavit Eust., ipsius est error, vitioso exemplari decepti. L. Dind.]

Λορδαίνω [et Λορδαίνομαι] idem cum λορδόω significans, Incurvo [immo Incurvor] in anteriora. Hippocr. [p. 812, C: Ἢν δὲ λορδαίνουσι (-ωσι), ῥάους εἰσί· 814,
C D]: Ὁ δὲ ἄνθρωπος πάντη μᾶλλον ἐλορδαίνετο ἢ συνέφερεν. Id enim et λορδοῦσθαι dicitur quum ab Hippocr., tum ab aliis. Procop. [Hist. arc. p. 62, 15 ed. Bonn.] de Theodora Justiniani uxore: Ἐν τοῖς μέσῳ εἱστήκει, λορδουμένη τε καὶ τὰ ὀπίσω ἀποκοντῶσα· ubi et Suid. exp. κεκαμμένη.

Λορδὸς, ὁ, [Ancus, Mancus, Gl.] Curvus, Incurvus, Cui caput et dorsum in anteriora inclinat: Latinis Cernuus: oppos. τῷ ὑβῷ s. κυφῷ [vel κυρτῷ ap. Suidam, etsi scholl. Chron. Pasch. p. 225, 6: Ἦν δὲ ψευδοπροφήτης Ἀνανίας ὁ λορδὸς, reddunt ὁ κυρτός], teste Galeno: qui hæc ἐπὶ μόνης τῆς ῥάχεως dici scribit. Hippocr. De fract. [p. 763, C]: Ὥστε μὴ διεστράφθαι ἢ τῇ ἢ τῇ, μήτε λορδὸν μήτε κυφὸν εἶναι. Idem De artic. [p. 807, B]: Ἀναγκάζονται κατὰ τὸν μέγαν σφόνδυλον λορδὸν τὸν αὐχένα ἔχειν. [Quo recte refert Foesius glossam Erotiani p. 242: Λορδωτὸν (Junt. λορδώτον, Ms. Dorv. λορδάττον, quæ omnia ex λορδὸν τὸν depravata), τὸ ἀποσεσιμωμένον καὶ ἐναντίον τῷ κυρτῷ Λορδὸν καλεῖται· ὃ δὴ καὶ φυτὸν (l. κυφὸν vel ὑβὸν, ut Foes. volebat)
D καλεῖ.]

Λορδόω, Incurvo, s. Curvo in anteriora. Hippocr. De artic. [p. 812, D]: Ἤν τις ψαύῃ αὐτῶν κατὰ τοῦτο, ὑπείκουσι λορδοῦντες. [Med. p. 816, A: Τοσούτῳ μᾶλλον λορδοῦνται.] Et Galen. Comm. in Aphorism.: Λορδοῦται κατ' αὐτὸν ἡ ῥάχις. [Positura obscœna ap. Mnesimachum Athen. 9, p. 403, D: Πᾶς πίνει, σκιρτᾷ, λορδοῖ, κεντεῖ, βινεῖ. Aristoph. fr. Γήρως ap. Ælian. N. A. 12, 9: Λόρδου κιγκλοβάταν ῥυθμόν· Eccl. 10: Λορδουμένων τε σωμάτων. Clemens Al. Pæd. 3, p. 264, cum annotatione schol. V. HSt. in Λορδαίνω.]

[Λόρδωμα, τὸ, i. q. λόρδωσις. Hippocr. p. 815, G; 863, H. Ms. Suidæ v. Λορδουμένη in marg.: Λόρδωμα καὶ κύφωμα ταὐτόν τι λέγω.]

[Λόρδων, ωνος, ὁ, fictum numen Venereum ap. Plat. Athen. 10, p. 442, A.]

Λόρδωσις, εως, ἡ, Inclinatio s. Incurvatio in anteriora: quum homo vitiata dorsi spina capite semper prono est et cernuo. Galen. initio Comm. 3 in l. De artic. [vol. 12, p. 367, C], Ὀπισθοκύφωσις, inquit, nominatur ἡ εἰς τοὐπίσω διαστροφὴ τῆς ῥάχεως, ut ἡ εἰς τὸ πρόσω vocatur λόρδωσις: ἡ εἰς τὰ πλάγια, σκολίωσις. Itidem aliquanto post scribit, Τρία γίνεσθαι πάθη κατὰ τὴν ῥάχιν ἐν ταῖς τῶν σφονδύλων μεταστάσεσι, nimirum κύφωσιν, λόρδωσιν, et σκολίωσιν: ac κύφωσιν quidem, ὀπίσω ἀποχωρούντων: λόρδωσιν, εἰς τὰ πρόσω ἰόντων: σκολίωσιν, ἐπὶ τὸ πλάγιον ἐκτρεπομένων. [Hippocr. p. 816, B. Conf. schol. Theocr. 5, 43, Etym. M. v. Ὑβός.]

[Λόταξ. Λοτός. V. Λωτός.]

[Λούγδουνα (-δονος cod. Vrat.), πόλις Κελτογαλατίας. Πτολεμαῖος ἐν περίπλῳ. Τὸ ἐθνικὸν Λουγδουνήσιος καὶ Λουγδουνησία (-δονισία Vratisl.) ἐπαρχία, Steph. Byz. Λούγδουνος mons Galliæ memoratur a Ps.-Plutarcho De fluv. p. 1151, D, qui etiam urbem Λούγδουνον ita dictam perhibet, quod Galli λοῦγον Corvum, δοῦνον (Locum) eminentem dixerint. Dio Cass. 46, 50: Τὸ Λουγούδουνον μὲν ὀνομασθὲν, νῦν δὲ Λούγδουνον καλούμενον. Λούγδουνον sæpe memorat Strab. l. 4, Ptolem. 2, 8, (idemque ib. 9 Λουγδουνησίαν et Λουγόδεινον Batavorum). Λούγδουνος est ap. Euseb. H. E. 5, 1 initio. Inter Λουγδοῦνον et Λουγδουνὸν variant libri Herodiani 3, 7, 5. Λουγδόνων πόλεως Γαλλίας, Georg. Syncell. p. 354, A. Λουγδουνησία ap. Ptolem. l. c., Strab. epit. l. 4 init., Marcianum p. 59, 61 etc. ed. Miller.]

[Λοῦγος. V. Λούγδουνα.]

[Λουδάριοι, οἱ, Ludarii, Gladiatores. Acta SS. Tarachi, Probi et Andronici c. 10: Ὡς δὲ ἐπλήσθη αὐτοῖς ὁ καιρὸς τῆς θέας καὶ τὸ τῆς ἡμέρας μέτρον λοιπὸν ὑπεχώρει πολλῶν πεπτωκότων ἀνθρώπων, τοῦτο μὲν ἐκ τῶν σφαγισθέντων ὑπὸ λουδαρίων μαχαίρᾳ κτλ. Infra: Ἐκέλευσεν μαχαιροφόρους τῶν λουδαρίων εἰσελθεῖν. Ducang.]

[Λουδεμπαίκτης, ὁ, Hippol. Tradit. Apost. 22, p. 355 Fabr., sed habet Λουδεμπίστης Const. Apost. 8, 32, p. 417: Σταδιοδρόμος ἢ λ. ἢ Ὀλυμπικὸς ἢ χοραύλης. Routh. Ducang.: « Λουδεμπιστὴς videtur esse qui ludis publicis exhibendis præfectus est, tametsi hanc vocem varie explicant Glossæ veteres. Lex. Ms. Cyrilli et Gl. mss. Reg. cod. 2062: Λουδεμπιστὴς ὁ ἄρχων τῶν παιγνίων (al. παιγνιδίων)· λοῦδα γὰρ τὰ παίγνια τοῖς Ῥωμαίοις. (Παιγνιδίου et παρὰ pro τοῖς Zonaras p. 1316.) Ubi Phavor. habet λοῦδοι. Aliud Gloss. cod. 2392: Λουδεμπιστὴς ἑρμηνεύεται ὁ διακοριστὴς ἤγουν ὁ παρθενοφθόρος· λοῦδοι γὰρ παρὰ Ῥωμαίοις ἡ φθορά. Denique Lexicon Stephani Λουδεμπιστὴς, ἀρρητοποιός. » Antiquum vitium videtur pro Λουδεμπαίκτης.]

[Λουδίας. V. Λυδίας.]

[Λοῦδος, Ludus, Arena, Amphitheatrum. Lex. Ms. cod. Reg. 1708 (et Zonaras p. 1318): Λοῦδα, τὰ παίγνια παρὰ Ῥωμαίοις. (V. Λουδεμπαίκτης.) Pæanius s. Capito Lycius in Metaphr. Eutrop. 1, 6: Effracto Capuæ ludo, ὀρύξαντες τὸ μονομαχικὸν θέατρον. Id. 1, 8: In Ludo, ἐν μονομαχικῷ σταδίῳ. Clemens Const. Ap. 5, 1: Εἴ τις χριστιανὸς ... κατακριθῇ ὑπὸ ἀσεβῶν εἰς λοῦδον ἢ θηρία etc. Ducang. V. autem Λυδίων.]

[Λουδοτρόφος, ὁ, μονομαχοτρόφος, ἐπιστάτης μονομάχων in Gl. Lat.-Gr. Glossæ Græco-Lat.: Λουδοτρόφος, Lanista. Ubi Salmas. ad Flor. 3, 20 emendat λουδιοτρόφος, quippe, ut ait, Ludii sunt Gladiatores, μονομάχοι, ita, ut λουδιοτρόφος sit qui Ludios instituit. V. eund. in Hist. Aug. p. 151, 328. Idem forte qui Λουδεμπιστής. Ducang.]

[Λοῦκα, ῥόφημα ἐξ ἀλφίτων, ὡς Καύκωνες, Hesych.]

[Λοῦκα, ἡ, Luca, urbs Etruriæ. Strabo 5, p. 217, et Plutarchus sæpius aliique.]

[Λουκᾶνοὶ, οἱ, Lucani in numis qui ap. scriptores Λευκανοί. V. Eckhel. D. N. vol. 1, p. 151.]

[Λουκαρία, πόλις Ἰταλίας. Πολύβιος τρίτῳ. Παρὰ δὲ Διονυσίῳ διὰ τοῦ ε γράφεται. Οἱ οἰκοῦντες Λουκερῖνοι, Steph. Byz. Per ε præter Strab. 6, p. 264, 284, scribunt etiam alii rerum Romanarum scriptores.]

[Λουκᾶς, ὁ, Lucas, n. pr. evangelistæ, contractum ex Lucanus, ut Silas ex Silvanus. Plenum Lucani nomen in codd. aliquot Evangelio legitur præfixum, teste Mabillon. in Museo Italico. Schleusn. Etym. Gud. p. 373, 12: Λουκᾶς, Ῥωμαῖον τὸ ὄνομα, οὐχὶ δὲ Ἑλληνικόν. Ἄλλοι δὲ λέγουσιν ὅτι ἀπὸ τοῦ λευκὸς γέγονε Λευκᾶς καὶ Λουκᾶς. Alios viros cognomines v. ap. Fabric. in Bibl. Gr.]

[Λουκῐᾰνισταὶ, οἱ, Lucianistæ, hæretici quidam ap. Epiphan. vol. 2, p. 18, C· 38, B; 40, D. Vid. Suicer.]

A [Λουκιανὸς, ὁ, Lucianus, Samosatensis, cujus scripta supersunt. Alios recenset Fabric. in Bibl. Gr. Legitima mensura est ῐᾱ. Λουκῑᾶνὸς propter metrum in epigrammate in Lucianum Anth. Pal. 49, 1.]

[Λουκιφερῐᾶνοὶ, οἱ, Luciferiani, sectatores Luciferi episcopi Sardiniæ. Theodoret. H. E. 3, 5 extr., ubi v. annot. in ed. Reading.]

[Λουκόλεια, τόπος, Zonaras p. 1317.]

[Λουκοτοκία, ἡ, Lutetia, urbs Galliæ. Strab. 4, p. 194. « Ap. Ptolemæum (2, 8) πόλις Παρισίων Λουκοτεκία. Videntur Græci auctores in voce Gallica Græcam etymologiam somniasse. » Casaubonus. Λουτεκία tanquam ap. Ptolem. lectum ponit Surita ad Antonin. Itin. p. 368.]

[Λουκούλλειον, τὸ τοῦ Λουκούλλου, Suidas. De festo Plut. Lucull. c. 23: Λουκούλλεια ἦγον ἐπὶ τιμῇ τοῦ ἀνδρός. V. Appian. Mithr. c. 76. Nomen viri apud Græcos est modo Λεύκολλος, de quo supra, modo Λούκουλλος, ut ap. Plut. in Vita ejus.]

[Λουκούμων, Lucumo, n. viri Etrusci. Plut. Camill.
B c. 15. Boiss.]

[Λούκουντλοι, οἱ, placentarum genus. Chrysippus Tyaneus ap. Athen. 14, p. 647, D. Lat. Lucuntulus. Libri deteriores λούκουτλοι, λούκουλλοι, λούκολλοι.]

[Λοῦμα, τὸ, Balneum, ap. Codin. Orig. Cpol. n. 98, 99, 132, et Maximum Cythereum Episc. in Synax. 31 Aug. Ducang.]

[Λοῦμιξ, Rumex, τὸ λάπατον, in Glossis iatricis mss Neophyti. V. Salmas. ad Plin. p. 1284. Ducang.]

[Λοῦνα, ἡ, Luna, oppidum Etruriæ. Strab. 5, p. 217, 222.]

[Λοῦνδα, ων, τὰ, Lunda, oppidum Phrygiæ, ap. Hierocl. Synecd. p. 667, ubi alia exx. annotavit Wessel. p. 666.]

Λουνὸν, Hesychio λαμπρὸν, Splendidum, Lucidum.

[Λοῦπα, ἡ, Meretrix. Eust. Od. p. 1921, 63: Εἰ (legendum videtur ἔτι, ut paullo ante, etsi redit hoc εἰ v. 62) δὲ καὶ λοῦπα ἡ αὐτὴ, ὅπερ ἐστὶν Ἰταλικῶς λύκαινα· 1961, 16: Ῥῶμος καὶ Ῥωμύλος, οὓς ἐθήλασε λύκαινα ἢ παρὰ Ἰταλιώταις λοῦπα· ὃ δὴ ὄνομα μετῆκται ἀστείως
C εἰς ἑταιρίδων προσηγορίαν· τὸ ζῶόν τε γὰρ ἁρπακτικὸν ἡ λοῦπα εἴτουν λύκαινα καὶ αἱ ἑταιρίδες δὲ ὁμοιότροποι. Dionys. A. R. 1, 84: Γυναῖκα τῷ Φαυστύλῳ συνοικοῦσαν Λαυρεντίαν ὄνομα, ἣ δημοσιευούσῃ ποτὲ τὴν τοῦ σώματος ὥραν οἱ περὶ τὸ Παλάντιον διατρίβοντες ἐπίκλησιν ἔθεντο Λοῦπαν. Ἔστι δὲ τοῦτο Ἑλληνικόν τε καὶ ἀρχαῖον ἐπὶ ταῖς μισθαρνούσαις τὰ ἀφροδίσια τιθέμενον, αἳ νῦν εὐπρεπεστέρᾳ κλήσει ἑταῖραι προσαγορεύονται. Plut. Rom. c. 4: Λούπας γὰρ ἐκάλουν οἱ Λατῖνοι τῶν τε θηρίων τὰς λυκαίνας καὶ τῶν γυναικῶν τὰς ἑταιρούσας. Quo refertur Hesychii gl.: Λύπτα, ἑταίρα, πόρνη. Ubi Λύππα postulat ordo literarum. Ita Λύπος in numis Cretæ pro lat. Lupus. V. Eckhel. D. N. vol. 1, p. 151.]

[Λούπης, ἅρπης, in Lex. Ms. Nicomedis iatrosoph. Etym. M. et Phavor.: Ἰκτῖνα λέγουσι τὴν λεγομένην λούπην. Herodiani Epimerismi (p. 46): Ἰκτῖνος, ὁ λούπης. Achmes Onir. c. 291: Ὁ λούπης εἰς πρόσωπον στρατιώτου εὐδόξου καὶ λωποδύτου κρίνεται. Ἐὰν ἴδῃ τις ὅτι κατέσχε λούπην ἢ ἔσφαξεν αὐτόν. Ubi Int. Lupem vertit: rectius Milvum, quomodo etiam Etymolog. Suidæ. Ducang. Etym. Ms. cod. Reg. 2750: Ἴκτινος,
D εἶδος πετεινοῦ, ὃ λέγεται λούπην, addit id. in App. p. 122.]

[Λουπίαι, αἱ, Lupiæ. Pausan. 6, 19, 9: Λουπίας φασὶ κειμένην Βρεντεσίου τε μεταξὺ καὶ Ὑδροῦντος μεταβεβληκέναι τὸ ὄνομα, Σύβαριν οὖσαν τὸ ἀρχαῖον. Ubi alii libri Λουπίαν, sed Λουπίαι etiam Ptolem. 3, 1, Strabo 6, p. 282 et alii.]

[Λουπίας, ὁ, Lupias, fl. Germaniæ, per Bructeros minores fluens. Strabo 7, p. 291.]

[Λουπίων vel Λουππίων, n. viri in Libanii Ep. 417.]

[Λοῦρος, πλακοῦντός εἶδος, Placentæ genus, inter nomina in ουρος ponit Arcad. p. 70, 4.]

[Λουσής. V. Λουσοί.]

[Λουσία, τῶν Ὑακίνθου θυγατέρων ἡ Λουσία ἦν, ἀφ' ἧς ὁ δημότης Οἰνηΐδος φυλῆς Λουσιεὺς, Steph. Byz. Λυταία scriptum ap. Apollod. 3, 15, 8, 5.]

[Λουσιὰ, ἡ, Lusia, inter ὀνόματα δήμων ὀξύτονα refert Arcad. p. 99, 11. Male igitur ap. Harpocrat.: Λουσιεύς· Ὑπερίδης ἐν τῷ πρὸς τὴν Δημέου γραφήν. Δῆμός ἐστι τῆς Οἰνηΐδος Λουσίᾶ, ἀφ' οὗ ὁ δημότης Λουσιεὺς, ὡς Διόδωρός φησιν, et qui glossam repetunt, Photium s. Suidam. Λουσιεὺς est etiam ap. Isæum p. 65, 18. Vitiose ap. Hesychium : Λούσιος, δῆμος Οἰνηΐδος, et suo loco Λυσεΐεις, et Λουσίαι ap. Photium in Λακιάδαι.]

[Λουσία, ἡ, Lusia, epith. Dianæ, quod ἐπὶ τῷ λούσασθαι τῷ Λάδωνι adepta esset, ap. Pausan. 8, 25, 6.]

[Λουσιάς, άδος, ἡ, Athen. 12, p. 519, C, Νύμφαι, apud Sybaritas.]

[Λουσιάτης. Λουσιεύς. V. Λουσιά. Λουσοί.]

[Λουσικράτιος forma Bœotica pro Λυσικράτους, genitivo n. Λυσικράτης, esse videtur in inscr. Orchomen. ap. Bœckh. vol. 2, p. 741, n. 1569, b. V. Bœckh. p. 746, b.]

[Λούσιος, ὁ, Lusius, fl. Gortynem Arcadiæ perfluens, circa fontes ita vocatus ἐπὶ λουτροῖς δὴ τοῖς Διὸς τεχθέντος, longius a fontibus Γορτύνιος Pausan. 8, 28, 2, Polyb. 16, 17, 7.]

[Λοῦσις, εως, ἡ, Lavatio, Gl.]

[Λουσιτανία, ἡ, μέρος τῆς Βαιτικῆς. Μαρκιανὸς ἐν περίπλῳ αὐτῆς (p. 38, 42 Huds., 67 seqq. Miller.). Τὸ ἐθνικὸν Λουσιτανοί, Steph. Byz. Aliis, et Marciano ipsi p. 8=14, Λυσιτανία et Λυσιτανοί, q. v.]

[Λουσοί, πόλις Ἀρκαδίας, ὅπου Μελάμπους ἔλουσε τὰς Προίτου θυγατέρας καὶ ἔπαυσε τῆς μανίας. Ὁ πολίτης Λούσιος καὶ Λουσεὺς (al. Λουσιεὺς, quod solum verum esse ostendit Xen. Anab. 4, 2, 21; 4, 7, 11, 12) καὶ Λουσιάτης (ap. Xen. l. c. 7, 6, 40, ubi meliores libri Λουσιώτης, Polyb. 4, 18, 11), Steph. Byz. Callim. Dian. 235 : Τὸν δ' ἐνὶ Λούσσοις. Schol. : Ἡ εὐθεῖα τὰ Λοῦσσα, ὡς Ἡρωδιανός. Scribendum Λούσοις, ut est in ed. Lasc. Duplex σ invitis libris intulerat Casaubonus Polybio, qui 4, 18, 9 : Προῆγον ὡς ἐπὶ Λούσων· 25, 4 et 9, 34, 9 : Τὸ τῆς ἐν Λούσοις Ἀρτέμιδος ἱερόν. Χωρίον καλούμενον Λουσοὺς memorat Pausan. 8, 18, 7. Gent. fem. Λουσηΐς, ίδος, est in epigr. ap. Ælianum N. A. 10, 40 : Στυγὸς ἀχράντου Λουσηΐδος. Ita Reinesius, quum Λουσηθίδος vel similiter sit in libris.]

[Λοῦσος.] Λοῦσον Hesychio κόλουρον, κολοβὸν, τεθραυσμένον, Mutilum, Contusum. [Idem Ἀπολουσέμεναι, κολοβώσειν. Eust. Il. p. 1246, 38 : Λοῦσον παρὰ Κυπρίοις τὸ κολοβόν.]

[Λουσὸς inter oxytona in σος recenset Arcad. p. 75, 16, non addita signif.]

Λοῦσσον, τὸ, Lussum : quiddam in abiete nascens, ἀντίστροφον τῇ αἰγίδι, nisi quod album est. Theophr. H. Pl. 3, [9, 7. Luson Plinio.]

[Λούστης, ὁ, Lotor, Qui lavari s. balneo uti amat. Marc. Anton. 1, 16. Vocab. hoc Aristoteli H. A. 9, 36 (49) reddidit Schneider., ubi bis λοῦνται vulgo legebatur pro λοῦσται. Schweigh.]

[Λούσωνες, οἱ, Lusones, gens Hispanica ad Tagi fontes. Strabo 3, p. 162.]

Λουτὴρ, ῆρος, ὁ, Labrum [Gl.], Pelvis, Vas ad lavandum. [Inscr. Aphrodis. ap. Bœckh. vol. 1, p. 531, n. 2820, A, 10 : Διάκτοις ἐκ λουτήρων ἐπιρύτοις.] Philo V. M. 3 : Τὰ ἐν ὑπαίθρῳ πρῶτα τόν τε βωμὸν καὶ τὸν λ. κατέχριεν, ἐπιῤῥαίνων ἑπτάκις, Pelvim, Turn. Athen. 5, [p. 207, F] · Ἦν δὲ καὶ βαλανεῖον τρίκλινον πυρίας χαλκᾶς ἔχον τρεῖς, καὶ λουτῆρα πέντε μετρητὰς δεχόμενον, Solium quinque metretarum capax, Bud. Idem eod. l., Λουτῆρες μεγάλοι δέκα, καὶ κρατῆρες ἑκκαίδεκα. [Ex nova comœdia affert Pollux 7, 167; 10, 46. Nili Sentent. p. 52 Orell. Theodos. De grammat. p. 122, 22. De baptisterio dicti exx. v. ap. Ducang.]

Λουτηρίδιον, τὸ, Labellum, VV. LL. [Hero in Mathem. vett. p. 190, B, D; 191, A, etc. L. D. Schol. Lucian. Lexiph. c. 3.]

Λουτηρίαι, λουτῆρες, λουτρίαι, Hesych. [Glossa corrupta, quum et λουτρίαι et λουτηρίαι inusitatæ, λουτῆρες autem neutri interpretando conveniens forma sit. Itaque λουτήρια scribendum, λουτρίαι autem ad glossam seq. Λουτρίδες pertinere videtur.]

Λουτήριον, τὸ, Labellum. Athen. 11, [p. 478, B] ex Diodoro, de cotyla s. cotylo : Παραπλήσιον ὑπάρχειν λουτηρίῳ βαθεῖ. Anaxilas : ['Εν] τοῖς βαλανείοις οὐ τίθεται λουτήρια, i. e. λουτῆρας, ap. Polluc. [10, 46, ubi ab Antiphane ἐπὶ τῶν παρὰ τοῖς ἰατροῖς ἐκλούτρων (quod v.) poni dicit citatque etiam ex Demiopratis λουτήριον καὶ ὑπόστατον, quod Pausan. 10, 26, 9 dicit : Λ. ἐπὶ τῷ ὑποστάτῃ χαλκοῦν. Hesych. : Λουτήρια, λουτῆρας.]

A Eid. vero [7, 167] λουτήρια sunt etiam βαλανεῖα, in hoc Æsch. l., Λοῦται γεμὴν λουτήριον αὐτὸ δεύτερον, Ἀλλ' ἐκ μεγίστων εὐμαρῶς λουτηρίων. [Quorum versuum nonnisi alter huc pertinet. In priori recte cod. Falckenburg. λ. γε μὲν δὴ λουτρὸν αὐτὸ δ.] Idem alibi [10, 78] scribit λουτήριον fortasse capi posse pro ὁλκαῖον, pro Vase in quo abluuntur pocula. [De vestimento, ut videtur, Eust. Opusc. p. 329, 40 : Ζητηθὲν δὲ τὸ λουτήριον, τὸ περίβλημα, ἔστιν οὐδαμοῦ, ἀλλὰ καὶ αὐτὸ ἄφαντον καὶ ἡ λοιπὴ δὲ ἀποσκευή. || Poculi genus. Athen. 11, p. 486, C : Λουτήριον, Ἐπιγένης Μνηματίῳ ἐν τῷ τῶν ποτηρίων καταλόγῳ φησὶ ... ὁλκεῖα, χρουνεῖα ... λουτήρια. || Forma Dor. Λωτήριον Tab. Heracl. 1, 136, p. 150. L. Dind.]

[Λουτηρίσκος, ὁ, Labellum, Gl.]

Λουτιάω, Lavare cupio : λούεσθαι ἐπιθυμῶ. Lucian. Lexiph. [c. 2] : Κἀγὼ τρίπαλαι λουτιῶ· verbum fictum ad formam desiderativorum, qualia sunt κουριάω, ἐμετιάω : sicut et λογιῶ in eod. libello.

[Λουτρεὼν, ῶνος, ὁ, i. q. λουτρὼν, inter nomina in
B εων oxytona hyperdisyllaba ponitur a Theognosto Can. p. 28, 28. L. Dind.]

[Λουτρικὸς, ἡ, ὸν, Balnearis. Hesych. in Ξυστρολήκυθον. Boiss. V. Letronn. *Journ. des Sav.* 1833, p. 179.]

[Λούτριον. V. Λοῦτρον.]

[Λουτρὶς, ίδος, ἡ.] Λουτρίδες, Hesych. αἱ περὶ τὸ ἔδαφος δύο παρθένοι, quæ et ἀντλητρίδες. Λουτρὶς ᾤα, Polluci [7, 66; 10, 181] τὸ δέρμα, ᾧ ὑποζώννυνται αἱ γυναῖκες λουόμεναι ἢ οἱ λούοντες αὐτὰς, Subligaculum quo lavantes præcinguntur. Theopomp. : Τήνδε περιζωσάμενος ᾤαν λουτρίδα κατὰ δεσμὸν ἥβης περιπέτασον. Pherecrates : Ἤδη μὲν ᾤαν λουομένῳ προζώννυνται. [Libri paullo aliter : v. annotationes et conjecturas editorum.] Idem et ὑπόζωμα dicitur. [Photius : Λουτρίδες, δύο κόραι περὶ τὸ ἕδος τῆς Ἀθηνᾶς· ἐκαλοῦντο δὲ αὗται καὶ Πλυντρίδες· οὕτως Ἀριστοφάνης.]

[Λουτροδάϊκτος, ὁ, ἡ, Balneo occisus. Æsch. Cho. 1071 : Λ. δ' ὤλετ' Ἀχαιῶν πολέμαρχος ἀνήρ. ἄ]

Λοῦτρον, et Λούτριον, τὸ, Aqua sordida in qua aliquis lavit : τὸ ῥυπαρὸν ὕδωρ καὶ λελουμένον, i. e. ἀπό-
C νιμμα, Hesych. : Eust. [in Λουτρὸν cit.] λοῦτρον exp. ἀπόλουμα, Sordes ablutas : citans exemplum Aristoph. [Eq. 1401] : Κἀκ τοῦ βαλανείου πίεται τὸ λοῦτρον· quod Atticum esse scribit, et diversæ signif. esse a λουτρόν; qui l. ap. Suid. quoque extat, qui et ipse exp. ἀπόλουμα, ἀπόλουτρον, s. τὸ ῥυπαρόν : ideoque ap. Hesych. pro λουτρὸν scr. λοῦτρον. [Ap. Aristoph., cujus ex Heroibus aliud voc. λούτριον ex. citat Pollux 7, 167; 10, 78, nunc restitutum, quod metrum postulat, λούτριον. Pro quo λουτρὸν dixisse videtur Manetho 4, 253 : Λουτρῶν τε καθαρτῆρας βαλανείων.] Sic accipi videtur ap. Lucian. [Lexiph. c. 4] : Καὶ δέος μὴ ἐν λουτρίῳ ἀπολουσώμεθα. || Λοῦτρον, nomen Medicamenti ophthalmici quod ad Hermiam auctorem refertur, cujus descriptio habetur ap. Galen. K. τόπ. 4. Gorr.

Λουτρὸν, τὸ, Lavacrum, Ipsa aqua qua abluimur : interdum et Balneum. [Hom. H. Cer. 50 : Οὐδὲ χρόα βάλλετο λουτροῖς. Hesiod. Op. 751 : Μηδὲ γυναικείῳ λουτρῷ χρόα φαιδρύνεσθαι. Pind. Ol. 12, 21 : Θερμὰ Νυμφᾶν λουτρά. Et utroque numero sæpe ap. Æschy-
D lum ceterosque Tragicos, ut in ll. in Λούω citandis, et Soph. OEd. Col. 1599 : Ῥυτῶν ὑδάτων ἐνεγκεῖν λουτρά· 1602 : Λουτροῖς τέ νιν ἐσθῆτί τ' ἐξήσκησαν· et ubi de Aquis dicitur, Trach. 634 : Ὦ ναύλοχα καὶ πετραῖα θερμὰ λουτρὰ καὶ πάγους Οἴτας παραναιετάοντες, ad quæ v. annot. schol. (Et ubi de Inferiis, El. 84 : Πατρὸς χέοντες λουτρά· 434 : Οὐδὲ λουτρὰ προσφέρειν πατρί.) Eur. Hec. 780 : Λουτρ' ᾤχετ' οἴσουσ' ἐξ ἁλὸς Πολυξένη· 1281 : Κτεῖν'· ὡς ἐν Ἄργει φόνια λουτρά σ' ἀναμένει· Hel. 1383 : Οὐ λουτροῖς χρόα ἔδωκα· Or. 42 : Οὐ λουτρ' ἔδωκε χρωτί· 303 : Λουτρά τ' ἐπὶ χροὸς βάλε· Phœn. 1667 : Σὺ δ' ἀλλὰ νεκρῷ λουτρὰ περιβαλεῖν μ' ἔα. Xen. OEc. 5, 9 : Χειμάσαι δὲ πυρὶ ἀφθόνῳ καὶ θερμοῖς λουτροῖς ποῦ πλείων εὐμάρεια ἢ ἐν χώρῳ; 10, 8 : Ὑπὸ λουτροῦ κατωπτεύθησαν. Et sæpius Plato et al.] Plut. Ad Colot. [p. 1109, B] : Λουτρῷ γε τῷ αὐτῷ τοὺς μὲν ὡς θερμῷ, τοὺς δὲ ὡς ψυχρῷ χρωμένους ἰδεῖν ἐστίν· οἱ μὲν γὰρ ψυχρὸν, οἱ δὲ θερμὸν ἐπιβάλλειν κελεύουσι. Athen. 12, [p. 512, F] : Τὰ θερμὰ λουτρὰ τὰ φαινόμενα ἐκ τῆς γῆς· quæ Ἡράκλεια vocari scribit. Plut. Alex. [c. 23] : Καταλύσας δὲ καὶ τρεπάμε-

νος πρὸς λουτρὸν ἢ ἄλειμμα. Aliquanto post, Εἷς τῶν περὶ ἄλειμμα καὶ λουτρὸν εἰωθότων τὸ σῶμα θεραπεύειν τοῦ βασιλέως· paulo ante [c. 20], Alexander ἀποδυσάμενος τὰ ὅπλα πρὸς τὸ λουτρὸν ἐβάδιζεν, dicens ad milites suos, Ἴωμεν ἀπολουσόμενοι τὸν ἀπὸ τῆς μάχης ἱδρῶτα τῷ Δαρείου λουτρῷ. Xen. Cyrop. 7, [5, 59] : Οὐδαμοῦ ἄνθρωποι εὐχειρωτότεροι ἢ ἐν σίτοις καὶ ποτοῖς καὶ λουτρῷ καὶ κοίτῃ καὶ ὕπνῳ. In quibus posterioribus duobus ll. potest accipi etiam pro Balneo, i. e. Loco ipso lavationi destinato, sicut apud Suid., quum dicit Helladium gramm. Alexandrinum scripsisse Ἔκφρασιν τοῦ Λουτροῦ Κωνσταντιανῶν. [Xen. Reip. Ath. 2, 10 : Γυμνάσια καὶ λουτρά.] In hoc autem Alexidis l. ap. Athen. 10, [p. 431, E] : Ἑλληνικὸς Ποτὸς μετρίοισι χρωμένους ποτηρίοις, Λαλεῖν τι καὶ ληρεῖν πρὸς αὑτοὺς ἡδέως. Τὸ μὲν γὰρ ἕτερον, λουτρόν ἐστιν, οὐ ποτὸς, Ψυκτῆρι πίνειν καὶ κάδοις, accipi posset etiam pro Lavatio [Gl.] s. Lotio, ut ibi opponantur sibi ποτὸς et λουτρόν : sicut et in VV. LL. λουτρὸν exp. Lotio, Lotura, κάθαρσις, χοή. [Inscr. Aphrodisiad. ap. Bœckh. vol. 2, p. 525, n. 2804, 9 : Τὸν μεγαλοπρεπέστατον Ῥοδοπαῖον ... τὸν ἀρχηγὸν τῆς φιλοτιμίας τοῦ θερινοῦ Ὀλυμπίου λουτροῦ. Conf. Att. ib. vol. 1, p. 543, n. 994, 3. Euseb. Onomast. urbium et locorum S. S. p. 9 : Ἐμμαθὰ, ἔνθα τὰ τῶν θερμῶν ὑδάτων θερμὰ λουτρά. L. D.] || Dicitur a Christianis et de baptismate, ut Ephes. 5, [26] : Καθαρίσας τῷ λουτρῷ τοῦ ὕδατος ἐν ῥήματι. Ad Titum 3, [5] : Διὰ λουτροῦ παλιγγενεσίας, Per lavacrum regenerationis. Ceterum sicut pro λοῦσαι dicitur λοέσαι, s. λοέσσαι, resolutione poet. : ita λοετρὸν dicitur pro λουτρόν : plerumque pro Ipsa aqua quæ lavationi paratur. Hom. Il. Ξ, [6] : Εἰσόκε θερμὰ λοετρὰ ἐϋπλόκαμος Ἑκαμήδη Θερμήνῃ, καὶ λούσῃ ἀπὸ βρότον αἱματόεντα· X, [444]. Ὄφρα πέλοιτο Ἕκτορι θερμὰ λοετρὰ μάχης ἐκνοστήσαντι· Ψ, [44] : Οὐ θέμις ἐστὶ λοετρὰ καρήατος ἆσσον ἱκέσθαι. Item Od. E, [275] : Οἴη δ' ἄμμορός ἐστι λοετρῶν Ὠκεανοῖο, de ursa majore : sicut Virg., Metuentes æquore tingi. [Unum hujus formæ ex., quod erat ap. Æsch. Prom. 555, Ἀμφὶ λοετρὰ καὶ λέχος σὸν ὑμεναίουν, nunc sublatum est restituto λουτρά. De accentu utriusque formæ acuto v. Herodian. Π. μ. λέξ. p. 37, 15, 21, Arcad. p. 123, 10; 133, 17, schol. Ven. Hom. Il. O, 676. Significationis pro accentu barytono et oxytono discrimen faciunt schol. Lycophr. 1103 : Λουτρὸν, τὸ θερμὸν, λοῦτρον, τὸ βαλανικόν· Eust. Il. p. 1037, 40 : Τὰ εἰς τρον λήγοντα μονογενῆ οὐδέτερα βαρύνεται· σεσημείωται τὸ λουτρὸν πρὸς διάφορον σημασίαν. Ἔστι γὰρ καὶ λοῦτρον ἀττικῶς παρὰ τῷ κωμικῷ τὸ ἀπόλουμα, οἷον Κὰκ τοῦ βαλανείου πίεται τὸ λοῦτρον (quæ est prava librorum scriptura in l. Aristoph., de quo in Λούτριον diximus)· Od. p. 1560, 32 : Λοῦτρον μοναχῶς τὸ ἀπόλουμα βαρυτόνως. Minus etiam considerate Etym. M. p. 568, 47 : Λοῦτρον βαρύνεται· ἐπειδὴ πᾶν εἰς τρον λῆγον ἀπαρασχημάτιστον βαρύνεται, κέντρον, δένδρον, σεῖστρον· τὸ δὲ λουτρὸν πρὸς διαφορὰν σημαινομένου· ἐπὶ μὲν γὰρ τοῦ τόπου βαρύνεται, ἐπὶ δὲ τοῦ ὕδατος ᾧ λουόμεθα ὀξύνεται. Idem ib. 54 : Λουτρόν ... δεῖ δὲ βαρύνεσθαι, ὥστε παραλόγως ὀξύνεται. || Formam Dor. Λωτρὸν v. suo loco.]

[Λουτροποιός, ὁ, titulus fabulæ Anaxilæ ap. Polluc. 7, 167; 10, 46, ubi Λυροποιὸς restituit Schweigh. ad Athen. 4, p. 183, B.]

Λουτροφορέω, Lavacra fero, Aquam sponso loturo fero, τὰ λουτρὰ φέρω τῷ γαμοῦντι. [V. Λουτροφόρος.]

Λουτροφόρος, ὁ, ἡ, Aquam ferens ad lavandum, ὁ φέρων τὰ λουτρά. Peculiariter autem de puero consanguinitate proximo ei qui uxorem ducebat : quem die nuptiarum mittebat ad afferenda sibi λουτρὰ ex fonte Callirrhoe. [V. infra.] Ita ap. Plut. De exilio [p. 606, F, ex Eur. Phœn. 348], mater filiam deflens conqueritur, quod ei οὔτε πῦρ ἀνῆψε γόνιμον [νόμιμον] ἐν γάμοις, sed ἀνυμέναια ἐκηδεύθη, et expers λουτροφόρου χλιδᾶς. Sed et in monumentis eorum qui ἄγαμοι moriebantur, λουτροφόρος puer statui solebat ὑδρίαν ἔχων, Suid., Hesych. : ap. quem Λουτροφόρος ὑδρία et λουτροφόρα ἀγγεῖα, quibus τὰ λουτρὰ τῷ γαμοῦντι afferebantur. [Demosth. p. 1086, 15 : Τελευτᾷ τὸν βίον ἄγαμος ὤν. Τί τούτου σημεῖον; λουτροφόρος ἐφέστηκεν ἐπὶ τῷ τοῦ Ἀρχιάδου τάφῳ· quod genere fem. dici intelligitur ex p. 1089, 33 : Ἡ λ. ἐφέστηκεν ἐπὶ τῷ τοῦ Ἀρχιάδου μνήματι. Atque sic Pollux 8, 66 : Τῶν δὲ ἀγάμων λουτροφόρος τῷ μνήματι

A ἐφίστατο κόρη, ἀγγεῖον ἔχουσα ὑδροφόρον ἢ ὑδρίαν ἢ κρωσσὸν (Bianor Anth. Pal. 9, 272, 1 : Καρφαλέος δίψει Φοίβου λάτρις εὖτε γυναικὸς εἶδεν ὑπὲρ τύμβου κρωσσίον ὀμβροδόκον) ἢ κάλπιν. Utroque ritu confuso Harpocratio, quem sequuntur Photius et Suidas : Λουτροφόρος καὶ λουτροφορεῖν. Ἔθος ἦν τοῖς γαμοῦσι λουτρὰ μεταπέμπεσθαι ἑαυτοῖς κατὰ τὴν τοῦ γάμου ἡμέραν· ἔπεμπον δ' ἐπὶ ταῦτα τὸν ἐγγύτατα γένους παῖδα ἄρρενα, καὶ οὗτοι ἐλουτροφόρουν. Ἔθος δὲ ἦν καὶ τῶν ἀγάμων ἀποθανόντων λουτροφόρον ἐπὶ τὸ μνῆμα ἐφίστασθαι· τοῦτο δὲ ἦν παῖς ὑδρίαν ἔχων. Λέγει περὶ τούτων Δείναρχος ἔν τε τῷ κατὰ Θεοδότου καὶ ἐν τῇ κατὰ Καλλισθένους εἰσαγγελίᾳ. Ὅτι δὲ τὰ λουτρὰ ἐκόμιζον ἐκ τῆς νῦν μὲν Ἐννεακρούνου καλουμένης κρήνης, πρότερον δὲ Καλλιρρόης, Πολυστέφανος ἐν τῷ περὶ κρηνῶν φησι. Μέμνηνται δὲ τοῦ ἔθους οἱ κωμικοί. Quibuscum conf. Lex. rhet. Bekk. An. p. 276, 23-30, Psellus p. 103 ed. Boiss. De urceo schol. Vict. Hom. Il. Ψ, 142 : Καὶ τοῖς πρὸ γάμου (γάμων Bekker.) τελευτῶσιν ἡ λουτροφόρος κάλπις ἐτίθετο. Rursus Pollux 3, 43 etiam nuptialem λουτροφόρον facit feminam : Καὶ λουτρά τις κομίζουσα λουτροφόρος, Ἀθήνησι μὲν ἐκ τῆς Καλλιρ-
B ρόης, εἶτ' αὖθις ἐκ τῆς Ἐννεακρούνου κληθείσης, ἀλλαχόθι δὲ ὅθεν ἂν καὶ τύχοι. Quorum tamen postrema illa Ἀθήνησι ... τύχοι, uno in cod. omissa, non videntur esse Pollucis. Alioqui scribendum εἶτ' αὖθις Ἐννεακρούνου κληθείσης, ἀ. δὲ ὅθεν καὶ τύχοι. De alio ritu Pausan. 2, 10, 4 : Παρθένος ἱερωσύνην ἐπέτειον ἔχουσα· λουτροφόρον τὴν παρθένον ὀνομάζουσι. Addit autem Hesychius ἤδη δὲ καὶ πᾶσα ὑδρεία (ὑδρία).]

[Λουτροχοέω, Aquam ad lavandum fundo. Marianus Anth. Pal. 9, 627, 6 : Λαμπὰς δ' ὡς ἔφλεξε καὶ ὕδατα, θερμὸν ἐκεῖθεν Νύμφαι Ἐρωτιάδες λουτροχοεῦσιν ὕδωρ.]

Λουτροχόος, ὁ, Aquam ad lavandum fundens, lavantibus fundens, affundens. Xen. Cyrop. 8, [8, 20] : Τοὺς σιτοποιοὺς καὶ τοὺς ὀψοποιοὺς καὶ οἰνοχόους καὶ λουτροχόους. Athen. 12, [p. 518, C] de Sybaritis : Παρ' οἷς πρώτοις εἰσήχθησαν εἰς τὰ βαλανεῖα λουτροχόοι καὶ παραχύται πεπεδημένοι. [De forma poetica HSt. :] Λοετροχόος, ὁ, ἡ, Aquam lavantibus fundens, affundens, ut λουτροχόος. Hom. Od. Υ, [297] : Ἠὲ λοετροχόῳ δώῃ γέ-
C ρας ἠέ τῳ ἄλλῳ δμώων. Item λ. τρίπους, λέβης, qui et ἐμπυριβήτης, ad differentiam τοῦ ἀπύρου : in quo sc. aquam calefaciebant loturis. Il. Σ, [346], Od. Θ, [435] : Αἱ δὲ λοετροχόον τρίποδ' ἵστασαν ἐν πυρὶ κηλέῳ. Ἐν δ' ἄρ ὕδωρ ἔχεαν, ὑπὸ δὲ ξύλα δαῖον ἑλόντες. [De forma per ω HSt. :] At Λωτροχόος Dor. est, unde λωτροχόοι, Calim. [Lav. Min. 1, 15, 134.]

Λουτρὼν, ῶνος, ὁ, Balneum, Balineum, Locus lavationi dicatus. [Æsch. Eum. 461 : Λουτρὼν ἐξεμαρτύρει φόνον (Agamemnonis). De eodem Lycophr. 1103 : Θερμὴν δ' ὑπαὶ λουτρῶνος ἀρνεύων στέγην.] Plut. [Mor. p. 734, B], de Alexandro : Ἐν τῷ λουτρῶνι πυρέττων ἐκάθευδεν. Athen. 8 [10, p. 438, E], de Antiocho Evergete [immo de Ant. ex Ptolemæi Evergetæ commentariis] : Ἐλοῦτό τε καὶ εἰς τοὺς κοινοὺς λουτρῶνας μύροις ἀλειφόμενος. Et Pollux [7, 167; 9, 43] e Xenophontis Athen. republ. : Λουτρῶνες, ἐφ' οἷς καὶ παλαίστραι καὶ δρόμοι ξυστοί. [« Ista verba Xenophontis non sunt, sed Pollucis : v. 10, p. 404 (Reipubl. Athen. 2, 10), ubi tantum λουτρῶνας. » HSt Ms. Vind. Inscr.
D Teja ap. Bœckh. vol. 2, p. 670, n. 3080, 4 : Τὰ προβαλανεῖα πάντα σὺν τῷ λουτρῶνι καὶ τοῖς λοιποῖς προσκοσμήμασι. Formam Λουτρεὼν supra retulimus. Λοετρὼν scriptum in schol. Aristoph. Plut. 952. Interpretantur autem Gl. non solum Lavacrum, sed etiam Latrina et Culina. Quorum secundum quidem ad Λυτρὼν pertinet.]

Λούω, ούσω, [Dor. λουσῶ Theocr. 5, 146,] Lavo. Hom. Il. Ω, [587] et Od. Δ, [49] : Δμωαὶ λοῦσαν καὶ χρῖσαν ἐλαίῳ· Il. Π, [669] : Λοῦσον ποταμοῖο ῥοῇσι· Od. Η, [296] : Ἥ μοι σῖτον ἔδωκεν ἅλις ἠδ' αἴθοπα οἶνον, Καὶ λοῦσ' ἐν ποταμῷ. [Simonid. Anth. Pal. 7, 443, 2 : Τῶνδέ ποτε στέρνοισι τανυγλώχινας ὀϊστοὺς λοῦσεν Φοινίσσα θοῦρος Ἄρης ψακάδι. Æsch. Sept. 739 : Τίς ἂν σφε λούσειεν; Soph. quum alibi tum Ant. 1201 : Τοῦ μὲν λούσαντες ἁγνὸν λουτρόν. Quod dativo dicit Eur. Hec. 611 : Ὡς παῖδα λουτροῖς τοῖς πανυστάτοις ἐμὴν λούσω. Lucian. Necyom. c. 7 : Παραλαβών με ὁ ἀνὴρ ἔλουε· De luctu c. 11 : Λούσαντες αὐτοὺς ... προτίθενται.] Athen. 8, [p. 340, F] ex Hegesandro : Οὐχ εἴα τὸν παῖδα ἀλείψαι τὸν ἰχθὺν, ἀλλὰ λοῦσαι. [Cum præp. εἰς restituebat Valck. Pausan. 1, 34, 4 : Ἔστι δὲ Ὠρωπίοις πηγὴ πλησίον τοῦ ναοῦ, ἣν Ἀμφιαράου καλοῦσιν, οὔτε θύοντες οὐδὲν ἐς αὐτὴν οὔτ' ἐπὶ καθαρσίοις ἢ χέρνιβι χρῆσθαι νομίζοντες, scribens λούοντες. Cum duplici accusat. Anacreont. 20, 9 : Ὕδωρ θέλω γενέσθαι, ὅπως σε χρῶτα λούσω.] Et Λούομαι, Lavor, Lavo me. Hom. Il. Ζ, [508], Ο, [265]: Εἰωθὼς λούεσθαι ἐϋῤῥεῖος ποταμοῖο· [Il. Ε, 6 : Λελουμένος Ὠκεανοῖο·] Od. Δ, [48] : Ἔς ῥ' ἀσαμίνθους βάντες ἐϋξέστας λούσαντο. [Eur. Alc. 160 : Ὕδασι ποταμίοις λευκὸν χρόα ἐλούσατο.] Epigr. [Nicarchi Anth. Pal. 11, 243, 1]: Λούσασθαι πεπόρευται Ὀνήσιμος εἰς βαλανεῖον, Lotum ivit in balneum. Sic Aristoph. [Nub. 837] : Εἰς βαλανεῖον ἦλθε λουσόμενος. Plut. Symp. sept. sap. [p. 148, B]: Καὶ λούσασθαι μὲν ὁ Θαλῆς οὐκ ἠθέλησεν. Ἀλήλιμμαι γὰρ, ἔφη. Xen. Cyrop. 8, [7, 4] : Λούσασθαι αὐτὸν ἐκέλευον· Conv. [1, 7] : Οἱ μὲν γυμνασάμενοι καὶ χρισάμενοι, οἱ δὲ καὶ λουσάμενοι παρῆλθον· Hell. 7, [2, 22] : Τοὺς μὲν λουομένους, τοὺς δὲ ὀψοποιουμένους. Plut. Probl. Rom. [p. 264, C] : Λούσασθαι πρὸ τῆς θυσίας ἀπὸ τοῦ Θύμβρεως. [Eadem constructione Callim. Del. 124 : Οἶδα καὶ ἄλλας λουσαμένας ἀπ' ἐμεῖο λεχωΐδας. Herodot. 3, 23 : Ἐπὶ κρήνην, ἀπ' ἧς λουόμενοι. Æschin. Epist. 10, p. 680 : Ἐπὶ τὸν Σκάμανδρον ἔρχεσθαι καὶ λουσαμένας ἀπ' αὐτοῦ κτλ. Himer. Or. 21, p. 742 : Ἥλιον, ὅταν ἐξ Ὠκεανοῦ λουσάμενος ὑπὲρ γῆς ἱππεύῃ.] Plato Symp. [p. 174, A] : Λελουμένον τε καὶ βλαύτας ὑποδεδεμένον. Dicitur autem proprie λούειν de corpore, sicut νίπτειν de manibus, et πλύνειν de pannis. [Perf. etiam ap. Aristoph. Av. 140, etc. De sanguine Simonid. Anth. Pal. 6, 2, 4 : Πολλάκι δὴ στονόεντα κατὰ κλόνον ἐν δαῒ φωτῶν Περσῶν ἱππομάχων αἵματι λουσάμενα (τόξα). Et pass. Lycophr. 446 : Φόνῳ λουσθέντας ἀλλήλων τάφους. Lucian. D. mer. 13, 3 : Λελουμένος τῷ φόνῳ. Quæ cum aliis similibus composuit Jacobs. ad Anth. Pal. 7, 443, 2. Cum præp. εἰς seq. acc. loci, ap. Athen. 10, p. 438, E : Ἐλούετό τε καὶ (aut delendum hoc cum Hemst. ad Arist. Plut. 952, aut legendum potius δὲ pro τε) εἰς τοὺς κοινοὺς λουτρῶνας. Quod Polybius ap. eund. 5, p. 194, A, dicit : Ἐλούετο δὲ κἀν τοῖς δημοσίοις βαλανείοις. Cum adjectivo Pseudo-Crates in *Notices et Extraits* vol. 11, part. 2, p. 19 : Ψυχρὰ λούεσθαι· p. 20 : Θερμὸν λούεσθαι. || Formæ rarioris aoristi ἐλούσθην et perfecti λέλουσμαι ex. unum Lycophronis modo citavimus, passivi λέλουσμαι unum Cyrilli Hieros. Lobeck. ad Ajac. p. 324, idemque plura formæ ἐλούθην, quibus addere licet Tzetz. Hist. 8, 956, Planudii in Bachm. An. vol. 2, p. 10, 22.] Poetica resolutione pro λοῦσαι dicitur Λόεσσαι, et Λοέσσασθαι pro λούσασθαι, ap. Hom. Od. Τ, [320]: Ἠῶθεν δὲ μάλ' ἦρι λοέσσαί τε χρῖσαί τε· Α, [310] : Λοεσσάμενός τε τεταρπόμενός τε φίλον κῆρ· Il. Φ, [560] : Λοεσσάμενος ποταμοῖο, pro ἐπὶ ποταμοῦ, Eust. Hesiod. Op. [520] : Εὖτε λοεσσαμένη τέρενα χρόα, καὶ λίπ' ἐλαίῳ χρισαμένη. [Theog. 5 : Λοεσσάμεναι τέρενα χρόα Περμησσοῖο.] Attice autem pro Λούομαι dici Λοῦμαι, testatur Thom. M. [p. 584. Phrynich. Ecl. p. 188 : Ἐλουόμην, ἐλούου, ἐλούετο, λούομαι, λούεται, ἐλουόμεθα, ἐλούοντο, λούεσθαι· πάντα οὕτω λεγόμενα ἀδόκιμα. Εἰ δὲ δόκιμα βούλει αὐτὰ ποιῆσαι, τὸ ε καὶ τὸ ο ἀφαίρει καὶ λέγε λοῦσθαι καὶ λοῦμαι, λοῦται, ἐλούμην, (ἐλοῦ addit Buttm. Gr. v. Λούω,) ἐλοῦτο, ἐλούμεθα, ἐλοῦντο. Οὕτω γὰρ οἱ ἀρχαῖοι λέγουσιν. Eust. Od. p. 1560, 28 : Λούμενος· οὕτω γὰρ οἱ Ἀττικοὶ, οὐ μὴν λουόμενος. Photius : Λοῦσθαι λέγουσιν, οὐχὶ λούεσθαι.] Unde [Simonid. Carm. de mul. 63 : Λοῦται δὲ πάσης ἡμέρης ἀπὸ ῥύπου δίς. Æschyli quod dicitur fr. ap. Polluc. 7, 167 : Λοῦταί γε μὲν δὴ λουτρὸν αὐτὸ δεύτερον.] Xen. Cyrop. 4, [5, 4] : Ἐλοῦντο, καὶ ἱμάτια μεταλαβόντες ἐδείπνουν. [1, 3, 11 : Λέγοιμ' ἂν ὅτι λοῦται (ubi male libri meliores λούεται). Eandem formam restituendam esse H. Gr. 7, 2, 22 : Κατελάμβανον τοὺς μὲν λουομένους· Comm. 3, 13, 3 : Οὐκ ἄχθονται λουόμενοι αὐτῷ, vel ex librorum varietatibus intelligitur. Nec Lysiæ p. 92, 30, relinquendum λούεσθαι, aut Aristoteli, cujus libri inter utramque formam variant, in ll. ab Lobeckio citatis.] Aristoph. Pl. [658]: Ἀνὴρ γέρων ψυχρᾷ θαλάττῃ λούμενος, pro ἐλούοντο et λουόμενος. Itidem activa voce [656] : Πρῶτον μὲν αὐτὸν ἐπὶ θάλατταν ἤγομεν, Ἔπειτ' ἐλοῦμεν, pro ἐλούομεν. Similiter et Λοῦσθαι pro λούεσθαι, Hom. [Od. Ζ, 216] : Λοῦσθαι ποταμοῖο ῥοῇσιν. [Imperativum Λοῦ, λοῦσαι annotavit Hesych. Inter ambas formas variatur non solum apud recentiores, quorum exemplis ab Lobeckio allatis alia addi inutile est, sed etiam ap. Herodotum, librariorum apud hunc quidem culpa, si quid tribuendum numero locorum, qui breviorem formam referant nullo aut exiguo librorum dissensu. Homero, cui λοέεσθαι dicere licebat, λούεσθαι tribuendum sit an eximendum in medio relinquo. Callimacho, qui forma Dor. dixerat L. Min. 72 λῶντο, ib. 73 λώοντο affinxit distichi illius auctor, nisi, quo scriptura ἐλώοντο ducit, ἐλόοντο scripserat.] Ponitur tamen a gramm. aliud thema, Λόω, et Λοέω : ut sc. λόω sit primitivum, et inde λοέω, ex quo λούω. A λόω autem est ἔλοε, Lavabat, pro ἔλουε. Hom. Od. Κ, [361] : Ἔς ῥ' ἀσάμινθον ἔσασα, λό' ἐκ τρίποδος μεγάλοιο, Θυμῆρες κεράσασα. [Pluralem HSt. restituit H. Apoll. 120 : Θεαὶ λόον ὕδατι καλῷ, ubi olim λοῦον. Scolion ap. Athen. 15, p. 695, E : Ἐν ταὐτᾷ πυέλῳ τόν τ' ἀγαθὸν τόν τε κακὸν λόει. Aristoph. Nub. 838 καταλόει pro καταλούει restituit Bekkerus, scholiastæ Plut. 657, λόω pro λύω vel λούω Buttm. Gr. v. Λούω. Hesiod. Op. 747 : Μηδ' ἀπὸ χυτροπόδων ἀνεπιῤῥέκτων ἀνελόντα ἔσθειν μηδὲ λόεσθαι. Altera forma Hom. Od. Δ, 252 : Ἀλλ' ὅτε δή μιν ἐγὼ λόεον καὶ χρῖον ἐλαίῳ. Ubi olim ἐγὼν ἐλόευν. Sed alteram scripturam ex cod. Harlejano recte ascivisse Wolfium confirmat jam Herodian. Π. μ. λέξ. p. 37, 22 : Καὶ τὸ ῥῆμα δισσὸν, λοέω καὶ λούω, Ἀλλ' ὅτε δή μιν ἐγὼ λόευν, quem λόεον potius quam ἐγὼν ἐλόευν scripsisse persuadet ipsa codicis Harlejani, qualem Porsonus annotavit, scriptura. Alioqui præferenda videri deberet forma contracta, de qua conf. Nækius ad Chœril. p. 149. Ceterum memorat λοῶ etiam Theognost. Can. p. 147, 21; 149, 11. Tertia forma est in H. Cer. 289 : Ἀγρόμεναι δέ μιν ἀμφὶς ἐλούεον ἀσπαίροντα.] || Λοῦν Hippocrati est non solum τὸ λούειν, sed etiam τὸ αἰονᾶν : similiter et λοῦσθαι. Galen. Lex. [p. 516. De balneo dicti exx. Hippocratea annotavit Foes., in quibus partim brevior partim longior forma est, librariorum, si recte supra de Herodoto judicavimus, culpa. L. D.]

[Λοῦφος, hæc ima (sic), hæc crista, Gl., pro λόφος, ut videtur.]

Λοφάδια, sine κατὰ, apud Suidam reperio, quod exp. κατὰ τοῦ αὐχένος : sed id mendosum esse existimo Ap. Hesych. autem sic, λοφαδία, αὐχὴν, οἷον κατὰ τοῦ αὐχένος, ἢ χωρίον, ὃ καλοῦσι Λίβυσσα : ac sic λοφαδία esset nom. subst., quod significaret idem cum λόφος. || Λοφαδία et λοφία dicitur etiam Caro, quæ sub atlante dicto et quæ supra illum est, alio nomine ἀσφάλεια, Securitas, Cam. ex Polluce. [De quo v. in Λοφία.] Idem Cam. λοφάδιον et λοφίαν et λόφον significare ait Cervicem imam, ubi sc. μετάφρενον incipit se demittere, qua parte onera gestantur. Affertque l. illum Hom., divisim scribens κατὰ λοφάδια.

Λόφαλοι, οἱ, Splendida scuta et parva, quæ affigi galeis solent, VV. LL. : τὰ ἐπὶ τῶν περικεφαλαιῶν λαμπρὰ ἀσπιδίσκια, Suid. [Perperam pro φάλοι.]

Λοφαμίσκος, Collis, Tumulus, τὸ τῆς γῆς ἔπαρμα, Hesych. [Perperam pro λόφα, μίσχος, περίπτισμα, καὶ τὸ τῆς γῆς ἔπαρμα. Quorum postrema ad λόφος referre licet.]

Λοφάω, Cristatus sum, Apicem in capite habeo, ut κομάω, Comatus sum. Sic accipi potest ap. Suidam, de galerita : Καὶ παῖδας εἶχε ληΐου κόμη θρέψας, Λοφῶντας ἤδη καὶ πτεροῖσιν ἀκμαίους. Aristoph. Pac. [1211]: Τί δ' ἐστὶν, ὦ κακόδαιμον; οὔτι που λοφᾷς; schol. λόφους πολλοὺς ἔχεις ἐν πράσει. Ubi λοφᾷς accipi etiam posset pro Cristis bene instructus es ; sunt enim verba Τρυγαίου ad λοφοποιόν. || Hesych. λοφᾷ exp. λόφου ἐπιθυμεῖ. [Et Photius : Λοφᾶν, λόφου ἐπιθυμεῖν· οὕτως Ἀριστοφάνης, fortasse l. c.]

Λοφεῖον, τὸ, Cristarum repositorium, ἡ τοῦ λόφου θήκη, sicut κυλικεῖον, ἡ τῶν κυλίκων σκευοθήκη, secundum formam τῶν περιεκτικῶν in εῖον desinentium. [Conf. Theognost. Can. p. 128, 24.] Lamachus dux ap. Aristoph. Ach. [1109] : Τὸ λοφεῖον ἐξένεγκε τῶν τριῶν λόφων· paulo ante vero, Ἔνεγκε δεῦρο τὼ πτερὼ τὼ 'κ τοῦ κράνους· ibid. laudans τὸ τῆς στρουθοῦ πτερὸν, utpote καλὸν καὶ λευκόν. Annotat vero ibi schol., si Λοφεῖον scribatur, significare τὴν τῶν λόφων θήκην : et Λοφίον scribendo forma diminutiva significare ἔλαττονα τῶν τριῶν λόφων : quod ipsum quoque Pollux [7, 157] τὴν τοῦ κράνους θήκην exp., sed scribens [vitiose] λόφιον, sicut et ap. Suid. in priori signif. [Λοφεῖον recte 10, 142. Sic etiam Eust. Il. p. 949, 64 ; 1271, 30. Ponit autem Suidas etiam Λοφεῖον, λόφιον δέ.] || Polluci [10, 126] τοῦ κατόπτρου ἡ θήκη, Theca s. Loculamentum speculi, sicut Suid. quoque et Aristoph. schol. exp. ap. Aristoph. Nub. [751] : Καθέλοιμι νύκτωρ τὴν σελήνην · εἶτα δὴ Αὐτὴν καθείρξαιμ' εἰς λοφεῖον στρογγύλον, Ὥσπερ κάτοπτρον · addit tamen posse etiam accipi pro θήκη τοῦ λόφου τῆς περικεφαλαίας. || Λόφιον, Hesychio θήκη τοῦ λόφου, περικεφαλαία, ἔλυθρον, pro quo forsan scr. περικεφαλαίας ἔλυτρον, ut significet Integumentum galeæ, synecdochice ; τρῆμα τῶν ὑποζυγίων, τὸ ἀκρώμιον [quæ interpret. apponitur etiam glossæ ex hac, ut videtur, depravatæ Λόφιος], τὰ πρὸς ταῖς ἀμπέλοις φυόμενα οἷον μύκαι. [Λοφεῖον recte Heinsius.] || Λοφίον, VV. LL. Colliculus. [Λόφιον, τὸ κάλλαιον τοῦ ἀλέκτορος, schol. Dionys. in Bekkeri Anecd. p. 794, 33. || Formam Λοφήιον memorat Zonar. p. 1318.]

[Λοφέω. V. Λοφίζω.]

Λόφη, ἡ, Summitas, VV. LL. [I. q. λοφιὰ ap. Diod. 17, 90 : Οἱ δὲ (τῶν ὄφεων) τὴν λόφην δασεῖαν εἶχον τριχώδη. Nisi scribendum λοφιάν.]

[Λοφήιον. V. Λοφεῖον.]

Λοφιὰ, ἡ, Cervix : Hesych. λοφιὴν, τένοντα, αὐχένα : item νῶτον, sicut Cic. ap. Arat. [364, 632, coll. 719] Terga, Spina. [De homine in piscem mutato etiam Philostr. Imag. p. 793 : Τῷ δ' ἐκφύεται λοφιὰ παρὰ τῷ μεταφρένῳ, quod Ovid. Met. 3, 671 dicit : « Corpore depresso et spinæ curvamine flecti incipit. » Pinnam intelligebat Schneider. in Lex., qui v. in Hist. pisc. p. 101.] Dicitur plerumque de Cervice dorso tenus arrectas setas habente, instar gallinacei cristati ; vel de Setis in cervice dorso tenus in modum cristæ erectis. Eustathio est ἡ περὶ τὸν λόφον τρίχωσις, ap. Hom. Od. T, [446] de apro : Ὁ δ' ἀντίος ἐκ ξυλόχοιο Φρίξας εὖ λοφιήν. [Pollux 5, 79.] Hesiod. [Sc. 391] itidem de apro : Ὀρθὰς δ' ἐν λοφιῇ φρίσσει τρίχας, ἀμφί τε δειρήν. [Aristoph. Ran. 822 : Φρίξας δ' αὐτοκόμου λοφιᾶς λασιαύχενα χαίτην. Callim. fr. ap. schol. Nicandr. Al. 611 : Ἑρπετὰ τῶν αἰεὶ τεθράφαται λοφιαί.] Et de sue ap. Aristot. [H. A. 8, 21] : Ἐάν τις τρίχας ἐκτίλλῃ ἐκ τῆς λοφιᾶς, ὕφαιμοι φαίνονται. [Id. ibid. 6, 32 : Ἡ δὲ ὕαινα καὶ λοφιὰν ἔχει δι' ὅλης τῆς ῥάχεως.] Et in Geop. [19, 6, 5] : Οἱ δὲ ὠνούμενοι ἐπιγινώσκουσιν ἐκ τῶν ἀποσπωμένων ἐκ τῆς λοφιᾶς τριχῶν · ᾑμαγμένας γὰρ αὐτὰς ὁρῶντες, νοσεῖν φασί. Unde Plin. : Index suis invalidæ, cruor in radice setæ dorso evulsæ : ubi nota eum λοφιὰν, accipere pro Seta dorsi. [Geop. ib. 3 : Λοφιὰν δὲ καλοῦμεν τὰς κατὰ τοῦ αὐχένος ἐγειρομένας τρίχας.] Aristot. [H. A. 2, 1 : Οἷον ὅσα λοφιὰν ἔχει, ὥσπερ ἵππος καὶ ὀρεὺς καὶ τῶν ἀγρίων καὶ κερατοφόρων βόνασος] equis quoque λοφιὰν tribuit ; et tunc accipitur pro Seta humero tenus assurgente in cervice equina. Idem De partib. anim. 2, 14, loquens περὶ τριχώματος animantium : Τὰ δὲ λοφιὰν ἔχει, καθάπερ ἵπποι καὶ τὰ τοιαῦτα τῶν ζώων · τὰ δὲ χαίτην, ὥσπερ ὁ ἄῤῥην λέων, ubi nota eum discrimen facere inter λοφιὰν et χαίτην, i. e. Jubam : quum tamen hæc ipsa equis itidem tribuatur. Atque adeo solet Latine utrumque reddi nomine Juba, ut ap. Herodot. [7, 70] : Λοφιὴν ἔχων ἵππου, Jubam habens equinam. || Pro Dorso s. Eminentia dorsi citatur ex Epigr. [Antiphili Byz. Anth. Pal. 9, 222, 2 : Ἀνέρα θὴρ χερσαῖον ὁ πόντιος ἄπνοον ἔμπνους ἀράμενος λοφιῆς ὑγρὸν ὕπερθε νέκυν. Diodor. 3, 41 : Ἡ θάλαττα κήτη παντοδαπὰ φέρει παράδοξα τοῖς μεγέθεσιν, οὐ μέντοι λυποῦντα τοὺς ἀνθρώπους, ἐὰν μήτις ἀκουσίως αὐτῶν ταῖς λοφιαῖς περιπέσῃ.] Pollux [2, 135] λοφιὰν exp. non solum τὴν κατὰ νῶτον προβολὴν, Processum dorsi ; sed etiam [2, 178] τὴν ὑπὸ τῷ ἄτλαντι καὶ τὴν ἐπ' αὐτῷ σάρκα : quam et λοφαδίαν [quod tamen una cum λοφία omittit codex unus. V. Λοφίας], ac ἀσφάλειαν nominari scribit. [Idem de Crista galeæ, 1, 135.] || Hesychio λοφία est ἡ ἐπὶ τοῦ λόφου θρίξ : item ἡ ἀκρώρεια, Summitas s. Cacumen montis : sicut λόφος Collem et Tumulum significat. [Q. Mæcius Anth. Pal. 9, 249, 2 : Παρ' ἄκραις ἱδρυθεὶς λοφιαῖς Πάν. Josuæ 15, 2 : Καὶ ἐγενήθη αὐτῶν τὰ ὅρια ἀπὸ λιβὸς ἕως μέρους θαλάσσης τῆς ἁλυκῆς ἀπὸ τῆς λοφιᾶς τῆς φερούσης ἐπὶ λίβα · et ib. 5, 18, 19.] Ceterum Hesych. et VV. LL. scribunt λοφία accentu
A in penult., quæ scriptura ap. Poll. quoque extat [et ap. alios haud raro, sublata a me ap. Diod.]; sed Eust. et Suid. λοφιὰ, accentu in ultima, sicut ap. Hom. quoque et Aristot. reperio.

Λοφίας, ὁ, ap. Suid. [et Phot.] ὁ τράχηλος, quod mendosum esse suspicor. [Huc Gorræus in Definitt. v. Νῶτος p. 318 referebat illud Λοφίαν, quod de Carne in vertebris ponit Pollux in Λοφιὰ citatus, intellectoque σφόνδυλος, ut in μασχαλιστὴρ et πλευρίτης, explicabat Sylburgius p. 542, Pollucem tamen Λοφία fem. dixisse ratus. L. D. Numenius ap. Athen. 7, p. 322, F, φάγρον λοφίην dixit, Alta cervice s. Gibbosum. Schweigh. ῐᾱ]

[Λοφίδιον, τὸ, Colliculus. Ælian. N. A. 16, 15. « Theophyl. Simoc. Epist. 17. » Boiss.]

Λοφίζω, et Λοφέω, Exalto, λόφους καὶ ὕψος ποιῶ, VV. LL. Iisdem λοφέω est Quiesco, Resideo, Desino, forsan pro λωφάω. [Zonar. p. 1319 : Λοφίζω, λόφον καὶ ὕψος ποιῶ. Λωφῶ δὲ τὸ παύω μέγα.]

[Λοφιήτης, ὁ, Qui est in collibus s. montibus. Aga-
B thias Anth. Pal. 6, 79, 1 : Πὰν λοφιῆτα.]

[Λόφιον s. Λοφίον. V. Λοφεῖον.]

Λοφὶς, ίδος, ἡ, Cristæ in galea repositorium, περικεφαλαίας θήκη. Hesych. [V. Λεπίς.]

[Λόφις, ὁ, Lophis, Haliartius, eique cognominis fl. Haliartiæ, ap. Pausan. 9, 33, 4.]

Λοφνία, ἡ, et Λοφνὶς, ίδος, ἡ, Fax monoxyla, non ex colligatis lignis, ἡ ἐξ ὅρους μονόξυλος λαμπὰς, Eust. [Od. p. 1653, 17], derivans a λόφος, ὕψος ὀρεινόν. Ap. Athen. vero sub fin. libri 15, [p. 699, D] quidam λοφνίαν esse dicit τὴν ἐκ φλοιοῦ λαμπάδα : aliquanto post vero [701, A] ex Clitarchi Glossis annotat λοφνίδα a Rhodiis vocari τὴν ἐκ τοῦ φλοιοῦ τῆς ἀμπέλου λαμπάδα. Utraque expos. habetur in Lex. meo vet., in quo additur λοφνίδας esse δαλῷ παραπλησίας δᾷδας, μετὰ σκευῆς τινος καὶ κόσμου γεγονυίας : at vero λαμπάδας, τὰς ὁπωσδήποτε κατεσκευασμένας, κἂν ἀκόσμως δεδεμέναι ὦσι. Citat Eust. [Il. p. 1313, 37, Od. p. 1653, 17] ex Lycophr. [48 : Σάρκας καταίθων λοφνίσιν.] Reperitur et in Epigr. [Antipatri Thess. Anth. Pal. 11, 20, 1] : Φεύγεθ' ὅσοι λόκκας ἢ
C λοφνίδας ἢ καμισῆνας Ἄδετε. [Λοφνὶς, λαμπὰς, Hesych Vitiose Suidas : Λοφνῆσι, ταῖς λαμπάσι.]

[Λοφνίδιον, τὸ, Facula. Hesych. : Λοφνίδια, λαμπάδια.]

[Λοφνίς. V. Λοφνία.]

[Λοφοδρόμος, ὁ, ἡ, Montivagus. Theodos. Expugn. Cretæ 157, λ. δράκοντες. Elberling.]

Λοφόεις, εσσα, εν, Tumulosus, Editos colles habens. [Nonnus Dion. 2, 37 : Πολυσφαράγῳ δὲ κυδοιμῷ Ταυρείοι λοφόεντος ἀρασσομένου κενεῶνος · Jo. 6, 6 : Δαπέδου λοφόεντος. || Cristatus. Id. Dion. 20, 292 : Κυνέην λοφόεσσαν ἑῶν ἀνέλυσε κομάων. Tryphiodor. 67 : Ἡ δ' (θρὶξ) ἐπικυμαίνουσα μετήορος αὐχένι κυρτῷ ἐκ κορυφῆς λοφόεντι κατεσφρηγίζετο δεσμῷ.]

Λοφοποιὸς, ὁ, Galeæ cristarum artifex, Qui galeis cristas aptat, Aristoph. Pac. [545, 1209.]

Λοφοπωλέω, Galearum cristas vendo, Pollux [7, 157] ex Aristoph. [Ipsum locum Aristoph. respicere videntur Hesych. : Λοφοπωλεῖς · οἱ τοὺς λόφους πιπράσκοντες συνεχῶς ἐπένευον · εἰώθεισαν γὰρ οἱ τοὺς λόφους πωλοῦντες τούτοις ἐπισείειν, δεικνύναι βουλόμενοι ὅτι αἱ τρίχες
D οὐ βέβρωνται τῶν λόφων, ὡς (f. καὶ) περιτίθεσθαι αὐτοὺς πρὸς ἐπαγωγὴν τῶν ὠνουμένων, et qui Λοφοπωλεῖν, ἐπινεύειν, cetera breviora exhibentes, Photius et Suidas.]

[Λοφορρὼξ, ῶγος, ὁ, ἡ.] Λοφόῤῥωγα, Hesychio τὸν ἀπεῤῥωγότα τοὺς ὤμους.

Λόφος, ὁ, in jumentis dicitur Cervix, Ea pars colli cui jugum imponitur, a λέπω, ut quosdam gramm. tradere Eust. scribit : quoniam sc. inde ἄρχεται ἐκλέπεσθαι καὶ ἐκδέρεσθαι τὸ σφαγέν. [Paullo aliter Od. p. 1653, 15.] Hom. Il. Ψ, [508] : Πολὺς δ' ἀνεκήκιεν ἱδρὼς Ἵππων ἔκ τε λόφων καὶ ἀπὸ στέρνοιο χαμᾶζε. In qua parte pili cristarum in modum assurgunt, quæ λοφιαὶ appellantur. Soph. Ant. [292] : Οὐδ' ὑπὸ ζυγῷ Λόφον δικαίως εἶχον, ὡς στέργειν ἐμέ · quod alibi dicit εὐλόφως φέρειν. [Λόφος ἵππου, Juba, Gl.] || Tribuitur etiam homini λόφος, et significat τὸν τένοντα τοῦ τραχήλου, s. ipsum τὸν τράχηλον, Eust. [Il. p. 1313, 31.] Hom. Il. [K, 572] de Ulysse et Diomede : Αὐτοὶ δ' ἱδρῶ πολλὸν ἀπενίζοντο θαλάσσῃ Ἐμβάντες, κνήμας τε, ἰδὲ λόφον, ἀμφί τε μηρούς. || In galea dicitur Crista, Setæ equinæ in galeæ apice assurgentes, veluti λοφιὰ in jumentorum λόφῳ : solebant enim olim setas equinas horridas cono infigere, non tam ornandæ galeæ gratia, quam terrendorum hostium : sed et avium pennas, quod hodieque usitatum est, adhibitas fuisse, supra ex Aristoph. vidisti in Λοφεῖον. Hom. Il. Π, [138], Od. Χ, [124] : Κρατὶ δ' ἐπ' ἰφθίμῳ κυνέην εὔτυκτον ἔθηκεν Ἵππουριν, δεινὸν δὲ λόφος καθύπερθεν ἔνευεν· Il. Τ, [383] : Ἀπέλαμπεν Ἵππουρις τρυφάλεια· περισσείοντο δ' ἔθειραι Χρύσεαι, ἃς Ἥφαιστος ἵει λόφον ἀμφὶ δασείας. Plut. Artox. [c. 10] : Αὐτοὺς τοὺς Κᾶρας Ἀλεκτρυόνας οἱ Πέρσαι, διὰ τοὺς λόφους οἷς κοσμοῦσι τὰ κράνη, προσηγόρευον. Sic Xen. Cyrop. 6, [4, 1] dicit λόφον ὑακινθινοβαφῆ· 7, [1, 1], λόφοις λευκοῖς· quemadmodum et Alcæus ap. Athen. 14, [p. 627, B] de λαμπραῖσι κυνέαισι loquens : Λευκοὶ καθύπερθεν ἵππειοι λόφοι νεύουσιν κεφαλαῖσιν, ἀνδρῶν τἀγάλματα. [Frequens est etiam apud Æschylum et Aristophanem. Herodot. 4, 175 : Μάκαι, οἳ λόφους κείρονται, τὸ μὲν μέσον τῶν τριχῶν ἀνιέντες αὔξεσθαι, τὰ δὲ ἔνθεν καὶ ἔνθεν κείροντες ἐν χροΐ, Cristas sibi faciunt tondendo. Lucian. D. deor. 19, 1 : Ἐπισείουσα τὸν λόφον ἐκπλήττει με (Minerva)· et ib. 20, 10.] || [Λόφος ἀλέκτορος, Crista, Gl.] Avibus etiam quibusdam tribuuntur λόφοι, qui sunt Apices quidam in earum capitibus, de quibus Plin. 11, 37 : In capite paucis animalium, nec nisi volucribus, apices, diversi quidem generis : phœnici, plumarum serie, ex medio eo exeunte alio : pavonibus, crinitis arbusculis : stymphalides, cirro : phasianæ, corniculis : præterea parvæ, quæ ab illo galerita appellata quondam, postea Gallico vocabulo etiam legioni nomen dederat alaudæ. Diximus et cui plicatilem cristam dedisset natura, per medium caput a rostro residentem. Et fulicarum generi dedit cirros : pico quoque Martio et grui Balearicæ : sed spectatissimum insigne gallinaceis; draconum enim cristas qui viderit, non reperitur. Aristot. H. A. 9, 25, de duobus generibus τῶν κορυδαλῶν, Galeritarum : Ἡ μὲν ἑτέρα ἐπίγειος καὶ λόφον ἔχουσα. [1, 1 : Τὰ μὲν ἔχει πλῆκτρα, τὰ δ' οὔ· καὶ τὰ μὲν λόφον ἔχει, τὰ δ' οὐκ ἔχει· 2, 13 : Ἔνια τῶν ὀρνέων λόφον ἔχουσι.] Plut. [Mor. p. 809, B] : Πάσαις κορυδαλῖσι, κατὰ Σιμωνίδην, χρὴ λόφον ἐγγενέσθαι. || Λόφοι dicuntur etiam Colles et tumuli [Gl.], τὰ ὀρεινὰ ἐπαναστήματα : quod et comp. voce γήλοφοι et γεώλοφοι. Hom. Od. [Π, 471] : Ἤδη ὑπὲρ πόλιος ὅθι ἑρμαῖος λόφος ἐστὶν, Ἦα κιὼν, ὅτε νῆα θοὴν ἰδόμην κατιοῦσαν Ἐς λιμέν' ἡμέτερον. [Pind. Ol. 8, 17 : Κρόνου λόφῳ, pro quo Κρόνιον λ. 5, 17. Κρισαῖον λ. Pyth. 5, 87, Νίσου 9, 94. Herodot. 2, 124, et alii quivis.] Longin. : Σωροὺς αὐτῶν γενέσθαι τηλικούτους ὥστε τοὺς προσιόντας πόῤῥωθεν ὑπολαμβάνειν ὄχθους εἶναι καὶ λόφους. Herodian. 3, [4, 4] de Issico sinu : Πεδίον πλατύτατόν τε καὶ ἐπιμηκέστατον, ᾧ περίκειται λόφος εἰς θεάτρου σχῆμα. Plut. [Mor. p. 280, D] : Τὸ δὲ σεπτομούντιον ἄγουσιν ἐπὶ τῷ τὸν ἕβδομον λόφον τῇ πόλει προσκατανεμηθῆναι, καὶ τὴν Ῥώμην ἑπτάλοφον γενέσθαι. Antistius vero Labeo ap. Festum dicit Septimontio ferias fieri, quod septem montibus fiebant : sicut alibi idem Festus Septimontium appellatum scribit diem festum, quod in septem locis faciebant sacrificium, Palatio, Velia, Fagutali, Suburra, Cermalo, Cœlio, Oppio, et Cispio. || Metaph. autem Aristoph. [Ran. 925] dixit ῥήματα ὀφρῦς καὶ λόφους ἔχοντα, i. e. ὑψηλὰ καὶ ὑπερήφανα : in λόφοις enim aliquid superbiæ inest. [Figurate etiam Theodor. Prodr. p. 250, λόφους κυμάτων. Idem p. 349 : Ἐλθὼν εἰς τόσον πομπῆς λόφον. Jacobs.]

[Λόφουρος, ὁ, ἡ.] Λόφουρα, Animalia τὰ λοφιὰν καὶ οὐρὰν ἔχοντα, i. e. Quæ habent setas in cervice erectas in modum cristæ et caudam, τὰ λόφους ἔχοντα καὶ οὐρὰς, Eust. [Il. p. 1313, 33, Od. p. 1872, 23] : Gaza interpr. modo Veterina, modo Ruminantia, quod posterius non probo ; .nam equus, asinus, mulus, quæ et ipsa λοφούρων nomine censentur, non ruminant. Aristot. [H. A. 1, 6 : Ἐπὶ τοῖς λοφούροις καλουμένοις, οἷον ἵππῳ καὶ ὄνῳ καὶ ὀρεῖ καὶ γίννῳ καὶ ἴννῳ καὶ ταῖς ἐν Συρίᾳ καλουμέναις ἡμιόνοις. Ib. 13, 16, et ubi nominat. properisp. 2, 1 : Τὰ λοφοῦρα. Quod λόφουρα scribi postulat analogia compositorum cum οὐρά.] Physiogn. [c. 4] : Τῶν μὲν οὖν λοφούρων ἢ λοθούρων [hæc del.] κοινόν ἐστιν ὕβρις· τῶν δὲ ὄνων τε καὶ συῶν ἡ περὶ τὰ ἀφροδίσια ἕξις. Theophr. C. Pl. 3, [9, 5] : Διὸ καὶ φυτεύοντες ὑποβάλλουσιν εὐθὺς τὴν τῶν λ. κόπρον, ὅτι κουφοτάτης. [Ib. 6, 1] Id. [H. Pl. 5, 7, 6] : Χρησίμη πρὸς κλινοπηγίαν καὶ πρὸς τὰ ζυγὰ τῶν λ. [Τὰ λόφουρα ib. 3, 10, 2. V. Λόφυρος.]

[Λοφοφόρος, ὁ, ἡ, Cristatus. Babrius Fab. 12. Schn.]

[Λοφόω, Montem facio. Eust. ad Dionys. P. 638 : Ταῦρον δὲ αὐτὸν κικλήσκουσιν, οὕνεκα λοφούμενος καὶ ὀξυκάρηνος ὁδεύει οὔρεσιν ἐκταδίοις. Wakef. Id. Opusc. p. 184, 41 : Λίθων γὰρ αὕτη στοιβὴ κατὰ τοῦ τῶν ψυχῶν φονευτοῦ συναγήγερται εἰς κακὸν ἐκείνου λοφουμένη. Phocas Descr. T. S. p. 4 : Ὄρος λοφούμενον. L. Dind.]

Λοφυδνὸς, s. Ὀλοφυδνὸς, Miserabilis, οἰκτρὸς, Hesych.

Λόφυρος, Crista insignis, ἐπίσημος, ὑπερήφανος καὶ ὑψαύχην, Qui cervicem erigit et cristam surrigit, et per consequens, Superbus, Hesych. [Pro λόφουρος.]

[Λοφώδης, ὁ, ἡ, Colli s. Monti similis. Aristot. Meteor. 2, 8 : Ἐν ταύτῃ (ins. Hiera) ἐξανῴδει τι τῆς γῆς καὶ ἀνῄει οἷον λοφώδης ὄγκος μετὰ ψόφου. Hesych. : Ὀφρυόεντα, λοφώδη, ὑψηλόν. || Montanus. Schol. Pind. Ol. 11, 17 : Λοφώδης καὶ ἐπιθαλασσίδιος (πόλις). L. Dind.]

[Λόφωνος vel Λόφωνες sine interpretatione ponit Suidas. Quod est ab Λόφων.]

Λόφωσις, εως, ἡ, q. d. Cristatura, Cristæ emissio, qua aves quædam cristatæ fiunt. Aristoph. Av. [291] : Τίς ποθ' ἡ λόφωσις ἡ ἐπὶ τῶν ὀρνέων ;

Λοφωτὸς, Hesychio ἐπίσημος, proprie Crista insignis. [Λοφωσὸς est ap. Hesychium, quod etiam Palmerius in Λοφωτὸς mutabat. V. Λόφυρος.]

Λοχᾱγέτης, ὁ, ap. Eur. [Phœn. 974, 1093, Suppl. 502], Dorice pro Λοχηγέτης, Cohortis ductor, s. λοχαγός. [Æsch. Sept. 42, Onatas ap. Stob. Ecl. phys. vol. 1, p. 94.]

Λοχᾱγέω, Ductor sum λόχου, Cohortem duco. Exp. etiam [male] Insidiis struendis sum præfectus, Xen. [Anab. 6, 1, 30, Comm. 3, 1, 5. Cum genit. Plut. Pomp. c. 71 : Ἀνδρῶν ἑκατὸν εἴκοσι λοχαγῶν. || Forma Bœotica in inscr. Bœot. apud Bœckh. vol. 1, p. 757, n. 1574, 6, ubi alii non recte μοραγίοντας legerant.] Λοχηγέω, Ion. pro Λοχαγέω. [Cum genit. Herodot. 9, 21, 53, ubi pro λοχηγέων olim λοχηγετέων edebatur. Schweigh.]

Λοχᾱγία, ἡ, Præfectura cohortis, ex Aristot. Pol. 6, [8. Xen. Anab. 1, 4, 15 ; 3, 1, 30.]

Λοχᾱγὸς, ὁ, Qui ductat cohortem s. centuriam, quæ λόχος dicitur, Ductor λόχου, ὁ πρῶτος καὶ ἄριστος τοῦ λόχου, sic πρωτοστάτης, ἡγεμών : nam exp. in l. De ordinanda acie. [Soph. Ant. 141 : Ἑπτὰ λοχαγοὶ γὰρ ἐφ' ἑπτὰ πύλαις ταχθέντες. Et sæpius Euripides.] Aristot. De mundo [c. 6] : Καθίσταται δὲ εὐθέως ὁ μὲν λοχαγὸς εἰς λόχον, ὁ δὲ ταξίαρχος εἰς τάξιν, ὁ δὲ ἱππεὺς ἐπὶ κέρας, ubi exp. Tum manipuli ductor ad manipulum, centurio excurrit ad centuriam. Xen. Cyrop. 8, [1, 14] : Τὰ πολλὰ δεκάδαρχοι μὲν δεκάδων ἐπιμέλονται, λοχαγοὶ δὲ δεκαδάρχων, χιλίαρχοι δὲ λοχαγῶν, μυρίαρχοι δὲ χιλιάρχων. [Et aliis locis plurimis Cyrop. et Anabasis.] Rep. Lac. p. 399 [11, 4] : Πολέμαρχον ἕνα, λοχαγοὺς τέσσαρας, πεντηκοστῆρας ὀκτὼ, ἐνωμοτάρχους ἑκκαίδεκα· cui l. similis est, quem ex Thuc. in Λόχος citabo, itidem de Lacedæmoniis. [Ut curias Romanorum λόχους, quod v., ita Curiones λοχαγοὺς vertit Dionys. A. R. 2, 7. Hesych. interpretatur etiam ἄρχοντες τῆς ἐνέδρας.]

[Λοχᾱγὸς, ὁ, Lochagus, Ætolus, Polyb. 27, 13, 14. Quod Λόχαγος potius scribendum. Ἀλεξάνδρου τοῦ Λοχήγου mentionem facit inscr. Branchid. ap. Bœckh. vol. 2, p. 551, n. 2852, 6. Λοχα eodem de nomine relictum videtur in alia Anapæ reperta n. 2130, p. 165, 24. L. Dind.]

[Λοχᾰγωγὸς, ὁ, i. q. λοχαγός. Argum. 4 Pind. Nem. Wakef. African. Cest. p. 312, B extr., 315, B extr., 316, A. Librariorum culpa illatum est in libros nonnullos Achillis Tat. 4, 11, p. 91, 29, Xen. Cyrop. 2, 2, 6, ut Λοχαγωγία pro λοχαγία Anab. 1, 4, 15. L. Dind.]

[Λοχάδην, Insidiose. Nicander Th. 125 : Ὅτε σὺν τέκνοισι θερειομένοισιν ἀβοσκὴς φωλειοῦ λοχάδην ὑπὸ γωλεὰ διψὰς ἰαύει. ᾰ]

Λοχάζω, pro λοχάω : unde λοχάζει ap. Hesychium ἐνεδρεύει. [Med. Euenus Anth. Pal. 9, 251, 1 : Ἐχθίστη Μούσαις σελιδηφάγε, λωβήτειρα φωλὰς, ... τίπτε κελαινόχρως ἱεραῖς ψήφοισι λοχάζῃ, σίλφη. Ambiguæ sententiæ et scripturæ est l. Empedoclis, v. 308 : Ὡς δὲ τότ' ἐν μήνιγξιν ἐερμένον ὠγύγιον πῦρ λεπτῇσιν ὀθόνῃσι λοχάζετο κύκλοπα κούρην, ubi al. ἐχεύατο.]

Λοχαῖος, α, ον, Reclinatus, Decumbens, κλινόμενος, Hesych. [|| Cyrus in encomio in Theodosium imp. Anth. Pal. 15, 9, 2 : Πάντα μὲν Αἰακίδαο φέρεις ἀριδείκετα ἔργα νόσφι λοχαίου ἔρωτος. Jacobs. : « Λ. Achillis ἔρως, Amor clandestinus, is esse videtur cui Achilles apud Lycomedem indulgebat. »] || Λ. δίφροι, Sellæ in quibus parturientes reclinantur, seu, ut Suid. exp., οἷς πρὸς τὸ τεκεῖν ὀψὲ [ἀποτεκεῖν Kuster. ex Artemid. 5, 73, ubi λοχειαῖοι] χρῶνται αἱ γυναῖκες. || Λοχαίη σχῖνος, Lentiscus densa, ut vel locatas sub ea insidias occulere queat. Ex Theone schol. Arati [1057]. Sic accipi posse tradunt ap. Theophr. quoque C. Pl. 3, 26 [21, 5] : Τὰ γὰρ νότια, καὶ ὅταν εὐδία, ταχὺ ἀναδίδωσι καὶ ποιοῦσι λοχαίαν καὶ πρὸς τούτοις ἐρυσιβώδη· addunt tamen, posse legi et λεχαίαν, Herbosam, s. λεχεποίην, secundum Hom. : sicut c. 29 [23, 5] legitur, Ἂν γὰρ εὐδίαι καὶ τὰ νότια ἐνισχύωσι, λεχαίους [nunc λοχαίους ed. Schneid., sed λεχαίους libri nonnulli] ποιοῦσιν ὡς ἐπιπολὺ καὶ ἐρυσιβώδεις. || Λοχαῖος Hesychio est etiam [κλινόμενος,] εὔσιτος, ἀπὸ τοῦ εὐτροφεῖν : qua signif. exp. etiam λοχία. [Photius : Λοχαῖος σῖτος, ὁ βαθύς· ἢ ὁ δι' ἐπομβρίαν κεκλιμένος. Itaque etiam ap. Hesychium scribendum videtur κλινόμενος σῖτος. De segete recumbente et inclinata dici etiam ap. Theophr. animadvertit Schneiderus ad l. alterum. De accentu properisp. v. Theognost. Can. p. 52, 12.]

[Λοχαῖος, ὁ, Lochæus, pater Androsthenis Mænalii, ap. Pausan. 6, 6, 1, ubi genit. Λοχαίου, ut de accentu non constet.]

[Λοχάρχης, ου, ὁ, Decurio, Gl. « Const. Manass. Chron. 3589. » Boiss.]

[Λοχάς. V. Λογάς.]

Λοχάω, Insidior, Insidias pono. Hom. Il. Σ, [520] : Οἱ δ' ὅτε δή ῥ' ἵκανον ὅθι σφίσιν εἶκε λοχῆσαι, Ἐν ποταμῷ ... ἵζοντ' εἰλυμένοι αἴθοπι χαλκῷ. Oppian. Cyn. 3, [453] : Μή μιν θηρήτορες ἄνδρες Ἀμφὶ θύρῃ λοχόωντες ὑπὸ βροχίδεσσιν ἄγωνται, Circum januam insidiantes. [Herodot. 6, 87 : Λοχήσαντες ὦν τὴν θεωρίδα νῆα εἷλον.] Lucian. [De calumn. c. 9] : Ἀλλ' ὥσπερ οἱ λοχῶντες, ἐξ ἀφανοῦς πόθεν τοξεύων. Plut. [Mor. p. 772, C] : Τότε δὴ συνδραμόντες πάντες οἱ λοχῶντες, ἐκείνῳ συνελάμβανον αὐτήν, Qui in insidiis erant dispositi. Thuc. 1, [65] : Λοχήσας πρὸς τῇ πόλει πολλοὺς διέφθειρε, Locatis insidiis ad urbem. Interdum cum accus. construitur pro Insidiis peto, capto. Hom. Od. O, [28] : Μνηστήρων σ' ἐπίτηδες ἀριστῆες λοχόωσιν Ἐν πορθμῷ Ἰθάκης, ... Ἱέμενοι κτεῖναι. Sic Π, [369] ipsi proci, Τηλέμαχον λοχόωντες, ἵνα φθίσωμεν ἑλόντες αὐτόν. [Soph. Ant. 1075 : Τούτων σε λωβητῆρες ὑστεροφθόροι λοχῶσιν Ἅδου καὶ θεῶν Ἐρινύες. Eur. Alc. 846 : Κἄνπερ λοχήσας αὐτὸν ἐξ ἕδρας συθεὶς μάρψω· El. 225. Apoll. Rh. 1, 1252 : Ἠέ μιν ἄνδρες μοῦνον ἐόντ' (nisi leg. ἰόντ') ἐλόχησαν.] Et ex Herodoto [6, 138] : Ἐλόχησεν [—σαν] τὰς γυναῖκας, Uxoribus insidias tetendit [mulieribus insidiati sunt. (Conf. 6, 37.) Et 5, 121 : Ἐλόχησαν τὴν ὁδὸν, Insidias in itinere locarunt. Schweigh. V. Λοχίζω.] Plut. [Anton. c. 46] : Ὑπ' ἐκείνοις λόφοις πανστρατιᾷ Πάρθοι λοχῶσιν ὑμᾶς. [Improprie id. Mor. p. 705, D : Ἡδοναὶ ... λοχῶσαι. Aliter Polyb. 3, 40, 6 : Πάλαι οἷον λοχῶντες τὴν πρὸς Ῥωμαίους φιλίαν, Specie amicitiæ Romanis insidiantes, Simulantes amicitiam. || I. q. λοχίζω, In insidiis pono, Plut. Oth. c. 7 : Τοῦ δὲ Καικίνα λοχήσαντος εἰς λάσια χωρία καὶ ὑλώδη πολλοὺς ὁπλίτας. Nisi legendum λοχίσαντος. Quod quum per se sit probabile tum confirmatur ejusdem vitii exx. in Λοχίζω citandis. L. D.] Et Λοχῶμαι, Insidiis petor, Bud. ; In insidiis locatus sum, conditus sum, lateo, per metaph. Phalaris Atheniensibus [ep. 5, p. 24], de tauro æneo loquens et Perillo : Καὶ σφόδρα ὑμῖν τὸ θέαμα τυραννικὸν κατεφάνη, χρῆμα κόσμου ἄξιον· οὐ γάρ πω τὸν ἐν αὐτῷ λελοχημένον ἐπεδέδεικτο μόρον, Nondum sævum illud genus mortis intus latens ostenderat, Bud. Λοχῶμαι active quoque capitur pro λοχῶ, Insidiis peto et capto. Hom. Od. Δ, [388] : Τόν γ' εἴπως σὺ δύναιο λοχησάμενος λελαβέσθαι, Per insidias capere. [Ib. 670 : Ὄφρα μιν αὐτὸν ἰόντα λοχήσομαι.] Sic Apoll. Arg. 2, [967] : Μεναλίππην Ἥρως Ἡρακλέης ἐλοχήσατο, Ex insidiis cepit. [1, 991 : Οἷά τε θῆρα λοχώμενοι ἔνδον ἐόντα. Perf. 3, 7 : Ὣς οἱ μὲν πυκινοῖσιν ἀνωίστως δονάκεσσι μίμνον ἀριστῆες λελοχημένοι· 168 : Ἥρωες δ' ἀπάνευθεν ἑῆς ἐπὶ σέλμασι νηὸς ἐν ποταμῷ καθ' ἕλος λελοχημένοι ἠγορόωντο.]

Λοχεία, ἡ, Partus, Partio, Puerperium [Gl. Eur. Iph. T. 382 : Βροτῶν ἣν τις ἅψηται φόνου ἢ καὶ λοχείας. Callim. Del. 251 : Ἐπήεισαν δὲ λοχείῃ Μουσάων ὄρνιθες.] Aristot. [H. A. 9, 7] de columbis : Ἐὰν δὲ ἡ θήλεια ἀπομαλακίζηται πρὸς τὴν εἴσοδον τῆς νεοττίας, διὰ τὴν λοχείαν, ὁ ἄῤῥην τύπτει. Plut. [Mor. p. 264, B], de Diana : Ἣν ταῖς λοχείαις καὶ ταῖς ὠδῖσιν γυναῖκες ἐπικαλοῦνται· sicut Cic., Ut apud Græcos Dianam, eamque luciferam, sic apud nostros Junonem Lucinam in pariendo invocant. Idem [ib. p. 282, C] : Λουκίναν Ἥραν καλοῦσιν, οἷον φαεινὴν ἢ φωτίζουσαν, καὶ νομίζουσιν ἐν ταῖς λοχείαις καὶ ὠδῖσι βοηθεῖν, ὥσπερ καὶ τὴν σελήνην. Id. [ib. p. 38, E] : Ὄρνισι τὰς ὑπηνεμίους λοχείας καὶ ὠδῖνας ἀτελῶν τινῶν καὶ ἀψύχων ὑποληψμάτων ἀρχὰς λέγουσιν εἶναι, ubi possis etiam reddere Nixus, ut Gell. Laboriosi nixus, Virg., Haud fœtus nixibus edunt. [Steph. Byz. in Θεσσαλονίκη : Τῇ εἰκοστῇ ἡμέρᾳ τῆς λοχείας τέθνηκεν. || Improprie de floribus Theætet. Anth. Pal. 10, 16, 1 : Ἤδη καλλιπέτηλον ἐπ' εὐκάρποισι λοχείαις λήιον ἐκ ῥοδέων ἀνθοφορεῖ καλύκων.] || Λοχεία Polluci [4, 208] est ἡ τοῦ τεκεῖν ἐπιμέλεια [Obstetricium, Gl.] : quomodo capi potest in Plat. [Theæt. p. 149, B] : Ἡ Ἄρτεμις ἄλοχος οὖσα τὴν λοχείαν εἴληχε. [Polit. p. 268, A : Περὶ τοὺς τῶν γιγνομένων τόκους καὶ λοχείας. Sic λοχεύω dicitur de obstetricante, ut infra dicemus.] || Accipitur etiam pro λόχευμα, pro Fœtu nixu edito. Epigr. [Theodoridæ Anth. Plan. 4, 132, 3] in Nioben : Ἃς ἐπὶ γᾶς ἔτρωσε δυωδεκάπαιδα λοχείαν Ἄρτι τὰ μὲν Φοίβου τόξα, τὰ δ' Ἀρτέμιδος.

Λοχεῖος, ὁ, ἡ et α, ον i. q. λόχιος, ut Λοχεία Ἄρτεμις, Plut. Symp. 3 fin. [p. 658, F], quum dixisset lunam credi πρὸς εὐτοκίαν συνεργεῖν : Ὅθεν οἶμαι καὶ τὴν Ἄρτεμιν Λοχείαν καὶ Εἰλείθυιαν, οὐκ οὖσαν ἑτέραν ἢ τὴν σελήνην, ὠνομάσθαι· ut Horat. Carm. Secul., Rite maturos aperire partus Lenis Ilithyia tuere matres : Sive tu Lucina probas vocari Seu genialis [genitalis. Orph. H. 35, 3 : Θεὰ Δίκτυννα, λοχεία. Pollux 3, 49 : Τὴν Λοχείαν καλεῖν.] Infra Λοχία Ἄρτεμις. [Ap. Plut. Mor. p. 377, C : Τὰς λοχείους ἡμέρας ἑορτάζειν μετὰ τὴν ἐαρινὴν ἰσημερίαν, Dies puerperii.]

Λοχεῖα, ut et λόχια, dicuntur Purgamenta in utero post partum relicta, quales sunt secundæ, Aristot. || Eur. Iph. T. [1241] pro Loco natali accipit, ubi quis partu s. nixu editus est : Φέρει νιν [φέρεν ἶνιν] ἀπὸ δειράδος εἰναλίας λοχεῖα κλεινὰ λιποῦσα, i. e. Delum, ubi ἐλοχεύθη.

[Λοχεός. V. Λόχος.]

Λοχετέω, pro λοχεύω; nam synonyma Polluci [4, 208] sunt, λοχετεῖν, λοχεύειν, ἐκλοχεύειν. [Delendum voc. e proximo natum et in cod. omissum.]

Λόχευμα, τὸ, Fœtus, Partus, h. e., Quod pariendo editum est, τὸ γέννημα. Eur. Phœn. [810] : Λόχευμ' Ἰοκάστης, de OEdipo, quem enixa erat. [Ion. 921 et alibi sæpe. || Partus, i. e. parientis actio. Æsch. Ag. 1391 : Χαίρουσαν οὐδὲν ἧσσον ἢ διοσδότῳ γάνει σπορητὸς κάλυκος ἐν λοχεύμασιν. Eur. El. 1124 : Ἤκουσας, οἶμαι, τῶν ἐμῶν λοχευμάτων.]

Λοχεύτρια, ἡ, Puerpera, Parens. Suid. [v. Ἀδάμ] : Ἡ τῶν ψευδῶν λοχεύτρια ποίησις. || Obstetrix, μαῖα, ὀμφαλοτόμος, schol. in Hom. Il. Π, [187], μογοστόκος εἰλείθυια.

Λοχεύω, Pario, Parturio, [et Genero, Gigno] : Λοχεύει ἡ γυνὴ, Enititur ad partum. Bud. [Hom. H. Merc. 230 : Νύμφη ἐλόχευσε Διὸς παῖδα. Orph. Arg. 182 : Τελαμὼν, τόν ῥ' ἐλόχευσεν Αἰακῷ ... Αἴγινα. De viro 13 : Καὶ Κρόνον, ὡς ἐλόχευσεν ἀπειρεσίοις ὑπὸ κόλποις αἰθέρα· 134, 157. Et utroque modo sæpe Nonnus in Dionysiacis. Epigr. Anth. Pal. 9, 126, 2 : Γαστὴρ ἥ σ' ἐλόχευσεν. || Figurate Coluth. 176 : Οὐ φλόγες Ἡφαίστοιο καὶ εἰ φλογὸς ἆσθμα λοχεύει. Paul. Sil. Ecphr. Soph. 380 : Κίονες, οὓς ποτε Θήβης ἐλόχευσαν ἐρίπναι. || Obstetrico. Eur. El. 1129 : Ἄλλης τόδ' ἔργον, ἥ σ' ἔλυσεν ἐκ τόκων. — Αὐτὴ 'λόχευον κάτεχον μόνη βρέφος Ion. 948 : Ποῦ τίς λοχεύει σ'; ἢ μόνη μοχθεῖς τάδε, 1596 : Πρῶτα μὲν ἄνοσον λοχεύει (Apollo) σ', ὥστε μὴ γνῶναι φίλους. Et passivo Bacch. 3 : Σεμέλη λοχευθεῖσ' ἀστραπηφόρῳ πυρί. Tymnes Anth. Pal. 7, 729, 1 : Εὐήθη Τρίτωνος ἐπ' οὐκ ἀγαθαῖς ἐλοχεύθη κληδόσιν. V. infra. Quo referri potest Diod. 5, 14 : Ὅταν ἡ γυνὴ τέκῃ, ταύτης μὲν οὐδεμία γίνεται περὶ τὴν λοχείαν ἐπιμέλεια, ὁ δ' ἀνὴρ αὐτῆς ἀναπεσὼν ὡς νοσῶν λοχεύεται τακτὰς ἡμέρας, ὡς τοῦ σώματος αὐτῷ κακοπαθοῦντος.] Et Λοχεύομαι, Partu edor. [Soph. OEd. C. 1322 : Ἐπώνυμος τῆς πρόσθεν ἀδμήτης χρόνῳ μητρὸς λοχευθεὶς πιστὸς Ἀταλάντης γόνος. Eur. Ion. 455 : Ἀθάναν Προμηθεῖ Τιτᾶνι λοχευθεῖσαν κατ' ἀκροτάτας κορυφᾶς Διός.] Phocyl. [164] : Τέκε δ' ἔμπαλιν ὡς ἐλοχεύθης, Gigne tu ut genitus es. [Orph. H. 55, 9 : Φερσεφόνης ἐρασιπλοκάμου λέκτροισι λοχευθείς· 26, 7 : Ἐκ σέο δ' ἀθανάτων τε γένος θνητῶν τ' ἐλοχεύθη.] Accipitur etiam active pro λοχεύω, Pario, Fœtus edo. [Æsch. fr. Niobes ap. Hephæst. p. 7 : Ἴστρος τοιαύτας παρθένους λοχεύεται, ubi tamen alii aliter. Sed similiter Philo ap. Galen. vol. 13, p. 608 : Χῶρος ὁ τὸν Πίσῃ Ζῆνα λοχευσάμενος. Epigr. Anth. Plan. 4, 295, 1 : Οὐχὶ πέδον Σμύρνης ἐλοχεύσατο θεῖον Ὅμηρον. Eur. Ion. 921 : Ἔνθα λοχεύματα σέμν' ἐλοχεύσατο Λατὼ Δίοισί σε καρποῖς. Callim. Del. 326 : Ἀπόλλων τε καὶ ἣν ἐλοχεύσατο Λητώ. Apoll. Rh. 1, 762; Orph. H. 70, 2.] Aristot. H. A. 9, [14] : Λοχεύεται δὲ διὰ βίου· ἄρχεται γὰρ τετράμηνος. Plut. Cic. p. 275 [c. 2] : Τεχθῆναι δὲ ἀνωδύνως καὶ ἀπόνως λοχευθείσης αὐτοῦ τῆς μητρός. Bud. [Hic l. pertinet ad signif. Obstetricandi, de qua supra.] || Λοχεύοντες, ἐνεδρεύοντες, Hesych.

Λοχηγετέω, Ductor sum λόχου. Ex Herodoto [9, 53], Λοχηγετέω λόχου, Sum tribunus cohortis.

[Λοχηγέω. V. Λοχαγέω.]

[Λοχηγός. V. Λοχαγός.]

Λόχησις, εως, ἡ, Insidiarum collocatio, Insidiæ, ἡ ἐνέδρα, Suid.

[Λοχητικός, ή, όν, Insidiosus. Adamant. Phys. 2, 1, p. 371 : Λοχητικὸν καὶ ἐπίβουλον.]

[Λοχιά, ἡ, ἄρτος τῇ Ἀρτέμιδι γενόμενος (vel potius γινόμενος) sec. Hesychium. Conferunt intt. ejusd. gl. : Ἀγρώστη (ante Ἀγρότας) βοτάνη, καὶ ἄρτος τις, ὃς πρότερον λό χ ἐκαλεῖτο.

[Λοχία, διὰ τοῦ ι, ἐπὶ τῆς ἐνέδρας, ponit Suidas in Λοχεία.]

[Λοχιάς, άδος, ἡ.] Λοχιάδες, Hesychio αἱ ὗλαι [ὕλαι], Sylvæ, fortassis quoniam insidiis collocandis sylvæ et saltus aptissimi sint. [In inscr. Ægypt. pro ΙΣΙΔΙ ΜΟΧΙΑΔΙ ΣΩΤΕΙΡΑΙ Letronnius *Journ. des Sav. Sept.* 1840, p. 524 et Inscrr. Æg. vol. 1, p. 380, conjicit λοχιάδι, quod sit i. q. λοχεία vel λυτηρία, pro quo similiter dici λυτηριάς. L. Dind.]

[Λοχιάς, άδος, ἡ, Lochias, ἄκρα Ægypti, ap. Strab. 17, p. 791, 794.]

[Λοχιάω, Genero, Augeo.] Λοχιᾷ, γεννᾷ, αὔξει, Hesych.

Λοχίζω, In cohortes dispono, Decurio. [Herodot. 1, 103 : Κυαξάρης πρῶτος ἐλόχισε κατὰ τέλεα τοὺς ἐν τῇ Ἀσίῃ. Quem l. spectans Suidas scribit : Ἐλόχισε (perperam vulgo ἐλόχησε) παρὰ Ἡροδότῳ ἀντὶ τοῦ εἰς λόχους κατέταξεν. Schweigh. Plut. Sull. c. 27 : Οὔτε τάξιν ἀποδοὺς οὔτε λοχίσας τὸ ἴδιον στράτευμα. Agatharchides ap. Athen. 6, p. 272, D : Τούτων (τῶν δούλων) δ' ἕκαστον ἐν μὲν εἰρήνῃ γεωργεῖν, ἐν πολέμῳ δὲ λοχίζεσθαι, ἡγεμόνα νέμοντας τὸν ἴδιον δεσπότην. Dionys. A. R. 2, 15 : Ἐξαριθμεῖσθαί τε καὶ λοχίζεσθαι· 9, 14 : Πρὶν συνελθεῖν τε καὶ λοχισθῆναι τοὺς Ῥωμαίους.] In insidiis colloco, εἰς ἐνέδραν καθίζω, schol. Thuc. 3, [107] : Δείσας μὴ κυκλωθῇ, λοχίζει ἐς ὁδόν τινα κοίλην καὶ λοχμώδη ὁπλίτας. [Dio Cass. 40, 29 : Ἐς τὴν ὁδὸν ἐλόχισε. Dionys. A. R. 2, 55 : Λοχίζοντες ἐν αὐτῷ τὴν ἀκμαιοτάτην τῶν ὕστερον ἀφικομένων· 33, 64 : Οὓς ὁ Ταρκύνιος ἐπιτηδείοις χωρίοις ἐλόχισε, ut librorum scripturam ἐλόχησε correxerunt editores.] Item, Λοχίζω τὴν ὁδόν, Insidiis occupo, Bud., ut infra προλοχίζω. [Videtur respici locus Herodoti 5, 121, sed ibi est ἐλόχησαν, non ἐλόχισαν. Schweigh. Quod tamen si legeretur in libris, non improbandum foret. Dionys. A. R. 1, 80 : Παραλλάττει τὸ λελοχισμένον χωρίον. Dio Cass. 40, 6 : Ἐμπεσόντες ἐς τὰ λελοχισμένα.] Et λοχισθείς in VV. LL. Insidiis exceptus. [Ex Thuc. 5, 115 : Λοχισθέντες ὑπὸ Φλιασίων διεφθάρησαν. Dio Cass. 41, 51 : Τῇ μὲν λοχισθείς. Et alibi.] || Λοχίζομαι, In insidiis locatus sum, In insidiis conditus sum et lateo, Bud. || Λοχίζει, ἐπιβουλεύεται, Hesych. [Quod media significatione capiendum foret, de qua suo loco diximus, nisi potius scribendum ἐπιβουλεύει. L. Dind.]

Λοχίζω, i. q. λοχεύω : unde λοχισθὲν, γεννηθὲν, σφαγὲν, Hesych. [De altera interpretatione v. annot. interpretum.]

Λόχιος, α, ον, Ad partum pertinens, s. Ad puerperium. Ap. Nonnum [Jo. c. 7, 85] : Λοχίῳ περιτέμνετε φῶτα σιδήρῳ, Ferro quo a partu præputium circumciditur. Ap. Eund. [c. 9, 132], ἠὼς λοχίη, Dies puerperii s. puerpera. [Eur. Bacch. 89 : Ἐν ὠδίνων λοχίαις ἀνάγκαισι· 94 : Λοχίοις δ' αὐτίκα νιν (Bacchum) δέξατο θαλάμοις Κρονίδας Ζεύς· Ion. 452 : Ὠδίνων λοχιᾶν· El. 656 : Ἥξει κλύουσα λόχι' ἐμοῦ νοσήματα. Sic enim Musgrav. pro νοσήματος. Iph. T. 206 : Λοχίαν στερρὰν παιδείαν. Apoll. Rh. 4, 706 : Λοχίης ἐκ νηδύος. Orph. H. 25, 5 : Λοχίαις ὠδῖσι. Nicias Anth. Pal. 6, 270, 4, Antip. Sid. 7, 164, 5.] Et Λοχία Ἄρτεμις, Quæ in partu invocatur [Eur. Suppl. 958, et ubi inter λοχία et λοχεία variant libri, Aristid. vol. 1, p. 25], supra in Λοχεία. Item λ. ἔλαφος, Cerva parturiens, fœta. Oppian. Cyn. 3, [292] : Ποτὲ δ' αὖθις ὁρᾶσθαι Θηλυτέρην νύμφην λοχίην καὶ μητέρα κεδνήν. || Λοχία, μαῖα [μαία], Obstetrix, Hesych. || Idem λοχίαν exp. τὴν εὐτραφῆ γῆν καὶ ἁδροὺς στάχυας ἢ καρποὺς φέρουσαν. || Idem λοχία videtur accipere pro κρυφαία. || At Λόχια, τὰ, Purgamenta post partum in locis muliebribus relicta, i. e. Secundæ. [Ἡ κάθαρσις τῶν λοχίων Hippocr. p. 239, 32, 48; 240, 1; 248, 5, 11. Λόχια vel λοχεῖα vel ἡ λοχίη vel λοχείη κάθαρσις p. 601, 8, 21, 48; 604, 13; 605, 12; 606, 33, 39; 616, 46, 54; 619, 11, 15, 27. Quomodo etiam ἡ λοχίων ἔμπειρος dicitur quæ partum et puerperii purgamenta experta est, p. 592, 21. Ex Foes. OEcon.] Diosc. [3, 6] de aristolochia clematitide : Καὶ τὰ ἐν μήτρᾳ συνιστάμενα πάντα λόχια καὶ ἔμμηνα καὶ ἔμβρυα ἐκβάλλει, ποθεῖσα μετὰ πεπέρεως καὶ σμύρνης· Plin. 26, 15 : Plurimis modis aristolochia prodest; nam et menses et secundas ciet, et emortuos partus extrahit, myrrha et pipere additis pota. Et ex Aristot. H. A. 6, [18] λοχίων καθαρωτάτη, Purgamentis maxime vacans. Qua signif. et λοχεῖα scriptum reperitur. [De partu Antiphilus Byz. Anth. Pal. 7, 375, 5 : Μαῖα δ' ἐμοὶ λοχίων αὐτὴ φύσις· Philipp. 9, 311, 7 : Ἀρτέμιδος λέλυται λοχίων χάρις.]

Λοχισμός, ὁ, Insidiarum collocatio, Insidiatio. [Plut. Philopœm. c. 13 : Κλωπείαις τε καὶ λοχισμοῖς χρώμενος.]

Λοχίτης, ὁ, Manipularis, ut exp. ap. [Æsch. Cho. 768 : Εἰ ξὺν λοχίταις εἴτε καὶ μονοστιβῆ· Ag. 1650 : Εἶα δή, φίλοι λοχῖται. Soph. OEd. T. 751 : Πολλοὺς ἔχων ἄνδρας λοχίτας. Xen. Cyrop. 2, 2, 7, Anab. 6, 6, 7; Plut. Aristid. c. 17.] Synes. Ep. 44 [p. 182, B] : Καὶ σαυτὸν ἐπίδος τῷ δικαστῇ μετὰ ἀθρόων τῶν λοχιτῶν, Cum multis manipularibus. [Conf. p. 181, D.] || Suidæ [et Philemoni Lex. techn. s. 103] λοχίτης est ὁ ἐνεδρεύων, Qui insidiatur : Hesychio non solum ἐνεδρευτής, sed etiam βασιλεύς. [Eust. Opusc. p. 104, 75 : Ὑποτεθείσθω δίοδος κρύπτουσα δεινοὺς ὁδοιδόκους ... καί τις ἐκεῖθεν ὁδοιπορῶν ἀπέριττος ἄνθρωπος περιπεσέτω τοῖς λοχίταις· 272, 14 : Ὁποῖα ἐν τοιούτοις ὡς τὰ πολλὰ ξυμπίπτει, ἔνθα ὁ λόχος οὐχ ἔχει κρύπτεσθαι εἰς τέλος... φωρῶνται πάντες, ἑνός τινος τῶν λοχιτῶν καταμηνύσαντος. τ]

[Λοχίτης, ὁ, Lochites, n. viri, adversus quem exstat oratio Isocratis p. 399 seqq. τ]

[Λοχῖτις, ιδος, ἡ, ἐκκλησία, Comitia centuriata, ap. Dionys. A. R. 4, 20, 75; 7, 59; 8, 6, 82.]

Λοχμαία μοῦσα, Musa sylvestris, Ex frutetis et virgultis resonans, Aristoph. [Av. 737] de avium cantu et modulis, quoniam ἐγκεκρυμμέναι ἐν ταῖς λόχμαις φωνεῖν εἰώθασι, teste Didymo.

Λόχμη, ἡ, Insidiæ, ἐνέδρα, ἐπιβουλή, Hesych. || Sed ita vocatur potius Locus insidiis aptus, arboribus densus, aut arbustis s. virgultis, Frutices densi, Fruticum densitas : unde ab Eod. exp., σύμφυτος τόπος ἢ κρύφιος δασεῖαν ὕλην ἔχων ὥστε ἐλλοχῆσαι. In qua signif. frequentissimum est. Hom. Od. T, [439] : Ἔνθα δ' ἄρ ἐν λόχμῃ πυκινῇ κατέκειτο μέγας σῦς. [« Pro quo paulo post ξύλοχον dicit, Ὁ δ' ἀντίος ἐκ ξυλόχοιο, sc. prodibat. » HSt. Ms. Vind. Athen. 8, p. 361, E: Ἀφθῆναι ὑπ' αὐτοῦ λόχμην, ἐν ᾗ ἔτυχεν ὃς ἄγριος ὤν. Pind. Ol. 6, 40 : Λόχμας ὑπὸ κυανέας· Pyth. 4, 244 : Κεῖτο λόχμᾳ· et plur. Ol. 11, 31 : Λόχμαισι δοκεύσαις ὑπὸ Κλεωνᾶν. Eur. Bacch. 730 : Λόχμην κενώσας· 957 : Καὶ μὴν δοκῶ σφᾶς ἐν λόχμαις ὄρνιθας ὣς ἔχεσθαι. Aristoph. Vesp. 928 : Οὐ γὰρ ἄν ποτε τρέφειν δύναιτ' ἂν μία λόχμη κλέπτα δύο· Av. 202 : Ἐμβὰς αὐτίκα μάλ' ἐς τὴν λόχμην. Ælian. N. A. 13, 14, p. 297, 28 : Διὰ τῶν θάμνων τῶν μικρῶν, ὅσοις μὴ συνεχὴς ἡ λόχμη. Greg. Naz. Carm. 14, 14 : Λόχμης ἐν λαγόσιν, cit. Jacobs.] Herodian. 8, [1, 2] : Προύπεμψε σκοποὺς τοὺς ἐρευνήσοντας μή τινες ἐνέδραι ἐν κοιλάσιν ὀρῶν ἢ λόχμαις ὕλαις τε κρύφιοι ὦσιν, In convallibus ac densissimis sylvis, Polit. Plut. [Mor. p. 552, C] : Χώραν ἰδὼν λόχμης ἔμπλεων δασείας, καὶ φυτῶν ἀγρίων, καὶ θηρία πολλά· et [ib. p. 397, F] : Λυσάνδρου λίθινος ἀνδριὰς ἐξήνθησεν ἀγρίαν λόχμην καὶ πόαν. [Cum genitivo Longus init. : Δρυμὸς ἦν καὶ λόχμη βάτων.] Item Aristoph. [Eccl. 61] : Ἔχω τὰς μασχάλας λόχμης δασυτέρας. Id. [Lys. 800] : Λόχμην φορεῖς, de quodam multis pilis densam cutem habente. [De accentu paroxytono Theognost. Can. p. 112, 4.]

Λόχμιος, ὁ, Arbusta et fruteta frequentans, Sylvestris, Densus, Densis pilis obsitus; δασὺς Suidas exp. in Epigr. [Agathiæ Anth. Pal. 6, 32, 2] : Λόχμιον, ὑλοβάταν [ὑλοβάτᾳ Πανὶ ... ἀνέθηκε. Ps.-Luciano Philopatr. c. 12 : Τῶν Κρητῶν, οἵ τάφον ἐπεδείκνυντό μοι τοῦ Διός σου καὶ τὰ τὴν μητέρα θρέψαντα λόχμια, ὡς ἀειθαλεῖς αἱ λόχμαι αὗται διαμένουσι, pro δόχμια restituerunt Solanus et Guietus.]

[Λοχμὶς, ίδος, ἡ, i. q. λοχμαία, quod v. Schol. Aristoph. l. c. : Τὴν ἑαυτῶν λέγει, οἷον λοχμίδα. Verba duo postrema accesserunt ex cod. Veneto. L. Dind.]

Λοχμόομαι et Ἀπολοχμόομαι, Frutico, Fruticor, Fruticesco, Densis fruticibus sylvesco. Theophr. H. Pl. [6, 6, 6] de rosa : Ἐπιτεμνομένη δὲ βέλτιον φέρει τὸ ἄνθος· ἐωμένη γὰρ ἐξαύξεται καὶ ἀπολοχμοῦται. Cic., Itaque quam fruticetur vides; Plin., Ut ex trunco fruticet; Colum., Ex uno semine plurimis culmis fruticavit; Plin., Celeriter fruticescunt.

Λοχμώδης, ὁ, ἡ, Arbustis et virgultis condensus, Fruticosus : cujus exemplum ex Thuc. [3, 107] habes in Λοχίζω, ubi schol. exp. δασύς. [Λοχμώδης ἢ θαμνώδης τόπος, Dumeta, Gl. Schol. Pind. Ol. 7, 60 : Λοχμῶδες χωρίον. Dio Cass. 40, 2 : Ἐς τὸ λασιώτατον καὶ ἐς τὸ λοχμωδέστατον.] Theophr. H. Pl. 4, [8, 1] κύπειρον, σχοῖνον, βούτομον, κάλαμον, vocat λοχμώδη : unde Plin. 16, 36 : Arundo enim omnis ex una stirpe numerosa. Et quod idem Theophr. ejusd. libri c. 12 dixerat de calamo donace, ipsum esse λοχμωδέστατον, idem Plin. l. c. ita interpr., Fruticosissimus est, qui vocatur Donax. Sed annotatur, plantam, nisi ex suo corpore fruticescat, λοχμώδη non dici, quamvis sit similium multitudine conferta et stipata : quum Theophr. [H. Pl. 4, 11, 13] de calamis ἐπιγείοις (pro quo perperam ap. Plin. Elegia) dicat, Φύονται δ' ἐξ ἑνὸς πυθμένος πολλοὶ καὶ οὐ λοχμώδεις, Juxta terram fruticis modo se spargunt. [Etym. M. p. 796, 28 : Φλόνος λοχμῶδες φυτόν.]

[Λοχοκράτης, ὁ, Centurio. Theodos. Exp. Cretæ 1, 200. Elberling. ἅ]

[Λοχοποιία, ἡ. Anon. in meis ad Planud. Met. Notis p. 653 : Ἄντυλος (sic) λοχοποιίας, Arte tactica (excellens). Boiss. Legendum λογχοποιίας, quod v.]

Λοχὸς, ἡ λοχεύουσα, Gravida, [Puerpera, Gl.] Diosc. [3, 4 : Ἀριστολοχία ὠνόμασται μὲν ἀπὸ τοῦ δοκεῖν ἄριστα βοηθεῖν ταῖς λοχοῖς. Mœris p. 247 : Λεχὼ Ἀττικοί, λοχὸς Ἕλληνες. Codex λόχος. Chron. Pasch. p. 294, 6 : Θεοποιοῦσιν παρθένον λοχὸν, pro quo λοχοῦν Epiphan. vol. 2, p. 239 (male expressum 139), B, quod λεχοῦν scribendum videtur. L. Dindorf.]

[Λόχος, ὁ, Partus. Æsch. Ag. 140 : Αὐτοτόκον πρὸ λόχου μογερὰν πτάκα θυομένοισιν· Suppl. 691 : Ἄρτεμιν δ' ἑκάταν γυναικῶν λόχους ἐφορεύειν.]

Λόχος, ὁ, Cohors, Bud. [Turma, Gl.] A quibusdam Centuria, ab aliis Decuria redditur. [Arrian. Tact. p. 18 Bl. : Ὁ λόχος ὀνομάζεται ἀριθμὸς ἀνδρῶν ἀπὸ τοῦ ἡγουμένου καὶ τῶν μετὰ τοῦτον κατόπιν τεταγμένων ἔστ'

A ἐπὶ τὸν τελευταῖον κατὰ τὸ βάθος, ὃς δὴ οὐραγὸς καλεῖται· 21 : Εἴη ἂν οὖν ὁ λόχος στίχος ἐξ ἐπιστατῶν καὶ πρωτοστατῶν ἐν μέσῳ λοχαγοῦ τε καὶ οὐραγοῦ συντεταγμένος.] Tradunt autem nonnulli λόχον esse σύστημα ex octo viris, [quidam ex 10,] quidam ex 12, et tunc pro Manipulo capi posset, quidam ex 16, ut habetur in Ἑρμηνείᾳ τῶν ἐπὶ στρατευμάτων καὶ πολεμικῶν τάξεων φωνῶν : Orbicius vero ex 25. [V. Suidas s. schol. Aristoph. l. infra citato, Ælian. Tact. c. 4, coll. c. 9, Arrian. Tact. p. 18 Blanc. Ex 24 Eust. Il. p. 487 extr., ut ap. Xen. Cyrop. 6, 3, 21. Ex 50 Anab. 1, 2, 25 (coll. loco Hom. Il. Δ, 392, 393, infra in signif. Insidiarum cit.). Ex 100 vel circiter 100 ib. 3, 4, 21; 4, 8, 15.] At Thuc. schol. multo plures in λόχῳ milites constituit : secundum eum enim πεντηκοστὺς συνίσταται ἀπὸ ἀνδρῶν ἑκατὸν εἰκοσιοκτώ : λόχος vero τούτων τετραπλασίων, γίνεται ἀνδρῶν πεντακοσίων καὶ δυοκαίδεκα : ita λόχος essent quinque centuriæ et manipulus : πεντηκοστὺς autem habebat sedecim πρωτοστάτας : λόχος vero sexagintaquatuor, ut idem schol.
B annotat in Thuc. 5, p. 188 [c. 68] : Ἐν δὲ ἑκάστῳ λόχῳ πεντηκοστύες ἦσαν τέσσαρες, καὶ ἐν τῇ πεντηκοστύϊ, ἐνωμοτίαι τέσσαρες. [Loquitur autem Thuc. de Spartanorum λόχοις, de quibus v. Xen. H. Gr. 7, 4, 20; 5, 10, cum annot. mea.] Aristoph. [Lys. 453] : Γνώσεσθ' ἄρα Ὅτι καὶ παρ' ἡμῖν εἰσὶ τέσσαρες λόχοι Μαχίμων γυναικῶν ἔνδον ἐξωπλισμένων [quo respiciunt Hesych. in Λόχοι et gramm. ab intt. citati]. Ap. eund. [Ach. 1073] nuntius ad Lamachum, Ἰέναι σ' ἐκέλευον οἱ στρατηγοὶ τήμερον, Ταχέως λαβόντα τοὺς λόχους καὶ τοὺς λόφους. Itidem ap. Hom. de Agmine s. Cohorte militari, ubi Minerva, Od. Υ, [49] ad Ulyssem dicit se ei semper adesse, ideoque metuere non debere, Εἴπερ πεντήκοντα λόχοι μερόπων ἀνθρώπων Νῶϊ περισταῖεν κτεῖναι μεμαῶτες Ἄρηϊ. [Æsch. Sept. 56 : Ὅπως πάλῳ λαχὼν ἕκαστος αὐτῶν πρὸς πύλας ἄγοι λόχον· 460 : Πύλαισι Νηΐταισι προσβαλεῖν λόχον. Soph. OEd. C. 1371 : Εἴπερ οἵδε κινοῦνται λόχοι πρὸς ἄστυ Θήβης. Et similiter sæpe Euripides.] Et κατὰ λόχους, Centuriatim, Turn. ap. Philon. V. M. 1 : Κατὰ λόχους δ'
C αὐτοὶ καταβαίνετε μετὰ τῶν ἄλλων ὡπλισμένοι. Plut. Coriol. p. 72 [c. 20] : Οὐ κατὰ λόχους, ἀλλὰ κατὰ φυλὰς ἐβιάζοντο γίνεσθαι τὴν ψηφοφορίαν. Apud Thebanos autem, qui vocabatur ἱερὸς λόχος, constabat ἐξ ἐραστῶν καὶ ἐρωμένων, Athen. 13, [p. 561, F.] Et Bud. ex Plut. Pelopida p. 92 [c. 18], Sacra cohors. [Dinarch. p. 99, 25, Diodor. 15, 81, ubi v. Wesseling. (Carthaginiensium ἱερὸν λόχον v. ap. eund. 16, 80; 20, 10, 12.) Thebanorum et Argivorum λόχους memorat Xen. H. Gr. 6, 4, 13; 7, 2, 4. Id. Hier. 9, 5 : Διήρηνται ἅπασαι αἱ πόλεις αἱ μὲν κατὰ φυλὰς, αἱ δὲ κατὰ μόρας, αἱ δὲ κατὰ λόχους. Καὶ ἄρχοντες ἐφ' ἑκάστῳ μέρει ἐφεστήκασιν. Aristot. Polit. 5, 8 : Καὶ ἀντίγραφα κατὰ φρατρίας καὶ λόχους καὶ φυλὰς τιθέσθωσαν. Demosth. p. 261, 25 : Τοὺς τριηράρχους καλεῖσθαι ἐπὶ τὴν τριήρη σὺν ἑκκαίδεκα ἐκ τῶν ἐν τοῖς λόχοις συντελειῶν. De quo l. v. Bœckh. OEcon. Ath. vol. 2, p. 102, 103. De curiis Romanorum Dionys. A. R. 2, 7 : Εἴη δ' ἂν Ἑλλάδι γλώττῃ τὰ ὀνόματα ταῦτα μεθερμηνευόμενα φυλὴ μὲν καὶ τριττὺς ἡ τρίβος, φράτρα δὲ καὶ λόχος ἡ κουρία. || Ξύλινος λόχος
D de navibus in orac. ap. Herodot. 3, 57. || Improprie de caterva s. cœtu quovis Æsch. Sept. 110 : Ἴδετε παρθένων ἱκέσιον λόχον· Eum. 46 : Λόχος γυναικῶν· 1026 : Εὐκλεὴς λόχος παίδων, γυναικῶν· fr. ap. schol. Hom. Il. Ξ, 200 : Ἐν λόχῳ τ' ἀπείρονι εὔξασθε. Orph. Arg. 111 : Ἀριστήων Μινυῶν λόχος ἠγερέθοντο· (228 : Οὗτοι μὲν ποτὶ νῆα καὶ ἐς λόχον ἠγερέθοντο·) 1298 : Ἔνθ' ἄρ' ὑπ' εἰρεσίησιν ἐπειγόμενοι φορέοντο νηυσὶν ἀπειρεσίαις βριαρὸς λόχος Αἰήταο. Aristoph. Av. 594 : Ἀλλὰ γλαυκῶν λόχος εἰς αὐτοὺς καὶ κερχνήδων ἐπιτρίψει. Apollonides Anth. Pal. 9, 244, 1 : Ἐλάφων κεραὸς λ.] || Apud Xen. Cyn. [7, 5], Λόχος canis nomen est. || Insidiæ : alicubi etiam sonat q. d. Insidiatio, s. Insidiarum structio. Hom. Il. Θ, [522] : Φυλακὴ δέ τις ἔμπεδος ἔστω Μὴ λόχος εἰσέλθῃσι πόλιν· Ν, [276] : Εἰ γὰρ νῦν παρὰ νηυσὶ λεγοίμεθα πάντες ἄριστοι Ἐς λόχον· Σ, [513] : Οἱ δ' οὔπω πείθοντο, λόχῳ δ' ὑπεθωρήσσοντο, Ad insidias, s. λοχῆσαι, ut paulo post loquitur. Od. Δ, [395] : Αὐτὴ νῦν φράζευ σὺ λόχον θείοιο γέροντος, Insidias quibus Proteum aggrediar et capiam. Item

ἀνακλῖναι et καθίσαι λόχον, Collocare insidias: quod in A
prosa dicitur καθίσαι ἐνέδραν. Od. Λ, [524]: Ἐμοὶ δ' ἐπὶ πάντ' ἐτέταλτο, Ἠμὲν ἀνακλῖναι πυκινὸν λόχον, ἠδ' ἐπιθεῖναι· Il. Z, [189]: Κρίνας ἐκ Λυκίης εὐρείης ἄνδρας ἀρίστους Εἷσε λόχον. Sic Δ, [392]: Οἱ δὲ χολωσάμενοι Καδμεῖοι κέντορες ἵππων Ἂψ ἀναερχομένῳ [Ἂψ οἱ ἀνερχ.] πυκινὸν λόχον εἷσαν, ἄγοντες Κούρους πεντήκοντα, i. e., ἐκάθισαν, Eust. [Λόχον ὑφεῖναι Pollux 1, 173. Hesiod. Theog. 174: Εἷσε δέ μιν κρύψασα λόχῳ. Hom. Od. Π, 463: Ἦ ῥ' ἤδη μνηστῆρες ἀγήνορες ἔνδον ἔασιν ἐκ λόχου; Pind. Nem. 4, 63: Φυτευέ οἱ θάνατον ἐκ λόχου. Soph. OEd. C. 1089: Τὸν εὔαγρον τελειῶσαι λόχον· El. 490: Ἁ δεινοῖς κρυπτομένα λόχοις Ἐρινύς. Eur. Rhes. 560: Ἀλλ' ἦ κρυπτὸν λόχον εἰσπαίσας διόλωλε; Plut. Comp. Pelop. c. Marcello c. 1: Κρυφαίῳ σὺν λόχῳ κατωρθωμένην πρᾶξιν οὐκ ἔχομεν τοῦ Μαρκέλλου παραβαλεῖν. || De loco Il N, 285: Ἐπειδὰν πρῶτον ἐσίζηται λόχον ἀνδρῶν· Od. Θ, 515: Κοῖλον λόχον ἐκπρολιπόντες. Eur. Tro. 533: Ξεστὸν λόχον Ἀργείων, de equo Trojano. Et ib. 560 et al.] At Od. Ξ, [469]: Βίη τέ μοι ἔμπεδος εἴη Ὡς ὅθ' ὑπὸ Τροίῃ λόχον ἤγομεν ἀρτύνοντες, redditur, B
Instructum ad insidias agmen ductabamus: quod partim ad superius λόχος pertinet partim ad hoc: sunt autem verba Ulyssis, qui paulo ante dicit sibi injunctum fuisse Ἠμὲν ἀνακλῖναι πυκινὸν λόχον ἠδ' ἐπιθεῖναι. [Quo referendus l. supra citatus Il. Θ, 522: Μὴ λόχος εἰσέλθῃσι πόλιν. Eur. Rhes. 577: Μῶν λόχος βέβηκέ πῃ;] || Unde Λόχονδε, adverbialiter pro ἐς λόχον, ut paulo ante habuimus. Il. A, [227]: Οὔτέ ποτ' ἐς πόλεμον ἅμα λαῷ θωρηχθῆναι, Οὔτε λόχονδ' ἰέναι σὺν ἀριστήεσσιν Ἀχαιῶν Τέτληκας θυμῷ· Od. Ξ, [217]: Ὁπότε κρίνοιμι λόχονδε Ἄνδρας ἀριστῆας, κακὰ δυσμενέεσσι φυτεύων. || Pro λόχος autem dicitur et Λοχεός, ap. Hesiod. Theog. 178: Ὁ δ' ἐκ λοχεοῖο πάϊς ὠρέξατο χειρὶ Σκαιῇ, δεξιτερῇ δὲ πελώριον ἔλλαβεν ἅρπην· paulo ante vero regulariter dixerat, Εἷσε δέ μιν κρύψασα λόχῳ, Collocarat eum occultans in insidiis. Eust. λόχος significans τὸ ἔγκρυμμα, derivat a λέγω, i. e. ἐπιλέγω, sicut Hom. dicit λέγεσθαι εἰς λόχον: alibi a λέγομαι, τὸ κεῖμαι, quia soleant καθῆσθαι οἱ λοχῶντες. [Schol. Hom. Il. Ψ, 160: Ὀξυτόνως τὸ κηδεός παρὰ τὸ C
κηδεύω, ὡς λοχεύω λοχεός. Boiss. Schol. A ibid.: Βαρυτόνως οἱ πλείους ἀνέγνωσαν, πλεονασμὸν ἐκδεξάμενοι τοῦ ε, ὥστε παρὰ τὴν λόχου γενικὴν λόχοιο γενέσθαι καὶ λοχέοιο. Atque sic pauci libri Hesiodi.] || Λόχος, ὁ, ap. Macedonas is mensis qui ap. Athenienses μαιμακτηριών, Hebræis Sedebath. Ex Josepho. [Sic Lex. Septemv., cui per errorem pro Λῷος hæc illata videntur. N. viri in numo Coo ap. Mionnet. *Suppl.* vol. 6, p. 568, n. 33, si recte lectum.]

[Λόω. V. Λούω.]

Λύα, ἡ, Seditio, Dissidium: στάσις Hesychio: ap. quem et oxytonωs λυαί, expositum itidem [ut ap. Theognostum Can. p. 22, 2, ubi recte λύαι,] στάσεις διαφοραί. [Pind. Nem. 9, 14: Βιασθέντες λύᾳ.] Λύη, Ion. pro λύα, quod est στάσις, διαφορά, μάχη, Seditio, Dissidium, Pugna. [Λύη, ἡ στάσις ponit etiam Arcad. p. 103, 23.] Dictam volunt παρὰ τὸ δι' αὐτῆς λύεσθαι τὴν ὁμόνοιαν: quod etymon est satis consentaneum. [Eust. Il. p. 108, 8; 1220, 3, Od. p. 1910, 16, Etym. M. p. 571, 29, et qui ἀπορία ponit Gud. p. 558, 47, D
pro quo ἄποινα in Epim. Hom. Cram. An. vol. 1, p. 427, 28. Ceterum λύη non est forma Ionica, sed communis, Dorica autem λύα. ῠ]

[Λυάζω.] Affert Hesych. Λυάζει, exponens et ipsum στασιάζει, Dissidet: sed addens etiam φλυαρεῖ, μωρολογεῖ, Nugatur, Fatua et stulta effutit: quam fere signif. habet verbum λυβάζειν, quod exp. λοιδορεῖν, Convitiari. [Theognost. Can. p. 22, 3 inter nomina ab λυ incipientia. Λυάζει, φλυαρεῖ. V. Λυάω, Λυττέω. L. Dindorf.]

[Λύαιος, α, ον, Solvens. Zonar. p. 1322: Λυαῖα, παυσιμα. Λύαια rectius Theognost. Can. p. 22, 2. ῠ L. Dindorf.]

[Λυαῖος. V. Λύσιος.]

[Λύαιος, ὁ, Lyæus, gladiator quidam, ab S. Nestore interfectus, apud Suidam et Phot. Bibl. cod. 255, p. 469, 21 sq. Memorat Λύαιος n. pr. etiam Etym. M. p. 193, 17. Ap. Photium et Suidam male scriptum Λυαῖος. Nam Λύαιος et Λυαῖος differunt ut Λήναιος et Ληναῖος. Theognost. Can. p. 53, 23: Τιμῶ Τίμαιος, Λύω Λύαιος, ὀνόματα κύρια. Atque sic scriptum aliquoties in Menolog. Gr. vol. 1, p. 145 ed. Albani. V. autem Λυγαῖος in fine. L. Dindorf.]

[Λυάω.] Λυᾶται Hesych. exp. στασιάζει, διαφέρεται. [V. Λυάζω. Theognost. Can. p. 22, 1: Λύασθαι, διαφθείρεσθαι. Scribendum διαφέρεσθαι. L. Dind.]

[Λυβάζω. V. Λυάζω.]

[Λύβας, ὄνομα κύριον, Suidas. Cui Hemst. ascripsit Pausan. 6, 6 fin., ubi olim Λύβαντα, pro quo alii aliter. Zonar. p. 1320 quæ ponit inter ἀρσενικὰ, Λύβας, Λύβαστος, Λυβὴρ, ὀνόματα κύρια, eorum secundum ex Λύκαστος corruptum videtur. Quod idem sine interpret. ponit Λυβρὸς, in eo λιβρὸς quærere licet.]

[Λῦγάζω, Obscuro, restituebat Ruhnken. ad Tim. p. 118 Heliodoro ap. Stob. Fl. vol. 3, p. 309, ubi νεφέλῃ λελυσμένος ὄσσε est in libris. Homerus quod cum νεφέλῃ conjungit εἰλυμένος, non satis aptum aut literarum ductibus simile videtur. Simile verbum ponit Theognost. Can. p. 22, 4: Λυγίσασθαι, χρυβῆναι. Quod nisi per α, certe per η scribendum videtur.]

[Λυγαία, ἡ, herba ap. Bœum Athen. 9, p. 393, E: Πόαν τὴν λεγομένην λυγαίαν.]

[Λύγαιον, τό.] Λύγαια, Hesychio τὰ περὶ ταῖς χερσὶ ψέλλια, Brachialia: qualia et περικάρπια.

Λῦγαῖος, α, ον, Obscurus, Tenebrosus: ut Hesych. quoque λυγαίαν exp. σκοτεινὴν, συννεφῆ, ἀφανῆ, Tenebricam, Nubibus tectam, Obscuram: item δόλιον, Dolosam. Utitur autem adjectivo λυγαῖος [Eur. Iph. T. 110: Νυκτὸς ὄμμα λυγαίας· Heraclid. 855: Ἔκρυψαν ἅρμα λυγαίῳ νέφει·] Apoll. Arg. [1, 218: Λυγαίοις... νεφέεσσι·] 2, [1120]: Μετ' ἠϊόνας βάλε νήσου Νύχθ' ὑπὸ λυγαίην. [Et alibi cum eodem nomine.] Ubi schol. quoque exp. σκοτεινὴν, afferens et hoc exemplum Soph. Polyxena, Ἀπ' αἰθέρος δὲ κἀπὸ λυγαίου νέφους. Hincque τὸν ἐνιαυτὸν dici λυκάβαντα quasi λυγάβαντα, quoniam μετὰ λυγῆς βαίνει: quin et ἀμφιλύκην hinc dici ac λυκόφως, quasi ἀμφιλύγην et λυγόφως: ipsum vero λύγη s. λυγὴ (utroque enim modo ap. eum scriptum est) dici ἀπὸ τοῦ λύγου τοῦ φυτοῦ, quoniam id μέλαν est, Nigrum. Supra ἠλύγη et ἠλυγὴ, pro hoc λύγη et λυγή. [Lycophr. 351: Εἱρκτῆς ἀλιβδύσασα λυγαίας δέμας· 973: Πᾶς δὲ λυγαίαν λεὼς ἐσθῆτα προσπρόπαιον ἐγχλαινούμενος. Eust. Il. p. 689, 18. In Etym. Gud. p. 25, 45 scribitur λύγαιον, ubi λυγαῖον est in M., ut alibi in utroque. Suidas: Λυγαῖος, ἀπὸ τόπου. Zonar. p. 1320: Λυγαῖος, σκοτεινός. Λυγαῖος δὲ ἦν ὁ τόπος αὐτοῖς. Sed Theognost. Can. p. 53, 3 post Λυαῖος ponens: Λυγαῖος ὄνομα κύριον προπαροξύτονον τὴν γραφὴν φυλάξαν τὸν τόνον ἤμειψεν, scripsisse videtur Λύαιος, quod v. L. Dind.]

|| Λυγαίως, Hesych. et Suid. exp. σκοτεινῶς, ἀφανῶς, et λεληθότως, Obscure, Latenter. [Schol. Hom. Od. Ξ, 161, Hesych. Etym. Gud. p. 374, 48: Λυκάβας... ἀπὸ τοῦ λυγέως (λυγαίως) βαίνειν, ὅ ἐστι σκοτεινῶς. In Λυταῶς corruptum legitur ap. Hesych.]

[Λυγαῖος, ὁ, Lygæus, pater Polycastæ matris Penelopæ, nisi fallunt libri Strab. 10, p. 461.]

Λυγγάνω, et Λυγκαίνω, Singulto. Quorum illud, ap. Hesych. extat, afferentem λυγγανόμενον pro λύζοντα ἐν τῷ κλαίειν, Singultantem in fletu: hoc, ap. Suid. ἀναλύζουσα exponentem per λυγκαίνουσα. [V. id. in Ἀναλύζουσα, unde hæc gl. repetita.]

[Λυγγᾶς, ᾶ, ὁ, Lyngas, n. viri. Subscriptio codicis Aristoph. Brunckiani ap. Brunck. ad Ranas vol. 1, p. 147: Μιχαὴλ ὁ τοῦ Λυγγᾶ.]

[Λύγγιος. V. Λύγξ.]

[Λυγγος. V. Λυγκούριον, Λυγμὸς, Λύγξ.]

[Λυγγούριον. V. Λυγκούριον.]

[Λυγγώδης, ὁ, ἡ, Singultuosus. Hippocr. p. 123, F; 401, 41; 759, H, aliisque ll. a Foesio indicatis. Aret. p. 23, 37.]

[Λύγδαμις, ιος, ιδος, ὁ, Lygdamis, Cimmeriorum rex, Callim. Dian. 252, Strab. 1, p. 61. Artemisiæ, reginæ Halicarnassi, pater, Pausan. 3, 11, 3, post Herodot. 7, 99. Naxius quidam ib. 1, 61, 64, Aristot. Pol. 5, 6, ap. Athen. 8, p. 348, C. Syracusanus, Pausan. 5, 8, 8. Cnosius in inscr. Corcyr. ap. Bœckh. vol. 2, p. 16, n. 1840, 3, ubi dat. Λυγδάμι, ut in Herodoti l. postremo. Alius in Samia ib. p. 213, n. 2254, 16, 29.

V. Albert. ad Hesych. in h. n. Zonar. p. 1322: Λυγδάμης, χώριον, καὶ κλίνεται Λυγδάμους, vitiose.]

Λύγδη, Hesychio ἡ λεύκη, τὸ δένδρον, Populus alba.

Λύγδην, Singultando, s. Cum singultu. Ap. Suidam: Τοιαῦτ' ἐπ' ἀλλήλοισι ἀμφικείμενοι, λύγδην ἔκλαιον ἅπαντες [πάντες recte ap. Soph. OEd. C. 1621. Conf. Hemst. ad Luciani Somn. c. 4. «Anastas. Anth. Pal. 15, 28, 4.» Boiss.]

[Λυγδηνὸς, ἀπὸ Λύγδης, Zonar. p. 1320, qui p. 1321 ponit Λύγδη, ὄνομα τόπου.]

[Λυγδίνεος, α, ον, i. q. sequens. Rufin. Anth. Pal. 5, 48, 3: Δειρὴ λυγδινέη. ῐ]

Λύγδῖνος, η, ον, Lygdinus, Ex lygdo confectus. [Philodemus Anth. Pal. 5, 13, 3:] Κἂν στέρνοις ἔτι κεῖνα τὰ λύγδινα κώνια μαστῶν Ἕστηκε μίτρης γυμνὰ περιτρομάδος. Et rursum [ap. Suidam]: Γλύψας ἐπώλει λύγδινόν τις Ἑρμείαν. Meminit et Plin. 36, 8, Lygdini lapidis: Lygdinos in Tauro repertos, amplitudine qua lances craterasque non excedant, antea ex Arabia tantum advehi solitos, candoris eximii. Unde patet lygdum esse marmoris genus: quibusdam tamen interpretantibus etiam Calculum litoralem, Glaream. [Philostr. Imag. p. 763: Οἱ ξέοντες τὴν λυγδίνην ἢ τὴν Παρίαν λίθον. Antipater Anth. Pal. 6, 209, 2: Μορφᾶς εἴδωλον λύγδινον· et alii in eadem. Improprie Anacreont. 28, 27: Περὶ λυγδίνῳ τραχήλῳ.]

[Λυγδίτης. V. Λυχνίτης.]

Λύγδος, ἡ, Lygdus: lapidis genus, teste Suida. Hesych. esse dicit λίθον εἰς τὰ ζώδια, Lapidem ex quo sigilla animalium fiunt: s. τὸν Πάριον, Parium lapidem. [Diod. 2, 52: Ἡ Παρία λύγδος. Ubi v. Wesseling.] Ap. Suidam ex Epigr. [Posidippi Anth. Pal. 5, 194, 3]: Οἷά τε λύγδου Λεπτὴν παρθενίην βριθομένην χαρίτων. [Rufin. ib. 28, 2: Σοῦ τὸ πρόσωπον κεῖνο τὸ τῆς λύγδου.]

[Λυγέα, ἡ. Eust. Il. p. 834, 37: Λέγεται δὲ λυγέα ἰδιωτικῶς ἧς οἱ ἁπαλοὶ ἀκρεμόνες καὶ μᾶλλον αἱ παραφυάδες εἰς πλέγμα συστρέφονται κτλ.]

[Λύγειος, i. q. λυγαῖος, ap. Tzetz. Hist. 5, 725: Τζέτζης δὲ μορμολύκειον νυκτὸς πᾶν φάσμα λέγει· Μορμὼ μερίμνης ἄξιον, λύγειον σκότους φάσμα. Λύκειον Kiesslingius.]

Λύγη, ἡ, Obscuritas, Tenebræ: σκοτία Suidæ et Scholiastæ Hom. [et Eust. Il. p. 689, 18; 809, 44, Hesychio v. Ἀμφιλύκη νύξ. Appian. Illyr. c. 25: Νυκτὸς ἐμπίπτουσι τοῖς φύλαξιν εὐναζομένοις καὶ κτείνουσιν αὐτοὺς καὶ τῷ Καίσαρι κατέσεισαν ὑπὸ λύγῃ.]

[Λυγιδοπλεκτέω habes in Ἀλλόκτιστος. Boiss.]

Λυγίζω, derivatum a λύγος, exp. et Flecto, Torqueo [Gl.], et Vincio, Ligo: ita tamen ut prior signif. multo sit frequentior, qua sc. ponitur pro Flecto, Torqueo, Circumago, Verso: κάμπτω, συστρέφω, περιάγω. [Geopon. 7, 18, 2: Λυγίζουσι τὰ κλήματα· et similiter alibi.] Aristoph. Vesp. [1487]: Πλευρὰν λυγίσαντος ὑπὸ ῥώμης [ῥύμης]· more athletarum qui corpora artificiosis flexibus torquent huc illuc, ut infestos complexus et nexus evadant: ut et pro πάσας στροφὰς στρέφεσθαι, h. e., Omnigenis flexibus conari evadere, Suida teste accipitur in hoc l. Plat. Gorgia [Reip. 3, p. 405, C]: Πάσας δὲ διεξόδους διελθὼν, ἀποστραφῆναι λυγιζόμενος ὥστε μὴ παρέχειν δίκην. Pro simplici Flecti, Torqueri: Soph. Tr. p. 359 [781]: Μάρψας ποδὸς νιν, ἄρθρον ᾗ λυγίζεται, Ea parte qua articulus flectitur, s. torquetur, στρέφεται. [Hippocr. p. 897, A: Ἐκπίπτει δὲ μᾶλλον, ὅτι τὰ νεῦρα ἐν πλαγίῳ καὶ λελυγισμένα συνδιδοῖ.] Phalar. in Epist. [13, p. 72]: Ἐλυγίσθησαν κατὰ τροχῶν, Torti sunt et in rotis distenti. De animo Theocr. 1, [97: Τύ θην τὸν Ἔρωτα κατεύχεο, Δάφνι, λυγιξεῖν· 98]: Ἆρ' [ἦ ῥ'] οὐκ αὐτὸς ἔρωτος ὑπ' ἀργαλέω ἐλυγίσθης [—χθης]· i. e. ἐκάμφθης. [23, 54: Οὐδ' ἐλυγίχθη τὰν ψυχάν. Proprie Philostr. Imag. p. 857: Τὰ μὲν δὴ παλαίσματα παιδιά· ταυτὶ γὰρ ἀγέρωχα σκιρτᾷ περὶ τὴν παλαίστραν, ἄλλο ἐπ' ἄλλῳ ἐς αὐτὴν λυγίζοντα. Galenus vol. 2, p. 13: Τὰ λυγισθέντα τῶν ἄρθρων. Lucian. Anach. c. 1: Οἱ μὲν αὐτῶν περιπλεκόμενοι ἀλλήλους ὑποσκελίζουσιν, οἱ δὲ ἄγχουσι καὶ λυγίζουσι. Ælian. N. A. 2, 11: Ἀναγκαζομένους λυγίζειν τι τῶν μελῶν καὶ κάμπτειν ὀρχηστικῶς τε καὶ χορικῶς. L. D. Λυγίζειν τὰ μέλη Chrys. 2, p. 196. Præ mollitie fractus et λελυγισμένος ap. Suid. in Ἁβρός. (De cinædo Poll. 6, 127.) Valck. Lucian. De salt. c. 77: Τὸ σῶμα λελυμένος τε ἅμα καὶ συμπεπηγὼς, ὡς λυγίζεσθαί τε ὅπῃ καιρὸς καὶ συνεστάναι. Themist. Or. 20, p. 238, C: Τὸν αὐχένα λυγίζοιτο ὑπὸ τρυφῆς τε καὶ ἀκρασίας· 249, B: Πολλὰ καμπτόμενοί τε καὶ λυγιζόμενοι. Tatian. Or. ad Gr. 38, p. 81 ed. Worth.: Τὼ χεῖρε λυγιζόμενον. Lucian. Lexiph. c. 5: Λίπα χρισάμενος ἐλυγίζετο, addit Valck. Improprie Antipater Thessalon. Anth. Pal. 11, 20, 3: Οἵ τ' ἐπέων κόσμον λελυγισμένον ἀσκήσαντες. Schol. ad Greg. Stelit. in Λύγισμα memorandus: Λυγίζεσθαι μέν ἐστι τὸ τεχνικῶς ὀρχεῖσθαι καὶ θρύπτεσθαι ἤτοι τοῖς μέλεσι καὶ τῇ φωνῇ κατακλώμενον ἀκκίζεσθαι κτλ.]

Λύγῐνος, Viticeus, Ex vitice confectus, s. Vimineus: ut λύγινος στέφανος ap. Athen. 15, [p. 673, E: Ἡφαιστίων... περὶ τοῦ παρ' Ἀνακρέοντι λυγίνου στεφάνου] ex Anacr.: solebant enim λύγοις στεφανοῦσθαι olim οἱ ἀρχαῖοι. [Hesych.: Ἄρριχος, ἀγγεῖον λύγινον.]

[Λύγιον, τὸ, Virgula. Schol. Dionys. in Bekk. Anecd. p. 794, 16: Λύγος τὸ βεργίον λύγιον. Boiss.]

[Λύγιος, ap. Euagr. H. E. 4, 36, p. 416, 33: Ποτνιωμένη καὶ λύγιον κωκύουσα, ab Hemst. cit., aut vitium videtur aut forma novitia pro διωλύγιον, quod a Bastio restitui Heliodoro in eadem formula pro eodem illo λύγιον diximus in Λιγείως.]

Λύγισμα, τὸ, et Λυγισμὸς, ὁ, Flexus, Contortio, κάμψις, στροφή. [Lucian. Anachars. c. 24: Ὠθισμοὺς καὶ περιπλοκὰς καὶ λυγισμούς. Philostr. V. Apoll. 4, 7: Ἐπεὶ δὲ ἤκουσεν ὅτι αὐτοῦ σημήναντος λυγισμοὺς ὀρχοῦνται· Imag. p. 819: Οὐκ ἔφθη τὸν λυγισμὸν τοῦ Ἀρριχίωνος. Pollux 4, 97.] Utrumque exp. ἀνάκλασις μελῶν: ut sane posterius Aristoph. pro Flexione cantus usurpavit, Ran. [775]: Οἱ δ', ἀκροώμενοι τῶν ἀντιλογιῶν καὶ λυγισμῶν καὶ στροφῶν, Ὑπερεμάνησαν. Ap. Eust. vero [Il. p. 834, 37] οἱ κωμῳδούμενοι ἐν φαύλαις ὀρχήσεσι λυγισμοί· ut sane et Suidas λύγισμα in voce et cantu turpe fuisse dicit, exempli loco subjungens, Ἔκαμπτεν ᾠδὰς ὁπόσας ὁ Νέρων ἐλύγιζέ τε καὶ ἔστρεφε. Idem cum Hesych. λυγίσμασι exp. συγκλάσμασι, Confractionibus. [Suidas: Λύγισμα, αἰσχρὰ φωνὴ, βδελυρὸν ᾆσμα, ὃ λέγουσιν Ἀλεξανδρεῖς. Ubi schol. ad Greg. Naz. Stel. 2, 107 ascripsit Gaisford. Idem Carm. Tetrastich. vol. 2, p. 157, B: Κηρῷ τὰ ὦτα φράσσε πρὸς φαύλους λόγους ᾠδῶν τε τερπνῶν ἐκμελῆ λυγίσματα. Ubi λιγύσματα scriptum.]

[Λυγιστὴς, ὁ, Victor (Vietor), Gl.]

Λυγιστικὸς, ή, όν, Qui agiliter novit λυγίζεσθαι, Agilis in flectendo se: ut Pollux 4, c. 13 [§ 97] inter saltatoris boni epitheta synonymως ponit ὑγρομελῆ, εὐκαμπῆ, λυγιστικόν. Ita et Theod. H. E. 2 dicit, Τινὰ τῶν ἐπὶ τῆς θυμέλης λυγιζόμενον, pro ὀρχηστὴν θυμελικόν: solebant enim in scena omnigenis flexibus saltationes quasdam desaltare. Unde et Gregor.: Κατορχεῖσθαι τῶν θεατῶν παντοίοις καὶ ἀνδρογύνοις λυγίσμασι. [Λυγιστικὸν, Viminale, Gl.]

[Λυγιστὸς, Flexilis, Gl.]

[Λυγκάζω. Hesych.: Λυγκαστήσει, αὔξει (λύζει vel λύξει interpretes) παραπλησίως, ἢ Λυγκάσαι, ῥεῦσαι. Scribendum etiam videtur παραπλησίως δὲ λ., ut ῥεῦσαι in aoristum verbi λύζω sit mutandum.]

[Λυγκαίνω. V. Λυγγάνω.]

[Λύγκεια, ἡ, Lyncea, dicta ab Lynceo, quæ ab Lyrco postea dicta est Λύρκεια, agri Corinthii, sec. Pausan. 2, 25, 5.]

[Λυγκεῖδαι, οἱ, Lyncidæ, Lyncei progenies, ap. Steph. Byz. v. Ἄργος. L. Dind.]

[Λύγκειος, ὁ, Lynceus. Posidippus ap. Tzetz. Hist. 7, 664: Λυγκείοιο βλέμματος.]

Λυγκεὺς, έως, ὁ, Lynceus, quidam [f. Apharei, sec. Aristoph. in Danaidibus Ægypti, ut tradit schol. ad l. Pluti, quos mythologi, velut Apollod. 2, 1, 5, 1 etc. et 3, 10, 3, 5 et al., distinguunt tanquam diversos] dictus est ob insignem et lynceam visus aciem: adeo ut et διὰ δρυὸς ὁρῴη. [Memoratur ab Hesiodo Scut. 327, Pind. Nem. 10, Theocr. 22, 140, etc. Apollon. Rh. et al.] Inde proverb. ap. Aristoph. Pl. [210]: Βλέποντ' ἀποδείξω σ' ὀξύτερον τοῦ Λυγκέως. Et ap. Suid., Λυγκέως ὀξυωπέστερον βλέπεις, Lynceo acutius cernis. Adjective Cic. [Ad fam. 9, 2]: Quis est tam lynceus qui in tantis tenebris nihil offendat? et Horat.

[Sat. 1, 2, 90] lynceis contemplari oculis. [Athen. 3, p. 75, E, F. Plato Ep. 7, p. 344, A: Οὐδ' ἂν ὁ Λυγκεὺς ἰδεῖν ποιήσειε τοὺς τοιούτους. Lucian. Tim. c. 25: Ὅπερ οὐδ' ὁ Λυγκεὺς ἂν ἐξεύροι ῥᾳδίως· Pro imag. c. 20: Τὸν Φινέα ὀξύτερον δεδορκέναι τοῦ Λυγκέως. Lynceum, Chemmitam ab Ægyptiis perhibitum, memorat Herodot. 2, 91. Filium Herculis et Thespiadis Asopidis Apollod. 2, 7, 8, 5, cujus libri alii Λιγκαῖος vel Λυγκαῖος, canem Actæonis 3, 4, 4, 5. Samium Theophrasti discipulum, Athenæus, Suidas, et alii. Male gramm. Bachm. vol. 1, p. 292, 30: Λυγκεὺς εἶδος θηρίου ἢ ὀξυδερκής.]

[Λυγκεὺς, collyrii nomen callos et cicatrices oculorum exterentis visumque exacuentis. Descriptio ejus habetur ap. Galen. l. 4 τῶν Κατὰ τόπους. Habetur et ap. Paulum 7, 16, ex quo Galeni descriptio emendari debet. Gorræus.]

[Λυγκήιος. V. Λυρκήιος.]

[Λυγκηστής. V. Λύγκος.]

[Λυγκικὸς, ἡ, όν.] Λυγκικὸν βλέπειν ap. Hom. in Batrachomyom. [immo ap. Theod. Prodr. in Galeomyomachia v. 32, ubi λυγγικὸν] pro Acutissimis oculis.

[Λυγκίον, τὸ, Catulus lyncis. Callixenus ap. Athen. 5, p. 201, C: Λυγκία τέσσαρα.]

[Λύγκος, ἡ, Lyncus, urbs Macedoniæ. Tzetz. Hist. 6, 934: Ἡ Πιερία ὕστερον Λύγκος μετωνομάσθη. Thuc. 4, 83: Τῇ ἐσβολῇ τῆς Λύγκου· 124, 129, 132, Aristot. Meteor. 2, 3 extr., Plut. Flamin. c. 4, Steph. Byz., qui addit: Ἐκλήθη ἀπὸ Λυγκέως. Τὸ ἐθνικὸν Λυγκισταί. Τὸ θηλυκὸν Λυγκιστίς. (Ut de terra ap. Ptolem. 3, 13.) Λέγεται καὶ Λύγκιος, ὡς Λύττιος. Λέγεται καὶ Λυγκεύς. Vitiosam esse scripturam Λυγκιστὴς pro Λυγκηστὴς, etsi apparet in libris Thuc. 2, 99, Diodori 17, 57, Strabonis 7, p. 323, 326, 327, exemplis Latinorum, qui *Lyncestas* dicunt, demonstrari annotavit jam Dukerus ad l. Thuc. Ita Κυρρηστὴς formatur a Κύρρος. Quod tamen alii scribebant per ε. Ad Λύγκον referri videtur Hesychii gl.: Λυγκαίη πόλις Μακεδονίας.]

[Λύγκος, ὁ, Lyncus, Trojanus, Quint. Posth. 11, 90.]

Λυγκούριον, τὸ, Lyncurium, ab animante lynce: i. e. quod a nonnullis vocatur ἤλεκτρον, Electrum, teste Diosc. 2, 100, ubi etymon his verbis exponit: Τὸ δὲ τῆς λυγκὸς οὖρον, ὃ δὴ λυγκούριον καλεῖται, ἅμα τῷ ἐξουρηθῆναι λιθοῦσθαι πεπίστευται, Lyncis urina, quæ lyncurium vocatur, simulac excernitur, in lapidem concrescere credita est. [Conf. schol. Callim. Dian. 88.] Sic Plin. 8, 38: Lyncum humor ita redditus ubi gignuntur, glaciatur, arescitque in gemmas carbunculis similes, et igneo colore fulgentes, Lyncurium vocatas: atque ob id succino a plerisque ita generari credito. Novere hoc sciuntque lynces, et invidentes urinam terra operiunt, eoque celerius solidatur illa. Idem 37, 2, de electro: Philemon, fossile esse, et in Scythia erui duobus locis: candidum atque cerei coloris, quod vocaretur electrum: in alio loco fulvum, quod appellaretur Sualternicum. Demostratus Lyncurion id vocat, et fieri ex urina lyncum bestiarum: ex maribus, fulvum et igneum: ex feminis, languidius atque candidum. Alii dixere Langurium, et esse in Italia bestias Langurias. Et c. seq.: De lyncurio proxime dici cogit auctorum pertinacia: quippe etiamsi non electrum id esset, lyncurium tamen gemmam esse contendunt: fieri autem ex urina quidem lyncis, sed egestam, terra protinus bestia operiente eam, quoniam invideat hominum usui: esse autem qualem in igneis succinis colorem, scalpique: nec folia tantum aut stramenta ad se rapere, sed æris etiam ac ferri laminas: quod Diocles quidem et Theophrastus credidit: ego falsum id totum arbitror. Hæc ille. Sunt qui λίγυρον et λιγύριον appellent, procul dubio a loco in quo et reperitur, Liguria sc. In ea autem inveniri, auctor est Theophr. ἐν τῷ Π. λίθων [§ 28-31]: ubi quum multa de hac gemma disseruisset, subjungit esse ἤλεκτρον ὀρυκτὸν περὶ Λιγυστικήν: et hinc Plin. 37, 2, de electro loquens, Theophrastus, inquit, in Liguria effodi dixit. Et Strabo 4, [p. 202] de Liguribus tractans: Πλεονάζει δὲ καὶ τὸ λιγγούριον παρ' αὐτοῖς, ὅ τινες ἤλεκτρον προσαγορεύουσι. Ubi etiam nota per ι in prima syllaba scriptum λιγγούριον [ut ap. Psellum, de quo Boiss. *Notices* vol.

A 11, part. 2, p. 190, a Creuzero citatus ad Plotin. vol. 3, p. 305]: ap. Diosc. vero et Theophr. [et Plut. l. continuo citando] λυγγούριον, per υ et duplex γ: quemadmodum et λύγγας ap. Plut. [Mor. p. 962, E] reperio pro λύγκας, et Λυγγεὺς ap. Theophyl. pro Λυγκεύς: sed eam scripturam non probo: quum λὺγξ, cujus genit. est λυγγὸς, aliud significet, ut infra docebo in Λύζω. [Sext. Emp. 1, 119, p. 31: Τὸ λυγγούριον ἐν μὲν λυγγὶ ὑγρὸν, ἐν ἀέρι δὲ σκληρόν. Λυγιουργὸν, quod λυγκουργὸν scribi literarum series poscit, per ἤλεκτρον interpr. Hesychius. « Solinus p. 11, 6: Lyngurium Græce dicitur.) Ita nostri libri sine ulla varietate. Ap. Theophr. quoque et Diosc. λυγγούριον appellatur. Λύγγους etiam, qui aliis λύγκες sunt, vocat Artemidorus (2, 12, p. 160, ubi λύγγας libris invitis restituit Reiffius). Glossæ: Λὺγξ θηρίον, Lyngus. Melius tamen λυγκούριον. Hesych.: Λυγκούριον τὸ ἤλεκτρον. Nam quidam Lingurium cum succino confudere. Hunc porro lapidem Ligurium etiam quidam appellarunt. Ita vocatur Isidoro. Nec mendum est. Epi-

B phanius (c. 7): Λίθος λιγύριον. Τούτου δὲ τὴν εὕρεσιν οὐδαμῶς ἔγνωμεν οὔτε παρὰ φυσιολόγοις οὔτε παρά τισιν ἀρχαίοις περὶ τούτων μεμεριμνηκόσιν... Addit: Εὕρομεν δὲ λαγγούριον οὕτω καλούμενον λίθον, ὅν τινες τῇ Γραιῇ διαλέκτῳ λαγούριον καλοῦσι. Καὶ τάχα οἶμαι τοῦτο εἶναι τὸ λιγύριον. Ita hic scribendus l. ex cod. vetusto. Et recte Epiph. Nam λιγύριον idem esse cum λαγγουρίῳ ex Plinio colligi potest. » Salmas. Plin. Exerc. p. 62 seq., cujus in verbis omisi quæ exstabant jam ap. HSt. supra et in Λιγύριον, quod v. Vitiose Timotheus in Crameri Anecd. vol. 4, p. 267, 27, λυγγούρα. L. D.]

[Λυγμή. V Λυγμός.]

Λυγμὸς, ὁ, et Λὺγξ, γγὸς, ἡ, Singultus. [Linx, add. Gl.] Quorum priore utitur Plut. [Mor. p. 515, A]: Ὅπου καὶ λυγμὸν καὶ βῆχα ἄνθρωποι τῷ μὴ προσέχειν ἀσπαζόμενοι μετὰ πόνου καὶ ἀλγηδόνος ἐξεκρούσαντο. [Thomas p. 586: Λὺγξ, ὅπερ ἐστὶ κάλλιον τοῦ λυγμός. Photius: Λὺξ (sic etiam ap. Polluc. 4, 185), οὐχὶ λυγμὸς καλεῖται ὑπὸ τῶν Ἀττικῶν. Exx. Nicandri Th. 434: Λυγμοῖσι βαρυνόμενοι θαμέεσσιν (add. 245, Al.

C 378, 593)· Josephi B. J. 6, 2, 2: Λυγμῷ τὴν φωνὴν ἀνεκόπη· Æliani N. A. 6, 38: Σπασμὸς διώκει καὶ λυγμὸς, annotarunt intt. Hippocratea utriusque formæ Foesius in OEcon. V. Galen. vol. 11, p. 157.] Posteriore, post Thuc. [2, 49], Plato Symp. [p. 185, D], docens quomodo alicui παύσεται ἡ λύγξ. Ibid. dixerat, Τυχεῖν δὲ αὐτῷ τινὰ ἢ ὑπὸ πλησμονῆς, ἢ ὑπό τινος ἄλλου λύγγα ἐπιπεπτωκυῖαν. [Aristot. Probl. 33, 13. Aretæus p. 16, 20, aliique medici. Cum articulo masc. Galen. vol. 2, p. 213, τοῖς λυγξὶ, pro ταῖς, ut videtur. || Formam Λύγγος ponit Erotianus Gl. p. 238. || Hesychio, Photio et] Suidæ vero λυγμὸς est etiam ὀλολυγμὸς, Ululatus: ut λύζειν i. esse vult etiam q. ὀλολύζειν. [Etym Gud. p. 374, 25: Λυγμὸς ὁ θρῆνος καὶ λυγμὴ ἡ κραυγή. Θρῆνος interpretatur etiam Hesychius.]

[Λυγμώδης, ὁ, ἡ, i. q. λυγγώδης. Diocles Ep. ad Antig. 3. Boiss. Hippocr. p. 400, 44.]

Λὺγξ, κὸς [et vitiose γγὸς, ut animadvertit Jacobs. ad Anthol. Pal. 5, 179, 8], ὁ, ἡ, Lynx: fera quadrupes, de qua multa Aristot. [H. A. 2, 1 etc.], Plin. ac

D Oppian. Cyn. 2 [3, 85]. Maculosum et varium est: unde ap. Eur. [Alc. 582] βαλιαὶ λύγκες. Præditum et acerrimo visu: unde λυγκικὸν βλέπειν. [Hom. H. Pan. 24: Λαῖφος δ' ἐπὶ νῶτα δαφοινὸν λυγκὸς ἔχει. Xen. Cyn. 11, 1; Theophr. fr. 15, 1. || I. q. λυγμός, quod v.]

[Λὺγξ, γγὸς, ἡ, Lynx, πόλις Λιβύης πρὸς τοῖς Γαδείροις μετὰ τὸν Ἄτλαντα. Καὶ νῆσος Ἄτλαντος καὶ πόλις Λὺγξ, ὡς Ἀρτεμίδωρος. Τὸ ἐθνικὸν Λυγξίτης καὶ Λύγγιος, Steph. Byz.]

Λυγόδεσμος, ὁ, Vitice vinctus. Ferunt Dianæ hoc cognomentum esse: alii, quod simulacrum ejus rectum vitice ligari solitum fuerit: alii quod in densis arbustis vitice involuta fuerit reperta. [Pausan. 3, 16 fin.: Καλοῦσι δὲ οὐχ Ὀρθίαν μόνον, ἀλλὰ καὶ Λυγοδέσμαν τὴν αὐτὴν, ὅτι ἐν θάμνῳ λύγων εὑρέθη· περιειληθεῖσα δὲ ἡ λύγος ἐποίησε τὸ ἄγαλμα ὀρθόν.]

[Λυγοειδὴς, ὁ, ἡ, Viticeus. Diosc. 4, 146: Κλωνία λυγοειδῆ.]

[Λυγοπλόκος, ὁ, Gloss. sine interpr. Est i. fere q. λυγιστής.]

Λύγος, ἡ, Vitex, Salix Amerina: quæ et ἄγνος s. ἅγνος, teste Eust. [Il. p. 834, 33]. A Nicæneto Epico ap. Athen. 15, [p. 673, D] ἡ λύγος dicitur ἀρχαῖον Καρῶν στέφος: Athen. vero [ib. 672, A] ἀγροίκων esse στεφάνωμα ait: utpote aptiorem πρὸς δεσμοὺς καὶ πλέγματα [p. 671, F]: viminis enim s. vitilis usum præbet, teste Hom. etiam: Od. I, [427]: Τοὺς ἀκέων συνέεργον ἐϋστρεφέεσσι λύγοισι· itemque K, [166]· Σπασάμην ῥῶπάς τε λύγους τε, Πεῖσμά θ' [δ'] ὅσον [τ'] ὀργυιὰν ἐϋστρεφὲς ἀμφοτέρωθεν Πλεξάμενος συνέδησα πόδας δεινοῖο πελώρου. [Eur. Cycl. 224: Στρεπταῖς λύγοισι. Lycophr. 213: Ἴχνος ἐμπλέξας λύγοις.] Accipitur et generalius pro Virga, Bacillus, ut κλῆμα. Joseph. [A. J. 11, 6, 3]: Καθῆστο μέν τοι λύγον χρυσέαν ἔχων αὐτὸς ὁ βασιλεύς. [Strabo 4, p. 194: Συμπλέκειν τὰς τῶν θάμνων λύγους. Hemst.] Itidem Hesychio λύγος est non solum δενδρύφιον θαμνῶδες, s. ἱμαντῶδες φυτὸν, quod ἄγνος dicitur: sed etiam ἁπαλὴ ῥάβδος. Rursum λύγους Suid. esse dicit τὰς μάστιγας αἷς οἱ ἀθληταὶ τύπτονται, Flagra quibus athletæ se cædunt. Neutrum τὸ λύγος Etym. [M. p. 571, 23] dici scribit τὸ σκότος, Tenebras: ἀπὸ τοῦ λύειν τὴν αὐγήν: sed id significat femininum potius λύγη s. λυγὴ, de quo supra. [Schol. Apoll. Rh. 1, 218: Λύγος τὸ σκότος ἀπὸ τοῦ λύγου τοῦ φυτοῦ, ὅπερ ἐστὶ πυκνὸν καὶ δασύ. Conf. id. 2, 671, 1121.]

[Λύγος, ὁ, Lygus, n. viri, Nonn. Dion. 30, 316, nisi leg. Λύκος. V. Græf.]

Λυγὸς oxytonon Hesychio est ὄργανον ἐν ᾧ τὰ κολλώμενα ἐμβάλλεται, s. στρεβλωτήριον ὄργανον, Instrumentum cui includuntur quæ glutinantur, vel Instrumentum quo in torquendo utuntur: ex prelorum genere. [|| Etym. Gud. p. 374, 44: Εὔδηλον δὲ ὡς ὀξυτονούμενον τὸ λυγὸς ὄνομα σημαίνει ποιητικῶς τὸν ὄλεθρον. Pro λοιγὸς, etsi cum λύγος componitur, formamque per υ defendere videri possint vocc. λυγρὸς et λευγαλέος.]

Λυγοτευχὴς, ὁ, ἡ, Ex vitice confectus s. fabricatus: ut λυγοτευχὴς κύρτος in Epigr. [Crinagoræ Anth. Pal. 9, 562, 1] de cavea psittaci.

Λυγόω, Flecto, Inflecto, nimirum λύγου instar, quæ omnium φυτῶν maxime flectitur, ideo dicta ἱμαντώδης. In Epigr. [Pauli Sil. Anth. Pal. 5, 217, 7]: Καὶ Δανάης ἐλύγωσεν ὁ χρυσὸς φρένα. [Antip. Sid. ib. 9, 150, 5: Πηροδέτῳ δ' ὅγ' ἱμάντι κατ' αὐχένος ἅμμα λυγώσας.] Exp. etiam Vincio, Ligo: quoniam ἡ λύγος est et flexilis et apta ad vinciendum: dicente Hom. etiam [Il. Λ, 105]: Δίδη μόσχοισι λύγοισι. [Epigr. Anth. Plan. 1, 15, 3: Αἰγοπόδης Σάτυρος διχθάδιον κατὰ κῶλον ἀλυκτοπέδῃσι λυγωθείς.]

Λυγρὸς, ἀ, ὸν, dictum putatur quasi λίαν ὑγρὸς, Nimium humidus, Præhumidus: quum potius significet Gravis, Difficilis, vel Funestus, Tristis, Exitiosus: ut quum Hom. dicit λυγρὸν γῆρας, Od. Ω, [248], et Hesiod. λυγρὴ ἔχιδνα, Theog. [301.] Rursum Il. T, [49]: Ἔτι γὰρ ἔχον ἕλκεα λυγρά. Et Od. Δ, [292]: Τά γ' ἤρκεσε λυγρὸν ὄλεθρον. [Ἀγγελίη Il. P, 647. Δαὶς, N, 286 etc. Et similiter alibi ἄλγος, ἄτη, κῆδος, νόστος, et νεῖκος Pind. Nem. 8, 25, ἔρανος Pyth. 12, 14. Theognis 793, ἔργα. Æsch. Cho. 17, πένθος. Et cum similibus nominibus ceteri Tragici aliique poetæ.] Hesiod. Ἔργ. [260] dicit etiam, Οἳ λυγρὰ νοεῦντες Ἄλλῃ παρκλίνουσι δίκας. [Hom. Il. Ω, 531: Ὧ δέ κε τῶν λυγρῶν δοίη· Od. Σ, 134: Ὅτε δὴ καὶ λυγρὰ θεοὶ μάκαρες τελέσωσι.] Itemque Theog. [313]: Ὕδρην λυγρ' εἰδυῖαν· ut et Od. Λ, [431]: Ἡ δ' ἔξοχα λυγρ' εἰδυῖα. Exp. non solum Funestus, Tristis, sed etiam Miserabilis, s. Misero conveniens: quum idem Hom. Od. P, [203] dicit, Λυγρὰ περὶ χροῒ εἵματα ἕστο. Et Π, [457]: Λυγρὰ δὲ εἵματα ἕσσε περὶ χροΐ. [De homine Il. N, 119: Οὐδ' ἂν ἔγωγε ἀνδρὶ μαχεσσαίμην, ὅστις πολέμοιο μεθείη λυγρὸς ἐών· Od. I, 454: Σὺν λυγροῖς ἑτάροισι. Æschyl. in fr. ap. Plut. Mor. p. 1057, F: Λυγροῦ γέροντος. Soph. Antig. 823: Ἤκουσα δὴ λυγροτάταν ὀλέσθαι τὰν Φρυγίαν ξέναν. In prosa Ps.-Lucian. Philopatr. c. 23: Λυγρὰν ἀγγελίαν.]

Λυγρῶς, Graviter, χαλεπῶς. [Hom. Il. E, 763: Λ. πεπληγυῖα. Grammat. Bachm. Anecd. vol. 1, p. 455, 14: Λυγρῶς, ἐλεεινῶς, ἀθλίως.]

Λυγώδης, ὁ, ἡ, Viticeus: h. e. Vitici similis, lentore nimirum et flexilitate: quamobrem et redditur Flexibilis, Lentus. [Eust. Il. p. 834, 32: Τὰ λυγώδη φυτά.]

[Λύγων, ωνος, ὁ, memoratur a Theognosto Can. p. 31, 7. Λύγωνος sine interpr. ponitur ap. Suidam.]

[Λυδαῖος. V. Λυδός.]

[Λύδδα, ης, ἡ, s. ων, τὰ, Lydda, urbs Palæstinæ, etiam Diospolis dicta, de qua v. Cellar. Geogr. ant. 3, 13, 98, Wessel. ad Itin. Hieros. p. 600. Priori forma Act. Apost. 9, 32: Τοὺς κατοικοῦντας Λύδδαν· 38: Ἐγγὺς οὔσης τῆς Λύδδης τῇ Ἰόππῃ. Inter utramque variatur ap. Josephum B. J. 2, 19, 1, ubi pro εἰς Λύδδα al. Λύδδαν, 4, 8, 1, ubi pro ἐπὶ Λύδδης al. Λύδδων, et alibi. Incerto numero Λύδδα ap. Ptolem. 5, 16.]

[Λύδειος. V. Λυδός.]

[Λύδη, ἡ, Lyde, n. mulieris, ap. Moschum 6, 2, 4, ubi forma Dor. Λύδα. Communis ap. Athen. 13, p. 597, A, et Hermesianactem ap. eum 13, p. 598, A, aliosque nonnullos Λύδην memorantes Antimachi poetæ conjugem vel amicam, qui nomine ejus inscripserat carmen, cujus fragmenta quædam supersunt. Male in libris interdum scribitur Λυδὴ, etsi Lydiam illam fuisse mulierem testatur Asclepiades Anth. Pal. 9, 63, 1. ῡ]

[Λυδηΐς. V. Λυδός.]

[Λῡδία. V. Λυδός. Λυδία, mulier Thyatirena, Act. Apost. 16, 14. Alia in Menolog. Gr. vol. 3, p. 29 ed. Albani. L Dind.]

[Λυδιάδας, α vel ου, ὁ, Lydiadas, n. viri, in numo Argivo ap. Mionnet. *Descr.* vol. 2, p. 231. Megalopolitanorum duorum ap. Polyb. 2, 44, 5 etc.; 26, 1, 8. Forma Λυδιάδης utitur Pausan. 8, 10, 6; 8, 27, 12 et 15. In libris Polybii nonnunquam per σ Λυσιάδας scribitur, ut ap. Plutarchum. V. Schweigh. ad l. pr. ῡῐᾱᾱ]

Λυδιάζω, s. Λυδίζω, Lydios imitor [Λυδίζων τὴν στολὴν, Philostr. p. 214. Jacobs.]: utrumque apud Suid. exp. τὰ τῶν Λυδῶν φρονῶ, Lydos sequor, Cum Lydis facio. [Ap. Aristoph. Eq. 523, Καὶ λυδίζων καὶ ψηνίζων dicitur de Magnete, qui fabulas Λυδοὶ et Ψῆνες inscriptas docuisset. V. intt. Hesychii v. Λυδίζων. Ex illo λυδίζων autem fluxit Suidæ s. Photii gl. Λυδιάζων, ut viderunt Bentlejus et alii. Memorant verbum Λυδίζω grammat. Crameri Anecd. vol. 2, p. 312, 20, Steph. Byz. v. Ἐορδαία.]

Λυδῐᾰκὸς, ἡ, ὸν, fit ex Λύδιος, quemadmodum Φρυγιακὸς ex Φρύγιος. Athen. 12, [p. 515, D] citat Xanthi lib. 2 Λυδιακῶν, Lydiacorum, Rerum in Lydia memorabilium. [Christodorus ἐν τοῖς Λυδιακοῖς citatur in schol. Ven. Hom. Il. B, 461. L. Dind.]

[Λυδίας, ὁ, Lydias, fl. Macedoniæ. Herodot. 7, 127: Λυδίεώ τε ποταμοῦ καὶ Ἁλιάκμονος. Eur. Bacch. 571: Λυδίαν τε τὸν εὐδαιμονίας βροτοῖς ὀλβοδόταν. Scylax p. 26: Ποταμὸς Λυδίας. Ptolem. 3, 13: Λυδίου ποτ. ἐκβολαί. Λουδίας ter ap. Strabon. epit. l. 7, p. 330. Ex Æschine p. 44, 30, ubi nunc Λυδίαν, Harpocratio cum eoque Photius et Suidas suo loco retulerunt Λοιδίας, quæ vera scriptura videtur.]

[Λυδίζω. V. Λυδιάζω.]

[Λῡδικὸς, ἡ, ὸν, Lydicus.] Λυδικὴ λίθος, pro Λυδία s. Λυδεία λίθος, Lydius lapis, ap. Hesych. [Schol. Aristoph. Pac. 1174: Διαφέρουσι γὰρ αἱ Λυδικαὶ βαφαί. Tzetz. Hist. 6, 600: Ὄρει Σιπύλῳ Λυδικῷ. Adv. 482: Τὸ δὲ Κανδαύλης Λυδικῶς τὸν σκυλοπνίκτην λέγει. L. D.]

[Λύδιος. V. Λυδός.]

[Λυδιουργὴς, ὁ, ἡ, Qui est Lydiæ fabricæ, probabiliter restituitur Hesychio in gl. Λυδείας μαχαίρας τὰς μυεργεῖς.]

Λυδιστὶ, Lydorum imitatione, Lydorum more, Lydice: ut ἡ Λυδιστὶ ἁρμονία ap. Aristot. Polit. 8 [extr.], quæ a Luciano vocatur Λύδιος ἁρμονία, ac dicitur esse βακχική. [Plat. Reip. 3, p. 388, E, Lach. p. 188, D, Plut. Mor. p. 1134, B; 1136, C, E. Cratinus ap. Athen. 14, p. 638, F: Λυδιστὶ τιλλουσῶν μέλη πονηρά. V. Bœckh. De metris Pind. p. 225. ῐ]

[Λυδίων, ωνος, ὁ, Ludio. Dionys. A. R. 2, 71: Ἐν ἁπάσαις (ταῖς πομπαῖς ταῖς τε ἐν ἱπποδρόμῳ καὶ ἐν ταῖς ἐν τοῖς θεάτροις γινομέναις παρὰ τοῖς Ῥωμαίοις) πρόσηβοι χοροὶ ... στοιχηδὸν πορεύονται· καί εἰσιν οὗτοι τῆς πομπῆς ἡγεμόνες καλούμενοι πρὸς αὐτῶν ἐπὶ τῆς παιδιᾶς τῆς ὑπὸ Λυδῶν ἐξευρῆσθαι δοκούσης Λυδίωνες κτλ. Appian. Pun. c. 66: Αὐτοῦ δ' ἡγοῦνται τοῦ στρατηγοῦ (triumphantis) ῥαβδοῦχοι ... καὶ χορὸς κιθαριστῶν τε καὶ τιτυριστῶν, ἐς μιμήματα Τυρρηνικῆς πομπῆς ... λυδοὺς αὐτοὺς καλοῦσιν, ὅτι οἶμαι Τυρρηνοὶ Λυδῶν ἄποικοι. (Hesych.: Λυδοί·

οὗτοι τὰς θέας εὑρεῖν λέγονται· ὅθεν καὶ Ῥωμαῖοι λούδους φασί.) Alios ab Lydis inventos ludos memorat Herodot. 1, 94.]

Λυδοπαθὴς, ὁ, ἡ, Obnoxius iis πάθεσι, quibus Lydi, h. e. Voluptarius, Mollis, Effeminatus; tales enim erant Lydi: nam olim quum seditiosi essent, jusserat eos Cyrus de Crœsi consilio, armis abstinere, sinuosas ferre tunicas, cithara et tibiis ludere, Baccho et Veneri operam dare: unde et Æsch. Pers. p. 127 [41]: Ἁβροδιαίτων Λυδῶν ὄχλος. Utitur autem voc. isto Λυδοπαθεῖς pro ἡδυπαθεῖς, Anacr., teste schol. Æsch. [et Athen. 15, p. 690, B, Eust. Il. p. 1144, 15]: afferente et Λυδοφοίτης, dicenteque hoc etiam nomine notari eorum τὴν τρυφήν: nam ista voce dici τὸν μυροπώλην, qui Lydiam peragrare solebant, et unguenta inde afferre quum alia, tum τὴν βάκχαριν, quæ apud eos erat nobilitata.

[Λυδὸς, ὁ, i. q. Λυδίων, quod v.]

Λυδὸς, ὁ, Lydus. [Pind. Ol. 1, 24: Λυδοῦ Πέλοπος, et alibi. Æschylus in Λυδοπαθὴς citatus et alii quivis. Fem. Soph. Tr. 70: Λυδῇ γυναικί· fr. Αἰχμ. ap. Hesych. in Ἄχνην Λυδῆς κερκίδος· Mys. ap. Athen. 4, p. 183, E, πηκτίδος. Theophr. De lap. 2, λίθος. Achilles Tat. 1, 4, γυνή. || Λυδὸς n. servile, a patria inditum, ap. Strab. 7, p. 304.] Sunt autem Lydi, populi quidam Asiæ [dicti ab Atyis filio Λυδῷ, ap. Herodot. 1, 7, 171; 7, 74, Strab. 5, p. 219. Prov., Λυδὸς ἐν μεσημβρίᾳ παίζει ἐπὶ τῶν ἀκολάστων, ὡς ταύταις ταῖς ὥραις ἀκολασταινόντων· οἱ γὰρ Λυδοὶ κωμῳδοῦνται ταῖς χερσὶν αὐτῶν πληροῦντες τὰ ἀφροδίσια. Ἡ δὲ παροιμία αὕτη ὁμοία τῇ Αἰπόλος ἐν καύματι, ἐπειδὴ ἐν ταῖς τοιαύταις ὥραις οἱ αἰπόλοι ἀκολασταίνουσιν, Suidas et parœmiographi]: quorum regio dicitur Λυδία, Lydia: sc. χώρα s. γῆ [ap. Eur. Bacch. 55, 464 et alios quosvis]: ex masc. Λύδιος, α, ον, et ὁ, ἡ, Lydius, poss. παρὰ τοὺς Λυδούς: ut Λύδιον μέλος, et Λύδιος ἁρμονία [Pind. Nem. 4, 45 et ap. Plut. Mor. p. 1136, C, Pollux 4, 65, 78], inventa et usurpata a Lydis. [Λύδιος τρόπος Ol. 14, 17. Λυδίοις αὐλοῖς Ol. 5, 19.] Sic Λύδιος λίθος, s. Λυδία λίθος, Lydius lapis: coticulæ genus in Lydia frequens, auri probatione admodum celebratum: alio nomine dictum βάσανος. [Λυδία λίθος μανύει χρυσὸν, Bacchyl. ap. Stob. Fl. vol. 1, p. 304, Soph. ap. Hesych. v. Ἡρακλεία λίθος, Pollux 7, 102. Λυδίη πέτρη Theocr. 12, 36. Omisso λίθος anon. in Crameri Anecd. vol. 3, p. 216, 10: Θεωρητέον, οἷον Λυδίᾳ τῷ λόγῳ ταυτί· alius (sec. Iriart. Codd. Matrit. p. 388, Geminus) ib. p. 223, 29: Τάχα ἡ Λυδία ἐλέγξει τὸ κίβδηλον. Const. Manass. Amat. 8, 25.] At παρὰ Λύδιον ἅρμα πεζὸς ἰχνεύων [οἰχνεύων] ap. Pind. [ap. Plut. Nic. c. 1] prov. aliter dictum volunt pro Celeriter currens, a Lydii currus velocitate. [Vel potius Longe post alterum in certamine relictus. V. parœmiogrr. in Παρὰ Λύδιον ἅρμα cum annot. intt. Nem. 8, 15: Λυδίαν μίτραν. Æsch. Suppl. 550: Λύδιά τε γύαλα. Soph. Trach. 432: Ἡ Λυδία (Omphale). Eur. Bacch. 140: Εἰς ὄρεα Φρύγια, Λύδια· 234: Λυδίας ἀπὸ χθονός. Lucian. V.H. 1, 8: Λύδιον ... φωνήν. Λύδιος Ζεὺς est in numis Sardium ap. Mionnet. *Descr.* vol. 4, p. 120, n. 677, 678. Xen. Anab. 1, 5, 6: Ἐν τῇ Λυδίᾳ ἀγορᾷ· Cyrop. 6, 2, 22: Τῶν Λυδίων ἀγαθῶν. Inepta est notatio Thomæ p. 585: Λυδίον πεδίον παροξυτόνως Ἀττικοὶ λέγουσιν, οὐχὶ Λύδιον. Λύδιον δὲ ἅρμα. Λύδιος pro Λυδὸς de homine Tzetz. Hist. 3, 432: Συλέα τὸν Λύδιον· 429: Ὀμφάλη τῇ Λυδίᾳ. Schol. Pind. Nem. 8, 24: Οἱ Λύδιοι. Anon. in Cram. Anecd. vol. 4, p. 257, 18: Λύδιοι.] Ap. Hesych. cum diphthongo Λύδειος pro Λύδιος: ut Λυδεία ἐσθὴς, Λυδεία μάχαιρα, Λύδειος νόμος. [Pro quo alii Λύδιος. Feminini gentilis formam Λυδηὶς, ίδος, Ruhnken. restituebat Hermesianacti ap. Athen. 13, p. 598, A: Λύδης δ' Ἀντίμαχος Λυσηίδος ἐκ μὲν ἔρωτος πληγεὶς κτλ., quum Lydiam fuisse constet illam Lyden, ut in Λύδη diximus.]

[Λυδοφοίτης. V. Λυδοπαθής.]

[Λύζεια. Λύξεια, πόλις Ἀκαρνανίας. Ἑκαταῖος Εὐρώπῃ, ἀπὸ Λυξέως τινός. Τὸ ἐθνικὸν Λυξεὺς καὶ Λυξαῖος, Steph. Byz., ap. quem quod contra ordinem literarum Λύξεια etc. scribitur, errore librarii factum; sed ipsius culpam videri quod Lyziam fecit ex Alyzia, animadvertit Berkel.]

Λύζω, ξω, Singultio, s. Singulto [Gl.]. Ap. Suidam A ex Epigr. [Antipatri Sid. Anth. Pal. 7, 218, 12]: Καὶ γοερὸν λύζων ἐστονάχιζεν ἔρως. Et ap. Alex. Aphrod. [Probl. 1, 48], λύζειν ὑπ' ἄρτου, Ex pane singultire. Itidem accipiendum in Aristoph. Ach. [690]: Εἶτα λύζει καὶ δακρύει· καὶ λέγει πρὸς τοὺς φίλους, Οὗ μ' ἐχρῆν σορὸν πρίασθαι, τοῦτ' ὀφλὼν ἀπέρχομαι· licet ibi schol. exp. non solum λυγμῷ συνέχεται, et ποιὰν φωνὴν τραχεῖαν ἀφίησι, sed annotet etiam, si per ζ scribatur, significare ὀλολύζει: sin sine ζ, esse ἀλύει, h. e. ἀδημονεῖ: neutrum enim istorum huc quadrat: sed prima expositio, Singultit: ut ap. Cic. legimus Multas lacrymas et fletum cum singultu. [Hippocr. p. 490, 25· Καὶ λύζει καὶ ἀναΐσσει θαμινά· 491, 41: Καὶ πεφύσηται καὶ λύζει. Aristot. Pobl. 33, 13: Οἱ φοβούμενοι καὶ οἱ ῥιγοῦντες λύζουσιν. Lucian. Peregrin. c. 6: Ἀπῆγον αὐτὸν λύζοντα. Thomas p. 585: Λύζω τὸ τῷ κοινῶς λεγομένῳ κλώζῳ κατέχομαι, ὡς Λιβάνιος (vol. 1, p. 137, 4), Οὔτε λύζων ἄνθρωπος οὔτε χρεμπτόμενος. || Formam Λύττω ponere videtur Pollux 4, 185: Βὴξ, λὺξ, βήττειν, λύττειν.]

B [Λύη. V. Λύα.]

[Λύης, εντος. Arcad. p. 23, 11: Τὰ δὲ περιττοσυλλάβως κλινόμενα βαρύνονται, λύης λύεντος, ἐπὶ τοῦ λυήεις.]

[Λυθίμνας, ὁ, Lythimnas, Persa, Æsch. Pers. 999.]

Λύθιος, Heracleotis ἠθμὸς, Colum, ut est ap. Hesych.

Λύθιραμβος, a Pindaro vocari dicitur ὁ Διόνυσος, Bacchus, propterea quod quum Jupiter eum adhuc semicrudum in femur insuisset ut maturesceret, postquam maturuit, clamare cœperit, λῦθι ῥάμμα, Solve suturam. — Διθύραμβος quasi Λυθίραμβος dictus fuit, secundum quosdam, Etym. [M. p. 274, 50], quem v. [Grammatici errorem subesse videri animadvertit Bœckh. ad fr. 14.]

[Λυθρόβαπτος, ὁ, ἡ, Cruore tinctus. Constant. Man. Amat. 9, 46: Καὶ φόνοις σφῶν λυθρόβαπτον ἀμπέχεσθαι χιτῶνα.]

Λύθρον, τὸ, Cruor: s. Pulverulentus sanguis, Pulvis sanguine et sudore permixtus. Hom. Il. Υ [503]: Λύθρῳ δὲ παλάσσετο χεῖρας ἀάπτους. Et Od. Χ [402]: Εὗρον ἔπειτ' Ὀδυσῆα μετὰ κταμένοισι νέκυσι [κταμένοις C νεκύεσσιν] Αἵματι καὶ λύθρῳ πεπαλαγμένον. [Callim. Lav. Pall. 7: Λύθρῳ πεπαλαγμένα πάντα φέροισα. Et in fr. ap. Suid. v. Ἔαρ. Hippocr. p. 1284, 40: Ἐκ μητρῴων λύθρων ἐξέθορε τοιοῦτος. Lucian. Tyrannicid. c. 17: Αἵματος καὶ λύθρου ἐμπεπλησμένον. Alciphroni Ep. 1, 8, Μιᾶναι λύθρῳ τὰς χεῖρας pro λίθῳ restituit Berglerus.] Schol. Homeri [Etym. M. p. 571, 26, Gud. p. 374, 26, et Eust. Il. p. 1309, 36, qui ex Oppiano affert,] thema constituit nomin. Λύθρος, dicens esse τὸ μετὰ κονιορτοῦ καὶ ἱδρῶτος αἷμα. [Pollux 1, 46: Ὁ λύθρος (τῆς πορφύρας). Marc. Anton. 2, 2; 3, 3. Schweigh. Photius s. Suidas: Λύθρος, φόνος· ἢ ὁ ἐκ τοῦ αἵματος μολυσμὸς συνιστάμενος δι' ἱδρῶτος καὶ κόνεως καὶ αἵματος μετὰ ἰχῶρος. Et λύθρος est in epigr. Antipatri Anth. Pal. 9, 323, 7: Σχυλά μοι ἀμφίδρυπτα καὶ ὀλλυμένων ἅδε λύθρος· et ap. Philonem Galeni vol. 13, p. 608. Sed altera forma in epigr. Anth. Plan. 112, 3: Τρῦχος, λύθρον, ἕλκος, ἀνίη. Utraque ponitur in Gl.]

[Λυθροστάλακτος, ὁ, ἡ, Cruorem stillans, Cruore madidus. Const. Manass. Chron. 1448, χεῖρες, 3630, γῆ. ἄ]

D [Λυθροφόρητος, ὁ, ἡ, Cruentus. Eust. Opusc. p. 167, 33: Εἱρκτῆς γὰρ ἔσω τοὺς ταλαιπωροῦντας σώζεις, καὶ δεσμῶν ἀνέσεις τερατουργοῦνταί σοι, καὶ λυθροφορήτους ἁρμάτων ῥοὰς ξηραίνεις. Nisi scribendum λυθροφύρτους vel potius λυθροφορύκτους, ut αἱμοφόρυκτος dicitur, quod ipsum in αἱμοφόρητος interdum est corruptum. L. D.]

[Λυθρόφυρτος, ὁ, ἡ, Cruore pollutus. Constantin. Manass. Chron. 2062, 3178, 3548, 5894, cum nominibus δόρυ, ξίφος, πεδιὰς, Ἴστρος.]

Λυθρόω, Cruento, s. Sanguine cum pulvere permisto fœdo: ex quo partic. λελυθρωμένος.

Λυθρώδης, ὁ, ἡ, Cruentus, Sanguinolentus: ut λυθρώδης [λυθρώδεις ἐνίψατο] τὰς χεῖρας in Epigr. [Antiphanis Megalop. Anth. Pal. 9, 258, 3. Sap. 11, 7: Αἵματι λυθρώδει.]

[Λύκα πηγὴ, scriptura tamen non certa, memoratur a Pausan. 6, 6, 11. Λύκα meretrix ab Timocle et Amphide ap. Athen. 13, p. 567, E, F.]

[Λυκαβαντὶς, ίδος, ἡ, Annua. V. Λυκάβας.]

Λυκάβας, ντος, ὁ, Annus. Hom. Od. Ξ, [161, Τ, 106]:

Τοῦ δ' αὐτοῦ λυκάβαντος ἐλεύσεται ἐνθάδ' Ὀδυσσεύς. [Bion 6, 15 : Ὅλῳ λυκάβαντι. Apoll. Rh. 1, 198 : Αὖθι μένων λυκάβαντα · 610 : Παροιχομένῳ λυκάβαντι. Tryphiodor. 6 : Δεκάτοιο κυλινδομένου λυκάβαντος. Aliique recentiorum poetarum.] Affertur et ex Epigr. [Philodemi Anth. Pal. 5, 13] : Ἑξήκοντα λυκάβαντος [λυκαβαντίδες] ὧραι, pro Sexaginta anni. [Accusat. sing. λυκάβαν in epigr. (ap. Bœckh. C. I. vol. 2, p. 190, n. 2169) Anth. Pal. App. 323, 8 : Τρισσὸν ὑπολλυκάβαν.] Porro dictum volunt τὸν λυκάβαντα vel παρὰ τὸ λυγαίως βαίνειν, quod anni tempus latenter et tacite prætereat, vel παρὰ τὸ λύκων δίκην βαίνειν. Serie enim quadam dies ejus cohærentes labuntur luporum more, qui feruntur, quum flumen aliquod tranant, mordicus quisque proxime præcedentis caudam tenere. [Hanc rationem sequitur Artemidor. 2, 12, p. 159.] Macrob. Saturn. 1, 17, scribit vetustissimos Græcorum annum appellasse λυκάβαντα, ἀπὸ τοῦ λύκου, A sole. Solem enim λύκον appellari, etiam Lycopolitanam Thebaidis civitatem testimonio esse. Solis autem cursu et recursu annum perfici, notum est. [Ἀπὸ ἀριθμοῦ τῶν λύκων repetit Timotheus in Crameri An. vol. 4, p. 269, 3. Arcadum voc. esse dicit grammat. in Bekk. An. p. 1095. ὑᾶἄ Eudocia in Bandini Catal. Bibl. Medic. vol. 1, p. 232, v. 306 : Ἀλλ' ὅτε λυκάβας τέλος ἔλλαβε, scripserat fortasse ὅτε δὴ potius quam peccaverat. L. Dind.]

[Λυκάβηττός (vel ut apud Arcad. p. 77, 4, Λυκαβησσός), ὁ, Lycabettus, Atticæ mons, ap. Aristoph. Ran. 1057 : Ἢν οὖν σὺ λέγῃς Λυκαβηττοὺς καὶ Παρνασῶν (Παρνήθων) ἡμῖν μεγέθη, τοῦτ' ἔστι τὸ χρηστὰ διδάσκειν; fr. Nub. ap. Phot. v. Πάρνης : Ἐς τὴν Πάρνηθ' ὀργισθεῖσαι φροῦδαι καὶ τὸν Λυκαβηττόν. Xen. OEc. 19, 6; Theophr. De sign. 1, 4; Strabo 9, p. 399; 10, p. 454. Hesych. : Εἴρηται δὲ οὕτω διὰ τὸ λύκοις πληθύειν.]

[Λυκάγχη, ἡ, i. q. κυνάγχη. Cæl. Aurel. Acut. 3, 1, 1 : « Alii cynanchen vel lycanchen hanc passionem vocaverunt, siquidem frequenter hæc animalia afficiat ... quorum quoque similes voces sive ululatus in synanchica passione constituti, quum præfocari cœperint, emittunt. »]

[Λυκαγχόνη, Theod. Prodr. Epigr. f. 69.]

[Λύκαια, ἡ, Lycæa, urbs Arcadiæ. Steph. Byz. quum ex Theopompo citasset, addit : Παρὰ δὲ Μενελάῳ Λύκαιθα μετὰ τοῦ θ. (Unde fortasse Zonar. p. 1321 : Λυκέθη, ὄνομα κύριον.) Ὁ οἰκήτωρ Λύκαιος. Pausan. 8, 27, 1.]

Λύκαια, τὰ, Lupercalia, ut ex Plut. [Mor. p. 280, C. Add. Rom. c. 21, Cæs. c. 61, Anton. c. 12] docebo in Λύκος. [Conf. Dionys. A. R. 1, 80, ubi etiam Λυκαίου s. Lupercalis, in quo sacra fierent, mentionem facit. De quo id. ib. 32, ubi de Pane Λυκαίῳ. Λυκαῖα ap. Dion. Cass. 45, 30, etc. Λυκέα ap. Zonaram p. 1321, Etym. M. p. 571, 31, utrumque vitiose.]

[Λυκαιᾶται, οἱ, Lycæatæ, et Λυκαιᾶτις, ιδος, ἡ, Lycæatis, Arcadiæ, memorantur a Paus. 8, 27, 5; 30, 1.]

[Λύκαιθος, ὁ, Lycæthus, Atheniensis, Xen. H. Gr. 6, 3, 2, ubi vulgo Λύκανθος. Λύκαιθος, pater Creontis, rex Corinthi, est ap. schol. Eur. Med. 20.]

Λύκαινα, ἡ, Lupa, ut λ. νεοτόκος, Plut. De Rom. fort. [Rom. c. 2. « Venus, Orph. H. in Ven. 11. » Wakef. Jo. Malalas p. 179, 4 : Εἰς δὲ τὴν χώραν ἐκείνην (Italiam) λυκαίνας καλοῦσιν ἕως ἄρτι τὰς χωρικὰς τὰς βοσκούσας πρόβατα, ὡς ἀεὶ τὸν βίον καὶ τὴν διαγωγὴν ἐχούσας μετὰ τῶν λύκων. V. Λοῦπα. L. Dind.]

[Λυκαίνιον, τὸ, ap. Poll. 4, 150, inter personas scenicas muliebres : Γρᾳδίον ἰσχνὸν ἢ λυκαίνιον ... Τὸ μὲν λυκαίνιον ὑπόμηκες, ῥυτίδες λεπταὶ καὶ πυκναί. N. mulieris est in epigr. Anth. Pal. 7, 298, 3 : Ἀγαθήν τε Λυκαίνιον. Alius in Longi Pastoralibus.]

Λυκαινίς, ίδος, ἡ, Parva lupa, Epigr. [N. mulieris est ap. Callim. Epigr. 57, 1, Meleagrum Anth. Pal. 5, 187, 1.]

[Λυκαινόμορφος, ὁ, ἡ, Qui lupæ figuram habet. Lycophr. 481.]

Λυκαῖος, ex Pausan. [2, 9, 7] affertur pro cognomento Apollinis, VV. LL. Ibid. [8, 2, 1. V. Hesych. in Λυκαῖον] Λυκαῖος Jupiter, a Lycaone Pelasgi filio primum cognominatus, qui Lycæa illi primus instituit. Is quum ad Lycæi Jovis aram puerum immolasset, in lupum creditur transformatus. [Pind. Ol. 9, 103 : Ζηνὸς ἀμφὶ πανάγυριν Λυκαίου · 13, 104 : Ὅσα τ' Ἀρκὰς A ἀνάσσων μαρτυρήσει Λυκαίου βωμὸς ἄναξ. Callim. Jov. 4. Herodot. 4, 203. Pausan. 8, 2, 1 : Λυκάων Λυκόσουραν πόλιν ᾤκισεν ἐν τῷ ὄρει τῷ Λυκαίῳ καὶ Δία ὠνόμασε Λυκαῖον καὶ ἀγῶνα ἔθηκε Λύκαια. Et ib. 38, 5. De Jove Lycæo id. 4, 22, 7 (et ubi Λευκαίου, 5, 5, 5); 8, 30, 2; 38, 6; 53, 11; et ubi Λυκίου vel Λυκείου, Polyb. 4, 33, 1, Strabo 8, p. 388. Ὄρος Λύκαιον memorat Simonid. Anth. Pal. 13, 19, 8, Thuc. 5, 16, 54, Strabo 4, p. 208; 8, p. 348, 388, Pausan. 4, 20, 2; 8, 2, 1; 38, 2. Eur. El. 1274 : Σὲ δ' Ἀρκάδων χρὴ πόλιν ἐπ' Ἀλφειοῦ ῥοαῖς οἰκεῖν Λυκαίου πλησίον σηκώματος. Ubi fanum intelligi videtur, de quo Plut. Mor. p. 300, A seq. || Λύκαια, τὰ, Lycæorum festum et certamen, in inscript. Spart. ap. Bœckh. vol. 1, p. 680, n. 1431, Tegeat. p. 703, n. 1515, Delphica p. 843, n. 1715, 5, marm. Pario vol. 2, p. 295, 31. Xen. Anab. 1, 2, 10 : Ἐνταῦθ' ἔμεινεν ἡμέρας τρεῖς · ἐν αἷς Ξενίας ὁ Ἀρκὰς τὰ Λύκαια ἔθυσε καὶ ἀγῶνα ἔθηκε. Pausan. l. c. De accentu Λύκαιον v. Theognost. Can. p. 127, 10, grammat. in Cram. An. vol. 2, p. 309, 30.]

B [Λυκαιος, ὁ, Lycæus, n. viri ap. Anacreont. Anth. Pal. 6, 139, 1, ubi genit. Λυκαίου. Accentus in prima ponendus videtur.]

[Λυκαΐς. V. Λυκιάς.]

[Λυκάμβης, ου, ὁ, Lycambes, Thebanus, pater Neobules, Archilocho poetæ primum desponsæ, deinde negatæ. Archiloch. ap. Hephæst. p. 129, schol. Ven. Hom. Il. A, 786, ubi est genit. Λυκάμβεος, quem Elmslejus animadvertit scrib. esse Λυκάμβεω, ut est ap. Julian. Æg. Anth. Pal. 7, 69, 5, Dioscoridem ib. 351, 1, et Λυκάμβου in lemmate ib., vocat. Λυκάμβα in l. secundo. Gramm. in Cram. An. vol. 2, p. 298, 32 : Λυκάμβης, Λυκάμβου, Λυκαμβίδης. Memorant hominem præterea Lucian. Amor. c. 3, Pseudolog. c. 2, Gætulic. Anth. Pal. 7, 71, 3. || Hinc Λυκαμβὶς, ίδος, s. Λυκαμβιάς, άδος, ἡ, filia Lycambis, in epigr. (Meleagri) Εἰς τὰς Λυκαμβίδας Anth. Pal. 7, 352, 1, et ap. Arcad. p. 29, 15, schol. Hephæst. p. 170. Ap. Julian. Ægypt. 7, 70, 4, est Λυκαμβιάδες. Λυκαμβίδαι ponit Eust. Od. p. 1684, 45.] Λυκαμβὶς ἀρχὴ, a Cratino [ἐν Νόμοις C dicitur ἡ πολεμάρχου, ut innuit Hesych. [et Phot., qui addit, ψυχρῶς, ἐπεὶ ἐπολέμησεν Ἀρχίλοχος τῷ Λυκάμβῃ.]

[Λύκαμνος, ὁ, inter hyperdisyllaba proparoxytona in νος ponit Arcadius p. 62, 25.]

[Λυκὰν, ᾶνος, ὁ, pro Λυκάων, ut videtur, positum, memorat Theognost. Can. p. 26, 25.]

[Λυκανδὸς, ἡ, Lycandus, regio Ciliciæ et Cappadociæ vicina, ap. Constant. Them. p. 13, C, Nicephorum De velit. bell. p. 157, B; 162, B.]

[Λυκάνθη, ἡ, inter nomina in θη hyperdisyllaba ponit Arcad. p. 106, 6.]

Λυκανθρωπία, ἡ, Melancholia quædam, qua qui laborant, luporum de more noctu egrediuntur, et donec illucescat, circa mortuorum corpora versantur. Sunt autem eorum notæ istæ, Facies pallida, oculi sicci et cavi, visus hebes, lingua siccissima, saliva in ore nulla, sitis immodica, tibiæ perpetuo exulceratæ, propter frequentes casus : atque ut canes mordent : ex quo arbitror morbum ipsum, etiam κυνανθρωπίαν s. κυνάνθρωπον vocatum fuisse veteribus. Is traditur mense D potissimum Februario invadere. Hæc Gorr. : a quo ponitur etiam Λυκάνθρωπος fem. gen. pro eodem morbo; sed absque auctore. Ac certe ab aliis existimatur λυκάνθρωπος dici Qui hoc morbo laborat cui nomen est λυκανθρωπία. [Aetius 6, 11 : Περὶ λυκανθρώπου ἤτοι κυνανθρώπου. Μαρκέλλου. Οἱ τῇ λεγομένῃ κυνανθρώπῳ ἤτοι λυκανθρώπῳ νόσῳ κατεχόμενοι κτλ. Pro quibus Paul Æg. 3, 16 : Περὶ λυκάονος ἢ λυκανθρώπου. Οἱ τῇ λυκανθρωπίᾳ κατεχόμενοι κτλ. Ex Aetio Suidæ in Μάρκελλος Σιδήτης pro λυκάνου restituendum esse λυκανθρώπου animadvertit Lambec. Bibl. Cæs. vol. 6, p. 342, C. Gl. : Λυκάνθρωπος, Versipellio.]

[Λυκάνικος, Lycanicus, fluvius sec. Theognostum Can. p. 60, 8.]

[Λυκάονία. V. Λυκάων.]

[Λυκαονίδης, ὁ, Lycaonides, f. Lycaonis, Theocr. 7, 126. Niceph. Blemmyd. Qualem oporteat esse regem p. 629 ed. Mai.]

[Λυκαονικός. Λυκαόνιος. Λυκαονίς. Λυκαονίτης. V. Λυκάων.]

[Λυκαονιστὶ, More Lycaonum. De dialecto Act. Apost. 14, 11 : Ἐπῆραν τὴν φωνὴν αὐτῶν λ. λέγοντες.]

[Λυκάρατος, ὁ, Lycaratus, et forma Ion. Λυκάρητος, frater Mæandrii, regis Samiorum, ap. Herodot. 3, 143 ; 5, 27.]

[Λυκάριος, ὁ, Lycarius, ephorus Spartanus, Xen. H. Gr. 2, 3, 9.]

[Λυκαρίων, ωνος, ὁ, Lycario, n. monachi in Menologio Gr. vol. 2, p. 174 ed. Albani. L. Dind.]

[Λυκαρνία, quod cum Λυκαονία ut ὀνόματα χωρῶν ponit Zonar. p. 1321, ex illo depravatum est.]

Λυκὰς, nomen canis nobilitatæ epigrammate Simonidis, Pollux [5, 47, 48. Conf. Λυκιτᾶς].

[Λυκάστειος. V. Λύκαστος.]

[Λυκάστη, ἡ, Lycaste, baccha, Nonn. Dion. 29, 263.]

[Λῠκαστίδας, α, ὁ, Lycastidas, Proclis Andrii pater. Pausan. 6, 14, 13.]

[Λυκάστιον, τὸ, Lycastium, τὸ καλούμενον, regio, ut videtur, non urbs, Cretæ Cnossiis ademta a Gortyniis et Rauciis attributa, Polyb. 23, 15, 1. Schweigh.]

[Λύκαστος, ἡ, Lycastus, urbs Cretica, a filio Minois Lycasto (ap. Diodor. 4, 60) dicta. Hom. Il. B, 647 : Ἀργινόεντα Λύκαστον. Strabo 10, p. 479. De accentu proparoxytono diserte monitum ab Eust. et schol. M, 20, sed addentibus acui ab Dionysio. || Item urbs Leucosyriæ. Schol. Apoll. Rh. 2, 999 : Νόσφιν δὲ Λυκάστιαι (Amazones) ἀμφενέμοντο. Schol. : Χωρίον τῆς Λευκοσυρίας, ἀφ' οὗ Λυκαστίας εἶπε τὰς Ἀμαζόνας. Id. ad 2, 373 : Πλησίον τοῦ Δοίαντος πεδίου εἰσὶ τρεῖς πόλεις, ἔνθα κατῴκουν αἱ Ἀμαζόνες, Λυκαστία, Θεμίσκυρα καὶ Χαλυβία. Steph. Byz. in Χαδισία : Μένιππος δὲ Χαδίσιον κώμην καὶ ποταμὸν ἐν Περίπλῳ τῶν δύο πόντων φησίν· Ἀπὸ τοῦ Λυκάστου εἰς κώμην καὶ ποταμὸν Χαδίσιον στάδια ρν'. || Fluvium Λύκαστον illius regionis memorant Marcianus p. 131 ed. Miller. (74 Huds.), et cum urbe Scylax p. 33. Λύκαιστος, quod ponit Theognost. Can. p. 22, 5, ex Λύκαστος corruptum videtur. || Adj. Λυκάστειος, ap. anon. Anth. Plan. 253, 2 : Ποῦ δὲ Λυκαστείων ἐνδρομὶς ἀρβυλίδων.]

[Λῠκαυγὴς, ὁ, ἡ.] Λυκαυγὲς, τὸ, Crepusculum matutinum, Bud. ex Luciano p. 154 [Ver. H. 2, 12] : Οὐδ' ἡμέρα πάνυ λαμπρὰ, ἀλλὰ καθάπερ τὸ λ. ἤδη πρὸς ἕω. [Philops. c. 14 : Περὶ αὐτό που σχεδὸν τὸ λυκαυγές· Gall. c. 33 : Ἀμφὶ τὸ λυκαυγὲς αὐτό. Plut. Mor. p. 931, F : Κρᾶσιν οἵαν τὸ λυκαυγὲς τῷ ἀέρι παρέσχεν· 941, D : Σκότος ἔχουσαν (νύκτα) ἐλαφρὸν καὶ λυκαυγὲς ἀπὸ δυσμῶν περιλαμπόμενον. Pollux 1, 70. Thomas M. p. 656 : Ὁ πρὸ τοῦ λυκαυγοῦς καιρός.]

Λύκαψος, herbæ nomen, de qua in Λύκοψις. [|| Κώμη πλησίον Λυδίας. Εὐφορίων Διονύσῳ. Τὸ ἐθνικὸν Λυκάψιος, ὡς Αἰδήψιος, Γαλήψιος, Steph. Byz.]

Λυκάων, ονος, ὁ, Morbus qui supra λυκανθρωπία [quod v.] vocatus fuit. [Eust. l. c.] || Nomen proprium quum aliorum, tum ejus a quo Lycaonia vocata fuit, Eust. [ad Il. Φ, 35. Pandari pater, ap. Hom. Il. B, 826, etc. Filius Priami, Γ, 333, etc., Apollod. 3, 12, 5, 13, Hesiod. ap. Strab. 5, p. 221. V. Heyn. ad Apollod. 3, 8, 1. Filius Martis ap. Eur. Alc. 505. Alios duos memorat Dionys. A. R. 1, 11. || Lycaonia dicta olim Arcadia sec. Dionys. A. R. 2, 1 : Τὸ τῶν Οἰνώτρων γένος Ἀρκαδικὸν ἦν, ἐκ τῆς τότε μὲν καλουμένης Λυκαονίας, νῦν δὲ Ἀρκαδίας. Idem de OEnotris 1, 12 : Λυκάονος παραλαβόντος τὴν ἀρχὴν ἀπ' ἐκείνου αὖθις Λυκάονες ὠνομάσθησαν. || Lycaonia Asiæ minoris memoratur ap. Xenoph. Anab. 1, 2, 19 ; 7, 8, 25, Polybium, Strabonem et alios. Addit autem Steph. Byz. : Τὸ ἐθνικὸν Λυκαόνιος καὶ Λυκάων, ὁμοφώνως τῷ οἰκιστῇ, καὶ Λυκὰν ὡς Μεγιστάν. Λυκάονες sunt ap. Xen. Cyrop. 6, 2, 10, Anab. 3, 2, 23, et geographos. Λυκαονεὺς ἀνὴρ ponit Herodian. Epim. p. 80. || Λυκαόνιος, α, ον, Callim. Jov. 41 : Λυκαονίης ἄρκτοιο, ubi tamen dicitur de filia Lycaonis. Λυκαονικὸς, ἡ, ὸν, Lycaonicus, ap. Strab. 12, p. 537. Apud Arcad. p. 32, 24, quod ponitur Λυκαωνὶς, Ἀμαζωνὶς, scribendum videtur Λυκαονὶς, Ἀμαζονίς. Forma Λυκαονίτης, ὁ, est in Eclogis hist. ap. Cramer. An. Paris. vol. 2, p. 203, 5. L. Dindorf.]

[Λῠκέᾱς, ὁ, Lyceas, n. viri in inscr. Att. ap. Bœckh. vol. 1, n. 169, p. 298, 42. Poetæ ap. Pausan. 1, 13, 8, 9, etc. Ægyptiacorum scriptoris ap. Athen. 13, p. 560, E.]

Λυκέη, ἡ, subaud. δορὰ, Lupina pellis, ut dicitur κυνέη, λεοντέη. [Hesych. Eust. Opusc. p. 177, 48, Il. p. 374, 40. Λυκέα scriptum ap. Herodian. Philet. p. 445, λυκῆ ap. Poll. 5, 16, Appian. Hispan. c. 48, λυκεία ap. Polyb. in Λύκειος citandum.] Λυκείη pro eod., Eust. [Il. l. c.]

Λύκειον, τὸ, Gymnasii cujusdam Attici nomen, cujus passim fit mentio : de quo et Suid. [Pausan. 1, 29, 16, et al. in Λύκειος citati. Memorant Aristoph. Pac. 355, Xen. quum alibi tum H. Gr. 1, 1, 33 ; 2, 4, 27. Λέγεται καὶ Λυκήιον, Steph. Byz. || Argivum quoddam Λύκειον, memorari videtur in inscr. Argiva ap. Bœckh. vol. 1, p. 577, n. 1119, 8. De qua conf. Leak. *Travels in the Morea* vol. 2, p. 403, et quæ de ἀγορᾷ Λυκείῳ dicentur in Λύκειος. De accentu Attico proparoxytono v. Theognost. Can. p. 127, 28. || Ab Attico Lyceo Λύκειοι Περιπατητικοὶ dicti Aristotelici philosophi, sec. schol. Aristot. p. 24, 9 ed. Berol.]

[Λύκειον. V. Λύγειος, Λύκιον.]

[Λυκεῖος, α, ον.] Λυκεῖον, Hesychio φοβερὸν, Terribile. [Ex l. Æsch. Sept. 146, in Λύκειος.] Suidæ autem Λυκεῖον est τὸ τοῦ λύκου δέρμα. Item Λυκεῖον ποτὸν ap. eum pariter et Hesych. [De quo v. in Λύκειος. In Gl. quod est Λυκεῖον, Lupercal, scribendum Λύκαιον.]

Λύκειος, α, ον [et ὁ, ἡ], Lupinus. [African. Cest. c. 16, p. 294, B, 4 : Κρέως λυκείου. Λύκιος male Alex. Trall. 9, p. 165.] Et λυκεία, ex Polyb. [6, 22, 3], pro λυκέη, Lupina pellis. [Suidas : Λυκείην, τὸ τοῦ λύκου δέρμα. Eur. Rhes. 208 : Λύκειον ἀμφὶ νῶτον ἅψομαι δοράν. Geopon. 2, 19, 5 : Λυκείου δέρματος. Forma Dor. Λύκηος ap. Etym. M. p. 32, 8. Quod Laconicum dicit Theognost. Can. p. 51, 20. Alcmanis exemplo confirmavit Bast. ad Greg. p. 187.] Item Λύκειος, cognomentum Apollinis, ex eo lupo de quo in Λυκηγενὴς dicetur; aut generalius, quod ei lupus sit dicatus. [Æschylus Sept. 146 : Καὶ σὺ, Λύκει' ἄναξ, Λύκειος γενοῦ στρατῷ δαΐῳ· 1257 : Ὀτοτοῖ, Λύκει' Ἄπολλον· Suppl. 685 : Εὐμενὴς δ' ὁ Λύκειος ἔστω πάσᾳ νεολαίᾳ. Soph. El. 645, OEd. T. 203 : Λύκει' ἄναξ· 919, El. 655, 1379 : Λύκει' Ἄπολλον. Epigr. Anth. Pal. 7, 10, 5 : Σὺν εὐφόρμιγγι Λυκείῳ. Callimachus ap. schol. ad OEd. T. 919 : Ἐγὼ δ' ἤντησα Λυκείου ... κατὰ δρόμον Ἀπόλλωνος, de Lyceo Atheniensium. Steph. Byz. in Λύκαια : Καὶ Λύκειον τὸ γυμνάσιον καὶ Λύκειος ὁ Ἀπόλλων, ubi al. libri Λύκαιος. Porphyrius De abst. 3, 17, p. 253 : Ὅθεν (ab animalibus quæ nutriverunt) καὶ θεοῖς ἐπωνυμίαι, ... Ἀπόλλωνι λύκειος. Schol. Aristoph. Av. 368 : Τὸν Ἀπόλλωνα λύκειον καὶ λυκοκτόνον φασί. Schol. OEd. T. 203 : Λύκειόν φασι τὸν Ἀπ. ἢ διὰ τὸ ἐν τῇ Λυκίᾳ τῇ πόλει τιμᾶσθαι αὐτὸν ἢ διὰ τὸ ἀνατίθεσθαι αὐτῷ λύκον ὡς ἱερὸν ἢ διὰ τὸ λύκους ἀνελεῖν, ἢ ὅ γε κρεῖττόν ἐστι, διὰ τὸ λυκόφως ποιεῖν τῆς νυκτὸς ἀποχωρησάσης. Quam postremam rationem probavit Blomfield. in Gloss. ad Æsch. Sept. 133, recteque animadvertit formam Λύκειος restituendam esse Pausaniæ 1, 19, 4 : Λύκειον ἀπὸ μὲν Λύκου τοῦ Πανδίονος ἔχει τὸ ὄνομα, Ἀπόλλωνος δὲ ἱερὸν ἐξ ἀρχῆς τε εὐθὺς καὶ καθ' ἡμᾶς ἐνομίζετο, Λύκιός τε ὁ θεὸς ἐνταῦθα ὠνομάσθη πρῶτον· et 2, 19, 3 : Δαναὸς ἱδρύσατο Λύκιον Ἀπόλλωνα ἐπ' αἰτίᾳ τοιαύτῃ (quam pluribus exponit additque :) ἐπεὶ δὲ τὸν ταῦρον κατειργάσατο ὁ λύκος, διὰ τοῦτο ὁ Δαναὸς ἔσχε τὴν ἀρχήν. Οὕτω δὴ νομίζων Ἀπόλλωνα ... ἐπαγαγεῖν τὸν λύκον, ἱδρύσατο Ἀπόλλωνος ἱερὸν Λυκίου. Nec 2, 9, 7, ubi Ἀπόλλωνος ἱερὸν Λυκίου item a lupis dicti memoratur librique variant inter hoc et Λυκαίου, aut 8, 40, 9, ubi Argivi Ἀπόλλωνος τοῦ Λυκίου mentio fit, relinquendum est Λύκιος, quod diversæ est originis et alienum ab his regionibus dei epitheton.] Sed vocatur et Λύκιος, quod habes ap. Pausan. et Eust. [Il. p. 354, 16 : Λέγει δὲ καὶ Ἀρριανὸς οὕτω· Ζέλεια ἡ καὶ Λυκία, καὶ ὁ Ἀπόλλων ἐπὶ τῇδε τῇ Λυκίᾳ Λύκιος. Pind. Pyth. 1, 39 : Λύκιε καὶ Δάλου ἀνάσσων. Eur. fr. Telephi ap. Aristoph. Eq. 1240 : Ὦ Φοῖβ' Ἄπολλον Λύκιε, τί ποτέ μ' ἐργάσει ; Quibus locis conferendus Rhesi v. 224 : Θυμβραῖε καὶ Δάλιε καὶ Λυκίας ναὸν ἐμβατεύων, Ἄπολλον, et Diodor. 5, 56 : Λύκον δ' ἐκ τούτων παραγενόμενον εἰς τὴν Λυκίαν Ἀπόλλωνος Λυκίου ἱερὸν ἱδρύσασθαι παρὰ τὸν Ξάνθον ποταμόν· 77 : Τὸν Ἀπόλλωνα πλεῖστον χρόνον φανῆναι περὶ Δῆλον καὶ Λυκίαν καὶ Δελφούς ... διόπερ ἀπὸ τῶν τόπων ... Δήλιον καὶ Λύκιον καὶ Πύθιον ὀνομάζεσθαι. De Pausaniæ locis paullo ante dictum.] Item Λύκειος ἀγορὰ, dicta Argis, cujus meminit Soph. initio Electræ, ubi effigies lupi collocata erat in honorem Apollinis, Eust. [Il. p. 354, 18, ubi addit, ἐν ᾗ φασι Λύκιος Ἀπόλλων ἵδρυται. Quod Λύκειος rectius scriptum ap. ipsum p. 449, 1 : Λύκειος ἀπ' αὐτοῦ (τοῦ λύκου) ἐκαλεῖτο αὐτός τε ὁ Ἀπόλλων καὶ ἀγορὰ δέ τις ἐν τῷ Ἄργει. || Λύκιον ποτὸν restituendum conjecit Brunckius Soph. Phil. 1461 : Νῦν δ' ὦ κρῆναι γλύκιόν τε ποτὸν λείπομεν ὑμᾶς λείπομεν ἤδη. Ubi liber unus γλυκίον, ει posito super ι, alius γ punctis notatum habet, scholiasta autem scribit : Ἡ οὕτω καλουμένη κρήνη ἐν Λήμνῳ Λυκίου Ἀπόλλωνος· ἢ οἷον ἐν ἐρημίᾳ ὑπὸ λύκων πινόμενον. Pro quo Hesych. et parœmiographi : Λυκεῖον ποτὸν ἀπὸ κρήνης τῆς ὑπὸ Ἀπόλλωνος εὑρεθείσης (ἢ) ὑπὸ λύκων πινομένης ἀπὸ οἴνου καὶ μέλιτος. Γλύκιος, quod in Γλύκιος alia, ut videtur, signif. ab Aristotele positum notavi, habet Theodor. Stud. p. 179, B : Λύπη δ' οὖν ἡμῖν ἐστι μεγάλη καὶ διὰ τοὺς λοιποὺς γλυκίους ἀδελφοὺς ἡμῶν. Quod ib. D dicit : Τὸν γλυκὺν ἡμῶν ἀδελφόν. Itaque eidem p. 604, κθ', 5 : Μετεκλάβοντε τῶν ἐμῶν ξενισμάτων ἄρτου ποθητοῦ τοῦ τρέφοντος καρδίαν, ποτοῦ γλυκείου, τοῦ ῥέοντος ἀφθόνως, restituendum videtur γλυκίου, idemque servari poterit Chron. Pasch. p. 281, 12, ubi alii γλυκέων vel γλυκείων· nisi quis ipsam diphthongum præferendam putet. Conferendum etiam subst. Γλύκιον, de quo alibi dicemus. L. Dind.]

[Λύκειος, α, ον, Obscurus. V. Λύγειος.]

[Λύκετα, ων, τὰ, ut videtur, locus Pergamo vicinus ap. Galen. vol. 6, p. 177 : Πηγὴ φαρμακώδους ὕδατος, ὥσπερ παρ' ἡμῖν ἐν Λυκέτοις.]

Λύκη, ἡ, Lux prima, quæ præcedit solis ortum, ap. priscos Græcos, quæ postea λυκόφως dicta fuit. Unde putat Macrobius λύκους esse dictos, quod hæ feræ antelucanum tempus ad rapienda pecora, post famem nocturnam maxime observent. At ego crediderim potius a λύκος derivatum esse hoc λύκη, et quidem ea ipsa ratione, ut sc. λύκη vocatum sit Id tempus quo prædatum exeunt lupi, ut ita loquar ποιητικώτερον. [In Ind. :] Λὺξ, Hesychio est λύτρον : si tamen ita scripsit. In VV. LL. exp. Lux : sed sine ulla auctoritate. Scio equidem legi ap. Macrob. Saturn. 1, 17 : Romani, ut pleraque alia ex Græco, ita et lucem videntur a lyce figurasse. Et mox, Ipsos quoque λύκους, a lyce, a luce, prima, appellatos quidam putant, quia hi fere maxime id tempus aptum rapiendo pecori observant, quod antelucanum post nocturnam famem ad pastum stabulis expellitur. Sed his se auctoritatibus tueri nequeunt : nam ablat. lyce ibi esse a nominat. non λὺξ, sed λύκη, vel ex ipso patet Macrobio, qui ibid., Prisci, inquit, Græcorum primam lucem, quæ præcedit solis exortus, λύκην appellarunt, ἀπὸ τοῦ λύκου, i. e. Temporis : hodieque λυκόφως cognominatur. Sic mox Apollinem ab Homero λυκηγενέα dici scribit ὡς γεννῶντα τὴν λύκην, utpote qui generet exortu suo lucem. [ῠ]

[Λύκη, ἡ, Lyce, n. pr. ponit Arcad. p. 106, 18.]

Λυκῆ, ut λεοντῆ, pro λυκέη. [Quod v.]

Λῠκηγενὴς, ὁ, dictus Apollo, quod dum nasceretur, matri ejus lupus apparuerit. [Hom. Il. Δ, 101, 119.] Sed afferuntur et aliæ hujus appellationis rationes. V. Hesych., Eust. V. item in Λύκη. [Λυκογενὴς ad l. illum respiciens ponit schol. Hom. Il. Π, 233.]

Λῠκηδὸν, q. d. Lupine, i. e Luporum more, Eust. [et schol. ad Hom. Il. N, 198 : Αἰσχύλος μιμησάμενος ἔφη που (περὶ Γλαύκου addit schol.)· Εἷλκον ἄνω λυκηδὸν, ὥστε διπλόοι λύκοι νεβρὸν φέρουσιν ἀμφὶ μασχάλαις.]

Λυκηθμὸς, ὁ, Luporum ululatus, ἡ τῶν λύκων βοὴ Suidæ.

[Λυκήιον. V. Λύκειον.]

[Λυκήλατος.] Λυκηλάτους, Hesychio τὰς ἐγχέλεις, Anguillas.

[Λύκηος. V. Λύκειος.]

[Λύκης, ὁ, Lyces, n. viri ap. Marcellinum Vitæ Thucyd. initio.]

[Λῠκία, ἡ, Lycia, regio Asiæ, duplex ap. Homerum, majoris et minoris cognomine distincta a grammaticis. V. Heyn. ad Il. B, 824, E, 172. Lyciam vulgo dictam ab Lyco Pandionis filio ita vocatam sec. Herodot. 1, 173; 7, 92, quum Termilæ olim dicerentur incolæ, memorant præterea Pind. Ol. 13, 58, Eur. Alc.
A 112, Thuc. 8, 41, describitque Strabo 14, p. 664. Hinc adv. Λυκίαθεν, et Ion. Λυκίηθεν, Ex Lycia, Hom. Il. E, 105, Apoll. Rh. 2, 674. Et Λυκίηνδε, In Lyciam, Il. Z, 168, 171. Et gent. Λύκιος, α, ον, Lycius. Hom. Il. B, 876 : Σαρπηδὼν δ' ἦρχεν Λυκίων, etc. Pind. Pyth. 3, 112 : Λύκιον Σαρπηδόνα· Nem. 3, 57 : Ἀλαλὰν Λυκίων, etc. Adjective Soph. OEd. T. 208 : Λύκι' ὄρεα διάσσει. Et possessivum Λυκιακὸς, ή, όν, ap. Athen. 8, p. 333, D : Πολύχαρμος ἐν δευτέρῳ Λυκιακῶν. Lucian. Navig. c. 8 : Τῆς Λυκιακῆς θαλάττης. Strabo 14, p. 665 : Τοῦ Λυκιακοῦ συστήματος. Alciphr. Ep. 1, 10.]

[Λυκιανων inscriptos numos Eckhel. D. N. vol. 1, p. 151 referebat ad Lucanos Italiæ.]

[Λυκιάρχης, ὁ, Lyciarcha. Strabo 14, p. 665 : Ἐν δὲ τῷ συνεδρίῳ (τοῦ Λυκιακοῦ συστήματος) πρῶτον Λυκιάρχης αἱρεῖται. Ἀσιάρχης, Βιθυνάρχης, Λυκιάρχης dicuntur ii qui in Asia, Bithynia, Lycia sacris ludis præficiebantur. Montefalc. Palæogr. p. 161 a Kallio cit. V. Wesseling. De Jud. archont. p. 75.]

[Λυκιὰς, άδος, ἡ, unde Λυκιάδες κόραι, τὸν ἀριθμὸν
B τριάκοντα αἱ τὸ ὕδωρ κομίζουσαι εἰς τὸ Λύκειον, Hesychius, cujus gl. in fine additur Λακεδαιμόνιοι, quod ad sequentem retulerunt interpretes. || Steph. Byz. v. Μεγάλη πόλις : Ἔστι καὶ Μεγάλη νῆσος, ἡ νῦν Λυκιάς. Suspectum fuit Berkelio.]

[Λυκίδας, α, ου, ὁ, Lycidas, n. viri in inscr. Opuntia ap. Bœckh. vol. 1, p. 857, n. 1756, 7, 8, ubi etiam genit. Λυκίδα. Λυκίδ. in Ephesia ib. vol. 2, p. 601, n. 2955, 8. Alii ap. Theocr. 7, 13 sq.; 27, 41, Bionem 4, 10; 15, 1, 5, Demosth. p. 497, 7, 15; 1251, 4. Forma Λυκίδης ap. Herodotum 9, 5. ῠῑᾰ]

[Λυκιδεος ex numo Chio apud Sestinium repetiit Mionnet. *Suppl.* vol. 6, p. 389, vix recte lectum.]

Λῠκῐδεὺς, έως, ὁ, Lupi catulus. Theocr. 5, [38] : Θρέψαι καὶ λυκιδεῖς, θρέψαι κύνας, ὡς τύ φάγωντι, ubi schol. dictum proverbiale esse tradit. [Plut. Mor. p. 462, E : Λυκιδεῖς καὶ σκύμνους λεόντων. Pollux 5, 15. Philemonis in Lex. technol. s. 100 errorem λυκίδης ponentis notavit Valcken. ad Adon. p. 402, B.]

[Λύκινος, Lupinus, Gl.]

C [Λῠκῖνος, ὁ, Lycinus, pater Amphithei ap. Aristoph. Ach. 50. Aliorum mentio fit in inscrr. Att. ap. Bœckh. vol. 1, p. 298, n. 169, 1; 302, n. 171, 16; 528, n. 896, et ubi Λυκεῖνος p. 627, n. 1255, 1, ap. Demosth. p. 1223, 2, Æschin. p. 30, 3; 62, 28, Pausan. 6, 2, 1 etc.]

[Λυκιοεργής. V. Λυκιουργής.]

Λύκιον, τὸ, Lycium : spinosa arbor, alio nomine πυξάκανθα dicta : ex ea medicamentum fit ejusdem nominis : appellatione ex eo imposita, quod ut plurimum in Lycia proveniat. Alioqui et Indicum Lycium est ex frutice, qui Lonchitis appellatur. Diosc. 1, 133· Plin. 34, 14 : Lycium præstantius ex spina fieri tradunt, quam et pyxacanthon Chironiam vocant. Ibid. de rhamno sylvestri dixerat : Hujus radice decocta in aqua, fit medicamentum, quod vocatur Lycium. V. ibid. et de Indico Lycio. [Galen. vol. 13, p. 204, 966. L. D. Celsus 5, 26, 30; 6, 7. Schneid.] || Adhæc Λύκιον Thessalici loci nomen est ex eo, quod lupus ibi Pelei boves invadens, in saxum est conver-
D sus. Etym. [M. et Gud., quorum tamen hoc Λύκειον scribit, additque γράφεται δὲ διὰ τῆς ει διφθόγγου, ut alia quæ deinceps recenset. Idem præcipit Zonar. p. 1323. Conf. etiam cod. Havn. ap. Bloch. ad l. Etym.]

[Λύκιος, κολοιοῦ εἶδος, Hesychio. V. Λύκος.]

[Λύκιος. V. Λύκειος, Λυκία.]

[Λύκιος, ὁ, Lycius, n. viri. Inscr. Att. ap. Bœckh. vol. 1, p. 528, n. 896 : Λυκῖνος Λυκίου Σικυώνιος. Atticus ap. Xen. Anab. 3, 3, 20. Syracusanus 1, 10, 14. Statuarius ap. Pausan. 1, 23, 7; 5, 22, 3. V. etiam Λυκιουργὴς, et Heyn. ad Apollod. 2, 7, 8, 7, ubi Herculis et Lysippes, 3, 8, 1, 3, ubi Lycaonis f. Λύκιος memorantur. L. Dind.]

Λυκιουργὴς, έος, ὁ, ἡ, Confectus in Lycia : s. Lycio artificio elaboratus : ut Λυκιουργεῖς φιάλαι ap. Athen. [11, p. 486, C, et Polluc. 6, 97, Ps.-Demosth. p. 1193, 11], quas tamen nonnulli volunt esse a Lycio s. Lycone quodam confectas, minus recte, ut ipse Athen. ibid. docet. Ibid. ex Herodoto 7, p. 259 meæ ed. [c.

16], προβόλους δυο Λυκιεργέας, Ion. pro Λυκιουργεῖς: ubi scriptum λυκοεργέας, ut in Ald. etiam: ego utrobique malim Λυκιοεργέας, ut sane ibid. memorantur τόξα Λύκια. Rursum ap. Athen. paulo ante ista quæ modo attuli verba, ex ejusdem Herodoti l. 7, Προβόλους δύο λυκιουργήσας ἡμιεργέας· sed perperam, ut arbitror, illo λυκιοεργέας diviso in λυκιουργήσας ἡμιεργέας: quum sensum etiam verba ea reddant parum commodum. Dicuntur autem iis verbis significari ἀκόντια πρὸς λύκων θήραν ἐπιτήδεια ἐν Λυκίᾳ εἰργασμένα. [V. Λυκοέριον. Alia corruptela in Lex. rhet. Bekk. An. p. 277, 5: Λυκουργείους, εἶδος φιαλῶν, κληθεισῶν ἀπὸ Λυκούργου τινὸς πρώτου πεποιηκότος.]

Λυκὶς, ἴδος, ἡ, affertur ex Plut. pro Lupa [Solonis c. 23, sed leg. λυκιδέα pro λυκίδα secundum Wessel. ad Petiti Legg. Att. p. 491. Angl.]

[Λύκις, ὁ, Lycis, poeta comicus vilis ap. Aristoph. Ran. 14. Quem etiam Λύκον dici annotant Suidas s. schol.]

[Λυκίσκος, ὁ, Lyciscus, n. viri, cujus exx. sunt et in numis Epiri, Leucadis Acarnaniæ, Dyrrhachii et in inscrr. ap. Bœckh. vol. 1, p. 363, n. 252, 1; vol. 2, p. 6, n. 1802; p. 18, n. 1842, 3; p. 35, n. 1905, ap. Xen. H. Gr. 1, 7, 13, Demosth. p. 1330, 24, Polyb. 9, 32 seqq., Diodor. 19, 36, 67, 88; 20, 33, Pausan. 4, 9, 4, et alibi. Pro quo Λυκιχου scriptum videtur in numo Æzanitarum Phrygiæ ap. Mionnet. *Descr.* vol. 4, p. 215, n. 129.]

Λυκίσκος, ὁ, Hesychio Trochlea quæ non habet ὀνίσκον, Suculam, [al. ἀξονίσκον,] sed tantum τρῆμα, Foramen: vel ἄνοδος δώματος.

[Λυκιτᾶς, ὁ, Lycitas, nomen canis ap. Æschylum sec. Pollucem 5, 47. Libri Λυκιτάς. Conf. Λυκάς.]

[Λυκκειος, ὁ, Lycceus, n. viri in numo Alexandriæ Troadis ap. Eckhel. D. N. vol. 2, p. 479, ubi ΛΥΚΚΕΙΟΣ.]

[Λυκκίδης, ὁ, Lyccides, n. gentile in inscr. Teja ap. Bœckh. vol. 2, p. 648, p. 3064, 19.]

[Λῠκόα, ἡ, Lycoa, πόλις Ἀρκαδίας. Παυσανίας ὀγδόῃ (præter locos quosdam incertæ scripturæ, 36, 7: Τοῦ δὲ ὄρους ὑπὸ τοῖς καταλήγουσι πόλεως σημεῖα Λυκόας καὶ Ἀρτέμιδος ἱερὸν, καὶ ἄγαλμά ἐστι χαλκοῦν Λυκοάτιδος). Τὸ ἐθνικὸν Λυκοάτης, καὶ θηλυκῶς διὰ τοῦ ι, Steph. Byz. Polyb. 16, 17, 5.]

Λυκοβατίας, Sylva, in qua lupi morantur, Hesych. [inter Λυκαιχλίας et Λυκαμβίς. Improbabilis Sehneideri conj. Λυκαβήττιος.]

Λυκόβρωτος ὁ, ἡ, A lupo mansus, rosus, morsus. Plut. [Mor. p. 642, B]: Διὰ τί τὰ λυκόβρωτα τῶν προβάτων γλυκύτερον κρέας ἴσχει. V. Λυκόω. [Aristot. H. A. 8, 11: Τῶν λ. προβάτων. Geopon. 15, 1, 5. Hesych. in Λυκαιχλίας.]

[Λυκογενής. V. Λυκηγενής.]

[Λυκοδίωκτος, ὁ, ἡ, A lupo s. lupis agitatus. Æsch. Suppl. 351: Λυκοδίωκτον ὡς δάμαλιν ἂμ πέτραις ἠλιβάτοις.]

[Λυκοδόρκας, ὁ, Lycodorcas, n. viri in inscr. Att. ap. Bœckh. vol. 1, p. 295, n. 166, 11.]

[Λυκόδους, οντος, ὁ.] Λυκόδοντες, Canini dentes, qui bini sunt, sicut τομεῖς, Quaterni, dicti et κυνόδοντες, Cam. ex Galeno [De usu partt. 11, 1].

Λυκοειδὴς, ὁ, ἡ, Lupi speciem referens, ut λυκοειδῆ ζῶα, Eust.; Lupi colorem referens, Hesych. [Λυκοειδὲς, τὸ πρὸς τὴν ἕω. Λυκοειδέος ἀοῦς, τοῦ λυκόφωτος. Λυκοειδὴς, διάλευκος.]

Λυκοεργὴς, ὁ, ἡ, ut πρόβολοι, Veruta ad lupos conficiendos, VV. LL. ex Herodoto [7, 76, pro Λυκιοεργέας, quod v. in Λυκιουργής.]

[Λυκοέριον.] Ap. Hesych. et Λυκοέρια, ἐκ λυκείου δέρματος πεπονημένα: sed suspectum. [Λυκοεργέα Scaliger.]

[Λυκόζεια, πόλις Θρᾴκης. Τὸ ἐθνικὸν Λυκόζειοι, ὡς Πείσανδρος τεσσαρεσκαιδεκάτῃ, Steph. Byz. Λυκόζειοι, ἔθνος, ponit etiam Zonar. p. 1321.]

Λυκοθαρσὴς, ὁ, ἡ, Lupi more audax, Lupina quadam audacia præditus; ex Epigr. [Myrini Anth. Pal. 7, 703, 5] pro Magnanimus. [V. Λυκοθρασής.]

[Λυκοθήρας, ὁ, Luparius, Gl.]

[Λυκοθόας n. pr. ponit Chœroboscus in Bekk. An. p. 1185, pro quo ib. Λευκοθόας etiam scribitur.]

Λυκοθρασὴς, ὁ, ἡ, Hesychio, si mendo carent exempll., i. q. θρασύς. [Pro λυκοθαρσής, quod v.]

[Λυκοχαρὶς, θερμὸν ἀπ' ἀλφίτου πιεῖν, Hesychii gl. corrupta.]

[Λῠκοκρᾶνῖται, οἱ, Pisidiæ populi, quorum meminit Justinianus in Nov. 24, c. 1, ut et Procop. l. 3 Gotth. et Theophanes a. 2 ejusd. Justiniani, sic appellati quod circa montem habitarent, qui Λύκου κράνα vocabatur. Ducang. Ap. Procop. p. 530, B, recte cod. κράνος. Conf. Jo. Malalas p. 445, 12.]

Λυκοκτονέω, Lupum s. Lupos interficio: de qua re lata lex erat, schol. Aristoph. Av. [368] et Eust.

Λυκοκτόνον, τὸ, Aconitum, quod lupos, qui ipsum forte devorarint, interficiat. [Galen. vol. 13, p. 158.]

Λυκοκτόνος, ὁ, ἡ, Luporum interfector. Sed peculiariter est Apollinis epith.; cui etiam immolabantur lupi. Sic λ. θεὸς, Soph. [El. 6], pro Apolline. V. Hesych. [Plut. Mor. p. 966, A.]

[Λυκόλᾱς, α, ὁ, Lycolas, puer formosus, ap. Athen. 13, p. 605, B.]

[Λυκολέων, οντος, ὁ, Lycoleon, orator, ap. Aristot. Rhet. 3, 10.]

[Λυκομηδείδης, ὁ, Lycomedides, patron. a Λυκομήδης, ap. Priscian. 2, 7, 37.]

[Λυκομήδειος, ὁ, Lycomedeus, persona comica, ap. Polluc. 4, 143, 144. Patron. a Λυκομήδης, ap. Antipatrum Anth. Pal. 6, 276, 6: Τῇ Λυκομηδείῳ παιδὶ, ubi cod. Pal. Λυκομηδείου.]

[Λῠκομήδης, ους, ὁ, Lycomedes, Græcus, f. Creontis, Hom. Il. I, 84 etc. Deidamiæ pater, Neoptolemi avus, Soph. Phil. 243, Apollod. 3, 13, 8, 2. Unde patron. fem. Λυκομηδίδες, de ejus filiabus, ap. Bionem 15, 8, 15. Alii ap. Herodotum, Thucydidem, Xenophontem, Diodorum, Pausaniam et alios.]

[Λυκομήδους λίμνη Marmaricæ ap. Ptolem. 4, 5.]

[Λῠκομίδαι, οἱ, Lycomidæ, γένος ἰθαγενῶν sec. Hesychium. Gentem sacerdotalem fuisse constat ex Pausan. 1, 22, 7; 4, 1, 5, etc., cujus libri variant inter scripturam per η et ι, quarum hæc confirmatur inscr. ap. Bœckh. vol. 1, p. 443, n. 386, in qua ΛΥΚΟΜΙΔΑ legit Villoisonus, ΛΥΚΟΜΙ Clarkius. Λυκομῆδαι Lobeck. Aglaoph. p. 982 ab gentis auctore Lycomede repetebat.]

[Λυκόμορφος, ὁ, ἡ, Qui lupi figuram habet. Tzetz. ad Lycophr. 481.]

[Λύκον, τὸ, Hyoscyamus, s. Apollinaris, frutex, de quo Ruellius 3, 107. Glossæ botanicæ cod. Reg. 848: Ὑποκυστὶς ἤτοι ὑοσκύαμον ἄγριον, τὸ παρά τινων λεγόμενον λύκον, τὸ φυόμενον ἐν τοῖς φα... V. Λύκος. Ducang.]

[Λυκόοργος. V. Λυκοῦργος.]

Λυκοπάνθηρ, ηρος, ὁ, Animal quod ex parte est lupus, ex parte autem panthera, Eust. p. 856, [51. Glossæ Oppiani: Θῶες, λυκοπάνθηροι. Ducang. Herodian. Epim. p. 60: Θὼς ὁ λυκοπάνθηρος. L. D. Λυκοπάνθαρος Gloss. vetus cod. Vat. 949. Osann.]

[Λυκοπέρσιον, τὸ, planta quædam ap. Galen. vol. 13, p. 106.]

[Λῠκοπετριᾶνοὶ, οἱ, Lycopetriani, hæretici a Λυκοπέτρῳ quodam dicti διὰ τοῦτο ἐπονομασθέντι ὅτι λίθοις δικαίως διὰ τὰς ἀπείρους αὐτοῦ μαγγανείας καταχωσθεὶς ὑπέσχετο μετὰ τρεῖς ἡμέρας τοῖς πονηροῖς αὐτοῦ συμμύσταις ἀναστήσεσθαι καὶ προσκαθημένοις αὐτοῖς τῷ βδελυρῷ αὐτοῦ λειψάνῳ μετὰ τρεῖς ἡμέρας ὡς λύκος ἐν αὐτῷ δαίμων ἐφάνη κτλ. ap. Lambec. Bibl. Cæs. vol. 3, p. 426, B, C.]

Λῠκόποδες, Tyrannorum satellites. Cur autem ita dicti, v. ap. Suidam. Sic dicti et Alcmæonidæ, ut addit idem Suid., quod tradit et Hesych. Λυκόποδες, inquit Cam., Satellitium tyrannicum, vel ab insigni scutorum, vel a caligis hirtis. Et ap. Aristoph. Lys. [664], Fortes milites, Ἄγετε λυκόποδες [λευκόποδες] οἵπερ ἐπὶ Λειψύδριον ἤλθομεν κτλ.

[Λυκοπολίτης. V. Λύκου πόλις et Λύκων πόλεις.]

[Λῠκόρμας, ὁ, Lycormas. Ποταμὸς, ὅν τινες Εὔηνόν φασι (v. Apollod. 1, 7, 7, 8, Strabo 10, p. 451). Τὸ ἐθνικὸν Λυκορμαῖος, Steph. Byz. Adj. Λυκορμαῖος ap. Lycophr. 1012: Τὸν ἐκ Λυκορμαίων ποτῶν, pro quo schol. τὸν ἐκ τοῦ Λυκόρμου vel Λυκόρμα. || Nomen viri Larisæi est ap. Pausan. 10, 7, 8. Alius ap. Antipatr. Anth. Pal. 6, 111, 3.]

Λυκοῤῥαίστης, ὁ, Lupi s. Luporum laniator. Epigr. [Anth. Pal. 7, 44, 2]: Καί σε λυκοῤῥαῖσται δεῖπνον ἔθεντο κύνες. [Iterum HSt.:] Λυκοῤῥαίστης, Luporum interfector. In Epigr. scripto in Euripidem: Καί σε λυκοῤῥαῖσται δεῖπνον ἔθεντο κύνες. [Diodor. Zon. 6, 106, 2: Λυκορραίστης Τελέσων.]

[Λυκόρτας, α, ὁ, Lycortas, Polybii historici pater, a quo sæpe memoratur. Item ab Luciano Macrob. c. 22 et Pausania, qui etiam Syracusanum 5, 27, 7, et Phegiensem cognominem 8, 24, 2 memorat.]

Λύκος, ὁ, Lupus. Hom. [Il. Δ, 471: Οἱ δὲ λύκοι ὣς ἀλλήλοις ἐπόρουσαν·] Od. K, [212]: Ἀμφὶ δέ μιν λύκοι ἦσαν ὀρέστεροι, ἠδὲ λέοντες. [Il. K, 334: Ῥινὸν πολιοῖο λύκοιο. Pind. Pyth. 2, 84: Λύκοιο δίκαν.] Plut. Quæst. Rom. [p. 280, C]: Ἡ λύκος μὲν ὁ λοῦπός ἐστι, καὶ λύκαια τὰ Λουπερκάλια. [Prov. λύκος χεχηνὼς vel χανών, de iis qui spe excidunt, ap. Aristoph. Lys. 629, parœmiographos et quos citat Jacobs. ad Ælian. N. A. 7, 11; λύκος οἶν ὑμεναιοῖ, de re quæ fieri nequit, ap. Aristoph. Pac. 1076, 1112. Aliud λύκον τρέφειν ap. Alciphr. Ep. 3, 24, ubi v. Bergler., λύκου βίον ζῆν ap. Polyb. 16, 24, 4. Id. 7, 13, 7: Οὐ λύκος ἐξ ἀνθρώπου κατὰ τὸν Ἀρκαδικὸν μῦθον, ὥς φησιν ὁ Πλάτων (Reip. 8, p. 566, A), ἀλλὰ τύραννος ἐκ βασιλέως ἀπέβη πικρός. Polyb. Exc. Vat. p. 437: Τὸν λύκον τῶν ὤτων ἔλαβον. Alias locutiones proverbiales v. ap. Hesychium s. Suidam et parœmiographos.] || Plutarcho [Mor. p. 641, F] Lupatum, Fræni genus asperrimum, a lupinorum dentium similitudine, τὸ ἐν τοῖς χαλινοῖς σιδήριον, Hesych. || Λύκοι, Iridis herbæ flores, quod labiorum lupi speciem referant, [Athen. 15, p. 682, A, ex Philino. Eandem signif. annotat Hesych.] VV. LL. || Polluci [6, 88; 10, 98] et Pausaniæ [ap. Eust. Il. p. 747, 27] Instrumentum coquinarium, quod et κρεάγρα, item ἁρπάγη. At Hesychio est ὁ ἅρπαξ τῶν εἰς τὰ φρέατα καθίσκων, ubi fortasse deest πεσόντων, aut tale quid. [Polluci 10, 31, σκεῦος, ᾧ τοὺς ἐκπεσόντας τῶν κάδων ἐκ τῶν φρεάτων ἀνέσπων.] Apud Eund. vide et alias signiff. [Una præterea ponitur ab HSt. omissa: Ὁ τῆς θύρας μάνδαλος, Pessulus. || De pædiconibus dictum notavit Jacobs. ad Anthol. Pal. 12, 243, 2.] Aranei quoddam genus, ἀράχνιόν τι, Hesych. Et ex Theomnesto ἀράχνιον λεγόμενον λύκον, φαλάγγιον, Lupus, Plin. [Aristot. H. A. 9, 39.] || Avis ex monedularum genere, VV. LL. ex Aristot. [H. A. 9, 24. V. Λύκιος]; Piscis, qui dicitur [vulgo Anthias,] alio nomine [Callichthys et] Callionymus, Athen. 7, [p. 282, D, Hesych., Geopon. 18, 14, 1. || Vinculi genus. Apsyrtus Hippiatr. 2, 74: Καὶ δεσμεύειν ἐξ ἑκατέρου μέρους ἅμματι τῷ λεγομένῳ λύκῳ· Hierocles: Πλαστίγγια προσθεὶς, ὡς ἔθος, δεσμὰ ἐξ ἑκατέρου μέρους ἅμματι τῷ καλουμένῳ λύκῳ. (Galen. vol. 4, p. 468: Βρόχος ὁ ἐκ δυοῖν διανταίων· τοῦτο γὰρ αὐτοῦ τὸ παλαιὸν ὄνομα. Προσαγορεύουσι δ' ἔνιοι λύκον αὐτὸν, ἅτε δὴ τέτταρα σκέλη τοῦ τοιούτου βρόχου λαμβάνοντος. Oribas. Cocchii p. 8, ρα', Maji p. 86, 87.) || Machina bellica, Vegetio Lupus etiam dicta, Harpagonis nempe species, qua arietes avertuntur aut suspenduntur, ita ut impetum non habeant feriendi. Describitur a Procopio Goth. c. 21 extr. V. Gloss. med. Lat. in *Lupus*. || *Orobanche*, Cauliculus, ap. Interpol. Dioscor. c. 360 (2, 171) et Petr. Bellon. Observ. 1, 18. V. Λύκον. Ducang.] || Fluvius quidam Phœnices, Strab. [16, p. 755, Polyb. 5, 68, 9.] De alio, s. aliis, [Herodot. 4, 123; 7, 30, Xen. Anab. 6, 2, 3, et Strabo ll. pluribus,] Eust. et Hesych. [Schol. Apoll. Rh. 2, 650, 726.] || Pastilli nomen desiccantis et astringentis, ad dysentericos comparati: cujus descriptio ap. Aet. 9. || Nom. est proprium diversorum hominum, ap. Suid., Eust. et alios. [Regis Thebarum ap. Eur. Herc. F. 27, ejusque filii 31, 139 sqq. Filii Pandionis, de quo Hemst. ad schol. Pluti 627, ap. Aristoph. Vesp. 389, 819, Polluc. 8, 121, a quo τὸ ἐπὶ Λύκῳ δικαστήριον, et ἡ Λύκου δεκὰς dicta. Alii plures sunt ap. Theocritum, Polybium, Apollodorum, Pausaniam et in inscriptionibus. Unus Telchinum ap. Hesych. Equus Lycus Phidolæ Corinthii ap. Pausan. 6, 13, 10.]

[Λυκοσέμφυλλον (?), τὸ, Limonium, ap. Interpol. Diosc. c. 598 (4, 16). Λύκου καρδία Prophetis, ap. eund. Ducang.]

[Λυκοσθένη, ἡ, Lycosthene. Πόλις Λυδίας. Ξάνθος πρώτῃ Λυδιακῶν, ἣν καὶ Λυκοσθένειαν Νικόλαός φησιν. Ὁ πολίτης Λυκοσθενεὺς, ὡς Βερενικεύς. Παρὰ δὲ Λυδοῖς Λυκοσθενίτης, ὡς Δικαιαρχίτης, Steph. Byz. Ms. Vratisl. Λυκοσθενείτης ... Δικαιαρχείτης.]

[Λυκοσκόροδον, τὸ, i. q. ἀμπελόπρασον, codex Dioscoridis 2, 180.]

Λυκοσκυτάλιον, τὸ, quibusdam appellata herba quæ alio nom. σησαμοειδὲς μέγα, Diosc. [4, 152.]

[Λυκόσουρα, ἡ, Lycosura, πόλις Ἀρκαδίας ἐπὶ τῷ Λυκαίῳ ὄρει. Ὁ πολίτης Λυκοσουρεὺς, Steph. Byz. Omnium urbium antiquissima sec. Pausan. 8, 38, 1, cujus libri nonnulli peccant accentu in media ponendo hic et 2, 1, eademque, ut videtur, per ω scribenda 4, 5, si recte Λυκοσουρεῖς repositum 8, 27, 4, 5, pro eo quod est in libris Λύκος ὄρεισ vel Λυκοσυρεῖς, et utroque conjuncto in uno Λύκος ὄρυεισ, quum in Λυκοσουρεῖς consentiant ib. 6.]

[Λυκοσπὰς, άδος, ὁ, ἡ.] Λυκοσπάδες equi, a fræni genere, quod λύκος, Lupatum, vocatur, Plut. Symp. 2, 8 [p. 641, F]: Eustathio [Il. p. 1052, 6] sunt ii qui bibentes dimidiam capitis partem in aquam demittunt. At schol. Nicandri [Ther. 742]: Σκήνεσι πυθομένοισι λυκοσπάδες ἐξεγένοντο, λυκοσπάδας esse putat σφῆκας, Vespas: cujus expos. tres rationes affert. [Chœrob. Bekk. An. p. 1346, a: Παρὰ Καλλιμάχῳ, Ἀτράκιον δὲ (l. δὴ) ἔπειτα λυκοσπάδα πῶλον ἐλαύνει. L. D. Χιτὼν ἐκ δορᾶς λυκοσπάδος, Philes Propr. an. 54, 1, 16. Jacobs. Ælian. N. A. 16, 24. Hesych.: Λυκοσπασθεῖς, ἵπποι ὑπὸ λύκων διεσπασμένοι, οἱ περὶ τὴν (vel τὸν) Ἀδρίαν. Photius: Λυκοσπάδες ἵπποι αἱ Ἐνετίδες.]

Λυκοσπασθεῖς equi, A lupis discerpti, Hesych.; sed addit οἱ περὶ τὴν ἀνδρίαν. [V. Λυκοσπάς.]

[Λυκόσπαστος, ὁ, ἡ, Ab lupo s. lupis direptus. Hesychius: Λελυκωμένα, πρόβατα τὰ λυκόσπαστα.]

[Λυκοστόμιον, τὸ, Lycostomium, Thessaliæ, quod olim Λύκου πεδίον, ap. Tzetzen ad Lycophr. 901, Exeg. Il. p. 10, 13, et al.]

Λυκόστομος, ὁ, ἡ, Qui ore lupino est: apuæ epith., Suid. [Ælian. N. A. 8, 18; Geopon. 20, 46, 1.]

[Λυκόστρατος, ὁ μόναρχος, παρὰ Ἐπιχάρμῳ, Hesych., cujus codex Ἱπποχάρμῳ. N. pr., ut videtur, ap. Athen. 6, p. 234, F.]

[Λύκου πόλις, εως, ἡ, Lycopolis, urbs Ægypti. Strabo 17, p. 802. Λύκων πόλις ib. p. 813. Et gent. Λυκοπολῖται p. 812. V. Λύκων πόλεις.]

[Λυκούργεια, ἡ, Lycurgea, Æschyli tetralogia ex fabulis Ἠδωνοῖς, Βασσαρίσι, Νεανίσκοις et Λυκούργῳ composita sec. schol. Aristoph. Thesm. (135) 142, ubi quod est in libris Λυκουργίας correxit Dobræus. V. quæ dixi in Εὐριπίδεια vol. 3, p. 2438, A. L. Dind.]

[Λυκούργειος. V. Λυκοῦργος.]

[Λυκοῦργος, ὁ, Lycurgus, f. Dryantis, Hom. Il. Z, 134, et forma soluta Λυκόοργος 130 etc. (Λυκόεργος de alio in oraculo ap. Herodot. 1, 65 sec. libros nonnullos.) Alius H, 142 seqq. Alius ap. Aristoph. Av. 1296. De ceteris quos memorant Herodotus, Xenophon, Pausanias et alii notissimi sunt legumlator Spartanorum et orator Atticus, cujus superest oratio adv. Leocratem. || Adj. Λυκούργειος, α, ον et ὁ, ἡ, Lycurgeus, ap. Hesych. v. Ἄφορτος, et in inscr. Spart. ap. Bœckh. vol. 1, p. 656, n. 1342, 12: Τὰ Λυκούργεια ἔθη, et ib. 1350, 7. Et p. 664, n. 1364, b, 13: Ἐξηγητὴς τῶν Λυκουργείων. Polyæn. 6, 6, 2: Τὴν Λυκούργειον πολιτείαν. || Patron. *Lycoorgides* penultima producta memorat Priscian. 2, 7, 37, habetque forma contracta Ovidius.]

[Λυκουρία, ἡ, Lycuria, locus in confiniis Clitoriorum et Pheneatarum Arcadiæ, ap. Pausan. 8, 19, 4.]

[Λυκόφανος. V. Λυκοφώνας.]

Λυκόφθαλμος, ὁ, ἡ, Lupinos oculos habens. Est autem nomen gemmæ, sicut λευκόφθαλμος, τριόφθαλμος, etc.

Λυκοφιλία, ἡ, [Sublesta amicitia,] Plato Epist. 3, [p. 318, E]: Ταῦτα μὲν τὴν ἐμὴν καὶ σὴν λ. καὶ ἀκοινωνίαν διά σε ἀπειργάσατο. [Euseb. H. E. 6, 43. Mendham. Marc. Anton. 11, 15.]

Λυκοφίλιος, ut λ. διαλλαγαὶ Menandro, Fœdera quæ lupina quadam amicitia sunt inita, atque adeo sunt suspecta. || Λυκοφιλίως, Suspecte, Cum occulta quadam simultate, Eust. p. 809, ex Ælio Dionys. [Photio ὑπόπτως, ὑπούλως· οὕτω Μένανδρος.]

Λυκόφονος, ὁ, spinæ genus, ἐχινόπους, Hesych., Messeniorum vocab. esse tradens. At vero ap. Plut. Lyc. [c. 16] legimus Lacedæmonios hyeme solitos λυκόφονας suis toris substernere; sed dicit τοὺς λεγομένους λυκόφονας. [V. Λυκοφώνας.]

[Λυκοφόντης, ὁ, Lycophontes, Thebanus, Hom. Il. Δ, 395. Trojanus, Θ, 275.]

[Λυκοφόρος, ὁ, ἡ. Strabo 5, p. 215: Καυστηριάσαι τε τὰς ἵππους λύκον, καὶ κληθῆναι λυκοφόρους, Lupi signum inussisse, unde Lupiferas vocatas esse.]

[Λυκοφρόνειος, α, ον et Λυκοφρονικός, ή, όν, Ad Lycophronem pertinens. Schol. Lycophr. 1175: Τῆς ἀδείας τῆς Λυκοφρονείας· 1298: Ἀδείᾳ Λυκοφρονικῇ. Tertia forma Λυκοφρονέην ἴϋγὴν in epigr. Tzetzæ ad finem scholl. p. 1050.]

[Λυκοφρονίδης, ὁ, Lycophronides, poeta ap. Athen. 13, p. 564, B, et alibi.]

[Λυκοφρονικός. V. Λυκοφρόνειος.]

[Λυκόφρυξ, ἡ, Artemisia. Diosc. Notha 3, 117 (ubi nunc λυκόφρυς). Boiss.]

Λυκόφρων, ονος, ὁ, Lupina quadam audacia præditus, q. d. Lupino quodam animo præditus; Lupina quædam cogitans, in animo versans, δεινόφρων, ὑψηλόφρων, Hesych. [Plut. Mor. p. 988, D: Οἱ ποιηταὶ τοὺς κράτιστα τοῖς πολεμίοις μαχομένους λυκόφρονας καὶ θυμολέοντας προσαγορεύουσι.] || Nom. proprium poetæ Chalcidensis, qui inter alia [ut credebant, qui Tragicum Lycophronem Alexandræ auctorem putabant, quam opinionem explosit Niebuhrius Opusc. vol. 1, p. 438 seqq.] Alexandram scripsit, quæ σκοτεινὸν poema dicta fuit. [Filii Mastoris ap. Hom. Il. P, 430. Periandri ap. Herodot. 3, 50. Aliorum in inscrr., ap. Thuc. 4, 33, 34, Xen. H. Gr. 2, 3, 4, Suidam in Λυκοῦργος et alibi.]

Λυκοφώνας et Λυκόφονας, ap. Plut. reperimus pro ead. herba positum, Inst. Lacon. p. 422 [237, B]: Ἐν δὲ τῷ χειμῶνι τοὺς λεγομένους λυκοφώνας ὑπεβάλλοντο καὶ κατεμίγνυσαν ταῖς στιβάσι· θερμαντικὸν ἔχειν τι τῆς ὕλης δοκούσης. Et in Lycurgo p. 91 [c. 26] iisdem ista verbis, nisi quod ibi scriptum λυκόφονας pro illo λυκοφώνας. Forsitan existimet quis λυκοφάνους scr., Hesych. tradente λυκόφανον a Messeniis, vicinis Lacedæmoniorum, vocari τὸν ἐχινόποδα: qui ἐχινόπους est herba aculeata referens figura sua pedes echini marini, ut vult Etym.

Λυκόφως, ωτος, τὸ, [Crepusculum, Diluculum, Antelucùlum, Lucas, Gl., in quibus interdum vitioso accentu λυκοφῶς] sunt qui παρὰ τὸν λύκον nominatum velint, quod lupi colorem referat, qui cinereus est nec præferens nigredinem intensiorem: s. quod referat colorem pilorum lupi, qui prope cutem albi sunt, exteriore parte nigriores: alii παρὰ τὴν λύγην, τὴν σκοτίαν, quasi λυγόφως [sec. schol. Apoll. Rh. 2, 671, Etym. M. p. 47, 13], quod sit φῶς quoppiam λυγαῖον καὶ ὑπονύκτερον, Lux quædam obscura et nocti non absimilis, qualis est πρὸς τὸν ὄρθρον et vesperi, quum dies et nox misceri incipiunt. Dicitur igitur esse ὁ βαθὺς ὄρθρος πρὸς τὴν λύγην, Summum diluculum, quod nocturnas tenebras sequitur. Vide et Λύξ. [Et Ἀμφιλύκη. Aliter explicat Ælian. N. A. 10, 26: Ἔνθεν τοι καὶ λυκόφως κέκληται ὁ καιρὸς οὗτος τῆς νυκτὸς, ἐν ᾧ μόνος ἐκεῖνος (lupus) τὸ φῶς ὑπὸ τῆς φύσεως προσλαβὼν ἔχει. Eust. ad Il. H, 433: Τὸ παρ' ἡμῖν ἰδιωτικώτερον λεγόμενον λυκόφως, ὅπερ οὔτε ἡμέρα ἤδη ἐστὶν, ἀλλ' οὐδὲ νὺξ ἐστὶν ἁπλῶς, νὺξ δὲ ἀμφιλύκη. Additque: Λέξις δὲ καὶ αὕτη γνωστὴ τοῖς παλαιοῖς, οἳ καὶ ἔγραψαν ὅτι λυκόφως ὁ πρὸ τῆς ἀνατολῆς χρόνος, εἰ καὶ ἡ χυδαία λογιότης γλυκόφως αὐτὸ λαλεῖ. Cui comparari potest γλύκιον pro λύκιον, si modo ita legendum, quod in Λύκειος notavimus. Etym. M. p. 14, 41, etc. Hesych.: Λυκοειδέος ἀοῦς, τοῦ λυκόφωτος.]

Λυκόχροος, ὁ, ἡ, Lupi colorem habens, ut λ. βαφή, Eust. [Il. p. 689, 20: Ἡ παρὰ τοῖς πολλοῖς ἰδιωτικῶς λεγομένη λ. β.]

Λυκοψία, ἡ, a quibusdam putatur dici, quæ et ἀμφιλύκη νύξ. VV. LL. exp. Noctis obscuritas, et affertur ex Lycophr. [1432]: Ὡς λυκοψίαν Κόρη κνεφαίαν ἄγχι παμφαλώμενος.

Λύκοψις, ἡ, Diosc. [4, 26], vel Λύκοψος, ut habent Galen. [vol. 13, p. 149, λύκοψις] et Paul. Ægin., est Quarta anchusæ species. Scribitur et Λυκοψὸς oxytone.

A Putatur autem ead. esse cum ea quæ λύκαψος a Nicandro [Th. 840] vocatur. [Λυκαψὸς scriptum etiam ap. Paul. Æg. 7, 3, p. 228, 49.]

Λυκόω, Dilanio, Dilacero, Discerpo, lupi more. A cujus pass. Λυκοῦμαι est λελυκωμένα, Xen. pro A lupo dilacerata, morsa, rosa: Cyrop. 8, [3, 41]: Ἥκει δέ τις ἢ τῶν προβάτων λελυκωμένα φέρων. [Isidor. Pelus. 5, 400, p. 679, E: Μὴ θαύμαζε εἰ τὰ πρόβατα λυκοῦται. Jacobs.]

[Λύκτιος, ὁ, Lyctius, pater Itones, socer Minois. Diod. 4, 60.]

[Λύκτος, ἡ, Lyctus, urbs Cretæ, Hom. Il. B, 647, ubi alii male Λυκτὸν, ut annotat schol., alii Λύττον, sed Λύκτον etiam Steph. B. in Λύκαστος, P, 611, Hesiod. Th. 477, 482, Quint. Posth. 11, 42, Aristot. Reip. 2, 10, ubi Λύκτιοι, Diod. 16, 62, Pausan. 4, 19, 4, Scylax p. 19. Steph. Byz.: Ἀπὸ Λύκτου τοῦ Λυκάονος. Ἔνιοι Λύττον φασὶν αὐτὴν διὰ τὸ κεῖσθαι ἐν μετεώρῳ τόπῳ· τὸ γὰρ ἄνω καὶ ὑψηλὸν λύττον φασί. (Quæ repetit Eust. ad l. Hom. Hesych.: Λυττοὶ, οἱ ὑψηλοὶ
B τόποι.) Τὸ ἐθνικὸν Λύκτιος καὶ θηλυκὸν Λυκτηΐς. Callim. Ap. 32: Τό τ' ἄεμμα τὸ Λύκτιον· Ep. 39, 1: Ὁ Λύκτιος Μενοίτας. Formæ alterius exx. sunt in inscrr. ap. Bœckh. vol. 2, n. 2572 seqq., ap. Polyb. 4, 53, 3; 54, 6; (per κτ 23, 15, 1). Inter utramque variatur etiam ap. Polybium, cujus ll. annotavit Schweigh. in Indice, Strabonem 10, p. 476 (ubi etiam τῆς Λυκτίας de regione circa urbem), 479, 481. In numis constans esse videtur scriptura per duplex τ. V. Mionnet. *Descr.* vol. 2, p. 287, *Suppl.* vol. 4, p. 328.]

Λυκώδης, ὁ, ἡ, Lupinus, Lupo similis, Lupum referens: ut λ. τὸ χρῶμα, Colore lupum referens. [Aristot. H. A. 6, 32.]

[Λύκωμος, ὁ, n. viri, ut videtur, in numo Rhodio ap. Mionnet. *Suppl.* vol. 6, p. 589, n. 178, fortasse pro Λύκωπος.]

[Λύκων, ωνος, ὁ, Lyco, Trojanus, Hom. Il. Π, 335, 337. Alii ap. Aristoph. Lys. 270, Vesp. 1301, Xenoph. Conv. 2, 5, etc., et in inscrr. Λυκῶν male ap. Quint. Posth. 8, 300; 11, 91.]

C [Λύκων πόλεις δύο, ἡ μὲν ἐν τῷ Λυκοπολίτῃ νομῷ τῆς Αἰγύπτου, ἡ δὲ ἑτέρα τοῦ Σεβεννύτου νομοῦ παραθαλάσσιος. Τὸ ἐθνικὸν Λυκοπολῖται, Steph. Byz. Memoratur Λύκων πόλις a Polybio 23, 16, 1, et Ptolem. 4, 5, ubi etiam νομὸς Λυκοπολίτης, ut ap. Diodor. 1, 88. Omisso πόλις Theodorus ap. Morell. Bibl. Ms. p. 226. Dativo a forma Λυκὼ ducto Λυκῷ Athanas. vol. 1, part. 1, p. 187, E. Λυκοπολῖται Agatharchid. De mari rubro p. 21, Clem. Al. Protr. p. 34. V. Λύκου πόλις.]

[Λυκώνη, ἡ, Lycone. Πόλις Θρᾴκης (Θρᾴκης ὄρος cod. Vrat.). Εὐφορίων Ἱππομέδοντι. Τὸ ἐθνικὸν Λυκωναῖος, ὡς Σκιώνη Σκιωναῖος. Δύναται καὶ Λυκωνεὺς, ὡς Σινωπεὺς, Steph. Byz. De alia Pausan. 2, 24, 5: Ὁδοὶ ἐξ Ἄργους καὶ κατ' ἄλλα εἰσὶ τῆς Πελοποννήσου καὶ πρὸς Ἀρκαδίας ἐπὶ Τεγέαν. Ἐν δεξιᾷ δὲ ὄρος ἐστὶν ἡ Λυκώνη.]

[Λυκωνίδης, ἡ, Lyconides, n. viri in inscr. Att. ap. Bœckh. vol. 1, n. 171, p. 302, B, 11, ubi Λυκων....]

[Λυκωπεύς, έως, ὁ, Lycopeus, f. Agrii ap. Apollod. 1, 8, 6, schol. Hom. Il. Ξ, 114, 120, Æsch. Sept. 557. N. viri ap. Theocr. 7, 4. Ib. 72 quod est: Δύο
D ποιμένες, εἷς μὲν Ἀχαρνεὺς, εἷς δὲ Λυκωπίτας, schol. explicat Αἰτωλός· ἢ δὲ Λυκώπη (Λυκῶπις Vulc.) πόλις Αἰτωλίας· ἢ ἀπὸ δήμου. Λύκωπος γὰρ δῆμος ἀποίκων· ἢ Λυκωπίτας ἐκ Λυκωπέως ἔχων τὴν κλῆσιν. Ap. eund. 5, 62 est Βωκόλος Λυκώπας. Pro quo forma Ionica Λυκώπης Lacedæmonius quidam nuncupatur ab Herodoto 3, 55.]

[Λύκωπος, ὁ, Lycopus, Ætolorum legatus, Polyb. 22, 8, 11. Λυκωπὸς minus recte ap. Polyæn. 8, 70.]

[Λυκώρεια, ἡ, Lycorea. Κώμη ἐν Δελφοῖς, Καλλίμαχος τρίτῳ· ἀπὸ Λυκωρέως (Λυκώρου Etym. M.) τοῦ βασιλέως· ὁ πολίτης Λυκωρεὺς καὶ Λυκώριος καὶ Λυκωρείτης (Pausan. 4, 34, 9)· ἔστι καὶ Λυκώρειος Ζεὺς, καὶ Λυκώρειον διὰ διφθόγγου, Steph. Byz. Marm. Parium ap. Bœckh. C. I. vol. 2, n. 2374, p. 295, 8: Ἀφ' οὗ Δευκαλίων παρὰ τὸν Παρνασσὸν ἐν Λυκωρείᾳ ἐβασίλευσε. Pausan. 10, 6, 2: Τῶν ἀνθρώπων ὅσοι διαφυγεῖν τὸν χειμῶνα (diluvii Deucalionei) ἠδυνήθησαν λύκων ὠρυγαῖς ἀπεσώθησαν ἐς τοῦ Παρνασσοῦ τὰ ἄκρα ὑπὸ ἡγεμόσι τῆς πορείας τοῖς θηρίοις, πόλιν δὲ ἣν ἔκτισαν, ἐκάλεσαν ἐπὶ τούτῳ Λυκώρειαν. Λέγεται δὲ καὶ ἄλλος διάφορος λόγος τῷ προτέρῳ, Ἀπόλλωνι ἐκ νύμφης Κωρυκίας γενέσθαι Λύκωρον, καὶ ἀπὸ μὲν Λυκώρου πόλιν Λυκώρειαν... ὀνομασθῆναι κτλ. Strabo 9, p. 418, 423.] Λυκωρεύς, έως, ὁ, dicitur Apollo παρὰ τὴν Λυκώρειαν, a Lycorea, vico Delphico, in quo colebatur [Callim. Ap. 19, Euphorio ap. schol. Pind. Pyth. argum. p. 298, Orph. H. 33, 1, Paul. Sil. Anth. Pal. 6, 54, 1]: unde poss. Λυκωρείη κιθάρη, Cithara Apollinis Lycorei, Epigr. [Anth. Plan. 279, 4.] Plura Steph. Byz. et Etym. M. [Apoll. Rh. 4, 1490: Υἱωνὸς Φοίβοιο Λυκωρείοιο. Ubi schol.: Οἱ γὰρ Δελφοὶ τὸ πρῶτον Λυκωρεῖς ἐκαλοῦντο ἀπό τινος κώμης Λυκωρείας. Similia id. ad 2, 713.]

[Λυκωρεύς, έως, ὁ, Lycoreus, Amyci famulus, Apoll. Rh. 2, 51, ubi schol.: Οὗτος ὑπὸ τοῦ ποιητοῦ πεποίηται, οὐκ ἐξ ἱστορίας παρείληπται. V. Λυκώρεια. || Loci n. ap. Lucian. Timon. c. 3: Προσοχεῖλαν τῷ Λυκωρεῖ ζώπυρόν τι τοῦ ἀνθρωπίνου σπέρματος.]

[Λυκώρης. Arcadius p. 26, 14: Τὰ διὰ τοῦ ωρης, διώρης, λυκώρης, ὅπερ Καλλίμαχος ὀξύνει. Qui si locum Callimachi in Λυκωρεὺς sub Λυκώρεια citatum intellexit, mire erravit. Conf. cum Arcadio Theognost. Can. p. 45, 32.]

[Λυκώριος. V. Λυκώρεια.]

[Λύλη, ἡ, Lyle, πόλις Ἀρκαδίας, Ἀλέξανδρος δευτέρῳ περὶ Λυκωρείας (?). Τὸ ἐθνικὸν Λυλαῖος, Steph. Byz. Suspectum fuit Pinedoni, qui Λείλαιαν Arcadiæ ap. Ptolem. 3, 16 comparat.]

[Λύλιος ἢ Λύλλος· οὗτος ἐπὶ μωρίᾳ ἐκωμῳδεῖτο, Hesychius. Photius: Λυλλος (sine accentu) ποιητὴς ἐπὶ μωρίᾳ κωμῳδούμενος. Ad Μύλλον poetam comicum referebat Meinek. Com. vol. 1, p. 27; 4, p. 657, neglecta Hesychii glossa, in qua delenda Λύλιος ἢ. Theognost. Can. p. 61, 25: Λύλλος, ὄνομα κύριον. L. D.]

Λῦμα, τὸ, Purgamentum, Sordes, κάθαρμα, quasi λοῦμα, ὅπερ ἐν τῷ λούεσθαι ἀπεβάλλοντο, Eust. [Il. p. 108, 24] a λούω derivans: ut λύματα proprie sint Sordes quæ ex ablutione corporum remanent. [Καθάρσια, Illuvies interpr. Gl.] Hom. Il. Ξ, [171] de Junone: Ἀμβροσίῃ μὲν πρῶτον ἀπὸ χροὸς ἱμερόεντος Λύματα πάντα κάθηρεν, ἀλείψατο δὲ λίπ' ἐλαίῳ, i. e., inquit Eust., πάντα τὸν ῥύπον καὶ τὴν περὶ σῶμα ἀκαθαρσίαν, ἣν χρὴ ἀπολυμαίνεσθαι, ἤγουν ἀπολούεσθαι: derivans iterum a λούω. Aliud ex Hom. exemplum habes in Ἀπολυμαίνομαι. [Il. A, 314: Οἱ δ' ἀπελυμαίνοντο καὶ εἰς ἅλα λύματ' ἔβαλλον. De quo l. conf. Pausan. post verba in Λῦμαξ ponenda. Apollon. Rh. 4, 710. Callim. ap. schol. Aristoph. Vesp. 832: Φορυτόν τε καὶ ἴπνια λύματ' ἄειρεν. Id. Ap. 108: Ἀλλὰ τὰ πολλὰ λύματα γῆς καὶ πολλὸν ἐφ' ὕδατι συρφετὸν ἕλκει (fluvius)· Cer. 115: Αἰτίζων ἀκόλως τε καὶ ἔκβολα λύματα δαιτός. Nicand. Al. 259: Σὺν δέ τε καὶ νηδὺς μεμιασμένα λύματα βάλλει· et similiter 292. Ther. 578: Ἐν δὲ τίθει τάμισον σχίνακος νεαροῖο λαγωοῦ ἢ προκὸς ἢ νεβροῖο πάροιθ' ἀπὸ λύματα κόψας· 919: Ἡμίβρωτα βάλοις ἀπὸ λύματα δαιτός. Strabo 5, p. 235: Ὑπονόμων τῶν δυναμένων ἐκκλύζειν τὰ λύματα τῆς πόλεως εἰς τὸν Τίβεριν. Plut. Mor. p. 518, B: Ὥσπερ αἱ πόλεις ἔχουσί τινας πύλας ἀποφράδας... δι' ὧν... τὰ λύματα καὶ τοὺς καθαρμοὺς ἐκβάλλουσιν.] Et λύματα τόκου, Sordes ex partu, Callim. H. in Jovem [15]: Ἔνθα σ' ἐπεὶ μήτηρ μεγάλων ἀπεθήκατο κόλπων, Αὐτίκα δίζητο ῥόον ὕδατος ᾧ κε τόκοιο Λύματα χυτλώσαιτο. [V. Λῦμαξ. Hippocr. p. 272, 30: Οὗτοι (οἱ ῥόοι) τοῦ ἐγκεφάλου λύματά εἰσιν ἀπιόντες.] Sic Ajax in Soph. [654]: Ἀλλ' εἶμι πρός τε λουτρὰ καὶ παρακτίους Λειμῶνας, ὡς ἂν λύμαθ' ἁγνίσας ἐμὰ, Μῆνιν βαρεῖαν ἐξαλύξωμαι θεᾶς, A sordibus meis me purificans; nam pecudum cæde piaculum contraxerat, quæ manuum ablutione in mari aut puris aquis aboleri antiquitas credebat. Idem Soph. dicit λῦμα τῷ γήρᾳ τρέφειν, eum, qui ætate progressum facit, non item peritia rerum, sed inscitiam et imperitiam in pectore suo alit, quæ in senectute eluenda veniat: in OEd. C. [804]: Ὦ δύσμορ', οὐδὲ τῷ χρόνῳ φύσας φανῇ Φρένας ποτ', ἀλλὰ λῦμα τῷ γήρᾳ τρέφῃ. Hesychio λύματα sunt τὰ ῥυπάσματα τοῦ σώματος. Λύματα dicuntur etiam Ventris purgamenta. Ap. [Photium, et qui locum sequentem addit,] Suid.: Καὶ παρὰ τὸν κοινὸν τῶν ἀνθρώπων νόμον πρέσβεις ἡτοίματαν, τὴν τήβενον λύμασιν ἀνθρωπείοις μολύναντες. [Aret.

A p. 131, 23: Ἔριον τὸ ἀπὸ τῆς οἰὸς ξὺν τοῖς λύμασι.] Eust. in malam quoque partem accipi tradit, sicut κάθαρμα et ἄγος, forsan pro Lue, Scelere, Noxa, quatenus de homine scelerato et pestifero dicitur. [Aliter de Hectore Hecuba Eur. Tro. 588: Σύ τοι, λῦμ' Ἀχαιῶν, τέκνων δήποθ' ἁμῶν πρεσβυγενὲς, Pernicies. De re Æsch. Prom. 692: Ὧδε δυσθέατα καὶ δύσοιστα πήματα, λύματα, δείματα. Orph. H. 13, 14: Εἰρήνην κατάγουσα σὺν εὐόλβοις κτεάτεσσι, λύματα καὶ χῆρας πέμπουσ' ἐπὶ τέρματα γαίης· Lith. 586: Ἀραί τ' ἀγνάμπτοισιν Ἐρινύσι πάγχυ μέλουσαι, εἴτε μύσος κεύθων οἰκοφθόρον οὐχ ἐνόησεν ἀνὴρ, εἴθ' ὅσα λύματ' ἐπὶ σφισιν ἤδ' ἐπαοιδὰς σχέτλιοι ἀλλήλοισι μεγαίροντες τελέουσι. || Piacula, Gl. Eurip. Hel. 1271: Ὡς μὴ πάλιν γῆ λύματ' ἐκβάλλῃ κλύδων. || At λύματα, quod [Photius s.] Suid. exp. ἐνέχυρα, οἷον λύσιμα, καὶ λυτρώσιμα, ad λύω pertinet, quod interdum Redimo significat.

Λυμάζω, i. q. λυμαίνω, ut tradunt VV. LL. ex Etym. [ubi ponitur ad explicandum verbi λυμαίνομαι partic. perf. λελυμασμένος.]

B Λῦμαίνω, Purgo, Purifico: unde λυμαίνεσθαι, καθαίρειν, Hesych. [Λυμαίνεσθαι, καθαίρεσθαι ἢ ἁγνεύειν. Qua signif. dicitur ἀπολυμαίνεσθαι, quod v.]

Λυμαίνω, Perniciem affero, Noceo, Corrumpo, Vitio. Xen. [Comm. 1, 3, 6]: Τὰ λυμαίνοντα [—όμενα] γαστέρας, Quæ nocent ventribus. [Grammat. in Bekk. An. p. 191, 10: Λυμαινομένου, ἀντὶ τοῦ λυμαίνοντος. Photius: Λυμαίνων, φθείρων, βλάπτων. Georg. Acrop. p. 25, D: Μικρὸν ἢ μηδὲν λυμήναντες. L. D. Liban. vol. 4, p. 350, 19: Καὶ γὰρ οὐδὲ ἄλλα ἐστὶ τὰ λυμήναντα τοῖς πράγμασιν. Cum πημαίνει confus. Aristot. Probl. 31, 29. Schneid.] Et Λυμαίνομαι, Perdor, Vitior, Corrumpor, Pessum eo. Xen. Cyrop. 8, p. 125 [2, 22]: Ἐκ τούτων καρποῦμαι ἀσφάλειαν καὶ εὔκλειαν, ἃ οὔτε κατασήπεται οὔτε ὑπερπληροῦντα λυμαίνεται. Item Vastor, Labefactor, διαφθείρομαι. Gregor.: Ὁρῶν τὴν ἐξ Αἰγύπτου μετηρμένην καὶ μεταπεφυτευμένην ἄμπελον πονηρῷ καὶ ἀγρίῳ συῒ τῷ διαβόλῳ λελυμασμένην. [Æsch. Cho. 290: Λυμανθὲν δέμας. Pausan. 10, 15, 3: Τὸν ἐπ' αὐτῷ χρυσὸν ἐθεώμην λελυμασμένον.] Λυμαίνομαι

C frequentius capitur active pro Perniciem affero, Noceo; construiturque tam cum dat. quam cum accus. [Eur. Bacch. 354: Ὃς λέχη λυμαίνεται· Andr. 719: Ὧδ', ὦ κάκιστε, τῆσδ' ἐλυμήνω χέρας; Soph. OEd. C. 855: Ὀργῇ χάριν δοὺς, ἥ σ' ἀεὶ λυμαίνεται. Aristoph. Eq. 1284: Τὴν γὰρ αὑτοῦ γλῶσσαν αἰσχραῖς ἡδοναῖς λυμαίνεται· Av. 1080: Εἶτα φυσῶν τὰς κίχλας δείκνυσι καὶ λυμαίνεται. Hippocr. p. 307, 38: Οὐχ ὁ θεὸς τὸ σῶμα λυμαίνεται, ἀλλ' ἡ νόσος. Thuc. 5, 103: Μαντικήν τε καὶ χρησμοὺς καὶ ὅσα τοιαῦτα μετ' ἐλπίδων λυμαίνεται.] In Geopon. [18, 2, 4]: Πρὸς δὲ τὸ μὴ ἕρπειν τὰ θηρία τὰ λυμαινόμενα, θυμιαστέον ἐν τοῖς σηκοῖς τρίχας γυναικῶν ἢ κέρας ἐλάφειον. Quæ ita Colum., Ut exitiosis serpentibus tecta liberentur, muliebres capillos aut cervina sæpius ure cornua: quorum odor maxime non patitur stabulis prædictam pestem consistere. [Cum dat. Eur. Bacch. 632: Πρὸς δὲ τοῖσδ' αὐτῷ τάδ' ἄλλα Βάκχιος λυμαίνεται. Aristoph. Nub. 928 infra cit. Isocr. p. 30, C: Λυμαίνονται τοῖς κοινοῖς· 397, B: Τὴν ὕβριν ὅλοις τοῖς πράγμασι λυμαινομένην.] Aristid.:

D Ὥσπερ οἱ γεωργοὶ τὰ λυμαινόμενα τῇ χώρᾳ καθ' ἕκαστον ἐνιαυτὸν ἐκκόπτοντες. Pausan.: Μὴ ὁ χρόνος λυμήνηται, Ne situs ea vitiet. Xen. [Eq. 4, 3]: Τὰ τοιαῦτα σταθμὰ λυμαίνεται ταῖς ὁπλαῖς τῶν ἵππων, Nocent ungulis equorum. Dicimur etiam hominem aliquem λυμαίνεσθαι, quum ei exitio sumus et nocemus, s. quum infestamus et lædimus. Xen. Cyrop. 5, [3, 44]: Ἡ ἐν τῇ φυλακῇ ἀγρυπνία πολλὴ οὖσα λυμανεῖται ἐν τῇ πορείᾳ· 6, [3, 24]: Οἱ δὲ τοξεύοντες ὑπὲρ τῶν πρόσθεν πάντων, λυμανοῦνται τοὺς πολεμίους. Ibid. dicit κακουργεῖν ead. signif. [Herodot. 8, 15: Δεινὸν ποιησάμενοι νέας οὕτω σφι ὀλίγας λυμαίνεσθαι· 28: Ἐσβαλοῦσαν ἐς τὴν χώρην τὴν ἵππον αὐτέων ἐλυμήναντο ἀνηκέστως.] Herodian. 4, [15, 6]: Αὐτούς ἥ τε ἵππος πολλὴ οὖσα, καὶ τὸ τῶν καμηλιτῶν πλῆθος ἐλυμαίνετο· 7, [12, 11]: Τῷ τε κεράμῳ βάλλοντες αὐτοὺς καὶ λίθοιν βολαῖς τῶν τε ἄλλων οστράκων ἐλυμαίνοντο. Chrysost., Ὁ διάβολος οὐδὲν ἐλυμήνατο αὐτὸν, Nihil ei nocuit. [Cum duplici accus. etiam Eur. Hel. 1099: Ἅλις δὲ λύμης, ἥν μ' ἐλυμήνω πάρος. Aristoph. Av. 100: Τοιαῦτα μέντοι Σοφοκλέης λυμαίνεται ἐν ταῖς τραγῳδίαισιν ἐμὲ τὸν Τηρέα. Et omisso altero Herodot. 3, 16 : Μαστιγοῦν ἐκέλευε ... καὶ τἄλλα πάντα λυμαίνεσθαι. Hippocr. p. 790, B : Πολλοὺς οἶδα ἰητροὺς, οἳ πολλὰ ἤδη ἐλυμήναντο.] Plut. [Mor. p. 163, A] de delphinibus, Θηρᾷ γὰρ οὐδεὶς οὔτε λυμαίνεται, Infestat, Nocet, Violat. Item λυμαίνεσθαι urbem aut regionem dicimur pro Infestare et Vastare. [Devasto, Populo, Expilo add. Gl. Xen. H. Gr. 3, 2, 27 : Τὰ μὲν προάστεια καὶ τὰ γυμνάσια καλὰ ὄντα ἐλυμαίνετο.] Herodian. 3, [6, 20] : Εἰς ἀνοικισμὸν τῶν πόλεων, ἃς ἦν λυμηνάμενος ὁ Νίγρου στρατὸς, Quas Nigri milites devastarant. Ib. [3, 6] : Παντὶ τρόπῳ τόν τε δῆμον καὶ τὴν πόλιν ἐλυμήναντο, Urbem vastarunt. 6, [3, 10] : Πειρᾶται κατατρέχειν καὶ λυμαίνεσθαι τὰ τῆς ἡμετέρας ἀρχῆς κτήματα, Vastare nostras provincias, Polit. Sic et ignis noxiaque animalia dicuntur λυμαίνεσθαι, itidem Vastare et populari. Herodian. 7, [12, 16] : Τοσοῦτον δὲ μέρος τῆς πόλεως τὸ πῦρ ἐλυμήνατο. Synes. Ep. 57 : Τὴν ἀκρίδα τὴν λυμηναμένην ἡμῶν τοὺς καρποὺς, Depopulatam nostros fructus. [Callim. Dian. 156 : Σύες φυτὰ λυμαίνονται.] Dicimur etiam res publicas aut privatas λυμαίνεσθαι pro Labefactare [Gl.] et evertere, Perniciem et exitium afferre. Dem. : Τὰ πράγματα ἐλυμήνατο τῆς πόλεως. Id. [p. 326 extr.] : Εἰ δὲ δαίμονός τινος ἡ ἰσχὺς ... ἐλυμήνατο τοῖς ὅλοις, ἕως ἀνέτρεψε, τί Δημοσθένης ἀδικεῖ; Si remp. perdidit, Noxam s. Perniciem ei attulit. Aristid. : Τότε μὲν δύναμιν συλλέγων τῷ στρατῷ, νυνὶ δὲ ἅπασι λελυμασμένος. [Demosth. p. 570, 20 : Ἵππαρχος χειροτονηθεὶς λελύμανται τὸ ἱππικὸν ὑμῶν.] Isocr. Paneg. [p. 77, D.] : Λυμαινόμενοι καὶ κακῶς ποιοῦντες τὴν Ἑλλάδα. Xen. Hell. [2, 3, 23: Διέβαλλεν ὡς λυμαινόμενον τὴν πολιτείαν. Et cum dat. 26 : Εἴ τις ἡμῶν λυμαίνεται ταύτῃ τῇ καταστάσει. Cum accus. 51 : Ἄνδρα τὸν φανερῶς τὴν ὀλιγαρχίαν λυμαινόμενον·] 7, [4, 33 : Φάσκοντες αὐτοὺς λυμαίνεσθαι τὸ Ἀρκαδικόν· 5, 18 :] Ἐνθυμούμενος ὅτι εἰ καταλείψοι ἐρήμους οἷς ἦλθε σύμμαχος, αὐτὸς λελυμασμένος παντάπασι τῇ ἑαυτοῦ δόξῃ ἔσοιτο, Evertisset, Dedecorasset, Sugillasset, Bud.; qui et ap. Dem. [p. 329, 18] : Ἐφ' οἷς ἐλυμήνω τὸν τριηραρχικὸν νόμον, reddit Evertisti. [Eur. fr. Pirithoi ap. Stob. Fl. vol. 2, p. 53: Τὸν (νόμον) δ' ἄνω τε καὶ κάτω λόγοις ταράσσων πολλάκις λυμαίνεται. L. D. Μὴ λυμαίνου τὸν νόμον· λύμη γάρ ἐστιν ἡ προσθήκη, Liban. vol. 4, p. 630, 28. Hemst. Xen. Anab. 1, 3, 16 : Ὡς εὔηθες εἴη ἡγεμόνα αἰτεῖν παρὰ τούτου ᾧ λυμαινόμεθα τὴν πρᾶξιν. Et similiter sæpe Polybius aliique.] Interdum reddi potest Vitio, Corrumpo, Depravo, tum in quibusdam superioribus ll., tum ap. Theophr. [C. Pl. 6, 17, 5] : Ἡ τῶν καυμάτων ὑπερβολὴ τοὺς χυμοὺς λυμαίνεται. Dem. [p. 315, 22] : Παρανάγνωθι δὲ ἡμῖν καὶ σὺ τὰς ῥήσεις ἃς ἐλυμήνω. Item pro Vitio, Corrumpo, i. e. Constupro. Aristoph. Nub. [928] : Ἥτις σε τρέφει Λυμαινόμενον τοῖς μειρακίοις, quod alibi ἐνυβρίζοντα. ‖ Λυμαίνεσθαι dicitur etiam Fœdum in modum verberibus lacerare, Fœdum in modum tractare : ut in Lege ap. Dem. p. 264 [629, 21] : Τοὺς ἀνδροφόνους ἐξεῖναι ἀποκτείνειν, λυμαίνεσθαι δὲ μή· quod ipse paulo post [p. 630, 25] exp. μὴ μαστιγοῦν, μὴ δεῖν, et paulo ante, στρεβλοῦν, αἰκίσασθαι : quemadmodum infra quoque λύμη pro αἰκία accipi annotabitur. Sic Herodotus [6, 79] : Λυμαίνομαι τῷ νεκρῷ, Mortui cadaver fœdo s. fœde tracto et lacero. Sic accipi potest ap. Dem. [p. 522, 8] : Ἐπεχείρησε διαφθείρειν τὸν στέφανον καὶ τὸ ἱμάτιον, καί τινα μὲν αὐτῶν ἐλυμήνατο, Fœdavit s. Fœde laceravit; nam ipse Dem. paulo ante dicit se ἐξελέγξειν ὅσα ὑβρίσθη. Similiter et Hesych. λυμηνάμενος exp. αἰκισάμενος. [‖ De fullone subigente Hippocr. De diæta 1, 13. Schneid.]

Λυμαντὴρ, ῆρος, ὁ, Corruptor, Perditor. Xen. [Hier. 3, 3] de mœchis : Λυμαντῆρας αὐτοὺς νομίζουσι τῆς τῶν γυναικῶν φιλίας πρὸς τοὺς ἄνδρας, Perditores et eversores. Suidæ ὁ βλαπτικός.

[Λυμαντήριος, α, ον, i. q. præcedens. Æsch. Prom. 991 : Δεσμὰ λυμαντήρια· Ag. 1438 : Κεῖται γυναικὸς τῆσδε λυμαντήριος· Cho. 764 : Ἐπ' ἄνδρα τῶνδε λυμαντήριον οἴκων.]

Λυμαντὴς, ὁ, idem [quod λυμαντήρ]. Soph. Tr. [795], de Herculis venenato peplo impliciti cruciatibus : Τὸ δυσπάρευνον λέκτρον ἐνδατούμενος Σοῦ τῆς ταλαίνης, καὶ τὸν Οἰνέως γάμον, Οἷον κατακτήσαιτο

A λυμαντὴν βίου, Vitæ exitialem pestem, λυμεῶνα, λυμαντῆρα, λύμην.

[Λυμαντικὸς, ἡ, ὸν, Noxius, Perniciosus. Arrian. Epict. 3, 7, 20 : Δόγματα λυμαντικὰ οἴκων. Fr. Epict. 20 : Λυμαντικὴ ἡ φύσις (viperæ). Geopon. 14, 16, 4. « Jo. Chrys. In Ps. 51, vol. 1, p. 915, 5. » Seager.]

[Λυμάντωρ, ορος, ὁ, i. q. λυμεών. Timon ap. Sext. Emp. p. 721; Manetho 2, 267, 305. Wakef.]

[Λῦμαξ.] Λύμακες, Hesychio πέτραι : forsan παρὰ τὴν λύμην, ut sint Sordidæ et contaminatæ ex alluvione undarum : quales prope λισσάδες. [Μύλακες πέτραι Ruhnkenius. Λύμαξ (scribendum foret Λῦμαξ) fluvii prope Phigaleam Arcadiæ nomen ap. Pausan. 8, 41, 2, pro quo ib. 4 libri plures Λύμας, et similiter in seqq. Λύμα vel etiam Λυκάονι et Λύματι pro Λύμακι. De origine nominis l. primo : Ὡς τεκοῦσαν (Rheam) τὸν Δία ἐκάθηραν ἐπὶ ταῖς ὠδῖσιν αἱ Νύμφαι, τὰ καθάρματα ἐς τοῦτον ἐμβάλλουσι τὸν ποταμόν· ὠνόμαζον δὲ ἄρα οἱ ἀρχαῖοι αὐτὰ λύματα κτλ. Conf. Καταλυμακόω.]

[Λῦμαρ, τὸ, Noxa. Maximi Καταρχ. 238 : Μηδέ τι
B λῦμαρ ἐν ἰσχίῳ ἐμπελάσειεν.]

Λυμάχη, Hesychio ἡ εἰς διαφθορὰν λύπη et ὕβρις : ut idem sit quod λύμη. Et forsan derivatum hoc nomen a λυμάζω.

Λυμεὼν, ῶνος, ὁ, [Violator, Gl.] Perditor, Vastator, Lues, Noxa. [Λυμαιῶν (sic), Violator, Gl. Ponit formam per αι etiam grammat. recentior in Crameri Anecd. vol. 2, p. 297, 3.] Ajax Sophoclis [573] : Καὶ τἀμὰ τεύχη μήτ' ἀγωνάρχαι τινὲς Θήσουσ' Ἀχαιοῖς, μήθ' ὁ λυμεὼν ἐμὸς, Neque illa pestis mea. [Eurip. Hipp. 1068 : Γυναικῶν λυμεῶνας· fr. Archelai ap. schol. Pind. Pyth. 2, 54 : Ἔπαυσ' ὁδουροὺς λυμεῶνας.] Xenoph. [Hier. 6, 6] : Ὁ δέ τοι φόβος οὐ μόνον αὐτὸς ἐνὼν ταῖς ψυχαῖς λυπηρός ἐστιν, ἀλλὰ καὶ πάντων τῶν ἡδέων συμπαρακολουθῶν λυμεὼν γίγνεται. Isocrates Paneg. [p. 56, E] : Καὶ σωτῆρες ἐπιθυμοῦντες, ἀλλὰ μὴ λυμεῶνες ἀποκαλεῖσθαι, τῷ ποιεῖν εὖ προσαγόμενοι τὰς πόλεις, ἀλλ' οὐ βίᾳ καταστρεφόμενοι. A Cic. quoque Perditor et Servator opp., Ut idem perditor reip. nominarer, qui servator fuissem. Idem Isocr. Symm. [p.
C 187, B] : Προστῆναι τῆς τῶν Ἑλλήνων ἐλευθερίας, ἀλλὰ μὴ λυμεῶνας αὐτῶν κληθῆναι.

[Λυμεωνεύομαι pro λυμαίνομαι codd. nonnulli Polybii 5, 5, 8.]

Λύμη, ἡ, Lues, [Labes, Calamitas, add. Gl.] Noxa, Exitium, βλάβη, ἣν ἄξιόν ἐστιν ἀπολούσασθαι, Eust. [Il. p. 108, 31 sqq.], derivans a λῦμα, quod interdum in malam partem capitur : a λῦμα vero ita deduci ut βρώμη a βρῶμα, τρώμη a τρῶμα. [Æsch. Prom. 147 : Ταῖσδ' ἀδαμαντοδέτοισι λύμαις· et ib. 426. Sept. 879 : Οἳ μελέους θανάτους εὕροντο δόμων ἐπὶ λύμῃ· Eum. 377 : Πίπτων δ' οὐκ οἶδεν τόδ' ὑπ' ἄφρονι λύμᾳ. Soph. El. 1195 : Μήτηρ καλεῖται, μητρὶ δ' οὐδὲν ἐξισοῖ. — Τί δρῶσα; πότερα χερσὶν ἢ λύμῃ βίου; — Καὶ χερσὶ καὶ λύμαισι καὶ πᾶσιν κακοῖς. Eur. Heracl. 470 : Νεανίαι τε καὶ πατρὸς μεμνημένοι λύμας· Tro. 198 : Ποίοις οἴκτοις τὰν σὰν λύμαν ἐξαιάζεις; Hec. 213 : Τὸν ἐμὸν δὲ βίον λώβαν λύμαν τ' οὐ μετακλαίομαι. Hippocr. p. 752, B : Χωρὶς τῆς ἄλλης λύμης· 759, 5 : Πρὸς τῇ ἄλλῃ λύμῃ. Plato Leg. 11, p. 919, C : Ὧν διαφθειρομένων οὐκ ἂν
D γίγνοιτο μεγάλη λύμη τῇ πόλει.] Apollon. [Rh. 2, 218] : Ῥύσασθαι δυσάμμορον ἀνέρα λύμης, Eximere pernicie et exilio. Philo V. M. 1 : Νεωτερίσαντος ὡς οὔπω πρότερον τοῦ ἀέρος ἐπὶ λύμῃ καὶ φθορᾷ δένδρων τε καὶ καρπῶν, Ad labem et perniciem stirpium : qua signif. Virg. Æn. 3 : Quum tabida membris Corrupto cœli tractu miserandaque venit Arboribusque satisque lues. [Aristoph. Av. 1068 : Κτείνω δ' οἳ κήπους εὐώδεις φθείρουσιν λύμαις ἐχθίσταις.] Xen. [OEc. 5, 6] : Αἵ τε κύνες τὰ θηρία ἀπερύκουσαι ἀπὸ λύμης καρπῶν καὶ προβάτων, Ne vitient et labefactent segetes et pecori exitium inferant; s. Bestias segeti et pecori exitiosas noxiasque. Chrysost. : Εἶδες οὐδεμίαν λύμην ἀπὸ τῶν ἐπιβούλων τούτων τοὺς ἐπηρεαζομένους ὑπομένοντας, Nihil exitii et detrimenti. [Λύμη καὶ διαφθορὰ Cleomed. Κ. Θ. p. 87, 9. Μείζοσιν ἐμπεσοῦνται λύμαις, Athen. 4, p. 157, C. Hemst.] ‖ Interdum λύμη in corpore humano dicitur ut λώβη, de Fœdis et contumeliosis injuriis : unde αἰσχρῶς λύμῃ διακείμενος, Fœde indigneque affectus. Herodot. [2, 121, 4], ἐπὶ λύμῃ ξυρῆσαι, In contumeliam rasisse.

[Conf. 3, 14. Plurali idem in l. in Λυμαίνω citato.] Sic ap. Suidam [Ælianus, ut Toupio videtur] : Ὁ δὲ αὐτοὺς συλλαβὼν αἰκίζεται λύμῃ πάσῃ καὶ κατατάσει καὶ στρεβλώσει ποικίλῃ, καὶ δικαιώσει τῇ πρεπωδεστάτῃ, ἐν περιόπτῳ λόφῳ σταυρώσας αὐτὸν, quale ap. Liv. Fœdum in modum laceratus verberibus : estque in hujusmodi ll. λύμη φθορὰ conjuncta cum ὕβρει et αἰκίᾳ. || Λύμη pro λῦμα quoque usurpatum videtur a Polyb. [5, 59, 11] : Ποταμὸς πάσας ὑποδεχόμενος τὰς ἀνθρωπείας λύμας, Humanas illuvies suscipiens, Humanas sordes et purgamenta, ἀκαθαρσίας καὶ λύματα. Ubi Interpr. vertit, Morbos ob multitudinem aquarum hominibus deferens. [Idem 6, 10, 3 : Ξύλοις δὲ θρῖπες καὶ τερηδόνες συμφυεῖς εἰσι λῦμαι. L. D. Elaphoboscum. Diosc. Notha 3, 80. Boiss.]

Λυμήναν, ap. Hesych. βλάβαν : sed suspectum. [Pro λύμην[αν], βλάβην[ην], vel λύμαν, βλάβαν, ut videtur. Alia mirifica forma scriptor barbarus Ms. in Bandin. Catal. Bibl. Med. vol. 1, p. 215, A, c, ubi ita scriptum : Εὐμαρίως ῥυέης με πάσης ἀλόγου λυμιαίης.]

Λυμνὸς, Hesych. dici scribit pro γυμνὸς, Nudus.

[Λυμὸς, ὁ, cum λῦμα ponit Planudius in Bachm. Anecd. vol. 2, p. 25, 8, 29, comparatque cum θῦμα et θυμός. L. Dind.]

Λύμπη, Hesychio πόνος, Labor, Ærumna. [Pro λύπη, ut suo loco est : Λύπη, πόνος.]

Λύμπρωσχος, Hesychio τὸ λυχνίον, Lucernula. [Videtur forma Dorica, composita cum λυχν—, velut λυχνοῦχος, subesse.]

[Λύξ. V. Λύχη. Ejusdem voc. aliam signif. comminiscitur Zonar. p. 1321 : Λὺξ, λυγὸς, ἡ ῥάβδος.]

[Λύξεια. V. Λύζεια.]

[Λύξης, ου, ὁ, Lyxes, pater Herodoti Halicarnassensis historici ap. Lucian. De domo c. 20, Themist. Or. 2, p. 27, D, Suidam in Ἡρόδοτος et al. Accusat. Λύξην ponit Suidas in Πανύασις. Genit. Ion. Λύξεω in epigr. ap. Steph. Byz. v. Θούριοι. De quo mirabilis est disputatio Tzetzæ in schol. ad Hist. in Crameri An. vol. 3, p. 350. Nominativum esse Λύξης, quum in ll. supra citatis sit genit. Λύξου, docet alius gramm. ib. p. 241, 23, ubi vitiosum Αὔξης Αὔξου, πατὴρ Ἡροδότου, correxit Cramerus. L. Dindorf.]

[Λυόμενος, ὁ, Lyomenus, n. viri esse videtur in inscript. Att. ap. Bœckh. vol. 1, p. 339, n. 205, 12, si recte ita legitur.]

Λυπάνη, Lucianus a quibusdam τὸν ῥήτορα s. σοφιστὴν dictum scribit, ὅτι τὰς ἐκκλησίας, θορυβώδης ὢν, ἐπετάραττεν, in Pseudologista p. 342 [c. 16. Λύσσαν Gesnerus, λύτταν Valck. Diatr. de Aristob. p. 110, 29.]

Λύπεια, Hesychio λιπαρὰ, Pinguia. [Λυπηρὰ Guietus.]

Λυπέω, Dolore afficio, Animi ægritudine et molestia afficio, Contristo. [Hesiod. Op. 400 : Δὶς μὲν γὰρ καὶ τρὶς τάχα τεύξεαι (ζητεύων βίοτον κατὰ γείτονας)· ἢν δ' ἔτι λυπῇς, χρῆμα μὲν οὐ πρήξεις, σὺ δ' ἐτώσια πόλλ' ἀγορεύσεις. Soph. El. 59 : Τί γάρ με λυπεῖ τοῦθ' ὅταν λόγῳ θανὼν ἔργοισι σωθῶ; 355 : Λυπῶ δὲ τούτους. Et notabili constructione OEd. T. 74 : Καί μ' ἦμαρ ἤδη ξυμμετρούμενον χρόνῳ λυπεῖ τί πράσσει. Eur. Cycl. 338 : Λυπεῖν δὲ μηδὲν αὐτόν. Et alibi sæpe.] Aristoph. Pl. [141] : Ὥστε τοῦ Διὸς τὴν δύναμιν, ἢν λυπῇ τι, καταλύσεις μόνος. [Herodot. 7, 190 : Ἦν τις καὶ τοῦτον ἄχαρις συμφορὴ λυπεῦσα· 8, 144 : Ἡμέες λιπαρήσομεν οὕτω ὅκως ἂν ἔχωμεν, οὐδὲν λυπέοντες ὑμέας. Xen. Anab. 7, 7, 12 : Ἐλύπει αὐτὸν ἡ χώρα πορθουμένη. Cyrop. 3, 3, 50. Μηδέν σε λυπούντων αἱ τοῦ Ἀσσυρίου παρακελεύσεις.] Plut. : Συνεκβάλωμεν τῷ λυποῦντι τὴν μνήμην. Et apud Athen. 13, quædam interrogata τί λυπεῖται, respondet, Ἡ ὑστέρα με λυπεῖ. Xen. Apomn. [3, 10, 15 : Τοὺς μὴ λυποῦντας ἐν τῇ χρείᾳ θώρακας. Et similiter alibi.] 1 : Λυπῶ σε πολλὰ, Multis doloribus te afficio. Et Ad Ephes. 4, [30] : Μὴ λυπεῖτε τὸ πνεῦμα τὸ ἅγιον, Ne contristate. Λυπέομαι, Dolore afficior, Doleo, Mœreo, Tristor. [Æsch. fr. Phryg. ap. Stob. Fl. 125, 7 : Μήτε χαίρειν μήτε λυπεῖσθαι πάρα. Soph. El. 1170 : Τοὺς γὰρ θανόντας οὐχ ὁρῶ λυπουμένους· Aj. 555 : Ἕως τὸ χαίρειν καὶ τὸ λυπεῖσθαι μάθῃς· 1086 : Οὐκ ἀντιτίσειν αὖθις ἂν λυπώμεθα. Eur. Ion. 1311 : Λυπήσομέν τιν' ὧν λελυπήμεσθ' ὕπο. Et alibi sæpe. Thuc. 2, 64 : Οἵτινες πρὸς τὰς ξυμφορὰς γνώμῃ μὲν ἥκιστα λυποῦνται, ἔργῳ δὲ μάλιστα

A ἀντέχουσιν. Xen. Hier. 1, 5 : Ἥδεσθαί τε καὶ λυπεῖσθαι ἐπ' αὐτοῖς· Comm. 3, 9, 8, ἐπὶ τῇ εὐπραξίᾳ τοῦ φίλου. Eademque construct. Plato Phil. p. 37, E. Cyrop. 8, 3, 41 : Διὰ τὸ πολλὰ ἔχειν πλείω λυπεῖσθαι. Utraque conjuncta inscr. Olbiop. ap. Bœckh. vol. 2, n. 2059, p. 126, 32 : Ὥστε ἐπὶ τούτοις τοὺς πολείτας καὶ τοὺς ξένους διὰ τὸ ἀφῃρῆσθαι τοῦ προεστῶτος τῆς πόλεως ἀνδρὸς λελυπῆσθαι.] Plato [Menex. p. 248, A] : Οὔτε γὰρ χαίρων οὔτε λυπούμενος ἄγαν φανήσεται, Neque enim lætabitur unquam neque mœrebit nimis, Cic. Epicur. : Οὔτε τὸ ἀλγοῦν, οὔτε τὸ λυπούμενον, Nihil aut dolens aut ægrum, eod. Cic. interpr. [Achill. Tat. 1, 13 : Παρηγορεῖ τὸ λυπούμενον. Ubi alia exx. annotavit Jacobs. Diog. L. 10, 139.] Synes. Ep. 64 : Μὴ αἴτει μεγάλα, ἵνα μὴ δυεῖν θάτερον, ἢ τυγχάνων λυπῇς, ἢ μὴ τυγχάνων λυπῇ. Aristot. Eth. 2, 3 : Ὥστε χαίρειν καὶ λυπεῖσθαι οἷς δεῖ. Dem. [p. 323, 4] : Τὸ ταυτὰ λυπεῖσθαι καὶ ταυτὰ χαίρειν. [Unde Pollux 8, 151. Eadem constr. Plato Gorg. p. 494, A : Τὰς ἐσχάτας λυποῖτο λύπας· pro quo Phil. p. 36, A : Διπλῇ τινι λύπῃ λυπούμενον. Cum accusat.
B λύπην etiam Theodor. Stud. p. 495, C; 591, A. Alia constr. Maximus Conf. vol. 1, p. 401, B : Μήτε τὸν ἀδελφὸν ἀφῇς κοιμηθῆναι λυπούμενον κατὰ σοῦ μήτε σὺ κοιμηθῇς λυπούμενος κατ' αὐτοῦ. Ap. Joann. Malalam frequens est λυπεῖσθαι vel λυπεῖσθαι πρός τι s. τινὰ de infensis et inimicis. V. index meæ edit. v. Λυπέω. || Fut. Eur. Med. 474 : Σὺ λυπήσει κλύων. Lucian. Nigrin. c. 9 : Οὐ πάνυ τι λυπήσομαι.] || Λυπέω accipitur etiam pro βλάπτω, Lædo, Incommodis et detrimentis afficio. [Herodot. 9, 40 : Ἡ ἵππος ἡ Μαρδονίου αἰεὶ προσέκειτό τε καὶ ἐλύπεε τοὺς Ἕλληνας· 61 : Τὸ προσκείμενόν σφεας ἐλύπεε. Thuc. 4, 53 : Λησταὶ τὴν Λακωνικὴν ἧσσον ἐλύπουν ἐκ θαλάσσης· 6, 66 : Οἱ ἱππῆς ἥκιστ' ἂν αὐτοὺς λυπήσειν (ἔμελλον).] Xen. Hell. 6, p. 346 [3, 14] : Κατὰ γῆν μὲν τίς ἂν ὑμῶν φίλων ὄντων ἱκανὸς γένοιτο ἡμᾶς λυπῆσαι; κατὰ θάλατταν γεμὴν τίς ἂν ὑμᾶς βλάψαι τι ἡμῶν ὑμῖν ἐπιτηδείων ὄντων; Paulo ante dicit, Si ipsi amici sint, nihil expectandum esse χαλεπόν. [Anab. 2, 3, 23 : Πορευοίμεθα δ' ἂν οἴκαδε εἴ τις ἡμᾶς μὴ λυποίη.] Sic Herodian. 3, [9, 9] : Οὐ μικρῶς ἐλύπουν τὸν τοῦ Σεβήρου
C στρατὸν, Pessime accipiebant; de iis qui superne sagittas ac lapides jaciebant, Polit. [Plato Cratyl. p. 393, E : Οὐδὲν ἐλύπησεν ὥστε μὴ οὐχὶ ... δηλῶσαι, Ficinus, « Nihil obstitit, quin ... ostenderetur. » Creuzer. || Λυπεῖν, Esse in luctu, ap. Codin. De off. 11, 1. Ducang. Esther 6, 12 : Λυπούμενος κατὰ κεφαλῆς.]

Λύπη, ἡ, Dolor, Animi molestia et ægritudo. [Tristitia, Mœror, Mœstitia, Ægrimonia, Gl. Pluribus definitur ap. Zonaram p. 1322.] In Stoic. Definitt. : Λύπη ἐστὶ συστολὴ ἄλογος. Item, Λύπη ἐστὶ δόξα πρόσφατος κακοῦ παρουσίας ἀξίου εἶναι μειώσεως καὶ συστολῆς δοκοῦντος. Quæ ita Cic., Ægritudo sit animi adversante ratione contractio : paulo post, Ægritudo est opinio recens mali præsentis, in quo demitti contrahique animo rectum esse videatur. Idem modo Molestiam, modo Ægritudinem interpr., ut te docebit meum Lex. Cic. pluribus in ll. : et inter alios in hoc Platonico [Tim. p. 42, A], Ἡδονῇ καὶ λύπῃ μεμιγμένος ἔρως, Voluptate et molestia mixtus amor. [Æschyl. Ag. 791 : Δῆγμα λύπης· fr. Ὅπλων κρίσ. ap. Stob. Fl. 121, 23 :
D Τί γὰρ καλὸν ζῆν βίοτον ὃς λύπας φέρει; Soph. Phil. 67 : Λύπην πᾶσιν Ἀργείοις βαλεῖς· OEd. T. 915 : Ὑψοῦ γὰρ αἴρει θυμὸν Οἰδίπους ἄγαν λύπαισι παντοίαισιν. Et utroque numero sæpe Euripides. Herodot. 7, 152 : Πᾶν βουλόμενοί σφι εἶναι πρὸ τῆς παρεούσης λύπης. Thuc. 6, 59 : Δι' ἐρωτικὴν λύπην.] Xen. Hell. 7, [1, 32] : Κοινόν τι ἄρα χαρᾷ καὶ λύπῃ δάκρυά ἐστι. Plut. : Ἀπειρηκότες ὑπὸ λύπης, Præ animi ægritudine et molestia succumbentes. Lucian. : Ὥστε καὶ νοσῆσαι ὑπὸ λύπης. Xen. Hell. 6, [2, 36] : Ὑπὸ λύπης θανάτῳ αὐθαιρέτῳ ἀποθνήσκει. Sic Plut. Artox. [c. 30] : Ὑπὸ λύπης καὶ δυσθυμίας ἀπεσβέσθη· paulo post [imo Alex. c. 70] : Ὑπὸ λύπης καὶ βαρυθυμίας διαχρησάμενος ἑαυτόν. Sic Herodian. 3, [15, 5] de Severo : Λύπῃ τὸ πλεῖστον διαφθαρεὶς ἀνεπαύσατο τοῦ βίου, Mœrore confectus. Isocr. Panath. [p. 262, A] : Εἰς πολλὰς ἀηδίας καὶ λύπας τοὺς πειθομένους ἐμβαλλόντων. Plutarchus : Τὰς μὲν γὰρ ἄλλας ἀναιρεῖ λύπας ὁ λόγος, τὴν δὲ μετάνοιαν αὐτὸς ἐργάζεται. Astydamas ap. Athen. 2, [p. 40, B] : Θνητοῖσι τὴν ἀκεσφόρον Λύπης ἔφηνεν οἰνομήτορ' ἄμπελον. Et ap. quendam

Comicum : Λύπης ἁπάσης ἐστὶν ἰατρὸς χρόνος, quod Terent. Dies adimit ægritudinem hominibus. [Sent. monost. 326.] Theoph. Ep. 25 : Πρὸς λύπην ἀπαρηγόρητον, πρὸς ἀνίαν ὀξύῤῥοπον. Plut. : Ἐπιτείνονται λύπαι. [Etiam de Corporis dolore, de Dolore mulieris parturientis, Soph. El. 533. SCHWEIGH. Cum præp. περὶ Eur. Hel. 1344 : Τὰν περὶ παρθένῳ λύπαν. Cum præp. ὑπὲρ Demosth. p. 322, 2 : Τῆς ὑπὲρ ἁπάντων λύπης πλεῖστον μετεῖχεν. Hesychius ponit signiff. πόνος, ὕβρις, φθορὰ, ἀπώλεια, βλάβη.] || Quod ad hujus voc. etymon attinet, Etym. dictum scribit παρὰ τὸ λύειν εἰς δάκρυα τὰς ὦπας. Sicut et ap. Cic. [Tusc. 3, 25] ægritudinem λύπην Chrysippus quasi λύσιν, i. e. Solutionem totius hominis, appellatam putat. Necnon Socrati ap. Plat. Cratylo [p. 419, B], Ἡ λύπη ἀπὸ τῆς διαλύσεως τοῦ σώματος ἔοικεν ἐπονομασθῆναι, ἣν ἐν τούτῳ τῷ πάθει ἴσχει τὸ σῶμα. [ῡ]

[Λύπημα, τὸ, Læsio, Dolor. Soph. Trach. 554 . Ἧ δ' ἔχω λυτήριον λύπημα τῆδ' ὑμῖν φράσω. Dio Cass. 55, 17 : Πολλὰ δὲ καὶ τῶν δειλοτάτων καὶ ἀσθενεστάτων λυπήμασί τε καὶ φόβοις καὶ ἐκταράττεται καὶ παροξύνεται. Eust. Op. p. 330, 32 : Λιχνείας ταῦτα ποίνη λυπήματα.]

Λυπηνάρια, Suidas esse dicit Leguminis speciem, quam et θέρμους s. θέρμα vocant. Sunt qui παρὰ τὸ λυπεῖν denominata velint, quum et Virg. dicat Tristis lupini calamos, pro Amari, et gustum offendentis. Ego potius ex Lat. voce Lupini recentiores Græcos mutuatos arbitror. [Zonar. p. 1323, λυπινάριον. Exx. ab Ducangio in formis Λουπ– posita, ut Latina potius quam Græca, omisimus.]

Λῡπηρὸς, ὰ, ὸν, Molestus, Molestia et tristitia animum afficiens. [Mœstus, Anxius, Tristis, Gl. Soph. El. 553 : Ἐρεῖς μὲν οὐχὶ νῦν γέ μ' ὡς ἄρξασά τι λυπηρὸν εἶτα σοῦ τάδ' ἐξήκουσ' ὕπο· 557 : Εἰ δέ μ' ὧδ' ἀεὶ λόγοις ἐξῆρχες, οὐκ ἂν ἦσθα λυπηρὰ κλύειν· OEd. Col. 1176 : Τί σοι τοῦτ' ἐστὶ λυπηρὸν κλύειν; Et sæpe Eur. tam de rebus quam de hominibus. Xen. Hier. 1, 8 : Πολὺ μείω τὰ λυπηρὰ ἔχει. Plato Leg. 5, p. 733, B : Βίον χρὴ παρὰ βίον ἡδίω καὶ λυπηρότερον ὧδε σκοπεῖν.] Thuc. 1, [99] de Atheniensibus : Ἀκριβῶς ἔπρασσον καὶ λυπηροὶ ἦσαν, Severi erant exactores et molesti. [Ib. 76 : Λυπηροὺς γενομένους τοῖς ξυμμάχοις· 2, 37 : Ἀζημίους μὲν, λυπηρὰς δὲ τῇ ὄψει ἀχθηδόνας προστιθέμενοι.] A Philone opp. λυπηρὰ et ὅσα καθ' ἡδονὴν συμβαίνουσι, ab Isocr. τερπνὰ et λυπηρὰ, ab Aristot. ἀγαθὰ et λυπηρὰ, Rhet. 2, [4, 2] : Ἀνάγκη φίλον εἶναι τὸν συνηδόμενον τοῖς ἀγαθοῖς καὶ συναλγοῦντα τοῖς λυπηροῖς. Aliquando vero copulantur λυπηρὸν et χαλεπόν. Dem. [p. 227, 7] : Πάντων μὲν γὰρ ἀποστερεῖσθαι λυπηρόν ἐστι καὶ χαλεπόν. Similiter Xen. Cyr. 7, [5, 82] : Οὐ γὰρ τὸ μὴ λαβεῖν τὰ ἀγαθὰ οὕτω χαλεπὸν, ὥσπερ τὸ λαβόντα στερηθῆναι λυπηρόν. Item τὸ λυπηρὸν, Tristitia. || Λυπηρὸς exp. etiam ἐπίφθονος, Invidiosus, Acerbus. [Thuc. 6, 16 : Οἶδα δὲ τοὺς τοιούτους ἐν μὲν τῷ κατ' αὐτοὺς βίῳ λυπηροὺς ὄντας. Schol. : Λυπηροὺς τοὺς ἐπιφθόνους ἤκουσα, ἐπειδὴ καὶ ὁ φθόνος λύπη κατὰ τὸ γένος ἐστί· 2, 64 : Τὸ δὲ μισεῖσθαι καὶ λυπηροὺς εἶναι ἐν τῷ παρόντι πᾶσι μὲν ὑπῆρξε δὴ, ὅσοι ἑτέρων ἠξίωσαν ἄρχειν· ὅστις δ' ἐπὶ μεγίστοις τὸ ἐπίφθονον λαμβάνει ... Cum genit. 8, 46 : Βασιλεῖ ἐξεῖναι ἀεὶ ἐπὶ τοὺς αὐτοῦ λυπηροὺς τοὺς ἑτέρους ἐπάγειν. Xen. Anab. 2, 5, 13 : Οἶδα ὑμῖν Μυσοὺς λυπηροὺς ὄντας. Prov. Λυπηρότεροι σταλαγμοῦ, quod διὰ τὴν ἐν τῷ συνεχῶς καταστάζεσθαι δυσχέρειαν dicatur, memorant Photius s. Suidas. || Pass. Tristis. Hesych. : Λυπηρὸς, ἄθυμος. Qua signif. usitatum est λυπρός.]

Λυπηρῶς, Cum dolore, Dolenter, Moleste. [Soph. El. 767 : Λυπηρῶς δ' ἔχει, εἰ τοῖς ἐμαυτῆς τὸν βίον σώζω κακοῖς Phil. 912. Eur. Bacch. 1264 : Τί δ' οὐ καλῶς τῶνδ' ἢ τί λυπηρῶς ἔχει;] Xen. Cyrop. 5, [4, 34] : Λ. βιωσόμεθα. Isocr. Evag. [p. 199, D] : Λ. καὶ βαρέως ἔφερον.

[Λυπησίλογος, ὁ, ἡ, Qui molestus est oratione sive dictis. Cratinus ap. Suidam v. Ἄνθρωπος λ. s. gramm. Bekk. An. p. 404, 12. Exc. Phryn. ib. p. 9, 29. Apud Suidam accentus non recte in penultima ponitur. De forma v. Lobeck. ad Phryn. p. 769-70.]

[Λυπητέον, Dolendum. Xen. Apolog. 27 : Εἰ μὲν ἀγαθῶν ἐπιρρεόντων παραπόλλυμαι, δῆλον ὅτι ἐμοὶ καὶ τοῖς ἐμοῖς εὔνοις λυπητέον.]

[Λυπητήριος, α, ον, Qui tristitiam, dolorem affert. Jo. Chrys. Hom. 55, vol. 5, p. 368, 36 : Τὸ λ. πρόσκαιρον, τὸ δὲ ὠφέλιμον διηνεκές. SEAGER.]

Λυπητικὸς, ὴ, ὸν, Qui tristatur, VV. LL.; Qui tristitia afficere solet. [Plut. Mor. p. 657, A : Ὥσπερ ἡ θρηνῳδία καὶ ὁ ἐπικήδειος αὐλὸς ... προάγων τὴν ψυχὴν εἰς οἶκτον οὕτω κατὰ μικρὸν ἐξαιρεῖ καὶ ἀναλίσκει τὸ λυπητικόν.]

[Λυπινάριον. V. Λυπηνάριον.]

[Λυπρόβῐος, ὁ, ἡ, Qui tristem vitam degit. Strabo 7, p. 318 : Καλυβῖταί τινες καὶ λυπρόβιοι. Const. Manass. Amat. 2, 32.]

Λυπρόγαιος, ὁ, ἡ, Gracile et macilentum solum habens. Et τὸ λυπρόγαιον, Soli gracilitas. Appian. [Hisp. c. 59] ap. Suid. : Τὸ γὰρ λ. καὶ πενιχρὸν ὑμᾶς εἰς λῃστείαν ἄγει· δώσω δὲ ἐγὼ πενομένοις φίλοις γῆν ἀγαθὴν, ubi opp. λ. et ἀγαθὴ γῆ. [Const. Manass. Chron. 6637, νησιδίῳ. BOISS.]

[Λυπρόγειος, ὁ, ἡ, i. q. λυπρόγαιος. Herodian. Epim. p. 209. L. D. Λυπρόγειον, Malignum solum, Philo vol. 2, p. 46. WAKEF.]

Λυπρόγεως, ω, ὁ, ἡ, Attice pro λυπρόγαιος dicitur. [Schol. Lycophr. 111; Herodian. Epim. p. 80, 208. « Jo. Chrys. In 1 Cor. serm. 26, vol. 3, p. 415. » SEAGER. Philo vol. 2, p. 294, 13. WAKEF.]

Λῡπρὸς, ὰ, ὸν, i. q. λυπηρός; nam Suidæ λυπρὸν est ἐπαχθὲς, λυπηρόν : Hesychio μοχθηρὸν, ὀλέθριον, et λυπρὰ Eid. σκοτεινή. [Æsch. Pers. 1034 : Λυπρὰ, χάρματα δ' ἐχθροῖς· Cho. 835 : Προπράσσων χάριτος ὀργὰς λυπράς· Eum. 174 : Κἀμοὶ λυπρός. Eur. Med. 301 : Τῶν δ' αὖ δοκούντων εἰδέναι τι ποικίλον κρείσσων νομισθεὶς λυπρὸς ἐν πόλει φανεῖ· et sæpissime de rebus, ut βίος, ἔπος, πένθος et similibus.] || Λ. χωρίον Galeno ap. Hippocr. [p. 295, 8, ut conjicit Foes., ubi nunc λεπτὰ,] τὸ ψιλὸν καὶ ξηρὸν, quod ex Plin. 17, 12, reddere possumus Solum gracile et aridum : cui opp. Agrum lætum : ut λ. γῆ sit Tellus minime læta, sed quæ segetes minime lætas profert : Hesychio λεπτή. Hom. Od. N, [243] de Ithaca : Ἦ τοι μὲν τρηχεῖα καὶ οὐχ ἱππήλατός ἐστιν, Οὐδὲ λίην λυπρή· nam dicit vinum multum ibi nasci et frumentum : nec carere pluviis. [Dionys. Per. 963 : Λυπρὸν ὀρεσκῴων παραφαίνεται οὖδας Ἐρεμβῶν. Theophr. H. Pl. 4, 15, 4 : Λυπρὰν χώραν καὶ ἄτροφον· C. Pl. 3, 20, 2.] Philo De mundo : Καὶ γεγενῆσθαι τῆς παρακειμένης χώρας μοίρας οὐ λυπρὰς σπειρομένας καὶ φυτευομένας. Item Epigr. [Zonæ Anth. Pal. 6, 98, 6] ap. Suid. : Πέπτατο [Πέπατο] γὰρ οὐ μέγα τοῦτο Κλήριον ἐν λυπρῇ τῇδε γεωλοφίῃ, ubi ipse exp. πενιχρᾷ : sed nihil vetat interpretari Gracili s. Macro. Item ex Theophr. λ. δένδρα, Arbores quæ velut tristi jejunaque sunt natura. [C. Pl. 2, 4, 5 : Πάντα τὰ τοιαῦτα (ut λάχανα καὶ ὁ Δημήτρειος καρπὸς) λυπρὰ τῇ φύσει. Polyb. 13, 9, 1.] Pro πενιχρὸς rectius capi potest in hoc ap. eund. Suid. l. [Joannis Antiocheni in Exc. Vales. p. 789] de Quintio Cincinnato dictatore Romano : Οὕτω δὲ ἦν μέτριος καὶ σώφρων, ὡς ἐπὶ καλύβῃ λυπρᾷ καὶ ὀλίγῳ γῆς μέτρῳ ζῆν, τὸν αὐτουργόν τε ἀγαπᾶν βίον· mox, Λυπρά τε σιτούμενος καὶ σκληρῶς ἐκκαθεύδων, καὶ πᾶσι κεχρημένος πολὺ ἐνδεέστερον ἢ πρὸς τὴν ἐξουσίαν. Ubi etiam reddi posset Tenuis, Vilis, εὐτελής : sicut et ab Hesych. exp. [Diog. L. 6, 87 : Τήλεφον σπυρίδιον ἔχοντα καὶ τἄλλα λυπρόν· 10, 4 : Λυπροῦ τινος μισθαρίου. HEMST. Lex. rhet. Bekk. An. p. 203, 16 : Ἰχθύδιον φαῦλον καὶ λυπρόν.]

|| Λυπρῶς, Hesychio εὐτελῶς, λιπαρῶς, nisi forte scr. Λυπηρῶς. [Ita Cyrillus. Λυπρῶς autem est ap. Eur. Suppl. 898 : Λ. δ' ἔφερεν, εἴ τι δυστυχοῖ· Tro. 632 : Τοῦ ζῆν δὲ λ. κρεῖσσόν ἐστι κατθανεῖν· Bacch. 814 : Λ. νυν εἰσίδοιμ' ἂν ἐξῳνωμένας· Phœn. 1213 : Παιδὸς στερηθεὶς τῇ πόλει μὲν εὐτυχῶς, ἰδίᾳ δὲ λυπρῶς. Plut. Dion. c. 58 : Ἐκεῖ λ. πράττων καὶ κακῶς διατρέφων τοὺς μισθοφόρους.]

Λυπρότης, ητος, ἡ, Gracilitas, Macies, Tenuitas. [De terræ sterilitate Strabo 2, p. 130; 3, p. 156, 163, 6, p. 252.]

[Λυπρόχωρος, ὁ, ἡ, Qui terra est sterili. Strabo 9, p. 427 : Πόλεις μικραὶ καὶ λ.]

Λύρα, ἡ, [Fidis, Fidicula, Gl.] Lyra, organum ex genere τῶν ἐντατῶν, sicut et μάγαδις, κιθάρα, βάρβιτον, Athen. [4, p. 182, E. Pind. Ol. 11, 97 : Ἁδυεπής τε λύρα γλυκύς τ' αὐλός· Nem. 11, 7 : Λύρα δέ σφι βρέμεται καὶ ἀοιδά· 10, 21 : Εὔχορδον ἔγειρε λύραν· Ol. 6, 97 : Ἀδύλογοι λύραι μολπαί τε· 2, 52 : Ἐγκωμίων τε μελέων λυρᾶν τε τυγχανέμεν· Pyth. 10, 39 : Λυρᾶν τε βοαί. Et sæpe Tragici, ut Eur. Med. 424 : Λύρας ἀοιδάν· Alc.

430 : Λύρας κτύπος· Iph. T. 1129 : Κέλαδον ἑπτατόνου λύρας. Plato Leg. 7, p. 809, E : Λύρας ἅψασθαι.] Plut. [Mor. p. 743, C] : Συνῄσαμεν τῷ Ἐράτωνι πρὸς τὴν λύραν. Apud Eund. [ib. p. 455, D, ex Sophocle] : Ῥηγνὺς ἁρμονίαν χορδοτόνου λύρας· sicut alibi dicit λύραν σύντονον. Aristoph. Nub. [1355] : Τὴν λύραν λαβόντ' ἐγὼ 'κέλευσα Ἆσαι Σιμωνίδου μέλος· olim enim in conviviis post cœnam circumferebatur lyra, singulisque ordine convivis offerebatur a convivatore : quam qui recusasset, habebatur indoctior. Aliquando dicitur aliquis λύραν λαβὼν κιθαρίζειν, pro Acceptam lyram pulsare, Accepta lyra canere. Xen. Symp. [3, 1] : Συνηρμοσμένῃ τῇ λύρᾳ πρὸς τὸν αὐλὸν ἐκιθάρισεν ὁ παῖς καὶ ᾖσεν. Aristot. Polit. 7, [12] : Ὥσπερ εἰ τοῦ κιθαρίζειν λαμπρῶς καὶ καλῶς, αἰτιῷτο τὴν λύραν μᾶλλον τῆς τέχνης. Athen. 14 : Ἀναλαμβάνων τὴν λύραν, ἐκιθάριζε. Hom. quoque dicit φόρμιγγι κιθάριζε : adeo ut hæc tria, κιθάρα, φόρμιγξ et λύρα alicubi pro eod. accipiantur : sicut Eust. [Il. p. 574, 36, Od. p. 1913, 38] scribit χέλυν vocatam fuisse πᾶσαν κιθάραν, quia χελώνης ὄστρακον μέγα πήχεως περιθέσει καὶ χορδῶν ἐντανύσει λύραν ἀπήρτησεν Ἑρμῆς, ἣν Ἀπόλλωνι ἐχαρίσατο εἰς λύτρον ἀνθ' ὧν ἔκλεψεν ἐκείνου βοῶν· unde et λύραν appellatam fuisse quasi λύτραν. [Hesych. : Λύρα, κιθάρα. De partibus lyræ Scalig. ad Manil. p. 386 ed. sec. citat Schneider.] || Sidus cœleste ap. Aratum [268], quod et χέλυν appellari scribit. Hanc Idem λύρην Κυλληναίην vocat [597], et Cic. Fidem Cylleniam interpr. : Plin. Fidiculam nominat, Vitruv. Lyram. Varro De Re Rust. 2, 5 : Hoc secundum astri exortum facito, quod Græci vocant λύραν, Fidem nostri. || Piscis quidam, qui sonum vocalem edere putatur. Aristot. H. A. 4, 9 : Ψόφους δέ τινας ἀφιᾶσι καὶ τρισμοὺς, οὓς λέγουσι φωνεῖν, οἷον λύρα καὶ χρομίς· οὗτοι γὰρ ἀφιᾶσιν ὥσπερ γρυλλισμόν. [ῠ]

[Λύρα, ἡ, Lyra, locus ubi lyram Apollini consecravit Orpheus. Apoll. Rh. 2, 929.]

[Λῠραῖος, ὁ, Mercurii cognomen. Proculus In Plat. Alcib. p. 195 ed. Creuzer. : Ἔφορος ὁ θεὸς (Mercurius) μουσικῆς· διὸ καὶ Λυραῖος ἐν οὐρανῷ τετίμηται.]

[Λύραμνος, ὁ, Lyramnus, Ponticus, Pythagoreus, ap. Iambl. V. Pyth. p. 530, si vera scriptura.]

[Λυράοιδος. V. Λυρῳδός.]

[Λύρβη, ἡ, Lyrbe, oppidum Pisidiæ. Dionys. Per. 859. Gent. Λυρβείτης in numis (ap. Mionnet. *Suppl.* vol. 7, p. 117) redarguere scripturam Λύβρη ap. Hierocl. p. 682, animadvertit Wesseling. Λυρόπη ap. Ptolem. 5, 5.]

Λῠρίζω, Lyra vel Ad lyram cano. [Chrysipp. apud Plut. Mor. p. 1037, E : Τὸν μουσικὸν λυρίσαι καὶ ᾆσαι. Anacreont. 5, 12; 42, 4. Phalar. Ep. 2 init. : Ἤκουσα τῶν Στησιχόρου θυγατέρων ποιήματα λυριζουσῶν. Pollux 4, 63.]

Λῠρικὸς, ἡ, ὸν, Lyricus : ut λ. ποίησις ap. Athen. [et Dionys. Thr. Bekk. An. p. 751, 19. Absolute de eadem in epigr. Anth. Pal. 9, 184, 9 : Πάσης ἀρχὴν οἳ λυρικῆς καὶ πέρας ἐσπάσατε. Anacreont. 49, 2 : Λυρικῆς ἄκουε μούσης.] Et λ. ᾄσματα s. μέλη [et ποιήματα ap. schol. Dionys. l. c.], Lyrica carmina, Lyrici moduli. Et λυρικὸς pro Poeta lyrico : ut ἑπτὰ λυρικοὶ, Epigr. [Et in inscr. epigr. supra citati.] Λυρικὸς dicitur etiam Lyricen s. Lyræ pulsandæ peritus. Epigr. [Lucillii Anth. Pal. 11, 78, 4] : Γράμματα τῶν λυρικῶν Λύδια καὶ Φρύγια, Lydiæ et Phrygiæ notæ lyricinum. [Plut. Numæ c. 4 : Ποιηταῖς καὶ λυρικοῖς μινυρίζουσι· Lycurg. c. 4 : Ποιητὴν λυρικῶν μελῶν· Mor. p. 13, B : Λυρικῆς τέχνης· 1142, B : Ὅσοι τῶν λυρικῶν ἄνδρες ἐγένοντο ποιηταὶ κρουμάτων ἀγαθοί. Cicero Orat. c. 183 : « Poetarum qui λυρικοὶ a Græcis nominantur. »]

Λύριον, τὸ, Lyrula, Parva lyra. Aristoph. Ran. [1304] : Ἐνεγκάτω τις τὸ λύριον. Synes. Ep. 148 : Λύριόν τι ποιμενικὸν λιτὸν καὶ αὐτόσκευον, Lyrula quædam pastoritia. [Plut. Mor. p. 133, A. Eust. Il. p. 268, 9, ubi proparoxytonon esse testatur; 1165, 26.]

[Λυρὶς, ίδος, ἡ, i. q. λύριον, ut videtur. Inter diminutiva in ὶς ponit Arcad. p. 29, 5.]

[Λυρισμὸς, ὁ, Pulsus lyræ. Schol. Aristoph. Plut. 242. Hemst.]

Λυριστὴς, ὁ, Qui lyra canit, vel lyræ accinit, ut κιθαριστής. Utitur hoc vocab. Plin. junior, ut Cic. dicit Citharista, in Epist. ad Genit. [9, 17] : Quam multi, quum lector aut lyristes aut comœdus inductus est, calceos ponunt? [Add. 36; 1, 15. Fidicinarius, Fidicen, Gl. Constt. Apost. vol. 1, p. 417 ed. Cotel. : Κιθαριστὴς ἢ λυριστής. Ubi Cotel. : « Notat Helladius ap. Phot. Biblioth. cod. penult. (p. 529, 37) Græcos dicere κιθάραν et κιθαριστὴν, dicere λύραν, sed non dicere λυριστήν. Hoc de prima Græcia. Postea enim λυριστὴς quoque in usu fuit. Lexicon Gr.-Lat. vetus : Λυριστὴς, Fidicinarius. Pari modo Latini mediæ ætatis Lyristen usurpant. Unde Lyristria Augustino 3 C. Julian. c. 11. » L. Dindorf.]

Λυρίτης, Hesychio ζῷόν τι ταῖς δρυσὶν ἐντίκτον, Animal quoddam quod in quercubus parit. Sunt qui Glirem interpretentur : forsitan et Sciurus esse possit.

[Λύρκεια. V. Λύγκεια.]

[Λύρκειον, τὸ, Lyrceum. Hesychius vitiose : Λύρκινον, ὄρος τῆς Ἀργείας. Steph. Byz. : Ὄρος Ἄργους. Καλλίμαχος Ἑκάλῃ. Τὸ τοπικὸν Λύρκειον ὕδωρ καὶ Λυρκήιον. Τὸ ἀρσενικὸν Λύρκειος, ὡς Ῥοίτειος. Soph. apud Strab. 6, p. 271 : Ἔνθεν ἐς Ἄργος διὰ κῦμα τεμὼν ἥκει δῆμον τὸν Λυρκείου. Hesych. : Λυρκίου δῆμον, τὸ Ἄργος, ἀπὸ Λυρκίου τοῦ Λυγκέως. Ἔστι δὲ καὶ ὄρος καὶ πόλις. Strabo 8, p. 370; 9, p. 424. In Λυκούργιον corruptum erat 8, p. 376. Λυρκήιον Ἄργος ap. Apoll. Rh. 1, 125, in libris plerisque depravatum erat in Λυγκήιον.]

[Λύρκος, ὁ, Lyrcus, f. Abantis. Pausan. 2, 25, 4.]

[Λυρναῖος. V. Λυρνησσός.]

[Λυρνατία, χερρόνησος καὶ χωρίον Λυκίας. Ἀλέξανδρος δευτέρῳ περὶ Λυκίας. Τὸ ἐθνικὸν Λυρνατιεὺς, ὡς Οἰχαλιεύς. Ἀρκάδιος δὲ διὰ τῆς ει διφθόγγου, Steph. Byz. Itaque ap. Scylacem p. 39, quod est νῆσος Αὐραιάτεια, præstat Λυρνάτεια scribi quam Λυρνατία cum Salmasio Plin. Exerc. p. 548, b, F. Eadem autem videtur quæ supra Λιρνύτεια.]

[Λυρνησσὸς, ἡ, Lyrnessus, urbs Mysiæ vel Phrygiæ, Hom. Il. B, 690, etc., Strab. 13, p. 584 seqq. Hesych. : Λύρνησος, ἡ Τένεδος καὶ Κιλικίας πόλις. Steph. Byz. : Λυρνησσὸς, πόλις Τρωικὴ, μία τῶν ἕνδεκα τῶν ἐν τῇ Τρῳάδι. Τὸ ἐθνικὸν Λυρνήσσιος. Αἰσχύλος δὲ Πέρσαις ὡς ἀπὸ τοῦ Λύρνα ἢ Λύρνη Λυρναῖος, (unde sua petiisse videtur Eust. ad l. Hom.). Quibus nominibus nihil inter se commune esse monet Blomfield. Λυρνήσιος vero vel Λυρνήσσιος est ap. eund. Æschylum in schol. Eur. Androm. 1 : Καὶ τὴν Λυρνησσὸν ἐν τῷ τῆς Θήβης πεδίῳ τάσσουσιν, ὡς ὁ Αἰσχύλος Λυρνησσίδα προσαγορεύσας τὴν Ἀνδρομάχην ἐν τοῖς Φρυξίν ... Ἀνδραίμονος Λυρνησίου. Λυρνησσὶς Κιλικία ap. Strab. 13, p. 586, ubi alii Λυρνησὶς, ut est ap. schol. Hom. Il. Τ, 246. Variare enim solent libri inter duplex et simplex σ, ut in plerisque hujusmodi nominibus. De accentu acuto Arcad. p. 77, 4.]

Λυρογηθὴς, ὁ, ἡ, Lyra gaudens, epith. Apollinis in Epigr. [H. in Apoll. Anth. Pal. 9, 525, 12.]

[Λυρόδμητος, ὁ, ἡ, Lyra conditus. Nonn. Dion. 25, 415 : Λυροδμήτοιο βοόκτιτα τείχεα Θήβης· 26, 66 : Λυροδμήτῳ πόρε Θήβῃ· 45, 323.]

Λυρόεις, εσσα, εν, Lyricus, Cui lyrica modulatio inest. [Potius Lyræ similis, Lyræ similem sonum edens, Athen. 4, p. 183, B : Σκινδαψὸν λυρόεντα μέγαν χείρεσσι τινάσσων. Schweigh. Antipater Sidon. Anth. Pal. 7, 30, 2 : Ἀκμὴν οἱ λυρόεν τι μελίζεται ἀμφὶ Βαθύλλῳ.]

Λυροεργὸς, ὁ, Qui lyras conficit. [Orph. Arg. 7, ubi de Apolline dicitur lyram pulsante.]

Λυροθελγὴς, ὁ, ἡ, ut λυροθελγέα λείψανα ex Epigr. [Onestæ Anth. Pal. 9, 250, 3], Lyra s. Lyræ sono permulsa : sicut de Orpheo in Epigr., τὸν ἀκήλητον θυμὸν ἔθελξε λύρῃ.

[Λυροκράτης, ου, ὁ, Lyræ pulsator. Theod. Prodr. 5, 67, p. 193 : Νέκυν ἀναδραμόντα καὶ λυροκράτην. ᾰ]

Λυρόκτητος, ὁ, ἡ, q. d. Lyra acquisitus. Ex Epigr. [Christodori Ecphr. 261, ubi cod. Pal. βιόκτιτος, Græfius βοόκτιτος] citatur λ. Θήβη, fortasse pro λυρόκτιστος, aut λυρόκτιτος : nam secundum Horat., dictus est Amphion Thebanæ conditor urbis saxa movisse sono testudinis, et ita permulsisse, ut sua sponte ad murorum Thebanorum structuram concurrerint.

[Λυρόκτῐτος. V. Λυρόκτητος.]

[Λυροκτύπης, ὁ, Lyram pulsans, var. script. in l. Anacreont. in Λυρῳδὸς citando.]

[Λυροκτυπία, ἡ.] Λυροκτυπίη, Lyræ pulsus, Lyræ pulsatæ sonus. Epigr. [Pauli Sil. Anth. Plan. 277, 4] in quandam citharistriam : Ἔκ τε προσώπου Ἔκ τε λυροκτυπίης ἶσον ἐθελγόμεθα. [Idem Anth. Pal. 6, 54, 10.]

Λυροκτύπος, ὁ, Qui lyram pulsat. [Lycophr. 918. Nonnus Jo. c. 7, 165, Δαβίδ.]

[Λύρον, herba. Diosc. 3, 169.]

Λυροποιητικὸς, ἡ, ὸν, Lyrarum conficiendarum peritus. Et λυροποιητικὴ, Lyrarum conficiendarum peritia. [Utrumque ap. Polluc. 7, 153.]

Λυροποιΐα, ἡ, Lyrarum compactio, s. compingendarum scientia. [Pollux 7, 153.]

[Λυροποιικὸς, ἡ, ὸν, Qui lyras conficit. Plato Euthyd. p. 289, C : Ἡ λυροποιικὴ καὶ ἡ κιθαριστική.]

Λυροποιὸς, ὁ, Qui lyras conficit, Lyrarum conficiendarum artifex. [Plato Euthyd. p. 289, D : Οἱ λυροποιοί· Crat. p. 390, B.] Plut. [Mor. p. 779, A] : Ἐμοὶ δὲ δοκεῖ καὶ λυροποιὸς ἀνὴρ ἥδιον λύραν ἐργάσεσθαι. Pollux [4, 64] generalius accipit pro Eo qui μουσικὰ ὄργανα, quæ appellantur κρουόμενα, συμπήγνυσι. [|| Poeta lyricus. Tzetz. Exeg. Il. p. 65, 14, de Alcmane.]

[Λυροφοινίκιον, τὸ, inter instrumenta musica ponit Pollux 4, 59. V. seq. voc.]

Λυροφοίνιξ, ῖκος, ὁ, species quædam citharæ, Hesych. Athen. 4, [p. 175, D] ex Juba de quodam τριγώνῳ organo : Σύρων εὕρημά φησιν εἶναι ὡς καὶ τὸν καλούμενον λυροφοίνικα σαμβύκην. [Ib. p. 183, C. V. Λυροφοινίκιον. Rectius autem scribitur λυροφοῖνιξ.]

Λυρτὸς, ab Epirotis dicitur ὁ σκύφος, ut Athen. 11, [p. 500, B] refert ex Seleuco.

[Λυρῳδέω, Lyra cano. Tzetz. Hist. 10, 410. Elberl.]

[Λυρώδης, ὁ, ἡ, i. q. λυρικός. Epigr. Anth. Pal. App. 176, 3 : Χέλυς, ἣ τὰ λυρώδη ἡρμοσάμην δίνης οὐρανίοιο μέλη.]

Λυρῳδία, ἡ, Lyræ cantus, Lyrica modulatio. [Pollux 4, 58. Zonaras p. 1321.]

Λυρῳδὸς, et Λυραοιδὸς [Λυράοιδος præcipit Arcad. p. 86, 25], ὁ, ἡ, Lyricen [Gl.], Qui lyra canit. Agathias Schol. Epigr. [Anth. Pal. 7, 612, 1], in Joannam citharistriam : Φεῦ φεῦ τὴν δεκάτην ἑλικωνίδα, τὴν λυραοιδὸν Ῥώμης καὶ Φαρίης, ἧδε κέκευθε κόνις. [Anon. Anth. Plan. 279, 5 : Ἔνθεν ἐγὼ λυραοιδός. Antipater Anth. Pal. 6, 118, 3 : Ἁ δὲ λυρῳδός. Anacreon fr. 2, 31 : Ἐμοὶ δὲ τῷ λυρῳδῷ. Plut. Sull. c. 33 : Γυναιξὶν εὐμόρφοις καὶ λυρῳδοῖς καὶ μίμοις. Unde Alciphroni Ep. 1, 18, λυρῳδοῦ γυναικὸς pro λοιδόρου restituit Bergler. Tzetz. Hist. 1, 316. Ψαλμῳδὸς, κιθαρῳδὸς interpr. Hesychius. De formæ contractæ accentu acuto Arcad. p. 86, 26.]

Λυρῳδῶς, Lyrice, More eorum qui lyra canunt, ψαλμῳδῶς, κιθαρῳδῶς, Hesych. [Pro —δός.]

[Λύρων, ωνος, ὁ, Lyron, n. viri, ap. Troilum Anth. Plan. 55, 2.]

Λυρωνία, ἡ, Aristophani dicitur [ἡ λυροποιητικὴ], ut habetur ap. Polluc. [7, 153. Sed est potius Lyræ s. Lyrarum emtio.]

[Λῡσᾰγόρᾱς, ου, ὁ, Lysagoras, Milesius, Histiæi pater, Herodot. 5, 30. Parius, 6, 133, ubi est accus. Λυσαγόρεα, pro quo al. Λυσαγόρην. Alius in numo Prienes ap. Mionnet. *Descr.* vol. 3, p. 187, n. 890.]

[Λυσαλάνθη, τὸ βούγλωσσον in Glossis iatricis mss. ex cod. Reg. 190, Buglossum. Ducang.]

[Λῡσαλγὴς, ὁ, ἡ, Solvens dolores. Nicet. Eugen. 6, 241 : Ὕπνου λυσαλγοῦς. Boiss.]

[Λῡσάνδρα, ἡ, Lysandra, Ptolemæi Lagi f. Pausan. 1, 9, 6 et 10, 4. Aliæ in inscrr. Orop. ap. Bœckh. vol. 1, p. 748, b, 3; Teja vol. 2, p. 686, n. 3114, 1.]

[Λυσάνδρεια, τὰ, Lysandria. Plut. Lysand. c. 18 : Σάμιοι τὰ παρ' αὐτοῖς Ἥραια Λυσάνδρια καλεῖν ἐψηφίσαντο, iterumque ibid. Sed præstat Λυσάνδρεια, ut est in cod. Hesychii et ap. Photium. L. Dind.]

[Λυσανδρίδας, ὁ, Lysandridas, Megalopolitanus, ap. Plut. Cleom. c. 24. Spartanus ap. Athen. 13, p. 609, B, in inscr. ap. Bœckh. vol. 1, p. 695, n. 1502. Forma Λυσανδρίδης in Attica ib. p. 296, n. 167, 26. ῐᾰ]

[Λύσανδρος, ὁ, Lysander, Trojanus, Hom. Il. Λ, 491. Dux Spartanus ap. Xenoph. in H. Gr. et qui vitam ejus scripsit, Plutarchum aliosque. Sicyonius ap. Xen. ib. 7, 1, 45. Atheniensis ap. Diod. 19, 88. Alios memorant Pausanias et Athenæus.]

Λυσανίας, ὁ, dicitur ὁ λύων τὰς ἀνίας, Mœrores et

A tristitias solvens. Ap. Aristoph. vero Nub. [1162] Strepsiades de suo filio, Σωτὴρ δόμοις, ἐχθροῖς ἀνιαρὸς, λυσανίας πατρῴων μεγάλων κακῶν, pro Dissolutor mærorum, quos pater ex magnis his malis percipit. At δυσάνιος γυνὴ vocatur ἡ ἐπὶ τοῖς τυχοῦσιν ἀχθομένη, Hesych. [ῡᾰῐᾰ]

[Λυσανίας, α et ου, ὁ, Lysanias, n. pueri. Callim. Epigr. 30, 5. Aliorum in numis Meli, Sardium et al., ap. Herodotum 6, 127, Plat. Apol. p. 33, E. Permutatum cum Λυσίας præter alios notavit Bast. ad Greg. p. 824.]

[Λυσᾱνορίδας, ὁ, Lysanoridas, n. harmostæ Spartani, ap. Plut. Pelop. c. 13, ubi libri Δυσαορίδας vel similiter, quod correctum ex Mor. p. 576, A, seqq.]

[Λυσαρχίδας, α, ὁ, Lysarchidas, n. viri in inscr. Spart. ap. Bœckh. vol. 1, p. 688, n. 1457. ῐᾰ]

[Λύσειος.] Λύσειοι, τελεταὶ dicebantur quædam παρὰ τὸν λύσιον Διόνυσον, Hesych. auctore. Apud [Photium s.] Suid. Λύσιοι. [Cum hac interpr., αἱ Διονύσου. Βοιωτοὶ γὰρ ἁλόντες ὑπὸ Θρακῶν καὶ φυγόντες εἰς Τροφωνίου, κατ'
B ὄναρ ἐκείνου Διόνυσον ἔσεσθαι βοηθὸν φήσαντος, μεθύουσιν ἐπιθέμενοι τοῖς Θρᾳξὶν ἔλυσαν ἀλλήλους καὶ Διονύσου Λυσίου ἱερὸν ἱδρύσαντο, ὡς Ἡρακλείδης ὁ Ποντικός· ὡς Ἀριστοφάνης δὲ διὰ τὸ λυτρώσασθαι Θηβαίους παρὰ Ναξίων ἄμπελον. Λύσειος, epith. Bacchi, Orph. H. 41, 4.]

[Λῡσέρως, ωτος, ὁ, Qui solvit amorem. Schol. Virg. Æn. 4, 520 : « Nam et amatoribus præesse dicuntur Ἔρως, Ἀντέρως, Λυσέρως. »]

[Λῡσεὺς, έως, ὁ, Bacchi epitheton, ut Λύσιος, Orph. H. 51, 2. Olympiodor. In Plat. Phædon. (fr. ined. 23) : Ὁ Διόνυσος λύσεώς ἐστιν αἴτιος· διὸ καὶ Λυσεὺς ὁ θεός.]

[Λυσήνωρ, ὁ, ἡ, Homines solvens, frangens. Tryphiod. 449.]

[Λυσία.] Λυσίαν, Hesychio ὁρμὴν ἐν συνουσίᾳ, μανίαν. [Pro λύσσαν. Nam quod Maussacus et Is. Vossius volebant λυσίαν ὁρμὴν, ipsa glossa Λύσσα, ὁρμὴ, ἐνθουσιασμὸς, quam contulerunt, refellitur.]

[Λυσιάδης, ὁ, Lysiades, n. viri in inscrr. Eleus. ap. Bœckh. vol. 1, p. 447, n. 397, 9; p. 454, n. 423, 3; p. 458, n. 435, 9, Attica ib. p. 346, n. 221. Archontis Att.
C ol. 95, 4, ap. Diod. 14, 47, ubi scrib. esse Σουνιάδης aliunde constat. V. etiam Λυδιάδας. ῡῐᾱᾰ]

[Λῡσῐᾰκὸς, ἡ, ὸν, Lysiacus, Ad Lysiam pertinens. Dionys. Hal. Cens. scriptt. 5, p. 431, 5 : Ὁ Λυσιακὸς λόγος· De Lys. jud. 12, p. 480, 3 : Τῆς Λυσιακῆς χάριτος. Plut. Mor. p. 42, D. L. Dind. Psellus Op. p. 51 med. meæ ed. Boiss.]

[Λυσιάναξ, ακτος, ὁ, Lysianax, Eleus. Pausan. 6, 4, 5. ῡῐᾱ]

[Λυσιάνασσα, ἡ, Lysianassa, Nereis, Hesiod. Theog. 258, Apollod. 1, 2 fin. F. Epaphi, Apollod. 2, 5, 11, 7. F. Polybi, Pausan. 2, 6, 6.]

[Λυσίας, ου, ὁ, Lysias, n. viri, cujus notissimum ex. est orator Atticus, cujus orationes supersunt. Alios recenset Fabric. in Bibl. Gr. Forma per ε, ut in aliis hujusmodi nominibus, inscr. Att. in *Bullettino* a. 1840, p. 30 : Λυσέᾳ ἐνθάδε σῆμα πατὴρ Σήμων ἐπέθηκεν. ῡῐᾱ]

[Λυσιὰς, άδος, ἡ, Lysias, urbs Phrygiæ. Ptolem. 5, 2, Strab. 12, p. 576. V. Wessel. ad Hierocl. p. 677. Syriæ, Strab. 16, p. 753. Latronum receptaculum
D ibid. p. 763, ubi male Λυσίας, ut monuit Coraes. Gent. urbis Phrygiæ Λυσιαδέων in numis ap. Mionnet. *Descr.* vol. 4, p. 333, *Suppl.* vol. 7, p. 590.]

[Λυσιβίος, ὁ, Lysibius, Tarentinus, Pythagoreus, ap. Iambl. V. P. p. 526 Kiessl.]

Λῡσίγᾰμος, ὁ, ἡ, Solvens vel Qui solvit nuptias : λυσιγάμους ἀμβολίας, [Agathias in] Anthol. [Pal. 5, 302, 14.]

Λυσιγυῖα, ἡ, ex Hippocr. pro Membrorum luxatio et dissolutio, De locis in hom. [p. 415, 37] : Ὁ κίθαρος συγκεκαμμένος ἐστὶ καὶ λυσιγυῖα γίνεται. [Λυσιγυιία Schneiderus, λυσίγυια Lobeck. Paralip. p. 333.]

Λυσίγυιος, Membra s. Artus dissolvens.

[Λυσίδαμος, ὁ, Dor. pro Λυσίδημος, Lysidamus, n. viri in inscr. Orchom. ap. Bœckh. vol. 1, n. 1569, p. 741, a, I, 10; II, 22.]

[Λυσίδη, ἡ, Lyside, f. Coroni ap. Steph. Byz. v. Φιλαΐδαι. Periandri Corinthii conjux, ap. Diog. L. 1, 94.]

[Λυσίδης, n. viri esse videtur ap. Isæum ab Harpocrat. s. Suida in Χίλιοι διακόσιοι cit. Λυσαῖος liber unus Suidæ.]

[Λῡσιδίκη, ἡ, Lysidice, f. Pelopis, Apollod. 3, 4, 5, 4, Pausan. 8, 14, 2, Plut. Thes. c. 7, Tzetz. ad Lyc. 932. F. Coroni, id. ib. 53. Ajacis conjux sec. eundem Hist. 3, 261. F. Thespii, Apollod. 2, 7, 8, 3. Aliæ sunt in Anthologia.]

Λυσίδῐκος, ὁ, ἡ, Qui lites dirimit, jura dissolvit.

[Λυσίδικος, ὁ, Lysidicus, n. viri in inscr. Att. ap. Bœckh. vol. 1, n. 140, p. 193, 36, et alibi.]

[Λυσίδρως, ωτος, ὁ, ἡ, Solvens sudorem. Chœroboscus in Bekk. An. p. 1197, b : Ἱδρὼς, λυσίδρως λυσίδρωτος. Arcad. p. 93, 26.]

Λυσιέθειρα, ἡ, Capillos solutos, passos habens. [Nonn. Dion. 19, 329 : Βάκχην λυσιέθειραν ὀρειάδα.]

[Λῡσίειος, i. q. Λυσιακός. Dionys. A. rh. c. ult. : Τοῦτο Λύσιον, τοῦτο Δημοσθενικόν. Codd. Λύσειον. Utrumque pro Λυσίειον, ut monuit Lobeck. ad Phryn. p. 371.]

Λῡσίζωνος, ὁ, ἡ, Zonam solvens. [Discinctus, Gl. Hesych. : Λ. γυνὴ, ἥτις ἐνυμφεύθη. Suidas, ἡ ἀνδρὶ πλησιάσασα· αἱ γὰρ παρθένοι, μέλλουσαι πρὸς μῖξιν ἔρχεσθαι, ἀνετίθεσαν τὰς παρθενικὰς αὐτῶν ζώνας τῇ Ἀρτέμιδι. «Milites peccantes jussit λυσιζώνους ἑστάναι, Polyæn. 8, 24, 3. » Hemst.] Ἄρτεμις autem [ap. Athenienses] est cognomento Λυσιζώνr [-νος], cui consecrabant cingula mulieres de primo puerperio. De qua Apollon. Arg. 1, [287] : Ὦ ἐπὶ μούνῳ Μίτρην πρῶτον ἔλυσα καὶ ὕστατον. Cam. [« Ex schol. Apollonii. » HSt. Ms. Vind. Εἰλείθυια Theocr. 17, 60. Λυσίζωνος de Diana, cujus epitheton dicit etiam Hesychius, Orph. H. 1, 7; 35, 5. Pollux quod scribit 7, 68 : Οὕτω γὰρ (cingula mulierum) Ὅμηρος ὠνόμασε, Λῦσε δὲ παρθενικὴν ζώνην, καὶ λυσιζώνους εἰπὼν, memoriæ errore scripsit.]

[Λυσιθείδης, ὁ, Lysithides, n. viri in inscr. Att. ap. Bœckh. vol. 1, p. 346, n. 221, ap. Isocr. De antid. p. 442, 99, Demosth. p. 565, 13 etc., Diod. 11, 56, Plut. Mor. p. 575, E.]

[Λυσίθεος, ὁ, Lysitheus, n. viri ap. Lysiam p. 116, 17, Diod. 11, 69, Plut. Mor. p. 597, B, Athen. 12, p. 551, F.]

[Λυσίθοος, ὁ, Lysithous, f. Priami, Apollodor. 3, 12, 5, 13, nisi leg. Λυσίθεος vel Ναυσίθοος, si modo hoc nomen aptum filio Priami.]

[Λυσίθριξ, τριχός, ὁ, ἡ, Cui soluti sunt crines. Γυναῖκα Geopon. 12, 8, 5. « Is. Porphyrog. in Allatii Exc. p. 300. » Boiss.]

[Λυσίκᾰκος, ὁ, ἡ, Mala s. Malis solvens. Theogn. 476, ὕπνου, Hesych. in Λαθικῆδες, ubi codex λη— supra scripto υ, ut unus Theognidis λησικάκου. Philemo Lex. techn. s. 23.]

[Λυσίκλεια, ἡ, Lysiclea, n. mulieris in inscr. Salaminia ap. Bœckh. vol. 1, p. 503, n. 659, 1.]

[Λυσικλείδης, ὁ, Lysiclides, n. viri ap. Plat. Epist. 2, p. 314, C, Dionys. H. Jud. de Dinarcho c. 12, p. 664, 2.]

[Λυσικλῆς, έους, ὁ, Lysicles, n. viri Aristoph. Eq. 765, Thuc. 1, 91; 3, 19 et sæpius in inscrr. Λυσικληου in numo ap. Mionnet. *Suppl.* vol. 3, p. 263, n. 12.]

[Λυσίκομος, ὁ, ἡ, Passis crinibus, Gl. Nonnus Dion. 19, 329 : Λυσικόμων Νηιάδων. Philostr. Epist. 26, p. 925. « Pseudo-Chrys. Serm. 5, vol. 7, p. 248. » Seager.]

[Λυσίκοπος, ὁ, ἡ, nomen herbæ Artemisiæ. Poeta ap. Fabric. B. Gr. l. 3, c. 26, p. 636, v. 28. Kall.]

[Λυσικράτεια, ἡ, Lysicratia, n. mulieris in inscr. Onchesti ap. Bœckh. vol. 1, p. 801, n. 1675, b, si recte ita legitur.]

[Λυσικράτης, ους, ὁ, Lysicrates, n. viri ap. Aristoph. Av. 513, Eccl. 630, 736, Diod. 11, 88, Dionys. H. Jud. de Dinarcho c. 5, etc. Aliorum in inscrr., ubi etiam genit. Λυσικράτου ap. Bœckh. vol. 1, p. 648, n. 1322, 10. ᾰ]

[Λυσιλαΐς, ΐδος. Athen. 2, p. 55, E : Πολέμων δέ φησι τοὺς Λακεδαιμονίους τοὺς θέρμους (quod v.) λυσιλαΐδας καλεῖν. Dubium videtur.]

[Λύσιλλα, ης, ἡ, Lysilla, n. mulieris. Aristoph. Nub. 684, Thesm. 375.]

[Λυσιμάχεια, ἡ, Lysimachea, πόλις τῆς ἐν Θράκῃ Χερρονήσου, ἡ πρότερον Καρδία (quod verum non esse animadverterunt intt.), ὁ πολίτης Λυσιμαχεύς. Ἔστι καὶ

A πόλις Αἰτωλίας, Steph. Byz. Polyb. 5, 34, 7; 18, 33, 2; (et de Ætolica 5, 7, 7, quam cum lacu cognomine memorat Strabo 10, p. 460). Ab Lysimacho dicta et condita sec. Diod. 20, 29, Pausan. 1, 9, 8. Vitiosa est scriptura Λυσιμαχία in libris Pausaniæ l. c. et 16, 2, Strabonis 1, p. 134, Diodori et nonnullis aliorum, ut monuit jam Tzschuckius ad Strab. vol. 2, p. 494. Gent. Λυσιμαχεὺς est ap. Polybium, Diodorum et alios. ᾰ]

[Λυσιμάχειον, τὸ, Lysimacheum. Appian. Syr. c. 64 : Τὰ ὀστᾶ (Lysimachi) τοὺς Λυσιμαχέας ἐνθέσθαι τῷ σφετέρῳ ἱερῷ καὶ τὸ ἱερὸν Λυσιμάχειον προσαγορεῦσαι. Λυσιμαχήων ἀγώνων mentio fit in inscr. Aphrodis. ap. Bœckh. vol. 2, p. 519, n. 2785, 8.]

[Λυσιμάχειος. V. Λυσιμάχιον.]

[Λυσιμάχη, ἡ, Lysimache s. Quæ pugnas dissolvit. Aristoph. Pac. 992 : Λῦσον δὲ μάχας, ἵνα Λυσιμάχην σε καλῶμεν· Lys. 554 : Οἶμαί ποτε Λυσιμάχας ἡμᾶς ἐν τοῖς Ἕλλησι καλεῖσθαι. N. filiæ Abantis, Apollod. 1, 9, 13, 1; f. Priami, 3, 12, 5, 13. Aliarum ap. Pausan. 1, 27, 4, Plut. Mor. p. 534, C.]

[Λυσιμαχίδης, ὁ, Lysimachides, Bœotus, Thuc. 4, 91. Atheniensis ap. Diod. 12, 22; 16, 82, Dionys. H. Jud. de Dinarcho c. 9, p. 649, 1, Pausan. 10, 18, 1, et aliquoties ap. Harpocrationem.]

Λυσιμάχιον, τὸ, Lysimachium : herba quædam ap. Diosc. 4, 3. Ab Hesychio Λυσιμάχειος βοτάνη dicitur, propter Lysimachum inventorem : ut et Plin. 25, 7 : Invenit, inquit, et Lysimachus herbam Lysimachiam, quæ ab eo nomen retinet, celebrata Erasistrato. Ibidem dicit vim ejus tantam esse ut jumentis discordantibus jugo imposita, asperitatem cohibeat : unde videatur innuere dictam παρὰ τὸ τὰς μάχας λύειν. [Galen. vol. 13, p. 204 : Λυσιμάχιος, quod Λυσιμάχειος scribendum.]

[Λυσίμᾰχος, ὁ, Lysimachus, n. viri, patris Aristidis, ap. Herodot. 8, 79, 95, Thuc. 1, 91, alios memorantem 4, 91 (ubi tamen plerique Λυσιμαχίδου); 6, 73, item ap. Xen. H. Gr. 2, 4, 8, et qui notissimum Thraciæ regem Lysimachum memorant, Polybium et alios.

C Frequens est etiam in Anthologia, ludentibus interdum poetis significatione nominis, ut Aristophanes lusit nomine Lysimachæ. V. Rufin. 5, 71, 3; Lucillius 11, 210, 6. Item in inscriptionibus.]

[Λυσιμέλεια, ἡ, Lysimelia, lacus prope Syracusas. Thuc. 7, 53 : Τὴν λίμνην τὴν Λυσιμέλειαν καλουμένην. Theocr. 16, 84.]

[Λυσιμελέω, Dimembro, Gl.]

Λυσιμελής, ὁ, ἡ, Solvens membra, Somni epith. Alii tamen dictum putant, quod solvat μελεδῶνας. Hom. Od. Ψ, [343] : Ὅτε οἱ γλυκὺς ὕπνος Λυσιμελὴς ἐπόρουσε, λύων μελεδήματα θυμοῦ. V. quæ huc pertinentia dixi in Ἄψος. [Moschus 2, 4. Ἔρος Hesiod. Theog. 120, 911, Sappho ap. Hephæst. p. 42. Archilochus ap. eund. p. 90 : Ὁ λυσιμελὴς ... πόθος. Theognis 838 : Δίψα τε λυσιμελής. Eur. Suppl. 46 : Θανάτῳ λυσιμελεῖ. Apoll. Rh. 4, 1524, κῶμα. L. D. Hedylus in Anthol. Pal. 11, 414 : Λυσιμελοῦς Βάκχου καὶ λυσιμελοῦς Ἀφροδίτης γεννᾶται θυγάτηρ λυσιμελὴς ποδάγρα. Boiss. Diotimus 7, 420, 2, Ἀΐδης. De Furiis Orph. H. 69, 9.]

D [Λυσιμένης, ους, ὁ, Lysimenes, Sicyonius, Xen. H. Gr. 7, 1, 45. Alius ap. Lysiam Athen. 5, p. 209, F.]

Λυσιμέριμνος, ὁ, ἡ, Curas solvens, adimens, Curis solvens. Epigr. [Anth. Pal. 9, 524, 12], λυσιμέριμνος Βάκχος, i. e. ὁ λύων τὰς μερίμνας; ut Ovid., Somnus curas solvit. [Orph. H. 27, 6, de Mercurio; 35, 5, de Diana; 84, 5, de somno.]

Λύσιμος, ὁ, ἡ [Antiatt. Bekk. p. 106, 27 : Λύσιμον, θηλυκῶς λέγει Εὐριπίδης Πελιάσιν], Solubilis [Solutilis, Gl.], Qui solvi potest. Callisthenes ap. Athen. 10, [p. 452, A] : Ἀπαγγέλειν τῇ μητρὶ λύεσθαι τὸ γύναιον δέχ' ἡμερῶν τὸ ἐν Ἀπολλωνίῳ δεδεμένον, ὡς οὐκέτι λύσιμον ἐσόμενον, ἐὰν αὐτὰς παρέλθωσι. Item in metaphorica Solvendi signif. ap. Aristot. in Analyt. [prior. 2, 27], ubi λύσιμον vocat argumentum, sicut et λυτὸν, Quod facile solvi potest s. dissolvi, VV. LL. Item Exemptilis, Plato Leg. [7, p. 820, A : Καθάπερ ἐνέχυρα λύσιμα ἐκ τῆς ἄλλης πολιτείας. Unde Pollux 3, 24. V. Λυτρώσιμος. || In inscr. epigr. Agathiæ Anth. Pal. 5, 292 : Πέραν τῆς πόλεως διάγοντος διὰ τὰ λύσιμα τῶν νόμων, Per ferias fori,

A interpr. Jacobs., Niebuhrius vero præf. ad Agath. p. xiv, 9, referebat ad λύτας, quod voc. v. in Προλύτης. ῠ]

[Λυσινείκης, ου, ὁ, Lysinices, n. viri in inscr. Spart. ap. Le Bas *Expéd. de Morée* vol. 2, p. 79 sive *Inscriptions* fasc. 2, p. 149. L. Dind.]

[Λυσινικίδας, α, ὁ, Lysinicidas, n. viri in inscr. Spart. ap. Bœckh. vol. 1, p. 621, n. 1246, 3. ῑῐᾰ]

[Λυσινιέων Pisidiæ numus ap. Mionnet. *Suppl.* vol. 7, p. 120, n. 154. Λυσινία urbs ap. Ptolem. 5, 5.]

[Λυσινόη, ἡ, Lysinoe, oppidum Pisidiæ. Polyb. 22, 19, 2, Liv. 38, 15, 2. Conf. nomen præcedens.]

Λυσίνομος, ὁ, Legis dissolutor, Legum ruptor. Nonn. [Jo. c. 9, 143. || Lysinomus, f. Electryonis, ap. Apollod. 2, 4, 5, 7.]

[Λυσῖνος, ὁ, Lysinus, Atheniensis ap. Pausan. 6, 13 fin., ubi Λυσίνου, pro quo alii Λυκίνου. Quod usitatius nomen est. Sed Λυσῖνος quidam est etiam ap. Demosth. p. 949, 6, alius in inscr. Attica *Kunstblatt* 1840, n. 18, p. 69, alius ap. Phalarin Epist. 93.]

[Λυσιξ..., nominis viri, quod Λυσίξενος fuisse videtur, reliquiæ in numo Patrarum Achaiæ, ap. Mionnet. B *Suppl.* vol. 4, p. 134, n. 902. Et Λυσίξενος est in inscr. Ephesia ap. Bœckh. vol. 2, n. 2953, b, p. 597, 21. L. Dind.]

Λύσιος, ὁ, q. d. Solutorius, Solutivus, Liberatorius, Solvendi s. Liberandi vim habens. [Pollux 5, 132 : Λυτήρια (φάρμακα), οὐχ οἶδα εἰ καὶ λύσια. V. Λύσειος.] || Sed peculiariter dicitur de Baccho. Plut. Symp. 3, [p. 654, F] : Τὴν μὲν (ἑσπέραν) ὁ Λύσιος ἐπισκοπεῖ Διόνυσος, μετὰ τῆς Τερψιχόρης καὶ Θαλίας. Esse autem volunt ita dictum, vel quia nos λύει μελεδώνων s. δυσφροσυνάων, ut loquuntur poetæ, i. e. solvit nos curis et liberat, atque adeo dissipat curas, ut de eo ipso testatur Horat. [Plut. Mor. p. 68, D : Τῷ Λυδίῳ θεῷ καὶ λύοντι τὸ τῶν δυσφόρων σχοινίον καὶ μεριμνῶν. Mezir. Λυσίῳ, Reisk. Λυαίῳ. Ubi v. Wyttenb.]; scribit autem et Ovid., Cura fugit multo diluiturque mero : vel quod membra solvat, ac præterea concordiam et amicitiam; quippe quæ post nimium potum in discordiam sæpe mutetur, ac inimicitias. Unde Λυαῖος quoque dictus existimatur, sive ob hanc, sive ob illam causam : quod C epith. Latini poetæ retinuerunt : affert tamen et alias ejus derivationes Etym. [Λυαῖος de Baccho frequens est in carminibus Anacreonticis. Add. Plut. Mor. p. 462, B; 680, B, Athen. 8, p. 363, B.] Nonnulli vero ex Pausan. [9, 16, 4] annotant Λύσιον appellatum, quia Thebanos a Thracibus vinctos ἔλυσεν, Solvit; nam deus Thracibus soporem immisit, quo illi sunt a Thebanis occisi. Sed Plut. Symp. 7 fin. [p. 716, B] dicit λύσιον, sicut et ἐλευθέριον (ita enim vet. cod., non ἐλεύθερα) dictum esse ὅτι τὸ δουλοπρεπὲς καὶ περιδεὲς καὶ ἄπιστον ἐξαίρων καὶ ἀπολύων τῆς ψυχῆς, ἀληθείᾳ καὶ παῤῥησίᾳ χρῆσθαι πρὸς ἀλλήλους δίδωσι. [Id. ibid. p. 613, C : Εἰ δὲ πάντων μὲν ὁ Διόνυσος Λύσιός ἐστι καὶ Λυαῖος, μάλιστα δὲ τῆς γλώττης ἀφαιρεῖται τὰ χαλινὰ καὶ πλείστην ἐλευθερίαν τῇ φωνῇ δίδωσιν. Ubi Λυαῖος pro Λύδιος restituit Piers. Veris. p. 230. Orph. H. 49 : Λυσίου Ληναίου ὕμνος · et ib. 2 : Λύσιε δαῖμον · 8.] || Λύσιοι θεοί, q. d. Expiatorii dii, Expiationum præsides dii, ut λύσιν pro Expiatione poni dicetur suo loco, Plato De D rep. 2, [p. 366, A] : Αἱ τελεταὶ αὖ μέγα δύνανται καὶ οἱ λ. θεοί. [Pollux 1, 24; δαίμονες 5, 131. Photio οἱ καθάρσιοι, λυτικοὶ κακῶν.] Dicuntur ἀλεξίκακοι dæmones, inquit Bud., qui diras arcere et amoliri ab antiquis existimabantur, οἱ λύοντες τὰς ἀράς, qui etiam ἀποτρόπαιοι et ἀποπομπαῖοι dicti, et λύσιοι et φύξιοι. Hoc autem sensu dici crediderim et Λυτήριον Ἀπόλλωνα infra. [ῠ]

[Λυσιπαίγμων. V. Λυσιπήμων.]

[Λυσιπήμων, ονος, ὁ, ἡ, Solvens malis s. mala. Anacreont. 39, 9, restituebat Piersonus Veris. p. 231, ubi λυσιπαίγμων τότε Βάκχος πολυανθέσιν μ' ἐν αὔραις δονέει μέθη γανώσας, conferens Orph. H. 1, 11 : Ἐν γὰρ σοὶ τοκετῶν λυσιπήμονές εἰσιν ἀνῖαι · 58, 20 : Μοῖραι, ἀκούσατ' ἐμῶν ὁσίων λοιβῶν τε καὶ εὐχῶν ἐρχόμεναι μύσταις λυσιπήμονες εὔφρονι βουλῇ. Ubi notandum est υ, nisi mendum subest, male correptum. V. Λυσιτελής. Nam in l. Anacreont. etiam alia locum habent, velut φιλοπαίγμων, quod epitheton alibi in illis carminibus Baccho tribuitur.]

[Λυσιπνέω.] Λυσιπνεῖ, Hesychio φοβεῖται.

[Λυσίποθος, ὁ, ἡ, Solvens desiderium s. amorem. Agathias Anth. Pal. 5, 269, 6 : Τὰς λυσιπόθους ἀγγελίας.]

[Λυσιπόνιον, τὸ, unguentum. Galen. vol. 13, p. 446. Ephræm Syr. vol. 1, p. 138, B : Ψυχῆς λυσιπόνιον. L. D. Alex. Trall. 1, p. 97; 11, p. 627.]

Λυσίπονος, ὁ, ἡ, Laboribus et molestiis liberans, etiam Doloribus eximens. Λ. μῦθος, Verba quæ molestiis et doloribus exolvunt, eas sc. mitigando. [Ex Nonno Jo. c. 5, 37, qui στόματα λ. dicit ib. c. 7, 119. Pind. Pyth. 4, 41 : Λυσιπόνοις θεραπόντεσσιν · fr. ap. Plut. Mor. p. 120, D : Λυσίπονον τελευτάν. Meleager Anth. Pal. 12, 127, 7, Nonnus Dion. 27, 1, ὕπνου. Paul. Sil. Anth. Pal. 5, 221, 4, συζυγίης.]

[Λυσίππη, ἡ, Lysippe, n. mulieris, ap. Leonid. Alex. Anth. Pal. 9, 351, 1. Aliarum Prœti et Thespii ap. Apollod. 2, 2, 2, 1; 2, 7, 8, 7. Alius ap. Pausan. 5, 2, 4. Amazonis ap. Plut. De fl. p. 1156, A.]

[Λυσιππίδης, ὁ, Lysippides, n. viri in inscr. Att. ap. Bœckh. vol. 1, n. 172, p. 307, 25, et *Urkunden* p. 243. ῐ]

[Λύσιππος, ὁ, Lysippus, n. viri. Lacedæmonii ap. Xen. H. Gr. 3, 2, 29. Comici veteris comœdiæ ap. Athenæum et alios. Aliorum ap. Demosth. p. 1083, 11, in numis Athenarum, Dyrrhachii (vitiose Λυσισνου ap. Mionnet. *Suppl.* vol. 3, p. 339, n. 194), in Anthologia et inscriptionibus, quorum clarissimus est statuarius Sicyonius ap. Pausaniam et alios.]

Λύσις, εως, ἡ, Solutio [Gl.]. Auctor Dialogi, qui Axiochus inscribitur [p. 371, A] : Κατὰ τὴν τοῦ σώματος λύσιν, In solutione animi a corpore, i. e. quum animus a corpore solvitur. [Plato Phæd. p. 67, D : Λύσις καὶ χωρισμὸς ψυχῆς ἀπὸ σώματος.] Zeno συστολὰς et λύσεις inter se opponebat, Contractiones et Solutiones, loquens de perturbationibus. Chrysippus autem λύπην, Ægritudinem, dictam putabat quasi λύσιν, Solutionem totius hominis, ut Cic. || Solutio, si hoc nomine uti liceat pro Ipsa actione solvendi captivitate et liberandi, ut λύσις τῶν αἰχμαλώτων, Dem. [p. 107, 14.] Exp. autem et Redemptio. [Conf. p. 967 extr. Plut. Mor. p. 64, F : Περὶ λύσιν πόρνης ἀκριβής. Ubi similia contulit Wyttenb. || Λύσις νόμων ap. Aristot. Polit. 2, 8. Δίκης ap. Polluc. 8, 62 : Πρόκλησις δέ ἐστι λύσις τῆς δίκης ἐπί τινι ὡρισμένῳ ὅρκῳ ἢ μαρτυρίᾳ ἢ βασάνῳ. Πολιτείας 4, 38. Λύσις γάμου ἢ μνηστείας, Repudium, Gl. Paulus Ad Cor. 1, 7, 27 : Δέδεσαι γυναικί· μὴ ζήτει λύσιν.] || Solutio, ut quum dicitur Solutio quæstionis, aut ænigmatis. [Orph. Arg. 37 : Σημείων τεράτων τε λύσεις. Aristot. Eth. Nicom. 7, 4 : Ἡ λύσις τῆς ἀπορίας. Polyb. 30, 17, 5 : Εὕροντο λύσιν τοῦ προβλήματος τοιαύτην.] Plut. Symp. septem sap. [p. 153, B] : Εἰ προσήκατο τὰς λύσεις ὁ Ἄμασις. [Rescripta, Responsa Imperatorum ad quæsita, s. ὑπομνήσεις Judicum. Exx. Byzantinorum v. ap. Ducang.] || Solutio, ab ea signif., qua dicitur Solvere creditori : quo modo χρειῶν λύσις ap. Hesiod. [Op. 402] exp. Solutio æris alieni, Dissolutio; dicitur enim et Dissolvere æs alienum. Sed potest etiam accipi pro Liberatione a debitis : quæ expos. alioqui eodem redit; nam qui dissolvit æs alienum, quibusdam ejus velut vinculis liberatur. [Id. Theog. 637 : Οὐδέ τις ἦν ἔριδος χαλεπῆς λύσις. Theognis 180 : Χαλεπῆς λύσιν πενίης · 1010 : Οὐδὲ λύσις θανάτου. Pind. Nem. 10, 76 : Τίς δὴ λύσις ἔσσεται πενθέων; Ol. 11, 49 : Τὸ δὲ κύκλῳ πέδον ἔθηκε δόρπου λύσιν. Ubi pro κατάλυσις s. Hospitio poni animadvertunt schol. Soph. OEd. T. 921 : Ὅπως λύσιν τιν' ἡμὶν εὐαγῆ πόρῃς · Antig. 598 : Οὐδ' ἔχει λύσιν · Tr. 1171 : Μόχθων λύσιν · El. 573 : Οὐ γὰρ ἦν λύσις ἄλλη στρατῷ πρὸς οἶκον οὐδ' εἰς Ἴλιον. Eur. Alc. 214 : Λύσις τύχας · Andr. 900, πημάτων. Thuc. 2, 102, δειμάτων. Plato Phædr. p. 244, E, κακῶν. Polyb. 38, 2, 11, πολέμου, et similiter alibi. Plut. Mor. p. 404, A : Περὶ τῆς ἁμαρτίας ἠρώτα τὸν θεὸν εἴ τις εἴη παράκλησις ἢ λύσις.] || Λύσις πυρετοῦ ap. Galen. et alios Medicos vulgo exp. hoc eod. nomine Solutio : Ad Glauc. 1 : Ἀναμείνας τὴν πρώτην λύσιν τοῦ πυρετοῦ · quod nihil aliud est quam Liberatio a febre. Redditur etiam Finis accessionis. Ap. Hippocr. autem ipse Galen. [Lex. p. 516] λύσιες esse ait Intervalla, quibus articuli ab invicem disjuncti sunt. [|| Ap. eund. vol. 13, p. 711 : Διὰ κονίας στακτῆς καὶ ὠμῆς λύσεως, οὕτω δ' ἴσθι με καλοῦντα τὸ κρίθινον ἄλευρον. V. Ὠμήλυσις.] || Apud rhetores, Quæ diluit τὴν κατασκευὴν, v. Bud. p. 577 : VV. LL. exp. Rationis s. Exceptionis propositæ labefactatio ; Actoris, exceptionem rei elidentis, firmamentum : ex Cic. [Refutatio, ut λ. ἐνθυμημάτων, quæ fit partim contrario syllogismo, partim aliud quid objiciendo, quo sententia labefactari possit. Aristot. Rhet. 2, 25. ... Hermogenes Π. ἰδ. 1, p. 48, et Π. εὑρ. 3, p. 68, τὰς λύσεις, Refutationes argumentorum adversariorum, distinguit ab ἀποδείξει, h e. Confirmatione nostrorum argumentorum, quæ adversario opponimus. De his accurate et copiose exposuit Apsines in Arte rhet. p. 697 Ald. Latinis Dissolutio dicitur : v. Auct. ad Herenn. 1, 3. Demetrius etiam Eloc. c. 226 λύσεις dicit Demonstrationes quæ fiunt interrogando, objiciendo, percontando. Eidem alibi λύσις est in defectu copulæ, quæ forma orationis ἀσύνδετος et διαλελυμένη dicitur, ut c. 192, 194, ubi hoc exemplum ponitur : Ἐδεξάμην, ἔτικτον, ἐκτρέφω, φίλε. Porro c. 70 ἡ λύσις jungitur τῇ συγκρούσει, notatque Concursum vocalium, ex quo fit quædam quasi disjunctio et dissolutio, quoniam ex una syllaba fiunt duæ, ut ὀρέων pro ὀρῶν, ἠέλιος pro ἥλιος. Idem etiam c. 68 διασπασμὸν et διάρριψιν dixerat. Contraria ratio συνίζησις vel συνεκφώνησις dicitur : v. Eustath. ad Il. A, p. 11. Denique auctore Demetrio c. 92 λύσις ὀνομάτων, quæ et διάλυσις dicitur, fit quum partes verbi compositi, aliis interjectis, dissipantur, ut σίτου πομπὴ, pro σιτοπομπία. Alia exx. ex Himerii Eclogis affert Wernsdorf. ad Himer. p. 5. ... Longino 38, 5, λύσις τολμήματος λεκτικοῦ est Curatio et remedium audaciæ in dicendo ; ubi Morus contulit similem dicendi formam, λύσιν νόσου, Curationem, finem morbi, ap. Lucian. De hist. scrib. c. 1. Ibidem Long. jungit πανάκεια, et alibi c. 17, 2, ἀλέξημα et ἐπικουρίαν conjunctim dixit. Ernest. Lex. rhet. || Λ. τῶν σφραγίδων ap. Lucian. Alexand. c. 20. Sic λύειν dicitur de resignandis epistolis.] || Expiatio. Aristot. Polit. [2, 4] : Αἱ νομιζόμεναι λύσεις, Decentes et debitæ expiationes, Bud. At vero quidam perperam, Abdicationes et dissolutiones generis, ut habent et VV. LL. Sic Plato De rep. 2, [p. 364, E] : Λύσεις τε καὶ καθαρμοὶ ἀδικημάτων. Sed et ap. Athen., Λύσιν τε ἔλαβε τὸ δεινὸν, Bud. reddit, Expiata est ira deorum. Existimo autem Expiationem vocari, quod expiatio sit velut liberatio a piaculo, quod quis contraxit. V. Λύσιοι θεοὶ in Λύσιος. [|| Reconciliatio ecclesiæ. Euchōlog. Goari p. 619 : Ἀκολουθία ἐπὶ λύσεως ναοῦ ὑπὸ αἱρετικῶν μιανθέντος. Duc.]

[Λῦσις, ιδος, ὁ, Lysis, n. viri, qui memoratur in dialogo Platonico, nepotis cognominis nomine sic inscripto, p. 205, C. Tarentini Pythagorei, Epaminondæ magistri, ap. Diod. Exc. p. 556, 79, Dion. Chr. vol. 2, p. 248, et alios. Aliorum alibi. Vitiosam esse scripturam Λύσις ostendunt epigrr. Phaniæ Anth. Pal. 7, 537, 2, et Antipatri ib. 287, 2 ; 9, 564, 4, in quibus Λῦσιν est initio pentametri.]

[Λυσιστράτη, ἡ, Lysistrate, n. mulieris fictum ab Aristoph. in fabula cognomine, qua belli finem Atheniensibus suadere studebat.]

[Λῡσίστρᾰτος, ὁ, Lysistratus, n. viri. Athen. ap. Herodot. 8, 96, Olynthii ap. Thuc. 4, 110. Aliorum ap. Aristoph. Ach. 855 et alibi, Xen. Vectig. 3, 7, Demosthenem, Pausaniam, in Anthologia et alibi.]

[Λυσισωματέω, Soluto sum corpore. Hippocr. p. 1160, 1 : Ἀμβλυώσσειν καὶ λυσισωματεῖν ἐδόκεε.]

[Λυσιτανὴ, ἡ, et Λυσιτανία, ἡ, Lusitania, et Λυσιτανοὶ, οἱ, Lusitani, qui supra Λουσιτανοί. Polyb. 10, 7, 5 ; 34, 8, 1, 4 ; Diod. 5, 34, Exc. p. 591, 51 et Strabo sæpius, Agathem. Geogr. p. 34, 36.]

Λῡσῐτέλεια, ἡ, Utilitas, [Commoditas add. Gl.] ὠφέλεια. Pollux [5, 136] voc. φαῦλον esse dicit, et pro eo dicendum ὠφέλεια. [Improbant etiam Mœris p. 248, Photius, qui βάρβαρον dicit, Thomas p. 587. « Amphil. p. 62 ; Euseb. Hist. Eccl. p. 364. » Kall. Testam. Theophrasti ap. Diog. L. 5, 54, Diod. 1, 36, Joseph. A. J. 16, 9, 1, Euseb. V. Const. 2, 58, citat Lobeck. ad Phryn. p. 353. Add. Polyb. 38, 13, 11.]

Λυσιτελέω, Utilis sum, Expedio [Gl.], Confero. [Aristoph. Plut. 509 : Οὔ φημ' ἂν λυσιτελεῖν σφῷν. Plato Reip. 3, p. 407, A : Ἦν τι αὐτῷ ἔργον, ὃ εἰ μὴ πράττοι, οὐκ

A ἐλυσιτέλει ζῆν.] Xen. [Comm. 2, 1, 15, et alibi sæpe] : Μηδενὶ δεσπότῃ λυσιτελεῖν. Dem. : Λυσιτελεῖν αὐτοῖς. Idem τὰ λυσιτελοῦντα dixit Commoda : Τὰ ἀπὸ τῆς εἰρήνης λυσιτελοῦντα, Pacis commoda. [Thuc. 6, 85 : Τἀνθάδε πρὸς τὸ λυσιτελοῦν καθίστασθαι. Plato Reip. 1, p. 336, D : Τὸ λυσιτελοῦν. Demosth. p. 26, 16 : Ἐπ' οὖν τὸ λυσιτελοῦν αὐτοῖς ἕκαστοι χωροῦσιν. Seq. part. ἤ, Andocid. p. 16, 26 : Ἡ τοῦ Ἰσχομάχου θυγάτηρ τεθνάναι νομίσασα λυσιτελεῖν ἢ ζῆν ὁρῶσα τὰ γιγνόμενα.] Ceterum pro λυσιτελεῖ sciendum est Soph. dixisse λύει τέλη, OEd. T. p. 164, 165 meæ edit. [316] : Φρονεῖν ὡς δεινὸν, ἔνθα μὴ τέλη λύει φρονοῦντι, i. e. ἔνθα τὸ φρονεῖν λυσιτελεῖ, ut schol. exp., qui etiam videtur existimasse inde datam esse huic verbo istam signif., quod si quis iis qui pendendis tributis obnoxii sunt, illa solvat illis et aboleat, i. e. eos immunes illis reddat, utilitatem illis affert. [Plato Crat. p. 417, C : Τὸ τῆς φορᾶς λύον τὸ τέλος λυσιτελοῦν καλέσαι. Permutatum cum λύω v. in ipso.]

Λυσιτελὴς, ὁ, ἡ, Utilis, [Commodus, Expediens, B Compendiosus, Conducibilis add. Gl.] Frugifer. [Xen. Vect. 4, 30 : Πάσαις ἂν λυσιτελὲς ἀποδείξειεν. Demosth. p. 1433, 9 : Τὸ λυσιτελές. Plato Phædr. p. 239, C : Κοινωνὸς οὐδαμῇ λυσιτελής. Ælian. N. A. 4, 7 : Τὸ δὲ ὄνομα εἰδὼς ἐῶ· τί γάρ μοι καὶ λυσιτελές ἐστιν ; Suidas in Πορισταί : Ἐπὶ τῷ ἑαυτῶν λυσιτελεῖ (λυσιτελεῖν vitiose Photius).] Unde λυσιτελέστερος, Utilior [Xen. Vect. 4, 31 : Δῆλον ὅτι λυσιτελέστερα ἂν τὰ ἔργα ταῦτα γίγνοιτο. Plato Reip. p. 364, A : Λυσιτελέστερα τῶν δικαίων τὰ ἄδικα] ; et λυσιτελέστατος, Utilissimus. Synes. : Ἄγων καὶ μεθιστὰς οὐχ ᾗ λυσιτελέστερον ἦν, ἀλλ' ᾗ κερδαλεώτερον. [Plato Reip. 1, p. 344, A : Ἧ ἂν διαγόμενος ἕκαστος ἡμῶν λυσιτελεστάτην ζωὴν ζῴη.] Greg. Naz. : Καὶ πάντα βίον ἡμῖν διεξαγάγοις πρὸς τὸ λυσιτελέστατον. [De pretio modico Dionys. A. R. 7, 37 : Εὐώνους πάνυ καὶ λυσιτελεῖς ποιήσαντας αὐτοῖς τὰς ἀγοράς. || Adv. Λυσιτελῶς, Commode, Gl. Herodian. p. 453 Piers. : Λυσιτελὲς μὲν λέγουσιν, λυσιτελῶς δὲ οὐκέτι, ἀλλὰ λυσιτελούντως. Boiss. Diodor. 14, 102 : Οὐ λ. Διονυσίῳ συντεθεικὼς τὸν πόλεμον. Pollux 7, 10 : Ἀξίως πιπράσκεται τὰ εὔωνα καὶ λυσιτε- C λῶς. Polyæn. 5, 1 : Τὴν ὕλην λ. παρέξειν. Inscr. Olb. ap. Bœckh. vol. 2, n. 2058, p. 118, 20 : Ἀγορασάντων λυσιτελῶς. Et ib. 44, πραθέντος. Mylas. n. 2693, c, p. 474, 6 : Εἰς τὸ λ. καὶ ἀξιολόγως τὰ ἔργα σ[υντελεσθῆναι]. Comparativo Ælian. N. A. 10 extr. : Εἰ ἐθέλοις τοῦ δέοντος πρίασθαι λυσιτελέστερον, de pretio modico. Commodius, Gl. Superlativo Herodian. 3, 5, 1 : Διοικήσας τὰ ἐπὶ τῆς ἀνατολῆς ὡς ᾤετο ἄριστα καὶ ἑαυτῷ λυσιτελέστατα. Primam produci diserte annotavit Photius : Λυσιτελὴς καὶ λυσιτελεῖν· ἡ πρώτη συλλαβὴ μακρά. Corripuisse tamen videtur Simylus ap. Stob. App. Flor. p. 73 : Οὐδ' ἁψάμενος οὐδ' εἰσιδὼν τὸ λυσιτελὲς, nisi εἰς τὸ λυσιτελὲς ἰδὼν scripsit, quod credibilius. V. Meinek. præf. ad Com. vol. 1, p. 16, et quæ in Λυσιπήμων diximus.]

Λυσιτελούντως, Utiliter, ap. Xen. [OEc. 20, 21], et alios. [Plat. Alcib. 2 p. 146, C : Ὠφελίμως καὶ λ. Dio Cass. 56, 40 : Ἑαυτοῖς λ.]

[Λυσιτελῶς. V. Λυσιτελής.]

[Λυσίτοκος, ὁ, ἡ, Partum solvens. Nonn. Dion. 41, D 166 : Λυσιτόκῳ ... θεαίνῃ.]

[Λυσίφιλος, ὁ, Lysiphilus, n. viri ap. Bœckh. *Urkunden* p. 243.]

[Λυσιφάνης, ους, ὁ, Lysiphanes, n. viri in inscr. Att. ap. Bœckh. vol. 1, n. 169, p. 298, 48. Epicuri magistri ap. Diog. L. 10, 13. ᾰ]

[Λυσιφλεβὴς, ὁ, ἡ, Resecans membrum genitale. Philippus Anth. Pal. 6, 94, 5 : Λυσιφλεβῆ τε σάγαριν ἀμφιθηγέα.]

[Λυσίφροντις, ιδος, ὁ, ἡ, Qui solvit curas. Const. Manass. Amat. 6, 61, θάνατος. Boiss.]

[Λῡσίφρων, ονος, ὁ, Solvens mentem. Anacreont. 27, 2 : Ὁ λ. Λυαῖος.]

[Λυσιχαίτης, ὁ, ἡ, Qui crines solvit. Nicet. Annal. p. 238, B.]

[Λυσιχίτων, ωνος, ὁ, ἡ, Solutam habens tunicam. Nonn. Dion. 5, 407. ῐ]

Λῡσῐῳδὸς, ὁ, ἡ. Aristoxenus ap. Athen. 14, [p. 620, E] μαγῳδὸν vocari scribit τὸν ἀνδρεῖα καὶ γυναικεῖα πρόσωπα ὑποκρινόμενον : λυσιῳδὸν vero, τὸν γυναικεῖα ἀνδρείοις (s., ut Eustath. habet, τὸν ἐν ἀνδρείοις προσώποις γυναικεῖα) ὑποκρινάμενον, Qui sub virili persona muliebrem fabulam agit, forsitan quod ejusmodi δράματα peragi solerent ἐν Λυσείοις τελεταῖς. [Immo ab Lyside, memorato in l. Strabonis infra citando. L. D. Aristocles ib.: Μαγῳδός ἐστιν ὁ αὐτὸς τῷ λυσιῳδῷ. Athen. 6, p. 252, E: Ποσειδώνιος Ἱερακά φησι τὸν Ἀντιοχέα, πρότερον λυσιῳδοῖς ὑπαυλοῦντα κτλ. 5, p. 211, C, de Alexandro Syriæ rege et Diogene Epicureo: Ἐπολυώρει οὖν αὐτὸν ὁ Ἀλέξανδρος ... καὶ αἰτησαμένῳ αὐτῷ φιλοσοφίας ἀλλοτρίαν αἴτησιν, ὅπως πορφυροῦν τε χιτωνίσκον φορῇ καὶ χρυσοῦν στέφανον, ἔχοντα πρόσωπον ἀρετῆς κατὰ μέσον, ἧς ἱερεὺς ἠξίου προσαγορεύεσθαι, συνεχώρησε, καὶ τὸν στέφανον προσχαρισάμενος. Ἅπερ ὁ Διογένης, ἐρασθείς τινος λυσιῳδοῦ γυναικός, ἐχαρίσατο αὐτῇ. Et ibid. C: Ἡ λυσιῳδὸς εἰσῆλθεν ἐστεφανωμένη τὸν τῆς ἀρετῆς στέφανον, ἐνδῦσα καὶ τὴν πορφυρᾶν ἐσθῆτα. Γέλωτος οὖν πολλοῦ καταρραγέντος, ἔμενεν ὁ φιλόσοφος, καὶ τὴν λυσιῳδὸν ἐπαινῶν οὐκ ἐπαύσατο. Plut. Sullæ c. 36: Οὗτοι γὰρ οἱ τότε παρ' αὐτῷ δυνάμενοι μέγιστον ἦσαν Ῥώσκιος ὁ κωμῳδὸς καὶ Σῶριξ ὁ ἀρχίμιμος καὶ Μητρόβιος ὁ λυσιῳδός. Strabo 14, p. 648: Ἄνδρες ἐγένοντο γνώριμοι Μάγνητες Ἁγησίας τε ὁ ῥήτωρ ... καὶ Σίμος ὁ μελοποιὸς καὶ αὐτὸς παραφθείρας τὴν τῶν προτέρων μελοποιῶν ἀγωγὴν καὶ τὴν σιμῳδίαν εἰσαγαγών, καθάπερ ἔτι μᾶλλον λυσιῳδοὶ καὶ μαγῳδοί· ... ἦρξε δὲ Σωτάδης μὲν πρῶτος τοῦ κιναιδολογεῖν, ἔπειτα Ἀλέξανδρος ὁ Αἰτωλός· ἀλλ' οὗτοι μὲν ἐν ψιλῷ λόγῳ, μετὰ μέλους δὲ Λῦσις καὶ ἔτι πρότερος τούτου ὁ Σῖμος. || Tibiarum quoddam genus, quæ λυσιῳδοὶ dicebantur, memorat Athen. 4, p. 182, C: Οἶδα δὲ καὶ ἄλλα γένη αὐλῶν, τραγικῶν τε καὶ λυσιῳδῶν καὶ κιθαριστηρίων, ὧν μνημονεύουσιν Ἔφορός τ' ἐν τοῖς Εὑρήμασι, καὶ Εὐφράνωρ κτλ. Schweigh.]

Λυσκάζει, Hesych. περιφεύγει, Aufugit, quod et ἀλυσκάζει.

[Λῦσος, ὁ, Lysus, Macedo, statuarius, ap. Pausan. 6, 17, 1, nisi forte scrib. Λῦσις, ut alibi Γῦλις corruptum est in Γῦλος et Βῶλις in Βῶλος. L. Dind.]

Λύσσα, s. Λύττα, ἡ, Rabies [Gl.], proprie de canibus dicitur, et significat Furorem illum, in quem sub canicula maxime aguntur, omnium animalium soli, Galen. De locis affect. 6, disserens de uteri affectionibus. [Xen. Anab. 5, 7, 26: Ἔδεισαν μὴ λύττα τις ὥσπερ κυσὶν ἡμῖν ἐμπεπτώκοι. Aristot. H. A. 8, 22.] Plut. [Mor. p. 963, D], loquens de cane: Λόγον ἔχειν καὶ διάνοιαν οὐ φαύλην τὸ ζῶον, ἧς ταραττομένης καὶ συγχεομένης ἡ λεγομένη λύττα καὶ μανία πάθος ἐστί. Diosc. 7, 2: Συνεχῶς ἁλίσκεται τῇ λύσσῃ ὁ κύων. Transfertur quum ad homines, tum ad reliqua animalia quæ per contagionem ex rabidi canis morsu mente abalienantur, et furorem pariter animo concipiunt: id quod utplurimum evenit die post canis morsum quadragesimo, quemadmodum Diosc. 6 copiosissime explicavit. Eam affectionem in homine ita contractam a venenata quadam qualitate, non μανίαν, non φρενῖτιδα, sed λύσσαν, perinde atque in cane, Medici appellarunt, Gorr. Dicitur etiam de Impetu quodam furibundo, qualis canum rabidorum esse solet, ἐπιτεταμένη μανία, ut Ammonio placet. Hom. Il. I, [239] de Hectore: Μαίνεται ἐκπάγλως, πίσυνος Διΐ, οὐδέ τι τίει Ἀνέρας οὐδὲ θεούς, κρατερὴ δέ ἑ λύσσα δέδυκεν. Ib. [305]: Νῦν γάρ χ' Ἕκτορ' ἕλοις, ἐπεὶ ἂν μάλα τοι σχεδὸν ἔλθοι Λύσσαν ἔχων ὀλοήν· Φ, [542] de Achille persequente Trojanos usque ad mœnia: Ὁ δὲ σφεδανὸν ἔφεπ' ἔγχεϊ, λύσσα δέ οἱ κῆρ Αἰὲν ἔχε κρατερή, μενέαινε δὲ κῦδος ἀρέσθαι. [Æsch. Prom. 882: Λύσσης πνεύματι μάργῳ· Cho. 288. Soph. fr. ap. Stob. Fl. 63, 6, 4: Ἔστιν δὲ λύσσα μαινάς. Et sæpius ap. Eur., qui etiam Λύσσαν dæmonem introduxit in Herc. Fur. Aristoph. Thesm. 681: Μανίαις φλέγων, λύσσῃ (scr. λύττῃ) παράκοπος. Theocr. 3, 47: Τὰν δὲ καλὰν Κυθέρειαν ... οὐχ οὕτως Ὤδωνις ἐπὶ πλέον ἄγαγε λύσσας; Plato Leg. 8, p. 839, A: Λύττης ἐρωτικῆς καὶ μανίας. Tim. Locr. p. 102, E: Ἄγρια πάθεά τε καὶ λύσσαι οἰστρώδεες. Et plurimi recentiorum similiter.] Lucian. [De calumn. c. 5]: Γύναιον ὑπόθερμον καὶ παρακεκινημένον, οἷον δὴ τὴν λύσσαν καὶ τὴν ὀργὴν δεικνύουσα. Plut. [Mor. p. 994, A]: Ὑμᾶς δὲ πῶς νῦν τις λύσσα καί τις οἶστρος ἄγει πρὸς μιαιφονίαν. || Vermiculus in lingua canum, qui vocatur a Græcis λύττα: quo exempto infantibus catulis, nec rabidi fiunt, nec fastidium sentiunt. Idem ter igni circumlatus datur morsis a rabioso, ne rabidi fiant. Plin. 29, 5. Etym. λύσσαν dictam vult παρὰ τὴν λύσιν τῶν λογισμῶν.

[Λυσσαίνω, i. q. λυσσάω. Soph. Ant. 633: Πατρὶ λυσσαίνων πάρει, Patri infensus. Brunck.]

Λυσσαλέος, α, ον, Rabidus, Nonn. [Jo. c. 16, 69. Apoll. Rh. 4, 1393. Manetho 4, 539: Λυσσαλέη μανίῃ. Tryphiodor. 402: Σὲ δὲ βροτέης ἀπὸ μορφῆς λυσσαλέην ἐπὶ παισὶ θεοὶ κύνα ποιήσουσιν.]

[Λυσσάνιος scriptura vitiosa pro λισσάνιος, quod v.]

Λυσσὰς, άδος, ἡ, Rabida, Rabiosa. [Eur. Herc. F. 1024: Τέκνα λυσσάδι συγκατειργάσω μοίρᾳ. De muliere Manetho 5, 338.] Plut. [Mor. p. 22, A, et alibi]: Ἄδοντι τὴν Ἄρτεμιν ἐν τῷ θεάτρῳ μαινάδα, θυάδα, φοιβάδα, λυσσάδα. [Leontius Anth. Plan. 289, 6: Ἀγαύην λυσσάδα.] || At λυσσὰς πέτρα, Rupes, Saxum præruptum et altum, alius est originis, fortassis a nom. Λυττοὶ, quod ab Hesych. exp. ὑψηλοὶ τόποι: pro quo scribitur et λισσὰς [quod solum verum], sicut ap. Eund. reperio λισσόν, ἄναντες, ἀπότομον, ὑψηλόν: quemadmodum βύβλος et βίβλος in ead. signif. scriptum reperiri tradit Eust. Ap. Theocr. 22, [37]: Εὗρον ἀέναον κράναν ὑπὸ λυσσάδι πέτρῃ Ὕδατι πεπληθυῖαν ἀκηράτῳ. Et substantive ap. Bud. ex Plut. [Mario c. 23]: Κατὰ κρημνῶν ὀλισθήματα καὶ λισσάδας ἀχανεῖς ἐχόντων.

Λυσσάω s. Λυττάω, Rabo s. Rabio, [Furio huic add. Gl., pro Furo, ut videtur,] In rabiem actus furo: proprie canum. [Aristoph. Lys. 298: Ὥσπερ κύων λυττῶσα. Aristot. H. A. 8, 22.] Plut. [Mor. p. 963, D]: Ἐντετυχηκὰς γε λυττώσαις κυσίν. Lucian. [Nigrin. c. 38]: Οἱ πρὸς τῶν κυνῶν τῶν λυσσώντων δηχθέντες, οὐκ αὐτοὶ μόνοι λυσσῶσιν, ἀλλὰ κἄν τινας ἑτέρους καὶ αὐτοὶ ἐν τῇ μανίᾳ τὸ αὐτὸ τοῦτο διαθῶσι, καὶ αὐτοὶ ἔκφρονες γίγνονται. Diosc. 7, 2: Λυσσᾷ δὲ ὁ κύων ὡς ἐπιτοπολὺ μὲν ἐν τοῖς σφοδροτάτοις καύμασιν, ἐνίοτε δὲ καὶ ἐν τοῖς ἐφισταμένοις κρύεσι. Dicitur aliquando et de lupis. Theocr. 4, [11]: Πεῖσαι τοι Μίλων καὶ τὼς λύκος αὐτίκα λυσσῆν. Metaphorice homines et affectus humani quoque λυττᾶν dicuntur, quum furibundo quodam impetu in modum rabidi canis aguntur: sicut Lat. verbum ap. Varronem, Quid est quod blateras, quid rabis? Cæcilius, Ast rabie rabere se ait. [Soph. OEd. T. 1258: Λυσσῶντι δ' αὐτῷ δαιμόνων δείκνυσί τις· Ant. 492: Λυσσῶσαν οὐδ' ἐπήβολον φρενῶν. Plato Leg. 6, p. 775, C: Λυττῶν κατά τε σῶμα καὶ ψυχήν. || De re Orph. H. 64, 6: Στῆσον ἔριν λυσσῶσαν· 65, 12: Παῦσον λυσσῶσαν μανίην. Plato Reip. 9, p. 586, C: Ἔρωτας ἑαυτῶν λυττῶντας τοῖς ἄφροσιν ἐντίκτειν.] Philo V. M. 1: Τῶν ἄλλων μέντοι παθῶν ἕκαστον ἐξ ἑαυτοῦ μεμηνὸς καὶ λελυττηκὸς φύσει τιθασσεύων κἀξημερῶν ἐπράϋνε, Perturbationes insanas per se et rabidas. Plut. Ad Colot. [p. 1123, D]: Φαντασίας, ἃς λυττῶντες ἢ κορυβαντιῶντες ἢ κοιμώμενοι λαμβάνουσι. Synes. Ep. 58: Λυττᾷ πρὸς τὴν ἀκοήν, Rabie corripitur ad auditum. Plato De rep. 1, [p. 329, C]: Λυττῶν καὶ ἄγριος δεσπότης, Rabiosus et agrestis. Item λυττάω πρὸς, Rabido impetu feror ad. Phocyl. [202]: Πολλοὶ γὰρ λυσσῶσι πρὸς ἄρσενα μίξιν ἔρωτος. [Diodor. 5, 32: Πρὸς τὰς τῶν ἀρρένων ἐπιπλοκὰς ἐκτόπως λυσσῶσιν. Cum εἰς Hieronymus ante Orig. C. Celsum. Cum κατὰ Eust. Opusc. p. 103, 74: Οὔτε κατ' αὐτῆς λυττήσω σκιαμαχῶν· 355, 52: Λυττᾷ κατ' αὐτῆς οὗτος. Cum περὶ Dio Chr. vol. 1, p. 169, a Valck. cit.: Περὶ πάντα λυττῶν κτήματα καὶ οὐδὲν ἀπόβλητον ἡγούμενος. Pass. Nicand. Al. 283: Ὁ δέ οἱ ἐμπλάζεται ἦτορ λυσσηθείς.] || Singultio, VV. LL.: pro quo dicitur potius λύζω. || Λυσσόων, Ion. pro λυσσῶν, a them. λυσσάω.

[Λυσσηδὸν, Furiose. Oppian. Hal. 2, 573: Αἱ μὲν γὰρ λ. ἀολλέες ἀμφιχυθεῖσαι δελφῖνος μελέεσσι.]

Λυσσήεις, εσσα, εν, Rabidus, Rabiosus, Furiosus, μανιώδης, Hesych.

Λύσσημα, τὸ, Rabies, Furor, Eur. Or. [270: Εἴ μ' ἐκφοβοῖεν μανιάσιν λυσσήμασιν.]

[Λυσσήρης, ὁ, ἡ, Furibundus. Orph. H. 68, 6; Manetho 6, 560, 599.]

[Λύσσησις, εως, ἡ, Furor. Forma Λύττησις Const. Manass. Chron. 2493: Α. ἀκάθεκτος ἡ τῆς φιλοσαρκίας.]

Λυσσητὴρ, ῆρος, ὁ, Qui rabit, Rabidus, Rabiosus, λυσσώδης, μανιώδης. Hom. Il. Θ, [299]: Τοῦτον δ' οὐ δύναμαι βαλέειν κύνα λυσσητῆρα. Ad quem l. respiciens Plut. [Mor. p. 732, B] dicit, Τὸν κύνα λυσσητῆρα δῆλός ἐστιν ἀπὸ τοῦ πάθους τούτου προσαγορεύων, ἀφ' οὗ καὶ ἄνθρωποι λυσσᾶν λέγονται. [Philippus Anth. Pal. 6, 94, 7 : Λυσσητῆρα γηράσας πόδα. Paullus Sil. ib. 5, 266, 1 : Λυσσητῆρι κυνὸς ... ἴσῳ. Eust. Opusc. p. 107, 29 etc. item cum κύων.]

[Λυσσητὴς, ὁ, i. q. præcedens. Epigr. App. Anth. Pal. 132, 2, κύνα. Const. Manass. Chron. 3595, Κέρβερον. Dor., Λυσσατὰν ἐπύθοντο νέκυν, Aristodicus Anth. Pal. 7, 473, 2.]

[Λυσσητικὸς, ἡ, ὸν, Rabiosus. Forma Λυττητικὸς Ælian. N. A. 12, 10, de muribus : Τὸν θῆλυν εἰς τὰ ἀφροδίσια εἶναι λυττητικόν.]

Λυσσόδηκτος, ὁ, ἡ, A rabido cane morsus, ὁ ὑπὸ κυνὸς λυσσῶντος δηχθεὶς, ut Diosc. loquitur. Idem, Λυσσοδήκτοις ἁρμόζιον καὶ τοξικὸν πεπωκόσι. In Geopon. [12, 17, 14] de brassica : Κυνοδήκτους καὶ λ. τὸ σπέρμα αὐτῆς ἢ τὰ φύλλα ἰᾶται τετριμμένα, εἰ ἐπιτεθείη· sicut ap. Plin., Epicharmus auctor est satis esse brassicam contra canis rabiosi morsum imponi. [Ib. 30, 1.]

[Λυσσοδίωκτος scriptura vitiosa pro λῃστοδίωκτος, quod v.]

Λύσσομαι, Rabo s. Rabio, Rabie agitor, Furo; nam λύσσεται, Hesychio est μαίνεται. Unde Λυσάμενος videntur deduxisse, qui in VV. LL. exp. Insaniens, in hoc l. Herodoti, λυσάμενος Ῥοδῶπιν, Rhodopidis amore insaniens : quæ verba sunt ex 2, [135] ubi sic legitur, Χάραξος δὲ ὡς λυσάμενος Ῥοδῶπιν ἀπενόστησε ἐς Μιτυλήνην, ἐν μέλεϊ Σαπφὼ πολλὰ κατεκερτόμησέ μιν. Sed ibi λυσάμενος significare Redimens, Liberans, a v. λύομαι, patet ex præcedentibus, ubi dicit, Ἐλύθη χρημάτων μεγάλων ὑπ' ἀνδρὸς Μιτυληναίου Χαράξου. Et ut dem, λυσάμενος posse esse a λύσσομαι, ut λεύσω a λεύσσω, dure tamen diceretur λυσάσθαι γυναῖκα, pro Insano amore deperire.

[Λυσσομανέω, Furo. Manetho 4, 216.]

Λυσσομανὴς, ὁ, ἡ, In rabidum furorem actus, Rabidus præ furore, ὑπὸ μανίας λελυσσηκὼς, ut a Suida exp. hoc in l. [Antipatri Sid. Anth. Pal. 6, 219, 2] : Ῥομβητοὺς δονέων λυσσομανεῖς πλοκάμους. Et λ. κακὸν, ap. Diosc., Malum quo quis rabido furore corripitur, in rabidum furorem agitur. [Callias Arg. Anth. Pal. ib. 11, 232, 2 : Ἐξαπίνης ἐγένου λυσσομανές τι κακόν.]

[Λυσσομανία, ἡ, Insanus furor. Julian. Ep. 52, p. 436, B : Εἰς τοσοῦτον λυσσομανίας ἥκουσι καὶ ἀπονοίας. Jacobs.]

[Λυσσὸν ὄρος τῆς Ἐφεσίας memorat Conon Narrat. 35.]

Λυσσόω, In rabiem ago. Et Λυσσόομαι, In rabiem agor, Rabie percellor, Rabie inflammor. Phocyl. [114] : Μὴ μεγαληγορίῃσι τρυφῶν, φρένα λυσσωθείης. || Λυσσαω [λυσσώω] dicitur etiam pro λυσσάω : poetarum more, qui ὁρόω dicunt pro ὁράω, et κομόω pro κομάω : unde Epigr. λυσσόων pro λυσσάων. [Immo λυσσώων ap. Paullum Sil. Anth. Pal. 5, 266, 3. Manetho 1, 244 : Ἔνθεα λυσσώοντες ἑὸν δέμας αἱμάσσουσιν. Sic enim correcta scriptura codd. λυσσόωντες.]

Λυσσώδης, ὁ, ἡ, Rabidus, Rabiosus [Gl.]. Hom. Il. [N, 53] : Ἧ ῥ' ὅγ' ὁ λυσσώδης, φλογὶ εἴκελος, ἡγεμονεύει Ἕκτωρ. [Eur. Bacch. 981 : Μαινάδων κατάσκοπον λυσσώδη. Anth. Pal. 9, 574, 4 : Λυσσώδη ζωήν.] Item Rabiosus, Ad rabiem agens : λ. νόσος, Soph. [Aj. 452. Tryphiod. 422.] Λυσσῶδες ap. Hippocr. παρακοπτικὸν, Furibundum. Gorr. [Aret. p. 71, 8 : Ἐπιθυμίη λυσσώδης. Favorinus ap. Stob. Fl. vol. 3, p. 248 : Τὸ λυσσῶδες τῶν ἡδονῶν.]

[Λυσσῶπις, ιδος, ἡ, Quæ furibundis est oculis, Furibunda. De cane Orph. Arg. 977.]

[Λυσσώω. V. Λυσσόω.]

[Λύστρα, ων, τὰ et ἡ, Lystra, urbs Lycaoniæ. Wessel. ad Hierocl. p. 675 : « Λύστρα) Lucas Act. A. 14, 6 : Τὰς πόλεις Λυκαονίας Λύστραν καὶ Δέρβην· et v. 21 : at v. 8 : Ἐν Λύστροις· unde τὰ Λύστρα et Λύστραν in promiscuo usu fuisse diceres, nisi passim alii numerum pluralem mallent. Ὁ Λύστρων est in pluribus Notitiis, subscribitque Chalcedonensi p. 99 Plutarchus Λύστρων. Ptolemæo (5, 3) Λύσιρα in Palatino Ms., pro quo verius scriptus Coislinianus Λύστρα. »]

[Λύσωμα, Λυσωμάτιον, Λύσωσις. V. Λίσσωμα.]

[Λύσων, ωνος, ὁ, Lyson, n. viri, ut statuarii ap. Pausan. 1, 3, 5, Plin. N. H. 34, 8, 91, aliorum in

A numis Apolloniæ Illyr. ap. Mionnet. *Descr.* vol. 2, p. 31, 38; Rhodi, *Suppl.* vol. 6, p. 594, n. 225, et aliis, ap. Lucian. Toxar. c. 12, 15, ubi male alii libri Λυσίων. ῡ]

[Λυταὶ, αἱ, χωρίον Θεσσαλίας διὰ τὸ λῦσαι τὰ Τέμπη Ποσειδῶνα καὶ σκεδάσαι τὸ ἀπὸ τοῦ κατακλυσμοῦ ὕδωρ, Steph. Byz. Hesychii gl. Λυταίη, Θετταλὴ, conferunt intt.]

[Λύτανος, ὁ, Lytanus, mensis Cappadocum, respondens Romanorum d. 12 Dec. — 10 Januarii, in Hemerolog. Flor. ap. Ideler. Chronol. vol. 1, p. 441. L. Dindorf.]

[Λυταρὶς, μήκωνος εἶδος, Hesych.]

[Λύτειρα, ἡ, Quæ solvit. Orph. H. 9, 17 : Πεπαινομένων τε λύτειρα· 31, 13 : Τριτογένεια, λύτειρα κακῶν. ῠ]

Λυτέον, Solvendum. [Plato Gorg. p. 480, E : Οὐκοῦν ἢ κἀκεῖνα λ. ἢ τάδε ἀνάγκη συμβαίνειν. Aristot. Metaphys. p. 298, 11 ed. Brandis. : Ὃ ἄρτι ἠπορήθη λ. τοῖς οὕτω λέγουσι.]

Λυτὴρ, ῆρος, ὁ, Solutor, Liberator. [Æsch. Sept.
B 940 : Πικρὸς λυτὴρ νεικέων. Eur. El. 136 : Ἔλθοις τῶνδε πόνων ἐμοὶ τᾷ μελέᾳ λυτήρ.] Nonn. [Jo. c. 17, 71] : Ὅλης λυτῆρα γενέθλης. Item Expiator. [Aristid. vol. 1, p. 351 : Ἐδόκουν ἱερεῖόν τι τεθυκὼς ἐπισκοπεῖσθαι τόν τε δὴ θεὸν οἶμαι, καλούμενον καὶ λυτῆρα, καί τινος τῶν μάντεων ἐπελθόντος πυνθάνεσθαι τί βούλοιτο ὁ λυτὴρ, πότερον καθάπαξ λύοι τι ἢ μικρότερον ἀντὶ μείζονος ποιοίη κτλ.]

[Λυτηριὰς, άδος, ἡ, i. q. λύτειρα. Orph. H. 13, 8 : Ψευδομένη σώτειρα, λυτηριὰς, ἀρχιγένεθλε. V. Λυτήριος.]

Λυτήριον, τὸ, Porcellus, cujus mactati sanguine illinebantur manus ejus, pro quo expiatio fiebat. [Ex Apoll. Rh. 4, 704 : Ἀτρέπτοιο λυτήριον φόνοιο συὸς τέκος.] Sed rursum adjective [Pind. Pyth. 5, 106 : Ἔχοντα πυθωνόθεν τὸ καλλίνικον λυτήριον δαπανᾶν μέλος χαρίεν], λυτήριον λύπημα, Soph. Tr. p. 350 [v. 554], pro λύπης ἴαμα, ut schol. exp., i. e. Remedium mœroris, adversus mœrorem. Synes. quoque dixit λυτήριον τῶν δεινῶν, Remedium malorum. [Φυλακτήριον interpr. Hesych.]

C Λυτήριος, ὁ, ἡ, [α, ον, Orph. H. 35, 7 : Κλεισία, εὐάντητε, λυτηρία, ἀρσενόμορφε, nisi λυτηριὰς scribendum, quod v. L. D.] Liberatorius, Expiatorius. [Æsch. Sept. 174 : Ἰὼ φίλοι δαίμονες, λυτήριοι ἀμφιβάντες πόλιν· Eum. 298 : Ὅπως γένοιτο τῶνδ' ἐμοὶ λυτήριος· 646 : Ἔστι τοῦδ' ἄκος καὶ κάρτα πολλὴ μηχανὴ σωτήριος. Et alibi. Nonn. Jo. c. 11, 70 : Ἀπεσείσατο κέντρα μερίμνης πένθεος ἀγρύπνοιο λυτήρια. Pollux 4, 179; 5, 132, φάρμακα.] Λ. εὐχαὶ, Soph. [El. 635. Ib. 1490 : Ὡς ἐμοὶ τόδ' ἂν κακῶν μόνον γένοιτο τῶν πάλαι λυτήριον· Trach. 554 : Λυτήριον λύπημα. Orph. H. 14, 2 : Ζεῦ ... τήνδε τοι ἡμεῖς μαρτυρίαν τιθέμεσθα λυτήριον ἠδὲ πρόσευξιν. Λιτήσιον Lobeckius.] Item, Λυτήριος Apollo ex Eur. [Alc. 224], pro Expiator [immo Liberator : Λυτήριος ἐκ θανάτου γενοῦ, φόνιόν τ' ἀπόπαυσον Ἅδαν. Hesych. : Λυτήριος, φύλαξ.] Fortasse autem ea signif. dicitur, qua λύσιοι θεοὶ supra. Et τὰ λυτήρια, ex eod. Soph. [El. 447], substantive pro Sacra expiatoria.

[Λύτης. V. Προλύτης.]

[Λυτίδας, ὁ, Lytidas. Schol. Apoll. Rh. 2, 954 : Ἡ
D δὲ μέθυσος Ἀμαζὼν (Σανάπη, a quo dicta urbs Sinope) ἐκ τῆς πόλεως παρεγένετο πρὸς Λυτίδαν ὥς φησιν Ἑκαταῖος. Παρ' Αὐτίδαν Paris.]

[Λυτιέρσης. V. Λιτυέρσης.]

Λυτικὸς, ἡ, ὸν, q. d. Solutivus, Solvendi vim habens. In VV. LL. λυτικὸν φάρμακον, Vim habens resolvendi s. discutiendi. [Theophr. H. Pl. 9, 16, 5.] || Solvendi s. Dissolvendi solertia præditus, epith. Sosibii ap. Athen. p. 201 [11, p. 493, C, ubi v. Casaub. et Schweigh., Valck. Diss. de scholl. Hom. ined. p. 145.] Qui gramm. a Suida vocatur ἐπιλυτικὸς, scribente, Γραμματικὸς ἦν τῶν ἐπιλυτικῶν καλουμένων, Ex iis, qui explicandi et nodosas quæstiones solvendi sunt periti, Bud. [Aristot. Rhet. 2, 26 : Οὐδὲ τὰ λυτικὰ ἐνθυμήματα εἶδός τί ἐστιν ἄλλο τῶν κατασκευαστικῶν· δῆλον γὰρ ὅτι λύει μὲν ἢ δείξας ἢ ἔνστασιν ἐνεγκὼν κτλ. Eust. Opusc. p. 9, 65 : Προβάλλεται νῦν λυτικόν τινα λόγον.] || Solvendi vim habens, in ea Solvendi signif., qua dicitur Solvere ventrem. Diosc. [4, 173], de pycnocomi radice : Ἡ ῥίζα αὐτῆς λυτικὴ κοιλίας καὶ κινητικὴ χολῆς· pro quibus habet Plin., Radix ejus alvum et bilem exinanit. [Mnesitheus ap. Athen. 3, p. 92, C : Κοιλίας λυτικά. || Photius : Λύσιοι θεοὶ, οἱ καθάρσιοι, λυτικοὶ κακῶν.]

Λυτικῶς, Cum quadam solvendi facultate, facilitate.

[Λύτις, ιδος, ἡ, Quæ solvit, liberat. Ephræm. Cæs. 1178 : Χρεῶν λύτις. L. Dindorf.]

Λυτὸς, ἡ, ὸν, Solubilis, [Solutus add. Gl.] Qui solvi potest: v. Λύσιμος. [Plato Tim. p. 41, A: Τὸ δεθὲν πᾶν λυτόν· 43, D : Ἐπειδὴ παντελῶς λυταὶ οὐκ ἦσαν· 60, D : Αὐτῷ πάλιν ὑφ' ὕδατος· E : Ὕδατι μὲν οὐ λυτά. Aristot. Meteor. 4, 6 fin. : Νίτρον καὶ ἅλες λυτὰ ὑγρῷ. Improprie Rhet. 1, 2 : Τοῦτο μὲν οὖν σημεῖόν ἐστι, λυτὸν δὲ, κἂν ἀληθὲς ᾖ τὸ εἰρημένον· et ibid. : Λυτὸν δὲ καὶ τοῦτο, κἂν ἀληθὲς ᾖ. In Ind. :] Λυτὰ, τὰ, ex Epigr. pro Justitia, Juris intermissionibus : quæ et λύσιμα dici feruntur. [Epigrammati Agathiæ Anth. Pal. 9, 482, in quo agitur de ludo aleæ Zenonis imp., inscriptum in cod. lemma : Ἀγαθίου σχολαστικοῦ εἰς τὰ λυτὰ Ζήνωνος τοῦ βασιλέως. Quod alii corruptum, alii non probabili ratione explicandum putarunt. V. Jacobs. vol. 11, p. 99. || Adv. Λυτῶς, ap. Aristot. De partt. an. 2, 2 : Ἀλύτως, λυτῶς δὲ κτλ.]

Λύτρον, τὸ, q. d. Redemptorium, Redemptionis pretium, Pretium redempti captivi, Pretium redempti, sine adjectione, quod Bud. ex Livio affert, Quod pro redemptione dependitur, Pretium quo captivi rediguntur : ab ea sc. verbi λύεσθαι signif. qua ponitur pro Redimo. [Pind. Ol. 7, 77 : Τόθι λύτρον συμφορᾶς οἰκτρᾶς γλυκὺ Τληπολέμῳ ἵσταται ... μήλων τε κνισάεσσα πομπὰ καὶ κρίσις ἀμφ' ἀέθλοις· Isthm. 7, 1 : Κλεάνδρῳ τις ἁλικίᾳ τε λύτρον εὔδοξον καμάτων ἀνεγειρέτω. Æsch. Cho. 48 : Τί γὰρ λύτρον πεσόντος αἵματος πέδῳ; Diodor. 20, 84 : Τῶν αἰχμαλώτων τὰ δυνάμενα δοῦναι λύτρον, ubi tamen al. λύτρα.] Sed usurpatur in plur. potius. [Λύτρα, Redimiæ, Gl. Orph. Arg. 1362 : Δὴ τότ' ἐγὼ Μινύαισιν ἐφ' ἱερὰ λύτρα καθαρμῶν ῥέξα. Thuc. 6, 5 : Λύτρα ἀνδρῶν Συρακοσίων αἰχμαλώτων λαβών.] Xen. Hell. 7, [2, 16] : Ζῶντα λαβόντες ἀφῆκαν ἄνευ λύτρων. [Plato Reip. 3, p. 393, D : Τῆς θυγατρὸς λύτρα φέρειν. Demosth. p. 1250, 2 : Οἱ νόμοι κελεύουσι τοῦ λυσαμένου ἐκ τῶν πολεμίων εἶναι τὸν λυθέντα, ἐὰν μὴ ἀποδιδῷ τὰ λύτρα· 18 : Τὰ λ. καταθεῖναι.] Plut. Fabio [c. 7] : Ἀπέπεμψε τὰ λύτρα τῷ Ἀννίβᾳ, καὶ τοὺς αἰχμαλώτους ἀπέλαβε. Lucian. [D. deor. 4, 2] : Ὑπισχνοῦμαί σοι κριὸν τεθύσεσθαι λύτρα ὑπὲρ ἐμοῦ. In sing. Matth. 20, [28] de Christo : Καὶ δοῦναι τὴν ψυχὴν αὐτοῦ λύτρον ἀντὶ πολλῶν, ubi perperam vet. Interpr. reddidit Redemptionem. [Filium dare λύτρον pro aliis in magnis calamitatibus, mos vetus, Philo Bybl. ap. Euseb. Præp. ev. p. 40, C. Valck.]

[Λυτροχάρης, ὁ, ἡ, Redemtione gaudens. Orac. Sibyll. 8, 790 : Μηλοσφαγίας λυτροχαρεῖς.]

Λυτρόω, Redimo [Gl.] : quam signif. habet et λύομαι, ut infra docebo, ut in Argum. Hom. Il. A de Chryse, Βουλόμενος λυτρώσασθαι τὴν θυγατέρα· quum Hom. de eo dicat, Λυσόμενός τε θύγατρα, φέρων τ' ἀπερείσι' ἄποινα. [Plato Theæt. p. 165, E : Ἐλύτρου χρημάτων ὅσων σοί τε κἀκείνῳ ἐδόκει. Diod. 19, 73 : Τῶν στρατιωτῶν οὓς μὲν ἐλύτρωσεν· 5, 17 : Ἀντὶ μιᾶς γυναικὸς τρεῖς ἄνδρας διδόντες λυτροῦνται· Exc. p. 552, 90. Diog. L. 6, 75 : Τοὺς γνωρίμους λυτρώσασθαι αὐτὸν θελῆσαι.] De Christo legitur in N. T., sicut et animam suam dicitur λύτρον dedisse, Matth. 20, [28]. Pass. Λυτροῦμαι, Redimor. Aristot. Eth. 9, 2 : Οἷον τῷ λυτρωθέντι παρὰ λῃστῶν πότερον τὸν λυσάμενον ἀντιλυτρωτέον. Æschin. [p. 29, 36] : Ἐπειδὴ ἐπανῆλθε δεῦρο λυτρωθείς. [Demosth. p. 394, 18 : Ἵνα μὴ δοκοῖεν ἐκ τῶν ἰδίων λελυτρῶσθαι πένητες ἄνθρωποι. Aristot. Eth. Nic. 9, 2 : Λυτρωθέντι παρὰ λῃστῶν. Dio Cass. 56, 22 : Λυτρωθέντες ὑπὸ τῶν οἰκείων. Addito genit. Clemens Al. Protr. p. 84 : Ἀγαθοὶ δὲ οἰκετῶν δεσπόται οἱ τῆς ἐσχάτης δουλείας λελυτρωμένοι. Photius s. Suidas in Λύτρα : Ἐπὶ τῷ λυτρώσασθαι βαρβάρων δουλείας.]

[Λύτρωμα, τὸ, Redemtio. Hymnus in Ascensione Domini : Ἡμῶν Ἰησοῦ τίμιον λύτρωμ', ἔρως τε καὶ πόθος.]

Λυτρὼν, ῶνος, ὁ, i. q. ἀφεδρὼν, Secessus ad deponendum onus ventris : forsan παρὰ τὸ ἐκεῖ λύεσθαι τὴν κοιλίαν. [Gramm. Bekk. p. 433, 16 s. Suidas : Ἀπόπατον· ἀπόπατον καὶ κοπρῶνα λέγουσιν· ὁ δ' ἀφεδρὼν καὶ

A λυτρὼν βάρβαρα. V. Λουτρών. Inter quod et λυτρὼν variant libri Reg. 2, 10, 27. Conf. Cramer. Anecd. vol. 3, p. 375, 9.]

[Λυτρώσιμος, ὁ, Redimendus. Photius et Suidas : Λύματα, ἐνέχυρα, οἷον λύσιμα καὶ λυτρώσιμα. Photius : Λύσιμα ἐνέχυρα, τὰ λυτρώσιμα.]

Λύτρωσις, εως, ἡ, Redemptio [Gl.], Luitio. [Plut. Arat. c. 11 : Λύτρωσιν αἰχμαλώτων. Et aliquoties in S. S.]

Λυτρωτέον, Redimendum. [Aristot. Eth. Nicom. 9, 1 : Τὸν πατέρα λ.]

[Λυτρωτήριος, ὁ, Redimens. Chron. Pasch. p. 18, 20 : Τὸ πανάγιον καὶ λυτρωτήριον ἡμῶν πάσχα. L. Dind.]

Λυτρωτὴς, ὁ, Redemptor [Gl. Jo. Chrys. In Matth. c. 3, vol. 2, p. 63, 12. Seager. Et sæpius in S. S.]

[Λυτρωτικὸς, ἡ, ὸν, Redimens. Theod. Prodr. Ep. p. 98. « Idem in Anecdotis meis vol. 4, p. 440, v. 11. » Boiss.]

[Λύττα. V. Λύσσα.]

[Λυττάω. V. Λυσσάω.]

Λυττέω, Multa loquor; nam λυττεῖ Hesychio est

B πολλὰ λαλεῖ. [Λυάζει conferunt interpretes.]

[Λύττησις. V. Λύσσησις.]

[Λυττητικός. V. Λυσσητικός.]

[Λύττιος. Λύττος. V. Λύκτος.]

[Λύττω. V. Λύζω.]

Λύτωρ, ορος, ὁ, i. q. λυτὴρ, Epigr. [Leonidæ Alex. Anth. Pal. 9, 351, 4, ubi nunc ex cod. ῥύτορα] pro Qui dissolvit. [Λύτωρ hinc repetiit Draco p. 63, 20.]

[Λυτῶς. V. Λυτός.]

Λυχναῖος et Λυχνεὺς, έως, ὁ, Lapis pellucidus, ὁ διαυγὴς λίθος, Hesych., i. q. λυχνίτης, species Pyropi et Carbunculi. Athen. 5, [p. 205, F, ex Callixeno] : Ἀγάλματα εἰκονικὰ λίθου λυχνέως. [Clemens. Al. Protr. p. 41 : Τῶν σεμνῶν θεῶν τὰς μὲν ἐποίησεν ἐκ τοῦ καλουμένου λυχνέως λίθου.]

Λυχνάπτης, ὁ, Qui lychnum s. lumen accendit. [Hesych. : Δᾳδοῦχος, λυχνάπτης. L. Dind.]

[Λυχνάπτρια, ἡ, Quæ lychnum s. lychnos accendit. Inscr. Att. ap. Bœckh. vol. 1, n. 481, p. 470, 7.]

Λυχναψία, ἡ, Lucernæ s. Luminis [Lucernarum,

C Gl.] accensio, i. q. λυχνοκαΐα s. λυχνοκαυτία, quod vide. [Athen. 15, p. 701, A.]

[Λυχνεία. V. Λυχνία.]

Λυχνεῖον, τὸ, Basis lychni, Candelabrum, i. q. λυχνία. Athen. 15, [p. 700, C] citans ex Pherecrate : Τίς τῶν λυχνείων ἡ 'ργασία; Τυρρηνική· et ex Aristoph. [Antiphanis Porson.] Equit. : Τῶν δ' ἀκοντίων συνδοῦντες ὀρθὰ τρία, λυχνείῳ χρώμεθα. Et ex Diphilo, Ἅψαντες λύχνον, Λυχνεῖον ἐζητοῦμεν. Euphorion ibid. narrat Dionysium juniorem Ταραντίνοις ἐς τὸ πρυτανεῖον ἀναθεῖναι λυχνεῖον δυνάμενον καίειν τοσούτους λύχνους, ὅσος ὁ τῶν ἡμερῶν ἐστὶν ἀριθμὸς εἰς τὸν ἐνιαυτόν. [De accentu Arcad. p. 121, 6, Theognost. Can. p. 178, 18.]

[Λυχνέλαιον, τὸ, Lucernæ oleum. Alex. Trall. 1, p. 2.]

[Λυχνεὺς, έως, ὁ, Lapis. V. Λυχναῖος.] Accipitur etiam pro Face aut Lucerna, ut videre est in Λυχνοῦχος.

Λυχνεύω, Præluceo. Areth. In Apoc. p. 905 : Λυχνεύουσα τοὺς εἰσαγομένους, Bud. [Pro λιχνεύω olim le-

D gebatur ap. Clem. Al. Pæd. p. 298.]

Λυχνεὼν, ῶνος, ὁ, Lychnorum s. Lucernarum repositorium. Lucian. [Ver. H. 1, 29] : Οἰκήσεις δὲ αὐτοῖς (τοῖς λύχνοις) καὶ λυχνεῶνες ἰδίᾳ ἑκάστῳ ἐπεποίηντο.

Λυχνία, ἡ, Candelabrum. [Inscr. Branchid. apud Bœckh. vol. 2, n. 2852, p. 551, 60 : Λυχνία χαλκῆ μεγάλη· Teja ib. n. 3071, 9, p. 668 : Λυχνίαν χαλκῆν σαλπιγγωτὴν, λύχνον χαλκοῦν δίμυξον.] Philo V. M. 3 : Τὴν δὲ λυχνίαν ἐν τοῖς νοτίοις, Candelabrum austrum versus collocavit. Eod. l., Τὴν κιβωτὸν, τὴν λ., τὸ θυμιατήριον. Ap. Hesych. scribitur etiam Λυχνεία : sed ap. Eust. [Od. p. 1848, 26 : Λαμπτῆρες, ἃς νῦν οἱ ἀγροτικοὶ λυχνίας φασίν· Opusc. p. 51, 65 : Δυσὶ λύσεσιν, ὡς οἷα καὶ λυχνίαις καταλάμπων τὴν τοῦ ἀποροῦντος λογισμοῦ σκότωσιν· et ap. Tafel. De Thessalon. p. 375], Λυχνία, quam et veram esse scripturam existimo. [Phrynich. Epit. p. 313 : Λυχνίαν ἀντὶ τοῦ λύχνιον, ὡς ἡ κωμῳδία· Exc. p. 50, 22 : Λυχνίον, οἱ ἀμαθεῖς λυχνίαν αὐτὸ καλοῦσιν. Photius : Λυχνίον ἢ λυχνία· λυχνία (vel potius λυχνίον) λεκτέον οὐχὶ λυχνίαν. Thomas p. 589 : Λυχνίον (al. λυχνεῖον) τὴν λυχνίαν (φασί). Ubi inscr. Mus. Veron. p. 479 : Λυχνίας μετὰ λυχνῶν, citat Oudendorp. « Præter scriptores sacros, Philonem p. 425, B, et Josephum, etiam Lucian. Asin. c. 40, Galen. De comp. med. p. locc. 1, 2, p. 326, D, Artemid. 1, 74, 103, Hero Spirit. p. 212. » Lobeck. Plut. Dion. c. 9 : Ἁμάξια καὶ λυχνίας. Utraque forma cum interpr. Candelabri ponitur in Gl. Inscr. ap. Chish. p. 69, 71, African. Cest. p. 296, Heron. Geodæs. p. 49 citat Schneid.]

[Λυχνιαῖος, α, ον, Lucernarius. Jo. Chrys. In Jo. hom. 41, vol. 2, p. 725, 31 : Ἥλιος ἀπὸ λυχνιαίου φωτὸς οὐκ ἂν λάβοι προσθήκην. Seager. « Pro λυχναία φλὸξ Galen. De vict. acut. morb. 7, 192, F, t. 11, rectius legitur λυχνιαία Comm. 5 in Epid. 6, p. 524, D, in Aphor. 1, 27, F. Λυχνιαῖον φῶς Sext. Emp. 1, 14, 31; 2, 13, p. 100. Λυχνίᾳ φλογὶ Olympiod. ad Aristot. Meteor. p. 5, A, leg. λυχνιαίᾳ. » Lobeck. Phryn. p. 552. Eust. Opusc. p. 352, 47 : Τὸ λυχνιαῖον φῶς.] Λυχνιαία φλὸξ, Lucernæ flamma, Alex. Aphr. [Probl. 1, 16.]

[Λυχνίας, ου, ὁ, sc. λίθος, i. q. λυχνίτης. Plato com. ap. Polluc. 7, 100.]

[Λυχνιδία λίμνη, ἡ, Lychnidius lacus, Illyrici, ap. Polyb. 5, 108, 8. V. Λυχνιδός.]

Λυχνίδιον, τὸ, Parvus lychnus, Lucernula. [Pollux 10, 118 : Ὅταν δ' εἴπῃ ἐν τῷ Αἰολοσίκωνι Ἀριστοφάνης, Δυοῖν λυχνιδίοιν, δῆλον ὅτι λυχνία εἴρηκεν, ἀλλ' οὐ λύχνους μικρούς. Καὶ ὅταν Κράτης φῇ ἐν τοῖς Γείτοσιν, Οὐκ ἔστι μοι λυχνίδιον. Σαφέστερον δὲ ἐν τοῖς Ἀρ. Δράμασιν ἢ Νιόβῳ, Ἀλλ' ὥσπερ λύχνος ὁμοιότατα καθεῦδ' ἐπὶ τοῦ λυχνιδίου. Locum Aristophanis citat etiam Athen. 15, p. 699, F, idemque etiam locum Hermippi p. 700, D. Ex quibus colligi videtur, quod etiam per se est consentaneum, secundam produci.] Lucian. [Tim. c. 14] : Πρὸς ἀμαυρόν τι καὶ μικρόστομον λ., καὶ διψαλέον θρυαλλίδιον, ἐπαγρυπνεῖν ἐάσας τοῖς τόκοις. [Plut. Demetr. c. 20.]

[Λυχνίδιον. V. Λυχνιδός.]

[Λυχνιδὸς, πόλις Ἰλλυρίας, ἀρσενικῶς λεγομένη καὶ λίμνη θηλυκῶς. Ἡρωδιανὸς Λυχνιτὸν αὐτόν φησι. (Arcad. p. 82, 11 : Τὰ δὲ θηλυκὰ ὀξύνεται, ἁμαξιτὸς, ἀτραπιτὸς, λαχνιτὸς ἡ πόλις. Scribendum esse Λυχνιτὸς ostendit Theognostus Can. p. 75, 24 : Τὸ ἁμαξιτὸς, λυχνιτὸς, ἀτραπιτὸς ὀξύτονα κατὰ τόνον καὶ κατὰ γένος, οὐ κατὰ τὴν γραφὴν ἀνακόλουθα, etsi hæc adversantur iis quæ de genere masc. dicit Steph. Byz.) Τὸ ἐθνικὸν Λυχνίδιος καὶ Λυχνιδία λίμνη καὶ Λυχνῖτις. Ἔστι δὲ καὶ Ἀρμενίας Λυχνῖτις χωρίον, Steph. Byz. Strab. 7, p. 327 : Αἱ λίμναι αἱ περὶ Λυχνιδόν. Christodor. Anth. Pal. 7, 697, 6 : Ἐρικυδέα πάτρην Λυχνιδόν. Ap. Polyb. 34, 12, 7 (Strab. 7, p. 323) : Διὰ Λυχνιδίου πόλεως, jam Vindingius scripsit Λυχνιδοῦ. Ap. eundem 18, 30, 12 est : Λυχνίδα καὶ Πάρθον, οὔσας Ἰλλυρίδος, nisi scribendum Λυχνιδόν. Λύχνιδος male ap. Ptolem. 3, 13. Λυχνῖτις λίμνη ap. Scymn. Orb. descr. 429, Diod. 16, 8, Ptolem. 5, 13.]

[Λυχνικὸς, ἡ, ὸν, Ad lucernas pertinens. Jo. Chrys. In Ps. 118, vol. 1, p. 1013, 23 : Οἱ δὲ ἐπιεικέστεροι καὶ εὐλαβεῖς ἑπτάκις ποιοῦνται τὴν στάσιν αὐτῶν πρὸς τὸν θεὸν νύκτωρ καὶ μεθ' ἡμέραν· πρῶτα μὲν διανυκτερεύοντες, ὃ καὶ ὄρθρον ὀνομάζομεν· ... περὶ ἡλίου δυσμὰς, ... ὃ καὶ λυχνικὸν ὀνομάζομεν. Lucernarium vocat Augustinus in Reg. Cleric. Seager. Euchologium ap. Lambec. Bibl. Cæs. vol. 5, p. 605, B : Εὐχαὶ τοῦ λυχνικοῦ. Sunt Preces lucernariæ, prima pars vespertini officii, etiam λυχνικὴ ὑμνολογία s. λυχνικὸς ὕμνος dictæ. Exx. plura v. ap. Ducang. L. Dind.]

Λύχνιον, τὸ, pro λυχνία : quod Eust. [Od. p. 1854, 54] ex vett. tradit προπαροξύνεσθαι, sicut θύριον, λύριον : ap. Eund. tamen [p. 1571, 20] reperio λυχνίον scriptum in l. Aristoph. [Antiphanis in Λυχνεῖον] paulo ante cit., et Hesych. ac Ammonium; sed existimo scrib. aut λύχνιον, cu[m] Eust., ut λύριον : aut λυχνεῖον, secundum formam τῶν περιεκτικῶν : ut dicitur λοφεῖον et λόφιον. Athen. 5, [p. 206, E] ex Dioclide : Πολύκλειτος δὲ (θαυμάζεται) ἐπὶ τῷ λυχνίῳ τῷ κατασκευασθέντι τῷ Πέρσῃ. [Antiphanes ap. eund. 15, p. 666, F : Κότταβος τὸ λυχνίον ἐστί. Unde citat Ammonius. V. Λυχνία. Metrum fert etiam λυχνεῖον. Et quum Eust. ex l. Antiphanis afferat λυχνίῳ, quod metro excluditur, suspecta hic videri potest fides hujus formæ, alioqui satis confirmatæ loco Theocr. 21, 36 : Τὸ δὲ λύχνιον ἐν πρυτανείῳ. Plut. Cim. c. 6 : Ἀνατρέψαι τὸ λυχνίον ἄκουσαν. Et cum eodem verbo Lucian. Conviv. c. 46. Memorat etiam Pollux 6, 109; 10, 115 et alibi.]

[Λύχνιον, τὸ, ἐπιγραφόμενον ἐπίχρισμα memorat Galen. vol. 13, p. 437.]

Λυχνὶς, ίδος, ἡ, Lucernula. || [Λυχνὶς, βοτάνη, Rosa Græca, Populia, Gl.] Theophr. H. Pl. 6, [8, 3] numerat inter flores æstivos. Diosc. 3, 114, describit λυχνίδα στεφανωτικὴν, dicens esse ἄνθος ὅμοιον λευκοΐῳ, ἐμπόρφυρον, πλεκόμενον εἰς τὰ στεφάνια· cui similem esse τὴν ἀγρίαν λυχνίδα. [Galen. vol. 13, p. 204 : Λυχνίδος τῆς εἰς τοὺς στεφάνους.] A Plin. inter rosas coronarias censetur, 21, 4 : Est et quæ Græca appellatur a nostris, a Græcis λυχνὶς, non nisi in humidis locis proveniens, nec unquam excedens quinque folia, violæ magnitudine, odore nullo. Idem et ἀγρίας λ. meminit, quam Antirrhinon quoque s. Anarrhinon vocari scribit, similis lino, radice nulla, flore hyacinthi. Λ. ἀγρία dicitur etiam a quibusdam τὸ ἱππόγλωσσον, ut ex Diosc. tradit Gorr., qui ipsam στεφανωματικὴν λ. a Romanis Genicularem s. Ballariam vocari scribit : a Plin. autem quodam loco Flammeam cognominari, alibi Rosam Græcam. [Nicand. Th. 899, et in fr. ap. Athen. 15, p. 683, E, et Amerias ib. p. 681, F. Plut. Mor. p. 723, C : Ῥόδοις καὶ λυχνίσιν. Pollux 10, 41, 168.] || Gemma quædam, quam Dea Syria in capite gestat. Lucian. [De Syr. dea c. 32] : Ἀφ' ἧς [Λίθον ἐπὶ τῇ κεφαλῇ φορέει, λυχνὶς καλέεται· οὔνομα δέ οἱ τοῦ ἔργου ἡ συντυχίη· ἀπὸ τούτου] ἐν νυκτὶ σέλας πολλὸν ἀπολάμπεται, ὑπὸ δέ οἱ ὁ νηὸς ἅπας οἷον ὑπὸ λύχνοισι φαείνεται· ἐν ἡμέρῃ δὲ τὸ μὲν φέγγος ἀσθενέει, ἰδέην δὲ ἔχει κάρτα πυρώδεα· is esse videtur idem lapis qui λυχνεὺς et λυχνίτης. [Photius : Λυχνες (sic) σκληρὸς καὶ διαυγὴς, Πάριος λίθος. Dionys. Per. 329 : Λυχνίς τε πυρὸς φλογὶ πάμπαν ὁμοῖος. Ubi al. ὁμοίη. Sed Eust. : Τὸ δὲ λυχνίς τινες καὶ βαρύνουσι καὶ ἀρσενικὸν εἶναι λέγουσιν ὄνομα, γράφοντες λύχνις πυρὸς φλογὶ πάμπαν ὁμοῖος. Qui accentus præstat, estque ap. Orph. Lith. 268, ubi Λύχνι, σὺ δ' ἐκ πεδίου κτλ. pro αὔχνης vel αὔχμης, ex epitome, quæ : Λίθος λύχνις ὁ καὶ λυχνίτης λεγόμενος, restituit Tyrwhittus, et Ps.-Plut. De fluv. initio : Γεννᾶται δ' ἐν αὐτῷ (Hydaspe) λίθος λύχνις καλούμενος, ubi v. Maussac.]

[Λυχνὶς, ίδος, ἡ, Lychnis. V. Λυχνιδός.]

Λυχνίσκος, ὁ, Parvus lychnus, Lucernula, piscis quidam. Lucian. [Ver. H. 2, 30] : Ἰχθῦς δὲ εἶχε πολλοὺς, τοὺς μὲν δαλοῖς προσεοικότας, τοὺς δὲ μικροὺς, ἄνθραξι, πεπυρωμένους· ἐκάλουν δὲ αὐτοὺς λυχνίσκους

[Λυχνιτάριον. V. Λυχνίτης.]

Λυχνίτης, ὁ, q. d. Lucernarius. || Λ. λίθος, Lychnites lapis. Plin. 37, 8 : Ex eodem genere ardentium Lychnites appellata a lucernarum accensarum præcipua gratia. Probatissimam in Indis nasci scribit, et a quibusdam remissiorem Carbunculum dici. Forsan eadem est gemma, quæ Luciano λυχνίς. Marcell. Empir. λυχνίτην a Lat. dici Carbunculum scribit. Ab eodem Plin. λυχνίτης marmoribus accensetur, 36, 5 : Omnes autem tantum candido marmore usi sunt ex Paro insula : quem lapidem cœpere Lychnitem appellare, quoniam ad lucernas in cuniculis cæderetur, ut auctor est Varro : qualis esse videtur λυχνεὺς paulo ante. [Eryxias p. 400, E. Strabo 17, p. 830 : Ἐν τῇ παρωρείῳ λίθους εὑρίσκεσθαί φασι τοὺς λυχνίτας καὶ καρχηδονίους λεγομένους. Coraes : « Γραπτέον οἶμαι τοὺς λυχνίτας τοὺς καὶ καρχηδονίους λεγομένους. (Qua correctione non opus est.) Ὁ δὲ λυχνίτης ἢ Καρχηδόνιος οὗτος λίθος ἐστὶν ὃν οἱ Γάλλοι *Grenat* καλοῦσι διά τινα πρὸς τοὺς τῆς ῥοιᾶς (*grenade*) κόκκους ἐμφέρειαν τῆς χρόας. Καὶ λυχνίτης μὲν ὠνόμαστο διὰ τὸ φαεινὸν, Καρχηδόνιος δὲ ... διότι εἰς Καρχηδόνα ἐκομίζετο κτλ. » V. autem Λυχνίς. L. D. Λυχνιτάριον (quod sine interpr. ponit Suidas), Λυχνίτης, Lychnites, de quo Psellus De lapid. p. 353, vel Carbunculus, qua postrema notione videtur usurpasse anonymus De templo S. Sophiæ p. 258, ubi de Ambone : Εἶχε δὲ καὶ τροῦλον χρυσοῦν μετὰ μαργαριταρίων καὶ λυχνιταρίων καὶ σμαράγδων. Achmes Onir. c. 247 : Ἐξ ἐρυθρῶν ἤτοι λυχνιτῶν, etc. Sed addubitari potest an vox λυχνίτης Lychnitem s. Carbunculum sonet ap. Codinum p. seq. : Θυμιατήρια ὁλόχρυσα διὰ λίθων λς', λυχνίτας τ', ἐχούσας σταθμὸν ἀνὰ λιτρῶν μ'. Ubi forte λυχνῖται nihil fuerint aliud quam λύχνοι. Ducang. Hic scrib. λυχνίδας. L. D. Forte λυχνίτης leg. pro Λυγδίτης ap. Bernard. ad Psell. De lap. p. 6. Boiss. ĭ]

Λυχνῖτις, ιδος, ἡ, πόα, Herba lucernaria, ut Marcell. Empir. vocat τὴν φλόμον, Verbascum. Diosc. 4, 104, de φλόμου generibus : Καὶ τρίτη φλομὶς ἡ καλουμένη λυχνῖτις, ὑπὸ δέ τινων θρυαλλίς, εἰς ἐλλύχνια χρησίμη· Plin. 25, 10, de verbasci generibus : Tertia Lychnitis vocatur, ab aliis Thryallis, foliis ternis, aut cum plurimum quaternis, crassis pinguibusque, ad lucernarum lumina aptis.

[Λυχνῖτις, ιδος, ἡ, Lychnitis. V. Λυχνιδός.]

[Λυχνόβιος, ὁ.] Λυχνόβιοι, Qui ad lychnum vitam transigunt, in eos qui præpostere ad lychnum ea tractant quæ interdiu debebant. Seneca Epist. [122]: Nil consumebat nisi noctem : itaque crebro dicentibus illum quibusdam avarum et sordidum, Vos, inquit, et λυχνόβιον dicetis : i. e., inquit Bud., Lucifugam et noctuini generis, quasi Lucernarium.

Λυχνοβόρος, ὁ, Lychni vorator, Ellychnii vorator : λ. μῦς, Epigr. Insidiatur enim animal illud lychnis et ellychniis propter oleum, ut testatur Hom. Batrach. [180] : Στέμματα βλάπτοντες καὶ λύχνους εἵνεκ' ἐλαίου. [Nunc ex cod. Pal. λιχνοβόρος, quod v. Simile vitium v. in Φιλόλιχνος.]

[Λυχνοειδής, ὁ, ἡ, Lucernæ similis. Iambl. Protr. p. 360 ed. Kiessl. : Ταῖς κατ' αἴσθησιν φαντασίαις, αἵτινες φῶς μέν τι περὶ τὰς καταλήψεις ποιοῦσι, λυχνοειδὲς μέντοι καὶ οὐχὶ φυσικόν.]

Λυχνοκαΐα, et Λυχνοκαυτία, ἡ, Lucernarum accensio, Lychnorum s. Luminum accensio. Λυχνοκαΐα, Festum quoddam Ægyptiorum, cujus his verbis meminit Herodot. 2, [62] : Ἐς Σάϊν δὲ πόλιν ἐπεὰν συλλεχθέωσι τῇσι θυσίῃσι, ἔν τινι νυκτὶ λύχνα καίουσι πάντες πολλὰ ὑπαίθρια περὶ τὰ δώματα κύκλῳ· τὰ δὲ λύχνα ἐστὶ ἐμβάφια· ἔμπλεα ἁλὸς καὶ ἐλαίου· ἐπιπολῆς δὲ ἔπεστι αὐτὸ τὸ ἐλλύχνιον, καὶ τοῦτο καίεται παννύχιον· καὶ τῇ ὁρτῇ οὔνομα κέεται Λυχνοκαΐη. Meminit et Joseph. C. Ap. [2, 9, Liban. vol. 1, p. 363, 14, Pollux 7, 178; 10, 115, Themist. Or. 4, p. 49, A, Tzetz. Hist. 3, 50, Dio Cass. 79, 16. « I. q. Λυχνικὸν, quod v. Institutio Hegumeni ap. Habertum in Archieratico p. 580 : Ὄρθρον καὶ λυχνοκαΐαν καὶ τὰς ἁρμοζούσας ὥρας. » Ducang.] De λυχνοκαυτία autem hæc extant ap. Athen. 15, [p. 701, A] : Λύχνα δὲ οὐδετέρως εἴρηκεν Ἡρόδοτος· λυχνοκαυτίαν δὲ ἣν πολλοὶ λέγουσι, λυχναψίαν Κηφισόδωρος. [De forma v. Exc. Phrynichi Bekk. An. p. 21, 20. Photius : Λυχνοκαυτίαι, οὐχὶ λυχνοκαΐαι.]

[Λυχνοκαυτέω, Lucernas accendo. Dio Cass. 63, 20 : Τῆς πόλεως ἐστεφανωμένης καὶ λυχνοκαυτούσης. Pollux 7, 178. Hesych. et Photius : Λυχνοκῶσα, λυχνοκαυτοῦσα. Οὕτω Τηλεκλείδης. Conf. Lobeck. ad Phryn. p. 523.]

[Λυχνοκαυτία. V. Λυχνοκαΐα.]

[Λυχνοκῶσα. V. Λυχνοκαυτέω.]

[Λύχνον. V. Λύχνος.]

[Λυχνοποιέω, Lucernas facio. Schol. Aristoph. Vesp. 1001.]

Λυχνοποιός, ὁ, Qui lychnos s. lucernas conficit, Aristoph. [Pac. 690. Philetær. ap. Athen. 11, p. 474, E; Dio Chr. vol. 1, p. 453. Pollux 7, 178.]

[Λυχνόπολις, εως, ἡ, Lychnopolis, urbs ficta ab Luciano Ver. H. 1, 29.]

[Λυχνοπωλέω, Lucernas vendo. Schol. Lucian. Tim. c. 30. Boiss.]

Λυχνοπώλης, ὁ, Lychnorum s. Lucernarum venditor. Aristoph. [Eq. 739. Pollux 7, 178.]

Λύχνος, ὁ, Lychnus, Lucerna, [Candela huic add. Gl.] Lumen. [Batrachom. 180 : Στέμματα βλάπτοντες καὶ λύχνους εἵνεκ' ἐλαίου.] Xen. Conv. [7, 4] : Ὁ μὲν λύχνος διὰ τὸ λαμπρὰν φλόγα ἔχειν, φῶς παρέχει. Athen. 11 : Λύχνον ἐκ τῆς ὀροφῆς ἐξηρτημένον ἀνακεχυμένας ἔχοντα τὰς φλόγας· qualiter ap. Virg. Æn. 1 : Dependent lychni laquearibus aureis Incensi, et noctem flammis funalia vincunt. Hom. Od. T, [34] : Χρύσεον λύχνον ἔχουσα, φάος περικαλλὲς ἐποίει, ubi tamen [rectius] et aliter exp., ut infra dicetur. Plut. [Mor. p. 531, A], ex Demosth. : Τί ποιήσουσι τὸν ἥλιον ἰδόντες οἱ μὴ δυνάμενοι πρὸς τὸν λύχνον ἀντιβλέπειν ; ut ap. Cic., Lux longe alia est lychnorum et solis. Aristoph. Nub. [56] : Ἔλαιον ἡμῖν οὐκ ἔνεστ' ἐν τῷ λύχνῳ. Et δίμυξος

A λύχνος, Athen. 15, [p. 700, F] ex Metagene, Lychnus duobus lucens myxis s. ellychniis. [Cum τρίμυξος ponit Pollux 6, 103, et alibi. V. Λυχνία. Lucian. Encom. Demosth. c. 15 : Πυθέᾳ ὁ κρότος τῶν Δημοσθενικῶν λόγων ἀπόζειν ἐφαίνετο τοῦ νυκτερινοῦ λύχνου· De Syria dea c. 32 : Ὑπὸ δέ οἱ καὶ ὁ νηὸς ἅπας οἷον ὑπὸ λύχνοισι φαείνεται. Epigr. Anth. Pal. App. 137, 4 : Ὦ γλυκὺς ὄρθρος, πρὸς λύχνον ᾧ μύθους ἤδομεν ἡμιθέων.] Item cum verbis : ut ἅπτειν λύχνον, Accendere lychnum. Aristoph. [Nub. 18] : Ἅπτε, παῖ, λύχνον· et [57] : Τί γάρ μοι τὸν πότην ἧπτες λύχνον ; [Lucian. Pseudolog. c. 29 : Καὶ λύχνον ἅψας ἐζήτεις ἀδελφόν τινα. « Τί ἀγρυπνεῖς; τί λύχνον ἅπτεις; Epictet. Diss. 2, 20, 9; 1, 20, 19. Μὴ γὰρ διὰ τοῦτό ποτε λύχνον ἧψας ἢ ἠγρύπνησας; 2, 21, 19. Τέκνον, ἂν σωθῇς, ἅψω λύχνους, 2, 17, 37. Τοιούτῳ καὶ λύχνον ἅπτειν ἄξιον, ib. 38. Ἠξίωται δημαρχίας, ἔρχεται εἰς οἶκον, εὑρίσκει λύχνους ἁπτομένους, 1, 19, 24. » Schweigh. Ind. Prov. Λύχνον ἐν μεσημβρίᾳ ἅπτεις, ἐπὶ τῶν ἐν καιρῷ ἀνεπιτηδείῳ τι ποιούντων, apud Photium.] Et in passiv. λύχνος ἡμμένος, Thucyd. 4, [133]. B Sic Galen. : Ἄρτι λύχνων ἡμμένων, quod Apul. et Macrob. Prima face. Et ex Herodoto [7, 215, Diod. 19, 31, 43, Dionys. A. R. 7, 11], Περὶ λύχνων ἁφάς, Sub crepusculum vespertinum. [2, 130 : Πάννυχος λ. παρακαίεται.] Theophr. De signis tempestatum [fr. 6, 3, 5] : Ἐὰν λύχνος ἅπτεσθαι μὴ ἐθέλῃ, χειμῶνα σημαίνει· καὶ ὅταν τὴν φλόγα ἀπωθῇ, ut alibi dicit. Unde Plin., Lumina quoque ex sese flammas elidunt aut vix accenduntur, tempestates nuntiant. Et, Ἐκάετο ὁ λ., Xen. [H. Gr. 6, 4, 36.] Sic ap. Plut. Quæst. Rom. : Ὅπου καὶ λύχνος ἔκειτο καόμενος. [Et activo Lucian. Asin. c. 51 : Λύχνον ἔνδον ἔκαιε μέγαν τῷ πυρὶ λαμπόμενον.] Pausan. Att. : Ἐμπλήσαντες τοῦ ἐλαίου τὸν λύχνον· sicut Plut. Pericle [c. 16 extr.] : Οἱ τοῦ λύχνου χρείαν ἔχοντες ἔλαιον ἐπιχέουσιν· Polit. præc. [init.] : Ὅμοιοι τοῖς τοὺς λύχνους προμύττουσιν, ἔλαιον δὲ μὴ ἐγχέουσι, ubi dicit προμύττειν λύχνον, seu, ut in Symp. [p. 641, D] loquitur, τοὺς ἐπὶ τῶν λύχνων φαινομένους μύκητας. Plaut., Lychnum emunge parumper. [Pollux 6, 103 : Τὸ προμύξαι τὸν λύχνον προβῦσαι λέγουσιν. Et 2, 72.] Et, Σβεννύναι τὸν λύχνον, Extinguere lychnum, lucernam. Epigr. C [Luciani Anth. Pal. 11, 432, 1] : Ἔσβεσε τὸν λύχνον μῶρος. Aristoph. Pl. [668] : Τοὺς λύχνους ἀποσβέσας Ἡμῖν παρήγγειλεν καθεύδειν. Plut. Symp. 7, [p. 702, D] : Μηδὲ λύχνον ἐῶντας ἀποσβεννύναι μετὰ τὸ δεῖπνον. [Plato Conv. p. 218, B : Ὁ λύχνος ἀπεσβήκει.] Quæst. Rom. [p. 281, F] : Λύχνον οὐκ ἐσβέννυσαν, ἀλλ' αὐτὸν ὑφ' ἑαυτοῦ ἐπεριεώρων μαραινόμενον· Symp. 7, [p. 702, E] : Ἀποπληροῦν τοὺς λύχνους ἀποσβεσθέντας. [Lucian. Gymnas. c. 35 : Τὸ τοῦ λύχνου φῶς ἀποσβέσειας. Pollux 7, 178 : Τὸ κατασβέσαι τὸν λύχνον, ὃ νῦν κοιμίσαι καὶ κατακοιμίσαι λέγουσιν, quod etiam ex Phrynicho com. affert.] Ab Hom. autem accipi pro λαμπὰς et δᾴς, testatur Hesych., sicut et Eust. in l. supra cit. exp. λαμπτήρ. [Sic in l. Eurip. infra in n. plur. citando. || Improprie Nonnus Jo. c. 5, 136 : Κεῖνος Ἰωάννης ... εὐσεβίης πέλε λύχνος ἐτήτυμος ἀνδράσι φαίνων. || De foro, ubi lucernæ vendebantur, Aristoph. Nub. 1065 : Ὑπέρβολος δ' οὐκ τῶν λύχνων πλεῖν ἢ τάλαντα πολλὰ εἴληφε διὰ πονηρίαν, de Hyperbolo λυχνοποιῷ, ut Av. 13 : Οὐκ τῶν ὀρνέων.] || Cognomen meretricis ap. Athen. 13, [p. D 583, E] sicut λαμπὰς et λαμπάδιον. [|| Item Alexandri, rhetoris et poetæ Ephesii, ap. Strab. 14, p. 642, Steph. Byz. v. Ταπροβάνη. Nicetæ cujusdam in inscr. codicis Galeani Lexici Photii. Inscriptio libri, ap. Gell. Præf. N. A. 7.] || Hesychio λύχνος est etiam ἰχθὺς κάλλιστος : ut λυχνὶς supra. [Strabo 17, p. 823 : Ὀστρακίων δὲ λύχνος, φῦσα, βοῦς.] Idem λύχνον exp. τράχηλον. Ceterum in plur. per metaplasm. reperitur etiam Λύχνα, sicut σταθμὰ a σταθμός, ζυγὰ a ζυγός : citatque Athen. [10, p. 438, B] ex Herodoto [2, 133] de Mycerino rege Ægyptio, Λύχνα ποιησάμενον πολλὰ, ὁπότε γένοιτο νὺξ, πίνειν καὶ εὐπαθεῖν. V. etiam Λυχνοκαΐα et Λυχνοκαυτία. Dictum autem volunt λύχνον παρὰ τὸ λύειν νύχος, h. e. σκότος. [Est a λύκω, Luceo. Valck. Eur. Cycl. 514 : Λύχνα δ' ἀμμένει πάλαι σὸν χρόα. Ubi de facibus dicitur, ut ap. Hom. De lucernis vero Plut. Pelopid. c. 11 : Καταβαλεῖν τὰ λύχνα. Gregor. Naz. vol. 1, p. 289, B : Τιμῶσι τὸ πῦρ καὶ τὰ λύχνα.]

[Λυχνουργὸς, ὁ, Lucernarum fabricator. Hesych. :

Κεραμεὺς, λυκοῦργος. Correctionem Petiti λυχνουργὸς confirmavit Rochett. *Journ. des Sav.* 1841, *juin*, p. 374.]

Λυχνοῦχος, ὁ, Qui lychnum [« habet vel » inserit HSt. Ms. Vind.] tenet, Qui lumen sustinet. [Lucernarius, Candelabrum, Gl.] Accipitur pro Face, Lucerna : unde exp. λαμπὰς, λαμπτὴρ, φανός. Ap. Athenæum 15, [p. 699, D] de dipnosophistis ex convivio discessuris : Ὁ μέν τις ἔλεγε, Παῖ λύχνειον, οἱ δὲ λυχνέα, οἱ δὲ λοφνίαν (i. e. τὴν ἐκ φλοιοῦ λαμπάδα), ὁ δὲ πανὸν, ἄλλος δὲ φανόν· ὁ δὲ λυχνοῦχον, ὁ δὲ λύχνον· καὶ δίμυξον δὲ λύχνον ἕτερος, ἄλλος δὲ, ἑλάνην· accipientes sc. synonymως hh. vv. pro Face s. Lucerna qua prælucetur convivis domum a cœna redeuntibus. Ac pro Face s. Lucerna s. potius Laterna inclusum lychnum habente accipitur in l. qui paulo post ea verba ex Alexide affertur, Ὁ πρῶτος εὑρὼν μετὰ λυχνούχου περιπατεῖν Τῆς νυκτὸς, ἦν τις κηδεμὼν τῶν δακτύλων. [Aristoph. fr. Æolosic. ap. Polluc. 10, 116 : Καὶ διαστίλβονθ' ὁρῶμεν ὥσπερ ἐν καινῷ λυχνούχῳ πάντα τῆς ἐξωμίδος. Quem l. affert etiam Athen. l. c., ut ex ipso aliisque Aristophanis et aliorum demonstret λυχνούχους dictos olim fuisse qui tum φανοὶ dicerentur. Pollux 6, 103 : Λ. ὁ νῦν φανός· φανὸς δὲ λαμπὰς κτλ. Hesychius : Λ. ὁ φανὸς, λαμπτήρ· οἱ δὲ ἐφ' ὃν (s. οὗ) ὁ λύχνος ὀχεῖται. V. quæ diximus in Λαμπτὴρ, Photius in Λυχνοῦχον.] Plut. [Mor. p. 710, E] de philosopho ex convivio fugiente : Ὑποδεῖται βοῶν ταχὺ, καὶ τὸν λυχνοῦχον ἅπτειν. A Plin. accipitur pro Lychno, Candelabro, 34, 3, de candelabris et templorum ornamentis : Placuere et lychnuchi pensiles in delubris, aut arborum modo mala ferentium lucentes. Ap. Cic. autem in Epist. ad Qu. fr. [3, 7] : Hanc scripsi ante lucem ad lychnuchum ligneolum; scribitur etiam Lychnum.

[Λυχνοφανὴς ἀστὴρ, Stella splendidissima. Phot. C. Manich. 1, 20 (ap. Wolf. Anecd. Gr. vol. 1, p. 98). Schleusn.]

[Λυχνοφορέω, Lucernam fero. Forma Lacon. Aristoph. Lys. 1003 : Ἂν γὰρ τὰν πόλιν ᾇπερ λυχνοφορίοντες ἐπικεχύφαμες.]

Λυχνοφόρος, ὁ, ἡ, Qui lychno prælucet, lucernam præfert. Athen. 5, [p. 214, D] : Ἐκήρυσσε δύνοντος ἡλίου πάντας οἰκουρεῖν, καὶ μετὰ λυχνοφόρου μηδένα φοιτᾷν. [Plut. Pomp. c. 52.]

[Λύχνωμα, τό.] Λυχνώματα, a Medicis vocari Ea quæ Aristophani sunt ὀθόνια, retuli supra ex schol. Aristoph. [Ach. 1175] in Λαμπάδιον, quod v.

Λύω, Solvo. Hom. Od. Δ, 35 : Ἀλλὰ λύ' ἵππους ξείνων· qua in signif. antea dixerat καταλύειν, ut vult Eust. At paulo post l. illum, in quo usus est simplici λύειν, utitur composito ὑπολύειν, addens et gen. ζυγοῦ de eadem re alioqui loquens, v. 39 : Οἱ δ' ἵππους μὲν λῦσαν ὑπὸ ζυγοῦ ἱδρώοντας. [Il. E, 369 : Ἶρις λύσασ' ἐξ ὀχέων (ἵππους)· Θ, 504 : Ἵππους λύσαθ' ὑπὲξ ὀχέων. Pro quo Σ, 244 : Ἔλυσαν ὑφ' ἅρμασιν ὠκέας ἵππους.] Sic dixit et Xen. Cyrop. 3, [3, 27] : Ἔργον μὲν νυκτὸς λῦσαι ἵππους, ἔργον δὲ χαλινῶσαι. Refertur autem hoc ad id quod dixerat, Πεποδισμένους γὰρ ἔχουσι τοὺς ἵππους ἐπὶ ταῖς φάτναις. Ut autem hic dicit de equis λύειν πεποδισμένους, ita περὶ αἰχμαλώτων, de hominibus captivis, λύειν δεδεμένους. Quem l. habes p. 43 meæ edit., illum autem p. 48. Atque ut dicunt λύειν δεδεμένους, sic etiam ἐκ δεσμῶν [Plato Reip. 2, p. 360, C], ἐκ τῶν δεσμῶν. Itidemque in passivo, λυθῆναι ἐκ τῶν δεσμῶν, Herodot. Interdum autem omittitur præpositio. [Æsch. Prom. 1005 : Λῦσαί με δεσμῶν τῶνδε. De vincta Junone Hom. Il. O, 22 : Λῦσαι δ' οὐχ ἐδύναντο παρασταδόν· Od. Δ, 422 : Λῦσαί τε γέροντα· M, 53 : Λῦσαί τε κελεύῃς (Ulixem in navi)· Λ, 296 : Τότε δή μιν ἔλυσε βίη Ἰφικληείη. Pind. Pyth. 4, 291 : Λῦσε δὲ Ζεὺς Τιτᾶνας. Plato Phædon. p. 59, E : Λύουσιν οἱ ἕνδεκα Σωκράτη. Et alii quivis. Addito genitivo Plut. Flamin. c. 10 : Τοῦ ποδὸς λύσας τὴν Ἑλλάδα τοῦ τραχήλου δέδεχεν. Cum accus. Diod. 17, 116 : Ἐλύθη τὰς πέδας αὐτομάτως.] Porro ut in illo Hom. l. dicitur de equis currui junctis, λῦσαι ὑπὸ ζυγοῦ, sic et de bobus aratro junctis. Latini vero dicunt inversa etiam orationis structura, Jugum bobus solvere : Catull., Juga resolvere leonibus; Virg., Equum colla solvere. Sed dicitur et simpliciter λῦσαι βόας, βόε : Hesiod. Op. [606] : Δμῶας ἀναψῦξαι φίλα γούνατα, καὶ βόε λῦσαι. [Rariori constr. Je-

A rem. 47, 4 : Ἔλυσά σε ἀπὸ τῶν χειροπέδων τῶν ἐπὶ τὰς χεῖράς σου.] Et λύειν [ἀρβύλας Æsch. Ag. 945, ζυγὸν Pers. 592 : Λέλυται γὰρ λαὸς ἐλεύθερα βάζειν, ὡς ἐλύθη ζυγὸν ἀλκᾶς· Sept. 396 : Κλήθρων λυθέντων. Soph. Tr. 924 : Χερὶ λύει τὸν αὐτῆς πέπλον. Eur. Iph. T. 99 : Κλῇθρα λύσαντες μοχλοῖς· Hipp. 781 : Ὦ τόδ' ἅμμα λύσομεν δέρης·] τὸ σύναμμα, Plut. Alex. [c. 18], ut Lat. Solvere nodum : Τὸν Ἀλέξανδρον ἀμηχανοῦντα λῦσαι, διατεμεῖν τῇ μαχαίρᾳ τὸ σύναμμα. Et λύειν τρίχας, τὴν κόμην, Solvere crines, comam : unde Herodian. [1, 13, 2] in med. voce, Λυσαμένη τὰς τρίχας· quod ibi redditur participio passivo, Solutis crinibus. [Bion 1, 20 : Ἀφροδίτα λυσαμένα πλοκαμῖδας ἀνὰ δρυμὼς ἀλάληται. Longus Past. 2, p. 54 ed. Schæf. : Τὰς κόμας λελυμέναι.] Item λύειν ζώνην, ut Lat. Solvere zonam. Sed dicitur ζώνην s. μίτρην λύειν non solum is, qui virginitatem eripit, ut ap. [Hom. Od. Λ, 245 : Λῦσε δὲ παρθενικὴν ζώνην, versu suspecto. Theocr. 27, 54 : Καὶ τὰν μίτραν ἀπέσχισας· ἐς τί δ' ἔλυσας; Apoll. Rh. 1, 288,] Musæum [272], Ὣς ἡ μὲν ταῦτ' εἶπεν· ὁ δ' αὐτίκα λύ- B σατο μίτρην· sed et illa, cui eripitur : atque adeo dicebantur et in primo puerperio mulieres λύειν ζώνην, μίτρην. Unde Λυσίζωνος vocata Ea quæ virginitatem amiserat. Dicta vero hoc nomine et ipsa Artemis, seu λυσιζώνη, ut ap. schol. Apollonii scriptum est : cujus rei a me facta fuit mentio et in Ζώνη. [Hom. Il. Δ, 215 : Λῦσε δέ οἱ ζωστῆρα· Π, 804 : Λῦσε δέ οἱ θώρηκα Ἀπόλλων. Pind. Isthm. 7, 52 : Λύοι χαλινὸν ὑφ' ἥρωι παρθενίας. Conf. Eur. Alc. 177 : Ὦ λέκτρον, ἔνθα παρθένει' ἔλυσ' ἐγὼ κορεύματ' ἐκ τοῦδ' ἀνδρός. Medio Manetho 6, 174 : Λάθρῃ παρθενίης ζώνην λύσαντο τοκεῦσιν. Tryphiod. 345 : Θαλασσαίης ἐπιμάζια νήματα μίτρης λυσάμεναι.] || Λύειν cum quibusdam nominibus, Solvere, Reserare, Aperire : [ἀσκὸν Hom. Od. K, 47; ἀσκοῦ πόδα in orac. ap. Eur. El. 511, schol. ipsumque Eur. Med. 679, φωνὰν Pind. Nem. 10 extr. L. D. Γλώσσας τε λύουσιν εἰς αἰσχροὺς μύθους, Critias ap. Athen. 10, p. 432, E. Hemst.] τὸ στόμα, Isocr. [p. 252, C, Eur. Hipp. 1060], Solvere os, quod et Resolvere os s. ora poetæ dicunt : dixit vero et Solvere linguam Ovid. C [Hippocr. p. 1210, H : Τὸ στόμα λελυμένον.] Et λύειν τὰ γράμματα, Eur. [Iph. A. 38], Reserare literas : pro quo potius Resignare. [Ib. 307, δέλτον. Dio Cass. 55, 9, διαθήκας.] Affertur et λύειν τὰς ἀποθήκας ex Gregor. pro Aperire horrea. [Eur. Rhes. 8 : Λῦσον βλεφάρων γοργωπὸν ἕδραν· Ion. 273 : Λῦσαι παρθένους τεῦχος θεᾶς. Ap. Heraclit. Alleg. Hom. c. 39, p. 127=460 : Τοῦ παγετώδους ἡσυχῇ δυομένου κρύους, Valck. in Mss. emendat λυομένου. Gl. : Λύω χηρὸν ἢ ἄλλην ὕλην, Liquefacio.] || Λύειν, pro Solvere, i. e. Laxare, Remittere, ut ἡνίαν Soph. [El. 743. Hom. Od. O, 496 : Οἱ δ' ἐπὶ χέρσου Τηλεμάχου ἕταροι λύον ἱστία. Eur. Hipp. 290 : Ἡδίων γενοῦ στυγνὴν ὀφρὺν λύσασα καὶ γνώμης ὁδόν.] || Λύειν pro Solvere, i. e. Liberare : κακότητος, Hom. [Od. E, 397, etc.], Liberare miseria. [Ἀχέων Pind. Pyth. 3, 50. Cum præpos. Pind. Ol. 4, 23 : Ἔλυσεν ἐξ ἀτιμίας· Isthm. 7, 6 : Ἐκ πενθέων λυθέντες. Id. Pyth. 11, 34 : Πυρωθέντων Τρώων ἔλυσε δόμους ἁβρότατος, dixisse videtur pro ἔπαυσε. Sic Diod. 13, 92 : Παραυτίκα τοὺς μὲν ἔλυσε τῆς ἀρχῆς, ἑτέρους δ' εἵλετο στρατηγούς. Quod frequentius dicitur παραλύειν. Æsch. Prom. 873 : Ὃς D πόνων ἐκ τῶνδέ με λύσει. Eur. El. 1128 : Ἄλλης τόδ' ἔργον, ἥ σ' ἔλυσεν ἐκ τόκων. Quod in fr. ap. Dionys. De comp. vv. p. 220, 8 R. dicit : Ἔνθα μητέρ' ὠδίνων ἐμὴν ἔλυσεν Εἰλείθυια. Præp. ἀπὸ jungit Plato Reip. 9, p. 571, C : Ἀπὸ πάσης λελυμένον τε καὶ ἀπηλλαγμένον αἰσχύνης. Et alia signif. Corinth. 1, 7, 27 : Λέλυσαι ἀπὸ γυναικός.] Sic Hesiod. [Theog. 528] : Καὶ ἔλυσαο δυσφροσυνάων. [Æsch. Suppl. 1071, πημονᾶς. Soph. Tr. 181, ὄκνου.] Ut autem dicitur λύειν τινὰ δυσφροσυνάων, ita et δυσφροσύνας, q. d. Solvere mœrores pro Discutere. Tale est ap. Hom. [Il. Ψ, 62, etc.] de somno, Λύων μελεδήματα θυμοῦ· quod Ovid. ad verbum de somno itidem, Solvere curas. Sic etiam λύειν νόσον ap. Plut. [Mor. p. 662, C] : Τίς ἔνδεια, ποῖον δηλητήριον οὕτω ῥᾳδίως καὶ ἀφελῶς νόσον ἔλυσεν; Celsus Ebrietatem solvere dixit pro Discutere. Lucian. dixit etiam, Λύειν τὴν ἀπορίαν δεομένῳ, pro Levare illi inopiam et quasi discutere. [Æsch. Sept. 270 : Λύουσα πολέμιον φόβον. Soph. Aj. 706 : Λῦσεν γὰρ αἰνὸν ἄχος ἀπ' ὀμμάτων·

OEd. C. 1616 : Ἓν γὰρ μόνον τὰ πάντα λύει ταῦτ' ἔπος μοχθήματα. Eur. Med. 1362 : Λύει δ' ἄλγος, ἢν σὺ μὴ 'γγελᾷς· Or. 104 : Σύ νυν χάριν μοι, τὸν φόβον λύσασα, δός. Xen. Anab. 3, 1, 21 : Λελύσθαι μοι δοκεῖ καὶ ἡ ἐκείνων ὕβρις καὶ ἡ ἡμετέρα ὑποψία. Demosth. p. 178, 20 : Πᾶς ὁ παρὼν φόβος λελύσεται. || Cum accus. pers. Soph. El. 1005 : Λύει γὰρ ἡμᾶς οὐδὲν οὐδ' ἐπωφελεῖ βάξιν καλὴν λαβόντε δυσκλεῶς θανεῖν. Ubi est i. q. λυσιτελεῖ, quod v. Quocum permutatur ap. Xen. Anab. 3, 4, 36 : Οὐ γὰρ ἐδόκει λύειν αὐτοῖς νυκτὸς πορεύεσθαι, ubi deteriores λυσιτελεῖν, meliores autem non solum λύειν, sed plerique, nisi omnes, etiam αὐτοὺς, quod loco Sophocleo, ubi paullo alia ratio est accusativi, non satis defenditur. Cum dat. Eur. Med. 566 : Ἐμοί τε λύει ... ὀνῆσαι· Alc. 627 : Φημὶ τοιούτους γάμους λύειν βροτοῖσιν. Sine casu Med. 1112 : Πῶς οὖν λύει ... ἐπιβάλλειν;] Sed quod attinet ad eum usum verbi λύω, quo pro Libero sumitur, sciendum est Polyb. ita eo usum esse, ut Latini utuntur, quum dicunt Liberare fidem; ita enim [6, 58, 4] : Εἷς δὲ τῶν προχειρισθέντων, ἐκπορευόμενος ἐκ τοῦ χάρακος ἤδη, καί τι φήσας ἐπιλελῆσθαι, πάλιν ἀνέκαμψε, καὶ λαβὼν τὸ καταλειφθὲν, αὖθις ἀπελύετο, νομίζων διὰ τῆς ἀναχωρήσεως τετηρηκέναι τὴν πίστιν καὶ λελυκέναι τὸν ὅρκον. Quo ex l. Cic., Polybius, inquit, bonus auctor in primis, scribit, ex decem nobilissimis, qui tunc erant missi, novem revertisse, a senatu re non impetrata : unum ex decem, qui paulo post quam egressus erat ex castris, redisset, quasi aliquid esset oblitus, Romæ remansisse; reditu enim in castra, liberatum se esse jurejurando putabat. Alibi autem de eod. loquens, dixit Solutum jurejurando. Ita ille; sed crediderim non male et sic, adhibendo activum verbum interpretationi, redditum iri, Putabat se fidem jurejurando datam, vel, jurisjurandi fidem, liberasse : nam Jusjurandum liberasse, dicere non ausim. At vero Solvisse jusjurandum, contrariam potius signif. haberet : sicut et Solvere fidem pro Frangere, a Terentio poni videmus. [Simili usu Soph. OEd. T. 407 : Ὅπως τὰ τοῦ θεοῦ μαντεῖ' ἄριστα λύσομεν. Eur. Suppl. 39 : Ὡς τάσδ' ἀνάγκας ἱκεσίους λύσῃ.]

|| Λύειν apud Aristot. Solvere, ea in signif., qua dicitur Solvere quæstionem, Dissolvere interrogationem, sumpta metaph. ab iis, qui nodum aliquem solvunt. [Ἀπορία λύεται Plato Protag. p. 324, E.] Tale est et λύειν τὸ αἴνιγμα ap. Lucian. [Λύειν, Refutare, Dissolvere alterius argumenta. Aristot. Rhet. 1, 1. Conf. 2, 25, ubi docetur τὸ λύειν duobus modis fieri, τῷ ἀντισυλλογίσασθαι, et τῷ ἔνστασιν ἐνεγκεῖν. Ernest. Lex. rhet.] Sed et λύειν ὄνειρον, quod Hom. κρίνασθαι ὄνειρον, Eust. [Il. p. 532, 42.] || At λύειν νείκεα ap. eund. Hom. [Il. Ξ, 205 : Καί σφ' ἄκριτα νείκεα λύσω· Od. H, 74 : Ἀνδράσι νείκεα λύει. Æsch. Suppl. 935 : Τὸ νεῖκος οὐκ ἐν ἀργύρου λαβῇ ἔλυσεν. Eur. Hipp. 1442 : Λύω νεῖκος πατρί], ut λύειν τὰν ἔριν ἀμφοτέρων, Epigr. [Leonidæ Tar. Anth. Pal. 9, 316, 12], Controversias dirimere, Lites componere, quod fit itidem velut solvendo rei controversæ nodum, quali metaph. dixit Horat., Implicitus litibus. Apud Eund. legimus et Litem lite resolvere. [Eur. Phœn. 81 : Ἔριν λύσουσα· Tro. 50 : Λύσασαν ἔχθραν τὴν πάρος. Aristoph. Pac. 991 : Λῦσον δὲ μάχας καὶ κορκορυγάς.] || Solvo, et Crimen diluo, Bud., afferens ex Æschine [p. 83, 18] : Κατεπαγγελλόμενος ὡς ἐπὶ τῇ τελευτῇ τῆς ἀπολογίας λύσει τὸ παράνομον. Ex Eod. [p. 82, 15] : Ἐπειδὰν τῇ πρώτῃ ψήφῳ μὴ λυθῇ τὸ παράνομον, pro Quum primo suffragio non absolutus fuerit reus τῶν παρανόμων. Cic. dixit etiam Solvere crimine. In VV. LL. affertur et λῦσαι τὰς ἁμαρτίας ex Aristoph. [Ran. 691] pro Diluere, quum ego contra putem esse potius Condonare. [Ἐπιμομφὰν Pind. Ol. 11, 9. Soph. Phil. 1224 : Λύσων ὅσ' ἐξήμαρτον ἐν τῷ πρὶν χρόνῳ· OEd. T. 101 : Φόνῳ φόνον πάλιν λύοντας. Eur. Or. 510 : Κἄπειθ' ὁ κείνου γενόμενος φόνῳ φόνον λύσει· 598 : Ἦ οὐκ ἀξιόχρεως ὁ θεὸς ἀναφέροντί μοι μίασμα λῦσαι; || Soph. OEd. C. 1720 : Ἐπεὶ ὀλβίως γ' ἔλυσεν τὸ τέλος βίου. Eur. Iph. T. 692 : Οὐ κακῶς ἔχει πράσσονθ' ἃ πράσσω πρὸς θεῶν λύειν βίον.] || Ceterum λύειν affertur in illis pro altera etiam signif. τοῦ Diluere : ex Galeno Ad Glauc. : Λύειν γλυκεῖ τοὺς κυκλίσκους, Pastillos diluere passo, macerare : quod et ἐκλύειν ibi dicit. [|| Geopon. 1, 12, 19 : Διὸ χρὴ πρὸς τὸ ἔαρ λαχάνων ἅπτεσθαι κοιλίαν τε λύειν, Alvum solvere. Hemst. Theophr. C. Pl. 1, 13, 6 : Κοιλίαι μάλιστα λύονται. || Hippocr. p. 86, C : Γυναικί τε χρησάμενος ἅπαξ ὀξύτερός τ' ἂν εἴη καὶ λελυμένος μᾶλλον, Agilior, Expeditior.] Λύειν, pro Solvere, Dissolvere : ut λύειν μένος, ἅψεα ap. Hom., Solvere membra, i. e., Membrorum quasi compagem dissolvere. Et λελύσθαι γόνατα dicit itidem, quæ fatiscunt s. labant, ut Virg. loquitur. Pertinet vero ad illa loquendi genera λύειν μένος, ἅψεα, necnon λύεσθαι γυῖα [hoc quoque sæpe ap. Homerum], quod ap. eund. Virg. habetur, Torpor solvit membra formidine, et Solvuntur frigore membra. Quo pertinet et λελυμένος ap. Gregor. de paralytico : Χθὲς ἐπὶ κλίνης ἔρριψο παρειμένος καὶ λελυμένος. [Il. Θ, 103 : Σὴ δὲ βίη λέλυται· E, 296 : Τοῦ δ' αὖθι λύθη ψυχή τε μένος τε.] Idem Hom. dixit Il. B, [135], Καὶ σπάρτα λέλυνται, pro Et rudentes soluti sunt, q. d. fatiscunt. [Æsch. Pers. 913 : Λέλυται γὰρ ἐμῶν γυίων ῥώμη. Soph. Ant. 1302 : Λύει κελαινὰ βλέφαρα. Eur. Hec. 438 : Λύεται δέ μου μέλη· Heracl. 602 : Λύεται μέλη λύπῃ· Hipp. 199 : Λέλυμαι μελέων σύνδεσμα. Xen. H. Gr. 7, 5, 22 : Ἔλυσε μὲν τῶν πλείστων πολεμίων τὴν ἐν ταῖς ψυχαῖς πρὸς μάχην παρασκευὴν, ἔλυσε δὲ τὴν ἐν ταῖς συντάξεσιν.] || Λύειν pro Dissolvere accipitur in aliis etiam loquendi generibus, atque adeo pro eo, quod dicitur potius Antiquare, Rescindere, ut λύειν τὸν νόμον, τὴν εἰρήνην, ap. Dem. [p. 31, 12 : Τοὺς εἰς τὸ παρὸν βλάπτοντας ὑμᾶς (νόμους) λύσατε Herodot. 3, 82 : Πατρίους νόμους μὴ λύειν ἔχοντας εὖ. Inscr. Coa ap. Bœckh. vol. 2, p. 387, n. 2501, 5 : Τοὺς λύοντας τὴν εἰρήνην]; τὰς σπονδὰς, Thuc. [1, 78], i. e. ad verbum, ex Virg., Solvere fœdera. [4, 23 : Λελύσθαι τὰς σπονδάς. Xenoph. et alii. Διαθήκας Isæus p. 4, 10; 11, 6.] Dixit vero Dem. et τὰς δωρεὰς λελυμένας, pro Revocatas et abrogatas, Bud. [Soph. OEd. T. 880 : Τὸ καλῶς δ' ἔχον πόλει πάλαισμα μήποτε λῦσαι θεὸν αἰτοῦμαι. Eur. Iphig. A. 1268 : Θέσφατ' εἰ λύσω θεᾶς. || « Ap. Demetr. Eloc. 229, λύειν τὴν ἐπιστολὴν τῇ συντάξει, h. e. concisa oratione uti, quæ per brevia membra procedat; διαλελυμένην λέξιν alibi dicit. Aristides Π. λόγου πολ. p. 661, σύνθεσιν λελυμένην appellat. Contrarium est τὸ περιοδεύειν, orationem periodicam adhibere. Hinc et Demetr. c. 244 λύσιν dicit contrariam τῇ περιόδῳ, vel περιαγωγῇ. Alio sensu Hermogenes Π. στάσ. p. 48 in epilogis requirit τὸ λελύσθαι κατὰ ῥυθμὸν, h. e. solutum verborum numerum, qui longius persequatur argumenta superiora, neque brevibus absolvat. Ergo synonymum jungit τὸ ἐπὶ πλεῖον προάγεσθαι. » Ernest. Lex. rhet. || Geopon. 7, 26, 1 : Ῥοιᾶς φύλλα λύουσι τὴν νοτίαν· 8, 6 : Ἀσαρίτης οἶνος ῥίγη λύει.] || Capitur vero et pro Dissolvere s. Rescindere propriam signif. habentibus : ut quum dicit Herodian. [7, 1, 16] λῦσαι τὴν γέφυραν, Rescindere pontem, Abscindere, Polit. [Et Xen. Anab. 2, 4, 19, 20. Τὴν ἀπόφραξιν τῆς παρόδου ib. 4, 2, 25.] Alicubi vero commodius redditur verbo Evertere : ut ap. Hom. in uno eodemque l., et de re ead. simplici λύειν et composito καταλύειν utentem, Il. I, [25] : Ὃς δὴ πολλάων πολίων κατέλυσε κάρηνα, Ἠδ' ἔτι καὶ λύσει. At vero λύειν κρήδεμνον ap eund. poetam exp. etiam ἀφαιρεῖν. [Od. E, 459 : Καὶ τότε δὴ κρήδεμνον ἀπὸ ἕο λῦσε θεοῖο. Improprie Il. Π, 100 : Ὄφρ' οἶοι Τροίης ἱερὰ κρήδεμνα λύωμεν· Od. N, 388. Inscr. Halicarn. ap. Bœckh. vol. 2, p. 457, n. 2664, 5 : Εἴ τις δὲ ἐπιχειρήσι λίθον ἆραι ἢ λῦσαι αὐτό (τὸ μνημεῖον).] || Item λελύσθαι ἀπ' ἀλλήλων dicuntur a Xen. [Cyrop. 1, 1, 4] ii, inter quos quæ erat communio et societas, velut dissoluta est, aut etiam amicitia; nam et Dissolvere amicitias, legitur ap. Cic. || Ad hanc autem Dissolvendi signif. referri potest v. λύειν et cum accus. ἀγοράν : nam λ. ἀγορὰν est velut Dissolvere concionem. Exp. etiam Dimittere concionem, sicut et Dimittere senatum, Dimittere cœtum dicitur, quoniam qui dimittit congregatos, velut dissolvit et dissipat quod conjunctum erat. [Hom. Il. A, 305 etc. Apoll. Rh. 1, 708.] Xen. [OEc. 12, 1] dixit etiam pass. λύεσθαι τὴν ἀγοράν. [Id. Cyrop. 5, 3, 58 : Πᾶσαν τὴν τάξιν λυθῆναι οὐδέποτε εἴα· 6, 1, 2 : Ἀπωλώλει τῷ φόβῳ μὴ λυθείη ἡ στρατιά.]

|| Λύειν pro Solvere ex portu : quod et Latini Solvere sine adjectione sæpe dicunt. Synes. [Ep. 4, p.

159, C] : Λύσαντες ἐκ Βενδιδείου. Sic in Pantelei Epigr. in Callimachum et Cynægirum [Anth. Pal. App. 58, 9], Λῦε κυβερνήτα· νέκυος δὲ φύγωμεν ἀπειλάς· vel, ut in aliis exempll., νέκυος προφύγωμεν ἀπειλάς : quem versum ita reddidi, quum illud epigramma interpretarer, Solve age, solve, minax fugiamus, nauta, cadaver. Integrum autem loquendi genus est λῦσαι vel λύσασθαι πρυμνήσια ap. Athen. [Prius ap. Hom. Od. B, 418, Apoll. Rh. 1, 913. Eur. Hec. 539 : Πρευμενὴς δ' ἡμῖν γενοῦ λῦσαί τε πρύμνας καὶ χαλινωτήρια νεῶν δὸς ἡμῖν· 1020 : Καὶ γὰρ Ἀργεῖοι νεῶν λῦσαι ποθοῦσιν οἴκαδ' ἐκ Τροίας πόδα. Apoll. Rh. 1, 652 : Πείσματα νηὸς ἔλυσαν.]

|| Λύειν, Solvere captivitate, et quasi captivitatis vinculis; Reddere captivum : ap. Hom. Il. A, [20] dicit Chryses, Παῖδα δέ μοι λύσατε [λῦσαί τε] φίλην, τὰ δ' ἄποινα δέχεσθε [δέχεσθαι. Addito dat. etiam Pind. Pyth. 4, 155 : Τὰ μὲν ἄνευ ξυνᾶς ἀνίας λῦσον ἄμμιν.] (Sic Ω, [137] : Ἀλλ' ἄγε δὴ λῦσον, νεκροῖο δὲ δέξαι ἄποινα.) De hac autem dicit Agamemnon, eod. verbo utens [A, 29] : Τήνδ' [Τὴν δ'] ἐγὼ οὐ λύσω. [P, 163 : Αἶψά κεν Ἀργεῖοι Σαρπηδόνος ἔντεα καλὰ λύσειαν.] Sed et ἀπολύειν in eadem signif., Οὐδ' ἀπέλυσε θύγατρα, καὶ οὐκ ἀπεδέξατ' ἄποινα, sc. Agamemnon; est enim de eadem sermo. At vero ipse Chryses, qui rogat Græcos, ut velint sibi λύειν suam filiam, dicitur venisse eam λυσόμενος, ibid. [12] : Ὁ γὰρ ἦλθε θοὰς ἐπὶ νῆας Ἀχαιῶν Λυσόμενός τε θύγατρα, φέρων τ' ἀπερείσι' ἄποινα. Sic autem et alibi hoc verbo utitur in voce med., ubi exp. Redimere. [Pass. Il. Ω, 599 : Υἱὸς μὲν δή τοι λέλυται. Et forma epica aoristi Φ, 80 : Νῦν δὲ λύμην. Aristoph. Vesp. 1353 : Ἐγώ σε λυσάμενος ἕξω παλλακήν.] In prosa quoque λύσασθαι est Redimere : αἰχμαλώτους, Dem. [p. 412, 21.] Qui etiam dixit, Λυσάμενος ἐκ τῶν πολεμίων. [Et alibi similiter, tam aoristo quam perfecto λέλυμαι. De pignore inscr. Att. ap. Bœckh. vol. 1, p. 423, n. 354, 10 : Ἐχόντων αὐτὰς (τὰς ὑποθήκας) ἐξουσίαν λύσασθαι ... τῶν δεδωκότων· Olbiopol. vol. 2, p. 117, n. 2058, 17 : Οὐκ ἐχόντων λύσασθαι (τὰ τεθειμένα ποτήρια).] Et pass. λυθεὶς, Qui redemptus est [p. 1250, 1] : Ὅτι καὶ οἱ νόμοι κελεύουσι τοῦ λυσαμένου ἐκ τῶν πολεμίων εἶναι τὸν λυθέντα, ἐὰν μὴ ἀποδῷ λύτρα. Sic Thuc. [5, 3] : Λυθεὶς ἀνὴρ ἀντ' ἀνδρός. Item, Ἐλύθη χρημάτων μεγάλων, Redempta est magna pecunia, ex Herodoto [2, 135] in Λύσσομαι. [Eadem constr. in act. Hom. Il. A, 106 : Ἔλυσεν ἀποίνων. Cum dativo Eur. Tro. 500 : Ὦ σύμβακχε Κασσάνδρα θεοῖς, οἵαις ἔλυσας συμφοραῖς ἄγνευμα σόν.] At Bud. p. 746 λύομαι reddit non solum Redimo, sed et Luo, Servo, exx. harum signiff. ex Dem. et Xen. [Ven. 1, 17] afferens. Ceterum quod attinet ad duplicem illam signif. verbi λύω, sc. tam de eo, qui velut captivitate solvit captivum, et eum suis reddit, quam de eo, qui illum redimit, et facit ut captivitate solvatur ac suis reddatur, sciendum est verbum Gall. *Delivrer*, quod et in aliis loquendi generibus cum Græco λύειν convenit, utramque et ipsum signif. habere. Dicitur enim *Delivrer un prisonnier* et is, qui eum redimit, et is, qui eum redimenti reddit. [Non de redimente, sed de liberante Pind. Isthm. 7, 55 : Ἑλέναν τ' ἐλύσατο (Achilles). Plato Menex. p. 243, C : Νικήσαντες μὲν τοὺς πολεμίους, λυσάμενοι δὲ τοὺς φίλους.]

|| Λύειν τέλη, ap. Soph. [OEd. T. 316] pro λυσιτελεῖν, ut dictum in Λυσιτελέω. [Eadem solvendi significatione Xen. Ages. 2, 31 : Γνοὺς ὅτι, εἰ μὲν μηδετέρῳ συλλήψοιτο, μισθοῦ οὐδέτερος λύσει τοῖς Ἕλλησιν.] Λύει, Hesych. et Suid. exp. non solum λυσιτελεῖ, sed etiam ἀδημονεῖ : quod potius ἀλύει dicitur. [|| Intrans. Jo. Malal. p. 386, 16 : Ἐποίησεν (saltatores vetulos) λῦσαι, πολλὰ χαρισάμενος αὐτοῖς. Int., Liberos esse jussit. || Λύομαι, Solvo mihi, Exuo, Depono. Hom. Il. Ξ, 214 : Ἦ καὶ ἀπὸ στήθεσφιν ἐλύσατο κεστὸν ἱμάντα· P, 318 : Λύοντο δὲ τεύχε' ἀπ' ὤμων. || Instar activi Apoll. Rh. 1, 1014 : Πείσματα νηὸς ἐπὶ πνοιῇς ἀνέμοιο λυσάμενοι· 1109 : Λυσάμενοι ἱερῆς ἐκ πείσματα πέτρης· 2, 1041 : Ἕλκος δὲ ξυνέδησεν ἀπὸ σφετέρου κολεοῖο λυσάμενος τελαμῶνα κατήορον· 4, 1632 : Ἱστία λυσάμενοι. || Solvo, Dimitto alium. Hom. Il. Ψ, 11 : Ἵππους λυσάμενοι δορπήσομεν. Instar activi Apoll. Rh. 3, 62 : Λυσόμενος χαλκέων Ἰξίονα νειόθι δεσμῶν. V. Brunck. ad 3, 97.

A Epigr. Anth. Pal. App. 100, 8 : Μελάμπους λυσάμενος λύσσης Προιτίδας. Sic enim recte etiam Hemst. in Mss. correxit librorum, qui ad hoc ipsum ducunt, scripturam. Plato Leg. 1, p. 637, B : Οὐδ' ἔστιν (apud Spartanos) ὅστις ἂν ἀπαντῶν κωμάζοντί τινι μετὰ μέθης οὐκ ἂν τὴν μεγίστην δίκην εὐθὺς ἐπιθείη καὶ οὔτ' ἂν Διονύσια πρόφασιν ἔχοντ' αὐτὸν λύσαιτο. || De re Æsch. Cho. 804 : Τῶν πάλαι πεπραγμένων λύσασθ' αἷμα προσφάτοις δίκαις. || Formis epicis supra notatis λύμην, λύτο etc. (partic. ap. Oppian. Cyn. 3, 128 : Ἄπτερα λυσιτόκων θαλάμων ἀπολύμενα δεσμοῦ) addenda perf. optat. λελῦτο Od. Σ, 238 : Λελῦτο δὲ γυῖα ἑκάστου. Imperf. frequent. λύεσκε v. in Ἀναλύω. || υ aoristi ἔλυσα et futuri λύσω semper producitur, præsentis corripuit Homerus, cum eoque Pindarus, cujus l. v. in Παραλύω, producunt Attici. Photius : Λύων, καὶ ἐκτείνοντες καὶ συστέλλοντες λέγουσιν, ὡς λίαν. Perfecti activi et passivi ab omnibus corripitur. V. Etym. M. v. Θύω, Chœrob. in Bekk. An. p. 1286, Draco p. 46, 27. Aoristi ἐλύμην produxit Oppianus l. c., corripuit
B Homerus. Nam Il. Ω, 1 : Λύτο δ' ἀγὼν vi ictus producitur. Opiniones grammaticorum v. ap. Etym. M. p. 572, 10.]

Λυῶδες, Hippocr. vocavit τὸ παρακοπτικὸν, ut est in Lex. Galeni [p. 518]. Reperio λυμώδεες ap. Hippocr. hoc significatu, circa fin. libri De artic. [p. 840, G] : Πυρετοὶ ὀξέες, λυμώδεες, γνώμης ἁπτόμενοι· forsitan quoniam animum cum corpore dissolvunt, ideo sic dicuntur. [Vera scriptura est λυσσώδεες, si vera interpretatio παρακοπτικοὶ, nec potius scribendum λυγγώδεες, quod v.]

Λῶ [sec. Apollon. in Bekk. Anecd. p. 522, 12; 568, 20, Etym. M. p. 564, 21, 27], per abjectionem syllabæ initialis, pro θέλω : ut Callimachi schol. annotat H. in Dian. [18] : Πόλιν δέ μοι ἥντινα νεῖμον, Ἥντινα λῇς [λῇς, quod HSt. in seqq. semel exhibuit, quum quater exhibuerit λῆς]. Idem tradit Theocr. schol. 1, [12] : Λῆς, ποτὶ τᾶν νυμφᾶν, λῆς, αἰπόλε, τᾷδε καθίξας Τυρίσδεν; [Mira vero etymologia. Quidni statuatur v. Λάω, contr. Λῶ, quo Dores pro θέλω vel βούλομαι usi
C sint? Schweigh.] Aristoph. [Lys. 981 : Λῶ τι μυσίξαι νέον·] Ach. [766] : Ἄντεινον, αἰ λῆς, i. e. ἀνάτεινον, εἰ βούλει. Ibid. [772] : Ἀλλὰ μὰν, Αἰ λῆς, περίδου νῦν μοι περὶ θυμιτᾶν ἁλῶν. Unde apparet Dor. esse hoc λῆς, pro ἐθέλεις. [Tertia pers. λῆ (λῇ) bis Epicharm. apud Diog. L. 3, 11, idemque ib. secunda, ut sæpius Bucolici. Plur. Aristoph. Lys. 1105 : Κἂν (legendum potius καὶ) λῆτε, τὸν Λυσίστρατον. HSt. in Ind. :] Λάομαι, Volo. Hesych. enim λάηται exp. βούληται, Velit. [Arist. Lys. 1162 : Ἀμές γε λώμεσθ', αἴ τις ἁμὶν τοὔγκυκλον λῇ τοῦτ' ἀποδόμεν, recte Bentlejus λῶμες.] Λῆ, Eid. θέλει, Vult : contr. ex λάει, ut διψῇ ex διψάει. [V. exx. Epicharmi et Aristoph. supra citata.] Λεῷμι Idem exp. θέλοιμι ἄν : pro quo nonnulli scribunt τελοῖμι ἂν, Perficiam, sive Perficere queam. [Λέωμι codex. Epicharmus l. infra citando v. 2 : Καὶ τῷ γα μὴ λιῶντι (λεῶντι G. Dind.). Ib. v. 5 : Καίκα τις ἀντίον λῇ τήνῳ λέγειν, utrum τι λῇ scribendum sit cum aliis, an bisyllaba forma restituenda, incertum.] Λῶντι, Dor. pro λῶσι, h. e. θέλουσι, Volunt. [Epicharmus l. infra cit. v. 11 : Τοῖς θεοῖς, ὅτι
D οὐ λῶντι. Theocr. 4, 14 : Οὐκέτι λῶντι νέμεσθαι.] Λῶσα, Hesychio θέλουσα, Volens. [Epicharmus ap. Athen. 6, p. 235, F : Συνδειπνέω τῷ λῶντι, Conviva sum ejus qui voluerit. Schweigh. Inscr. Corcyr. ap. Bœckh. vol. 2, p. 22, 118 : Ἐξέστω καὶ ἄλλῳ τῷ λῶντι. Ionibus et Doribus verbi usum tribuit gramm. in Crameri An. vol. 1, p. 79, 31. Ceterum Etym. M. ponit etiam diversæ signif. verba λῶ, etymologiarum caussa ficta, quæ v. in Ind. L. Dind.]

Λωβάζω, i. q. λωβῶμαι act. signif. sumptum. Et Λωβάζομαι pass. pro λωβῶμαι passivo, Contumelia s. Probro s. Dedecore afficior. Pro Contumeliose improbari affert Bud. ex isto Democr. l., scribentis ad Hippocratem : Ἤκουσα γὰρ νοσεύντων σαφέως λωβάζεσθαί σου τὰ πολλὰ τῆς ἐπιστήμης, ἢ διὰ φθόνον ἢ δι' ἀχαριστίην.

[Λωβάω. Gl. : Λωβῶ, Deprædor. Phocylid. v. 33 : Μηδέ τιν' αὐξόμενον καρπὸν λώβησον ἀρούρης. Sed cod. Bar. λοβήσῃς εἰς ἀρούρης, h. e. λωβήσῃ ἀρούρης, quæ verior scriptura videtur. Aliud activi, quod ponit etiam Arcad. p. 149, 20, exemplum v. ap. HSt. in fine.] Λωβάομαι, [Oblido, Gl.] Injuriam infero, Contumeliam infero, Injuria s. Contumelia afficio. Hom. Il. Β, [242] : Ἦ γὰρ ἂν Ἀτρείδη νῦν ὕστατα λωβήσαιο, Nunc postremum injuriam mihi intulisses s. contumeliam; Injuriosus s. Contumeliosus in me fuisses; etiam, Petulantia erga me usus fuisses; Petulanter erga me te gessisses. Reperitur autem infra ille versus sub persona Thersitis. [Dicere voluit HSt. repeti hoc loco, ubi Thersites loquitur, versum Α, 232, ab Achille pronuntiatum. Eadem constr. qua Herodot. infra cit., Il. Ν, 623 : Λώβης τε καὶ αἴσχεος οὐκ ἐπιδευεῖς, ἣν ἐμὲ λωβήσασθε, κακαὶ κύνες. Simonid. Carm. de mulieribus 109 : Ἥτις δέ τοι μάλιστα σωφρονεῖν δοκεῖ, αὕτη μέγιστα τυγχάνει λωβωμένη. Sophocl. Antig. 54 : Πλεκταῖσιν ἀρτάναισι λωβᾶται βίον· Tr. 1031 : Τόδε μ' αὖ λωβᾶται. Eur. Or. 929 : Ἀνδρῶν εὐνίδας λωβώμενοι. Theocr. 16, 89 : Ἄστεα δυσμενέων ὅσα χεῖρες ἐλωβήσαντο κατ' ἄκρας.] Usus est verbi λωβῶμαι in prosa etiam, et quidem frequentior, si bene memini, quam nominis λώβη. [Xen. Reip. Ath. 2, 13 : Ἔξεστι λωβᾶσθαι τοὺς τὴν ἤπειρον οἰκοῦντας.] Lysias [p. 176, 5] de triginta tyrannis : Τὴν πόλιν οὕτως αἰσχρῶς καὶ δεινῶς ἐλωβήσαντο, Contumelia affecerunt, Sugillarunt, Male acceperunt, Bud. [Polyb. 4, 54, 2 : Τὴν πόλιν ἐμπρήσαντες καὶ κατασκάψαντες καὶ λωβησάμενοι κατὰ πάντα τρόπον.] Affert autem et pro Corrumpere, Depravare, ex Plat. De rep. 10, [p. 605, C] ubi de poetica imitatione loquens scribit : Τὸ γὰρ καὶ τοὺς ἐπιεικεῖς ἱκανὴν εἶναι λωβᾶσθαι, ἐκτὸς πάνυ ὀλίγων, πάνδεινόν που. Apud Herodot. autem [3, 155] dicitur, Ἑωϋτὸν λωβᾶται λώβην ἀνήκεστον, de eo qui ita mutilat sibi faciem, ut eam omnino dedecoret, fœdet, deformet. [Schol. Hom. Il. Α, 142 : Λώβην, ἣν ἐλωβήσατο εἰς Ἀθήνας. || Cum dat. Aristoph. Eq. v. ult. : Ἵν' ἴδωσιν αὐτὸν οἷς ἐλωβᾶθ' οἱ ξένοι. Ita Rav., ceteri οὕς. Dativum agnoscit etiam Eust. Od. p. 1936 extr. Ap. Plat. Criton. p. 47, E : Ὧ τὸ ἄδικον μὲν λωβᾶται, τὸ δὲ δίκαιον ὀνίνησιν, pro ὃ præbuerunt libri meliores. Dionys. A. R. 7 extr. : Τὸν τῷ θεράποντι λωβησάμενον. Oppian. Hal. 2, 639 : Μηδέ τις οἰχομένῳ περ ἑνὶ χροῒ λωβήσαιτο. Procop. Vand. p. 259, B : Τῶν ὅρκων οἷς ἐλωβήσασθε. Utramque constructionem annotat Phryn. Bekk. p. 50, 29.] || Λωβῶμαι, pass. [Herodot. 3, 155, de homine mutilata facie fœdato : Ἄνδρα λελωβημένον.] Herodian. 1, [13, 11] : Σύροντές τε τὰ σώματα, καὶ πᾶσαν ὕβριν ἐνυβρίσαντες, τέλος λελωβημένους εἰς τοὺς ὀχετοὺς ἔρριψαν φέροντες, ubi ex Bud. possumus reddere, Omni contumelia affectos; nam postquam dixit λωβᾶσθαι Herodiano esse Contumelia afficere, subjungit hunc l. : sed illa interpret. per verbum activum mutanda est in interpretationem per pass. Sic 5, [8, 18] : Ἅπερ ἐπὶ πολὺ διὰ πάσης τῆς πόλεως συρέντα τε καὶ λωβηθέντα εἰς τοὺς ὀχετοὺς ἀπερρίφθη. Et ut ex Plat. habuisti paulo ante λωβᾶσθαι, pro Corrumpere, Depravare, sic et passive λελωβημένος, pro Depravatus, habes in hoc Ejusd. l., in Gorgia [p. 511, G] : Μοχθηρῷ ὄντι τὴν ψυχὴν, καὶ λελωβημένῳ διὰ τὴν μίμησιν τοῦ δεσπότου καὶ δύναμιν. Ap. Eund. Leg. [Reip.] 10, [p. 611, D] λελωβῆσθαι [ὑπὸ τῶν κυμάτων] pro Oblæsos esse et vitiatos. Galen. autem dixit, Οἱ ἐκ τῆς παλαίστρας ἅπαντα λελώβηνται, pro Palæstritæ partibus omnibus sunt mutilati. [Aristid. vol. 3, p. 728, B : Ἀμφότερα λωβηθεὶς καὶ τὴν γνώμην καὶ τὸ σῶμα. Liban. vol. 1, p. 306, B : Τί λελώβηταί σοι τοῦ σώματος; Pausan. 7, 17, 2 : Δένδρου λελωβημένου. Hemst. Leo Diac. p. 61, A : Τῷ τῶν λελωβημένων νοσοκομείῳ, Leprosorum. De qua signif. plura v. ap. Ducang. Conf. Λώβη et Λωβός.] || Λωβάω, act. voce pro Injuriam infero, etc., si Hesych. credimus, qui λωβῆσαι exp. ὑβρίσαι et βλάψαι. [Ut primitivum formæ λωβεύω ponit Etym. M. p. 726, 33. Zonar. p. 1326 : Λωβάω, λωβῶ, τὸ βλάπτω. V. initio.]

[Λωβεία, ἡ, ἡ νόσος, Morbus (lepræ). Zonaras p. 1325, s. Lex. cod. 1701 ap. Ducang.]

Λώβευσις, εως, ἡ, Contumeliæ illatio, Irrisio : λωβεύσεις et κερτομίας Cam. reddit Contumelias et irrisiones, non addito nomine auctoris.

Λωβεύω, itidem pro λωβῶμαι, sed in ea potius signif. qua sumitur pro Contumelia afficio. Quinetiam simplicius pro Illudo, Irrideo, Ludificor, Bud. in Hom. Od. Ψ, [15] : Τίπτε με λωβεύεις πολυπενθέα θυμὸν ἔχουσαν; Exp. etiam, Mendaciis decipio, Vanis verbis aliquem illudo. Sed hæ interprr. huic l. fortasse peculiares fuerint. Respondet autem Euryclea, cui illa dicuntur a Penelope, Οὔτι σε λωβεύω, τέκνον φίλον, ἀλλ' ἔτυμόν τοι Ἦλθ' Ὀδυσεύς. Hesych. λωβεύειν exp. καταισχύνειν, ψεύδεσθαι.

Λωβέω, Ion. pro λωβάω, ap. Hippocr. De artic. [p. 802, 2] : Πολλὰ λωβέονται οἱ χαίροντες τῇσι καλῇσι ἐπιδέσεσι. [Λωβουμένη ap. Dionys. A. R. 1, 41, Sylburgius et Portus scribendum viderunt λωβωμένη.]

Λώβη, ἡ, Injuria, Contumelia, Opprobrium, Dedecus. Hom. Il. Α, 142 : Νῦν μὲν δὴ τοῦ πατρὸς ἀεικέα τίσετε λώβην· quæ autem fuerit λώβη illa, declaratur ibid., sc. hortatum esse eos qui aderant cuidam concioni Trojanorum, Menelaum αὖθι κατακτεῖναι : quæ tamen cædes perpetrata non fuit. [Cum medio hujus verbi Hesiod. Th. 165 : Πατρός κε κακὴν τισαίμεθα λώβην.] Dicitur vero et de procis Penelopes non semel, ut Od. Σ, [346] : Μνηστῆρας δ' οὐ πάμπαν ἀγήνορας εἶα Ἀθήνη Λώβης ἴσχεσθαι θυμαλγέος· quæ verba repetuntur et Od. Υ, [285]. Et Achilles λώβην appellat Injuriam s. Contumeliam quam passus erat ab Agamemnone : de quo et λωβᾶσθαι dicit, ut paulo ante docui. [Il. Η, 97 : Ἦ μὲν δὴ λώβη τάδε γ' ἔσσεται αἰνόθεν αἰνῶς.] Idem Od. Σ, [224] λώβην cum αἶσχος copulat : Σοί κ' αἶσχος λώβη τε μετ' ἀνθρώποισι πέλοιτο. Sic Τ, [373] conjungit λώβην et αἴσχεα, quum proxime præcedente versu dixisset καθεψιόωνται. Sed et aliquis ab Hom. dicitur esse λώβη, Il. Γ, [42] : Ἦ οὕτω λώβην τ' ἔμεναι καὶ ὑπόψιον ἄλλων, Te esse probrum et dedecus : ut sc. dicitur aliquis esse probrum suæ familiæ, suo generi. In Epigr. [Antiphanis Anth. Pal. 11, 322, 5] dicuntur grammatici esse ποιητῶν λῶβαι, quod exp. Poetarum pernicies. Eust. certe vult accipi etiam simpliciter ἐπὶ βλάβης, docens alioqui significare et ὕβριν et τὴν μετὰ αἰκίας ποινὴν, item αἶσχος, necnon χλεύην. Sed frequentius nomine ὕβρις ap. ceteros exp., et Latine Injuria : ut ap. Apoll. [Rh. 1, 816], Λώβην ἀπὸ μητρὸς ἀμῦναι, Injuriam a matre propulsare : et [3, 74] λώβην τίνειν, sicut ap. Hom., pro Injuriæ pœnas luere. Soph. autem junxit etiam verbo ὑβρίζειν dat. λώβαις [Aj. 560] : Μή τις ὑβρίσει στυγναῖσι λώβαις. [Id. ib. 182 : Ἐννυχίοις μαχαναῖς ἐτίσατο λώβαν· 1392 : Τὸν ἄνδρα λώβαις ἐκβαλεῖν ἀναξίως· Ant. 792 : Σὺ καὶ δικαίων ἀδίκους φρένας παρασπᾷς ἐπὶ λώβᾳ· Tr. 997 : Οἵαν μ' ἄρ' ἔθου λώβαν· El. 864 : Ἄσκοπος ἁ λώβα. Eur. Hec. 200 : Οἵαν αὖ σοι λώβαν ... ὦρσέν τις δαίμων· 213 : Τὸν ἐμὸν βίον, λώβαν λύμαν τε· 647 : Ἐπὶ ... ἐμῶν μελάθρων λώβᾳ· 1073 : Ἀρνύμενος λώβαν· El. 165 : Ξίφεσι δ' ἀμφιτόμοις λυγρὰν Αἰγίσθου λώβαν θεμένα.] || In soluta oratione etiam invenitur, sed rarius. Theodorit. H. E. 2, Arii hæresin vocat λώβην, quasi Contumeliam in Christum, VV. LL. [Plato Reip. 10, p. 595, B : Λώβη ἔοικεν εἶναι πάντα τὰ τοιαῦτα τῆς τῶν ἀκουόντων διανοίας· Men. p. 91, C : Ἐπεὶ οὗτοί γε φανερά ἐστι λώβη τε καὶ διαφθορὰ τῶν συγγιγνομένων.] Ubi et pro Cruciatus ex Phalar. Epist. Sic et Herodian. 8, [8, 14] : Γενείων τε καὶ ὀφρύων σπαραγμοῖς καὶ πάσαις ταῖς τοῦ σώματος λώβαις ἐμπαροινοῦντες, Nec ulli parcentes corporis ludibrio, Polit. Convenit autem hic l. cum ea signif., quæ inter alias datur huic nomini ab Eust. [Il. p. 835, 41], pro ἡ μετὰ αἰκίας ποινή. Sed et pro Pernicies s. Damnum, ex Plat. Leg. [6, p. 751, C] affertur, i. e. βλάβη : quo etiam modo ab eod. gramm. exponi dictum est. At accus. λώβην cum verbo λωβᾶσθαι v. in verbo Λωβάομαι. [Sic Plato Gorg. p. 473, C : Λώβας λωβηθείς.] || Λώβη putat Eust. [Il. p. 91, 25] dici quasi λαόβη, ut sc. derivetur a nomine λαὸς et verbo βαίνειν, et sit ἡ εἰς τὸ φανερὸν ὕβρις, s. ἡ ἐν κοινῷ ὕβρις, sc. ἡ ἐν μέσῳ βαίνουσα εἴς τινα. Sed alibi utens compositis Eust., quod minus probo, dicit, uno quidem loco, ἡ μέσον λαοῦ ἐπεμβαίνουσά τινι : in altero autem [Od. p. 1957, 1] παράγεσθαι ait παρὰ τὸ ἐπὶ λαοῦ συμβαίνειν. Vult autem esse λώβη pro λαόβη per synæresin. Affert Idem et aliud etymum, sc. a nomine λώπιον, ut sit ὕβρις ἡ ἐπαγομένη διὰ μάστιγος ἐν ἀπεκδύσει λωπίου. Alibi autem [p. 1448, 19] simplicius, ὕβρις ἡ μετὰ ἔκδυσιν ἐπαγομένη γυμνῷ τινι. Hæc autem etyma licet violenta videri possint, multo tamen sunt iis tolerabiliora, meo quidem judicio, quæ Etym. ex

Herodiano et Orione affert: ac præsertim posterius a λώπιον. Miror tamen cur non potius a λώπη quam a λώπιον deduxerit : a λώπη, inquam, utpote viciniore. || At vero λώβη de quodam aurium morbo. [De lepra, ap. Achmet. Onir. c. 107, p. 74, et, ut videtur, ap. Suidam : Λώβη, εἶδος νόσου. Sed libri meliores λωβός. Quod in gl. in deterioribus appensa ponitur cum interpr. ὁ ταύτης μετέχων. Ducang. : « Λώβη ap. Cedren. et Zonaram in Constantino M., Lepra. » V. id. in App. p. 123, Reisk. ad Constantin. Cærim. vol. 2, p. 243.]

Λωβήεις, εσσα, εν, Damnosus, Perniciosus : λωβήεντα, βλαβερά [Hesychio, fort. ex Apoll. Rh. 3, 801 : Πρὶν τάδε λωβήεντα καὶ οὐκ ὀνομαστὰ τελέσσαι. Tryphiod. 261 : Ἴχνια λωβήεντα.]

[Λώβημα, τὸ, i. q. λώβη. Epiphan. vol. 1, p. 550, C : Τοῖς αἴσχεσι καὶ λωβήμασι. Theodor. Metoch. Misc. p. 228 : Τὰ τῶν ἄλλων λωβήματα καὶ τὰς συμφοράς.]

Λώβησις, εως, ἡ, Injuriæ illatio s. Contumeliæ. [Orac. Sib. p. 203, 71 ed. Mai. : Καί σε λωβήσει μᾶλλον παρὰ πάντας ὀλέσσει. L. Dind.]

[Λωβήτειρα, ἡ, q. d. Corruptrix. Euenus Anth. Pal. 9, 251, 1.]

Λωβητής, ὁ, et Λωβητήρ, ῆρος, ὁ [et ἡ, ap. Soph. Ant. 1074 : Τούτων σε λωβητῆρες ὑστεροφθόροι λοχῶσιν Ἅδου καὶ θεῶν Ἐρινύες], item Λωβήτωρ, ορος, ὁ, Injuriæ illator s. Contumeliæ, Injuriosus s. Contumeliosus. Ap. Aristoph. autem [Ran. 93] λωβηταὶ τέχνης exp. Depravatores, Corruptores. || Λωβητὴρ autem ap. Hom. non solum Contumeliosus, Convitiator [Il. Β, 275 : Τὸν λωβητῆρα ἐπεσβόλον ἔσχ' ἀγοράων], sed alicubi et pro Flagitiosus, Perditus, Bud. p. 356. [Il. Λ, 385 : Τοξότα, λωβητήρ, κέρα ἀγλαέ· Ω, 239 : Ἔρρετε, λωβητῆρες, ἐλεγχέες. Apoll. Rh. 3, 372.] Sequendo autem Hesych., λωβητὴρ est tam ὑβριστής, ὑβριστικός, βλαπτικός [ut ap. Nicand. Th. 796 : Σκορπίοι ... λωβητῆρες], quam λώβης ἄξιος, ἐπονείδιστος : unde redditur etiam Contumelia dignus, et Probrosus, a nonnullis vero et Petulans, qua in signif. passive sumitur, ut in illa active. || Λωβήτωρ vero ap. Suidam habetur, exponentem βλαπτικός, et subjungentem ex aliquo poeta [Paulo Sil. Anth. Pal. 6, 168] hæc, quæ mendo carere non videntur : Βοτρύων [Βοτρυΐων] ἀκάμαντα φυτῶν λωβήτορα κάπρον. Affertur autem et λωβήτορα κῆρα ex Nicandro [Al. 536. Nonn. Jo. c. 8, 48 : Λωβήτορι λαῷ. Oppian. Hal. 4, 684, πότμῳ. Manetho 6, 211.]

Λωβητός, ὁ, ἡ, Injuria s. Contumelia affectus, Injuriæ s. Contumeliæ expositus, obnoxius. Soph. [Aj. 1388] : Λωβητὸν αὐτὸν ἐκβαλεῖν. [Tr. 1069 : Εἰ τοὐμὸν ἀλγεῖς μᾶλλον ἢ κείνης ὁρῶν λωβητὸν εἶδος ἐν δίκῃ κακούμενον· Phil. 1103 : Τλάμων καὶ μόχθῳ λωβατός. Hesiod. Sc. 366 : Ἔνθα κε δὴ λωβητὸς ἐν ἀθανάτοισιν ἐτύχθη. Tryphiod. 227 : Λωβητοῖσι περίστικτος μελέεσσι.] Illa autem posterior signif. convenit melius huic l. Homeri, Il. Ω, 531 : Ὧ δέ κε τῶν λυγρῶν δώῃ, λωβητὸν ἔθηκε, ubi Eust. exp. ἐφύβριστον καὶ ἄτιμον. [|| Active Contumeliosus. Soph. Tr. 538 : Κόρην παρεισδέδεγμαι λωβητὸν ἐμπόλημα τῆς ἐμῆς φρενός· Phil. 607 : Ἀκούων αἰσχρὰ καὶ λωβήτ' ἔπη. Tryphiod. 21 : Λωβητοῖσιν ἐφ' Ἕκτορος ἑλκηθμοῖσιν.]

[Λωβήτωρ. V. Λωβητήρ.]

[Λωβόομαι, Lepra inficior. Achmes Onir. c. 107, p. 74 : Ἐὰν ἴδῃ τις ὅτι ἐλωβώθη, πλουτήσει ἀναλόγως τῆς λώβης αἰσχυνόμενος. L. Dind.]

Λωβός, ὁ, Qui laborat eo morbo, sunt qui a λοβὸς deductum putant : alii hanc primam esse nominis λώβη signif. arbitrantur, a qua ceteræ manarint. V. [Etym. M. in Λώβη,] Suidam post Λωβητῆρα, item in Λοβός. [Philes p. 54 ed. Wernsd. : Μοναχὸν λωβόν. « Chronicon Ms. Symeonis Logothetæ in Hadriano : Διὰ τὸ εἶναι αὐτὸν λωβόν. » Ducang. App. Gl. V. Λωβόομαι. Ap. Themist. Or. 21, p. 247, C, quod est λωβὰ ῥήματα, HSt. scrib. conjecit κολοβά. Conf. Reisk. ad Constantin. Cærim. vol. 2, p. 243.]

[Λωβοτροφεῖον, τὸ, Leprosorum domicilium, τὸ τῶν λωβῶν γηροκομεῖον Cedreno a. 14 Mauricii, πτωχεῖον τῶν λελωβημένων Palladio H. Laus. c. 5. V. Scylitz. p. 752. De Lobotrophio Cp. plura diximus in Cpoli Christiana. Ducang.]

Λωγάλιον, τὸ, Hesychio τῶν βοῶν τὸ ὑπὸ τὸν τράχηλον χάλασμα. [V. Λωγάνιον.] At Λωγάλιοι Eid. ἀστράγαλοι s. πόρνοι. [V. Λωγάς.]

A [Λωγάνιον, τὸ, Paleare. Lucian. Lexiph. c. 3. Ubi schol. : Ἀμβρακιῶται καὶ Ἠπειρῶται τὸ ἀπὸ τοῦ τραχήλου φασὶ τῶν βοῶν ἀγόμενον χάλασμα καὶ λῆγον εἰς τὸ μεταξὺ τῶν βραχιόνων, ὥς φησι Διονύσιος ὁ Ἰτυκαῖος ἐν πρώτῳ Γεωργικῶν (sic enim legendum cum cod. Harlej. ap. Cramer. Anecd. vol. 4, p. 269, 28) ... Ἔοικε δὲ οὐ βοὸς λέγειν λωγάνιον, ἀλλὰ ζώων ἑτέρων τὸ στηθύνιον. L. Dindorf.]

[Λωγάνιος, ὁ, Loganius, ὄνομα κύριον Suidæ.]

[Λωγάς, άδος, ἡ.] Ac ut λωγάλιοι Hesych. exp. πόρνοι, ita et Λωγὰς affert pro πόρνη, Meretrix, Scortum.

[Λωγασίδης, ὁ, Logasides, f. Logasi, Cyllarus dicitur Nonno Dion. 36, 282. Nisi legendum Λωγασίδην θ', ut sit nomen diversum, quum alibi Brongi filius dicatur Cyllarus. V. Græf. L. Dind.]

Λώγασος, Hesych. ταυρεία μάστιξ, Flagrum ex taurina pelle.

Λωγέω, Dico : unde ἐλώγευν Hesychio ἔλεγον. [Theognost. Can. p. 149, 21 : Νέμω, νωμῶ, λέγω, λωγῶ· 138, 33 : Τὸ λωγῶ περισπώμενον διὰ τοῦ ω μεγάλου γραφό- B μενον οὐ γνήσιον ἔχει τὸ ω, ἀλλὰ ποιητικόν. Quod Zonaras p. 1326 ponit : Λωγεῖ, μαίνεται, suspectum est. L. Dindorf.]

Λώγη, ἡ, Hesychio καλάμη, Stipula : et συναγωγὴ σίτου, Frumenti collectio. [Ἡ τῆς καλάμης ἀναλογή Zonaras p. 1325.]

[Λωγήρυχος, n. pr. viri sec. Zonaram p. 1324.]

[Λῶδιξ, ικος, ἡ, Lodix. Arrian. in Peripl. m. Erythr. p. 13 : Καὶ ὀθόνιον καὶ ἀβόλλαι, καὶ λώδικες οὐ πολλαί, ἁπλοῖ τε καὶ ἐντόπιοι. Λωδίκιον, τὸ, eadem notione, Epiphan. C. Meletianos : Ἱμάτιον ἐκπετάσας, τουτέστι λωδίκιον, εἴτε οὖν παλλίον. Ducang.]

[Λώεσσα.] Λώεσσαν, Hesychio τὴν ἅμαξαν, Currum s. Carrucam : quam et λώλεσσαν.

[Λώιος. V. Λῷος.]

[Λωΐς, ΐδος, ἡ, Lois, n. mulieris, aviæ Timothei. Timoth. 2, 1, 5 : Ἐν τῇ μάμμῃ σου Λωΐδι. Ubi sunt varietates Λοΐδι et Λαΐδι.]

[Λωισμός, ὁ.] Λωϊσμόν, Hesychius λῶμα, Fimbriam, Institam : seu κλωσμόν. [Cod. et edd. χῶμα ἢ κλω- C σμένον.]

[Λωΐστος, Λωΐτερος, Λωιτίνη. V. Λωΐων.]

Λωΐων, ονος, ὁ, ἡ, Melior, q. d. Quem magis volumus, Qui a voluntate nostra magis expetitur. [Gen. fem. Simonid. Carm. de mul. 30 : Οὐκ ἔστιν ἄλλη τῆσδε λωίων γυνή.] Hom. Od. Β, [169] : Καὶ γάρ σφιν ἄφαρ τόδε λώϊόν ἐστι. Hesiod. Op. [432] : Ἐπεὶ πολὺ λώϊον οὕτω. [Adverbialiter ib. 348 : Αὐτῷ τῷ μέτρῳ καὶ λώιον, αἴκε δύνηαι. Hom. Od. Ψ, 109 : Ἦ μάλα νῶϊ γνωσόμεθ' ἀλλήλων καὶ λώιον. Prima syllaba correpta Maxim. Καταρχ. 314 : Πλὴν συνόδου· λώιον γὰρ ἀκεστορίην ἀνύσαιο, nisi scribitur λῷον.] Plato ad Dionis amicos [Ep. 7, p. 336, C] : (Μιμεῖσθαι μὲν συμβουλεύω) καὶ τὴν (τοῦ Δίωνος) τῆς τροφῆς σώφρονα δίαιταν, ἐπὶ λωϊόνων [λῴων, ὡς] δὲ ὀρνίθων τὰς ἐκείνου βουλήσεις πειρᾶσθαι ἀποτελεῖν, Melioribus avibus, auspiciis. Et Λωΐτερον, pro eod. Od. Α, [376] : Εἰ δ' ὕμμιν δοκέει τόδε λ. καὶ ἄμεινον. [Β, 141.] Apoll. Arg. 3, [186] : Ἀλλὰ πάροιθε λ. μύθῳ μιν ἀρέσσασθαι. [850 : Ἀλκῇ λωίτερος κεῖν' ἦμαρ δμῶς κάρτει τε πέλοιτο. Coluth. 80 : Πᾶσα δὲ λωιτέρην καὶ D ἀμείνονα δίζετο μορφήν.] || Λωϊτίνη, Hesychio συμφορωτέρα, Conducibilior, Utilior : pro λωϊτέρη, Melior. Et Λῴων contr. pro λωΐων usitatius in prosa [et ap. Atticos poetas]. Soph. Phil. [1099] : Εὖτέ γε παρὸν φωνῆσαι τοῦ λῴονος δαίμονος, εἵλου τὸ κάκιον ἑλεῖν. [Hoc loco legendum cum schol. πλέονος et ἀντὶ pro ἑλεῖν cum G. Dindorfio. OEd. T. 1513 : Βίου δὲ λῴονος ὑμᾶς κυρῆσαι. Æsch. Pers. 526 : Εἴ τι δὴ λῷον πέλοι.] Τὰ λῴω, Meliora, Bud. ex Plat. [Phileb. p. 11, B.] Et Plut. Probl. Rom. : Τὴν Πυθίαν προφέρειν τὰ ὅρκια ταῦτα Λακεδαιμονίοις, ὡς ἐμπεδοῦσι λῷον εἴη καὶ ἄμεινον. [Eadem formula Xen. Anab. 6, 2, 15 et alibi. Plato Leg. 8, p. 628, A, et ubi λώιον scriptum pro λῷον, Polyb. 8, 30, 7. Col. Farnes. ap. Gruter. 27 : Οὐ γὰρ λῷον τῷ κινήσαντι.] Lucian. [Alex. c. 54] : Εἴτε μοι πλεῦσαι ἐπ' Ἰταλίαν, εἴτε πεζοπορῆσαι λῷον. Synes. : Ἀπειλήσας κίνδυνον, εὐηγγελίσω λῴονα. Notandum tamen ι in ω non semper subscriptum in omnibus exemplaribus reperiri. || Λωΐστος, Optimus. Unde λώϊστα, ἄριστα, συμφέροντα, Hesych. Et Λῷστος, contr. pro eod., in prosa [et ap. Atticos poetas] usitatius. [Immo solum usitatum. A Theognis 96 : Ὃς κ' εἴπῃ γλώσσῃ λῷστα· 255 : Λῷστον δ' ὑγιαίνειν. Æsch. Prom. 204 : Τὰ λῷστα βουλεύων· fr. Europ. ap. Stob. Fl. 51, 26 : Τὰ λῷστα στρατοῦ. Soph. Phil. 1171 : Ὦ λῷστε τῶν πρὶν ἐντόπων· OEd. T. 1066 : Τὰ λῷστά σοι λέγω. Et similiter sæpe Eurip.] Theocr. [16, 21] : Οὗτος ἀοιδῶν λῷστος, ὃς ἐξ ἐμεῦ οἴσεται οὐδέν. Vocativi λῷστε frequens usus est in compellando, interrogando et precando : ut Lat. Amabo, Quæso. Synes. : Ἔχει γὰρ οὕτως, ὦ λῷστε. Sic Xen. [Conv. 4, 1] : Πῶς, ὦ λ., ἔφη; [H. Gr. 4, 1, 38. Plato Leg. 1, p. 638, A, etc.]

Λώλεσσαν, Hesychio τὴν ἅμαξαν : quam et λώεσσαν.

[Λώλια vel Λωλία, ἡ, n. pr. sec. Zonaram p. 1325.]

Λῶλον, Hesych. esse dicit Edulium, quod pueris ex acinis et ficubus paratur [βρῶμα ἐκ γιγάρτων καὶ σύκων γενόμενον (γινόμενον) παιδίοις πεφωσμένον (l. —νων). Idem : Λωλῶ, ὅταν σῦκα μετὰ γιγάρτων φωσθῇ. Photius : Λωλω σῦκον μετὰ γιγάρτων κεκομμένων ἐμφερὲς παλασίοις. Αυλω, ἄρωμά (βρῶμά) τι παιδίων ἐν Εὐβοίᾳ γινόμενον ἐκ γιγάρτων καὶ σύκων κεκομμένων. Similiter Zonaras : B Λωλῶ, σῦκον μετὰ γιγάρτων κόπτω.]

Λῶμα, τὸ, Fimbria, Instita, [Filum, Vita; Λώματα, Aclassi, Gl.] : ῥαφὴ ἢ κλωσμὸς εἰς τὸ κατώτερον τοῦ ἱματίου, Hesych., Quod imæ vestis oræ assutum vel attextum est : quod et κράσπεδον [quomodo interpr. Suidas] et κροσσός. Exodi 28, [29, 30; 39, 31] : Ποιήσεις ἐπὶ τὸ λῶμα τοῦ ὑποδύτου κάτωθεν ὡσεὶ ἐξ ἀνθούσης ῥόας ῥοΐσκους ἐξ ὑακίνθου, in fimbria s. limbo. [Etym. M. p. 570, 53 : Λῶμα τὸ γυναικεῖον, ὃ ὑπὸ Ἀττικῶν ὄχθοβος (s. ὄχθοιβος, quod vocab. ita interpretantur grammatici) λέγεται, καὶ τὸ εἰς τὸ κατώτερον τοῦ ἱματίου ἐπίβλημα, ἐκ βύσσου καὶ πορφύρας καὶ κόκκου. A κροσσοῖς distinguit Basil. M. vol. 1, p. 466, E : Θυγατέρες Σιὼν... ὑακίνθινα καὶ κόκκινα ἐγκομβώματα κροσσῶν ἀπηρτημένα τοῦ λώματος περιφέρουσαι. L. Dind.]

Λωμάτιον, τὸ, Fimbriola, Parvulus limbus s. Parvula instita. Ex Epigr. [Lucillii Anth. Pal. 11, 210, 2] λωμάτια μήλινα pro Vestimenta melina : nescio quam recte. [« Docuit Salm. ad Scr. H. Aug. t. 2, p. 563 τὸ μ. λ. vestem esse militarem, ex colore militibus usur- C pato, quem russum aut croceum vel luteum interpretari licet. » Jacobs.]

[Λωμεντὸς, πόλις Ἰταλίας, ὀξυτόνως, καὶ ὅσαι εἰς τος τῇ εν συλλαβῇ παραλήγει (l. —γουσιν vel ὅσα). Ἦν καὶ Λωρεντόν φασι μετὰ τοῦ ρ, Steph. Byz. Supra Λομεντός.]

Λῶος, ὁ, Lous, a Macedonibus dicitur ὁ ἑκατομβαιὼν, Mensis hecatombæon, ut testatur Plut. Alex. p. 1221 [c. 3], s. βοηδρομιὼν, ut est in Ep. Philippi ad Peloponnesios ap. Dem. Pro cor. [p. 280, 12] : Τοῦ ἐνεστῶτος μηνὸς λῴου, ὡς ἡμεῖς (Macedones) ἄγομεν, ὡς δὲ Ἀθηναῖοι, βοηδρομιῶνος· ὡς δὲ Κορίνθιοι, πανέμου. [V. Ideler. Chronol. vol. 1, p. 403. Fuit autem numero decimus. V. ib. p. 393.] Suidas esse dicit Romanorum Augustum s. Sextilem; sed fallitur : nam scribit Galen. Comm. 1 in Epidem. 1, τὴν ἐαρινὴν ἰσημερίαν esse Ἀρτεμισίου μηνὸς, κατὰ Μακεδόνας, καθάπερ γε καὶ τὴν θερινὴν τοῦ λώου· κατὰ γὰρ τὰς ἀρχὰς τῶν εἰρημένων μηνῶν τάς τ' ἰσημερίας καὶ τὰς τροπὰς γίνεσθαι κατὰ Μακεδόνας. [Apud Ephesios respondebat Romanorum d. 24 Junii — 24 Quintilis. V. Hemerolog. ap. Ideler. D ib. p. 419. Ap. Cyprios d. 23 Sextilis — 22 Sept. V. ib. p. 428 (ubi tamen al. Ῥωμαῖος pro Λῶος). Apud Sidonios Octobri. V. ib. p. 434. Apud Tyrios d. 20 Sextilis — 18 Septembris. V. ib. p. 435. Apud Arabes, i. e. Bostrenses Arabiæ Petrææ, d. 20 Quintilis — 18 Sextilis. V. ib. p. 437. Apud Gazæos d. 25 Quintilis — 23 Sextilis, et apud Ascalonitas d. 29 Sextilis — 27 Septembris. V. ib. p. 439.] Sunt qui ι subscribant s. ascribant, λῷος s. λῷιος : quidam et trisyllabως Λώϊος. [Utrumque memorat Arcad. p. 38, 8 et 40, 25, Λώιος Theognost. Can. p. 57, 16. Dicit autem Zonaras p. 1324 præter nomen mensis etiam κύριον esse. L. Dind.]

[Λωότερος. V. Λωίων.]

Λωπὰς, άδος, ἡ, affertur pro Vestis, Crumena, Vas : et Λωπάδιον, pro Vasculum; sed sine ullo testimonio. [Pro λοπὰς et λοπάδιον.]

[Λωπεκδύτης, ὁ, i. q. λωποδύτης. Tzetz. Iamb. 150. Elberling. ῠ]

[Λωπεύω.] Λωπεύει, Hesychio ψεύδεται, Mentitur, Fallit. [Pro Λωβεύει.]

[Λώπη. V. Λῶπος.]

[Λωπία, ἡ, Cutis, Pellis. Etym. M. : Λῶπος, τὸ ἱμάτιον· ἀναλογεῖ γὰρ τῇ λωπίᾳ τῷ δέρματι.]

Λωπίζω, Veste exuo, i. q. λωποδυτέω, γυμνόω [ἢ ὅπλων ἢ ἱματίων, Hesych. Τὸ ἐκδύω Suidæ. V. Ἐκλωπίζω.]

Λώπιον, τὸ, i. q. λῶπος, Vestis, Vestimentum. Ap. Suidam [ex epigr. Diod. Sard. Anth. Pal. 6, 245, 5] : Χειμερίης ἄνθεμα ναυτιλίης Ἀρτήσειν ἁγίοις τόδε λώπιον ἐν προπυλαίοις Εὔξατο, ubi ipse exp. τὸ εὐτελὲς ἱμάτιον. [Aristot. Metaphys. 3, p. 70, 8 ed. Brand. : Τοῦτο γὰρ σημαίνει τὸ εἶναι ἕν, ὡς λώπιον καὶ ἱμάτιον. V. intt. Hesychii in Ἐσταλώπια.]

Λώπιστος dictus Palamedes ἐκ τῆς τῶν ἱματίων ἐπιρράψεως, Hesych. [Scrib. Λωπιστός.]

Λωποδυσία, ἡ, Vestium expoliatio. [Grassatio, Grassatura, Gl.]

[Λωποδύσιον, τό.] Λωποδυσίου δίκη, ap. Hermog. Actio de expoliatione vestimentorum, qua quis reus agitur de crimine exutorum vestimentorum.

Λωποδυτέω, [Grassor, Gl.] Veste exuo, Vestimenta furor. Athen. [6, p. 228, A] ex Comico : Ἢ λωποδυτεῖν τὰς νύκτας ἢ τοιχωρυχεῖν, Ἢ συκοφαντεῖν κατ' ἀγοράν. Sic et Aristoph. [Pl. 165 etc. Xenoph. Comm. 1, 2, 62, Plato Reip. 9, p. 575, B, Demosth. p. 1264, 15], Aristot. et Plut. [Mor. p. 303, D; 385, D; 631, E. Dio Chrys. vol. 1, p. 234. Wakef. Improprie Pollianus in Λωποδύτης cit. 7 : Οἱ δ' οὕτω τὸν Ὅμηρον ἀναιδῶς λωποδυτοῦσιν. « Et aliter Theodor. Prodr. p. 426 : Κῆπος ὃς ὅσους ἐλωποδύτησέ μου τοὺς ὀφθαλμούς. » Jacobs.] Et Λωποδυτοῦμαι, Vestimentis exuor. Ap. Suidam : Οἱ δὲ τῶν Περσῶν τεθνεῶτες λωποδυτούμενοι καὶ ταφῆς ἀμοιροῦντες, τοῖς θηρίοις ἑστίασις ἦν. Dem. accepit pro Rapinis infesto et compilo s. expilo [p. 116, 19] : Καθ' ἕνα ἕκαστον οὑτωσὶ περικόπτειν καὶ λωποδυτεῖν τῶν Ἑλλήνων, καὶ καταδουλοῦσθαι τὰς πόλεις.

Λωποδύτης, ὁ, [Grassator, Ganeo, Gl.] Fur vestimentorum, Qui vestimentis exuit, ὁ τὰ ἱμάτια ἀποδύων, Eustath. [Od. p. 1739, 60], dicens et χλαινοθήραν vocari. Sic et Basil. : Ὁ μὲν ἐνδεδυμένον ἀπογυμνῶν, λωποδύτης ὀνομασθήσεται. [Lex. rhet. Bekk. Anecd. p. 276, 13 : Λ. ὁ τὰ τῶν νεκρῶν ἱμάτια κλέπτων.] Aristoph. Ran. [772] : Τοῖς λωποδύταις καὶ τοῖσι βαλλαντιητόμοις [βαλλαντιοτόμοις. Et alibi. Plato Leg. 9, p. 874, B.] Dem. [p. 53 extr.] : Τὸν τῶν ἀνδραποδιστῶν καὶ λωποδυτῶν θάνατον αἱροῦνται. Id. [p. 1256, 8], Λωποδυτῶν ἀπαγωγὴ, ubi conqueritur se fuisse spoliatum a grassatoribus et pugnis calcibusque concisum. Synes. Ep. 132 : Οὐ πολεμίους, ἀλλὰ λῃστὰς ἢ λωποδύτας, Prædones aut Grassatores. Pollian. vero Epigr. in poetas [Anth. Pal. 11, 130, 2] dicit ἀλλοτρίων λωποδύτας ἐπέων, pro Compilatores et fures alienorum versuum.

Λῶπος, ους, τὸ, et Λώπη, ἡ, Vestimentum tenue. Eustathio λώπη est λεπτὸν ὕφασμα κατὰ τὸν τοῦ κρομύου λοπὸν, unde derivat, facta ectasi. [V. Λοπός.] Hom. Od. N, [224] de Minerva, quæ νέῳ ἐπιβώτορι μήλων παναπάλῳ similis apparebat : Δίπτυχον ἀμφ' ὤμοισιν ἔχουσ' εὐεργέα λώπην. [Theocr. 25, 254 : Ἀπ' ὤμων δίπλακα λώπην.] Ap. Apollon. vero Arg. 2, [34] δίπτυχα λώπην schol. exp. χλανίδα, διφθέραν. At λῶπος in Lex. Rhet. [et ap. Theognost. Can. p. 68, 33] est τὸ ἱμάτιον, sicut et Hesych., [qui etiam] λώπη, τὸ ἱμάτιον, περίβλημα : nam hæc hominem ambiunt ut cortex et tunica arborem et semina, quibus λόπος tribuitur. [Hipponax ap. Tzetz. Hist. 10, 380 : Κοραξικὸν μὲν ἠμφιεσμένη λῶπος. Theocr. 14, 66 : Λῶπος ἄκρον περονᾶσθαι, ubi olim λῶπον. Crinagor. Anth. Pal. 9, 276, 1 : Λῶπος ἀποκλύζουσα χερνῆτις. Leonid. Anth. Plan. 307, 2, Eugenes 308, 5.] Lucian. [scriptor Philopatrid. c. 23] : Δραξάμενός με τοῦ λώπους, Veste me prehendens. [Λωπὸς male scriptum, ubi Atticum dicitur voc., ap. gramm. Bekk. An. p. 1096. Poeticum dicit Pollux 7, 42, pariterque λώπη. V. autem Λώψ.]

Λώπτω, affertur pro Salto; sed sine auctore. [Zonar. p. 1326 et Cyrillus, τὸ πηδῶ. Liber unus Λώπω.]

[Λωρεντός. V. Λωμεντός.]

[Λωρίζω, Loris cædo. Vita Ms. S. Symeonis Sali :

Ἐβάσταζεν αὐτὸν μία προϊσταμένη καὶ ἄλλη ἐλώριζεν αὐτόν. Ducang.]

[Λωρίον. V. Λῶρον.]

[Λωροκάπιστρον, τὸ, Habena. Schol. Soph. Aj. 230. Struv.]

Λῶρον, τὸ, s. Λῶρος, ὁ, recentiores Græci usurpavere pro Lat. Lorum. [Amentum; Λῶρος, Habena, Gl. Hesych.: Σκυτάλαι, λῶροι. Schol. Aristoph. Ach. 724, aliique plurimi ap. Ducang., qui formæ neutrius nonnisi unum attulit ex. Gl. Mss.: Ἡνία, τὰ λῶρα. Item λωρίον, ut Suidas in Ζινίχιον, Theophanes Nonnus vol. 1, p. 366, aliique ap. Ducangium.]

Λωρὸν, Hesychio πικρὸν, Amarum.

[Λωροπεδέω, Loris vincio. Nicet. Chon. p. 163, B: Τοὺς πόδας λωροπεδούμενος.]

[Λωρόπους, οδος, ὁ, ἡ, Loripes. Nicephorus Presb. in Vita Ms. S. Andreæ Sali: Κατέσχον πιστοὺς ἐκεῖσε ὄντας λωρόποδας. Infra: Καὶ γὰρ καὶ αὐτὸς σὺ νοητὴς λωρίπους (sic) περίφηνας. Ducang. App. Gl. V. Lexica Latina v. *Loripes.*]

[Λῶρος. V. Λῶρον. || Vestis consularis et imperatoria in Lori formam, quæ reliquæ vesti imponebatur. De hac signif. et vocabulis hinc ductis Λωρωτὸν et aliis multa Ducang. Idem annotavit signif. Fornicis s. Arcus ex Procop. Ædif. 1, 1: Τῶν ἀψίδων, ὧνπερ ἐμνήσθην ἀρτίως, Λώρους δὲ αὐτὰς οἱ μηχανοποιοὶ ἐπικαλοῦσι. Et Vasis ex cod. Reg. 2062 Gloss. Gr.: Ἀμφορίσκος, ὁ λῶρος.]

[Λωροτομέω, Lora seco. Schol. Aristoph. Eq. 765: Εἰς μέρη λωροτομηθείην. Alia Ducang.]

[Λωροτόμος, ὁ, Qui lora secat, Sutor. Hesych. in Σκυτοτόμος. Alia v. ap. Ducang. Schol. Plat. p. 130 ed. Ruhnk. (357 Bekk.) citat Struv.]

[Λώρυμα, ων, τὰ, Loryma. Πόλις Καρίας. Ἑκαταῖος Ἀσίᾳ. Ἔστι καὶ λιμὴν Ῥόδου, ὃς Λώρυμα λέγεται. Τὸ ἐθνικὸν Λωρυμαῖος, Steph. Byz. Urbem Cariæ memorant Thuc. 8, 43, ubi de orthographia v. intt., Diod. 14, 83; 20, 82, et geographi.]

Λωρυμνὸν, Hesych. exp. βαθύτατα, κατώτατα, Profundissime, Infime. [Non videtur cogitari posse de Πρόπρυμνα.]

[Λῶς, νῆσος περὶ Θετταλίαν, ὡς Κῶς. Ἀρτεμίδωρος ἐν ἐπιτομῇ τῶν ἕνδεκα. Λῷος ὁ νησιώτης, Steph. Byz.]

[Λωστὸς, ὁ, Sutus. Hesych.: Λῷστοι, ἐραμμένοι φίλοι. Quod nonnulli scribendum putarunt ἐρραμμένοι. Rectius Schowius ἐρώμενοι.]

[Λῷστος. V. Λωίων. || N. pr. dicit Suidas.]

[Λώταξ. V. Λωτός.]

[Λωτάριον, τὸ, diminut. a λωτὸς, quod v. Cosmas Topogr. Christ. p. 149, D: Καὶ οὗτος δὲ ὁ ποταμὸς (Phison) ἔχει καὶ φύλλα καὶ λωτάρια καὶ κροκοδείλους καὶ ἕτερα ὅσα ἔχει ὁ Νεῖλος. L. Dind.]

[Λωτέω, Fidibus cano. Zonar. p. 1326: Λωτῶ, τὸ αὐλῶ. V. etiam Λωτός.]

[Λωτήριον. V. Λουτήριον.]

[Λωτία, Λωτίζω, Λώτινος, Λώτισμα, Λωτοβοσκός. V. Λωτός.]

[Λωτοδάμη, ἡ, Lotodame. Zonar. p. 1325: Λ., κύριον. ᾰ]

[Λωτοειδὴς, ὁ, ἡ, Loto similis. Theophr. H. Pl. 4, 2, 12: Τῷ χρώματι λωτοειδές (ξύλον).]

[Λωτόεις, Λωτομήτρα. V. Λωτός.]

[Λωτὸν, τὸ, pro λωτὸς, ὁ, legitur ap. Strab, 17, p. 833: Πολὺ γάρ ἐστι τὸ δένδρον ἐν αὐτῇ τὸ καλούμενον λωτὸν, ἔχον ἥδιστον καρπόν. Λωτὸς Coraes. Hesych.: Λῶτα, ἄνθη.]

Λωτὸς, ὁ, Lotus [Λωτὸς, ὁ χόρτος, Trifolium, add. Gl.]: a Theophr. H. Pl. 7, 14, numeratur inter ea quæ ἐν πλείοσιν ἰδέαις ἐστὶ καὶ σχεδὸν οἷον ὁμωνύμοις: multas enim hujus esse species ait, quæ et folio et caule et flore et fructu differant. [Locos Theophrasti copiose explicavit Schneiderus in Ind. p. 440-2. Loti sive arboris sive herbæ species post Sprengelium describit Voss. ad Virg. Georg. 2, 84, vol. 3, p. 292-4. Add. intt. Quinctil. Inst. 5, 8, 1, Diodor. 1, 34; 3, 43, Tzetz. Hist. 6, 74, cum schol.] De prima specie v. eum 4, 4, et Plin. 13, 17, ubi Celtin vocari tradit. Hujus fructus magnitudine fabæ est, colore croci, densus in ramis myrti modo nascens: tam dulci apud Afros cibo, ut nomen etiam genti terræque dederit, nimis hospitali advenarum oblivione patriæ: quemadmodum sane ap. Hom. Od. I, [94] sociorum Ulyssis ὅστις λωτοῖο φάγοι μελιηδέα καρπὸν, Οὐκέτ' ἀπαγγεῖλαι πάλιν ἤθελεν οὐδὲ νέεσθαι· Ἀλλ' αὐτοῦ βούλοντο μετ' ἀνδράσι Λωτοφάγοισι Λωτὸν ἐρεπτόμενοι μενέμεν, νόστου τε λαθέσθαι. (Unde proverbio λωτὸν φαγεῖν, Lotum comedisse, dicitur is qui exteræ regionis dulcedine captus patriæ obliviscitur.) Vinum quoque exprimitur illi, simile mulso: baccæque contusæ cum alica ad cibos doliis conduntur: quin et exercitus pastos eo tradunt, ultro citroque commeantes per Africam. Hæc fere Plin. l. c., et Athen. 14, [p. 651, D] ex Polybio, consentiens cum Plin. quod ad fructum attinet, non quod ad arborem. Sed et fabam Græcam Romæ a suavitate fructus sylvestris quidem, sed cerasorum pene natura, lotum appellarunt. Auctor idem Plin. 16, 30, ubi descriptionem ejus prolixiorem vide. Est eodem nomine in Ægypto caulis in palustrium genere: recedentibus enim aquis Nili riguis, provenit similis fabæ, caule foliisque densa congerie stipatis, brevioribus tantum gracilioribusque: cui fructus in capite, papaveri similis incisuris omnique alio modo: intus grana ceu milium: incolæ capita in acervis putrefaciunt: mox separant lavando, et siccata tundunt, eoque pane utuntur. Auctor idem Plin. 13, 17, et Theophr. H. Pl. 4, 10: necnon Herodot. l. 2, p. 77 [c. 92], (qui et superioris loti meminit l. 4, p. 176 [c. 177], palmeam dulcedinem ei tribuens, et vinum inde confici dicens [Add. 2, 96, ubi λωτὸς Κυρηναῖος]). Athen. vero init. l. 3 scribit ἐκ τῶν κιβωρίων nasci et florem coronarium, quem Ægyptii λωτὸν appellent, Naucratitæ vero μελίλωτον: unde μελιλωτίνους στεφάνους vocari, admodum odoratos et in æstu maxime refrigerantes. [Theocr. 18, 43: Πράτᾳ τοι στέφανον λωτῶ χαμαὶ αὐξομένοιο πλέξασαι.] Alioqui λωτὸς et ex herbarum genere est. Duæ ejus species: una, ἥμερος, quam τρίφυλλον appellant nonnulli, φυομένη ἐν παραδείσοις: altera λωτὸς ἄγριος dicitur, alio nom. λίβυος, quod in Libya ut plurimum proveniat, folio similis λωτῷ τῷ τριφύλλῳ τῷ ἐν χορτοκοπείοις γεννωμένῳ, semine fœni græci, sed multo minore: id φαρμακῶδες ἐν τῇ γεύσει. Auctor Diosc. 3, 111 et 112. Item Plin. 22, 21: Loton (inquit) qui arborem putant tantum esse, vel Homero auctore coargui possunt: is enim inter herbas subnascentes deorum voluptati, loton primam nominavit: nimirum Il. Ξ, [347] de Jove et Junone canens, Τοῖσι δ' ὑπὸ χθὼν δῖα φύεν νεοθηλέα ποίην, Λωτόν τ' ἐρσήεντα ἰδὲ κρόκον ἠδ' ὑάκινθον. Quin et inter equorum pabula λωτὸν commemorat idem poeta Il. B, [775]: Ἵπποι δὲ παρ' ἅρμασιν οἷσιν ἕκαστος Λωτὸν ἐρεπτόμενοι ἐλεοθρεπτόν τε σέλινον. [Φ, 351: Καίετο δὲ λωτός.] Et Od. Δ, [601] Telemachus quum inter alia munera a Menelao accepisset equos etiam, hos ei reddit, dicens Ithacam suam pratis carere, ipsum vero πεδίοιο ἀνάσσειν Εὐρέος, ᾧ ἐνὶ μὲν λωτὸς πολὺς, ἐν δὲ κύπειρον, Πυροί τε ζειαί τ' ἠδ' εὐρυφυὲς κρῖ λευκόν. [Improprie Himer. Ecl. 10, 13, p. 190: Ἀφ' ὧν (λειμώνων) δρεψάμενος ἁπάσης παιδείας λωτόν.] Redeo nunc ad lotum arborem, de qua primo loco dixi. Lignum ejus colore nigro est, cariem vetustatemque non sentit: ad tibiarum cantus expetitur: ex radice vero cultellis capuli fiunt, auctore Plin. Sane pro ipsa Tibia inde confecta ponitur frequenter a poetis. [Hesych.: Λωτὸς, αὐλός. Eur. Hel. 169: Τὸν Λίβυν λωτόν· Iph. A. 1036: Διὰ λωτοῦ Λίβυος· Tro. 544: Λίβυς τε λωτός (unde Hesych.: Λ. τε λ., ὁ ἀπὸ Λιβύης αὐλός)· Phœn. 788: Λωτοῦ κατὰ πνεύματα. Et alibi.] Suidas λωτοὺς scribit vocari ἐπιθαλαμίους τινὰς αὐλοὺς, hæc ex Epigrr. afferens exx. [Meleagri Anth. Pal. 7, 182, 4]: Λωτοὶ ἄχευν, καὶ θαλάμων ἐπλαταγεῦντο θύραι. Et rursum [verba ejusdem l.]: Ἄρτι γὰρ ἑσπέριοι νύμφας ἐπὶ δικλίσιν ἄχευν Λωτοί. Item [Philippi ib. 186, 2]: Ἄρτι μὲν ἐν θαλάμοις Νικιππίδος ἡδὺς ἐπήχει Λωτὸς, καὶ γαμικοῖς ὕμνος ἔχαιρε κρότοις. Affert et [ex ejusd. epigr. 6, 94, 3], Διδύμους λωτοὺς κεροβόας. Sic apud Athen. 4, [p. 175, C] ex Sophrone [immo Sopatro] de nabla: Ὦ λωτὸς ἐν πλευροῖσιν ἄψυχος παγὶς [παγεὶς] Ἔμπνουν ἀνίει μοῦσαν. [De accentu acuto Arcad. p. 78, 15.] Quanquam sunt nonnulli qui λοτὸς scribant per o quum pro Tibia usurpatur, ut supra docui.

Venio nunc ad composita et cetera derivata. A loto arbore dulcissimi fructus ferace, dicuntur Λωτοφάγοι populi quidam, Latinis itidem Lotophagi, ex eo quod loti fructu victitent : de quibus Hom. Od. I [l. c.], Herodot. 4, p. 176 [c. 177, Xenoph. Anab. 3, 2, 25, Theophr. H. Pl. 4, 3, 1, Polyb. 1, 39, 2, Scylax p. 47 sq.], Plin. 5, 4 : a quo c. 7 et Lotophagitis insula memoratur. Sed et Strabo l. ult. [p. 834] Λωτοφάγων meminit et σύρτεως Λωτοφαγίτιδος : loton indicans herbam esse et radicem qua gustata potu non indigeant. [Λωτοφάγους memorat ib. 829 et alibi. Λωτοφαγῖτις γῆ ponit etiam Steph. Byz. Sic enim pro γυνὴ Berkelius, cujus v. annot. Ptolem. 4, 3 extr. : Λωτοφαγῖτις, ἐν ᾗ πόλεις δύο Γέρρα, Μῆνιγξ. Theophr. H. Pl. 4, 3, 2 : Ἔστι μὲν οὖν (lotus) καὶ ἐν τῇ νήσῳ τῇ Λωτοφαγίᾳ Φάριδι καλουμένη πολύς. Legendum τῇ Λωτοφαγίτιδι καλουμένῃ. Non videtur enim exstitisse forma λωτοφαγὶς, ut liceat scribere Λωτοφαγίδι. Mire cum Scaligero editores τῆς Λωτοφαγίας Φάριδι καλουμένη. L. D.] || Inde et Λώτινος, η, ον, Lotinus, Qui ex loto est: ut λώτινον ξύλον ap. Theophr. H. Pl. 5, [5, 6] et 4, c. 3 [2, 9]. Sic Athen. 4, [p. 175, F] λωτίνους αὐλοὺς vocari scribit qui κατασκευάζονται ἐκ τοῦ καλουμένου λωτοῦ, ab Alexandrinis dictos φώτιγγας : ubi itidem subjungit lotum esse lignum in Africa nascens. [Inde Hesych. Λώτινος αὐλὸς, ἐκ λωτίνου ξύλου. Pollux 4, 74.] Quidam et λωτίνας ἀηδόνας vocavit hosce λωτίνους αὐλοὺς, quasi luscinias ex loto confectas : luscinias appellans ob cantus suavitatem. [Hesych. : Λωτίνας ἀηδόνας, τοὺς αὐλούς. Ἀηδόνα, καὶ τοὺς αὐλοὺς δὲ λωτίνας ἀηδόνας που ἔφη (Euripides). Anacreon ap. Athen. 15, p. 674, D : Πλεκτὰς δ' ὑποθυμίδας περὶ στήθεσι λωτίνας ἔθεντο. Theocr. 24, 45 : Κολεὸν, μέγα λώτινον ἔργον.] || Item Λωτόεις, εντος, ὁ, Loti ferax, Loto abundans. Ex hujus accusativo λωτόεντα Attice contracto in Λωτοῦντα, [quomodo nonnulli etiam scripserunt, ut tradit Eust.] Hom. fecit Ionicum Λωτεῦντα, Il. M, [282] canens, Ὑψηλῶν ὀρέων κορυφὰς καὶ πρώονας ἄκρους Καὶ πεδία λωτεῦντα, καὶ ἀνδρῶν πίονα ἔργα, Campos loti trifolii feraces : λωτὸν ἔχοντα πεδία, Hesych., qui [in Λωτεῦντα, et, quod ex hoc depravatum videtur, Λωλεύοντα] et generalius exp. ἀνθοῦντα : itidemque Λῶτα attulerat pro ἄνθη, Flores : ac λωτὸν esse dixerat proprie τὸ ἐν ταῖς λιβάσι φυόμενον, ac πᾶν ἄνθος. [Id. : Λωτεῦσι δὲ πάχνη, ἀνθεῖ (ἄνθη Musurus) ποιοῦσιν αἰσχρότητες. Referenda autem hæc potius ad verbum Λωτέω.] Ad hæc Λωτία sive Λωτίη, Suidæ στέφανος ἐκ λωτῶν, Sertum ex loto. || Et verb. Λωτίζω, significans Lotum carpo. Hesych. λωτίζειν exp. non solum ἀπανθίζεσθαι, sed etiam ἀπολλύειν : a quarum significationum priore est verbale Λώτισμα, quod exp. οἱ πρῶτοι καὶ ἐκλεκτοί. [Zonar. p. 1326 : Λώτισμα, τὸ ἀπάνθημα (ἀπάνθισμα). Eur. Hel. 1609 : Ὦ γῆς Ἑλλάδος λωτίσματα. Verbo λωτίζομαι utitur Æsch. Suppl. 965 : Τούτων τὰ λῷστα καὶ τὰ θυμηδέστατα, πάρεστι, λωτίσασθε.] || At Λωτόβοσκον φῦλον, Idem a nonnullis vocari scribit Ægyptios, ab aliis Thraces, ab aliis Scythas : proculdubio quod loti pastu victitent, ut οἱ Λωτοφάγοι. [Nymphææ Ægypt. semine, caule, ac radice vescebantur Ægyptii, haud secus ac lotophagi suo loto, ex quo λωτόβοσκον φῦλον ap. veterem poetam quidam etiam de Ægypt. interpretati sunt. Salmas. in Solin. p. 683. Zonar. p. 1325: Λωτοβοσκὸς, ἡ Θράκη ἢ Αἴγυπτος.] Est et Lotometra (inquit Plin. 22, 21) quæ fit ex loto sata, ex cujus semine, simili milio, fiunt panes in Ægypto a pastoribus, maxime aqua vel lacte subacto. [Lotum Ægyptium, quod inter ceteras herbas hoc nomine præcipuæ esset magnitudinis et in usu dignitatis, videntur quidam appellasse λωτομήτραν, h. e. Præcipuam lotum vel lotorum omnium matrem. Sic ὀρτυγομήτρα Hesychio ὄρτυξ ὑπερμεγέθης, et echinometræ majores sunt echini ... At Plinius eam dicit ex loto sata fieri. Quod prodigii simile videtur ... Confudit loton vulgarem hortensem cum loto Ægyptio nec percepit auctoris sui mentem, ex quo habet ista de lotometra. Loquebatur ille de loto Ægyptio ... Apulejus : « Nymphæa Græce cacabon, lotometram, rhopalon. » Ita scrib. ex antiquissimo cod., qui *lothonietram*. Ex Salmas. Plin. Ex. p. 689, B.] Λώταξ autem, quod in VV. LL. redditur Latro, Qui turpiter vitam agit : item

A Voluptuarius, Unguentis delibutus : interpret. potius Tibicen, a λωτὸς, quo significatur Tibia, ut Eust. tradit quosdam per ο μικρὸν scribere λοτὸν, τὸν αὐλὸν, unde λόταγα dici τὸν αὐλητήν. [Eust. Il. p. 344, 35 : Λωτὸς δὲ νῦν, οὐχ οἷος ἐν Ὀδυσσείᾳ ὁ γλυκὺς καὶ ἀνθρώπων ἐπαγωγός· βοτάνη δὲ λειμωνιὰς, ἵπποις εὐπρόσιτος· καὶ οὗτος μὲν ὁ λωτὸς, καθὰ καὶ ἐν Ὀδυσσείᾳ, διὰ τοῦ ω μεγάλου ἔχει τὴν ἄρχουσαν· ὁ δέ γε διὰ τοῦ ο μικροῦ, ὁποῖος ὁ δηλούμενος ἐν τῷ, Λοτοῦ κατὰ πνεύματα μέλπει, συστέλλει τὴν ἄρχουσαν παρά τισι, καὶ δηλοῖ καλαμίσκον τινά· ἐξ οὗ καὶ λόταξ, λόταγος, ὁ περὶ τοιοῦτον λοτὸν πονούμενος De utroque fallitur Eustathius, deceptus vitiosa in l. Eurip. Phœn. citato scriptura. Zonar. p. 1324 : Λώταξ, ὁ ληστὴς, ἢ ὁ πόρνος, ἢ ὁ μύρα ἀλειφόμενος, ἢ ὁ καταδαπανῶν ἐν τοῖς αἰσχροῖς τὸν βίον αὐτοῦ, ὡς ὁ πόρνος καὶ ὁ ἀνδρόγυνος, ἢ ὁ αὐλητής. De mendico Jo. Chrys. Hom. 13 in Epist. ad Ephes. : Οὐχ ὁρᾷς τούτους τοὺς προσαιτοῦντας, οὓς λώταγας ἡμῖν ἔθος καλεῖν, πῶς περιΐασι, πῶς καὶ αὐτοὺς ἐλεοῦμεν; Constitt. Apost. vol. 1, p. 418 : Μάντις, θηρεπῳδὸς, λώταξ, ὀχλαγωγός. Ubi B Coteler. : « In scholiis nostris ad λώταξ annotatur, si bene tantum non deleta lego, καὶ οἷον τις παιγνιώτης θυμελικὸς δι' εὐτραπελίαν γέλωτα ποιῶν. At alterius Græci eodem in Ms. 2392 alibi observatio est, ἡ δὲ λώταξ φωνὴ ποιά τις ἐστὶν ἐκ τοῦ ἀποτελουμένου λεγομένη. Ἔστι δὲ τοιοῦτόν τι τὸ λεγόμενον· ἐπιδεικνύμενοί τινες τὸ παλαιὸν τὴν πρὸς ἀλλήλους ἀγάπην, βοκόλια (lege aut intellige βαυκάλια) στρογγύλα πληροῦντες οἴνου εἰς ὕψος ἀνέπεμπον, καὶ εἴπερ ἠχή τις ἐγένετο τῷ ἀναφέρεσθαι τὸ καυκάλιον, σημεῖον τοῦτο ἐποιοῦντο ἀγάπης, τῷ ποιῷ τοῦ ἤχου τὸ ποσὸν συμμετροῦντες αὐτῆς. » L. Dindorf.]

[Λωτὸς, ὁ, dioptræ ad uteri abcessum curandum adhibendæ memoratur a Paulo Æg. 6, 73 : Δεῖ δὲ διοπτρίζοντα διὰ μήλης ἀναμετρεῖσθαι τὸ τοῦ κόλπου τοῦ γυναικείου βάθος, ἵνα μὴ μείζονος ὄντος τοῦ τῆς διόπτρας λωτοῦ θλίβεσθαι συμβαίνῃ τὴν ὑστέραν· κἂν εὑρεθῇ τοῦ κόλπου μείζων ὁ λωτὸς, τὰ πτύγματα ἐπιτιθέσθω κατὰ τῶν πτερυγωμάτων, ἵνα κατ' αὐτῶν ἡ διόπτρα ἑδράζηται. Δεῖ δὲ καθιέναι τὸν λωτὸν εἰς τὸ ἄνω μέρος τὸν κοχλίον ἔχοντα καὶ κρατεῖσθαι μὲν τὴν διόπτραν ὑπὸ τοῦ ἐνεργοῦντος, C στρέφεσθαι δὲ τὸν κοχλίον δι' ὑπηρέτου, ἵνα διισταμένων τῶν ἐλασμάτων τοῦ λωτοῦ διασταλῇ ὁ κόλπος. L. Dind.]

[Λῶτος, ὁ, Lotus, n. viri properispomenon memorat Eust. Od. p. 1967, 27.]

[Λωτοτρόφος, ὁ, ἡ, Lotum alens s. producens. Eur. Phœn. 1571 : Λωτοτρόφον κατὰ λείμακα.]

[Λωτοφαγέω, Loto vescor. Monodia in Eusthathium ap. Tafel. De Thessalonica p. 375 : Τῶν οἴκοι κατὰ τοὺς λωτοφαγοῦντας λαθόμενον. L. Dindorf.]

[Λωτοφαγία. Λωτοφαγίς. Λωτοφαγῖτις. Λωτοφάγοι. V. Λωτός.]

[Λωτοφόρος, ὁ, ἡ, Lotum ferens. Ps.-Pherecrates in Metall. ap. Athen. 15, p. 685, B : Ἐν λειμῶνι λωτοφόρῳ. Λωτοφόρος χώρα annotatur ab Steph. Byz.]

Λωτρὸν, Laconibus esse δειλινὸν ἄλιμμα, Unctionem vespertinam, auctor Hesych. Videtur Dor. potius dictum pro λουτρὸν, Lavacrum.

[Λωτροχόος. V. Λουτροχοός.]

[Λωφάξαλος, ἐμπηδήσας, Hesych. Alludit a fronte ad Λώπτω, a tergo ad Καψιπήδαλος, quæ v.]

D Λῶφαρ, λώφημα, Laxamentum, Hesych.

Λωφάω, Respiro, Interquiesco, [Requiesco, Gl.] metaph. sumpta ἀπὸ τῶν βοῶν τῶν ἀναπαυομένων ἐν τῷ λόφῳ ἡνίκα ἀνεθῶσι τοῦ ζυγοῦ, ut annotatur in meo vet. Lex., quod a λόφος derivat. Eust. quoque [Il. p. 1237, 32, Od. p. 1639, 32; 1702, 25] a λόφος, i. e. τράχηλος, deducit facta ectasi, ut in λῶπος a λοπός : et exp. ἀποθέσθαι τὸ ἐπὶ τῷ λόφῳ ἄχθος. Hom. Od. I, [460] de Cyclope excæcato : Κάδδὲ ἐμὸν κῆρ λωφήσειε κακῶν τά μοι οὐτιδανὸς πόρεν ἀνὴρ, Respiret a malis, et molestia levetur. [Æsch. Prom. 376 : Ἔστ' ἂν Διὸς φρόνημα λωφήσῃ χόλου· 655 : Ὡς ἂν τὸ Δῖον ὄμμα λωφήσῃ πόθου. Plato Leg. 11, p. 934, B : Λωφῆσαι τῆς τοιαύτης ξυμφορᾶς· Reip. 10, p. 620, D : Φιλοτιμίας λελωφηκυῖαν (τὴν Ὀδυσσέως ψυχήν)· Phædr. p. 251, C : Λωφᾷ τῆς ὀδύνης.] Thuc. 6, [12] : Ὅτι νεωστὶ ἀπὸ νόσου μεγάλης καὶ πολέμου βραχύ τι λελωφήκαμεν, Paululum requievimus, antea conflictati cum acerrimo morbo et bello. Ap. Apollon. vero Arg. 2, [648] : Τοίων μὲν ἐλώφεον αὐτίκα μύθων, redditur, Talibus verbis allevabantur, ac subauditur διά. [Vertendum hoc l., qui ad formam Λωφέω pertinet, His sermonibus finem fecerunt.] In quibus ll. aptissime dici potest verbum λωφᾷν, ab jumentis quæ depositis ex collo oneribus quiescunt, translatum esse ad remissionem laborum et quietem. Sed et is, qui aliquem infestat et molestiis afficit, λωφᾷν dicitur, quum interquiescit et finem facit; ac tunc λωφάω capitur pro Cesso, Finem facio, παύομαι, λήγω. Hom. Il. Φ, [292] de Scamandro cum impetu quodam fluente, ut Achillem submergeret : Ἀλλ' ὅδε μὲν τάχα λωφήσει, σὺ δὲ εἴσεαι αὐτὸς, Mox desinet, quiescet. Soph. Aj. [61] : Κἄπειτ' ἐπειδὴ τοῦδ' ἐλώφησεν φόνου, Quum cædis illius finem fecisset. [Cum participio Apoll. Rh. 4, 819 : Ἥφαιστον δίω λωφήσειν πρήσοντα πυρὸς μένος. Brunckii dubitationes, qui πρήσοντα, quod præsentis partic. est, pro futuro habebat, composuimus in Ἐκπρήσω.] Sic et morbus aut infortunium λωφᾷν dicitur, quum remittit et cessat. [Hippocr. p. 643, 35 : Ἢν δὲ μὴ λωφήσῃ ὁ ῥόος. Et similiter alibi. Xen. Anab. 4, 7, 6 : Ἡμίπλεθρον, ὃ δεῖ, ὅταν λωφήσωσιν οἱ λίθοι, παραδραμεῖν.] Plato Leg. 9, [p. 854, C] : Καὶ ἐὰν μέν σοι δρῶντι ταῦτα λωφᾷ τι τὸ νόσημα, Si te exequente ista, morbus quidpiam remiserit. Plut. [Mor. p. 314, D] : Λοιμοῦ κατασχόντος Φαλερίους, καὶ φθορᾶς γενομένης, χρησμὸς ἐδόθη λωφῆσαι τὸ δεινὸν, ἐὰν παρθένον τῇ Ἥρᾳ θύωσι· paulo ante vero, Λοιμοῦ κατασχόντος Λακεδαίμονα, ἔχρησεν ὁ θεὸς, παύσεσθαι ἐὰν παρθένον θύσωσι. Idem Plut. De def. orac. [p. 419, F] : Καὶ πνεύματα καταῤῥαγῆναι καὶ πεσεῖν πρηστῆρας· ἐπεὶ δ' ἐλώφησε, Quibus sedatis. ‖ Λωφάω transitive quoque capitur pro Sedo, παύω, sicut et λήγω pro παύω accipi interdum, dixi supra. [Æsch. Prom. 27 : Ὁ λωφήσων γὰρ οὐ πέφυκέ πω. Empedocl. v. 420 ed. Karsten. : Οὔποτε δειλαίων ἀχέων λωφήσετε θυμόν.] Apoll. Arg. 4, [1418] : Ὦ ἄπο δίψαν Αἰθομένην ἄμοτον λωφήσομεν, i. e. παύσομεν : ubi potius est tmesis pro ἀπολωφήσομεν, ab Ἀπολωφάω, Sedo,

A Interquiescere et cessare facio. Similiter ex Hippocr. [p. 559, 29] affertur λωφᾷν τῆς νόσου, pro Levare morbo. [Ap. Hippocr. additum ποιεῖ intransitivam efficit signif. Ex l. Æschyli annotavit Thomas p. 589, cui Bernardus ascripsit Petr. Sic. Hist. Manich. p. 42 : Οὐχ ἵνα τὴν μεγίστην λωφήσῃ κακίαν.]

Λωφέω : unde λωφεῖν ap. Hesych. ἠρεμεῖν, πεπαῦσθαι : [et quod non est cur ad λωφέω potius quam ad λωφάω referatur] λωφῆσαι, ἀπὸ τοῦ τραχήλου τὸ ἄχθος ἀποθέσθαι : λῆξαι, ἡσυχάσαι. [Apoll. Rh. 2, 648 : Τοίων μὲν ἐλώφεον αὐτίκα μύθων· 4, 1627 : Ζέφυρος μὲν ἐλώφεεν. Nonnus Dion. 1, 172 : Ἡμιτέλεστος ἐλώφεεν ἱππότις Ὥρη· 29, 175 : Οὐδὲ μάχης Διόνυσος ἐλώφεεν.] Atque hoc transitive quoque usurpatur; nam idem Hesych. λωφοῦσι exp. παύουσι, et λωφούσῃ, παυούσῃ : sicut λωφῆσαι, παῦσαι, ἀναπαῦσαι.

Λωφήϊον, τὸ, Sedandi vim habens s. Oneris deponendi : λ. ἱερὰ, Sacra quæ fiunt diis, ut malum aliquod sedent et a cervicibus nostris auferant. Sunt qui Palacia sacra interpr., ut Ovid. dicit Pacales flammæ.

B Apoll. Arg. 2, [485] de quodam qui hamadryadis nymphæ arborem succiderat, eamque ob rem posteri quoque magnis infortuniis premebantur : Βωμὸν δ' ἐκέλευσα καμόντα Θυνιάδος νύμφης λωφήϊα ῥέξαι ἐπ' αὐτῷ Ἱερὰ, πατρώην αἰτεύμενον αἶσαν ἀλύξαι, i. e. ἐξιλαστήρια ἐφ' οἷς λωφήσει καὶ παύσεται κακούμενος, s. καταπαυστικὰ τῆς ὀργῆς, schol.

Λώφημα, τὸ, Laxamentum, Hesych. in Λῶφαρ.

Λώφησις, εως, ἡ, Quies, Cessatio : unde λωφήσεων ap. Hesych. λήξεων, ἀναπαύσεων. Thuc. [4, 81], λ. τοῦ πολέμου, Laxamentum belli, Respiratio a bello. [Παῦσις, πτῶσις int. Photius s. Suidas. Schol. Apoll. Rh. 1, 1086. « Olympiodor. In Alcib. 1 sect. 3, ibiq. not. p. 27, et ad Proclum In Alc. c. 86, p. 264. » Creuz.]

Λωφία pro eod., VV. LL.

Λὼψ, Hesychio χλαμὺς, Chlamys, generalius λῶπος. [Λώφων. V. Λωίων.]

M nota est duodecimæ apud Græcos literæ, quam appellant μῦ [Callias apud Athen. 10, p. 453, D. Democritus vero μῶ sec. Photium : Μῶ, τὸ μῦ στοιχεῖον. Δημόκριτος. Idem e Lexico rhet., unde duxit etiam Photius, annotat Eust. Il. p. 370, 16] : nota item quadragenarii numeri, hoc modo, μ' : præfixum vero acuti accentus apice, quadraginta millia denotat, sic, ͵μ. Majusculum quoque M numeralis nota est, index sc. ejus numeri qui ab ipsa incipit, nimirum τῆς μυριάδος, ut X τῆς χιλιάδος. Sic gemina, trina, quaterna, significant totidem myriadas : τῷ Π vero inclusum, quinque myriadas notat, hoc modo, ΙΜΙ, et sic deinceps, ut prolixius docui in Appendice de Numeris ex Herodiano et aliis. [Messenios clipeis inscripsisse M, ut Lacedæmonios in Λ dictum est inscripsisse Λ, annotat Eust. Il. p. 293, 41. || M litera mobilis est, quum initio vocc. quorundam, ut ὀνθυλεύω et μονθυλεύω, ὄσχος et μόσχος, et aliorum, de quibus Buttmann. Lexil. vol. 1, p. 195, Lobeck. ad Phryn. p. 356; tum ante literam π, ut in πίμπλημι, πίμπρημι et ἐμπίπλημι, ἐμπίπρημι, τύμπανον et τύπανον, et aliis de quibus Lobeck. ib. p. 428. Aut inseritur ante literas β et φ, ut in ἀμβροσία, ἄμβροτος, ἀμφασία. V. Eust. Il. p. 40, 4, coll. Etym. M. v. Ἅλμη. || In dialectis permutatur cum π ab Æolibus, ut in πεδὰ pro μετὰ, ὄππα pro ὄμμα, et aliis. || In monumentis librisque antiquis pro ν poni solet, sequente μ, π vel φ, ut in inscr. v. Εὔχομαι vol. 3, p. 2523, B, citata : Τῶμ πρεσβευτῶν (sic enim leg.); in pap. Æg. ap. Letronn. post Aristoph. ed. Didot. vol. 2, p. 12, XXIV, 16 : Προσιδοῖσαμ φάος, etsi ibidem bis est προσιδοῖσαν. V. Ἐμ, Μέσος, Συλλαμβάνω. || In libris permutatur inprimis cum literis β, λλ, ν, π, vel cum λι (quomodo δειμῶ, quod retulimus vol. 2, p. 948, A, scriptum est pro δειλιῶ, ut pluribus alibi dicemus) et ιν, νι. Sæpe etiam temere inseritur ante literas β, π, φ, ψ, ut jam antiquitus ap. Alexandrinos dictum scriptumque fuit λῆμψις, λήμψομαι. V. Peyron. Papyri 2, p. 24. L. Dind.]

[Μᾶ, ἡ, Mater. Æsch. Suppl. 890, 899 : Μᾶ Γᾶ, μᾶ Γᾶ. Theocr. 15, 89 : Μᾶ, πόθεν ὤνθρωπος; quod repetens Eust. Il. p. 855, 24, non viderat esse illud ipsum μᾶ, ἡ μήτηρ, de quo dixerat p. 565, 3. (Apud nos vol. 2, p. 4, A, delenda quæ de hoc l. scripta sunt.) || Ma, n. pr. comitis Rheæ, item Rheæ ipsius. Steph. Byz. v. Μάσταυρα : Πόλις Λυδίας ἀπὸ Μᾶς. Μᾶ δὲ τῇ Ῥέᾳ εἵπετο, ᾗ παρέδωκε Ζεὺς Διόνυσον τρέφειν. Καὶ ἡ Μᾶ παρὰ τῆς Ἥρας ἐρωτηθεῖσα τίνος εἴη τὸ βρέφος, Ἄρεος ἔφη ... Ἐκαλεῖτο δὲ καὶ ἡ Ῥέα Μᾶ, καὶ ταῦρος αὐτῇ ἐθύετο παρὰ Λυδοῖς. Zoega *Bassiril.* vol. 1, p. 81 : *Nelle iscrizioni Ma o Maa come nome proprio di donne è cosa ovvia, secondo l' osservazione di Marini Atti dei frat. arval.* p. 495. *Al Maa di Stefano pare che corrisponda l'Ammas d' Esichio, il quale v.* Ἀμμὰς *dice essere ciò un nome* A *commune a Rea, a Cerere ed alla nutrice di Diana.* L. Dindorf.]

[Μᾶ, Oves. Hesychius : Μᾶ, πρόβατα, Φρύγες, ante Μᾶζα.]

[Μὰ, Per, in formulis jurandi, seq. accusativo rei vel personæ per quam quis jurat. De usu hujus part. post particulas ναὶ et οὐ quum in illis nobis dicendum sit, hic superest ut de ipsa sola posita dicamus. Quo modo primi posuisse videntur Attici, et quidem in sententiis negativis, sive præcedat negatio sive sequatur. (Schol. Hom. Il. A, 86 : Μά· τοῦτο Ὅμηρος ὡς συλλαβῆς τάξιν ἔχον τίθησι ... Ἡμεῖς δὲ τὸ μά ὡς μέρος λόγου ἀπομνύντες παραλαμβάνομεν, μὰ τὸν Δία λέγοντες. Ἔστι δὲ καὶ ἐπίρρημα ἐπευκτικόν. Quæ sunt etiam ap. Photium s. Suidam.) Æsch. Ag. 1417 : Μὰ τὴν τέλειον τῆς ἐμῆς παιδὸς Δίκην, οὔ μοι φόβου μέλαθρον ἐλπὶς ἐμπατεῖν. Soph. El. 881 : Ἀλλ' ἦ μέμηνας κἀπὶ τοῖς σαυτῆς κακοῖσι κἀπὶ τοῖς ἐμοῖς γελᾷς; — Μὰ τὴν πατρῴαν ἑστίαν, ἀλλ' οὐχ ὕβρει λέγω τάδε. (Sequente ἀλλ' οὐχ etiam Xen. Cyrop. 8, 3, 45 : Μὰ Δί', ἔφη ὁ Σάκας, ἀλλ' οὐκ ἐγὼ τούτων εἰμί· Comm. 3, 4, 3 : Μὰ Δί', ἔφη ὁ Νι- B κομαχίδης, ἀλλ' οὐδὲν ὅμοιόν ἐστι κτλ. Et simplici sequente ἀλλὰ Plato Phil. p. 36, A : Μὰ Δί' ἀλλὰ διπλῇ τινι λύπῃ λυπούμενον, et alibi. Præcedente ἀλλὰ Euthydem. p. 293, B : Ἆρ' οὖν δοκεῖς ...; Ἀλλὰ μὰ Δί' οὐκ ἔγωγε.) Eurip. Med. 1059 : Μὰ τοὺς παρ' Ἅδῃ νερτέρους ἀλάστορας, οὔτοι ποτ' ἔσται τοῦτο· Andr. 934 : Μὰ τὴν ἄνασσαν, οὐκ ἂν ἔν γ' ἐμοῖς δόμοις τἄμ' ἐκαρποῦτ' ἂν λέχη· Cycl. 262 : Μὰ τὸν Ποσειδῶ ..., μὰ τὸν μέγαν Τρίτωνα καὶ τὸν Νηρέα, μὰ τὴν Καλυψὼ τάς τε Νηρέως κόρας ..., ἀπώμοσα ... μὴ τὰ σ' ἐξοδᾶν ἐγὼ ξένοισι χρήματα· aliisque ll. ap. Valck. ad Phœn. 1013. Et sæpissime cum ceteris Comicis Aristophanes, præsertim in formula μὰ Δία vel μὰ τὸν Δία, Xenophon, Plato, Oratores, iidemque in formulis μὰ τὼ θεὼ, θεὰς, θεοὺς vel τοὺς θεοὺς, (μὰ δαίμονας Callim. Epigr. 16, 1; 44, 5) et quæ sunt ex aliarum personarum rerumque nominibus (inter hæc cum ipso voc. ὅρκος, ut in Ὅρκος dicemus) compositæ. || Interdum omittitur nomen dei vel deæ post articulum in sermone familiari. Aristoph. Ran. 1374 : C Μὰ τὸν, ἐγὼ μὲν οὐδ' ἂν εἴ τις ἔλεγέ μοι τῶν ἐπιτυχόντων, ἐπιθόμην ἄν. Ubi Plat. (Gorg. p. 466, E : Μὰ τὸν οὐ σύ γε) confert schol., interpretes Philodem. Anth. Pal. 5, 126, 2 : Καὶ βινεῖ φρίσσων, καὶ μὰ τὸν οὐδὲ καλήν· Philon. vol. 2, p. 271, 16 : Εἰώθασι γὰρ ἀναφθεγξάμενοι (qui jurant inviti) τοσοῦτον μόνον, νὴ τὸν ἢ μὰ τὸν, μηδὲν παραλαβόντες ἐμφάσει τῆς ἀποκοπῆς τρανοῦν ὅρκον οὐ γενόμενον, et quod ex Ὀργῇ Menandri Hesychius annotavit : Οὐ μάτην, οὐκ ἀληθῶς, quod Bentleius p. 49 scripsit οὐ μὰ τὴν, alii aliter. || Rarum est quod post μὴ ponitur in Maitt. Misc. p. 94, 28 : Μὴ μὰ πρὸς αὐτοῦ τοῦ πατρός σου, Φιλία, μηδὲν σιγήσῃς. || Singulari constructione schol. Aristoph. Thesm. 573 : Οὔτοι μὰ τὼ θεώ) Ὡς τὼ χεῖρε. Οὐκέτι δὲ μὰ τοῖν θεοῖν, ἀλλὰ μὰ ταῖν θεαῖν. Nisi credibilius videtur particulam bis per errorem repetitam esse. || Affirmandi signif. Ach. Tat. 8, 5, p. 172, 21 : Ἄμφω συνεκαθεύδομεν, καὶ μὰ ταύτην τὴν Ἄρτεμιν ὡς ἀπὸ γυναικὸς ἀνέστη γυνή. Cui Jacobsius contulit Aristæn. 1, 10, p. 24 : Τὴν γραφὴν ἀνεγίνωσκεν ἔχουσαν ὧδε· Μὰ τὴν Ἄρτεμιν Ἀκοντίῳ γαμοῦμαι. ᾰ L. Dind.]

[Μαάρβας, α, ὁ, Maharbal, Pœnus, Polyb. 3, 84, 14 sq.]

[Μααρο Ναξία, in inscr. ap. Lebas *Inscr.* fasc. 5, p. 147, n. 211, editor scribendum conjicit Μααρὼ, ut sit nomen mulieris, cognatum vel cum nomine Punico Μαάρβας vel cum Græco Μάρων.]

Μάατρον, Lacones μωρὸν dicunt, Fatuum, Stultum. Hesych. [Idem : Μαῦρον, ἢ μωρόν.]

[Μαγάδης, Μαγαδίζω, Μαγάδιον, Μαγαδὶς s. Μάγαδις s. Μαγάδις, Μάγαδος, Μαγάζω. V. Μαγάς.]

[Μαγαρικός. V. Μέγαρα.]

Μάγαρις, Hesychio μικρὰ σπάθη, Parva spatha.

Μαγαρίσκος, ὁ, Hesychio πινακίσκος, Parvus discus. [« Dubito an ab eadem origine pendeat (qua sequens μάγαρον) : id quidem non dubito paulo corruptius alio loco legi, Μαργαρίσκον, πινακίσκον. Nisi forma vocis utrobique constaret, reponi maluissem Μαγαρικός. Πίνακες autem et πινακίσκοι non lignei tantum, sed et fictiles. » Hemst. ad Aristoph. Pl. 808.]

Μάγαρον, non μέγαρον, dici, εἰς ὃ τὰ μυστικὰ ἱερὰ κατατίθενται, tradit ap. Eust. [Il. p. 1387, 18] Ælius Dionysius [et addito Menandri testimonio Photius], Sacellum, Fanum. [Vitiose Hesychius : Μαγαυρὸν, ὑπερῷον.]

[Μάγαρσος, μέγιστος ὄχθος ἐν Κιλικίᾳ πρὸς τῇ Μαλλῷ. Τὸ τοπικὸν Μαγάρσιος, καὶ Μαγαρσία Ἀθηνᾶ ἐκεῖ ἵδρυται, Steph. Byz. Lycophr. 444 : Αἰπὺς Μάγαρσος. Arrian. Exp. 2, 5, 11 : Ἐς Μαγαρσὸν ἧκε καὶ τῇ Ἀθηνᾷ τῇ Μαγαρσίδι ἔθυσεν. Strabo 14, p. 676 : Περὶ Μάγαρσα τοῦ Πυραμοῦ πλησίον.]

Μαγὰς, άδος, ἡ, dicitur σανὶς τετράγωνος, ὑπόκυφος, δεχομένη ἐφ' ἑαυτῇ τῆς κιθάρας τὰς νευρὰς, καὶ ἀποτελοῦσα τὸν φθόγγον, Hesych. et Suidas : ut sit Lamina illa lignea repanda, super qua citharæ nervi contenduntur, pulsatis iis sonum reddens ex foraminibus, quibus pertusa est. Boethius Hemisphærium nominasse dicitur, recentiores Musici Fulcrum et Pontem, ut et Suid. rursum esse dicit τὴν τῆς κιθάρας s. λύρας καβάλην τὴν τὰς νευρὰς βαστάζουσαν, et Canonem. [Ptolem. Harmon. 1, p. 18 : Κανὼν ἁρμονικός (cujus adjecta est effigies)· αβγδ εὐθεῖα τοῦ κανόνος, αεηδ χορδὴ, αε, ηδ τὰ δὲ ἐξάμματα, εβ, ηγ κάθετοι μαγάδος, κκ, λλ μαγάδια κινούμενα, βκλγ κανόνιον. Μαγάδος ib. 119, A. Plur. μαγάδων, μαγάδας ib. p. 119, A; 124, A; 128, A. Bullialdus ad Theon. De musica c. 16, p. 265 : « Scholium in marg. Ms. Harmonicorum Ptolemæi Bibl. Reg. l. 1, c. 8 hanc distinctionem facit : Μαγὰς ἡ μὴ ἀγομένη, ὑπαγωγεὺς δὲ ὁ ἀγόμενος, καταχρηστικῶς δὲ καὶ μαγὰς λέγεται ὑπαγωγεύς. Μαγὰς est hemisphærium fixum, super quo chordæ ex altera parte tensæ sunt, ὑπαγωγεὺς est hemisphærium mobile, quo utebantur in canone per numeros distributo, ut partes quaslibet interciperent chordæ illiusque sonum. » Philostr. V. Soph. 1, 7, p. 487 : Βλέπων πρὸς τὴν Δημοσθένους ἠχὼ καὶ Πλάτωνος, ἣ καθάπερ αἱ μαγάδες τοῖς ὀργάνοις προσηχεῖ ὁ Δίων τὸ ἑαυτοῦ ἴδιον· 20, p. 516 : Πάσης τῆς Ἰωνίας οἷον μουσείου πεπολισμένης ἀρτιωτάτην ἐπέχει τάξιν ἡ Σμύρνα, καθάπερ ἐν τοῖς ὀργάνοις ἡ μαγάς.] Metaph. Greg. [Naz. Or. 34, p. 553. Boiss.] : Τίς ὁ δοὺς τέττιγι τὴν ἐπὶ στήθους μαγάδα; Inde Μαγάζειν dicitur τὸ ψάλλειν, Fides pulsare, s. Nervis τῇ μαγάδι superductis harmonicos ciere sonos. [Ap. Hesychium.] Inde et Μαγαδὶς, sive Μάγαδις, Instrumentum quoddam musicum, procul dubio ab ampliore magade, utpote viginti chordis intendi solitum, teste Anacr. qui apud Athen. 14 [locis infra citandis] dicit, Ψάλλω δ' εἴκοσι χορδαῖσι μάγαδιν ἔχων. Ap. eund. Athen. ibid. [p. 635, A] dicitur esse ὄργανον ψαλτικὸν admodum vetustum : quod postmodum μετασκευασθὲν dictum fuerit σαμβύκη : secundum alios a Lydis : secundum alios, a Sapphone inventum. Sunt qui μάγαδιν et πηκτίδα eandem esse velint, inter quos Menæchmus est : Aristoxenus vero diversa; scribit enim τὴν μάγαδιν καὶ τὴν πηκτίδα χωρὶς πλήκτρου διὰ ψαλμοῦ παρέχεσθαι τὴν χρείαν, Magadin et pectidem sine plectro digitis pulsari : paulo post tamen idem Athen. non Menæchmi tantum, sed et Aristoxeni testimonio τὴν πηκτίδα et τὴν μάγαδιν eandem esse ait, quum scribit Terpandrum invenisse ἀντίφθογγον τῇ παρὰ Λυδοῖς πηκτίδι τὸν βάρβιτον, eo quod Pindarus dicat Terpandrum Lesbium primum ἐν δείπνοισιν εὑρεῖν Λύδιον ψαλμὸν ἀντίφθογγον ὑψηλᾶς πηκτίδος. Ubi quum dicat ὑψηλᾶς, suspicari possit aliquis τὴν μάγαδιν, s. τὴν πηκτίδα, fuisse simile instrumentum ei, quod hodie Manichordium et Symphoniacum vocant, quadratum, sed oblongum, æreis ferreisque intentum nervis. Io vero μάγαδιν appellat et Tibiarum quoddam genus, in Omphale, Λυδός τε μάγαδις αὐλὸς ἡγείσθω βοῆς· si Didymo credimus, sic appellans τὸν κιθαριστήριον αὐλόν : ut alii volunt, τὸν προσαυλούμενον τῇ μαγάδι, ut Hesych., etiam τὸν συνᾴδοντα τῇ μαγάδι : nisi forte putandus sit intellexisse Instrumentum musicum simile ei, quod vulgo Symphoniacum appellant, idem prope cum eo, quod Manichordium nominant, nisi quod hoc chordas, illud fistulas habet, quæ digitis percurrentibus flatum concipientes sonum reddunt suavissimum. [De tibia sic dicta et versu Ionis v. Bœckh. De metr. Pind. p. 265.] Ac ut ibi Io dicit ἡγείσθω βοῆς, ita Pindar. in Scolio quodam ad Hieronem τὴν μάγαδιν vocat ψαλμὸν ἀντίφθογγον, propterea quod δύο γενῶν habeat συνῳδίαν, puerorum sc. et virorum : unde et Phrynichus, Ψαλμοῖσιν ἀντίσπαστ' ἀείδοντες μέλη. Trypho et Μάγαδιν et Μάγαδον vocat. Nam Περὶ ὀνομασιῶν 2 sic scribit : Ὁ δὲ Μάγαδος καλούμενος αὐλός. [Tryphonis verba citavit Athen. 14, p. 634, E, ubi quidem μάγαδος, tanquam masculini generis nomen, edebatur, sed μάγαδις e vet. cod. correxi. Non animadverterant priores editores articulum ὁ ad αὐλὸς referri, non ad v. μάγαδις. Et sic eadem Tryphonis verba, pleniora etiam, recte scripta leguntur in edd. et Mss. ap. eund. Athen. 4, p. 182, E. Schweigh.] Et rursum, Μάγαδις ἐν ταυτῷ ὀξὺν καὶ βαρὺν φθόγγον ἐπιδείκνυται· dicente Alexandride [Anaxandride], Μάγαδιν λαλήσω μικρὸν ἅμα σοι καὶ μέγαν, indicans, Magadi se redditurum et exiles et gravisonas s. grandisonas voces. Sic vero Athen. 4, [p. 182, D] : Ὁ δὲ μάγαδις καλούμενος αὐλὸς, ὁ καὶ παλαιομάγαδις ὀνομαζόμενος, ἐν ταυτῷ ὀξὺν καὶ βαρὺν φθόγγον ἐπιδείκνυται, afferens et ipse hoc Alexandridæ [Anax.] testimonium. Idemque refert Eust. p. 1157. Ad superiorem vero magadin ut redeam, idem Athen. 14, [p. 636, A] scribit Diogenem Tragicum τὴν πηκτίδα a Magadide discriminare; quippe qui quum dixerit, Ψαλμοῖς τριγώνων, πηκτίδων τε Περσικῶν, statim subjungat, Ἀντιζύγοις Ὁλκοῖς κρεκούσας μάγαδιν, ἔνθα Περσικῷ Νόμῳ ξυνωθεὶς αὐλὸς ὁμονοεῖ χοροῖς. Sic vero et Phyllidem 2 De musica, ut diversa organa ponere πηκτίδας, μαγάδιδας, σαμβύκας, τρίγωνα : μαγάδιδας nominari dicentem τὰ διὰ πασῶν καὶ πρὸς ἴσα τὰ μέρη τῶν ᾀδόντων ἡρμοσμένα. Hæc ille ibi. Ac notandum est, eum in obliquis dicere et μάγαδιν et μαγάδιδα, in dat. μαγάδι, sine diphthongo, Ionico more, ut et ap. Hesych. scriptum reperitur : quum de tibiæ genere dicitur, masc. etiam dicere ὁ μάγαδις. [Dativus μαγάδι (ap. Hesych.) potest Ionice dictus videri, nempe ex μαγάδιι idem ac μαγάδιδι valente contractus; sed rectius a nominativo μαγὰς derivabitur. Masc. ὁ μάγαδις nusquam reperitur, ut jam supra monitum. Ap. Hesych. v. Μαγάδεις, μαγάδης αὐλὸς scribitur, et sic hoc l. scribere voluisse HSt. videtur, ὁ μαγάδης, non ἡ μάγαδις. At ap. Hesych. haud dubie μάγαδις scriptum oportebat, ut est ap. Athen. 14, p. 634, C. Schweigh. Dat. Μαγάδι est etiam ap. Xen. Anab. 7, 3, 32 : Μετὰ ταῦτα εἰσῆλθον κέρασί τε οἵοις σημαίνουσιν αὐλοῦντες καὶ σάλπιγξιν ὠμοβοΐναις ῥυθμούς τε καὶ οἷον μαγάδι σαλπίζοντες, ubi libri pauci μεγάδιν vel μιγάδιν.] Verum et μαγαδίδας [nunc in μαγάδιδας mutatum] ap. eum [p. 636, C] legi sciendum est, paroxytonως, ab oxytono nominativo μαγαδὶς, itidemque ap. Eust. : ap. Polluc. vero [4, 61] μαγάδην, ex Anacr. : quod suspectum habeo, nec dubito quin reponendum sit μάγαδιν. [Ut in l. Anacr. legitur ap. Athen. 14, p. 634, C; 635, C : Ψάλλω δ' εἴκοσι χορδαῖσιν μάγαδιν ἔχων, ubi vel metrum postulat μαγάδην.] Hesych. trisyllabi tantum meminit, μαγάδεις dici scribens et ψαλτικὰ ὄργανα, et αὐλοὺς κιθαριστηρίους. [Strabo 10, p. 471, μάγαδιν βαρβάρως ὠνομάσθαι asserit. Athen. 14, p. 634, F, Lydorum inventum illud instrumentum appellat. Ibid. vero p. 636, F, Duris in libro Περὶ τραγῳδίας inventorem Magdin quendam natione Thracem nominat. Cantharus quoque ap. Polluc. 4, 61, inventionem Thracibus ascribit. Schweigh. ad l. Ath. Angl.] Ex eoque est verb. Μαγαδίζειν, τὸ τῇ μαγάδι διαψάλλειν, Magadi canere, s. Magadis nervis pulsatis musicum ciere melos. Theophil. comicus [ap. Athen. 14, p. 635, A] : Πονηρὸν, υἱὸν καὶ πατέρ᾽ Ἐστὶ μαγαδίζειν ἐπὶ τροχοῦ καθημένους. Οὐδεὶς γὰρ ἡμῶν ταυτὸν ᾄσεται μέλος. Aristot. active etiam et transitive posuit pro ψάλλειν, Pulsare, Digitis tangere : Probl. sect. 19. Nam quæst. 18 quærit cur ἡ διὰ πασῶν συμφωνία ᾄδεται μόνη; hanc enim μαγαδίζεσθαι, ἄλλην δ᾽ οὐδεμίαν. Et sub fin. dicit : Διὸ μόνη μελῳδεῖται, ὅτι μιᾶς ἔχει χορδῆς τὰ ἀντίφωνα φωνήν· synonymως ponens μελῳδεῖσθαι et μαγαδίζεσθαι. Denique a disyllabo μαγὰς est dimin. Μαγάδιον, τὸ, Parvula μαγάς : ut ap. Lucian. de Mercurio lyræ s. citharæ inventore, p. 29 [D. deor. 7, 4] : Χελώνην που νεκρὰν εὑρὼν, ὄργανον ἀπ᾽ αὐτῆς συνεπήξατο· πήχεις γὰρ ἐναρμόσας καὶ ζυγώσας, ἔπειτα καλάμους ἐμπήξας, καὶ μαγάδιον ὑποθεὶς, καὶ ἐντεινάμενος ἑπτὰ χορδὰς, μελῳδεῖ πάνυ γλαφυρόν. Ubi Micyllus vertit, Fundoque et dorso subjecto. [V. l. Ptolemæi initio citatum. Et ib. p. 122, D; 124, A, etc. || Utrumque α in ll. supra citatis corripitur, sed in nomine barbaro non mirum sit si variaverit mensura ita ut α prius producere licuerit. Quod si factum est, inutile erit fingere formam μαγαδὶς, ῖδος, quam Sophocli in fr. Thamyræ ap. Athen. 14, p. 637, A : Πηκταὶ δὲ λύραι καὶ μαγάδιδες τά τ᾽ ἐν Ἕλλησι ξόαν᾽ ἡδυμελῆ, restituebat Meinek. Com. vol. 3, p. 179. Photius : Μάγαδις, ψαλτικὸν ὄργανον. Οὕτω Σοφοκλῆς.]

[Μάγας, α, ὁ, Magas, rex Cyrenaicæ, ap. Mionnet. *Descr.* vol. 6, p. 567, *Suppl.* vol. 9, p. 187. Pausan. 1, 6, 8, etc., Polyb. 15, 25, 2, qui cognominem ejus nepotem nominat 5, 34, 1. Μάγης nominativum ponit Eust. Il. p. 962, 31, ubi repetit locum Athen. 12, p. 550, B.]

Μαγγάνα, Suidæ Vas vinarium ex lignis confectum. Idem in Γαῦλος, inter alias exposs., oxytonon γαυλὸν esse dicit οἰνηρὸν ἀγγεῖον ἐκ ξύλων κατεσκευασμένον, quam Italos vocare μαγγάναν. Non est itaque mere Græcum vocabulum.

Μαγγανεία, ἡ, i. significans q. φαρμακεία, Veneficium : ap. Suidam. Ὁ δὲ, νόσῳ περιέπεσεν ἐκ μαγγανείας χαλεπῆ, καὶ πολλοὺς ἐπὶ τούτῳ ἁλόντας ἐκόλασε. Metaph. Greg. Naz. ὀψοποιῶν μαγγανείας, pro Lenocinia et quasi veneficia, Scitamenta. Non tantum pro Veneficio, sed etiam pro Præstigiis vel Incantationibus accipi potest in hoc l. ap. Suidam ex Procopio : Τὸν ἄνδρα μαγγανείαις κατειλήφει πολλαῖς· ubi ipse exp. γοητείαις, Præstigiis et fallaciis. Et Plato Leg. 11, [p. 933, A, coll. 10, p. 908, D] : Φαρμακείᾳ ἢ μαγγανείαις τέ τισι καὶ ἐπῳδαῖς καὶ καταδέσεσι λεγομέναις πείθει τοὺς τολμῶντας βλάπτειν αὐτούς. [Conf. Gesner. ad Lucian. Philopatr. vol. 3, p. 607 et Olympiodor. in Alcib. pr. p. 509, ibique annot. nostram. Creuzer. Athen. 1, p. 9, C : Τὰς μαγειρικὰς μαγγανείας. Themist. Or. 4, p. 59, C : Οὔ τί που οἴεσθε μαγγανείαν τὸ χρῆμα καὶ μανίαν (μαγείαν); 5, p. 70, B : Ὑποδύεται μεγαλοπρέπειαν μαγγανεία· 23, p. 294, B : Τίς ἡ ἐπῳδὴ καὶ ἡ μαγγανεία; Alia Ducang.]

Μαγγάνευμα, τὸ, significat Veneficium, Præstigias : s. Lenocinium. [Plato Gorg. p. 484, A : Τὰ ἡμέτερα γράμματα καὶ μαγγανεύματα· Leg. 11, p. 933, C.] Plut. [Anton. c. 25] de Cleopatra : Ἐν τοῖς περὶ αὐτὴν μαγγανεύμασι καὶ φίλτροις ἐλπίδας θεμένη. Ubi metaph. est, sicut et ap. Gregor. [De amore paupert. Or. xvi] dicentem, Λιπαραὶ τράπεζαι καὶ τὰ μαγείρων μαγγανεύματα καὶ κομψεύματα. Quintil., Artificium coquorum dicit; Plin., Mangonium. [Liban. vol. 4, p. 750, 3. Jacobs. Anonymus Suidæ v. Ἀδάμ : Περσῶν μαγικὰ μαγγανεύματα. Aliique recentiorum.]

[Μαγγάνευσις, εως, ἡ, ap. Theodosium De expugn. Syracus. p. 180, C : Τὰς πανημερίους μαγγανεύσεις καὶ πικρὰς λιθοτυπίας ἀμφὶ τὸ Συρακούσιον ἔρυμα, Hasius
A p. 270 confert cum μάγγανον de Tormentis bellicis, ut infra dicemus, usurpato, ut sit Ictus machinarum ejusmodi. L. Dind.]

[Μαγγανευτήριον, τὸ, Locus ubi fiunt μαγγανεῖαι. Themist. Or. 5, p. 70, B : Ἱερὰ ἀνοίγων ἀποκλείει μαγγανευτήρια.]

Μαγγανευτὴς, ὁ, Veneficus, Præstigiator. [Photio s. Suidæ ὁ μιγνὺς παντοδαπὰ πρὸς φενακισμόν.]

Μαγγανευτικὸς, ἡ, ὸν, Præstigiatorius. [Μαγγανευτικὴ, sc. τέχνη, Pollux 7, 209. Μαγευτικὴ, quod v., comparant intt., et probabile est hoc illi esse substituendum.] Latinum Mango procul dubio hinc factum est. Proprie enim Mangones dicuntur qui, ut Quintiliani verbis utar, colorem fuco, et verum robur inani sagina in mancipiis mentiuntur. Indeque Mangonium et Mangonicus quæstus. Plin. dicit etiam, Lætiore quodam colore et cutis teneritate mangonizat corpora. [V. etiam Μάγγανον.]

[Μαγγανεύτρια, ἡ, Venefica. Hesych. v. Βαμβακεύτριαι.]

B Μαγγανεύω, exp. Præstigiis et incantationibus utor. Aristoph. Pl. [310] : Κίρκην γε τὴν τὰ φάρμακ᾽ ἀνακυκῶσαν, Καὶ μαγγανεύουσαν, μολύνουσάν τε τοὺς ἑταίρους· i. e., καταφαρμακεύουσαν : ut Hom. quoque τὴν πολυφάρμακον Κίρκην canit τεύξασαν κυκεῶνα βαλοῦσάν τ᾽ ἐνὶ φάρμακα σίτῳ, Ulyssis socios in porcos et alia animantia convertisse. [Demosth. p. 794, 2 : Ὁ βάσκανος οὑτοσὶ ... μαγγανεύει καὶ φενακίζει καὶ τοὺς ἐπιλήπτους φησὶν ἰᾶσθαι. Cum præp. Lucian. D. deor. 2, 1 : Ἀλλά με δεῖ μαγγανεύειν ἐπ᾽ αὐτάς (mulieres). Polyb. 15, 29, 9 : Τὸ μὲν πρῶτον ἐλιπάρει γονυπετοῦσα καὶ μαγγανεύουσα πρὸς τὰς θεάς. Plut. Mor. p. 126, A : Τὰ σιτία καὶ τὰ ὄψα μονονοὺ μαγγανεύειν καὶ φαρμάττειν, Mangonizare. Ach. Tat. 2 fin. : Τὰ δὲ (παιδικὰ) φιλήματα σοφίαν μὲν οὐκ ἔχει γυναικείαν οὐδὲ μαγγανεύει τοῖς χείλεσιν εἶναι μωρὰν ἀπάτην, ubi χείλεσι σινάμωρον Jacobsius, qui contulit etiam ll. Ps.-Basilii vol. 3, p. 593, B : Τὴν ἀφὴν πάσας τὰς λοιπὰς αἰσθήσεις τῇ οἰκείᾳ λειότητι πρὸς ἡδονὴν μαγγανεύουσαν· 606, A : Ὡς σίδηρον πόρρωθεν μαγνῆτις τοῦτον (virum) πρὸς ἑαυτὴν μαγγανεύει (mulier).]

C [Μαγγανικὸς, ἡ, ὸν, Præstigiosus, Epiphan. Adv. Hær. p. 69, D : Μαγγανικαῖς μηχανίαις (sic). Hase.]

[Μαγγανοδαίμων, ονος, ὁ, Præstigiatorius dæmon. Leontius Cpolit. in Fabricii Cod. pseudep. V. T. 1037.]

Μάγγᾰνον, τὸ, varias habet signiff. Hesych. enim μάγγανα exp. non solum φάρμακα, γοητεύματα, Venena, Præstigiæ : sed etiam μηχανήματα, Machinamenta, s. Machinæ : necnon δίκτυα, Retia. Aristoph. schol. sua ætate μάγγανον vocatum fuisse scribit quam Aristoph. [Vesp. 155] βάλανον dicit, i. e. τὸ βαλλόμενον εἰς τὸν μοχλὸν σιδήριον : βαλάνους nimirum exponens τὰ μάγγανα τῆς κλειδώσεως. Itidemque schol. Thuc. 2, [4]. Sed primam signif. usitatiorem puto, qua nimirum pro Machinamento s. Machinamento præstigioso ponitur : quapropter et Suid. exp. per παράδοξόν τι, Inopinatum quippiam et inexpectatum machinamentum, qualia sunt præstigiatorum. [Heraclit. All. H. p. 448 : Venus conciliatrix πολλοῖς μαγγάνοις ἑκατέρων κινεῖ τὸν πόθον. || De machinæ bellicæ signif. Ducangius : « M. proprie appellatur quidquid repellendis
D fallendisque hostibus solers militum cura comminiscitur. Μάγγανα ἀμυντικὰ πρὸς ἀποτροπὴν τῶν πετροβόλων ap. Mauricium Strat. 10, 3. Sed et ipsas machinas oppugnatorias ita præsertim nuncupant Græci recentiores. Glossæ : Ballistra, σφενδόνη, μάγγανον πολεμικόν. Auctor Etymologici : Ἑλεπόλεις, οἷον τὰ μάγγανα καὶ μηχανήματα τὰς πόλεις πορθοῦντα. Theophanes a. 3 Constantii : Ἐλεφάντων πλῆθος ... μάγγανά τε παντοῖα. Infra : Ἐκέλευσε τά τε μάγγανα καῆναι. || Hinc μάγγανα dictæ Ædes Cpoli, in quibus asservabantur machinæ bellicæ, de quibus nos multa in Cpoli Christiana. V. Gloss. med. Lat. in *Manganum*. || Μαγγανικὰ eadem notione Chron. Alex. p. (719, 15) : Περὶ ἑσπέραν ἔστησεν ὀλίγα μαγγανικά· et sæpius ibid. Theophanes a. 10 Leonis Isauri : Βάλλεται ἀπὸ λίθου ἐκ τοῦ μαγγανικοῦ πεμφθέντος. Et a. 2 Michaelis Curopalatæ : Ἐν μηχανήμασι μαγγανικῶν. Et alii. » || Ap. Heronem Belop. p. 128, A : Οὕτω συνέβαινε βίᾳ κατάγεσθαι τοὺς ἀγκῶνας, ὅθεν πολυσπάστῳ κατῆγον, ἐξάψαντες τὸ μὲν ἓν μάγγανον τοῦ πολυσπάστου πρὸς τῷ χελωνίῳ, τὸ δὲ ἕτερον πρὸς τὸ

ἄκρον τῆς σύριγγος πρὸς τῷ ἄξονι· et ib. D : Δύναται τὸ πολύσπαστον ἄλλως μετατιθέναι (-τίθεσθαι?), ὅταν οἱ μὲν ἐν τῷ ἑνὶ μαγγάνῳ αὐτοῦ τροχίλοι ἐν τῷ χελωνίῳ τεθῶσιν, οἱ δ' ἐν τῷ ἑτέρῳ ἐν τῇ σύριγγι παρὰ τὸ κάτω μέρος τὸ πρὸς τῷ ἄξονι, Schneiderus interpretabatur de cylindro polyspasti, qui vocabulo a μάγγανον ducto Germanice dicatur *Mangel.*]

[Μάγγων, ωνος, ὁ, Mango, Hesychio in gl. : Λάγγων, μετάβολος, ἔμπορος, restituebat Pierson. ad Mœr. p. 264.]

[Μαγδαλὰ, Magdala, castellum trans Jordanem, ap. Matth. 15, 39, unde Μαγδαληνὴ, ἡ, Magdalene, de Maria ib. 27, 56, etc.]

Μαγδαλιὰ, ἡ, Aristoph. Eq. [415] : Ἡ μάτην γ' ἂν ἀπὸ μαγδαλιᾶς σιτούμενος, τοσοῦτος ἐκτραφείην. Sed in hoc loco ἀπομαγδαλιὰς repono pro ἀπὸ μαγδαλιᾶς : ac esse ita legendum, vel ex participio σιτούμενος manifestum esse arbitror, quum id active accipi passim soleat, atque adeo ita accipiatur in illo ipso loco, quum dicitur, Πῶς οὖν κυνὸς βορὰν σιτούμενος μάχει σὺ κυνοκεφάλῳ; Si autem in illo versu reponatur ἀπομαγδαλιὰς, reponendum fuerit et in isto qui eum excipit, Ἀπομαγδαλιὰς, ὥσπερ κύων, ὦ παμπόνηρε; quibus adjunguntur verba illa quæ modo protuli, πῶς οὖν etc. Hunc autem errorem (sicut et alios nonnullos apud eundem poetam) ortum esse suspicor ex verbis enarratoris Græci, his videlicet, ἀπὸ εὐτελοῦς τροφῆς ὁρμώμενος. Ceterum aperte cognoscimus ex eo loco ἀπομαγδαλιὰν seu μαγδαλιὰν (utrocunque modo scribi debeat) fuisse Canum escam. Etiamsi autem ibi μαγδαλιᾶς non legatur, reperiri tamen quum apud alios tum ap. Eust. non ignoro simplex Μαγδαλία, p. 462, ubi dicit fuisse ζύμωμά τι ἐν ᾧ ἀποματτόμενοι τὰ ἐκ τῶν βρωμάτων λιπαρὰ ῥύπη οἱ παλαιοὶ ἐῤῥίπτουν κυσίν· unde esse proverbium, de catillonibus et parasitis, κύων ζῶν ἀπὸ μαγδαλίας. Aliud exemplum nominis μαγδαλιὰ habes in Κυνάς. [Ubi ἀπὸ μαγδαλιᾶς pro ἀπομαγδαλιὰς in l. quodam Athenæi exhibuerat HSt., quod vitium tacito in hac editione correctum est. Habet vero μαγδαλιὰ etiam Tzetzes Hist. 5, 549.]

[Μάγδις, ὁ, Magdis, Thrax, inventor magadis. V. Μαγάς.]

Μάγδωλος, οἰκοδόμημά τι, Structura quædam. Hesych. [Ab Hebr. מגדל *Migdal*, Turris. Albert. Ezech. 29, 10; 30, 6. Steph. Byz. : Μαγδωλὸς πόλις Αἰγύπτου. Ἑκαταῖος Περιηγήσει. Τὸ ἐθνικὸν Μαγδωλίτης διὰ τὸν Αἰγύπτιον τύπον. Ponit Μαγδωλὸς ὄνομα πόλεως etiam Theognost. Can. p. 62, 31, sed inter nomina proparoxytona et oxytona, ut de accentu non satis constet. Sed hoc tamen intelligitur, Μαγδώλῳ certe pro Μαγδόλῳ ex libris bonis recipiendum fuisse ap. Herodot. 2, 159. L. Dind.]

Μᾰγεία, ἡ, est Magica ars, Magica scientia. [Magica, Gl.] Interdum in bonam partem accipitur hoc v., ut et μάγος : veluti quum Suid. [sive schol. Ven. Hom. Il. A, 86] scribit μαγείαν fuisse ἐπίκλησιν δαιμόνων ἀγαθοποιῶν πρὸς ἀγαθοῦ τινὸς σύστασιν, qualia fuerint Apollonii Tyanei θεσπίσματα : γοητείαν autem, ἐπίκλησιν δαιμόνων κακοποιῶν περὶ τοὺς τάφους γινομένην : φαρμακείαν vero ὅταν διά τινος σκευασίας θανατηφόρου πρὸς φίλτρον ἢ ἄλλως δοθῇ τισὶ διὰ τοῦ στόματος : indicans, magos bonorum geniorum invocationibus vel futura prædixisse, vel miracula aliqua edidisse : ut et Plato Alcib. majore [p. 122, A] scribit τὴν μαγείαν Persicam fuisse θεῶν θεραπείαν. [Theophr. H. Pl. 9, 15, 7 : Χρῆσθαι πρὸς τὰ ἀλεξιφάρμακα καὶ τὰς μαγείας.] Sed quoniam posteriores magi γόητες etiam erant et φαρμακεῖς, præstigiis portentosis et veneficiis utebantur, ideo infame etiam ἡ μαγεία vocabulum esse cœpit, ac poni pro Arte præstigiatrice, incantatrice, venefica. V. Plin. 24, 17 ; et 30, 1 et 2. [Forma poet. Μαγία Eudocia in Bandini Cat. Bibl. Med. vol. 1, p. 228, 17 : Δυσσεβέος μαγίης ὑποθήμονα Κυπριανόν γε· p. 239, 361 : Κυπριανὸς μαγίῃσι πεπιθμένος οὐτιδανῆσιν. L. Dind.]

[Μαγεῖον, τὸ, i. q. ἐκμαγεῖον. V. Μαγειρεῖον.]

[Μᾰγείραινα, ἡ, Coqua. Pherecrates ap. Athen. 13, p. 612, A : Αὐτίκ' οὐδεὶς οὔτε μαγείραιναν εἶδε πώποτε οὔτε μὴν οὔτ' ἰχθυοπώλαιναν. Schol. cod. Paris. Av. 578, Lycophronis v. 578.]

A [Μαγειρεία, ἡ, i. q. μαγείρευμα. Achmes Onir. c. 242, p. 221 : Εἰ δὲ ἴδῃ ὅτι τρώγει λιπαρὰν μαγειρίαν καὶ πίνει τοῦ ζωμοῦ. Glossæ Mss. in Batrachom. : Ἐδέμασι, μαγειρίαις. Indicavit Ducang. Qui vertit Carnem coctam, nimis anguste. Herodian. Epimer. p. 19, a Bastio citatus : Δαιτρεία, ἡ μαγειρεία. Ubi item liber unus vitiose μαγειρία.]

Μαγειρεῖον, τὸ, Locus in quo coquinaria factitatur, i. e., Coquina, Culina. [Carnificina, additur in Gl.] Phrynich. annotat Atticos non dicere μαγειρεῖον, sed ὀπτανεῖον. [Lobeck. ad l. Phrynichi p. 276 : « M. tum de fero coquino tum de culina usurparunt Aristot. H. A. 9, 43, Antiphanes Polluc. 9, 48 (qui ipse 6, 13 : Τὸ μ. ὀπτανεῖον, eodemque modo 1, 80), Theophr. (Char. 7, 3), Philo, Longinus c. 43, Appianus Hisp. 6, 96, Æsop. Fab. 34, 21, et grammatici ad Thomam p. 591 et ap. Sturz. De dial. Mac. p. 178 citati (schol. Aristoph. Pl. 816, Eq. 1030, Pac. 891, Harpocratio et al. v. Ἰπνὸς, etc. cum Ezech. 46, 23). » Idem Sturzii opinionem qui nonnisi de culina positum Atticistis
B improbatum putaret, nullo argumento niti animadvertit.] Metaphorice autem quidam ap. Longin. [32, 5], τὸν σπλῆνα vocat τῶν ἐντὸς μαγειρεῖον. [Μαγεῖον ex libris restitutum est. Ἐκμαγεῖον dixit Plato, quem exprimit Longinus. Memorat voc. μαγειρεῖον etiam gramm. in Cram. An. vol. 2, p. 308, 28.]

[Μαγείρευμα, τὸ, Pulmentum, Jusculum, Jus pulmentarium, ὄψον, ζωμὸς, προσφάγιον. Hesych. : Ὄψον, μαγείρευμα. Corona pretiosa : Μαγέρεμα, Ferculum, ἔδεσμα… Nicetas in Murzuphlo : Φοβηθεὶς μήποτε… ὡς μαγείρευμα γένηται τοῖς ἐχθροῖς. Ducang. Hesych. v. Καρυκκείαις. Boiss. Eust. Od. p. 1401, 16.]

[Μαγειρευτικὸς, ἡ, ὸν, i. q. μαγειρικός. Troilus in Walzii Rhett. vol. 6, p. 52, 15.]

[Μαγειρευτὸς, ὁ, Coctus. Typicum Τῆς κεχαριτωμένης c. 47 : Μαγειρευτὰ ἐδέσματα. || Μαγειρευτὸν, ὀποπάναξ, in Glossis iatricis Mss. græcobarb. Ducang.]

Μαγειρεύω, Coquinariam factito, Coquus sum, Coquum ago. [Theophr. Char. c. 7, 2 : Μαγειρεύειν, κυβεύειν, inter αἰσχρά. Valck.] Plut. Quæst. Rom. [p.
C 284, F] : Ἐν ταῖς ἄλλαις ὁμολογίαις (sc. Sabinorum et Romanorum) καὶ τοῦτο ἐγράφη, Μήτε ἀλεῖν ἀνδρὶ Ῥωμαίῳ γυναῖκα μήτε μαγειρεύειν. Paulo ante quærebat, Διὰ τί τὰς γυναῖκας οὔτε ἀλεῖν εἴων οὔτε ὀψοποιεῖν τὸ παλαιόν· accipiens synonymως ὀψοποιεῖν et μαγειρεύειν. In VV. LL. μαγειρεύειν exp. non solum δαιτρεύειν, Carnes dividere et distribuere; sed etiam Mactare, quod coqui occidant mactandas pecudes. [Thren. 2, 21 : Ἐν ἡμέρᾳ ὀργῆς σου ἐμαγείρευσας, οὐκ ἐφείσω. Lanio, Gl. V. Μάγειρος. || Coquo. Gl. Mss. ex cod. Reg. 1673 : Ἥψησεν, ἐμαγείρευσεν. Nicetas De statu urb. n. 5 : Ποικιλίας βρωμάτων μαγειρεύοντες ἔτρωγον. Ducang. Cum accus. etiam Athen. 4, p. 173, D : Καρυκοποιοὺς καλεῖ τοὺς Δελφοὺς, παρόσον τὰ ἱερεῖα περιτέμνοντες δῆλον ὡς ἐμαγείρευον αὐτὰ καὶ ἐκαρύκευον. || Pass. schol. Aristoph. Pl. 1207 : Τὰ μαγειρευόμενα ὄσπρια. Achmes Onir. c. 206, p. 182 : Εἰ δὲ ἴδῃ τις ὅτι ἤσθιεν ἐξ αὐτῶν (τῶν ὀσπρίων) μεμαγειρευμένα· 209, p. 184 : Εἰ δὲ ἴδῃ ὅτι ἔφαγεν αὐτὸ (τὸ δαυκίον) μεμαγειρευμένον· 242, p. 222 : Εἰ δὲ τρώγει μεμαγειρευμένον κρέας
D ψυχρανθέν.]

Μαγειρικὸς, ἡ, ὸν, Ad coquum pertinens, Coquinarius, Culinarius. [Aristoph. Eq. 216 : Ῥηματίοις μαγειρικοῖς. Plat. Min. p. 316, E : Μαγειρικοὶ ἄρα νόμοι εἰσί· 317, B. Theag. p. 325, C : Εἰ εἶπε, Σοφοὶ μάγειροι …, εἰ ἠρόμεθα τῶν τί σοφῶν, τί ἂν οἴει αὐτὸν ἀποκρίνασθαι; οὐχ ὅτι τῶν μαγειρικῶν; Theæt. p. 178, D : Τοῦ μέλλοντος ἑστιάσεσθαι μὴ μαγειρικοῦ ὄντος.] Μαγειρικὰ σκεύη, Athen. 4, [p. 169, B], Coquinaria vasa Plinio. [Ib. p. 173, A : Ἐλεὸς ἡ μ. τράπεζα. L. D. Τὰς μαγειρικὰς μαγγανείας id. 1, p. 9, C. Valck.] Et μαγειρικῇ κοπίδι πληγείς, Plut. Lyc. [c. 2.] Et μ. τέχνη, vel absolute μαγειρικὴ, Ars coquinaria, culinaria, ἡ τοῖς ὄψοις ἀποδιδοῦσα τὰ ἡδύσματα, Plato De rep. 1, [p. 332, C, Polit. p. 289, A. Dio Chr. vol. 2, p. 378, 415. Addito ἐμπειρία Plato Gorg. p. 500, B.] Et μ. διδασκαλία, ap. Athen. 7, [p. 308, F], Disciplina coquinaria : de qua scripsit Parmeno Rhodius. At μαγειρικὴ χρῆσις ex Gazæ interpret. redditur Usus cibarius. [Inscr. Dor. ap. Gruter. C. I. p. 211, 24 : Οὐ ποιησοῦντι δὲ βυρσοδέψιον οὐδὲ μαγειρικὸν οἱ μισθωσάμενοι τὸ ἐλαιοκόμιον (quod interpres vertit Opera culinaria. Rectius Lanionum : de qua signif. v. Μάγειρος. L. D.)· 213, 3 : Τὰ χαλκεῖα τὰ ποτὶ τῷ μαγειρικῷ (Ærariam apud coquinam, Int.). Schneid. || Adv. Μαγειρικῶς, Aristoph. Eq. 376 : Καὶ νὴ Δί' ἐμβαλόντες αὐτῷ πάτταλον μ. Ach. 1015 : Ἤκουσας ὡς μ. κομψῶς τε καὶ δειπνητικῶς αὐτῷ διακονεῖται; Pac. 1017 : Ὅπως μ. σφάξεις τὸν οἶν. Nisi hic quoque dicitur de Lanione.]

Μαγειρίσκος, ὁ, dimin. a μάγειρος, q. d. Coquulus [Gl.]: per contemptum et risum ap. Athen. 7, [p. 292, E] : Καὶ παρ' Ἀρχεδίκῳ δὲ ἐν Θησαυρῷ ἄλλος σοφιστὴς μαγειρίσκος τάδε λέγει.

[Μαγείρισσα, ἡ, Coqua. LXX Sam. 1, 8, 13.]

Μάγειρος, ὁ, Coquus. Sophocles apud Athen. 2, [p. 68, A] : Ἐγὼ μάγειρος ἀρτύσω σοφῶς. [Eur. Cycl. 396 : Τῷ θεοστυγεῖ Ἅδου μαγείρῳ.] Aristoph. Ran. [517] : Ὁ μάγειρος ἤδη τὰ τεμάχη Ἤμελλ' ἀφαιρεῖν, χ' ἡ τράπεζ' εἰσῄρετο. Plut. Symp. 7, [p. 708, D] : Ὄψα μὲν γὰρ οἱ μάγειροι σκευάζουσιν ἐκ χυμῶν διαφόρων, αὐστηρὰ καὶ λιπαρὰ, καὶ γλυκέα καὶ δριμέα συγκεραννύντες. Viliores autem erant ὀψοποιοὶ quam μάγειροι : ut coquus quidam ap. Athen. 9, [p. 405, A, in Dionysii Thesmophoro] indicat, sic inter μάγειρον et ὀψοποιὸν distinguens, ut inter ἡγεμόνα et στρατηγὸν, et sub finem addens, Σκευάσαι μὲν ἢ τεμεῖν Ἡδύσμαθ', ἑψῆσαί τε καὶ φυσᾶν τὸ πῦρ Ὁ τυχὼν δύναιτ' ἄν· ὀψοποιός οὖν μόνον Ἐστὶν ὁ τοιοῦτος, ὁ δὲ μάγειρος ἄλλο τι· Συνιδεῖν τόπον, ὥραν, τὸν καλοῦντα, τὸν πάλιν Δειπνοῦντα, πότε δεῖ καί τιν' ἰχθῦν ἀγοράσαι. Phylarch. ap. Eund. 12, [p. 521, C] : Εἴ τις τῶν ὀψοποιῶν ἢ μαγείρων ἴδιον εὕροι βρῶμα καὶ περιττόν. [Eosdem conjungit Plato Reip. 2, p. 373, C.] Eodem inferior est ὁ τραπεζοποιὸς, s. τραπεζοκόμος, i. e. ὁ τῶν τραπεζῶν ἐπιμελητὴς, Athen. 4, [p. 170, E] ubi nunc τραπεζοκόμον Structorem a Latinis vocari scribit, qui et διάκονος : unde itidem coquus quidam dicit [ap. eund. 7, p. 290, F, in l. Nicomachi] : Ἴσως ὅσον διαφέρει διακόνου Μάγειρος, οὐκ οἶσθ'. Et [p. 291, A] : Τὸ γὰρ παραλαβόντ' ὄψον ἠγορασμένον, Πότερον ἀποδοῦναι σκευάσαντα μουσικῶς, Διακόνου 'στὶ τοῦ τυχόντος; Ἡράκλεις, Ὁ μάγειρός ἐσθ' ὁ τέλειος ἑτέρα διάθεσις· et dicit oportere eum multas callere artes, ζωγραφίαν, ἀστρολογικὴν, ἰατρικὴν, γεωμετρικήν. [Coqui conducebantur ad convivia solemnia, ap. Athen. 6, p. 245, C; v. Casaub. p. 430. Sæpe ut ἀλαζόνες a Comicis irridentur, ut ib. 8, p. 377 seqq. Laudem τῶν μαγείρων v. in iisdem Comicis 14, p. 658 fine et seqq. || Lanius. Maxim. Tyr. Diss. 25, 2 : Λέγων πρὸς τὸν μάγειρον, Σὺ μὲν γὰρ δήμιός τις εἶ καὶ μιαιφόνος τῆς ἀρνῶν ποίμνης· et ibid. antea et postea. Valck. Confert Davisius Plut. Mor. p. 175, D : Βοῦν ἰδὼν σφαττόμενον ὑπὸ μαγείρου· Dion. Chr. Or. 4, p. 156 : Ἐνίοτε πολλὰ πρόβατα ἐλαύνει μάγειρος εἷς ὠνησάμενος· Artemidor. 3, 55 : Οἱ ἐν ἀγορᾷ μάγειροι οἱ τὰ κρέα κατακόπτοντες καὶ πιπράσκοντες, Marklandus Synes. p. 5, D : Μηδὲ πλῆθος προβάτων ποιεῖ ποιμένα, οὐ μᾶλλον ἢ μάγειρον, ὃς ἐλαύνει κατακόψων αὐτὰ καὶ ἐμφορηθησόμενός τε αὐτὸς καὶ ἄλλοις δεῖπνον ἀποδωσόμενος. Ubi ἀποδωσόμενος Petavius non recte vertit Proponat, quum sit Vendat. V. etiam Μαγειρεύω, et Bast. Ep. crit. p. 195.] Quod vero ad etymon attinet, Eust. μάγειρον dictum scribit παρὰ τὸ τὰς μαγίδας αἴρειν, s. εἰσφέρειν : Etym. autem et Suid. ἀπὸ τοῦ τὰς μάζας μερίζειν. [Formam Æolicam μάγοιρος annotavit Etym. Sorbon. ap. Bast. ad Gregor. p. 606.]

[Μαγειρώδης, ὁ, Lanio similis. Eunap. V. Maximi p. 63 : Φονικὴν καὶ μαγειρώδη ψυχήν.]

[Μᾰγέτης, ὁ, Incantans.] Μαγέταν αὐλὸν, Hesych. τὸν μαγεύοντα τοὺς ἀκροωμένους. [Chœrob. in Cram. Anecd. vol. 2, p. 272, 10 : Ὥσπερ παρὰ (τὸ) μάγω (sic) μαγέτης κτλ. L. Dind.]

Μάγευμα, τὸ, Machinamentum magicum : vel Artes magicæ, Insidiæ magicæ. Plut. Erotico [p. 752, C] : Φάρμακα καὶ μαγεύματα καθειργνύμενον ἀκολάστων γυναικῶν. [Ex eodem Mor. p. 110, C, Euripidi Suppl. 1110 restitutum : Βρωτοῖσι καὶ ποτοῖσι καὶ μαγεύμασι, ubi libri μαντεύμασι, M. Antoninus μαγγανεύμασι.]

Μᾰγεὺς, έως, ὁ, Pistor : καὶ ὁ μάττων, inquit Pollux [6, 64; 7, 22], μαγεύς. [Hesych. : Μάχευες (μαγ— postulat ordo literarum), οἰκονόμοι δείπνου ἢ τὰ ἄλφιτα μάττοντες. Quod huc referunt intt.] || Suidas autem accus. μαγῆα, cujus nomin. est itidem Μαγεὺς, exp. τὸν ἀπομάσσοντα, hoc in l., quem ex Epigr. [Aristonis Anth. Pal. 6, 306, 5] sumptum esse puto : Τόν τε μαγῆα Σπόγγον, ὑπὸ στιβαρᾷ κεκλιμένον κοπίδι. Esse autem hoc μαγεὺς necesse est a μάσσω s. μάττω significante Abstergo. [Photius : Μάγνον· Σοφοκλῆς Ὀδυσσεῖ· τὸν μέγαν· τὸν ἀπομάσσοντα καὶ καθαίροντα. Leg. Μάγον· τὸν μαγῆα s. μαγέα. Angl. Τὸν μέγαν videtur imperiti hominis additamentum, qui voc. Latinum *magnus* hic cerneret.]

[Μαγευτὴς, ὁ, i. q. μάγος. Dio Cass. 52, 36 : Ἱερόπτας καὶ οἰωνιστὰς ἀπόδειξον ... τοὺς δὲ δὴ μαγευτὰς πάνυ οὐκ εἶναι προσήκει.]

[Μαγευτικὸς, ἡ, ὸν, Magicus, Præstigiatorius. Plato Polit. p. 280, D : Τὴν μαγευτικὴν τὴν περὶ τὰ ἀλεξιφάρμακα. V. Μαγγανευτικός.]

[Μαγεύτρια, ἡ, Saga, Venefica. Achmes Onir. c. 275, p. 253 : Φαρμακίσσης καὶ μαγευτρίας. Ducang.]

[Μαγεύω.] Μαγεύειν, Magum esse, Magicis artibus imbutum s. instructum esse, Magicas artes callere. [Μαγεύω, Circulo, Gl.] Plut. Artox. [c. 3] : Ἕνα τῶν ἱερέων, ὃς ἐν παισὶ Κύρου τῆς νομιζομένης ἀγωγῆς ἐπιστάτης γενόμενος καὶ διδάξας μαγεύειν αὐτόν. Nec enim, inquit Cic. De div. 1, [41] quisquam rex Persarum potest esse, qui non ante magorum disciplinam scientiamque perceperit. Et Cyrus Minor in Epist. ad Lacedæmonios dicit se φιλοσοφεῖν μᾶλλον καὶ μαγεύειν βέλτιον τοῦ ἀδελφοῦ, ut est ap. Plut. Artox. [c. 6] et Apophth. [Philostr. V. Apollon. 1, 2, p. 4 · Πλάτων ... οὔπω μαγεύειν ἔδοξε, καίτοι πλεῖστα τῶν ἀνθρώπων φθονηθεὶς ἐπὶ σοφίᾳ.] || Significat etiam Uti magicis artibus, s. Adhibere magicas artes aliqua in re. [Eur. Iph. T. 1338 : Κατῆδε βάρβαρα μέλη μαγεύουσα.] Id. Numa [c. 15]: Καταγαγεῖν τὸν Δία μαγεύσαντας ἐκείνους, Illos magicis usos artibus, s. præstigiis, Jovem deduxisse : ut et Cic. dicit Magorum portenta : et Plin., Ostanem magum semina artis portentosæ sparsisse. [Seq. infinitivo Martyrium SS. Timothei et Mauræ n. 8 : Ἰδοὺ γὰρ τὴν γυναῖκα αὐτοῦ ἐμάγευσε συμμανῆναι αὐτῷ. Ducang. || Pass. Clearchus ap. Athen. 6, p. 256, E : Μαγευόμεναι καὶ μαγεύουσαι. Valck. Dio Cass. 50, 26 : Ὑπ' ἐκείνης τῆς καταράτου μεμάγευται. Apollod. 1, 9, 28 : Πέπλον φαρμάκῳ μεμαγευμένον. Alia Ducang.]

[Μαγία. V. Μαγεία.]

[Μαγία, πόλις Ἰλλυρίας. Τὸ ἐθνικὸν δύναται καὶ Μαγιάτης καὶ Μαγιανὸς, Steph. Byz.]

[Μαγίδιον, τὸ, dimin. a μαγὶς, quod v. Arrian. Peripl. m. Erythræi p. 18, 1 : Πιναχίδια καὶ μαγίδια. Schol. Aristoph. Nub. 1250. Ducang. in Gloss. Lat. v. Capisterium : S. Gregorius lib. 2 Dialog. c. 2 : « Ad purgandum triticum a vicinis mulieribus præstari sibi Capisterium petiit. » Ubi Zacharias Papa μαγίδιον vertit.]

Μᾰγικὸς, ἡ, ὸν, in malam plerumque partem accipitur pro Præstigiatorius, Veneficus : ut quum Plin. 30 init. dicit Magicas vanitates : et 28, 8, Contra magicas insidias pollere. De origine magicæ artis, quando et a quibus cœperit, et a quibus celebrata fuerit, docet Idem 30 init., et caput sequens ita orditur : Ut narravit Ostanes, species ejus plures sunt : namque et ex aqua et ex sphæris, et ex aere et stellis, et lucernis ac pelvibus securibusque et multis aliis modis divina promittit : præterea umbrarum inferorumque colloquia : quæ omnia ætate nostra princeps Nero vana falsaque comperit. [Manetho 4, 211 : Ἀστρολόγους μαγικούς τε θύτας · 5, 303 : Μαγικῇ συνέσει. Absolute Suidas : Μαγική· ταύτην ἐφεῦρον Μῆδοι καὶ Πέρσαι.]

Μάγιν, Hesych. ἀσπίδα. [Eo sensu Hebr. מגן *Magèn* passim obvium in Sacris. Albert.]

Μᾰγὶς, ίδος, ἡ, i. q. μάκτρα, i. e. Vas subigendæ farinæ aptum. Pollux 6, c. 10 [§ 64] : Ἡ δὲ μάκτρα, καὶ μαγὶς ἐκλήθη, καὶ σκάφη. Idem 7, c. 10 [§ 22] de panificibus : Τὸ ἀγγεῖον οὗ ἔματτον, μαγὶς καὶ μυλήκορον, καὶ μάκτρα, καὶ σκάφη, καὶ παρὰ Μενάνδρῳ ληνός. Alibi quoque, 10, c. 24 [§ 81] μαγίδα scribit proprie accipi ἐπὶ τῆς μάκτρας, ἢ ἐπὶ τὰ ἱερὰ δεῖπνα, ἢ ἐπὶ τὰ πρὸς θυσίαν φερόμενα, et ita ap. Soph. dictum esse, Ἑκαταίας μαγίδος δόρπον. Et ap. Cratinum in Busiride, Ὁ βοῦς ἐκεῖνος, χ' ἡ μαγὶς καὶ τἄλφιτα · quibus addit, Παρὰ μέντοι Ἐπιχάρμῳ ἐν πυρκαεῖ Προμηθεῖ καὶ κατὰ τὴν ἀνθρωπίνην χρῆσιν εἴρηται, κύλικα, μαγίδα, λύχνον. [Conf. ib. 102. Helladius Photii cod. 279, p. 533, 10 : Καὶ ἡ μαγὶς δὲ ἀντὶ τῆς τραπέζης Αἰγύπτιον δόξει καὶ παντελῶς ἔκθεσμον· Ἐπίχαρμος δὲ ὁ Δωριεὺς καὶ Κερκιδᾶς ὁ μελοποιὸς ἐπὶ τῆς αὐτῆς διανοίας ἐχρήσαντο τῇ λέξει, καὶ μὴν καὶ ὁ Ἀττικὸς Σοφοκλῆς.] Pro Mactra accipitur et a Marcello Emp., quum ait, Rasamen pastæ quod in magide adhæret. || Galen. autem ap. Hippocr. μαγίδα dici scribit τό, τε οἷον μάγμα καὶ φύραμα, καὶ τὴν χειροπληθῆ μαγδαλιάν· in qua posteriore signif. accipi videtur ap. Diosc. 1, 129, de ladano : Ἣν ἀφαιροῦντες ὑλίζουσι, καὶ ἀποτίθενται ἀναπλάσσοντες μαγίδας· ut sit χειροπληθεῖς μαγδαλιάς, Massas manuales. Ruell. vertit Offas. [Locos Hippocr. p. 652, 14 : Ποιέειν μαγίδα· 685, 15 : Ἔκμαγμα ὅσον μαγίδα, annotavit Foes. Agatharchides ap. Photium cod. 250, p. 451, 40 : Τὰς ῥίζας ὀρύττει, ... ποιήσας δὲ λεῖον καὶ κολλῶδες ἀνέπλασεν ἐκ μαγίδος, εἰ καὶ οὐ χειροπληθεῖς ὄγκους. Παλαθίς, ἄρτος interpretatur Hesychius.] || Μαγίδες dicuntur etiam Lances. Ap. Plin. 33, 11 : Tympana vero se juvene (Fenestella dicit) appellata Stateras : et lances, quas antiqui μαγίδας appellaverant. || Μαγίδες dicuntur etiam Orbes rotundi s. Tabulæ quæ tripodi imponuntur, quæ et κύκλοι. Pollux 10, περὶ τραπέζης καὶ τῶν ταύτης σκευῶν loquens [§ 81] : Τὰ ἐπιτιθέμενα τοῖς τρίποσι τράπεζαι καλοῦνται καὶ μαγίδες· paulo ante vocat ἐπίθημα τοῦ τρίποδος, κύκλον, ὅλμον. Et 6, c. 12 [§ 83] : Αἱ δὲ ἐπιτιθέμεναι καὶ αἰρόμεναι τράπεζαι, ἃς νῦν μαγίδας καλοῦσιν· et sic accipit ibi l. Soph. paulo ante cit. τᾶς Ἑκαταίας μαγίδος δόρπον. Μαγὶς Eust. uno quidem in l. [Il. p. 462, 37] a μάττειν, in altero [Od. p. 1761, 33] a μάζα deducit : ego illic ei assentior, hic ab eo dissentio. [Athen. 14, p. 663, B : Ἀπὸ τοῦ μάττειν, ἀφ' οὗ καὶ ἡ μᾶζα αὐτὴ ὠνομάσθη καὶ ἡ παρὰ Κυπρίοις καλουμένη μαγίς. Quæ ab Apollodoro, de quo v. infra, sumta videri monuit Schweigh.] Habet alioqui quasdam remotas ab utroque horum nominum signiff. [Hesych. : Μαγίδες, οἷς ἀπομάττουσι καὶ καθαίρουσι καὶ μάζαι, ἃς καταφέρουσιν οἱ εἰς Τροφωνίου κατιόντες. || Photius s. Suidas : Μαγὶς, μάχαιρα, Culter. || N. pr. vel appellativum ap. Delios, sec. Apollodorum Athenæi 4, p. 172, F : Μαγείρων καὶ τραπεζοποιῶν παρείχοντο χρείας τοῖς παραγινομένοις πρὸς τὰς ἱερουργίας, καὶ ὅτι ἦν αὐτοῖς ἀπὸ τῶν πράξεων ὀνόματα Μαγίδες καὶ Γογγύλοι, ἐπειδὴ τὰς μάζας ... ὥσπερ γυναιξὶ γογγύλας μεμαγμένας.]

[Μάγισσα, ἡ, Saga, Venefica. Glossæ Mss. in Aristophanis Plutum : Τὴν Κίρκην, τὴν μάγισσαν. Nicetas in Murzuphlo n. 4 : Μάγισσα καὶ μαντεύτρια. Ducang. Rhett. Gr. vol. 7, Περὶ ἰδ. lib. 2, cap. 3, 2 : Διαβάλλει τὸν Αἰσχίνην, ὅτι ἡ μήτηρ σου μάγισσα ἦν, καὶ ἐκράτει ὄφεις. Walz.]

[Μαγιστρική, χώρα τῶν Ταυρίσκων τῶν πρὸς τὰ Ἄλπεια ὄρη. Οἱ οἰκήτορες Μαγίστρικες, οἳ τοῖς Γερμανοῖς ὁμοροῦσι, Steph. Byz.]

Μαγίστωρ, Hesychio διδάσκαλος, ἐπιστάτης, Doctor, Præfectus; afferenti itidem Μαγιστόρους pro διδασκάλους, ἐπιστάτας. Haud scio an ex Lat. Magister. [Cetera quæ ad formas Græcas voc. Latini pertinent v. ap. Ducang.]

[Μαγίων, ωνος, ὁ, Magio, cogn. viri, in inscr. Spart. ap. Bœckh. vol. 1, p. 679, n. 1429, 1 : Γνήσιος Μαγίων Κορίνθιος.]

Μάγμα, τὸ, Quicquid superest crassum ex aliqua materia expressa. Quidam Recrementum interpr. ex Celso : sed is dicit Quasi recrementum : Croci magmatis, inquit, quod quasi recrementum ejus est. Plin. 13, 2, circa fin. : Nam fæcem unguenti, magma appellant. Μάγμα, inquit Gorr., proprie quidem unguenti fæx, quæ, expressa reliqua liquidiori materia, relinquitur. Ab ejus vero similitudine, ipsum unguentum, et spissamentum omne, pauco liquore subactum ut non diffluat, etiam μάγμα dicitur. Sic μάγμα ἡδύχροον ab Andromacho primum, deinde a reliquis Medicis dictum est, non ab ullo quidem expressum, sed per se ita comparatum. [Locus Andromachi est ap. Galen. vol. 13, p. 877. L. Dind.]

[Μαγμός, ὁ.] Μαγμὸν Hesych. dici scribit τὸ καθάρσιον : nam ἀπομάσσειν vocari quando περικαθαίρουσι τοὺς ἐνοχλουμένους τινὶ πάθει.

A [Μάγνα, ἡ, Magna, νῆσος Λιβυκή. Ἀλέξανδρος ἐν τρίτῳ Λιβυκῶν· ἡ κατὰ τὴν Λιβύων φωνὴν Σαβαθὼ, ὅ ἐστι μεγάλη. Τὸ ἐθνικὸν Μαγνίτης διὰ τὸν Λιβυκὸν τύπον καὶ τὸν Αἰγύπτιον, Steph. Byz.]

Μάγνης, ητος, ὁ, Magnes : et propr. et gentile nomen. [De proprio v. infra. Aliud est poetæ veteris comœdiæ ap. Aristoph. et alios.] Dicuntur enim Μάγνητες, populi quidam Asiæ, quondam a Cimmeriis funditus deleti : unde prov. Μαγνήτων κακά. Fem. Μάγνησσα, ap. Callim. [et Theocr. 22, 79, et Orph. infra cit. Quod male interdum simplici σ scriptum, ut ap. Apoll. Rh. 1, 584, qui forma Μαγνῆτις utitur 1, 238], et Μάγνησις [Μαγνησίς] ap. Parthen. : ap. [Pind. Pyth. 2, 45 : Ἵπποισι Μαγνητίδεσσιν, et] Sophocl. Μαγνῆτις, teste Steph. B., qui urbem horum τῶν [dele τῶν] Μαγνήτων et Μαγνητίδων vocari Μαγνησίαν auctor est. [Dicit : Μαγνησία, πόλις παρὰ τῷ Μαιάνδρῳ καὶ χώρα ἀπὸ Μάγνητος. (De Magnete, Æoli f., a quo dicta Magnesia Thessaliæ, v. Heyn. ad Apollod. 1, 9, 6. Μάγνης, f. Jovis et Thyiæ, memoratur in fr. Hesiodi ap. Constantin. B Them. p. 22.) Eadem ἡ πρὸς Μαιάνδρῳ dicitur a Ptolem. 5, 2, Ignatio Epist. p. 888 (ubi etiam gent. Μαγνήσιοι), ἡ ἐπὶ Μαιάνδρῳ ab Diodoro 11, 57, (Μαγνησία simpliciter ab Thuc. 1, 138) et Aristot. Reip. 4, 3 (ubi Μάγνητες), ἡ ὑπὲρ Μαιάνδρου ποταμοῦ οἰκημένη ab Herodoto 3, 122. Quo epitheto distinguitur a Magnesia Lydiæ sub Sipylo s. πρὸς Σιπύλῳ ap. Ptolem. 5, 2, cujus cives Μάγνητες Σιπύλου dicuntur in numis ap. Mionnet. *Descr.* vol. 4, p. 68 etc., ἀπὸ Σιπύλου in inscr. Trall. ap. Bœckh. vol. 2, n. 2933, 13, p. 589. Tertia est Magnesia, Thessaliæ pars, vel, ut Plin. N. H. 4, 9, 32 dicit, annexa, ap. Herodot. 7, 176, etc., Demosth. p. 1382, 5. Quarta urbs hujus regionis ap. Demosth. p. 12 etc., Pausan. 7, 7, 6 et alibi. Illius quoque incolæ Μάγνητες dicuntur in numis et ap. Pind. Pyth. 3, 45 : Μάγνητι Κενταύρῳ· et alibi, Soph. El. 705, Thucyd. 2, 101, Xen. Anab. 6, 1, 7.] Item Μάγνης dicitur quidam κυβευτικὸς βόλος, Jactus tesserarii ludi s. aleæ [sec. Hesychium. Pro quo μάγνησσα scriptum apud Polluc. 7, 204, male repetito, ut videtur, α initiali C sequentis vocabuli.] Necnon Lapis quidam Μάγνης ac Μαγνήτης dicitur, vel etiam fem. Μαγνῆτις, propterea quod in Magnesiaco agro magna ejus sit reperta copia. Nicander ab inventore appellatum scribit, in Ida repertum, clavis crepidarum et baculi cuspide hærentibus, quum armenta pasceret; trahitur enim ab hoc lapide ferrum, domitrix aliarum rerum materia, adeo ut ad eum currat, et ubi propius venit, assistat, teneatur, et complexu hæreat : ob quam vim nominatur et Ἡράκλειος λίθος, necnon σιδηρῖτις, propterea quod ferrum ita ad se cogat. Sic itaque Alex. Aphr. Probl. 2 : Ἕλκεται ὑπὸ μάγνητος σίδηρος. [Porphyr. De abst. 4, 20, p. 372 : Ὁ μάγνης λίθος σιδήρῳ ψυχὴν δίδωσιν· et ibid. τῷ μάγνητι.] Et in Præf. Probl. [p. 248, 19] : Λίθος ἡ μαγνῆτις ἕλκει μόνον τὸν σίδηρον. [Eubulus ap. Athen. 3, p. 112, F : Μαγνῆτις γὰρ λίθος ὡς ἕλκει τοὺς πεινῶντας. Valck.] Et Diosc. 5, 148, τοῦ μαγνήτου λίθου eum probat, qui τὸν σίδηρον εὐχερῶς ἕλκει et τὴν χρόαν κυανίζει : reperitur enim in Magnesia Asiæ et candidus neque attrahens ferrum, similis D pumici, omnium magnetum deterrimus, teste Plin. [36, 16.] Achilles Statius Μαγνησίαν λίθον appellat : in Eroticis [1, 17] : Ἐρᾷ γοῦν ἡ Μαγνησία λίθος σιδήρου. [Et Hippocr. p. 543, 28.] Hesych. et Ἡρακλεῶτιν vocat, forsan quod Heracleæ etiam reperta prædicetur. [Eur. ap. Plat. Ion. p. 533, D : Ἐν τῇ λίθῳ, ἣν Εὐριπίδης μὲν μαγνῆτιν ὠνόμασεν (fr. OEnei ap. Suid. v. Ἡρακλείαν λίθον), οἱ δὲ πολλοὶ Ἡράκλειαν. Theophr. De lap. fr. 2, 41 : Ἡ μαγνῆτις αὐτὴ λίθος ἡ καὶ τῇ ὄψει τὸ περιττὸν ἔχουσα καὶ ὡς γε δή τινες θαυμάζουσι τὴν ὁμοίωσιν τῷ ἀργύρῳ, μηδαμῶς οὖσαν συγγενῆ. Schneid. V. id. ad Eclog. phys. p. 93 et schol. ad l. Platon. p. 333 ed. Bekk. Creuzer. Schol. præter l. Ptolemæi Geogr. 7, 2 extr. annotat : Διογενιανὸς δὲ Μαγνῆτιν μὲν πλανᾶν λέγει τὴν ὄψιν λίθον, ὡς εἴη ἀργύρῳ ἐμφερής, τὴν δὲ Ἡρακλεῶτιν ἐπισπᾶσθαι τὸν σίδηρον. Qui lapis, ab Magnete, qui hodie dicitur, diversus, qui sit quæsivit Buttmannus in Comment. de hoc lapide in *Museum der Alterthumswiss.* vol. 2, p. 1-104, ubi nomen ejus p. 48 ductum conjicit non ab urbe vel terra Magnesia sed a verbo μαγγανάω, i. significante q. μαγγανεύω. || Præterea de Μαγνησία Ducangius : « M. in Gl. chymicis mss. exponitur μόλυβδος λευκὴ καὶ πυρίτης. Mox sequitur : M. ἐστὶν ἀπαλακιστὸν ὄξος καὶ ἡ ἀνάπαυσις. Μαγνησία ἐστὶν στίμμι θηλυκὸν τὸ Μακεδονικόν. Christianus chymicus ms. : Λαβὼν μόλυβδον πῆξον τῷ τῆς μαγνησίας σώματι. Et ibid. et apud alios chymicos. » || Adj. Μαγνητικὸς, ἡ, ὸν, Magneticus, quod omnibus Magnesiis commune est, habent Æsch. Pers. 492 : Μαγνητικὴν γαῖαν· et Strabo 9, p. 430 : Μέχρι Μαγνητικῆς παραλίας· pro quo ib. p. 437 : Τῆς Μαγνήτιδος, etc.]

[Μαγνήτης, ὁ, de magnete ponit Epitome Orph. Lith. 302. Ἀλεξάνδρου Μαγνήτου inscriptum epigrammati Anth. Pal. 6, 182.]

[Μαγνίτης, ὁ, ponit Theognost. Can. p. 45, 9 : Τὰ διὰ (τοῦ) ιτης παρώνυμα μὴ ὄντα ἀπὸ τῶν εἰς ευς μηδὲ ἀπὸ τῶν εἰς η θηλυκῶν διὰ τοῦ ι γράφει τὴν παραλήγουσαν, οἷον ... μαγνίτης, φεγγίτης, λυχνίτης. V. Μαντίτης. L. D.]

[Μαγνόπολις, εως, ἡ, Magnopolis, a Pompejo dicta urbs Ponti Eupatoria, ap. Strab. 12, p. 556.]

[Μάγοιρος. V. Μάγειρος.]

Μάγος, ὁ, ἡ, Magus [Gl. Steph. Byz. v. Μαγία : Εἰσὶ καὶ Μάγοι ἔθνος περὶ Μηδίαν. Herodot. 1, 101 : Ἔστι δὲ Μήδων τοσάδε γένεα, Βοῦσαι, Παρητακηνοὶ, Στρούχατες, Ἀριζαντοὶ, Βούδιοι, Μάγοι· 132 : Μάγος ἀνὴρ παρεστεὼς ἐπαείδει θεογονίην· 7, 37 : Εἴρετο τοὺς μάγους τὸ θέλοι προφαίνειν τὸ φάσμα. Alii ll. notati sunt in indice Her.] Persicum voc. est, significans Sapientem s. Rerum divinarum et naturalium peritum. Ii herbarum gemmarumque et aliorum vires callebant, miracula edebant, divinabant : et ob futurorum prædictionem et vitam religiosam diis familiares credebantur, magno in honore habebantur, ac de rebus gravioribus consulebantur. Cic. De div. [1, 23] : Ei magos dixisse, quod genus sapientum et doctorum habebatur in Persis, ex triplici appetitione solis xxx annos Cyrum regnaturum esse. Et rursum [1, 41] : Divinationum ratio ne a barbaris quidem gentibus neglecta est. Siquidem et in Gallia Druides sunt, qui et naturæ rationem, quam physiologiam Græci appellant, notam esse sibi profitentur, et partim auguriis, partim conjectura, quæ sunt futura dicunt : et in Persis augurantur et divinant magi, qui congregantur in fano commentandi causa atque inter se colloquendi. Itidem Strabo 16, [p. 672] scribit τοὺς μάντεις in honore fuisse : quales apud Indos fuisse τοὺς γυμνοσοφιστὰς, apud Persas τοὺς μάγους, item τοὺς νεκυομάντεις, et τοὺς λεκανομάντεις : apud Assyrios τοὺς Χαλδαίους, apud Romanos τοὺς Τυῤῥηνικοὺς ὡροσκόπους, Etruscos aruspices : talemque fuisse Mosen Judæorum ducem. Et Lucian. Macrob. [c. 4] : Καὶ οἱ καλούμενοι δὲ μάγοι γένος τοῦτο μαντικὸν καὶ θεοῖς ἀνακείμενον παρά τε Πέρσαις, καὶ Σάκαις, καὶ Μήδοις, καὶ παρὰ πολλοῖς ἄλλοις βαρβάροις· sicut apud Ægyptios οἱ ἱερογραμματεῖς, apud Indos οἱ βραχμᾶνες, ἄνδρες ἀκριβεῖς φιλοσοφίᾳ σχολάζοντες. Xen. Cyrop. 8, p. 121 [1, 23] : Κατεστάθησαν οἱ μάγοι ὑμνεῖν τε ἀεὶ ἅμα τῇ ἡμέρᾳ τοὺς θεοὺς, καὶ θύειν ἀν' ἑκάστην ἡμέραν οἷς οἱ μάγοι θεοῖς εἴποιεν· 7, p. 109 [3, 1] : Χρήματα τοῖς θεοῖς ἐξελεῖν, ὁποῖα ἂν οἱ μάγοι ἐξηγῶνται. Plut. Alex. : Οἱ μάγοι ὀνείρους ἐξηγοῦνται. [Τοὺς ἀπὸ Ζωροάστρου μάγους Mor. p. 670, D.] Ap. Herodian. 4, [23] Antoninus Caracalla jubet Maternianum μάγων τοὺς ἀρίστους ζητήσαντα νεκυίᾳ τε χρησάμενον, μαθεῖν περὶ τοῦ τέλους τοῦ βίου αὐτοῦ. Apud Lucian. vero in Demonacte [c. 23] quidam dicit se μάγον εἶναι καὶ ἐπῳδὰς ἔχειν ἰσχυρὰς ὡς ὑπ' αὐτῶν ἅπαντας ἀναπείθειν καὶ παρέχειν αὐτῷ ὁπόσα βούλεται. Unde factum ut τὸ μάγος in malam etiam partem acceptum fuerit, nimirum pro Præstigiatore et Venefico : quo sane modo Æsch. In Ctesiph. [p. 73, 13] dicit, Οὔτε Φρυνώνδας οὔτε Εὐρύβατος, οὔτ' ἄλλος οὐδεὶς πώποτε τῶν πάλαι πονηρῶν τοιοῦτος μάγος καὶ γόης ἐγένετο. Et Soph. [OEd. T. 387] : Ὑφεὶς μάγον τοιόνδε μηχανοῤῥάφον. [Eur. Or. 1497 : Ἤτοι φαρμάκοισιν ἢ μάγων τέχναισιν.] Itidem Plin. 29, 3 : Ut est magorum solertia occultandis fraudibus sagax. Et 28, 7 : Tactis menstruo postibus irritas fieri magorum artes. Et 36, 19 : Veneficiis resistit omnibus, privatim magorum. [Plato Reip. 9, p. 572, E : Οἱ δεινοὶ μάγοι. Lucian. Asin. c. 4 : Μάγος γάρ ἐστι δεινή.] Sed ut ad μάγος redeam, adj. etiam accipitur pro Magicæ artis peritus, Magica vi instructus : ut Plato in Axiocho [p. 371, A] : Γωβρύης ἀνὴρ μάγος. Et quidam in Epigr. [Philodemus Anth. Pal. 5, 121, 3] : Καὶ κεστοῦ φωνεῦσα μαγωτέρα, In sermone cestum Veneris superans velut magicis incantationibus. Suid. exp. θελκτικωτέρα : habebant enim et Magi sua θέλκτρα. [Sosiphanes ap. schol. Apoll. Rh. 3, 533 : Μάγοις ἐπῳδαῖς. L. D. Philostr. V. Apoll. 1, 2, p. 4 : Φασὶν ὡς μάγῳ τέχνῃ ταῦτ' ἔπραττε. Wakef.]

[Μάγος, ὁ, emplastri nomen, quod quidem etiam ἡφαιστιάδα nuncuparunt, egregium prorsus ad sinus et fistulas conglutinandas et resiccandas, ad hæc ad hydropicos et aquosum ramicem. Descriptio ejus habetur ap. Aetium 10, 24. Gorræus.]

[Μαγοφόνια, ων, τὰ, s.] Μαγοφονία, ἡ, Magorum occisio s. cædes : eorum sc. qui regnum Persidis invaserant. Festum esse hoc nomine apud Persas quotannis celebrari solitum, in memoriam ejus diei, quo septem principes occiderant magos, qui regnum malis artibus ad se traduxerant, auctor est Herodot. 3, p. 123 [c. 79], ubi etiam addit, ea die magos domi se continere, nec foras prodire, metu magni illius diei, quo omnes fuissent interfecti, nisi nox supervenisset. [Sed rectius Μαγοφόνια, in plur. neutrius generis, dedere meliores Herod. libri. Schweigh.] Sic in Epit. Ctesiæ p. 4 [c. 15] : Ἄγεται τοῖς Πέρσαις ἑορτὴ τῆς μαγοφονίας, καθ' ἣν Σφενδαδάτης ὁ μάγος ἀνῄρηται.

Μαγύδαρις, ἡ, Magudaris : radix silphii, s. laserpitii. [Photius : M., φυτὸν σιλφίου μανώτερον (sic) καὶ ἧττον δριμύ· ἔνιοι τὸν τοῦ σιλφίου καυλόν.] Scribit enim Diosc. 3, 94, τὴν ῥίζαν τοῦ σιλφίου nominari μαγύδαριν· τὰ δὲ φύλλα, μάσπετα. Pollux vero 6, c. 10 [§ 67] annotat τὸ σπέρμα τοῦ σιλφίου vocari μαγύδαριν (ita enim reponendum pro μάνδαριν), Radicem autem, σίλφιον : Folium, μάσπετον· τὸ φυτὸν, καυλόν. Sane ap. Theophr. H. Pl. 6, 3, legimus silphii radicem ἐπὶ τοῦ μέσου habere κεφαλήν : ex qua enasci τὸν καυλόν : et ex hoc μαγύδαριν καὶ τὸ καλούμενον φύλλον. Sed sunt qui mendosum eum l. esse dicant, sicque restituant, Ἐξ ἧς δὴ τμηθείσης ῥεῖν ὀπὸν ὡς γάλα· μετὰ ταῦτα δὲ φύεσθαι τὸν καυλὸν, καλεῖσθαι δὲ μαγύδαριν· ἐκ δὲ τούτου τὸ καλούμενον φύλλον χρυσοειδές· τοῦτο δ' εἶναι σπέρμα. Ita enim leg. ex Plin. 19, 3 : Tradunt in laserpitii radice tuber esse super terram : hoc inciso profluere solitum succum ceu lactis, supernato caule, quem magydarin vocarunt : folia aurei coloris pro semine. Paulo post, idem Theophr. scribit τὴν καλουμένην μαγύδαριν esse ἕτερον τοῦ σιλφίου, μανώτερόν τε καὶ ἧττον δριμὺ, καὶ τὸν ὀπὸν οὐκ ἔχειν· ut et Plin. eod. in l., Alterum genus est, quod Magydaris vocatur, tenerius et minus vehemens, sine succo. Hoc quoque Laserpitium quosdam vocare, Theophr. et Plin. docent ibid. : quin et verum silphium eo adulterari. [Conf. Theophr. ib. 1, 6, 12. Columella 6, 17, 7 : « Radix, quam Græci σίλφιον vocant. » Al. μαγουδάρην. Pollux 6, 67. Ita legendum pro μάδαρις in schol. Tzetzæ Hist. 7, 193, in Mus. Rhen. novo 4, 1, p. 11, quod omissum est in Crameri An. vol. 3, p. 369. ῡ, si quid tribuendum Plauto Rud. 3, 2, 19, qui *magūdarim* dixit. L. Dind.]

[Μάγυδος, Magydus, urbs Pamphyliæ. Ptol. 5, 5, ubi codd. Μάγυδος pro Μάτυλος, Hierocl. Synecd. p. 679. Gent. Μαγυδέων in numis ap. Wessel. et Mionnet. *Descr.* vol. 3, p. 457, n. 63, *Suppl.* vol. 7, p. 41 sq. Μαγίδων πόλις in Conc., vitiose, ut notavit Wessel. Μαγύδων ap. Morell. Bibl. Ms. p. 231. In Μάσηδος corruptum ap. Scylacem p. 39. L. Dind.]

Μαγῳδὴ, ἡ, ap. Hesych. ὄρχησις ἁπαλὴ, Mollis et effeminata saltatio : dicta a Chrysogono mago.

[Μαγῳδία. V. Μαγῳδός.]

Μᾰγῳδὸς, ex quo deriv. Μαγῳδία. Athen. enim 14, [p. 621, D] scribit τὴν μαγῳδίαν accepisse nomen ἀπὸ τοῦ οἱονεὶ μαγικὰ προφέρεσθαι καὶ φαρμάκων ἐμφανίζειν δυνάμεις : esse autem μαγῳδοὺς [ib. C], Histrionum genus ad comicum accedens : uti tympanis et cymbalis, habitu muliebri : personam agere modo mulieris, modo mœchi, modo lenonis, modo viri temulenti, qui ad amasiam comissatum venit : καὶ πάντα ποιεῖν τὰ ἔξω κόσμου : ἱλαρῳδὸν autem, esse multo σεμνότερον, et ad tragicum histrionem propius accedere. V. et Λυσιῳδός.

[Μάγων, ωνος, ὁ, Mago, n. Punicum viri, frequens ap. Polybium, Diodorum et al.]

[Μαδαγένειος. V. Μαδηγένειος.]

[Μαδαῖος, α, ον, Humidus. Poeta vet. De herbis 83 : Πρὸς τὰ μαδαῖα ἕλκη καὶ μυσαρὰς δὲ νομάς.]

Μαδάλλω, et Μαδίζω, verba a μαδὸς derivata, active et transitive significantia Glabro. [Depilo, Pilo, Gloss.] Utrumque ap. Hesych. legitur. Is enim et μαδάλλοντες affert pro τίλλοντες, exponens tamen et ἐσθίοντες, et μαδίσας pro τὰς τρίχας ἀποβαλών. [Et Μαδάλλει, τίλλει, ἐσθίει. Ceterum bis scriptum μαγδ. contra seriem.] Ita tamen ut hac posteriore expositione innuat, μαδίζειν neutraliter etiam accipi pro μαδᾷν. Ita sane ap. Hippocr. reperio Γυναικ. l. 2, [p. 667, 2] : Καὶ ἢν μαδίσῃ, κύμινον ἔμπλασσε· pro eo quod paulo ante dixerat, Ἢν ῥέωσιν αἱ τρίχες, Si defluant pili. [Schol. Levit. 1, 17 : Καὶ οὐ διελεῖ) Τὸ Σαμαρ. μαδίσει, λεπίσει. « Leges Longobardicæ Græce conversæ ex cod. Reg. Par. ap. Salmas. ad Tertull. De pallio p. 338 : Ὁ τὸν πώγωνα μαδίζων. » Osann. V. etiam Μαδάω.]

[Μαδάρεις, τὰ πλατύτερα λόγχα τῶν κρεάτων. Κελτοί, Hesychius. Δοράτων Albert. Scribendum autem τὰ πλατύλογχα. V. Μάταρις. L. Dind.]

[Μαδαροκέφαλος, ὁ, ἡ, Qui glabro capite est. Tzetz. Hist. 7, 851. Conf. Hom. Od. Λ, 49. Elberl.]

Μαδαρὸς, ἀ, ὀν, ejusd. cum μαδὸς significationis, Depilis, Glaber, Lævis : ut Aristot. H. A. 4, [6] : Μαδαραὶ γίνονται· itemque ab Hesych. exp. ἀραιόθριξ, ψεδνός. [Ut Ψεδνὴ ἐπενήνοθε ab eodem μαδαρὰ ἐπήνθει. Hemst. Et sic alii in interpr. verborum illorum Homeri. Lucian. Anth. Pal. 11, 434, 1, κεφαλή. || « Μαδαρὰ ἕλκεα dicuntur p. 50, 36, Glabra ulcera, nimio humore diffluentia, putrida et fluida. Μαδαρὰ ὑφιστάμενα in urina dicuntur p. 1230, C, Levia aut glabra quæ subsident et rara, h. e. sedimenta quæ non cohærent inter se, sed sunt veluti dissipata et disjuncta. Impropria tamen est et insolens sedimentorum attributio. » Foes. OEcon. Hipp.]

Μαδαρότης, ητος, ἡ, et Μαδάρωσις, εως, ἡ, Glabrities, Lævor ex defluvio pilorum. Quorum prius apud Hippocr. legitur Περὶ χυμῶν [p. 47, 9], posterius ap. Galenum [vol. 10, p. 610, qui etiam priori utitur vol. 8, p. 520,] et alios Medicos, qui μαδάρωσιν peculiariter appellant τῶν τοῦ βλεφάρου τριχῶν ἀπόπτωσιν, alio nomine dictam μίλφωσιν, s. πτίλωσιν. V. Aetium 7, 80, Paulum Ægin. 3, 22, et Act. Π. διαγν. παθῶν 2, 7. Hippocr. hoc vitium φαλάκρωσιν vocat, καταχρηστικῶς, ut vicissim quidam in Epigr. [Luciani l. c.] : Ἢν ἐσίδῃς κεφαλὴν μαδαράν· ille, usurpato τῆς φαλακρότητος vocabulo ἀντὶ τοῦ τῆς μαδαρότητος : hic, τοῦ τῆς μαδαρότητος ἀντὶ τοῦ τῆς φαλακρότητος : multo tamen Hippocr. καταχρηστικώτερον, quum φαλακρὸς proprium sit capitis, μαδαρὸς vero et aliarum corporis partium.

[Μαδαρόω, i. q. μαδίζω. LXX Nehem. 13, 25.]

[Μαδάρωσις. V. Μαδαρότης.]

[Μαδάτας, ὁ, Madatas, Persa, Xen. Cyrop. 5, 3, 41.]

Μαδάω, Sum μαδὸς, s. μαδαρὸς, Lævis et depilis sum : ut et schol. Aristoph. μαδῶντα exp. κόμην μὴ ἔχοντα, Pl. [266] : Πρεσβύτην ... Ῥυπῶντα, κυφὸν, ἄθλιον, ῥυσὸν, μαδῶντα, νωδόν. [Μαδῶντες, Glabriones, Gl. Ezech. 29, 8 : Πᾶς ὦμος μαδῶν. Levit. 13, 40 : Ἐὰν δέ τινι μαδήσῃ ἡ κεφαλή· 41 : Ἐὰν δὲ κατὰ πρόσωπον μαδήσῃ ἡ κ. αὐτοῦ.] Hom. schol. [Od. Β,300, et Eust.] hoc verbo transitive usus est, εὕειν exponens [rectius Eust. οὔπω ἐπινοηθέντος τοῦ] μαδᾷν ὕδατι ζέοντι, Aqua ferventi depilare, s. glabrare : ut Colum. 12, 53 : Vel aqua candente, vel ex tenuibus lignis flammula facta glabrantur : nam utroque modo pili detrahuntur. [Conf. Hesych. v. Εὗσεν, ubi εὐδάμισεν, vel pro ἐμάδησεν vel pro ἐμάδισεν.] Rursum neutrum μαδᾷν videtur et aliam habere signif., nimirum Madere, Madidum esse. Nam quod Theophrastus H. Pl. 4, [14, 5] dicit, Νοσεῖ δὲ συκῆ καὶ ὅταν ἐπομβρία γένηται· τὰ γὰρ πρὸς τὴν ῥίζαν ὥσπερ μαδᾷ· Plin. sic extulit 17, 24 : Si imbres nimii fuere, alio modo ficus laborat, radicibus madidis. [Μυυᾷ Schneiderus. V. Μάδισις.]

[Μάδδα. V. Μᾶζα.]

Μάδεσμα s. Μάδευμα, Hesychio δέλεαρ, πρόβλημα. [Μάδεγμα scriptum ap. Hes.]

Μαδηγένειος, ὁ, ap. Polluc. 2, tit. de barba [§ 88],

A Is qui lævi et glabro mento est : qualis et ὁ ἀγένειος : ambo opposita τῷ εὐγενείῳ et βαθυγενείῳ. Cam. legit μαδησιγένειος, de quo infra, et rectius. [Aristot. H. A. 8, 11, ubi nunc Μαδιγένειοι, sed alii libri per η. Photius : Μαδαγένειον, τὸν μαδαρὰ ἔχοντα γένεια. Quod tuetur Lobeck. ad Phryn. p. 662.]

Μαδησιγένειος, Qui est fluxa et rara barba, Cam. [V. præcedens voc.]

[Μάδησις. V. Μάδισις.]

[Μαδιανῖται. V. Μαδιηνοί.]

Μαδιβὸς s. Μάδισος, Hesychio δίκελλα, Ligo, Bidens.

[Μαδιηνοὶ καὶ Μαδιανῖται, ἔθνος Ἀραβίας. Εἴπομεν δὲ ὅτι οἱ Ἄραβες τοῖς δυσὶ τύποις χρῶνται, Steph. Byz. Μαδιανῖται ap. Theod. Stud. p. 285, A, Cosmam Topogr. Christ. p. 204, E. Μαδιανῖτις, ιδος, ἡ, Madianitis, de muliere, Num. 25, 14.]

[Μαδίζω. V. Μαδάλλω.]

Μάδισις, εως, ἡ, Defluvium pilorum, s. Glabrities et lævor ex defluvio pilorum. Ap. Theophr. legitur inter plantarum vitia, ut et τὸ μαδᾷν. Nam C. Pl. 5,

B 12, scribit συμβαίνειν νόσημά τι περὶ τὰς ῥίζας, quod vocari λοπάδα : id autem esse veluti μάδισίν τινα τῶν ῥιζῶν, καὶ μικρὸν ἐπάνω, διὰ τὴν πολυϋδρίαν. Videtur itaque μαδᾷν et μάδισις dici quum propter nimiam humoris copiam cortex radicis defluit, ut in corpore humano quum pili decidunt. [Μύδησις Schneiderus, ut μυδᾷ pro μαδᾷ in l. Theophrasti in Μαδάω citato.] Sed reperitur et Μάδησις per η, a them. μαδάω : ap. Hippocr. Epidem. l. 3, s. 3 [p. 1083, D] : Οἷσι περὶ κεφαλὴν τουτέων τι ξυμπίπτει γίνεσθαι, μαδήσιές [μαδίσιές ed. Foes.] τε ὅλης τῆς κεφαλῆς ἐγίνοντο καὶ τοῦ γενείου, καὶ ὀστέων ψιλώματα. [Μάδισις τριχῶν iterum scriptum p. 1002, C. V. Foes. in OEcon.]

[Μάδισος. V. Μαδιβός.]

Μαδιστήριον, τὸ, significans Id quo glabratur cutis, Id quo cutis redditur lævis et depilis : quod Græci alio nomine τριχολαβίδα et τριχολάβιον vocant, a pilorum prehensione : Latini Vulsellam s. Volsellam [Gl.], ab evulsione pilorum. [Schol. Aristoph. Eq. 1233. Valck.]

C Μαδὸς, ὁ, Lævis, Glaber, Depilis, Theophr. Hesych. non oxytonως solum affert μαδὸν pro λεῖον, addens esse et Herbam quandam, sed etiam paroxytonως Μάδος, exponens τὸ ψίλωθρον, Psilothrum, Medicamentum quo cutis deglabratur et depilis redditur quod et Μαδιστήριον, ut modo docui. [Plin. N. H. 23, 1, 21 : « Vitis alba est, quam alii psilothrum, alii madon appellant. » Idem 25, 7, 37 : « Laudatissima (herba nymphæa) in Orchomeno et Marathone. Bœoti madon vocant. » Zopyrus Oribasii p. 351 Matth. Diosc. Parab. 1, 179 : Μάδος ἀπὸ βυρσοδεψῶν καταντλούμενος.]

[Μαδός. V. Μαζός.]

[Μαδρύνω.] Μαδρυνθήσομαι, Hesychio κολασθήσομαι, ἐπιτριβήσομαι [Puniar, Conterar. Mirabili ratione comparato μαδαρὸς explicat Albertus. Videndum an corruptum sit ex ἀμαλδυνθήσομαι. L. Dind.]

[Μάδρυον, τό.] Μάδρυα, Seleucus in Γλώσσαις eadem esse dicit, quæ βράβυλα s. κοκκύμηλα, quasi μαλόδρυα. Athen. [2, p. 50, A] et Eust. [Od. p. 1963, 32. Theophrast. H. Pl. 9, 13. Conf. Βάδρυα.]

D [Μαδύης, ὁ, Madyes, Scytharum rex. Herodot. 1, 103. Μάδυς Strab. 1, p. 61, ubi Μάδυος.]

[Μάδυτος, πόλις Ἑλλησποντία. Ἑκαταῖος Εὐρώπῃ καὶ ἄλλοι. (Herodot. 7, 33; 9, 120; Xen. H. Gr. 1, 1, 3; Demosth. p. 256, 23.) Τὸ ἐθνικὸν Μαδύτιος, ὡς Βηρύτιος, Σήστιος, καὶ ἀπὸ τοῦ Μάδυτα Μαδυτεὺς, Steph. Byz. Vitiosum esse accentum ap. Steph. Byz. in ultima positum constare videtur ex Theognosto Can. p. 75, 33, Μάδυτος ponente inter barytona, non inter oxytona in υτος. Forma Μάδυτα, ων, τὰ, est ap. Georgium Acropolit. p. 19, D; 27, D. L. Dind.]

[Μαδωνία, ἡ.] Μαδωναΐς, Madonais, a Bœotis dicitur ἡ νυμφαία, Nymphæa herba, ut est ap. Theophr. H. Pl. 9, [13, 1, ubi μαδωνίαν].

Μαεῖται, Hesychio μωρολογεῖ, Fatua et stulta loquitur.

Μᾶζα, ἡ, Maza, [Offa, Mactea, Massa, Gl.] Athen. 14, [p. 663, B] scribit initio μᾶζαν vocatam fuisse δημοτικήν τινα καὶ κοινὴν τροφὴν ἐκ τῶν ἀλφίτων : quum vero postea delicatius et majori cum luxu pararetur, ματτύην appellatam fuisse. Hesych. vero μᾶζαν exp.

ἄλφιτα πεφυρμένα ὕδατι καὶ ἐλαίῳ, Erotian. [p. 248], Φύραμα ἐξ ἀλφίτων γινόμενον, ποτὲ μὲν μετ' ὀξυμέλιτος, ποτὲ δὲ μετ' ὀξυκράτου ἢ ὑδρομέλιτος, ἢ μεθ' ὕδατος, Aristoph. vero schol. [Pac. 1] et Suid., proprie significare scribunt τὴν τροφὴν τὴν ἀπὸ γάλακτος καὶ σίτου. [Schol. Theocr. 4, 34 : M. τὸ νεομάλακτον καὶ νεοφύρατον ψωμίον. Valck.] Plut. : Ἐκ τῶν κριθῶν τούτων μᾶζαν φαγόντες ἢ ἄρτον, Qui mazam aut panem ex eo hordeo comederint. Xen. Cyrop. 1, [2, 11] : Ἡδὺ μᾶζα καὶ ἄρτος πεινῶντι φαγεῖν· 6, [2, 28] : Ὅστις ἀλφιτοσιτεῖ, ὕδατι μεμιγμένην ἀεὶ τὴν μᾶζαν ἐσθίει. Ap. Athen. 3 : Γλιχόμεθα τὴν μᾶζαν, ἵνα λευκὴ παρῇ. Ap. Eund. 4, μάζης χιονόχροος. Constat autem viliorem fuisse μᾶζαν quam ἄρτον, et hanc ex hordeo plerumque, illum ex tritico confici solitum : unde ap. Eund. [4, p. 137, E] Solon τοῖς ἐν πρυτανείῳ σιτουμένοις μᾶζαν παρέχειν κελεύει, ἄρτον δὲ ταῖς ἑορταῖς προσπαρατιθέναι. Hinc et proverb. ap. Zenodotum [Zenob. 1, 12] : Ἀγαθὴ καὶ μᾶζα μετ' ἄρτον. [Plato Reip. 2, p. 372, B : Μάζας γενναίας καὶ ἄρτους. L. D. Hippocrates fere semper ἄρτον et μᾶζαν inter se opponit, ut p. 11, 11 ; 228, 38 ; 337, 10. Foes.] Antiphanes ap. Athen. 2, [p. 60, C] : Τὸ δεῖπνόν ἐστι μᾶζα κεχαρακωμένη Ἀχύροις, πρὸς εὐτέλειαν ἐξωπλισμένη. Ibid. [B] Poliochus : Μεμαγμένην Μικρὰν μελαγχρῆ μᾶζαν ἠχυρωμένην Ἑκάτερος ἡμῶν εἶχε δὶς τῆς ἡμέρας. [Herodot. 1, 200 : Μᾶζαν μαξάμενος. Unde corrigendus Pollux 6, 37 : Μᾶζαν μαζᾶσθαι (μάξασθαι). Aristoph. Eq. 55 : Μᾶζαν μεμαχότος ἐν Πύλῳ Λακωνικήν.] Idem vero Athen. 3, [p. 115, A] ab Hesiodo μᾶζαν ἀμολγαίην vocari scribit τὴν ποιμενικὴν καὶ ἀκμαίαν, quum ait, Μᾶζά τ' ἀμολγαίη, γάλα τ' αἰγῶν σβεννυμενάων. Ibid. τὴν ἐν ταῖς θυσίαις διδομένην μᾶζαν annotat vocari ὑγείαν. Aristoph. autem μᾶζαν per jocum vocat τὴν μεμαγμένην [νεναγμένην codex Hesychii, a quo hæc repetere videtur HSt.] κόπρον, Pac. init. : Αἶρ', αἶρε μᾶζαν ὡς τάχιστα κανθάρῳ. Et mox, Δὸς μᾶζαν ἑτέραν ἐξ ὀνίδων πεπλασμένην. Sicut Idem μεμαγμένον σκῶρ dicit. [Μᾶζα ἄτριπτος, Farina hordei tosti quæ nullo humore subacta est aut minus quam oportet subacta, cui τριπτὴ et ῥαντὴ opponitur. V. p. 352, 43 ; 355, 27 ; 548, 6 ; et p. 355, 45. Foes. OEcon. Hipp., qui etiam de προφυρητῇ sive προφυρηθείσῃ exposuit, quod v. || De alia massa positi, ut in Gl. : M. ὁ βῶλος, Massa, Ducang. citat exx. Suidæ : Παλάθαι, μάζαι σύκων, et Leonis Tact. c. 7, 47 : Συνιόντες δρουγγιστὶ, ἤγουν ὡς μάζα ὁμοῦ· 14, 57 : Δρουγγιστὶ, ἤγουν ὁμοῦ ὡς μάζα· 19, 7 : Σίδηρα βαρεῖα, οἷον μάζας ξιφοειδεῖς.] Quod autem ad etymum hujus vocabuli attinet, Apollodorus ap. Athen. 14, [p. 663, B] a μασᾶσθαι derivari scribit : ipse vero Athen. a μάττω derivat, quem et Eust. sequitur. Non autem ubique eod. modo scriptum reperitur. Suid. enim circumflectit, quum frequenter παροξυτόνως scribatur, sicut et in Lex. meo vet., licet alioqui breve sit α. [Mœris p. 384 : Μᾶζαν προπερισπωμένως καὶ μακρῶς Ἀττικοί, βαρυτόνως καὶ βραχέως Ἕλληνες. Atticam prosodiam, quam præcipit etiam schol. Aristoph. Pac. 1, testatus simul et miratus solam novit Herodian. Π. μον. λ. p. 31, 29 : Σημειῶδες ἡ μᾶζα ἐκτείνουσα τὸ πρὸ τέλους α. Quæ repetuntur in Regg. prosod. p. 438, et plus semel apud Draconem Strat. HSt. in Ind. :] Μάδδα, Dorice pro μάζα dicitur, ἀπὸ τοῦ μάττειν, inquit Etym. Suidas Megarenses scribit τὴν μάζαν, s. τροφὴν, vocare μάδδαν, per duplex δ. [Ex Aristoph. Ach. 732, 835.]

Μαζαγόας, ὁ, Qui ob mazam flet s. lamentatur, ὁ ἐπὶ μάζῃ μεμψίμοιρος, Hesych.

Μαζαγρέτης, ὁ, i. q. ἄκολος, Eust. [Aristias apud Athen. 15, p. 686, A : Σύνδειπνος ἢ 'πίκωπος (leg. videri 'πικωμος suo loco diximus) ἢ μαζαγρέτας. Casaubonus : « Mazagretæ appellatio duplicem habet vilitatis significationem : nam et mazam edere, non panem, paupertatis specimen est : cogi vero mazam ἀγρεύειν (hoc omittendum erat) sive ἀγείρειν, furto aut mendicatione, nam utroque modo exponi potest, miserrimum est. Scio Eustath. Od. (p. 1751 extr.) explicare μαζαγρέτης voce ἄκολος, sed ea interpretatio quam bene conveniat huic dictioni viderint alii : huic certe loco aptari non potest. »]

[Μαζαία, ἡ, Mazæa, f. Leucanoris, regis Bospori. Lucian. Toxar. c. 44.]

A [Μάζαινα, πόλις Παλαιστίνης, ἀπὸ Μαζαίνου. Οἱ πολῖται Μαζαινηνοί, Steph. Byz. post Μάζυες.]

[Μαζαῖοι, οἱ, Mazæi, gens Illyrica. Strab. 7, p. 314.]

[Μαζαῖος, ὁ, Mazæus, Ciliciæ satrapa, Diod. 16, 42.]

[Μάζακα, ων, τά. Πόλις Καππαδοκίας, ἡ νῦν Καισάρεια. Τὸ ἐθνικὸν Μαζακηνός. Λέγεται καὶ Μαζακεύς, ὡς Τύανα Τυανεύς. Λέγεται καὶ ἀπὸ Μαζάκων, Steph. Byz. Strabo 12, p. 537 etc., Ptolem. 8, 2.]

[Μάζακις, δόρυ Παρθικὸν, Hesych. V. Ἀμαζακάραν.]

[Μαζάρη, φρούριον Σελινουντίων. Τὸ ἐθνικὸν Μαζαραῖος, ὡς Ἐνναῖος, Ἱμεραῖος, Steph. Byz. Diodor. Exc. p. 503, 99 : Τὸ Μάζαριν φρούριον. Fl. Siciliæ Μάζαρος ap. eund. 11, 86 ; 13, 54. Ptolem. 3, 4.]

[Μαζάρης, ὁ, Mazares, Medus. Herodot. 1, 156, 161.]

[Μάζαρος, ὁ, Mazarus. V. Μαζάρη. Dux Alexandri M. Arrian. Exp. 3, 16, 15.]

[Μαζάρυγξ, τὰ ἐπὶ τῷ πότῳ ἐπιόντα, Hesych. vitiose.]

Μαζάω, Mazas pinso, coquo, Mazas subigo et conformo : μαζῶντα, τὸν μάττοντα τὰς μάζας, Hesych. [Μαζόντα codex adversus seriem alph. Medii exemplum B sustuli in Μᾶζα. || Suidas : Μαζῶντες, τρυφῶντες, Luxuriantes. L. Dind.]

Μάζεα, τὰ, Pudenda virilia, VV. LL. perperam pro Μέζεα.

[Μαζέας. V. Μαζίνης.]

Μαζεύς, έως, ὁ, Phrygibus ὁ Ζεύς, Jupiter. Hesych. [A μάζος, Magnus, unde μάζων, a quo Major. Guyet. Bielius hoc nomen ex Hebr. מעזים *Maussim* derivat, quod Dan. 11, 38, Theodotio Μαωζεὶμ reddidit, Nov. Thes. Philol. 11, 319. Angl.]

[Μαζήνης, ου, ὁ, Mazenes, princeps insulæ in sinu Persico. Strabo 16, p. 767, ubi v. Tzschuck.]

[Μαζηρός. Pollux 10, 84, μ. πίναξ ex Demiopratis, videtur i. q. μαζονόμον.]

[Μαζιζάνιον Solanum Melongenam vocat Simeo Seth. in Opusc. de cibariis. Sprengel. Hist. rei herb. p. 216.]

[Μάζικες, οἱ, Mazices, gens Mauritaniæ. Ptolem. 3, 2. Secunda producta Oppian. Cyn. 1, 170 : Τυρσηνοί, Σικελοί, Κρῆτες, Μάζικες, Ἀχαιοί. L. Dind.]

[Μαζινή, ἡ.] Μαζιναὶ, Hesychio sunt μαζοί, Mammæ: C si mendum non est.

[Μαζίνης, ὁ. Theophr. fr. 12 De pisc. 2 : Ἡ δ' ὄψις ὁμοία τούτων (pisciculorum Indicorum) τοῖς μαζίναις καλουμένοις. Schneiderus : « Athen. 8, p. 332, B, ex hoc l. retulit, τοῖς μαζεινοῖς καλουμένοις. Quam scripturam Casaubonus approbare studuit e loco Dorionis ib. 7, p. 315, F : Γαλλερίδας, ὃν καλοῦσί τινες ὀνίσκον τε καὶ μάζεινον. Vulgatum Theophrasti librorum μαζίναις comparabat itidem cum Epicharmi loco 7, p. 322, A : Συναγρίδας μαζούς τε συνόδοντας τ' ἐρυθροποικίλους. In priore l. Dorionis epitome Athenæi sola μυζῖνον nominat : quam scripturam probabat Casaub. Coray comparabat glossam Hesychii : Λαζίνης, χαραδρίας, καλλαρίας, ἰχθύς· quæ vulg. hujus l. scripturam μαζίναις satis tueri videtur. Accedit l. Xenocr. De alim. c. 10, p. 32 : Ἥπατος ἢ μαζέας τρυφερὸς μέσως. »]

[Μάζινος, E maza factus, βοῦς, Hesychio ὁ ἐξ ἀλφίτων.]

Μάζιον, Hesychio ὀλίγον, Parum. [Scribendum videtur μαζίον, ut sit Parva massa vel maza, quomodo D accipiendum esse vidit Albertus.]

[Μαζίον, τὸ, Mamilla, Gl. Hoc voc. intulisse videri nonnullos in versum Hom. Il. E, 19, ubi schol. monet μεταμάζιον junctim scribendum esse, animadvertit Heynius.]

[Μαζίον.] Μάζιον, τὸ, et Μαζίσκη, ἡ, Parva maza. Phrynich. ap. Athen. 2, [p. 59, C] : Ἢ μαζίου τι μικρὸν ἢ κολοκυντίου. [Hesych. : Παλάθαι, σύκων μαζία. Hemst. Hippocr. p. 625, 1 : Σικύου ἀγρίου τὸν ὀπὸν ὡς μαζίον ἐμπλάσασα. Vitioso accentu ap. Athen. 14, p. 646, C : Πλακουντῶδες μάζιον ἐπὶ τῷ δείπνῳ ἐσθιόμενον. Et in Gl. : Μάζιον, Offella. Geopon. 20, 33 : Μόσχου χολὴν φυράσας μετὰ ἀλφίτου καὶ ἐλαίου καὶ ὕδατος ποίει μαζία, et ubi de aliis rebus dicitur, schol. Thuc. 2, 13 : Χρυσίου ἀσήμου) μὴ ἔχοντος σημειον, οἷον μαζία τινά· et Apophth. Patr. in Antonio n. 35 : Ὁ τύπτων τὸ μαζὶν τοῦ σιδήρου, citat Duc.] Aristoph. Eq. [1166] : Ἰδοὺ φέρω σοι τήνδε μαζίσκην ἐγώ, Ἐκ τῶν ὀλῶν τῶν ἐκ Πύλου μεμαγμένην, schol. ἄρτον πεφυραμένον. [Ib. 1105 : Μαζίσκας διαμεμαγμένας.]

[Μαζίσκη. V. Μαζίον.]

[Μαζοβόλιον. V. Μαζονόμιον.]

Μαζονόμον [et Μαζονομεῖον] et Μαζονόμιον, τὸ, Discus quo distribuebantur mazæ. Pollux 6, c. 12 [§ 87]: Μαζονόμια δὲ, κοῖλοι μεγάλοι πίνακες ἐφ' ὧν αἱ μᾶζαι διενέμοντο· ξύλινοι δὲ ἦσαν. [Prima verba ponit etiam Photius.] Athen. 5, [p. 202, E, ex Callixeno]: Ἄλειπτρα μεγάλα δέκα, ὑδρίαι δώδεκα, μαζονόμια πεντήκοντα. [Conf. ib. 200, A. Priori forma inscr. Branchid. ap. Bœckh. vol. 2, p. 551, n. 2852, 50: Μαζονόμον χρυσοῦν.] Hesych. μαζονόμιον esse dicit κύκλον vel ξύλινον πίνακα, Orbem vel Lancem ligneam: Acron, lancem grandiorem, ap. Horat. Serm. 2, Sat. ult. [v. 86]: Mazonomo pueri magno discerpta ferentes Membra gruis. Utitur eo vocab. et Varro De re rust. c. 4: Ut in eodem tecto ornithonis inclusum triclinium haberet, ubi delicate cœnitaret, et alios videret in mazonomo positos coctos, alios volitare circa fenestras captos. [Altera forma Suidas et plenius Etym. M. p. 573, 33: Μαζονομεῖον, ἀγγεῖον ἐν ᾧ ἡ μᾶζα φυρᾶται, ἢ ξύλινον πινάκιον καὶ κανοῦν. Quam ex Aristoph. Holcadibus citat Pollux 10, 84. Comparat cum hoc voc. Villoisonus quod est in Apollonii Lex. Hom. p. 515: Οὐλοχύτας· ὁ μὲν Ἀπίων τὰ μαζοβόλια· ἐν τούτοις γὰρ ἀνακέχυνται αἱ οὐλαί· nisi id ipsum ita scribendum est.]

[Μαζονόμος, ὁ, Lanx. Μαζονόμοι, Lances, Gl.]

Μαζοπέπτης, ὁ, Qui mazas coquit, ἀρτοκόπος, Hesych.

[Μαζοποιέω, Mazam facio. Schol. et Eust. Hom. Od. Ξ, 429. Wakef.]

[Μαζοποιὸς, ὁ, Offarius, Gl.]

Μαζὸς, ὁ, Mamma, Mamilla. [Μαζὸς ὁ τοῦ ἄρρενος, Uber, Papilla, addunt] Gloss. Sed pro μαζὸς scribitur etiam Μαστὸς, necnon Μασθὸς, item Μασδὸς, mutato Dorice ζ in σδ, ut paulo post docebo. Hom. Il. Ω, [58]: Ἕκτωρ μὲν θνητός τε, γυναῖκά τε θήσατο μαζόν· Od. Τ, [483]: Σὺ δέ μ' ἔτρεφες αὐτὴ Τῷ σῷ ἐπὶ μαζῷ. Ab Eodem dicitur mulier infanti s. puellulo μαζὸν ἐπέχειν, Præbere s. Exhibere aut Admovere mammam ori ejus: Il. Χ, [83]: Εἴ ποτέ τοι λαθικηδέα μαζὸν ἐπέσχον. At v. 80 dicitur de eadem, matre Hectoris sc., Κόλπον ἀνιεμένη· ἑτέρηφι δὲ μαζὸν ἀνέσχε, ubi Eust. ἀνέσχε exp. ἀνέτεινε βαστάζουσα. Latine autem quidam interpr. Exeruit mammam. [Formula τίθεσθαι μαζὸν, qua addito γυνὴ utitur Homerus l. supra citato, in quo nonnulli duo substantiva poni putarunt ἐκ παραλλήλου, ut dictum in Γυνὴ, de bestiæ mamma sugenda utitur Callim. Jov. 48: Σὺ δ' ἐθήσαο πίονα μαζὸν αἰγὸς Ἀμαλθείης.] Ceterum μαζὸς dicitur ab eodem poeta et de Mamma viri plerisque in ll., ut Il. Λ, [108]: Τὸν μὲν ὑπὲρ μαζοῖο κατὰ στῆθος βάλε δουρί· Ε, [145]: Τὸν μὲν ὑπὲρ μαζοῖο βαλὼν χαλκήρεϊ δουρί. Item Δ, [123] et alibi: Νευρὴν μὲν μαζῷ πέλασεν, τόξῳ δὲ σίδηρον. At Suidas quum ait μαζὸν proprie quidem de Mamma virili dici, per catachresin autem et de Mamma muliebri, ad hos locos Homeri, aliosque ejusmodi, non item illos, respexisse videtur: aut potius horum quidem memor, illorum autem immemor fuisse. Nam postquam scripsit μαζὸς ait [« ait » delendum. HST. Ms. Vind.] κυρίως ἐπὶ ἀνδρὸς, subjungit illum Homeri versum, qui, ut dixi, aliquoties ap. eum legitur, Νευρὴν μὲν μαζῷ πέλασεν, τόξῳ δὲ σίδηρον. At poni καταχρηστικῶς καὶ ἐπὶ γυναικὸς, non itidem ullo Homeri, sed nec alius cujusquam loco probat. || Μαζὸς, quod est proprie Mamma, pro Nutrice ap. Callim.: ut vicissim Catullus Nutrices pro Mammis dixit: canens de Nereidibus, Nutricum tenus extantes ex gurgite vasto. Apud Græcos vero ead. ratione nutrix nomen a mammæ nomine deductum habet: Nutrix enim τιτθὴ, Mamma τιτθὸς appellantur. [Signif. figuratam ὄχθος, Collis, annotavit Hesych.] || Μαζὸς a μυζᾷν derivari tradit Eust., alibi autem a μάσσειν, quod est ἅπτεσθαι. Ceterum quamvis μαστὸς ex hoc μαζὸς (quod antiquius esse, ex eo cognoscimus, quod ap. Hom. in usu sit, non item alterum), deinde μασθὸς ex μαστὸς, factum esse verisimile sit: imo vero ne controversum quidem debere esse videatur: fecerunt tamen hic quoque gramm. quod alibi sæpe eos fecisse, in superioribus ostendi: i. e., strenue nugati sunt, ac ineptiverunt: nisi quis eorum nugas et

A ineptias, lusus appellare malit ὑποκοριζόμενος: quemadmodum enim differentiam hanc inter μαστὸν et μασθὸν constituerunt, ut μαστὸς de Muliebri mamma, μασθὸς, de Virili diceretur: ita etiam differentia etyma illis dederunt: ut sc. μαστὸς dicatur per τ, Mamma muliebris, tanquam μεστὸς, quod sit μεστὸς γάλακτος: at vero μασθὸς, per θ, vocetur Mamma virilis, διὰ τὸ μὴ ἐσθίεσθαι: i. e. quod non edatur s. comedatur: quod sc. pueri lac ex mamma sugentes eam velut comedere videantur. Jam vero fuerunt et qui μαστοὺς appellatos crediderint ac tradiderint etiam, a verbo μαστεύω, Quæro, s. a verbali nomine μαστὺς, Quæsitio (si ita vocare liceat ipsam quærendi actionem), quod infantes in mammis lac quærant. At ego contra μαστεύω dictum esse arbitror a μαστὸς, ut μαστεύειν proprie dicatur Qui quærit aliquid, et investigat solicite, infantis more quærentis lac in mamma. [De triplici forma ita fere Elmslejus ad Eur. Bacch. 700: « Leguntur μαζὸς, μασθὸς, et μαστὸς (semel quodque in Æsch. Choephoris), apud Soph. nonnisi μαστὸς,
B et plus minus tricies ap. Euripidem. Vulgo quidem Hec. 144 μαζῶν, sed multi codd. μαστῶν, in l. Bacch. omnes μαζός. Thomæ p. 599 præceptum est: Μαστὸς ἐπὶ γυναικὸς, μαζὸς δὲ ἐπὶ ἀνδρός. Quod discrimen Homero Tragicisque ignotum fuisse videtur. Nam neque ap. illum legitur μαστὸς, neque ap. hos μαζὸς, nisi bis terve ex errore librariorum. Μασθὸς ap. Æschylum (l. supra cit.) nihili vox est. » Μαζὸς constanter etiam Herodotus, inter utramque formam variatur ap. Hippocratem, librorum haud dubie vitio. Μαζὸς interdum apud recentiores dialecti, ut Achillem Tat. 1, 1, p. 5, 26, 28, Moschionem De morb. mul. c. 26, qui ibidem utitur forma μασθὸς, et alios. || De forma per δ vel potius σδ HSt.:] Μαδὸς Dorice pro μαζὸς dicitur, ut Eust. tradit ex Heraclide. [Od. p. 1562, 4: Τὸ ἔθω ἀπὸ τοῦ ἔδω, λέγει ὁ Ἡρακλείδης, παρῆκται Δωριέων ἔθει, οἵ, φησὶ, καὶ τὸν μαδὸν μασθὸν λέγουσι καὶ τὸ ψεῦδος ψύθος· Il. p. 1258, 57: Μασθὸς διὰ τοῦ θ ἐκ τοῦ μαδὸς, καθὰ προδεδήλωται. Sed forma Dorica est μασδὸς, de qua HSt. initio iterumque:] Μα-
C σδὸς Dorice, ut antea dixi, pro μαζὸς, Theocr. 3, [15]: Ἦ ῥα λεαίνας Μασδὸν ἐθήλαξεν, δρυμῷ τέ μιν ἔτρεφε μάτηρ. Sed et Μαδὸς est Dor., Eust. ex Heraclide. [Atque μασδὸς, non μαδὸς, scripsisse videtur Eust. Ceterum v. Μασθὸς et Μαστός.]

[Μαζὸς, ὁ, piscis genus. V. Μαζίνης.]

[Μαζουσία. V. Μαστουσία.]

[Μαζοφαγέω, Maza vescor. Hippocr. p. 389, 37.]

[Μαζοφάγος, ὁ, Qui maza vescitur. Hippocr. p. 478, 12. « Julian. Or. 6, p. 198, D. » Hemst.]

Μαζοφορὶς, ίδος, ἡ, Cistella ferendis mazis, ὅμοιον κανῷ, Hesych.

[Μάζυες, οἱ Λιβύης νομάδες. Ἑκαταῖος Περιηγήσει. Εἰσὶ δὲ καὶ ἕτεροι Μάξυες καὶ ἕτεροι Μάχμες (Μάχλυες), Steph. Byz.]

[Μάζω. V. Μάσσω.]

Μάζωνες, ap. Spartanos olim dicta fuit ἡ Διονυσιακὴ σύνοδος, Bacchanale convivium. Athen. 4, [p. 149, B: Μάλιστα τοῖς λεγομένοις μάζωσι, nunc μαζῶσι. « An a Græco μᾶζα, quasi Locus quo mazæ congererentur?
D an potius ab Hebr. *Mazon*, i. e. Cibus, Obsonium? At μᾶζα est illorum *Matsah*, quod genus Panis aut Placentæ illis significat. » Casaub.]

[Μαθαλλὶς, ίδος, ἡ.] Μαθαλλίδας Pamphilus nominari suspicatur genus ἐκπώματος vel μέτρου: Diodorus exp. κύλικας, ap. Blæsum in Saturn.: Ἑπτὰ μαθαλλίδας ἐπίχεε ἡμῖν τῷ γλυκυτάτῳ, Athen. 11, [p. 487, C]. Hesych. unico λ scriptum habet, itidem exponens [ἐκπώματά τινα, οἱ δὲ μέτρα, ὡς κύαθοι. Simplici λ etiam Athenæi libri meliores].

[Μάθη, ἡ.] Μάθας, Hesychio μαθήσεως: a Dor. μάθα pro μάθη. [Empedocles v. 101 ed. Karsten.: Ἀλλ' ἄγε μύθων κλῦθι· μάθη γάρ τοι φρένας αὔξει. De forma v. Hemst. ad Thom. p. 127. ä]

Μάθημα, τὸ, Quod quis didicit, discit, Disciplina. [Documentum, Studium add. Gl. Soph. Phil. 918: Μὴ στέναζε, πρὶν μάθῃς. — Ποῖον μάθημα; Eur. Hec. 814: Τί τἄλλα μὲν μαθήματα μοχθοῦμεν; Aristoph. Av. 380: Ἔμαθον ἐκπονεῖν δ' ὑψηλὰ τείχη ναῦς τε κεκτῆσθαι μακράς. Τὸ δὲ μάθημα τοῦτο σώζει παῖδας κτλ. Nub. 1231:

Τί γὰρ ἄλλ' ἂν ἀπολαύσαιμι τοῦ μαθήματος;] Xen. Hipparch. [12, 15]: Καὶ ταῦτα μὲν δὴ ἰδιώτῃ καὶ ὑπομνήματα καὶ μαθήματα καὶ μελετήματα γεγράφθω ἡμῖν. Thuc. [2, 39]: Οὐκ ἀπείργομέν τινα ἢ μαθήματος ἢ θεάματος. [Et sæpissime ap. Platonem vel absolute vel cum genit., ut Conv. p. 211, C: Ἀπὸ τῶν καλῶν ἐπιτηδευμάτων ἐπὶ τὰ καλὰ μαθήματα, ἕστ' ἂν ἀπὸ τῶν μαθημάτων ἐπ' ἐκεῖνο τὸ μάθημα τελευτήσῃ, ὅ ἐστιν οὐκ ἄλλου ἢ αὐτοῦ ἐκείνου τοῦ καλοῦ μάθημα.] Lucian. [Gallo c. 18]: Οὐδ' ἀμελέτητος τῶν καλλίστων μαθημάτων. [Λόγους et μαθήματα distinguunt Aristides vol. 2, p. 421: Σχολάζων μαθήμασι καὶ λόγοις ὅσα μὴ χρεία σώματος διεκώλυσεν· Julian. Or. p. 11, C: Ἡ τῶν λόγων μελέτη καὶ τὰ προσήκοντα τοῖς τηλικούτοις μαθήματα, ubi λόγους Literas s. eloquentiam, μαθήματα Doctrinas s. disciplinas dici animadvertit Spanhem., et hæc quidem transferri etiam ad corporis exercitationes ap. Euseb. V. Const. 4, 51: Ἄλλοι πολεμικῶν αὐτοῖς ἐξῆρχον μαθημάτων, ipsumque Plat. Leg. 7, p. 813, E: Ὅσα εἰς ἱππικὴν μαθήματα συντείνει. Conf. idem Julian. Epist. 55, p. 107 ed. Heyler.] || Sed per excellentiam μαθήματα dictæ fuerunt Disciplinæ s. Artes aut Scientiæ mathematicæ. Philo De mundo: Γένει μὲν ἦν Χαλδαῖος, πατρὸς δὲ ἀστρονομικοῦ, τῶν περὶ τὰ μαθήματα διατριβόντων, Astronomico parente, eorumque uno qui artium mathematicarum studio incubuerunt. Ita Bud., qui et a Plat. ita vocari tradit. [Leg. 7, p. 817, E: Τοῖς ἐλευθέροις ἔστι τρία μαθήματα, λογισμοὶ μὲν καὶ τὰ περὶ ἀριθμοὺς ἓν μάθημα, μετρητικὴ δὲ μήκους καὶ ἐπιπέδου καὶ βάθους ὡς ἓν αὖ δεύτερον, τρίτον δὲ τῆς τῶν ἄστρων περιόδου πρὸς ἄλληλα ὡς πέφυκε πορεύεσθαι. Conf. Isocr. p. 238, D; 312, B, etc., Plut. Mor. p. 1138, C; 1139, B.] Idem a Gregor. μαθήματα appellari docet Mathematicorum theoremata: Ποῦ σὺ τοῦτον ἔχεις τὸν κύκλον ἐν τοῖς σοῖς μαθήμασι; V. locum Gellii in Μαθηματικὸς significante eum qui et Latine dicitur Mathematicus. || Documentum, quo sensu dicitur aliqua res nobis esse documento. Philo V. M. 2: Ἐπειδὴ τὸ περὶ τοὺς προγόνους πάθος οἱ ἀπόγονοι μάθημα σωφροσύνης οὐκ ἐποιήσαντο, Quum majorum calamitates posteri pro modestiæ documento non habuissent, Turn. Crediderim autem allusisse hic eum ad vetus quoddam dictum, παθήματα esse μαθήματα [Herodot. 1, 207: Τὰ δέ μοι παθήματα ἐόντα ἀχάριτα μαθήματα γέγονε. Conf. Blomfield. Gloss. in Æsch. Ag. 170]: aut etiam respexisse ad id quod legitur ap. Xen. Cyrop. [3, 1, 17]: Πάθημα ἄρα σὺ λέγεις τῆς ψυχῆς εἶναι τὴν σωφροσύνην, ὥσπερ λύπην, οὐ μάθημα. [Quod quis docet. Plut. Lucullo p. 106 HSt. Seager. || Hesych.: Μαθήματα, ἃ οἱ ὑποκριταὶ ἀνελάμβανον. || De schola Theophr. Char. 30, p. 20, 8 ed. Dübner.: Ἀνθεστηριῶνα μῆνα ὅλον μὴ πέμπειν αὐτοὺς (filios) εἰς τὰ μαθήματα διὰ τὸ θέας εἶναι πολλάς, ἵνα μὴ τὸν μισθὸν ἐκτίνῃ. || Astrologia. Eunapio p. 24: Τῶν ἐξ Αἰγύπτου τις περὶ τὸ καλούμενον μεθ' ἡμᾶς συντεταμένων, Wyttenbachius restituebat μάθημα. L. D. || Symbolum Apostolorum, sic dictum quod a Catechumenis memoriter disceretur. Conc. Cp. sub Mena Act. 5: Τοῦ ἁγίου μαθήματος κατὰ τὸ σύνηθες λεχθέντος. Aliique Byzantini ap. Ducang. et Vales. ad Socrat. H. E. p. 24 ed. Reading. Quibus addi potest Chron. Pasch. p. 658, 9.]

[Μαθηματικεύομαι, Mathematicam tracto. Doxopater in Walz. Rhett. vol. 2, p. 132, 2: Φυσιολογεῖ ἢ θεολογεῖ ἢ μαθηματικεύεται. Ex Jo. Siceliota annotavit Bekker. in Ind. ad Anecd. p. 1396.]

Μαθηματικὸς, ἡ, ὸν, q. d. Disciplinarius, Ad disciplinas pertinens, Ad disciplinas aptus. Plut. De virt. mor. [p. 448, A] copulavit τὸ θεωρητικὸν καὶ μ. τῆς ψυχῆς, ubi μ. sonare videtur quasi quis dicat Disciplinæ perceptivum. Ap. Themist.: Μαθηματικωτέρα ἐπιστήμη ἡ γεωμετρία τῆς ὀπτικῆς, pro Simplici et magis abstracta a sensili, Bud. || Discendi cupidus. Plato [Reip. 5, p. 475, D]: Τούτους οὖν πάντας, καὶ τοιούτων τινῶν μαθηματικοὺς [μαθητικοὺς], καὶ τοὺς τῶν τεχνυδρίων, φιλοσόφους φήσομεν; [Tim. p. 88, B: Τὸν μαθηματικὸν ἤ τινα ἄλλην σφόδρα μελέτην διανοίᾳ κατεργαζόμενον. Unde annotavit Photius.] Item Docilis. Aristot. Metaph. 1 [init.]: Καὶ διὰ τοῦτο (τῶν ζώων) τὰ μὲν φρόνιμα, τὰ δὲ μαθηματικώτερα τῶν μὴ δυναμένων μνημονεύειν ἐστίν. Bud. || Ad mathemata pertinens, i. e. mathematicas

A disciplinas, Pertinens ad mathematicos. Ad verbum Mathematicus: ut μ. ζήτησις, ap. Aristot., Mathematica, Qualis est mathematicorum. Et οἱ μ. λόγοι, ap. Eund. Item τὰ μ. τοῦ Πλάτωνος, Plut., Quæ apud Platonem sunt mathematica, i. e. Ad mathematicas disciplinas spectantia. Item μαθηματικὴ subaud. ἐπιστήμη, Mathematica scientia, s. Mathematicorum, Plut. [Mor. p. 410, C. Addito in Iamblichi libro Περὶ τῆς κοινῆς μ. ἐπιστήμης. Item ap. Aristot. Metaphys. p. 219, 9 ed. Brand., et omisso p. 122, 15.] || Mathematicus [Gl.], Mathematicarum disciplinarum peritus. Aristot. Eth. 6, 8: Διὰ τί μ. μὲν παῖς γένοιτ' ἄν, σοφὸς δὲ ἢ φυσικὸς οὔ· 1, 3: Παραπλήσιον γὰρ φαίνεται μαθηματικοῦ πιθανολογοῦντος ἀποδέχεσθαι, καὶ ῥητορικὸν ἀποδείξεις ἀπαιτεῖν. Gellius 1, 9, de Pythagoræ discipulis loquens: Ast ubi res didicerant rerum omnium difficillimas, tacere audireque; atque esse jam cœperant silentio eruditi, cui erat nomen ἐχεμυθία, tum verba facere, et quærere, quæque audissent scribere, et quæ ipsi opinarentur, expromere potestas erat.
B Hi dicebantur in eo tempore μαθηματικοὶ, ab iis sc. artibus, quas jam discere atque meditari inceptarant: quoniam geometriam, gnomonicam, musicam, ceterasque item disciplinas altiores, μαθήματα veteres Græci appellabant. [Porphyr. Vit. Pyth. 5, 37: Διττὸν ἦν αὐτοῦ (Pythagoræ) τῆς διδασκαλίας τὸ σχῆμα· καὶ τῶν προσιόντων οἱ μὲν ἐκαλοῦντο μαθηματικοὶ, οἱ δ' ἀκουσματικοὶ, καὶ μ. μὲν οἱ τὸν περιττότερον καὶ πρὸς ἀκρίβειαν διαπεπονημένον τῆς ἐπιστήμης λόγον ἐκμεμαθηκότες, ἀκ. δ' οἱ μόνας τὰς κεφαλαιώδεις ὑποθήκας τῶν γραμμάτων ἄνευ ἀκριβεστέρας διηγήσεως ἀκηκοότες. «Illæ omnes disciplinæ quæ quantitates rerum considerant atque in numeris et magnitudinibus ponderibusque ac momentis metiendis versantur, ut Arithmetica, Geometria, Astronomia, Optice, Mechanice, Stathmice, Musice, etc., communi nomine αἱ μαθηματικαὶ τῶν ἐπιστημῶν dicuntur, a Pythagoricis accepto et Platone, qui illas inprimis discendas et ceteræ philosophiæ præmittendas animumque per illas purgandum ac præparandum esse docebant. Hoc sensu Chalci-
C dius p. 175, mathematicorum rationes a physicorum distinguit rationibus, et Theo Smyrn. scripsit περὶ τῶν μαθηματικῶς λεγομένων παρὰ Πλάτωνι, Iamblichus περὶ κοινῆς μαθηματικῆς ἐπιστήμης. Hierocles: Καθαρμοὶ ψυχῆς λογικῆς εἰσιν αἱ μαθηματικαὶ ἐπιστῆμαι. Nam sec. Alcinoi Introd. ad Plat. c. 3, totam philosophiam distinguebant in eam partem quæ in disserendo, et alteram quæ in contemplando, et tertiam quæ in agendo consistit. Contemplativæ iterum partes constituebant tres, τὸ θεολογικὸν, τὸ φυσικὸν, τὸ μαθηματικόν. Hoc sensu τοὺς μαθηματικοὺς Sextus accipit, et τοὺς ἀπὸ μαθημάτων, et τοὺς ἀπὸ μαθημάτων Πυθαγορικούς. Pro humaniorum et liberalium disciplinarum peritis mathematici ponuntur a Cebete in Tab. p. 69: Πότερον οὐδὲν προέχουσιν οὗτοι οἱ μαθηματικοὶ (dixerat p. 29 de poetis, rhetoribus, Dialecticis, Musicis, Arithmeticis, Geometris, Astrologis et Criticis s. Grammaticis), πρὸς τὸ βελτίους γενέσθαι τῶν ἄλλων ἀνθρώπων; Atque hoc sensu intelligendum, quando Sextus ἀντίρρησιν suam direxit adversus Mathematicos.» Hæc fere
D Fabric. ad Sext. Emp. p. 214.] Vulgus autem, quos gentilitio vocabulo Chaldæos dicere oportet, Mathematicos dicit. [«Pro Astrologis genethliacis Sextus l. 4, s. ult., ubi τοὺς μαθηματικοὺς Geometris et Arithmeticis opponit, et l. 5, s. 1 et 2, ubi Chaldæos appellat μαθηματικοὺς καὶ ἀστρολόγους. Et s. 104 pro Astrologia memorans τὴν μαθηματικήν. Sic Porphyrius ap. Euseb. Præp. ev. 6, 1: Ἐξ ἄστρων ἐπιτηρήσεως κατὰ τοὺς μαθηματικοὺς λόγους.» Fabric. ad Sextum l. c., additis etiam Latinorum exemplis. «Socrates H. E. 2, 9: Ἐλοιδορεῖτο γὰρ ὡς μαθηματικὴν ἀσκούμενος. V. Gloss. med. Latin. in Mathematicus.» Ducang.]

Μαθηματικῶς, Mathematice, Mathematicorum more. [Aristot. Metaphys. p. 39, 24: Ἐὰν μὴ μ. λέγῃ τις· et 271, 24. Plut. Mor. p. 934, A: Φυσικῶς καὶ μ. Ptolem. Mathem. Comp. vol. 1, p. 149, A: Τῶν ὀφειλόντων περί τε οὐρανοῦ καὶ γῆς μ. προληφθῆναι. Theo Smyrn. Math. c. 1, p. 1: Τῶν μ. λεγομένων παρὰ Πλάτωνι. L. D. Strabo 2, p. 109, 110. Μαθηματικωτέρως Tzetz. Hist. 2, 195. Elberl. Id. ad Hesiod. Op. 596. Boiss.]

[Μαθηματοπωλικὸς, ἡ, ὸν, Disciplinas vendens s. quæstum iis faciens. Plato Soph. p. 224, E, γένος. Ib. B: Τῆς μαθηματοπωλικῆς, Mercaturæ disciplinarum.]

[Μαθησία, ἡ, pro μάθησις, ap. Zachar. Pap. l. 1 Dialog. Gregor. M. c. 1 extr. Ducang.]

Μάθησις, εως, ἡ, q. d. Discentia, Ipsa discendi actio. [Doctrina, Disciplina, Discipulatus, Gl. Alcman ap. schol. Pind. Isthm. 1, 56: Πεῖρά τοι μαθήσιος ἀρχά. Soph. El. 1032: Ἀλλά σοι μάθησις οὐ πάρα· Tr. 450: Μάθησιν οὐ καλὴν ἐκμανθάνεις· 711: Ὧν ἐγὼ μεθύστερον τὴν μάθησιν ἄρνυμαι. Eur. Suppl. 915: Λέγειν ἀκούειν θ' ὧν μάθησιν οὐκ ἔχει. Sæpius vel absolute vel addito genitivo Xenophon et Plato utroque numero. Diodor. 1, 1: Ἡ ἐκ τῆς πείρας ἑκάστου μάθησις· et ibid.: Τὴν ἐκ τῆς ἱστορίας μάθησιν.] Aristot. Pol. 8: Οὐ γὰρ παίζουσι μανθάνοντες· μετὰ λύπης γὰρ ἡ μ. Et μ. τῶν γραμμάτων, Cognitio, Perceptio; ibid., τῶν γραμμάτων μ. παιδεύεσθαι. Sed et μάθησιν ποιεῖν ex Eodem in Rhet., pro Erudire. Dixit et Cic., Scientiam afferre. Et εἰς τυπώδη μ. apud eundem Aristot., Ad crassius docendum, Ad crassiorem doctrinam, Bud. Idem Polit. 7: Πρὸς μάθησιν οὐδεμίαν, Disciplinam. Bud., ab eo accipi tradens pro παιδεία, affert ex eorundem Polit. 8: Αἱ μὲν οὖν καταβεβλημέναι νῦν μ. ἐπαμφοτερίζουσι. [Ὁπλομαχίας μαθήσεις, Ephor. ap. Athen. 4, p. 154, E. Hemst. Alia constructione Aristid. Quinct. De mus. p. 1, 5: Θαυμάζειν τὴν τῶν παλαιῶν περὶ ἅπαν μάθησιν καὶ σπουδήν. || I. q. Consuetudo. V. Μάθος. || Apud Latinos medii ævi *mathēsis* de astrologia, *mathĕsis* de scientia dici ostendit Ducang. in Gloss. Lat. De secunda conf. v. Κίνησις vol. 4, p. 1571, B.]

Μαθητεία, ἡ, Institutio quæ traditur discipulo, vel Disciplina, s. Doctrina. [Ἡ μάθησις Suidæ.] Gregor.: Εἰ οὕτω βαπτίζῃ καὶ κατὰ ταύτην τὴν μαθητείαν. [Dio Chr. Or. 4, vol. 1, p. 155: Ὅταν λέγῃ (Homerus) διοτρεφεῖς τοὺς βασιλέας καὶ Διὶ φίλους, ἄλλο τι οἴει λέγειν αὐτὸν ἢ τὴν τροφὴν αὐτῶν, ἣν ἔφη εἶναι διδασκαλίαν καὶ μαθητείαν; Acta SS. Martii, vol. 2, p. 697, D: Πολλοὶ τῆς Χριστοῦ μαθητείας ἐπαξίως ἠνδρίζοντο. Theodor. Stud. p. 537, A: Ἐκπέσοιτε ἀπὸ τῆς μαθητείας Χριστοῦ. L. D. Niceph. Callist. Or. in S. Magdalenam inter Bandini Anecd. p. 36. Boiss.]

[Μαθητεῖον, τὸ, Templum discipulorum domini s. Apostolorum. In cod. Reg. 2216 (hodie n. 1630), fol. 101 describuntur quidam characteres ignoti, quibus hæc verba subjiciuntur: Αὐτὰ τὰ γράμματα ἐγράφησαν εἰς τὸ ὄρος τῶν ἐλαιῶν εἰς τὸ μαθητεῖον ἐν πέτρᾳ ὑπὸ τῶν ἀχράντων δακτύλων τοῦ δεσπότου Χριστοῦ, ὅπου εἶπε τοῖς μαθηταῖς αὐτοῦ Γρηγορεῖτε καὶ προσεύχεσθε. Ducang.]

Μαθητέον, Discendum. [Aristoph. Vesp. 1262: Μαθητέον τἄρ' ἐστὶ πολλοὺς τῶν λόγων. Herodot. 7, 16, 3: Τοῦτο ἤδη μ. ἐστίν. Plato Leg. p. 818, D: Πόσα καὶ πότε μαθητέον· 822, C: Μαθητέα ... τὰ τοιαῦτα πάντα· Crat. p. 439, B. Cum præpos. παρὰ Xen. Comm. 2, 1, 28: Τὰς πολεμικὰς τέχνας παρὰ τῶν ἐπισταμένων μαθητέον.]

Μαθητεύω, Discipulus sum, Sum auditor. Plut. [Mor. p. 837, C], de Isocrate loquens: Ἐμαθήτευσε δ' αὐτῷ καὶ Θεόπομπος ὁ Χῖος, καὶ Ἔφορος ὁ Κυμαῖος. Sed et pro Doceo. Matth. 28, [19]: Πορευθέντες οὖν μαθητεύσατε πάντα τὰ ἔθνη. Hinc Μαθητεύομαι, Doceor, ap. Basil. Εἰς τὸ πρόσεχε σεαυτῷ. Sed et cum dat. pers. ap. recentiores, sicut μαθητεύειν, Discipulum esse, ut, Ὁ ἅγιος Ἱερόθεος τῷ ἁγίῳ Παύλῳ ἐμαθητεύθη. [Symeonis Hegumeni S. Amantis homilia: Οἷα τίς ἐστιν ἡ τῶν ἀληθινῶν διδασκάλων διάθεσις καὶ ἀγάπη πρὸς τοὺς μαθητευομένους αὐτοῖς. Nicetas Sthetatus in Præfat.: Ταῦτα καὶ ἡμεῖς ὡς αὐτοῦ μαθητευθέντες. (Alia constr. Michael Nicetas ap. Tafel. De Thessalon. p. 34: Εἰ νῦν γοῦν ἀρχόμενοι παρ' ἐκείνῳ μεταδιδάσκοντι μαθητεύοιντο. L. D.) || Act. Doceo. Cedrenus in Constante Heraclii nepote: Τὴν Μανάλην, ἣν ἐμαθήτευσε Γενέσιος. Ducang.]

Μαθητὴς, ὁ, Discipulus. [Aristoph. Nub. 140, 142, Ran. 964. Moschus 3, 102. Et sæpe Xenophon et Plato.] Proverb., Πολλοὶ μαθηταὶ κρείττονες διδασκάλων, Multi discipuli præstantiores magistris, Epigr. Et Πλάτωνος μαθητὴς, vel Ἀριστοτέλους, etc., ap. Plut. et reliquos. Interdum vero cum gen. rei: ut Theophyl. elephantem vocat ἀνθρωπείων διδαγμάτων μαθητὴν ἐπιδέξιον. [De monachis recens ex novitiatu egressis ex

A Theodori Balsam. Responsis annotavit Ducang. App. Gl. p. 125.] Fem. Μαθήτρια, et Μαθητρίς: μαθήτρια, ut ποιήτρια, at μαθητρὶς ut αὐλητρίς: Discipula. Diog. L. Speusippo, circa princip. [4, 2]: Ἐλέγοντο δὲ αὐτοῦ καὶ αἱ Πλάτωνος ἀκούειν μαθήτριαι. [Μαθήτρια est etiam in Gl. et ap. Diodor. 2, 52: Τὰς τέχνας μαθητρίας γενομένας τῆς φύσεως· Theodor. Stud. p. 382, B; 555, D, Theognost. Can. p. 98, 25, Tzetz. Hist. 10, 58. L. D. Μαθητρὶς Philo vol. 1, p. 273, 24. Quam formam Atticam, alteram communem dicit Mœris p. 263.]

Μαθητιάω, Discipulus esse cupio, Discere cupio. Ap. Aristoph. Nub. [183] quidam poscens sibi aperiri scholam, dicit se μαθητιᾷν. Synes. [Ep. 153]: Καὶ τήν γε φύσιν ἐμακάριζον, καὶ ἐμαθητίων πολλοὶ, Et multi ejus discipuli esse cupiebant. [Script. Philopatridis c. 14: Ἐγὼ μαθητιῶν ἀκούσαιμι παρὰ σοῦ. Philes Carm. in Cantacuz. p. 180, 451: Ἐπεὶ πρὸς αὐτὸν τὸν στρατηγὸν τὸν μέγαν μαθητιῶσι πάντες. L. D.] Sed alibi μαθητιᾷν τινὶ pro Alicujus esse discipulum. [Theodor. Stud. p. 340, B: Μαθητιῶν ἦν τοῖς ἀποστόλοις, μάρτυσι, προ-

B φήταις· 359, D: Ἡμεῖς οἱ ταπεινοὶ, ὡς μαθητιῶντες αὐτῷ. Anonymus (Geminum esse constat ex Iriart. Bibl. Matrit. p. 388) ap. Cramer. An. vol. 3, p. 227, 28: Οὐχ οὕτω Κόροιβος ὁ Ἀλέξανδρος ὡς τῷ παντάπασιν ἀτελεῖ ἀντ' Ἀριστοτέλους μαθητιᾷν. L. D.] Dionys. Areop. autem accus. junxit pro Discere cupio, Bud.

[Μαθητικὸς, ἡ, ὸν, Ad disciplinam pertinens. Plato Soph. p. 219, C: Τὸ μαθητικὸν, Disciplina. || Cum gen. Discendi cupidus. V. l. ejusd. Reip. 5, p. 475, D, ab HSt. in Μαθηματικὸς positum. Aristot. H. A. 9, 1: Τὸ ἦθος τὸ τῶν θηλειῶν μαθητικώτερον· Metaph. 1, 1 init. Pollux 9, 151.]

Μαθητὸς, ὁ, ἡ, q. d. Discibilis, Qui disci potest. [Xen. Cyrop. 1, 6, 23: Ὅσα ἀνθρώποις μαθητά· Conv. 2, 7. Sæpius ap. Platonem, et in dial. De virt. p. 376, C, genere fem.: Καὶ ταύτην, εἴπερ μαθητός ἐστι.] Aristot. Eth. 6, [3]: Ἔστι δὲ πᾶν ἐπιστητὸν, μαθητόν. [Id. 1, 9. Plut. Mor. p. 98, A.]

[Μαθήτρια, Μαθητρίς. V. Μαθητής.]

[Μάθος, ους, τὸ, i. q. μάθησις. Æsch. Ag. 185: Ζῆνα,

C τὸν πάθει μάθος θέντα κυρίως ἔχειν, ubi πάθος cum μάθος componitur, ut alibi πάθημα cum μάθημα, quod v. De consuetudine Hippocr. p. 592, 50: Ἐλάσσονας ἢ πλέονας ἡμέρας τοῦ μάθεος· ubi libri deteriores τοῦ συνήθεος· sed ib. p. 612, 49: Ἐπὴν πλέονα τοῦ μάθεος φάγῃ, ut p. 593, 8, ἐπὴν ταλαιπωρήσῃ πλείονα τῆς μαθήσιος, et p. 646, 40, τὰ ἐπιμήνια πρότερον ἢ ὕστερον τοῦ μεμαθηκότος γίνεται. Quæ inter se contulit Schneiderus. Photius: Μάθος, ζήτησις. Μάθος· λέγουσι τὴν μάθησιν· οὕτως Ἀριστοφάνης.]

Μάθυιαι, Hesychio γνάθοι, Malæ, Maxillæ. [Infra Ματύαι, ubi ordo literarum poscit duplex τ.]

Μαθῶμαι, Hesychio ζητῶ, Quæro, quod et μαστεύω, et μαίω. [Μαθᾶμαι codex.]

[Μάθων, ωνος, ὁ, Matho, ap. Arcad. p. 11, 24: Μάθων ὁ Θηβαῖος.]

[Μαὶ, μέγα. Ἰνδοὶ, Hesych. De quo v. annot. interpretum et nos in Μαίμακον.]

Μαῖα, ἡ, Obstetrix, ἡ ὀμφαλοτόμος, Eust. [Il. p. 972, 36] derivans a μάω, i. e. ζητῶ: vel a μαίομαι vi-

D cino, quod ejusd. cum μῶ signif. est. Hesychio itidem est περὶ τὰς τικτούσας ἰατρὸς καὶ ὀμφαλατόμος, Quæ parturientibus assistit, medeturque, et umbilicum natis infantibus præcidit. Solet autem ea ἐν τοῖς τόκοις ζητεῖσθαι et itidem ζητεῖν ipsa. Ea signif. ap. Suid.: Σωκράτης, Σωφρονίσκου λιθοξόου, καὶ μητρὸς Φαιναρέτης, μαίας· quæ desumpta sunt ex Diog. L. [2, 18.] Et Pollux in fine l. 4, ex Platone: Διδοῦσι φαρμάκια αἱ μαῖαι ταῖς δυστοκούσαις· qui l. est in Theæt. p. 97 [149 seq.], ubi aliquoties hoc vocab. repetit. [Aristoph. Lys. 746: Ἀλλ' οἴκαδέ μ' ὡς τὴν μαῖαν ἀπόπεμψον· Eccl. 915.] || Nutrix, τροφὸς, Hesych. Sic accipi potest ap. Hom. Od. Τ, [483]: Μαῖα, τίη μ' ἐθέλεις ὀλέσαι; σὺ δέ μ' ἔτρεφες αὐτὴ Τῷ σῷ ἐπὶ μαζῷ, de Euryclea, quam Telemachus quoque suam μαῖαν appellat. Od. Β, [372]: Θάρσει, μαῖ'. Alibi ab Eod. compellatur Μαῖα φίλη: nam eum μάλιστα Δμωάων φιλέεσκε, καὶ ἔτρεφε τυτθὸν ἐόντα, Od. Α, [435]. Plut. quoque eam Telemachi τροφὸν appellat in libro Π. ἀδολεσχίας. Pollux 3, [41]: Ἡ δὲ τροφὸς τῆς κόρης, τιθήνη, καὶ ἡ γάλα παρέχουσα, τίτθη καὶ μαῖα. Ubi videtur distinguere inter τροφὸν et μαῖαν : et μαῖαν strictius capere pro Ea quæ lactat. || Avia, Patris vel Matris mater, Hesych. Cui astipulatur, qui ap. Eust. ita scribit, Τήθην οἱ Ἕλληνες τὴν πατρὸς ἢ μητρὸς μητέρα, οἱ δὲ παλαιοὶ ἀκύρως μάμμην καὶ μαῖαν· μάμμην γὰρ Ἀττικοὶ καὶ μαμμαίαν, τὴν μητέρα καλοῦσι. [Iamblich. V. Pyth. 11, 56, p. 114 : Τὴν παῖδα ἐκ παίδων ἐπιδοῦσαν κατὰ τὴν Δωρικὴν διάλεκτον (καλέσαι) μαῖαν.] Μαῖα est etiam προσφώνησις πρεσβύτιδος τιμητική, pro ὦ τροφὲ, ut idem Hesych. annotavit : sicut Eust. quoque [Il. p. 1118, 12] μαῖαν vocari ἁπλῶς scribit τὴν πρεσβυτέραν γυναῖκα, ut et τήθην, τηθίαν, τηθίδιον. Idem alibi, μητέρας, inquit, vocant τὰς πρεσβυτέρας, τὴν ἡλικίαν εἰκάζοντες· τὰς δὲ ἔτι πρεσβυτέρας, μαίας καὶ τήθας· sicut vicissim senes juvenes appellant παῖδας et τέκνα. Similiter et τὰς ταῖς ὠδινούσαις παρεστώσας πρὸς θεραπείαν vocari μαίας scribit, etiamsi juniores sint, non vetulæ. [Mater. Æsch. Cho. 43 : Ἰὼ γαῖα μαῖα. Soph. ap. Strab. 15, p. 687 : Νῦσαν, ἣν Ἴακχος αὑτῷ μαῖαν ἡδίστην νέμει. Eur. Alc. 394 : Μαῖα δὴ κάτω βέβακεν.] || Μαῖα, Maiæ, cancrorum genus. Aristot. H. A. 4, 2 : Μέγιστον μὲν οὖν (τῶν καρκίνων τὸ γένος) ἐστὶν ἃς καλοῦσι μαίας· δεύτερον δὲ, οἵ τε πάγουροι καὶ οἱ Ἡρακλεωτικοὶ καρκῖνοι. [Et ib. 3, etc.] Plin. 9, 32 : Cancrorum genera, carabi, astaci, maiæ, paguri, Heracleotici. || Μαῖα, Maia, Atlantis filiarum et Pleiadum una, Mercurii mater. De qua [Hom. H. Merc. 3 etc.] Hesiod. [Th. 938, ubi forma epica Μαίη, Tragici et alii,] et Plut. [Mor. p. 285, A] de Maio mense loquens : Καὶ διὰ τοῦτο ἴσως Ἑρμῆν ἐν αὐτῷ σέβονται, καὶ Μαίας ἐπώνυμός ἐστι. Pro una ex Pleiadibus a Virg. quoque [Georg. 1, 225] accipitur, Multi ante occasum Maiæ cœpere. [|| Πόλις Ἑλλησποντία. Τὸ ἐθνικὸν Μαιάτης κατὰ πρόσθεσιν τοῦ της, Steph. Byz.]

[Μαῖα, ἡ, Noctis nomen, apud Proclum In Platonis Tim. p. 63 et 96, cum qua demiurgus Orphius de creatione deliberat. Ex nocte vero tamquam ex principio feminino, uti Indi ex aqua, nata esse omnia finxerunt. Hinc nomen Μαῖα cum Hebr. מיים *majim* atque Chald. מיא comparari potest. Dahler.]

[Μαιᾰδεὺς, έως, ὁ, Maiæ filius. Hipponax ap. schol. Lycophr. 855 : Ἑρμῆ, φίλ' Ἑρμῆ, Μαιαδεῦ Κυλλήνειε. || Una cum forma Μαιάδης ponit Nicomachus Photii Bibl. p. 144, 11 : Ἡ τετρὰς καὶ Μαιαδεὺς καὶ Μαιάδης (τῆς γὰρ Μαίας υἱὸς ἤτοι τῆς δυάδος ἡ τετράς). L. Dind.]

[Μαιανδρεὺς, έως, ὁ, Mæandreus, n. viri in inscr. Ephes. ap. Bœckh. vol. 2, p. 617, n. 2999, 1 : Μεανδρεὺς (sic) νεικήσας. L. Dind.]

[Μαιανδρίδης, ὁ, Mæandrides, n. gentile in inscr. Teja ap. Bœckh. vol. 2, p. 648, n. 3064, 29. ῐ L. D.]

[Μαιανδρία, ἡ, Mæandria, n. mulieris in inscr. Trallensi ap. Bœckh. vol. 2, p. 591, n. 2940. L. Dind.]

[Μαιάνδριος, ὁ, Mæandrius, n. viri, in numo Mileti ap. Mionnet. *Descr.* vol. 3, p. 164, n. 737. Historici Milesii in inscr. Prien. ap. Bœckh. vol. 2, p. 572, n. 2905, 2, A, 8, et ap. Strab. 12, p. 552. Aliorum in inscrr. Nysæa ib. p. 592, n. 2943, 7, Teja p. 670, n. 2078, 3. Scribæ Polycratis ap. Herodot. 3, 123, etc. V. etiam Μαίανδρος. L. Dind.]

[Μαιανδροπολίτης. V. Μαιανδρούπολις.]

Μαίανδρος, ὁ, Mæander, Phrygiæ fluvius est [apud Hom. Il. B, 869, Hesiod. Th. 339, Herodotum (qui etiam Μαιάνδρου πεδίον memorat 1, 18, 161; 2, 10, cum Thuc. 3, 19, et Strabone), ceterosque historicos et geographos], qui recurvatis in undis ludit, et ambiguo lapsu refluitque fluitque, ut canit Ovid. Plin. quoque eum dicit plurimis affundi oppidis, ita sinuosis flexibus ut sæpe credatur reverti. Inde fit, ut Μαιάνδρου hoc vocabulum transferatur ad alia etiam. [De aquis Philostr. Imag. p. 776 : Μαιάνδρους πολλοὺς ἑλίττει, σελίνου βρύοντας, ἀγαθοὺς ναυτίλλεσθαι τοῖς ὄρνισι τοῖς ὑγροῖς. L. Dind.] Hesych. enim ἱππασίας quoddam genus apud τοὺς ἱπποδαμάστας ita nominari scribit, quum nimirum pulli multiplicibus flexibus agitantur, interdum et in gyrum. Idem Hesych. μαίανδρον esse dicit κόσμον τινὰ ὀροφικόν : ut Festus quoque Mæandrum genus picturæ dictum esse a similitudine flexus amnis, qui appellatur Mæandrus : Nonius, Mæandrum esse picturæ genus a simili opere labyrinthorum ortum, claviculis illigatum : ut apud
A Virg. Æn. 5, [251] : Victori chlamydem auratam, quam plurima circum Purpura mæandro duplici Melibœa cucurrit, ubi Serv. quoque intelligit Purpuram flexuosam et inter se remeabilem. Item in cælatura μαίανδρος dicitur lineis discursantibus, nunc per helices et spiras retortis, nunc per gyros et anfractus sinuatis. Joseph. A. J. [12, 2, 8, 9] : Μαίανδρος ἐν κρατῆρσι πηχυαῖος τὸ ὕψος ἐξείργαστο κατὰ σύνθεσιν λίθων παντοίων τὴν ἰδέαν. Inde Mæandratus dicitur In quo mæandri sunt, s. Flexuosis mæandris circumductus. [Aristeas Hist. LXX intt. p. 110 : Ὑπ' αὐτῆς δὲ τῆς τραπέζης μαίανδρον ἔκτυπον ἐποίησαν, ἐν ὑπεροχῇ λίθους ἔχοντα κατὰ μέσον πολυτελεῖς· et in seqq. Et p. 111 : Εἶτα μαίανδρος ἐπέκειτο (τῷ κρατῆρι) πηχυαῖος ὕψει. L. D. Strabo 12, p. 577, de Mæandro : Σκολιὸς ὢν εἰς ὑπερβολὴν, ὥστε ἐξ ἐκείνου τὰς σκολιότητας ἁπάσας μαιάνδρους καλεῖσθαι.] Varro in Humatione Menippi : Mihi facies mæandrata et vermiculata, atque adeo orbem terræ. A flumine autem, Μαιάνδριος χὴν, ap. Athen. 2, et ἔγχελυς Μαιανδρίη, 7, [p. 299, C, in versu Simonidis].
B Sic Μαιάνδριον πεδίον [ap. Dionys. Per. 837], et Μαιάνδριον ὕδωρ, ap. Suid.; pro quo ap. Eund. ex Epigr. [Leonidæ Anth. Pal. 6, 110, 2] : Μαιάνδρου πὰρ τριέλικτον ὕδωρ.

[Μαιανδρούπολις, Μαγνησίας πόλις, ὡς Φλέγων ἐν Ὀλυμπιάσι. Τὸ ἐθνικὸν, Μαιανδροπολίτης. Εἰ δέ ἐστι Μαίανδρος ἡ πόλις, τὸ ἐθνικὸν Μαιάνδριος, Steph. Byz.]

[Μαιανδρώδης, ὁ, ἡ, Flexuosus. Philo Belop. p. 86, A : Ἄλλη γὰρ ἄλλῃ ἁρμόττει (τειχοποιία), οἷον ἡ μὲν μαιανδρώδης τῇ πεδινῇ. L. Dind.].

Μαιὰς, άδος, ἡ, Avia, Nutrix, μάμμη, τροφὸς Suidæ, l. hunc ascribens : Καὶ σὺ τετράγλωχιν μηλοσσόε μαιάδος Ἑρμᾶ, et exponens τροφοῦ, μητρός. Sed rectius interpretabimur Maiæ filius; nam Μαιὰς pro Μαῖα de Mercurii matre ap. Hom. quoque reperitur. Hom. Od. Ξ, [445] : Τὴν μὲν ἴην νύμφῃσι καὶ Ἑρμῇ Μαιάδος υἷϊ Θῆκεν ἐπευξάμενος. [Et sæpe in Hymnis et ap. Euripidem aliosque poetas.] Horat., Almæ filius Maiæ itidem pro Mercurio dixit. Et Virg., Genitus Maia. Idem, Nil amplius oro, Maia nate. [Significatione initio
C posita, sed adjective Nonn. Dion. 3, 403 : Καὶ τεκέων κλάζουσα μέλος θελκτήριον ὕπνου ἀμφοτέρους εὕδοντας ἐκοίμισε μαιάδι τέχνῃ.]

[Μαιάτης. V. Μαῖα.]

Μαιατικὸς, ἡ, ὸν, Nutritius. VV. LL. Fortassis a verbo Μαιάω, quod iisd. VV. LL. est Obstetricor, Quæro, Inquiro : sed sine auctore et exemplo. [Fictum videtur ex μαιευτικός.]

[Μαιδοὶ, ἔθνος Θρᾴκης, πλησίον Μακεδονίας. Ἐκ τούτων μεταβάντες τινὲς εἰς Μακεδόνας Μαιθοβίθυνοι (Μαιδοβιθυνοὶ rectius ap. Strab. 7, p. 295) ἐκλήθησαν. Τὸ ἐθνικὸν Μαιδικὸς καὶ Μαιδική (Aristot. H. A. 2, 1 med., Diodor. Exc. p. 580, 55), Steph. Byz. V. idem in Ὦδονες. Ubi Μαῖδοι scriptum, ut ap. Thuc. 2, 98, Strabon. 7, p. 316, 318, cujus tamen alii libri acutum exhibent.]

Μαιεία, ἡ, pro μαίευσις. Plato Theæteto p. 97 [150, B] : Τῇ δέ γ' ἐμῇ τέχνῃ, τῆς μαιεύσεως τὰ μὲν ἄλλα ὑπάρχει ὅσα ἐκείναις, sc. ταῖς μαίαις· quæ verba sequitur l. in Μαιεύομαι citatus. Et paulo post, Τῆς μέν τοι
D μαιείας ὁ θεός τε καὶ ἐγὼ αἴτιος, Fœtus extractionis, Obstetricis operæ. [Conf. p. 210, C.]

Μαίευμα, τὸ, Quod ab obstetrice extractum est, i. e. Partus, τὸ παιδίον, Plato [Theæt. p. 160, E. « Eustath. in Ismene p. 341 : Τῷ δ' ἦν παρθένος θυγάτηρ, μαίευμα Χαρίτων, Ἀφροδίτης κεστὸς, Huic virgo filia, Gratiarum partus, Veneris merum cingulum, i. e. amabilis. » Koenig. Eustath. Opusc. p. 325, 39 : Ὁ ἐν σωματίοις κείμενος λόγος ... ἔστι τοῦ ὑποδεξαμένου κώδικος μαίευμα, σπαργανοῦντος οἷον αὐτόν.]

Μαίευσις, εως, ἡ, Obstetricis functio et munus. [Plato Theæt. p. 150, B. Theophyl. Bulg. vol. 3, p. 665, B; Suidas in Μαιεία.]

Μαιευτικὸς, ή, όν, q. d. Obstetricius, ut μαιευτικὴ γυνὴ, Obstetrix, Obstetricis artem callens, Quæ obstetricis modo infantem educere novit. Et μ. τέχνη, vel μαιευτική, absolute, Ars obstetricum. Utrumque ex Polluce habes in Μαιεύω. [Et ap. Plat. Theæt. p. 161, E; 184, B; 210, B.] At μαιευτικὸν doctrinæ genus, inquit Bud., dicitur Diogeni Laertio 3, p. 33

[§ 49. Et ib. 51, 59], Quod velut incunabula fovet. [Socratis μαιευτική, Max. Tyr. 16, § 4, et Davis. p. 556, multis explicita Platon. I. p. 149. Valck.] Sic ap. Dionys. Areop. [De eccl. hier. c. 6, 1, p. 249, C: Ὡς ἔτι πρὸς τῶν λειτουργῶν τοῖς μαιευτικοῖς λογίοις πρὸς ζωτικὴν ἀπότεξιν μορφουμένης (τάξεως). Et]: Κατηχούμενοι ὑπὸ τῶν πατρικῶν λογίων μαιεύονται. [Ib. c. 5, 6, p. 235, D: Μαιευομένη ταῖς καθαρτικαῖς τῶν λογίων ἐλλάμψεσι. Theodor. Stud. p. 517, E: Τῶν ἔτι μαιευομένων ἤτοι κατηχουμένων. L. D.] Μαιευτικὸς, Platoni Qui peritus est τῆς μαιείας, Bud.

Μαιευτικῶς, Obstetricum more, Pollux 4 fine.

Μαιεύτρια, ἡ, Obstetrix [Gl. Μαιεύτριαν, ἀντὶ τοῦ μαῖαν. Σοφ. Ἀλεξάνδρῳ, Antiatt. Bekk. p. 108, 30. Galen. vol. 5, p. 56; 7, p. 522. Pollux 2, 169. « Μαίευτρα, Theod. Prodr. in Notitt. Mss. vol. 6, p. 556: ni leg. μαιεύτρια. » Boiss.]

Μαιευτρικῶς, Obstetricum ritu. Ap. Suidam μαιευτρικῶς, ἰατρικῆς: fortasse pro ἰατρικῶς. Nisi in Μαιευτρικῶς error sit, et scr. μαιευτρικῆς. [Recte nunc μαιευτικῆς.]

Μαιεύω, Obstetrix sum, Obstetricem ago. Pollux sub fin. I. 4, [§ 208] de Obstetrice: Ἐρεῖς δὲ, μαῖα· μαιεία, μαίευσις· μαιευτικὴ ἡ τέχνη καὶ ἡ γυνή· καὶ τὸ ῥῆμα μαιεύειν, μαιεύεσθαι· quod μαιεύεσθαι frequentius usurpatum reperitur quam μαιεύω, in signif. etiam activa, pro ἐξάγειν τὸ τικτόμενον. [Activo Vita Jo. Damasc. p. 111, A: Ὡς αὐτὴ τοῦτον προενεγκοῦσα ῥιζόθεν καὶ μαιεύσασα πλέον τὰ πρὸς εὐσέβειαν ἢ τὴν σωματικὴν ὕπαρξιν. L. D. Medio Gl.: Μαιεύομαι, Obstetrico. Aristoph. Lys. 695: Ἀετὸν τίκτοντα κάνθαρός σε μαιεύσομαι.] Plato Theæt. [p. 150, B]: Διαφέρει δὲ τῷ τε ἄνδρας, ἀλλὰ μὴ γυναῖκας μαιεύεσθαι, καὶ τῷ τὰς ψυχὰς αὐτῶν τικτούσας ἐπισκοπεῖν, ἀλλὰ μὴ τὰ σώματα· paulo post, Μαιεύεσθαί με ὁ θεὸς ἀναγκάζει, γεννᾷν δὲ ἀπεκώλυσεν. Et paulo post signif. passiva [E]: Τὰ ὑπ' ἐμοῦ μαιευθέντα, κακῶς τρέφοντες ἀπώλεσαν, A me obstetrice in lucem prolata. Allegorice autem ibi Socrates dicit se μαιεύεσθαι juvenes: quod quo sensu accipiat, v. infra ex Plut. in Μαιωτικός. Et ap. Lucian. [D. deor. 26, 2]: Μαιεύεται ἡ Ἄρτεμις, pro Obstetrix est. Μαιεύεσθαι ap. Dionys. Areop. cum accus. junctum accipi pro Edere obstetricio more, testatur Bud. Et simili signif. ap. Philostr. [V. Ap. 1, 6, p. 7]: Ἱκανὴ δὲ πᾶσα ἔμπληξις μαιεύσασθαι καὶ πρὸ τῆς ὥρας, Ante tempus educere partum more obstetricis, i. e. excutere et expellere fœtum ante tempus, abortum sc. conciliando; nam terrefactas mulieres abortire non est insolens. Suid. μαιεύεσθαι exp. νεοττοτροφεῖν, in hoc l., quem citat: Εὗρον γυναῖκα ὄρνιθας μαιευομένην. Aliter vero accipi videtur, quod ex Piside affert: Μαιεύεταί σε πᾶν τὸ Ῥωμαίων γένος, Τοὺς σοὺς ἐπαίνους ἐκπιέζον ὡς γάλα. || Μαιευόμενοι ab Eod. [et Photio] exp. ζητοῦντες, ἐρευνῶντες: qua signif. μαίομαι accipitur. Et Μαιεῦνται ap. Hesych. μαιοῦνται, quod erit a Μαιέομαι. [Nisi μαιεύονται legendum. Ceterum conf. Μαιευτικός.]

[Μαιήιος, ὁ, ἡ, Maja natus. Nonn. Dion. 9, 17, Ἑρμῆς. I. q. μαιευτικὸς, 167: Σαχέων μαιήιον ἠχώ.]

[Μαιῆτις. V. Μαιῶτις.]

[Μαιήτωρ, ορος, ὁ, Studiosus, Indagator. Orac. in Porph. Vita Plotini c. 22, p. LXXVI ed. Creuzer.: Ὅσσοι σοφίης μαιήτορες ἔπλευν.]

[Μαίθη, καρδία πρὸς τοῖς ἱεροῖς, καὶ ὄνομα, Hesych.]

[Μαῖμα, τῶν ὀρνίθων ἡ κοιλία, Hesychius.]

[Μαιμάζω.] Μαιμάζει, σφύζει, κλονεῖται, πηδᾷ, κυματοῦται, καχλάζει, καταδαπανᾶται, καταναλίσκει, Suid. [Καταδαπ. et καταναλ. omittit Photius et addit προθυμεῖ. Ceterum μαιμάσσει, quod est ap. hunc, ex libris restitutum nunc etiam Suidæ. Hesych. tamen: Μαιμάσασα, οἰστρήσασα. Philo vol. 1, p. 391, 5: Ἡ ὄρεξις ὥσπερ ἔτι λιμώττουσα μαιμάζει, ex emendatione Benzelii. Libri μαρμάζει.]

[Μαίμακον, τὸ χαλεπὸν καὶ δύσμαχον· τραγικὴ ἡ λέξις, Photius. Conf. Μαίμαξ. Τὸ μαίμακος σύνθετον inter hyperdisyllaba in ακος προσηγορικὰ ἢ ἐπιθετικὰ proparoxytona memorat Arcadius p. 51, 12, ut falsam esse appareat scripturam codicis Havn. μαίμαρχος. Compositum autem quum dicit, ex μαὶ, quod supra Indicum perhibere annotavimus Hesychium, et μαχος nescio quo conflatum velle videtur, quod vix quicquam commune habet cum verbo μακκοάω. L. Dind.]

Μαιμακτηριὼν, ῶνος, ὁ, dicitur Quintus mensis ap. Athenienses, ἀπὸ τοῦ Διὸς Μαιμάκτου, sc. qui est ἐνθουσιώδης καὶ ταρακτικὸς, Harpocr. ex Lysimachide De mensibus Atheniensium; a quo mense si hyems incipiat, aer turbatur et mutatur. [Sic etiam Lex. rhet. Bekk. p. 280, 27; 281, 17, et qui alteram etymologiam posuerat Photius hanc: Ὠνομάσθη ἀπὸ τῆς μαιμάξεως τῆς περὶ τὴν ἄμπελον· μαιμάξαντες γάρ ὅ ἐστιν ὁρμήσαντες ἐτρύγησαν ἄμπελον καὶ οἶνον ἐποίησαν. Conf. Ideler. Chronol. vol. 1, p. 275 sq., Clinton. Fast. vol. 2, Append. c. 19, 5, p. 326 sq. Legitur autem n. mensis ap. quosvis Atticorum.] In Suidæ autem Lex. μαιμακτηριὼν esse dicitur Januarius, quod et in quodam meo vet. libro reperio. Qui tamen exactius mensium rationem expenderunt, affirmant, si hic quintus sit Atheniensium mensis, nullo modo Januarium esse posse, præsertim quum Arrian. 2, [11, 14] hoc mense scribat victum ab Alexandro Darium Issica pugna: quam finita æstate et jam incipiente autumno commissam fuisse, esse veritati consentaneum: ideoque cum Gaza hunc mensem Septembri opponere malunt. [Immo Novembri. Gl. tamen: M., September.] Nec dissentire ab his videtur Harpocr.: Ἀρχὴν δὲ λαμβάνοντος τοῦ χειμῶνος ἐν τούτῳ τῷ μηνὶ, ὁ ἀὴρ ταράττεται καὶ μεταβολὴν ἴσχει· unde et Jovi Μαιμάκτῃ eo mense Μαιμακτήρια sacra fiebant, ad Jovialium imbrium impetum placandum. Januario autem mense hyems nunquam incepit. A Bœotis Alalcomenius dicitur, Plut. [Aristid. c. 21.]

Μαιμάκτης, ὁ, Furore percitus, ἐνθουσιώδης καὶ ταρακτικὸς, Harpocr. ex Lysimachide. Contraria vero signif. Hesychio μαιμάκτης est μειλίχιος, καθάρσιος: cum quo facit Plut. [Mor. p. 458, B]: Διὸ καὶ τῶν θεῶν τὸν βασιλέα μειλίχιον, Ἀθηναῖοι δὲ μαιμάκτην, οἶμαι, καλοῦσι. [V. Μαιμακτηριών.]

[Μαίμαλος, ὁ, Mæmalus, Myrmidon, unde patron. Μαιμαλίδης de filio ejus Pisandro, Hom. Il. Π, 194.]

Μαίμαξ, ταραχώδης, Turbulentus et impetuosus, Hesych. [V. Μαίμακον, Μαιμάκτης, Μαιμάχης.]

[Μαίμαξις. V. Μαιμακτηριών.]

Μαιμάσσω, i. q. μαιμάω: unde μαιμάσσει ap. Hesych. προθυμεῖται. [Bianor Anth. Pal. 9, 272, 6: Ἔφθανε μαιμάσσων λαοτίνακτον ὕδωρ.] || Μαιμάσσει, σφύζει, Hesych. [Idem ponit Ἐμαίμασσε cum similibus interpretationibus ex Jobi 38, 5. V. Μαιμάζω.]

[Μαιμάχης, ὁ ὑβριστὴς, Injuriosus. Theognost. Can. p. 10, 6, et Zonaras. Sine interpr. Suidas. V. Μαίμαξ.]

Μαιμάω, i. q. μάω, et ex eo derivatum, Eust.: a quo exp. πρόσω ἵεμαι, et προθυμοῦμαι. Hom. Il. E, [670]: Νόησε δὲ δῖος Ὀδυσσεὺς Τλήμονα θυμὸν ἔχων· μαίμησε δέ οἱ φίλον ἦτορ. [N, 78: Οὕτω νῦν καὶ ἐμοὶ περὶ δούρατι χεῖρες ἄαπτοι μαιμῶσιν. Æsch. Suppl. 895: Μαιμᾷ πέλας δίπους ὄφις. Infinitivo jungit Lycophr. 529: Μαιμῶντα τύψαι· 1171. Orph. Lith. 133: Μαίμησε ... μάρνασθαι.] Et cum gen. ap. Soph. Aj. [50]: Ἐπέσχε χεῖρα μαιμῶσαν φόνου· ut ap. Hom. μεμαυῖ' ἔριδος, Cupida certaminis et contentionis. Qua signif. ap. Hesych. μαιμᾷ, ὀρέγεται, προθυμεῖται· μαιμᾶν, ὀρέγεσθαι, ἐπιθυμεῖσθαι. || Μαιμᾶν, Impetum dare, Impetu ferri, Furibundo impetu ferri: unde exp. ἐνθουσιᾶν, et ὀξέως ὁρμᾶν. Suid. ex Epigr. [Mnasalcæ Anth. Pal. 6, 274, 4]: Δεινὸν μαιμώσαις ἐγκονέουσα χυσίν. Et ex Herodoto [8, 77]: Μαιμάοντος [μαιμώοντα] δεινὸν, Instincti furiis. Et Μαιμάσασα ap. Hesych. οἰστρήσασα. [Hoc referendum foret potius ad Μαιμάζω, de quo supra. Theognost. Can. p. 10, 7: Μαίμω, τὸ ἐνεργῶ κινεῖσθαι. Scrib. videtur μαιμῶ.] Et in pass. [med.] μαιμώμενος, ὁρμῶν, ζητῶν, Hesych. || Μαμῶ affertur pro Cupio, προθυμοῦμαι: quod potius dicitur μαιμῶ.

Μαιμάωξ, Hesych. κινουμένη: vel ἀδελφός. [« Cyrillus: Μαίμων, ὁ ἀδελφός. Sed ordo requirit Μαίμωξ. » Is. Vossius. Ratio autem Ὁμαίμων. Κινουμένη autem referri ad μαιμῶσα ostendit Theognostus in Μαιμάω cit. L. Dindorf.]

Μαιμώσσω, i. q. μαιμάσσω, et ita hoc a μαιμώω derivatur, ut illud a μαιμάω, Cupio, Impetu feror. Nicand. Ther. 470: Οὔρεα μαιμώσσων ἐπινίσσεται ὀχριόεντα, ubi tamen schol. exp. ζητῶν, indicans scribi etiam λαιμώσσων. [Quod v.]

Μαιμώω, i. q. μαιμάω, accipiturque præsertim pro Impetu feror. Hom. Il. O, [542] : Αἰχμὴ δὲ στέρνοισι [—οιο] διέσσυτο μαιμώωσα, Πρόσσω ἱεμένη· N, [75] : Καὶ δέ μοι αὐτῷ θυμὸς ἐνὶ στήθεσσι φίλοισι Μᾶλλον ἐφορμᾶται πολεμίζειν ἠδὲ μάχεσθαι· Μαιμώωσι δ' ἔνερθε πόδες καὶ χεῖρες ὕπερθεν. Cui subjiciens Ajax eod. sensu et iisd. propemodum verbis respondet : Οὕτω νῦν καὶ ἐμοὶ περὶ δούρατι χεῖρες ἄαπτοι Μαιμῶσιν· καί μοι μένος ὤρορε, νέρθε δὲ ποσσὶν Ἔσσυμαι ἀμφοτέροισι· ubi pro eo quod alter dixerat μαιμώωσι πόδες, alter dicit ἔσσυμαι ποσί : ita ut μαιμώω et ἔσσυμαι et ἐφορμῶμαι synonyma sint. [Orph. Arg. 415 : Ὡς Ἡρακλῆι καταντία μαιμώοντες ἐν Φολόῃ δήρισαν· 880 : Στέρνα τε μαιμώωσα κύσεν χαρίεν τε πρόσωπον. Oppian. Hal. 5, 375 : Τοὺς δέ τις ἀσπαλιεὺς ... ῥηιδίως ἐρύσει περὶ γαστέρα μαιμώοντας.] Verum ap. Apoll. Arg. 2, [269] : Νεφέων ἐξάλμεναι ἐσσεύοντο Κλαγγῇ μαιμώωσαι ἐδητύος, exp. ὥρμων μετὰ κλαγγῆς ἐπιθυμοῦσαι τῆς τροφῆς : quod magis ad primam signif. verbi μαιμώω pertinet, sc. pro Cupio, Inhio. Et cum gen. construitur, ut supra μεμαυῖ' ἔριδος et μαιμῶσα φόνου. Ex 1, [1270] : Ὣς ὅγε μαιμώων, affertur pro ὁρμῶν, κινούμενος. [Cum infin. Theocr. 25, 253 : Λὶς μαιμώων χροὸς ἆσαι.] Item μαιμώωσιν, Hesych. ἐνθουσιῶσιν, ὀρέγονται, προθυμοῦνται. [Medio Dionys. Per. 1156 : Ὅτ' ἠλλάσσοντο μὲν ἁβραὶ Ληνάων νεβρῖδες ἐς ἀσπίδας, ἐς δὲ σίδηρον θύρσοι μαιμώοντο καὶ ἐς σπείρημα δρακόντων ζωστῆρές θ' ἕλικές τε πολυγνάμπτης ἑλίνοιο. Quod dicitur ut εἰς κέρας θυμοῦσθαι.]

[Μαιναιος, ὁ, Mænæus, n. viri in fœdere Latiorum et Olontiorum ap. Bœckh. C. I. vol. 2, p. 399, n. 2554, 206 : Ἐπὶ κόσμων τῶν σὺν Μαιναίῳ. L. Dind.]

[Μαινάκη. V. Μάκη.]

[Μαίνᾰλος, πόλις Ἀρκαδίας, ἀπὸ Μαινάλου τοῦ Λυκάονος (ap. Strab. 8, p. 388, Pausan. 8, 3, 4 ; 36, 8, Apollodor. 3, 8, 1, 3). Τὸ ἐθνικὸν Μαινάλιος καὶ θηλυκὸν Μαιναλία καὶ Μαιναλίτης, ὡς Ἴναχος Ἰναχίτης, καὶ Μαιναλεύς, ὡς Σουνιεύς, παρὰ τὸ ὄρος τὸ Μαίναλον. Ἔστι καὶ Μαιναλία πόλις Γαλατίας, Steph. Byz. Eur. Phœn. 1162 : Μαινάλου κόρῃ. Theocr. 1, 124 : Ἀμφιπολεῖς μέγα Μαίναλον. Apoll. Rh. 1, 770 : Μαινάλῳ ἔν ποτε. Strabo 8, p. 389. ‖ Adj. Μαινάλιος, α, ον, de monte Arcadiæ ap. Pind. Ol. 9, 63 : Μαιναλίαισιν ἐν δειραῖς. Apoll. Rh. 1, 168 : Μαιναλίης ἄρκτου. Callim. Dian. 89, 224. Diodor. 15, 72, Pausan. 8, 36, 7 etc. Μαιναλία de terra ap. Thuc. 5, 64, Pausan. 3, 11, 7.]

[Μαίνανδρος γυνὴ, ἡ πόρνη, Quæ viris furit. Herodian. Epimer. (p. 83.) Bast.]

Μαινὰς, άδος, ἡ, Insana, Furiosa, Lymphata. Exemplum habes in Λυσσάς. Sic accipi potest ap. Hom. Il. X, [460] de Andromache : Ὣς φαμένη μεγάροιο διέσσυτο μαινάδι ἴση· sicut Z, [389] de ead. : Πρὸς τεῖχος ἐπειγομένη ἀφικάνει Μαινομένῃ εἰκυῖα. Eust. vero μαινὰς accipit pro Baccha; nam μαινάδες utplurimum dicuntur αἱ Βάκχαι, αἱ Διονύσου ὀπαδοί : ibi tamen exp. non tantum βακχικῶς, sed etiam μανικῶς. Plin. 36, 5, de Praxitelis operibus quæ Romæ sunt : Item et Mænades, et quas Thyadas vocant et Caryatidas. [H. Cer. 386 : Ἤϊξ' ἠΰτε μαινὰς ὄρος κατὰ δάσκιον ὕλῃ. Æsch. fr. ap. schol. Lycophr. 1247 : Πάτερ θέοινε, μαινάδων ζευκτήριε. De Furiis Eum. 499 : Βροτοσκόπων μαινάδων. Soph. OEd. T. 212 : Βάκχον μαινάδων ὁμόστολον· fr. ap. Stob. Fl. 63, 6 : Ἔστιν δὲ λύσσα μαινὰς, de Venere. Et sæpe ap. Eurip. in Bacchis, ut 915 : Γυναικὸς μαινάδος βάκχης, et alibi. Aristoph. Lys. 1285. Pind. Pyth. 4, 216 : Μαινάδ' ὄρνιν. Tryphiod. 375 : Μαινάδι φωνῇ. J. Gaz. Ecphr. v. 518 : Μαινάδι λαιμῷ, cit. ab Lobeckio Paralip. p. 262. || Πόρνη, Meretrix, Herodian. Epim. p. 83, confundens fortasse cum μαίνανδρος, quod v. L. Dind.]

Μαίνη, ἡ, et Μαινὶς, ίδος, ἡ, Mæna, [Μαινὶς, Aler, Haler (sic), Gl.] piscis qui Hecatæ s. Dianæ sacrificari solebat, quæ μανίας causa esse creditur, Eust., qui propterea a μαίνομαι derivare videtur. Μαίνη citatur ex Epigr. [Philodemi Anth. Pal. 9, 412, 3], quod Latini quoque retinent. Plin. 9, 26 : Mutant colorem candidæ hyeme mænæ, et fiunt æstate nigriores. Muria quoque condi solebat hic piscis, et in salsamentis haberi, ut ex Persio videre est, qui Sat. 3, [76] ait, Mænaque quod prima nondum defecerit orca. Antiphan. ap. Athen. 7, [p. 313, B] : Ἑκάτης βρώματα, Ἃ φησιν οὗτος μαινίδας καὶ τριγλίδας· ubi et ἀνθρωποφάγους ἰχθῦς vocat. [Aristot. H. A. 6, 15, etc. Aristoph. Ran. 985 : Τὴν κεφαλὴν τῆς μαινίδος. Zopyrus in Matthæi Med. p. 349 : Κεφαλὴ μαινίδος. Pollux 6, 51, 63.]

Μαινίδιον, τὸ, Mænula. [Pherecrat. ap. Athen. 7, p. 309, A ; Aristoph. ib. 324, B.] Gaza Haleculam interpr. ap. Aristot. [H. A. 6, 15], et μαίνη Eid. est Halec. [Geopon. 20, 46, 1 ; Pollux 2, 76. ἵἱ]

[Μαινίς. V. Μαίνη.]

[Μαινόβωρα, πόλις Μαστιηνῶν. Ἑκαταῖος Εὐρώπῃ. Τὸ ἐθνικὸν Μαινοβωραῖος, Steph. Byz.]

Μαινόλης, ὁ, Furens, Lymphatus, παράκοπος, ἔνθεος, Hesych. [Μανικὸς Phot. s. Suidas.] Bacchi epith. Euseb. Præp. ev. 2, 5 [3, p. 62, B. Clemens Al. Protr. p. 11]. At μ. οἶνον Greg. in Carm. lyr. dicit potius Vinum quod in furorem agit, ut Plin., μαινόμενον μέλι, s. Quo hausto aguntur furore quodam entheo. Plut. Π. ἀοργ. p. 821 meæ edit. [p. 462, B] : Προσγενόμενος ὁ θυμὸς ὠμηστὴν καὶ μαινόλην ἀντὶ λυαίου καὶ χορείου ποιήσῃ τὸν ἄκρατον. || Μαιθόλης, Insanus, VV. LL. perperam pro μαινόλης. [Μαινόλας, Orig. C. Cels. p. 123 (3, 23). Wakef. Sappho ap. Dionys. De comp. vv. p. 178, 2 : Μαινόλᾳ θυμῷ. De re etiam Clemens Al. Protr. p. 3 : Θιάσῳ μαινόλῃ.]

Μαινόλιος βάκχος, eod. signif. ex Epigr. [Hymn. in Bacch. Anth. Pal. 9, 524, 13.]

[Μαινόλις, ἡ, Furibunda. Æsch. Suppl. 108, διάνοια. Eur. Or. 821, ἀσέβεια, ubi libri μεγάλη. Theophylact. Hist. 1, p. 15, B, παράταξις· 2, p. 21, D, φλόγες μαινόλεις· 3, p. 65, A, τὰς μαινόλεις φρυκτωρίας. Quæ exx. ostendunt verum accentum esse μαινόλις, non, quem Passovius putabat, μαινολίς.]

Μαίνομαι, ἀνοῦμαι, Furo, Insanio. Lucian. [Abdic. c. 30] : Οὐ γὰρ ταυτὸν παρανοεῖν καὶ παραπαίειν καὶ λυττᾶν καὶ μεμηνέναι· ἀλλὰ ταῦτα πάντα τοῦ μᾶλλον καὶ ἧττον ἔχεσθαι τῇ νόσῳ ὀνόματά ἐστι. Hom. Il. O, [128] Pallas ad Martem : Μαινόμενε, φρένας ἠλὲ, διέφθορας· ἦ νύ τοι αὔτως Οὔατ' ἀκουέμεν ἐστὶ, νόος δ' ἀπόλωλε καὶ αἰδώς. Catull., Lymphata mente furebat. Z, [132] : Ὅς ποτε μαινομένοιο Διωνύσσοιο τιθήνας σεῦε· aliquanto post, Πρὸς τεῖχος ἐπειγομένη ἀφικάνει Μαινομένῃ εἰκυῖα. Plut. De solert. anim. [p. 963, D] : Ἔνιοι δέ φασι καὶ βοῦς μαίνεσθαι καὶ ἀλώπεκας· sicut Idem in Symp. 2, [7, p. 641, C] dicit μαινόμενον ἐλέφαντα καταπαύει κριὸς ὀφθείς. Plerumque de iis dicitur, qui ira perciti, furibundo impetu aguntur, sicut et λυττᾶν. Hom. [Il. Z, 101 : Ἀλλ' ὅδε λίην μαίνεται·] Od. Λ, [536] : Ἐπιμὶξ δέ τε μαίνεται Ἄρης. [Cum eodem nomine Æsch. Sept. 343.] Il. O, [605] : Μαίνετο δ' ὡς ὅτ' Ἄρης ἐγχέσπαλος ἢ ὀλοὸν πῦρ Οὔρεσι μαίνηται, ut Bella furentia, Sil. Et Flammas furentes, Virg. Il. Θ, [355] : Μαίνεται οὐκ ἔτ' ἀνεκτά [ἀνεκτῶς. Sed eadem constr. E, 185 : Οὐχ ὅ γ' ἄνευθε θεοῦ τάδε μαίνεται]. Od. Φ, [298] : Μαινόμενος κάκ' ἔρεξε· Il. Π, [245] : Χεῖρες ἄαπτοι μαίνονθ'. [Θ, 413 : Τί σφῶιν ἐνὶ φρεσὶ μαίνεται ἦτορ; Ω, 114 : Φρεσὶ μαινομένῃσιν. Et cum eod. nomine Pind. Pyth. 2, 26, Æsch. Sept. 484, et cum καρδία 781, Eur. Med. 434. Æsch. ib. 966 : Μαίνεται γόοισι φρήν· eademque constr. Suppl. 562 : Μαινομένα πόνοις ἀτίμοις. Eur. Bacch. 999 : Μανείσᾳ πραπίδι. Orac. ap. Herodot. 8, 77 : Ἐλπίδι μαινομένῃ.] Xen. Cyrop. 1, [4, 24] : Μαινόμενον τῇ τόλμῃ· Cic., Audacia furens Catilina; Ovid., Ira furentem mollire; Val. Flacc., Ense furens. Hom. vero dicit [Il. Θ, 111], Δόρυ μαίνεται ἐν παλάμῃσι. Aliquando remissius accipitur pro παραφρονεῖν, Desipere, sicut et Furere et Insanire ap. Lat. : et tam de dictis quam factis usurpatur. [Aristoph. Nub. 932 : Τοῦτον δ' ἆ μαίνεσθαι. Herodot. 3, 38 : Δῆλά ἐστι ὅτι ἐμάνη μεγάλως ὁ Καμβύσης. Et similiter sæpe Xenophon et Plato.] Æschin. [p. 84, 11] : Εἰ καὶ μανεὶς ὁ δῆμος ἢ τῶν καθεστηκότων ἐπιλελησμένος ἐπὶ τοιαύτης ἀκαιρίας ἐβούλετο στεφανοῦν αὐτὸν, ubi tamen reddi potest Furore percitus. Dem. [p. 581, 19] : Περὶ ὧν ἂν οὐδὲν εἴποιμι πρὸς ὑμᾶς φλαῦρον ἐγώ· καὶ γὰρ ἂν μαινοίμην. Isocr. Ad Phil. [p. 108, C] : Τῶν ἐπὶ τοῦ βήματος μαινομένων. Ab Eod. in Symm. [p. 167, D] μαίνεσθαι et παραφρονεῖν copulantur. [Constructiones hæ potissimum notandæ. Æsch. Prom. 976 : Κλύω σ' ἐγὼ μεμηνότ' οὐ σμικρὰν νόσον. Aristoph. Thesm. 793 : Μανίας μαίνεσθε. Alexis ap. Athen. 13, p. 587, B : Νάννιον δὲ μαίνεται ἐπὶ τῷ Διονόσῳ, quod dicitur de bibula et vinosa muliere. Pollux 6, 188, ἐπ' ἀφροδισίοις. Cum dativo præter Æsch. supra cit. Eur. Cycl. 465 : Γέγηθα, μαινόμεσθα τοῖς εὑρήμασιν. Aliter Pausan. 2, 7, 5 : Τὰς γυναῖκας ἱερὰς εἶναι καὶ Διονύσῳ μαίνεσθαι λέγουσιν · 10, 32, 7 : Αἱ Θυιάδες τῷ Διονύσῳ καὶ τῷ Ἀπόλλωνι μαίνονται. Cum κατὰ seq. gen. Lucian. Abdic. c. 1 : Κατ' ἐμοῦ μαίνεται. Himerius Or. 20, 6 : Ἐκεῖ μήτηρ κατὰ παιδὸς μαίνεται. Cum ἀμφὶ Simonid. ap. Stob. Fl. vol. 3, p. 63 : Μαίνεται, ὥσπερ ἀμφὶ τέκνοισιν κύων. Sæpius cum περὶ, ut ap. Eust. Od. p. 1572, 13 : Τὴν μεμηνυῖαν περὶ μίξεις. Thomas p. 593 : Μαίνεται περὶ λόγους. Cum εἰς Diod. 14, 109 : Σφόδρα εἰς τὴν ποιητικὴν ὑπῆρχε μεμηνώς. Phalaris Ep. 13, p. 66, 37 : Εἰς ἑταιρείαν μεμήναμεν. Ubi Lennep. et Schæfer. annotarunt etiam construct. cum πρὸς ap. schol. Æsch. Sept. 671 : Ἄτα καὶ βλάβη πρὸς πόλεμον μαινομένη. Ach. Tat. 7, 15, p. 167, 12 : Μαινομένου μου πρὸς τὸν δρόμον. Qui etiam cum ὑπὸ ib. 9, p. 160, 33 : Μαίνεται γὰρ ὑπὸ λύπης· cujus constr. alia exx. annotavit Valck. ad Herodot. 4, 79 : Βακχεύει καὶ ὑπὸ τοῦ θεοῦ μαίνεται. Cum infinit. Timotheus in Cram. An. vol. 4, p. 264, 12 : Ἐὰν ἴδῃ ἄνθρωπον, μαίνεται ἀνελεῖν.] Vites quoque et apes μαίνεσθαι dicuntur : illæ ob nimiam et quasi insanam feracitatem, hæ ob laborem et assiduitatem. Epigr., μέλισσα μαινομένα. Plin. 16, 27 : Vites quidem et triferæ sunt, quas ob id Insanas vocant : quoniam in iis alia maturescunt, alia turgescunt, alia florent. At paulo aliter Theophr. C. Pl. 1, 22 : Ἕτερον δὲ τὸ τῶν ἀμπέλων τῶν μαινομένων καλουμένων, αἳ οὐ μόνον βλαστάνουσιν, ἀλλὰ καὶ πέπτουσι καὶ ἀνθοῦσι καὶ βοτρυοῦνται, καὶ οὐ δύνανται τελειοῦν. Aliquando μαινόμενος accipi potest pro μανίαν ἐμποιῶν, Lymphans, In furorem et insaniam agens; Plin. 21, 13 : Aliud genus in eodem Ponto, gente Sannorum, mellis, quod ab insania, quam gignit, μαινόμενον vocant. [Conf. de eodem Strabo 12, p. 549. Sic Hom. Il. Z, 132, μαινομένοιο Διωνύσοιο interpretatur sch. Pind. Pyth. 4, 138. Photius : Μαινόμενον, μανιοποιόν. Μαινόμενος οἶνος, μανιοποιός. Eodemque modo Hesych.] Alioqui μαινόμενον dicitur potius Insanum, Furibundum : ut μαινόμενα κηδεύματα, Plato Leg. [11, p. 926, B], Insana connubia. Et Soph. Aj. [957] : Γελᾷ δὲ τοῖς μαινομένοις ἄχεσι, Insanis mœroribus, s. τοῖς διὰ μανίαν συμβεβηκόσι, schol. [Antig. 135 : Μαινομένᾳ ξὺν ὁρμᾷ. Æsch. Sept. 935 : Ἔριδι μαινομένᾳ. Eur. Herc. F. 1188 : Μαινομένῳ πιτύλῳ πλαγχθείς· Bacch. 887 : Μαινομένᾳ δόξᾳ.] In compositione autem postpositum signif. ὑπερβολὴν s. ἐπίτασιν ἐπιθυμίας, ut in γυναικομανής, ἐρωτομανής, οἰνομανής, et similibus. [In Ind. :] Μανεὶς, Furore percitus, Ad insaniam redactus. [Exx. hujus participii ceterorumque modorum sunt ap. Eur. et alios quosvis. De iratis, ut ap. Xen. in activo citandum, Chron. Pasch. p. 513, 12 : Ἀκούσας ταῦτα ὁ λαὸς ἐμάνη σφόδρα. Jo. Malalas p. 432, 10 : Μανέντες οἱ ἱερεῖς τῶν αὐτῶν Οὔννων ἔσφαξαν τὸν ῥῆγα. Argum. Soph. Electræ in cod. Laurent. Δ, p. XVII : Μανεῖσα ἡ θεὸς εἴρηκε τῷ Ἀπόλλωνι. Schol. Oppian. Hal. 1, 425 : Μανεὶς ὁ Ζεὺς μετέβαλεν εἰς ὄρνεον. Etym. M. p. 579, 35, gramm. in Cram. An. vol. 2, p. 357, 26 et Theognost. Can. p. 10, 10, 3 : Μαίνω (debebant, ut Photius s. Suidas, qui ponunt μαίνω, ἐνθουσιωδῶς κινοῦμαι, medium ponere μαίνομαι) τὸ ὀργίζομαι. || De formis præterea notandum futuri formam pass. μανήσομαι pro media μανοῦμαι recte improbari a Photio, Mœride p. 264, Thoma p. 597. Habet vero Lucillius Anth. Pal. 11, 216, 5, Diog. L. 7, 118, Philo vol. 2, p. 307, 23, ubi ἐπιμ. Vicissim rarior usus aor. ἐμηνάμην pro ἐμάνην, quo Attici uti solent. Antiphilus Anth. Pal. 9, 35, 1 : Εἰς ἐμὲ μηνάμενος. Plura exx. v. in Ἐπιμαίνομαι. Perf. μεμάνημαι, pro quo vulgo dicitur μέμηνα, habet Theocr. 10, 31 : Ἐγὼ δ' ἐπί τιν μεμάνημαι. Rarissima est forma μεμάνηκα, intransitive insuper posita, signif. præsentis Insanio, ap. Cyrill. Alex. vol. 1, part. 1, p. 181, D : Θηρῶν δίκην ἐπιμεμανήκασι.] At Μαίνω [præsens] transitive acceptum pro In furorem ago, Lympho, non reperiri ait Eustath. [Il. p. 536, 12], sed ab eo comp. ἐκμαίνω. Ceterum μαίνομαι derivari a μῶ, i. e. λίαν προθυμοῦμαι, tradit idem Eust. [Il. p. 792, 32, ubi non λίαν, ut HSt. cum Indice Devarii, sed ὑπὲρ τὸ δέον. Orph. H. 70, 6 : Ἣ θνητοὺς μαίνει φαντάσμασιν

A ἠερίοισιν. Non infrequens vero est usus aoristi. Eur. Ion. 520 : Ἤ σ' ἔμηνε θεοῦ τις, ὦ ξένε, βλάβη; Aristoph. Thesm. 561 : Φαρμάκοις ἑτέρα τὸν ἄνδρ' ἔμηνεν. Xen. H. Gr. 3, 4, 8 : Ὅτι μὲν οὖν ἔμηνε καὶ τὸν Ἀγησίλαον ταῦτα ἐδήλωσεν ὕστερον, ubi dicitur de Irritando, de qua signif. v. supra.]

[Μαινομένα. Μαινομένιον. Alex. Trall. l. 12, c. 8 : Ἀρίστη δὲ ἐστιν ἐνταῦθα καὶ ἡ ἐγκατηρὰ λεγομένη καὶ ἡ κατὰ τὰ Ἀλεξανδρέων βουρίδια καὶ μαινομένα καὶ μεμβρίδιά ἐστιν. Leontius in Vita S. Joannis Eleemosynarii ait siccatos pisces μαινομένας appellare Alexandrinos, quos quidem eosdem esse quos *Mænas* vocat Plinius, putant. Ducang.]

Μαίνουργος, Suidæ Piscis species est.

Μαινοῦν, Hesychio ἐνθουσιῶν, afferenti et Μαινοῶσι pro ἐνθουσιῶσι, procul dubio παρὰ τὸ μαίνεσθαι. [Μαιμώων, Μαιμώωσι recte interpretes.]

[Μαίνω. V. Μαίνομαι.]

[Μαινώδης, ὁ, ἡ, Furiosus, Gl.]

[Μαίνων, ωνος, ὁ, Segestanus, familiaris Agathoclis,
B ap. Diodor. Exc. p. 491 sq., quod nomen recte Wessel. scribendum conjicere videtur Μένων.]

Μαίομαι, i. q. μάω et μαιμάω, Cupio, Gestio, ὁρμῶμαι, προθυμοῦμαι, Impetu feror ad aliquid agendum, ardenti cupiditate concitatus. Apoll. Arg. 2, [1194] : Ἀλλ' ἄγεθ' ὧδε καὶ αὐτοὶ ἐς Ἑλλάδα μαιομένοισι Κῶας ἄγειν χρύσειον ἐπίρροθοι ἄμμι πέλεσθε · paulo post, Κῶας ἄγειν κριοῖο μεμαότας· synonymws sc. accipiens μαιόμενος et μεμαώς. || Μαίεσθαι, ζητεῖν, ἐρευνᾷν, Hesych., sicuti Socrati quærenti ap. Plat. Crat. p. 82 [421, A] : Μαίεσθαι οὖν χαλεῖς τί; Hermog. respondet, Ἔγωγε τὸ ζητεῖν. Et Eust. Homeri posteros itidem pro ζητεῖν accipere et cum accus. construere annotat, hunc versum adespoton [Dionysii Per. 189] subjiciens, Μαιόμενοι βιότοιο κακὴν καὶ ἀεικέα θήρην. Sed et ap. ipsum Hom. ea signif. capitur, Od. Ξ, [356] : Ἀλλ' οὐ γάρ σφιν ἐφαίνετο κέρδιον εἶναι Μαίεσθαι προτέρω, Quærere ulterius, ζητεῖν ἐπὶ πλέον προσωτέρω, Eust. Loquitur autem de sociis Ulyssis eum ex conspectu sublatum quærentibus. Sic N, [367] : Ὣς εἰποῦσα θεὰ δῦνε σπέος ἠεροει-
C δὲς, Μαιομένη κευθμῶνας ἀνὰ σπέος, Latebras quærens. Hesiod. Op. [530], de æstu tempore dierum canicularium : Οἳ σκέπα μαιόμενοι πυκινοὺς κευθμῶνας ἔχουσι, Tegmina et umbras quærentes. [De Cerere filiam quærente Hom. H. Cer. 44 : Σεύατο μαιομένη. Pind. Ol. 1, 46 : Πολλὰ μαιόμενοι· 8, 5 : Μαιομένων μεγάλαν ἀρετὰν θυμῷ λαβεῖν · et similiter alibi. Nicand. Ther. 196 : Ἤ τ' ὄρνισι κατοικιδίῃσιν ὄλεθρον μαίεται.] Ap. Apollon. quoque Arg. 2, [126] : Μαίονται δ' ὅ, τι πρῶτον ἐπαΐξαντες ἔχωσι, Πόλλ' ἐπιπαμφαλόωντες, schol. exp. ἐπιζητοῦσι. Ubi posset etiam reddi Secum disquirunt, ut Horat., Disquirite mecum : quum sc. animo scrutamur et inquirimus viam rationemque alicujus rei peragendæ. [4, 1556 : Εἰ δέ τι τῆσδε πόρους μαίεσθ' ἁλός.] Soph. Aj. [287] : Ἀμφηκὲς λαβὼν Ἐμαίετ' ἔγχος ἐξόδους ἕρπειν κενὰς, i. e. ἐζήτει, schol. Nisi aliquis in prima signif. vellet accipere pro Cupiebat, Conabatur. [Æsch. Cho. 786. || Cum genitivo Apoll. Rh. 4, 1275 : Πάρα γὰρ οἱ ἐπ' οἰήκεσσι θαάσσειν, μαιομένῳ κομιδῆς.]

[Μαῖον, τὸ, Cumini genus. Glossæ iatr. ap. Du-
D cang. : Λαγοχύμινον, μ. Conf. Alex. Trall. 8, p. 392; 11, p. 638. Struv.]

[Μαιονία, ἡ, Mæonia, ἡ Λυδία, ἀπὸ Μαίονος ποταμοῦ τοῦ περὶ τὴν Ἀχαΐδα γῆν ῥέοντος. Τὸ ἐθνικὸν Μαιόνιος καὶ Μαιονία θηλυκόν. Καὶ Μαίων ὁμωνύμως τῷ οἰκιστῇ, ἀφ' οὗ ἡ χώρα, Steph. Byz., ut Strabonis aliorumque testimonia omittam. Μαιονων numi ap. Mionnet. *Descr.* vol. 4, p. 64, *Suppl.* vol. 7, p. 365 sq. De formis per η v. infra. Accentum acutum, quem præbent libri plures pauciores ve Herodoti 1, 7; 7, 74, testatur schol. Ven. Hom. Il. Δ, 394, qui n. pr. gravari dicit εἰς ἀποφυγὴν τοῦ ἐθνικοῦ, consentiente Etym. M. in Βαιῶν citato (sive grammat. in Cram. An. vol. 1, p. 276, 6), dissentiente Eustathio ll. ibidem citatis. Similis grammaticorum discordia est in n. Παιων, ονος. L. D.]

[Μαιονίδης, ὁ, Mæonides, cogn. Homeri, frequens in Anthologia, sive a patre Mæone ductum sive a patria Mæonia. V. Suidas v. Ὅμηρος cum annot. interpretum. ἵ]

Μαιόομαι, **Obstetrix sum**, **Obstetricem ago**, **i. q.**

μαιεύομαι. Construitur cum accus. et aliquando significat Eximo et extraho, veluti obstetrix. Epigr. [Leonidæ Anth. Pal. 9, 80, 3]: Ὑμέας ἀφροσύνη μαιώσατο, τόλμα δ' ἔτικτε. [De matre Nonn. Dion. 4, 437 : Ὤπλισεν Εἰλείθυια τὸν οὗ μαιώσατο μήτηρ· 25, 487 : Ὃν πάρος αὐτογόνοισι τόκοις μαιώσατο μήτηρ. Coluth. 180 : Ἣν γάμος οὐκ ἔσπειρε καὶ οὐ μαιώσατο μήτηρ.] Aliquando μαιοῦσθαι parturientem dicitur pro Eam adjuvare enitentem. [Callim. Jov. 35 : Νυμφέων, αἵ μιν τότε μαιώσαντο.] Epigr. [Philippi Anth. Pal. 9, 311, 8] : Ἔμπαλιν Ἄρης Ἤρκται μαιοῦσθαι γαστέρας ἡμετέρας. Lucian. [D. deor. 16, 2] : Τάς τε τεκούσας ἐμαιοῦτο. Cornut. [De n. d. c. 19] : Λέγεται δὲ ὁ Ἥφαιστος μαιώσασθαι τὸν Δία ὅτε ὤδινε τὴν Ἀθηνᾶν. Plut. Quæst. Plat. p. 606 [init.] : Τί δήποτε τὸν Σωκράτην μαιοῦσθαι μὲν ἐκέλευσεν ἑτέρους, αὐτὸν δὲ γεννᾶν ἀπεκώλυσε, respiciens ad l. in Μαιεύεσθαι citatum. [Nonn. Dion. 3, 381 : Ἧς τόκον Ὧραι ὑγρὸν ἐμαιώσαντο λεχωΐδες. Thom. M. p. 593 : Μαιεύεται, οὐχὶ μαιοῦται. Apollod. 1, 4, 1, 2 : Ὑφ' ἧς μαιωθεῖσα. Μαιοῦσθαι figurate venuste posuit Eust. Il. p. 844, 9 : Οὕτω μὲν ὁ γέρων μῦθος καὶ πρεσβυτάτη γραμματικὴ μαιοῦνται τὴν Εἰλείθυιαν. Valck. Improbat hanc formam et μαιεύομαι dici jubet præter Thomam l. c. Photius in Μαῖαν et cum Hesychio ponit etiam fut. μαιωθήσονται (ex Tobi. 26, 5, ut videtur), λοχευθήσονται, γεννηθήσονται, θεραπευθήσονται. Hesych. : Μαιούμενος, ἐκλοχίζων. De activo Μαιόω v. in Μαίω.]

[Μαῖος, ὁ, Majus, mensis Romanorum. Plut. Numa c. 19, Mor. p. 272, B; Dionys. A. R. 1, 38; 10, 59. Angl. Vitiosam esse scripturam Μάϊος, quæ vulgo obtinet, ostendit Arcad. p. 37, 6, qui ponit μαῖος. Hinc adj. Μαῖος, α, ον, unde χαλένδαις μαίαις ap. Jo. Laurentium in Μαιουμᾶς cit. et alios.]

[Μαιούλιον. V. Μαρούλιον.]

[Μαιουμᾶς, ᾶ, ὁ, Majumas, festum apud Antiochenos mense Majo per dies 30 Bacchi et Veneris in honorem celebrari solitum sec. Jo. Malalam p. 285, 2. « Jo. Laurentius De mens. p. 104 : Καὶ καθ' ἕτερον δὲ ἱερὸν λόγον ὁ Φρωντήιος (Φροντήιος) χρῆναι τιμᾶσθαι τὴν γῆν ἐν ταῖς (aut delendus articulus aut repetendus post κ. L. D.) χαλένδαις Μαΐαις λέγει, ὅτι θέρμην τὴν ἔμφυτον ἐπὶ τὴν ἐπιφάνειαν ἡ γῆ, ἀναβλύζουσα γαυριᾶν ὥσπερ καὶ σκιρτᾶν, ἐξαγομένη σάλους ἐμποιεῖ ὡς ἐπίπαν κατὰ τὸν Μάϊον μῆνα· τιμῶσιν οὖν κατὰ τοῦτον τὴν Μαῖαν, τουτέστι τὴν γῆν θεραπεύοντες· μαϊουμίζειν τὸ ἑορτάζειν ὀνομάζουσιν, ἐξ οὗ καὶ μαϊουμᾶν. Suidas : Μαϊουμᾶς· πανήγυρις ἐγένετο ἐν τῇ Ῥώμῃ κατὰ τὸν Μάϊον μῆνα. Τὴν παράλιον καταλαμβάνοντες πόλιν, τὴν λεγομένην Ὀστίαν, οἱ τὰ πρῶτα τῆς πόλεως τελοῦντες ἡδυπαθεῖν ἠνείχοντο, ἐν τοῖς θαλαττίοις ὕδασιν ἀλλήλους ἐμβάλλοντες. Ὅθεν καὶ Μαϊουμᾶς ὁ τῆς τοιαύτης ἑορτῆς καιρὸς ὠνομάζετο. Vide Lipsium ad Tacitum, et Andr. Rivinum, qui de hoc argumento dissertationem conscripsit, quam Syntagmati Grævius suo inseruit p. 537. » Angl. Julian. Misopog. p. 362, D : Τὰ δεῖπνα τοῦ Μαιουμᾶ, et alia citat Ducang. Conf. Müller. Comment Antioch. p. 33. De portu Gazæo Μαιουμᾶς, postea Constantia dicto, Sozom. H. E. 2, 5, p. 52, 20, etc. L. Dind.]

[Μαιουμάω, Μαϊουμίζω. V. Μαϊουμᾶς.]

Μαῖρα, ἡ, Canicula, sidus, vel Intensissimus æstus. Quidam Lunam iti dici tradunt. [Nonnus Dion. 5, 221 : Λοίγιον ἀστέρα Μαίρης. Crinagoras Anth. Pal. 9, 555, 5 : Ὑπὸ μαίρῃ. Eratostheni ap. Heraclit. Alleg. Hom. p. 166, s. schol. Ven. Hom. Il. Σ, 473, ubi libri μοῖραν vel μαῦραν, restituebat Schneiderus in Lex.] Nonnulli Mæram fuisse unam ex filiabus Prœti, sororem Æthræ. [Hom. Od. Λ, 326. Nereis Il. Σ, 48. F. Atlantis et f. Prœti memorat Pausan. 8, 12, 7 etc.; 10, 30, 5. Arcadiæ vicum cognominem 8, 12, 7, ubi accentus male in altera ponitur, ut ib. 8, 1, ubi χορὸς Μαιρᾶς Arcadiæ memoratur. || « Μαῖρα, τὸ θηρίον in Lex. ms. Reg. cod. 1843. » Ducang. De Hecuba in canem mutata Lycophr. 334 : Μαίρας ὅταν φαιουρὸν ἀλλάξῃς δομήν. In epigr. Anytes Anth. Pal. App. 6, 1, nomen canis Μαῖρα restituit Schneider. Filiæ Icarii Erigones canis Μαῖρα (scr. Μαῖρα) memoratur Apollod. 3, 14, 7, 4.] Tarentini vero Μαιριῆν dicunt τὸ κακῶς ἔχειν, Male habere. Ita Hesych.

[Μαιριῆν. V. Μαῖρα.]

[Μαισάδης, ὁ, Mæsades, pater Seuthæ, regis Thra-
A cum, Xen. Anab. 7, 2, 32; 5, 1, ubi libri variant inter diphthongum et ε, η, ι, υ.]

[Μαῖσις, ὁ, Mæsis, Hyraei f., qui heroa quædam fecit Spartæ, ap. Pausan. 3, 15, 8.]

Μαίσωλος, animal quadrupes, in India nascens, simile vitulo. Hesych.

Μαίσων, [ωνος, ὁ. Μαίσωνες, παρὰ Ἀττικοῖς οἱ τῶν μαγείρων ὑπηρέται ξένοι (τέττιγες λέγονται), οἱ δὲ ἐντόπιοι Μαίσωνες, Hesych. v. Τέττιξ. Hinc quod idem habet Μαίσων, μαγειρεῖον, corrigendum censent eruditi, ut μάγειρος legatur; ita consentit quoque Athen. 14, p. 659, A. Dahler.] Μαίσων ab Hesych. exp. μαγειρεῖον : alii βόρον esse dicunt, ἀπὸ τοῦ μασᾶσθαι. [Hinc adj. Μαισωνικὸς, ή, όν, unde Μαισωνικὰ σκώμματα ap. Athen. l. c., et Μαισωνικὴ παροιμία ap. Diogenian. in Gaisfordi Præf. ad Paræmiogr. p. v. Ceterum plura de hoc Mæsone v. ap. interpretes Athenæi, Meinek. Com. vol. 1, p. 22 sq.]

[Μαῖται. V. Μαιῶται.]

Μαίω, Eust. quodam in l. [Il. p. 719, 37] exp. προθυμοποιῶ, Promptum et alacrem reddo, Instigo,
B Incito, et sic accipit ap. Hom., Ἐπιμαίεται ἵππους μάστιγι. Alibi vero Idem videtur μαίω accipere etiam pro ζητῶ, Quæro. [Il. p. 604, 15. Quod dicitur potius μαίομαι. Μαιῶ τὸ ζητῶ perispomenon ponit Arcad. p. 163, 20, a μαῖα scilicet ductum. Formam μαίω fingit Etym. Leid. ap. Koen. ad Greg. Cor. p. 583.]

[Μαιών. V. Μαιονία. Μαίων, ονος, Mæon, Thebanus, Hom. Il. Δ, 394, 398, Pausan. 9, 18, 2, Apollod. 3, 6, 5, 2. Pater Homeri, de quo in Μαιονίδης. Μαίων, ωνος quidam memoratur in inscr. Branchid. ap. Bœckh. vol. 2, p. 556, n. 2855, 7.]

Μαίωσις, εως, ἡ, Obstetricis opera, functio, officium, i. q. μαίευσις et μαιεία, Plut. Alex. [c. 3.]

Μαιωστᾷ, Hesychio ἐρευνᾷ τῇ φύσει : quod et μαίει. [V. conjecturas interpretum.]

Μαιῶται, οἱ, populi sunt : a quibus dicitur Μαιῶτις Λίμνη, Mæotis palus. Plin. 4, 12 : A Buge super Mæotin Sauromatæ et Essedones : ac per oram ad Tanaim usque Mæotæ, a quibus lacus nomen accepit.
C Idem Mæotas alibi appellat Mæoticos populos. [Steph. Byz. : Μαιῶται, ἔθνος Σκυθικὸν μέγιστον καὶ πολυάνθρωπον. Καὶ τὸ θηλυκὸν Μαιῶτις, ὡς Μαιῶτις λίμνη, ἣν φασι κληθῆναι ἀπὸ τοῦ μαῖαν εἶναι τοῦ Εὐξείνου πόντου. Ἔστι καὶ μαιώτης ἰχθύς τις. Λέγεται καὶ κτητικὸν Μαιωτικός. Lycophr. 915 : Μαιώτην πλόκον· 1290 : Βροτοῖς Μαιώταισι. Orph. Arg. 1058. Xen. Comm. 2, 1, 10, et alii. || Forma Ion. Μαιῆται Herodot. 4, 123. || Æsch. Prom. 419 : Ἀμφὶ Μαιῶτιν λίμναν. Eur. Herc. F. 409 : Μαιῶτιν ἀμφὶ πολυπόταμον. Aristoph. Nub. 273 : Μ. λίμνην. Hesych. in v., geographi et alii. || Forma Ion. Μαιῆτις, ut Μαιήτης de fluvio Tanai 4, 45, est ap. Herodot. 1, 104, etc. || Μαῖται de gente in inscrr. Bospor. ap. Bœckh. vol. 2, n. 2118, 2119, qui v. p. 101. L. D. || A palude Mæotica nomen invenit Μαιώτης piscis, cujus meminit Archippus ap. Athen. 7, p. 312, A. Schweigh. Ælian. N. A. 10, 19 : Τοὺς ἰχθῦς τοὺς φάγρους Συηνῖται μὲν Αἰγυπτίων ἱεροὺς νομίζουσιν· οἱ δὲ οἰκοῦντες τὴν καλουμένην Ἐλεφαντίνην τοὺς μαιώτας, φῦλον δὲ ἄρα καὶ τοῦτο ἰχθύων.]

D [Μαιωτικός, ή, όν. Æsch. Prom. 731 : Αὐλῶν' ἐκπερᾶν Μαιωτικόν.] || At Μαιωτικὴ χώρα, Mæotica regio, Regio Mæotarum.

Μαιωτικὸς, ή, όν, i. q. μαιευτικός : ut μαιωτικὴ τέχνη, Obstetricum ars. Socrates autem ap. Plat. Theæt. p. 97, μαιωτικὴν τέχνην vocavit οὐκ ἐντιθεῖσαν ἔξωθεν, ὥσπερ ἕτεροι προσεποιοῦντο, νοῦν τοῖς ἐντυγχάνουσιν, ἀλλ' ἔχοντας οἰκεῖον ἐν ἑαυτοῖς, ἀτελῆ δὲ καὶ συγκεχυμένον τοῦ τρέφοντος ἐπιδεικνύουσαν, ut docet Plut. Quæst. Plat. p. 607 [1000, E]: nam Socrates ἐνδιδοὺς ἀρχὰς ἀποριῶν ὥσπερ ὠδίνων τοῖς νέοις, ἐπήγειρε καὶ ἀνεκίνει καὶ συνεξῆγε τὰς ἐμφύτους νοήσεις. [Antyllus Matthæi p. 309: Μαιωτικοῦ δίφρου. L. D. Epiphan. vol. 1, p. 223, A, μητρῶν.]

[Μαιῶτις. V. Μαιῶται.]

[Μαιωτιστὶ, More Mæotarum. Theocr. 13, 56 : Μαιωτιστὶ λαβὼν εὐκαμπέα τόξα. Ϊ]

Μαίωτρον, τὸ, Merces s. Præmium quod obstetrici persolvitur : μαίωτρα, Suidæ τὰ τῇ μαίᾳ διδόμενα. Lucian. p. 29 [D. deor. 8] : Ὥστε, ὦ Ζεῦ, μαίωτρά μοι ἀπόδος, ἐγγυήσας μοι αὐτὴν, de Pallade loquens, in persona Vulcani, Bud.: nam Vulcanus ἐμαιώσατο τὸν Δία, quum eniteretur Palladem, ut paulo ante habes ex Cornuto.

[Μάκαγος, ὁ, Macagus, n. viri, in inscr. Olbiopol. ap. Bœckh. vol. 2, p. 134, n. 2071, 13, cui simile Τύμβαγος ib. L. Dind.]

[Μάκαι, οἱ, Macæ, Libyca gens, ap. Herodot. 4, 175, 176, et 5, 42: Μακέων τε καὶ (hoc recte delevit Niebuhrius) Λιβύων καὶ Καρχηδονίων. Scylax p. 46. Diodor. 3, 49. Steph. Byz.: Μάκαι, ἔθνος μεταξὺ Καρμανίας καὶ Ἀραβίας. Promontorium sinus Persici Μάκαι est ap. Strab. 16, p. 765, 766.]

Μάκαιρα, ἡ, Beata, Fortunata. [Hom. H. Apoll. 14: Χαῖρε, μάκαιρ' ὦ Λητοῖ. Pindarus Ol. 1, 11: Ἀφνεὰν μάκαιραν ἑστίαν· Pyth. 10, 2: Μάκαιρα Θεσσαλία. Æsch. Sept. 163: Μάκαιρ' ἄνασσ' Ὄγκα. Soph. Phil. 400, de Rhea. Eur. Alc. 1004: Νῦν δ' ἐστὶ μάκαιρα δαίμων· Bacch. 1180: Μάκαιρ' Ἀγαύη.] Aristoph. [Nub. 598]: Ἥ τ' Ἐφέσου μάκαιρα πάγχρυσον ἔχεις οἶκον. [Av. 1759. ᾰ]

[Μάκαλλα, ἡ, Macalla, πόλις Ἰταλίας, κέκληται ἀπὸ τοῦ μαλακισθῆναι ἐν αὐτῇ Φιλοκτήτην. Τὸ ἐθνικὸν Μακαλλαῖος, ὡς Γογγυλαῖος (Ἀγυλλαῖος legendum videri diximus in ipso Γογγυλαῖος), Steph. Byz. Lycophr. 927: Ἐν δ' αὖ Μακάλλοις σηκὸν ἔγχωροι μέγαν ὑπὲρ τάφων δείμαντες κτλ.]

Μάκαρ, αρος, ὁ, [feminini, cujus formam fem. Μάκαιρα v. supra, exx. præter infra citandum sunt Eur. Bacch. 565: Μάκαρ ὦ Πιερία· Hel. 375: Ὦ μάκαρ Ἀρκαδίᾳ ποτὲ παρθένε Καλλιστοῖ Eubul. ap. Athen. 15, p. 679, B. Oraculum ap. Diod. Exc. Vat. p. 12 ed. Mai.: Μάκαρος Λιβύης. Meleager Anth. Pal. 12, 52, 3: Τρὶς μάκαρες νᾶες. Per apocopen a μακάριος factum putabat Apollon. Bekk. An. p. 567, 17.] ἡ, τὸ, Beatus. Hom. Il. Γ, [182]: Ὦ μάκαρ' Ἀτρείδη, μοιρηγενὲς, ὀλβιόδαιμον, O beate Atrida. Ubi etiam accipi possit pro Fortunato et florente: ut Cic. dicit, Sint florentes, sint beati. Od. A, [217]: Ὡς δὴ ἔγωγ' ὄφελον μάκαρος νύ τευ ἔμμεναι υἱὸς Ἀνέρος, ὃν κτεάτεσσιν ἑοῖς ἐπὶ γῆρας ἔτετμε, i. e. εὐδαίμονος, Eust. [Pind. Pyth. 4, 59: Ὦ μάκαρ υἱέ. Theognis 1007: Ἆ μάκαρ εὐδαίμων τε καὶ ὄλβιος, ὅστις κτλ. Eur. Bacch. 73: Ὦ μάκαρ ὅστις εὐδαίμων τελετὰς θεῶν εἰδὼς βιοτὰν ἁγιστεύει. Et sæpius Aristoph. et alii. Versus Οὐδεὶς ἑκὼν πονηρὸς οὐδ' ἄκων μάκαρ memoratur in dialogo De justo p. 374, B.] Item de Locuplete homine, opulento et beato: quæ duo Cic. conjungit. Horat. eo sensu dicit Divitiis beatus; Ovid., Juveni placuisse beato. Sic Propert. etiam utitur. Il. Λ, [68]: Ὥστ' ἀμητῆρες ἐναντίοι ἀλλήλοισιν Ὄγμον ἐλαύνωσιν ἀνδρὸς μάκαρος κατ' ἄρουραν Πυρῶν ἢ κριθῶν. Sed et ex Hesiodo Op. [547]: Ἀὴρ πυροφόρος τέταται μακάρων ἐπὶ ἔργοις, affertur pro πλουσίων, Divitum. Item μάκαρι σὺν τύχᾳ, Aristoph. [Av. 1722] ap. Suid. Dii quoque dicuntur μάκαρες, quia omnium beatissimam vitam degunt. Hom. Il. Δ, [127]: Οὐδὲ σέθεν, Μενέλαε, θεοὶ μάκαρες λελάθοντο Ἀθάνατοι· A, [339]: Πρός τε θεῶν μακάρων, πρός τε θνητῶν ἀνθρώπων· Il. Ξ, [72], Od. E, [186]: Μακάρεσσι θεοῖσι. Hesiod. Op. [138]: Οὕνεκα τιμὰς Οὐκ ἐδίδουν μακάρεσσι θεοῖς. [Æsch. Suppl. 1018: Μάκαρας θεούς.] Aliquando vero μάκαρες absolute dicuntur ipsi dii: ut ap. eund. Hesiod. paulo ante l. c. [135]: Ἕρδειν μακάρων ἱεροῖς ἐπὶ βωμοῖς. [Hom. Od. K, 299: Μακάρων μέγαν ὅρκον ὀμόσσαι. Pind. Ol. 1, 52: Μακάρων τινά. Et sæpe Æschylus et Eurip., ille etiam Cho. 476: Μάκαρες χθόνιοι, ut contra hic Herc. F. 758: Οὐρανίων μακάρων.] Et Callim. [Jov. 72]: Μακάρεσσιν ὀλίζοσι, Diis minoribus, minorum gentium, ut Latini vocant. Μάκαρες dicuntur etiam Qui post mortem beati habentur; nam et ethnici hominibus virtute præditis certum in cœlo locum tribui crediderunt, ubi beati ævo sempiterno fruerentur: alii autem certas insulas in terris et campos Elysios. Hesiod. Op. [140]: Τοὶ μὲν ἐπιχθόνιοι μάκαρες θνητοὶ καλέονται δεύτεροι, de secundo mortalium in terris beatorum genere post aureum, in quo Τέρποντ' ἐν θαλίῃσι κακῶν ἔκτοσθεν ἁπάντων. Aliquanto post, Καὶ τοὶ μὲν ναίουσιν ἀκηδέα θυμὸν ἔχοντες Ἐν μακάρων νήσοισι παρ' Ὠκεανὸν βαθυδίνην Ὄλβιοι, de quarto hominum genere, quod erat heroum. [Pind. Ol. 2, 77: Μακάρων νᾶσος. Herodot. 3, 26. Ubi de sing.

A et plur. v. annot. intt., et sæpe Plato aliique. Μακαρίων νήσοις scriptum ap. Hierocl. In Pythag. p. 310, quod nisi vitiosum, parum certe usitatum est. L. D.] Dem. [p. 1400, 1]: Τὴν αὐτὴν τάξιν ἔχοντες τοῖς προτέροις ἀγαθοῖς ἀνδράσιν ἐν μακάρων νήσοις. Ap. Plin. quoque 4, 22: Ex regione Arrotrebarum promontorii sunt deorum sex insulæ, quas aliqui Fortunatas appellavere. Eust. [Od. p. 1509, 23 sqq.] ex Strab. refert τὰς τῶν μακάρων νήσους, s. τὸ ἠλύσιον πεδίον, esse sitas οὐ πολὺ ἄποθεν τῶν ἄκρων τῆς Μαυρουσίας τῶν ἀνακειμένων Γαδείροις: esse autem εὔπνουν τὸν τόπον καὶ εὐάερον, διὰ τὸν ζέφυρον. Huc pertinet, quod ap. Aristoph. Ran. [85] Herculi quærenti Ποῖ γῆς ὁ τλήμων, Bacchus respondet, Ἐς μακάρων εὐωχίαν· quamvis nonnulli sint qui per μάκαρας ibi accipiant Aulicos opulentos et beatos, inter quos in regia Archelai consenuit. [Plato Phæd. p. 115, D: Ἀπιὼν εἰς μακάρων δή τινας εὐδαιμονίας.] Hesychio [et Photio] μακάρων νῆσος est etiam ἡ ἀκρόπολις τῶν ἐν Βοιωτίᾳ Θηβῶν. Eust. μάκαρα dictum scribit παρὰ τὸ μὴ ὑποκεῖσθαι κηρί. Aristot. vero Eth. B 7, 11, quosdam τὸν μακάριον ὠνομακέναι ἀπὸ τοῦ χαίρειν. [Cum nomine gen. neutrius Nonnus Dion. 21, 261: Οὐ μακάρων ἀλέγω τεκέων Διός· Duris Anth. Pal. 9, 424, 4: Μακάρων ἐξ ἐτέων κτέανα. Etsi neutri loco multum tribuendum. V. Lobeck. Paralip. p. 208. Superlat. Hom. Od. Z, 158: Μακάρτατος ἔξοχον ἄλλων· Λ, 483: Οὔτις ἀνὴρ προπάροιθε μακάρτατος οὔτ' ἄρ' ὀπίσσω. Æsch. Suppl. 524: Ἄναξ ἀνάκτων μακάρων μακάρτατε. Soph. fr. Mys. ap. Stob. Fl. 98, 23: Ὁ δ' ἥκιστ' ἔχων μακάρτατος. || Natura utrumque α corripitur. Producto altero propter arsin Solon ap. Stob. Flor. 98, 24: Οὐδὲ μάκαρ οὐδεὶς πέλεται βροτός. Diphilus ap. Clem. Al. Strom. 7, p. 844: Ἀλλὰ μάκαρ Ἀήρ. L. D.]

[Μάκαρ, ος, ὁ, Macar, f. Æoli, ap. Hom. H. Apoll. 37: Λέσβος τ' ἠγαθέη, Μάκαρος ἕδος Αἰολίωνος. (Conf. Il. Ω, 544: Λέσβος, Μάκαρος ἕδος.) Pausan. 10, 38, 4. Eundem Solis f. dicit Diodor. 5, 56, 57, quem alii Μακαρέα. Rursus Æoli f. Μακαρέα appellatum v. infra. Criasi f. Μάκαρα memorat Dionys. A. R. 1, 18, martyrem Μάκαρα Euseb. H. E. 6, 41, p. 306, 38. L. Dind.]

C [Μακάρα, ἡ, Macara, urbis Minoæ in Sicilia n. antiquius, sec. Heracliden Pont. c. 28, nisi leg. Μακαρία. L. Dindorf.]

[Μακαρέαι, οἱ, Macareæ, πόλις Ἀρκαδίας ἀπὸ Μακαρέως τοῦ Λυκάονος. Τὸ ἐθνικὸν Μακαρεὺς καὶ Μακαρεάτης, καὶ Μακαρία ... Τὸ ἐθνικὸν Μακαριεὺς, Steph. Byz. Μακαρέων libri plerique omnes, ut videtur, Pausaniæ 8, 36, 9, Μακαρία 8, 3, 3; 27, 4.]

[Μακαρεὺς, έως, ὁ, Macareus, (f. Æoli) ap. Plat. Leg. 8, p. 838, C, et apud Euripidem in Æolo, cujus fabulæ v. fragmenta. Supra Μάκαρ. F. Lycaonis, ap. Apollod. 3, 8, 1, 3, Pausan. 8, 3, 2. F. Crinaci, ap. Diod. 5, 81, 82. Solis filium, quem hic Μάκαρα, quod v., Hellanicus ap. schol. Pind. Ol. 7, 135, dicit Μακαρέα. Vir Atticus in inscr. Att. ap. Bœckh. vol. 1, p. 317, n. 186, 11. Alius in Prien. vol. 2, p. 572, n. 2905, B, 2. Scriptor ap. Athen 6, p. 262, C; 13, p. 639, D.]

[Μακάρι, Utinam. Suidas: Ὄφελες καὶ ὄφελον. Εἴθε, μακάρι, εὐκτικῶς. Τὸ δὲ μακάρι τῶν ἀπαιδεύτων εὐκτικὸν ἐπίρρημα, ἀντὶ τοῦ εἴθε καὶ αἴθε. Ducang. Hesych. vv. D Αἴθε et Ἰθὺς, ubi delevit Musurus.]

Μακαρία, ἡ, Locus apud inferos, in quo ii, qui post hanc vitam beati habentur, degunt, Locus vitæ beatæ. Lucian. [Hermot. c. 71]: Πάσχουσι δ' αὐτὸ καὶ οἱ τὴν κενὴν μακαρίαν ἑαυτοῖς ἀναπλάττοντες. [Id. Navig. c. 12.] Aristoph. Eq. [1151]: Ἄπαγ' ἐς μακαρίαν ἐκποδών· s. ἔρρ' ἐς μακαρίαν, aut βάλλ' ἐς μ. (nam et his modis scribitur), ubi per εὐφημισμὸν jubet eum abire in malam rem. [Plato Hipp. maj. p. 293, A. Julian. Cæs. p. 333, A, citat Pressel.] Sed sunt qui tradant eum alludere ad Macariam Herculis filiam, quæ pro Atheniensium salute se jugulavit: cujus meminit Paus. Att. p. 24 [c. 32, 6. In scenam produxit Euripides in Heraclidis.] V. et Erasm. Chil., ubi interpr. In beatam. || Fontis nomen ap. Marathonem, Paus. l. c. [Conf. Strabo 8, p. 377. Locus Messeniæ, ap. Strab. 8, p. 361: Διὰ τοῦ Μεσσηνιακοῦ πεδίου καὶ τῆς Μακαρίας καλουμένης. || Insula sinus Arabii ap. Diodor. 3, 38, Ptolem. 4, 8. V. etiam Μακαρέαι. Cypri, Lesbi, Rhodi n. antiquius sec. Plinium N. H. 5, 31.] || Hesychio βρῶμα ἐκ ζωμοῦ καὶ ἀλφίτων. [Coraes ad Heliodor. vol. 2, p. 75 : Διὰ τὴν ὁσίαν) Διὰ τὸν νόμον, διὰ τὰ νομιζόμενα γίγνεσθαι περὶ τοὺς νεκρούς· καὶ ἴσως ἐντεῦθεν ἡ κοινὴ συνήθεια Μακαρίαν ὠνόμασε τὸν διανεμόμενον ἐν ταῖς ἐκφοραῖς οἶνον μετὰ διπύρων ἀρτίσκων, καθὰ καὶ οἱ παλαιοὶ Μακαρίαν ἐκάλουν τὰ νεωστὶ ἀληλεσμένα ἄλφιτα, μέλιτι ἀναδεδευμένα καὶ ἀσταφίσι καὶ χλωροῖς ἐρεβίνθοις μεμιγμένα, ἃ τοῖς τὰ ἱερὰ τελοῦσιν ἔνεμον, ὥς φησιν Ἁρποκρατίων (λεξ. Νεήλατα). L. Dindorf.]

[Μακαρία, ἡ, Macaria, cogn. mulieris, in inscript. Chersones. ap. Bœckh. vol. 2, p. 146, n. 2100. N. navis ap. eund. *Urkunden* p. 89.]

[Μακαριαινος, ὁ, Macariænus, n. pr. viri ap. Suidam et Theognost. Can. p. 66, 32. L. Dind.]

[Μακαριεύς. V. Μακαρέαι.]

Μακαρίζω, [Beo, Gl.] Beatum prædico, ἄγαμαι καὶ τέθηπα ὡς μακάριον, ut Plut. loquitur in Μακάριος. Qua signif. dicitur etiam εὐδαιμονίζω et ζηλῶ. Terent., Fortunatam judico; Omnia bona dicere, ac laudare fortunas meas. Hom. Od. O, [537], P, [165] : Τῷ κε τάχα γνοίης φιλότητά τε πολλά τε δῶρα Ἐξ ἐμεῦ· ὥς ἄν τις σε συναντόμενος μακαρίζοι. [Pind. Nem. 11, 11 : Μακαρίζω Ἀρκεσίλαν. Soph. OEd. T. 1195; Eur. Bacch. 911; Herodot. 1, 31; 7, 45.] Isocr. Ad Dem. [Philippo p. 96, A] : Οὐ γὰρ μόνον ὑπὸ τῶν ἄλλων ἔσει ζηλωτὸς, ἀλλὰ καὶ σὺ σαυτὸν μακαριεῖς· Panath. [p. 288, C] : Περιστάντες αὐτὸν ἐπῄνουν, ἐζήλουν, ἐμακάριζον. Xen. Cyrop. 5, [2, 28] : Ἐμακάριζε τὴν μέλλουσαν αὐτῷ γυναῖκα ἔσεσθαι. Plut. [Mor. p. 523, D] : Ὑπερεκπεπληγμένους καὶ μακαρίζοντας. Aristoph. Vesp. [1275] : Ὥς σε μακαρίζομεν, Παῖδας ἐφύτευσας ὅτι χειροτεχνικωτάτους. Dicitur etiam μακαρίζω σου τὴν ἀρετὴν, σε τῆς ἀρετῆς, quo modo et ζηλόω usurpatur. Thuc. 5, p. 195 [c. 105] : Μακαρίσαντες ὑμῶν τὸ ἀπειρόκακον, οὐ ζηλοῦμεν τὸ ἄφρον. Isocr. Panath. [p. 287, C] : Ζηλῶ σου [σε] καὶ μακαρίζω τὴν εὐδαιμονίαν [τῆς εὐδαιμονίας]. Aristoph. [Vesp. 429] : Μακαρίζω χελώνας τοῦ δέρματος. [Plato Euthyd. p. 274, A. L. Dind. Μακαρίσαι αὐτοὺς τῆς στρατείας, Polyæn. 4, 16, p. 422. Hemst. Cum dativo Xen. Cyn. 1, 11 : Ἱππόλυτος σωφροσύνῃ καὶ ὁσιότητι μακαρισθεὶς ἐτελεύτησε.] Et Μακαρίζομαι, Beatus prædicor, Fortunatus judicor. Xen. Cyrop. 8, [7, 8] : Πῶς οὐκ ἂν ἐγὼ δικαίως μακαριζόμενος τὸν ἀεὶ χρόνον, μνήμης τυγχάνοιμι; [Thuc. 2, 51 : Ἐμακαρίζοντο ὑπὸ τῶν ἄλλων. Plato Conv. p. 216, E : Τῶν ὑπὸ πλήθους μακαριζομένων. Tertia perfecti ap. Theodor. Stud. p. 315, C : Καὶ μνημονεύονται καὶ μεμακάρινται. Restituenda ibid. p. 526, E : Ἐξ ὧν καὶ οἱ τοκεῖς μεμακάρηνται. L. Dind.]

[Μακαρίνη, ἀνδράχνη, Hesych.]

[Μακαριοποιὸς, ὁ, ἡ, Qui beatum facit. Cyrill. Hier. p. 238.]

Μακάριος, α, ον [et ὁ, ἡ, ut ap. Plat. Leg. 7, p. 803, C : Πάσης μακαρίου σπουδῆς, alibi altera forma usum. De altero minus certo exemplo v. infra], Beatus, i. q. μάκαρ, ex eoque factum, sicut καισάριος a καῖσαρ, Eust. Sed hoc prosæ est usitatius. [Sed etiam poetis. Pind. Pyth. 5, 46 : Μακάριος ὃς ἔχεις. Perfrequens est ap. Euripidem de hominibus et rebus, ut Tro. 1170 : Μακάριος ἦσθ' ἄν, εἴ τι τῶνδε μακάριον· 365 : Πόλιν δὲ δείξω τήνδε μακαριωτέραν· 327 : Μακαριωτάταις τύχαις· Ion. 1461 : Μακαριωτάτας τυχοῦσ' ἁδονᾶς. Item ap. Aristoph., ut Eq. 157 : Ὦ μακάρι', ὦ πλούσιε· Eccl. 1113 : Δέσποινα μακαριωτάτη.] Epicur. : Τὸ μ. καὶ ἄφθαρτον· quæ Cic. ita vertit, Quod beatum et immortale est. Idem : Τὴν μακαρίαν ἄγοντες ἅμα τελευτῶντες ἡμέραν τοῦ βίου· quæ itidem Cic., Quum ageremus vitæ beatum et eundem supremum diem. Aristot. Eth. 1, 7 : Οὐδὲ μακάριον καὶ εὐδαίμονα ποιεῖ μία ἡμέρα, Beatum ac felicem : quæ duo itidem a Plin. copulantur. Sic Plato De rep. 1, [p. 354, A] : Ὅγε εὖ ζῶν, μακάριός τε καὶ εὐδαίμων. [Et alibi sæpe quum de hominibus tum de rebus.] Plut. [Mor. p. 554, C] : Ἄγαται καὶ τέθηπεν ὡς μακαρίους. Idem [Mor. p. 100, E, ex Menandro] : Μακάριος ἐν ἀγορᾷ νομίζεται· cui opp. τρισάθλιον. Xen. [Cyrop. 8, 7, 25] : Τί γὰρ τούτου μακαριώτερον, τοῦ τῇ γῇ μιχθῆναι; Quid enim præstabilius ac beatius quam cum humo misceri? Lucian. : Πολύ σου βελτίων καὶ μακαριώτερος. Et μ. θήραμα, ap. Plut. [Mor. p. 501, B], sicut apud Lat. poetas Opes beatæ, et Commoda beata. [Vera scriptura est μακαρίαν θήραν, ut in l. Eur. Bacch. 1171,

A quem exprimit, restitutum nunc est ex ejusd. Plut. Crasso c. 33, quum libri consentirent cum altero l. Plut., nec præferendum videtur μακάριον θήραν, qua de forma v. supra. || « De divitibus Antonin. Lib. c. 34, p. 224 : Κόρη μακαρίων ἀνθρώπων. » Valck. Libanius vol. 1, p. 252, 11 : Πλουσίου καὶ μακαρίου. Polyb. 3, 91, 6 : Τὴν ... μακαριωτάτην ... πόλιν Καπύην. || Ὦ μακάριε, O bone, compellatio blanda ap. Plat. Phædr. p. 236, D : Ὦ μ. Φαῖδρε, etc.] Aliquando cum gen. construitur. Aristoph. Vesp. [1512] : Ὦ μακάριε τῆς εὐπαιδίας· et [1292] : Ἰὼ χελῶναι μακάριαι τοῦ δέρματος, Beatæ ob corium istud. Id. [Eq. 186] : Ὦ μακάριε τῆς τύχης. Horat. dicit, Divitiis beatus; Stat., Laudum omnium cumulo beatus. Rursum Horat., Virtute beatus. [Cum accus. Xen. Cyrop. 8, 3, 39 : Ὦ μακάριε σὺ τά τε ἄλλα κτλ.] || Defunctus, Qui sepelitur, Plato Leg. 12, p. 353 [947, D]. Bud. Sic et μακαρίτης. [Quod v. Athanas. vol. 1, p. 198, C : Ὁ μακάριος ἀπόστολος. Et alii multi de iisdem. Rarius de vivis. Reisk. ad Constantin. p. 773 ed. Bonn. : « Scio Alexandrum Episcopum apud

B Euseb. H. E. 6, 11 fin. Clementem Alex. adhuc vivum τὸν μακάριον πρεσβύτερον appellare, et in universum beatos, felices homines adhuc vivos olim μακαρίους, vita functos autem μακαρίτας fuisse dictos, ut in l. Ath. (in Μακαρίτης cit.) Sed ille usus vocabuli perrarus est et X sæculo p. Chr. n. jam dudum desierat. » Schol. Aristoph. Pl. 555 : Τὸ μακάριος καὶ μακαριστὸς ἐπὶ ζώντων καὶ ἀποθανόντων, et alia citat Routh. Reliq. sacr. vol. 1, p. 174, animadvertitque μακάριος cum nomine ipso conjunctum, ut Σωτᾶς ὁ μακάριος, de mortuo fere semper usurpari. Superlativus tamen frequens est in compellatione hominum in ecclesia titulo μακαριότητος ornandorum, ut in Cod. Justin. 1, 1, p. 5 ed. Spangenb. : Ὁ αὐτὸς βασιλεὺς (Justinianus) Ἐπιφανίῳ τῷ ἁγιωτάτῳ καὶ μακαριωτάτῳ ἀρχιεπισκόπῳ· et alibi. L. Dind.]

[|| Μακαρίως, Beate, Feliciter. Aristoph. Pl. 629 : Μ. πεπράγατε. Eur. Hel. 904 : Ἡμᾶς δὲ μ. μὲν, ἀθλίως δ' ἐμοὶ Ἑρμῆς ἔδωκε πατρὶ σῷ σώζειν πόσει τῷδε. Plato Leg. 4, p. 711, E : M. αὐτὸς ζῇ. Superlativo 5, p. 733, E :

C Ζῆν ὡς οἷόν τ' ἐστὶν ἄνθρωπον μακαριώτατα.]

[Μακάριος, ut habent Gloss. botanicæ mss. ex cod. Reg. 2690, ὁ ἰξός, Viscum. Ducang. App. Gl. p. 125.

[Μακάριος, ὁ, Macarius, n. viri, frequens temporibus Christianis, cujus exx. plura sunt ap. Fabric. in B. Gr. et alibi. Sed Spartanus quidam M. est apud Thuc. 3, 109. Alia exx. in inscrr. Bospor. ap. Bœckh. vol. 2, n. 2123, 2130, 2131. L. Dind.]

Μακαριότης, ητος, ἡ, Beatitas, Beatitudo. Epicur. : Εἰς τὴν τοῦ ὅλου βίου μ., Ad bene beateque vivendum, ut Cic. interpr. p. 54 mei Lex. Cic. [Plato Leg. 2, p. 661, B, Epist. 7, p. 327, C. Cosmas Topogr. Christ. p. 185, C. || Compellatio honorifica episcopi, ut Beatitudo ap. Latinos, in Cod. Justin. 1, 1, p. 6 ed. Spangenb. : Ἡ σὴ γινώσκει μακαριότης· p. 8 : Εὐχέσθω ... μακαριότης σοῦ. Patriarchæ ap. Theod. Stud. p. 233, B : Τῆς μακαριότητός σου· 326, E. L. D. Patriarchæ Cpol. in Nov. 6 Justiniani sub fin. et alibi, et in Conc. Cpol. sub Mena Act. 1, 2 etc. Μακαριότης πατρικὴ in sacra Constantini Pogonati ad Agathonem Pap. præ-

D fixa Conc. Trullano. Ducang.]

Μακαρὶς, Beata, locus apud inferos, VV. LL. [Pro Μακαρία, quod v.]

[Μακαρισμάριον, τὸ, Libellus beatitudinum evangelicarum, quibus preces quædam interseruntur, in Diplomate PP. S. Basilii ap. Montefalc. Palæogr. p. 404, qui v. p. 386. L. Dind.]

Μακαρισμὸς, ὁ, Beatitatis felicitatisque prædicatio : qua nimirum aliquem beatum prædicamus. [Plato Reip. 9, p. 591, D : Οὐχ ἐκπληττόμενος ὑπὸ τοῦ τῶν πολλῶν μακαρισμοῦ.] Plut. [Mor. p. 471, C] : Ὦ μάκαρ Ἀτρείδη, μοιρηγενὲς, ὀλβιόδαιμον· ἔξωθεν οὗτος ὁ μ., ὅπλων καὶ ἵππων καὶ στρατείας περικεχυμένης. Paul. Ad Galat. 4, [15] : Τίς οὖν ἦν ὁ μ. ὑμῶν; Quæ igitur erat beatitatis vestræ prædicatio? Ap. Aristot. 1 Rhet. [c. 9, 4] μ. et εὐδαιμονισμὸς, Laudationis præcipue species sunt, quum sc. aliquem beatum et fortunatum prædicamus, ubi περὶ ἐπαίνου καὶ ἐγκωμίου agit. [Synes. p. 4, A : Ἔστι δὲ οὐ μία φύσις, ἀλλ' ἕτερον ἑκάτερον, μακαρισμὸς καὶ ἔπαινος· μακαρίζεται μὲν γάρ τις ἐπὶ τοῖς ἔξωθεν, ἐπαινεῖται δὲ ἐπὶ τοῖς ἔνδοθεν. Alia exx. v. ap. Pierson. ad Mœr. p. 169. || Beatitudo, Gl. Μακαρισμοὶ dicuntur Beatitudines, quas in evangelio Christus prædicavit, octo vel novem. Apophth. Patrum in Epiphanio n. 13 : Διὰ τί δέκα μέν εἰσιν αἱ νομικαὶ ἐντολαὶ, ἐννέα δὲ οἱ μακαρισμοί; Anton. Melissa mon. l. 2, c. 3 : Τὸν προεστῶτα μὴ ἐπαιρέτω τὸ ἀξίωμα, ἵνα μὴ ἐκπέσῃ τοῦ μακαρισμοῦ τῆς ταπεινοφροσύνης. Hinc virtutes, quæ in ejusmodi beatitudinibus continentur, μακαρισμοὺς vocat anon. in Vita S. Pachomii n. 12 : Ἀναχωρῶν γὰρ πρὸ τοῦ γενέσθαι τὸ κοινόβιον, ἦν σχολάζων λίαν σὺν τοῖς ἄλλοις μακαρισμοῖς καθαρὸς τῇ καρδίᾳ εὑρεθῆναι. His vero μακαρισμοῖς quum aliæ subinde preces interserantur, dum in Ecclesia canuntur, varie indicantur in libris eccles. Græcorum, ut μ. τῆς ἡμέρας, τοῦ ἤχου etc. Hæc et alia Ducang.]

[Μακαριστέον, Prædicandum tanquam beatum. Polyb. Exc. Vat. p. 417 M. (691 ed. Paris.) : Διὸ καὶ μ. τῶν προγεγονότων οὐχ ὡς διευτυχηκότας τινάς. L. D. Mich. Syncell. Laud. Dionysii Ar. p. 385, 10. Boiss.]

Μακαριστὸς, ἡ, ὸν, Qui beatus habetur et prædicatur, Quem beatum omnes judicant. Herodot., μακαριστὸς πρὸς πάντων. Xen. Ap. [2, 1, 33] : Τὴν μακαριστοτάτην εὐδαιμονίαν κεκτῆσθαι. [Eodem gradu Manetho 1, 209, etc.] Aristoph. Vesp. [550] : Τί γὰρ εὔδαιμόν γ' ἢ καὶ μακαριστὸν μᾶλλον νῦν ἐστὶ δικαστοῦ; Fortunatum aut Beatum magis. [Av. 1725 : Ὦ μακαριστὸν σὺ γάμον τῇδε πόλει γήμας. Theocr. 7, 83 : Ὦ μακαριστὲ Κομάτα.] Athen. 12 : Ἐσπούδαζον δὲ δοκεῖν εὐδαίμονες εἶναι καὶ μακαριστοί. [Cum dativo Xen. Anab. 1, 9, 6 : Τὸν βοηθήσαντα πολλοῖς μακαριστὸν (εἶναι addunt libri deteriores) ἐποίησε· Cyrop. 7, 2, 6. Præpos. ὑπὸ jungit Plato Phædr. p. 256, C : Τὴν ὑπὸ τῶν πολλῶν μακαριστὴν αἵρεσιν.] Et τὸ μακαριστὸν, Beatitas, Beatitudo.

[Μακαριστῶς, adv. Joseph. A. J. 2, 6, 1.]

Μακαρίτης, ὁ, Beatus, i. q. μακάριος. Aristoph. Pl. [555] : Ὡς μακαρίτην, ὦ Δάματερ, τὸν βίον αὐτοῦ κατέλεξας, i. e. μακάριον. || Μακαρίτας, bene ominandi gratia, Vita functos vocabant, quasi vitæ miseriis defunctos. [Æsch. Pers. 633 : Ἦ ῥ' ἀίει μου μακαρίτας ἰσοδαίμων βασιλεύς;] Julian. Hermogeni [Ep. 23] : Ἐκείνῳ μὲν δὴ, ἐπειδὴ μακαρίτης ἐγένετο, κούφη γῆ, καθάπερ λόγος, Verum illi, quandoquidem jam fato functus est, bene precemur. Unde Pers., Nunc non cinis ille poetæ Felix? nunc levior cippus non imprimit ossa? Et Juven. 7 : Dii majorum umbris tenuem et sine pondere terram. Plut. [Mor. p. 120, C] : Καλὰς ἐλπίδας ἔχειν σε δεῖ περὶ τοῦ μακαρίτου υἱέος σου, ὅτι τούτοις συγκαταριθμηθεὶς συνέσται. [Alia v. ap. Wyttenb. ib. p. 121, E.] Simile est quod lingua vernacula dicunt ad superos emigrasse, quos defunctos esse significare volunt. Hæc Bud. p. 174, citans ibid. quendam etiam Synesii l., a quo frequenter hoc vocab. usurpatur : Ep. 36 : Ἑκκαιδεκάτῃ μηνὸς ἀθὺρ ὁ μ. Καστρίκιος, αὐτὸ τοῦτο ἐγένετο, Quod feliciter mortuus est Castritius, eo die hoc ipsum factus est, sc. μακαρίτης, h. e. defunctus est. Ap. Athen. 3, [p. 113, E] : Μακαρίους οὖν αὐτοὺς, μᾶλλον δὲ μακαρίτας εἶναί φημι, τοιαύτας δείξεις τῶν διδασκάλων ποιουμένων, Beatos, s. potius Beato defunctos fato. [Sed ibi quidem μ. non de Defuncto dicitur, sed aliquanto fortius quiddam sonat quam μακάριος, recteque Ter beatus redditur. Schweigh. Non recte ita redditur, sed significat Beatos, quales sunt defuncti. De defunctis vero ap. Hesychium : Μακαρίτης, ὁ τεθνεὼς, ὁ μακάριος, ὁ νεκρός· et Photium : Μακαρίτας, τοὺς τεθνηκότας· οὕτως Μένανδρος. Anon. ap. Stob. Flor. 121, 18 : Διὰ ταῦτα γάρ τοι καὶ καλοῦνται μακάριοι· πᾶς γὰρ λέγει τις, Ὁ μακαρίτης οἴχεται. Alia v. ap. Ruhnk. ad Tim. p. 59. Qui tamen et illic et in Epist. ad Ritterum p. 567 fallitur, quum recte Bentlejum in Phalar. p. 9=159 sq. negasse putat Græcos unquam μακαρίτας dixisse nisi de illis qui non ita pridem, et quidem memoria ejus, qui dicat, defuncti sint : qua opinione capti fuerunt jam Ducangius in Comm. de Cinnamo sub finem et Possinus in Gloss. ad Georg. Pachym. v. Μακαρίτης. Nam in Chron. Pasch. p. 163, 12; 166, 11, est : Ὁ μ. Παῦλος· et 438, 13 : Ὁ μ. Πέτρος· et 546, 23 : Τοῦ μ. Κωνσταντίνου· 549, 13 : Τοῦ μ. Κωνσταντίου. Eodemque modo Cosmas Topogr. Christ. p. 226, B : Ὁ μ. Παῦλος. ῖ L. Dind.]

Μακαρῖτις, ιδος, ἡ, ψυχὴ, aut femina aliqua, Quæ defuncta est, post obitum in beatorum sedes recepta creditur. Synes. Ep. 44 [p. 183, C] : Τότε τοίνυν εἰκός ἐστι τῆς μακαρίτιδος Αἰμυλίου ψυχῆς συγγνωμονεστέρας τυχεῖν. [Lucian. Philops. c. 27 : Τὴν μακαρῖτίν μου γυναῖκα. Valck. Georg. Pachym. Mich. Pal. p. 205, B.]

[Μακαρίως. V. Μακάριος.]

[Μακαριωσύνη, ἡ, i. q. μακαριότης. Herodian. Epimer. p. 232. ῡ]

Μάκαρος quoque [perperam] affertur pro Felix, sed sine exemplo.

Μάκαρ, αρος, ὁ, ἡ, Beatus, i. q. μακάριος, ex eoque per sync. factum, ut ἅλς ex ἅλιος, Eust. [Od. p. 1542, 30], derivans inde Μακάρτατος, Beatissimus, Summe beatus, μακαριώτατος : nisi forte per sync. factum sit ex μακαριώτατος, ut Idem addit. [Μάκαρς ex Alcmane citat Apollon. De pron. p. 74, A : Μάκαρς ἐκεῖνος. De quo fragm. alibi plenius citato conf. Bast. ad Gregor. p. 574. Memorat formam μάκαρς etiam Steph. B. in Σάλαρς. Genitivum μάκαρτος ponit Theodosius Can. p. 985, 29 ed. Bekk.] || Μακάρτατος est etiam nomen proprium. Et Μακάρτερος, Beatior, Nonn. [V. Μάκαρ.]

[Μακαρτᾶτος, ὁ, Macartatus, n. virorum duorum Atticorum, avunculi et nepotis, ap. Demosth. p. 1050 sqq. Alius viri Attici ap. Pausan. 1, 29, 6.]

Μακαρτὸς, ex Epigr. [Leonidæ Anth. Pal. 7, 740, 5] affertur pro Beatus et opulentus. [Pro μακαριστὸς poni ostendit, quod additur, πᾶσι.]

[Μακεδνὸν, χωρίον ἐν Πίνδῳ, ὡς Ἡρόδοτος ἐν πρώτῃ (56). Τὸ ἐθνικὸν ὁμοίως, Steph. Byz. Wessel. ad l. Herodoti : « Μακεδνὸν habet hinc St. Byz., sed errans : non enim loci, sed gentis nomen est. V. 8, 43 (ubi item Μακεδνὸν ἔθνος). »]

[Μακεδνὸς, ἡ, ὸν, Longus.] Μακεδνὸς scribi, non Μακιδνὸς, ex Hom. exempll. constat, in quibus μακεδνὴ αἴγειρος legitur Od. H, [106], et vocatur μακεδνὴ αἴγειρος, quæ alibi μακρά : unde discimus μακεδνὸς non aliud esse quam μακρός. Porro ut a μῆκος fit μηκεδανὸς, sic μακεδανὸς a μᾶκος Dorico, et per sync. μακεδνός. [Lycophr. 1273 : Μακεδνὰς ἀμφὶ Κιρκαίου νάπας· Nicand. Th. 472 : Ἐλάτῃσι μακεδναῖς. Hesych. : Μάκεδνα (sic) σκῦλα τὰ οὐράνια καὶ μεγάλα, ἢ ὅτι τρόπαια μετέωρα ἵσταται.]

[Μάκεδνος, ὁ, Macednus, f. Lycaonis, ap. Apollod. 3, 8, 3, hoc accentu.]

[Μακεδόνειος πόλις, τῶν Μακεδόνων, quod ponit Suidas, addens Μακεδονία δὲ χώρα, vitiosum est.]

Μακεδόνες, οἱ, Macedones, populi Græcis vicini [Æsch. Pers. 492], quorum regio dicitur Μακεδονία, Macedonia, sub. χώρα. Nec enim Μακεδονικὸς solum, sed et Μακεδόνιος dicitur παρὰ τοὺς Μακεδόνας, teste Steph. B. : ac poetæ, ut illud Μακεδόνιος versum intret, ε in eo producunt versum in η. [Sic Dionys. Per. 254.] Mimnermus [Hermesianax] ap. Athen. 13, [p. 598, D] : Ἀλλὰ Μακηδονίης πάσας κατενίσατο λαύρας. [Dionys. Per. 427, epigr. Anth. Pal. App. 106, 4. Μακηδὼν de Macedone f. Jovis ap. Hesiodum in fr. ap. Constantin. Them. 2, 4, p. 22, qui ab Hellanico hunc Æoli filium perhibitum tradit. Gentile Μακηδὼν ap. Callim. Del. 167. Ubi alia exx. indicavit Blomfield. in Add. p. 398.] Prosæ vero scriptt. ut dicunt Μακεδονικὴ γῆ, ita etiam Μακεδονικὸς γέρων, Μακεδονικὴ δύναμις, Μακεδονικὸν ὅπλον, Μακεδονικὸν ἦθος, [στράτευμα Xen. H. Gr. 5, 2, 43,] et similia. [Verba Stephani Byz. sunt : Μακεδονία, ἡ χώρα ἀπὸ Μακεδόνος τοῦ Διὸς καὶ Θυίας τῆς Δευκαλίωνος (sec. Diodorum in Μακεδὼν citandum ab filio Osiridis). Τὸ ἐθνικὸν Μακεδὼν ὁμοφώνως τῷ κτίστῃ, κοινὸν τῷ γένει· καὶ Μακεδονὶς θηλυκῶς καὶ Μακεδὼν ἀντὶ τοῦ Μακεδονικός. Λέγεται καὶ Μακεδόνιος καὶ Μακεδονικὴ ἡ χώρα. Λέγεται καὶ Μακέτης ἀρσενικὸν καὶ Μακετὶς γυνὴ, καὶ Μάκεσσα ἐπιθετικῶς, ὡς Ἡρακλείδης, καὶ Μάκεττα διὰ δύο τ καὶ δι' ἑνός. Μακεδονίαν memorat Herodot. 5, 17, habetque etiam gent. Μακεδὼν ib. et in seqq. cum aliis quibusvis. Γῆν Μακεδονίδα idem 7, 127. De qua forma HSt. :] Dicitur et Μακεδονὶς pro Μακεδονία, s. Μακεδονική. [Ælian. N. A. 15, 20 : Θεσσαλονίκῃ τῇ Μακεδονίτιδι, al. Μακεδόνιδι (sic). Schol. Theocr. 15, 21 : Τῆς ἐπωμίδος ἐπιλαμβάνεσθαι, ὡς αἱ Μακεδονίτιδες. Forma Μακεδὼν fem. genere in epigr. in Eurip. Anth. Pal. 7, 45, 2 : Γῆ Μακεδών. Μακεδόνισσα ex Strattidis Macedonibus annotavit Antiatt. p. 108, 29. De formis per τ HSt. :] Μακέτης pro Μακεδών : cujus fem. Μακέτις, quod et Μάκεσσα, s. Att. Μάκεττα. [Media forma Scymn. Orb. descr. 657 : Ἀπὸ τῆς Μακέσσης, Ἠμαθίας τε λεγομένης.] Sic Μακεττία dicitur ἡ Μακεδονία, teste Hesych. [Constantin. Them. l. c. : Λέγεται δὲ καὶ Μακεδονίας μοῖρα Μάκετα (Μακετία?), ὡς Μαρσύας ἐν πρώτῳ Μακεδονιακῶν (sic). Καὶ τὴν Ἠρεστείαν (Ὀρεστίαν Müllerus Dor. vol. 1, p. 34) δὲ Μάκεταν (Μακετίαν?) λέγουσιν ἀπὸ τοῦ Μακεδόνος. Ἀλλὰ καὶ τὴν ὅλην Μακεδονίαν Μακετίαν οἶδεν ὀνομαζομένην Κλείδημος ἐν πρώτοις Ἀτθίδος· Καὶ ἐξῳκίσθησαν ὑπὲρ τὸν Αἰγιαλὸν ἄνω τῆς καλουμένης Μακετίας. Addæus Anth. Pal. 7, 51, 3 : Ὑπαὶ Μακέτῃ δ' Ἀρεθούσῃ. Fem. Μακεδὶς (volebat Μακέτις) pro Μακεδίου in Olympiadum ἀναγραφῇ restituit Niebuhr. Opusc. vol. 1, p. 214. In Æliani N. A. loco supra cit. pro Μακεδονίτιδι liber unus Μακέτισι (sic). Bianor Anth. Pal. 7, 49, 1 : Α Μακέτις σε κέκευθε τάφου κόνις. Quem verum esse accentum ostendit Lucian. Alex. c. 6 : Μακέτιν γυναῖκα.]

[Μακεδονιάνειον, τὸ, SC. Macedonianum, in Basilic. xi, 1, 64, p. 644 ed. Heimbach., dictum a Macedone quodam, de quo v. Theophil. Institt. 4, 7, 259 sq. cum annot. interpretum. L. Dind.]

[Μακεδονῐᾱνοί, οἱ, Macedoniani, hæretici, qui S. Spiritum impugnare ausi erant, dicti a Macedonio, episcopo sec. 4, de quibus Fabric. et Harles. B. Gr. vol. 9, p. 247.]

Μακεδονίζω, Macedones sequor, Cum Macedonibus facio : ap. Plut. [Anton. c. 27, Alex. c. 30, Demosth. c. 14, 24] et Athen. [3, p. 122, A. Dio Chrys. vol. 1, p. 159. Wakef. Polyb. 20, 5, 5 et 13.]

[Μακεδονικὸς, ἡ, όν, Macedonicus. V. Μακεδόνες.] Adv. Μακεδονικῶς, Macedonice, Macedonico more : ut M. καθωπλισμένην, Athen. 13, [p. 560, F. Arrian. Exp. 7, 12, 3 : Ὡς ἐκτρέφοιντο M. Hesych. in gll. in Ἐπίδειπνον et Θαῦμος citatis. Atque sic fortasse legendum in gl. ejusd. in Μακεδονίσιον citanda. L. Dind.]

[Μακεδόνιος, ὁ, Macedonius, n. poetæ in Anthol. Gr., de quo v. Jacobs. vol. 13, p. 913, qui Μακηδόνιον se vocat metri gratia in epigr. Anth. Pal. 9, 649, 4, quæ scriptura aliena est a prosa et inscriptionibus carminum. Alios homines cognomines memorat Fabric. in B. Gr.]

[Μακεδονίσιον, τὸ, herbæ genus. Itali vocant Apium Macedonicum; Græcis veteribus σμυρνίον et Μακεδονικὸν σέλινον. Achmes c. 206 : Εἰ δὲ ἴδῃ ὅτι ἤσθιε σέλινον, ἢ μακεδονίσιον. Myrepsus De antidotis c. 27 : Ἀδιάντου, μακεδονισίου, γρανοσόλου. Hesych. : Ἄβαρυ, ὀρίγανον, μακεδονίσια. Sic glossam citant Meurs. et Ducang. Vulgo Μακεδονία. Alias simpliciter Μακεδόνες legi posset, notante Albertio. Certe de Macedonica dialecto intelligit HSt. Ind. et Sturz. De dial. Maced. et Al. p. 34. Angl. Galen. l. 1 De remed. p. 435 ed. Bas. citat Ducang. in App. Gl. p. 125.]

Μακεδονιστὶ, Macedonum imitatione, Macedonico more vel sermone. Plut. Alex. [c. 51] : Μακεδονιστὶ καλῶν τοὺς ὑπασπιστάς. [Id. Eumen. c. 14. ῑ]

[Μακεδονῖτις. V. Μακεδόνες.]

[Μακεδονόπολις, εως, ἡ, Macedonopolis, in Ms. ap. Morell. Bibl. Ms. p. 228. L. Dind.]

[Μακεδὼν, όνος, ὁ, Macedo, f. Osiridis, ap. Diod. 1, 18. Macedoniæ conditor ib. 20. V. Μακεδόνες. Dux Osroenorum, ap. Herodian. 7, 2.]

[Μακελεῖον. V. Μάκελλος.]

Μάκελλα, ης, ἡ, Ligo [Gl.]; sed talis, qui bidens non sit : nam dictum volunt παρὰ τὸ κέλλειν μονόθεν, i. e. κινεῖν, τέμνειν. Hesych. dicit esse δίκελλαν πλατεῖαν. [A δίκελλα mire distinguit Theo in Δίκελλα citatus.] Hom. Il. Φ, [259] de agricola rivos ducente : Χερσὶ μάκελλαν ἔχων, ἀμάρης δ' ἐξ ἔχματα βάλλων. Utitur et [Æsch. Ag. 526 : Τροίαν κατασκάψαντα τοῦ δικηφόρου Διὸς μακέλλῃ,] Aristoph. [Av. 1240 : Μή σου γένος πανώλεθρον Διὸς μακέλλῃ πᾶν ἀναστρέψῃ Δίκη. Et similibus verbis Sophocles ap. schol., et Herodes s. Marcellus Anth. Pal. App. 50, 25 : Δμωὴν κυανέου Ἄϊδος ῥήξειε μάκελλαν. L. D. Maximo Tyr. 5, 4, p. 71 : Οὐδὲ γὰρ ὁ Αἰγύπτιος τῷ Νείλῳ ... παραδίδωσι τὰ σπέρματα, πρὶν ἢ τἀρότρῳ ζεύξῃ βοῦν, πρὶν τέμῃ αὔλακα, πρὶν πονήσῃ μακρὰ, restituit Jacobsius ad Achill. Tat. p. 722 πονήσῃ μακέλλῃ, quod verum videtur. Dübner.] Pro quo dicitur et Μάκελα [Μακέλη]. Hesiod. [Op. 468] : Ὁ δὲ τυτθὸς ὄπισθεν Δμωὸς ἔχων μακέλην, πόνον ὀρνίθεσσι τιθείη, Σπέρματα καχκρύπτων. [Apoll. Rh. 4, 1533; Theocr. 16, 32; Arat. 8; Dionys. Per. 1115. Μακέλλη ponit Pollux 1, 245. Sed recte codex μακέλη, ut 10, 129. Idem vitium tollendum in Epimer. ap. Cramer. An. vol. 2, p. 394, 15. Ap. Josephum autem A. J. 6, 6, 1, pro μακέλλην libri Hudsoni recte μάκελλαν. Simile vitium διχέλλῃ notavit Jacobs. ad Achill. Tat. 4, 12. ᾰ L. Dindorf.]

[Μάκελλα, ἡ, Macella, oppidum Siciliæ, ap. Polyb. 1, 24, 2, Diod. Exc. p. 502. Gent. Μακελλινεων (exspectes Μακελλινων) in numis ap. Mionnet. *Descr.* vol. 1, p. 250.]

[Μακελλῖνος. V. Μάκελλα.]

Μάκελλος et Μάκελα, ap. Hesych. [ubi tamen Μακέλα, Μάκελος et Μάκελλα scriptum] sunt φράγματα et δρύφρακτοι. [Unde Lat. Maceria, et Macellum, sec. Varronem L. L. 5, 146 : « Forum olitorium, hoc erat antiquum Macellum, ubi olerum copia. Ea loca etiam nunc Lacedæmonii vocant Macellum, sed Iones ostia hortorum Macellotas hortorum et castelli Macella. » Dio Cass. 61, 18 : Τὴν ἀγορὰν τῶν ὄψων, τὸ μάκελλον. Μάκελλος, Macellum, in Glossis Græcolat. Paul. Ad Corinth. 1, 10, 25 : Πᾶν τὸ ἐν μακέλλῳ πωλούμενον ἐσθίετε. Socrat. H. E. 1, 38 : Ὄπισθεν τῆς ἀγορᾶς Κωνσταντίνου καὶ τοῦ ἐν τῇ στοᾷ μακέλλου. Hæc cum aliis Byzantinorum exx. annotavit Ducangius, qui persequitur etiam vocc. hinc ducta Μακελλάριος, Laniator, Lanio; Μακελλεῖον, Laniatorium, Gl., pro quo ap. Plut. Mor. p. 752, C, minus recte μακελεῖα scriptum, Μακελλικὸς, ἡ, όν (ap. Athanas. vol. 2, p. 290, B : Κύων μακελλικὸς, et ap. Theod. Prodr. in Notitt. Mss. vol. 8, part. 2, p. 139, a Boiss. cit., ubi μακελλικώτερος). Μακελλίτης, ὁ, Corpodicina (Corporicida), Gl.]

Μάκερ, Macer, cortex qui ex India advehitur, subflavus, crassus, modice linguam gustu astringens accendensque mixta quadam acrimonia aromatica. Auctor Diosc. 1, 111, Galen. Simpl. med. 7, et τῶν Κατὰ τόπους 6. Plin. 12, 8, habet Macir : Et macir ex India advehitur, cortex rubens, radicis magnæ, nomine arboris suæ. Qualis sit ea, incompertum habeo.

Μακεσίκρανος, vocatur ὁ ἔποψ, Upupa : quoniam in capite habet veluti λόφον, Cristam : ob quam et κορυθαίολος nominatur : σιήτην etiam appellant, et ἀλεκτρυόνα et γέλασον. Hesych. Doricum est pro μηκεσίκρανος, Oblongam galeam habens.

[Μακεστήρ. V. Μακιστήρ.]

[Μάκεστος. V. Μάκιστος. || Fl. Mysiæ, ap. Strab. 12, p. 576, ubi de scriptura v. annot.]

[Μακέτις. Μάκεττα. Μακεττία. V. Μακεδόνες.]

[Μάκη, Κελτικὴ πόλις. Εὕρηται καὶ Μαινάκη Κελτικὴ πόλις. Τὸ ἐθνικὸν Μαινακηνὸς, Steph. Byz. Μαινάκη est ap. Strab. 3, p. 156, Scymn. Orb. descr. 146.]

[Μακηδονία. Μακηδόνιος. Μακηδών. V. Μακεδόνες.]

[Μάκηρις, ιδος, ὁ, Libys Hercules cognominatus, ap. Pausan. 10, 17, 2.]

[Μάκης, ητος, ὁ, Maces, n. viri, in inscr. Ambrys. ap. Bœckh. vol. 1, p. 853, n. 1740 : Ἐπὶ Μάκητι. L. D.]

Μακιστὴρ, ῆρος, ὁ, quod Hesych. exp. βέλος, i. e. Telum. Existimo autem proprie ita vocari Id genus teli, quod longissime jaci possit. [Addit autem : Τάσσεται δὲ καὶ ἐπὶ τοῦ μεγάλου.] Sed habet Æsch. Μᾶκεστὴρ, et quidem alia signif. Legitur enim ap. eum, in Pers. p. 158 meæ ed. [700] : Μήτι μακεστῆρα μῦθον, ἀλλὰ σύντομον λέγων, schol. μήκους ἐχόμενον, sed lubentius uno verbo explicuerim, sc. μακρόν : aut certe μακρότατον gradu superl., quod aliquis forsitan malit. Sed quum ei opponat σύντομον, quod est positivi gradus, nihil videtur necesse ultra positivum in hac expositione progredi. Sciendum est autem inveniri scriptum et μηκιστῆρα in illo Æsch. l. [et in Suppl. 466. « De hoc vocab. nihil omnino statuere possum, præter hoc, quod a μάκιστος provenisse non potest. » Blomf. Gloss. Angl.]

Μάκιστος. V. Μήκιστος.]

[Μάκιστος, ὁ, Macistus, montis nomen, Æsch. Ag. 289, quem Eubœæ tribuendum putabat Blomf. || Urbs

Triphyliæ, ἀπὸ Μακίστου τοῦ ἀδελφοῦ Φρίξου... Ὁ πολίτης Μακιστεὺς, τὸ ἐθνικὸν Μακίστιος (ap. Pausan. 6, 22, 4 et alios infra citandos) καὶ Μακιστία (ap. Strab. 8, p. 343, 349). Εὕρηται καὶ Μακέστιος διὰ τοῦ ε ψιλοῦ, Steph. Byz. Μάκιστος Herodot. 4, 148, Xen. H. Gr. 3, 2, 30, qui Μακίστιοι habet ib. 25, sed Μακέστιος Anab. 7, 4, 16. De forma neutra τὸ Μάκιστον et accentu acuto v. Tzschuck. ad Strab. 8, p. 345. ᾱ]

[Μακκαβαϊκὸς, ἡ, ὸν, Maccabæicus, Ad Maccabæos pertinens. Georg. Sync. p. 289, B: Ἡ πρώτη τῶν Μακκαβαϊκῶν βίβλος. Cosmas Topogr. Christ. p. 145, C: Ἐν τοῖς Μακκαβαϊκοῖς. L. Dindorf.]

[Μακκαβαῖος, κατὰ Πέρσας κάρανος, τουτέστι δεσπότης· τῇ δὲ Συρίᾳ διαλέκτῳ ἀνδρεῖος πολεμιστὴς, δυνατώτατος, Etym. Gud. Etymologia vocis varie traditur. Sunt qui Hebr. מכבי ortum putent e literis initialibus verborum מי כמוך באלים יהוה *Mi camoca beelim Jehovah*: Quis sicut tu inter Deos, Jehovah, quæ in vexillis suis picta gerebant generosi illi Judæorum duces. Alii e Chald. מקבא *Maccaba*, Malleus, collato Arab. منكب *Mancib*, Præfectus, Dux, derivant. Conf. Conr. Iken. Observ. de Juda Maccabæo in Symbolis literariis (Brem. 1744) vol. 1, p. 170, qui priorem illam originationem a vero aberrare ostendit. Dahler. Hinc Maccabæorum nomen transiit ad familiam Matthathiæ, ob fortitudinem bellicam admodum insignem, quanquam Judas proprie hoc cognomen acceperat. Maccab. 1, 2, 4. Schleusn. Georg. Sync. p. 286, B: Καταπολεμήσας αὐτοὺς τῇ τῶν οἰκείων παίδων ἀντιμαχίᾳ, τῶν καὶ διὰ τοῦτο Μακκαβαίων κληθέντων. L. Dindorf.]

[Μάκκαραι, χώρα, ὑπὲρ Φάρσαλον. Θεόπομπος πέμπτῳ Φιλιππικῶν. Τὸ ἐθνικὸν Μακκαραῖος, Steph. Byz. Liber Vratisl. simplici κ contra ordinem literarum.]

Μακκοᾷν, q. e. ἀνοηταίνειν, μωραίνειν, παραφρονεῖν, Desipere, Fatue et stulte se gerere: quidam dictum volunt quasi μὴ κοεῖν, h. e. μὴ νοεῖν, Non percipere animo nec intelligere: alii παρὰ τὸ μὴ ἀκούειν, exp. προσποιεῖσθαι μὴ ἀκούειν, Simulare, s. Præ se ferre, non audire. Alii dictum volunt παρὰ τὴν Μακκὼ, quæ fuerit ἐνεὰ καὶ βαρέως νοοῦσα: ut sit Maccus more surdastrum esse et stolidum: ἐνεὸν καὶ ἀνόητον εἶναι. Quidam et pleonasmo τοῦ μ pro Ἀκκοᾷν, ab Accone quadam famosæ stoliditatis, quæ in speculo conspicans suam imaginem, cum ea veluti cum alia confabulari solita sit. Ac secundum posteriores duas etymm. duplici, secundum priores, unico κ scrib., quo sane modo scriptum legitur ap. Hesych. Utitur porro hoc vocab. Aristoph. Eq. [395]: Καὶ τὸ τοῦ δήμου πρόσωπον μακκοᾷ καθήμενον. Et [62]: Ὁ δ', αὐτὸν ὡς ὁρᾷ μεμακκοακότα, Τέχνην πεποίηται. Ubi schol. et aliud etymon affert, derivans non solum παρὰ τὴν Μακκὼ, exponensque τὰ Μακκοῦς φρονοῦντα, sed etiam παρὰ τὸ μάταια κοεῖν, q. e. νοεῖν, exp. ἀνοηταίνοντα, παραφρονοῦντα, ληροῦντα, Delirantem et negotium non intelligentem. [Pollux 2, 16, Arcad. p. 165, 2. Ap. Aristoph. cod. Rav. μεμακκοηκότα, quanquam fut. μακοάσω ponit Etym. M. p. 202, 4, unde repetit gramm. recentissimus in Bachm. An. vol. 2, p. 312, 10. *Maccus* de stupido dictum in Lexx. Lat.]

Μάκκος, Hesychio βασιλεὺς, Rex. [Etym. M. p. 707, 41: Τέσσαρα δέ εἰσιν εἰς κος ὀνόματα γραφόμενα διὰ δύο κ, σάκκος, λάκκος, μάκκος, κόκκος. Arcad. p. 50, 9 sec. cod. alterum Paris. et Havniensem μάκκος ponit inter disyllaba κύρια in κος. L. Dind.]

Μακκούρα, Hesych. χειρὶ σιδηρᾷ, ᾗ χρῶνται πρὸς τοὺς ἵππους.

[Μακκώ. V. Μακκοάω.]

Μάκορ, Instrumentum rusticum, ut δίκελλα, Hesych.: forsan i. q. μάκελλα s. μάκελα. [Ordo literarum postulat duplex κ.]

[Μᾶκος. V. Μῆκος.]

Μακούνιον, Hesychio δίκτυον κιχλῶν, quod et νεφέλη.

Μακρὰ, ἡ, pro Solium, Labrum, affertur ex Galeno τῶν Κατὰ τόπους: Κάθιζε εἰς μακρὰν καὶ ἀπόνιπτε. Itidem pro Solio balnearum usurpasse Damocrates dicitur ap. Eund. ib. l. 10: Σμικρᾶς δὲ νοτίδος γενομένης, εἰς τὴν μακρὰν καθεὶς. Artemidorus vero l. 5, [58] pro Arca panaria: Ἔδοξέ τις ἐπὶ μακρᾶς, τῆς λεγομένης χαρδόπου,

A μεστῆς αἵματος ἀνθρωπίνου, βασταζόμενος φέρεσθαι. Sed eo equidem in l. reponendum affirmo μάκτρας: ut sane ap. Aristoph. legimus, Χρῆσον σὺ μάκτραν, εἰ δὲ βούλει, κάρδοπον· scripturam eam confirmantibus Pollucis etiam et Gellii codicibus, ac nominatim ap. hunc 13, 24. Verum et ap. Galen. leg. μάκτρα pro illo μακρὰ, ex Polluce discimus. Is enim 7, titulo De balneis [§ 168], scribit, recentiores Comicos τὴν πύελον τὴν ἐν τῷ βαλανείῳ nominasse μάκτραν, quem ejus vocis usum ad suam usque ætatem perdurasse, exemplumque ejus hoc affert ex Eupolide: Εἰς βαλανεῖον εἰσελθὼν, μὴ ζηλοτυπήσῃς τὸν συμβάντα σοι εἰς τὴν μάκτραν. Ita ut μάκτρα primo loco dicatur Alveus in quo farina subigitur: deinde Alveus in quo corpus abluitur, alio nomine dictus σκάφη, a forma oblonga et naviculari. At μακρὰ, τὰ, ex Homero affertur pro Putei, aut Lacus profundi. [Immo φρείατα μακρά. V. Μακρός.]

[Μάκρα, ἡ, Macra, νῆσος Λυκίας, ὡς Ἀλέξανδρος ἐν περίπλῳ αὐτῆς. Τὸ ἐθνικὸν Μακρονησίτης καὶ Μακραῖος καὶ Μακρήσιος, Steph. Byz.]

B [Μακραὶ, αἱ, Macræ, caverna in arce Athenarum. Eur. Ion. 13: Ἔνθα προσβόρρους πέτρας Παλλάδος ὑπ' ὄχθῳ τῆς Ἀθηναίων χθονὸς Μακρὰς καλοῦσι γῆς ἄνακτος Ἀτθίδος. Et ib. 296, etc.]

[Μακραῖος. V. Μάκρα.]

Μακραίων, ωνος, ὁ, ἡ, Longævus, Annosus. [Æschyl. ap. Plat. Reip. 2 fin.: Μακραίωνας βίους. Et cum eodem nomine Plat. Epin. p. 982, A.] Soph. [OEd. T. 518,] OEd. C. [152. Id. Aj. 194, σχολᾷ. De diis OEd. T. 1099: Τίς σ' ἔτικτε τῶν μακραιώνων ἄρα· Ant. 987: Μοῖραι μακραίωνες. Apoll. Rh. 2, 509: Νύμφην μακραίωνα, et Proleg. in Hermog. in Walzii Rhett. vol. 4, p. 18, 14, item cum νύμφη. L. D. Aristot. H. A. tom. 3, p. 406. Angl. Strabo 3, p. 151. Hemst. Forma in ωνος Georgius Chartophylax ap. Bandin. Catal. Bibl. Med. vol. 1, p. 26, B: Καὶ κράτος εἴη πρὸς μακραίωνον χρόνον, nisi —να scripserat. L. Dind.]

[Μακρακὲς, τὸ εὔκυκλον, Hesych.]

[Μακρακόντιον. V. Μακροκόντιον.]

Μακρὰν, adv., s. adverbialiter positum, Longe, i. e.

C Procul: ut [Æsch. Prom. 312: Μακρὰν ἀνωτέρω θακῶν· 856: Κίρκοι πελειῶν οὐ μακρὰν λελειμμένοι. Soph. OEd. T. 16: Μακρὰν πτέσθαι· et alibi sæpe cum Euripide et aliis quibusvis, ut Xen. Anab. 3, 4, 17: Ἐμελέτων τοξεύειν ἄνω ἱέντες μακρὰν], μακρὰν ἀποικῶ, Plato Leg. [6, p. 753, A]. Et, Μακρὰν ἀπόντας ἀγαπῶσι, Isocr. [p. 1, A], Qui procul absunt, longo locorum intervallo remoti sunt. Et cum verbo motus, Aristoph. [Ran. 434]: Μὴ μακρὰν ἀπέλθῃς. Sic Plato Epist. [8, p. 352, D]: Οὐ μακρὰν ἐλθόντας ποι. At in μακρὰν ἂν ἔλθοιμι ap. eund. Plat. [Leg. 3, p. 683, C] redditur μακρὰν et per nomen, hoc modo, Longum iter facerem. Idem Aristoph. [Av. 1184] junxit adverbio ἄποθεν, dicens, Οὐ μακρὰν ἄποθέν ἐστι. Et cum gen. interdum, ut μακρὰν τῶν ἀνθρώπων ἀποδημῶ. [Polyb. qui cum præpos. dixerat 3, 45, 2: Οὐ μακρὰν ἀπὸ τῆς στρατοπεδείας, ib. 50, 8: Οὐ μ. τῶν πολεμίων κατεστρατοπέδευσε· 5, 59, 10: Οὐ μ. αὐτῆς ποιεῖται τὰς ἐκβολάς. Cyrillus Alex. vol. 1, part. 2, p. 4, E: Πολὺ τοῦ πρέποντος ἀποκομίζῃ μακράν. De triplici signif. Photius: Μακρὰν, εἰς τόπον καὶ ἐν τόπῳ

D ... Λέγουσι δὲ καὶ τὸ μακρὰν ἐκ τόπου πολλάκις. || Longe, i. e. Prolixe. Æsch. Sept. 713: Λέγοιτ' ἂν ἄνη τις· οὐδὲ χρὴ μακράν· Ag. 916: Μακρὰν γὰρ ἐξέτεινας· 1296: Μακρὰν ἔτεινας. Soph. El. 1259: Μὴ μακρὰν βούλου λέγειν· Aj. 1040: Μὴ τεῖνε μακράν. Eur. Hel. 1017: Ὡς οὖν περαίνω μὴ μακράν. Formula μακρὰν τείνειν proprie de itinere longo utitur Pseudeur. Iph. A. 420.] || Μακρὰν de tempore, ut μακρὰν [immo μακρὰ] χαίρειν φράσας, Qui jussit longum valere. Lucian. [Pro lapsu c. 2] dicit hoc genus loquendi μακρὰν χαίρειν φράσαι, indicare τὸ μηκέτι φροντίζειν. [|| Diu. Soph. El. 323: Ἐπεί τἂν οὐ μακρὰν ἔζων ἐγώ· 1389: Οὐ μ. ἔτ' ἀμμενεῖ. Οὐ μ., Brevi. Eur. Tro. 460: Οὐ μ. δέξεσθέ με· Or. 850: Ἔοικε δ' οὐ μ. ὅδ' ἄγγελος λέξειν τὰ κεῖθεν. Lucillius Anth. Pal. 11, 160, 3.] At οὐκ ἐς μακρὰν, Aristoph. [Vesp. 454], Non longo post tempore, Non multo post, Brevi. Sic Lucian.: Ἀφίξεται σὸς φίλος οὐκ εἰς μακράν. [Id. Gallo c. 19, De morte Peregr. c. 5. Courier.] Synes.: Ὁ δὲ αὐτὸς οὗτος οὐκ εἰς μακρὰν ἐμεμήνει, Idem iste non multo post insaniebat. [Æsch. Suppl. 925: Κλαίοις ἂν, εἰ ψαύσειας, οὐ μάλ' ἐς μακράν. Herodot. 2, 121, 1 : Οὐκ ἐς μακρὴν ἔργου ἔχεσθαι· 5, 108 : Ἴωνες οὐκ ἐς μακρὴν βουλευσάμενοι ἧκον. Xen. Cyrop. 5, 4, 21 ; Dionys. A. R. 6, 35, 36. ᾱ]

[Μακραπόδοτος. V. Μακροαπόδοτος.]

[Μάκρας, α, ὁ, Macras. Strabo 16, p. 755 : Τῶν δὲ πεδίων τὸ πρῶτον τὸ ἀπὸ τῆς θαλάττης Μάκρας καλεῖται καὶ Μάκρα πεδίον. Et infra : Μετὰ δὲ τὸν Μάκραν.]

Μακραύχην, et Μακραύχενος, ὁ, ἡ, in VV. LL. Cui collum est prælongum. Eur. Phœn. [1180] μακραύχενα κλίμακα per catachresin appellavit Altas scalas. [Hippocr. p. 1006, B : Τὰ μακραύχενα. Wakef. Aristot. H. A. 8, 6 : Τὰ μ. Athen. 1, p. 6, C : Τῆς μακραύχενος ὄρνιθος. Hemst.]

Μακρέτειος, ὁ, ἡ, Qui in longos annos perdurat, Annosus, Longævus, i. q. μακραίων [Suidæ].

Μακρηγορέω, Longa utor oratione, Prolixe dico, Multa verba facio. Philo De mundo [§ 18, p. 620] : Τί χρὴ μακρηγορεῖν περὶ πυρός; [Æsch. Sept. 1052 : Μὴ μακρηγόρει. Eur. Hipp. 704, Phœn. 761. Thuc. 1, 68 : Νῦν δὲ τί δεῖ μακρηγορεῖν; 4, 59 : Μακρηγορεῖν ἐν εἰδόσιν οὐ βουλόμενος. Dionys. A. R. 1, 73, Plut. Mor. p. 115, E; 216, A, aliique recentiorum.]

[Μακρηγόρημα, τὸ, i. q. μακρηγορία. Tzetzes in Crameri An. vol. 4, p. 68, 1 : Τοῦτο δὲ μ. τοῦ τεχνικοῦ τυγχάνει. L. Dindorf.]

[Μακρηγορής, ὁ, ἡ, i. q. μακρήγορος. Theodor. Stud. p. 221, B : Ἃ παρέλκον ἐστὶ γράφειν διὰ τὸ μακρηγορές. L. Dindorf.]

[Μακρηγορία, ἡ, Sermo prolixus, Oratio longa. Pind. Pyth. 8, 31. Zonar. : Μακρηγορία, ἡ μακρὰ διάλεξις (ἢ ὑπαγορία addit Hesych., quod ὑψαγορία scribendum putabat Lobeck. ad Phryn. p. 702). Pollux 2, 121.]

[Μακρήγορος, ὁ, ἡ, Longus in oratione. Tzetz. Hist. 10, 5 : Οἱ Ἀττικοὶ ὁμοίως δὲ πάλιν τῶν μακρηγόρων. Adv. Tzetz. in Cram. An. vol. 4, p. 53, 19 : Ληρήσας μακρηγόρως. L. Dind.]

[Μακρηίς. V. Μάκρις.]

[Μακρημερία, ἡ, Herodoto 4, 86, videtur dici Illud anni tempus quo dies longiores sunt noctibus : Νηῦς κατανύει ἐν μακρημερίῃ ὀργυιὰς ἑπτακισμυρίας, νυκτὸς δὲ κτλ. Al. ἐν μακρῇ ἡμέρῃ, haud dubie ex scholio. Schw.]

[Μάκρης, ὁ, Macres. Strabo 5, p. 222 : Μεταξὺ δὲ Λούνης καὶ Πίσης ὁ Μάκρης ἐστὶ χωρίον, ᾧ πέρατι τῆς Τυρρηνίας καὶ τῆς Λιγυστικῆς κέχρηνται τῶν συγγραφέων πολλοί.]

[Μακρήσιος. V. Μάκρα.]

[Μακρία, ἡ, Macria, prom. Tejorum, ap. Pausan. 7, 5, 11.]

[Μακριάς, Μακρίδιος. V. Μάκρις.]

[Μάκριες. V. Μάκρυες.]

[Μακριεύς. V. Μάκρις.]

[Μακρῖνος, ὁ, Macrinus, n. viri ap. Alpheum Mytil. Anth. Pal. 9, 110, 3, et alibi. Μακρινα, ἡ, Macrina, mulier ap. Basil. M. vol. 3, p. 306, B, etc.]

[Μάκρις, ιδος, ἡ, Macris. Steph. Byz. : M., ἡ Εὔβοια. Οἱ οἰκοῦντες Μάκρωνες. Ὁ οἰκήτωρ Μακριεὺς καὶ Μακρηίς. Callim. Del. 20 : Μάκρις Ἀβαντιάς. Dionys. Per. 520 : Ἀβαντιὰς ἔπλετο Μάκρις· ubi Eustath. : Μάκρις διὰ τὸ τῆς θέσεως ἐπίμηκες· οὕτω γάρ πως παραμήκης ἐκτέταται ... Κλίνεται δὲ ἡ M. αὕτη διὰ καθαροῦ τοῦ ο. Διὸ καὶ ὁ νησιώτης αὐτῆς Μακριεὺς λέγεται. Ἦν δὲ καὶ αἰγιαλὸς οὕτω καλούμενος, κλινόμενος δὲ διὰ τοῦ δ. Ἐλέγετο δὲ M. καὶ τῶν Κυκλάδων μία ἡ Ἴκαρος. (Conf. quæ in Βωμῶ diximus.) Διὰ τὴν στενότητα καὶ τὸ μῆκος Eubœam ita vocatam dicit etiam Strabo l. 10 initio, Agathemerus Geogr. p. 16. Filia Aristæi Μάκρις, Bacchi in ins. Eubœa nutrix, memoratur Apoll. Rh. 4, 1131. Ap. eund. 4, 540 quod est : Ὁ γὰρ οἰκία Ναυσιθόοιο Μάκριν τ' εἰσαφίκανε, Διωνύσοιο τιθήνην, schol. interpretatur : Μάκρις τὸ παλαιὸν ἐλέγετο ἡ Σχερία, ὠνομασμένη ἀπὸ τῆς Διονύσου τροφοῦ. Et 990 : Μάκριδα φιλομένη) M. ὠνομάσθη (Corcyra) ἀπὸ Μάκριδος τῆς Διονύσου τροφοῦ. Id. 1, 1024 : Ἀνδρῶν Μακριέων εἴσαντο Πελασγικὸν Ἄρεα κέλσαι. Ubi schol. : Μακριέας καλεῖ τοὺς Μάκρωνας, οἵτινες οὕτω καλοῦνται κατὰ Διονύσιον τὸν Χαλκιδέα διὰ τὸ ἀποίκους εἶναι τῶν Εὐβοέων. Μάκρις γὰρ τὸ πρόσθεν ἐκαλεῖτο ἡ Εὔβοια. Ἄλλοι δέ φασιν οὕτως αὐτοὺς καλεῖσθαι διὰ τὸ τοὺς πλείονας αὐτῶν μακροκεφάλους εἶναι, ὥσπερ οἱ πλείους τῶν Περσῶν γρυποί. Εἰσὶ δ' οἳ καὶ Βεχείρων ἔθνος

A φασιν τοὺς Μάκρωνας κτλ. Μέμνηται δὲ τούτων Ἡρόδοτος ἐν τῇ δευτέρᾳ (104 et alibi). Idem 1, 1112 : Μακριάδες σκοπιαὶ καὶ πᾶσα περαίη Θρηικίης. Et 4, 1175 : Κόλχοι Μακριδίης ἐπὶ πείρασι χερνήσοιο. Ubi schol. : M. φησὶ τὴν καταντικρὺ τῆς Κερκύρας χερρόνησον, ἴσως διὰ τὸ τοὺς Εὐβοεῖς κατοικῆσαι ἐκεῖ μετὰ τὴν τῆς Ἰλίου ἅλωσιν. Zonar. p. 331 : Μάκρις, πόλις ἐγγὺς Κυζίκου. De accentu v. Arcad. p. 33, 18.]

[Μακρίων, ωνος, ὁ, Macrio, n. viri, esse videtur in inscr. Att. ap. Bœckh. vol. 1, p. 917, n. 703, b.]

[Μακροαπόδοτος, ὁ, ἡ, Qui longe remotam habet apodosin. Eust. Od. p. 1491, 49 : Μακροαπόδοτος ἡ σύνταξις καὶ ὑποδύσκολος. Schol. Dionys. in Bekk. An. p. 658, 23. Forma Μακραπόδοτος ap. Jo. Sicel. in Walzii Rhett. vol. 6, p. 195, 1.]

[Μακροβάμων, ονος, ὁ, ἡ, Qui longos passus facit. Aristot. Physiogn. p. 153 Franz. Kall. ᾱ]

Μακρόβῐος, ὁ, ἡ, Qui longam vitam degit, Longævus. [Vivax, Diuturnus, add. Gl. Aristot. Rhet. 1, 5 · Πολλοὶ ἄνευ τῶν τοῦ σώματος ἀρετῶν μακρόβιοί εἰσιν.
B Theophr. H. Pl. 4, 13, 1; Diodor. 3, 42.] Lucian. [Macrob. c. 6] : Ὅτι καὶ κατὰ πᾶσαν τὴν γῆν, καὶ κατὰ πάντα ἀέρα μακρόβιοι γεγόνασιν ἄνδρες, οἱ γυμνασίοις τοῖς καθήκουσι, καὶ διαίτῃ τῇ ἐπιτηδειοτάτῃ πρὸς ὑγείαν χρώμενοι. Unde Μακροβιώτερος, Aristot. [H. A. 4, 11], et Lucian. [Muscæ enc. c. 12, ubi μακροβιώταται (μυῖαι)] : Ἔθνη μακροβιώτατα. [Μακρόβιοι, αἱ νύμφαι. Ῥόδιοι, Hesych.]

[Μακρόβιος, ὁ, Longum arcum habens. Etym. M. Wakef.]

[Μακρόβιος, ὁ, Macrobius, n. viri, ap. Isidor. Pel. Ep. l. 5, p. 144. Notus est Macrobius scriptor Latinus. || Μακρόβιοι, οἱ, Macrobii, gens Æthiopiæ, ap. Herodot. 3, 17, Dionys. Per. 560. Conf. Orph. Arg. 1105.]

Μακροβιότης, ητος, ἡ, Vitæ longitudo. [Vivacitas, Gl. Aristot. Rhet. 1, 5, 10, et in scripto Περὶ μακροβιότητος. Theophr. H. Pl. 4, 13, 2.]

[Μακροβιοτία, ἡ, i. q. præcedens. Clem. Alex. Pæd. 2, p. 180 : Ἀρτώριός τις ἐν τῷ περὶ μακροβιοτίας.]

[Μακροβίοτος, ὁ, ἡ, Longævus. Æsch. Pers. 261, αἰών.
C Μακροβίωτος per ω ponit Herodian. Epim. p. 215. Cit. Boiss. Et sic scriptum in edd. Polluc. 2, 15, ubi cod. omittere dicitur μακροβίοτος.]

[Μακροβίωσις, ἡ, i. q. μακροβιότης. Baruch. 3, 8 : Ποῦ ἐστι μ. καὶ ζωή. Basil. M. p. 344.]

[Μακροβίωτος. V. Μακροβίοτος.]

[Μακροβολέω, Longe jaculor. Philo Belop. p. 53 32 : Τὰ μακροτονώτερα τούτων μακροβολεῖν.]

[Μακροβολία, ἡ, Longinqua jaculatio. Strabo 3, p. 168.]

[Μακροβόλος, ὁ, ἡ, Longe jaculans. Strabo 8, p. 357 : Μακροβολωτέρας οὔσης τῆς σφενδόνης. Hemst. Schol. Hom. Od. Θ, 323; Eust. Il. p. 311, 19. Wakef. Hesych. v. Ἑκάτοιο. Kall.]

Μακρόβωλος [sine testimonio posuit HSt.].

Μακρογένειος, ὁ, Qui longo est mento. Bud. [Pollux 4, 145.]

[Μακρόγενυς, ὁ, ἡ, Qui longas habet genas. Adamant. Physiogn. p. 396 Franz.]

[Μακρόγηρως, ὁ, ἡ, Grandævus. Lucillius Anth. Pal.
D 11, 159, 1 : Τῷ πατρί μου τὸν ἀδελφὸν οἱ ἀστρολόγοι μακρόγηρων πάντες ἐμαντεύσαντο. L. D. Const. Manass. Chron. 5615 : Τοὺς μακρογήρως · 6334 : Κορώναις μακρογήρῳς. Boiss. Adv. Μακρογήρως καὶ λιπαρῶς κατεβίωσε, Artemid. 5, 74. Hemst.]

[Μακρογόγγῠλος, ὁ, ἡ, Longus ac teres. Epicharmus Athenæi 3, p. 85, D : Μακρογογγύλους σωλῆνας.]

[Μακροδάκτῠλος, ὁ, ἡ.] Μακροδάκτυλοι, Quibus prælongi sunt digiti, Aristot. [De partt. anim. 4, 10, πόδες· 12, ὄρνεα. Jo. Damasc. Ep. ad Theoph. Imp. de imagg. p. 114 Combef. Boiss. Anon. in Boiss. Anecd. vol. 3, p. 39, (4). V. Μακρύλαμνος.]

[Μακροδαπὲς, Longinquitas. Codex Canon. eccl. Afric. c. 17 : Ὡς ἑκάστην ἐπαρχίαν διὰ τὸ μακροδαπὲς πρωτεύοντα ἔχειν ἴδιον. Ducang.]

[Μακροδία, ἡ, Longum iter. Nomocanon Coteler. n. 302 : Χωρὶς μακροδίας. Ducang. Ἀνοδία et εὐοδία conferens Coraes vocabulum Byzantinis non annumerandum esse monet.]

Μακρόδρομος [Μακροδρόμος], ὁ, ἡ, Qui longa curricula facit Xen. Cyn. [5, 21] : Μακροδρομώτατοι οἱ ἐκ (A) τῶν ψιλῶν. [In Ind. :] Μακραδρομώτατοι, Qui longissime currunt, Xen., sed malim μακροδρ. [Quod ipsum præbuerunt libri meliores. Simili fortasse vitio deceptus Zonaras effinxit formam Atticam, ut putat, δολιχαδρόμος, quam cum illo μακραδρόμος contulit Lobeck. ad Phryn. p. 661.]

[Μακροειδής, ὁ, ἡ, Longam figuram referens. Erotian. p. 208 : Κοιλότητες μακροειδεῖς ... παρ' ἑκάτερον μέρος τῆς μήτρας.]

[Μακροείχελος, ὁ, ἡ, Oblongus. Epiphan. vol. 1, p. 457, D : Ἑρπετὸν πολύπουν καὶ μακροείχελλον (sic).]

[Μακροετίζω, Longos annos facio, duro. Theod. Stud. p. 356, E, ubi male μακροετήζοντας. L. Dind.]

[Μακροζωΐα, ἡ, Longævitas. Cæsarius Interrog. 177; Eustath. Opusc. p. 14, 20.]

[Μακρόηλος, ὁ, ἡ, Qui longum clavum s. longos clavos habet. Theognost. Can. p. 84, 23. L. Dind.]

[Μακροημέρευσις, εως, ἡ, Longitudo dierum, Longa vita. Sirac. 1, 12 : Χαρὰν καὶ μακροημέρευσιν. Athanas. vol. 1, p. 1035, E : Ζωὴ καὶ μ. L. D. Cyrill. Alex. (B) p. 666, 823.]

[Μακροημερεύω, Longævus sum. Jo. Chrys. Liturg. vol. 6, p. 999. Seager. Constitutt. Apostol. 8, 10 : Ὅπως ὁ θεὸς χαρίσηται αὐτοὺς ταῖς ἁγίαις αὐτοῦ ἐκκλησίαις σώους, ἐντίμους, μακροημερεύοντας. Theodor. Stud. p. 233, A. V. T. locos v. ap. Schleusner. L. Dind.]

[Μακροήμερος, ὁ, ἡ, Qui prolongatur per dies plures. Eust. Il. p. 129, 1 : Πανδαισίαν πολυτελῆ μακροήμερον.]

Μακρόθεν, Ex longe remoto loco, Procul, Eminus. [Memorat Photius in Μακράν. Strabonis 3, p. 153 : Μακρόθεν τε ῥέων (ποταμὸς), aliorumque recentiorum testimoniis ab Lobeckio ad Phryn. p. 93 citatis addendus non optimus dicendi magister Chrysippus apud Athen. 4, p. 137, F : Ὡς μακρόθεν οὐκ ἀστείας παρεισδύσεως γινομένης, et ibid. in seqq. L. D.] Apud Evangelistas Μακρόθεν et Ἀπὸ μακρόθεν, seu Ἀπὸ μακρόθεν [sic] solet vet. Interpr. reddere A longe, De longe : alii Procul. [Ἀπὸ μ. habent etiam alii, ut Cosmas Topogr. Christ. p. 335, A, Theodor. Stud. p. 196, B.]

(C) [Μακρόθι, Longe. Tzetz. Hist. 8, 137 : Μ. κεῖται.]

[Μακρόθριξ, τρῖχος, ὁ, ἡ, Qui longos habet capillos. Is. Porphyrog. in Allatii Exc. p. 313; schol. Pind. Ol. 2, 46. Boiss. Geopon. 18, 9, 6.]

Μακροθυμέω, Iram differo, Patienter fero. [Duro, Gl.] Matth. 18, [26] : Μακροθύμησον ἐπ' ἐμοὶ, καὶ πάντα σοι ἀποδώσω, Differ iram erga me. Luc. 18, [7] : Καὶ μακροθυμῶν ἐπ' αὐτοῖς, Quantumvis tardus videatur in ulciscendis ipsorum injuriis. Utitur Plut. etiam De Socr. dæm. [p. 593, F] pro Durare cor, ut Plaut., s. καρτερεῖν, ubi eos, qui hanc vitam degunt, comparat natatoribus, qui ex mari ad litus contendunt : Ἐξαμιλλᾶσθαι, καὶ μακροθυμεῖν δι' οἰκείας πειρωμένους ἀρετῆς σώζεσθαι, καὶ τυγχάνειν λιμένος· quod quasi exponens subjungit, Ἥτις δ' ἂν ἤδη διὰ μυρίων γενέσεων ἠγωνισμένη μακροὺς ἀγῶνας, εὖ καὶ προθύμως ψυχὴ τῆς περιόδου συμπεραινομένης κινδυνεύουσα, καὶ φιλοτιμουμένη περὶ τὴν ἔκβασιν ἱδρῶτι πολλῷ ἄνω προσφέρηται

Μακροθυμία, ἡ, Iræ dilatio, Tolerantia. [Longanimitas, Gl. Menand. ap. auct. Comp. Menandri et Philem. p. 362 : Ἄνθρωπος ὢν μηδέποτε τὴν ἀλυπίαν αἰτοῦ παρὰ (D) θεῶν, ἀλλὰ τὴν μακροθυμίαν.] Ephes. 4, [2] : Μετὰ μακροθυμίας ἀνεχόμενοι ἀλλήλων. Coloss. 3, [12] : Χρηστότητα, ταπεινοφροσύνην, πρᾳότητα, μακροθυμίαν· 1, [11] : Εἰς πᾶσαν ὑπομονὴν καὶ μ., Ad omnem tolerantiam et animi lenitatem. [Plut. Lucullo c. 32, 33. Annibal quum sub muro Prænestinos rapas serere vidisset, ἐθαύμαζε ... τῆς μακροθυμίας, si sperent se obsidionem toleraturos usquedum rapæ maturescant, Strabo 5, p. 249. Hemst.]

Μακρόθυμος, ὁ, ἡ, q. d. Longanimis [Gl.], Qui iram differre et cohibere novit, opp. τῷ ὀξύθυμος : Lenis, Clemens, Patiens, Patienti animo tolerans. Pallad. Epigr. [Anth. Pal. 11, 317, 1] : Ἀντίσπαστον ἐμοί τις ὄνον μακρόθυμον ἔδωκεν, Tolerantem laboris.

Μακροθύμως, Iram differendo, Patienter. Act. 26, [3] : Μ. ἀκοῦσαί μου, Æquo animo s. Patienter audias me. [Proculus Cpol. ap. Bandin. Catal. Bibl. Med. vol. 1, p. 286, B : Μ. φέρων τὴν τόλμαν, aliique recentiores. L. Dind.]

[Μακροϊαμβεῖον, τὸ, Longus iambus. Jo. Sicel. in Walzii Rhett. vol. 6, p. 103, 12.]

[Μακροκάματος, ὁ, ἡ, Qui longi laboris est. Const. Manass. Chron. 6418 : Ἔργοις μακροκαμάτοις. Boiss. ἄᾶ]

[Μακροκαμπυλαύχην, ὁ, ἡ, Longam et curvam cervicem habens, epith. avium quarundam. Epicharm. Athenæi 2, p. 65, B; 9, p. 398, D.]

[Μακροκαταληκτέω, In longam vocalem desino. Schol. Aristoph. Ran. 317, Eust. Il. p. 26, 36, aliique gramm. || Passivo ead. signif. Herodian. in Cram. An. vol. 3, p. 229, 26 : Ἐπειδὴ πᾶσα γενικὴ ἰσοσυλλάβως κλινομένη μακροκαταληκτεῖσθαι θέλει.]

Μακροκατάληκτος, ὁ, ἡ, In longam vocalem desinens. [Eust. Od. p. 1441, 21; Steph. B. v. Πνύξ. Herodian. Epimer. p. 258.]

[Μακροκαταληξία, ἡ, Terminatio in longam vocalem. Exc. varia in Crameri An. vol. 4, p. 381, 10 : Τῆς μ. ἐν τοῖς ἐνεργητικοῖς. L. Dind.]

Μακρόκαυλος, ὁ, ἡ, Caulem longum habens.

Μακρόκεντρος, ὁ, ἡ, Longum aculeum habens, (B) Longo spiculo armatus. Aristot. H. A. 4, 7, de scorpione : Καὶ μόνον δὴ τῶν ἐντόμων τοῦτο μ. ἐστί. [Julian. Epist. 24 initio : Ἰσχάδων τὰς μακροκέντρους.]

Μακρόκερκος, ὁ, ἡ, Qui prælonga cauda est, ὁ κέρκον ἔχων μῆκος ἔχουσαν, Aristot. [H. A. 8, 10. Strattis ap. Athen. 2, p. 69, A. Geopon. 18, 1, 2.]

Μακροκέφαλος, ὁ, ἡ, ab Eust. [Il. p. 23, 27; 80, 43; 554, 37] dicitur versus Προκέφαλος [quod v.]. Proprie autem eum significat, Cui longum caput est : qualem esse gentem Africam tradit Pollux [2, 43. Colchis vicinos memorat Scylax p. 33, Steph. Byz., Photius et Plinius. Conf. Strabo 1, p. 43, Eckhel. D. N. vol. 2, p. 355. Μακρυκέφαλοι Stephani B. cod. Vratisl., de qua forma v. dicenda in Μακρύς. Hesiodum, cujus testimonio utitur Harpocratio, Μακροκεφάλους dixisse producta penultima, dubitari vix potest. De qua mensura v. in Τρικέφαλος.] Sed et Scythas μακροκεφάλους esse docet Hippocr. De aere et aquis [p. 289, 31. Strabo 11, p. 520 : Μακροκεφαλώτατοι. Hemst. Cilo, Gl.]

[Μακροκοίμητος, ὁ, ἡ, Longe dormiens. Const. Ma- (C) nass. Chron. 2742 : Βαθὺν καὶ μ. ὕπνον. Boiss. Hesychius aliique gramm. in interpr. voc. τανηλεγής Hom. Il. Θ, 70.]

[Μακροκομέω, Longam comam alo. Strabo 11, p. 520.]

[Μακρόκομπος, ὁ, ἡ, Longe se jactans. Tzetzes in Cram. An. vol. 4, p. 52, 22 : Εἰ μή που χρήζω φληναφοῦς (add. videtur καὶ) μακροκόμπου λόγου. L. Dind.]

[Μακροκόντιον, τὸ, Longa hasta. Pisid. Opif. p. 414. Angl. In ed. Mor. v. 1073 legitur μακρακοντίοις. Μακροκοντίοις citat Pont. ad Epiphan. Physiolog. (Antv., 1588), Pisidæ locum sub falso Cyrilli nomine allegans. Boiss.]

[Μακρόκρανοι, οἱ, gens fabulosa, ap. Apollodor. in Tzetz. Hist. 7, 764. Boiss.]

Μακροκωλία, ἡ, Longum membrum, Quum periodus aliqua longius membrum habet, Hermog. [Walz. Rhett. vol. 6, p. 305, 27.]

Μακρόκωλος, ὁ, ἡ, Membra longa habens. Pro eo vero, quod Varro præcipit, Debent esse canes inter- (D) nodiis articulorum longis, in Geoponicis [19, 2, 1] reperitur : Τῶν κυνῶν ἐγκρίνουσι τοὺς μακροκώλους. [De funda Strabo 3, p. 168.] Item μ. περίοδοι καὶ βραχύκωλοι Aristot. Rhet. 3, [c. 9, 3], Periodi in quibus longiora et breviora membra sunt.

[Μακρόκωπος, ὁ, ἡ, Qui longum manubrium habet. Etym. M. v. Δολιχαύλους.]

[Μακρόλεκτρος, ὁ, ἡ, Qui diu est in lecto. Const. Manass. Chron. 2737 : Ἐξ ὕπνου μακρολέκτρου. Boiss.]

[Μακρολιβάς, άδος, ἡ, Macrolibas, n. loci ap. Georg. Acropolit. p. 65, B.]

Μακρόλοβος, ὁ, ἡ, Longam habens siliquam s. folliculum.

Μακρολογέω, Longa oratione utor, Herodian. Et Athen. 6 : Ἵνα δὲ μὴ πολλὰ μακρολογῶ. [Xen. H. Gr. 4, 1, 13 : Τὰ μὲν ἄλλα τὰ ῥηθέντα τί ἄν τις μακρολογοίη; Plato Theæt. p. 163, D, et alibi sæpe. « Stob. Flor. 36, 22. » Boiss.]

[Μακρολογητέον, Longa oratione utendum est. Clem. Al. Pæd. 2, p. 203.]

Μακρολογία, ἡ, Prolixitas in dicendo, Sermo prolixus. [Ambago, Gl.] Quintil. 8, 3 : Vitanda μακρολογία, i. e. Longior quam oporteat sermo; ut apud Livium, Legati non impretrata pace domum, unde venerant, abierunt. Sed huic vicina περίφρασις, virtus habetur. [Plato Leg. 2, p. 655, B : Ἵνα δὴ μὴ μακρολογία πολλή τις γίγνηται περὶ ταῦθ' ἡμῖν. Et alibi sæpe. Aristot. Rhet. 3, 17.]

Μακρολόγος, ὁ, ἡ, Qui longa oratione utitur, Prolixus in sermonibus s. oratione : quomodo a πολυλόγος differat, infra ex Ammonio tradetur. [Plato Soph. p. 268, B, ubi comparativus. « Demetr. Eloc. 7, de senibus. » Ernest. Lex. rhet.]

[Μακρόμαλλος, ὁ, ἡ, Longos habens villos. V. Ἀκρόμαλλος.]

[Μακρομεγέθης, ὁ, ἡ, Longus. Origen. 3, p. 450.]

[Μακρονησίτης. V. Μάκρα.]

[Μακρονήχια, τὸν μακρὸν, τὸν συνέχοντα, Hesych.]

[Μακρονοσέω, Diu ægroto. Arrian. Epict. 3, 16. Jo. Diac. Alleg. ad Hesiodi Theog. v. 792.]

Μακρονοσία, ἡ, Morbus longus s. diuturnus. [Diosc. 1, 183; Artemid. 1, 33. « Pseudo-Abgarus in Grabii Spicil. Patr. 1, 6; anon. De colore sanguinis p. 46 post Psellum De lap. ed. Bernard. » Boiss.]

[Μακρόνυχος, ὁ, ἡ, Qui habet longos ungues. Inc. in Boiss. Anecd. vol. 3, p. 39. Osann.]

[Μακρόξυλος, ὁ, ἡ, Qui longum habet lignum. Eustath. Il. p. 1107, 62.]

[Μακροπαραληκτέω.] Μακροπαραληκτεῖν, In penultimam longam desinere.

[Μακροπαράληκτος, ὁ, ἡ, In penultimam longam desinens. Favor. p. 133.]

Μακροπαροίνιος, affertur pro Longe contumeliosissimus : ex temulentia sc.

[Μακρόπεπλος, ὁ, ἡ, Qui longo peplo utitur. Eust. Il. p. 682, 1.]

[Μακροπεριοδεύτως, Fusius, Longis ambagibus. Apollon. De pron. p. 261, B : Τὰ μ. ὑπ' ἐνίων εἰρημένα.]

[Μακροπερίοδος, ὁ, ἡ, Qui longas periodos facit. Schol. Ven. Hom. Il. N, 172 : Ὅμηρος διακόπτει τὰς φράσεις, ἵνα μὴ μ. γένηται. L. Dind.]

[Μακρόπλεκτος, ὁ, ἡ, Qui longe plexus est. Schol. Oppian. Hal. 1, 33 : Τανυπλέκτοισιν) μακροπλέκτοις.]

[Μακρόπνικτος, ὁ, ἡ, Ægre s. Vix longo tempore suffocatus. Pseudo-Chrys. Serm. 26, vol. 7, p. 320, 12 : Τὰ δὲ (βρέφη) ἐπὶ τῶν πετρῶν ἐδαφίζοντες, τὰ δὲ μ. καταλιμπάνοντες. Seager.]

[Μακρόπνοια, ἡ, Longus spiritus. Antyllus Oribasii p. 127 Matth. : Μέγιστον δ' ἐπάγγελμα τοῦδε τοῦ γυμνασίου μακρόπνοια καὶ συντονία τοῦ σώματος.]

Μακρόπνοος, s. Μακρόπνους, ὁ, ἡ, dicitur ap. Hippocr. Qui longos ducit spiritus, μακρὸν ἀναπνέων, s. διὰ μακροῦ [sec. Galen. Gloss. p. 518], ut Epidem. 6, [p. 1169, A] : Ἰητήριον χασμέων συνεχέων, μακρόπνους, cui opp. τὸν βραχύπνουν ibid. [Conf. p. 1025, C. At idem Galen. 1, 3 Περὶ δυσπν. p. 195, 40, ex iisdem locis μακρόπνους, μακρόπνοιαν, h. e. Prolixum et longam spirationem et quæ fit per magna intervalla, sc. raram et magnam exponit : Ἐνταῦθ' εἴτε τὸν ἄνθρωπον μακρόπνουν εἴτε τὴν δύσπνοιαν αὐτὴν οὕτως ὠνόμασεν, ὅτι τὸ διὰ μακροῦ χρόνου γινόμενον, τουτέστι τὸ ἀραιὸν πνεῦμα καὶ προσέτι τὸ μέγα δηλοῦται διὰ τῆς προσηγορίας ταύτης, ἐν τῷ δευτέρῳ δέδεικται λόγῳ. Foes.] Eur. Phœn. [1531] μακρόπνουν ζωὰν dicit de Vita longa, utpote in qua longo tempore spiratur.

[Μακροποιέω, Longum facio. Aristot. Metaphys. p. 299, 13 : Ἔστι δ' οὐ χαλεπὸν ὁποιασοῦν ὑποθέσεις λαμβάνοντας μακροποιεῖν καὶ συνείρειν.]

Μακροπόνηρος, ὁ, ἡ, Longe improbissimus, ap. Suidam. [Photio ὁ εἰς μακρὸν ἐκτείνων τὴν πονηρίαν καὶ μνησικακῶν. Interpretatio ap. Suidam nulla, ap. Photium a rec. manu ascripta est. Quam qui confecit, μισοπόνηρος in mente habuisse videtur.]

[Μακροπονία, ἡ, Longus labor. Æsop. Fab. 173 Fur. : Ἐκ σπουδῆς καὶ μακροπονίας πολλοὶ περιεγένοντο τῆς φύσεως. Cramer.]

[Μακροπόρευτος, ὁ, ἡ, Longe profectus, missus. Schol. Voss. Hom. Il. E, 15 : Δολιχόσκιον) μ.]

[Μακροπορέω, Longum iter facio. Strabo 8, p. 353.]

A [Μακροπορία, ἡ, Longum iter. Strabo 14, p. 636 : Τοσαύτην ἔχει μακροπορίαν ὁ παρὰ γῆν πλοῦς.]

[Μακρόπορος, ὁ, ἡ, Qui est longæ viæ. Proculus Comm. in Plat. Parm. l. 1, vol. 4, p. 5 : Δι' ἐλάττονος παρασκευῆς τὴν θεὸν ἐτίμων (in Panathenæis minoribus), μακροπορωτέραις τε καὶ βραχυπορωτέραις αὐτὴν περιόδοις γεραίροντες. V. etiam Βραχύπορος. L. Dind.]

[Μακρόπους, ὁ, vermiculi species. Euchololog. p. 697 in Orat. pro hortis, vineis et agris : Μακρόπους, μύρμηξ. Ducang. In edit. Goari conjungitur cum præcedenti καλιγάρις. L. Dindorf.]

[Μακροπρόσωπος, ὁ, ἡ, Qui longo vultu est. Inscr. e Papyro Ægyptiaca ed. Bœckh. p. 4 fin. Boiss. Tzetz. Expos. Hom. Ms. in App. Notar. ad Jo. Malal. p. 129. Elberl. Arrian. Peripl. m. Erythr. p. 35. L. Dindorf.]

Μακρόπτερος, ὁ, ἡ, Longas alas s. pinnas habens. [Aristot. De partt. an. 1, 4 : Τὸ μὲν μ., τὸ δὲ βραχύπτερον. Hesych.]

[Μακροπτόλεμος, ὁ, i. q. Τηλέμαχος. Theocr. Syr.
B Anth. Pal. 15, 21, 1 : Μακροπτολέμοιο δὲ μάτηρ, de Penelope.]

[Μακροπτύστης, ὁ, Qui longe spuit. Schol. Lucian. Pro merc. cond. c. 6, ap. Bachm. An. vol. 2, p. 347, 15 : Καὶ τοῦτο ἐπὶ τῶν κούφως φερομένων καὶ ἀλαζόνων φησὶ τὸ μὴ εἰς τὸν κόλπον πτύειν, οὓς καὶ διὰ τοῦτο ἡ συνήθεια μακροπτύστας σκωπτικῶς ὀνομάζει, et ib. p. 346, 28. In edd. μακροπτύστους cum var. μακροπτύστας.]

[Μακρόπυλος, ὁ, ἡ, Qui longas habet portas. Eust. et schol. ad Hom. Od. K, 82.]

Μακροπώγων, ωνος, ὁ, Cui promissa s. prolixa barba est. [Pollux 4, 143, 144. Gens Asiatica Bosporo vicina Μακροπώγωνες ap. Strab. 11, p. 492.]

[Μακρορρημονέω, Longa oratione utor. Theodor. Studita ap. Sirmond. not. ad Goffreid. p. 84. Boiss. In Iambis Theodori p. 613, xciv, est : Καὶ ταῦτα φεύγων μακρορημεῖν εἰς κόρον, ut metrum postulat. L. D.]

Μακρορριζία, ἡ, Longitudo radicum. [Theophr. H. Pl. 1, 7, 1.] Opposita præcedentibus βραχύρριζος et
C βραχυρριζία.

Μακρόρριζος, ὁ, ἡ, Longas radices habens. [Theophrast. C. Pl. 1, 3, 3, 5. Μακρορριζότερος et μακρορριζότατος, H. Pl. 1, 7, 2.]

[Μακρόρριν, ὁ, ἡ, Qui longo naso est. Is. Porphyrog. in Allatii Exc. p. 305, 313. Pro quo Μακρόρρινος, Jo. Malal. vol. 1, p. 132, 330, 347, 369, al. Boiss. Μακρόρρις, Tzetz. Posth. 363, 472, 478.]

[Μακρόρυγχος, ὁ, ἡ, Longo rostro instructus, unde compar. μακρορυγχότερος ap. Athen. 7, p. 294, F. Schweigh. Galen. vol. 4, p. 27. Scribendum autem μακρορρυγχ. L. Dind.]

[Μάκρος, ους, τὸ, Longitudo. Aristoph. Av. 1131 : Ὦ Πόσειδον, τοῦ μάκρους. Qua forma hodie Græci utuntur. V. Coraes ad Heliodor. vol. 2, p. 132. Codex barbarogr. Nicetæ Chon. p. 557, 24. Πλάτους καὶ μάκρους. L. Dind.]

Μακρὸς, ά, ὸν, Longus, Prolixus; Procerus. Quæ ultima vox convenit multis Hom. Il., ut Il. I, [537], δένδρεα μακρὰ, et [Od. K, 510], αἴγειροι μακραί. [Κίονα
D Od. A, 127. Et similiter alibi.] Sic Θ, [20] de proceritate corporis virilis : Μακρότερον καὶ πάσσονα θῆκεν ἰδέσθαι, ut de muliere itidem, Σ, [194] : Μακροτέρην καὶ πάσσονα. Sic autem et quidam Comicus μακρὰν proceram mulierem vocat ap. Athen. [Longus, de rebus, ut δόρυ Il. H, 140, ἔγχος E, 45 etc. Et sic apud alios omnes.] Ap. Herodot. et Thuc. [et alios omnes] μακραὶ νῆες, Longæ naves : itidemque μακρὰ πλοῖα ap. eund. Thuc. et Isocr. in Panath. [Paneg. p. 65, B] ac Polyb., ad differentiam τῶν στρογγύλων. De variis rebus dicitur, sicut Lat. Longus : unde etiam compos. μακρόχειρ et μακροσκελὴς, item μακροπώγων ac μακρόπτερος, etc. Quinetiam μακρὸς βίος, Longa vita, Longum ævum [ap. Tragicos aliosque quosvis] : unde comp. μακρόβιος, Longævus. Et μακρὸς οἶμος, Hesiod. [Op. 288], Longa via. [Κέλευθος Hom. Il. O, 358, Æsch. Cho. 711, et al.] Et μακρὰ συλλαβὴ, aut etiam μακρὰ sine adjectione, cui opp. βραχεῖα, Longa syllaba, s. Producta. Cic. ap. Aristot. p. 50 mei Cic. Lex. At vero ἐπὶ μακρότατον ap. Thuc. [1, 1] exp. per ad-

verbium, sc. Longissime. Itidemque ex Herodoto [1, 171] affertur Ὅσον μακρότατον δυνατός εἰμι [ἐξικέσθαι ἀκοῇ], pro Quamlongissime possum. Sed ego crediderim aptius redditum iri, Quamlongissime extendi potentia mea potest. Ex Galen. autem citatur τὸ μακρότατον pro Quamlongissime, Ad summum. Sæpe etiam vel Longus vel Prolixus reddi potest : ut ἐπιστολὴ μακρὰ, Epistola longa, prolixa : cui opp. βραχεῖα. Ap. Dem. [p. 978, 11] : Ἀναγινώσκει μοι πρόκλησιν μακρὰν, Provocationem s. Denuntiationem longam, prolixam. Bud. autem vertit Bene longam. [Μακρὰ, intell. γραμμὴ, Aristoph. Vesp. 106.] Sic λόγος μακρὸς [Soph. El. 1335], itidemque in compar. λόγος μακρότερος, Thuc., et λόγοι μακρότεροι, Eid., Prolixior oratio s. Longior. Dicitur vero et διὰ μακροτέρων sine adjectione ab Isocr. [p. 62, D], pro Longiore oratione, Prolixius. Quinetiam ut Latine dicitur Longum esset enumerare, referre, aut cum alio infin., sic legimus ap. auctorem Dialogi qui Axiochus inscribitur [p. 367, C] : Μακρὸν ἂν εἴη διεξιέναι τὰ τῶν ποιητῶν. Quinetiam dicitur a nobis aliquis esse μακρὸς, Prolixus. [Pind. Isthm. 5, 53 : Ἐμοὶ δὲ μακρὸν πάσας ἀναγήσασθ' ἀρετάς· Nem. 4, 33 : Τὰ μακρὰ δ' ἐξενέπειν ἐρύκει με τεθμός· 10, 4 : Μακρὰ μὲν τὰ Περσέος ἀμφὶ Μεδοίσας Γοργόνος. Schol. Theonis in Walz. Rhett. vol. 11, p. 261, 15 : Μακρὸν οὐχ ἁπλῶς τὸ μακρὸν, ἀλλ' ὅσον ἔξω τῆς χρείας. Demetr. Phal. § 86 : Μακρὸν ῥήτορα. Eodem referendum videtur Μακρὸν ποιῶ, ἀντὶ τοῦ μηκύνω, quod ex Philippidis Philarcho citant Antiatt. p. 108, 12 et alii.] || Μακρὸς ad tempus relatum redditur interdum nomine Diuturnus : μακρὰ συνήθεια, Plut. in Cons. ad uxor. p. 1085 meæ ed. [611, E.] Ubi tamen et Longa verti potest, sicut μακρὸς βίος, Longa vita, ut paulo ante dixi. [Hom. Od. Ψ, 54 : Νῦν δ' ἤδη τόδε μακρὸν ἐέλδωρ ἐκτετέλεσται. Pind. Nem. 3, 72 : Ὁ μακρὸς αἰών· 10, 85 : Μακροτέρας σχολᾶς. Æsch. Prom. 447 : Τὸν μακρὸν χρόνον. Et similiter alii quilibet cum hujusmodi nominibus.] At vero ap. Soph. [El. 375] μακροὶ γόοι exp. non solum πολυχρόνιοι, Diuturni, sed etiam μεγάλοι, Magni, Vehementes. [Male, quum proprie dicatur ut ap. Eur. Hec. 297 : Γόων σῶν καὶ μακρῶν ὀδυρμάτων. Improprie vero Pind. Isthm. 3, 31 : Μακροτέραν ἀρετάν.] || Longinquus, μακρὰ στρατεία, Plut. Alcib. [c. 19. Ἀποικία Æsch. Prom. 813. Xen. Cyrop. 5, 4, 47 : Μακραὶ αἱ ἐπιβοήθειαι. Figurate Pind. Ol. 13, 40 : Μακρότεραι ἀοιδαὶ, de carminibus longius duraturis, ut videtur. Soph. Aj. 825 : Αἰτήσομαι δέ σ' οὐ μακρὸν γέρας λαχεῖν. Neoptolemus ap. Diodor. 16, 92 : Μακρὰς ἀφαιρούμενος ἐλπίδας Ἅδας.] || Magnus, Multus, Bud., afferens ex Aristot. Polit. [4, 4] οἱ μακρὰς οὐσίας κεκτημένοι. Est autem et [Photius s.] Suidas auctor μακρὰν οὐσίαν vocari ab Atticis τὴν πολλὴν, item [ab Aristot. l. c. 5 et 9] τίμημα μακρότατον pro Maximus census. [Pind. Pyth. 2, 26 : Μακρὸν ὄλβον· 11, 52 : Μακροτέρῳ ὄλβῳ. Soph. Aj. 130 : Μακροῦ πλούτου. In contrariam partem Pind. Pyth. 8, 76, πόνος· Isthm. 4, 63, μόχθος. Æsch. Prom. 75 : Πέπρακται τοὔργον οὐ μακρῷ πόνῳ. Soph. Aj. 888 : Τῶν μακρῶν ἀλάταν πόνων. Thuc. 3, 39 : Ἐλπίσαντες μακρότερα μὲν τῆς δυνάμεως, ἐλάσσω δὲ τῆς βουλήσεως.] Item Μακρὰ positum adverbialiter pro Majorem in modum, ut quidam interpr. ap. Aristoph. [Av. 1207, et alibi ap. eundem et alios cum verbis κλαίω, οἰμώζω.] Ap. Hom. itidem Etym. exp. μεγάλως, ubi ille dicit μακρὰ βιβῶντα : Il. Γ, [22] : Ἐρχόμενον προπάροιθεν ὁμίλου, μακρὰ βιβῶντα, ubi exponi potest Magno passu vadentem, Ingentes passus metientem. [Similiter Pind. Pyth. 1, 45 : Μακρὰ ῥίψαις· Isthm. 2, 35 : Μ. δισκήσαις. Soph. OEd. C. 319 : Μακρὰ μέλλετον. Quæ omnia proprie dicuntur.] Sic etiam Μακρὸν ap. Eund. adverbialiter pro Altum, i. e. Alta voce, Magna voce, Il. Γ, [81] : Μακρὸν ἄϋσεν. Quale est μακρὰ μεμυκὼς ap. Eund. [Σ, 580. Et βοῶν Β, 224. Plato Protag. p. 329, A, ἠχεῖ.] Sed sciendum est μακρὸς ap. eum habere et alias nominis Altus signiff.; accipi enim et pro Altus significante Excelsus, ut quum dicit [Il. Α, 402] μακρὸς Ὄλυμπος, et [Β, 144] μακρὰ κύματα, sc. τὰ εἰς ὕψος κορυφούμενα, [et τείχεα Il. Δ, 34,] et pro Altus significante Profundus : ut quum dicit [Il. Φ, 197], φρείατα μακρά. [Comparativus adverbialiter positus ap. Xen. Anab. 3, 4, 16 :

A Μακρότερον τῶν Περσῶν ἐσφενδόνων· Platon. Reip. 6, p. 487, D : Ὅσοι ἂν μ. ἐνδιατρίψωσι. Diod. 18, 67 : Οἱ μακρότερον διεστηκότες. Inter μακρότερον et μακροτέραν variant libri Thuc. 6, 98 : Ἀποσκίδνασθαι μακροτέραν. Plato Polit. p. 263, A : Μακροτέραν τοῦ δέοντος ἀπὸ τοῦ προτεθέντος λόγου πεπλανήμεθα.] Μακρὸς a Dorico Μᾶκος pro Μῆκος, ortum esse tradit Eust. : ut sc. ex μᾶκος factum sit μακερὸς, ex quo per sync. μακρός : cui potius assentior quam Etymologistæ. Crediderim autem usum obtinuisse ut diceretur μακρὸς a μᾶκος, potius quam μηκρὸς a μῆκος, propter μικρὸς, quod Parvum significat. [Neutro genere cum præp. διὰ, Post longum tempus, Sero. Eur. Hec. 320 : Διὰ μακροῦ γὰρ ἡ χάρις· Phœn. 1069 : Διὰ μ. μὲν, ἀλλ' ὅμως, ἔξελθ' ἄκουσον. Thuc. 6, 15 : Οὐ διὰ μ. ἔσφηλαν τὴν πόλιν. Et ib. 91. Plato Alc. 2 p. 151, B. Dionys. A. R. 6, 36 : Πέμψομεν οὐ διὰ μ. Lucian. D. deor. 10, 1 : Ἀνάπαυε διὰ μ. σεαυτόν. Pro quo διὰ μακρᾶς Phalaris Ep. 105 : Οὐ διὰ μ. ἥξοντα πρὸς σέ. Eurip. autem ap. Stob. Fl. 105, 1, διὰ μακρῶν. De spatio, Procul, ap. Dionys. A. R. 9, 56 : B Ἦν δ' οὐ διὰ μακροῦ τῆς Ῥώμης· 58 : Οὐ διὰ μ. ὄντων. Phalar. Ep. 139 : Ταχεῖα τῶν γινομένων, κἂν διὰ μακροῦ τὸ πραχθὲν κομίζῃ, ἄγγελος θεός. Et διὰ μακρῶν, Copiose, ap. Plat. Gorg. p. 449, C : Διὰ μ. τοὺς λόγους ποιεῖσθαι. Comparativo Phileb. p. 28, C : Διὰ μακροτέρων τὴν σκέψιν ποιησώμεθα. || Εἰς μακρὸν, unde οὐκ εἰς μακρὸν, Mox, ap. Alciphr. Ep. 3, 15 : Οὐκ εἰς μ. ἀποδώσοντι· 49 : Οὐκ εἰς μ. ὁ περίβλεπτος οὗτος γάμος. Μακρὰν suspicabatur Berglerus, ut ἐς μακρὸν olim erat pro ἐς μακρὴν ap. Herodot. 2, 121, 1. Philostr. Imag. p. 843 : Αὐτὸς δ' ἂν καὶ μετεωρίσαι τὸν οὐρανὸν καὶ στῆσαι ἀναθέμενος ἐς μακρὸν τοῦ χρόνου. Ἐπὶ μακρὸν Callim. Del. 255 : Αἱ δ' ἐπὶ μακρὸν Νύμφαι Δηλιάδες εἶπαν Ἐλειθυίης ἱερὸν μέλος. Quod ita dicitur ut μακρὰ et μακρὸν cum verbis clamandi supra ap. HSt. Cum superl. de loco Herodot. 2, 29 : Τοσόνδε ἄλλο ἐπὶ μακρότατον ἐπυθόμην· 4, 192 : Τοσαῦτα θηρία ἡ τῶν Νομάδων Λιβύων γῆ ἔχει, ὅσον ἡμεῖς ἱστορέοντες ἐπὶ μακρότατον οἷοί τε ἐγενόμεθα ἐξικέσθαι· et similiter ib. 16 etc. (Et sine præp., quam addendam putabat Schweigh., loco ab C HSt. cit. 1, 171.) De tempore Thuc. 1, 1 : Ἐκ τεκμηρίων, ὧν ἐπὶ μακρότατον σκοποῦντί μοι πιστεῦσαι ξυμβαίνει· 4, 41 : Φοβούμενοι μὴ καὶ ἐπὶ μακρότερον σφίσι τι νεωτερισθῇ τῶν κατὰ τὴν χώραν.] || Μακρῷ dat., qui adverbialiter ponitur ea signif., qua Longe, Multo, cum gradu compar., item superl., ut μακρῷ ῥᾷον, Plut., Longe facilius. Et [μακρῷ λῷστα Eur. Med. 126,] μακρῷ ἀρίστη [Eur. Alc. 151], Plato Leg., Longe præstantissima. [Μακρῷ ἄριστα Theæt. p. 176, D. Μακρῷ βέλτιον καὶ ἄμεινον Phileb. p. 66, E.] Suid. exp. καταπολὺ in isto Herodoti l. [9, 71] : Ἄριστος ἐγένετο μακρῷ Ἀριστόδημος. [Cum μάλιστα 1, 171 : Ἔθνος λογιμώτατον ... κατὰ τοῦτον ἅμα τὸν χρόνον μακρῷ μάλιστα. Et alibi.] Et in hoc, Μακρῷ διέστηκε. [Æsch. Prom. 514 : Τέχνη δ' ἀνάγκης ἀσθενεστέρα μακρῷ· 889 : Ἀριστεύει μακρῷ· Eum. 30 : Μακρῷ ἄριστα. Aristoph. Vesp. 673 : Εὐνούστατος μακρῷ. L. D. Μακρῷ πρότερον Galen. vol. 8, p. 165, C. M. μᾶλλον Plut. Mor. p. 700, B. Hemst. Dionys. A. R. 1, 2 : Μακρῷ δή τινι τὴν Ῥωμαίων ἡγεμονίαν ἁπάσας ὑπερβεβλημένην ὄψεται. Pausan. 10, 20, D 8 : Εἰσὶ δὲ καὶ ἄλλως οἱ Κελτοὶ μακρῷ πάντας ὑπερηρκότες μήκει τοὺς ἀνθρώπους.]

|| Μακρῶς, Longe, Prolixe. Exp. autem Sero. [Aristot. Rhetor. 3, 16 : Δεῖ μὴ μακρῶς διηγεῖσθαι. Dionys. H. De comp. vv. p. 85, 11 R. : Τῶν διχρόνων, ὅταν μ. ἐκφέρηται. Polyb. Exc. Vat. p 403 : Μ. καὶ ἀσαφῶς ... ἐξηγούμενος. Id. 3, 51, 2, μ. ἐκμηρύεσθαι τὰς δυσχωρίας, Longo agmine. || De comparativi et superlativi forma in ω v. suis locis. Adjectivo Μακρότατα, Longissime, Gl.]

[Μακρόσειρις, ιδος, ὁ, Macrosiris. Phlegon Mirab. c. 17 : Ὁ δὲ αὐτός (Apollonius) φησιν πλησίον Ἀθηνῶν νῆσόν τινα εἶναι· ταύτην δὲ τοὺς Ἀθηναίους βούλεσθαι τειχίσαι. Σκάπτοντας οὖν τοὺς θεμελίους τῶν τοίχων (τειχῶν Franzius) εὑρεῖν σορὸν ἑκατὸν πηχῶν, ἐν ᾗ εἶναι σκελετὸν ἴσον τῇ σορῷ, ἐφ' ᾗ ἐπιγέγραπται (l. -γράφθαι) τάδε, Τέθαμμ' ὁ Μακρόσειρις ἐν νήσῳ μακρᾷ κτλ. L. Dind.]

[Μακροσίδηρος, ὁ, ἡ, Qui longum habet ferrum. Eust. Od. p. 1620, 36.]

Μακροσκελὴς, ὁ, ἡ, Cui longa crura sunt, Prælon-

gis s. Prolixis cruribus præditus. [Æschyl. fr. Edon. A
ap. schol. Hom. Il. I, 539 : M. χλούνης. Inter μακροσκελὴς et μακρυσκελὴς vel μακρισκελὴς variant libri schol. Aristoph. Av. 1296. Secundam formam notabimus in Μακρύς. Aristot. H. A. 2, 12, et comparativo 9, 30. Strabo 2, p. 70. L. D. Schol. Nicandri Th. 735. Wakef. Geopon. 18, 1, 2. Perfilis, Gl.]

[Μακρόσκελος, ὁ, ἡ, i. q. præced. Is. Porphyrog. in Allatii Exc. p. 305; schol. Theocr. 10, 18. Boiss.]

[Μακρόσκῐος, ὁ, ἡ, Qui longas facit umbras. Ach. Tat. Isag. in Phæn. p. 156, D : Οἱ μέν εἰσιν ἄσκιοι, οἱ δὲ βραχύσκιοι, οἱ δὲ μακρόσκιοι. «Hesych. in Δολιχόσκιον.» Boiss. Eust. Opusc. p. 193, 40 : Πυραμίδες αἱ περὶ τὴν Αἴγυπτον μακρόσκιοι.]

[Μακροσπάθης, ὁ, ἡ, Qui longo utitur ense. Luitprandi Historia 2, 10. Elberling.]

Μακροστελέχης, ὁ, ἡ, Qui longo est caudice, Cujus truncus procerus est.

[Μακρόστῐχος, ὁ, ἡ, Qui longus est versibus sive multos habet versus. Photius Bibl. cod. 187, p. 145, 24 : Διὰ τοῦτο Νικομάχῳ καὶ πολύστιχος ὁ περὶ αὐτὴν B
(τὴν δεκάδα) πόνος. Εἰ γὰρ καὶ πολλῷ μακροστιχώτερος ὅ τε τῆς μονάδος καὶ ἑβδομάδος κτλ. Cit. Osann.]

[Μακροσύλλᾰβος, ὁ, ἡ, Qui longa syllaba est. Dionys. H. De vi Demosth. c. 38, ὄνομα.]

[Μακροτάτω, Longissime, Remotissime. Longus Past. 3, 17 : Ἡ δὲ ἡγεῖτο ὡς μ. τῆς Χλόης. Diogenis Epist. Angl.]

[Μακροτενής, ὁ, ἡ, Longus. Niceph. Chumn. in Anecd. meis vol. 3, p. 361 fin. : Τὰ μακροτενῆ ταῦτα (perdunt compositionem et numeros sermonis). Boiss.]

[Μακροτένων, οντος, ὁ, Longus. Erycius Anth. Pal. 6, 96, 5 : Ἄλῳ μακροτένοντι ... ἔπαξαν.]

[Μακρότερον, Prophetis Psyllium, apud Interpol. Dioscor. c. 652. Ducang.]

[Μακροτέρω, Longius, Gl. Nisi legendum Μακροτέρως, ut est ap. Hippocr. p. 75, B : M. διανοσέει· 127, A : M. νοσήσαντες· et alibi. Plato Soph. p. 258, C : Οἶσθ' οὖν ὅτι Παρμενίδῃ μ. τῆς ἀπορρήσεως ἠπιστήκαμεν; Ubi item est var. μακροτέρω. Alioqui conferendum ἐγγυτέρω, a quo formatur ἐγγυτάτω, ut μακροτάτω. Ari- C
stot. Rhet. 3, 10 : Διὸ ἧττον ἡδὺ (ἡ εἰκὼν), ὅτι μακροτέρως. Pro illo autem μακροτέρως dici etiam Μακρότερον et Μακροτέραν in Μακρὸς annotavimus.]

Μακρότης, ητος, ἡ, Longitudo. [Longinquitas add. Gl.] Plut. De primo frig. [p. 947, F] : Ὡς δὲ τῶν ἐν γραμματικῇ στοιχείων βραχύτητές εἰσι καὶ μακρότητες. [Et sæpius in V. T., de quo Schleusner.]

Μακροτομέω, Ita puto ut longæ remaneant amputatæ partis reliquiæ. Theophr. C. Pl. 3, [11, 2] : Μακροτομεῖν τὴν ἄμπελον, quod Gaza interpr. Vitem resecare ad longum palmitem. Ibid. : Ἐν τῷ μακροτομεῖν, In longitudine recisionis, Eod. interpr. [Act. et pass. in Geopon. 4, 1, 9; 5, 40, 1, et 5, 17, 10.]

Μακρότομος, ὁ, ἡ, opp. superiori βραχύτομος, i. e. Ita putatus ut amputati longæ reliquiæ supersint : veluti μακρότομος ἄμπελος dicitur Vitis quæ ita putatur ut longi remaneant palmites, s. Vitis in longo palmite amputata. [Theophr. C. Pl. 3, 2, 3.]

[Μακροτονέω, Longius protendo, Amplius intendo; Persevero, Pergo. Macc. 2, 8, 26 : Οὐκ ἐμακροτόνησαν D
κατατρέχοντες αὐτούς. Al. ἐμακροθύμησαν. Schleusn.]

[Μακροτονία, ἡ, Longus tenor (spiritus). Antyllus Oribasii p. 126 Matth. : Ἔστι δὲ καὶ μακροτονίας παρασκευαστικόν (τοῦτο τὸ γυμνάσιον). Alibi μακρόπνοια. Nisi hic quoque ita legendum. L. Dind.]

[Μακρότονος, ὁ, ἡ, Longe tentus, Longus. Philippus Anth. Pal. 9, 299, 4 : Μακροτόνων σχοίνων ἅμμα. Philo Belop. p. 53, 35 : Τὰ μακροτονώτερα.]

[Μακροτόνως, Producte. Sext. Emp. C. math. 1, 6, p. 242 : Ὅταν κοινὸν ἔχῃ τὸ στοιχεῖον μακροτόνως παρειλημμένον, ὡς ἐπὶ τοῦ Ἄρης (α longo positi). Boiss.]

Μακροτράχηλος, ὁ, ἡ, Longum collum habens. Ap. [schol.] Hom. Il. Ψ, [171] μακροτράχηλοι ἵπποι, ubi schol. intelligit Magnos equos, synecdochice posita parte pro toto. [Diodor. 2, 50. ᾰ]

[Μακροϋπνία, ἡ, Longus somnus. Eust. Od. p. 1951, 19.]

[Μακροφάρυγξ, υγγος, ὁ, ἡ, Qui longas habet fauces. Marc. Argentar. Anth. Pal. 9, 229, 2, de lagena. ᾰ]

[Μακροφλῠᾱρητής, ὁ.] Μακροφλυαρίτης, Prolixus nugator. [Lucillius Anth. Pal. 11, 134 : Καὶ γὰρ ἔμ' ὄψει μακροφλυαρητὴν Ἡλιοδωρότερον.]

Μακροφυής, ὁ, ἡ, Qui longus nascitur, Natura longus. [Aristot. De partt. an. 4, 13 : Ὅσα δ' ἐστὶ μακροφυέστερα καὶ ὀφιώδη μᾶλλον.]

Μακρόφυλλος, ὁ, ἡ, Longa habens folia. [Schol. Hom. Od. N. 102. Wakef.]

[Μακροφωνέω, Alta voce clamo. Hippocr. p. 253, 46.]

[Μακρόφωνος, ὁ, ἡ, Qui longe sonanti voce est. Hesych. : Τανύγλωσσοι, μακρόφωνοι.]

[Μακροχαράκτηρος, ὁ, ἡ, Qui longo vultu est. Jo. Malal. p. 106, 12. ᾰ]

Μακρόχειρ, ὁ, ἡ, Longimanus, ea forma qua dicitur Centimanus, item Unimanus, a Liv., et Anguimanus, a Lucr.; Cui manus una longior est altera. Ita, inquit Cam., cognominatum fuisse Darium Hystaspæ filium, quidam Xerxem, quidam Ochum, quidam Artaxerxem, tradiderunt : vel quod horum potentia longe lateque extenderetur, vel quia dextras haberent sinistris vel ambas etiam manus aliis longiores. Hæc ille. At Plut. initio Vitæ Artaxerxis, Μακρόχειρ cognominabatur, inquit, primus Artaxerxes, τὴν δεξιὰν μείζονα τῆς ἑτέρας ἔχων, i. e. Quod dextram longiorem altera haberet. Secundum vero, cujus Vitam scribit, Μνήμονα cognominatum fuisse tradit. [Strabo 15, p. 735. Pollux 2, 151.]

[Μακρόχηλος, ὁ, ἡ, Qui longas habet ungulas. Comparat. Strabo 17, p. 835.]

[Μακροχρονέω, Longævus sum. Deuteron. 17, 20 : Ὅπως ἂν μακροχρονίσῃ· 32, 27 : Ἵνα μὴ μακροχρονίσωσι. Scribendum, ut postulat analogia verborum cum χρόνος compositorum, μακροχρονήσῃ et μακροχρονήσωσι. Sic ap. Symmachum Jobi 12, 2 : Ἐν μακροχρονήσασι. Alii pravo judicio μακροχρονίσασι. Vitiose Oxon. Deut. 5, 16 μακροχρονιῆτε pro ἵνα μακροχρόνιος γένῃ, et loco qui initio citatus est Alex. μακροχρονιόσῃ, ubi alii μακροχρόνιος ᾖ, quomodo corrigere licet etiam illud μακροχρονιῆτε, ut scribatur μακροχρόνιοι ἦτε. Conf. Lobeck. ad Phryn. p. 569. L. Dind.]

[Μακροχρονίζω verbum nihili. V. Μακροχρονέω.]

Μακροχρόνιος, ὁ, ἡ, Longo durans tempore, Durans in longos annos, Longævus [ita Gl.], Diuturnus : compar. μακροχρονιώτερον, Plato Tim. [Quod Lexico Septemv. credidit HSt. Exod. 20, 12 : Τίμα τὸν πατέρα σου καὶ τὴν μητέρα σου, ἵνα μακροχρόνιος γένῃ. Exc. Phrynichi p. 8, 3 ed. Bekk. : Τὴν μακροχρόνιον (νόσον). L. D. Agatharch. De mari R. p. 56 : Τοῦ λιμοῦ τὸ μακροχρόνιον οὐ φέροντες. Porph. V. P. p. 24, ubi superlat.; Suidas in Δηναιόν. Boiss. Positivus et comparativus ap. Polluc. 2, 15. V. Μακροχρονέω.]

[Μακροχρονιότης, ητος, ἡ, Longævitas, Gl.]

[Μακρόχρονος, ὁ, ἡ, Qui longi temporis est. Tzetz. Posth. 744 : Αὐτὰρ ἐπεὶ τετέλεστο μακρόχρονον ἔργον Ἄρηος.]

[Μάκροψις, ὁ, ἡ, Qui longa facie est. Tzetz. Posth. 369, 659, 665, Anteh. 399. «Is. Porphyrog. in Allatii Exc. p. 307, 308, 310.» Boiss. Jo. Malal. vol. 1, p. 109, 130, 133, 317, 396. Elberl.]

[Μακροψῡχία, ἡ, Vastitas animi. Cicero Ad Att. 9, 11 : «Quam vero μακροψυχίαν Cnæi nostri esse.» Ubi al. μικροψυχίαν.]

[Μακρυγένειος, ὁ, forma novitia pro μακρογένειος. Anon. interpres Ms. Rhamplii : Δηλοῖ δὲ καὶ πάντας τοὺς ἱεροπρεπεῖς καὶ μακρυγενείους. Ducang.]

[Μάκρυες, ἔθνος Λιβύης. Ῥιανὸς δὲ Μάκριας διὰ τοῦ ι τούτους φησί, Steph. Byz.]

[Μακρύλαμνος, ὁ, ἡ, Qui habet longas alas. Orneosoph. p. 245 : Ζαγάνος ὀφείλει εἶναι μακρύλαμνος. Mox : Ὁ περίτης ὀφείλει εἶναι κοντοπόδης, μακροδάκτυλος, μ. Iterum : Τὰ ἱεράκια ὀφείλουσιν εἶναι μακρύλαμνα. Sic porro hanc vocem hic interpretari licet : *alas* enim avium venaticarum ἐλάτας vocat idem Orneosophium : λάμνειν vero est *remigare*. Ita λάμνα erit idem quod ἐλάτης. Sic conjiciebam in voc. incertæ notionis : alius forte melius divinabit. Ducang. V. Μακρύς.]

[Μάκρυμα, τὸ, Longinquitas. Esdr. 9, 1 et 11 : Ἐν μακρύμμασιν αὐτῶν. Rectius Hesych. : Ἐν μακρύμασιν, ἐν ἀποστασίαις. Ed. Complut. βδελύγμασιν.]

Μακρύνω, Longe summoveo, ut μακρύνω σε τῆς πόλεως : quod Bud. affert sine auctoris nomine. In VV. LL. Elongo, barbare. [Ita Gl. et Μακρίνω, Longo. Hero Spirit. p. 148 : Μακρυνθεῖσα τοῦ τόπου, καθ' ὃν κεκίνηται. SCHNEIDER. De vocali producta schol. Hom. Il. Π, 390 : Μεμάκρυνται δὲ τὸ κλι.]

[Μακρὺς, forma græcobarbara pro μακρὸς, de qua v. Ducang. et Μακρυγένειος, Μακροκέφαλος, Μακρύλαμνος, Μακροσκελής.]

[Μακρυσμὸς, ὁ, Longinquitas. Aq. Ps. 119, 5, ubi est Terra remota, longe dissita. Aq. ib. 55, 1. SCHLEUSN. Longa absentia, Theod. Prodr. p. 346. ELBERL. Georg. Lapitha Poem. mor. 808. BOISS. Theodor. Stud. p. 317, A : Διὰ τὴν ἐν τοσούτῳ μακρυσμῷ πάροδον, In tanto intervallo. L. DIND.]

[Μάκρων, ωνος, ὁ.] Μάκρωνες affertur pro Qui longo sunt capite : μακροκέφαλοι. Ap. Xen. Anab. 4, p. 200 [8, 1 et in seqq.] gentis nomen est. [Item ap. Strab. 12, aliosque geographos, Apollon. Rh. 2, 394, etc. De accentu paroxytono Arcad. p. 14, 24 ; 15, 3.]

[Μακρὼν, sic dicta ædis patriarchalis Cpoli porticus oblongior, a structuræ forma, de qua nos pluribus in Cpoli Christiana l. 2, s. 8, n. 3. DUCANG.]

[Μακρῶς. V. Μακρός.]

Μάκρωσις, εως, ἡ, Prolongatio, s. In longum diductio. Ex Polyb. [15, 36, 2] affertur pro μακρότης, Prolixitas. [Μάκρυνσις Casaubonus.]

[Μακρώτης, ὁ, Qui longis auribus est. Tzetz. Hist. 1, 125, de Mida. ELBERL.]

[Μακτὴρ, ῆρος, ὁ.] Μακτῆρες, i. q. μάκται, s. μακταί : h. e. οἱ μάττοντες τὰς μάζας. Hesychio est μακτὴρ, ἡ χάρδοπος, ἡ πυελὶς, Alveus in quo farina subigitur : quæ et μάκτρα. Eidem est præterea διφθέρα, Pellis : et σχῆμα ὀρχήσεως : quod Athenæo μακτρισμός.

Μακτήριον, τὸ, ab Hesychio exp. ἱλαστήριον, κάλυμμα ἱερὸν, et κύκλος ξύλινος. [I. q. μάκτρα ? Plut. Mor. p. 159, D : Τὰ δὲ (venter, stomachus, jecur) μυλωθρικοῖς καὶ καμίνοις καὶ φρεωρύχοις καὶ μακτηρίοις ἔοικεν.]

Μάκτης, ὁ, Qui pinsit, Pistor, qui et μαγεὺς, ut modo dictum fuit. [Οἱ μάττοντες τὰς μάζας Hesychio. Μάκται, Gulatores, Gl.]

[Μακτὸς, ὁ, Antyllus Oribasii p. 251 Matth. : Καλεῖται δὲ τὰ ἄνεφθα (καταπλάσματα) μακτά. Iterumque ibid. Videntur esse Pinsa s. Pinsita.]

Μάκτρα, ἡ, Vas in quo pinsitur farina. [Magis, Gl.] Quidam exp. Arca panaria : καὶ μάκτρα, inquit Pollux [cujus locos plurimos v. in indice], οὗ ἔματτον. Aristoph. Ran. [1159] : Χρῆσον σὺ μάκτραν· εἰ δὲ βούλει, κάρδοπον. [Athen. 3, p. 113, C. VALCK. Xen. OEc. 9, 7. Hellad. ap. Phot. Bibl. p. 533, 5 : Ὅτι τὸ μάκτραν καλεῖν, ἐν αἷς τὰς μάζας μάττουσιν, Ἀττικὸν, καὶ οὐχ, ὡς ἔνιοι δοκοῦσιν, ἰδιωτικόν.] || Ap. Nicandr. autem pro Colo, s. Mortario, Ther. [708] : Ἐκ δὲ πελιδνὸν Οὖρον ἀπηθῆσαι πλαδόωντ' εὐεργέϊ [—ων λαεργέϊ Schneid.] μάκτρῃ· ubi schol. exp. θυείᾳ et ἴγδῃ.

Μακτρισμὸς, ὁ, et ἴγδις, ab Athen. 14, [p. 629, C] numerantur inter τὰς γελοίας ὀρχήσεις, Saltationes ridiculas. Ibidem dicit, quam Cratinus et alii vocarunt ἀπόκινον, postmodum dictam fuisse μακτρισμόν.

[Μάκτρον, τὸ, Mappa, Gl. Eumath. p. 26 : Ἀπομάσσεταί μου τοὺς πόδας τῷ μάκτρῳ. L. D. Alex. Trall. 12, p. 204.]

[Μακτώριον, τὸ, Mactorium, πόλις Σικελίας, Φίλιστος πρώτῳ, ἣν ἔκτισε μόνην (μόνων cod. Vratisl. : conditoris nomen latere animadvertit Cluverius). Τὸ ἐθνικὸν Μακτωρῖνος, Steph. Byz. Memorat Herodot. 7, 153.]

[Μακύνεια, ἡ, Macynea, πόλις Αἰτωλίας. Στράβων δεκάτῃ (p. 451, 460). Τὸ ἐθνικὸν Μακυνεὺς τῷ κοινῷ τύπῳ, Steph. Byz. Gen. masc., ut videtur, Alcæus Mess. Anth. Pal. 9, 518, 1 : Μακύνου τείχη. De scriptura nominis v. interpretes Stephani et Strabonis, cujus libri semel Μακύνιον. Μάκυνα ap. Archytam Plutarchi Mor. p. 295, A : Μυρίπνουν Μακύναν (scr. Μάκυναν) ἐραννὴν. ᾶὖ L. DIND.]

Μακύνεται, Hesychio μεγαλύνεται, ὀρθοῦται. Doricum pro μηκύνεται.

[Μάκυνος. V. Μακύνεια.]

[Μάκων, ωνος, ὁ, pro μήκων, Papaver. Eust. (Il. p. 714, 39) : Μάκων εἰσέτι καὶ νῦν παρ' ἐνίοις λέγεται, βαρβάροις μὲν, ἐοικόσι δὲ ἀπήχημα φυλάττειν γλώσσης Ἑλληνίδος παλαιᾶς. DUCANG. Sic μακωνείου pro μηκωνείου

A ap. Sext. Pyrrh. 1, 14, 81, p. 22, ex libris restituit Fabricius. Olim μυκωνείου. Quod etiam μηκωνείου esse potuit, etsi literarum α et υ quoque frequens in libris permutatio est. L. DIND.]

[Μακώνιος, ὁ, Maconius, n. viri, quod esse videtur in inscr. Thaumac. ap. Bœckh. vol. 1, p. 864, n. 1773, 1.]

Μάλα, Valde, Multum, Admodum, Vehementer. Hom. Il. Ρ, [67] : Μάλα γάρ χλωρὸν δέος αἱρεῖ· Od. Χ, [473] : Ἤπαιρον δὲ πόδεσσι μίνυνθά περ, οὔτι μάλα δὴν, Non valde diu. Sic μάλα πυκνὰ ap. Eund., et μάλα πολλὰ, itidemque μάλα μεγάλα, et χειρὶ μάλα μεγάλῃ : necnon cum adverbio μεγάλως [aliisque similibus]. At cum πάντες [Od. Π, 286 etc.] et cum μυρίοι [ib. 121 etc.] vacat potius. [Non vacat, sed est Admodum.] Alicubi autem exp. Valde, Vehementer, ubi malim addere aliud adverbium huic Valde : Il. [Α, 173] : Φεῦγε μάλ', εἴ τοι κτλ., Fuge valde propere, i. e. Fuge quamcitissime, Fuge quamprimum, primo quoque tempore. Sic Γ, [25] de leone vorante cervum aut ca-
B preum : Μάλα γάρ τε κατεσθίει, Valde avide vorat, i. e. Avidissime vorat. Quam interpretationis formam et in aliis quibusdam ll. observandam censeo. [Simili quadam ratione ponitur in repetitione. Æsch. Ag. 1345 : Ὤμοι πέπληγμαι καιρίαν πληγὴν ἔσω. — Ὤμοι μάλ' αὖθις δευτέραν πεπληγμένος· Cho. 654 : Τίς ἔνδον, ὦ παῖ, παῖ, μάλ' αὖθις ἐν δόμοις ; 871 : Ἔα ἔα μάλα· 876 : Οἴμοι πανοίμοι δεσπότου τελουμένου, οἴμοι μάλ' αὖθις ἐν τρίτοις προσφθέγμασιν. Id. Ag. 1045 : Οἵ μάλα καὶ τόδ' ἄλγῶ. Soph. El. 1410 : Ἰδοὺ μάλ' αὖ θροεῖ τις· 1416 : Ὤμοι πέπληγμαι. — Ὤμοι μάλ' αὖθις. Et similiter alibi. Aristoph. Pac. 460 : Εἶα μάλα· 462 : Ἔτι μάλα. Sic ap. Herodot. 1, 181 : Καὶ ἐπὶ τούτῳ τῷ πύργῳ ἄλλος πύργος ἐπιβέβηκε, καὶ ἕτερος μάλα ἐπὶ τούτῳ, ubi πάλιν suspicabatur Schweigh., conferebat autem 7, 186 : Τοῦ μαχίμου δὲ τούτου ἐόντος ἀριθμὸν τοσούτου, τὴν θεραπηίην τὴν ἑπομένην τούτοισι, καὶ τοὺς ἐν τοῖσι σιταγωγοῖσι ἀκάτοισι ἐόντας καὶ μάλα ἐν τοῖσι ἄλλοισι πλοίοισι κτλ.] || Ap. Eund. [Od. Ξ, 464] μάλ' ἀεῖσαι Eust. exp. πέρα τοῦ μετρίου, Præter modum, Immodice. || Alicubi autem
C [Od. Ξ, 367 etc.] ei additur πάγχυ, idque ἐκ παραλλήλου, ubi vacat alterum. [Post negationem Æsch. Suppl. 925 : Οὐ μάλ' ἐς μακράν. Et alibi. Soph. Phil. 676 : Ὄπωπα δ' οὐ μάλα. Herodot. 1, 93 : Θαύματα γῆ Λυδίη ἐς συγγραφὴν οὐ μάλα ἔχει. Et sæpe Xenophon aliique. Lycophr. 766 : Οὔπω μάλ' οὔπω. Ante negationem positum v. infra.] || In prosa quoque frequens est hujus adverbii usus. [Herodot. 9, 40 : Τὸ δὲ ἀπὸ τούτου παραδεκόμενοι Πέρσαι τε καὶ Μῆδοι μάλα ἔσχον οἱ ἀπεδείκνυντο ἀρετάς. Ubi liber unus μάλιστα. Id. 7, 186 : Τὴν θεραπηίην τὴν ἑπομένην τούτοισι, καὶ τοὺς ἐν τοῖσι (τῇσι) σιταγωγοῖσι ἀκάτοισι ἐόντας καὶ μάλα ἐν τοῖσι ἄλλοισι πλοίοισι ..., οὐ δοκέω εἶναι ἐλάσσονας. Seq. γε Plato Prot. p. 310, C : Μάλα γε ὀψὲ ἀφικόμενος· Reip. 7, p. 531, D : Εἰ μὴ μάλα γέ τινες ὀλίγοι. Seq. δὴ Xenoph. Cyrop. 8, 7, 1 : Μάλα δὴ πρεσβύτης ὤν.] Xen. Cyrop. 2, [2, 1] : Μάλα τοῦτό γ' εὐτάκτως ὑπήκουσεν. Et μάλα κακὸν, ap. Eund. Item μάλα μικρὸν γήδιον [ib. 8, 3, 38. Divisum interposita præpositione est H. Gr. 4, 5, 1 : Μάλα σὺν πολλῷ φόβῳ ἀπεχώρουν· 4, 7, 7 :] M. πολλὰ
D βλάψας τοὺς Ἀργείους. Interdum etiam jungitur alii adverbio, ut μάλα καλῶς, ἡδέως, σεμνῶς, ut ap. Dem. : Κατέβη μάλα σεμνῶς, aut χαλεπῶς, aut denique alio quopiam. Sic μάλα [μόγις, Plato Theæt. p. 142, B, Reip. 1, p. 342, C,] μόλις, Plut. Ages. p. 198, 199 [c. 13, 15], Valde ægre. Id. vero dixit μάλα μόλις καὶ χαλεπῶς, De Socr. dæm. Sed plerumque ei additur adverbium ἐκ παραλλήλου : ut quum dicitur μάλα σφόδρα, σφόδρα μάλα, Valde vehementer, pro Valde, simpliciter, aut Vehementer. [Αὐτίκα μάλα v. in Αὐτίκα. Αὐτίκα δὴ μάλα Plato Reip. 1, p. 338, B. Καὶ πάνυ μάλα Phæd. p. 80, C.] Dicitur autem et εὖ μάλα, pro Apprime, Oppido quam, Bud. [Hom. H. Ap. 171 : Ὑμεῖς δ' εὖ μάλα πᾶσαι ὑποκρίνασθ' εὐφήμως. Plato Parm. p. 127, B : Εὖ μάλα ἤδη πρεσβύτην εἶναι· Crat. p. 418, B : Εὖ μάλα ἐχρῶντο. Xen. OEc. 14, 7. Inverso ordine Archilochus ap. Stob. Fl. vol. 3, p. 358 : Καὶ μάλ' εὖ βεβηκότας ὑπτίους κλίνουσι. Aristoph. fr. Anagyri ap. Photium s. Suidam v. Ξυννένοφε citatus : Καὶ ξυννένοφε καὶ χειμέρια βροντᾷ μάλ' εὖ. Plato Theæt. p. 156, A : Μάλ' εὖ ἄμουσοι· Soph.

p. 236, D : Μάλα εὖ καὶ κομψῶς.] Verbo etiam junctum reperitur hoc adverbium : Μάλα βουλόμενος, Xen. Hell. 6, [5, 16], Valde volens, pro Cupiens, Expetens. [M. χαίρων Cyrop. 1, 4, 24. H. Gr. 4, 5, 6 : Μάλα ὑπὸ τῶν παρόντων θεωρούμενοι· Cyrop. 4, 2, 5 : Μάλα συμφορὰν τοῦτο ἡγούμεθα εἶναι· H. Gr. 3, 3, 2 : Ὁ Ποτειδᾶν ὡς μάλα σευ ψευδομένῳ κατεμάνυσεν· 7, 1, 25 : Μάλα πολιορκουμένους ἐξελύσαντο τοὺς Ἀργείους.] || Μάλα affirmationi aliquando adhibetur. Hom. Il. B, [241] : Ἀλλὰ μάλ' οὐκ Ἀχιλῆϊ χόλος φρεσὶν, ἀλλὰ μεθήμων, Sed profecto, vel Verum equidem haud inest iracundia animo Achillis. Vel, Sed nimirum. [E, 407 : Ὅττι μάλ' οὐ δηναιός.] Interdum vero ἦ μάλα, item ἦ μάλα δὴ, in hac signif. ap. eund. poetam, ac ceteros [Il. E, 278, Hesiodum Sc. 103 : Ἤθεῖ, ἦ μάλα δή τι πατὴρ ἀνδρῶν τε θεῶν τε τιμᾷ σὴν κεφαλήν. Pind. Pyth. 4, 64, ubi ἦ μάλα δή.] In prosa autem καὶ μάλα, sicut et μάλιστα, est concedentis cum affirmatione, ap. Plat. et Xen. [Comm. 2, 2, 1, etc.], ut si dicas, Sane quidem, Prorsus id quidem. Qua in signif. frequentius etiam dicunt πάνυ γε et πάνυ μὲν οὖν : interdum vero et σφόδρα μὲν οὖν, σφόδρα γε. Aliquando et μάλα γε itidem ut καὶ μάλα. [Μάλα γε, Plato Reip. 8, p. 555, D; 564, E; 568, C. Καὶ μάλα, Phædr. p. 258, B; 263, A, etc. Cum verbo Conv. p. 189, A : Καὶ μάλ' ἐπαύσατο· Reip. 1, p. 334, E : Καὶ μάλα οὕτω ξυμβαίνει. Καὶ μάλα γε Theæt. p. 148, C.] Et εὖ μάλα. Item μάλα τοι, Xen. [Comm. 1, 2, 46] : Μάλα τοι, φάναι τὸν Περικλέα. [Quod aliter positum est ap. Soph. Phil. 854.] Sed et μάλα alicubi sine adjectione, pro eodem. [Καὶ μάλα Æsch. Prom. 727 : Αὗταί σ' ὁδηγήσουσι καὶ μάλ' ἀσμένως. Et alibi. Xen. Cyrop. 6, 1, 36 : Καὶ μάλα δοκοῦντας φρονίμους εἶναι. Plato Reip. 3, p. 413, C : Καὶ μάλ' εἰκότως ὀκνεῖν· Phædr. p. 265, A : Καὶ μάλ' ἀνδρικῶς· Reip. 6, p. 506, D : Καὶ μάλα ἀρκέσει. Addito γε Plato Crat. p. 414, C : Καὶ μάλα γε γλίσχρως. || In interrogatione Pind. Pyth. 2, 78 : Κερδοῖ δὲ τί μάλα τοῦτο κερδαλέον τελέθει; || Cum superlat. inscr. Thessalonic. ap. Bœckh. vol. 2, p. 56, n. 1973, 3 : Εἵνεκεν ἧς ἀρετῆς καὶ σωφροσύνης μάλ' ἀρίστης. Jo. Climac. prolog. ap. Bandin. Catal. Bibl. Med. vol. 1, p. 266, B : Ἐσκόπησεν ὄντως ἀρίστως μάλα. || Explendi versus caussa additum v. in Μάλιστα sub initium.] || Μαλαῶν, Hesychio λίαν πάνυ. Videtur Dor. s. Ion. esse pro μαλοῦν, s. μάλα οὖν. [ἄᾶ]

|| Μᾶλλον, q. d. Validius, cum Horatio : ut μάλα, Valde, Magis, Amplius. Vel, Potius, ap. Hom. Il. Ω, [244] : Ῥηΐτεροι γὰρ μᾶλλον Ἀχαιοῖσιν δὴ ἔσεσθε Κείνου τεθνειῶτος ἐναιρέμεν· dicam autem infra de hoc usu hujus adverbii cum comparativo. Dem. [p. 66, 3] : Ὅσῳ τις ἂν μᾶλλον καὶ φανερώτερον ἐξελέγχῃ Φίλιππον. Huic opponi solet ἧττον. Plato Minoe [init.] : Νόμος γὰρ ἕκαστος αὐτῶν ἐστὶν ὁμοίως, οὐχ ὁ μὲν μᾶλλον, ὁ δ' ἧττον. [Duplex μᾶλλον Magis magisque ap. Eur. Iph. T. 1406 : Μᾶλλον δὲ μᾶλλον πρὸς πέτρας ᾔει σκάφος· Aristoph. Ran. 1001 : Εἶτα μᾶλλον μᾶλλον ἄξεις. Alia exx. affert Photius, qui interpr. ἀεὶ καὶ μᾶλλον. Quod et ipsum perfrequens est, modo addita modo omissa particula καί. V. Wesseling. ad Diodor. 5, 9. Μᾶλλον καὶ μᾶλλον Theodor. Stud. p. 194, D : Μᾶλλον καὶ μᾶλλον ἐντεῦθεν ἐπιδράξασθαι γνησιωτέρας πίστεως. || Præmissa partic. καὶ Hom. Il. N, 638 : Τῶν πέρ τις καὶ μᾶλλον ἐέλδεται. Hesiod. Th. 428 : Ἀλλ' ἔτι καὶ πολὺ μᾶλλον. Orac. ap. Diod. Exc. Vat. p. 1 : Δίζω ἤ σε θεὸν μαντεύσομαι ἢ ἄνθρωπον, ἀλλ' ἔτι καὶ μᾶλλον θεὸν ἔλπομαι. Pind. Pyth. 10, 57.] || Frequentissime ei adjungitur particula ἤ. Plato Phædro : Πένητι μᾶλλον ἢ πλουσίῳ, καὶ πρεσβυτέρῳ ἢ νεωτέρῳ. Isocr. Ad Philipp. : Οὐδεμίαν ἕλοιο ἂν μᾶλλον ἢ ταύτην [et p. 350, C; 351, C], ubi significat Potius : quomodo reddi potest et in seqq. Plut. ll. : Plut. Ad Colot. : Οὐ μᾶλλον τοῖον ἢ τοῖον εἶναι. Idem : Πάντα μᾶλλον ἢ ταῦτα. Thuc. 4, [122] : Εἶχε δὲ καὶ ἡ ἀλήθεια περὶ τῆς ἀποστάσεως μᾶλλον ἢ [ᾗ] οἱ Ἀθηναῖοι ἐδικαίουν. Et sequente ἢ ὅτι, ap. Xen. Cyrop. 6, [2, 2] : Ἔτι μᾶλλον ὑμῖν χάριν εἴσομαι τούτου, ἢ ὅτι χρήματα πάρεστε ἄγοντες, ubi animadverte etiam præfigi particulam ἔτι. [Quæ et apud alios quosvis modo sequitur, ut ap. Hom. Od. A, 322 : Μᾶλλον ἔτ' ἢ τὸ πάροιθεν, modo præcedit. De ἔτι καὶ μᾶλλον v. supra. Rarius cum negatione, ut ap. Aristid. vol. 2, p. 414 : Ὅπου γὰρ οὐδ' ἐλευθέρᾳ γυναικὶ καὶ ἑταίρᾳ ταὐτὰ δοκεῖ

A πρέπειν, οὐδ' ἔτι μᾶλλον ταὐτά γε ἀνδράσι καὶ γυναιξί.] || Nonnunquam μᾶλλον sequentem habet hanc particulam ἤ, præcedente etiam comparativo, ut vides in illo versu Hom. quem modo protuli. Sed ita utuntur et solutæ orationis scriptores sæpissime. Exx. autem affert Bud. p. 395, quibus addere potes ex Æschylo [sec. Thomam p. 596, verba illa per errorem tanquam Æschylea citantem], Μᾶλλον κάλλιον. [Æsch. Sept. 673 : Τίς μᾶλλον ἐνδικώτερος; Et alibi. Soph. Antig. 1210 : Ἕρποντι μᾶλλον ἆσσον. Et sæpius Euripides aliique.] Ex Aristoph. [Eccl. 1131] : Μᾶλλον ὀλβιώτερος. [Quod ipsum est etiam ap. Herodot. 1, 32. Conf. quæ ad Thom. M. v. Μᾶλλον (et ad Herodiani Philet.) a doctis monita sunt. Schweigh. Qui alia exx. Herodotea annotavit in Lex., Platonica Astius.] Ex Dem. [p. 31, 27] : M. φοβερώτερον. Et Aristot. De gener. an. 5 : Ἔτι δὲ καὶ γέροντας γιγνομένους, μᾶλλον ὀξυφωνοτέρους γενέσθαι. Denique ex Isocr. πολὺ κρεῖττον cum infin., ante μᾶλλον ἤ, sequente itidem infin. [Insolentius cum ἧττον Galen. vol. 2, p. 207 : Μᾶλλον μὲν γὰρ τῆς ἐν καρδίᾳ
B νικᾶται ξηρότητος ... ἧττον δὲ τῆς θερμότητος, ἔτι δὲ μᾶλλον ἧττον ὑπὸ τῆς ψυχρότητος. || Repetitur etiam sæpissime post comparativum aliis verbis interpositis ab sequenti ἤ diremtum, ut ap. Plat. Gorg. p. 482, B : Τὴν λύραν μοι κρεῖττον εἶναι ... διαφωνεῖν ... μᾶλλον ἢ κτλ. Sed quod ap. Diod. 1, 2, scriptum est in libris melioribus : Πόσῳ μᾶλλον ὑποληπτέον τὴν προφῆτιν τῆς ἀληθείας ἱστορίαν τῆς ὅλης φιλοσοφίας οἱονεὶ μητρόπολιν οὖσαν ἐπισκευάσαι δύνασθαι τὰ ἤθη μᾶλλον πρὸς καλοκἀγαθίαν, ego oscitanti librario ascribendum putavi, quum prius μᾶλλον desit in sex aliis.] || Sed interdum μᾶλλον gen. habet loco particulæ ἢ cum suo casu : ut μᾶλλον ἐμοῦ pro μᾶλλον ἢ ἐγὼ, ἢ ἐμοῦ, ἢ ἐμοὶ, ἢ ἐμὲ, prout talis vel talis est præcedentis orationis forma. Dem. [p. 998, 22] : Τί μᾶλλον οὗτος ἐγγεγραμμένος ἔσται ἐμοῦ; Aristot. Eth. 2 : M. γὰρ μίαν τὴν οἰκίαν τῆς πόλεως φαίημεν ἂν, Magis dici potest una domus quam civitas. Alicubi tamen cum gen. ponitur, ubi non itidem cum particula ἢ jungi solet : μᾶλλον τοῦ δέοντος, Xenoph. [Comm. 4, 3, 8.] Et μᾶλλον τοῦ συμφέροντος, Antiph.
C p. 116 [129, 31], quum præcessisset πέρα τοῦ προσήκοντος. Sic et quum dicitur παντὸς μᾶλλον, pro eo quod Latine Omnium maxime. Plato Leg. [4, p. 715, D] : Ἀλλ' ἡγοῦμαι παντὸς μᾶλλον εἶναι παρὰ τοῦτο σωτηρίαν τε πόλει καὶ τοὐναντίον· quæ Turn. vertit, Sed quod omnium maxime in hoc civitatis salutem aut contra damnum verti putem. Ex Thuc. autem affertur cum gen., sed habente præp. ἀντὶ, sc., M. βούλομαι τοῦτο ἀντὶ ἐκείνου. || At vero ap. Plat. Apol. Socr. [p. 36, D] legitur μᾶλλον sequentibus adverb. οὕτως et ὡς : Οὐκ ἔσθ' ὅ, τι μᾶλλον πρέπει οὕτως ὡς τὸν τοιοῦτον ἄνδρα ἐν πρυτανείῳ σιτεῖσθαι· sed merito suspectus hic l. fuerit. || Interdum τοσούτῳ μᾶλλον sequente ὅσῳ : ut Latine Tanto magis, sequente Quo. Alicubi vero et ὅσῳ μᾶλλον non præcedente τοσούτῳ. Thuc. [7, 63] : Καὶ ταῦτα τοῖς ὁπλίταις οὐχ ἧσσον τῶν ναυτῶν παρακελεύομαι, ὅσῳ τῶν ἄνωθεν μᾶλλον τὸ ἔργον τοῦτο, ubi schol. scribit μᾶλλον non esse συγκριτικὸν, sed διασαφητικόν. [|| Μᾶλλον ἢ ὁμοίως Καλλίῃ Herodot. 6, 121, pro μ. τοῦ Καλλίεω ἢ ὁμοίως αὐτῷ. Μᾶλλον πολλῷ ἴεσαν τῆς φωνῆς 4, 135,
D intelligendum videtur quasi dixisset μᾶλλον ἴεσαν φωνὴν τῆς εἰθισμένης φωνῆς. Schweigh. Lex.] || Πολὺ μᾶλλον, vel πολλῷ μᾶλλον : ut Latine, Multo magis [Quæ tritissima sunt. Rarius μᾶλλον πολὺ, ut ap. Æsch. Ag. 1330 : Καὶ ταῦτ' ἐκείνων μᾶλλον οἰκτείρω πολύ] : interdum sequente etiam comparativo, ut Πολὺ μ. ἑτοιμότερον, Isæus [p. 47, 45; π. μ. δικαιότερον Andocid. p. 29, 25]. Itidem vero οὐδὲν μᾶλλον, sicut Lat. Nihilo magis. Thuc. 3, [79] : Τῇ δ' ὑστεραίᾳ ἐπὶ μὲν τὴν πόλιν οὐδὲν μᾶλλον ἐπέπλεον. [Plato Reip. 1, p. 340, B : Οὐδὲν μ. ... δίκαιον ἂν εἴη ἢ κτλ. Et alibi.] Sed alicubi apud Eund. exp. simpliciter Non, Nequaquam : 2, [70] : Αἵ τε ἐσβολαὶ ἐς τὴν Ἀττικὴν Πελοποννησίων οὐδὲν μᾶλλον τοὺς Ἀθηναίους ἀπανίστασαν. Quinetiam in priore illo l., schol. οὐδὲν μᾶλλον accipit pro οὐδ' ὅλως. Sic etiam οὐδέν τι μᾶλλον pro Nihilo magis, Non magis, item pro οὐδαμῶς poni docet Bud. p. 938. [De hoc iterum HSt. infra.] Aristot. Pol. 5, sequente particula ἤ : Οὐδὲν μᾶλλον μεταβάλλουσιν οὐδέποτε, ἢ κτλ. Fuit autem οὐδὲν μᾶλλον quoddam etiam loquendi genus Sxepticis

usitatum tuentibus suam ἐποχὴν, ideoque nihilo magis in hanc quam in illam sententiam animo inclinantibus. De quo loquendi genere lege quæ Sextus Emp. scribit in opusculo Pyrrhoniarum Hypotyposeων [1, 188] Latinitate a me donato. Affertur autem et οὐδὲν μᾶλλον ἐρᾷ, ex Aristot. Eth. 9, pro Non continuo amat, Non ideo amat. [Cum duplici negatione οὐδέν τι μᾶλλον ἐπ' ἡμέας ἢ οὐ καὶ ἐπὶ ὑμέας, Herodot. 4, 118. Οὐδὲν μᾶλλον Αἰολεῦσι ἢ οὐ καὶ σφί, 5, 94. Οὐδὲν μᾶλλον τὴν σὴν ἐσθῆτα ἢ οὐ καὶ τὴν ἐμὴν, 7, 16, 3. Schweigh. Lex. Frequens etiam apud alios quosvis μᾶλλον ἢ οὔ, ubi solum μᾶλλον ἢ sufficeret. Xen. H. Gr. 6, 3, 15 : Τί οὖν δεῖ ἐκεῖνον τὸν χρόνον ἀναμένειν, ἕως ἂν ὑπὸ πλήθους κακῶν ἀπείπωμεν, μᾶλλον ἢ οὐχ ὡς τάχιστα ... τὴν εἰρήνην ποιήσασθαι; Aristot. Eth. 4, 1 : Καὶ ῥᾷον δὲ τὸ μὴ λαβεῖν τοῦ δοῦναι· τὸ γὰρ οἰκεῖον ἧττον προΐενται μᾶλλον ἢ οὐ λαμβάνουσι τὸ ἀλλότριον. De μᾶλλον οὔ, posito ubi etiam μᾶλλον ἢ locum haberet, ut σοὶ μᾶλλον, οὐκ ἐκείνῳ, v. Boiss. ad Theophylacti Epist. p. 277.] || Μᾶλλον interdum cum articulo, sicut et ἧττον, diciturque τὸ μᾶλλον et τὸ ἧττον a philosophis, pro Plus et Minus. [Plato Phileb. p. 24, C : Τῷ μᾶλλόν τε καὶ ἧττον. Et alibi sæpe in hoc dialogo.] Aristot. Polit. 8, [7] : Ὃ γὰρ περὶ ἐνίας συμβαίνει πάθος ψυχὰς ἰσχυρῶς, τοῦτο ἐν πάσαις ὑπάρχει· τῷ δ' ἧττον διαφέρει καὶ τῷ μᾶλλον· ubi redditur Minoris et pluris ratione differunt. Ab aliis, Parvitate et magnitudine, Intensione et remissione. Et κατὰ τὸ μᾶλλον ap. Eund., Ratione quantitatis intensioris. || Μᾶλλόν τι, non μαλλοντὶ, ut habent VV. LL., interdum legitur pro μᾶλλον [M. τι περιημέκτεε, Herodot. 1, 114. Ἐλπίζων τὸν θεὸν μᾶλλόν τι τούτοισι ἀνακτήσασθαι, 1, 50. M. τι ἔσπευσαν εἰρήνην ἑωυτοῖσι γενέσθαι, 1, 74. Similiter τὸ δὲ καὶ μᾶλλόν τι ἐπετηδεύθη, 1, 98. Schw. Lex. Plato Reip. 1, p. 330, E, etc.], sicut οὐδέν τι μᾶλλον pro οὐδὲν μᾶλλον. [Soph. Aj. 280 : Πεπαυμένος μηδέν τι μᾶλλον ἢ νοσῶν εὐφραίνεται. Plato Phæd. p. 87, D : Οὐδέν τι μᾶλλον. Et alibi.] Lysias : Οὐ τῶν γεγενημένων μᾶλλόν τι ἕνεκα ἢ τῶν γενησομένων. || Μᾶλλον, pro Potius accipi interdum, docui paulo ante : sed hoc præterea sciendum est, interdum in hac signif. adjungi particulam δὲ, quum sc. eo utitur aliquis velut corrigens quod dixit; atque in ejusmodi ll. reddi etiam Atque adeo, Imo vero. Philo De mundo : Εἰκὸς γὰρ, μᾶλλον δ ἀναγκαῖον, ubi redditur, Atque adeo necessarium. Sed verti etiam potest, Vel potius. Ap. Dem. autem, Καὶ οὐκ ὀλίγα κακὰ εἰργάσατο τὴν πόλιν ἡμετέραν· μᾶλλον δὲ καὶ τοὺς Ἕλληνας, Bud. vertit, Imo vero et alios. Quo accipi modo et a Synes. scribit. Similis autem præcedentibus ll. est hic Aristoph. Pl. [633] : Ὁ δεσπότης πέπραγεν εὐτυχέστατα, Μᾶλλον δ' ὁ Πλοῦτος αὐτός. [Plato Tim. p. 57, E : Χαλεπὸν, μᾶλλον δὲ ἀδύνατον εἶναι. Et alibi. || Seq. superlativo Plato Leg. 6, p. 775, D : Διὸ μᾶλλον μὲν ὅλον τὸν ἐνιαυτὸν καὶ βίον χρὴ, μάλιστα δὲ ὁπόσον ἂν γεννᾷ χρόνον εὐλαβεῖσθαι.] || Sed invenitur etiam Μᾶλλον μὲν οὖν pro [Immo, Gl.] Imo vero, pro quo in VV. LL. scriptum est conjunctim Μαλλονμενοῦν, sicut μάλλονδε : sed utrumque perperam. [Aristoph. Ran. 242 : Μᾶλλον μὲν οὖν φθεγξόμεσθα. || « Sæpe verti potest Nimis (proprie Magis, intell. quam par est, oportet). Plato Phæd. p. 63, D : Θερμαίνεσθαι μᾶλλον διαλεγομένους· Reip. 3, p. 410, E : Μᾶλλον ... ἀνεθέντος αὐτοῦ. Sic ἔτι μᾶλλον Prot. p. 346, A : Ὥστε ἔτι μ. ψέγειν αὐτούς· Euthyd. p. 283, C : Ταῦτ' οὖν διανοηθεὶς ἔτι μᾶλλον εἶπον ὅτι κτλ. » Ast. || Peculiari quadam ratione ap. Jo. Malalam p. 84, 12 : Εἰδὼς ὁ Ἰοβιανὸς ὅτι συνέφαγεν αὐτῷ εἶπε καθ' ἑαυτὸν ὅτι μᾶλλον κατηγορεῖται οὗτος, quod Int. vertit Inique. (Conferenda fort. Gloss. Græcobarb. ap. Ducang. : Ἄνομος γνώμη ἡ ἔξω μᾶλλον νόμου, cujus interpretationem a Meursio propositam merito repudiavit Ducangius.) Idem p. 238, 13 : Αὐτὸς δὲ μᾶλλον ἀνέκραξε, ubi i. esse videtur q. μεῖζον vel μέγα. Chron. Pasch. p. 625, 6 : Δέσποτα, μᾶλλον ὁ θεὸς θέλει σε βασιλεῦσαι. Quod non recte versum videtur ita quasi σὲ scriptum esset. Schol. Platon. Leg. 11, p. 458 : Ἡ δὲ (Phædra) πρὸς τὸν πατέρα κατεῖπεν αὐτοῦ (Hippolyti) ὡς μᾶλλον ἐρῶντος αὐτῆς. Ach. Tat. 1, 10, p. 16, 22 : Τότε γὰρ πάσχειν νομίζει τὸ ἔργον (παρθένος) ὅτε μᾶλλον τὴν πεῖραν ἐκ τῆς τῶν λόγων ἡδονῆς ἀκούει.] Ἐπιμᾶλλον, Multo magis, Vehementius. V. Suidam. [Dictio est Herodotea, Magis magisque, 1, 94; 4, 181; et 3, 104, ubi v. var. lect. Schweigh. Plato Leg. 2, p. 671, A. Alia exx. v. ap. Bast. Ep. crit. p. 184. De accentu singulari disputat Herodian. Π. μον. λ. p. 26, 13. V. Apollon. De adv. p. 577, 33.]

|| Μάλλιον Dor. pro μᾶλλον. Eust. [Od. p. 1643, 32. Hesych. : Μάλιον, μᾶλλον. Alia forma Dor. est Μαλλότερον ap. Pempelum Stob. Flor. vol. 3, p. 123 : Σεμνόν τι καὶ θείας φύσιος πεπαμένον ἁμῖν τὸ τῶν φιτυσάντων ἵδρυμά ἐστι, καὶ ζωόντων πολὺ μαλλότερον ἢ τῶν ἀνεφίκτων ἱδρυμάτων. L. Dind.]

|| Μάλιστα, Maxime, Potissimum, Præsertim. Hom. Od. Φ, [352] : Μῦθος δ' ἄνδρεσσι μελήσει Πᾶσι, μάλιστα δ' ἐμοί· Λ, [124] : Ὅς ῥα μάλιστα Χρυσὸν Ἀλεξάνδροιο δεδεγμένος, ἀγλαὰ δῶρα κτλ. Ab Eod. jungitur μάλιστα superlativo, improprie sicut quum μᾶλλον jungitur comparativo. Il. B, [220] : Ἔχθιστος δ' Ἀχιλῆϊ μάλιστ' ἦν, ἠδ' Ὀδυσῆϊ, ubi Eust. ait esse ἐπίτασιν ἐπιτάσεως. Ceterum quum dicitur μάλιστα, interdum quidem relinquitur subaudiendus gen., ut in illo Hom. l., Πᾶσι, μάλιστα δ' ἐμοὶ, perinde est ac si diceret, μάλιστα δὲ πάντων ἐμοί : interdum vero adjicitur, ut μάλιστα πάντων ἀνθρώπων, [Herodot. 2, 37,] Demostheni, Omnium hominum maxime, Supra omnes homini [« homines » HSt. Ms. Vind.]. Et sine πάντων, ut μάλιστα τῶν ἀνθρώπων. Itidem Aristot. Eth. 1, 10 : Ἀεὶ γὰρ ἢ μάλιστα πάντων, πράξει καὶ θεωρήσει τὰ κατ' ἀρετήν. [M. παντὸς, ut supra παντὸς μᾶλλον, Dionys. A. R. 1, 24 : Ἀνθρώπων δὲ γονῆς τὸ λάχος, χρῆμα παντὸς μάλιστα θεοῖς τιμιώτατον, ὀφείλεσθαι. Ubi HSt. : « Vel πάντων μάλιστα vel παντὸς μᾶλλον forsan scribendum. Ap. Eusebium tamen eadem quæ hic lectio invenitur. » Atque sic 3, 35 : Γένος ἐπιτρεφόμενον δρῶντα τῷ Τύλλῳ, παντὸς μάλιστα ὑποπτεύειν, εἴ τι πάθοι Τύλλος, εἰς τοὺς ἐκείνου παῖδας ἥξειν τὴν ἀρχήν. Et ib. 5, 48, 67; 7, 66; 8, 5. Et 2, 75 : Περὶ ταύτην ᾤετο δεῖν σπουδάσαι παντὸς ἄλλου μάλιστα. Quorum ll. ad exemplum revocandus videtur hic 3, 37 : Ταῦτα καθιστάμενος τὰ πολιτεύματα καὶ διὰ παντὸς μάλιστα ἐλπίσας ἄνευ πολέμου καὶ κακῶν ἅπαντα τὸν βίον διατελέσειν, vel deleto διὰ ex seq. διατελέσειν repetito vel, quod minus placet, addito τούτων. Cit. Schæf.] Sed invenitur μάλιστα πάντων [s. πάντων μάλιστα] quum ap. alios [ut Plat. Phædr. p. 262, C, etc.], tum ap. Aristoph., alium etiam usum habens, nimirum in responsione affirmativa positum : ut si Latine dicas, Maxime omnium, pro Maxime [Av. 1530 : Ἐντεῦθεν ἆρα τοὐπιτριβείης ἐγένετο; — Μάλιστα πάντων] : itidemque ἥκιστα πάντων, Minime omnium, Minime gentium : quum alioqui μάλιστα et ἥκιστα sine adjectione i. valeant q. cum illa, et multo etiam usitatiora sint. Thuc. 1, [74] : Καὶ αὐτὸν διὰ τοῦτο ἐτιμήσατε μάλιστα δὴ ἄνδρα ξένον τῶν ὡς ὑμᾶς ἐλθόντων. Herodian. 2, [7, 15] : Φιλέορτοι δὲ φύσει Σύροι, ὧν μάλιστα οἱ τὴν Ἀντιόχειαν κατοικοῦντες. Affertur autem et μάλιστα ἐκ πάντων, ex Thuc. At Lucian. dixit, Μάλιστα καὶ πρὸ τῶν πάντων. Nonnunquam ei præfigitur πολλῷ diciturque πολλῷ μάλιστα, ut Lat. Multo maxime. Paus. [1, 42, 2] : Ἐμοὶ δὲ παρέσχε μὲν καὶ τοῦτο θαυμάσαι, παρέσχε δὲ πολλῷ μάλιστα Αἰγυπτίων ὁ κολοσσός. Tale est μάλιστα μακρῷ, VV. LL. [fortasse ex Herodoto 1, 171, ubi ordine inverso μακρῷ μ.] Et μάλιστα ὅσον ἠδύνατο, Thuc., ut dicitur Lat. Quam poterat maxime, Quam maxime poterat. Thuc. 2, [22] : Τήν τε πόλιν ἐφύλασσε, καὶ δι' ἡσυχίας μάλιστα ὅσον ἠδύνατο εἶχεν. [Rectius huc refertur Æsch. Prom. 524 : Συγκαλυπτέος ὅσον μάλιστα.] Dicitur vero et ὅτι μάλιστα, vel ὡς μάλιστα, ubi ὅτι et ὡς i. valent q. Quam junctum adverbio Maxime. [V. infra in Μάλιστα cum numeralibus.] Inveniunturque in nonnullis vett. codd. ita scriptæ hæ particulæ, ac præsertim ὅτι, ut cohæreant cum adverbio μάλιστα, et una vox efficiatur. [Plato Reip. 2, p. 382, D : Ἀφομοιοῦντες τῷ ἀληθεῖ τὸ ψεῦδος ὅτι μάλιστα· Crat. p. 435, A : Εἰ δ' ὅτι μ. μή ἐστι τὸ ἔθος ξυνθήκη, οὐκ ἂν καλῶς ἔτι ἔχοι κτλ. Et alibi sæpe similiter. Cum ὡς Thuc. 1, 141 : Οἱ μὲν ὡς μ. τιμωρήσασθαί τινα βούλονται.] Sed hoc addo, Xen. [Anab. 1, 1, 6] dixisse, ὡς ἠδύνατο μάλιστα, pro eo quod dicit Thuc. ὅσον μάλιστα ἠδύνατο. [Plato Reip. 2, p. 361, D : Ὡς μ. δύναμαι· Gorg. p. 510, B : Ὡς οἷόν τε μ. Phædr. p. 277, A : Εἰς ὅσον ἀνθρώπῳ δυνατὸν μ. Soph. p. 239,

B : Ὅ,τι μ. δύνασαι.] At sine adjectione tam ac, quam illa, redditur vel Maxime, vel Potissimum, vel Præcipue, vel Præsertim. Lucian. [D. mort. 1, 2]: Ὅπως δὲ εἰδῶ μάλιστα ὁποῖός τις ἐστὶ τὴν ὄψιν; ubi Bud. vertit Potissimum : ita reddens hunc l., Quomodo autem scire potero potissimum qualinam sit ille facie? Idem, postquam μάλιστα dixit poni pro Præcipue, Potissimum, In primis, affert ex Dem. In Tim. p. 292 [702, 9]: Μάλιστα μὲν διὰ τοὺς θεούς, ἔπειτα δὲ καὶ διὰ τοὺς δικάζοντας ὑμῶν ἐσώθην. Ex Eod. : Σωθείσης τῆς νεὼς διὰ τοὺς θεοὺς μάλιστά γε, εἶτα διὰ τὴν τῶν ναυτῶν ἀρετήν. Item Pro cor. : Ἃ πολλῶν μὲν ἕνεκα εἰκότως ἀκούσετέ μου, μάλιστα δ' ὅτι αἰσχρόν ἐστι κτλ. [Soph. Phil. 1285 : Ὄλοισθ' Ἀτρεῖδαι μὲν μάλιστ', ἔπειτα δὲ ὁ Λαρτίου παῖς· OEd. T. 647 : Μάλιστα μὲν τόνδ' ὅρκον αἰδεσθεὶς, ἔπειτα κἀμέ. Similiter Isæus Menecl. § 20 : Μάλιστα μὲν ὑπὸ τῆς ἐρημίας ἐπείσθη, δεύτερον δὲ κτλ.] Sæpe vero dicitur καὶ μάλιστα, vel μάλιστα δέ. [Hoc ap. Dionys. A. R. 6, 62 : Καὶ μ. οὐδὲ πιστευθήσονται πρὸς αὐτῶν οἱ ... προθυμηθέντες. Diodor. 1, 43 : Πολλὴν δαψίλειαν παρεχομένου τοῦ ποταμοῦ καὶ μάλισθ' ὅτε ... ἀναξηραίνοιτο.]

|| Μάλιστα jungitur etiam articulo, idque non uno modo. Dicitur enim non solum τὰ μάλιστα, s. ταμάλιστα conjunctim [ut ap. Æsch. Sept. extr. : Ὅδε Καδμείων ἤρυξε πόλιν μὴ ἀνατραπῆναι μηδ' ἀλλοδαπῶν κύματι φωτῶν κατακλυσθῆναι τὰ μάλιστα. Sed ubi sublata inutili appendice τὰ μάλιστα scribendum : Μὴ ἀνατραπῆναι μηδ' ἀλλοδαπῶν | κύματι φωτῶν κατακλυσθῆν, ut stropha et antistropha finiatur fabula, quemadmodum in Supplicibus fecit poeta. Nunc absurde duo duobus hemichoriis tribuuntur systemata anapæstica, una dipodia inter se disparia. Simile versus complementum est μάλιστά γε in Byzantini hominis emblemate Eurip. Iph. A. 364 : Ὡς φονεὺς οὐκέτι θυγατρὸς σῆς ἔσῃ μάλιστά γε, et μάλα ap. Theodor. Stud. p. 600, D : Ὑμεῖς ἔπαρχοι καὶ διαιτηταὶ μάλα τῶν τῆς ἀδελφότητος ἀμφιασμάτων· 611, D : Καρποὺς ἀνεβλάστησας ἀφθάρτους μάλα· 618, A : Τάφος πέφηνα Διονυσίου μάλα. Habet vero τὰ μάλιστα Herodot. 2, 147 : Εἶναι φίλους τὰ μάλιστα. Plato Critiæ p. 108, D : Τούς τε ἄλλους κλητέον καὶ δὴ καὶ τὰ μάλιστα μνημοσύνην· Leg. 7, p. 794, D : Καὶ δὴ τά γε μάλιστα πρὸς τὴν τῶν ὅπλων χρείαν· 811, D : Μετριώτατοι (λόγοι) καὶ προσήκοντες τὰ μάλιστα ἀκούειν νέοις. L. D.], sed etiam ἐς τὰ μάλιστα : item ἐν τοῖς μάλιστα. Accipitur autem τὰ μάλιστα, pro μάλιστα, sicut τὰ πρῶτα, pro πρῶτα : unde etiam ταμάλιστα conjunctim scriptum invenitur, sicut ταπρῶτα. Alicubi vero redditur et Maxima ex parte : quam signif. habet et ap. Thuc. Sed ap. Aristot. etiam Universaliter. Item ἐς τὰ μ., pro Maxime, Summe : nec non Maxima ex parte, VV. LL. Sed et nonnullis ll. adhiberi videtur ἐς τὰ μ., quibus et ἐν τοῖς μ. non minus commode adhiberi possit : ut quum dicit Dem. In Mid. : Εἰσὶ μὲν εἰς τὰ μάλιστα αὐτοὶ πλούσιοι, perinde est, meo quidem judicio, ac si dixisset, ἐν τοῖς μάλιστα πλούσιοι. [Herodot. 1, 20 : Ἐόντα Θρασυβούλῳ ξεῖνον ἐς τὰ μ. 6, 89 : Ἔσαν σφι φίλοι ἐς τὰ μάλιστα. Sine articulo scriptor Philopatridis c. 9 : Ἐς μ. κατωρθωκότος.] Utitur autem hoc Plato Ep. 10 [p. 358, B]: Ἀκούω Δίωνος ἐν τοῖς μάλιστα ἑταῖρον εἶναί σε, ubi apte reddi posse arbitror, Ut qui maxime. Sic Plut. Alcib. [c. 24]: Τἆλλ' οὖν ὠμὸς ὢν καὶ μισέλλην ἐν τοῖς μάλιστα Περσῶν ὁ Τισσαφέρνης. [V. Ἐν vol. 3, p. 961, B (ubi v. 10 del. verba bis posita « etiam ... nomine »). Plato Conv. p. 173, B : Ἐραστὴς ὢν ἐν τοῖς μάλιστα τῶν τότε. Et alibi sæpe cum aliis multis. Cum superlativo Ælian. V. H. 14, 40 : Ἀλέξανδρος ἐν τοῖς μάλιστα ἔδοξεν ὠμότατος εἶναι. Et similiter Thuc. 7, 29 : Τὸ γένος τὸ τῶν Θρᾳκῶν ὁμοῖα τοῖς μάλιστα τοῦ βαρβαρικοῦ ἐν ᾧ ἂν θαρσήσῃ φονικώτατόν ἐστι. Quæ formula cum verbo vel adjectivi positivo est ap. Herodot. 3, 8 : Σέβουσι τὴν πίστιν ὁμοῖα τοῖσι μάλιστα· 7, 118 : Ἀνὴρ δόκιμος ὁμοῖα τῷ μάλιστα· 141. Demosth. p. 1473, 11 : Εὔνουν τῷ πλήθει τοῖς μάλισθ' ὁμοίως.]

|| Μάλιστα, sequente [εἰ δὲ, ut ap. Soph. Tr. 699 : Μάλιστα μὲν μέθες ..., εἰ δ' οἶκτον ἴσχεις, ἀλλά μ' ἐκ γε τῆσδε γῆς πόρθμευσον. Vel εἰ μὴ δὲ s.] εἰ δὲ μή, frequens ap. classicos etiam scriptt. [Soph. Phil. 617 : Οἴοιτο μὲν μάλισθ' ἑκούσιον λαβὼν, εἰ μὴ θέλοι δέ. Et alibi sæpe.]

A Ap. Dem. Pro cor. [p. 282, 19] in quodam Psephimate : Μάλιστα μὲν τὴν πρὸς ἡμᾶς ὁμόνοιαν διατηρεῖν καὶ τὰς συνθήκας· εἰ δὲ μή, πρὸς τὸ βουλεύσασθαι δοῦναι χρόνον τῇ πόλει. Ap. Eund. In Mid. : Τοῦτο δ' ἐστὶ, μάλιστα μὲν, θάνατος· εἰ δὲ μή, πάντα τὰ ὄντα ἀφελέσθαι. Isocr. Busir. : Μάλιστα μὲν οὐ ποιήσεις· εἰ δὲ μή, κτλ. Itidem Plut. Demetrio p. 289 [c. 47] : Καὶ διαπεμπόμενος ἠξίου μάλιστα μὲν περιϊδεῖν αὐτὸν αὐτονόμων τινὰ βαρβάρων κτησάμενον ἀρχήν· εἰ δὲ μή, τὸν χειμῶνα διαθρέψαι τὴν δύναμιν αὐτόθι. Extant autem et alia passim exx. hujus generis loquendi, in VV. LL. tamen prætermissa. Quomodo autem reddi Latine possit, invenisse tandem mihi videor ap. Terent. : in cujus Andria legimus, act. 2, sc. 1 : C. Nunc te per amicitiam et per amorem obsecro, Principio ut ne ducas. P. Dabo equidem operam. C. Sed si id non potes, Aut tibi nuptiæ hæ sunt cordi. Plane enim in hoc Terentii l., Principio quidem, est quod dixisset Dem. aut alius Atticus scriptor, μάλιστα μέν : deinde, Sed si id non potes, quod ille dixisset, εἰ δὲ μή. Fateor tamen non B perinde ll. omnibus hanc interpret. convenire : sed lectoris erit alias ad hujus exemplum excogitare.

|| Μάλιστα et Μάλιστά γε, sicut μάλα, vel μάλα γε, adhibetur non raro affirmativæ responsioni, sicut et Lat. Maxime. [Soph. Trach. 669 : Οὐ δή τι τῶν σῶν Ἡρακλεῖ δωρημάτων; — Μάλιστά γε· OEd. T. 994 : Ἦ ῥητὸν ἢ οὐχὶ θεμιτὸν ἄλλον εἰδέναι; — Μάλιστά γε.] Aristoph. [Pl. 826] : Καρ. Δηλονότι τῶν χρηστῶν τις, ὡς ἔοικας, εἶ. Δικ. Μάλιστα. Xen. [Comm. 2, 7, 5] : Ἆρα οὖν, ἔφη, τεχνῖταί εἰσιν οἱ χρήσιμόν τι ποιεῖν ἐπιστάμενοι; Μάλιστά γε, ἔφη. Alia autem exempla passim ille itidemque Plato [cujus ll. annotavit Astius] atque alii, quorum dialogica scripta extant, suppeditabunt.

|| Μάλιστα adjungitur etiam nominibus numeralibus ap. Thuc. et Xen. atque alios ; sed ap. illum frequenter. Quibus in ll. quidam interpr. Fere; alii, assentiente Bud., Circiter; sed et hæc interpr. mihi suspecta est. Thuc. 1 : Κερκυραῖοι δὲ τριάκοντα ναῦς μάλιστα διαφθείραντες· 2 : Ἐν τεσσαράκοντα μάλιστα ἡμέραις· 3, [29] : Ἡμέραι δὲ μάλιστα ἦσαν τῇ Μιτυλήνῃ ἑαλωκυίᾳ C ἑπτά. Eod. l. [92] : Ἀπέχουσα Θερμοπυλῶν σταδίους μάλιστα τεσσαράκοντα, ubi schol. exp. κατὰ ἀκρίβειαν : sicut alibi ἀκριβῶς. [Atque sic alibi. Similiter 1, 93 : Τὸ δὲ ὕψος ἥμισυ μάλιστα ἐτελέσθη οὗ διενοεῖτο.] Xen. Hell. 5, [2, 31] : Μ. τετρακόσιοι. Pausan. : Ἕβδομον μάλιστα γεγονὼς ἔτος. [Similiter Plato Conv. p. 175, C : Μάλιστα σφᾶς μεσοῦν δειπνοῦντας. Dionys. A. R. 9, 63 : Ἦσαν γὰρ μέσαι νύκτες μάλιστα.] Sic autem Μάλιστά πῃ, ap. Plat. in Tim. [p. 21, B, ubi πῃ μ. Μάλιστά κῃ ap. Herodot. 1, 191, etc. Et ap. eundem 7, 22 : Ἐκ τριῶν ἐτέων κου μάλιστα. Eodem ordine Dionys. A. R. 5, 16 : Περὶ τὴν πρώτην που μάλιστα φυλακήν. Synes. Ep. 4, p. 162, C : Τριτημόριόν που μάλιστα γυναῖκες.] Μάλιστά που, ap. Pausan. [Diod. 19, 98 : Σταδίους μ. που πενταχοσίους, ubi nonnulli πως], μάλιστά πως, ap. Polyb. [2, 41, 13, Diodorum Photii Exc. p. 516, 41 : Οἴκου μ. π. ἐννεακλίνου. || Cum τίς est Potissimum, ap. Soph. OEd. C. 672 : Τοῦ μάλιστ' ὄκνος σ' ἔχει; Plat. Conv. p. 218, C : Οἶσθα οὖν ὅ μοι δέδοχται; — Τί μάλιστα; Et alibi sæpe ap. eundem. || Cum superlat. Hom. D Il. B, 220 : Ἔχθιστος δ' Ἀχιλῆι μάλιστ' ἦν ἠδ' Ὀδυσῆι, secundum nonnullorum interpretationem : sed hoc quidem l. præstat vertere Potissimum. Antiatt. Bekkeri p. 108, 16 : Μάλιστα ὁμοιότατος. Ἡρόδοτος πέμπτῳ (?). Diodor. 12, 75 : Τοὺς μάλιστα νεωτάτους καὶ ... ἰσχύοντας, nisi legendum καὶ μάλιστα ἰσχ. Theolog. arithm. p. 4 : Μάλιστα πάντων ἐπιτηδειοτάτη. Euseb. H. E. 1, 1, p. 1, 6 : Ἐν ταῖς μάλιστα ἐπισημοτάταις παροικίαις· et ib. p. 3, 8. Phalaris Epist. 90, p. 258, 38 : Τῶν μ. εὐνουστάτων. Ubi v. Lennep. Improbant hoc in prosa factum Thomas p. 596 et Herodian. Philet. p. 460. Μάλιστα pro μᾶλλον Apoll. Rh. 3, 91 : Ἥρη Ἀθηναίη τε πίθοιτό κεν ὔμμι μάλιστα ἢ ἐμοί. Cum genitivo in putida Eur. Iph. A. clausula 1594 : Ταύτην μάλιστα τῆς κόρης ἀσπάζεται. Quæ non recte Schæferus ad Dionys. p. 282 comparat cum verbis illius : Ὃ δὲ μάλιστα τῶν ἄλλων θαυμάζειν ἄξιον, ubi μάλιστα ponit putat pro μᾶλλον. || In libris sæpe confunditur cum κάλλιστα, ut ap. Dion. Chr. Or. 7, vol. 1, p. 228, ubi ἐξενίσαμεν αὐτοὶ ὡς ἐδυνάμεθα μάλιστα scriptum eodem vitio ut

ὡς ἐδύναντο μάλιστα in libris melioribus Xen. Anab. 6, 4, 9, pro κάλλιστα. D. Dind.]

[Μαλαβάθρινος. Gl. : Μαλαβάθρινον, Foliatus. Diosc. 1, 75 : Νάρδινον μύρον ποικίλως σκευάζεται διὰ τοῦ μαλαβαθρίνου («φύλλου Ald., μύρου cod. X» Sprengel.).]

Μαλάβαθρον, s. Μαλόβαθρον, τὸ, Malobathrum, arbitrantur aliqui esse Indici nardi folium, falsi quadam odoris cognatione: sed est folium sui generis, quod Indicæ gignunt paludes, lentis palustris modo innatans aquis sine radice. Tradunt siccatis æstivo fervore aquis humum aridis fruticibus uri: quod ubi non evenerit, ne amplius quidem renasci. Plura v. ap. Diosc. 1, 11, et Plin. 12, 26. Sed hic arborem esse dicit: Dat et malobathron Syria, arborem folio convoluto, arido colore: ex quo exprimitur oleum ad unguenta: ut sane Paul. Ægin. 4, 48 : Φύλλου μαλαβάθρου σφαιρία β'. Et Geopon. 6, 6 : Φύλλου μαλαβάθρου σφαιρία ε'. Aetius appellat etiam φύλλον σκύλματος: alii φύλλον Ἰνδικὸν, quidam κατ' ἐξοχὴν et φύλλον nominant. Ferunt apud Indos nasci in ea regione, quæ Malaber dicitur: vernacula ipsorum lingua Bathrum s. Bethrum appellari: inde Græcos comp. voce nominasse μαλάβαθρον. Ut inde clarum sit, rectius scribi μαλάβαθρον, per α in secunda syllaba, ut sane scriptum ap. Diosc., Galen., Aet., Paul. Ægin., Geoponicῶν auctores: ap. Plin. vero Malobathrum aliquot in locis scriptum est, quomodo et ap. Arrian. [Peripl. mar. Erythr. p. 173 ed. Blanc. Wakef.] legi tradunt. Horat. Od. 2, 7, Malobathrum vocat unguentum malobathrinum: Cum quo morantem sæpe diem mero Fregi, coronatus nitentes Malobathro Syrio capillos. Ita Tibullus Nardum pro nardino s. spicato unguento: Jamdudum Syrio madefactus tempora nardo. Plin. et Plaut. Foliatum unguentum vocant. [V. Vincent. *Translation of Arrian's Periplus of the Erythr. Sea*, part. 2 append. Schneider.]

Μαλάγας, Hesychio θύλαξ, ἀσκὸς, Saccus, Uter. V. Μαλάκιον.]

[Μᾰλᾰγή, ἡ, ap. Theod. Stud. p. 278, A : Μηδὲ (l. μήτε) γὰρ δυνατὸν ἰατρὸν τὸν ἠρρωστηκότα θᾶττον ἀπαλλάξαι τῆς νόσου μήτ' αὖ ἵππον ἀκρατῆ ἢ ξηρὸν πτόρθον τὸν μὲν εὐχάλινον, τὸν δὲ εὐθύτομον ἐξαυτῆς καταστήσασθαι, εἰ μὴ τοῖς κατὰ μικρὸν ποππυσμοῖς τε καὶ χολακεύμασι, μαλαγαῖς τε καὶ ἐπικλήσεσι χρώμενον τὸν τῶν τοιούτων ἐμπειρότατον, Int. vertit Molles attrectationes. L. Dindorf.]

Μάλαγμα, τὸ, Id quo aliquid mollitur, Quod ad molliendum adhibetur: Latinis quoque non ignotum vocabulum: μάλαγμα, inquit Gorr., proprie vocant Medici, Quod partes præter naturam induratas emollit. Temperamento id omne mediocriter calido præditum sit oportet, nec tamen manifeste aut siccet aut humectet; sic enim partium induratarum, quibus admotum fuerit, veluti fusionem quandam molietur. Is enim est malagmatis usus, ut quod in duris partibus concrevit, fundatur. Quod quum effectum fuerit, tum digerentibus medicamentis locus est, ut quod calore fusum fuerit, resolvatur. Verum nescio, inquit Galen., qua ratione inducti Asclepiades et Andromachus omnia pharmaca, quæ foris imponuntur, sive emolliant, sive astringant, condensent, indurent, Malagmata appellarint. Quos postea secuti alii Medici, tres maxime eorum differentias, ut ex Anthyllo refert Orib., statuerunt: alia ex quibusdam siccis radicibus, herbis, seminibus: alia ex metallicis, aut iis quæ metallicis proportione respondent: alia ex succis, sevo, lacrymis, et iis quidem omnibus diversa facultate præditis. Sic fit ut μαλάγματα, ἔμπλαστρα et τροχίσκοι confundantur: inter quæ tamen Cels. 5, [17] distinguit, scribens, Malagmata maxime ex floribus eorumque etiam surculis parari; sed Emplastra et Trochiscos magis ex quibusdam metallicis fieri: deinde vero malagmata contusa abunde mollescere, laboriose vero conteri ea, ex quibus emplastra et trochisci componuntur, ne lædant vulnera, quum imposita sint. Est vero et malagmatum in eis admovendis differentia: aut enim mediis corporis regionibus; quæ proprie ἐπιθέματα, inquit Paulus, appellant; ut ventriculo, jecinori, lieni imponuntur; aut extremis partibus, ut capiti et articulis. Diosc. : Μίσγεται τοῖς μαλάγμασι τοῖς

A ἁρμόζουσι πρὸς τὰς σκληρίας καὶ δέσεις τῶν νεύρων. [Theophr. fr. 4 De odor. 61 : Ἃ δή τινες μαλάγματα καλοῦσι. Toup. ad Longin. 32, 5 : Φησὶ (Plato Tim. p. 70, C) τὴν τοῦ πλεύμονος ἰδέαν ἐνεφύτευσαν, μαλακὴν καὶ ἄναιμον καὶ σήραγγας ἐντὸς ἔχουσαν, οἷον μάλαγμα, ἵν' ὁ θυμὸς, ὁπότ' ἐν αὐτῇ ζέσῃ, πηδῶσα εἰς ὑπεῖκον μὴ λυμαίνηται. «Alcinous De doctrin. Plat. c. 23 : Τὸν πνεύμονα δὲ ἐμηχανήσαντο τῆς καρδίας χάριν μαλακόν τε καὶ ἄναιμον, ... ὅπως ἔχῃ μάλαγμα πηδῶσα ἡ καρδία κατὰ τὴν ζέσιν τοῦ θυμοῦ. Rufus Ephes. 2, 63 : Κατεσκεύασται δὲ ὁ ἐπίπλους, ὡς ἂν τοῖς ἐντέροις εἴη μάλαγμα πρὸς τὴν ἀπὸ τοῦ περιέχοντος αὐτὰ σκληρίαν περιτοναίου. || Est et verbum nauticum. Hesych. : Σπεῖραι, σειραὶ, δράγματα. Καὶ τὰ μαλάγματα τῶν νεῶν. Intelligit funes complicatos, quos lateribus navium, quum in portu sunt, appendunt nautæ, ne attritu inter se detrimenti quid capiant. Angl. *Fenders*. Interpretes non intellexerunt. Σύστρεμμα ἐκ σχοινίου vocat supra Hesychius. (Ejusd. gl. Μαλατῆρες, ναῦται, conferunt intt.) Huc alludere videtur Plut. Mor. p. 618, F : Διίστημι δὲ καὶ στραγγαλιῶν-
B τας καὶ φιλολοιδόρους καὶ ὀξυθύμους ἀλλήλων, τινὰ παρεντιθεὶς μέσον ὥσπερ μάλαγμα τῆς ἀντιτυπίας.» || De usu voc. ap. Tacticos, ib. a Toupio memorato, Wessel. ad Diod. 17, 45 : Διπλᾶς διφθέρας πεφυκωμένας) «Μαλακαὶ καὶ συνενδιδοῦσαι κατασκευαὶ c. 43. Alibi (20, 92) ἐκ βυρσῶν περιερραμμένα, πλήρη ἐρέων, εἰς τὸ τὴν πληγὴν (τῇ πληγῇ) ἐνδιδόναι τῶν λιθοβόλων. Mechanicis μαλάγματα, uti Philoni Poliorc. p. 91 et 95.» || «Μαλάγματα in Glossis chymicis Mss. εἰσὶ πάντα τὰ ξανθὰ καὶ τελειούμενα.» Ducang.]

[Μαλαγματίζω, Malagmata appono, s. Vulnus curo, sano malagmatis, omninoque cataplasmo. Symm. Hos. 6, 1, μαλαγματίσει sec. cod. Barber. e diversa ed. Symmachi. Schleusn.]

[Μαλαγματώδης, ὁ, ἡ, Qui est in modum malagmatis, quod voc. v. Galen. vol. 2, p. 105, 36; Alex. Trall. 11, p. 632=191. Struv.]

[Μαλαγμὸς, ὁ, explicatur ὀργασμὸς in scholiis Mss. in Hippocratem ap. Brunck. Lex. Soph. v. Ὀργασμὸς, ut sit q. d. Mollitio vel Subactio.]

C [Μάλαθρον pro μάραθρον, τὸ, Fœniculum, habet Myrepsus De antidotis c. 411, ut et Agapius in Geoponico c. 97. Ducang.]

[Μαλαιώτης, ὁ, qui memoratur ap. Strab. 5, p. 226 : Ἐν δὲ τῷ μεταξὺ τόπος ἐστὶ καλούμενος Ῥηγισούιλλα· ἱστορεῖται δὲ γενέσθαι τοῦτο βασίλειον Μαλαιώτου Πελασγοῦ, rectius scribi Μάλεω τοῦ Πελασγοῦ (liber unus Μαλαιὼ τοῦ Π.) ostendere videtur quod ap. Hesych. in Αἰώρα scriptum est ἐπὶ τῇ Μαλέου Τυρρηνοῦ θυγατρὶ (sic enim Vales. Emend. 4, 11, p. 112, pro τημαλέου τυράννου), etsi Μαλεώτου τοῦ Τυρρηνίου est ap. Etym. M. in Ἀλῆτις.]

[Μάλακα, ας, ἡ, Malaca, urbs Hispaniæ. Strabo 3, p. 156, 158, 161, 163. V. Μαλάκη.]

[Μᾰλᾰκαίπους, οδος, ὁ, ἡ, forma poetica pro μαλακόπους, cui similes μεσαίγεως, μεσαιπόλιος. Theocr. 15, 103 : Μαλακαίποδες Ὧραι, ubi alii divisim μαλακαὶ πόδας. Angl.]

[Μαλακαύγητος, ὁ, ἡ, Oculo mollis, epith. somni in carmine Aristotelis ap. Diog. L. 5, 7, Athen. 15, p.
D 696, C. Μαλακευνήτοιο Coraes ad Strab. vol. 5, p. 140 ed. Gall.]

[Μαλάκεια, τὰ, i. q. μαλάκια s. μαλάχεια, quæ v. Pisces, Oppian. Hal. 1, 638 : Ἀλλ' ὅσα μὲν μαλάκεια φατίζεται.]

[Μαλακευνέω, Molliter decumbo. Hippocr. p. 379, 27 : Μαλακευνείτω. Alios ejusdem ll. indicat Foes. in OEc. Hipp.]

[Μαλακεύνητος. V. Μαλακαύγητος.]

[Μαλακευτικὸς, ἡ, ὸν, Vim leniendi habens. Schol. Hom. Il. A, 582 : Πραέσι, μαλακευτικοῖς. Nisi scribendum μαλακτικοῖς.]

[Μαλάκη, ἡ, Malace, πόλις Ἰβηρίας. Μαρκιανὸς ἐν β' τῶν ἐπιτομῶν Ἀρτεμιδώρου. Τὸ ἐθνικὸν Μαλακιτανὸς, Steph. Byz. V. Μάλακα.]

[Μαλακηνὸς, ὄνομα κύριον, sec. Suidam, cujus libri nonnulli Μαλακεινός.]

Μαλακία, ἡ, Mollities [Gl.], plerumque de Mollitie animi ignava et effeminata: ut Sallust., Inertia et mollitia animi alius alium expectantes; Cic., Officia deserunt mollitia animi; Idem, Quarum mores lapsi ad mollitiem pariter sunt immutati cum cantibus; Horat., Vincere quamlibet mulierculam mollitia. Thuc. 1, [122] : Οὐκ ἴσμεν ὅπως τάδε τριῶν τῶν μεγίστων ξυμφορῶν οὐκ ἀπήλλακται, ἀξυνεσίας, ἢ μαλακίας ἢ ἀμελείας. [2, 40 : Φιλοκαλοῦμεν γὰρ μετ' εὐτελείας καὶ φιλοσοφοῦμεν ἄνευ μαλακίας. Schol. τὰ δυσχερῆ τῆς πενίας ὑπομένομεν. 5, 7 : Ἀναλογιζομένων τὴν ἐκείνου ἡγεμονίαν πρὸς οἵαν ἐμπειρίαν καὶ τόλμαν μετὰ οἵας ἀνεπιστημοσύνης καὶ μαλακίας γενήσοιτο. Plato Reip. 3, p. 398, E : M. καὶ ἀργία· 410, D : M. τε καὶ ἡμερότητος· Gorg. p. 491, B : Διὰ μαλακίαν ψυχῆς· Leg. 8, p. 836, E : Τοῦ ταῖς ἡδοναῖς ὑπείκοντος καὶ καρτερεῖν οὐ δυναμένου ψέξει πᾶς τὴν μαλακίαν. Demosth. p. 158, 10 : Διὰ ῥᾳθυμίαν ἢ μαλακίαν. Isocr. p. 71, E.] Plut. De deo Socr. : Τὰς τῶν πολεμίων μαλακίας. Aristot. Eth. 3, 7 : Μαλακία γὰρ τὸ φεύγειν τὰ ἐπίπονα· 7, 7 : Ἡ τρυφὴ μ. τις ἐστί. Eod. l. cap. 1, scribit dicendum sibi esse περὶ μαλακίας καὶ τρυφῆς. Xen. Cyrop. 8, [8, 15] : Τῶν Μήδων μαλακίαν διασώζονται, de Persis, quos ibid. dicit usos fuisse τῇ Μήδων στολῇ καὶ ἁβρότητι, et vocat θρυπτικούς. Et τὴν θρύψιν αὐτῶν σαφηνίσειν se dicens, inter alia dicit eos τὰς εὐνὰς μαλακῶς ὑποστρώννυσθαι, et μαλακῶς καθῆσθαι: accipiens ibi synonymως μαλακίαν, θρύψιν, ἁβρότητα. Idem Symp. [8, 8] : Οὐχ ἁβρότητι χλιδαινομένου, οὐδὲ μαλακίᾳ θρυπτομένου, ἀλλὰ πᾶσιν ἐπιδεικνυμένου ῥώμην τε καὶ καρτερίαν· sic et in l. paulo ante citato, ab eo opponuntur sibi invicem μ. et καρτερία, et ap. Suid. μ. et φυγοπονία : quemadmodum a Plut. in Fab. [Sertorio c. 6] copulantur μ. et ἀνανδρία. Isocr. Ad Phil. : Διὰ μαλακίαν ἢ ῥᾳθυμίαν ἐγκαταλιπεῖν, Inertia et mollitia animi, ut paulo ante ex Sallust. [Παράγων ἄνδρα πρεσβύτερον θεραπείαις καὶ μαλακίαις, Isæus p. 73, 8. Hemst.] || Utitur hoc vocab. etiam Cæsar [B. G. 3, 15], Malaciam maris appellans, quum fluctus omnino quiescunt et quasi languent, nec ulla aura commoventur : Tanta subito malacia ac tranquillitas extitit, ut sese loco movere non possent. Sic Undæ molles, Lucr. || Stomachi malacia ap. Plin. Debilitas et languor : 28, 7, de lacte muliebri : Et in malacia stomachi, in febribus, rosionibus, efficacissimum experiuntur. Idem Plin. defectiones mulierum a conceptu, Malacias in prægnantibus vocare solet, quum defectæ et languentes modo hoc, modo illud appetunt : quod et κίττα s. κίσσα, διὰ τὸ τοῦ ζώου ποικίλον : 23, 6 : Malicorium expetitur gravidarum malaciæ. Ibid., Horum semen edendum præcipiunt in malacia prægnantibus. Hesychio quoque μαλακία est βλακία et νόσος. [Ps.-Herodot. V. Hom. c. 36 : Συνέβη τὸν Ὅμηρον τελευτῆσαι τῇ μαλακίῃ. ||« Πρῶτον τῶν ἑπτὰ σαρκικῶν ἁμαρτημάτων, in Pœnitentiali Ms. Alter Canon Pœnitentialis Ms. Jo. Chrysostomi nomen præferens : Ὁ πεσὼν εἰς μαλακίαν. Rursum : Ἐὰν γυνὴ εἰς μαλακίαν ἑαυτὴν ἐκδώσασα ταῖς ἰδίαις χερσὶ, ἔστω ἀκοινώνητος ἔτη ς'. Jo. Jejunator in Pœnitentiali : Ὁ μαλακίαν διαπραξάμενος. Idem p. 79 : Μαλακίας, ἧς δύο εἰσὶν διαφοραὶ, μία μὲν ἡ διὰ οἰκείας χειρὸς ἐνεργουμένη, ἑτέρα δὲ δι' ἀλλοτρίας. Μαλακίαν δουλεύειν, Mollitiem pati, in Pœnitentiali anon. ap. Morinum p. 119. » Ducang.]

Μαλακίας, ὁ, Malacus, Mollis, de homine molli et effeminato, ut et μαλακός. [Ex Suida, cujus libri meliores Μαλακίαν et Μαλακίων.]

Μαλακιάω, Mollis sum, Mollitie laboro, Flaccesco, VV. LL. Plerumque capitur pro Langueo, Æger sum, Ægroto. Lucian. [Lexiph. c. 2] : Μαλακιῶ τὸ σῶμα. Xen. Cyneg. [5, 2] : Αἱ κύνες μαλακιῶσαι τὰς ῥῖνας οὐ δύνανται αἰσθάνεσθαι, Infirmitate narium laborantes et mollitudine, Bud. Plut. [Mor. p. 559, F] : Καὶ τῶν βοῶν, ἂν εἰς τὰς χηλὰς μαλακιῶσι, προσαλείφειν τὰ ἄκρα τῶν κεράτων, ubi nota eum dicere εἰς τὰς χηλὰς μαλακιῶσι pro τὰς χηλὰς μαλακιῶσι. [Themist. Or. 4, p. 50, C : Κεῖσθαί που ἐν κλινιδίῳ τρέμοντα καὶ μαλακιῶντα. Ap. Ælian. N. A. 5, 12 : Οὐκ ἂν ποτε ἴδοις βλακεύουσαν μέλιτταν τῆς ὥρας ἐκείνης ἔξω ἐν ᾗ μαλακιεῖ τὰ μέλη, aut μαλκίει aut μαλακιᾷ scribendum esse conjecerunt interpretes. Quorum unum verum est μαλκίει. Themistio enim ex collatione Valesiana restituendum μαλκιῶντα, eademque forma reddenda Xenophonti et Plutarcho, ut Luciano reddidit G. Dindorfius. Phrynichi Exc. p. 51, 31 : Μαλακιῆν, τὸ ὑπὸ κρύους ναρκᾶν item scriben-

A dum μαλκιῆν. L. D.] || Harpocrationi μαλακιᾶν est τὸ τῆς δίκης ὅρον φρίττειν, Litis decisionem et ἀποκοπὴν horrescere. [Harpocrationis verba emendatius scripta v. in Μαλκέω.]

Μαλακιεῖς, Frigoris causa dolentes et contracti, VV. LL. [Conf. Μάλκη.]

Μαλακίζω, Mollio [Gl.], Malacisso, ut Plaut., Malacissandus es : de quodam, quem nimium ferum esse dicit. Plerumque pro Mollem et effeminatum reddo. Gregor. in Enc. Maccab. : Ὃν οὐδὲν ἔκαμψεν, οὐδὲ ἐμαλάκισεν, οὐδὲ ἀτολμοτέραν ἐποίησεν, Quam nihil flexit, neque molliorem et ignaviorem reddidit, nec minus audacem, Nihil emolliit. Et Μαλακίζομαι, Mollior et languidior fio, ut Cic., Hoc nuntio languescet et mollietur; Mollior et ignavior reddor. [De militantibus sæpius ap. Xen. Cyrop. 2, 3, 3, etc.] Lucian. [Hermot. c. 24] : Μὴ ἐνδοῦναι μηδὲ μαλακισθῆναι πολλοῖς τοῖς δυσχερέσι κατὰ τὴν ὁδὸν ἐντυγχάνοντα. Thuc. 6, p. 207 [c. 29] : Ὅ, τε δῆμος μὴ μαλακίζηται θεραπεύων, Languidior fieret, Remitteret de acrimonia et vehementia

B adversus illum. 2, [43] : Ἀλγεινοτέρα γὰρ ἀνδρί γε φρόνημα ἔχοντι ἡ ἐν τῷ μετὰ τοῦ μαλακισθῆναι κάκωσις. Et 3, [40, 7] : Μὴ μαλακισθέντες πρὸς τὸ παρὸν αὐτίκα, In re præsenti et ex tempore ad vocem oratoris, severitatem remittentes, Bud. : seu, ut schol. exp., ἐνδόντες εἰς τὴν ἡδονὴν τὴν ἀπὸ τῶν λόγων. [Plato Soph. p. 267, A : Τὸ δ' ἄλλο πᾶν ἀφῶμεν μαλακισθέντες.] Demosth. [p. 120, 7] : Μέλλομεν καὶ μαλακιζόμεθα καὶ πρὸς τοὺς πλησίον βλέπομεν. Synes. Ep. 5, [p. 170, B] : Ὅστις ἂν μαλακίσηται καὶ προδῷ. Et ap. Philon. V. M. 3 : Οὗ χάριν οὐ μαλακιστέον, Lente et molliter agendum. Item ap. Xen. [Apol. 33] : Πρὸς τὸν θάνατον ἐμαλακίσατο, Mollior et ignavior fuit ad mortem oppetendam. [Alia constructione Parthen. Erot. 36, 4 : Ῥῆσος δὲ μαλακιζόμενος ἐπὶ μονῇ οὐχ ἠνέσχετο, ἀλλὰ ἦλθεν εἰς Τροίαν. Nisi χαχιζόμενος scribendum. L. D.] Aliquando potius pro Mollesco et effeminor. Thuc. 2, [42] : Οὔτε πλούτῳ [πλούτου] τις τὴν ἔτι ἀπόλαυσιν προτιμήσας, ἐμαλακίσθη, Emollitus est et effeminatus. Greg. Naz. : Μὴ ἐσθῆτι μαλακισθῶμεν ἁπαλῇ καὶ περιῤῥεούσῃ. In VV. LL. μαλακίζομαι, Mollesco, Languidior fio, dicitur proprie esse

C mulierum prægnantium : quippe quas sæpe malacia vexet. || Μαλακίζομαι, Langueo, Sum infirma valetudine, vel potius subinfirma. [Photius : Ἐν ταῖς νόσοις φασὶν Ἀττικοὶ τὰς γυναῖκας μαλακίζεσθαι· τοὺς δὲ ἄνδρας ἀσθενεῖν. Aristot. H. A. 8, 26 : Ἐὰν γῆν ἐσθίῃ (ἐλέφας), μαλακίζεται. Theophr. Char. 1, 2 Schn. : Αὐτὸν μαλακισθῆναι. Ubi alia exx. annotarunt intt. V. Lobeck. ad Phryn. p. 389. Μαλακισθεὶς ponit Pollux 3, 104.] Lucian. [Lexiph. c. 2] : Τὰ ἀμφὶ τὴν τράμιν μαλακίζομαι ἐπ' ἀστράβης ὀχηθείς· paulo post, Ἀνατεθεὶς ἐπὶ τὴν ἀστράβην, ἐδάῤῥιν τὸν ὄῤῥον, καὶ νῦν βαδίζω τε ὀδυνηρῶς, καὶ ἰδίω θαμὰ, καὶ μαλακιῶ τὸ σῶμα· ita ut μαλακίζομαι et μαλακιῶ idem significent : sicut ab Eod. [Gallo c. 9] quidam synonymως dicitur μαλακιζόμενος, et μαλακῶς ἔχων, et πονήρως ἔχων. [Mollitiem exercere, in Pœnitentiali Chrysostomi : Γυνὴ δὲ ἡ μεθ' ἑτέρας γυναικὸς μαλακισθεῖσα. Ducang. V. Μαλακία in fine.]

[Μαλακίννης, παρθένος, Hesychius vitiose. V. Μαλκενίς.]

D Μαλάκιον, τὸ, muliebre quoddam ornamentum, Hesych. [Ap. Photium est Μαλάχιον, κόσμος χρυσοῦς γυναικεῖος· οὕτως Ἀριστοφάνης (in Thesmophor. alteris ap. Pollucem 7, 96, cujus libri μαλάκιον, et 5, 98, μαλάκια. Sed in l. Arist. μολόχιον exhibens Clemens præsidio est Photio, si μαλάχιον scripsit. Eodem refertur Hesychii gl. Μαλόχιον, σπαθητόν. || « Sporta, Fiscella ex mollioribus palmarum foliis contexta. Jo. Moschus Limon. c. 73 : Ἐκαθέζετο πλέκων μαλάκια. Adde c. 42, 179 ed. Cotel., etc. » Ducang. Pallad. Laus. p. 93, de Monachis : Ἄλλος πλέκων σπυρίδας τὰς μεγάλας, ἄλλος τὰ λεγόμενα μαλάκια, τὰ σπυριδάλια τὰ μικρά. Hesych. : Κράνια χηλευτά· πλεκτὰ ἐκ σχοίνου ἢ ἄλλης τινὸς ὕλης μαλάκια. Schneid. || Dimin. Μαλακίσκιον, τὸ, Sportella, Niceph. Ep. canon. in Cotel. Mon. vol. 3, p. 463, B, vel potius Theodor. Stud. p. 290, C : Ἀπεστάλκασιν ... τάδε τὰ δύο μαλακίσκια εἰς ὑπόμνημα φιλίας. L. D.] At Μαλάκια, Mollia, [quæ recentioribus Mollusca,] piscium genus [nempe Aquatilium animalium ossibus carentium, ut polypus et similia

Athen. 7, p. 316, C, ex Diocle, et seqq., ubi tamen eodem refertur etiam Sepia, licet osse instructa. Schweigh.] Galen. De alim. facult. 3 : Μαλάκια καλεῖται τὰ μήτε λεπίδας ἔχοντα, μήτε τραχὺ καὶ ὀστρακῶδες τὸ δέρμα, μαλακὸν δ' οὕτως ὡς ἀνθρώποις· ἔστι δὲ ταῦτα πολύποδες καὶ σηπία καὶ τευθίδες. [Τ. καὶ σ. dicit etiam Hesychius.] Idem in Lex. Hipp. μαλάκια vocari scribit ὅσα τῶν ἐνύδρων ἄκανθαν οὐκ ἔχει, καθάπερ πολύπους καὶ τευθὶς καὶ σηπία καὶ ἀκαλήφη· ταῦτα δὲ καὶ ἄναιμα καὶ ἄσπλαγχνά ἐστι. Aristot. H. A. 1, 6 : Ἄλλο δὲ τὸ τῶν μ., οἷον τευθίδες καὶ τεῦθοι καὶ σηπίαι. Et 3, esse dicit πολύποδας, ὀσμύλην ἐλεδώνην, σηπίαν, τευθίδα, ut tradit Athen. 7, [p. 318, F] ubi ipse μαλάκια vocari scribit τὰ τευθώδη [τευθιδώδη]. Idem Aristot. alibi [4, 1] : Ἔστι δὲ γένη πλείω· ἓν μὲν τῶν καλουμένων μ., ἓν δὲ τὸ τῶν μαλακοστράκων· ἔτι δὲ τὰ ὀστρακόδερμα. Unde Plin. 9, 28 : Piscium quidam sanguine carent : sunt autem tria genera : in primis quæ Mollia appellantur, deinde contecta crustis tenuibus, postrema testis conclusa duris. Mollia sunt, loligo, sepia, polypus et cetera ejus generis. [Plut. Mor. p. 916, A.] In hac signif. scribitur etiam Μαλάχια, ut ap. Suid. : Μαλάχια, ὅσα τῶν ἐνύδρων ὀστέα οὐκ ἔχει, οἷον σηπία, πολύπους· quæ et ἄναιμα et ἄσπλαγχνα esse scribit. Sic et Hesychio μαλάχιος est ἰχθὺς ποιός. Pro μαλάχια autem scribi et Μαλάχεια, per diphthongum, testatur idem Suid. [V. Μαλάκειον. In μαλθακοῖσι corruptum conjecit Foes. ap. Hippocr. p. 564, 3; 611, 38, ex quo μαλάκια affert Galenus in Exeg.]

[Μαλακίσκιον. V. Μαλάκιον.]

[Μαλακισμὸς, ὁ, Mollities. Jo. Chrys. In Esaiæ 3, vol. 1, p. 1048, 25. Seager.]

[Μαλακιστέον. V. Μαλακίζω.]

Μαλακίων, ωνος, ὁ, forma dimin. Molliculus, Mollicellus. Aristoph. Eccl. [1058] : Ἕπου μαλακίων δεῦρ' ἀνύσας, καὶ μὴ λάλει· Catull., Cinæde Thalli mollior cuniculi capillo, vel anseris medullula, vel inula mollicella. [V. Μαλακίας.]

[Μαλακόγειος, ὁ, ἡ, Qui mollis est soli. Strabo 1, p. 52 : Οἱ πολλήν τε καὶ μαλακόγειον χώραν ἐπιόντες.]

[Μαλακόγνᾰθος, ὁ, ἡ, Qui molles habet maxillas. Pollux 1, 49 (?), ἵππος.]

Μαλακογνώμων, ονος, ὁ, ἡ, Qui molli est mente s. animo, i. e. miti, Æsch. Pr. [188], si bene memini.

Μαλακόδερμος, ὁ, ἡ, Mollem cutem habens s. putamen, ut μ. ᾠά. [Aristot. H. A. 1, 5, etc.]

[Μαλακοειδὴς, ὁ, ἡ, Mollis. Draco p. 141, 3, στίχος, quem ib. 18 ita describit : Μ. ἐστιν ὁ καλῶς καὶ οὐ βιαίως, ἀλλὰ λείως ἐμπίπτων ταῖς ἀκοαῖς, οἷον Αἵματί οἱ δεύοντο κόμαι Χαρίτεσσιν ὁμοῖαι. Quæ minus emendate scripta leguntur ap. Ps.-Herodian. Villoisoni Anecd. vol. 2, p. 86. || Contr. Μαλακώδης, Fragilis, λίθος, ap. Steph. B. v. Μονόγισσα. « Jo. Chrys. In Matth. hom. 49, vol. 2, p. 317, 43. » Seager.]

[Μαλακόευνος, ὁ, ἡ, Qui mollis est lecti. Const. Manass. Chron. 5844, εὐνάς. Boiss.]

Μαλακόθριξ, τρῐχος, ὁ, ἡ, Qui molli pilo est : μαλακότριχες, Scythæ, Aristot. [De gener. an. 5, 3], Molli capillo. Cam.

[Μαλακοκάρδιος, ὁ, ἡ, Qui molle habet cor. Const. Manass. Chron. 628, 2473, 4716.]

[Μαλακόκισσος, s. Μαλακόκιττος, ὁ, i. q. σμίλαξ λεία, Convolvulus, Geopon. 2, 6, 31. « Ἡ περιπλοκάδα, in Lexico ms. Reg. cod. 1843. » Ducang.]

[Μαλακοκόλαξ, ἄκος, ὁ, Mollis adulator. Athen. 6, p. 258, A : Εἴη οὖν ἂν ὁ τοῦ προειρημένου μειρακίου κόλαξ μαλακοκόλαξ, ὥς φησιν ὁ Κλέαρχος· πρὸς γὰρ τῷ τοιούτῳ (οὕτω epitome) κολακεύειν καὶ τὸ σχῆμα τῶν κολακευομένων ἐπακολουθοῦν ἀποπλάττεται, παραγκωνίζων καὶ σπαργανῶν ἑαυτὸν τοῖς τριβωναρίοις.]

Μαλακοκρανεὺς, έως, ὁ, avis nomen ap. Aristot. H. A. 9, [22]. A Gaza redditur Molliceps.

[Μαλακοποιέω, Mollefacio. Favor. Lex. p. 488.]

[Μαλακοποιὸς, ὁ, ἡ, Mollem faciens, Molliens. Moschop. Ecl. v. Μαλακόν. Boiss. Schol. Theocr. 5, 51. « Eust. Il. p. 155, 33. » Seager.]

[Μαλακόπους. V. Μαλακαίπους.]

[Μαλακοπτῠχὴς, ὁ, ἡ, Molliter s. leniter convolutus; μαλακοπτυχέων ἄρτων, nescio quorum, meminit Philoxenus ap. Athen. 4, p. 147, E. Schweigh.]

A Μαλακοπύρηνος, ὁ, ἡ, Mollem nucleum habens, Qui molli nucleo s. ligno est : μ. καρπὸς, Fructus molli intus ligno s. nucleo. Theophr. H. Pl. 2, 8, de palmis : Οἱ μὲν γὰρ, ἀπύρηνοι, οἱ δὲ, μαλακοπύρηνοι. Plin. 13, 4 : Fructiferarum aliis brevius lignum in pomo, aliis longius, his mollius, illis durius, quibusdam osseum. [Conf. 1, 21, 2. ʋ]

Μάλακος, ὁ, Malacus, scriptoris cujusdam nomen ap. Athen. 6, [p. 267, A. || Diodor. Exc. p. 547, 64 : Ἐγένετο τύραννος κατὰ τὴν Κύμην τὴν πόλιν ὄνομα Μάλακος. Aristodemum esse qui μαλακὸς vocatus est, monet Wesseling.]

Μᾰλᾰκὸς, ἡ, ὸν, Malacus, Mollis, cui opp. σκληρὸς, Durus : ambo circa tactum proprie. [Aristot. Meteorol. 4, 4 : Ἔστι σκληρὸν μὲν τὸ ὑπεῖκον εἰς αὑτὸ κατὰ τὸ ἐπίπεδον, μαλακὸν δὲ τὸ ὑπεῖκον τῷ μὴ ἀντιπεριίστασθαι· τὸ γὰρ ὕδωρ οὐ μαλακόν. Conferenda autem quæ dicentur in forma Μαλθακὸς, cui communia sunt quæ de altera dicuntur, nisi quod veterum nonnulli alterutra uti maluisse videntur quam utraque. Ita Thuc.
B et Xenophon abstinuisse videntur forma μαλθακὸς, quum apud Platonem promiscue et hæc et forma μαλακὸς usurpentur. Vulgarem fuisse formam μαλακὸς suspicatur Schneiderus.] Hom. Od. X, [196] : Εὐνῇ ἐνὶ μαλακῇ καταλέγμενος. Sic Υ, [58] : Ἐν λέκτροισι καθεζομένη μαλακοῖσι. Et ap. Athen. 12, [p. 512, F] μαλακαὶ στρωμναὶ, quas Ἡρακλέους κοίτας vocari scribit. Ap. Eund. 1 : Στρώμασιν ἐν μαλακοῖς. Rursum 12 : Παρθενικὰ τρυφερὰ χλανίδια μαλακά. [Χλαῖνα Hesiod. Op. 535, Aristoph. Vesp. 738.] Item μ. χιτὼν ap. Hom. [Il. B, 42] : Ovid., Mollia velamina; Plaut., Malacum pallium. [Et ap. Hom. aliosque cum similibus nominibus, ut κῶας, ἔριον, ἐσθής. Pind. Nem. 10, 44 : Μαλακαῖσι κρόκαις. Gl. : Μαλακὸν ἱμάτιον, Mollicina. Hesychio τετριμμένον. Κῷοι δὲ εὐμετακόμιστον ἢ πολυτελὲς ἢ ἁπαλόν. || Ap. Demosth. p. 1155, 6 : Πρόβατα μαλακὰ, Valck. in Mss. et Anim. ad Ammon. p. 14 scrib. putabat μαλλωτά. Incognitus enim et ipsi et Demosthenis interpretibus fuisse videtur l. Polybii 9, 17, 6 : Ἔχων τις πρόβατα μαλακὰ τῶν εἰθισμένων περὶ πόλιν τρέφειν.] Et
C [Menander] ap. Plut. [Mor. p. 62, E] : Ποιήσω σπογγιᾶς μαλακώτερον τὸ πρόσωπον. Item ex Galeno : Μαλακαῖς χερσὶν ἀνατρίβειν, Mollibus manibus fricare. [Pind. Pyth. 4, 271 : Μαλακὴν χέρα. Soph. Antig. 783 : Ἐν μαλακαῖς παρειαῖς. Eur. Med. 1403 : Μαλακοῦ χρωτὸς ψαῦσαι τέκνων. Theocr. 20, 8 : Ὡς μαλακὸν τὸ γένειον ἔχεις.] Item, ἐν μαλακῷ sanum, ap. Quintil., quod Cæl. Rhod. 3, 15, nihil aliud significare scribit quam in carnis mollitie et raritate summam intelligi mentis perspicaciam : quoniam ita affectis facile quicquid est redundantis copiæ digeritur : fatuos vero ac rudes, παχυδέρμους, quasi Crassipelles, a Græcis vocari. Item τὸ μ. [ἁπαλὸν] τοῦ ἀμυγδάλου, pro Nucleo amygdali ap. Aristot. H. A. 9, [9] : nam cetera in eo dura sunt. [Hom. Il. Ξ, 349 : Ὑάκινθον πυκνὸν καὶ μαλακόν. Et Σ, 541 : Νειὸν μαλακὴν, πίειραν ἄρουραν· Od. E, 72 : Λειμῶνες μαλακοί. Theocr. 6, 45 : Μαλακᾷ ποίᾳ· 7, 81 : Μαλακοῖς ἄνθεσσι.] || Mollis, i. e. Placidus, Lenis, Mitis. Hom. Il. Ω, [678] : Εὗδον παννύχιοι μαλακῷ δεδμημένοι ὕπνῳ. [(Hippocr. p. 377, 36 : Ὕπνοισι μαλακοῖσι. Hemst.
D Theocr. 15, 125 : Πορφύρεοι δὲ τάπητες ἄνω μαλακώτεροι ὕπνω. Et 5, 51. Qua de formula conf. Bergler. ad Alciphr. 1, 28.) Ξ, 359 : Ἐπεὶ αὐτῷ ἐγὼ μαλακὸν περὶ κῶμ' ἐκάλυψα.] Od. Σ, [201] : Ὡς μαλακὸν θάνατον πόροι Ἄρτεμις. Lucr. quoque dicit Somno molli dedita membra; Virg., Molles carpere somnos. Rursum Lucr., Mollis quies. Sic λόγοι quoque et ἔπη dicuntur μαλακὰ, ut Ovid., Verba mollia. Et Horat., Lenire mollibus verbis. Od. A, [56] : Αἰεὶ δὲ μαλακοῖσι καὶ αἱμυλίοισι λόγοισι Θέλγει· Il. Z, [337] : Νῦν δέ με παρειποῦσ' ἄλοχος μαλακοῖς ἐπέεσσι Ὥρμησ' ἐς πόλεμον· Od. Π, [286] : Μνηστῆρας μαλακοῖς ἐπέεσσι παρφάσθαι· sicut Hesiod. Theog. [90] : Μαλακοῖσι παραιφάμενοι ἐπέεσσι. Il. A, [582] : Ἐπέεσσι καθαπτόμενος μαλακοῖσι. [Pind. Pyth. 3, 51 : Μαλακαῖς ἐπαοιδαῖς· Nem. 4 fin. : Μαλακὰ μὲν φρονέων ἐσλοῖς, τραχὺς δὲ παλιγκότοις ἔφεδρος. Æsch. Ag. 95 : Ἄλλη δ' ἄλλοθεν οὐρανομήκης λαμπὰς ἀνίσχει φαρμασσομένη χρίσματος ἁγνοῦ μαλακαῖς ἀδόλοισι παρηγορίαις. Aristoph. Pl. 1022 : Τὸ βλέμμα θ' ὡς ἔχοιμι μαλακὸν καὶ καλόν· Nub. 979 : Οὐδ' ἂν μαλα-

κὴν φυρασάμενος τὴν φωνὴν πρὸς τὸν ἐραστήν. Theocr. 17, 51 : Βροτοῖς μαλακῶς μὲν ἔρωτας προσπνείει.] Ead. signif. homo quoque aliquis dicitur μαλακός : sicut Animus mollis ap. Cic. in bonam partem, Virg., Cor molle. Plut. Pericle [c. 33] : Εἰς πάντα μαλακωτέροις χρήσονται τοῖς Ἀθηναίοις, Minus asperis. Thuc. 3, [45]: Καὶ εἰκὸς τοπάλαι τῶν μεγίστων ἀδικημάτων μαλακωτέρας κεῖσθαι ζημίας, Mitiores, Leniores. Ap. Hom. autem μαλακὸς de Hectore ab Achille subacto est potius, Cujus impetus et animi fervor emollitus aliquantum est. [Il. X, 373 : Μαλακώτερος ἀμφαφάασθαι Ἕκτωρ.] V. Μαλακότης. [Aristot. H. A. 9, 1 : Μαλακώτερον γὰρ τὸ ἦθός ἐστι τὸ τῶν θηλειῶν καὶ τιθασεύεται θᾶττον. Dionys. A. R. 7, 64 : Οἱ ἐπιεικέστεροι μαλακώτεροι τούτων ἀκούσαντες ἐγένοντο· 16, 2 : Πρᾶος φύσει καὶ μαλακὸς πρὸς (ita Vat.; vulgo εἰς) ὀργήν. « Μαλακὸς περὶ τὰ πάθη, orator qui in affectibus tractandis usurpandisque mollior est et remissior, ap. Dionys. De Lysia c. 19 : Οὔτε αὐξήσεις οὔτε δεινώσεις οὔτε οἴκτους κατασκευάσαι ἐρρωμένως δυνατός. » Ernest. Lex. rh.] || Alioquin homo μαλακὸς in malam partem capitur pro Effeminatus : sicut Molles viri ap. Liv. Et ap. Plaut., Mollibus ac feminei corporis animive. Quintil., Mollis et parum vir. Cic., Effeminatum aut molle. Et Malacus mœchus ap. Plaut., sicut Macrob. quoque Malacum pro Molli ea signif. dicit, qua veteres Maltham dixisse testatur Nonius. Est certe μαλακὸς alicubi qui alio nomine κίναιδος [quocum conjungit Pollux 6, 126], i. e. Cinædus : ut fortasse potest exponi ap. Paul. 1 Ad Cor. 6, [9]. Generalius autem pro Molli. Aristot. Eth. 7, 7 : Μαλακὸς καὶ τρυφῶν. [Ib. 6 : Μαλακοὶ λέγονται περὶ ταύτας (τὰς σωματικὰς ἀπολαύσεις).] Idem Rhet. 1, [c. 10, 2] : Ὁ δ' ἀκόλαστος, περὶ τὰς τοῦ σώματος ἡδονάς· ὁ δὲ μ., περὶ τὰ ῥᾴθυμα· sicut ap. Horat., Mollis inertia. [Leges Cypriorum Mss. fol. 32 : Ὅτι τρεῖς εὐνοῦχοί εἰσιν, ὁ θλιβίας, ὁ καστρᾶτος, καὶ ὁ μαλακὸς ἐκ κοιλίας. Glossæ Mss. in Parœmias Salomonis : Μαλακοὶ, οἱ ἐν σχήματι γυναικῶν πρὸς τὰς γυναῖκας εἰσιόντες ἁπαλοί. Ducang. Idem in Gloss. Lat. vol. 1, p. 1057 : « Basilicarius vel Basiliciarius, μαλακὸς, ἀγοραῖος, in Gloss. Lat.-Græco Vitilitigator, Litigator, qui fora frequentat. (Supplem. vero Antiquarii : Sordidus, Vilis, Forensis.) V. Casaub. ad Theophr. Char. p. 176. »] Isocr. Ad Phil. [p. 107, D] de barbaris : Ὑπειλήφειμεν μαλακοὺς καὶ πολέμου ἀπείρους καὶ διεφθαρμένους ὑπὸ τῆς τρυφῆς. Sic a Xen. [Hell. 6, 1, 4] opponuntur μαλακοὶ et φιλοπόνως καὶ φιλοκινδύνως ἔχοντες πρὸς τοὺς πολέμους : item μαλακοὶ et θρασεῖς. [Comm. 2, 2 : Πρὸς τὸ πονεῖν μαλακούς.] Sic accipitur etiam ap. Isocr. Ep. ad Phil. [p. 112, B] : Ἢν μέν τι τῶν εἰρημένων εἴη μαλακώτερον καὶ καταδεέστερον· sicut in Panath. [p. 233, C] : Ἢν τισιν ὁ μέλλων λόγος λεχθήσεσθαι μαλακώτερος ὢν φαίνηται τῶν πρότερον διδομένων. Plut. Coriol. [c. 32] : Ἄλλο δ' οὐδὲν ἔδωκεν οὐδ' ἔπραξεν, οὐδ' εἶπε μαλακώτερον. || Mollis et remissus, Languidus, Qui languide et animo remisso rem aliquam agit. Thuc. 2, [18] : Δοκῶν ἐν τῇ ξυναγωγῇ τοῦ πολέμου μαλακὸς εἶναι, Mollior ac remissior : sicut ap. Eund. p. 272 [8, 29] : Μαλακὸς ἦν περὶ τοῦ μισθοῦ, schol. exp. οὐκ ἐντόνως οὐδὲ σφοδρῶς ἀπῄτει, Mollior ac remissior erat in poscenda mercede. [Cum πρὸς conjunctum paullo ante notavimus.] Qua signif. ex Herodoto [3, 51] affertur Μαλακὸν ἐνδιδόναι pro Remittere : cui simile est hoc Aristoph. Pl. [487] : Ὦ νικήσετε τηνδὶ Ἐν τοῖσι λόγοις ἀντιλέγοντες, μαλακὸν δ' ἐνδώσετε μηδέν. [Alia hujus formulæ exx. v. ap. Ruhnk. ad Tim. p. 100, cujus emendationem in Dionis Chr. Or. 8, p. 133, B, ubi μᾶλλον, confirmat codex, ubi hoc vitium redit, Or. 37, p. 455, C. Neutro autem gen. Aristoph. etiam Vesp. 1455 : Ἐπὶ τὸ τρυφῶν καὶ μαλακόν. Epicharm. ap. Xen. Comm. 2, 1, 20 : Μὴ τὰ μαλακὰ μῶσο, μὴ τὰ σκλήρ' ἔχῃς. Eodemque modo sæpius ap. Xen. ipsum, ut Cyrop. 7, 2, 28. || De rebus Aristot. Metaphys. p. 298, 18 : Δεῖ δὴ καὶ τοῦτον δρᾶν τὸν λόγον μὴ λίαν ᾖ μαλακός. V. infra in adv. « Dionys. De comp. c. 22, p. 172, σχήματα μαλακὰ eadem vocat τρυφερὰ, ἐν οἷς πολὺ τὸ ἀπατηλόν ἐστι καὶ θεατρικόν. » Ernest. Lex. rhet.] || Aer quoque, et balnea, itemque loca aliqua dicuntur μαλακά. Athen. 2 : Ὅπου μαλακώτερος ὁ ἀήρ. Plut. [Sertor. c. 17 : Αὔρα μαλακ προσεπέπνει·] Symp. 8, [p. 734, B] : Λουτροῖς ἀνειμένοις ἐχρῶντο καὶ μαλακοῖς. [Æsch. fr. Prom. ap. Strab. 1, p. 33 : Ἵν' ὁ παντόπτας Ἥλιος ἀεὶ χρῶτ' ἀθάνατον κάματόν θ' ἵππων θερμαῖς ὕδατος μαλακοῦ προχοαῖς ἀναπαύει. Hom. H. 19, 9 : Ἄλλοτε μὲν ῥείθροισιν ἐφελκόμενος μαλακοῖσιν. L. D. Μαλακὸν καὶ κοῦφον ὕδωρ contra σκληρὸν, βαρὺ, ἀτέραμνον, Galen. vol. 11, p. 487, D. Δρόσοι μαλακαὶ, Plut. Mor. p. 688, A. Hemst. Cum ὕδωρ etiam Plato Tim. p. 62, B.] Item μ. [ut infra μαλθακὸς] οἶνος ap. [Hippocr. p. 365, 30, 31; 374, 35,] Aristot. Probl. Dixit autem et Horat., Molle merum; Virg. Georg. 1 : Tunc agni pingues et tunc mollissima vina, i. e. carentia asperitate et defæcata, ut Serv. exp.; seu, ut alii, ad potum matura, quæque gratum et mitem saporem ætate collegerunt. [Πόματα μαλακώτερα καὶ ὑδαρέστερα Hippocr. p. 375, 19, et positivo p. 368, 12. L. D. Mnesitheus ap. Athen. 2, p. 54, C, μ. πῦρ, Lenis ignis. Schweigh. Theophr. C. Pl. 5, 1, 4 : Χειμώνων μαλακῶν ἢ νοτίων γενομένων 6, 17, 8 : Μαλακῇ καὶ οὐ κατακαιούσῃ πυρώσει.] Plut. De vitiosa verec. [p. 530, A] : Χωρίον ὕπτιον καὶ μ. Idem in Fab. [c. 15] : Ὑπὲρ λόφου τινὸς μαλακοῦ κατεσκόπει τοὺς πολεμίους. Sic Virg., Qua se subducere colles Incipiunt, mollique jugum demittere clivo. [Hom. Batrach. 100 : Λειχοπίναξ ὄχθησιν ἐφεζόμενος μαλακῇσιν. Aristot. H. A. 8, 29 : Ποιοῦσι δ' οἱ τόποι διαφέροντα καὶ τὰ ἤθη, οἷον οἱ ὀρεινοὶ καὶ τραχεῖς τῶν ἐν τοῖς πεδινοῖς καὶ μαλακοῖς· 9, 13 : Ἐν τοῖς κρημνοῖς τοῖς μαλακοῖς. Diodor. 19, 84 : Τὸ πεδίον εὐρύχωρον ὂν καὶ μαλακόν. M. χωρίον ap. Polluc. 1, 239. De musica Dio Chr. Or. 1, vol. 1, p. 43 : Οὐ μαλακὸν αὔλημα. Et μ. χρῶμα ap. Alexandr. Aphrod. In Topic. p. 60, ap. Suidam v Χρῶμα. Plato Reip. 3, p. 398, E : Τίνες οὖν μαλακαί τε καὶ συμποτικαὶ τῶν ἁρμονιῶν; 411, A : Τὰς γλυκείας τε καὶ μαλακὰς καὶ θρηνώδεις ἁρμονίας. || Μαλακὰ, τὰ, ap. Polluc. 10, 11 : Ἐγὼ κρίνω καὶ τὸ ἐπὶ τῶν κατ' οἰκίαν χρησίμων καταχρῆσθαι τῷ ὀνόματι (χρηστήρια). ἐκαλεῖτο δὲ ταῦτα ὑπὸ τῶν νεωτέρων καὶ μαλακὰ, ὥσπερ εὐμεταχείριστα, ὡς εἶπε Μένανδρος ἐν Περινθίᾳ, Ὃ (ὅσ' Bentl.) ἐστι μαλακὸν (-κὰ Bentl.) συλλαβὼν, καὶ Δίφιλος ἐν Ἀπολιπούσῃ, Εἶτα μαλακὸν, ὦ δύστην', ἔχεις, σκευάριον κτλ. Cum εὐμεταχείριστα conferendum εὐμετακόμιστον in Hesychii gl. initio citata.]

|| Μαλακῶς, Molliter. [Hom. Od. Γ, 350 : Μαλακῶς ἐνεύδειν· Ω, 255 : Εὑδέμεναι μ. Aristoph. Eq. 785 : Κᾆτα καθίζου μ. Theocr. 7, 69 : Καὶ πίομαι μ.] Xen. [Comm. 3, 11, 10 : Φιλεῖν μ., quod Aristoph. dicit μαλθακῶς. Cyrop. 8, 8, 16] : M. καθῆσθαι ἐπιμέλονται· et, Τὰς εὐνὰς οὐ μόνον ἀρκεῖ μ. ὑποστρώννυσθαι, ut ap. Plin., Cubilia nidosque mollissime substruunt. [Plato Tim. p. 74, C : Σώμασι μ. καὶ πρᾴως ὑπείκουσιν· 78, D : Ξυρρεῖν μ. ἅτε ἀέρα ὄντα.] Item, Placide, Leniter. [Plato Epist. 8, p. 357, C : Προκαλούμενοι μ. τε καὶ πάντως (πρᾴως ?). « Μαλακῶς ῥέουσα λέξις, Suaviter fluens et decurrens oratio, ap. Dionys. Ep. ad Pomp. c. 6, p. 786. » Ernest. Lex. rh.] Item Molliter et remisse. Plut. De def. or. [p. 411, D] : Τῆς ὕλης ἅπτεται μ., καὶ καταναλίσκει βράδιον, Lignum molliter libat et lentius consumit. Synes. Ep. 67 : Ἂν μὴ μαλακώτερόν τις ἅπτηται τῆς ζητήσεως, Mollius et ignavius tangat illam quæstionem. Thuc. 8, [50] : Περὶ τῆς μισθοφορᾶς οὐκ ἐντελοῦς οὔσης μαλακωτέρως ἀνθήπτετο, i. e. μαλακὸς ἦν περὶ τοῦ μισθοῦ, ut paulo ante idem Thuc. loquitur. Sic accipi potest ap. Eund. 6, [78] : M. ξυμμαχεῖν, Molliter et ignave. Item Molliter, in malam partem, pro Effeminate. In Axiocho [p. 365, B] : M. καὶ δυσαποσπάστως ἔχειν νηπίου δίκην, Molli esse animo et ægre ferre se avelli a vita ut infans a matris sinu. Qua in signif. Latini Mollitiem animi sæpe dicunt, itidemque Græci μαλακίαν, ut supra vidisti. Item μαλακῶς ἔχειν, Languere, i. e. Ægrum esse, ut et μαλακίζεσθαι. Lucian. [D. deor. 9, 1] : Ἀλλὰ μ. ἔχει αὐτὸς, Male valet, Male affectus est a valetudine, Bud. Idem Lucian. : Νῦν οὖν μ. ἀπὸ τῶν ὠδίνων ἔχει. [De viro Gall. c. 9 : M. ἔχοντα. Ps.-Herodot. V. Hom. 34 : Συνέβη τῷ Ὁμήρῳ κατὰ πολύ τι ἄρξασθαι μ. ἔχειν. Arrian. Exp. 7, 2, 8 : M. τὸ σῶμα ἔχοντα. V. Lobeck. ad Phryn. p. 389.] Sic Philostr. p. 21 : Μαλακώτερον διετέθης ὑπὸ τοῦ σανδαλίου· θλίβει σε, ὡς πέπεισμαι. Hinc Gallice *Estre malade*, pro Ægrotare. [Μαλακωτέρως, Mollius, præter Thuc.

supra citatum, Aristot. Reip. 8, 5 : Εὐθὺς γὰρ ἡ τῶν A ἁρμονιῶν διέστηκε φύσις ὥστε ἀκούοντας ἄλλως διατίθεσθαι καὶ μὴ τὸν αὐτὸν ἔχειν τρόπον πρὸς ἑκάστην αὐτῶν, ἀλλὰ πρὸς μὲν ἐνίας ὀδυρτικωτέρως, ... πρὸς δὲ τὰς μ. τὴν διάνοιαν, οἷον πρὸς τὰς ἀνειμένας. Altera forma improprie Metaphys. p. 121, 21 : Ἀποδεικνύουσιν ἢ ἀναγκαιότερον ἢ μαλακώτερον· 225, 11 : Δεικνύναι τὰ λοιπὰ μαλακώτερον ἢ ἀκριβέστερον· Rhetor. 2, 22 : Ἐπειδὴ καὶ πάντες οὕτω φαίνονται ἀποδεικνύντες, ἐάν τε ἀκριβέστερον ἐάν τε μαλακώτερον συλλογίζωνται. (Τὰ μαλακώτερον δεικνύμενα εἰς ἀνελέγκτους ἀποδείξεις ἀναγαγεῖν, Procl. ad Euclid. p. 20, 2. Hemst.) Dio Chrys. Or. 11, p. 345 : Οἱ Τρῶες μαλακώτερον ἐφείποντο. Socrat. Epist. p. 67 Allat. : Ὑπὲρ ἐνίων διὰ τὴν ἡλικίαν ὁμολογῶν μαλακώτερον γράφειν συγγνώμης ἀξιοῖ τυχεῖν. || Μαλακώτατα adverbialiter Xen. Comm. 2, 1, 24 : Πῶς ἂν μ. καθεύδοις. «Theopomp. com. Athenæi 1, p. 23, E : Κατακείμενοι μαλακώτατ' ἐπὶ τρικλινίῳ.» Boiss.]

Μαλακόσαρκος, ὁ, ἡ, Qui molli carne est : i. q. ἁπαλόσαρκος, Tenera præditus carne. [Aristot. H. A. 1, 1 : Τὰ μὲν μαλακόσαρκα αὐτῶν, τὰ δὲ σκληρόσαρκα· De anima B 2, 9.] Galen. De alim. l. 3 : Πᾶν γὰρ τὸ τῶν ἁπαλοσάρκων γένος ψαθυρωτάτην τε καὶ μαλακωτάτην ἔχει τὴν σάρκα, καὶ εὐκατεργαστότερον τῶν ἄλλων ἰχθύων. [Athen. 7, p. 309, C. « Hierophil. in Notitt. Mss. vol. 11, part. 2, p. 253 (p. 423 ed. Ideler.). Boiss.]

Μαλακόστρακος, ὁ, ἡ, Molli testa intectus, opertus; vel, ut Plin. supra in Μαλάκια interpr., Contectus crustis tenuibus. Idem Plin. 11, 37, dicit, Crusta fragili inclusa, Quibus fragilia operimenta. Idem hæc Aristotelis verba, Οὔτε δὲ τῶν μαλακίων οὐδὲν οὔτε φθέγγεται οὔτε ψοφεῖ οὐδένα φυσικὸν ψόφον, οὐδὲ τῶν μαλακοστράκων, sic interpr., Mollia et crusta intecta nec vocem nec sonum ullum habent. [Id. Aristot. De respir. c. 12 : Τὰ μαλάκια καὶ τὰ μαλακόστρακα. Et alibi. Καράβους καὶ καρίδας int. Hesychius.]

Μαλακότης, ητος, ἡ, Mollities, Mollitudo [Gl. Aristot. Meteor. 4, 4 : Σκληρότητα ἢ μαλακότητα. Et cum eodem Plato Reip. 7, p. 523, E.] Plut. [Mor. p. 552, C] : Τὴν μ. τῆς γῆς. Id. in l. II. ἀοργ. [p. 453, B] quum citasset illum l. Homeri Il. X, [373] de Hectore ab C Achille subacto, Ἦ μάλα δὴ μαλακώτερος ἀμφαφάασθαι Ἕκτωρ ἢ ὅτε νῆας ἐνέπρησεν, subjungit : Αὕτη δὲ ἡ μ. οὐκ ἀργίαν οὐδὲ ἔκλυσιν, ἀλλ' ὥσπερ ἡ κατειργασμένη γῆ λειότητα καὶ βάθος ἐνεργὸν ἐπὶ τὰς πράξεις ἔσχηκεν ἀντὶ τῆς φορᾶς ἐκείνης καὶ τῆς ὀξύτητος. [Plurali Diod. Exc. p. 609, 2 : Ἐφόρου ἐσθῆτας διαφόρους ταῖς μαλακότησι. Wakef. Plato Crat. p. 432, B.]

[Μαλακότριβος, ὁ, ἡ, Qui molli est via s. itinere. Theodor. Balsam. in Cotel. Mon. vol. 3, p. 494 : Οὕτως ἡ τῶν θείων κανόνων ἀνάντης ἑρμηνεία ἐξωμαλίσθη, οὕτως ἡ τραχεῖα καὶ ἀδιόδευτος εὐδιόδευτος κατέστη καὶ μαλακότριβος. L. Dindorf.]

[Μαλακόφθαλμος scriptura vitiosa ap. Athen. 10, p. 454, E.]

Μαλακόφλοιος, ὁ, ἡ, Cortice molli vestitus. [Theophrast. C. Pl. 1, 6, 4. Iterum HSt. :] Μαλακόφλοιος, Mollem corticem habens, Qui molli est cortice.

[Μαλακοφορέω, Molliter vestitus sum. Theodor. Stud. p. 200, A : Μαλακοφορούντων τε καὶ ῥακοδυτούντων. L. Dindorf.] D

[Μαλακόφρων, ονος, ὁ, ἡ, Qui mollis animi est. Epith. Parcarum ap. Orph. H. 58, 15. Ib. 68, 13 : Μαλακόφρονα δόξαν.]

[Μαλακόφωνος, ὁ, ἡ, Qui molli est voce. Dionys. H. De vi Demosth. c. 40, p. 1078, 4 : Κῶλα ποιήμασιν ἐμφερῆ, μ. καὶ λεῖα.]

[Μαλακόχειρ, ρος, ὁ, ἡ, Qui molles habet manus. Pind. Nem. 3, 53 : Φαρμάκων δίδαξε μαλακόχειρα νόμον.]

[Μαλακοψυχέω, Molli sum animo. Joseph. De Maccab. c. 6, p. 505 (male expressum 405) : Μαλακοψυχήσαντες ἀπρεπὲς ἡμῖν δρᾶμα ὑποκρίνασθαι.]

[Μαλακόψυχος, ὁ, ἡ, Qui animo molli et remisso est, Ignavus, Meticulosus. Jo. Chrys. In Matth. hom. 90, vol. 2, p. 552, 36. Seager. Const. Manass. Chron. 5033, 5730. Boiss.]

Μαλακτήρ, ῆρος, ὁ, Qui mollit s. emollit. Plut. Pericl. [c. 12] : Τέκτονες, πλάσται, χαλκοτύποι, λιθουργοί, βαφεῖς, χρυσοῦ μαλακτῆρες, qui sc. igni aurum molliunt, ut Horat. de ferro loquitur.

Μαλακτικός, ή, όν, Qui molliendi s. emolliendi vim habet, ut μ. φάρμακα, Medicamenta emollientia, ἃ τὰς σκληρότητας μαλάττει, Quæ concretas duritias emolliunt. [Hippocr. p. 365, 9 : Τοῖσι χρίσμασι καὶ τοῖσιν ἱδρωτικοῖσι καὶ μαλακτικοῖσι χρίεσθαι καὶ μαλακύνειν ξυμφέρει.] Galen. Simpl. Fac. 5 : Ἰδίως ὀνομάζουσι μ. τὰ τῶν γεγονότων ἀπὸ φλέγματος ἐξηρασμένου καὶ παχέος χυλοῦ ὄγκων σκιῤῥωδῶν ἰατικά. [De vino, Casaub. ad Athen. 1, p. 29, F. Schæf. Plut. Mor. p. 659, C : Μαλακτικὴν δύναμιν. Constantin. Man. Chron. 5019 : Λόγους ψυχῆς μαλακτικούς.]

Μαλακτός, ή, όν, Qui molliri s. emolliri potest. [Aristot. Meteor. 4, 9 : Μαλακτὰ δ' ἐστὶ τῶν πεπηγότων ὅσα μὴ ἐξ ὕδατος.]

Μαλάκυνσις, εως, ἡ, Emollitio, qua aliquid mollius redditur.

Μαλακύνω, Mollio, Mollem reddo. Et Μαλακύνομαι, Mollior, Emollior, Molliorem me præbeo, Mollesco, Languidior et remissior sum. Xen. Cyrop. 3, p. 42 [c. 2, 5] ad equites : Ὄπισθεν ἕπεσθε, διακελευόμενοι καὶ ὠθοῦντες ἄνω ἡμᾶς· ἢν δέ τις μαλακύνηται, μὴ ἐπιτρέπετε· ubi scribitur etiam μαλακίζηται. [Ib. 6, 3, 27, ubi plerique κακυνομένοις, nonnulli μαλακυνομένοις. Hippocr. p. 365, 9, in Μαλακτικός citatus. Diodor. 17, 10 : Οὐ μὴν ταῖς ψυχαῖς ἐμαλακύνοντο. « Muson. ap. Stob. Flor. 1, 84, vol. 1, p. 49 : Χεῖράς τε καὶ πόδας περιδέσει πίλων ἢ ὑφασμάτων τινῶν μαλακύνειν. » Hemst. Porphyr. in schol. Ven. Hom. Il. Δ, 434. Boiss. ῡ]

[Μαλακώδης. V. Μαλακοειδής.]

[Μαλάκων, ωνος, ὁ, Malaco, Heracleota ap. Memnonem Photii Bibl. p. 225, 22.]

[Μαλακῶς, Μαλακώτατα, Μαλακωτέρως. V. Μαλακῶς in Μαλακός.]

[Μαλάλας, α, ὁ, Malalas, cogn. Joannis cujusdam, cui tribuitur Chronographia primum ab Chilmeado Oxon. 1692 edita. De signif. nominis v. Reisk. in præfat. ed. meæ p. vii. De scriptura Μαλάλας, Μαλέλας, Μελέλης, Hodius in Proleg. p. xix, Bentleji Ep. ad Mill. p. 78, 84. L. Dind.]

[Μαλανᾶς, ᾶ, Malanas, n. viri in Charta Borgiana 4, 14.]

[Μαλάνιον, σάκκος, Hesychius. Cujus similis est, sed corrupta et ordini literarum adversa gl. : Μαλάγας, ἄθησυς, θῦλαξ, ἀσκός.]

[Μαλάνιος, πόλις μία μεσογείας τῶν Οἰνωτρῶν τῶν ὑπὸ Ἑκαταίου καταλεχθεισῶν ἐν Εὐρώπῃ. Τὸ ἐθνικὸν Μαλάνιος καὶ Μαλανιεύς, Steph. Byz.]

[Μάλαξ, ut primitivum nominis βλὰξ ponit Etym. M. in Βλάξ. Wakef. Et schol. Plat. Gorg. p. 488, A. Cramer. Trypho in Mus. crit. Cantabr. vol. 1, p. 33, V.

Μάλαξις, εως, ἡ, Mollitio, Emollitio : Mollitudo, VV. LL. [Plut. Mor. p. 130, D.]

[Μάλαξος, ὁ, Malaxus, cogn. virorum quorundam ap. Fabric. in B. Gr.]

[Μαλαὸς quidam ἀπόγονος τοῦ Ἀγαμέμνονος memoratur ap. Strab. 13, p. 582.]

[Μάλας, ανος, ὁ, Malas, n. viri in Charta Borg. 6, 4.]

Μάλασσος, Hesychio τράχηλος, Collum.

Μαλάσσω, sive Μαλάττω, ξω, Mollio. [Subigo, Mollifico add. Gl. Plato Leg. 1, p. 633, D : Τοὺς θυμοὺς μαλάττουσαι χηρίνους ποιοῦσιν· Reip. 3, p. 411, B : Ὥσπερ σίδηρον ἐμάλαξε.] Diosc. 1, 64, de oleo narcissino : Ποιεῖ δὲ πρὸς τὰ ἐν ὑστέρᾳ, μαλάσσον τὰς περὶ αὐτὴν σκληρίας· Plin. 21, 19, de narcisso : Ex hoc flore fit narcissinum oleum, ad emolliendas duritias. [Κηρὸν Pollux 7, 165.] Plut. Alcib. [c. 6] : Ὁ σίδηρος ἐν τῷ πυρὶ μαλασσόμενος αὖθις ὑπὸ τοῦ ψυχροῦ πυκνοῦται· sicut ap. Horat., Ferrum mollit ignis. Athen. 2 : Συμμέτροις λουτροῖς χρῆσθαι, ὡς διαναί τε τὸ σῶμα καὶ μαλαχθῆναι, Molliri. Metaph. quoque accipitur. [Pind. Nem. 3, 16 : Ἐν περισθενεῖ μαλαχθεὶς παγκρατίου στόλῳ. Eur. Alc. 381 : Οἴμοι, τί δράσω δῆτα σοῦ μονούμενος; — Χρόνος μαλάξει σ'· οὐδέν ἐσθ' ὁ κατθανών· 771 : Ὀργὰς μαλάσσουσ' ἀνδρός· 1085 : Χρόνος μαλάξει· νῦν δ' ἔθ' ἡβάσκει κακόν· Or. 1201 : Χρόνῳ μαλάξειν σπλάγχνον.] Plut. [Mor. p. 156, D] : Ὁ Διόνυσος, ὥσπερ ἐν πυρί, τῷ οἴνῳ μαλάσσων τὰ ἤθη καὶ ἀνυγραίνων, Molliens et mulcens, leniens. Aristoph. Ran. [973] : Τί κακόν ποτ' ἔσθ' ὅτῳ μαλάττομαι; Quid mali est, quo mollior et iram tempero? ut Liv. quoque dicit Iras mollire; Virg., Animos mollit et temperat iras. Sic [Soph. Aj. 594]: Πρὸς θεῶν μαλάσσου, Mollesce et tempera iras. [Fr. Acris. Stob. Fl. 108, 56: Τὰ πολλὰ τῶν δεινῶν, ὄναρ πνεύσαντα νυκτὸς, ἡμέρας μαλάσσεται· Eriph. ib. 7, 7: Ἀνδρῶν ἐσθλῶν στέρνον οὐ μαλάσσεται. Insolentius Phil. 1334: Πρὶν ἂν νόσου μαλαχθῇς τῆσδε.] Ea signif. μαλάξαι Hesychio est πραῦναι. Sic etiam verbum Mollire metaph. signif. habet: Cic., Molliunt animos nostros; Ovid., Scilicet ingenium placida mollitur ab arte; et, Emollit mores, nic sinit esse feros. Horat., Mollire pectora. [Aristoph. Eq. 389: Ὡς ἐὰν νυνὶ μαλάξῃς αὐτὸν ἐν τῇ προσβολῇ, δειλὸν εὑρήσεις. L. D. Τοὺς Διοσκούρους αὐτοὺς ἀφίξεσθαι ἐπερχόμενον μαλάξοντας βίαιον πόντον, Plutarch. Mor. p. 1103, C, ex veteri poeta. Hemst. De usu Hippocr. Foesius: « Μαλάσσεσθαι Hippocrati Emolliri et remitti significat et dicitur de febre aut doloribus qui remittunt et sedantur. Sic ægr. 6, l. 3 Epid., Πυρετὸς ἐμαλάχθη pro febre remissa ponitur, cui πυρετὸς ἐπέτεινεν opponitur, et ægr. 5 antea. Et p. 178, E: Τὰ ἀλγήματα μαλάσσεσθαι. »]

[Μαλαφῶν. V. Μαλέω.]

[Μαλάχβηλος in veteri quadam inscr. Romana θεὸς πατρῷος Palmyrenorum vocatur. Solem esse plane mihi persuadeo; sed quare ita dictus sit, velim disquirant linguæ Syriacæ peritiores. Salmas. in Flav. Vopisc. p. 371. Exp. tamen quasi dicas: regem Belum, adeoque composita vox videtur e ܡܠܟܐ *Malco*, Rex, ܒܥܠ *Beél*, Dominus. V. Ἀγλίβωλος. Dahler.]

[Μαλάχειον s. Μαλάχιον. V. Μαλάκια.]

Μαλάχη, ἡ, Malva [Gl.], Malache. Plin. 20, 21: Ex contrario in magnis laudibus malva est utraque, et sativa et sylvestris. Duo genera earum amplitudine folii discernuntur. Majorem Græci Malopen vocant in sativis: alteram ab emolliendo ventre dictam putant Malachen. Hesiod. Op. [41]: Οὐδ' ὅσον ἐν μαλάχῃ τε καὶ ἀσφοδέλῳ μέγ' ὄνειαρ. [De quo l. Plut. Mor. p. 157, E; 158, A. Batrach. 161: Φύλλοις μαλαχῶν. Moschus 3, 106.] Aristoph. Pl. [544]: Μαλάχης πτόρθους σιτεῖσθαι ἀντὶ ἄρτων. [Lucian. De merc. cond. c. 26: Μαλάχης φύλλον. Multa Athen. 2, p. 58, D, E, F. Valck. Locos Theophrasti et aliorum annotavit Schneiderus in Ind. Formam per α Atticam dicit Ath., memorans etiam formam Μολόχη, quod v. Idem tradit Mœris p. 263. Contra Nicephorus Greg. in Matthæi Anecd. vol. 1, p. 4: Μαλάχη κοινὸν, μολόχη Ἀττικῶν, sive librarii sive suo, quod satis est credibile, errore. Hesych.: Μαλάχη, μολόχη. Μαλάχη ἀγρία, Hibiscum, Gl.]

[Μαλαχίας, ὁ, Malachias, n. prophetæ in V. T.]

[Μαλάχιον. V. Μαλάκιον.]

[Μάλβαξ, i. q. μαλάχη, ficta vox, Lucian. Alexand. c. 25. Elberl.]

[Μάλγις, ιδος, ὁ, Malgis, Bœotarcha, ap. Pausan. 9, 13, 6, ubi Μάλγιδι dat. Sed quum Μαλκίτου sit ap. Plut. Pelop. c. 35, verum nomen videtur Μαλκίτης vel Μαλκίτας.]

[Μαλέα, Malus arbor, Gl.]

[Μαλέα. V. Μάλειαν.]

[Μαλεάγονος, ὁ, Maleæ natus. Pausan. 3, 25, 2: Τραφῆναι μὲν δὴ τὸν Σειληνὸν ἐν τῇ Μαλέᾳ δηλοῖ καὶ τάδε ἐξ ᾄσματος Πινδάρου, Ὃν Μαλεάγονος ἔθρεψε Ναΐδος ἀκοίτας Σειληνός. Sic enim correcta librorum scriptura Μαλέγορος vel Μελέγορος. ἄᾶ]

[Μᾰλεάτης, Μᾰλεᾶτις. V. Μάλειαν.]

Μάλειαν, Hesychio εὔφημον, ἥσυχον, πραεῖαν. Alioqui Μάλεια, s. Μαλία [hanc formam, de qua v. infra, ponit Theognost. Can. p. 107, 11], est et promontorii nomen Laconici, teste Eodem. Idipsum et Μαλείας vocant plur. [Hom. Od. I, 80: Περιγνάμπτοντα Μάλειαν· H. Apoll. 409, Orph. Arg. 1231. Plur. Hom. Od. Γ, 287, Δ, 514: Μαλειάων ὄρος αἰπύ· T, 187: Παραπλάγξασα Μαλειῶν. Μαλεαὶ Strabo 1, p. 10; 8, p. 362, ubi v. Tzschuck., 364 etc. Alibi, ut 2, p. 108, Μαλέαν. Ib. p. 92 etiam τῷ Μαλέᾳ.] Gentile nom. inde derivatum est Μαλεάτης, et Μαλειαῖος: quorum illud est a Μαλέα, quod sine diphthongo scribitur. [De qua forma Steph. Byz.: M., ἄκρα πρὸς Πελοποννήσῳ. Καὶ Μάλεια διὰ διφθόγγου, καὶ Μαλεάτης, ὡς Ἀσεάτης, καὶ Μαλεᾶτις. (Μαλεώτιδας libri Orph. Arg. 1360, Μαλεάτιδος 203.) Καὶ ἀπὸ τοῦ Μάλεια Μαλειαῖος Ζεύς. Καὶ θηλυκὸν Μαλειαία ἄκρα. Est Μαλέα ap. Eur. Or. 362, Cycl. 18, 293, Herodot. 3, 179, ubi Μαλέην, Thuc. 4, 54, Xen. H. Gr. 1, 2, 18, Pausan. 3, 23, 2, et Μαλεάτης Ἀπόλλων 2, 27 ult. Μαλέαι ap. Herodot. 1, 82, et utriusque numeri eadem forma aliquoties ap. Polybium. Περὶ τὸν Μάλεον ap. Georg. Sync. p. 362, 12, ubi Μαλέαν Dionys. A. R. 1, 72, unde illa ducta sunt. Sic inter τὸν Μαλέαν et Μαλαῖον vel Μαλλαῖον variatur Diodori 13, 64. || Prom. Lesbi ap. Thuc. 3, 4, Xen. H. Gr. 1, 6, 26. Μαλία, de qua forma v. supra, ap. Strab. 13, p. 616, 617, schol. Aristoph. Ran. 33. Μάλειον ὄρος addito l. Homeri, ubi Μαλειάων ὄρος, ponit Suidas. || Μαλαία Arcadiæ oppidum ap. Pausan. 8, 27, 4, scribendum esse per ε docet Xen. H. Gr. 6, 5, 24, ubi de regione illa est τῆς Μαλεάτιδος.]

[Μαλεὸς, ὁ, inter trisyllaba oxytona in λεος ponitur ab Arcadio p. 38, 18, Theognosto Can. p. 50, 4. Incertum an idem sit nomen quod ponit Suidas: Μάλεος, ὄνομα κύριον, unde Μαλέου (vel Μαλίου) λίθος, quomodo nonnulli legebant Hom. Od. Γ, 296, ubi nunc μικρός. Pro quo τῷ Μαλέᾳ λίθῳ Steph. Byz. v. Λιθήσιος. Ab neutro Μάλειον vel Μάλιον, prom. Phæsti, repetit schol. Hom. s. Eust. Hesych. vitiose: Μάλεοι, ὅριοι. V. intt. conjecturas. L. Dind.]

Μαλερὸς, ὰ, ὸν, ignis est epith. ap. Homerum [Il. I, 242, Υ, 316, al.] et Apollon. [Rh. 1, 734], ut et ap. Hesiod. Sc. [18] legimus, Μαλερῷ δὲ καταφλέξαι πυρὶ κώμας. [Dionys. Per. 40: Μαλεροῖσι κεκαυμένος ἠελίοισι.] Quidam interpr. λαμπρὸν, alii καυστικὸν, μαραντικὸν, ὀξὺ, ἰσχυρόν. Contra tamen Hesych. μαλερὰς φρένας dici scribit pro ἀσθενεῖς καὶ ξηράς. Μαλερὸν Idem affert pro ἄλευρον, στέαρ, Farina, Pasta. [Eandem fere interpretationem ponunt Photius s. Suidas. Pro μαλερὸν recte interpretes Μάλευρον, quod v. Improprie Pind. Ol. 9, 24: Μαλεραῖς ἀοιδαῖς. Æsch. Pers. 62: Πόθῳ στένεται μαλερῷ· Ag. 141: Μαλερῶν λεόντων· Cho. 325: Πυρὸς μαλερὰ γνάθος. Eur. Tro. 1300: Μαλερὰ μέλαθρα πυρὶ κατάδρομα. Soph. OEd. T. 190: Ἄρεα τὸν μαλερόν. Aristoteles ap. Athen. 15, p. 696, C: Πόνους τλῆναι μαλεροὺς ἀκάμαντας.]

[Μάλευρον, τὸ, i. q. ἄλευρον, quod v. Helladius Photii p. 531, 17, Etym. M. p. 573, 41, Epimer. Hom. in Cram. An. vol. 1, p. 274, 18, Zonar. p. 1334 et Hesych. in Μαλερὸς indicatus. Achæi nomen addit Photius in Lex.]

[Μαλέω.] Μαλεῖν affertur pro Augere, Crescere. [Etym. M. v. Ἀμάλη, p. 76, 41: Μαλεῖν τὸ αὐξάνειν.] Hesych. vero Μαλητέον exp. ζητητέον, Quærendum. Μαλιεῖς, Eid. ζητεῖς, Quæris. [Ejusd. gl. Μαλαφῶν, ζητῶν, conferunt interpretes. Alludunt huc etiam vocabula ματεῖν et cetera hujus stirpis, ut præstet fortasse ματητέον et ματεῖς.]

Μάλη, Hesychio est μαλάχη [dittographia, ut videtur, proximi μασχάλη], Malva: item χλαῖνα, Læna [quod ad μαλακὴ pertinere videtur]: necnon μασχάλη, Ala [Gl.], Axilla. [Gl.: Μάλη ἀνθρώπου, Subraco (Sub brachio Muncker. ad Antonin. Lib. c. 41, p. 278), Subala, Gl.] Unde aliquis aliquid ὑπὸ μάλης occulere, gestare s. habere, dicitur, pro Occultum: quoniam quæ sub ala superinduta tunica gerimus, ea non conspiciuntur. Synes.: Ὑπὸ μάλης ἔκρυπτον τὰς ἀσπίδας. Lysias in Or. adv. Cliniam [fr. 22, 21]: Ὑπὸ μάλης λαβὼν ἐξήγαγε, ξίφος ἔχων. Xen. Hell. 2, [3, 23]: Ξιφίδια ὑπὸ μάλης ἔχοντας. [Plato Gorgia p. 469, D: Λαβὼν ὑπὸ μάλης ἐγχειρίδιον. (Et cum eod. verbo Leg. 7, p. 789, C.) Valck.] Sic Athen. 10: Λίθους ὑπὸ μάλης ἔχων, οἷς ἔβαλε τῶν ἰδίων τοὺς ἀκολουθοῦντας αὐτῷ. Metaphorice et per jocum, Lucian. [D. mort. 10, 9], docens quomodo philosophi exuendi sint, et eorum vitia retegenda: Ἓν ἔτι τὸ βαρύτατον ὑπὸ μάλης ἔχει, sc. τὴν κολακείαν. Id. [Adv. indoct. c. 23]: Θᾶττον δ' ἂν πέντε ἐλέφαντας ὑπὸ μάλης κρύψειας ἢ ἕνα κίναιδον. Sic aliquid fit ὑπὸ μάλης, pro Clanculum, Occulte. [Aristoph. Lys. 985: Κᾄπειτα δόρυ δῆθ' ὑπὸ μάλης ἥκεις ἔχων;] Dem. [p. 848, 12]: Ἀλλὰ μὴν οὐχ εἷς οὐδὲ δύο ταῦτ' ἴσασιν, οὐδ' ὑπὸ μάλης ἡ πρόκλησις γέγονεν, ἀλλ' ἐν τῇ ἀγορᾷ μέσῃ, πολλῶν παρόντων. Et Dion. Cass. [46, 23]: Οὔτε γὰρ ὑπὸ μάλης τι αὐτῶν ἐπράχθη, ἀλλ' ἐς στήλας, ὡς καὶ αὐτὸς φῄς, πάντ' ἀνεγράφη. Eod. modo ap. Plut. [Mor. p. 64, E] adulator ἐν ταῖς ὑπὸ μάλης πράξεσιν ἀπροφάσιστός ἐστι, καὶ πιστὸς ἔρωτος ὑπηρέτης. [Phrynich. Ecl. p. 196 : Μάλη οὐχ ἐρεῖς, ὑπὸ μάλην (μάλης ed. Vasc.) μέντοι. Lobeckius : « Μάλη nulli præpositioni adjunctum tantum apud recentiores legitur; Melampodem (De nævis p. 111 : Εἰς τὴν μάλην, et Rufum 1, p. 29 : Μάλην δὲ οὐχ Ἑλληνικὸν ὀνομάζειν· τὸ δὲ φέρειν τι κρύπτοντα ἐν τῇ μασχάλῃ ὑπὸ μάλης ἔχειν λέγεται) citat Bernardus ad Thomam p. 594, Nunnes. Gl. supra cit. Idiotis tribuit hunc usum Pollux 2, 139. (Helladius Photii p. 529, 36, ab Atticis alienum perhibet. Plurali non dici addit Etym. M. p. 783, 10. Annotatio manu recentiori scripta ad marg. codicis Photii, sed manca et lacunosa, vindicare quibusdam hunc usum videtur : Ἀλλὰ τοῦτο τὸ *ῆμα χρῶνται ναυ*λιοι καθόλου μάλην *γοντες, ἀλλ' οὐ μασ*άλην ἢ μασχάλας.) Veteres ὑπὸ μάλης dixerunt tum proprio tum translato sensu (v. Lex. Bekk. p. 194, 7). Longe rarius est ὑπὸ μάλην. Anna Comn. 9, p. 254, C, Nicet. Ann. 20, 3, p. 378, D. Itaque haud assentiar Piersono (ad Mœr. p. 261) ὑπὸ μάλης ap. Polyænum 5, 19, et Hesychium v. Μασχαλήττει reponenti, præsertim quum habuerint illi quod sequerentur, ὑπὸ κόλπον φυλάττειν, Lucian. Disp. c. Hesiod. c. 2, quod alibi ὑπὸ κόλπου. » Sed id ipsum hic præbuit cod. Gorlic. Atque Polyæno quidem recte Coraes accusativum exemisse videtur, quum genitivo ipse utatur aliquoties. Alio vitio ap. Theodor. Stud. p. 53, C : Τὸ ἐπὶ μάλης ἐπιστόλιον ἐξαγαγεῖν. Ubi margo « Id est πήρας. » Sed legendum ὑπὸ et intelligenda Ala. L. Dind.]

[Μάλη, Lana, ἔριον, in Corona pretiosa. Ducang.]

[Μαληκὸς διὰ τοῦ η ἀπὸ τοῦ μαλακὸς γεγενημένον τροπῇ τοῦ α εἰς η memorat Theognostus Can. p. 59, 11, idemque ib. 26 ponit : Μάλικος ὄνομα ὀρνέου βαρυτονούμενον, ὀξυνόμενον δὲ ἀπὸ τοῦ μαλακὸς γέγονεν τροπῇ τοῦ α εἰς η, pro μάληκος, ut videtur, quod est etiam ap. Arcad. p. 51, 19. Quo confirmatur n. pr. in mon. Attico ap. Bœckh. vol. 1, p. 498, n. 611 : ΜΑΛΗΚΟΣ ΣΜΙΚΡΟΟΥ ΑΧΑΡΝΕΥΣ. V. etiam Μαλικά. L. Dind.]

[Μαλήνη, ἡ, Malene, locus regionis Atarnitidis, ap. Herodot. 6, 29, sed suspectæ scripturæ.]

[Μάλης, ὁ, Males, frater Titormi, ap. Herodot. 6, 127.]

[Μαλητέον. V. Μαλέω.]

Μάλθᾰ, sive Μάλθη, ἡ, Cera emollita, μεμαλαγμένος κηρὸς, Hesych. : Eid. μάλθη est μαλακία, et τρυφερή. In priori signif. capitur a Polluce [8, 16], qui inter δικαστικὰ quædam σκεύη ponit πινάκιον τιμητικὸν, μάλθην, ᾗ κατήλειπτο τὸ πινάκιον. Idem l. 10, [59] de libris et instrumentis scriptoriis : Ὁ δὲ ἐνὼν τῇ πινακίδι κηρὸς, ἡ μάλθη, ἡ μάλθα· citans prius ex Cratino, posterius ex Aristoph. Gerytade, Τὴν μάλθαν ἐκ τῶν γραμματείων ἐσθίων [ἤσθιον. V. etiam Μαλθακηρός]. Dem. p. 143 [1132, 13] : Ἐν μάλθῃ γεγραμμένην τὴν μαρτυρίαν· ἵνα εἴ τι προσγράψαι ἢ ἀπαλεῖψαι βουληθῇ, ῥᾴδιον ἦν· quod non fieri poterat ἐν λευκώματι s. γραμματείῳ λελευκωμένῳ. [Hipponactis ex. citat Harpocratio.] Maltha, inquit Turn. Advers. 6, 9, est Polluci Cera, qua tabella judicum illinebatur : et interprete Festo, Pix erat cum cera mixta. Similis est quam in Verrem Cic. Ceram legitimam vocat, qua tabellæ judiciales incerebantur. Hesychio Cera mollis est. Est et maltha mollis, ex eo quod mixtum ex cera et pice molle erat. Inde Horatianus Malthinus, mollis est et effeminatus : Malthinus tunicis demissis ambulat : qui Mæcenas videtur fuisse. Hæc ille. Hesychio μάλθη est etiam ῥύπος ξηρός. Pollux autem ῥύπον accipi etiam pro Cera qua tabellæ scriptoriæ inducuntur, scripsit : ita ut μάλθη generalius pro Cera tam dura quam mollita usurpetur : sicut Galeno μάλθη est ὁ κηρὸς, μάλιστα δὲ ὁ μεμαλαγμένος. Ap. Latinos autem maltha est Permistio picis liquida, unguinis s. axungiæ, s. sevi et calcis, ad strigmenti crassitiem : qua in cisternis, piscinis, vel puteis rimas et lacunas, quum aqua per saxa manat, resarciunt, atque pavimenti vel parietis tecturam succumbentem reparant : cujus compositionem docet Pallad. Rei rust. 1, 17. Plin. 36, 24, aliud genus docet hoc modo : Maltha ex calce fit recenti : gleba vino restinguitur, mox tunditur cum adipe suillo et ficu duplici linamento : quæ res

A omnium tenacissima et duritiem lapidis antecedens. Ibid. dicit Malthare pro Maltha inducere. Quod malthatur, inquit, oleo perfricatur. Aliter autem accipit, quum 2, 104, ait, In Commagenes urbe Samosatis stagnum est emittens limum, Maltham vocant, flagrantem. Quum quid attigit solidi, adhæret : præterea tactus sequitur fugientes. Sic defendere muros oppugnante Lucullo; flagrabatque miles armis suis. Aquis etiam accenditur : terra tantum restingui docuere experimenta. Similis est natura naphthæ. || Malthas veteres Molles appellari voluerunt, a Græco, quasi μαλακούς. Lucil. 28 : Insanum vocat quem maltham ac feminam dici videt. Hæc ex Nonio : qui scribit Malta, sine h. Metaphorica autem ea signif. est, et maltha accipitur ut μαλθακὸς, μάλθων, et κήρινος. De origine hujus vocabuli nihil reperi ap. gramm.; sed quum μαλθακὸς Eust. derivet a μαλακὸς, illud quoque post Μαλάσσω ponendum existimavi. [Schol. Theocr. 7, 105 : Μαλθακὸς ὁ τρυφερὸς, ἐκ τῆς μάλθης. Αὕτη δέ ἐστι κηρὸς ἀμόργῃ συνεψημένος. Valck. || Piscis nomen, ap.

B Ælian. N. A. 9, 49, ubi v. Schneid. et conf. Boiss. ad Athen. vol. 8, p. 444 meæ ed. Schweigh. Oppian. Hal. 1, 371. De accentu v. Arcad. p. 106, 2.]

[Μαλθαίνω, Emollio. Diotogenes ap. Stob. Fl. vol. 2, p. 318 : Τὸ ἀπότομον τᾶς βλάβας μαλθαίνοισα.]

Μαλθᾰκευνία, ἡ, Cubilis, Lecti mollities. [Comicus ap. Phryn. Bekkeri p. 4, 1, Suidam in Ἀπαλοὶ et Μαλθακόν.]

[Μαλθᾰκεύομαι, Mollis sum. Schol. Aristoph. Pl. 325 : Βλὰξ ἐστιν ὁ μαλθακευόμενος ἐν ὑποκρίσει τὸ σῶμα.]

[Μαλθάκη, ἡ, Malthace, n. mulieris in Antiphanis fabula sic inscripta et ap. Theophilum Athenæi 13, p. 587, F, in inscr. Tenia ap. Bœckh. vol. 2, p. 260, n. 2336, 37, sive ap. Lebas. *Inscr.* fasc. 5, p. 11, 25. Lucian. Rhet. præc. c. 12.]

[Μαλθακηρὸς, ά, όν.] Μαλθακηρὸν, Tenerum, Molle : μαλθάκινον, Hesych. [Est ap. Hes. : Μαλθακηρὸν, ἁπαλῶς ἤσθιον. Pro quo Is. Vossius : Μάλθαν, κηρὸν ἁπαλὸν, ἤσθιον. In quibus verba Μάλθαν ἤσθιον Aristophanis sunt in Μάλθα citata, κηρὸν ἁπαλὸν Hesychii.]

C Μαλθακία, ἡ, Mollitudo, Mollities, ut μαλακία. [Plato Reip. 9, p. 590, A : Τρυφὴ καὶ μαλθακία. Diog. L. 2, 15 : Ὁ δ' (Anaxagoras) αὐτὸν ἐξάγαγεν βιότου, μαλθακίῃ σοφίης.]

Μαλθακίζω, Mollio, Emollio, Mollio animum, pectus, Mollibus verbis delinio et permulceo, flecto, ut μαλθάσσω. Eur. Med. [291] : Κρεῖσσον δέ μοι νῦν πρός σ' ἀπέχθεσθαι, γύναι, Ἢ μαλθακισθένθ' ὕστερον μέγα στένειν. [Æsch. Prom. 79 : Σὺ μαλθακίζου· 651 : Ζεὺς τοῖς τοιούτοις οὐχὶ μαλθακίζεται. Eust. Op. p. 176, 55 : Μαλθακιζομένοις εἰς τὸ χειρόηθες.] || Μαλθακίζομαι, Mollesco, Ignavia et inertia mollesco, Ignaviter ago, Languesco, ut μαλακίζομαι. Plato Epist. [3, p. 317, C] : Δεῖν ἐμὲ πλεῖν καὶ μὴ μαλθακίζεσθαι. Item Elanguesco, Mollescens debilitor. Plut. Symp. 4, [p. 663, E] : Ἤδη δὲ κάμνουσαν πρὸ καιροῦ, καὶ μαλθακιζομένην, καὶ ἀπολείπουσαν τὸ οἰκεῖον ἐντεῖναι καὶ ἀναζωπυρῆσαι παγχάλεπον.

Μαλθάκῐνος, η, ον, Mollis. Μαλθακίνῃ χάριτι, Epigr. [Antip. Thess. Anth. Pal. 9, 567, 8. V. Μαλθακηρός.]

D Μαλθακιστέον, Molliter et segniter agendum. Aristoph. Nub. [727] : Οὐ μαλθακιστέ', ἀλλὰ περικαλυπτέα. [Plato Alcib. 1 p. 124, C : Οὐκ ἀποκνητέον οὐδὲ μαλθακιστέον.]

Μαλθᾰκὸς, ἡ, ὸν, Mollis, i. q. μαλακὸς, Eust., illud ab hoc derivans, pleonasmo literæ θ, sicut in τριχθὰ et τετραχθά. Potius tamen a μαλθάσσω deduci puto, sicut μαλακὸς a μαλάσσω deduxi. [Hom. H. in Matrem deorum 15 : Κατ' ἄνθεα μαλθακὰ ποίης. Soph. fr. Amyci 114 : Σιαγόνας τίθησι μαλθακάς· Pandor. 429 : Μαλθαχῆς ὑπ' ὠλένης· et ap. sch. Eur. Or. 490 : Ὥστε μαλθακὴ κοπίς. Eur. Hipp. 1226 : Ἐς τὰ μαλθακὰ γαίας. Plato Conv. p. 195, D : Ὅτι οὐκ ἐπὶ σκληροῦ βαίνει, ἀλλ' ἐπὶ μαλθακοῦ· Phædr. p. 239, C : Μαλθακὸν καὶ οὐ στερεόν. L. D. Ὕδατι μαλθακῷ ἐν εὐδίῃ καὶ μὴ σφόδρα βρέχεσθαι, Hippocr. p. 378, 20. Hemst.] Plut. Ad Colot. [p. 1111, D] : Ὅταν συνέλθωσιν εἰς αὐτὸ καὶ ξυμπέσωσι ξηροῖς ὑγρὰ, καὶ ψυχρὰ θερμοῖς, καὶ στερεὰ μαλθακοῖς. Et μαλθακαὶ πλευραὶ, Costæ molles, i. e. Costæ nothæ. Gorr. ex Polluce [2, 182]. Item μ. γυῖα, ut

Molles pedes, manus, Mollia brachia ap. Latinos. Plut. De animi tranq. [p. 467, D] : Οὐδὲ θερμὸν ὕδωρ τοσόνδε τέγξει μαλθακὰ γυῖα, κατὰ Πίνδαρον [Nem. 4, 4], ὡς δόξα ποιεῖ, καὶ τὸ τιμᾶσθαι μετά τινος δυνάμεως, πόνον ἡδύν. [Eur. Med. 1075 : Ὦ μαλθακὸς χρώς. Aristoph. Av. 122 : Πόλιν ὥσπερ σισύραν ἐγκατακλινῆναι μαλθακήν· 233 : Μαλθακὴν ἱέντα γῆρυν.] || Mollis et iners, Mollis et remissus, Ignavus. [Ὁ βραδὺς Gl.] Hom. Il. P, [588] : Ὃς τὸ πάρος περ Μαλθακὸς αἰχμητής, νῦν δ' οἴχεται οἶος ἀείρας Νεκρὸν ὑπ' ἐκ Τρώων, de Menelao, quem Apollo pro Trojanis pugnans, veluti hostis, μαλθακὸν σκώπτει πολεμιστὴν, μεταλαβὼν τὸ τοῦ ἥρωος πρᾶον καὶ ἐνηὲς εἰς μαλακότητα, quum eum Homerus alibi ἀρηΐφιλον et ἴφθιμον vocet. [Plato Phædon. p. 85, C : Πάνυ μαλθακοῦ εἶναι ἀνδρός· Leg. 6, p. 778, E : Μαλθακὴν ἕξιν.] Item Mollis et effeminatus, Luxu mollis. Demetr. Phal. [97] : Ὁ τὰ τύμπανα καὶ τὰ ἄλλα τῶν μαλθακῶν ὄργανα, κιναιδείας εἰπών. [M. σχῆμα συνθέσεως, Forma orationis mollis, robore carens, Dionys. Comp. vv. c. 4, de Hegesia. Ernest. Lex. rh. Id. De adm. vi Dem. c. 39 : Τοὺς ῥυθμοὺς τοὺς καταμετροῦντας τὰ κῶλα μὴ ταπεινοὺς μηδὲ μαλθακοὺς εἶναι.] Quo sensu inscripsisse Cratinus fabulam quandam Μαλθακοὶ videtur, cujus mentio fit ap. Athen. 14, [p. 638, E, et al.]. || Languidus. [Æsch. Eum. 73 : Μηδὲ μαλθακὸς γένῃ· Ag. 1642 : Ὁ λιμὸς μαλθακόν σφ' ἐπόψεται. Plato Leg. 11, p. 922, E : Μαλθακοῖς ἔμοιγε δοκοῦσιν οἱ πάλαι νομοθετοῦντες γεγονέναι.] Aristoph. Vesp. [714] : Καὶ τὸ ξίφος οὐ δύναμαι κατέχειν, ἀλλ' ἤδη μαλθακός εἰμι, Languescit et emollescit mihi animus, Languidus fio, Labascit animus. Sic supra μαλακός. [Id. Ran. 595 : Εἰ δὲ παραληρῶν ἁλώσει καὶ βαλεῖς (rectius al. χαχβάλῃς, h. e. χαχβαλεῖς) τι μαλθακόν. Eur. Hel. 508 : Ἦν δ' ἐνδιδῷ τι μαλθακόν.] || Μαλθακὸν ἔτος, Mollis et levis annus, Hippocr. Epidem. 3, h. e. ἄπνουν καὶ θερμὸν, Gorr. ex Galeno. [Ap. eund. p. 178, G : Μαλθακοὶ πόνοι· et p. 493, 44, 49, ὀδύναι. Et χειμὼν p. 1082, A. Et οἶνος, Vinum debile, p. 539, 22, 28, et ubi μαλθακώτατος, p. 474, 47. V. Μαλακός.] || Hesychio μαλθακὸν est ἡδὺ, προσηνὲς, τρυφερὸν, ἀσθενές. Pro ἡδὺς accipitur a Suida in Aristoph. Ran. [539] : Τὸ δὲ μεταστρέφειν ἀεὶ πρὸς τὸ μαλθακώτερον, δεξιοῦ πρὸς ἀνδρός ἐστι· i. e., inquit, πρὸς τὸ ἡδύτερον τοῦ βίου καὶ εὖ ἔχον : ubi etiam posset reddi, Ad vitam molliorem et delicatiorem. [Figurate Hesiodus ap. Athen. 10, p. 428, C : Φιλεῖ δέ ἑ μαλθακὸς ὕπνος. Et cum eodem nomine Theognis 471. Et 852 : Μαλθακὰ κωτίλλων. Et sæpe Pind., ut Ol. 2, 99 : Ἐκ μαλθακᾶς φρενός· Pyth. 1, 98 : Κοινωνίαν μαλθακάν· 4, 137 : Μαλθακᾷ φωνᾷ· 5, 93 : Δρόσῳ μαλθακᾷ, de hymnis. 8, 6 : Τὸ μαλθακὸν ἔρξαι· 32 : Φθέγματι μαλθακῷ. Æsch. fr. Prom. apud Strabon. 4, p. 183 : Πᾶς χῶρός ἐστι μαλθακός· Ag. 742 : Μαλθακὸν ὀμμάτων βέλος. Soph. Phil. 629 : Λόγοισι μαλθακοῖς. Et cum eodem nomine sæpius ap. Eur., qui etiam absolute Med. 316 : Λέγεις ἀκοῦσαι μαλθακά. Et in fr. ap. Stob. vol. 1, p. 320 : Πότερα θέλεις σοι μαλθακὰ ψευδῆ λέγω ἢ σκλήρ' ἀληθῆ; Or. 714 : Οὐ γάρ ποτ' Ἄργους γαῖαν ἐς τὸ μαλθακὸν προσηγόμεσθα· Suppl. 884 : Πρὸς τὸ μαλθακὸν βίου. Photius : Μαλθακὸν ἀντὶ τοῦ ἀγαθόν (sic int. etiam Hesychius). Οὕτως Ἀριστοφάνης (fort. l. supra cit.). Plato Theæt. p. 149, D : Μαλθακωτέρας (τὰς ὠδῖνας) ποιεῖν.]

[|| Adv. Μαλθακῶς, Æsch. Ag. 951 : Τὸν κρατοῦντα μ. Soph. OEd. C. 809 : Σκληρὰ μ. λέγων. Aristoph. Ach. 70 : Ἐφ' ἁρμαμαξῶν μ. κατακείμενοι· 1200 : Φιλήσατόν με μαλθακῶς. Dio Cass. 62, 6. Μαλθακωτέρως, Mollius, Plato Soph. p. 230, A : M. παραμυθούμενοι.]

[Μαλθακότης, ητος, ἡ, Mollities. Hippocr. p. 896, E : Σκληρότητι καὶ μαλθακότητι.]

[Μαλθακόφωνος, ὁ, ἡ, Qui molli voce est. Pind. Isthm. 2, 8, ἀοιδαί.]

Μαλθακόω, Mollio.

[Μαλθακτήριον, τὸ, Emolliens medicamentum. Hippocr. p. 263, 30; 264, 20, 52.]

[Μαλθακτικὸς, ἡ, ὸν, Emolliens. Hippocr. p. 393, 49 : Μαλθακτικὸν αὐτέου· 395, 33 : Μαλθακτικὸν ἄρθρων.]

[Μαλθακύνω, Mollio. Schol. Dionys. in Bekk. Anecd. p. 751, 15 : Ἐπείπερ τινὲς ἀναγινώσκοντες μαλθακύνουσιν ἑαυτῶν τὰς φωνάς. Boiss. ῡ]

[Μαλθακώδης, ὁ, ἡ.] Μαλθακώδη φάρμακα ab Hippocrate vocantur Pharmaca generis oleosi, ut quæ constant adipibus, œsypo, resinis, butyro, cera : sic differunt ἀπὸ τῶν μαλακτικῶν, Gorr. [V. Μαλθώδης.]

[Μαλθακῶς. Μαλθακωτέρως. V. Μαλθακός.]

Μάλθαξις, εως, ἡ, Emollitio, Fotus. Exp. etiam Fomentum et θέρμασμα ap. Hippocr. [p. 264, 52; 387, 22; 393, 6. « Aret. p. 125, 23, ψυχῆς. » Hemst.]

Μαλθάσσω, ξω, Mollio : unde μαλθάσσειν, quod Hesych. exp. μαλάσσειν, πείθειν : sicut Latine quoque Homines s. Pectora mollire, h. e. Mollibus verbis flectere, Mollibus verbis persuadere, Delinire, Demulcere. [Æsch. Prom. 379 : Ἐάν τις ἐν καιρῷ γε μαλθάσσῃ κέαρ· 1007 : Τέγγει γὰρ οὐδὲν οὐδὲ μαλθάσσει λιταῖς ἐμαῖς vel κέαρ λιταῖς, ut alii, repetito fortasse ex priori loco voc. κέαρ. Eum. 134 : Μαλθαχθεῖσ' ὕπνῳ. Eur. Herc. F. 298 : Ὡς λόγοισι τόνδε μαλθάξαιμεν ἄν.] Ap. Suidam : Τὸ γὰρ δυνάμενον ἐκεῖνον τὸν ἄνδρα μαλθάξαι, ἓν μόνον ἦν, ἡ τῶν τρόπων ἐπιείκεια, καὶ ὁ τοῦ δικαίου κατὰ φύσιν ἔρως, i. e. καταπραῦναι, ἀγαθῦναι. Ap. Eund. [ex Diog. L. 4, 8. Hemst.], Τοὺς μὲν, δώροις μαλθασσομένους καὶ ἐς τὰς κλήσεις συνιέναι, Muneribus emollitos et delinitos. Sic accipi potest ap. Soph. Ant. p. 263 [1194] : Τί γάρ σε μαλθάσσοιμ' ἂν ὧν ἐς ὕστερον Ψεῦσται φανούμεθ'; Schol. tamen ibi exp. ἀπατήσαιμι. [Μαλθάσσειν τὸ πάνυ πρανὲς, i. e. καθομαλίζειν, scriptor vetus ap. Suid. in Ἐμάλθαξαν. Hemst. Proprie Manetho 6, 391 : Χαλκὸν μαλθάσσοντες.]

[Μάλθη. V. Μάλθα.]

Μαλθόω, Mollio, Mollio et subigo veluti ceram : unde μαλθώσω, μαλακώσω, Hesych.

[Μαλθὼ, οῦς, ἡ, Maltho, gymnasium Eleorum, τῆς μαλθακότητος τοῦ ἐδάφους caussa dictum, sec. Paus. 6, 23, 6.]

[Μαλθώδης, unde μαλθώδεα μαλακτικὰ ἢ κηρώδη, Quæ emolliunt aut cerea sunt, exponit ap. Hipp. Galen. in Exeg. (p. 518). Existimo Galenum μαλθώδεα legisse ap. Hipp., ubi nunc μαλθακώδεα, p. 880, C. Illic enim emollientia et μαλακτικὰ quædam describuntur ex cera, resina etc. Foes.]

[Μάλθων, ωνος, ὁ, Nebulo, Gl. Mollis, Segnis. Incertus scriptor ap. Stob. Fl. vol. 2, p. 409 : Ἂν μή τις ᾖ μάλθων, ἀλλὰ ἐργάτης· et ib. : Τοῦ μὴ μάλθωνος. Hemst. Qui vid. etiam in annot. ad Suidam anonymi exemplum afferentem.]

[Μαλιάδης. V. Μάλιος πύργος.]

[Μαλιὰς pro Μηλιὰς et alias formas Doricas v. in formis per η.]

[Μαλίασις, εως, ἡ, Crauceum (sic), Gl.]

Μαλιασμὸς, ὁ, idem ac μάλις. Suid. esse dicit νόσον περὶ τοὺς ὄνους γινομένην : esse autem κατάῤῥουν διὰ τῶν μυκτήρων, καὶ στρόφον περὶ αὐτούς : ex horum vero morborum neutro evadere asinum. Inde esse volunt Malandria et Malandriosus ap. Marcell. Empir.

[Μαλιέω. V. Μαλέω.]

Μαλιὴ, ἡ, Hesychio est, τὸ περὶ τὰ ὑποζύγια πάθος, nimirum ὅτε βήττῃ, Jumentorum morbus, quum tussiunt. Hippiatri μάλιν vocant. Scribit enim Apsyrtus [p. 10, 12. Hemst.] μάλιν esse veterinorum πάθος : a nonnullis κατάῤῥουν nominari : revera esse ἀρθρῖτιν. Theomnestus [p. 16. Hemst.] τὴν μάλιν esse dicit χυμῶν σεσηπότων δυσδιαφόρητον ἔνστασιν καθὸ μέρος ἐνίσταται τοῦ σώματος, ἐκεῖθεν τὴν ἰδικὴν ἐπωνυμίαν ἔχουσαν : esse enim ἀρθρίτιδα μάλιν, et esse ὑποδερματίτιδα· præter has, ὑγρὰν et ξηράν. V. l. 1. [Hierocl. p. 13. Ἐπὶ τῷ ὤμῳ τῷ λεγομένῳ ἀγκῶνι παρὰ τὴν μάλιν ἢ ἱπποζώνην, Apsyrt. p. 90. Hemst. Alia Ducang. De accentu v. Arcad. p. 30, 26.]

Μαλικᾷ πέδᾳ, Hesychio χοιριδίῳ δεσμῷ, qui etiam addit, Τροχηλιὰ et Παγὶς vocantur μαλικά. [Codex μαληκῷ παιδίῳ et μαλικῷ pro μαλικά. Et μαληκός quidem supra notavimus.]

Μαλιναθάλη, ἡ, planta esse dicitur in Ægypto nascens, auctore Theophr. H. Pl. 4, [8, 12, ubi v. Schneid.].

[Μάλιξ, κος, ὁ. Μάλικα, τὸν Ἡρακλέα. Ἀμαθούσιοι, Hesych. Ortum videtur ex Hebr. מלך *Melech* vel Syr. ܡܠܟܐ *Malco*, Rex. Deos autem vulgo reges appellabant Orientales. V. infra Μελίκαρθος, Μελχὸμ, Μολόχ. Dahler.]

[Μαλίον. V. Ζῦθος vol. 4, p. 49, A.]

[Μάλιος πύργος, in inscr. Teja ap. Bœckh. vol. 2, A
n. 3064, p. 648, 33 : Ἀρίστιππος τοῦ Μαλίου πύργου, Μαλιάδης, cujus de ratione v. Bœckh. p. 650 seq. L. Dindorf.]

Μάλιον, Hesychio μᾶλλον, Magis. [Pro μάλλιον, quod v. in Μᾶλλον sub Μάλα.] Μαλιωτέρα, Eid. προσφιλεστέρα. [Ejusdem gll. obscuræ sunt: Μαλιργή, Κιμωλία. (Μάλιρ, γῆ Κιμωλία, ut sit pro Μηλὶς, Sopingius.) Μαλὶς, Ἀθηνᾶ, λαπάρα, ἄφθα, φλεγμονὴ, de quibus v. annot. intt.]

[Μάλις. V. Μαλιή.]

Μάλις, ιδος, ἡ, Malis, serva Omphales. Steph. Byz. v. Ἀκέλη.]

[Μάλιστα. V. Μάλα.]

[Μαλίχα, ἡ, Malicha. Inscr. Att. ap. Ross. *Bullett.* 1841, p. 56 : Μαλίχα Κυθηρία. Μαλίχαν βασιλέα Ναβαταίων ap. Arrian. Peripl. m. Erythr. p. 11, Hudsonus non diversum ab Malcho putabat. L. Dind.]

[Μαλκείω. V. Μαλκέω.]

[Μαλκενὶς, ἡ παρθένος. Κρῆτες, Hesych. V. Μαλάκιννις.] B

Μαλκέω, sive Μαλκείω, Ionice et poetice, et Μαλκιάω, Frigore contrahor, Ex frigore obtorpesco. Primo utitur Dem. Phil. 4 : secundo, Nicand. Ther. μαλκείοντα dicens : tertio, Arat. in Phænom. [293] canens, Τότε δὴ κρύος ἐκ Διός ἐστι Ναύτῃ μαλκιόωντι κακώτερον· Ionica dialysi posito μαλκιόωντι pro μαλκιῶντι. Germanicus Cæsar verba hæc elegantissime sic reddidit, Tunc rigor, aut rapidus ponto tunc incubat auster, Tarda ministeria : et nautis tremor alligat artus. Schol. quoque μαλκιόωντι exp. ναρκοῦντι, sed addens, quosdam id accepisse pro ἐντὸς ἔχοντι τὰς χεῖρας : quoniam frigido tempore manus in sinus conjicimus. Cic. generalius vertit, Tum fixum tremulo quatietur frigore corpus. Ap. Hesych. legitur et Μαλκιεῖν, expositum itidem ὑπὸ ψύχους συνεσπᾶσθαι τὰς χεῖρας : pro quo malim μαλκιῆν, ut Doricum sit pro μαλκιᾶν. [Idem : Μαλκίετον, μαλακῶς καὶ ἀσθενῶς ἔχετον· ἐπιεικῶς δὲ τοὺς ὑπὸ κρύους κεκμηκότας μαλκιῆν λέγουσι. Photius : Μαλκιῆν, ὑπὸ κρύους κατεσκληκέναι καὶ δυσκίνητος εἶναι. Μαλκίειν, τὸ νεναρκηκέναι τὰς χεῖρας ὑπὸ κρύους. Harpocratio : Μαλακιζόμεν (μαλακίομεν libri nonnulli, unde μαλκίομεν conjecit Bekkerus) Δημοσθένης θ' Φιλιππικῶν (p. 120, 7) φησὶ, « Μένομεν καὶ μαλακιζόμεθα. » Ἐν ἐνίοις γράφεται μαλκίομεν, ὅπερ δηλοῖ τὸν ὄρρον φρίττειν. Αἰσχύλος, « Ἔλα, δίωκ' ἀκμῆτι μαλκίων ποδί. » V. Μαλακιάω.] C

Μάλκη, ἡ, Manuum pedumve contractio et stupor ex frigore : cujusmodi torpor dicitur etiam νάρκη. Nicand. [Ther. 382] : Ὅτ' ἐν παλάμῃσιν ἀεργοὶ Μάλκαι ἐπιπροθέωσιν ὑπὸ κρυμοῖο δαμέντων. Ubi schol. quoque μάλκας esse dicit τὰς μαλακίας καὶ δυσκινησίας διὰ τὴν τοῦ κρύους ὑπερβολήν : sed addens, Vel τὰ χίμετλα, i. e. τὰς ῥήξεις τῶν χειρῶν καὶ τῶν ποδῶν : quos Plin. appellat Perniones et Perniunculos. Marcell. Empir. dicit Malandriæ et frigore adustis pedibus. [Ib. 724 : Ἰσχία δ' αὔτως μάλκη ἐνισκίμπτουσα κατήριπεν ἔχματα γούνων· Al. 553 : Ἄψ δ' ὑπὸ μάλκης δάμναται.] Sane Theon ap. Aratum μάλκην esse dicit τὴν ἐκ ψύχους χειρῶν καὶ ποδῶν ἐπανάστασιν, quæ χίμετλα nominari, Manuum et pedum inflationem et tumorem ex frigore.

Μάλκην, a Pariis vocari τὸ ἐπικόπανον, auctor Hesych. D

[Μαλκιάω. Μαλκιέω. V. Μαλκέω.]

Μάλκιον, quod Suid. exp. ψυχρὸν, Frigidum : quum sit potius Frigus cum torpore invehens : ut in hoc l. de Mithridate : Πιὼν φάρμακον ἀσθενές τε καὶ μάλκιον, βραδέως τὴν ἰσχὺν ἀπεδείκνυτο. Hesych. superlat. μαλκιώτατον exp. μαλακώτατον, Mollissimum. Rursum Suid. affert et Μαλκίστατον pro ψυχρότατον, Frigidissimum : cum hoc hemistichio, Τόδε μοι μαλκίστατον ἦμαρ.

[Μαλκίτας. V. Μάλγις.]

[Μαλκίω. V. Μαλκέω.]

[Μαλκός.] Μαλκὸν dici pro μαλακὸν, Molle, auctor Hesych.

[Μαλλάδα, ἡ, Mallada. Πόλις Περσική. Μαρκιανὸς ἐν περίπλῳ τοῦ Περσικοῦ κόλπου. Τὸ ἐθνικὸν Μαλλαδηνὸς, Steph. Byz.]

[Μαλλίον, τὸ, Capillus. Schol. Theocr. 11, 10 : Οὐδὲ κικίννοις) Τοῖς μαλλίοις, τῇ κόμῃ. De scriptura per simplex λ Ducangius : « Μαλίον, Lana. Epimerismi Herodiani : Εἰρίον τὸ μαλίον. Orneosophium c. 37, p. 208 : Ὑγρόπισσαν μετὰ μαλίου. Aliique Byzantini. || Mallo, Capillus. Corona pretiosa : Μάλια, Capilli, τρίχες. Nicetas Urb. capt. p. 382, D : Καὶ τὰ μαλία αὐτῶν εἰς ἕνα πλόκαμον πλέκοντες ὄπισθεν διήρχοντο. Ubi codex καὶ τὰς τρίχας συνεστραμμένας. Ammianus Anth. (Pal. 11, 157, 3) : Καὶ στόλιον, μάλιον, πωγώνιον, ὤμιον ἔξω. »]

[Μάλλιον. V. Μᾶλλον.]

[Μάλλιος, ὁ, Manlius, n. Romanum, hoc modo scribi solitum a Græcis. V. Wesseling. ad Diodor. 14, 103.]

[Μαλλιφῶν, ῶντος, ὁ, Malliphon, n. viri in inscr. Tenia ap. Lebas. *Inscr.* fasc. 5, p. 33, 57. Notius est n. Καλλιφῶν. L. Dind.]

[Μαλλόδετος, ὁ, ἡ, Villo s. Filo laneo vinctus. Sophocl. ap. schol. Eurip. Phœn. 1262 : Τὰς μαλλοδετεῖς κύστεις. Leg. μαλλοδέτους. Hemst. Sic etiam Valck.]

[Μαλλόεις. V. Μαλόεις.]

Μαλλοὶ, [οἱ, Malli] ap. Plut. Alexandro [c. 63], gens Indica : pro quo ap. Steph. B. Μαλοὶ, unico λ. [Huic quoque nunc Μαλλοὶ restitutum ex libris, ut est ap. Strab. 15, p. 701, Diodor. 17, 98.]

[Μᾶλλον. V. Μάλα.]

Μαλλοπάρῃος, Genas velleris in modum molliculas habens. Ab Hesych. exp. λευκοπάρειος, Candidas habens genas : quippe qui μαλλὸς exponat etiam λευκὸς, Candidus, Albus. Sed scribitur et simplici λ μαλοπάρῃος, de quo infra in Μαλός. [Quod unum verum. Ceterum —πάραυος scriptum ap. Hesychium.]

Μαλλὸς, ὁ, [Cirra, Villus, μαλλὸς παιδίου καὶ ἀθλητοῦ, Cirrus, Cerca, Gl.] Vellus, Lana promissa. Hesiod. Op. [232] : Εἰροπόκοι δ' ὄϊες μαλλοῖς καταβεβρίθασι. [Æsch. Eum. 45 : Ἀργῆτι μαλλῷ. Et sæpius Sophocles. Eur. Bacch. 113.] Hesychio μαλλὸς est non solum τὸ ἔριον, Lana, sed etiam ἡ καθειμένη κόμη, Promissa coma : et σκόλλυς, Cirrus s. Cincinnus. [Inde Gorgones Æschylo dicuntur δρακοντόμαλλοι, ἀντὶ γὰρ πλοκάμου, inquit schol., ὄφεις ἔχουσιν ἐξαπτομένους ταῖς κεφαλαῖς. Brunck. Addit porro : Καλεῖται δὲ καὶ τὰ ποίμνια, unde μαλλωτὴν dici Idam, quod v. in Μαλλωτός. Inter Μαλλὸς autem et Μαλλοπάραυος interponit glossam Μάλλυκες, τρίχες, pro quo HSt. infra Μάλυκες.]

Μαλλὸς, [ἡ, ut testatur Arcadius p. 53, 17, Mallus,] Ciliciæ urbs : cujus incola Μαλλώτης, et fem. Μαλλῶτις. [Ex Steph. Byz., qui addit ἀπὸ Μάλλου κτίσαντος αὐτὴν, et ex Callimacho citat. Μαλλὸν urbem memorant Diod. 19, 56, 80, Dionys. Per. 875, aliique geographi et historici. Μαλλωτων numi ap. Mionnet. *Descr.* vol. 3, p. 591, *Suppl.* vol. 7, p. 226. Notissimus etiam Crates Mallotes. Μαλλῶτις, ιδος, de regione ap. Strab. 14, p. 676.]

Μαλλοφόρος, ὁ, ἡ, Vellus ferens, s. Laniger. Cereris id esse cognomen dicitur in Megaride. [Ex Pausania 1, 44, 3, ubi recte μαλοφ.]

[Μαλλόω, Lana s. Villo densum facio. Eustathii verba Il. p. 1056, 63 : Οὖλοι τάπητες ἢ οἱ δασεῖς καὶ τριχωτοὶ, ὁποῖα τὰ κοινῶς νῦν λεγόμενα ἐπεύχια, Ducangius v. Ἐπεύχιον his verbis aucta affert, τὰ ἀπὸ τῶν δύο μερῶν μεμαλλωμένα, quæ in neutra leguntur editione et alius sunt. L. Dind.]

[Μαλλώνιος, ὁ, Mallonius, cogn. viri in inscr. Att. ap. Bœckh. vol. 1, p. 446, n. 395.]

[Μάλλωνος, ὄνομα ἐθνικὸν, Suidas.]

[Μάλλωσις, εως, ἡ, i. q. μαλλός. Schol. Pind. Pyth. 4, 407, χρυσῆ.]

[Μαλλώτης. Μαλλῶτις. V. Μαλλός.]

Μαλλωτὸς, ἡ, ὸν, Lanatus, Villosus [Gl.], s. Vellere densus, Vellere hirtus : Polluci [7, 57] ὁ μαλλοῖς δασὺς, afferenti ex Platone comico μαλλωτὰς χλαμύδας, addentique, eod. modo dici posse μαλλωτὸν χιτῶνα. [Dionys. A. R. 7, 72, p. 1491, 5 : Μαλλωτοὶ χιτῶνες. Strabo 11, p. 499 : Μαλλωταῖς δοραῖς.] Hesych. vero Idam montem μαλλωτὴν vocari ait διὰ τὸ πολυπρόβατον εἶναι, quod ovibus abundet, atque ita multa incolis vellera præbeat. Femininum μαλλωτὴ, substantive ponitur pro μαλλωτὴ διφθέρα, Pellis lanata, Vellus. [Δάπιδας μαλλωτὰς memorat Eust. ad Od. K, 12, schol. Aristoph. Vesp. 674.]

[Μαλόβαθρον. V. Μαλάβαθρον.]

[Μαλόεις, εντος, ὁ, unde Steph. Byz. : Μαλλόεις,

Ἀπόλλων ἐν Λέσϐῳ. Καὶ ὁ τόπος τοῦ ἱεροῦ Μαλλόεις, ἀπὸ τοῦ Μήλου τῆς Μαντοῦς, ὡς Ἑλλάνικος ἐν Λεσϐιακῶν πρώτῳ. Cod. Vratisl. Μαλχόεις. Ordo literarum, si Μαλλοὶ, de quibus supra, scribuntur per duplex λ, postulat Μαλλόεις. Sed Μαλόεις Apollo ap. Mytilenæos cultus memoratur Thucyd. 3, 3, ubi est Ἀπόλλωνος Μαλόεντος ἔξω τῆς πόλεως ἑορτὴ, et : Οὔτε ἐς τὸν Μαλόεντα ἐξῆλθον κτλ. Ap. Hesychium, ubi Μαλλόεις dicitur Ἀπόλλωνος ἐπίθετον ἢ ἐπώνυμον, ordo literarum fert etiam simplex λ. Formam Μαλόες ex Callimacho enotavit Chœrob. in Bekk. An. p. 1187.]

[Μαλοί. V. Μαλλοί.]

[Μάλοιον, τὸ, Lychuis silvestris, ap. Interpol. Dioscor. c. 521 (3, 104, ubi μαλόϊον de coronaria lychnide). Ducang.]

[Μαλοίτας, α, ὁ, Malœtas, fl. Arcadiæ, ap. Pausan. 8, 36, 1, ubi liber optimus Μαλοίτα, ceteri simillime. Sed ib. 2, omnes fere Μολοττὸν pro Μαλοίταν.]

Μαλὸς, ὁ, pro ἁμαλὸς dici ajunt, quod est ἁπαλὸς, Tener : ac sane Eust. annotat, quosdam ap. Hom. Il. [X, 310] ἄρνα μαλὴν scribere pro ἄρν' ἀμαλὴν, quod in aliis legitur codd. Itidem μαλοπάρῃος quoque dictum videri possit pro ἀμαλοπάρῃος, h. e. ἁπαλοπάρῃος, Qui teneris est malis. [V. Μηλοπάρῃος.] || Exp. etiam Albus, Candidus, ut μαλλός. [Sic acceperunt intt. ap. Theocr. Ep. 1, 5 : Τράγος οὗτος ὁ μαλός.] Rursum μαλὸς exp. Exitiosus, ἀφανιστικὸς, qui potius μαλερός.

Μαλόσα ὁδὸς, Hesych. ᾗ τὰ πρόβατα βαδίζει, a Dorico μᾶλον pro μῆλον : sed forsan scrib. μαλόεσσα. [Μαλοσόα Salmasius. V. Μηλοσόη.]

[Μαλοῦς, οῦντος, ὁ, Malus, fl. Arcadiæ. Pausan. 8, 35, 1. Μαλοῦντος, τόπου τινὸς κειμένου μεταξὺ Παλαισκήψεως καὶ Ἀχαιίου τῆς Τενεδίων περαίας mentio est ap. Strab. 13, p. 603.]

[Μάλουρις. V. Μάλουρος.]

Μάλουρος, Hesychio λεύκουρος, Qui alba cauda est : afferenti et fem. Μάλουρις pro λευκόκερκος, ἥτις τὴν οὐρὰν ἔχει λευκήν.

[Μαλόχιον. V. Μαλάχιον.]

[Μαλσάνη, ἡ, Malsane. Πόλις τῆς εὐδαίμονος Ἀραϐίας. Τὸ ἐθνικὸν Μαλσανίτης, Steph. Byz.]

[Μάλυζα. V. Μάνυζα.]

Μάλυκες, Hesychio τρίχες : qui et μαλλοί. [Duplici λ scriptum ap. Hesych.]

[Μαλχίων, ωνος, ὁ, Malchio, n. viri in inscr. Coa ap. Bœckh. vol. 2, p. 391, n. 2520, 3. Alius ap. Euseb. H. E. 7, 29. Ubi v. Vales. ἴ]

[Μάλχος, ὁ, Rex, Syrorum lingua. Eunapius in Porphyrio initio : Μάλχος κατὰ τὴν Σύρων γλῶσσαν ὁ Πορφύριος ἐκαλεῖτο τὰ πρῶτα· τοῦτο δὲ δύναται βασιλέα λέγειν. V. infra Μελχῖται. Ducang. N. servi Joann. 18, 10. Aliorum ap. Fabric. in B. Gr. et alibi.]

[Μαλωᾶ in Cyrilli Vita S. Euthymii Cotel. Eccl. Gr. Mon. vol. 4, p. 25 : Ἔμεινεν αὐτόθι ἐκ τῶν εὑρισκομένων βοτανῶν καὶ τοῦ μαλωᾶ διαιτώμενος, edd. Benedictini interpretabantur Malvam, coll. ejusd. hominis Vita ab Simeone Metaphr. scripta, ib. vol. 2, p. 327, B : Καθημένοις ποτὲ πρὸς τῇ τοῦ μοναστηρίου εἰσόδῳ καί τινα μαλώαν ἔχουσι διὰ χειρὸς καὶ καθαίρουσιν ἔπεισιν. Unde repetita gl. Suidæ illata : Μαλῶα. Καί τινα ... καθαίρουσι. Cujus editores fugit vera voc. significatio. Forma autem vera videtur Μαλώας, ὁ. L. Dind.]

[Μᾶμα, τό.] Μάματα, Hesychio ποιήματα, βρώματα. [V. Μάμμα.]

[Μαμαγχία, ἐν Κλαζομεναῖς τόπος, Hesych.]

[Μαμάκρινα, ἡ, Mamacrina. Πόλις Αὐσονική. Τὸ ἐθνικὸν Μαμακριναῖος, ὡς Τεριναῖος καὶ τὰ ὅμοια, Steph. Byz.]

[Μαμάλι, locus Arabiæ ap. Theophr. H. Pl. 9, 4, 2.]

[Μάμᾶς, αντος, ὁ, Mamas, n. viri sancti, cujus ædes fuit Cpoli, ap. Jo. Malal. p. 372, 14, Suidam aliosque Byzantinos. De quo v. Vales. ad Sozom. H. E. 5, 2, p. 180, 27, ubi genit. Μάμα. De accentu v. Exc. var. in Crameri An. vol. 4, p. 335, 8. L. Dind.]

Μαματίδες, Hesychio teste, a Dolopibus vocantur αἱ ἀναδενδράδες.

[Μαμάτραι, οἱ στρατηγοί, παρ' Ἰνδοῖς, Hesych. Σατράπαι Albertus, parum probabiliter.]

[Μάμερκος, ὁ, Mamercus, Catinensium tyrannus. Diodor. 16, 69, ubi v. Wesseling.]

A [Μάμερσα, ας, ἡ, Mamersa, epith. Minervæ ap. Lycophr. 1417 : Οἱ δὲ Λαφρίας οἶκοι Μαμέρσας. ᾰ]

[Μαμερτῖνοι. V. Μαμέρτιον.]

[Μαμέρτιον, τὸ, Mamertium. Πόλις Ἰταλίας. Τὸ ἐθνικὸν Μαμερτῖνος, Steph. B. Bruttiorum ap. Strab. 6, p. 261. Id. ib. p. 268, Dioscor. 5, 10 : Μαμερτῖνος οἶνος. Ab hac deducti coloni urbem Siciliæ Messanam occuparunt, sec. Strab. ib. p. 268, unde Μαμερτινων in numis urbis ab iis sic dictæ, ap. Mionnet. *Descr.* vol. 1, p. 257, etc., quam Μαμερτίνην dictam finxit eclogarius Diodori Exc. p. 493, 7, ubi v. Wessel. Conf. etiam Polyb. 1, 8. De accentu properisp. v. Arcad. p. 65, 22.]

Μάμερτος, ὁ, Hesychio Ἄρης, Mars. Varrone auctore a Sabinis Mars dictus fuit Mamers; ut Fest. Pomp. vult, lingua Osca. [Lycophro 938 : Κανδάον' ἢ Μάμερτον ὁπλίτην λύκον· et 1410. Conf. Diodor. Exc. p. 493, 8, quo respicit Tzetzes ad l. priorem Lycophronis.]

[Μαμέλχθα, ης, ἡ, Mamelchtha, Persis, Dianæ sa-
B cerdos et postea martyr christiana, in Menolog. Gr. vol. 1, p. 95 ed. Albani. L. Dind.]

Μαμηρὰ, s. Μαμιρὰ, aut Μαμιρὰς, medicamenti genus ap. Actuarium, Nicol. Myrepsum, et Paul. Ægin. 3, 22, tit. De cicatricibus et albuginibus. Idem 7 in serie τοῦ μ, Μαμιρὰς, inquit, οἷον ῥίζιόν τι πόας ἐστὶν, ἔχον ὥσπερ κονδύλους πυκνούς· ὅπερ οὐλάς τε καὶ λευκώματα λεπτύνειν πεπίστευται, δηλονότι ῥυπτικῆς ὑπάρχον δυνάμεως. Sunt qui idem esse velint quod Doronicum Romanum. [Rhases De peste c. 11, Alex. Trall. 7, apud quos μαμιρᾶς et μαμηρά. Gloss. iatr. græcob. Mss. : Μαμηρὲ, χελιδόνιον τὸ μικρόν. Ducang. Vocabulum Persicæ, aut certe barbaricæ originis. Ernest.]

[Μάμμα, ἡ. V. Μάμμη. || Μάμμα, τό. V. Μᾶμα, Μαμμία.]

[Μαμμάκυθος, ὁ.] Μαμμάκουθος appellativum aliquando esse existimatur, et de quolibet Stulto s. fatuo dici. [Sic semper dicitur, eodem convicio quo μαμμόθρεπτος, quod v. Grammaticorum opiniones v. ap. schol. Aristoph. Quibus add. Tzetz. Hist. 4, hist. 5, qui in-
C terpretatur μωρὸν συγκρύπτοντα μαμμάν τε καὶ τὸν ἄρτον.] Afferturque in exemplum hic Aristoph. l. Ran. [989] : Τέως δ' ἀϐελτερώτεροι κεχηνότες μαμμάκουθοι καὶ Μελιτίδαι κάθηντο. [V. schol. et Athen. 8, p. 355, A; 13, p. 571, B, ibique animadvv. Schweigh. Scripturam per υ testatur Theognost. Can. p. 59, 2. Per ου vicissim Georg. Pachym. p. 250, B, ubi etiam simplici μ, Eust. Opusc. p. 48, 90, Andronicus in Bekk. An. p. 1461. Quæ vitiosa recentiorum scriptura est, quam metrum versus Aristoph. refellit. Fuerunt etiam fabulæ sic inscriptæ Aristagoræ, Demetrii, Platonis comicorum. ᾰῠ L. Dind.]

[Μάμμαρον, ἡ, Mammarum, n. pr. mulieris in inscr. edita *Hall. Lit.-Z. Intell.-Bl.* 1837, n. 86, p. 712.]

[Μαμμάω. V. Παππάζω. Add. autem Hesychius : Μαμμᾶν ἐπὶ τῆς παιδικῆς φωνῆς ἐσθίειν. Photius : Μαμμᾶν, Ἀργεῖοι, τὸ ἐσθίειν· οὕτω Καλλίας. Unde corrig. schol. Plat. Alcib. p. 387 ed. Bekk., ubi μαμμιᾶν.]

[Μάμμη. V. Μαμμία.]

Μαμμία, ἡ, exp. Avia et Mater, ut μάμμη. Suid.
D scribit Atticos τὴν μητέρα vocare μαμμίαν, ἀπὸ τοῦ τὰ παιδία μαμμᾶν τὸ φαγεῖν λέγειν. [Phrynich. Ecl. p. 135 : Μάμμην τὴν τοῦ πατρὸς ἢ μητρὸς μητέρα οὐ λέγουσιν οἱ ἀρχαῖοι, ἀλλὰ τίτθην. Μάμμην δὲ καὶ μάμμιον τὴν μητέρα· ἀμαθὲς οὖν τὴν μάμμην ἐπὶ τῆς τίτθης λέγειν· 258 : Μάμμην καὶ μαμμίαν τὴν μητέρα Ἀττικοὶ, Ἕλληνες τὴν μάμμην. Quibuscum conf. Thomas p. 847. Piersonus : « Attici ὑποκοριζόμενοι Matrem dicebant μάμμην et μαμμίαν; vulgus Græcorum Aviam hoc nomine appellabat. (Aristoph. Lys. 879 : Οὗτος οὐ καλεῖς τὴν μαμμίαν; Παῖς. Μαμμία, μαμμία, μαμμία, et ib. 890 : Φέρε σε φιλήσω, γλυκύτατον τῇ μαμμίᾳ. Plut. Mor. p. 858, C : Τὴν δὲ παῖδα πρὸς τὴν μητέρα φράσαι τὴν ἑαυτῆς ὅτι ὦ μαμμίδιον, ὁρᾷς, οὐ μίγνυταί μοι κατὰ νόμον Πεισίστρατος. Sed μάμμη de Avia (ut est in Gl. : Μάμμη, Avia, Abavia), id. Mor. p. 704, B, Agid. c. 4, quæ citavit Sallier. Locos Josephi, Appiani, Herodiani, Artemidori aliorumque recentiorum μάμμη de Avia usurpantium Lobeck. ad Phryn. p. 135. Quibus addere licet inscr. ap. Bœckh. vol. 1, p. 782, n. 1608, 13;

793, n. 1627, 5; vol. 2, p. 517, n. 2782, 6.) Hesych.: Μάμμη, ἡ μήτηρ τῶν γονέων ἢ ὑποκόρισμα μητρὸς, ἐκ παιδίου (hæc verba alio, et quidem ad sequens fortasse Μαμμικὸν, pertinere videntur) Ἀττικοί. Eust. Il. p. 971, 29: Τηθαλλαδοῦς, ὃν οἱ πολλοὶ μαμμόθρεπτον λέγουσι παρὰ τὴν τήθην, ἥν, ὡς δηλοῖ Αἴλιος Διονύσιος, ὀκνοῦσιν οἱ Ἀττικοὶ μάμμην καλεῖν, ὡς τῶν πολλῶν οὕτω τὴν μητέρα λεγόντων. Legendum videtur τῶν παλαιῶν. Nam οἱ παλαιοὶ μάμμας τὰς αὐτῶν μητέρας καλεῖν εἰώθασιν, inquit Helladius p. 4. Contra p. 971, 36, τήθην οἱ Ἕλληνες τὴν πατρὸς ἢ μητρὸς μητέρα, οἱ δὲ παλαιοὶ ἀκύρως μάμμην καὶ μαῖαν· μάμμην γὰρ Ἀττικοὶ καὶ μαμμαίαν τὴν μητέρα καλοῦσιν, reponendum οἱ πολλοί.» Legendum etiam μαμμίαν pro μαμμαίαν. Quod vitium quum ap. Mœrin correxisset Sallierius, casu intactum ap. Eust. reliquisse videtur Piersonus. Formam μάμμα, quam ap. Mœrin et Pollucem 3, 17, exhibent libri nonnulli, ponit Phryn. Bekkeri p. 31, 5, ubi βλιτομάμμας compositum dicit ex βλίτον et μάμμα, ὃ σημαίνει μήτηρ (βρῶμα schol. Plat. in eadem etym. supra citatus, coll. Tzetz. in Μαμμάκυθος cit.). Vita Ms. S. Mamantis apud Ducangium: Τὴν ἀμμίαν ἁπαλῇ γλώττῃ μάμα προσαγορεύει· τοῦτο δὲ τῇ Ῥωμαίων διαλέκτῳ τὴν μητέρα δηλοῖ. Idem μάμμη de obstetrice dictum ap. Moschop. in Μαῖα et Μαίωτρον, et Μαμμὶς ead. signif. annotavit ex Manuele Malaxo.]

[Μαμμίδιον, τὸ, diminut. præcedentis μαμμία, quod v. Heliod. Æth. 7, 10.]

[Μαμμικὸς, ἡ, όν.] Μαμμικὸν, Hesychio μικρὸν, Parvum.

Μαμμίον, τὸ, diminutive et blandientium more dicitur ἡ μάμμη, s. ἡ τήθη. [V. Μαμμία.]

Μαμμόθρεπτος, ὁ, ἡ, A nutrice s. potius avia educatus; et ideo Educatus mollius: qualis ap. Latinos Nepos. [Hesych. s. Photius in Τηθαλλαδοῦς. Hemst. Suidas in Τηθέλας. Pollux 3, 20. V. Μαμμία. Improbat Phrynich. Epit. p. 299, ubi schol. Aristoph. Ran. 1021, Ach. 49 indicavit Lobeck., Nunnesius autem animadvertit Atticos, quum μάμμην non Aviam sed Matrem dicerent, μαμμόθρεπτον non potuisse dicere τηθαλλαδοῦν s. Ab avia nutritum.]

Μάμμος, ὁ, Hesychio οἰκέτης, Famulus, Servus.

[Μαμμωνῠμικὸς, ἡ, ὸν, Ab aviæ nomine appellatus. Schol. Ven. Hom. Il. Α, 43. Μαμμωνυμικῶς, schol. Wassenb. ad Hom. p. 151. Schæf. Etym. Gud. v. Φοῖβος.]

Μανάκις, Raro: σπανίως, ὀλιγάκις, Hesych. [Apud quem additur πυκνά. Sic Zonar. p. 1334, in Μανὸς cit., hoc interpretatur πυκνὸν, additque: Πλάτων, Καὶ ταῦτα μανάκις τῆς ἡμέρας, ἀντὶ τοῦ μυριάκις, ut ipsius potius quam librarii error subesse videatur, μυριάκις ponentis pro ὀλιγάκις aut simili adv.]

[Μάνδα, ἡ, Heres. Eust. Il. p. 674, 30: Ἡ δὲ ἐπίκληρός φασι καὶ μάνδα πρός τινων ἐκαλεῖτο. *Manda* de legato, tanquam Hispanicum, annotavit Ducang. in Gloss. Lat.]

[Μανδακηδόν. V. Μανδάκης.]

[Μανδάκης, ὁ.] Μανδάκη, ἡ, exp. Corium, Pellis: δέρμα. Legitur vero hoc v. in Hippiatr. Ibi enim Apsyrtus dicit, Τὸν ἵππον ἐκβολῇ τοῦ ὤμου κάμνοντα θεραπεύειν διὰ τοῦ καίειν ἐμπλέκοντα μανδάκη. [Nominativum ponendum esse μανδάκης ostendunt loci duo Eustathii, quos indicavit Ducang., Il. p. 818, 23: Μανδάκη δὲ ἔοικεν ὁ ῥηθεὶς δεσμὸς τῶν φυτῶν (δονάκων καὶ ὄζων), ὃς δὴ μανδάκης κυρίως, ὥς φησι καὶ ὁ Χοιροβοσκὸς Γεώργιος, δεσμὸν χόρτου δηλοῖ κατά τινα γλῶσσαν. Καὶ φυλάσσεται ἡ τοιαύτη λέξις παρὰ τοῖς κατὰ Θράκην· 1162, 32: Ἐλλεδανοὶ δὲ οἱ μανδάκαι, οἷς δεσμοῦνται τὰ δράγματα. Mire autem Ducangius vertit Manipulum fœni, quum sit potius Vinculum manipuli. L. D.] In eod. opere legitur et adv. Μανδακηδὸν, exponiturque Ad cutim: ἐν χρῷ. Dicit enim idem Apsyrtus ibid., Καύσας μ. ἐπιμελοῦ. Et Tiberius itidem, Καῦσον μ., ὡς καλοῦσι, μέχρι τῆς βύρσης. Videndum tamen ne aliud significent hæc vocabula. Bud. sane μανδακηδὸν interpr. Lunata forma. [Apertum est καίειν μανδακηδὸν esse i. q. καίειν ἐμπλέκοντα μανδάκη.]

[Μάνδᾰλος, ὁ, Pessulus, Repagulum, Gl., ubi etiam Μάνδαλον, Pessulum, ponitur, pro accusativo, ut videtur. Artemid. 11, 10: Θύρα μ. ἔχουσα. Hesych.:

A Λύκος, ὁ τῆς θύρας μάνδαλος. Idem v. Κάβλη, Καταβλὴς, Τύλαρος, Erotian. Gl. v. Ἄμβην.]

[Μάνδαλος, ὁ, Mandalus, n. viri in numo Magnetum Lydiæ ap. Mionnet. *Descr.* vol. 4, p. 70, n. 382. V. Μάνταλος.]

[Μανδαλόω. Hesych.: Τυλαρώσας, μανδαλώσας. Videtur esse Pessulo instruo.]

Μανδαλωτὸν, τὸ, dictum fuit φίλημά τι, Osculi s. Basii genus quoddam. Schol. Aristoph. scribit fuisse ἐρωτικὸν φίλημα, Amatorium osculum, in eoque basiantis linguam lambi solitam fuisse: s. εἶδος φιλήματος θηλυδριῶδες καὶ κατεγλωττισμένον. [Quæ sunt verba Aristophanis de cantico usurpantis Thesm. 132: Ὡς ἡδὺ τὸ μέλος καὶ θ. καὶ κ. καὶ μανδαλωτόν. HSt. in Ind.:] Sunt qui velint esse quod Plautus dicit Labella cum labellis: et osculum lascivius. Dicit sane Aristoph. Ach. [1201]: Φιλήσατόν με μαλθακῶς, ὦ χρυσίω, Τὸ περιπεταστὸν κἀπιμανδαλωτὸν ἄν. [Photius: Μανδαλωτὸν, εἶδος φιλήματος· ὡς γιγγλυμωτὸν, καὶ δραπετον (τυλαρωτὸν conj. Angli) καὶ ἕτερα. Μανδαλωτὸν, μήποτε κλει-
B στόν· μάνδαλος γὰρ ὁ θύραν κλείων.]

[Μανδάνη, ἡ, Mandane, filia Astyagis, mater Cyri, ap. Herodot. 1, 107, Xen. Cyrop. 1, 2, 1.]

[Μάνδανις, ὁ, Mandanis, Brachman, ap. Strab. 15, p. 715, 718, aliis, ut suo loco diximus, Δάνδαμις, ubi scrib. Mandanis.]

[Μανδαραί, αἱ, Mandaræ, μέρος τῆς Μακεδονικῆς Κύρρου. Οἱ οἰκήτορες Μανδαραῖοι, Steph. Byz.]

Μάνδαρις, perperam ap. Polluc. pro Μαγύδαρις: quod v.

[Μανδούβιοι, οἱ, Mandubii, gens Gallica, ap Strab. 4, p. 191.]

Μάνδρα, ἡ, Stabulum: s. Claustrum et septum quo noctu clauduntur pecora. Hesychio μάνδραι sunt σηκοὶ βοῶν καὶ ἵππων, necnon ἕρκη, φραγμοί: præterea ὗλαι, Sylvæ. [Αὐλαὶ Bosius.] Exp. non solum Stabulum, Caula [Μάνδραι θρεμμάτων, Caulæ; Μάνδρα αἰγῶν, Caprile, Gl.]: sed etiam Spelunca, [Septus huic add. Gl. Arrian. Peripl. m. Erythr. p. 1 ed. Huds.: Τὰ μὲν παρὰ θάλασσαν Ἰχθυοφάγων μάνδραις οἰκοδομημέναις ἐν
C στενώμασιν· et similiter ib. p. 12 init. L. D.]: item Locus in quo torcularia sunt et uvæ exprimuntur. [Sophocl. fr. Tyrus ap. Ælian. N. A. 11, 18, 3: Μάνδραις ἐν ἱππείαισιν. Callim. Cer. 106: Χῆραι μὲν μάνδραι. Theocr. 4, 61: Ποτὶ τᾷ μάνδρᾳ. Eratosthenes ap. Eutocium In Archim. Sphæram p. 22 s. Jacobs. Anthol. vol. 1, p. 228, 3: Μάνδρην ἢ σιρόν. Automedon Anth. Pal. 11, 326, 5: Ἦλθες ἔσω μάνδρης. Plut. Mor. p. 648, A: Λέγεται καὶ ποιμνίοις ἀγαθὴ καὶ αἰπολίοις, παραφυτευομένη ταῖς μάνδραις· 1084, B. Theodoret. H. E. 5, 9, p. 204, 20: Βαρεῖς ἡμῖν λύκοι καὶ μετὰ τὸ τῆς μάνδρας ἐξωσθῆναι κατὰ τὰς νάπας τὰ ποίμνια διαρπάζοντες. || Improprie de annuli Pala, Plato Anth. Pal. 9, 747, 3: Νῦν δὲ κρατεῖται τῇ χρυσῇ μάνδρῃ τὸ βραχὺ βουκόλιον. Confert Jacobs. in Add. vol. 12, p. 410, Heliodor. Æthiop. 5, 14: Ὅσαι δὲ αὐτῶν (avium) πρωτόγονοι καὶ θρασύτεροι καὶ ὑπεράλλεσθαι βουλομένοις τὸν κύκλον ἐῴκεσαν, εἰργομένοις δὲ ὑπὸ τῆς τέχνης ὡσπερεὶ μάνδραν χρυσῆν τὴν σφενδόνην αὐτοῖς τε καὶ τῇ πέτρᾳ περιβαλλούσης. || Monasterium. Πνευματικὴ μ. ap. Ni-
D lum Ep. 3, 241. Ἱερὰ μ. in Typico Ms. monasterii τῆς Κεχαριτωμένης. Ἁγία μ. ap. Joann. Antioch. De charist. p. 183. Θεία μ. ap. Jo. Hierosol. Patr. in Vita Jo. Damasc. n. 23. Epiphanius Hæresi 80: Ἐν μοναστηρίοις ὑπάρχοντες εἶτουν μάνδραις. Scribit Euagrius 1, 14 et ex eo Nicephorus Call., Templum S. Symeoni Stylitæ juxta Antiochiam dicatum, Mandram appellatum: Μάνδραν οἱ ἐπιχώριοι καλοῦσι. Hæc et alia Ducangius, qui exposuit etiam de vocc. hinc ductis, ut Μανδρίτης, ὁ, Monachus, in Conc. Cpol. sub Mena Act. 5: Ἰωάννης ὁ μ. Et Μανδρογέρων, Monachus senex, vel simpliciter Monachus, ap. Liutprandum in Legat.]

[Μανδραγόρα, ἡ. V. Μανδραγόρας.]

Μανδραγόρᾱς, ου [vel α, et forma Ion. Μανδραγόρης Orph. Arg. 917], ὁ, Mandragoras, planta est duorum generum: unum nigricat, folia habens lactucæ similia: unde θριδακίας μανδραγόρας appellatur. Fœminam id esse volunt. Alterum enim genus quod candidum est, marem existimant. Ambo mala gerunt vitellis ovorum similia, crocei coloris, sed fœmina pallidiora, odorata. Est et tertia species, quam μώριον appellant, propterea quod ἐσθιομένη ἀπομωροῖ. Veruntamen et ceteris mandragoræ speciebus inest vis ναρκωτικὴ καὶ ὑπνωτικὴ, corporis sensuumque obstupefactrix et somnifica, ut et Demosth. docet, Phil. 4, [p. 133, 1] : Ἀλλ' οὐδ' ἀνεγερθῆναι δυνάμεθα, ἀλλὰ μανδραγόραν πεπωκόσιν, ἤ τι φάρμακον ἄλλο τοιοῦτον, ἐοίκαμεν ἀνθρώποις. [Jo. Siceliota in Walzii Rhett. vol. 6, p. 253, 21 de hoc l.: Ἔστι δὲ ἡ μανδραγόρα βοτάνη καρωτικὴ καὶ ἀναιρετική. Additque locum illum nonnullis suspectum fuisse. Idem genus ponit Etym. Gud. p. 379, 33, præbentque libri nonnulli Theophanis Nonni vol. 1, p. 454, 455, interdum etiam antiquiorum, ut Aristotelis et Galeni, a quibus alienum fuisse videtur.] Et Lucian. Timone [c. 2] : Πῶς γὰρ, ὅπου γε καθάπερ ὑπὸ μανδραγόρου [μανδραγόρα] καθεύδεις; ὃς οὔτε τῶν ἐπιορκούντων ἀκούεις, οὔτε τοὺς ἀδικοῦντας ἐπισκοπεῖς· λημᾷς δὲ, καὶ ἀμβλυώττεις πρὸς τὰ γιγνόμενα· καὶ τὰ ὦτα ἐκκεκώφωσαι, καθάπερ οἱ παρηβηκότες. [Demosth. Enc. c. 36 : Ἀνίστησιν ἄκοντας οἷον ἐκ μανδραγόρου καθεύδοντας· Adv. ind. c. 23 : Οἴει τοσοῦτον μανδραγόραν κατακεχύσθαι αὐτοῦ ὡς ταῦτα μὲν ἀκούειν, ἐκεῖνα δὲ μὴ εἰδέναι; Xen. Conv. 2, 24 : Ὁ μ. τοὺς ἀνθρώπους κοιμίζει. Plato Reip. 6, p. 488, C : Μανδραγόρᾳ ἢ μέθῃ συμποδίσαντας.] Unde proverbialiter μανδραγόραν ἐκπεπωκέναι dicuntur Qui in rebus gerendis dormitant et veterno quodam correpti sunt. Julian. Cæsar Ep. [21 ad Callix. p. 288] : Εἶτα μετὰ τοῦ φιλάνδρου, τὸ φιλόθεον τίς ἐν γυναικὶ δεύτερον τίθησι, καὶ οὐ φανεῖται πολὺν πάνυ τὸν μανδραγόραν ἂν ἐκπεπωκώς; [Liban. Declam. vol. 4, p. 298, 4 : Ὥσπερ μανδραγόραν πεπωκὼς, καὶ πολὺν ἐπὶ τοῖς γεγενημένοις ὕπνον κεκοιμημένος.] Plura v. ap. Diosc. 4, 76, Theophr. H. Pl. 6, 2 [aliisque ll. ap. Schneider. in Ind.], Plin. 25, 13. [Locos Hippocr. p. 420, 19, ubi μανδραγόρου ῥίζα, etc., indicat Foes. in OEc. Plur. μανδραγόραι ap. Lucian. V. H. 2, 33.] Sed addendum his, a Romanis τὸν μανδραγόραν appellari etiam Caninam malum, s. Terrestrem, a Græcis ἀντίμηλον, quod malum imitetur, a Pythagora vero propter divaricatas humano modo radices ἀνθρωπόμορφον nominari, eamque ob rem et Semihominis epitheton ei tribui a Colum. 10, [19] : Quamvis semihominis vesano gramine fœta Mandragoræ pariat flores. [Semihominis dixit, quod mandragoræ radices ut plurimum a medio ad imum bifurcatæ nascantur, adeo ut crura hominum modo habere videantur. Quapropter si eo effodiantur tempore, quo fructum ferunt, qui mali instar super folia ad terram procumbentia brevi pediculo appensus parum a radice distat, hominis brachiis carentis effigiem referunt. Bodæus ad Theophr. p. 584. || Hesych. μανδραγόρας interpretatur etiam ὁ Ζεύς.]

[Μανδραγόρειος. V. Μανδραγόρινος.]

Μανδραγορίζω, ap. Suidam, sed sine expositione : videtur significare Mandragoram propino, Mandragoram offero, ut ἐλλεβορίζω, unde passiv. Μανδραγοριζομένη, fabulæ nomen ab Alexide conscriptæ, Athen. 8, [p. 340, C, et alibi].

[Μανδραγόρινος, ὁ, Ex mandragora factus. Theoph. Nonn. vol. 1, p. 454 : Μανδραγορίνου ἐλαίου. Al. μανδραγόρειον. Μανδραγορικὸς, ἡ, όν, ex Alexandro Trall. 1, p. 18, annotavit Struvius.]

Μανδραγορίτης, ὁ, οἶνος, Vinum mandragora conditum, cortice nimirum radicis mandragoræ conjecto in mustum. V. Diosc. 5, 81. Et Μανδραγορῖτις [-ῖτις, ἴδος, ἡ] Hesychio ἡ Ἀφροδίτη, forsitan ob similitudinem virium, quibus uterque pollent. [Sic appellata videtur Venus, quod philtris aptas esse mandragoras olim crediderint, ut *Dudaim* ab amoribus, דודאים, dicta. Albert.]

[Μανδραρχαΐζω, Monasterium rego. Theod. Stud. p. 611, II, 4 : Μανδραρχαΐζεις τῶν μοναστῶν πατρόθεν. L. D.]

Μάνδρευμα, τὸ, affertur pro Caula. [Dionys. A. R. 1, 79, p. 206, 8 : Ἐπὶ τὰ μ. αὐτῶν νύκτωρ ἐπέβαλον. Schæf. Const. Manass. Chron. 1611, 6020. Boiss.]

[Μανδρεύω, Ovili includo. Pseudo-Chrys. Serm. 38, vol. 7, p. 349, 15 : Ὥρμησε κατ' αὐτῶν ἐν τῇ πόλει, καθάπερ κατὰ μεμανδρευμένων προβάτων. Seager. || Monachum facio. Nicetas Chon. Is. Ang. 3, 1 : Αὐτὴν ἐκεῖσε ὡς ἀμνάδα τῷ θεῷ ἱερώσας ἐμάνδρευσε. Ducang.]

[Μανδρίτης, ὁ. V. Μάνδρα.]

A [Μανδρόβουλος, ὁ, Mandrobulus. Lucian. De merc. cond. c. 21 : Τὸ δ' ἔμπαλιν ἢ σὺ ἤλπισας γίγνεται καὶ ὡς ἡ παροιμία φησὶν, ἐπὶ Μανδροβούλου χωρεῖ τὸ πρᾶγμα καθ' ἑκάστην ὡς εἰπεῖν ἡμέραν ἀποσμικρυνόμενον καὶ εἰς τοὐπίσω ἀναποδίζον. Ubi olim Μανδραβούλου, ut in cod. Vindob. Alciphronis Ep. 1, 9, ubi Berglerus : « Usurpatur proverbium quando res paullatim deteriores fiunt, ut donaria Mandrobuli, qui quum thesaurum invenisset, diis dedicavit primo arietem aureum, deinde argenteum, postea æreum, postremo nihil. Schol. Luciani. V. et Suidam in Ἐπὶ τὰ Μανδρ. Fuit autem Speusippi olim dialogus Μανδρόβουλος inscriptus, teste Diog. L. 4, 1. Cleophontem etiam ἐν Μανδροβούλῳ citat Aristot. Soph. el. (p. 174, 27). » Add. his l. Nicephori Greg. Hist. Byz. 12, 14, p. 388, 3, ubi ἐπὶ μανδραβόλου.]

[Μανδρογένης, ους, ὁ, Mandrogenes, scurra, apud Hippolochum Athen. 14, p. 614, D.]

[Μανδρογέρων, οντος, ὁ. V. Μάνδρα.]

[Μανδροκλείδας, ὁ, Mandroclidas, Spartanus, Plut.
B Pyrrh. c. 26, alius Agid. c. 6. Wyttenbachium ad Mor. p. 217, C; 219, F, recte in l. Pyrrhi defendere, præter alterum Plutarchi testimonium cetera cum Μανδρο— composita ostendunt, in his Μανδροκλῆς, έους, ὁ, Mandrocles, Samius ap. Herodot. 4, 87, 88.]

[Μανδροκράτης, ους, ὁ, Mandrocrates, n. viri in inscr. ap. Bœckh. vol. 2, p. 680, n. 3091, 7. ά]

[Μανδρολύτος, ὁ, Mandrolytus, pater Leucophryes, quod n. v. supra p. 227, B (ubi A, 10, del. « Ap. », adde autem schol. Aristoph. Eq. 84, cui Λευκοφρυηνῇ Ἀρτέμιδι restituendum, quod varie corruptum in libris schol. et Suidæ v. Θεμιστοκλῆς). L. Dind.]

[Μανδρόπολις, εως, ἡ, Mandropolis. Φρυγίας πόλις. Τὸ ἐθνικὸν Μανδροπολίτης, Steph. Byz.]

[Μανδρόποτος, ὁ, Mandropotus, n. viri in inscript. Mylas. ap. Bœckh. vol. 2, p. 477, n. 2704, 4, 5.]

[Μάνδρων, ωνος, ὁ, Mandro, rex Bebrycum, ap. Plut. Mor. p. 255, B, Polyæn. 8, 37.]

Μανδύας, [α et ου : Tzetz. in Crameri An. vol. 3, p. 384, 17 : Μανδύας, τοῦ μανδύα καὶ μανδύου· ἵνα δὲ μὴ
C νομίσῃ τις οὐδέτερον εἶναι, μανδύα ἔκλινα καὶ οὐ μανδύου], ὁ, vestimenti militaris genus apud Persas, ut est apud Hesych. Suidas esse dicit Speciem vestimenti, quæ λωρίκιον dicatur. Pollux [7, 60] fem. habet [Μανδύα, vel ut aliis est in libris] Μανδύη [quod Impluvia int. Gl.], dicens eam esse ὅμοιόν τι τῷ καλουμένῳ φαινόλῃ, Pænulæ [et Æschyli addens exemplum : Λιβυρνικῆς μίμημα μανδύης χιτών]. Volunt esse quod Mantelum Plautus appellat, vulgus etiamnum Mantellum. [Persicum esse voc. docet ex Ælio Dionysio Eustath. Od. p. 1854, 32 : Αἴλιος δὲ Δ. λέγει ὅτι Περσικὸν ὄνομα καὶ ὁ μανδύας· ἔοικε δὲ, φησὶ, φαινόλῃ. Phot. Lex. : Μανδύη, τήβεννα. Glossa Mœridi illata p. 139 : Ἐφεστρὶς, τὴν μανδύαν. Georgius in Walzii Rhett. vol. 1, p. 582, 16 : Ἀνῆπται καὶ μανδύαν. Inter μανδύη et μανδύας variant libri Themistii Or. 2, p. 36, C. Alia plurima utriusque formæ exx. v. ap. Ducang., qui animadvertit Pallium fuisse primum Imperatorum et regum, deinde Episcoporum, denique Monachorum, quod tamen ita differret a Pallio, ut esset Vestis libera totum cor-
D pus ambiens et in terram usque defluens, qua qui utebantur, Μικροσχήμονες s. Μανδυῶται, quod v., dicebantur.] Auctore Hesychio etiam Μαντύας scribitur. [|| Μανδύη, δόρυ ὡς δρέπανον, Hesych.].

[Μανδυοειδὴς, ὁ, ἡ, Similis μανδύῃ, quod v. Eust. Il. p. 198, 42; 794, 21. Wakef. Od. p. 1398, 61 (ubi μανδοειδῆ περιβλήματα pro μανδυοειδῆ).]

[Μανδυοφορέω, Mandyam fero. Jo. Episc. Citri Juris Græco-Rom. l. 3, p. 328 : Οἱ δεπουτᾶτοι μανδυοφοροῦντες μετὰ λαμπάδων προπορεύονται. Ducang.]

[Μανδύριον, τὸ, Mandyrium. Πόλις Ἰαπυγίας. Ὁ πολίτης Μανδυρῖνος, ὡς Λεοντῖνος, Steph. Byz.]

[Μανδυώτης, ὁ, Monachus mandya indutus. Eust. Opusc. p. 216, 70 : Ὁ ὡς εἰπεῖν δευτεροσχήμων μανδυώτης καὶ ὁ ὕστερῶν ἐκείνου εἰσαγωγικός· et 257, 28, 46; 263, 17, 25; 265, 2. Unde adj. Μανδυωτικὸς, ἡ, όν, ib. p. 257, 39 : Δυσὶν οἷον πτέρυξι, τῇ τε μανδυωτικῇ καὶ τῇ καθ' ἡγουμενείαν. Μανδιότης vitiose in cod. Colbert. 6041 ap. Ducang., qui recte intelligit Monachum parvi habitus. V. quæ diximus in Μανδύας.]

[Μανεθὼ, ἡ, Manetho, virgo martyr, in Menelogio Gr. vol. 1, p. 186 ed. Albani. || Μανεθῶ, ὁ, Manetho, Ægyptius historicus, de quo Fabricius B. Gr. vol. 4, p. 128 sq., qui varias nominis formas annotat, partim vitiosas, Μάναιθος, Μάνεθως, Μανεθῶς, Μανεθὼς, Μανετὼ, Μανέθων, Μανεθὼν, Μαναίθων, Μανεθῶν, quarum testes recensere omittimus. Μανεθῶ est aliquoties ap. Georg. Syncell., ubi G. Dindorfius p. 145 : Μανεθῶ) « Vulgo Μανεθῶς, quod p. 97, 7 et 486, 17 ex codicibus, hic autem et p. 146, 10 ipse emendavi. Non magis ferendum Μανεθῶν p. 78, 14, quod aut Μανεθῶ (ut Ἀπολλῶ, Φαραῶ) scribendum aut Μανέθων Græca nominis forma, qua utitur p. 194, 10, 18. Memorabile est quod libri præbent Μανεθῶθ p. 135, 1. Fortasse Μανεθώθ. » L. Dind.]

[Μανέκτωρ, ορος, ὁ, Manector, fabula Menecratis comici ap. Suidam in n. ejus. Ex Μάνης et Ἕκτωρ compositum videtur, ut Αἰολοσίκων et alia ejusmodi nomina, quæ comparat Meinek. Com. vol. 1, p. 493. Ita prima produci putanda.]

[Μανέρως, ωτος, ὁ, Maneros. Hæc enim scriptura, quæ sola vera, etiam in Athenæi est libris melioribus, accentu tamen in prima posito, quem non fert Arcadii præceptum p. 93, 26.] Μάνερος, apud Ægyptios est ᾠδῆς γένος, genus cantilenæ, a Manero quodam in quem compositum fuit, Athen. 14, [p. 620, A]. Ap. Polluc. 4, c. 7 [§ 54] scriptum μανέρως, diciturque esse Ægypt. agricolarum ᾆσμα, at Μανέρως extitisse vir γεωργίας εὑρετὴς, μουσῶν μαθητής. Ap. Suid. quoque μανέρως scriptum est, qui itidem esse dicit ᾠδήν τινα ap. Eubulum in Campylione. Hic vero Μανέρως Ægyptiorum primus fertur a magis [Musis] fuisse eruditus, ac propterea omnium ore celebratus, ut refert Clearchus ἐν τοῖς περὶ παιδείας [ap. Hesych., cui Μουσῶν pro μάγων ex Polluce restituit Is. Vossius. Herodot. 2, 79 : Ἔστι δὲ Αἰγυπτιστὶ ὁ Λίνος καλεύμενος Μανέρως. Pausan. 9, 29, 7 : Καλοῦσι δὲ τὸ ᾆσμα (in Linum) Αἰγύπτιοι τῇ ἐπιχωρίῳ φωνῇ Μανέρων. Plut. Mor. p. 357, E : Ὃν γὰρ ᾄδουσιν Αἰγύπτιοι παρὰ τὰ συμπόσια Μανέρωτα, τοῦτον (Osirin) εἶναι· τινὲς δὲ ... τὸν ᾀδόμενον Μανέρωτα πρῶτον εὑρεῖν μουσικὴν ἱστοροῦσιν. Ἔνιοι δέ φασιν ὄνομα μὲν οὐδενὸς εἶναι, διάλεκτον δὲ πίνουσιν ἀνθρώποις καὶ θαλειάζουσι πρέπουσαν, Αἴσιμα τὰ τοιοῦτα παρείη· τοῦτο γὰρ τῷ Μανέρωτι φραζόμενον ἀναφωνεῖν ἑκάστοτε τοὺς Αἰγυπτίους.]

[Μάνη, ἡ, Insania. Photius : Μάνην, τὴν μανίαν· λέγουσι δὲ καὶ μάναν. Ἀριστοφάνης. ἄ]

Μᾶνῆς, [sive Μάνης, inter quos accentus variatur in libris Athenæi, quum Μανῆς sit ap. Aristoph., præter ll. infra citandos, Av. 1311, 1329, Lys. 1213, Pac. 1146, et ubi vocat. Μανῆ, Lys. 908. Μάνης ap. Strab. et alios infra memorandos, Anyten Anth. Pal. 7, 538, 1. Genit. Μάνεω de Lydo quadam (pro quo Μάσνεω cod. Vat. Dionys. A. R. 1, 27) est ap. Herodot. 1, 94; 4, 45. Μάνητος sec. conj. Valck. (libri enim Μάνους vel Μανέντος) de servo Diogenis Cynici ap. Teletem Stob. Flor. vol. 3, p. 272 (ubi etiam nom. Μάνης, ut accus. Μάνην de alio ap. Diog. L. 5, 55). Sic a Θαλῆς ducitur Θάλεω et Θάλητος. Sed ap. Teletem Μάνους vel Μάνου scrib. videtur. Nominat. plur. μάνεις v. in Μανήσεις. Accus. Μανᾶς præter Aristoph. infra cit. habet Tzetz. Hist. 6, 887, qui etiam singularem μανᾶν finxit 894], ὁ, Servus, Famulus, δοῦλος, Eust. [Il. p. 1220, 4], addens quosdam gramm. veteres derivare a μαίνομαι, διὰ τὸ μὴ φρενήρεις εἶναι ὡς ἐπὶ τὸ πολὺ τοὺς δούλους, καὶ μᾶλλον εἴπερ οἴνου κατάκοροι γίνωνται. [Nomen peregrinum ineptamque hanc etymologiam esse, quæ ipsa nominis mensura refellitur, docet Strabo 7, p. 304 : Ἐξ ὧν γὰρ ἐκομίζετο (τὰ ἀνδράποδα) ἢ τοῖς ἔθνεσιν ἐκείνοις ὁμωνύμως ἐκάλουν τοὺς οἰκέτας, ὡς Λυδὸν καὶ Σύρον, ἢ τοῖς ἐπιπολάζουσιν ἐκεῖ ὀνόμασι προσηγόρευον, ὡς Μάνην ἢ Μίδαν τὸν Φρύγα, Τίβιον δὲ τὸν Παφλαγόνα· 12, p. 553 : Πᾶσα ἡ πλησίον τοῦ Ἅλυος Καππαδοκία, ὅση παρατείνει τῇ Παφλαγονίᾳ, ταῖς δυσὶ χρῆται διαλέκτοις καὶ τοῖς ὀνόμασι πλεονάζει τοῖς Παφλαγονικοῖς, Βάγας ... καὶ Μάνης. Conf. Prov. Bodlejana n. 647 et Hemst. ad Luciani Tim. c. 22.] Aristoph. schol. scribit μάνας et μανᾶς vocatos fuisse non tam δούλους, quam etiam οἰκέτας : Aristoph. Av. [522] : Πρότερον μεγάλους ἁγίους τ' ἐνόμιζον νῦν δ' ἀνδράποδ', ἠλιθίους, μανᾶς· ὥσπερ δ' ἤδη τοὺς μαινομένους, βάλλουσ' ὑμᾶς. [Eadem fere HStephanus in Indice v. Μανᾶς. Idem schol. apud Eundem [Ran. 965] : Μεγαίνετός θ' ὁ μάνης [Μάγνης] dictum scribit, quod ille Megænetus esset ἀναίσθητος, et οὐκ ἀστεῖος : quosdam tamen hic intelligere etiam δούλου ὄνομα. || Poculi quædam species, Athen. 11, [p. 487, C] ex Nicone : Μάνην δ' εἶχε κεραμεοῦν ἁδρὸν, Χωροῦντα κοτύλας πέντε. [Pollux 6, 99, 100.] || Μάνης dicitur etiam τὸ ἐπὶ τοῦ κοττάβου ἐφεστηκὸς, ἐφ' οὗ τὰς λάταγας ἐν παιδιᾷ ἔπεμπον : ut Idem ibid. exp., addens a Sophrone vocari χαλκεῖον κάρα. Antiphanes ibid., et 15, [p. 667, A] de cottabi ludo : Αὐτῆς ἐπὶ τὸν μάνην πεσεῖται, καὶ ψόφος Ἔσται πάνυ πολὺς πρὸς θεῶν τῷ κοττάβῳ· cui subjicit alter, Πρόσεστι καὶ μάνης τις ὥσπερ οἰκέτης· ubi ostendit quamobrem μάνης vocetur hoc χαλκοῦν πρόσωπον, ut Eust. et alii gramm. appellant. Unde repetit schol. Aristoph. Pac. 1242, qui conf. ad v. 342.] || Ex schol. Aristoph. μάνης exp. etiam πρόσωπον λυχνίου. || Barbarum cujusdam tesserarii jactus nomen ap. Eubulum in Aleatoribus, Hesych. [et Pollux 7, 204. Ponit autem Hesychius, de cujus gl. conf. Ruhnk. in Auct., cum ead. interpret. Μάγνης, quod v.] || Nomen cujusdam fluvii, qui et Βοάγριος, Eust. [Il. p. 278, 1] ex Strab. [9, p. 426.] || Nomen proprium cujusdam Phrygum regis; v. Μανικός. || Μανῆς, έντος, Hæretici cujusdam nomen, Suidas. [Immo Μάνης, έντος, ut ap. Theognost. Can. p. 47, 33, qui componit cum Κλήμης, εντος, et similibus nn. barytonis. Μάνην accus. est ap. Socr. H. E. 1, 22, p. 55, 14.]

Μανήσεις, Hesychio τὰς λάταγας : forsan παρὰ τὸν μάνην. [Leg. Μάνεις. Schol. Lucian. Lexiph. 3 : Καλοῦνται δὲ τὰ ἀνδριαντάρια μάνεις.]

[Μανήσιον, τὸ, Manesium. Πόλις Φρυγίας. Ἀλέξανδρος. Ἀπὸ Μάνου, σφόδρα εὐπόρου κτίστου, Steph. Byz.]

Μανθάνω, ήσομαι [Dor. μαθεῦμαι, Theocr. 11, 60 : Νῦν μάν, ὦ κόριον, νῦν αὐτόθι νεῖν γε μαθεῦμαι, αἴκα τις σὺν ναῒ πλέων ξένος ὧδ' ἀφίκηται], ηκα, aor. 2 ἔμαθον, Disco. [Sciscito, Rescisco add. Gl.] Hom. Od. P, [226] : Ἀλλ' ἐπεὶ οὖν δὴ ἔργα κάκ' ἔμμαθεν, οὐκ ἐθελήσει Ἔργον ἐποίχεσθαι, ubi ἔμμαθεν pro ἔμαθεν, metri causa. [Pind. Ol. 2, 95 : Σοφὸς ὁ πολλὰ εἰδὼς φυᾷ· μαθόντες δὲ λάβροι παγγλωσσίᾳ, κόρακες ὣς, ἄκραντα γαρύετον Διὸς πρὸς ὄρνιχα θεῖον, quibus poetam ingeniosum se anteponere Bacchylidi et Simonidi, magis arte laboriosa quam ingenio valentibus, annotant scholiastæ. Nem. 7, 68 : Μαθὼν δέ τις ἂν ἐρεῖ, εἰ πὰρ μέλος ἔρχομαι ψόγιον ὄαρον ἐνέπων, Qui me cognorit, Cognito me.] Dicitur autem μανθάνω τοῦτο, τοῦτο παρὰ σοῦ, vel σοῦ sine præp. Illo utitur [Æsch. Ag. 858, Soph. Ant. 1012,] Plato, atque alii; Xen. autem hoc quoque, Cyrop. 1, [6, 44] : Μάθε δέ μου, ὦ παῖ, καὶ τάδε, ἔφη, τὰ μέγιστα. [Pind. Pyth. 3, 80 : Μανθάνων οἶσθα προτέρων. Æsch. Prom. 703 : Μαθεῖν γὰρ τῆσδε πρῶτ' ἐχρῄζετε τὸν ἀμφ' ἑαυτῆς ἆθλον ἐξηγουμένης. Soph. OEd. T. 545.] At vero in isto Aristoph. l. Nub. [874], Ταλάντου τοῦτ' ἔμαθεν Ὑπέρβολος, est genit. pretii. [Cum præp. ἐκ Æsch. Cho. 853 : Ἐξ ἀμαυρᾶς κληδόνος λέγει μαθών. Soph. El. 352 : Μάθ' ἐξ ἐμοῦ.] Jungitur etiam cum ὅτι. Isocr. Symm. [p. 172, D] : Ὅτι μὲν οὖν οὐ δικαίας ἀρχῆς ἐπιθυμοῦμεν, παρ' ὑμῶν μαθὼν, ὑμᾶς ἔχω διδάσκειν. [Soph. Antig. 311, aliique quivis. Cum alia part. relativa Æsch. Prom. 586 : Οὐδ' ἔχω μαθεῖν ὅπῃ πημονὰς ἀλύξω. Soph. El. 617 : Μανθάνω δ' ὁθούνεκα ἔξωρα πράσσω. Sequente εἰ id. Phil. 961 : Ὄλοιο μήπω, πρὶν μάθοιμ' εἰ καὶ πάλιν γνώμην μετοίσεις. Cum infinitivo Pind. Pyth. 4, 284 : Ἔμαθε δ' ὑβρίζοντα μισεῖν. Æsch. Prom. 1068 : Τοὺς προδότας γὰρ μισεῖν ἔμαθον. Soph. El. 370 : Εἰ σὺ μὲν μάθοις τοῖς τῆσδε χρῆσθαι· Aj. 667 : Μαθησόμεσθα δ' Ἀτρείδας σέβειν. Et sæpe Euripides. Cum participio Pind. Pyth. 8, 12 : Τὰν οὐδὲ Πορφυρίων μάθεν παρ' αἶσαν ἐξερεθίζων. Æsch. Prom. 62 : Ἵνα μάθῃ σοφιστὴς ὢν Διὸς νωθέστερος. Soph. Trach. 472 : Ἐπεί σε μανθάνω θνητὴν φρονοῦσαν θνητά· Ant. 532 : Οὐδ' ἐμάνθανον τρέφων δύ' ἄτας. Eur. Bacch. 1113 : Κακοῦ γὰρ ἐγγὺς ὢν ἐμάνθανε. Thuc. 6, 39 : Εἰ μὴ μανθάνετε κακὰ σπεύδοντες, ἢ ἀμαθέστατοί ἐστε ἢ ἀδικώτατοι.] || Aristoph. Vesp. [251] : Τί δὴ μαθὼν τῷ δακτύλῳ τὴν θρυαλλίδ' ὠθεῖς; q. d. Quid edoctus, trudis digito linamentum lucernæ? Sunt autem qui i. valere putent q. Lat. Quid malum? At ego simpliciter accipere malo : ut Gall. dicitur in reprehensione, *Qui vous a appris à faire cela?* [Pro μαθὼν in hac formula posito scribendum esse, ut sæpe scriptum est in libris, παθὼν tum ap. Aristoph. tum ap. ceteros, ut Demosthenem, ad quem v. Wolf. p. 495, 20, Philostr. Imag. p. 132, 15, ad quem v. Jacobs., Brunckii post alios sententia fuit ad Aristoph. Lys. 599, et post Brunckium Elmsleji ad Ach. 826, Dobræi ad Ran. 1369, p. (69), qui sæpe τί πάσχεις, nusquam, quod tamen non mirum est, si quis HStephani rationem sequatur, τί μανθάνεις legi animadvertit. Τί μαθὼν, τί βουλόμενος interpretantur Hesychius et Photius. Ὅ τι μαθὼν est ap. Eupolin Stobæi vol. 1, p. 126, Plat. Euthyd. p. 283, E : Εἰ μὴ ἀγροικότερον ἦν εἰπεῖν, εἶπον ἄν σοι εἰς κεφαλὴν, ὅ τι μαθὼν ἐμοῦ καὶ τῶν ἄλλων καταψεύδει τοιοῦτο πρᾶγμα· 299, A : Πολὺ δικαιότερον ἂν τὸν ὑμέτερον πατέρα τύπτοιμι, ὅ τι μαθὼν σοφοὺς υἱεῖς οὕτως ἔφυσεν· Apolog. p. 36, B : Τί ἄξιός εἰμι παθεῖν ἢ ἀποτῖσαι ὅ, τι μαθὼν ἐν τῷ βίῳ οὐχ ἡσυχίαν ἦγον.] || Accipitur etiam pro διδάσκω, Doceo, Eust. p. 1561, sicut, inquit, δέδαεν et pro Didicit et pro Docuit, sumitur. Idem p. 1883, tradens μανθάνειν esse μέσον ap. Homeri posteros, sicut et illud δέδαεν ipsi Homero est μέσον, in exemplum affert, μανθάνειν γράμματα, quod usitatum sit apud sophistas. [Pro μαθητεύω, ut videtur, Dio Chr. Or. 4, vol. 1, p. 155 : Οὐκοῦν ὁμιλητὴν τοῦ Διός φησιν αὐτὸν (Minoem) εἶναι, ὥσπερ ἂν εἰ ἔφη μαθητήν. Ἆρ' οὖν ὑπέρ τινων ἄλλων αὐτὸν οἴει μανθάνειν τε καὶ ὁμιλεῖν τῷ Διὶ πραγμάτων ἢ τῶν δικαίων καὶ βασιλικῶν.] || Intelligo, Percipio, Animadverto. [Pind. Ol. 9, 81 : Ὥστ' ἔμφρονι δεῖξαι μαθεῖν Πατρόκλου βιατὰν νόον. Schol., γνῶναι ὅτι γενναῖος ἦν ὁ Π. Nem. 7, 18 : Σοφοὶ δὲ μέλλοντα τριταῖον ἄνεμον ἔμαθον. Schol., προορῶνται. Æsch. Prom. 273 : Ὡς μάθητε διὰ τέλους τὸ πᾶν· 505 : Βραχεῖ δὲ μύθῳ πάντα συλλήβδην μάθε. Soph. El. 617, Ant. 532, supra posita. Ibid. 1205 : Ὅπως τὸ πᾶν μάθῃς. Eur. Or. 1130 : Μανθάνω τὸ σύμβολον. Et alibi sæpe similiter.] Idem interdum quod συνίημι. Aristot. Eth. [6, 10.] Sic autem ap. Isocr. pro eod. posita invenio. Plato Hippia Minore [365, B] : Νῦν δὴ, ὦ Ἱππία, κινδυνεύω μανθάνειν ὃ λέγεις· De rep. 1 : Οὐ μανθάνω, ἔφη. Et paulo post, Νῦν δὴ, οἶμαι, ἄμεινον ἂν μάθοις ὃ ἄρτι ἠρώτων, πυνθανόμενος. Item, Οὐ μανθάνω πῶς λέγεις. Alibi autem οὐκ ἐννοῶ ead. signif. dixit. [Soph. Phil. 914 : Τί ποτε λέγεις ; ὡς οὐ μανθάνω· OEd. C. 384 : Τοὺς δὲ σοὺς ὅποι θεοὶ πόνους κατοικτιοῦσιν οὐκ ἔχω μαθεῖν. Cui l. conferendus l. Æschyli Prom. 586 initio citatus. || Cum accus. personæ Eur. Bacch. 1345 : Διόνυσε, λισσόμεσθά σ', ἠδικήκαμεν. — Ὄψ' ἐμάθεθ' ἡμᾶς, ὅτε δ' ἐχρῆν, οὐκ ᾔδετε, Sero nos agnovistis, sensistis. || Τὸ μεμαθηκὸς, Solitum, Consuetudo. Hippocr. p. 646, 40 : Τὰ ἐπιμήνια πρότερον ἢ ὕστερον τοῦ μεμαθηκότος γίνεται. Similiter Empedocl. v. 96 Karsten. : Ἓν ἐκ πλεόνων μεμάθηκε φύεσθαι· 178 : Τὰ πρὶν μάθον ἀθάνατ' εἶναι. || Passivo, cujus rarus est usus, Plato Tim. p. 87, B : Ὅταν μαθήματα ... ἐκ νέων μανθάνηται· Men. p. 88, B : Μετὰ νοῦ μανθανόμενα. Schol. Platon. Alcib. 1, p. 387 Bekk. : Οἴεται ἀνωφελῆ εἶναι τὰ μανθανόμενα. || Aoristi sec. act. tertiæ plur. forma Alexandrina ἔμαθαν est in Chron. Pasch. p. 732, 16. L. Dind.]

[Μάνθεος, ὁ, Mantheus, n. viri in inscr. ap. Bœckh. vol. 1, p. 50, n. 34.]

[Μανθυρέα, ἡ, Manthyrea. Κώμη Ἀρκαδίας. Τὸ ἐθνικὸν Μανθυρεὺς διὰ τὸ ἐπάλληλον τῶν δύο ε, Steph. Byz. Simile est n. Μάνθυρος, ὁ, Manthyrus, quod ponit Theognostus Can. p. 72, 2. Per ου ap. Pausan. 8, 44, 7, πεδίον τὸ Μανθουρικόν· et ib. 47, 1, Μανθουρέων et Μανθουρεῦσιν vel -ριέων et -ριεῦσιν. Sed Μανθυρεῖς omnes 45, 1, ut, nisi gravior accedat auctoritas, alterius scripturæ testimoniis non multum tribuendum videatur. L. Dind.]

Μᾰνία, ἡ, Furor, Insania, [Furia, Vesania, Incita add. Gl. Et : Μανίαι, Intemperiæ,] species τῆς παραφροσύνης, Galen. De causs. sympt. 2. Est autem παραφροσύνη σφοδρὰ ἄνευ πυρετοῦ, Mentis abalienatio vehemens citra febrem. Hippocr. ἔκστασιν etiam aliquando appellat. Habet autem magnitudinem et vehementiam, ut ferarum modo in eos insiliant, qui imprudentius ipsis occurrerint, et vinciri propterea debeant. Hoc solo a phrenitide differt, quod febre careat, ut inter alia docet Gorr., qui post causas hujus morbi explicatas, addit, esse qui scribant eum oriri a bene etiam temperato sanguine, solaque copia, ut in temulentis, molesto : eique hæc symptomata tribuere, risum, vultum hilarem, et perpetuum cantum. Verum generalius hos videri uti nomine τῆς μανίας, et omnino ἀντὶ τῆς παραφροσύνης usurpare : præter morem Hippocr. et Galeni, qui μανῆναι et ἐκμανῆναι non nisi in vehementi delirio ab acri et calido humore excitato, usurpant. Hippocr. tamen uno tantum loco τὴν μανίαν non proprie pro eo delirii genere accipere, sed pro ea mentis abalienatione, quæ proprie μελαγχολία appellatur : sc. Aphor. 21 l. 6, quo scribit, Τοῖσι μαινομένοισι κιρσῶν ἢ αἱμοῤῥοΐδων ἐπιγενομένων, τῆς μανίης λύσιν γίγνεσθαι. Hic enim aperte τὴν μελαγχολίαν proprie dictam intelligere, sicut in Comm. Galen. explicavit. [Æsch. fr. Edon. ap. Strabon. 10, p. 470 : Μανίας ἐπαγωγὸν ὁμοκλάν. Soph. Aj. 216 : Μανίᾳ ἁλούς· 611 : Θείᾳ μανίᾳ ξύναυλος.] Plut. Pr. Rom. : Πνεῦμα μανίας ἔχων ἐγερτικὸν καὶ παρακινητικὸν, ἐξίστησι. Lucian. de quodam saltatore, qui Ajacem furentem agebat [De salt. c. 83] : Εἰς τοσοῦτον ὑπερεξέπεσεν, ὥστε οὐχ ὑποκρίνεσθαι μανίαν, ἀλλὰ μαίνεσθαι αὐτὸς εἰκότως ἄν τινι ἔδοξεν. Plerumque non tam pro Morbo illo accipitur, quem Medici μανίαν appellant, quam pro Dictis aut Factis vecordibus et insanis, qualia in eo morbo cernuntur : sicut Lat. Furor quoque et Insania. [Soph. OEd. T. 1300 : Τίς σε προσέβη μανία ;] Isocr. Pan. : Εἰς τοῦτ' ἦλθον οὐκ ἀνοίας, ἀλλὰ μανίας. [Quæ conjuncta ap. eund. p. 162, C.] Plut. : Θρασύτητα καὶ μανίαν Κλέωνος. Herodian. 1, [14, 15] : Εἰς τοσοῦτόν τε μανίας καὶ παροινίας προὐχώρησεν. Act. 26, [24] : Πολλά σε γράμματα εἰς μανίαν περιτρέπει, Multæ te literæ a sana mente ad insaniam redigunt. [Cum genit. personæ de amore dixisse videtur Hermesianax ap. Athen. 13, p. 599, A : Οἵη μὲν Σάμιον μανίη κατέδησε Θεανοῦς Πυθαγόρην.] Aristoph. plur. num. dixit [Pac. 65] : Τὸ γὰρ παράδειγμα τῶν μανιῶν ἀκούετε, pro μανίας. [Pind. Ol. 9, 42 : Τὸ καυχᾶσθαι παρὰ καιρὸν μανίαισιν ὑποκρέκει· Nem. 11, 48 : Ἀπροσίκτων ἐρώτων ὀξύτεραι μανίαι. Et sæpius Æschylus, Sophocles. Eur. Or. 37 : Τὸ ματρος αἷμά νιν τροχηλατεῖ μανίαισιν· 532 : Μανίαις ἀλαίνων· 835 : Βεβάκχευται μανίαις· Herc. F. 835 : Μανίας ἐπ' ἀνδρὶ τῷδ' ἔλαυνε· Bacch. 33 : Αὐτὰς ἐκ δόμων ᾤστρησ' ἐγὼ μανίαις· Heracl. 904 : Ἐγγὺς μανιῶν ἐλαύνει.] Similiter ap. Suid., Μανίαι δ' οὐ πᾶσιν ὁμοῖαι, ubi poetis quoque et χρησμολόγοις μανία tribuitur. A Plat. quoque in Phædro, p. 274, 275, plures [«τῆς» addit HSt. Ms. Vind.] μανίας recensentur species. Cic. Tusc. Quæst. 3, [c. 5] : Græci autem μανίαν unde appellent, non facile dixerim : eam tamen ipsam distinguimus nos melius quam illi : hanc enim Insaniam, quæ juncta stultitiæ, patet latius, a Furore disjungimus. Græci volunt illi quidem, sed parum valent verbo : quem nos Furorem, μελαγχολίαν illi vocant : quasi vero atra bili solum mens, ac non sæpe vel iracundia graviore, vel timore vel dolore moveatur. Derivatur vero ab aor. 2 ἐμάνην. || Μᾱνία [prima producta, ut in nomine non a Græco μανία, sed a peregino Μάνης, quod v., ducto] est etiam nomen proprium mulieris ap. Xen. [H. Gr. 3, 1, 8, Aristoph. Thesm. 754,] et [meretricis ap.] Athen. [13, p. 578, ubi per jocum Macho poeta comicus mirantibus forte εἴ τις Ἀττικὴ γυνὴ προσηγορεύετ' ἢ 'νομίσθη Μανία aut putantibus αἰσχρὸν ὄνομα Φρυγιακὸν γυναῖκ' ἔχειν, καὶ ταῦθ' ἑταίραν ἐκ μέσης τῆς Ἑλλάδος, respondet illam primum vocatam fuisse Μέλιτταν, deinde vero, quum multos haberet amore sui incensos et insanientes, non tantum illos, ὅπουπερ περὶ γυναικός τις λόγος γένοιτο, μανίαν τὴν Μέλιτταν ὡς καλὴν dicere solitos, sed ipsam quoque, ubi cavillaretur aut ἐπαινοίη τιν' ἢ ψέγοι, ita frequentasse illud μανίαν, ut ipsa tandem ab uno amatorum Μανία vocaretur producta prima et abolito vero Melittæ nomine. || Ad μανία vero referendum n. loci ap. Paus. 8, 34, 1 : Ἐκ Μεγάλης πόλεως ἰόντι ἐς Μεσσήνην καὶ σταδίους μάλιστα προελθόντι ἑπτὰ ἔστιν ἐν ἀριστερᾷ τῆς λεωφόρου θεῶν ἱερόν· καλοῦσι δὲ καὶ αὐτὰς τὰς θεὰς καὶ τὴν χώραν τὴν περὶ τὸ ἱερὸν Μανίας· δοκεῖν δέ μοι θεῶν τῶν Εὐμενίδων ἐστὶν ἐπίκλησις, καὶ Ὀρέστην ἐπὶ τῷ φόνῳ τῆς μητρός φασιν αὐτόθι μανῆναι. L. Dind.]

[Μανία, ἡ, 1. q. μανότης, ut videtur, ponitur in Epim. Cram. An. vol. 2, p. 393, 13 : Μανία : Μανὸν λέγεται τὸ ἀραιόν.]

[Μανιάκης, ὁ, Torques. Μανιάκεις, Torques, Gl. Quod aut μανίακες, a μανίαξ, quod v., dicendum erat aut μανιάκαι. L. D. Μανιάκης pro στρεπτὸς, sive a Dorico μάνος s. μάννος (v. Poll. 5, 99), sive a Latino *manus* derivandum censeas, sive cum Polybio 2, 31, a Gallis repetendum ducas, sive cum Bocharto P. II Geogr. sacr. 1, 42, e Chaldaico מניכא ortum, certe novum est vocabulum et Alexandrinæ dialecto vindicandum. Legitur enim non nisi apud recentiores, ut Polyb. 2, 29 et 31, interpretes Alexandrinos, ut Dan. 5, 7, 16, 29, it. 3 Esr. 3, 6, Plutarch. Cimon. c. 9, ubi tamen memorat ψέλλια χρυσᾶ καὶ μανιάκας καὶ στρεπτοὺς, ita ut hæc ultima vel grammatici alicujus glossema vel ipsius Plutarchi interpretamentum videri possint. Utuntur eodem nomine grammatici ad explicanda vocc. Græca, ut Hesych. : Μηνίσκοι, ... μανιάκια, περιδέραια. Ὁρμίσκοι, ... μανιάκης, ἡ περιδέραια. Κλοιὸς, ... κολλάριον, ἤτοι μανιάκης. Schol. Theocr. 11, 40 : Μάννος δέ ἐστιν ὁ περιτραχήλιος κόσμος, τὸ λεγόμενον μαννάκιον. Hoc μαννάκιον vix apud alium quenquam reperias, et fortassis mutandum putes in μανιάκιον, quod etiam Phavorinus habet et exp. τὸ τοῦ ἱματίου περιστόμιον. Conf. Scheffer. De antiquorum torquibus, cum notis Jo. Nicolai, Hamb. 1707, 8, p. 22-24. Sturz. Basil. M. vol. 1, p. 344, D : Μανιάκας χρυσοῦς. V. HSt. in Μάννος.]

[Μανίαξ, Tortile, Circulus, Tortus, Gl. V. Μανιάκης.]

Μανιὰς, άδος, ἡ, Furiosa, Insana. Soph. Aj. [59] : Μανιάδες νόσοι, Furiales morbi, μανίαι, VV. LL. [Eur. Orest. 326 : Λύσσας μανιάδος· et cum nomine generis neutrius ib. 270 : Μανιάσιν λυσσήμασι. Quod cum δρομάδι κώλῳ et similibus contulit Lobeck. ad Soph. Aj. v. 323 ed. pr. ᾰῐᾰ.]

[Μᾰνῐάω, Insanio. Joseph. B. J. 1, 7, 5 : Μανιῶντες ἐν ταῖς ἀμηχανίαις. Wakef.]

Μᾰνικὸς, ἡ, ὸν, Insanus, Ad insaniam pronus. Plato Charm. [p. 153, B] : Χαιρεφῶν δ' ἅτε καὶ μανικὸς ὢν, ἀναπηδήσας ἐκ μέσων, ἔθει πρός με. Lucian. Q. H. S. [c. 38] : Ὀλέθριος καὶ μανικὸς ἄνθρωπος. Aristot. Rhet. 1, [c. 9, 4] : Τὸν ὀργίλον καὶ τὸν μ. Isocr. Ad Demon. [p. 5, A] : Μήτε γέλωτα προπετῆ στέργε, μήτε λόγον μετὰ θράσους ἀποδέχου· τὸ μὲν γὰρ, ἀνόητον· τὸ δὲ, μανικόν. [Xen. Hipp. 1, 12 : Τῶν πολυτελῶν τε καὶ μανικῶν ἱππωνιῶν.] Item μ. καὶ βάρβαρα κολαστήρια, Plut. De fort. Alexandri, Insana et barbara tormenta, Vesana, et quæ ab hominibus ira furentibus adhibentur. Aliquando non tam pro Insanus, Furiosus capitur, quam pro Insaniam et furorem gignens, ut μ. νόσημα. Et μ. στρύχνον ap. Diosc. 4, 174, tertia τοῦ στρύχνου species. Unde Plin. 21, 31 : Tertio folia sunt ocimi, minime diligenter demonstranda, remedia, non venena tractanti; quippe insaniam facit parvo quoque succo. Quanquam et Græci auctores in jocum vertere; drachmæ enim pondere lusum pudoris gigni dixerunt: species vanas imaginesque conspicuas obversari demonstrantes : duplicatum hunc modum legitimam insaniam facere. Paulo post μανικὸν et ipse vocari scribit. Furiosum nonnulli interpr. || Μανικὸς exp. etiam Divinus ac numine inflatus, in hoc l. Aristidis, Orat. in Jovem [vol. 1, p. 2] : Δότε μανικὸν γενέσθαι τὸν λόγον, Fanaticum et divino furore pronuntiatum. || Μανικὰ Phrygio proverbio dicebantur Ingentia egregiaque facta, ducta voce a Mane quodam prisco apud ipsos rege, quem ferunt virum fuisse præpotentem, et admirabili virtute præditum. Erasm. ex Plut. De Iside et Osiride [p. 360, B], addens, Latinos quoque Insanum vocare, quod est præter vulgarem modum, ut, Insano lubet indulgere labori. [Μάνιν scriptum ap. Plut., quod Μάνην scribendum monuit jam Salmasius.]

|| Μανικῶς, Furiose, Furenter. [Xen. Cyn. 3, 5 : M. περιφερόμεναι ὑλακτοῦσι (canes).] Plato Leg. 1 [10, p. 897, C : M. τε καὶ ἀτάκτως ἔρχεται· Phædr. p. 249, D : M. διακείμενος· Soph. p. 216, D : Παντάπασιν ἔχοντες μ.] Sic Plut., μ. στρατηγεῖν : cui opp. γνώμῃ στρατηγεῖν. At Isocr. Ad Philipp. [p. 95, B] : Ἐπιθυμήσας μοναρχίας ἀλόγως καὶ μ., Insano amore monarchiam af-

A fectans. Plut. Alex. [c. 75] dicit etiam Πυρέττοντα μανικῶς, διψήσαντα σφόδρα. [Theod. Prodr. p. 213. Elberling. Hierocl. In Aur. carm. p. 166. Boiss. Comparativo Theodor. Stud. p. 343, A : Ταῦτα μανικώτερον ἐξείργασται νῦν. L. Dind.]

[Μανικώδης, ὁ, ἡ, i. q. μανικὸς s. μανιώδης. Hippocr. p. 195, C : Ἐν τοῖσι μανικώδεσι.]

[Μανικῶς. V. Μανικός.]

Μανιόκηπος, Furiose libidinosa : ἡ περὶ μίξεις μεμηνυῖα, Eust. [In Ind. :] Μανηκόκηπος, Libidinosa, VV. LL. perperam pro μανιόκ. [Alibi :] Μανιόκηπος, ἡ, Cujus pubes s. pecten insanit, ἡ περὶ μίξεις μεμηνυῖα, Eust. [Il. p. 536, 21, Od. p. 1516, 22] dicens κῆπον ibi esse id quod Lycophr. appellat ἐπείσιον : nisi potius scrib. ἐπίσειον. Apud Aristoph. de muliere libidinosa, qua signif. et ἀνδρομανής. [Minus attente lectus Eustathii l. Od. p. 1572, 13, HStephanum decepit. Suid. v. Μυσάχνη. Hemst.]

[Μᾰνῐοποιέω, Insanum reddo. Anonymus De ira Voll. Hercul. ed. Oxon. part. 1, p. 67 : Διὰ τοὺς μαν. o-
B ποιοῦντας ἀνθρώπους. Passov.]

[Μανιοποιὸς, ὁ, ἡ, Insanum faciens. Schol. Hom. Il. Z, 132. Boiss. Scholl. Pind. Pyth. 4, 138, Eur. Or. 318. Polyæn. 8, 43.]

[Μανιουργέω, Insanire facio. Polyæn. 8, 43 : Τὸ φάρμακον τοὺς γευσαμένους αὐτοῦ μανιουργεῖν ἔμελλεν.]

[Μανίσκος, quod est ap. Herodian. Π. μον. λ. p. 20, 30, μηνίσκος scrib. conjecit Blochius.]

[Μανίτας, α, ὁ, Manitas, n. viri in inscr. Mylas. ap. Bœckh. vol. 2, p. 469, e.]

[Μανιχαῖοι, οἱ, Manichæi, sectatores Manentis, de quo v. Μανῆς. Quorum res persequitur Beausobre in *Histoire de Manichée et du Manichéisme*, Amstelod. 1734—9. Nobis annotasse sufficit verbum Μανιχαΐζω, Manichæorum sectam sequor, ap. Theodor. Stud. p. 162, A; 512, E; 523, C, et adj. Μανιχαϊκὸς, ἡ, ὸν, ap. Theodor. Stud. p. 151, A; 409, A; 512, C, E, Gregor. Nyss. vol. 3, p. 57, C, Suidam v. Θεόφιλος, et Μανιχαῖος ap. eund. v. Νέρβας (et Μανιχαῖος de Manente ipso ap. eund. in Μανιχαῖος, ut in Edicto Justiniani
C in Chron. pasch. p. 663, 13), Epiphan. vol. 2, p. 19, A, in Chr. Pasch. l. c. 15, et alibi, et Μανιχεῖς in Exc. ap. Cramer. An. vol. 4, p. 247, 24, et subst. Μανιχαϊσμὸς, ὁ, ap. Gregor. Nyss. vol. 2, p. 116, D, Theod. Stud. p. 512, C. L. Dind.]

Μᾰνῐώδης, ὁ, ἡ, Furiosus, Insanus, [Vesanus add. Gl. Eur. Bacch. 299 : Καὶ τὸ μανιῶδες μαντικὴν πολλὴν ἔχει. Theocrit. 26, 13 : Μανιώδεος ὄργια Βάκχου. Xen. Comm. 4, 1, 3, μανιώδεις κύνας], Furore percitus. Nonn. [Jo. c. 5, 57] : Ἑβραῖοι μανιώδεες ἄφρονι θυμῷ· quod Gregor. dicit μανίαις οἰστρηλατούμενοι. [M. ῥοῖζον ib. 8, 145.] Et μ. ὀρχήσεις, Athen. 4. [Ἐπὶ τὸ φαγεῖν μανιώδης, Hesych. in v. Λαίμαργος. Hemst. Alexis ap. Athen. 11, p. 463, D : Ἔγνωκα εἶναι μανιώδη πάντα τἀνθρώπων ὅλως. Valck.] || Insaniam faciens, Insaniam gignens. Diosc. 4, 69, de hyoscyamo : Ἀμφότεροι δὲ οὗτοι μανιώδεις ὑπάρχουσι καὶ καρωτικοί· Plin. 25, 4 : Omnia insaniam gignentia, capitisque vertigines : paulo post, Mentem caputque infestans. || Vesanus, Stultus. Thuc. 4, [39] : Καί περ μανιώδης οὖσα ἡ ὑπό-
D σχεσις ἀπέβη. [Alex. Trall. 1, p. 34.]

[Μανιωδῶς, adv. Schol. Theocr. 1, 83; Saracenica Sylb. p. 66; Planud. Ovid. Met. 8, 107; Jo. Damasc. Ep. ad Theoph. De imagg. p. 176. Boiss. Athen. 15, p. 675, B. Scholl. Thuc. 3, 82, Apoll. Rh. 4, 55.]

Μάννα, sive Μὰν (quorum illud Chaldaicum, hoc Hebraicum esse volunt), ab Israelitis dictum fuit id quod Deus in deserto roris instar noctu de cœlo mittebat, post solis exortum liquescens. Erat ὡσεὶ σπέρμα κορίου λευκὸν, τὸ εἶδος αὐτοῦ ὡς εἶδος κρυστάλλου, i. e. veluti semen coriandri album, crystalli specie : mane id ante solis ortum colligebant, mola aut pistillo in mortario terebant, in olla coquebant, aut ex eo conficiebant ἐγκρυφίας, placentas subcineritias : gustu referebat ἐγκρίδα ἐν μέλιτι. Certam vero mensuram ejus colligebant, quod in crastinum servari non posset a putrefactione et vermiculatione. Auctor præter Josephum A. J. [3, 1, 6], Moses Exod. c. 16, Num. c. 11. V. et Deut. c. 8 et Jos. c. 5. David. Ps. [77] appellat ἀγγέλων ἄρτον, Panem angelorum : Nonnus μελίῤῥυτον ἄρτον, a mellea dulcedine. Prædicatur et Arabica quædam μάννα, grani itidem formam habens; eodemque modo esse dicitur μελιτώδης χυλὸς ἐκ τοῦ ἀέρος, eam ob causam ἀερομέλιτος et δροσομέλιτος nomine dicta, a Virg. [Georg. 4, 1, Ecl. 4, 30] Mel aerium, et Roscidum mel : ab Hippocr. κέδρινον μέλι, forsan quod cedris insideat, ut Theophr. H. Pl. 3, 9, ex Hesiodi auctoritate scribit, τῇ δρυῒ τὸν ἐξ ἀέρος μελιτώδη χυμὸν προσίζειν. [HSt. hoc esse mannam putans fallitur. Bene Salmasius Comment. de Manna p. 248 : « Ab Hippocrate (mannam) κέδρινον μέλι aiunt vocari quidam. Nescio an audiendi sint. Per κέδρινον μέλι nihil aliud fortasse ille intellexerit præter κέδρινον ἔλαιον, quod mellis habeat σύστασιν. Fallitur, aut fallit ille Medicus, qui in Definitionibus suis Theophrasti affert testimonium ex l. 3 Hist. c. 9, quo probet κέδρινον μέλι dici Mel aerium, quod cedris insideat. Nihil quippe de cedris eo capite Theophr., sed de quercu hoc docet. Quicquid sit, non puto Hippocr. meminisse mellis aerii, quod manna est; nec enim Galenus omisisset auctoritate ejus id confirmare, ubi de hoc melle agit. Resinarum aliæ oleo similiores, aliæ melli : αἱ μὲν ἐλαιώδεις, αἱ δὲ μελιτώδεις. Talis resina cedri, quam Græci κεδρίαν vocant : ea quippe crassior, παχεῖα, καὶ διαυγής. Ideo κέδρινον μέλι eam appellat Hippocr. Aliud κέδρινον ἔλαιον, quod ex cedria fiebat eo modo, quo narrat Dioscorides, et supra diximus. » Angl.] Galen. sane De alim. facult. 3 de melle, tradit magna copia colligi in Libano concussis arboribus : in quo monte crebras esse cedros satis notum est. Corn. Celsus Syriacum mel appellat, quod in Syria maxime proveniat, cujus regionis mons est supradictus Libanus. V. et Aristot. H. A. 5, 22, περὶ μέλιτος τοῦ πίπτοντος ἐκ τοῦ ἀέρος. Unde Plin. 2, 12 : Venit hoc ex aere, et maxime siderum exortu, præcipueque ipso sirio exsplendescente fit, nec omnino prius Vergiliarum exortu sublucanis temporibus. Itaque tum prima aurora folia arborum melle roscida inveniuntur; ac, si qui matutino sub dio fuere, unctas liquore vestes capillumque concretum sentiunt : sive ille est cœli sudor, sive quædam siderum saliva, sive purgantis se aeris succus. Ap. medicos μάννα, sive μάννη λιβάνου, vocantur Grana seu micæ thuris concussu elisæ. Quum enim thus gestatur, vehiturque, aut quovis modo tractatur, multa ex eo fragmenta decidant necesse est, quæ mannam proprie appellant, inquit Galenus. V. eum τῶν Κατὰ τόπους 4, et Diosc. 1, 74. Sic Plin. 12, 14, de thure : Micas concussu elisas mannam vocamus. Colum. quoque 6, 30, thuris micas dicit : Scribonius Largus sæpe pollinem thuris nominat. [Antiatt. Bekk. p. 108, 23 : Μάνναν, τοῦ λιβάνου τὸ λεπτόν. Eadem accus. forma Æneas Tact. c. 35. Altera Orac. Sib. 7, 149 : Μάννην τὴν δροσερήν· ubi μάνην edd. ante Alexandrum.]

[Μαννάκαρτα, ἡ, Mannacarta. Πόλις Ἀραβίας. Ὁ οἰκήτωρ Μανναχαρτηνὸς, ὡς Μηδαβηνὸς, Steph. Byz. Liber Vratisl. simplici ν contra seriem.]

[Μαννάκιον. V. Μανιάκης.]

[Μαννάριον, τὸ, Matercula. Lucian. D. mer. 6, 1; 7, 4. Sic hodie Græci μάνναν dicunt Matrem. V. Coraes ad Heliodor. vol. 2, p. 233.]

[Μάννεως, Manneos, χώρα μέση τῶν ποταμῶν, ἐν ᾗ οἰκοῦσιν Ἄραβες Μαννεῶται, ὡς Οὐράνιός φησι, Steph. Byz. Liber Vratisl. simplici ν contra seriem.]

[Μαννοδοτέω, Mannam do. Constitt. Apost. 6, 3, p. 943 : Τὸν ἐξ οὐρανοῦ μαννοδοτήσαντα αὐτοῖς (Mosen), et iisdem verbis 20, p. 957. Constant. Manass. Chron. v. 1067.]

[Μαννοδότης, ὁ, Mannæ dator. Orac. Sibyll. 2, 348 : Ἅγιε μαννοδότα.]

Μάννος, s. Μάνος, ὁ, dicitur esse genus ornamenti collaris. Sane Pollux 5, c. 16 [§ 99], recensens nomina mundi muliebris, quum in περιτραχηλίων s. περιδεραίων genere numerasset ὅρμους, στρεπτοὺς, necnon καθήματα, et καθετῆρας, subjungit, tale quid et μάνον s. μόνον nominatum fuisse, maxime a Doriensibus. Quo in l. sunt qui pro μάνον reponant μάννον, et μάνον pro μόνον, derivataque hæc existiment a Lat. Manus : ut μάννοι, s. μάνοι, proprie sint Manuum et brachiorum ornamenta, quæ Lat. Brachialia et Armillæ di-
A cuntur, Græce περιβραχιόνια itidem et περικάρπια. Attamen Pollux ibid. τὰ περιβραχιόνια, s. βραχιόνια, manifeste ab illis distinguit. Sed rursum illa sententia Polybii auctoritate roborari potest, qui et collaria et brachialia ornamenta nominat Μανιάκας, voce ex hoc μάνος, vel saltem Lat. Manus, derivata. Is enim μανιάκας esse dicit χρυσοῦν ψέλλιον, ὃ φοροῦσι περὶ τὰς χεῖρας καὶ τράχηλον οἱ Γαλάται. Et rursum 2 : Χρυσοῖς μανιάκαις καὶ περιχείροις ἦσαν κατακεκοσμημένοι· quæ Liv. Torques vocat : Virg. : Aurum cui lactea colla innectuntur. Apud Plut. quoque Cimone legimus, Ψέλλια χρυσᾶ καὶ μανιάκας· sed signif. ambigua. Verum a μάννος est et demin. Μαννάκιον, τό. Eo utitur Schol. Theocr. Nam 11, 41, annotat quosdam μαννοφόρως scribere pro ἀμνοφόρως, ubi poeta canit, Τρέφω δέ τοι ἕνδεκα νεβρὼς Πάσας ἀμνοφόρως· μάννον vero esse τὸν περιτραχήλιον κόσμον, τὸ λεγόμενον μαννάκιον. [V. Μανιάκης.] || Ad Μάννος vero ut redeam, ap. Suid. est etiam nom. propr. : forsitan qui Lat. Magnus. [Immo regum quorundam Edessæ in numis ap. Mion-
B net. *Descr.* vol. 5, p. 614 sq., 621. L. Dind.]

[Μαννοφόρος. V. Μάννος. || Ap. Joann. Damasc. vol. 2, p. 845, E : Μαννοφόρος στάμνος χρυσῆ, Urna aurea mannam ferens. Conf. Leont. ap. Jo. Damasc. Pro imagg. p. 47, 7, Serm. 1. Boiss.]

[Μαννώδης, ὁ, ἡ, Mannæ similis. « Μαννῶδες est medicamentum ex thuris polline aut thuris granis et micis concussu elisis ap. Hippocr. p. 1223, B, ad oris tubercula : Πρὸς τὸ στόμα μαννῶδες ξὺν τοῖσι ἄλλοισι μισγομένοισι ξυνήνεγκεν. Medicamentum est adstringens, siccans, concoquens et digerens. » Foes. OEc. Hipp. Eidem p. 1207, F, ubi μανῶδες, collato altero loco restituit Heringa Obs. p. 172.]

[Μᾶνόδωρος, ὁ, Manodorus, n. servile ap. Aristoph. Av. 657.]

Μανόκαρπος, ὁ, ἡ, Rarum ferens fructum, Cujus fructus non dense hæret.

[Μάνος. V. Μάννος.]

Μανὸς, ἡ, ὸν, Rarus, i. q. ἀραιός : interdum et Laxus, χαῦνος. [M. ὀστοῦν Plato Tim. p. 75, C; σῶμα p. 78, D;
C σὰρξ p. 79, C. Xen. Cyn. 5, 4 et 6, 15, ἴχνη.] Illo modo, σπορὰ μανὴ, et φυτεία μανὴ, Theophr. C. Pl., Satio rara et amplo distincta intervallo : cui opp. ἡ πυκνὴ, Densa, Spissa. [H. Pl. 1, 8, 2; 9, 1.] Hoc modo, μανὴ σὰρξ ap. Galen. Ad Glauc. pro χαύνη, Laxa s. Mollis : ut Aristot. in Probl. [11, 58] dicit τὸ μανὸν esse μαλακὸν καὶ δυνάμενον εἰς αὑτὸ συνιέναι. Theophr. sane et ipse conjunctim dicit μανὸν καὶ μαλακὸν σπέρμα : itemque C. Pl. 4 : Τὸ μὲν, μανὸν καὶ μαλακόν· τὸ δὲ, πυκνὸν καὶ σκληρόν. [Zonar. p. 1334 : Τηλεκλείδης ἀντὶ τοῦ ἀκριβὲς ἢ ὀρθὸν ἢ ἀσφαλὲς ἢ πυκνόν. Quarum interpretationum de postrema v. in Μανάκις. || De mensura prioris Phrynichus Bekkeri p. 51, 32 : Μανὸν, τὸ ἀραιὸν οὕτω λέγουσιν Ἀθηναῖοι. Τὴν πρώτην συλλαβὴν ἐκτείνουσιν. Contra Herodian. in Cram. An. vol. 3, p. 292, 5 : Μανός· τοῦτο δὲ παρὰ τοῖς Ἀττικοῖς συστέλλεται. Et Zonar. p. 1334 : Μανὸν, ἀραιὸν, βραχέως λέγουσι. Hinc etiam in libris variatur inter μανότερος s. μανότατος et μανώτερος s. μανώτατος, velut ap. Xen. Cyneg. 5, 4, Plat. Leg. 5, p. 734, C, Aristot. Probl. 11, 58
D et ap. Theophrastum, melioribus tamen libris o præferentibus. Producti α certum ex. est Empedoclis v. 230 ed. Karsten. : Τῶν δ' ὅσ' ἔσω μὲν πυκνὰ, τὰ δ' ἔκτοθι μανὰ πέπηγε. Alterius mensuræ testimonium putabat Schæfer. ad schol. Apollon. p. 214 Æschyleum μανόστημος, quod v.]

[|| Μανῶς, Raro. Theophr. De signis 2, 7 : Θέρους, ὅθεν ἂν ἀστραπαὶ καὶ βρονταὶ γίνωνται, ἐντεῦθεν πνεύματα γίνεται ἰσχυρὰ, ἐὰν μὲν σφόδρα καὶ ἰσχυρὸν ἀστράπτῃ, θᾶττον καὶ σφοδρότερον πνεύσουσιν, ἐὰν δ' ἠρέμα καὶ μανῶς, κατ' ὀλίγον. « Hermogen. p. 504. » Hemst.]

Μανοσπορέω, Rare semino, Semen rare spargo. [Theophr. H. Pl. 8, 6, 2.]

Μανόσπορος, ὁ, ἡ, Rare seminatus, non dense nec spisse. [Theophr. C. Pl. 3, 21, 5.]

[Μανόστημος, ὁ, ἡ.] Ap. Hesych. et Μανοστήμοις, expositum ἀραιοστήμοις : forsan παρὰ τὸν στήμονα : ut sit, Qui laxo s. raro sunt stamine. [Ex Æschylo in Epim. Hom. Cram. An. vol. 1, p. 288, 22 s. Etym. Gud. v. Μανία et Ms. ap. Ruhnk. ad Tim. p. 177.]

Μανότης, ητος, ἡ, Raritas, Laxitas. [Σπληνὸς μ. Plat. Tim. p. 72, C; ὀστῶν p. 86, D. Contraria πυκνότητι Leg. 7, p. 812, D. Theophr. H. Pl. 8, 9, 1, C. Pl. 3, 7, 1.]

Μανόφυλλος, ὁ, ἡ, Rara folia habens, Qui rara habet folia. [Theophr. H. Pl. 7, 6, 3. Μανίφυλλον male ap. Zonar. p. 1334 et in Catal. codd. Nan. p. 496.]

[**Μανόχρους**, ὁ, ἡ, Theophr. fr. 9, 19 (Phot. Bibl. p. 529, 3): Μανόχροες γέροντες, Cute laxa et poris patentibus, i. q. ἀραιόσαρκοι. In libris Theophrasti μανόχροοι.]

Μανόω, [Raro, Gl.] Rarefacio, Solutiorem et laxiorem reddo. Unde pass. Μανοῦσθαι, Rarescere, ἀραιοῦσθαι. Theophr. H. Pl. 9, [14, 3]: Ἀμαυροῦσθαι δὲ τῶν ῥιζῶν τὰς δυνάμεις μανουμένων καὶ κενουμένων. [C. Pl. 3, 6, 1; 5, 13, 6.]

[**Μάνταλος**, πόλις Φρυγίας, ὡς ὁ Πολυΐστωρ Ἀλέξανδρος, ἀπὸ Μανταλοῦ κτίστου αὐτῆς. Τὸ ἐθνικὸν Μανταληνὸς, Steph. Byz. Cod. Vratisl. Μάνδαλος et Μανδαλοῦ. De Μανταληνὸς tacent Excerpta. Ac nomen Μάνδαλος aliunde notavimus supra. Nec multum tribuendum esse numis Μανταληνων inscriptis annotat Eckhel. D. N. vol. 3, p. 167. Sed Μάνταλος postulat ordo literarum ap. Steph. L. Dindorf.]

Μαντεία, ἡ, Vaticinatio, Divinatio, Vaticinium, Oraculum. [De oraculo Soph. OEd. T. 149: Ὁ πέμψας τάσδε μαντείας· Trach. 239: Εὐκταῖα φαίνων ἢ ἀπὸ μαντείας τινός;] Lucian. [Hermot. c. 49]: Μαντείᾳ μᾶλλον ἢ κρίσει τἀληθὲς ἀναζητοῦντα. Plut.: Ἀνενεχθεῖσά τις ἐξ Ἀμφιλόχου μαντεία. Plato [Leg. 1, p. 642, D]: Κατὰ τὴν τοῦ θεοῦ μ., Ex Dei oraculo. Et in plur. pro Vaticinationibus, Divinationibus, ap. Philon. V. M. 1: Ἐπ' οἰωνοὺς δὲ καὶ μαντείας ἐτρέπετο. Et μ. ἀπόῤῥητοι, Plut. Alex. [c. 27.] || Oraculi petitio, ut μαντεύεσθαι est Oraculum petere, consulere. Plut. [Mor. p. 266, D]: Προσιόντας ἐπὶ μαντείαν, χαλκωμάτων πατάγῳ περιψοφεῖσθαι. Ita usus est Idem plurali quoque. Et μαντείαν μαντεύσασθαι ap. Æschin., ut dicetur in Μαντεύομαι. Item μαντείᾳ χρῆσθαι ap. Plat. [Leg. 3, p. 694, C]. Isocr. utitur hoc verbo cum dat. μαντείῳ. [De divinatione Soph. El. 499: Ἤτοι μαντεῖαι βροτῶν οὐκ εἰσὶν ἐν δεινοῖς ὀνείροις· OEd. T. 349: Καίτοι μαντείας ἔδει· 857: Μαντείας οὕνεκα. Plato Conv. p. 206, B: Μαντείας δεῖται ὅ,τι ποτε λέγεις, καὶ οὐ μανθάνω.] Pro μαντεία invenitur et [Ionicum] Μαντηΐη ap. Herodot. [2, 57: Ἡ δὲ μ. ἥ τε ἐν Θήβῃσι καὶ ἐν Δωδώνῃ παραπλήσιαι ἀλλήλῃσι· 83: Οὐ μέντοι αἵ γε μαντηΐαι σφι κατὰ τὠυτὸ ἑστᾶσι.]

Μαντεῖον, τὸ, Vaticinium, Oraculum. [Æsch. Eum. 716: Μαντεῖα δ' οὐκέθ' ἁγνὰ μαντεύσει μένων. Soph. Tr. 77: Ὡς ἔλειπέ μοι μαντεῖα πιστὰ τῆσδε τῆς χώρας πέρι, et alibi.] Thuc. 2, [17]: Καί τι καὶ Πυθικοῦ μαντείου ἀκροτελεύτιον. Et μαντείῳ χρῆσθαι, Isocr. [p. 119, C.] || Locus in quo editur oraculum, ut Plut. De Pyth. orac.: Τὸ μ. τὸ ἐν Δελφοῖς. [De def. or. p. 434, D: Ἔτι δ' ἤκμαζεν ἐμοῦ παρόντος καὶ τὸ Μόψου καὶ τὸ Ἀμφιλόχου μαντεῖον. Æsch. Prom. 831: Ἵνα μαντεῖα θῶκός τ' ἐστὶ Θεσπρωτοῦ Διός· Eum. 4: Τόδ' ἕζετο μαντεῖον. Soph. El. 33, OEd. T. 243, τὸ Πυθικὸν μ. Et sæpius Eurip.] Μαντήϊον pro μαντεῖον, qualia in Μαντεία et Μαντεῖος protuli, Hom. Od. M, [272: Μαντήϊα Τειρεσίαο. Hesiod. ap. schol. Soph. Trach. 1174, 8. « Ἀπικέσθαι οἱ μ. ἐκ Βουτοῦς πόλιος, Herodot. 2, 111. Θεῶν ἀληθέα μαντήϊα παρεχομένων, 2, 174. Τὸ Τισαμενοῦ μαντήϊον, Oraculi responsum Tisameno datum, 9, 33. || De loco, id. 1, 46: Ἀπεπειρᾶτο τῶν μαντηΐων· 48, μ. τὸ ἐν Δελφοῖσι, etc. » Schweigh. Forma Bœot. Μαντεῖα est in inscr. Orchom. ap. Bœckh. vol. 1, n. 1593, p. 776, 2. L. Dindorf.]

Μαντεῖος, adj., et Μαντήϊος, v. Μαντεία. At vero μαντείᾳ σποδῷ, ap. Soph. [OEd. T. 21] pro Vaticino cinere; est enim a nomine adj. Μαντεῖος, α, ον, et ὁ, ἡ, Vaticinus, Ad vatem s. vaticinationem pertinens. [Pind. Ol. 6, 5: Βωμῷ μαντείῳ. Æsch. Ag. 1265: Μαντεῖα περὶ δέρῃ στέφη. Eur. Tro. 454: Ὦ μαντεῖ' ἄναξ· Or. 1666: Ὦ Λοξία μαντεῖε. (Aristoph. Av. 722.) Ion. 130: Μαντεῖον ἕδραν. Max. Tyr. 14, 2: Μαντεῖον ἄντρον.] Dicitur autem adjective etiam Μαντήϊος, per dialysin. [Pind. Pyth. 5, 69: Μυχὸν μαντήϊον.] Et Μαντήϊος Ἀπόλλων, Vaticinus Apollo, Fatidicus, Apoll. Arg. 2, [493]. Vel, Qui vaticinantibus præest. Ap. Plut. autem [Mor. p. 472, B] legitur et Μαντῷος. [Pariss. codicum antiquissimi duo Μαντεῖος. Leo philos. Anth. Pal. 9, 201, 1: Μαντῴης Φοιβηΐδος ὄργια τέχνης. Olympiodor. in Plat. Alcib. p. 201 ed. Creuzer.: Τὸν ναὸν τοῦ μαντῴου θεοῦ.] Possit alioqui adj. illud Μαντεῖος a μάντις deductum videri.

[**Μαντεοαετὸς**, ὁ, in inscr. Ægypt. Musei Leid., ubi est: Ἀρχάτης Πέτριος ὁ μάντις μαντεοαετὸν δ' ἀσσαρίων, Reuvens. *Deuxième lettre*, p. 10 seqq. interpretatur Avem vatum auguralem. L. Dindorf.]

Μάντευμα, τὸ, Vaticinamentum, Vaticinium, Oraculum. [Pind. Pyth. 4, 73: Ἦλθε δέ οἱ κρυόεν μάντευμα. Et alibi. Frequens utroque numero est etiam ap. Tragicos.] Plato Epist. [2, p. 311, D.] Sic Pausan.: Μαντεύματος γενομένου. [Id. 3, 8, 5.]

Μαντεύομαι, Vaticinor, Auguror, [Divino, Divinor, Hariolor, his add. Gl., quarum signiff. exx. v. infra.] Oraculum edo. Hom. Od. O, [255]: Ἔνθ' ὅγε ναιετάων μαντεύετο πᾶσι βροτοῖσι. Interdum autem cum accus., ut μαντεύεσθαι θάνατον, item αἰπὺν ὄλεθρον, [κακὰ,] ap. Eund., Vaticinari, Vaticinando prædicere. [Od. B, 180: Ταῦτα δ' ἐγὼ σέο πολλὸν ἀμείνων μαντεύεσθαι.] Et cum adv., ut ἀτρεκέως μαντεύσομαι, Od. P, [154]. Sic Il. B, [300]: Ὄφρα δαῶμεν Εἰ ἐτεὸν Κάλχας μαντεύεται, ἦε καὶ οὐχί· nam hic ἐτεὸν pro adverbio accipitur. [Pind. fr. ap. Eust. Il. p. 9 extr.: Μαντεύεο, Μοῦσα, προφατεύσω δ' ἐγώ. Æsch. Sept. 406: Αὐτὸς καθ' αὑτοῦ τήνδ' ὕβριν μαντεύσεται· Ag. 1367: Μαντευόμεσθα τἀνδρὸς ὡς ὀλωλότος· Eum. 33: Μαντεύομαι γὰρ ὡς ἂν ἡγῆται θεός· 716: Μαντεῖα δ' οὐκέθ' ἁγνὰ μαντεύσει μένων. Soph. Aj. 746: Εἴπερ τι Κάλχας εὖ φρονῶν μαντεύεται. || Orac. ap. Herodot. 1, 65: Δίζω ἤ σε θεὸν μαντεύσομαι ἢ ἄνθρωπον, Vaticinans appellem.] In soluta autem oratione non solum pro Vaticinari s. Oracula reddere ponitur, sed interdum, imo frequenter, pro Oraculum consulere, petere. Sed ad exempla prioris illius signif. prius venio. Plato Apol. [p. 39, D]: Ταῦτα μὲν ὑμῖν μαντευσάμενος ἀπαλλάττομαι· ponitur vero ibid. χρησμολογεῖν pro ead. signif. Idem in Epist. [p. 323, C]: Φήμην γὰρ ἀγαθὴν μαντεύομαι. Lucian. [Scriptor Philopatr. c. 5], μαντεύεται πᾶσι τὰ ἀμφίλοξα. Pausan. autem [10, 12, 1] dixit etiam μαντεύεσθαι ἐκ θεοῦ. Sed nonnunquam generalius pro Conjicio, Opinor. Aristot. Eth. [Nic. 1, 3]: Τἀγαθόν τι καὶ δυσαφαίρετον εἶναι μαντευόμεθα, Bud. [Conf. Rhet. 1, 13: Ἔστι γὰρ ὃ μαντεύονταί τι πάντες φύσει κοινὸν δίκαιον. Theocr. 21, 45: Καὶ γὰρ ἐν ὕπνοις πᾶσα κύων ἄρτον μαντεύεται.] Item pass. ἐμαντεύθη σφι, Oraculo eis editum est. [Athen. 5, p. 186, E: Δεῖ οὖν μαντεύσασθαι πῶς ... προσβάλλει. Hemst.] || At vero pro Oraculum consulo, peto, [Pind. Ol. 7, 31: Μαντεύσατο δ' ἐς θεὸν ἐλθών· 6, 38: Πυθῶνά δ' ᾤχετ' ἰὼν μαντευσόμενος ταύτας περ' ἀτλάτου πάθας· Pyth. 4, 163: Μεμάντευμαι δ' ἐπὶ Κασταλίᾳ εἰ μετάλλατόν τι.] Xen. [Comm. 1, 1, 3]: Τὰ συμφέροντα τοῖς μαντευομένοις, Consulentibus oraculum, deum per oraculum. Dicitur etiam μαντεύομαι τοῦτο, περὶ τούτου, Hoc ex deo sciscitor per oraculum, Peto oraculum hac de re, Oraculum peto, sciscitans hac de re, quibus usus est Cic.: Plato Apol. [p. 21, A]: Ἐτόλμησε τοῦτο μαντεύσασθαι. Æschin. autem junxit etiam accus. μαντείαν [p. 68, 41]: Ἀμφικτυόνες μαντείαν ἐμαντεύσαντο παρὰ τῷ θεῷ, τίνι χρὴ τιμωρίᾳ τοὺς ἀνθρώπους τούτους μετελθεῖν. Item μαντεύομαι περὶ τούτου, Athen. 6, [p. 259, A]: Κνωπῷ μαντευομένῳ περὶ σωτηρίας ὁ θεὸς ἔχρησεν. Sic Aristot. et alii. [Herodot. 8, 36: Ἐμαντεύοντο περὶ τῶν ἱρῶν χρημάτων. Idem de vate sacrorum interprete 9, 36: Τοῖσι Ἕλλησι ὁ Τισαμενὸς ἐμαντεύετο· 92. Quum autem μαντεύομαι tam de iis qui consulant quam qui edant oracula dicatur, quarum signiff. exx. superioribus plura addit Græv. ad Luciani Pseudosoph. c. 9, non solum apud veteres nullus est usus activi μαντεύω, sed rarissimus vel apud recentiores, ut mirabilis sit error Koenii ad Gregor. p. 493, rectius illum dicturum fuisse rati ἀναιρεῖν, ἐπὶ τοῦ μαντεύειν, quam μαντεύεσθαι, quod activo utatur in iisdem verbis Psellus (ap. Tittmann. præf. ad Zonaram p. cxv, 31). Ponit etiam Chœrob. in Cram. An. vol. 2, p. 279, 24. Usurpat autem Gregor. Nyss. vol. 2, p. 36, A: Τὸν τὴν ἄνοδον τῆς ψυχῆς αὐτοῦ μαντεύσαντα. Et quem Schneid. citat Xen. Eph. 5, 4 : Ὁ θεὸς τοῖς βουλομένοις μαντεύει. Ubi Himeri ll. ab Wernsdorfio indicatos memoravit Locella. L. Dind.] A

[Μαντευτέον, Vaticinandum. Eur. Ion. 373 : Τῷ γὰρ θεῷ τἀναντί' οὐ μ. Divinandum, Hariolandum, Plat. Phil. p. 64, A : Τίνα ἰδέαν αὐτὴν εἶναί ποτε μαντευτέον.]

Μαντευτὴς, ὁ, Vaticinator, Vates. [Heliod. Æth. 9, 1 : Εὐμενὴς αὐτόθεν πρὸς τὰ ἴδια καὶ οὐκ εἰδὼς ὑπὸ τοῦ μαντευτοῦ τῆς ψυχῆς γενόμενος.]

Μαντευτικὸς, ἡ, ὸν, Vaticinatorius, Ad vaticinatorem s. vaticinationem pertinens; Vaticinandi peritus. [Schol. Eur. Or. 1661. L. Dindorf.]

Μαντευτὸς, ἡ, ὸν, Vaticinio prædictus : μ. θάνατος, Synes. [Eur. Ion. 1209, γόνος. Xen. Anab. 6, 1, 22. (Λόγοι) μαντευτοὶ Aristidis vol. 1, p. 9, ut ap. Philostr. Her. p. 691, λουτρὰ, Quæ a diis juberentur.]

[Μαντεύτρια, ἡ, Vates. Schol. Par. Lycophr. 1468 : Φοιβαστρίας) μαντευτρίας. Cod. barbarogr. Nicetæ Chon. p. 759, 25. L. Dind.]

[Μαντηίη, Μαντήιον, Μαντήιος. V. Μαντεία, Μαντεῖον, Μαντεῖος.] B

[Μαντιάδας, α, ὁ, Mantiadas, n. viri in numo Dyrrhachii ap. Mionnet. *Suppl.* vol. 3, p. 339, 197.]

[Μαντίας, ὁ, Mantias, rhetor, Aristot. Rhet. 2, 23. Γραμματιστὴς ap. Æschin. Epist. 4. Dux Athen. ap. Diodor. 16, 2. Alii alibi. ῐᾰ]

[Μαντίθεος, ὁ, Mantitheus, Atheniensis ap. Xen. H. Gr. 1, 1, 6, etc. Alii in inscrr. ap. Bœckh. vol. 2, p. 76, n. 2053, b, 1; 224, n. 2268, 27, et ap. Aristænet. p. 178.]

[Μάντικλος, ὁ, Manticlus, f. Theocli, ap. Pausan. 4, 21 seq. Qui etiam Herculem sic vocatum tradit ib. 23, 10; 26, 3.]

Μαντικὸς, ἡ, ὸν, Ad vatem pertinens, Ad vatum artem pertinens, Vatem efficiens, Vaticinationem habens [Æsch. Ag. 1098 : Κλέος σου μαντικόν· Eum. 171, μυχῶν· 626, θρόνοις. Soph. Œd. T. 723 : Φῆμαι μαντικαί· Ant. 1055 : Τὸ μαντικὸν γὰρ πᾶν φιλάργυρον γένος. Plato Phæd. p. 85, B : Μαντικοί εἰσι· Phædr. p. 275, B : Λόγους μαντικούς· Crat. p. 405, A : Αἱ τοῖς ἰατρικοῖς φαρμάκοις καὶ τοῖς μαντικοῖς περιθειώσεις] : ut ὕδατα μ. ap. Aristid. : et μ. πόμα Κασταλίας, Gregor. C Ap. Plut. autem [Mor. p. 736, A], Τὸ μ. μέρος τῆς ψυχῆς. Item ἡ μαντικὴ, subaud. τέχνη, Vatum ars, Vaticinandi ars. Thuc. 5 : Μαντικήν τε καὶ χρησμούς. [Æsch. Pr. 484 : Τρόπους δὲ πολλοὺς μαντικῆς. Addito τέχνη in fr. ap. Plat. Reip. 2 extr., Soph. Œd. T. 709, omisso 311, etc. et utroque modo sæpius Euripides, Plato, alii.]

[|| Μαντικῶς, Vatis modo, Divinitus. Aristoph. Pac. 1026 : Οὐκοῦν δοκῶ σοι μ. τὸ φρύγανον τίθεσθαι; Plato Conv. p. 198, A, μ. εἰρηκέναι· Theæt. p. 142, C, μ. εἶπε. Tzetz. Exeg. Il. p. 84, 20.]

[Μαντικρατω inscriptum numo Ephesio ap. Mionnet. *Suppl.* vol. 6, p. 112, n. 196.]

[Μαντίνεια, ἡ, Mantinea, πόλις Ἀρκαδίας. Ὅμηρος (Il. B, 607), Οἳ Τεγέαν τ' εἶχον καὶ Μαντινέην ἐνέμοντο. Τὸ ἐθνικὸν Μαντινεὺς καὶ Μαντινίς. Τὸ κτητικὸν Μαντινικὸς, Steph. Byz. Forma Μαντινέη utitur etiam Herodot. 4, 161, pro qua Dorica Μαντινέα est ap. Pind. Ol. 11, 73, memorata etiam ab Theognosto Can. p. 103, 20 et gramm. Cram. An. vol. 2, p. 306, 28. Formam Μαντίνη memorat Eust. ad l. Hom. : Εὕρηταί φασι καὶ Μαντίνη κατὰ συναλοιφὴν, ὡς Ζέλεια Ζέλη. Additque, ὠνόμασται δὲ ἀπὸ Μαντίνου, υἱοῦ Λυκάονος. De quo v. in Μαντινεύς. Et Steph. Byz. v. Ἐρύθεια et Ψυττάλεια. Usitata in prosa forma est Μαντίνεια ap. Thuc., Xenoph. et ceteros. || Gent. Μαντινεων in numis ap. Mionnet. *Descr.* vol. 2, p. 248 etc., et ap. historicos, ut Herodot., Thuc., Xen. aliosque. || Adj. Μαντινικὸς, ἡ, ὸν, ap. Platon. Conv. p. 211, D : Ἡ Μαντινικὴ ξένη. Ἡ M. de agro Mant. Xen. H. Gr. 6, 5, 15 et 17. ῐ]

[Μαντινεὺς, έως, ὁ, Mantineus, pater Ocaliæ, ap. Apollod. 2, 2, 1. F. Lycaonis, ap. Pausan. 8, 3, 4 et 8, 8, 4, quem cum Eustathio in Μαντίνεια cit. Μαντίνουν vocat Apollod. 3, 8, 1, 3.]

[Μάντιος, ὁ, Mantius, f. Melampodis, Hom. Od. O, 242, 249. Theognost. Can. p. 58, 25.]

[Μαντιπολέω, Vaticinor. Æsch. Ag. 987 : Μαντιπολεῖ δ' ἀκέλευστος ἄμισθος ἀοιδά.]

Μαντιπόλος, ὁ, ἡ, Vates, Epigr. [Christod. Ecphr. 287.] Fortasse tamen dicitur potius μαντιπόλος, quasi μαντικοπόλος : ut sit ὁ περὶ μαντικὴν πολούμενος. [Eur. Hec. 120 : Τῆς μ. βάκχης. Manetho 6, 306.]

Μάντις, ιος [ῐος, Hom. Il. N, 663 : Πολυΐδου μάντιος υἱός· et alibi, quæ legitima est mensura. Producto propter versum ι Od. K, 493, M, 267 : Μάντιος ἀλαοῦ], pro quo εως Attice, ὁ [et ἡ], Vates, Hariolus, Divinus, [Fatidicus his add. Gl.] accipiendo Divinus, ut vulgo *Devin.* Hom. Od. A, [202] : Οὔτε τι μάντις ἐὼν, οὔτ' οἰωνῶν σάφα εἰδώς· Il. A, [62] : Ἀλλ' ἄγε δή τινα μάντιν ἐρείομεν, ἢ ἱερῆα, Ἢ καὶ ὀνειροπόλον. [N, 69 : Μάντει εἰδόμενος.] An sit autem μάντις nomen generalem Divinandi signif. habens, an specialem, controversum fuisse docet Eust., quem lege : itidemque quod de hujus nominis derivatione tradit a v. μαίνεσθαι. Proverbialis est senarius, Μάντις δ' ἄριστος, ὅστις εἰκάζει καλῶς, qui sic redditur ap. Cic., Bene qui conjiciet, vatem hunc perhibeto optimum. Plut. Lycurgo [c. 9] : Οὐδ' ἐπέβαινε τῆς Λακωνικῆς οὐ σοφιστὴς λόγων, οὐ μάντις ἀγυρτικός. Et in plur. Μάντεις, in gen. μάντεων, dat. μάντεσι. Pausan. Att. [c. 34, 3] : Μάντεων γ' οὐδεὶς χρησμολόγος ἦν. At Thuc. 8, [1] sejungit χρησμολόγοις τε καὶ μάντεσι. Hom. genitivo junxit hoc nomen, Il. A, [106] : Μάντι κακῶν, O vates malorum, i. e. rerum malarum s. adversarum, Qui mala et infausta vaticinari soles. [Cum eod. nomine Æsch. Sept. 808. Pind. fr. ap. schol. Pyth. 4, 4 : Δελφοὶ θεμιστῶν (θεμίστων Bœckh.) ὕμνων μάντιες. Cum accus. Eur. Heracl. 65 : Μάντις δ' ἦσθ' ἄρ' οὐ καλὸς τάδε. Cum dat. pers. Eur. Hec. 1267 : Ὁ Θρῃξὶ μάντις εἶπε Διόνυσος τάδε· Or. 363 : Ὁ ναυτίλοισι μάντις... Γλαῦκος. Ap. eund. Rhes. 952 : Οὐδὲν μάντεως ἔδει φράσαι, eadem fere sententia ut Herc. F. 912 : Μάντιν οὐχ ἕτερον ἄξομαι. || Improprie de rebus Æsch. Sept. 402 : Τάχ' ἂν γένοιτο μάντις ἡ ἔννοια τινί· Cho. 929 : Μάντις οὑξ ὀνειράτων φόβος. Eur. Hel. 757 : Γνώμη δ' ἀρίστη μάντις.] Invenitur et fem. gen. ἡ μάντις ap. Athen. [Pind. Pyth. 11, 33 : Μάντιν κόραν. Eur. Med. 239 : Δεῖ μάντιν εἶναι μὴ μαθοῦσαν οἴκοθεν· et alibi sæpius. Peculiaris vero generi fem. est forma in —δος, ut μάντιδα δάφνην in oraculo ap. Georg. Cedren. p. 304, A, et pluralis μάντιδες ap. Suidam v. Σίβυλλα p. 3302, B, s. anonymum in prologo ad Orac. Sibyll. vol. 1, p. 4 ed. Alexandri : Ἑνὶ ὀνόματι αἱ θήλειαι μάντιδες ὠνομάσθησαν Σίβυλλαι. L. D. Psellus Judicio de Heliodoro p. π' : Κατὰ τὰς ἐκφρονας μάντιδας. Boiss.] || Μάντις dicta Locusta a Theocr. 10, [18] : Μάντις τοι τὰν νύκτα χροΐζεται ἁ χαλαμαία, ubi schol. scribit μάντιν vocari, quod famem prænuntiet : addens et aliam rationem, quam ibi vide, simulque multa ad l. hujus expos. facientia. V. et Prov. Ἀρουραία μάντις ap. Suid. [Diosc. Parab. 1, 158 : Μάντις· ἔστι δὲ ὅμοιος ἀκρίδι Ἰνδικῇ. Hesychius, ὁ ἐν τοῖς κήποις βάτραχος καὶ εἶδος ἀκρίδος.] || Μάντις dicta Brassica a Nicandro [fr. 11] ἡ ἱερὰ οὖσα, Athen. [9, p. 370, A, B.]

[Μάντις, ὁ, Mantis, n. viri esse videtur in inscr. Spart. Fourmonti ap. Bœckh. vol. 1, p. 621, n. 1246, 3.]

[Μάντισσα, ἡ, Vates femina, Saga, Venefica. Glossæ græeobarb. : Ἀρουραία μάντις, μάντισσα τῆς στράτας καὶ ὁδοῦ. Vita Ms. S. Symeonis Sali : Γυνή τις μάντισσα καὶ φυλακτηρία καὶ ἐπαοιδοὺς ποιήσασα. Ducang.] D

[Μαντίτης, ὁ, Magnetes. Anon. Ms. De lapidibus : Λίθος μαγνίτης, ὃς καὶ μαντίτης λέγεται. Ducang. Formam μαγνίτης supra notavimus, ubi addere licet Psellum De lapid. c. 14, p. 246 ed. Ideler.]

Μαντιχώρας, ου, ὁ, Mantichora, bestia horrenda : de qua v. Aristot. H. A. 2, 1, Ælian. 4, 20, Plin. 8, 21, 30. Ap. Ctesiam Indicis p. 13 scriptum μαρτιχώρας : ut et ap. Philostr. V. Ap. [3, 45]; ap. Pausan. vero in Bœoticis [9, 21, 4] μαρτιώρας, sine χ. [Præstat autem μαντιχόρας, quum *manticŏram* sit ap. Calpurnium. V. Jacobs. ad Ælian. 4, 21.]

[Μαντομάγος, ὁ, Vates et Præstigiator. Eudoc. p. 287, ex Nonno Syn. 1, 45. Bast.]

Μαντοσύνη, ἡ, Vaticinium, Vaticinatio, Vaticinandi ars. Hom. Il. A, [72] : Ἣν διὰ μαντοσύνην, τήν οἱ πόρε Φοῖβος Ἀπόλλων. [Plur. B, 832 : Ἤδεε μαντοσύνας. Pind. Ol. 6, 66 : Θησαυρὸν μαντοσύνας. Apoll. Rh. aliique poetæ.]

[Μαντόσυνος, ὁ, ἡ, Vaticinans. Eur. Ioh. A. 761 :

Ὅταν θεοῦ μαντόσυνοι πνεύσωσ' ἀνάγκαι· Andr. 1031 : Μαντόσυνον κέλευσμα.]

[Μάντουα s. Μαντύα, ἡ, Mantua, πόλις Ῥωμαίων. Τὸ ἐθνικὸν Μαντυανός. Πολύϐιος ἑκκαιδεκάτῳ. Γράφεται καὶ Μάντουα τῷ τῶν Ῥωμαίων ἔθει. Ἐξ αὐτῆς ἦν Βιργίλιος ὁ ποιητὴς Μαντούτης χρηματίζων. Ἔστι καὶ (l. δὲ) κατὰ συγκοπὴν, ὡς τὸ Ζελείτης, Steph. Byz. Forma Μάντουα ap. Strab. 5, p. 213, Ptolem. 2, 6; 3, 1.]

[Μαντύης, ὁ, Mantyes, Pæon, ap. Herodot. 5, 12.]

[Μαντὼ, οῦς, ἡ, Manto, f. Tiresiæ, ap. Apollod. 3, 7, 4, 2, Strabonem, Pausaniam et alios. F. Polyidi, ap. Pausan. 1, 43, 5. Aliæ memorari videntur in inscrr. Thessalon. ap. Bœckh. vol. 2, p. 59, n. 1989, et Teja p. 683, n. 3101.]

Μαντώδης, ὁ, ἡ, Vaticinus, Fatidicus : μ. φωνὴ, Vaticina vox, s. Fatidica, Epigr. et ap. Nonnum [Jo. c. 4, 122.]

[Μαντῷος. V. Μαντεῖος.]

[Μάνυζα, ἡ, μονοκέφαλον σκόροδον, ὅπερ ἔνιοι μενλύζαν, Hesych. Μώλυζαν Guietus. « Μώλυζα sæpe ap. Hippocrat. V. Foes. OEcon., Galen. Gloss. et Salm. Hyl. iatr. c. 39, p. 43, B, qui μάλυζαν legit. Psellus De verbis medicinæ antiquis (ap. Boiss. An. vol. 1, p. 241) : Μάλυζαι, αἱ τῶν σκορόδων κεφαλαί. » Albert.]

Μανώδης, ὁ, ἡ, i. q. μανὸς, Laxus, Rarus, vel Similis τῷ μανῷ. [Aristot. De partt. an. 4, 13 : Μανώδη οὐράν. V. Μαννώδης.]

[Μανῶς. V. Μανός.]

Μάνωσις, εως, ἡ, Rarefactio : sed ponitur pro μανότης etiam, quod est Raritas, s. Laxitas : ἀραιότης. Theophr. C. Pl. 4, [14, 2] : Διὰ τὸ τὴν ὑγρότητα μάλισθ' ἕλκειν εἰς ἑαυτὴν τὴν μάνωσιν, de faba. [Ib. 5, 11, 3. « Πυκνότητα καὶ μάνωσιν, ap. Stob. Eclog. vol. 1, p. 298 (ex Plut. Plac. phil. p. 876, D). » Valck.]

[Μάξυες, οἱ, Maxyes, gens Africæ. Herodot. 4, 191.]

[Μάπην, ὁ, Mapen, Tyrius, ap. Herodot. 7, 98.]

[Μάππα, ἡ, Mappa, Mantile. Herodian. De solœcismo et barbarismo Ms. : Λέγομεν δὲ βαρϐαρίζειν καὶ τὸν ἀλλοφύλῳ χρώμενον, ὡς εἴ τις τὸ μὲν ὑπαυχένιον κερϐικάριον λέγει, τὸ δὲ χειρόμακτρον μάππαν. || Sic etiam appellantur Ludi et decursiones militares. Justinianus in Nov. 105, c. 1 : Μετ' ἐκείνην δὲ δευτέραν ἄξει θέαν τῶν ἁμιλλητηρίων ἵππων, ἣν δὴ μάππαν προσαγορεύουσι. V. Gloss. Lat. in *Mappa*. Ducang.]

[Μαππάριος. V. Μαπτάριος.]

[Μαππαφάσιος, ὁ, n. viri fictum Alciphr. Ep. 3, 48.]

[Μαππάω vel Μαππάομαι. V. Μαπτάριος.]

[Μαππίον, τὸ, Matta, in Gl. Servii. Nisi legendum sit ματτίον. Ducang. *Matta* autem quid sit, v. in Ducangii Gloss. Lat.]

[Μαπτάριος, ὁ, Nicetas in Alex. Comn. 3, 2 (p. 329, C) : Ὅτε καὶ ἦν τὸν αὐτὸν ὁρᾶν καὶ ὡς ἀναϐάτην μεγαλοπρεπευόμενον καὶ ἵππον εὐήνια προποδίζοντά τε καὶ χρεμετίζοντα· μετὰ βραχὺ δὲ κατὰ τοὺς πάλαι τῶν δραμάτων ὑποκριτὰς τὸν ἔφιππον ἀποδυσάμενος ἔπαρχον τὸν μαπτάριον ὑποκρίνεται. Ubi Wolphius : Deposita equestris præfecti persona peditem videres, ex cod. nempe græcobarb., qui πεζεῦσαι. Ducang. Ipse Int. græcobarb. quid esset μαπτάριος nescivisse videtur, verba postrema sic interpretatus, πεζεύσας ἀπὸ τοῦ ἀλόγου ὑποκρίνεται μετὰ ἄλλων ἑτέρας ἀνθρώπων μορφάς. Nec peditem tantum sed personam quandam, pedestrem quidem, significari ostendunt sequentia ibid. D : Ἐπεὶ δ' ἐφειστήκει καιρὸς καθ' ὃν ἔδει πρὸς τὸ τρέχειν γενέσθαι τοὺς τὸν γυμνικὸν ἐκτελέσοντας δίαυλον, ὁ μὲν ὑποδὺς τὸν μαπτάριον εὐνοῦχος, τὴν μέσην εἰληχὼς χώραν, εἰς βραχίονας τὰς χεῖρας ἀνεκάλυψε. Quæ verba Ducang. ipse afferens in Μαππάριος nescio unde exhibet μαππάριον, ut mirum sit non animadvertisse idem restituendum esse l. priori. Est autem sec. ipsum « Μαππάριος, Mapparius, qui officium sustinebat mittendæ mappæ, quod signum erat mittendis quadrigis. Glossæ : Transenna, ὕσπληγξ, ἀπαλλαγὴ, μαππαρίου σημεῖον. Glossæ Basilic. : Μαππάριός τις ὢν ὁ τῇ χειρὶ δεικνύων, κατὰ δὲ ἑτέρους, ὅτι εἰώθεισαν ἐν τῷ θεάτρῳ οἱ ὕπατοι εὐωχεῖσθαι πρότερον καὶ μετὰ τὴν εὐωχίαν ῥίπτειν τὰ τῶν χειρῶν ἐκμαγεῖα, ἅπερ τῇ ῥωμαϊκῇ φωνῇ μάππα λέγεται, καὶ ταῦτα ἀναλαμϐανόμενος ὁ ἐπὶ τοῦτο τεταγμένος ὡς σύνθημα, εὐθὺς τὸν ἀγῶνα ἐπετέλεσε, καὶ διὰ τοῦτο ἐλέγετο ὁ τοιοῦτος μαππᾶσθαι. Et similiter Cedrenus in Julio p. 169, Anonymus ap. Salmasium. Chrysost. in Homil. de Circo : Ἀτένιζε τὸν τῷ ἀναγνώσματι τοῦ εὐαγγελίου διακονοῦντα μαμπάριον· et : Ἐν τῷ ἱπποδρόμῳ πάντων οἱ ὀφθαλμοὶ ἐπὶ τὸν μαμπάριον πεπηγότος τοῦ σημάντρου ἀτενίζουσι, etc. »]

Μάραγδος, ὁ, gemma, quæ et σμάραγδος appellatur, Smaragdus : sed rectius μάραγδος dicitur sine σ : nominata enim est παρὰ τὸ μαρμαίρειν, τῷ διαυγὴς ὑπάρχειν, propterea quod pellucida sit. Ita Athen. 3, [p. 94, B] hoc afferens ex Menandro exemplum, Μάραγδον εἶναι ταῦτ' ἔδει καὶ σάρδια. [Orph. Lith. 608 : Αἰγλήεντα μάραγδον. V. Σμάραγδος et de mobili in capite vocc. quorundam ante μ litera σ, ut in Σμέρδις et Μέρδις, σμικρὸς et μικρὸς, Σμινδυρίδης et Μινδυρίδης, quæ dicentur in Σ. ᾰ]

[Μάραγδος, ὁ, Maragdus, rex Arabius, ap. Xen. Cyrop. 2, 1, 5.]

[Μάραγνα, ἡ.] Μάραγναν Plato comicus in Cleophonte vocavit τὴν μάστιγα, Flagellum s. Scuticam, teste Polluce 10, c. 13 [§ 56]. Ap. Hesych. scriptum reperio et μάραγνα et Μάραινα, expositum itidem μάστιξ, ταυρεία, Flagellum, Flagellum ex taurino corio : item ῥάϐδος, Virga : sed posterius μάραινα mendo non carere, infra docebo. [Ubi etiam de forma σμάραγνα. Æsch. Cho. 375 : Ἀλλὰ διπλῆς γὰρ τῆσδε μαράγνης δοῦπος ἱκνεῖται. Ubi item olim vitiose μαραίνης.] Eurip. [Rhes. 817] posuisse dicitur μαράγναν pro Genere supplicii. [Ubi schol. vet. : Μαράγνα· οὕτως παροξύνει ὁ Ἡρωδιανὸς ἐν τῇ καθόλου. ᾰ]

Μάραγοι, Hesych. οἱ ἀπόκρημνοι τόποι, Loca abrupta et præcipitia, Loca prærupta. [Depravatum ex Ἀγυιοὶ, quod sup. vide. Ruhnk.]

[Μάραθα χωρίον Ἀρκαδίας memorat Pausan. 8, 28, 1.]

[Μαραθὴν inter nomina hyperdisyllaba in θὴν recenset Arcad. p. 9, 15.]

[Μαραθηνός. V. Μάραθος.]

[Μαραθήσιον, τὸ, πόλις Καρίας. Τὸ ἐθνικὸν Μαραθήσιοι, ὡς Βυζάντιοι. Ἔστι δὲ πόλις Ἐφεσίων, Steph. Byz. Strabo 14, p. 639; Scylax p. 37.]

[Μαραθίωνος, quod sine interpr. ponit Suidas, ex Μαραθώνιος aut genitivo Μαραθῶνος corruptum videtur. L. Dind.]

[Μάραθον, Μάραθος. V. Μάραθρον.]

Μάραθος, est nomen urbis Acarnaniæ, cujus incola et civis Μαραθηνὸς dicitur, s. Μαραθούσιος, teste Steph. B. [Item urbis Syriæ, ap. Dionys. P. 914, Strab. 15, p. 753, qui Μάραθον Phocidis memorat 9, p. 423. Marathenos Syriæ memorat Diodor. Exc. p. 628, urbem Polybius 5, 68, 7. Μάραθος n. filii Apollinis v. in Μαραθών. ᾰᾰ]

[Μᾰρᾰθοῦς, οῦντος, ὁ, inter δήμους, qui ab herbis, quarum ferax esset regio, nomen acceperint, memoratur ab Steph. Byz. v. Σχοινοῦς.]

[Μαραθούσιος. V. Μάραθος.]

[Μαράθουσσα, ἡ, Marathussa, ins. prope Clazomenas. Thuc. 8, 31. Et qui gent. Μαραθούσιος (vel Μαραθούσσιος) ponit Steph. Byz. Plin. N. H. 5, 31, 38. Idem 4, 12, 20 memorat Marathusam oppidum Cretæ.]

[Μαραθρίτης, ὁ, Ex fœniculo factus. Geopon. 8, 9, οἶνος, ubi al. μαραθίτης. ῑ]

Μάραθρον, τὸ, Marathrum, s. Fœniculum [ita Gl.] : herba satis nota. [V. Diosc. 3, 81.] Ea vocatur et Μάραθος, ὁ, sine ρ, ut [in Gl. et ap.] Athen. 13, [p. 596, A] : Καὶ τὸν μάραθον ἔσθουσι, πυροὺς δ' οὐ μάλα. [Sed et neutr. τὸ μάραθον, certe plur. Μάραθα, usurpavit idem Epicharm. ap. Athen. 2, p. 71, A. Schweigh. V. Strabo in Μαραθὼν cit. Ælian. N. A. 9, 16 : Τὸ μάραθον, ubi olim μάραθρον. Incerto genere Hermipp. ap. Athen. 2, p. 56, C, ἐμϐάλλουσι μάραθον. Et Alexis 4, p. 170, A, μάραθον (hæc enim verior scriptura videtur). Nicand. Ther. 33 : Μαράθου ὄρπηξ· 392, etc. Inter formas μαράθου et μαράθρου aliquoties variant libri Theophanis Nonni, cujus ll. indicat index Bernardi. Theophrasto, cujus ll. v. in indice Schneideri, constanter reddendum esse μάραθον ostendit liber Urbinas, qui sæpius sine ρ.] Sic Ovid. De med. fac. [91] : Profuit et marathos beneolentibus addere myrrhis. [Etiam in plur. dixit Epicharm. ap. Athen. 2, p. 70, F : Μήκων, μάραθοι, τραχέες τε κάκτοι. Schweigh. ᾰᾰ]

[Μαραθροειδὴς, ὁ, ἡ, Fœniculo similis. Diosc. 3, 156 (166) : Φύλλα μαραθροειδῆ.]

Μᾰρᾰθὼν, ῶνος, [ὁ et ἡ. Bergler. ad Alciphr. Ep. 2, 3, p. 233 (306): « Τὴν Μαραθῶνα) Thomas p. 597: Ἀρσενικῶς οἱ Ἀττικοὶ τὸν Μαραθῶνα λέγουσιν,... Ἴωνες δὲ θηλυκῶς. (Inter Ionica refert etiam schol. rec. Pind. Ol. 1, 10.) Contrarium apparet. Nam Demosthenes Atticus F. L. p. 441, 6: Τὴν (immo τὸν scriptum in libris et edd.) Μαραθῶνα, τὴν Σαλαμῖνα. Herodot. Ionice scribens 1, 62: Ἐκ τοῦ Μαραθῶνος. » Inter ὁ et ἡ variant libri 6, 102, sed consentiunt in masc. ib. 111 seqq. Masculini ex. Aristidis citavit Thomas, ad quem Bernardus: « Polemon Soph. p. 10: Καθαρὰν γενέσθαι τὴν Μ. τῶν πολεμίων· id. tamen p. 15: Τὸν Μ. Porphyr. Quæst. Hom. p. 290: Πολλὰ γὰρ οὗτοι (Ἴωνες) τῶν ὀνομάτων χαίρουσι θηλυκῶς ἐκφέροντες, οἷον... τὴν Μ. Κρατῖνος, Εὐιπποτάτη Μ. Νίκανδρος, Ἐϋκτιμένην Μαραθῶνα. » Ἐν τῷ Μ. schol. Soph. OEd. C. 1047. Alia exx. v. infra. Utrumque genus conjunctum est in fr. ap. Miller. Geograph. p. 323], qui est δῆμος Ἀττικὸς τῆς Λεοντίδος [vel potius Αἰαντίδος. V. Næk. in Mus. Rhen. novo 3, p. 511] φυλῆς, dictus videri queat παρὰ τὸν μάραθον, Quod magna ibi marathi s. fœniculi esset copia. [Revera hinc dictum fuisse docet etiam Hispaniæ locus cognominis, de quo Strabo 3, p. 160: Τοῦ Μαραθῶνος χαλουμένου πεδίου τῇ Λατίνῃ γλώττῃ, φύοντος πολὺ τὸ μάραθον. Primus memorat Hom. Od. Η, 80: Ἵκετο δ' ἐς Μαραθῶνα καὶ εὐρυάγυιαν Ἀθήνην. Tum Pind. Ol. 13, 106: Λιπαρᾷ Μαραθών. Æsch. Pers. 475, Eur. Heracl. 32, aliique poetæ, geographi et historici. || Μαραθὼν, ὁ, heros, f. Epopei, a quo nomen accepit demus, memoratur a Pausania 2, 1, 1; 2, 6, 5. Ἀπὸ Μαράθου, υἱοῦ Ἀπόλλωνος dictum tradit Suidas.] Ejus civis, Μαραθώνιος dicitur [Cujus exx. sunt in inscrr. Atticis ap. Bœckh. vol. 1, n. 144, p. 206, 18, etc. Τὰ Μαραθώνια, de prœlio Marathonio, Dionys. A. R. 5, 17. Cit. Schæf. Epigr. in Vita Æschyli: Μαραθώνιον ἄλσος ἂν εἴποι. Hinc etiam Μαραθώνιος, ὁ, Marathonius, n. viri, in Isidori Pel. Epist. 1, 109, p. 33. L. D.], a quo est poss. Μαραθωνιακός. [Ap. Steph. Byz.] Ab eodem sunt advv. localia, [Μαραθῶνάδε, Marathonem, ap. Ps.-Demosth. p. 1377, 3;] Μαραθωνόθεν [ap. Steph. Byz.], et Μαραθῶνι: quorum illud, motum de loco, hoc, in loco significat: ut ap. Aristidem, Τὴν Μαραθῶνι μάχην μιμησάμενος, Pugnam Marathone factam [Aristoph. Eq. 781: Διεξιφίσω περὶ τῆς χώρας Μαραθῶνι, ubi alia exx. annotavit Brunck. Additur etiam ἐν, sæpius quidem ab librariis, ut Arist. l. c., ubi v. Brunck., apud Demosth. p. 172, 16; 297, 11. Sed ejusdem p. 172, 23 et Herodoti 6, 117 consentiunt libri in τῇ ἐν Μαραθῶνι μάχῃ, et omnes fere 9, 27 in τοῦ ἐν Μ. ἔργου. Thuc. 1, 18: Ἡ ἐν Μ. μάχη. Conf. 2, 34. Alciphr. 3, 61: Τὸ ἐν Μ. τρόπαιον]: a qua pugna dicuntur Μαραθωνομάχοι ἄνδρες, ab Aristoph. Nub. [986], Viri qui Marathone pugnarunt, et nobilem illam de Darii exercitu victoriam reportarunt. [Hic quoque restituta ex cod. forma Μαραθωνομάχας, quæ est Ach. 181, ubi pro Μαραθωνομάχαι item alii —μάχοι. Μαραθωνομάχαις est etiam in epigr. Theæteti Anth. Plan. 233, 8. (Μαραθωνομάχην ap. Julian. Misop. p. 350, D. Jacobs.) Et quum etiam ap. Athen. 6, p. 253, F, Μαραθωνομάχαι pro —χοι repositum sit ex libris, non multum tribuendum videtur testimonio Diog. L. 1, 56, ex quo Μαραθωνομάχοι attulit Wakef.]

[Μαραθωνία, ἡ, πόλις Θράκης, οὐκ ἄποθεν Ἀβδήρων. Τὸ ἐθνικὸν Μαραθωνιάτης, Steph. Byz.]

[Μαραθώνιος etc. v. in Μαραθών.]

Μάραινα, ap. Hesych. legitur, expositum μάστιξ, ταυρεία, ῥάβδος: sed alphabetica series pro eo requirit μαράγνα, ut ap. Polluc. scriptum est. Atque adeo ap. eund. Hes. quum et σμαράγνα reperiatur, ita scrib. esse manifestum est. Dici videri queat παρὰ τὸ μαραγεῖν s. σμαραγεῖν, quoniam crepitum s. sonitum verbere edit. [V. Μάραγνα.]

Μᾰραίνω, Marcescere facio, Marcidum s. Flaccidum reddo vel languidum, Tabefacio. [Macero huic add. Gl. Hom. H. Merc. 140: Ἀνθρακιὴν δ' ἐμάρανε. Æsch. Prom. 599: Νόσον, ἃ μαραίνει με· Eum. 139: Μάραινε δευτέροις διώγμασιν. Soph. Aj. 714: Πάνθ' ὁ μέγας χρόνος μαραίνει· OEd. T. 1328: Πῶς ἔτλης τοιαῦτα σὰς ὄψεις μαρᾶναι; OEd. C. 1260: Πίνος πλευρὰν μαραίνων. Plato Reip. 10, p. 609, D: Ἀδικία φθείρει αὐτὴν (animam)

A καὶ μαραίνει. Pass. Polit. p. 270, E.] Isocr. Ad Dem. [p. 2, B]: Κάλλος μὲν γὰρ ἢ χρόνος ἀνάλωσεν, ἢ νόσος ἐμάρανεν, Pulcritudinem enim oris vel tempus consumpsit, vel morbus marcidam reddidit, s. flaccidam. Ita enim malim quam, Exoletam reddidit: quia hoc aliquid amplius significare videtur. Ap. Aristot. autem, Τὸ γῆρας μαραίνει τὸ θερμὸν redditur etiam Arefacit. Sed tamen in voce pass., quum dicit in Probl., Ὅσοις μὲν γὰρ μαραινομένου τοῦ θερμοῦ ἀθυμίαι γίνονται, μᾶλλον ἐπάγχονται, vertitur μαραινομένου τοῦ θερμοῦ, Quum calor marcescit et exolescit. [V. Probl. 3, 27.] Quæ interpretatio et ibi non perinde mihi placet. Bud. μαραίνω ait significare etiam, Excedo paulatim. Esse porro μαραίνω tradit Eust., qui etiam tradit μαραίνεσθαι de floribus dici. [Hermog. p. 416: Ἐπὶ ἀνθέων τῶν μαραινομένων τὸ καταρρεῖν. Dionys. Hal. De oratt. ant. p. 445, 9 R., ἐκπνεῖν καὶ μαραίνεσθαι eloquentia. Valck.] Tunc autem aptissime redditur verbo Marcescere, Flaccescere, quum hæc de floribus itidem dicantur.

B || Μαραίνομαι, Tabefio, Tabesco, Maresco, Marcidus s. Flaccidus reddor vel Languidus, Elanguesco, Elangueo. [Maceror, Marcesco, Flaccesco, Exaresco, Gl. Æsch. Eum. 280: Βρίζει γὰρ αἷμα καὶ μαραίνεται χερός. Eur. Alc. 203: Μαραίνεται νόσῳ. Bion 1, 41: Μαραινομένῳ περὶ μηρῷ.] Philo V. M. 3: Μὴ χρόνου μήκει μαραινόμενον, ἀλλ' ἐφ' ὅσον ἐγχρονίζει, καινούμενον καὶ νεάζον, Temporis longitudine non marcescit. Plut. Fabio [c. 2]: Αὐτὴν ἐᾶν περὶ αὑτὴν μαραίνεσθαι τὴν ἀκμὴν τοῦ Ἀννίβου, καθάπερ φλόγα λάμψασαν ἀπὸ μικρᾶς καὶ κούφης δυνάμεως, ubi observa μαραίνεσθαι dixisse περὶ ἀκμῆς, itidemque περὶ πυρός: in hoc autem posteriore usu imitari Homerum, qui φλόγα μαραίνεσθαι dixit, Il. Ι, [212] de igne paulatim collabente et sensim extincto, Bud. [Ψ, 228: Πυρκαϊὴ ἐμαραίνετο. Orph. Lith. 131: Μαρανθὲν πῦρ. Dionys. A. R. 4, 79: Πρὶν ἢ μαρανθῆναι τὰς πυράς.] Utitur autem et Plut. hoc verbo de igne: ap. quem τὸ πῦρ μαραινόμενον redditur etiam Ignis extabescens. Quinetiam Aristot. ita usus ante illum fuerat, De cælo 3, [c. 6]: Πῦρ ἐάν μή τις

C κινῇ, μαραίνεται. Ubi non satis placet verbum Marcescit, quo etiam redditur ibi μαραίνεται. Affertur ex Eod. [Marii c. 37: Τοῦ πελαγίου μαραινομένου] de vento quiescente. A Thuc. autem dicitur corpus οὐ μαραίνεσθαι, quod non elanguescit, cujus vires non collabuntur, non concidunt, 2, [49]: Καὶ τὸ σῶμα, ὅσον περ χρόνον καὶ ἡ νόσος ἀκμάζοι, οὐκ ἐμαραίνετο, ἀλλ' ἀντεῖχε παρὰ δόξαν τῇ ταλαιπωρίᾳ. Ibi tamen ἐμαραίνετο redditur etiam uno verbo Flaccescebat, sed malin Contabescebat. At μαραίνεσθαι de calore, qui corpori humano inest, v. supra in Μαραίνω. [Ap. Herodot. 2, 24 τὰ ῥεύματα τῶν ποταμῶν dicuntur μαραίνεσθαι, Deficere, Paullatim exsiccari. Schweigh. Lycophr. 1127: Σέβας μαρανθὲν αὖθι ληθαίῳ σκότῳ· 1231: Κῦδος μαρανθέν. Aratus Phæn. 813: Μαραινομένη (ἅλῳ σελήνης)· 862: Μαραινομένῃσιν ὁμοῖαι ἀκτῖνες· 999: Μαραινομένου χειμῶνος· 1033: Μαραινομένου λύχνοιο. « Πολλοὺς μογεροῖσι μαραινομένους καμάτοισι, Emped. epigr. ap. Diog. L. 8, 61. » Hemst. Perf. μεμαρασμένος ap. Lucian. Anach. c. 25, μεμαραμμένος ap. Clem. Al.

D p. 43, 25. Valck. Medio epigr. ap. Bœckh. C. I. vol. 1, p. 695, n. 1499, 5: Νέους δ' ἐμαρήνατο δαίμων ἄμφω πρωθήβας.]

Μαραίπους, Hesychio ὁ μεμαρασμένος τοὺς πόδας.

[Μαραχοὶ, οἱ, Maraci, gens Ætoliæ, ap. Xen. H. Gr. 6, 1, 7, Plinio N. H. 4, 2, 3, *Maraces*.]

[Μαρανεῖται, οἱ, Maranitæ, gens Arabiæ. Strab. 16, p. 776. Μαρανῖται ap. Diod. 3, 43, ubi libri Μαριανῖται vel Μαρανῆται, semel etiam Μαρανεῖς, hoc fortasse pro Μαρανεῖται.]

[Μαρανθὶς, Ocimoides. Diosc. Notha p. 464 (4, 28, ubi ἀμαρανθίδα et —ντίδα).]

[Μάρανσις. V. Μαρασμός.]

[Μᾰραντικὸς, ἡ, ὸν, Qui marcidum reddit, Marcidus. Schol. Hom. Il. Ι, 242. Phrynichus Bekkeri p. 32, 4: Γέρων ῥυσὸς καὶ μ. Boiss. Schol. Æsch. Pers. 59: Πόθῳ μαραντικῷ καὶ καυστικῷ.]

[Μαραντώπη, ὄνομα κύριον, Suidas.]

Μάραξος, ὁ, mensis ille, qui et Ἀπελλαῖος dicitur. Hesych. [Respondet Apellæus parti mensis Octobris, quando Sol in Scorpio, ut ex Ephemeride Usseriana liquet. Unde cogitandum relinquo, num in v. μαράξας lateat nomen mensis Hebr. מרחשון *Marchesvan*, qui pariter in partem Octobris nostri incidit. Albert.]

[Μάραος. V. Βάρβιλος.]

[Μάρας, ὁ, Maras, Syrus ap. Suidam in h. n.]

Μᾶρασμὸς, ὁ, [Tabes, Gl.] Tabefactio, Marcor, et q. d. Flacciditas. Item Μάρανσις ead. signif. Aristot. [De morte et vita c. 1, ubi bis] Senium hominis vocat μάρανσιν, i. e. τοῦ θερμοῦ φθορὰν, Caloris tabem : id, quod in stirpibus esse αὔανσιν tradit Galen. [Idem vol. 3, p. 55 : Εἴη ἂν τὸ γῆρας οἷον μαρασμός τις τῆς ἐμφύτου θερμασίας.] Hæc Bud. p. 548, ubi et l. Aristot. vide. At p. 549, scribit Tabem et senium hominis, esse μάρανσιν et μαρασμὸν, unde dici μαρασμώδη πυρετὸν, qui differt ἀπὸ τοῦ συντηκτικοῦ. [De aliis rebus Aristot. Meteor. 2, 5; 3, 3. Μάρανσις, Porphyr. Abst. 1, c. 32.] Μαρασμὸς, nomen est morbi ap. Medicos. Μαρασμὸς, inquit Gorr., Marcor, Tabes : est Immodica totius corporis ariditas et consumptio. Quo fit ut facile morbus hic innotescat, oculorum ingenti cavitate, veluti in foveis quibusdam reconditorum, et universi corporis squalore, caloris vitalis flore destituti, cutis circa frontem siccitate et tensione, palpebris instantibus et tanquam somno gravatis, ab impotentia quadam vigilandi : sunt et tempora collapsa atque cava. Breviter totus homo non aliud est quam ossa et cutis. In ventre nulla intestina, nulla viscera inesse credas, adeo contracta sunt præcordia et consumpti ventris musculi, ut nihil ex iis præter fibras et cutem supersit. Hæc autem symptomata aut adhuc fieri intelliguntur, aut jam plane facta absolutaque esse. Inde duplex μαρασμοῦ differentia existit, unius quidem nondum perfecti, sed adhuc ad majorem consumptionem tendentis : alterius vero jam plane consummati. Hic prorsus immedicabilis est, illi remedia quædam possunt adhiberi. Est et gemina rursus differentia; nam, quum omnis μαρασμὸς ex siccitate fiat, ea interdum calorem, interdum frigiditatem habet conjunctam. Ex quo fit ut μαρασμὸς alius siccus et calidus sit, alius siccus et frigidus. Qui calidus est, non aliud prorsus est quam febris hectica jam longe progressa ad solidam usque similarium partium substantiam, appellaturque μαρασμώδης πυρετός. Hic ergo quatenus febris est, caloris est particeps; frigidus vero μαρασμὸς duplex est, unus, qui Senium ex morbo dicitur, alter, ipsa mera senectus, etc. Gorr. [V. inprimis Galeni librum Περὶ μαρασμοῦ vol. 7, p. 178 sqq., Foes. in OEc. Hippocr.]

Μαρασμώδης, ὁ, ἡ, Cui inest μαρασμὸς, Conjunctum habens μαρασμόν. Ut μαρασμώδης πυρετὸς, Febris quæ paulatim exest et ad tabem perducit : sicut ὁ συντηκτικὸς, Quæ liquefacit τὸ καταπίμελον τοῦ σώματος. Bud. ex Galeno. V. et Μαρασμός. [Meletius Cram. An. vol. 3, p. 17, 24 : M. διάθεσιν.]

Μάρασσαι, Hesych. κύνες, ὄρνιθες, Canes, Aves. [Ejusd. gl. Ἀμαράσαι, quod v., confert Albert.]

[Μαράσσω. V. Σμαραγέω et Σμαράσσω.]

[Μᾶραυγέω.] Μαραυγεῖν, exp. Perstringi lumina. Utitur eo verbo Plut. [Mor. p. 376, F : Αἱ ἐν τοῖς ὄμμασιν αὐτοῦ κόραι ... δοκοῦσι λεπτύνεσθαι καὶ μαραυγεῖν·] Π. σαρκοφ. 1 fin. : Ὀφθαλμὸς, ὑγροῦ πλεονάσαντος ἀναπλησθεὶς, μαραυγεῖ καὶ ἀτονεῖ πρὸς τὸ οἰκεῖον ἔργον. Et De exilio [p. 599, F] : Ἔστι δὲ καὶ χρώματα λυπηρὰ τῇ ὄψει, πρὸς ἃ γίνεται τὸ συγχεῖσθαι καὶ μαραυγεῖν.

[Μαραυγία, ἡ, Defectus luminis. Archytas ap. Stob. Serm. vol. 1, p. 47 : Τὸ λαμπρὸν φάος μαραυγίαν περιτίθησι τοῖς ὀφθαλμοῖς.]

[Μαράφιοι, οἱ, Maraphii, gens Persarum, Herodot. 1, 125; 4, 167. Ἀπὸ Μαραφίου βασιλέως addit Steph. Byz.]

[Μάραφις, ὁ, Maraphis, Persa, in versu, quem ejiciendum conjecit Schützius, Æsch. Pers. 778, ubi sunt varr. Μάραφνις et Μάρφις. Nomen Μαρφίου, fratris Cyri majoris, ap. Hellanicum ab schol. ad v. 770 citatum, confert Blomf.]

[Μαράχη, ἡ, πόλις Ἰνδική. Τὸ ἐθνικὸν Μαράχιος τῷ κοινῷ τύπῳ, Steph. Byz.]

[Μαράψημις s. Μαρέψημις, εως, ὁ, n. viri in Charta Borg. 6, 27.]

A Μαργαίνω, et Μαργάω, Insanio. Hom. Il. E, [883] : Μαργαίνειν ἀνέηκεν ἐπ' ἀθανάτοισι θεοῖσι. [Plut. Mor. p. 129, A : Συσὶν ἐπὶ φορυτῷ μαργαινούσαις. Coluth. 195 : Μαργαίνοντι χαριζόμενος βασιλῆι. Manetho 1, 95 : Ἔσθ' ὅτε σωφρονέουσι καὶ ἔσθ' ὅτε μαργαίνουσι. Hesych. : Μαργαίνων, μαινόμενος, δεσμῶν, ὑβρίζων· δεσμὸς γὰρ ἡ μαργάς. Idem : Μαργᾷ, μαργαίνει, ὑβρίζει, ἐνθουσιᾷ, μαίνεται· ὕβρεις γὰρ αἱ μάργαι.] Sic etiam μαργῶσαν χέρα Hesych. et Suid. exp. μαινομένην. Sumpsit autem uterque hæc verba ex Eur. Hec. [1128] : Πρὸς θεῶν σε λίσσομαι, Μέθες μ' ἐφεῖναι τῇδε μαργῶσαν χέρα. [Id. Phœn. 1156 : Ἔσχε μαργῶντ' αὐτόν· 1247 : Μαργῶν ἐπ' ἀλλήλοισιν ἱέναι δόρυ· Herc. F. 1005 : Ὅς νιν φόνου μαργῶντος ἔσχε. Æsch. Sept. 380 : Τυδεὺς δὲ μαργῶν καὶ μάχης λελιμμένος· fr. Phinei ap. Athen. 10, p. 421, F : Ψευδόδειπνα πολλὰ μαργώσης γνάθου ἐρρυσίαζον. Soph. ap. Plut. Mor. p. 84, B. Callimach. fr. 456 : Μαργῶντος ἵππου.] At in VV. LL. habetur Μαργόω, afferturque perperam pro exemplo ex Eur. [Hipp. 1230], Ἵπποι μαργῶσαι φρένας. [Pind. Nem. 9, 19 : Οἴκοθεν μαργουμένους στεί-

B χειν ἐπώτρυνε. Æsch. Suppl. 758 : Μεμαργωμένοι. Conf. de hoc v. et iis quæ hodie ap. Græcos usurpantur ab eo ducta Coraes ad Xenocr. p. 197.]

[Μάργανα, ων, τὰ, Margana, urbs Elidis. Diod. 15, 77. Αἱ Μαργάλαι et τὴν Μαργάλαν de eadem ap. Strab. 8, p. 349, in libro vero quo utebatur Steph. Byz. Μαργαῖαι, qui comparat cum Ἡραία et Ἡραιεὺς gent. cum gent. Μαργαιεὺς, quod Μαργανεὺς est ap. Xen. H. Gr. 3, 3, 25 etc. || Μάργανα, πόλις τῆς Ἰνδικῆς. Μαρκιανὸς ἐν Περίπλῳ. Ἔστι καὶ Μαργάναι πληθυντικῶς. Τὸ ἐθνικὸν Μαργανεῖς, Steph. Byz.]

[Μαργαρείτης, ὁ, Margarites, cogn. viri in inscr. Cyzic. ap. Caylus *Recueil* vol. 2, tab. 69, 13.]

[Μαργαρὶς, ίδος, ἡ. Coraes ad Heliod. vol. 2, p. 102 : Μαργαρίδες· ἴσως γραπτέον, Μαργαρίτιδες· λέγεται γὰρ ὁ μαργαρίτης, καὶ ἡ μαργαρῖτις, καὶ τὸ μάργαρον· εὕρηται δὲ καὶ μάργαρος ἀρσενικῶς, καὶ μαργαρίδης, εἰ χρὴ πιστεύειν τοῖς λεγομένοις παρὰ τῷ Φωτίῳ (Κώδ. ξγ'). Αἱ δὲ παρὰ τῷ Πλινίῳ (ΙΓ, δ') μαργαρίδες, ἀπὸ τοῦ ἑνικοῦ μαργαρὶς, εἶδός εἰσι φοινίκων. Quibus in Add. p. 372 ipse

C monet adversari locos Philostrati V. Ap. 3, 53 et 57, ubi aliquoties est forma μαργαρίς. Μαργαρίδης autem in scholio marginis Photii p. 22, 12, sive 20, 27 ed. Bekk., affertur ex Praxagora De rebus Constantini M. ἰωνίζοντι et aliis. Formæ Μαργαριτάριον exx. Byzantinorum annotavit Ducang.]

[Μαργαρίτης, Μαργαρῖτις. V. Μάργαρον.]

[Μαργαριτοειδὴς, ὁ, ἡ, Margaritæ similis, de lacrimis Epiphan. vol. 2, p. 299, D. Boiss.]

[Μαργαριτοφόρος, ὁ, ἡ, Margaritas ferens. Orig. 3, p. 450.]

[Μαργαρογονία, ἡ, Margaritarum ortus. Tzetz. Hist. 11, 460.]

[Μαργαροειδὴς, ὁ, ἡ, i. q. μαργαριτοειδής. Notaras in Anecd. meis vol. 5, p. 136, 9. Boiss.]

Μάργᾰρον, τὸ, ex Pausan. Arcad. [8, 18, 2] affertur pro Unio : itidemque ex Epigr. μάργαρα pro Margaritæ. [Procop. l. 1. Philostr. Epist. p. 913 fin. Wakef. || Gen. masc. Ælian. N. A. 15, 8 : Ὁ Ἰνδὸς μάργαρος. Et sæpe Tzetzes Hist. 11, hist. 375, περὶ μαργάρων.]

D Sed frequentius hæc gemma dicitur Μαργαρίτης λίθος, s. Μαργαρῖτις λίθος, masc. vel fem. [Theophr. ap. Athen. 3, p. 93, A : Ὁ μαργαρίτης καλούμενος λίθος. Androsthenes ap. eund. ibid. B : Ἡ μαργαρῖτις λίθος. Et nude, Πλείστην μαργαρῖτιν εὑρίσκεσθαι, Isidorus ap. eund. ibid. E. Schweigh. Strabo 15, p. 717 : Τῶν μαργαριτῶν· 16, p. 767 : Νῆσον ἐν ᾗ μαργαρίτης πολὺς καὶ πολυτίμητός ἐστιν. Alia Schneider. in Ind. ad Theophrast.] Gignitur veluti χάλαζα in ostreo illo, quod βέρβερι dicitur, magnitudine qua oculus piscis est, colore alias aureo, alias argenteo, alias albo. Plura vide apud Athen. 3, [p. 93 sq.], ubi inter alia dicit κινδυνεύειν τοὺς θηρῶντας τοὺς μαργαρίτας, quoniam ὁ κόγχος soleat μύειν et urinatori digitos præscindere, quum eum accedere sentit. V. et Ælian. 10, 14; 15, 8, item Plin. 9, 35. Hanc ipsam gemmam vocari etiam Ἰνδικὸν λίθον aiunt, a Luciano λίθον ἐρυθραῖον. Tacitus et Margarita dicit, plur. neutr. Hinc ap. Plin. Margaritiferæ cochleæ : et ap. Jul. Firm. Margaritarius, qui Gr. μαργαριτεὺς dici potest, ut πορφυρεύς : Athenæo, ὁ θηρῶν τοὺς μαργαρίτας. [Μαργαρίτης, Margarita; Μαργαρῖται μεγάλοι, Margaritæ, Elenchi; Μαργαρῖται μεγάλοι μονόκοκκοι, Uniones, Gl. || Ps.-Aristot. De plantis 1, 4, p. 819 : Τὰ ἐν Αἰγύπτῳ φυτὰ τὰ λεγόμενα μαργαρῖται.]

[Μάργαρος. V. Μάργαρον.]

[Μαργαρόστερνος, ὁ, ἡ, Qui pectus habet unioni simile. Nicet. Eugen. 4, 373 : Μαργαρόστερνοι κόραι· 6, 377.]

[Μαργαρόστρωτος, ὁ, ἡ, q. d. Unionibus stratus. Const. Manass. Chron. 105 : Οὐρανὸς τῶν ἄστρων διηνθίσθη ὡς πέπλος μ.]

[Μαργαροφόρος, ὁ, ἡ, Margaritas ferens. Const. Manass. Chron. 6702, χρυσοῦφὲς φάρος. Μαργαροφορέω, Margaritas fero, ibid. 5626, κόρη. Μαργαροφορία, ἡ, Margaritarum gestatio, ib. 5936.]

[Μαργαρώδης, ὁ, ἡ, Unioni similis. Theod. Stud. p. 172, C : Τοὺς μαργαρώδεις τῆς ἀληθείας λόγους. L. D. Acta Jun. Bacchi p. 88 Combef. Boiss.]

Μαργὰς, Vinculum, VV. LL. sine ulla auctoritate. [V. l. Hesychii in Μαργαίνω citatum.]

[Μαργάω. V. Μαργαίνω.]

Μάργη, ἡ, Insania, Protervia, Improbitas proterva. Hesych. [in Μαργαίνω cit.] habet plur. μάργαι, quod exp. ὕβρεις.

Μαργήεις, εσσα, εν, dicitur ead. signif. qua μάργης [quod v.] : nam Hesych. μαργηέντων exp. λυσσώντων.

[Μάργηλις s. Μαργηλὶς ap. Philostr. Imag. p. 700 fin. : Φεῦ τῶν ταλάρων, εἰς οὓς ἀποτίθενται τὰ μῆλα, ὡς πολλὴ μὲν περὶ αὐτοὺς ἡ σαρδὼ, πολλὴ δὲ ἡ σμάραγδος, ἀληθὴς δὲ ἡ μάργηλις. Olearius : « Μαργηλὶς) Margarita haud dubie. Ita nempe Græci recentiores barbaram vocem Græcis auribus magis accommodandam putabant. Hinc denique factum est μαργέλλιον ap. Byzantinos. »]

Μάργης, ap. Suid. i. q. μάργος. [Nisi μαργῆς scribendum. V. Μαργήεις.]

[Μαργιανὴ, ἡ, Margiana, regio Asiæ Bactrianæ vicina ap. Strab. 2, p. 72, etc., cujus incolæ Μαργιανοὶ ib. 11, p. 510.]

[Μαργίζω. V. Μεργίζω.]

Μαργίτης, proprium nomen cujusdam valde stolidi s. fatui, s. potius cognomen, ei impositum ἀπὸ τοῦ μαργαίνειν, Eust. : quanquam a nomine ipso μάργος deducere non dubitarim. Ejus autem stoliditas in proverbium abiit, cujus exemplum refert Eust. p. 1669. At quæ Suid. ei tribuit, ab Eust. de Melitide, cujus itidem celebris stoliditas fuit, commemorantur. Sed μαργίτης appellatus etiam fuit quilibet Stolidus s. fatuus : quod apparet ex Hesych. et Suida. A Luciano pro Fatuus s. Leviculus poni testatur Bud. [Hermotim. c. 17 : Ἐξαπατᾷς με, καὶ οὐ λέγεις τἀληθὲς, ἀλλ' οἴει Μαργίτῃ διαλέγεσθαί τινι.] Qui interpr. etiam Imbellis, Iners, in Plut. [Demosth. c. 23] : Παῖδα καὶ μαργίτην ἀποκαλῶν αὐτόν. || Μαργίτης, vel Μαργείτης, ut et ap. Aristot. [Eth. Nic. 6, 7, Poet. c. 4, in nonnullis libris male] legitur, est etiam nomen poematii de Margite illo scripti, quod quidam Homero ascribunt, refragantibus aliis.

Μάργος, η, ον, et ὁ, ἡ, Insanus, Amens, Vesanus, Vecors, Stolidus. Hom. Od. Π, 422 : Μάργε, τίη κτλ., i. e. μαινόμενε, Eust. Et Ψ, 11, fem. μάργη : Μαῖα φίλη, μάργην σε θεοὶ θέσαν, ubi significare i. q. ἄφρονα, ostendunt hæc, quæ proxime sequuntur, οἵτε δύνανται Ἄφρονα ποιῆσαι καὶ ἐπίφρονά περ μάλ' ἐόντα. [Od. Σ, 2 : Μετὰ δ' ἔπρεπε γαστέρι μάργῃ. Pind. Ol. 2, 106 : Μάργων ὑπ' ἀνδρῶν. Æsch. Prom. 883 : Λύσσης πνεύματι μάργῳ· Sept. 475 : Μάργων ἱππικῶν φρυαγμάτων βρόμον· Eum. 66 : Ἁλούσας τάσδε τὰς μάργους ὁρᾷς. Eur. Herc. F. 1083 : Φεύγετε μάργον ἄνδρα.] Plato Alcib. 2 [p. 148, B] : Ἀλλὰ μάργον τί μοι δοκεῖ εἶναι καὶ ὡς ἀληθῶς πολλῆς φυλακῆς, ὅπως μὴ λήσῃ τις αὑτὸν εὐχόμενος μὲν κακὰ, δοκῶν δὲ ἀγαθὰ, ubi exp. Stolidum in VV. LL.; at Bud. scribit positum videri pro Difficili et moroso : quam interpret. valde miror, nec probare queo. [Hom. Epigr. in Cym. 4 : Μάργων ἐπιβήτορες ἵππων.] || Protervus, Petulans, Improbe libidinosus, Bud. p. 1075, citans Plat. et Aristot. Sed aptius iis, quæ affert, exemplis fuerit istud ex Theogn. [581] : Ἐχθαίρω δὲ γυναῖκα περίδρομον, ἄνδρα τε μάργον, Ὃς τὴν ἀλλοτρίην βούλετ' ἄρουραν ἀροῦν. [Hesiod. ap. Athen. 10, p. 428, C : Ὅστις ἄδην πίνει, οἶνος δέ οἱ ἔπλετο μάργος. Æsch. Suppl. 741 : Ἐξῶλές ἐστι μάργον Αἰγύπτου γένος. Eur. El. 1027 : Οὕνεχ' Ἑλένη μάργος ἦν· Cycl. 310 : Πάρες τὸ μάργον σῆς γνάθου. (Phrynichus trag. ap. schol. Lycophr. 433 : Πεδία δὲ πάντα καὶ παράκτιον πλάκα ὠκεῖα μάργοις φλὸξ ἐδαίνυτο γνάθοις.) Apoll. Rh. 3, 120 : Μάργος Ἔρως. Plato Leg. 7, p. 792, E : Ἡδοναῖς τισι πολλαῖς ἅμα καὶ μάργοις.] Μαργὸς etiam invenitur cum accentu in postrema alicubi : unde ap. Hesych. μαργοῖς : sed tamen et μάργος ap. Eund. Meminit autem utriusque scripturæ et Eust. p. 617, ubi et duo etyma affert. [Μάργος paroxytonon agnoscit Arcad. p. 46, 24. Superl. μαργοτάτην, ἐπιμανεστάτην ponit Hesychius.]

[Μάργος, ὁ, Margus, fl. Illyrici, ap. Strab. 7, p. 318. Margianæ 11, p. 516.]

Μαργοσύνη, ἡ, Insania, Vesania, Vecordia. || Petulantia, Procacitas libidinosa. Gregor. in Carm. : Οὐδὲ μεταστρέφεται Σοδόμων ἐπὶ τέφραν ἐρήμην, Ἣν διὰ μαργοσύνην ξείνῳ πυρὶ δῃωθέντων. [Lucian. Anth. Pal. 9, 367, 10 : Γαστρὶ χαριζομένη ... τῇ θ' ὑπὸ τὴν μιαρὰν γαστέρα μαργοσύνῃ. Apoll. Rh. 3, 797 : Μαργοσύνῃ εἴξασα (Medea)· 4, 375 : Ὄφρ' ἐπίηρα φέρωμαι ἐοικότα μαργοσύνῃσι· 1019 : Ἔχητι μαργοσύνης. ὑ]

Μαργότης, ητος, ἡ, i. q. μαργοσύνη, Insania. Soph. ap. Plut. [Mor. p. 141, E] : Σῶν τε μαργότης φρενῶν. [De libidine autem dicitur, ut ap. Plut. ipsum Mor. p. 990, C : Ὑπ' οἴστρου καὶ μαργότητος. Plato Tim. p. 72, E : Διὰ μαργότητα, ubi de voracitate. Eur. Andr. 950 : Πολλαὶ δὲ μαργότητι (alias corrumpunt).]

[Μαργόω. V. Μαργαίνω.]

[Μαρδόνιος, ὁ, Mardonius, Persarum in bello adversus Græcos dux ap. Herodotum ceterosque historicos.]

[Μαρδόντης, ὁ, Mardontes, Persa, ap. Herodot. 7, 80, etc.]

[Μάρδος, ὁ, Mardus, Persa, Æsch. Pers. 774. || Fluvius regionis Mardorum ap. Dionys. Per. 734. || Μάρδοι, οἱ, Mardi, gens Persica ap. Æsch. Pers. 994, Dionys. Per. 732, 1019, Herodot. 1, 84, 125, Strab. sæpius et Steph. Byz. Μαρδόνιοι ap. Xen. Anab. 4, 3, 4, ubi alii libri Μυγδόνιοι, ego Μάρδοι restitui, ut Dioni Chr. Or. 64, vol. 2, p. 339, Μάρδος pro Μαρδώνιος vel Μαρδόνιος Valesius Emend. p. 78.]

[Μαρδοχαῖος, ὄνομα κύριον, ap. Suidam et Esther. 1 etc.]

[Μάρδων, ὁ, Mardo, Persa, Æsch. Pers. 51.]

[Μαρδὼν, όνος, ὁ, unde Μαρδόνες, Ἠπειρωτικὸν ἔθνος. Εὔπολις Πόλεσι, Καὶ Χαόνων καὶ Παιόνων καὶ Μαρδόνων, Steph. Byz. Μαρδόνος, quod ponitur ap. Suidam, huc pertineat an ex Μαρδόνιος corruptum sit non liquet.]

[Μάρει, μέτρον, παρὰ Ποντικοῖς, δύο ὑδριῶν· ἡ δὲ ὑδρία παρ' αὐτοῖς δέκα ξεστῶν, Etym. cod. Havn. 1971 a Blochio ad Etym. M. v. Μάντις citatum.]

[Μάρεια, ἡ. « Μαρία, lacus prope Alexandriam, unius diei itinere ab urbe illa distans. Scriptores eum passim vocant Lacum Mareotin. Strabo 17, p. 793 : Τῆς λίμνης τῆς Μαρείας, ἣ καὶ Μαρεῶτις λέγεται. Qualia habet etiam Steph. Byz. v. Μάρεια. Ad quem l. v. notas eruditorum. Verumtamen antiquum Paludis illius nomen Ægypt. est Μαρία et Μαρεία, cui cognominis erat urbs ad austrum paludis sita. A palude et urbe nomen habuit regio Mareotis : et hoc ipsum nomen postea a Græcis et Romanis paludi quoque nonnunquam datur. V. de Μαρίᾳ vel Μαρείᾳ Strabo 17, p. 803, Philo De vita contempl. p. 892. Ita et Ptolem. Geogr. 6, 5, p. 117 (vitiose excusum 121) ed. Bert. V. porro Ælian. N. A. 6, 32, Aristid. rhet. in Ægyptio p. 94, A ed. Gr. Florent., Athen. 1, p. 33, D, Sozom. H. E. 1, 14, 17, et Palladii Hist. Lausiac. c. 6 et 17. (Thuc. 1, 104, Diod. 1, 68 cum annot. Wessel. addit Tewater.) » Jablonsk. Qui quæ de origine nominis Ægyptia disputat omisimus. Μαρεωτης vel Μαρηω v. in numis ap. Mionnet. *Descr.* vol. 6, p. 533. Ipsum autem gent. Μαρεώτης ostendit Μάρεια scribendum esse, non Μαρία, quod frequens in libris vitium est (v. intt. Æliani l. c.), sed unde formari non potuit Μαρεώτης. Eandem scripturam confirmat forma Ion. Μαρέης et Μαρέη ap. Herodot. 2, 18, 30. L. Dind.]

[Μᾶρες, οἱ, Mares, gens Colchis vicina. Herodot. 3, 94; 7, 79; Hecatæus ap. Steph. Byz.]

Μαρεῶτις, Vitis species est, Hesych. Sic Μαρεώτης οἶνος ap. Athen. 2 [1, p. 33, D], nomen id adeptus a Marea, fonte Alexandriæ. [Strab. 17, p. 799, et Steph. Byz. V. Μάρεια.] A

Μάρη, ἡ, Manus, unde plur. μάραι : indeque derivari dicitur εὐμαρὴς et δυσμαρὴς, ut a χεὶρ fit εὐχερὴς et δυσχερής. [Schol. Hom. Ven. et Lips. Il. O, 137 : Μάρψει δ' ἐξείης· κυρίως, χερσὶ συλλήψεται· μάρη γὰρ ἡ χεὶρ, κατὰ Πίνδαρον· ὅθεν καὶ εὐμαρές. Similia schol. Lips. Il. Γ, 307.]

Μαρήγει, Hesych. λαμβάνει, quod et μάρπτει. [Id ipsum ponere debuisse Hesychium apertum est.]

[Μάρης, ὁ, Mares, nomen regis Thebæi in Ægypto, quod ab Eratosth. exponitur Ἡλιόδωρος, A sole datus, vel Donum solis. Recte omnino et bene. Nam *Mare* id ipsum sermone Ægypt. plane significat. V. notas nostras in Eratosth. Catal., ap. Vignol. Chronol. Sacr. vol. 2, p. 744, 5. JABLONSK. Alius ap. Hesiodum Athenæi 11, p. 498, A.]

[Μάρης. V. Μάρις.]

[Μαρθοῦς, ὁ, Marthus, n. viri ap. Epiphan. vol. 1, p. 41.] B

[Μαρία, ἡ, Maria, mater Christi in N. T.]

[Μαριάβα, μητρόπολις Σαβαίων πρὸς τῇ Ἐρυθρᾷ θαλάσσῃ, Στράβων ἑκκαιδεκάτῃ (p. 768, 778), Steph. Byz.]

[Μαριαμμία, πόλις Φοινίκων. Οἱ πολῖται Μαριαμμῖται, ὡς Παυσανίας ἕκτῳ, Steph. Byz. Μαριάμη Syriæ memoratur a Ptolem. 5, 15, Μαριάμα Arabiæ 6, 7, quæ supra Μαριάβα.]

[Μᾰρῐανδῡνοί, οἱ, Mariandyni.] Μαρυανδηνοί, apud Etym., et Μαρυανδυνοί ap. Athen. legitur : perperam pro Μαριανδυνοί : ut tum ap. eund. Athen., tum apud Eust. [l. infra cit., qui diserte reprobat scripturam per η] et Steph. Byz. scriptum est : ap. quem Steph. est Μαριάνδυνος, proparoxytonως, et Μαριάνδυν : ac fem. Μαριανδύνη ac Μαριανδυνίς. [Verba Steph. Byz. sunt : Μαριανδυνία, χώρα. Εὔπολις Χρυσῷ γένει· Ὁρῶ θέων (θεῶ Berkel.) νῦν τὴν (deest syllaba) Μαριανδυνίαν. Ἀπὸ Μαριανδυνοῦ τινος Αἰολέως. Τὸ ἐθνικὸν Μαριάνδυνος βαρυτόνως καὶ Μαριανδυνίς καὶ Μαριανδύνη θηλυκόν. Τοῦ Μαριανδυνός κτητικὸν καὶ Μαριανδυνικός. Ubi Berkelius : « Βαρυτόνως) Videtur hic excidisse κατὰ τοὺς Αἰολεῖς, quod conjicimus ex Eust. ad Dionys. v. 787 : Οἱ Μαριανδυνοὶ οὕτω καλοῦνται ἀπό τινος Αἰολέως Μαριανδύνου οὕτω καλουμένου. Καὶ τὸ ἐθνικὸν δὲ Μαριάνδυνος μὲν λέγεται προπαροξυτόνως κατὰ τοὺς Αἰολεῖς, ὥς φησιν ὁ γράψας τὰ ἐθνικά· ἡ δὲ κοινὴ χρῆσις ὀξύνει αὐτὸ κατὰ τὸν τύπον τῶν εἰς νος ἐθνικῶν. Μαριανδυνή) Ap. Euseb. in Chron. pro regione ipsa sumitur : Βιθυνία ἐκτίσθη ὑπὸ Φοίνικος ἡ πρὶν Μαριανδυνή. » Accentum acutum agnoscit Arcad. p. 66, 3, et Herodianus, qui dicitur, in Cram. An. vol. 3, p. 287, 14.] Fuerunt olim hi Mariandyni ab Heracleotis in servitutem redacti, ut οἱ Εἵλωτες a Spartanis : unde sicut Εἵλωτες, ita Μαριανδυνοὶ vocantur Mancipia, Servi. Euphorion eos δωροφόρους appellat, Δωροφόροι καλέονται, ὑποφρίσσοντες ἄνακτας· sicut et Callistratus Aristophaneus scribit, quod τοὺς Μαριανδυνοὺς vocarint δωροφόρους, ἀφαιροῦντες τὸ πικρὸν τῆς ἀπὸ τῶν οἰκετῶν προσηγορίας, ut Spartiatæ ἐπὶ τῶν Εἱλώτων fecerunt, Thessali ἐπὶ τῶν Πενεστῶν, Cretenses ἐπὶ τῶν Κλαρωτῶν. Hæc inter alia Athen. 6, [p. 263 sq.] ubi plura v. de iisdem. [Æsch. Pers. 937, Herodot. 1, 28 etc. aliique historici, poetæ et geographi. Hesychius : Μαριανδηνὸς θρῆνος· δαιμονίως γὰρ περὶ τοὺς θρήνους σπουδάζουσιν· ἄλλοι, εἶδος ᾠδῆς τωθαστικῆς τὸν Μαριανδηνὸν, ὡς Λιτυέρσαν. Ubi alia de hac cantilena, ad quam refertur etiam Μαριανδυνοῦ θρηνητῆρος in l. Æschyli, v. apud intt.] C D

[Μᾰρῐᾱνός, ἡ, όν, Ad Marium pertinens, Marianus. Diodor. Exc. Vat. p. 125 ed. Mai. : Τὴν Μαριανὴν συγγένειαν. L. DIND.]

Μαριδρουνίζεις, Hesych. affert pro εἰρωνεύεις.

Μαριζεὺς, Lapis quidam, qui aqua instillata ardet, Hesych. [Ordinem literarum poscere Μαριεὺς, similemque esse lapidem ap. Aristot. Mir. c. 41 : Τὸν μαριθὰν, de quo v. conjecturas interpretum, annotatum ab intt. Hesychii. Sophocleum Μαριεὺς ἀλοιμὸς ap. Etym. in Ἀλοιμὸς confert Schneider.]

[Μᾰρῐκᾶς, ᾶντος, et ᾶ et οῦ, ὁ. Μαρικὰς (l. Μαρικᾶς), ᾶντος, ponit grammat. in Cram. An. vol. 4, p. 335, 32, accusativi Μαρικᾶντα ex. anonymi Herodian. ap. Eust. Il. p. 300, 22, memorans etiam Μαρικᾶν, quod est ap. Aristoph. Nub. 549, et Hesych., ap. schol. Arist. l. c. genit. Μαρικοῦ. Fabulam sic inscripserat Eupolis, qui citari solet ἐν Μαρικᾷ.] Μαρικᾶν, Hesych. esse dicit Cinædum, a puero quodam barbarico. [Immo pueri apud barbaros nomen cavillatorium. Conf. l. Etym. M. in Γαρίμαντες citatus.]

Μαρίλα, ἡ, Pulvis carbonum : Polluci [10, 111] ὁ χνοῦς τῶν ἀνθράκων : scholiasti Aristoph. [Ach. 350] ἡ ἀνθράκων τέφρα καὶ σποδιά : Galeno [Lex. p. 518] θερμοσποδιά. Latini Favillam dicunt ejusmodi cineres scintillis prunarum permixtos, quod ignis veluti fomenta sint s. fomites. Ita igitur Hippocr. Γυναικ. 2, [p. 648, 55] : Ὅταν δὲ διάπυρος γένηται ὁ βόθρος, ἐξελεῖν χρὴ τὰ ξύλα, καὶ τῶν ἀνθράκων οἱ δὴ ἀδρότατοι ἔσονται καὶ διάπυροι· τὴν δὲ σποδιὴν καὶ τὴν μαρίλην ἐν τῷ βόθρῳ καταλιπεῖν. Ubi nota apertum discrimen fieri inter τῶν ἀνθράκων τοὺς ἁδρούς, σποδιὰν, et μαρίλην : ac μαρίλην esse quiddam medium inter τοὺς ἁδροὺς ἄνθρακας ac τὴν σποδιὴν, Minutias nimirum et reliquias prunarum, quæ in cinere reperiuntur. Aristoph. pro Pulvere carbonum accipit, quum in Ach. [350] dicit, Ὑπὸ τοῦ δέους δὲ τῆς μαρίλης μοι συχνὴν Ὁ λάρκος ἐνετίλησεν ὥσπερ σηπία. Loquitur enim ibi de carbonibus nondum accensis, qui sunt in corbe carbonario. Sic ap. Suid., Χαλκεὺς οἷά τις γέμων καπνοῦ καὶ μαρίλης. Et ex Cratino, Ἐφθάρη μαρίλης πλέαν ἔχων, Fere enectus est favillis quarum plenus erat : ut et Plautus dicit, Favillæ plena ac fumi. Suidas quoque iis in ll. μαρίλην esse dicit τὸν χνοῦν καὶ τὸ λεπτότατον τῶν ἀνθράκων : mentionem tamen faciens et prioris signif., exponens nimirum ἀμαυρὸν πῦρ, Igniculos sub cineribus abditos : secundum quam expositionem derivatum videri queat παρὰ τὸ μαραίνεσθαι, ut sit μεμαραμμένον πῦρ. [Photius : Μαρειυη, ἡ μεμαρασμένη ὕλη· καὶ τοὺς ἀνθρακευτὰς Σοφοκλῆς. Themist. Or. 21, p. 245, A : Ἀνθρακέως τινὸς ἢ σιδηρέως καπνοῦ γέμοντος καὶ μαρίλης. (Similiter Julian. Or. 7, p. 233, A. JACOBS.) Max. Tyr. Diss. 18, 9, p. 353 : Τῷ μαρίλης ἐμπεπλησμένῳ.] Notandum porro μαρίλαν s. μαρίλην ap. Polluc. [7, 110] reperiri etiam duplici λ scriptam : ap. ceteros vero quos auctores citavi, simplici. [Σμαρίλη, quod v., confert Hemst. ᾰῑ]

[Μαριλάδης, ὁ, n. pr., exp. Carbonarius, Aristoph. Ach. 609. ᾰῐᾱ]

[Μᾰρῖλευτής, ὁ.] Μαριλευταί, Qui favillas tractant, affines τῶν ἀνθρακέων, ap. Polluc. 7, c. 24 [§ 110].

[Μαριλεύω.] Μαριλεῦσαι, Circa favillas versari. [Pollux 7, 110.]

Μαριληνοί, οἱ, Carbones, in VV. LL., suspecti sunt. [Fictum voc. ex gl. Erotiani p. 254 Μαριλῆνοι, οἱ φρυγανώδεις ἄνθρακες, ubi Μαρίλην restituit Foes.]

[Μαρίλλα s. Μαρίλλη. V. Μαρίλα.]

[Μαριλοκαύτης, ὁ.] Affert Hesych. et Μαριλοκαυτῶν pro ἀνθρακευτῶν : μαρίλην et ipse exponens τὸ ἀπόψημα τῶν ἀνθράκων, Ramentum carbonum.

Μαριλοπότης, ὁ, Favillæ potor : Vulcani et ceterorum fabrorum epith. : quippe qui dum follibus excitant carbones, favillas et pulverem inde exsurgentem devorare coguntur. [Epigr. Anth. Plan. 15, 6 : Ἁ πάντολμος ἀνάγκα, ἅ με παρ' Ἡφαίστῳ θῆκε μαριλοπόταν.]

Μαρῖνοι, οἱ, Marini pisces quidam ap. Aristot. H. A. 6, [17]. Hesych. Marinos pisces esse dicit, alio nom. dictos κιθάρους. [Edd. καθαρὸς, ἰχθὺς θαλάσσιος. Fugitque editores correctio quam tacito fecit HSt.] Est et nomen propr. [Marini Tyrii, cujus extat Vita Proculi, et aliorum, de quibus Fabric. in Bibl. Gr.]

[Μάριον, τὸ, πόλις Κύπρου, ἡ μετονομασθεῖσα Ἀρσινόη, ἀπὸ Μαριέως, ὁ πολίτης Μαριεὺς, Steph. Byz. Scylax p. 41. Vitiose libri Diodori 12, 3, Μαλὸν, et 19, 79, Μαλιέως (sic enim corrig. error typoth. in ed. mea p. 1420, qui semel Μαριέως posuit pro Μαλιέως). Quod quum dudum animadvertissent interpretes, mirum est in explicando nomine vitioso operam perdidisse Hamakerum Misc. Phœn. p. 260. L. DIND.]

[Μάριος vel Μαριὸς, oppidum Eleutherolac. apud Pausan. 3, 21, 7 et 22, 8.]

Μάριν, Hesych. a Cretensibus vocari tradit τὴν σῦν Suem. [Alio pertinet quod Philo In Flacc. p. 979, D refert Μάριν τὸν κύριον ὀνομάζεσθαι παρὰ Σύροις. Albert. A Syr. ܡܪܐ *Moré :* Dominus.]

Μάρις, εως, ὁ, Maris : mensura liquidorum sex cotylarum capax, ut tradit Pollux 10, c. 47 [§ 184], afferens ex Aristot. H. A. [8, 9, p. 365 Schn.] οἴνου μάρις. Idem 4, 23 [§ 168] habet μάρης per η : scribens et ibi esse ἑξακότυλον. Sed ea scriptura mendosa est. Polyænus vero μάριν multo capaciorem facit. Nam 4, [3, 32] in Alexandro, quum dixisset regem Persiæ in singula prandia et singulas cœnas insumere γάλακτος αὐθημερινοῦ δέκα μάριας, οἴνου πεντακοσίας μάριας, et ceterorum tot vel tot, subjungit, Μάρις ἐστὶ δέκα χόες Ἀττικοὶ, Decem congii Attici. Ap. Hesych. reperio etiam Μαριστὸν, expositum itidem ἓξ κοτύλας. Quibus addit, eod. vocabulo dici etiam τὸ μακρὸν πέπερι, Piper longum.

[Μάρις, ὁ, Maris, Trojanus, Hom. Il. Π, 319. Fl. Scythiæ, Herodot. 4, 49. Episcopus Bithyniæ, de quo Socrates H. E. 3, 12, aliique ap. Kuster. ad Suidam. Genit. Μάρι est in Chron. Pasch. p. 543, 21. ᾶῐ]

[Μαριταῖον, τὸν Δία, Hesychius.]

[Μαρίω.] Μαρίειν, Hesych. ὀχλεῖσθαι, πυρέττειν, Vexari, Febricitare. [V. Μαιριῆν in Μαῖρα.]

[Μαρίωνος, ὄνομα κύριον, ap. Suidam, genitivum, ut videtur, ponentem. Olympionica Alexandrinus Μαρίων est ap. Pausan. 5, 21, 10. Alii in inscrr. Aphrodis. ap. Bœckh. vol. 2, p. 520, n. 2787, 6; 2789, 25.]

Μάρκα, Gallorum lingua Equus, Pausan. 10, 19, [12, ubi v. annot. intt.]

[Μάρκαιον, τὸ, ὄρος τῆς Τρῳάδος, πρὸς τῇ Γέργιθι. Οἱ οἰκήτορες Μαρκαιίσσιοι, Steph. Byz. Μαρκαῖοι ὡς Κάσιοι Berkelius.]

Μαρκὰς, Hesychio μακάριος, εὔμοιρος : qui potius μάκαρς. [Ubi addendus hic l.]

[Μαρκῐᾱνόπολις, εως, ἡ, Marcianopolis, urbs Mœsiæ inferioris, cujus cives Μαρκιανοπολῖται, utrumque in numis ap. Mionnet. *Descr.* vol. 1, p. 357 seqq., *Suppl.* vol. 2, p. 70 seqq.]

[Μαρκιάτον μύρον, Alex. Trall. 1, p. 9, 14.]

Μαρμαίρω, Resplendeo, Vibranti splendore corusco. Hom. Il. Γ, [397] : Ὄμματα μαρμαίροντα· Σ, [616] : Τεύχεα μαρμαίροντα· Ψ, [27 : Ἔντεα] χάλκεα μαρμαίροντα. [N, 801 : Τρῶες ... χαλκῷ μαρμαίροντες· Π, 279 : Σὺν ἔντεσι μαρμαίροντας. Hesiod. Th. 699 : Αὐγὴ μαρμαίρουσα κεραυνοῦ τε στεροπῆς τε. Æsch. Sept. 401 : Νύκτα ταύτην, ἣν λέγεις ἐπ' ἀσπίδος ἄστροισι μαρμαίρουσαν οὐρανοῦ κυρεῖν.] Sic Sophro ap. Athen. 6, [p. 230, A] : Τῶν δὲ χαλκωμάτων καὶ τῶν ἀργυρωμάτων ἐμάρμαιρε δοκία [ἁ οἰκία]. Ap. Eund. 2 Ibycus [Bacchylides p. 39, F] : Χρυσῷ δ' ἐλέφαντί τε μαρμαίρουσιν οἶκοι· ut 14, [p. 627, A] Alcæus, Μαρμαίρει δὲ μέγας δόμος χαλκῷ. Hesych. μαρμαίρει exp. non solum λάμπει, sed etiam ἐνθουσιᾷ, forsan quod divinitus afflatorum oculi igniculis quibusdam vibrare et scintillare videantur. [Eur. Ion. 888 : Ἦλθές μοι χρυσῷ χαίταν μαρμαίρων· 1427 : Δράκοντε μαρμαίροντε παγχρύσῳ γένυι· fr. Archelai ap. Dionys. De comp. vv. c. 25 : Πεδίον πυρὶ μαρμαίρει. Mosch. 2, 85 : Κύκλος δ' ἀργύφεος μέσσῳ μάρμαιρε μετώπῳ. Ib. 43 : Δαίδαλα μαρμαίροντα. Dionys. Per. 329 : Ἀστὴρ μαρμαίρων· 1120 : Ἀδάμαντα μαρμαίροντα. Orph. H. 18, 15 : Μαρμαίρει δὲ πρόσωπ' αὐγαῖς· 37, 10 : Μαρμαίροντες ὅπλοις. || Huc retulimus fictum a grammaticis verbum, de quo HSt. :] Μαίρω affertur pro Luceo, quod potius μαρμαίρω. [Epimer. in Cram. An. vol. 2, p. 350, 9 : Ἀμυδρότερος παρὰ τὸ μαίρω τὸ λάμπω. Sæpius memoratur idem ab Etym., cujus ll. v. in Ind.]

[Μάρμακες, ἔθνος Αἰθιοπικόν. Ἑκαταῖος Ἀσίᾳ, Steph. Byz.]

[Μάρμακος, ὁ, Marmacus, pater Pythagoræ philosophi ap. Diog. L. 10, 1. Boiss.]

[Μάρμαξ, ακος, ὁ, Marmax, procus Hippodamiæ, ap. Pausan. 6, 21, 7 et 10. V. Μέρμνης.]

Μάρμαρ, ap. Hesych. legitur expositum στερεὸν, Solidum, marmoris videlicet modo.

[Μαρμάρα. V. Μάρμαρος.]

[Μαρμαράριος, ὁ, Marmorarius. Inscrr. ap. Ross. *Bullett.* 1840, p. 23, Inscr. ined. fasc. 1, n. 61, Bœckh. C. I. vol. 1, p. 575, n. 1107. V. Μαρμάριος. ᾱᾱῐ L. D.]

[Μαρμάρειος s. Μαρμάρεος, α, ον.] Ut ap. Latinos Marmoreus est etiam adjectivum similitudinis, significans videlicet Marmori similis nitore, candore, lævore : dicentes Candor marmoreus, Cervix marmorea, Collum marmoreum, Palmæ marmoreæ, Pollex marmoreus, Pedes marmorei, necnon Gelu marmoreum, ut Æquor marmoreum : ita etiam Græca adjectiva inde derivata, nimirum Μαρμάρειος, et Μαρμάρεος, significationem et ipsa similitudinis habent, significantia Marmoris modo candens nitensque, teste Hesych. etiam, afferente μαρμάρειον pro λευκὸν, λαμπρόν : et μαρμαρέην itidem pro λαμπράν : et sic Hom. Il. Γ, [126, X, 441] : Δίπλακα μαρμαρέην [al. πορφυρέην], Diploidem marmoream. Ξ, [273] : Ἅλα μαρμαρέην, Æquor s. Mare marmoreum. [P, 594 : Αἰγίδα μαρμαρέην· Σ, 480 : Ἄντυγα (scuti) τρίπλακα μαρμαρέην. Aristoph. Nub. 286 : Μαρμαρέαις ἐν αὐγαῖς. Apoll. Rh. 4, 1710 : Μαρμαρέην αἴγλην. Orph. fr. 6, 23 : Ἄστρων μαρμαρέων.] Hesiod. [Th. 811] materialiter pro Ex marmore s. albo lapide confectus : Ἐνθάδε μαρμάρεαί τε B πύλαι, καὶ λάϊνος οὐδός· nisi malis στερεαὶ, Solidæ et firmæ quales sunt marmoreæ. [Inscr. Cumæa ap. Caylus *Recueil* vol. 2, tab. 57, 36 : Εἰκόνα μαρμαρίαν καὶ χρυσίαν ἐν τῷ γυμνασίῳ.] Prosæ scriptores in materiæ signif. frequentius utuntur altero adjectivo, Μαρμάρινος. Athen. 5 : Ζῷα μαρμάρινα τῶν πρώτων τεχνιτῶν. Et aliquanto post, Μαρμάρινον ἄγαλμα τῆς θεοῦ, Signum marmoreum. Veruntamen et hoc ipsum μαρμάρινος, ut μαρμάρεος dicitur; ut μαρμάρινος ἥλιος pro Radians sol, Marmoreo nitore vibrans. [Theocr. Ep. 10, 2 : Τὤγαλμα τὸ μαρμάρινον. Anyte Anth. Pal. 7, 649, 2 : Τάφῳ τῷδ' ἐπὶ μαρμαρίνῳ. Inscr. Pariæ ap. Bœckh. vol. 2, p. 344, n. 2377, 2 : Εἰκόνι μαρμαρίνῃ· p. 346, n. 2384, 6 : Ἀνδριάντι μαρμαρίνῳ· Teja p. 673, n. 3085, 5 : Ἀγάλματι μ. In Ms. ap. Pasin. Codd. Taurin. vol. 1, p. 255, A : Μνῆμα μαρμαρίγιον, vitiose pro μαρμάρινον. L. Dind.]

[Μαρμαρεῖς, οἱ, Marmarenses, Lyciæ memorantur ap. Diodor. 17, 28.]

[Μαρμαρεργάτέω, Marmor elaboro, sculpo. Tzetz. C Hist. 9, 127 : Καὶ ῥάβδος δὲ τετράγωνος τῶν μαρμαρεργατούντων.]

[Μαρμαρεύθετος, ὁ, ἡ, Ex marmore confectus. Antiquitates Cpolitanæ : Ἥλιος ἐν αὐτῷ τῷ τόπῳ ἐν ἅρματι μαρμαρευθέτῳ. Ducang.]

Μαρμαρίδαι, οἱ, Marmaridæ, gens Numidica in Africa, ap. Pausan. Attic. p. 5 [c. 7, 2]. Forsan autem sic nominantur, quod apud eos præstans sit marmor : prædicatur enim marmor Numidicum. [Strabo 2, p. 131; 17, p. 798, etc.]

Μαρμαρίζω, similitudinis signif. habet, declarans, Marmoreo splendore vibro, s. Marmoreum ex me splendorem vibro : veluti quum Pindar. ap. Athen. [13, p. 564, E; 601, D] dicit, Ἦν τάσδε Θεοξείνου [τὰς δὲ Θεοξένου] ἀκτῖνας προσώπου μαρμαριζοὔσας δράκης [μαρμαριζοίσας δρακείς. Proprie Marmor habeo, Diodor. 3, 12 (et iisdem verbis Agatharch. Photii p. 448, 8. Jacobs.) : Τυπίσι σιδηραῖς τὴν μαρμαρίζουσαν πέτραν κόπτουσιν. V. autem Μαρμαρύζω.]

[Μαρμαρικὴ, ἡ, Marmarice s. regio Μαρμαριδῶν, D quod v. Agathem. Geogr. p. 40.]

[Μαρμάρινος. V. Μαρμάρειος.]

Μαρμάριον, ἡ, Marmarium, scorti nomen est ap. Diog. L. 8 [immo 10, 7], forsan a marmoreo corporis candore nitoreque ipsi impositum. [|| Μαρμάριον, πόλις Εὐβοίας. Ὁ πολίτης Μαρμάριος, ὡς Βυζάντιος, Steph. Byz. Strabo 10, p. 446, qui memorat etiam ἱερὸν Ἀπόλλωνος Μαρμαρίνου, unde repetit Eust. Il. p. 281, 4. Photius : Μαρμάριον, τῆς Εὐβοίας ὅρμος· καὶ ἱερὸν Ἀπόλλωνος. Οὕτω Μένανδρος.]

[Μαρμάριος, Marmorarius, Gl., ubi Meursius μαρμοράριος. Nihil tamen mutandum, quum ita habeatur in Basilic. 25, 5, 19, ex Scævola IC., et ap. Harmenop. 3, 8, 42. Euchalog. ap. Goarum p. 844 : Παρασκευάζει τοὺς μαρμαρίους στῆσαι τὴν τράπεζαν. (Pro quo λιθοξόους in alio ib. p. 832. L. D.) Ducang. Ne scrib. videatur μαρμαράριος, quam formam certiori his testimoniis inscriptionum fide stabilivimus supra, obstat inprimis alia inscr. ap. Welckerum Syllog. Epigr. Gr. p. xvii : Μαρμαρίων τὸ γένος σῶζε Σέραπι. L. Dind.]

A [Μαρμαρὶς, ἴδος, ἡ, Marmaris s. regio Μαρμαριδῶν, quod v. Epiphan. vol. 1, p. 703, B. L. Dind.]

[Μαρμαρῖτικὸς, ἡ, ὸν, Marmoreus. Ms. ap. Allat. Diatrib. de Georgiis p. 405 : Χρησμὸς, ὅσπερ εὑρέθη εἰς τὴν Κωνσταντινούπολιν εἰς μίαν κολώναν μαρμαριτικὴν διὰ ψηφίων γεγραμμένος. L. Dind.]

[Μαρμαρῖτις, ιδος, ἡ, πέτρα, Marmor. Philo Byz. Mirac. c. 2, p. 9 : Πέτρα λευκὴ καὶ μαρμαρῖτις· 4, p. 16: Ἐκ λευκῆς καὶ μαρμαρίτιδος πέτρας.]

[Μαρμαρογλυφία, ἡ, Marmoris sculptura s. cælatura. Strabo 10, p. 487.]

Μαρμαρόεις, εσσα, εν, similitudinis signif. habet, teste Hesych. etiam, μαρμαρόεντα exponente λάμποντα, Splendentem, marmoreo videlicet nitore et candore. [Soph. Ant. 610 : Ὀλύμπου μαρμαρόεσσαν αἴγλαν.]

[Μαρμαροκονία, ἡ, restituendum videtur ap. schol. Hesiodi Sc. 142 : Τίτανος) ἡ λεγομένη μαρμάρῳ καὶ κονία, ut sit i. q. μαρμάρου κονία. V. Μάρμαρος et Τίτανος. Sic dicitur λιθοκονία, ὀστρακοκονία. L. Dind.]

[Μαρμαροποιὸς, ὁ, Marmorarius, Gl.]

B Μάρμαρος, ὁ, ἡ, a μαρμαίρω derivatum, significat λευκὸς, Albus, Candidus; quoniam quæ candicant, eadem et splendorem quendam ex se vibrant. [Splendidus ap. Nonn. Dion. 22, 157, item de Candido : Ἀργυρέης πήληκος ἐλάμπετο μάρμαρος αἴγλη.] Meminit hujus signif. et Hesych., afferens nimirum μάρμαρα pro λευκὰ, Alba, Candida; itaque accipiendum in Hom. Il. Π, [735] : Ἑτέρηφι δὲ λάζετο πέτρον Μάρμαρον ὀκρυόεντα. [Eur. Phœn. 1401 : Ἀφῆκε μάρμαρον πέτρον.] Verum idem poeta et μάρμαρον substantive dicit pro μάρμαρον λίθον, teste Hesych. etiam, afferente μάρμαρος pro λευκὴ λίθος. Ita igitur Il. Μ, [380] et Od. Ι, [499] : Μαρμάρῳ ὀκριόεντι βαλών. [Eur. Phœn. 663 : Ὃν Κάδμος ὤλεσε μαρμάρῳ. Aristoph. Ach. 1172: Ἐπάξειεν δ' ἔχων τὸν μάρμαρον. Ap. Callim. Apoll. 24 : Ὅστις ἐνὶ Φρυγίῃ διερὸς λίθος ἐστήρικται, μάρμαρον ἀντὶ γυναικὸς ὀϊζυρόν τι χανούσης, Valcken. restituit λίθος ... μάρμαρος. Strabo 14, p. 645 : Λατόμιον μαρμάρου λίθου. Μάρμαρον, Marmor, Gl.] Ceteri scriptores μάρμαρον vocant etiam Certum quoddam candidi lapidis genus, nivea albedine insigne, interdum et rubore quodam C suffusum, interdum etiam nigrum, splendidum, læve, durissimum, ut Chrysost. De prec. : Χρυσὸς καὶ πολυτίμητοι λίθοι καὶ μάρμαρα ποιοῦσι τοὺς οἴκους τῶν βασιλέων. Id Latini poetæ vocant Candens marmor, læve, solidum : dicunt et Nitor marmorum : necnon adjective et materialiter Domus marmorea, Sola marmorea, Pavimenta marmorea, Tecta marmorea, Columnæ marmoreæ, Tumulus marmoreus, Signum marmoreum, Opus marmoreum. [Μάρμαρος, ἡ, de lapide Theocr. 22, 210 : Χερῶν δέ οἱ ἔκβαλε τυκτὰν μάρμαρον. De marmore Theophr. fr. 2 De lap. § 9 : Πάντας (lapides) τήκεσθαι πλὴν τοῦ μαρμάρου· τοῦτον δὲ κατακαίεσθαι καὶ κονίαν ἐξ αὐτοῦ γίνεσθαι· et ibid. 69. Strabo 9, p. 399 : Μαρμάρου δ' ἐστὶ τῆς τε Ὑμηττίας καὶ τῆς Πεντελικῆς. Tzetz. Hist. 3, 211 : Τοῦ οἴκου πᾶσαν μάρμαρον αὐτῆς ἐδαφιαίαν. Est autem usus v. μάρμαρος de Marmore alienus a prosa antiquiorum Atticorum, qui λευκὸν λίθον dixerunt. Conf. Letronn. *Journ. des Sav.* 1837, p. 373. Quocum conjungitur ap. Hippocr. p. 666, 20 : Ἐν θυΐῃ λιθίνῃ τρίβειν μάρμαρον ἢ λίθον D λευκήν. || Statua marmorea. Cosmas Topogr. Christ. p. 140, D : Μάρμαρον ἀπὸ βασανίτου λίθου· C : Ἀπὸ μαρμάρου λευκοῦ. Marmor, super quo fusa medicamenta, num cocta sint, probantur. Niceph. Blemm. Ms. De chymia: Τὸ ἐναπομεῖναν ξηρὸν πάλιν βάλε ἐν μαρμάρῳ· aliique ap. Ducangium.] || Rursum μάρμαρος dicitur et Fragmentum marmoris poliendo decussum, Marmoris cæmentum; vel simpliciter Cæmentum, λατύπη. Plut. [Mor. p. 660, C] : Ὁ μάρμαρος τοῦ διαπύρου σιδήρου, τῷ καταψύχειν, τὴν ἄγαν ὑγρότητα καὶ ῥύσιν ἀφαιρῶν, εὔτονον ποιεῖ τὸ μαλασσόμενον αὐτῷ καὶ τυπούμενον. Et [ib. p. 954, A] : Οἱ δὲ χαλκεῖς τῷ πυρουμένῳ καὶ ἀνατηκομένῳ σιδήρῳ μάρμαρον καὶ λατύπην παραπάσσουσι. Unde Μαρμάρινος, η, ον, dicitur Qui ex ejusmodi cæmentis confectus est. Diod. S. [17, 45] : Πρὸ τῶν τειχῶν μαρμαρίνους τροχοὺς ἵστανον. Ita enim accipiendam esse vocem hanc, testantur hæc ejusdem verba : Τροχοὺς κατεσκεύασαν διειλημμένους πυκνοῖς διαφράγμασι, Crebris cæmentorum intersepimentis. || Μάρμαρον et Μάρμαρα, est etiam Vitium quoddam veterinorum. In Hippiatr. enim τὰ μάρμαρα esse dicuntur κονδυλώματα καὶ πῶροι ἐν ποσὶ τῶν ὄνων : ut et Hierocles ibid. scribit, esse πάθος quoddam, quod οἱ ἔμπειροι vocitent μάρμαρον, infestans τὴν ἔκφυσιν τῆς ὁπλῆς in pedibus anterioribus : esse autem κονδυλώματα σκληρά. Sic Idem ibid. paulo post : Συμβαίνει ἐν τοῖς ποσὶ, μάλιστα τοῖς ἐμπροσθίοις, κατὰ τὴν ἔκφυσιν τῆς ὁπλῆς, ἣν καλοῦσι στεφάνην, μάρμαρα οἴδησιν ἔχοντα, καὶ κονδυλώματα σκληρὰ καὶ πωρούμενα. Vocatur autem procul dubio vitium hoc μαρμάρου nomine, quoniam tumores ejusmodi duri videntur esse quidam μάρμαροι, Cæmenta. Hesych. affert Μάρμαρα et pro λαμπρὰ [hoc pertinet ad adjectivi signif. supra positam] ἐρυσίβη, Splendida rubigo; necnon Μαρμάραι pro αἱ τῷ ἐρυθροδάνῳ βεβαμμέναι, Rubia tinctæ : forsan ab eo marmoris genere, quod rubore quodam est perfusum.

[Μαρμαρουργὸς, ὁ, Marmorarius. Tzetz. Hist. 9, 131 : Τῆς τῶν μαρμαρουργῶν ῥάβδου.]

[Μαρμαρόω, In marmor muto, Marmor facio. Lycophr. 826 : Γραῦν μαρμαρουμένην δέμας. Hesych. : Μαρμάρῳ, λιθοποιῶ. Scrib. videtur μαρμαρῶ, λιθοποιῶ. Aliter alii. L. D. || Incrusto. Basilic. 58, 2, 13. Ducang. Leges Cypriorum Mss. : Μαρμαροῦν καὶ γράφειν τὸν κοινὸν τοῖχον ἔξεστιν. Id. in Append. p. 127.]

Μαρμαρυγὴ, ἡ, Splendor, s. Splendor vibrans, Fulgor. [Hippocr. p. 1277, 51 : Διέλαμπον αὐτέης οἱ τῶν ὀμμάτων κύκλοι καθαρόν τι φῶς, οἷον ἀστέρων μαρμαρυγὰς δοκέειν. Plato Reip. 7, p. 518, B : Ὑπὸ λαμπροτέρου μαρμαρυγῆς ἐμπέπλησται· 515, C : Διὰ τὰς μαρμαρυγάς· Critiæ p. 116, C : Μ. πυρώδεις. Conf. Tim. p. 68, A.] Chrysost. : Ἡ τῶν περικεφαλαιῶν καὶ τῶν ἀσπίδων μαρμαρυγή. Galen. Ad Glauc. : Μαρμαρυγὰς ὁρᾶν φαντάζονται. [Sunt Splendores oculis obversantes, incerti et discurrentes lucis splendores aut scintillæ, splendores vibrantes aut fulgores ante oculos coruscantes, ap. Hippocr. p. 46, 18; 1222, D. Aret. p. 1, 22. Foes.] Hom. vero pedum μαρμαρυγὰς vocat tam celerem in cursu motum, ut ἀντὶ τοῦ παραλλάσσεσθαι videantur μαρμαρύσσειν, Vibrare, veluti radii solares. Dicit igitur Od. Θ, [265] : Μαρμαρυγὰς θηεῖτο ποδῶν, θαύμαζε δὲ θυμῷ· de Phæacum juvenibus, qui δαήμονες ὀρχηθμοῖο Πέπληγον χορὸν θεῖον ποσί. [Cum eodem nomine H. Apoll. 203. Oppian. Hal. 4, 569 : Αἵ δ' ὑπὸ μαρμαρυγῆς ταχυήρεος ἠδ' ὁμάδοιο φυζαλέαι θρώσκουσι. Signiff. ab HSt. positas etiam grammatici ponunt, ut Hesych. De accentu v. Arcad. p. 105, 6.]

Μαρμαρυγώδης, ὁ, ἡ, Fulgidos ex se radios splendoris vibrans. Hippocr. [p. 390, 54] : Μαρμαρυγώδεα σφέων τὰ ὄμματα. [Conf. p. 414, 7, ubi μ. ὀφθαλμός. Et p. 111, A, ubi μ. τι πρὸ τῶν ὀφθαλμῶν.] Supra ἀμαρύσσειν et ἀμαρυγὴ habuimus pro his μαρμαρύσσειν et μαρμαρυγή. [Clem. Al. p. 291, 37 : Ἀπὸ τοῦ πυρώδους τὸ στιλπνὸν καὶ μαρμαρυγῶδες (τοῦ προσώπου) περιγίνεται.]

[Μαρμαρύζω, i. q. μαρμαρίζω, quod v. Julianus Cyrilli p. 356, E : Τῶν νύκτωρ ἀεὶ φαινομένων καὶ μαρμαρυζόντων ἀστέρων. Scribendum μαρμαριζόντων.]

[Μαρμαρυχάω.] Hesych. et Μαρμαρυχᾷ dici scribit ἀπὸ τοῦ μαρμαίρων : sed quid sit, non exp. [Μαρμαίρειν Albertus. Videtur ex μαρμαρυγὴ vel -γαὶ corruptum, quod a μαρμαίρω recte ducit Etym. p. 77, 37.]

Μαρμαρύσσω, Splendeo, Splendore vibrante reluceo. [Hesych. in Σταλαγεῖ. Hemst. Themist. Or. 20, p. 235, B : Ἄγαλμα ... μαρμαρύσσον. Adamant. Physiogn. 2, 25, p. 416 : Μαρμαρύσσοντα ὄμματα. L. Dind.]

[Μαρμαρώδης, ὁ, ἡ, Marmoreus. Etym. Gud. p. 499, 21 : Σήλικας, πέτρας μαρμαρώδεις.]

[Μαρμαρῶπις, ιδος, ἡ, Aspectu in lapidem mutans. Lycophr. 843, de Gorgone.]

[Μαρμαρωπὸς, ὁ, ἡ, Eur. Herc. F. 883, Λύσσα. I. q. λιθοδερκής. Quæ quum ibidem dicatur Νυκτὸς Γοργὼν, eodem sensu quo Gorgo ipsa μαρμαρῶπις dicta videtur. Conf. Λιθοδερκής.]

[Μαρμάρωσις, εως, ἡ, Incrustatio, Gl. Basilic. 2, 7, 9. Ducang. Synodus ap. Photium Bibl. p. 18, 5 : Εἰς μαρμάρωσιν τῆς ἐκκλησίας. L. Dind.]

[Μάρμη, ἡ, πόλις Φοινίκης. Τὸ ἐθνικὸν Μαρμαῖος, ὡς Βαρκαῖος, Steph. Byz.]

[Μαρμωλῖτις, ιδος, ἡ, Marmolitis, regio Ponti, Strabo 10, p. 562, ubi libri alii paullo aliter.]

Μάρναμαι, Pugno : derivatum volunt etymologi παρὰ τὸ μὴ ἀρνεῖν, h. e. παρὰ τὸ μὴ διαλλάττεσθαι : ab irreconciliabili odio et inimicitia, propterea quod olim ἐν ταῖς διαλλαγαῖς ἄρνας ἔθυον, in reconciliationibus et fœderibus agnos mactabant. Hom. Il. Π, [775] : Μαρναμένων ἀμφ' αὐτόν· Ρ, [366] : Μάρναντο δέμας πυρός· Ν, [369] : Ὁ δὲ μάρναθ' ὑποσχεσίῃσι πιθήσας· Γ, [307] : Μαρνάμενον Μενελάῳ, Pugnantem cum Menelao. [Sic alibi sæpe cum dativo pers. vel instrumenti, ut Il. Π, 195 : Ἔγχει μάρνασθαι, vel absolute. Optativo Od. Λ, 513 : Ὅτε μαρνοίμεθα. Conjunctivo Hesiod. Sc. 110 : Ὄφρα τάχιστα μαρνώμεσθα. Cum περὶ Th. 647 : Νίκης καὶ κράτεος πέρι μαρνάμεθ' ἤματα πάντα. Pind. Nem. 10, 86 : Κασιγνήτου πέρι μάρνασαι· Ol. 5, 15 : Ἀμφ' ἀρεταῖσι πόνος δαπάνα τε μάρναται πρὸς ἔργον· Isthm. 4, 61 : Μαρνάσθω τις ἔρδων ἀμφ' ἀέθλοισιν· Ol. 6, 17 : Δουρὶ μάρνασθαι· in fr. ap. schol. Nem. 7, 94 : Ἀμφιπόλοισι μαρνάμενον μοιριᾶν περὶ τιμᾶν. Eur. Med. 249 : Μάρνανται δόρει· Iph. T. 1376 : Εὐλαβεστέρως ἐμαρνάμεσθα· Tro. 726 : Πρὸς γυναῖκα μάρνασθαι μίαν· Phœn. 1142 : Τόξοισι καὶ μεσαγκύλοις ἐμαρνάμεσθα· 1564 : Μαρναμένους ἐπὶ τραύμασιν αἵματος.] Prosæ scriptores μάχεσθαι pro eo dicunt. [Act. Μάρνημι ponit schol. Hom. Il. Λ, 190 : Μάρνασθαι, ἐκ τοῦ μάρνημι. L. D. Schol. Oppiani Hal. 1, 16 : Μάρνανται ἐκ τοῦ μαρνῶ μάρνημι. Wakef. Ib. sequitur μαρνόμενοι, librarii vel scholiastæ commentum.]

[Μαρνάν. Steph. Byz. v. Γάζα : Ἔνθεν (propterea quod ab Jove condita sit Gaza) καὶ τὸ τοῦ Κρηταίου Διὸς παρ' αὐτοῖς εἶναι (ὄνομα?), ὃ καὶ καθ' ἡμᾶς ἐκάλουν Μαρνὰν (Μαρνᾶν Vratisl.), ἑρμηνευόμενον Κρηταγενῆ· τὰς παρθένους γὰρ οὕτω Κρῆτες προσαγορεύουσι Μαρνάν. Holstenius : « ὃ καὶ) Legendum ὃν καὶ. Nam de ipso Jove intelligendum epith. Μαρνάν. V. Salmas. ad Hist. Aug. p. 202. Meminit ejus non semel Arnobius ... Marinus V. Proc. (c. 19). Epiphan. in Ancor. c. 108 : Καὶ Μαρνᾶς δοῦλος Ἀστερίου τοῦ Κρητὸς παρὰ Γαζαίοις τιμᾶται. » Et ad verba τὰς παρθένους ... μαρνὰν) « Primo non videtur verum Μαρνὰν Cretensibus significasse Virginem, ut colligitur ex Βριτόμαρτις, quomodo appellabatur ἡ Ἄρτεμις ἐν Κρήτῃ, ut Hesychius, quod Solinus c. 17 sonare dicit Virginem dulcem. Βριτὸς autem lingua Cretica Dulcis, ut grammatici notant. Ergo Μάρτις Virgo, non μαρνὰ, ut ostendit Salmas. ad Solin. p. 172. Deinde consequens argumenti nullum est : quoniam Virgines apud Cretenses appellabantur μαρναὶ, ideo Ζεὺς Κρηταγενὴς, qui Gazæ colebatur, dictus est Μαρνᾶς. Rationem nominis veram reddere Epiphanium existimo. Aliam reddit Selden. De diis Syr. 2, 1. » Bochart. Canaan 2, 12 : « Syris Marnas est Dominus hominum, ut Carnas Filius hominis. Philo In Flaccum quum Μάριν scribit τὸν κύριον ὀνομάζεσθαι παρὰ Σύροις, illud Μάριν deflexum est ex Mar. »]

[Μάρνας, ὁ, Marnas, Juppiter apud Gazæos Syriæ. Unde Μαρνα in numis Gazæ. V. Eckhel. D. N. vol. 3, p. 450, ubi etiam Marnion s. Marneon de templo. Conf. etiam Μαρνάν. || Numo Ephesio ap. Mionnet. *Descr.* vol. 3, p. 95, n. 262 inscriptum : ΕΦΕΣΙΩΝ ΜΑΡΝΑΣ. Quod fluvii nomen putat Eckhel. D. N. vol. 2, p. 522.]

Μάρνη, ἡ, affertur pro Manus; sed sine ullo testimonio. [Schol. Oppian. Hal. 1, 16 : Μάρναμαι κυρίως διὰ χειρὸς μάχομαι· μάρνη γὰρ ἡ χείρ. Wakef. Al. ibid., μὰρ ἡ χείρ. Μάρη ead. signif. v. supra. Quod pro utroque restituendum videtur.]

Μάρον, τὸ, montis et herbæ nomen, Hesych. [De herba μάρον Diosc. 3, 49, Plin. 12, 24, et Theophr. fr. 4 De odor. 33, 34; ad quem Schneider. in annot. et Ind. Scribendum autem erit μᾶρον, si ita legendum pro μακροῦ ap. Mnesimach. Athen. 9, p. 402, D. De monte v. conjecturas interpretum Hes.]

Μαρούλιον et Μαιούλιον, ex Psello affertur pro θριδακίνη [Lactuca. || Μαροῦλλα, τὰ, Trall. Ep. de Lumbr. Angl. Alia de v. μαρούλιον, μαρούλλιον et forma Byzant. μαροῦλλιν et vocc. ab eo ductis, item de forma μαιούλιον v. ap. Ducang. Formam μαιούλιον Coraes ad Ælian. V. H. p. 290, primitivam putat et a mensis Maji nomine repetit.]

[Μαρούσιον, Vulga, Gl.]

[Μάρπησσα, ἡ, Marpessa, f. Eueni, Idæ conjux, Hom. Il. I, 557, Pausan. 4, 2, 7 etc., Apollod. 1, 7, 8 et 9, Tzetz. ad Lycophr. 561. Tegeatis quædam apud Pausan. 8, 47, 2; 48, 3. Vitiosa est scriptura per ι nonnullis in libris Hom. || Ὄρος Πάρου, ἀφ' οὗ οἱ λίθοι ἐξαίρονται. Ὁ οἰκήτωρ Μαρπήσσιος, Steph. Byz.]

[Μάρπησσος, ἡ, Marpessus, oppidum montis Idæ in Troade, ap. Pausan. 10, 12, 3 et 4. Quam Μερμησσὸν ab Stephano Byz., Μαρμισσὸν ab Suida in Σίβυλλα p. 3301, D, (Μαρμυσσὸς schol. Plat. Phædr. p. 315) dici annotavit Palmerius. Μαρπησσὸς n. pr. suo loco posuit Suidas. Sed accentum Μάρπησσος ἀπὸ τοῦ Μάρπησσα testatur Arcad. p. 77, 5.]

Μαρπτὺς [Μάρπτυς], Hesychio ὑβριστὴς, Violenter et contumeliose injurius : s. ὁ βιαίως μάρπτων. Sed videtur scrib. μαρπτής. Nam μαρπτὺς esset potius ὕβρις. [Μάρπτις hac signif., ut videtur, scriptum ap. Æsch. Suppl. 826, et μάρπτι 827. Unde μάρπτις Albert.]

Μάρπτω, Capio, Corripio, Prehendo : i. q. λαμβάνω s. συλλαμβάνω in prosa. Hom. Il. [Ξ, 346 : Ἀγκὰς ἔμαρπτε Κρόνου παῖς ἣν παράκοιτιν·] Ψ, [62] : Εὖτε τὸν ὕπνος ἔμαρπτε, λύων μελεδήματα θυμοῦ· Θ, [405] : Ἃ μὲν μάρπτῃσι κεραυνός· Od. I, [289] de Cyclope : Σὺν δὲ δύω μάρψας, ὥστε σκύλακας, ποτὶ γαίῃ κόπτε. Sic Eurip. ap. Plut. [Mor. p. 549, B] : Σῖγα καὶ βραδεῖ ποδὶ Στείχουσα μάρψει τοὺς κακούς. [Pind. Nem. 6, 11 : Σθένος ἔμαρψαν.] Rursum Hom. cum dat. instrumentali, Il. Φ, [489] : Ἀμφοτέρας ἐπὶ καρπῷ χεῖρας ἔμαρπτε σκαιῇ. [Pind. Nem. 1, 45 : Αὐχένων μάρψαις χερσὶν ὄφιας. Orac. ap. Aristoph. Eq. 197 : Ἀλλ' ὁπόταν μάρψῃ βυρσαίετος γαμφηλῇσι δράκοντα. Eur. Ion. 158 : Μάρψω σ' αὖ τόξοις· Hipp. 1188 : Μάρπτει χερσὶν ἡνίας· idemque sæpe cum simplici accus., ut Bacch. 1173 : Ἔμαρψα τόνδ' ἄνευ βρόχων· Alc. 847 : Κἄνπερ λοχήσας αὐτὸν μάρψω. Æsch. Eum. 597 : Εἴ σε μάρψει ψῆφος. Soph. Tr. 779 : Μάρψας ποδός νιν· Aj. 444 : Αὔτ' ἔμαρψεν· OEd. C. 1681 : Ἄσκοποι δὲ πλάκες ἔμαρψαν. « Archil. ap. Plut. Galb. c. 27 : Ἑπτὰ γὰρ νεκρῶν πεσόντων οὓς ἐμάρψαμεν ποσὶν, χίλιοι φονῆές ἐσμεν. » Valck.] Idem dicit ποσὶ μάρπτειν, pro Assequi pedibus et prehendere : Χ, [201] : Ὣς ὁ τὸν οὐ δύνατο μάρψαι ποσίν· Φ, [564] : Καί με μεταΐξας μάρψῃ ταχέεσσι πόδεσσι. At Ξ, [228] : Οὐδὲ χθόνα μάρπτε ποδοῖιν, Terram carpebat s. calcabat pedibus. Aor. 2 facit μαρπεῖν : itemque præt. med. μέμαρπα, unde partic. μεμαρπώς. [Hesiod. Op. 202 : Ὀνύχεσσι μεμαρπώς· Sc. 245 : Ἄνδρες θ', οἳ πρεσβῆες ἔσαν γῆράς τ' ἐμέμαρπον, qui aoristus foret, si satis certa esset scriptura. Frequentat illud μεμαρπὼς etiam Apoll. Rh.] Sed et sine ρ dicunt μέμαπον et μαπεῖν. Hesiod. Sc. [231] : Ἱέμεναι μαπέειν, Cupientes prehendere. Et [252] : Ὃν δὲ πρῶτον μεμάποιεν Κείμενον ἢ πίπτοντα νεούτατον.

Μάρρον, Hesychio ἐργαλεῖον σιδηροῦν, Instrumentum ferreum. Simile quid esse dicitur Marrha ap. Columellam.

[Μαρρούιον, το, Marruvium, urbs Marsorum apud Strab. 5, p. 241, ubi olim simplici ρ.]

[Μαρρουκῖνοι, οἱ, Marrucini, gens Italiæ ap. Strab. 5, p. 241 (ubi etiam Μαρρουκίνη de terra, ut Polyb. 3, 88, 3), Polyb. 2, 24, 12.]

[Μάρσικος, Marsicus, Gl. V. Μάρσοι.]

[Μαρσίπιον, etc. V. Μάρσυπος.]

[Μάρσιππος, πόλις Φοινίκης. Τὸ ἐθνικὸν Μαρσίππιος, Steph. Byz.]

[Μαρσιωνὶς, ίδος, ἡ, Marsica. Lycophr. 1275 : Λίμνης Φόρκης Μαρσιωνίδος.]

[Μάρσοι, ἔθνος Ἰταλικόν. Τὸ ἐθνικὸν Μαρσικοὶ, Steph. Byz. Rectius Μαρσοὶ ap. Strab. 5, p. 219 etc., apud quem etiam Μαρσικὸς p. 238 etc. Μάρσοι etiam ap. Polyb. 2, 24, 12.]

[Μαρσὸς, ὁ, Marsus, Marsyæ Tabeni pater, apud Suidam v. Μαρσύας.]

[Μαρσύα, πόλις Φοινίκης, ὡς Ἀλέξανδρος καὶ Φίλων, ἀπὸ Μαρσοῦ. Τὸ ἐθνικὸν Μαρσυηνὸς τῷ τῆς Ἀσίας τύπῳ, Steph. Byz.]

[Μαρσύᾱς, ου, ὁ, Marsyas, Silenus ap. Herodot. 7, 26 (ubi Μαρσύεω genit. forma Ion.), Xen. Anab. 1, 2, 8, Pausan. 1, 24, 1, Olympi f. dictus ap. Apollod. 1, 4, 2, 1, ubi παιδαγωγὸν pro παῖδα Panofka in *Bullett.* 1830, p. 105, quem Olympum Marsyæ discipulum dicit Pausan. 10, 30, 9, ut Plut. Mus. p. 1133, D, qui Marsyam Hyagnidis filium et ab nonnullis Μάσσην vocatum perhibet, de quo n. v. in Μάσδης. Cum Apollodoro consentit schol. Plat. Conv. p. 377 ed. Bekk. : M. αὐλητής, Ὀλύμπου υἱός, ὃς ... ἤρισεν Ἀπόλλωνι περὶ μουσικῆς, καὶ ἡττήθη, καὶ ποινὴν δέδωκε τὸ δέρμα δαρείς· ἀφ' οὗπερ αἵματος ἔρρευσε ποταμὸς ὁ ἐξ αὐτοῦ ὕστερον M. κληθείς. Qui fl. Phrygiæ memoratur in nummis ap. Mionnet. *Descr.* vol. 4, p. 233, ap. Herodot. 5, 119, Pausan. 10, 30, 9, Strab. 12, p. 554, 577, etc. || Historici duo, de quibus vid. Suidas cum annot. interpretum. || Conditor Tabarum Lydiæ ap. eundem Suidam et Steph. Byz. v. Τάβαι. || Regio Syriæ ap. Strab. 16, p. 753, 755, 756, ubi alii libri Μασσ. Alterum est etiam ap. Polyb. 5, 45, 46, 61. || υ propter versum produxit Nonnus Dion. 1, 42 : Ἐξ ὅτε Μαρσύαο θεημάχον αὐλὸν ἐλέγξας. Corripiunt Latini. L. D.]

[Μαρσυηνός. V. Μαρσύα.]

Μάρσυπος, ὁ, et Μαρσύπιον, τὸ, Marsupium, Crumena, Loculus, Sacculus. Scribitur et per ι, et vel simplici vel [vitiose, ut videtur,] gemino π. Simplici, ap. Suid. [v. Ἑρμῆν, ex Codino Orig. Cpol. p. 15, ubi de Crumena, et] ex Xen. Anab. [4, 3, 11] : Εἶδόν τινας ἐν πέτραις μαρσίπους ἱματίων κατατιθεμένους, quod exp. σάκκους, θυλάκους. Itidem Pollux [7, 79; 10, 138], Μαρσίπους ἱματίων, e Xen. affert : et Μαρσίπιόν τι μικρὸν, [de Crumena] ex Apollodoro Carystio [10, 152, ubi etiam duplici π, ut ib. 64, μάρσιππος]. Duplici π Hesych. Μαρσίππιον [μαρσίπιον codex] pro βαλάντιον. [Conf. id. in Κυνοῦχος.] Sic ap. Alex. Trall. μάρσιππος, positum pro Sacculo quo pars dolens fovetur. [Hippocr. p. 890, E, μαρσίπιον, Marsupium aut Sacculus dicitur quo anus fovetur. Scribitur etiam μαρσύπιον et μαρσύππιον. Foes. Μάρσιπον permutatum cum ἄρσιχον v. ap. Diod. 20, 41. Inter μαρσίππῳ, μαρσυπίῳ, μαρσυπείῳ, μαρσιππείῳ variant libri Sirach. 18, 33. Sed forma per diphthongum non videtur Græca. Forma μάρσιπος s. μάρσιππος est aliquoties in aliis V. T. locis, μαρσίππιον Prov. 1, 14.] Ap. Eund. reperio Μαρσίπεοι [μάρσιπποι Salmas.] quoque, expositum non solum σάκκοι, sed etiam γαστρίμαργοι : quoniam forsitan τῶν γαστριμάργων ventres æque capaces sunt atque vel amplissimi sacci. [Usum vocabuli neque Pollux magnopere probat 10, 152, εἰ δὲ καὶ τῷ μαρσιπίῳ τις χρῆσθαι βούλοιτο, βοηθήσει αὐτῷ Ἀπολλόδ. ὁ Καρ., et aperte improbant Mœris p. 96 et Thomas p. 139, recte tradentes βαλάντιον Atticos dicere.]

[Μαρτιάλιος, ὁ, n. pr. Latinum Martialis. Herodian. 4, 13, 2. Boiss.]

[Μάρτις. V. Μαρνάν.]

[Μαρτιχώρας. V. Μαντιχώρας.]

Μάρτυρ, υρος, ὁ, ἡ, Testis. [Hom. H. Merc. 372 : Οὐδὲ θεῶν μακάρων ἄγε μάρτυρας οὐδὲ κατόπτας. Simonides Anth. Pal. 13, 28, 5 : Οἵ τόνδε τρίποδά σφισι μάρτυρα Βαχχίων ἀέθλων θήκαντο. Pind. Ol. 1, 34 : Ἁμέραι δ' ἐπίλοιποι μάρτυρες σοφώταται· Nem. 3, 22 : Κείνων, ἥρως θεὸς ἃς ἔθηκε ναυτιλίας ἐσχάτας μάρτυρας κλυτάς. Æsch. Eum. 318 : Μάρτυρες ὀρθαὶ τοῖσι θανοῦσιν παραγιγνόμεναι. Soph. Tr. 1248 : Τούτων μάρτυρας καλῶ θεούς. Eur. Phœn. 491 : Μάρτυρας δὲ τῶνδε δαίμονας καλῶ.] Xen. Cyrop. 4, [6, 10] : Θεοὶ δὲ ἡμῖν μάρτυρες ἔστωσαν. Plato Polit. [p. 340, A] : Τί δεῖται μάρτυρος; αὐτὸς γὰρ ὁ Θρασύμαχος ὁμολογεῖ. Æschin. [p. 70, 24] : Ἴστε τούτους αὐτοὶ, καὶ οὐδὲν ἑτέρων δεῖσθε μαρτύρων, τέλη πεπραχότας. Dem., Μάρτυρες τῆς ὕβρεως. Idem In Mid. : Μάρτυρές εἰσιν ἕτοιμοι τούτοις καὶ συνήγοροι πάντες εὐτρεπεῖς καθ' ἡμῶν. Sicut vero Latini dicunt Citare s. Adducere testem, ita Græci καλεῖν et ἐπάγεσθαι. Dem. Pro cor. : Ὅτι ταῦτ' ἀληθῆ λέγω, κάλει μοι τούτων τοὺς μάρτυρας· quæ verba habentur et in Or. c. Mid. [Aristoph. Vesp. 936 : Τοὺς μάρτυρας γὰρ ἐσκαλῶ.] Isocr. in Helen. Enc. [p. 215, C] : Οὐ γὰρ δὴ μάρτυρά γε πιστότερον οὐδὲ κριτὴν ἱκανώτερον ἔξομεν ἐπαγαγέσθαι. Sic Idem in Orat. πρὸς Τιμόθεον dicit μάρτυρας παρασχέσθαι, Testes producere. Et Plato Leg. [7, p. 823, A : Τὸ παρὸν ἡμῖν τὰ νῦν οἷον μάρτυρα ἐπαγόμεθα·] 8, [p. 836, C, ubi est ὑμῖν παραγόμενος] : Μάρτυρα φύσιν παρέχομαι, Testem profero naturam. [Xen. H. Gr. 1, 7, 6.] Et e Xen. [Cyrop. 1, 6, 16] : Μάρτυρες παρίστανται, Testes producuntur. [Aristoph. Vesp. 937 : Λάβητι μάρτυρας παρεῖναι τρύβλιον, δοίδυκα κτλ. Nub. 1152 :

A Κεἰ μάρτυρες παρῆσαν ὅτ' ἐδανειζόμην;] Item παρίστασθαι, ἐπιθέσθαι, ποιεῖσθαι μάρτυρας dicitur, ut Lat. Adhibere et Constituere testes. Hesiod. Op. [369] : Καί τε κασιγνήτῳ γελάσας ἐπὶ μάρτυρα θέσθαι. [Sic Eurip. Suppl. 261 : Θεούς τε καὶ γῆν τήν τε πυρφόρον θεὰν Δήμητρα θέμεναι μάρτυρ' ἡλίου τε φῶς.] Plut. De def. orac. [p. 435, E] : Ἀπολογήσομαι δὲ, μάρτυρα καὶ σύνδικον ὁμοῦ Πλάτωνα παριστάμενος, Platonem testem simul et patronum adhibens. Thuc. 4, [87] : Μάρτυρας μὲν θεοὺς καὶ ἥρωας τοὺς ἐγχωρίους ποιήσομαι ὡς ἐπ' ἀγαθῷ ἥκων οὐ πείθω. [Xen. Conv. 4, 49 : Ἐφ' οἷς ἂν αὐτοὺς μάρτυρας ποιήσωμαι· Ag. 5, 7 : Μάρτυρας τοὺς πάντων ὀφθαλμοὺς τῆς σωφροσύνης ποιούμενος.] Dem. [p. 165, 15] : Μάρτυρας τοὺς θεοὺς ποιησάμενος, διαλήψομαι περὶ τῶν καθ' ἡμᾶς. Rursum Thuc. 4 : Μάρτυρας τοὺς Ἀθηναίους ἐποιεῖτο. Item ἀναστῆσαι μάρτυρας, quod Cic. dicit Excitare testes. Plato Leg. 11, [p. 937, A] : Ἐὰν δέ τις τινὰ δικάζοντα ἀναστήσηται μάρτυρα, Si quis quenquam judicium excitet ad dicendum testimonium. Item χρῆσθαι μάρτυρί τινι, ut ap. Cic. Teste uti. Aristot. Polit. 7 : Μάρτυρι

B τῷ θεῷ χρώμενοι· Rhet. 1, [c. 16, 3] : Ἀθηναῖοι Ὁμήρῳ μάρτυρι ἐχρήσαντο περὶ Σαλαμῖνος. Item μὴ παρόντων μαρτύρων, Aristoph. [Nub. 777. (Eadem signif. Eccl. 448, 451 : Μαρτύρων ἐναντίον. Xen. Conv. 4, 28 : Ἐναντίον τοσούτων μαρτύρων.) Eur. Hipp. 972 : Νεαροῦ παρόντος μάρτυρος σαφεστάτου. Λαμβάνειν Eur. Herc. F. 187 : Οὐ γὰρ ἔσθ' ὅπου ἐσθλόν τι δράσας μάρτυρ' ἂν λάβοις πάτραν. Ἔχειν Hipp. 404 : Ἐμοὶ γὰρ εἴη μήτε λανθάνειν καλὰ μήτ' αἰσχρὰ δρώσῃ μάρτυρας πολλοὺς ἔχειν. Καθάπτεσθαι Herodot. 8, 65 : Ταῦτα ἔλεγε Δημαρήτου τε καὶ ἄλλων μαρτύρων καταπτόμενος], Nemine præsente, qui testimonium ferre possit : quod Latini dicunt Remotis arbitris. Contra ἐπὶ μαρτύρων et διὰ μαρτύρων, Adhibitis testibus, Præsentibus qui testari possint. Plut. [Mor. p. 338, F] : Τοῦτο εἰσποίησις ἦν Ἀλεξάνδρου διὰ θεῶν μαρτύρων· postquam sc. ascripserat hæc Darii verba, Εἰ δὲ οἴχεται τὰ ἐμὰ, Ζεῦ πατρῷε Περσῶν καὶ βασίλειοι θεοὶ, μηδεὶς εἰς τὸν Κύρου θρόνον ἄλλος ἢ Ἀλέξανδρος καθίσειε. Xen. Hell. 6, [5, 41] : Οὐχ ἐπ' ὀλίγων μοι δοκοῦσι μαρτύρων νῦν ἂν εὖ παθεῖν ὑφ' ἡμῶν, ἀλλ'

C εἴσονται μὲν ταῦτα θεοὶ, Non paucos esse arbitror, qui testari queant quanta nunc in eos a nobis conferantur beneficia. [Ages. 3, 1 : Ὅσα μετὰ πλείστων μαρτύρων ἐπράχθη. Æsch. Suppl. 934 : Οὔτοι δικάζει ταῦτα μαρτύρων ὕπο Ἄρης. Eur. fr. Phœnicis ap. Æschin. p. 22, v. 2 : Καὶ πόλλ' ἁμιλληθέντα μαρτύρων ὕπο. || Cum neutro Erasistratus ap. Galen. vol. 3, p. 171 : Ὅτι μὲν ἀναγκαία ἐστὶν ἀποκρίνασθαι (ἡ ὑγρασία) πολλὰ τῶν ἐπιγινομένων παθῶν μάρτυρες. Legendum μαρτυρεῖ. L. D.] || Apud Christianos autem μάρτυρες peculiariter dicuntur Qui non oris modo confessione sed etiam suo sanguine Christi doctrinam sanciverunt : quo voc. Latini Theologi pariter utuntur. [Chrysost. Hom. 47 in Acta Apost. : Διὰ τοῦτο ἐκεῖνοι λέγονται μάρτυρες ὅτι κελευόμενοι ἐξομόσασθαι, πάντα ὑπομένουσιν, ἵνα τὴν ἀλήθειαν εἴπωσιν. Ducang. Ceterum conf. Μάρτυρος et Μάρτυς.]

[Μαρτύραθλος, ὁ, ἡ, Qui ad martyris certamen pertinet. Theodor. Stud. p. 618, A : Μαρτύραθλον ἐξαποίσαντος τέλος. L. Dind.]

D Μαρτυρέω, Testor, Testificor, Testis sum. [Simonid. ap. Diod. 11, 11 : Μαρτυρεῖ δὲ Λεωνίδας. Pind. Ol. 13, 104 : Μαρτυρήσει Λυκαίου βωμὸς ἄναξ. Soph. OEd. T, 1032 : Ποδῶν ἂν ἄρθρα μαρτυρήσειεν τὰ σά. Eur. Iph. T. 965 : Φοῖβός μ' ἔσωσε μαρτυρῶν.] Dem. C. Neæram : Μαρτυροῦσι διαλλάξαι διαιτηταὶ γενόμενοι περὶ Νεαίρας, Testificantur se compromisso arbitros factos de Neæra. Pro cor. : Μαρτυροῦσιν οὗτοι παρεῖναι πρὸς τῷ διαιτητῇ, Testantur, Ajunt, Testes sunt. Idem [p. 1324, 24] : Καὶ ὡς εἰς τὴν ἀνάκρισιν καλούμενος οὐχ ὑπήκουσεν, οὐδὲ ἐπῆλθεν, ἀκηκόατε μαρτυρούντων τούτων, Audistis horum hominum testimonium. Plut. Pericle [c. 22] : Ὅτι δ' ὀρθῶς ἐν τῇ Ἑλλάδι τὴν δύναμιν τῶν Ἀθηναίων συνεῖχεν, ἐμαρτύρησεν αὐτὰ τὰ γενόμενα. Aliquando redditur potius Testimonium dico, do, perhibeo et impertio. Dem. C. Mid., de quibusdam, qui divitibus suam operam venditant, παρεῖναι καὶ μαρτυρεῖν, Sese advocatos et fautores illis adjungere, testimonioque suo adjuvare. Idem [p. 860, 19] : Οἱ δὲ μάρτυρες παραστησάμενοι τοὺς παῖδας, ὑπὲρ ὧν ἐμαρτύρησαν, πίστιν ἐπιθεῖναι ἠθέλησαν κατ' ἐκείνων, Quibus ipsi testimonium perhibuerant. Sic dicitur ἀληθῆ μαρτυρεῖν et ψευδῆ μαρτυρεῖν, Verum perhibere testimonium, vel falsum. Dem.: Αὐτοῖς, ὡς ἀληθῆ μεμαρτυρηκόσιν, οὐχ ἐπεσκήψατο, οὐδ' ἐπεξέρχεται τῶν ψευδομαρτυριῶν [conf. p. 854, 15], Eosque testes ut vera testificatos, tum falsi non postulavit. [Id. p. 904, 12; 850 extr.] Ap. Athen. 6, ex Comico, Ἡ συκοφαντεῖν κατ' ἀγορὰν ἢ μαρτυρεῖν ψευδῆ. [Aristoph. Eccl. 561: Οὐδαμοῦ δὲ μαρτυρεῖν (ἔσται τὸ λοιπὸν), οὐ συκοφαντεῖν.] Plato Leg. 11, [p. 937, B]: Ἐὰν ἐπισκηφθῇ τὰ ψευδῆ μαρτυρῆσαι, Si testis insimuletur falsi testimonii. Dem. Pro cor.: Τὰ ἐναντία ἐμαρτύρει τῇ πατρίδι. Idem, μαρτυρεῖν ὁτιοῦν, Nihil non testificari, h. e. Quibuslibet rebus suum impertire testimonium. Soph. [Aj. 354]: Ἔοικας ὀρθὰ μαρτυρεῖν. [Idem cum infinitivo Tr. 422: Τίς σοι μαρτυρήσει ταῦτ' ἐμοῦ κλύειν παρών; OEd. C. 1265: Μαρτυρῶ κάκιστος ἀνθρώπων τροφαῖς ταῖς σαῖσιν ἥκειν. Eur. Hipp. 977: Οὐ μαρτυρήσει μ' Ἴσθμιος Σίνις ποτὲ κτανεῖν ἑαυτόν. Xen. Vectig. 1, 3. Cum participio Dionys. A. R. 8, 46: Ἔχομεν αὐταῖς μαρτυρεῖν ... συνεχῶς τε παραγινομέναις, καὶ συναλγούσαις. V. Μαρτυρητέον.] Interdum cum dat., una cum accus. [Pind. Ol. 6, 21: Τοῦτό γέ οἱ σαφέως μαρτυρήσω. Æsch. Ag. 494: Μαρτυρεῖ δέ μοι κόνις τάδε. Eur. Heracl. 219: Ἑλλὰς πᾶσα τοῦτο μαρτυρεῖ. Herodot. 5, 24: Τά τοι ἐγὼ συνειδὼς ἔχω μαρτυρέειν ἐς πρήγματα τὰ ἐμά. Eodemque modo sæpe apud Platonem et alios quosvis.] Dem. C. Mid.: Ἐμοὶ δὲ οὐδὲ τἀληθῆ μαρτυρεῖν ἐθέλοντας ὁρᾶτε ἐνίους. Xen. Cyrop. 8, [8, 1]: Αὐτὴ ἑαυτῇ μαρτυρεῖ· et [ib. 27]: Εἰ δέ τις τἀναντία ἐμοὶ γιγνώσκει, τὰ ἔργα αὐτῶν ἐπισκοπῶν, εὑρήσει αὐτὰ μαρτυροῦντα τοῖς ἐμοῖς λόγοις, Testimonium perhibere iis quæ dixi, Suo testimonio comprobare quæ a me dicta sunt. Lucian. De luctu [c. 23]: Μαρτυροῦντες παρὰ τοῖς κάτω δικασταῖς τῷ νεκρῷ, Testimonium mortuo perhibentes, pro mortuo dicentes. Ap. Dem. aliquoties, μαρτυρεῖ Δημοσθένει, Pro Demosthene testificatur, Demostheni testimonium perhibet, Colum., Plin.; Demostheni testimonium impertit, Cic. [Æsch. Eum. 594: Μαρτυρεῖ δέ μοι. Soph. Tr. 899: Ὥστε μαρτυρεῖν ἐμοί. Eur. Ion. 532: Μαρτυρεῖς σαυτῷ. Aristoph. Eccl. 569: Ὥστε σέ γε μοι μαρτυρεῖν. Herodot. 2, 18: Μαρτυρέει δέ μου τῇ γνώμῃ ὅτι κτλ. et iisd. verbis 4, 29. Utroque l. est var. μοι. Et 8, 94: Μαρτυρέει δέ σφι καὶ ἡ ἄλλη Ἑλλάς. Xen. Anab. 7, 6, 39.] || Μαρτυρῶ σοι, Testimonium laudis tibi tribuo, Testimonio meo te orno. Ad Gal. 4, [15]: Μαρτυρῶ γὰρ ὑμῖν ὅτι, εἰ δυνατὸν, τοὺς ὀφθαλμοὺς ὑμῶν ἐξορύξαντες ἂν ἐδώκατέ μοι, Hoc vobis laudis impertio testimonium, Hoc vobis testimonium perhibeo. [V. infra.|| Μαρτυρῶ τινί τι et infra in passivo μαρτυρεῖταί τι μοι, Dionys. A. R. 11, 1: Ῥᾶστα οἱ ἄνθρωποι τά τ' ὠφελοῦντα καὶ βλάπτοντα καταμανθάνουσιν, ὅταν ἐπὶ παραδειγμάτων ταῦτα πολλῶν ὁρῶσι, καὶ τοῖς ἐπὶ ταῦτα παρακαλοῦσιν αὐτοὺς φρόνησιν μαρτυροῦσι καὶ πολλὴν σοφίαν.] || Μαρτυρεῖν τινὶ, aliquando capitur pro Concedere, Assentiri, Confiteri: nam qui aliquid concedit et fatetur, alicui assentitur, ei veluti veritatis testimonium tribuit. Xen. Apomn. 1, [2, 21]: Κἀγὼ δὲ μαρτυρῶ τούτοις, His assentior. Sic Dem. C. Mid.: Τῶν λόγων τούτους χρὴ δικαιοτάτους ἡγεῖσθαι, οὓς ἂν οἱ καθήμενοι τῷ λέγοντι μαρτυρῶσιν ἀληθεῖς εἶναι. [Paullo latiori signif., ut sit fere Adjuvare, Dio Chrys. Or. 40, p. 168: Καὶ μὴν ὅστις ἂν προθυμῆται τὰ περὶ τὴν πόλιν καὶ δύνηταί τι ποιεῖν ὑμῖν συμφέρον, ἐμὲ πρῶτον ἕξει τὸν μαρτυροῦντα καὶ συναγωνιζόμενον· ubi Reiskius præter v. μαρτυρία usum minus similem ap. Dionem Or. 45, p. 207, confert quæ annotavit ad l. Constantini in passivo citandum vol. 2, p. 375 ed. Bonn.: « Μαρτυρεῖν τινι habet Zosimus p. 346, 2, pro Bona et præclara de aliquo prædicare, et Theophanes p. 48, A, 7; et 64, C, 9: μαρτυρεῖν τινα εἰς ἐπισκοπὴν, Commendare, laudare aliquem, ut aptum episcopatui. *Boni* et *mali testimonii* in vet. chartis ap. Ducang. v. *Noctivagi*, sunt homines *bonæ* aut *malæ famæ*. Μαρτυρεῖν pro Celebrare est in vet. inscr. ap. Murator. p. MXXVI, 5: Γέγονα Ἄλκηστις ἐκείνη ἡ πάλαι φίλανδρος, ἣν καὶ θεοὶ καὶ βροτοὶ ἐμαρτύρησαν σωφροσύνης ἕνεκα.» || Significo, Declaro: et μαρτυρία Significatio. Basil. p. 51, et alibi. Ibid. ἐμφαίνω dicit pro eod., Bud. || Μαρτυρεῖν dicitur etiam de martyribus ap. Dionys. Areop. p. 192, et Chrys. in Ep. ad Ephes. p.

A 164, ut annotat Bud., qui μαρτυρέω interpr. Sum martyr, ut, Ὁ ἅγιος Στέφανος πρῶτος μαρτυρεῖ· et, Cruciatu in martyrio afficior, ap. Basil. Π. μετανοίας, p. 438. [Alia v. ap. Ducang. p. 883.] || Μαρτυρέομαι, Perhibeor, Testibus comprobor, Testimonio probor. [Plato Prot. p. 344, D: Ὥσπερ καὶ παρ' ἄλλου ποιητοῦ μαρτυρεῖται. Xen. Comm. 4, 8, 10: Οἶδα γὰρ ἀεὶ μαρτυρήσεσθαί μοι ὅτι ἐγὼ ἠδίκησα οὐδένα· Apolog. 26: Οἶδ' ὅτι καὶ ἐμοὶ μαρτυρήσεται ὑπὸ τοῦ ἐπιόντος χρόνου.] Phalar. Ariphradi [Ep. 127, p. 348]: Μαρτυρῇ γὰρ ὑπὸ πολλῶν ἀρίστην ἐπιείκειαν ἔχων παρὰ σεαυτοῦ. Hæc Bud., cui μαρτυροῦμαι est etiam Prædicor, Perhibeor, in hoc l. Gregorii: Τὸν τελώνην ἐν ὕψωσεν, ἡ ταπείνωσις, οὐδὲν ἄλλο μαρτυρηθέντα. [Eadem constructione Plut. Mor. p. 58, A: Μιθριδάτῃ τῷ βασιλεῖ φιλιατροῦντι καὶ τεμεῖν ἔνιοι καὶ καῦσαι παρέσχον αὑτοὺς τῶν ἑταίρων, ἔργῳ κολακεύοντες, οὐ λόγῳ· μαρτυρεῖσθαι γὰρ ἐμπειρίαν ἐδόκει πιστευόμενος ὑπ' αὐτῶν, Testimonium peritiæ suæ ferre videbatur, Int. Conf. l. Luciani ap. HSt. sub finem cit. Significatio a Bud. posita vero locum habet ap. Athen. 1, p. B 25, F: Μαρτυροῦνται καὶ Χῖοι οὐκ ἔλαττον τῶν προειρημένων ἐπὶ ὀψαρτυτικῇ. Τιμοκλῆς, Χῖοι πολὺ ἄριστ' ἀνευρήκασιν ὀψαρτυτικήν.] Ap. Eund., Μαρτυρούμενος ὑπὸ τοῦ πνεύματος, Cui spiritus testimonium perhibet. 1 Tim. 5, [10]: Χήρα ἐν ἔργοις καλοῖς μαρτυρουμένη, Cui recte facta testimonium perhibent: ἣ μαρτυρεῖ τὰ ἔργα τὰ ἑαυτῆς, ut Xen. loquitur. Ad Rom. 3, [21]: Μαρτυρουμένη ὑπὸ τοῦ νόμου, Legis testimonio comprobata. [Constantin. Cærim. p. 227, B: Εἰσὶν δ' σιλεντιάριοι ἐξ ὑπολήμψεως χρηστῆς καὶ βίου μεμαρτυρημένοι σεμνοῦ, Vitæ honestate commendati. V. in activo dicta. Alia constr. Dionys. A. R. 2, 26: Τῆς Σόλωνος καὶ Πιττακοῦ νομοθεσίας, οἷς πολλὴ μαρτυρεῖται σοφία. De qua et ipsa conf. dicta in activo.] || Μαρτυρέομαι active quoque capitur pro μαρτυρέω, Testor, Testificor. Lucian. [De sacrif. c. 10]: Ὁ δ' Ἀθηναῖος σέβει τὴν Ἀθηνᾶν· μαρτυρεῖται γοῦν τὴν οἰκειότητα τῷ ὀνόματι, Necessitudinem nomine testatur et significat. [Passive potius dici ostendit locus Plut. Mor. p. 58, A, supra citatus. Neutri enim accommodatum μαρτύρομαι, quod alibi ab librariis in C μαρτυροῦμαι corruptum invenitur, ut ap. Diod. 4, 54: Θεοὺς μαρτυρουμένης, ubi μαρτυρομένης restitui ex libro optimo. L. Dind.]

Μαρτύρημα, τὸ, Testimonium, Quod testimonio perhibetur, Eur. [Suppl. 1204: Κἄπειτα σώζειν θεῷ δὸς ᾧ Δελφῶν μέλει, μνημεῖά θ' ὅρκων μαρτύρημά θ' Ἑλλάδι.]

[Μαρτυρητέον, Testandum. Diosc. Præf. p. 1, C: Πλὴν τοῖς μὲν ἀρχαίοις μαρτυρητέον, μετὰ τῆς ὀλιγότητος τῶν παραδοθέντων καὶ τὴν ἀκρίβειαν προσπαραλαβοῦσι, τοῖς μέντοι νέοις οὐ συγκαταθετέον. Int., Priscis hoc dandum elogii, etsi pauca tradiderint, accurate tamen in iis ipsis elaborasse. Sic verbum cum participio loco infinitivi posito constructum notavimus supra.]

Μαρτυρία, ἡ, Testimonium, Id ipsum, quod a teste dicitur. [Hom. Od. Λ, 325: Διονύσου μαρτυρίῃσιν.] Plut. De frat. carit. [p. 487, C]: Μαρτυρίας ποτὲ γραμματεῖον ἐπισφραγισάμενος, Testimonium per tabulas datum obsignans. Et παρέχειν ac ἐμβάλλεσθαι μαρτυρίαν, Producere testimonium. Isocr. Archid.: Πῶς ἂν μαρτυρίαν μείζω καὶ σαφεστέραν παράσχοι τις τούτων; [Πα-D ρέχεσθαι Plato Conv. p. 179, B.] Dem. [p. 1266, 17]: Ἐμβάλλεται μαρτυρίαν ψευδῆ, καὶ ἐπιγράφεται μάρτυρας ἀνθρώπους, οὓς οὐδ' ἂν ὑμᾶς ἀγνοήσειν οἴομαι, Profert falsum testimonium, testesque laudat, quorum testimonio usurus est, Bud., dicens ἐπιγράφεσθαι ibi significare Scripto edere. Aliud ex eod. Dem. exemplum habes ap. Eund. p. 296. [M. μαρτυρεῖν in Eryxia p. 399, B.] Et μαρτυρίαν γράφειν, Testimonium denuntiare, Bud. ex Æsch. p. 12 [7, 11 et 24. Aristoph. Vesp. 1041: Μαρτυρίας συνεκόλλων· Eq. 1316: Μαρτυριῶν ἀπέχεσθαι.] Aliquando significat potius Ipsam testimonii dictionem, ut et Lat. Testimonium: et proprie ὅταν τις αὐτὸς ἰδὼν μαρτυρῇ, Pollux [8, 36]; nam ab ἐκμαρτυρία distinguitur. Aristoph. Vesp. [1438]: Εἰ ... τὴν μαρτυρίαν ταύτην ἐάσας ἐν τάχει, Ἐπίδεσμον ἐπρίω, νοῦν ἂν εἶχες πλείονα, Omisso isto testimonio, Omittens dicere testimonium. Plut. Apophth. [p. 186, C]: Πρὸς φίλον τινὰ μαρτυρίας ψευδοῦς δεόμενον. Hesiod. Op. [280]: Ὃς δέ κε μαρτυρίῃσιν ἑκὼν ἐπίορκον ὀμόσσας ψεύσεται, In dicendo testimonio. Ap. Hom. autem accipitur pro Dictione testimonii contra aliquem, sicut et ab Eust. exp. καταμαρτυρία et κατηγορία : Od. [Λ, 325] : Πάρος δέ μιν Ἄρτεμις ἔσχε Δίῃ ἐν ἀμφιρύτῃ, Διονύσου μαρτυρίῃσι. [Hesychius ex hoc l., ut videtur, Μαρτυρίῃσι, βουλήσεσιν, ἐντολαῖς. Idem : Μαρτυρίαι, βουλήσεις.] Accipitur etiam pro Elogio, sicut et Lat. Testimonium. Synes. : Ἐπεὶ δὲ τυγχάνω ὢν ὑπερόριος, ἐν γράμμασιν αὐτοῦ μαρτυρίαν κατατιθέμεθα, De eo elogium memoriæ mando, testimoniumque literis perhibeo et prodo, Bud. || Μαρτυρία pro Significatio, v. in Μαρτυρέω. || Μαρτυριῶν ἀπέχεσθαι ex Aristoph. [Eq. 1316] affertur pro Abstinere a vocationibus in judicium. [I. q. μαρτύριον. Clem. Al. Strom. 4, p. 451, ubi de Hæreticis : Μαρτυρίαν ἀληθῆ εἶναι τὴν τοῦ ὄντως ὄντος γνῶσιν θεοῦ. Martyrium S. Samonæ et sociorum Ms. : Ἐκέλευσε προσταλαιπωρεῖν τῇ κοινωνίᾳ τῆς μαρτυρίας. Vita Ms. S. Barbaræ : Ἐτελειώθη ἡ μ. αὐτῆς ἐν καλῇ ὁμολογίᾳ. Sozom. H. E. 2, 13 : Ἐπὶ ταύτης τῆς ἡγεμονίας μαρτυρίᾳ τοῦ βίου περιέστησαν ... πλῆθος ἀναρίθμητον. Et c. seq. : Τὴν μ. ἐπετέλεσαν. Ducang.]

[Μαρτυριανοί, οἱ, dicti Hæretici Massaliani, quia ex suis nonnullos ab Orthodoxis occisos Martyribus accenserent, ut scribunt Nicetas l. 4 Thes. fidei Cathol. p. 237, Auctor de initiis Hæreseon n. 80, etc. Ducang.]

[Μαρτυρίζω, Martyrio afficio. Triodium ubi de Theodoro Tycone : Τοῦτον τὸν μέγαν ὁ δυσσεβὴς Βρίγγας ἐπὶ Μαξιμίνου ἐμαρτύρισεν. Athanasius in Vita S. Antonii p. 64, πόθον μαρτυρῆσαι (?) dixit. || Martyrium subeo. Martyrium Ms. SS. xl martyrum Sebasteorum : Ὡς ἐζήσαμεν ὁμοφρόνως καὶ ὁμοψύχως, οὕτω καὶ μαρτυρίσωμεν. Ducang. Qui etiam exx. Latini verbi *martyrizo* intransitive dicti addit : sed in l. citato reponendum videtur μαρτυρήσωμεν.]

Μαρτυρικός, ή, όν, Qui martyrum est. Gregor. Macc. Enc. [Or. 22, p. 401, A. Boiss.] : Ἵν' ἔχητε τύπον ὥσπερ ἀθλήσεως, οὕτω καὶ λόγων μαρτυρικῶν, Orationis martyrum. [Μαρτυρικῶς ὑπὲρ Χριστοῦ διαγωνίσασθαι, ut loquitur Andreas Cæsar. In Apocalypsin. Georg. Sync. p. 286 de Maccabæis : Τὸν βίον κατέλυσαν θανάτῳ μαρτυρικῷ. Ducang. Gl. p. 883. Μαρτυρικῶς ἀθλεῖν, Martyrii certamen inire, Mich. Syncell. Laudatione Dionysii Ar. p. 377, 10. Μαρτυρικὰ αἵματα, idem ib. p. 378 med. Boiss. Μαρτυρικόν, τό, Troparium in honorem Martyrum, ᾆσμα τῶν μαρτύρων, ap. Symeon. Thessalon. De sacris ordinat. c. 4, p. 136, et ap. alios. Μαρτύρια vocantur a Balsamone in Canone 52 Synodi Trullanæ. Ducang. p. 884.]

Μαρτύριον, τό, itidem Testimonium, Quod testimonii loco affertur : interdum pro ipso Teste. Plut. [Mor. p. 293, A], explicans quæ φυξίμηλα φυτὰ dicantur : Ὅταν ἀναδραμόντα μέγεθος λάβῃ καὶ διαφύγῃ τὸ βλάπτεσθαι ὑπὸ τῶν ἐπιγενομένων, φυξίμηλα καλεῖται· τὸ δὲ μαρτύριον Αἰσχύλος, Id quod Æschyli testimonio comprobatur. [Pind. Isthm. 3, 28 : Μαρτύρια φθιμένων ζωῶν τε φωτῶν. Æsch. Ag. 1095 : Μαρτυρίοισι γὰρ τοῖσδ' ἐπιπείθομαι. Et alibi. Herodot. 8, 55 : Ἔστι ἐν τῇ ἀκροπόλι (Athen.) Ἐρεχθέος νηός, ἐν τῷ ἐλαίη καὶ θάλασσα ἔνι· τὰ λόγος παρὰ Ἀθηναίων Ποσειδεῶνά τε καὶ Ἀθηναίην, ἐρίσαντας περὶ τῆς χώρας, μαρτύρια θέσθαι, i. fere q. Pignora. Ib. 120 : Μέγα δὲ καὶ τόδε μαρτύριον.] Frequenter accipitur pro Argumento et indicio, quo aliquid veluti testimonio confirmatur. Thuc. 3, [11] : Ἅμα γὰρ μαρτυρίῳ ἐχρῶντο, schol. τεκμηρίῳ. Aristot. Eth. 2, 2 : Δεῖ γὰρ ὑπὸ τῶν ἀφανῶν τοῖς φανεροῖς μ. χρῆσθαι. Plut. Symp. 8, [p. 734, F] : Ὅτι δέ ἐστι τῶν βρωμάτων ἔνια δυσόνειρα, μαρτυρίοις ἐχρῶντο τοῖς κυάμοις καὶ τῇ κεφαλῇ τοῦ πολύποδος. [Cum eodem verbo Plato Conv. p. 196, E. Xen. Cyrop. 1, 2, 16 : Καὶ νῦν ἔτι ἐμμένει μαρτύρια· Anab. 3, 2, 13 : Μέγιστον μ. ἡ ἐλευθερία. Ab librariis μαρτυρία sæpius suppositum pro μαρτύρια, ut in l. Cyrop., et ap. Pausan. 8, 41, 9, et ap. eund. ib. 25, 8 : Ἐπάγονται δὲ ἐξ Ἰλιάδος ἔπη καὶ ἐκ Θηβαΐδος μαρτύρια σφίσιν εἶναι τῷ λόγῳ· 9, 29, 2 : Μαρτύρια ποιεῖται τῷ λόγῳ τὰ Ἡγησίνου ἔπη. Quo cum verbo conjungit etiam Strabo 10, p. 481. Similiter Plut. Thes. c. 32 : Μαρτύρια ταυτὶ τὰ ἔπη παρέχεται.] || Μαρτύριον, pro Loco, ubi sunt martyris alicujus reliquiæ, affertur ex Can. 6 Conc. Chalced. [Jo. Chrys. In Babyl. 1, vol. 5, p. 441, 10. Seager. Alia plurima exx. v. ap. Ducang.]

[Μαρτύριος, ὁ, Martyrius, n. viri ap. Synes. Ep. 47 et 90, Procop. Gaz. Epist. 59 Maianæ. Boiss. Aliorum in Isidori Pel. Epistolis et Menologio ap. Bandin. Catal. Bibl. Med. vol. 1, p. 154, ξϛ'.]

[Μαρτῠρογράφιον, τό, i. q. μαρτυρολόγιον, vel certe Martyrii alicujus sancti historia. Theodor. Icon. Epist. de martyrio SS. Cyrici et Julittæ Ms. initio (p. 231-2 Combef. Boiss.) : Ταῦτά σου τὰ θεῖα γράμματα δεξάμενος καὶ μετὰ συντόνου σπουδῆς τὸ μ. τῶν ἁγίων Κηρύκου καὶ Ἰουλίττης τῆς αὐτοῦ μητρὸς μετὰ χεῖρας λαβών. Occurrit ibi rursum semel ac iterum. Ducang. Theodor. Stud. p. 365, D.]

[Μαρτῠρολόγιον, τό, Historia martyrum, quales plures supersunt, de quibus Fabric. B. Gr. vol. 10, p. 148 seqq. ed. Harl.]

Μαρτύρομαι, Testor, Attestor, Testificor, Testatum facio, Denuntio. Ad Galat. 5, [3] : Μαρτύρομαι δὲ πάλιν παντὶ ἀνθρώπῳ περιτεμνομένῳ, ὅτι ὀφειλέτης ἐστὶν ὅλον τὸν νόμον ποιῆσαι. [Eustath. Il. p. 1221, 33 : Ὡς αἱ ἱστορίαι μαρτύρονται.] Item Testor, h. e., Testem cito, In testimonium voco, Testem invoco. Plato De rep. 2, [p. 364, D] : Οἱ δὲ τῆς τῶν θεῶν ὑπ' ἀνθρώπων παραγωγῆς τὸν Ὅμηρον μαρτύρονται, Quod dii precibus hominum et muneribus flectantur, Homerum testem citant. Dinarch. p. 88 [98, 18] : Μαρτύρομαι τὰς σεμνὰς θεάς. Synes. : Ταῦτα θεόν, ταῦτα ἀνθρώπους μαρτύρομαι. [Eadem constr. poeta novitius ap. schol. Soph. OEd. C. 1375 : Ὦ θεοί, μαρτύρομαι ἐγὼ τάδ' ὑμᾶς. Cum genit. Appian. Civ. 2, 47, p. 239, 97 : Μαρτυράμενος ἐμαυτὸν τῆς ἐς ὑμᾶς μέχρι δεῦρο φιλοτιμίας, χρήσομαι τῷ πατρίῳ νόμῳ· 5, 129, p. 878, 89 : Τοὺς ἀποστάντας ἐμαρτύρατο τῆς ἐπιορκίας.] Lucian. [De calumnia c. 5] : Τὰς χεῖρας ὀρέγοντα εἰς τὸν οὐρανόν, καὶ μαρτυρόμενον τοὺς θεούς, i. e. μάρτυρας ἐπικαλούμενον καὶ βοηθούς, ut Plut. loquitur. Idem in Alcibiade, Χαλεπῶς φέροντα καὶ μαρτυρόμενον θεοὺς καὶ ἀνθρώπους. [Aristid. c. 18, et al. Soph. OEd. C. 813 : Μαρτύρομαι τούσδε. Eurip. Phœn. 626 : Τὴν δὲ θρέψασάν με γαῖαν καὶ θεοὺς μαρτύρομαι· Hippol. 1451 : Ἄρτεμιν μαρτύρομαι· Med. 22 : Θεοὺς μαρτύρεται οἵας ἀμοιβῆς κυρεῖ· 619 : Δαίμονας μαρτύρομαι ὡς... θέλω· Iph. A. 78 : Ὅρκους... μαρτύρεται ὡς χρὴ βοηθεῖν.] Aristoph. Pl. [932] : Ὁρᾷς ἃ ποιεῖ, ταῦτ' ἐγὼ μαρτύρομαι, Horum te testem voco. Verba sunt sycophantæ : quibus subjicit Carion, Ἀλλ' οἴχεται φεύγων ὃν ἦγες μάρτυρα. Ita Bud. ; sed in vulg. edit. legitur ποιεῖς, non ποιεῖ. [Cum dat. pers. Judith. 7, 28 : Μαρτυρόμεθα ὑμῖν τὸν οὐρανὸν καὶ τὴν γῆν καὶ τὸν θεὸν ἡμῶν, ... ἵνα μὴ ποιήσῃ κατὰ τὰ ῥήματα ταῦτα. Ejusdem constructionis ex., sed diversæ signif., annotatum in verbis Suidæ illatis : Μαρτύρομαί σοι χελιδόνα, ἴσον τῷ ἀποδείκνυμι.] Nonnunquam μαρτύρομαι absolute dicitur pro μαρτύρομαι θεοὺς καὶ ἀνθρώπους, Testes invoco deos hominesque, Quiritor. Thuc. 6, [80] : Δεόμεθα δὲ καὶ μαρτυρόμεθα ἅμα, εἰ μὴ πείσομεν, ὅτι ἐπιβουλευόμεθα μὲν Ἰώνων ἀεὶ πολεμίων, προδιδόμεθα δὲ ὑπὸ ὑμῶν. Lucian. [Tim. c. 46] : Παίεις, ὦ Τίμων ; μαρτύρομαι, ὦ Ἡράκλεις, ἰού, ἰού, προκαλοῦμαί σε τραύματος εἰς Ἄρειον πάγον· verba ejus, qui pulsabatur ligone. [Aristoph. Pac. 1119 : Μαρτύρομαι· Av. 1031 : Μαρτύρομαι τυπτόμενος. Eadem constr. Eur. Herc. F. 858 : Ἥλιον μαρτυρόμεσθα δρῶσ' ἃ δρᾶν οὐ βούλομαι. Cum infinitivo Æsch. Eum. 643 : Ὑμᾶς δ' ἀκούειν ταῦτ' ἐγὼ μαρτύρομαι. Thuc. 8, 53 : Μαρτυρομένων καὶ ἐπιθειαζόντων μὴ κατάγειν, si infin. ad utrumque verbum refertur. Cum accus. rei Plato Phileb. p. 47, D : Ταῦτα τότε μὲν οὐκ ἐμαρτυράμεθα, νῦν δὲ λέγομεν. υ]

[Μαρτῠροποιέομαι, Testem facio. Phurnutus c. 16, p. 169 Gal. : Μαρτυροποιούμενος τὸν Ἑρμῆν. Inscriptio Daulidis ap. Walpole p. 460 (Bœckh. vol. 2, p. 850, n. 1732, 8 : Ἐμαρτυροποιήσαντο ἀπόφασιν ἀντιγεγράφθαι). Schneid. Schol. Hom. Il. X, 254 : Μαρτυροποιησώμεθα.]

[Μαρτυροποίημα, τό, Contestatio, Testificatio, Gl.]

[Μαρτυροποιία, ἡ, Testificatio, Gl.]

Μάρτῠρος, ὁ, Testis, i. q. μάρτυρ : unde et derivari putatur, licet alii illud ex hoc deductum velint. Hom. Od. Ξ, [394] : Μάρτυροι ἀμφοτέροισι θεοὶ τοὶ Ὄλυμπον ἔχουσι· Il. X, [255] : Ἀλλ' ἄγε δεῦρο θεοὺς ἐπιδώμεθα· τοὶ γὰρ ἄριστοι Μάρτυροι ἔσσονται καὶ ἐπίσκοποι ἁρμονιάων· A, [338] : Τὼ δ' αὐτὼ μάρτυροι ἔστων. [Sing.

Hom. Od. Π, 423 : Ἱκέτας, οἷσιν ἄρα Ζεὺς μάρτυρος. A
Plur. inscr. Delph. ap. Bœckh. vol. 1, p. 827, n. 1702, 15 : Μάρτυροι οἱ ἱερεῖς· p. 829, n. 1704, 15; p. 830, n. 1706, 17. L. DIND. Basilius in Epist. ad Chilonem : Ταῦτα τοίνυν ἑκουσίως καταδέδεγμαι, ἵνα λάβω ἅπερ τοῖς μαρτύροις τοῦ Χριστοῦ καὶ τοῖς ἄλλοις πᾶσιν ἁγίοις ἐπήγγελται. DUCANG. Memorant etiam Arcad. p. 72, 4, aliique grammatici.] Inde Μάρτυς factum esse volunt per sync. Herodian. vero μάρτυς communis esse linguæ tradit, at μάρτυρ Æolicum, unde μάρτυρος. Ab hoc autem μάρτυς nulli casus usitati sunt præter nominativum et accus. sing. et dat. [Theognis 1226 : Οὐδὲν, Κύρν', ἀγαθῆς γλυκερώτερόν ἐστι γυναικός· μάρτυς ἐγὼ, σὺ δ' ἐμοὶ γίγνου ἀληθοσύνης. Simonid. ap. Plut. Mor. p. 872, E : Οἳ καὶ κάλλιστον μάρτυν ἔθεντο πόνων. Pind. Pyth. 4, 167 : Ὅρκος ἄμμιν μάρτυς ἔστω Ζεύς· Nem. 7, 49 : Οὐ ψεῦδις ὁ μάρτυς ἔργμασιν ἐπιστατεῖ. Æsch. Cho. 987 : Ὡς ἂν παρῇ μοι μάρτυς ἐν δίκῃ ποτέ. Soph. Phil. 319 : Ἐγὼ δὲ χαὐτὸς τοῖσδε μάρτυς ἐν λόγοις. Eur. Hipp. 1022 : Εἰ μὲν γὰρ ἦν μοι μάρτυς οἷός εἰμ' ἐγώ· Herc. F. 176 : Σὺν μάρτυσιν θεοῖς δεῖ μ' ἀπαλλάξαι B
σέθεν.] Synes. : Μάρτυς θεὸς, Deus testis est : h. e., μάρτυρα θεὸν ποιοῦμαι, ut Idem alibi loquitur. Nonn. [Jo. c. 5, 125] : Μάρτυς ἐπάρχιος· pro quo Latinis dicitur Testis locuples. Lucian. [Jov. trag. c. 32] : Μάρτυς ὁ οἴκοθεν. [Et Aristid. vol. 2, p. 72. Herodot. 7, 52 : Τῶν σὺ μάρτυς γίνεαι.] Plato Epist. [2, p. 316, E] : Τούτων δὲ καὶ σὺ μάρτυς. Sic Aristoph. [Pl. 499] : Ἐγώ σοι τούτου μάρτυς, Sum tibi hujus rei testis. [Xen. Ages. 4, 5 : Ὡς ταῦτα ἀληθῆ πᾶσα μάρτυς ἡ πόλις.] Plut. Phoc. [c. 10] : Μάρτυν ἐπικαλούμενος ἅμα καὶ βοηθόν. Plato Epist. 7, [p. 345, B] : Πολλοῖς μάρτυσι μαχεῖται, τὰ ἐναντία λέγουσι. Dem. [p. 304, 6] : Λογισταῖς ἅμα καὶ μάρτυσι τοῖς ἀκούουσιν ὑμῖν χρώμενος. [Accus. μάρτυν et μάρτυρα ex Menandro annotavit Photius. Μάρτυσσι in fine scazontis Hipponax ap. schol. Lycophr. 579.]

[Μάρτυς. V. Μάρτυρος.]

[Μαρυανδεὺς, έως, ὁ, ap. Oppian. Cyn. 4, 165 : Ἰνδὸν ὑπὲρ δάπεδον Μαρυανδέα λαὸν ἀμείβων, interpretes conferunt cum Μαρούνδαις Ptolem. 7, 2.]

[Μαρυκάομαι, Μαρύκημα. V. Μηρυκάζω.] C

[Μαρυπτὸν, placentæ genus ap. Chrysippum Tyaneum, Athen. 14, p. 647, C.]

[Μαρψίας, ὁ, Marpsias, n. viri. Aristoph. Ach. 702. Ubi schol. annotat oratorem fuisse contentiosum et nugacem, Quæ fortasse finxit ex verbis poetæ. Inter adulatores Calliæ memoratur ab anon. ap. Suid. v. Βομβοῦσι. ἴᾶ.]

[Μάρων, ωνος, ὁ, Maro, f. Euanthis, Hom. Od. I, 197, Bacchi, ap. Eur. Cycl. 141. De vino Eur. ib. 411, 616, Cratinus ap. Poll. 6, 26. Laco ad Thermopylas occisus, ap. Herodot. 7, 227, Pausan. 3, 12, 9. V. etiam Μαρώνεια. ᾰ]

[Μᾰρώνεια, ἡ, Maronea. Πόλις Κικονίας κατὰ τὴν ἐν Θρᾴκῃ Χερρόνησον. (Sequuntur verba Hellanici, ut conj. Holst.) Τὸ ἐθνικὸν Μαρωνείτης. Καὶ Θηλυκῶς διὰ τοῦ ι καὶ Μαρωνὶς, ἀπὸ τῆς Μάρωνος γενικῆς. Καὶ Μαρωναῖος, ὡς ἀπὸ τοῦ Μαρώνη, Steph. Byz. Μαρώνειαν Thraciæ memorant Herodot. 7, 109, Demosth. p. 681, 26; 1213, 3, Strabo epit. 7, p. 332. Gent. Μαρωνιτων et Μαρωνειτων exx. sunt ap. Xen. Anab. 7, 3, 16, Demosth. p. 1213, 1, in numis ap. Mionnet. *Descr.* vol. 1, p. 388, *Suppl.* vol. 2, p. 336, quorum in nonnullis legitur nomen Μάρωνος cujusdam. || Μαρώνεια Atticæ est ap. Demosth. p. 967, 17, et Harpocrationem. || Apud Suidam ponitur etiam Μαρωνεῖτις φυλὴ, et in deterioribus libris Μαρώνειος οἶνος, de quo v. in Μάρων.] D

[Μαρωνὶς, ίδος, ἡ, Bacchica. Nonnus Dion. 1, 36 : Μαρωνίδος ἔμπλεον ὀδμῆς· 17, 22 : Μαρωνίδος ὀπώρης.]

[Μασαισυλία, ἡ, χώρα Λιβύης, προσεχὴς τῇ τῶν Μαυρουσίων. Τὸ ἐθνικὸν Μασαισύλιοι καὶ Μασαισυλεῖς καὶ Μασαισυλῖται, Steph. Byz. Μασαισύλιον ἔθνος ap. Suidam. Minus recte duplici σ Μασσαισ. ap. Polyb. 3, 33, 15; 16, 23, 6, et Strabonem sæpius. Nam Dionys. Per. 187 : Ἔνθα Μασαισύλιοί τε καὶ ἀγρονόμοι Μασυλῆες.]

[Μασανάσσης. V. Μασσανάσσης.]

[Μασανώραδα, πόλις Καρίας, ἀπὸ Μασανωράδου τοῦ Κινδάψου παιδός. Τὸ ἐθνικὸν Μασανωραδεὺς, Steph. Byz.]

Μᾰσάομαι, sive Μασσάομαι [hæc forma, quamvis frequens in libris, omittenda erat], Mando, Manduco. Eupolis ap. Athen. 2, [p. 52, D] : Δίδου μασᾶσθαι Ναξίας ἀμυγδάλας. Hegesippi Epicurus ap. Eund. [7, p. 279, D] : Τοῦ γὰρ μασᾶσθαι κρεῖττον οὐκ ἔστ' οὐδὲ ἕν. Sotades ap. Eund. 9, [p. 368, A] : Τοῦτον μασᾶται, παρακατεσθίει δ' ἐμέ. Idem Athen. 6, [p. 245, D] : Πολύκτορος τοῦ κιθαρῳδοῦ φακὴν ῥοφοῦντος καὶ λίθον μασησαμένου, Quum inter sorbendum lentem, lapidem mandisset. Theophr. H. Pl. 4, 9, de papyro : Πλείστη βοήθεια πρὸς τὴν τροφὴν ἀπ' αὐτοῦ γίνεται· μασῶνται γὰρ ἅπαντες οἱ ἐν τῇ χώρᾳ τὸν πάπυρον καὶ ὠμὸν καὶ ἑφθὸν καὶ ὀπτόν· καὶ τὸν μὲν χυλὸν καταπίνουσι, τὸ δὲ μάσημα ἐκβάλλουσι. Unde Plin. 13, 11 : Mandunt quoque crudum decoctumque, succum tantum devorantes. Ubi apparet quid proprie sit μασᾶσθαι, nempe mandendo succum exprimere, ut Luc. loquitur. In quibusdam tamen præcedentium ll. pro Comedere quoque aut Vorare capitur, ut et vox Latina tam ap. prosæ scriptt. quam poetas. Duplici autem σ [vitiose] scriptum reperitur ap. Aristoph., Diosc. et Athen. Ut ap. Aristoph. Pl. [320] : Λαβών τιν' ἄρτον καὶ κρέας μασσώμενος [μασώμ.], Capiens panem aliquem et carnem manducans. Diosc. 4, 25, de tertia anchusæ specie et de ejus semine : Ὃν ἐάν τις μασσησάμενος ἀποπτύσῃ εἰς τὸ στόμα τοῦ ἑρπετοῦ, ἀποκτενεῖ· unde Plin. 22, 21 : Traduntque commanducata ea, si inspuatur, mori serpentem. Athen. 12, [p. 530, C] : Ὑπὸ τρυφῆς σιτεῖσθαι μὲν μέχρι γήρως ἐκ τοῦ τῆς τιτθῆς στόματος, ἵνα μὴ μασσώμενος πονήσειε, Ne mandendo lassaretur. [Philostr. V. Apoll. 7, 21 : Ἔλεγε ταῦτα μασώμενός τε καὶ ξυγγελῶν. Quem l. cum alio ejusd. Phil. in Διαμασάομαι citato confert Schneider. Act. μασσῶ ponit Arcad. p. 157, 29, quem μασῶ scripsisse apertum est.]

[Μάσαρις. Bacchum hoc nomine Cares appellarunt, auctore Stephano in v. Μάσταυρα, ubi hæc leguntur : Παρὰ Καρσὶν ὁ Διόνυσος Μάσαρις ἔνθεν ἐκλήθη. Fr. Guietus Μάσαρις exponit μέγας. JABLONSK.]

[Μάσδα, ἡ, forma Dor. pro μᾶζα, ap. Theocr. 4, 34.]

[Μάσδης, ὁ, Masdes. Plut. Mor. p. 360, B : Φρύγες μέχρι νῦν τὰ λαμπρὰ καὶ θαυμαστὰ τῶν ἔργων μανικὰ καλοῦσι, διὰ τὸ Μάνιν (Μάνην) τινὰ τῶν παλαιῶν βασιλέων ἀγαθὸν ἄνδρα καὶ δυνατὸν γενέσθαι παρ' αὐτοῖς, ὃν ἔνιοι Μάσδην καλοῦσι. Sic olim. Μάσσην Dübnerus ex codd. Μάσσην dictum Marsyam notavimus in Μαρσύας. Non diversa inter se nomina fuisse Μάσνης vel Μάνης et Μάσσης conjicit Müllerus De Etruscis vol. 1, p. 81; vol. 2, p. 357. L. DIND.]

[Μασδός. V. Μαζός.]

Μάσημα, sive [vitiose] Μάσσημα, τὸ, Id ipsum quod mansum s. commanducatum est, Id ipsum quod manditur. Exemplum ex Theophr. habes in Μασάομαι. Antiphanes ap. Athen. [1, p. 8, D] : Μακάριος ὁ βίος, ᾧ δεῖ μ' ἀεὶ καινὸν πόρον Εὑρίσκειν, ὡς μάσημα ταῖς γνάθοις ἔχω, Ut habeam quod maxillis mandam, Ut habeant mandibulæ meæ quod molant. [Schol. Nicandri Ther. 541. WAKEF. Hesych. in Νησίγδα.]

[Μάσης, ητος, Mases, n. urbis Argolidis, ap. Hom. Il. B, 562 : Οἵ τ' ἔχον Αἴγιναν Μάσητά τε, κοῦροι Ἀχαιῶν· Strab. 8, p. 376, Pausan. 2, 36, 2, qui jam Hermionensium navale factum narrat. ᾱ]

Μάσησις, sive [vitiose] Μάσσησις, εως, ἡ, Commanducatus : nam id ex Plin. affertur pro ipsa Mandendi s. Commanducandi actione. Μάσησις citatur ex Basilio. [Ruf. Eph. p. 56 ed. Clinch. : Κινουμένη (lingua) εἰς μάσησιν τῶν σιτίων. WAKEF. Theophr. C. Pl. 6, 9, 3.]

Μασητὴρ, seu [vitiose] Μασσητὴρ, ῆρος, ὁ, Qui mandit, Qui commanducat : ut μασσητῆρες μύες ap. Medicos, Musculi qui maxillas movent inter mandendum. Gorr. interpr. Musculos mansorios. Plura ap. eum vide de capitibus et lateribus eorum, et quomodo a temporalibus differant.

[Μασητικὸς, ἡ, ὸν, Epiphan. Hær. 64. ROUTH.]

Μάσθλη, ἡ, et Μάσθλης, ητος, ὁ, [utrumque] Hesychio δέρμα, διφθέρα, ἡνία : item ὑπόδημα φοινικοῦν. [Pollux 7, 93 inter nomina calceorum : Ὁ Σαπφοῦς μάσθλης. Ubi al. μάσκλης vel μάλης, quod μάσλης scribendum conjecit Gaisford. ad Hephæst. p. 14, qui p. 13 dicit : Προτάσσεται τὸ σ τοῦ λ, κατὰ πάθος, ὡς ἐν τῷ μάσλης, ut conferenda sit forma ἐσλὸς pro ἐσθλός. Photius : Μάσθλης, δέρμα καὶ ὑπόδημά τι Ἰακώτερον.] Aristophanis schol. et Suidas μάσθλητα esse dicunt τὸν μεμαλαγμένον λῶρον, Lorum emollitum [Etym. M. p. 272, 3 : Δίγονος μάσθλης, διπλοῦς ἱμάς· ἢ ὅτι οὐ μόνον κατὰ τὴν βαφὴν ἦν τοιοῦτος, ἀλλὰ καὶ ἀπὸ τοῦ αἵματος ἐκέχρωστο. Σοφοκλῆς Ἀνδρομέδᾳ, Ἰδοὺ δὲ φοινὸν (φοίνιον Brunck.) μάσθλητα δίγονον. Hesych. : Μάσθλη τὰς τομουτὰς ἡνίας. Καὶ γὰρ ἡ μάσθλη (ἡνία addunt intt.). Σοφοκλῆς Ἀνδρομέδᾳ καὶ Συνδείπνοις. In quibus utrum prima poetæ verba sint et sic corrigenda, Μάσθλητάς θ' ὁμοῦ, τὰς ἡνίας, an non aliterque scribenda in medio relinquendum est] : unde hominem μάσθλητα dici a Comico τὸν ὀλισθηρὸν καὶ μεμαλαγμένον ἐν πονηρίᾳ : ut Nub. [449] : Μάσθλης, εἴρων, γλοιός, ἀλαζών· Eq. [269]: Ὡς δ' ἀλαζὼν, ὡς δὲ μάσθλης; εἶδες οἷ' ὑπέρχεται. [Phrynich. Bekk. An. p. 51, 27. De l. Hippocr. p. 482, 30, ubi de Corio dicitur, v. Foes. in OEcon. De accentu Arcad. p. 24, 25.]

[Μάσθλημα, τὸ, i. q. μάσθλη. Ctesiæ Indica c. 23, p. 48, 35 Bekker., ψιλά.]

[Μάσθλης. V. Μάσθλη.]

[Μασθλήτινος, η, ον, Coriaceus interpr. Etymologus v. Καρὶς, p. 491, 41, sed Puniceus, i. e. Purpureus, intelligunt interpretes Athenæi 3, p. 106, B, in illo Eupolidis versu, Ἔχων τὸ πρόσωπον καρίδος μασθλητίνης· eademque notione usurpasse videtur Hermodorus in l. qui citatur ap. Hesych. v. Σκυδικαί. Schweigh.]

[Μασθοειδὴς, ὁ, ἡ, Qui mamillæ similis est. Alex. Trall. 9, p. 165.]

[Μασθός. V. Μαστός.]

Μάσι [μάση codex male], Hesych. μεγάλως, Grande : afferens itidem Μασίγδουπον βασιλέα pro μεγαλόηχον, μέγαν ἐν ἤχῳ. [V. Μαί.]

[Μασιανοὶ, οἱ, Masiani, gens Indiæ, ap. Strab. 15, p. 698. Iidem fortasse Μασσανοὶ ap. Diod. 17, 102.]

[Μασίγδουπος. V. Μάσι.]

Μασιμάνας, Hesych. tradit dictos fuisse τοὺς βαρβάρους.

[Μασίμαχος, ὁ, Masimachus, n. viri in inscrr. Tejis ap. Bœckh. vol. 2, p. 671, n. 3081, 2 : Τιβέριος Κλαύδιος Μασιμάχου υἱός· et p. 673, n. 3083, 2, ubi Μ[ασιμ]άχου. L. Dind.]

[Μάσιον ὄρος ὑπὲρ τῆς Νισίβιος. Στράβων ἑνδεκάτῃ (p. 506, etc.). Οἱ οἰκοῦντες Μασηνοὶ ἢ Μασιανὸς, ὡς Πάριον, Παριανὸς, Steph. Byz.]

[Μασίστης, ὁ, Masistes, f. Darii, ap. Herodot. 7, 82; 9, 107, 113.]

[Μασίστιος, ὁ, Masistius, Persa, magister equitum ad Platæas, ap. Herodot. 9, 20, 24, et qui Græcis Μακίστιον dici addit, Pausan. 1, 27, 1. Alius Μασίστιος Persa ap. Herodot. 7, 79.]

[Μασίστρης, ὁ, Masistres, Persa, Æsch. Pers. 30, et ubi plerique Μασίστρας, 970. Simile et Μασίστης.]

[Μασκάμης, ὁ, Mascames, Persa, Herodot. 7, 105, 106.]

[Μάσκας, α, ὁ, Mascas, fl. Arabiæ. Xen. Anab. 1, 5, 4.]

Μάσκη, Hesychio δίκελλα, Ligo, Bidens.

[Μάσκωτος, πόλις Λιβύης. Ἑκαταῖος περιηγήσει. Ἔστι δὲ πλησίον τῶν Ἑσπερίδων. Τὸ ἐθνικὸν Μασκωτίτης Λιβυκῷ καὶ Αἰγυπτίῳ τύπῳ, Steph. Byz.]

[Μάσλης. V. Μάσθλη.]

[Μάσμα, τὸ, Quæstio. Photius, μάστευμα, ζήτημα, οὕτω Κρατῖνος. Plato Crat. p. 421, A, in etymologia n. ὄνομα : Μαίεσθαι οὖν καλεῖς τι; — Ἔγωγε, τό γε ζητεῖν.— Ἔοικε τοίνυν ἐκ λόγου ὀνόματι συγκεκροτημένῳ, λέγοντος ὅτι τοῦτ' ἐστὶν ὂν, οὗ τυγχάνει ζήτημα, τὸ ὄνομα. Μᾶλλον δὲ ἂν αὐτὸ γνοίης ἐν ᾧ λέγομεν τὸ ὀνομαστόν· ἐνταῦθα γὰρ σαφῶς λέγει τοῦτο εἶναι ὂν, οὗ μάσμα ἐστίν.]

[Μάσνης, ὁ, Masnes, fl., in Etym. M. v. Δάσληρα et Ms. ap. Gaisf. ad Hephæst. p. 14. Ex Lydiacis Xanthi nomen petitum tradit Hephæstio. V. Μανῆς et Μάσσης.]

[Μασουχᾶς, ᾶ, ὁ, herba, Alex. Trall. 7, p. 322; 8, p. 470. Struv.]

[Μάσπετον, τό.] Μάσπετα, Hesychio τοῦ σιλφίου τὰ πρῶτα πέταλα, Prima silphii folia : recte; scribit enim et Diosc. silphii radicem dictam a quibusdam esse μαγύδαριν, folia autem μάσπετα [3, 84. Sed idem initio ejusd. cap. : Οὗ ὁ καυλὸς μάσπετον καλεῖται]. Itidemque Plin. 19, 13, de silphio : Hujus folia, maspetum vocabant, apio maxime similia : ex his Theophr. H. Pl. 6, 3 : Τὸ δὲ φύλλον, ὃ καλοῦσι μάσπετον, ὅμοιον τῷ σελίνῳ. Perperam ap. Polluc. [6, 67] δάσπετον pro μάσπετον scriptum est, et μάνδαρις pro μαγύδαρις.

[Μάσπιοι, ἔθνος Περσικὸν, sec. Steph. Byz. ex Herodoto 1, 125.]

[Μασπὸς, ὁ ὀφθαλμὸς, ap. Scythas sec. Eustathium ad Dionys. 32. V. Ἀριμασπός.]

[Μασσαβατικὴ, ἡ, Massabatice, regio Assyriæ, ap. Strab. 16, p. 744, 745.]

[Μάσσαγα, Massaga, urbs Indiæ, ap. Strab. 15, p. 698.]

[Μασσαγέται, οἱ, Massagetæ, ἔθνος Σκυθῶν, ἔνθα Κῦρος ἐτελεύτησε. Τὸ θηλυκὸν λέγεται Μασσαγῆτις, καὶ ἴσως διὰ τὸ μέτρον, Steph. Byz. Herodot. 1, 201 etc., Strabo 11, p. 511 seq., Simias ap. Tzetz. Hist. 7, 697, Dionys. Per. 740, Agathias Anth. Pal. 4, 3, 78. ᾰ]

[Μασσάγης, ὁ, Massages, Afer, Herodot. 7, 71.]

[Μασσαισύλιοι. V. Μασαισυλία.]

[Μάσσακα, πόλις Ἰνδῶν. Ἀρριανὸς ἐν Ἰνδικοῖς. Τὸ ἐθνικὸν Μασσακηνὸς, ὡς Μάζακα, Μαζακηνὸς, Steph. B.]

[Μασσαλία, ἡ, Massilia. Πόλις τῆς Λιγυστικῆς κατὰ τὴν Κελτικὴν, ἄποικος Φωκαέων. Ἑκαταῖος Εὐρώπῃ. Τίμαιος δέ φησιν ὅτι προσπλέων ὁ κυβερνήτης καὶ ἰδὼν ἁλιέα ἐκέλευε μάσσαι τὸ ἀπόγειον σχοινίον· μάσσαι (μάσσαι Eust. ad Dionys. v. 75) γὰρ τὸ δῆσαί φασιν Αἰολεῖς· ἀπὸ οὖν τοῦ ἁλιέως καὶ τοῦ μάσσαι ὠνόμασται. Τὸ ἐθνικὸν Μασσαλιώτης καὶ Μασσαλιεὺς καὶ Μασσαλία καὶ Μασσαλιῶτις γυνὴ, Steph. Byz. Μασσαλία est ap. Aristot. Pol. 5, 6; 6, 7, Polybium et alios. Μασσαλιώτης ap. Theophr. H. Pl. 9, 10, 3, Pausan. 10, 18, 7 etc., et cum Μασσαλιῶτις, Μασσαλιωτικὸς ap. Strab. ll. pluribus, quos v. in indice Corais. Μασσαλιωτικὸς etiam ap. Hippocr. p. 626, 9. In numis ap. Mionnet. *Descr.* vol. 1, p. 67, *Suppl.* vol. 1, p. 133 seqq., apparet nonnisi forma Μασσαλιητων, quæ est ap. Diodor. 14, 93, Appian. It. 8, 1. Μασσαλιητικὸς libri nonnulli Polybii 3, 95, 6.]

[Μασσαλιανοί. V. Μεσσαλιανοί.]

[Μασσανάσσης, ὁ, Masinissa, rex Numidarum, ap. Polybium, Diodorum, Strabonem locis in indicibus notatis, in libris modo sic modo Μασανάσσης modo Μασσανίσσης scriptus. Μασινίσσας ap. Themist. Or. 16, p. 212, A. Μασαννάσσου in *Annali dell' Instit.* 1829, p. 159, 44.]

[Μασσανοί. V. Μασιανοί.]

[Μάσσης. V. Μάσδης.]

[Μασσία, χώρα ἀποκειμένη τοῖς Ταρτησίοις. Τὸ ἐθνικὸν Μασσιανός. Θεόπομπος τεσσαρακοστῷ τρίτῳ, Steph. Byz.]

[Μασσίκυτον ὄρος Lyciæ memorat Ptolem. 5, 3 : Διὰ τοῦ Μασσικύτου ὄρους. Quintus 3, 234 : Ἀντία Μασσικύτοιο· 8, 107 : Αἰπύ τε Μασσικύτοιο ῥίον. Ad urbem cognominem numos Lycios Μα vel Μασ inscriptos referebat Eckhel. D. N. vol. 3, p. 4. Ap. Plin. N. H. 5, 28, 100 edd. *mons Massycites*, sed liber unus *Massycitiis*, quod videtur esse *Massicytus*, sive, ut est in libris ap. Salmas. Plin. Ex. p. 551 b, G, *Masycitus*, unde *Masicytus* restituebat Salm. ῡῠ L. Dindorf.]

[Μασσυλιεῖς. V. Μασυλεῖς.]

Μάσσω, vel Μάττω, s. Μάττομαι, Pinso, Subigo, ut dicitur Farinam subigere. [Soph. fr. Achæorum Conv. ap. Athen. 15, p. 686, A : Μασσέτω τις. « Crates ap. Athen. 6, p. 267, F : Μάττε θυλακίσκε. Agathocles ap. eund. 14, p. 650, A : Οὐ μάξαντες οὐδ' ὕδατι δεύοντες.» Valck.] Aristot. Rhet. 3, [c. 16, 2] : Πότερον σκληρὰν ἢ μαλακὴν μάξει· ubi crediderim subaudiri μᾶζαν : quum legamus ap. Plat. De rep. 2, [p. 372, B] : Θρέψονται, ἐκ μὲν τῶν κριθῶν ἄλφιτα σκευαζόμενοι, ἐκ δὲ τῶν πυρῶν ἄλευρα, τὰ μὲν πέψαντες, τὰ δὲ μάξαντες μάζας γενναίας καὶ ἄρτους. [Aristoph. præter l. in pass. cit. Pac. 14 : Μάττοντ' ἐσθίειν· Eq. 55 : Μᾶζαν μεμαχότος ἐν Πύλῳ Λακωνικήν. « Hierocles Stob. Fl. vol. 3, p. 191 : Ἀλέσαι καὶ σταῖς μάξαι. » Valck.] Quinetiam Athen. scribit μᾶζαν initio dictam fuisse τὴν δημοτικὴν καὶ κοινὴν ἐκ τῶν ἀλφίτων τροφὴν, itemque μάττειν, hanc apparare. [Improprie Aristoph. Eq. 539 : Ἀπὸ κραμβοτάτου στόματος μάττων ἀστειοτάτας ἐπινοίας.] Aristoph. autem Nub. [788] μάττεσθαι ἄλφιτα dixit, utens in signif. act. pro μάττειν. [Herodot. 1, 200 : Μᾶζαν μαξάμενος. V. Μᾶζα. Empedocli 157 ed. Karsten. : Οἵτ' ἐπεὶ οὖν μάρψωσι (de pictoribus loquitur) πολύχροα φάρμακα χερσὶν, ἁρμονίῃ μόξαν τε, Scaliger μίξαντο, alii μάξαν vel μάξαντο restituebant, Karstenius autem p. 211, etiam ap. Aresan Stobæi Ecl. 1, 52, p. 850 : Ταῦτα οὕτω ἐμάσατο κατὰ λόγον ὁ θεὸς, scribendum putabat ἐμάξατο. Sed hic quidem recte habet ἐμάσατο Doricum pro ἐμήσατο.] At Thuc. [4, 16] a μάττεσθαι habente pass. signif. [quod est ap. Aristoph. Eccl. 874 : Τῶν ματτομένων· Leonid. Tar. Anth. Pal. 7, 736, 6 : Φύστη ἐνὶ γρώνῃ μασσομένη παλάμαις], dixit σῖτον μεμαγμένον : ubi tamen redditur Molitum frumentum. [Aristoph. Eq. 57 : Μᾶζαν ὑπ' ἐμοῦ μεμαγμένην. Et 1167. Pl. 305 : Μεμαγμένον σκῶρ ἐσθίειν, αὐτὴ δ' ἔματτεν αὐτοῖς· Pac. 28 : Γογγύλην μεμαγμένην. Eubulus ap. Athen. 3, p. 108, C : Μεμαγμένη Δήμητρος κόρη ... δακτύλου πιάσματι. Metagenes ib. 6, p. 269, F : Μάζας αὐτομάτας μεμαγμένας. Valck. Thomas p. 600, Herodian. p. 468 ed. Piers.] || Sed Μάσσω, Hippocrati non solum esse ἀναδεύω s. φυρῶ, sed etiam ἐκθλίβω, i. e. Exprimo, inquit Galenus [ex primo l. De morb. majore. Verum toto l. 2 De morb., qui passim a Galeno primus De morb. major nominatur, μάσσειν non reperias, sed ἐκμάσσων (quod v.). Foes. OEcon.].

Μάσσω s. Μάττω, Abstergo, ut docui in Μαγεύς.

Μάσσω, sive Μάσσομαι, accipitur etiam pro Tango, ἅπτομαι, ut Eust. [Il. p. 462, 32, Od. p. 1630, 54] exp., a quo derivat χερμάδιον, dicens esse λίθον οὗ χεὶρ ἂν μάσηται, i. e. ἐφάψηται, vel ἐπιμάσηται, i. e. Prehendat s. Comprehendat. Μάσσαι, Hesychio est φυράσαι, καθαρίσαι, item ζητῆσαι. Et μάσσασθαι, Eid. ἐφάψασθαι, λαβέσθαι, Tangere, s. Contingere, Prehendere : item μάχεσθαι, ἀναγκάζεσθαι. [Et Μασᾶσθαι (μάσασθαι), ἐφάψαι, καθᾶραι.] Ap. eund. Hesych. reperio etiam Μάζει, quod exp. καθαρίζει, addens, καὶ τὰ λοιπὰ, remittens nimirum ad μάσσαι et μάσσασθαι : ita ut dicatur et μάσσω et μάζω : sicut Eust. Tarentinos annotat pro φράζω dicere φράσσω : ac vicissim pro ἀνάσσω et πλάσσω dicere ἀνάζω et πλάζω. Quod ipsum sive μάζω sive μάσσω, idem gramm. a μάω derivat alibi, quod inter alia significat ζητῶ. [In Ind. :] Μάσσαι, Hesychio ζητῆσαι, καθαρίσαι, φυράσαι : a them. μάσσειν, quod itidem exp. καθαρίζειν. [V. etiam Μασσαλία.] Aor. med. μάσσασθαι exp. λαβέσθαι, ἐφάψασθαι, necnon μάχεσθαι, ἀναγκάζεσθαι. Meminit hujus verbi Eust. quoque, μάσσεσθαι exponens ἅπτεσθαι, et μάσσασθαι itidem ἅψασθαι, ἐγκρατῶς ἔχεσθαι. Homerus composite dicit, ἐπὶ χερσὶ μάσασθαι, Prehendere manibus, Capere : Od. Λ, 590, de Tantalo : altero comp. ἐσεμάσσατο, utitur Idem Il. Υ, 425. [V. Εἰσμάσσομαι, Ἐμματέω, Ἐπιμάσσω. Ap. Galen. Gloss. p. 474 : Ἐσαφάσας, εἰς τὸ ἔσω χαλάσας, ὥστε μασᾶσθαι, ὅ ἐστι ζητεῖσθαι (ζητῆσαι Ald.), scrib. videtur μάσασθαι. L. Dind.]

Μάσσων, pro μακρότερος dicitur, ut βράσσων pro βραδύτερος vel βραχύτερος [conf. de formatione Etym. M. v. Ἄσσον], h. e. Longior : interdum et Major. [Pind. Ol. 13, 109 : Εὑρήσεις μάσσον' ἢ ὡς ἰδέμεν· Isthm. 3, 5 : Ζώει μάσσων ὄλβος· Nem. 3, 23 : Τὰ οἴκοι μάσσον' ἀριθμοῦ. Æsch. Pers. 708 : Ὁ μάσσων βίοτος ἦν ταθῇ πρόσω· 440 : Κακῶν ῥέπουσαν ἐς τὰ μάσσονα· Ag. 598 : Καὶ νῦν τὰ μάσσω μὲν τί δεῖ σ' ἐμοὶ λέγειν; Callim. Dian. 102 : Μάσσονες (ἔλαφοι) ἢ ταῦροι. Theocr. 22, 113 : Ὁ δ' αἰεὶ μάσσονα γυῖα φορέεσκε.] Xenoph. : Ἂν μὴ πολὺ μάσσων ὁδὸς εἴη [ἢ], quæ verba Suidas citat e Xen., dicens Cyrop. 2, 4, 27, ubi nunc ἐλάσσων, sed μάσσων, quod unum convenit sententiæ, servavit optimus liber Paris. Idem vitium Reip. Lac. 12, 5 : Δεῖ δὲ οὔτε περίπατον οὔτε δρόμον ἐλάσσω ποιεῖσθαι ἢ ὅσον ἂν ἡ μόρα ἐφήκῃ, ubi μάσσω restituerunt Jacobs. et Heinrich.] Hippocratem in Prorrhetico Majore μᾶσσον posuisse pro πλέον, Amplius, Plus, annotavit Galen. Lex. Hippocr. [p. 520. Hom. Od. Θ, 203 : Τάχα δ' ἄλλον ἥσειν ἢ τοσσοῦτον ὀΐομαι ἢ ἔτι μᾶσσον. Æsch. Prom. 629 : Μή μου προκήδου μᾶσσον ὡς ἐμοὶ γλυκύ. Anon. poeta ap. Suid., quem Chœrilum esse conjecit Buttm. : Ἐπὶ πρὸ δὲ μᾶσσον ἐπ' ἄκρου Αἰγαλέω ... ἔστη, ubi dicitur pro μακρότερον, ut int. Suidas, vel πορρώτερον, ut Hesych. infra. Sed μάσσον scribendum sec. Dracon. p. 32, 23, comparativos hujusmodi præter θάσσων et ἐλάσσων penultimam corripere tradentem, consentiente Herodiano Π. μον. λ. p. 37, 10, quamvis verbis non-

A nihil depravatis. Atque sic scriptum ap. Eust. Il. p. 630, 19, Od. p. 1584, 15, sed alibi μᾶσσον. Ipsum dubitasse de accentu comparativi ἆσσον in illo dictum. || Alia forma ap. Hesych. : Μασσότερον, πορρώτερον· et et Dium ap. Stob. Fl. vol. 2, p. 497 : Τούτως (formosos) γὰρ ὡς ἔνι μασσότερον οἱ πλεῦνες ὡς θεὼς ἢ θεῶν ἱδρύματα ὑποτρέχοντι. Quod vulgo dicitur ὡς ἔνι μάλιστα. Conf. Μαλλότερον in Μᾶλλον positum et Ἀσσοτέρω in Ἄσσων. L. Dindorf.]

[Μάσσων, ωνος, ὁ, Masso, n. fluvii. Theognost. Can. p. 33, 16 : Μάσσων, μάσσωνος (l. μάσσονος), δηλοῖ δὲ τὸν μείζονα. Εἰ δὲ καὶ (del.) κύριον εἴη, δηλοῖ γὰρ ποταμοῦ ὄνομα, τὴν αὐτὴν φυλάττει γραφήν. Huc referenda videtur Suidæ gl. Μάσσωνος, quod pro Μάσσονος restituit Gaisf. L. Dind.]

[Μάστα, ἡγεμὼν ἢ μεγάλως, Hesych. Conf. Μάσι Μασίγδουπος, Ματίς.]

Μαστάζω, Mando, Mansito, Manduco s. Commanduco. Nicand. Ther. [916] : Ῥίζας ἢ ποίας ἢ σπέρμα παρ' ἀτραπιτοῖσι χλοάζον, Μαστάξειν [—ζειν] γενύεσσιν,
B i. e. μάσταξον, ὅ ἐστι, μασσῶ ταῖς σιαγόσιν, inquit schol. Hesych. quoque μαστάζει exp. μασᾶται. Et μαστάζεται, διαμασᾶται. [Et Ἐμάσταζεν, ἐμασήσατο. Conf. Μαστίζω.]

[Μασταλίδες, χάρακες, κάμακες, Hesychius.]

Μάσταξ, ἄκος, [ἡ, Lycophr. 687 : Ἀμαυρᾶς μάστακος προσφθέγμασιν, ubi nonnulli ἀμυδροῦ], Mandibula, vel Os. Eust. tradit exponi χεῖλος et στόμα. Hom. Od. Δ, [287] : Ἄντικλος δέ σε γ' οἶος ἀμείψασθαι ἐπέεσσιν Ἤθελεν, ἀλλ' Ὀδυσεὺς ἐπὶ μάστακα χερσὶ πίεζε Νωλεμέως κρατερῇσι· quem l. Tryphiodorus [477] paraphrastice ita extulit, itidem de Anticlo : Μοῦνος ἀμοιβαίην ἀνεβάλλετο γῆρυν ἀνοίξας. Ἀλλ' Ὀδυσεὺς κατέπαυτο, καὶ ἀμφοτέραις παλάμῃσιν Ἀμφιπεσὼν ἐπίεζεν, ἐπειργόμενος στόμα λῦσαι. Μύστακα δ' ἀῤῥήκτοισιν ἀλυκτοπέδῃσι μεμαρπὼς, Εἶχεν ἐπικρατέως· ubi κατέπαυσε [recte alii κατεπαλτο, quod κατέπαλτο scribendum] et ἐπειγόμενος reponenda censeo. Od. Ψ, [76] : Ἀλλά με κεῖνος ἑλὼν ἐπὶ μάστακα χερσὶν, Οὐκ ἔα εἰπέμεναι. [Agath. Anthol. Pal. 5, 285, 6 : Μάστακι ποππύζων· 294, 16.] || Μάσταξ quibusdam dicuntur etiam αἱ
C ἐπὶ τοῦ ἄνω χείλους τρίχες : πάππος autem, αἱ κάτω : pro quo κοινότερον dicitur Μύσταξ, ut tradit Eustath. [Il. p. 1353, 56], unde Galli sumpserunt vocem quam plur. usurpant, *Les moustaches :* de quo voc. ita Pollux [2, 98] : Αἱ δὲ ὑπὸ τῇ ῥινὶ τρίχες, μύσταξ, ὑποῤῥίνιον, προπωγώνιον, πρώτη βλάστη· αἱ δὲ πρὸς τῷ κάτω χείλει, πάππος. Theocr. [14, 4] : Χ' ὠ μύσταξ πολὺς οὗτος, αὐσταλέοι δὲ κίκιννοι. Plut. De S. N. V. [p. 550, B] dicens quasdam leges ridiculas videri, Οἷον ἐν Λακεδαίμονι κηρύττουσιν οἱ ἔφοροι παριόντες εὐθὺς εἰς τὴν ἀρχὴν, μὴ τρέφειν μύστακα, καὶ πείθεσθαι τοῖς νόμοις· sicut et in Agide [Cleomen. c. 9] dicit Lacedæmoniorum legibus sancitum fuisse κείρεσθαι τὸν μύστακα. Accipitur etiam hoc μύσταξ pro μάσταξ in priori signif. in l., quem paulo ante citavi : nisi aliquis ibi μάστακα scribendum dicat sicut ap. Hom. [Hesych. interpr. etiam σιαγόνα, Maxillam.] || Μάσταξ est etiam Esca, i. q. μάσημα, vel μεμασημένη τροφὴ, ut Eust. exp. in Hom. Il. I, [324] : Ὡς δ' ὄρνις ἀπτῆσι νεοσσοῖσι προφέρῃσι Μάστακ' ἐπεί κε λάβῃσι, κακῶς δ' ἄρα οἱ πέλει
D αὐτῇ. Ad quem l. respiciens Plut. in l. qui inscribitur, Πῶς ἄν τις αἴσθοιτο ἑαυτοῦ προκόπτοντος ἐπ' ἀρετῇ [p. 80, A] ita scribit, de jejuno sophistarum quorundam genere : Οὐδὲν διαφέρει τῆς Ὁμηρικῆς ὄρνιθος, ὅ, τι ἂν λάβῃ, τοῖς μαθηταῖς ὥσπερ ἀπτῆσι νεοττοῖς διὰ τοῦ στόματος προσφέρων, κακῶς δέ τε οἱ πέλει αὐτῷ. [Photius s. Suidas : Μάστακα, μάσημα (sic etiam Hesych. et ead. signif. infra ἔνθεσις), τροφήν.] Sed ex his colligi non potest quomodo intellexerit. [Theocr. 14, 39 : Μάστακα δ' οἷα τέκνοισιν ὑπωροφίοισι χελιδὼν κτλ. Quæ alii aliter tentarunt.] || Μάστακες dicuntur etiam αἱ ἀκρίδες, ut Eust. [Od. p. 1496, 53] ex rhet. Lex. tradit. Similiter et Nicandri schol. μάστακι exp. ἀκρίδι, in Ther. [802] : Μάστακι σιτοφάγῳ ἐναλίγκια, τοί θ' ὑπὲρ ἄκρων Ἱπτάμενοι ἀθέρων, λεπυρὸν στάχυν ἐκβόσκονται. Hesychio quoque μάσταξ est non solum στόμα, et ἔνθεσις, sed etiam ἀκρίς. [Conf. Etym. M. v. Βροῦχος. Photius : Μάστακας, τὰς ἀκρίδας, Σοφοκλῆς, in Phineo sec. Eust. l. c.] A μασσάομαι autem derivari μάσταξ testatur Eust. [et Hesych.]

[Μασταρίζω. V. Μασταρύζω.]

[Μαστάριον, τὸ, Mammula. Alciphr. Ep. 1, 31 : Τὸν χιτωνίσκον περιρρηξαμένη, τὰ μαστάρια τοῖς δικασταῖς ἀπέδειξας· 39 : Ἐγένοντο καὶ περὶ μασταρίων ἀγῶνες. De alia signif. Ducang.: « Cornarius philos. seu alius chymista Ms. ex cod. Reg. 618, f. 83 : Περιπηλώσας, κλείσας τὸν ἄμβυκα, καὶ τὸ μαστάριον σὺν τῷ ῥογίῳ, ἐν ἀσφαλείᾳ πολλῇ οἰκονομήσας. Ita fol. 289. Alia, ut videtur, notione usurpat Ptochoprodromus De sua paupertate Ms. : Δός με ὀλίγον ἔντερον, δός με δαμὴν μαστάρην. » Id. in App. p. 128 : « Synes. Chym. Ms.: Ὑάλινον ὄργανον ἔχον μαστάριον ἐπὶ τὰ ἄνω προσέχον καὶ κάτω κάρα κείμενον. Ubi hæc vox sumi videtur pro Vasis gutture. Lex. botan. Ms. : Ἄδενα, τὰ μαστάρια. Anon. medicus Ms. : Μαστάρια εὔχυμά εἰσιν, etc. Sunt autem ἀδένες Partes glandulosæ in gutture. Anon. philos. Ms. De ciborum facultate : Μαστάρια κακόχυμά εἰσιν. Anon. De diæta c. 1 : Τῶν πεζῶν ζώων αἱ σάρκες, τῶν τρυφερῶν χοιριδίων, οἷον τὰ ἐνιαύσια καὶ μήπω τὴν δι' αἰτίαν (l. διετίαν L. D.). πληρώσαντα καὶ τὰ μαστάρια καὶ οἱ πόδες κτλ. » In postremis quidem obtinere videtur signif. Mammulæ.]

Μαστᾰρύζω, Male mando, Languide et ignaviter manduco : κακῶς μασῶμαι καὶ βλακικῶς, ut Æl. Dionys. ap. Eust. [Od. p. 1496, 54] exponit. Hesychio quoque Μασταρίζειν (nam scribitur ibi [et in Suidæ cod. Voss.] per ι in penult.) est κακῶς μασᾶσθαι : item σφοδρῶς μασᾶσθαι, τρέμειν, et μαστιχᾶσθαι : quod tamen verbum quid significet, non exp. Utitur verbo μασταρύζειν Aristoph. Ach. [689] : Ὁ δ' ὑπὸ γήρως μασταρύζει· ubi schol. exp. συνέλκει καὶ συνάγει τὰ χείλη : dicens esse metaphoram ἀπὸ τῶν ὑποτιτθίων παιδίων, ἃ τὸν μαστὸν ἕλκοντα τῷ στόματι, συνάγει τὰ χείλη : quam expos. sequendo, μασταρύζειν fuerit Contrahere labia in modum puerorum lactentium : sed tunc a μαστὸς, non autem a μάσταξ aut μασσάομαι, derivatum esse dicendum foret. [Photius : Μασταρύζει, τρέμει, ἀγωνιᾷ. Μαστηρύζειν, τὸ κακῶς μασᾶσθαι, Κυρηναῖοι. Μασταρύζω per υ ponit etiam Theognost. Can. p. 142, 29.]

[Μάσταυρα, (ἡ, ut ap. Theod. Stud. p. 42, B : Πόλεως Μασταύρας, vel ων, τὰ, ut in Ms. ap. Pasin. Codd. Taurin. vol. 1, p. 208, A, et alibi. Incerto genere Μάσταυρα ap. Strab. 14, p. 650), Mastaura. Πόλις Λυδίας ἀπὸ Μᾶς (de qua v. in Μᾶ, ubi add. Strabo 12, p. 535, cum annot. Corais vol. 4, p. 5 ed. Gall.) ... Ἐκαλεῖτο δὲ καὶ ἡ Ῥέα Μᾶ, καὶ ταῦρος αὐτῇ ἐθύετο παρὰ Λυδοῖς, ἀφ' ἧς ἡ πόλις. Τὸ ἐθνικὸν Μασταυρεὺς ὡς Πηγασεύς. Εἴρηται καὶ Μασταυρίτης, Steph. Byz. Posterioris formæ partim per ι partim per ει scriptæ exx. v. ap. Mionnet. *Descr.* vol. 4, p. 83, *Suppl.* vol. 7, p. 389 seqq., in inscr. ap. Bœckh. vol. 2, p. 592, n. 2943, 2. L. D.]

[Μαστεία, ἡ, voc. fictum ab Olympiodoro In Plat. Alcib. p. 192 : Διττὴ ἡ μαντεία, ἡ μὲν θεία, ἥτις καὶ μανία ἐστί(ν)· ἡ δὲ τεχνικὴ, ἥτις μαστεία λέγεται, Indagatio.]

[Μάστειρα, ἡ, Investigatrix. Æsch. Suppl. 163, 177, μῆνις.]

[Μάστειρα, ἡ, Mastira, oppidum Thraciæ ap. Demosth. p. 100, 22, ubi Βάστειραν et alia conjectat Harpocratio, qui nusquam Μάστειραν, illa vero alibi reperisset. || Leucanoris regis Bospori conjux, Lucian. Tox. c. 51.]

[Μάστευμα, τὸ, Indagatio, Quæstio. Photius v. Μάσμα.]

[Μάστευσις, εως, ἡ, Indagatio. Archimed. Spir. p. 81, C ; Οὐχ ἱκανὸν λαβὼν εἰς τὰν μάστευσιν αὐτῶν (τῶν ἀποδείξεων) χρόνον. Valck. Dionys. A. R. 1, 56 : Ἐπὶ γῆς ἀμείνονος μάστευσιν. Wakef.]

[Μαστευτέον, Indagandum, Max. Tyr. Wakef.]

Μαστευτὴς, ὁ, Inquisitor, Investigator. Xen. [OEc. 8, 13] : Οὔτε μαστευτοῦ δεῖται· de iis loquens, quæ obvia sunt.

Μαστεύω, Quæro, Perquiro, Vestigo, Indago. Proprie Quæro, pueri more quærentis mammam, uti dicam infra : plane enim existimo μαστεύω a μαστὸς fieri, potius quam μαστὸς a μαστεύω : licet afferatur et aliud etymon, ut docebo infra in Ματεύω. [Hesiod. ap. schol. Pind. Nem. 4, 95, 4 : Ὡς τὴν μαστεύων οἷος κατὰ Πήλιον. Pind. Pyth. 3, 59 : Τὰ ἐοικότα πὰρ δαιμόνων μαστευέμεν. Æsch. Ag. 1099 : Προφήτας δ' οὔτινας

A μαστεύομεν. Ubi Schützius ματεύομεν, qui tamen reliquit ἐκμαστεύομεν Eum. 247. Contra versum infertur forma μαστεύω Soph. OEd. T. 1052, Eur. Phœn. 416, Diog. L. 1, 35, et alibi. Vicissim ap. Xen., qui forma μαστεύω constanter usus videtur, Conv. 4, 27 est var. ἐμβατεύω ex ματεύω orta. Utitur forma μαστεύω Eur. Hec. 754 : Τί χρῆμα μαστεύουσα ; et alibi.] Apoll. Arg. 1, [1353] : Καὶ ὅρκια ποιήσαντο Μήποτε μαστεύοντες ἀπολλήξειν καμάτοιο. Dicitur etiam ἴχνια μαστεύειν. Sic autem est poeticum, ut in prosa quoque inveniatur, et quidem ap. Xen., ut [OEc. 5, 13] : Τὴν τροφὴν μαστεύειν. [Anab. 5, 6, 25, χώραν. Ib. 7, 3, 11, ἀποδιδράσκοντα. Conf. Ages. 1, 23. Ib. 9, 3 · Μαστεύοντες τί ἂν ἡδέως πίοι.] Idem usus est cum infin. [Cyrop. 2, 2, 22] : Ὃς ἐν παντὶ μαστεύει πλέον ἔχειν. Bud. quoque affert ex p. 61 [Anab. 3, 1, 43] μαστεύων ζῆν, exponens, Capiens, Affectans. Extat et ap. Eur. cum infin., in Phœn. [36] : Τὸν ἐκτεθέντα παῖδα μαστεύων μαθεῖν Εἰ μηκέτ' εἴη. [Et ap. Pind. Pyth. 4, 35 : Μάστευσε δοῦναι. || Imperf. freq. ap. Apoll. Rh. 4, 1394, μαστεύεσκον. || Med. Aresas Stob. Ecl. vol. 1, p. 848 :

B Ἴχνια γὰρ ἐν αὐτῷ στιβαζόμενος εὕροιτό κά τις καὶ μαστευόμενος, cit. Valck., qui tacite exhibuit κἂν pro κα, quomodo ego correxi quod delevit Heerenius καί. Idem addit : « Theages Galei p. 683 : Μαστεύεται τὰν τῶν ἐόντων φρόνασιν ... Mox, Μαστευσάμενον καὶ κτησάμενον. Emend. Pythag. p. 53, 99, ubi legitur μναστεύ. » Et ante hæc « Emend. Philostr. p. 889 : Ἐμαστεύοντο τὸν τῆς Χρύσης βωμόν » Ubi fortasse ἐμάστευον scribendum putavit, antequam ll. modo citatos repperisset. (Dixit de forma media etiam Karsten. ad Empedocl. v. 350, p. 266, et loco Aresæ addidit ex. Archytæ ib. p. 722 : Ὄχα περὶ νοατῶν ματεύηται ὁ λόγος.) De passivo id. annotavit ex. Theagis ib. p. 683 : Ἁ ἀδονὰ σφοδρότερον μαστευομένα γεννᾷ τὰν ἀκρατίαν· et Hemsterhusii ad Thomam p. 249 conjecturam ap. Philostr. V. Ap. 7, 23, p. 303 : Μεμαντευμέναι δ' ἤδη καθ' ἡμῶν αἰτίαι, restituentis μεμαστευμέναι, Conquisitæ criminationes. Quæ omnia, quamvis ab ipso fortasse ex parte improbata, nobis licere putavimus servare.]

C Μαστὴρ, ῆρος, ὁ, i. q. μαστευτής : nam μαστῆρες exp. Hesych. ζητοῦντες, ἐρευνῶντες. [Et Μαστὴρ, ἐρευνητής. Soph. Trach. 733 : Μαστὴρ πατρὸς, ὃς πρὶν ᾤχετο· OEd. C. 456. Eur. Bacch. 986 ; Apoll. Rh. 4, 1003, 1482 ; Nonn. Dion. 1, 45. In prosa Alciphr. Ep. 1, 11, ubi Bergler. indicavit Parthen. Erot. 1, 1. Gen. fem. de Cerere Carcinus trag. ap. Diodor. 5, 5 : Πόθῳ δὲ μητέρ' ἠφανισμένης κόρης μαστῆρ' ἐπελθεῖν πᾶσαν ἐν κύκλῳ χθόνα. || Harpocratio : Μαστῆρες, Ὑπερίδης ἐν τῷ πρὸς Πάγκαλον· ἔοικεν ἀρχή τις εἶναι ἀποδεδειγμένη ἐπὶ τὸ ζητεῖν τὰ κοινὰ τοῦ δήμου, ὡς οἱ ζηταὶ καὶ οἱ ἐν Πελλήνῃ μάστροι (Πέλλη μαστροὶ Suidas), ὡς Ἀριστοτέλης ἐν τῇ Πελληνέων πολιτείᾳ. In accentu μαστροὶ Suidæ consentit Photius, ut in vitio μαστειρας cum plerisque Suidæ codd., ap. quem Μάστορες legebatur ante Gaisf. Photius iterum : Μαστῆρες, οἱ τὰ φυγαδευτικὰ χρήματα εἰσπράττοντες, οἱονεὶ ζηταὶ τῶν φυγαδευτικῶν χρημάτων τῶν ἀειφυγίᾳ φυγαδευθέντων· ἐκλήθησαν δὲ μαστῆρες ἀπὸ τῶν κυνηγῶν τῶν ἐν τοῖς μαστοῖς τῶν ὀρῶν ζητούντων τὰ θηρία. Quibuscum conf. Lex.

D rhet. Bekk. p. 279, 6. V. etiam Ματήρ.]

[Μαστήριος, ὁ, Investigator, Explorator. Æsch. Suppl. 920 : Ἑρμῇ μεγίστῳ προξένῳ μαστηρίῳ.]

[Μαστία, ἡ, Mastia, n. urbis. Steph. Byz. : Μαστιανοὶ, ἔθνος πρὸς ταῖς Ἡρακλείαις στήλαις. Ἑκαταῖος Εὐρώπῃ. Εἴρηται δὲ ἀπὸ Μαστίας πόλεως. De qua urbe, quæ supra Μασσία, v. Schweigh. ad Polyb. 3, 24, 2 et 4, et de Mastianis ad 3, 33, 9. Μαστιηνοὺς dicunt Philistus ap. Steph. B. in Ἐλβέστιοι, et Herodorus ap. eund. in Ἰβηρίαι et Constantinum Adm. imp. p. 76, E, et Steph. ipse in Μανοβώρα, Μολύβδανα etc., ubi Hecatæi testimonio utitur. V. autem Μασσία. || Μαστιέων Paphlagoniæ inscriptus numus est ap. Mionnet. *Suppl.* vol. 4, p. 568, n. 103.]

[Μαστῐάω, Verbero, unde partic. μαστιόων ap. Hesiod. Sc. 431 : Πλευράς τε καὶ ὤμους οὐρῇ μαστιόων.]

Μαστιγεὺς, έως, ὁ, Flagellator, Bud. ex Herodoto [7, 35, ubi μαστιγέας olim edebatur, rectius στιγέας dedere libri Mss. Schweigh.]

[Μαστιγέω.] Μαστιγέων, pro Flagellans, ex Herodoto [1, 114, sc. a verbo Μαστιγέω, i. q. μαστιγόω, quo et ipso utitur idem 3, 154, ubi quidem ad μαστιγώσας e superioribus assumendum pronomen ἑαυτόν. (Et 7, 54.) Schweigh.]

Μαστιγίας, ου, ὁ, Mastigia, Flagrio, Verbero. [Μαστιγία, Flagrum, Verberalis, Gl. Pro Μαστιγίας, ut videtur, quod sequitur in iisdem : Μαστιγίαι, Flagriones; Μαστιγίας, Verberosus, Flagellaticius, Vapularis.] Qui verberibus s. vibicibus inscripta terga habet, νωτοπλὴξ, Bud. ex Athen. Apud quem dicit quidam [Diphilus] 5, [p. 189, E] : Ἢ φυγάδος, ἢ πεινῶντος, ἢ μαστιγίου. [Soph. fr. Cedal. ap. eund. 4, p. 164, A. Aristoph. Eq. 1228, Ran. 501, Lys. 1240; Plato Gorg. p. 524, C; Demosth. p. 496, 26.] Plut. in l. De non fœner. [p. 829, B] : Μαστιγιῶν τούτων καὶ βαρβάρων. [Theophr. Char. c. ult. : Κακὸς μαστιγίας. Valck. ῐᾱ]

Μαστιγιάω, Verberibus indigeo : μαστιγιᾷν, τὸ δεῖσθαι μαστίγων, Pollux [3, 79] ex Eupolide.

[Μαστίγιον, τὸ, Flagellum. Steph. Byz. v. Δωδώνη, ubi Παιδάριον ἐν τῇ δεξιᾷ χειρὶ μαστίγιον ἔχον.]

[Μαστιγιφόρος, ὁ, ἡ, i. q. μαστιγοφόρος, ponit inter nomina quæ ι in commissura servent, Theognost. Can. p. 95, 29.]

[Μάστιγμα. V. Μαστίζω.]

[Μαστῑγονομέομαι, A lictore gubernor. Diodor. Exc. Vat. p. 12 ed. Mai. : Ὅτι Σικυωνίοις ἔχρησεν ἡ Πυθία ἑκατὸν ἔτη μαστιγονομηθήσεσθαι αὐτοὺς κτλ. quæ v. coll. loco Plut. in Μαστιγονόμος citando cum annot. Wyttenb. L. Dind.]

Μαστιγονόμος. V. Μαστιγοφόρος. [Plut. Mor. p. 553, A : Σικυωνίοις διαρρήδην ὁ θεὸς προεῖπε μαστιγονόμων δεῖσθαι τὴν πόλιν κτλ., quibuscum conf. l. Diod. in Μαστιγονομέομαι cit.]

[Μαστιγόπληκτος, ὁ, ἡ, Flagello cæsus. Jo. Malal. 1, p. 156. Elberling.]

[Μαστιγοφορέω, Flagellum fero. Diodor. Exc. Vat. p. 12 ed. Mai. : Μισθοῦ τοῖς ἄρχουσι μαστιγοφορῶν ὑπηρέτει. L. Dind.]

Μαστιγοφόρος, ὁ, ἡ, Flagellifer, Lictor. Thuc. 4, [47] : Μαστιγοφόροι τε παριόντες ἐπετάχυνον τῆς ὁδοῦ τοὺς σχολαίτερον προσιόντας. [Xen. Cyrop. 8, 3, 9.] || Μαστιγοφόροι, Flagelliferi, Lictores, qui agonothetas in sacris certaminibus comitabantur, ad summovendam turbam et cohibendas seditiones, Bud. in Annott. prior. et post. in Pand. Tradit Idem ex Polluce [3, 145, 153, ubi citat e Xen. Reip. Lac. 2, 2] et Suida gymnicis certaminibus præfuisse μαστιγονόμους, Designatores dictos ab Ulpiano, Græce autem βραβευτὰς etiam et ῥαβδούχους appellatos. || Μαστιγοφόρος Αἴας inscripta est una ex Sophoclis tragœdiis ob hunc præcipue versum, qui in ea legitur p. 7 meæ ed. [110], Μάστιγι πρῶτον νῶτα φοινιχθεὶς θάνῃ, ubi v. schol. Aut μαστιγοφόρος, respiciendo ad μάστιγα Διὸς, μάστιγα θείαν, i. e. θεομηνίαν. V. Eust. [Il. p. 891, 24 sqq.]

Μαστῑγόω, Flagello, [Fustigo, Verbero, add. Gl.] Flagris cædo s. verberibus. Hesiod. [Sc. 431] : Πλευράς τε καὶ ὤμους Οὐρῇ μαστιγόων [—τιόων. Aristophan. Ran. 619 : Ὑστριχίδι μαστιγῶν· Eccl. 863.] Lucian. in Dem. [c. 46] : Τὸν αὑτοῦ οἰκέτην μαστιγοῦντα. Et pass. Μαστιγοῦμαι, Flagellor, Vapulo [Gl. Aristoph. Eq. 64 : Κᾆτα μαστιγούμεθα· 67 : Τὸν Ὕλαν δι' ἐμὲ μαστιγούμενον. Frequens est tam activo quam pass. etiam ap. Xenoph.] Unde fut. μαστιγώσομαι, Plato De rep. 2, [p. 361, E] : Μαστιγώσεται, στρεβλώσεται, δεθήσεται. Sic autem et Dem. μαστιγούμενοι cum στρεβλούμενοι junxit Philipp. 3. Et cum accus. πληγὰς, Plato Leg. 8, [p. 845, B] : Μαστιγούσθω πληγὰς ἰσαρίθμους. Ibid. [9, p. 854, D] : Μαστιγωθεὶς ὁπόσας ἂν δόξῃ τοῖς δικασταῖς. [Diod. 1, 77 : Μαστιγοῦσθαι τεταγμένας πληγάς. Activo Plato Leg. 9, p. 872, B : Μαστιγώσας ὁπόσας ἂν ὁ ἑλὼν προστάττῃ· 882, B. L. Dind. Athen. 4, p. 153, A : Ἱμᾶσιν ἀστραγαλώτοις μαστιγοῦται. Valck. Ap. Hesych. v. Σαυσιάλει, quod scriptum est μαστιγᾶται corrigendum videtur μαστιγοῦται. De usu Herodoteo v. in Μαστιγέω.]

Μαστιγώσιμος, ὁ, q. d. Flagellabilis, Verberabilis : cujus superl. extat ap. Plautum, Verberabilissimus. Lucian. [Herodot. fine] : Τάχ' ἂν οὐ πάνυ μαστιγώσιμος ὑμῖν δόξαιμι, i. e., μαστίγων ἄξιος, Verberibus dignus. [Photius s. Suidas.]

A Μαστίγωσις, εως, ἡ, Flagellatio. [Verberatio, Gl. Athen. 8, p. 350, C : Τὰς παρ' αὐτοῖς (Lacedæmoniis) ἀγομένας μαστιγώσεις. Olympiodor. In Plat. Alcib. p. 166.]

Μαστῑγωτέος, α, ον, Flagellandus, Aristoph. [Ran. 646.]

[Μαστιγωτιάω, Verbera desidero. Hesych. : Σπαταλᾷς, μαστιγωτιᾷς. Μαστιγιάω contulit Albertus. Cit. Dahler.]

[Μαστιγωτικὸς, ἡ, ὸν, Flagellans. Schol. Æschyl. Suppl. 168 (158) : Ἡ παρὰ τῶν θεῶν μῆνις κατὰ Ἰοῦς ἐστι μαστιγωτική. Boiss.]

Μαστίζω, et Μαστίω, i. q. μαστιγόω, Flagello [ita Gl. et Μαστίζομαι, Plector, et Μαστιχθεὶς, Verberatus]. Hom. Il. Ρ, [622] : Μάστιε νῦν, εἵως κε θοὰς ἐπὶ νῆας ἵκηαι. Ib. [Υ, 171] : Οὐρῇ δὲ πλευράς τε καὶ ἰσχία ἀμφοτέρωθεν μαστίεται, qua in re usus est Hesiodus verbo μαστιγοῦν, ut vides paulo ante. Frequens est autem ap. eund. poetam [Il. Ε, 768, etc.], Μάστιξεν δ' ἵππους, et [Ε, 366, etc.], Μάστιξεν δ' ἐλάαν. Sed posterius hoc
B μαστίζω in prosa quoque est usitatum. Lucian. [Tim. c. 23] : Καὶ εἰ παριὼν ἄλλος μαστίξειέ τις, ὄρθιον ἐφιστὰς τὸ οὖς. [In l. Luciani μαστίξειε non significat Flagellaverit, sed Loris increpuerit, idem quod gallice dicimus *Faire claquer son fouet.* Brunck. Artaxerx. Ep. ad Pætum p. 1271, 14 : Μάστιξον, ἀξιῶ, τὸ πάθος. || Forma Dor. μαστίσδοιεν Theocr. 7, 108.] Plut. Alex. [c. 42] : Καὶ τοὺς ἵππους ἐμάστιζον. Hinc Μάστιγμα, q. d. Flagellamentum, Plut. [Mor. p. 459, D, ubi στιγμάτων restitutum ex libris.] Ceterum non ignoro quosdam voluisse hæc verba priora esse quam μάστιξ : et a μαστίζω quidem μάστιξ, at vero a μαστίω fieri μάστις, et fieri μαστίζειν a στίζειν : sed ego contra μάστιξ prius esse puto, utpote instrumentum τοῦ μαστίζειν : a μάστιξ autem primum μαστιγόω, deinde μαστίω et μαστίζω facta fuisse. Qua in re et ab Eust. dissentio. [Hesychii interpretationes : Μαστίζει, μασᾶται, et Μαστίζων, μασώμενος, ad μαστάζω pertinent.]

[Μαστικτὴρ, ῆρος, ὁ, i. q. sequens. Orac. Sibyll. 2, 345 : Σὺ δὲ, σῶτερ, ἐμῶν ἀπὸ μαστικτήρων ῥῦσαι δή με
C κυνῶπιν.]

[Μαστίκτωρ, ορος, ὁ, Flagellans. Æsch. Eum. 159.]

Μάστιξ, ῑγος, ἡ, Flagrum, Flagellum, [Verber add. Gl.] Scutica. Hom. Il. Ε, [748] : Ἥρη δὲ μάστιγι θοῶς ἐπεμαίετ' ἄρ ἵππους· Od. Ζ, [316] . Ὡς ἄρα φωνήσας ἵμασεν μάστιγι φαεινῇ Ἡμιόνους. Utitur et aliis plerisque II. [Soph. Aj. 110 : Μάστιγι νῶτα φοινιχθείς· 242 : Παίει λιγυρᾷ μάστιγι διπλῇ· 1254 : Μέγας δὲ πλευρὰ βοῦς ὑπὸ σμικρᾶς ὅμως μάστιγος ὀρθὸς εἰς ὁδὸν πορεύεται. Eur. Cycl. 237.] Xen. Eq. [8, 4] : Ἢν δὲ μὴ ἐθέλῃ, ἔχων τις μάστιγα ἢ ῥάβδον, ἐμβαλέτω ὡς ἰσχυρότατα. Et in plur. [Μάστιγες, Flagra, Verbera, Gl.] ap. [Herodot. 3, 157 : Μάστιξί τε καὶ αἵματι ἀναπεφυρμένον· Plat. Leg. 6, p. 777, A : Κέντροις καὶ μάστιξιν· Gorg. p. 524, C : Ἴχνη εἶχε ... οὐλὰς ὑπὸ μαστίγων·] Plut. Apophth. [p. 239, C] : Μάστιξι ξαινόμενοι. Idem in l. qui Π. εὐθυμίας inscribitur [p. 470, E] : Καὶ τοὺς ὑπὸ μάστιξι διορύττοντας τὸν Ἄθω. [Xen. Anab. 3, 4, 25 : Οἱ βάρβαροι ... ἐτόξευον ὑπὸ μαστίγων. Herodot. 7, 56 : Ἐθηεῖτο τὸν στρατὸν ὑπὸ μαστίγων διαβαίνοντα. Quod 7, 103
D dicit ἀναγκαζόμενοι μάστιγι.] || Metaph. Pœna quam sustinemus ab irato nobis Deo immissam, Ultio divina, aut simplicius θεομηνία : quo sensu dixit Homerus [Il. Μ, 37, Ν, 812], μάστιγα Διός. [Pindar. Pyth. 4, 219 : Δονέοι μάστιγι Πειθοῦς. Æsch. Prom. 682 : Οἰστροπλὴξ δ' ἐγὼ μάστιγι θείᾳ γῆν πρὸ γῆς ἐλαύνομαι· Sept. 608 : Πληγεὶς θεοῦ μάστιγι παγκοίνῳ 'δάμη· Ag. 642 : Πολλοὺς ἐξαγισθέντας δόμων ἄνδρας διπλῇ μάστιγι, τὴν Ἄρης φιλεῖ. Proprie in phrasi figurata Eur. Rhes. 37 : Ἀλλ' ἦ Κρονίου Πανὸς τρομερᾷ μάστιγι φοβεῖ; Juncus ap. Stob. Fl. vol. 3, p. 447 : Μονονουχὶ μάστιξι καὶ κέντροις ὥσπερ ἐπὶ σκηνῆς αἱ τῶν τραγῳδῶν Εὐμενίδες τὸν νέον ἐλαύνουσιν (αἱ ἡδοναὶ), a Valck. cit.] Sed et veri Dei μάστιξ ac μάστιγες in [V. et] N. T. [Maccab. 2, 9, 11 : Εἰς ἐπίγνωσιν ἔρχεσθαι θείᾳ μάστιγι κατὰ στιγμὴν ἐπιτεινόμενος ταῖς ἀλγηδόσι] : ac peculiariter etiam pro Morbo : ut Marc. 5, [34] : Ἴσθι ὑγιὴς ἀπὸ τῆς μάστιγός σου, dicitur mulieri sanguinis profluvium patienti, sic in vernaculo sermone frequens est, *Le fléau de Dieu*, quod sonat ad verbum, Flagellum Dei, itidemque

Les verges de Dieu. || Masc. gen. ap. Galen., ubi Zoilum appellat τὸν Ὁμήρου μάστιγα, qui alioqui potius voce comp. Ὁμηρομάστιξ appellari solitus est, Therap. 1, [vol. 10, p. 17]: Οὐδὲ ζηλοῖ νοῦν ἔχων ἀνὴρ οὐδεὶς οὔτε τὸν Ὁμήρου μάστιγα [Ὁμηρομάστιγα correctum jam in marg. ed. Basil.] Ζωΐλον, οὔτε τὸν παραπλῆγα Σαλμωνέα. Sic autem dictus fuit ille Zoilus, quod Homeri carmina reprehendendo ejus famam læderet, atque adeo nomen ejus velut vellicaret ac laceraret. [Aliam rationem in verbis proximis reddiderat Galenus : Ἀλλ' οὕτω γε καὶ Ζ. ἔνδοξος τὴν Ὁμήρου μαστίζειν (recte Olear. ad Philostr. p. 648 μαστίζων) εἰκόνα, quam eandem ponit Lucian. Pro imag. c. 24.] De etymo vide in Μαστίζω. [Τῇ μάστιγαν Scytha ap. Aristoph. Thesm. 1135.]

Μάστις, poetice pro μάστιξ, et dat. μάστι pro μάστιϊ, Eust., quem vide [Il. p. 1312, 60. Ib. p. 1120, 45 : Μάστιν ἔστιν εὑρεῖν τὴν μάστιγα] : vel per apocopen pro μάστιγι. [Hom. Il. Ψ, 500 : Μάστι δ' αἰὲν ἔλαυνε κατωμαδόν. Accusat. Od. Ο, 182 : Ἐφ' ἵπποιιν μάστιν βάλεν.]

[Μαστὶς, ap. Hesych. in gl. Μαστίδες, ἀκίδες ἢ ἀγκύλαι, suspectum est.]

[Μαστιστὴς, ὁ, Flagellis cædens. Maccab. 4, 9, 11. Sed ibi pro μαστισταὶ, quanquam ad hunc l. minime alieno, probabilius legitur ὑπασπισταί. De voce ipsa v. Valck. ad Herodot. 7, 35. Schleusn. Lex. De Valckenarii sententia v. Lobeck. Paralip. p. 19.]

[Μαστιχάτον, τὸ, Alex. Trall. 9, p. 156=10, p. 566 : Τῶν δὲ προπομάτων ἄριστόν ἐστι τὸ κονδίτον ... ἢ κιτρᾶτον ἢ μαστιχᾶτον. Ducang.]

[Μαστιχάω, Frendo; unde ap. Hesiod. Sc. 389 : Ἀφρὸς δὲ περὶ στόμα μαστιχόωντι (aprο) λείβεται. Medium v. in Hesychii gl. in Μασταρύζω posita.]

[Μαστιχέλαιον, τὸ, i. q. μαστίχινον ἔλαιον, quod v.]

Μαστίχη, Mastiche, [Mastix, Gl.] Lentiscina resina. Ita enim Diosc. 1, 91 : Γεννᾶται δὲ καὶ ῥητίνη ἐξ αὐτῆς, σχινίνη καλουμένη, ὑπ' ἐνίων δὲ μαστίχη. Sic Plin. 14, 20, de resinis : In oriente optimam tenuissimamque terebinthi fundunt : deinde lentisci, quam et Mastichen vocant. Idem Plin. 12, 17, tradit et alia mastiches genera, de quibus eum consule. [Theophr. H. Pl. 6, 4, 9 : Ἡ ἀκανθινὴ μαστίχη· conf. 9, 1, 2. L. D. Clem. Alex. p. 295. Wakef. Schol. Aristoph. Pl. 720. Athen. 14, p. 663, A, nomen a μασᾶσθαι duxisse tradit Apollodorum Athen. in Etymologumenis.]

[Μαστίχινος.] Μαστίχινον ἔλαιον, Oleum mastichinum, Oleum ex mastiche : ap. Diosc. 1, 52 [51, quod in inscr. dicitur Μαστιχέλαιον. ῞Ι Μαστιχῖνος non recte in gl. Suidæ libris nonnullis illata sine interpr.]

[Μαστίχιον, τὸ, in Suidæ gl. : Μαστίχη, εἶδος μυρεψικοῦ. Καὶ μαστίχιον ὁμοίως. Memorat etiam Theognost. Can. p. 125, 17.]

[Μαστίω. V. Μαστίζω.]

[Μαστόδεσμος, ὁ, i. q. sequens. Galen. vol. 12, p. 471 : Οἱ μαστόδεσμοι. L. Dind.]

[Μαστόδετον, τὸ, Mamillare vinculum. Marcus Argent. Anth. Pal. 6, 201, 4 : Τὰ περὶ στέρνοις ἀγλαὰ μαστόδετα.]

Μαστοειδὴς, ὁ, ἡ, Mammæ similis, ut μ. σαρκία ap. Aristot., quas Gaza vertit Mamillantes caruncula. [H. A. 4, 4. « Tzetz. ad Lycophr. 534; Strabo 678 (?); Eust. Il. Α, 17 (?). » Boiss. Placentas μαστοειδεῖς, Sosibius ap. Athen. 3, p. 115, A. Valck. M. λόφος Polyb. 5, 70, 6; πέτρα Diodor. 17, 75. || Μαστώδης, Mammatus, Mammosus, Gl.]

[Μάστονος, ὁ, Mastonus, n. viri in inscr. Olbiop. ap. Bœckh. vol. 2, p. 142, n. 2090, 2 : Μάρκῳ Οὐλπίῳ Παντοκλεῖ τῷ καὶ Μαστόνῳ.]

[Μαστορίδης. V. Μάστωρ.]

Μαστὸς et Μασθὸς, ὁ, in soluta oratione usitata sunt, i. significantia q. μαζὸς, uti dixi [in illo. Mamilla, Ruma, Gl.] : sed prius illud est usitatius. [Soph. El. 776 : Μαστῶν ἀποστὰς καὶ τροφῆς· Trach. 925 : Μαστῶν περονίς. Frequens utroque numero est etiam ap. Eurip. Μαστὸν ἐπέχειν v. in h. v.] Diosc. [5, 164] : Σὺν μέλιτι δ' ἐπιτιθέμενος ὁ ὀστρακίτης φλεγμαίνοντας μαστοὺς παρηγορεῖ· pro quibus Plin., loquens itidem de ostracitis lapillis, Illiti cum melle, ulcera doloresque mammarum sanant. Plut. De puer. educ. [p. 3, C] dicit providentiam (divinam) duos μαστοὺς mulieribus tribuisse,

A ut si gemellos parerent, binos haberent alimenti fontes. Athen. [12, p. 522, B] : Ἄτοσσαν τὸν μαστὸν ἀλγήσασαν. [De nutrice, ut alibi γάλα, Callim. Cer. 96 : Κλαῖε ... χὠ μαστὸς τὸν ἔπινε. De viris Xen. An. 4, 3, 6, et ubi olim μασθὸς fuisse infra dicam, 1, 4, 17.] Dicitur autem et de brutis : ut ab Aristot. [H. A. 6, 12], de vitulo marino : Μαστοὺς δ' ἔχει δύο, καὶ θηλάζεται ὑπὸ τῶν τέκνων. Pro quibus habet Plin., Vitulus marinus educat mammis fœtum. [Eur. Cycl. 55, 207. Theocr. 18, 42, ubi recte Brunck. μασδὸν, ut alibi est apud Theocr.] At μασθὸς minus usitatum est, uti dixi, ac certe in compositione potius invenitur. [V. in Μαζός. Ubi Elmslejo nihili esse visam diximus formam quam Doricam sec. Heracliden vocat Eust. Et certe perperam sæpe infertur ab librariis, ut in libro uno apud Herodot. 5, 18, et plerisque Xen. Anab. 1, 4, 17, ap. Athen. l. infra ab HSt. citando, et alibi.] De horum autem etymo atque scriptura lege Suid. [in glossa nunc deleta], Ammonium, et Eust., si contentus non sis iis quæ paulo ante dixi [in Μαζός. Ubi iis quæ de B formis Μαζὸς et Μαστὸς diximus addendum primo, alteram Ionicam formam perhiberi in Epim. Hom. Cram. An. vol. 1, p. 443, 19 : Μήποτε οὖν ἀναλογώτεροι οἱ Ἴωνες μαστὸν λέγοντες. Deinde ap. Herodotum non constanter formam μαζὸς, sed etiam μαστὸς legi 3, 133; 5, 18, eandemque aliquoties in libro uno et altero apparere ubi ceteri consentiunt in μαζός. Quod constanter restituendum videtur, quum neque Homeri μαζὸς dicentis exemplum neque ceteri ll. Herodoti commendent opinionem grammatici μαστὸς Ionibus tribuentis, quod Atticorum esse videtur, ut Dorum est μασδός.] || Μαστὸς, metaph. Tumulus, Collis, i. q. λόφος. [Pind. Pyth. 4, 8 : Ἀργάεντι μαστῷ. Callim. Del. 48 : Νήσοιο διάβροχον ὕδατι μαστόν.] Xen. p. 65 a tergo [Anab. 4, 2, 6]. Bud. [Pollux 2, 162; Hesych.] Μαστὸς in retibus quod additur τοῖς ἐνοδίοις, Xen. Cyneg. [2, 7] : Τὰ μὲν ἐνόδια ἐχέτω μαστοὺς, ap. Polluc. [5, 29.] || Μαστὸς ap. Paphios, Poculi genus quoddam, ut ap. Athen. 11, [p. 487, B] tradit Pamphilus ex Apollodoro Cyrenæo. Legitur tamen ibi, Φησὶ Παφίους τὸ C ποτήριον οὕτω καλεῖν· sed Eust. quoque, quem adi, legisse videtur τι pro τό : qui etiam habet Μασθὸς per θ. [Pollux 6, 95; Hesych.]

Μαστούειν, Hesychio ἐπιζητεῖν : quod et μαστεύειν. [Id ipsum reponendum esse vix monere refert.]

[Μαστοῦς, ὁ, Mastus, n. viri Mæoticum in inscript. Anap. ap. Bœckh. vol. 2, p. 165, n. 2130, 56. Conf. Μάστονος. L. Dind.]

[Μαστουσία, ἡ, Mastusia, Chersonesi Thrac. prom. ap. Lycophr. 534, Μαζουσία, sed *Mastusia*, forma vulgari, ap. Plin. N. H. 4, 11, 18, 49. A forma μαστοειδεῖ n. repetit Tzetzes. Idem Plin. 5, 29, 31, 118 : « Montes Asiæ nobilissimi in hoc tractu fere explicant se, Mastusia a tergo Smyrnæ, etc. »]

[Μαστοφάγης, ὁ, ἡ, ap. Clem. Alex. Pæd. 3, p. 298, ubi μαστοφαγὴς ὠκύπτερος, quod Schneidero suspectum, Cotelerius ad Patr. Apost. vol. 1, p. 30, interpretatur Rapto viventem, ὠκύπτερον dici monens accipitrem.]

[Μαστραμέλλη, πόλις καὶ λίμνη τῆς Κελτικῆς. Ἀρτεμίδωρος ἐν τῇ ἐπιτομῇ τῶν ἕνδεκα, Steph. Byz. Ms. Vratisl. D Μαστραμέλη.]

[Μαστρία, ἡ.] Μαστρίαι, Hesych. auctore, αἱ τῶν ἀρχόντων εὐθύναι [εὔθυναι, Magistratuum rationes s. Rationes a magistratibus repetitæ. Conf. Μάστρος.]

[Μαστροπεία.] Μαστρωπεία, ἡ, Lenonia conciliatio, vel Lenocinium [Gl. per ω]. Plut. Symp. 2, 1 [p. 632, D] : Τὸ φιλοποιὸν καὶ συναγωγὸν ἀνθρώπων εἰς εὔνοιαν, μαστροπείαν καὶ συναγωγίαν καὶ ἀγωγίαν ὠνόμασεν. Xen. Symp. [4, 61] : Μαστροπείας ἀκόλουθος ἡ προαγωγεία. [Suidas.]

[Μαστροπεῖον, τὸ, Lupanar. Cyrillus ap. Ducang. v. Μαυλισταρεῖον p. 80 : Ματρυλεῖον, τὸ μ. L. Dind.]

[Μαστροπεύω.] Μαστρωπεύω, s. Μαστροπεύω, Perduco s. Produco, Prostituo. [Lenocinor Gl. per ω.] Ap. Suidam : Μαστρωπεύοντες [μαστροπ.] οἱ βασιλικοὶ τῷ Ζήνωνος υἱῷ τοὺς ἐνήβους, πρὸς τοὺς τῶν ἀῤῥένων ἔρωτας λυσσᾶν ἐξεπαίδευσαν ἐκτόπως. Xen. Symp. [4, 57] : Ἀγαθοῦ ὑμῖν δοκεῖ μαστροποῦ ἔργον εἶναι, ἣν ἂν ἢ ὃν ἂν μαστροπεύῃ, ἀρέσκοντα τοῦτον ἀποδεικνύναι οἷς ἂν συνῇ. Ibid.

[8, 42] metaphorice, Οὐκοῦν σύ με μαστροπεύσεις πρὸς τὴν πόλιν ὅπως πράττω τὰ πολιτικὰ, καὶ ἀεὶ ἄριστος ὦ αὐτῇ. Athen. l. in Μαστροπὸς citato hoc vocat προαγωγεύειν : quod interpr. et Producere et Conciliare. Latinum Lenocinor significat Lenonia arte gratiam concilio : ita usurpatum tum ab aliis tum a Quintil. 5 : Mancipiorum negociatores formæ puerorum virilitate excisa lenocinantur.

[Μαστροπικὸς, ἡ, ὸν, Lenonius, unde adv. superl. Μαστροπικώτατα, ap. schol. Soph. Aj. 520 : Εὐριπίδης μ. εἰσάγει τὴν Ἑκάβην λέγουσαν.]

[Μαστρόπιον, τὸ, Lenulus, Gl., sed per ω.]

[Μαστροπὶς, ίδος, ἡ, Lena. Liban. vol. 4, p. 599, 18. Conf. Wolf. Anal. vol. 2, p. 41. Boiss.]

[Μαστροπορνεία, ἡ, ap. Athan. vol. 2, p. 553, fors. μαστροπεία. Kall.]

[Μαστροπώδης, ὁ, ἡ, Lenonius. Schol. Eurip. Hec. 808 Matth.]

[Μαστροπός.] Μαστρωπὸς, ὁ, ἡ, Leno, Lena : qui et προαγωγεὺς, προαγωγὸς, πορνοβοσκός. [Gl. : Μαστρωπὸς, Leno.] Reperitur et per ω μέγα [vitiose] et per ο μικρὸν scriptum : illo modo, ap. Suidam : hoc, apud Hesych., [Pollucem] et Athen. quum alibi, tum l. 10, [p. 443, A, in l. Theopompi] : Τὰς μαστροποὺς τὰς εἰθισμένας προαγωγεύειν τὰς ἐλευθέρας γυναῖκας. Et l. 7, [p. 292, B] ex Diphilo comico : Ἀφροδίσι' ὑπὸ κόλλοψι μαστροποῖς ποιῶν. [Aristoph. Thesm. 558 : Ταῖς μαστροποῖς. Xen. Conv. 4, 56, etc. et cum genit. 8, 5 : Σὺ μαστροπὲ σαυτοῦ. Gl. : Μαστρωπαὶ, Lenæ, pro -ποὶ, ut videtur. || Adjective Manetho 4, 306 : Μαστροπὰ ἔργα τελοῦντες, i. q. μαστροποί.] Hesych. habet non solum μαστροπὸς, sed etiam Μαστροφὸς, exponens non modo ὁ προαγωγὸς, sed etiam δύστροπος, πανοῦργος, ἀπατεών. Quod ad etymon τῆς μαστρωποῦ attinet, Eust. sic dictam vult quasi τὴν ματέρος ὄπα σοφιζομένην ἐν τῷ αἱμύλα κωτίλλειν, ματεροπόν τινα οὖσαν.

[Μάστρος, ὁ.] Μάστροι, ap. Rhodios βουλευτῆρες, auctore Hesychio. [Cujus in gl. βουλευταὶ, οἱ καὶ μαστῆρες conjiciebat Bernhardy ad Suidam v. Μαστῆρες, quod v.]

[Μαστροφός. V. Μαστροπός.]

Μαστρύλλιον, τὸ, Suidæ τόπος ἔνθα οἱ μαστρωποὶ διέτριβον, Locus in quo lenones degebant. [Μαστρυλλεῖον (Pors. simplici λ) codex Photii cum ead. interpr.] Infra Ματρύλλιον. [Ubi HSt. de ceteris quæ huc referenda sunt :] Ματρύλλη, idem ac μαστρωπὸς, Lena. Unde Ματρυλλεῖον, τὸ, dicitur τὸ πορνεῖον, Lupanar, Locus in quo lenæ suas meretrices prostituunt. [Hæc ex Eust. Il. p. 380, 6, qui tamen ματρύλλα scribit, ματρυλλείου autem usurpat ipse Op. p. 106, 94. Harpocratio, qui ex Hyperide citat, sive] Suidas [quorum libri meliores simplici λ] ita vocari ait Locum in quo degentes vetulæ suscipiunt eos qui vino se ingurgitare velint : in testimonium afferens mutilum hunc Menandri l., Οὐχ οἰμώξεται κατὰ τρεῖς [καταφθαρεὶς] ἐν ματρυλλείῳ [—υλείῳ] τὸν βίον. Hesych. sine diphthongo per ι habet Ματρύλλιον [ματρύλιον codex], esse dicens τόπον τῶν πορνευόντων, i. e. πορνεῖον, ὅπου οἱ μαστροποὶ, ἤτοι μαυλισταὶ, διέτριβον. [Plut. Mor. p. 1093, F : Τὰς ἐκ τῶν ὀπτανείων καὶ μαστρυλλίων ἡδονάς. Wyttenb. : « E. P. Harl. ματρυλλίων. Fort. leg. ματρυλλείων. » Eodem modo ap. Polluc. 6, 188 : Ἐν οἰκήματι ζῶν, ἐν ματρυλίοις, codd. μαστρυλίοις, quum 9, 48 consentire videantur in ματρύλεια. Photio Ματρυλλεῖον est τόπος ἐν ᾧ γραῖες μαστροποὶ διατρίβουσιν ἑταίρας ἔχουσαι καὶ δέχονται τοὺς βουλομένους (καταμεθυσθῆναι addit Harpocratio, qui hæc ex Heracleone et Didymo) · ἐκάλουν δὲ αὐτὰς καὶ μαστρυας (sic sine accentu) εὐφήμως. Zonaras p. 1335 : Ματρύλειον, τ. ἐν ᾧ μαστροποὶ διατρίβουσι· ματέρας δὲ ἐκάλουν οἱ Δωριεῖς τοὺς (sic) μαστροποὺς ἐπευφημιζόμενοι. Ἔνιοι ματρυλεῖον γράφουσι καὶ μαστρυλεῖον. Addendum autem his masc. ap. Phryn. Bekk. An. p. 48, 32 : Κυνοφθαλμίζεται, ἀναιδῶς καὶ ἰταμῶς ὁρᾷ, τρόπον ματρύλλου, quod esse videtur Lenonis. De orthographia horum nominum per simplex λ et forma ματρυλεῖον per ει satis constare videtur ex l. Menandri qui supra : sed μαστ. an ματρ. præstet dubium videtur, quum probabilis sit opinio ejusdem stirpis hæc vocc. esse cujus est μαστροπός.]

Μαστὺς, ύος, ἡ, Vestigatio, Inquisitio, ζήτησις, pro

A qua signif. affert schol. Apoll. [1, 1353] ex Callimacho.

[Μαστώδης. V. Μαστοειδής.]

Μάστωρ, ορος, ὁ, Quæsitor, Inquisitor : μάστορες fuisse dicuntur Magistratus quidam de rebus publicis inquirendis, Lat. Quæsitores. [Analogia voci minime repugnat : sumta tamen hæc forma ex Suida, qui quum sua ex Harpocratione derivaverit, ibique legatur μαστῆρες, tutius eam rationem sequemur, donec μάστορες certiore auctoritate nitantur. Hemst. Μάστειρες codd. Suidæ. V. Μαστήρ.]

[Μάστωρ, ορος, ὁ, Mastor, pater Lycophronis Cytherii, ministri Ajacis Salaminii, Hom. Il. O, 430. Unde patron. Μαστορίδης, Filius Mastoris, ib. 438, et de Halitherse Ithacensi Od. B, 158, Ω, 451.]

[Μᾶσυλεῖς, οἱ, gens Libyca ap. Dionys. Per. 187 : Ἔνθα Μασαισύλιοί τε καὶ ἀγρονόμοι Μασυλῆες. Eust. : Πολύβιος δὲ Μασουλεῖς (sic) γράφει αὐτούς. Quæ ex Steph. Byz. petiisse videtur : Μασσύλοι, Λιβυκὸν ἔθνος. Ἀπολλόδωρος β'. Πολύβιος ἐν τῷ ἑβδόμῳ Μασσυλεῖς αὐτούς φησι. Ubi ordo literarum postulat simplex σ et fert

B Μασύλιοι, quam terminationem præstant libri Polybii 3, 33, 16 : Νομάδων δὲ Μασσυλίων καὶ Μασσαισυλίων κτλ., nisi quod plerique Μασσολίων, unus tantum Μασσυλίων. Scriptura per σου in secunda librarii error videtur. Sic ap. Nicolaum Dam. p. 518 ed. Vales. : Βασουλιεῖς Λίβυες, quod Μασουλιεῖς scribebat Valesius, sec. Dionysium autem scrib. foret Μασυλεῖς. Vitiose ap. Strab. 2, p. 131 : Τούτων (τῶν Νομάδων) τοὺς γνωριμωτάτους τοὺς μὲν Μασσαλιεῖς, τοὺς δὲ Μασαισυλίους προσαγορεύουσιν· ubi Μασσυλιεῖς Casaub., et 17, p. 829 : Ὅριον τῆς τε Μασσαισύλων καὶ τῆς Μασυλίβων γῆς, ubi Μασυλίων interpretes. Conf. ib. p. 831, 832, ubi difficile est dignoscere ex varietatibus librorum utram harum gentium nominaverit. L. Dind.]

[Μασυντίας, ὁ, Masyntias, nomen servi, Aristoph. Vesp. 433. ἄϊα]

Μασύντης, ὁ, Hesychio παράσιτος, Parasitus, Adulator. [Παραμασύντης confert Soping.]

[Μασχαλάω, vel potius Μασχαλέω. Hesych. : Μασχαλᾶν, τὸ τοῖς λευκίνοις σχοινίοις τὰς ἀγκύρας σχάσαντας περὶ τὸν ἀγκυρίτην λίθον περιθεῖναι. Schow. : « Codex Μα-

C σχάλην ... σχ.'σαντας. In σχάσαντες literam expunxit. Glossam male correxit; scriptio codicis ducit ad Μασχαλεῖν, cui et series repugnat. »]

Μασχάλη, ἡ, Axilla, Ala [Gl.], Armus. [Hom. H. Merc. 242 : Χέλυν δ' ὑπὸ μασχάλῃ εἶχε. Æschyl. in fr. ap. schol. Hom. Il. N, 198 : Λύκοι νεβρὸν φέρουσιν ἀμφὶ μασχάλαις. Aristoph. Eccl. 60 : Ἔχω τὰς μασχάλας λόχμης δασυτέρας· Ach. 852 : Ὄζων κακὸν τῶν μασχαλῶν.] Xen. Eq. [12, 5] : Τὸ διαλεῖπον τοῦ θώρακος ὑπὸ τῇ μασχάλῃ καλύπτεται. Plut. [Mor. p. 125, C] : Αἱ τῶν μασχαλῶν ψηλαφήσεις οὐχ ἴδιον οὐδὲ πρᾶον οὐδ' ἵλεω γέλωτα τῇ ψυχῇ παρέχουσιν, ἀλλ' ἐοικότα σπασμῷ καὶ χαλεπόν. At Μασχάλην αἴρειν proverbialiter dicitur κωθωνίζεσθαι καὶ πίνειν, Cothonibus certare et potare : quia qui bibunt, solent alas elevare altius dum calicem exhauriant : ut Hom. quoque dicit χεῖρας ἀνίσχοντες : et χεῖρας ἀνασχόμενοι. Ita Hesych. et Pollux [6, 26], quorum ille hoc affert exemplum, Ὡς ἄνω Τὴν μασχάλην αἴρωμεν ἐμπεπωκότες [e Cratino. Zenobius

D Prov. 5, 7; Phot. Lex.; Ælian. Epist. 15. || Μασχάλαι τῶν ἐμπροσθίων σκελῶν elephantis Aristot. Partt. an. 4, 10 med. || De loco Strabo 6, p. 267 : Ἡ Μεσσήνη τῆς Πελωριάδος ἐν κόλπῳ κεῖται, καμπτομένης ἐπὶ πολὺ πρὸς ἕω καὶ μασχάλην τινὰ ποιούσης. Schneid. Tab. Heracl. 1, 44 : Πὰρ τὰν Βυβλίναν μασχάλαν καὶ πὰρ τὰν διώρυγα. *Coxa* de agri angulo dictum confert Mazochius p. 554. Μασχάλη σταυρώματος ap. Apollodor. Poliorc. p. 43 sæpius. L. D. Improprie etiam Stratonicus ap. Athen. 8, p. 351, D : Τὸ Βυζάντιον μασχάλην τῆς Ἑλλάδος (ἐκάλει). Cit. Valck.] || Μασχάλη, est etiam Proræ pars eo loco quo est τὸ τέρθρον quod vocatur ἀρτέμων. Hesych. || Eidem Hesych. μασχάλη est ἐλαίας φύλλου τὸ μέρος, Pars quædam folii olivæ. Verum et aliis in genere herbis tribui μασχάλη dicitur, esseque Cavus ille inter caulem et ramulos anfractus, unde sinuatim nova proles egreditur. Latini similiter Alas vel Sinus appellare perhibentur. [Theophr. H. Pl. 3, 15, 1 : Ῥάβδοις ἄνευ μασχαλῶν καὶ ἀνόζοις· C. Pl. 1, 6, 4 : Εὔλογον τὸ τὰς μασχάλας ἐνοφθαλμίζειν.] || Rursum Hesychio μασχάλη est ἡ τοῦ φοίνικος ῥάβδος [ἢ σχοινίον, quod tamen σχοίνινον scribendum conjecerunt qui ad Μασχάλινον, in quo hæc omnia ponuntur, retulerunt, quod conf. De usu voc. ap. Atticos Mœris p. 261 et Thomas p. 595 animadvertunt in formula ὑπὸ μάλης hoc voc. usurpari, non μασχάλης, in ceteris casibus μασχάλη, non μάλη. (Cujus exemplis add. ὑπὸ τὴν μάλην ap. anon. Suidæ in Πνεύσας, coll. Lobeck. Add. ad Phryn. p. 759.)]

[Μασχαλήττω.] Ap. Hesych. legitur et Μασχαλήττει, expositum ὑπὸ κόλπον καὶ ὑπὸ μάλην φέρει, Sub ala fert. [Μασχαλίττει interpretes.]

[Μασχαλιαία, ἡ, πλίνθος, Lapis humeralis vel angularis, in inscr. Att. ap. Bœckh. vol. 1, p. 282, § 9, b.]

Μασχαλίζω. Qui cædem aliquam patrassent, μασχαλίζειν τὸν φονευθέντα dicebantur quum ei extremas præcipue partes corporis amputantes, easque connectentes sub axilla ferebant : ut qui putarent, defunctum ita mutilatum invalidum reddi ad se ulciscendos : quemadmodum et Iason ap. Apoll. Arg. 4, [477], ἐξάργματα τάμνε θανόντος. [Æsch. Cho. 439 : Ἐμασχαλίσθη.] Soph. El. p. 102 [445] de Clytæmnestra, Ὑφ' ἧς θανὼν ἄτιμος, ὥστε δυσμενὴς, Ἐμασχαλίσθη. || Μασχαλισθῆναι ab Hesych. exp. etiam ἀνηρτῆσθαι ἐκ τῶν μασχαλῶν, Ex axillis suspensum esse. [Quod ad superiora referendum videtur.]

Μασχάλιον, Hesych. dici scribit κάνεον φοινίκινον, Canistrum palmeum : vel σχοινίον, Funem ex palma : utebantur enim olim canistris et funibus plexis ex palmarum foliis. [Similes ejusdem gll. sunt : Μασχαλέον, κάνεον, πῖδαξ (πίναξ Guietus). Μασχαλινὸν (sic intt. pro Μασχαμνὸν), φοινίκινον πλέγμα. Quod Μασχάλινον scribendum.]

Μασχαλὶς, ίδος, ἡ, Axillam s. Alam significans : de arboribus etiam dici traditur, ap. Theophr. H. Pl. 3, [7, 4. Ctesiæ Indica c. 28. || De alia signif. v. in Μασχαλιστήρ.]

[Μασχάλισμα, τό.] Μασχαλίσματα dicuntur ejusmodi ἀκρωτηριάσματα quæ sub axilla ferebantur. Ita enim Suid., Qui aliquos, inquit, ex insidiis interfecissent, ut iram eorum effugerent, amputatis eorum partibus extremis et connexis, ex collo suspendebant, trajectas per axillas : eaque appellabant μασχαλίσματα. His addit, significare vocabulum hoc et τὰ τοῖς μηροῖς ἐπιτιθέμενα ἀπὸ τῶν ὤμων ἐν ταῖς τῶν θεῶν θυσίαις. Ead. ap. Hesych. leguntur, sed aliquantum corrupta. [Et ap. Photium, quocum Suidas per errorem affirmat ipsum voc. μασχάλισμα Aristophanem gramm. legi ap. Soph. in Electra perhibuisse, qui haud dubie verbum μασχαλίζω, quod v., dixerat.]

[Μασχαλίττω. V. Μασχαλήττω.]

Μασχαλιστὴρ, ῆρος, ὁ, Hesychio est ὁ διὰ τῶν μασχαλίων [μασχαλῶν] δεσμὸς τοῦ ὑποζυγίου : ut sunt lora illa latiora supra alas s. armos jumentorum quibus currui alligantur : Homero dicta λέπαδνα. [Quæ μασχαλιστῆρας interpr. schol. Il. T, 393. Τὸ αὐτὸ καὶ μασχαλὶς addit Hes.] Utitur hac voce Æsch. Pr. p. 9 [71]. Ibi enim τὸ κράτος Vulcano dicit, Ἀλλ' ἀμφὶ πλευραῖς μασχαλιστῆρας βάλε· jubens eum vincire per latera loris latis, quæ per axillas ducantur. [Unde citat Thomas p. 595, ubi est var. μασχαλιστής.] Herodot. etiam 1, [215] μασχαλιστῆρας vocat ejusmodi Vincula lata sub axillis, sed quæ ornatus causa gererentur, ut cingula; de Massagetis : Ὅσα δὲ περὶ κεφαλὴν, καὶ ζωστῆρας καὶ μασχαλιστῆρας, χρυσῷ κοσμέονται. Ita Pollux 5, 16 [§ 100] : Περὶ δὲ τοῖς στέρνοις αἰγίδας, μασχαλιστῆρας· qui l. 1, tit. De loris s. habenis [147], μασχαλιστῆρας esse dixerat τὰ ὑπὸ τοὺς ὤμους τῶν ἵππων. Ap. Eund. [2, 178] σφόνδυλος quidam τῆς ῥάχεως dictus est μασχαλιστὴρ, nimirum ὁ ὑπὸ τῷ ἄτλαντι.

Μασχαλὸν, Hesych. affert pro χιτῶνα, Tunicam. [Μασχαλωτὸν Salmas.]

[Μασχάνη, ἡ, Maschane. Πόλις πρὸς τῶν Σκηνιτῶν Ἀράβων. Κουάδρατος ὀγδόῳ Παρθικῶν. Τὸ ἐθνικὸν Μασχανεὺς, Steph. Byz.]

[Μασχιατικὸν, genus Emplastri, in libro Iatrico Ms. ex cod. Reg. 1673. Ducang.]

Ματάζω, Vana cogito s. Inepta, Ineptio, Desipio. Ap. Soph. OEd. T. p. 189 [891] ματάζων schol. exp. ματαιοφρονῶν. Esse autem ματάζω a ματῶ manifestum est. [Æsch. Ag. 995 : Σπλάγχνα δ' οὔτι ματάζει. Inter ματάζω et ματαιάζω variant libri Sext. Emp. 9, 281. De mensura secundæ et scriptura ματάζω vel ματᾴζω (ex ματαΐζω contr.) v. Draco p. 21, 24; 59, 2; 83, 25; 108, 13, Etym. M. p. 535, 49; 737, 21, coll. Pierson. ad Mœr. p. 70 sq. Ματᾴζω cum iota subscr. Herodian. Π. μον. λ. p. 23, 8. Suidas : Ματαΐζων (olim ματάζων), ματαίως ζῶν, ματαίως φρονῶν, καὶ Ματαΐσαι ὁμοίως (olim Ματάσας. Ὁμοίως εὕρηται παρὰ τῷ Λουκιανῷ ματαΐζω).]

Ματαιάζω, Ineptio, [Græcor, Gl.] Bud. ap. Lucian. De luctu [c. 16] : Πατέρα παῦσαι ματαιάζοντα. [Epicur. ap. Diog. L. 10, 67. Philo p. 113, D; 184, E. Valck. Schol. Aristoph. Pl. 575; Palæph. 11, 1, ubi al. εὐήθης ἐστίν. V. Ματάζω.]

[Ματαιάω.] Ματαιᾷ, Hesychio διατρίβει, χρονίζει, Tempus terit, Moratur : quod rectius ματᾷ. [Et sic codex (μάται).]

Ματαΐζω, i. q. ματάζω. Exp. etiam, Vana jacto [ap. Joseph. B. J. 6, 2, 10 : Ἀνασκιρτῶντα καὶ ματαΐζοντα. Jacobs. V. Ματάζω et Ματαΐσσω.]

[Ματαιοβαστάκτης, ὁ, Nugigerulus, Gl.]

[Ματαιογέρων, οντος, ὁ, Acta S. Eliæ p. 189 Combef. Boiss.]

[Ματαιοεργία, ἡ, Vanus labor. Epiphan. vol. 1, p. 131, D.]

[Ματαιόκομπος, ὁ, Vanus jactator. Schol. Aristoph. Ach. 589.]

[Ματαιοκοσμία, ἡ, Vanitas mundi, secularis. Theod. Stud. p. 504, κη', 5 : Λόγον γὰρ οὐ φῂς τῆς ματαιοκοσμίας, εἶδον, βέβρωκα. L. Dind.]

[Ματαιόκροτος, ὁ, ἡ, Vanum edens crepitum. Const. Manass. Chron. 2896 : Ψευδηγορεῖν καὶ πλάττεσθαι ματαιοκρότους λόγους.]

[Ματαιολογέω, Blatero, Gl. Strabo 2, p. 76. Suidas v. Θαλαττοκοπεῖς, idemque et Hesych. in Ἐμματάζων vel Ἐμματαιάζων.]

Ματαιολογία, ἡ, Vaniloquentia, ut Liv., Tacit.; s. Verba vana. [Porph. De abstin. 4, 16, p. 354; Plut. Mor. p. 6, F.]

Ματαιολόγος, ὁ, Vanus in loquendo, Vaniloquus, [Blato huic add. Gl.] Vanidicus, ut Plaut., Liv. [Ep. ad Tit. 1, 10. « Hesych. in Λαλαγήτης. » Hemst. Idem in Λαρυγγός. Ignatius Ep. ad Trall. p. 62 ed. Cotel. L. Dindorf.]

Ματαιολοιχὸς etiam scribitur [pro ματτυολοιχὸς, quod v. in Μάτιον] et exp., Qui frivolas res consectatur, eas velut delambens.

[Ματαιομοχθέω, i. q. ματαιοπονέω. Hermias In Plat. Phædr. f. 25 (p. 66 ed. Ast.) : Ὡς ἂν μὴ ματαιομοχθῇ, εἴπου παρά του ἐμποδίζοιτο. Cramer.]

[Ματαιοποιέω, Vana facio. Triclin. schol. Soph. OEd. T. 874. Boiss.]

[Ματαιοποιὸς, ὁ, ἡ, Inania agens. Athen. 5, p. 179, F : Τὸν οἶνον Ὅμηρος οὐχ ἠλεὸν ὥσπερ ἠλίθιον καλεῖ καὶ ματαιοποιόν.]

Ματαιοπονέω, Frustra laboro, Nequicquam in aliqua re vexor et contendo. I. e. Successus non respondet labori, Frustra nitor, et nihil promoveo. Utitur schol. Aristoph. Item Chrysost. l. in Μάταιος cit., loquens περὶ τῶν εἰς πίθον τετρημένον ἀντλούντων. Bud. [Polyb. 9, 2, 2; 25, 5, 11. Clemens Homil. p. 621 fin. : Τί ματαιοπονῶ;]

[Ματαιοπόνημα, τὸ, Vanum opus. Iambl. V. P. p. 58 Kiessl. : Ἄβακι καὶ ἀνονήτοις ματαιοπονήμασιν ἑαυτὸν ἀντιπερισπᾶν. Ita Kust. pro ματαιονήμασιν.]

Ματαιοπονία, ἡ, Inanis labor, Opera frustra impensa. Utitur Lucian. [D. mort. 10, 8] de philosophis sophistice argutantibus. Item Plut. [Mor. p. 119, D.] Et Chrysost. Comment. in Epist. ad Eph. p. 166; necnon Artemid. [Strabo 17, p. 806. Hemst. Suidas v. Ἡσύχιος Μιλήσιος p. 1708, A : Ἑλληνικῆς ματαιοπονίας. Ubi al. ματαιότητος.]

[Ματαιόπονος, ὁ, ἡ, Qui operam perdit, inaniter laborat. Jo. Chrys. In Matth. hom. 49, vol. 2, p. 317, 43. Seager.]

[Ματαιοπρᾱγέω. V. Ματαιοπραγία.]

Ματαιοπρᾱγία, ἡ, Eustathio videtur esse i. q. ματαιοπονία, sicut verb. Ματαιοπραγεῖν, i. q. ματαιοπονεῖν in ll. in Ματάω et Ματία citatis.

[Ματαιοπώγων, ωνος, ὁ, Frustra barbatus, μάτην πώγωνα ἔχων, schol. Theocr. 14, 28.]

Μάταιος, α, ον et ὁ, ἡ, q. d. Frustaneus, Qui frustra fit, Vanus, Inanis. [Cassus, Supervacuus, Irritus huic add. Gl. Theognis 141 : Ἄνθρωποι δὲ μάταια νομίζομεν, εἰδότες οὐδέν· 487 : Σὺ δ' ἔγχει τοῦτο μάταιον κωτίλλεις αἰεί· 492 : Μή τι μάταιον ἐρεῖ· 507 : Μή τι μάταιον ἔρξω· 105 : Δειλοὺς εὖ ἔρδοντι ματαιοτάτη χάρις ἐστί. Et sæpe ap. Tragicos.] Plato in Tim. [p. 40, D] : Μάταιος ἂν εἴη πόνος, quod Cic. vertit Frustra suscipiatur labor. Dem. [p. 14, 10] : Ὀκνῶ μὴ μάταιος ἡμῖν ἡ στρατεία γένηται. Ubi observa etiam μάταιος pro ματαία. [Ut ap. Æsch. Ag. 1151 : Ματαίους δύας. Et alibi. Sed frequentius ματαία. Sic etiam Soph. OEd. C. 780 : Ματαίου ἡδονῆς· et Eur. Iph. T. 628 : Μάταιον εὐχήν· sed uterque sæpius altera forma. Xen. Comm. 4, 7, 8 : Τὴν μάταιον πραγματείαν. Ap. Platonem quoque frequens μάταιος gen. fem., sed exstat etiam ματαία.] Chrysost. In Ep. ad Ephes. c. 4, p. 166, hunc Pauli l. exponens, Καθὼς καὶ λοιπὰ ἔθνη περιπατεῖ ἐν ματαιότητι τοῦ νοὸς αὐτῶν, scribit, μάταιον dici τὸ προσδοκηθὲν μὲν ἔχειν τιμήν, μὴ B ἐσχηκὸς δέ : quod etiam dicunt κενὸν, inquit, et κενὰς ἐλπίδας : item εἰκῆ, et ἁπλῶς. Quibus addit, μάταιον appellari τὸ πρὸς μηδὲν χρήσιμον. || Dicitur vero et aliquis esse μάταιος pro Vanus, Ineptus. [Nebulo, Gl. Theognis 1025 : Δειλοί τοι κακότητι ματαιότεροι νόον εἰσί. Pind. Pyth. 3, 21 : Ἔστι δὲ φῦλον ἐν ἀνθρώποισι ματαιότατον. Æsch. Prom. 998 : Τόλμησον ὦ μάταιε. Et alibi ap. Tragicos, ut Soph. Ant. 1339 : Ἄγοιτ' ἂν μάταιον ἄνδρ' ἐκποδών. Aristoph. Vesp. 338 : Ὦ μάταιε.] Lucian. : Καὶ οἱ μάταιοι τῶν ἀνθρώπων θεοὺς ὑμᾶς ὑπειλήφασιν εἶναι. [De merc. cond. c. 17, Catapl. c. 14 extr.] Ap. Soph. [Aj. 1162] redditur etiam Futilis : Ἀνδρὸς ματαίου φλαῦρ' ἔπη μυθουμένου. Ap. Aristot. Eth. 4, 7, μάταιος quidam interpr. Vanus, alii Levis ac nugator. Putat autem μάταιον dici Bud., quasi quem expectatio frustretur. Ab hoc μάταιος est nostrum *Mat*, ex quo Itali fecerunt *Matto*. || Pro ψευδής, Bud. ex Parab. Solom. [26, 2. Μάταιον ἔπος Herodoto dicitur verbum s. sermo non solum Vanus aut Mendax, sed Contumeliosus et Injurius, 3, 120; 7, 11. Sic μ. C λόγος ap. eund. 3, 56; 6, 68; 7, 10, 7. Schweigh. Similiter Eur. Cycl. 662 : Μή σ' ἐξοδυνηθεὶς δράσῃ τι μάταιον, Malum.]

|| Ματαίως, Vane [Gl.], Inepte, Leviter. [Soph. Trach. 940 : Ὥς νιν μ. αἰτίᾳ βάλοι κακῇ. Orac. Sib. 3, 29 : Μ. δὲ πλανᾶσθε.] || Item pro μάτην [Nequicquam, Gl.], ut exp. ap. Plat. Epist. [7, p. 331, D] μ. λέγειν, Frustra verba facere. [Trag. ap. Clem. Al. Strom. 3, p. 520, qui Eurip. putatur : Στένω ματαίως. Aristot. Eth. Nic. 1, 1 : Μ. καὶ ἀνωφελῶς. Improbant pro μάτην positum Herodian. p. 462 Piers., Thom. p. 600.]

[Μάταιος, ὁ, Matæus, n. viri in numo Attudensium Phrygiæ ap. Mionnet. *Suppl.* vol. 7, p. 521, n. 204 : ΔΙΑ.ΜΑΤΑΙΟΥ ΜΕΝΙΠΠΟΝ.]

[Ματαιοσπουδέω, Vanis, inanibus rebus studeo. Philostorg. H. E. 11, 1, p. 538, 6 : (Σὺν) οἷς ἐματαιοσπούδει.]

Ματαιοσπουδία, ἡ, Vanum et inane studium, Studium aliqua in re frustra collocatum. [Οὐδὲν ὀνείρων διαλλάττουσιν αἱ τῶν ἀνθρώπων ματαιοσπουδίαι, Irrita hominum studia nihil differunt a somniis. Suicer. D sine nomine auctoris.]

Ματαιόσπουδος, ὁ, ἡ, Vanis et inanibus rebus studens, i. q. κενόσπουδος.

[Ματαιοσυκοφαντία, ἡ, Vana sycophantia. Epiphan. vol. 1, p. 424, B.]

[Ματαιοσυμβουλία, ἡ, Vana consultatio. Pseudo-Chrys. Serm. 27, vol. 7, p. 320 : Οὐ διὰ τὴν ἀρχαίαν ματαιοσυμβουλίαν. Seager.]

[Ματαιοσύνη, ἡ, Vanitas. Polem. Phys. 1, 6, p. 209, et sec. ed. Rom. Adamant. 1, 5, p. 338, ubi Sylburg. μαργοσύνη. ὔ]

[Ματαιόσχολος, ὁ, ἡ, Futilis. Phot. Bibl. p. 237 (142, 20 : Λογισμῶν κενεμβατούντων καὶ μ.). Wakef.]

[Ματαιότεκνος, ὁ, ἡ, Frustra liberos edens. Hesych. et Etym. M. : Ἀλιτόκαρπον, ματαιότεκνον. || « Ματαιότεκνον, Proles ex scortatione aut adulterio suscepta. Glossæ græcob. : Ματαιότεκνον ὅπου ἐποίησεν ἤγουν ἐποικεν [sic] τέκνον ἢ παιδίον, τουτέστι παιδίον ἁμαρτωλὸν καὶ ψεματινόν. » Ducang.]

A Ματαιοτεχνία, ἡ, Vanæ artis studium, Vana ars, Inanis artis imitatio. Quintil. 2, 20 : Ματαιοτεχνία quoque est quædam, id est Supervacua artis imitatio, quæ nihil sane nec boni nec mali habeat, sed vanum laborem : qualis illius fuit, qui grana ciceris ex spatio distante missa, in acum continuo et sine frustratione inserebat. Quales etiam ii qui in declamationibus, quas esse veritati dissimillimas volunt, ætatem multo studio ac labore consumunt. [Clem. Al. Pæd. 2, p. 163, 20 : Τῆς ἀμφὶ τὰ πέμματα μ. Serv. ad Virg. Æn. 1, 464. Galen. vol. 7, p. 164.]

Ματαιότεχνος, ὁ, ἡ, Vanis artibus deditus, Inanibus artibus gaudens, Inanium artium studiosus.

Ματαιότης, ητος, ἡ, Vanitas, [Frustratio add. Gl.] : ut in l. Pauli quem attuli in Μάταιος. Sic ap. Solom. [Eccles. 1, 2] : Ματαιότης ματαιοτήτων, Vanitas vanitatum. [Pollux 6, 134. Greg. Nyss. Homil. in Eccles. 1, p. 376. Plur. ap. Hesych. v. Μάταισι.]

[Ματαιουργὸς, ὁ, ἡ, Vana faciens. Philo vol. 2, p. 98, 52, φύσις. Wakef.]

[Ματαιόφημος, ὁ, ἡ, Vana loquens. Photius s. Suid. v. Λῆρος.]

[Ματαιοφιλοτιμέομαι, Frustra largus sum, glorior, mihi placeo. Jo. Chrys. In Matth. hom. 6, vol. 6, p. 525 ed. Par. : Ἀλλ' ἐκείνους μὲν ἀφήσωμεν δαπανᾶσθαι καὶ λοιδορεῖσθαι καὶ ματαιοφιλοτιμεῖσθαι· μάθωμεν δὲ πῶς χρὴ δαπανᾶν εὐσεβῶς τὰ χρήματα.]

Ματαιοφρονέω, Desipio, schol. Soph. [OEd. T. 891.]

[Ματαιοφροσύνη, ἡ, Desipientia. Const. Manass. Chron. p. 14, C; Theod. Rhaïtens. De incarn. 231. Boiss. Carm. Sibyll. 8, 80, ubi plur. ὔ]

Ματαιόφρων, ονος, ὁ, ἡ, Qui inepta et absurda sapit, Bud. ex Damasc. p. 72. [Clem. Al. Cohort. p. 18, 10. Schol. Pind. Nem. 11, 37. Maccab. 3, 6, 11.]

[Ματαιοφωνία, ἡ, Vana vox, oratio. Phot. et Suid. v. Κενοφωνία.]

[Ματαιόφωνος, ὁ, ἡ, Vana loquens. Hesych. v. Μαψίφωνος.]

[Ματαιόω, Frustror, Cassor, Gl., et Ματαιοῦμαι, Evanesco, Vanor.] Ματαιόομαι, Inepte ago et stulte, Bud. vertit ap. LXX 1 Reg. 13, [13] : Μεματαίωταί σοι, Inepte et stulte egisti. [Etym. M. in Πέρπερος. « Melet. De nat. hom. p. 5, 21 ed. Cramer. : Ἐματαιώθησαν ἐν τοῖς ἑαυτῶν διαλογισμοῖς. » Boiss.]

Ματαϊσμὸς, ὁ, Stolida actio, s. Rerum stolidarum : ipse Actus τοῦ ματαΐζειν : ut quum Seleucus ap. Athen. 3, [p. 76, F] scribit τῆς γλυκυσίδης esum caveri a mulieribus διὰ τὸ ποιεῖν ματαϊσμούς. Idem refert Eust. [De hoc l. iterum HSt. in Ms. Vind. ad Ἀποματαΐζω : « Ματαισμὸς si non pro peditu, saltem pro inepto et stolido gestu accipiendum videtur ap. Athen. l. c.» Ibid. ascriptum : « Τῶν τόκων φθορὰν, Abortus. Dalecampius l. 7 Hist. Plant. c. 34, ubi de Pæonia. » Casaubonus dubitabat utrum priori an altera signif. dictum putaret, quod etiam Plinius Fatuitatem intellexisset.]

[Ματαΐσσω, Nugor.] Ματαΐσσει, Hesychio μωραίνει. [Ματαΐζει Salmasius. Μαραίνει codex.]

[Ματαίως. V. Μάταιος.]

[Ματαίωσις, εως, ἡ, Vanitas. Athanas. vol. 1, p. 1041, A : Ματαίωσιν τὴν ὑψηλοφροσύνην φησί. L. Dind.]

[Ματάκας, α, ὁ, Matacas, n. eunuchi, ap. Chœrob. in Theodos. Bekk. An. p. 1396.]

[Μάταλλος, ὁ, Matallus, n. ducis, Æsch. Pers. 314.]

[Μάταρις, ἡ, Hastæ genus apud Belgas. Strabo 4, p. 196 : Ὁπλισμὸς (Belgarum) θυρεὸς μακρὸς, καὶ λόγχαι κατὰ λόγον καὶ μάταρις παλτοῦ τι εἶδος. Libri μαῖρις, μῆρις, μέρις. Epitome μάαρις. Unde μάταρις Scaliger et alii, rectius fortasse scripturi μάδαρις, quod v., etsi *Mataris* vel *Materis* est ap. scriptores Latinos, quorum testimonia v. ap. intt. Strabonis. L. Dind.]

Μάταρος, Hesych. στέφανος μεμαραμμένος [—ασμένος].

[Μάταυρος, πόλις Σικελίας, Λοκρῶν κτίσμα. Τὸ ἐθνικὸν Ματαυρῖνος. Στησίχορος ... Ματαυρῖνος γένος, Steph. Byz.]

Μᾰτάω, ῶ, Vane tempus tero, Segniter ago, Segnis sum. Hom. Il. Ψ, [510] : Κλῖνε δ' ἄρα μάστιγα ποτὶ ζυγὸν, οὐδ' ἐμάτησεν Ἴφθιμος Σθένελος, ἀλλ' ἐσσυμένως λάβ' ἄεθλον, ubi Eust. scribit ματᾷν aperte hic significare στάσιν et βραδυτῆτα ματαίαν : affert tamen et aliam expositionem, derivando hoc verbum a μῶ :

quam ap. eum v. p. 1313. [Apoll. Rh. 4, 1395: Οὐδὲ μάτησαν πλαζόμενοι.] Itidem Il. E, [233] ubi dicitur de equis: Μὴ τὼ μὲν δείσαντε ματήσετον, οὐδ' ἐθέλητον Ἐκφερέμεν πολέμοιο, scribit ματᾷν esse τὸ ματαιοπραγεῖν et ἀργοὺς ἵστασθαι, item ἀκινητίζειν. Sed idem gramm. paulo aliam afferre videtur hujus verbi expos., Il. Π, [474] ubi dicitur ab Homero, Ἀΐξας ἀπέκοψε παρήορον, οὐδ' ἐμάτησε· nam exp. quidem et hic οὐκ ἐματαιοπράγησε, sed addit, εἰκῇ τῷ ἔργῳ ἐπιβαλὼν, κατὰ τὸν Νέστορα. Tale quid autem et Bud. respexisse videtur, quum ἐμάτησε exposuit Frustra laboravit, Nihil promovit. Ac certe hujusmodi interpretatio valde consentanea est derivationi a μάτην, sed videndum est quam bene loco convenire possit. Eust. p. 543, ex vett. gramm. exp. etiam ἁμαρτεῖν. [Sic cum genit. Oppian. Hal. 3, 102: Βουλῆς δὲ σαόφρονος οὐκ ἐμάτησε.] Ego certe quantum conjicere possum ex Hesychii quoque [in Ματᾶν, Μάτησεν, Ἐμάτησεν, Ματήσετον, Ματῶν] et Suidæ expositionibus, necnon auctoris brevium scholl., prætereaque ex tribus Æsch. ll., quos habes in mea ed., p. 8, et 70, et 276, verbum ματᾷν duo significare puto, primum quidem, Vano et irrito conatu aliquid suscipere; deinde vero, Vane tempus terere, et Segnem esse, Segniter rem quampiam aggredi. Quæ signif. alteri est affinis, quod nimirum res frustra plerumque suscipiantur ab iis qui in illis exequendis segniter se gerunt. [Sunt Prom. 57: Περαίνεται δὴ κοὐ ματᾷ τοὔργον τόδε· Sept. 37: Τοὺς πέποιθα μὴ ματᾶν ὁδῷ· Eum. 142: Ἰδώμεθ', εἴ τι τοῦδε φροιμίου ματᾷ. Callimacho ap. Athen. 13, p. 571, A: Οὐχ ὧδ' ἐμόγησαν ἐλπίδες, ὥστ' ἐχθρῶν συμμαχίας καλέσαι, Valck. restituebat ἐμάτησαν.]

[Ματευτής, ὁ, ap. Maneth. 4, 268: Ἐμπορίης τε ματευτάς, Schneider. interpr. Quærentes. Sed scriptura loci vitiosa videtur.]

Μᾰτεύω, i. q. μαστεύω, Quæro, Vestigo. Hom. Il. Ξ, [110]: Ἐγγὺς ἀνήρ· οὐ δηθὰ ματεύσομεν, ubi Eust. scribit ματεύσομεν esse pro μαστεύσομεν, per ellipsin literæ σ: addens tamen, nisi quis dicat ματεύω esse prototypon, et ex eo factum esse μαστεύω per pleonasmum literæ σ, tanquam a μῶ μάσω. Quod si ita est, inquit, vide quantum differat ματεύειν a ματᾷν, de quo alibi dictum fuit. Hæc ille; sed auctor breviorum scholiorum exp. etiam ματαιοπραγήσομεν: et quidem priorem locum huic expos. tribuens, posteriorem alteri, sc. ζητήσομεν. Esset autem deductum a μάτην hoc verbum, priorem illam sequendo. Sed Pindar. verbum ματεύειν pro μαστεύειν, Quærere, manifeste usurpat. [Nem. 3, 30: Οἴκοθεν μάτευε· Ol. 5, 24: Μὴ ματεύσῃ γενέσθαι· et sim. Isthm. 4, 16. Id. ap. Athen. 1, p. 28, A: Ἀπὸ Σικελίας ὄχημα δαιδάλεον ματεύειν. Æsch. Cho. 219: Μὴ μάτευ' ἐμοῦ μᾶλλον φίλον· 892: Σὲ καὶ ματεύω· et alibi. Soph. OEd. C. 211: Μηδ' ἐξετάσῃς πέρα ματεύων· El. 1096: Φωκῆς ματεύουσ' ἄνδρες Αἴγισθόν τινες· OEd. T. 1052: Ὃν χἀμάτευες πρόσθεν εἰσιδεῖν. Et aliquoties Eurip. Arist. Thesm. 663. Theocr. 21, 65: Τὰ χωρία ταῦτα ματεύσεις. De forma media v. in Μαστεύω.] Adde quod et alia extant ap. Hesych. ab ead. origine verba, diversi tamen typi, itemque nomen, hanc Quærendi signif. habentia.

[Μᾰτέω.] Ματεῖν Hesych. exp. ζητεῖν, Quærere, Inquirere. [|| Forma Æol. tanquam a μάτημι, Theocrit. 29, 15: Νῦν δὲ τῶδε μὲν ἄματος ἄλλον ἔχεις (vel potius ἔχῃς sec. Apollonium De constr. p. 92, 18) κλάδον, ἄλλον δ' αὔριον, ἐξ ἑτέρω δ' ἕτερον μάτης. V. Ἐνοχλέω p. 1137, B.]

[Μάτη, ἡ, Error. Æsch. Suppl. 820: Φυγάδα μάταισι πολυθρόοις βίαια δίζηνται λαβεῖν. Unde fort. Hesych.: Μάταισι, ματαιότησι. || Delictum, Peccatum. Id. Cho. 918: Ἀλλ' εἴφ' ὁμοίως καὶ πατρὸς τοῦ σοῦ μάτας. Incerta signif. Soph. ap. Herodian. Π. μον. λ. p. 42, 24: Οὔτι τοι μέτρον μάτας. Conf. initio v. Μάτην. ἄ]

Μάτην [a μάτη factum sec. gramm. in Mingarelli Catal. codd. Nan. p. 496: Μάτην ἀντὶ τοῦ ματαίως, ἀπὸ τοῦ θη(λυκοῦ) εἰς ἐπίρρημα. Στησίχορος· Μάτας εἰπών], Frustra, Incassum, [Nequicquam add. Gl.] In vanum, ut [Hom. H. Cer. 308: Πολλὰ δὲ καμπύλ' ἄροτρα μάτην βόες εἷλκον ἀρούραις. Solon ap. Aristid. vol. 2, p. 397: Ἃ μὲν ἄελπτα σὺν θεοῖσιν ἤνυσ', ἄλλα δ' οὐ μάτην ἔρδον. Theognis 523: Οὔ σε μάτην, ὦ Πλοῦτε, θεοὶ τιμῶσι

A μάλιστα.] Μάτην πονεῖν, Frustra laborare. Æsch. p. 8 meæ ed. [Prom. 44], item p. 25. Sed interdum nomini jungitur cum verbo substantivo, ubi in nomen resolvi potest: ut μ. ἐστὶ πόνος, Plato Leg. [sec. Lex. Septemv., etsi hæc verba non sunt ap. Plat., aliter sæpe usum hoc v.], In vanum est labor: pro μάταιός ἐστι πόνος, Vanus est labor, Inanis. Sic Isocr. [p. 42, A: Ὥστ' ἤδη μάτην εἶναι τὸ μ.], Μάτην ἐστὶ τὸ μεμνῆσθαι, pro μάταιόν ἐστι. || Μάτην, Abs re, Sine causa. At Bud. exp. Temere in hoc Themistii l.: M. δὲ λέγεται ἐκεῖνα γενέσθαι οἷς οὐκ ἀπήντησε τὰ τέλη ὧν χάριν ἐπράχθη. [Soph. El. 1291: Τὰ δὲ διασπείρει μάτην· OEd. T. 874: Ὕβρις εἰ πολλῶν ὑπερπλησθῇ μ. Ant. 1252: Ἡ μ. πολλὴ βοή. Herodot. 7, 103: Ὅρα μὴ μάτην κόμπος ὁ λόγος οὗτος εἰρημένος εἴη.] A Xen. etiam videtur alicubi accipi pro Temere, Temerarie. Sed a Diosc. poni scribit Bud. aliquoties vel pro Temere, vel etiam pro Falso s. Vane. Ego certe μάτην interpretari itidem Falso, in Epigr. [Paulli Sil. Anth. Pal. 5, 256, 3]: Ὕβρις ἔρωτας ἔλυσε· μάτην ὅδε μῦθος ἀλᾶται. [Sic ap.
B Soph. El. 63: Λόγῳ μάτην θνήσκοντας. Schweigh. Ib. 1298: Ἀλλ' ὡς ἐπ' ἄτῃ τῇ μάτην λελεγμένῃ στέναζε· Phil. 345: Λέγοντες εἴτ' ἀληθὲς εἴτ' ἄρ' οὖν μάτην. || Cum ἄλλως conjungunt (ut Aristoph. Vesp. 929 διακενῆς ἄλλως) Eur. Hec. 493: Ἢ δόξαν ἄλλως τήνδε κεκτῆσθαι μάτην ψευδῆ· Xen. Ven. 13, 2: Διατριβὴν δ' ἄλλως παρέχει τοῖς ἐλπίσασί τι ἐξ αὐτῶν μαθήσεσθαι μάτην· Dio Chr. Or. 7, vol. 2, p. 266: Συγγνώμην ἔχειν τοῦ μήκους τῶν λόγων, ὅτι οὐ μάτην ἄλλως οὐδὲ περὶ ἄχρηστα πλανωμένῳ πλείονες γεγόνασιν. HSt. in Ind.:] Μάταν, Dor. pro μάτην, Frustra, Incassum. [Pind. Ol. 1, 83: Τί κέ τις ἀνώνυμον γῆρας ἕψοι μάταν; Et sæpe Æschylus ceterique Tragici.] Ex Soph. [Aj. 635] affertur νοσῶν μάταν pro ἀθεραπεύτως. [Rectius intelligitur Insanus, ut Aristoph. Pac. 95: Τί πέτει; τί μάτην οὐχ ὑγιαίνεις; De εἰς μάτην v. in Εἰς vol. 3, p. 297, D. ἄ]

Ματήρ, ῆρος, ὁ, Hesychio Inquisitor, ἐπιζητῶν, ἐρευνητής, ἐπίσκοπος. [Fortasse pro μαστήρ.]

[Ματηρεύω.] Ματηρεύειν, Hesychio est pro ζητεῖν, Quærere. [Fortasse pro μαστηρεύειν. Quanquam etiam
C Photius ponit: Ματηρεύειν, μαστεύειν, ζητεῖν (ματαίως ζῆν vitiose Suidas).]

[Ματθαῖος, ὁ, Matthæus, evangelista in N. T. Ejusdem originis sunt nn. Hebr. Ματθίας et Ματταθίας, de quibus v. Albert. ad Hesych. in Ματθαῖος.]

Ματία, ἡ, et Ματίη Ion. terminatione, pro ματαιότης, Vanitas, Levitas, Stoliditas. Hom. Od. K, [79]: Τείρετο δ' ἀνδρῶν θυμὸς ὑπ' εἰρεσίης ἀλεγεινῆς, Ἡμετέρῃ ματίῃ, ubi Eust., Ut ἁμαρτία [quomodo interpr. Hesych. sec. conj. Ruhnk.] ab ἁμαρτῶ, inquit, sic a ματῶ fit ματία, i. e. ματαιότης. Idem vero p. 543, de ματᾷν loquens, ab eo tradit esse ματίη: quod hic significet ματαιοπραγία. [Apoll. Rh. 1, 805: Ἦ ματίῃ εἴξαντες· 4, 367: Εἷλες ἐμῇ ματίῃ.]

[Ματιανή, ἡ, Matiane, μοῖρα τῆς Μηδίας. Στράβων ἑνδεκάτῃ (p. 525), Steph. B. Ματιανοὺς memorat Strabo p. 523 et al., Ματιηνοὺς 1, p. 49, Herodot. 1, 72, etc.]

[Ματίζω.] Ματίσαι Hesych. exp. ματεῦσαι, et ζητεῦσαι, Quærere. [Pro ματῆσαι, ut videtur. Ματίζω primitivum verbi χατίζω fingitur in Epim. Hom. Cram.
D An. vol. 1, p. 435, 19.]

Μάτιον [quod τῷ τόνῳ scribatur ut βέλτιον] non solum μάταιον ab Hesych. [s. Photio et Suida] exp., sed et alias ei dat expositiones, esse dicens τὸ μικρὸν καὶ ὀλίγον, et μάταιον: necnon δερμάτιον: itidemque Eust. [Il. p. 543, 7]: qui et comp. Ματιολοιχὸς derivat ab hoc μάτιον, sed significante genus quoddam mensuræ: ut nimirum sit Qui ex falsa s. dolosa mensura lucrum captat. Aliam vero expos. v. ap. eum, itidemque ap. schol. Aristoph., hoc nomine utentis Nub. [451. Quod in ματαιολοιχὸς depravatum ap. Hesychium. Bentlejus quod restituebat ματτυολοιχὸς, alienum esse ab loco Aristoph., si vera sint quæ de Macedonica voc. ματτύης origine tradunt grammatici, animadvertit Schneiderus. Non aliter legisse Herodianum scholiastæ de accentu testatio ostendere videtur.]

[Ματιόπολις, εως, ἡ, Matiopolis, postea dicta quæ olim Dionysopolis et Κρουνοί. Scymni fr. p. 43, 6.]

Ματὶς, Hesych. μέγας: addens, quosdam accipere ἐπὶ τοῦ βασιλέως. [Conf. Μάσι, Μάστα.]

[Ματόας, ὁ, Matoas, Danubii fl. n. Scythicum. Steph. Byz. v. Δάνουβις : Ἴστρος ὁ ποταμὸς, πάλαι Ματόας καλούμενος. Συμφορᾶς δὲ τοῖς Σκύθαις ἐπιπεσούσης οὕτως ἐκλήθη. Ματόας δὲ λέγεται ἐς τὴν Ἑλληνίδα γλῶσσαν ἀσινὴς, ὅτι πολλάκις περαιούμενοι οὐδὲν ἐπεπόνθεισαν. L. Dind.]

Μάτος, Hippocrati ἡ ζήτησις, Inquisitio, Perquisitio : ut Ματίσαι, τὸ ζητεῖν, Quærere, Perquirere : ut est in Galeni Lex. Hippocr. [p. 520.]

[Ματρέᾶς, ου, ὁ, Matreas, Alexandrinus, facetiarum scriptor, ap. Athen. 1, p. 19, D, indeque ap. Suid. et Eust. Alius in inscr. Att. imperatoria ap. Bœckh. vol. 1, p. 370, n. 268, 30. Est forma Dor. pro Μητρέας, quod est in Ath. libro Laur. V. Μᾶτρις, Μάτρων.]

[Μᾶτρις, ὁ, Matris, scriptor ap. Diodor. 1, 28, Athen. 2, p. 44, C, ubi Atheniensis dicitur; 10, p. 412, B, Thebanus ap. Ptolem. Heph. in Photii Bibl. p. 148, 1, incertum ab utro rectius. Accentus verus videtur Μᾶτρις, non qui in libris est Μάτρις, ut sit forma Dor. pro Μῆτρις, et a Ματρέας nonnisi terminatione diversum. Μάτριος, patris Chionis, meminit Photius in Exc. ex Memnone p. 222, 30. Et Μάτριδι huic inscriptæ sunt pleræque epistolæ quæ vulgo feruntur Chionis. L. Dind.]

[Ματρόδωρος. V. Μητρόδωρος.]

[Ματρυλλεῖον, Ματρύλλιον, Ματρύλλη, Μάτρυλλος. V. Μαστρύλλιον.]

[Μάτρων, ωνος, ὁ, Matro, scriptor parodiarum, sæpe memoratus ab Athenæo, a quo non diversus qui in epit. 1, p. 5, A, dicitur Μητρέας ὁ Πιταναῖος, ubi Ματρέας nunc restitutum, quo ducunt libri Suidæ v. Τιμαχίδας. Alius Μάτρων est in inscr. Att. Fourmonti ap. Bœckh. vol. 1, p. 336, n. 201, 15.]

[Ματρῶνα, ἡ, Matrona, n. mulieris in Synaxar. ap. Bandin. Bibl. Med. vol. 1, p. 132, A : Τῆς ἁγίας Ματρώνας. Cogn. Rom. in inscr. Cpol. ap. Bœckh. vol. 2, p. 73, n. 2045, sicut ipsum voc. Lat. usurpatur in Aphrodis. ib. p. 532, n. 2822, 13 : Τὴν ἀξιολογωτάτην ματρῶναν.]

[Μάττα. Pollux 10, 110 : Μάτταν ἀγγεῖον ἀκούοντες ἐντεῦθεν εἰρῆσθαι νομίζουσι. Μάκτραν interpretes. Idem quod ponit 7, 22 : Ὁ δὲ μάττων τὰ ἄλφιτα μαγεὺς, ματτευόμενος, an huc pertineat in medio relinquo.]

[Ματταβέω, Ματτάβης. V. Μάτταβος.]

Μάτταβος, Hesychio ὁ μωρὸς, Fatuus, Stolidus. At Ματτάβης, ὁ ἀπορῶν : ut et Ματταβεῖ exp. περιβλέπει, ἀδημονεῖ. Ap. Eund. reperio et Ματταβόμενος, expositum μέλλων καὶ ἀποκνῶν.

[Ματτεύομαι. V. Μάττα.]

[Ματτιανὰ, τὰ, Mattiana, μῆλα καλούμενα, κατὰ τὴν Ῥώμην πιπρασκόμενα, ἅπερ κομίζεσθαι λέγεται ἀπό τινος κώμης ἱδρυμένης ἐπὶ τῶν πρὸς Ἀκυληίᾳ Ἄλπεων, apud Athen. 3, p. 82, C.]

Ματτύα [Ματτύη, ut est ap. Athen. 14, p. 663, A. V. etiam paullo post], ἡ, Lautitiæ. Athen. 14, [p. 663, D, E, ex Artemidoro] ματτύην dici scribit πᾶν τὸ πολυτελὲς ἔδεσμα, Pisces opipare paratos, aut Aves, aut Olera, aut Ea quæ minutatim concisa aromatis condiuntur, et Ea quæ λιχνεύματα appellantur. || Ματτύη dicebatur etiam de Delicatioribus cibis qui post alios apponebantur : ut aviculis tostis, placentis et pomis, amygdalis, ac hujusmodi aliis. Molpis ap. Athen. 4, [p. 141, D] ματτύην vocari scribit τὰ ἐπάϊκλα, i. e. τὰ μετὰ τὸ δεῖπνον παρατιθέμενα. Ibid. [E] dicit : Ἔστι δὲ ματτύα [δ' ἡ ματτύη : ita meliores, ceteri ματτύα], φάτται, χῆνες, τρυγόνες, κίχλαι, κόσσυφοι, λαγὼ, ἄρνες, ἔριφοι. Athen. [14, p. 664, E] : Μόλπις δ' ὁ Λάκων τὰ παρὰ τοῖς Σπαρτιάταις ἐπαίκλεια, ὃ σημαίνει τὰς ἐπιδειπνίδας, ματτύας φησὶ λέγεσθαι παρὰ τοῖς ἄλλοις· quæ ibid. appellari dicit ἔπαικλα, ἐπίδειπνα, ἐπιδορπίσματα. Aristoph. [Macho ib. B] : Ἥδιον οὐδέν ἐστί μοι τῆς ματτύης. Menippus ibid. : Πότος ἦν ἐπικωμασάντων τινῶν· καὶ ματτύην ἐκέλευσεν εἰσφέρεσθαι Λάκαινά τις· καὶ εὐθέως περιεφέρετο περδίκια ὀλίγα, καὶ χηνία ὀπτὰ, καὶ τρύφη πλακούντων. [Sophilus ib. p. 640, D : Ἵνα ἐπιδορπίσηται τὰς ὀνείας ματτύας. Hemst. Add. Lynceus ap. eund. 6, p. 245, E, Varro L. L. p. 117 Speng. || Ματτύης, ὁ, ponit Artemid. ap. Ath. l. supra citato, E, in verbis : Οὗτος ματτύης ἐν τοῖς ἡδίστοις, et in corruptis ib. D : Εἴ τις τῆς ὄρνιθος (ἔστι καί τις Schweigh.)

A ματτύης. Photius : Ματτύης, σκευασία τις περιφορημάτων χρήσιμος εἰς ποτὸν καὶ κῶμον πλείω· Φιλήμων. Cujus locum servavit Ath. ib. F : Διὰ τριῶν ποτηρίων με ματτύης εὐφραινέτω. Hesych. : Ματτυεῖς, ἡ μὲν φωνὴ Μακεδονική, (Pollux 6, 70 : Ἡ ματύλλη, Μακεδονικὸν εὕρεμα, δίψους ἐγερτικὸν βρῶμα, ᾧ ἐχρῶντο μεσοῦντος τοῦ πότου, quæ huc referenda vidit Salmas.) ὄρνις καὶ τὰ ἐκ τοῦ ζωμοῦ αὐτοῦ λάγανα περιφερόμενα. Ματτύης et λάγανα Schweigh. ad Ath. p. 663, D, vol. 7, p. 697. Apollodorus sec. Ath. ib. p. 663, A, ματτύη a verbo μασᾶσθαι duci putaverat. In Ind. :] Hesychio ματτύαι [ματύαι, etsi ordo literarum postulat quod ponit HSt.] sunt γνάθοι, Maxillæ, quæ et μάθυιαι.

Ματτυάζω, Paro ματτύας, h. e. Lautas epulas, παρασκευάζω ματτύας, εἴτε ἰχθὺς εἴη, εἴτε ὄρνις, εἴτε λάχανον, εἴτε ἱερεῖον, εἴτε πεμμάτιον· ut Athen. 14, [p. 663, C] tradit, utrumque a μάττω derivans, et ματτύη et ματτυάζω, una cum μᾶζα. Alexis ap. Eund. [ib. D] : Τοῦψον λαβοῦσαι τοῦτο τἀπεσταλμένον Σκευάζετ', εὐωχεῖσθε, προπόσεις πίνετε, Λέπεσθε, ματτυάζετε.

B [Ματτύη, Ματτύης. V. Ματτύα.]

[Ματτυολοιχός. V. Μάτιον. Simile voc. Ματτυοκόπας Wessel. Obs. p. 46 et Reinesius esse putabant apud Ammianum Marc. 15, 5, 4 : « Eusebio, cui cognomentum erat inditum Mattiocopæ, » conferentes Στηλοκόπας, et intelligentes Cupediarium s. Ganeonem.]

[Μάττω. V. Μάσσω.]

[Μάττων, ωνος, ὁ, Matton, heros coquorum apud Spartanos, sec. Athen. 2, p. 39, C, qui Δαίτων 4, p. 173, F, quod minus congruere videtur cum etymologia nominis quæ ibi ponitur, a *maza*, et ex sequenti 174, A, Δαίτης repetitum videri potest.]

[Ματυκέται, οἱ, ἔθνος Σκυθικόν. Ἑκαταῖος Εὐρώπῃ, Steph. Byz.]

[Μάτων, ωνος, ὁ, Mato, sophista et helluo, apud Anaxilam Athen. 7, p. 307, C, et Antiphan. 8, p. 342, D; 343, A.]

[Μαυδάκης, ὁ, Maudaces, ap. Diod. 2, 32, ubi Μαυδάκης pro Μανδαύκης restitui ex libris mel. et Eusebio Chron. p. 46 ed. Mai., qui ex Mosis Choren. Hist. 1,

C 21, affert *Mandauces*, quæ est etiam Diodori librorum paucorum scriptura, quorum in nonnullis Μαδαύκης dicitur rex ille Medorum.]

[Μαυδὸς, ἡ, non addita signif. ponit Arcad. p. 48, 3, inter oxytona in δος, quæ penult. longam habeant.]

[Μαύης, ut videtur, ου, ὁ, Maues, rex Bactrianæ, in numo ap. Mionnet. *Suppl.* vol. 8, p. 485, n. 73 : ΒΑΣΙΛΕΩΣ ΜΑΥΟΥ. Conf. Rochett. *Journ. des Sav.* p. 257 sqq.]

[Μαυλία, ἡ.] Μαυλίας vocabant τὰς μαχαίρας, quasi ὁμαυλίας, διὰ τὸ ὁμοῦ αὐλίζεσθαι, inquit schol. Thuc. p. 2 [1, 6] et ex eo Suidas : procul dubio uterque Cultros intelligens : ii enim plures in una vagina veluti stabulari possunt. Nicander vero μαυλίδας appellat, a nomin. Μαυλίς : Ther. 705 : Κεφαλῆς ἀπὸ θυμὸν ἀράξαι Μαυλίδι χαλκείῃ· ubi schol. quoque exp. χαλκῇ μαχαίρᾳ, Æreo s. Ferreo cultro. Hesychio etiam μαυλὶς est μάχαιρα, afferenti et Μαῦλιν [μαῦδι cod., μαῦδιν Musurus] properispωmenωs pro λαοτόμιον, Cælum lapicidarum, quo lapides scalpunt poliuntque : ut ap.

D Eust. quoque [Il. p. 691, 55] properispωmenωs reperio μαῦλις, expositum μάχαιρα. [Eundem accentum testatur Arcad. p. 30, 24, qui post τὰ εἰς λις δισύλλαβα ἀπὸ συμφώνου ἀρχόμενα oxytona, quæ priorem longam habeant, ut Δαυλὶς, addit : Ἐναντιοῦται τὸ μάλυβδις ἡ μάχαιρα καὶ τὸ τῆλις. Quod μαῦλις scribendum esse dixi vol. 2, Add. ad v. Βάλλις. Ap. Nicandrum autem etiam μαύλιδι et ap. schol. Thuc. s. Suidam μαύλιας locum habent. Quod ipsum debuisse poni ab illis falsumque esse accentum oxyt. ostendit Dosiad. Anth. Pal. 15, 25, 4 : Μαύλιες ... θοούμεναι. Nihili enim sit μαυλίες.] Rursum oxytonon μαυλὶς Hesychio est ἡ μισθῷ τι [μισθητὸν cod., μισθωτὸν Schow., male tamen interpretatus] ποιοῦσα, Quæ mercede aliquid facit. Unde verb. Μαυλίζειν, quo Idem utitur pro Mercede prostituere : μαστροπὸν nimirum esse dicens τὸν τὰς γυναῖκας ἢ ἄνδρας προσκαλοῦντα καὶ μαυλίζοντα. [|| De μαυλισίᾳ, quod voc. v. infra, Nomocanon in Cotel. Mon. vol. p. 158, A : Ὁ μαυλίζων. Morini Pœnitent. p. 119 : Ἐμαύλισάς τινα. V. Coteler. p. 734.]

[Μαυλίζω. Μαυλὶς s. Μαῦλις. V. Μαυλία.]

[Μαυλισία, ἡ, ex Lat. Mollities, de qua voce passim agunt libri pœnitentiales. Jo. Monachi Canon. p. 106 : Ταῦτα ... περὶ τῆς μαλακίας, ὡς ἔφην, καὶ τῆς μαυλισίας λέγεσθαι πέφυκε ... Συμπεριέλαβε γὰρ ἡ ἀκάθαρτος μαλακία τὴν πονηρὰν αὐτῆς μαυλισίαν κτλ. Describit p. 108 (ubi a μαλακίᾳ, de qua supra, distinguit. Conf. Μαυλίζω). Jo. Jejun. Serm. de conf. et pœnit. p. 93, περὶ μαβλησίας. Ducang. Qui non recte ab Lat. *Mollities* ducere videtur.]

Μαυλιστήριον, v. ap. Hesych. ex Hippon. [Hes. : M., παρ' Ἱππώνακτι, Λύδιον λέμισμα, λεπτόν τι. Malisne νόμισμα, vel λέπισμα, cum aliis, an μέλισμα, cum Albertio, jam mihi perinde est. Sumtum videtur ex Hipponactis Synonymis, quæ laudantur ab Athen. 11, p. 481, F. Tewater. || Lupanar. V. Μαυλιστὴς in fine.]

Μαυλιστὴς, ὁ, quo [Photius s.] Suid. utitur in exponendo μαστροπὸς, eo significans Eum qui alterius corpus quæstui habet, s. alterius corpore quæstum facit, Qui mercede alterius corpus prostituit, ut leno. [Lex. Ms. Cyrilli : Μαστροπὸς πορνοβοσκὸς ἢ ὁ μαυλιστής. Gl. aliæ μαυλιτής. Gl. Lat.-Gr. : Carisa, μαυλιστὴς, πορνοβ. Est autem Isidoro in Gl. *Carisa* vel *Carissa*, Lena vetus et Litigiosa. Ducang. Anthol. cod. Pal. 7, 403 : Εἰς Ψύλλον τινὰ προαγωγὸν, ὃν ἡ κοινὴ συνήθεια καλεῖ μαυλιστήν. Hesych. in Ματρύλλιον. || Μαυλίστρια, ἡ, Lena, ap. Suid. s. Etym. M. in Πυγοστόλος, quod ap. Hesiodum alii exponant τὴν μαυλίστριαν, alii αὐτὴν τὴν ἑταίραν. Chœrob. in Cram. An. vol. 2, p. 181, 24. Alia nonnulla v. ap. Ducang., qui annotat etiam Μαυλισταρεῖον, Lupanar, ex Cyrilli Lex. Ms. : Ματρυλεῖον, τὸ μαστροπεῖον καὶ τὸ μαυλισταρεῖον, quod ex μαυλιστήριον detortum videtur.]

[Μαῦρα, εἶδος θηρίου, in Lex. Ms. ex cod. Reg. 1708, Animalis species. Ducang.]

[Μαύρινον, Morus, arbor. Testam. Ms. Abraami Patr. : Ἐκαθέσθη ὑποκάτω τῶν δένδρων τῶν μαυρίνων. Infra : Ἔθαψεν αὐτὸν ἐν τῇ δρυῒ τῇ μαυρῇ. Ducang.]

[Μαυριτανίαι δύο, ἡ μὲν Τιγγιτανή, ἡ δὲ Καισαρεία (cod. Vratisl. Καισαρισία : est Cæsariensis, Καισαρηνσία ap. Ptol. 4, 2), ὡς Μαρκιανὸς ἐν (τῷ Vrat.) περίπλῳ, Steph. Byz.]

[Μαυροβάλανα, τά. Lex. Ms. cod. Reg. 1843, apud Ducang. in v. Χαμπὲλ, τὰ μαυροβάλανα.]

[Μαυρόθριξ, ῖχος, ὁ, ἡ, Qui nigris est capillis. Epiphan. monachus De Deipara c. 6 et 15. Boiss.]

[Μαῦρος.] Μαῦρον, Hesychio et Suidæ est τὸ ἀμαυρὸν καὶ ἀσθενὲς, Obscurum et invalidum : per aphæresin τοῦ α. Eisdem μαῦρος est μωρὸς, Fatuus, Stultus. [Conf. Μαατρός. Ap. Byzantinos μαῦρος est Niger. Quorum exx. nonnulla v. ap. Ducang., qui etiam de vv. hinc ductis agit. Ἐλαιῶν μαυρῶν scriptum apud Anon. in Ideleri Phys. vol. 1, p. 423. Cujusmodi voc. ponitur etiam ap. Ducang. in Μαύρινον, quod v. Μαῦρος, non diserte tamen, ponit Arcad. p. 69, 22.]

[Μαυρούσιοι καὶ Μαῦροι, ἔθνος μέγα Λιβύης, ὡς Κουάδρατος ἐν πρώτῳ Παρθικῶν. Τὸ ἐθνικὸν Μαυρούσιος. Τὸ θηλυκὸν Μαυρουσὶς, Steph. Byz. Μαῦροι, Μαυρούσιοι et Μαυρουσία multis ll. memorantur Straboni, Polybio, Diodoro, Herodiano, quos indicatos v. in indicibus. Μαυρούσιοι de equis Timoth. Cram. An. vol. 4, p. 257, 32. Γῆς Μαυρουσιάδος de terra Diosc. 2, 71. Pro quo Dionys. Per. 185 : Μαυρουσίδος ἔθνεα γαίης.]

[Μαύροφρυς, ὁ, ἡ, Qui nigris est superciliis. Aphrodisianus V. Mariæ ap. Boiss. An. vol. 3, p. 39 not. L. Dindorf.]

Μαυρόω, ex priore μαῦρος deriv., i. q. ἀμαυρόω, Obscuro : item Deleo, Extinguo, Pessumdo. Hesiod. Op. [325] : Ῥεῖά τε μιν μαυροῦσι θεοί. [Pind. Pyth. 12, 13 : Φόρκοιο μαύρωσεν γένος· Isthm. 3, 66 : Μαυρῶσαι τὸν ἐχθρόν· fr. ap. Athen. 12, p. 512, D : Μηδὲ μαύρου τέρψιν ἐν βίῳ. Æsch. Eum. 359 : Κρατερὸν ὄνθ' ὅμως μαυροῦμεν. Theognis 192 : Οὕτω μὴ θαύμαζε γένος, Πολυπαΐδη, ἀστῶν μαυροῦσθαι. Æsch. Ag. 296 : Σθένουσα λαμπὰς δ' οὐδέπω μαυρουμένη.]

[Μαυσὸς, κώμη Κορίνθου. Θεόπομπος τριακοστῷ δευτέρῳ. Τὸ ἐθνικὸν Μαυσεῖς, Steph. Byz.]

[Μαυσώλειον, τὸ, Mausoleum, sepulchrum Mausoli, Halicarnassi exstructum, de quo plura v. in Lexx.
A Lat. v. Mausoleum. Μαυσώλειον Romæ memorat Strabo 5, p. 236. Accentum quem posui præcipit Theognost. Can. p. 129, 31, et ubi M. ἔργον, schol. Luciani Conviv. c. 24. Μαυσολείου vitiose in schol. in Basil. ap. Pasin. Codd. Taurin. vol. 1, p. 73, B, et Μαυσώλιον ap. anon. Galei De incredib. c. 2, p. 85. L. Dind.]

[Μαύσωλος s. Μαύσσωλλος, ὁ, Maussollus, rex Cariæ, altero modo scriptus in numis (qui Μαυσσολλο) apud Mionnet. *Descr.* vol. 3, p. 398, Eckhel. D. N. vol. 2, p. 597. Μαύσωλος ap. Hesych. ceterosque lexicogrr., Theognost. Can. p. 62, 30, et qui accentum proparoxytonum agnoscit Eust. Il. p. 311, 18. Acuto libri Diodori 15, 90, et nonnulli Strabonis 14, p. 656. Qui an ferendus sit in locis infra memorandis ambiguum est. Μαυσώλου de f. Pixodari, ap. Herodot. 5, 118. De recentiori Cariæ rege ap. Xen. Ages. 2, 26, 27, Demosth. p. 191, 15, et alibi. Steph. Byz. : Μαυσωλοί, οἱ Κᾶρες, ἀπὸ Μαυσωλοῦ. Δημοσθένης δεκάτῳ Βιθυνιακῶν, Δαίδαλα Μαυσωλῶν. || « Μαυσωλὸς fluvius, postea dictus Indus, Plut. De fluv. 25, 1. » Boiss.]

B [Μαυσωρὸν ὄρος, ap. Plut. De fluv. 24, 3. Boiss.]

Μαφρὴν, Hesych. διάνοιαν, Mentem et cogitationem. [Compositum ex φρὴν et (ἐ)μὰ, ut videtur, et petitum ex Eur. Hec. 85 : Οὔποτ' ἐμὰ φρήν.]

Μάχαιρα, ἡ, Culter, Sica, [Cultellus his add. Gl.] Brevis gladius; latius, Gladius [Gl. Ead. τὸ παραμήριον. Et μαχαίρας λαβὴ, Capulum. Hesych. interpr. ξίφος καὶ παραζώνη (quod alibi παραζώνιον). Sed cod. π ζώνη (superscr. ε), ut librarius voluisse videatur περιζώνιον, quod pro παραζώνιον legitur ap. Timæum Lex. p. 18.] Usurpatur autem et a Latinis Machæra. A Bud. redditur Sica et Culter; annotaturque ab Eod., Polybium μάχαιραν et ξίφος ead. signif. ponere, sc. pro Ense quo cæsim feriunt in pugna : sic autem et ap. Plut. μαχαίρας usum esse in pugna quoque. Idem certe et ap. Xen. videre est, quum alibi, tum Hell. 7, [5, 20] : Πάντες δὲ ἠκονῶντο καὶ λόγχας καὶ μαχαίρας. Sed is tamen nequaquam, ut Polyb., idem alio nomine ξίφος appellat : quin potius ab eo distinguens, scribit [Eq. 12, 11] : C Ὡς δὲ τοὺς ἐναντίους βλάπτειν, μάχαιραν μᾶλλον ἢ ξίφος ἐπαινοῦμεν· ἐφ' ὑψηλοῦ γὰρ ὄντι τῷ ἱππεῖ κοπίδος μᾶλλον ἡ πληγὴ ἢ ξίφους ἀρκέσει· Cam. interpr., Sed ad vim hostibus inferendam, nostra sententia, melior erit μάχαιρα quam ensis, quod de sublimi violentior sit plaga κοπίδος (quod genus est gladii ad ictus cæsim inferendos idonei) quam ensis. [Distinguit etiam H. Gr. 3, 3, 7 : Πολλὰς μὲν μαχαίρας, πολλὰ δὲ ξίφη· Anab. 7, 4, 16 vero eadem ξίφη dicit quas modo μαχαίρας dixerat.] Ceterum quamvis Xen. hic eum usum κοπίδι in posteriore l. tribuat, quem μαχαίρᾳ in priori dederat, idem tamen esse nego; atque id ex aliis ll. manifestum esse aio, in quibus μάχαιραν ἢ κοπίδα dicit. [Cyrop. 1, 2, 13.] Existimo igitur eundem quidem usum hæc duo præbuisse, sed aliquantum tamen diversam eorum formam fuisse. Esse autem tum in hoc l. Xen., tum in aliis nonnullis μάχαιραν s. κοπίδα, quod vernaculo sermone appellamus *Coutelas*, quasi *Coupelas*, s. potius *Copelas*, a κοπὶς : aut etiam ab eo ipso verbo unde et κοπὶς derivatum est, sc. a κοπεῖν, D aor. 2 verbi κόπτω : dicimus enim et nos *Couper* ead. signif., atque adeo nonnulli *Coper*, quod etiam vicinius est, pronuntiant. Vide quandam meam annot. in p. 24 Xen., inter eas quas in illum auctorem edidi, et calci meæ edit. adjeci. [Eur. Cycl. 241 : Οὔκουν κοπίδας ὡς τάχιστ' ἰὼν θήξεις μαχαίρας; ubi adjective ponitur κοπίδας.] Homerum quoque μάχαιραν a ξίφος distinguere videmus, Il. Γ, [271] : Ἀτρείδης δὲ ἐρυσσάμενος χείρεσσι μάχαιραν, Ἣ οἱ πὰρ ξίφεος μέγα κουλεὸν αἰὲν ἄωρτο, Ἀρνῶν ἐκ κεφαλέων τάμνε τρίχας. [Conf. Τ, 252. De cultro, ut hic, Λ, 844 : Ἐκ μηροῦ τάμνε μαχαίρῃ ὀξὺ βέλος. Pind. Ol. 1, 49 : Μαχαίρᾳ τάμνον κατὰ μέλη· Nem. 7, 42, et Pyth. 4, 242, ubi plur. pro singulari, ut videtur. Eur. Cycl. 403 : Καθαρπάσας λάβρῳ μαχαίρᾳ σάρκας ἐξώπτα πυρί. De cultro immolantium ap. Aristoph. Thesm. 694, Pac. 948, 1017, isiciarii Eq. 489. Et similiter ap. Herodot. 2, 41, 61. Signif. Pugionis vel Sicæ vero s. Gladii brevis de Pelei μαχαίρᾳ Pind. Nem. 4, 59, ubi v. schol. et intt., Aristoph. Nub. 1059 cum schol. Eur. Cycl. 1206 : Ὀξύστομον μάχαιραν ἐς γαίας μυχοὺς κρύψον. Herodot. 6, 75; 7, 225. De Δελφικῇ μαχαίρᾳ v. in Δελφικός. M. Κελτικὴ est ap. Polluc. 1, 149, ubi v. Kuhn. et add. Diodor. 16, 94, et Phil. Belop. p. 71, a Wess. cit.] Quid igitur de illo Polybii l. dicemus, in quo μάχαιραν et ξίφος pro eod. ponit? Ego certe existimo ξίφος duobus modis usurpari, interdum quidem generalius, interdum vero specialius; in generaliore autem signif. μάχαιραν quoque et κοπίδα; aliasque hujusmodi gladiorum species comprehendere, atque ita ibi usum esse Polyb. Quod autem ad alios μαχαίρας usus attinet, etiam tondentur capilli ea, ap. Aristoph., qua de re dicam et in Μαχαιρὶς, et μάχαιραν κουρικὴν ap. Plut. Dione [c. 9] legimus pro Novacula. [V. Μαχαίριον.] Legimus præterea ap. Plat. De rep. 1, [p. 353, A] posse sarmenta vineæ abscindi μαχαίρᾳ etiam et σμίλῃ, licet δρεπάνῳ commodius id fieri possit. [Plut. Cleom. c. 26 : Τὸν σῖτον οὐ κείρων, ὥσπερ οἱ λοιποὶ, δρεπάναις καὶ μαχαίραις. Hesych. interpr. etiam καὶ οἷς ἀποκείρεται τὰ πρόβατα καὶ ζῷα ἑρπετὰ πολύποδα, ἴουλος, καὶ ἐργαλεῖον τεκτονικόν.] Sunt tamen qui ap. Xen. μαχαίρας vertunt Enses [Comm. 1, 3, 9] : Οὗτος κἂν εἰς μαχαίρας κυβιστήσειε [Plat. Euthyd. p. 294, E, Poll. 3, 134, Liban. Ep. 1057]· et ap. Plut. Apophth. μάχαιραν σπᾷ [σπασάμενος p. 190, E; 229, C, etc.], Ensem vel Gladium distringit. [Pollux 5, 24 : Σπασάμενος τὴν μάχαιραν.] Sic autem μαχαιροφόρος redditur etiam Ensifer, Ense cinctus. [Ubi v. etiam τοὺς ἐπὶ τῆς μαχαίρας.] || Quidam μάχαιραν Persicum esse gladium e Xen. annotant, sed si omnes Xen. ll. inter se conferant, nihilo magis Persicum quam Græcanicum esse intelligent : quam etiam ad rem illis proderit illa mea in hunc scriptorem annotatio, cujus modo memini. || Μάχαιραν quibusdam placuit esse vocatam, ut refert Eust., ἀπὸ τοῦ χαίρειν αἵμασιν : sic autem fuerit μάχαιρα dicta quasi αἱμόχαιρα, quod etymum illos et nomini χάρμη tribuisse : eodemque modo φάσγανον putasse appellatum ἀπὸ τοῦ σφαγαῖς γάνυσθαι : at ego crediderim potius a v. μάχεσθαι derivatum esse nomen μάχαιρα : quam meam etymologiam sequens, ut multò simpliciorem, et magis, ut ita dicam, expeditam, illi nomini suam sedem hic assignavi. [|| Μάχαιρα τοῦ πνεύματος, Ephes. 6, 17, Gladius spiritus, i. e. spiritualis. M. Deo metaphorice tribuitur Jes. 27, 1 : Ἐν τῇ ἡμέρᾳ ἐκείνῃ ἐπάξει ὁ θεὸς τὴν μ. τὴν ἁγίαν, i. e. interprete Theodoreto τὸν τιμωρητικὸν λόγον. Suicer. Μαχαίρᾳ πῦρ μὴ σκαλεύειν prov. quod moneret θυμούμενον μὴ προσερεθίζειν, et Αἲξ τὴν μάχαιραν, ἐπὶ τῶν κακόν τι ἑαυτοὺς ποιούντων, v. ap. parœmiogrr. || Nomen lapidis ap. Ps.-Plut. De fluv. p. 1154, D. De accentu Arcad. p. 97, 5.]

[Μαχαιρεὺς, έως, ὁ, Machæreus, Delphus, Neoptolemi interfector. Strabo 9, p. 421.]

Μαχαιρίδιον, τὸ, aucta diminutione, sonat q. d. Gladiolulus. [Lucian. Pisc. c. 45, in verbis quæ desunt libris melioribus : Καὶ μ. θυτικόν. Eust. Op. p. 305, 67.]

[Μαχαιρικὸς, ή, όν, Hesych. Wakef.]

Μαχαίριον, τὸ, et Μαχαιρὶς, ίδος, ἡ, Cultellus [ita Gl. in Μαχαίριον, quæ ponunt etiam μαχαίρια (vel vitiose μάχαιρα) κουρικὰ s. κουρέως, Cultri, Cultra], Gladiolus. [Xen. Anab. 4, 7, 16 : Εἶχον παρὰ τὴν ζώνην μαχαίριον ὅσον ξυήλην Λακωνικήν. Aristot. De generat. an. 5 extr. : Εἴ τις διὰ τὸ μ. οἴοιτο τὸ ὕδωρ ἐξεληλυθέναι μόνον τοῖς ὑδρωπιῶσιν, ἀλλ' οὐ διὰ τὸ ὑγιαίνειν, οὗ ἕνεκα τὸ μαχαίριον ἔτεμεν.] Demetr. Phal. : Μαχαίριον ὀνομάζοντος ἢ τομὴν, ἢ ἐκτομήν. [Pollux 4, 182 : Καὶ μαχαίρια δὲ ἐκάλουν οἱ νέοι κωμῳδοὶ, ἐν οἷς ἀπέσχαζον ἢ ἔσχιζον· οὕτω γὰρ ἔλεγον τὸ ἀμύσσειν, ὃ οἱ νῦν κατασχάζειν (quod voc. v.).] Et μαχαίρια ἐλεφάντινα, ac κεράτινα, ap. Polluc. [10, 89.] Item μαχαίρια, Ossa nucleorum Persicorum, Galen. ex Archigene l. 5 Κατὰ τόπους. At μαχαιρὶς frequentius est, sed tribuitur plerumque chirurgis : facit autem Hippocr. duplicem, sc. ὀξυβελῆ et στηθοειδῆ, s. γαστρώδη, Acutum et ventrosum. Tribuitur vero et tonsoribus, sicut et μάχαιρα [v. Pollux 10, 89] : unde κείρεσθαι διπλῇ μαχαίρᾳ dicebant Comici ἐπὶ τῶν καλλωπιζομένων, Pollux [2, 32] : qui etiam ψαλίδα vocatam tradit hanc μάχαιραν. [Διπλῆ μάχαιρα est Forfex. Contra de Novacula Aristoph. Ach. 849 : Κρατῖνος αὖ κεκαρμένος μοιχὸν μιᾷ μαχαίρᾳ. Photius : Μίαν μάχαιραν, τὴν ψαλίδα. Ἀριστοφ.]

A Sed plurali numero potius dici solet Μαχαιρίδες, et quidem pro ψαλίδες, Forcipes : quas et κουρίδας appellatas scribit idem Poll. [10, 139, 140.] Affert vero μάχαιραι itidem plural. et quidem cum nomine κουρίδες, ex Cratino, Ἐνεῖεν δ' ἐνταυθοῖ μάχαιραι κουρίδες, αἷς κείρομεν τὰ πρόβατα καὶ τοὺς ποιμένας. Lucian. quoque [Adv. ind. c. 29] μαχαιρίδας tonsoribus tribuit, quum de iis loquens dixit : Ὄψει τοὺς μὲν τεχνίτας αὐτῶν, ξυρὸν καὶ μαχαιρίδας καὶ κάτοπτρον ἔχοντας. [Et ibid. iterum, ubi olim μαχαιριδίων. De cultris lanionum Aristoph. Eq. 413 : Μαχαιρίδων τε πληγὰς ἠνεσχόμην ἐκ παιδίου). Quo ex. convincitur observatio Thomæ p. 600 : Μαχαιρίδες αἱ τῶν κουρέων, μάχαιραι αἱ τῶν μαγείρων καὶ τῶν ἄλλων (quæ omissis verbis καὶ τ. ἄ. legitur ap. Herodian. Piers. p. 466), si hoc dicat, μαχαιρίδα nonnisi Novaculam usurpari ab Atticis. Rectius Mœris p. 259 : Μαχαιρίδες αἱ μάχαιραι τῶν κουρέων Ἀττικοί· μάχαιραι κοινόν. Et Ammon. p. 90 : Μάχαιρα καὶ Μαχαιρὶς διαφέρει· μάχαιραν μὲν γὰρ ὁμοίως ἡμῖν λέγουσιν οἱ Ἀττικοί· μαχαιρίδας δὲ τὰς τῶν κουρέων.]

B [Μαχαιρίς. V. Μαχαίριον.]

[Μαχαιρίτης. V. Μαχαιροῦς.]

[Μαχαιρίων, ωνος, ὁ, Machærio, n. medici, cujus medicamenta memorat Galen. vol. 10, p. 385, 389, et alibi.]

[Μαχαιριωτός. V. Μαχαιρωτός.]

Μαχαιροδέτης, dicitur ἐν τοῖς ὁπλισμοῖς καταληπτὴρ, teste Hesych., Lorum alligando gladio.

Μαχαιρομᾰχέω, Machæra pugno, certo. Polyb. [10, 20, 3] : Μαχαιρομαχεῖν ξυλίναις ἐσκυτωμέναις μαχαίραις, de exercitatione tyronum loquens, i. e. Pugnare machæris s. gladiis ligneis, tanquam machæris.

[Μαχαιρομαχία, ἡ, Pugna quæ fit gladiis. Hesych. in Ξιφιστύς. Hemst.]

[Μαχαιροποιεῖον, τὸ, Gladiorum fabrica. Demosth. p. 823, 11.]

Μαχαιροποιὸς, ὁ, Machærarum s. Cultrorum aut Gladiorum artifex. [Cultellarius, Gl. Aristoph. Av. 441.] Plut. [Mor. p. 598, D] : Τὰ τῶν ἐγγὺς οἰκούντων ἐργαστήρια μαχαιροποιῶν. [Pelop. c. 12. Liban. Vit. C Demosth. p. 2, 9 : Ἐργαστήριον οἰκετῶν μαχαιροποιῶν κεκτημένος ἐντεῦθεν τὴν τοῦ μαχαιροποιοῦ κλῆσιν ἔλαβε.]

Μαχαιροπωλεῖον, τὸ, Locus in quo gladii venduntur. [Rectius infra per ι.]

Μαχαιροπώλης, ὁ, Cultrorum s. Gladiorum venditor. [Pollux 7, 156.]

[Μαχαιροπώλιον, τὸ, i. q. μαχαιροπωλεῖον. Plut. Demosth. c. 15. Pollux 7, 156, ubi edd. per ει, cod. recte per ι.]

Μάχαιρος, ὁ, habetur ap. Polluc. [10, 89] tanquam pro μάχαιρα, si exempll. non mentiuntur. [Nunc μαχαιρὶς pro μαχαίροις.]

[Μαχαιρουργὸς, ὁ, i. q. μαχαιροποιός. Tzetz. Hist. 6, 133, 136. Elberling.]

[Μαχαιροῦς, οῦντος, ὁ, φρούριον τῆς Ἰουδαίας, ὡς Ἰώσηπος (locis in Ind. citatis. Strabo 16, p. 763). Τὸ ἐθνικὸν ὤφειλεν Μαχαιρούντιος, ὡς Ἱεριχούντιος· αὐτὸς δὲ (B. J. 2, 18, 6) Μαχαιρίτας αὐτούς φησι, Steph. Byz.]

[Μαχαιροφορέω, Gladium gesto. Joseph. A. J. 18, 2, 4.]

D Μαχαιροφόρος, ὁ, Qui gladium gestat, Gladio cinctus. Exp. etiam Ensifer, Ense cinctus. [Sicarius, Gl. Æsch. Pers. 56 : Τὸ μαχαιροφόρον τ' ἔθνος ἐκ πάσης Ἀσίας ἕπεται. Xen. Cyrop. 3, 2, 10. Pollux 1, 130.] A Thuc. 2, [96] et 7, [27] vocantur quidam Thraces μαχαιροφόροι. [Thraces μ. in exercitu Crœsi sunt ap. Xen. Cyrop. 6, 2, 10. || « Milites stationarii, machæris seu longioribus (immo brevioribus) gladiis armati. Menand. in Legat. (p. 283, 19) : Βαλεντῖνον, εἷς δὲ οὗτος τῶν βασιλικῶν μ. Rursum : Ἕνα τῶν β. μ. Alibi ξιφηφόρους vocat. Arriano vero Epict. 1, 30, οἱ ἐπὶ τῆς μαχαίρας dicuntur. » Ducang. Δορυφόροι ap. Arrian. ib. 4, 7, 1 et 2. Μαχαιροφόροι Polyb. 39, 1, 2.]

Μαιχαιρώνιον, nomen herbæ, ut testatur Diosc. [4, 20] : quæ alio nomine ξιφίον, φάσγανον : una eademque ratione, quod sc. foliis gladii speciem præbeat. Sic Lat. Gladiolus.

Μαχαιρωτὸς πρίων, q. d. Ad formam machæræ facta serra : tanquam a verbo Μαχαιροῦσθαι. In VV. LL. ex Galeno pro Serra quæ polit et lævigat melius quam ὀδοντωτὸς, quæ in incidendo altiora crenularum vestigia relinquit. [Μαχαιριωτὸς καυτὴρ sæpius ap. Paul. Ægin. 6, 62.]

[Μαχανεὺς, έως, ὁ, Machaneus, n. mensis in inscr. Corcyr. ap. Bœckh. vol. 1, p. 1845; vol. 2, p. 20, 48: Μηνὸς Μαχανέος.]

[Μαχανίδας, α vel ου, ὁ, Machanidas, Spartæ tyrannus, a Philopœmene victus et cæsus, ap. Polyb. 10, 41, 2; 11, 11, seq., Pausan. 4, 29, 10; 8, 50, 2, Plutarchum et Livium. Inscr. Spartanam : Μαχανίδας ἀνέθηκε τᾷ Ἐλευσίᾳ, ad hunc refert Rossius *Bullettino* 1840, p. 107. L. Dind.]

[Μαχάρης, ὁ, Machares, f. Mithridatis, ap. Memnonem Photii cod. 224, p. 238, 24 sq.]

Μᾰχάτᾱς, ὁ, Hesych. ἀντίπαλος [ap. Hes. est Μαχάταρ, quod μαχατὰρ scriptum restituere poterit Plutarchi l. infra citando, qui purum Laconismum reddere volet]. Suidæ nom. propr. [viri in numo Dyrrhachii ap. Mionnet. *Descr.* vol. 2, p. 40, n. 114. Sculptoris ap. Bœckh. C. I. vol. 2, p. 3, n. 1794, a, b. Alius in inscr. Epirotica ib. p. 5, n. 1799.] Quum Pugnatorem significat, est Dor. pro μαχητὴς, et ὀξυντέον. [Plut. Mor. p. 866, C : Μαχατάς τοι, οὐκ ἀγγελιαφόρος εἰπόμαν. Μαχαίταν Æolice Alcæus ap. Strab. 13, p. 617. V. Μαχητής.]

Μαχάω, Pugnare cupio, volo : μαχᾷν, ἀντὶ τοῦ θέλειν μάχεσθαι, Hesych. [Photius : Μαχάσαι, κρατήσειν λέγουσι.]

[Μαχάων, ονος, ὁ, Machaon, f. Æsculapii, Hom. Il. B, 732, etc. Μαχάωνος Ἀσκληπιὸς male ap. Galen. vol. 13, p. 447, ubi de medicamento oculari sic dicto. Qui ap. Thuc. 2, 83, memoratur Μαχάων Corinthius, in libris nonnullis scribitur Μάχων. ᾰᾱ]

Μαχετέον, Pugnandum : in quibusdam codd. reperitur et μαχεστέον, ap. Plut. [Plat. Soph. p. 249, C, Πρός γε τοῦτον παντὶ λόγῳ μαχετέον libri plurimi, pauciores μαχητέον. Quæ varietas notata etiam in Διαμαχετέον. Sed quum perf. Atticis sit μεμάχημαι, præstat η.]

Μάχη, ἡ, Pugna, Conflictus, Prælium. [Lis, Jurgium, his add. Gl., et : Μάχη ἡ διὰ χειρῶν, Rixa; ἡ διὰ λόγων, Litigatio, Jurgium; ἡ ἐν πολέμῳ, Dimicatio.] Hom. Il. Λ, [216] : Ἀρτύνθη δὲ μάχη, στὰν δ' ἀντίοι· I, [353] : Μάχην ὀρνύμεν. Et, Συμφερόμεσθα μάχῃ, rursum Λ, [735]. Et μάχεσθαι μάχην aliquoties. [Il. O, 414, etc.] Item [O, 696], δριμεῖα μάχη, et [Δ, 225] μάχη κυδιάνειρα. Interdum μάχη cum πόλεμος [ut Pind. Ol. 9, 43, qui etiam ἐν μάχαις πολέμου Ol. 2, 48, ut ἀγὼν μάχης Soph. Tr. 20, Eur. Andr. 725], nonnunquam cum ἐνοπὴ [vel ὑσμίνη] copulat. [Cum genit. pers. Hom. Il. Λ, 542 : Αἴαντος δ' ἀλέεινε μάχην. Μάχαι filiæ Eridis, ap. Hesiod. Theog. 228. De venatione leonum Pind. Nem. 3, 44 : Μάχᾳ λεόντεσσιν ἀγροτέροις ἔπρασσεν φόνον. Addito δορὸς Æsch. Ag. 439 : Ταλαντοῦχος ἐν μάχῃ δορός. Soph. Ant. 674 : Σὺν μάχῃ δορὸς τροπὰς καταρρήγνυσι. Et aliquoties Eur. Μάχηνδε, In pugnam, Theocr. 25, 136 : Μάχηνδε... ᾖισαν.] Æque est in usu hoc nomen ap. prosæ scriptt. Xen. Cyrop. 7, [1, 17] : Ἔνθα δὴ δεινὴ μάχη ἦν. Pro quo καρτερὰ μάχη ap. Plut. Alcib., quo usus est ante eum Herodot., Μάχης δὲ καρτερῆς γενομένης. [V. Καρτερός.] Latini Pugnam acrem dicunt s. magnam. Et μάχην ποιεῖσθαι, συνάπτειν, Xen. [Cyrop. 3, 3, 29, H. Gr. 3, 4, 23. Συνάπτειν, ut hic, etiam Æsch. Pers. 336, Eur. Phœn. 1230. Συμβαλεῖν Bacch. 837. Μάχας ἐν λόγοις ποιουμένη Plato Tim. p. 88, A], Pugnam inire, committere, s. Prælium. Thuc. dicit etiam μάχῃ διαγωνίσασθαι : item ἐπεξιέναι τινὶ εἰς μάχην aliquoties, Prodire in prælium s. in aciem adversus aliquem. [Eur. Phœn. 598 : Κᾆτα σὺν πολλοῖσιν ἦλθες πρὸς τὸν οὐδὲν ἐς μάχην; 694 : Πρὶν ἐς μάχην μολεῖν· Herc. F. 579 : Ὕδρᾳ μὲν ἐλθεῖν ἐς μάχην λέοντί τε.] Dicitur et διὰ μάχης ἰέναι [μολεῖν Eur. Iph. A. 1392, ἐλθεῖν 1415 etc. Herodot. 6, 9] τινὶ, pro illis, μάχην ποιεῖσθαι, συνάπτειν. [Et ἱστάναι Lycophr. 939. Et ξυνέστηκε μάχη Plat. Soph. p. 246, C. Τίθεσθαι μάχην Dionys. A. R. 3, 22, et alibi.] At ἐξάγειν ἐπὶ τὴν μάχην, Plutarch., Educere ad prælium. Item μάχη dicitur esse περί τινος, Suscepta esse pugna de re aliqua, ob rem aliquam, Contentio, Altercatio. Plato Epist. 7 [8, p. 352, C] : Πᾶσα μάχη περὶ τούτων. [Conf. Hipp. maj. p. 294, D. Alia constr.
A Leg. 11, p. 919, B : Ἡ τούτων καὶ περὶ ταῦτά ἐστι πρὸς δύο μάχη, πενίαν καὶ πλοῦτον. Et eadem cum præp. περὶ seq. accus. Phil. p. 15, D. ᾰ]

Μαχήμων, ονος, ὁ, ἡ, Pugnax, i. q. μάχιμος. [Hom. Il. M, 247, κραδίη. Agath. Anth. Pal. 4, 3, 68 : Εὐπολέμοις σταχύεσσι μαχήμονα βῶλον ἀνοίγει.]

Μαχησμὸς, ὁ, Pugna, Prælium : sonat tamen potius Pugnatio, Præliatio. Affertur in VV. LL. ex poematio de Pugna Felium et Murium. [Galeomyom. Theodori Prodr. 61, 65. Μαχισμὸς ap. Nicet. Isac. 1, 7; et in cod. barbarogr. Man. 2, 7.]

[Μαχητέον. V. Μαχετέον.]

Μαχητὴς, ὁ, Pugnator [Gl.], Bellator, Pugnax, Bellicosus. Hom. Il. E, [801] : Τυδεύς τοι μικρὸς μὲν ἔην δέμας, ἀλλὰ μαχητής. Sic et alibi. [Μαχητὸς, στρατηγὸς Hesych. pro —τής. Forma Dor. Μαχατὰς Pind. Nem. 2, 13, φῶτα· 9, 26, θυμόν. V. Μαχάτας.]

Μαχητικὸς, ἡ, ὸν, quo Aristot. præsertim utitur pro Pugnax, Ad pugnam propensus : ut quum dicit Rhet. 1, [c. 13] περὶ τῶν αἰσχυντηλῶν loquens : Οὐ γὰρ
B μαχητικοὶ περὶ κέρδους. [Ib. c. 11, μαχητικαὶ παιδιαί. Plato Soph. p. 225, A : Τὸ μὲν ἁμιλλητικὸν, τὸ δὲ μαχητικόν. Et ib. in seqq. Reip. 5, p. 467, E : Μὴ θυμοειδῶν μηδὲ μαχητικῶν. Τὸ μαχητικὸν, Pugnandi cupiditas, Plut. Mor. p. 757, B. Adv. Μαχητικῶς, Plato Theæt. 168, B : Οὐ δυσμενῶς οὐδὲ μ.]

Μαχητὸς, ἡ, ὸν, pro Oppugnabilis, Expugnabilis, legitur ap. Hom. Od. M, [119] : Ἡ δέ τοι οὐ θνητὴ, ἀλλ' ἀθάνατον κακόν ἐστι, Δεινόν τ' ἀργαλέον τε, καὶ ἄγριον, οὐδὲ μαχητὸν, ubi exp. πολεμεῖσθαι δυνάμενον.

[Μαχικὸς, ἡ, ὸν, Bellax, Gl. Timotheus in Cram. An. vol. 4, p. 266, 4 : Μαχικὴν διάθεσιν. L. Dind.]

[Μαχιμοποιὸς, ὁ, ἡ, Qui pugnacem, bellicosum facit. Doxopat. in Walz. Rhett. vol. 2, p. 444, 29 : Ὡς μαχιμοποιοῦ ὄντος αὐτοῦ εἴρηται ὅτι πρὸς μάχην αὐτοὺς ἐκίνει.]

Μάχῐμος, ὁ, ἡ, Pugnax, [Litigiosus, add. Gl.] Bellicosus. [Æsch. Ag. 123 : Ἀτρείδας μαχίμους. Aristoph. Lys. 454 : Τέτταρες λόχοι μαχίμων γυναικῶν· Ran. 281 : Εἰδώς με μάχιμον ὄντα· Av. 1368. Xen. Anab. 7, 8, 13 :
C Ἄνδρας πολλοὺς καὶ μαχίμους. Plato Reip. 3, p. 386, C : Τοῖς μέλλουσι μαχίμοις ἔσεσθαι.] Plut. Alex. [c. 16] : Πρὸς ἀνθρώπους ἀπεγνωκότας καὶ μαχίμους. Et in superl. ap. Thuc., Ἀξιούμενοι μαχιμώτατοι εἶναι. [Conf. 6, 90, Aristoph. Ach. 153.] At jocose in Epigr. [Palladæ Anth. Pal. 9, 168, 4] : Γαμετῆς μαχίμου, de uxore rixosa atque adeo ad manus etiam sæpe veniente. Ibid. vero et γραῦς μαχίμη. De gallo ap. Philostr. Epist. [26, p. 925] : Καὶ ἀλεκτρυὼν μαχιμώτερος ὁ τὰ κάλλαια ἐγηγερκώς. || Pugnæ habilis s. Bello, Ad pugnam aptus. [Οἱ μάχιμοι, una e septem classibus Ægyptiorum, Herodot. 2, 164 et 141. Οἱ μάχιμοι ἄνδρες in Xerxis exercitu distinguuntur a calonibus et reliqua turba, 7, 186. Αἱ μάχιμοι μυριάδες, 7, 185. Neutr. Τὸ μάχιμον, i. q. οἱ μάχιμοι, 2, 165 : Ἀνέωνται ἐς τὸ μ. 7, 186 : Τοῦ μαχίμου ἐόντος ἀριθμὸν τοσούτου· et ibid., ἐξισούμενοι τῷ μαχίμῳ. Schweigh. Lex. Thuc. 6, 23. Πρὸς τὸ μ. αὐτῶν. Xen. Cyrop. 5, 4, 46.] Τὰ ἴδια τῶν γεωργούντων καὶ τῶν μαχίμων, Aristot. Pol. 2, [8 med.] Ex Plat. autem [Leg. 8, p. 830, C] affertur τὸ
D μάχιμον τῆς πόλεως, pro Civitatis pars quæ militiæ studet. Ap. Thuc. autem μάχιμοι simpliciter etiam pro Pugnatores, Bellatores. Sed et naves μάχιμοι ap. Plut. Cat. [et Anton. c. 61], Aptæ ad præliandum, Bayf. [Ἡλικία μάχιμος ap. Polluc. 1, 177; 2, 11. I. q. στρατιῶται 1, 126. || Adv. Μαχίμως, Leo Allat. p. 275. « Theodor. Metoch. p. 161. » Cramer.]

[Μαχιμώδης, ὁ, ἡ, Pugnax. Strato Anth. Pal. 12, 200, 1 : Μαχιμώδεις φωνάς.]

[Μαχίμως. V. Μάχιμος.]

[Μαχλαῖοι, οἱ, Machlæi, Indi, ap. Lucian. Herc. c. 6.]

Μαχλὰς, άδος et Μαχλὶς, ίδος, ἡ, deriv. a μάχλος : utrumque significans Mulierem lascivam et libidinosam, teste Hesychio etiam, afferente Μαχλάδα pro πόρνην : et Μαχλὶς pro ἑταῖρα [ἑταίρα], πόρνη, Scortum, Meretrix. [Marc. Arg. Anth. Pal. 5, 105, 1 : Μηνοφίλᾳ παρὰ μαχλάδι. Artemid. 4, 12 : Γυναῖκας μαχλάδας.] Ap. Nonnum [Jo. c. 12, 15] et adjective μαχλάδι χαίτῃ pro Molli et quasi Lasciviam quandam redolente coma : vel etiam Meretricia. [Paul. Sil. Anth. Pal. 9, 443, 5 :

'Ἐλπίδι μὴ θέλξης φρένα μαχλάδι. Thomas p. 601 : Μαχλὰς, οὐδεὶς τῶν Ἀττικῶν. Ubi Philonis l. p. 772 annotavit Sallier.]

[Μαχλάω.] Ap. Hesych. reperio et verb. Μαχλῶντες pro πορνεύοντες, Libidini indulgentes, Scortantes. [Clemens Al. Protr. p. 12 : Τὰ περὶ τὴν Ἀφροδίτην μαχλῶντα ὄργια· 27 : Μαχλώσας ἡδονάς. Theodor. Stud. p. 216, E : Θεοδότην τὴν μαχλῶσαν. Alia Suicer. || Μαχλεύω, ead. signif. Manetho 4, 315 : Μεμαχλευμένον ἦτορ ἔχοντας.]

Μάχλης, Hesych. affert pro μάχλος : quod ita pro μάχλος positum erit ut λάγνης pro λάγνος : exp. vero et ipse ἀκρατὴς, πόρνος.

[Μαχλικὸς, ή, όν, Lascivus. Manetho 4, 184 : Μαχλικῶν λόγων, ubi etiam μάχλων locum haberet, quo alibi utitur.]

[Μαχλίς. V. Μαχλάς.]

Μαχλοίων, Hesych. χρομμύων, Cæparum. At Μαχλοίονας ab Æthiopibus vocari τοὺς αὐτομόλους, Transfugas, Hesych. auctor est. [Ægyptios puta, qui in Æthiopiam fugerant, Herodot. 2, 30, « quasi Cæparum edaces vocabant. » Bouhier.]

Μάχλος, ὁ, ἡ, Incontinens, Libidinosus, Lascivus : Suidæ ἀσελγὴς, ἄσωτος, hoc afferenti exemplum [Procopii Hist. arc. c. 1] : Αὕτη τὸ πρότερον μάχλον τινὰ βιώσασα βίον, τὸν τρόπον ἐξεῤῥωγυῖα, φαρμακεῦσί τε πατρῴοις πολλὰ ὡμιληκυῖα. In Epigramm. [ap. Athen. l. infra cit.] : Μάχλος ἐς ἄνδρας, Virorum appetens : de muliere, ut videtur : nam et viris et mulieribus hoc epitheton tribuitur. [V. Pollux 6, 188 ; 7, 203.] Hesiodus Op. [584] : Τῆμος πιόταταί τ' αἶγες καὶ οἶνος ἄριστος, Μαχλόταται δὲ γυναῖκες. Lucian. De calumn. [c. 26] : Ὑπὸ μάχλου γυναικὸς ἐπιβουλευόμενος. [Quo l. Thomas Mag. quidem μάχλης legebat, perperam : nam et alibi μάχλος perinde in fem. gen. usurpat idem Lucian. et alii, ut docti ad l. c. monuerunt. Sic etiam Philænis mulier ap. Athen. 8, p. 335, C, de se ipsa loquens, ait, Οὐκ ἦν ἐς ἄνδρας μάχλος. Schweigh.] Sic De saltat. [c. 2] : Τὰς μαχλοτάτας Φαίδρας. [Neutr. plur. ap. Clem. Al. Protr. p. 33 : Θηρία οὐ μοιχικὰ, οὐ μάχλα. Improprie ap. Eust. Il. p. 827, 31 : Οὕτω δὲ καὶ Αἰσχύλου μάχλον, φασὶν, ἄμπελον εἰπόντος τὴν ῥεομένην, ἡ κωμῳδία μάχλον εἶπε τὸν ὑπὸ καταφερείας δίυγρον. Conf. Od. p. 1597, 31. Æsch. iterum Suppl. 633 : Μάχλον Ἄρη.]

Μαχλοσύνη, ἡ, Incontinentia, Libidinositas, Lascivia : Hesychio ἡ περὶ τὰ ἀφροδίσια καταφέρεια, ἀκολασία, πορνεία. Hom. Il. Ω, [30] de Paride : Τὴν δ' ᾔνησ' ἥ οἱ πόρε μαχλοσύνην ἀλεγεινήν. [Eust. : Ἀρίσταρχος διὰ τὴν τῆς μαχλοσύνης λέξιν ἀθετεῖ τὸν στίχον· νεωτέρων γὰρ ἡ λέξις καὶ Ἡσιόδειος, ἐκείνου πρώτου χρησαμένου αὐτῇ ἐπὶ τῶν Προίτου θυγατέρων (in fr. ap. Suidam in v. : Εἵνεκα μαχλοσύνης στυγερῆς τέρεν ὤλεσαν ἄνθος). Καὶ ἔτι μαχλοσύνη, φησὶ, κοινῶς ἐστιν ἡ ἐν γυναιξὶ μανία, ἐπὶ ἀνδρῶν δὲ οὐ τίθεται. Aristophanes aliam sequebatur versus Homerici scripturam, de qua v. Eust. et schol. Herodot. 4, 154 : Μαχλοσύνην ἐπενείκασά οἱ. Et sæpius Manetho. Adamant. Physiogn. 2, 16, p. 393. ῠ]

[Μαχλότης, ητος, ἡ, i. q. præcedens. Etym. M. p. 524, 24, schol. Lycophr. 771.]

[Μάχλυες, οἱ, Machlyes, gens Libyca, ap. Herodot. 4, 178. Scythica, ap. Lucian. Tox. c. 44 seqq., ubi etiam Μαχλυηνὴ, ἡ, de regione.]

Μάχομαι, Pugno, Prælior, [Jurgo his add. Gl.] Bellum gero. Fut. [ap. Atticos] μαχοῦμαι, [ap. ceteros] μαχήσομαι, μαχέσομαι : unde aor. ἐμαχησάμην, ἐμαχεσάμην : præt. μεμάχημαι. [V. plura in fine.] Dicitur autem μάχομαί σοι, quam constr. imitatus Virg. dixit Pugnabis amori, vel [rarius μάχομαι ἐπί σοι, ap. Hom. Il. E, 124 : Ἐπὶ Τρώεσσι μάχεσθαι· et ib. 244 ; Υ, 26, vel] μάχομαι πρός σε, ut Lat. usitatius Pugno adversus te. Sed hæc constr. apud Græcos rarior est altera, contra vero Latinis frequentius, atque adeo magis receptum est Pugno adversus te, aut certe Pugno tecum, quam Pugno tibi. Hom. Il. B, [121] : Ἠδὲ μάχεσθαι Ἀνδράσι παυροτέροισι· A, [151] : Ἢ ἀνδράσιν ἶφι μάχεσθαι. Sic [Soph. Phil. 1253 : Οὐ τἄρα Τρωσὶν, ἀλλὰ σοὶ μαχούμεθα; OEd. C. 837 : Πόλει μαχεῖ γάρ. Et sæpe Eurip.] Dem., μάχεσθαι τοῖς πολεμίοις. Plut. in Erot. : Ἔρωτι δὲ μάχεσθαι χαλεπὸν, οὐ

A θυμῷ. Et λιμῷ καὶ δίψει μάχεσθαι, ap. Eund. [Mor. p. 174, E], imitantem Xen., qui dixerat [Cyrop. 6, 1, 14] : Λιμῷ καὶ ῥίγει μάχεσθαι. [Soph. fr. Eriph. ap. Stob. Fl. 99, 20 : Πῶς οὖν μάχωμαι θνητὸς ὢν θείᾳ τύχῃ ;] Alterius autem constructionis exemplum est ap. [Hom. Il. P, 471 : Πρὸς Τρῶας μάχεαι. Soph. Ant. 62 : Πρὸς ἄνδρας οὐ μαχουμένα. Eur. Iph. T. 304 ; Xen. Cyrop. 7, 1, 22.] Isocr. Paneg. [p. 64, E] : Ἀντὶ δὲ τοῦ πρὸς ἑτέρους περὶ τῆς χώρας πολεμεῖν, ἐντὸς τείχους πρὸς ἀλλήλους οἱ πολῖται μάχονται· Hel. enc. [p. 216, D] : Πρὸς μὲν γὰρ τοὺς γίγαντας οἱ θεοὶ μετ' ἀλλήλων ἐμαχήσαντο [ἐμαχέσαντο], περὶ δὲ ταύτης πρὸς σφᾶς αὐτοὺς ἐπολέμησαν. [Æsch. Suppl. 740 : Μαχοῦνται περὶ σέθεν. Alia phrasi Hom. Il. Υ, 88 : Ἀντία Πηλείωνος... μάχεσθαι, et ib. 97, Ἀχιλῆος ἐναντίον. Dativo Pausan. 4, 29, 9 : Κλεομένει ἐμαχέσατο ἐναντία. Et in l. infra cit. 5, 4, 9.] Interdum vero cum dat. instrumenti Hom. Il. Γ, [137] : Ἐγχείῃσι μαχέσσονται περὶ σεῖο. [Od. Σ, 39 : Ἀλλήλοιιν χερσὶ μαχήσασθαι.] Ut autem hic usus est præp. περὶ cum suo gen., sic alibi adverbio εἵνεκα :
B Il. B, [377] : Μαχεσσάμεθ' εἵνεκα κούρης. At Il. Γ, [91] dixit μάχεσθαι ἀμφ' Ἑλένῃ, Pugnare pro Helena, vel potius, de Helena. [Cum περὶ et dativo, Od. B, 245 : Ἀνδράσι μαχήσασθαι περὶ δαιτί.] Sic autem et in prosa, μάχεσθαι περί τινος, frequenter occurrit. Dicitur et μάχεσθαι ὑπέρ τινος, Pugnare pro aliquo. [Eur. Phœn. 1002 : Μαχόμενοι πάτρας ὕπερ.] Μάχεσθαι ὑπὲρ τῆς χώρας, Xen. Cyrop. 5, [3, 5. Sæpius sic etiam Plato. Πρό τινος, Hom. Il. Θ, 56 : Μάχεσθαι... πρό τε παίδων καὶ πρὸ γυναικῶν. Et alibi. Xen. H. Gr. 5, 4, 33, etc. Μάχεσθαι μετά τινος, quod apud veteres, ut Xen. H. Gr. 3, 5, 16 : Ἡμεῖς μεθ' ὑμῶν μαχούμεθα ἐκείνοις, etc., est Socio uti pugnæ, significatione Pugnandi adversus ponit Athen. 7, p. 296, D : Ὅτε Ἰάσων μετὰ τῶν Τυρρηνῶν ἐμάχετο, pro quo Τυρρηνοῖς Eust. Il. p. 271, 23, uterque a Valck. cit. Eandem constr. v. in Μονομαχέω.] Item cum accus. rei ac dat. personæ ex Aristoph. μάχομαί σοι παγκράτιον [Vesp. 1191, 1195. Xen. Ages. 5, 5 : Μάχεσθαι τὴν αὐτὴν μάχην. Isocr. p. 127, B : Μηδεμίαν μάχην ἀξίαν λόγου φαίνεσθαι μεμαχημένους.
C Plato Theag. p. 123, A : Τοιαῦτα καὶ ἕτερα πρὸς ἐμὲ μάχεται.] Sed sæpe etiam ponitur μάχεσθαι sine adjectione pro Præliari, tam ap. Hom. quam ap. ceteros. [Thuc. 7, 43 : Βουλομένων διὰ παντὸς τοῦ μήπω μεμαχημένου τῶν ἐναντίων ὡς τάχιστα διελθεῖν, Per reliquos qui nondum pugnaverant hostes. Brunck. De constr. cum accus. pers. (vel loci, ubi sit Oppugnare) schol. Guelf. Eur. Hec. 401 : Μάχου κατὰ Ἀττικοὺς δοτικῇ, κατὰ δὲ κοινοὺς αἰτιατικῇ, ὥσπερ καὶ τὸ ναυμαχῶ. Sic Georg. Acrop. Annal. p. 24, D : Ὃν διὰ νεωτερισμὸν ἐμαχέσατο· 82, B : Τὸν ἀποστάτην μαχέσασθαι Μιχαήλ· ib. C ; 96, D : Τὸ τοῦ Γαλατᾶ ἐμάχετο φρούριον.] || Μάχεσθαι generalius pro Contendere, Rixari, [Litigare, Disputare, his add. Gl.] Altercari, ut quum ei addit Hom. ἀντιβίοις ἐπέεσσι, Il. B, [378. Similiter Æsch. Prom. 1010 : Ὡς νεοζυγὴς πῶλος βιάζει καὶ πρὸς ἡνίας μάχει. Plato Theæt. p. 205, A : Ἀνδρικῶς γε μάχει. || Cum inf. Aristot. H. A. 5, 19 : Διὸ καὶ οἱ περὶ ταύτην τὴν ἐργασίαν ὄντες μάχονται χωρίζειν τὴν ἄλλην κτλ. || Adversor. Plato Theæt. p. 155, B :
D Ταῦτα μάχεται αὐτὰ αὐτοῖς ἐν τῇ ἡμετέρᾳ ψυχῇ. Polyb. 3, 47, 6. Pollux 1, 111, πνεύματος, καιροῦ μαχομένου πλεῖν.] || Μαχόμενα dicuntur etiam Pugnantia, i. e., Repugnantia, Contraria ; eo sensu quo dicitur aliquis Pugnantia loqui. || Ad inflectionem autem quod attinet, jam quidem habes in exx. citatis, μαχέσασθαι, tam ex Hom. quam ex Isocr. : itidemque affert Bud. μαχετέον ex Plat., et μαχεστέον ex Plut., pro Pugnandum est. At cum η, μαχήσομαι et μαχησάμην [sec. Aristarchum ap. schol. Il. A, 304, B, 377 : etsi in aoristo libri plerumque exhibent -χεσσ-, ut futuro propria sit scriptura per η. V. Spitzner. ad A, 298, et de Quinto Observ. in Quint. p. 302 sq.], ap. Hom. et ipsa : in prosa vero itidem μαχήσομαι, et præt. μεμάχημαι. [Μαχήσομαι, quod posthabendum esse formæ μαχοῦμαι monent Herodian. p. 469 Piers., Thomas p. 601, ex versu Demostheni tributo ap. Gellium 17, 21, 31 : Ἀνὴρ ὁ φεύγων καὶ πάλιν μαχήσεται· et Dionys. A. R. 9, 13, p. 1773, 10 : Οὐδεὶς ἀντεπεξήει τῶν πολεμίων μαχησόμενος, annotavit Lobeck. ad Buttm.

Gr. v. Μάχομαι. Ap. Herodotum variat scriptura inter η et ε. V. Schweigh. Aoristi ἐμαχησάμην quæ in prosa ferebantur exx., ut Diod. 19, 93, Pausan. 1, 15, 4, ex libris correcta sunt. Perfecti exx. Isocr. p. 127, B, et Philostr. V. Ap. 2, 12, p. 62, annotavit Wakef. Add. Thuc. 7, 43 et Isocr. supra cit.] Sed μαχοῦμαι in fut. videtur esse usitatius quam μαχήσομαι. Aristoph. Pl. [1077]: Ἐγὼ περὶ ταύτης οὐ μαχοῦμαί σοι. Plato Epist. 7, [p. 345, B]: Πολλοῖς μάρτυσι μαχεῖται. At vero ap. Hom. [Il. A, 272] est Μαχέοιτο pro μάχοιτο, itidemque [ib. 344] μαχέοιντο pro μάχοιντο, tanquam a Μαχέομαι, οῦμαι. [Qua verbi forma utitur etiam Herodot. 7, 104; 9, 75. Schweigh. Et Quintus 2, 154; 6, 340.] Item Μαχειόμενος pro μαχόμενος, Od. P, [471] tanquam a Μαχείομαι, quod sit a μαχέομαι. [Item Μαχεούμενος pro μαχόμενος, ib. Λ, 403, Ω, 113. Imperf. freq. Il. H, 140: Οὔνεκ' ἄρ' οὐ τόξοισι μαχέσκετο. || Formæ passivæ aoristus ἐμαχέσθην est ap. Pausan. 5, 4, 9: Μαχεσθῆναι δ' οὐχ ὑπέμειναν τοῖς Ἕλλησιν ἐναντία, libris nihil fere variantibus, et ap. Joseph. A. J. 6, 9, 4. Et partic. ap. schol. Hom. Il. E, 412, p. 161, 48: Μὴ μαχεσθέντος αὐτῷ τινός. Schol. Philostrati Her. p. 359 ed. Boiss., μαχεσθέντες. Et fut. ap. schol. Pind. Ol. 13, 63, ubi διαμαχεθήσομαι, quod διαμαχεσθ. scribendum animadvertit Lobeck. l. c., qui de similibus formis egit ad Phryn. p. 732. ἄ]

[Μαχομένως, Repugnanter. Strabo 2, p. 92: Ἐλέγχει μόνον ὅτι ψευδῶς ἢ μ. εἴρηται.]

[Μαχόπνευμα, epith. Typhonis in inscr. Ægypt. V. Reuvens. *Troisième lettre* p. 161, qui interpretatur *Souffle, aimant les combats.* L. Dind.]

[Μαχοποιέω, Theophyl. Bulg. vol. 3, p. 523, D, ubi legendum μοσχοποιέω, quod v.]

[Μαχοσύμβουλος, ὁ, ἡ, Pugnæ consultor. Const. Apost. p. 282 ed. Cotel. (ubi de mulieribus). Wakef.]

[Μαχόχριστος, ὁ, ἡ, Pugnans cum Christo. Theod. Stud. ap. Pasin. Codd. Taur. vol. 1, p. 306, A fin.: Ὥσπερ φύγοιμεν τὴν μαχόχριστον πλάνην. L. Dind.]

[Μάχω. Frustra foret, qui huic activo verbo præsidium quæreret e schol. Æsch. Pers. 245 Blomf., ubi μάχοντας: nam ceteræ edd. recte μαχομένους. Boiss. Ficta etiam quæ ponit Arcad. p. 154, 9: Μάχω, μάχομαι, καὶ μαχῶ περισπώμενον.]

[Μάχων, ωνος, ὁ, Macho, poeta comicus novæ comœdiæ ap. Athen. et alios.]

Μὰψ, Frustra, Incassum, [Sine ratione, adeoque Temere et Injuriose, ut in Μάταιος et μάτην dictum,] μάτην. Hom. Il. [B, 120: Μὰψ οὕτω τοιόνδε τοσόνδε τε λαὸν Ἀχαιῶν ἄπρηκτον πόλεμον πολεμίζειν· 214: Μὰψ, ἀτὰρ οὐ κατὰ κόσμον, ἐριζέμεναι βασιλεῦσιν· E, 759: Ὁσσάτιόν τε καὶ οἷον ἀπώλεσε λαὸν Ἀχαιῶν μὰψ, ἀτὰρ οὐ κατὰ κόσμον. (Conf. Od. Γ, 138.) N, 627: Οἵ μεν κουριδίην ἄλοχον καὶ κτήματα πολλὰ μὰψ οἴχεσθ' ἀνάγοντες· O, 40: Νωΐτερον λέχος αὐτῶν κουρίδιον τὸ μὲν οὐκ ἂν ἐγώ ποτε μὰψ ὀμόσαιμι·] Υ, [298: Τίη νῦν οὗτος ἀναίτιος ἄλγεα πάσχει μὰψ ἕνεκ' ἀλλοτρίων ἀχέων; 348:] Ἀτάρ μιν ἔφην μὰψ αὔτως εὐχετάασθαι. Et Od. Π, [111] in querimonia Ulyssis de procis: Καὶ σῖτον ἔδοντας Μὰψ αὔτως ἀτέλεστον, ἀνηνύτῳ [—ύστῳ] ἐπὶ ἔργῳ. [H. Cer. 83: Οὐδέ τί σε χρὴ μὰψ αὔτως ἀτέλεστον ἔχειν χόλον· Merc. 488.]

[Μὰψ, ὄρνεόν τι, inter monosyllaba in ψ ponit Arcad. p. 126, 19. Herodian. Cram. An. vol. 3, p. 286, 15: Ἐν δὲ μονοσυλλάβοις τὸ δρὰψ ἐκτείνεται, κείμενον παρὰ Ἀριστοφάνει, καὶ τὸ μὰψ παρὰ Ταραντίνοις. Ubi λὰψ cod. unus cum Regg. prosod. p. 436, n. 67. Distinguuntur autem in seqq. ab his nomina quædam gen. fem.]

Μαψαῦραι, αἱ, Leves auræ, Leves venti. Hesiod. Theog. [872], de quatuor ventis locutus, addit: Αἱ δ' ἄλλαι μαψαῦραι ἐπιπνείουσι θάλασσαν· schol. κεναὶ καὶ μάταιαι πνοαὶ, οἷον καικίας, θρακίας, ut alibi admonui. Fortassis tamen in hoc l. Hesiodi divisim μὰψ αὖραι legi posset. [Ita libri nonnulli, ut in fr. Callimachi ap. Stob. Fl. 113, 6: Ἦ ὅτε κωφαῖς ἄλγεα μὰψ αὔραις ἔσχατον ἐξερέῃ, ubi μαψαύραις Bentlejus, quod ponit Hesych. Adjective Lycophr. 395: Κόκκυγα κομπάζοντα μαψαύρας στόθους, ubi pauci μαψαύρους.]

Μαψίδιος, ὁ, ἡ, deriv. a μὰψ, significans et ipsum μάταιος, Inanis, Vanus: teste eodem Hesych. [Eur.

A Hel. 251: Τὸ δ' ἐμὸν ὄνομα μαψίδιον ἔχει φάτιν· ubi de mala fama. Theocr. 25, 188: Γλώσσης μαψιδίοιο. ῐῐ || Adv.] Μαψιδίως, Inaniter, Vane, Incassum, Frustra: ματαίως. Hom. Od. [B, 58, P, 536] de procis: Εἰλαπινάζουσιν, πίνουσί τε αἴθοπα οἶνον μαψιδίως· pro quo Od. Π, [110] dicit, Σῖτον ἔδοντας Μὰψ αὔτως ἀτέλεστον ἀνηνύτῳ [ἀνηνύστῳ] ἐπὶ ἔργῳ. [Hic quoque, ut mox, est Sine ratione, Temere. Sic P, 451: Οἳ δὲ διδοῦσι μ., ἐπεὶ οὔτις ἐπίσχεσις οὐδ' ἐλεητὺς ἀλλοτρίων χαρίσασθαι.] At Γ, [72]: Ἠὲ κατὰ πρῆξιν ἢ μαψιδίως ἀλάλησθε; An negotii alicujus causa, an temere et nullo proposito fine? [Temere, i. e. Injuriose, ut supra μὰψ, Il. E, 374: Τίς νύ σε τοιάδ' ἔρεξε μαψιδίως; Od. H, 310: Οὔ μοι τοιοῦτον ἐνὶ στήθεσσι φίλον κῆρ μ. κεχολῶσθαι. De mendacio Ξ, 365: Τί σε χρὴ, τοῖον ἐόντα, μ. ψεύδεσθαι; Similiter variat signif. in Μάταιος et Λαπιστής, quod supra p. 40, D, et 194, D, in Λαιλαπιστής et Λεπιστής corruptum, ut pluribus alibi dicemus. L. D.]

Μαψιλάκας, ὁ, Qui frustra nugas effutit, Inanes nugas deblaterans: qui et μαψίφωνος, de quo nulla af-
B feruntur exempla. [Pind. Nem. 7, 105, ubi libri per υ: Ταὐτὰ δὲ τρὶς τετράκι τ' ἀμπολεῖν ἀπορία τελέθει, τέκνοισιν ἅτε μαψυλάκας, Διὸς Κόρινθος. Quod schol. passive interpretatur, ὁ μάτην φλυαρηθείς. Alii μαψιλάκαις scripserunt. V. Μαψύλακτος.]

[Μαψιλόγος, ὁ, Vana loquens, significans. Hom. H. Merc. 543, οἰωνός.]

[Μαψιτόκος, ἡ, ὁ, Frustra pariens. Epigr. Anth. Pal. 14, 125, 2: Τοῖον μαψιτόκων καρπὸν ἔχων (tumulus) λαγόνων.]

Μαψίφωνος, ὁ, ἡ, Frustra et inaniter voces funditans. [Ματαιόφωνον Hesychio, cujus in cod. pro ι est punctum, et μαψίφωνον repetitur in gl. superiori.] Idem et μαψιλάκτης. [V. Μαψύλακτος.]

Μαψύλακτος, Frustra latrans, Inanibus strepitans latratibus, h. e. Inania deblaterans magno cum clamore. Ap. Plut. [Mor. p. 456, E] ex Tragico quopiam [Sapphone]: Πεφυλάχθαι γλῶσσαν μαψυλάκταν. [Μαψυλάκαν Volgerus. V. Μαψιλάκας. Quæ vera scriptura est et Sapphoni quoque restituenda, altera librariis re-
C linquenda, qui similiter verbum ὑλακτῶ pro λάκω affinxerunt Sophocli in fr. Acrisii ap. Stob. Flor. 8, 2: Βοᾷ τις· ὦ ἀκούετ' ἢ μάτην λάκω. Sic enim corrigenda librorum scriptura ὑλακτῶ, quam minus bene Porsonus ad Aristoph. Eq. 1013, p. 99 (qui λάσκω μάτην), infelicius etiam alii tentarunt. L. Dind.]

Μάψωτος, ap. Hesych. reperio expositum μάταιος, Vanus, Inanis: qui itidem μαψώτου affert pro ματαίου.

Μάω, Vehementer cupio, Supra modum cupio, ὑπὲρ τὸ δέον προθυμοῦμαι, s. simpliciter προθυμοῦμαι: nam utroque modo ab Eust. exp.: ab aliis, Præsenti animo cupio, Flagro cupiditate. Est autem poeticum, et pauca a se format tempora: quæ vero hinc derivat Eust., hæc sunt, Μέμαμεν, et Μέμασαν, et Μέμαα, unde Μεμαώς: quibus adde Μεμαχώς: a quo fem. μεμαχυῖα ap. Suid., προθυμουμένη, γλιχομένη. Sed quod ad μέμαμεν attinet, Eust. dicit passum esse sync. pro μεμάχαμεν, quod præt. perf. habet signif. præsentis, ut κεχραγὼς, κεχληγὼς, et alia quædam. [Hom. Il. I, 641: Μέμαμεν δέ τοι ἔξοχον ἄλλων κήδιστοί τ' ἔμεναι καὶ
D φίλτατοι· O, 105: Ἦ ἔτι μιν μέμαμεν καταπαυσέμεν· H, 160: Οἳ προφρονέως μέμαθ' Ἕκτορος ἀντίον ἐλθεῖν· Θ, 413: Πῇ μέματον; K, 433: Εἰ γὰρ δὴ μέματον Τρώων καταδῦναι ὅμιλον.] Μεμάμεν vero est infin., qui significat προθυμεῖσθαι, ἐπιθυμεῖν, βούλεσθαι, σπεύδειν: item et πεποιθέναι, Hesych.: a quo totidem verbis exp. μεμαὼς, et μεμαῶτες. Hom. Il. H, [3]: Ἐν δ' ἄρα θυμῷ Ἀμφότεροι μέμασαν πολεμίζειν ἠδὲ μάχεσθαι, Ardenter cupiebant: B, [863]: Μέμασαν δ' ὑσμῖνι μάχεσθαι. Et in imper. Υ, [355]: Ἀλλ' ἄγ' ἀνὴρ ἄντ' ἀνδρὸς ἴτω, μεμάτω δὲ μάχεσθαι· K, [208]: Ἅσσα τε μητιόωσι μετὰ σφίσιν, ἢ μεμάασιν, Αὖθι μένειν παρὰ νηυσὶν ἀπόπροθεν, ἠὲ πόλινδε Ἂψ ἀναχωρήσουσι, An velint ibi manere, An animus eis sit ibi manere. Ab hoc μέμαα est partic. μεμαὼς, admodum frequenti in usu, quod itidem præsentis signif. habet, pro Prono inclinatoque animo cupiens. Il. Φ, [174]: Ἆλτ' ἐπί οἱ μεμαώς· Υ, [256]: Ἀλκῆς δ' οὔ μ' ἐπέεσσιν ἀποτρέψεις μεμαῶτα, Πρὶν χαλκῷ μαχέσασθαι ἐναντίον· O, [168]: Ὣς κραιπνῶς μεμαυῖα διέπτατο ὠκέα Ἶρις· X, [186]: Ὣς εἰπὼν

ὤτρυνε πάρος μεμαυῖαν Ἀθήνην· quæ abibat postea ἀΐξασα. [Il. Ξ, 298 : Πῆ μεμαυῖα; Od. Ρ, 286 : Γαστέρα δ' οὔπως ἔστιν ἀποκρύψαι μεμαυῖαν.] Ex Epigr. [Anth. Pal. 7, 148, 3] : Οὐδὲ γὰρ ἐν θνητοῖς ἠδύνατο, καὶ μεμαυῖα, Εὑρέμεναι Κλωθὼ τῷδ' ἕτερον φονέα, i. e. προθυμουμένη, γλιχομένη, ut Suidas interpretatur. Frequenter cum infin. construitur hoc partic., sicut et alia tempora. Il. Ε, [244] : Μεμαῶτε μάχεσθαι· Od. Τ, [231] : Αὐτὰρ ὁ ἐκφυγέειν μεμαὼς ἤσπαιρε πόδεσσι. Ib. [Ω, 394] : Δηρὸν γὰρ σίτῳ ἐπιχειρήσειν μεμαῶτες Μίμνομεν ἐν μεγάροις· Δ, [416] : Μεμαῶτα καὶ ἐσσύμενόν περ ἀλύξαι, ubi μεμαῶτα et ἐσσύμενον conjunxit, sicut supra post μεμαυῖα dicit ἀΐξασα : Il. Γ, [9] : Ἐν θυμῷ μεμαῶτες ἀλεξέμεν· alibi [Od. Δ, 351] : Μεμαῶτα νέεσθαι. [Pind. Nem. 1, 43 : Ἀμφελίξασθαι μεμαῶτες.] Item cum gen. Il. Ε, [732] : Ὑπὸ δὲ ζυγὸν ἤγαγεν Ἥρη Ἵππους ὠκύποδας μεμαυῖ' ἔριδος καὶ ἀϋτῆς, i. e. ἐπιθυμοῦσα, Eust. [Il. Ν, 197 : Μεμαότε θούριδος ἀλκῆς.] Ap. Apollon. autem Arg. 3, [564] : Ὡς ηὔδα μεμαώς, schol. exp. ὀργιζόμενος, quod nemo ἐπὶ κακοῖς πρόθυμος esse possit : de quo sequitur, Χωόμενος δ' ὅγ' ἔπειτα καθέζετο. Verum Il. Ρ, [735] : Ὡς οἵγε μεμαῶτε [γ' ἔμμεμ.] φέρον νέκυν, est potius Præsenti s. Confidenti animo. In hoc partic. μεμαὼς aliquando α producitur [Il. Π, 754 : Ὡς ἐπὶ Κεβριόνῃ, Πατρόκλεις, ἆλσο μεμαώς], et gen. format ότος, contra quam in ll. præcedentibus : Il. Β, [818] : Λαοὶ θωρήσσοντο μεμαότες ἐγχείῃσι. [Ν, 197 modo cit.] Sic ap. Apollon. [2, 1200] : Κῶας ἄγειν κριοῖο μεμαότας· annotatur tamen ibi quosdam Mss. libros habere κριοῦ μεμαῶτας ; sed tunc ας produceretur, quod corripi alioqui solet. [Ex uno Paris. non optimo affertur κριοῦ, quo recte HSt. animadvertit versum perdi. Theocr. 25, 105 : Πινέμεναι λαροῖο μεμαότα πάγχυ γάλακτος.] Μεμαότες vero esse κοινότερον, at μεμαῶτες Ion., annotat Eust. || Μάω Eust. exp. etiam ζητῶ : derivans inde μαῖα, μήτηρ, et Μοῦσα. [In Ind. :] Μῶμαι, Quæro : unde μώμεθα ap. Hesych. ζητοῦμεν : afferentem et μῶται pro ζητεῖ ac τεχνάζεται. Similiter μῶσθαι affertur pro ζητεῖν καὶ πολυπραγμονεῖν : diciturque esse Laconicum. [Theognis 771 : Χρὴ Μουσῶν θεράποντα καὶ ἄγγελον, εἴ τι περισσὸν εἰδείη, σοφίης μὴ φθονερὸν τελέθειν, ἀλλὰ τὰ μὲν μῶσθαι, τὰ δὲ δεικνύναι, ἄλλα δὲ ποιεῖν. Τί σφιν χρήσηται μοῦνος ἐπιστάμενος; Æsch. Choeph. 45 : Μωμένα δύσθεος γυνά· 441 : Μόρον κτίσαι μωμένα. Soph. OEd. C. 836 : Σοῦ μὲν οὐ τάδε γε μωμένου. Μώμεναι ex Sophocle affert Helladius Phot. Bibl. p. 531, 4, additque tertias personas præs. μῶται ex Epicharmo (quo referri videtur Hesychii gl. ab HSt. citata) et μῶνται ex Euphorione, quæ omnia repetit a verbo μῶ (vel potius, ut est ap. Suidam, μῶσθαι) Dorico pro ζητεῖν. Etym. M. p. 589, 42 : Μῶ καὶ μῶμαι τὸ ζητῶ. Ἐπίχαρμος ὁ κωμικός, Πύρραν γε μῶ καὶ Δευκαλίωνα. Eidem Epicharmo ap. Xen. Comm. 2, 1, 20, Μὴ τὰ μαλακὰ μῶσο restituendum ex Hesychii gl. : Μωσοῖ, ζητεῖ (Μῶσο, ζήτει), et vestigiis librorum, quorum plerique μώεο cum Cornuto N. D. c. 14, p. 157, ubi nomen Musarum, ut ap. Plat. Cratyl. p. 406, A, repetitur ab hoc verbo μῶσθαι.]

[Μεγάβαζος. V. Μεγάβυζος.]

[Μεγάβαροι, οἱ, Megabari, gens Troglodytica. Diod. 3, 33 : Τῶν Τρωγλοδυτῶν οἱ ὀνομαζόμενοι Μεγαβαρεῖς. Wessel. : « Οἱ Μεγάβαρδοι Αἰθίοπες Strabo 17, p. 786, 819, Ptolemæo 4, 8, Μεγάβραδοι sive Μεγάβαρδοι, perperam, ut arbitror. V. Plin. N. H. 6, 30, (189, 190). » Ap. Diodorum quum continuo sequatur κυκλοτερεῖς, non injusta suspicio est hunc quoque scripsisse Μεγάβαροι vel Μεγάβαρδοι, alterum esse librarii. L. D.]

[Μεγαβάτης, ὁ, Megabates, Persa, Æsch. Pers. 22, 985; Herodot. 5, 32; Thuc. 1, 129; Xen. Ages. 5, 4, H. Gr. 4, 1, 28; Diodor. 11, 12. ἄᾱ]

[Μεγαβέρνης. V. Μεγαφέρνης.]

[Μεγαβότανον, τὸ, hodieque Græci Athenis voc. fort. haud recenti nominant Peucedanum officinale L. Hase.]

[Μεγαβρεμέτης, ὁ, Magnopere strepens. Orph. Arg. 747 : Μεγαβρεμέτου ποταμοῖο.]

[Μεγαβρόντης, ὁ, Megabrontes, Dolion, ap. Apoll. Rh. 1, 1041.]

[Μεγάβυζος, ὁ, Megabyzus, n. pr. Persicum, de quo ita fere Hemst. ad Lucian. Tim. c. 22 : « Inter Persas A qui orti memorantur ex illustri familia et regibus conjuncta, nunc Megabazi, alias Megabyzi solent scribi; utramque formam habet Herodot. (3, 70, 81, 100; 4, 143, 144; 5, 14, 23; 7, 82, 97), secundam semper Ctesias in Photii saltem Exc. : nam Megabazum ex eo producit Stephan. in Κυρταῖα. Conf. Duker. ad Thuc. 1, 109. (Wessel. ad Herodot. 4, 143, Diod. 11, 74, 75, qui Μεγάβυζον memorat etiam 12, 3, Exc. Vat. p. 34. Μεγαβάζου pro Μεγαβύζου libri optimi Aristoph. Av. 484.) Μεγάζυβον pro Μεγάβυζον (libri deteriores) Xenoph. Cyrop. 8, 6, 7. Μεγάβαζον Liban. vol. 2, p. 490, C (vol. 3, p. 368, 5 R. —βυζον). Βαγάζου ap. Athen. 13, p. 609, A. (Μεγαβάτου ap. Strab. 9, p. 403.) ... Ad Persarum Megabyzos quam prope accedant quidve habuerint commune Dianæ Ephesiæ sacerdotes non facile dixero. De quibus Strabo 14, p. 641 : Ἱερέας δ' εὐνούχους εἶχον, οὓς ἐκάλουν Μεγαλοβύζους (Μεγαβύζους Coraes). Appian. B. Civ. 5, 9 : Τὸν ἐν Ἐφέσῳ τῆς Ἀρτέμιδος ἱερέα, ὃν Μεγάβυζον ἡγοῦνται. (Xen. Anab. 5, 3, 6, 7, Plut. Mor. B p. 58, D, Ælian. V. H. 2, 2, quorum v. intt. Hesych. : Μεγάβυζοι, οἱ τῆς Ἀρτέμιδος ἱερεῖς καὶ οἱ στρατηγοὶ τοῦ Περσῶν βασιλέως.) Heraclit. Ep. ad Hermodor. ap. Politian. Obs. c. 51 : « Sed neque canem canis exsecat, ut vos Deæ sacerdotem exsecuistis Megabyzum, metu ne virgini vir consecretur. » Eodem refero Menandri l. ap. Suid. in Ζακόρος, Οὐ Μεγάβυζος ἦν, ὅστις γένοιτο ζακόρος, ubi plane videtur positum pro Eunucho : nam de Quintil. Inst. 5, 12, quin ita voluerit intelligi, nihil est cur dubitemus, quum adjungatur Bagoas. » Et post plura de loco Plauti Bacch. 2, 3, 72, ubi Theotimus, Megalobuli filius, sacerdos Dianæ Ephesiæ, memoratur, « Ipsum nomen fueritne dignitatis et splendidum hominem ap. Ephesios ac magnificum proprie significarit an ab antiquiore quodam Megabyzo (ut alia ejusmodi nomina) ad successores propagatum venerit, ubi veteres silent, definire non sustineo. Lucianus quin a Comœdia Megabyzum petiverit minime dubito. Fuit apud Comicos in ista voce non potestas solum, ut arbitror, viri divitis et splendidi, C verum præterea divitiarum ostentatoris inepti. Sic fere Crates ap. Athen. 6, p. 248, A : Ποιμαίνει δ' ἐπίσιτον ῥιγῶντ' ἐν Μεγαβύζου. Apollon. Tyan. Ep. 2 : Ἡ προῖκά γε χρηστέον αὐτῇ πρὸς τοὺς ἐντυγχάνοντας· ἐπείπερ ἤδη σοὶ καὶ τὰ Μεγαβύζου. Vim comicam ipsa nominis forma Græca multum adjuvat, quæ amplectitur et τὸ μέγα et βυζόν (quod v.). Ex scena delati quoque Μεγαβύζιοι λόγοι, quos Hesychius interpretatur μεγάλοι ἀπὸ τοῦ Περσῶν βασιλέως· οἱ δὲ βαρβάρους (et cetera quæ supra posuimus). » Hoc Μεγαβύζειοι scribendum videtur.]

Μεγάδης ac Μέγας sunt virorum nn. propria. [Μεγάδης quidem patronymicum ab altero, quod v., formatum.]

Μεγάδικος, i. q. μεγαλαδικητικὸς, ut videtur, Cui in magnis fit injuria, VV. LL. [Pro μέγ' ἄδικος.]

[Μεγαδινῶν vel Μεγαδίνων gentis Asianæ mentio fit in libris melioribus nonnullis Xen. Cyrop. 1, 1, 4, aliis Μαγαδιδῶν præbentibus, cui ex manifesta correctione in aliis substituti sunt notioris nominis Μα- D ριανδυνοὶ vel Βουδινοί. Non dubium videtur hunc locum et accipere lucem ab loco Theophrasti et vicissim ei afferre, H. Pl. 9, 20, 5 : Ἡ δ' ἔλμις σύμφυτον ἐνίοις ἔθνεσιν· ἔχουσι γὰρ ὡς ἐπίπαν Αἰγύπτιοι, Ἄραβες, Ἀρμένιοι, Μεταδίδες, Σύροι, Κίλικες. Ubi Ματαδίδες Urbinas et Medicei. Vera quæ fuerit forma nominis non dixerim, etsi maxime probabilis videtur Μαγαδίδαι : sed gentem eandem dici apertum duco. L. Dind.]

Μεγάδοξος, ὁ, ἡ, i. q. μεγαλόδοξος. [Theodor. Prodr. Tetrast. p. 66 ed. Suvigny. Boiss. Anna Comn. 9, p. 250, D.]

[Μεγαδόστης, ὁ, Megadostes, Persa, Herodot. 7, 105.]

[Μεγάδωρος. V. Μεγαλόδωρος.]

[Μεγαθαμβὴς, ὁ, ἡ, Magnopere territus. Oppian. Cyn. 2, 488 : Μεγαθαμβέϊ θυμῷ.]

Μεγαθαρσὴς, ὁ, ἡ, Magna fiducia præditus. Exp. et Magnanimus, Animosus. Hesiod. [Sc. 385] : Μεγαθαρσέϊ παιδί. [Manetho 2, 372.]

[Μέγαθος. V. Μέγεθος.]

[Μεγάθυμος. V. Μεγαλόθυμος.]

[Μεγάθυμος, ὁ, Megathymus, n. viri in inscr. Trall. ap. Bœckh. vol. 2, p. 585, n. 2923. ἄῦ L. Dind.]

[Μεγαθύνω. V. Μεγεθύνω.]

[Μεγαίνετος, ὁ, Megænetus, n. viri, quem Magnetem dicit Aristoph. Ran. 965.]

[Μέγαιρα, ἡ, Megæra, una Furiarum, ap. Orph. Arg. 966, H. 68, 1, Lith. 223, Lucian. Tragœdop. 4.]

Μεγαίρω, Invideo. Hom. Il. Δ, [54] : Τάων οὔ τοι ἐγὼ πρόσθ' ἵσταμαι οὐδὲ μεγαίρω, i. e. φθονῶ : nam mox subjungit, Εἴπερ γὰρ φθονέω, οὐκ ἀνύω φθονέουσα, Quantumvis enim inviderem, nihil ista invidia proficerem. Et Od. [B, 235] cum infin. : Μνηστῆρας ἀγήνορας οὔτι μεγαίρω Ἕρδειν ἔργα βίαια κακοῤῥαφίῃσι νόοιο, Non equidem invideo procis quod. [Eadem constr. Il. H, 408.] Cum dat. pers. et genit. rei [Æsch. Prom. 626 : Οὐ μεγαίρω τοῦδέ σοι δωρήματος], Apollon. [Rh. 1, 289] : Ἐμέγηρέ μοι τόκοιο, Partum mihi invidit. Pass. voce et signif. in Epigr. [Macedonii Anth. Pal. 9, 645, 10] : Ἄσταισι [Ἄστεσιν ὀλβίστοις] μεγαιρομένη, Cui invidetur ab oppidanis [oppidis. Cum gen. rei Hom. Il. N, 563: Βιότοιο μεγήρας. Cum dat. pers. O, 473 : Θεὸς Δαναοῖσι μεγήρας. Et cum accus. rei Ψ, 865 : Μέγηρε γάρ οἱ τόγ' Ἀπόλλων. Et cum infin. Od. Γ, 55 : Κλῦθι, Ποσείδαον γαιήοχε, μηδὲ μεγήρῃς ἡμῖν εὐχομένοισι τελευτῆσαι τάδε ἔργα· H. Merc. 465. Callim. Jov. 59.] || Significat etiam Curo, Respecto. Hom. Od. Θ, [206] : Δεῦρ' ἄγε, πειρηθήτω, ἐπεί μ' ἐχολώσατε λίην, Ἢ πὺξ ἠὲ πάλῃ, ἢ καὶ ποσὶν, οὔ τι μεγαίρω Πάντων Φαιήκων· vel etiam Formido : schol. tamen et hic exp. φθονῶ. [Et recte : ponenda enim interpunctio post μεγαίρω, ut genitivi conjungantur cum præced. v. 204, Τῶν δ' ἄλλων ὅτινα κραδίη θυμός τε κελεύει.] || Hesych. μεγαίρειν exp. non solum φθονεῖν, ζηλοῦν, sed etiam στερίσκειν, Privare, Orbare. [Sic fere s. ut sit Fascinare, Apoll. Rh. 4, 1670 : Ἐχθοδοποῖσιν ὄμμασι χαλκείοιο Τάλω ἐμέγηρεν ὀπωπάς. || Repudio, Contemno, Reprehendo, ap. Callim. Del. 163 : Μή σύγε, μῆτερ, τῇ με τέκοις· οὔτ' οὖν ἐπιμέμφομαι οὐδὲ (l. οὔτε) μεγαίρω νῆσον (Co), ἐπεὶ λιπαρή τε καὶ εὔβοτος, εἴ νύ τις ἄλλη. Sed ap. Theocr. 7, 101 : Ἐσθλὸς ἀνὴρ, ὃν οὐδὲ κεν αὐτὸς ἀείδεν Φοῖβος σὺν φόρμιγγι παρὰ τριπόδεσσι μεγαίροι, ubi schol., τὸ μεγαίρειν τὸ φθονεῖν δηλοῖ· ἐνταῦθα δὲ τὸ μεγαίροι ἀντὶ τοῦ μέμφοιτο λέγεται, etiam accommodatior ad structuram sententiamque est signif. Invidendi quam Reprehendendi, ut animadvertit jam Schneider. De origine et signif. verbi et quæ ab eo ducuntur vocc. Μέγαρον, Ἀμέγαρτος, disputavit Buttm. Lexil. vol. 1, p. 258 sqq., et simplex esse monuit a μέγας factum, ut γεραίρω, non cum αἴρω compositum.]

[Μεγακήρυξ, ῦκος, ὁ, Magnus præco. Theod. Prodr. in Notitt. Mss. vol. 8, p. 93 : Τοῦ μεγακήρυκος καὶ τῆς τοῦ λόγου φωνῆς, de Christo. Boiss. Infra Μεγαλοκῆρυξ.]

Μεγακήτης, ὁ, ἡ, Magna s. ingentia habens cete. Item Ceti instar magnus, Cetos magnitudine æquans. [Immo Profundissimus, quum κῆτος proprie esse videatur Vorago. V. quæ in Βαθυκήτης et Κῆτος dicta sunt. Aptum igitur hoc epitheton etiam bestiis voracibus.] Hom. Il. Φ, [22] : Ὑπὸ δελφῖνος μεγακήτεος ἰχθύες ἄλλοι φεύγοντες. [Oppian. Hal. 3, 132 : Ὄρκυνοι μεγακήτεες· et similiter alii.] Λ, [599] : Ἐπὶ πρύμνῃ μεγακήτεϊ νηΐ. Itidemque Θ, [222] : Μεγακήτεϊ νηΐ μελαίνῃ. [Od. Γ, 158 : Μεγακήτεα πόντον· et cum eodem nomine Apoll. Rh. 4, 318. Dionys. Per. 1087 : Ὠκεανοῦ μεγακήτεος. L. D. Theogn. Gnom. 173 : Χρὴ πενίην φεύγοντα καὶ ἐς μ. πόντον Ῥίπτειν· ubi tamen Welcker. 533, βαθυκήτεα. Hase.]

[Μεγακλεής, ὁ, ἡ, Gloriosus. Oppian. Cyn. 2, 4 : Μεγακλέα δήνεα. L. D. Const. Acropol. Vita Jo. Damasc. Actt. SS. Maii t. 2, p. 744, 7 : Μεγακλεὲς, ὑψιγενὲς κρατάρχα Περσῶν. Hase.]

[Μεγακλέης, s. contr. Μεγακλῆς, έους, ὁ, Megacles, n. viri. Alcmæonidæ ap. Pind. Pyth. 7, 17, ubi de hujus nominis viris ex gente Alcmæonidarum v. Bœckh., Aristoph. Nub. 46, etc. Aliorum in numis Ephesi et Smyrnæ. Mytilenæi ap. Aristot. Reip. 5, 10. L. D. M. καλὸς in fictili *Catal. del pr. di Canino* p. 69, n. 551. Alii Phalar. Epist. 91 Schæf. et in tit. Æxon. ap. Franz. Elem. epigr. gr. p. 174, n. 68, 19. Hase.]

[Μεγάκλεια, ἡ, Megaclea, Pindari poetæ conjux, ap. scriptorem Vitæ p. 10 ed. Bœckh.]

[Μεγακλείδας s. Μεγακλείδης, ου, ὁ, Megaclidas s. Megaclides, n. viri ap. Dionys. H. vol. 5, p. 576, 13; 667, 8. Priori forma de alio Polyæn. 2, 17.]

[Μεγακλέπτωρ, ορος, ὁ, Magnus fur. Theod. Prodr. in Notitt. Mss. vol. 8, p. 206 : Μεγακλέπτορα Πέρσην. Boiss.]

[Μεγακλώ, οῦς, ἡ, Megaclo, f. Macaris, regis Lesbi. Clemens Al. Protr. p. 27.]

[Μεγακράτης, ὁ, Potentissimus. Theod. Prodr. *Extr. des Mss.* vol. 8, p. 207 : Δμωὰς βαρβαρίδας δὲ μεγακρατέας πόρεν ἀρχούς. Kall.]

[Μεγακρέων, οντος, ὁ, Megacreon, Abderita, Herodot. 7, 120.]

[Μεγακροτέω, Jo. Damasc. Ep. ad Theoph. de Imag. 136. Boiss.]

[Μεγάκροτος, ὁ, ἡ, Valde strepens. Tzetz. ad Lycophr. 497 : Ταῖς γραφαῖς μεγακρότοις, de Lycophrone. Al. μετροκρότοις.]

[Μεγακύδης, ὁ, ἡ, Magnopere s. Valde gloriosus. Anth. Pal. App. 328, 1; Manetho, 2, 150.]

[Μεγάκυκλος, ὁ, ἡ. Tzetz. Posth. 763 : Πρωτίστης προπάροιθεν Ὀλυμπιάδος μεγακύκλου, Quæ magnos facit orbes, revolvitur.]

[Μεγαλαγκυλοχείλης, ὁ, ἡ, Qui est magno et adunco rostro. Const. Manass. Chron. 155 : Οἱ μὲν ... μεγαλαγκυλοχεῖλαι. Boiss.]

[Μεγαλάδικος, ὁ, ἡ.] Μεγαλαδικητικος, quod Bud. interpr. Vehementer injurius, ap. Aristot. Rhet. 2, [17] : cui Μικραδικητικὸς opp. ibid. [Οὐ μικραδικηταί εἰσιν, ἀλλὰ μεγαλάδικοι. Ita legitur ap. Aristot. Hemst. ἄϊ]

[Μεγάλαθλος, ὁ, ἡ, Theodor. Prodr. *Not. des Mss.* vol. 8, p. 207 : Τάδε σου μεγάλαθλα μυθήσομαι ἔργα πολίταις· ib. p. 163 : Καὶ σάφα τῶν μεγάλαθλα δαήμενος ἆθλα (ἔργα?) ἀνάκτων εἴσεαι, Magna certamina. Boiss.]

Μεγαλαλκής, ὁ, ἡ, Magni roboris, μεγαλοσθενὴς, Hesych. [Const. Manass. Chron. 2835 : Ἡ θεοῦ μ. χείρ. Boiss.]

[Μεγαλάμφοδος, ὁ, ἡ, Amplas vias habens, non, ut HSt. in Εὐρύοδεια, quod v., vertit, Amplos circuitus.]

[Μεγάλανδρος. Μεγάλανδροι affertur pro Magni viri aut fortes. [Hesych. : Μεγάλανδροι, μεγάλοι ἄνδρες, ἢ μεγάλοι κατὰ τὴν ἀνδρείαν, ἢ πολυανδροῦντες.]

[Μεγαλανορία, Μεγαλάνωρ. V. Μεγαλην–.]

Μεγάλαρτος. Polemo ap. Athen. 3, [p. 109, F] scribit ἐν Σχώλῳ τῷ Βοιωτικῷ Μεγαλάρτου καὶ Μεγαλομάζου ἀγάλματα ἱδρῦσθαι, Magnorum panum datoris. Ibid. Μεγαλαρτία, Festum magnorum panum. Tradit enim ex Semo Delio, τοὺς ἀχαιΐνους esse ἄρτους μεγάλους, Thesmophoriis fieri solitos : ac Festum, quo offeruntur, appellari Μεγαλαρτίαν : eos vero, qui offerunt, canere se offerre Ἀχαιΐνην στέατος ἔμπλεον τράγον κριβανίτην.

[Μεγαλασκληπίεια, ων, τὰ, Magna Æsculapia, festum in honorem dei, in inscr. ap. Meurs. Opp. vol. 3, p. 818, C. It. inscr. ap. Montfauc. Palæogr. gr. p. 158, 2, 7, ubi Μεγαλοασκληπιείων.]

[Μεγαλαυχενία, ἡ, Carm. Sibyll. 8, 76 : Ὦ βασιλὶς μεγάλαυχε Λατινίδος ἔκγονε Ῥώμης, οὐκέτι σοι τῆς σῆς μεγαλαυχενίης κλέος ἔσται. Nisi legendum μεγαλαυχίης, ι producto. Struv.]

Μεγαλαυχέω, [Glorior, Magnifico, Gl.] vel Μεγαλαυχέομαι, Magna jacto, s. grandia, Vel, Jacto me de magnis rebus. Aut simpl. Jacto. [Amplifico, Extollo, cum accus. Theodor. Stud. p. 367, D : Παρὰ γὰρ τῆς ἐμῆς ταπεινώσεως οὐδὲν ὄφελος, κἂν αὐτὸς μεγαλαυχῇς ἡμᾶς ἐξ ἀγάπης, Quanquam ipse de nobis magnifice loqueris, Int.] Utriusque verbi exx. sunt ap. Bud. p. 356, ea tamen non interpr. [Æsch. Ag. 1528 : Μηδὲν ἐν ᾅδου μεγαλαυχείτω. Agathias Anth. Pal. 5, 273, 3 : Ἡ (πάρος) μεγαλαυχήσασα καθ' ἡμετέρης μελεδώνης. Polyb. 8, 23, 11 : Τὸ μεγαλαυχεῖν ἐν ταῖς εὐπραγίαις· et cum præp. ἐπὶ sequente dativo 12, 13, 10. Diod. 15, 16 : Διὰ τὴν προγεγενημένην εὐημερίαν μεγαλαυχοῦντες. Epist. Jacob. 3, 5. || Thomas p. 601 : Μεγαλαυχῶ οὐδεὶς τῶν ἀρχαίων, ἀλλὰ μεγαλαυχοῦμαι. Λιβάνιος ἐν ἐπιστολῇ (594, a)· Καὶ μεγαλαυχούμεθά γε Σύροι Ῥωμαίοις διδόντες ἄνδρα. Plato Reip. 3, p. 395, D, Hipp. min. p. 368, B, Alcib. 1 p. 104, C. Aristid. vol. 2, p. 377 : Σαπφοῦς ἀκηκοέναι πρός τινας τῶν εὐδαιμόνων ... γυναικῶν μεγαλαυχουμένης.]

[Μεγαλαύχημα, τὸ, Decus de quo quis glorietur, ap. Philon. De exsecrat. p. 724, D, et Μεγαλαύχησις, εως, ἡ, Jactantia, ap. Methodium De cruce p. 500, B, citat Hasius ad Leon. Diac. p. 232. Μεγαλαύχημα de Jactantia est etiam ap. schol. Eur. Hec. 622. L. D. Adde Theoph. Simoc. Hist. ed. Bonn. p. 187, 23 et 204, 13, ubi plural. μεγαλαυχήματα. Hase.]

[Μεγαλαύχην, ενος, ὁ, ἡ, Qui magna est cervice. Apollon. Lex. Hom. v. Ἐριαύχενας, p. 298. Olympiodor. Phot. Bibl. p. 59, 6 Bekk.]

[Μεγαλαυχής, ὁ, ἡ, i. q. μεγάλαυχος. Orph. H. 62, 3 : Πάντιμ', ὀλβιόμοιρε, Δικαιοσύνη μεγαλαυχής. Manetho 3, 34; Theodor. Stud. p. 613, xcvi.]

[Μεγαλαύχησις. V. Μεγαλαύχημα.]

[Μεγαλαυχητέον, Gloriandum. Philo vol. 2, p. 217, 35 : Ἐφ' οἷς οὐ μ. Wakef.]

[Μεγαλαύχητος, ὁ, ἡ, Gloriosus. Epigr. ap. Pausan. 1, 13, 3 : Τᾶς μεγαλαυχήτου σκῦλα Μακηδονίας. Sic editiones. Libri μεγαλαυχητῶν, μεγαυχητᾶς vel μέγα αὐχητᾶς, μεγαυχητῶ (α super γα posito), μεγαυχήτων (vel -ητῶν). Quæ duplicem monstrant scripturam -χήτας et -χήτω, ut versu præcedenti est ναῶ, quod ναῷ scriptum in edd. Pausaniæ. Μεγαλαυχήτου autem neque locum hic habet et fide carere videtur. L. Dind.]

Μεγαλαυχία, ἡ, Jactantia. [Plato Leg. 4, p. 716, A : Ἐξαρθεὶς ὑπὸ μεγαλαυχίας· plurali Theæt. p. 174, D. Plut. Mor. p. 19, D, etc. Joseph. A. J. 19, 1, 12, De Macc. 3. Diog. L. 9, 28. Polemo Physiogn. 2, 18, p. 400.]

Μεγάλαυχος, ὁ, ἡ, Magna jactans. Vel simpl. Jactator. Item Μεγάλαυχα, Res magnæ jactantiæ plenæ. Ita enim exp. puto ap. Lucian. : Καὶ ἄλλος ἐν τῷ Θεαιτήτῳ πολλὰ μεγάλαυχα καὶ σοβαρὰ περιτέθεικε τῷ Σωκράτει. [Pind. Pyth. 8, 15 : Βία δὲ καὶ μεγάλαυχον ἔσφαλεν ἐν χρόνῳ. Æsch. Pers. 533 : Περσῶν τῶν μεγαλαύχων καὶ πολυάνδρων στρατιὰν ὀλέσας· Sept. 105 : Ὦ μεγάλαυχοι καὶ φθερσιγενεῖς Κῆρες Ἐρινύες. Batrachom. 174, Κενταύροισι. Epigr. Anth. Pal. App. 214, 1; 222, 3; 342, 1, Bianoris 9, 259, 3. Orac. ap. Pausan. 3, 8, 9. Xen. Ages. 8, 1 : Τὸ μεγάλαυχον. Comparativo Plato Lys. p. 206, A. Pollux 3, 66; 6, 173. Adv. Μεγαλαύχως, Leoni Diac. 6, 10, p. 64 : Μὴ δόξωμεν μεγαλαύχους ταύτας τὰς ἀποκρίσεις ποιεῖν, restituebat Hasius, indicavitque ex. Hippolyti p. 143, B : Τί μ. βλασφημεῖς; Cit. Boiss.]

[Μεγαλέας, ὁ, Megaleas, n. viri ap. Polyb. 4, 87, 8, etc. Μεγαλείου male pro Μεγαλέου ap. Plut. Arat. c. 48.]

[Μεγαλεγκωμίαστος, ὁ, ἡ, Valde laudatus. Tzetz. Exeg. Il. p. 17, 19 : Τὴν παρὰ τῷ Ὀρφεῖ μεγαλεγκωμίαστον τέχνην.]

[Μεγαλεῖον, Μεγαλεῖον μύρον. V. Μεγαλεῖος.]

Μεγαλεῖος, α, ον, [Grandis, Gl.] Magnificus. At Bud., quod miror, hanc prætermittens interpr. vertit duntaxat, Grandis, Venerandus, Sublimis, In primis æstimandus, afferens e Xen. [Comm. 4, 5, 2] μεγαλεῖον κτῆμα, et alia, ex Eod., quæ v. Comm. p. 670. [Ib. 4, 1, 4 : Μεγαλείους καὶ σφοδροὺς ὄντας· 2, 1, 34 : Ἐκόσμησε τὰς γνώμας ἔτι μεγαλειοτέροις ῥήμασι· Reip. Lac. 1, 3 : Μεγαλεῖον ἄν τι γεννῆσαι. Menander ap. Suid. v. Ἀβέλτερος cit. : Οὐκ οἶδ' ὅ, τι οὗτος μεγαλεῖόν ἐστι διαπεπραγμένος. || « Μεγαλειότατος, Excellens, ὑπέροχος, in Corona pretiosa. » Ducang.] Item substantive, τὸ μ., Magnificentia, Majestas, Bud. ex Gregor. [Μεγαλεῖα, Magnalia, Gl. Quod refertur ad signif. qua ponitur Act. 2, 11 : Κρῆτες καὶ Ἄραβες ἀκούομεν λαλούντων αὐτῶν ταῖς ἡμετέραις γλώσσαις τὰ μεγαλεῖα τοῦ θεοῦ, de Evangelio. Singularis exx. de S. S. v. ap. Coteler. ad Eccl. Gr. Mon. vol. 2, p. 665.] Sed Μεγαλεῖον μύρον, Unguentum, quidam ab hac μεγαλείου signif. dictum putant, tanquam a magnificentia, vel magnitudine virium ita vocatum : sicut Plin. scribit Propter gloriam ita fuisse appellatum : at Etym. et Suidas nomen habuisse volunt a Megalo Siculo, qui ejus conficiendi artem invenerit. Scribitur vero et Μεγάλλιον, Eust. [Od. p. 1843, 16] : quem vide. [Sic scribitur ap. Athen. 12, p. 553, B, nempe ab inventore Megallo sic nominatum unguentum. Schweigh. Theognost. Can. p. 129, 1 : Μεγαλλεῖον, ὄνομα μύρου ἀπὸ Μεγάλου Σικελιώτου εὑρόντος αὐτό.] Fuisse autem perhibet Plin. ex oleo balanino, balsamo, calamo, junco, xylobalsamo, casia, resina. Galenus alio nom. Μενδήσιον nuncupatum

A fuisse putat : at Diosc. [1, 69] diversa facit : quippe qui μεγαλεῖον suo tempore defecisse scribit, quo tamen adhuc vigebat μενδήσιον. At Pollux scribit Μεγαλήσιον, si non mentiuntur vulg. ejus edd., derivans alioqui et ipse ἀπὸ Μεγάλου Σικελιώτου. [Libri mel. Μετάλλειον ἀπὸ Μετάλλου. De scriptura per τ v. suo loco.]

|| Μεγαλείως, Magnifice. [Xenoph. Agesil. fin. : Μεγαλείως ὠφελῶν τὴν πόλιν· Œc. 11, 9 : Θεοὺς μεγαλείως τιμᾶν· Reip. Lac. 4, 6 : Ζημιοῦσι μ.] Sed ex Polyb. affertur [3, 87, 5], Μ. ἐχάρησαν, pro Magnopere gavisi sunt : et [5, 27, 6], μ. παρολιγωρεῖσθαι, pro Insigniter contemni. Suid. quoque exp. πάνυ. [Id. 3, 69, 4. Athen. 4, p. 137, D. Adv. comparat. Μεγαλειοτέρως, Xen. H. Gr. 4, 1, 9 : Μ. σου τίς ἄν ποτε γήμειε; Pro quo μεγαλειότερον Plato Theæt. p. 168, C.]

Μεγαλειότης, ητος, ἡ, Magnificentia, Majestas. [Magnitudo huic add. Gl.] Habes autem hanc vocem ap. Lucam non semel, et ap. Petrum 2 Epist. 1, [16. Usus est etiam Athen. 4, p. 130, F. Schweigh. || Ti-
B tulus compellatorius Impp. in Concilio Calchedon. part. 1, epist. 29. V. præterea Theophyl. Bulg. Ep. 34, 43, 64. Ducang. Hodieque est titulus Regis Græciæ. Spatharium item appellavit ἡ σὴ μ. Photius Ep. p. 88, 1. De numine Evang. Marcion. 9, 43 : Ἐξεπλήσσοντο δὲ πάντες ἐπὶ τῇ μ. τοῦ Θεοῦ· de magnifico pyramidum aspectu tit. Busir. sec. restit. probabilem Letronii *Rech. sur l'Ég.* p. 392, 26 : Τῇ τε τῶν πυραμίδων μ. καὶ ὑπερφυῖα τερφθείς· de cive Halicarnassensi, ut videtur, inscr. ap. Bœckh. vol. 2, p. 455, n. 2659, 2 : Τὴν ἄλλην ἐκ προγόνων ἀρετὴν καὶ μεγαλιότητα (sic). Hase.]

[Μεγαλείωμα, τὸ, i. q. μεγαλειότης, LXX Jerem. 48, 17.]

[Μεγαλείως. V. Μεγαλεῖος.]

Μεγαλέμπορος, ὁ, Rerum magnarum et pretiosarum negotiator, Mercator qui grandes et splendidas merces vendit. [Schol. Aristoph. Av. 823. Τοὺς ἐμπόρους μεγάλα στέλλειν πλοῖα, Strabo 2, p. 99. Hemst. Mich. Syncell. Laudat. Dionysii Ar. p. 353 med. Gl. : Μεγαλέμφορος, Magnarius. Quod correxit Oudendorp. ad
C Apul. p. 27. Boiss. Greg. Nyss. In Petr. et Paul. p. 45, B Grets. Const. Acrop. Vita Jo. Damasc. Actt. SS. Maii t. 2, p. 739, 9 : Ὥσπερ ἄν τις μ., τὸ μέγα ἐκεῖθεν κέρδος ἀπεκδεχόμενος. Hase.]

[Μεγαλεπίβολος.] Μεγαλεπήβολος, ὁ, ἡ, Qui magnis rebus manum admovet, Ardua capessens, Magna aggrediens. Suidæ itidem ὁ μεγάλων πραγμάτων καταρχόμενος, hoc afferenti exemplum : Ἐδόκει γὰρ ὁ βασιλεὺς οὗτος μεγαλεπήβολος καὶ τολμηρὸς εἶναι, καὶ τοῦ προτεθέντος ἐξεργαστικός. [Μεγαλεπήβολος, ὁ μεγάλων ἐπιτυχής, Qui in arduis rebus prospero successu utitur : at μεγαλεπίβολος est ὁ τῶν μεγάλων πραγμάτων καταρχόμενος. Diodor. 1, 120 : Ἡ δὲ Σεμίραμις οὖσα φύσει μεγαλεπίβολος, Natura ita comparata ut magnas res moliretur, quippe φιλοτιμουμένη τῇ δόξῃ τὸν βεβασιλευκότα πρότερον ὑπερθέσθαι. Hæ voces sæpe confunduntur : enimvero exemplum e Polybio petitum, quod Suid. adducit in Μεγαλεπήβολος, ad alterum μεγαλεπίβολος pertinet; et ita etiam in Exc. p. 1406 scriptum est : Ἐδόκει γὰρ ὁ βασιλεὺς οὗτος μεγαλεπίβολος καὶ τολμηρὸς
D εἶναι, καὶ τοῦ προτεθέντος ἐξεργαστικός· in Diodori Exc. : Ὁ Ἄννων μεγαλεπίβολος ὢν καὶ δόξης ὀρεγόμενος. At μεγαλεπήβολος τοῦ ἐπήβολος signif. sequitur, ut εὐεπήβολος. Diod. 1, 134, de Semiramide : Αὐτὴν δὲ φύσει μεγαλεπίβολον οὖσαν καὶ τολμηρὰν κατασχεῖν τὴν ἀρχήν, quippe quam p. 175 dicit fuisse τῷ τε μεγέθει τῶν ἐπιβολῶν καὶ πράξεων διωνομασμένην. Brunck. Neque μεγαλεπήβολος neque ἀδρεπήβολος aut εὐεπήβολος Græca esse, sed per η unum scribi simplex ἐπήβολος, cetera omnia per ι, diximus in Ἐπήβολος vol. 3, p. 1502, D, et Εὐεπήβολος. Quibus hoc addendum, ne Ἐπηβολή quidem, quod ponit Hesychius, Græcum videri, sed recte in glossa ipsa mutari in Ἐπιβολή. Æque mendosum quod ap. Cornut. N. D. c. 22, p. 196, est μεγαλεπίβουλος. || Adv. Μεγαλεπιβόλως, Pachym. Proœm. ad Dionys. Areop. p. 39. Superl. Μεγαλεπιβολώτατα Jo. Diac. Alleg. ad Hesiod. Theog. 736.]

[Μεγαλεπιφάνεια, ἡ, Excellentia, ap. Theophyl. Bulg. vol. 3, p. 637.]

[Μεγαλεπιφανής, ὁ, ἡ, Illustris. Theoph. Bulg. Ep.

26; Theod. Prodr. in Lazerii Misc. 1, p. 24. (Μεγαλεπιφανέστατος in Notitt. Mss. vol. 8, p. 160.) Boiss. Chrysobulla Jo. Alex. Comn. ap. Pasin. Codd. Taur. vol. 1, p. 622, B : Τῷ μεγαλεπιφανεστάτῳ δουκί· et ib. p. 224, B. L. Dind.]

[Μεγαλεταίραρχος vel —χης, ὁ, i. q. μέγας ἑταιρειάρχος vel —χης, quod v., ap. Tzetz. Hist. 9, 622, 660.]

[Μεγάλευκτος, ὁ, ἡ, Valde exoptatus. Pæan Chalcidensium in T. Flamininum ap. Plut. Flamin. c. 16 : Πίστιν δὲ Ῥωμαίων σέβομεν τὰν μεγαλευκτοτάταν ὅρκοις φυλάσσειν.]

[Μεγαλευχερῶς, Admodum facile, si vocis forma sana ap. Greg. Nyss. t. 2, p. 834, C : M. τοῦτο παθοῦσαν. Hase.]

Μεγαληγορέω, Magnifice loquor, Magna loquor. Tibullus utrumque ita junxit, Magna loquor; sed magnifice mihi magna locuto. [Xen. Cyrop. 4, 4, 2: Διηγοῦνται ἅπερ ἐποίησαν, καὶ ὡς ἀνδρείως ἕκαστα ἐμεγαληγόρουν· 7, 1, 17 : Τοιαῦτα ἐμεγαληγόρει.] Exponitur etiam Magna jacto. Lucian. De sacrif. [c. 9] : Πρέπει γὰρ, οἶμαι, ἄνω ὄντα μεγαληγορεῖν. || Interdum μεγαληγορεῖν τι, Magnifice de re aliqua loqui, Magnificis verbis rem aliquam extollere. Herodian. 3, [9]: Τάς τε πράξεις μεγαληγορῶν. [Theoph. Simoc. Hist. p. 198, 20 : Μεγαληγοροῦσα τοῦ Θεοῦ τὰ παράδοξα. Id. ib. p. 31, 2 : Τὰ βασιλέως προστάγματα ἐμεγαληγόρει. Porphyr. Vita Plotin. p. 8, B. Gregor. Thaumat. p. 54, C. Hase. Passiv. ap. Dexippum p. 25, 23 ed. Nieb. : Εἴ γε μὴ μεγαληγορεῖσθαι δεήσει.]

Μεγαληγορία, ἡ, Magniloquentia, Magnificentia verborum. [Jactantia, Gl. Eur. Heracl. 356 : Μεγαληγορίαισιν δὲ γ' ἐμὰς φρένας οὐ φοβήσεις. Xen. Apol. 1, 2.] Plut. [Mor. p. 1038, C] : Καὶ εἰ δεῖ οὕτως εἰπεῖν, ὑψαυχεῖν καὶ κομᾷν, καὶ μεγαληγορεῖν, ἀξίως βιοῦντι μεγαληγορίας. [Lucian. Char. c. 23. « Amplum, magnificum dicendi genus. Demetr. El. c. 29. Μεγαλεῖον appellat Phot. Bibl. Cod. 165. Conf. Ulpian. ad Demosth. Pro cor. p. 216. » Ernest. Lex. rhet. De Thucydide Dionys. Jud. Thuc. c. 27, de Lysia p. 963, 3.]

Μεγαληγόρος, ὁ, ἡ, Magnifice loquens, Jactabundus. Lucian. [De hist. conscr. c. 45, Jov. trag. c. 14]; Xenoph. [Cyrop. 7, 1, 17. Æsch. Sept. 565 : Μεγάλα μεγαληγόρων κλύων ἀνδρῶν. « Μεγαληγόρον, Quod sublimem orationem reddit. Longin. c. 8. Pluribus modis variare solet hic rhetor id, quod τὸ ὑψηλὸν dicitur. » Ernest. Lex. rhet. Adv. Μεγαληγόρως, μεγαλορρημόνως, Pollux 9, 147. V. Ὑψαγόρας.]

[Μεγάλη νῆσος, ἡ νῦν Λυκιάς, Steph. Byz. in Μεγάλη πόλις.]

[Μεγαληνορία, ἡ, ap. Pind. Nem. 11, 44 : Μεγαλανορίαις ἐμβαίνομεν, schol. interpr. μεγαληγοροῦμεν, additque τείνει πρὸς Ἀρισταγόραν, παραινῶν αὐτῷ μὴ ὑπερηφανεύεσθαι. Hic igitur accepit de Jactantia s. Fastu et superbia, ostenditque ap. Eur. Phœn. 185 : Νέμεσι, σύ τοι μεγαλανορίαν ὑπεράνορα κοιμίζοις (unde Eust. Il. p. 462, 4, sive sua sive librarii culpa affert μεγαλάνορα ὑπερηνορίαν), scholiastarum explicationes μεγαλοφροσύνην, μεγαλορρημοσύνην, ἤγουν μεγαληγορίαν, et similes non posse adhiberi ad confirmandam Valckenarii conjecturam, qui μεγαληγορίαν scripsisse putaret poetam, quod μεγαλανορίαν ὑπεράνορα non bene dici crederet : in quo tamen recte judicavit. In malam partem etiam ap. Maneth. 2, 468. L. D. It. ap. Dionys. Hymn. in Nemes. ed. Fred. Bellermann. p. 48, 19 : Τὰν μεγαλανορίαν βροτῶν Νεμεσῶσα· conf. tamen ib. p. 46. Hase.]

[Μεγαλήνωρ, ορος, ὁ, ἡ, Magnanimus, Superbus. Pind. Pyth. 1, 52 : Σὺν δὲ ἀνάγκα μιν φίλον καί τις ἐὼν μεγαλάνωρ ἔσανεν· fr. ap. Polyb. 4, 31, 6, Stob. Fl. 58, 9: Μεγαλάνορος Ἡσυχίας. « Oppian. Cyn. 4, 113 : Ἵππους μὲν χαροποὺς μεγαλήνορας ἀρτύνονται· 179 : Μεγαλήνωρ ἠΰκομος λῖς. In priore l. alteram lectionem habebant olim codd. μεγαλήτορας. 1, 200 (202) : Πόλεμον μεγαλήνορα. » Brunck. Etiam hic Schneider. μεγαλήτορα.]

[Μεγάλη πόλις, εως, ἡ, Megalopolis. Πόλις Ἀρκαδίας, ἣν συνῴκισαν ἄνδρες Ἀρκάδες μετὰ τὰ Λευκτρικά... Οἱ πολῖται Μεγαλοπολῖται ... Τὸ κτητικὸν Μεγαλοπολιτικός. Δευτέρα πόλις Καρίας, ἣ νῦν Ἀφροδισιάς... Ἔστι καὶ Ἰβηρίας Μεγάλη πόλις, ὡς Φίλων, Steph. Byz. Gentilis Arcadicæ Μεγαλοπολίτης (vel —είτης) exx. sunt in

A numis ap. Mionnet. *Suppl.* vol. 4, p. 10 et 281, ap. Xen. H. Gr. 7, 5, 3 et 5. Fem. Μεγαλοπολῖτις urbis Arcadiæ ap. Polyb. in locis ab Schweigh. indicatis, Strab. 8, p. 335, 343, 386, et Ponticæ 12, p. 557, 559. V. Μεγαλόπολις. Quæ forma de Arcadica est quidem aliquoties ap. Polybium et Strabonem, sed ipsæ librorum varietates ostendunt hæc testimonia nullius esse fidei. Ap. Menandrum vero De encom. p. 183, 10, vel invitis libris illata est. Alia Μεγάλη πόλις ditionis Carthag. est ap. Diodor. 20, 8, ubi v. Wesseling.]

[Μεγαλήσιον. V. Μεγαλεῖος.]

[Μεγαλήσιον, τὸ, Megalesium. Varro L. L. 6, 55 : « Megalesia dicta a Græcis, quod ex libris Sibyllinis accersita ab Attalo rege Pergama, ibi prope murum Megalesion templum ejus deæ, unde advecta Romam. » Μεγαλήσια, ων, τὰ, Megalesia, ludi in honorem Cybeles, ap. Dion. Cass. 37, 8, etc.]

Μεγαλήτωρ, ορος, ὁ, ἡ, Magnanimus. Hom. Il. [B, 547 : Δῆμον Ἐρεχθῆος μεγαλήτορος·] Π, [527] : Οἱ δ' ἅμα Πατρόκλῳ μεγαλήτορι θωρηχθέντες ἔστιχον. [Et sic

B alibi sæpe. Dionys. Per. 658, Orph. Arg. 1373, H. 50, 1.] At μεγαλήτωρ θυμὸς [Il. Λ, 403], Od. Ι, [500, etc.]: Ἀλλ' οὐ πεῖθον ἐμὸν μεγαλήτορα θυμὸν, tautologiam habet, ut si dicas μεγαλόψυχος ψυχή. [Pind. Isthm. 4, 38, ὀργαί. Femin. est etiam in versibus in Vita Pindari p. 7 ed. Bœckh. sive Eust. Opusc. p. 59, 75 : Εὐμητιν μεγαλήτορα, quæ filia Pindari fuit.]

[Μεγαλήτωρ, ορος, ὁ, Megaletor, n. viri in numo Ephesi ap. Mionnet. *Descr.* vol. 3, p. 90, n. 229.]

[Μεγαλήφᾰτος, ὁ, ἡ, Magnus ad dicendum. Orph. Arg. 419 : Χάεος μεγαλήφατον ὕμνον. Libri μελανήφατον.]

Μεγαλίζω, Magnifice effero, Extollo. Et Μεγαλίζομαι, Magnifice efferor, me effero, Elatus sum, Superbio, Bud. ap. Hom. Il. Κ, [69] : Μηδὲ μεγαλίζεο θυμῷ. [Od. Ψ, 174 : Οὔτ' ἄρ τι μεγαλίζομαι. L. D. Synes. p. 14, A : Πάντας χυδαΐνειν, μηδὲ μεγαλίζεσθαι. Greg. Nazianz. p. 49, 17 Dronk. : Τῷ μή μοι λίην μεγαλίζεο· quod interpr. Nic. Dav. ib. p. 50, 25 : Μεγαλορρημόνει. Hase.]

[Μεγαλικὸς, ἡ, ὸν, Magnus. Schol. Dionys. in Bekk.

C Anecd. p. 800, 13 : Μεγαλικωτάτην τινὰ δίφθογγον. De forma v. Lobeck. ad Phryn. p. 228.]

[Μεγαλίστωρ, ορος, ὁ, ἡ, Multiscius. Eumath. Ism. p. 258 : Ταῦθ' ὁ μ. κυβερνήτης ἐφ' ὑψηλοῦ καθήμενος ἐρρητόρευεν.]

[Μεγάλλιον. V. Μεγαλεῖος.]

[Μεγαλλὶς, ίδος, ἡ, Megallis, n. mulieris ap. Diodor. Exc. p. 600, 57.]

[Μέγαλλος. V. Μεγαλεῖος.]

[Μεγαλοαλογῖται, οἱ, Equites qui in exercitibus equis majoribus vehebantur, quos *Chevaux de bataille* vulgo appellamus. Codinus De off. c. 5, n. 85. Ducang.]

[Μεγαλόβιος, ὁ, Illustris vita. Paul. Alex. Apotelesm. 4. Angl. Id. ib. p. 50, 12 : M., μεγαλοπρεπεῖς. Hase.]

[Μεγαλοβλᾰβής, ὁ, ἡ, Valde noxius. Apollon. Lex. Hom. p. 47 : Θάρσος ἄητον ἔχουσα) Τὸ μεγαλοβλαβὲς ἐθέλει δηλοῦν.]

[Μεγαλοβόας, i. q. sequens. Agathias p. 107, B : Κήρυκες μεγαλοβόαι.]

D [Μεγαλόβοος, ὁ, ἡ, Qui magna voce est, Eustath. Il. p. 562, 40, fingit ad explicandum ἠερίβοια.]

[Μεγαλόβοτος, ὁ, ἡ, ad explicandum v. Ἱππόβοτον, in quo nonnulli ἵππο ἐπὶ τοῦ μεγάλου dictum putarint, fingitur ab Apollon. Lex. Hom. p. 367.]

[Μεγαλόβουλος, ὁ, ἡ, Qui magna capit consilia. Schol. Æsch. Prom. 18 : Αἰπυμῆτα) μεγαλόβουλε. G. D. Etym. M. v. Λαμυρὸς in Ms. Leid. : Τὸν μεγαλόβουλον καὶ θορυβώδη. || Μεγαλοβούλως adv., ap. Theod. Stud. p. 572, C : Διάθου ... πάντα μ. καθ' ὅσον ἐνδέχεται. L. D.]

[Μεγαλοβραχίων, ονος, ὁ, ἡ, Qui magno est brachio. Const. Manass. Chron. 4691 : Ὁ δὲ θεὸς μεγασθενὴς καὶ μ. ἄϊ]

[Μεγαλοβρεμέτης, ὁ, Valde strepens, Horrisonus. De Jove tonante, ut βαρυβρεμέτης, Quintus 2, 508 : Διὸς μεγαλοβρεμέταο.]

[Μεγαλόβρομος, ὁ, ἡ, i. q. præcedens. Orph. Arg. 461, ὕδωρ.]

[Μεγαλόβρῡχος, ὁ, ἡ, Qui graviter mugit. Quintus 5, 188 : Μεγαλοβρύχοιο λέοντος.]

Μεγαλόβυζοι vocati fuerunt Ephesii templi sacerdotes eunuchi, ut est ap. Strab. 14, [p. 641. V. Μεγάβυζος.]

[Μεγαλόβωλος, ὁ, ἡ, Qui magnas habet glebas. Ad explicandum ἐριβῶλαξ fingunt schol. Hom. Il. A, 155 s. Eust. ib. « Moschop. Π. σχεδ. p. 84. » Boiss. Schol. Il. Φ, 154. Wakef.]

[Μεγαλογάστωρ, ορος, ὁ, ἡ, Qui magnum habet ventrem. Schol. Æsch. Sept. 1013.]

[Μεγαλογενής, ὁ, ἡ, Qui nobili est genere. Const. Manass. Chron. 6664 : Εἷς δέ τις μεγαλογενὴς καὶ τῶν ἐκ πρώτης ῥίζης. Boiss. Ms. ap. Pasin. Codd. Taurin. vol. 1, p. 321, A : Μεγαλογενοῦς ψυχῆς. Ap. eund. ib. p. 350, B, est Μεγαλογένης, ὁ, Megalogenes, n. pr. viri. L. Dind.]

[Μεγαλογκία, ἡ, Magnum pondus, Amplitudo. Democritus Stobæi Flor. 103, 25 : Ἡ γὰρ εὐογκίη ἀσφαλέστερον τῆς μεγαλογκίης. Hemst.]

[Μεγαλογνωμονέω, Magno sum animo. Dio Cass. 63, 25 : Παντελῶς μεγαλογνωμονῶν.]

[Μεγαλογνωμόνως, Μεγαλόγνωμος. V. Μεγαλογνώμων.]

Μεγαλογνωμοσύνη, ἡ, Magnitudo animi, Magnus animus. Aut certe, Animus magna cogitans, s. gerendis rebus magnis deditus : respiciendo ad ea quæ Xen. de voce μεγαλογνώμων tradit. Alioqui eadem prorsus interpr. videri possit huic nomini μεγαλογνωμοσύνη convenire quæ et τῷ μεγαλόνοια : sicut τῷ μεγαλογνώμων eadem quæ τῷ μεγαλόνους. [Agesil. c. 8, 3. Pollux 3, 114; 4, 10. Const. Manass. Chron. 2628. ῡ]

Μεγαλογνώμων, ονος, ὁ, ἡ, Qui magno est animo, animo s. mente res magnas concipit. Redditur etiam Qui est animo excelso. In VV. LL. e Xen. in fine OEcon. affertur μεγαλογνώμονες ἄρχοντες, de iis qui ingeniosi et prudentes sunt. Sed non satis attente considerata fuerunt illius verba; qui quum dixisset, Ἀλλ' οἵ ἂν (ἄρχοντες) δύνωνται ἐμποιῆσαι τοῖς στρατιώταις ἀκολουθητέον εἶναι καὶ διὰ πυρὸς καὶ διὰ παντὸς κινδύνου, τούτους δὴ δικαίως ἄν τις καλοίη μεγαλογνώμονας, subjunxit, paucis interjectis, Καὶ μέγας τῷ ὄντι οὗτος ἀνὴρ ὃς ἂν μεγάλα δύνηται γνώμῃ διαπράξασθαι μᾶλλον ἢ ῥώμῃ. Nam hic μέγας ponitur pro illo μεγαλογνώμων : ad vitandam enim hujus compositi μεγαλογνώμων repetitionem, hoc simplici utitur. Id autem ex eo apparet, quod dicat μεγάλα τῇ γνώμῃ διαπράξασθαι. Nisi forte quis dicere malit, quem μεγαλογνώμονα vocasset, voluisse vocare absolute μέγαν, perinde ac si diceret, eum demum esse μέγαν qui esset μεγαλογνώμων. Verum utrolibet modo se res habeat, μεγαλογνώμονα non poterimus dicere vocari ab illo Eum simpliciter qui sit ingeniosus et prudens, sed Qui ingenio suo s. prudentia ad res magnas gerendas utatur : si tamen γνώμην ita hic interpretari debemus. || Qui grandibus sententiis utitur, ut quidem interpr. Bud., afferens Philostrati locum in Epist. ad Juliam Augustam (hæc enim reponenda pro Julium Augustum) [13], ubi de Gorgia loquens, scribit, Κριτίας δὲ καὶ Θουκυδίδης οὐκ ἀγνοοῦνται τὸ μεγαλόγνωμον καὶ τὴν ὀφρὺν παρ' αὐτοῦ κεκτημένοι· μεταποιοῦντες δὲ αὐτὸ εἰς τὸ οἰκεῖον, ὁ μὲν, ὑπ' εὐγλωττίας, ὁ δ' αὖ, ὑπὸ ῥώμης. Verum hoc exemplum non usquequaque convenit, quum non dicatur hic a Philostr. aliquis μεγαλογνώμων, sed substantive τὸ μεγαλόγνωμον, pro ἡ μεγαλογνωμοσύνη, i. e. Granditas sententiarum, ut Cic. dixit Granditatem verborum. [Neutro gen. etiam Xen. Ages. 9, 6.] Observandus est porro iste usus nominis γνώμη in hoc comp., qui haud facile in aliis reperiatur. [Sæpius memorat etiam Pollux. || Adv. Μεγαλογνωμόνως. Pollux 3, 114; 4, 12. || Forma in ος Etym. M. p. 209, 48 : Θυμὸν ἱππογνώμονα, τὸν μεγαλόγνωμον. Quæ tamen inepta interpretatio est, quum ἱππογνώμονα θυμὸν longe aliter dictum constet in l. Æschyli, unde repetitur.]

[Μεγαλόγραμμος, ὁ, ἡ, ap. Scylitzen in Mich. Stratiot. p. 793 : Τὰς τῶν πολιτῶν κεφαλὰς σκέπεσθαι μὴ διὰ γραμμάτων, ὡς νῦν, ἀλλὰ διὰ μεγαλογράμμων ὀθονίων, ἐκ βυσσοῦ πορφύρας ἐξυφασμένων, Ducang. in Gl. v. Γράμμα, Limbus vestis, ad hanc refert signif., rejecta Salmasii conj. μαργελογράμμων.]

[Μεγαλογραφέω, Scribo per ω μέγα. Herodian. Epimer. p. 193, 200. Boiss. Passiv. ap. schol. Eur. Orest. 313. Alibi μέγα γράφειν. Contrarium est μικρογραφέω.]

A Μεγαλογραφία, ἡ, Magnarum rerum descriptio s pictura. Vitruv. 7, 4 : Tricliniis hybernis non est utilis hæc compositio nec megalographia, nec camerarum coronario opere subtilis ornatus, quod ea et ab ignis fumo et ab luminum crebris fulginibus corrumpuntur. Itemque cap. seq. Confert Schneiderus Plat. Soph. p. 235, E : Ὅσοι τῶν μεγάλων πού τι πλάττουσιν ἔργων ἢ γράφουσιν. L. D. Μεγαλογραφία est Pictura nobilis, quæ in rebus magnis et insignibus exequendis versatur, deorum simulacris, heroibus, bellorum historiis, opponiturque τῇ ῥυπαρογραφίᾳ s. ῥωπογραφίᾳ. Letronn. *Lettres d'un ant.* p. 468 et 264. Hase.]

[Μεγαλογράφος, ὁ, Magnus scriptor. Pseudochrys. t. 5, p. 734, A ed. Paris. alt. : Ὁ μ. Δαυίδ. Hase.]

[Μεγαλοδαίμων, ονος, ὁ, Magnus dæmon. Clem. Al. Protr. p. 42, Σάραπις. Angl. De diis majorum gentium Euseb. Dem. ev. p. 158, C et D. Id. De laud. Const. p. 627, A : Οὐδ' αὐτὸς ὁ Πύθιος, οὐδ' ἕτερος τῶν μ. Hase.]

B [Μεγαλοδάπανος, ὁ, ἡ, Valde sumtuosus, munificus. Const. Manass. Chron. 3402 : Τραπεζῶν πολυτελῶν καὶ μεγαλοδαπάνων. Boiss. Inscr. Cumana in Caylus *Recueil* vol. 2, tab. 56 : M. διάθεσις ἐς τὰν πόλιν. ᾰᾰ]

[Μεγαλόδενδρος, ὁ, ἡ, Qui magnas habet arbores. Strabo 3, p. 142, πεδίον· 156 et 4, p. 202, ὕλη· 17, p. 826, χώρα.]

[Μεγαλόδηλος, ὁ, ἡ, Valde clarus. Schol. Hom. Il. A, 155, in expl. voc. ἀΐδηλος. « Et Porphyr. Quæst. Hom. 28. » Boiss.]

[Μεγαλοδοξία, ἡ, Magna gloria vel potius Jactantia. Suid. v. Ψολοκομπία s. schol. Aristoph. Eq. 693.]

[Μεγαλοδοξότης, ητος, ἡ, Gloria magna, compellatio honorifica, ap. Eust. Opusc. p. 319, 82, etc.]

[Μεγαλόδοξος, ὁ, ἡ, Magnam gloriam habens, Valde gloriosus. Pind. Ol. 9, 17 : M. εὐνομία. Plut. Thes. c. 1 : Τῆς μ. Ῥώμης. « Inscr. Rosett. lin. 1. » Boiss. Maccab 3, 6, 18 : Ὁ μ. παντοκράτωρ. || Adv. Μεγαλοδόξως, Gloriose. Maccab. 3, 6, 39 : M. ἐπιφάναι τὸ ἔλεος αὐτοῦ. Inscr. ap. Caylus *Recueil* vol. 2, tab. 57, 39.]

C [Μεγαλόδουλος, ὁ, Magnus servus. Arrian. Epict. 4, 1, 55 : Ἀλλ' ἐκείνους μὲν μικροδούλους λέγε, τοὺς μικρῶν τινων ἕνεκα ταῦτα ποιοῦντας· τούτους δ', ὡς εἰσὶν ἄξιοι, μεγαλοδούλους.]

[Μεγαλόδουπος, ὁ, ἡ, Valde strepens. Const. Manass. Chron. 273 : Ποταμοῦ μεγαλοδούπου. Boiss.]

Μεγαλόδους, οντος, ὁ, ἡ, Magnos dentes habens : quo vocab. exp. Trypho ἀργιόδους, ut docet Etym. [M. p. 137, 6.]

Μεγαλοδυναμοῦμαι, Potentia præsto, ex Epicteto [19, 2, perperam pro μέγα δύναμαι].

Μεγαλοδύναμος, ὁ, ἡ, Multum potens. [Const. Manass. Chron. 3434; Anecd. mea vol. 5, p. 114, 4. Boiss. Gregent. Tephr. Disp. p. 110, 12 : Ἰσχυρὸς καὶ μ. Hase. Schol. Æsch. Sept. 1032; Hermias In Plat. Phædr. p. 176. ῠᾰ]

Μεγαλοδωρεά, ἡ, Donatio magnifica, Largitio, Munificentia, Bud. Lucian. [Gymn. c. 9] : Φιλοτιμούμενοι ἐπὶ τῇ μεγαλοδωρεᾷ, Exultantes, gaudentes, et elati munificentia. Herodian. 2, [3, 22] : Ταῖς τῆς

D τυραννίδος ἀκρίτοις καὶ ἀφειδέσι μεγαλοδωρεαῖς, Enormibus tyrannorum atque immensis largitionibus, Polit. [Jo. Docian. ed. Tafel. p. 10, 3 : M. τε καὶ ἐπιδόσεσι. Phot. Ep. p. 333, 39 : Ἡδόμενοι μ. Hase. Heliodor. 9, 24 : Ἀξιοῦμεν μὴ ἀμοιρῆσαι τῆς παρὰ σοῦ μεγαλοδωρεᾶς.]

[Μεγαλοδωρέομαι, Magnum facio donum. Joseph. Ant. J. 12, 4, 9 : Οἱ λίαν μεγαλοδωρεῖσθαι νομίζοντες. Hemst. Theodor. Metoch. p. 80. Cramer.]

Μεγαλοδωρία, ἡ, Munificentia, s. Donorum magnorum erogatio. [Lucian. Saturn. c. 4 : Πῶς οὐχὶ καὶ ταῦτα μεγαλοδωρίας τῆς ἐμῆς.] Herodian. 2, [6, 10] : Μεγαλοδωρίᾳ ἅπαντας ὑπερβαλεῖν, Largitione, Polit. 6, [6, 5] : Τούς τε στρατιώτας, ἐφ' οἷς ἐλελύπηντο, παρεμυθεῖτο μεγαλοδωρίᾳ χρημάτων, Magnis pecuniarum muneribus, Pecuniis elargiendis, Polit.; Donativis, Bud. [OEcumen. In Apocal. ed. Cramer. p. 226, 17 : M. μετελεύσομαι τὴν ἀντίδοσιν. Hase. Pollux 3, 118.]

Μεγαλόδωρον, τὸ, Splendidum et magnificum munus, VV. LL. ex Herodiano. [Pro μεγαλοδωρεά, quod v.]

Μεγαλόδωρος, et Μεγάδωρος poet., ὁ, ἡ, Qui magna donat, Valde munificus. [Aristoph. Pac. 393 : Ὦ φιλανθρωπότατε καὶ μεγαλοδωρότατε δαιμόνων. Polyb. 10, 5, 6 : Ὑπάρχων εὐεργετικὸς καὶ μ. καὶ προσφιλής. Lucian. Tim. c. 21 : Πλουτοδότης καὶ μ.] Plut. [Mor. p. 618, E] : Ἐὰν δέ που κατίδω πλούσιον μεγαλόδωρον. Oppian. : Μεγάδωρος ἄρουρα. [Const. Manass. Chron. 2178 : Μεγαλοδώροις δωρεαῖς. Pollux 3, 118; 6, 173. Adv. Μεγαλοδώρως, ap. Polluc. 3, 119. L. D. Vita Marthæ vid. Actt. SS. Maii t. 5, p. 427, 41 : Λαβεῖν δώρημα τέλειον μ. Hase.]

[Μεγαλοείμων, ονος, ὁ, ἡ, Qui magna utitur veste. Eust. Od. p. 1430, 25 : Κατὰ τοὺς οὕτω μεγαλοείμονας ὡς καὶ ἐπὶ χειρῶν φέρειν τὰς φᾶς.]

[Μεγαλοεργὴς, ὁ, ἡ, Magnificus; Μεγαλοεργῶς, Magnopere, Gl.]

[Μεγαλοεργία, ἡ, Magnificium. « Polyb. Athenæi 5, p. 194, C (ubi nunc μεγαλουργία ex epit.). » Schweigh.]

[Μεγαλοεργῶς. V. Μεγαλοεργής.]

[Μεγαλόζηλος, ὁ, ἡ, Valde æmulans. Etym. M. in Ἀγάζηλος.]

[Μεγαλόζωνος, ὁ, ἡ, Magnum cingulum habens. Schol. Eur. Phœn. 175. Boiss.]

[Μεγαλοῆλιξ, ικος, ὁ, ἡ, Qui magnæ est staturæ, Procerus. Theodor. Stud. p. 545, B. L. Dind.]

[Μεγαλόηχος, ὁ, ἡ, Valde sonans. Schol. Pind. Pyth. 6, 10, νεφέλης· 12, 35, γόον. Boiss. Scholl. Hom. Il. Ω, 323, Eur. Phœn. 183.]

[Μεγαλόθριξ, ιχος, ὁ, ἡ, Hispidus, Gl.]

[Μεγαλόθρους, ὁ, ἡ, Valde sonorus. Greg. Nyss. t. 2, p. 876, D : Ἡ διειδεστάτη καὶ μ. φωνή. Hase.]

Μεγαλόθυμος, ὁ, ἡ, Magnanimus, Magno et celso animo præditus, i. q. μεγαλόψυχος ap. Plat. De rep. 2, [p. 375, C] : Πόθεν ἅμα πρᾶον καὶ μ. ἦθος εὑρήσομεν; Ibid. θυμοειδὴς ead. signif. usurpat. [Eust. Il. p. 767, 37 : Θυμὸν δὲ μέγαν λέγει, ὃν ὁ Αἴας μετ' ὀλίγον ἐρεῖ ἄλληκτόν τε κακόν τε τεθεῖσθαι ἐν τοῖς τοῦ Ἀχιλλέως στήθεσιν· ἐξ οὗ οἱ μεθ' Ὅμηρον συντιθέασι τὸν μεγαλόθυμον ἄνθρωπον, ἑτεροῖον ὄντα παρὰ τὸν μεγάθυμον.] Pro quo Μεγάθυμος dicunt poetæ, metri gratia, ut Hom. Il. Υ, [498], Ἀχιλλῆος· Od. [Θ, 520], Ἀθήνη· Ο, [229], Νηλέα. [Hesiod. Th. 734. De ταύρῳ Il. Π, 488. || Μεγάθυμοι, Cohortis nomen. Cedrenus : Ἐξέρχονται κατὰ τῶν Βουλγάρων· συνῆν δὲ τοῖς Θεσσαλονικεῦσι τὸ τάγμα τῶν Μεγαθύμων. Ducang.] Quid autem μ. sit ipse de apro alibi loquens exprimit, Il. Ρ, 21 : Οὔ τε μέγιστος Θυμὸς ἐνὶ στήθεσσι περὶ σθένεϊ βλεμεαίνει. [Phleg. Trall. Mirab. c. 3, p. 44 med. Boiss.]

[Μεγαλοθυτὸν, τὸ, ap. schol. Lycophr. 329, Τὸ πρωτόσφακτον, μεγαλοθυτὸν ἢ τὸ εὐγενὲς θῦμα. Boiss.]

Μεγάλοιτος, ὁ, ἡ, Admodum infortunatus et infelix. Theocr. 2, [72] : Ἐγὼ δέ οἱ ἁ μεγάλοιτος ὡμάρτευν.

[Μεγαλοκαμπὴς, ὁ, ἡ, Qui magnam habet curvaturam. Oribas. p. 38 ed. Mai. : Τυφλαγκίστροις μεγαλοκαμπέσι.]

[Μεγαλοκαρδίως, Magno animo. Const. Manass. Amat. 9, 47, πίπτειν. Boiss.]

Μεγαλόκαρπος, ὁ, ἡ, Fructus magnos ferens, Cujus fructus magni sunt. [Theophr. H. Pl. 4, 4, 5.]

Μεγαλόκαυλος, ὁ, ἡ, Cui caulis magnus est. [Theophr. H. Pl. 7, 6, 3.]

[Μεγαλόκερως, ἡ, Quæ magna habet cornua. Eust. Il. p. 634, 55 : Ὁποία καὶ ἡ κατὰ Πτολεμαῖον ἡ μ. (χίμαιρα). « Schol. Oppiani Hal. 2, 290; Hesych. » Wakef.]

[Μεγαλοκευθὴς, ὁ, ἡ, Amplos recessus habens. Pind. Pyth. 2, 33, θάλαμοι.]

Μεγαλοκέφαλος, ὁ, ἡ, Magnum caput habens. Capitonem etiam vocant Lat. [Aristot. De somno et vig. c. 3 : Φίλυπνοι οἱ μεγαλοκέφαλοι. Strabo 7, p. 299 : Ἡσίοδον Ἡμίκυνας λέγοντα καὶ Μεγαλοκεφάλους (immo Μακροκεφάλους, quod v.) καὶ Πυγμαίους. L. D. Justin. Mart. p. 461, C : Οἱ λίαν μ., λεγόμενοι βαρυκέφαλοι, διὰ τὸ μὴ σώζειν σύμμετρον ἀναλογίαν πρὸς τὰ ἄλλα μέρη τοῦ σώματος. Item de fetibus monstrosis Galen. vol. 19, p. 454, 2, quibus opponit τὰ στρουθοκέφαλα. Hase.]

[Μεγαλοκῆρυξ, υκος, ὁ, Magnus præco. Anna Comn. p. 485, A, de S. Paulo. « Mich. Syncell. Laudat. Dionysii Ar. p. 348, 7 a fin.; p. 352 med. » Boiss. Anon. Vita Chrys. t. 8, p. 320, 29 : Ὁ τῆς ἀληθείας μ. Hase.]

A Μεγαλοκίνδυνος, ὁ, ἡ, Qui magna pericula adit, magnis se periculis objicit. [Aristot. Eth. Nic. 4, 8.]

[Μεγαλοκλῆς, έους, ὁ, Megalocles, n. viri, in numis Thessal. ap. Mionnet. *Suppl.* vol. 3, p. 268, n. 58, 59.]

[Μεγαλόκλονος, ὁ, ἡ, Valde sonans. Clem. Alex. Protr. p. 90, σάλπιγξ.]

[Μεγαλοκμὴς, ὁ, ἡ, Valde laborans. Schol. Æsch. Eum. 243 : Ἀνδροκμῆσι) μεγαλοκμῆσι. Quasi ἁδροκμῆσι legisset.]

Μεγαλοκοίλιος, ὁ, ἡ, Qui magno s. amplo est ventre. [Aristot. De partt. an. 3, 4. Schol. Lucian. Bacch. c. 2. Male προγάστωρ, ὁ μεγαλόκοιλος, Herodian. Epimer. p. 113. L. D. It. Galen. vol. 6, p. 467, 8, de v. κοιλία : Οὕτω γέ τοι τοὺς προγάστορας καὶ μεγαλοκοίλους ὀνομάζουσιν οἱ ἄνθρωποι. Hase.]

[Μεγαλόκολπος, ὁ, ἡ, Qui magno est sinu. Bacchylides ap. schol. Apoll. Rh. 3, 467 : Ἑκάτα Νυκτὸς μεγαλοκόλπου θύγατερ. Μελανοκόλπου Ursinus, qui Μελαγκόλπου, quod v., debebat.]

[Μεγαλόκορος, ὁ, ἡ, Qui magnas habet pupillas.
B Aetius 7, p. 133, B : Οἱ μελανόφθαλμοι φύσει μεγαλόκοροί εἰσι. Schneid.]

[Μεγαλοκόρυφος, ὁ, ἡ, Qui magnos s. altos habet vertices. Aristot. Rhet. 3, 3 : Τὰ ψυχρὰ ἐν τέτταρσι γίγνεται κατὰ τὴν λέξιν, ἔν τε τοῖς διπλοῖς ὀνόμασιν οἷον Λυκόφρων τὸν πολυπρόσωπον οὐρανὸν τῆς μεγαλοκορύφου γῆς.]

[Μεγαλόκοτος, ὁ, ἡ, Valde iracundus. Etym. M. v. Ζάκοτος. Boiss. Apollon. Lex. Hom. p. 318. Adv. Μεγαλοκότως, Hesych. v. Ζαφελῶς.]

[Μεγαλόκρακτος, ὁ, ἡ, Valde clamans. Schol. Pind. Pyth. 12, 38, γόον.]

[Μεγαλοκρατὴς, ὁ, ἡ, Præpotens. Agathias Anth. Pal. 9, 657, 5 : Ὦ Ῥώμη μεγαλοκρατές.]

[Μεγαλοκράτωρ, ορος, ὁ, i. q. præcedens. Macc. 3, 6, 12, βασιλεῦ.]

[Μεγαλόκτυπος, ὁ, ἡ. V. Ἐρίγδουπος.]

Μεγαλοκύμων, ονος, ὁ, ἡ, Ingentes fluctus excitans. [Const. Manass. Chron. 4723, φλοῖσβος. ῡ]

[Μεγαλοκύμων, ονος, ἡ, i. q. ἐρικύμων. Aristot. Probl.
C 26, 17.]

[Μεγαλόκυτος, voc. fictum ab Etym. M. v. Λήκυθος. Wakef.]

Μεγαλόκωλος, ὁ, ἡ, Grandiora membra habens, In quo articulorum internodia magna sunt. Aut, si de periodo dicatur, Quæ magnis membris s. κώλοις constat.

[Μεγαλολάλος, ὁ, Magniloquax, Gl.]

[Μεγαλόμαζος. V. Μεγάλαρτος.]

[Μεγαλομάρτυρ, υρος, ὁ, Magnus martyr. Nectar. Hom. p. 7; Nicet. Paphl. Laud. S. Eust. ed. Combef. p. 15, in tit., et ibid. infra. Boiss. Μεγαλόμαρτυς ap. Eust. Opusc. p. 367, 2, qui ibid. sæpius utitur ceteris casibus. L. D. In inscr. Christiana ap. Maium Coll. nov. Vat. vol. 5, p. 30. Osann. In subscriptione cod. gr. Sangerm. 19, f. 322, b : Τοῦ μ. Γεωργίου. Plural. Marc. De pœnit. p. 916, E : Οἱ ὄντως μεγαλόφρονες καὶ μ. Hase.]

Μεγαλόμασθος, ἡ, nomen est appellativum; diciturque femina μεγαλόμασθος, Quæ magnas habet mam-
D mas, seu, voce una, Mammosa : ut Plin. dixit de canibus, Præterea feminas volunt esse mammosas, æqualibus papillis. Pro quibus legimus in Geopon. [19, 2, 4] : Προσέτι δὲ μεγαλομάσθους, τάς τε ἀπ' αὐτῶν θηλὰς ἰσομεγέθεις ἐχούσας.

Μεγαλομέρεια, ἡ, Constare ex magnis partibus : ut γῆς μεγαλομέρεια, Aristot. Metaph. 1, [p. 24, 15 Brand.]. Item Magnitudo et potentia, Amplitudo. Polyb. [1, 26, 9], de Romanis et Carthaginensibus loquens : Ἀλλὰ κἂν ἀκούων καταπλαγείη τὸ τοῦ κινδύνου μέγεθος, καὶ τὴν τῶν πολιτευμάτων ἀμφοτέρων μεγαλομέρειαν καὶ δύναμιν. Scribitur vero et Μεγαλομερία, quam scripturam habet Suidas, et quidem etiam in hoc l. [V. Μεγαλομοιρία.]

Μεγαλομερὴς, ὁ, ἡ, Magnis partibus constans, qualis a Philosophis esse dicitur γῆ : ut contra quæ sunt elementaria, vocantur μικρομερῆ, et στοιχειώδη, Bud. Ὕδωρ μ., Grandium partium : quibus vocc. Græci Medici crebro usi fuerunt. Comparativus, μεγαλομερέστερος, Majusculis partibus constans [Plato Tim.

p. 62, A], Idem Bud. ex Gaza. [Magnificus, Polyb. 4, 78, 5; 28, 17, 1. « Id. Exc. Maii p. 399, ubi compar. » Cramer.]

Μεγαλομερῶς, Ex partibus magnis s. grandibus. Sed et pro Laute, Splendide. Suid. exp. πολυτελῶς in hoc Polybii l.: Τὸν δὲ Πόπλιον καὶ τὸν Γάϊον ἀποδεξάμενος φιλανθρώπως καὶ μ. [Id. 16, 25, 3; 18, 38, 4; 30, 3, 5. Μεγάλως Hesychius. Comp. Μεγαλομερέστερον Polyb. 25, 6, 5. Superl. Μεγαλομερέστατα 22, 1, 3. L. D. Proprie Galen. vol. 14, p. 792, 12 : Πάντα μ. μὲν κατάγνυται, In magna frusta. Translate Macc. 3, 6, 33 et Aristeas Leg. tr. p. 132, 5 : M. τοῖς ἀνδράσι χρησάμενος. Hase.]

[Μεγαλομέτωπος, Qui magna est fronte. Etym. M. v. Εὐρυμέτωπος. Wakef.]

Μεγαλομήτηρ, Avia, ἡ τῆς μητρὸς μήτηρ, Hesych. Gallice ad verbum *Grand-mère*, *Mère-grand*. [De forma v. Lobeck. Phryn. p. 660.]

[Μεγαλόμητις, ιδος, ὁ, ἡ, Magna meditans. Æsch. Ag. 1426.]

[Μεγαλόμικρος, ὁ, ἡ, In quo magna cum parvis sunt confusa. Philo vol. 2, p. 61, 24 : Τὸ δ' ὑψηλοτάπεινον καὶ μ. Hase.]

Μεγαλόμισθος, ὁ, ἡ, Qui magna mercede aliquid facit, amplum stipendium meretur. Et μεγαλόμισθος ἑταίρα ap. Lucian., Scortum quod magna mercede conducitur; si tamen Conduci scorta Latine dici possunt. [Hermot. c. 57, Apol. c. 15. « Αἱ μεγαλόμισθοι ἑταῖραι, Athen. 13, p. 569, A; 570, B. » Hemst. Σοφισταὶ Pollux 4, 43.]

[Μεγαλομοιρία, ἡ, Magnificentia. Aristeas Leg. transl. p. 105, 59 : Πολλῷ ἡ μ. φανερωτέρα καὶ εὔδηλος ἔσται τοῦ βασιλέως· 106, 57 et 39 : M. καὶ μεγαλοψυχίᾳ· 110, 3 : Μεγαλομοιρίᾳ καὶ χορηγίᾳ. Ita enim ubique ed. Haverc.; at Euseb. Pr. ev. p. 350, D, melius, μεγαλομερείᾳ. Hase.]

[Μεγαλομόναχος, ὁ, Monachus idem qui μεγαλόσχημος s. μεγαλοσχήμων, ap. Eust. Opusc. p. 226, 82, etc., qui sæpe memorat etiam μεγαλοσχήμους s. μεγαλοσχήμονας.]

Μεγαλομυκήτης, ὁ, Grande mugiens : item Grande rudens : asini enim epith. esse dicitur. Infra μεγάμυκος. [Ubi sic interpr. Hesychius et alii. Scrib. autem μεγαλομυκητής.]

[Μεγαλοναύτης, ὁ, Hesych. in Βουβάρας, Etym. M. p. 206, 20.]

[Μεγαλόνικος, ὁ, ἡ, Magnus victor. Theod. Prodr. in Notitt. Mss. vol. 8, p. 161; Philes p. 84, 58 ed. Wernsd. Boiss. Germ. CPol. In exalt. cruc. p. 122, B Grets. : Τροπαιοφόρον, μ. Hase. Μεγαλονικώτατος, Theod. Prodr. in Notitt. Mss. vol. 8, p. 561, 4 a fine : imo μεγαλονικότ. Boiss.]

Μεγαλόνοια, ἡ, Mentis præstantia, Magnitudo animi, Celsitudo animi. [Magnanimitas, Gl.] Schol. Aristoph. [Nub. 859] de Pericle loquens : Ἐπεὶ δὲ κατακρινόμενος ὡς πλεῖστα ἀναλώσας, ἠρωτᾶτο ποῦ ἀνηλώθη, ὑπὸ μεγαλονοίας ἔλεγεν, εἰς τὸ δέον ἀνήλωσα. Bud. exp. etiam Magnificus animus et ingens, ap. Basil. Ep. ad Hermog., ubi et μεγαλοφυΐαν ab eo vocari tradit. Exp. etiam Magni spiritus, in Luciano [Piscat. c. 22] : Σοῦ, ὦ Πλάτων, ἥ τε μεγαλόνοια θαυμαστὴ, καὶ καλλιφωνία Ἀττικὴ, καὶ τὸ κεχαρισμένον καὶ πειθοῦς μεστόν. Alibi vero de eod. Plat. loquens ei tribuit μεγαλοφροσύνην, ubi scribit : Ἐκτετήκασι τῷ πόθῳ τῆς Ὁμήρου σοφίας, ἢ τῆς Δημοσθένους δεινότητος, ἢ τῆς Πλάτωνος μεγαλοφροσύνης. [Plato Leg. 11, p. 935, B : Ὃς οὐ μεγαλονοίας ἀπώλεσε μέρη πολλά. « Notaras in Anecd. meis vol. 5, p. 135, 2. » Boiss.] || Μεγαλόνοια non solum est σύνεσις Hesychio, sed et ὑπερηφάνεια, Superbia. [Quod Photio pro ἡ περιφάνεια restituit Dobræus Adv. vol. 1, p. 601. Ælian. N. A. 15, 22 : Ἰδίᾳ τινὶ μεγαλονοίᾳ ἐῶσιν (aquilæ) ἔρρειν ἐκείνας (cornices) κάτω. « Greg. Naz. Ep. 55. » Strong. Pollux 6, 148.]

Μεγαλόνοος, et Μεγαλόνους, ὁ, ἡ, q. d. Magna mente præditus. [Magnanimus, Gl.] A Bud. exp. Mentis præstantia præditus, et animo magnifico : quem et μεγαλοφυῆ dici ait. Et τὸ μεγαλόνοον substantive, Mentis præstantia, Magnitudo animi. [Lucian. Imag. c. 18. Plur. μεγαλόνοι ap. Adamant. Physiogn. 2, 27, p. 423; μεγαλόνοες, de qua forma v. Lobeck. ad Phryn. p. 453, Polemo Physiogn. 1, 8, p. 242.]

A [Μεγαλοπάθεια, ἡ, Patientia. M. καὶ πρᾳότης, Plut. Mor. p. 551, C. Hemst.]

[Μεγαλοπάρηος, ὁ, ἡ. Apollon. Lex. H. p. 367 : Ἱππόβοτον, ἣ, ὡς ἔνιοι, μεγαλόβοτον· τὸ γὰρ ἵππο ἐπὶ τοῦ μεγάλου, ὡς ἱπποπάρηον, τὸν μεγαλοπάρηον. Ἱππόπορνον, μεγαλόπορνον Tollius.]

[Μεγαλοπενθὴς, ὁ, ἡ, Etym. M. Wakef.]

[Μεγαλόπετρος, ὁ, ἡ, Præruptus. Aristoph. Lys. 482 : Μεγαλόπετρον, ἄβατον ἀκρόπολιν.]

[Μεγαλοπία, Libanii Epist. 334 glossator, ap. Bloch. Misc. Hafniens. vol. 1, fasc. 2, p. 146. Boiss.]

[Μεγαλοπιστία, ἡ, Magnitudo fidei. Theodor. Stud. p. 422, B : Ὢ τῆς μεγαλοπιστίας. L. Dind.]

[Μεγαλόπλᾰτος, ὁ, Valde latus. Schol. Dionys. Per. 1087 : Ὠκεανοῦ μεγακήτεος) μεγαλοπλάτου.]

[Μεγαλόπλευρος, ὁ, ἡ, Qui magna habet latera. Const. Manass. Chron. 4864 : Βοῦν μεγαλόπλευρον· 5891. Boiss.]

[Μεγαλοπληθὴς, ὁ, ἡ, Copiosus. Theophyl. Bulg. vol. 3, p. 680, C : Ἐμὲ δὲ αὐτὸν οὕτω μεγαλοπληθέστερον

B εἰσεπράξατο ὡς μή μοι καταισχύνῃ τὸν ὄγκον τοῦ ἀξιώματος.]

[Μεγαλοπλούσιος, ὁ, ἡ, i. q. sequens, ap. Polluc. 3, 109, cujus tamen in codd. omissa sunt verba, ut in Βαθυπλούσιος diximus, suspecta. Schol. Eur. Hec. 488 : Τοῦ μεγαλοπλουσίου Πριάμου. L. Dind.]

Μεγαλόπλουτος, ὁ, ἡ, Grandes divitias possidens, Pollux [3, 109. Et 1, 23, ubi cum ἱερὸν, 6, 173. Diodor. 15, 58 : Ὄντων πολλῶν καὶ μεγαλοπλούτων. Const. Manass. Chron. 2606. L. D. Diod. Sic. ap. Phot. Bibl. p. 386, 37 et 387, 29 : Ἀδελφῶν δυεῖν μ. Basil. t. 1, p. 474 A : Ἐμπόρῳ τινὶ μ. Hase. Translata notione Eubulus com. ap. Athen. 7, p. 300, C : Θύννων μεγαλόπλουτα ὑπογάστρια ὀπτῶν, Ditissima abdomina assorum thynnorum. » Schweigh.]

[Μεγαλόπνους, ὁ, Vehementer spirans. Apollon. Lex. Hom. p. 318 : Ζαὴς, μ.]

[Μεγαλοποιέω, Magnifico, Amplifico, Gl. Hierocl. ap. Stob. Floril. vol. 3, p. 162 : Τὰ μὲν ἴδια μεγαλοποιῆσαι καὶ ἀποκυδᾶναι. || Magnas res facio. Sirac. 50, 22 :

C Θεῷ τῷ μεγαλοποιοῦντι πάντῃ. Orig. Contra Cels. t. 1, p. 351, D : Μελλούσῃ παραδόξως μεγαλοποιεῖν. Hase.]

[Μεγαλοπόλεμος, ὁ, Bello magnus s. clarus. Joseph. A. J. 12, 11, 2 : Ἄνδρα γενναῖον καὶ μεγαλοπόλεμον γενόμενον.]

[Μεγαλόπολις, ἡ, Quæ magnæ est urbis. Ampla, de urbe, Pind. Pyth. 2, 1 : Μεγαλοπόλιες ὦ Συράκοσαι· 7, 1, Ἀθᾶναι. Eur. Tro. 1291 : Ἁ μεγαλόπολις Τροία. || « M. vulgo appellata Roma, peculiari nomine, ap. Aristid. Or. in Romam, Tatian. Adv. Græcos, Porphyr. De abst., Euseb. et alios. Sed præsertim apud scriptt. Byzant. Cpolis, unde μεγαλοπολίτας illius cives vocat Michael Chon. in Orat. fun. Præterea Alexandria, quam verticem omnium civitatum Ægypti vocat Ammian. l. 22, μέγα τοῦ Μακεδόνος ἄστυ Zachar. scholast. De mundo, ita dicitur in Act. Conc. Calched. 1, 3, τῆς μ. Ἀλεξανδρείας, et τῆς Ἀλεξανδρέων μεγαλοπόλεως, et alibi, pro quo ap. alios ἡ μεγάλη vel μεγίστη. Antiochia ib. Act. 7, p. 614, τῆς Ἀντιοχέων μεγαλοπόλεως, et alibi. Thessalonica ap. Theophanem

D an. 5 Constantini et Irenes, et alios. » Ducang.]

[Μεγαλόπολις, εως, ἡ, Megalopolis, urbs Ponti, ap. Strab. 12, p. 560. V. autem Μεγάλη πόλις. Μεγαλούπολις non esse scribendum monet Tzetzes in Cram. An. vol. 3, p. 361, 16, cujusmodi formas admisisse Byzantinos testantur Ἑλενούπολις, quod v., et alia.]

Μεγαλοπολίτης, ὁ, Magnæ urbis civis, ut μικροπολίτης, Parvi oppidi civis, Pollux 9, [25. Et 6, 173. Philo J. vol. 1, p. 34, 37. Wakef. Eust. Opusc. p. 251, 29; qui etiam adj. Μεγαλοπολιτικὸς utitur p. 230, 62. Gent. Μεγαλοπολίτης et Μεγαλοπολῖτις et Μεγαλοπολιτικὸς v. in Μεγάλη πόλις.]

Μεγαλοπόνηρος, ὁ, ἡ, Qui in magna re s. magnis rebus improbus est, Immani improbitate præditus : qui et ὑβριστὴς dicitur, inquit Bud. Utroque utitur Aristot. Pol. 5, 11 : Γίγνονται γὰρ οἱ μὲν, ὑβρισταὶ καὶ μεγαλοπόνηροι μᾶλλον, οἱ δὲ, κακοῦργοι καὶ μικροπόνηροι λίαν.

[Μεγαλόπονος, ὁ, ἡ, Qui est magni laboris. Const. Manass. Amat. 6, 62, βίος. Boiss.]

[Μεγαλόπορνος. V. Μεγαλοπάρνος.]

Μεγαλόπους, οδος, ὁ, ἡ, Magnos habens pedes. [Aristot. H. A. 9, 21. Schol. Aristoph. Av. 877.]

[Μεγαλοπρᾶγία, ἡ, i. q. sequens. Appian. Civ. 5, 52 : Χρήζοντες τῆς Ἀντωνίου μεγαλοπραγίας. Wakef.]

Μεγαλοπραγμοσύνη, ἡ, Rerum magnarum inceptatio. Vel potius Animus ad inceptandas res magnas promptus. [Plut. Mor. p. 243, C, etc. ῠ]

Μεγαλοπράγμων, ονος, ὁ, ἡ, Magnarum rerum inceptator et susceptor, Bud. p. 864, ex Plut. [Ages. c. 32. Xen. H. Gr. 5, 2, 26. Pollux 6, 173.]

[Μεγαλοπρε. compendium scripturæ in titulis vocis Μεγαλοπρεπέστατος. Franz. Elem. epigr. gr. p. 368. V. Μεγαλοπρεπής. Hase.]

Μεγαλοπρέπεια, ἡ, Magnificentia [Gl.]. Aristot. Rhet. 1, [c. 8] : Μεγαλοπρέπεια δὲ, ἀρετὴ ἐν δαπανήμασι μεγέθους ποιητική. Sic Eth. 4, 2 : Ὁ ἐλευθέριος δαπανήσει ἃ δεῖ καὶ ὡς δεῖ· ἐν τούτοις δὲ τὸ μέγα τοῦ μεγαλοπρεποῦς οἷον μέγεθος. Et mox dicit τῆς μεγαλοπρεπείας δαπανήματα esse μεγάλα καὶ τίμια, οἷον τὰ περὶ τοὺς θεοὺς ἀναθήματα καὶ κατασκευαὶ καὶ θυσίαι, ὁμοίως δὲ καὶ ὅσα περὶ πᾶν τὸ δαιμόνιον, καὶ ὅσα πρὸς τὸ κοινὸν εὐφιλοτίμητά ἐστιν· οἷον, εἴπου χορηγεῖν οἴονται δεῖν λαμπρῶς, ἢ τριηραρχεῖν, ἢ καὶ ἑστιᾷν τὴν πόλιν· quibus omnibus inest ἀξίωμα καὶ μέγεθος. Est autem hæc virtus media inter ἀπειροκαλίαν καὶ βαναυσίαν, et inter μικροπρέπειαν : quorum illæ ἐν τῇ ὑπερβολῇ positæ sunt, hæc ἐν τῇ ἐλλείψει. [Herodot. 1, 139 : Τὰ οὐνόματά (Persarum) σφι ἐόντα ὁμοῖα τοῖσι σώμασι καὶ τῇ μεγαλοπρεπείῃ· 3, 125 : Οὐδὲ εἷς τῶν ἄλλων Ἑλληνικῶν τυράννων ἄξιός ἐστι Πολυκράτεϊ μεγαλοπρεπείην συμβληθῆναι, aut μεγαλοπρέπειαν scribendum aut μεγαλοπρεπείῃ. Plato Reip. 6, p. 486, A : Διανοίας μεγαλοπρέπεια. Et alibi sæpe. || « Quintil. 4, 2, 61, μεγαλοπρέπειαν, qua oratio attollitur, Magnificentiam explicat. » Ernest. Lex. rhet., qui v. in Μεγαλοπρεπής. || « Titulus compellatorius magistratuum, de quo v. in Μεγαλοπρεπής. Conc. Calched. Act. 1 : Εἰ κελεύει ἡ μ. ὑμῶν, ἔχομέν τι εἰπεῖν. » Ducang.]

[Μεγαλοπρεπεστάτως. V. Μεγαλοπρεπῶς.]

[Μεγαλοπρεπεύομαι, Magnifice incedo, ap. Nicetam Chon. p. 329, C : Ὅτε καὶ ἦν τὸν αὐτὸν ὁρᾶν καὶ ὡς ἀναβάτην μεγαλοπρεπευόμενον. L. Dind.]

Μεγαλοπρεπής, ὁ, ἡ, Magnum virum decens, Magnificus [Gl. Herodot. 6, 122, sed in loco ab optimis libris omisso : Ἔδωκέ σφι δωρεὴν μεγαλοπρεπεστάτην.] Aristot. Rhet. 3, [12] μ. λέξις· sicut χαρακτὴρ λόγου μεγαλοπρεπὴς ap. Demetr. Phal. [c. 38], ut ap. Terent. itidem Magnifica verba, et ap. Cic. Magnifice dicere, loqui; necnon Magnificentia verborum. Itidemque ap. eund. Demetr. est aliquid in oratione μεγαλοπρεπὲς, Magnificum : Ἔστι δὲ καὶ ἐν πράγμασι τὸ μεγαλοπρεπὲς, inquit Idem [c. 75], ubi nota τὸ μεγαλοπρεπὲς, substantive pro ἡ μεγαλοπρέπεια. [Ut ap. Xen. Comm. 3, 10, 5. M. περίοδος, Periodus, cujus membrum ultimum longius est ceteris et numerosius. Eadem dicitur σεμνὴ, εἰς σεμνὸν καὶ μακρὸν λήγουσα κῶλον. Demetr. 18, coll. 38 : Ἐν τρισὶ τὸ μ., διανοίᾳ, λέξει, τῷ συγκεῖσθαι προσφόρως. Σύνθεσις δὲ μ., ὥς φησιν Ἀριστοτέλης (l. c.) ἡ παιωνική· etc., quæ v. Ex Ernesti Lex. rhet.] Et μεγαλοπρεπὴς ἵππος, Equus magnificus et splendidus. Xen. Eq. [10, 1] : Ἵππῳ μεγαλοπρεπεστέρῳ τε καὶ περιβλεπτοτέρῳ ἱππάζεσθαι. Necnon homo aliquis dicitur μεγαλοπρεπής, Magnificus, ὁ περὶ μεγάλα δαπανηρός : qua re differt a liberali, qui ἐλευθέριος dicitur; is enim est δαπανηρὸς περὶ μικρὰ, teste Aristot. Eth. 2, 7 : idemque οὐχ εἰς ἑαυτὸν δαπανηρὸς, ἀλλ' εἰς τὰ κοινὰ, ut Idem docet Eth. 4, 2. Plut. [Mor. p. 632, C] : Τὸν εὐδάπανον καὶ μεγαλοπρεπῆ καὶ χαριστικόν. Isocr. Ad Demon. [p. 4, A] : Φιλόκαλός τε ην καὶ μεγαλοπρεπής, καὶ τοῖς φίλοις κοινός. Xen. Cyrop. [2, 4, 5] : Ὅτι μεγαλοπρεπέστατον φαίνεσθαι, Quam magnificentissimum. Id. Lac. [12, 5] : Ὥστε μεγαλοπρεπεστέρους μὲν αὐτοὺς ἐφ' ἑαυτοῖς γίγνεσθαι, ἐλευθεριωτέρους δὲ τῶν ἄλλων φαίνεσθαι. [Conf. Eq. 11, 8. Οἰκήσεις H. Gr. 6, 2, 6. Ἀγώνισμα Ages. 9, 2. Κτῆμα, de ἁρματοτροφίᾳ, Hier. 11, 5. Ἀρετὴ Comm. 1, 2, 64. De diis ib. 4, 10. Frequens est iisdem fere signiff. etiam ap. Platonem. || Μεγαλοπρεπέστατος καὶ ἐνδοξότατος, Magnificentissimus et gloriosissimus titulus conjunctim datus summis ma-

A gistratibus, Consulibus, Præfectis prætorio, urbi, Magistris officiorum, etc. in Conciliis, Novellis Justiniani etc. ap. Ducangium.]

|| Μεγαλοπρεπῶς, [Magno opere, Gl.] Magnifice. Xen. Cyrop. 6, [2, 6] : Ἆθλα τοῖς νικῶσι μ. ἐδίδου, Magnificis præmiis victores ornabat. [Conf. Comm. 1, 4, 10, Anab. 7, 6, 3. Frequens adverbii usus est etiam ap. Platonem.] Et superl. Μεγαλοπρεπέστατα, Magnificentissime, Admodum magnifice. [Anab. 7, 3, 19. Comp. μεγαλοπρεπέστερον Vectig. 6, 1, et alibi. Μεγαλοπρεπέως ἐξείνιζε, Herodot. 6, 128. || « Μεγαλοπρεπεστάτως, Tzetz. Hist. 3, 974. » Elberling.]

[Μεγαλοπτέρῠγος, ὁ, ἡ, Qui magnas habet alas. Ezech. 17, 3, 7. Nicet. Annal. 21, 3. Angl. Jo. Chrys. t. 6, p. 64, A ed. Par. alt. : Ἀετὸν μέγαν καὶ μ. Hase.]

[Μεγαλοπτέρυξ, ῠγος, ὁ, ἡ, i. q. præcedens. Const. Manass. Chron. p. 4, 32, 48, Amat. 11, 57; Nicet. Chon. ap. Fabr. Bibl. Gr. vol. 6, p. 411. Boiss.]

[Μεγαλόπτωχος, ὁ, Admodum mendicus. Stob. Serm. 53. Schneider.]

B [Μεγαλοπώγων, ωνος, ὁ, Qui magnam habet barbam. Jo. Malal. vol. 1, p. 383. Elberling.]

[Μεγαλόρινος, vel potius Μεγαλόρρινος, ὁ, ἡ, Magnum habens corium s. magnam pellem. Voc. fictum ad explicandum λαρινὸς, ex λα et ῥινὸς scilicet compositum, ab schol. Aristoph. Pac. 924.]

[Μεγαλόρραξ, αγος, ὁ, ἡ, Magnos habens acinos. Strabo 15, p. 726 extr., βότρυν (ubi nunc πυκνόρρωγά τε καὶ μεγαλόρρωγα). Wakef.]

[Μεγαλορρέκτης, ὁ, Qui magna molitur. Adamant. Phys. 2, 27, p. 425 Fr. : Ἅμα δὲ κινήσει ταχείᾳ τάραχος ἐν ὀφθαλμοῖς καὶ κεφαλῆς ἀστασία καὶ ἄσθματα, ταῦτ' εἴδη κακορέκτου καὶ μεγαλορέκτου καὶ φευκτέου ἀνδρός. Sic enim utrumque scribitur per simplex ρ, tanquam ab ὀρέγομαι.]

Μεγαλοῤῥημονέω, Grandibus verbis utor : ut μεγαληγορέω. Alii interpr. Magna loquor et jactito. [Strabo 13, p. 897. Suid. in Εἰς κόλπον πτύειν. Hemst. Locos V. T. v. ap. Schleusner.]

[Μεγαλορρημονία, ἡ, i. q. μεγαλορρημοσύνη. Schol.

C Soph. Ant. 1350. Valck. Schol. Eur. Hec. 622.]

[Μεγαλορρημόνως. V. Μεγαλορρήμων.]

Μεγαλοῤῥημοσύνη, ἡ, Magniloquentia [Gl.], Pollux [9, 146. Polybius, ut putabat Valesius, 39, 3, 1 : Ἐπιλελησμένος τῆς μεγαλορρημοσύνης. L. D. Philostr. Her. p. 96, 7 Boisson. : Μεγαλορρημοσύνην τε γὰρ ὑπὲρ τὸν Ὀρφέα ἀσκῆσαι. Phot. Ep. p. 211, 19 : Τῆς Θουκυδίδου μ. Plural. Nicet. Dav. In Greg. Nazianz. p. 43, 15 Dronk. : Οὐράνιος ἐν μ. Hase. Hesych., schol. Eur. Hec. 624. ῠ]

Μεγαλοῤῥήμων, ονος, ὁ, ἡ, Magniloquus. [Magniloquax, Gl. Multus in dicendo. Menand. Hist. p. 347, 7 ed. Bonn. : Εἰ καί τις μ. εἶναι δόξω. Hase. Reg. 1, 2, 3. Hesych. : Μ., ὑπερήφανος, μεγάλα λαλῶν. || Adv. Μεγαλορρημόνως ap. Polluc. 9, 147, Eustath. Opusc. p. 106, 92.]

[Μεγαλόρριζος, ὁ, ἡ, Qui magnas habet radices Theophr. C. Pl. 2, 3, 8; Dioscor. 2, 186.]

[Μεγαλόρρινος. V. Μεγαλόρινος.]

D [Μεγάλος, ὁ, Megalus. Vita Plotini vol. 1, p. lxvii, 3 ed. Creuzer. : Ὅθεν ὁ Λογγῖνος μὲν προσφωνῶν τὰ περὶ ὁρμῆς Κλεοδάμῳ τε κἀμοὶ, Κλεῖδαμέ τε καὶ Μάλχε προὔγραψεν· ὁ δ' Ἀμέλιος ἑρμηνεύσας τοὔνομα, ὡς ὁ Νουμήνιος τὸν Μάξιμον εἰς τὸν Μεγάλον, οὕτω τὸν Μάλχον οὗτος εἰς τὸν βασιλέα γράφει. Liber unus ex corr. Μέγαν. Μεγάλος nominativum constat fingi a grammaticis et usurpari a Græcis recentioribus. Sed Numenius cur Μεγάλον dixerit, non Μέγαν, vix intelligitur. Μεγάλος proparoxytonon ponit Arcad. p. 54, 25, qui locus aliter scriptus in cod. Havn., ut non liqueat utrum Μέγαλον illum dicat, de quo in Μεγαλεῖος dictum est, an aliud nomen. Comparanti enim Etym. M. p. 553, 30, scribendum videri potest μεγάλος παροξύτονον. L. Dind.]

[Μεγαλόσαρκος, ὁ, ἡ, Qui magna carne est, Bene vasatus. Ezech. 16, 26 : Ἐξεπόρνευσας ἐπὶ τοὺς υἱοὺς Αἰγύπτου τοὺς ὁμοροῦντάς σοι τοὺς μεγαλοσάρκους. Schl.]

[Μεγαλοσθενέτης, ὁ, i. q. sequens. Apollin. Metaphr. p. 284.]

Μεγαλοσθενής, ὁ, ἡ, Magnis viribus s. Magno robore præditus, Hesych. v. Εὐρυσθενής. [Hom. H. in

Nept. (40=6) 1 : Κλῦθι Ποσειδάων μεγαλοσθενές. Corinna apud Apollon. De pron. p. 358, B : Ὁ μεγαλοσθένης Ὠρίων, ubi corrigendus accentus. Pind. Pyth. 6, 21 : Μεγαλοσθενεῖ Πηλεΐδᾳ· Nem. 7, 2 : Μεγαλοσθενέος Ἥρας. L. D. 3 Macc. 5, 8 : Τῆς μ. αὐτοῦ χειρός· ubi v. Schleusn. Hase.]

[Μεγαλόσθενος, ὁ, i. q. præcedens. Orac. Sibyll. 5, p. 585 : Πενταπόλει κλαύσει δὲ Σόης μεγαλόσθενος ἀνήρ.]

[Μεγαλόσκιος, ὁ, ἡ, Qui magnam facit umbram. Etym. M. Wakef.]

[Μεγαλοσμάραγος, ὁ, ἡ, Horrisonus. Lucian. Jov. trag. c. 1. ἅἅ]

[Μεγαλοσοφιστής, ὁ, Magnus sophista. Athen. 3, p. 113, D.]

[Μεγαλόσοφος, ὁ, ἡ, Valde sapiens. Theodor. Metoch. p. 410. Cramer.]

Μεγαλόσπλαγχνος, ὁ, ἡ, Qui magno corde s. animo est, Eur. [Med. 109. || Μεγαλόσπλαγχνοι sunt Hippocrati Qui magna et in tumorem sublata habent viscera, ejusmodique affectibus obnoxia ut tumore aliquo præter naturam aut scirrho aut œdemate aut inflammatione tententur, præcipue vero quibus viscus aliquod inflammatione laborat. V. Epid. 3. Sic quoque p. 393, 5. Conf. p. 392, 52, ibique Galen. Sic Paul. 1, 96 μεγαλοσπλάγχνους τοὺς εὐπαθῆ τὰ σπλάγχνα ἔχοντας vocat. || Alia notione Hipp. p. 392, 23, οἶνος γλυκὺς μεγαλόσπλαγχνος σπληνὸς καὶ ἥπατος dicitur, Vinum dulce, quod viscera, h. e. lienem et hepar, tumefaciat, αὐξάνοντα τῶν σπλάγχνων τοὺς ὄγκους exp. Galenus. Ex Foes. OEcon.]

[Μεγαλοστάφυλος, ὁ, ἡ, Qui magnas habet uvas. Schol. Hom. Od. I, 358. ἅῦ]

Μεγαλόσταχυς, ὁ, ἡ, Magnam emittens spicam.

[Μεγαλοστένακτος, Valde gemens. Etym. M. p. 8, 54. Wakef.]

[Μεγαλοστενάχω verbum nihili. V. Βαρυστενάχω.]

[Μεγαλόστερνος, ὁ, ἡ, Qui est magno pectore. Const. Manass. Chron. p. 131, Amat. 2, 79. Boiss.]

[Μεγαλοστομία, ἡ, Magniloquentia, ap. schol. Horat. Ep. 2, 1, 193 : Captiva Corinthus) μεγαλοστομία.]

[Μεγαλόστομος, ὁ, ἡ, Qui magno est ore. Aristot. De partt. an. 3, 1 med. Schol. Pind. Nem. 1, 61. « Is. Porphyrog. in Allat. Exc. p. 314. » Boiss.]

[Μεγαλόστονος, ὁ, ἡ, Valde gemendus. Æsch. Pr. 413, πήμασι. « Hesych. v. Ἄστονον. » Boiss.]

[Μεγαλοστράτη, ἡ, Megalostrate, amica Alcmanis poetæ. Athen. 13, p. 600, F; 601, A. ἅ]

[Μεγαλόσφυκτος, ὁ, ἡ, Magno pulsu præditus. Galen. vol. 2, p. 387, 1. Id. ib. p. 412, 9 : Τοῖς ἰσχνοῖς τε καὶ μ. Hase.]

[Μεγαλόσφυρος, ὁ, ἡ, cum ὀλόσφυρος, quod v., memorat Theognost. Can. 90, 20. L. Dind.]

[Μεγαλοσχημέω. V. Μεγαλόσχημος.]

[Μεγαλόσχημος, ὁ, ἡ, i. q. sequens. Theophr. C. Pl. 6, 1, 6 : Δημόκριτος σχῆμα περιτιθεὶς ἑκάστῳ (χυμῷ), γλυκὺν μὲν τὸν στρογγύλον καὶ εὐμεγέθη ποιεῖ, στρυφνὸν δὲ τὸν μεγαλόσχημον. || « Μεγαλόσχημοι, Monachi qui ad summum perfectionis apicem pervenerunt et severiorem vitæ rationem inierunt, quorum est κουκούλλιον, ut habetur in Euchologio, ubi de exsequiis monachorum : Περιβάλλει αὐτὸν κουκούλλιον, εἰ μεγαλόσχημός ἐστι. Hinc Μεγαλοσχημεῖν, Magnum habitum induere. Philippus Cyprius in Catalogo Patr. Cpol. p. 14 et 15 (ubi μεγαλοσχημίσας). » Ducang. v. Σχῆμα p. 1506-7. Sæpe memorat etiam Eust. in Opusc., partim hac forma partim altera dicens μεγαλοσχήμονας. Ap. Eund. est Μεγαλοσχημοσύνη, ἡ, p. 216, 61; 257, 86, de ejusmodi habitu.]

Μεγαλοσχήμων, ονος, ὁ, ἡ, Magna figura constans, Theophr. C. Pl. 2. [Magnificus. Æsch. Pr. 408, μ. ἀρχαιοπρεπῆ τιμάν. V. Μεγαλόσχημος.]

[Μεγαλοσωμάτος, ὁ, ἡ, Qui magno corpore est. Schol. Oppian. Hal. 1, 360. Wakef. Eust. Il. p. 962, 23.]

Μεγαλόσωμος, ὁ, ἡ, Qui magno s. ingenti est corpore, procero et crasso. [Corpulentus, Gl. Schol. Aristoph. Ran. 55. Hemst. Herodian. Epimer. p. 13. Schol. Pind. Ol. 7, 28. Boiss. Diodori 1, 26, πολυσωμάτους ap. Euseb. Præp. ev. p. 48, D, est μεγαλοσώμους. Tzetz. Hist. 8, 805.]

A Μεγαλότεχνος, ὁ, ἡ, Præstans magnitudine artificii s. artis, Arte s. Artificio magnus. [Aristot. De mundo c. 6, p. 398, 14 : Τοῦτο ἦν τὸ θειότατον, τὸ μετὰ ῥᾳστώνης καὶ ἁπλῆς κινήσεως παντοδαπὰς ἀποτελεῖν ἰδέας, ὥσπερ ἀμέλει δρῶσιν οἱ μεγαλότεχνοι, διὰ μιᾶς (ὀργάνου) σχαστηρίας πολλὰς καὶ ποικίλας ἐνεργείας ἀποτελοῦντες.] Et subst. τὸ μεγαλότεχνον, dicitur Magnum artificium, Artificii magnitudo. Dionys. H. Isocrate [c. 3] : Δοκεῖ δή μοι μὴ ἀπὸ σκοποῦ τις ἂν εἰκάσαι τὴν μὲν Ἰσοκράτους ῥητορικὴν τῇ Πολυκλείτου τε καὶ Φειδίου τέχνῃ, κατὰ τὸ σεμνὸν καὶ μεγαλότεχνον καὶ ἀξιωματικόν.

[Μεγαλότης, ητος, ἡ, i. q. μέγεθος, voc. Chrysippeum ap. Plut. Mor. p. 441, B. Conf. de forma Lobeck. ad Phryn. p. 350. || « Titulus compellatorius in Epistola ad regem Pers. in Chron. Pasch. a. 5 Heraclii (ubi tamen ed. Reg. p. 387, D : Τῇ ὑμετέρᾳ Μεγαλειότητι. Hase). V. Glossar. med. Lat. in Magnitudo. » Ducang. App. Gl. p. 129.]

Μεγαλότιμος, ὁ, ἡ, Qui in magno honore habetur, Hesych. v. Ἐρίτιμος. [Schol. Hom. Il. B, 447. Wakef.
B Adv. Μεγαλοτίμως. Diog. L. 8, 88. Hemst.]

Μεγαλότολμος, ὁ, ἡ, Magnopere audax, Immani audacia præditus, s. Magna audens. [Lucian. Hermot. c. 74, De hist. scr. c. 4, Alex. c. 8, Pseudol. c. 29. « Adv. Μεγαλοτόλμως, Nicet. Paphl. Laud. S. Eust. p. 54. » Boiss.]

[Μεγαλότοξος, ὁ, ἡ, Qui magno utitur arcu. Etym. M. p. 3, 23, ad explic. ἄδιος.]

[Μεγαλοτράχηλος, ὁ, ἡ, Qui magno est collo. Etym. M. v. Ἐριαύχην, p. 142, schol. Hom. Il. K, 305. ἅ]

[Μεγαλουργέω, Ingentia efficio. Euseb. Dem. ev. p. 165, D : Μεγαλουργῶν καὶ παραδοξοποιῶν ὡς θεός· quæ verba iterat De laud. Const. p. 651, D. Legitur sæpissime ap. Philon., velut vol. 2, p. 142, 38 et 558, 12 : Ἐμεγαλούργησεν. Id. vol. 1, p. 428, 26 : Μεγαλουργηθείσης ἐπινοίας· vol. 2, p. 174, 8 : Μ. ὁδοῦ· p. 91, 26 et 95, 28 : Μ. ὄψεως. Itaque τὰ μεγαλουργηθέντα, ib. p. 44, 27 et 174, 47, sunt Magna ac præclara facinora. || Ingentia, sed mala, molior s. adduco. Id. Philo ib. p. 324, 36; 597, 5 : Καινουργῶν καὶ μεγ. 430, 27 :
C Συμφοραί, ἃς μεγαλουργήσουσιν οἱ καιροί. It. passiv. ib. p. 577, 32 : Ὅσον τόλμημα μεγαλουργεῖται, et 21, 46 : Τὰς μεγαλουργηθείσας συμφοράς. Hase.]

[Μεγαλούργημα, τό, Facinus s. Opus eximium, Magnale. Nectar. Hom. p. 5. Boiss. Philo vol. 2, p. 105, 16 : Μ. τῆς φύσεως. Plural. Euseb. De laud. Constant. p. 629, A; 634, D; 633, A : Βασιλικῆς διανοίας βασιλικὰ μ. Anon. Vita Chrys. t. 8, p. 371, 18. Appar. Mich. Actt. SS. Sept. t. 8, p. 47, 33 et 42, 29 : Τὰ τοῦ Θεοῦ ἡμῶν μ. Hase. Eust. Opusc. p. 210, 80.]

[Μεγαλουργής, ὁ, ἡ.] Affertur et Μεγαλουργές, τό, pro Grandium rerum conatus [ex Luciano Alex. c. 4 : Τὸ μ. καὶ τὸ μηδὲν μικρὸν ἐπινοεῖν. Monodia in Eustathium apud Tafel. De Thessalonica p. 376 : Κλέα βασιλέων μεγαλουργῶν. Nisi hoc referendum est ad μεγαλουργός. Sed altera forma in alio scripto ib. p. 459 : Τῆς σῆς μεγαλουργοῦς δεξιᾶς. L. Dind.]

Μεγαλουργία, ἡ, Magnificentia. Plut. Fabio fin. [Comp. cum Pericle c. 3], de templis et aliis operibus magnifice structis : Ἔξοχόν τι πρὸς ἐκεῖνα καὶ ἀσύγκριτον
D ἡ τούτων ἔσχε μεγαλουργία καὶ μεγαλοπρέπεια πρωτεῖον. Hesych. μεγαλουργίας exp. μεγάλας ἐργασίας. [Lucian. De calumn. c. 17, Charon. c. 4. Athen. 5, p. 194, C. Valck. Philostr. V. Soph. p. 58, 37 Kays. : Τοσοῦτος ὢν ἐν μεγαλουργίᾳ. Hase. Præf. Eclog. Constantin. De legat. : Ἐν αἷς καὶ ὑφ' αἷς (βίβλοις) ἅπασα ἱστορικὴ μεγαλουργία συγκλείεται.]

[Μεγαλουργικός, ή, όν, i. q. sequens. Proculus In Plat. Alcib. p. 137 ed. Creuzer. : Ἔστι μὲν οὖν καὶ ταῦτα λέγειν περὶ τῶν ψυχῶν, ὡς ἀξιεράστους αὐτὰς ποιεῖ τὸ ἡγεμονικὸν τοῦτο καὶ τὸ μεγαλουργικόν. Sed liber unus μεγαλουργόν, ut p. 144 : Ἀλκιβιάδης ᾑρεῖτο μὴ ζῆν μᾶλλον ἢ διαπεσεῖν τῆς μεγαλουργοῦ ζωῆς.]

Μεγαλουργός, ὁ, ἡ, Magnificus. [Const. Manass. Chron. p. 136. Boiss. Plut. Cæs. c. 58 : Τὸ φύσει μεγαλουργόν. Niceph. Greg. 5, 6, p. 88, A; Hermias In Pl. Phædr. p. 183. V. Μεγαλουργικός.]

[Μεγαλουργῶς, Magnifice. Theoph. Simoc. Hist. p. 184, 2 : Ἐδορυφόρει μ. Id. p. 52, 2 : Ἡ δὲ παστὰς μ. ἐκεκόσμητο. Hase.]

[Μεγαλόϋφος, Apollon. Lex. Hom. p. 431 fingit ad explic. λαῖφος, τὸ ἱστίον, ἐπεὶ ἐξ ἱματίων γίνεται, οἱονεὶ μεγαλόϋφον.]

Μεγαλουχία, ἡ, Hesychio μεγαλαυχία, ὑψηλοφροσύνη [Jactantia, Superbia].

[Μεγαλοφᾰνής, ὁ, ἡ, Magnificus. Eust. Opusc. p. 107, 9 : Τὰ μεγαλοφανῆ μὲν κατ' ὄψιν. Hesych. s. Photius v. Μεγαλοπρεπής.]

[Μεγαλοφάνης, ους, ὁ, Megalophanes, magister Philopœmenis. Pausan. 8, 49, 2.]

[Μεγαλοφαρής. V. Βυσσοφαρεῖ.]

[Μεγαλοφεγγής, ὁ, ἡ, Qui magnopere splendet, lucet. Hesych. in Ζαφλεγέες.]

Μεγαλόφθαλμος, ὁ, ἡ, Qui magnis est oculis. [Aristot. Physiogn. p. 811, 20 : Οἱ δὲ μ. νωθροί. Ptolem. Tetrab. p. 143, 3; Procl. Paraphr. p. 203, 4. Hase. Eust. Il. p. 141, 25, 30.]

[Μεγαλόφῐλος, ὁ, ἡ, Qui magnis utitur amicis. Paul. Alex. Apotel. (p. 50, 14.) Schneid.]

Μεγαλόφλεβος, Cui magnæ sunt venæ. [Aristot. De partt. an. 3, 4.]

[Μεγαλόφορτος, ὁ, ἡ, Magnopere onustus. Const. Manass. Chron. 5023, ναῦς· 6699, φορτίς. Boiss.]

Μεγαλοφρονέω, sonat quasi quis dicat Magnum sapio, et in vitio potius solet poni. Unde redditur etiam Superbio, Glorior. Sed pro Magnum sapio, sicut ὑψηλοφρονῶ ap. Paulum redditur Altum sapio. Latini dicunt Magnifice de me sentio. Xen. Hell. 6, [2, 39] : Μηδὲν μεγαλοφρονεῖν ἐφ' ἑαυτῷ. [Utuntur etiam Isocrates, Polyb., Plut., alii. L. D. Jo. Glyc. De synt. p. 34, 5 ed. Alb. Jahn. : Κατὰ τῶν ἀρχαίων ὅρων μεγαλοφρονήσαντες. Hase.] Item pass. Μεγαλοφρονοῦμαι, ex Plat. De rep. 7, [p. 528, B] : Οὐκ ἂν πείθοιντο οἱ περὶ ταῦτα ζητητικοὶ μεγαλοφρονούμενοι. [Medio sæpe utitur etiam Dio Cassius. L. D. Julian. Epist. p. 50, 6 ed. Heyl. : Ἐπὶ τούτῳ Δαρεῖος μὲν ἐμεγαλοφρονεῖτο. Hase.]

Μεγαλοφρονής, habetur in VV. LL. et quidem expositum Superbus. [Ductum ex comparat. vel superl. adj. μεγαλόφρων tanquam ab μεγαλοφρονής formatis.]

[Μεγαλοφρόνως. V. Μεγαλόφρων.]

Μεγαλοφροσύνη, Magnitudo animi, Animus celsus et erectus. [Magnanimitas, Gl. Herodot. 7, 136 : Λέγουσι αὐτοῖσι ταῦτα Ξέρξης ὑπὸ μεγαλοφροσύνης οὐκ ἔφη ὁμοῖος ἔσεσθαι Λακεδαιμονίοισι. Plato Conv. p. 194, B : Τὴν σὴν ἀνδρείαν καὶ μ. Isocr. p. 194, A; 248, D; Diod. 11, 42. Eurip. Epist. 1 init. : Συκοφαντήσειν, ὡς ἐπίδειξιν οὖσαν τὸ πρᾶγμα καὶ πρόσχημα μᾶλλον εἰς τοὺς πολλοὺς, οὐ μεγαλοφροσύνην οὐδεμίαν. Ü]

Μεγαλόφρων, ονος, ὁ, ἡ, Cui magnus est animus, Magnanimus [Gl.], Qui animo est excelso, Cic. At Bud. reddit ex Eod. Celsus et erectus. [Xenoph. Cyrop. 2, 1, 29 : Πρὸς τοὺς πολεμίους μεγαλοφρονέστεροι γίγνονται· Eq. 11, 1 : Δεῖ ὑπάρξαι αὐτῷ (equo) καὶ τὴν ψυχὴν μεγαλόφρονα. Neutro gen. Ages. 11, 11 : Τῷ μεγαλόφρονι οὐ σὺν ὕβρει ἐχρῆτο· OEc. 10, 1 : Καὶ ἄλλα θέλω σοι πάνυ μεγαλόφρονα αὐτῆς διηγήσασθαι. De hominibus frequens est ap. Plat. et alios quosvis.] Isocr. Ad Nic. [p. 20, A] μεγαλόφρονας existimandos esse ait non τοὺς μείζω περιβαλλομένους, ὧν οἷοί τέ εἰσι κατασχεῖν, sed τοὺς μετρίων μὲν ἐφιεμένους, ἐργάζεσθαι δὲ δυναμένους οἷς ἂν ἐπιχειρῶσι. Plut. Alex. [c. 12] de quadam muliere : Πρῶτον μὲν ἀπὸ τῆς ὄψεως καὶ βαδίσεως ἐφάνη τις ἀξιωματικὴ καὶ μεγαλόφρων. || Μεγαλοφρόνως, adv., Cum quadam animi magnitudine, Excelso animo. In VV. LL. Magnifice, Largiter, ex Polluce [3, 114. Xen. H. Gr. 4, 5, 6; Plato Euthyd. p. 293, A.]

Μεγαλοφῠής, ὁ, ἡ, [Magnificus, Amplificus, Gl.] Magnanimus, Magno animo præditus, μεγαλόψυχος. Greg. Naz. : Καισαρέων τῶν μεγαλοφυῶν καὶ θερμῶν τὴν εὐσέβειαν. [Polyb. 12, 23, 5. « De pictore Diog. L. 1, 38. » Hemst. Μεγαλοφυὲς ingenium, Quod facile magnas notiones concipit, Longin. 9, 1, quod c. 8, 1, dixerat τὸ ἁδρεπήβολον περὶ τὰς νοήσεις· ubi v. not. Mori. Conf. c. 15, 3. Ernest. Lex. rhet. Dionys. H. vol. 5, p. 421, 9 : Ἀλκαίου σκόπει τὸ μ. 423, 6 : Τὰ μεγαλοφυῆ τῶν προσώπων ἤθη καὶ πάθη. L. D. Superl. Longin. 34, 4 : Ὁ δ' ἔνθεν ἑλὼν τὰς μεγαλοφυεστάτας καὶ ἐπ' ἄκρον ἀρετὰς συντετελεσμένας, ut quidem conjicit Bast. Append. ad Epist. crit. p. 11; aliter enim est in edd. Hase.]

[|| Μεγαλοφυῶς, Laute, Gl. Magnifice. Amphiloch. p. 17; Clem. Alex. p. 882; Athanas. vol. 2, p. 271; Andr. Cret. p. 158. Kall. Schol. Æsch. Pr. 88. Procem. ad Exc. Constantin. De leg.]

Μεγαλοφυΐα, ἡ, Magnanimitas, μεγαλοψυχία Hesychio [A quo tamen exp. μεγαλόνοια. Iambl. V. P. p. 222. « Schol. Jo. Climac. p. 27. » Boiss. Excellens indoles. Apollod. Poliorc. p. 14, 16 : Ἡ μ. σου διορθοῦται, καὶ συγγινώσκει ἡ εὐμένεια. Jo. Docian. p. 12, 7 Tafel. : Οὐ πλήρεις συνέσεως καὶ μ. ὑπῆρχον ἄνδρες; Hase. Phot. v. Μεγαλόνοια. || « Generositas, titulus quo compellantur Præfecti prætorio, ap. S. Basilium in Epistolis. » Ducang.]

Μεγαλόφυλλος, ὁ, ἡ, Magna habens folia. [Theophr. C. Pl. 2, 10, 3.]

[Μεγαλοφυῶς. V. Μεγαλοφυής.]

[Μεγαλοφωνέω, Magna voce utor, Clamo. Phot. v. Ἱεροφωνῶν. Schleusn. Hesych. v. Γεγωνεῖν. Boiss. Moschion De pass. mul. p. 8, 14 : Ἐκεῖναι αἵτινες συνεχῶς μεγαλοφωνοῦσι, Quæ frequenter et valide vocem exercent. Hase.]

B Μεγαλοφωνία, ἡ, Vocis magnitudo, Altiloquentia. [Diodor. 16, 92; Lucian. De hist. conscr. c. 8; ποιητικὴ Jov. trag. c. 6. L. D. Philostr. V. Soph. p. 33, 13 et 15 Kays. Id. ib. p. 91, 2 : Τῆς μ. ἐξέπεσεν. Himer. ap. Phot. Bibl. p. 365, 29 : Ἡ Αἰσχύλου μ. Hase.]

Μεγαλόφωνος, ὁ, ἡ, Magnam vocem habens, s. Altam, s. Sonoram, Vocalis. [Hippocr. Epid. 6, 4, 22.] Redditur et Altiloquus. Hoc epitheto a multis scriptt. ornatus fuit Plato. [Qui robustam, ingentem vocem habet, cui oppositus ὁ ἰσχνόφωνος : v. Diog. L. 4, 9, 4. Plut. Cat. min. c. 5, ἡ φωνὴ μεγέθει ἀποχρῶσα, etc. Et C. Gracchum dicit fuisse μεγαλοφωνότατον καὶ ῥωμαλεώτατον ἐν τῷ λέγειν : conf. not. ad v. Λαμπροφωνία. Magnitudinem vocis etiam Latini dicunt : v. Auct. ad Herenn. 3, 11. Præterea autem ἡ μεγαλοφωνία non de Voce tantum, sed et de Altitudine et magnificentia orationis dicitur, ut Philostr. V. Scopel. p. 518, et Isæi p. 513, τὸ μεγαλοφώνως εἰρημένον, Magnifice, Elate dictum. Ernest. Lex. rhet. Demosth. p. 415, 15 : Μεγαλόφωνοι καὶ ἀναιδεῖς ὄντες. Diodor. 11, 34 : Κήρυκα

C τὸν μεγαλοφωνότατον. Athen. 13, p. 564, D : Ὁ μεγαλοφωνότατος Πίνδαρος. « Compar. ap. Eustath. Antioch. in Fabr. Bibl. Gr. vol. 8, p. 184. » Boiss. || Adv. Μεγαλοφώνως, schol. Æsch. Ag. 26; Pollux 2, 113. « Basil. M. Epist. 379; Suid. v. Τορὸν, Herodian. Epimer. p. 20; schol. Clementis Al. p. 135, 15; Moschop. Π. σχεδ. p. 190. » Boiss. Orig. C. Cels. 8, p. 383; Jo. Chrys. Ad Judaiz. vol. 6, p. 368. Seager. Andr. Cret. p. 253; Cyrill. Hier. p. 27. Μεγαλοφωνότερα βροντῆς ἠχεῖν, id. p. 47. Kall.]

[Μεγαλόχαρτος, ὁ, ἡ, ap. Hesych. in Μεγήρης, cujus de gl. v. in Μεγήρατος.]

[Μεγαλοχάσμων, ονος, ὁ, ἡ, Magnus hiator, Vasto ore hians. Sic Channas, piscium quoddam genus, μεγαλοχάσμονας appellat Epicharmus Athenæi 7, p. 315, F; 327, F. Schweigh.]

[Μεγαλοχεύμων, ονος, ὁ, ἡ, Qui magnus funditur, fluit, Magna habens fluenta. Constant. Manass. Chron. 217, ποταμῶν.]

[Μεγαλόχλωρος, ap. Polemon. Phys. 1, 3, p. 185,

D vitiose pro μελάνωχρος s. μελίχλωρος.]

[Μεγαλοψόφητος, ὁ, ἡ, Qui magnum edit strepitum. Etym. M. v. Ἀγάστονον p. 8, 54.]

[Μεγαλόψοφος, ὁ, ἡ, i. q. præcedens. Schol. Hom. Il. E, 672; Hesych. in Ἐρίγδουπος.]

[Μεγαλοψῡχέω, Magno animo, Liberalis sum. Jo. Chrys. In Ep. 2 ad Cor. serm. 19, vol. 3, p. 652, 33. Seager. Theodor. Stud. p. 181, E : Πάντες μεγαλοψυχοῦμεν. L. Dind.]

Μεγαλοψυχία, ἡ, Animi magnitudo et celsitudo, Magnanimitas [Gl.] : quæ et μεγαλόνοια et μεγαλοφροσύνη, nec non μεγαλοφυΐα dicitur interdum. [Xen. H. Gr. 6, 1, 9 : Ὧν τὰ σώματα καὶ τὴν μ. ὁρῶν. Plato Alcib. 2 p. 150, C, Defin. p. 412, D.] Plutarch. Pericle [c. 36] : Ἐπὶ τούτῳ δὲ καμφθεὶς ἐπειρᾶτο μὲν ἐγκαρτερεῖν τῷ ἤθει, καὶ διαφυλάττειν τὸ μεγαλόψυχον. Aristot. Eth. 4, 3 : Ἡ δὲ μ. περὶ μεγάλα μὲν καὶ ἐκ τοῦ ὀνόματος ἔοικεν εἶναι· 2, 7, ait περὶ τὴν τιμὴν καὶ ἀτιμίαν, μεσότητα quidem esse μεγαλοψυχίαν, ὑπερβολὴν autem, eam quæ χαυνότης nominatur; ἔλλειψιν vero, μικροψυχίαν.

A At Rhet. 1, [c. 9, 2] dicit τὴν μεγαλοψυχίαν esse ἀρετὴν μεγάλων ποιητικὴν εὐεργετημάτων : pro Magnificentia [vel Munificentia] etiam accipi indicans, sicuti ap. Greg. Naz. legimus τὴν εἰς τοὺς ἐλεεινοὺς μεγαλοψυχίαν : qui μικροψυχίαν itidem pro Avaritia ponere videtur, quum ait τὴν ἐν τῇ χειροτονίᾳ μικροψυχίαν. [Simili constr. Dio Chr. Or. 51, vol. 2, p. 265 : Καὶ μὴν ἥ γε πρὸς τὰς τιμὰς μ. πῶς οὐχὶ θαυμαστῆς πόλεως; Diodor. Exc. p. 552, 87 : Κατὰ τὴν πρὸς τὸ κέρδος μ. ἀφιλάργυρος.] Idem certe Aristot. Polit. 7, dicit, Τὸ ζητεῖν πανταχοῦ τὸ χρήσιμον ἥκιστα ἁρμόττειν τοῖς μεγαλοψύχοις καὶ τοῖς ἐλευθέροις. [Demosth. p. 247, 18 : Τῷ ἐν Πέλλῃ τραφέντι τοσαύτην μ. προσῆκεν ἐγγενέσθαι · 689, 2 : Οὐ γὰρ αὐτοῖς ἀπεδίδοντο τὴν αὑτῶν ἐλευθερίαν καὶ μ. τῶν ἔργων. Diodor. 1, 58 : Δόξας τῇ μ. τῶν πεπραγμένων ἀκόλουθον πεποιῆσθαι τὴν τοῦ βίου καταστροφήν. De Munificentia, ut paullo ante dictum et in Μεγαλόψυχος dicetur, Polybius, qui etiam alibi sæpe utitur utroque numero, 16, 23, 7 : Ἀγῶνας ἦγον καὶ πανηγύρεις ἐπιφανῶς, χορηγὸν ἔχοντες εἰς ταῦτα τὴν Σκιπίωνος μεγαλοψυχίαν. V. l. Diodori modo cit. L. D. Eodem sensu B usitata est in titulis formula μεγαλοψυχίας χάριν, velut ap. Boeckh. vol. 1, p. 666, n. 1372, 5. Inscr. Spart. ib. p. 658, n. 1347, 8 : Ἀρετᾶς ἕνεκε (sic) καὶ τᾶς πρὸς αὐτὰν ἀσυνκρίτου μεγαλοψυχίας. Hase.]

Μεγαλόψυχος, ὁ, ἡ, Magno et excelso animo præditus, Magnanimus [Gl.]. Aristot. Eth. 1, 10 : Ἐπειδὰν φέρῃ τις εὐκόλως πολλὰς καὶ μεγάλας ἀτυχίας, μὴ δι' ἀναλγησίαν, ἀλλὰ γεννάδας ὢν καὶ μεγαλόψυχος · Polit. 7 : Οὐδέ εἰσιν οἱ μεγαλόψυχοι τὴν φύσιν ἄγριοι πλὴν πρὸς τοὺς ἀδικοῦντας. [Schol. Pind. Pyth. 4, 22. Boiss. Demosth. p. 414, 15 : Ἡγούμην δεῖν αὐτῶν μεγαλοψυχότερος φαίνεσθαι. Et sæpe Isocr., Polyb. aliique. De Munificentia Polyb. 22, 21, 3 : Εὐεργετικὸς ἦν καὶ μ. Diodor. 18, 28 : Οἱ ἄνθρωποι διὰ τὸ τῆς ψυχῆς εὐχάριστον καὶ μεγαλόψυχον συνέτρεχον πάντες εἰς τὴν Ἀλεξάνδρειαν. (Qui idem locus positus etiam in Εὐχαρίστος p. 2514, D, ubi Ptolemæi scrib. pro Alexandri M., referendus erat ad signif. Munifici, de qua p. 2515, D, pluribus nuper explicatam ab Letronnio ad inscr. Rosett. p. 9, post Wessel. ad l. Diod., cujus ex annot. addi velim ex. C superlativi εὐχαριτώτατος iis quæ de illo dixi p. 2511, D, deleri etiam in Εὐχαριστέω p. 2512, B, 19, verba (quomodo — C, 1, εὐχαριστοῦντες).] Porro a μεγαλόψυχος est etiam adv. Μεγαλοψύχως, Magno animo et excelso, ut quum Dem. dicit μ. ἔχειν pro Magno et excelso esse animo. [Id. p. 1465, 16. Diod. 4, 53 : Ἐπαγγειλάμενον ἐπιεικῶς καὶ μ. προσενεχθήσεσθαι συναγαγεῖν εἰς ἐκκλησίαν τὰ πλήθη. Frequens est etiam ap. Polyb. L. D. Tit. Arg. ap. Le Bas *Inscr. de Morée* 3, p. 189, n. 58, 5 : Ἀγωνοθετήσαντα σεμνῶς καὶ δικαίως καὶ μ. Inscr. Arg. ap. Bœckh. vol. 1, p. 579, n. 1123, 6. Lacon. ib. p. 666, n. 1371, 3 : Μ. γυμνασιαρχήσαντα. Hase.]

[Μεγαλόω, i. q. μεγαλύνω, ap. Achmet. Onirocr. p. 37, 27 : Ἐκαλλιώθησαν καὶ ἐμεγαλώθησαν. Sed scribend. haud dubie ἐμεγαλύνθησαν · nam ap. ipsum Achmet. legitur ἐμεγαλύνθη p. 39, 5 et 42, 26; μεγαλυνθήσεται p. 43, 32; μεγαλυνθήσονται p. 22, 22. Hase.]

[Μεγαλυνάρια, τὰ, Hymni s. Tractus quibus Sancti μεγαλύνονται. Hirmologium et Sylliturgica Lectoris : Μεγαλυνάρια ψαλλόμενα ἐν ταῖς θείαις καὶ ἱεραῖς λειτουργίαις D τριαδικὰ ἦχος β' · aliique Byzantini ap. Ducang.]

[Μεγαλυνότης, ἡ, Magnitudo. Epist. Leon. Isaur. ap. Const. Acrop. Vita Jo. Damasc. Actt. SS. Maii t. 2, p. 744, 10 : Τὰ κατὰ τὴν ἐμὴν μάνθανε μ. Hase.]

Μεγαλύνω, [Amplio, Amplifico, Magnifico, Gl.] interdum i. q. μεγαλίζω, et Μεγαλύνομαι i. q. μεγαλίζομαι · nam μεγαλύνειν ἑαυτὸν e Xen. [Apol. 32] affertur pro Efferre sese. Et μεγαλύνεσθαι ex Eod. pro Elatum esse, Efferre se, Superbire. [Xen. Comm. 3, 6, 3 : Ταῦτ' ἀκούων ἐμεγαλύνετο. Cum ἐπὶ seq. dat. OEc. 21, 4, et alibi. Cum dat. Reip. Lac. 8, 2. Μεγαλύνομαι, Grandesco, Ingrandesco, Gl. Æsch. Prom. 891 : Τῶν γέννᾳ μεγαλυνομένων.] Sed frequenter ponitur μεγαλύνειν pro Extollere verbis, Prædicare : qua in signif. Plin. sæpe utitur verbo Magnificare : quo et Plautum quidam ita usum tradunt. [Eur. Bacch. 320 : Ὅταν τὸ Πενθέως ὄνομα μεγαλύνῃ πόλις.] Thuc. 8, [81] : Καὶ ὑπερβάλλων ἐμεγάλυνε τὴν ἑαυτοῦ δύναμιν παρὰ τῷ Τισσαφέρνει. [Diodor. 1, 20 : Μεγαλύνοντος τοῦ θεοῦ τὴν δύναμιν.] Plut. Alcib. [c. 29] : Μεγαλύνοντες αὐτοὺς καὶ τὸν στρατηγόν. [Nicet. Dav. In Greg. Naz. p. 154, 11 Dronk. : Δόξαν, ἣν ἐπὶ βλάβῃ πλειόνων μεγαλύνειν οἶδεν ὁ ἐχθρός. Hase.] Sed Thuc. usus est [5, 98] et pro Magnum, i. e. Potentem, reddere. LXX autem Ps. 125, [2] dixerunt, Ἐμεγάλυνε Κύριος τοῦ ποιῆσαι μετ' αὐτῶν, quod est ad verbum, Magnificavit Dominus agere cum eis : pro Magnifice egit cum eis. [V. Μεγαλόω. ῦ]

[Μεγαλυπέροχος, ὁ, ἡ, Summus. Eust. Opusc. p. 309, 79 : Τῇ σῇ μεγαλυπερόχῳ λαμπρότητι · 324, 12.]

[Μεγαλυσμός, ὁ, Niceph. Callist. Or. in S. Magd. inter Bandini Anecd. p. 47. Boiss.]

[Μεγαλώ, οῦς, ἡ, Megalo, n. mulieris ap. Theodor. Stud. p. 340, C : Μεγαλῷ καὶ Μαρίᾳ μοναζούσαις. Quæ dativi forma comparanda cum Εὐδοχῷ, de quo suo loco p. 2231, B. Interpres hic etiam Megaloni, ut illic Eudoconi. L. Dind.]

[Μεγαλώδυνος, ὁ, ἡ, i. q. ἐριώδυνος, quod v.]

Μεγαλώνυμος, ὁ, ἡ, q. d. Magninominis, si modo composite Magninominis dicere liceret, ut Binominis. Accipitur autem ὄνομα in hoc comp. pro Celebritate, sicut et Nomen a Latinis sæpe accipi scimus. Fuerit igitur μεγαλώνυμος, Nominatissimus, Celeberrimus; nam et Hesych. μεγαλώνυμον exp. μεγαλόδοξον. Utitur hoc Aristoph. tanquam Grandiloquentiam affectans, [Nub. 569] : Καὶ μεγαλώνυμον ἡμέτερον πατέρ' Αἰθέρα. [Vesp. 1519, et de Jove Thesm. 315. Soph. Ant. 148 : Ἁ μ. Νίκα. Frequens est etiam in Hymnis Orph.] || Nom. proprium ap. Lucian. Lexiph. [c. 13. Iambl. Arithm. p. 12, B : Ἀπ' αὐτῆς (τῆς μονάδος) ὡς ἀπὸ σπέρματος καὶ ἀϊδίου ῥίζης ἐφ' ἑκάτερον ἀντιπεπονθότως αὔξονται οἱ λόγοι, τῶν μὲν ἐπ' ἄπειρον τεμνομένων, μειούμενοι μεγαλωνυμώτερον ἀεὶ, τῶν δὲ ἐπ' ἄπειρον αὐξομένων, ἔμπαλιν μεγεθυνόμενοι, Majori numero. Ib. p. 68, A : Ἡ ὑπεροχὴ τοῦ μείζονος ὅρου πρὸς τὸν ἐλάττονα μονάδι μειωνυμώτερον · 100, D : Ἕκαστος πολύγωνος σύστημά ἐστι τοῦ ὑπὲρ αὐτὸν μονάδι μικρωνυμωτέρου καὶ τριγώνου τοῦ ἑνὶ βαθμῷ ὑποδεδιβασμένου, Unitate minus nomen habet. Schneider. Conf. ib. p. 57, D; 66, A; 70, A. Adv. Μεγαλωνυμωτέρως est ib. p. 120, B. L. Dind.]

[Μεγαλωπός, ὁ, ἡ, Qui magnis est oculis. Oppian. Cyn. 2, 177 : Ἐλάφων γένος μεγαλωπόν.]

[Μεγάλως. V. Μέγας.]

[Μεγαλωστί. V. Μεγάλως in Μέγας.]

Μεγαλωσύνη, ἡ, ap. Suid. sine expos. Putatur esse Majestas. [Jo. Damasc. in Hist. Barlaami p. 2 codicis Reg. 903 (Anecd. vol. 4, p. 4) : Ἐν δεξιᾷ τῆς τοῦ Πατρὸς μεγαλωσύνης καθίσας. Boiss. Jo. Chrys. In Ps. 9, vol. 1, p. 592, 19. Seager. Ps. 143, 9 post ψαλῶ σοι addit cod. Vatic. qui fuit Parisiis : Καὶ τὴν μ. σου διηγήσομαι αὐτήν. Evang. Nicod. p. 740, 8 : Εὐχαριστῶ τῇ μ. σου, Κύριε. Hase.] Μεγαλοσύνη, affertur pro Majestas : μεγαλοψυχία. Sed rectius scribitur per ω, ut ap. Suid. [Magnitudo, Gl. Idem vitium sublatum in Georg. Syncelli Chron. p. 24, B. Ceterum frequens est voc. in V. et N. T. ῠ]

[Μεγαλωφελής, ὁ, ἡ, Valde utilis, Perutilis. Schol. Ven. Hom. Il. B, 104, p. 54, 6; Suid. v. Ἐριούνιος. Boiss. Cleomed. Doctr. circ. p. 2, 7 : Μεγαλωφελεστάτας παρέχεσθαι τὰς χρείας. Hase. Plut. Mor. p. 553, D : Ἄνδρας ἀγαθοὺς καὶ μεγαλωφελεῖς. Clem. Al. Pæd. 1, p. 148, 32.]

[Μεγαμάζα, οἱ Σύροι τὴν ἐπὶ τὸν βασιλέα δέησιν οὕτω καλοῦσι, Suidas.]

[Μεγαμηδείδης, ὁ, Megamedides, matron. a Μεγαμήδης. Hom. H. Merc. 100 : Πάλλαντος θυγάτηρ Μεγαμηδείδαο ἄνακτος. Ipsum Μεγαμήδης est ap. Xen. Ephes. 1, 2, p. 4 sqq., Μεγαμήδευς genit. in inscr. Teja ap. Bœckh. vol. 2, p. 648, n. 3064, 29. Μεγαμήδη, ἡ, Megamede, f. Arnæi, ap. Apollod. 2, 4, 10, 1.]

Μεγάμυκος, Hesychio μεγαλομυκήτης [-ητής], addenti, asini esse epith., ut sit Grande rudens. Alioqui proprie significat Grande mugiens s. boans. [Conf. Photius s. Suidas.]

[Μεγᾶν, n. barbarum, ap. Etym. M. p. 715, 13.]

Μεγάνειρα, mulieris nom. propr. ap. Pausan. [1, 39, 1, ubi recte nunc Μετάνειρα. Idem vitium ap. Apollod. 3, 9, 1, 1, reliquit Heynius.]

[Μεγανίτας, ὁ, Meganitas, fl. Achaiæ. Pausan. 7, 23, 5.]

Μεγάνωρ, ορος, ὁ, Magnos viros faciens, et ex consequenti superbos : epithetum divitiarum ap. Pindar. [Ol. 1, 4] : Μεγάνορος ἔξοχα πλούτου. [Conf. Μεγαλάνωρ.]

[Μεγάοικτος, ὁ, ἡ, Valde misericors. Theod. Prodr. in Notitt. Mss. vol. 8, p. 164 : Ἡμετέρων μεγάοικτε λελασμένος ἀμπλακιάων. Boiss.]

[Μεγάπανος, ὁ, Megapanus, Hyrcanus, ap. Herodot. 7, 62.]

[Μεγαπένθης, ους, ὁ, Megapenthes, f. Menelai et famulæ, Hom. Od. Δ, 11 seqq., Ο, 100, Pausan. 2, 18, 6, qui cognominem Prœti f. memorat 2, 16, 3, Apollod. 3, 11, 1, 1.]

[Μεγαπληθής, ὁ, ἡ, Valde numerosus. Theodor. Prodr. Epigr. p. 104 : Ἀντιβίων μεγαπληθὴς ἑσμός. Boiss.]

[Μεγαπόλη, ἡ, Megapole, n. propr. mulieris ap. Lucian. Luc. c. 28. Hase.]

[Μεγάρᾱ, ἡ, Megara, f. Creontis Theb., Herculis conjux, Hom. Od. Λ, 269, ubi forma Ion. Μεγάρην, Pind. Isthm. 3, 82, et Eur. in Herc. F., Pausan. et alii. L. D. || De Megara matre Ixionis, a Phorbante occisa, Viscont. Mus. Pioclem. t. 5, p. 38, (d). Hase. ᾰᾱ]

Μέγᾰρα, ων, τὰ, loci nomen; ita enim dicitur urbs quædam Isthmo vicina, media inter Peloponnesum, Atticam et Bœotiam. [Verba Stephani Byz., qui addit : Ἐκλήθη δὲ ἀπὸ Μεγαρέως τοῦ Ἀπόλλωνος ἢ τοῦ Αἰγέως κτλ., ἢ διὰ τὸ τραχὺ τῆς χώρας. Memorant Μέγαρα Pind. Ol. 7, 86, etc., Aristophanes aliique Atticorum, historici et geographi. De ceteris Steph. Byz. : Ἔστι καὶ Μέγαρα ἐν Θετταλίᾳ· τρίτη ἐν Πόντῳ· τετάρτη ἐν Ἰλλυρίδι· πέμπτη ἐν Μολοσσίδι· ἕκτη ἐν Σικελίᾳ, ἡ πρότερον Ὕβλη (quod v.). Siculam urbem memorat Strabo 6, p. 267, etc., Syriam 16, p. 752. Porro Steph. Byz. et ex eo HSt.] Sunt inde et localia advv. Μεγάραδε [Μέγαράδε, Aristoph. Ach. 524, « Aristot. Metaphys. 3, p. 75 ed. Brandis.=1008 ed. Bekk. » Boiss.], et Μεγαροῖ [Aristoph. Ach. 758], et Μεγαρόθεν [id. Vesp. 57] : quorum primum significat εἰς Μέγαρα, Megara : secundum, ἐν Μεγάροις, Megaris : tertium, ἐκ s. ἀπὸ Μεγάρων, Megaris, Ex Megarensium agro. Ejus cives dicuntur Μεγαρεῖς, Lat. Megarenses. [Μεγαρεὺς sing. ap. Theognid. 23. Plur. sæpe ap. Aristoph. in Ach. et Pace, aliosque. Μεγαρέας urbis Siculæ memorat Herodot. 7, 156.] Est inde et verb. Μεγαρίζω, Megarenses imitor s. sequor. [Diog. L. 2, 113, ubi μεγαρίσαι de iis qui Stilponis Megarensis dogmata sequerentur.] Aristoph. Ach. [822] : Κλάων μεγαριεῖς· οὐκ ἀφήσεις τὸν σάκον; Megarensium modo flebis; quippe qui quum hostis sis, audeas huc commeare et porcos vendere. Nisi malis, Pœnas dabis et lacrymaberis, ut qui Megarensium factionem ceu hostis secutus sis. [Hesych. : Μεγαρίζοντες, λιμώττοντες, μεγάλα λέγοντες (quod parum probabiliter Μεγαρικὰ λέγοντες scribebat Tyrwhitt. ad Aristot. Poet. c. 22, quum confusa potius a grammaticis videantur verba Μεγαρίζω et Μεγαλίζω s. Μεγαλίζομαι). Eodemque modo Photius s. Suidas. Prior interpr. refertur ad locum Aristoph., ubi v. schol. « Μεγαριστὶ, Megarica lingua. Joann. Alex. Τον. παρ. p. 37. » Osann.] Est inde poss. Μεγαρικὸς, ἡ, ὸν, Megaricus [Aristoph. Ach. 521 etc.], ut Μεγαρικὰ κεράμεα, Μεγαρικὰ πιθάκνια, Μεγαρικοὶ θύννοι, quorum Megaris copia est. [Μεγαρικὰ, Amphoræ, ἀμφορεῖς in Glossis Mss. ad Plutum Aristoph. (808). Et ad Nubes (1203) : Ἀμφορεῖς νενησμένοι, μεγαρικὰ σεσωρευμένα. Ducang.] At Μεγαρικαὶ σφίγγες, proverb. de meretricibus, teste Hesych. [ex Callia afferenti, et Photio, qui ἀπὸ μαίας οὕτω λεγομένης ἐν Μεγάροις sic dictas conjicit, quod recte Dobræus Adv. vol. 1, p. 601, interpretatur Lenam, ut ap. Aristoph. Eccl. 910. [Idem p. 600 eidem Photio recte restituere videtur simile voc. μάμη vel μάμμη, in gl. Μάνην, scribendo μάμην, μαμίαν et μάμαν vel μαμᾶν (quæ tamen omnia duplici potius μ scribenda sunt) pro μάνην, μανίαν et μάναν. De quo suo loco a nobis monitum oportebat in Μάνη, voc. vix Græco.)], qui et aliud proverb. affert, Μεγαρέων δάκρυα, pro Fictitiæ lacrymæ, quod multæ apud Megarenses nascerentur cæpæ, quæ non veras cient lacrymas. [Mich. Psell. Hist ined. f. 347, b : Τῶν ὀφθαλμῶν ἀφαιρεῖται, Μεγαρικῇ σφραγῖδι ἄμφω συνεξελών. Hase.] Item ἡ Μεγαρικὴ dicitur pro ἡ Μεγαρικὴ γῆ, Megarica terra, Megarensium ager : quæ

A et Μεγαρὶς nominatur : nam Μεγαρικὴ et Μεγαρὶς synonyma sunt. [Μεγαρὶς Strabo 3, p. 171, et alibi sæpe. Μεγαρηίς (ap. Nicandr. in fr. ap. Athen. 15, p. 683, B : Νισαίης Μεγαρηΐδος) cum Μεγαρὶς annotavit Steph. Byz. Idem Μεγαρικοὺς dictos philosophos ex Strab. 9, p. 393, memoratos etiam ab Aristot. Metaphys. 8, p. 177, 27 ed. Brand., et aliis. Adv. Μεγαρικῶς Eust. Il. p. 148, 39. Forma poet. Μεγαρήιος in orac. Anth. Pal. 14, 115, 3 : Ἐς Μεγαρήιον ἄστυ Προποντίδος ἄγχι θαλάσσης, de Byzantio, a Megarensibus condito.]

[Μεγαρεὺς, έως, ὁ, Megareus, f. Creontis, ex genere Spartorum. Æsch. Sept. 474. Qui ap. Soph. Ant. 1303 memoratur Μεγαρεὺς, sec. schol. ab aliis perhibebatur prior maritus conjugis Creontis regis Theb., ab aliis i. q. Μενοικεύς. Alii memorantur ab Apollodoro et Pausania.]

[Μεγαρήιος, Μεγαρηίς. V. Μέγαρα.]

[Μεγαρίζω. V. Μέγαρα. || Ap. Clem. Protr. p. 14 : Δι' ἣν αἰτίαν ἐν τοῖς Θεσμοφορίοις μεγαρίζοντες χοίρους ἐκβάλλουσιν, Lobeck. Aglaoph. p. 831 restituit μεγάροις

B ζῶντας χ. ἐμβάλλουσιν.]

[Μεγαρικὸν πολίχνιον, ὃ συγκαταλέγεται ταῖς Βιθυνῶν πόλεσιν· Ἀρριανὸς πέμπτῳ· Ἀστακός τε καὶ Ἡραία καὶ τὸ Μεγαρικὸν ἔθνος, Steph. Byz.]

[Μεγαρὶς, Μεγαριστί. V. Μέγαρα.]

[Μεγάριστος, ὁ, Megaristus, n. viri, ap. Simonid. Anth. Pal. 7, 300, 3, ubi μέγ' ἄριστος cod. Pal. ᾰ]

[Μεγαρόθεν, Μεγαροῖ. V. Μέγαρα.]

Μέγᾰρον, τὸ, Domus, Domicilium : quidam strictius accipiunt, interpretantes κατάγειον οἴκησιν, Subterraneum domicilium [Μέγαρα, τὰς κατωγείους οἰκήσεις καὶ βάραθρα, Hesych. Confert Arab. مغارات *Megaráth*, Cavernæ, Bochart Can. 1, 1. Propius videtur quod idem valet Hebr. מערה *Megaràh*. Dahler.], necnon θεῶν οἴκημα, Deorum ædem. [Porph. Antr. Nymph. c. 6 : Χθονίοις καὶ ἥρωσιν ἐσχάρας, ὑποχθονίοις δὲ βόθρους καὶ μέγαρα ἱδρύσαντο. Pausan. 9, 8, 1 : Δρῶσι (Cereri et Proserpinæ) ἄλλα τε ὁπόσα καθέστηκε σφίσι καὶ ἐς τὰ μέγαρα καλούμενα ἀφιᾶσιν ὗς τῶν νεογνῶν. Conf. Lobeck.

C l. in Μεγαρίζω cit.] Videtur tamen potius de Augusto ædificio dici. Ita enim Hom. appellat Ulyssis domum : velut Od. Υ, [155] : Οὐ γὰρ δὴ [δὴν] μνηστῆρες ἀπέσσονται μεγάροιο. Et Ν, [377] : Οἳ δή τοι τρίετες μέγαρον κατακοιρανέουσι. Sic Il. Ζ, [377] Hector : Πῆ ἔβη Ἀνδρομάχη λευκώλενος ἐκ μεγάροιο; [Od. Π, 341 : Λίπε δ' ἕρκεά τε μέγαρόν τε (πλεῖον δαιτυμόνων additur Ρ, 604)· Χ, 494 : Εὖ διεθείωσεν μέγαρον καὶ δῶμα καὶ αὐλήν. Cum δε encl. Od. Π, 413 : Βῆ δ' ἰέναι μέγαρόνδε, etc. Pind. Ol. 6, 2 : Θαητὸν μέγαρον· Pyth. 9, 36 : Ἐκ μεγάρων.] Eod. modo plurali utitur pro Domo s. Ædibus. Od. Κ, [452] : Δαινυμένους δ' εὖ πάντας ἐφεύρομεν ἐν μεγάροισι· Δ, [210] : Λιπαρῶς γηρασκέμεν ἐν μεγάροισι· Χ : Ἐξελθόντες μεγάρων. || Pro Dei æde s. fano, ap. Suidam : Ὤθεῖ ἑαυτὸν εἰς τὸ μέγαρον, ἔνθα δήπου τῷ ἱεροφάντῃ μόνῳ παρελθεῖν θεμιτὸν ἦν κατὰ τὸν τῆς τελετῆς νόμον. [Quo pertinet quod Athen. monuit 5, p. 193, C : Τῶν ἡρωικῶν οἴκων τοὺς μείζονας Ὅμηρος μέγαρα καλεῖ. Schweigh. Qui hujus signif. exx. Herodotea 1, 47 : Ἐν Δελφοῖσι ὡς ἐσῆλθον τάχιστα ἐς τὸ μ. οἱ Λυδοὶ χρησό-

D μενοι τῷ θεῷ, ἡ Πυθίη λέγει τάδε, et alia annotavit in Lexico Her., monuitque non interiorem significari recessum in hujusmodi ll., ut 2, 169 : Αἱ ταφαί εἰσι ἐν τῷ ἱρῷ τῆς Ἀθηναίης, ἀγχοτάτω τοῦ μεγάρου, et ibid. in seqq., sed μέγαρον inesse ἱρῷ, ut νηὸς in ἱρῷ, non ἱρὸν in νηῷ.] || In Epigr. et pro Stabulo usurpari tradunt.

[Μέγᾰρος, ὁ, Megarus, f. Jovis, ap. Pausan. 1, 40, 1. Arcad. p. 76, 8.]

Μέγαρσις, εως, ἡ, Invidia : φθόνος, Hesych.

Μεγαρτὸς, Invidiosus : Hesychio ἀγνώμων καὶ φθονερός.

Μέγας, Magnus, [Amplus, Grandis, Lautus, add. Gl.] Ingens. Irregulariter in gen. μεγάλου : in dat. μεγάλῳ : in accus. μεγᾰν. Fem. gen. μεγάλη [ᾰ], neutr. μεγᾰ. Est autem μεγάλου tanquam a nomin. Μεγάλος, a quo etiam dicitur factum μέγας per sync., quod sit ἄκλιτον : nam id quoque Eust. tradit, hoc μέγας manere ἄκλιτον διόλου : quod haud scio quomodo verum comperiri possit ubicumque reperitur accus. μέγαν. Affertur autem et vocat. μεγάλε, alioqui rarior, ex Æsch. [Sept. 828] : Ὦ μεγάλε Ζεῦ. Ceterum μέγας de variis magnitudinis modis, ut ita dicam, usurpatur, quos exemplis declarabo. Hom. Od. Δ, [457] : Αὐτὰρ ἔπειτα δράκων καὶ πάρδαλις, ἠὲ μέγας σῦς· Il. Σ, [26] de Achille : Αὐτὸς δ' ἐν κονίῃσι μέγας μεγαλωστὶ τανυσθεὶς κεῖτο. Sic autem Od. I, [513] Cyclops dicit se arbitratum esse Ulyssem illum, a quo Telemus vates cladem ipsi prædixerat, fore φῶτα μέγαν καὶ καλόν. At Σ, [4] non simpliciter μέγας dixit, sed εἶδος δὲ μάλα μέγας ἦν δράασθαι. [Æsch. Sept. 488 : Ἱππομέδοντος σχῆμα καὶ μέγας τύπος. Soph. OEd. T. 742 : Μέγας, χνοάζων ἄρτι λευκανθὲς κάρα· Aj. 1077 : Ἄνδρα, κἂν σῶμα γεννήσῃ μέγα.] Verum ap. eund. Hom. μέγας alicubi ponitur etiam eo sensu quo Gall. dicitur de ad virilem ætatem accedente, *Il devient grand, Il se fait grand, Il est devenu grand :* et quidem de Eo qui non magnæ alioqui s. proceræ sit staturæ, si cum aliis compararetur. Od. Σ, [216] : Νῦν δ' ὅτε δὴ μέγας ἐσσὶ καὶ ἥβης μέτρον ἱκάνεις. Sic et alibi. [Æsch. Ag. 358 : Μήτε μέγαν μήτ' οὖν νεαρῶν τινα.] Dicitur tamen et de alia ætate illud a nostratibus. Apud Eund. [Od. I, 139], μέγα ῥόπαλον Cyclopis. Dicitur et μέγαν ἱστὸν, ac μέγαν πέπλον, item μέγα δῶμα et λάεσσι μεγάλοις : aliis denique multis tribuit hoc nomen. Huic autem opposuit ὀλίγον, Od. K, [94] loquens περὶ κύματος. At in soluta oratione ei potius opponitur μικρός. Thuc. autem opposuit etiam βραχεῖαν πρόφασιν τῇ μεγάλῃ : in qua itidem variis rebus tribuitur. [Omissis exx. vulgaribus, in quibus proprie dicitur de locis aliisve rebus, pauca alius generis addimus. Ἔπος μέγα Soph. Aj. 423, et μηδὲν μέγ' εἰπεῖν 386. Et similiter Ant. 127 : Μεγάλης γλώσσης κόμπους. Eur. Herc. F. 1244 : Ἴσχε στόμ', ὡς μὴ μέγα λέγων μεῖζον πάθῃς.] Aliquando vero dicitur μέγας respectu aliorum : ut quum ἀντίχειρ, Pollex, vocatur ab Hippocr. μέγας δάκτυλος, Magnus digitus. Appellatur itidem a Medicis quædam vena μεγάλη φλέψ, quæ sc. ab Anatomicis Porta. Sic et μεγίστη, quæ ab illis Cava. Sed et μεγάλη νόσος, Magnus morbus, appellata fuit epilepsia. Necnon quidam σφυγμὸς, Pulsus, nominatus fuit μέγας. Legimus præterea ap. eosdem Medicos μέγα κολλούριον, de Collyrio diarrhodon : item μέγας τροχίσκος. Legimus præterea ap. Galen. Ad Glauc. σπλὴν μέγας, de Liene qui intumuit, quod videlicet magnus sit præ eo, qui fuit, et qui esse debet. [Hæc omnia secundum Gorræum hic posita v. in nominibus adjunctis. Pariterque alia nonnulla, ut μεγάλη μήτηρ in Μήτηρ, μεγάλη Ἑλλὰς in Ἑλλάς. Hic tamen memorandum quod est ap. Ducangium : Μεγάλη βοτάνη, in Glossis iatricis Mss. ἐστὶ κριθὴ, Hordeum. Et Μεγάλοι θεοὶ in inscr. Deliaca ap. Bœckh. vol. 2, p. 241, n. 2296, 4 : Ἱερεὺς γενόμενος θεῶν μεγάλων Διοσκόρων Καβείρων, ut alia Deliaca ib. p. 225, n. 2270, 18 : Ἱερεὺς γενόμενος τῶμ μεγάλων θεῶν. Μεγάλη θεὸς ap. Aristoph. in Lemniis Diana Bendis. V. Hesych. s. Photius v. M. θ., coll. Steph. Byz. in Λῆμνος.] Interdum autem μέγας adjunctum habet accus. subaudita præp. κατὰ, ut quum dicit Soph. [Aj. 1253] : Μέγας δὲ πλευρὰς βοῦς, ubi Lat. pro illo accus. utuntur dativo; dicunt enim Bos qui est magnis lateribus, i. e. Magna latera habens, sicut μέγας πλευρὰς resolvendum in μεγάλας πλευρὰς ἔχων.

|| Μέγας variis in ll. potest vel itidem nomine Magnus, vel aliis reddi : ut quum dicitur [Soph. Aj. 1148] μέγας χειμὼν, Magna s. Vehemens tempestas, s. Atrox, Violenta. Vocarent autem et Sævam poetæ. Huc pertinet μέγα κῦμα ap. Hom., item μέγας ζέφυρος, quod exp. σφοδρός. || Μέγας πλοῦτος, Magnæ vel Amplæ divitiæ. [Æsch. Pers. 163.] At μέγα κράτος, Magnum imperium; μεγάλη ἰσχὺς, Magna potentia : quæ passim obvia sunt. Sed μεγάλα χρήματα dixeris potius Ingentes pecuniæ, vel, sicut Græce quoque dicitur potius πολλὰ χρήματα, Multæ pecuniæ, Magna vis pecuniarum. Invenitur autem et μέγας εἰς χρήματα, q. d. Magnus quod ad pecunias attinet, pro Valde dives, Prædives. [M. νοῦς Pind. Pyth. 5, 122; κλέος Ol. 8, 10, ἀρετὴ ib. 5, ὄλβος Ol. 1, 56, τιμὴ Pyth. 4, 148, ἔργα Nem. 3, 42. Ὠφέλημα Æsch. Prom. 251, κέρδος Eum. 990, et alibi cum iisdem nominibus ac Pindarus et similibus ipse et alii quivis.] || Μέγας

A dicitur præterea respiciendo ad magnam potentiam, unde μέγας appellatur Jupiter [ap. Hom. aliosque poetas, velut Pind. Ol. 7, 34 : Θεῶν ὁ μ. βασιλεύς. Æsch. Suppl. 1053 : Ὁ μέγας Ζεύς. Et alibi cum aliis, etiam de aliis diis] : tribuiturque et aliis diis interdum, necnon deabus. Bion [3, 1] : Ἁ μεγάλα μοι Κύπρις ἔθ' ὑπνώοντι παρέστα. Sic et μέγας βασιλεὺς appellabatur Rex Persiæ. [Æsch. Pers. 24 et al. in Βασιλεύς. De aliis regibus Soph. Aj. 189 : Οἱ μεγάλοι βασιλῆς.] Et Ἀντίοχος ὁ προσαγορευθεὶς μέγας, Athen. [4, p. 155, B. Et Alexander aliique de quibus Schweigh. ad Polyb. 18, 18, 9, ubi quod est Ποπλίου τοῦ μεγάλου κληθέντος, de Scipione Africano priori, ut de eodem ib. 32, 12, 1; 13, 1, ap. Diod. Exc. p. 586, 77, Plut. Cat. maj. c. 11 et Polyæn. 8, 14, 2, interpretes non Magnum, sed quem Latini Majorem dicunt, intelligi animadvertunt.] Sed et aliquis dicitur γίνεσθαι μέγας ab Aristot., i. e. Evadere magnus, qui sibi magnam acquirit potentiam. A Dem. autem [p. 20, 9] dicitur etiam αἴρεσθαι μέγας, item [p. 19, 19] αὔξεσθαι μέγας.
B Huc pertinet μεγάλους ποιῆσαι ap. Xen. Hell. [6, 3, 12.] Apud quem legitur etiam Cyrop. 7, [2, 23] : Μέγιστος ἂν εἴην ἀνθρώπων, Gall. *Je serois le plus grand homme du monde*, vel *le plus grand personnage*. [Soph. fr. Iphig. ap. Photium s. Suidam in Πενθερὸς cit. : Σὺ δ' ὦ μεγίστων τυγχάνουσα πενθερῶν. Et positivo Aj. 158 : Καίτοι σμικροὶ μεγάλων χωρὶς σφαλερὸν πύργου ῥῦμα πέλονται· μετὰ γὰρ μεγάλων βαιὸς ἄριστ' ἂν καὶ μέγας ὀρθοῖθ' ὑπὸ μικροτέρων. Ib. 206 : Ὁ δεινὸς μέγας ὠμοκρατὴς Αἴας· 225 : Τῶν μεγάλων Δαναῶν ὕπο κληζομέναν· Phil. 721 : Εὐδαίμων ἀνύσει καὶ μέγας ἐκ κείνων· OEd. T. 441 : Τοιαῦτ' ὀνείδιζ', οἷς ἔμ' εὑρήσεις μέγαν· 651 : Τὸν οὔτε πρὶν νήπιον νῦν τ' ἐν ὅρκῳ μέγαν καταίδεσαι. Memorandum hic etiam μέγας de animo dictum Soph. Aj. 154 : Τῶν γὰρ μεγάλων ψυχῶν ἱεὶς οὐκ ἂν ἁμάρτοι.] Sed longe etiam alio sensu dixit Isocr. μεγάλα ποιεῖν τὰ τῶν βαρβάρων, quam Xen. ibi μεγάλους ποιῆσαι. Dixit enim Isocr. μεγάλα ποιεῖν eo sensu quo dicimus Gallice *Faire les choses grandes*, veluti quum ita loquimur, *Vous faites les choses trois fois plus grandes qu'elles ne*
C *sont*, de iis qui res verbis extollunt supra veritatem : Paneg. [p. 70, C] : Καὶ ταῦτ' ἐστὶ τὰ βασιλικώτατα καὶ σεμνότατα τῶν ἐκείνῳ πεπραγμένων, καὶ περὶ ὧν οὐδέποτε παύονται λέγοντες οἱ βουλόμενοι τὰ τῶν βαρβάρων μεγάλα ποιεῖν. Ceterum μέγας, si credere dignum est, derivatur a μὴ et γῆ, tanquam qui non sit amplius πρὸς γῆ, sed ὑπεραναβὰς τὴν γῆν. Ita enim Eust. p. 1447. [In malam partem ut sit Gravis, μ. κίνδυνος, ap. Pind. Ol. 1, 81, πότμος, Pyth. 8, 86, ἄχη ap. Æsch. Sept. 78, et alibi cum similibus nominibus, ut πένθος, ἄτη, βλάβη, ὀδύνη, ἔχθος, χόλος, κακὸν, νεῖκος, ἔρις, θυμὸς ap. ipsum vel ceteros Tragicos et alios omnes. || Vicissim in bonam conjungitur cum nominibus hujusmodi ut χάρις ap. Theocr. Epigr. 17, 10 : Μεγάλα χάρις αὐτῷ· et Soph. Trach. 1264 : Μεγάλην μὲν ἐμοὶ τούτων θέμενοι συγγνωμοσύνην, μεγάλην δὲ θεοῖς ἀγνωμοσύνην (appensa his εἰδότες ἔργων τῶν πρασσομένων non Sophoclis duco, sed ejusdem vel similis hominis qui ante v. 912 indignum Sophocle interjecit emblema, de quo in Οὐσία dicam, vel Phil. post v. 1441 trium versuum
D perabsurdum, de quo in Συνθνήσκω agetur). Et cum aliis multis vocc. ut ὄκνος Soph. Aj. 139 : Μέγαν ὄκνον ἔχω· 142 : Μεγάλοι θόρυβοι κατέχουσ' ἡμᾶς. Et alius generis, ut Æsch. Prom. 732 : Ἔσται δὲ θνητοῖς εἰσαεὶ λόγος μέγας τῆς σῆς πορείας. Soph. Aj. 173 : Ὦ μεγάλα φάτις· 226 : Ἀγγελίαν, τὰν ὁ μέγας μῦθος ἀέξει· 465 : Στέφανον εὐκλείας μέγαν· 714 : Πάνθ' ὁ μέγας χρόνος μαραίνει. Μέγας dicitur etiam Qui multum confert, valet, ad aliquid, Potens, Validus, Gravis. Æsch. Eum. 273 : Μέγας γὰρ Ἅδης ἐστὶν εὔθυνος βροτῶν· Ag. 1290 : Ὀμώμοται γὰρ ὅρκος ἐκ θεῶν μέγας, quomodo est ap. Hom. Il. A, 233 : Ἐπὶ μέγαν ὅρκον ὀμοῦμαι, aliisque ll. in Ὅρκος citandis. Soph. Aj. 934 : Μέγας ἄρ' ἦν ἐκεῖνος ἄρχων χρόνος· OEd. T. 871 : Μέγας ἐν τούτοις θεὸς, οὐδὲ γηράσκει· 987 : Καὶ μὴν μέγας γ' ὀφθαλμὸς οἱ πατρὸς τάφοι· Antig. 797 : Τῶν μεγάλων οὐχὶ πάρεδρος θεσμῶν. Eur. Or. 788 : Οὐκοῦν οὗτος οἰωνὸς μέγας. Unde est epith. Fati, Soph. Phil. 1466 : Ἔνθ' ἡ μεγάλη Μοῖρα κομίζει· Æsch. Cho. 306 : Ὦ μεγάλαι Μοῖραι. Sic fere dicitur etiam μ. φίλος, de quo conf. Μέγιστος, Eur.

Med. 549 : Εἶτα σοὶ μέγας φίλος. Atque his similibusve modis etiam in prosa ap. omnes usitatum est. Præter constructiones eas de quibus supra, notanda constructio cum dat., Eur. Tro. 669 : Σὲ δ', ὦ φίλ' Ἕκτορ, εἶχον ἄνδρ' ἀρκοῦντά μοι, ξυνέσει, γένει, πλούτῳ τε κἀνδρείᾳ μέγαν. Cum præp. εἰς ap. Xen. H. Gr. 7, 5, 6 : Μέγα ἂν τοῦτο γενέσθαι τοῖς μὲν σφετέροις συμμάχοις εἰς τὸ ἐπιρρῶσαι αὐτοὺς κτλ., et alibi. Cum πρὸς Comm. 2, 3, 4 : Πρὸς φιλίαν μέγα ὑπάρχει τὸ κτλ. Cum infin. Xen. Eph. 1, 13, p. 23, 10 : Νεανίας ὀφθῆναι μέγας. || Μέγας, Abbas, Hegumenus, vel certe major natu inter Monachos. Hieronymus Dalm. in Historia Ms. SS. Ægypti p. 160 : Ἔθος τοῖς μεγάλοις μὴ πρότερον προῖεσθαι τροφὴν τῇ σαρκὶ πρὶν ἢ τὴν πνευματικὴν τροφὴν τῇ ψυχῇ παραδοῦναι. Aliique Byzantini ap. Ducang. || Μεγάλη, Abbatissa, Præfecta monasterio sanctimonalium, in Vita S. Eupraxiæ n. 10, 15, 26, 32, ap. eund.]

|| Μέγα peculiaria etiam quædam loquendi genera efficit, in quibus aliquando nomen neutrum remanet, aliquando in adverbium transit, præsertim vero ap. poetas : ut ex seqq. patebit exemplis. Μέγα φέρει, Magni refert, πολὺ διαφέρει. Plato De Rep. 5, [p. 449, D] : Μέγα γάρ τοι φέρειν οἰόμεθα καὶ ὅλον εἰς πολιτείαν, ὀρθῶς ἢ μὴ ὀρθῶς γιγνόμενον· sicut Gallica lingua dicere solet, *Il emporte beaucoup*. [Eur. Iph. A. 563 : Τροφαὶ δ' αἱ παιδευόμεναι μέγα φέρουσιν εἰς ἀρετάν. Cum eod. verbo alia phrasi Soph. OEd. T. 638 : Οὐ μὴ τὸ μηδὲν ἄλγος ἐς μέγ' οἴσετε;] Xen. autem dixit μέγα δύνασθαι, Quod est magni momenti. Alioqui μέγα δύνασθαι legitur et de persona, sc. de eo qui magna potentia præditus est : ut in Δύναμαι docui ex Hom. et Thuc. [et aliis, vol. 2, p. 1704, A, B. Lobeck. ad Phryn. p. 197 : « Ἐπὶ μέγα δυνηθεὶς Joseph. A. J. 17, 10, 5, pro ἐπὶ μέγα δυνάμεως προήκων. In Strab. 9, p. 427, pro μέγα edd. quædam μεγάλα δυνάμενοι, quod est Xen. Eph. 4, 8. Sic μέγα λέγειν et μεγάλα, μέγα πνεῖν et μεγάλα (Liban. vol. 4, p. 791), μέγα βλάπτειν, Lycurg. C. Leocr. p. 184 et μεγάλα p. 216 et al. »] Jungitur autem et quibusdam verbis, cum quibus etiam componitur : ut μέγα φρονεῖν, et comp. μεγαφρονεῖν, s. potius μεγαλοφρονεῖν. [V. Φρονέω.] Interdum autem cum genit. Thuc. 2, [97] : Ἐπὶ μέγα ἰσχύος, cum verbo ἦλθεν. At μέγα ponitur adverbialiter pro μεγάλως a Xen. [Cyrop. 5, 1, 28] : Μέγα εὐδαίμονας γενέσθαι, quo utuntur modo potius poetæ [ut Æsch. Prom. 648 : Ὦ μέγ' εὐδαίμων κόρη]; item [5, 3, 30] : Μέγα βεβλάφθαι. Idem tamen dixit [3, 1, 27] : Οὐδέν τι μέγα λυπουμένους, ubi ne μέγα pro adverbio habeamus obstant illa, οὐδέν τι. [Æsch. Prom. 1003 : Τὸν μέγα στυγούμενον· Cho. 137 : Οἱ δ' ὑπερκόπως ἐν τοῖσι σοῖς πόνοισι χλίουσιν μέγα· 255 : Καί σε τιμῶντος μέγα· Eum. 992 : Τάσδε μέγα τιμῶντες· 12 : Σεβίζουσιν μέγα· 114 : Ὑμῖν ἐγκατιλλώψας μέγα. Soph. Aj. 1385 : Ἐφυβρίσαι μέγα. Et in μέγα αὐχεῖν, quod v. in Αὐχέω.] Hom. autem μέγα adverbialiter posito alios etiam usus tribuit; jungit enim et comparativo et superlativo, dicens μέγ' ἀμείνονες, μέγ' ἄριστος : sicut Lat. Multo vel Longe præstantior, Longe præstantissimus dicunt. [Et cum positivo Od. O, 227 : Ἀφνειὸς Πυλίοισι μέγ' ἔξοχα δώματα ναίων· Φ, 266 : Αἶγας ἄγειν, αἳ πᾶσι μέγ' ἔξοχοι αἰπολίοισιν. Hesiod. Op. 130 : Παῖς ... μέγα νήπιος· 284 : Μέγα νήπιε Πέρση. Eur. Hec. 493 : Πριάμου τοῦ μέγ' ὀλβίου· Or. 1338 : Μητρὶ τῇ μέγ' ὀλβίᾳ· fin. : Ὦ μέγα σεμνὴ Νίκη. Cum subst. Hesiod. Theog. 486 : Οὐρανίδῃ μέγ' ἄνακτι, θεῶν προτέρῳ βασιλῆι.] Idem hoc μέγα jungit sæpe verbo κρατεῖν : Il. A, [78] : Ὃς μέγα πάντων Ἀργείων κρατέει, καί οἱ πείθονται Ἀχαιοί, ubi crediderim μέγα tale quid sonare, quale Latinis Longe lateque cum verbo Imperare; nam interpretantibus, Qui plurimum potest s. pollet ex omnibus Græcis, Qui maximum præ ceteris omnibus Græcis imperium obtinet, ut sc. μέγα jungatur cum genitivis πάντων Ἀργείων, iis, inquam, qui ita interpr., assentiri nullo modo possum, quum alibi passim jungat hoc adverbium eid. verbo κρατεῖν, non adjecto ullo genitivo : quibus etiam ll. aptior illa mea interpret. fuerit, Od. O, [274] : Μέγα δὲ κρατέουσιν Ἀχαιοί· Il. Π, [172] : Αὐτὸς δὲ μέγα κρατέων ἤνασσε. Item Od. Λ, [484] ubi dativo jungitur, Νῦν αὖτε μέγα κρατέεις νεκύεσσιν. Audivi autem et qui μέγα κρατεῖν verterent Pro potestate et imperio dominari. [Æsch. Ag. 938 : Φήμη δημόθρους μέγα σθένει. Soph. OEd. C. 734.] Videtur porro μέγα esse adverbium, et quum dicitur μέγα δύνασθαι, μέγα δυνάμενος : atque adeo redditur Latine Qui multum potest, Valde potens. Sed et cum aliis verbis μέγα Homero est Valde, s. Vehementer. Sciendum est autem Homerum dixisse etiam Μεγάλα adverbialiter : Od. Ξ, [354] : Μεγάλα στενάχοντες. [Et cum aliis verbis similibus, ut βροντᾶν, ἰαχεῖν etc. ipse aliique, ut Æsch. Eum. 936 : Μέγα φωνοῦντα· Cho. 311 : Μεγ' ἀϋτεῖ. Soph. Phil. 574 : Μὴ φώνει μέγα· Aj. 1122 : Μέγ' ἄν τι κομπάσειας· OEd. T. 1023 : Κᾆθ' ὧδ' ἀπ' ἄλλης χειρὸς ἔστερξεν μέγα; Phil. 419 : Μέγα θάλλοντές εἰσι νῦν ἐν Ἀργείων στρατῷ. (Conf. infra Μέγιστος).]

[|| De comparativo HSt. :] Pro Μείζων annotant quidam inveniri etiam Μεγαλώτερος, regul. compar. [Jo. Diac. ad Hesiodi Sc. 257 : Τῶν ἄλλων θεαινῶν μεγαλωτέρα. Schol. Eur. Hec. 636, Moschop. Π. σχεδ. p. 131, coll. Boiss. Anecd. vol. 2, p. xi. Schol. Philostr. Her. p. 470, 496, ab Schæf. cit. L. Dind. Codin. De off. Palat. 7, 29 : Ἀπὸ τοῦ μεγαλωτέρου μέχρι καὶ μικροτέρου. Ducang. Qui ex scriptoribus græcobarbaris annotavit etiam formam Μεγαλίτερος.] Sed in eo Aristot. l. in l. De mundo [c. 6, p. 398, 14], unde affertur, habentur et aliæ duæ lectiones [veram v. in Μεγαλότεχνος] : nec alioqui comparativus ille convenire posse videtur habendo eam quam μείζων habet signif. [Ipsum Μείζων v. suo loco inter cetera ab eo formata vocc.]

|| Μέγιστος, Maximus. Sequitur autem signiff. positivi μέγας, unde redditur etiam interdum Amplissimus : atque ut positivus μέγα adverbialiter positus jungitur cum δύνασθαι et cum φθέγγεσθαι, sic etiam μέγιστον, et ipse adverbialem usum præstans. Dicitur enim μέγιστον δύνασθαι a Thuc. 2, pro Plurimum posse, Maxima potentia præditum esse, Potentissimum esse : itidemque μέγιστον φθέγγεσθαι sequitur signif. τοῦ μέγα φθέγγεσθαι. [Pariterque aliæ locutiones sequuntur usum positivi, ut Soph. OEd. C. 700 : Ὃ τᾷδε θάλλει μέγιστα χώρᾳ· Phil. 462 : Χαίρ' ὡς μέγιστα· OEd. T. 1202 : Τὰ μέγιστ' ἐτιμάθης· 1223 : Ὦ γῆς μέγιστα τῆσδ' ἀεὶ τιμώμενοι.] Unde etiam μέγιστος cum τὸ σῶμα, pro Valde procero, Procerissimo, sicut μέγας de Procero, ap. Herodian. 7, [1, 26]. Necnon tribuitur diis, quemadmodum μέγας illis tribui, dictum supra fuit. Hom. Il. B, [412] : Ζεῦ κύδιστε, μέγιστε, κελαινεφὲς, αἰθέρι ναίων, ubi reddi potest ad verbum Maxime : sicut a Latinis Jovem appellari audimus Optimum maximum. [Epith. Cæsaris in inscr. Megar. ap. Bœckh. vol. 1, p. 567, n. 1075, 4, Perinthia vol. 2, p. 67, n. 2022, 7, Theræa p. 374, n. 2457, 4. Alia loquendi genera sunt Soph. El. 46 : Μέγιστος αὐτοῖς τυγχάνει δορυξένων· Aj. 1331 : Φίλον σ' ἐγὼ μέγιστον Ἀργείων νέμω. Pro quo Eur. Herc. F. fin. : Τὰ μέγιστα φίλων ὀλέσαντες.] In hoc quoque loquendi genere quod in soluta oratione sæpe occurrit, καὶ τὸ μέγιστον, vel τὸ δὲ μέγιστον, retinet istam signif. hic superlat. Potest enim reddi Quod maximum est; sic tamen ut non minus apte reddatur et aliis modis : sc. Et quod præcipuum est : aut, Præcipue autem, s. In primis, vel, Et quod caput est. Thuc. [8, 96] : Τοσαύτη ξυμφορὰ ἐπεγεγένητο, ἐν ᾗ ναῦς τε, καὶ τὸ μέγιστον, Εὔβοιαν ἀπολωλέκεσαν· 4, p. 144 [c. 70] et p. 156 [c. 108] habes, Τὸ δὲ μέγιστον. [Eodem similibusve modis utraque formula sæpius utuntur Xenophon et alii.] Sed Idem dicit etiam μέγιστον δὲ, sine articulo : 1, [142] : Μέγιστον δὲ, τῇ τῶν χρημάτων σπάνει κωλύσονται, ὅταν κτλ., i. e., Et quod maximum est, inopia pecuniarum prohibebuntur. Sed paulo etiam libentius ita reddiderim, serviendo Latinæ structuræ orationis, Maximum est autem quod prohibebuntur. Item Plato Leg. εἰς μέγιστα dixit pro adverbio Maxime, VV. LL. Μέγιστον Cic. ap. Plat. vertit Difficillimum, ut videbis p. 13 mei Cic. Lex. [|| Μέγιστοι dicti ap. Cataphryges Hæreticos Qui ad majorem perfectionem pervenerant, in Concil. Laodic. c. 8. Ducang.]

|| Μέγιστον, adv. Maxime, Plurimum, Admodum. [Soph. Aj. 502 : Μέγιστον ἴσχυσε στρατοῦ.] Thuc. 7, [44] : Μέγιστον δὲ καὶ οὐχ ἥκιστα ἔβλαψεν. Plato Leg., μ. διαφέρειν, Plurimum differre; at de μέγιστον δύνασθαι et

de μ. φθέγγεσθαι dixi modo. Et cum superl. ap. Eur. [Med. 1323] : Μέγιστον ἐχθίστη. Crediderim autem Eur. ita loquendo imitari voluisse Homerum, qui hunc ipsum superl. ἔχθιστος junxit superlativo μάλιστα. [« Alioqui μάλιστα pro Potissimum. Vide Append. ad Atticism. in Pleonasmo. » HSt. Ms. Vind. Pro quo Μεγίστως ap. Aristeam Hist. LXX intt. p. 105, D : M. τετιμημένος. Gl. Soph. OEd. C. 700. || Superlat. Μεγαλώτατος ap. Etym. M. p. 780, 1. L. D. Alia ejus forma ap. Jul. Afric. Cest. p. 305, 38 : Ὡς ἰσχυροτάτων καὶ μεγιστοτάτων. HASE.]

|| Μεγάλως, Magnifice, Demetr. Phal. Ap. Herodian. autem Valde, Vehementer, 4, [15, 4] : M. ἔβλαπτον. [Hom. Od. Π, 432 : Ἐμέ τε μ. ἀκαχίζεις· Il. P, 723 : Ὕψι μάλα μεγάλως. Hesiod. Theog. 429 : Ὧ δ' ἐθέλει, μεγάλως παραγίγνεται ἠδ' ὀνίνησιν. Theognis 1170 : Ἐπεὶ μεγάλως ἤλιτες ἀθανάτους, ut librorum emendata est scriptura μεγάλους. Æsch. Pers. 904 : Δμαθέντες μ. πλαγαῖσι ποντίαισι· 1019 : Ὄλωλεν μ. τὰ Περσῶν. Eur. Med. 123 : Εἰ μὴ μ., ὀχυρῶς γ' εἴη καταγηράσκειν· 183 : Πένθος γὰρ μ. τόδ' ὁρμᾶται· Tro. 843 : Τότε μὲν μ. Τροίαν ἐπύργωσας. Xen. Cyrop. 8, 2, 10 : M. εὐεργετεῖν· Anab. 3, 2, 22, ἐξαπατηθῆναι. Plato Hipp. maj. p. 291, E : Θαυμασίως τε καὶ μ. εἴρηκας· Euthyd. p. 284, E : Τοὺς μεγάλους μεγάλως λέγουσι.] Pro μεγάλως dicitur etiam Μεγαλωστὶ, addita particula τι ut in νεωστὶ, itidem Magnifice : Τάρχυον μεγαλωστὶ, Apoll. Arg. 2, [838. Herodot. 5, 67 : Ἐώθεσαν μ. κάρτα τιμᾶν τὸν Ἄδρηστον· 6, 70 : Ὑπεδέξατο αὐτὸν μ.] Et, M. τὴν θεὸν ἐτίμησεν, Athen. 14. Sic Lucian. [Zeuxid. c. 8] : Παρασκευασθείσης οὐ μ. [Polyb. 28, 11, 5 : Τὴν προαίρεσιν ἀποδεχομένου μ.] Ap. Herodot. autem pro Valde, Vehementer : ut [2, 161], μ. προσέπταισε, Vehementer offendit. Sed potest et per nomen Magnus reddi, hoc modo, Magnam offensionem accepit, vel Magnam cladem. At Hom. usus est Il. Π, [776] cum μέγας : Κεῖτο μέγας μεγαλωστὶ, schol. ἐπὶ μέγαν τόπον, et quidam Late. Sic utitur et Od. Ω, [40. Σ, 26 : M. τανυσθείς.] Sonare certe videtur q. d. Magnus magnum locum occupans. Sed diceretur potius Amplus amplum locum occupans, Amplo corpore per amplum locum porrecto. [Μεγάλως δή τι Pausan. 8, 16, 4 : M. δή τι αὐτὸν θαυμάζοντες. De forma v. Apollon. in Bekk. An. p. 572, 14, 27.]

[Μέγας, α, ὁ, Megas, unde patron. Μεγάδης ap. Hom. Il. Π, 695. Ipsum Μέγας ponit Etym. M. p. 553, 24, et Eust. Il. p. 1081, 55. Μέγας episcopus memoratus ap. Procop. Pers. 2, 6, etc.]

[Μέγασα, ὡς Γέρασα, πόλις Λιβύης. Ἑκαταῖος Περιηγήσει Ἀσίας κτλ., Steph. Byz.]

[Μεγασθενέτης, ὁ, i. q. sequens. Apollin. Metaphr. p. 236, 248, 286.]

Μεγασθενὴς, ὁ, ἡ, [pro μεγαλοσθενὴς] poeticum potius est, itidem pro Viribus multum potens. [Pind. Ol. 1, 25 : Μεγασθενὴς Γαιάοχος· Isthm. 4, 2 : Μεγασθενῆ νόμισαν χρυσόν· fr. ap. Dion. Chr. Or. 12, vol. 1, p. 416 : Δωδωναῖε μεγασθενές. Æsch. Sept. 70 : Ἐρινὺς πατρὸς ἡ μεγασθενής· Cho. 270 : Λοξίου μ. χρησμός· Eum. 61 : Λοξίᾳ μεγασθενεῖ.] Apollon. [Rh. 1, 181.]

[Μεγασθένης, ους, ὁ, Megasthenes, historicus, sæpe memoratus ab Strabone aliisque. V. Fabric. B. Gr. vol. 3, p. 45.]

Μεγάσυρνος, Uvæ species in Cnido, Hesych.

[Μεγασχίδης, ὁ, ἡ.] Μεγασχιδεῖ, Hesychio μέγα σχίσμα ἐχούσῃ, Magna rima fissæ.

[Μεγάτας, α, ὁ, Megatas, n. viri, in inscr. Spart. ap. Bœckh. vol. 2, p. 666, n. 1373, 10.]

[Μεγατειχὴς, ὁ, ἡ, Qui magnos habet muros. Theod. Prodr. in Notitt. Mss. vol. 7, p. 255. ELBERLING.]

[Μεγατῖμος, ὁ, ἡ, Valde pretiosus. Ælian. V. H. 8, 7 : Ὑφῆς βαρβαρικῆς μεγατίμου. WAKEF. Alia forma Theophyl. Simoc. Hist. p. 139, 9 ed. Bonn. : Ἀνδρὸς παρὰ Πέρσαις μεγατιμίου. Id. ib. p. 52, 5, et 173, 11 : Δώροις μεγατιμίοις. HASE.]

[Μεγάτῖμος, ὁ, Megatimus, n. viri, ap. Archiloch. Anth. Pal. 7, 441, 1.]

[Μεγάτολμος, ὁ, ἡ, Valde audax. Manetho 3, 49.]

Μεγαυχὴς, ὁ, ἡ, Magna jactans, Epigr. [Antipatri Sid. Anth. Pal. 7, 427, 7 : Καὶ ὁ σκάπτροισι μεγαυχὴς χὠ θάλλων ἥβᾳ τέρμα τὸ μηδὲν ἔχει, ubi tamen vertendum Glorians, Superbus. Gloriosus est ap. Pind. Nem. 11,

A 21 : Μεγαυχεῖ παγκρατίῳ. Æsch. Pers. 642 : Δαίμονα μεγαυχῆ. Meleag. Anth. Pal. 7, 427, 13 : Πάτραν δὲ μεγαυχῆ ματέρα Φοινίκων. Epigr. Anth. Plan. 102, 5 : Αἱ δὲ μεγαυχεῖς Θῆβαι νῦν μύθων εἰσὶν ἀπιστότεραι. Oppian. Hal. 1, 64 : Παιδὶ μεγαυχέϊ.]

[Μεγαφέρνης, ους, ὁ, Megaphernes, Persa, ap. Xen. Anab. 1, 2, 20. Cui simillimum nomen Μεγαβέρνης ap. Ctesiam Photii Bibl. p. 96, 27.]

Μεγαφρονέω, affertur pro Nimis magnos spiritus sumo s. animos, Insolesco, Nimis magnifice de me sentio, quod potius citra compositionem μέγα φρονῶ dicitur. [Et sic separatim scribendum quum alibi sæpe tum ap. Papp. præf. Coll. math. p. 15, 22 : Ἐφ' ᾧ μέγα φρονεῖ· ubi ed. Halley. conjunctim, μεγαφρονεῖ. HASE.]

[Μεγαφρονίμως, Sapienter, si recte legitur ap. Galen. vol. 19, p. 212, ubi comparat. : Καὶ τοῦτο μεγαφρονιμώτερον ἐν τῷ περὶ νούσων. HASE.]

Μεγάφρων, ονος, ὁ, ἡ, ap. poetas i. q. μεγαλόφρων. Sed μεγάφρων teste Hesych. est etiam μεγάλως ἄφρων :
B is enim μεγάφρονες exponens, esse dicit μεγαλόφρονες, vel μεγάλως ἄφρονες. Quæ expos. non video quomodo stare possit, nisi μεγάφρονες, quod ita exponemus, imaginemur ex μέγ' ἄφρονες esse compositum : nec dubito quin is qui hac in signif. usus est, quicunque ille sit, jocari ex ambiguitate voluerit. [Μεγάφρων pro μεγαλόφρων non magis testatum est quam μεγαφρονεῖν pro μεγαλοφρονεῖν.]

[Μεγάφωνος, ὁ, ἡ, i. q. μεγαλόφωνος. Anna Comn. 1, p. 21, C, ubi adv. Μεγαφώνως.]

Μεγαχήσεται, Hesych. μέγα βοήσει, Ingentem clamorem edet. [« Quasi μέγ' ἀχήσεται. » Soping. Verbum ἰαχεῖν desiderabat Albert.]

[Μεγεθίζω, Niceph. Blemm. p. 17.]

[Μεγέθιος, ὁ, Megethius, n. viri, ap. Procop. Gaz. Epist. 49, Alexandrini ap. Simplicium In Aristot. De cœlo fol. 148, A, sive Cramer. Mus. philol. vol. 2, p. 625.]

[Μεγεθοποιέω, Grandem facio. Schol. Oribasii p. 33 : Πιμελὴ παρὰ τὴν φύσιν μεμεγεθοποιημένη. Sext. Emp.
C 7, 109. De dictione Longin. De subl. c. 40, 1 : Ἐν δὲ τοῖς μάλιστα μεγεθοποιεῖ τὰ λεγόμενα, καθάπερ τὰ σώματα, ἡ τῶν μελῶν ἐπισύνθεσις. « Magni facere, in Vita S. Syncleticæ n. 52, B : Εἰ γὰρ ἀμελὴς καὶ νωθρὰ εὑρεθείη ἡ ψυχὴ, καὶ εἰ μικρόν τι ποιήσει χρηστὸν, θαυμάζειν καὶ μεγεθοποιεῖν δέον αὐτήν. » DUCANG.]

[Μεγεθοποιὸς, ὁ, ἡ, Grandiloquentiam efficiens, Granditatem orationi afferens. Longin. De subl. c. 39, 4 : Εὐγενέστατοι δ' οὗτοι (οἱ δακτυλικοὶ ῥυθμοὶ) καὶ μεγεθοποιοί.]

Μέγεθος, ους, τὸ, Magnitudo. [Culmen, Prolixitas, Enormitas add. Gl.] Isocr. Panegyr. [p. 42, C] : Τοῖς μικροῖς μέγεθος προσθεῖναι. Lucian. : Τηλικοῦτος τὸ μέγεθος. Id. [Hermot. c. 71] : Κολοσσιαῖοι τὸ μέγεθος· et [ib. c. 40] : Ὅσον δὴ κυαμιαῖοι τὸ μέγεθος. Operæ pretium est autem hic considerare, quomodo in eadem catachresi variæ linguæ inter se consentiant, usurpante lingua Græca μέγεθος, Latina Magnitudo, Gallica *Grandeur,* ut ceteras in præsentia linguas omittam, de rebus alioqui non solum parvis, sed etiam mini-
D mis : ut vides in illo Luciani l., Κυαμιαῖοι τὸ μέγεθος. Et ad nostram quidem linguam quod attinet, ignorat nemo qui eam callet, dici *De la grandeur d'une feve,* i. e. κυαμιαῖον τὸ μέγεθος, ut Lucian. loquitur, quum alioqui faba non sit res magna, sed parva : imo etiam de rebus multo minoribus dici. Uti autem ita et Latinam nomine Magnitudo, ostendunt quum alii plerique Latinorum scriptt. loci, tum ii nominatim, in quibus Græcum hoc vocab. μέγεθος interpretatur : quorum ego unum ex Plin. proferam. Pro eo igitur, quod dicit Theophr. [H. Pl. 4, 2, 7] : Καρπὸς γὰρ μέγεθος ἔχει σχεδὸν χειροπληθὲς, legimus ap. Plin., Pomo magnitudo quæ manum impleat. In quodam autem Diosc. l. Parvum dixit, quod alioqui omnino contrarium videri posset, ad exprimendam nominis μέγεθος signif. : nimirum ubi ita scribit, Genera anthemidis tria, tantum flore distant, palmum non excedentia, parvisque floribus, ut rutæ. Quod enim hic ab eo scribitur, Parvisque floribus, ut rutæ, est quod ap. Diosc. legimus [3, 144], Κατὰ μέγεθος πηγάνου φύλλων.

Idem Plin., quod Aristot. [H. A. 6, 2] dixit, Τῶν ἀλεκτορίδων αἱ νεοττίδες πλείω τίκτουσιν ἢ αἱ πρεσβύτεραι, ἐλάττω δὲ τῷ μεγέθει τὰ ἐκ τῶν νεωτέρων, reddit, Ex gallinis juvencæ plura pariunt (ova) quam veteres, sed minora. Ubi observa Minora pro ἐλάττω τῷ μ. Ut autem habes hic ἐλάττω τῷ μ., sic et alibi in positivo, μικρὰ τῷ μ. : et contra μεγάλα τῷ μ. : ut ap. Theophr. [H. Pl. 6, 6, 4] : Οὐκ εὔοσμα δὲ (ῥόδα) οὐδὲ μεγάλα τοῖς μεγέθεσι· pro quibus Plin., Non autem talis odoratissima est, nec cui latissimum maximumque folium. Atque ut hic superlativo gradu est usus in sua interpretatione, ita et in alio ejusd. Theophr. l., quum de mespilo agens, dicit, Arbor ipsa de amplissimis : pro eo quod Theophr. scripsit, Μεγέθει μέγα τὸ δένδρον. Ceterum hinc colligimus μέγεθος reddi etiam posse alicubi Amplitudo. || Proceritas : ut redditur ab eod. Plin. in hoc Theophrasti l., de balanis scribente, Διαφέρειν δέ φασι καὶ κατὰ μεγέθη καὶ κατὰ τὰ σχήματα· hinc enim ille mutuatus, s. potius hæc interpretatus, dixit, Differunt et balani figura rotunditatis aut proceritatis : sumpsit autem alterum hoc substantivum ex iis quæ subjunguntur, Καὶ γὰρ σφαιροειδεῖς ἐνίους κτλ. || Μέγεθος, s. μέγεθος σώματος, ad verbum, Magnitudo corporis, Statura [Gl.], interpr. Corn. Celso : quum ista Hippocratis [p. 1246, G] : Μεγέθει σώματος ἐννεάσαι μὲν, ἐλευθέριον, καὶ οὐκ ἀειδὲς, ἐγγηρᾶσαι δὲ, δύσχρηστον, καὶ χεῖρον τῶν ἐλασσόνων, ita vertit, Longa statura ut in juventa decora est, sic matura senectute conficitur. Ead. certe signif. Herodian. μέγεθος σώματος, 4, [9, 9] : Πῶς τε ἡλικίας ἔχοι καὶ μεγέθους σώματος. At Hom. sine illa adjectione, pro Statura s. Proceritate usus est, Od. Ε, [217], Ζ, [152] sine adjectione. Sic autem dixit quidam Comicus jocans, de muliere, Μεγέθει τε μεγίστην καὶ κάλλει καλλίστην. [Æsch. Pers. 184 : Μεγέθει τε τῶν νῦν ἐκπρεπεστάτα πολύ (mulieres duæ).] || Vehementia; qua in signif. et vocabulum Magnitudo retineri potest : ut Ciceronem eo usum esse videmus, quum hæc Epicuri [ap. Diog. L. 10, 22] : Στραγγουρία τέ τις παρηκολούθει, καὶ δυσεντερικὰ πάθη ὑπερβολὴν οὐκ ἀπολείποντα τοῦ ἐν ἑαυτοῖς μεγέθους, ita interpr., Tanti autem morbi aderant vesicæ et viscerum, ut nihil ad eorum magnitudinem posset accedere. [Huc referri licet Eur. Hel. 593 : Τοὐκεῖ με μέγεθος τῶν πόνων πείθει, σὺ δ' οὔ.] Plato Epist. 7, [p. 351, D] dixit etiam Μέγεθος χειμώνων ἐξαίσιον καὶ ἀπροσδόκητον, ubi redditur et Vis. Alicubi certe Moles [Gl.] etiam verti potest. || Gravitas (ea signif. qua dicitur Gravitas Catonis), aut Majestas; s. Magnanimitas, aut disjuncte Magnitudo animi. Plut. Alex. [c. 14] de Diogene loquens, qui interrogatus ab Alex. an re aliqua egeret, eum arcere ipsi solem vetuit : Πρὸς τοῦτο λέγεται τὸν Ἀλέξανδρον οὕτω διατεθῆναι, καὶ θαυμάσαι καταφρονηθέντα, τὴν ὑπεροψίαν καὶ τὸ μέγεθος τοῦ ἀνδρὸς, ὥστε κτλ. || Dignitas, Amplitudo [Gl.], accipiendo in metaph. signif., ἀξίωμα. Aliquando vero hæc copulantur, ac tum μέγεθος verti etiam potest Magnitudo : ut quum dicit Aristot. Pol. 5 : Τὸ μ. καὶ τὸ ἀξίωμα τῆς ἀρχῆς. Alioqui ap. Eund. alibi hæc copulantem, μέγεθος, Amplitudo, ut ἀξίωμα, Dignitas, non incommode reddi potest. [Eur. Andr. 197 : Πόλεώς τε μεγέθει καὶ φίλοις ἐπηρμένη· Bacch. 273 : Οὗτος δ' ὁ δαίμων ὁ νέος, ὃν σὺ διαγελᾷς, οὐκ ἂν δυναίμην μέγεθος ἐξειπεῖν ὅσος καθ' Ἑλλάδ' ἔσται.] || Μέγεθος τοῦ λόγου, aut etiam μέγεθος sine adjectione, subaudiendo sc. illum aliumve hujusmodi genit., ap. Demetr. Phal. et Hermog., necnon Longin. [1, 1; 13, 2], Grandiloquentia, Granditas orationis, Granditas verborum, ut legitur ap. Cic. Dixit vero et Granditas simpliciter Plin. junior. [Auctore Hermogene Π. ἰδ. 1, p. 54, τὸ μέγεθος generalis quædam virtus est et ἰδέα orationis, quæ sex fere partes sibi subjectas habet, σεμνότητα, περιβολὴν, τραχύτητα, λαμπρότητα, ἀκμὴν, σφοδρότητα. Ibi et ἀξίωμα et ὄγκος junguntur; eodemque modo Longinus adhibet τὸ μεγεθοποιεῖν, et μεγεθοποιὸν ῥυθμὸν c. 39 et 40; conf. Voss. Institt. rhet. 6, p. 493. Τὰ μεγέθη, Oratio sublimis, gravis, Demetr. Eloc. 5; et ἡρωικὰ μεγέθη Longin. 9, 10, Magna heroum facta. Photius Bibl. cod. 79, λέξεων μεγέθη vocat περιόδους μετὰ παρενθέσεων παρατετραμμένας, καὶ ὑπερβατῶν εὔκαιρον χρῆσιν. Hermogeni Π. μεθ. δει-
A νότ., τὸ μέγεθος πραγματικὸν dictum de illa amplificatione, quæ ex usu συνδέσμων frequenti oritur : τὸ μετὰ συνδέσμων πραγματικὸν ἢ μέγεθος ἐργάζεται, ubi hæc notat Gregorius Corinth. c. 11 : Μέγεθος μὲν, ὅταν ἔχωμεν ἓν πρᾶγμα, καὶ κατατέμνωμεν αὐτὸ εἰς πολλὰ, ὡς τὸ « Αὖ ἔρυσαν μὲν πρῶτα, καὶ ἔσφαξαν καὶ ἔδειραν. » Eodem loco etiam ἠθικὸν μέγεθος dicitur τὸ ἦθος ἐμφαῖνον σύντονον καὶ ἐναγώνιον, Amplitudo quædam affectum dicentis declarans et quandam contentionem. Hoc genus efficitur inprimis τῷ ἀσυνδέτῳ. V. Γοργότης et conf. Berger. De nat. pulcr. orat. p. 42 sqq. Ernest. Lex. rhet. || Apud grammaticos de vocalibus productis, ut η et ω. Etym. M. p. 419, 50 : Ἐπειδὴ ἴδιόν ἐστι τῶν παρῳχημένων τὸ κατὰ τὴν ἀρχὴν μέγεθος, οἷον ἄγω ἦγον, ubi de augmento dicitur, ut infra μεγεθύνω. Theognost. Can. p. 86, 6 : Μένει γὰρ τὸ ι μὴ ἐκφωνούμενον διὰ τὸ μέγεθος τοῦ ω. De quantitate Apollon. De constr. p. 133, 26 : Τὸ μέγιστον μέγεθος τῶν ἐγκλιτικῶν τρίχρονόν ἐστι.] || Ionice Μέγαθος pro μέγεθος, Magnitudo. Sed affertur ex Herodoto [2, 44] μέγαθος
B positum etiam adverbialiter pro Majorem in modum. [1, 98, 178, 185, 191. « Idem sæpe jungit μεγάθεϊ μέγας, περιμήκης, μικρὸς, 1, 51; 2, 74, 108. Utitur idem etiam plurali numero, ut 3, 107 : Ὄφιες μικροὶ τὰ μεγάθεα· 1, 202 : Νήσους Λέσβῳ μεγάθεα παραπλησίας. » Schweigh.] Μεγάθεες ποταμοὶ, ex Eod. [2, 10] pro Magni. [Ποταμοὶ οὐ κατὰ τὸν Νεῖλον ἐόντες μεγάθεα.]

Μεγεθουργία, ἡ, Operis magnitudo. Philo De mundo [Non sunt Philonis, sed Axiochi p. 370, B. Hemst.] : Οὐ γὰρ δὴ θνητή γε φύσις τόσον ἠείρατο μεγεθουργίας, Non sublata esset ad tantam operis molem.

[Μεγεθόω, unde pass. Μεγεθοῦμαι, Augesco. Xenocr. De aquat. 10 s. Fabric. Bibl. vol. 9, p. 458. Boiss. Apollon. Lex. Hom. p. 428 sq. Hesych. : Κύματι κωφῷ, τῷ μὴ ἠχοῦντι, ἀλλ' ἀρχομένῳ μεγεθοῦσθαι.]

Μεγεθύνω, Magnitudinem tribuo, Magnum reddo. Et Alex. Aphr. Probl. [1, 73, de vento : Συναγόμενος εἰς ἕνα τόπον τονοῦται, μείζων ἑαυτοῦ γιγνόμενος, καὶ μεγεθύνεται καὶ σφοδρύνει], pro Amplifico. [Longin. De subl. 9, 5 : Ὁ δὲ (Homerus) πῶς μεγεθύνει τὰ δαιμόνια ;]
C Et Μεγεθύνομαι, pro Magnus reddor, Cresco, Incresco, Major fio. [Plotin. Enn. 2, 4, p. 290, 16 : Ἄλλο γὰρ τὸ μεγέθει, ἄλλο τὸ μεμεγεθυσμένῳ εἶναι· et ib. 293, 17; 297, 1. L. D. || Elatus sum in scribendo. Longin. 13, 1 : Ὁ Πλάτων τοιούτῳ τινὶ χεύματι ἀψοφητὶ ῥέων οὐδὲν ἧττον μεγεθύνεται. || De vocabulis productis, ut supra μέγεθος, Etym. M. p. 330, 6 : Τὰ Ἀττικὰ τὰ ἀπὸ βραχέος ἀρχόμενα χρονικῶς μεγεθύνονται· 471, 53 : Ἴξευον φύσει μακρὸν χρονικῶς μεγεθύνεται. Schol. Eur. Hec. 700 Matth. : Τὸ ἀνωνόμαστα μεγεθύνεται, ὡς τὸ ἀνώνυμος· Phœn. 629 : Οἱ τὸ ο μεγεθύνοντες. Conf. Apollon. De pron. p. 83, A, Cram. Anecd. vol. 4, p. 192, 14; 193, 17. ū L. Dind.]

[Μέγελλος. V. Μέγιλλος.]

[Μεγεσσάρου filia Pharnace memoratur Apollod. 3, 14, 3, 3.]

Μεγεύσας ὁ δαίμων, VV. LL. ex Libanii Declam. pro Invida fortuna : pro quo diceretur potius μεγήρας [μεγήρας].

[Μεγήνωρ, ορος, ὁ, Megenor, n. viri, in inscr. Chia
D ap. Bœckh. vol. 2, p. 201, n. 2214, 18.]

Μεγήρατος, ὁ, ἡ, Admodum amabilis, Peramabilis. Hesiod. Theog. [240, de Nereidibus] : Μεγήρατα τέκνα θεάων. Ubi tamen sunt qui leg. existiment Μεγήριτα, Nimis potentia et validiora quam ut cum eis contendatur. [Utramque script. interpretatur per μεγάλως ἐπέραστα vel ἐρίζοντα Etym., ducens vel ab ἐράω vel ab ἐρίζω, ex schol. ad l. Hesiodi. Vitiose Suidas s. Zonar. : Μέγηρον, τὸ ἐπέραστον. Et Hesychius, de quo HSt :] Μεγήρη, Hesych. τὰ τίμια, μεγαλόχαρτα, Pretiosa, Ob quæ magnopere lætandum est. [Quæ correcta sunt ab interpretibus.]

[Μεγήριτος. V. Μεγήρατος.]

Μέγης, ὁ, Suidæ ὁ μέγας, Magnus : alioqui est nom. propr. [Filii Phylei, Hom. Il. Β, 627 seqq., Ps.-Eur. Iph. A. 284, Apollod. 3, 10, 8, 2. Trojanus, Pausan. 10, 25, 5 et 6, ubi, ut ap. Hom., flectitur Μέγητος, in accus. vero Il. Ο, 302, Μέγην, ubi de accentu v. schol., de forma Chœrob. vol. 1, p. 140, 8 ed. Gaisf. Μέγητος chirurgi mentionem facit Galen. vol. 13, p. 471 et alibi.]

[Μέγιλλα, ἡ, Megilla, n. mulieris. Lucian. Dial. mer. 5.]

[Μέγιλλος, ὁ, Megillus, Spartanus, ap. Plat. in Legibus. Alius Spart. ap. Xen. H. Gr. 3, 4, 6. Corinthius ap. Lucian. D. mort. 1, 3, Catapl. c. 22. Μέγελλος, quod est ap. Plut. Timol. c. 35 : Οἱ περὶ Μέγελλον καὶ Φέριστον ἐξ Ἐλέας, Græcum non est et ipsum quoque scrib. videtur Μέγιλλον. Quod nomen memorat etiam Theognost. Can. p. 62, 12. L. Dind.]

[Μεγίσθης. V. Μεγίστης.]

Μεγιστὰν, ᾶνος, ὁ, q. d. Maximas, maximatis : ut a Magnus deducitur Magnas, atis : unde Magnates quidam dixerunt [Gl.], quod et ipsum Latinitati ascribere non ausim. Frequentior est usus hujus vocabuli in plur. μεγιστᾶνες : pro quo Sueton. et Tacitus dixerunt Latine itidem Megistanes. Redditur et Primates, Proceres : quod posterius est magis Latinum. [Summates, Gl.] Usi sunt autem et LXX, ut Daniel. 3, [24] : Τότε Ναβουχοδονόσορ ἐξανέστη ἐν σπουδῇ, καὶ εἶπε τοῖς μεγιστᾶσιν αὐτοῦ. Sic Marc. 6, [21] Herodes dicitur cœnam exhibuisse τοῖς μεγιστᾶσιν αὐτοῦ καὶ τοῖς χιλιάρχοις. Usus est hoc nomine et Alex. Aphr. In Top. : Ὁ τιμῆς ὀρεγόμενος παρὰ βασιλέως ἢ παρὰ μεγιστάνων. Ceterum ap. classicos scriptt. nomen hoc legere me non memini, sed si quando proceres significare volebant, loquentes de iis qui primas apud regem Persarum tenebant, aut alium quempiam regem barbarum, dicebant potius, ut opinor, οἱ μέγιστον παρ' αὐτῷ δυνάμενοι, aut μετ' αὐτόν. [Phrynichus p. 84 (196) testatur, Antiochum sophistam hoc vocabulo usum esse, secutum fortassis ea in re Menandrum, dici vero debere μέγα δυνάμενοι. Thom. M. p. 602 : Μεγιστᾶνες, ἀδόκιμον. Σὺ οὖν μέγα δυνάμενοι λέγε. Salmasius De hellenistica p. 104 illud ait Macedonicum esse, propterea quod non habeat analogiam aut terminationem Græcam, certe non exemplum suppetere ostendit vocabuli sic Græce formati. At ille, nisi putandus est de solo superlativo dixisse, quod diserte Pauv. ad Phryn. fecit, haud dubie humanum quid passus est. Neque enim desunt talis formæ exx. Sic Etym. M. p. 599, 14, et Phavor. v. Νεανίας : Παρὰ τὸ νέος γίνεται νεάν, ὡς μέγιστος μεγιστάν. Et Steph. Byz. v. Αἰνία : Τὸ ἐθνικὸν Αἰνιάν, ... ὡς μέγιστος μεγιστάν. Quæ ipsa et plura habet Eustath. Il. p. 335, 14. Sic recte et bene dicitur Ἀκαρνὰν, Ἀλκμὰν (v. Suid. in v. Νεᾶνις) et similia. Huc etiam refero, quæ Apollonius Dysc. in Grammat. sua scripsit (in Maittair. De Gr. L. dial. p. 571) : Ἔστιν οὖν τρισμέγιστος, καὶ παρὰ τοῦτο μεγιστάν, ξυνός τε καὶ ξυνάν. Ἔφαμεν δὲ ἐν ἑτέροις καὶ παρὰ τὸ νέος, νεάν, ... ἀφ' οὗ τὸ νεανίσκος καὶ νεανίας. Καὶ παρὰ τὸ ἔτης οὖν γενήσεται τὸ ἐτάν κτλ. Ita ego quidem legendum putabam; v. quæ ibi notavi. Conf. Etym. M. p. 825, 13, ubi scribitur ἐτᾶν et μεγιστᾶν, item Phavorin. v. Ὠτὰν, qui, ut Suidas v. Ὦ τὰν, quem exscripsit, vocativum nominis ἔτης dici docet ἔτα et Dorice ἔταν. Quamvis autem ob eam caussam, quam Salm. attulit, negem hoc nomen posse Macedonicum appellari, tamen illud ad dialectum Macedonicam vel Alexandrinam referre ideo non dubito, quia et a recentioribus tantum scriptoribus, ut Artemidoro 1, 2, 3, 9 et 13, anonymo ap. Etym. M. p. 311, 28, Josepho A. J. 11, 3, 2; 20, 2, 3, et De vita sua § 23 et 31, Tzetza Hist. 3, 424, aliisque ab Alberto ad Hesych. laudatis, etiam Latinis, quorum locos Brissonius De regio Persarum principatu 1, 209, et Freinshemius ad Curt. 5, 13, 3, collegerunt, et ab Alex. interpretibus, ut 2 Paral. 36, 18, et a scriptoribus N. T., ut Marc. 6, 21, ubi v. Heupelius, adhibitum reperitur. Scilicet proprie quidem indicasse videtur Proceres et primores Persarum. Jam vero vocc. Græca multa ex Oriente petita esse, inprimis post Alexandri M. tempora, satis constat. Ut enim taceam vocc. notissima, ἀγγαρεύειν, γάζα, μάγος, παράδεισος, et alia, afferendum putavi aliud ejus generis minus notum, verbis Eustathii Od. p. 1403, 40 : Ἐκ τοῦ αὐτοῦ ῥήματος (ἔδειν) καὶ ὁ παρὰ Αἰλίῳ Διονυσίῳ ἐδέατρος· περὶ οὗ λέγει ἐκεῖνος, ὅτι τὸ μὲν ὄνομα Ἑλληνικὸν, ἡ δὲ χρεία Περσική. Ἦν δὲ, φησὶ, προγεύστης, προεσθίων τοῦ βασιλέως, εἰς ἀσφάλειαν· ὕστερον δὲ ἐνομίσθη ἐδέατρον καλεῖν τὸν ἐπιστάτην τῆς ὅλης διακονίας καὶ παρασκευῆς. Conf. Athen. 4, p. 171, B, ibique Schweigh. p. 611 sq. et Etym. M. p. 315, 37. Eodem igitur modo nomen μεγιστᾶνες arbitror recte dici græcum quidem voc. esse, si terminationem et formam spectes, sed recens inventum ad designandam notionem aliquam peregrinam, ac semel in dialectum Maced. et Alex. receptum, sensim de aliis quoque, præter Persicos, magnatibus dici solere. Sturz. Μεγιστάνος vel μεγίστανος Symeon Metaphrast. in Anecd. meis vol. 5, p. 88, 1, Syntip. Narrat. p. 10, 103, 111. (Sed p. 113 legitur τοῖς μεγίστασιν.) Boiss. Alia hujus formæ exx. attulerunt Ducang. et Lobeck. ad Phryn.]

[Μεγιστᾶς, α, ὁ, Megistas, n. viri, in inscr. Bœot. Mus. Rhen. novissimi vol. 2, p. 114 : Μεγίστας Ἐπαφρόδειτος Μεγίστα. L. Dind.]

[Μεγιστεύς. V. Μεγίστη, Μεγίστης.]

[Μεγιστεύω, Maximus sum. Appian. Syr. c. 58, p. 625, 16 : Ἡ πόλις μεγιστεύσει.]

[Μεγίστη, ἡ, Megiste, n. mulieris, ap. Athen. 13, p. 583, E, aliarum in inscr. Att. ap. Bœckh. vol. 1, p. 468, n. 478, 4, Chia vol. 2, p. 207, n. 2224. Πόλις καὶ νῆσος τῆς Λυκίας, ὡς Πολυΐστωρ, ἀπὸ Μεγιστέως τινός. Τὸ ἐθνικὸν Μεγιστεὺς, Steph. Byz. V. Strab. 14, p. 666, Scylax p. 39.]

[Μεγίστης, ὁ, Megistes, ap. Anacreontem Athen. 15, p. 671, F; 673, D; 674, A, dicitur (nam quod fertur in plerisque, Μεγίσθης, vitiosum et analogiæ adversum est) amasius Anacreontis, qui Μεγιστεὺς Anth. Pal. 7, 25, 7; 27, 5, Planud. 306, 7.]

[Μεγιστίας, ὁ, Megistias, aruspex. Herodot. 7, 219, etc. Alius in inscr. Rhodia ap. Bœckh. vol. 2, p. 395, n. 2536. ῐᾱ]

[Μεγιστόδαμος, ὁ, Megistodamus, n. viri, in inscrr. Thereis ap. Bœckh. vol. 2, p. 378, n. 2473b et seq.]

[Μεγιστόδωρος, ὁ, Megistodorus, n. viri, in inscrr. Att. ap. Bœckh. vol. 1, p. 378, n. 272, col. 2, 14; p. 393, n. 284, col. 1, 11.]

[Μεγιστόνους, ὁ, Megistonus, Cleomenis Spart. vitricus, Plut. Cleom. c. 7, etc.]

[Μεγιστόπολις, ἡ, Maximas urbes efficiens, Felices reddens, epith. pacis, Pind. Pyth. 8, 2.]

[Μέγιστος, ὁ, Megistus, fl. Phrygiæ, etiam Rhyndacus dictus. Schol. Apoll. Rh. 1, 1165.]

[Μεγιστόσωμος, ὁ, ἡ, Qui maximo corpore est. Tzetz. Hist. 8, 872.]

[Μεγιστότης, ητος, ἡ, Summitas. Theod. Prodr. 8, 331, p. 361 : Τῶν χαρίτων τὸ πλῆθος, ἡ μ. Elberling.]

[Μεγιστότιμος, ὁ, ἡ, Maxime honoratus, Honoratissimus. Æsch. Suppl. 709, Δίκας.]

[Μεγιστόφθαλμος, ὁ, ἡ, Qui maximo est oculo. Theod. Prodr. in Notitt. Mss. vol. 6, p. 563 : Τὴν μεγιστόφθαλμον καὶ, ὡς ἡ ῥαψῳδία φαίη, βοῶπιδα. Elberl.]

[Μεγιστόφρων, ονος, ὁ, Megistophron, n. viri, in nummo Cymes Æol. ap. Mionnet. *Suppl.* vol. 6, p. 10, n. 70.]

[Μεγιστόφωνος, ὁ, ἡ, Maxima voce præditus. Pisides Opif. mundi 1087, ὄρνιν, de gallo.]

Μεγιστὼ, οῦς, ἡ, Megisto, nom. proprium mulieris, Athen. 13, [p. 560, C. Alius ap. Plut. Mor. p. 252, B.]

[Μεγίστως. V. Μέγιστος in Μέγας.]

[Μεγύτης, inter nomina in υτης ponit Theognost. Can. p. 44, 22; 46, 4. L. Dind.]

[Μεγχερῖνος, ὁ, Mencherinus. V. Μενχέρης.]

[Μέγων, ωνος (v. Chœrob. vol. 1, p. 74, 29), ὁ, Megon, n. viri, in inscr. Chæron. ap. Bœckh. vol. 1, p. 781, n. 1608, d, 4, et alius ap. Lebas. *Inscr.* 5, p. 110, n. 191, 7, qui Μέτωνος exhibuit p. 112. L. D.]

[Μέδαμα, ης, ἡ, Medama, urbs Locr. Epizephyr. ap. Strab. 6, p. 256, 257.]

[Μεδεός, Μεδεύω, Μεδέω. V. Μέδω.]

[Μεδεών, ῶνος, ὁ, Medeon, Βοιωτικὴ πόλις (ap. Hom. Il. B, 501), καὶ Φωκικὴ ἑτέρα. Στράβων ἐνάτη (p. 410, 423). Ἐκλήθη δὲ ἀπὸ Μεδεῶνος τοῦ Πυλάδου καὶ Ἠλέκτρας. Τὸ ἐθνικὸν Μεδεώνιος. Ἔστι καὶ τῆς Ἠπείρου πόλις καὶ κώμη, Steph. Byz. Μεδεῶνα Phocidis memorat Pausan. 10, 3, 2; 36, 6. V. Μεδιών.]

[Μέδης, inter τὰ εἰς δης δισύλλαβα μὴ διὰ τοῦ ους κλινόμενα βαρύτονα recenset Arcad. p. 24, 2.]

Μεδιμναῖος, α, ον, [Modialis, Gl.] Medimnum æquans, Hesych.

Μέδιμνος, ὁ, [ἡ, Herodot. 1, 91, μεδίμνου Ἀττικῆς sec. libros meliores : ceteri Ἀττικοῦ, ut omnes 7, 187, τριηκοσίους ἄλλους μεδίμνους] s. Μεδίμνος (Attice enim eum παροξύνεσθαι [solus] tradit Thom. M. [p. 602]), Medimnus, [Modius, Gl. De qua interpr. Hemst. ad schol. Aristoph. Pl. 987 : « Πυρῶν τ' ἂν ἐδεήθη μεδίμνων τεττάρων) μοδίων. *Modius* et *Medimnus* quid distent compertum est : nihilominus μέδιμνον Græci posteriores μόδιον exponunt, Hesych. in Μεδιμναῖον, Moschop. Σχεδ. p. 64. Quos modios in Annibalis historia, equitum prœlio Cann. cæsorum multitudinem annulorum mensura æstimantis, Latini vocant, Græcis μέδιμνοι sunt, et nonnullis quidem Ἀττικοί. (Conf. Hemst. ad Lucian. D. mort. 12, 2, Tzetz. Hist. 1, 774.) Accuratior Suid. : Μέδιμνος οὖν μοδίων ς', (ὡς εἶναι μέτρον ξεστῶν οβ', ἤτοι λιτρῶν ρη'· quæ tamen omnia recte omittit liber optimus). Cicero in Comment. Caus. ap. Corn. Front. (v. Dimidio, ap. Orell. vol. 4, part. 2, p. 461) : « De decumis Herbitensium... venditas dicunt medimnum VIII millibus centum, id est modium XLVIII millibus DC. » V. Bos. ad Corn. Nep. Att. 2, 6. »] Mensura aridorum Attica, sed agricolis frequentior quam medicis, ob magnitudinem : quippe quæ contineat chœnicas quadraginta octo, ut Suid. et alii ante eum [Harpocratio, Pollux 4, 168, scriptor De mensuris in Anal. Bened. p. 394] tradidere : h. e., centum et octo libras mensurales, s. modios sex, non medicos quidem, sed georgicos. [V. Bœckh. *Staatsh.* vol. 1, p. 99 seq. et *Metrolog. Untersuch.* p. 204. Σιτηρὸς μέδιμνος ἀμυγδαλῶν, ἐλαῶν, ἰσχάδων in inscr. Att. ap. Bœckh. vol. 1, p. 165, n. n. 123, 27. Ἀττικὸς μέδιμνος memoratur ab Herodoto l. supra citato, Aristotele ap. Polluc. 10, 165, Polybio 6, 39, 13.] Ap. Aristot. H. A. 8, [9] est et Μακεδονικὸς μέδιμνος, Medimnus Macedonicus. [Αἰγινητικὸς ap. Lucian. Tim. c. 57, ubi v. Hemst. Σικελικὸς ap. Polyb. 2, 15, 1; 9, 44, 3.] Nota ejus hæc fuit, μ. [Tam de mensura dici quam de re quam metitur notant Longin. fr. 3, 6, Plut. Mor. p. 416, B. Priori signif. Hesiod. ap. Strab. 14, p. 642 : Ἀτὰρ μέτρον γε μέδιμνος. Altero modo præter Herod. supra cit. Aristoph. Vesp. 716 : Σῖτον ὑφίστανται κατὰ πεντήκοντα μεδίμνους πορίειν· Eccles. 1025 : Οὐ κύριος ὑπὲρ μέδιμνόν ἐστ' ἀνὴρ οὐδεὶς ἔτι. Lysias p. 165, 18 : Ὥσπερ κατὰ μέδιμνον συνωνούμενοι. Xen. Anab. 6, 1, 15 : Ἀλφίτων μεδίμνους τρισχιλίους. || Idem H. Gr. 3, 2, 27 : Οἱ περὶ Ξενίαν τὸν λεγόμενον μεδίμνῳ ἀπομετρήσασθαι τὸ παρὰ τοῦ πατρὸς ἀργύριον. Lucian. D. mer. 9, 2 : Τὸ ἀργύριον μηδὲ ἀριθμῷ ἄγειν αὐτὸν, ἀλλὰ μεδίμνῳ ἀπομεμετρημένον πολλοὺς μεδίμνους. Suidas v. Μέδιμνον, qui mirabile hinc finxit prov., ἐπὶ τῶν μεγάλην καὶ ἀθρόαν προσδοκώντων ὠφέλειαν scilicet usurpatum. Latinorum similes ll. contulit Salmas. De usur. p. 307. || « Diodor. 12, 10 : Εὑρόντες (coloni, qui illuc navigaverant) οὐκ ἄποθεν τῆς Συβάρεως κρήνην ὀνομαζομένην Θουρίαν, ἔχουσαν αὐλὸν χαλκεον, ὃν ἐκάλουν οἱ ἐγχώριοι μέδιμνον, κτλ. » HEMST.]

[Μεδιόλᾱνον, τὸ, Mediolanum, πόλις Ἀκυτανίας· οἱ οἰκοῦντες Μεδιολάνιοι (Μεδιολανοὶ ap. ipsum in Σατίχολα), Steph. B. Μεδιόλανον Polyb. 2, 34, 10 et alibi. Μεδιολάνιον Ptolem. 2, 7, etc., Strabo 4, p. 190, Marcian. p. 84 Miller. sec. cod. Eademque forma de Italico Ptolem. 3, 1 : Μεδιόλανα ἤτοι Μεδιολάνιον, Strabo 5, p. 213. V. intt. Steph. Byz. Μεδιολάνιον Britanniæ memorat Ptolem. 1, 3. Aliæ formæ sunt τῇ Μεδιολάνῳ ap. Athanas. vol. 1, p. 176, E, τοῖς Μεδιολάνοις in Ms. ap. Morell. Bibl. Ms. p. 92, et Μεδιολάνων ap. Maximum Conf. vol. 2, p. 88, A; 158, B.]

[Μεδίολον, τὸ, Mediolum, oppidum Celtiberorum, ap. Ptolem. 2, 6.]

[Μεδιοματρικοὶ, οἱ, Mediomatrici, gens Galliæ Lugd., ap. Strab. 4, p. 193, 194. Μεδιομάτρικες Ptolem. 2, 9.]

[Μεδίων, ωνος, Medion, πόλις πρὸς τῇ Αἰτωλίᾳ· Πολύβιος ὀκτωκαιδεκάτῳ (23, 5). Τὸ ἐθνικὸν Μεδιώνιος (ap. Polyb. 2, 2, 5 seqq.), Steph. Byz. V. Schweigh. ad l. alterum. Μεδεὼν est Thucydidi 3, 106.]

[Μέδμα. V. Μέδμη.]

[Μέδμασα, Medmasa, πόλις Καρίας. Ἑκαταῖος Ἀσίᾳ. Τὸ ἐθνικὸν Μεδμασεὺς τῷ τύπῳ τῆς χώρας, ὡς Πηγασεὺς, Steph. Byz.]

A [Μέδμη, ἡ, Medma, πόλις Ἰταλίας καὶ κρήνη ὁμώνυμος. Ἑκαταῖος Εὐρώπῃ, Ἀπὸ Μέδμης κρήνης τινός. Ὁ πολίτης Μεδμαῖος (Conf. Wessel. ad Diod. 14, 78.)... Ἔστι καὶ ἑτέρα πόλις τῆς Λιγυστικῆς, Steph. Byz. post Μέδμασα. V. Μέσμα. Quæ forma confirmat formam Μέδμᾰ, quam etiam versus tuetur ap. Scymn. Descr. orb. v. 307 : Ἱππώνιον καὶ Μέδμαν ᾤκισαν Λοκροί. Ubi Μέδναν cod. ap. Miller. Geogr. p. 301. Sed rursum Μέδμη confirmat Theognost. Can. p. 112, 4, ubi inter nomina in μη ponitur Μεδμὴ, accentu, si hoc nomen dicitur, vitioso. Apud Latinos *Medma* et *Medama*. L. DIND.]

[Μεδόακοι, οἱ, Medoaci, gens Transpadana, ap. Strab. 5, p. 216. Μεδόακος, ὁ, Medoacus portus et fluvius ib. p. 213.]

[Μεδοντιὰς, άδος, ἡ, Medontias, Abydena, ap. Lysiam ab Athenæo 12, p. 534, F; 13, p. 574, E, citatum, quorum ll. in priori est Μεδοντιάδα, in altero Μεδοντίδος, quod præstare videtur. V. Μεδοντίδαι in Μέδων. L. DIND.]

B [Μεδοντίδαι. V. Μέδων.]

[Μέδουλοι, οἱ, Meduli, gens Alpina, ap. Strab. 4, p. 185, 203, 204, Ptolem. 2, 10.]

[Μέδουσα, ἡ, Medusa, Gorgo, ap. Hesiod. Theog. 276, Apollodorum, Pausaniam, et al. F. Priami, ap. Apollod. 3, 12, 5, 13, Pausan. 10, 26, 1. Stheneli ap. Apollod. 2, 4, 5, 8. « Uxor Polybi regis Corinthi, schol. Soph. OEd. T. 766, ex Pherecyde. » BOISS. || Forma Dor. Μέδοισα ap. Pind. Pyth. 12, 16, Nem. 10, 4.]

[Μεδυλλία, ἡ, Medullia, πόλις, Ἀλβανῶν κτίσις, Ῥωμαίων ἀποικία. Διονύσιος Ῥωμ. ἀρχ. γ' (1 et 38). Τὸ ἐθνικὸν Μεδυλλῖνος, Steph. Byz.]

Μέδω, Impero, Imperium teneo, Regnator sum : ἄρχω, βασιλεύω. [Soph. Ant. 1119 : Μέδεις δὲ παγκοίνοις Ἐλευσινίας Δηοῦς ἐν κόλποις· fr. Laoc. ap. Aristoph. Ran. 665 : Ὃς Αἰγαίου πρωνὸς ἢ γλαυκᾶς μέδεις (μεδέεις Venet.) ἁλὸς ἐν βένθεσιν. Libri πρῶνας. Verba postrema paullo aliter scripta habet schol.] Frequentior usus est partic. μέδων pro Regnator, Imperator, Præfectus.

C Hom. Od. A, [72] : Φόρκυνος θυγάτηρ ἁλὸς ἀτρυγέτοιο μέδοντος· H, [186] : Φαιήκων ἡγήτορες ἠδὲ μέδοντες· ut et Il. B, [79] : Ἀργείων ἡγήτορες ἠδὲ μέδοντες. [Cum accus. Heliodor. ap. Fabric. B. Gr. vol. 8, p. 119 : Σκῆπτρα γαίης μέδοντες.] Passiv. [Med.] etiam Μέδομαι significat Regno, Impero, si non fallitur Hesych., qui μέδονται expon. ἄρχουσι, βασιλεύουσι : afferens itidem μεδέσθω pro βασιλευέτω. Alioqui μέδεσθαί τινος dicitur Qui curam ejus gerit, Cui id curæ est, s. Qui de eo cogitat, Qui id meminit : vel etiam Qui de eo sibi prospicit : ut idem Hesych. μεδώμεθα exp. φροντίζωμεν, ἐπιμελώμεθα, προνοῶμεν. Frequens et in hoc usu ap. Hom. : ut Od. Λ, [109], M, [137] : Εἰ νόστου μέδηαι· T, [321] : Δείπνοιο μέδηται Ἥμενος ἐν μεγάρῳ· Il. [B, 384 : Πολέμοιο μεδέσθω· I. 622 : Νόστοιο μεδοίατο· 650 : Πολέμοιο μεδήσομαι·] Ω, [2] : Τοὶ μὲν δόρποιο μέδοντο Ὕπνου τε γλυκεροῦ ταρπήμεναι· et [618] : Ἀλλ' ἄγε δὴ καὶ νῶϊ μεδώμεθα, δῖε γεραιὲ, σίτου· Od. Γ, [334] : Κοίτοιο μεδώμεθα· τοῖο γὰρ ὥρη· B, [358] : Εἰς ὑπερῷ' ἀναβῇ, κοίτου τε μέδηται.

D [Arat. 1005.] Alibi verbo μεμνῆσθαι utitur in hac signif., s. in hoc loquendi genere. [Cum accus. Il. Δ, 21, Θ, 458 : Κακὰ δὲ Τρώεσσι μεδέσθην.] Ad act. vero μέδω ut redeam, ex eo deriv. Μεδέω, et Μεδεύω, idem cum primitivo ipsorum significantia. Hesych. enim μεδέοντα exp. βασιλεύοντα, afferens et μεδέων itidem pro βασιλεύς : addens tamen, vel φροντίζων. [Hom. Il. Γ, 276 etc. : Ζεῦ πάτερ, Ἴδηθεν μεδέων· Π, 234 : Δωδώνης μεδέων. Pind. Ol. 7, 88 : Ὦ Ζεῦ, νώτοισιν Ἀταβυρίου μεδέων· fr. ap. script. Vitæ p. 9, Ἀρκαδίας. Eur. Hipp. 167 : Τόξων μεδέουσαν· et alibi utroque genere, pariterque aliquoties Aristophanes. Partic. absolute Callim. Jov. 86 : Ἡμετέρῳ μεδέοντι. Id. Del. 5 : Ἀοιδάων μεδέοντα. Arcad. p. 154, 27 : Μεδῶ, ἐξ οὗ τὸ μεδέω (l. —ων). Ταῦτα δὲ βαρύτονα λέγονται... μέδω.] Meminit Idem et alterius μεδεύειν : afferens nimirum μεδεύων pro βασιλεύων, derivansque et ipse παρὰ τὸ μέδειν, quod est φροντίζειν καὶ προνοεῖσθαι. [Quum ex his verbis tum ex addito καὶ πόλις, quæ Μεδεὼν spectant intelligitur scribendum esse Μεδεών. Quanquam

Theognost. Can. p. 50, 21, ponit : Μεδεύω, Μεδεὸς, ὄνομα κύριον. Apollon. De constr. p. 92, 6 : Καὶ παρὰ Ἀλκαίῳ (in versu ap. Hephæst. p. 79 Gaisf.) οἱ περὶ Ἀπίωνα τὸν μόχθον τὸ Κυλλάνας ὃ μέδεις ἐν ῥήματος συντάξει ἤκουον, οὐ παραδεχόμενοι μετοχὴν τοιαύτην ἐκ βαουτόνου ῥήματος κτλ., in quibus præfert signif. participii ab Æol. μέδημι pro μεδέω, ut οἴκημι pro οἰκέω, formati, etiam propterea quod nulla sit ejusmodi ap. Æoles forma sec. personæ, ut μέδεις.]

[Μέδων, οντος et ωνος, quæ rarior forma memoratur a Theognosto Can. p. 31, 29, et Isæi Aristotelisque testimoniis confirmatur a Chœrob. vol. 1, p. 75, 24 Gaisf., ὁ, Medon, n. a μέδω formatum ponit Etym. M. p. 606, 10. F. Oilei ap. Hom. Il. B, 727, etc. Lycius dux, Il. P, 216. Præco Ulixis, Od. Δ, 677, etc. Filius Cisi ap. Pausan. 2, 19, 2; Doryclidis 5, 17, 2; Pyladæ 2, 16, 7; Codri 7, 2, 1. Cujus gens Μεδοντίδαι, οἱ, Medontidæ, ap. Paus. 4, 5, 10; 13, 7, in inscr. Att. ap. Bœckh. vol. 1, p. 902, n. 133, b. Μεδοντιάδαι ap. Hesychium, nisi Μεδοντίδαι scribendum. V. Μεδοντιάς. L. Dind.]

Μέζεα, τὰ, Pudenda, Verenda, Genitalia membra. Hesiod. Op. [510] de brumali tempore : Θῆρες δὲ φρίσσουσ', οὐρὰς δ' ὑπὸ μέζε' ἔθοντο, i. e. ὑπὸ τὰ αἰδοῖα. Ap. Hesych. oxytonως Μεζὸς, exp. αἰδοῖον. [Lycophr. 762 : Μεζέων χρεανόμον. Non diversum a μήδεα voc. sec. Eust. Il. p. 153, 38; 234, 32; 407, 1, et alios.]

[Μεζόνως. V. Μειζόνως in Μείζων.]

[Μεθαιρέω, Excipio. Hom. Od. Θ, 375 : Ὁ δ' ἀπὸ χθονὸς ὑψόσ' ἀερθεὶς, ῥηϊδίως μεθέλεσκε, πάρος ποσὶν οὖδας ἱκέσθαι.]

[Μεθάλλομαι, Transilio, Insilio. Appian. Civ. 5, 120 : Ὅτι μὲν οὖν προσπελάσειαν αἱ νῆες, ἐμάχοντο παντοίως, καὶ ἐς ἀλλήλους μεθήλλοντο. Heliod. Æth. Wakef. Unde] Μετάλμενος [Hom. Il. E, 336 etc.], quod ab Hesych. exp. ἐφαλλόμενος. Ionice mutatur in his aspirata in tenuem.

[Μεθάνα. V. Μεθώνη.]

[Μέθαπος, ὁ, Methapus, Atheniensis, orgiorum et initiorum compositor, Pausan. 4, 1, 7.]

[Μεθάπτω, Alligo. Philostr. Imag. p. 793 : Θύρσος οὑτοσὶ ἐκ μέσης νεὼς πέφυκε, τὰ τοῦ ἱστοῦ πράσσων, καὶ ἱστία μεθῆπται ἁλουργῆ. Wakef.]

[Μεθάρμη, ἡ, Metharme, f. Pygmalionis, regis Cypri, Apollod. 3, 14, 3, 4.]

[Μεθαρμογὴ, ἡ, Commutatio. Ptolem. Harm. p. 72, D; 124, A. L. Dind.]

Μεθαρμόζω, [s. Μεθαρμόττω], vel Μεθαρμόζομαι, Transmuto adaptando aliter. [Plut. Mor. p. 642, F : Ἐπὶ τὴν συνήθη δίαιταν αὖθις μεθαρμόσασθαι τὰς τραπέζας. Hemst.] Interdum etiam vertitur simpl. Apto, Accommodo : et ita Bud. in hoc l. Basil. : Τοῖς ῥήμασι τῆς πίστεως ὡς ἰατροὶ κέχρηνται, κατὰ καιρὸν ἄλλοτε ἄλλως πρὸς τὰ ὑποκείμενα πάθη μεθαρμοζόμενοι. Interdum simpl. Commuto, Verto, Transfero. [Erinna Anth. Pal. 7, 712, 8 : Καὶ σὺ μὲν, ὦ ὑμέναιε, γάμων μολπαῖαν ἀοιδὰν ἐς θρήνων γοερὸν φθέγμα μεθηρμόσαο.] Philo De mundo : Μεθαρμοσάμενος ψευδῆ δόξαν εἰς ἀλήθειαν. Idem De V. M. 2 : Εἰς Ἑλλάδα γλῶτταν τὴν Χαλδαϊκὴν μεθαρμόζεσθαι διενοεῖτο. Idem ibid. : Πρὸς τὰς τῶν καιρῶν καὶ τῶν πραγμάτων μεθαρμοζομένη τροπὰς, Subinde se commutans. [Epigr. Anth. Pal. 9, 584, 11 : Πρὸς γὰρ ἐμὰν μελέταν ὁ μεσαμβρινὸς οὔρεσιν ᾠδὸς τῆνο τὸ ποιμενικὸν φθέγμα μεθηρμόσατο. Plut. Mor. p. 793, B : Ἀνετέον ἐπὶ τὰ κοῦφα πολιτεύματα μεθαρμοττομένους. Cum accus. rei quam quis asciscit vel sectatur, Æsch. Prom. 309 : Μεθάρμοσαι τρόπους νέους. Eur. Alc. 1157 : Νῦν γὰρ μεθηρμόσμεσθα βελτίω βίον τοῦ πρόσθεν. Meleager Anth. Pal. 7, 182, 6 : Ἐκ δ' ὑμέναιος σιγαθεὶς γοερὸν φθέγμα μεθηρμόσατο. Dionys. A. R. 7, 56 : Ἔθη καὶ νόμιμα καὶ ζηλώματα βίων τὰ κράτιστα μεθαρμοσάμενος· 11, 22 : Τῶν ἧττον ψοφοδεῶν ἀφισταμένων τῆς ὑπὲρ τῶν κοινῶν φροντίδος καὶ τὸν ἀπράγμονα βίον μεθαρμοττομένων. « Lucian. Amor. c. 4 : Ἡ δὲ σὴ μοῦσα, τῆς συνήθους μεθαρμοσαμένη σπουδῆς, ἱλαρῶς τῷ θεῷ συνδιημερευσάτω, A consueta conversa gravitate. » Seager.] || Μεθαρμόζω ap. Lucian. [Nigr. c. 12], Emendo et castigo, i. e. Meliorem reddo, Bud. Sic Suid. μεθάρμοσον exp. ἐπανόρθωσον. [Ex schol. Soph. El. 31 : Εἰ μή τι καιροῦ τυγχάνω, μεθάρμοσον. In aliam sententiam perduco, Philostr. V. S. 1, p. 529, 31 : Παρελθὼν ἐς μέσους ὁ Μάρκος οὕτω τι μεθήρμοσε τοὺς Μεγαρέας κτλ. Hemst. Plut. Mor. p. 799, B : Μεθαρμόττειν τοῦ δήμου τὴν φύσιν.] Idem Bud. tradit μεθαρμόζομαι in malam partem poni a Gregor. pro In deterius formo, vel In pejus digero, ut, Οὐκ οἶδ' ὅ,τι παθὼν, ἐξαίφνης μεθαρμόζεταί τε καὶ μετατάττεται. [|| Αὐτῷ τούτῳ μεθαρμόζομαι, Hermias p. 219 f., Ab illo sententiam mutavi. Valck. Sext. Emp. Adv. phys. 9, 53, p. 562, 1 : Ἀδικηθεὶς ὑπό τινος ἐπιορκήσαντος καὶ μηδὲν ἕνεκα τούτου παθόντος μεθηρμόσατο εἰς τὸ λέγειν μὴ εἶναι θεόν. Hemst. || Pass. Philiscus ap. Plut. Mor. p. 836, C : Ἐς ἄλλο σχῆμα μεθαρμοσθέντα.]

[Μεθάρμοσις, εως, ἡ, Mutatio. Polyb. 18, 28, 6 : Καὶ γίνεται μεθάρμοσις δεσποτῶν, οὐκ ἐλευθέρωσις τῶν Ἑλλήνων. Seager.]

[Μεθαρμόττω. V. Μεθαρμόζω.]

Μεθεκτέον σοι χρημάτων, Particeps esse debes pecuniæ, ap. Thuc. [Antiphanes ap. Athen. 4, 143 A : Ἐκείνων τῶν νόμων μεθεκτέον ἐστίν. Wakef. Plato Reip. 4, p. 424, E.]

[Μεθέκτης, ὁ, Particeps, affertur ex Clem. Alex. Str. 1, p. 348, ubi scriptum : Οὐδὲ τὴν γλῶτταν μόνον, ἀλλὰ καὶ τὰς ἀκοὰς ἁγνίζεσθαι προσήκει ἡμῖν, εἴ γε τῆς ἀληθείας μεθεκτοὶ εἶναι πειρώμεθα. Μεθεκτικοὶ Potterus.]

Μεθεκτικὸς, ἡ, ὸν, q. d. Participativus. Aristot. Phys. 4, [5] : Διὰ τί οὐκ ἐν τόπῳ τὰ εἴδη, εἴπερ μεθεκτικὸν ὁ τόπος; [Qui participat, Iambl. Protr. p. 145. Wakef.]

Μεθεκτὸς, ἡ, ὸν, Qui participatur. Plut. [Mor. p. 1115, E] : Ἔστι δὲ τοῦ μεθεκτοῦ πρὸς τὸ μετέχον λόγος. [Aristot. Metaphys. 1, p. 29, 8 Br. : Κατὰ δὲ τὸ ἀναγκαῖον καὶ τὰς δόξας τὰς περὶ αὐτῶν, εἰ ἔστι μεθεκτὰ τὰ εἴδη, τῶν οὐσιῶν ἀναγκαῖον ἰδέας εἶναι μόνον. Fem. 6, p. 160, 13 : Δοκεῖ πᾶσα ἰδέα εἶναι μεθεκτή. Ms. ap. Kopp. ad Damasc. p. 389 : Τὰς ἀμεθέκτους ταῖς μεθεκταῖς. Gregorius Theophan. p. 17, 18, 20, etc. || Adv. ap. eund. p. 33 : Ἀλλὰ γὰρ ὅτε πάλιν οὗτος (Dionysius Areop.) θεότητα φησὶ, φαμὲν ἀρχικῶς μὲν καὶ θεϊκῶς ... τὴν μίαν ὑπερούσιον ἀρχὴν καὶ αἰτίαν, μεθεκτῶς δὲ τὴν ἐκ θεοῦ τοῦ ἀμεθέκτου προϊοῦσαν δύναμιν. L. Dind.]

Μεθέλκω, Retraho, Trahendo traduco. [Anth. Plan. 384, 1 : Λευκοῦ μεθέλκων ἡνίας Κωνσταντῖνος· et 386, 3 : Ἕλκων, μεθέλκων ῥουσίου τὰς ἡνίας· Paul. Sil. Pal. 5, 230, 8 : Δεσπότις ἔνθ' ἐρύσῃ, πυκνὰ μεθελκόμενος.] Budæo Retraho, Retrorsus traho, afferenti ex Gregor. : Ὥσπερ οἱ τοὺς ἵππους τοῖς ῥυτῆρσιν ἀθρόως μεθέλκοντες φερομένους, καὶ τῷ ἀδοκήτῳ τοῦ τιναγμοῦ περιτρέποντες. Item hæc Ejusd. : Καὶ γυνὴ καὶ παῖδες τὴν ἐκδημίαν μεθέλκοντες. Et cum præp. πρὸς ap. Eund. : Μεθέλκοντες πρὸς ἑαυτοὺς τῆς ἐκκλησίας ὅσον ὀρθόδοξον. Synes. Ep. 105 : Καὶ ἐνειλούμενον τοῖς πρὸς τὰ γεώδη μεθέλκουσι. Ap. Philon. cum ἐς : Μεθέλκουσι τὴν ἡδονὴν ἐς τὸ νωθρόν. [Philo p. 268, D. Cum præp. περὶ Eumath. p. 290 : Τὴν τριήρη περὶ τὴν ἤπειρον μεθελκυσάντων ἡμῶν.]

[Μεθέλκωσις, εως, ἡ, Exulceratio. Alex. Trall. 1, p. 10. Sed ubi leg. μεθ' ἑλκώσεως. Struv.]

Μέθεξις, εως, ἡ, Participatio, Communio. [Plato Parm. p. 151, E : Τὸ εἶναι ἄλλο τι ἔστιν ἢ μέθεξις οὐσίας μετὰ χρόνου τοῦ παρόντος· Soph. p. 256, A : Διὰ τὴν μέθεξιν ταὐτοῦ πρὸς αὐτήν.] Aristot., de ideis loquens : Μὴ καθ' ὑποκειμένου δέ· ἔσονται γὰρ κατὰ μέθεξιν, Alioqui si de subjecto dicerentur et prædicarentur, essen substantiæ participatione, Turn. Aristot. Polit. 3 [5] : Ἐν δὲ ταῖς ὀλιγαρχίαις θῆτα μὲν οὐκ ἐνδέχεται εἶνα πολίτην· ἀπὸ τιμημάτων μὲν γὰρ μακρῶν αἱ μ. τῶν ἀρχῶν. Plut. [Mor. p. 748, A] : Ὀρχηστικῇ δὲ καὶ ποιητικῇ κοινωνία πᾶσα καὶ μ. ἀλλήλων ἐστί.

[Μεθεορτάζω, Festum ago post vel sero. Euthym. Zig. in Matthæi Lect. Mosq. vol. 1, p. 18 : Κατὰ τοῦ μεθεορτάζοντος νενομοθέτητο. Boiss.]

[Μεθέορτος, ὁ, ἡ.] Μεθέορτος ἡμέρα, Dies sequens festum, Bud. [Ex Antiphonte Pollux 1, 34. Lex. rh. Bekk. An. p. 279, 22 : Μεθέορτα τὰ μετὰ τὴν ἑορτήν. L. D. Hesych. et Etym. in Ἐπίβδαι. Idem apud Æoles πέδορτος, Hesych. in Πέδορτα. Plut. Mor. p. 1095, A. Hemst. Μεθέορτον, Postridie festi. Marcus hieromon. De dubiis Typicis c. 15 : Ἐὰν τύχῃ ἡ ἑορτὴ τῆς ὑπαπαντῆς τῷ σαββάτῳ τῶν ψυχῶν ἢ μεθέορτα· et c. 17, 65. Typicum Ms. monast. τῆς Κεχαριτωμένης c. 33 : Τὰς μεθεόρτους ἐννέα ἡμέρας. Ducang.]

Μεθέπω, Sequens velut per vestigia quæro, Investigo, ζητῶ. Eust. exp. ζητεῖν et ἐρευνᾶν in hoc l. Homeri, Il. Θ, [126]: Ὁ δ' ἡνίοχον μέθεπε θρασύν. [Apoll. Rh. 4, 1339: Λέων ὥς, ὅς ῥά τ' ἀν' ὕλην σύννομον ἣν μεθέπων ὠρύεται. Brunck. Per tmesin Hom. Il. K, 516: Ὡς ἴδ' Ἀθηναίην μετὰ Τυδέος υἱὸν ἕπουσαν. Absolute Od. A, 175: Ἠὲ νέον μεθέπεις; Num nuper s. nunc primum invisis? Pind. Olymp. 3, 33: Τὰν μεθέπων· Pyth. 2, 37: Ψεῦδος γλυκὺ μεθέπων· Nem. 6, 13: Ταύταν μεθέπων Διόθεν αἶσαν· 59: Ἑκόντι νώτῳ μεθέπων ἄχθος. Apoll. Rh. 1, 660: Μηδὲ ἄμμε κατὰ χρειὼ μεθέποντες ἀτρεκέως γνώωσι. Transitive Hom. Il. E, 328: Αἶψα δὲ Τυδείδην μέθεπε κρατερώνυχας ἵππους, Egit pone Tydeum.] || Phocyl. [149], μ. γεωπονίην, Agriculturam exercere. [Forma Ion. Lucian. Astrolog. c. 13: Ταύτην τὴν σοφίην μετέποντα.] || Ex Lascari pro Persequor, ex Nonno [fort. Jo. c. 2, 11: Παιδοτόκος φυγόδεμνος, ἀεὶ μεθέπουσα χορείην] pro ἔχω, Habeo, VV. LL. At vero Μετασπὼν, ap. Hom. Il. P, [189]: Θέων δ' ἐκίχανεν ἑταίρους Ὦκα μάλ', οὔπω τῆλε, ποσὶ κραιπνοῖσι μετασπὼν, exp. καταλαβὼν, Assequutus. [Conf. Od. Ξ, 33.] Μεθέπομαι, Assequor, VV. LL., sed sine exemplo. [Soph. El. 1052: Οὔ σοι μὴ μεθέψομαί ποτε. Aor. Hom. Il. N, 567: Ἀπιόντα μετασπόμενος βάλε δουρί.]

[Μεθερμήνευσις, εως, ἡ, Interpretatio. Anonym. Proœm. in Aristot. De plantis. Boiss.]

[Μεθερμηνευτικὸς, ή, όν, Interpretans. Schol. Eur. Hec. 489: Τὸ ψευδῆ μεθερμηνευτικόν ἐστι τοῦ μάτην. « Schol. Pind. Ol. 5, 54. » Boiss.]

Μεθερμηνεύω, Interpretor. [Prolog. Sir.: Τοῦ μεθερμηνεῦσαι τὴν βίβλον.] Polyb. [6, 26, 6]: Τοὺς καλουμένους Ἐκτραορδιναρίους, ὃ μεθερμηνευόμενον ἐπιλέκτους δηλοῖ. [Similiter sæpius Diodorus et Plut.] Et Μεθερμηνεύεσθαι κατὰ λέξιν, Plut. Cat. [c. 2 extr.], Transferri ad verbum. [Frequens est etiam in N. T.]

[Μεθερπύζω, Repo retro. Orph. Lith. 421: Τὰ δὲ καίπερ ἐναντίον ἀΐξαντα ἂψ ὀπίσω παλίνορσα μεθερπύζειν μενεαίνει.]

[Μεθέρπω, i. q. præcedens, vel Repo post. Oppian. Hal. 1, 543: Ἰχθύες, οὓς πάρος αὐτὸς ἐδαίνυτο ῥεῖα μεθέρπων.]

[Μέθεσις, εως, ἡ, Remissio. Philo vol. 1, p. 354, 26: Τὴν μέθην οὐ μόνον, ἐπειδὴ μετὰ θυσίας ἐπιτελεῖται, νομίζουσί τινες εἰρῆσθαι, ἀλλ' ὅτι καὶ μεθέσεως ψυχῆς αἰτία γίγνεται.]

Μεθετέον, Dimittendum. [Plato Tim. p. 55, D: Τούτων μὲν μ. « Philoni De col. par. § 15, ubi μεθητέον, codex μετεθέον, restitui in Anecd. meis vol. 5, p. 122 not. » Boiss.]

[Μεθετικὸς, ή, όν, Remittens. Hesych. || Μεθετικῶς, Remisse. « Schol. Hom. Il. Z, 523: Μεθίεις) μεθητικῶς καὶ ἀμελῶς διάκεισαι. » Wakef. Scribendum μεθετικῶς.]

Μέθη, ἡ, Vinolentia, Temulentia, Ebrietas, [Trementura huic add. Gl.]. Hic autem colloco voc. istud μέθη, quod minime dubitem quin a μέθυ derivetur, quamvis litera η, non υ terminetur. Ita enim existimo, quum quærenda esset litera qua terminatio illius a terminatione hujus differret, literam η quavis alia commodiorem visam esse, quod hujusmodi substantivis conveniret; at in nomine μέθυσος et in verbo μεθύω servatam nihilominus fuisse literam υ, quod eam retineri nihil prohiberet. Eust. tamen non a μέθυ derivat femininum illud μέθη, sed unde ortum est illud μέθυ, inde et μέθη originem habere existimat: nimirum a verbo μεθίημι. [V. Μέθεσις.] Sed hac quæstione omissa, ad exempla veniendum est. [Xen. Cyrop. 4, 2, 40: Ἡμῖν προσήκει οὔτε πλησμονῆς οὔτε μέθης.] Plato [Conv. p. 176, E: Μὴ διὰ μέθης ποιήσασθαι τὴν συνουσίαν· Reip. 3, p. 396, D: Ἐσφαλμένον ὑπὸ μέθης· Leg. 1, p. 637, A: Κωμάζοντι μετὰ μέθης· 2, p. 674, A: Μέθη χρῆσθαι· Phædr. p. 240, E: Εἰς μέθην ἰόντος] Minoe [p. 320, A]: Κρήτη δὲ εἷς οὗτός ἐστι τῶν ἄλλων νόμων, οὓς Μίνως ἔθηκε, μὴ συμπίνειν ἀλλήλοις εἰς μέθην. [Πίνειν εἰς μ. Leg. 6, p. 775, B.] Aristot. Polit. 2, [10 prope fin.]: Ἔτι δ' ὁ περὶ τὴν μέθην νόμος, τὸ τοὺς νήφοντας συμποσιαρχεῖν. Dem. [p. 526, 16]: Ὁ τὸν θεσμοθέτην πατάξας τρεῖς εἶχε προφάσεις, μέθην, ἔρωτα, ἄγνοιαν. Athen. 10, [p. 434, B]: Ἔπινε δὲ Ἀλέξανδρος πλεῖστον· ὡς καὶ ἀπὸ μέθης συνεχῶς κοιμᾶσθαι δύο ἡμέρας καὶ δύο νύκτας. Plut. Symp. 3, [p. 647, B]: Τοῦ κιττοῦ κατασβεννύντος τὴν μέθην τῇ ψυχρότητι. Idem μέθην et οἴνωσιν alicubi copulat, 2 De Alex. fort. [p. 337, F]: Ὧ (Ἀλεξάνδρῳ) μέθην τινὲς ἐγκαλοῦσι καὶ οἴνωσιν, quum tamen hæc inter se differre ipsemet non uno in loco testetur, ut docebo in Οἴνωσις. Ab Herodiano 2, [6, 9] copulantur μέθη et κραιπάλη. [Item ap. Lucam 21, 34: Ἐν κραιπάλῃ καὶ μέθῃ. Quorum alterum per alterum interpretatur Hesychius: Μέθη, κραιπάλη, σκότωσις οἴνου. Distinguit Clemens Al. Pædag. 2, p. 182: Μέθη ἐστὶν ἀκράτου χρῆσις σφοδροτέρα· παροινία δὲ ἡ ἐκ τῆς χρήσεως ἀκοσμία· κραιπάλη δὲ ἡ ἐπὶ τῇ μέθῃ δυσαρέστησις καὶ ἀηδία. Aliter Ammon. p. 85: Κρ. καὶ μ. διαφέρει· κρ. μὲν γάρ ἐστιν ἡ χθεσινὴ μέθη, μ. δὲ ἡ τῆς αὐτῆς ἡμέρας γινομένη οἴνωσις. Et Thomas p. 553: Κρ. ἡ ἐκ τῆς χθὲς γενομένης οἰνοποσίας κάρωσις, μ. δὲ ἡ ἐπὶ τῆς αὐτῆς ἡμ.] Ab Eod. [1, 3] dicitur ἀπὸ μέθης κραιπαλᾶν. Philo quandam etiam μέθην appellat νηφάλιον, V. M. 1: Καὶ μεθύοντες οὐ τὴν ἐν οἴνῳ μέθην, ἀλλὰ τὴν νηφάλιον. [Conf. Greg. Nyss. Hom. 10 in Cant. vol. 1, p. 625, et Orat. in Asc. Christi vol. 3, p. 442, ubi μέθη νήφουσα. Paul. episc. Emes. in Act. Ephes. p. 277: Μέθη σωφροσύνης μήτηρ. (Conf. Basil. Seleuc. Or. 37, p. 189.) Theophan. Hom. 51, p. 350: Μέθην μεθυσθῆναι τὴν σώφρονα. Macarius Hom. 50, p. 565: Εἰς τὴν καινὴν διαθήκην, εἰς τὸν σταυρὸν, εἰς τὴν ἔλευσιν τοῦ Χριστοῦ, ὅπου ἐγένετο ἡ ἔκχυσις καὶ ἡ μέθη τοῦ πνεύματος. Theodoret. In Ephes. 5, 18: Τὴν μέθην ἐκβάλλων τὴν ἐπιβλαβῆ τὴν πνευματικὴν ἀντεισήγαγε. In malam partem item improprie Plut. Mor. p. 716, A: Ὥσπερ τὰ κουρεῖα Θεόφραστος εἴωθε καλεῖν ἄοινα συμπόσια, οὕτως ἄοινος ἀεὶ μέθη τῶν ἀπαιδεύτων ψυχαῖς ἐνοικεῖ, ὑπὸ ὀργῆς τινὸς ἢ δυσμενείας ἢ φιλονεικίας ἢ ἀνελευθερίας. Ita Jesaiæ 51, 21 ecclesia dicitur μεθύουσα οὐκ ἀπὸ οἴνου, ubi Theodoretus minus convenienter intelligit τῆς ἀσεβείας τὴν μέθην. Suicer. Plato Leg. 1, p. 639, B: Κἂν δειλὸς ὢν ὑπὸ μέθης τοῦ φόβου ναυτιᾷ.] || Μέθαι etiam dicitur plurali numero. [Plato Phædr. p. 256, C: Ἐν μέθαις. Et alibi sæpius.] Athen. 2, [p. 40, D]: Διὸ καὶ θοίνας καὶ θαλίας καὶ μέθας ὠνόμαζον· 10: Εἰς μέθας καὶ εὐωχίας τραπέντα. [Polyb. 2, 4, 6: Πρὸς μέθας καί τινας τοιαύτας ἄλλας εὐωχίας τραπείς.] 6: Καὶ τοὺς ἀποβάλλοντας τὰς οὐσίας εἰς μέθας καὶ κύβους, καὶ τὴν τοιαύτην ἀκολασίαν. Usus est hoc plurali et Plut. quum alibi, tum in Symp. [Heliodor. Æth. 1, 10: Πρὸς ἑταίραις ἔχειν τὸν νοῦν καὶ μέθαις. Hemst. Rom. 13, 13: Κώμοις καὶ μέθαις. || De Compotatione potius quam de Temulentia ap. Plat. Leg. 2, p. 671, E: Εἰ τοιαύτη μὲν μέθη, τοιαύτη δὲ παιδιὰ, μῶν οὐκ ὠφεληθέντες ἂν οἱ τοιοῦτοι συμπόται καὶ μᾶλλον φίλοι ἢ πρότερον ἀπαλλάττοιντο; capiendum putabat Schneider. ad Aristot. Polit. 7, 17, p. 1336, 22: Τοὺς νεωτέρους, πρὶν ἢ τὴν ἡλικίαν λάβωσιν ἐν ᾗ καὶ κατακλίσεως ὑπάρξει κοινωνεῖν ἤδη καὶ μέθης· 8, 5, p. 1339, 17: Μετέχειν τῆς μουσικῆς παιδιᾶς ἕνεκα καὶ ἀναπαύσεως, καθάπερ ὕπνου καὶ μέθης· ubi tamen quum sequatur 20: Οἴνῳ καὶ μέθῃ καὶ μουσικῇ, pro quo ὕπνῳ exhibuit Schneiderus, οἶνος quidem de potatione, μέθη vero nonnisi de Ebrietate accipere licet, sed ea leviori. || De vino Soph. OEd. T. 779: Ἀνὴρ γὰρ ἐν δείπνοις μ' ὑπερπλησθεὶς μέθῃ καλεῖ παρ' οἴνῳ, πλαστὸς ὡς εἴην πατρί. (Plato Reip. 9, p. 571, C: Ὅταν τὸ θηριῶδές τε καὶ ἄγριον (τῆς ψυχῆς) ἢ σίτων ἢ μέθης πλησθὲν σκιρτᾷ.) Eur. El. 326: Μέθῃ δὲ βρεχθεὶς τῆς ἐμῆς μητρὸς πόσις. Quæ signif. magis etiam manifesta est ap. Hippocr. p. 1157, D: Μέθης εὐώδεος· Nonn. Dion. 48, 576: Διχαζομένη δὲ κολώνη αὐτομάτην ὤδινε μέθην εὐώδεϊ μαζῷ. || Μέθη picta ap. Pausan. 2, 27, 3: Γέγραπται δὲ ἐνταῦθα καὶ Μέθη, Παυσίου καὶ τοῦτο ἔργον, ἐξ ὑαλίνης φιάλης πίνουσα. Idem 6, 24, 8: Ἔστι δὲ καὶ Σειληνοῦ ναὸς ἐνταῦθα· Μέθη δὲ οἶνον ἐν ἐκπώματι αὐτῷ δίδωσι.]

Μεθήκω, ex Aristoph. [Eccl. 534: Ἧπερ μεθῆκέ με· Eq. 937] affertur pro μετέρχομαι. [Eur. Tro. 1270: Μεθήκουσίν σ' Ὀδυσσέως πάρα οἵδε· Phœn. 441: Τὰ χρήματ' ἀνθρώποισι τιμιώτατα ... ἃ 'γὼ μεθήκω δεῦρο μυρίαν ἄγων λόγχην. Dio Cass. 64, 7: Ἔμελλε δὲ ἄρα καὶ τὸν Ὄθωνα ἡ δίκη μεθήξειν.]

Μεθηλικιοῦμαι, Ab una ætate in aliam transeo: unde Μεθηλικίωσις, εως, ἡ, ejusmodi Transitio ab ætate in ætatem, velut ex primo septennio in secundum, ex secundo in tertium. Basil. : Μεθηλικίωσις ἐπὶ τὴν ἑβδομάδα δευτέραν τῶν ἐτῶν. [Conf. vol. 1, p. 203, D. Nilus Epist. 230; anonym. in Anecd. meis vol. 2, p. 454, 1. Boiss.]

[Μέθημαι, Sedeo inter. Hom. Od. A, 118 : Μνηστῆρσι μεθήμενος.]

Μεθημερῖνὸς, ἡ, ὸν, ὁ καθ' [μεθ'] ἡμέραν, Diurnus, Qui interdiu fit : ut [Plato Soph. p. 220, D : Τὸ μ., cui contrarium τὸ νυκτερινόν. Φῶς Tim. p. 45, C. Φυλακαὶ Xen. Reip. 12, 2,] μ. κυβεῖαι, Plut. De fort. Alex. l. 2. [Mor. p. 555, A, φάσματα. Et πότοι vel κῶμοι Sull. c. 13 (ut ap. Aristid. vol. 1, p. 505, ubi male μεθημέρινοι). Dio Cass. fr. Peir. p. 50, 76, ubi v. Vales. Plut. Mor. p. 785, F : Λεύκολλον αὐτὸν εἰς λουτρὰ καὶ δεῖπνα καὶ συνουσίας μεθημερινὰς ἀφεικότα. Demosth. p. 270, 9 : Ἡ μήτηρ σου τοῖς μεθημερινοῖς γάμοις ἐν τῷ κλισίῳ τῷ πρὸς τῷ Καλαμίτῃ ἥρῳ χρωμένη. Quem l. exprimi a Philone vol. 1, p. 155, 44, annotarunt interpretes. Quæ omnia turpia habebantur interdiu facta. De febribus Galen. vol. 9, p. 86 : Ἐν τῇ προκειμένῃ ῥήσει πυρετῶν διαφορὰν γράφων ὁ Ἱπποκράτης ἐνίους μὲν αὐτῶν φησιν εἶναι συνεχεῖς, ἐνίους δ' ἤτοι τὴν νύκτα διαλείπειν ἢ τὴν ἡμέραν, ὧν τοὺς μὲν εἰς ἀπυρεξίαν μὴ λήγοντας ἔνιοι τῶν νεωτέρων ἰατρῶν μεθημερινοὺς ἢ καθημερινοὺς ὀνομάζουσι κτλ. Quod perperam Quotidianos interpretatur Gorræus, quum deberet Diurnos. ‖ Μεθημέριος ead. signif. Eur. Ion. 1050, ubi forma Dor. : Εἰνοδία θύγατερ Δάματρος, ἃ τῶν νυκτιπόλων ἐφόδων ἀνάσσεις, καὶ μεθαμερίων ὅδωσον δυσθανάτων κρατήρων πληρώματα.]

[Μεθημέριος. V. Μεθημερινός.]

Μεθημοσύνη, ἡ, Remissio animi, Negligentia, Dimissio cum quodam neglectu. Hom. Il. N, [120] in oratione Neptuni ad Argivos, qui, quum Trojanos murum superasse vidissent, animo percellebantur : Ὦ πέπονες, τάχα δή τι κακὸν ποιήσετε μεῖζον Τῇδε μεθημοσύνῃ. [Et plur. ib. 108 : Μεθημοσύνῃσί τε λαῶν.] Ibid. dicit, Ὑμεῖς δ' οὐκ ἔτι καλὰ μεθίετε θούριδος ἀλκῆς. Atque ibi reddi etiam fortasse possit ex Cic. Animi remissio et dissolutio. [ῠ]

Μεθήμων, ονος, ὁ, ἡ, Remissus, Negligens, Cum neglectu quodam dimittens aut missum faciens, ῥᾴθυμος, ut Eust. exp. Hom. Il. [B, 241] : Οὐκ Ἀχιλῆϊ χόλος φρεσὶν, ἀλλὰ μεθήμων, i. e. χαῦνος· alibi [Z, 523] dicit, Ἀλλὰ ἑκὼν μεθιεῖς. [Od. Z, 25 : Ναυσικάα, τί νύ σ' ὧδε μεθήμονα γείνατο μήτηρ;]

[Μεθίδρῡσις, εως, ἡ, Migratio, Translatio. Strabo 8, p. 372 : Αἱ Μυκῆναι, μείζονα ἐπίδοσιν λαβοῦσαι διὰ τὴν τῶν Πελοπιδῶν εἰς αὐτὰς μεθίδρυσιν. Plut. Mor. p. 927, A : Μηδεμιᾶς μεθιδρύσεως μηδὲ μετακοσμήσεως δεόμενον μέρος τοῦ κόσμου.]

[Μεθιδρύω, Transfero. Plato Leg. 10, p. 904, E : Ἐπὶ τἀναντία μεθιδρύσασα τὸν ἑαυτῆς βίον, ubi est var. μεθιδρυσα (sic), constructioni autem aptius μεθιδρύσατο, quod conjecit Astius. Dionys. A. R. 6, 52 : Χρέα καὶ καταδίκας καὶ τὰς ὁμοιοτρόπους ταύταις συμφορὰς ἀγαπητῶς ὅποι τύχῃ μεθιδρυσόμενον. Plut. Ages. c. 12 : Ὑπέφευγεν ἄλλοθεν ἀλλαχόσε χώρας μεθιδρυόμενος.]

[Μεθιζάνω, Transfero. Aret. p. 104, 46 : Συνεχῶς δὲ τὰς σικύας μεθιζάνειν. ἅ ‖ « Μεθίζεσθαι, Sedem mutare. Theod. Prodr. Tetrast. p. 150, 8 ed. Souvign. » Boiss.]

Μεθίημι [vel Μεθίω s. Μεθιῶ (et infra Μετίω), cujus thematis sec. pers. præs. est Hom. Il. Z, 523, Od. Δ, 372 : Ἑκὼν μεθιεῖς, tertia K, 121 : Πολλάκι γὰρ μεθιεῖ, imperf. O, 716 : Οὐχὶ μεθίει, et loco ap. HSt. Π, 762, etc., quarum formarum de accentu agit Buttm. Gramm. vol. 1, p. 543, et nos pluribus dicemus in Συνίημι. Imperf. tertia plur. μεθίεν, Od. Φ, 377 : Καὶ δὴ μεθίεν χαλεποῖο χόλοιο Τηλεμάχῳ], Dimitto, Missum facio. Hom. Il. [K, 449] : Εἰ μὲν γάρ κέ σε νῦν ἀπολύσομεν, ἠὲ μεθῶμεν· Π, 762 : Ἕκτωρ μὲν κεφαλῆφιν ἐπεὶ λάβεν, οὐχὶ μεθίει· A, 283 : Μεθέμεν χόλον, Missam facere iram, Deponere. Sic [Æsch. Prom. 262 : Ταῦτα μὲν μεθῶμεν· 1037 : Τὴν αὐθαδίαν μεθέντα· Pers. 699 : Τὴν ἐμὴν αἰδῶ μεθεὶς. Eur. Med. 177 : Εἴ πως ὀργὰν καὶ λῆμα φρενῶν μεθείη.] Soph. [El. 448 : Ἀλλὰ ταῦτα μὲν μέθες· 872, τὸ κόσμιον·] Aj. [372] : Χερσὶ μὲν μεθῆκα τοὺς ἀλάστορας, Ex manibus dimisi, pro ἐκ τῶν χειρῶν μεθῆκα. [Eadem constr. OEd. C. 838 : Μέθες χεροῖν τὴν παῖδα.] Synes. : Μεθῆκεν οὖν ὁ κυβερνήτης ἐκ τῶν χειρῶν

A τὸ πηδάλιον. [Sic per tmesin Hom. Il. H, 48 : Μετὰ δ' ἰὸν ἕηκεν. Et conjuncte Od. E, 460 : Τὸ μὲν ἐς ποταμὸν μεθῆκεν. Æsch. Cho. 661 : Ὥρα δ' ἐμπόρους μεθιέναι ἄγκυραν ἐν δόμοισι πανδόκοις ξένων. Soph. El. 1205 : Μέθες τόδ' ἄγγος νῦν. Cum accus. pers., ut sit Negligo, Hom. Il. Γ, 414 : Μή μ' ἔρεθε, σχετλίη, μὴ χωσαμένη σε μεθείω, τὼς δέ σ' ἀπεχθήρω, ὡς νῦν ἔκπαγλ' ἐφίλησα· Od. O, 212. Et ut sit Dimitto, Il. K, 449 : Εἰ μὲν γάρ κέ σε νῦν ἀπολύσομεν ἠὲ μεθῶμεν, ἤ τε καὶ ὕστερον εἶσθα θοὰς ἐπὶ νῆας Ἀχαιῶν. Hesiod. Op. 207 : Δεῖπνον ποιήσομαι ἠὲ μεθήσω. Æsch. Pers. 690 : Οἱ κατὰ χθονὸς θεοὶ λαβεῖν ἀμείνους εἰσὶν ἢ μεθιέναι. Et cum præp. ἀπὸ Eur. Or. 1671 : Ἰδοὺ μεθίημ' Ἑρμιόνην ἀπὸ σφαγῆς. Cum duplici accus. Tro. 41 : Ἣν δὲ παρθένον μεθῆκ' Ἀπόλλων· Hec. 551 : Ἐλευθέραν δέ με μεθέντες. Aristoph. Eccl. 958 : Μέθες, ἱκνοῦμαί σ', ἔρως. Xen. Anab. 7, 4, 10 : Οὐ γὰρ μεθήσω τὸν παῖδα. Plato Tim. p. 85, E : Ἔλυσε τὰ τῆς ψυχῆς αὐτόθεν οἷον νεὼς πείσματα μεθῆκέ τε ἐλευθέραν. ‖ Relinquo est ap. Hom. Od. E, 471 : Εἴ με μεθείη ῥῖγος καὶ κάματος, γλυκερὸς δέ μοι ὕπνος ἐπέλθῃ, ubi no-
B tanda etiam forma conjunctivi. Eur. Iph. A. 648 : Μέθες νυν ὀφρὺν ὄμμα τ' ἔκτεινον φίλον, vertendum Remitte. Ceterum hunc quoque versum referendum videri inter pseudeuripideos, quibus ut tota fabula, ita illa maxime scena obsita est, dixi jam ubi de altera ejus parte egi, v. Ἐκτείνω vol. 3, p. 582, A. Cum duplici accus. Sophocl. Phil. 1301 : Μέθες με πρὸς θεῶν χεῖρα.] ‖ Ap. Hom. cum gen. non semel habet quidem Dimittendi itidem signif., sed Dimittendi cum quodam neglectu : adeo ut exponatur etiam Negligo, sicut ab Eust. ἀμελῶ, Detrecto. Genitivi autem, quibus potissimum jungitur in signif. ista, sunt, μάχης, πολέμοιο, ἀλκῆς. Is igitur μεθίησι πολέμοιο, Qui bellum missum facit, sed eorum more, qui illud subterfugiunt et detrectant : unde μεθιέναι πολέμοιο non incommode reddi potest Detrectare bellum. [Cum dat. libri Il. Φ, 177 : Τρὶς δὲ μεθῆκε βίῃ· quod nunc in βίης mutatum, ut Od. Φ, 126 : Τρὶς δὲ μεθῆκε βίης, ubi hiatum fecisset βίῃ. Addito accusativo, signif. transitiva, Il. P, 539 : Μενοιτιάδαο θανόντος κῆρ
C ἄχεος μεθέηκα.] Invenio autem et infin. μάχεσθαι pro μάχης, cum eod. verbo, ead. signif. Hom. Il. N, 234 : Ὅστις ἐπ' ἤματι τῷδε ἑκὼν μεθίῃσι μάχεσθαι, quidam interpr. Cessat. Ponitur interdum et sine casu, ac tum significare potius existimo, Remitto contentionem, Remisse ago, Ignave me gero : Il. Y, 360 : Ἀλλ' ὅσσον μὲν ἐγὼ δύναμαι χερσίν τε, ποσίν τε, Καὶ σθένει, οὔ μ' ἔτι φημὶ μεθησέμεν οὐδ' ἠβαιόν. Sic N, [229] : Ὀτρύνεις δὲ καὶ ἄλλον, ὅθι μεθιέντα ἴδηαι. [O, 553 : Οὕτω δὴ, Μελάνιππε, μεθήσομεν. Et alibi. Aliter Ω, 48 : Ἀλλ' ἤτοι κλαύσας καὶ ὀδυράμενος μεθέηκεν, ubi nonnulli male ὀδυρόμενος.] Scio autem μεθιέναι cum gen. quoque reddidisse quosdam Remittere, in Δ, 234 : Ἀργεῖοι, μήπω τι μεθίετε θούριδος ἀλκῆς· ita enim vertunt, Argivi, ne quid remittatis de strenua fortitudine. Sed eos in errorem impulit, ut opinor, particula τι, quam quum vacare non intelligerent, cum gen. jungendam putarunt. Habetur vero idem verbum paucis post versibus, Οὕστινας αὖ μεθιέντας ἴδοι στυγεροῦ πολέμοιο· ubi qui dicuntur μεθιέντες πολέμοιο,
D statim post dicuntur στῆναι τεθηπότες, οὐδὲ μάχεσθαι. [Cum genit. pers., ut sit Negligo, Relinquo, ut supra cum accus., Hom. Il. Λ, 841 : Ἀλλ' οὐδ' ὧς περ σεῖο μεθήσω τειρομένοιο. Cum genit. rei et accus. pers., ut sit Absolvo, Herodot. 9, 33 : Μετίεσαν (hominem) τῆς χρησμοσύνης τὸ παράπαν. Contra vitiosum esse genitivum, ubi simplex obtinet signif. Dimittendi, ut ap. Aristoph. Ran. 830 : Οὐκ ἂν μεθείην τοῦ θρόνου, ubi nunc μεθείμην, monuit Dawes. Misc. cr. p. 238=438, et copiosius Valck. ad Phœn. 522. Idem præcipit schol. Philostr. Her. p. 401 : Μεθίημι καὶ ἀφίημι ἐνεργητικῶς αἰτιατικῇ, παθητικῶς δὲ γενικῇ.] ‖ Μεθίημι τὰ δέοντα πράττειν, ap. Xen. [Comm. 2, 1, 33] redditur Omitto agere quæ decet, officio fungi : sed ut μεθίημι μάχεσθαι ap. Hom. [Il. N, 234], sicut et μεθίημι μάχης, vertitur Pugnam detrecto, sic et τὰ δέοντα πράττειν ap. Xen. verti posse videtur Detrectat suum officium. [Hom. Il. Ψ, 434 : Αὐτὸς γὰρ ἑκὼν μεθέηκεν ἐλαύνειν. ‖ Omitto, Sepono, Abjicio, cum accus. Eur. Hec. 888 : Τόνδε μὲν μέθες λόγον. Herodot. 1, 33 : Τὰ πα-

ρεόντα ἀναθὰ μετεις· 7, 16, 2 : Μετιέντι τὸν ἐπ' Ἕλληνας στόλον. Et cum infin. idem 1, 78 : Οἱ ἵπποι μετιέντες τὰς νομὰς νέμεσθαι. || Remitto, transitive, Æsch. Ag. 1385 : Παίω δέ νιν (Agamemnonem) δὶς, κἀν δυοῖν οἰμώγμασι μεθῆκεν αὐτοῦ κῶλα, si αὑτοῦ illic scribitur, non αὐτοῦ. Eur. Phœn. 584 : Μέθετον τὸ λίαν. || Immitto s. Demitto. Eur. Hel. 1396 : Μεθεῖναι σῶμ' ἐς οἶδμα πόντιον· El. 1223 : Ματέρος ἔσω δέμας μεθείς (φάσγανον)· Or. 1133 : Εἰ μὲν γὰρ ἐς γυναῖκα σωφρονεστέραν ξίφος μεθεῖμεν, δυσκλεὴς ἂν ἦν φόνος· Bacch. 1265 : Ἐς τόνδ' αἰθέρ' ὄμμα σὸν μέθες· Ion. 1049 : Εἴσω προξένων μέθες πόδα· Phœn. 276 : Ἐς σκοτεινὰς περιβολὰς μεθῶ ξίφος. Xen. Cyrop. 4, 3, 9 : Παλτὰ, οἷς καὶ μεθιέντες καὶ ἔχοντες χρώμεθα.] || Permitto [vel Concedo, ubi cum dat. conjungitur, Hom. Il. Ξ, 364 : Μεθίεμεν Ἕκτορι νίκην. Soph. El. 647 : Εἰ δ' ἐχθρὰ, τοῖς ἐχθροῖσιν ἔμπαλιν μέθες· Phil. 973 : Τἀμά μοι μεθεὶς ὅπλα. Eur. Alc. 1111 : Οὐκ ἂν μεθείην σοῖς γυναῖκα προσπόλοις· Suppl. 1212 : Τεμένη ... μέθες θεῷ· Bacch. 350 : Στέμματ' ἀνέμοις καὶ θυέλλαισιν μέθες. Herodot. 3, 28 : Μετῆκάν οἱ τὰς αἰχμάς] : Εἰρεσίας ναΐ μεθεῖναι, ex Soph. Aj. [250], Remigia navi permittere. Et cum infin. ex Epigr. [Palladæ Anth. Pal. 9, 378, 11] : Οὐ μεθῆκά σε θανεῖν, Non permisi, sivi te mori. [Hom. Il. P, 418 : Εἰ τοῦτον Τρώεσσι μεθήσομεν ἄστυ ποτὶ σφέτερον ἐρύσαι. Soph. El. 628 : Μεθεῖσά μοι λέγειν ἃ χρῄζοιμι· Ant. 653 : Μέθες τὴν παῖδ' ἐν Ἅιδου τήνδε νυμφεύειν τινί. Eur. Ion. 233 : Μεθεῖσαν δεσπόται με θεοῦ γύαλα τάδ' ἐσιδεῖν· Hec. 1128 : Μέθες μ' ἐφεῖναι τῇδε μαργῶσαν χέρα. Herodot. 1, 40 : Μετίημί σε ἰέναι ἐπὶ τὴν ἀρχήν· et alia signif. in l. paullo ante citato. Plato Leg. 1, p. 636, D : Δύο γὰρ αὗται πηγαὶ μεθεῖνται φύσει ῥεῖν. [|| Emitto. [Edo, Eur. Hipp. 1202 : Ἔνθεν τις ἠχὼ χθόνιος, ὡς βροντὴ Διὸς, βαρὺν βρόμον μεθῆκε· El. 797 : Τοῦτον μὲν οὖν μεθεῖσαν ἐκ μέσου λόγον· Hipp. 499 : Οὐχὶ συγκλῄσεις στόμα καὶ μὴ μεθήσεις αὖθις αἰσχίστους λόγους· Cycl. 210 : Τάχα τις ὑμῶν τῷ ξύλῳ δάκρυα μεθήσει, ut Herodotus l. infra cit. Hippocr. p. 235, 47 : Μεθίησι γὰρ (ξύλα) κατὰ τὴν τομὴν πνεῦμα· 242, 22 : Μεθίασι τῆς δυνάμιος ἐς τὸ κάτω· 245, 53 : Μεθίησιν ἔξω (τὴν πνοήν).] Μεθίησι βλαστὸν, ex Theophr. [C. Pl. 5. Herodot. 6, 37], Emittit germen, in VV. LL. In iisd. μεθιεὶς ῥεύματα, ex Plat. Leg. 8, [p. 844, C]. Item μεθιεῖσα τὸ ὕδωρ, sine auctoris nomine. [Aor. sec. opt. sec. pers. μεθεῖς recte a Musgravio restituta est Eur. Med. 736 : Μεθεῖς ἂν ἐκ γαίας ἐμέ. Aor. prioris partic. ap. Coluth. 125 : Τάρβος ἀπορρίψας καὶ πώεα καλὰ μεθήσας.] || Μεθίεμαι voce pass. [med.], sed signif. act., pro Dimitto, Missum facio; sed cum gen. [nunquam cum accusativo, ut dictum jam in aetivo, et post Dawesium Misc. p. 238=438, monuerunt Valck. ad Phœn. 522 et Porson. ad Med. 734, qui nihil tribuerent locis Eurip., ubi est ἐκεῖνο δ' οὐχ ἑκὼν μεθήσομαι, Aristoph. Vesp. 416 : Ὡς τόνδ' ἐγὼ οὐ μεθήσομαι, facillimis ad corrigendum, aut Soph. El. 1277 : Μή μ' ἀποστερήσῃς τῶν σῶν προσώπων ἡδονὰν μεθέσθαι, ubi ἁδονᾶν Porsonus, sed accusativus ad verbum præcedens potius quam sequens referri videtur. Rationem constructionis medii cum genit. exposuit Schæfer. ad annot. Porsoni l. c. De ipsius autem loci Eur. vera scriptura modo diximus.] Aristoph. Pl. [42] : Ἐκέλευσε τούτου μὴ μεθίεσθαί μ' ἔτι· ib. [75] : Μέθεσθέ νύν μου πρῶτον. Eur. [Hec. 400 : Τῆσδ' ἑκοῦσα παιδὸς οὐ μεθήσομαι·] Phœn. [1675] : Ἐπεὶ τοῦδ' οὐ μεθήσομαι νεκροῦ. Item cum rei, [Eur. Herc. F. 627 : Μέθεσθ' ἐμῶν πέπλων· Hipp. 326, γονάτων· Or. 172, κτύπου.] Plato De rep. 7, [p. 537, B] : Ἡνίκα τῶν ἀναγκαίων γυμνασίων μεθίενται. [In Ind. :] Μεθείω [Hom. Il. Γ, 414], Ion. pro μεθῶ. Μετίημι, Ion. ap. Herodot. pro μεθίημι : itemque [1, 12] μετίεμαι pro μεθ. Μετεὶς, Ion. pro μεθεὶς, a μεθίημι, Dimitto. Herodot. : Μετεὶς τὴν τυραννίδα. Idem, Μετένται ἡμέας μουναρχίην. [Ἀρχὴν 3, 143.] Item μετεὶς τὴν γνώμην, τὴν στράτευσιν. Idem [6, 29] dicit etiam μετεὶς Περσίδα γλῶσσαν pro ἀφεὶς, Sonans, Loquens. [Δάκρυα 9, 16. Τὸν φόρον 6, 59. Τὰς ἁμαρτάδας 8, 140. Forma præs. μετίει est 2, 70 : Μετίει ἐς μέσον τὸν ποταμόν· 6, 37 et 59. Aor. pass. μετείθη (al. ἐμετείθη) est 1, 114. Imperat. μετείσθω 4, 98. Partic. perf. μεμετιμένος 5, 108, etc. Fut. pass. 5, 35 : Πολλὰς εἶχε ἐλπίδας μετήσεσθαι ἐπὶ θάλασσαν.]

[Μεθιππεύω, q. d. Transequito, Transvehor. Appian. Pun. c. 44 : Ἀννίβας ἐπεὶ τὸ λαιὸν συνέστησεν, ἐς τοὺς Λίγυας καὶ Κελτοὺς μεθίππευεν.]

[Μεθίπταμαι, Transvolo. Appian. Hispan. c. 71 : Ὀξέως, οἷα δὴ λῃστήρια, μεθιπταμένους δυσεργὲς ἡγούμενος εἶναι καταλαβεῖν.] Μεταπτάμενος, Transvolans, Epigr., a μεθίπτημι [μεθίπταμαι. In loco Pamphili autem, quem dicit HSt., Anth. Pal. 7, 201, 4, nunc legitur ἀναπεπαμένα.]

[Μεθιστάνω, i. q. sequens. |Improbat Phrynich. in Exc. Bekk. An. p. 51, 29 : Μεθιστάναι καὶ ἑστάναι, οὐχὶ μεθιστάνειν καὶ ἱστάνειν. Significatione Transferendi, Corinth. 1, 13, 2 : Ὥστε ὄρη μεθιστάνειν. Diodor. 2, 57 : Μεθιστάνειν ἑαυτὸν ἐκ τοῦ ζῆν. Qui forma non meliori Μεθιστάω utitur 18, 58 : Τοῖς τὴν βασιλείαν εἰς ἑαυτοὺς μεθιστῶσιν, ubi codd. nonnulli μεθισταμένοις. Daniel 2, 21 : Καθιστᾷ βασιλεῖς καὶ μεθιστᾷ.]

Μεθίστημι, Statuo aliud pro alio. Aristot. Eth. 5 : Στασιάζουσιν ὅπως ἐκ τῆς καθεστηκυίας πολιτείας ἄλλην μεταστήσωσι, Bud. [Similem locum Euripidis v. in Μεθίσταμαι sub initium.] Huc autem pertinere videtur μεθιστάναι πόλιν, Thuc. [8, 66.] Sed generalius pro Muto accipi sciendum est, ut qui aliud pro alio statuit, mutationem facit. [Eur. Iph. A. 346 : Ἄνδρα δ' οὐ χρεὼν τὸν ἀγαθὸν πράσσοντα μεγάλα τοὺς τρόπους μεθιστάναι· Heracl. 935 : Δαίμων μετέστησεν τύχην· fr. Belleroph. ap. Stob. Fl. 105, 5 : Τὸ μὲν μέγ' εἰς οὐδὲν ὁ πολὺς χρόνος μεθίστησι· Bacch. 296 : Χρόνῳ δέ νιν (Διόνυσον) βροτοὶ τραφῆναί φασιν ἐν μηρῷ Διὸς, ὄνομα μεταστήσαντες. Herodot. 1, 65 : Μετέστησε τὰ νόμιμα πάντα. Xen. H. Gr. 5, 4, 64, νόμους· 7, 1, 42, πολιτείαν, et eodem cum nomine Plato Reip. 8, p. 562, C. Id. Leg. 7, p. 797, C : Λανθάνειν τῶν νέων τὰ ἤθη μεθιστάντα.] Aristot. : Οὐ γὰρ ῥᾴδιον τὰ ἐκ παλαιοῦ τοῖς ἤθεσι κατειλημμένα μεταστῆσαι. Plut. De def. orac. [p. 410, C] : Καὶ τὰ σύμπαντα μεθιστάντας, καὶ τὴν μαθηματικὴν ἄρδην ἀναιροῦντας. Antiph. [p. 137, 45] : Γνώμην ἐξ ὀργῆς μεταστῆσαι [—ήσειν], Conceptam ab ira sententiam mutare, Bud. Affertur et cum genit. Attico, ex Aristoph. [Eq. 398], μεθίστημι τοῦ χρώματος, pro Muto colorem. [Vesp. 748 : Μεθιστὰς ἐς τὸ λοιπὸν τὸν τρόπον. Eur. Alc. 174 : Οὐδὲ τοὐπιὸν κακὸν μεθίστη χρωτὸς εὐειδῆ φύσιν.] A Plat. accipi pro Muto et degenerare facio, Bud. || Et quoniam locum mutare facit, qui ex uno loco in alium transfert, s. traducit, submovet, expellit, sic etiam accipitur μεθίστημι. Pausan. [Cor. 9, 1] : Ἐς Ἐπικλείδαν τὸν ἀδελφὸν μετέστησε τὴν ἀρχὴν, Transtulit imperium. [Polyb. 22, 21, 1 : Τὴν ἁπάντων τῶν Γαλατῶν δυναστείαν εἰς ἑαυτὸν μεταστῆσαι.] Gregor. de Juliano invadente imperium : Ὡς μεταστήσων εἰς ἑαυτὸν ἅπαν τὸ κράτος. Ap. Xen. tamen [H. Gr. 2, 2, 5] : Ὁ δὲ Ἐτεόνικος δέκα ναυσὶ πάντα τα ἐκεῖ χωρία πρὸς τοὺς Λακεδαιμονίους μετέστησεν, Bud. μετέστησεν exp. non simpliciter Transtulit, sed In ditionem et imperium subegit et subjugavit. Synes. : Ἄγων καὶ μεθιστὰς οὐχ ᾗ λυσιτελέστερον ἦν, ἀλλ' ᾗ κερδαλεώτερον, Ducens et traducens. Gregor. : Καὶ πολλοὺς ἀπὸ τῆς πλάνης μεταστήσας εἰς σωτηρίαν. Apud Platonem cum ἀντὶ in Epist. [3, p. 319, D] : Τὴν ἀρχὴν ἀντὶ τυραννίδος εἰς βασιλείαν μεταστῆσαι, ubi tamen non solum Traducere, sed et Mutare vertitur. [Xenoph. H. Gr. 2, 3, 24 : Τοῖς εἰς ὀλιγαρχίαν μεθιστᾶσι (τὴν πολιτείαν)· 4, 8, 27 : Τὴν δημοκρατίαν μεταστῆσαι ἐς τοὺς τετρακοσίους. Demosth. p. 196, 13 : Τοὺς τὰς πολιτείας καταλύοντας καὶ μεθιστάντας εἰς ὀλιγαρχίαν.] At pro Summoveo, Expello, Facessere jubeo : μεθίστημί τινα τῆς καθέδρας : sed frequentius etiam sine gen. [Eur. fr. OEnei ap. Suid. v. Ἡρακλείαν λίθον cit. : Ὥστε Μαγνῆτις λίθος τὴν δόξαν ἕλκει καὶ μεθίστησιν πάλιν], et quidem in aor. med. interdum. [Herodot. 1, 89 etc. : Μεταστησάμενος τοὺς ἄλλους.] Thuc. 5, [111] : Εἰ μὴ μεταστησάμενοι ἔτι ἡμᾶς, ἄλλο τι τῶνδε σωφρονέστερον γνώσεσθε. [Conf. 1, 79. Xen. Anab. 2, 3, 21.] Æschin. [p. 72, 2] : Καὶ τοὺς μὲν ἐναγεῖς... μετεστήσαντο, τοὺς δὲ δι' εὐσέβειαν φυγόντας κατήγαγον. Lucian. [Alex. c. 55] : Μεταστησάμενος ἅπαντας, ἐδικαιολογεῖτο πρός με. [Polyb. 18, 27, 4 : Τὰς φρουρὰς ἐξ αὐτῶν (τῶν πόλεων) μεταστησάμενον.] Nonnunquam vero magis peculiarem signif. habet, sc. pro In exilium mitto, ad quam signif. Summoveo quoque et Expello alicubi restringuntur, ap. Plut.

Aristide [c. 7 : Γράψας ὃν ἐβούλετο μεταστῆσαι τῶν πολιτῶν. De eodem Aristide Demosth. p. 802, 16 : Ἀριστείδην φασὶν ὑπὸ τῶν προγόνων μετασταθέντα ἐν Αἰγίνῃ διατρίβειν.] Ex Chrysost. etiam affertur pro ead. signif., Πρὸς τὴν ὑπερορίαν μεταστῆσαι. Ap. Isocr. autem Bud. exp. Migrare cogo. || Dimoveo, Retraho, Revoco. Gregor. : Ὃν καὶ χαλεπὸν μεταστῆσαι κακίας. In quodam autem Thuc. l. μεθιστάναι legisse mihi videor pro Dimovere de sententia, quod potius Deducere dicitur. || Μεθίστημι ἄγαλμα φόνου, ex Eur. [Iph. T. 1177] pro Arceo, Prohibeo, statuam a cæde, VV. LL. [Ib. 991 : Θέλω δ' ἅπερ σὺ, σέ τε μεταστῆσαι πόνων νοσοῦντά τ' οἶκον· Hel. 1442 : Ὦ Ζεῦ, βλέψον πρὸς ἡμᾶς καὶ μετάστησον κακῶν· fr. Phrixi ap. Stob. Fl. 67, 15 : Δυσθυμίας ψυχὴν μεθιστᾶσα. Ubi vert. Libero, ut Soph. Phil. 464 : Καί σε δαίμονες νόσου μεταστήσειαν.] || Μετέστην et Μεθέστηκα, vide in Μεθίσταμαι.

|| Μεθίσταμαι, Statuor pro alio, Mutor. Aristoph. [Pl. 365] : Ὡς πολὺ μεθέστηχ' ὧν πρότερον εἶχεν τρόπων. [Hic est Secedo, de qua signif. v. infra. Mutor, ib. 994 : Πολὺ μεθέστηκεν πάνυ· et ubi per tmesin, Eur. Hipp. 1109 : Μετὰ δ' ἵσταται ἀνδράσιν αἰὼν πολυπλάνητος αἰεί· Ion. 1507 : Μεθίσταται δὲ πνεύματα· El. 1201 : Πάλιν πάλιν φρόνημα σὸν μετεστάθη· Heracl. 488 : Ἡμῖν δὲ δόξας εὖ προχωρῆσαι δόμος πάλιν μεθέστηκ' αὖθις ἐς τἀμήχανον. Et rariori constructione 796 : Νέος μεθέστηκ' ἐκ γέροντος αὖθις αὖ.] Plato [Rep. 9, p. 571, A] : Λοιπὸς δὴ ὁ τυραννικὸς ἀνὴρ σκέψασθαι πῶς τε μεθίσταται ἐκ δημοκρατικοῦ. Ex Herodoto affertur μεθίστασθαι et pro Mutari animo, i. e. Mutare sententiam. [Id. 1, 118 : Τῆς τύχης εὖ μετεστεώσης. Eur. Med. 911 : Ἐς τὸ λῷον σὸν μεθέστηκεν κέαρ. Xen. H. Gr. 2, 3, 24 : Πολιτεῖαι μεθίστανται.] Pro Degenero autem sicut ἐξίσταμαι, mutantur autem quæ degenerant, Bud. ex Polyb. [6, 9, 7] profert : Μεθίσταται δ' εἰς βίαν καὶ χειροκρατίαν ἡ δημοκρατία. [Demosth. p. 500, 21 : Μηδ' ὑπολαμβάνετε εἶναι τὸν ἀγῶνα τόνδε ὑπὲρ ἄλλου τινὸς ἢ τοῦ τῆς πόλεως ἀξιώματος, πότερον αὐτὸ δεῖ σῶν εἶναι καὶ ὅμοιον τῷ προτέρῳ ἢ μεθεστάναι καὶ λελυμάνθαι. De morbis Hippocr. p. 139, A : Φθινοπώρου μάλιστα εἰς τεταρταῖον ἐπιεικέως μεθίστανται. Aret. p. 11, 41, ἐς φθόην.] Μεθίσταμαι, Transferor, Traducor. Plut. Apophth. [p. 240, B] : Μετέστησαν εἰς δουλείαν, ubi tamen redditur et aliis verbis. Interdum Summoveor, Amoveor : Luc. 16, 4 : Ἵνα ὅταν μετασταθῶ τῆς οἰκονομίας, Amotus fuero, ut vetus quoque Interpres reddidit. [Eodem tempore signif. Abscedendi, Relinquendi locum aliquem, Soph. OEd. C. 163 : Μετάσταθ', ἀπόβαθι. Eur. Bacch. 1271 : Μετασταθεῖσα τῶν πάρος φρενῶν.] Sic ap. Æschin. μεθίστασθαι Bud. vertit Summoveri [p. 77, 19] : Ὁ δὲ Ἀλέξανδρος ἔξω τῆς ἄρκτου καὶ τῆς οἰκουμένης ὀλίγου δεῖν μεθειστήκει. Sæpe autem redditur verbo neutro, Migro [Gl.], Facesso, Secedo, Bud. ex Athen. p. 215. [Æsch. Suppl. 538 : Παλαιὸν δ' εἰς ἴχνος μετέσταν. Eur. Phœn. 40 : Τυράννοις ἐκποδὼν μεθίστασο.] Sic μεθίστασθαι εἰς ἕτερον τόπον, Plato [Leg. 6, p. 762, B], Migrare. [De morbo Hippocr. p. 202, D : Μεθιστάμενα ἀλγήματα ἐκ κενεώνων ἐς τὸ λεπτόν.] Et cum ἀπὸ vel ἐκ habentibus suum gen. : Ἐκ γὰρ ξυνέδρου καὶ τυραννικοῦ κύκλου Κάλχας μεταστὰς, Soph. [Aj. 749], Digressus, Quum recessisset. Sic, μεταστῆναι ἐκ τῆς χώρας, πατρίδος, Migrare ex regione, patria, Demigrare. [Herodot. 9, 58 : Μετισταμένους ἐκ τῆς τάξιος. Plato Reip. 7, p. 518, A : Ἔκ τε φωτὸς εἰς σκότος μεθισταμένων καὶ ἐκ σκότους εἰς φῶς. Demosth. p. 632, 19 : Ἐκ τῆς τῶν πεπονθότων μεταστάντα εἰς τὴν τῶν μηδὲν ἠδικημένων ἀδεῶς μετοικεῖν. Polyb. 32, 21, 3 : Τῶν ἀλιτηρίων ἐκ τοῦ ζῆν μεθισταμένων.] Et sine præp. ap. Eur. [Phœn. 75 : Οὐ μεθίσταται θρόνων· Med. 551 : Ἐπεὶ μετέστην δεῦρ' Ἰωλκίας χθονός. Et Alc. 21] : Μεταστῆναι βίου, Migrare ex vita : sed interdum μεθίσταμαι sine adjectione etiam, utramque harum signiff. habet : et quidem in partic. præsertim : dicuntur enim μεθίστασθαι exules, qui migrant ex patria, et solum vertunt : unde Ἐπ' ἀκουσίῳ φόνῳ μεθεστηκότες, Dem. Et, Ψηφίσασθαι τοῖς μεθεστῶσι κάθοδον, Plut. [Aristide c. 8.] A quo μεθεστῶτες dicuntur etiam pro μεθεστῶτες τοῦ βίου, Qui migrarunt ex vita, Defuncti. [Eodem referendi ll. Eur. Med. 898 : Μεθέστηκεν χόλος· 1295 : Μεθέστηκεν φυγῇ. Herodot. 8, 81 : Ὁ μὲν ταῦτα εἴπας μετεστήκεε.

A Xen. Anab. 2, 3, 21 : Μεταστάντες οἱ Ἕλληνες ἐβουλεύοντο. Demosth. p. 776, 24 : Μετάστητε ἔξω.] Μεθίσταμαι redditur etiam Transeo, Deficio. Plato Epist. [3, p. 319, E] : Ἐκ τοῦ ψεύδους εἰς τὸν ἀληθῆ λόγον μετάστηθι [μεταστήσει]. Xen. Hell. 1, [4, 4] : Τὰ χωρία τὰ πρὸς Λακεδαιμονίους μεθεστηκότα, Quæ ad Lacedæmonios defecerant. [Cum præp. ἀπὸ Thuc. 8, 76 : Τοὺς γὰρ ἐλάσσους ἀπὸ σφῶν τῶν πλεόνων καὶ ἐς πάντα ποριμωτέρων μεθεστάναι.] Qua dixit signif. Chrysost. : Ἐπὶ τὸν διάβολον μεταστῆναι. Sic et ap. Plut. Demetrio p. 288 [c. 49], Bud. exp. Deficio, Transitionem facio; sed et Secessionem facio exp. Idem ap. eund. Plut. [Æsch. Pers. 158 : Εἴ τι μὴ δαίμων παλαιὸς νῦν μεθέστηκε στρατῷ. Leg. στρατοῦ, Reliquit felicitas. Valck. Sic libri nonnulli.. Dativo servato μεθέστηκε est Mutatus est, ut ap. Soph. fr. Tyndar. Stob. Fl. 105, 5, 6 : Ἐν γὰρ βραχεῖ καθεῖλε κὠλίγῳ χρόνῳ πάμπλουτον ὄλβον δαίμονος κακοῦ δόσις, ὅταν μεταστῇ καὶ (nisi l. —στῆσαι) θεοῖς δοκῇ τάδε.] || Μεθίστασθαι ἐπὶ πόδα, Retrocedere, Se recipere, Cam. ex Polyb. [2, 68, 4 : Ὑποχωρεῖν ἐπὶ πόδα
B καὶ μεθίστασθαι πρὸς τοὺς ὑπερδεξίους τόπους.] || Μεθίσταμαι invenitur et cum genitt. diversis a superioribus, ut cum λύπης, φόβου. [Κότου Æsch. Eum. 900.] Exp. autem μεθίστασο λύπης ap. Eur. [Alc. 1122], Depone mœrorem : Μετέστημεν φόβου [Rhes. 295], Desiimus timere : sed si verbum verbo reddendum sit, crediderim μεθίστασθαι λύπης esse Discedere a mœrore, itidemque μεθίστασθαι φόβου esse Discedere a metu, i. e. Liberari mœrore s. solvi, Liberari metu s. solvi. [Κακῶν Hel. 856.] || Sto inter, Versor vel Sum inter. Hom. [Il. E, 514] : Ἑτάροισι μεθίστατο, Versabatur inter socios. [In Ind. :] Μεθεστῶται, οἱ, Qui demigrarunt ex vita, VV. LL; sed crasso errore pro μεθεστῶτες.

Μεθὸ, Postquam [Gl. Pachym. In Dionys. Areop. Epist. 10, p. 442. Boiss. Rectius μεθ' ὅ].

Μεθοδεία, ἡ, [Conventio, Gl.] inquit Cam., Occulta et fraudulenta circumventio. Paul. Ephes. [4, 14 : Μεθοδεία τῆς πλάνης·] 6, [11] : Πρὸς τὸ δύνασθαι ὑμᾶς στῆναι πρὸς τὰς μ. τοῦ διαβόλου· ubi vett. Interprr.
C ἐπιβουλὰς, ἐνέδρας, δόλους, Mala consilia, insidias, fraudes. Hæc ille. Bud. quoque interpr. non solum Insidiæ, ut ap. Gregor. : Δέον τῷ θυρεῷ φραξαμένους τῆς πίστεως, στῆναι πρὸς τὰς μ. τοῦ πονηροῦ· sed etiam Fraus, ap. Basil. Et alibi, Τοιαύτη γὰρ ἡ μ. τοῦ διαβόλου. Chrysost., exponens locum Pauli ante citatum : Τί ἐστι μεθοδεία; μεθοδεῦσαί ἐστι τὸ ἀπατῆσαι καὶ διὰ συντόμου ἑλεῖν· ὅπερ καὶ ἐπὶ τῶν τεχνῶν γίνεται καὶ ἐν λογοις καὶ ἐν ἔργοις καὶ ἐν παλαίσμασιν ἐπὶ τῶν παραγόντων ἡμᾶς. Exx. ejus diaboli μεθοδείας ibid. profert. || Hesych. μεθοδείας exp. non solum τέχνας, sed etiam ἐφόδια, Viatica, Viæ sumptus et auxilia. [Quod ad seq. μεθόδιον referendum videtur.] Similiter ap. Suid. : Μεθοδείας, τέχνας ἢ δόλους, ἢ μεθόδιον. [Ap. hunc quoque Μεθόδιον est caput seq. glossæ. Schol. Aristoph. Pl. 109; Artemid. 3, 25.]

[Μεθόδευμα, τὸ, i. q. præcedens. Eust. Opusc. p. 92, 42 : Ἐπὰν δὲ πάντας ἐφελκύσηται τῷ κατὰ πονηρίαν μεθοδεύματι. Nicet. Annal. 21, 3.]

[Μεθοδευτέον, Aristot. Topic. 4, 6 (?).]

D [Μεθοδευτὴς, ὁ, Artifex. Eust. Il. p. 2, 5 : Ἔτι δὲ γίγνεται (Homerus) καὶ μεθοδευτὴς οὕτω τῆς τῶν μύθων πιθανῆς πλάσεως.]

[Μεθοδευτικὸς, ἡ, ὸν, i. q. μεθοδικός. Agatharchides De mari Rubro (ap. Phot. Bibl. p. 455, 14, p. 50 Hudson.) : Πανουργίας κοινωνοῦσι πλείστης, διδασκαλιας τε μεθοδευτικῆς ἐπὶ ποσὸν ἅπτονται.]

Μεθοδεύω, Methodo et via persequor ac tracto. Diog. L. Archyta [8, 83] : Οὗτος πρῶτος τὰ μηχανικὰ μηχανικαῖς προσχρησάμενος ἀρχαῖς ἐμεθόδευσε. Et μεθοδεύειν τον λόγον, Artificiose tractare, Chrysost. 1 Ad Cor. 15. Philo : Δίχα γὰρ τοῦ μεθοδεύοντος οὐκ εἶναι καθ' αὑτὴν ἰδεῖν ἐπιστήμην, Sublato artifice tolli ac perire artem, quæ per se non subsistit. [Id. V. Mos. p. 685, A : Οὐχ ὅπερ μεθοδεύουσιν οἱ λογοθῆραι καὶ σοφισταὶ, πιποάσχοντες ... δόγματα καὶ λόγους.] Hæc Bud., qui μεθοδεύειν interpr. etiam Indagare, Investigare, ap. Themist. 11 In Postt. Anal. [Diodor. 1, 15 : Τοὺς μεθοδεύοντάς τι τῶν χρησίμων· 81 : Μὴ γεωμέτρου τὴν ἀλήθειαν ἐκ τῆς ἐμπειρίας μεθοδεύσαντος. Manetho 5 271 : Σοφίῃσι λόγων φυσικῶν βίοτον μεθοδεύει. Memno 4, p. 10 : Τὴν ὀργὴν ἐκλύων καὶ μεθοδεύων ταῖς ἀναβολαῖς.] Et pass. Μεθοδεύομαι. Galen. Therap. 14 : Κολοβώματα ὀνομάζουσι τὰ κατὰ χεῖρος ἢ πτερύγιον ἢ οὖς ἐλλείποντα· μεθοδεύεται γάρ πως καὶ ταῦτα, Certa quadam methodo curantur, Arte tractantur : ut Hermog. Π. ἰδεῶν 2, p. 206 : Ἀλλὰ μεθωδεύθη ἄλλο τι ὄν, ὥστε εἰς τοῦτο ἀφικέσθαι, Artificiose aliud agitatum est vel actum, ut huc perveniretur, Bud. [De persona Manetho 5, 139 : Ἑρμείαν σκέπτου· θηλυνόμενος γὰρ ἐκεῖνος σχήματι τῆς Παφίης μεθοδεύεται. Eust. Il. p. 754, 21 : Ἰστέον δὲ ὅτι ἐντεῦθεν ὁ Σοφοκλῆς μεθοδευθεὶς ποιεῖ τὸν Τεῦκρον λέγοντα κτλ. Charito 7, 6 fin. : Οὐκ οἶδας πῶς μεθοδεύεται γυνὴ, παρακλήσεσιν, ἐπαίνοις, ἐπαγγελίαις, μάλιστα δὲ, ἂν ἐρᾶσθαι δοκῇ.] || Persequor, in Pand. : Ἀγωγὴ μεθοδεύουσα τὸ τίμημα, Persecutoria pretii. Alibi, Τὸν πατέρα, πρὸς ὃν ἡ προῖξ ἐπανῆλθε, νομίμως μεθοδεύεις, Jure convenis, Cod. Hæc Bud. [Μεθοδεύω, Convenio; Μεθοδεύομαι, Convenior, Gl. Basilic. vol. 5, p. 20 : Οἱ τὰ δημόσια τέλη μεθοδεύοντες, Exactores publicorum tributorum. Ducang.] Hesychio est μετέρχεσθαι et διέρχεσθαι : et μεθοδευσάτωσαν, διελθέτωσαν. || Μεθοδεύειν, Machinari et architectari, Cam.; sicut et Suid. : Μεθοδεύει, τεχνάζεται, ἀπατᾷ. V. Μεθοδεία. [Med. In dicendo utor artificiis ad fallendos auditores, Polyb. 38, 4, 10 : Πολλὰ πρὸς ταύτην τὴν ὑπόθεσιν ἐμπορεύων καὶ μεθοδευόμενος. Schweigh. Argum. Orat. Demosth. in Everg. p. 1138, 8 : Ὁ μὲν Δημοχάρης (τὰς τριήρεις) ἀποδέδωκεν (immo —κει), ὁ δὲ Θεόφημος ἔτι μεθοδευόμενος ἦν. Perf. pass. μεμεθωδευμένος cum similibus formis componit Eust. Il. p. 1325, 32.]

Μεθοδηγέω, Aliter duco et monstro viam, Epigr. [Leonidæ Alex. Anth. Pal. 9, 351 : Λυσίππης ὁ νεογνὸς ἀπὸ κρημνοῦ παῖς ἕρπων Ἀστυανακτείης ἤρχετο δυσμορίης· ἡ δὲ μεθωδήγησεν ἀπὸ στέρνων προφέρουσα μαζὸν, τὸν λιμοῦ ῥύτορα καὶ θανάτου.]

Μεθοδικὸς, ἡ, ὸν, a μέθοδος derivatum, i. q. ἐμμέθοδος. Item Qui artificiosam viam et compendium sequitur. Et μεθοδικὴ, ap. Quintil. Ratio loquendi, 1, 15 : Et finitæ quidem sunt partes duæ, quas hæc professio pollicetur : i. e., ratio loquendi, et enarratio auctorum : quarum illam μεθοδικὴν, hanc ἱστορικὴν vocant. Aristot. autem libros de Disserendi Ratione Μεθοδικὰ inscripserat, de quibus Simplicius, Diog. L. [5, 29], et vero ipse etiam Rhet. 1. [Μεθοδικὸν καὶ ἑστῶτα λόγον οὐκ ἔχει τοῦτο, Polyb. 9, 12, 6, Certam firmamque rationem. Μεθοδικὸς τρόπος, 11, 8, 2, Via ac ratio (addiscendi artem imperatoriam) per artis præcepta. Μεθοδικὴ ἐμπειρία, 1, 84, 6; 9, 14, 1. Μεθ. ἐπιστήμη, 10, 47, 12. Schweigh. Lex. Diodor. 2, 34 : Διδασκαλίαν μεθοδικήν.] Ap. Galen. quoque μεθοδικὴ Ratio quædam investigandi et cognoscendi, in l. Π. ὅρων, ubi ait, Μεθοδική, ἐστὶ λόγος ἀπὸ φαινομένου ὁρμώμενος καὶ ἀδήλου κατάληψιν ποιούμενος· quale est, εἰ ἱδρῶτές εἰσι, πόροι εἰσί. Ap. Eund. μεθοδικὴ αἵρεσις, quam omnia medicinæ dogmata corrupisse scribit. Et μεθοδικοὶ, Medici methodicæ sectæ addicti, quam illi definiebant esse cognitionem apparentium communitatum ad sanitatis finem spectantium. Qui, ut Celsus tradit in præfat. l. 1, contendunt nullius causæ notitiam quidquam ad curationes pertinere, satisque esse quædam communia morborum intueri : siquidem horum tria esse genera : unum, astrictum; alterum, fluens; tertium, mixtum. V. plura ibid., et ap. Gorræum.

Μεθοδικῶς, Artificiosa ratione et via, κατὰ μέθοδον, ut ap. Polyb. exp. Suid. proferens exx. [Πάντα τὰ λεγόμενα μ. περὶ τῶν τάξεων ἐπωπτευκώς· 5, 98, 10 : Ὁ δὲ τρόπος τῆς ἐκμετρήσεως εὐχερὴς καὶ ἀδιάπτωτος, ἐὰν λαμβάνηται μ. 9, 2, 5 : Ὥστε πᾶν τὸ παραπῖπτον ἐκ τῶν καιρῶν ὡσανεὶ μ. δύνασθαι χειρίζειν τοὺς φιλομαθοῦντας.]

Μεθόδιον, τὸ, Viaticum : Μεθόδιον, ὃ ἡμεῖς ἐφόδιον, Hesych. [V. Μεθοδεία. Marm. Oxon. p. 8. || Photius : Μ. τὸ μετὰ τὴν ὁδόν. Suidas : Μεθόδιον, μέθοδος, τέχνη, Ars, addito ex. anonymi : Ὁ δὲ τὸ κατ' ἀλήθειαν ὑπάρχον αὐτῷ μ. οὕτω πως ἐκεχειρίκει.]

[Μεθόδιος, ὁ, Methodius, n. viri, frequens seculis inferioribus. Diatribam de Methodiis scripsit Allatius.]

Μεθοδίτης, ὁ, Artifex; nam Hesych. μεθοδίτας exp.
A τεχνίτας : vel etiam Doli fabricator. [Μεθοδευτὰς conj. Albert. I]

Μέθοδος, ἡ, Via, Compendium, Ratio [Argumentum, Gl. Propriæ significationis, qua est Via s. Iter ad aliquid, ex. v. in fine.] Celsus in præf. 1 : Horum observationem, medicinam esse, quam ita definiunt ut quasi viam quandam, quam μέθοδον Græci nominant, eorumque, quæ in morbis communia sunt, contemplatricem esse contendant. Pro Brevitate et contractione viæ, inquit Bud. in Pand., μέθοδον et Græci dicunt, et Latini Compendium. Plato Leg. 1, [p. 638, E] : Πειρώμενος ἂν δύνωμαι τὴν περὶ ἁπάντων τῶν τοιούτων ὀρθὴν μέθοδον ὑμῖν δηλοῦν, Veram rationem et viam. [Reip. 7, p. 533, C : Ἡ διαλεκτικὴ μ. μόνη ταύτῃ πορεύεται.] Et ap. Galen. Ad Glauc. : Φαρμάκων μέθοδος συνθέσεως, Medicamentorum componendorum ratio. Et μ. θεραπευτικὴ ap. Eund., Ratio et via artis medicæ. Et μ. ἡ καθόλου, Ratio quæ in universum docet, ex Gazæ interpr. Budæo μέθοδος est etiam Ratio commentandi et deprehendendi aliquid, in Plat. De
B rep. 4, [p. 435, D] : Ἀκριβῶς μὲν τοῦτο ἐκ τοιούτων μεθόδων, οἵαις νῦν ἐν τοῖς λόγοις χρώμεθα, οὐ μή ποτε λάβωμεν, ἀλλὰ μακροτέρα καὶ πλείων ὁδὸς ἡ ἐπὶ τοῦτο ἄγουσα· quibus posterioribus verbis quid μέθοδος sit, explicat. Idem in Phædro [p. 269, D] de rhetorica : Ὅσον δὲ αὐτοῦ τέχνη οὐχ ᾗ Λυσίας καὶ Θρασύμαχος πορεύεται, δοκεῖ μοι φαίνεσθαι ἡ μέθοδος. Ab eod. Bud. exp. Via et ratio qua aliquid investigamus : citante ex Plat. Sophista [p. 235, C], Μήποτε ἐκφύγῃ τὴν τῶν οὕτω δυναμένων μετιέναι καθ' ἕκαστα καὶ ἐπὶ πάντα μέθοδον. [Ib. p. 227, A : Τῇ τῶν λόγων μεθόδῳ· Polit. p. 266, D. Reip. 6, p. 510, B : Αὐτοῖς εἴδεσι δι' αὐτῶν τὴν μέθοδον ποιουμένη· Soph. p. 243, D.] Videtur autem metaph. esse sumpta ab iis qui persequendo investigant : a μέθοδος, Persecutio, ut μεθοδεύειν, Persequi, quasi Via s. Iter post aliquem. Ab Eod. exp. Ratio et via docendi ac discendi, ap. Aristot. De partt. anim. init. : Περὶ πᾶσαν θεωρίαν καὶ μέθοδον. Quibus subjungit ex Cic. Bruto, de Hermagoræ præceptis : Habent enim quasdam in discendo non patientes errare vias.
C [|| Modus enuntiandi sententias vel verba. Hermog. Π. ἰδ. 1, p. 10 : Ἅπας λόγος ἔχει μέθοδον περὶ τὴν ἔννοιαν καὶ λέξιν. Itaque omnem tractandæ elocutionis rationem significat, quæ fiat his fere ornamentis quibusdam, ut res proponatur, probetur, amplificetur, etc. Unde et alio loco, p. 18, vocat τὸ σχῆμα τῆς ἐννοίας, a qua σχῆμα λέξεως distinguendum est. Varias τῆς μεθόδου definitiones exhibet Hermogenis epitomator in Συνοπτ. παραδόσει p. 18 : Μέθοδός ἐστι τρόπος ἐπιστημονικὸς τοῦ πῶς δεῖ τὰ νοήματα ἐξάγειν, vel, διοίκησις καὶ ποιὸς σχηματισμὸς ἐξαιρέτως περὶ τὴν ἔννοιαν καὶ τ' ἄλλα, etc. Deinde Apsines Art. rhet. p. 697 ed. Ald. λύσιν κατὰ μέθοδον dicit refutationem, quæ fit fictione caussæ, ut si quis cædis accusatus respondet, *occidi, sed justa de caussa et recte occidi.* Ernest. Lex. rhet.] Μέθοδος dicitur etiam Artificiosa et compendiosa ratio tractandi de re aliqua. Cujus tres statuuntur species, συνθετικὴ, ἀναλυτικὴ, et διαιρετικὴ s. ὁριστική : de quibus Galen. in initio Artis parvæ. Sed et Tractatus aliquis ac liber μέθοδος dici putatur.
D Aristot. Polit. 6 : Καθάπερ εἴρηται πρότερον ἐν τῇ μ. τῇ πρὸ ταύτης, In præcedenti libro. Sic De gen. anim. 5 : Τίνων δὲ ὑπαρχόντων συμβαίνει τούτων ἕκαστον, δηλῶσαι τῆς μ. τῆς νῦν ἐστι. Bud. Sic Polit. 4 : Ἐν τῇ πρώτῃ μ. περὶ τῶν πολιτειῶν. Pro Ars quoque accipitur : Plut. [Rom. c. 12] : Ἁπτόμενος τῆς περὶ τὸν πίνακα μ., Mathematicus et supputator, Abaci peritus, Bud. Similiter et Cam. ap. Aristot. Top. 1, [2] de dialectica : Ἐξεταστικὴ οὖσα πρὸς τὰς ἁπασῶν τῶν μ. ἀρχὰς ὁδὸν ἔχει, Vestigatrix quum sit, ad omnium artium initia ac causas deducit. [Τὰς ἐρωτικὰς μεθόδους προσάγων, Artes, Machinas, Aristæn. Ep. 1, 17. Hemst. Plut. Mor. p. 176, A : Ἐθαύμασε τὴν μέθοδον τοῦ ἀνθρώπου, Calliditatem, Astutiam. || Cum genit. Tzetz. ad Lycophr. 1393, p. 1025 : Ταύτην εἶχε μέθοδον τοῦ λιμοῦ, Remedium. || « Τὴν τῆς νύμφης μέθοδον ποιοῦνται, Suid. in Ζεῦγος ἡμιονικὸν, ubi Accessionem notat : Sponsum arcessunt; sequitur paullo post : Κἂν πεζοὶ μετιωσι τινες κόρην.» Hemst.] || Pro Fictio, Ludificatio, Illusio, affertur ex Can. Concilii Ancyrani.

[Μεθολκή, ἡ, Retractio. Plut. Mor. p. 517, C: Περισπασμὸς καὶ μ. τῆς πολυπραγμοσύνης. « Δίχα μεθολκῆς θεραπεύειν τὸ ὄν, Philo vol. 2, p. 559, 20. » Hemst.]

[Μεθομήρεος, ὁ, Comes. Etym. M. s. Gud. v. Ὡμήρησεν: Πίνδαρος δὲ ἐν Ὕμνοις, Ἐρίφων μεθομήρεον, οἷον, ὁμοῦ καὶ μετ' αὐτοῦ πορευόμενον.]

Μεθομιλέω, pro simpl. ὁμιλέω, Conversor, Consuetudo mihi est cum. Hom. Il. A, [269]: Καὶ μὲν τοῖσιν ἐγὼ μεθομίλεον, quum prius ead. de re usus simplici fuisset.

[Μεθόπιον. V. Μετόπη. Ejusdem orthographiæ est quod ab eodem Hesychio ponitur Μεθόπωρον pro μετόπωρον, ubi similia contulit Albertus.]

[Μεθοράω, unde] Μετιδεῖν affertur pro Contemnere, Despicere: sed sine exemplo. [Hesych.: Μετίδοιτο, ὑπερίδοιτο, ἀτιμάσειεν, καταφρονήσειεν.]

Μεθορίζω, [Determino, Gl.] Confinis sum: Hesych. μεθορίζει, μετέχει, Particeps est: tracta metaph. ἀπὸ τῶν μεθορίων, quæ regiones quidem disterminant, ab utraque tamen partem capiunt.

Μεθόριον, τὸ, Confinium [Gl.]. Plut. De def. orac. [p. 416, C]: Ὥσπερ ἐν μεθορίῳ θεῶν καὶ ἀνθρώπων, Tanquam in confinio hominum et deorum interpositas. Herodian. [5, 4, 10]: Φοινίκης τε καὶ Συρίας ἐν μεθορίοις, In Phœniciæ Syriæque finibus, confinio. Thuc.: Ἐς τὰ μεθόρια, Ad confinia. [Id. 4, 99: Ἐν μεθορίοις τῆς μάχης γενομένης. Xen. Cyrop. 1, 4, 16, 17, etc.] Μεθόριον est etiam Interstitium quo res quælibet disterminantur a se invicem, Discrimen: proprie τὸ μεταξὺ τῶν ὁρίων, τὸ διαχωρίζον τοὺς δύο τινῶν ὅρους, ut Hesych. exp. Philo V. M. 3: Ἐν δὲ τῷ μ. τῶν τεττάρων καὶ πέντε κιόνων, Quatuor et quinque columnarum discrimine. Sic accipi potest ap. Philon. De mundo: Τοῦ θείου νόμου μεθόριον τάττοντος αὐτὸν, ad disterminandum sc. ignem et aquam. Bud. vero vertit, Utique lege divina pro confinio aere collocato: quem supra quoque dicit μεθόριον ὕδατος καὶ πυρὸς κληρώσασθαι τόπον. [Galen. vol. 8, p. 504, A. Hemst.]

Μεθόριος, ὁ, ἡ et α, ον, Conterminus, Confinis, i. q. ἐφόριος s. ἔφορος, πρόσορος, σύνορος: ut ποταμὸς μεθόριος, Pollux 9, [8], Qui vel post terminos nostros est, vel cum eis conjunctus, Fines nostros contingens, i. e. Finitimus. Et μεθόριος s. μεθορία χώρα [vel absolute Μεθορία, Inter fines, Gl., quæ tamen etiam μεθόρια ponunt cum eadem interpr.], Contermina s. Confinis regio. Thuc. 2, [27]: Ἡ δὲ Θυρεᾶτις γῆ μεθορία τῆς Ἀργείας καὶ Λακωνικῆς, Est in confinio Argolicæ et Laconicæ, Argolicæ et Laconicæ terminos contingit. Itidemque 4, p. 139 [c. 56], de eadem Thyrea: Ἡ ἐστι μὲν τῆς Κυνουρίας γῆς καλουμένης, μεθορία δὲ τῆς Ἀργείας καὶ Λακωνικῆς. Philo V. M. 3: Τὴν μ. χώραν ἀπένειμε τοῖς πέντε, Illis quinque regionem confinii tribuit. Interdum vero subaudiendum relinquitur χώρα vel γῆ, ut ap. Philon. De mundo: Ἡ μεθόριος ἐπεκλύσθη καὶ ἀνερράγη, Confinis angustia terræ interrupta est. [Plut. Crass. c. 22: Οὐ μέμνησθε τὴν Ἀράβων διεξιόντες καὶ Ἀσσυρίων μεθορίαν;] Eod. l.: Ἡ δὲ ἡνωμένη γῆ τῷ μ. πορθμῷ διεζεύχθη, Confini freto disjuncta est. Herodian. 7, [12, 18]: Θύσας ἐπὶ τῶν μ. βωμῶν, Sacrificato ad aras quæ in finibus Italiæ sunt. Rursum Philo De mundo: Ἀὴρ τὸν μ. ὕδατος καὶ πυρὸς κληρωσάμενος τόπον, Sortitus confinem aquæ ignique locum. Notandum vero, quum res aliqua dicitur μεθόριος, reddi etiam posse Qua veluti termino dirimuntur: ut μ. ποταμὸς, Fluvius quo duæ regiones disterminantur. Philo V. M. 1, de nube ὁδηγῷ Israelitarum: Ταχθεῖσα μ. τῶν τε διωκόντων καὶ τῶν διωκομένων, Tanquam discrimen interjecta: ut sc. dirimeret et disterminaret eos qui persequebantur ab iis quos persequebantur. Et 3: Ἀνατομὴ τῆς μεγαλουργηθείσης ὁδοῦ, ἢ τῶν κρυσταλλωθέντων μεθόριος ἦν ὁδοιπορία, Limes inter aquas quæ conglaciarant. [Plato Euthyd. p. 305, C: Οὓς ἔφη Πρόδικος μεθόρια φιλοσόφου τε ἀνδρὸς καὶ πολιτικοῦ. (Conf. Leg. 9, p. 878, B.) Timæus Locr. p. 102, B: Ἁ δ' ἀκμὰ μεθόριον τουτέων ἐστί. Dio Chrys. p. 280, C. Schol. Soph. Aj. 169: Αἰγυπιόν φασιν ἐν μεθορίου εἶναι ἀετοῦ καὶ γυπός. Valck. Ἀνὴρ μεθόριος ῥήτορος καὶ στρατηγοῦ, Aristid. vol. 2, p. 384, 20. Hemst. Suidas v. Εὔβουλος: Ἦν δὲ ... μεθόριος τῆς μέσης κωμῳδίας καὶ τῆς παλαιᾶς.]

[Μεθορκόω, ap. Appian. B. C. 4, 62: Ὁ Κάσσιος
A τὴν τοῦ Δολοβέλλα στρατιὰν ἐς ἑαυτὸν μεθώρκου, vertitur, Jussit sibi sacramentum dicere.]

[Μεθορμάομαι, Aggredior, Persequor. Hom. Il. Υ, 192: Τὴν (urbem Λυρνησσὸν) πέρσα, μεθορμηθεὶς σὺν Ἀθήνῃ· Od. E, 325: Μεθορμηθεὶς ἐνὶ κύμασιν ἐλλάβετ' αὐτῆς. Hesych.: Μεθορμηθῆναι, ἐφορμηθῆναι.]

[Μεθορμέω. V. Μεθορμίζω.]

Μεθορμίζω, Transmitto, Trajicio. Xen. Hell. 2, [1, 25]: Οὐκ ἐν καλῷ ἔφη αὐτοῖς ὁρμεῖν ἐν αἰγιαλῷ, ἀλλὰ μεθορμίσαι εἰς Σηστὸν παρῄνει· qui tamen l. Budæo suspectus est, dubitatque an leg. sit μεθορμῆσαι. [Quod est in libris nonnullis et ap. Jo. Malalam p. 116, 5: Ἐπιρρίψας δὲ νυκτὸς ὁ Κύκλωψ καὶ μὴ εὑρηκὼς τὰ πλοῖα, ἐκ τῆς μανίας εἰς τὴν θάλασσαν ῥίπτεσθαι λίθους ἐκέλευσε, μήποτ' ἔνδον τῆς γῆς ἐμεθώρμησαν.] Apud Plutarch. vero Alcibiade [c. 37], de quo et hic Xenoph. loquitur, habetur, Καὶ παραινοῦντος εἰς Σηστὸν μεθορμίσαι τὸν στόλον, addito accus.: ita ut hic l. illum exponat. [Improprie Eur. Bacch. 931: Ἔνδον προσείων αὐτὸν (τὸν πλόκαμον) ἀνασείων τ' ἐγὼ καὶ βακχιάζων ἐξ ἕδρας
B μεθώρμισα· Alc. 798: Τοῦ νῦν σκυθρωποῦ καὶ ξυνεστῶτος φρενῶν μεθορμιεῖ σε πίτυλος ἐμπεσὼν σκύφου. || Med. Evado, cum genit. Eur. Med. 258: Ἐγὼ δ' ἔρημος ἄπολις οὖσ' ὑβρίζομαι πρὸς ἀνδρὸς ..., οὐ μητέρ', οὐκ ἀδελφὸν, οὐχὶ συγγενῆ μεθορμίσασθαι τῆσδ' ἔχουσα συμφορᾶς· 443: Σοὶ δ' οὔτε πατρὸς δόμοι, δύστανε, μεθορμίσασθαι μόχθων πάρα. Proprie Thuc. 6, 88: Μεθορμισάμενοι ἐκ τῆς Νάξου ἐς τὴν Κατάνην. Hesych. in v. ter.] Μετορμίζομαι, Ion. pro μεθορμίζομαι. Herodot. [2, 115]: Μετορμίζομαι ἐς γῆν ἄλλην, In aliam terram transfreto. [Conf. 7, 182.]

[Μεθουριάδες, αἱ, Methuriades, νῆσοι μεταξὺ Αἰγίνης καὶ Ἀττικῆς πλησίον Τροιζῆνος, Ἀνδροτίων πέμπτῳ Ἀτθίδος. Τὸ ἐθνικὸν Μεθουριεύς, Steph. Byz. Ad quæ v. annot. intt. ῐᾰ]

Μέθυ, [υος, ap. Nicandr. Th. 582: Μέθυος πολιοῦ· Platon. Anth. Pal. 9, 826, 4: Τοῦ πρὶν πορφυρέου μέθυος, et qui etiam dat. μέθυϊ ponit Herodian. in Crameri An. vol. 3, p. 255, 15, ut non pro genitivo habendum sit τοῦ μέθυ, quod ponit Steph. Byz. in Μεθώνη cit.] τὸ, Vinum.
C Ad jucundam vocem Μέθυ transeo, omissis in medio nonnullis, quæ nec ita frequenter occurrunt, nec adeo magnum derivatorum comitatum habent; ideoque sine magno incommodo in Indicem reservari poterunt. Sed ne ὁ μεθυδότης mihi irascatur, quod suum illud vocab. in serie vocum a litera μ incipientium prætermiserim, negligentiam illam s. injuriam ea diligentia sarciam, quam hic adhibebo in vocis illius tractatione multo majorem quam ibi adhibuissem. Debuit autem collocari hoc vocab. μέθυ post Μεθίημι, sequendo etymologiam quam etiam Eust. ei tribuit: de qua dicam paulo post. (Temetum [quomodo interpr. Gl.] ab hoc vocab. μέθυ originem habere aliquando suspicatus sum, ut sc. ex μέθυ primum quidem Methum dictum fuerit, deinde vero Temethum, præfixa una syllaba: quod et in aliis quibusdam vocibus Latinis, quæ ex Græcis factæ sunt, videre est. Sed addendum hoc fuerit, tandem et mutationem aspiratæ in tenuem accessisse. Nolim autem nunc illam meam derivationem pertinaciter tueri:
D hoc unum dico, non minus nunc quoque hanc mihi probari quam eam quæ vulgo affertur.) Est autem poetis duntaxat usitatum hoc nomen, licet pleraque ab illo derivata magno ap. prosæ etiam scriptores in usu sint. Hom. Od. H, [179]: Ποντόνοε, κρητῆρα κεράσσάμενος μέθυ νεῖμον Πᾶσιν ἀνὰ μέγαρον. Ap. Eund. sæpe hujus nominis epithetum est ἡδὺ, ut Od. H, [265]: Ἥμεθα δαινύμενοι κρέα τ' ἄσπετα καὶ μέθυ ἡδύ. Potest tamen illud ἡδὺ censeri non pro perpetuo epitheto (quoniam aliquod vinum potest esse, quod non sit ἡδύ), sed pro epitheto certi vini, cujus ibi fit mentio. Idemque fortasse dicendum de adjectivo γλυκὺ, quod alibi huic nomini adjungit: ut Od. Ξ, [193]: Ἡμὲν ἐδωδὴ Ἠδὲ μέθυ γλυκύ. Plut. Symp. 3, 2 [p. 648, E] vult μέθυ esse τὸν ἄντικρυς ἄκρατον: Ὅθεν ὁ φίλτατος Διόνυσος οὐχ ὡς βοηθὸν ἐπὶ τὴν μέθην οὐδ' ὡς πολέμιον τῷ οἴνῳ τὸν κιττὸν ἐπήγαγεν· ὅς γε τὸν ἄκρατον ἄντικρυς, μέθυ, καὶ Μεθυμναῖον αὐτὸς αὐτὸν ὠνόμασεν. [Æsch. Suppl. 953: Ἀλλ' ἄρσενάς τοι τῆσδε γῆς οἰκήτορας εὑρήσετ' οὐ πίνοντας ἐκ κριθῶν μέθυ. Soph. OEd. C.

481 : Μηδὲ προσφέρειν μέθυ. Eur. Alc. 757 : Εὔζωρον μέθυ· Cycl. 149 : Ἄκρατον μέθυ· Ion. 1198 : Ὡς ἀπέσπεισαν μέθυ.] ‖ Μέθυ a verbo μεθίημι deductum esse, non uno in loco testatur Eust. Sed hujus deductionis duplex ab eo affertur ratio; alicubi enim vult μέθυ dictum esse a v. μεθίημι, quod nos μεθήμονας reddat, i. e. Negligentes : alicubi vero alium dans verbo μεθίημι usum, vult μέθυ inde esse appellatum, quoniam homines eo usi μεθίενται εἰς εὐφροσύνην καὶ ἄνεσιν. Sed hoc posterius etymum in uno tantum loco affert, quod sciam; at prius illud, in multis. Atque adeo posterius hoc, non ejus est, sed ex Athenæo petitum : cujus hæc verba sunt, l. 8, [p. 363, B] : Εἰς ἃς δὴ (sub. εὐωχίας) συνιόντες οἱ τὸ θεῖον τιμῶντες, καὶ εἰς εὐφροσύνην καὶ ἄνεσιν αὑτοὺς μεθιέντες, τὸ μὲν ποτὸν, μέθυ, τὸν δὲ τοῦτο δωρησάμενον θεὸν, Μεθυμναῖον καὶ Λυαῖον καὶ Εὔιον καὶ Ἰήϊον προσηγόρευον. Equidem rationi consentanea est utraque deductio, quod utrumque effectum vini experiamur; sed prior illa magis cum passim recepta verbi μεθιέναι signif. convenit. Eust. exponens Il. Z fin., Ἀλλὰ ἑκὼν μεθίῃς τε καὶ οὐκ ἐθέλεις, ait verbum μεθίῃς (ab eo tamen scribitur μεθίεις) significare ἀμελεῖς : et hinc esse μεθήμων, quo declaratur ὁ ἀμελητής : sicut ἡ ἀμέλεια nomine μεθημοσύνη. Quibus addit, καὶ μέθυ, ὁ εἰς μεθημοσύνην ἄγων οἶνος. Idem in versum hunc, qui legitur in fine libri H ejusdem poematis, Δῶκεν Ἰησονίδης ἀγέμεν μέθυ, χίλια μέτρα, annotat eum suo more μέθυ vocare vinum, διὰ τὸ τοὺς ἀμέτρως αὐτοῦ πίνοντας μεθίεσθαι, i. e. ἀμελεῖν. Recte autem hic adjicitur ἀμέτρως : sicut et alibi dicit idem schol. μέθυ non natura esse hujusmodi (i. e. natura non habere effectum illum nomini suo respondentem), sed τῇ ὑπὲρ μέτρον εἰσδοχῇ, quoniam μεθίεται, i. e. ἀμελεῖ, ὁ πέρα τοῦ μετρίου οἶνον προσιέμενος.

Μεθυδότης, ὁ, Vini dator, epitheton Bacchi : qui etiam Lætitiæ dator a Virg. dicitur. Sed in præsentia hujus epitheti non aliunde mihi suppetit exemplum quam ex Etym. in Μεθυμναῖος. Ibi enim hæc scribit : Μεθυμναῖος, ὁ Διόνυσος, ὅτι μεθ' ὕμνων ἦλθεν· τάχα δὲ καὶ παρὰ τὴν μέθην εἴρηται, ὡς μεθυδότης. Ubi accipio ὡς μεθυδότης pro Utpote μεθυδότης : hoc sensu, Utpote μεθυδότης, quod μέθυ præbet occasionem μέθης. Fateor tamen posse et aliter intelligi : nimirum, sicut μεθυδότης dictum est παρὰ τὴν μέθην, ita et μεθυμναῖος inde fortasse dictum esse. Quod si quis objiciat μέθη habere η, quum μέθυ (quod continetur hoc composito μεθυδότης) habeat υ, ideoque non esse verisimile eam Etymologi mentem fuisse, huic ejus objectioni μεθυμναῖος opponetur, quod aperte a μέθη deducit, quum tamen et illud habeat υ. Sed eo tandem deveniendum erit (si quidem istam posteriorem expositionem veram esse putemus), ut hunc grammaticum, sicut in deducenda voce μεθυμναῖος errat (quod ex Plut. etiam et Athen. satis constat), ita in deductione nominis μεθυδότης errare. Fateor alioqui, quum in μέθη sit η, tamen μεθύω et μέθυσος, atque alia, quæ illius nominis μέθη signif. sequuntur, litera υ scribi. [Vera scriptura μεθυδώτης est in Orph. H. Bacch. 1, Anth. Pal. 9, 524, 13, Anacr. Od. 27, 4.]

[Μεθυδριὰς, άδος, ἡ, Aquatica. Alcæus Anth. Plan. 226, 6 : Νύμφαις ταῖσδε Μεθυδριάσιν.]

[Μεθυδρίδες, εἶδος μικρῶν ὀρνίθων, Species avicularum, Hesych.]

[Μεθύδριον, τὸ, Methydrium, πόλις Ἀρκαδίας (ap. Thuc. 5, 58, Polyb. 4, 10, 10, Pausan. et al.). Ὁ πολίτης Μεθυδριεύς (Xen. Anab. 4, 1, 27, etc.). Ἔστι καὶ ἑτέρα πόλις Θεσσαλίας, ὡς Φιλόξενος, Steph. Byz.]

[Μεθυδώτης. V. Μεθυδότης.]

[Μεθυὲρ, cognomen Isidis in Ægypto. Plut. Mor. p. 374, B, ait nomen hocce compositum esse ἔκ τε τοῦ πλήρους καὶ τοῦ αἰτίου, Ex pleno et causali. Nempe cognomine hoc sacerdotes subinnuere voluerunt eam, quæ plena est virtutis causalis, vel effectricis, vel, in qua insignis inest facultas agendi et efficiendi. Id ipsum accurate significat et exprimit Ægyptiacum *Meh-tu-er*, i. e., plena virtutis causalis et effectricis. Plura videri possunt in Panth. nostro l. 3, c. 5, § 6. Jablonsk. Pro αἰτίου Markland. et Squir. p. 139, 140, malebant ἀγαθοῦ. Vulgatum sanum esse Wytten-
A bach. ex Jablonskii animadversione patere censuit. Tewater.]

[Μέθυμνα. V. Μεθυμναῖος.]

Μεθυμναῖος, dictus est Bacchus, ut etiam ex Plut. et Athen. in Μέθυ docui; a nomine μέθυ. Est autem Μεθυμναῖος et nomen ἐθνικὸν, a Μέθυμνα, quod est nomen urbis in Lesbo insula. Existimatur enim dicta Μέθυμνα primum (ex illo Bacchi epitheto Μεθυμναῖος), deinde vocata Μήθυμνα, mutata litera ε in η. [De forma per ε, quæ suo loco ponitur ab Suida in gl. Μεθυμναῖος, Wessel. ad Hierocl. p. 686 : « Μέθυμνα) Sic et Scylax (p. 36), quem Cellar. G. A. 3, 2, 15, ut sine vitio sit veretur, quoniam Straboni et Thucydidi (aliisque in Μήθυμνα citandis) Μήθυμνα placeat : ego haud damnaverim, nam et Μέθυμνα in Nicæno II, p. 349 legitur et ΜΕΘΥΜΝΑΙΩΝ numum Thes. Frideric. c. 5, 29 (Mionnet. *Descr.* vol. 3, p. 38, 43 ; *Suppl.* vol. 6, p. 56, 35) ostentat : videtur et asseutiri Galenus Method. Ther. 12, p. 166 : Ἐν Μεθύμνῃ. Qui tamen quum Antid. 1, p. 427, ἐν Μηθύμνῃ præferat, incertum
B relinquit utrum probaverit. Itaque succedat Μεθυμναῖος ap. Athen. 8, p. 363, B (et Μέθυμνα ap. Anticlidem ib. 11, p. 466, C, D, quanquam Μηθυμναίων est 10, p. 402, F), et Maximum Καταρχ. 459 : Ἡ γύροις ἑνὶ κλῆμα Μεθυμναίου λελίησαι κατθέμεναι. Jam si μέθυ originem dederit Μεθυμναίῳ, utique ea se tueri poterit. » Orac. ap. Euseb. Præp. ev. 5, p. 233, D : Ἀλλὰ Μεθυμναίῃς ναίεταις πολὺ λώιον ἔσται. Est etiam in var. script. ap. Pausan. 10, 19, 3, sed aliena videtur a prosa.] Esse vero πολύοινον hanc urbem, testatur et hic Ovidii versus, Gargara quot messes, quot habet Methymna racemos. Non abs re igitur suspicetur aliquis a nomine μέθυ nomen hanc urbem sumpsisse : sicut Thraciæ urbs Μεθώνη, inde dicta esse traditur, utpote πολύοινος et ipsa. Sed si Methymnam inde appellatam esse constaret, Bacchum deinde hoc epith. ab ea nactum aliquis fortasse credere mallet. Est certe rationi magis consentaneum, vocem Methymnæus a Methymna, quam Methymna a Methymnæus deduci. Ceterum Etym. hoc epith. μεθυμναῖος
C a nomine μέθη derivare, docui in comp. Μεθυδότης.

[Μεθύμνιον, τὸ, Photio τὸ μετὰ τὸν ὕμνον· ἢ ἡ μετὰ μέθης ᾠδὴ, Quod est post hymnum, s. Cantus inter ebrietatem. Quarum interpretationum verior est prior.]

[Μεθυπαλλαγὴ, ἡ, ap. schol. Johnson. Soph. Aj. 292 (302) : Τὸ σχῆμα τοῦ λόγου ἐνταῦθα μ. ἐστί· τὸ μὲν ἀνέσπα ῥῆμα ἀντὶ μετοχῆς λάμβανε, τὸ δὲ συντιθεὶς μετοχὴν ἀντὶ ῥήματος. Struv.]

[Μεθύπαρξις, εως, ἡ, Exsistentia post s. secundum aliud; et verbum Μεθυπάρχω, Exsto post, ap. Justin. M. p. 400=174. « Olympiodor. In Alcib. 1, sect. 15, p. 138. » Creuzer.]

[Μεθυπέρβατος, ὁ, ἡ, In quo verborum ordo trajectus est, perplexus, confusus. Theodoret. vol. 1, p. 633 ed. Schulz. : Ἔστι δὲ τὸ νόημα μεθυπέρβατον· 890 : Μεθυπέρβατά ἐστι τὰ ῥήματα· 1250 : Μεθυπέρβατός ἐστι τῶν ῥημάτων ἡ διάνοια.]

[Μεθυπίδαξ, ἄκος, ἡ, Vini fons, epith. uvæ. Zonas Anth. Pal. 6, 22, 3 : Πορφύρεόν τε βότρυν μεθυπίδακα, πυκνορρᾶγα.]

D [Μεθυπλάνης, ὁ, ἡ, Ebrietate errans, Temulentus. Greg. Naz. Schneid.]

Μεθυπλὴξ, ῆγος, ὁ, ἡ, Ebrius, aut etiam Ebriosus. Hujus compositi usus extat in Epigr. [Leonidæ Tar. Anth. Plan. 306, 3 : Δισσῶν ἀρβυλίδων τὰν μὲν μίαν, οἷα μεθυπλὴξ, ὤλεσεν. Callim. ap. Eust. Il. p. 629, 57 : Τοῦ μεθυπλῆγος φροίμιον Ἀντιλόχου, qui de accentu addit : Περίεργον, φασὶ, λέγειν ὅτι τὰ μὲν δραστικὰ ὀξυτονεῖται, τὰ δὲ παθητικὰ βαρύνεται. Πάντα γὰρ οἱ Ἀττικοὶ ὀξύνουσι δίχα τοῦ ὕσπληξ. Conf. Λινοπλὴξ (ubi diserte rejicienda erat sententia Schweighæuseri active interpretati superlativum λινοπληγέστατος, qui mihi nunc ab λινοπλὴξ, non ab inaudito λινοπληγής repetendu videtur) et Thomas v. Ἀκανθοπλὴξ p. 24 cum annot Hemst.] Quod autem attinet ad verbum quocum componitur, eadem plane est ratio quæ et compositi οἰνοπλὴξ, quod vide.

[Μεθυποδέομαι. V. Μεθυποδύομαι.]

Μεθυποδύομαι, Post induo, calceo, Aristoph. [Eccl. 540, ubi nunc μεθυποδέομαι.]

[Μεθυπόστρωσις, εως, ἡ, Substratus mutatio. Hippocr. p. 763, E : Χρηστότατον δέ ἐστιν ἐν τῇσι μεθυποστρωσεσιν, Quum stragula permutantur. Galen. vol. 10, p. 145.]

[Μεθυσέως, quod inter nomina σταφυλῶν ponit Pollux 6, 82, Kuhnius scrib. conjecit Μεθύσεως, cujusmodi de nominibus dixi in Ἐλαέος. Hesych. : Μεθύσιον, εἶδος ἀμπέλου.]

[Μεθύση, Μεθύσης. V. Μέθυσος.]

[Μεθύσιον. V. Μεθυσέως.]

[Μέθὓσις, εως, ἡ, Ebrietas. Theogn. 838.]

Μεθύσκω, Ebrium reddo, [Ebrio, Gl.] Inebrio. [Theophr. De odor. 46 : Ὥσπερ μεθύσκων τὴν αἴσθησιν.] Plut. Symp. 3, [qu. 7, p. 655, E] : Διὰ τί τὸ γλεῦκος ἥκιστα μεθύσκει; Ibid. [p. 649, A] : Μεθύσκειν κιττὸν οἴνῳ μιγνύμενον. Athen. 10 : Εἰ ὁ οἶνος μετρίως ἀφεψηθείη, πινόμενος ἧττον μεθύσκει. Sunt vero et alia, quæ dicuntur nos μεθύσκειν metaphorice (sicut μεθύειν, i. e. Ebrium esse, metaphoricum usum habere docebo), ut ap. Plut. [ib. p. 704, D] : Μουσικὴν παντὸς οἴνου μᾶλλον μεθύσκουσαν. Plato Leg. [1, p. 649, D] : Καὶ πάνθ' ὅσα δι' ἡδονῆς αὖ μεθύσκοντα παράφρονα ποιεῖ, Inebriantia voluptate. Sed notanda diligenter est constructio : quod non utatur dativo, vel accus., vel gen. solo (ut verbum μεθύω has constructiones habere ostendam), sed genitivo præfixam habente præp. διά. Possitque videri cuipiam δι' ἡδονῆς μεθύσκοντα, aliud esse quam ἡδονῆς μεθύσκοντα : vertit tamen et Bud., Voluptate inebriantia, non secus ac si legeretur ἡδονῆς sine adjectione, aut ἡδονῇ. Ceterum μεθύσω et ἐμέθυσα mutuatur hoc verbum μεθύσκω a μεθύω, ut docebo infra, ubi de Μεθύω agam, quod neutralem signif. habet. || Μεθύσκω alicubi reddi potest Perfundo, Imbuo. Vel potius, Large perfundo s. imbuo. Quidam ἀνώνυμος, Epigr. [Anth. Pal. 11, 8, 3] : Τέφρην δὲ μεθύσκων. Alioqui reddi etiam possit Inebrio, in hoc l., aliisque hujusmodi, usurpando sc. metaphorice. V. comp. Ἐκμεθύσκω. || Pass. Μεθύσκομαι, Inebrior [Gl.], Ebrius reddor, Ebrius fio, Inebrio me. [Herodot. 1, 133 : Μεθυσκόμενοι ἐώθασι βουλεύεσθαι.] Xen. Cyrop. 1, [3, 11] : Πίνων οὐ μεθύσκεται· 4, [5, 8] : Αὐτός τε ἐμεθύσκετο, μεθ' ὧν παρεσκήνου, ὡς ἐπ' εὐτυχίᾳ. [Plato Conv. p. 176, C.] Aristot. : Ὅμοιος γὰρ ὁ ἀκρατὴς τοῖς ταχὺ μεθυσκομένοις καὶ ὑπὸ ὀλίγου οἴνου. Lucian. [Nigr. c. 25] : Οὐκ ἐμφοροῦνται μὲν ἀπειροκαλώτερον τῶν κολάκων, μεθύσκονται δὲ φανερώτερον; Plut. Symp. [3, qu. 3, p. 650, A] : Διὰ τί γυναῖκες ἥκιστα μεθύσκονται, τάχιστα δὲ οἱ γέροντες; Quemadmodum autem μεθύσκω a μεθύω mutuatur ἐμέθυσα, sic μεθύσκομαι a μεθύομαι mutuatur ἐμεθύσθην : unde [partic. ap. Eur. Cycl. 167 : Ἅπαξ μεθυσθείς· et aliquoties ap. Aristoph. Inf. aor. formam Æol. μεθύσθην Alcæo restituit Koen. ad Greg. p. 311. Ceteri modi ap. Xen., Plat. et alios,] μεθυσθῶμεν, Aristoph. Vesp. [1244.] Lucian. [D. deor. 6, 3] cum gen. : Τοσοῦτον ἐμεθύσθη τοῦ νέκταρος. Ap. Eund. [De luctu c. 13] extat et fut. : Μετὰ τῶν ἡλικιωτῶν μεθυσθήσῃ. [Esaiæ 34, 7 : Μεθυσθήσεται ἡ γῆ ἀπὸ τοῦ αἵματος. Ps. 35, 9 : Μεθυσθήσονται ἀπὸ πιότητος οἴκου σου. Perf. Hedylus ap. Athen. 4, p. 176, D : Ηὔλει δὲ Γλαύκης μεμεθυσμένα παίγνια Μουσέων. || « Improprie Theophyl. Epist. 1, p. 397 : Τέττιξ ... ἀκτίνων ἡλιακῶν μεθυσκόμενος. Athen. 5, p. 187, F : Σκοτοδινιῶντα καὶ μεθυσκόμενον τῷ τοῦ παιδὸς ἔρωτι. De figurato usu v. Gataker. 1, p. 459, 460. Idem est curis, dolore Ebrium esse, Muretus V. L. 5, c. 16. » Valck. Dionys. A. R. 4, 74 : Τὸ ἐν μέρει τὸν αὐτὸν ἄρχειν τε καὶ ἄρχεσθαι, καὶ πρὸ τοῦ διαφθαρῆναι τὴν διάνοιαν ἀφίστασθαι τῆς ἐξουσίας συστέλλει τὰς αὐθάδεις φύσεις καὶ οὐκ ἐᾷ μεθύσκεσθαι ταῖς ἐξουσίαις τὰ ἤθη.]

Μέθυσμα, τὸ, Ebrietas, ut quidem redditur in VV. LL.; sed absque ullo exemplo, aut nomine auctoris. Sonare autem videtur quasi quis dicat Inebriamentum; atque adeo hunc usum habet ap. LXX Interprr., sc. pro Inebriamento, i. e. eo quod inebriat, s. inebriare potest : 1 Reg. 1, [15] : Καὶ οἶνον καὶ μέθυσμα οὐ πέπωκα. [Philo p. 142 : Μεθύσματος ἀκράτου.]

Μεθὓσοκότταβος, ὁ, ἡ, Ebrius, Temulentus. Sed proprie de Eo qui jam ebrius cottabo s. potius cottabismo ludit. Aristoph. Ach. [524] : Πόρνην δὲ Σιμαίθαν ἰόντες Μεγάραδε [Μέγαράδε] Νεανίαι κλέπτουσι μεθυσοκότταβοι. V. Κότταβος.

Μέθὓσος, ὁ, ἡ, Ebrius, Temulentus. Interdum vero Ebriosus [ut in Gl., ubi Μέθυσις (sic) ponitur cum omnibus his interprr.], Vinolentus. A Luciano copulantur μέθυσος et πάροινος, in Timone [c. 55] : Μέθυσος καὶ πάροινος οὐκ ἄχρις ᾠδῆς καὶ ὀρχηστύος μόνον, ἀλλὰ καὶ λοιδορίας καὶ ὀργῆς προσέτι. Usurpatur μέθυσος et genere fem. [De utroque genere Thomas p. 602 : Μέθυσος ἐπὶ μὲν ἀρσενικοῦ οὐδεὶς τῶν δοκίμων εἶπεν, ἐπὶ δὲ θηλυκοῦ Λιβάνιος (l. infra cit.). Σὺ τοίνυν Ἀττικοῖς ἑπόμενος ἐπὶ μὲν ἀρσενικοῦ μεθύων λέγε καὶ μεθυστικὸς ..., ἐπὶ δὲ θηλυκοῦ μεθύουσα καὶ μεθύση. Eadem præcipit Phrynichus p. 151, cujus verba in Μεθυστικὸς posuit HSt., ubi Lobeck. : « Ab hac regula primum descivit Menander, τοὺς μεθύσους dicens Athen. 10, p. 442, D, quod cavillatur Pollux 6, 25 : Ὁ γὰρ μέθυσος ἐπὶ ἀνδρῶν Μενάνδρῳ δεδόσθω. Sed recentiores, Plut. Cat. c. 24, (Brut. c. 5,) Lucianus (qui in Solœcista c. 5 ut ἀναττικὸν reprehendit), Julianus, Sextus Emp. Hyp. 3, 24, p. 175, Basilius Ep. 181, p. 194, Theophylactus Ep. 52, aliique a prioribus citati de viris usurparunt. » Conf. Mœris p. 260, Herodian. Philet. p. 431.] Athen. 13 : Κωμῳδῶν αὐτὴν ὡς μέθυσον. Sic ap. Liban. [vol. 4, p. 143, 8] : Οὐκ ἔστιν ἡ γυνή μοι μέθυσος. [Schol. Apoll. Rh. 2, 954.] Fem. Μεθύση ap. Atticos; utitur enim hoc feminino Aristoph. quum alibi [?] tum Vesp. [1393]; item Nub. [555] : Γραῦς μεθύση, Anus vinolenta. [Pollux 2, 18; 6, 25. || Μέθυσσος diserte ponit Arcad. p. 78, 2. De quo errore dictum in Γόγγυσος.] Ap. Lucian. [Solœc. c. 5] Socrates ὁ ἀπὸ Μόψου quendam reprehendit, qui voce Μεθύσης pro masc. μέθυσος usus esset. [Usus est autem vocabulo ὁ μεθύσης Athenæus 15, p. 685, F, ubi v. Casaub. et nos. Schweigh.]

[Μεθυσοχάρυβδις, ἡ, Ebria Charybdis. Phrynichus Bekkeri p. 51, 22 : M., ἐπὶ γυναικὸς μεθύσου, οὐκ ἐπ' ἄρρενος. V. Ποντοχάρυβδις.]

[Μεθυστὰς, άδος, ἡ, Ebria, Temulenta. Hesych. : Μεθυστάδες, ὡς οἰνόπληγες μεθυστάδες γάμων· μεθύουσαι καὶ εἰς γάμους συνιοῦσαι, οἷον τὸ παρθένους λέγεσθαι ἀπέβαλον, ἢ αἱ βαρυνθεῖσαι ὑπὸ μέθης οὐκέτι παρθένοι ἦσαν. « Versus est, Ὡς οἰνοπλῆγες καὶ μεθυστάδες γάμων. Sequens μεθύουσαι καὶ εἰς γάμους συνιοῦσαι est interpretamentum Hesychii. » Salmasius. Aliter sed infelicius hæc tentavit Heinsius. « Glossæ græcobarb. : Ἀκροθώρακες, μέθυσοι, μεθυστάδες. » Ducang.]

[Μεθύστερον, Postea. Hom. H. Cer. 205 : Ἡ δή οἱ καὶ ἔπειτα μεθύστερον εὔαδεν ὀργαῖς. Æsch. Pers. 208, etc. Cum art. Soph. Phil. 1133 : Οὐκέτι χρησόμενον τὸ μεθύστερον. Sine art., Trach. 710 : Ὧν ἐγὼ μεθύστερον, ὅτ' οὐκέτ' ἀρκεῖ, τὴν μάθησιν ἄρνυμαι, ubi Sero vertere licet.]

[Μεθύστερος, α, ον, Posterus. Æsch. Sept. 581 : Καλόν τ' ἀκοῦσαι καὶ λέγειν μεθυστέροις.]

[Μεθυστὴς, ὁ, Ebriosus, Ebriacus, Temulentus, Gl. Epict. Diss. 4, 1, 7; Agathias Anth. Pal. 5, 296, 5; Hesych. v. Κακοπινής. « Μεθυαστής, vox nihili, pro μεθυστής, ap. Hesych. v. Φλύαξ, μέθυσος, μεθυαστής, γελοιαστής. Jam dudum emendavit Jungermannus ad Pollucem. » Bast.]

Μεθυστικὸς, ή, όν, Qui talis est ut facile inebrietur, Propensus s. Proclivis ad ebrietatem. Uno verbo, Ebriosus, Vinolentus, Vinosus. (Perperam autem Phrynichus [p. 151] confundit cum μέθυσος, scribens, Μέθυσος γυνὴ καὶ μεθύση· μεθυστικὸς ἀνήρ· nam μέθυσος est vel Ebriosus, vel etiam Ebrius : at μεθυστικὸς est duntaxat Ebriosus. [Phrynichi quæ sit sententia v. in Μέθυσος.]) Plato [Reip. 9, p. 573, C] : Ὅταν μεθυστικός τε καὶ ἐρωτικὸς καὶ μελαγχολικὸς γένηται. Ex Philone : Ἑώρα δὲ αὐτὸν μεθυστικὸν ἀνοήτως ἐρῶντα. [Frequens est etiam ap. Plutarchum.] Invenitur autem μεθυστικὸς et pro Inebriandi vim habente, ut sonet q. d. Inebriativus. [Aristot. Polit. fin. : Ὡς μεθυστικὰς λαμβάνων αὐτάς (τὰς ἀνειμένας ἁρμονίας). Comp. Μεθυστικώτερος, Depotior, Gl.]

[Μεθύστρια, ἡ, Ebria, Temulenta. Theopompus Pollucis 6, 25. || « Ebrietas. Ps.-Dioscorides Ms. cod. Reg. 1177, s. 1, c. 18 : Τὴν δὲ μεθυστρίαν θεραπεύει. » Ducang.]

[Μεθυσφαλέω, Præ vino titubo. Oppian. Cyn. 4, 204 : Οἷα μεθυσφαλέων, ἑτεροκλονέων τε χάρηνον.]

Μεθυσφαλής, ὁ, ἡ, Ex vino s. Præ vino labens s. titubans, Cui vinum est causa lapsus. In Epigr. [Anth. Plan. 99, 3] μεθυσφαλὲς ἴχνος dicitur de Vestigio ebrii, i. e. de Pedibus præ vino titubantibus. At vero μεθυσφαλεῖς ὑμέναιοι, Vino defectæ nuptiæ, in VV. LL. sine auctoris nomine. Suspicor autem ex Nonno [Jo. c. 2, 62] petitum esse hoc epith., in quo certe verbum σφάλλεσθαι non satis ἀσφαλῶς usurpari videtur, si quidem ei signif. illam dare oporteat. [Epith. lagenæ apud Marcum Argent. Anth. Pal. 6, 248, 1 : Λάγυνε μεθυσφαλὲς, cui *Ebria uva* et similia confert Jacobs.]

Μεθυτρόφος, ὁ, ἡ, Alens vinum : ut οἰνοτρόφος in Epigr. οἰνοτρόφον ὄμφακα Βάκχου. [Simonides Anth. Pal. 7, 24, 1 : Ἡμερὶ πανθέλκτειρα, μεθυτρόφε.]

[Μεθυχάρμων, ονος, ὁ, ἡ, Qui vino s. ebrietate gaudet. Manetho 4, 300.]

Μεθύω, Ebrius sum, [Ebrio addunt Gl.] Hom. Od. Σ, [239] : Ὡς νῦν Ἶρος κεῖνος ἐπ' αὐλείῃσι θύρῃσιν Ἧσται νευστάζων κεφαλῇ, μεθύοντι ἐοικώς. Aristoph. Pl. [1047] : Τοὐναντίον πέπονθε τοῖς πολλοῖς ἄρα. Μεθύων γὰρ, ὡς ἔοικεν, ὀξύτερον βλέπει. (At vero Alex. Aphr. non ὀξύτερον βλέπειν, sed διπλᾶ βλέπειν dixit nonnullos μεθύοντας, Probl. 1, [123] : Τῶν ἄγαν μεθυόντων ἔνιοι διπλᾶ βλέπουσι.) Xen. Conv. [2, 6] : Οὐ βιαζόμενος ὑπὸ τοῦ οἴνου μεθύειν, ἀλλ' ἀναπειθόμενος. Opp. autem οἱ μεθύοντες et οἱ νήφοντες : ut in hoc Aristot. l. [Polit. 2, 10 prope fin.] : Τοὺς μεθύοντας, ἂν τυπτήσωσι, πλείω ζημίαν ἀποτίνειν τῶν νηφόντων. Quæ conveniunt, ut hoc obiter annotem, cum iis quæ scribit Eth. 3, [5] : Οἷον τοῖς μεθύουσι διπλᾶ τὰ ἐπιτίμια· ἡ γὰρ ἀρχὴ ἐν αὐτῷ· κύριος γὰρ τοῦ μὴ μεθυσθῆναι. Dicitur etiam μεθύειν μέθην : ut in isto Philonis l., Καὶ μεθύοντες οὐ τὴν ἐν οἴνῳ μέθην, ἀλλὰ τὴν νηφάλιον. [Paullo aliter Diodor. 16, 19 : Οἱ στρατηγοὶ ἐκ τῆς μέθης μεθύοντες ἐπειρῶντο βοηθεῖν, ἐμποδιζόμενοι δὲ ταῖς ὁρμαῖς (vel τῆς ὁρμῆς) διὰ τὸν οἶνον οἱ μὲν ἀνῃρέθησαν, οἱ δ' ἔφυγον. Quod infelicibus tentatum conjecturis Wessel. defendit locis ad constructionem magis quam phrasin similibus, Oppian. Hal. 5, 228 : Ἔκ τ' ὀδυνάων θὴρ ὀλοὸς μεθύῃ· Jo. Apocal. 17, 2 : Ἐμεθύσθησαν ἐκ τοῦ οἴνου τῆς πορνείας αὐτῆς· et, Γυναῖκα μεθύουσαν ἐκ τοῦ αἵματος τῶν ἁγίων. || Inf. aor. μεθύσσαι ap. Agathiam Anth. Pal. 5, 261, 1. Ἐμέθυσσεν Nonnus l. infra cit. Pass. Æol. μεθύσθην ap. Alcæum Athen. 10, p. 430, C, bis.] || Metaphorice interdum usurpatur verbum μεθύω, et quidem vel cum gen., vel cum dat., vel cum accus. Cum accus. extat in Epigr. [Anth. Pal. 5, 305, 3] : Μεθύω τὸ φίλημα. Cum quo l. convenit hic Lucianicus [Ver. H. 1, 8] : Ὁ δὲ, φιληθεὶς αὐτίκα ἐμέθυε, καὶ παράφορος ἦν. Cum dat. autem usus est [Anacreon ap. Hephæst. p. 130 Gaisf. : Ἀρθεὶς δηὖτ' ἀπὸ Λευκάδος πέτρης ἐς πολιὸν κῦμα κολυμβῶ, μεθύων ἔρωτι. Theocr. 22, 98 : Ἔστη πληγαῖς μεθύων. Epigr. Anth. Pal. 12, 115, 1, μύθοις.] Demosth. [p. 54, 9] de ipso Philippo, Ἐκεῖνον μεθύειν τῷ μεγέθει τῶν πεπραγμένων. At cum gen. ap. Theophyl. [Ep. 33] extat, Καὶ ἐρωτικῶν μεθύοντες ἡδονῶν. [Antiphil. Anth. Pal. 9, 277, 3 : Ἦ μεθύεις ὄμβροιο ;] Sic Horat. vocem Ebrius metaphorice usurpavit, quum dixit, Fortuna dulci ebrius : qui l. non male cum illo Demosthenico convenit, etiam quod ad sententiam attinet. [Dionys. A. R. 11, 5 : Μεθύετε τῷ μεγέθει τῆς ἐξουσίας. Philipp. Thessal. Anth. Pal. 6, 38, 2 : Κώπην ἅλμης τὴν μεθύουσαν ἔτι. V. Hedylus et alii infra cit.] Hom. autem pellem μεθύουσαν ἀλοιφῇ dixit pro Madentem pinguedine, sive Perfusam. (Possimus autem fortasse et in illo Theophylacti l., Ἐρωτικῶν μεθύοντες ἡδονῶν, reddere itidem Voluptatibus amatoriis perfusi.) Vel potius Valde perfusam s. madentem. Locus est Il. P, [390] : Ὡς δ' ὅτ' ἀνὴρ ταύροιο βοὸς μεγάλοιο βοείην Λαοῖσιν δώῃ τανύειν μεθύουσαν ἀλοιφῇ. Ubi non placet quod scribit Eust., nimirum illud μεθύουσαν ἀλοιφῇ, non esse πάνυ σκληρότερον quam hoc dictum, Μεθύει τῷ μεγέθει τῶν πεπραγμένων ὁ Φίλιππος (quod Demosthenis est, ut appareat ex iis quæ paulo ante protuli). Quamvis enim utrobique sit metaphora, non debuit tamen locus hic cum Demosthenico comparari, quum plane diversum habeant metaphoræ genus. [Xen. Conv. 8, 21 : Μεθύοντα ὑπὸ τῆς Ἀφροδίτης. Plato Lys. p. 222, C : Ὥσπερ μεθύομεν ὑπὸ τοῦ λόγου. « Philostr. V. Soph. 1, p. 522 : Οὐχ ἐμέθυε περὶ τὰς ἡδονὰς, ὥσπερ ἔνιοι τῶν σοφι-
A στῶν, ἀλλ' ἐταμιεύετο. » Ernest. Lex. rhet.] || Μεθύω active etiam poni existimatur pro Ebrium reddo, Inebrio. Cujus signif. exemplum hoc affertur in VV. LL. ex Luciano [De dea Syr. c. 22] : Οἴνῳ ἑαυτὴν μεθύσασα. [Antipater Anth. Pal. 9, 92, 1 : Ἀρκεῖ τέττιγας μεθύσαι δρόσος. Jerem. 31, 14 : Μεθύσω τὴν ψυχὴν τῶν ἱερέων υἱῶν Λευί.] Item ex Nonno, Jo. 12, [16] : Ἐμέθυσεν [Ἐμέθυσσεν] ὅλον δόμον ἔνθεος ὀδμή. Sed non dubito quin ad μεθύσκω referri hæc debeant, quæ tamen, quod ad conjugationem attinet, sint tanquam a μεθύω : aut, si mavis, conjugationem verbi μεθύω sequantur. [Itaque hujusmodi exemplis non refutatur Thomas p. 603 : Μεθύω ἐγὼ ἀμεταβάτως, καταμεθύω δὲ ἕτερον, aut schol. Philostr. Her. p. 360 : Μεθύω ἐγὼ, μεθύσκω ἄλλον· neque confirmatur observatio Suidæ in libris nonnullis appensa καὶ μεθύω αἰτιατικῇ, quod Tzetza Hist. 10, 930 ascivit : Ὀδυσσεὺς τὸν Κύκλωπα μεθύει. L. D.] Idem certe dicendum et de voce passiva μεθύομαι, quæ in iisd. Lexx. habetur, afferturque ad ejus confirmationem futurum μεθυσθήσῃ, ex Luciano. [V.
B Μεθύω.] Sed minime dubium mihi est quin quamvis μεθύσκομαι dicatur, non μεθύσομαι; futurum tamen aliaque tempora tanquam a μεθύομαι sumantur. Vide igitur Μεθύσκω et Μεθύσκομαι. [ῠ]

[Μεθώδιον, τὸ μετὰ τὴν ᾠδὴν, Phot. Quod μεθῴδιον scribendum foret. Qua de orthographia v. in Μεθόπιον.]

[Μεθώνη, ἡ, Methone, n. plurium urbium, de quo conf. dicta in Μεθύμνη. Steph. Byz. : Μεθώνη, πόλις Θρᾴκης (codices Μακεδονίας). Ὅμηρος διὰ τοῦ η (Il. B, 716)· Οἱ δ' ἄρα Μηθώνην καὶ Θαυμακίην ἐνέμοντο. Ὁ πολίτης Μεθωναῖος. Ἔστι καὶ Μακεδονίας. (Cujus gent. Μεθωναῖος est apud Thuc. 4, 129, Diodor. 16, 34.) Ἐκλήθη ἀπὸ τοῦ μέθυ· πολύοινος γάρ ἐστι. Καὶ τῆς Λακωνικῆς, ἧς τὸ ἐθνικὸν Μεθωναιεὺς, ὡς Κορωναιεύς. Τετάρτη ἐν Περσίδι. Πέμπτη Εὐβοίας. Ubi de singularum numero et situ veterumque opinionibus v. intt. Laconicam memorat Thuc. 2, 25, Diodor. 11, 84. Macedonicam præter alios Thuc. 6, 7. Idem 4, 45 : Ἀφίκοντο ἐς Μεθώνην τὴν μεταξὺ Ἐπιδαύρου καὶ Τροιζῆνος. Ubi Dukerus : « Strabo 8, p. 374 : Μεταξὺ Τρ. καὶ Ἐπιδ.
C χωρίον ἦν ἐρυμνὸν Μέθανα, καὶ χερρόνησος ὁμώνυμος τούτῳ. Παρὰ Θουκυδίδῃ δὲ ἔν τισιν ἀντιγράφοις Μεθώνη φέρεται, ὁμώνυμος τῇ Μακεδονικῇ, ἐν ᾗ Φίλιππος ἐξεκόπη τὸν ὀφθαλμὸν πολιορκῶν· διόπερ οἴεταί τινας ἐξαπατηθέντας ὁ Σκήψιος Δημήτριος τὴν ἐπὶ τῇ Τροιζῆνι Μεθώνην ὑπονοεῖν. Et sic ipse Strabo eam vocat 1, p. 59. At Pausan. 2, 34, 1, Μέθανα. Scylaci quoque p. 17 ed. Huds. duæ urbes sunt Μέθανα et Μεθώνη, et quæ Thucydidi Μεθώνη, illi Μέθανα est. » Thucydidis quibus nunc utimur libris consentit Diod. 12, 65 : Τειχίσας φρούριον, ἐν τῇ Μεθώνῃ φυλακὴν κατέλιπε. Ap. Hieroclem Synecd. p. 646 Wesselingius edidit Μεθώνη, cum hac annotatione, « Μέθανα C. a S. Paullo, Mss. Μεθώνα. » Et : « Μεθώνη) Mss. hoc probant. » Ut non liqueat Μεθώνη an Μεθώνα invenerit in libris. Ap. Ptolem. 3, 16 quum sit : Τροιζηνή, Μεθήνη χερσόνησος, Ἐπίδαυρος, in locis supra citatis Μεθάνα potius quam Μέθανα scribendum videtur, ut sit forma Dorica. || Nympha Μεθώνη, mater OEagri, memoratur in Certamine Hesiodi et Homeri sub initium. || Hesychius : Μεθώνη, πόλις Θεσ-
D σαλίας καὶ γαστήρ.]

[Μειαγωγεῖον, τὸ, sine interpr. ponit Suidas.]

Μειαγωγέω, significat τὸ μεῖον ἄγω, Minus pondero. In Apaturiis patres pro filiis offerebant ovem : eam ferunt oportuisse aliquanto minus pendere solito pondere; ideoque τοὺς φράτορας ἐπὶ τοῦ σταθμοῦ τοῦ ἱερείου ἐπιφωνῆσαι μεῖον. Inde μειαγωγεῖν est dicere ἄγειν μεῖον, Pendere minus. [Hæc ex schol. ad] Aristoph. Ran. [798] : Τί δέ; μειαγωγήσουσι τὴν τραγῳδίαν; [Conf. Pollux 3, 53 et Harpocratio s. Suidas.] Et ap. Synes. [Ep. 147] : Ἐκεῖνοι μὲν γὰρ τοὔλαιον ζυγοστατοῦσι, ῥοπῇ τὴν ἀρετὴν ἐξετάζοντες, καὶ τὸ μειαγωγοῦν ἐν πλεονεκτήματος μοίρᾳ λογίζονται, Quod minus ponderet. [Id. in Dione p. 55, D, de appensa causas acturis clepsydræ mensura : Ὅ τις ἂν ὑπηρέτης μειαγωγήσῃ δημόσιος.]

[Μειαγωγία, ἡ, Introductio victimæ pro puero in tribum recipiendo. Suidas sine interpr.]

[Μειαγωγός, ὁ, ἡ, Introductor victimæ pro puero in tribum recipiendo. Schol. Aristoph. Ran. 798, Hesych., Harpocr., Suidas.]

[Μείδας, αντος, ὁ, Midas, ὄνομα κύριον, ap. Suidam, Etym. M. p. 465, 14; 779, 24, Chœrob. vol. 1, p. 34, 21. « Eustath. Il. p. 445, 26. » Boiss.]

[Μειδάω.] Sequitur verbum Μειδάω, quod post Μεῖον collocandum fuisset, si etymum ab Etym. excogitatum mihi placuisset (quod enim tribuit verbo μειδιάω, huic μειδαω justius tribuetur, quum illud ex hoc, non hoc ex illo factum sit) : nimirum ortum esse a μεῖον : quoniam ὁ μειδιῶν, i. e. Qui ridet, μείονι κέχρηται γέλωτι. Sed hoc ejus commentum parum mihi arrisit : quod tamen nunc dum propius inspicio, tale esse fateor, ut multa multo deteriora et minus verisimilia apud eum extent. Hoc enim habet saltem, quod optime cum propria hujus verbi signif. convenit : quia verum est quod scribit, illius qui μειδιᾷ risum esse μείονα, i. e. Minorem : quum μειδιᾷν sicut et μειδᾷν, proprie sonet Ridere leniter, et Subridere potius quam Ridere : et quod vulgo dicimus jocantes *Rire du bout des dents.* Ideoque Medardi nomini (quod ab hoc μειδᾷν deductum esse liquet) optime convenit ejusmodi risus, qualem vulgus nostrum ei tribuit (ac meorum Parisinorum vulgus præsertim), *Sainct Médard, qui rit du bout des dents.* Μειδάω, aut Μειδέω, secundum alios, Rideo leniter s. molliter, Subrideo. Hanc enim propriam esse ejus significationem puto, sequendo ea quæ paulo ante tradita fuerunt, ut quod Eust. verbo μειδιῶ tribuit, huic etiam convenire dicatur, præsertim quum in eo Homeri l., in quem signif. illam annotat, habeatur hoc verbum, non illud. Siquidem in Il. E, [426] : Ὣς φάτο· μείδησεν δὲ πατὴρ ἀνδρῶν τε θεῶν τε, hæc annotat, Jupiter autem ob illud scomma non dicitur γελᾷν (σεμνῶν γὰρ προσώπων ὁ ἐπὶ τοιούτοις γέλως ἀλλοτριον), sed μειδιᾷν : quod est multo σεμνότερον quam γελᾷν : quum μειδιᾷν dicatur περὶ γέλωτος ἠρεμαίου, ἀνακεχραμένου συννοίᾳ. [H. Cer. 203 : Μειδῆσαι γελάσαι τε. Ubi Ruhnk. comparat Ælian. V. H. 8, 13 : Ἀναξαγόραν φασὶ μὴ γελῶντά ποτε ὀφθῆναι μήτε (l. μηδὲ aut antea μήτε) μειδιῶντα τὴν ἀρχήν.] Deæ tribuitur, A, [595] : Μείδησέν τε θεά. [Hesiod. Sc. 115 : Μείδησεν δὲ βίη Ἡρακληείη.] Legimus hoc verbum ap. eund. poetam quum alibi, tum Od. Υ, [301] cum accus. σαρδάνιον : Μείδησε δὲ θυμῷ Σαρδάνιον μάλα τοῖον, ubi Eust. scribit esse τὸ ἄκροις χείλεσι σεσηρέναι τὸν ἔσω δακνόμενον θυμῷ ἢ λύπῃ. Sed scrupulum mihi adversus hanc expos. movet dativus θυμῷ, qui ab Hom. additur : nisi secus accipiatur quam in aliis ejusd. poetæ locis, verbis quibusdam subjunctum. [H. Cer. 357 : Μείδησεν δὲ ἄναξ ἐνέρων Ἀϊδωνεὺς ὀφρύσιν. Hermesianax Athen. 13, p. 597, C : Κωκυτόν τ' ἀθέμιστον ἐπ' ὀφρύσι μειδήσαντα, ubi tmesis esse videtur comp. ἐπιμειδ.]

Μείδημα, τὸ, Risus, Lenis risus, sequendo ea quæ de verbo μειδῶ dicta fuerunt. Hesiod. [Theog. 205] ὀάρους et μειδήματα conjunxit. [Hesych. in Μεῖδος.]

[Μειδιάζω.] In VV. LL. habetur etiam Μειδιάζω : sed ejus exemplum desidero.

Μειδίαμα, τὸ, a μειδιῶ, Risus, Lenis risus, vel Mollis. Lucian. [De lapsu in sal. c. 1] : Οὐδ' ὅσον ἄκρῳ τῷ μειδιάματι ἐπισημηνάμενος τῆς γλώττης τὴν διαμαρτίαν. [Plut. Sull. c. 35 : Συνεχεῖς προσώπων καὶ μειδιαμάτων διαδόσεις· Cat. min. c. 1 : Ἦν δὲ καὶ πρὸς γέλωτα κομιδῇ δυσκίνητος, ἄχρι μειδιάματος σπανίως τῷ προσώπῳ διαχεόμενος· 5 : Χάρις ἀγωγὸς ἀκοῆς ἐπέτρεχε τῇ βραχύτητι τῶν νοημάτων καὶ τὸ ἦθος αὐτοῦ καταμιγνύμενον ἡδονήν τινα καὶ μειδίαμα τῷ σεμνῷ παρεῖχεν οὐκ ἀπάνθρωπον. Anon. ap. Suid. v. Ἁρμάτος.] Apud Hesych. autem legitur Μειδίασμα, ead. signif. [Pollux 6, 199. Ps.-Callisth. *Notices* vol. 13, p. 259 : Σὺν τῷ μειδιάσματι. ἴἄ L. Dind.]

[Μειδίας, α et ου (Mœris p. 262 : Μειδίου Ἀττικοί, Μειδία τό τε ἀναλογικὸν καὶ τὸ Ἑλληνικόν), ὁ, Midias, n. viri, cujus notissimum ex. est ap. Demosth. in Orat. c. Midiam. Aliorum ap. Aristoph. Av. 1297, ubi v. schol., Plat. Alcib. 1 p. 120, A, Xen. H. Gr. 3, 1, 14 seqq. et in inscrr. Artificis vasi in mus. Brit. inscriptum, de quo Gerhard. *Notice sur le vase de Midias au Musée Brit.* Berolin. 1840. ἴἄ]

[Μειδίασις. V. Μειδιασμός.]

[Μειδίασμα. V. Μειδίαμα.]

Μειδιασμὸς, ὁ, item Μειδίασις, εως, ἡ, eadem signif. [qua μειδίαμα], sed absque ullo auctore, habetur in

A VV. LL. [Μειδιασμὸς et μειδίασις Pollux 6, 199. Prius ap. schol. Ven. Hom. Il. Z, 404.]

[Μειδιαστικὸς, ή, ὸν, Leniter ridens. Schol. Aristoph. Pl. 27. Greg. in Matthæi Lectt. Mosq. 2, p. 40.]

Μειδιάω, i. significans q. μειδῶ, et ex eo factum, uti dictum est, in soluta quoque oratione locum habet, potius quam hoc. [Μειδιᾷ, Renidet, Gl. Aristoph. Thesm. 513 : Θεῷ μειδιῶσα πρὸς τὸν ἄνδρα. Orph. Lith. 244 : Ποτὲ γὰρ νόος οὐρανιώνων μειδιάει. Epigr. Anth. Pal. 9, 157, 2 : Τίς θεὸν εἶπεν Ἔρωτα; θεοῦ κακὸν οὐδὲν ὁρῶμεν ἔργον· ὁ δ' ἀνθρώπων αἵματι μειδιάει, Ridet, Gaudet. Plato Parm. p. 130, A : Μειδιᾶν ὡς ἀγαμένους τὸν Σωκράτην· Euthyd. p. 275, E : Πάνυ μειδιάσας τῷ προσώπῳ. (Sappho fr. 1, 14 : Μειδιάσασ' ἀθανάτῳ προσώπῳ). Plutarch. Pomp. c. 57 : Μειδιῶν τῷ προσώπῳ. Idemque alibi sæpe.] Philostr. in quadam Epist. [54] : Τίς ἡ κατήφεια αὕτη; τίς ἡ νύξ; τί τὸ στυγνὸν σκότος τοῦτο; μειδίασον, κατάστηθι· ἀπόδος ἡμῖν τὴν τῶν ὀμμάτων ἡμέραν. Legitur etiam Μειδιθῶν ap. Hesych., quod exp. γελῶν. Sed pro μειδιῶν scriptum esse μειδιθῶν, non immerito

B fortasse quispiam suspicetur. [Recte interpretes μειδιόων ex Hom. Il. H, 212 : Μειδιόων βλοσυροῖσι προσώπασι· Φ, 491 : Παρ' οὔατα μειδιόωσα. (Anacr. ap.) Himer. Or. 3, p. 426 : Χαρίεντι μειδιόων προσώπῳ. Theocr. 7, 20 : Καί μ' ἀτρέμας εἶπε σεσαρὼς ὄμματι μειδιόωντι. Aliique Epici.]

[Μειδονικος n. viri esse putatur in inscr. Att. in *Bullett.* 1841, p. 88, ubi ΜΕΙ[ΔΟ]ΝΙ[Κ]ΟΣ ΑΝΔΡΟΚΛΕΟΥΣ, sequiturque : ΜΕΙΔΟΚΡΙΤΟΣ ΑΝΔΡΟΚΛΕΟΥΣ.]

[Μεῖδος, ους, τό.] Ap. Hesych. legitur etiam Μεῖδος. Habet enim Μεῖδος, μείδημα, γέλως. Fuerit autem, ut opinor, μεῖδος, τό.

[Μειδυλίδης, ὁ, Midylides, Athenienses duo, avus et nepos ap. Demosth. p. 1083.]

[Μειδύλος, ὁ, Midylus, n. pr. ap. Suidam, cujus libri Μείδυλος, sed Μειδύλος Lex. Ms. ap. Bast. Ep. cr. p. 244. Ita vocatur pater Bacchylidis lyrici in Etym. M. p. 582, 20, qui alibi male Μείλων vel Μέδων dicitur. V. Neuii fr. p. 1 seq. Conf. autem Μιδύλος.]

[Μείδων, ωνος, ὁ, Mido, Atheniensis in inscr. Att.

C ap. Bœckh. vol. 1, p. 496, n. 596. Samius in inscr. ap. Bœckh. *Urkunden* p. 244. Alius ap. Agin Anth. Pal. 6, 152, 1. Μείδωνος genit. n. pr. annotavit Suidas. Conf. Chœrob. vol. 1, p. 75, 13.]

[Μειεκτέω. V. Μειέκτημα.]

Μειέκτημα, τὸ, affertur pro Partes inferiores, Deterior conditio : et Μειεκτῶ pro Posteriores partes fero : sed id potius Μειονέκτημα dicitur et Μειονεκτῶ.

[Μειζιάδης, ου, ὁ, Miziades, Atheniensis, in inscr. Att. ap. Bœckh. vol. 1, p. 491, n. 560. ἴἄ L. Dind.]

[Μειζονάκις, Ut majus sit. Iambl. Arithm. p. 131 Ast.]

[Μειζονότης, ητος, ἡ, Major magnitudo. Iambl. V. P. § 115, p. 248 : Τὴν μεταξύτητα ... συμπληρωτικὴν τῆς ἐν αὐτοῖς μειζονότητος· Arithm. p. 45.]

[Μειζόνως. Μειζότερος. V. Μείζων.]

[Μείζω. Gramm. in Crameri An. vol. 2, p. 312, 25 : Τὸ μείζω (ῥῆμα) διὰ τῆς ει διφθόγγου, ἐπειδὴ ἀπὸ τοῦ μείζων συγκριτικοῦ γέγονεν.]

Μείζων, ονος, ὁ, ἡ, Major. Cui opp. ἐλάττων. [Soph. Tr. 324 : Ἥτις οὐδαμὰ προὔφηνεν οὔτε μείζον' οὔτ' ἐλάσ-

D σονα.] Aristoph. Vesp. [489] : Ἤν τε μεῖζον ἤν τ' ἔλαττον πρᾶγμά τις κατηγορῇ. Observavi autem in variis vetustiorum etiam scriptt. ll. οὔτε μεῖζον οὔτ' ἔλαττον pro Nullum prorsus : ut Gall. dicimus, *Ni petit, ni grand;* ut, *Je ne vous fie jamais chose ni petite ni grande pour laquelle* etc. Ita enim et Dem. Pro cor. [p. 274, 7] : Οὐδ' ἔστιν οὔτε μεῖζον οὔτ' ἔλαττον ψήφισμα οὐδὲν Αἰσχίνῃ περὶ τῶν συμφερόντων τῇ πόλει. [Aristid. vol. 1, p. 267 : Οὐδένες οὔτε μείζονα οὔτ' ἐλάττονα ἀπεμνημόνευσαν χάριν.] At Plut. dixit etiam Μικρὰ καὶ μείζω. Reddi alicubi potest Amplior, idque, auctore Plin. : nam quod Aristot. dixit [H. A. 9, 14], Ἡ δ' ἀλκυὼν ἐστὶ μὲν οὐ πολλῷ μείζων στρουθοῦ, vertit ille, Alcyon avis paulo amplior passere. [Improprie sic (nam proprie dicti exx. afferri inutile est) Thuc. 4, 119 : Ἡ μὲν δὴ ἐκεχειρία αὕτη ἐγένετο, καὶ ξυνῄεσαν ἐν αὐτῇ περὶ τῶν μειζόνων σπονδῶν διὰ παντὸς ἐς λόγους. Theophr. Metaphys. p. 310, 19 : Τὸ δὲ κατὰ τὸ πλῆθος τῶν σφαιρῶν τῆς αἰτίας μείζονα ζητεῖ λόγον· οὐ γὰρ ὅγε τῶν ἀστρολόγων. De pueris Aristoph. Vesp. 258 : Ἢ μὴν ἐγὼ σοῦ χατέρους μείζονας κολάζω.] Ap. Hom. est Procerior. Il. Γ, [168] : Ἢ τοι μὲν κεφαλῇ καὶ μείζονες ἄλλοι ἔασιν· Od. Ζ, [230] : Μείζονά τ' εἰσιδέειν καὶ πάσσονα. [Soph. Phil. 411 : Αἴας ὁ μείζων.] At vero Idem dixit Il. Α, [167] : Γέρας πολὺ μεῖζον, Honorarium multo præstantius. Cic. certe μεῖζον vertit non solum Præstantius, sed etiam Optabilius, in Plat. Tim., ut te docebit meum Lex. Cic. [Sic alibi ἀρετή, τιμή, κλέος etc. Et vicissim de rebus gravibus, χόλος, κακὸν etc. Soph. El. 377 : Εἰ γάρ τῶνδέ μοι (κακῶν) μεῖζόν τι λέξεις. Et alibi cum similibus vocc. Et cum contrariis, ut χάρις etc., quorum exx. in positivo posita sunt. || Longior. Soph. Tr. 679 : Μεῖζον' ἐκτενῶ λόγον. Eur. Alc. 716 : Διός γε μείζον' ἂν ζώοις χρόνον.] || Μείζων interdum Potentior. Dem. Philipp. 3 : Μείζω γιγνόμενον τὸν ἄνθρωπον. [Eur. Rhes. 168 : Οὐχ ἐξ ἐμαυτοῦ μειζόνων γαμεῖν θέλω. (Plato Leg. 11, p. 926, B : Ἐπὶ μείζοσι γάμοις τὴν διάνοιαν ἐπέχων.) El. 405 : Τί τούσδ' ἐδέξω μείζονας σαυτοῦ ξένους; Gravior, Eur. Alc. 976 : Μή μοι, πότνια, μείζων ἔλθοις ἢ τὸ πρὶν ἐν βίῳ, de Necessitate. De rebus similiter Aristoph. Lys. 616 : Ἤδη γὰρ ὄζειν ταδὶ μειζόνων καὶ πλειόνων πραγμάτων μοι δοκεῖ. Xen. Anab. 4, 7, 1 : Ἐδόκει δὴ μεῖζόν τι εἶναι· Cyrop. 8, 7, 16 : Μειζόνων τυχεῖν· Apol. 14 : Παρὰ θεῶν μειζόνων ἢ αὐτοὶ τυγχάνοι. Hesiod. Op. 270 : Εἰ μείζω γε δίκην ἀδικώτερος ἕξει.]

|| Μείζων variis genitivis junctum varia loquendi genera efficit, et in nonnullis quidem ad verbum reddi potest Major, in quibusdam autem, aliter atque aliter redditur. Exempla autem sunt hæc : Μείζων ἐλπίδος, Spe major (nam et Latini ita nonnunquam loquuntur), ut [Æsch. Ag. 266 : Χάρμα μεῖζον ἐλπίδος·] Herodian. 2, [8, 3] dicit ἐπιθυμίαν ἐλπίδος μείζονα, Quæ major erat spe, Quæ superabat spem, Polit. Affinem autem signif. habet μείζων εὐχῆς, quod ex Ovid. reddere possumus ad verbum, Voto major. Lucian. in principio Aetionis : Μεῖζον γὰρ εὐχῆς τουτόγε. Μείζων ἀληθείας, Major veritate, Major vero, fide veri. Herodian. 1, [1, 3] : Εὐτελῆ καὶ μικρὰ ἔργα, λόγων ἀρετῇ, δόξῃ παρέδωκαν τῆς ἀληθείας μείζονι, Tenues per se res atque humiles scribendi artificio longe supra veri fidem sustulerunt, Polit. In qua interpretatione falli puto Polit., quum Fides veri aliud significet Latinis quam id quod ab Herodiano ibi dicitur. Qui enim dicit ap. Ovid. Met. 3 : Adjuro tam me tibi vera referre, Quam veri majora fide, non vocat Majora fide veri quæ sint vero majora, sed quæ majora sint quam ut fides illis tanquam veris adhiberi possit; atque adeo potuisset idem exprimere poeta non addito genit. Veri, dicens simpliciter, Majora fide, ut aliquot aliis loquitur ll. : alicubi et Credibili majora, in hac ipsa signif. usurpans : sed ludere voluit in Vera et Veri fide majora. Contra vero quum ibi dicit Herodian., Δόξῃ παρέδωκαν τῆς ἀληθείας μείζονι, vocat δόξαν ἀληθείας μείζονα, non Majorem fide veri, Majorem fide, Majorem credibili (quo etiam genere loquendi uti Ovid. alicubi, dixi modo), sed Majorem vero, Majorem ipsa veritate. Hoc igitur aut simili modo verti l. ille debuit a Polit., Scribendi artificio res tenues atque humiles in opinionem vero majorem adduxerunt. Sed quia durior hæc aliaque hujusmodi ad verbum interpretatio videri potest, satius fortasse fuerit ista, aut simili paulo liberiore et faciliore uti, Scribendi artificio effecerunt, ut res illæ majores creditæ sint quam re vera fuerint. Sunt autem et alii plerique Herodiani ll., in quorum interpretatione judicium in Polit. desidero, ut aliquando, Deo favente, docebo. Μείζων jungitur et aliis genitivis, ex quibus est λόγου : dicitur autem esse res aliqua μείζων λόγου, eodemque sensu κρείττων λόγου, Major oratione, Superior, i. e. omni facultate orationis, Excedens aut Superans omnem facultatem orationis, Quam nullis verbis enarrare quis possit, s. exprimere. Cic. autem hac in signif. dixit etiam Verbis consequi. Philo pro eod. dixit δύναμιν πᾶσαν λόγων ὑπερβάλλει. Sed additur interdum παντὸς cum λόγου, diciturque παντὸς λόγου μείζων, sicut παντὸς λόγου κρείττων, ut docui supra in Λόγος. Dem. vero dixit etiam, Μείζω ἢ ὡς τῷ λόγῳ τις ἂν εἴποι, ut docebo infra. [Aristoph. Vesp. 650 : Χαλεπὸν μὲν καὶ δεινῆς γνώμης καὶ μείζονος ἢ 'πὶ τραγῳδοῖς

A ἰάσασθαι νόσον ἀρχαίαν. Alia constr. Thuc. 6, 16 : Οἱ Ἕλληνες καὶ ὑπὲρ δύναμιν μείζον' ὑμῶν τὴν πόλιν ἐνόμισαν.] Itidem vero adverbium μειζόνως huic genitivo junxisse Pausan., ostendam, quum de eo agam. At genitivo φόβου junctus hic comparativus μείζων duo diversa efficit loquendi genera. Nam Aristides in Panath. [vol. 1, p. 128, 12] vocavit μεῖζον φόβου, Quod supramodum metum incutit : Καὶ οὐκ ἠπείληκε μὲν οὕτως ἀήθη καὶ ὑπερόρια καὶ φόβου μείζω· et dicitur etiam μεῖζον φόβου πρόσωπον, Vultus in quo metus indicia non facile licet deprehendere, i. e. ἄφοβον καὶ μὴ ὑποπίπτον φόβῳ. Ita VV. LL.; sed hæc ego ita distinguenda puto, ut in illo priore l. φόβον passive sumi dicamus, at in isto posteriore, active : nam φόβου μείζω, quod sonat ad verbum Metu s. Formidine majora, puto vocari quæ non solum formidabilia sunt, sed plusquam formidabilia; atque adeo commode ita reddi posse existimo φόβου μείζω, Plusquam formidabilia. Memini tamen me aliquando vertere Quæ satis formidari non possunt, Quæ ne formidari quidem satis possunt. Quod autem attinet ad illud, φόβου μεῖζον πρόσ-
B ωπον, quod itidem sonat ad verbum Vultus major formidine, non dubium est quin ibi μεῖζον verti possit etiam Superior, nec solum Superior formidine, sed et Superans formidinem. Et sumi hic φόβον active, ideo dico, quia interpretationi horum verborum μεῖζον φόβου πρόσωπον adhiberi potest verbum activum Formidare s. Metuere : ut si, verbi gratia, ita reddamus, Vultus constantior, gravior quam ut formidet, formidini cedat. [Plut. Arat. c. 15 : Τοῦ πολιτικοῦ φθόνου μείζων ἐγεγόνει.]

|| Μείζων jungitur interdum cum particula ἤ, quam sequitur vel κατά, vel ὡς. [Herodot. 8, 38 : Δύο ὁπλίτας μείζονας ἢ κατὰ ἀνθρώπων φύσιν.] Plato De rep. 2, [p. 359, D] : Μείζω ἢ κατ' ἄνθρωπον, Majora quam quæ homini conveniant, quam ut homo par iis esse possit. Quæ posterior interpr. aptior etiam fortasse fuerit huic l., et aliis hujusmodi. Dem. [p. 156, 5] : Μεῖζον φορτίον ἢ καθ' αὑτὸν ἀράμενον. At prior illa congruet huic Athen. loco, 7 : Ὀφθαλμοὺς δὲ μείζονας ἢ καθ' αὑτὸν ἔχων.
C Exemplum autem comparativi μείζων juncti particulæ ἢ sequente ὡς, habes in isto Dem. l. [p. 68, 20] : Ἔστι γὰρ μείζω τἀκείνων ἔργα ἢ ὡς τῷ λόγῳ τις ἂν εἴποι. [Herodot. 3, 14 : Μ. κακὰ ἢ ὥστε ἀνακλαίειν.] Sed invenitur cum ἤ, ubi etiam neutra harum particularum sequitur; Isocr. Paneg. : Καὶ μεῖζον ἢ προσῆκον αὐτοῖς φρονήσαντας.

|| Μεῖζον adverbialiter etiam poni annotatur pro Plus, ut [Soph. Phil. 456 : Ὅπου ὁ χείρων τἀγαθοῦ μεῖζον σθένει·] μεῖζον ἰσχύειν, Dem. [p. 1481, 11], et μεῖζον δύνασθαι, Aristoph. [Pl. 129], Plus posse; sed tamen nequaquam μείζονος adverbialiter itidem poni dicemus, quum alioqui itidem reddatur Pluris : μείζονος τιμᾶσθαι, Xen. [Cyrop. 2, 1, 13], Pluris æstimare. [Thuc. 8, 74 : Ἐπὶ τὸ μεῖζον πάντα δεινώσας. Plut. Pyrrh. c. 8 : Κλίσει τραχήλου καὶ τῷ μεῖζον διαλέγεσθαι, Voce altiori. Sic Plato Prot. p. 334, C : Εἴπερ ἔμελλές μοι διαλέξεσθαι, μεῖζον φθέγγεσθαι ἢ πρὸς τοὺς ἄλλους. || Forma Μειζότερος, α, ον, est ap. Joann. 3, 4 : Μειζοτέραν τούτων χαράν· Greg. Nyss. vol. 3, p. 595,
D A, Jo. Malalam p. 490, 9, ubi de filio natu majori, aliosque recentiorum. V. præf. meam p. vi sq. L. D. Gregor. Psell. In Cantic. Cant. 2, 4. Boiss. Theodoret. H. E. 2, 16, p. 94, 34; Epiphan. vol. 1, p. 661. Formam Μειζονώτερος ex Æschylo affert gramm. in Mus. philol. vol. 2, p. 114.]

|| Μειζόνως, Majorem in modum, Magis, Amplius. [Eur. Hec. 1121 : Ἑκάβη με... οὐχ ἀπώλεσ', ἀλλὰ μειζόνως· Rhes. 849 : Οἱ δὲ μ. παθόντες οὐχ ὁρῶσιν ἡλίου φάος.] A Thuc. [4, 19] οἱ μειζόνως ἐχθροὶ et οἱ τὰ μέτρια διενεχθέντες, inter se opp. Ib. [6, 27] : Μ. ἐλάμβανον τὸ πρᾶγμα, schol. exp. ἐμεγάλυνον. [Xen. Cyn. 13, 3 : Μέμφομαι αὐτοῖς τὰ μὲν μεγάλα μειζόνως. Plato Reip. 4, p. 22, E : Μ. χρὴ προσαγορεύειν τὰς ἄλλας. Polyb. 3, 86, 7 : Μ. βουλεύεσθαι περὶ τῶν ἐνεστώτων, Majora consilia capere.] Jungitur etiam genit.; ea forma qua dici μεῖζον λόγου docui supra, ut ap. Pausan. in Phocicis [10, 21, 4] : Καμνόντων δὲ μειζόνως λόγου τῶν Κελτῶν, ἀναχωρεῖν εἰς τὸ στρατόπεδον σφίσιν ἐσήμαινον οἱ ἡγεμόνες, Bud. exp. Inenarrabili modo. [Cum part. ἢ Plato Leg.

3, p. 693, E : M. ἢ ἔδει. Isocr. p. 193, A : M. ἢ κατ' ἄνθρωπον. Polyb. 3, 103, 1, ἢ κατὰ τὴν ἀλήθειαν.] At ex Plat. Leg. [7, p. 797, D] affertur in VV. LL. : M. ἡμῶν αὐτῶν ἀκούωμεν αὐτὸν τὸν λόγον, pro Audiamus quamdiligentissime. [In Ind. :] Μεζόνως, Ionice pro μειζόνως, Majorem in modum, Magis. [Ἔτι μεζόνως Herodot. 3, 128. Νῦν δὲ καὶ μεζόνως θωμάζομεν, 5, 92. Βῆξαι μ. ἢ ὡς ἐώθεε, 6, 107. Ὁμιλέειν σφι μ. ib. 84. Τὴν ἐγὼ μ. ἀπηγήσομαι, Uberius exponam, 2, 161. Schweigh.] Itidemque Μέζων pro μείζων, Major, Grandior, Amplior : ap. Herodot. [1, 26, etc.] et Hippocr. [Originem hujus formæ ex μέσσων Bœotice in μέζων mutato exponit Eust. Od. p. 1930, 45. || Forma Dorica μέσδων est ap. Plut. Lycurg. c. 19. Libri Theocriti 27, 59, consentiunt in μείζονα. Conf. etiam Μέττων.]

[Μειχιάδης, ὁ, Miciades, Corcyræus. Thuc. 1, 47, ubi pauci Μιχ. vel Μηχ.]

[Μειλαίνω. V. Μελανέω.]

[Μειλανέω. V. Μέλας.]

[Μειλανίων. V. Μελανίων.]

Μείλαξ, Suidæ ὁ λειμὼν, ὁ παράδεισος, Pratum, Hortus : pro quo supra λείμαξ.

[Μείλας. V. Μέλας.]

[Μειλάτης, ὁ, Milates, n. viri, ap. Aristid. vol. 1, p. 319.]

[Μειλέω.] Μειλεῖν, Hesych. ἀρέσκειν, Placere.

Μείλιγμα, τὸ, Mulcimentum : si hoc vocabulo cum Bud. uti licet; qui μείλιγμα eo interpretatur, ap. Plut. Pomp. [c. 47] : Σκιπίωνι ὀργῆς μείλιγμα τὴν ἑαυτοῦ θυγατέρα καταινέσας. (At vero Μείλισμα, quod hic VV. LL. habent, plane mendosum esse existimo.) Possit tamen hic reddi etiam Lenimentum, s. Lenimen : ut μείλιγμα ὀργῆς sit Lenimen iræ. Quin etiam Placamen s. Placamentum locum habere hic possit. [Æsch. Ag. 1439 : Κεῖται γυναικὸς τῆσδε λυμαντήριος, Χρυσηίδων μείλιγμα τῶν ὑπ' Ἰλίῳ, de Agamemnone. Similiter Cho. 15 : Ἦ πατρὶ τῷμῷ τάσδ' ἐπεικάσας τύχω χοὰς φερούσας νερτέροις μειλίγμασιν (μειλίγματα recte Stanlejus); et ib. 218. Eum. 107 : Χοάς τ' ἀοίνους νηφάλια μειλίγματα· 886 : Ἀλλ' εἰ μὲν ἁγνόν ἐστί σοι πειθοῦς σέβας, γλώσσης ἐμῆς μείλιγμα καὶ θελκτήριον κτλ. Orph. Arg. 571 : Ψυχὰς ἱλασάμην, σπένδων μειλίγματα χύτλων.] Hom. autem μειλίγματα θυμοῦ de canibus dixit, Od. K, [217] : Ὡς δ' ὅταν ἀμφὶ ἄνακτα κύνες δαίτηθεν ἰόντα Σαίνωσ'· αἰεὶ γάρ τε φέρει μειλίγματα θυμοῦ, ubi μειλίγματα θυμοῦ sunt κρέα τινὰ, s. μαγδαλιὰ μειλίσσουσα κύνας, ut inquit Eust. (qui alibi παίδων μειλίγματα esse tradit τὰ ἐκείνων θελήματα, ut dicam quum de ipso verbo μειλίσσομαι agam). Auctor brevium scholl. esse dicit τὰ πρὸς ἡδονὴν δωρήματα, s. κρέα τινά : aut etiam τὴν ἀπομαγδαλιὰν, ἣν προσδεχόμενοι οἱ κύνες ἐγρηγόρασι. [Aret. p. 73, 20 : Μειλίγματα θυμοῦ σιτία. Absolute Eur. fr. ap. Stob. Fl. 54, 14 : Μισῶ δ' ὅταν τις καὶ χθονὸς στρατηλάτης μὴ πᾶσι πάντα προσφέρῃ μειλίγματα. Et cum eodem verbo Plut. [Mor. p. 987, E.] Legimus vero et μειλίγματα [ὑστέρης ap. Aretæum p. 65, 15,] νούσων ap. Nicandr. Ther. [896], ubi Lenimenta s. Lenimina commode interpretari possumus : Καὶ μὴν καὶ σίσυμβρα πέλει μειλίγματα νούσων· minus autem ad verbum, Medicamenta s. Remedia morborum. [Idem ap. Athen. 2, p. 51, D : Καὶ μορέης, ἣ παισὶ πέλει μείλιγμα νέοισι.] || Μειλίγματα, Hesych. χαρίσματα (ut μειλίσσεσθαι exponi dicam χαρίζεσθαι). [Quo referre licet Theocr. 22, 221 : Ὑμῖν κῦδος, ἄνακτες, ἐμήσατο Χῖος ἀοιδὸς, ... ὑμῖν δ' αὖ καὶ ἐγὼ λιγεῶν μειλίγματα Μουσῶν, οἷ' αὐταὶ παρέχουσι καὶ ὡς ἐμὸς οἶκος ὑπάρχει, τοῖα φέρω.] Item σπαράγματα, et δῶρα. Quin etiam ἡ προῖξ : sicut μείλινον exp. μείλιγμα : addens, Λέγει δὲ τὴν προῖκα, τὰ χαρίσματα. Illud autem σπαράγματα valde suspectum est. [Cod. ἀσπάργματα, pro ἀπάργματα, ut viderunt intt. Exx. hujus signif. v. supra. Quibus Hemst. addit orac. Bacidis ap. Pausan. 9, 17, 5 : Χύτλα καὶ εὐχωλὰς μειλίγματ' ἐνὶ χθονὶ χεύῃ· cui l. simillimus est locus Apollonii Rh. in Μείλικτρον citandus. Antonin. Lib. c. 25, p. 170 : Καὶ αὐταῖς (puellis quibusdam) καθ' ἕκαστον ἔτος κόροι τε καὶ κόραι μειλίγματα φέρουσι.] Ap. eund. lexicographum in alio loco, sc. inter vocabula quæ a syllaba μιλ, non μειλ, initium habent, extat dat. μειλίγμασι expositus κολακείαις et ἐδέσμασι : quæ posterior expositio videri possit convenire cum illa superiore, qua dicebatur significare κρέα. Μιλίγματα, Etym. τὰ λείψανα, Reliquiæ. Quibus addit, quosdam eo nomine accipere τὸ σταῖς, ᾧ κατέμασσον τὰς χεῖρας καὶ τὸ λῖπος ἀπέψων : quod Attici vocant ἀπομαγδαλιάν. Et fortassis dici quasi μελίγματα, a v. μελίζω. [Lynceus ap. Ath. 3, p. 109, E : Σεμνυνομένων παρ' ἐκείνοις τῶν ἀγοραίων ἄρτων, ἀρχομένου μὲν τοῦ δείπνου καὶ μεσοῦντος οὐδὲν λειπομένους ἐπιφέρουσιν, ἀπειρηκότων δὲ καὶ πεπληρωμένων ἡδίστην ἐπεισάγουσι διατριβὴν τὸν διάχριστον ἐσχαρίτην καλούμενον, ὃς οὕτω κέκραται τοῖς μειλίγμασι καὶ τῇ μαλακότητι καὶ τοιαύτην ἐνθρυπτόμενος ἔχει πρὸς τὸν γλυκὺν συναυλίαν κτλ. Casaub. interpretatur, Conditum μειλίγμασιν, h. e. Melle aliisque rebus dulcibus. Cit. Hemst.] Sin pro πραϋντικὰ accipere quis velit, per diphthongum scrib. esse μειλίγματα. [|| Longin. De subl. 32, 3 : Μειλίγματα τῶν θρασειῶν μεταφορῶν.]

Μειλικτήριος, ὁ, ἡ, Mulcendi vim habens, aut Demulcendi, s. Leniendi, Aptus ad mulcendum, leniendum, placandum; q. d. Lenitivus, s. Lenitorius. Hesych. exp. εὐμενητικός. [Εὐχαὶ μειλικτήριοι, Suid. in Ποντίφεξ. Hemst. Προσηνὴς, ἡδὺς, πραῢς interpr. Photius s. Suidas.] Μειλικτήριον autem, neutro genere, tanquam substantive positum, redditur in VV. LL. Placatio, sed malim Placamentum, Placamen. [Æsch. Pers. 610 : Φέρουσ' ἅπερ νεκροῖσι μειλικτήρια.]

[Μειλικτικῶς, Blande. Schol. Aristoph. Pl. 233 : Οὐκ ἀπειλητικῶς, ἀλλὰ μ.]

Μειλικτὸς, Qui talis est ut mulceri possit s. leniri. Aut etiam, Qui lenitus est, ut quidam interpr. Quod si priorem illam interpr. ei tribuamus, cum compositorum ἀμείλικτος et δυσμείλικτος interpretatione conveniet.

Μείλικτρα, τὰ, ex Apoll. Arg. 4, [712 : Ἡ δ' εἴσω πελάνους μείλικτρά τε νηφαλίῃσι καῖεν ἐπ' εὐχωλῇσι] affertur in VV. LL. : quod exp. μειλικτήρια.

[Μειλίνεος. V. Μείλινος.]

Μειλινὸς, Blandus, Suavis. Ex [Ps.-] Eur. [Iph. A. 234] μειλινὸν ἡδονὴν pro Gratam voluptatem, afferunt VV. LL. Non male autem fortassis μειλινὸν alicubi Melleum s. Mellitum quispiam reddiderit. [Nihili esse ostendit metrum.] Ac quamvis hoc μειλινὸς inter derivata a μειλίσσω ponam (quoniam μείλια a gramm. inde derivari video), non minus tamen placeret ab ipsomet nomine μέλι, sicut μειλίσσω, ita et illud immediate deducere. || At vero Μείλινος, Fraxineus : ut μείλινον ἔγχος in variis Homeri locis, Fraxinea hasta. [Et alibi cum δόρυ, ut ap. Apollod. 3, 13, 5 : Δόρυ μείλινον.] Dicitur autem μείλινος pro μέλινος, per pleonasmum literæ ι, a nomine μελία, s. μελίη Ionice, quod Fraxinum significat. A μελία, inquit Etym., fit μελίϊνος, et per sync. μέλινος, et per pleonasmum literæ ι, μείλινος : ut μείλανι πόντῳ legimus pro μέλανι : et Μειλανίων pro Μελανίων. Sed quum alia plurima vocabula in exemplum hujus pleonasmi τοῦ ι poterat afferre, tum vero illud ipsum μειλίσσω, cujus derivata proxime præcedunt. [|| Μειλίνεος, α, ον, ead. signif. Oppian. Cyn. 4, 381 : Ὑπὸ μειλινέοισι πάγοισι. Wakef. ἵ]

Μείλιξις, εως, ἡ, (a secunda persona μεμείλιξαι, sicut μείλιγμα est a prima μεμείλιγμαι, cetera autem verbalia sunt a tertia μεμείλικται,) in propria quidem signif. declararet Actionem reddendi dulce, s. Dulcedinem quandam melleam indendi : metaphorice autem, Actionem leniendi, s. blandis verbis et velut mellitis demulcendi et deliniendi. Extat autem ap. Suid. hoc verbale, sed in quodam l., ubi quid potissimum significet, vix judicari potest : quod pauca illius verba proferantur. Postquam enim μειλίγμασιν exposuit ἀπατήμασιν, et ἐξιλεώμασιν, et ἡδύσμασι, subjungit, Καὶ τὸν τρόπον τῆς μειλίξεως οὐδ' αὐτὸν ἀπεκρύψατο. Hoc autem minime prætermittendum est, legi ap. Suid. et Μειλισιουργὶς, sine expositione, inter Μειλίξασθαι et Μειλισσόμενος : sed quamvis, si seriei alphabeticæ ratio habeatur, minime suspectum videri hoc vocab. possit, non dubium est tamen quin Μιλησιουργὶς aut certe Μιλησιουργὴς reponi debeat. Dicitur autem Μιλησιουργὴς eadem forma qua Ἀττιουργὴς, atque alia nonnulla.

Μειλῖον, τὸ, Munus quo aliquem μειλισσόμεθα, i. e. Demulcemus, s. quo aliquem possumus μειλίσσεσθαι,

i. e. Demulcere. [Apoll. Rh. 3, 136 : Σφαῖραν εὐτρόχαλον, τῆς οὐ σύγε μείλιον ἄλλο χειρῶν Ἡφαίστοιο κατακτεατίσση ἄρειον.] Sed pluralis potius numerus Μείλια in usu est. Apoll. Arg. 4, [1549] : Αὐτίκα δ' Ὀρφεὺς Κέκλετ' Ἀπόλλωνος τρίποδα μέγαν ἔκτοθι νηὸς Δαίμοσιν ἐγγενέταις νόστῳ ἔπι μείλια θέσθαι, ubi schol. μείλια exp. τα ἐκμειλίξασθαι δυνάμενα δῶρα, item τὰ ἱλαστήρια. Scribo autem in illo Apollonii versu, ἔπι μείλια disjunctim, non ἐπιμείλια : quod scholiasten non hanc, sed illam vocem agnoscere videamus. Sed et in aliis duobus ll. ejusd. poetæ habemus μείλια, qui certe eandem dubitationem non admittunt. Unus est 3, [146] : Μείλια δ' ἔκβαλε πάντα. Ubi idem schol. μείλια exp. παίγνια δι' ὧν οἱ παῖδες μειλίσσονται : addens, Homerum ἐπὶ τῶν ξενίων voce ista usum esse, Ἐγὼ δ' ἐπὶ μείλια δώσω Πολλὰ μάλα. [4, 1190 : Μείλιά τε χρυσοῖο.] Alterum autem l., in quo τιμωρίαν exp., postea proferam. Nunc ad illum Homericum venio, qui legitur Il. I, [146] : Τάων ἥν κ' ἐθέλησι φίλην, ἀνάεδνον ἀγέσθω Πρὸς οἶκον Πηλῆος· ἐγὼ δ' ἐπὶ μείλια δώσω Πολλὰ μάλ', ὅσσ' οὔπω τις ἑῇ ἐπέδωκε θυγατρί. Ubi tamen non ἐπὶ μείλια separatim, sed ἐπιμείλια conjunctim legitur; atque adeo Eust., tanquam de vera lectione dubitans, scribit Homerum τὴν φερνὴν vocare μείλια s. ἐπιμείλια. Ejus verba sunt hæc : Φερνὴ γὰρ ἡ τῆς γυναικὸς προῖξ· οἷον, προθεὶς φερνὰς πατήρ· ἣν Ὅμηρος καὶ μείλια ἢ ἐπιμείλια λέγει, διὰ τὸ τὸν ἄνδρα μειλίσσειν, ἤτοι κατὰ μέλι γλυκαίνειν· ὥσπερ καὶ ἕδνα εἴρηται παρὰ τὸ τὴν νύμφην ἥδειν· ἡδανά τινα ὄντα, καὶ ἐν συστολῇ καὶ συγκοπῇ, ἕδνα. Ap. Hesych. quoque non μείλια solum, sed ἐπιμείλια legimus. Verum hoc comp. Ἐπιμείλια sunt ei τὰ ἀπόθετα χρήματα, quum alibi μείλια dicat significare προῖκα inter alia. In VV. LL. ἐπιμείλια exp. Munera demulcentia, ultra dotem, Res dotales : et ipsa Dos, quod maritos demulceat. Adduntque, Hesych. rectius interpretari ἐξώπροικον, i. e. Dotem adventitiam, dotisque accessionem, præter dotem profectitiam, ut loquitur Ulpianus : quoniam quæ ibi postea doti dicit et promittit Agamemnon, proprie dos est profectitia : super quam etiam ex abundanti ἐπιμείλια dicit se adjecturum adventitiæ dotis loco. Sic Liv. Pun. Bell. 6 : Super dotem, quam accepturus a socero es, hæc tibi a me dotalia dona accedent. Hæc sunt quæ et ibi de voce ista leguntur. Sed ut omittam, magis videri rationi consentaneum, ut quæ postea enumerat Agamemnon, sint ea ipsa quæ μείλια vocavit (cur enim eorum, quæ ad dotem additurus esset, mentionem prius quam ipsius dotis faceret ?), loci etiam alicujus auctoritatem desidero, in quo ἐπιμείλια ita scriptum sit ut minime dubitari possit quin præp. ad hoc ipsum nomen pertineat, et ita quidem ut ejus pars sit. Nam in eo quem protuli Homeri loco vix credere possum Eust. existimasse posse vel μείλια scribi, vel ἐπιμείλια, sc. præp. relinquendo huic nomini, vel jungendo eam verbo. Vix, inquam, credere possum Eust. ea in opinione fuisse, quum ipse Hom. se non voluisse dicere, ἐπιμείλια δώσω, sed ἐπιδώσω ἐπιμείλια, verbis proxime sequentibus ostendat, ubi sc. dicit, Ὅσσ' οὔπω τις ἑῇ ἐπέδωκε θυγατρί. (Memini autem me in quodam veteris Epigr. [Luciani Anth. Pal. 9, 367, 6] pentametro legere itidem, Πόλλ' ἐπὶ μείλια δοὺς, pro πολλὰ μείλια ἐπιδούς· nimirum Homerum imitando.) Equidem brevium scholl. auctor nequaquam utramque lectionem in eo l. Homeri admittit; sed se junxisse præp. ἐπὶ cum verbo δώσω, aperte ostendit, quum scribit, τὸ ἑξῆς, ἐπιδώσω μείλια : deinde μείλια esse ait οἷς μειλίσσονται τοὺς ἄνδρας : nimirum τὴν προῖκα. Quin etiam ipse Eust. licet in ambiguo relinquat, μείλια an ἐπιμείλια dixerit Hom., differentiam tamen illam inter hæc duo vocabula minime constituit : ut ex illis quæ attuli ejus verbis satis apparet. Esse autem et alia nonnulla nomina ap. Hom., quibus adjuncta fuerit a plerisque præp. quæ alioqui ad verbum compositum pertinebat, in aliis hujus Thesauri locis patefeci. [Callim. Dian. 230 : Σοὶ δ' Ἀγαμέμνων πηδάλιον νηὸς σφετέρης ἐγκάτθετο νηῷ, μείλιον ἀπλοΐης, ὅτε οἱ κατέδησας ἀήτας. Paul. Sil. Anth. Pal. 6, 75, 8 : Ἀνθ' ὧν σοὶ τόδε, Φοῖβε, τὸ Λύκτιον ὅπλον ἀγινεῖ, χρυσείαις πλέξας μείλιον ἀμφιδέαις.] || Μείλια a schol. Apollonii redditur etiam τιμωρία, Arg. 3, [594] : Νόσφιν δ' οἱ αὐτῷ φάτ' ἐοικότα μείλια τίσειν. Hic enim exp. τιμωρίαν ἀποτίσειν. Ac fortasse μείλια hac in signif. per antiphrasin usurpatum censeri posset.

[Μείλισμα. V. Μείλιγμα.]

[Μειλισσία, ἡ, Epidauri Limeræ nomen sec. Steph. B. in Ἐπίδαυρος, pro quo Μιλησία est ap. Eust. Il. p. 287, 36.]

[Μειλίσσω.] Verbum Μειλίσσω, de quo nunc agendum est, tuto post nomen Μέλι potuisse collocari videtur. Quum enim valde vicina sit deductio, ut nimirum μειλίσσω a μέλι deducentes μειλίσσω dici existimemus quasi μελίσσω, et significatio hujus verbi optime cum illius nominis significatione conveniat; vix quenquam derivationi isti refragaturum arbitror. Neque vero mirari quisquam debet μειλίσσω scribi cum ει, quum μέλι habeat ε simplex : quoniam multa sunt ap. poetas, quæ eandem literæ ι epenthesin habent : ex quibus est μείλανι ap. Hom. pro μέλανι : unde et Μειλανίων, nomen propr. pro Μελανίων. Eod. modo μείλινον ἔγχος pro μέλινον, et εἰλάτινον pro ἐλάτινον. Sic autem et υ interjicitur ex Ionicæ dialecti consuetudine, ut videmus in νοῦσος pro νόσος, et πουλὺς pro πολύς. Μειλίσσω, fut. ίξω, præt. ιχα, proprie Dulcedinem quandam melleam indo, Mellitum reddo, κατα μέλι γλυκαίνω, ut Eust. exp., quum de voce μείλια agens, φερνὴν eo vocabulo appellatam esse tradit, διὰ τὸ τὸν ἄνδρα μειλίσσειν, ἤτοι κατὰ μέλι γλυκαίνειν. Sed usurpatur potius metaphorice pro Blandis verbis et velut mellitis demulceo, aut etiam delinio. Interdum vero non verbis, sed facto quopiam dicimur aliquem μειλίσσειν, i. e. eum Demulcere, et nobis conciliare : ut legimus Τραπέζῃ μειλίξαντας ap. Herodot. [et ap. Theocr. 16, 28.] Ap. Hom. autem Il. H, [410] : Οὐ γάρ τις φειδὼ νεκύων κατατεθνειώτων Γίνετ', ἐπεί κε θάνωσι, πυρὸς μειλισσέμεν ὦκα, accipio μειλισσέμεν, pro Demulcere, faciendo quod gratum sit et acceptum, aut jucundum : adeo ut expositio, quam Hesych. infinitivo μελισσέμεναι tribuit, optime isti μειλισσέμεν conveniat, mea quidem sententia : sc. προσηνῆ et κεχαρισμένα πράττειν. Ac nisi μειλισσέμεναι in alio quopiam hujus poetæ loco reperiatur, μειλισσέμεν Hesych. scripsisse et inde deprompsisse suspicer. Brevium scholl. auctor, διὰ πυρὸς μειλίσσειν esse dicit κηδεύειν καὶ ταφῆς μεταδιδόναι (addens, ἢ διὰ πυρὸς θάπτεσθαι, ubi tamen θάπτειν potius dicendum fuisse videtur). Sic in meo vet. exemplari Homeri, exp. διὰ πυρὸς θεραπεύειν καὶ θάπτειν. Sed hæc propriam verbi μειλίσσειν signif. non exponunt, quum μειλίσσειν dici quispiam possit non solum ἐν τῷ θάπτειν, sed alia etiam officia præstando. Multo igitur aptior est expositio, quæ ejusdem exemplaris margini ascripta extat (altera enim interlinearis est) his verbis : Οὐ γάρ τις φειδὼ γίνεται τοῖς τεθνεῶσι χαρίζεσθαι τοῦ πυρός· τοῦτο γὰρ δηλοῖ τὸ μειλισσέμεν· ἐπεὶ γλυκεῖα ἡ χάρις. Eustath. autem ait μειλισσέμεν festive dictum esse; sicut enim παίδων μειλίγματα sunt τὰ ἐκείνων θελήματα, sic νεκροῦ μείλιγμα esse τὴν ὠκεῖαν ταφὴν, μειλισσομένου διὰ πυρός : ut vicissim ejus μήνιμα esse τὸ μὴ ταχὺ θάπτεσθαι. [Æsch. Suppl. 1030 : Λιπαροῖς χεύμασι γαίας τόδε μειλίσσοντες οὖδας. Eur. Hel. 1339 : Ζεὺς μειλίσσων στυγίους ματρὸς ὀργάς· Iph. A. 1325 : Ζεὺς μειλίσσων αὔραν ἄλλοις ἄλλαν θνατῶν λαίφεσι χαίρειν. Apoll. Rh. 4, 416 : Αὐτὰρ ἐγὼ κεῖνόν γε τεὰς ἐς χεῖρας ἱκέσθαι μειλίξω, aliisque locis in medio citandis, quibus omnibus i. est fere q. Persuadeo. Id. 4, 708 : Μείλισσεν χύτλοισι, καθάρσιον ἀγκαλέουσα Ζῆνα. Lycophr. 542 : Ὅταν λοιβαῖσι μειλίσσωσιν ἀστεργῆ Κράγον.] || Μειλίσσομαι activa etiam signif. usurpatur, et quidem illa quam metaphoricam esse dixi in activo μειλίσσω, pro Blandis verbis et velut mellitis demulceo s. delinio : et quod uno verbo καταπραΰνω dicitur. In isto tamen Hom. versu, Od. Γ, 96 : Μηδέ τι μ' αἰδόμενος μειλίσσεο, μηδ' ἐλέαιρε, non significat συνήθως i. q. καταπραΰνω, inquit Eust., sed λέγω τὰ μείλιχα, i. e. Loquor blanda, s. suavia. Hesych. exp. κεχαρισμένα καὶ ἡδέα λέγε. Neque enim dubium est quin μειλίσσεο, quod verbis illis exponit (et quidem extra suum locum, nimirum in serie vocabulorum quæ syllabam μιλ in principio habent), id ipsum sit quod in illo Homeri loco legitur. Illa autem signif., quam Eust. huic verbo συνήθη esse tradit, nimirum τοῦ καταπρΰνειν (sicut et Suidas μειλίξασθαι exp. πραΰναι, qui et partic. μειλισσόμενος exp. παρακαλῶν, item πραΰνων), belle isti Plutarchi l. accommodari potest, in quo τιθασσεύων et μειλισσόμενος copulat [Mor. p. 330, B]: Εἰ δὲ βασιλεὺς μέγας ἔθνη δυσκάθεκτα, καὶ μαχόμενα καθάπερ ζῶα, τιθασσεύων καὶ μειλισσόμενος, ἐσθῆσιν οἰκείαις καὶ συνήθεσιν ἐξεπράϋνε διαίταις καὶ κατέστελλεν, οἰκειούμενος αὐτῶν τὸ δύσθυμον καὶ παρηγορῶν τὸ σκυθρωπὸν κτλ. Quæ Bud. ita vertit, At si magnus ille rex, gentes indomitas ferarum in modum mansuefaciens, vernaculis eas vestibus assuetisque vivendi institutis demulsit placidioresque reddidit, quum animi eorum iniquitatem ad obsequium revocans, tum vero ægritudinem leniens, etc. Ut autem simplex μειλίσσομαι, ita etiam comp. ἐκμειλίσσομαι in prosa interdum usurpari, docui supra. In VV. LL. Μειλίσσομαι redditur etiam Adulor, Palpo; sed malim Blandior. Alicubi autem reddi potest (sicut et μειλίσσω) Lenio, Placo: sicut μείλιγμα ὀργῆς, Lenimentum s. Placamentum reddi posse, docui supra. [Apollon. Rh. 1, 860: Κύπριν ἀοιδῇσιν θυέεσσί τε μειλίσσοντο· 2, 478: Ἤ μιν ὀδυρομένη ἀδινῷ μειλίσσετο μύθῳ· 3, 531: Φάρμακα τοῖσι πυρὸς μειλίσσετ' ἀϋτμήν. Et signif. Obtestandi 985: Πρός σ' αὐτῆς Ἑκάτης μειλίσσομαι ἠδὲ τοκήων. Seq. infinitivo 1, 650: Ὅς ῥα τόθ' Ὑψιπύλην μειλίξατο δέχθαι ἰόντας. Et cum eod. verbo 4, 1210. (Conf. quæ dicta sunt in activo.) Cum accus. 4, 1012: Πολλὰ μὲν αὐτοὺς Αἰσονίδεω ἑτάρους μειλίσσετο. Orph. Arg. 601: Ὄφρα κε μειλίξαιντ' εὐοινίστοις ἐπιλοιβαῖς. Et similiter alibi. Tryphiod. 283: Τὸν δ' ὁ γέρων ἀγανῇ μειλίξατο φωνῇ. L. D. Τοὺς μὲν γὰρ μειλίσσονται, Manes occisorum placant, Philostr. p. 740 f. Valck. Οὓς (συκοφάντας) ἔδει μειλίττεσθαι τῇ ἀπομαγδαλιᾷ ταύτῃ tanquam canes, Philostr. V. Ap. 7, p. 304, 6. Hemst.] || Μειλίσσομαι, ut passiva voce, ita etiam significatione, est Demulceor.

[Μειλίχη, ἡ. Pausan. 8, 40, 3: Τοῖς πυκτεύουσιν οὐκ ἦν πω τηνικαῦτα ἱμὰς ὀξὺς ἐπὶ τῷ καρπῷ τῆς χειρὸς ἑκατέρας, ἀλλὰ ταῖς μειλίχαις ἔτι ἐπύκτευον, ὑπὸ τὸ κοῖλον θέοντες τῆς χειρὸς, ἵνα οἱ δάκτυλοι σφίσιν ἀπολείπωνται γυμνοί· οἱ δὲ ἐκ βοείας ὠμῆς ἱμάντες λεπτοὶ τρόπον τινὰ ἀρχαῖον πεπλεγμένοι δι' ἀλλήλων ἦσαν αἱ μειλίχαι.]

[Μειλιχιεῖον, τὸ, Templum Jovis Μειλιχίου. Inscr. Sicula Gruteri p. 210, 17.]

[Μειλιχίη, Μειλίχιον. V. Μειλίχιος.]

Μειλίχιος, ὁ, ἡ [et α, ον, ut in exx. infra citandis], i. q. μείλιχος, Blandus, [Mellitus huic præmittunt Gl.] Placidus, Comis, etc. Ut ex Hesiodo afferam μείλιχα ἔπη, sic μειλίχια ἔπη ex plerisque Homeri ll. afferre possum. Il. K, [542]: Τοὶ δὲ χαρέντες Δεξιῇ ἠσπάζοντο, ἔπεσσί τε μειλιχίοισι· Od. I, [493]: Ἀμφὶ δ' ἑταῖροι Μειλιχίοις ἐπέεσσιν ἐρήτυον ἄλλοθεν ἄλλος· Z, [142]: Ἦ αὔτως ἐπέεσσιν ἀποσταδὰ μειλιχίοισι λίσσοιτο. Alicubi autem μειλίχια ἔπη et στερεὰ inter se opponit, ut si blandis verbis dura s. aspera vel rigida opponamus. Il. M, [267]: Ἄλλον μειλιχίοις, ἄλλον στερεοῖς ἐπέεσσι νείκεον. [Apoll. Rh. 1, 294: M. ἐπέεσσι.] Plerisque tamen locis μειλιχίοισι sine illius substantivi adjectione usurpat, ut Z, [214]: Αὐτὰρ ὁ μειλιχίοισι προσηύδα ποιμένα λαῶν. Sic P, [431]: Πολλὰ δὲ μειλιχίοισι προσηύδα, πολλὰ δ' ἀρειῇ. Ubi observa ἀρειὴν opponi τοῖς μειλιχίοις ἔπεσι (subaudiendum enim hoc subst. relinquitur), sicut paulo ante στερεὰ ἔπη opponi illis vidisti. [Arat. 119: Οὐδέ τεῳ ἐπεμίσγετο μειλιχίοισιν.] Ap. Eund. legimus alicubi μειλίχιον μῦθον, ut Il. K, [288]: Αὐτὰρ ὁ μειλίχιον μῦθον φέρε Καδμείοισι, Κεῖσ'· ἀτὰρ κτλ., ubi Eust. μειλίχιον esse ait τὸν εἰρηνικόν. Quidam Pacatoriam orationem interpr., sed illam Eustathii expositionem sequendo, Pacificam orationem potius vertere oporteret. Idem schol. in Il. Z, 148: Αὐτίκα μειλίχιον καὶ κερδαλέον φάτο μῦθον, signif. γλυκύτητος huic epitheto subesse annotat. Scribit enim, Ἑρμηνεύων ὁ ποιητὴς ὡς οἱ ἐνταῦθα τοῦ Ὀδυσσέως λόγοι δεινῶς μεθοδεύονται κατὰ λόγον γλυκύτητος· τοιοῦτον γὰρ ὁ μειλίχιος λόγος. [Quod est ap. Pind. Pyth. 4, 128, 240. Soph. OEd. C. 159: Μειλιχίων ποτῶν. Moschus 2, 97: Μειλίχιον μυκάσατο. L. D. Οὐ πάνυ ... κατάλληλον τὸ μάχιμον καὶ βίαιον τῷ ἱλαρῷ καὶ μειλιχίῳ, Cornut. De N. D. c. 19, p. 183. Τοῖς συμπόταις μειλίχιος, Clem. Al. p. 180, 10. Hemst. Aretæus p. 29, 6: Οὐδὲ ἡλικίῃσι μειλίχιοι, de epilepticis. L. Dind.]

A || Μειλίχιος Ζεὺς, qui et Μείλιχος alicubi vocatur: Aristot. De mundo (si modo ille hujus libri auctor esse putandus est) varia Jovis cognomenta enumerans, inter alia istius meminit [c. 7]: Ἑταιρεῖός τε καὶ φίλιος καὶ ξένιος καὶ στράτιος καὶ τροπαιοῦχος, καθάρσιός τε καὶ παλαμναῖος, καὶ ἱκέσιος καὶ μειλίχιος, ὥσπερ οἱ ποιηταὶ λέγουσι. [Conf. Plut. Mor. p. 166, D.] Ubi ἱκέσιος et μειλίχιος a Bud. redduntur Supplex et Placabilis. Videri autem possunt hæc duo epitheta ad eand. signif. pertinere, quum erga ἱκέτας se μειλίχιον præstare oporteat. Verum ut epith. ἱκέσιος non lubenter reddiderim cum Bud. Supplex; sed potius Supplicum præses, Supplicibus jura dans (sicut ξένιος Ζεὺς, ex Virg. Jupiter qui jura dat hospitibus, ut dixi in Ἱκετήσιος), ita μειλίχιος haud scio an satis apte hic reddatur Placabilis; ac fortassis aptius interpretemur Placidus. Quidam autem verterunt Placatus. Sunt etiam qui act. signif. huic epith. tribuentes exposuerint Placator: a quibus dissentio. Thuc. 1, p. 40 meæ ed. [c. 126]: Ἔστι γὰρ καὶ Ἀθηναίοις Διάσια,
B ἃ καλεῖται Διὸς ἑορτὴ Μειλιχίου μεγίστη. [Ubi nonnulla Dukerus. Xen. Anab. 7, 8, 4. Inscr. Orchomen. ap. Bœckh. vol. 1, p. 739, n. 1568, 6, 8, ubi forma Bœot. dativi μειλιχίυ. Item in Chalcid. ib. vol. 2, p. 177, n. 2150.] Pausan. Argol. [Cor. 2, 20, 1]: Ἄγαλμά ἐστι καθήμενον, Διὸς Μειλιχίου, λίθου λευκοῦ. [Conf. ib. 9, 6.] Id. in Atticis [37, 4]: Βωμός ἐστιν ἀρχαῖος Μειλιχίου Διός· ἐπὶ τούτῳ Θησεὺς ὑπὸ τῶν ἀπογόνων τῶν Φυτάλου καθαρσίων ἔτυχε, λῃστὰς καὶ ἄλλους ἀποκτείνας. [Orph. H. 72, 2: M. Δία. Manetho 5, 62, Κρονίδης. Antiatt. Bekk. p. 34, 13: Ὁ ἐπὶ τοῖς μείλιχα δρῶσι Ζεὺς μειλίχιος.] Ut autem Jupiter, ita etiam Bacchus cognomento isto insignitus fuit, ut videre est ap. Plut. quoque 1 Π. σαρκοφ. [p. 994, A]: Καὶ τὸν Ἡμερίδην καὶ Μειλίχιον αἰσχύνετε Διόνυσον. [Conf. p. 692, E.] Atque ut hic Ἡμερίδην et Μειλίχιον, sic alibi Χαριδότην et Μειλίχιον conjungit: Anton. [c. 24]: Θύρσων δὲ καὶ κιττοῦ καὶ ψαλτηρίων ἡ πόλις ἦν πλέα, Διόνυσον αὐτὸν ἀνακαλουμένων χαριδότην καὶ μειλίχιον· ἦν γὰρ ἀμέλει τοιοῦτος ἐνίοις. At vero Naxii, ut ap. Athen. [3, p. 78, C] Andriscus et Agasthenes
C testantur, Bacchum vocabant Μειλίχιον, quod τὸν σύκινον καρπὸν tradidisset: unde etiam τοῦ Βακχέως Διονύσου πρόσωπον apud eos esse ἀμπέλινον: at τὸ τοῦ μειλιχίου, esse σύκινον: nam σῦκα, μείλιχα vocari. Plut. De fort. Rom. [p. 322, F] Obsequentem τύχην, i. e. Fortunam, esse ait τὴν πειθήνιον, vel τὴν μειλίχιον, secundum alios. [Id. Mor. p. 370, D: Ἐκ δὲ Ἀφροδίτης καὶ Ἄρεως Ἁρμονίαν γεγονέναι μυθολογοῦνται· ὧν ὁ μὲν ἀπηνὴς καὶ φιλόνεικος, ἡ δὲ μειλίχιος καὶ γενέθλιος. Μειλιχίους θεοὺς Orph. H. procem. 30. Epigr. ap. Bœckh. C. I. vol. 1, p. 537, n. 956, 8: Θεοῖσιν ... μειλιχίοις. Orac. ap. Phlegont. Macrob. extr.: Δαίμοσι μειλιχίοισιν. Paus. 10, 38, 8: Καί σφισιν (Myonensibus Locridis) ἄλσος καὶ βωμὸς θεῶν μειλιχίων ἐστί· νυκτεριναὶ δὲ αἱ θυσίαι θεοῖς τοῖς μ. εἰσί.] Invenitur autem et μείλιχος, ut μειλίχιος, de Jove dictum, sicut antea admonui, sed non sine mendo fortasse. [Aristid. vol. 1, p. 3: Εἰ δέ πη σφαλλόμεθα, ὁ μείλιχος ἡμῖν κεκλήσθω. Valck.] || Fem. Μειλιχίη Ionice pro μειλιχία, ut μειλιχίη Κύπρις, Epigr., [Paulli Silent. Anth. Pal. 5, 226, 4. Boiss.], Blanda Venus.
D Sic αἰδὼς μειλιχίη, Hesiod. Theog. [92], non procul ab eo loco, ubi ἔπεα μείλιχα dicit. Sequitur enim, paucis interjectis, Ἐρχόμενον δ' ἀνὰ ἄστυ, θεὸν ὥς, ἱλάσκονται, Αἰδοῖ μειλιχίῃ, ubi αἰδοῖ μειλιχίῃ VV. LL. interpr. Veneratione humana; sed malim μειλιχίῃ, sequendo interpr. quæ et aliis plerisque locis data fuit, reddere Blanda: et αἰδοῖ, Reverentia. [Arat. 17: Χαίροιτε δὲ, Μοῦσαι, μειλίχιαι μάλα πᾶσιν. Orph. H. 71, 2: Μειλιχίαν, ἐνοδῖαν, Ἄρτεμιν· Arg. 84: Κλῦε μῦθον μειλιχίαις ἀκοαῖς.] || [Μειλιχίη, substantive positum [Hesiod. Th. 206: Ταύτην δ' ἐξ ἀρχῆς τιμὴν ἔχει ἠδὲ λέλογχε (Venus) μοῖραν ἐν ἀνθρώποισι καὶ ἀθανάτοισι θεοῖσι παρθενίους τ' ὀάρους ... τέρψιν τε γλυκερὴν φιλότητά τε μειλιχίην τε.] Hom. Il. O fin.: Τῷ ἐν χερσὶ φόως, οὐ μειλιχίῃ πολέμοιο. Sed quamvis hic μειλιχίῃ substantivum esse constet, nullaque de hac re sit controversia, est tamen controversa hujus versus expos.; atque adeo ap. antiquos etiam fuit. Nam Aristarchus quidem ita accipiebat, Ἐν τῷ δρᾶν ἐστὶν ἡ νίκη, οὐκ ἐν τῇ μειλιχίῃ τοῦ πολέμου. At Dionysius Thrax μειλιχίῃ nominativum

esse volens, ita intelligebat, Ἐν χερσὶν ἡμῖν ἡ σωτηρία, προσήνεια δὲ οὐκ ἔστι πολέμου. Adeo ut, sequendo Aristarchum, ita posse reddi versus ille videatur: In fortitudine seu strenuitate sita est victoria, non in bello remisse et placide gerendo. Sequendo autem Thracem Dionysium, sic, In manibus sita est nobis salus : mansuetudo autem bello non convenit. Sic pro Mansuetudine ex Apollon. Arg. 2, [1279] affertur. [3, 586 : Ὃς περὶ πάντων ξείνων μειλιχίῃ τε θεουδείῃ τ' ἐκέκαστο. Tryphiod. 658 : Φιλοξείνοιο γέροντος μειλιχίης προτέρης τίνων χάριν. Leontius Anth. Plan. 33, 4 : Πᾶσαν ὑποσπείρεις οὔασι μειλιχίην.] || At vero Μειλίχια ap. Plut. dubium esse possit an pro substantivo accipi debeat, an pro adjectivo. Si autem adjectivum esse dicamus, aut ἱερὰ, aut aliquid hujusmodi subaudiri existimabimus. Locus est [Mor. p. 417, C]: Ἑορτὰς δὲ καὶ θυσίας, ὥσπερ ἡμέρας ἀποφράδας καὶ σκυθρωπὰς, ἐν αἷς ὠμοφαγίαι καὶ διασπασμοὶ, νηστεῖαί τε καὶ κοπετοὶ, πολλαχοῦ δὲ πάλιν αἰσχρολογίαι πρὸς ἱεροῖς, μανίαι τε ἄλλαι ὀρινομέναι ῥιψαύχενι σὺν κλόνῳ, θεῶν μὲν οὐδενὶ, δαιμόνων δὲ φαύλων ἀποτροπῆς ἕνεκα φήσαιμ' ἂν τελεῖν μειλίχια καὶ παραμύθια· Turn., Ceterum ferias et sacrificia, tanquam dies, nefasta et tristia, in quibus epulæ crudæ, et laniatus, jejunia et planctus, sæpenumero etiam verborum obscœnitates versantur, furoris quoque et ululatus concitationes, cum capitis jactatione, nemini deorum, sed ad depulsionem malorum dæmonum fieri affirmarim, ut placentur atque leniantur. [Thes. c. 12 : Δεομένου καθαρθῆναι τοῖς νενομισμένοις ἁγνίσαντες καὶ μειλίχια θύσαντες κτλ. ῝ῗ]

Μειλιχίως, Blande, Comiter, Leniter, Mansuete. [Apoll. Rh. 2, 467 : M. ἐρέτῃσι μετηύδα· 3, 319, προσέειπεν· 4, 732.]

[Μειλίχιος, ὁ, Milichius, n. viri, esse videtur in inscr. ap. Bœckh. vol. 2, p. 245, n. 2309, 4, si recte ita legitur pro Μείλιχι ...]

[Μειλιχίως. V. Μειλίχιος.]

[Μειλιχόβουλος, ὁ, ἡ, Qui leni s. comi est ingenio vel mente s. consilio. Proclus H. in Minerv. 40 : Ἵλαθι, μειλιχόβουλε. Boiss.]

[Μειλιχόγηρυς, ὁ, ἡ, Blandam vocem habens. Tyrtæus 3, 8 : Γλῶσσαν μ.]

Μειλιχόδωρος, ὁ, ἡ, Blanditias donans, s. Blandos reddens, ut quidam interpr. in isto Hermippi l., ap. Athen. 1, [p. 29, E] : Μάγνητα δὲ μειλιχόδωρον, Καὶ Θάσιον, τῷ δὴ μήλων ἐπιδέδρομεν ὀδμή· subaudi autem οἶνον. [Anon. ap. Stob. Ecl. vol. 1, p. 68, fr. 30, 4 : Ὑγιείας μειλιχοδώρου. Proculus Hymn. 1, 21 : Μειλιχόδωρος Παιήων.]

[Μειλιχομειδὴς s. Μειλιχόμειδος, ὁ, ἡ, Blande ridens. (Alcæus) ap. Hephæst. p. 80 Gaisf. : Μειλιχόμειδε Σαπφοῖ. Ubi Gaisf. de seq. glossa Hesychii (quam cum hoc voc. contulerat jam Toup. Emend. vol. 3, p. 426) : « Codex pro Musurianis Μειλιχόμητις exhibet tantum μειλιχομετίδης. Una τ literula deleta omnia plana evadent. Non tamen negarim πραΰνοος cum μειλιχόμητις aptius convenire. » Quod conferendum foret cum μειλιχόβουλος.]

Μειλιχόμητις, ἡ, Cujus blandum est consilium, Cujus blanda sunt consilia, vel mitia. Reddi etiam potest, Miti ingenio præditus s. Placido, aut etiam Suavi. Ab Hesych. exp. non solum ἡδὺς et πραΰνοος, verum etiam πραΰγελως et ἡδύγελως. Quas exposs. forsitan aliquis mirari potius debeat quam sequi. [V. præcedens voc.]

[Μελιχόμυθος, ὁ, ἡ, Qui blande loquitur. Greg. Naz. vol. 2, p. 158.]

Μείλῐχος, ὁ, ἡ, Blandus, Placidus; vel Mitis, Mansuetus, Placidus; aut etiam Placabilis. Hom. Il. P, [671] : Πᾶσιν γὰρ ἐπίστατο μείλιχος εἶναι Ζωὸς ἐών· Ω, [739] : Οὐ γὰρ μείλιχος ἔσκε πατὴρ τεὸς ἐν δαῒ λυγρῇ. In hoc autem l. T, [300], Τῷ σ' ἄμοτον κλαίω τεθνειότα, μείλιχον αἰεὶ, Eust. μείλιχον esse ait τὸν γλυκύθυμον. [Hesiod. Th. 763 : Ἥσυχος ἀνστρέφεται καὶ μείλιχος, de Somno. Anacreon apud Hephæst. p. 29 : Ξένοισι μειλίχοις. Moschus 2, 105 : Πρηΰς τ' εἰσιδέειν καὶ μείλιχος. Crinagor. Anth. Pal. 6, 242, 2 : Ἠοῖ ἐπ' εὐκταίῃ τάδε ῥέζομεν ἱρὰ τελείῳ Ζηνὶ καὶ ὠδίνων μειλίχῳ Ἀρτέμιδι. Cum dat. Orph. Lith. 144 : Μάλα γάρ σφισι μείλιχος ἔσχον. Epigr. ap. Bœckh. C. I. vol. 1, p. 562, n. 1066 : Τὸν πᾶσιν ἡλίκεσσι μειλιχώτατον.] Ap. Hesiod. autem legimus ἔπεα μείλιχα, Verba blanda : Theog. 84 : Τοῦ δ' ἔπε ἐκ στόματος ῥεῖ μείλιχα. Ita enim ibi leg. est, non autem Τοῦ δ' ἐπ' ἐκ στόματος, ut habent edd. quæ meam præcesserunt. [Hom. Od. O, 374 : Μείλιχον οὔτ' ἔπος οὔτε τι ἔργον.] Ut porro μείλιχα ἔπεα hic legimus, sic μείλιχος μῦθος interdum ap. poetas legitur. Quo pertinet μείλιχα μυθεῖσθαι ap. Oppian., sive subaudiendo substantivum aliquod cum μείλιχα, sive accipiendo adverbialiter pro μειλίχως : Cyn. 3, [219] : Φαίης κεν πανάποτμον ἐὸν πάϊν ἀμφιβεβῶσαν Μείλιχα μυθεῖσθαι, καὶ λισσομένην ἀγορεύειν, Dicas eam blanda fari, vel blande fari (accipiendo adverbialiter), Dicas eam blanda quadam oratione uti. [Pind. Pyth. 8, 102 : Μείλιχος αἰών. Xenophan. ap. Athen. 11, p. 462, E : Οἶνος, ὃς οὔπω μείλιχος. Apoll. Rh. 1, 424, ἀήτης· 3, 550, ὄρνις· et de hominibus 1, 971.] Genere fem. ap. Hesiod. [Th. 406], Λητὼ μείλιχος. [V. supra. Pind. Pyth. 9, 44 : Μείλιχος ὀργά. Orph. Arg. 76, φωνήν. Neutro gen. Pind. Ol. 1, 30 : Χάρις ἅπαντα τεύχει τὰ μείλιχα θνατοῖς. Theognis 365 : Ἴστε νόον, γλώσσῃ δὲ τὸ μείλιχον αἰὲν ἐπέστω. Mimnerm. fr. 1, 3 : Κρυπταδίη φιλότης καὶ μείλιχα δῶρα καὶ εὐνή. Et adverbialiter Orph. Arg. 1317 : Μείλιχα παρφαμένη τὸν ὃν πόσιν.] Aliquis est hujus nominis μείλιχος usus in soluta quoque oratione. [Ἡδὺς καὶ μείλιχος opponuntur τῷ σκληρῷ καὶ πάνυ θυμωτικῷ apud Athen. 2, p. 55, F. Μῦθοι μείλιχοι ap. Themist. p. 258, D. (« Eunap. V. Ædes. p. 44, τὸ μείλιχον καὶ ἥμερον ἐν λόγοις commendat. » Ernest. Lex. rh.) Hemst. Plut. Cat. maj. c. 6 : Προεθιστέον ἑαυτὸν ἐν τούτοις πρᾶον εἶναι καὶ μείλιχον· Mor. p. 120, A : Πᾶσι μείλιχος καὶ φίλος.] Synesius quidem certe usurpavit, in libello De insomniis : Καὶ γὰρ ὅσα ἐλπίδες, αἳ τὸ ἀνθρώπων βόσκουσι γένος, ὀρέγουσι χρηστά τε καὶ μείλιχα. || Μείλιχα dicta fuerunt σῦκα apud Naxios, ut docui, ubi de Μειλίχιος, epitheto Bacchi, disserui. || Μείλιχος Ζεὺς, vide in Μειλίχιος, paulo ante. || Μείλιχος, est etiam Urbis nomen, VV. LL. [|| Adv. Μειλίχως, Blande. Simonides Carm. de mul. 18 : M. μυθεύμενος. V. etiam Μέλλιχος.]

[Μείλιχος, ὁ, Milichus, fl. prope Patras Achaiæ, ap. Pausan. 7, 19, 9, etc. N. viri in inscr. Ægiensi ap. Bœckh. vol. 1, p. 711, n. 1542, 4.]

[Μειλιχόφωνος, ὁ, ἡ, Qui blanda voce est. Aristæn. 1, 10, p. 26. Boiss. Μελίφωνος Jacobs. ad Philostr. p. 407.]

[Μειλίχως. V. Μείλιχος.]

[Μεῖον, τὸ, Victima. V. Μειαγωγέω.]

Μεῖον, τὸ, Meon : herbæ genus, dictum Athamanticum : de quo Diosc. 1, 3, ubi inter alia esse dicit foliis anethi, radice odoris jucundissimi. Pro eo ap. Plin. Meu, 20, 23. Galenus, Aetius et Paulus Ægin. habent μῆον : quod magis probo. [Alia formæ per η exx. indicat Matthæi Med. p. 392.]

Μειονεκτέω, Minus habeo, Minorem partem s. portionem habeo. Xen. Hier. [1, 29 : Μειονεκτεῖ τῶν εὐφροσυνῶν ὁ τύραννος·] p. 530 [4, 1] : Ἀλλὰ μὴν καὶ πίστεως ὅστις ἐλάχιστον μετέχει, πῶς οὐχὶ μεγάλου ἀγαθοῦ μειονεκτεῖ; Atqui is, cui minimum habetur fidei, nonne is magni boni minorem partem habet s. capit? q. d. Nonne is magni boni minimum est particeps? Synes. Ep. 66 : Πλεονεκτεῖν μὲν πόνοις, μειονεκτεῖν δὲ τιμῶν. [Eust. Opusc. p. 110, 93 : Τί δὲ ἐγὼ μειονεκτῶ τῶν καθ' ἡμᾶς;] Interdum pro Deteriore sum conditione : ut ap. Eund. De insomn. : Ὡς ταύτῃ μειονεκτῶν τοῦ πλουσίου. Sic et Xen. utitur, ei opponens πλεονεκτεῖν. Bud. Comm. p. 858. Sed hic l., Ὥστε καὶ τῷ χρόνῳ τῆς ἐδωδῆς [ἡδονῆς] μειονεκτεῖ κτλ., qui Luciano ibi ascribitur, Xen. est in Hier. p. 527 meæ edit. [1, 19. Eadem constr. ib. 18 : Τῇ εὐφροσύνῃ τῆς ἐλπίδος μειονεκτοῦσι τῶν ἰδιωτῶν. Addito ἐν ib. 27 : Ἐν ᾧ μειονεκτοῦμεν τῶν ἰδιωτῶν. Pass. Eust. Opusc. p. 199, 83 : Ὡς καὶ ἐντεῦθεν αὔξεσθαι μὲν τὰ ἡμέτερα, μειονεκτεῖσθαι δὲ τὸ πολέμιον, Minui. Minorem s. Inferiorem esse cum genit. ap. Agathiam Hist. præf. p. 2, D : Οἶμαι τὴν ἱστορίαν φιλοσοφίας τῆς πολιτικῆς οὐ μάλα μειονεκτεῖσθαι, εἰ μή τι καὶ μᾶλλον ὀνίνησιν. L. Dind.]

Μειονέκτημα, τὸ, et Μειονεξία, ἡ, Deterior conditio. Xen. Cyrop. 2, p. 26 [1, 25] : Ὅτι ἑώρων ἀλλήλους ὁμοίως τρεφομένους· καὶ οὐκ ἐνῆν πρόφασις μειονεξίας, ὥστε ὑφίεσθαί τινα κτλ. Ubi Philelphus non male videtur reddidisse μειονεξίαν, Minus bene tractari. At μειονέκτημα est quod Gallice dicitur *Desavantage*. Ceterum μειονεξία et πλεονεξία post Μειονεκτεῖν et Πλεονεκτεῖν ponenda censui, non contra, sicut in præced. εὐεξία et καχεξία præcedunt εὐεκτεῖν et καχεκτεῖν : quia εὐεκτεῖν dicitur, qui habet εὐεξίαν, et καχεκτεῖν, qui habet καχεξίαν : quod de μειονεκτεῖν et πλεονεκτεῖν nisi alio respectu dici non potest. Adde quod εὐεξία et καχεξία nominis ἕξις signif. inclusam habent.

[Μειονέκτης, ὁ, Qui deteriori est conditione. Anonym. post Andronicum De passion. p. 756.]

[Μειονεξία. V. Μειονέκτημα.]

[Μειόνως. V. Μείων.]

[Μειοπῡρεξία, ἡ, Remissio febris. Theoph. Nonn. vol. 1, p. 430 : Συνεχὴς πυρετός ἐστιν ὁ μὴ ἔχων διάλειμμα, ὕφεσιν δὲ μόνον καὶ μειοπυρεξίαν ἐν τῇ παρακμῇ τῶν παροξυσμῶν· iterumque ibidem. Synesio De febr. 3, p. 114, pro μὴν ἀπυρεξία ex cod. restituit Bernardus. L. Dind.]

[Μεῖος, ὁ, inter nomina τὰ διὰ τοῦ ειος ἀρσενικὰ δισύλλαβα βαρύτονα, ἔχοντα οὐδετέρου παρασχηματισμὸν, ponit Theognost. p. 48, 17. Arcad. p. 37, 17.]

[Μειότερος. V. Μείων.]

[Μειότης, ητος, ἡ, Imminutio. Apollon. De conjunct. p. 517, 32 : Ἔμφασις ἱκανὴ μειότητος· 521, 19 : Μειότητα ἢ ἐπίτασιν θαυμασμοῦ. L. Dind.]

Μειουρία, ἡ, Caudæ brevitas : vel Quum extremitas brevior est : ut μειουρία in versu dicitur, quum μείουρος est, h. e. quum in fine claudicat, ut in Μείουρος dicetur. [Eust. Il. p. 900, 6 : Ἐν δὲ τῷ Ἐρρίγησαν, ὅπως ἴδον αἰόλον ὄφιν, στιχηρόν ἐστι πάθος ὃ λέγεται καὶ μυουρία, διὰ διχρόνου τοῦ κατὰ τὴν ἀρχὴν, καὶ μειουρία διὰ τῆς ει διφθόγγου, ὡς ἐν τῷ τέλει πυρριχισθέντος τοῦ στίχου καὶ συστολὴν παθόντος κατὰ μυὸς οὐρὰν ἢ κατὰ μείωσιν οὐραίου ἤτοι τέλους ἄκρου. V. Μυουρία.]

Μειουρίζω, Sum cauda breviori, Cauda mihi imminuta et decurtata est. [Geopon. 19, 2, 1 : Τὴν οὐρὰν παχεῖαν, ἀπὸ τῆς ἐκφύσεως μειουρίζουσαν ὅλην· 5, 8, 2 : Κλῆμα ἀραιόφθαλμον καὶ μειουρίζον, ubi libri et ed. Bas. male μυούριζον vel μειούριζον, unde Needhamus mirum voc. μειούρριζον fecit vertitque.] Μειουρίζειν exp. etiam Minoribus terminis finire : quasi ab Ionico οὖρος pro ὅρος. [V. Μυουρίζω.]

[Μειουρισμὸς, ὁ, i. q. μειουρία, ap. Eust. Il. p. 900, 10 : Αἴτιον τοῦ ῥηθέντος μειουρισμοῦ ἡ τῆς ἕκτης χώρας ἐν τοῖς ἔπεσιν ἀδιαφορία.]

Μείουρος, ὁ, ἡ, Cui cauda diminuta est, Cui truncata est cauda, i. q. κολόβουρος et κόλουρος. Apsyrt. Hippiatr. : Ἐὰν φθορὰ γένηται τριχῶν ἐν τῷ μ. τῆς κέρκου, In mutilata parte caudæ. [Geopon. 10, 57, 8 : Δεῖ δὲ τὸ φυτευόμενον σπέρμα ὀρθὸν τιθέναι, τὸ μείουρον πρὸς τὴν γῆν ἄγοντας, τὸ δὲ ξυλῶδες καὶ λεπτὸν ἄνω· 63, 4 : Σπείρεται τὰ κάστανα (τὸ) μείουρον ἄνω ἔχοντα.] Alias μείουρα dicuntur etiam Ea, quorum extrema sunt mutilata et decurtata : sic μείουροι versus, οἱ ἐπὶ τῆς ἐκβολῆς τὴν χωλότητα ἔχοντες, Athen. 14, [p. 632, E], h. e. Qui in fine claudicant : sicut ἀκέφαλοι, qui initio; λαγαροὶ, qui in medio. Hoc μειούρου exemplum affert ex Hom. idem Athen. : Τρῶες δ' ἐρρίγησαν ὅπως ἴδον αἰόλον ὄφιν. [Quod genus versuum grammaticorum est inane commentum.] At ap. Rhetores μείουροι περίοδοι, quarum θέσις brevior est quam ἄρσις. Aristot. Rhet. 3, [9] : Δεῖ δὲ καὶ τὰ κῶλα καὶ τὰς περιόδους μήτε μειούρους εἶναι μήτε μακράς. [Πύργος εἰς μείουρον ἀνιὼν ἀπὸ εὐρυτέρου τοῦ κάτω, Pausan. 10, 16, 1. Hemst.] Item Μείουρος et Μειουρίζων, sive Μύουρος et Μυουρίζων σφυγμὸς, Decurtatus aut Mutilus s. Decrescens pulsus, Pulsus systematicus decrescens : vide Μύουρος.

Μειόφρων, ονος, ὁ, ἡ, Mente diminutus, Levis, Stultus, VV. LL. non aliunde, ut opinor, quam ex his verbis Hesychii, Μειόφρων, ἐλαφρὸς, καὶ ἐλάττων φρενῶν, παράμωρος. Sed hic, ut cetera omittam, observandum scribi non μωρὸς, sed παράμωρος. Suspicor autem in hac voce παράμωρος præp. παρὰ quandam significationis diminutionem, ut ita dicam, ostendere.

Μειόω, Minuo, [Decoquo, Deliquio (sic) add. Gl.] Minorem reddo : ex compar. μεῖον : ut synonymum ἐλαττόω ex ἔλαττον. [Proprie Xen. Eq. 5, 9 : Τὴν ἄγαν κάθαρσιν μειοῦν δεῖ. Id. Hier. 2, 17 : Οὐδὲ μεγαλύνεται

A ἐπὶ τῷ ἔργῳ, ἀλλὰ καὶ μειοῖ τὸ γεγενημένον· Cyr. 6, 3, 17 : Μηδὲν ἔλαττον τοῦ ἀληθοῦς μηδὲ μεῖον τὰ τῶν πολεμίων· H. Gr. 3, 4, 9 : Μειοῦν μὲν ἄρα σύγε τοὺς φίλους ἠπίστω. (Quod ἐλάττους ποιεῖν dicit qui hunc l. exprimere videtur scriptor in Vol. Hercul. part. 1, p. 16.) Diodor. 11, 77 : Μειῶσαι τὴν ἐξ Ἀρείου πάγου βουλήν. L. D. Theano p. 744 ed. Galei : Μειῶν τὸν βίον. Valck. Polyb. 9, 20, 3 : Αὔξειν ἢ μειοῦν τὸ περιλαμβανόμενον τῇ στρατοπεδείᾳ χωρίον. Dionys. A. R. 4, 16 : Τούτων ἐμείωσε τὸν ὁπλισμὸν οὐ μόνον τοῖς θώραξιν, ἀλλὰ καὶ ταῖς περικνημῖσιν.] Pass. Μειοῦσθαι, [Decrescere, Gl.] plerumque significat Inferiorem esse, Deteriore esse conditione : quod et μειονεκτεῖν dicitur : ut [Xen. Comm. 1, 3, 3], Οὐδὲν ἡγεῖτο μειοῦσθαι τῶν μεγάλα θυόντων, Arbitrabatur suum sacrificium non inferius esse eorum qui magna fecissent. [Cum genit. sic etiam Cyrop. 7, 5, 65 : Εἴ τι τῆς τοῦ σώματος ἰσχύος μειοῦσθαι δοκοῦσιν. Ib. 5, 5, 44 : Τοὺς πολεμίους μειουμένους· Comm. 2, 7, 9 : Κίνδυνος τὴν χάριν μειοῦσθαι· Conv. 8, 17 : Μειωθῆναι τὴν φιλίαν· Œc. 2, 15 : Οἱ

B οἶκοι μειοῦνται.] E Xen. [Comm. 4, 8, 1] passiva signif., μειοῦμαι τὴν διάνοιαν, pro Mente minuor, In delirium vergo.

Μειράκευόμαι pro μειρακιεύομαι. Plut. [Ap. quem recte scriptum μειρακιεύομαι, quod v. Μειρακευομένου Aldina Alciphr. Ep. 2, 2, codex Photii v. Νεάζομεν.]

[Μειρακίδιον, Theodoret. vol. 3, p. 2. Al. μειρακύλλιον.]

[Μειρακιεξαπάτης, ὁ, Qui adolescentes decipit. Hegesander Athenæi 4, p. 162, A. ἄϊάä]

Μειρακιεύομαι, q. d. Adolescenturio, ex Laberio, Adolescentior, ex Varr., ut Horat. Juvenari : Adolescentis more lascivio et exulto, Athen. [13, p. 585, F, ubi commode redditur Juveniliter me effero. Schweigh. Plut. Anton. c. 20 : Οὐ μὴν ἀλλὰ κἀκείνην ἐπειρᾶτο προσπαίζων καὶ μειρακιευόμενος ἱλαρωτέραν ποιεῖν ὁ Ἀντώνιος. Aristid. vol. 2, p. 372 : Οὕτω σφόδρα μειρακιεύεσθαι ὥστε μηδὲν εἶναι χρῆμα λαλίστερον· 379 bis. Alciphr. Ep. 2, 2 : Πάλιν μειρακιευομένου πρεσβύτου.]

Μειρακίζομαι, Adolesco, Bud. ex Arriano [Exp.

C 4, 13, 1 : Ὅσοι ἐς ἡλικίαν ἐμειρακίσαντο].

[Μειρακικὸς, ἡ, ὸν, Adolescens. Gramm. in Villois. Anecd. vol. 2, p. 83 : Ἡλικίας μειρακικῆς.]

Μειράκιον, τὸ, passim pro Adolescens, tanquam deminutionis signif. non habens. [Gl. tamen, Pubes, Adulescentulus. Frequens est inprimis ap. Aristoph. et Plat., ut Gorg. p. 485, C : Παρὰ νέῳ μειρακίῳ· Prot. p. 315, D : Νέον τι ἔτι μειράκιον· Charm. p. 154, B : Νῦν δ' εὖ μάλ' ἂν ἤδη μειράκιον εἴη· Reip. 6, p. 497, E : Μειράκια ὄντα ἄρτι ἐκ παίδων· Apol. p. 18, C : Παῖδες ὄντες, ἔνιοι δ' ὑμῶν καὶ μειράκια· Theæt. p. 173, B : Εἰς ἄνδρας ἐκ μειρακίων τελευτῶσι.] Plut. De frat. car. [p. 484, A] : Ὁ δὲ Ἀθηνόδωρος ἦν μὲν ἔτι μ., οὐδέπω γενειῶν. Cic. ἐκ μειρακίου interpr. Ab adolescentia, in Ep. Epicuri ad Metrodorum. [Philostr. Her. p. 668 : Πότε ἦρξω; — Πάλαι κἀν μειρακίῳ ἔτι. Ubi alia hujus formulæ exx. Philostrati citavit Boiss., et formulæ ἐκ μειρακίου ejusd. V. Soph. 1, 22, 3. Ἐς τὰ μειράκια προϊέναι ib. 2, 4, 2. Isocr. De antid. p. 442, 99 : Τοὺς κεχρημένους ἐκ μειρακίων μοι μέχρι γήρως δηλώσω. Isæus

D p. 55, 6 : Ὢ ἐκ μειρακίου φίλος ἦν. Dio Cass. 36, 11, p. 93, 87, ἐν μειρακίῳ, et alibi ἐκ μειρακίου.] Galen. μειρακίου ætatem post ἡβῶντας nominat. [Pollux 2, 4 : Ἡ τρίτη ἡλικία ἀπὸ τεσσαρεσκαιδεκάτου ἕως εἰκοστοῦ πρώτου ... μειράκιον. Ita Xen. Comm. 1, 2, 42, de Alcibiade, πρὶν εἴκοσιν ἐτῶν εἶναι, ut dicit § 40. Per convicium vero ap. Polyb. 2, 68, 2, Plut. Philop. c. 6, ita vocatur Philopœmen, triginta annorum juvenis. Lobeck. ad Phryn. p. 213 : « Quæ sit μεῖραξ s. μειρακίου ætas ex Platonis loco : Μειράκιον ἀμφὶ τὰ τέτταρα καὶ δέκα ἔτη σχεδὸν, ostendit Hœschelius. Cum quo convenit Sextus C. phys. 1, 636, Epicurum scribens κομιδῇ μειρακίσκον ad philosophiæ studia animum applicuisse; qui ipse ap. Diogenem narrat, se nondum annum ætatis decimum quartum attigisse, quum se ad hanc disciplinam daret. Sic etiam ap. Philon. De Joseph. p. 544, D, hæc est ἀκολουθία ætatum : Βρέφος, παῖς, πάρηθος (l. ἔφηβος), μειράκιον, νεανίας, ἀνὴρ, γέρων, et in Alexionis notatione ap. Eust. p. 1788, 52 : Βρέφος, παιδίον, παιδάριον, παιδίσκος, παῖς, πάλληξ ἢ βούπαις ἢ ἀντίπαις ἢ μελλέφηβος, ἔφηβος, μειράκιον ἢ μεῖραξ, νεανίσκος, νεανίας (ut ap. Philostr. Her. p. 676, ubi v. Boiss.). Apparet jam hos gradus non ab omnibus accurate servari. Sic Æschin. C. Timarch. p. 32 : Τῶν παίδων… τῶν μειρακίων… τρίτον δ' ἐφεξῆς περὶ τῶν ἄλλων ἡλικιῶν. Scholion ad h. l. ita scribendum est : Παῖδας τοὺς ἀνήβους… μείρακας τοὺς ἀρξαμένους ἡβᾶν, ἕως ἂν ἐκ τῶν ἐφήβων ἐξελθόντες ἐς ἄνδρας ἐγγραφῶσι. » Alia Wyttenb. in ind. Plut. Thomæ p. 605 errorem : Μειράκιον καὶ ἐπὶ θήλεος λέγε, auxit Oudendorpius conferendo l. Theopompi ap. schol. Pind. Pyth. 2, 75 : Παρ' ἐμοὶ τὰ λίαν μειράκια χαρίζεται τοῖς ἡλικιώταις, quem apparet Pathicos dicere adolescentulos.]

Μειρακιόομαι, Adolesco, Adolescens evado, Xen. Reip. Lac. [3, 2 : Ὅταν ἐκ παίδων εἰς τὸ μειρακιοῦσθαι ἐκβαίνωσιν. Ælian. V. H. 12, 1; Himer. Or. 33, 4, p. 772. Niceph. Progymn. p. 486, 24 : Τὴν ἡλικίαν μέι-ρακιούμενον.]

[Μειρακίσκη. V. Μειρακίσκος.]

[Μειρακίσκιον, τὸ, Puerulus, Jo. Chrys. De sacerd. 6, vol. 6, p. 53. Seager.]

Μειρακίσκος, ὁ, ac Μειρακίσκη, ἡ, Aristoph. [Pl. 964, Ran. 409], Adolescentulus, Adolescentula. [Prius ap. Plat. Phædr. p. 237, B : Ἦν οὕτω δὴ παῖς, μᾶλλον δὲ μειρακίσκος· Theag. p. 122, C, Reip. 7, p. 539, B. Et aliquoties Plut. aliique recentiorum. Thomæ p. 604 errorem, qui ἀδόκιμον dicit μειρακίσκος, l. primo Plat. et alio Alexidis refellit jam Sallierius.]

Μειρακιώδης, ὁ, ἡ, exp. Juvenilis : quum dici non possit Adolescentialis. [Plato Reip. 5, p. 466, B : Ἀνόητός τε καὶ μ. δόξα εὐδαιμονίας πέρι· 6, p. 498, B : Μειρακιώδη παιδείαν καὶ φιλοσοφίαν· Gorg. p. 485, E : Μειρακιώδει… μορφώματι. Isocr. p. 280, D : Ταραχῆς μειρακιώδους μεστὸς ὤν. Philostr. Her. p. 691 : Τὸ μειρακιῶδες τοῦ στρατοῦ· 722 : Τὸ ἄγαλμα νέον τὸν Ἕκτορα καὶ μειρακιώδη φέρει. Frequentat etiam Plut.] Potest autem vel a μεῖραξ, vel a μειράκιον formari. Dionys. H. de Isocratis [c. 12] stylo nimium curioso : Τὰ δὲ κομψὰ καὶ θεατρικὰ καὶ μ. ταῦτα, οὐκ οἶδα ἥν τινα δύναιντο ἂν παρασχεῖν ὠφέλειαν, Budæo Nitida hæc et ostentationis plena, juveniliterque exultantia, Juvenili ambitione redundantia. [Ernest. Lex. rhet. : « Μειρακιῶδες, τὸ, Quicquid juvenilem quandam redundantiam, nimium ornandæ concinnandæque orationis pruritum prodit. Ita Dionys. Jud. Isocr. c. 12, τῶν σχηματισμῶν τῆς λέξεως τὸ μ. Paullo post componuntur τὰ κομψὰ, θεατρικὰ, καὶ μ., et c. 13 : Τὸ γλαφυρὸν καὶ τῶν σχημάτων τὸ μ. περὶ τὰς ἀντιθέσεις καὶ παρισώσεις καὶ παρομοιώσεις, in quibus omnibus cernitur quidam lusus, et affectatio concinnitatis a gravitate virili aliena : v. Gell. N. A. 18, 8, et inprimis Auct. ad Herenn. 4, 22, 23, Cicer. Or. c. 12. Longinus 3, 4, τὸ μ. opponit contrariumque esse censet τοῖς μεγέθεσι : et mox explicat σχολαστικὴν νόησιν ὑπὸ περιεργίας λήγουσιν εἰς ψυχρότητα. Sic et Plut. Crasso c. 16 junxit κενὰ καὶ μ. Conf. Hemst. ad Polluc. præf. p. 28. Photius Bibl. cod. 79, de Candidi stilo historico : Ταῖς ποιητικαῖς λέξεσι ἀπειροκάλως τε κέχρηται καὶ μειρακιωδῶς. Etiam τὸ μειρακιεύεσθαι dictum pro Lascivire oratione, Insolentius loquaciusque se gerere dicendo, quam deceat aut opus sit. Sic Aristid. Or. περὶ τοῦ παραφθέγμ. vol. 2, p. 372. Conf. Cresoll. Theatr. 3, 24, p. 338 sq., et quæ dicta sunt ad voc. Νεαρός. Alio sensu Diog. Laert. de Platone § 25 : Λόγον πρῶτον γράψαι αὐτὸν τὸν Φαῖδρον· καὶ γὰρ ἔχει μειρακιῶδές τι τὸ πρόβλημα. Et Aristoteles Rhet. 3, 11, in his : Εἰσὶ δὲ ὑπερβολαὶ μειρακιώδεις· σφοδρότητα γὰρ δηλοῦσιν· διὸ ὀργιζόμενοι λέγουσι μάλιστα. Quo in loco Juvenilis quædam vehementia, vigor, et robur significatur. Ideo addit : Διὸ πρεσβυτέρῳ λέγειν, ἀπρεπές. »] Alicubi vero redditur et Puerilia : veluti ubi copulatur cum γελάσιμα a Luciano [Somn. c. 5].

[‖ Μειρακιωδῶς, adv., Dionys. H. Ep. ad Cn. Pomp. de Plat. c. 2, p. 760, 11 : Ἀκαίρως καὶ μ. ἐναβρύνεται. Boiss. Polyb. 11, 14, 7 : Ἀκρατῶς καὶ μ. συνεκχυθείς. V. Μειρακιώδης. L. D. Comparativo Dinarch. ap. Galen. vol. 8, p. 663, E : Διοικῶν τὴν οὐσίαν μειρακιωδέστερον. Hemst.]

[Μειρακιωδία, ἡ, Juvenilitas, Scurrilitas. Theognost. Can. p. 26, 11. L. Dind.]

A [Μειρακοφίλη, ἡ, Miracophile, n. mulieris, ap. Alciphr. Ep. 1, 18, ubi libri —φιλίη. ‖ L. Dind.]

[Μειρακυλλίδιον, τὸ, i. q. seq. Liban. vol. 4, p. 884, 6 : Οὐδὲ γὰρ μικρὸν μειρακυλλίδιον κομιδῇ πρὸς τοῦτο ἂν ἦλθεν ἀνοίας ὥστε παρὰ τῶν βεβοηθηκότων τιμωρίαν ζητεῖν. Qui si ita, non μειρακύλλιον scripsit, diminutivum diminutivi ipse fortasse finxit.]

Μειρακύλλιον, τὸ, ap. Polluc. [2, 9], Adolescentulus, ex μειράκιον factum potius videtur : ut hoc ex μεῖραξ. [Anaxandrides ap. Athen. 6, p. 227, C, ὡραῖον μ. Epicrates ap. eund. ib. p. 262, D, ἀγενείῳ μ., Imberbi adolescentulo. Schweigh. Aristoph. Ran. 89; Demosth. p. 539, 23.]

Μεῖραξ, ἄκος, ὁ, ἡ, Qui jam ea est ætate, ut fari possit : quasi εἶραξ, ab εἴρω. Reddi tamen solet Adolescens, Puella. [Adultus; μεῖραξ θήλεια, ἀκμαία, Adulta, Gl.] Sæpe autem in fem., ut Aristoph. Pl. [1070 et alibi. Plut. Mor. p. 273, A : Μείρακα καλήν] non semel τὴν μείρακα. Lucian. : Ὅς τότε ἠράσθη ἐκείνης τῆς Ἀργολικῆς μείρακος. [Phrynich. Ecl. p. 212 : Μείρακες

B καὶ μεῖραξ. Ἡ μὲν κωμῳδία παίζει τὰ τοιαῦτα (de masculis dicens). Τὸ γὰρ μεῖραξ καὶ μείρακες ἐπὶ θηλειῶν τάττουσιν, τὸ δὲ μειρακίσκος καὶ μειράκιον καὶ μειρακύλλιον ἐπὶ ἀνδρῶν. Ubi Lobeckius : « Eadem docent Ammonius, Lucianus Pseudos. c. 5, Etym. M., Eust. p. 1390, neque quidquam contra dici potest. Nam in Cratini versibus, quos affert Pierson. ad Mœr. p. 262, dubitari nequit quin illi μείρακες per jocum et ludibrium dicantur pathici, et fortasse ipsi ejus Malthaci, πρὸς τὸ γυναικῶδες τῶν κιναίδων, ut verbis utar schol. (Ald.) Aristoph. Eccl. 607. (Conf. de signif. Pathici apud Atticos Chœrobosc. vol. 1, p. 306, 7.) Sed recentiores promiscue de utroque genere : ὁ ἐν μείρακι πρεσβύτης Ἰουλιανὸς Eunap. V. Maximi p. 69. Ἐς μείρακας παραγγείλας, Anna Comn. 1, p. 19, C. Νέος τὴν ἡλικίαν καὶ ἐς μείρακας ἄρτι παραγγέλλων, 10, p. 277, B. Ὁπηνίκα τὸν νεανίσκον ἢ τὸν μείρακα παραλλάττομεν, Geminus in Bibl. Matr. p. 431. Ἄρτι τὸν μείρακα παραλλάττων, Heliodor. 10, 23. Οἱ σὺν αὐτῷ μείρακες, 4, 19. Nicet. Ann. 21, 7, aliique. »]

C Μείρω, Divido, Partior, μερίζω, Eust., sed exemplum nullum afferens : ab eo tamen alibi formans præt. med. ἔμμορα : ut sc. a μείρω, cujus fut. μερῶ, sit præt. med. μέμορα, ex quo per hyperthesin literarum factum sit ἔμμορα. Est autem Ἔμμορα poetis, non Partitus sum, sed contra Partem (alicujus rei) accepi, (vel Particeps sum,) Sortitus sum, Nactus sum. Sic ἔμμορε τιμῆς, Hom. Il. A, [278]. Itidemque Hesiod. [Op. 345] : Ἔμμορέ τοι τιμῆς ὅς ἔμμορε γείτονος ἐσθλοῦ. Exp. autem utrobique ἔτυχε, et ἔλαχε. [Callim. Dian. 208 : Ἔμμορ' ἀέθλου. Antip. Mac. Anth. Pal. 9, 46, 2 : Δοιῆς ἔμμορεν εὐτυχίης. Dionys. Per. 239 : Οὐ μὲν γὰρ ὀλίζονος ἔμμορε τιμῆς. Cum accus. Nicand. Al. 488 : Καί ποτε κεδρινέης πελάνου βάρος ἔμμορε πίσσης. Apoll. Rh. 3, 4 : Σὺ γὰρ καὶ Κύπριδος αἶσαν ἔμμορες (qui locus in Etym. Gud. p. 184, 38, et Paris. ap. Bekker. in annot. ad Etym. M., hinc corrigendis)· 208 : Ἠέρι δ' ἴσην καὶ χθὼν ἔμμορεν αἶσαν· 4, 1749 : Ἦ μέγα δή σε καὶ ἀγλαὸν ἔμμορε κῦδος. Aoristi autem hæc esse, non perfecti, ut dicit HSt., disputat gramm. in Cram.

D An. vol. 3, p. 263, 24 : Τὸ ἔμμορε Ζηνόβιος μὲν καὶ Ἡρωδιανὸς οὕτω κανονίζουσι· μείρω, μερῶ· ὁ μὲν παρακείμενος μέμορα, καὶ ἐν ὑπερθέσει τοῦ μ, ἔμμορα· ἀλλ' ἐλέγχει αὐτὸ τὸ β' πρόσωπον (ap. Apoll. supra citatum)· οὐ διὰ τοῦ α γάρ, ἀλλὰ διὰ τοῦ ε ἐκφέρεται· ὅθεν καὶ κανονίζεται οὕτως· μορῶ, μορήσω, ὁ πρῶτος ἀόριστος ἐμόρησα, ὁ δεύτερος ἔμορον, ἔμορες κτλ. Qui nesciebat ipsam primam pers. exstare ap. Nicand. Th. 791 : Τῶν δὴ καὶ γενεὴν ἐξέμμορον, et tertiam plur. in verbis anonymi in Etym. M. et Gud. l. c. : Ἔμμορον ἐκεῖνοι. Sed nihil hæc ad veteres Epicos, qui una usi videntur tertia ἔμμορε, quæ perfecti significatione ponitur quum in ll. Hom. et Hes. supra citatis, tum in hoc imprimis evidenti Od. E, 335 : Ἡ πρὶν μὲν ἔην βροτὸς αὐδήεσσα, νῦν δ' ἁλὸς ἐν πελάγεσσι θεῶν ἐξέμμορε τιμῆς. Cui Dor. ἐμμοράντι ab HSt. in fine memoratum confert Buttm. in Gr. v. Μείρομαι. Quod ignorabant Etym. M. et Gud. l. c., quum negarent tertiam pl. ἐμμόρασι.] Sic etiam Μείρεο imper. modi a Μείρομαι, exp. Hesych. λάγχανε, item λάμβανε, et μερίζου. [Ex Hom. Il. I,

616 : Ἶσον ἐμοὶ βασίλευε καὶ ἥμισυ μείρεο τιμῆς.] Sed Idem Μείρεται exp. non solum μερίζεται et κληροῦται, verum etiam στέρεται, Privatur. Quæ tamen signif. convenit potius τῷ ἀμείρεται : quum comp. Ἀμείρω opponatur præcedenti μείρω, et significet Privo, ac quasi dicas Non impertior : ἀμείροντες enim idem Hesych. exp. στερίσκοντες, ἀφαιρούμενοι : itidemque pass. ἀμείρεσθαι dicit esse στερεῖσθαι. Sed interdum etiam hoc α præfixum verbo μείρω est pleonasticum, ut ex bicomp. Ἀπαμείρω liquet. [Simili signif. Arat. 655 : Ἀλλ' ἥγ' ἐς κεφαλὴν ἴση δύετ' ἀγρευτῆρι μειρομένη γονάτων, Divisa a genubus. Schol. ἤγουν ὑπὸ τῆς δύσεως μεριζομένη κατὰ τὰ γόνατα· ὁ γὰρ ὁρίζων οὐ δέχεται αὐτῆς τὰ γόνατα, ὡς ἐπὶ τὰ βόρεια ὄντα. Medium eadem Dividendi vel Partiendi signif. idem usurpat 1054 : Τριπλόα δὲ σχῖνος κυέει, τρισσαὶ δέ οἱ αὖξαι γίνονται καρποῖο, φέρει δέ τε σήμαθ' ἑκάστη ἑξείης ἀρότῳ· καὶ γάρ τ' ἀροτήσιον ὥρην τριπλόα μείρονται, μέσσην καὶ ἐπ' ἀμφότερ' ἄκρα. Aliter Nicand. Th. 402 : Οὐκ ἄρα δὴ κείνου σπειραχθέα κνώδαλα γαίης ἴϋγὴν μίμνουσιν, ὅτ' ἐς νομὸν ἠὲ καὶ ὕλην ἠὲ καὶ ἀρδηθμοῖο μεσημβρινὸν ἀΐξαντος μείρονται, ubi ἱμείρονται exp. schol.] Εἵμαρται, pro Assignatum est fatali quadam velut partitione. Ita enim interpretandum puto in rudiorum gratiam, ut ostendam quomodo a μείρω s. potius ejus pass. μείρομαι derivatum videri possit. Alioqui commode reddi scio Fato decretum est (Bud. autem dicit, Fato destinatum est), Fatale est, etiam Fatum est, ut Cic. loquitur, sequente infin. : veluti quum dicit, Si fatum tibi est ex hoc morbo convalescere, εἰ εἵμαρταί σοι. Et, Daphnitæ fatum fuit de equo cadere, εἵμαρτο τῷ Δαφνίτῃ. Hom. Od. E, [312] : Νῦν δέ με λευγαλέῳ θανάτῳ εἵμαρτο ἁλῶναι. Sic Ω, [34] : Νῦν δ' ἄρα σ' οἰκτίστῳ θανάτῳ εἵμαρτο ἁλῶναι. Sic et alibi. Itidem vero Hesiod. [Th. 894] : Ἐκ γὰρ τῆς εἵμαρτο περίφρονα τέκνα γενέσθαι. At in soluta oratione parum usitatum est εἵμαρται, licet alioqui εἱμαρμένη inde deductum pro Fatum, magno sit in usu. [Demosth. p. 293, 9 : Εἰ ἡμῖν οὕτως εἵμαρτο πρᾶξαι. Ps.-Dem. p. 1435, 15 : Τούτοις εἵμαρται μηδέποτ' εὖ... φρονῆσαι. Lucian. Pseudomant. c. 59 : Ζῆσαι εἵμαρται αὐτῷ· Jov. Conf. c. 9 : Οὐ γὰρ εἵμαρτο ἁλῶναι αὐτούς· c. 19 : Τὰ λοιπὰ ἴσως οὐχ εἵμαρτο ἀκοῦσαί μοι.] Quod autem ad formationem attinet, εἵμαρμαι pro μέμαρμαι dicitur, sicut εἴλημμαι pro λέλημμαι. Ceterum a 3 præt. εἵμαρται fit nomen adj. Εἱμαρτὸς, Fato decretus, assignatus, Fatalis : ut εἱμ. χρόνος, Plut. Alex. [c. 30.] At vero ab εἵμαρμαι, 1 pers., fit non solum adj. Εἱμαρμένος, sed etiam subst. Εἱμαρμένη. Ac de adjectivo quidem prius, quod certe quum nihil aliud significet quam alterum illud εἱμαρτὸς, est tamen usitatius. Est igitur εἱμαρμένος, Fato decretus, assignatus, Fatalis : ut νόμους εἱμαρμένους, Cic. ap. Plat. [Tim. p. 41, E] vertit Leges fatales, sed addens etiam, necessarias, ut videbis p. 32 mei Cic. Lex. Ap. Plut. autem De aud. poem. vocat aliquis poeta, cujus ille nomen tacet, εἱμαρμένα βουλεύματα : ita scribens [p. 23, E, ubi recte legitur εἱμαρμένον] : Εἱμαρμένων γὰρ τῶν κακῶν βουλευμάτων Κακὰς ἀμοιβὰς ἐστι καρποῦσθαι βροτοῖς. [Æsch. Ag. 913 : Τὰ δ' ἄλλα φρόντις θήσει δικαίως ξὺν θεοῖς εἱμαρμένα. Soph. Trach. 172 : Πρὸς θεῶν εἱμαρμένα.] At vero Εἱμαρμένη subst. est Fatum, Fatalis necessitas ; nam et ita vertit Cic. De nat. deor. 1. Dem. [p. 296, 19] : Ὁ μὲν τοῖς γονεῦσι μόνον γεγενῆσθαι νομίζων, τὸν τῆς εἱμαρμένης καὶ τὸν αὐτόματον θάνατον περιμένει. Plut. De aud. poem. [p. 23, D] : Ὅταν δὲ ταῖς αἰτίαις πάντων τῶν γινομένων ἐπονομάζωσι τὸν Δία, καὶ λέγωσι, Πολλὰς δ' ἰφθίμους ψυχὰς ἄϊδι προΐαψεν·... Διὸς δ' ἐτελείετο βουλή· τὴν εἱμαρμένην (λέγουσι). [Lucian. Jov. Conf. c. 19 : Οὐ πάνυ οὐδὲ αὗται ὑπὸ χρηστῇ εἱμαρμένῃ ἐγεννήθησαν.] Multa περὶ εἱμαρμένης habes quum alibi, tum ap. Alex. Aphr., in libro quem ita inscripsit : ubi inter alia refert Anaxagoram putasse εἱμαρμένην vanum esse nomen ; at contra ceteros εἱμαρμένην censere esse ἀπαράβατόν τι καὶ ἀναπόδραστον : sed et quosdam εἱμαρμένην esse velle ἀνάγκην τινά : quod pro illa Cic. interpretatione facit, εἱμαρμένην vocantis Fatalem necessitatem, itidemque εἱμαρμένους νόμους, Leges fatales et necessarias. Sed et χρόνοι εἱμαρμένοι ac γενέσεις βίαιοι καὶ οὐχ εἱμαρμέναι ap. Aristot., ut Aphrod. etiam annotat. Ille autem

A Dem. l. [supra cit.], in quo dicit τὸν τῆς εἱμαρμένης θάνατον, cum ea nominis Fatum significatione convenit, qua ponitur pro Morte : adeo ut ap. poetas Fatum, quum pro Morte utuntur, interpretari possimus ex illo Dem. l., Τὸν τῆς εἱμαρμένης θάνατον. Quod vero ad etymon nominis hujus attinet, sciendum est quosdam non sequi quod est a μείρομαι, sed deducere ab εἱρμός : quosdam vero et ab εἴρειν, in quorum numero est Aristot., aut quicunque est auctor libri De mundo, ita scribens in fine, Εἱμαρμένην δὲ διὰ τὸ εἴρειν τε καὶ χωρεῖν ἀκωλύτως. Ex duabus autem hisce si altera mihi sequenda foret, priorem potius sequerer ab εἱρμὸς, ut εἱμαρμένη diceretur quasi εἱρμαμένη : nam hunc εἱρμὸν Cic. innuere variis in ll. videtur : ut quum dicit [De divin. 1, 55] : Fatum autem id appello, quod εἱμαρμένην, Ordinem seriemque causarum, quum causa causæ nexa rem ex se gignat. Item : Fatum autem id appello, quod Græci εἱμαρμένην, Ordinem seriemque causarum : perinde sc. ac si εἱμαρμένην exponeret εἱρμὸν αἰτίων. Verum si nomini εἱμαρμένη
B hanc derivationem demus, quid de εἵμαρται dicemus, quod 3 præt. pass. esse negare nemo potest ? [Alia perf. forma est Μεμόρηκα, act. ap. Nicand. Al. 213 : Πολλάκι δ' ἐς κραδίην πτοίην βάλε, πᾶν δὲ νόημα ἔμπληκτον μεμόρηκε κακῇ ἐσφαλμένον ἄτῃ. Ubi Schneider. : « Schol., Μεμ., ἐκάκωσε παρὰ τὴν μοῖραν. Gl. interl. Gott. ἐδάμασε, ἐκάκωσε, μανιωδῶς κακοπαθεῖ. » Et alia quæ v. in Μορέω. Unde pass. Μεμόρημαι s. Μέμορμαι. Nicand. Al. 229 : Ἠὲ σὺ βοσκαδίης χηνὸς νέον ὀρταλιχῆα ὕδασιν ἐντήξαιο πυρὸς μεμορημένον αὐγαῖς, quod schol. interpr. δεδασμένον καὶ ἑψηθέντα. (Conf. Ther. 51 : Βαρύοδμος ἐπὶ φλογὶ μοιρηθεῖσα χαλβάνη, et quæ de signif. Dividendi in activo sub initium dicta sunt.) Sortiendi signif. Manetho 6, 13 : Σινέεσσί τε τοῖσιν ἕκαστος ἀνθρώπων μεμόρηται ὑπ' ἀστράσι κινυμένοισιν. Apoll. Rh. 1, 646 : Ἀλλ' ἥ γ' ἔμπεδον αἰὲν ἀμειβομένη μεμόρηται· 973 : Οὐδέ νύ πω παίδεσσιν ἀγαλλόμενος μεμόρητο· ubi schol., ἐκεκλήρωτο, ὑπὸ τῆς τύχης μεμοιραμένως εἶχεν. Τὸ δὲ κατάλληλον, οὐδέ νύ πω παίδεσσιν ἀγάλλεσθαι (μετοχὴ ἀντὶ τοῦ ἀπαρεμφάτου) μεμόρητο. Et 3, 1130 :
C Πάρος θάνατόν γε μεμορμένον ἀμφικαλύψαι. Lycophr. 430 : Τὸν μεμορμένον πότμον. Alexander Ætol. ap. Parthen. 14, v. 33 : Ἠρίον ὀγκώσει τὸ μεμορμένον. Diodor. gramm. Anth. Pal. 7, 705 : Ἀλλά με Κῆρες ἄγουσι μεμορμέναι. Nonn. Dion. 11, 520, χρόνος. Ap. Plut. Mar. c. 39 : Τὸ μεμορμένον, Fatum, in libris deterioribus in πεπρωμένον mutatum est. Agathias Hist. 1, 1, p. 12, A : Τὸ μεμορμένον, ubi cod. unus per α. Photius s. Suidas : Μέμορται, μεμοίραται. De infinit. hujus formæ schol. Ven. Hom. Il. K, 67 : Μίαν μέντοι ἀφορμὴν ὁρῶ τοῦ δύνασθαι προπαροξύνεσθαι τὸ ἐγρήγορθαι τὸ τὰ εἰς θαι λήγοντα, τῇ ορ συλλαβῇ παραληγόμενα μὴ παρ' ἄλλῃ τινὶ διαλέκτῳ ὁρᾶσθαι ἢ τῇ Αἰολίδι, τέτορθαι, μέμορθαι, ἔφθορθαι. De quo accentu conf. Etym. M. p. 312, 46. || His formis accedit tertia ap. Timæum Locr. p. 95, A : Γᾶς μεμόρακται (ὁ κόσμος) πυρός τε καὶ τῶν μεταξὺ ἀέρος καὶ ὕδατος. Ubi Gelderus : « Ms. A μεμύηται. Valckenario μεμοίρακται placuit. » Quam non improbabilem conjecturam dicerem, si certiora essent vestigia formæ μοιράζω, de qua in Μοιράω dicemus. Nunc dubium
D utrum ipsum ferendum sit μεμόρακται an præstet μεμόραται, ex quo μεμόρακται ortum sit posito η super α et in κ depravato. HSt. in Ind. :] Ἔμορτεν, Ἰσήμορτεν, Hesychio ἀπέθανεν, Fato functus est, Mortuus est. Ἐμμόραντι, quod Hesych. exp. τετεύχασι, Doricum est pro ἐμμόρασιν, ab ἔμμορα. [Apud eundem aliæ sunt formæ reconditæ, quæ ad hoc verbum referendæ videntur : ut Μάρσεται, κτήσεται, quod pro μεμάρσεται poni putabat Lobeck. ad Buttm. Gr. v. Μείρω p. 242. Tum perf. Ἔμβραται, Ἐμβραμένα, Βεβραμένων, et quæ vitiosa videtur, Ὤβρατο, quas v. suis ll.]

[Μείς. V. Μήν.]

[Μέϊς, Μέϊδος, gl. inepta ap. Suidam.]

[Μεισὶ, Serpens. Horapollo Hierogl. 1, 59 : Τὸ δὲ ὄνομα τοῦ ὄφεως παρ' Αἰγυπτίοις ἐστὶ Μεισί. Verum observandum, Ægyptios non serpentem naturalem voce hac designasse, quod ex Copticis libris unicuique patet, sed serpentem symbolicum vel hieroglyphicum, plenum nempe atque absolutum, atque ad verum suum principium redeuntem. Id enim sine dubio significabat Ægyptiis serpens in se revolutus et caudam suam comprehendens, etsi veram symboli hujus rationem Horapollo assecutus minime sit. Ille igitur serpens symbolicus, quatenus annum hieroglyphice innuebat, dicebatur Μεισί. Equidem Jos. Scaliger De emend. temp. 3, p. 194, verbis Horapollinis mendum subesse conjicit, mavultque pro Μεισὶ legere Νεισὶ, quia Coptitæ hodieque τὰς ἐπαγομένας, quinque dies in fine anni additas, eo nomine designant. In quo ratio virum magnum fefellit. Sed de voce Νεισὶ vel Νεσὶ, quam vix Ægyptiacam esse crediderim, plura suo loco. Ab ea utique differt vox Μεισὶ, quam esse vere Ægyptiacam certo scio. Aliquid hic vidit Salmas., qui veram viam ingressus, at non emensus est, Epist. 60 ad Golium : « Serpentem, quo anni revolutionem signabant, qui ore caudam apprehendebat, vocarunt illi Μεισὶ, quod est Caudam capiens. Nam Μεὶ apud illos Cauda est. Σὶ in ea lingua significat Capere, Sumere. » Quod ad v. Σι attinet, eam bene interpretatus est ; quando vero asseverat Μει esse Caudam, omnino frustra est. ... Videtur eum ι in voce Μεισὶ, quod sane superfluum est, decepisse. Nempe vox illa Ægyptiaca, quæ in codd. Horapollinis scribitur Μεισὶ, efferenda rectius esset Μεσὶ, estque composita ex *Meh*, Plenum, vel Plenitudo, et *Si*, Capere et sumere. Est igitur Μεσὶ, Complementum accipiens. Dicebatur sic symbolice annus Ægypt., qui, postquam quinque ἐπαγόμεναι illi essent additæ, credebatur plenitudinem omnem assecutus esse. Atque id symbolum serpentis in se revoluti Ægyptiis significabat. Servius in Æn. 5, 85 : « Annus secundum Ægyptios indicabatur, ante inventas literas, picto dracone caudam suam mordente, quia in se recurrit. » Eadem de caussa Herodot. annum Ægyptiorum circulum vocat in se redeuntem, 3, 4 : Αἰγύπτιοι δὲ τριηκοντημέρους ἄγοντες τοὺς δυώδεκα μῆνας, ἐπάγουσι ἀνὰ πᾶν ἔτος πέντε ἡμέρας παρὲξ τοῦ ἀριθμοῦ. Καί σφι ὁ κύκλος τῶν ὡρέων εἰς τὠυτὸ περιιὼν παραγίνεται. Addi potest Diodor., qui de anno ab Ægyptiis in eam, quam dixi, formam redacto 1, 50, loquitur, atque tandem ita pronuntiat, τούτῳ τῷ τρόπῳ τὸν ἐνιαύσιον κύκλον ἀναπληροῦσιν. Annum vocat circulum, et formam anni Ægyptiaci, circuli illius ἀναπλήρωσιν, plenitudinem, vel complementum. Id plane significat Μεσί, etc. Jabl.]

[Μείωμα, τὸ, Imminutio, Defectus. Xen. Anab. 5, 8, 1 : Τῆς φυλακῆς τῶν γαυλικῶν χρημάτων τὸ μείωμα εἴκοσι μνᾶς (ὦφλε).]

Μείων, ονος, Minor, ἐλάσσων : ex μικρός : regulariter μικρότερος dicitur. [Proprie de figura corporis Hom. Il. B, 528 : Αἴας, μείων, οὔτι τόσος γε ὅσος Τελαμώνιος Αἴας, ἀλλὰ πολὺ μείων· Γ, 193 : Μείων μὲν κεφαλῇ Ἀγαμέμνονος Ἀτρείδαο. Improprie de Ignobilibus, Xen. Hier. 1, 28 : Ἐκ μειόνων γαμεῖν. De rebus Pind. Ol. 1, 35 : Μείων αἰτία· Pyth. 1, 82 : Μείων μῶμος· 11, 29 : Οὐ μείονα φθόνον. Æsch. Cho. 519 : Τὰ δῶρα μείω δ' ἐστὶ τῆς ἁμαρτίας· Suppl. 596 : Τὸ μεῖον κρείσσων ὧν κρατύνει. Soph. Aj. 264 : Φρούδου γὰρ ἤδη τοῦ κακοῦ μείων λόγος, quod οὐδεὶς interpretatur Eust. Il. p. 610, 9. Ib. 439 : Οὐδ' ἔργα μείω χειρὸς ἀρκέσας ἐμῆς· OEd. C. 6 : Τοῦ σμικροῦ δ' ἔτι μεῖον φέροντα· 374 : Χὠ μὲν νεάζων καὶ χρόνῳ μείων γεγὼς τὸν πρόσθε γεννηθέντα Πολυνείκη θρόνων ἀπεστέρισκε. Xen. Anab. 2, 6, 6 : Ἐξὸν χρήματα ἔχειν ἀκινδύνως αἱρεῖται πολεμῶν μείονα ταῦτα ποιεῖν· Ag. 1, 1 : Μειόνων ἐπαίνων. || Paucior. Hesiod. Op. 688 : Μηδ' ἐνὶ νηυσὶν ἅπαντα βίον κοίλῃσι λιπέσθαι, ἀλλὰ πλέω λείπειν, τὰ δὲ μείονα φορτίζεσθαι· Theog. 446. Xen. Hier. 2, 17 : Ὁ τύραννος ὅταν τινὰς ἀποκτείνῃ, οἶδεν ὅτι μειόνων ἄρξει. Et sæpe cum numeralibus, ut Cyrop. 2, 1, 5 : Οὐ μείους τρισμυρίων, etc.] Μεῖον, Minus : μεῖον ἔχειν, Minus habere, dicitur pro Inferiore esse conditione, quum ap. alios, tum ap. Xen. [Cyrop. 1, 3, 18 : Δεινότερός ἐστι διδάσκειν μεῖον ἢ πλεῖον ἔχειν· et ib.: Ἅπαντας δεδίδαχεν ἑαυτοῦ μεῖον ἔχειν· Comm. 3, 12, 5 : Ἐν πράξει οὐδεμιᾷ μεῖον ἕξεις. Et de clade Anab. 1, 10, 8 : Ὁ Τισσαφέρνης ὡς μεῖον ἔχων ἀπηλλάγη. Et addito accus. 3, 2, 17 : Μηδὲ τοῦτο μεῖον δόξητε ἔχειν, εἰ οἱ Κύρειοι πρόσθεν σὺν ἡμῖν ταττόμενοι νῦν ἀφεστήκασιν], quod in compositione vocatur μειονεκτεῖν. [Ib. 4, 2, 8 : Μεῖον ἔχειν παρ' αὐτῷ.] Pollux [3, 53] μεῖον vocatum fuisse scribit τὸ ἱερὸν τὸ ὑπὲρ τῶν εἰς τοὺς φράτορας εἰσα-

A γομένων παίδων : unde μειαγωγεῖν [quod v.] dictum fuisse τὸ εἰσάγειν ἱερεῖον. [Exx. Hippocr. p. 342, 54 : Καὶ ἐπὶ τὸ μεῖζον καὶ ἐπὶ τὸ μεῖον, et alia annotavit Foes.] Sed ut ad μεῖον adjectivum redeam, ponitur id adverbialiter etiam pro Minus : ut μεῖον ἀπέχειν, Minus distare, pro Minore spatio distare. Sic ap. Galen., Λελώβηνται τῶν Ὁμηρικῶν λιτῶν οὐδὲν μεῖον, Nihilo minus quam preces Homericæ. [Æsch. Prom. 510 : Μηδὲν μεῖον ἰσχύσειν Διός· Cho. 707 : Οὔτοι κυρήσεις μεῖον ἀξίως σέθεν· Sept. 355 : Οὔτε μεῖον οὔτ' ἴσον. Xen. Ages. 6, 3 : Μεῖον οὐδὲν ἐκράτει· Anab. 2, 4, 10 : Ἀπέχοντες παρασάγγην καὶ μεῖον, et alibi sæpissime cum numeralibus. Plurali Hier. 1, 8 : Μείω εὐφραίνονται οἱ τύραννοι τῶν μετρίως διαγόντων. Tim. Locr. p. 102, B : Εἰ μείω ἐπάρδοιτο. Forma Dor. Μήων ap. Epicharmum Athen. 7, p. 321, A : Τῶν θυννίδων γε μήονες. Diotogenes ap. Stob. Flor. vol. 2, p. 129 : Οὐ μῆον ἢ δύο μνᾶν ἄξιον. || Adv. Μειόνως, Minus, Soph. OEd. C. 104 : Εἰ μὴ δοκῶ τι μ. ἔχειν.]

|| Μειότερος, Minor. Apoll. Arg. 2, [368] : Μετὰ τόνδ'
B ἀγχίρροος Ἶρις Μειότερος λευκῇσιν ἑλίσσεται εἰς ἅλα δίναις, pro ἐλάσσων, ut et schol. exp. [Arat. 43 : Μειοτέρῃ περιστρέφεται στροφάλιγγι. Epigr. Anth. Pal. 14, 41, 2 : Ἄλλοτε μὲν μείζων, ἄλλοτε μειοτέρη. Greg. Naz. p. 107, 36 : Τοῖσί τελειοτέροις τοῖσι τε μειοτέροις. Manetho 2, 147 : Μειότερον κῦδος.] || Μεῖστον, Hesychio ἐλάχιστον, Minimum : ex compar. μεῖον. [Eust. Il. p. 134, 45 : Εἰς μεῖστα, τουτέστι σμικρότατα, in etymologia v. μίστυλλον, de qua pluribus agit p. 135, 12, ubi ejusdem stirpis esse monet μικρὸς s. μεικρὸς et μεῖστος s. μίστος, unde μιστύλλω. Eandem ponit schol. Aristoph. Pl. 627. Memorat μεῖστος etiam Etym. M. p. 581, 57 ; 676, 14, gramm. in Crameri Anecd. vol. 3, p. 396, 15, 21.]

[Μειώνυμος, ὁ, ἡ, Qui minori nomine est. Iamblich. In Nicom. p. 68, A : Ἡ ὑπεροχὴ τοῦ μείζονος ὅρου πρὸς τὸν ἐλάττονα μονάδι μειωνυμώτερον. Conf. Μεγαλώνυμος, Μικρώνυμος.]

Μείωσις, εως, ἡ, [Deminutio, Gl.] Imminutio, Extenuatio, ἐλάττωσις. [Orph. H. 12, 7 : Γέννα, φυῆς μείωσι. Polyb. 9, 43, 5 : Τὴν αὔξησιν, τὴν μείωσιν
C (fluvii). Geopon. 10, 75, 8 : Φυλασσομένους μὴ τῆς ἐντεριώνης μείωσις γένηται. Alia exx. sunt ap. Suidam et Dion. Cass.] Animi etiam μείωσις dicitur itidem pro Imminutio, qua nimirum minor fit et deprimitur : ut ap. Stoicos, dicentes λύπην esse δόξαν πρόσφατον κακοῦ παρουσίας ἀξίου εἶναι μειώσεως καὶ συστολῆς δοκοῦντος. Unde Cic. Tusc. Quæst. l. 4, [7, 15] : Ægritudo est opinio recens mali præsentis, in quo demitti contrahique animo rectum esse videatur : μείωσιν τῆς ψυχῆς reddens Demitti animo : quod alibi Demissionem et infractionem animi dicit.

Μειωτικὸς, ἡ, ὸν, Vim habens diminuendi s. imminuendi. [Longinus De subl. 42, 1 : Ὕψους μειωτικὸν καὶ ἡ ἄγαν τῆς φράσεως συγκοπή. || Adv. Μειωτικῶς, Sext. Emp. Adv. geom. 42, p. 318 : Ὁτὲ μὲν αὐξητικῶς, ὁτὲ δὲ μ., et ibid.]

[Μειωτὸς, ἡ, ον, Qui decressit aut decrescere potest. Hermes Stobæi Ecl. phys. vol. 1, p. 306 Heer. : Πᾶν τὸ γεννώμενον αὐξητὸν καὶ μειωτόν.]

[Μέκος. V. Μῆκος.]

D [Μελάγγαιος, ὁ, ἡ, i. q. μελάγγειος, χώρη, Herodot. 2, 12, ubi olim μελάγγεον edebatur. Vicissim pro edito nunc et olim μελάγγαιος 4, 198, codd. nonnulli μελάγγεος præferunt. Schweigh. Μελάγγεος Paraphr. Dionysii Per. v. 174, p. 6. Cramer. Conf. Lobeck. ad Phryn. p. 298.]

[Μελαγγεῖα, ων, τὰ, Melangea, locus Arcadiæ, ap. Pausan. 8, 6, 4 et 5, nisi hic quoque scrib. Μελάγγεια.]

Μελάγγειος, ὁ, ἡ, Cujus solum nigrum est. Theophr. [H. Pl. 8, 7, 2] : Ἀλλὰ δεῖ μελάγγειόν τινα καὶ πίειραν εἶναι. [Geopon. 2, 5, 7. Wakef. Et alibi sæpius.]

Μελάγγεως, ὁ, ἡ, Cujus solum nigrum est, μελάγγειος, Theophr. [C. Pl. 1, 21, 3 ; 2, 4, 12. Geopon. 5, 1, 5, ubi al. μελάγγειος.]

[Μελάγγληνος. V. Μελάγχλαινος.]

[Μελαγγραφής. V. Μελεγγραφής.]

[Μελάγγυιος, ὁ, ἡ, Qui nigris est membris s. nigro corpore. Paul. Sil. Ecphr. 570 : Μελαγγυίοισιν ὑπ' ἀνδράσιν.]

Μελάγκαρπος, ὁ, ἡ, Nigrum ferens fructum : s. Fructus loco atram afferens obscuritatem : ut μ. ἀσάφεια, Plut. [Mor. p. 474, C, ex Empedocle. V. Μελάγκορος.]

[Μελάγκερως, ω, ὁ, ἡ, Nigra habens cornua. Æsch. Ag. 1127 : Ἄπεχε τῆς βοὸς τὸν ταῦρον· ἐν πέπλοισι μελάγκερων λαβοῦσα μηχανήματι τύπτει. Schol. : Ἐὰν γράφηται μελαγκέρῳ μηχανήματι τύπτει, ἀντὶ τοῦ κεχρυμμένῳ. Ἄλλως. Τῆς μελαγκέρου βοός.]

[Μελαγκευθής, ὁ, ἡ. Μελαγκεθὲς εἴδωλον ἀνδρὸς Ἰθακησίου, e Bacchylide Etymol. p. 296, 1 (s. gramm. Bachm. An. vol. 1, p. 208, 15, fr. 38, p. 58 N.), puto μελαγκευθές. Hemst. V. Μελαμβαφής.]

[Μελάγκολπος, ὁ, ἡ, Nigrum habens sinum. Nonn. Dion. 34, 83 : Μελαγκόλποιο Νύμφης.]

[Μελαγκόμᾱς, ου, ὁ, Melancomas, Ætolus, in inscr. ap. Bœckh. vol. 2, p. 439, n. 2621. Alius ibid. Ephesius, ap. Polyb. 8, 17, 9, etc. Pugil temporibus Titi imp., de quo Themist. Or. 10, p. 139, A, et Dio Chr. Or. 28 et 29.]

[Μελάγκορος, ὁ, ἡ, Qui nigris est oculorum pupil-
B lis. Is. Porphyrog. in Allatii Exc. p. 309, 316. Boiss. Jo. Malalas p. 105, 21; 106, 15. Tzetz. Hist. 12, 575 : Λέγει γὰρ (Empedocles) τὴν ἀσάφειαν μελάγκορον ὑπάρχειν. Quod ad μελάγκορσον spectare conjecit Karsten. ad Empedocl. v. 27, p. 169, quomodo scribendum putavit quod in l. Empedoclis est in libris Plutarchi : Νημέρτη τ' ἐρόεσσα μελάγκαρπός τ' Ἀσάφεια.]

[Μελαγκορυφίζω, ap. Heron. Spirit. p. 220 : Πνιγεὺς ... συρίγγιον ἔχων ἐπ' ἄκρου μελαγκορυφίζον, Int. vertit Syringulam quæ melancoryphi vocem reddat.]

Μελαγκόρυφος, ὁ, ἡ, q. d. Atrivertex, i. e. Atrum verticem habens. Nomen est avis Aristoteli [H. A. 7, 3; 9, 15; 49, b. « Id. Rhet. 3, 3, e Lycophr. » Kall.], ap. quem a Gaza vocatur Atricapilla. [Atricapillus, Gl.] Ead. dicitur συκαλίς, Ficedula; sed diverso anni tempore, propter coloris mutationem. [V. intt. Geopon. 15, 1, 23.] Μελαγκόρυφοι, inquit Cam., sunt Plinio Ficedulæ post autumnum. [Aristoph. Av. 888; Athen. 2, p. 65, B; Hero in Μελαγκορυφίζω cit. || Hesych. : Μελαγκόρυφοι, οἱ ἀποκεχρυμμένοι· ἄμεινον δὲ νοεῖν οἱ ἄνθρω-
C ποι. Μελαγκορύφους, μοιχούς· τοὺς γεννητικοὺς ἀνθρώπους. De qua interpr. v. conjecturas intt.]

[Μελάγκραιρα, ἡ, Sibyllæ epith. ap. Lycophr. 1464 : Μελαγκραίρας κόπις, Νησοῦς θυγατρός. Schol. : Μελαγκραίρης (hoc omittunt libri Mülleri, pro eoque addunt ἡ) ὁ μελαίνων καὶ θολῶν τὴν κραῖραν καὶ τὴν κεφαλήν, ἤτοι τὸν νοῦν καὶ τὸ τοῦ λόγου κεφάλαιον ἐν δεινοῖς λόγοις. Μελακραίρα (recte alii libri Μελάγκραιρα) δὲ ἡ Σίβυλλα παρὰ τὸ μελαίνειν τὴν φράσιν καὶ τοὺς χρησμούς. Κόπις δὲ ὁ ῥήτωρ. Videntur igitur alii pro fem., alii inepte pro masc., quod cum κόπις conjungeretur, habuisse. Μελάγκραιρα vero nihil nisi Nigram capite significat. Memoratur autem hoc Sibyllæ cogn. etiam ap. Ps.-Aristot. Mirab. c. 95, in libris plerisque corruptum.]

[Μελαγκράνιος, α, ον, Ex junco factus, qui dicitur μελάγκρανις, quod v. Strabo 3, p. 168 : Ἄζωστοι ἐπὶ τοὺς ἀγῶνας ἐξῄεσαν (Baleares), αἰγίδα περὶ τῇ χειρὶ ἔχοντες ..., σφενδόνας δὲ περὶ τῇ κεφαλῇ τρεῖς μελαγκραίνας· σχοίνου εἶδος, ἐξ οὗ πλέκεται τὰ σχοινία· καὶ Φιλη-
D τᾶς δὲ ἐν Ἑρμενείᾳ (Ἑρμῇ vel Ἑρμείᾳ)· Λευγαλέος δὲ χιτὼν πεπινωμένος· ἀμφὶ δ' ἀραιὰς ἰξῦς εἰλεῖται ἅμμα μελαγκράϊνον, ὡς σχοίνῳ ἐζωσμένῳ (alii libri ἐζωσμένου) μελαγκραίνας. Ubi μελαγκρανίας et μελαγκράνιον restitutum est, postremum autem μελαγκραίνας aut μελαγκρανίᾳ vel μελαγκραίνιδι scribendum erit aut in μελαγκρανίας mutandum, si prius μελαγκραίνας cum Tyrwhitto in μελάγκρανις mutetur et caput sit verborum illorum σχοίνου ... μελαγκραίνας, quæ pro scholio habentur.]

Μελάγκρανις, ἡ, [Atrifer, Gl.] Nigriceps. Junci genus hoc nomine dicitur. Plin. 21, 18, de Junco : Tria genera ejus : acuti sterilis, quem marem et ὀξὺν Græci vocant : reliqua feminini, ferentis semen nigrum, quem Melancranin vocant. Et mox, Ex his melancranis sine aliis nascitur. Pro eo ap. Theophr. reperio μελαγκρανισμὸν, H. Pl. 4, [12, 1] : Καὶ ὁ κάρπιμος, ὃν μελαγκρανισμὸν καλοῦμεν, διὰ τὸ μέλανα τὸν καρπὸν ἔχειν. Sed ea scriptura mihi non probatur. [Μελάγκρανιν vel μελάγκρανιν μὲν interpretes : libri boni μελάγκρανις et μελαγ-
A κράνισμα. Sequitur autem ap. Theophr. ib. 2 : Ἡ μὲν οὖν μελάγκρανις αὐτός τις καθ' ἑαυτόν.] Hesychio quoque μελάγκρανις est ὀξύσχοινος, item τὰ ἄκρα μελανίζουσα.

[Μελαγκρανισμός. V. Μελάγκρανις.]

Μελαγκρήδεμνος, ὁ, ἡ, ὁμίχλη, Atra caligo, Nonn. [Jo. c. 6, 67.]

[Μελαγκρήπῑς, ιδος, ὁ, ἡ, Qui nigra est basi. Paullus Sil. Descr. S. Soph. 261. Boiss. Accentu barytono scribi annotat Eust. Il. p. 174, 9, Od. p. 1437, 53.]

[Μελαγκρίδας, ου, ὁ, Melancridas, n. viri, ap. Thuc. 8, 6. Rectius scribi videtur Μελαγχρίδας.]

[Μελάγκροκος, ὁ, ἡ, Nigra habens vela. Æsch. Sept. 857 : Ὃς αἰὲν δι' Ἀχέροντ' ἀμείβεται ταν ἄστονον μελάγκροκον ναυστόλον θεωρίδα.]

[Μελάγκωπος, ὁ, ἡ, Qui atro est manubrio. Schol. Eur. Or. 809 Matth. : Μελάνδετον, διὰ τὸ μέλαιναν λαβὴν ἔχειν, τουτέστι μελάγκωπον.]

[Μελάγριον. Cyrill. Scythop. Vita Sabæ c. 13 : Μηδὲν ἕτερον ἔχων πλὴν ῥίζας μελαγρίων καὶ καρδίας καλάμων. Ducang. App. Gl. p. 129. Pro μελεαγρίων, ut in
B gl. Suidæ illata : Μελαγρία, εἶδος βοτάνης φυομένης ἐν ἐρήμῳ. V. Μελεάγριον.]

Μελαγχαίτης, ὁ, Qui nigra est juba, Nigram cæsariem comamve habens, Qui nigro est capillitio : μ. Ποσειδῶν, Epigr. [Christod. Anth. Pal. 2, 64.] Hesiod. [Sc. 186] : Μελαγχαίτην τε Μίμαντα. [Ubi est epitheton Centauri Mimantis, nisi quis ab hoc nomine, sine copula adjecto, separare velit, quum Centaurum Μελαγχαίτην memoret Diodor. 4, 12. Adjectivum rursus est ap. Soph. Trach. 837, ubi de Nesso, et Eur. Alc. 439, ubi de Hade. || Improprie dictum ponit Hesychius : Μελάγχετον, μεγάλῳ δράματι, ἀπὸ τῶν ἀνθρώπων, οἷον ἀκμάζουσαν. Bentl. Ep. ad Mill. p. 54 : « L. μελαγχαίταν, Ἴων μ. δ. Verbum ab Ione ad alia tralatum, quæ sunt annis et viribus integris, e. gr. ἵππος. »]

[Μελάγχῑμος, ὁ, ἡ.] Μελάγχειμος, Qui hyeme niger est. Neutro gen. et substantive μελάγχειμα dicuntur Loca quæ hyeme atra sunt, nec ullis dealbata nivibus. Xen. Cyneg. p. 577 [8, 1] : Ἰχνεύεσθαι δὲ τοὺς λαγῶς,
C ὅταν νίφῃ ὁ θεὸς, ὥστε ἠφανίσθαι τὴν γῆν· εἰ δ' ἐνέσται μελάγχειμα, δυσζήτητος ἔσται· paulo post, Περιτείνειν αὐτῶν ἑκάστῳ τὰ δίκτυα τὸν αὐτὸν τρόπον ὅνπερ ἐν τοῖς μελαγχείμοις, περιλαμβάνοντα ἐντὸς πρὸς ὅτῳ ἂν εἴη. Bud. μελάγχειμα in priore l. interpr. Hyems absque nive : in posteriore, ὅνπερ ἐν τοῖς μελαγχείμοις, Ac si nives nullæ essent. [Omnibus his aliisque ll. scribendum μελάγχιμος.] Pollux vero in ipsa nive μελάγχειμα esse dicit Cavos quosdam in quibus nix liquata est : sic autem nominari, quoniam quum cetera humus nivibus sit operta et alba, ii solum nigrantur. Ita igitur ille 5, c. 12 [§ 66] : Εὐναὶ λαγῶν, χειμῶνος μὲν τὰ πρόσειλα, θέρους δὲ τὰ ἐπίσκια· ἐν δὲ χιόνι, τὰ μελάγχειμα· ἔστι δὲ ταῦτα, τὰ κοῖλα ἐν οἷς ἡ χιὼν διατέτηκε· κέκληται δὲ ὅτι παρὰ τὴν ἄλλην τῆς γῆς ὄψιν, λευκὴν οὖσαν ὑπὸ τῇ χιόνι, ταῦτα μόνα μελαίνεται. [Iterum HSt. :] In VV. LL. rursum cum diphthongo, sed properispωmenωs, Μελαγχεῖμος, Profundus, Cavus; afferturque ex Eur. [Rhes. 962] μελαγχεῖμον πέδον γαίας pro Inferi. [Male pro μελάγχιμον, de qua forma HSt. :] At Μελάγχιμος
D sine diphthongo scriptum, non compositum est, sed duntaxat παράγωγον a μέλας, verum καινότερον, teste Eust. p. 1254, veluti quum Æschylus dicit μελαγχίμους πέπλους. Sic idem Æsch. Choeph. init. : Τίς ποθ' ἥδ' ὁμήγυρις Στείχει γυναικῶν φάρεσιν μελαγχίμοις πρέπουσα; Nigris s. Atris vestibus, Pulla et atrata veste. Etenim in luctu et inferiis exequiisque peragendis ejusmodi amictus sumitur, deposita veste candida. [Eust. Opusc. p. 239, 85 : Μελάγχιμον στολήν.] Et ap. Athen. 2, [p. 51, D] de moris, Idem : Λευκοῖς τε γὰρ μόροισι καὶ μελαγχίμοις Καὶ μιλτοπρέποις βρίθεται ταυτοῦ χροιά [μιλτοπρέπτοις βρ. τ. χρόνου]. Quos duos versus Eust. quoque affert in l. jam citato, μελαγχίμοις exponens μέλασι, et μιλτοπρέποις, ἐρυθροῖς. Sed notandum, perperam ap. Athen. scribi μελαγχύμοις pro μελαγχίμοις, et χρυσίου pro χροιά. [Pers. 301 : Λευκὸν ἦμαρ νυκτὸς ἐκ μελαγχίμου· Suppl. 719 : Μελαγχίμοις γυιοισι· 745 : Μελαγχίμῳ ξὺν στρατῷ. Eur. El. 513 : Οἶν μελάγχιμον πόκῳ. Apoll. Rh. 4, 1508 : Μελάγχιμον ἰόν.]

Μελαγχίτων, ωνος, ὁ, ἡ, Nigra vestitus tunica, Atra

amictus tunica, Pullam tunicam s. vestem gestans: ut ap. Æsch. [Choeph. 9], αἱ μελαγχίμοις πέπλοις πρέπουσαι χοηφόροι. Ab eod. Æsch. [Pers. 119] tropice μελαγχίτων φρὴν dicitur Mens mœsta et tristis, metaphorice ab iis qui pulla s. atra veste mœrorem et luctum præ se ferunt. [« Fortiore metaphora exprimere voluit Homericum Il. P, 83: Ἕκτορα δ' αἰνὸν ἄχος πύκασε φρένας ἀμφιμελαίνας· et A, 103: Μένεος δὲ μέγα φρένες ἀμφιμέλαιναι πίμπλαντο. » Blomfield. V. Μέλας. t]

Μελάγχλαινος, ὁ, ἡ, Atra indutus læna, Nigram s. Pullam gerens lænam, ut in luctu solent incedere μελάγχλαινοι καὶ μελαγχίτωνες, Atrati et pullati; atra enim veste s. pullo amictu luctus indicium dant. Moschus in Epitaphio Bionis [27]: Σεῖο, Βίων, ἔκλαυσε ταχὺν μόρον αὐτὸς Ἀπόλλων, Καὶ Σάτυροι μύροντο, μελάγχλαινοί τε Πρίηποι. [Hesych.: Μελάγχλαινος, ἡ διαυγής. Μελάγγληνος Ruhnk. in Auct., conferens μελίγληνος.]

[Μελάγχλαινοι, οἱ, Melanchlæni. Ἔθνος Σκυθικόν. Ἑκαταῖος Εὐρώπῃ. Κέκληνται ἀφ' ὧν φοροῦσιν κτλ., Steph. Byz. Herodot. 4, 20, 102, 107; Dionys. Per. 309.]

Μελάγχλωρος, ὁ, ἡ, Colorem habens atrum pallore mixtum, Qui ita pallet ut simul aliquid nigredinis habeat admixtum, Pallidus simul nigerque, etiam Viridis simul nigerque. Sunt enim colores quidam nigri ita obscuri, ut in atros vergant. [Aret. p. 20, 6; 30, 37; 44, 30; 50, 17.] Habent hoc μελάγχλωρος pro μελαγχρους exempll. quædam ap. Hippocr. Epid. 6, [p. 1170, D], ut annotavit Galen. Comm. 1. [Plat. Rep. 5, p. 474, E, nunc μελιχλώρους.]

Μελαγχολάω, i. q. Melancholia laboro s. μελαγχολικῶς ἐξίσταμαι, Præ atra bili mente motus sum, Furo (furor enim interdum ex nimia melancholici humoris s. atræ bilis redundantia exoritur); vel etiam, Ex atra bile furo, Ex nigræ bilis redundantia insanio. Aristoph. Pl. [366]: Μελαγχολᾷς, ἄνθρωπε. [Et alibi sæpe similiter. Plato Phædr. p. 268, E: Ὦ μοχθηρὲ, μελαγχολᾷς. Demosth. p. 1183, 8: Μελαγχολᾶν δοκῶν ἅπασι τοῖς οἰκείοις.] Lucian. Lexiph. [c. 16]: Ἠλέουν σε τῆς κακοδαιμονίας, ὁρῶν εἰς λαβύρινθον ἄφυκτον ἐμπεπτωκότα, καὶ νοσοῦντα νόσον τὴν μεγίστην, μᾶλλον δὲ μελαγχολῶντα. Idem Tim. [c. 8]: Ἀπολιπὼν ὑπ' αἰσχύνης τὸ ἄστυ, μισθοῦ γεωργεῖ, μελαγχολῶν τοῖς κακοῖς, Melancholico furore correptus ob hæc mala. Nam videns eos, qui ipsius beneficio divites facti erant, tam ingratos esse, ut ne aspectu quidem dignarentur, sumpto ligone et diphthera terram colere instituit, insania quadam ex mœrore illo correptus. Itidem ap. Athen. 7, [p. 289, E] de Philippo: Πρὸς ὃν (sc. Menecratem) μελαγχολῶντα ἐπέστειλεν, Φίλιππος Μενεκράτει ὑγιαίνειν, Ad quem insanientem s. furentem. Vocabat enim sese Jovem, et jactabat sese, veluti Jovem, ægrotantibus pristinam restituere valetudinem: quamobrem ei cæca arrogantia furenti rescribens Philippus, sanam mentem optabat. Id enim ibi significat ὑγιαίνειν. [Proprie Aret. p. 29, 49, 52; 30, 14.]

Μελαγχολία, ἡ, Furor s. Desipiscentia ex atræ bilis redundantia. [Felles, Bilis atra, Gl.] Lat. etiam Melancholia, et Gall. *Mélancholie*, sed paulo latius Græcæ vocis signif. extendendo. Μελαγχολία, inquit Gorr., est Desipientia sine febre, timorem et mœstitiam sine causa inducens. Species est τῆς παραφροσύνης: habet enim depravatam facultatis imaginatricis et ratiocinatricis motionem, multa vana animo volvens quæ metuat, magnumque inde mœrorem concipiens. Sunt enim timor et mœstitia duo perpetua communiaque omnium melancholia laborantium symptomata, ut habetur ap. Hippocr. Aphor. 23 l. 6. In causa est humor melancholicus, qui, veluti externæ tenebræ omnibus pavorem inducunt, nisi vel audaces admodum vel philosophiæ præceptis instructi confirmatique fuerint, ita colore suo atro et tenebris simili timorem parit et mœstitiam, multaque ejusmodi falsa animo repræsentat, quæ tamen vera ob facultatis ratiocinatricis depravationem reputantur. A quibus si quis volet melancholicos distinguere, infinitas prope reperiet eorum differentias. Tot enim erunt quot etiam cogitationum et spectrorum animo obversantium. Itaque non ex his, sed potius ex sedibus in quibus humor ille melancholicus et gignitur et redundat, Medici melancholiæ species distinxerunt, quod sic ad curationem maxime pertineret. Quod quia tribus locis contingit, ideo tres in universum melancholiæ differentiæ existunt. [Galen. De locc. aff. 3, 6; Paul. Æg. 3, 14.] Siquidem ille gignitur et abundat vel in cerebro solo, vel in solis hypochondriis, vel in universo corpore. Qui in cerebro per se gignitur, et non aliunde in ipsum influit, melancholiæ eam speciem creat, quæ primaria et per se facta dicitur, alterato sc. cerebri temperamento, et inde nato melancholico humore corpus ejus replente. Quæ ex hypochondriis humore eo scatentibus oritur, hypochondriaca et flatuosa appellatur, quod ex iis, sed maxime sinistro, humor atque vapor cerebrum petant, quodque flatus plurimi in ventriculo, intestinis, abdomine, totoque etiam corpore, moveantur. Ea omnium mitissima esse solet, secundum eam quæ totius corporis vitio provenit. Pessima vero et fere incurabilis, quæ ex privato cerebri affectu oritur. Quum autem duæ sint potissimum humoris melancholici differentiæ, unus, frigidus et siccus, vinorum fæci respondens, alter, calidior, acrior et ustione redditus ferocior, qui μέλαινα χολὴ proprie appellatur, ille morbum istum, de quo agimus, parit, ideoque febrem non habet: qui vero ab illo fit, non simpliciter melancholia, sed μελαγχολικὴ ἔκστασις, h. e. σφοδρὰ καὶ θηριώδης, nuncupatur, febremque habet adjunctam tanquam phrenitidis et inflammationis cujusdam particeps. Cic. μελαγχολίαν Furorem interpr., distinguens ab insania, quæ μανία est, quum scribit Tusc. 3, [5]: Græci autem μανίαν unde appellent, non facile dixerim: eam tamen ipsam distinguimus nos melius quam illi; hanc enim insaniam, quæ juncta stultitiæ, patet latius, a furore disjungimus: Græci volunt illi quidem, sed parum valent verbo: quem nos Furorem, μελαγχολίαν illi vocant: quasi vero atra bili solum mens, ac non sæpe vel iracundia graviore vel timore vel dolore, moveatur. Hæc de nomine: exemplum nunc unicum duntaxat subjiciam, quod passim, ap. Medicos præsertim [velut Hippocr. p. 288, 6, Aret. p. 27, 11, etc.], occurrat hujus vocabuli mentio, ap. Latinos etiam. [Plur. Manetho 2, 366: Μελαγχολίῃσι καὶ ἄλγεσι κρυπτομένοισιν. Tim. Locr. p. 103, A: Ἐς μελαγχολίας ἄγοισαι.] Lucian. [Vitt. auct. c. 14]: Τουτὶ τὸ κακὸν οὐ πόρρω μελαγχολίας ἐστίν.

Μελαγχολικὸς, ἡ, ὸν, [Felleus, Gl.] Melancholicus: μ. πάθος, Affectus melancholicus, i. e. Affectus qui a melancholia s. melancholico et crasso humore oritur, ut sunt καρκίνοι, ἐλέφαντες, λέπραι, ψῶραι, μέλανες ἀλφοὶ, teste Galeno Comm. 7 in Aphor. Hippocr. Ubi ex eod. Hippocr. affert, Ἢν φόβος ἢ δυσθυμίη πολὺν χρόνον ἔχουσα διατελέῃ, μελαγχολικὸν τὸ τοιοῦτον· timor enim et mœror inveterati, melancholici morbi causa sunt. Ap. Eund. alibi sæpe μελαγχολικὸν αἷμα et μελαγχολικὸς καὶ παχὺς χυμός. Ac inter alia in Aphor. Comm. 7 ait, Τὴν οἷον τρύγα τοῦ αἵματος ἀκριβολογούμενοι μὲν, οὐδέπω μέλαιναν χολὴν ὀνομάζομεν, ἀλλὰ μελαγχολικὸν χυμόν· καταχρώμενοι δὲ τοῖς ὀνόμασι, καὶ μέλαιναν ἔστιν ὅτε καλοῦμεν, ἐπειδὴ μικρὸν ὕστερον ἔσεσθαι μέλλει μέλαινα, φθασάντων κενῶσαι. Itidemque Comm. 4 in eosd. Aphor.: Ὁ παχὺς ἐν αὐταῖς χυμὸς, καὶ μᾶλλον ἔτι ἡ οἷον τρὺξ τοῦ αἵματος, ὃν ὀνομάζειν εἰθίσμεθα μελαγχολικὸν χυμόν. Et Gorr., Μελαγχολικὸς, inquit, χυμὸς, Ater et melancholicus succus: humor omnis frigidus et siccus. Est autem is naturalis et benignus, crassus, fæculentus et niger, sanguinique mistus ad corporis nutritionem: siquidem habetur inter quatuor humores, ex quibus tanquam elementis constamus et nutrimur. Idem vinorum crassorum fæci similis est, et a liene attrahitur, secerniturque a sanguine. Quod namque in sanguine crassum nigrumque, velut fæx in dolio, subsidet, sic appellatur. Est autem mitis et placidus succus, nec habet aliquid acidi, acris aut erodentis, neque in terram effusus ebullit, neque eam fermenti et aceti modo attollit, neque teter est odore, neque erodit, neque ustus est, neque in perniciem semper excernitur, quemadmodum ἡ μέλαινα χολὴ, i. e. Atra bilis, exquisita, quæ omnia hæc maleficia præstat. In hoc enim ὁ μελαγχολικὸς χυμὸς differt ἀπὸ τῆς μελαίνης χολῆς, quod hæc præter naturam sit, et usta ab immodico calore, et valde maligna: ille vero, limus sit sanguinis, ad corporis nutritionem comparatus. Substantia ejus, quemadmodum et aliorum trium humorum, in alimentis quidem continetur, producitur vero a temperatura sive totius corporis sive hepatis, frigida, sicca, qualis est æstate declinante et autumno, et ex alimentis similiter frigidis et siccis, aliisque omnibus sumendis, admovendis, faciendis, educendis, frigidum, siccum, crassumque succum gignentibus. Nam et ipse temperamento suo hujusmodi est. Veruntamen si diutius in corpore retinetur, adeo ut incalescat et putrescat, facile in atram bilem exquisitam (quam μέλαιναν χολὴν vocari diximus) degenerat, et simile quiddam fæci vini usti patitur: quæ quum ante ustionem frigida et sicca sit, post ustionem tam calida redditur ut carnem urat, liquet et corrumpat. Hæc ille. Sunt porro et μελαγχολικαὶ φύσεις et μελαγχολικοὶ homines (ut Gallice quoque dicitur *Un homme mélancholique*), In quibus dominatur ὁ μελαγχολικὸς χυμὸς, et qui facile in melancholiam incidunt vel ei obnoxii sunt, Latinis itidem Melancholici. [Aristot. De somno c. 3 et alibi sæpe. Aret. De signis diut. pass. 5, 1.] Galen. Εἰς τὸ Περὶ διαίτης ὀξέων παθῶν Comm. 3, de aceto: Ἐναντιώτατον ὑπάρχον ταῖς μελαγχολικαῖς φύσεσι. Plut. De def. orac. [p. 437, F]: Ἡ τῶν μελαγχολικῶν τοῦ σώματος κρᾶσις πολυόνειρος καὶ πολυφάνταστος· sunt enim melancholici insomniosi, multæque eis visorum imagines obversantur: De discern. amico et adul. [p. 54, C]: Ἂν ἐκεῖνος ᾖ δύσκολος, αὐτὸν εἶναι μελαγχολικόν φησι· rursum, De S. N. V. [p. 561, E]: Ἐπιληπτικῶν παισὶ καὶ μελαγχολικῶν καὶ ποδαγρικῶν, γυμνάσια καὶ διαίτας καὶ φάρμακα προσάγοντες, οὐ νοσοῦσιν, ἀλλ' ἕνεκα τοῦ μὴ νοσῆσαι. Rursum ut sunt μελαγχολικὰ [ἀλγήματα et νουσήματα ap. Hippocr. p. 91, D, Aph. 6, 56; 7, 40, παρακρούοντα p. 78, A,] πάθη, ita μελαγχολικαὶ ἐκστάσεις, Quæ a melancholico humore proficiscuntur, vel melancholiam comitantur. Plut. Adv. Colot. [p. 1123, B]: Ὥστε παρορᾶν καὶ παρακούειν ἐν πάθεσιν ἐκστατικοῖς καὶ μελαγχολικοῖς ὄντα. Galen. Comm. 1 in Prorrhet., exponens hæc verba Hippocr. [p. 68, C], Τοῖσι ἐξισταμένοισι μελαγχολικῶς, οἷσι τρόμοι ἐπιγίνονται, κακόηθες, Μελαγχολικὴν, inquit, ἔκστασιν ἀκουστέον τὴν σφοδρὰν καὶ θηριώδη· γίνεται δ' αὕτη διαβρεχούσης τὸν ἐγκέφαλον ξανθῆς χολῆς ὀπτηθείσης. Ubi etiam nota hoc adv. Μελαγχολικῶς, Melancholice, s. Melancholicorum more; estque ibi μελαγχολικῶς ἐξίστασθαι, quum alicui atra bile s. melancholico humore mens movetur: q. d. μελαγχολικὴν ἔκστασιν pati. [Conf. p. 130, F.]

[Μελάγχολος, ὁ, ἡ, Atra bile imbutus. Soph. Tr. 573, ἰός.]

[Μελαγχολόω, unde μελαγχολωθῆναι, i. q. μελαγχολᾶν, ap. Polluc. 2, 214.]

[Μελαγχολώδης, i. q. μελαγχολικός. Alex. Trall. 1, p. 5=13; Aret. p. 47, 18.]

Μελαγχρὴς, ὁ, ἡ, [Μελάγχρης, Fuscus, Gl.] unde μελαγχρὲς μειράκιον, Menander [ap. Eust. Od. p. 1799, 15]. Itidem Poliochus ap. Athen. 2, [p. 60, B]: Μικρὰν μελαγχρῆ μάζαν ἠχυρωμένην Ἑκάτερος ἡμῶν εἶχε δὶς τῆς ἡμέρας. Et Antiphanes ap. Eund. 4, [p. 161, A] de Pythagoricis: Μάζης μελαγχρῆ μερίδα λαμβάνων λέπει, Nigram s. Atram portionem. [Eupolis ap. schol. Hom. Od. Π, 175, ubi cod. μέλαγχρις. Photius: Μελάγχρως καὶ μελάγχρης, ἀμφότερα Ἀττικά· μᾶλλον δὲ διὰ τοῦ η Κρατῖνος. Mœris p. 262: Μελάγχρως Ἀττικοί, μελαγχρὴς Ἕλληνες. Sic enim Bekkerus, μελάγχρης male ap. Pierson. Eust. Opusc. p. 282, 6: Εἴδομεν ἄνδρα μελαγχρῆ πρὸς βάθος. Μελαγχρὴς μελαγχροῦς ponit etiam Chœrobosc. vol. 1, p. 174, 9.]

[Μελαγχρίδας. V. Μελαγκρίδας.]

Μελαγχροιὴς, ὁ, ἡ, pro μελαγχροὴς, Ionice inserto ι, ut in χροιή. [Hom. Od. Π, 175: Ἂψ δὲ μελαγχροιὴς γένετο. Ubi accentum acutum diserte testatur schol. Quem ponit etiam in hoc et in εὐχροὴς schol. Il. N, 191. Gravis tamen, quo constanter utitur Etym. M. p. 182, 50; 576, 7, 14, et in hoc et in ἀχροίης, non minus certus ap. Orph. Lith. 715: Ἐν δέ σφιν καὶ δριμὺν ἐπήλυδα κόκκον ἄνωγα μίξαι ῥυσοχίτωνα, μελαγχροίην, ἐρίτιμον.]

Μελάγχροος, s. Μελάγχρους, ὁ, ἡ, Qui nigri s. atri coloris est, Colore nigricans. [Fuscus, Cerulus, Gl. Herodot. 2, 104: Μελάγχροές εἰσι καὶ οὐλότριχες. Lucian. Navig. c. 2: Πρὸς τῷ μελάγχρους εἶναι καὶ πρόχειλός ἐστι. Plut. Arat. c. 20: Οὐλοκόμην καὶ μελάγχρουν. Hippocr. p. 1170, D: Οὗτος μελάγχρους. Ubi al. μελάγχλωρος, quod v. Conf. etiam Μελάγχρως.]

[Μέλαγχρος, ὁ, Melanchrus, Lesbi tyrannus, ap. Alcæum in fr. ap. Hephæst. p. 80 Gaisf., Diog. L. 1, 74, Suidam in Πιττακός.]

[Μελάγχρους. V. Μελάγχροος.]

Μελάγχρως, ωτος, ὁ, ἡ, Qui atro s. nigro est colore, i. q. μελάγχροος s. μελαγχροής. Item, Qui nigra cute est, s. atro corpore, a χρὼς significante Cutis, Corpus, s. Color cum suo corpore et cute, ut ex Luciano μελάγχροες affertur pro Qui atro colore sunt, Qui cute nigra sunt. Quomodo ap. Diog. L. etiam accipi potest, de Zenone [7, 1]: Ἰσχνὸς ἦν, ὑπομήκης, μελάγχρως. Et ap. Plat. Phædro [p. 253, E], Σιμοπρόσωπος, μελάγχρως, γλαυκόμματος, de equo. [Thomas p. 605: Μελάγχρως, μελαγχρῶτος· Εὐριπίδης ἐν Ὀρέστῃ, Μελαγχρῶτες Εὐμενίδες, οὐ μελάγχρους, μελάγχρου. Sic apud eundem scribitur λευκόχρως, λευκοχρῶτος, falso accentu, qui, ut in illo dictum, tam in genitivo quam in nom. est gravis. Pap. Æg. ap. Forshall. *Description* part. 1, I, p. 2, 5: Εὐμεγέθης, μελάγχρως, κοιλόφθαλμος. L. Dind.]

Μελαγχρὼς, ῶτος, Qui nigra est cute, atro est corpore, Corporis superficiem s. cutem atram habens: unde αἱ μελαγχρῶτες εὐμενίδες, Eur. Or. [321. Scribendum μελάγχρωτες. V. Μελάγχρως. Idem vitium ap. Aristot. H. A. 9, 41 init.]

[Μελάγχυλος, ὁ, ἡ, Qui nigrum habet succum. Theod. Prodr. in Notitt. Mss. vol. 1, p. 182. Boiss.]

Μέλαθρον, τὸ, Domus: Hesychio non solum τὸ οἴκημα s. ἡ οἰκία, sed etiam τὸ ὑπέρθυρον, et αἱ δοκοὶ τῆς στέγης, s. ἡ διάτονος δοκός: i. e. Trabes tecti, vel Trabs transversaria quæ contignationem sustinet. Hom. sane Il. I, [636] dicit, Αἴδεσσαι δὲ μέλαθρον, ὑπωρόφιοι δέ τοι εἰμὲν Πληθύος ἐκ Δαναῶν· et [204]: Οἱ γὰρ φίλτατοι ἄνδρες ἐμῷ ὑπέασι μελάθρῳ. Idem Od. T, [544] de aquila: Ἂψ δ' ἐλθὼν κατ' ἄρ ἕζετ' ἐπὶ προὔχοντι μελάθρῳ, Consedit in summa domo, s. eminentia tecti. [Θ, 279: Πολλὰ δὲ (δέσματα) καὶ καθύπερθε μελαθρόφιν ἐξεκέχυντο· Λ, 278: Ἁψαμένη βρόχον αἰπὺν ἀφ' ὑψηλοῖο μελάθρου· X, 239: Αὐτὴ δ' αἰθαλόεντος ἀνὰ μεγάροιο μέλαθρον ἕζετ' ἀναΐξασα, χελιδόνι εἰκέλη ἄντην· H. Cer. 188: Ἡ δ' ἄρ' ἐπ' οὐδὸν ἔβη ποσί· καί ῥα μελάθρου κῦρε κάρη· ubi Ruhnk. comparavit et emendavit H. Ven. 173: Εὐποιήτου δὲ μελάθρου κῦρε κάρη.] Proprie hoc nomine significari volunt Mediam tecti trabem, dicique ἀπὸ τοῦ μελαίνεσθαι ὑπὸ τοῦ καπνοῦ. Sed id etymon non usquequaque est consentaneum. Frequenter enim usurpatum reperitur pro οἶκος s. μέγαρον, ut quum in superioribus Il., tum in hoc Il. B, [414]: Πρίν με κατὰ πρηνὲς βαλέειν Πριάμοιο μέλαθρον. [Od. Σ, 150: Ἐπεί κε μέλαθρον ἐπέλθῃ. Pind. Pyth. 5, 52: Κυπαρίσσινον μέλαθρον. Æsch. Ag. 1434, improprie: Οὔ μοι φόβου μέλαθρον ἐλπὶς ἐμπατεῖν· et proprie 851: Νῦν δ' ἐς μέλαθρα καὶ δόμους ἐφεστίους ἐλθών· 957: Εἶμ' ἐς δόμων μέλαθρα· eodemque modo ap. ceteros Tragicos, de ædibus tam hominum quam deorum, quum plurali tum singulari, ut Soph. Phil. 1453: Ὦ μέλαθρον ξύμφρουρον ἐμοὶ, de antro Philoctetæ. Eur. Hec. 1100: Αἰθέρ' ἀμπτάμενος οὐράνιον ὑψιπετὲς ἐς μέλαθρον· etc., aliosque poetas. Voc. Siculum dicit gramm. in Bekk. An. p. 1096.] Μέλεθρον, ex [ed. Ald.] Oppian. Cyn. [4, 107] pro Pedica, Funis quo ligantur artus. [Ubi nunc ἐριτμήτοισι δ' ἱμᾶσι δησάμενοι καθιᾶσιν ἐΰστροφα τυκτὰ μέλαθρα, quod exp. Flexilem affabre factam caveam.]

[Μέλαθρον, τὸ, herba quædam, Diosc. Parab. 1, 11.]

[Μελαθρόομαι, Trabibus connector, In cellam disponor. LXX Reg. 1, 7, 5. Schleusn. Lex.]

[Μέλαινα, Anemone, ap. Interpol. Dioscor. c. 395 (2, 207). Ducang.]

[Μέλαινα, ἡ, Melæna, mater Delphi, ap. Pausan. 10, 6, 4. Mulier in inscr. ap. Lebas. *Inscr.* 5, p. 177, n. 251, si recte ita legitur. Cogn. Cereris ap. Pausan. 8, 5, 8; 42, 1.]

[Μέλαινα ἄκρα, ἡ, prom. Bithyniæ, ap. Apoll. Rh. 2, 651: Ἄκρην δ' οὐ μετὰ δηθὰ παρεξενέοντο Μέλαιναν.

Pro quo ἀκτὴ 349, Orph. Arg. 711, Marcian. p. 123 ed. Miller., qui v. p. 182. Ἄκρα Μέλαινα Ioniæ memoratur Strab. 14, p. 645.]

[Μέλαινα Κόρκυρα, ἡ, Nigra Corcyra, ins. maris Adriatici ap. Scymn. Orb. descr. 427, Strab. 2, p. 124; 7, p. 315.]

Μελαινάετος, Aquila nigra s. pulla. [Pro Μελαναίετος.]

[Μέλαιναι, αἱ, Melænæ. Πόλις Ἀρκαδίας, ἀπὸ Μελαινέως τοῦ Λυκάονος, ὡς Παυσανίας (8, 26, 8, ubi tamen, ut 5, 7, 1; 8, 3, 3, Μελαινεαὶ, sed aliis libris accentum vel in prima vel in secunda ponentibus). Ὁ πολίτης Μελαινεὺς, ὡς τῆς Ἡραίας Ἡραιεύς. Ῥιανὸς ... Πολυδρύμους τε Μελαίνας. Εἰσὶ δὲ καὶ Λυκίας Μελαιναὶ (sic) πόλις, ὡς Ἀλέξανδρος Λυκιακοῖς. Δύναται τὸ ἐθνικὸν Μελαινίτης, ὡς Κελαινίτης, Steph. Byz. Μελαίνας, vicum Theræum, in inscr. Ther. memorari conjecit Bœckh. vol. 2, p. 370.]

[Μελαιναῖος, α, ον, Niger. Orac. Sibyll. 5, 348 : Πάντα μελαιναίη σκοτίη δ' ἔσται κατὰ γαῖαν. De forma v. Lobeck. Paralip. p. 319. Μελανθείῃ locum habere putavit Alexander. L. Dind.]

[Μελαινὰς, άδος, ἡ, piscis nomen, esse conjicit Meinek. Com. vol. 2, p. 109, ap. Cratinum Athenæi 7, p. 303, D.]

[Μελαινεαί. V. Μέλαιναι.]

[Μελαινεῖς, οἱ, δῆμος τῆς Ἀντιοχίδος φυλῆς. Καλλίμαχος δὲ Μελαινάς φησι τὸν δῆμον ἐν Ἑκάλῃ. Ὁ δημότης ὁμοίως Μελαινεῖς. Τὸ θηλυκὸν Μελαινηίς. Τὰ τοπικὰ ἐκ Μελαινῶν, εἰς Μελαινῶν, ἐν Μελαινῶν, Steph. Byz. Polyæn. 1, 19 : Μελαιναὶ, χωρίον μεθόριον Ἀττικῆς καὶ Βοιωτίας. Ὁ θεὸς ἔχρησε τῷ Ξάνθῳ, Τάξαν (f. Ξάνθ',) ἀπάτῃ ὁ μέλας φόνον (hæc corrupta et, si Ξάνθ' legitur, lacunosa) ἔσχε Μελαίνας (sic). Ejusdem mentio fit ap. grammat. Bekk. p. 416, 25, ubi quod est Μελαινῶν, pro eo τῆς Μελανίας χώρας est ib. p. 417, 24, et ap. Harpocrat. v. Ἀπατούρια, ap. alios Κελαινῶν. V. Marx. ad Ephori fr. 2, 25, p. 119 sq. L. Dind.]

[Μελαινεὺς, έως, ὁ, Melæneus, f. Lycaonis, Pausan. 8, 3, 3; 26, 8.]

[Μελαινὶς, ίδος, ἡ, conchæ nomen. Athen. 3, p. 86, A : Παρὰ Σώφρονι δ' οἱ κύγχοι (αἱ κόγχαι Schneider.) μελαινίδες λέγονται· Μελαινίδες γάρ τοι νησοῦντι ἐμὶν ἐκ τοῦ μικροῦ λιμένος. V. Coraes ad Xenocr. p. 145.]

[Μελαινὶς, ίδος, ἡ, Melænis, Veneris ap. Corinthios cognomen. Athen. 13, p. 588, C, cujus in libris melioribus quum sit Μελαινὶς, Μελανὶς vero in deterioribus, nemo dubitet recte Pausaniæ 2, 6, 4; 8, 6, 5; 9, 27, 5, libris eodem modo variantibus, Μελαινὶς constanter restitui.]

[Μελαῖνις (προ)περισπῶντας ὁ Διοσκουρίδης ἀναγινώσκειν ἀξιοῖ, Μελαῖνις αἶξ καὶ βοῦς Μελαῖνις καὶ δηλοῦσθαί φησι τὴν ἐκ Μελαινῶν. Πόλις δ' αὕτη κατὰ τὸ Κρισαῖον πεδίον, προκειμένη τῷ Κριφίῳ, νομὰς ἀγαθὰς ἔχουσα καὶ εὐγαλάκτους, ὥς φησιν ὁ Διοσκουρίδης, Galen. Gloss. p. 520. Quæ referri ad p. 580, 38 sive 608, 5 : Πιπίσκειν βοὸς μελαίνης γάλα, conjicit Foes., sed recte animadvertit neque cum αἶξ et βοῦς (pro quibus tamen codd. αἰγὸς et βοὸς, iidemque bis μελαίνης pro μελαῖνις) convenire γάλα, neque cum Μελαινὶς (nam ita certe scrib. esset), quod Μελαινίδος scribendum fore, αἰγὸς et βοὸς genitivos.]

Μελαίνω, s. Μελάνω, Nigrum reddo, Denigro, [Nigrefacio, Infusco, huic add. Gl. Nicand. Al. 473 : Ἦτε μελαίνει οἴδμα χολῇ. Pollux 5, 102 : Τὰς ὀφρῦς μελαίνει. Improprie Athen. 10, p. 451, C, a Valck. cit. : Ἀχαιὸς ὁ Ἐρετριεὺς ἔσθ' ὅτε καὶ μελαίνει τὴν φράσιν καὶ πολλὰ αἰνιγματωδῶς ἐκφέρει. Dionys. Hal. vol. 6, p. 759, 12 : Μελαίνει τὸ σαφὲς καὶ ζόφῳ ποιεῖ παραπλήσιον (dialectus Platonis, ubi assurgit).] Hom. Il. H, [64] : Οἵην δὲ Ζεφύροιο ἐχεύατο πόντον ἔπι φρὶξ Ὀρνυμένοιο νέον, μελάνει δέ τε πόντον [al. πόντος, quomodo intransitive dictum foret μελάνει, quæ signif. poscere videtur formam quam infra memorabimus μελανέω. Vicissim μελαίνω intransitive pro Nigresco ponit Philodem. Anth. Pal. 5, 124, 1 : Οὐδὲ μελαίνει βότρυς ὁ παρθενίους πρωτοβολῶν χάριτας. Plato Tim. p. 83, A : Ὅσον μὲν οὖν ἂν παλαιότατον ὂν τῆς σαρκὸς τακῇ, δύσπεπτον γιγνόμενον μελαίνει μὲν ὑπὸ παλαιᾶς ξυγκαύσεως. Theophr. De igni 50 : Τὸ πρὸς αὐτῇ τῇ μύξῃ εὐλόγως μελαίνει μᾶλλον. Injuria igitur ap. Xenocr. 4, 34, p. 19 : Πρὸς τὰς μελαινούσας τῆς

A δρυὸς ῥίζας, Coraes p. 175 μελανιζούσας, p. 231 μελανούσας malebat] ὑπ' αὐτῇ, Nigrum reddit pontum, fluctuum sc. tumore. [Μελαίνομαι, Nigreo.] E, [354] : Μελαίνετο δὲ χρόα καλὸν, Fiebat nigra, Nigrescebat. [Σ, 548 : Ἡ δὲ μελαίνετ' ὄπισθεν.] Hesiod. Sc. [300] : Μελάνθησαν δὲ [γε] μὲν αἶδε. [167 : Μελάνθησαν δὲ γένεια. Soph. Aj. 919 : Μελανθὲν αἷμα. Arat. 804, etc. Apoll. Rh. 3, 750 : Σιγὴ μελαινομένην ἔχεν ὄρφνην· 4, 569. Plato Polit. p. 270, E : Τῶν πρεσβυτέρων αἱ λευκότεραι τρίχες ἐμελαίνοντο· Tim. p. 59, B : Χρυσοῦ ὄζος ... μελανθὲν ἀδάμας ἐκλήθη. Alciphr. Ep. 1, 1 : Ἐπεφρίκει ὁ πόντος μελαινόμενος, imitatur l. Hom. supra cit. Pollux 4, 147 : Τῷ ἀγροίκῳ (personæ scenicæ) τὸ χρῶμα μελαίνεται· 5, 67 : Ἐλαίας ἤδη μελαινομένης. De coma tingenda Thomas p. 606 : Μελαίνεσθαι τὰς τρίχας λέγε, μὴ βάπτεσθαι. Et Mœris p. 263. Pollux 2, 35 : Ἔλεγον καὶ ... τὴν κόμην μελαίνεσθαι. Aristoph. Eccl. 736 : Οὐδ' ἂν εἰ τὸ φάρμακον ἔφυσ' ἔτυχες, ᾧ Λυσικράτης μελαίνεται.]

[Μελαῖοι, οἱ, Melæi. Thuc. 5, 5 : Εἰ μὴ αὐτοὺς (Locros Italiæ) κατεῖχεν ὁ πρὸς Ἰτωνέας καὶ Μελαίους πόλεμος, ὁμόρους τε ὄντας καὶ ἀποίκους.]

B Μέλαιος, Hesychio [bis] ἄθλιος, μάταιος : qui et μέλεος. [Quod verum.]

[Μέλαις. V. Μέλας.]

[Μελαμβαθὴς, ὁ, ἡ,] Μελαμβαθὲς, Nigrum ex profunditate. Apollon. Arg. 4, [516 : Ἰλλυρικοῖο μελαμβαθέος ποταμοῖο. Æsch. Prom. 219 : Ταρτάρου μελαμβαθὴς κευθμών. Soph. fr. Polyxenæ ap. Stob. Ecl. phys. 1, 52, p. 1008 : Ἀκτὰς μελαμβαθεῖς Ἀχέροντος. Eur. Phœn. 1010 : Σηκὸν ἐς μελαμβαθῆ δράκοντος. Utroque l. libri plures paucioresve μελαμβαφής.]

Μελαμβαφὴς, ὁ, ἡ, Niger ex tinctura, VV. LL. : s. Nigro colore imbutus. [Μελαμβαφὲς εἴδωλον, Bacchyl. ap. Suid. in Εἴδωλον. Hemst. Qui de eodem fr. v. in Μελαγχευθής. Valck. ad Eur. Phœn. v. 1017 : « Μελαμβαφὲς πέδιλον dixit Georgius Pisides, observante Casaub. in Trebell. Poll. p. 210, E. Suidas : Μελαμβαφὲς, μέλαν ἐκ βαφῆς. Conf. Pollux 7, 129. In Montfauc. Diar. Ital. p. 53 versus aliquot iambici proferuntur cruci inscripti : v. 15 legitur τὴν ἐπωμίδα * Μελεμβάφῆ

C ἔχουσα. Scripserat forsan Irene μελαμβαφῆ. »]

[Μελάμβιον, τὸ, Melambium, locus agri Scotussæi, ap. Polyb. 18, 3, 6, Liv. 33, 6.]

Μελάμβιος, ὁ, ἡ, Qui nigram, i. e. obscuram, vitam degit. VV. LL. [Bis ponit Hesychius et interpr. σκοτεινὸς τὸν βίον ἢ μελανός.]

[Μελάμβιος, ὁ, Melambius, n. viri, in inscr. Bœot. ap. Bœckh. vol. 1, p. 757, n. 1574, 28. L. Dind.]

[Μελάμβοος, ὁ, ἡ, Qui nigros habet boves. Eust. Il. p. 562, 39 : Ἠερίβοια, εἰ παρὰ τὴν βοῦν γίνεται, δοκεῖ δηλοῦν ἢ τὴν μελάμβοον κτλ.]

[Μελαμβόρειος, ὁ, unde μελαμβόρειον πνεῦμα, Aquilo s. Boreas niger, ventus vehementissimus. Joseph. B. J. 3, 9, 3 : Σαλεύουσι τοῖς ἀπὸ τῆς Ἰόπης ὑπὸ τὴν ἕω πνεῦμα βίαιον ἐπιπίπτει· μελαμβόρειον ὑπὸ τῶν ταύτῃ πλωιζομένων καλεῖται. Strabo 4, p. 182 : Διαφερόντως εἰς τὸ πεδίον τοῦτο μελαμβόρειον καταιγίζει πνεῦμα βίαιον καὶ φρικῶδες.]

[Μελάμβροτος, ὁ, ἡ, Qui est nigrorum hominum. Μελάμβροτος γῆ, Nigris hominibus habitata terra,

D Eur. fr. Archelai ap. Athenæum sive quisquis auctor est Fragmenti de Nili Incremento, vol. 1, p. 279. Schweigh. De hominibus ipsis Eur. fr. Phaeth. ap. Strab. 1, p. 33 : Γείτονες μελάμβροτοι.]

[Μελάμβωλος, ὁ, ἡ.] Μελάμβωλος γῆ, Terra nigris glebis, ideoque Fertilis. Oppian. Cyneg. 3, [511], μ. ἄρουραν. [De Ægypto Steph. Byz. v. Αἴγυπτος, Eust. ad Dionys. 239. Philippus Anth. Pal. 6, 231, 1 : Αἰγύπτου μεδέουσα μελαμβώλου.]

[Μελαμπαγὴς, ὁ, ἡ, Dor. pro μελαμπηγής, Niger et concretus s. compactus. Æsch. Sept. 737 : Μελαμπαγὲς αἷμα φοίνιον· Ag. 392 : Κακοῦ δὲ χαλκοῦ τρόπον τρίβῳ τε καὶ προσβολαῖς μελαμπαγὴς πέλει.]

[Μελάμπεδος, ὁ, ἡ, Cui nigrum solum est. Eust. Il. p. 28, 23. Wakef.]

[Μελάμπεια, ἡ, Melampia, πόλις Λυδίας, ἀπὸ Μελάμπου, ὡς Ξάνθος ἐν Λυδιακοῖς. Τὸ ἐθνικὸν Μελαμπεὺς κτλ., Steph. Byz.]

[Μελάμπελος, Helxine, ap. Interpol. Dioscor. c. 621 (4, 39). Ducang.]

Μελάμπεπλος, ὁ, ἡ, Περσεφόνη, Nigro vestita peplo. Epigr. [Pauli Sil. Anth. Pal. 11, 60, 4. Eur. Or. 457 : Τυνδάρεως μ. Alc. 427 : Μελαμπέπλῳ στολῇ· 819 : M. στολμούς· 844 : Ἄνακτα τὸν μελάμπεπλον νεκρῶν Θάνατον· Ion. 1150, Alexis ap. Athen. 12, p. 552, E, νύξ.]

[Μελαμπέραμον (hoc enim ordo literarum poscit pro μελαπερ.), σκοτεινὴν, Hesychius.]

[Μελαμπέτᾰλος, ὁ, ἡ, Nigra habens folia. Philippus Anth. Pal. 9, 307, 2 : Φοῖβον ἀνηναμένη ποτὲ Δάφνη νῦν ἀνέτειλε Καίσαρος ἐκ βωμοῦ κλῶνα μελαμπέταλον. Hesych. in Μελαμπε(τα)λος, ἡ κλῆμα μέγα. Etym. M. in gl. ab Turrisano inserta : Μελαμπέταλον τὸ δένδρον ἔχον μέλανα πέταλα.]

[Μελάμπετρος, ὁ, ἡ, Qui nigras rupes habet. Philet. ap. schol. Theocr. 2, 6 : Ἐν προχοῇσι μελαμπέτροις Βυρίννης, sec. Heins. Codd. σελαμπέτροις. WAKEF.]

[Μελαμπόδεια, ἡ, Melampodia, carmen Hesiodi, cujus supersunt fragmenta quædam, ab Athenæo aliisque citata, quorum in libris perperam scribitur Μελαμποδία, ut pluribus dicemus in Οἰδιπόδεια.]

[Μελαμπόδειος ἐλλέβορος niger, a Melampode appellatus. Theophr. H. Pl. 9, 10, 4.]

[Μελαμποδία, ἡ, Melampodia, Ægypti nomen antiquius, postea ab Ægypto dictæ Ægypti, sec. Tzetzen Exeg. p. 9, 25. V. etiam Μελαμπόδεια.]

[Μελαμποδίδαι, οἱ, Melampodidæ, posteri Melampodis. Plat. Ion. p. 538, E; Pausan. 6, 17, 6.]

Μελαμπόδιον, τὸ, dicitur Elleborum nigrum, a Melampode, qui primus ejus usum invenit : ut fusius cognosces ex Theophr. H. Pl. 9, 11, Plin. 25, 5. [Rufus p. 30 ed. Matth.]

[Μελαμπόρφῠρος, ὁ, ἡ, Niger et purpureus. Pollux 4, 119 : Καμπύλη, φοινικὶς, ἡ μελαμπόρφυρον ἱμάτιον φόρημα νεωτέρων.]

[Μελάμπους, οδος, ὁ, ἡ, Qui nigris pedibus est. Nicet. Eugen. 9, 184 : Νὺξ μελάμπους ἐκχυθεῖσα τοῖς ξένοις. BOISS. || Μελάμποδες, nomen Ægyptiorum. Apollodor. 2, 1, 5 : Αἴγυπτος καταστρεψάμενος τὴν Μελαμπόδων χώραν ἀφ' ἑαυτοῦ ὠνόμασεν Αἴγυπτον. Heyn. : « Μελαμπόδων Ægius, libri τὴν μὲν λαμπόδην, Med. τὴν μὲν λαμπάδων. Ap. schol. Æschyli Prom. 852 est τοὺς Μελάμποδας χειρωσάμενος, et agnoscunt Μελάμποδας Eust. et schol. Il. A, 42, Zenob. 2, 16, qui hunc l. ante oculos habuere. » Idem rationem quandam nominis reddere conatus est. V. Μελαμποδία.]

[Μελάμπους, οδος et ου, ὁ, Melampus, f. Amythaonis, vates, ap. Hom. Od. O, 225, Theocr. 3, 43, aliosque poetas, Herodot. 2, 49; 9, 34, Apollod. et Pausaniam. « Lucian. Pro imag. c. 20 : Ὀξυηκοώτερος τοῦ Μελάμποδος, Acutiori auditu præditus Melampode, Qui velociter audit. » KOENIG. Forma poet. Μέλαμπος ap. Pind. Pyth. 4, 126. Genitivi Μελάμπου ex. v. in Μελάμπεια. Aliud de alio in inscr. Att. ap. Bœckh. vol. 1, p. 161, n. 120, 4. Ceterum alii hujus n. homines sunt ap. Fabric. in Bibl. Gr.]

[Μελαμπράσιον, τὸ, Marrubium nigrum. V. Βαλλωτή.]

[Μελάμπτερος, ὁ, ἡ, Qui nigris est alis. Const. Manass. Chron. p. 14. BOISS. Male legebatur ap. Archiam Anth. Pal. 9, 339, 1.]

Μελάμπῡγος, ὁ, Nigras nates habens, quod virilis ac fortis animi signum esse putabatur. Hesych. : Λευκόπυγος, ὁ ἄνανδρος· ἔμπαλιν δὲ μελαμπύγους τοὺς ἀνδρείους ἔλεγον. Idem : Μελαμπύγους, τοὺς ἀνδρείους· τοὺς γὰρ δασεῖς τὰς πυγὰς, ἀνδρείους ἐνόμιζον. [Μελαμπύγης male Etym. M. p. 695, 51.] Talis autem fuisse fertur Hercules. [Aristoph. Lys. 802 : Μυρωνίδης ἦν τραχὺς ἐντεῦθεν μελάμπυγός τε τοῖς ἐχθροῖς ἅπασιν. Unde prov. Μελαμπύγου τύχοις (primum ap. Archilochum in schol. Hom. Il. Ω, 315, qui tamen non hominem, sed aquilam dixerat : conf. Lobeck. Aglaoph. p. 1298-1300), de quo v. parœmiogrr. et Suid. cum annot. interpretum. Μελάμπυγος λίθος montis Locridis Anopææ, ap. Herodot. 7, 216.]

Μελάμπῡρον, τὸ, herbæ nomen, in quam triticum degenerat, lolio minus mala. Galen. De alim. 1, c. ult. : Τὸ μελάμπυρον δὲ καλούμενον, ἐκ μεταβολῆς μὲν καὶ αὐτὸ γεννᾶται τῶν πυρῶν, ἀλλ' ἀπολείπεται πάμπολυ τῆς ἐν ταῖς αἴραις κακίας. Theophr. H. Pl. 8, 5 [4, 6], de frumentis loquens : Ὁ δὲ Σικελὸς ἴδιον ἔχει τὸ μελάμπυρον καλούμενον, ὅ ἐστιν ἀβλαβὲς, καὶ οὐχ ὥσπερ αἶρα βαρὺ καὶ κεφαλαλγές. [Masc. ib. 8, 8, 3 : Ὁ μελάμπυρος ὁ Ποντικός. Ubi Schneider. confert Basilium M. vol. 1, p. 43 : Πῶς οὖν κατὰ γένος ἡ γῆ προφέρει τὰ σπέρματα, ὁπότε σῖτον πολλάκις καταβαλόντες τὸν μέλανα τοῦτον πυρὸν συγκομίζομεν;] Esse autem tritici simile cognoscimus ex eo, quod quum Diosc. 3, [129] κραταιόγονον dicat habere folia ὅμοια τοῖς τοῦ μελαμπύρου, Plin. 27, 8, scribat cratæogonon spicæ tritici simile esse. Et Theophr. H. Pl. 9, [18, 6], φύεσθαι ὥσπερ λίνον πύρινον. || Idem Diosc. 4, 17, μύαγρον quoque a nonnullis vocari μελάμπυρον testatur.

[Μελάμπυρος. V. Μελάμπυρον.]

[Μελαμφᾰής, ὁ, ἡ, Qui atræ est caliginis. Eur. Hel. 518 : M. ἔρεβος. Carcinus trag. ap. Diodor. 5, 5 : Γαίας εἰς μελαμφαεῖς μυχούς.]

[Μελαμφορέω, Atram vestem gero. Tzetz. Hist. 3, 853 : Ὅλον ἐμελαμφόρησε χρόνον ὁ δῆμος Ῥώμης. ELBERLING. De nonna Psell. Synops. Leg. 407 : Μελαμφοροῦσα πάντοτε κατὰ τὰς κεκαρμένας. DUCANG. Eust. Op. p. 236, 75, etc.]

[Μελαμφορία, ἡ, Atræ vestis gestatio, Ater indutus. Eust. Opusc. p. 232, 73 : Πενθίμῳ βίῳ, ᾧ σύμβωμος ἡ μελαμφορία. Et alibi.]

[Μελαμφόρος, ὁ, ἡ, Monachus. Const. Manass. Chron. p. 135; Theod. Prodr. in Notitt. Mss. vol. 8, p. 213. BOISS.]

Μελάμφυλλος, ὁ, ἡ, Nigra folia habens, epith. κισσοῦ, Hederæ, ap. Dionys. P. [573. Pind. Pyth. 1, 27 : Αἴτνας ἐν μελαμφύλλοις κορυφαῖς. Soph. OEc. C. 482, γῆ. Aristoph. Thesm. 997, ὄρη. Anacreon ap. schol. Soph. Ant. 134 : Μελαμφύλλῳ δάφνᾳ. Theocr. Ep. 1, 3, δάφναι. Nicand. ap. Athen. 9, p. 366, σίνηπυ. Iambl. V. Pyth. p. 18.] Et subst. neutr. gen. Μελάμφυλλον, τὸ, Acanthi species, quam et παιδέρωτα vocant. Vide Galen., item Aet. v. Ἄκανθος, nec non Plin. 22, 22. [Diosc. Notha p. 452 (3, 17). BOISS.]

[Μελάμφυλλος, ἡ, Melamphyllus, Sami ins. nomen antiquius, ap. Strab. 10, p. 457; 14, p. 637, Eust. ad Dionys. 533, Hesychium.]

Μελάμφωνος, ὁ, ἡ, Cui vox fusca et obscura, Galen. De dogm. 4.

[Μελαμψήφις, ῖδος, ὁ, ἡ, Qui nigros habet lapillos. Callim. Dian. 101 : Μελαμψήφιδος Ἀναύρου· Del. 76, Ἰσμηνοῦ. Et cod. Paris. schol. Plat. p. 417, ubi alii πολυψήφιδα. Μελαμψηφὶς male ap. Dracon. p. 41, 19. Conf. Μελαγκρήπις, Μελαναιγίς. Ita legendum pro Μελανήφις ap. Chœrob. vol. 1, p. 183, 29.]

[Μελαμψίθιον. V. Ψιθία.]

[Μελαμψὸς, ὁ, Niger. Cosmas Topogr. Christ. p. 336, D : Τὸ κρέας τῆς χελώνης ὡς προβάτου ἐστὶ μελαμψὸν, τὸ δὲ τοῦ δελφῖνος, ὡς χοίρου μελαμψόν τε καὶ βρομῶδες (βρωμῶδες). L. DIND.]

[Μελανάετος. V. Μελαναίετος.]

[Μελαναθὴρ, σῖτος. Geopon. 3, 3 : Σπείρειν δὲ προσήκει σῖτον λευκὸν, τὸν σιτάνιον ἐπικαλούμενον, καὶ τὸν μελαναθέρα καὶ τὸν ἐπιμήκη τὸν Ἀλεξάνδρινον λεγόμενον, εἰς τὴν ἐλαφρόγειον καὶ τὴν εὐήλιον ὀρεινήν τε καὶ λακκώδη καὶ ψαμμώδη καὶ ἄνυδρον γῆν, μέχρι τῆς πρὸ θ' καλανδῶν Ἀπριλλίων. « Hesych. : Μελαναίθηρ· τῶν πυρρῶν τις οὕτως καλεῖται. Ad quem emendandum et illustrandum unice facit noster l., qui fugit commentatores. Scribendum utique, etiam ordine verborum sic postulante, Μελαναθήρ· τῶν πυρῶν, quod quin recte viderint quidam, nunc demum dubium non est; nam hic numeratur in σίτου s. πυρῶν generibus. Videtur vox Ægypto propria esse et cognata vocabulis Ἀθάρα, quod Hesych. ὁλόπυρος πτισσάνη πυροῦ καὶ πολτῶδές τι interpretatur; item Ἀθάρη, quod Polluci 6, 62, est ἔτνος ἐκ πυροῦ, Puls triticea, et Hesych. πυρίνη, πτισσάνη : atque Ἀθηρὰ, Hesych. βρῶμα διὰ πυρῶν καὶ γάλακτος ἡψημένον παρ' Αἰγυπτίοις, de qua conf. Diosc. 2, 114, Galen. Alim. fac. 1, 20, p. 313 pr. Paul. Æg. 7, 3, ubi sic describitur : Ἀθηρὰ πολτάριόν ἐστι ῥοφηματῶδες ἐκ τῆς ἀληλεσμένης ζειᾶς ἢ ἀπὸ τοῦ σίτου σκευαζόμενον παιδίοις ἁρμόζον. Quæ omnia sunt eadem vox varie pronuntiata, quibus Suidæ quoque (et Zonaræ) ἀθέρες, et Phavorini ἀθαρὲς et ἀθερὲς affinia esse videntur, qui uterque εἶδος σπέρματος esse dicunt. Athera etiam ap. Plin. 22, 25, et alios occurrit, ubi v. Harduin., qui

A affert et hunc Hieronymi locum ad Gen. 45, 21 : « Moris est Ægyptiorum θήραν etiam Far vocare, quod nunc corrupte Atharam nuncupant. » Conf. et ad hujus libri c. 8 notata. Est igitur Tritici genus trimestris, σίτῳ λευκῷ oppositum. » Niclas.]

[Μελάναιγὶς, ίδος, ἡ, Quæ nigram pellem caprinam gestat. Æsch. Sept. 699 : Μελαναιγὶς δ' οὐκ εἶσι δόμον Ἐρινύς. Ubi schol. int. μέλαιναν αἰγίδα φοροῦσα. Sed hoc quoque scribendum μελάναιγις, quem accentum præcipit Etym. M. p. 518, 54, legitimumque dicit in vocc. hujusmodi, quum sunt generis communis, ut δύσελπις, quum acutus peculiaris sit femininis, velut καταιγίς. L. Dind.]

Μελάναιγις, ιδος, ὁ, Atro nimbo s. Procella horrens. [Immo idem quod præcedens, sed masculini generis.] Plutarch. [Mor. p. 692, E : Σὺ δ' ἄξιοις τοῦ νυκτερινοῦ καὶ μελαναιγίδος (—αἰγιδος) ἐμφορεῖσθαι. Quæ spectant epith. Bacchi ap. Nonn. Dion. 27, 302 : Αἰγίδα σεῖο τίνασσε προασπίζουσα Λυαίου, σεῖο κασιγνήτου μελαναίγιδος. Suidas v. Μέλαν, quacum per part. καὶ male conjuncta est gl. : Μελαναιγίδα (-αίγιδα) Διόνυσον B ἱδρύσαντο ἐκ τοιαύτης αἰτίας. Αἱ τοῦ Ἐλευθῆρος θυγατέρες, θεασάμεναι φάσμα τοῦ Διονύσου ἔχον μέλαιναν αἰγίδα, ἐμέμψαντο· ὁ δὲ ὀργισθεὶς ἐξέμηνεν αὐτάς. Μετὰ ταῦτα ὁ Ἐλευθὴρ ἔλαβε χρησμὸν, ἐπὶ παύσει τῆς μανίας τιμῆσαι Μελαναιγίδα Διόνυσον. Id. v. Ἀπατούρια s. schol. Aristoph. Ach. 146 : Μονομαχούντων (Ξάνθου καὶ Μελάνθου) ἐφάνη τῷ Μελάνθῳ τις ὄπισθεν τοῦ Ξάνθου, τραγῆν, τουτέστιν αἰγίδα μέλαιναν, ἐνημμένος. Ἔφη οὖν ἀδικεῖν αὐτὸν δεύτερον ἥκοντα· ὁ δὲ ἐπεστράφη· ὁ δὲ παίσας ἀποκτείνει αὐτόν. Ἐκ δὲ τούτου ἥ τε ἑορτὴ Ἀπατούρια καὶ Διονύσου μελαναίγιδος (βωμὸν addit Apostolius, Suidæ libri nonnulli ἱερὸν) ἐδωμήσαντο. Pro quo epitheto aliud ponit Conon Photii Bibl. p. 138, 10 : Μέλανθος ἐπ' ἄθλῳ τῆς βασιλείας ὑπέρχεται τὸν ἀγῶνα (πρὸς Ξάνθον, ὃς ἐβασίλευσε Βοιωτῶν)... Ἐπεὶ δ' ἐς μάχην ἧκον, καθορᾷ ὁ Μέλανθος φάσμα τι τῷ Ξάνθῳ ἄνδρα ἑπόμενον ... καὶ εὐθὺς ὁ Μ. τῷ δόρατι βαλὼν κτείνει ... Τὸ μὲν δὴ τῶν Ἐρεχθειδῶν γένος εἰς τοὺς Μελανθίδας ἀπὸ τούτου μετέστη· Ἀθηναῖοι δ' ὕστερον Διονύσῳ Μελανθίδῃ κατὰ χρησμὸν ἱερὸν ἱδρυσάC μενοι θύουσιν κτλ. Quæ recte Holsten. ad Steph. Byz. v. Μελαινεὶς negat quicquam cum Μελάναιγις commune habere. Bacchum vero Μελαναίγιδα memorat etiam Pausan. 2, 35, 1.]

[Μελαναίετος, ὁ, Aquila nigra, genus aquilæ, λαγωφόνος etiam vocatæ, ex Aristot. H. A. 9, 32, ubi rectius ad dialectum Aristotelis per α, schol. Hom. Il. Ω, 315 et Eust. Il. p. 1235, 44.]

Μελαναυγὴς, ὁ, ἡ, Atrum splendens, Ater. Eur. Hec. [152] : Φοινισσομέναν αἵματι παρθένον ἐκ χρυσοφόρου δειρῆς νασμῷ μελαναυγεῖ, i. e. μέλαιναν ὄψιν ἔχοντι, schol. [Eodem respexit Hesychius. Orph. Arg. 511 : Μήνη δ' ἀστροχίτων ἔπαγεν μελαναυγέα ὄρφνην. Eust. Opusc. p. 236, 45 : Ἐρίοις μελαναυγέσι· 240, 26, λίθος.]

[Μελανδανέως, ἀμπέλου εἶδος, Hesych. Scribendum accentu in tertia posito, ut in Μεθυσέως diximus et Μελίνεως.]

[Μελάνδειρος, ὁ, Hesychio ὀρνιθάριον ποιὸν, Avicula quædam.]

[Μελάνδετος, ὁ, ἡ.] Μελάνδετον ἆορ, Ensis nigro illigatus capulo, Nigrum habens manubrium, Hesiod. D Sc. [221. Hom. Il. O, 713 : Πολλὰ δὲ φάσγανα καλὰ μελάνδετα. Æsch. Sept. 43 : M. σάκος. Eur. Or. 821 : Μελάνδετον δὲ φόνῳ ξίφος ἐς αὐγὰς ἀελίοιο δεῖξαι· Phœn. 1091 : Μελάνδετον ξίφος λαιμῶν διῆκε· fr. Eurysthei ap. Polluc. 10, 145 : Πᾶς δ' ἐξεθέρισεν, ὥστε πύρινον στάχυν σπάθη κολούων φασγάνου μελανδέτου. Schol. ad l. Or., μ. διὰ τὸ μέλαιναν λαβὴν ἔχειν, τουτέστι μελάγχωπον ἢ μέλαν ὑπὸ τοῦ φόνου γενόμενον. Πολλὰ δέ εἰσι τὰ τοιαῦτα σύνθετα, οἷον κελαινεφές· οὐ γὰρ ἔγκειται τὸ νέφος· οὕτω καὶ ἐνταῦθα τὸ δεδέσθαι οὐκ ἔγκειται. Eust. vero (sive schol.) ἢ τὰ σιδηρόδετα ἢ τὰ ἐνδεδεμένα ἐπιμελῶς κατὰ τὴν λαβὴν ἢ τὰ ἔχοντα μελαίνας λαβάς. Quarum interprett. postremam refellit Æschylus, de clipeo dicens. Ap. Eur. autem additus dat. φόνῳ nonnisi Nigri signif. admittit. Pro quo Μελάνδευτον est in libris nonnullis. V. autem Hesych. et schol. Hom.]

[Μελανδία, ἡ, Melandia, χώρα Σιθωνίας. Θεόπομπος λγ' Φιλιππικῶν. Τὰ ἐθνικὰ Μελάνδιος καὶ Μελανδία, Steph. Byz. Μελανδῖται gent. ap. Xen. Anab. 7, 2, 32.]

[Μελανδίνης, ὁ, Qui atros habet vortices. Dionys. P. 577 : Μελανδίνην ἀνὰ Γάγγην.]

[Μελανδίτης. V. Μελανδία.]

Μελανδόχος, ὁ, ἡ, κίστη, Arcula recipiendo atramento, i. e. Atramentarium, Epigr. [Paulli Sil. Anth. Pal. 6, 65, 9. M. ἄγγος de eodem Julian. Æg. ib. 68, 5. Etym. M. p. 282, 1. Conf. etiam Μελανοδόχον.]

[Μελανδρύα, ἡ, ponit Theognostus Can. p. 106, 20.]

Μελάνδρυον, τὸ, q. d. Nigrum quercus, Medulla quercus, s. roboris. [Robur, Robor, Sorbus, Sorba, Gl.] Theophr. [H. Pl. 1, 6, 2] : Μέλαιναι γὰρ δὴ πᾶσαι (μῆτραι) καὶ τῆς δρυὸς, ἣν καλουσι μελάνδρυον. [Conf. 5, 3, 1. Eust. Opusc. p. 238, 19. Adjective Æsch. fr. Philoct. ap. Eust. Od. p. 1748, 57 : Πίτυος ἐκ μελανδρύου, ad Ξ, 12 : Σταυροὺς δ' ἐκτὸς ἔλασσε διαμπερὲς ἔνθα καὶ ἔνθα, πυκνοὺς καὶ θαμέας, τὸ μέλαν δρυὸς ἀμφικεάσσας. Ubi Eust. : Μέλαν δρυὸς οἱ μὲν τὴν ἐντεριώνην φασὶν ἤγουν τὸ ἐγκάρδιον τῆς δρυὸς, μέλαν ὡς τὰ πολλὰ ὄν. Ἀρίσταρχος (in schol. etiam Ἀριστοφάνης) τὸν φλοῦν (φλοιὸν sch.) οὕτω νοεῖ. Κράτης δὲ τὴν δασύτητα καὶ πολB λὴν πυκνότητα τῶν φύλλων (φυτῶν sch. male) μελάνδρυον καλεῖ, ὡς αἰτίαν τῷ ξύλῳ μελανίας διὰ τῆς σκιᾶς. (Sequitur l. Æschyli.) Ἐν δὲ ῥητορικῷ λεξικῷ εὕρηται καὶ ὅτι μήτρα τὸ μέσον τοῦ ξύλου, ὅ τινες ἐντεριώνην λέγουσιν· ὥστε ταὐτὸν εἶναι τῷ λόγῳ τούτῳ μήτραν, ἐντεριώνην, καὶ μέλαν δρυός.] || Plinio et Herba in segete ac pratis nascens, flore albo odorato. || Salsamentum, quod ceteras thynnorum partes præter cervicem et ventrem, sale conditas habet : sic dictum, ut scribit Oribasius, quod sint nigrantibus quercus radicibus similes. Vide et de melandryis piscibus Plin. [H. N. 9, 15, 17. V. Μελάνθιον.] Est autem Μελάνδρυς, υος, ὁ, secundum quosdam, Thynni genus grandissimum. [Athen. 3, p. 121, B. Unde οἱ μελάνδρυαι, sc. τόμοι, ap. eund. l. c. et 7, p. 315, D; et τὰ μελάνδρυα, sc. τεμάχη, ap. Xenocr. De alim. e pisc. 36. V. Anim. ad Athen. ll. citt. Schweigh. Ap. Athen. verba μέλανδρυς (sic enim scrib. foret) δὲ delet Coraes ad Xenocr. p. 174.]

[Μελάνεια, ἡ, Præstigiæ. Theodorus Lector Ecl. 1 in Marciano : Τιμόθεος ὁ Αἴλουρος, πρὶν ἢ ἀναιρεθῆναι C Προτέριον, μελανείᾳ τινὶ χρησάμενος, νυκτὸς ἐν τοῖς τῶν μοναχῶν κελλίοις περιερχόμενος ἐξ ὀνόματος ἐκάλει ἕκαστον μοναχόν. Hinc *Libri nigri* necromantici, ut docemus in Gloss. Med. Lat., quo spectant hæc Martiani Capellæ l. 2 : « Erantque quidam libri sacra nigredine colorati, quorum literæ animantium credebantur effigies. » Ducang. Scrib. videtur μελανία. « Μελανία, Epiphanii Physiologus (Antv. 1588), c. 23. » Boiss.]

[Μελᾰνειδέω, i. q. μελανέω s. μελανίζω, nisi fallit scriptura, ap. Galen. Gloss. p. 598 : Ψεφαρὰ, ζοφοειδῆ, μελανειδοῦντα. Ψέφος γὰρ τὸ σκότος.]

Μελανειμονέω, Atratus sum, Pullis s. Atris vestibus indutus sum. [Strabo 11, p. 520; Plut. Mor. p. 838, F; schol. Eur. Alc. 247. Alia v. ap. Ducang. Qui notavit etiam Μελανειμόνησις, εως, ἡ, i. q. μελανειμονία seq., ap. Constantin. Acrop. in Serm. de S. Jo. Damasc. n. 46 : Μὰ τὴν ὀραθεῖσαν ἄνωθεν Παχωμίῳ ... μ.]

[Μελανειμόνησις. V. Μελανειμονέω.]

[Μελανειμονία, ἡ, Ater indutus. Nicetas Annal. 16, 5, p. 324, A.]

D Μελανείμων, ονος, ὁ, ἡ, Qui atris indutus est vestimentis, Atratus, Pullatus [Gl.], qualis lugentium est vestitus. [Polyb. 2, 16, 13, et sæpius Plut.] Lucian. [De calumn. c. 15] : Πάνυ πενθικῶς τις ἐσκευασμένη, μελανείμων, καὶ κατεσπαραγμένη. [Æsch. Eum. 376 : Ἡμετέραις ἐφόδοις μελανείμοσιν, de Furiis, quæ alibi ap. eund. φαιοχίτωνες. Dionys. A. R. 2, 19 : Ἑορτὴ ... μελανείμων ἢ πένθιμος. De monachis Ignat. Diac. Vita S. Nicephori patr. Cpol. n. 31 : Τὴν τῆς βασιλείας ἐσθῆτα περιρρηξάμενος μελανείμων ἀντὶ χρυσείμονος γίνεται, aliique ap. Ducang.]

[Μελανείου cujusdam mentio fit in inscr. Hermionensi Fourmonti ap. Bœckh. vol. 1, p. 598, n. 1211, 2, quod nihili videtur et Μελανθίου scribendum. L. D.]

[Μελανεμβαφὴς, ὁ, ἡ, Jo. Damasc. Ep. ad Theoph. de imagg. p. 116 Combef. Boiss. Pro μελαμβαφής.]

[Μελανεὺς, έως, ὁ, Melaneus, Ithacensis, pater Amphimedontis, Hom. Od. Ω, 103, ubi genit. Μελανῆος. F. Apollinis, ap. Pausan. 4, 2, 2. Orio v. Δαιταλεὺς p. 49, 8. V. etiam Μελανηίς.]

[Μελἄνέω, Niger sum. Callim. Ep. 55, 1 : Τὸν τὸ καλὸν μελανεῦντα Θεόκριτον.] Μελανεῦσα, Fusca, Epigr. [Philodemi Anth. Pal. 5, 121, 1 : Μικκὴ καὶ μ. Φιλαίνιον. Arat. 817 : Μείζονα δ' ἂν χειμῶνα φέροι τριέλικτος ἀλωὴ καὶ μᾶλλον μελανεῦσα· 836 : Εἴτι οἱ ἦπου ἔρευθος ἐπιτρέχει ἢ εἴ που μελανεῖ· et alibi. Apoll. Rh. 4, 1574 : Πόντοιο διήλυσις, ἔνθα μάλιστα βένθος ἀκίνητον μελανεῖ. Ubi locum non habet, quod Coraes ad Xenocrat. p. 231 desiderabat, μελάνει, si vera sunt quæ diximus in Μελαίνω. Μελάνεον scribit Galen. in Gl. p. 520 quosdam conjunctim scribere in Progn. p. 36, 33 : Τὸ χρῶμα τοῦ ξύμπαντος προσώπου χλωρόν τε ἢ καὶ μέλαν ἐὸν καὶ πελιὸν, ut sit τὸ μελανοῦν : quosdam vero divisim : quam rationem commendat etiam quod præcedit χαρφαλέον ἐόν. Theophr. fr. 3 De igni 50 : Τῆς δὲ φλογὸς λευκότατον ἀεὶ καὶ καθαρώτατον τὸ μέσον· τὸ δὲ κάτω καὶ τὸ ἔσχατον ἐρυθρὰ καὶ μελανοῦντα μᾶλλον. || Transitive Gl. : Μελανῶ, Infusco, Nigro; Μελανοῦσιν, Infuscant. Qua Μελάνω potius dictum videri in Μελαίνω monitum est. V. etiam Μελανόεις.]

[Μελάνζοφος, ὁ, ἡ, Qui nigræ est caliginis. Etym. M. p. 270, 19. L. D. Priscian. 2, 2, 11. Elberl.]

[Μελάνζωνος, ὁ, ἡ, Nigram habens zonam. Nonn. Dion. 31, 116 : Μελανζώνου θεαίνης Νυκτός.]

[Μελάνζωτος, ὁ, ἡ, nomen terræ, sec. Hesychium in Λευκόζωτος, fortasse ab nigris hominibus qui in ea viverent, repetendum.]

[Μελανηὶς, ίδος, ἡ, Melaneis, Eretriæ nomen antiquius, sec. Strab. 10, p. 447, Steph. Byz. in Ἐρέτρια, ἀπὸ Μελανέως τοῦ Εὐρύτου πατρός.]

[Μελανηφορέω, Nigram vestem fero. Tzetz. Hist. 7, 999 : Ὡς πᾶν θρηνῆσαι θέατρον καὶ μελανηφορῆσαι. Elberling. Inter μελανηφ. et μελανοφ. variant libri schol. Lycophr. 365, p. 566.]

[Μελανηφόρος, ὁ, ἡ, Qui nigram vestem fert. Orph. H. 41, 9 : Μελανηφόρῳ Ἴσιδι σεμνῇ. || « Μελανηφόροι memorantur modo in inscriptt., ut ap. Seldenum De synedr. 2, 3, p. 536 et 539 ed. Francf. et Lips. 1734 (ap. Bœckh. vol. 2, p. 239, n. 2293 seqq.). Satis de iis, præter Seldenum et Deylingium Obss. sacr. part. 3, p. 104 sq., exposuere Gisb. Cuperus in Harpocrate p. 128 sq., inprimisque Steph. le Moine in epistola de Melanophoris, huic Cuperi libro adjuncta, p. 255—282. Add. Frid. Sam. de Schmidt De sacerd. et sacrific. Ægypt., Tubing. 1768, p. 208—211. Videntur Isidis maxime cultum curasse, et nomen accepisse inde, quod nigras vestes gestarent. Talibus autem vestibus eos ideo indutos fuisse credibile est, quod Isidis peplum et velum maximam partem nigrum esset, atque Isis ipsa nigra repræsentaretur, et quod sacerdotes in quibusdam sacris et festis luctuosis vestes albas cum atris commutarent. » Sturz.]

[Μελανθέα, ἡ, Quæ nigra cernit. Plut. Mor. p. 440, F : Ὡς εἴ τις ἐθέλοι τὴν ὅρασιν ἡμῶν λευκῶν μὲν ἀντιλαμβανομένην λευκοθέαν καλεῖν, μελάνων δὲ μελανθέαν. Μελανοθέαν Reiskius, sine caussa.]

Μελανθέλαιον, s. Μελάνθινον ἔλαιον, Oleum ex melanthio confectum, Diosc. 1, 47.

Μελάνθεμον, τὸ, Plin. 22, 21, Anthemidem sic ab aliquibus vocari scribit. [Diosc. 3, 154.]

[Μελανθεὺς, έως, ὁ, Melantheus, f. Dolii, servus Ulixis, Hom. Od. P, 212, etc.]

[Μελανθὴς, ὁ, ἡ, Nigrum florem gerens, Denigratus. Æsch. Suppl. 154 : Μελανθὲς ἡλιόκτυπον γένος. « Hesych.» Wakef.]

[Μελανθίδης. V. Μελάναιγις.]

[Μελάνθινον ἔλαιον. V. Μελανθέλαιον.]

[Μελάνθιον, τὸ, Melanthium. V. Μελάνθιος.]

[Μελάνθιος, ὁ, Melanthius, Trojanus, Hom. Il. Z, 36. Athen. ap. Herodot. 5, 97. Alius ap. Xen. H. Gr. 2, 3. Poeta tragicus ap. Aristoph. Av. 151 etc. cum annot. intt., Plut. Cim. c. 4. Alii apud Fabricium in Bibl. Gr. et alibi. Μελενθίῳ scriptum in inscr. Delphica Mus. Rhen. novissimi vol. 2, p. 114. Μελάνθιος fl. Ponti Eux. est ap. Arrian. Peripl. p. 17.]

Μελάνθιος πόα, s. Μελάνθιον, Melanthium, herba quæ et μελάνσπερμον dicitur, a nigro semine : in officinis Nigella. Alio nomine Latini vocant Gith. [Gl.: Μελάνθιον, hoc Git, indeclinabile est; Gitter, Nigella. Nicand. Th. 43 : Καί τε μελανθίου βαρυαέος, ubi notandum ι productum. Polyæn. 4, 3, 32 : Μελανθίου τρίτον μέρος ἀρτάβης, ut pro μελανθρύου (quod minori mutatione μελανδρύου scribebat Schneid.) scripsit Coraes, hac adjecta annot. : « Ἔστι δὲ τοῦ μελανθίου τὸ σπέρμα δριμὺ, εὐῶδες, καταπλασσόμενον εἰς ἄρτους, ὥς φησι Διοσκορίδης (3, 93). Καὶ εἴη ἂν τὸ παρ' ἡμῖν καλούμενον μαυροκόκκιον, ὃ καὶ μέχρι δεῦρο καταπλάσσομεν τοῖς ἄρτοις. » Sæpe memoratur in Geoponicis. « Μελάνθιον τὸ ἐκ τῶν πυρῶν, M. ex tritico aut triticeum, quodque in arvis et tritico nascitur, non verum, sed pseudomelanthium intelligi videtur ap. Hippocr. p. 619, 48; 621, 4, et p. 683, 22. » Foes. Μελάνθιν, Cuminum Æthiopicum. Gl. iatr. Mss. cod. Reg. 190 : Κύμινον Αἰθιοπικὸν, τὸ μελάνθιν. Ducang.] V. Theophr. H. Pl. 1, 21, Diosc. 3, 93, Plin. 20, 17.

[Μελανθὶς, ίδος, ἡ, Melanthis, mons Argolidis. Nicand. Alex. 104 : Μυκηναίαισιν ἀρούραις, ἄκρον ὑπὸ πρηῶνα Μελανθίδος.]

[Μέλανθος, ὁ, Melanthus, Codri pater, rex Athen., ap. Herodot. 1, 147; 5, 65. Laco ap. Thuc. 8, 3. Alius memoratur ap. Plut. Mor. p. 144, C, ubi Μελάνθιος restituit Fossius De Gorgia L. p. 64. Alius, f. Areiphili, ap. Anacreont. Anth. Pal. 6, 140, 1. Et rursus alius ap. Lucian. D. mort. 6, 5. || Cogn. Neptuni (ap. Athenienses sec. schol.) Lycophr. 767, Eust. Il. p. 116, 8; 1183, 62, Od. p. 1817, 5.]

[Μελανθράκη, ἡ, Furunculus, seu tumor ἀποστηματώδης, δοθιὴν Galeno. Leo Philos. Synops. iatr. Ms. 7, 8 : Δοθίων (sic ap. Ducang.) ἐστὶν φῦμα ἀπὸ αἵματος θερμοτέρου γενόμενον, μάλιστα παιδίοις· γίνεται δὲ εἰς τὰ σφυρώματα· τινὲς δὲ καλοῦσιν αὐτὸ μελανθράκην. Ducang. App. Gl. p. 129.]

[Μελάνθριξ. V. Μελανόθριξ.]

[Μελάνθυρος, ὁ, Melanthyrus, n. viri in inscr. Hierapytn. ap. Bœckh. vol. 1, p. 421, n. 2563, 1, 6. L. Dind.]

[Μελανθὼ, οῦς, ἡ, Melantho, ancilla Ulixis, Hom. Od. Σ, 321, etc.]

[Μελανία. V. Μελανεία, Μελανότης.]

[Μελανία, ἡ, Melania. Strabo 14, p. 670 in descriptione Ciliciæ : Εἶτα τόπος Μελανία καὶ Κελένδερις πόλις· pro quo 16, p. 760 : Ἐκ δὲ Μελαίνων ἢ Μελανίων τῆς Κιλικίας τῶν πρὸς Κελένδεριν, accentu aperte vitioso. Fortasse autem ex h. l. pluralis alteri restituendus.]

Μελανίζω, Nigrico, Nigrum imitor. Athen. 7, [p. 312, F] : Κρείσσονες δ' εἰσὶν οἱ μελανίζοντες· pro quo paulo ante dixerat οἱ μέλανες. [Phrynich. Bekk. p. 46, glossator Aristæneti 1, 1, p. 221. Boiss. Geopon. 9, 17, 1 : Ὅταν τὸ πλέον τοῦ καρποῦ φανῇ μελανίζον.]

Μελάνιον, τὸ, [Atramentum, Gl., quod vulgo Μέλαν. ||] Viola nigra : ut λευκόϊον, Viola alba. Theophr. H. Pl. c. ult., pro quo et μέλαν ἴον divisim ap. eum legitur. Plin. 21, 11, μελάνιον, Melanion, recenset inter flores vernos.

[Μελάνιον, ἡ πόλις memoratur ab Theognosto Can. p. 124, 32.]

[Μελανίππεια, ἡ, Melanippea, una ins. Chelidonearum. Steph. Byz. in Χελιδόνιον, ex Favorino.]

[Μελανίππειον, τὸ, Melanippeum. Harpocratio : M. Λυκοῦργος ἐν τῷ κατὰ Λυκόφρονος. Μελανίππου τοῦ Θησέως ἡρῷόν ἐστιν, ὥς φησιν Ἀσκληπιάδης Τραγῳδουμένοις. Κλείδημος δ' ἐν α' Ἀτθίδος ἐν Μελίτῃ αὐτὸ εἶναι λέγει. Suidas et qui male Μελανίππιον Photius.]

[Μελανίππειος, α, ον, Melanippeus. Schol. Pind. Nem. 10, 12 : Τῶν Μελανιππείων κρεῶν. L. Dind.]

[Μελανίππη, ἡ, Melanippe, f. Æoli, ap. Eurip. in fabulis cognominibus, Aristoph. Thesm. 547. Regina Amazonum, ap. Apoll. Rh. 2, 966, Diodor. 4, 16.]

[Μελανιππίδης, ὁ, Melanippides, n. viri, quo fuerunt dithyrambographi duo, de quibus v. Suidas cum annot. intt., et Xen. Comm. 1, 4, 3. Alius ap. Alexin Athen. 4, p. 161, C. ĭ]

[Μελανίππιον, τὸ, ποταμὸς (τόπος Berkel., qui poterat fort. etiam πόλις) Παμφυλίας. Ἑκαταῖος Ἀσίᾳ. Τινὲς δὲ Λυκίας φασί. Τὸ ἐθνικὸν Μελανιππεὺς καὶ Μελανίππιος, Steph. Byz. Quintus 3, 233 : Ναῖε δ' ὅγ' αἰπεινὸν Μελανίππιον, ἱρὸν Ἀθήνης. V. etiam Μελανίππειον.]

[Μελάνιππος, ὁ, ἡ, Qui nigris utitur equis. Æsch. fr. ap. Athen. 11, p. 469, F, νύξ.]

[Μελάνιππος, ὁ, Melanippus, Trojanus, Hom. Il. Θ, 276. Alius O, 546. Tertius Π, 695. Græcus Τ, 240. Thebanus Pind. Nem. 11, 37, cujus v. schol. 10, 12. Spartus Æsch. Sept. 414. Alii ap. Herodotum, Apollodorum, Pausaniam. V. etiam Μελανίππειον.]

A

[Μελανίς. V. Μελαινίς.]

[Μελανίων, ωνος, ὁ, Melanio, n. viri ap. Aristoph. Lys. 785, etc. A quo prov. Μελανίωνος σωφρονέστερος ap. Suidam, Apostol. et Arsenium p. 350. Ejusdem nominis forma poetica est Μειλανίων, ap. Etym. M. p. 582, 26, de filio Amphidamantis, ap. schol. Apoll. Rh. 1, 769, Apollodor. 3, 9, 2 etc., qui Μελανίων ap. Xen. Ven. 1, 2 et 7 (ubi est var. Μειλανίων, ut ap. Arsen. l. c., ut neque ap. Apollodorum neque ap. Athen. infra cit. multum tribuendum videatur consensui librorum in hac forma), Pausan. 3, 12, 9, etc., Μειλανίων fabula Antiphanis memoratur ap. Athen. 10, p. 423, D. ᾱῐ]

[Μελάννιος cujusdam mentio fit in inscr. Bœot. ap. Bœckh. vol. 1, p. 775, n. 1593, 6.]

Μελανογαίτουλοι, οἱ, Melanogetuli, gens Africæ. Agathem. Geogr. 2, 5, p. 40.]

B

Μελανόγραμμος, ὁ, ἡ, Nigris lineis interstinctus. Aristot. ap. Athen. 7, [p. 313, D]: Ὀρθοπυγόστικτος δὲ τῶν ἰχθύων μελάνουρος καὶ σάργος, πολύγραμμοί τε καὶ μελανόγραμμοι.

[Μελανοδέρμᾰτος, ὁ, ἡ, Qui nigram pellem habet. Aristot. H. A. 3, 9: Τῶν μελανοδερμάτων.]

Μελανοδοχεῖον, τὸ, Atramenti receptaculum, Atramentarium. [Atramentale, huic add. Gl. Aquila sec. edit. Ezech. 9, 3.]

[Μελανοδόχον, τὸ, intellecto, ut videtur, ἀγγεῖον, i. q. præced., ap. Polluc. 10, 60, ubi olim μελανδόχον.]

[Μελανοειδής, ὁ, ἡ, Nigricans. Tzetz. Exeg. Il. p. 101, 8; scholl. Oppiani Hal. 1, 258, Hom. Od. Λ, 106.]

[Μελανόεις, ὁ, quod legitur ap. Aret. p. 70, 37: Ὦτα ἐρυθρὰ, μελανόεντα, in μελανέοντα mutandum suspicabatur Maittairius.]

[Μελανόζυξ, ὔγος, ὁ, ἡ, Nigra habens transtra. Æsch. Suppl. 530: Λίμνᾳ δ' ἔμβαλε πορφυροειδεῖ τὰν μελανόζυγ' ἄταν.]

Μελανόθριξ, τρῐχος, ὁ, ἡ, Pilos habens nigros, Cui capilli nigri sunt. [Hippocr. Epid. 1, p. 955, D. Hemst. Herodian. Epim. p. 166. Boiss. || Gl.: Μελάνθριξ, Atricapillus. Aristot. Physiogn. p. 53; Jo. Malal. p. 105, 19, 21; 106, 20, etc.]

C

Μελανοκάρδῐος, ὁ, ἡ, Qui nigro corde est, nigra medulla. || Qui atroci et crudeli animo est. Aristoph. vero [Ran. 470] μ. πέτραν dixit metaph. sumpta ab agrestibus hominibus, quos ob agrestem feritatem μελανοκαρδίους vocarunt: exprimit autem eo vocabulo τὸ φοβερὸν, schol.

[Μελανοχόλη, ἡ πίσσα, in Glossis iatr. Mss. ex cod. 1261, Pix nigra. Μαυρόπισσα in Lexico Ms. Nicomedis iatrosoph. Ducang.]

[Μελανόκολπος. V. Μεγαλόκολπος.]

Μελανόκομος, ὁ, ἡ, et Μελανοκόμης, ὁ, Qui nigra coma est. [Alterum ap. Polluc. 2, 24.]

[Μελανόκωλος, ὁ, Qui nigro est membro. Zonaras in Μελαμπύγου, p. 1339.]

[Μελανόλευκος, ὁ, Ater et albus. Lex. Ms. Havn.: Φαιὸν, μελανόλευκον. Cit. Osann.]

D

[Μελανόμαλλος, ὁ, ἡ, Qui nigris est villis. Eust. Il. p. 403, 42.]

Μελανόμμᾰτος, ὁ, ἡ, Nigros s. Nigricantes oculos habens, pro quo et μελανόφθαλμος. [Plato Phædr. p. 253, D; Aristot. De gen. an. 5, 1. Pollux 2, 61. « Adamant. Physiogn. p. 416. » Wakef.]

Μελανονεκυοείμων, ονος, ὁ, ἡ, Atris et funebribus indutus vestibus, μέλανα καὶ νεκρικὰ ἱμάτια φορῶν, ut Aristoph. schol. Ran. [1334] exp.: (Ὄνειρον) μελαίνας Νυκτὸς παῖδα, φρικώδη δεινὰν ὄψιν, μελανονεκυοείμονα· quemadmodum Eur. Hec. [71] dicit μελανοπτερύγων ὀνείρων.

[Μελανονεφής, ὁ, ἡ, Qui nigros facit vel concitat nubes. Schol. Hom. Il. Β, 412, ad expl. κελαινεφής.]

[Μελανοπλόκᾰμος, ὁ, ἡ, Qui nigris est cincinnis. Schol. Pind. Pyth. 1, 3, Ol. 6, 46. Boiss.]

[Μελανοποιὸς, ὁ, ἡ, Nigrum faciens. Hesych. v. Μελαινάων ὀδυνάων. Dahler. Schol. Batrachom. 85.]

[Μελανόπους, οδος, ὁ, ἡ, Qui nigris est pedibus. Schol. Il. Α, 628; Hesych. (v. Κυανόπεζα.) Wakef.]

Μελανόπτερος, ὁ, ἡ, Cui nigræ alæ aut pinnæ sunt. [Eur. Hec. 705: Φάσμα μελανόπτερον.] M. νὺξ, Aristoph. [Av. 695. Geopon. 14, 7, 9: Αἱ μελανόπτεροι ἀλεκτορίδες], sicut μελανοπτερύγων ὀνείρων, Eur. [Hec. 71] a πτέρυξ: quæ atris circumvolat alis, ut de morte Horat. dicit.

Μελανοπτέρῠγος [immo Μελανοπτέρυξ, υγος], ὁ, ἡ, Nigras alas s. pennas habens, Nigris alis volans. Eur. Hec. [71]: Ὦ πότνια χθὼν, μελανοπτερύγων μᾶτερ ὀνείρων, Quæ atris circumvolant alis, ut de morte Horat. dicit. [De piscibus atras pinnas habentibus, Μελανοπτερύγων κορακίνων Aristoph. ap. Athen. 7, p. 308, F.] Idem significat μελανόπτερος.

[Μελανορράβδωτος, ὁ, Qui nigris virgis distinctus est. Xenocr. De alim. ex aquat. c. 28, p. 15. Suspectum Corae, cujus v. annot.]

[Μελανόρριζον, τὸ, Elleborus niger. Diosc. Notha p. 473 (4, 149). Boiss.]

[Μελανός. V. Μέλας.]

[Μέλανος καλούμενον ἀκρωτήριον ἐν παράπλῳ τοῖς εἰς Πρίαπον κομιζομένοις ἐκ τῆς Κυζίκου, Strabo 12, p. 576.]

[Μελάνοσσος, ὁ, ἡ, Qui est nigris oculis, et Μελανόστους, Qui nigris est ossibus, sec. quorundam opinionem ap. schol. et Eust. ad Hom. Il. Φ, 252, Ω, 315, qui priori loco Homeri pro μέλανός του legebant μελανόσσου vel μελανόστου.]

[Μελανόστερνος, ὁ, ἡ, pro quo alii Μελανόστερφος, Nigram cutem habens. Schol. Apoll. Rh. 4, 1348: Ὅθεν (a voc. στέρφος, q. est i. q. δέρμα) καὶ παρ' Αἰσχύλῳ ἀξιοῦσι γράφειν μελανοστέρφων γένος, οὐχ, ὥς τινες, μελανοστέρνων. Οὐ γὰρ μόνα τὰ στέρνα μέλανα ἔχουσιν, ἀλλὰ καὶ ὅλον τὸ σῶμα. Hemst.]

[Μελανόστικτος, ὁ, ἡ, Nigris maculis variegatus. Aristot. ap. Athen. 7, p. 305, C: Τὰ μὲν μελανόστικτα, ὥσπερ κόσσυφος, τὰ δὲ ποικιλόστικτα, ὥσπερ κίχλη.]

[Μελανόστολος, ὁ, ἡ, Atra indutus stola. Plut. Mor. p. 372, D. Wakef.]

[Μελανόστους. V. Μελάνοσσος.]

[Μελανοσυρμαῖος, ὁ, Qui niger est et syrmæa utitur. Aristoph. Thesm. 855: Νείλου μὲν αἵδε καλλιπάρθενοι ῥοαὶ, ὃς ἀντὶ δίας ψακάδος Αἰγύπτου πέδον λευκῆς νοτίζει μελανοσυρμαῖον λεών. Schol., Αἰγύπτιον μέλανα καὶ συρμαϊζόμενον, τουτέστι καθαιρόμενον λεὼν Αἰγυπτίων. Unde Suidas in v. Rectius autem scribi videtur μελανοσύρμαιος, nisi potius compositum servat accentum primitivi.]

[Μελανόσυροι, οἱ, Melanosyri, gens ultra Taurum et Ciliciam, ap. Constant. Them. p. 6, C.]

[Μελανοτειχής. V. Μελαντειχής.]

Μελανότης, ητος, et Μελανία, ἡ, Nigredo, [Atritudo, Atritas, huic add. Gl.] Nigrities, Nigror. Prius legitur ap. Galen. Ad Glauc. [vol. 6, p. 46, A. Hemst. Adamant. Physiogn. p. 416. Wakef.]; secundum ap. Diosc. Utitur vero eo et Plin. tanquam Latino, ut 24, 8, et 26, 14: Ad carcinomata et melanias veteres. [Xen. Anab. 1, 8, 8: Ἡνίκα δὲ δείλη ἐγίγνετο, ἐφάνη κονιορτὸς ὥσπερ νεφέλη λευκὴ, χρόνῳ δὲ οὐ συχνῷ ὕστερον, ὥσπερ μελανία τις ἐν τῷ πεδίῳ ἐπὶ πολύ. Theophr. H. Pl. 5, 3, 1: Ἡ τοῦ χρώματος μ. Strabo 12, p. 579: Διὰ τῶν λίθων τὴν ἀπὸ τῶν ἐκπυρώσεων μελανίαν (dictam esse urbem Phrygiæ Celænas). Eust. Il. p. 116, 8: Διὰ τὴν τοῦ πόντου μελανίαν. Suidas: Φρὶξ, τῶν ὑδάτων μελανία. Etym. M. v. Λιγνὺς p. 565, 34: Ἡ τῇ ὀροφῇ προσεγγίζουσα μελανία. « Planud. Ovid. Met. 15, 789. » Boiss. Porph. Isag. c. 16; Aristot. Categ. c. 5. Seager. Μελανίαι, ap. Polyb. 1, 81, 7, sunt Nigræ maculæ in pustulis. Schweigh. Conf. Pollux 4, 191, Etym. M. p. 403, 20. L. Dind. Sirac. 19, 22: Ἔστι πονηρευόμενος συγκεκυφὼς μελανίᾳ, Impius qui demisso capite pullatus seu atratus incedit. Schleusn. Eust. Opusc. p. 96, 11: Τὴν πένθιμον μελανίαν.]

[Μελανουρίς, ίδος, ἡ.] Μελανουρίδες ex Epigr. [Phaniæ Anth. Pal. 6, 304, 3] pro iisd. piscibus, quos μελανούρους nominari dicetur.

Μελάνουρος, ὁ, ἡ, Nigram caudam habens. Item nomen piscis nigras in cauda maculas habentis, ap. Aristot. [H. A. 8, 2], quem Plin. itidem Melanurum appellat, 32, 11. Ejusdem mentio fit in Ὀρροπυγόστιχος. Huc referunt et Pythagoricum præceptum, Μὴ γεύεσθαι τῶν μελανούρων. [Μελανουρὸς (sic contra præceptum Arcadii p. 72, 27) ἰχθὺς, Oclata, Gl.] || Dipsades quoque serpentes μελάνουροι a nonnullis vocantur, quarum caudæ lineis duabus nigris distinguuntur, reliquo corpore albicante, Cæl. Rhodig. 25, c. ult. [Ælian. N. A. 6, 51. « Schol. Nicandri. » Schneid. Iambl. Protr. p. 312 Kiessl., V. Pyth. s. 109. Plut. Mor. p. 12, D, Diog. L. 8, 19. Memorantur etiam in Geopon. 20, 7, 1, etc. Pollux 6, 50.]

[Μελανόφαιος, ὁ, ἡ, Niger et fuscus. Μελανόφαια σῦκα, Athen. 3, p. 78, A.]

Μελανόφθαλμος, ὁ, ἡ, Qui nigris est oculis. Geopon. [17, 2, 1] de vaccis et bobus: Ἐκλεκτέον μεγαλοφθάλμους, μελανοφθάλμους. Pro his Varronis, Observare debet, ut sint hæ pecudes oculis magnis et nigris. [Ἀλεκτρυόνες ib. 14, 16, 2. Κύνες 19, 2, 1. Pollux 2, 61. Schol. Hom. Il. A, 98, 389, Eust. p. 57, 1.]

[Μελανόφλεψ, βος, ὁ, ἡ, Qui nigris est venis. Aretæus p. 50.]

[Μελανοφορέω, i. q. μελαμφορέω. Plut. Mor. p. 557, D: Μελανοφοροῦντας ἐπὶ πένθει τοῦ Φαέθοντος.]

[Μελανοφόρος, ὁ, ἡ, i. q. μελαμφόρος. Schol. Eur. Phœn. 338.]

Μελάνοφρυς, υος, ὁ, ἡ, Qui nigra habet supercilia, κυάνοφρυς [Hesychio. De accentu v. Arcad. p. 91, 19].

[Μελανόφυλλος, ὁ, ἡ, Qui nigra habet folia. Chæremon Athenæi 13, p. 608, C: Ἴων μελανόφυλλα πτερά.]

[Μελανόχλωρος, ὁ, ἡ, i. q. μελάγχλωρος. Procl. Paraphr. Ptol. 16, p. 204. Struv. Pro μεγαλόχλωρος ap. Polemon. Physiogn. 1, 3, p. 185, lenius restitui quam, quod est ap. alios, μελίχλωρος, animadvertit Sylburg.]

Μελανοχροὴς, s. Μελαγχροὴς, i. q. μελάγχροος s. μελάγχρους, ὁ, ἡ, Nigricolor, Qui nigro est colore, Qui atri est coloris, Ater colore. [Formam Μελανοχροιὴς ponit Suidas. Ei conferendum μελαγχροιής.]

[Μελανόχροος, ὁ, ἡ, i. q. præced. Hom. Od. T. 246, de homine. Oppian. Cyn. 2, 148, γαῖα. || Forma Μελανόχρους, Hom. Il. N, 589: Κύαμοι μελανόχροες. Nicand. Th. 941: Κάρφεά τ' ἐλλεβόρου μελανόχροος.]

Μελανόχρως, ωτος, ὁ, ἡ, Nigrum corpus s. cutem habens. [Vel simpliciter Niger. Æsch. Suppl. 785: Μελανόχρως δὲ πάλλεταί μου καρδία. Ubi tamen quum iambicam dipodiam poscat metrum, restitutum κελαινόχρως. Eur. Hec. 1106: Τὸν ἐς Ἀΐδα μελανοχρῶτα πορθμόν, ut ibi scriptum accentu inepto, quem notavi in Μελάγχρως. (Restituenda autem hæc forma etiam ap. Eurip. ex libro uno.) Recto ap. Theocr. 3, 35: Ἁ Μέρμνωνος ἐριθακὶς ἁ μελανόχρως, et in cod. Vat. Anacr. Od. 52, 1: Τὸν μελανόχρωτα βότρυν, ubi item olim μελανοχρῶτα. Neutrum recto accentu ap. Theophr. fr. 1 De sensu 78, τὸ μελανόχρων. Aristot. Physiogn. c. 3, p. 52 Fr.]

[Μελάνοψ, ὄνομα κύριον, Suidas.]

[Μελανόω, Nigro, Infusco, Gl. || Μελανόομαι, Nigresco, Ep. Jerem. 5, 18. Schol. Hesiodi Sc. 7.]

[Μέλανσις, εως, ἡ, Nigredo. Aristot. De nat. auscult. 5, 6, p. 230, 23, cui contr. λεύκανσις.]

[Μελάνσπερμον, τὸ, herba eadem quæ μελάνθιον, Diosc. Parab. 2, 53; Plin. N. H. 20, 17, 71.]

[Μελάνστερνος, ὁ, ἡ, Qui est atro pectore. Jo. Gaza Tab. M. 2, 126: Νεφέλης μελανστέρνοιο καλύπτρην. Cramer.]

[Μελάντᾶς, α, ὁ, Melantas, n. viri, in inscr. Mylas. ap. Bœckh. vol. 2, p. 476[g], n. 2698 b; in numo Rhodi ins. ap. Mionnet. *Descr.* vol. 3, p. 416, n. 143: Μελαντα. Μελαντάω (sic) in inscr. ap. Lebas. *Inscr.* 5, p. 110, n. 191, 4. Alius ap. Plut. Artax. c. 19. Idem nomen quod infra Μελάντης.]

[Μελάντειοι σκόπελοι, οἱ, Melantii scopuli, ap. Apoll. Rh. 4, 1707: Τύνη δὲ κατ' οὐρανοῦ ἵκεο πέτρας ῥίμφα Μελαντείους ἀριήκοος. Ubi schol. Μελάντιοί εἰσι δύο σκόπελοι πρὸς τῇ Θήρᾳ, καλούμενοι οὕτως ἀπὸ Μέλαντος τοῦ κατασχόντος τὴν χώραν ἐκείνην. Μελαντίους, quod est in libris, ex Chœrobosco vol. 1, p. 280, 27 Gaisf.: Ὅτι γὰρ τοῦ μέλας μέλαντος ἡ γενικὴ δηλοῖ τὸ Μελαντείους δ' ἐπὶ πέτρας διὰ τοῦ ντ ἐξενεχθὲν, et Etym. M. v. Ἀριήκοος p. 142, 55, corrigendum Μελαντείους, quæ quum legitima sit forma adjectivi, absurdum sit præferre altе-

A ram, quæ productum ι nonnisi metri necessitate excusatum habeat. Ad diphthongum spectant etiam scripturæ librorum Orph. Arg. 1352, σκοπέλοισι Μελαινείοισιν, —νείῃσιν, —ναίοισιν, ab Schradero correctæ. Nihil autem tribuendum libris mendosissimis Apollodori 1, 9, 26, 3, ubi Μενοιτίου, Strabonis 14, p. 636, ubi Μελανθίους, Scylacis p. 55 Huds., ubi Μελαντίους, Μελαντίων, et Hesychii in Δαμοῦαι, Μελάντιοι ὅροι et Μελάντιος, ubi item per ι. L. Dind.]

[Μελαντειχὴς, ὁ, ἡ, Qui nigris est parietibus. Pind. Ol. 14, 28, de Proserpinæ ædibus, ubi nunc μελανοτειχέα scriptum.]

Μελαντηρία, ἡ, Melanteria: Succus quidam niger in metallis concrescens: unde quidam eum Atramentum metallicum nominarunt. Scribon. Largus vocare dicitur Cretam sutoriam qua ligulæ calceorum denigrantur. V. Diosc. 5, 118. [Lucian. Catapl. c. 15: Ἀπορρίψας τὴν σμίλην καὶ τὸ κάττυμα, κρηπῖδα γάρ τινα ἐν ταῖν χεροῖν εἶχον, οὐδὲ τὴν μελαντηρίαν ἀπονιψάμενος. Valck. Theophr. De color. fr. 20, 21: Πολλὰ βάπτεται

B μελαντηρίᾳ. L. D. Const. Manass. Chron. p. 87. Boiss. Μελαντηρίῳ scriptum in schol. Eur. Hec. 894 Matth.]

[Μελάντης, ου, ὁ, Melantes, n. viri in inscr. Chia ap. Bœckh. vol. 2, p. 201, n. 2214, 23. Adversarius Demosth. p. 310, 10, ubi Μελάντου libri optimi, quod hic a Μελάντης potius quam a Μελάντας, quod v. supra, repetendum videtur. Ceteri Μελάνδου vel Μελάνου.]

[Μελαντιὰς, άδος, ἡ, Melantias, vicus prope Cpolin, de quo intt. Suidæ in hoc nomine.]

[Μελαντικὸς, ἡ, ὸν, Denigrans. Theoph. Nonn. vol. 1, p. 188: Ὀφρύων μελαντικά.]

[Μελάντιον, τὸ, ὄρος, Syriæ memorat Jo. Malal. p. 140, 20; 141, 4, ubi etiam δύο ποταμῶν τῶν λεγομένων Μελάντων ὑπὸ Σύρων mentionem facit. Μελάντιον postea dictum esse Ἀμανὸν tradit Tzetzes ad Lycophr. 1374.]

[Μελάντιχος, ὁ, Melantichus, n. viri in inscrr. Bœot. ap. Bœckh. vol. 1, p. 757, n. 1574, 1; p. 771, n. 1590, 1. Unde Μελαντίχιο, patron. ib. n. 1577, 10. L. Dind.]

[Μελαντραγὴς, ὁ, ἡ, Niger ad edendum. Phanias

C Anth. Pal. 6, 299, 3, σῦκον.]

Μελάνυδρος, ὁ, ἡ, Nigras effundens aquas, Nigris scatens s. manans aquis. Hom. Il. Π, [160]: Καί τ' ἀγεληδὸν ἴασιν ἀπὸ κρήνης μελανύδρου Λάψοντες γλώσσῃσιν ἀραιῇσιν μέλαν ὕδωρ. [Φ, 257, Od. Υ, 158. Theognis 959.]

[Μελανώδης, ὁ, ἡ, Niger. Etym. M. v. Ἴοις p. 473, 12. Wakef. V. Μελανοειδής.]

[Μελάνωμα, τὸ, Nigredo. Eumath. Ism. p. 13: Λίθος λευκὸς μὲν, ἀλλ' ὑπεμελαίνετο κατὰ μέρη· καὶ τὸ μ. τέχνην ἀπεμιμεῖτο ζωγράφου.]

[Μελανώπη, ἡ, Melanope, mater Homeri sec. nonnullos ap. Lucian. Dem. enc. 9.]

Μελάνωπος, ὁ, Melanopus, nomen proprium: quod et ipsum tamen ab ὤψ deducitur. [Exx. sunt in inscr. ap. Bœckh. vol. 1, n. 165, p. 292, 27, ap. Thuc. 3, 86, Xen. H. Gr. 6, 3, 2, Demosth. p. 703, 740, 9; 925, 2, Aristot. Rhet. 1, 15, Anaxandrid. ap. Athen. 12, p. 553, E, Ps.-Herodot. V. Hom. c. 1.] Sed pro appellativo existimo potius scrib. Μελανωπὸς, quam

D μελάνωπος. [Quem accentum præcipit Theognostus Can. p. 69, 24. Vicissim in n. pr. accentus male ponitur in ultima ap. Harpocrat. V. Arcad. p. 67, 20.] Fuerit autem μελανωπὸς, Niger aspectu, Qui intuentium oculis niger apparet. [Marc. Sid. 64. Schneid.] Ead. enim expositionis forma utendum censeo in hoc nomine, qua usus sum in Λευκώπης: pro quo etiam non dubito, quin fuerit dictum λευκωπὸς, sicut μελανωπός.

Μελάνωσις, εως, ἡ, pro Denigratio, Macula, affertur ex Greg. Naz. [Jo. Chrys. Serm. 116, vol. 6, p. 949. Seager. Ephræm. Syr. vol. 3, p. 27, C. L. Dind.]

[Μέλαξ. V. Μέλλαξ.]

[Μελάρρινος, ὁ, ἡ, Qui est nigra cute. Nonn. Dion. 14, 395. Wakef. Et 37, 487.]

Μελᾶς [nisi quod Rhianus fortasse dixerat μέλᾶς: v. Chœrob. vol. 1, p. 94, 35, coll. Bekk. An. p. 1182], ἄνος, ὁ, Niger, Ater: fem. μέλαινα [et apud recentissimos vel librarios interdum μελαίνη. Eudemus Ms. ap. Ducang. App. Gl. p. 33, Photius s. Suidas (nisi ap. hos præstat dativus) : Μελαίνη, βαθεῖα. Aristot. Physiogn. 6, p. 812, 1, ubi alii μελανή, quorum neutrum tribui posse Aristoteli non opus est moneri], Nigra, Atra : neutro, μέλἄν : cujus comparat. μελάντερος [ap. Hom. Il. Δ, 277, Ω, 94, et alibi], Nigrior; superlat. μελάντατος, Nigerrimus. [Aristænet. Ep. 1, 1 : Αἱ κόραι μελάνταται. Μελανώτερος ap. Strab. 16, p. 772 : Μελανώτεροι τῶν ἄλλων · Polemon. Physiogn. 1, p. 237. Forma poetica Lucillius Anth. Pal. 11, 68, 2 : Ἃς σὺ μελαινοτάτας ἐξ ἀγορᾶς ἐπρίω.] Il. Γ, [103] : Ἄρν' ἕτερον λευκὸν, ἑτέρην δὲ μέλαιναν. Hesiod. Sc. [294] : Λευκοὺς καὶ μέλανας βότρυας. [Hom. Il. Σ, 562. Idem aliique quivis, velut Tragici, cum vocc. γῆ, ἤπειρος, ναῦς, et χθὼν, ἄρουρα, πέδον, νέφος, etc.] Rursum Hom. dicit [Od. E, 265] : Μέλανος οἴνοιο· et μέλαν αἷμα [et φόνος Pind. Isthm. 7, 50, et καρδία in fr. ap. Athen. 13, p. 601, D, et φλὲψ Soph. Ph. 824] : et μέλαν ὕδωρ : ut Apollon. [Rh. 1, 922, et Hom. Il. Ω, 79], μέλας πόντος. [Μέλας ἕσπερος, de vespera, Hom. Od. A, 423, Σ, 306. Et alibi νὺξ, φρὶξ, θάνατος, κὴρ, ἄχεος νεφέλη, θανάτου νέφος, aliique poetæ cum vocc. εὐφρόνη, ὄρφνη, et similibus, item Tragici cum vocc. ᾅδης, ἀρὰ, Ἄρης, ἄτη, Ἐρινὺς, ὄμβρος, ὄναρ, etc. De vestibus Xen. H. Gr. 1, 7, 8 : Μέλανα ἱμάτια ἔχοντας. Absolute id. Cyn. 5, 23 : Τὰ μέλανα τὰ περὶ τὰ ὦτα. De colore Plato Tim. p. 83, B : Τὸ μέλαν χρῶμα. De capillis Plat. Lys. p. 217, D, et alii quivis. Quo refertur quod de hominibus dicit Reip. 5, p. 474, E : Μέλανας ἀνδρικοὺς ἰδεῖν. Demosth. p. 537, 16 : Ἰσχυρός τις ἦν, μέλας.] Apud Medicos μέλανες χυμοὶ, et μέλαινα χολὴ [Plato Tim. p. 83, C. « Μέλαινα simpliciter interdum Hipp. τὴν μέλαιναν χολὴν sæpe dictam l. Περὶ φυσ. ἀνθρ. significat, ut p. 486, 48 : Μέλαιναν ἐμέει, οἷον τρύγα. Ubi tamen μέλαν legunt intt. » Foes.] : necnon μελαίνη [μέλαινα] σηπεδών. Hom. [Il. Δ, 191] rursum dicit μελαινάων ὀδυνάων, et μελαίνας φρένας, pro βαθείας, Profundas. [Solon ap. Diog. L. 1, 61 : Ὅρα μὴ γλῶσσά οἱ διχόμυθος ἐκ μελαίνας φρενὸς γεγωνῇ.] Ex Marco Aurel. [4, 28 et Gataker. Valck.] affertur et μέλαν ἦθος, pro Nigri mores : uti Horat. dicit, Hic niger : hunc tu, Romane, caveto. [Plut. Mor. p. 12, D : Μὴ γεύεσθαι μελανούρων, τουτέστι μὴ συνδιατρίβειν μέλασιν ἀνθρώποις διὰ τὴν κακοήθειαν. || Μέλαινα φωνὴ, Pollux 2, 4, 91. Dio Cass. 61, 20, de Nerone : Βραχὺ καὶ μέλαν, ὥσπερ παραδέδοται, ἔχων φόνημα, Vocem exiguam et fuscam; Suetonio quoque, Vox atra. « Philostr. V. Ap. p. 185 : Μελαίνῃ τῇ φωνῇ ἔχρητο. » Strong. || Μέλαιναν ῥίζαν τὴν τοῦ ἀσπαλάθου τοῦ ἀρωματικοῦ καλουμένου exponit Galen. in Exeg. ap. Hippocr. Quibus verbis l. p. 667, 35, subindicare videtur. Foes.] Neutr. τὸ μέλαν, substantive accipitur : ut quum dicunt τὸ μέλαν τοῦ ὀφθαλμοῦ, Nigrum oculi, pro Nigra oculi pars [Aristæn. Ep. 1, 1 init. Boiss.] : et τὸ μέλαν τῆς δρυὸς, Nigrum quercus, pro Nigra quercus pars : quod est ἡ ἐντεριώνη, Medulla. Sic μέλαν pro Atramento accipitur [Gl. Plato Phædr. p. 276, C : Οὐκ ἄρα σπουδῇ αὐτὰ ἐν ὕδατι γράψει, μέλανι σπείρων διὰ καλάμου μετὰ λόγων ἀδυνάτων μὲν αὑτοῖς λόγῳ βοηθεῖν. Demosth. p. 313, 11 : Τὸ μέλαν τρίβων. « Theophyl. Simoc. Ep. 49. » Boiss. Recentiorum exx. plurima collegit Ducang. Additur etiam γραφικὸν, ut dictum jam in Γραφικός. V. Eust. Il. p. 930, 59, Od. p. 1722, 56, a Valck. cit.], s. Pigmento atro : velut quum Pollux [4, 19] et alii dicunt τὸ μέλαν τρίβειν. [Plato Reip. 4, p. 420, C : Οἱ ὀφθαλμοὶ ἐναληλιμμένοι μέλανι. Plut. Mor. p. 841, E : Λυκοῦργον οὐ μέλανι ἀλλὰ θανάτῳ χρίοντα τὸν κάλαμον ... οὕτω συγγράφειν.] Id ipsum vocant et μέλαν ζωγραφικὸν, Atramentum pictorium : ad differentiam aliorum atramentorum. Apud Medicos enim est μέλαν Ἰνδικὸν, Plinio itidem Atramentum Indicum, 35, 6. [Μέλαν ἰνδικὸν in Gll. chymicis Mss. ἀπὸ ἰσάτιδος γίνεται καὶ χρυσολίθου. In Lex. Ms. Reg. cod. 1843, ὁ λίθος ὁ αἱματίτης. Ducang.] At μέλαν τὸ Κύπριον, Hippocrati ἡ Κυπρία σποδὸς, Cyprius cinis : quo ad ocularia medicamenta utuntur : auctor Galen. in Lex. Hippocr. [p. 522. Subnotari videtur l. p. 606, 2, ubi tamen codd. vitiose μελάνθιον τὸ Κύπριον pro μέλαν, quod animadvertit Cornarius. || Μέλαν φάρμακον, quod est Nigrum medicamentum, videtur esse atramentum scriptorium aut pro eo sumi ap. Hippocr., quod etiam μέλαν γραφικὸν dicitur.

A Sic enim ex Hippocr. Celsus 8, 4, et Paulus Æg. 6, 90, sumere videntur, p. 908, B, ubi in exploranda ossis rima superinducendum præcipit : Δεῖ δὴ ἐπὶ τὸ ὀστέον τήκειν τὸ μελάντατον, δεύσαντα τῷ μέλανι φαρμάκῳ τῷ τηκομένῳ, pro quo Paulus l. c., φάρμακόν τι μέλαν ὑγρὸν, ἢ καὶ αὐτὸ γραφικὸν ἐγχέαντες μέλαν. Certum est hunc l. a Galeno in Exeg. p. 520 subnotari, quum μέλανι φαρμάκῳ exponit his verbis : Τοῦτο πῶς σκευάζεται ἐν τῷ περὶ ἑλκῶν αὐτὸς ἐδίδαξεν. || Τὰ μέλανα dicuntur Nigra excrementa, sanguis niger et veluti limus, ab atra bile differens, ut scribit Galen. De atra bile p. 358, 42, et Comm. ad Aph. 4, 21. Sic τὰ μέλανα ὑποχωρέοντα Aph. 4, 25, quum nigra dejiciuntur, et μελάνων διαχώρησις p. 78, G; 79, F, et μελάνων δίοδος p. 78, E, etc. Ex Foes. Œcon. Hipp. || Μέλαν Chymicis Plumbum dicitur. Olympiod. Alex. Ms. : Τὸ γὰρ μέλαν χρῶμά ἐστι κυρίως, καὶ τοῦ μέλανος πολλαὶ διαφοραί· ἀλλ' ἡμεῖς μεταδῶμεν τῶν λογισμῶν· μέλανα γὰρ οἴδασιν οἱ ἀρχαῖοι τὸν μόλιβδον· ἐστὶ δὲ ὑγρᾶς οὐσίας. (Μελάνιν Byzantinis.) || Apud pictores μέλαν dicitur Encaustum nigrum vel subnigrum, ex plumbo et argento

B confectum, quo cavitas scripturæ repletur. Gl. veteres : Nigellum, μελανόν. || Μέλαν, Marrubium nigrum, ap. Interpol. Diosc. c. 523. Ducang. HSt. in Ind. :] Μέλαις, Æolico pleonasmo pro μέλας dicitur : ut τάλαις pro τάλας, auctore Etym. [M. p. 575, 53, et gramm. in Cram. Anecd. vol. 3, p. 238, 23]. Μείλανι Suidas affert positum pro μέλανι : ut et Hesych. μειλανεῖ pro μελανεῖ. [Μείλανι, μέλανι ex Hom. Il. Ω, 79 : Μεσσηγὺς δὲ Σάμου τε καὶ Ἴμβρου παιπαλοέσσης ἔνθορε μείλανι πόντῳ. Ubi schol. et Eust. annotant etiam tunc ita vocatum, μέλανα (vel etiam Καρδιανὸν) κόλπον (quomodo vocat Herodot. l. infra cit. et 6, 41), ἢ ἀπὸ Μέλανος ποταμοῦ (ap. Herodot. 7, 58) καταφερομένου εἰς αὐτὸν ἢ ἀπὸ τοῦ Φριξίδου (de quo conf. schol. Apoll. Rh. 2, 388, 1123) Μέλανος ἐκεῖ ναυαγήσαντος, ἢ ὅτι ἐκ μελαγγείων ὁ ποταμὸς κατιὼν μελαίνει αὐτόν. Fortasse vero τοῦ ὕδατος esse epith., ut μέλαν κῦμα. Alia de eo veterum testimonia annotarunt schol. Apoll. Rh. 1, 922, Eust. ad Dionys. 538. || Forma novitia est Μελανὸς, ἡ, ὸν, quam ex

C Hesychio v. Πελιδνὸς et Περκνὸς annotat HSt. Ms. Vind. Boiss. Anecd. vol. 3, p. 150 : Ταύτας βάπτειν μελανάς, « Cod. μέλανας. Rescripsi μελανάς. Moschop. Π. σχεδῶν p. 135 : Πελιδνὸν τὸ βαρβάρως οὕτω λεγόμενον μελανόν. Anon. in nott. ad Planud. Ovid. Met. p. 652, τόπον μελανὸν dixit, etc. » Alia exx. indicat Ducang., facile plurimis augenda. Gl. : Μελανή, Atra, Nigra; Μελάνη πορφυρὰ, Ferrugo, ubi sedes accentuum perversæ sunt in utroque vocabulo. Novitia est etiam forma comparativi μελαντότερος, nisi librarii error est pro μελανώτερος s. μελάντερος, apud Mazarin in Boiss. An. vol. 3, p. 170, 7, ab ipso cit. : Αἰθίοπος μὲν μελαντότερος.]

[Μέλᾶς, ἄνος, ὁ, Melas, f. Porthaonis, Hom. Il. Ξ, 117. Alius ap. Apoll. Rh. 2, 1156. V. etiam paullo ante in forma Μεῖλας. Fl. Phthiotidis ap. Herodot. 7, 198. Bœotiæ ap. Theophr. H. Pl. 4, 11, 8; C. Pl. 5, 5, 2, Strab. 9, p. 407, 415. Peloponnesi ap. Callim. Jov. 23, Dionys. Per. 516, Strab. 9, p. 415. Pamphyliæ ap. Strab. 12, p. 667. Alios memorat Pausanias et Apollodorus. Nili nomen antiquius est ap. Eust. ad Dion.

D 222. Μέλανος cujusdam mentio fit in inscr. Orop. ap. Bœckh. vol. 1, p. 748, n. 1570, b, 16, 23. Conf. Chœrob. vol. 1, p. 36, 15.]

[Μέλας, αντος, ὁ, Melas. V. Μελάντειος, Μελάντιον.]

[Μελάσιος, ὁ, Melasius, n. viri in inscr. Megarensi ap. Bœckh. vol. 1, p. 558, n. 1052, 4. L. Dind.]

Μέλασμα, τὸ, et Μελασμὸς, ὁ, Nigror, Nigredo. Prius μέλασμα, a Polluce 2, [35] esse dicitur τὸ τῆς κόμης βάμμα, Nigrum pigmentum s. atramentum quo coma denigratur. [Τὸ βάμμα τῆς κεφαλῆς. Ἀπολλόδωρος, Photius.] Plut. Μελάσματα vocat Nigras maculas [Mor. p. 564, E] : Μελάσμασι κατεστιγμένους, Nigris maculis s. nævis. [|| De stilo plumbeo Damocharis Anth. Pal. 6, 63, 1 : Γραμμοτόκῳ πλήθοντα μελάσματι κυκλομόλιβδον.] Posterius μελασμὸς sonare videtur potius Denigratio : utpote activam habens terminationem. [Μελασμοὶ sunt Hippocrati Denigrationes et livores a frigido contracti, Aphor. 5, 17 et 20, et p. 425, 21. Nigritiem in ulceribus vertit Celsus 2, 1. Sunt et μελάσματα Nigrores et quæ nigricant aut partes corporis ex sanguine effuso nigrefactæ, p. 760, B. Sic μελάσματα sanguine extra venas refuso, per contusionem aut reseratos vasorum fines, fieri scribit Galen. De tumor. pr. nat. p. 356, 23. Est et μέλασμα αἰδοίων, p. 426, 33. Foes. Greg. Nyss. vol. 3, p. 252. Plut. Mor. p. 921, F : Σπίλων καὶ μελασμῶν ἀναπίμπλαντας (lunam). Wakef.]

[Μελασμός. V. Μέλασμα.]

[Μέλδοι, οἱ, Meldi, gens Belgica, ap. Strab. 4, p. 194.]

Μέλδω, Liquefacio : s. Macero, Consumo : Elixo, Coquo. Hesych. sane μέλδει [et μέλδων] exp. τήκει, φθίνει, ἕψει. Ap. Hom. Il. Φ, [363] de lebete : Κνίσση μελδόμενος ἁπαλοτρεφέος σιάλοιο Πάντοθεν ἀμβολάδην· ubi itidem schol. κνίσση μελδόμενος exp. κνίσσην τήκων, Liquefaciens et elixans pinguedinem : quidam et κνίσσην scribunt, pass. μελδόμενος positum dicentes pro act. μέλδων : sed illa scriptura magis probatur, videturque poeta ea voluisse significare vehementiam τῆς τήξεως καὶ ζέσεως, qua vel ipse lebes a pinguedine videretur μέλδεσθαι, Liquefieri et dissolvi. [Suidas : Μελδόμενος, καιόμενος. Μέλδοντες, τήκοντες, ἕψοντες· Γέντα βοῶν μέλδοντες, τουτέστιν ἕψοντες. Καὶ κνίση μελδόμενος, ἀντὶ τοῦ μέλδων τὰ κνίση. Nicand. Th. 108 : Τὰ δ' ἐν περιηγέϊ γάστρῃ θάλπε κατασκέρχων, ἔστ' ἂν περὶ σάρκες ἀκάνθης μελδόμεναι θρύπτωνται. Manetho 6, 464 : Ἤτοι γ' εὐχανδεῖ χαλκῷ κοίλοις τε λέβησι πυθομένοις μέλδουσιν ἅμ' ἰχθύσιν οὖλον ἅλμην.] Hesych. Μέλδων exp. etiam ἐπιθυμῶν, Cupiens, Desiderans : quod potius ἐλδόμενος. [Sed idem μέλδει exp. ἐπιθυμεῖ, et Μέλδειν per μέλδεσθαι, Μελδόμενος per μέλδων.]

[Μελεάγρειος, α, ον, Ad Meleagrum pertinens. Philipp. Thess. Anth. Pal. 4, 2, 4 : Τοῖς Μελεαγρείοις ὡς ἴκελον στεφάνοις.]

Μελεαγρίδες, αἱ, Meleagrides, Africæ gallinarum genus, gibberum, variis sparsum plumis, inquit Plin. 10, 26, ubi inter alia addit, Meleagri tumulum nobiles eas fecisse. Quibus verbis adde hæc ejusdem lib. 37, 2 : Sophocles electrum ultra Indiam fieri dixit ex lacrymis meleagridum avium Meleagrum deflentium. Item Varro 3, 9 : Gallinæ Africanæ sunt grandes, variæ, gibberæ, quas μελεαγρίδας appellant Græci. Ap. Hesych. non solum μελεαγρὶς, sed etiam μελέαγρος, ὁ κατοικίδιος ὄρνις, quod haud scio an mendosum sit. [Μελεαγρὶς pro μελέαγρος tacite corrigit Salmas. ad Plin. p. 612, qui de his avibus multa dixit. Hesych.: Μελεαγρίδες, ὄρνεις, αἳ ἐνέμοντο ἐν τῇ ἀκροπόλει. Suid. et Phot. : Μ., ὄρνεα, ἅπερ ἐνέμοντο ἐν τῇ ἀκροπόλει, λέγουσι δὲ οἱ μὲν (τὰς Phot.) ἀδελφὰς τοῦ Μελεάγρου μεταβαλεῖν (μεταβάλλειν Phot.) εἰς τὰς μελεαγρίδας ὄρνιθας, οἱ δὲ, τὰς συνήθεις Ἰοκαλλίδος τῆς ἐν Λέρνῃ παρθένου, ἣν τιμῶσι δαιμονίως. Kuster. post Bochart. Hieroz. part. 2, l. 1, c. 19, p. 132, reponit Λέρῳ. Conf. notata ad Athen. 14, p. 655, A. Anton. Lib. 2, Ælian. H. A. 4, 42 (ubi v. Schneid.); 5, 27, Antig. Caryst. 11. Pollux 5, 90 : Μελεαγρίδας κακκάζειν. Angl. Memorant μελεαγρίδας præter Aristot. H. A. 6, 2, Diodor. 3, 39, Strabo 5, p. 215; 6, p. 269, Pausan. 10, 32, 16. || « Μελεαγρὶς, titulus operis cujus auctor Antisthenes citatus Plut. De fluv. 22, 3. » Boiss.]

[Μελεάγριον, s. Μελέαγρον, τὸ, planta quædam. Suid.: Μελεάγρια. « Ῥίζαις αὐτοὺς μελεαγρίων, καὶ καρδίαις καλάμων ἐδεξιοῦτο. » Λέγονται δὲ καὶ μελέαγρα. V. Μελαγρ. Ducang. : Vita Ms. S. Cyriaci Anachoretæ : Ἀπορούμενοι τοίνυν τροφῆς καὶ οὐκ ἔχοντες ὅθεν τὴν τῆς φύσεως ἀνάγκην παραμυθήσενται· οὐδὲ γὰρ οὐδὲ μελιάγρια κατὰ τὴν ἔρημον πεφύκει. Infra : Ῥίζας τε μελιαγρίων καὶ ἀκρεμόνας καλάμων προσίετο. Nescio an huc spectent quæ habet Matthæus Silvaticus : « Melgra est sicut ramus, et folia ejus sunt sicut folia olivæ latiora », etc.]

[Μελέαγρος. V. Μελεαγρίδες.]

[Μελέαγρος, ὁ, Meleager, frater Tydei, ap. Hom. Il. B, 642 etc., Pind. Isthm. 6, 32, et Eurip. Suppl. 904, et in fabula cognomine, qui etymologiam ponit in fr. ab Etym. M. cit. : Μελέαγρε· μελέαν γάρ ποτ' ἀγρεύσεις ἄγραν. Poeta Gadarenus in Anthologia Græca. Alii sunt alibi. || Μελεάγρου χάραξ, locus Syriæ, ap. Strab. 16, p. 751.]

[Μελεάζω, i. q. μελίζω. Nicomachus Harmon. p. 4, 23 : Εἰ γάρ τις ἢ διαλεγόμενος ἢ ἀπολογούμενός τινι ἢ ἀναγινώσκων γε ἔκδηλα μεταξὺ καθ' ἕκαστον φθόγγον ποιεῖ A τὰ μεγέθη, διιστάνων καὶ μεταβάλλων τὴν φωνὴν ἀπ' ἄλλου εἰς ἄλλον, οὐκέτι λέγειν ὁ τοιοῦτος οὐδὲ ἀναγινώσκειν, ἀλλὰ μελεάζειν λέγεται. Nicet. Annal. 17, 1, p. 326, C : Μελεάζουσαι ἀηδόνες.]

[Μελεαὶ, ἀστράγαλοι, ἢ χυθροὶ, Hesych., de qua gl. v. conjecturas intt.]

[Μελέας, ὁ, Meleas, Laco, Thuc. 3, 5. Μελεᾶς, n. Hebr. viri, Luc. 3, 31.]

[Μελεγγράφής, ὁ, ἡ, in fr. Euripidis in Vita Eurip. quam edidit Rossignolius *Journ. des Sav.*, *Avril* 1832, et Cramer. Anecd. vol. 3, p. 373, 20 : Εἰσὶν γάρ εἰσι διφθέραι μελεγγραφεῖς, Bergk. ap. Welcker. De tragœd. Gr. in Mus. Rhenan. vol. 3, p. 1594, scrib. conjecit μελαγγραφεῖς, conferens μελαμβαφὴς etc. Tzetzes tamen ib. p. 375, 18, hinc finxit : Ὅμηρον αὐτὸν καὶ γένος τούτου μόνον μελεγγραφεῖς καὶ ταῦτα τῇ Τζέτζου βίβλῳ.]

Μελεδαίνω, Curo : ἐπιμελοῦμαι : verbum Ion. et poeticum. Herodot. [8, 115] : Τοὺς νοσέοντας κατέλιπε, ἐπιτάσσων τῇσι πόλεσι μελεδαίνειν τε καὶ τρέφειν. [Theognis 185 : Γῆμαι δὲ κακὴν κακοῦ οὐ μελεδαίνει ἐσθλὸς B ἀνὴρ, ἤν οἱ χρήματα πολλὰ διδοῖ, Non veretur. Et cum genit. 1129 : Ἐμπίομαι, πενίης θυμοφθόρου οὐ μελεδαίνων οὐδ' ἀνδρῶν ἐχθρῶν, οἵ με λέγουσι κακῶς, Non curans. Theocr. 9, 12 : Τῶ δὲ θέρευς φρύγοντος ἐγὼ τόσσον μελεδαίνω ὅσσον ἐρῶντε πατρὸς μύθων ἢ ματρὸς ἀκούειν.] Hippocr. quoque usurpat pro ἐπιμελεῖσθαι καὶ θεραπεύειν : ut [p. 598, 26 : Τὰς ὑστέρας ὧδε μελεδαίνειν·] Prorrhet. 2 : Ὥστε μὴ πάμπολλα δεῖ ὁρᾶσθαι ὑποσκεπτόμενον τὸν μελεδαίνοντα, Eum qui curat. Aliquanto ante [p. 83, B] dicit, Τῷ ἰητρῷ τῷ μελεδαίνοντι αὐτέου. [Conf. p. 85, A. Inscr. Sigea ap. Bœckh. vol. 1, p. 20 : Μελεδαίνειν με, ὦ Σιγειῆς. Ead. constr. præter Hippocr. supra cit. Theocr. 10, 52 : Οὐ μελεδαίνει τὸν τὸ πιεῖν ἐγχεῦντα. Sequente ὅπως Aret. p. 112, 32 : Μελεδαίνειν τὴν ἄνθρωπον ὅκως ἄγηται τὰ ἐπιμήνια.] Utitur Idem pass. Μελεδαίνεσθαι pro Curari. De natura muliebri [p. 578, 9] : Ἡ νοῦσος θανατώδης, καὶ ὀλίγαι καὶ μελεδαινόμεναι διαφεύγουσιν αὐτήν. Et l. De nat. infantis [p. 239, 27] : Ἢν μὴ μελεδαίνηται ἐν τάχει. [Aor. μελεδανθεῖσα, Curata, p. 675, 27, 46; 676, 16, 27, 36, 45. Et p. 657, 20 : C Ἢν μὴ μελεδανθῇ. Foes.]

[Μελέδη, ἡ.] Hippocr. feminino genere dicit Μελέδη, pro Cura, Curatio, θεραπεία : ut Γυναικ. 1, [p. 617, 1] : Χρὴ δὲ τὴν μελέδην προσέχειν ἐν τάχει, ἢν ἕλκεα ἐν τῇ μήτρῃ· pro ἐπιμέλειαν, θεραπείαν. [In ed. Foes. μελεδήν. Vera scriptura est μελέτην. Quod v.]

Μελέδημα, τὸ, Cura, Curiosa et anxia cogitatio. Hom. Il. Ψ, [62,] Od. Υ, [56] et Ψ, [343] de somno : Λύων μελεδήματα θυμοῦ· Δ, [650] : Ἀνὴρ ἔχων μελεδήματα θυμῷ. Idem dicit μελεδήματα πατρὸς, pro Curæ et cogitationes de patre : Ο, [8] de Telemacho : Ἀλλ' ἐνὶ θυμῷ Νύκτα δι' ἀμβροσίην μελεδήματα πατρὸς ἔγειρε. Ap. Athen. 13, [p. 564, F, Ibycus] : Χαρίτων καλλικόμων μελέδημα, ut dicitur Musarum cura : pro eo qui est Musis curæ. [Καθαροῖσί τ' ἀεὶ μελεδήμασι χαίρειν, Naumach. ap. Stob. Flor. 68, 5, 2. Hemst. Theognis 789 : Μή ποτέ μοι μελέδημα νεώτερον ἄλλο φανείη ἀντ' ἀρετῆς σοφίης τε. Eur. Hipp. 1103 : Τὰ θεῶν μελεδήματα. Apoll. Rh. 3, 4 : Σὺ (Ἐρατώ) γὰρ καὶ Κύπριδος αἶσαν ἔμμορες, ἀδμῆτας δὲ τεοῖς μελεδήμασι θέλγεις· 471 : D Ἡ μὲν ἄρ' ὡς ἐόλητο νόου μελεδήμασι κούρη· 752 : Πολλὰ γὰρ Αἰσονίδαο πόθῳ μελεδήματ' ἔγειρεν. Ap. Tymnen Anth. Pal. 6, 151, 3 : Τυρσηνὸν μελέδαμα, de tuba, Brunckius μελέταμα.]

[Μελέδημος, ὁ, Meledemus, n. viri ap. Demosth. p. 273, 6, ubi nunc Τελέδ.]

Μελεδήμων, ονος, ὁ, Curator, s. Qui exercet, in Epigr. [Archiæ Anth. Pal. 6, 39, 5 : Μελεδήμονα κερκίδα πέπλων. « Ἀγαθῶν μελεδήμονες ἔργων, Empedocl. ap. Diog. L. 8, 62. » Hemst.]

Μελεδὼν, ῶνος, ὁ, ἡ, ac Μελεδώνη, ἡ, pro μελέδη, s. μελέδημα. Hom. Od. Τ, [517] : Κεῖμαι ἐνὶ λέκτρῳ, πυκιναὶ δέ μοι ἀμφ' ἀδινὸν κῆρ Ὀξεῖαι μελεδῶναι ὀδυρομένην ἐρέθουσιν. [Theocr. 21, 5 : Τὸν ὕπνον αἰφνίδιον θορυβεῦσιν ἐφιστάμεναι μελεδῶναι.] Hesiod. Op. [66] : Καὶ πόθον ἀργαλέον, καὶ γυιοκόρους [—βόρους] μελεδῶνας. [Recte HSt. exhibuit μελεδώνας, quod in edd. Hesiodi in μελεδῶνας mutatum correxi ex Etym. M. p. 576, 23 : Μελεδῶναι, αἱ τὰ μέλη ἔδουσαι φροντίδες, ὅθεν Ἡσίοδος γυιοκόρους αὐτὰς λέγει, et libro Paris. ap. Gaisf.;

qui eandem formam ex optimis reddidit Phanocli ap. Stob. Fl. 64, 14, 5 : Αἰεί μιν ἄγρυπνοι ὑπὸ ψυχῇ μελεδῶναι ἔτρυχον. Ubi item vulgo μελεδῶνες, quam formam Ruhnk. Ep. cr. p. 300 tuebatur testimonio l. Hesiodei, quod nullum est, et Apoll. Rh. 3, 812, ubi non hoc legitur, sed Θυμηδεῖς βιότοιο μεληδόνες ἰνδάλλοντο· ut in mente habuisse videatur l. qui est 2, 627 : Νῦν δὲ περισσὸν δεῖμα καὶ ἀτλήτους μελεδῶνας. Quo ipso nihil obstat acutum reponi pro circumflexo, ut in ll. Hymn., quorum immemor fuit Ruhnk., Apoll. 532 : Οἳ μελεδῶνας βούλεσθε· et vicissim circumflexum pro acuto, Merc. 447 : Τίς μοῦσα ἀμηχανέων μελεδώνων; Mimnermi ap. Diog. L. 1, 60 : Ἀργαλέων μελεδώνων. Item ap. Theognin 883 : Χαλεπὰς σκεδάσεις μελεδῶνας· in fr. Cypriorum ap. Athen. 2, p. 35, C : Ἀποσκεδάσαι μελεδῶνας· in epigr. Anth. Pal. 9, 815 : Ἀπορρίπτει μελεδῶνας. In loco Hesiodi autem nihil momenti facit testimonium Juliani Misop. p. 347, C : Ὁ δὲ ὑπονοήσας ἐκ τῶν Ὁμήρου τίνες ποτέ εἰσι γυιοβόροι μελεδῶνες· qui quum vel in nomine poetæ peccaverit, non mirum, si etiam in accentu. Μελεδῶναι est etiam in fr. Sapph. ap. Herodian. Π. μον. λέξ. p. 23, 13. L. D.] Paulo alio significatu Hippocr. Γυναικ. 1, [p. 605, 11] : Ἢν ἕλκεα ἐν τῇσι μήτρῃσι, καὶ δέεται πολλῆς μελεδώνης· pro ἐπιμελείας καὶ θεραπείας, Cura, Curatione : nec enim hic eo significatu accipit quo poetæ : ii enim, inquit Galen. [vol. 12, p. 308], μελεδώνας vocant τὰς λύπας, quasi τὰ μέλη ἐδούσας, i. e. κατεσθιούσας : quo pacto et Latini Curas dictas volunt quasi urentes cor. [Alios ll. Hippocr. indicat Foes. Ex hoc autem depravatum quod ap. Erotianum ponitur p. 256 (indeque ap. Gregor. Cor. p. 256) μελεδανθέων, μεριμνῶν, θεραπειῶν. Eadem forma quum sit ap. Aret. p. 57, 37 : Μελεδώνῃ λόγων, restituenda videtur etiam p. 31, 22, ubi μελεδῶνι, et p. 54, 55, ubi μελεδώνεσι, ut μελεδώνῃ et μελεδώνῃσι scribatur. Alia exx. vide ap. Lobeck. Paralip. p. 146.] Posterius Μελεδῶνες [hic quoque cod. μελεδῶναι] ap. Hesych. legitur expositum φροντίδες, Curæ. Eid. μελεδὼν est βασιλεὺς, φροντιστὴς, ἐπίτροπος, οἰκονόμος, προεστὼς, φύλαξ, Rex, Curator, Præfectus. || Μεληδὼν, Hesychio τηκεδὼν, φροντὶς, Cura : quæ supra μελεδών. Exp. etiam ᾠδὴ, Cantus : quæ et μελῳδία. Idem plurale μεληδόνες exp. præterea ἐπιθυμίαι, Cupiditates. [Simonides ap. Plut. Mor. p. 107, B : Ἄπρηκτοι δὲ μεληδόνες. Paul. Sil. Anth. Pal. 5, 293, 3 : Θεσμοπόλοιο μεληδόνος. Manetho 3, 103 : Αἰὲν ὑπ' ἀλλήκτῃσι (l. ἀλλήκτοισι) μεληδόσι μητιόωντας. Christodor. Ecphr. 16 : Στείνετο γὰρ πυκινῇσι μεληδόσιν, et Apoll. Rh. supra cit.]

Μελεδωνεὺς, έως, ὁ, et Μελεδωνὸς, eadem signif. qua μελεδὼν dicitur, teste eodem Hesychio. Sic enim Idem, Μελεδωνεὺς, φύλαξ, et similia : et, Μελεδωνοὶ, φροντισταὶ, ac similia. Horum [prius est ap. Theocr. 24, 104 : Γράμματα μὲν τὸν παῖδα γέρων Λίνος ἐξεδίδαξεν, υἱὸς Ἀπόλλωνος, μελεδωνεὺς ἄγρυπνος ἥρως·] posterius ap. Herodot. [2, 65] legitur [masc. et] fem. genere, Μελεδωνοὶ ἀποδεδέχαται τῆς τροφῆς, καὶ ἔρσενες καὶ θήλεαι, Curatrices, s. Procuratrices. [Et mox ibid. τῇ μελεδωνῷ.] Alioqui [et plerumque] et masc. genere ponitur pro φροντιστὴς, ἐπίτροπος, ἐπιμελητὴς, Curator, Procurator. [Sic ὁ μελεδωνὸς τῶν οἰκίων, Herodot. 3, 61, 63, 65; χρημάτων 7, 38, et arboris 31 (s. Ælian. V. H. 2, 14, qui etiam 14, 32, μελεδωνὸν τῆς οἰκίας dixit, et 12, 1, p. 139 Cor. : Ἐπίστευεν αὐτὴν (τὴν θεὸν) ἐξ ἀρχῆς μελεδωνὸν αὐτῆς γεγονέναι.) Dionys. A. R. 1, 67, ἱερῶν. Clem. Al. Protr. p. 51, πιθήκων.]

[Μελεδώνη. V. Μελεδών.]

[Μελεδωνός. V. Μελεδωνεύς.]

Μέλει, impers. Curæ est. Hom. Il. Z, [441] : Ἦ καὶ ἐμοὶ τάδε πάντα μέλει, γύναι· B, [338] : Οἷς οὔτι μέλει πολεμήϊα ἔργα. [Hesiod. Th. 216 : Ἑσπερίδας, αἷς μῆλα ... χρύσεα καλὰ μέλουσι. Æsch. Prom. 3 : Σοὶ δὲ χρὴ μέλειν ἐπιστολάς. Soph. Phil. 1121 : Καὶ γὰρ ἐμοὶ τοῦτο μέλει, μὴ φιλότητ' ἀπώσῃ. Eur. Alc. 1037 : Σοὶ μέλειν γυναῖκα χρή. Xen. H. Gr. 2, 4, 10 : Ὅσοις τὸ πλεονεκτεῖν μόνον ἔμελεν. Et alii quivis.] Sic Plato Leg. 8, [p. 835, D] : Ἑορταὶ μέλουσι πᾶσι, Festa curæ sunt omnibus, Omnes vacant festis, eorum studiosi sunt. [Quibus ex exemplis patet, non modo impersonaliter, sed etiam personaliter usurpari hoc verbum. Quo etiam pertinet

A illud Pindari ap. Athen. 5, p. 191, F : Εὐθυμία τε μέλων εἴην· et Ol. 1, 145 : Ἀρετῇ μεμηλώς· tum illud Anacreontis ap. Athen. 12, p. 533, E : Ξανθῇ Εὐρυπύλῃ μέλει ὁ Ἀρτέμων· denique istud Eupolidis ap. eund. 7, p. 381, A : Αἷσι μέλουσιν ἑψητοί. Schweigh. Hom. Od. I, 20 : Εἴμ' Ὀδυσεὺς Λαερτιάδης, ὃς πᾶσι δόλοισιν ἀνθρώποισι μέλω, καί μευ κλέος οὐρανὸν ἵκει. Eur. Herc. F. 764 : Χοροὶ καὶ θαλίαι μέλουσι Θήβας ἱερὸν κατ' ἄστυ· Hel. 1580 : Ἀρχαὶ γὰρ νεὼς μέλουσί μοι. Sic dicitur Ἀργὼ πᾶσι μέλουσα vel πασιμέλουσα. || Personaliter dicitur etiam, ut sit Curam gero. Æsch. Sept. 287 : Μέλει, φόβῳ δ' οὐχ ὑπνώσσει κέαρ· et cum gen. Ag. 370 : Οὐκ ἔφα τις θεοὺς βροτῶν ἀξιοῦσθαι μέλειν. Soph. El. 342 : Δεινὸν ... σε τῆς τικτούσης μέλειν. Et cum inf. Eur. Herc. F. 772 : Θεοὶ τῶν ὁσίων μέλουσι καὶ τῶν ἀδίκων ἐπάειν. Partic. Rhes. 770 : Μελούσῃ καρδίᾳ.] Sed non dicitur tantum [μέλει μοι, omisso accus., ut Æsch. Prom. 332 : Καὶ νῦν ἔασον, μηδέ σοι μελησάτω· Soph. El. 1446 : Μάλιστά σοι μέλειν οἶμαι. Et in formula οὐδὲν μέλει μοι, Eur. Hec. 1274. Herodot. 9, 72 : Οὐ μέλειν οἱ ὅτι πρὸ τῆς Ἑλλάδος ἀποθνήσκει. Xen. Anab. 5, 3, 13 :
B Ἄν τις μὴ ποιῇ ταῦτα, τῇ θεῷ μελήσει· H. Gr. 6, 4, 30 : Λέγεται ἐπερομένων τῶν Δελφῶν τί χρὴ ποιεῖν, ἐὰν λαμβάνῃ τῶν τοῦ θεοῦ χρημάτων, ἀποκρίνασθαι τὸν θεὸν ὅτι αὐτῷ μελήσει. Et] τοῦτο μέλει μοι, ut in illis exemplis, verum etiam τούτου μέλει μοι, aut περὶ τούτου, aliquando et ὑπὲρ τούτου. [Æsch. Prom. 938 : Ἐμοὶ δ' ἔλασσον Ζηνὸς ἢ μηδὲν μέλει· Cho. 946 : Ὧ μέλει κρυπταδίου μάχας. Soph. Aj. 990 : Τοῦδέ σοι μέλειν.] Aristoph. Pl. [1118] : Τῶν μὲν ἄλλων μοι θεῶν ἧττον μέλει. Plato De rep. [1, p. 345, D] : Τῇ ποιμενικῇ οὐ δήπου ἄλλου του μέλει ἢ κτλ. At cum περὶ ap. [Æsch. Cho. 780 : Μέλει θεοῖσιν ὧν περ ἂν μέλῃ πέρι. Aristoph. Lys. 502 : Ὑμῖν δὲ πόθεν περὶ τοῦ πολέμου τῆς τ' εἰρήνης ἐμέλησεν; Herodot. 6, 101 : Τούτου σφι ἔμελε πέρι. Et aliquoties ap. Xenophontem in Cyrop.,] Isocratem et Platonem, sed et cum ὑπὲρ ap. Dem. Jungitur vero et infinitivo, ut μέλει μοι ἀκούειν. Sic [Hom. Od. Π, 465 : Οὐκ ἔμελέν μοι ταῦτα μεταλλῆσαι καὶ ἐρέσθαι. Æsch. Ag. 569 : Τοῖσι μὲν τεθνηκόσι τὸ μήποτ' αὖθις μηδ' ἀνα-
C στῆναι μέλειν· 1250 : Τοῖς δ' ἀποκτείνειν μέλει. Eur. Alc. 726 : Κακῶς ἀκούειν οὐ μέλει θανόντι μοι· Herc. F. 1220 : Οὐδὲν μέλει μοι σύν γέ σοι πράσσειν κακῶς. Thuc. 1, 141 : Μέλειν δέ τινι καὶ ἄλλῳ ὑπὲρ ἑαυτοῦ τι προϊδεῖν. Sequente ὅπως Xen. Cyrop. 4, 2, 34 : Ὅτῳ καὶ σκηνῆς μελήσει καὶ ὅπως τὰ ἐπιτήδεια παρεσκευασμένα ... ἔσται, et alibi sæpe, vel cum ὡς, 3, 2, 13 : Ὡς δὲ καλῶς ἕξει τὰ ὑμέτερα ... ἐμοὶ μελήσει. Et cum ὥστε Cyrop. 6, 3, 19 : Πάνυ μοι ἐμέλησεν ὥστε εἰδέναι.] Soph. [Aj. 701] : Νῦν γὰρ ἐμοὶ μέλει χορεῦσαι. [Insolentius cum nominativo Eur. Rhes. 983 : Οὗτος μὲν ἤδη μητρὶ κηδεύειν μέλει.] In imper. μελέτω σοι, Hom. [Il. O, 231. Et cum duplici dat. Il. Ω, 152 : Μηδέ τί οἱ θάνατος μελέτω φρεσί. Aristoph. Pl. 208 : Μή νυν μελέτω σοι μηδέν.] Sic et Isocr. [p. 17, E] : Μελέτω σοι τοῦ πλήθους. [Plur. Il. Σ, 463 : Μήτοι ταῦτα μετὰ φρεσὶ σῇσι μελόντων.] Et particip. μέλον, Quod curæ est. Plato Apol. [p. 24, D] : Οἶσθα μέλον γέ σοι, Nosti tibi curæ esse. Et Οὐδενὶ [Οὐδὲν, ut HSt. ipse in Ind., ubi hæc repetit, et vertit, « Nulla mei cura, Nulli sum curæ »] ἆρ' ἐμοῦ μέλον, Aristoph. [Vesp. 1288], Quum nulli sim curæ. [Soph. El.
D 459 : Οἶμαί τι κἀκείνῳ μέλον πέμψαι τάδ' αὐτῇ δυσπρόσοιστ' ὀνείρατα. Et cum nomine Phil. 150 : Μέλον πάλαι μέλημά μοι λέγεις. Et cum verbo OEd. C. 653 : Ἀλλὰ τοῖσδ' ἔσται μέλον· 1433 : Ἀλλ' ἐμοὶ μὲν ἥδ' ὁδὸς ἔσται μέλουσα δύσποτμος. Eur. Tro. 842 : Ἔρως ... οὐρανίδαισι μέλων· Hel. 197 : Ἰλίου κατασκαφὰν πυρὶ μέλουσαν δαΐῳ. Participio absolute posito Xen. Cyrop. 5, 2, 24 : Ὡς μέλον αὐτοῖς πῇ ἀποβήσοιτο. Plato Phædr. p. 235, A : Ἴσως οὐδὲν αὐτῷ μέλον τοῦ τοιούτου. Basil. M. vol. 2, p. 178, E : Εἰς πᾶσαν διήρκεσε τὴν ἡμέραν, ὁ μὲν ἀφειδῶς πλύνων αὐτὸν τοῖς ὀνείδεσιν, ὁ δὲ οὐ μέλον αὐτῷ. quæ citat Valck. Imperf. est ap. Aristoph. Eccl. 459 : Ἃ τοῖσιν ἀστοῖς ἔμελεν· 642 : Τότε δ' αὐτοῖς οὐκ ἔμελ' οὐδὲν τῶν ἀλλοτρίων. Xen. H. Gr. l. initio cit. Notandi etiam loci duo Demosth. p. 1062, 12 : Ἔμελεν αὐτοῖς οὐδὲν πλὴν τοῦ ἐξαπατῆσαι· 1073, 19 : Ὅτι οὐδὲν αὐτοῖς μέλει πλὴν τοῦ πλεονεκτεῖν· ubi οὐδενὸς intulerunt librarii et editores, quum genitivum a verbo, non particula πλὴν regi putarent.] Sed redditur et aliis modis hoc verbum ali-

cubi : Οὐδὲν μέλει μοι τῶν σκωμμάτων, Nihil moror dicteria. Et τί σοι μέλει; quo et Epictetus utitur, Qui ad te? At vero in illo Soph. l., Ἐμοὶ μέλει χορεῦσαι, sunt qui vertant Cogito tripudiare. Quinetiam μέλει μοι interdum pro Muneris mei est, Bud. ap. Polyb., Τῇ συγκλήτῳ μέλει περὶ τούτων· qua in signif. alibi [6, 13, 5] dicit, Τούτων ἐπιμελές ἐστι τῇ συγκλήτῳ. Item, Τούτων ἡ σύγκλητος πρόνοιαν ποιεῖται. || Dicitur autem in fut. μελήσει, in præt. μεμέληκε, tanquam a verbo circumflexo. Hom. Il. E, [228] : Μελήσουσι δέ μοι ἵπποι. [Eur. Med. 1055 : Αὐτῷ μελήσει· Bacch. 536 : Ἔτι σοι τοῦ Βρομίου μελήσει· Heracl. 713 : Παιδὸς μελήσεις παισί. Aristoph. Lys. 520 : Πόλεμος δ' ἄνδρεσσι μελήσει· Pac. 149 : Ἐμοὶ μελήσει ταῦτά γε; et alibi sæpe similiter. Eccl. 651 : Σοὶ δὲ μελήσει λιπαρῷ χωρεῖν ἐπὶ δεῖπνον. Herodot. 8, 19 : Κομιδῆς πέρι τὴν ὥρην αὐτῷ μελήσειν.] Xen. [Comm. 3, 6, 10] : Μεμέληκέ σοι τῆς φυλακῆς. [Hipparch. 7, 14 : Ἐλθεῖν εἰς τὴν πολεμίαν μεμεληκότα (vel μεμεληκόθ') ὅσοι τε ἑκασταχοῦ καὶ ποῦ τῆς χώρας προφυλάττουσιν.] Et partic. Apol. [20] : Τοῦτο γὰρ ἴσασιν ἐμοὶ μεμεληκός. Tale est et μελητέον ap. Plat. De rep. 2, [p. 365, D] : Ἡμῖν οὐ μελητέον τοῦ λανθάνειν. || Ceterum a μεμέληκε fit per sync. Μέμηλε ap. poetas, ut Hom. Il. B, [614] : Ὦ λαοί τ' ἐπιτετράφαται καὶ τόσσα μέμηλε· Od. Z, [65] : Τὰ δ' ἐμῇ φρενὶ πάντα μέμηλεν. [V. l. Pindari initio cit.] Et Μεμήλει, Curæ erat. Sic etiam Μεμηλὼς partic. Qui curæ est, Cujus cura geritur, Gratus : ut θαλίης μεμηλότα ἔργα, Hesiod. Op. [229.] Interdum vero μεμηλὼς active, Qui curam gerit, Qui curat : Il. E, [708] : Μέγα πλούτοιο μεμηλώς. [N, 297, πτολέμοιο. Aliter H. Merc. 437 : Πεντήκοντα βοῶν ἀντάξια ταῦτα μέμηλας, Excogitasti.] Sunt autem et qui μέμηλε non per sync. factum, sed med. præt. esse volunt : ut βέβουλα pro βεβούληκα. At vero Μέμβλεται et Μέμβλετο præter sync. habent insertum β per pleonasmum; est enim μέμβλεται pro μεμέληται, Curæ est, Curæ habetur : itidemque μέμβλετο pro μεμέλητο. Il. T, [343] : Ἦ νύ τοι οὐκέτι πάγχυ μετὰ φρεσὶ μέμβλετ' Ἀχιλλεύς· Φ, [516] : Μέμβλετο γάρ οἱ τεῖχος. [Callim. fr. ap. Etym. M. v. Εἰσπνήλης cit. : Μέμβλετο δ' εἰσπνήλαις ὁππότε κοῦρος ἴοι. Alia constr. Quintus 3, 123 : Ἦ νύ σοι οὐ Τρώων ἔτι μέμβλεται.] Sed et μέμβλεσθε ap. Apollon. tanquam a them. Μέμβλομαι, Arg. 2, [217] : Οἷσιν μέμβλεσθε κιόντες. [Oppian. Hal. 4, 77 : Τέσσαρες ἐμβεβάασι θοὸν σκάφος ἀγρευτῆρες, τῶν ἤτοι δοιοὶ μὲν ἐπηρέτμοισι πόνοισι μέμβλονται.] Sed Eust. [Il. p. 439, 26] affert [sed per errorem hanc signif. commentus, quum hujus formæ peculiaris sit signif. Veniendi, a μολεῖν, quod v.] etiam Παραμέμβλωκε pro παραμεμέληκε : ap. quem vide et Μέλω, Μέμλω, unde Μέμβλω. [HSt. in Ind. :] Βέβλεσθαι, s. Μέμβλεσθαι, Hesychio est μέλειν, φροντίζειν, Curam gerere, Curæ habere, Curare. Βέμβλετο, Idem exp. ἐφρόντισε. Idem igitur est q. μέμβλετο.

|| Μέλεται etiam dicitur. Hesiod. Theog. [61] : Ἧσιν ἀοιδὴ μέλεται [μέμβλεται], ubi prima producitur vi liquidæ. Sic μέλεταί σοι μύρα, Epigr. [Eur. Phœn. 759 : Γάμους ἀδελφῆς σοι χρὴ μέλεσθαι· Hipp. 60 : Ἄρτεμιν, ᾇ μελόμεσθα· Hel. 1161 : Νῦν δ' οἱ μὲν Ἅδᾳ μέλονται κάτω· Iph. T. 644 : Σὲ τὸν χερνίβων ῥανίσι μελόμενον αἱμακταῖς· Phœn. 1303 : Ἰαχὰν μελομέναν νεκροῖς.] Et μελέσθω ap. [Hom. Od. K, 505 : Μήτι τοι ἡγεμόνος γε ποθὴ παρὰ νηὶ μελέσθω. Æsch. Eum. 61 : Τἀντεῦθεν αὐτῷ μελέσθω Λοξίᾳ. Soph. El. 74 : Σοὶ δ' ἤδη τὸ σὸν μελέσθω βάντι φρουρῆσαι χρέος.] Apoll. Arg. 1, [839] : Ἀνακτορίη δὲ μελέσθω Σοί τ' αὐτῇ καὶ νῆσος. Et ap. Lucian. Ionice loquentem, Καὶ οἷς πᾶσα καὶ εἰς τὸ θεῖον μέλεται θεραπείη. [Cum genit. Soph. OEd. C. 1466 : Αἶν μοι μέλεσθαι. Theocr. 1, 53 : Μέλεται δέ οἱ οὔτε τι πήρας οὔτε φυτῶν τοσσῆνον. || Inversa phrasi Μέλομαι cum dat. rei, Curam gero rei, Utor re, et sim. Dorv. ad Charit. 6, 9, p. 555 : « Ap. Maneth. 4, 507 : Ἀξιοπιστοσύνῃ μεμελημέναι, vertitur Fidei dignitatem colentes. Immo nihil aliud quam ἀξιόπιστοι, Fide dignæ. Locutio μεμελῆσθαί τινι significat ἐν ἐπιμελείᾳ, φροντίδι εἶναί τινι. Μούσαις μεμελημένος, non Qui curat, sed Qui curatur a Musis, Musicus; φιλότητι μεμηλότες, Amici. Ap. Nonn. Dion. 37, 1 et 136 : Παντοίαις ἀρετῇσι μεμηλότες εἰσὶ μαχητοί, Omni virtute præditi; 495 : Ἤθαδι πυγμαχίῃ μεμελημένος, Assuetus pugilatui; 502 : Πατρῴῳ μεμέλητο παρήμενος ἐσχαρεῶνι, ut Oppian. Hal. 3, 340 : Κάνθαρος, ὃς πέτρῃσιν ἀεὶ λεπρῇσι μέμηλε. Nonnus 37, 623 : Παλλάδι Νικαίῃ μεμελημένος· 38, 50 et 98 : Μυστιπόλοις ὀάροισι μεμηλότα μῦθον Ὀλύμπου, per adj. debet explicari, Sermo mysticus, et 15, 19 : Οὐδὲ μύρῳ μεμέλητο, Non erat uncta. Maneth. 1, 289 : Ἄκμοσι ῥαιστοτύποις μεμελημένοι ἠδὲ καμίνοις. » Nonnus 13, 207 : Ποσσὶ πολυσπερέεσσι μεμηλότες· 431 : Νήπιον ἀρτιχύτῳ μεμελημένον εἰσέτι μαζῷ· 37, 12 : Φαῦνος ἐρημονόμῳ μεμελημένος ἤθάδι λόχμῃ· 202 : Ὅς δέ κε τεχνήεντι δόλῳ μεμελημένος εἴη· 42, 431 : Μὴ πάλιν ἄλλον ἔρωτι μεμηλότα μῦθον ἀκούσῃ· Paraphr. Jo. c. 9, 129 : Οὗτος ἀλιτροσύνῃσι πέλει μεμελημένος ἀνήρ· c. 11, 208 : Θυηπολίῃ μεμελημένος. Quintus 4, 500 : Οἵ δ' αὖθ' ἱπποσίῃ μεμελημένον ἦτορ ἔχοντες. Orph. Arg. 379 : Ὅς ῥα δικασπολίῃ μέλεται καὶ ἀκέσμασι νούσων. Dionys. Per. 1045 : Ἐκ δὲ γενέθλης νηπίαχοι τόξοισι καὶ ἱπποσύνῃσι μέλονται. Et similiter ap. alios.] Fut. itidem μελήσεται, tanquam a contracto. Hom. Il. A, [523] : Ἐμοὶ δέ κε ταῦτα μελήσεται, ὄφρα τελέσσω. Sic et partic. [præs. Soph. Tr. 951 : Τάδε μὲν ἔχομεν ὁρᾶν δόμοις, τάδε δὲ μελόμεν' ἐπ' ἐλπίσιν. Et indicat. perf. ap. Oppian. Cyn. 1, 436 : Εἰ δέ νύ τοι πινυτὴ σκυλακοτροφίη μεμέληται. Et plusquamperf. Theocr. 17, 46 : Σοὶ τήνα μεμέλητο. Et partic.] μεμελημένος, Qui curæ fuit, etiam Qui curæ est, in pretio est. [Theocr. 26, 36 : Εὐειδὴς Σεμέλα καὶ ἀδελφεαὶ αὐτᾶς Καδμεῖαι, πολλαῖς μεμελημέναι ἡρωίναις.] Epigr. [Tymnæ Anth. Pal. 7, 199, 1] : Ὄρνεον ὦ Χάρισιν μεμελημένον. Et active, pro Solicitus, [Orac. ap. Appian. Civ. 1, 97 : Κράτος μέγα Κύπρις ἔδωκεν Αἰνείου γενεῇ, μεμελημένη.] Epigr. l. 1 [Leonidæ Anth. Pal. 6, 221, 5] : Οἱ δ' οὐκ ἀμφ' αἰγῶν μεμελημένοι, ἀλλὰ περὶ σφῶν. Sed invenitur etiam Μέλομαι, raro tamen, pro Curam gero, Curo. [Æsch. Sept. 177 : Μέλεσθε δ' ἱρῶν δημίων, μελόμενοι δ' ἀρήξατε· et cum inf. Suppl. 367 : Ξυνῇ μελέσθω λαὸς ἐκπονεῖν ἄκη. Soph. OEd. C. 1178 : Σὺ δ' αὐτόθεν μοι χαῖρε καὶ τὰ λοιπά μου μέλου δικαίως. Eur. Hipp. 109 : Παρελθόντες δόμους σίτων μέλεσθε· Heracl. 355 : Εἰ σὺ μέγ' αὐχεῖς, ἕτεροι σοῦ πλέον οὐ μέλονται.] Μέλομαι ἀγγελίας, Apoll. Arg. 1, [642. Locus integer est : Τῷ πέρ τε μέλεσθαι ἀγγελίας καὶ σκῆπτρον ἐπέτρεπον Ἑρμείαο, pertinetque ad signif. præcedentem. Sed ib. 1124 : Θυηπολίης ἐμέλοντο· 1355 : Εὐκτιμένης τε μέλονται Τρηχῖνος. Alia constr. 4, 491 : Ἀμφ' αὐτοῖο μέλοντο. Et cum accus. 3, 376 : Μετὰ δὲ σμυγερώτατοι ἀνδρῶν τρηχείην Χάλυβες καὶ ἀτειρέα γαῖαν ἔχουσιν ἐργατίναι· τοὶ δ' ἀμφὶ σιδήρεα ἔργα μέλονται. Quod suspectum fuit Valckenario ad fr. Callim. p. 147. Cum præp. περὶ 3, 1172 : Εὔκηλοι ἐμέλοντο περὶ σφισιν.] Sic Epigr. : Μή τι μέλεσθε λύκου. [Cum infinit. Eur. Heracl. 97 : Λόγων πόλεως μελομένῳ τυχεῖν.] Sed et μεληθεὶς, tanquam a them. contracto, ap. Soph. [Aj. 1184] : Τάφου μεληθεὶς τῷδε· pro quo diceretur usitatius ἐπιμεληθείς.

[Μελείζω. V. Μελίζω.]

Μελέϊνος, ὁ, Fraxineus, ex Theophr. H. Pl. 5, [7, 8]. Videtur potius dicendum μελίϊνος. [Ita etiam ap. Biton. De mach. p. 108, C, μελέϊνα ὑποστυλώματα. Itaque non opus est cum H. Stephano μελιΐνοις scribere. Schneider. Ind. Theophr. Apollod. Poliorc. p. 33, C : Ξύλων μελείνων. ἴ L. Dind.]

Μελεϊστὶ dicit Hom. Il. Ω, [409] : Ἦ ἔτι πὰρ νήεσσιν ἐμὸς παῖς, ἠέ μιν ἤδη Ἧσι κυσὶν μελεϊστὶ ταμὼν προὔθηκεν Ἀχιλλεύς. [Apoll. Rh. 2, 626 : Εἰ καὶ ἔμελλον νηλειῶς μελεϊστὶ κεδαιόμενος θανέεσθαι. HSt. in Διαμελεϊστί :] Affertur autem in VV. LL. et Διαμελεϊστὶ ex Luciano [scriptore Philopatr. c. 9], qui dixerit, Δ. τμηθείς· sed non dubium est quin Lucianus, poeticis verbis utens, scripserit διὰ μελεϊστὶ, ut jungatur præp. cum verbo, dicaturque διατμηθεὶς μελεϊστί. [Junctum male scribitur etiam ap. Hom. Od. I, 291, Σ, 338, ubi διαμ. ταμὼν et τάμησιν. Et Καταμελεϊστὶ, quod v. Ap. Constantin. Man. Amat. 4, 65, male κρεωκοπῶν μελιστί. L. Dind.]

[Μελέκαπρος, ὁ, Aristolochia sarmentaria ap. Interpol. Diosc. c. 411 (3, 6, ubi μελεκάπρουμ). Ducang.]

[Μελενδυτέω, Nigram vestem induo. Const. Manass. Chron. p. 88. Μελαδετέω, Haseus ex Jo. Tzetzæ Iambis in Obitum Imm. Commeni Aug. Ms. cod. 949 Vatic. hos mecum communicavit : Τὸν ἄσταχυν τὸ χαῦσος ἀθρῶον (l. ἀθρόον) φρύγει, Φρύγων δ' ἀμαυροῖ καὶ τυφῶν συνεκπνέει· Συνεκπνέων δὲ κακίαν ἐπιχέει, Ἐπιχέων δὲ στυγνὸν ἐνδύει νέφος, Μελαδετοῦντι, φωσφόρε, στύγναζέ μοι. Pro μελαδ. Haseo leg. proposui μελενδυτοῦντι, a μέλας et ἐνδυτέω. Extat hæc vox in Zonara ap. Ducang. Lex. p. 897. Boiss.]

[Μελεοπαθής, ὁ, ἡ, Misera passus, et Μελεόπονος, ὁ, ἡ, Misera perpetrans, utrumque ap. Æsch. Sept. 963 : Δορὶ δ' ἔκανες. — Δορὶ δ' ἔθανες. — Μελεόπονος. — Μελεοπαθής.]

Μέλεος, α, ον [et ὁ, ἡ. Utriusque formæ exx. sunt ap. Eur., ut Hel. 335 : Ἰὼ μέλεος ἁμέρα· Iph. T. 852, ubi Iph. de se ἐγὼ μέλεος· Or. 207 : Ἁ μέλεος. Alterius in ll. infra citandis aliisque], Hesychio μάταιος, ἀτυχής, Vanus, Inanis, Stultus; item Infortunatus, Infelix. Hominis epith. ap. poetas. Hesiod. [Th. 563]: Οὐκ ἐδίδου μελέοισι πυρὸς μένος ἀκαμάτοιο Θνητοῖς ἀνθρώποις. [Orac. ap. Herodot. 7, 140: Ὦ μέλεοι, τί κάθησθε; Æsch. Sept. 780 : Ἐπεὶ δ' ἀρτίφρων ἐγένετο μέλεος ἀθλίων γάμων· 870 : Μέλεοι δῆθ', οἳ μελέους θανάτους εὕροντ' ἐπὶ λύπῃ. Cum genit. Soph. Tr. 972 : Ὤμοι ἐγὼ σοῦ μέλεος. Eur. Iph. T. 868 : Ὦ μελέα δεινᾶς τόλμας· Med. 96 : Δύστανος ἐγὼ μελέα τε πόνων, et alibi.] Neutr. μέλεον adverbialiter pro ματαίως, Incassum, Otiose et sine ullo effectu. Hom. Il. K, [480] : Οὐδέ τί σε χρὴ Ἑστάμεναι μέλεον σὺν τεύχεσιν· Π, [336] : Ἔγχεσι μὲν γὰρ Ἤμβροτον ἀλλήλων, μέλεον δ' ἠκόντισαν ἄμφω. Verum et nomine μέλεον utitur pro Inane, Vanum, Nihil efficiens, aut Non durans : ut Il. Φ, 473 : Μέλεον δέ οἱ εὖχος ἔδωκας, Νηπύτιε· ubi schol. quoque exp. μάταιον. [Ψ, 795 : Οὐ μέντοι μέλεος εἰρήσεται αἶνος· Od. E, 416 : Μελέη δέ μοι ἔσσεται ὁρμή. Æsch. Ag. 716 : Μέλεον αἷμ' ἀνατλᾶσα. Et alibi apud Tragicos cum vocc. ἔργον, κακὸν, πάθος etc. In prosa Maccab. 4, 16, 6.] Porro ut ἠλὲ dicunt poetæ interdum pro ἠλεὲ, ita etiam μέλε [tam masc. quam fem.] pro μέλεε. Aristoph. [Nub. 33]: Ἀλλ', ὦ μέλ', ἐξήλικας, O miser, s. O stulte. [Et alibi sæpissime ap. Aristoph., Plat. Theæt. p. 178, E. Atque etiam μέλεοι disyllabum est ap. Æsch. Sept. 876, 947. Etymologias miras v. ap. Theognost. Can. p. 50, 7, et in Etym. M.]

Μελεόφρων, ονος, ὁ, ἡ, Cui misera est mens, miser animus s. infelix. Sed ut poetica est vox ista μελεόφρων, ita poetico loquendi genere ad ejus interpretationem utendum censeo, sc. Infelix animi : quod Virg. inter alios usurpavit. In VV. LL. ex Eur. [Iph. T. 854] affertur pro Misera cogitans.

[Μελεσίπτερος, ὁ, ἡ, Qui alis canit. Mnasalcas Anth. Pal. 7, 194, 1 : Ἀκρίδα Δημοκρίτου μελεσίπτερον.]

[Μελεσωπὸς quod ponit Theognost. Can. p. 69, 6, scrib. videtur μελανωπός.]

Μελετάω, [ήσομαι, Lucian. Pseudos. c. 6 : Ἐρομένου δέ τινος, εἰ μελετήσει ὁ δεῖνα, Πῶς οὖν, ἔφη, ἐμὲ ἐρωτῶν εἰ μελετήσομαι, λέγεις ὅτι ὁ δεῖνα. Ubi schol. : Οὐ γὰρ ἀξιοῦσιν Ἀττικοὶ ἐπὶ τοῦ ῥήματος τούτου ἐνεργητικῶς ἐκφέρειν, ἀλλὰ παθητικῶς τὸν μέλλοντα. Οὐ γάρ φασι μελετήσω, ἀλλὰ μελετήσομαι. Philostr. V. Soph. 1, p. 529, de declamaturo : Μελετήσομαι. Falsum esse præceptum de verbo in universum dictum ostendunt ll. Thucydidei infra cit.] Curo, Curam gero. Hesiod. Op. [314] : Μελετᾷς βίου. Et ἔργου μελετῶν [Op. 441. Sic ap. Hippocr. De curandis ægrotis, ut p. 548, 4 : Μετὰ τῆς νούσου τὴν κρίσιν μελετῆν· 550, 4 : Τοῦτον ὁκόταν οὕτως ἔχῃ, μελετῆν τοῖσιν αὐτοῖσι φαρμάκοισι καὶ ἐδέσμασι· 553, 3 : Καὶ τἄλλα μελετῆν οἷσι καὶ τοὺς πρόσθεν ἰκτέρους· 554, 31 : Τοῦτον ὁκόταν ὧδε ἔχῃ, μελετῆν οὕτως. 556, 54 : Τοῦτον μάλιστα μὲν κατ' ἀρχὰς βούλεσθαι μελετᾶν. Sic μελετᾶσθαι p. 547, 7 : Καὶ μὴ παραχρῆμα μελετηθῇ· et p. 549, 53; 551, 8; 552, 31; 556, 10; 558, 12, et μελετώμενος, Qui curatur, p. 556, 5, 11, 45, et alias sæpe. Ex Foes. OEcon.] In soluta orat. Meditor (atque hoc verbum Meditor Latinos ab illo μελετῶ derivasse auctor est Servius), Exerceo. [Sic etiam ap. poetas. Hom. H. Merc. 557 : Μαντείης, ἣν ἐπὶ βουσὶ παῖς ἔτ' ἐὼν μελέτησα. Soph. OEd. C. 171 : Ἀστοῖς ἴσα χρὴ μελετᾶν. Eur. Bacch. 892 : Οὐ γὰρ κρεῖσσόν ποτε τῶν νόμων γιγνώσκειν χρὴ καὶ μελετᾶν. Aristoph. Pl. 511 : Οὔτε τέχνην ἂν τῶν ἀνθρώπων οὔτ' ἂν σοφίαν μελετῴη οὐδείς.] Thuc. 1 : Μελετήσομεν καὶ ἡμεῖς ἐν πλείονι χρόνῳ τὰ ναυτικά. [Ib. 80 : Εἰ δὲ μελετήσομεν καὶ ἀντιπαρασκευασόμεθα. Ib. 142 : Μελετῶντες τὸ ναυ-

A τικόν.] Sic etiam οἱ τὴν ἱππικὴν μελετῶντες, Xen. [H. Gr. 3, 4, 16 : Τοὺς ἀκοντιστὰς καὶ τοὺς τοξότας μελετῶντας· Hipp. 3, 8 : Μαθόντες καὶ ἐθισθέντες καὶ μελετῶντες· Cyrop. 2, 3, 23 : Ὅτι τὰς τάξεις μελετᾶτε καὶ προσιόντες καὶ ἀπιόντες, Ordines servare studetis. Cum dativo Cyrop. 2, 1, 21 : Τὸ τόξῳ μελετᾶν καὶ ἀκοντίῳ. Cum partic. Reip. Ath. 1, 20 : Ἐμελέτησαν πλοῖον κυβερνῶντες. Herodot. 3, 115 : Τοῦτο δὲ οὐδενὸς αὐτόπτεω γενομένου δύναμαι ἀκοῦσαι τοῦτο μελετῶν, ὅκως θάλασσά ἐστι τὰ ἐπέκεινα τῆς Εὐρώπης· 6, 105 : Ἀθηναῖον ἄνδρα, ἄλλως δὲ ἡμεροδρόμον τε καὶ τοῦτο μελετῶντα. || Molior, Studeo alicui rei. Manetho 5, 95 : Ἐλπίσιν ἀπλήστοις μεγάλας ἀρχὰς μελετῶσιν.] Interdum μελετῶ sine adjectione, pro Me exerceo, quum ap. alios, tum Thuc. : unde μεμελετηκὼς ap. Xen., Qui se exercuit, Exercitatus, Hell. 6, [4, 10] : Ἦν δὲ τὸ μὲν τῶν Θηβαίων ἱππικὸν μεμελετηκὸς, τοῖς δὲ Λακεδαιμονίοις κατ' ἐκεῖνον τὸν χρόνον πονηρότατον. [Aristoph. Eccl. 164 : Ἐγὼ γὰρ αὖ λέξω πάλιν· οἶμαι γὰρ ἤδη μεμελετηκέναι καλῶς.] Invenitur autem et cum infin. [Eur. fr. Alexandri ap. B Stob. Flor. 108, 17 : Πάντων τὸ θανεῖν· τὸ δὲ κοινὸν ἄχος μετρίως ἀλγεῖν σοφία μελετᾷ. Aristoph. Eccl. 119 : Ὅσαι λαλεῖν μεμελετήκασι. Et aliquoties ap. Xenoph.] Plato Phæd. [p. 67, E] : Τῷ ὄντι ἄρα οἱ ὀρθῶς φιλοσοφοῦντες ἀποθνήσκειν μελετῶσι· unde est illud Cic. in Somn. Scip. : Tota enim philosophorum vita commentatio mortis est. Alicubi μελετᾷν cum hac constr. pro Studere, Operam dare ut etc. [|| Οὓς ἀναβαίνειν ἐπὶ τοὺς ἵππους μελετᾷ Φείδων docet, Mnesim. ap. Athen. 9, p. 402, F. Hemst. Sine infin. sic Xen. Cyrop. 8, 1, 14 : Ἐμελέτησε δὲ καὶ ὡς μήτε πιόντες μήτε ἀπομυττόμενοι φανεροὶ εἶεν (οἱ κοινῶνες) μήτε μεταστρεφόμενοι ἐπὶ θέαν μηδενός. || Soleo. Epimer. Hom. in Cram. An. vol. 1, p. 66, 6 : Μεμελέτηκε δὲ τὸ τ εἰς θ τρέπεσθαι. Theognost. ib. vol. 2, p. 145, 25 : Τὰ μὴ μελετήσαντα παρασχεῖν (l. πάσχειν, ut 33) συναίρεσιν· 148, 27. Herodian. ib. vol. 3, p. 299, 4.] || Declamo. Plut. Cic. [c. 4, ubi bis] : Ἐπεὶ δ' ἐμελέτησε, τοὺς μὲν ἄλλους κτλ. In hac signif. habetur aliquoties in Epigr., ut [Anth. Pal. 11, 145, 1] : Εἰκὼν ἡ Σέξτου μελετᾷ, Σέξτος δὲ σιωπᾷ. [Οἱ χοροὶ C μελετῶσι, Aristot. Probl. 11, 46. Hesych. in Μελιτέων οἶκος. Hemst. De exercitatione oratoria etiam Xen. Cyrop. 5, 5, 47 : Μὴ ὡς λόγον ἡμῖν ἐπιδειξόμενοι, οἷον ἂν εἴποιτε, τοῦτο μελετᾶτε· Comm. 4, 8, 4 : Οὐ γὰρ δοκῶ σοι τοῦτο (ὅ,τι ἀπολογήσομαι) μελετῶν διαβεβιωκέναι; « Demosth. p. 421, 20 : Λογάρια δύστηνα μελετήσας· 576, 17 : Ἐσκέφθαι καὶ μεμελετηκέναι ὡς ἐνῆν μάλιστα· 1129, 9 : Μελετᾶν εὐθέως τὴν ἀπολογίαν ὑπὲρ ἑαυτῶν· 1414, 12 : Οὐκ ἐπὶ τῶν καιρῶν μελετᾶν, ἀλλ' ἀγωνίζεσθαι καλῶς ἐπίστασθαι. » Reisk. || De aliis rebus, Jo. Malal. p. 247, 8 : Τυραννίδα κατὰ Ῥωμαίων ἐμελέτουν, forma novitia, nisi librarii est, quum sit 371, 9 : Ὑπονοήσας τυραννίδα μελετᾶν Ἄσπαρα· 456, 16 : Ὡμολόγησαν τὴν προδοσίαν ἣν ἐμελέτων. Conf. ib. 493, 1, 4, 13; 495, 3, ubi μ. δόλον, σκέψιν, ἐπιβουλήν. V. Μελέτη.] || Μελετάομαι, Exerceor [Thuc. 1, 142 : Τὸ ναυτικὸν τέχνης ἐστὶν ... καὶ οὐκ ἐνδέχεται, ὅταν τύχῃ, ἐκ παρέργου μελετᾶσθαι. Plato Reip. 5, p. 455, C : Οἶσθά τι οὖν ὑπὸ ἀνθρώπων μελετώμενον κτλ.] : unde μεμελετημέναι τέχναι e Xen. [Cyrop. 1, 6, 41] affertur pro Artes, quarum peritia D exercitatione comparata est. Exp. etiam, Artes, quibus animi exculti sunt. Item μεμελετημένον pro Cogitatum, Consideratum : sed hanc signif. Bud. affert duntaxat ex Gaza ap. Cic. [Hermogeni Π. στάσ. p. 12 μελετώμενα εἴδη ζητημάτων sunt Quæstiones scholiasticæ, quæ in judicio quidem consistere non possunt, sed in declamationibus tamen intra scholasticos parietes exerceri. Ernest. Lex. rhet.]

[Μελετεὼν, ῶνος, ὁ, Meleteon, n. viri in inscr. Att. ap. Bœckh. vol. 1, p. 232, n. 150, a, 26; p. 343, n. 212, 2. L. Dind.]

Μελέτη, ἡ, Cura. Hesiod. Op. [378] : Πλείων μὲν πλεόνων μελέτη, μείζων δ' ἐπιθήκη. [410 : Μελέτη δέ τοι ἔργον ὀφέλλει· 455 : Τῶν πρόσθεν μελέτην ἐχέμεν οἰκήια θέσθαι. Pind. Ol. 6, 37 : Ἐν θυμῷ πιέσαις χόλον οὐ φατὸν ὀξείᾳ μελέτᾳ. Eur. Med. 1099 : Οἷσιν δὲ τέκνων ἔστιν ἐν οἴκοις γλυκερὸν βλάστημ', ἐσορῶ μελέτῃ κατατρυχομένους τὸν ἅπαντα χρόνον, πρῶτον μὲν ὅπως θρέψουσι καλῶς, βίοτόν θ' ὁπόθεν λείψουσι τέκνοις.] At vero in soluta oratione hanc signif. minime servat [apud

Atticos : nam ap. Iones trita est. Foes. Œcon. Hipp.: « Μελέτη, Curam, Diligentiam, τὴν ἐπιμέλειαν significat Hippocrati, interdum etiam Curationem. P. 606, 28 : Χρὴ δὲ τὴν μελέτην ἀτρεκέως ποιέεσθαι ἑλκέων τῶν ἐν τῇσι μήτρῃσιν. De quibus p. 591, 25 : Δεήσεται προσέχειν τῇ μελέτῃ. Rursus p. 559, 15; 560, 8 : Καὶ δέεται μελέτης πολλῆς, Cura aut curatione. Et p. 756, H : Καίτοι πᾶσαν μελέτην καὶ πᾶσαν ἐπίδεσιν οἷά τε διαφθείρειν ἐστὶ μὴ ὀρθῶς ποιεύμενα· ubi alii πᾶσα μελέτη καὶ πᾶσα ἐπίδεσις οἷά τε διαφθείρεσθαι. P. 759, H : Οὐδεμίη πολλὴ σπουδὴ τῆς μελέτης. Ubi Galen. : Μελέτης δὲ πρόδηλον ὅτι τῆς ἐπιμελείας λέγει, καὶ σύνηθες τοῦτο τοῖς Ἴωσι, καὶ πολλάκις ἐπὶ τούτου τοῦ σημαινομένου καὶ αὐτὸς ἐχρήσατο τῇ προσηγορίᾳ. P. 775, B : Μελέται μελετέων πολὺ διαφέρουσι καὶ φύσιες φυσίων· 817, F : Τεσσαρακονθήμερον τὴν μελέτην καὶ τὴν ἐπίδεσιν ποιέεσθαι χρή, ἣν δὲ μὴ πτύῃ τὸ αἷμα, ἀρκέει εἴκοσιν ἡμέρῃσιν ἡ μελέτη. P. 598, 41 vero μελέτη pro Exercitatione veneris sumitur : Προθυμίην γάρ σφισι ποιέει ἡ μελέτη.»] Sed accipitur pro Meditatio [Gl.], Exercitatio. [Sic fere, vel ut sit Studium, Pind. Ol. 9, 115 : Μία δ' οὐχ ἅπαντας ἄμμε θρέψει μελέτα· Nem. 6, 56 : Ἕπομαι δὲ καὶ αὐτὸς ἔχων μελέταν· Isthm. 4, 31 : Μελέταν δὲ σοφισταῖς Διὸς ἕκατι πρόσβαλον σεβιζόμενοι Οἰνεΐδαι κρατεροί, de poetarum carminibus (ut Ol. 14, 18 : Λυδίῳ δ' Ἀσώπιχον ἐν τρόπῳ ἔν τε μελέταις ἀείδων ἔμολον). 5, 62 : Μελέταν ἔργοις ὀπάζων. Soph. Ph. 196 : Καὶ νῦν ἃ ποιεῖ δίχα κηδεμόνων, οὐκ ἔσθ' ὡς οὐ θεῶν του μελέτη. Ps.-Eur. Hipp. 224 : Τί κυνηγεσίων καί σοι μελέτη;] Thuc. 2, [85] : Οὐκ ἀντιτιθέντες τὴν Ἀθηναίων ἐκ πολλοῦ ἐμπειρίαν τῆς σφετέρας δι' ὀλίγου μελέτης. Huic autem δι' ὀλίγου μελέτῃ opp. alibi ἐκ πολλοῦ μελέτην, sc. 5, [69] : Ἔργων ἐκ πολλοῦ μελέτη. Alibi [2, 39] πόνων [et τῶν πολεμικῶν] μελέτη dicit, et [1, 18 : Μετὰ κινδύνων τὰς μελέτας ποιούμενος], μελέτην τοῦ ναυτικοῦ ποιεῖσθαι. [Cum eod. verbo Xen. Cyrop. 7, 5, 85 : Ποῦ τὴν ἀρετὴν ἀσκεῖν, ποῦ τὴν μελέτην ποιεῖσθαι (χρῆναι). De exercitatione militari sæpius quum ap. alios, ut Polybium, tum ap. Xen., ut in Cyrop. 7, 5, 79 : Πολεμικῆς ἐπιστήμης καὶ μελέτης. Ib. 1, 2, 10 : Ὅπως θηρῶσιν, ὅτι ἀληθεστάτη αὐτοῖς δοκεῖ αὕτη (ἡ) μελέτη τῶν πρὸς τὸν πόλεμον εἶναι. Quorum similia nonnulla contulit Jacobs. ad Anth. (Pal. 14, 17, 1) vol. 12, p 101.] Alicubi ap. Eund. redditur Præmeditatio. Plut. [Mor. p. 979, A] γύμνασμα et μελέτην copulavit. Quidam autem in Epigr. [Apollonidæ Anth. Pal. 11, 25, 2] jocose somnum appellavit μοιριδίην μελέτην, q. d. Fatalem meditationem. [De eodem H. Orph. 84, 7 : Θανάτου μελέτην ἐπάγεις. Plato Phæd. p. 81, A : Ἢ οὐ τοῦτ' ἂν εἴη μελέτη θανάτου;] Μελέτη alicubi redditur etiam Industria : Synes. : Πολιτικῆς δὲ φροντίδος ἄμοιρῶ καὶ φύσει καὶ μελέτῃ. Quinetiam ἐκ μελέτης in VV. LL. pro De industria. Plur. autem μελέται alicubi redditur etiam Instituta. [Thuc. 1, 85. Eodem numero Eur. fr. Meleagri ap. Aristoph. Ran. 1316 : Κερκίδος ἀοιδοῦ μελέτας. ‖ Notanda præterea constr. cum præp. περὶ ap. Plat. Polit. p. 286, A : Ῥᾴων δ' ἐν τοῖς ἐλάττοσιν ἡ μελέτη παντὸς πέρι μᾶλλον ἢ περὶ τὰ μείζω. Et cum præp. πρὸς ap. Plat. Leg. 9, p. 865, A : Κατὰ μελέτην τὴν πρὸς πόλεμον· Men. p. 75, A : Ἵνα καὶ γένηταί σοι μελέτη πρὸς τὴν περὶ τῆς ἀρετῆς ἀπόκρισιν. V. Μελέτημα. Cum infin., Studeo, Molior, Plotin. vol. 1, p 514, 10 ed. Creuzer. : Ἦν αὐτοῖς μελέτη δενδρωθῆναι· Niceph. Greg. Hist. Byz. 3, 5, p. 43, D : Μελέτην ἔχοντες, ὡς ἐξ ὁρμητηρίου τινὸς λαμπροῦ κεχύσθαι. Quæ formulæ prope accedunt ad signif. Consilii vel etiam Insidiarum, de quibus, ut supra μελετᾶν, est ap. Joann. Malal. p. 493, 6 : Ἡ δὲ μελέτη αὐτῶν ἦν αὕτη, ἵνα ... εἰσέλθωσι· Tzetz. Hist. 10, 85 : Ἔγνωκεν ἂν βαρύτατον μελέτην τυραννίδος. De Consuetudine, ut supra μελετάω, ap. Stob. Flor. App. vol. 4, p. 22 : Οἱ ἐν χαλκείῳ καταχτυπούμενοι τὰς ἀκοὰς ἐν μελέτῃ γίγνονται τῶν ψόφων.] ‖ Declamatio [ῥήτορος, Gl.] : quod ea exercitatio sit et velut præludium ad forensis orationis concertationem. Hinc Λιβανίου μελέται, itidem Ἱμερίου μελέται, unde excerpta quædam nuper ex officina mea prodierunt. [Μελέται, quas Commentationes Cicero appellat, Quint. Controversias scholasticas 6, 5, et fictas 7, 30. Conf. Lucian. Præc. rhet. c. 17. Syrianus ad Hermog. p. 120 Ald. μελέτην dictam ait διότι οὐκ ἄνευ τινὸς συνεχοῦς

A ἀσκήσεως ἡ περὶ τοὺς ῥητορικοὺς λόγους ἐπιστήμη προσγίνεται ἀνθρώπῳ. De μελέταις earumque tractatione exposuit Dionys. A. rh. c. 10, p. 373. V. Wolf. Prol. ad Demosth. Lept. p. 34, Cresoll. Theatr. 3, 4; 4, 6. Ernest. Lex. rh. Demosth. p. 328, 15. « Basil. M. vol. 1, p. 238, D : Ὡς πλάσματος, οἷα ἐν τοῖς διδασκαλείοις τῆς ματαιότητος εἰς μελέτην τοῦ ἐν τῷ ψεύσματι πιθανοῦ τοῖς μειρακίοις προβάλλεται. Philostr. V. Ap. 5, 27, p. 210 : Μελέτην αὐτὰ οὐκ ἐποιεῖτο ἐς πάντας.» Valck. Xen. Comm. 4, 8, 4 : Τῶν ἀδίκων ἀπεχόμενος, ἥνπερ νομίζοι καλλίστην μελέτην ἀπολογίας εἶναι. De Periandri dicto μελέτη πᾶν v. Viscont. *Iconogr. gr.* vol. 1, p. 105, T. Combe, *A descr. of the anc. marbles in the Brit. Mus.* ad tab. XLII. Μελέτη πάντα καθαιρεῖ eidem tribuitur ap. Clem. Al. Strom. 1, p. 351. L. Dind.]

[Μελέτη, ἡ, Melete, Musa, ap. Pausan. 9, 29, 2, Tzetz. ad Hesiodi Op. p. 23 Gaisf.]

Μελέτημα, τὸ, q. d. Meditamentum, Exercitamentum. Xen. [Eq. 11, 13] : Ἐν τοῖς πρὸς πόλεμον μελετήμασι. [12, 15, Cyrop. 8, 1, 43. « Eurip. ap. Clem. Al. p.
B 634 : Αἰσχρῶν ἔργων μελέτημα.» Valck. Crit. apud Athen. 10, p. 432, D. Hemst. Plato Phæd. p. 67, D : Τὸ μελέτημα αὐτὸ τοῦτό ἐστι τῶν φιλοσόφων, λύσις καὶ χωρισμὸς ψυχῆς ἀπὸ σώματος. Pollux 5 præf. : Εἰρηνικῆς τε καρτερίας ἅμα καὶ πολεμικῆς τόλμης μελέτημα.]

Μελετηρὸς, ἁ, ὸν, Exercitatus, Bud. [Xen. Anab. 1, 9, 3 : Τῶν εἰς πόλεμον ἔργων φιλομαθέστατον καὶ μελετηρότατον. « Philostr. V. Soph. 1, p. 527, 24 : Συνουσίαι οὐ μελετηραὶ μόνον ἀλλὰ καὶ διδασκαλικαί.» Hemst.]

[Μελέτησις, εως, ἡ, Exercitatio. Gramm. Bekk. An. p. 438, 1. Boiss. Μέλλησις Lobeck. ad Phryn. p. 351.]

[Μελετητέον, Exercitandum, Plato Reip. 3, p. 407, A : Πότερον μ. τοῦτο τῷ πλουσίῳ· et alibi. « Id. Gorg. § 174. Porphyr. Abstin. 1, 31, p. 51.» Boiss.]

Μελετητήριον, τὸ, Meditatorium, ut Tertull., Locus meditationis, exercitationis, exercitii, Plut. [Dem. c. 7. Anaxandrid. ap. Athen. 14, p. 638, D. Hemst.] Item Instrumentum, quo quis se exercet, Hesych.

Μελετητικὸς, ἡ, ὸν, Ad meditationem aptus s. exercitationem; Meditationis studiosus, Meditationi de-
C ditus. [Clem. Al. Pæd. 2, p. 174, D : Ὠδεις κνησμοὶ, πορνείας ἀκολάστου μελετητικοί.] Exp. et Declamatorius [in Gl., quæ addunt : Μελετητικὸς αὐλὸς, Vacca. V. Μελητικὸς et Μελετικός. « Theodot. Ezech. 7, 16 : Περιστεραὶ μελετητικαὶ, Columbæ gemebundæ. Ald. vitiose μελλετικαὶ, Complut. μελετητή.» Schleusn. Lex. Eust. Op. p. 68, 76 : Ὁ δὲ μύων τοὺς ὀφθαλμοὺς οὐ δεδίττεται, ἀλλὰ καὶ μετὰ τὴν ἀστραπὴν μηχανᾶταί τι αὐτὸς θεράπευμα ὄψεως· μελετητικὸς ἄρα ἐστὶ καὶ σκεπτικός· 190, 33 : Οὔτε γὰρ παντάπασιν ἀπαρνήσεται σοφὸς εἶναι κατὰ θεὸν καὶ συνετὸς ὁ οὕτω μελετητικός.]

[Μελετητὸς, ἡ, ὸν, Exercitatione s. Meditatione comparandus. Plat. Clitoph. p. 407, B : Εἰ δὲ μελετητόν τε καὶ ἀσκητόν (ἡ δικαιοσύνη). Lucian. Imag. c. 16 : Ἐπειδὴ πάντων καλῶν παιδείαν ἡγεῖσθαι ἀνάγκη, καὶ μάλιστα τούτων ὁπόσα μελετητά.]

[Μελετικὸς, Meditativus, Gl. pro μελετητικός.]

[Μελέτιος, ὁ, Meletius, n. viri, frequens seculis inferioribus. Exx. sunt apud scriptt. hist. eccles. et Fabricium in Bibl. Gr. A Meletio dicti Μελετιανοὶ me-
D morantur ap. scriptores eccl., ut Epiphan. vol. 2, p. 19, A, B, ubi male Μελητιανοὶ, Athanas. vol. 1, p. 178, A, E, etc., ubi Μελιτιανοὶ, ut ap. Socr. H. E. 1, 6, p. 14, 39, ubi etiam Μελίτιος, Jo. Damasc. vol. 1, p. 92, A, Theodor. Stud. p. 258, C; 259, B. L. Dind.]

Μελετῶν, affertur pro Exercitii domus : μελετητήριον, sed sine auctoritate. [V. Μελιτέων οἶκος in Μελίτη.]

Μελέτωρ, ορος, ὁ, Qui curam gerit alicujus rei, Cui negotium aliquod curæ est, Soph. [El. 846 : Ἐφάνη γὰρ μελέτωρ ἀμφὶ τὸν ἐν πένθει. Eust. Opusc. p. 8, 8 : Εἰ γοῦν βασιλεύει τῶν ἐπὶ γῆς ἅπας ἄνθρωπος, καὶ μάλιστα ὁ σπουδαῖος, ἐνθυμείσθω καὶ μελέτωρ ἑαυτοῦ εἶναι τοῦ ἐνός.]

[Μέλη, ἡ, genus poculi, ap. Athen. 11, p. 486, E.]

[Μεληγορέω et Μεληγόρος vitia scripturæ pro μεγαλ—, de quibus Boisson. ad Psell. p. 201.]

Μεληδὸν, Membratim, [Minutatim, add. Gl.] Per membra. [Posidonius ap.] Athen. 4, [p. 153, E] : Κρέα μ. ὠπτημένα. [Hesychius, post Μελιγουνὶς, dicit ἐπίρρημα et interpr. εἰς μικρὰ μέρη καὶ μέλη κοπτόμενον.

Jo. Cameniat. Excid. Thessalon. c. 26, p. 257 : Μεληδὸν κατήκιζε τὸ προστυχὸν σῶμα. L. Dind.]

[Μεληδών. V. Μελεδών.]

Μέλημα, τὸ, Cura. [Æsch. Ag. 1549 : Οὔ σε προσήκει τὸ μέλημα λέγειν τοῦτο· Eum. 444 : Τῶν σῶν ἐπῶν μέλημ' ἀφαιρήσω μέγα. Soph. Phil. 150 : Μέλον πάλαι μέλημά μοι λέγεις.] Theocr. [14, 2] : Τί δὲ τοι τὸ μέλημα; Quid tibi cura est hac re? Quid curas? Sic in quodam Anacr. Odario [6, 9] : Τί δ' ἐστί σοι μέλημα; (nam corruptum esse in exempll. locum eum [codex τίς δ' ἐ. σ. μέλει δέ, Valperga μεληδών], docuerunt meæ in illum annotationes.) Idem vero [5, 7] rosam appellat ἔαρος μέλημα, Curam veris, Quæ curæ est veri, Quæ veri est velut in deliciis. Et Sappho ap. Jul. Imper. in Epist. [18] : Ἵνα σὲ τὸ μέλημα τοὐμὸν, ὥς φησιν ἡ Σαπφὼ, περιπτύξωμαι· quem usum nominis μέλημα crediderim exprimere voluisse Ovid. : At sacri vates et divum cura vocamur, i. e., ut ego versum illum Græco versu reddidi, Ἀλλ' ἱεροί τε θεῶν τε μέλημα καλούμεθ' ἀοιδοί. [Pind. Pyth. 10, 59 : Νέαισι παρθένοισι μέλημα· fr. ap. schol. Pyth. 3, 139 : Ματρὸς μεγάλας ὀπαδὲ, σεμνῶν Χαρίτων μέλημα τερπνόν. Aliter id. ap. Clem. Al. Pæd. p. 295 : Γλυκύ τι κλεπτόμενον μέλημα Κύπριδος, de amore furtivo, ut videtur. Æsch. Cho. 235 : Ὦ φίλτατον μέλημα δώμασιν πατρός. Aristoph. Eccl. 973 : Ὦ χρυσοδαίδαλτον ἐμὸν μέλημα· 905 : Σὺ δ', ὦ γραῦ, παραλέλεξαι ... τῷ θανάτῳ μέλημα. « Heliodorus p. 33 : Θεαγένης τὸ μ. τὸ ἐμόν. Eumath. Ism. p. 186 : Ὑσμίνη, μέλημα ἐμόν. » Koenig. Eust. Opusc. p. 339, 80 : Χαρίτων πασῶν μέλημα· 335, 48 : Ἐμὸν τὸ μέλημα, χειρὸς ἐμῆς μέλημα. Alia Hemsterh. præf. ad Polluc. p. 26. L. D.]

[Μέλης, ητος, ὁ, Meles, fl. Ioniæ, Hom. H. Dian. 3 : Βαθυσχοίνοιο Μέλητος. Strabo 12, p. 554; 14, p. 646. Pater Homeri, qui ab eo dictus Μελησιγένης, quod v., Plut. Vit. Hom. c. 2. Pater Cinesiæ ap. Plat. Gorg. p. 501, E; 502, A. Alius ap. Pausan. 1, 30, 1, in inscr. Att. ap. Bœckh. vol. 1, p. 540, n. 974.]

[Μελῆς, ῆτος, Dipsacus a nonnullis vocatur, Diosc. 3, 11, Apul. De herbis c. 32, ubi cod. Voss. et ed. Basil. a. 1528 *Imileta*. Angl.]

[Μελησᾰγόρᾱς, ὁ, Melesagoras, historicus, de quo v. Meurs. ad Antig. Car. c. 12, qui Amelesagoras potius dicendus videtur. Vates Eleusinius, ap. Maximum Tyr. Diss. 38, 3.]

[Μελήσανδρος, ὁ, Melesander, Athen. ap. Thuc. 2, 69. Μελίσανδρος Milesius poeta ap. Ælian. V. H. 11, 2, ipse quoque scribendus Μελήσανδρος, de quo mirum dubitare potuisse Dukerum ad Thuc., immemorem etiam Pausaniæ 1, 29, 7. Alius in inscr. nav. ap. Bœckh. *Urkunden* p. 244, Æginet. C. I. vol. 2, p. 175, n. 2143. L. Dindorf.]

[Μελήσερμος, ὁ, Melesermus, Atheniensis sophista, de quo v. Suidas.]

[Μελησία, ἡ, Melesia, n. mulieris ap. Suidam, qui addit ex. anonymi.]

[Μελησιάναξ, ακτος, ὁ, Melesianax, Homeri n. antiquius, ap. Tzetz. Exeg. Il. p. 36, 16, ubi per ι in secunda scriptum. Conf. Μελησιγενής. ῐᾰ]

[Μελησίας, α s. ου, ὁ, Melesias, Ægineta, Pind. Ol. 8, 54, Nem. 4, 93; 6, 68. Al. ap. Thuc. 8, 86, Aristoph. Nub. 686, et sæpius ap. Platonem in Lachete et aliis dialogis. ῐᾰ]

[Μελησιγενής, οῦς, ὁ, Melesigenes, Homeri n. primum a Melete fl. ductum, ap. Ps.-Herodot. V. Hom. c. 3 seqq., in Certamine Homeri et Hesiodi, ap. Proculum Chrestom. p. 1 ed. Bekker. Variatur autem in accentu -γένης et -γενής. Sed si est n. pr., locum non habet -γενής. Conf. autem Μελησιάναξ.]

[Μελησίμβροτος, ὁ, ἡ, Qui hominibus curæ est. Pind. Pyth. 4, 15 : Φαμὶ γὰρ Ἐπάφοιο κόραν ἀστέων ῥίζαν φυτεύσεσθαι μελησίμβροτον, de Cyrene.]

[Μελησιππίδας, α, ὁ, Melesippidas, n. viri, Plutarcho restitui in Εὐπωλία, quod v. L. Dind.]

[Μελήσιππος, ὁ, Melesippus, Laco, Thuc. 1, 139; 2, 12. Alius in inscr. Att. ap. Bœckh. vol. 1, p. 334, n. 199, 31. Conf. etiam Aristænet. Epist. 1, 8, p. 34. L. Dindorf.]

Μέλησις, et Μελησμὸς pro ead. illa signif. [qua μέλλησις et μελλησμὸς, quod v.] in VV. LL. [Vitiose. Sed recte significatione Curæ ap. Theodor. Hyrtac. *No-*

A *tices* vol. 6, p. 3 : Σὺ δ', εἴ σοι μέλει, ἔργῳ δείξεις ἢ λόγῳ τὴν μέλησιν. L. Dind.]

Μελητέον, Curandum. Plato De rep. 2, [p. 365, D] : Ἡμῖν οὐ μ. τοῦ λαθεῖν, Nobis non curandum ut lateamus.

[Μελητίδης, ὁ, Meletides, hominis stulti sive verum sive fictum nomen ap. Aristoph. Ran. 991 : Τέως δ' ἀβελτερώτατοι κεχηνότες Μαμμάκυθοι, Μελητίδαι καθῆντο. Sic enim correctum ex libris optimis vetustum vitium καὶ Μελιτίδαι. Unde etymologia in schol. et ap. Eust. Od. p. 1735, 51, παρὰ τὸ μέλι, unde ducatur nomen Μέλιτος, quod nihili esse infra diximus, a quo nomine factum sit Μελιτίδης. Idem vitium est ap. Aristid. vol. 2, p. 659, ubi veræ scripturæ per *e* exemplum Appuleji, quod perperam mutat, annotat Morellius, Lucian. Amor. c. 53, Liban. vol. 1, p. 510, 2, Themist. Or. 26, p. 330, D, Hesychium, aliosque grammaticos.]

[Μελητικὸς αὐλὸς, Vasca, Gl. V. Μελετητικός.]

[Μέλητος, ὁ, Meletus, poeta ap. Aristoph. Ran.

B 1302, Epicratem Athen. 13, p. 605, E, Socratis accusator notissimus e Xen. in Comm. et Apolog. Socr., Platonis Euthyphrone et Apologia Socr. et aliis. Vitiosa scriptura per ι, de qua dixi ad Xen. H. Gr. 2, 4, 36 et in Μελητίδης, nunc ubique ex libris correcta est, testaturque nomen Μέλητος Arcad. p. 81, 24, Theognost. Can. p. 75, 72, et habet inscr. Att. ap. Bœckh. vol. 1, p. 334, n. 199, 7. || Μελήτου κόλπος ὁ Σμυρναῖος ἐκαλεῖτο, ἀπὸ Μελήτου ποταμοῦ, ὡς Ἑκαταῖος ἐν Αἰολικοῖς, Steph. Byz.]

Μέλι, ῐτος [De dativo isosyllabo μέλι conjecturas quasdam protulit Meinek. Com. vol. 3, p. 642, nixas Hesychii glossa, Μέλι ἔοικε, μελ' ὅμοις. Quod nihili esse et ad Μέλλει referri recte vidit Salmasius et post eum Albertus. Scribendum autem partim cum Musuro Μέλλει, ἔοικεν, ὅμοιος vel ὅμοιόν ἐστι. Hesychius ipse : Μέλλει, ἔοικε, et similiter in Μέλλετε, Ἔμελλεν, Ἐμέλλετε. Genit. pl. μελίτων ap. Empedocl. Athen. 12, p. 510, D], τὸ, Mel. Hom. [Od. Υ, 69 : Αἱ δ' ἐλίποντο ὀρφαναὶ ἐν μεγάροισι, κόμισσε δὲ δῖ' Ἀφροδίτη τυρῷ καὶ

C μέλιτι γλυκερῷ καὶ ἡδέϊ οἴνῳ·] Il. Α, [249] : Τοῦ καὶ ἀπὸ γλώσσης μέλιτος γλυκίων ῥέεν αὐδή. [Σ, 109 : Χόλος, ὅστε πολὺ γλυκίων μέλιτος καταλειβομένοιο ἀνδρῶν ἐν στήθεσσιν ἀέξεται ἠΰτε κάπνος. Proverb. 5, 3 : Μέλι γὰρ ἀποστάζειν ἀπὸ χειλέων πόρνης. « (Aristoph. ap. Dion. Chr. vol. 2, p. 273, et in Crameri Anecd. Paris. vol. 1, p. 19 sive) Vita Sophoclis extr. : Σοφοκλέους τοῦ μέλιτι κεχρισμένου ... περιέλειχε τὸ στόμα. » Hemst.] Unde Cic. De sen. : Ex ejus lingua melle dulcior fluebat oratio. Il. Α, [630] : Μέλι χλωρόν. [Æsch. Pers. 612 : Τῆς τ' ἀνθεμουργοῦ στάγμα παμφαὲς μέλι. Eur. Bacch. 711 : Γλυκεῖαι μέλιτος ῥοαί.] Plut. [Mor. p. 41, F] ex Simonide, de apibus : Ξανθὸν μέλι μηδόμεναι. Pausan. Att. : Οὔτε κηρὸν οὔτε μέλι ἀπ' αὐτοῦ ποιήσεις. [Pind. Nem. 7, 53 : Κόρον ἔχει καὶ μέλι. Id. ib. 3, 74 : Μεμιγμένον μέλι σὺν γάλακτι.] Plut. Artox. [c. 16] : Πιεῖν μέλι καὶ γάλα συγκεχραμένον. Athen. 2, [p. 47, A] : Ἄρτος μετὰ μέλιτος, de cibo Pythagoreorum. Xen. Hell. 5, [3, 19] : Ἐν μέλιτι τεθεὶς καὶ κομισθεὶς οἴκαδε, ἔτυχε τῆς βασιλικῆς τιμῆς. Siquidem mellis, ut scribit Plin. 22, 24, natura talis est,

D ut putrescere corpora non sinat, jucundo sapore atque non aspero, alia quam salis natura. Solebant vero et incerari corpora defunctorum, ut in Καταχηρόω videre est. [Adhibebatur etiam comburendis cadaveribus. Hom. Il. Ψ, 170 : Ἐκ δ' ἄρα πάντων δημὸν ἑλὼν ἐκάλυψε νέκυν μεγάθυμος Ἀχιλλεὺς ἐς πόδας ἐκ κεφαλῆς... Ἐν δ' ἐτίθει μέλιτος καὶ ἀλείφατος ἀμφιφορῆας πρὸς λέχεα κλίνων. Od. Ω, 68 : Καίεο δ' ἔν τ' ἐσθῆτι θεῶν καὶ ἀλείφατι πολλῷ καὶ μέλιτι γλυκερῷ.] De natura autem et usu mellis, v. Plin. 22, 24, Diosc. 2, 101, ubi et agit περὶ μέλιτος ἐν Σαρδονίᾳ, De melle Sardoo : et περὶ μέλιτος Ποντικοῦ, De melle Pontico : περὶ σακχάρου μέλιτος, De melle saccharo, quod Arrian. in Periplo [M. Erythr. p. 9 ed. Huds.] vocat μέλι τὸ καλάμινον. [Ἀττικὸν Aristoph. Pac. 252. Quod omnium præstantissimum habebatur. V. Theo in Walz. Rhett. vol. 1, p. 233, 11. Alia genera memorat Strabo.] Est et μέλι ἄκαπνον, Mel acapnon, ἀκάπνιστον Straboni [9, p. 400] : de quo Plin. 11, 16 et 23, 4; item Colum., et veterinariæ scriptores. [Theophr. fr. 18 Περὶ μέλιτος : Ὅτι αἱ τοῦ μέλιτος γενέσεις τριτταί, ἡ ἀπὸ τῶν ἀνθῶν καὶ ἐν οἷς ἄλλοις ἐστὶν ἡ γλυκύτης· ἄλλη δ' ἐκ τοῦ ἀέρος, ὅταν ἀναχυθὲν ὑγρὸν ὑπὸ τοῦ ἡλίου συνεψηθὲν πέσῃ. Γίνεται δὲ τοῦτο μάλιστα ὑπὸ πυραμητόν. Ἄλλη δ' ἐν τοῖς καλάμοις. Πίπτει δὲ τὸ ἐκ τοῦ ἀέρος μέλι καὶ ἐπὶ τὴν γῆν καὶ ἐπὶ τὰ προστυχόντα τῶν φυτῶν· εὑρίσκεται δὲ μάλιστα ἐπὶ τοῖς φύλλοις τῆς δρυὸς καὶ ἐπὶ τῆς φιλύρας, διότι πυκνότητι ἔχει ταῦτα καὶ ἔνικμά ἐστι, κτλ. Ad quæ Schneiderus vol. 4, p. 818-824 exposuit de singulis mellis generibus, quorum secundum est i. q. ἀερόμελι s. μάννα, tertium quod supra ap. HSt. καλάμινον, et vulgo dicitur Saccharum. Conf. Strab. 14, p. 694. Vulgaris autem mellis apum duplex est species, domesticum et ἄγριον (quod etiam ὄρειον ap. Isidor. Pel. Ep. 1, 132, p. 40 : Μέλι ὄρειον, ὑπὸ μελισσῶν ἀγρίων γινόμενον πικρότατον ὂν καὶ πάσῃ γεύσει πολέμιον). De quo pluribus Suicer. in Thes. v. Μέλι. || « Μέλι κέδρινον, Mel cedrinum, dicitur Hippocr. p. 876, B, Mel quod ex cedris roris modo defluit, cujus magna copia est in Libano monte, ubi cedrus est frequentissima. Idque coriis super terram extensis et excussis arboribus in ollas et fictilia excipi, Melque roscidum et aerium vocari testatur Galen. l. 3 De alim. fac., cap. De melle. Sunt qui mel simpliciter intelligant, et κέδρινον Cedriam, Cedri lachrymam aut liquorem capiant. Quidam mannam. » Foes. Ὄξος dici μέλι ab Atticis urbanitate Attica tradit Hellad. ap. Phot. Bibl. p. 535, 8.] || Metaph. autem Alexis ap. Athen. 13, [p. 558, F] : Πικράν γε καὶ μεστὴν γυναικείας χολῆς. Ἡ τῶν γὰρ ἀνδρῶν ἐστὶ πρὸς κείνην μέλι. [Pind. Ol. 11, 102 : Ἐγὼ δὲ συνεφαπτόμενος σπουδᾷ κλυτὸν ἔθνος Λοκρῶν ἀμφέπεσον μέλιτι εὐάνορα πόλιν καταβρέχων, de laudibus in carm inegenti tributis. Isthm. 4, 60 : Ἐν δ' ἐρατεινῷ μέλιτι καὶ τοιαίδε τιμαὶ καλλίνικον χάρμ' ἀγαπάζοντι. Schol. ἡδονῇ καὶ τιμῇ. Moschus 2, 3 : Ὕπνος ὅτε γλυκίων μέλιτος βλεφάροισιν ἐφίζων. « Lucian. Gallo c. 6 : Οὕτω μοὶ πολὺ τὸ μέλι ἐν τοῖς ὀφθαλμοῖς ὁ ὄνειρος καταλιπὼν ᾤχετο, ὡς μόγις ἀνοίγειν τὰ βλέφαρα ὑπ' αὐτοῦ, εἰς ὕπνον αὖθις κατασπώμενα, de somnio perjucundo. Idem Fugitiv. c. 17 : Ταῦτα ὁ ἐπὶ Κρόνου βίος δοκεῖ αὐτοῖς καὶ ἀτεχνῶς τὸ μέλι αὐτὸ εἰς τὰ στόματα εἰσρεῖν ἐκ τοῦ οὐρανοῦ, i. e. summam beatitatem existimant. » Koenig. Μέλιτος μυελὸς, ἐπὶ τῶν ἄγαν ἡδέων Suidas et Arsenius Viol. p. 351.]

Μελία, s. Μελίη, Ionice, ἡ, Fraxinus [Gl. Hesiod. Op. 144 : Ζεὺς δὲ πατὴρ τρίτον ἄλλο γένος μερόπων ἀνθρώπων χάλκειον ποίησ', οὐκ ἀργυρῷ οὐδὲν ὁμοῖον, ἐκ μελιᾶν. Soph. ap. Athen. 2, p. 52, B : Καρύαι μελίαι τε. Aristoph. Av. 742 : Μελίας ἐπὶ φυλλοκόμου. Alia v. ap. Schneider. Ind. Theophr.] : arbor optima conficiendis hastis, ideoque Achillis hasta nobilitata ab Hom., ut inter alia docet Plin. 16, 13. Il. N, [178] : Ὁ δ' αὖτ' ἔπεσεν μελίη ὥς, Cecidit ut fraxinus. Sed sæpius μελίην ponit pro Fraxinea hasta, ut X, [225] : Στῆ δ' ἄρ ἐπὶ μελίης τανυγλώχινος [χαλκογλ.] ἐρεισθείς· Υ, [277] : Ἡ δὲ διαπρὸ Πηλιὰς ἤϊξεν μελίη· et [322] : Μελίην εὔχαλκον Ἀσπίδος ἐξέρυσε. Et X, [133] : Σείων Πηλιάδα μελίην κατὰ δεξιὸν ὦμον. Ab Ovid. [Rem. 48] dicitur Pelias hasta. [Lucian. Adv. ind. c. 7 : Μηδὲ φέρειν ἐπὶ τῶν ὤμων τὴν μελίαν δυνάμενος. Koenig.] Hesiod. Theog. [187] memorat et μελίας νύμφας, quæ sic dictæ putantur vel quod cum fraxinis natæ sint, vel fraxinos ament et circum eas versentur : eam ob rem dictæ et μελιάδες. [Callim. Jov. 47. (Hesych. : Μελίαι, μέλισσαι.) Schol. Apoll. Rh. 2, 4 : Νύμφη Βιθυνὶς Μελίη) Ἄδηλον ποῖόν ἐστι τὸ κύριον. Μελίαν δέ φησιν αὐτὴν διὰ τό τινας τῶν νυμφῶν Μελίας καλεῖσθαι ἀπὸ Μελίας τῆς Ὠκεανοῦ, ὥς φησι Καλλίμαχος, ἢ διὰ τὸ περὶ μελίας δένδρα διατρίβειν κτλ. Earum nomina discere cupientibus exponit Tzetzes ad Op. 144. || Φίττα Μελίαι inter παιδιὰς refertur ap. Polluc. 9, 122, 127 ῐ.]

[Μελία, ἡ, Melia, Oceani f., Pind. Pyth. 11, 4, fr. ap. Lucian. Dem. enc. c. 19, Callim. Del. 80, Strabo 9, p. 413, Pausan. 9, 10, 5; 26, 1. Μελεία male scriptum in Etym. M. p. 122, 12. Filia Niobes ap. Pherecyd. ab. sch. Eur. Phœn. 159 cit. || Πόλις Καρίας. Ἑκαταῖος Γενεαλογιῶν α'. Τὸ ἐθνικὸν Μελιεὺς, ὡς Ὑριεύς, Steph. B. ῐ]

[Μελιάγριον. V. Μελεάγριον.]

[Μελίαμβος, ὁ, Iambus melicus, genus versuum s. carminis. Diog. L. 6, 76, ubi Cercidas ἐν μελιάμβοις citatur eorumque ex. ponitur. Boiss. ῐ]

Μελίας σῖτος, Mel frugum, Gaza ap. Theophr. H. Pl. 7, c. ult. [Ubi μελίλωτος Schneider.] Sed annotat ex Plin. 22, 25, Dioclem panicum Mel frugum appellasse; at ibi pro Loti specie accipi. [ῐᾰ]

[Μελιασταὶ, οἱ, Meliastæ. Pausan. 8, 6, 5 : Προελθόντι δὲ ἐκ τῶν Μελαγγείων (Arcadiæ), ἀπέχοντι τῆς πόλεως στάδια ὡς ἑπτὰ ἔστι κρήνη καλουμένη Μελιαστῶν. Οἱ Μελιασταὶ δὲ οὗτοι δρῶσι τὰ ὄργια τοῦ Διονύσου κτλ.]

[Μελίβδομαι.] Μελίβδεσθαι, Hesychio μέλλειν, Cunctari. [Vossius : « Leg. Μελίβδεσθαι, μέλδειν. Hinc μόλιβδος. » Non dissimile certe veri μέλδειν, sed μελίβδεσθαι rectius scribi videtur μέλδεσθαι, collatis gll. in Μέλδω citatis. L. Dind.]

[Μελιβόας, ὁ, Dulci s. Suavi voce canens. Eur. fr. Clar. Phaeth. 2, 34 : Μελιβόας κύκνος. ῐᾰ]

[Μελίβοια, ἡ, Melibœa, mater Lycaonis, f. Oceani ap. Apollod. 3, 8, 1, 2. Filia Niobes ap. eund. 3, 5, 6, 5, et Pausan. 2, 21, 9. Urbs Thessaliæ, ap. Hom. Il. B, 717, Apoll. Rh. 1, 592, Herodot. 7, 1, 88, Strab. 9, p. 436. « Hippocr. Epid. 3, sect. 3, 17, 6. » Boiss. Gent. Μελιβοεὺς ap. Steph. Byz. De accentu proparoxyt. Theognost. Can. p. 103, 10. ῐ]

[Μελίβοιος, ὁ, Melibœus, rusticus, qui OEdipum expositum sustulit, ap. Suidam in n. et Οἰδίπους.]

Μελίβρομος, ὁ, ἡ, Melleum et dulcem sonitum edens : μ. αὐλὸς, Epigr. [Archiæ Anth. Pal. 7, 696, 5.]

[Μελίγαλα, τὸ, ligaturæ chirurgicæ species. Leo philosophus l. 6 Synopseos iatricæ Ms. c. 10 : Ἐπιδέσμου τοῦ λεγομένου δελτωτοῦ· τινὲς δὲ καλοῦσιν τὸν ἐπίδεσμον τοῦτον μελίγαλα. Ducang. App. Gl. p. 130.]

[Μέλιγγας ολοιτόπαις θαλάσσας, παρὰ τὴν μελίαν τὸ ξύλον. Ἀκούει δὲ ἐκ τοῦ (τούτου Musurus) τὴν ναῦν. Τινὲς δὲ τὸν αὐλὸν ἢ τὸν δι' αὐλοῦ μελισμὸν, gl. corrupta Hesychii In ολοιτόπαις videndum an lateat ὄλοιτο παῖς.]

[Μέλιγγος, Membrum, ἄρθρον, μέλος. Nicetas De reb. gest. post exc. urb. : Μήτε ἀστραγάλους ἐπὶ τοὺς μελίγγους ἡμῶν θέντες. Ducang. Μιλίγγους in ed. Bonn. p. 785, 24.]

[Μελίγδουπος, ὁ, ἡ, Qui suaviter sonat. Pind. Nem. 11, 18, ἀοιδαῖς.]

Μελιγηθὴς, sive Μελιγᾱθὴς, ὁ, ἡ, Melle gaudens, Melleus. Pind. ap. Athen. 2, [p. 41, E] : Μελιγαθὲς ἀμβρόσιον ὕδωρ Τιλφώσσας καὶ καλλικρήνου.

[Μελίγηον, τό.] Μελίγηα, Hesychio ἀκρόδρυα.

Μελίγηρυς, ὁ, ἡ, [Melliloquus, Gl.] Melleam vocem edens, Suavisonus. Hom. Od. M, [187] de sirenibus : Πρίν γ' ἡμέων μελίγηρυν ἀπὸ στομάτων ὄπ' ἀκοῦσαι, Vocum dulcedinem, ut Cic. vertit, p. 67 mei Lex. Cic. [M. ὄπα etiam Theocr. Ep. 4, 12.] Pind. Ol. 11 [10, 4] : Μελιγάρυες ὕμνοι, Hymni dulcisoni. [Κῶμοι Nem. 3, 4. Callim. Epigr. 50, 9 : M. Ἱππόνικος. « Παρθενικαὶ μελιγάρυες, Alcm. ap. Antigon. Ἱστ. Π. Σ. c. 27. Inscr. Gruteri p. 1118, n. 9. » Hemst. Plato Phædr. p. 269, A : Τὸν μελίγηρυν Ἄδραστον ἢ καὶ Περικλέα. Valck.] Et Gaza ap. Cic. De senect. μελίγηρυν Κέθηγον vocavit, quem Ennius Suadæ medullam : et de quo idem Enn. : Additur orator Cornelius suaviloquente Ore Cethegus.

[Μελίγληνος, ὁ, ἡ, Melleas pupillas habens, Dulcis aspectu, ἡδυόφθαλμος, Hesych.]

Μελίγλωσσος, [s. Μελίγλωττος,] ὁ, ἡ, Mellitam linguam habens : μελίγλωσσον vocarunt Eum, cujus suavis esset oratio, quo cognomento appellatum fuisse Ælianum accepimus. [Æsch. Prom. 172 : Μελιγλώσσοις πειθοῦς ἐπαοιδαῖς.] Et μελιγλώσσων ἐπέων, Mellitorum carminum, Aristoph. Av. [908], Cam.; Poetica mella, Horat. [Orph. Lith. 59. Nonn. Dion. 8, 181, τιθήνη.]

[Μέλιγμα, τὸ, Cantus, Carmen. De fistula Moschus 3, 56 : Πανὶ φέρω τὸ μέλιγμα· 93 : Εἰσέτι σεῦ τὸ μέλιγμα κινύρεται ἁ Μιτυλάνα. Est forma Dor. pro μέλισμα, ut μελικτὰς pro μελιστής.]

[Μελῐγουνὶς, ίδος, ἡ, Meligunis, μία τῶν Αἰόλου νήσων. Καλλίμαχος ἐν τῷ Ἀρτέμιδος ὕμνῳ (48). Τὸ ἐθνικὸν Μελιγουνεύς, Steph. Byz. Strabo 6, p. 275, Hesychius, qui addit καὶ μία τῶν Ἀφροδίτης θυγατέρων.]

[Μελιγράφος, ὁ, ἡ, Mellea s. melleum in modum scribens. Theodor. Prodr. Epigr. p. 188 ed. Souvigny : Μελιγράφοις δονάκεσσιν Ἰωάννου γράφε φωνάς. Rescribi poterit μειλιγράφοις, propter metrum, etsi Theodorus circa talia sit plerumque indiligentior. Boiss.]

[Μελιδάριον, τὸ, dimin. a μέλος, Carmen, Canticum. Schol. Soph. Trach. 216 : Τὸ μελιδάριον οὐκ ἔστι στάσιμον. Μελύδριον Tricl. et Brunck.]

Μελίδειον, τὸ, Suidæ est κηρίον, Favus. [Μελίτειον, Μελίτιον, Μελίσσειον Albert. ad Hesych. v. Μελιτόν.]

[Μελιειδής scriptura vitiosa pro μελιηδής. V. Μελιτοειδής.]

[Μελίεφθος, ὁ, ἡ, Melle coctus. Arrian. Peripl. p. 148 Blanc. (6 Huds.) : Μελίεφθα ὀλίγα. Et ib. p. 146 (4 Huds.) : Μελίεφθα χαλκᾶ, εἴς τε ἕψησιν καὶ εἰς συγκοπὴν ψελίων καὶ περισκελίδων τισὶ τῶν γυναικῶν.]

Μελίζω, Membratim concido, Trunco. [Apollod. 1, 9, 12, 5 : Καταθύσας ταύρους δύο καὶ μελείσας. Ibid. 9, 24, 1, et 27, 4, τὸν ἀδελφὸν et κριὸν Medea μελίσασα· 3, 5, 2, 2 : Κατὰ μανίαν ἐμελείσθη. Valck. Id. 3, 12, 6, 10 : Ἔκτεινεν αὐτὸν καὶ διέσπειρε μελείσας. Sed l. hoc postremo, pariterque priori alii libri μελίσας. Quæ forma est ap. Oppian. Cyn. 3, 159 : Τίκτει δ' ἡμιτέλεστα καὶ οὐ μεμελισμένα τέκνα, Articulata. Et in pap. Ægypt. ap. Reuvens. *Lettres* 1, p. 11, 7 : Ἀπεκεφαλίσθη ἢ μελίσθη. Act. Dionys. Ant. R. 7, 72, p. 1495, 8 : Δειραντες καὶ μελίσαντες. Ephræm Syr. vol. 3, p. 148, E : Κἂν ὄρνεον ἔφαγεν κἂν ἰσχῦς ἐμέλισεν. De V. T. Schleusner. Lex. : « Levit. 1, 6 : Τὸ ὁλοκαύστωμα μελιοῦσιν. Hesych. : Μελιοῦσι, κατακόψουσι. Jud. 19, 29 : Ἐμέλισεν αὐτὴν εἰς δώδεκα μέλη. Reg. 1, 11, 7 : Ἔλαβε δύο βόας, καὶ ἐμέλισεν αὐτάς· 3, 18, 23 : Δύο βόας ... μελισάτωσαν. » « Μελίζειν dicitur sacerdos, quum sacram hostiam in partes dividit, in Liturgia S. Jacobi. » Ducang. App. Gl. p. 130.]

Μελίζω, Cano mele, Modulor [Gl. Pind. Nem. 11, 18 : Μελίγδουποισι δαιδαλθέντα μελιζέμεν ἀοιδαῖς. Æsch. Ag. 1176 : Μελίζειν πάθη γοερά. « Ἡ μουσικὴ μελίζουσα τὴν ποιητικὴν, Sext. Emp. p. 389, 27. » Hemst.] Aphr. Probl. 1, [121] : Ἡ ψυχὴ μέλους ἀκούσασα παρὰ τῶν μελιζόντων. [Dionys. H. vol. 5, p. 1109, 15 : Λέξεις μελίζουσα μὲν, οὐ μὴν μέλος. || Μελίζομαι. Apoll. Rh. 1, 578 : Καλὰ μελιζόμενος νόμιον μέλος. Antip. Sid. Anth. Pal. 7, 30, 3 : Ἀκμὴν λειριόεντι μελίζεται ἀμφὶ Βαθύλλῳ. Passive Eust. Il. p. 9, 5 : Ἀείδειν ἐστὶ τὸ ἐμμελῶς λέγειν καὶ ᾠδὴ ὁ μεμελισμένος λόγος. || Forma Dorica Theocr. 20, 28 : Καὶ ἢν σύριγγι μελίσδω· Ep. 2, 1 : Καλᾷ σύριγγι μελίσδων βωκολικὸς ὕμνως. Medio 1, 2 : Ἁ πίτυς, ἃ ποτὶ ταῖς παγαῖσι μελίσδεται· 7, 89 : Ἁδὺ μελισδόμενος. Leonid. Tar. Anth. Plan. 307, 5 : Μελίσδεται δὲ τὰν χέλυν διακρέκων ἤτοι Βάθυλλον ἢ καλὸν Μεγιστέα. Futur. Mosch. 3, 52 : Τίς ποτε σᾷ σύριγγι μελίξεται;]

Μελίζωρον, τὸ, Melicratum, Aqua mulsa. Nicand. Al. [205] : Ἔν τε μελιζώρου γλυκέος πόσιν, i. e. μελικράτου, schol.

Μελίζωρος, ὁ, ἡ, Meri mellis gustu præditus. Nicand. Ther. [663] : Ῥίζα δ' ὑπαργήεσσα, μελίζωρος δὲ πάσασθαι, Gustu mellito. [Alex. 205 modo cit. Ib. 351 : Καί κε μελιζώροιο νέον κορέσαιο ποτοῖο ἀνέρα. Phædimus ap. Athen. 11, p. 498, E, cum eodem nomine. Γλυκεῖα interpr. Hesychius.]

[Μελιηγενής, ὁ, ἡ, Ex fraxino natus. Apoll. Rh. 4, 1641, de Talo : Τὸν μὲν χαλκείης μελιηγενέων ἀνθρώπων ῥίζης λοιπὸν ἐόντα, quod Hesiodo Op. 144, χάλκειον γένος ἐκ μελιᾶν. Hesychius : Μελίας καρπὸς, τὸ τῶν ἀνθρώπων γένος.]

Μελιηδής, ὁ, ἡ, Mellis dulcedine præditus, Dulcis instar mellis. Hom. Od. I, [94] : Λωτοῦ μελιηδέα καρπόν. Idem ap. Athen. 11, [p. 465, B, Od. I, 208] : Καὶ Ὀδυσεὺς ὄπασεν μελιηδέα οἶνον ἐρυθρόν. [Il. Δ, 346, etc. Pind. fr. ap. Athen. 11, p. 476, B. V. etiam Μελιτοειδής.] Hippocr. vero μελιηδέα οἶνον vocavit non tantum Vinum, quod suave est, sed etiam Quod cum melle mistum est, quod et ipse μελίχρουν nominat, Galen. Lex. [p. 522.] Anacr. ap. eund. Athen. 15, [p. 671, F] : Τρύγα πίνει μελιηδέα. [Πυρὸς Hom. Il. K, 569. Ἄγρωστις Od. Z, 90. Pindar. Pyth. 9, 38 : Μελιηδέα ποία, et cum eod. nomine Theocr. 25, 15. Callim. fr. ap. schol. Soph. OEd. C. 489, ὄμπας. Orph. Arg. 1111 : Ποίαις ἐν μεσάταις μελιηδέα φορβὰ νέμονται.] Et metaph. Hom. Od. Λ, [99] : Νόστον δίζηαι μελιηδέα, φαίδιμ' Ὀδυσσεῦ. [Cum eod. nomine Apoll. Rh. 4, 901. Ὕπνος Hom. Od. T, 551. Orph. Lith. 323 : Ἐν στήθεσσιν ἄγων μελιηδέα πειθώ.] Dorice pro μελιηδής dicitur Μελιαδής. Alcæus ap. Athen. 2, [p. 38, E] : Ἄλλοτε μὲν μελιαδέος, ἄλλοτε δ' ὀξυτέρου. [De etymologia et spiritu Hesych. : Μελιηδὲς, μελιτῶδες, ἥδιστον· διὸ καὶ ἐψιλοῦτο· παρήχθη γὰρ παρὰ τὸ μέλι· ἔνιοι δὲ ὡς μέλι ἡδέους· διὸ καὶ ἐδάσυνον. Μέλι ἡδὺ Musurus.]

Μελίθρεπτος, ὁ, ἡ, Melle nutritus, Epigr. [Anth. Pal. 9, 122, 1 : Ἀτθὶ κόρα, μελίθρεπτε.]

Μελίθρους, ὁ, ἡ, Melleum sonum edens, i. q. μελίγηρυς. M. κύκνος, Epigr. [Bassi Anth. Pal. 5, 125, 2], a dulci sono et quasi mellito cantu.

Μελίϊνος, Fraxineus : ut μελίϊνον δόρυ, Fraxinea hasta. [Schol. Hom. Il. E, 655, Od. Ξ, 281. Wakef. Ϊϊ]

[Μελίκαρθος, ὁ καὶ Ἡρακλῆς, Sanchoniatho. מלך קרתא *Melec-karta*, Rex urbis, sc. Tyri. Bochart. Canaan 2, 2.]

[Μελιχαρὶς, ίδος, ἡ, unde Μελικαρίδες, Mellitæ squillæ, Dalecampio ap. Philoxenum Athenæi 4, p. 147, B : Ξανθαὶ αἱ μελικαρίδες αἱ κοῦφαι παρῆλθον. Hesychius : Μελίκακι, σκεύασμά τι βρωτὸν διὰ τυροῦ. Recte Casaub. ad Athen. 14, p. 648, C, μελιχαρὶς, unde etiam ap. Philoxenum Placentulas intelligendas videri monuit Schweigh. Eodem referenda quæ altero l. scribit Athenæus, ubi item agit de placentis : Καὶ τῶν καλουμένων δὲ μελικηρίδων μνημονεύει Φερεκράτης ἐν Αὐτομόλοις οὕτως, Ὥσπερ τῶν αἰγιδίων ὄζειν ἐκ τοῦ στόματος μελικήρας, ut Schweigh. scripsit pro μελικῆρας.]

[Μελικέρτης, ὁ, Melicertes, f. Athamantis, ap. Pind. in fr. ap. Apollon. De constr. 2, 21, p. 156, 16, Apollod. 1, 9, 21 ; 3, 4, 3, 7.]

Μελίκηρα, ἡ, Favago purpurarum, Gaza ap. Aristot. [H. A. 5, 15], Lentor cujusdam ceræ, quem purpuræ verno tempore congregatæ mutuo attritu salivant. V. Κηριάζω. Ap. Athen. 3, [p. 88, D] scribitur μελικήρα, paroxytonωs. [Μελίκηραν restitutum ex libro Laur.] Hesych. autem videtur μελίκηρα facere neutr. plur. [Qui scribit : Μελίκηρα, τὰ ὑπὸ τῶν πορφυρευτῶν (πορφυρῶν Salm.) συντελούμενα, ἐμφερῆ κηρίοις ἐν τῇ θαλάσσῃ. Ϊ]

[Μελικήρατος, Apianus, Gl., hoc quidem pro Apiarius, ut videtur. Sed Græci voc. formam non præstem.]

Μελικηρία, ἡ, dicitur Sanies, quæ crassior et glutinosior, subalbida, mellique albo subsimilis, ex malis ulceribus fertur, ubi nervi circa articulos læsi sunt, Cels. 5, 26. De qua tamen scriptura dubitatur. Nam Μελικηρὶς ap. Græcos Medicos id malum appellatur : sc. Apostema humorem melli similem membrana conclusum habens : melli inquam Hymettio similem, ut Galen. scribit, quique ea membrana secta non aliter quam mel ex favis diffluit. Sed dicitur eod. etiam nomine aliud ulceris genus, quod proprie κηρίον appellatum est, ut habetur ap. Aetium 6, 68 : similiter et ap. Cels. 5, 28. Neque enim dubium esse potest quin duæ illæ meliceridis species, quas Celsus describit, sint species τοῦ κηρίου, non autem μελικηρίδος prius descriptæ : quæ apostema est, quæque dissecta cavitatem unam habet, et intus uno loco atque spatio humorem suum continet, eumque non multis foraminibus, ut κηρίον, sed uno ore effundit, posteaquam ferro aut medicamento aperta fuerit. Est igitur τῆς μελικηρίδος nomen æquivocum, proprie quidem et frequentius tumorem prius definitum significans, interdum vero ulceris illud genus, quod κηρίον peculiari vocabulo appellatur, quodque a proprie dicta meliceride differt non modo notis prius explicatis, sed etiam quod κηρίον nonnisi pilosis locis, magisque ad cutem, μελικηρὶς vero pro more reliquorum abscessuum ; in omni musculo possit excitari. Hæc inter alia Gorr., cui ap. Cels. perperam scribi videtur μελικηρία et μελίκηρον. Sed tamen ap. Plin. quoque reperitur Meliceria : ut 20, 21, de oxylapatho : Radice melicerias et lepras curant. At 21, 20 : Peculiariter et contra meliceridas efficax; de meliloto, de quo Diosc. 3, 48 : Θεραπεύει καὶ μελικηρίδας. [Hippocr. p. 113, C : Ὃ δὴ μελικηρίδα καλέουσι γίνεσθαι· ad quem alia Foes. in OEcon. Polluci 4, 167, Hesychio πάθος ἔνικμον, μελιτῶδες ὑγρὸν ἔχων. Μελίκηρις ap. Theoph. Nonn. vol. 2, p. 276.] || Μελικηρὶς, species quædam Vitis [unde corrigendus schol. Hom. Od. K, 235 : Λέγεται δὲ Πραμνία ἄμπελος, ὡς καὶ Θασία καὶ μελίκερις, pro quo rectius μελίκηρις Eust. p. 1656, 63], et herba, Hesych. [|| Favus, Gl. Ubi vitiose Μελικρύς. Schol.

Rav. Aristoph. Thesm. 523 : Κύτταρος καλεῖται τὰ κοιλώματα τῶν μελικηρίδων. V. autem Μελίκηρα.] A

[Μελικήριον, τὸ, Favus. Aquila Exod. 16, 31 : Ἐν ἐλαίῳ μελικηρίου, ubi v. Montf. Equidem arbitror Aquilam scripsisse ἐν ἐλαίῳ καὶ μελικηρίῳ. Nam recepta lectio locum habere nequit, nisi statuere velimus, ἔλαιον latius patere, ac omnem succum, omne quod lente defluit significare. Sine dubio autem usus est Aquila codice, in quo שמן voci דבש junctum fuit. Schleusn. Lex.]

[Μελικηρίς. V. Μελικαρίς, Μελικηρία.]

[Μελίκηρον, τὸ, i. q. μελικηρίς, ut videtur, altera signif. positum, ap. Ps.-Plut. De fl. p. 1160, C : Γεννᾶται δ' ἐν τῷ ποταμῷ τούτῳ βοτάνη κεγχρῖτις προσαγορευομένη, μελικήρῳ παρόμοιος, ἣν οἱ ἰατροὶ καθέψοντες πιεῖν διδόασι τοῖς ἀπηλλοτριωμένας ἔχουσι τὰς φρένας. || I. q. μελικήριον, nisi fallit scriptura, ap. Polluc. 1, 254 : Τὰ δὲ ἔργα χηρία, μέλι, μελίκηρα.]

[Μελίκομπος, ὁ, ἡ, Suaviter sonans. Pind. Isthm. 2, 32, ἀοιδᾶν.]

Μελικός, ή, όν, Qui scribit μέλη, Lyricus : unde B Pindarus vocatur μελικὸς ποιητής, sicut et μελοποιός. [Plut. Mor. p. 120, C : Ὑπὸ τοῦ μελικοῦ Πινδάρου. Julian. Epist. 24, p. 395, D : Σιμωνίδῃ τῷ μελικῷ.] Sunt tamen qui inter melicos et lyricos aliquid discriminis alicubi statui putent. Qua de re ita Turn. Advers. l. 1 : Quærunt autem quid inter melicos, lyricos, et dithyrambicos intersit : ego Melicos, qui cantilenas scribebant, fere in numero Lyricorum reposuerim. Nam Simonidem Suidas nunc μελοποιόν, nunc Lyricum vocat : et Platoni μελοποιοὶ Canticorum scriptores et lyrici sunt : et Sapphus, Alcmanis, Anacreontisque, qui Lyrici numeratur, μέλη nominatur. Ausonius melicos et lyricos modos nominans, distinguere paulum videtur : et pangi melos potest, quod non ad lyram canatur, latiusque interdum pateat. Nisi forte idem bis locutus est : quod non est in poetis rarum. Certe iidem Galeno sunt in fine De usu partt. scribenti, Παρὰ τοῖς μελικοῖς ποιηταῖς, οὓς ἔνιοι λυρικοὺς ὀνομάζουσι. Dicitur et μελικὴ a Plut. [Cum substantivo Procul. Chrestom. Phot. Bibl. p. 319, 32. || Adv. C Μελικῶς, schol. Aristoph. Av. 209.]

[Μελικρὰς, ᾶτος, ὁ, ἡ, Melle mistus. V. Μελίκρατον.]

Μελίκρατον, τὸ, [Mulsum, Gl.] Aqua melle mista, quam Lat. Aquam mulsam appellant; cujus miscendæ ratio multiplex est : et modo cruda utuntur, modo cocta. Sic autem coquitur : primum multum aquæ melli indimus (Paulus l. 1 in octo partes aquæ unam mellis miscet), deinde tantisper coquimus quoad spumare desinat. Spumam autem, quum primum emergit, tollere oportet. Ab hydromelite sola vetustate differt; est enim melicratum aqua mulsa subita et recens, h. e., ex tempore parata : hydromeli autem, inveterata et recondita. Hæc inter alia Gorr. Plut. [Mor. p. 768, C] : Προσαγαγοῦσα τῷ βωμῷ τῆς θεᾶς ἔσπεισεν ἐκ φιάλης μελίκρατον. Conf. Diosc. 5, 17, et Plin. 22, 24, ubi duo ejus genera tradit, unum subitæ ac recentis, alterum inveteratæ : quod postremum Diosc. ἀπόθετον μελίκρατον appellat, et ὑδρόμελι a nonnullis vocari scribit. [Pollux 6, 17. Mœris p. 254 : Μελίκρατον Ἀττικοί, οἰνόμελι, ὑδρόμελι Ἕλληνες.] || Ap. Hom. autem D μελίκρατον esse κρᾶμα μέλιτος καὶ γάλακτος, Eust. tradit ex vett. gramm. Od. K, [519] : Ἀμφ' αὐτῷ δὲ χοὴν χεῖσθαι πᾶσιν νεκύεσσι, Πρῶτα μελικρήτῳ, μετέπειτα δὲ ἡδέϊ οἴνῳ, Τὸ τρίτον αὖ ὕδατι. Ubi Ionice dictum μελικρήτῳ a nom. Μελίκρητον. [Ut ap. Hippocr. p. 392, 50. Μελίκρητα ὑδαρέα p. 464, 54; 465, 9; 466, 11. Foes. Orph. Lith. 219 : Μελικρήτοιο μετὰ γλυκεροῖο μιγέντα. Eur. Or. 115 : Μελίκρατ' ἄφες γάλακτος. « Conf. Olympiodor. In Alcib. s. 25 cum annot.; Procul. ad Plat. Tim. p. 218. » Creuzer. || De adjectivo, cujus neutrum est μελίκρατον, Chœroboscus in Bekkeri Anecd. p. 1226 : Καὶ πάλιν ἔστι τὸ μελίκρατον καὶ τὸ χαλκόκρατον, τοῦ μελικράτου καὶ τοῦ χαλκοκράτου, τῷ μελικράτῳ καὶ τῷ χαλκοκράτῳ· καὶ γίνεται κατὰ μεταπλασμὸν τῷ μελίκρατι καὶ τῷ χαλκόκρατι, καὶ προπαροξύνονται· ἐὰν δὲ εὑρεθῶσι προπερισπωμένως αἱ δοτικαὶ αὗται, τῷ μελικρᾶτι καὶ τῷ χαλκοκρᾶτι, γνῶθι ὅτι ἀπὸ τοῦ ὁ μελικρὰς καὶ ὁ χαλκοκρὰς γίνονται, καὶ οὐ κατὰ μεταπλασμὸν γεγόνασιν, ἀλλὰ κατὰ ἀκόλουθον κλίσιν, οἷον μελικράς μελικρᾶτος μελικρᾶτι, χαλκοκράς χαλκοκρᾶτος χαλκοκρᾶτι.]

Μελίκταινα ac Μελίταινα, ἡ, a quibusdam appellatur μελισσόφυλλον, ut Hesych. tradit. A Nicandro autem appellatur eadem Μελίκταινα, Ther. 554 : Τὴν ἤτοι μελίφυλλον ἐπικλείουσι βοτῆρες, Οἱ δὲ μελίκταιναν· τῆς γὰρ περὶ φύλλα μέλισσαι, Ὀδμῇ θελγόμεναι μέλιτος, βοιζηδὸν ἵενται. Ubi nominis rationem poeta indicat.

[Μελικτάς. V. Μελιστής.]

[Μελικῶς. V. Μελικός.]

[Μελιλόγος, Dulciloquus, Gl.]

[Μελιλώτινος, ὁ. V. Μελίλωτον.]

Μελίλωτον, τὸ, Athen. initio libri 3, [p. 73, A] scribit : ἐκ τῶν κιβωρίων nasci et florem coronarium, quem Ægypti λωτὸν appellent, Naucratitæ vero μελίλωτον, unde μελιλωτίνους στεφάνους vocari admodum odoratos et in æstu maxime refrigerantes. [Iterum HSt. :] Μελίλωτος, ὁ, sive Μελίλωτον, τὸ, Melilotus, Melilotum, q. d. Lotus melligenus : unde et apum causa seritur, teste Plin. Masc. gen. utitur Diosc. 3, 48 : neutro Galen. De fac. simpl. [vol. 13, p. 207]; utroque Plin., qui 21, 9 : Cunilaginem quæ Conyza, Melissophyllon, quod Apiastrum : Meliloton, quod Sertulam Campanam vocamus. Est enim in Campania Italiæ laudatissima, Græcis in Sunio. Coronas ex hac antiquitus factitatas, indicio est nomen Sertulæ. [Utriusque formæ, μελίλωτον et μελίλωτος, exx. sunt etiam in Geopon. Hesychius : Μελίλωτος, πόα τις καὶ λωτοῦ εἶδος. Theophr. H. Pl. 7, 15, 3, C. Pl. 6, 14, 8 et 11. Strabo 17, p. 831 : Δένδρον μελίλωτον καλούμενον. Secunda propter versum producta Nicand. Th. 897 : Σὺν δὲ μελιλώτοιο νέον στέφος. Vitiose Gl. : Μελίλοτος, Sertula.] Unde Μελιλώτινοι στέφανοι, Coronæ ex meliloto [ap. Athen. 3, p. 73, A; 15, p. 678, C. Pherecrates ib. p. 685, C : Μελιλώτινον λαλῶν]. V. Κύαμος Αἰγυπτιακός. [ττ]

Μελίμηλον, τὸ, genus Mali dictum a mellea dulcedine : alio nomine γλυκύμηλον, ut tradit Diosc. 1, 162, Malum musteum Varroni. Plin. 15, 14 : Mustea a celeritate mitescendi : quæ nunc Melimela dicuntur a sapore melleo. Μελίμηλον, inquit Gorr., Pomum dulce : sic dictum a melleo sapore. Sunt tamen qui non omne, quod dulce est, sed quod natum sit ex malo inserta pyro sylvestri aut cotoneo : ex qua miscella creari dicunt quæ proprie Athenienses μελίμηλα, h. e. Dulcia et mellita poma, nominarant. [« Vide Γεοπον. (10, 20, 1 : Ἐγκεντρίζεται μῆλον εἰς πᾶσαν ἀχράδα καὶ εἰς κυδώνια, καὶ γίνεται ἐκ τῶν κυδωνίων μῆλα κάλλιστα τὰ καλούμενα παρ' Ἀθηναίοις μελίμηλα· et iisdem verbis 76, 3.) » HSt. Ms. Vind. Artemid. 1, 6, quo in l. Schneidero leg. videtur Μηλόμελι, quod v. Angl.]

[Μέλινα, πόλις Ἄργους, ἀφ' ἧς Ἀφροδίτη Μελιναία τιμᾶται. Λυκόφρων (403)· Τὴν Καστνίαν τε καὶ Μελιναίαν θεόν, Steph. Byz.]

Μελίνεως, ἡ, Vitis species, teste Hesych. [Ap. Polluc. 6, 82 male μελινέως. Sine accentu ap. Photium. V. Μελανδάνεως.]

Μελίνη, ἡ, Leguminis genus, simile milio, inquit Hesych. Latini Panicum dicunt : Græci παρὰ τὸ μέλι, ut innuit his verbis Plin. 21, 25 : Panicum Diocles medicus Mel frugum appellavit. [Photius : Μελίνη, εἶδος ὀσπρίου. Λέγεται δὲ ἡ λέξις καὶ ἀρσενικῶς καὶ θηλυκῶς. Et : Μελίνη ὄσπριόν ἐστιν, ὅπερ καὶ ἀρσενικῶς λέγεται· Σοφοκλῆς μὲν γὰρ (in fr. Triptolemi ap. Harpocr. : Κνήμη μελίνης) καὶ Ἡρόδοτος καὶ Ξενοφῶν θηλυκῶς εἶπον, μελίνη. Ξενοφῶν δὲ ὁ αὐτὸς ἐν Ἀναβάσει καὶ μέλινον καὶ μελίνους εἶπεν. Ἔνιοι δὲ εἶδός τι κέγχρου νομίζουσι τὴν μελίνην, ὅπερ τινὰς καλεῖν ἔλυμον· Θεόφραστος δὲ ἐν ἑβδόμῳ περὶ φυτῶν ὡς διαφέροντα ταῦτα ἀναγράφει· Κέγχρον ἢ μελίνην ἢ ἔλυμον. Eadem vel similia Suidas et Harpocratio. Ap. Xen. nunc ubique fem. Herodot. 3, 117 : Σπείροντες μελίνην καὶ σήσαμον. Xenoph. Anab. 1, 2, 22 : Σήσαμον καὶ μελίνην· ib. 5, 10, etc. Demosth. p. 100 extr. : Ὑπὲρ τῶν μελινῶν καὶ τῶν ὀλυρῶν τῶν ἐν τοῖς Θρακίοις σιροῖς· et iisdem verbis Ps.-Dem. p. 135, 27. Pollux 6, 61. « Περὶ τῶν μελινῶν μαχόμενοι τοῖς Θρᾳξί, Dio Chrys. p. 402, A. » Valck.] Ap. Theophr. vero reperio Μέλινος, non μελίνη, H. Pl. 8, 1 : Τρίτη δὲ, τῶν θερινῶν, ἐν ᾗ κέγχρος σπείρεται καὶ μέλινος [ἔλυμος Schneid., qui in Ind. Theophr. p.

445 sq. multis disputat formam masc. non exstitisse] καὶ σήσαμον· recte. Etym. enim et fem. et mascul. gen. dici scribit. Alio nomine ἔλυμος vocatur, teste Galeno, qui De alim. l. 1, cap. 15, sic inscribit, Περὶ κέγχρου καὶ ἐλύμου, ὃν καὶ μελίνην ὀνομάζουσι. [Sec. Hesychium etiam τοῦ πολύποδός τι μέρος.]

[Μελίνη, ἡ, Meline, f. Thespii, ap. Apollod. 2, 7, 8, 2, nisi Μελίνης est a Μέλινα, quod alibi Μέλιννα scriptum fertur.]

Μέλινον, τὸ, Apiastrum. Ita enim Varro De re rust. 3, 16: Apiastro, quod alii μελίφυλλον, alii μελισσόφυλλον, quidam μέλινον appellant.

[Μέλινος. V. Μελίνη.]

[Μελιννὼ, οῦς, ἡ, Melinno, Lesbia poetria, apud Stob. Fl. 7, 8, Phot. cod. 167, p. 115, 9, cujus alii libri Μελινώ. Quæ forma est etiam in inscr. Attica edita in *Intell.-Bl. d. Hall. Lz.* 1837, n. 86, p. 710. Quod si constaret secundam, ut in Μέλινα, produci, Μελίννω habendum esset pro forma Æolica, correpto ι et duplicato ν, ut in Γυρίννω pro Γυρινώ. L. Dind.]

[Μελινοφάγοι, οἱ, gens Thraciæ, quæ μελίναις vescebatur. E Xen. (Anab. 7, 5, 12: Διὰ τῶν Μελινοφάγων καλουμένων Θρᾳκῶν) et Theopompo citat Steph. Byz.]

[Μελιξὼ, οῦς, ἡ, Melixo, n. mulieris Theocr. 2, 146.]

[Μελίπαις, δος, ὁ, Mellitus puer. Strato Anth. Pal. 12, 249, 5: Ἔρρ' ἐπὶ σοὺς μελίπαιδας ὅποι ποτὲ, δραπέτι (apis), σίμβλους.]

Μελίπηκτον, τὸ, Placenta ex melle, Opus pistorium melle conditum. [Ἄλφιτα ἀναδεδευμένα μέλιτι Thomæ p. 606.] Vel, ut ap. Plut. Apophth. [p. 200, D] interpr., Libum melle confectum, Opus pistorum dulciariorum: quale id, de quo Mart.: Mille tibi dulces operum manus ista figuras Extruit: huic uni parca laborat apis. Solebant autem hæc μελίπηκτα secundis apponi mensis. Athen. 14, [p. 641, F]: Λαγῷα καὶ κίχλαι κοινῇ μετὰ τῶν μελιπήκτων εἰσεφέρετο, postquam dixerat ovum dari solitum ἐν τῇ δευτέρᾳ τραπέζῃ. [Conf. p. 643, C; Antiphanes 646, F. Valck.] Ap. Eund. 4, [p. 172, C] ex Menandro, Κρεάδια ὀπτᾷ καὶ κίχλας, τραγήματα. Ἔπειθ' ὁ δειπνῶν μὲν τραγηματίζεται, Μυρισάμενος δὲ καὶ στεφανωσάμενος, πάλιν Δειπνεῖ τὰ μελίπηκτα. [Philo vol. 1, p. 392, 13. Hemst. Basil. Epist. ad Liban. 1593, p. 725 ed. Wolf.: Τίς τοὺς μαθητευομένους μισθοφόρους κατέστησεν; Ὑμεῖς οἱ προτιθέντες τοὺς λόγους ὤνια, ὥσπερ οἱ τοῦ μέλιτος ἑψηταὶ τὰ μελίπηκτα. Suidas.]

Μελίπνοος, ὁ, ἡ, Mel spirans, i. e. Suaviter spirans: ἡδύπνοος, Suid. [Theocr. 1, 128: Μελίπνουν σύριγγα. Philippus Anth. Pal. 6, 231, 6: Χὠ μελίπνους λίβανος. Nonnus Jo. c. 19, 186: Μελίπνοος μολπή. Tryphiodor. 429: Μοῦσα μελίπνοος.]

Μελιποιέω, Mellifico, VV. LL. [Pro μέλι ποιέω.]

[Μελιπτέρωτος, ὁ, ἡ, Μέλεα μελιπτέρωτα Μουσᾶν, Cantica mellita alataque, poeta ap. Athen. 14, p. 633, A, nisi fallit scriptura, de qua v. intt.]

[Μελίπτορθος, ὁ, ἡ, Qui dulci est germine. Andromachus ap. Galen. vol. 13, p. 877: Κυανέης μίξαιο μελιπτόρθου γλυκυρίζης.]

[Μελιρραθάμιγξ, γγος, ὁ, ἡ, Qui dulci est gutta. Nonn. Dion. 12, 168: Μελιρραθάμιγγος οἴνου· 21, 158: Διωνύσοιο μελιρραθάμιγγος ὀπώρης. ἄᾶ]

[Μελίρροθος, ὁ, ἡ, Mel stillans. Pindarus fr. ap. Lesbonactem p. 184: Μελιρρόθων δ' ἕπεται πλόκαμοι (deest substantivum).]

[Μελίρρους, ὁ, ἡ, Mellifluus, Gl., ubi male duplici λ.]

Μελίῤῥυτος, ὁ, ἡ, Mellifluus: μ. ἄρτος, Nonn. [Jo. c. 6, 133], de manna. [Plat. Ion. p. 534, A: Κρηνῶν μελιρρύτων. Eust. Il. p. 96, 4: Ἡδὺς καὶ μ. τὴν αὐδὴν ὁ γέρων. Hesych.: Μελιρρύτοισιν, ἐν πρώτοις ἥδεσι. Μελίρρυτον, ἡδὺ πρώτιστον, in gl. post Μελήματα posita.]

[Μελίσκιον, τὸ, Cantiuncula. Antiphanes ap. Athen. 10, p. 446, A: Καί τι καὶ μελίσκιον, στροφὴ λόγων παρελθέτω τις.]

Μέλισμα, τὸ, Canticum quod modulamur, Carmen, Cantilena. [Theocrit. 14, 31: Θεσσαλικόν τι μέλισμα· 20, 28: Ἀδὺ δέ μοι τὸ μέλισμα. Meleager Anth. Pal. 4, 1, 35: Τὸ μὲν γλυκὺ κεῖνο μέλισμα νέκταρος. Iambl. V. Pythag. 14, p. 134: Διά τινων ἰδιοτρόπων ᾀσμάτων καὶ μελισμάτων. Eust. Opusc. p. 54, 34. Formam Μέλιγμα v. supra.]

A Μελισμάτιον, τὸ, dimin. Parvum canticum, Cantiuncula. Epigr. [Antiphanis Anth. Pal. 11, 168, 4, ubi nunc ex cod. γνούς ποτ' ἐρωμένιον]: Οὐ γλαφυρὸν γνούς τι μελισμάτιον.

Μελισμὸς, ὁ, Suidæ τῶν μελῶν ἡ διαίρεσις. Sonat igitur Membrorum divisio. Possit et pro Modulatione accipi. [V. Herodian. Epimer. p. 180. Boiss. Bryennii Harmon. p. 480 ed. Wallis.: Μελισμὸς (ἐστὶν) ὅταν τὸν αὐτὸν φθόγγον πλεονάκις ἢ ἅπαξ κατὰ μουσικὸν μέλος μετά τινος ἐνάρθρου συλλαβῆς προλαμβάνωμεν. L. Dind.]

Μελίσπονδος, ὁ, ἡ, In quo melle libatur diis, ut μελίσπονδα ἱερά. Plut. [Mor. p. 672, B]: Νηφάλια ταῦτα καὶ μελίσπονδα θύουσι, Sacra sobria et quæ mellis libamenta habent: et [ib. p. 464, C]: Ἀμεθύστους καὶ ἀοίνους διαγαγεῖν, ὥσπερ νηφάλια καὶ μ. θύοντα.

Μέλισσα, sive Μέλιττα, ἡ, Apis: a μέλι, cujus opifex est, dicta. [De alia etymologia HSt. in Μῆλον: « Μέλισσα quoque (quod est Apis nomen) ponendum hic fuisset, si verum esset quod ab Eust. scribitur [Il. p. 773, 50]; sc. vocatum esse ita hoc animalculum,
B quoniam μήλοις ἐφιζάνει, sc. τὸ χρήσιμον ἐκ τῶν καρπῶν ἀπανθίζουσα: ex μῆλον et ἵζω, quod est κάθημαι (ut sit μέλισσα quasi μήλισσα). Sed quamvis hanc derivationem veterum auctoritate confirmet, mihi suspectam esse profiteor. Idem schol. certe, quum in quendam libri N Odysseæ locum, hujus deductionis meminisset [p. 1735], addidit, Ὡς δὲ καὶ παρὰ τὸ μέλω καὶ αὗται (sc. αἱ μέλισσαι), καὶ τὸ μέλι, ἀλλὰ τοῦτο κεκοίνωται. Verum si μέλι a μέλω deducamus, non necesse videtur ex eod. verbo et μέλισσα deducere, sed potius ex illo nomine μέλι derivandum esse; fieri enim potest ut ipsi melli nomen prius quam ejus artifici impositum fuerit. »] Hom. Il. B, [87]: Ἠΰτε ἔθνεα εἶσι μελισσάων ἀδινάων Πέτρης ἐκ γλαφυρῆς αἰεὶ νέον ἐρχομενάων· est enim id animal ἀγελαῖον, ut Aristot. quum alibi testatur, tum Polit. 1, [2]. Hesiod. Theog. [594]: Ἐν σμήνεσσι κατηρεφέεσσι μέλισσαι Κηφῆνας βόσκουσι. Xen. Hell. 3, [2, 28]: Περιεπλήσθη ἡ οἰκία ἔνθεν καὶ ἔνθεν ὥσπερ ὑπὸ ἑσμοῦ μελιττῶν ὁ ἡγεμών· nam solent semper εἱλεῖσθαι περὶ τὸν ἄρχοντα, ut docet Plut. in Lyc. [c. 25.] Isocr. Ad
C Dem. [fin.]: Τὴν μέλιτταν ὁρῶμεν ἐφ' ἅπαντα μὲν τὰ βλαστήματα καθιζάνουσαν, ἀφ' ἑκάστου δὲ τὰ χρήσιμα λαμβάνουσαν· quod ipsum et Plut. de eis tradit in l. Π. τοῦ ἀκούειν [p. 41, F], et alibi. Idem [Mor. p. 79, C] ex Simonide, Μέλιττα ξανθὸν μέλι μηδομένα. Conf. quæ de eis commemorat Aristot. H. A. 9, 40, et Plin. 11, 16 et seqq.: item Ælian. [|| Mel. Soph. OEd. C. 480: Ὕδατος, μελίσσης (πηγάς), μηδὲ προσφέρειν μέθυ. Schol.: Ὕδατος καὶ μέλιτος· ἀπὸ γὰρ τοῦ ποιοῦντος τὸ ποιούμενον. Καὶ ἐν (Ἀχιλλέως) Ἐρασταῖς, Γλώσσης μελίσσης τῷ κατερρυηκότι. || Improprie de poetis, ut Sophoclem μέλισσαν dictum fuisse annotant scriptor Vitæ, schol. Aristoph. Vesp. 460, Suidas, vel oratoribus (v. Μελισσότευκτος). Leonid. Tar. Anth. Pal. 7, 13, 1: Νεασιδὸν ἐν ὑμνοπόλοισι μέλισσαν, de Erinna. Jacobs. Anth. vol. 10, p. 416, ad Musarum imag. v. 5: « Spiritus, quo tibia inflatur, quum cantum suavissimum edat, ὀχετηγὸς σοφῆς μελίσσης, i. e. Suavitatis cum arte conjunctæ, vocatur. De vocis suavitate Christodor. Ecphr. v. 109: Πιερικῆς ῥαθάμιγγας ἀποσταλάουσα (Erinna) με-
D λίσσης. Etiam Agathias Anth. Plan. 36, 1 sophistæ cuidam imagines positas esse ait ὑπὲρ μύθων τε καὶ εὐτροχάλοιο μελίσσης. » Eadem comparatione Aristoph. Av. 750: Ἔνθεν ὡσπερεὶ μέλιττα Φρύνιχος ἀμβροσίων μελέων ἀπεβόσκετο καρπὸν, et epigr. Anth. Plan. 274, 3: Εἶχε γὰρ, οἷα μέλισσα, σοφὸν νόον, ἄλλοθεν ἄλλα ἠτρῶν προτέρων ἄνθεα δρεψάμενος. Aristoph. iterum Eccl. 974: Μέλιττα Μουσῶν.] || Nomen proprium filiæ Proclis apud Athenæum 13, [p. 589, F]. Melissa fuit et filia quædam Melissei Cretensium regis, quæ ut Amalthæa soror Jovem puerum caprino lacte, ut ipsa melle nutrivit: unde poetica illa fabula originem sumpsit, advolasse apes, atque os pueri melle complesse. [V. Wesseling. ad Diod. 5, 70.] Melissam vero a patre primam sacerdotem magnæ Matris constitutam: unde adhuc ejusd. Matris antistites μέλισσαι nuncupantur. Hæc ex Lactant. De falsa relig. 1, 22. Hesychio vero μέλισσαι sunt αἱ τῆς Δήμητρος μυστίδες [Schol. Pind. loco infra cit.: Ὅτι τὰς περὶ τὰ θεῖα μύστιδας καὶ μελίσσας φασὶν, ἑτέρωθι ὁ αὐτός φησι, Ταῖς ἱεραῖς

μελίσσαις τέρπεται· ὅτι δὲ καὶ τὰς περὶ τὰ ἱερὰ διατελούσας νύμφας Μελίσσας ἔλεγον Μνασέας ὁ Παταρεὺς ἀφηγεῖται, λέγων ὡς αὐταὶ κατέπαυσαν σαρκοφαγοῦντας τοὺς ἀνθρώπους πείσασαι τῇ ἀπὸ τῶν δένδρων χρῆσθαι τροφῇ, καθ' ὃν καιρὸν καὶ μία τις αὐτῶν Μέλισσα κηρία μελισσῶν εὑροῦσα πρώτη ἔφαγε καὶ ὕδατι μίξασα ἔπιε καὶ τὰς ἄλλας δὲ ἐδίδαξε καὶ τὰ ζῶα μελίσσας ἐξ ἑαυτῆς ἐκάλεσε καὶ φυλακὴν πλείστην ἐποιήσατο. Ταῦτα δέ φησιν ἐν Πελοποννήσῳ γενέσθαι. Porphyr. De antro Nymph. c. 18 : Πηγαὶ δὲ καὶ νάματα οἰκεῖα ταῖς ὑδριάσι Νύμφαις, καὶ ἔτι γε μᾶλλον νύμφαις ταῖς ψυχαῖς, ἃς ἰδίως μελίσσας οἱ παλαιοὶ ἐκάλουν, ἡδονῆς οὔσας ἐργαστικάς, ὅθεν καὶ Σοφοκλῆς οὐκ ἀνοικείως ἐπὶ τῶν ψυχῶν ἔφη, Βομβεῖ δὲ νεκρῶν σμῆνος... Καὶ τὰς Δήμητρος ἱερείας, ὡς τῆς χθονίας θεᾶς μύστιδας μελίσσας οἱ παλαιοὶ ἐκάλουν, αὐτήν τε τὴν Κόρην μελιτώδη· σελήνην τε οὖσαν γενέσεως προστάτιδα μέλισσαν ἐκάλουν. Et c. 19 : Οὐχ ἁπλῶς μέντοι πάσας ψυχὰς εἰς γένεσιν ἰούσας μελίσσας ἔλεγον, ἀλλὰ τὰς μελλούσας μετὰ δικαιοσύνης βιοτεύειν κτλ. De Cereris sacerdotibus Callim. Apoll. 110 : Δηοῖ δ' οὐκ ἀπὸ παντὸς ὕδωρ φορέουσι Μέλισσαι] : sed rectius alibi τὰς μητροπόλους exp. μελίσσας. [Sed nihil in superioribus non rectum. Conf. autem Μελισσονόμος. Pind. Pyth. 4, 60 : Χρησμὸς μελίσσας Δελφίδος, ubi schol. : Μελίσσας δὲ κυρίως μὲν τὰς τῆς Δήμητρος ἱερείας φασὶ, καταχρηστικῶς δὲ καὶ τὰς πάσας, διὰ τὸ τοῦ ζώου καθαρόν.] || Μέλισσα eid. Hesych. est ὀβολὸς, qui Pars est drachmæ. || Nomen proprium civitatis ap. Suid. [et Steph. Byz. : Πόλις Λιβύων. Ἑκαταῖος Ἀσίᾳ. Ὁ οἰκήτωρ Μελισσαῖος. Ἡ χώρα Μελισσαία. Ἔστι καὶ ἐν Κυρικῷ κώμη Μέλισσα. Τὸ ἐθνικὸν Μελισσηνὸς, ὡς Κυζικηνός. Gronovius : « Vereor ne scripserit : Ἔστι καὶ ἐν Κορίνθῳ κώμη Μέλισσος, ex Plut. in Amator. Narrat. (p. 772, E) : Δείσας δ' Ἄβρων φεύγει ἐς Κόρινθον, ἀναλαβὼν τὴν γυναῖκα καὶ τοὺς οἰκέτας, ἐν Μελίσσῳ κώμῃ τινὶ τῆς Κορινθίων χώρας, etc.. » || Nomen proprium pluribus commune mulieribus, ut Periandri conjugi ap. Herodot. 3, 50; 5, 92, Pausan. 2, 28, 8, et aliis ap. Athenæum et Lucian. D. mer. 4, ubi forma Μέλιττα, ut in inscrr. Att. ap. Bœckh. vol. 1, n. 155, p. 246, 21; p. 518, n. 808, 1.] Pro μέλισσα autem per paragogen dicitur Μελισσαία, ut σεληναία pro σελήνη. Eust. [Od. p. 1758, 56.]

[Μελισσαία. V. Μέλισσα.]

[Μελισσαῖον, τὸ, Apiarium, Gl. Quod μελισσεῖον scrib. conjecit Int.]

Μελισσαῖος, ὁ, cognomen Jovis, Hesych. [Ad apes pertinens, Nicander Th. 611 : Ἦντε μελισσαῖος περιβόσκεται οὐλαμὸς ἑρπων. Wakef.]

[Μελισσάριον, τὸ, Apiarium. LXX Jud. 14, 8; Sam. 1, 14, 25, 26. Schleusn. Lex. In edd. his ll. legitur μελισσῶν συναγωγὴ et μελισσών.]

[Μελίσσειον, τὸ, Favus. Schol. Nicandri Al. 547; Suid.; Hesych. Wakef. Μελισσεῖον, Hesych. in Νύμφη, μελίσσιον in Σής. Hemst.]

[Μελίσσειος, ὁ, Apiarius. Lucas 24, 42 : Ἀπὸ μελισσίου κηρίου, ubi alii μελισσείου. Quod reponendum. Sic Eust. Opusc. p. 59, 5 : Τοῦ μελισσείου τοῦδε κηρίου· 145, 88 : Οὕτω κατεργάζονται μελίσσειον κηρίον· 235, 59 : Τῷ μελισσείῳ κηρίῳ. V. Μελισσόου. L. Dind.]

Μελισσεὺς, έως, ὁ, Apiarius, VV. LL. [Aristot. H. A. 9, 27, 16.]

[Μελισσεὺς, έως, ὁ, Melisseus, rex Chersonesi Cariæ, ap. Diod. 5, 61. Rex Cretæ ap. Apollod. 1, 2, 6. Scriptor ap. Tzetzen ad Hesiodi Op. p. 29 ed. Gaisf. V. Μέλισσα, Μελισσήεις.]

[Μελισσηδὸν, Apum more modoque. Eust. Opusc. p. 309, 60 : Ἤθελον δεδόσθαι καθάπερ Ὁμήρῳ τῷ σοφῷ βοτρυδὸν εἰπεῖν τὰς μελίττας πέτεσθαι, οὕτω κἀμοὶ τοὺς βότρυας τούτους φάναι μελισσηδὸν σεσωρεῦσθαι. V. Μελισσόος.]

[Μελισσήεις, εσσα, εν, Mellitus, Apibus abundans. Nonn. Dion. 13, 183 : Γείτονος Ὑμηττοῖο μελισσήεντας ἐναύλους. Coluth. 23, Ἑλικῶνος. Wakef. Cui conferendus] Μελισσήεις, εντος, ὁ, locus Heliconis, a Melisso [immo Melisseo. Boiss.] rege dictus, schol. Nicandr. Ther. [11.]

[Μελισσηνὸς, ἡ, όν. V. Μέλισσα.]

[Μελισσία, ἡ, Alveare, nisi fallit scriptura, Geopon. 15, 6, 1.]

[Μελισσιὰς, άδος, ἡ, Melissias, n. mulieris, ap. Rufin. Anth. Pal. 5, 87, 1, ubi Μελησιὰς cod. Palat.]

Μελίσσιον, τὸ, Alveare, τὸ σμῆνος, Hesych. [vel Apicula. Suidas : Κίμβικα, σφηκία ἢ μελίσσια, pro quo alii gramm. μέλισσα. Alvearis autem significatione rectius scribi videtur μελίσσειον, quod v. Quanquam formam μελίσσιον defendere videri potest forma μελίττιον, quod sequitur.] Μελίττιον, τὸ, Apicula [Gl. Aristoph. Vesp. 367, ubi blandientis compellatio est : Ἕως γὰρ, ὦ μελίττιον. I. q. κηφήνιον, Aristot. H. A. 9, 40. Quod in Gl. ponitur Μελίττια, Mella, ad priorem signif. pertinet, nisi fallit scriptura.]

Μελισσοβότανον, τὸ, Herba apiaria, i. e. μελισσόφυλλον, schol. Theocr. [4, 25.]

[Μελισσόβοτον, τὸ, i. q μελισσόφυλλον. Nicander Th. 677 : Μελισσοβότοιο δασείης.]

Μελισσόβοτος, ὁ, ἡ, Ab apibus depastus, Nonn. [Jo. c. 1, 13. Epigr. Anth. Pal. 9, 523, 1 : Μελισσοβότου Ἑλικῶνος. Dionys. Per. 327 : Μελισσοβότοιο κατὰ σκοπιὰς Παλλήνης.]

Μελισσοβότος, ὁ, Pastor apum, VV. LL. [Voc. nihili.]

[Μελισσόθριξ, τρῖχος, ὁ, ἡ, Is. Porphyrog. in Allatii Exc. p. 314. Boiss.]

Μελισσοκόμος, ὁ, Qui apes alit, curat, Apiarius, ὁ τῶν μελισσῶν ἐπιμελούμενος. [Apoll. Rh. 2, 131. « Oppian. Cyn. 4, 273, Νύμφαι. » Wakef. Suidas.]

[Μελισσοκρὰς, ᾶτος, ὁ, ἡ. Hesych. : Μελισσόκρας, ἡ γλυκεῖα δέλτος, ἢ μέλιτι κεκραμένη. Scribendum μελισσοκράς. V. Μελικρὰς in Μελίκρατον positum.]

[Μελισσονόμος, ὁ, ἡ.] Μελισσονόμοι Aristophani Ran. [1274 Æschyli verbis uso ex Ἱερείαις] sunt οἱ διανέμοντες τὰ τῆς πόλεως, ἢ οἰκοῦντες ἐν τῇ πόλει, si scholiastæ credimus. [Quæ interpretatio accommodatior est voc. πολισσονόμοι. Alius interpretatur οἱ δίκην μελισσῶν νεμόμενοι ἐν τῷδε τῷ τῆς θεᾶς ἄλσει. Brunckius : Melissarum seu Sacerdotum Dianæ præsides.]

[Μελισσόου ap. Eust. Opusc. p. 309, 77 : Τούτου μοι τοῦ καλοῦ σμήνους ἡ γλυκύτης μὲν ἄντικρυς μελιτόεσσα· τὸ δὲ κέντρον ἐξήρηται, καὶ τοῦτο πλέον ἔχειν τοῦ μελισσόου κηρίου μοι φαίνεται, scribendum esse μελισσείου, ex locis in Μελίσσειος positis intelligitur. Non improbabile igitur Suidæ gl. Μελισσῶα (sine interpr.) eodem esse revocandam. L. Dind.]

[Μελισσοπολέω s. Μελιττοπολέω. V. Μελισσοπτηχέω.]

[Μελισσοπόλος s. Μελιττοπόλος, ὁ, Apiarius. Aristot. Mir. c. 65 : Οἱ μελιττοπόλοι.]

[Μελισσόπονος, ὁ, i. q. μελισσοκόμος. Apollonid. Anth. Pal. 6, 239, 2.]

[Μελισσοπτηχέω s. Μελιττοπτηχέω, Apes arceo, conjiciebat Hemst. ap. Suidam s. Photium : Μελιττοπηχεῖν (μελιττοποιχεῖν Photius) τὸ κρούοντας ψόφον ποιεῖν, ἵνα μὴ αἱ μέλισσαι προσπέτωνται. Μελιτόπολιν Hesychius, unde μελιττοπολεῖν interpretes, quorum Albertus ap. Suidam s. Photium delendum conjicit μὴ, ut interpretatio congruat Hesychio, qui πρὸς τὸ προσιέναι μελίσσαις. Non satisfacit autem μελιττοπολεῖν, quod nullam continet strepitus significationem.]

[Μελισσόρυτος, ὁ, ἡ, Mel stillans. Orph. Arg. 572 Μελισσορύτοις ἅμα νασμοῖς.]

[Μέλισσος, ὁ, Melissus, n. viri, ap. Pind. Isthm. 3 9 etc. Corinthii ap. schol. Apoll. Rh. 4, 1212, philo sophi ap. Plat. Theæt. p. 180, E, Isocr. p. 208, C Antidos. § 269. « Scriptoris ap. Palæphat. præf. » Boiss Notandum quod ne ap. veteres quidem Atticos σσ mutatur in ττ, non solum in hujus viri nomine, sed etiam Atticorum in inscrr. ap. Bœckh. vol. 1, p. 393, n. 284, 5; p. 406, n. 304, 12, etc. || N. vici. V. Μέλισσα.]

Μελισσοσόος Πὰν, in Epigr. [Zonæ Sard. Anth. Pal. 9, 226, 6], Apiarius, Apum servator, custos.

[Μελισσότευκτος, ὁ, ἡ, Ab apibus confectus. Pind. ap. Etym. M. p. 577, 19 : Μελισσοτεύκτων κηρίων.]

[Μελισσότοκος, ὁ, ἡ, Ab apibus genitus. Epigr. in Erinnam Anth. Pal. 7, 12, 1 : Ἄρτι λοχευομένην σε μελισσοτόκων ἔαρ ὕμνων. Quibus Jacobsius confert μέλισσα, et μελίσσης Πιερικῆς ῥαθάμιγγας ἀποσταλάουσα, de eadem poetria ap. alios poetas.]

[Μελισσοτροφεῖον, τὸ, s.] Μελιττοτροφεῖον, τὸ, Apiarium, Mellarium : perperam in VV. LL. μελιτροφεῖον.

[Μελισσοτρόφος, ὁ, ἡ, Apes nutriens. Eur. Tro. 794 : Μελισσοτρόφου Σαλαμῖνος. Μελιττοτρόφος Joseph. B. J. 4, 8, 3.]

[Μελισσουργεῖον, s. Μελιττουργεῖον, τὸ, Apiarium, Æsop. Fab. 85, p. 221 ed. Genev. 1628. Seager.]

[Μελισσουργέω s.] Μελιττουργέω, Rem apiariam factito, Mellifico, VV. LL. [Pollux 1, 254.]

[Μελισσουργία s.] Μελιττουργία, ἡ, Apum cura, cultura, si ita loqui liceat. Aristot. Pol. 1, [7] de partibus τῆς χρηματιστικῆς loquens : Περὶ γεωργίας καὶ μ., καὶ τῶν ἄλλων ζώων τῶν πλωτῶν ἢ πτηνῶν, ἀφ' ὅσων ἐστὶ τυγχάνειν βοηθείας. [Schol. Nicandri Al. 448. Forma per σσ Diod. 5, 65 : Τὰ περὶ τὰς μελισσουργίας.]

[Μελισσουργικὸς, s. Μελιττουργικὸς, ἡ, όν.] Μελισσουργικὰ, Libri de apibus nutriendis et curandis, s. de re apiaria. Athen. 2, [p. 68, C] : Τὸν δὲ θύμον ἀρσενικῶς Νίκανδρος ἐν Μελισσουργικοῖς. [Aristæus εὑρὼν τὰ μελισσουργικὰ πρῶτος, schol. Apollon. Rh. 2, 500. Hemst. Μελιττουργικὸς ap. Polluc. 7, 147. Theodoret. vol. 4, p. 551 ed. Schulz.]

[Μελισσουργὸς, s.] Μελιττουργὸς, ὁ, Apiarius, Synes. Ep. 136 [135, p. 272]. Aliud exemplum cum Plinii interpr. habes in Θύμος. [Alia ap. Plat. Leg. 8, p. 842, D, Reip. 8, p. 564, C, Theophr. H. Pl. 6, 2, 3, in Etym. M. p. 458, 44, ap. Eutecnium Metaphr. Nicandri Th. 805, p. 361. Per σσ Ælian. N. A. 1, 9; schol. Apoll. Rh. 2, 131. V. autem Μελιτουργός.]

[Μελισσοφάγος, s. Μελιττοφάγος, ὁ, ἡ, Qui apibus vescitur. Eust. Il. p. 179, 7, ὄρνιθες.]

[Μελισσοφάτνη, s. Μελιττοφάτνη, ἡ, Alveare. Hesych. v. Κυψέλιχες. Wakef.]

[Μελισσοφόνος, s. Μελιττοφόνος, ὁ, Apiastra, Gl.]

Μελισσόφυλλον [s. Μελιττόφυλλον], τὸ, Melissophyllum, Apiastrum [Gl.], ut Plin. supra in Μελίλωτος interpr. Apum causa seritur, ut Idem tradit, qui et 21, 20, ait, Melissophyllo s. melittide si perunguntur alvearia, non fugient apes; nullo enim magis gaudent flore. [Theophr. H. Pl. 6, 1, 4, Dioscor. 3, 118. Genere fem. schol. Nicandri Th. 677, τῆς δασείας μ., etsi ib. est τοῦ μ.] Ap. Nicandri autem schol. [Al. 149] scribitur etiam Μελιτόφυλλον uno τ. [Vitiose, ut videtur. V. Μελίφυλλον.] Ead. appellatur et Μελιττὶς paulo ante a Plin., nimirum in ipso μελισσόφυλλον. [Μελισσόχορτον ap. Myrepsum De antid. c. 74. Ducang.]

[Μελίσσω pro μειλίσσω scribi videtur ap. Chœrob. Cram. An. vol. 2, p. 218, 3.]

Μελισσὼν, sive Μελιττὼν, ῶνος, ὁ, Apiarium [Gl.], Mellarium, Locus in quo siti sunt alvei apum. Utitur Græco vocabulo Varro, quoniam Latina illa parum recepta, ut docet Gell. [N. A. 2, 20. Boiss. Gregor. Naz. Or. 43, p. 704, A. Hemst. Reg. 1, 14, 25 et 26.]

Μελισταγὴς, ὁ, ἡ, Mel stillans. Epigr. [Anth. Plan. 12, 3], κρούνισμα μελισταγές. Et μελισταγὲς χηρίον in iisd. [Christodor. Ecphr. 343. Tryphiodor. 119, et Nonn. Jo. c. 19, 155, νιφετός. Apoll. Rh. 2, 1272 : Μελισταγέας λοιβάς.]

[Μελίστακτος, ὁ, ἡ, Mel stillans. Meleager Anth. Pal. 4, 1, 33 : Λείψανα ... μελιστάκτων ἀπὸ Μουσῶν.]

[Μελιστὴς, ὁ, Modulator, Gl. Anacr. H. in Apoll. 31 : Τὸν Ἀνακρέοντα μιμοῦ τὸν ἀοίδιμον μελιστήν. Forma Dor. Theocr. 4, 30 : Ἐγὼ δέ τις εἰμι μελικτάς. || « Monetarius, ἀργυροκόπος, qui argentum vel monetam incidit, μελίζει, κόπτει. Theophanes a. 36 Justiniani p. 201 : Ἦσαν Ἀβλάβιος ἀπὸ μελιστῶν. » Ducang.]

[Μελιστὶ, i. q. μελεϊστί. Hesych. : Μελιστὶ, κατὰ μέλη. Suidas, κατὰ μέλος. Herodian. Epimerism. p. 256. Scribendum autem videtur μελεϊστί.]

[Μελιστίχη, ἡ, Melistiche, n. mulieris, Aristoph. Eccl. 46 : Τὴν Σμικυθίωνος οὐχ ὁρᾷς Μελιστίχην; Simile est n. Macedonicum Φιλιστίχη vel Βιλιστίχη, quod v. ῐ]

[Μελιστίων, ωνος, ὁ, Melistion, n. viri, ap. Phædimum Anth. Pal. 13, 22, 9. ῐ]

[Μελίταια, ἡ, Melitæa, πόλις Θετταλίας. Ἀλέξανδρος Ἀσίᾳ. Θεόπομπος δὲ Μελίτειαν αὐτήν φησιν. Ὁ πολίτης Μελιταιεὺς, addito hujus gent. (quod etiam Suidas ponit) exemplo Ephori (cui add. Strab. 9, p. 431, etiam urbis n. Μελίταια ponentis p. 434), Steph. Byz. Apud quem male Μελιταία et olim Μελιτταία. Sequitur autem : Μελίτεια· Φίλων οὕτω γράφει, τὰ αὐτὰ πράγματα τῇ εἰρημένῃ προσάπτων. Τὸ ἐθνικὸν Μελιτεύς. Quæ cum prioribus conjungenda monuit Berkel., animadvertitque Μελίτειαν ap. Polyb. 5, 97, 5, scribendam videri Μελίταιαν, quum gent. Μελιταιεῖς et Μελιταιέων

A sit 5, 63, 11, et 9, 18, 5, et Μελίτειαν ap. Dicæarchum p. 21, ubi Μελιτίαν, ap. quem quod ibid. est Μελιταίων, Vulcan. scribebat Μελιταιέων, ut ne ap. Polybium quidem non ferenda videatur utrimque formæ alternatio. Gent. autem Μελιτεὺς esse apud Antonin. Lib. c. 13, qui tamen urbem Μελίτην bis vocat ib. Μελίτειαν Diodor. 18, 15, Plut. Sull. c. 20. Falsum igitur videtur Μελιτίαν τῆς Ἀχαΐας ap. Thuc. 4, 78, et Μελίτειαν scribendum. Μελιτιάδας, inter urbes Achæorum posita ap. Scylacem p. 24, ambiguum est ad utram formarum ab Steph. Byz. positarum revocanda sit. L. Dindorf.]

[Μελίταινα. V. Μελίκταινα.]

[Μελιταῖος. V. Μελίτη.]

Μελίτεια, ἡ, Theocr. 4, [25] : Αἰγίπυρος καὶ κνύζα καὶ εὐώδης μελίτεια, ubi schol. exp. μελισσοβότανον. [Quod v.]

[Μελίτεια, ἡ, Melitea, n. mulieris, ap. Apollonid. Anth. Pal. 9, 228, 1. || V. Μελίταια.]

[Μελίτειον, τὸ, Meliteum. Apoll. Rh. 4, 1150 : Ὄρεος
B κορυφὰς Μελιτηίου. Schol. : Ὄρος Κερκύρας τὸ Μελίτειον. ῐ]

Μελίτειον, τὸ, subaud. ποτὸν, Potus melleus, mellitus, Potus ex melle, Mellina, ut Plaut. in Pseud., Murinam, passum, defrutum, mellinam. Plut. [Mor. p. 672, B] : Τῶν βαρβάρων οἱ μὴ πίνοντες, οἶνον μελίτειον πίνουσιν, ὑποφαρμάσσοντες τὴν γλυκύτητα οἰνώδεσι ῥίζαις καὶ αὐστηραῖς. [Coriol. c. 3.] Ap. Hesych. autem scribitur Μελίτιον, quod esse dicit πόμα τι Σκυθικὸν, μέλιτος ἑψομένου σὺν ὕδατι καὶ πόᾳ τινί : ap. Etym. autem reperio Μελύγειον, quod esse dicit πομάτιον γινόμενον ἐκ μόνου μέλιτος μεθ' ὕδατος, βοτάνης τινὸς ἐμβαλλομένης. Sed non dubito quin ap. eum reponendum sit μελίτειον, ut ap. Plut. scribitur; at in VV. LL. magis adhuc depravate μελίγυιον.

[Μελιτερπὴς, ὁ, ἡ, Suaviter oblectans. Simonides Anth. Pal. 7, 25, 9 : Μολπῆς δ' οὐ λήθει μελιτερπέος.]

[Μελιτεύς. V. Μελίτη.]

[Μελίτη, ἡ, Melite, Nereis ap. Hom. Il. Σ, 42, Hesiod. Th. 246, Apollod. 1, 2, 7 fin. Mater Hylli, ap. Apollon. Rh. 4, 538 seqq. (ap. quem ib. 572 memo-
C ratur insula cognominis prope Corcyram nigram.) Alia mulier ap. Callim. Epigr. 70, 1, et Achillem Tat., ad quem v. Jacobs. in Μελίττη cit. Νῆσος μεταξὺ Ἠπείρου καὶ Ἰταλίας, ὅθεν τὰ κυνίδια Μελιταῖά φασιν. (Diodor. 5, 12, Strabo 6, p. 277, Hesych. s. Suidas in Μελιταῖον κυνίδιον, Artemid. 2, 11. Μελιταῖα ὀθόνια memorantur ap. Diodor. 5, 12, et Hesych.) Ὁ οἰκήτωρ Μελιταῖος. Ἔστι καὶ πόλις ἄποικος Καρχηδονίων (ap. Strab. 17, p. 834), καὶ δῆμος Οἰνηΐδος φυλῆς (Κεκροπίδος Photio s. Suidæ et schol. Plat. Parmenid. init. Ap. Aristoph. Ran. 501 : Οὐχ Μελίτης μαστιγίας· Demosth. p. 1258, Strab. 1, p. 65, 66). Ὁ δημότης Μελιτεύς. Τὰ τοπικὰ εἰς Μελίτην, ἐκ Μελίτης καὶ ἐν Μελίτῃ, Steph. Byz. Gentilis exx. v. ap. Hesych. et Photium v. Μελιτεὺς et Μελιτέα et plurima in inscrr. Atticis ap. Bœckh. vol. 1, p. 124, n. 85, 8, etc. Hinc Μελιτέων οἶκος ap. Hesych. (sive Photium) : Ἐν τῷ τῶν Μελιτέων δήμῳ οἶκός τις ἦν παμμεγέθης, εἰς ὃν οἱ τραγῳδοὶ ἐμελέτων, quod in Μελετῶν corruptum in Lex. rhet. p. 281, 25, et Etym. M. p. 576, 39. || Samothraces n. antiquius ap. Strab. 10,
D p. 472. || De accentu Arcad. p. 114, 7. ι produxit Lycophr. 1027, qui ins. dicit.]

Μελιτήμερον, Suave, Melle dulcedine præditum, ἡδὺ, γλυκὺ, Hesych. [Μελιτηρὸν Hemst. ad Polluc. 10, 93.]

[Μελιτηνὴ, ἡ, Melitene. Πόλις Καππαδοκίας. Στράβων ἑνδεκάτῃ (p. 521, etc.). Οἱ πολῖται Μελιτηνοὶ (ap. Strab. 11, p. 527), ὡς Κομμαγηνοὶ, Steph. Byz. Rectius autem regio dicitur quam urbs, etsi ita vocat etiam Suidas. Μελιτηνὴν τὴν τῶν Ἀρμενίων περιφανῆ μητρόπολιν memorat Vita Euthymii in Cotel. Mon. vol. 4, p. 6, 8. Μελιτίνην πόλιν τῆς Ἀρμενίας Menolog. Gr. vol. 1, p. 20 ed. Albani. Μελιτηνῆς rursus ap. Photium Bibl. p. 29, 35, Pasin. Codd. Taurin. vol. 1, p. 83, ριθ', 84, ρχε'. Sed male ib. p. 157, B : Θεοδώρου τοῦ Μελινεώτου, de quo homine v. Fabric. B. Gr. vol. 10, p. 400, qui alibi in eadem agit de Constantino Meliteniota. Illam tamen formam vitiosam in —ινὸς relinquendam esse recentissimis testatur Chœrobosc. In Psalm. vol. 3, p. 165, 24 ed. Gaisf.. Ἀγαρηνοί· ὁ Ἀγαρηνὸς τὸ ρη η διατί; Τὰ εἰς νος ἐθνικὰ ὀξύτονα τῷ η παραλήγεται, Ἀγαρηνὸς, Δαμασκηνός, πλὴν τοῦ Ἐδεσινός, Ἀμασινός, Ἀδραμητινὸς καὶ Μελιτινός. Quæ omnia sunt vitiosa pro Ἐδεσσηνὸς etc. De accentu Arcad. p. 111, 20.]

Μελιτήριος χυλὸς affertur ex Theophr. H. Pl. 3, 8 [7, 4] pro Succus melligenus, Gaza interpr., qui Plinium imitatus est : nam quod Theophr. ibi περὶ δρυὸς dicit : Φύει δὲ καὶ ἕτερον σφαιρίον κόμην ἔχον, τὰ μὲν ἄλλα ἀχρεῖον, κατὰ δὲ τὴν ἐαρινὴν ὥραν ἐπιβάπτον χυλῷ μελιτηρίῳ [μελιτηρῷ Schneid.], καὶ κατὰ τὴν ἀφὴν καὶ κατὰ τὴν γεῦσιν, id Plin. 16, 8, sic interpr. : Robur fert et aliam inutilem pilulam cum capillo, verno tamen tempore melligeni succi. [V. Μελιτηρός.]

Μελιτηρὸς, ά, όν, [Liba, Gl.] Melleus, Mellitus, Mellarius, ut μ. ἀγγεῖον, Mellarium vas, Plinio. Ita Nicander Coloph. in Γλώσσαις ap. Athen. 11, [p. 475, D] dicit κελέβην esse ποιμενικὸν ἀγγεῖον μελιτηρόν, ex Antimacho Colophon. l. 5 Thebaidos, Ἀσκὸν ἐνίπλειον κελεβεῖόν θ', ὅττι φέριστον Οἴσιν ἐνὶ μεγάροις κεῖται μέλιτος πεπληθός. Et alibi, Ἀσκηθὲς κελέβειον Ἔμπλειον μέλιτος. Ἀγγεῖον [cod. ἄγγος] μελιτηρὸν citat Pollux quoque [10, 93] ex Aristoph. [Cod. μελιτήριον.] Sic ἰχθυηροὶ πίνακες dicuntur Disci piscibus reponendis aut apponendis apti : et ἐλαιηρὰ ἐπίχυσις, pro Gutto oleario, Lecytho. Galen. autem [vol. 10, p. 494, E. Hemst.] de puero epileptico loquens, Μελιτηρὰ ἀγγεῖα, inquit, ὀνομάζουσιν Ἕλληνες ἐξ ὧν ἐκενώθη μέλι· secundum quem μελιτηρὸν ἀγγεῖον erit Vas non jam in quo mel reconditur, sed in quo reconditum aliquando fuit, et mel adhuc resipit : sicut ἰχθυηροὶ πίνακες dici possunt Disci qui pisces aliquando eis impositos resipiunt, q. d. Pisculentum odorem habentes. [Μελιτηρὰ ὑγρασία Pollux 4, 190. M. ἀγγεῖον, de quo supra, Apollon. De constr. p. 189, 24.]

[Μελιτία. V. Μελίταια.]

[Μελιτιανὸς ponitur in gl. Suidæ in libris nonnullis illata. V. Μελέτιος.]

[Μελιτιάς. V. Μελαντιάς.]

[Μελιτίδες πύλαι, αἱ, Melitides portæ Athenarum, a demo Μελίτη dictæ, ap. Pausan. 1, 23, 9.]

[Μελιτίδης vitium scripturæ pro Μελητίδης, quod v.]

[Μελιτίνη, τῆς Μελιτίνης, ἡ, Melitina mulier, penacuitur, Μελιτινή, Μελιτινῆς, gentile nomen, acuitur, Cyrillus s. Philoponus Συναγ. τῶν διαφόρως τονουμένων. Γυναικὸς Μελιτίνης mentio fit in inscr. Panticap. ap. Bœckh. vol. 2, p. 155, n. 2114, c. Secundum nomen per η scribendum Μελιτηνή, ut supra.]

[Μελίτινος, η, ον, Mellitus, Gl. « Diog. L. Zenone p. 217 HSt. : Τὸν πρὸς χάριν λόγον, ἔφη, μελιτίνην ἀγχόνην εἶναι. » Seager. Eust. Opusc. p. 163, 84 : Ἀπόλοιτο ἐκ βίου ἡ ψευδώνυμος αὕτη ἀγαθοποιία..., ἡ μελιτίνη ἀγχόνη.]

[Μελίτιον. V. Μελίτειον. Hesych. : Μελίτια, τὰ βίττα. Quod Guietus ad voc. cum βλίττω cognatum voluisse relatum videtur.]

[Μελίτιος, ὁ, Melitius, episcopus hæresiarcha ap. Socrat. H. E. 1, 6, p. 14, B. Boiss. V. Μελέτιος. Ῥοῦφος quidam Μελίτιος est ap. Dionys. De comp. vv. init., de quo v. conjecturas intt.]

[Μελιτισμὸς, ὁ, Mellis usus. Paul. Ægin. 1, 7 : Τοὺς μελιτισμοὺς καλουμένους παραληπτέον.]

Μελιτίτης, ὁ, Melitites : μ. οἶνος, Vinum melitites, ex musto et melle, ut tradit Plin., qui 14, 9, Dulci ex genere, inquit, est melitites. Distat a mulso, quod fit ex musto cum quinque congiis austeri musti, congio mellis et salis cyatho subfervefactum, austerum : ex Diosc. 5, 15, ubi ait, Ὁ δὲ μ. πρὸς ε' χοὰς αὐστηροῦ γλεύκους, μέλιτος χοῦν ἕνα καὶ ἁλὸς κύαθον ἕνα. Ejusd. σκευασίαν tradit Const. Cæsar Geopon. 8, [c. 25], ubi ipsum vocat ἀπὸ γλεύκους οἰνόμελι. Aliud autem est οἰνόμελι, s. μελίκρατον (nam synonymως hæc duo Pollux [6, 17] accipit, quamvis alii diversa faciant) : nam id οἰνόμελι, i. e. Mulsum, fit ex vino veteri et austero, et bono melle : οἰνόμελι vero quod ex vino et aromatibus paratur, Nectar dici idem Constant. auctor est. || M. λίθος, Lapis melitites, qui succum remittit dulcem mellitumque tusus, teste Plin. 36, 19, ubi et de ejus usu medico tradit. Diosc. 5, 151 : Ὁ δὲ μ. κατὰ πάντα ἔοικε τῷ γαλακτίτῃ, διαφέρων ἐν τῷ γλυκύτερον ἀνιέναι τὸν χυλόν. Melitites, inquit Gorr., est lapis dulci et mellito sapore præditus, sicut et Galactites; sed plusquam hic caloris habet, atque ideo magis et
A abstergit. Dicitur fieri ex ramentis saxi calcarii in lapidem concretis, ut et galactites. Colore rufo flavoque est, sicut chalcitis usta, et auripigmentum et sandaracha. [ῐῑ]

[Μελιτόβρυτος, ὁ, ἡ, Melle manus, γῆ, Germanus Patr. CP. in Cotel. Monum. vol. 2, p. 462. Boiss.]

[Μελιτοειδὴς, ὁ, ἡ, Melli similis. Hippocr. p. 878, D : Ἰσχάδος τὸ εἴσω, τὸ πῖαρ, τὸ μελιτοειδές. De alio ejusdem loco Foes. : « Μελιηδὴς οἶνος, Vinum dulce et mellei dulcoris aut coloris, ut fulvum et flavum dicitur Hipp. aut melli ammixtum. Sic enim μελιηδέα οἶνον Galen. in Exeg. ap. Hipp. exponit, οὐ μόνον τὸν ἡδὺν, ἀλλὰ καὶ τὸν μέλιτι μεμιγμένον, ex l. 1 De morb. majore. Legitur tamen p. 469, 4, et οἶνον μελιτοειδέα scribitur in omnibus exemplaribus. Apparet autem Gal. μελιηδέα legisse, quemadmodum ap. Hom. sæpe scribitur. Est et μελιειδὴς οἶνος ap. Hipp. p. 529, 42, idem quod μελιηδὴς etc. » Hoc scribendum μελιηδής.]

Μελιτόεις, εσσα, εν, Melleus, Mellitus. Et metaph. μελιτόεσσα γαλήνη, pro Placida et quasi melleam jucunditatem imitante.
B [Pind. Ol. 1, 98 : Μελιτόεσσαν εὐδίαν. Eust. Opusc. p. 309, 75 : Τούτου μοι τοῦ καλοῦ σμήνους ἡ γλυκύτης μὲν ἄντικρυς μελιτόεσσα.] A fem. autem μελιτόεσσα per contr. fit Μελιτοῦττα, ut οἰνοῦττα ab οἶνος : teste Eust. [Od. p. 1735, 61], qui ἐπὶ μελιπήκτων usurpari id vocab. tradit. Sed ubique fere scriptum reperio Μελιττοῦτα : ut et ap. Hesych., a quo exp. μάζα μέλιτι δεδευμένη : additurque, vocari et μελιτόεσσα [ut ap. Herodot. 8, 41], sed ap. Suid. μελιτοῦττα, ut ap. Eust. et Aristoph. Av. [567], ubi ratio carminis postulat unicum τ in antep. : Ἢν δ' Ἡρακλέει τις βοῦν, λάρῳ ναστοὺς θύειν μελιτούττας. Verum adj. accipitur ibi μελιτούττας pro μελιτοέσσας s. μέλιτι δεδευμένας. Adjective capi potest ap. Theophr. quoque H. Pl. 9, 9 [8, 7] : ubi dicit oportere evulso panace Asclepieo ἀντεμβάλλειν τῇ γῇ παγκαρπίαν μελιτοῦτταν : ut ibi παγκαρπία μελιτοῦττα, sint Fruges omnis generis melle perfusæ : aliter autem si substantive, nimirum, Placenta ex melle et omni frugum genere; nam et paulo post substantive usurpat, quum addit, Ὅταν δὲ τὴν ξίριν, τριμήνους
C μελιτούττας ἀντεμβάλλειν μισθόν· cujus superstitionis Plin. quoque infra meminit in Παγκαρπία, ubi tamen hoc vocab. non interpr. In μελιτοῦττα autem absolute posito subaudiri potest vel ναστὸς vel μάζα vel aliquid aliud. Lucian. [Lexiph. c. 6] : Θρυμματίδες καὶ θρία καὶ μελιττοῦται. Theophyl. Epist. 44, de dapibus et ferculis nuptialibus : Ἔτνος, ἐρέβινθος, ἰσχάδες πολλαὶ, καὶ γλεῦκος, καὶ μελιττοῦται, καὶ πόπανα. In quibus ll. duplex τ in antepen., in penultima unicum habent exempll., sicut et ap. Theophr. et Aristoph. Nub. [506] : Ἐς τὼ χεῖρέ νυν Δός μοι μελιττοῦταν πρότερον, ὡς δέδοικ' ἐγὼ, Εἴσω καταβαίνων ὥσπερ εἰς Τροφωνίου· sed et ibi metri ratio exigit, ut scribatur μελιτοῦτταν, et fiat anapæstus in secunda regione, eid. poetæ non insolens : in superiori autem ejusd. poetæ l. utrobique uno τ scriptum erat : sed perperam, si quidem pro σσ Attice ponuntur ττ. Item, Suid. : Μελιτοῦττα ἐδίδοτο τοῖς νεκροῖς, ὡς εἰς τὸν Κέρβερον· καὶ ὀβολὸς, μισθὸς τῷ πορθμεῖ· καὶ στέφανος, ὡς τὸν βίον διηγωνισμένοις. [Add. Lys. 601, Pollux 6, 76, ubi item male
D μελιττοῦτα. Eodem ab interpretibus revocatur gl. Hesychii : Μελιττοῦντας, πλακοῦντας, quæ, nisi fallat scriptura et hic quoque Μελιτούττας scribendum sit potius quam Μελιτοῦντας, ad masc. referenda erit.]

[Μελιτέτροπα, τὴν χλαμύδα οὕτω καλοῦσιν, Hesychius post Μελίτιον et ante Μελιτόν. Pergerus : « Scr. Μελιτόκροκα, a nominat. Μελιτόκροξ (vel potius per metaplasmum a μελιτόκροκος), Paludamentum κρόκης μελιχρᾶς, E stamine mellei coloris. »]

Μελιτὸν, Favus, Mustum decoctum, κηρίον, ἢ τὸ ἔφθον γλεῦκος. Hesych. [Ad Μελίτειον s. Μελίτιον referendum conjicit Albertus.]

[Μελιτοποιέω, Mel facio, Mellifico. Eust. in Dionys. P. 936 : Ταῖς παρὰ τῷ γεωγράφῳ (14, p. 694 : Εἴρηκε δὲ [Nearchus] καὶ περὶ τῶν καλάμων ὅτι ποιοῦσι μέλι μελισσῶν μὴ οὐσῶν) Ἰνδικαῖς καλάμοις, ἃς μελιτοποιεῖν ἐκεῖνός φησιν. Wakef. Id. Opusc. p. 79, 46 : Ἵνα καὶ ἐξ ἀγρίων τούτων ἀνθέων καὶ ἐξ ἐκείνων ἡμέρων μελιτοποιῆται τοῖς κατὰ θεὸν τὰ χρήσιμα. Ex cod. restituendum Proculo schol. Hesiodi Op. 230.]

[Μελιτοπωλέω. V. Μελιτοπώλης.]

Μελιτοπώλης, ὁ, Venditor mellis, Aristoph. [Eq. 853, Antiphanes ap. Athen. 7, p. 287, E. Fem. Μελιτόπωλις, ιδος, ἡ, et verbum Μελιτοπωλέω, addit Pollux 7, 198.]

[Μελιτοτροφέω, Melle nutrio. Psell. In Cant. Cantic. 4, 11 (p. 726): Τοὺς μὲν γὰρ γαλακτοτροφεῖς, τοὺς δ' αὖ γε μελιτοτροφεῖς. Boiss. Μελιτοτροφία, ἡ, Nutritio quæ fit melle. Idem p. 731. Suicer.]

[Μελιτοτρόφος, ὁ, Mel alens. Eust. Opusc. p. 194, 57: Πολλοὶ δὲ καὶ μελιτοτρόφῳ καλάμῳ τὸν τοιοῦτον στῦλον παρεξετάσουσιν, ὃς διειργόμενος μεσολαβήμασιν, ὅσα καὶ συνδετικοῖς ὁ κάλαμος γόνασι μεμέστωται, ὡς ἂν αὐτοὶ εἴποιεν, τοῦ γλυκάζοντος.]

Μελιτουργεῖον, τὸ, Locus, ubi mel fit.

[Μελιτουργέω, Mellifico, Gl. Schol. Apoll. Rh. 1, 880: Ἐν ᾗ (πέτρᾳ) μελιτουργοῦσιν (apes). Eust. Opusc. p. 249, 48: Ἐγὼ δὲ ἤθελον τοὺς τοιούτους καὶ ἱστορίας ἐξωτερικὰς ἀνθολογεῖν καὶ γνώμας καὶ ἀποφθέγματα, ἐξ ὧν καὶ οἱ πάλαι ἁγιώτατοι πατέρες ἐρανισάμενοι ἐμελιτούργησαν.]

Μελιτουργία, ἡ, Mellificatio, Opus mellarii, Mellificium, Aristot. Polit. [1, 7. Schol. Pind. Wakef.]

Μελιτουργὸς, ὁ, in meo vet. Lex. Meliturgus, Mellarius, [Apiarius, huic add. Gl.]: quorum utroque utitur Varro. [Etym. M. p. 539, 52; 577, 41, vitiose pro μελιττουργός.]

[Μελίτουσσα, ἡ, Melitussa, πόλις Ἰλλυρίας. Πολύβιος τρισκαιδεκάτῳ (10, 3). Τὸ ἐθνικὸν Μελιτουσσαῖος, ὡς Σκοτουσσαῖος, καὶ Μελιτούσσιος, ὡς Σκοτούσσιος, Steph. Byz.]

[Μελιτοῦττα. V. Μελιτόεις.]

[Μελιτόφυλλον. V. Μελισσόφυλλον.]

[Μελιτόχροος, ὁ, ἡ, Qui mellei est coloris. Schol. Nicandri Ther. 798. Wakef.]

Μελιτόω, Melle condio, misceo. Thuc. 4, [26]: Κολυμβηταὶ ὕφυδροι, καλωδίῳ ἐν ἀσκοῖς ἐφέλκοντες μήκωνα μεμελιτωμένην· nam semen papaveris melle mixtum ad nutritionem aptum est, ut tum schol. tradit, tum Diosc. 4, 65, Περὶ μήκωνος ἡμέρου scribens: Ἧς τὸ σπέρμα ἀρτοποιεῖται, εἰς τὴν ἐν ὑγείᾳ χρῆσιν, καὶ σὺν μέλιτι δὲ ἀντὶ σησάμης αὐτῇ χρῶνται. [Plut. Mor. p. 628, D: Ἀγγεῖον μεμελιτωμένον.]

[Μελιτρὸς, quod sine interpr. ponit Suidas, scribendum videtur μελιχρός. L. Dind.]

[Μέλιττα etc. V. Μέλισσα etc.]

[Μελίτταιον, Apiastrum, Diosc. Notha 3, 118. Boiss. Ibidem dicitur μελίτταινα, pro quo supra μελίκταινα et μελίταινα, fortasse non sine vitio. Mirum etiam de eodem Apiastro μελιττεὼν vel μελιτεὼν καταχρισθεῖσα Geopon. 15, 5, 6, etiam si scribatur —ταῖον.]

[Μελίττη, ἡ, Melitte, n. mulieris, ap. Achillem Tat. De Leucipp. scribendum est Μελίτη, ut recte scriptum in libris nonnullis. V. Jacobs. ad 5, 11, p. 113, 14. L. Dind.]

[Μελιττὼ vel Μελιτὼ, οῦς, ἡ, Euripidis prior conjux, in Thomæ Mag., ubi per duplex, et in Ambrosiani cod. Vita, ubi per simplex τ scribitur, minus recte. L. Dind.]

Μελιττώδης, ὁ, ἡ, Ad apes accedens, Qui de apum genere est: τὰ μελιττώδη τῶν ζώων, pro ipsis Apibus. [Verba Aristotelis De partt. an. 4, 9.] ‖ VV. LL. exp. etiam Melleus, Dulcis: pro quo scrib. μελιτώδης.

[Μελιτώ. V. Μελιττώ.]

Μελιτώδης, ὁ, ἡ, Melleus [Gl.], Mellitus, i. q. μελιτόεις, Melleum saporem referens, Mel sapore imitans. Lucian. [Vitt. auct. c. 19]: Τὰ γλυκέα σιτεῖται καὶ μελιτώδη, καὶ μάλιστα τὰς ἰσχάδας. [Μελιτωδῶν ἐδεσμάτων ponit Suidas.] Plut. [Mor. p. 628, C]: Τρώγων σίκυον, ὡς ἐφάνη μ. ὁ χυμὸς, ἠρώτησε τὴν διακονοῦσαν ὁπόθεν πρίαιτο. [Ib. p. 673, E. Alex. Trall. 5, p. 82. Pollux 4, 180: Εἰπεῖν δὲ καὶ τὸ πῦον πυῶδες, μυξῶδες ὑγρὸν, μελιτῶδες, αἱματῶδες. Conf. Μελικηρίς. De Proserpina dictum v. in l. Porphyrii De antro N., quem in Μέλισσα posuimus. Theocr. 15, 94: Μὴ φύη, μελιτῶδες, ὃς ἀμῶν καρτερὸς εἴη. Schol.: Μελιτῶδες τὴν Περσεφόνην φησὶ κατ' ἀντίφρασιν, ὡς καὶ κόρην, διὰ τὸ τὰς ἑταίρας (ἱερείας) αὐτῆς καὶ τῆς Δήμητρος Μελίσσας λέγεσθαι.]

Μελίτωμα, τὸ, Opus dulciarium ex melle, Placenta mellita, Opus pistorium melle conditum. [Melitoma, Mellarium, ficum, Gl.] Ex Hom. [Batrach. 39]: Οὐ χρηστὸν μελίτωμα. Diosc. 4, 64, de papavere sylvestri s. erratico: Μίγνυται δὲ καὶ μ. καὶ ἰτρίοις πρὸς τὸ αὐτὸ, Mellitis placentulis et dulciariis libis, ut Ruell. vertit. Athen. 14, [p. 646, D] inter placentas numerans ἀμόρας, ait, Τὰ μελιτώματα Φιλήτας ἐν Ἀτάκτοις ἀμόρας φησὶ καλεῖσθαι· μελιτώματα δ' ἐστὶ πεπεμμένα. Sed notandum est ap. Diosc. et Athen. scribi Μελιττώματα, duplici τ in secunda syllaba: quemadmodum et μελιττοῦτα: quam tamen scripturam vitiosam esse non dubito; nam a μελιτόω, non μελιττόω, derivatum est. [Longus Past. 3, p. 79, 7: Ἐκ τῆς πήρας προεκόμιζε μελιτώματα πολλά. Improbat Thomas p. 606.]

[Μελίτων, ωνος, ὁ, Melito, n. viri, ap. Lucill. Anth. Pal. 11, 246, 6, et Suidam. Alii quum alibi tum in numis et inscrr., quarum in una, Bœotia ap. Bœckh. vol. 1, p. 757, n. 1574, 29, est patronym. Μελιτώνιος.]

[Μελίτωσις, εως, ἡ, Mellatio, Gl.]

[Μελίφθεγκτος, ὁ, ἡ, Qui suaviter loquitur, q. d. Melliloquus. Orac. Sibyll. 4, p. 485.]

Μελίφθογγος, ὁ, ἡ, q. d. Mellisonus, Mellitos et dulces sonos edens, Hesiod. [Pind. Ol. 6, 21: Μελίφθογγοι Μοῖσαι· Isthm. 2, 7, Τερψιχόρας· 5, 8, ἀοιδαῖς.]

Μελίφρων, ονος, ὁ, ἡ, Qui mellea dulcedine animum perfundit et oblectat. Hom. Od. H, [182]: Μελίφρονα οἶνον ἐκίρνα· Il. Ω, [284]: Οἶνον ἔχουσ' ἐν χειρὶ μελίφρονα δεξιτερῆφι. Supra μελιηδέα οἶνον dicit. B, [34]: Εὖτ' ἄν σε μελίφρων ὕπνος ἀνίῃ. Ib. [Θ, 188]: Ὑμῖν δὲ προτέροισι μελίφρονα πυρὸν ἔθηκε, insignes gramm. cum Galeno μελίφρονα πυρὸν exp. τὴν τίφην, Tiphan, commodissimum equorum pabulum. [Σῖτον Od. Ω, 489. Apoll. Rh. 1003: Φυταλιῆ καρποῖο μελίφρονος. Proprio sensu, Mel curans, Apoll. Rh. 4, 1132: Ἀρισταίοιο μελίφρονος. Dulcis, de tritico, Dionys. P. 743. Wakef. M. ὕπνος, Bacchyl. ap. Stob. Flor. 55, 3, 9. Hemst. Hesiod. Sc. 428: Μελίφρονα θυμὸν ἀπηύρα. Pind. Nem. 7, 11: Μελίφρον' αἰτίαν· fr. ap. Athen. 13, p. 574, B: Μελίφρονος ἀρχὰν σκολιοῦ. Simonid. Anth. Pal. 7, 510, 3: Μελίφρονος οἴκαδε νόστου. Apoll. Rh. 3, 458: Μῦθοι μελίφρονες. Coluthus 93: Μελίφρονα θεσμὸν ἐρώτων, ubi similia contulit Bekker.]

Μελίφυλλον, τὸ, Herba, quæ etiam μελισσόφυλλον et πράσιον, Hesych. V. Μελισσόφυλλον. [Nicander Ther. 554: Τὴν ἤτοι μελίφυλλον ἐπικλείουσι βοτῆρες· Al. 47, schol. 149, Diosc. 3, 118. Amellum, Gl., post Μελισσών.]

Μελίφυρτος, ὁ, ἡ, Melle mixtus, Epigr. [Pauli Sil. Anth. Pal. 5, 270, 7: Ἡ μελίφυρτος ἐκείνη ἤθεος ἁρμονίη κεστὸς ἔφυ Παφίης.]

[Μελίφωνος, ὁ, ἡ, Qui suavi est voce. Philostr. Icon. 2, 1, p. 811, 11, e Sapphone. Hemst.]

Μελίχλωρος, ὁ, ἡ, Mellis instar flavus. Theocr. 10, [27]: Σύραν καλέοντι τὺ πάντες, Ἰσχνὰν ἁλιόκαυστον· ἐγὼ δὲ μόνος μελίχλωρον· unde Lucr. 4, [1156] de amatorum miseriis, qui amasiarum vitia extenuant, Nec sua respiciunt miseri mala maxima sæpe. Nigra, μελίχροος est: immunda et fœtida, ἄκοσμος. Qui locus facit ut schol. legisse putem μελίχρωον, quum exponat, ἐοικυῖαν κατὰ τὸ χρῶμα μέλιτι. Vide meam annot. in illum l. in mea edit. Poetarum Græcorum principum heroici carminis. Et μελίχλωρος gemma ap. Plin. l. ult., c. 11, quam gemini esse coloris tradit: parte flavi, parte mellei. [Nicand. Th. 797: Τὸν δὲ μελίχλωρον (σκορπίον). Conf. l. Plat. in Μελάγχλωρος cit. et Μελίχροος.]

[Μελιχρόγλωσσος s. Μελιχρόγλωττος, ὁ, ἡ, Qui lingua s. voce est suavi. Const. Manass. Chron. p. 102, C, de Methodio. Boiss.]

[Μελίχροιος, ὁ, ἡ, i. q. sequens. Tzetz. Posth. 366: Ἡ δ' Ἑκάβη μελίχροιος ἔην, εὔριν, ὡραίη.]

Μελίχροος, sive Μελίχρους [Fuscus, Gl.], et Μελίχρωος [hæc forma omittenda erat. Nam ap. Philostr. Her. p. 736: Μελίχρωος ἦν ὁ Πάτροκλος, recte codd. duo ap. Boiss. p. 614 μελίχλωρος], ὁ, ἡ, Mellis colorem imitans, Qui melleo colore est. V. Ὑποκορίζομαι. [Lucret. 4, 1156: « Nigra μελίχροος est. »] Hippocr. autem De morb. 1, μελίχρουν οἶνον appellat non solum τὸν ἡδὺν, sed etiam τὸν τῷ μέλιτι μεμιγμένον: quem et μελιηδέα ibid.: ut docet Galen. in Lex. [De usu Hippocrateo utriusque formæ ita fere Foes.:

« Locus Hipp. legitur p. 465, 5 : Ἐπιπίνειν οἶνον μελιχρόν. Sic enim illic legitur, quum μελίχρουν legisse Galenum constet. Rursus p. 526, 39 : Τὸν οἶνον μελιχρὸν, παλαιὸν, λευκόν· 528, 8 : Οἱ μελιχροὶ παλαιοὶ τὴν κοιλίην ὑπάγουσι. Et p. 640, 52 : Οἴνῳ λευκῷ μελιχρῷ. Μελίχρουν alias vocat, p. 540, 37 : Οἶνον πινέτω μελίχρουν. Et p. 616, 25 : Οἴνῳ μελιχρόῳ. » Hesych. in Κέρχνη. Hemst. Tryphiodor. 113 : Συμφράδμων Ὀδυσῆι παρίστατο θοῦρις Ἀθήνη, ἀνδρὸς ἐπιχρίουσα μελίχροϊ νέκταρι φωνήν.] Metaph. autem Sophocles dicitur μελίχρους, Epigr. [Simiæ Theb. Anth. Pal. 7, 22, 5] : Εἵνεκεν εὐμαθίης πινυτόφρονος, ἣν ὁ μελίχρους Ἤσκησεν, μουσῶν ἄμμιγα καὶ χαρίτων· nisi forte ibi scrib. μελίθρους, aut aliud. [Μελιχρὸς cod. Palat. a sec. m.]

Μελιχρὸς, ά, ὸν, Melliculus, Melleus, Mellitus, Mellea dulcedine præditus. [Apoll. Rh. 4, 359 : Ποῦ δὲ μελιχραὶ ὑποσχεσίαι βεβάασιν; Callim. Epigr. 28, 2 : Μὴ τὸ μελιχρότατον τῶν ἐπέων ὁ Σολεὺς ἀπεμάξατο. « Μελιχρὰ ἄττα καὶ προσβλέπουσα αὐτῷ καὶ λαλοῦσα, Dio Cass. 51, 12. » Hemst. Dionys. De comp. verb. p. 7, 4 : Τί ποτ' ἐστὶ τὸ ποιητικὸν καὶ εὔγλωσσον καὶ μελιχρὸν ἐν ταῖς ἀκοαῖς, ὃ πέφυκε τῇ συνθέσει τῆς πεζῆς λέξεως παρακολουθεῖν. Philostrato Dionysius soph. dictus p. 522, μελιχρώτατος περὶ τὰς ἐννοίας. Μελ. φωνὴ ap. eund. in Vita Pollucis et ap. schol. Aphthon. Prog. vol. 2 ed. Ald. Conf. Eust. Il. p. 96, Cresoll. Theatr. 3, 18. Ernest. Lex. rh.] Synes. Ep. 146 : Τῷ μ. τῆς φωνῆς ἀπώλλυον προσαγόμεναι τὸν πιστεύσαντα, de sirenibus, quibus Hom. tribuit μελίγηρυν ὄπα, Mellitam vocis dulcedinem. At schol. Theocr. 5, [95] μελιχραὶ sunt χροιὰν ἔχουσαι μέλιτος, κιτρινοειδεῖς, Mellei coloris. [V. etiam Μελίχροος.]

[Μελιχρότης, ητος, ἡ, Dulcedo. Schol. Theocr. 7, 82 : Δηλοῖ δὲ διὰ τοῦ νέκταρος ὑπερβολικὴν τὴν μ. Wakef.]

[Μελίχρους. V. Μελίχροος.]

Μελίχρυσος, ὁ, ἡ, ut μελίχρυσοι λίθοι : de quibus Plin. 37, 9 : In eodem genere sunt μελίχρυσοι, veluti per aurum sincero melle translucente : quas India mittit, quanquam ad injuriam fragiles. [Oppian. Cyn. 1, 314 : Μελιχρύσοισιν ἐθείραις, al. μελιχροίοισι et μελιχρώοισι.]

[Μελιχρώδης, ὁ, ἡ, i. q. sequens. Strato Anth. Pal. 12, 5, 1 : Φιλέω δ' ἅμα τοὺς μελιχρώδεις καὶ ξανθούς.]

[Μελίχρως, ωτος.] Μελιχρὼς, ῶτος, ὁ, ἡ, Qui melleo colore est. Plin. l. ult., c. 11 : Colos appellavit χρυσόλιθον, Aureus, χρυσόπρασον Herbaceus : Melleus μελιχρῶτα : quamvis plura ejus genera sint. [Dioscorid. Anth. Pal. 12, 170, 3 : Ὁ μελίχρως κοῦρος Ἀθηναῖος. Pro quo ap. Aristæn. Ep. 1, 18 : Μελιχρώτους δὲ οἴει τοὔνομα τίνος ἄλλου ποίημα εἶναι ἢ τοῦ ἐνόντος σοι πόθου; Quod vel ad hanc vel ad alteras formas revocandum.]

Μέλκα, ἡ, a Paulo Ægin. esse dicitur ὄψον τι διὰ γάλακτος, itidemque Galeno, qui esse dicit ἓν τῶν ἐν Ῥώμῃ εὐδοκιμούντων ἐδεσμάτων, ut et τὸ ἀφρόγαλα, æstate præcipue comedi solitum stomachi refrigerandi causa. Paxamus ap. Geopon. 18 fin. melcam bonam fieri scribit, si lac in vasa, quæ prius aceto bullierint, infundatur. V. locum. Sed vocab. hoc, licet ab istis Latinum esse dicatur [et ab Alex. Trall. 7, 5], tamen ap. Latinos non invenitur : ut recentem fuisse suspicio sit. Saxones et ceteri inferioris Germaniæ incolæ Lac simili nomine appellant.

[« Μέλκαρτος, Hercules Phœnicibus dictus, teste Philone Bybl. » Scaliger ad Euseb. Gataker.]

Μέλχιον, Hesychio κρήνη, Fons : et παίγνιον, Ludicrum. [Et quod ad Μελίαι spectare videtur, νύμφαι.]

[Μελλάκιον. V. sequens voc.]

[Μέλλαξ, ἄκος, ὁ, Adultus, Adolescens, Gl. Hesych. : Μέλακες, νεώτεροι. Quod varie tentatum ab interpretibus recte cum Gl. contulit Kusterus, qui attulit etiam Hesychii gl. : Μίλαξ, ἡλικία (h. e. i. q. nomen ἡλικίας, quemadmodum in Γυνὴ dicit, ἡλικία τις παρὰ Πυθαγόρᾳ, ut appareat non esse cur corruptum putetur ἡλικία). Ἔνιοι δὲ Μέλλα (μέλαξ vel μέλλαξ recte Kusterus). Καὶ παρ' Ἑρμίππῳ ἐν Θεοῖς ἀγνοήσας Ἀρτεμίδωρος. Ἐκεῖ γὰρ μίλαξ ἐστίν. Δηλοῖ δὲ τὸν δημοτικόν. Quibuscum ejusd. Hesychii gl. : Κέλλικας, δημότας, et *Popularis* pro *Sodali* positum, confert Lobeck. Paralip. p. 128. Μέλλαξ autem confirmatum nunc etiam inscr. Ægypt. ap. Letronn. *Recueil*, vol. 1, p. 413 : Οἱ τοῦ λυκάβαντος μέλλακες, qui recte animadvertit non-

A nisi dialecto differre μέλλαξ, μίλαξ, μεῖραξ. || De forma diminut. Ducangius : « Μελλάκιον, τὸ, usurpat Palladius Hist. Laus. in Nathanaele : Ἐγὼ δέ εἰμι τοῦδε τοῦ μοναχοῦ τὸ μελλάκιον, καὶ ἄρτους ἀποφέρω. In testamento Theodori Stud. μιλλάκιον scribitur. » Id. in App. p. 130 addit : « Jo. Episc. Carpathi De anachoretis Ms. : Θεασάμενος ὁ διάβολος μελλάκιον. Supra παιδίον appellavit. »]

[Μελλαρία, ἡ, Mellaria, urbs Hispaniæ. Strab. 3, p. 140.]

Μελλέβιος, ὁ, ἡ, Hesych. ἡμιθανὴς, Semimortuus, Semianimis : quales animam trahere dicuntur et quasi cunctari in hac vita, morti occumbere non valentes. Ab Eod. exp. ὁ μὴ συνιεὶς, s. ὁ μὴ δεδιδαγμένος : de quo ἐπέχω.

[Μελλέγᾰμος, ὁ, ἡ, i. q. μελλόγαμος, ap. Arcad. p. 30, 25, si omnino ferendæ sunt formæ μελλε—, neque in μελλο— mutandæ. V. Μελλέποσις. L. Dind.]

[Μελλείρην, ενος, ὁ.] Μελλείρενες ab Lacedæmoniis dicti sunt Grandissimi pueri; ita enim leg. ap. Plut.
B [Lycurg. c. 17] pro μελείρενες unico λ. [Μελλίρην ap. Hesychium, Μελείρηνες ap. Suidam. De accentu v. Arcad. p. 9, 19, ubi item male uno λ.]

Μελλέποσις, ὁ, Futurus maritus, Pollux 3, [45], ex Sophocle. Itidem ab Hesych. exp. ὁ μέλλων ἀνὴρ γίνεσθαι. [Ap. Poll. nunc μελλόποσις ex cod. Sed ap. Hesychium ε confirmat ordo literarum. V. seq. voc. et Μελλέγαμος.]

Μελλέπταρμος, ὁ, Jamjam sternutaturus, ap. Aristot. Probl. 31, [7] : Καί τοι κρύπτεται τοῦ μέλανός τι καὶ τοῖς ἄνω βάλλουσι τὰ λευκὰ τῶν ὀμμάτων, ὡς μελλεπτάρμοις, ubi Bud. putat scrib. μελλοπτάρμοις. Sed ferri et illud potest. [Conf. Lobeck. ad Phryn. p. 769.]

Μελλέφηβος, ὁ, Qui pubertatem ingressus est, Pubertati proximus, ὁ μέλλων εἰσελθεῖν εἰς τοὺς ἐφήβους. Censorinus De die nat. 5, μελλέφηβον vocari scribit Eum qui annorum est quindecim. Eust. [Od. p. 1768, 56] ex quodam non nominato auctore, de ætatibus : Τὴν δὲ ἑξῆς (post παῖδας) ἡλικίαν, πάλλακα καὶ βούπαιδα καὶ ἀντίπαιδα καὶ μελλέφηβον ἐκάλουν. [Hesych. in Μελ-
C λίρην et Ἰρίνες.]

Μέλλημα, τὸ, quod Bud. ex Æschine [p. 64, 4] affert pro Cunctatio, Prolatatio, Procrastinatio, Mora : Οὐδὲ τὰ τῶν Ἑλλήνων ἀναμένειν μελλήματα. [Eur. Iph. A. 818 : Τὰ τῶν Ἀτρειδῶν μὴ μένων μελλήματα. Plut. Nicia c. 21.]

Μέλλησις, εως, ἡ, Cunctatio, [Procrastinatio, Recrastinatio, Moramentum, Gl.] Dilatio. Thuc. 1, [69] : Ἡσυχάζετε γὰρ μόνοι Ἑλλήνων, ὦ Λακεδαιμόνιοι, οὐ τῇ δυνάμει τινὰ, ἀλλὰ τῇ μελλήσει ἀμυνόμενοι. Id. [7, 49] μέλλησιν et ὄκνον copulat, sicut μέλλειν et ὀκνεῖν ab Herodiano copulari docui paulo ante. Gregor. autem ἑτοιμότητα et μέλλησιν inter se opponit : Ἑτοιμότης πρὸς τὸ χεῖρον, καὶ μ. πρὸς τὸ βέλτιον. [Plato Leg. 4, p. 723, D. Pollux 1, 43; 6, 179; 9, 137, et sæpissime Plut.]

Μελλησμὸς, ὁ, itidem pro Cunctatio [Tergiversatio huic add. Gl.], Tarditas : affert autem ex Polluce [1, 43; 3, 122; 9, 137,] Bud. [Dionys. A. R. 7, 17 : Οὐ γὰρ ἐδόκει τὸ πρᾶγμα ἀναβολῆς δεῖσθαι οὐδὲ μελλησμοῦ. Pausan. 4, 21, 3 : Τοῖς μὲν γὰρ ἡ ἀπειρία τῶν τόπων καὶ
D ἡ τόλμα τοῦ Ἀριστομένους παρεῖχε μελλησμόν. « Epicur. ap. Stob. Flor. 16, 28 : Ὁ πάντων βίος μελλησμῷ παραπόλλυται. » Hemst. || Μελλισμὸς, vox nihili. V. Bergler. ad Alciphr. p. 88. Recte : scrib. enim μελλησμὸς, Cunctatio. Multum dubitat Schneiderus de voce Μελησμὸς, Cura, sed sine justa caussa. Confirmatur ab Herodiano Epim. Mss. (p. 173 et Etymm. Gud. et M. in Θελημὸς, sed ubi duplex λ restituendum videtur). Diversum aliquid significat μελισμός. Bast.]

[Μελλητέον, Cunctandum. Eur. Phœn. 1279 : Οὐ μελλητέον. Aristoph. Eccl. 876; Plato Crit. p. 108, E.]

Μελλητὴς, ὁ, Cunctator [Gl.], Procrastinator, Qui cunctatur, procrastinat, Cessator. Aristot. Eth. 4 : Καὶ ἀργὸν εἶναι καὶ μελλητήν. [Thuc. 1, 70; Plut. Nic. c. 16 extr. Pollux 1, 43; 3, 122; 9, 138. De equo 1, 197. Hesychius.]

Μελλητιάω, Cunctari cupio. Hanc enim esse debere signif. ejus puto, si ad terminationis formam respiciatur. Hesych. tamen μελλητιᾷν exp. simpliciter μέλλειν.

Μελλητικὸς, ἡ, ὸν, Qui natura est cunctabundus, et q. d. Pronus ad cunctationem, procrastinationem, Bud. ex Polluce [9, 138] affert, sed non addita expositione. [Adv. Μελλητικῶς, Epiphan. vol. 1, p. 337, B, et alibi. Hesych. in Βραδέως.]

Μελλιέρη et Παριέρη, ἡ, Quæ sacerdos futura est, Quæ sacris initiatur et imbuitur, et Quæ alias sacerdotii mysteriis initiat. Plut. [Mor. p. 795, D]: Ἐν Ῥώμῃ ταῖς Ἑστιάσι παρθένοις τοῦ χρόνου διώρισται, τὸ μὲν μανθάνειν· τὸ δὲ, δρᾷν τὰ νενομισμένα· τὸ δὲ τρίτον, ἤδη διδάσκειν· καὶ τῶν ἐν Ἐφέσῳ περὶ τὴν Ἄρτεμιν ὁμοίως ἑκάστου μελλιέρην τὸ πρῶτον, εἶθ' ἱέρην, τὸ δὲ τρίτον παριέρην καλοῦσι.

[Μέλλιχος, ὁ, ἡ, forma Æol. pro μείλιχος, ap. Etym. M. p. 582, 42; 816, 55, gramm. Crameri Anecd. vol. 4, p. 332, 5.]

Μελλόγαμβρος, ὁ, Qui brevi futurus est gener, i. e. ducturus est uxorem, μελλονυμφίος, Hesych. [ap. quem male μελλογαμβρός.]

Μελλόγᾰμος, ὁ, ἡ, Qui vel quæ brevi nuptias contrahet, [Soph. Ant. 628, in libris præter Triclinianos, qui recte carent verbis illis, de quibus v. in Μελλονυμφίος. Theocr. 22, 140, γαμβρός. « Euphor. ap. schol. Apollon. Rh. 1, 1063. » Hemst. V. autem Μελλέγαμος.]

[Μελλοδειπνικὸς, ἡ, ὸν, Ad cœnam spectans. Aristoph. Eccl. 1153, μέλος.]

Μελλοθάνατος, ὁ, ἡ, Qui brevi moriturus est; Decrepitus, Capularis, Bud.

[Μελλονῑκιάω.] Μελλονικιᾷν, Niciæ modo cunctari, Niciæ in modum differre et procrastinare. Aristoph. Av. [639]: Καὶ μὴν, μὰ τὸν Δί', οὐχὶ νυστάζειν ἔτι Ὥρα 'στὶν ἡμῖν, οὐδὲ μελλονικιᾶν. [Hesych., ap. quem pro ἐπίβραδυς, quod post Albertum Thesauro intulit Hemst., recte Tollius in Auct. corrigit ἐπεὶ βραδὺς καὶ μελλητὴς ὁ Νικίας ἐλέγετο.]

Μελλονύμφη, ἡ, Quæ nuptura est, nuptui collocanda est, ἡ μέλλουσα γαμεῖσθαι, Pollux infra in Μελλονυμφίος. [Codin. De offic. pal. c. 22: Περὶ μελλονύμφης Δεσποίνης. Ducang.]

Μελλονυμφίος, ὁ, Qui brevi sponsus futurus est, Cui brevi nuptum dabitur aliqua. Pollux 3, [45]: Ὁ δὲ μέλλων γαμεῖν, καὶ μ. ὑπ' ἐνίων ἐκλήθη, ὡς ὑπὸ Φρυνίχου τοῦ κωμικοῦ, ὥσπερ ἡ μέλλουσα γαμεῖσθαι, μελλονύμφη· pro quo μελλονύμφη rectius a Soph. [Ant. 628] dici ait μελλόγαμος. [Immo μελλόνυμφος ib. 633. Sic enim corrigenda sunt verba grammatici, ap. Soph. autem delenda illa verba quæ spectat HSt., de quibus v. G. Dindorfius ad l. Soph.]

[Μελλόνυμφος, ὁ, ἡ, Sponsus. Soph. Ant. 633: Τῆς μελλονύμφου. Lycophr. 174: Τὸν μελλόνυμφον εὐνέτην Κυταϊκῆς. Dio Cass. 58, 7: Τῆς μελλονύμφου νοσησάσης. Soph. Tr. 207: Δόμος ὁ μελλόνυμφος, de virginibus.]

Μελλόπαις, δος, ὁ, Hesychio ὁ ἀπὸ δέκα ἐτῶν προκόπτων παῖς τῇ ἡλικίᾳ, ut sit Proximus adolescentiæ.

[Μελλόποσις. V. Μελλέποσις.]

[Μελλόπταρμος. V. Μελλέπταρμος.]

[Μελλοφανὴς, ὁ, ἡ, Qui appariturus est. Jo. Malal. 1, p. 104: Τὸν θεοῦ λόγον τὸν ἀπαθῆ, παθητὸν μελλοφανῆ. Elberling.]

Μέλλω, cum infin. sæpe verbo substantivo Sum redditur, infinitivus autem participio futuri temporis. Μέλλω πέμπειν, Thuc., Sum missurus. Polyb.: Τῆς ἐκπλεῖν μελλούσης νεώς. Nicarch. Epigr. [Anth. Pal. 11, 121, 2]: Ζῶν γὰρ χωλεύειν, φησὶν, ἔμελλε τάλας, Claudicaturus erat, Claudicasset. Et cum fut., ut [Æsch. Prom. 639: Ὅπη μέλλει τις οἴσεσθαι δάκρυ. Et alii quivis,] Dem. Pro cor.: Τί ἔμελλον κελεύσειν ἢ τί συμβουλεύσειν αὐτῇ ποιεῖν; [Aristoph. Ran. 268: Ἔμελλον ἄρα παύσειν ποθ' ὑμᾶς τοῦ κοάξ.] Synes.: Ἐμέλλομεν δὲ ἄρα ποθήσειν τὴν γαλήνην, Futurum autem erat, ut a ventis tranquillitatem desideraremus. [Sic in alio loquendi genere Xen. Cyrop. 1, 6, 17: Δεῖ στρατιὰν, εἰ μέλλει πράξειν τὰ δέοντα, μηδέποτε παύεσθαι, Si futurum sit ut faciat, vel si velit facere aut factura sit. Et similiter alibi sæpissime Xen. et Plato etiam participio, ut hic Cyrop. 2, 4, 10: Τοὺς μέλλοντας ἀπροφασίστους συμμάχους ἔσεσθαι. Cum infin. præs. Hom. Il. Α, 564: Εἰ δ' οὕτω τοῦτ' ἔστιν, ἐμοὶ μέλλει φίλον εἶναι· Β, 116: Οὕτω που Διὶ μέλλει ὑπερμενέϊ φίλον εἶναι. Et signif. perf., qui non infrequens est verbi ἀκούω usus, Il. Ξ, 125: Τὰ

A δὲ μέλλετ' ἀκουέμεν, quod schol. interpr., ταῦτα ὑμᾶς εἰκὸς εἰδέναι ἀκηκοότας. Eadem addunt notabile hoc visum esse: Ἡ διπλῆ, ὅτι ἀντὶ τοῦ ἐοίκατε ἀκηκοέναι. Sic Φ, 83 cum verbo ejusdem generis: Μέλλω που ἀπέχθεσθαι Διὶ πατρὶ, Invisus esse.] Item cum aor.: cujus constructionis extant et ap. Hom. exempla: Il. Ω, [46]: Μέλλει μέν που τις καὶ φίλτερον ἄλλον ὀλέσσαι. [Pind. Ol. 7, 61: Μέλλει φάμεν· 8, 32: Μέλλοντες τεῦξαι· Pyth. 9, 34: Μέλλεις ἐνεῖκαι. In libris sæpe variatur inter præs., aor. et fut., ut in ll. Herodoti, quos in Lex. indicat Schweigh. Aoristi alia plurima exx. præter alios annotavit Lobeck. ad Phrynichum p. 745 seqq., qui p. 336 imperfecta cum aoristo conjuncta, ut ἔμελλον ποιῆσαι, ἔμελλον θεῖναι, ἔμελλον γράψαι, ἁμαρτήματα τῶν ἐσχάτων et extremæ esse barbariæ affirmat, monetque aut cum præsentis aut cum futuri infinitivo dicendum esse ἔμελλον. Cujus observationem ad præsens μέλλω retulit Thomas p. 607, qui ineptissime disputat aoristi infinitivo certe ἂν particulam esse addendam aut, ubi desit, intelligendam. Sed Phry-
B nichus quum non videatur casu imperfectum posuisse (nam aliam esse rationem aoristorum, quos multos posuit etiam ubi non de forma loquitur, vix opus est moneri), huic nonnisi exx. quæ hoc tempus habent opponere licebit, neque multa et partim satis levia. Hom. Il. Π, 47: Ἔμελλεν ... λιτέσθαι, præsentis, non aoristi putabant etiam qui scribebant λίτεσθαι· nec Ψ, 773: Ἔμελλον ἐπαΐξασθαι, desunt libri qui fut. ἐπαΐξεσθαι suppeditent, ut inter tot locos Homericos qui ἔμελλον cum fut. aut præs. conjunctum habent, unum sit aoristi exemplum Il. Σ, 98: Ἐπεὶ οὐκ ἄρ' ἔμελλον ἑταίρῳ κτεινομένῳ ἐπαμῦναι· Hesiodi Sc. 127: Ὁππότ' ἔμελλε τὸ πρῶτον στονόεντας ἐφορμήσασθαι ἀέθλους, quattuor codd. ἐφορμήσεσθαι· Soph. Œd. T. 967: Ὧν ὑφηγητῶν ἐγὼ κτανεῖν ἔμελλον πατέρα, ex libro uno jam Elmslejus restituit κτενεῖν· Xenoph. Comm. 2, 7, 10: Εἰ μὲν τοίνυν αἰσχρόν τι ἔμελλον ἐργάσασθαι, cod. qui ἐργάζεσθαι, ducit ad ἐργάσεσθαι, quod reponebat Schæfer. Melet. p. 55; Thuc. 6, 31, ἔμελλον ἀπολιπεῖν, vel ex cod. rescribere licet ἀπολείπειν· neque Anti-
C phontis p. 113, 5: Ἣν ἐπὶ πορνεῖον ἔμελλε καταστῆσαι, ubi καταστήσειν ex usu desiderabat Reiskius, aut Eryxiæ p. 396, B: Εἰ ἐμέλλετε ἀπαλλαγῆναι, vel recentiorum quorundam scriptorum testimonia Phrynichi præceptum everterint; veterum an plura sint quæ refellant, amplius quærendum erit.] Et cum infin. pass., Il. Β, [36]: Τὰ φρονέοντ' ἀνὰ θυμὸν ἅ ῥ' οὐ τελέεσθαι ἔμελλεν, Ea cogitantem, quæ futura non erant. Sed μέλλω cum infin. redditur etiam Debeo, Paro. Dem. Pro cor.: Τί ἔμελλον κελεύσειν, ἢ τί συμβουλεύσειν αὐτῇ ποιεῖν; Quid enim ipsam hortari, quid auctor ipsi esse debui [vel essem] ut faceret? Bud. [Æsch. Suppl. 1058: Σὺ δέ γ' οὐκ οἶσθα τὸ μέλλον. — Τί δὲ μέλλω φρένα Δίαν καθορᾶν, ὄψιν ἄβυσσον; Cum negatione sic Eur. Ion. 999: Οἶσθας, τί δ' οὐ μέλλεις; Xen. H. Gr. 4, 1, 6: Τὸν υἱὸν ἑόρακας; — Τί δ' οὐ μέλλω; Et aliquoties ap. Plat. Et sine negatione, Reip. 1, p. 349, D, et Hipp. min. p. 373, D: Ἀλλὰ τί μέλλει;] Thuc. 2, [71]: Καὶ καθίσας τὸν στρατὸν ἔμελλε δῃώσειν τὴν γῆν, Parabat vastare agrum. Quidam vero et aliis modis hujus verbi vim exprimere conati
D sunt: μέλλεις κτανεῖν, Eur., Destinas interficere. Et μέλλω κινδυνεύσειν, Thuc., In animo habeo fortunam experiri. Quinetiam affertur ex Eod. μέλλω ῥήγνυσθαι, pro Eruptioni proximus sum, ubi infin. ῥήγνυσθαι suspectus est. Sed quantum attinet ad interpretationem per verbum Debeo, annotat Bud. accipi et pro Debeo, habente eam signif., quam in isto Cic. l. habet, Certorum hominum, quos jam debes suspicari, sermones referebantur ad me. Affertque hujus signif. exempla: sicut et pro Existimor, Videor, Habeor, p. 1101, 1102. Ubi videbis etiam usum hujus verbi sine infin., sic tamen ut subaudiatur. [Pind. Pyth. 9, 50: Ὅ,τι μέλλει. Æsch. Pers. 814: Οὐκ ἐλάσσονα πάσχουσι, τὰ δὲ μέλλουσι.] De signif. autem, quam ap. Hom. habet, lege Eust. [Qui interpr. ἐοικέναι, ὀφείλειν, Il. p. 149, 33; 849, 32; 1216, 58, Od. p. 1414, 11; 1496, 16.] Dicitur autem et Ἤμελλον pro ἔμελλον, sicut ἠδυνάμην pro ἐδυνάμην, ut ἤμελλε τεκέσθαι, Hesiod. [Th. 478. Apoll. Rh. 1, 1309, ubi schol.: Καλλιμάχου ὁ στίχος· ἰστέον δὲ ὅτι οἱ μεθ' Ὅμηρον ποιηταὶ

τοὺς ἀπὸ τοῦ ε ἀρχομένους παρατατικοὺς τῷ η γράφουσιν A ἤμελλον κτλ. (sic Paris. : vulgata hoc appellant κοινὸν ἁμάρτημα πάντων τῶν μεθ' Ὅμηρον ποιητῶν τὰ ἀπὸ συμφώνου ἀρχόμενα ῥήματα tali augmento augere. Quod memorat etiam Eust. Od. p. 1382, 31, et tanquam Atticum Mœris p. 175, Thomas p. 420.) || Imperf. freq. est ap. Theocr. 25, 240 : Τὸ τρίτον αὖ μέλλεσκον ἀσώμενος ἐν φρεσὶν αἰνῶς αὖ ἐρύειν.] || Μελλήσω, fut. tanquam a verbo contracto : sic et aor. ἐμέλλησα. Thuc. 5, [99] : Τί ἄλλο ἢ τοὺς μὲν ὑπάρχοντας πολεμίους μεγαλύνετε, τοὺς δὲ μηδὲ μελλήσαντας γενέσθαι, ἄκοντας ἐπάγεσθε; Ibid. : Μελλήσαντες ἐς τὴν Ἀργείαν στρατεύειν. [8, 23 : Ὁ ἀπὸ τῶν νεῶν πεζὸς (στρατὸς), ὃς ἐπὶ τὸν Ἑλλήσποντον ἐμέλλησεν ἰέναι. Demosth. p. 929, 8 : Τὰ κεράμια οὐδ' ἐμέλλησαν οὐδὲ διενοήθησαν ἐνθέσθαι. Duplex autem de hoc aor. error est Buttmanni Gramm. vol. 1, p. 324, Cunctandi signif. ejus peculiarem putantis, alienum autem ab eo augmentum ἠμέλλησα. Quod ex libro optimo restitutum Theognidi 259 : Ἵππος ἐγὼ καλὴ καὶ ἀεθλίη, ἀλλὰ κάκιστον ἄνδρα φέρω, καί μοι τοῦτ' ἀνιηρότατον. Πολλάκι δ' ἠμέλλησα διαρρήξασα χαλινὸν B φεύγειν, ubi olim δὴ μέλλησα.] || Μέλλων, Futurus. [Pind. Ol. 7, 40 : Μέλλον χρέος· 11, 7 : Ὁ μέλλων χρόνος· Nem. 7, 17 : Μέλλοντα τριταῖον ἄνεμον· Ol. 2, 62 : Οἶδεν τὸ μέλλον· 12, 9 : Τῶν μελλόντων φραδαί. Æsch. Prom. 102 : Προὐξεπίσταμαι σκεθρῶς τὰ μέλλοντα· 838 : Χρόνον τὸν μέλλοντα· Pers. 844 : Πολλὰ καὶ παρόντα καὶ μέλλοντ' ἔτι ἤλγησ' ἀκούσας βαρβάροισι πήματα. Eur. El. 626 : Πρὸ μέλλοντος τόκου· Med. 566 : Τοῖσι μέλλουσιν τέκνοις. Et sic sæpe Plato et alii.] Thuc. 1 : Τὸν μέλλοντα καὶ ὅσον οὔπω παρόντα πόλεμον. Herodian. : Τοῦ μὲν παρόντος, τοῦ δὲ μέλλοντος. Rursum Thuc. [2, 39] : Τοῖς τε μέλλουσιν ἀλγεινοῖς μὴ προκάμνειν. Ap. Eund. : Μετὰ τὸν μέλλοντα μῆνα, Post mensem proxime futurum, Post mensem proxime sequentem : ut et Cic. μέλλουσαν vertit Consequentem, p. 59 mei Cic. Lex. Et ὁ μέλλων χρόνος, Futurum tempus : quod et ap. grammaticos in usu est. [Τὸ μέλλον Xen. Cyrop. 3, 2, 15 : Ὀλίγα δυνάμενοι προορᾶν ἄνθρωποι περὶ τοῦ μέλλοντος. Et alii quivis.] Et οἱ μέλλοντες subaudito infin. interdum pro Designatis magistratibus : vide ap. Bud. non solum in Comment., sed etiam in Annott. in Pand. Sed C additur sæpe infin. ἔσεσθαι : Μελλούσης μάχης ἔσεσθαι. [Æsch. Prom. 835 : Προσηγορεύθης ἡ Διὸς κλεινὴ δάμαρ μέλλουσ' ἔσεσθαι.] Sic Plato De rep. 2, [p. 358, A] : Ἀγαπητέον τῷ μέλλοντι μακαρίῳ ἔσεσθαι· quod nihil aliud est quam τῷ μακαρίῳ ἐσομένῳ. Sic in exemplo proxime præcedente μελλούσης ἔσεσθαι pro ἐσομένης. Dicitur autem et μελλήσων pro μέλλων sequente infin. et quidem aor. temporis. Xen. Cyrop. [6, 1, 40] : Μελλήσων τι παθεῖν. Affertur autem a Bud. hoc exemplum participii μελλήσων pro Futurus : quum tamen in interpretatione loci, ita resolvi non possit : atque adeo ipse μελλήσων τι παθεῖν postea vertit Jam puniendus.

|| Μέλλω, Cunctor, Moror, Differo; Cesso. [Æsch. Prom. 36 : Τί μέλλεις καὶ κατοικτίζει μάτην; Soph. OEd. T. 678 : Τί μέλλεις κομίζειν, et alibi. Et seq. μὴ οὐ Aj. 540 : Τί δῆτα μέλλει μὴ οὐ παρουσίαν ἔχειν; Æsch. Pr. 628 : Τί δῆτα μέλλεις μὴ οὐ γεγωνίσκειν τὸ πᾶν; Eur. Hec. 726 : Τί μέλλεις παῖδα σὴν κρύπτειν τάφῳ; 1094 : D Τί μέλλετε; Ion. 1002 : Μέλλον γάρ τι προσφέρεις ἔπος.] Thuc. [8, 78] : Οὔκουν ἔφασαν χρῆναι μέλλειν ἔτι, ἀλλὰ διαναυμαχεῖν. Idem alibi, Οὐδὲ μελλήσομεν τιμωρεῖν. [Frequens est etiam ap. Xen. et Plat. aliosque quosvis.] Dem. [p. 102, 11] : Ποῖ ἀναδυόμεθα; ἢ τί μέλλομεν; Herodian. 2, [7, 12] : Ἀνεπτοίηντο δὲ πάντες καὶ μηδὲ μελλήσαντες προσέκειντο. Idem aliquoties μέλλειν et ὀκνεῖν copulat. Sed et περὶ χρημάτων ab eo usurpatur, 2, [6, 15] : Τὰ δὲ χρήματα μὴ μελλήσειν, Neque in dando moram futuram, Polit. Interdum cum præp. πρὸς, Gregor. : Μὴ μέλλετε πρὸς τὴν χάριν. [Menander ap. Athen. 6, p. 248, B : Πάντα μέλλων, Cunctator perpetuus. Schweigh.] || Μέλλεσθαι pass. ap. Thuc. pro Differri, s. Tarde procedere [5, 111] : Ἐλπιζόμενα μέλλεται. Possit autem fortasse reddi et sic, inversa structura verborum Græcorum, Futura sperantur. [Xen. Anab. 3, 1, 47 : Ὡς μὴ μέλλοιτο, ἀλλὰ περαίνοιτο τὰ δέοντα. Galen. vol. 8, p. 269 : Κίνησιν μεμελλημένην τε καὶ βραδύνουσαν. Medio Procop. Gotth. 2, p. 464, A : Οἰόμενοι τὸν ἄνδρα τὸ τῆς βασιλείας ὄνομα καταδέχεσθαι οὐδὲν μελλήσεσθαι αὐτίκα δὴ μάλα, nisi error est librarii pro μελλήσειν, ex καταδέχεσθαι natus. L. D.]

[Μελλώ, οῦς, ἡ, Cunctatio. Trypho Π. τρόπων in Mus. crit. Cantab. 1, p. 49, sive Walz. Rhett. vol. 8, p. 741, 9 : Οὕτως (per paronomosiam) ὠνόμασται καὶ παρ' Αἰσχύλῳ μελλώ, Χρονίζομεν ὧδε τῆς μελλοῦς χάριν. Quæ referri ad Ag. 1356, ubi libri : Χρονίζομεν γὰρ οἱ δὲ μελλούσης κλέος πέδον πατοῦντες οὐ καθεύδουσιν χερί, animadvertit Blomfieldus.]

[Μέλλων, ωνος, ὁ, Mellon, Thebanus, Xen. H. Gr. 5, 4, 2 seqq.]

[Μελογραφέω, Membra alicui attribuo. Cæsar. Quæst. 77, p. 180 : Τί οὖν; μελογραφεῖς (perperam editum μελλογρ.) τὸ θεῖον πρὸς τὴν ἡμετέραν εἰκόνα καὶ ὁμοίωσιν, ὦτα καὶ βραχίονας καὶ σκέλη ἔχειν αὐτὸ δηλῶν· 156 : Τί μελογραφεῖς τὸ ἁπλοῦν καὶ ἀσύνθετον καὶ ἀσχημάτιστον; 169, τὸ θεῖον. Severinus Or. 5 de creat. : Ἐμελογράφησαν τὸν ἀσώματον. Suicer.]

[Μελογραφία, ἡ, Carminum scriptio. Epigr. in Apollodorum Anth. Pal. App. 109, 4 : Μηδ' ἐλεγείην, μὴ τραγικὴν μοῦσαν, μηδὲ μελογραφίην. «Athen. 7?» Kall. Inscr. Teja ap. Bœckh. vol. 2, p. 674, n. 3088, b, 13.]

[Μελογράφος, ὁ, Carminum scriptor. Lucillius Anth. Pal. 11, 13, 1 : Εὐτυχίδης ὁ μ. Justin. Mart. p. 36.]

[Μελοθεσία, ἡ, ap. Porphyr. Isag. in Ptolemæi Apotelesm. p. 201, 11 : Περὶ τῆς τῶν ζωδίων μελοθεσίας. Τὰς τοῦ ἀνθρώπου μελοθεσίας ὑπέταξεν, ὧν κυριεύει μελῶν· ἕκαστον τῶν ζωδίων καὶ τῶν ἀστέρων διὰ τὸ εἰδέναι ἡμᾶς τὰ ἀσινῆ (pro hoc margo τε σίνη) καὶ τὰ πάθη τὰ γινόμενα τοῖς ἀνθρώποις ἀπὸ τοῦ κλήρου τῆς τύχης καὶ τοῦ δαίμονος κτλ., Int. vertit, De signorum dominatu in membris, et Cui corporis humani membro quodque signum et stella dominetur. Ἡ τῶν μελῶν θέσις interpretatur Hesych. L. Dind.]

[Μελοκοπέω, Membra amputo. Dorotheus Doctr. 23, p. 862 : Οἱ ἅγιοι μάρτυρες ζῶντες κατετέμνοντο τὰς σάρκας ξεόμενοι, βασανιζόμενοι, μελοκοπούμενοι. Suicer.]

Μελοκοπία, ἡ, Membrorum amputatio, in frusta concisio. [Nahum 3, 1.]

[Μελοκόπος, ὁ, Articulator, Gl.]

Μελοποιέω, Scribo mele, vel Modulationem adhibeo qualis est in carminibus quæ vocantur Mele. VV. LL. exp. Carmina modulor et pango. [Cano. Aristoph. Thesm. 42 : Εὔφημος πᾶς ἔστω λεὼς στόμα συγκλείσας· ἐπιδημεῖ γὰρ θίασος Μουσῶν ἔνδον μελάθρων τῶν δεσποσύνων μελοποιῶν. Altera signif. Ran. 1328 : Τοιαυτὶ μέντοι σὺ ποιῶν τολμᾷς τἀμὰ μέλη ψέγειν, ἀνὰ τὸ δωδεκαμήχανον Κυρήνης μελοποιῶν· Thesm. 67 : Καὶ γὰρ μελοποιεῖν ἄρχεται· χειμῶνος οὖν ὄντος κατακάμπτειν τὰς στροφὰς οὐ ῥᾴδιον.] Athen. 14, [p. 632, D] Homerum dixit μεμελοποιηκέναι τὴν ἑαυτοῦ ποίησιν, pro προσαγαγεῖν αὐτῇ μελῳδίαν, ut Idem loquitur. [Longin. De subl. c. 28, 2 : Μετρίως ὤγκωσε τὴν νόησιν, ἣν ψιλὴν λαβὼν τῇ λέξει ἐμελοποίησε, καθάπερ ἁρμονίαν τινὰ τὴν ἐκ τῆς περιφράσεως περιχεάμενος εὐμέλειαν. Plut. Mor. p. 1134, A : Καὶ ἄλλος δ' ἐστὶν ἀρχαῖος νόμος, καλούμενος κραδίας, ὅν φησιν Ἱππῶναξ Μίμνερμον αὐλῆσαι· ἐν ἀρχῇ γὰρ ἐλεγεῖα μεμελοποιημένα οἱ αὐλῳδοὶ ᾖδον· ib. : Ποιητὴς μελῶν τε καὶ ἐλεγείων μεμελοποιημένων. Conf. Μελῳδέω.]

Μελοποιητής, ὁ, i. q. μελοποιός, Epigr. [Lucillii Anth. Pal. 11, 143, 4 : Μελίτωνι τῷ μελοποιητῇ.]

Μελοποιΐα, ἡ, Scriptio carminum lyricorum, quæ Mele vocantur; etiam Ipsa mele, Modulatio qualis est in carminibus, quæ Mele vocantur. Aristot. [Polit. 8, 7 init. : Τὴν μὲν μουσικὴν ὁρῶμεν διὰ μελοποιίας οὖσαν· Poet. c. 6 : Λέγω δὲ λέξιν μὲν αὐτὴν τὴν τῶν μέτρων σύνθεσιν, μελοποιίαν δὲ ὃ τὴν δύναμιν φανερὰν ἔχει πᾶσαν· Metaphys. p. 36 Brand. : Εἰ Τιμόθεος μὴ ἐγένετο, πολλὴν ἂν μελοποιίαν οὐχ εἴχομεν. Plat. Reip. 3, p. 404, D : Τῇ μελοποιίᾳ τε καὶ ᾠδῇ τῇ ἐν τῷ παναρμονίῳ. Ps.-Lucian. Ner. c. 6. V. Μελῳδία.]

Μελοποιός, ὁ, ἡ, [Modulator, Gl. Sic fem. de cantante Eur. Rhes. 550 : Μελοποιὸς ἀηδονὶς], Qui mele scribit [facit], Lyricus poeta : de qua interpret. dictum et in Μελικός : ὁ Θηβαῖος μελοποιὸς, Athen. 1, [p. 3, C], Pindarus κατ' ἐξοχήν. [Aristoph. Ran. 1250 : Καὶ μὴν ἔχω γ' ὡς αὐτὸν (Æschylum) ἀποδείξω κακὸν μελοποιὸν ὄντα καὶ ποιοῦντα ταῦτ' ἀεί. Plato Protag. p. 326, B : Ἐπειδὰν κιθαρίζειν μάθωσιν, ἄλλων αὖ ποιητῶν ἀγαθῶν ποιήματα διδάσκουσι μελοποιῶν, εἰς τὰ κιθαρίσματα ἐντείνοντες. Plut. Mor. p. 1132, B : Στησιχόρου τε καὶ τῶν ἀρχαίων μελοποιῶν. Lucian. Imag. c. 18.]

Μέλος, ους, τὸ, Membrum. [Artus, Copula add. Gl.] Ap. Hom. sæpe, sed in plurali : Il. P, [211] : Πλῆσθεν δ' ἄρα οἱ μέλε' ἐντὸς Ἀλκῆς καὶ σθένεος · [H, 131 : Θυμὸν ἀπὸ μελέων δῦναι δόμον Ἄϊδος εἴσω · N, 672 : Θυμὸς ᾤχετ' ἀπὸ μελέων · Π, 110 : Κὰδ δέ οἱ ἱδρὼς ἐκ μελέων πολὺς ἔρρεεν · Λ, 669 : Ἶς ἐνὶ γναμπτοῖσι μέλεσσι ·] Od. Λ, [599] : Κατὰ δ' ἱδρὼς Ἔρρεεν ἐκ μελέων · Od. O [Σ, 69] et Ω, [367] : Μέλε' ἤλδανε ποιμένι λαῶν. [N, 432 : Ἀμφὶ δὲ δέρμα πάντεσσιν μελέεσσι παλαιοῦ θῆκε γέροντος. Pind. Nem. 1, 47 : Χρόνος ψυχὰς ἀπέπνευσεν μελέων ἀφάτων · 11, 15 : Θνατὰ περιστέλλων μέλη · Ol. 1, 49 : Τάμον κατὰ μέλη. Æsch. Pers. 992 : Βοᾷ μελέων ἔνδοθεν ἦτορ. Eur. El. 1209 : Πρὸς πέδῳ τιθεῖσα γόνιμα μέλεα · 1227 : Κάλυπτε μέλεα ματέρος. Ubi est quasi periphrasticum, de quo usu v. Karsten. ad Empedocl. v. 66, p. 187. Herodot. 1, 119 : Σφάξας (τὸν παῖδα) καὶ κατὰ μέλεα διελών.] Aristot. Pol. 7, [17] : Πρὸς δὲ τὸ μὴ διαστρέφεσθαι τὰ μέλη δι' ἁπαλότητα. Plut. Coriol. [c. 6] : Ἔφη γὰρ τοῦ ἀνθρώπου τὰ μέλη πάντα πρὸς τὴν γαστέρα στασιάσαι. [Μέλος sing. de Membro Anth. Pal. 9, 141, 4 : Καὶ τὸν ἀναίσθητον παντὸς ἔτυψε μέλους. Jacob. 3, 5 : Ἡ γλῶσσα μικρὸν μέλος ἐστί. Galen. vol. 4, p. 589 : Δέσεως μόνης χρήζειν τὸ μέλος. Strabo 2, p. 83 : Ἡ κατὰ μέλος τομὴ τῆς ἄλλως κατὰ μέρος διαφέρει · et ibid. Meletius in Cram. An. vol. 3, p. 51, 3 : Μέλος τοῦ σώματος ἡ κεφαλή. Theodor. Stud. p. 28, C : Πᾶν περιψῶν μέλος. Michael Nicetas apud Tafel. De Thessalonica p. 380, 3 : Ὡς καί τις τῶν σοφῶν χειρὶ τῶν καθ' ἑαυτὸν ἀρίστων γυναικῶν ἑκάστης μέλος ἀπομιμούμενος εἰκόνα καλλίστην ἔγραψεν. Jo. Malalas p. 394, 21 : Ἔκοψαν αὐτὸν κατὰ μέλος. || « Τὰ μέλη, Totum corpus animatum seu humanum, in quo inprimisque in sensibus ejus, naturalem aliquem et legibus divinis plane contrarium impetum ad peccandum latere, sæpe docent apostoli. Rom. 6, 19 : Μηδὲ παριστάνετε τὰ μέλη ὑμῶν ὅπλα ἀδικίας τῇ ἁμαρτίᾳ · ib. : Παραστήσατε τὰ μέλη ὑμῶν ὅπλα δικαιοσύνης τῷ θεῷ · ib. v. 19 ; 7, 5 : Ἐν τοῖς μέλεσιν ὑμῶν · 23 : Βλέπω γὰρ ἕτερον νόμον ἐν τοῖς μέλεσί μου, quod 18 dicitur ἐν τῇ σαρκί μου. Cor. 1, 6, 15 : Πόρνης μέλη, Corpus quo ad scortationem abutimur. Coloss. 3, 5 : Νεκρώσατε οὖν τὰ μέλη ὑμῶν, Interficite corpus vestrum. Jacob. 4, 1 : Πόθεν πόλεμοι καὶ μάχαι ἐν ὑμῖν ; οὐκ ἐντεῦθεν, ἐκ τῶν ἡδονῶν ὑμῶν τῶν στρατευομένων ἐν τοῖς μέλεσιν ὑμῶν ; || Metaph. Pars, de iis qui sunt adscripti numero aut societati aut alio modo in consortium alicujus rei veniunt, i. q. μέρος, cum quo voc. etiam haud raro permutatur in codd., v. c. Ephes. 4, 16. Sic Rom. 12, 5 : Ὁ δὲ καθ' εἷς ἀλλήλων μέλη, Nos invicem sumus partes corporis illius, Christo capiti suo, juncti. Cor. 1, 6, 15 : Ὅτι τὰ σώματα ὑμῶν μέλη Χριστοῦ ἐστίν. Ib. τὰ μέλη τοῦ Χριστοῦ · et 12, 27. » Schleusn. Lex.]

Μέλος, τὸ, Carmen. [Pind. Ol. 9, 1 : Ἀρχιλόχου μέλος. Et sæpe ap. Tragicos, Aristophanem, aliosque omnes.] Herodian. 4, [2, 10] : Ὕμνους τε καὶ παιᾶνας εἰς τὸν τετελευτηκότα σεμνῷ μέλει καὶ θρηνώδει ἐρρυθμισμένους, ubi Polit. vertit, Verendo ac lamentabili carmine emodulatos. Et μέλη, Carmina, Moduli, Modi. [Gl. : Μέλη τῶν ᾀσμάτων, Modula.] Fabius 1, 10 : Numeros musice habet duplices, in vocibus, et in corpore; utriusque enim rei aptus quidam modus desideratur. Vocis rationem Aristoxenus Musicus dividit in ῥυθμὸν καὶ μέλος ἔμμετρον : quorum alterum modulatione, canore alterum ac sonis constat. Dicitur autem hoc posterius de μέλος. Gellius l. 16, c. penult. : Longior mensura vocis, inquit, ῥυθμὸς dicitur : altior, μέλος. [Plato Reip. 3, p. 398, D : Ὅτι τὸ μέλος ἐκ τριῶν ἐστι συγκείμενον, λόγου τε καὶ ἁρμονίας καὶ ῥυθμοῦ · Leg. 2, p. 656, C : Ῥυθμοῦ ἢ μέλους ἢ ῥήματος ἐχόμενον · Gorg. p. 502, C : Εἴ τις περιέλοιτο τῆς ποιήσεως πάσης τό τε μέλος καὶ τὸν ῥυθμὸν καὶ τὸ μέτρον. Aristid. Quint. 1, p. 28 : Μέλος δέ ἐστι τέλειον μὲν τὸ ἔκ τε ἁρμονίας καὶ ῥυθμοῦ καὶ λέξεως συνεστηκός · ἰδιαίτερον δὲ ὡς ἐν ἁρμονικῇ πλοκῇ φθόγγων ἀνομοίων ὀξύτητι καὶ βαρύτητι.] Quamvis autem Fab. Modulationem velit esse ῥυθμὸν,

A non μέλος, sæpe tamen et huic nomini tribuitur illa interpr., sicut et illa Græca nomina magnam affinitatem inter se habere patet, non solum ex eo, quod sæpe copulentur quum ab aliis, tum a Plut., sed et ex Herodiani l., quem modo protuli, σεμνῷ μέλει ἐρρυθμισμένους, et ex aliis hujusmodi. [Lennep. ad Phalar. Ep. 20, p. 99, A : « Περὶ τοῦ ἐλεγείου) Acerbius in sophistam invehitur Bentl. Diss. 15, quod idem carmen modo ἐλεγεῖον, ut hic, modo μέλος et μελῳδίαν, ut ep. 21 vocat : nam μέλος, quum de Stesichoro sermo fiat, *odam* sonare *lyricam* ; a quo plane diversum ἐλεγεῖον. Ego in his verbis nihil esse puto quo stuporis arguas auctorem. Quum carmen, quod petierat a Stesichoro, ἐλεγεῖον dicit, voluit haud dubie epitaphium aliquod in Clearistam, sive id conscriberetur imparibus numeris sive aliis. Idem autem quum μέλος et μελῳδίαν vocat, non opus est carmen lyricum cogitemus, quum quodvis carminum genus etiam sic soleat appellari : id quod tum fit quum præsertim harmoniæ musicæ rationem habent scriptores : nam
B eo in loco propria esse ῥυθμὸς et μέλος abunde docent Musici antiqui. V. Aristoxen. Harmon. et alios. Teste Heraclide ἐν τῇ συναγωγῇ τῶν ἐν μουσικῇ, Plut. Mus. p. 1132, B, οὐ λελυμένην ait εἶναι τῶν προειρημένων τὴν τῶν ποιημάτων λέξιν καὶ μέτρον οὐκ ἔχουσαν, ἀλλὰ καθάπερ Στησιχόρου τε καὶ τῶν ἀρχαίων μελοποιῶν, οἳ ποιοῦντες ἔπη τούτοις μέλη περιετίθεσαν · et ib. C : Τὸν Τέρπανδρον ἔφη, κιθαρῳδικῶν ποιητὴν ὄντα νόμων, κατὰ νόμον ἕκαστον τοῖς ἔπεσι τοῖς ἑαυτοῦ καὶ τοῖς Ὁμήρου μέλη περιτιθέντα ᾄδειν ἐν τοῖς ἀγῶσιν. (Conf. Μελοποιέω et Μελῳδέω.) Transiit inde vox ad quævis carmina modis juncta musicis, sive tibia sive lyra sive quocunque alio instrumento canerentur ; nec aliud sæpe sonat atque Cantus Latinorum, ut sæpe in Plutarchi libello citato. Aristot. (l. ab HSt. cit.) V. inprimis Max. Tyr. Diss. 28, 3 » etc.] Ceterum quamvis μέλη vocentur proprie Quævis carmina (ut ap. Aristot. Pol. 8, [5] de Lacedæmoniis : Ἐκεῖνοι γὰρ οὐ μανθάνοντες, ὅμως δύνανται κρίνειν ὀρθῶς, ὥς φασι, τὰ χρηστὰ, καὶ τὰ μὴ χρηστὰ τῶν μελῶν. Et ap. Plut. Lyc. [c. 21] : Ἀλλὰ καὶ
C τὰ μέλη κέντρον εἶχεν ἐγερτικὸν θυμοῦ), sæpe tamen ad carmina lyrica restringitur. Plut. [Mor. p. 300, F] : Μυρτὶς ἡ Ἀνθηδονία ποιήτρια μελῶν. Sic Anacreon ἐν τῷ δευτέρῳ τῶν Μελῶν, ap. Athen. 15, [p. 671, F] qui alia passim habet hujus signif. exempla. [Herodot. 5, 95 : Ταῦτα ἐν μέλεϊ ποιήσας Ἀλκαῖος, Hanc rem carmine complexus Alcæus. Schweigh.] Plato De rep. 2, [p. 379, A] : Οἷος τυγχάνει ὁ θεὸς ὢν, ἀεὶ δήπου ἀποδοτέον, ἐάν τε τις αὐτὸν ἐν ἔπεσι ποιῇ, ἐάν τε ἐν μέλεσιν, ἐάν τε ἐν τραγῳδίᾳ. [Id. 3, p. 399, C : Ἐν ταῖς ᾠδαῖς τε καὶ μέλεσιν · 10, p. 607, A : Ἐν μέλεσιν ἢ ἔπεσιν · D : Ἐν μέλει ἤ τινι ἄλλῳ μέτρῳ.] Inveniri tamen alicubi melices modos a lyricis distinctos, ostendi in Μελικός. [Μέλος, Cantus et modulatio illa, quam intentio aut remissio vocis efficit, diversa a ῥυθμῷ, qui in intervallorum notatione dominatur. Dionys. De compos. c. 10, ubi narrat se audivisse citharœdum explosum, ὅτι μίαν χορδὴν ἀσύμφωνον ἔκρουσε καὶ ἔφθειρε τὸ μέλος. Mox autem τοὺς ῥυθμοὺς ἀφανίζειν aliquem dicit ὅτε τις ἢ κροῦσιν ἢ κίνησιν ἢ φωνὴν ἐν ἀσυμμέτροις ποιήσαιτο
D χρόνοις. Unde ibidem εὐμέλεια et εὐρυθμία distinguuntur. Deinde, ut ex eodem loco patet, μέλος ad artificium musicum, instrumentique tractandi virtutem pertinet, ῥυθμὸς autem in vocis humanæ apto usu, corporisque motu verbis accommodato cernitur. Auctore eodem Dionys. De vi Demosth. c. 48, p. 1101, τὸ μέλος in verbis se exserit, κατὰ τὰς ὀξύτητας καὶ βαρύτητας, in accentu gravi et acuto : *Ton- und Accentsetzung*. Sed conf. c. 11 De compos., ubi, quid intersit inter μέλος ὀργανικὸν et μέλος λέξεως vel διαλέκτου, copiosius explicatur. Conf. Auct. ad Herenn. 3, 11, et ibi de mollitudine vocis. Ernest. Lex. rh.] Ceterum vocem hanc a Græcis mutuati Latini dixerunt non solum Melos, sed et Mele plural., quo utitur non semel Lucretius. Atque ut invenitur alicubi μέλος priore producta, quod fit vi liquidæ, ut in μέλεται [quod nusquam dicitur producta prima], sic et ap. Persium Melos. [Prol. extr. : « Cantare credas Pegaseïum melos », ubi schol. et codex Montispess. *nectar*. Nihilo meliora sunt exx. Græcorum, velut

A Hom. H. Merc. 502 (quem l. in Lex. Septemv. citatum HStephano ipsi fraudem fecisse apparet) : Θεὸς δ' ὕπο μέλος ἄεισεν, ubi καλὸν ἄειδεν restitutum ex 54, et epigr. ap. Pausan. 10, 7, 6 : Ἕλλησιν δ' ᾄδων μέλεα καὶ ἐλέγους.] Sed quidam [in Lexico Septemv.] ineptissime hujus productionis exemplum addidit hoc ex Claudiano : Sermonis mela politi : quum nullo modo rationi sit consentaneum, Mela esse hic pro μέλη (utpote vertentibus quum aliis, tum Lucretio, illud η in *e* longum, non in *a* breve, et dicentibus Mele, non Mela [quod tamen ausus videtur Ausonius Parent. 27 : « Cui brevia mela modifica recino », ubi metro excluditur tam melē quam mella] : quod itidem in aliis videre est), et pro Mela scrib. esse Mella a mel, vel puer animadvertere possit. [Additur in Lex. Septemv. ex. Martiani Capellæ Nupt. Philol. 9, p. 172 : « Et melicos cantus melica grata tulit », ubi Belua legitur. || De Oratione s. Dicto vel argumento in universum, ut ap. Latinos Carmen, Soph. Aj. 976 : Αὐδὴν γὰρ δοκῶ Τεύκρου κλύειν, βοῶντος ἄτης τῆσδ' ἐπίσκοπον μέλος. B Eur. El. 756 : Πᾶν μίγνυται μέλος βοῆς· Hipp. 879 : Οἷον εἶδον ἐν γραφαῖς μέλος φθεγγόμενον τλάμων. Aristoph. Pac. 289 : Νῦν τοῦτ' ἐκεῖν' ἥκει τὸ Δάτιδος μέλος, ὡς ἥδομαι καὶ χαίρομαι κεὐφραίνομαι. || De cantu sive vocis sive instrumentorum musicorum, ut ap. Horat. Carm. 3, 4 init. : « Dic, age, tibia regina longum Calliope melos, seu voce nunc mavis acuta, seu fidibus citharave Phœbi. » Pind. Pyth. 12, 19 : Αὐλῶν τεῦχε πάμφωνον μέλος. Theognis 761 : Φόρμιγγ' αὖ φθέγγοισθ' ἱερὸν μέλος ἠδὲ καὶ αὐλῷ. Soph. fr Thamyr. ap. Athen. 4, p. 175, F : Κροτητὰ πηκτίδων μέλη. Pausan. 3, 17, 5 : Οἱ Λακεδαιμόνιοι τὰς ἐξόδους ἐπὶ τὰς μάχας οὐ μετὰ σαλπίγγων ἐποιοῦντο, ἀλλὰ πρός τε αὐλῶν μέλη καὶ ὑπὸ λύρας καὶ κιθάρας κρούσμασιν· 10, 8, 5 : Ἡ γὰρ αὐλῳδία μελέτη (μέλη) τε ἦν αὐλῶν τὰ σκυθρωπότατα καὶ ἐλεγεῖα καὶ θρῆνοι (hæc duo verba del.) προσᾳδόμενα τοῖς αὐλοῖς· ut illa constituenda diximus in Ἐλεγεῖος vol. 3, p. 696, B.] || Παρὰ μέλος, metaph. Inconcinne. [Pind. Nem. 7, 69 : Μαθὼν δέ τις ἀνερεῖ εἰ πὰρ μέλος ἔρχομαι ψόγιον ὄαρον ἐνέπων.] Lucian. [Eu- C nuch. c. 2] : Καὶ ἐφ' ὧν ἄν τις ἠδέσθη παρὰ μέλος τὶ φθεγξάμενος. Sic et ap. Plat. [Leg. 3, p. 696, D, Crit. p. 106, B, Phileb. p. 28, B], παρὰ μέλος φθέγξασθαι, εἰπεῖν. Ab Eod. pro Dissentanee accipi tradit Bud. p. 725, ubi etiam Inepte et importune vertit ap. Aristot. [Aristot. Eth. Nic. 4, 2. Aspas. f. 53, B. Παροιμία ἐπὶ τῶν μὴ προσφόρως τι ποιεῖν εἰωθότων, Eutoc. ad Archim. p. 1, ubi corrupte παρὰ μένος legitur. Hemst.] At in propria signif. usus est quidam ap. Plut. [Mor. p. 807, B], quum de poeta dixit, Ἄδειν παρὰ μέλος, sicut de judice δικάζειν παρὰ τὸν νόμον. [Παρὰ μέλος οἰδεῖν apud Longin. 3, 1, notat Ultra modum tumere. Proprie dicitur de eo, qui neglectis numeris et modis canit, quod Longinus ad tumorem transtulit. Ernest. Lex. rh.]

[Μέλοσμος, Polium montanum, ap. Interpol. Dioscor. c. 530 (3, 114, ubi μήλοσμον). Ducang.]

[Μελοτομέω, Membrum abscindo. Theodor. Stud. p. 311, B : Οἱ ἅγιοι ἔχαιρον κοπτόμενοι, ἥδοντο μελοτομούμενοι. L. Dind.]

D [Μελοτῦπέω, Carmina excudo. Æsch. Ag. 1153 : Τὰ δ' ἐπίφοβα δυσφάτῳ κλαγγᾷ μελοτυπεῖς.]

[Μελουργέω, Carmen condo, Cano. Vita Jo. Damasc. vol. 1, p. xvi, D : Καί τι αὐτῷ μελουργῆσαι τροπάριον ἐκλιπαρεῖ. L. D. Altera signif. schol. Theocr. 9, 7; 11, 1, 38, 80. Boiss. Pass. in Ms. ap. Pasin. vol. 1, p. 369, A : Μελουργηθέντων ᾀσμάτων. || Melle imbuo. Georg. Pisid. Opif. 918 : Καρποὺς μελουργεῖ τῶν ἐνίχμων βοτρύων.]

[Μελούργημα, τὸ, Cantus. Vita Jo. Damasc. vol. 1, p. xviii, D : Ὑπερβαλεῖται τὴν Μωσέως ᾠδὴν τοῖς μελουργήμασι. L. D. Schol. Theocr. 11, 39. Boiss.]

[Μελουργία, ἡ, Melleficium. Georg. Pisid. De exped. Heracl. v. 85 : Εἰ Νέστορος γὰρ συλλαλοῦντος ἡδέως ἔργοις μελισσῶν ἐξομοιοῖ τὸ στόμα, πῶς οὐ πρὸς ἄκρον ἦλθε θαύματος βλέπων ἄϋλον ἐν σοὶ τῶν φρενῶν μελουργίαν ἐν τῷ γλυκασμῷ; V. Μελουργέω. || Cantilena. Vita Jo. Damasc. vol. 1, p. xviii, E : Τὴν πνευματικὴν καὶ οὐράνιον μελουργίαν ᾄσεται. L. D. Inc. poeta in Boiss. Anecd. vol. 3, p. 447. Osann.]

A [Μελουργικὸς, ή, ὸν, Cantans, Canorus. Vita Jo. Damasc. vol. 1, p. xvii, A : Τὴν μελουργικὴν φθογγὴν ἐκείνην ἐνωτίζεται. L. Dind.]

[Μελουργὸς, ὁ, Cantor. Manetho 4, 185 : Κιθάρης τε μελουργούς. « Theod. Prodr. in Notitt. Mss. vol. 8, p. 198 : Ἀφεὶς ἅπαντα γῆς μελουργῶν ᾄσματα. » Boiss.]

[Μέλπα, ἡ, Melpa, n. mulieris ap. Jahn. *Vasenbilder* p. 23, d.]

[Μέλπεια, ἡ, Melpea, locus Arcadiæ. Pausan. 8, 38, 11.]

Μέλπηθρον, τὸ, ab Homero accipitur pro παίγνιον, Ludicrum, [Ludibrium, Gl.] Id quod ludos facimus : ut Il. N, [233] : Μὴ κεῖνος ἀνὴρ ἔτι νοστήσειεν Ἐκ Τροίης, ἀλλ' αὖθι κυνῶν μέλπηθρα γένοιτο. Et P, [255] : Πάτροκλον Τρῳῇσι κυσὶ μέλπηθρα γενέσθαι. Ibi enim et schol. exp. παίγνια, ἐμπαίγνια : quoniam sc. saturati canes reliquiis carnium ludere solent. [Theodor. Hyrtac. *Notices* vol. 6, p. 8 : Τὰ τοῦ κόρου λείψανα μέλπηθρα τοῖς σκύμνοις ἐῶσι. L. Dind.]

[Μελπήτωρ, ορος, ὁ, Cantor. Manetho, 4, 183 : Χο- B ρικῶν τε μελῶν μελπήτορας ἄνδρας.]

[Μέλπις, ὁ, Melpis, fl. prope Aquinum Italiæ ap. Strab. 5, p. 237.]

[Μελπομένη, ἡ, Melpomene, Musa. V. Μέλπω.]

[Μελπόμενος, ὁ, Bacchi epith. V. Μέλπω.]

[Μελπομενὸς, ὁ, Melpomenus, n. viri, in inscr. Att. ap. Bœckh. vol. 1, p. 358, n. 245, II, 5.]

Μέλπω [« forsan παρὰ τὸ μέλος ἔπειν » HSt. Ms. Vind.], Canto. [Æsch. Ag. 1445 : Τὸν ὕστατον μέλψασα θανάσιμον γόον. Eur. Med. 149 : Ἰαχὰν οἵαν μέλπει· Tro. 547 : Βοὰν ἔμελπον εὔφρονα· Ion. 881 : Τᾶς ἑπταφθόγγου μέλπων κιθάρας ἐνοπάν.] Cantu celebro. Hom. Il. A, [474] : Μολπῇ θεὸν ἱλάσκοντο, Καλὸν ἀείδοντες Παιήονα κοῦροι Ἀχαιῶν, Μέλποντες Ἑκάεργον, ubi schol. exp. ὑμνοῦντες, Prædicantes, Hymnis celebrantes : ut Hesych. quoque μέλπει exp. ᾄδει, ὑμνεῖ, addens tamen et ἀλαλάζει, [ἑορτάζει,] παίζει. [Pind. ap. Dionys. De comp. vv. p. 154 : Γόνον ὑπάτων πατέρων μελπέμεν. Eur. Alc. 445 : Πολλά σε μουσοπόλοι μέλψουσι· Tro. 340 : Μέλπετ' ἐμὸν γάμον. Aristoph. Thesm. 974, 989.] Pass. C etiam Μέλπομαι accipitur pro Cano s. Canto, Hymnos decanto, ut Il. Π, [182] de Polymela : Τῆς δὲ κρατὺς Ἀργειφόντης Ἠράσατ', ὀφθαλμοῖσιν ἰδὼν μετὰ μελπομένῃσιν Ἐν χορῷ Ἀρτέμιδος. [Od. Δ, 17 : Μετὰ δέ σφιν ἐμέλπετο θεῖος ἀοιδός. Hesiod. Theog. 66 : Ἐρατὴν δὲ διὰ στόματ' ὄσσαν ἱεῖσαι μέλπονται· Sc. 206 : Λιγὺ μελπομέναις εἰκυῖαι. Cum accus. pers. Pind. Pyth. 3, 78 : Τὰν κοῦραι μέλπονται ἐννύχιαι, et absolute ib. 90 : Μελπομενᾶν Μοισᾶν· Nem. 1, 20 : Καλὰ μελπόμενος. Eur. Phœn. 788 : Λωτοῦ κατὰ πνεύματα μέλπει μοῦσαν· Andr. 1039 : Πολλαὶ δ' ἀν' Ἑλλάνων ἀγόρους στοναχὰς μέλποντο δυστάνων τεκέων ἄλοχοι· Tro. 554 : Διὸς κόραν ἐμελπόμαν χοροῖσι.] Et una ex Musis dicitur Μελπομένη [ap. Hesiod. Th. 77, Apollod. 1, 3, 1, 5. Diodor. 4, 7 : Μελπομένην ὠνομάσθαι ἀπὸ τῆς μελῳδίας, δι' ἧς τοὺς ἀκούοντας ψυχαγωγεῖσθαι], necnon Bacchus Μελπόμενος [ap. Pausan. 1, 2, 5; 31, 6], vel quod cantu oblectentur, vel quod cantus auctores sint. Videtur μέλπεσθαι esse etiam Tripudiare et saltare ad cantum : indeque metaphorice, Ἄρηϊ μέλπεσθαι dici Ad martios sonos D gressum componere, Bellicas choreas desaltare, h. e. pugnare. Schol. sane Homeri hoc l., Il. H, 241 : Οἶδα δ' ἐνὶ σταδίῳ δηΐῳ μέλπεσθαι Ἄρηϊ, esse dicit κινεῖσθαι εὐχερῶς καὶ ἐμπείρως κατὰ μάχην : translatum a choreis. Nisi generalius malis παίζειν, Ludere. [Hom. H. Pan. 21 : Σὺν δέ σφιν τότε Νύμφαι ὀρεστιάδες λιγύμολποι φοιτῶσαι πύκα ποσσὶν ἐπὶ κρήνῃ μελανύδρῳ μέλπονται· Apoll. 197 : Τῇσι μὲν οὔτ' αἰσχρὴ μεταμέλπεται οὔτ' ἐλάχεια, ubi μέτα μέλπεται scribendum. || Μέλψομαι, pass. Epigr. Anth. Pal. 9, 521, 4 : Μέλψῃ δ' ἐν πάντεσσιν ἀοίδιμος ἀμερίοισιν, de Sapphone.]

Μελπῳδιοὶ (nisi forte scr. μελπῳδοί), Hesych. exp. μέλποντες, ᾄδοντες, ὑμνοῦντες.

[Μελπῳδός. V. Μελπῳδιοί.]

[Μέλσος. V. Μεσημβρία. Fl. Asturiæ, ap. Strab. 3, p. 167.]

[Μέλτας, ὁ, Meltas, rex Argivorum postremus, ap. Pausan. 2, 19, 2.]

[Μελύγειον. V. Μελίτειον.]

Μελύδριον, τὸ, dimin. Parvum melos, carmen. Exp.

et Cantiuncula, ap. Aristoph. [Eccl. 883], sicut supra μελισμάτιον. Bion sua etiam carmina vocat μελύδρια [5, 1] : Εἴ μοι καλὰ πέλει τὰ μ., καὶ τάδε μοῦνα Κῦδος ἐμοὶ θήσοντι τά μοι πάρος ὤπασε μοῖρα. [V. Μελιδάριον. Verbum mirum Μελυδρεῖν pro μελῳδεῖν habet cod. Havn. Arcadii p. 147, 3.]

[Μελχισεδεκῖται, οἱ, Melchisedecitæ, ap. Theodor. Stud. p. 258, B. De quibus pariter atque de ipso Melchisedece plura v. ap. Suicer.]

[Μελχῖται, οἱ, appellati ap. Syros, qui contra Eutychianos rectam fidem synodumque ac Imperatorem Marcianum secuti sunt, quasi βασιλικοὶ, Imperatorii: Μελχὶ γὰρ καθ' Ἑβραίους καὶ Σύρους βασιλεὺς λέγεται. Ita anon. De hæresi Jacobit. et Chatzizar. p. 263 et Demetrius metrop. Cyzici de iisdem. Conf. Μάλχος. Ducang.]

[Μελχὸμ, idolum Ammonitarum. Hebr. מלכם *Milcom*, qui alias מלך, *Molec*, vocatur. Reg. 1, 11, 33. Ed. Complut. Μελχὸμ dedit, ubi ed. Bos. τῷ βασιλεῖ αὐτῶν, quod eædem literæ Hebr. *Malcàm* pronuntiatæ significant. V. Μολόχ.]

Μελῳδέω, Modulor [Gl.], Cano cum modulatione, qualis est carminum quæ μέλη vocantur. [Aristoph. Av. 227 : Οὔποψ μελῳδεῖν αὖ παρασκευάζεται. Et alibi. Apollodor. 1, 9, 25, 1 : Ὀρφεὺς τὴν ἐναντίαν μοῦσαν μελῳδῶν. Lucian. D. deor. 7, 4, γλαφυρόν τι· D. mar. 1, 4, ἄμουσόν τι.] Et pass. [Plato Leg. 2, p. 655, D : Τὰ ῥηθέντα ἢ μελῳδηθέντα.] Athen. 14, [p. 620, C] : Μελῳδηθῆναι οὐ μόνον τὰ Ὁμήρου, ἀλλὰ καὶ τὰ Ἡσιόδου καὶ Ἀρχιλόχου, ἔτι δὲ Μιμνέρμου καὶ Φωκυλίδου. Conf. Μελοποιέω.]

[Μελῴδημα, τὸ, Modulus, Modulatus, Gl. Jo. Chrys. In Ps. 100, vol. 1, p. 926, 7. Seager. Ephræm ap. Phot. Bibl. p. 245, 29. « Vita S. Bartholom. junioris : Μαρτυροῦσι γὰρ αὐτῶν τὰ πάνσοφα μελῳδήματα. » Duc.]

[Μελῴδης, ὁ, ἡ, Membrosus, Gl.]

[Μελῳδητικός. V. Μελῳδικός.]

Μελῳδητὸς, ὁ, Qui canitur cum modulatione, Plut. [Mor. p. 389, F : Ἄλλο δὲ οὐδὲν ... ἐν φωναῖς χωρίον ὀξύτητι καὶ βαρύτητι περατούμενον μελῳδητόν ἐστι. « Man. Bryennius Harmon. p. 387. » Cramer. Eidem p. 372, B, Μελῳδητὸν τόπον pro μελῳδήτην restituit Wallis., ut est p. 418, D. Conf. id. p. 396, A. L. Dind.]

Μελῳδία, ἡ, Modulatio [Gl.], Harmonia, Athen. [14, p. 632, D : Περίανδρος ὁ Κορίνθιος ἐλεγειοποιὸς καὶ τῶν λοιπῶν οἱ μὴ προσάγοντες πρὸς τὰ ποιήματα μελῳδίαν. Plato Leg. 7, p. 812, D : Τὴν ἑτεροφωνίαν καὶ ποικιλίαν τῆς λύρας, ἄλλα μὲν μέλη τῶν χορδῶν ἱεισῶν, ἄλλα δὲ τοῦ τὴν μ. ξυνθέντος ποιητοῦ. De cantu Eur. Rhes. 923 : Ὅτ' ἤλθομεν Μοῦσαι μεγίστην εἰς ἔριν μελῳδίας δεινῷ σοφιστῇ Θρῃκί. Plato Leg. 7, p. 790, E : Ἡνίκα ἂν βουληθῶσι κατακοιμίζειν τὰ δυσυπνοῦντα τῶν παιδίων αἱ μητέρες, οὐχ ἡσυχίαν αὐτοῖς προσφέρουσιν καὶ οὐ σιγὴν, ἀλλά τινα μελῳδίαν · 798, E : Κατὰ ὀρχήσεις ἢ κατὰ μελῳδίας. De carmine 11, p. 935, E : Ποιητῇ κωμῳδίας ἢ τινος ἰάμβων ἢ Μουσῶν μελῳδίας. Aristot. Polit. 8, 5 : Τὴν μουσικὴν πάντες εἶναί φαμεν τῶν ἡδίστων καὶ ψιλὴν οὖσαν καὶ μετὰ μελῳδίας. De avium cantu in Philopatr. c. 3. Discrimen inter μελῳδίαν et μελοποιίαν ita exponit Aristid. Quint. 1, p. 29 : Διαφέρει δὲ μελοποιία μελῳδίας · ἡ μὲν γὰρ ἐπαγγελία μέλους ἐστὶν, ἡ δὲ ἕξις ποιητική.]

[Μελῳδίζω, i. q. μελῳδέω. Ephræm Syr. vol. 1, p. 161, C : Μελῴδιζε μελῳδίας ὁσίας. L. Dind.]

[Μελῳδικὸς, ἡ, ὸν, Modulatus. Arist. Quint. p. 88 : Διὰ πειθοῦς μελῳδικῆς. Wakef. Ptolem. Harmon. p. 136, B. Inter hoc et μελῳδητικὸς, quod non recte servavit Schneider. in fragm. Theophrasti vol. 5, p. 188, variant libri Pophyrii in Comment. in Ptolem. Harm. p. 241. L. D. Adv. Μελῳδικῶς, Nectar. Hom. init. ed. Par. 1554. Boiss. V. Βεβήλως.]

Μελῳδὸς, ὁ, ἡ, Cantor, Modulator [Gl.] carminum, quæ Mele vocantur; generalius, Modulator. Lucian. [Alc. c. 8] alcyonem avem appellavit θρήνων μελῳδὸν, Lamentationum modulatricem, q. d. Quæ lamentationes s. melicos modos modulabatur. Cam. exp. etiam Modorum artifex. [Eur. Iph. T. 1104 : Κύκνος μελῳδὸς · A. 1045 : Μελῳδοῖς Θέτιν ἀχήμασι ... κλέουσαι. Sopater ap. Athen. 3, p. 86, A : Ἀκοὰς μελῳδὸς ἦχος εἰς ἐμὰς ἔδη. Plato Leg. 4, p. 723, D : Τῷ μελῳδῷ. Fem. Eur. Rhes. 351 : Τᾶς μελῳδοῦ Μούσας · 393 : Τῆς με-

A λῳδοῦ μητέρος · Hel. 1109 : Τὰν ἀοιδοτάταν ὄρνιθα μελῳδὸν. Antipater Sid. Anth. Plan. 220, 5 : Τρίζυγες αἱ Μοῦσαι τᾷδ' ἕσταμεν ... ἀλλ' ἃ μὲν κράντειρα τόνου πέλεν · ἃ δὲ μελῳδὸς χρώματος · ἃ δὲ σοφᾶς εὑρέτις ἁρμονίας. || « Apud Græcos recentiores, Hymnorum qui in ecclesia concinuntur scriptores. Jo. Tzetz. Chil. 10, 53 : Ὁ μελῳδὸς τοῦτό φησιν εἰς τὴν Ἡρῳδιάδα, etc. De Davide Jo. Chrysost. Hom. in Psalm. 94, etc. » Ducang.]

[Μέλων, ωνος, ὁ, Melo, Sigambrorum dux ap. Strab. 7, p. 291, 292. Ponit nomen Μέλων etiam Theognost. Can. p. 35, 32, sed addens : Τοῦτο δὲ ἀδιάγνωστον μήποτε μετοχὴ ἐστιν.]

[Μελώνεια, τὰ, Melonea, libri nomen, ap. Plut. Mor. p. 733, C : Ἐν τοῖς Μελωνείοις σημεῖον ἡπατικοῦ πάθους ἀναγέγραπται.]

[Μεμαίκυλον. V. Μιμαίκυλον.]

[Μεμακρυσμένως, Longe. Joseph. Rhacend. in Walz. Rhett. vol. 3, p. 564, 6 : Εἰ μ. ἀπήγγελε.]

[Μεμαρτυρημένως, Testato. Cosmas Topogr. Christ. p. 315, E : M. παρὰ πάντων ἀποστόλων τε καὶ προφη-
B τῶν. L. Dind.]

[Μεμάσσω.] Ap. Hesychium reperio etiam Μεμάσσω, eod. signif. quo μαιμάσσω : nam μεμάσσων exp. μεθ' ὁρμῆς ἐξερχόμενος : vel προθύμως. [Vera forma est Μαιμάσσω.]

Μεμβλάσαι, Hesych. συνδῆσαι, Colligare.

[Μέμβλης, ητος, ὁ, Membles, fl. Italiæ. Lycophr. 1083 : Ἀμφὶ Μέμβλητος ῥοάς. Chœrobosc. vol. 1, p. 142, 4.]

[Μεμβλίαρος, Membliarus. Νῆσος πλησίον Θήρας, ἡ καὶ Ἀνάφη, ἀπὸ Μεμβλιάρου τοῦ Θήραν οἰκήσαντος Φοίνικος, τῶν μετὰ Κάδμου ἑνός. Λέγεται καὶ κατὰ ἀφαίρεσιν Βλίαρος. Τὸ ἐθνικὸν Μεμβλιάριος, Steph. Byz. || Ὁ, Phœnix, Cadmi socius, ap. Herodot. 4, 147, Pausan. 3, 1, 7.]

[Μεμβλὶς, Μῆλος, ἡ νῆσος, Hesychii gl. suspecta, de qua v. interpretes, Lobeck. Paralip. p. 95, et quæ in Μιμαλὶς dicentur.]

[Μεμβράδιον. V. Μεμβρίδιον.]

[Μεμβράδοπώλης, ὁ, Piscium qui μεμβράδες vocan-
C tur venditor. Nicophon com. ap. Athen. 3, p. 126, E.]

[Μεμβράνα, ἡ, Lat. Membrana. Tim. 2, 4, 13. V. Βεμβράνα. Alia plurima et harum et formarum in -ον vel -ος exx. v. ap. Ducang.]

[Μέμβραξ, ακος, ὁ, Cicadæ genus. Ælian. N. A. 10, 14, 1 : Γένη δὲ ἄρα καὶ τεττίγων οὐκ ὀλίγα ἦν ... ὁ μὲν γὰρ τέφρας ἐκ τῆς χρόας ὀνομάζεται, ὁ δὲ ἄρα μέμβραξ. L. D. Alex. Trall. 12, p. 240 (?).]

[Μεμβρὰς, ἀδος, ἡ, Μεμβραφύη, ἡ. V. Βέβραδα in Βεμβράς.]

[Μεμβρίδιον, τὸ, ap. Alex. Trall. 12, p. 766, ubi cum τὰ μαινομένια conjungitur, quod v., scrib. videtur μεμβράδια, ut sit dimin. a μεμβράς. Struv.]

[Μεμελετηκότως, Exercitate. Pollux 1, 157.]

[Μεμελετημένως, Diligenter, Cum cura s. exercitatione. Plut. Pomp. c. 68. Wakef. Tzetz. Hist. 10, 365 : Εἰ ἐκ βιβλίων γράφομεν ἢ μεμελετ.]

Μεμελημένως, Solicite, Accurate, Cura adhibita, Diligenter, Elaborate, Plato Protag. [p. 344, B : Πάνυ χαριέντως καὶ μ. Hesychio πεπονημένως, cujus in gl.
D tamen —μένος Photius s. Suidas. Sed cum Hesychio consentit Zonaras p. 1355.]

[Μεμεριμνημένως, Studiose. Theophyl. Bulg. vol. 3, p. 499, A : Ἀναζητῆσαι τὸν κινάμωνα μ.]

Μεμερισμένως, Partite, Divise, Aristid. Orat. [Basil. in nota ad Herodian. Epimer. p. 87. Bekk. Anecd. p. 787. Boiss. Niceph. Greg. Hist. Byz. 7, p. 165, D. Schol. Æsch. Prom. 229.]

[Μεμετρημένως, Moderate, Gl. Lucian. De saltat. c. 67. « Jo. Chrys. In Ep. 2 ad Cor. serm. 19, vol. 3, p. 649, 25. » Seager.]

Μεμηνιμένως, Iracunde, Indignabunde, Bud. in Plat. Epist. ad Dionys. [3, p. 319, B] : Σὺ δὲ καὶ μάλα ἀπεκρίνω μεμηνιμένως καὶ ὑβριστικῶς εἰς ἐμέ.

[Μεμηνότως, Insane. Gregor. in Anecd. meis vol. 5, p. 460 med. : Τοῖς ὠμοτάτοις θηρίοις μ. διήρπασται. Boiss.]

[Μεμηχανημένως, Callide. Eur. Ion. 809 : M. ὑβριζόμεσθα.]

[Μεμιασμένως, Inquinate. Schol. Soph. Antig. 1092.]

Μεμιγμένως, Miste, s. Mixte, Mixtim, Promiscue. Exp. et Confuse. [Aristot. Rhet. Schol. Aristoph. Ran. 401; Mauric. Strat. 5, 5, p. 126.]

[Μεμισημένως, q. d. Invise. Schol. Isocr. p. 441 ed. Cor. Boiss.]

[Μεμμιάδης, ὁ, Memmiades, patron. a Μέμμιος, ap. Eutolmium Anth. Pal. 6, 86, 2. ῐᾰ.]

[Μεμνόνεια, τὰ, Libyæ memorantur in pap. Ægypt. ap. Forshall. *Descr.* I, 9, 41, 44 annot. Μεμνόνειον Abydi et Thebarum Ægypti ap. Strab. 17, p. 813, 816. Et Susorum 15, p. 728. Βασιλήια τὰ Μεμνόνεια Susorum ap. Herodot. 5, 53, ubi al. Μεμνόνια, ut 54, ubi de Susis : Τοῦτο γὰρ Μεμνόνιον ἄστυ καλέεται, et 7, 151 : Σούσοισι τοῖσι Μεμνονίοισι. Diphthongus vero confirmatur papyro supra citata, si librorum Diodori 2, 22 : Τὰ ἐν Σούσοις βασίλεια ... Μεμνόνεια, ubi unus Gemistus Μεμνόνια, et ib. : Ὁδὸν τὴν ὀνομαζομένην Μεμνόνειον (-αν unus Vindob.), aut Pausaniæ 4, 31, 5 : Τὰ Μεμνόνεια τὰ ἐν Σούσοις τείχη, levior videatur auctoritas. Reddenda igitur diphthongus etiam Æliano N. A. 13, 18, ut 5, 1. Μεμνωνεία male in Ms. ap. Pasin. Codd. Taurin. vol. 1, p. 73, B. L. Dind.]

[Μεμνόνιος, ὁ, Memnonius, n. viri ap. Euagr. H. E. 1, 18. L. D. Pater Agathiæ poetæ, ap. Michaelem Anth. Plan. 316, ipsum Agathiam Anth. Pal. 7, 552. Boiss.]

[Μεμνονίς, ίδος, ἡ. V. Μέμνονες in Μέμνων.]

[Μέμνονος κώμη, ἡ, Troadis ap. Strab. 13, p. 587.]

Μέμνω, VV. LL. Maneo, Duro, καρτερῶ : quod potius Μίμνω.

[Μέμνων, ονος, ὁ, Memno, f. Tithoni et Auroræ, ap. Hom. Od. Δ, 522. Hesiod. Th. 984, Pind. aliosque poetas et mythologos. || Darii adversus Alexandrum dux, ap. Arrian. Exp., Diod. 16, 52, ubi v. Wessel., etc. Alius ap. eund. 17, 62. Alii sunt in inscrr. ap. Caylus *Recueil* vol. 2, tab. 55 fin., Bœckh. vol. 2, p. 155, n. 2114, c. Exempli caussa ponitur ap. Galen. vol. 3, p. 43. || Μέμνονες, ἔθνος Αἰθιοπικὸν, ὃ ἑρμηνεύεται, ὡς ὁ Πολυΐστωρ φησὶν, ἀγρίους τινὰς ἢ μαχίμους καὶ χαλεποὺς, Steph. Byz. V. Agathem. Geogr. 2, 5, p. 41.]

|| Μέμνονες, Aves sunt ap. Ælian. [N. A. 5, 1] et Oppian. Ixeut. [1, 6.] Eæ Plinio 10, 26, sunt Memnonides : Auctores sunt omnibus annis advolare Ilium ex Æthiopia aves, et confligere ad Memnonis tumulum, quas ob id Memnonidas vocant. Fuit autem Memnon Æthiopiæ rex, qui auxilio veniens Trojanis contra Græcos, a Græcis est interemptus. [V. Schneider. ad Æliani l. c., Salmas. Plin. Ex. p. 611, b, A, et Σελευκίς. Angl. Quintus 2, 646 : Οἰωνοὺς, τοὺς δὴ νῦν καλέουσι βροτῶν ἀπερείσια φῦλα μέμνονας. Μεμνονίδες ap. Pausan. 10, 31, 6.] Hesychio Μέμνων est etiam ὄνος, Asinus, et Μεμνόνεια [-νια] τὰ ὄνεια κρέα, Asininæ carnes : pro quo infra [vitiose] μεσκόνια. [Quod v.]

[Μεμοιρᾱμένως, Affatim, Gl. Schol. Apoll. Rh. 1, 973 : Μεμόρητο) ἐκεκλήρωτο, ὑπὸ τῆς τύχης μ. εἶχεν.]

[Μεμονωμένως, Solitario modo. Moschop. Π. σχεδ. p. 142. Boiss. Phurnut. De n. d. c. 16, p. 160.]

[Μεμόριον, τὸ, i. q. μνημεῖον. Tit. Corinthius in Rossii Inscr. ined. n. 62, p. 20. Osann.]

Μεμπτέος, α, ον, Culpandus, Incusandus, Accusandus. [Plotin. vol. 1, p. 467, 1 : Τὴν πρόνοιαν ἐπὶ τούτοις οὐ μεμπτέον. L. D. Jo. Chrys. Serm. 82, vol. 6, p. 792, 39. Seager. Apoll. Dysc. p. 322 Bekk. Pro quo « Μεμπταῖος, Culpandus, Pseudo-Chrys. Serm. 82, vol. 7, p. 492, 28. » Seager.]

[Μεμπτικὸς, ἡ, ὸν, Querulus. Schol. Aristoph. Ach. 1082. || Adv. « Μεμπτικῶς, Tzetz. Hist. 4, 471. » Elb.]

Μεμπτὸς, ἡ, ὸν, Incusandus, Qui reprehensionem meretur. [Pind. ap. Plut. Mor. p. 706, A : Τῶν γὰρ οὔτε τι μεμπτὸν οὔτε μεταλλακτόν. Soph. OEd. C. 1036 : Οὐδὲν σὺ μεμπτὸν ἐνθάδ' ὢν ἐρεῖς ἐμοί. Eur. Med. 958 : Οὔτοι δῶρα μεμπτὰ δέξεται· Hel. 462 : Τί δὴ τὸ Νείλου μεμπτόν ἐστί σοι γένος; Herodot. 7, 48 : Κότερά τοι ὁ πεζὸς μεμπτὸς κατὰ τὸ πλῆθος; Xen. Cyrop. 2, 1, 11 : Σώματα οὐ μεμπτά· Comm. 3, 5, 3 : Οὐδὲ ἐν τούτοις Ἀθηναῖοι μεμπτοί.] Thuc. [3, 57 : Περὶ οὐδ' ἡμῶν μεμπτῶν·] 7, p. 237 [c. 15] : Τῶν στρατιωτῶν καὶ τῶν ἡγεμόνων ὑμῖν μὴ μεμπτῶν γενομένων· 2, [61] : Ὁ φυγὼν τὸν κίνδυνον τοῦ ὑποστάντος μεμπτότερος, Magis culpandus quam qui subierit. 6, p. 202 [c. 13] : Τοὺς μὲν
A Σικελιώτας, οἵσπερ νῦν ὅροις χρωμένους πρὸς ὑμᾶς οὐ μεμπτοῖς, ubi potius significat Terminis, de quibus cum eis expostulari nequit. [Plato Leg. 4, p. 716, B : Ὑποσχὼν τιμωρίαν οὐ μεμπτὴν τῇ δίκῃ, Pœnas non pœnitendas. Theæt. p. 187, C : Καίτοι οὐκ ἂν εἴη μεμπτὸς μισθὸς ὁ τοιοῦτος.] || Μεμπτὸς active quoque capitur pro Conquerens de, Culpans, Reprehendens. Soph. Tr. [446] : Ὥς εἴ τι τῷ 'μῷ τἀνδρὶ τῇδε τῇ νόσῳ Ληφθέντι μεμπτός εἰμι, κάρτα μαίνομαι, i. e. εἴ τι μέμφομαι, Si quid eum incusem et de eo conquerar hanc ob rem; ubi nota et fem. gen. usurpari.

[Μεμπτῶς, adv. cum adj. μεμπτὸς ponit Pollux 3, 139. Plut. Cleom. c. 28 : Οὐδὲ τῶν ξένων μ. ἀγωνισαμένων. Galen. vol. 2, p. 228.]

[Μέμφειρα, ἡ, Querela. Photius : Μέμφειραν, τὴν μέμψιν, Τηλεκλείδης.]

[Μέμφη. V. Μέμφις.]

[Μέμφις, Att. ιδος et εως, Ion. ιος (v. de prima et tertia forma Photius v. Μέμφις, qui recte monet Atticos plerumque uti prima, tertia Iones, quæ tamen est
B etiam ap. Arrian. Exp. 3, 6, 1. Μέμφεως ut rarum notat Chœrobosc. vol. 1, p. 190, 26. Formam Μέμφη bis habet Jo. Malal. p. 65, 14 : Ἐν τῇ Μέμφῃ· 66, 6 : Ἐν τῷ ἱερῷ Μέμφης, pro quo Μέμφει et Μέμφιος Cedrenus et Chilmeadus), ἡ, Memphis. Ἡ διασημοτάτη Αἰγύπτου μητρόπολις. Καὶ κλίνεται Μέμφιδος καὶ Μέμφιος. Ὁ πολίτης Μεμφίτης. Καὶ Μεμφιτικὸς κτητικὸν, Steph. Byz. Primi memorant Æsch. Pers. 36 : Τῆς ἱερᾶς Μέμφιδος, Suppl. 311, Herodot. 2, 3, 10, 99, Thucyd. 1, 104, Theophr. et geographi. « Quod ad signif. hujus nom. attinet, de ea sic scribit Plut. De Is. et Os. p. 359, C : Τὴν μὲν πόλιν Μέμφιν οἱ μὲν ὅρμον ἀγαθῶν ἑρμηνεύουσιν, οἱ δ' ὡς τάφον Ὀσίριδος. Nempe Memphis audiebat Ægyptiis Menuphi, atque hoc nom. vere significat Plenam bonorum. Pluribus originationem istanc astruxi in Diss. 4 de terra Gosen, § 4, p. 40, 1. » Jablonsk. Gent. Μεμφίτης est ap. Lycophr. 1294, et in numis. « Hinc Μεμφίτης, Memphites, Lapis. Diosc. 5, 158 : Λίθος Μεμφίτης εὑρίσκεται ἐν Αἰγύπτῳ κατὰ Μέμφιν, ἔχων ψηφίδων μέγεθος, λιπαρὸς
C καὶ ποικίλος. Plin. 26, 7 : « Vocatur et Memphites a loco, gemmantis naturæ. » Conf. Isidor. Origg. 16, 4. Eust. ad Dionys. 255 : Σινωπίτης Ζεὺς, ὁ Μεμφίτης· Σινώπιον γὰρ ὄρος Μέμφιδος. V. Jablonsk. Panth. Æg. 4, 3, p. 233. » Angl. Adj. possess. Μεμφιτικὸς, ἡ, ὸν, ap. Hesych. v. Ἀπιακὸς, et Steph. Byz. supra. || F. Nili, Apollod. 2, 1, 4, 1. Danai conjux, 2, 1, 5, 6.]

[Μεμφίδες, αἱ τῶν πτηνῶν ψυχαὶ, Hesychius, qui sic alibi interpretatur Πέμφιξ, quod verum.]

[Μέμφις, ὁ, Memphis, Persa, Æsch. Pers. 970. Alius, Romanus, ap. Athen. 1, p. 20, C, cui nomen ab urbe Memphide impositum erat.]

[Μεμφίτης, ὁ, Memphites, gent. a Μέμφις, quod v. F. Ptolemæi et Cleopatræ regum Ægypti ab urbe Memphi dictus sec. Diodor. Exc. p. 595, 1. ῑ]

[Μεμφιτικός. V. Μέμφις.]

Μέμφομαι, Conqueror, Expostulo. [Queror, Incuso, Gl.] Interdum et Accuso [Hesiod. Op. 184 : Μέμψονται δ' ἄρα τούς. Theognis 797 : Τοὺς ἀγαθοὺς ἄλλος μάλα μέμφεται, ἄλλος ἐπαινεῖ· 873 : Οἶνε, τὰ μέν σ' αἰνῶ,
D τὰ δὲ μέμφομαι. Pind. Pyth. 11, 53 : Μέμφομ' αἶσαν τυραννίδων· Nem. 1, 24 : Μεμφομένοις, absolute, de obtrectantibus. 7, 64 : Οὐ μέμψεταί με· Isthm. 2, 20 : Οὐκ ἐμέμφθη χεῖρα. Æsch. Prom. 63 : Πλὴν τοὐδ' ἂν οὐδεὶς ἐνδίκως μέμψαιτό μοι· 1072 : Μηδὲ πρὸς ἄτης θηραθεῖσαι μέμψησθε τύχην. Soph. El. 385 : Καί με μήποθ' ὕστερον παθοῦσα μέμψῃ· OEd. T. 337 : Ὀργὴν ἐμέμψω τὴν ἐμήν· Tr. 470 : Κοὐ μέμψει χρόνῳ. Aristoph. Av. 137 : Ὅπου ξυναντῶν μοι ταδί τις μέμφεται. Herodot. 3, 4, aliisque locis ab Schweigh. indicatis.] Aristoph. Pl. [10] : Τῷ δὲ Λοξίᾳ Μέμψιν δικαίαν μέμφομαι ταύτην. Xen. OEc. [11, 23], μέμφεσθαί τινα πρός τοὺς φίλους, Accusare aliquem, Conqueri de aliquo apud amicos. Aristophanico autem loco similis est hic Platonis [Apol. p. 41, E] : Τοῦτο αὐτοῖς ἄξιον μέμφεσθαι, ubi etiam in sequenti signif. accipi potest. Nam ponitur etiam pro Incuso, Vitio verto, Reprehendo, Vitupero. Thuc. [1, 84] : Τὸ βραδὺ καὶ τὸ μέλλον, ὃ μέμφονται μάλιστα ἡμῶν, μὴ αἰσχύνεσθε. [Et ibid. : Τὰς τῶν πολεμίων παρασκευὰς λόγῳ καλῶς μεμφόμενοι

A ἀνομοίως ἔργῳ ἐπεξιέναι. Kuster.] Gorg. Leont. in Hel. Enc. : Ἴση γὰρ ἁμαρτία καὶ ἀμαθία μέμφεσθαί τε τὰ ἐπαινετὰ, καὶ ἐπαινεῖν τὰ μωμητὰ, ubi observa μέμφεσθαι et ἐπαινεῖν sibi opponi : sicut et ap. Gregor., Οὐκ ἐμέμψατο, καὶ προσεπήνεσεν, Non modo non incusavit, verumetiam collaudavit. Plato De rep. 2 : Ὀρθῶς ἔχει τὰ τοιαῦτα μέμφεσθαι. Epicur. : Οὐκ ἄν ποτε εἴη μὲν ὅ, τι μεμψαίμεθα αὐτοῖς, Nihil unquam esset quod in eis possemus reprehendere, Cic. [Οὐ μέμφεσθαί τι, Contentum esse re, Non ægre ferre, de justa et satis gravi pœna, Herodot. 8, 106 : Οἵ σε ποιήσαντα ἀνόσια νόμῳ δικαίῳ χρεώμενοι ὑπήγαγον ἐς χέρας τὰς ἐμὰς, ὥστε σε μὴ μέμψασθαι τὴν ... δίκην. Xen. H. Gr. 6, 2, 34 : Εἰ δέ τις μὴ ἀκολουθήσοι, προεῖπε μὴ μέμφεσθαι τὴν δίκην. Sozom. H. E. 1, 11 : Δεῖ ὑμᾶς μὴ μεμφομένους τοὺς πόνους ἐκ τῆς ἐμῆς αὐλῆς ἀπαλλάττεσθαι.] Item cum gen. ap. Thuc., Ὧν οὐδεὶς ἐμέμψατο, Quos nullus vituperavit. [Cum genit. rei id. 8, 109. Eur. Hec. 962 : Σὺ δ' εἴ τι μέμφει τῆς ἐμῆς ἀπουσίας. Et addito dat. pers. Æsch. Sept. 652 : Ὡς οὔποτ' ἀνδρὶ τῷδε κηρυκευμάτων μέμψει. Xen. H. Gr. 3, 2, 6. || Aoristi forma passiva Ἐμέμφθην est ap. Pind. l. supra citato : Οὐκ ἐμέμφθη χεῖρα. Eur. Hel. 31 : Ἥρα δὲ μεμφθεῖσ' οὕνεκ' οὐ νικᾷ θεάς· 463 : Οὐ τοῦτ' ἐμέμφθην· Hipp. 1402 : Τιμῆς ἐμέμφθη. Herodot. 4, 180, etc.; Thuc. 4, 85. « Ἀπόλλων Διὶ μεμφθεὶς, schol. Eur. Alc. 2, ex Pherecyde. » Hemst. || Pass. Vituperor. Diog. L. 6, 47 : Παχέος κιθαρῳδοῦ πρὸς πάντων μεμφομένου αὐτὸς μόνος ἐπῄνει. Coraes. Aor. Theodor. Stud. p. 491, B : Οὐκ ἐμέμφθη μὲν παρά τινος ἐν οὐδενί· 552, B : Τῆς μεμφθείσης ὑπολήψεως. Schol. Eur. El. 30. L. D.] || Hesych. μέμφεται exp. non solum αἰτιᾶται, καταγινώσκει, sed etiam ἐξουδενεῖ : quemadmodum Eur. quoque schol. in Phœn. [779] : Ἐγὼ δὲ τέχνην μαντικὴν ἐμεμψάμην, accipit pro ἐξεφαύλισα. [|| Act. Ms. ap. Bekker. ad Aristot. vol. 2, p. 980, 21 : Μήτις μοι μεμφέτω. L. Dind.]

Μεμφωλὴ, ἡ, Questus, Querimonia, ipse Actus conquerendi et incusandi, μέμψις, Hesych. et Suid. [s. Photius. De accentu Theognost. Can. p. 111, 27.]

C Μεμψιβολέω, q. d. Querimoniis et reprehensionibus impeto, Conqueror de, Incuso, Reprehendo : unde μεμψιβολεῖν, μέμφεσθαι, Suid. [et Photius.]

[Μεμψίδιος, quod ponitur ap. Arcad. p. 39, 19, scribendum μαψίδιος. L. Dind.]

[Μεμψίδωρος, ὁ, Mempsidorus, ὁ τὴν Σικελίαν περιηγησάμενος citatur in schol. Hom. Od. M, 301. Sic enim scrib. videtur pro Μεμψήδωρος, vel, ut est in libris Vind. et Paris. ap. Cramer. An. Paris. vol. 3, p. 480, 24, Μεμψόδωρος. L. Dind.]

Μεμψιμοίρα inscribitur fabula quædam Antidoti, ap. Athen. [14, p. 656, E, ubi Μεμψιμοίρῳ restitutum ex libro optimo.]

Μεμψιμοιρέω, Conqueror, Crebris querimoniis sortem meam incuso. Philo V. M. 1 : Καὶ πάλιν ἤρξαντο μεμψιμοιρεῖν, Iterum suas fortunas queri cœperunt. Item simpliciter Conqueror, Queror, Incuso. Lucian. [De sacrif. c. 1] : Τῆς Ἀρτέμιδος μεμψιμοιρούσης ὅτι μὴ παρελήφθη πρὸς τὴν θυσίαν ὑπὸ τοῦ Οἰνέως, ubi etiam reddi posset Indignante, Succensente. Item cum dat. itidem pro Incuso, Expostulo, ut μέμφομαι. Dem. [p. 249, 25] : Οὐ μεμψιμοιρεῖ ὁ δῆμος οὐδὲν αὐτῷ. Diod. S. [17, 77] : Πολλῶν αὐτῷ μεμψιμοιρούντων, Multis cum illo expostulantibus. At in prima signif. ex Eod. affertur [ibid. 79] : Μεμψιμοιρήσας τῷ βασιλεῖ περί τινων, καὶ τῷ θυμῷ προσπεσὼν, Conquestus apud regem. [Parmenisc. ap. Athen. 4, p. 156, D. Hemst. Polyb. 18, 31, 7 : Τῶν μὲν πρᾴως καὶ πολιτικῶς μεμψιμοιρούντων αὐτοῖς ἐπὶ τῷ μὴ κοινωνικῶς χρῆσθαι τοῖς εὐτυχήμασι, τῶν δὲ λοιδορούντων· 23, 13, 8 : Πικρῶς τῷ Φιλίππῳ μεμψιμοιρούντων ἐπὶ τούτοις.]

[Μεμψιμοιρητέον, Conquerendum. Polyb. 4, 60, 9 : Ὅτι δὲ τὰς εἰς τὸ κοινὸν εἰσφορὰς ἀπεῖπον, μεμψιμοιρητέον.]

Μεμψιμοιρία, ἡ, Conquestio, Querelæ, Querula suæ sortis incusatio. [Lucian. Cronos. c. 16.]

Μεμψίμοιρος, ὁ, ἡ, q. d. Qui de sorte sua queritur, sortem suam incusat, Querulus. [Queribundus add. Gl.] Hesych. μεμφόμενος τὸ ἀγαθόν· φιλεγκλήμων, φιλαίτιος. Isocr. Panath. [p. 234, C] : Οὕτω μοι τὸ γῆράς ἐστι δυσάρεστον, καὶ μικρολόγον καὶ μ., ut Queribundam senectutem dixit Silius. [Lucian. Jov. trag. c. 40 : Ἐκείνη (Diana) μεμψίμοιρος οὖσα ἠγανάκτησεν. Comparativo Aristot. H. A. 9, 1 : Γυνὴ ἀνδρὸς φθονερώτερον καὶ μεμψιμοιρότερον. Eust. Od. p. 1437, 4 : Διὰ τὸ μεμψιμοιροτέρας αὐτὰς (mulieres) τῶν ἀνδρῶν εἶναι. Adj. et adv. Μεμψιμοίρως ponit Pollux 3, 139. L. Dind.]

Μέμψις, εως, ἡ, Questus, [Querimonia, Querela, Questio, Incusatio, Gl.] h. e. ipsa Querendi et incusandi actio, Reprehensio : proprie τοῦ ἀμελοῦντος κατηγορία, Ammon. [Æsch. Prom. 443 : Μέμψιν οὔτιν' ἀνθρώποις ἔχων. Soph. Ph. 1303 : Κοὐκ ἔσθ' ὅτου ὀργὴν ἔχοις ἂν οὐδὲ μέμψιν εἰς ἐμέ. Eur. Alc. 1060 : Διπλῆν φοβοῦμαι μέμψιν· Heracl. 974 : Πολλὴν ἄρ' ἕξεις μέμψιν, εἰ δράσεις τάδε· Ion. 1558 : Τῶν πάροιθε μέμψις· Rhes. 51 : Μήποτ' ἐς ἐμέ τινα μέμψιν εἴπῃς. Xen. Cyrop. 4, 5, 21 : Μέμψεώς γε πῶς ἐσμεν ἄξιοι.] Dem. : Ἦν ἄν τις κατὰ τῶν ἐναντιωθέντων οἷς ἔπραττεν ἐκεῖνος, μ. καὶ κατηγορία. Idem Philipp. 4 : Ἄξιος μέμψεως εἶναι καὶ κατηγορίας. [Epist. p. 1483, 20 : Ἡδέως δ' ἂν ὑμῖν τὴν ἐπ' εὐνοίᾳ καὶ B φιλίᾳ μέμψιν ποιησαίμην.] Item, μέμψιν μέμφεσθαί τινι, et μέμψιν ἐπιφέρειν τινὶ, pro μέμφεσθαι : quorum prioris exempl. ex Aristoph. Pl. habes in Μέμφομαι : posterioris hoc extat ap. Eund. Ran. [1253] : Τίν' ἄρα μέμψιν γ' [del.] ἐποίσει ἀνδρὶ τῷ πολὺ πλεῖστα δὴ καὶ κάλλιστα μέλη ποιήσαντι ; Hesychio μέμψις est κατάγνωσις. [Plur. Plato Leg. 3, p. 684, D : Οὐκ ἦν τοῖς νομοθέταις ἡ μεγίστη τῶν μέμψεων. Aristid. vol. 1, p. 681 : Πρὸς ἐκείνους ἐν προσκρούμασι καὶ μέμψεσιν εἶναι. Alciphr. Ep. 1, 35 : Φοβοῦμαι μὴ μιμήσομαί τινα τῶν περὶ τὰς ἐρωτικὰς μέμψεις ἀτυχεστέρων.]

Μὲν, Quidem. Voculæ μὲν (de qua nunc dicendum est) originem investigare, perinde esset fortassis ac si quis ἀτόμου τομὴν quæreret. Nihilo certe magis investigandum particulæ μὲν quam particulæ δὲ ortum existimo ; at vero an sicut δὴ ex δὲ, ita etiam μὴν ex μὲν ortum sit, rationi consentanea fortasse quæstio fuerit. Solet autem hanc particulam μὲν excipere particula δὲ, sicut ap. Latinos particulam Quidem excipit particula Vero, vel Autem, aut etiam At : ut, Σὺ μὲν πλουτεῖς, ἐγὼ δὲ πένομαι, Tu quidem dives es, ego vero sum pauper. Aut, Ego autem. Aut, At ego. Xen. Anab. 7, [2, 7] : Ἀναξιβίου μὲν ἠμέλησε, πρὸς Ἀρίσταρχον δὲ διεπράττετό τε κτλ. Paulo post [13] : Ἀναξίβιος μὲν οὐκ ἔστι ναύαρχος, ἐγὼ δὲ τῇδε ἁρμοστής· εἰ δέ τινα ὑμῶν λήψομαι κτλ. Idem alibi [Comm. 1, 6, 11] : Ἐγώ τοι σε μὲν δίκαιον νομίζω, σοφὸν δὲ οὐδ' ὁπωστιοῦν. Interdum vero in hujusmodi ll. δὲ absolvit membrum orationis, ut ap. Eund. rursum Anab. 7, [6, 4] : Ἀπεκρίνατο ὅτι τὰ μὲν ἄλλα εἴη οὐ κακὸς, φιλοστρατιώτης δέ· καὶ διὰ τοῦτο κτλ. Sicut autem in loco paulo ante citato vides particulæ δὲ, quæ respondet ipsi μὲν, subjungi illam ipsam in alio membro ; sic in distributione aliquoties ponitur hæc particula δὲ, respondens uni μέν : easque deinde sequitur aliud membrum, cui eadem hæc particula adhibita est : ut vides ap. eund. scriptorem Anab. 7, [3, 40] : Καὶ ἐπεὶ παρέδωκεν τοὺς ἡγεμόνας, οἱ μὲν ὁπλῖται ἡγοῦντο, οἱ δὲ πελτασταὶ εἵποντο, οἱ δ' ἱππεῖς ὠπισθοφυλάκουν. Quibus subjungit, Ἐπεὶ δὲ ἡμέρα ἦν, κτλ. Varii sunt autem usus harum particu- D larum, quæ interdum quidem omnino adversativam, ut ita dicam, orationem faciunt, interdum vero distributionem quandam simul indicant, aut etiam distributionem solum : quin etiam quandam aliquando Copulandi vim habent, qualem Latinis Quum et Tum. Quos ego usus declarabo ; sed tria sunt, vel potius quatuor, de quibus lectorem prius monendum censeo : primum est, non semper quærendam esse particulam δὲ paulo post μὲν, sed interdum multo etiam post, multis sc. præcedentibus, atque adeo interdum his ipsis particulis. Hoc autem in quibusdam Dem. orationibus videre est, quarum principio hæc particula adhibetur, ita sc. ut secunda sit vox. Sed quod dico de præcedentibus quum aliis plerisque verbis, tum etiam hac ipsa vocula μὲν cum sua, ut ita dicam, comite, duobus exemplis inde petitis planum faciam. Sic itaque orditur ille orator Orationem ad Philippi Epistolam : Ὅτι μὲν, ὦ ἄνδρες Ἀθηναῖοι, Φίλιππος οὐκ ἐποιήσατο τὴν εἰρήνην πρὸς ὑμᾶς, ἀλλ' ἀνεβάλετο τὸν πόλεμον, πᾶσιν ὑμῖν φανερὸν γέγονεν. Quibus verbis hæc per ἀνταπόδοσιν subjunguntur, Ὅτι δὲ χρὴ μήτε ὀῤῥωδεῖν ἡμᾶς τὴν ἐκείνου δύναμιν, μήτε ἀγεννῶς ἀντιταχθῆναι πρὸς αὐτὸν, ... ἐγὼ πειράσομαι εἰπεῖν· sed quum alia multa inseruntur, tum vero hæc, Τῷ μὲν ἔργῳ πάλαι πολεμεῖ πρὸς τὴν ἐπιστολὴν [πόλιν], τῷ δὲ λόγῳ νῦν ὁμολογεῖ διὰ τῆς ἐπιστολῆς κτλ. Idem videre est et in Philipp. 1, cujus initium est, Εἰ μὲν περὶ καινοῦ τινος πράγματος προὐτίθετο, ὦ ἄνδρες Ἀθηναῖοι, λέγειν, κτλ., ubi particulæ μὲν est ἀνταποδοτικὴ particula δὲ quarto post versu, ἐπειδὴ δὲ περὶ ὧν κτλ. Sed hoc inter hunc et alterum illum interest locum, quod illic per parenthesin interjecta sint omnia illa, ἐπειδὴ γὰρ Φαρσαλίοις κτλ. usque ad ὅτι δὲ κτλ., hic autem non possumus itidem ad redditionem venire omissis quibusdam verbis, utpote quæ non sint similiter per parenthesin inserta. Ita enim ibi totus locus legitur: Εἰ μὲν περὶ καινοῦ τινος πράγματος προὐτίθετο, ὦ ἄνδρες Ἀθηναῖοι, λέγειν, ἐπισχὼν ἂν ἕως οἱ πλεῖστοι τῶν εἰωθότων γνώμην ἀπεφήναντο, εἰ μὲν ἤρεσκέ τι μοι τῶν ὑπὸ τούτων ῥηθέντων, ἡσυχίαν ἂν ἦγον· εἰ δὲ μὴ, τότ' ἂν αὐτὸς ἐπειρώμην ἃ γιγνώσκω λέγειν· quibus tandem subjungitur particula δὲ respondens non posteriori μὲν (nam illis εἰ μὲν respondet hæc vicina εἰ δὲ μὴ), sed priori; sequitur enim, Ἐπειδὴ δὲ περὶ ὧν πολλάκις εἰρήκασιν οὗτοι πρότερον, συμβαίνει καὶ νυνὶ σκοπεῖν, ἡγοῦμαι καὶ πρῶτος ἀναστὰς, εἰκότως ἂν συγγνώμης τυγχάνειν. Ideo autem ectorem admonere hac de re operæ pretium esse existimavi, quod sciam quosdam interpretes in hujusmodi ll. hallucinatos esse. Secundum autem cujus commonefaciendum eum duxi, h. e. aliam interdum particulam quam δὲ, respondere illi μὲν, ut docebo in Μέντοι. Tertium est, particulam μὲν aliquando nec δὲ nec aliam ejus loco habere sibi respondentem, ac tum nequaquam adversativæ locum, sed potius particulæ δὴ aut alius hujusmodi obtinere. Exemplum hujus usus particulæ μὲν extat quum alibi [ut Hom. Il. E, 893: Μητρός τοι μένος ἐστὶν ἀασχετὸν, οὐκ ἐπιεικτὸν Ἥρης· τὴν μὲν ἐγὼ σπουδῇ δάμνημ' ἐπέεσσιν. Æsch. Suppl. 337: Σθένος μὲν οὕτω μεῖζον αὔξεται βροτοῖς· 506: Κλάδους μὲν αὐτοῦ λεῖπε, σημεῖον πόνου· et alibi sæpe in locis similibus. Soph. Tr. 380: Πατρὸς μὲν οὖσα γένεσιν Εὐρύτου ποτὲ Ἰόλη 'καλεῖτο], tum in principio celebris illius Orationis pro corona; hanc enim ita inchoat: Πρῶτον μὲν, ὦ ἄνδρες Ἀθηναῖοι, τοῖς θεοῖς εὔχομαι πᾶσι καὶ πάσαις, ὅσην εὔνοιαν ἔχων ἐγὼ διατελῶ τῇ τε πόλει καὶ πᾶσιν ὑμῖν, τοσαύτην ὑπάρξαι μοι παρ' ὑμῶν εἰς τουτονὶ τὸν ἀγῶνα· ἔπειθ', ὅπερ ἐστὶ μάλιστα κτλ., quod ἔπειτα non habens adjunctam particulam δὲ nec aliam ejus officio fungentem, jungitur cum εὔχομαι repetito ἀπὸ τοῦ κοινοῦ. Quod si non haberemus τοὺς θεοὺς in posteriore membro, possemus fortasse πρῶτον et ἔπειτα infinitivis jungere. [Soph. El. 741: Καὶ τοὺς μὲν ἄλλους ... ὠρθοῦτο ..., ἔπειτα ... λανθάνει· Tr. 616: Φύλασσε πρῶτα μὲν νόμον, ἔπειτα κτλ.] Ut autem hic particulæ μὲν non redditur δὲ, sic nec in principio orationis πρὸς Λεπτίνην: ibi enim post μάλιστα μὲν subjungitur εἶτα s. δέ. Quartum et ultimum est, particulam μὲν aptius interdum reddi Quidem certe, profecto, Equidem, quam Quidem, ubi sc. non additur illi respondens δὲ, nisi potius omittendam illius interpretationem quis censeat. In hoc sane Homeri l., ubi ab ipsis etiam gramm. particula μὲν dicitur esse ἀναπόδοτος, Il. Ω, [289]: Ἐπεὶ ἄρ σέ γε θυμὸς Ὀτρύνει ἐπὶ νῆας, ἐμεῖο μὲν οὐκ ἐθελούσης, non dubito quin μὲν aptissime reddi possit Quidem certe. [Sic sæpe ap. Plat. ἐγὼ μὲν, οἶμαι μὲν, εἰκὸς μὲν, τοῦτο μὲν et similia, non sequente, sed suppresso membro per δέ.] Quin etiam pro μὴν ab eo accipi annotant gramm. [de qua signif. v. in fine]: sicut schol. Thuc. [3, 98] ab eo pro δὴ alicubi sumi observat, de qua etiam signif. dixi paulo ante. [|| Non sequente δὲ ponitur in interrogatione non dubitantis, sed de eo quod quærit persuasi. Eur. Med. 1129: Τί φής; φρονεῖς μὲν ὀρθὰ κοὐ μαίνει, γύναι; ubi Elmslejus contulit Ion. 520: Εὖ φρονεῖς μὲν, ἤ σ' ἔμηνε θεοῦ τις βλάβη; Aristoph. Av. 1214: Ὑγιαίνεις μέν; idemque ad ejusd. fab. 676: Θέμις μὲν ἡμᾶς χρησμὸν εἰδέναι θεοῦ; ubi non intellectum imperitis conjecturis locum dederat, exx. Platonica Charm. p. 153, C: Παρεγένου μὲν, ἦ δ' ὅς, τῇ μάχῃ; — Παρεγενόμην· Menon. p. 82, B: Ἕλλην μέν ἐστι καὶ ἑλληνίζει, et alia. Cum negat. Theæt. p. 161, E: Τὸ ... ἐπισκοπεῖν ... οὐ μακρὰ μὲν καὶ διωλύγιος φλυαρία;]

|| In exemplum autem aliorum usuum, quos habere dixi particulas μὲν et δὲ, quos me declaraturum dixi, afferam primum hunc Theophr. [fr. 6 De sign. c. 2, 1] l.: Ἐὰν αἱ ἀκτῖνες, αἱ μὲν πρὸς βοῤῥᾶν, αἱ δὲ πρὸς νότον σχίζωνται, τούτου μέσου ὄντος κατ' ὄρθρον, κοινὸν ὕδατος καὶ ἀνέμου σημεῖόν ἐστι. Ideo autem ab hoc Theophrasti loco incipio, quod Plinium videam tam αἱ μὲν, quam αἱ δὲ, interpretatum esse Partim: ita reddentem hunc locum, Si in exortu spargentur radii partim ad austrum, partim ad aquilonem, pura circa eum serenitas sit licet, pluviam tamen ventosque significabunt. Sic autem sæpe dicunt et τὰ μὲν, τὰ δέ. Sed interdum etiam aliis partibus orationis quam articulis junguntur, ubi tamen vel hunc ipsum, vel similem usum præstant, ut Xen. Anab. 7, [6, 14]: Οὐκοῦν ὑμεῖς ἀκούοντες μὲν Ἀριστάρχου ἐπιτάττοντος ὑμῖν εἰς Χεῤῥόνησον πορεύεσθαι, ἀκούοντες δὲ Σεύθου πείθοντος αὐτῷ συστρατεύεσθαι, πάντες μὲν ἐλέγετε, σὺν Σεύθῃ ἰέναι, πάντες δ' ἐπεψηφίσασθε ταῦτα. Quæ particulæ tam quæ in priore membri parte quam quæ in posteriore habentur, si mihi vertendæ essent, in priore quidem non dubitarem pro μὲν et δὲ ponere Hinc et Illinc, in posteriore autem Quum et Tum, vel Tum et Tum etiam. Apud Hom. autem enumerationi etiam adhibentur. Huc pertinet iste ejusd. scriptoris l. [Cyrop. 1, 5, 7], ut infinitos alios prætereeam: Ἐπαίνου μὲν ἕνεκα πάντα μὲν πόνον, πάντα δὲ κίνδυνον ὑποδύεσθαι· ubi etiam observa tale quid quale et supra docui de duobus μὲν in locis vicinis, sed non eodem modo positis. Et hic Æschinis [p. 67 med.]: Πάντας μὲν Πελοποννησίους ὑπάρχειν, πάντας δὲ Ἀκαρνᾶνας συντεταγμένους. Et rursum cum verbis, ap. Greg. Naz.: Καὶ τοῖς ἑαυτοῦ παισὶ συνεργοῖς χρώμενος, ἐθεράπευε μὲν τὰ σώματα, ἐθεράπευε δὲ τὰς ψυχάς. Itidemque cum nominibus, Πλουτεῖ μὲν θεωρίαν, πλουτεῖ δὲ βίου λαμπρότητα· ubi perinde est ac si dixisset πλουτεῖ καὶ θεωρίαν καὶ βίου λαμπρότητα. At de τὸ μὲν, τὸ δὲ, et τοῦτο μὲν, τοῦτο δὲ, alius erit dicendi locus. [Aliæ partt., quæ membris cum μὲν conjunctis respondent, sunt hæ fere. Ἀλλὰ, ut Hom. Il. Γ, 214: Παῦρα μὲν ἀλλὰ μάλα λιγέως. Pind. Pyth. 1, 23: Ἀμέραισιν μὲν ..., ἀλλ' ἐν ὄρφναισιν κτλ. Æsch. Pers. 176: Πολλοῖς μὲν, ἀλλ' οὔτι πω κτλ. Eur. Hec. 223: Γύναι, δοκῶ μέν σ' εἰδέναι γνώμην στρατοῦ, ἀλλ' ὅμως φράσω. Aliique plurimi etiam in prosa. Ἀτὰρ, Pind. Pyth. 4, 168: Οἱ μὲν κρίθεν, ἀτὰρ Ἰάσων κτλ. Soph. Tr. 54: Παισὶ μὲν τοσοῖσδε πληθύεις, ἀτὰρ κτλ. Athen. 3, p. 75, B: Πολλοὶ μὲν μέμνηνται, ἀτὰρ καὶ Φερεκράτης. Αὖ, Hom. Il. Λ, 108: Τὸν μὲν ὑπὲρ μαζοῖο κατὰ στῆθος βάλε δουρὶ, Ἄντιφον αὖ παρὰ οὖς ἔλασε ξίφει. (Pro quo δ' αὖ Theocr. 1, 36: Ὀκὰ μὲν τῆνον ..., ἄλλοκα δ' αὖ ποτὶ τὸν, aliique in Αὖ et a Boiss. ad Philostr. Her. p. 445 citati.) Αὖθις, Pind. Isthm. 5, 4: Ἐν Νεμέᾳ μὲν, νῦν αὖτις ... Soph. Ant. 167: Τοῦτο μὲν, τοῦτ' αὖθις· 1304: Κωκύσασα μὲν τοῦ πρὶν θανόντος Μεγαρέως κλεινὸν λέχος, αὖθις δὲ τοῦδε. Αὐτὰρ, Hom. Il. Α, 50: Οὐρῆας μὲν πρῶτον, αὐτὰρ ἔπειτ' αὐτοῖσι κτλ. et alibi. Αὖτε, Pind. Pyth. 2, 89: Ὃς ἀνέχει ποτὲ μὲν τὰ κείνων, τότ' αὖθ' ἑτέροις ἔδωκεν μέγα κῦδος, ut ap. Hom. Od. Χ, 5, post οὗτος μὲν sequitur νῦν αὖτε. Καὶ, Hom. Il. Α, 267: Κάρτιστοι μὲν κεῖνοι ἔσαν καὶ καρτίστοις ἐμάχοντο. Pind. Ol. 13, 50: Σίσυφον μὲν ... καὶ Μήδειαν. Μέντοι, de quo HSt. infra, Xen. Cyrop. 3, 1, 26: Νῦν μὲν ἔμοιγε οὐδὲν ἄπιστον ..., δοκεῖ μέντοι μοι κτλ. Anab. 2, 3, 10, Plato Reip. init. Γε μὴν, Xen. Reip. Lac. 12, 2: Φυλακὰς ἐποίησε μεθημερινὰς, τὰς μὲν παρὰ τὰ ὅπλα εἴσω βλεπούσας ...· τούς γε μὴν πολεμίους ἱππεῖς φυλάττουσιν ἀπὸ χωρίων κτλ. H. Gr. 6, 3, 14: Κατὰ γῆν μὲν ..., κατὰ θάλατταν γε μὴν κτλ. Μὴν, Plat. Phædr. p. 268, D: Ἀνάγκη μὲν ..., οὐδὲν μὴν κωλύει. Et alibi sæpe ὅμως vel ὅμως δέ. Τε, Pind. Nem. 7, 86: Σέο προπρεῶνα μὲν ξεῖνον ἀδελφεόν τε, etc. Æsch. Sept. 925: Ὡς ἐρξάτην πολλὰ μὲν πολίτας ξένων τε πάντων στίχας. Soph. Tr. 1011: Πολλὰ μὲν ἐν πόντῳ, κατά τε δρία πάντα καθαίρων ὠλεκόμαν ὁ τάλας. || Post δὲ anon. ante Jo. Malal. p. 4, 11: Ὁ δὲ μὲν Ἰωβὴλ κατέδειξε κτηνοτροφίαν, ὁ δὲ Ἰουβὰλ κατέδειξε ψαλτήριον. Quod illi relinquendum, inauditum est ap. veteres. Pro γε μὲν est in Orac. Sib. 1, 67: Οἴκους δὲ μὲν ἐξήσκησαν. 91: Τέχνας δὲ μὲν ἐξήσκησαν.] De μὲν

alii particulæ juncto. [Μὲν ἄρα, Hom. Il. E, 133 : Ἡ μὲν ἄρ' ὡς εἰποῦσ' ἀπέβη γλαυκῶπις Ἀθήνη. Xenoph. Cyrop. 2, 1, 4 : Ἀγωνιστέον μὲν ἄρα ἡμῖν πρὸς τοὺς ἄνδρας· Anab. 7, 6, 11 : Ἀλλὰ πάντα μὲν ἄρα ἄνθρωπον ὄντα προσδοκᾶν δεῖ. Et sæpius ap. Plat. et al.] Μὲν γὰρ, i. q. γὰρ, Enim. Hom. [Il. E, 901 : Οὐ μὲν γάρ τι καταθνητός γ' ἐτέτυκτο· Z, 124 : Οὐ μὲν γάρ ποτ' ὄπωπα μάχῃ ἐνὶ κυδιανείρῃ·] Od. Σ, [131] : Οὐ μὲν γάρ ποτε φησὶ κακὸν πείσεσθαι ὀπίσσω. [Sine negatione Il. A, 825 : Οἱ μὲν γὰρ δὴ πάντες... ἐν νηυσὶν κέαται.] Thuc. 7, p. 251 [c. 55] : Πρότερον μὲν γὰρ ἐφοβοῦντο τὰς μετὰ τοῦ Δημοσθένους ναῦς ἐπελθούσας, ubi valde miror schol. dignum censuisse observatione conjunctionem μὲν vacare, quum hujus usus sint obvia passim exempla. [Et sic apud alios quosvis, sequentibus etiam aliis particulis, ut δὴ, οὖν, που, ap. Epicos etiam τε, ut Hesiod. Op. 810. Μέν γε, Aristoph. Ran. 907 : Καὶ μὴν ἐμαυτὸν μέν γε τὴν ποίησιν οἷός εἰμι, ἐν τοῖσιν ὑστάτοις φράσω· τοῦτον δὲ πρῶτ' ἐλέγχω. Herodot. 4, 48 : Εἰσὶ δὲ οἵδε (fluvii) οἱ μέγαν ποιεῦντες, διὰ μέν γε τῆς Σκυθικῆς χώρης κτλ. Xen. Cyrop. 1, 6, 21 : Καὶ ἐπὶ μέν γε τὸ ἀνάγκῃ πείθεσθαι αὕτη ἡ ὁδός ἐστιν. « Interdum supprimitur apodosis, ut Thuc. 3, 39 : Ἀπόστασις μέν γε τῶν βίαιόν τι πασχόντων ἐστίν. Aristoph. Nub. 1174 : Νῦν μέν γ' ἰδεῖν εἶ πρῶτον ἐξαρνητικὸς κἀντιλογικός· Lys. 1165 : Μὰ τὸν Ποσειδῶ τοῦτο μέν γ' οὐ δράσετε. » Dobr. ad Ar. Ach. 710, p. (131). Qui monet etiam Photium in gl. : Μέν γε· ἢ ἀντὶ τοῦ μέντοι λέγουσιν ἢ ἀντὶ τοῦ μὲν, rectius μὲν γὰρ quam μέντοι (quod in l. Thuc. est in libris nonnullis) positurum fuisse, quum hæ particulæ in antithesi argutiori aut enumeratione accuratiori ita usurpari soleant, ut in primo membro ponantur. || Μὲν γοῦν est ap. Alexin Stob. Flor. 68, 2, 5, et in libro uno et altero Soph. Tr. 441, in reliquis recte scriptum μέν νυν.] || Μὲν δὴ, Quidem. Nam alicubi μὲν δὴ redditur hac sola particula, ut quum dicit Aristoph. Pl. [8] : Καὶ ταῦτα μὲν δὴ ταῦτα, Atque hæc quidem sunt hujusmodi. Vel, Atque hæc quidem ita se habent. [Hom. Il. A, 514 : Νημερτὲς μὲν δή μοι ὑπόσχεο καὶ κατάνευσον ἢ ἀπόειπε. Soph. Tr. 627 : Ἀλλ' οἶσθα μὲν δὴ κτλ.] Alioqui citatur ex Dem. et pro Quidem ita posito ut μὲν, sequente particula δέ : sed locus Dem. non profertur. Bud. autem in hoc ejus l. [p. 394, 3] : Ὡμολόγησε μὲν δὴ, διεκρούσατο δὲ εἰς Παναθήναια, non interpr. simpliciter Quidem, sed cum Itaque, Quare : hoc modo : Itaque annuit quidem se facturum, sed rejecit in tempus Panathenæorum. Idem Dem. alibi [p. 1103, 25] : Περὶ μὲν δὴ τῶν ἄλλων ὅταν πρὸς ἐκείνους εἰσίω, τότε ἐρῶ· περὶ ὧν δ' οὑτοσὶ κτλ. Reperitur vero quum ap. alios tum ap. Xen. hic usus particularum μὲν δὴ, sequente δὲ, ubi tamen ego nolim illam Budæi interpr. sequi, Cyrop. 6, p. 96 [2, 39] : Ἐγὼ μὲν δὴ ταῦτα προαγορεύω, εἰ δέ τις τι καὶ ἄλλο δέον ἐνορᾷ, πρὸς ἐμὲ σημαινέτω· hic enim malim reddere, Hæc sunt sane quæ etc. Vel, Hæc sunt profecto. Aut, Equidem hæc sunt quæ etc., quod si quis. Vel, Atque hæc quidem sunt ea quæ etc. Idem librum hunc sextum ita inchoat : Ταύτην μὲν δὴ τὴν ἡμέραν οὕτω διαγαγόντες, καὶ δειπνήσαντες, ἀνεπαύοντο· τῇ δ' ὑστεραίᾳ πρωῒ ἧκον κτλ., cui etiam loco ne dubitem adhibere particulam Atque, facit quidam Virgilii locus habens in libri itidem principio positam; ita enim ille inchoat librum Æneidos nonum : Atque ea diversa penitus dum parte geruntur, Irim de cœlo misit Saturnia Juno Audacem ad Turnum. Dixerat autem idem poeta l. 7 (non tamen in ejus itidem initio) : Atque ea per campos æquo dum marte geruntur, etc. Sed vidi quibus μὲν δὴ in hujusmodi ll. placeret reddere Autem. At eos, qui Igitur vertunt, ne audiendos quidem censeo : ac minus eorum judicium improbo, qui in sua interpretatione prætermittunt. Μὲν δὴ, Certe quidem utique. [In interrogatione, Xen. OEcon. 12, 11 : Οὐδὲ γὰρ ἔστιν, ἔφη, ὦ Σώκρατες, ἐφεξῆς γε οὕτως οἷόν τε πάντας διδάξαι ἐμμελεῖς εἶναι. — Ποίους μὲν δὴ, ἐγὼ ἔφην, οἷόν τε, usus postulat μέντοι.] Item Profecto, in VV. LL., ubi et μὲν δή που e Xen. Apol. [19] pro adverbio illo Profecto : Καίτοι ἐπιστάμεθα μὲν δήπου τίνες εἰσὶ νέων διαφθοραὶ, Quanquam profecto quæ sint juvenum corruptelæ, novimus. [Conv. 2, 3 : Καὶ γὰρ ἀνδρὸς μὲν δήπου ἕνεκα ἀνὴρ οὐδεὶς μύρῳ χρίεται· Comm. 3, 3, 9 : Ἐκεῖνο μὲν δήπου οἶσθα.] || Μὲν δὴ, Vero, ut quum a Cic. dicitur, Id quod Attico ostendisti, et vero etiam mihi : Græci dicerent, Καὶ μὲν δὴ καὶ ἔμοιγε. [V. infra.] Sic et quum negationi adhibetur. [Plato Theæt. p. 148, E : Ἀλλὰ γὰρ οὔτ' αὐτὸς δύναμαι πεῖσαι ἐμαυτὸν, οὔτ' ἄλλου ἀκοῦσαι λέγοντος, οὐ μὲν δὴ αὖ οὐδ' ἀπαλλαγῆναι τοῦ μέλλειν.] Xen. [Cyrop. 2, 2, 22] : Ἄλλος δ' αὖ ἐπήρετο αὐτὸν, ἦ καὶ τῶν πόλεων πλέων [πόνων πλέον] ἔχειν μαστεύεις, Μὰ Δί', ἔφη, οὐ μὲν δὴ, Minime vero, inquit. [Huic loco, ubi particulæ οὐ μὲν δὴ desunt libris melioribus, substitui potest qui est ib. 1, 6, 9 : Μὰ τὸν Δία, οὐ μὲν δή· et Conv. 4, 52. Initio orationis et seq. γε, OEcon. 13, 5 : Οὐ μὲν δὴ ἄξιόν γε τὸ πρᾶγμα καταγέλωτος. Plato Phil. p. 46, B : Οὐ μὲν δὴ Φιλήβου γε ἕνεκα παρεθέμην τὸν λόγον.] Ita Bud., ubi docet οὐ μὲν δὴ esse neganti accommodatum. [Suidas : Οὐ μὲν δὴ, ἀντὶ τοῦ ὅμως δὴ, ἥκιστα δὴ, ἀλλὰ οὐ δή.] Quibus addo, adhiberi itidem affirmationi, s. responsioni affirmativæ, aut simpliciter etiam dicto quo alicujus sententiam probamus, ut Xen. [Cyrop.] 6 init. : Ἀδίκως γὰρ ἐγὼ, ὡς ἔοικεν, Ὑστάσπην αἰτιῶμαι· καὶ ὁ Ὑστάσπης εἶπε, Ναὶ μὰ Δία, ἔφη, ὦ Κῦρε, ἀδίκως μὲν δὴ, Injuste vero. Sed reddi etiam posse arbitror, Injuste equidem, vel, sane. || Μὲν δὴ, Tamen. Item, εἰ μὲν δὴ, Atqui si. Has Ciceronis interpretationes v. in meo Cic. Lex. p. 13, 31. [Addito ἄρα Xen. OEc. 18, 9 : Σὺ μὲν δὴ ἄρα... κἂν ἄλλον δύναιο διδάσκειν. De μὲν δήπου v. paullo ante. Dicitur etiam ἀλλὰ μὲν δὴ, ut Plat. Phæd. p. 75, A : Ἀλλὰ μὲν δὴ ἔκ γε τῶν αἰσθήσεων δεῖ ἐννοῆσαι ὅτι κτλ. Gorg. p. 466, A. Et καὶ μὲν δὴ nullo, ut supra ap. HSt., interposito verbo, Plat. Polit. p. 287, D : Καὶ μὲν δὴ χαλεπὸν ἐπιχειροῦμεν δρᾶν. Et seq. γε Crat. p. 396, D : Καὶ μὲν δὴ ἀτεχνῶς γέ μοι δοκεῖς... χρησμῳδεῖν. Et καὶ μὲν δὴ καὶ... γε Gorg. p. 507, B : Καὶ μὲν δὴ καὶ ἀνδρεῖόν γε ἀνάγκη (εἶναι). || De μέν νυν v. in Νῦν.]

|| Μὲν οὖν, pro Quidem certe sumi mihi videtur in isto Thuc. loco, 1, p. 45 meæ ed. [c. 138], de Themistocle : Λέγουσι δέ τινες καὶ ἑκούσιον φαρμάκῳ ἀποθανεῖν αὐτὸν, ἀδύνατον νομίσαντα εἶναι ἐπιτελέσαι βασιλεῖ ἃ ὑπέσχετο· μνημεῖον μὲν οὖν αὐτοῦ ἐν Μαγνησίᾳ ἐστὶ τῇ Ἀσιανῇ, ἐν τῇ ἀγορᾷ· ταύτης γὰρ ἦρχε τῆς χώρας, δόντος βασιλέως αὐτῷ, κτλ., ut totum hunc locum ita reddamus : Sunt et qui eum veneno sibi mortem conscivisse tradant, quod regi ea, quæ pollicitus erat, præstare se non posse existimaret. Ejus quidem certe sepulcrum in Magnesia Asiana extat, in foro. Hic, inquam, μὲν οὖν commode reddi existimo Quidem certe : ut perinde sit ac si diceret Thuc., Hoc quidem certe constat, sepulcrum ejus extare apud Magnesiam, Asiæ urbem. At Valla μὲν οὖν hic reddidit Itaque : ita interpretans, Itaque monumentum ejus apud Magnesiam Asiæ in foro ostenditur. [Sic Plat. Phæd. p. 61, D : Ἀλλὰ μὴν κἀγὼ ἐξ ἀκοῆς περὶ αὐτῶν λέγω· ἃ μὲν οὖν τυγχάνω ἀκηκοὼς, φθόνος οὐδεὶς λέγειν. Et alii quivis.] || Μὲν οὖν pro At vel Atqui, in assumptione, ut ἀλλὰ μὴν, inquit Bud., afferens ex Aristot. : Εἶτα εἰ πεπερασμένα ταῦτά ἐστιν, ἢ ἄπειρα τῷ εἴδει· πεπερασμένα μὲν οὖν οὐχ οἷόν τε (ubi fortasse reddi possit itidem Quidem certe). At μὲν οὖν pro Vero vel Etenim, ex hoc ejusd. Aristot. loco affert, H. A. p. 292 [De gener. anim. 1, 18 med.] : Ἀλλὰ μὴν περίττωμά γε πᾶν ἢ ἀχρήστου τροφῆς ἐστὶν ἢ χρησίμης· ἄχρηστον μὲν οὖν λέγω, ἀφ' ἧς μηθὲν συντελεῖται ἐπὶ τὴν φύσιν. [Ponitur in hujusmodi locis, ubi μὲν in protasi positum sequitur apodosis cum part. adversandi, interdum etiam μὲν οὖν, ubi simplex μὲν exspectatur, ut Xen. H. Gr. 5, 3, 7 : Ἐκ τῶν τοιούτων παθῶν ἐγώ φημι ἀνθρώπους παιδεύεσθαι, μάλιστα μὲν οὖν ὡς οὐδ' οἰκέτας χρὴ ὀργῇ κολάζειν... ἀτὰρ ἀντιπάλοις τὸ μετ' ὀργῆς προσφέρεσθαι ὅλον ἁμάρτημα· Eq. 6, 14 : Διδάσκειν δεῖ ὅτι οὐ δεινά ἐστι, μάλιστα μὲν οὖν ἵππῳ εὐκαρδίῳ· εἰ δὲ μὴ, ἁπτόμενον αὐτὸν τοῦ δεινοῦ. Eust. Il. p. 862, 16 : Οἱ δὲ παλαιοὶ σημειοῦνται ὡς Ἀττικοὶ μὲν τὴν μέσην θύραν μέσαυλόν φασι, μάλιστα μὲν οὖν τὴν μέσην δυοῖν αὐλαῖν.] Cui loco hunc Gregorii Naz. subjungit, Τοὐναντίον μὲν οὖν, ὅσῳ φεύγειν ἐπιχειρεῖ, πλέον ἁλίσκεται, Versa enim vice, Versa vero vice. || Μὲν οὖν, Porro quidem, Sane quidem, Sed, At, Atqui, Imo vero. Ita VV. LL., quæ afferunt in exemplum, primum quidem hunc Aristoph. l., Pl. [913] : Εὐεργετεῖν οὖν ἐστὶ τὸ πολυπραγμονεῖν; Συκ. Τὸ μὲν οὖν βοηθεῖν τοῖς νόμοις τοῖς κειμένοις. Deinde hunc Xen. l. : Ἔπειτα, ἔφη,

οἱ παρά σοι τούτων οὐδὲν ἐπίστανται ποιεῖν; Πάντα μὲν οὖν, ἔφη. Sed his in ll. μὲν οὖν adversandi vim habere, et accipi pro Imo vero, non pro alia ulla ex ceteris particulis existimo. Ex Eod. affertur μὲν οὖν pro Quidem, in isto l. [Comm. 2, 7, 2]: Χαλεπὸν μὲν οὖν ἐστι τοὺς οἰκείους περιορᾷν ἀπολλυμένους, ἀδύνατον δὲ τοσούτους τρέφειν. Quamvis autem, ut judicium de hoc loco ferri tuto possit, præcedentia videre necesse sit, existimo tamen (quantum eorum meminisse possum, quoniam quærere non vacat), aptius reddi posse hic μὲν οὖν Certe quidem, quam sola particula Quidem. Convenire autem has particulas Quidem certe aliorum etiam locorum interpretationi, paulo ante docui. Afferunt præterea μὲν οὖν pro Utique, s. Vero: ex Plat. De republ. 1: Οὐ τοῦτο τούτου ἔργον θήσομεν; Θήσομεν μὲν οὖν, Ponemus utique, Ponemus vero. [Æsch. Ag. 1396: Τάδ' ἂν δικαίως ἦν, ὑπερδίκως μὲν οὖν.] Afferunt præterea εἰ μὲν οὖν, pro At enim si, Ceterum si, Quod si, absque exemplo. At vero de πάνυ μὲν οὖν dictum alibi [in Πάνυ] est. [Sic dicitur Μάλιστα μὲν οὖν in respondendo et confirmando.] || Μὲν οὖν γε (pro quo scribitur etiam Μενοῦνγε conjunctim), Imo vero. [Imo quidem, Imo quoniam, Gl.] Bud., postquam μὲν οὖν adversativam interdum esse dixit pro Imo vero, et ex Basil. attulit exemplum istud, Ὥσπερ ἡ βρῶσις, ἣν ὁ Κύριος ἔφαγεν, οὐχ ἔστιν ἡδυπαθείας ἡμῖν ἀφορμὴ, τὸ ἐναντίον μὲν οὖν ἐγκρατείας ἢ αὐταρκείας ὅρος ὁ ἀνωτάτω, subjungit, Μενοῦν γε ap. Apostolum non absimilis est significationis, Ad Rom. 9, [20]: Μενοῦνγε, ὦ ἄνθρωπε, σὺ τίς εἶ ὁ ἀνταποκρινόμενος τῷ Θεῷ; Enimvero, o homo, tu quis es qui ex adverso respondeas Deo? Vel, Sane vero. Vel, Tute enimvero, homo, quis es etc. Ita Bud. Sed possumus illis ipsis particulis Imo vero, hic quoque uti. Nisi malimus interpretari, Quin potius. Quam autem hoc in loco interpr. hisce particulis dabimus, eandem et in aliis nonnullis hujus Apostoli ll. dare oportebit. Quorum ex numero est hic, Epist. ad Rom. 10, [19]: Ἀλλὰ λέγω, Μὴ οὐχ ἤκουσαν; Μενοῦνγε εἰς πᾶσαν τὴν γῆν ἐξῆλθεν ὁ φθόγγος αὐτῶν. Ubi tamen vetus Interpres (qui in altero illo capitis noni loco, particularum istarum interpr. prætermiserat) vertit Et quidem; sed perperam. Usus est et Lucas voculis in illa signif., nimirum pro Imo vero: 11, [28]. Ibi enim quum mulier quædam ex turba Christo dixisset, Μακαρία ἡ κοιλία ἡ βαστάσασά σε, καὶ μαστοὶ οὓς ἐθήλασας, respondet ipse, Μενοῦνγε μακάριοι οἱ ἀκούοντες τὸν λόγον τοῦ Θεοῦ, καὶ φυλάσσοντες αὐτόν· ubi vetus ille Interpres vertit Quin imo. Locum autem hic quoque habere possit Quin potius. Sciendum est autem inveniri etiam ἀλλὰ μενοῦν γε ap. Paulum, ut ad eum revertar, Epist. ad Philipp. 3, [17]: Ἀλλ' ἅτινα ἦν μοι κέρδη, ταῦτα ἥγουμαι διὰ τὸν Χριστὸν ζημίαν· ἀλλὰ μενοῦνγε καὶ ἡγοῦμαι πάντα ζημίαν εἶναι, διὰ τὸ ὑπερέχον, κτλ., ubi vetus ille Interpres vertit Veruntamen: alii, cum Erasmo, reddiderunt Quin etiam, et quidem rectius. Sed μενοῦν γε, præfixa illa particula ἀλλὰ, ap. ullum ex classicis scriptt. non memini me legere. Quod autem ad scripturam illam attinet μενοῦνγε, pro μὲν οὖν γε, quamvis vulgo receptam esse sciam, vix probare possum: nisi itidem μενοῦν scribamus. Cur enim μὲν οὖν quidem disjunctim, at μενοῦνγε conjunctim scrib. esse censebimus? Ap. Hesych. quidem certe μενοῦν itidem scriptum extat; sed quin tamen μὲν οὖν γε disjunctim scribamus, ut passim μὲν οὖν legimus, nihil obstare puto. [Μὲν οὖν et μὲν οὖν γε, quod vulgo, sed parum recte, scribitur μενοῦνγε, ab initio membri vel periodi positum, jam Salmas. in Funere linguæ Hellenisticæ p. 152, Alexandrinæ dialecti esse recte judicavit. Nam iste particularum usus reperitur apud solos scriptores Macedonicos, et qui post Alexandri Macedonis ætatem vixere. Mihi saltem nullus hujus structuræ auctor paulo antiquior innotuit, præter Aristotelem, qui De poetica 22, 3 ed. Harl. μὲν οὖν ita posuisse dicitur a Schwarzio ad Olear. De stylo N. T. p. 289. Et sane sic positæ extant illæ particulæ in antiquioribus Aristotelis edd. Sed sine ulla dubitatione rectius nunc editum τὸ μὲν οὖν. Phrynich. p. 150 (342): Μὲν οὖν τοῦτο πράξω· τίς [ἂν] ἀνάσχοιτο οὕτω συντάττοντός τινος ἐν ἀρχῇ λόγου; οἱ γὰρ δόκιμοι τὸ μὲν οὖν ὑποτάσσουσιν, ἐγὼ μὲν οὖν λέγοντες, τὰ

A καλὰ μὲν οὖν, καὶ τὰ μὲν οὖν πράγματα. Sæpe vero μενοῦνγε ab initio ponitur in libris N. T. Unde orta videtur hæc gl. Hesychii: Μενοῦν, τοιγαροῦν, μέντοιγε, καὶ μενοῦνγε, σύνδεσμοι. Et Etymol. M. p. 580, 12: Μενοῦνγε, ἐκ τριῶν συνδέσμων, καὶ σημαίνει τὸ ἀληθές· quæ ubi repetiit Suidas, addit, μᾶλλον μὲν οὖν. Non magis probandum est ἀλλὰ μὲν οὖν, sive, quod alii codices habent, ἀλλὰ μενοῦν γε, Philipp. 3, 8. Sturz. Μενοῦνγε est ap. Orig. vol. 1, p. 135, B, C, et quem Lobeck. ad Phryn. indicat, Nicet. Annal. 21, 11, p. 415, B. || Μὲν οὖν δὴ Soph. Tr. 153: Πάθη μὲν οὖν δὴ πόλλ' ἔγωγ' ἐκλαυσάμην.]

|| Μέν που, ut μὲν δὴ, Quidem, Quidem certe, Sane, Utique, Nimirum. Soph. Aj. [596]: Ὦ κλεινὰ Σαλαμὶς, σὺ μέν που ναίεις, ἁλίπλαγκτος, εὐδαίμων, πᾶσιν περίφαντος αἰεί· ἐγὼ δ' ὁ τλάμων κτλ., ubi observa illis duabus particulis μέν που reddi δὲ, ut reddi solet particulæ μὲν per se positæ, i. e. sine alius adjectione. Aptissime igitur hic reddetur Quidem: hoc modo, ut Cam. vertit, Tu quidem istic manes oberrante mari

B felix, omnibus conspicua semper; ego vero miser, etc. Posset etiam verti, Ego autem miser; vel, At ego miser. Aliter ap. Plat. De rep. 7, [p. 521, D]: Γυμναστικὴ μέν που καὶ μουσικὴ ἔν γε τῷ πρόσθεν ἐπαιδεύοντο ἡμῖν· 6, [p. 504, A]: Μνημονεύεις μέν που, ἦν δ' ἐγὼ, ὅτι τρία εἴδη ψυχῆς διαστησάμενοι συνεβιβάζομεν. Ap. Eund. in Epist. 7: Εἰδέναι μέν που χρὴ, redditur Nimirum. || Μέν που interrogationi etiam adhibetur, ut a Plat. De rep. 1, [p. 348, C]: Φέρε δὴ τὸ τοιόνδε περὶ αὐτῶν πῶς λέγεις; τὸ μέν που ἀρετὴν αὐτῶν καλεῖς, τὸ δὲ κακίαν; πῶς γὰρ οὔ; Nempe horum alterum virtutem, vitium, alterum vocas? H. e. οὐκοῦν, ut ibid. dixit Cic. Pro Milone: Quid ergo tulit Pompeius? nempe ut quæreretur? Bud.

|| Μέν ῥα, poetice, pro μὲν, sequente particula δὲ, in altera orationis parte, ut Il. B init.: Ἄλλοι μέν ῥα θεοί τε καὶ ἀνέρες ἱπποκορυσταὶ Εὗδον παννύχιοι· Δία δ' οὐκ ἔχε νήδυμος ὕπνος. In VV. LL. hæ duæ particulæ μέν ῥα exp. duabus istis, ὡς δὴ, nullo addito exemplo. Est autem sumpta ex Hesych. illa expositio: quæ ta-

C men neque in illo Hom. loco locum habet, neque in alio ullo habere posse videtur: adeo ut suspicer non conjunctim scripsisse Hesych. ὡς δή: sed particulas illas exposuisse particula δὴ, et alia quapiam separatim: pro qua irrepserit ὡς. || Μέν τ' ἂν, ex μέντοι et ἂν, v. post Μέντοι. || Μέν τε, pro μὲν, ap. poetas [epicos] invenitur, et nominatim ap. Hom., sicut μέν ῥα. Vacare autem τε et cum aliis quibusdam vocibus notum est. [Non vacant hæc, sed suam habent vim, de qua quum etiam in illis partt. dicendum sit, hic sufficit memorasse quæ de partt. ῥὰ et τὲ cum μὲν conjunctis disputavit Spitzner. Exc. 8 ad Hom. Il. vol. 1, p. xx seqq., qui etiam partt. μὲν ἄρ τε, μὲν γάρ τε exx. Hom. Od. E, 369, et Θ, 169 annotavit.] || Μέν τι autem pro Utique ex Epigr. affertur. Eandem certe signif. habet interdum μέντοι, in soluta oratione; ac fuerit fortasse dictum μέν τι metri causa.

|| Μέν τοι, vel Μέντοι conjunctim, varios usus habet, et varie redditur. [Certe, Plane, Profecto, Tamen, Sane, Gl.] Incipiam autem a Ciceroniana inter-

D pretatione, per particulam Sed. Hæc igitur Platonis in Phædro verba [p. 279, A]: Νέος ἔτι, ὦ Φαῖδρε, Ἰσοκράτης· ὃ μέντοι μαντεύομαι κατ' αὐτοῦ, λέγειν ἐθέλω, ita vertit, Adolescens etiamnunc, o Phædre, Isocrates est; sed quid de illo augurer, lubet dicere. Huic interpretationi affinis est ea, qua redditur Verum, quum sc. adversativa esse censetur, ut in hoc Platonici Gorgiæ l. [p. 517, A]: Ἀληθεῖς ἄρα οἱ ἔμπροσθεν λόγοι ἦσαν, ὅτι οὐδένα ἡμεῖς ἴσμεν ἀγαθὸν ἄνδρα γεγονότα τὰ πολιτικὰ ἐν τῇδε τῇ πόλει· σὺ δὲ ὡμολόγεις τῶν γε νῦν οὐδένα, τῶν μέντοι ἔμπροσθεν, Verum majorum quosdam fuisse. Xen.: Τοῦτο μέντοι εἰδὼς, οὐδὲν μᾶλλον ἐπίσταμαι ὅπως δεῖ γεωργεῖν. Sed in quibusdam ll. μέντοι, præfixa negativa vocula μὴ, reddi posse videtur vel illa conjunctione adversativa Verum, vel adverbio Tamen: veluti in isto Aristotelis [Polit. 3, 6]: Οἷον, εἰ ὁ μὲν εἴη τέκτων, ὁ δὲ, γεωργὸς, ὁ δ' ἄλλο τι τοιοῦτον· καὶ τὸ πλῆθος εἶεν μυρίοι, μὴ μέντοι κοινωνοῖεν ἄλλου μηδενὸς ἢ τῶν τοιούτων, οἷον ἀλλαγῆς ἢ συμμαχίας· οὐ δ' οὕτω πόλις. Sic in isto ejusd. scriptoris loco, Polit. [ibid.]: Ὁμοίως δ' οὐδ' εἴ τινες οἰκοῖεν χωρὶς, μὴ μέντοι τοσοῦτον ἄποθεν εἶεν ὥστε μὴ κοινωνεῖν. || Μέν τοι s. Μέντοι, non redditur duntaxat Sed, s. Verum (sic tamen ut interdum ambiguum sit utrum Verum an Tamen interpretari oporteat, sicut paulo ante ostendi), sed interdum etiam Vero : veruntamen in certo quodam hujus particulæ usu. Si quidpiam concedere velis et fateri, inquit Bud., μέντοι erit accommodatum : quemadmodum Vero et Sane assentientis sunt. Xen. Œc. [7, 35]: Ἦ καὶ ἐμὲ οὖν, ἔφη ἡ γυνὴ, δεήσει ταῦτα ποιεῖν; Δεήσει μέντοι, ἔφην ἐγὼ, ἔνδον μένειν, i. e. Te vero, inquam, manere intus oportebit. Hunc enim usum habet particula Vero ap. Cic. quum alibi, tum in hoc Tusc. 5 loco : Quid igitur contra Brutum me dicturum putas? Att. Tu vero, ut videtur; nam præfinire non est meum. Ap. Eund. : Sed quæro utrum aliquid actum superioribus diebus an nihil arbitremur. Att. Actum vero, et aliquantum quidem. Affert autem hos locos in exemplum Budæus : qui, interjecta et aliarum signiff. mentione, tradit μέντοι talem usum habere qualem Et vero, in isto ejusd. Cic. loco, De divin. 1 : Tum Quintus, Dicitur quidem istuc, inquit, a Cotta : et vero sæpius. Hic enim Et vero valere idem quod Et quidem : atque ita accipi μέντοι a Xen. Symp. [4, 10] : Οὐδενὸς γὰρ ὁρκίζοντος, ἀεὶ ὀμνύοντες, καλόν με φατὲ εἶναι· κἀγὼ μέντοι πιστεύω· καλοὺς γὰρ καὶ ἀγαθοὺς ἄνδρας ὑμᾶς νομίζω. Subjungit autem huic Xenophontis loco quendam alium Ciceronis, ita usurpantis Et vero : quem tibi ap. eum videndum relinquo. Sed iis quæ ab eo dicuntur de μέντοι significante Vero, addo duo : quorum unum est, posse μέντοι, ubi redditur Vero, aliter quoque reddi. Veluti in illo Xen. l., qui allatus fuit ex ejus OEcon. : Ἦ καὶ ἐμὲ οὖν, ἔφη ἡ γυνὴ, δεήσει ταῦτα ποιεῖν; Δεήσει μέντοι, ἔφην ἐγὼ, ἔνδον μένειν. Hic enim ut possumus interpretari, Te vero, inquam, intus manere oportebit, ita etiam verterimus commode, Te quidem certe manere intus oportebit. Itidemque Utique vel Nimirum locum hic fortassis habere poterit, aut etiam aliud quodpiam vocab. Alterum autem, quod addere volo iis quæ a Bud. hic dicta fuerunt, est istud : habere conjunctionem μέντοι, sive pro una particula sive pro duabus habeamus, alium quoque voculæ Vero usum : eum sc., qui ei usitatior est : ut in isto Dem. l. p. 239 [575] : Ἐγὼ δ' εἰ μὲν ὁ συμβουλεύων ῥήτωρ ἐστὶν, οὔτε φύγοιμ' ἂν, οὔτ' ἀπαρνοῦμαι τοῦτο τοὔνομα· εἰ μέντοι ῥήτωρ ἐστὶν οἵους ἐνίους τῶν λεγόντων ἐγὼ καὶ ὑμεῖς δὲ ὁρᾶτε, ἀναιδεῖς, καὶ ἐξ ὑμῶν πεπλουτηκότας, οὐκ ἂν εἴην οὗτος ἐγὼ, Si vero ejusmodi est orator etc.; vel, Sin ejusmodi est etc. [Cum formulis jurandi, Plat. Phæd. p. 65, D : Φαμέν τι εἶναι δίκαιον; Φαμὲν μέντοι, νὴ Δία· 68, B : Πολλὴ μέντοι νὴ Δία· 73, D : Καὶ ἄλλα που μυρία τοιαῦτ' ἂν εἴη. Μυρία μέντοι, νὴ Δία.] Sic autem et in aliis plerisque ejusd. scriptoris præsertim locis, particulæ μὲν subjungitur μέντοι hunc eund. usum habens. Itidemque ap. Xen. particulæ μὲν subjungi μέντοι videmus, quum alibi, tum in isto l. [Comm. 2, 8, 1] : Ὑπὸ μὲν τὴν κατάλυσιν τοῦ πολέμου ἐκ τῆς ἀποδημίας, νυνὶ μέντοι αὐτόθεν ἐφάνην. Eodemque modo μέντοι subjungitur τῷ μὲν, in isto ejusd. scriptoris l., Anab. 6, p. 219 meæ ed. [1, 26] : Ἐγὼ, ὦ ἄνδρες, ἥδομαι μὲν ὑπὸ ὑμῶν τιμώμενος, εἴπερ ἄνθρωπός εἰμι· καὶ χάριν ἔχω, καὶ εὔχομαι δοῦναί μοι τοὺς θεοὺς, αἴτιόν τινος ὑμῖν ἀγαθοῦ γενέσθαι· τὸ μέντοι ἐμὲ προκριθῆναι ὑπὸ ὑμῶν ἄρχοντα, Λακεδαιμονίου ἀνδρὸς παρόντος, οὔτε ὑμῖν οὔτ' ἐμοὶ δοκεῖ συμφέρον εἶναι. Fuerunt autem afferenda loci hujus verba altius repetita, ut harum particularum usus perspici a lectore posset. Romulus Amasæus interpres (quem ego summa in locis quos intelligebat interpretandis non dexteritate solum, sed felicitate usum esse judico, et in quibusdam præstitisse quod pauci alii assequi potuerunt, ut nimirum nihil minus quam interpretem agere videri posset) μέντοι hoc in loco vertit Sed enim : non male, mea quidem sententia. Hoc tantum displicet, quod particula Vero paulo post utitur, in uno eodemque orationis membro. Ita enim hæc vertit : Ego, milites, magnopere lætor, quum tantum mihi video a vobis honorem haberi, si quidem humano sensu præditus sum : ac vobis sane gratiam habeo : deosque oro ut mihi eam facultatem dent, ut vobis

A quamoptime aliquando consulere possim. Sed enim mihi non video cur studeatis imperium decernere, quum Lacedæmonium hominem habeatis : id vero ego si accipiam, neque ex vestra neque ex mea re fore arbitror. Hoc in loco ut μέντοι recte mihi videtur vertisse Sed enim, ita perperam subjunxisse Vero. Hac enim particula antea potius utendum erat, eo sc. in loco ubi Sed enim usurpavit. Aut certe, quoniam Sed, vel Sed enim, magis ibi convenire videtur quam Vero, dicendum fuisse videtur, Id enim : aut alia hujus signif. particula utendum. [Duplex Xen. Cyrop. 5, 5, 10 : Ἀλλὰ ταῦτα μὲν οὔτε λέγεις ἀληθῆ οὔτε ὀρθῶς γιγνώσκεις. Τὸ μέντοι σε θυμοῦσθαι οὐ θαυμάζω· εἰ μέντοι γε δικαίως ... αὐτοῖς χαλεπαίνεις, παρήσω τοῦτο. Sed Comm. 2, 1, 12 : Ἀλλ' εἰ μέντοι ... ἡ ὁδὸς αὕτη φέρει ..., ἴσως ἄν τι λέγοις· εἰ μέντοι ἀξιώσεις, οἶμαί σε ὁρᾶν κτλ., prius pro μὲν illatum est ex posteriori.] || Μέν τοι, s. Μέντοι, quod Cic. reddit Vero, reddendum potius censerem Imo vero, in isto Plat. l., De rep. 1, [p. 329, C] : Πῶς, ἔφη, ὦ Σοφόκλεις, ἔχεις πρὸς τἀφροδίσια; ἔτι οἷός τ' εἶ γυναικὶ
B συγγίγνεσθαι; Καὶ ὅς, Εὐφήμει, ἔφη, ὦ ἄνθρωπε· ἀσμενέστατα μέντοι αὐτὰ ἀπέφυγον, ὥσπερ λυττῶντά τινα καὶ ἄγριον δεσπότην ἀποφυγών. Ita enim ille hanc historiam narrat, ex hoc ipso loco sumptam, in l. De senect. : Bene Sophocles, quum ex eo quidam jam confecto ætate quæreret, Utereturne rebus venereis, Dii meliora, inquit; libenter vero istinc, tanquam a domino agresti ac furioso, profugi. In VV. LL. affertur μέντοι et pro Atqui : absque ullo tamen exemplo. Sed aliquis fortasse μέντοι, quod in illo Plat. l. legitur, in hujus signif. exemplum sumere non dubitarit. || Μέν τοι, s. Μέντοι, Porro, ut quidam interpr. in isto Xen. l. [Comm. 2, 10, 4] : Οἱ μέντοι ἀγαθοὶ οἰκονόμοι, ὅταν τὸ πολλοῦ ἄξιον μικροῦ ἐξῇ πρίασθαι, τότε φασὶ δεῖν ὠνεῖσθαι. || Μέν τοι, vel Μέντοι, pro αὖθις, Versa vice et Rursus, ponitur, ut inquit Bud., afferens in exemplum hunc Aristoph. l., Περιγίγνεσθαι αὐτῷ μηδὲν, μὴ μέντοι μηδ' ἐπιλείπειν. Quanquam et pro Etiam intelligi potest (ut Idem subjungit), sicut Cicero De universitate : Nihil porro igni vacuum videri potest, nec vero tan-
C gi, quod careat solido. Affertque et alios ejusd. scriptoris locos, ubi Vero pro Etiam accipi censet : existimans nimirum, sicut μέντοι plerumque respondet particulæ Vero, hæc autem interdum pro Etiam posita invenitur, ita quoque μέντοι pro Etiam posse accipi. Sumptus est porro a Bud. locus ille ex Aristoph. Pl., in quo ostendens poeta quid sit inter πένητα et πτωχὸν discriminis, hæc scribit [552] : Πτωχοῦ μὲν γὰρ βίος, ὃν σὺ λέγεις, ζῆν ἐστὶν μηδὲν ἔχοντα· Τοῦ δὲ πένητος, ζῆν φειδόμενον καὶ τοῖς ἔργοις προσέχοντα. Περιγίγνεσθαι δ' αὐτῷ μηδὲν, μὴ μέντοι μηδ' ἐπιλείπειν. Fortassis autem μὴ μέντοι reddi posset hic (ut in illis Aristot. ll., qui allati paulo ante fuerunt), Non tamen : ut perinde sit ac si diceret, Nihil ei superesse, sic tamen ut nihil desit. Sunt qui μέντοι verterint Item, hoc in loco. Ex quibus est is, qui versus illos Græcos his Latinis reddidit : ... mendici est, quem narras, proprium, prorsus ut habeat nil; Ejus qui siet inops, contra operi intentum vivere parce; Cui desit ad communem usum nil, cui supersit item nil. Sed ita
D ordinem verborum περιγίγνεσθαι et ἐπιλείπειν permutando, μέντοι non posset illo adverbio Tamen reddi. || Μέν τοι, vel Μέντοι, interrogative etiam usurpatur. Hujusque usus ex illo ipso Comico Aristoph. exemplum affertur, Nub. [788] : Τί μέντοι πρῶτον ἦν; ubi redditur particula Sed (pro qua usurpari docui et antea, citra interrogationem), hoc modo, Sed quid primum erat? Additurque, sequi paulo post, Τίς ἦν; ἐν ᾗ ματτόμεθα μέντοι τἄλφιτα. Ubi tamen μέντοι non itidem interrogative usurpatur. Sunt qui hic reddant Quidem; ego malim Nimirum. [Interpungendum post τἄλφιτα, non post ἦν. Plato Phædr. p. 236, D : Τίνα μέντοι, τίνα θεῶν; Et cum negatione Reip. 1, p. 339, B : Οὐ καὶ πείθεσθαι μέντοι τοῖς ἄρχουσι δίκαιον φῂς εἶναι; Theæt. p. 163, E : Μνήμην οὐ λέγεις μέντοι τι; et alibi.] || Μέν τοι, vel Μέντοι, interdum ornatus causa magis quam significationis ponitur, vel explendæ orationis gratia. Xen. Symp. [4, 5] : Καὶ ἀνάσχου μέντοι, ὦ σοφιστὰ, ἐλεγχόμενος. Νὴ Δί', ἔφη ὁ Σωκράτης, ἀνεχέσθω μέντοι· ἐπεὶ καὶ οἱ μάντεις λέγονται δή που ἄλλοις μὲν

προαγορεύειν τὸ μέλλον, ἑαυτοῖς δὲ μὴ προορᾷν τὸ ἐπιόν· Et patere tu quidem, o sophista, te convinci. Patiatur vero ipse quidem, inquit Socrates. Vel potius in secundo loco, Patiatur sane. Bud. [V. HSt. supra. Similiter Æsch. Prom. 318 : Τοιαῦτα μέντοι τῆς ἄγαν ὑψηγόρου γλώσσης τἀπίχειρα γίγνεται· et eodem modo cum τοιόσδε 964, 1054, etc. || Καὶ… μέντοι, ut in l. Xen. modo cit., pro Et… vero, Æsch. Prom. 949 : Καὶ ταῦτα μέντοι μηδὲν αἰνικτηρίως ἀλλ' αὐθέκαστ' ἔκφραζε. Aristoph. Eq. 189 : Οὐδὲ μουσικὴν ἐπίσταμαι, πλὴν γραμμάτων, καὶ ταῦτα μέντοι κακὰ κακῶς. Καὶ μέντοι καὶ Plat. Phædr. p. 266, B : Καὶ μέντοι καὶ τοὺς δυναμένους αὐτὸ δρᾷν εἰ ὀρθῶς ἢ μὴ προσαγορεύω θεὸς οἶδε· Theæt. p. 144, C : Ἀνδρὸς καὶ ἄλλως εὐδοκίμου καὶ μέντοι καὶ οὐσίαν μάλα πολλὴν κατέλιπε. || Μέντον formam notavit Photius : Μέντοι· τὸ δὲ μέντον βάρβαρον· ᾧ (εἰ Dobr. Advers. vol. 1, p. 601, quo non admodum opus) καὶ Χρύσιππος χρῆται. Eust. Il. p. 722, 59 : Τὸ δὲ οὐ μέν θην κάμετόν γε οὕτω μὲν γεγραμμένον σαφῶς ἔχει· ἔστι δὲ καὶ ἑτεροίας ἐκδόσεως γραφὴ ὑποδύσκολος καθ' Ἡρακλείδην αὕτη· οὐ μέντον κάμετόν γε, ἀντὶ τοῦ οὐ μέντοι· καὶ ἔστι κατ' αὐτὸν τὸ οὐ μέντον Ἀργείων καὶ Κρητῶν γλώσσης κτλ., coll. Od. p. 1726, 26.]

|| Dicitur etiam Μέντοιπου, item Μέντοιγε. Dem. Pro cor. : Ταῦτα ἄξια μὲν χάριτος καὶ ἐπαίνου κρίνων, πόῤῥω μέντοιπου τῶν ἐμαυτῷ πεπολιτευμένων. Lucian. μέντοιγε dixit [Nigr. c. 23] : Ἐγὼ μέντοιγε πολὺ τῶν κολακευομένων τοὺς κόλακας ἐξωλεστέρους ὑπείληφα. Pro hoc fortasse Cic. Vero et Quidem junctim dixit : ut in primo De fin. : Utrum igitur percurri omnem Epicuri disciplinam patet, aut de una voluptate quæri? Tuo vero id quidem arbitratu, ὅπως μέντοιγέ σοι δοκεῖ. Hæc Bud., qui videtur existimasse μέντοιπου in illo Dem. l. accipiendum esse pro Verum : quoniam illum subjungit Platonico cuidam antea prolato, ubi μέντοι interpretatus erat Verum. Sed fortasse non minus commode reddi potest Tamen. In Luciani autem l. alius est voc. μέντοιγε usus : ac fortasse non male reddetur Quidem certe : sic tamen ut Budæi interpretationem minime rejiciendam esse existimem. [Μέντοι γε vel μέντοι et interposito inter hoc et γε vocabulo frequens est ap. omnes, ut Herodot. 2, 98 : Οὐ μέντοι γε Αἰγύπτιον τὸ οὔνομα. Xen. Cyrop. 5, 5, 11 : Εἰ μέντοι γε δικαίως κτλ. Plat. Reip. 1, p. 329, E : Λέγουσι μέν τι, οὐ μέντοι γε ὅσον οἴονται· Crat. p. 424, C. Herodot. 8, 42 : Οὐ μέντοι γένεός γε τοῦ βασιληίου, ubi tamen alii omittunt. Plato Crat. p. 433, D : Μὴ μέντοι καλῶς γε κεῖσθαι. || Initio positum, ut Psalm. 38, 6 (7) : Μέντοι γε ἐν εἰκόνι διαπορεύεται ἄνθρωπος, notavit Boiss. ap. Greg. Cypr. Anecd. vol. 1, p. 355 : Μέντοι γε καὶ Κύρους ἐκείνους… ἔμοιγε καὶ φέρειν ὅλως εἰς μέσον ἀθέμιτον· et Niceph. Chumn. vol. 2, p. 27 : Μέντοι γε καὶ πλεῖστα δεδύνηντο. Photii s. Suidæ observatio : Μέντοι· τὸ δὲ σὺν τῷ γε παρ' οὐδενὶ τῶν Ἑλλήνων, non minus est inanis quam conjecturæ quibus tentata est. || Μέν γε τοι post ὅμως Herodot. 1, 120 : Ὅμως μέν γέ τοι συμβουλεύσατέ μοι τὰ μέλλει ἀσφαλέστατα εἶναι. De γε μέντοι v. post Γε μέν.]

|| Dicendum hic est et de particc. Μέν τ' ἄν, quippe quæ ex μέντοι et ἂν compositæ sint, ut annotat Bud., cui merito fidem hac in re adhibebimus : quum μέντ' ἂν pro μέν τε ἂν nullo posse modo accipi, vel ex iis quæ affert exemplis longe manifestissimum sit. Soph. Aj. [86] : Γένοιτο μέντ' ἂν πᾶν, θεοῦ τεχνωμένου. Dem. [p. 297, 26] : Ἐμὲ δὲ, ὦ τριταγωνιστὰ, τὸ τίνος φρόνημα λαβόντα, ἀναβαίνειν ἐπὶ τὸ βῆμα ἔδει; τὸ τούτων ἀνάξια ἐροῦντος; δικαίως μέντ' ἂν ἀπέθανον, Atqui si hoc commisissem, jure ab ipsis morte affectus fuissem. Ap. Eund. [p. 383 extr.] : Ἐπειδὰν δὲ ἀκούσῃ τοὺς λέγοντας, εὐδοκιμοῦντας ἐν ὑμῖν, τί καὶ ποιῆσαι ζητοίη; πόλλ' ἀναλίσκειν, ἐξὸν ἐλάττω; καὶ πάντας θεραπεύειν βουλήσεται, δύο ἢ τρεῖς ἐξόν; μαίνοιτο μέντ' ἄν, At furore id agitari esset. Ap. Eund. μέντ' ἂν exp. τοίνυν, hoc in l. [p. 577, 22] : Μεγάλην μέντ' ἂν ἀρχὴν, μᾶλλον δὲ τέχνην, εἴης ἂν εὑρηκώς. Hæc Bud., qui hoc ipsum τοίνυν, quo explicat μέντ' ἂν, exp. itidem Atqui, ut ap. Eund. videbis, in l. ex Or. πρὸς Λεπτίνην deprompto. Quod autem ad illum Ajacis Sophoclei versum attinet, Γένοιτο μέντ' ἂν πᾶν, θεοῦ τεχνωμένου, sciendum est nullo pacto convenire illi posse interpretationi, quam Bud. Demosthenis loco tribuit, qui hunc Sophocleum proxime

A ap. eum sequitur : sc. Atqui. Quod si id existimavit ille (ut certe existimasse videtur, quum loco illi ceteros tanquam similes subjungat, i. e. tanquam in iis μέντ' ἂν eandem significationem habeat), hoc inde contigit, quod præcedentium minime recordaretur. Nam tantum abest ut μέντ' ἂν in illo Soph. l. adversandi vim habeat, qualem habet Atqui, ut contra sit assentientis quodammodo. Quum enim (p. 6 meæ ed.) dicenti Minervæ de Ajace, Ἀλλ' οὐδὲ νῦν σε μὴ παρόντ' ἴδῃ πέλας, respondisset Ulysses, Πῶς; εἴπερ ὀφθαλμοῖς γε τοῖς αὐτοῖς ὁρᾷ; Minerva dubitationem illam eximens, dicit, Ἐγὼ σκοτώσω βλέφαρα καὶ δεδορκότα. Ad quæ ille, Γένοιτο μέντ' ἂν πᾶν, θεοῦ τεχνωμένου· adeo ut manifestum sit μέντ' ἂν Assentientis esse, uti dixi : potius quam adversantis. Quidam interpretantur Scilicet : quam interpret. tolerari posse arbitror : sic tamen ut non minus placeat Nimirum, vel Nempe; et Equidem, vel Quidem certe. Sed utendo duabus hisce particulis, eas cum participio potius quam cum verbo jungerem : hoc modo, Deo quidem certe industriam suam commodante, nihil est quod fieri non possit. Is
B autem, qui versibus hanc tragœdiam jampridem reddidit, plane alienam ab auctoris sententia interpret. attulit : hanc nimirum, Quæ fausta sunt, Diis agantur omnia gubernantibus. ||Quod autem ad scripturam attinet, i. e. particulæ μὲν, cui aliæ sunt annexæ, sciendum est conjunctim potius scribi quum alicui earum quæ encliticæ sunt, et plerumque etiam παραπληρωματικαὶ, præfigitur : veluti quum dicitur μένπου, vel μέντοι : sic μέντοιπου et μέντοιγε. At μὲν γὰρ et μὲν δὴ disjunctim scribi debere, minime controversum est. De μενοῦν γε vero quid sentirem, antea docui. [|| Μὲν τοίνυν Xen. Comm. 2, 7, 10 : Εἰ μὲν τοίνυν αἰσχρόν τι ἔμελλον ἐργάσασθαι, et alibi.]

|| Μὲν interdum ap. poetas particula παραπληρωματικὴ esse, ideoque pro enclitica debere haberi videtur : usurpaturque hoc modo post οὐδὲ nonnunquam, nisi me memoria fallit. Invenitur autem et præfixam habens particulam γε, ubi non immerito παραπληρωματικὴ esse dici itidem poterit; atque adeo
C quorundam exemplarium scripturam sequendo, enclitica censeri poterit : in iis enim scriptum est γέμεν, in Epigr. Hoc quidem certe rationi consentaneum est ut hanc scripturam probemus, si παραπληρωματικὴν esse hujusmodi in ll. voculam illam censeamus. Frequentior est tamen altera scriptura, quæ sc. particulam γε disjungit a μέν. Afferunt autem VV. LL. has particulas ex Hesiodo pro Autem : Theog. [817] : Βριάρεών γε μὲν ἠῢν ἐόντα, Briareum autem strenuum. Et pro Quidem : ib. [871] : Οἵγε μὲν ἐκ θεόφιν. Item pro Tamen : ib. [363] : Πολλαί γε μὲν εἰσὶ καὶ ἄλλαι, Multæ tamen sunt et aliæ. Afferunt etiam ex Hom. Il. B, [703] : Οὐδ' οἱ ἄναρχοι ἔσαν, πόθεόν γε μὲν ἀρχόν· adduntque, legi etiam πόθεόν γέ μιν ἀρχόν. Sed Eust. suis scholiis verba illa textus inserens, alteram illam scripturam sequitur, quam mihi magis probari modo dicebam. Scribit enim πόθεον γέ μεν, non πόθεόν γε μέν. Neque vero illius alterius lectionis γέ μιν mentionem ullam facit. Ac illa altera lectio, quæ alii Hom. versui paulo post sequenti convenit eique tribuitur, falso
D isti ascribitur fortassis in VV. LL. Legimus enim paulo post, Οὐδέ τι λαοὶ Δεύονθ' ἡγεμόνος, πόθεον δέ μιν ἐσθλὸν ἐόντα, ubi pro δέ μιν verisimile est legi etiam γέ μιν : at Eust. legit, πόθεον γέ μεν, sicut et in illo superiore. Ubi etiam innuit γέ μεν significare Tamen : Διὸ καίτοι τὸν κοσμοῦντα ἔχοντες, ἐπόθουν ὅμως καὶ ἀπόντα τὸν κρείττονα. Sciendum est porro in principio prioris illius versus ex cod. Il. B loco allati haberi hanc particulam post οὐδέ : ita enim totus versus ibi scriptus est, Οὐδὲ μὲν οὐδ' οἱ ἄναρχοι ἔσαν, πόθεόν γε μὲν ἀρχόν. Utrobique autem enclitice illam particulam scribo, sequendo ea quæ paulo ante dixi. [De accentu enclitico v. Chœrobosc. in Δὲ, vol. 2, p. 930, D, 11. De γέ μεν vel γέμεν Buttmann. ad schol. Od. E, 205, et de usu harum particc. id. in Exc. 1 ad Arat. p. 53 sq., cui add. exx. Herodoti 7, 152, 234.] Sed μὲν aliud in priore versus parte, aliud γέμεν in posteriore significat. Nam οὐδέ μεν οὐδ' οἱ sonat, Ac ne hi quidem : (exponiturque οὐ μὴν οὐδέ :) at πόθεον γέ μεν significat Desiderabant tamen. [Μὲν autem et hic et in Μὴ μὲν, quod v., pro

μὴν positum, ut Z, 125 : Ἀτὰρ μὲν νῦν γε πολὺ προβέβηκας ἁπάντων. || Post γε μὲν ordinis observandi caussa posuimus γε μέντοι, quod est ap. Æsch. Sept. 716 : Νίκην γε μέντοι καὶ κακὴν τιμᾷ θεὸς, et alibi sæpe ap. ipsum et alios, ut Xen. Anab. 1, 9, 14 : Τούς γε μέντοι ἀγαθοὺς εἰς πόλεμον ὡμολόγητο διαφερόντως τιμᾶν.] || Attice Μενὶ, pro μὲν, ap. Aristoph. præcedente adv. νῦν. Scribi autem et νῦν μενὶ et νυνμενὶ conjunctim, docui in mea appendice ad ea quæ de Dialectis Jo. Grammaticus et Corinthus scripserunt, nimirum in iis quæ in articulum hujus LXI annotavi, p. 50. [Sic τουτουμενὶ ap. Aristoph. Ran. 965.]

[Μεναὶ, αἱ, Menæ. Πόλις Σικελίας, ἐγγὺς Παλίκων. Ἀπολλόδωρος ἐν β' Χρονικῶν. Τὸ ἐθνικὸν Μεναῖος, ὡς Λύκαι, Λυκαῖος (Ἀλικύαι, Ἀλικυαῖος), Steph. Byz., ap. quem Μενδαί. Μεναὶ ap. Ptolem. 3, 9. V. Cluver. Sic. ant. 2, 9, p. 339, idemque de fonte Menaide p. 341.]

[Μέναινον, τὸ, Menænum, urbs Siciliæ, ap. Diodor. 11, 78. Numi inscripti Μεναινων, Μεναιινων (sic), Μεναννινων (sic) sunt ap. Mionnet. *Descr.* vol. 1, p. 251, 252, *Suppl.* vol. 1, p. 399.]

[Μεναίχμης, ὁ, ἡ, Prælio perseverans s. constans. Paul. Sil. Anth. Pal. 6, 81, 5 : Χειρὶ μεναίχμα. Anacreon ap. Hephæst. p. 90=51 : Ὀρσόλοπος Ἄρης φιλέει μεναίχμαν. Ap. Paulum autem μεναίχμα ab μεναίχμη an μεναίχμης repetendum sit dubitat Lobeck. Paralip. p. 267.]

[Μέναιχμος, ὁ, Menæchmus, sculptor Naupactius, Pausan. 7, 18, 10. Alius ap. Plut. Mor. p. 718, C «Scriptor, ap. Athen. 2, p. 65, A, etc.» Boiss. Alius ap. eund. 14, p. 614, E. Adj. Μεναιχμειος ap. Eratosth. Anth. Pal. App. 25, 8.]

[Μενάλιππος, ὁ, Menalippus, n. viri in inscr. Att. ap. Bœckh. vol. 1, p. 429, n. 357, 6, quod Μελάνιππος esse debebat. Sic interdum scribitur Menalippe pro Melanippe. L. Dind.]

[Μενάλκας, s. Μενάλκης, α s. ου, ὁ, Menalcas, n. viri, ap. Theocr. Id. 8 et 9, etc. Alius ap. Pausan. 6, 16, 5. Item in numo Dyrrhachii Illyr. ap. Mionnet. *Suppl.* vol. 3, p. 338, n. 190.]

[Μεναλκίδας, ὁ, Menalcidas, Lacedæmonius, apud Polyb. 30, 11, 2 etc. Alius in inscr. Spart. ap. Bœckh. vol. 1, p. 631, n. 1262, 2, 6. ἴα̈]

[Μενάνδρα, ἡ, Menandra, n. mulieris in inscr. Eleus. ap. Bœckh. vol. 1, p. 459, n. 438, 5.]

[Μενάνδρειος, ὁ, ἡ, Menandreus. Ps.-Lucian. Amor. c. 43, φωνή. Schol. Aristoph. Av. 1734.]

[Μενανδριανοί. V. Μένανδρος.]

[Μενανδρὶς, ίδος, ἡ, Menandris, n. mulieris in inscr. Aphrodis. ap. Bœckh. vol. 2, p. 546, n. 2843, 2, 4.]

Μένανδρος, in Epigr., Qui virum in se irruentem excipit et sustinet. [Jocose vero Dionysius Siculus, teste Athen. 3, p. 98, D, μένανδρον dixit Virginem, ὅτι μένει τὸν ἄνδρα, Eo quod maritum exspectet. Idem per jocum Columnam vocabat Μενεκράτην, ὅτι μένει καὶ κρατεῖ, Quod firma maneat et sustineat. Schweigh.] Sic interpretari possemus et propria quædam nomina, ut Μενέδημος, Μενέλαος, Μενέμαχος, Μενέξενος, et hujusmodi.

[Μένανδρος, ὁ, Menander, n. viri, cujus antiquissimum ex. est Athen. ap. Pind. Nem. 5, 48, notissimum novæ poetæ comœdiæ. Alii sunt ap. Thuc. 7, 16 etc., Xen. H. Gr. 1, 2, 16 etc. Rex Bactrianes (vel regionis inde a Paropamiso usque ad mare secundum Wilson. Arian. Antiq. p. 280) ap. Strab. 11, p. 516. Alii in numis. Hæreticus, a quo dicti Μενανδριανοὶ, οἱ, Menandriani, ap. anon. De hæres. Cotel. Eccl. Gr. mon. vol. 1, p. 285, C, Jo. Damasc. vol. 1, p. 81, B, Epiphan. vol. 2, p. 18, C.]

[Μενάπιοι, οἱ, Menapii, gens Belgica, Strab. 4, p. 194, 199, 200.]

[Μενάπολις, ἡ, Menapolis, n. fictum a Strabone, quod v. in Μεσημβρία.]

[Μενάρης, ους, ὁ, Menares, pater Leotychidæ regis Spart., Herodot. 6, 67, 71, etc.]

[Μένας. V. Μεσημβρία.]

[Μένασκος, ὁ, Menascus, Spartanus, Xen. H. Gr. 4, 2, 8.]

[Μέναχος, ὁ, Menachus, f. Ægypti, Apollod. 3, 2, 5, 5, vix sanum, cui simile Μενέμαχος.]

A [Μένδη, ἡ, Mende, πόλις Θρᾴκης, ἀπὸ Μένδης γυναικός. Ἀπολλόδωρος Μένδιν αὐτήν φησι. Τὸ ἐθνικὸν Μενδαῖος οἶνος, Steph. Byz. Herodot. 7, 123, Thuc. 4, 123, 130, ubi etiam gent. Μενδαῖος, ut ib. 7, Demosth. p. 926, etc. Strabo 7, p. 330; Photius s. Suidas et Harpocratio.]

[Μενδηὶς, ίδος, ἡ, Mendeis, nympha, ap. Conon. Photii Bibl. p. 132, 7.]

[Μενδήρα inter nomina in ήρα ponit Theognost. Can. p. 107, 19. V. Μενθήρα.]

Μένδης [Μένδος Etym. Gud.], Ægyptiorum lingua Hircus s. Caper dicitur, et capripes deus Pan, quorum utrumque sancte colebant Panopoli. [Herodot. 2, 46 : Καλέεται δ' ὅ τε τράγος καὶ ὁ Πὰν αἰγυπτιστὶ Μένδης, qui eundem memorat 42. L. D. Nonnus ad Greg. Naz. 168, 170.] Inde Μενδήσιον ἔλαιον s. μύρον, Mendesium oleum s. unguentum dicitur, quod in ea urbe fieri consuevit. V. Diosc. 1, 73, et Paul. Ægin. 7, 18. V. et Μεγαλεῖον μύρον. [Conf. Μεγαλεῖος. Archigenes ap. Galen. l. 2 Comm. phar. κατὰ τόπ. p. 183, 17, ubi etiam Μενδήσιος οἶνος, Vinum Mendesium, commemoratur,
B ut ap. Hippocr. p. 539, 28 (et Alciphr. Ep. 3, 5, ubi ne Mendæum intelligeret Berglerus, vel Pollucis utramque memorantis testimonio 6, 15, quod citat ipse, moneri debebat). Foes.] Ægyptium quoque vocari tradunt. [Hesych. v. Παχύμερον. Hemst. Μένδην regem Ægypti memorat Diodor. 1, 61. Urbem 1, 84; ex Strab. 17, (p. 802) cum gentilibus Μενδήσιος et Μενδίτης annotat Steph. Byz. N. urbis gen. fem. est ap. Pind. in fr. ap. Aristid. vol. 2, p. 360 : Αἰγυπτίαν Μένδητα. Μενδήσιοι gent. ap. Aristid. in seqq., Strab. 17, p. 813. Μενδήσιον στόμα Νείλου, ap. Herodot. 2, 17, Thuc. 1, 110, Strab. 17, p. 801, 802. «Μενδήσιοι, pisces pessimi saporis, ὧν οὐδ' ἂν μαινόμενος κύων γεύσαιτο ἄν ποτε, Athen. 3, p. 118, F, Xenocr. De al. ex aq. c. ult., ubi videntur annumerari piscibus esu suavibus. Putem eos nomen nactos esse a loco, ubi frequentissimi fuerint. Certe νομὸν Μενδήσιον memorat Herodot. 2, 42, 46, 166, et μύρον Μενδήσιον Athen. 15, p. 688, F. (Μενδήσιοι θεοὶ Greg. Naz. In Jul. 104.) Memoratur etiam Μενδήσιος, sc. τάριχος, Salsamenti
C genus, Athen. 3, p. 118, F, seq. Schweigh.]

[Μενέα, ἡ, Menea, πόλις sec. Theognostum Can. p. 103, 22.]

Μενεαίνω, Cupio, Animi impetu quodam concitor, προθυμοῦμαι. Hom. Od. E, [341] : Οὐ μὲν δή σε καταφθίσει μάλα περ μενεαίνων, Si vel maxime cupiat. Frequenter cum infin. construitur. Il. Υ, [442] : Ἐμμεμαὼς ἐπόρουσε κατακτάμεναι μενεαίνων· Od. K, [322] : Κίρκη ἐπαΐξαι, ὥστε κτάμεναι μενεαίνων· Il. O, [507] : Νῆας ἐνιπρῆσαι μενεαίνει· Φ, [543] : Μενέαινε δὲ κῦδος ἀρέσθαι. Et cum gen. ap. Hesiod. Sc. [361] : Ἀντίος ἔστη ἐμεῖο μάχης ἄμοτον μενεαίνων. || Iratus sum, Ira percitus sum. Hom. Od. [Il. T, 58], Achilles ad Agamemnonem : Νῶϊ περ ἀχνυμένω κῆρ Θυμοβόρῳ ἔριδι μενεήναμεν εἵνεκα κούρης. Paulo post idem Achilles ait, Νῦν δ' ἤτοι μὲν ἐγὼ παύω χόλον· οὐδέ τί με χρὴ Ἀσκελέως αἰεὶ μενεαινέμεν, ubi observa χόλον et μενεαίνειν synonymws usurpari, sicut μένος et χόλος infra : Il. Ω, [22] de Achille Hectorem bigis raptante : Ὣς ὁ μὲν Ἕκτορα δῖον ἀείκιζεν μενεαίνων, Ira s. Irarum impetu
D percitus; nam ἐπὶ θυμοῦ ibi accipi Eustath. quoque annotavit. Aristot. Rhet. 2, [3 fin.] dicens nos mortuis non irasci, nec iis qui sentire nequeunt pœnas quæ infliguntur : Διὸ εὖ περὶ τοῦ Ἕκτορος ὁ ποιητής, παῦσαι βουλόμενος τὸν Ἀχιλλέα τῆς ὀργῆς τεθνεῶτος, Κωφὴν γὰρ δὴ γαῖαν ἀεικίζει μενεαίνων. Quæ verba habentur, Il. Ω, 54, Et Od. A, [20] Neptunus Ulyssi ἀσπερχὲς μενέαινεν, quamvis ceteri θεοὶ ἐλέαιρον ἅπαντες. Idem Neptunus, Z, [330] : Ἐπιζαφελῶς μενέαινεν Ἀντιθέῳ Ὀδυσῆϊ, πάρος ἣν γαῖαν ἱκέσθαι· Il. O, [104] : Νήπιοι οἳ Ζηνὶ μενεαίνομεν ἀφρονέοντες. [Apoll. Rh. 3, 369 : Μενέηνα δὲ παισὶ μάλιστα Χαλκιόπης· 1, 1341 : Ἀλλ' οὐ θήν τοι ἀδευκέα μῆνιν ἀέξω ... ἐπεὶ οὐ περὶ πώεσι μήλων οὐδὲ περὶ κτεάτεσσι χαλεψάμενος μενέηνας. Accusativo jungit Quintus 12, 380 : Ἐμοὶ μενέαινον ὄλεθρον.]

[Μενέας. V. Μεννέας.]

[Μενεβρία. V. Μεσημβρία.]

[Μενέγχης, ὁ, ἡ, Qui enses sustinet. Æschylus Anth. Pal. 7, 380, 1 : Κυανέη καὶ τούσδε μενέγχεας ὤλεσεν ἄνδρας Μοῖρα.]

[Μενεδάϊος. V. Μενεδήιος.]

[Μενεδαῖος, ὁ, Menedæus, Spartanus, ap. Thuc. 3, 100, 109, quod Μενεδάϊος scribendum.]

Μενεδήϊος, ὁ, Qui hostes aut hostium impetus forti animo sustinet et excipit : ὁ μένων s. ὑπομένων τοὺς δηΐους, Hom. [Il. M, 247, N, 228.] Apollon. Arg. 2, [114] : Ἄρητος μενεδήϊον Εὐρύτου υἷα Ἴφιτον ἀζαλέῃ κορύνῃ στυφέλιξεν, schol. ἐμμενετικὸν ἐν τῷ πολέμῳ : derivans a δηΐς, ut et Eustath., significante μάχη : reddi etiam possit, Bellicos labores strenue sufferens. [Iterum HSt.] : Μενεδήϊος, ὁ, ἡ, Bellicosus, Belli patiens. Apoll. Arg. 2 : Μενεδήϊον Εὐρύτου υἷα, i. e. ἐμμενετικὸν ἐν τῷ πολέμῳ, παρὰ τὸ δηΐς. [Tryphiodor. 99. Anyte Anth. Pal. 7, 208, 1 : Μνᾶμα τόδε φθιμένου μενεδαΐου εἵσατο Δᾶμις ἵππου. Quem versum afferens Suidas addit : Μενεδάϊος, καὶ κατὰ τροπὴν μενεδήιος.]

[Μενεδήμιον, τὸ, Menedemion. Πόλις Λυκίας. Καπίτων ἐν Ἰσαυρικῶν τρίτῳ. Τὸ ἐθνικὸν Μενεδήμιος ἢ Μενεδημιεὺς, Steph. Byz.]

[Μενέδημος, ὁ, Menedemus, n. viri, in numis Athenarum, Epiri, etc., item in inscrr. Philosophi ap. Strab. 9, p. 393; 10, p. 448. Ducis in exercitu Alex. M. ap. Arrian. Exp. 4, 3, 15. Ducis Antiochi ap. Polyb. 5, 69, 4, etc. « Dæmon cultus a Cythniis, Numen. ap. Clem. Alex. Protr. § 40, p. 35. » Boiss.]

[Μενέδουπος, ὁ, ἡ, Tumultum s. Strepitum sustinens. Orph. Arg. 537 : Μενέδουπος Ἀθήνη.]

[Μενείτας, ὁ, Menitas, n. viri, in inscr. Mylas. vol. 2, p. 476[c], 2697, 5.]

[Μενεκίνη, ἡ, Menecine. Πόλις Οἰνώτρων, ἐν μεσογείᾳ. Ἑκαταῖος Εὐρώπῃ. Τὸ ἐθνικὸν Μενεκιναῖος καὶ Μενεκῖνος διὰ τὴν χώραν, Steph. Byz. Theognost. Can. p. 114, 1.]

[Μενέκλεια, ἡ, Meneclia, n. mulieris, in inscr. Att. ap. Bœckh. vol. 1, p. 508, n. 715.]

[Μενεκλείδης, ὁ, Meneclides, n. viri, in inscr. ap. Bœckh. vol. 1, p. 495, n. 590. « Μενεκλείδας, ap. Plut. Pelop. c. 25. » Boiss.]

[Μενεκλῆς, έους, ὁ, Menecles, n. viri, in inscr. Att. ap. Bœckh. vol. 1, n. 165, p. 292, 26, et aliis. Frequens est etiam in numis. Al. ap. Xen. H. Gr. 1, 7, 34, Demosth. p. 995, 10, etc.]

[Μενεκράτης, columna, Athen. 3, p. 98, D. Valck. V. Μένανδρος.]

[Μενεκράτης, ους, s. ου, ὁ, Menecrates, Megarensis ap. Thuc. 4, 119. Alii ap. Callim. Epigr. 47, 1; 64, 1, Demosth. p. 1489 fin., Ælian. V. H. 12, 51, et Strabonem. Frequens est etiam in numis Apameæ, Erythrarum, Smyrnæ et aliarum civitatum, item in inscrr., ex quibus notasse sufficit vocat. Μενεκράτη in Argiva ap. Bœckh. vol. 1, p. 586, n. 1153, et formam Bœot. nominativi Μενεκράτεις ib. p. 757, n. 1574, 20. Genit. Μενεκράτειος in alia ap. Caylus *Recueil* vol. 2, tab. 55 ult., et fortasse in Bœot. ap. Bœckh. l. c. p. 754, n. 1571, 38.]

[Μενεκράτις, ιδος, ἡ, Menecratis, n. mulieris, ap. Antipatrum Anth. Pal. 6, 208, 2.]

[Μενέκρῑτος, ὁ, Menecritus, n. viri, ap. Oribas. p. 110, 129 ed. Mai., 11, 15 ed. Cocch. L. Dind.]

Μενεκτῠπος, ὁ, ἡ, Qui bellicos strepitus et tumultus sustinet, nec expavescit. [Ap. Hesychium.]

[Μενεκύδης, ου, ὁ, Menecydes, n. viri, in inscr. in *Bullettino* a. 1841, p. 89. ῠ]

[Μενέκωλος, ὁ, Menecolus, Syracusanus ap. Thuc. 6, 5.]

[Μενελάϊον. V. Μενέλαος.]

[Μενελάϊος λιμὴν, ὁ, Menelai portus, Cyrenaicæ, Herodot. 4, 169.]

[Μενελαΐς, ίδος, ἡ, unde Μενελαΐδες κύνες, ap. Polluc. 5, 37, 40, ἀπὸ τοῦ θρέψαντος dictæ. N. fontis Arcadiæ a Menelao dicti, ap. Pausan. 8, 23, 4. Mulieris in inscr. Cyzic. ap. Caylus *Recueil* vol. 2, tab. 60, 1 : Ἰουλίας Μενελαΐδος.]

[Μενέλαος, ὁ, Menelaus, frater Agamemnonis ap. Hom. ceterosque poetas et mythologos aliosque. Al. ap. Demosth. p. 47, 21. Alii, Macedones, sunt ap. Arrian. Exp. 5, 6, 8, et Diodor. et al. De scriptoribus hujus nominis agit Fabricius in B. Gr. Formæ Dor. Μενέλας exx. sunt ap. Pind. Nem. 7, 2, 8, Eur. Rhes. 257, Tro. 212, qui extra carmina melica utitur for-

A mis Μενέλαος vel Μενέλεως, quæ sunt etiam ap. Æschylum et Sophoclem et altera etiam ap. Herodotum : cujus de dativo plurali Μενελέῳς, si quis eo usus sit, v. gramm. Crameri An. vol. 2, p. 307, 13. || Πόλις Αἰγύπτου. Στράβων ἑπτακαιδεκάτῃ. Καὶ ἡ χώρα Μενελαΐτις. (Strab. 17, p. 803, et Μενελαΐτης νομὸς p. 801.) Ἔστι καὶ χωρίον Σπάρτης Μενελάϊον (ap. Polyb. 5, 18, 3.) Τὸ ἐθνικὸν Μενελαεὺς, ὡς Κοτιάειον Κοτιαεύς. Καὶ κτητικὸν Μενελαϊκός. Τῆς δ' Αἰγυπτίας Μενελαΐτης, Steph. Byz. Μενελαΐτης gent. est ap. Justinian. Edict. 13, c. 1 : Τοῦ λεγομένου Μενελαΐτου τῆς πόλεως, eodemque modo c. 19 etc., et 20 : Τοῦ Μενελαΐτου τῆς Αἰγυπτιακῆς πόλεως. Pro quo τὸν Μενελαΐτην τὴν πόλιν, et c. 18 : Τὴν Μενελαΐτην πόλιν. Conf. Wessel. ad Hierocl. p. 724.]

[Μενέλοχος, ὁ, Menelochus, n. viri, in inscr. Att. ap. Bœckh. *Urkunden* p. 244.]

[Μενεμάχος, ὁ, ἡ, Qui pugnam s. pugnas sustinet. Appian. Hispan. 6, 51.]

[Μενέμᾰχος, ὁ, Menemachus, n. viri, in numis Sardium Lydiæ ap. Mionnet. *Suppl.* vol. 7, p. 414,
B n. 443. Alii in inscr. Spart. ap. Bœckh. vol. 1, p. 631, n. 1264, 5, et aliis.]

[Μενεξένη, ἡ, Menexene, Argiva, ap. Clem. Al. Strom. 4, p. 619]

[Μενέξενος, ὁ, Menexenus, n. viri ap. Demosth. p. 1009, 26, et Plat., cujus inter dialogos nomine ejus inscriptus exstat, Callim. Epigr. 45, 5, et alibi.]

Μενεπτόλεμος, ὁ, ἡ, Bellum et bellica onera fortibus humeris sustinens : vel ὑπομονητικὸς ἐν τῷ πολέμῳ, ut exp. ap. Hom. Il. B, [749] : Τῷ δ' Ἐνιῆνες ἕποντο μενεπτόλεμοί τε Περαιβοί· paulo ante vero, inquit ibi Eust., Πολυποίτην vocavit μενεπτόλεμον, quasi σταδαῖον ἢ σταθερὸν πολεμιστὴν, Bellatorem stabilem et qui in statione sua constanter permanet. [Diodor. Sard. Anth. Pal. 9, 219, 2, Ἀχιλλείδης.]

[Μενεπτόλεμος, ὁ, Meneptolemus, Græcus, Hom. Il. N, 693, ubi alii μενεπτόλεμος δὲ Ποδάρκης, alii Μενεπτόλεμος δὲ ποδάρκης legentes vel prius vel posterius pro nomine proprio habebant. Apolloniata quidam ap. Pausan. 6, 4, 13.]

C [Μενέσαιχμος, ὁ, Menesæchmus, n. viri, ap. Dionys. H. Dinarch. vol. 5, p. 659, 15, Phot. Bibl. p. 494, 38; 497, 18.]

[Μενεσθένης, ους, ὁ, Menesthenes, n. scriptoris ap. Athen. 11, p. 494, B, sed suspectum.]

[Μενεσθεὺς, έως, ὁ, Menestheus, f. Peteo, rex Athen., ap. Hom. Il. B, 552, etc., Xen. Ven. 1, 2, etc., aliosque. Alii sunt in numis Chii, Ephesi, Hierapytnæ. Athen. ap. Demosth. p. 1064, 16. Alius ap. Polyb. 31, 21, 2. Alii sunt in inscrr. Ad hoc autem nomen fortasse revocandum Νεοθεὺς ap. Pausan. 5, 17, 10. L. D.]

[Μενεσθέως λιμὴν, ὁ, Menesthei portus, Hispaniæ, Strab. 3, p. 140.]

[Μενέσθης, ὁ, Menesthes, Græcus, Hom. Il. E, 609. Athen. ap. Plut. Thes. c. 17. Vocat. Μενέσθα memorat gramm. Crameri An. vol. 3, p. 389, 31. L. Dind.]

[Μενέσθιον, ἡ, Menesthium, n. mulieris, Anth. Pal. 11, 417, 1.]

[Μενέσθιος, ὁ, Menesthius, f. Areithoi, Bœotus, Hom. Il. H, 8. || F. Sperchii, Hom. Il. Π, 173, Apol
D lod. 3, 13, 4, 1.]

[Μενεσθὼ, οῦς, ἡ, Menestho, f. Oceani, Hesiod. Th. 357.]

[Μενέσται, οἱ, Servorum quoddam genus ap. Thessalos, qui postea Πενέσται s. Πενεσταὶ dicti sunt. Archemachus ap. Athen. 6, p. 264, B. Schweigh. Photius s. Suidas v. Πενέσται.]

[Μενέστας, ὁ, Menestas, Epirota, ap. Polyb. 22, 14, 13, et Livium. Μενέστρατον male ap. Polyb. 20, 10, 5, ubi de vitio monuit Ursinus. Conf. etiam Erotian. Gloss. p. 86.]

[Μενεστρατῐᾱνὸς, ὁ, Menestratianus, n. viri, in numo Sardium Lydiæ ap. Mionnet. *Descr.* vol. 4, p. 136, n. 775.]

[Μενέστρᾰτος, ὁ, Menestratus, n. viri Eretriensis, ap. Demosth. p. 661, 10. Alii ap. Andocid. p. 5, 39, et alibi.]

[Μενέστωρ, ορος, ὁ, physicus, de quo v. Schneider. in Ind. Theophr. Inter Μενέστωρ et Μενέστιος variatur ap. Iambl. V. Pyth. p. 526 Kiessl.]

[Μενέτειρα, ἡ, ponitur ab Theognosto Can. p. 101, 27. Simile est εὐμενέτειρα, sed ipsum incertum. L. D.]

[Μενετέλης, ους, ὁ, Meneteles, n. viri in inscr. Att. ap. Bœckh. vol. 1, p. 346, n. 217.]

Μενετέον, Manendum. [Xen. H. Gr. 3, 2, 9 : Ἐπειδὴ ἔγνω μ. ὄν.] Plato De rep. [1, p. 328, B] : Ἔοικε μ. εἶναι. [Suid. v. Ῥήγουλος : Οὐ μ. αὐτῷ φήσας ἐν πόλει. Eunap. Wakef. Dionys. A. R. 7, 27 : Εἴτε μενητέον (sic) ἐφ' ἡσυχίας.]

[Μενετηΐς, ΐδος, ἡ, Meneteis, patron. a Μένετος, patre Antianiræ, ap. Apoll. Rh. 1, 56. Μένετος ap. Orph. Arg. 134, ubi scripturam et accentum ineptum Μερετοῖο correxit Schneiderus. Alterum accentum testatur etiam Arcad. p. 81, 10.]

[Μενέτης, ου, ὁ, Menetes, rex quidam sec. Jo. Malalam p. 101.]

[Μενετικὸς, ἡ, ὸν, Manens. Marc. Anton. 1, 16 init. : Παρὰ τοῦ πατρὸς (didici) τὸ ἥμερον καὶ μενετικὸν ἀσαλεύτως ἐπὶ τῶν ἐξητασμένως κριθέντων.]

[Μενετῖμος, ὁ, Menetimus, n. viri, in inscr. Att. ap. Bœckh. vol. 1, p. 296, n. 167, 10.]

Μενετὸς, Qui manere potest, solet. Thuc. 1, p. 46 [c. 142] : Τοῦ δὲ πολέμου οἱ καιροὶ οὐ μενετοί : i. e., οὐ μένουσιν, ἀλλ' εἰσὶν ὀξεῖς, schol., Moram non patiuntur, Bud. [Conf. Demosth. p. 50, 26 : Οἱ τῶν πραγμάτων καιροὶ οὐ μένουσι τὴν ἡμετέραν βραδυτῆτα. Itaque etiam ap. Thuc. vertere licet Exspectant.] At μ. θεοὶ dicuntur οἱ οὐκ ἀπατηλοὶ, οἷον μόνιμοι, καὶ βέβαιοι, οὐκ εὐεξαπάτητοι : vel ἀνεξίκακοι καὶ οὐκ εὐθέως τιμωρούμενοι, Aristoph. schol. Av. [1620]; quæ verba habentur et ap. Suidam.

[Μένετος, ὁ, Menetus. V. Μενετηΐς.]

[Μενέτωρ, ορος, ὁ, Menetor, scriptor, ap. Athen. 13, p. 594, C.]

[Μενευθεὺς, έως, ὁ, Meneutheus, n. viri in numis Alaband. et Antioch. Cariæ ap. Mionnet. *Descr.* vol. 3, p. 305, (a); p. 313, n. 54, si recte lectum. Alioqui proximum est Μενεσθεύς.]

[Μενέφρων, ονος, ὁ, Menephron, n. viri in numis Ilii Troadis ap. Mionnet. *Descr.* vol. 2, p. 658, n. 188—9, ap. Alciphr. Ep. 1, 40.]

[Μενεφύλοπις, ιδος, ὁ, ἡ, Fortis, Bellicosus. Paulus Sil. Anth. Pal. 6, 81, 7 : Θεσμὸν τὸν Σπάρτας μενεφύλοπιν ἀμφὶ βοείᾳ τῇδέ τις ἀθρήσει πάντα φυλασσόμενον. ῦ]

[Μενέφυλος, ὁ, Menephylus, n. viri Ægiensis ap. Pausan. 6, 3, 13. Alius in inscr. Carthæensi ap. Bœckh. vol. 2, p. 284, n. 2355, 5. Μενέφυλλος Peripateticus ap. Plut. Mor. p. 741, A; 745, C, scribendus Μενέφυλος. L. Dindorf.]

[Μενεφώθ, Crocodili nomen ap. Ægyptios. Dorotheus in Vit. Prophet. p. 448 ed. Fabricii. In Epiphanii Opp. vol. 2, p. 239, scribitur Νεφώθ. Jablonsk.]

Μενεχάρμης s. Μενέχαρμος, ὁ, Generose pugnam sustinens, Forti animo prælium sustinens; nam ita loquuntur Liv. et Cic. Hom. Il. I, [529] : Κούρητες δ' ἐμάχοντο καὶ Αἰτωλοὶ μενεχάρμαι Ἀμφὶ πόλιν Καλυδῶνα· ubi Eust. itidem exp. σταδαῖοι μαχηταὶ, Statarii milites : quibus opp. οἱ φύξηλοι : et sic μενεδήϊοι ac μενεπτόλεμοι et μενεχάρμαι fuerint Qui in statione sua manentes fortiter pugnant. [Ead. forma Hesiodus ap. Jo. Laurent. De mens. p. 12 : Γραῖκον μενεχάρμην. Orph. Arg. 214.] Il. [Ξ, 376] : Ὅς δέ κ' ἀνὴρ μενέχαρμος, ἔχει δ' ὀλίγον σάκος ὤμῳ, Χείρονι φωτὶ δότω, ὁ δ' ἐν ἀσπίδι μείζονι δύτω. Dici autem μενέχαρμος et μενεχάρμης sicut εὐρύπυλος et εὐρυπυλὴς, quod tamen acuitur, tradit Eust. Μενέχαρμος est etiam nomen proprium. [Iterum HSt. :] Μενεχάρμης, i. q. μενεπτόλεμος significans, i. e. κατὰ πόλεμον καὶ μάχην ὑπομονητικὸς, Qui bellicos labores sustinere strenuo et infracto animo novit, ut supra ὁ ἀκαματοχάρμης Αἴας ap. Pind. Alii interpr. Promptus in bello, ut sit ὁ μενοινῶν s. μεμαὼς μάχεσθαι : sed prior expos. magis placet. Dicitur et Μενέχαρμος, ut Il. Ξ : Ὅς δέ κ' ἀνὴρ μενέχαρμος, ἔχει δ' ὀλίγον σάκος ὤμῳ, Χείρονι φωτὶ δότω, ὁ δ' ἐν ἀσπίδι μείζονι δύτω. Alibi μενεδήϊος ead. signif. ap. Eund.

[Μένης, ητος, ὁ, Menes, Camarinæus ap. Diodor. 13, 67; dux in exercitu Alex. M. ap. eund. 17, 64. Conf. Arrian. Exp. 2, 12, 3, etc. Alius in inscr. Att. ap. Bœckh. vol. 1, p. 346, n. 217, 2. Aliorum in aliis mentio fit.]

A [Μενητέον. V. Μενετέον.]

[Μενζίτιον, ὄνομα τόπου, Suidas, cujus in libris plerisque adversus seriem literarum Μενξίτιον scriptum, quod etiam Μεγξίτιον scrib. foret.]

Μενθῆραι, Curæ : αἱ φροντίδες, ut exp. in meo Lex. vet. [et ap. Suidam, qui male μενθῆρες], ubi et etymon affertur quasi μενεοθῆραι, pro αἱ θηρώμεναι τὸ μένος, i. e. τὴν ψυχήν : quod ipsum et Etym. habet. Et dat. μενθήραις ap. Hesych. μερίμναις. [V. Μενδήρα.]

Μενθηρίζω, Curo; nam μενθηρίσω Hesychio [et Photio] est φροντίσω : sicut μενθηριῶ, μεριμνήσω, διατάξω.

[Μενί. V. Μέν.]

[Μενίδας, ὁ, Menidas, n. viri ap. Arrian. Exp. 3, 5, 1 etc. Idem esse videtur in numo Smyrnæ ap. Mionnet. *Suppl.* vol. 6, p. 306, n. 1434. Conf. Μεννίδας.]

[Μενίος, ὁ, Menius, Laco, Herodot. 6, 71. Atheniensis ap. Bœckh. *Urkunden* p. 245.]

[Μενίππη, ἡ, Menippe, Nereis, Hesiod. Th. 260.]

[Μενιππίδης, ὁ, Menippides, f. Herculis, Apollod. 2, 7, 8, 3.]

B [Μένιππος, ὁ, Menippus, n. viri ap. Aristoph. Av. 1293, Callim. Epigr. 33, 1, Demosth. p. 126, 4; 571, 22. Aliorum in numis Phocææ, etc. Philosophi Cynici ap. Diog. L. 6, 99. Unde adj. Μενίππειος, α, ον, Menippeus, ap. Lucian. Icaromen. c. 3, Athen. 4, p. 160. C.]

[Μενισκιανὸς, ὁ, Meniscianus, n. viri, in inscr. Cyzic. ap. Caylus *Recueil* vol. 2, tab. 71, 11.]

[Μενίσκος, ὁ, Meniscus, n. viri in numo Byzantii ap. Mionnet. *Suppl.* vol. 2, p. 239, n. 201, ubi Μενισ........ Μενίσκου perspicue in numo Dyrrhachii Illyr. *Descr.* vol. 2, p. 40, 119; 41, 122. Alii ap. Arrian. Exp. 2, 14, 5 et alibi.]

[Μενιτίδας πύλας Syracusarum memorat Plutarch. Dion. c. 29.]

[Μενναῖος. V. Μεννέου.]

[Μεννέας, ὁ, Mennias, n. viri in numis Acarnaniæ ap. Mionnet. *Descr.* vol. 2, p. 79, 5, 6.]

[Μεννέου, viri cujusdam, mentio fit in inscrr. Att. ap. Bœckh. vol. 1, p. 312, n. 181, 3 : Ξένων Μεννέου

C Φλυεύς· p. 460, n. 444, 2 : Νικοστράτην Μεννέου· et Mylas. vol. 2, p. 477, n. 2705, 5. Non erat igitur quod de hoc nomine dubitaretur ap. Polyb. 5, 71, 2, videndumque ne etiam ap. Strab. 16, p. 753, et Josephum, ubi Ptolemæus ὁ Μενναίου vel Μινναίου memoratur, vitiosa sit diphthongus. Credibile etiam huc referri Μενέας ap. Theognost. Can. p. 42, 26. L. D.]

[Μεννίδης, ὁ, Mennides, n. viri frequens in pap. Ægypt. V. Forshall. *Descr.* part. 1, p. 74. Μεννίδαο cujusdam mentio fit etiam in inscr. Bœot. ap. Bœckh. vol. 1, p. 776, n. 1593, 9. L. Dind.]

Μενοεικὴς, ὁ, ἡ, Animo gratus, Animum permulcens, ὁ μένει ἁρμόζων, s. τῇ ψυχῇ ἀρεστὸς, μένει εἴκων : aut τῇ ἑαυτοῦ δυνάμει ἁρμόζων, a μένος, quo significatur δύναμις : nam varie a gramm. exp. Hom. Il. T, [144] : Ὄφρα ἴδηαι ὅ τοι μενοεικέα δώσω, sc. δῶρα : verba Agamemnonis ad Achillem, quem muneribus placare vult, annotatque ibi Eust. recte μενοεικέα vocari, quippe quibus τὸ μένος εἴξει τὸ τοῦ Ἀχιλλέως, Iratus Achillis animus. Od. E, [166] : Σῖτον καὶ ὕδωρ καὶ οἶνον

D ἐρυθρὸν Ἐνθήσω μενοεικέ' ἅ κέν τοι λιμὸν ἐρύκοι· quo in l. Eust. dicit, hemistichium hoc, ἅ κέν τοι λιμὸν ἐρύκοι, esse ἐφερμηνευτικὸν epitheti μενοεικέα : idem enim esse βρῶμα τὸ ἐπαρκοῦν μένει, et τὸ ἐρύκον [ἐρῦκον] λιμόν. At Il. I, [90] μενοεικέα δαῖτα idem Eust. exp. ἧ τινι τὸ μένος εἴκει διὰ τὸ αὔταρκες : vel τὴν ἐπαρκοῦσαν τῷ κατὰ φύσιν μένει : quæ et ἐπήρατος dici queat. [Ἐδωδὴν Od. Z, 76. Δεῖπνον Υ, 391. Et Il. I, 297 : Πάρα γὰρ μενοεικέα πολλὰ δαίνυσθαι· Ψ, 650 : Σοὶ δὲ θεοὶ τῶνδ' ἀντὶ χάριν μενοεικέα δοῖεν.] Idem Hom. [Od. N, 409] μενοεικέα βάλανον dicit, et [273] μενοεικέα ληΐδα. [Θήρην Od. I, 158. Ζωὴν Π, 429. Il. Ψ, 139 : Μενοεικέα νήεον ὕλην. Plut. Phoc. c. 2 : Ὥσπερ ἀμέλει τὸ ἡδὺ μενοεικὲς ὁ ποιητὴς κέκληκεν, ὡς τῷ ἡδομένῳ τῆς ψυχῆς ὑπεῖκον καὶ μὴ μαχόμενον μηδ' ἀντιτυποῦν.]

[Μενοικεὺς, έως, ὁ, Menœceus, pater Creontis regis Thebarum. Soph. OEd. T. 69 etc., Eur. Phœn. 10 etc. Filius illius Creontis, ap. Eur. Phœn. 769. Utrumque memorant Apollod. 2, 4, 5, 3 etc., 3, 6, 7, 7, Pausan. 9, 5, 13 et 25, 1.]

Μενοινάω, Impetu quodam animi incitatus cupio, In animo habeo facere. Soph. Aj. [341]: Τί ποτε μενοινᾷ; Quid vult, Quid cupit? de Ajace vocante τὸν παῖδα, schol. exp. προθυμῇ, addens, ad Ajacem hæc dici. Sed tunc esset a μενοινάομαι: quæ ejus sententia mihi non placet; nam Tecmessa anxia de filio suo, dicit, Ὤ μοι τάλαιν' ἐγὼ, Εὐρύσακες, ἀμφί σοι βοᾷ. Τί ποτε μενοινᾷ; Quidnam in animo habet cur te vocet? Hesychio μενοινᾷ est προθυμεῖται, βούλεται, φροντίζει. In hoc autem l. Homeri, Il. O, [80]: Ὡς δ' ὅταν ἀΐξῃ νόος ἀνέρος ὅστ' ἐπὶ πολλὴν Γαῖαν ἐληλουθὼς φρεσὶ πευκαλίμῃσι νοήσῃ Ἔνθ' εἴην ἢ ἔνθα, μενοινήσειέ τε πολλὰ, Eust. μενοινήσειε dicit accipi simpliciter pro κινηθείη. Sed non incommode ibi interpretari possumus, In animo habet, Animo agitat, sicut et in seqq. Od. B, [91]: Ὑπίσχεται ἀνδρὶ ἑκάστῳ, Ἀγγελίας προϊεῖσα, νόος δέ οἱ ἄλλα μενοινᾷ· et [34]: Εἴθε οἱ αὐτῷ Ζεὺς ἀγαθὸν τελέσειεν ὅ,τι φρεσὶν ᾗσι μενοινᾷ· et [275]: Ἔολπα τελευτήσειν ἃ μενοινᾷς. [Od. B, 285: Σοὶ δ' ὁδὸς οὐκέτι δηρὸν ἀπέσσεται, ἣν σὺ μενοινᾷς. Pind. Nem. 11, 45: Ἔργα πολλὰ μενοινῶντες.] Item cum infin. construitur ut μενεαίνω, et in ead. signif., sc. pro Cupio, Il. T, [164]: Εἴπερ γὰρ θυμῷ γε μενοινάᾳ πολεμίζειν· N, [214]: Πολέμοιο μενοινᾷ ἀντιάαν· K, [101]: Μενοινήσωσι μάχεσθαι. [Hom. H. Apoll. 116: Δὴ τότε τὴν τόκος εἷλε, μενοίνησεν δὲ τεκέσθαι. Pind. Ol. 1, 58: Μενοινῶν βαλεῖν· Pyth. 1, 43. Eur. Cycl. 447: Σφάξαι μενοινᾷς. Aristoph. Vesp. 1080: Ἐξελεῖν ἡμῶν μενοινῶν πρὸς βίαν τἀνθρήνια.] Item μενοινᾶν τινὶ κακὸν, ut μερμηρίζειν infra. Od. Λ, [531]: Κακὰ δὲ Τρώεσσι μενοίνα. [Cum dat. rei Theognis 461: Μήποτ' ἐπ' ἀπρήκτοισι νόον ἔχε μηδὲ μενοίνα χρήμασι τῶν ἄνυσις γίγνεται οὐδεμία, Stude.] || Pro μενοινάω dicitur etiam Μενοινώω, et Μενοινέω, sicut μαιμώω pro μαιμάω, et λωφέω pro λωφάω. Il. N, [78]: Ἐμοὶ περὶ δούρατι χεῖρε, ἄαπτοι Μαιμῶσιν, καί μοι μένος ὤρορε, νέρθε δὲ ποσσὶ Ἔσσυμαι ἀμφοτέροισι· μενοινώω δὲ καὶ οἶος Ἕκτορι Πριαμίδῃ ἄμοτον μεμαῶτι μάχεσθαι. [Apoll. Rh. 4, 1255: Βέλτερον ἦν μέγα δή τι μενοινώωντας ὀλέσθαι.] M, [59]: Πεζοὶ δὲ μενοίνεον εἰ τελέουσι. At μενοίνας, quod Hesych. exp. φροντίσας [καὶ τὰ ὅμοια], suspectum mihi est. [Μενοινήσας scrib. videtur, aut φροντίδας, accentu mutato.]

Μενοινή, ἡ, Animi impetus, Cupiditas animi qua ad aliquid agendum fertur. Eust. p. 1007: Μενοινὴ καὶ μενοινᾶν, μένος νόου δι' οὗ ἀΐσσει νόος εἰς ἔργον. Suidæ autem est προθυμία. [Callim. Jov. 90: Ἐνέκλασσας δὲ μενοινήν.] Apoll. Arg. 1, [894]: Ἀλλ' οὐ σύ γε τήνδε μενοινὴν σχήσεις, Hoc Argonautarum propositum, ad quod eos animi impetus et cupiditas vehemens excitavit. Schol. ibi exp. γνώμην, διάνοιαν, μέριμναν. Ib. [700]: Εἰ μὲν δὴ πάσῃσιν ἐφανδάνει ἥδε μενοινὴ, Ἤδη κεν μετὰ νῆα καὶ ἄγγελον ὀτρύναιμι, idem schol. exp. βουλήν. Tale est ap. Virg., Sententia sedit. Et ap. Plin., Sedere cœpit sententia hæc. [Christod. Ecphr. 172: Οὐ γὰρ ἔην (Ulixes) ἀπάνευθε πολυστρέπτοιο μενοινῆς. Agathias Anth. Pal. 11, 350, 3.]

Μενοινής, πρόθυμος, φροντιστής [Cupidus, Curiosus], Hesych. [Hoc quoque suspectum. Sed aperte vitiosum Suidæ μενοινῶος, quod ex μενοινώω vel simili forma depravatum est.]

[Μενοινώω. V. Μενοινέω.]

[Μενοίτας, α, ὁ, Menœtas, n. viri ap. Callimach. Epigr. 38, 1. Alius ap. Diod. 19, 47. Μενοίτης ponit Theognost. Can. p. 46, 3. Genit. Μενοίταο in inscr. Bœot. ap. Bœckh. vol. 1, p. 741, 111, 26. Μενοίτα ap. Menandr. in Walz. Rhett. vol. 5, p. 485, 4.]

[Μενοιτιάδης, ὁ, Menœtiades, patron. a Μενοίτιος, Menœtius, de filio Patrocli, ap. Hom. Il. A, 307, etc. Qui Menœtium, f. Actoris, memorat Il. Λ, 765 etc. et Pind. Ol. 9, 75. F. Iapeti Μενοίτιος est ap. Hesiod. Th. 510, 514, Apollod. 1, 9, 16, 8. Alii ap. Apollod. alibi, Polyb. 23, 15, 6, Arrian. Exp. 1, 12, 1. ῖα]

[Μενοκλῆς, έους, ὁ, Menocles, n. viri in numo Apolloniæ Illyr. ap. Mionnet. *Suppl.* vol. 3, p. 316, 20.]

Μενόλκιον, Vas balneatorium. Vide Κρωσσός. [Plut. Alex. c. 20, scriptura vitiosa pro μὲν ὄλκιον.]

Μένος, ους, τὸ, Animi ardor quidam, Impetus quo aliquis paratus est irruentem hostem excipere, minimeque ei cedere; nam a μένω derivatum est hoc vocab., ut gramm. tradunt. Eust. exp. ψυχικὴν προθυμίαν: dicens μένος πνέειν esse quasi πνέειν τῇ ψυχῇ προθυμούμενον. Aristot. Eth. 3, 8, μένος et θυμὸς pro iisd. accipit: θυμὸς, inquam, quod pro Ira capitur; nam ii, qui irati sunt, promptas plerumque ad pugnam manus habent; quum enim ex Hom. Il. Π, [529] citasset, Μένος δέ οἱ ἔμβαλε θυμῷ· item, Μένος καὶ θυμὸν ἔγειρε, addit, hæc et hujusmodi videri σημαίνειν τὴν τοῦ θυμοῦ ἔγερσιν καὶ ὁρμήν: adeo ut μένος sit potius Animi irati incitatus quidam impetus, quo ad ulciscendum adversarium fertur. Hom. Il. X, [96] de Hectore: Ἄσβεστον ἔχων μένος οὐχ ὑπεχώρει· de quo P, [565]: Πυρὸς αἰνὸν ἔχει μένος, οὐδ' ἀπολήγει Χαλκῷ δηϊόων· Z, [101]: Ἀλλ' ὅδε λίην Μαίνεται, οὐδέ τις οἱ δύναται μένος ἰσοφαρίζειν· X, [312]: Ὡρμήθη δ' Ἀχιλεὺς, μένεος δ' ἐμπλήσατο θυμὸν ἀγρίου· A, [103], Od. Δ, [661]: Μένεος δὲ μέγα φρένες ἀμφιμέλαιναι πίμπλαντ'. Plut. [Mor. p. 815, C] ex Homerico quodam l.: Τῇ μέν τοι διαθέσει φρόνημα καὶ μένος πολυθαρσὲς ἐνέστω, ἄτρομον· sc. ex hoc versu, qui legitur Il. P, [156]: Εἰ γὰρ νῦν Τρώεσσι μένος πολυθαρσὲς ἐνείη, Ἄτρομον. Dii etiam et qui aliquem adhortantur, dicuntur alicui inspirare, immittere et excitare μένος: ut Virg., Inspirare animum; Ovid., Infundere animos: et ap. Liv. dicitur Ferocia insita facere animos. Rursum ap. Virg., Ministrare animos. Il. N, [60] Neptunus σκηπανίῳ Ἀμφοτέρους κεκοπὼς πλῆσεν μένεος κρατεροῖο· O, [262], Y, [110]: Ὡς εἰπὼν ἔμπνευσε μένος μέγα ποιμένι λαῶν· Od. Ω, [519]: Ἔμπνευσε μένος μέγα Παλλὰς Ἀθήνη· quod et Il. K, [482 et ap. Pind. Ol. 8, 76] reperitur. Il. T, [37]: Μένος πολυθαρσὲς ἐνῆκε· Π, [529]: Μένος δέ οἱ ἔμβαλε θυμῷ· quo loquendi gen. Xen. quoque utitur, quum Cyrop. 5, p. 74 [c. 2, 34] dicit πολεμίοις μένος ἐμβαλεῖν, cui opp. ἀνατρέψαι τὸ φρόνημα, et synonymum facit ἀνυπόστατον τὸ φρόνημα παρέχειν. [Hom. Il. P, 451: Σφῶιν δ' ἐν γούνεσσι βαλῶ μένος ἠδ' ἐνὶ θυμῷ.] Rursum Il. Λ, [291] et O, [500]: Ὡς εἰπὼν ὤτρυνε μένος καὶ θυμὸν ἑκάστου· X, [204]: Ὅς οἱ ἐπῶρσε μένος λαιψηρά τε γοῦνα· quod hemistichium legitur et Y, [93]. Contrario autem loquendi genere dicitur O, [493]: Ὡς νῦν Ἀργείων μινύθει μένος, ἄμμι δ' ἀρήγει· ut Minuere animos ap. Senecam in Medea. H, [210]: Οὔς τε Κρονίων Θυμοβόρου ἔριδος μένεϊ ξυνέηκε μάχεσθαι. Dicitur etiam alicui ἐμπεσεῖν μένος, quod reddi potest Accedere animus. Xen. Hell. 7, p. 362 [c. 1, 31]: Ἐκ τούτων πάντων (sc. ex conspecto Herculis simulacro) οὕτω πολὺ μένος καὶ θάρσος τοῖς στρατιώταις φασὶν ἐμπεσεῖν, ὥστε ἔργον εἶναι τοῖς ἡγεμόσιν ἀνείργειν τοὺς στρατιώτας ὠθουμένους εἰς τὸ πρόσθεν. Hesiod. Sc. [364]: Παντὶ μένει σπεύδων. Cui commode addi potest hic l. Xen. Cyrop. [3, 3, 61]: Ὑπὸ δὲ προθυμίας καὶ μένους καὶ τοῦ σπεύδειν συμμῖξαι, δρόμου τινὲς ἦρξαντο. Contra autem aliquis dicitur ὀλέσαι μένος, et alicujus λύεσθαι μένος: quod Lat. phrasi Concidere animo, et Frangi animo reddi potest. Il. Θ, [358]: Καὶ λίην οὗτός γε μένος θυμόν τ' ὀλέσειε· P, [298]: Τοῦ δ' αὖθι λύθη μένος· E, [296]: Τοῦ δ' αὖθι λύθη ψυχή τε μένος τε· in quibus tamen posterioribus ll. pro Robore quoque et viribus capi potest: ad quam signif. jam venio. In seqq. enim ll. non tam pro Impetu ejus qui ira percitus est, accipitur, quam pro Robore et viribus. Il. Ω, [364]: Ἔδδεισας μένεα πνείοντας Ἀχαιούς· H, [309]: Αἴαντος προφυγόντα μένος καὶ χεῖρας ἀάπτους· ubi sicut copulat χεῖρας et μένος, ita et Il. N, [287]: Οὐδέ κεν ἔνθα τεόν γε μένος καὶ χεῖρας ὄνοιτο· O, [510]: Ἦ αὐτοσχεδίῃ μῖξαι χεῖράς τε μένος τε· Od. Ξ, [262]: Οἱ δ' ὕβρει εἴξαντες, ἐπισπόμενοι μένεϊ σφῷ· Il. E, [892]: Μητρός τοι μένος ἐστὶν ἀάσχετον, οὐκ ἐπιεικτὸν, Ἥρης· et [254]: Ἔτι μοι μένος ἔμπεδόν ἐστι. [Μένος χειρῶν Il. E, 506.] Equis quoque cursu concitatis, μένος tribuitur: P, [476]: Ἵππων ἀθανάτων ἐχέμεν δμῆσίν τε μένος τε· Od. H, [2]: Κούρην δὲ ποτὶ ἄστυ φέρεν μένος ἡμιόνοιϊν. [Canibus ap. Xen. Cyn. 6, 14; apris 10, 16.] Pro Robore et viribus simpliciter aliquando capitur, et exp. σθένος: Il. Ω, [6]: Πατρόκλου ποθέων ἀνδροτῆτά τε καὶ μένος ἠΰ, ubi nota copulari cum ἀνδροτής: nam et Eust. sic legit: in meo tamen Ms. Homero habetur ἀδροτῆτα, quod metro magis convenit. [Est autem hic quasi periphrasticum, ut ap. Empedocl. 432 Karst.: Ἄξεις δ' ἐξ Ἀΐδαο καταφθιμένου μένος ἀνδρός.] Idem [Od. B, 85]: Τηλέμαχ' ὑψαγόρη, μένος ἄσχετε· M, [280]: Πέρι τοι μένος· οὐδέ τι γυῖα κάμνεις, Robur et vires tibi adhuc suppetunt. Il. I, [701]: Τεταρπόμενοι φίλον ἦτορ Σίτου καὶ οἴνοιο· τὸ γὰρ μένος ἐστὶ καὶ ἀλκή· qui versus habetur et T, [161]. Item X, [282]: Ὄφρα σ' ὑποδδείσας μένεος ἀλκῆς τε λάθωμαι. Quibus addi potest hoc Soph. Aj. [1412]: Σύριγγες ἄνω φυσῶσι μέλαν μένος· nam ibi schol. exp. μετὰ ἰσχύος ἀναπέμπουσι. [Dicitur autem de sanguine, ut μ. αἱματηρὸν Æsch. Ag. 1067. « Λευκὸν μένος sensu obscœno in Sosipatri epigr. Anth. Pal. 5, 55, 7. » Boiss.] Aliquando vero dicitur ἱερὸν μένος Ἀντινόοιο, vel μένος Αἰακίδαο, pro Ipso Antinoo et Ipso Æacida: quo modo et quidam ex superioribus ll. exponi possent. Μένος, Vis, Vehementia, Il. Ψ, [191]: Μή μιν μένος ἠελίοιο Σκήλῃ ἀμφὶ περὶ χρόα. [Orac. Bacidis ap. Pausan. 9, 17, 5: Κλυτοῦ μένει ἠελίοιο. Solon ap. Stob. Fl. 9, 25, 23, idemque χιόνος μένος ap. Diog. L. 1, 50, et alios.] Sic alibi [Il. Z, 182] dicit πυρὸς μένος. [Moschus 4, 106: Ὁλοὸν μένος Ἡφαίστοιο.] Et Apoll. [Rh. 2, 229], μένος ὀδμῆς. Item Vis, Violentia, ex Soph. [Aj. 1066]: Μηδὲν δεινὸν ἐξάρῃς μένος, Ne vim tentes infestam. [Simonid. ap. Diog. L. 1, 90: Θαλασσαίαισι δίναις ἀντιθέντα μένος στάλας. Æsch. Prom. 720: Ἔνθα ποταμὸς ἐκφυσᾷ μένος.] || Ira, ὀργή, θυμός: quæ est causa efficiens superiorum. Hom. Il. A, [283]: Ἀτρείδη, σὺ δὲ παῦε τεὸν μένος· αὐτὰρ ἔγωγε Λίσσομ' Ἀχιλλῆϊ μεθέμεν χόλον· I, [675]: Κεῖνος δ' οὐκ ἐθέλει σβέσσαι χόλον, ἀλλ' ἔτι μᾶλλον Πιμπλάνεται μένεος. In quibus ll. non incommode reddere possis Irarum impetus vel ardor. Sed iis addi potest et hic l. Il. Y, [373]: Τοῦ δ' ἐγὼ ἀντίος εἶμι καὶ εἰ πυρὶ χεῖρας ἔοικεν, ... μένος δ' αἴθωνι σιδήρῳ· ut ibi de Excandescentia intelligatur. [Eur. Hipp. 983: Μένος μὲν ξύστασίς τε σῶν φρενῶν δεινή. Aristoph. Vesp. 424: Ὀργῆς καὶ μένους ἐμπλήμενος.] Item ap. Aristot. Eth. 3, 8: Δριμὺ δ' ἀνὰ ῥῖνας μένος. [Hom. Od. Ω, 319: Ἀνὰ ῥῖνας δέ οἱ ἤδη δριμὺ μένος προὔτυψε.] Sicut vero ibi dicitur δριμὺ μένος, ita ab Hom. Il. Σ, [322] δριμὺς χόλος· et ap. Theocr. [1, 18]: Καί οἱ ἀεὶ δριμεῖα χολὴ ποτὶ ῥινὶ κάθηται. [De sede hac iræ conf. Coraes ad Heliodor. vol. 2, p. 110, 372.] Ap. Soph. quoque in Ant. [959]: Οὕτως μανίας δεινὸν ἀποστάζει ἀνθηρόν τι μένος, schol. exp. ὀργή. [El. 610: Ὁρῶ μένος πνέουσαν, et cum eod. verbo Æsch. Eum. 840. De aliis rebus, Ag. 238: Βίᾳ χαλινῶν τ' ἀναύδῳ μένει· Cho. ult., μένος ἄτης, et similiter alibi. Eur. Heracl. 428: Χειμῶνος ἐκφυγόντες ἄγριον μένος. Empedocl. 16 ed. Karsten.: Αἰθέριον μὲν γάρ σφε μένος πόντονδε διώκει· 426: Παύσεις ἀκαμάτων ἀνέμων μένος. Plato Tim. p. 70, B: Τὸ τοῦ θυμοῦ μένος. Hippocr. p. 394, 51: Οὕτω γὰρ ἂν ἧσσον τὸ ἀπὸ οἴνου μένος ἅπτοιτο τῆς κεφαλῆς καὶ γνώμης.]

[Μενοστάνης, ὁ, et Μενοστάτης, ὁ, Menostanes et Menostates, Persæ, ap. Ctesiam Phot. p. 42, 12 etc.; 41, 16.]

[Μενουθιάς, άδος, ἡ, Menuthias. Νῆσος Αἰθιοπίας. Τὸ ἐθνικὸν τοῦ Μενουθιὰς Μενουθιεύς, Steph. Byz., aliique geographi, de quibus v. Berkel.]

[Μένουθις. Fuisse Ægypt. numen aliquod, generis femin., hoc nomine dictum, temploque et sacris honoratum, disci potest ex Epiphan. 3 Adv. Hæres. p. 1093. Testatur idem in Ancorato § 108, nomen hoc fuisse uxoris Canobi. In postremo quidem Epiphanii l. legitur Εὐμενουθίς, sed viri docti jam dudum animadverterunt, illic quoque legendum esse Μένουθις. Nomen ipsum, quod veteres, quantum memini, non explicant, significare videtur aut *Meinuti*, Amantem dei, aut *Menuti*, Deam maris. Erat et vicus, cui nomen Μένουθις, juxta Canobum situs, cujus meminit Steph. Byz. (Qui de gent. addit: Τὸ ἐθνικὸν Μενουθίτης τοῦ Μένουθις, διὰ τὸν τῆς χώρας χαρακτῆρα.) Plura dixi in Panth. l. 5, c. 4, § 11. Jablonsk. Dubium non est, quin ejusdem vici memoria servetur in lapide antiquo ap. Gruter. t. xxxv, 1, quum fiat simul mentio Isidis Phariæ, h. e., quæ in insula Æg. Pharos colebatur. Est præterea Menuthis n. pr. viri Ægyptii, de quo Georgius in præf. ad Fragm. Jo. Theb. p. 27. Tewater. De Μένουθις, et Εὐμενουθίς, v. Barker. in *Classical Journal* 29, 169. Angl. V. Εὐμενουθίς, Miller. ad Marcian. p. 138. Inscr. ap. Letronn. *Recueil* vol. 1, p. 434: Εἶσιν τὴν ἐν Μενούθι. Ubi recte Letronnius p. 436 animadvertit ἐν Μενουθίτιδος in l. Epiphanii in Εὐμενουθίς citato i. esse q. ἐν Ἴσιδος τῆς ἐν Μενούθι, nec sollicitandum, sed in altero ib. citato rectum esse Μένουθις. Accentum Μενοῦθις testatur Arcadius p. 30, 5, qui inter barytona ponit Μενοῦθις. L. Dind.]

[Μενούνιος, ὁ, Menunius, Illyrius, ap. Athen. 10, p. 440, A.]

[Μεντάγρα, ἡ, ex lichenum genere, Lat. voc. et ex Gr. et Lat. compositum. Tiberii Claudii Cæsaris principatu, quoniam a mento fere oriebantur, joculari primum lascivia, mox et usurpato vocabulo, Mentagram appellavere. Galen. l. 5 Κατὰ τόπ. p. 227, 44. Etsi ap. Galen. μελιτάγρας sæpius pro μεντάγρας vitiose scribitur, ut patet ex Ælio, qui Tetrab. 2, 4, 16 scribit μεντάγρας. Foes.]

[Μέντης, ου, ὁ, Mentes, rex Taphiorum ap. Hom. Od. A, 105. (Conf. Vit. Hom. c. 6, 7, 26.) Dux Ciconum Il. P, 73. Μέντας, α, ὁ, vates Megalopolitanus, Pausan. 8, 31, 7.]

[Μεντίδιος, ὁ, Mentidius, ὄνομα κύριον, ap. Suidam.]

[Μέντιον, τὸ ὄρος memorat Theognost. Can. p. 125, 14.]

[Μέντοι, Μέντον. V. Μέν.]

[Μεντορίδες. V. Μέντωρ.]

[Μεντορίδης, ὁ, Mentorides, viri n. fuerat fortasse in inscr. Delph. ap. Bœckh. vol. 1, p. 833, n. 1709, b, 16, ubi nunc Μεντορ. Est in Anth. Pal. 9, 415, 1. Patronym. Μεντορίδης v. in Μέντωρ.]

[Μεντορική, ἡ. V. Μέντωρ.]

[Μεντορουργής, ὁ, ἡ, A Mentore factus, de poculo cælato, Lucian. Lexiphan. c. 7, ubi v. schol. de cælatore illo. De forma adj. conf. Athen. 11, p. 486, C, sq. Osann.]

[Μέντυρνα, ἡ, Minturnæ. Πόλις ἐν Ἰταλίᾳ Σαυνιτῶν. Διονύσιος ἑκκαιδεκάτῳ. Τὸ ἐθνικὸν Μεντυρναῖος, Steph. Byz.]

[Μέντωρ, ορος, ὁ, Mentor, Trojanus, Hom. Il. N. 171. F. Alcimi, Od. B, 225, etc. Aliorum mentio fit ap. Apollodorum, in numis Athenarum, Ephesi, etc. et in Μεντορουργής. Frater Memnonis, satrapæ Pers., ap. Demosth. p. 672, 5, Diodor. 16, 50, etc. Patron. Μεντορίδης, ὁ, Filius Mentoris, ap. Antipatr. Anth. Pal. 11, 415, 1. || Μέντορες, ἔθνος πρὸς τοῖς Λιβύρνοις. Ἑκαταῖος Εὐρώπῃ, Steph. Byz. Apoll. Rh. 4, 551, et ubi etiam nomen terræ Μεντορική, Aristot. Mir. c. 111, Scymn. Orb. descr. v. 393. Μεντορίδες insulæ hujus regionis sunt ap. Scylacem p. 7.]

[Μενύανθος. V. Μινύανθος.]

[Μένυλλος, ὁ, Menyllus, Alabandensis, Ptolemæi majoris legatus, Polyb. 31, 18, etc. Præfectus præsidio Athenis imposito ab Antipatro, Diodor. 18, 18. Alii in inscr. Att. ap. Bœckh. vol. 1, p. 906, n. 769, si recte ita legitur pro Μένιλλος, et alibi.]

[Μενχέρης, ὁ, Mencheres, rex Ægypti, ap. Georg. Sync. p. 56, D. Unde Diodoro 1, 64, pro Μεχερῖνον vel Χερῖνον restituendum esse Μενχερῖνον animadvertit Letronnius *Journ. des Sav.* 1841, p. 155, quod ego scripsi Μεγχερῖνον. L. Dind.]

Μένω, ενῶ, Maneo, Permaneo, Constanter maneo. [Hom. Il. I, 634: Καί ῥ' ὁ μὲν ἐν δήμῳ μένει αὐτοῦ πόλλ' ἀποτίσας· Ξ, 367: Ἀχιλλεὺς νηυσὶν ἔπι γλαφυρῇσι μένει· P, 434: Ὡς στήλη μένει ἔμπεδον. Et alii quivis. Thuc. 8, 72: Δείσαντες μὴ ναυτικὸς ὄχλος μένειν ἐν τῷ ὀλιγαρχικῷ κόσμῳ ἐθέλῃ.] Plato Tim. [p. 42, E]: Ἔμενεν ἐν τῷ ἑαυτοῦ κατὰ τρόπον ἤθει, Constanter in suo manebat statu, Cic. Cui l. similis est hic Ejusd. in Epist. 10, [p. 358, C]: Μένε ἐν τοῖς ἤθεσιν ἐν οἷς καὶ μένεις. Rursus Idem in Tim. [p. 40, B]: Ἐν ταυτῷ στρεφόμενα ἀεὶ μένει· quæ idem Cic. sic interpr., Suis sedibus hærent et perpetuo manent. [Sic μ. ἐν τοῖς ἐπιτηδεύμασιν, Isocr. p. 149, C, ἐν τοῖς ἤθεσιν, 180, A, ἐν τοῖς αὐτοῖς, 282, C.] Affertur et ex Aristot. Pol. 2: Μένειν ἐν τοῖς τούτων δόγμασι, pro In eorum opinionibus persistere. Cic. dicit, Manere in antiquorum philosophorum sententia. Herodian. [3, 2, 10]: Μένοντες ἐπὶ τῆς πρὸς ἐκεῖνον εὐνοίας· ut Liv., Socii in fide manserunt. Et Cic., Manere perpetuo in amicitia. Item μένειν ἐπί τινι, τινός, dicitur Manere in aliqua re, i. e. Acquiescere alicui rei. [Plato Reip. 5, p. 466, C: Μενεῖ ἐπὶ τούτῳ τῷ βίῳ· 6, p. 496, B: Μεῖναν ἐπ' αὐτῇ (τῇ φιλοσοφίᾳ)· 7, p. 539, D: Ἐπὶ λόγων μεταλήψει μεῖναι.]

Isocr. Symm. [p. 160, A] : Οὐδ' οἱ κεκτημένοι τοὺς μεγίστους πλούτους, μένειν ἐπὶ τούτοις ἐθέλουσι. Dem. [p. 42 fin.] : Οὐχ οἷός τε ἐστὶν ἔχων ἃ κατέστραπται, μένειν ἐπὶ τούτων, ἀλλ' ἀεί τι προσπεριβάλλεται, His contentus esse. [Id. p. 1087, 17 : Ἐμένομεν ἐπὶ τῶν αὐτῶν. Cum dat. idem p. 572, 1 : Προσετιμήσατε τὰς βλάβας, ἃς ἐπὶ τῇ καταχειροτονίᾳ μένων ἐλογίζετο αὐτῷ γεγενῆσθαι · 1314, ult. : Οὐ γὰρ ἂν ξένην καὶ ξένον τοὺς ἐμαυτοῦ γονέας ἐπιγραψάμενος μετέχειν ἠξίουν τῆς πόλεως · ἀλλ' εἴ τι τοιοῦτον συνῄδειν, ἐζήτησ' ἂν ὧν φήσω γονέων εἶναι · ἀλλ' οὐ συνῄδειν · διόπερ μένων ἐπὶ τοῖς οὖσι δικαίως γονεῦσιν ἐμαυτῷ τῆς πόλεως μετέχειν ἀξιῶ. Aliæ præpositiones quibuscum conjungitur sunt κατὰ, Thuc. 4, 26 : Τὸ στρατόπεδον κατὰ χώραν ἔμενεν · 76 : Οὐ μενεῖν κατὰ χώραν τὰ πράγματα. Παρὰ, ap. Theognid. 493 : Ὑμεῖς δ' εὖ μυθεῖσθε παρὰ κρητῆρι μένοντες · 1127 : Φίλῳ παρὰ παιδὶ μένουσα, ubi olim πρός. Et cum accus. Polyb. 11, 14, 3 : Μέγα μὲν ἴσως καὶ τὸ προτερήματος ἀρχὴν λαβόντα προσθεῖναι τἀκόλουθον, πολὺ δὲ μεῖζον τὸ σφαλέντα ταῖς πρώταις ἐπιβολαῖς μεῖναι παρ' αὐτὸν κτλ. Eur. Suppl. 33: Μενῶ πρὸς ἁγναῖς ἐσχάραις δυοῖν θεαῖν. Mercurius ap. Mai. Class. Auctt. vol. 4, p. XIII : Ὅταν μένωσιν πρὸς ἑαυτὰ τὰ στοιχεῖα καὶ ἠρεμῶσιν.] At μένειν μέχρι dicitur ut Manere intra constitutos limites, pro Non egredi. Herodian. 7, [3, 10] : Μέχρις οἰκείων ἔμενεν ἡ συμφορὰ, Ea calamitas extra ipsius familiam non egrediebatur. Res quoque aliquæ dicuntur μένειν quæ immotæ et fixæ manent. Plato Crat. [p. 401, C], de iis, qui τὴν τῶν πραγμάτων οὐσίαν, ὠσίαν appellabant : Σχεδόν τι αὖ οὗτοι καθ' Ἡράκλειτον ἂν ἡγοῖντο τὰ ὄντα ἰέναι τε πάντα καὶ μένειν οὐδέν. Herodian. [6, 5, 6] : Οὐδὲ στρατόπεδα ἔχουσι συνεστῶτα καὶ μένοντα, Stativa castra, Polit. Synes. De insomn. : Οἱ μὲν ἄστρα εἰδότες ἄλλος τὰ μένοντα, καὶ ἄλλος τὰ πυρσὰ τὰ διάττοντα, Alius fixa : ut, Immota manet arbor, Virg. Voluntas quoque et consilium ac propositum, et alia, μένειν dicuntur, quæ manent nec mutantur. Aristot. Eth. 9, 6 : Τῶν τοιούτων γὰρ μένει τὰ βουλήματα, καὶ οὐ μεταρρεῖ, ὥσπερ εὔριπος · ut Cic., Si voluntas eadem maneret. Item, Elicere cupio sententiam tuam; si manet, ut firmior sim; si mutata est, ut tibi assentiar. Plato Crat. [p. 440, A] : Ἀλλ' οὐδὲ γνῶσιν εἶναι εἰκός, εἰ μεταπίπτει πάντα χρήματα καὶ μηδὲν μένει. [Id. Gorg. p. 480, B : Εἴπερ τὰ πρότερον μένει ἡμῖν ὁμολογήματα. Eur. Iph. T. 959 : Κἄτι τὸν νόμον μένειν · Androm. 1000 : Ἦν δορυξένων ἐμῶν μείνωσιν ὅρκοι. Xen. Anab. 2, 3, 24 : Μέχρι δ' ἂν ἐγὼ ἥκω, αἱ σπονδαὶ μενόντων. Diodor. 15, 76 : Ὁ πόλεμος πλεῖον μείνας ἐτῶν πέντε.] Et amici μένουσι qui ἐπὶ τῆς εὐνοίας μένουσι, ut Herodian. loquitur, Qui manent perpetuo in amicitia, ut Cic. In Epist. Philippi ap. Dem. [p. 161, 27] : Τῶν βεβαίως μοι φίλων ἀεὶ μενόντων. [Eur. Or. 1275 : Τὸ σὸν βέβαιον ἔτι μοι μένει; Cum dat. etiam Soph. Tr. 132 : Μένει γὰρ οὔτ' αἰόλα νὺξ βροτοῖσιν οὔτε κῆρες · Antig. 563 : Οὐ γάρ ποτ' οὐδ' ὃς ἂν βλάστῃ μένει νοῦς τοῖς κακῶς πράσσουσιν. || De militibus in acie sæpe ap. Xen., ut Cyrop. 3, 3, 44 : Μένοντες μάχεσθε. Et de subsistentibus in itinere, quum ap. alios tum sæpe ap. Polybium, ut 4, 69, 3 : Τὸ λοιπὸν πλῆθος κατὰ πορείαν ἔμενε, διαπορούμενον τί δέοι ποιεῖν.] || Expecto : qua signif. et Lat. Maneo capitur. Plaut., Haud mansisti ut ego darem illam : tute sumpsisti tibi. Idem, Hic me mane. Hom. Il. [K, 62 : Αὖθι μένω μετὰ τοῖσι δεδεγμένος εἰσόκεν ἔλθῃς · Λ, 666 : Ἦ μένει, εἰσόκε δὴ νῆες ... θέρωνται;] Τ, [308] : Δύντα δ' ἐς ἠέλιον μενέω καὶ τλήσομαι ἔμπης, Expectabo. Od. Α, [304] : Ἠδ' ἑτάρους, οἵ που με μάλ' ἀσχαλόωσι μένοντες · Σ, [304] : Μένον δ' ἐπὶ ἕσπερον ἐλθεῖν. [Il. Ο, 599 : Τὸ γὰρ μένε μητιέτα Ζεὺς, νηὸς καιομένης σέλας ὀφθαλμοῖσιν ἰδέσθαι. Æsch. Sept. 395 : Ἵππος, ὅστις βοὴν σάλπιγγος ὁρμαίνει μένων. Soph. Tr. 1240 : Θεῶν ἀρὰ μενεῖ σε · Aj. 642 : Οἵαν σε μένει πυθέσθαι παιδὸς δύσφορον ἄταν.] Thuc. 4, [124] : Δύο μὲν ἢ τρεῖς ἡμέρας ἐπέσχον, τοὺς Ἰλλυριοὺς μένοντες. Epigr. [Anth. Pal. 7, 342, 1] : Κάτθανον, ἀλλὰ μένω σε · μένεις δέ τε καὶ σύ τιν' ἄλλον. Gregor. : Τίς δὲ ἐγγυητὴς ὅτι μένει τὴν θεραπείαν τὸ τέλος, Finis exspectat sanitatem, i. e., tandem sanabimur. [Cum dat. Eur. fr. Temen. ap. Stob. Fl. 124, 29 : Τοῖς πᾶσιν ἀνθρώποισι κατθανεῖν μένει. Callim. Lav. Min. 120 : Ὦ ἑτάρα, τῷ μήτι μινύρεο · τῷδε γὰρ ἄλλα τεῦ χάριν ἐξ ἐμέθεν πολλὰ μενεῦντι γέρα · μάντιν ἐπεὶ θησῶ νιν κτλ. Conf. quæ in Μίμνω et Ὑπομένω dicemus.] || In bello quoque μένειν τινὰ [vel τι] dicitur Qui in statione et loco suo manens eum expectat, sustinet et excipit irruentem : qua signif. frequentissimum est ap. Hom., itidemque ap. prosæ scriptores. Il. Γ, [52] : Οὐκ ἂν δὴ μείνειας ἀρηΐφιλον Μενέλαον · Ο, [622] : Ὣς Δαναοὶ Τρῶας μένον ἔμπεδον, οὐδὲ φέβοντο · Ν, [476] : Ὣς μένεν Ἰδομενεὺς δουρικλυτὸς, οὐδ' ὑπεχώρει, Αἰνείαν ἐπιόντα βοῇ θοὸν, ubi οὐδ' ὑπεχώρει est per parenthesin. Il. Λ, [418] : Οἱ δὲ μένουσιν ἄφαρ δεινόν περ ἐόντα · Od. [I, 57] : Τόφρα δ' ἀλεξόμενοι μένομεν πλέονάς περ ἐόντας · Il. Λ, [348] : Ἀλλ' ἄγε δὴ στέωμεν καὶ ἀλεξώμεσθα μένοντες. [Et cum accus. rei Il. Ν, 471 : Σῦς, ὥστε μένει κολοσυρτὸν ἀνδρῶν · Ζ, 126 : Ὅτ' ἐμὸν δολιχόσκιον ἔγχος ἔμεινας. Pind. Ol. 9, 96 : Μένεν ἀγῶνα. Eur. Med. 1396 : Μένε καὶ γῆρας.] In eo loquendi genere quum aliis [poetis, ut Æsch. Pers. 243 : Πῶς ἂν οὖν μένοιεν ἄνδρας πολεμίους ἐπήλυδας; et] prosæ scriptoribus usitatum est, tum Xen., ut Cyrop. [7, 4, 15] : Αὐτοὶ δὲ καθ' ἑαυτοὺς οὐδ' ἂν οἱ πάντες σφενδονῆται μείνειαν πάνυ ὀλίγους ὁμόσε ἰόντας σὺν ὅπλοις ἀγχεμάχοις · 3, [3, 63] : Οὐκέτι ἐδύναντο μένειν, ἀλλὰ στραφέντες ἔφυγον. Herodian. 2, [5, 4] : Ὀλίγοι τε πρὸς πολλοὺς καὶ ἄνοπλοι πρὸς ὡπλισμένους, οὐκ ἔμενον, Minime ausi resistere, Polit. Quibus addi potest quod Aristot. in Rhetor. 2, scribit, Ὁτὲ μὲν γὰρ τὸ μένειν ἀντὶ τοῦ μάχεσθαι ἡροῦντο · ὁτὲ δὲ τὸ μὴ μάχεσθαι ἀντὶ τοῦ μὴ μένειν. Item, Μείναντες χειμῶνα, ex Hesiodo [Op. 650], Tempestatem ferentes et sustinentes. [Aliter Hom. Il. Ο, 620 : Πέτρη, ἥτε μένει λιγέων ἀνέμων λαιψηρὰ κέλευθα. || Cum infin. Pind. Pyth. 3, 16 : Οὐκ ἔμειν' ἐλθεῖν τράπεζαν νυμφίαν.] Sicut vero malum aliquod ap. Lat. dicitur aliquem manere, ita et μένειν ap. Græcos. Phalar. : Μένει σε δίκη · quemadmodum ap. Tibull., Te pœna manet. [Et de aliis rebus Eur. Hipp. 369 : Τίς σε παναμέριος ὅδε χρόνος μένει; Notanda constr. ap. Tzetz. ad Hesiodi Op. 493 : Μένων εἰς ματαίαν ἐλπίδα. || Versor, Habito. Polyb. 30, 4, 10 : Οὐ μὴν τοῖς γε παρεπιδημοῦσιν οὐδὲ τοῖς ἐκεῖ μένουσι τῶν Ἑλλήνων οὐδαμῶς ἤρεσκεν · idemque ap. Strab. 3, p. 147 : Ὅπου τέτταρας μυριάδας ἀνθρώπων μένειν τῶν ἐργαζομένων. Jo. Malal. p. 252, 19 : Μαθόντος ποῦ μένει Σίμων ὁ μάγος · 439, 10 : Ἐμπρησμοῦ γενομένου ἔνθα ἔμενε. Hinc Μονὴ, quod v. Huc referre licet locos etiam ad constr. notabiles, Hippocr. Ep. p. 1276, 35 : Τοῦ γυναίου μένοντος πρὸς τοὺς γονέας. Et Apollon. De constr. p. 200, 22 : Παρὰ ποταμὸν μένει ὁ δεῖνα, παραποτάμιος. || Infinitivi forma Ion. præs., ut putatur, Herodot. 8, 57 : Ἤν κως δύνῃ ἀναγνῶσαι Εὐρυβιάδεα μεταβουλεύσασθαι ὥστε αὐτοῦ μενέειν, haud dubie in μένειν mutanda foret, nisi ferendum videretur futurum.] || A μένω usitatum est ap. poetas [et Iones] medium præt. Μέμονα pro Cupio, Animus mihi est, Volo; nam præsentis signif. habet, ut μέμαα [quo ipso a perfecto nonnisi forma diversum esse μέμονα, ut γέγονα et γέγαα, nihilque commune habere cum verbo μένω, sed ejusdem esse stirpis cujus sunt μενεαίνω et μένος, animadvertit Buttmann. in Gr. v. Μένω, etsi etiam grammatici, ut Etym. M. et alii, fingunt v. μένω, τὸ προθυμοῦμαι, indeque ducunt μένος], κέχραγα, et alia : quod et Hesych. testatur, qui μέμονε exp. προθυμεῖται, ὁρμᾷ, θέλει : item in priori signif. καρτερεῖ, vel etiam προεθυμήθη, ut addit. Hom. Od. Ο, [520] : Καὶ γὰρ πολλὸν ἄριστος ἀνὴρ, μέμονέν τε μάλιστα Μητέρ' ἐμὴν γαμέειν · Il. Ν, [307] : Πῇ τ' ἂρ μέμονας καταδῦναι ὅμιλον · Ω, [657] : Ποσσῆμαρ μέμονας κτερεϊζέμεν Ἕκτορα · Η, [36] : Ἀλλ' ἄγε πῶς μέμονας πόλεμον καταπαυσέμεν ἀνδρῶν · Od. Υ, [15] : Τλάει, μέμονέν τε μάχεσθαι. Et animus alicui μέμονε : Il. Π, [435] : Διχθὰ δέ μοι κραδίη μέμονε φρεσὶν ὁρμαίνοντι, Ἤ μιν ζωὸν ἐόντα μάχης ἀπὸ δακρυοέσσης Θείω ἀναρπάξας Λυκίης ἐνὶ πίονι δήμῳ, Ἦ κτλ., ubi etiam reddi posset διάνδιχα μερμήριξα, ex eod. Hom. : quod simili modo cum duobus ἢ construitur. At Il. Φ, [315] de Achille : Ἵνα παύσομαι ἄγριον ἄνδρα, Ὃς δὴ νῦν κρατέει, μέμονεν δ' ὅγε ἶσα θεοῖσι, schol. προθυμεῖται. Posset etiam reddi, Qui animo agitat, In animo habet facere, Cui animus est facere. [Æsch. Sept. 686 : Τί μέμονας; Eur. Iph. A. 1495 : Ἵνα τε δόρατα μέμονε δᾷα · T. 656 : Ἔτι γὰρ ἀμφίλογα δίδυμα μέμονε φρὴν, σὲ πάρος ἢ σ' ἀναστενάξω γόοις. Herodot. 6, 84 : Σκύθας μεμονέναι μιν τίσασθαι.]

[Μένων, ωνος, ὁ, Meno, n. viri, Trojani, ap. Hom. Il. M, 193, Pharsalii Thessali ap. Thuc. 2, 22, Demosth. p. 173, 3, et Xenoph. in Anabasi, qui Atheniensem memorat Comm. 2, 7, 6, Thespiensem H. Gr. 5, 4, 55. Ducis Alex. M. ap. Arrian. Exp. Aliorum in numis Co, Smyrnæ.] A

[Μενωνίδαι, οἱ, Menonidæ. Hesych.: Μενωνίδαι, τῶν εὐφήμων, ἐκ Μένων ἰδίων. Τινὲς δέ φασι τὸν Μένωνα ἐξοστρακίσθη. Εὐσήμων... Μενωνιδῶν... ἐξωστρακίσθαι Meinekius Com. vol. 4, p. 645.]

Μέρα, Hesychio ὄμματα, Oculi. [Eidem Μεραὶ, ποταμὸς, gl. æque obscura. Μέρα, ὄνομα πόλεως, Theognost. Can. p. 101, 11.]

[Μεράρχης. V. Μεραρχία.]

Μεραρχία, ἡ, vocantur αἱ δύο χιλιαρχίαι [Arrian. Tact. p. 30 ed. Blanc. Wakef.], Agmen constans ex viris bis mille quadragintaocto, et ὁ τοῦ μέρους τούτου ἡγούμενος dicitur Μεράρχης, ου, ὁ. Ita Ælian. Tact. [Utriusque exx. v. ap. Ducang., in quibus partim scriptum Μεριαρχία et Μεριδαρχία, quod v. Adj. Μεραρχικὸς, ἡ, ὸν, est ap. Mauric. Strateg. p. 169: Τὸ μεραρχικὸν βάνδον· et μεράρχης p. 138, 149, 167, 168, 169. L. Dind.] B

[Μέρβαλος, ὁ, Merbalus, Aradius, ap. Herodot. 7, 98, ubi alii libri Νάρβολος vel Νέρβαλος. Sed primæ formæ ex. ex Joseph. C. Ap. 1, 21, annotavit Wessel. Simillimum est n. Maharbalis.]

[Μεργάνη, ἡ, Mergane, opp. Siciliæ, Polyb. 1, 8, 3, ad quod numum in Sicilia repertum, cui ΜΕΡ inscriptum (quem ad Μερούσιον retulisse Sestinium in illo dicemus), referebat indeque nomen, quod suspectum fuit interpretibus Polybii, defendebat Eckhel. Add. D. N. p. 49. L. Dindorf.]

[Μεργίζω.] Μέργιζε, Hesychio ἀθρόως ἔσθιε, Avide comede: qua signif. et μάργιζε dici queat, a μαργὸς, Vorax.

[Μέρδις, ὁ, Merdis, i. q. Σμέρδις, Persa, Æsch. Pers. 774, ubi libri Μάρδος, restituebat Rutgersius, cui præiverat scholiasta, ap. quem male Μάρδις et Μερδίᾳ de eodem homine qui vulgo Σμέρδις dicitur, quod v.]

Μέρδω, σω, Privo: unde μερθεῖσα, ap. Hesych., στερηθεῖσα, ἀμερθεῖσα. Sic autem et μείρεται exp. στέρεται: alioqui videri posset μέρδω hac in signif. dici pro ἀμέρδω. || Μέρδει, idem Hesych. exp. κωλύει, βλάπτει. || Intueor, Obtueor, βλέπω, Eust. [Il. p. 228, 23] ex veterum gramm. auctoritate exp., derivantium inde σμερδνὸς et σμερδαλέος: ita vero deducit a μερίζω, ut ex eo per sync. fiat μέρζω, et Dorice μέρδω, verso ζ in δ, ut μέρδω sit τὸ πανταχοῦ μερίζω καὶ διαπεταννύω τὴν ὄψιν: quamvis ea duo a ζμέρδω potius originem habere videantur. C

[Μέρεια, ἡ, Pars tribus. Hesychio, φυλῆς μέρος (μέρη cod.) ἐκ δέκα τριάδων συνεστός. Latiori Portionis signif. in Tab. Heracl. p. 157, 18: Ἐν ταύτᾳ τᾷ μερείᾳ· 194, 37: Τούτως πάντας ἀνεπιγρόφως ὁρίζοντας τὰς μερείας τὰς ποτ' ἀλλάλως τοῖς μεμισθωμένοις τὼς ἱαρὼς χώρως· et alibi sæpe.]

[Μεριδάρπαξ, ἄγος, ὁ, ἡ, Ferculorum raptor, muris epith. Batrachom. 264.]

[Μεριδάρχης, ου, ὁ. Joseph. A. J. 12, 5, 5: Ἀπολλωνίῳ τῷ μ., quod Ruffinus vertit, Nostrarum partium judici. Sed v. seq. voc. et Μεραρχία.] D

[Μεριδαρχία, ἡ, Ordinum militarium præfectura, Provincia. Joseph. A. J. 15, 7, 3. Μεριτίας interpr. Hesychius s. Photius et Suidas, qui addunt κατὰ δεκαρχίας. V. Μεραρχία.]

[Μερίδιον, τὸ, Particula, Gl.]

Μερίζω, ισω, ιῶ [Plat. Parm. p. 131, C], Partior, [Dido, Impertio add. Gl.] Distribuo, Divido, Separo. [Plato Polit. p. 292, D: Κατὰ τοῦτον τὸν τρόπον μερίζοντες. Demosth. p. 1297, 20: Τοὺς τόκους μερίζειν πρὸς τὸν πλοῦν.] Aristot. Pol. 2: Οὐ γὰρ δυνήσεται, μὴ μερίζων αὐτὰ καὶ χωρίζων, ποιῆσαι τὴν πόλιν. Synes. Ep. 57: Εὐχῇ καὶ βίβλῳ καὶ θήρᾳ μερίζων τὸν βίον. [De usu Polybii Schweigh. in Lex.: « Μερίσαντες αὐτῶν τινας ἐξαπέστειλαν, Partem sui exercitus miserunt, 2, 5, 6. Κατὰ σημαίας μερίζουσιν αὐτοὺς, i. q. ἀπομερίζουσι, Manipulatim partiuntur eos, sc. ad negotium aliquod mittendos, 10, 16, 2. Μερίζειν τὴν βασιλείαν, Partiri regnum. Sed mox ibid. μερίσαι τὴν Κύπριν αὐτῷ, In parte tribuere, Adjudicare ipsi Cyprum. Τὰς ὠφελείας ἑτέροις μᾶλλον ἐμέριζον, ead. signif. 11, 28, 9. »] Herodian. μερίσασθαι dixit cum præp. πρὸς, pro Participare, Participem facere, 3, [10, 12]: Οὐδὲν ἕτερον ἀλλ' ἢ μερισάμενος πρὸς αὐτὸν τὴν ἀρχήν. [Demosth. p. 1149, 20: Πότερα μεμερισμένος εἴη πρὸς τὸν ἀδελφὸν ἢ κοινὴ ἡ οὐσία εἴη αὐτοῖς. Id. p. 913, 1: Μερισάμενος τὸ ἐμὸν χρυσίον μετὰ Φορμίωνος.] Cic. μεριζέσθωσαν [in Epicuri testamento] vertit Dent, ut te docebit Cic. Lex. [Diod. 18, 16: Παρέδωκε τὴν σατραπείαν Εὐμένει, καθάπερ ἐξ ἀρχῆς ἦν μεμερισμένος.] At Μερίζομαι pass. [Plato Parm. p. 144, D: Μεμερισμένον ἄρα, εἴπερ μὴ ὅλον.] Athen. 4: Αὗται δὲ εἰς μυρίους πεντακισχιλίους μεριζόμεναι. Aristot. H. A. 9, [40]: Μεριζομένους πρὸς τὰς μελίττας, pro Divisis et Distinctis, Bud. Synes. cum dat., sicut et μερίζω, in ead. illa Epist., Ὀργῇ καὶ λύπῃ καὶ πᾶσι πάθεσι μεριζόμενος. Ap. Matth. et Paulum [Cor. 1, 1, 13] μεμερίσθαι est In varias factiones velut divisum et scissum esse, Dissidere: qua in signif. ponitur et comp. διαμεμερίσθαι a Luca. [Polyb. 8, 23, 9: Στασιάσαντες πρὸς σφᾶς ἐμερίσθησαν οἱ μὲν πρὸς Ἀριόβαζον, οἱ δὲ πρὸς τὴν Λαοδίκην. L. D. Ψυχὴ ἐπὶ πολλὰ μεριζομένη, Hippocr. Περὶ ἐνυπν. p. 375, 43. Anon. ap. Suid. in Ἀκληρήμασι: Διὰ τοῦτο δοκεῖ μοι μάλιστα περιπεσεῖν τοῖς ἀκληρήμασι, διὰ τὸ πάντων βούλεσθαι στοχάζεσθαι καὶ μερίζεσθαι εἰς διάφορα. Hemst. Schol. Æsch. Prom. 354: Τὸ γὰρ καταπληκτικὸν ποιεῖ τὸν δειλὸν μερίζεσθαι εἰς φόβους καὶ ἄλλας ἐννοίας.] At vero ap. Paul. 1 Ad Cor. 7, [34], Μεμέρισται ἡ γυνὴ καὶ ἡ παρθένος, redditur, Discretæ sunt ea quæ est uxor, et ea quæ est virgo: sicut διαιρέσεως vocabulum Idem pro Discrimine s. Differentia ponit. Cam. autem vertit, Diversa hæc sunt. [Xen. Anab. 5, 1, 9: Ἐὰν κατὰ μέρος μερισθέντες φυλάττωμεν. Demosth. p. 494, 5: Δεῖ μεμερίσθαι καὶ τὰ τῶν δωρεῶν· 192, 1: Καὶ τοὺς μὲν (Ῥοδίους) Ἕλληνας ὄντας ἅπαντες ἴσασι, τοὺς δ' (Αἰγυπτίους) ἐν τῇ ἀρχῇ τῇ ἐκείνου (regis Persarum) μεμερισμένους.] || Μερίζομαι, Partem accipio, Particeps fio. Possumus autem et hic uti eod. illo verbo Participo; utramque enim et ipsum significationem habet, frequentiorem tamen illam. Pro Partem accipere affert Bud. ex Aristot. Eth. 5, [5: Εἰ γιγνώσκων ἔκρινεν ἀδίκως, πλεονεκτεῖ καὶ αὐτὸς ἢ χάριτος ἢ τιμωρίας, ὥσπερ οὖν καὶ αὐτὸς μερίσαιτο τοῦ ἀδικήματος· καὶ ὁ διὰ ταῦτα κρίνας ἀδίκως, πλέον ἔχει.] Idem interpr. Partem virilem vel legitimam accipio, sicut et καταμερίζομαι. Cic. ap. Plat. [Ep. 9, p. 358, A: Τῆς γενέσεως ἡμῶν τὸ μέν τι ἡ πατρὶς μερίζεται] vertit Vindico, ut videbis p. 42 mei Cic. Lex. [Cum genit. Isæus p. 77, 14: Ἐπειδὴ τῶν τοῦ ἀδελφοῦ ἐμερίσατο. Aristot. Eth. Nic. 5, 12: Ὥσπερ οὖν κἂν εἴ τις μερίσαιτο τοῦ ἀδικήματος κτλ. Theocr. 21, 31: Οὔ σ' ἐθέλω τὠμῶ φαντάσματος ἦμεν ἄμοιρον· ὡς καὶ τὰν ἄγραν, τὠνείρατα πάντα μερίζευ. || Forma Dor. Bion 15, 31: Ἃ δὲ πονηρὰ νύσσα γὰρ δολία με κακῶς ἀπὸ σεῖο μερίσδει. Et aoristi Tim. Locr. p. 99, D, μερίξας.]

[Μεριχεύω.] Μεριχεύομαι, In partes dividor, VV. LL. ex Pachymerio. Apud nullum autem ex vett. scriptoribus legere me memini. [Μεριχεύω, Eust. Il. p. 48, 31: Ἰστέον δὲ ὅτι κἂν τε εἴπῃ τις, Καὶ γάρ τι ὄναρ, ἐμερίχευσε τὸν ἁπλῶς ὄνειρον, κἄν τε εἴπῃ, Καὶ γάρ τε ὄναρ, ὁμοίως μερικῶς εἶπε διὰ τὸ ἀπροσδιορίστως καὶ δίχα ἄρθρου εἰπεῖν.]

Μερικὸς, ἡ, ὸν, Particularis [Gl.]. Apud Medicos μ. φάρμακα, Medicamenta particularia, quæ et τοπικὰ, Localia. [Diog. L. Aristippo 2, 87: Τὸ ἐκ τῶν μερικῶν ἡδονῶν σύστημα. Seager. Jo. Malal. p. 478, 6: Τοὺς μερικοὺς πολέμους τῶν Σαρακηνῶν· 487, 12: Ὡς ἐν τάξει μερικῶν ἐπῆλθον τοῖς Χριστιανοῖς. Comparat. Apollon. Bekk. An. p. 533, 9: Τινὰ δὲ πάλιν μερικωτέραν ἔχει τὴν σύνταξιν· Ammon. Hermias In Aristot. Π. ἑρμην. p. 203. L. D. Prol. Sir. ed. Compl.: Μερικὰς ἱστορίας, Historias in libris sacris de certis ac singulis hominibus, v. c. Abrahamo et Mose, obviæ. Schleusn. Adv.]

Μερικῶς, Particulatim. [Partim, Gl. Anon. in Ideleri Phys. vol. 1, p. 423: Δριμυφαγίαις χρᾶσθαι μερικῶς. V. Μεριχεύω. Ptolem. Harmon. p. 139, Apollon. Bekk. An. p. 533, 2. Comparativo Μερικώτερον p. 538, 27; 548, 23. L. D. Hesych. v. Μερίζω.]

Μέριμνα, ης, ἡ, Cura, Solicitudo, [Scrupulum, Ægritudo, Senium, Gl.] Cura solicita et dubia, quæ mentem in partes diversas velut dividit· siquidem a μερίζειν, s. μερίζειν τὸν νοῦν, grammatici derivant. [Μέρω, μείρω, μερίω, μερίζω, μεριμένος, μεριμένη, contr. μερίμνη, ut λίμνη pro λιμένη, a λείβω, λίβω. Curæ animum divorse trahunt, Terent. Andr. 1, 5, 25. SCHNEID.] Hunc autem curæ effectum nemo, meo judicio, melius expressit Marone, Æn. 4, et 8, ubi quum dixisset, Magno curarum fluctuat æstu, subjunxit, Atque animum nunc huc celerem, nunc dividit illuc, In partesque rapit varias, perque omnia versat. Dicitur autem et in prosa animus Curis distrahi. [Hesiod. Op. 176 : Χαλεπὰς δὲ θεοὶ δώσουσι μερίμνας. Pind. Ol. 2, 60 : Βαθεῖαν ὑπέχων μέριμναν ἀγροτέραν· Isthm. 7, 13 : Καρτερὰν ἔπαυσε μέριμναν· Ol. 1, 108 : Θεὸς τεαῖσι μήδεται μερίμναισιν· Nem. 3, 66 : Σεμνὸν ἀγλααῖσι μερίμναις. Frequens utroque numero est etiam ap. Tragicos, ut Æsch. Eum. 131, ubi cum genit. : Μέριμναν οὔ ποτ' ἐκλιπὼν πόνου. Et cum genit. pers. Soph. OEd. T. 1460 : Παίδων δὲ τῶν μὲν ἀρσένων μή μοι προσθῇς μέριμναν. Eur. Heracl. 344 : Εἰσὶν οἳ σοῦ μέριμναν ἕξουσι· Ion. 244 : Τί ποτε μερίμνης ἐς τόδ' ἦλθες, ὦ γύναι· 404 : Ἀφίκου δ' ἐς μέριμναν. Aristoph. Nub. 470, etc.] Synes. : Πῶς ἀρκέσω μερίμναις ἐχούσαις συνέχειαν; Quo tandem modo par esse potero curis perpetuitate consertis? Bud. Empedocles ap. Plut. [Mor. p. 1113, C] : Νήπιοι, οὐ γάρ σφιν δολιχόφρονές εἰσι μέριμναι. Exp. etiam Meditatio. At Lat. vox Ærumna, quæ hinc originem traxisse creditur, significat ægritudinem laboriosam : et Ærumnæ, labores onerosos : ac sunt qui ab αἴρειν deducere malint. [Κατά τινα δαιμονίαν μέριμναν, OEnom. ap. Euseb. Præp. ev. p. 231, D. Interpr., Non sine divino consilio. HEMST.]

Μεριμνάω, Curo, [Cogito, Sollicito, Satago, Angor, Somnior; Μεριμνῶντα, Suspensum, Gl.] Solicite cogito, Anxie cogito. Dem. [p. 576, 24] : Ἐσκεμμένος καὶ μεριμνήσας τὰ δίκαια λέγειν, Qui anxie cogitavit et meditatus est, Bud. Idem ap. Xen. [OEc. 20, 25] : Μεριμνῶν εὗρεν, dicit μεριμνᾷν esse Summa cogitatione contendere ut aliquid efficias. [Absolute etiam Plato Reip. 10, p. 607, C : Οἱ λεπτῶς μεριμνῶντες, poetæ verbis usus. Epigr. Anth. Pal. 9, 148, 5 : Μεριμνῶ πῶς ἅμα σοὶ κλαύσω, πῶς ἅμα σοὶ γελάω.] Matth. 6, [25] : Μὴ μεριμνᾶτε τῇ ψυχῇ ὑμῶν τί φάγητε. [Cum accus. rei Soph. OEd. T. 1124 : Ἔργον μεριμνῶν ποῖον ἢ βίον τίνα. Xen. Cyrop. 8, 7, 12 : Πολλὰ μεριμνᾶν· Comm. 4, 7, 6 : Τὸν ταῦτα μεριμνῶντα. « Ἄκρα μεριμνήσας, Anthol. 3, 33, 17 (? Brod.) » HEMST.] Idem Bud. interpr. Curo, Curæ habeo, in Chrysost. : Τὰ γὰρ τῶν φιλουμένων οἱ φιλοῦντες ἴσασιν, ἅτε δὴ μεριμνῶντες αὐτούς. Item Anxie contemplor, Curiose inquiro. Xen. Apomn. 1, [1, 4] : Περὶ τῆς τῶν πάντων φύσεως μεριμνᾷν, Contemplari, Commentari. Μεριμνηθεὶς, ex Epigr.] Palladæ Anth. Pal. 10, 52, 3 : Τοῦ σφόδρα μεριμνηθέντος], pro Excogitatus. [Αἱ δεύτεραι τράπεζαι πολυτελῶς μεμεριμνημέναι, Athen. 14, p. 641, C. HEMST. Xiphilinus in Matthæi Anecd. vol. 2, p. 34 : Μετὰ μεμεριμνημένης διανοίας καὶ ἐξεταστικῆς διανοίας.]

[Μερίμνημα, τὸ, Cura. Pind. ap. Theod. Metoch. p. 282 : Μεριμναμάτων ἀλεγεινῶν· et p. 493 : Ἀλλότρια μεριμνάματα. Soph. Phil. 187 : Ἀνήκεστα μεριμνήματ' ἔχων.]

[Μεριμνηματικὸς, ἡ, όν. Μεριμνηματικὰ somnia, Artemidor. 1, 6, Quæ meditantibus de re aliqua et somnium captantibus obtingunt. WAKEF.]

Μεριμνητὴς, ὁ, Curiosus contemplator et cogitator, Eur. Med. [1226 : Σοφοὺς ... καὶ μεριμνητὰς λόγων. Φιλόσοφοι Hesychio.]

[Μεριμνητικὸς, ἡ, ὸν, Solicitus, Gl. « Anacharsis Epist. p. 41. » Boiss. Schol. Soph. Trach. 111. || Adv. Μεριμνητικῶς Theodor. Stud. p. 441, D. L. DIND.]

[Μεριμνήτρια, ἡ, Quæ curam gerit. Pseudo-Chrys. Serm. 5, vol. 7, p. 248, 14 (vol. 6, p. 550, C), τῶν τροφῶν. SEAGER.]

[Μεριμνοποιέω. Gl. : Μεριμνοποιῶ, Solicito.]

[Μεριμνοσοφιστὴς, ὁ.] Μεριμνοσοφισταὶ, Anxii contemplatores, VV. LL. ex schol. Aristoph. Apud quem tamen reperio non μεριμνοσοφισταὶ, sed Μεριμνοφροντισταὶ, quo vocab. Philosophos nominari scribit : quoniam de iis proprie φροντὶς dicitur, Anxia mentis cura et contemplatio. Aristoph. Nub. [101] : Μεριμνοφροντισταὶ καλοί τε κἀγαθοί.

A Μεριμνοτόκος, Curas et solicitudines pariens. Agathias Epigr. [Anth. Pal. 11, 382, 20] : Βιότου λῆγε μεριμνοτόκου, Relinque vitam curarum et solicitudinum parentem.

[Μεριμνοφροντιστής. V. Μεριμνοσοφιστής.]

Μερὶς, ίδος, ἡ, Pars, Portio, μέρος. Exp. et Portiuncula, Particula [Gl.] : i. e. μόριον, sed reperitur potius pro μέρος. [Plato Soph. p. 266, A : Τέτταρα μὴν αὐτῆς οὕτω τὰ πάντα μέρη γίγνεται, δύο μὲν τὰ πρὸς ἡμῶν, ἀνθρώπεια, δύο δ' αὖ τὰ πρὸς θεῶν θεῖα. ... Τὰ δέ γ' ὡς ἑτέρως αὖ διηρημένα μέρος μὲν ἓν ἀφ' ἑκατέρας τῆς μερίδος αὐτοποιητικόν.] Sed et quibusdam loquendi generibus adhibetur quibus et μέρος. Dem. [p. 537, 8] : Οὐ γάρ ἐστι δίκαιον οὐδὲ προσῆκον τὴν τοῦ παθόντος εὐλάβειαν τῷ μηδὲν ὑποστειλαμένῳ πρὸς ὕβριν, μερίδα εἰς σωτηρίαν ὑπάρχειν, Partem salutis esse, Bud., addens ita usurpari etiam μέρος. [Id. p. 574, 8 : Ἔστιν, ὦ ἄνδρες Ἀθηναῖοι, μεγάλη τοῖς ἀδικοῦσιν ἅπασι μερὶς καὶ πλεονεξία ἡ τῶν ὑμετέρων τρόπων πραότης. Theophr. C. Pl. 2, 5, 1 : Τὰς δὲ τῶν ὑδάτων διαφορὰς τῶν ἐπιγείων· καὶ γὰρ ταῦτα οὐ
B μικρὰν ἔχει μερίδα πρὸς αὔξησιν καὶ τροφήν. De usu Polybii Schweigh. in Lex. : « Ἀρχηγὸν καὶ μεγίστην μερίδα νομιστέον τοῦτο, 1, 81, 10. Μεγάλην μερίδα ἔχει τοῦτο πρὸς τὰς ἐπιβολὰς, μεγίστην δ' ἐν τοῖς πολεμικοῖς, 10, 43, 2. Νέμειν μερίδα τῷ παραδόξῳ, 2, 4, 5, et sim. 5, 108, 6. Μεγάλην μερίδα θετέον τῷ προεστῶτι, 8, 12, 8. Διδομένης καὶ τούτῳ μερίδος ἱκανῆς ἐν τῇ πολιτείᾳ, 6, 10, 8; 14, 1. Αἱ περιπέτειαι πολλάκις εἰς τὴν τοῦ συμφέροντος περιπεπτώκασι μ., 3, 4, 5. »] At plur. μερίδες dicuntur peculiari signif. Fercula quæ unicuique apponuntur in convivio sigillatim, ut in Convivio Καράνου, quod Athen. describit p. 27 [4, p. 130, D, verbis Hippolochi] : Ἡμεῖς δ' ἐκ τοῦ Καράνου δείπνου πλοῦτον ἀντὶ μερίδων εὐωχηθέντες. Dicuntur et μοῖραι, ut ap. Eund. legimus p. 31 : Καὶ τῷ νέμοντι τὰς μοίρας ἀκολουθῶν ὁ διάκονος κηρύττει τὸ αἶκλον, προστιθεὶς τοῦ πέμψαντος τὴν ὀνομασίαν. Sic p. 274. Sequebantur autem eas ἐπιφορήματα, Secundæ mensæ. Hæc Bud., addens vocari etiam δαῖτας. Idem alibi affert ex Plut. Agesilao [c. 17] : Αὐτὸς ἔθυσεν εὐαγγέλια, καὶ διέπεμψε μερίδας τοῖς
C φίλοις ἀπὸ τῶν τεθυμένων. [Lucian. De merc. cond. c. 26.] Legitur et ap. Plut. Symp. [p. 644, B : Τὰ δημόσια δεῖπνα πρὸς μερίδα γίνεσθαι] hoc nomen. [Demosth. p. 1078, 23 : Τὴν μερίδα τῶν κρεῶν ᾤχετο λαβών. Pollux 6, 55. « Μερὶς οὐ πνίγει in conviviis, Zenob. 5, 23. » VALCK. Μερὶς οὐ πνὶξ ap. Photium. || Sacra hostia quæ communicantibus distribuitur, ex majori scilicet hostia decisa. Liturgia Jacobi : Ἁγία μερὶς τοῦ Χριστοῦ πλήρης χάριτος καὶ ἀληθείας. Et alii plurimi ap. Ducang.] || Μερὶς, inquit Idem, Partes, eo sensu quo dicuntur Partes Syllæ, Partes Cæsaris, Factio. [Eur. Suppl. 238 : Τρεῖς γὰρ πολιτῶν μερίδες, οἱ μὲν ὄλβιοι, ... οἱ δ' οὐκ ἔχοντες καὶ σπανίζοντες βίου, ... τριῶν δὲ μοιρῶν ἡ 'ν μέσῳ κτλ. Plato Leg. 3, p. 692, B : Ἡ Ἀριστοδήμου μερίς.] Sic utitur Plut. [Mor. p. 203, B, C] post Dem., ap. quem legitur [p. 246, 10] : Τῆς ποίας μερίδος γενέσθαι τὴν πόλιν ἐβούλετ' ἄν. [Diod. Exc. p. 542, 75 : Καθαρᾶς γενομένης τῆς ἰδίας αἱρέσεως καὶ μερίδος.] In VV. LL. affertur ex eod. Dem. pro hac signif. [immo alia, de qua supra], Μερὶς καὶ πλεονεξία. [Id. p. 286,
D 27 : Ἐν τῇ τῶν ἐχθρῶν οὖσι μερίδι.] Sed ibid. affertur ex Luciano, Τῆς τῶν κολακευόντων μερίδος εἰκότως ἂν νομισθείη, ubi exp. Portio, quum potius eod. illo nomine Partes, aut alio hujusmodi reddendum videatur; nam l. ille Luciani ex libro Q. H. S. [c. 40] sumptus est : Εἰ δὲ τὸ παραυτίκα τις θεραπεύοι, τῆς τῶν κολακευόντων μερίδος εἰκότως ἂν νομισθείη· perinde ac si diceret, Merito is partes adulatorum sequi, aut a partibus adulatorum stare judicetur; nec enim mihi placent hæc Interpretis verba, Merito in parte adulatorum recensebitur. Alioqui dixerim posse etiam reddi, Ex numero adulatorum esse : sicut et μέρος reddi nomine Numerus in certis quibusdam dicendi formulis, docui supra. [Arrian. Peripl. P. Euxini § 13 extr. : Ἐπειδὴ ἀπεχωρίσθησαν ἀπὸ τῆς Ξενοφῶντος μερίδος. GAIL. Themist. Orat. p. 9 : Οὐκ εἰμὶ ταύτης τῆς μερίδος, Non sum ex isto grege. KOENIG. Τῇ τοῦ πονηροτάτου μερίδι προστίθημι, Muson. (Plutarch.) ap. Stob. Fl. 2, 36. (Menander, ut videtur, ap. eund. Fl. 96, 20 : Κακῶς ὁ δεσπότης βεβούλευται πάνυ. Ἐν ἀγρῷ γὰρ οἰκῶν οὐ σφόδρ' ἐξη-

λέγχετο τῆς μερίδος ὧν τῆς οὐδαμοῦ τεταγμένης.) Ζαμερῖται Doribus mortui οἷον τῆς μείζονος μερίδος ἤδη κεκοινωνηκότες, Suid. in Μακαρίτας. Τῆς μερίδος ὄντα τῆς χείρονος, Lucian. vol. 2, p. 284, D. Μεγαρέων ἄξιοι μερίδος, Suid. et in Ἑρμαιόν ἐστι. Hemst. || De uno homine epigr. ap. Plut. Mor. p. 241, A : Ἀχρεῖον σχυλάκευμα, κακὰ μερίς. De qua phrasi Jacobsius Anth. vol. 7, p. 413 : « Damaget. Anth. Pal. 7, 355, 3 : Ἦν δ' ἀνὴρ Μουσῶν ἱκανὴ μερίς. Color est, ut ap. Hom. Il. Θ, 164 : Ἔρρε κακὴ γλήνη. »]

[Μέρισις, εως, ἡ, Partitio. Georg. Sync. p. 35, C : Ἀναλύσεως ἢ μερίσεως. L. Dind. M. φαμιλίας, Familiæ erciscundæ, in Basilic. l. 42, tit. 3. Ducang.]

[Μέρισμα, τὸ, Pars. Orph. H. 4, 2 : Ἄστρων ἠελίου τε σεληναίης τε μέρισμα · 10, 16 : Ἀέριόν τε μέρισμα τροφῆς.]

Μερισμὸς, ὁ, Partitio, Divisio [Gl.], Distributio. [Plato Leg. 10, p. 903, B : Εἰς μερισμὸν τὸν ἔσχατον. Strabo 1, p. 66 : Τίς δὲ τρία μέρη λέγων, ... οὐ προσεπινοεῖ τὸ ὅλον οὗ τὸν μερισμὸν ποιεῖται; 3, p. 166 : Οἱ μερισμοὶ τῆς χώρας. « M., Partitio, regni, regionis, Polyb. 31, 18, 1 ; 9, 34, 7 ; exercitus, 2, 5, 7 ; 3, 103, 8 ; prædæ, 4, 16, 10 ; fluvii, per canales, 9, 43, 5. » Schweigh. Lex. Hebr. 2, 4 : Πνεύματος ἁγίου μερισμοῖς, Distributione donorum Sp. S. miraculosorum. Ib. 4, 12 : Διικνούμενος ἄχρι μερισμοῦ ψυχῆς τε καὶ πνεύματος, Ad intimos animi recessus. Schleusn.] Sed aliquando peculiariter dicitur a Rhetoribus μερισμὸς de quodam schemate, quod singulas res separatim disponendo, et suum cuique proprium tribuendo, magnam efficere utilitatem et illustrem consuevit, ut scribit Rut. Lupus [1, 17], afferens hoc exemplum ex Lycurgo, Cujus omnes corporis partes ad nequitiam sunt aptissimæ : oculi ad petulantem lasciviam, manus ad rapinam, venter ad aviditatem. Hujus schematis meminit et Hermogenes. [M., Discriminatio, quæ fit particulis, quibus in definitas partes periodus dividitur, ut si protasin audias, exspectes etiam apodosin et finem. Hermog. Π. ἰδ. 1, p. 48. Unde et eodem nomine appellatur ea dicendi forma, qua particulis μὲν, δὲ in aliqua sententia utimur. Denique ut ap. Hermog. l. c. p. 30 μερίζειν notat, genus in species, totum in partes dividere, ita ὁ μερισμὸς, rhetoribus tum dicitur, quum orator capita illa, quibus in caussa sua usurus est, in partes describit. Conf. anonym. De rhetor. ed. Fisch. Et Aristides II. λόγου πολιτ. hæc habet : Περιβολαὶ καὶ μερισμοὶ ἐργάζονται, ὅταν τὰ νοήματα μὴ καθ' ἓν εἰσάγῃς, ἀλλὰ μερίζων ἀντιτιθῇς. Ibi et ἐπιμερισμοὺς commemorat, hoc addito exemplo : οὐ μόνον τόδε ἐποίησας, ἀλλὰ καὶ τόδε. Ulpian. ad Demosth. Philipp. 1, p. 31, διπλοῦν μερισμὸν, vel ὑπομερισμὸν fieri statuit, quum post duo μὲν, duo δὲ sequuntur. De partitione in genere conf. Quintil. 4, 5, Cic. De orat. 3, 52, qui Digestionem appellat, Villois. Anecd. t. 2, p. 91. Ernest. Lex. rh. De usu apud grammaticos egit Lehrs. in Mus. Rhen. novissimo vol. 2, p. 118-130. Qui μερισμὸν dicunt non modo Divisionem vocabulorum compositorum, ut Apollonius De constr. p. 140, 11 : Καθὸ ἐν ταῖς ἄλλαις πλαγίαις τὰ τοῦ μερισμοῦ (ut ἑ αὐτὴν, ἑο αὐτοῦ etc.) ἀναμφίλεκτά ἐστιν, et Distributionem vocabulorum inter partes orationis, ut schol. Dionysii p. 842, 23 : Εἰ δὲ κλίσιν προσδεξαίμεθα τοῦ μερισμοῦ κριτήριον, τὸ λέοντος καὶ λέγοντος ὑφ' ἓν τάξεται μέρος· 843, 2 : Λεκτέον οὖν ὡς παντὸς μέρους τὰ ἴδια δεῖ σκοπεῖν καὶ τὰ παρεπόμενα, καὶ οὕτω ποιεῖσθαι τὸν μερισμὸν, et Apollonius in Bekk. An. p. 575, 14, qui etiam scripserat περὶ μερισμοῦ τῶν τοῦ λόγου μερῶν sec. Suidam v. Ἀπολλώνιος, qui v. Τυραννίων memorat hujus ἐξήγησιν τοῦ Τυραννίωνος μερισμοῦ : sed ita vocant etiam unum Genus quodpiam, ut Apollon. in Bekk. An. p. 543, 28 : Ἐντελέστερον ἠκριβώθη ὁ περὶ αὐτοῦ (v. ἕκητι) λόγος ἐν τῷ περὶ συνδέσμων, καὶ νῦν δὲ δι' ὀλίγων ἀποδεικτέον ὡς μᾶλλον ἔχεται τοῦ μερισμοῦ τῶν ἐπιρρημάτων, ut omittam locos quos indicat Lehrs. p. 126. Idem p. 127 addit l. Sexti Emp. Adv. gramm. 1, 7 et 8, longiorem quam qui repeti hic possit, ubi μερίζειν et μερισμὸς dicitur de versibus in partes suas resolvendis singulisque vocabulis ab omni parte pertractandis, eadem ratione quam in Ἐπιμερισμὸς vol. 3, p. 1697 declaravimus. Quibus hic addere libet de Lecapeni Ἐπιμερισμοῖς (ib.

A p. 1696, D) pluribus dixisse Peyronum Notit. libr. Valpergæ p. 35. L. Dind.]

[Μεριστέον, Dividendum est. Eust. Il. p. 83, 12 : M. πρὸς τὰ τοιαῦτα τρία τὰς λέξεις.]

Μεριστὴς, ὁ, Divisor, Partitor [Gl.]. Luc. 12, [14] : Τίς με κατέστησε δικαστὴν, ἢ μεριστὴν ἐφ' ὑμᾶς ; [Pollux 4, 176 ; 8, 136.]

[Μεριστικὸς, ή, όν, Dividendi vim habens. Hesych. (v. Μερόεν). Wakef.]

Μεριστὸς, ἡ, ὸν, Dividuus, Qui dividi potest. Exp. et Separabilis. Cic. μ. οὐσίαν ap. Plat. [Tim. p. 35, A] vertit Dividuam materiam, p. 21 mei Cic. Lex. [Tim. Locr. p. 95, C; Plat. Parm. p. 131, C; Aristot. Eth. Nic. 5, 5. || Adv. Μεριστῶς, Plene. « Concil. 3, 365. » Routh. Iambl. De myst. p. 12. Wakef.]

[Μερίστρια, ἡ, Quæ distribuit. Schol. Æsch. Sept. 696.]

[Μεριστῶς. V. Μεριστός.]

[Μεριτεία. V. Μεριτία.]

[Μεριτεύομαι, Partior. LXX Job. 40, 25 : Μεριτεύονται B αὐτὸν Φοινίκων ἔθνη, ubi al. διαμερισθήσεται μεταξὺ μεταβόλων vel ἀγοράσουσιν αὐτόν.]

Μερίτης, ὁ, Particeps [Gl. Demosth. p. 889, 7 : Τῆς μὲν ὠφελείας τούτους ποιῆσαι μερίτας.] Cujus signif. exempla duo ex Polyb. affert Suid. [M. τινί τινος, 8, 31, 6 ; 4, 3, 11 ; 13, 8, 2. Μερίτην ποιεῖσθαί τινά τινος, 4, 29, 6. Schweigh. in Lex. Pollux 8, 136. Alciphr. 1, 17 ; 3, 47. Μερίτης, οὐ συμμεριστής, Thom. M. p. 609.]

[Μεριτία, Hesych. (et Phot.) v. Μεριδαρχίας. Routh. Scrib. Μεριτεία.]

[Μεριτικὰ, τὰ, Portiones. Balsamon ad Nomocan. Photii tit. 1, c. 24 : Μηδὲ διὰ ταύτην τὴν αἰτίαν τῶν ἰδίων παραμυθιῶν ἢ τῶν ἄλλων μεριτικῶν ἀποστερεῖσθαι. Ducang.]

Μερκηδῖνος s. Μερκηδόνιος, Romæ olim dictus fuit ὁ ἐμβόλιμος μὴν, qui Februario inserebatur, a Numa institutus. V. Plut. Numa p. 131 [c. 18, ubi prius], Cæsare p. 1349 [c. 59. Addit Ducang. : « Glossæ Basilicorum Μερκεδῖνος, ἡ ἐμβόλιμος ἡμέρα. Suidas loci nomen facit : Μερκεδῖνος, τόπος τις. »]

C [Μερκηδόνιος. V. Μερκηδῖνος.]

[Μερμάδαλις, ὁ, Mermadalis, fl. Albaniæ, ap. Strab. 11, p. 503.]

Μερμαίρω, sive Μερμέρω, Curo, Anxie cogito, Curiose cogito, φροντίζω. Reperio autem μερμέρω ap. Hesych. idque suo loco, sc. post μέρμερα, et ante μέρμηρα : at μερμαίρω ap. Suid., et ipsum suo loco, sc. ante μέρμερα : quod μερμαίρω exp. non tantum φροντίζω, sed etiam χολῶ. Quod vero ad etymon attinet, ejusdem esse cum μέριμνα originis, et hoc et quæ sequuntur, gramm. tradunt, et eandem rationem afferunt. [Orph. Arg. 766 : Αὐτὰρ Ἰήσων αὐτίκα μερμήριζε κατὰ φρένα καὶ κατὰ θυμὸν, al. μέρμηρι et μέρμηρε.]

[Μερμερίδης, Μερμέριος. V. Μέρμερος.]

[Μερμερόης, ὄνομα κύριον, Suidas, qui addit locum scriptoris anonymi.]

Μέρμερος, ὁ, Curiosus, Anxius percunctator, et exquisitus interrogator vel indagator, Bud. ex Plat. Hipp. Maj. p. 473 [290, E : Μέρμερος πάνυ ἐστὶν, ubi D v. schol. Paulo ante dixerat : Ἐχέτλιός ἐστι καὶ οὐδὲν ῥᾳδίως ἀποδεχόμενος, ex quo vocis vis intelligitur. Timæus qui interpr. ὁ διὰ πανουργιῶν φροντίδας τισὶν ἐμποιῶν, nimis originem pressit. Ruhnk. ad Tim. p. 177.] Μέρμερα, Quæ solicitum reddunt, φροντίδος ἄξια, χαλεπὰ, δεινὰ, Suid., Hesych. : Eust. autem ὧν μέλει τινὶ, Quæ aliquis anxia cura persequitur. Hom. Il. K, [48] : Ἄνδρ' ἕνα τοσσάδε μέρμερ' ἐν ἤματι μητίσασθαι Ὅσσ' Ἕκτωρ ἔρρεξε · ubi annotat Eust. illud ὅσα φημὶ μελησέμεν Ἀργείοισιν, esse ἑρμηνευτικὸν hujus μέρμερα μητίσασθαι : nam μερμηρίζειν et μέλεσθαι idem significare. Alibi autem scribit μέρμερα idem esse cum μητιόεντα : ut Hom. dicit φάρμακα μητιόεντα, i. e. τὰ βουλῆς δεόμενα εἰς ἀποφυγήν. Et μέρμερα ῥέζειν, μ. ἔργα ῥέζειν, Magna et egregia facinora edere, et quæ quasi anxia cura aliquis secum deliberavit facere, Il. Φ, [217] : Πεδίον κάτα μέρμερα ῥέζων · Λ, [502] : Μέρμερα ῥέζων Ἔγχεϊ ἱπποσύνῃ τε. [Orph. ap. Clem. Al. Str. 5, p. 722, 24. Hemst.] K, [524] : Θηεῦντο δὲ μέρμερα ἔργα Ὅσσ' ἄνδρες ῥέξαντες ἔβαν κοίλας ἐπὶ νῆας. Hesiod. [Th.

603] : Γάμον φεύγων καὶ μέρμερα ἔργα γυναικῶν, ubi redditur, Gravia et molesta. Et ex Eur. [Rhes. 509], μέρμερον κακὸν, Magnum, Quod magnam solicitudinem affert. [Proverbiale μερμέριον κακὸν, ab aliis, ni fallor, τερμέριον κακὸν dictum, quo Themist. Or. 21, p. 261, A, usus est, ridet Lucian. Lexiph. c. 11. Ruhnk. ad Tim. V. Schol. Vat. ad l. Eurip.] Et ex Dionys. P. [350], μέρμερον ἔθνος, pro μερίμνας πολλὰς τοῖς ἐναντίοις παρέχον, πολεμικόν. Utitur hoc vocab. et Plut. [Mor. p. 789, C], sed alludens ad Homerum [« Homericum illud » HSt. Ms. Vind.], Πόλεμον πόλεμοιό τε ἔργα μέρμερα διέποντας. [Lycophr. 949 : Τεύξει μερμέραν βλάβην. Nicand. Th. 248. Oppian. Cyn. 409, κύνα. Christodor. Anth. Pal. 7, 697, 3 : Μέρμερος ἥρως. Plut. Mor. p. 988, A : Τελμισίαν ἀλώπεκα, μέρμερον χρῆμα.] || Μέρμερος Homero [Il. Ξ, 513, et Pausaniæ, f. Medeæ memoranti 2, 3, 6 et 8, et Apollodoro hunc memoranti 1, 9, 28, 3, alium in fr. 170.] nom. proprium : unde patronym. [Od. A, 259, sed ab alio ductum] Μερμερίδης.

Μέρμηρα, ἡ, Cura, Anxia [hoc quidem omittendum erat] et solicita cura : μέρμηραι, φροντίδες, μέριμναι, βουλαὶ, Hesych., sed scribitur ibi μερμῆραι, accentu in penult., licet μέρμηρα ap. Eund. proparoxytonως scribatur. [Μερμήρα inter τὰ διὰ τοῦ ηρα μονογενῆ μακροκατάληκτα ὑπὲρ δύο συλλαβὰς πρὸ τέλους ἔχοντα τὸν τόνον ponit Theognost. Can. p. 107, 19. Vicissim μέρμηρα scriptum in Cram. An. vol. 1, p. 62, 3, Bekk. An. p. 28, 4, et ap. gramm. infra cit.] Hesiod. Theog. [55] de Musis : Λησμοσύνην τε κακῶν, ἄμπαυμά τε μερμηράων. [Greg. Naz. vol. 2, p. 31, F. Boiss.] || Somnus levis qui sub auroram occupat hominem, ἡ εἰς ὕπνον καταφορὰ περὶ τὴν ἕω, schol. Aristoph. [Vesp. 5, et Hesychio in Ἀπομερμηρίσαι], derivans inde ἀπομερμηρίζω. Hesychio autem μέρμηρα est ἡ εἰς ὕπνον καταφορικὴ φροντίς.

Μερμηρίζω, Anxie [hoc omittendum erat] cogito, Curiose in animo verso. Hom. Od. Z, [141] : Ὁ δὲ μερμήριξεν Ὀδυσσεὺς Ἢ γούνων λίσσοιτο λαβὼν εὐώπιδα κούρην [sequitur, ut in l. infra cit., alterum membrum per ἤ] · Il. Θ, [167] : Τυδείδης δὲ διάνδιχα μερμήριξεν Ἵππους τε στρέψαι καὶ ἐναντίβιον μαχέσασθαι, quod hemistichium repetitur et alibi. Od. X, [333] : Δίχα δὲ φρεσὶ μερμήριξεν, Ἢ ἐκδὺς μεγάροιο Διὸς μεγάλου ποτὶ βωμὸν Ἑρκείου ἵζοιτο. Utitur et Lucian. [Quom. hist. conscr. c. 22] : Καὶ ὁ στρατηγὸς ἐμερμήριζεν ᾧ τρόπῳ μάλιστα προσαγάγοι πρὸς τὸ τεῖχος. Dicitur et φρεσὶ μερμηρίζειν, et κατὰ φρένας. Od. A, [427] : Πολλὰ φρεσὶ μερμηρίζων · Υ, [38] : Ἀλλὰ τί μοι τόδε θυμὸς ἐνὶ φρεσὶ μερμηρίζει; Il. B, [3] : Μερμήριζε κατὰ φρένα ὡς Ἀχιλῆα τιμήσῃ [τιμήσει]. Od. Υ, 28 : Μερμηρίζων ὅπως δὴ μνηστῆρσιν ἀναιδέσι χεῖρας ἐφήσει.] Od. K, [50] : Κατὰ θυμὸν ἀμύμονα μερμήριξα. Item cum περὶ, Il. Υ, [17] : Ἤ τι περὶ Τρώων καὶ Ἀχαιῶν μερμηρίζεις. Item cum accus. rei, et dat. pers., Od. Δ, [533] : Ἵπποισιν καὶ ὄχεσφιν ἀεικέα μερμηρίζων. [T, 2 : Μνηστήρεσσι φόνον μερμηρίζων.] Item Excogito, Anxia cogitatione invenio. Od. Π, [256] : Ἀλλὰ σύ γ' εἰ δύνασαί τιν' ἀμύντορα μερμηρίξαι, φράζευ. [Callim. Epigr. 9, 5 : Τῷ μερμηρίξαντι τὰ μὴ 'νδικα τοῦτο γένοιτο τοὖπος (σκληρὰ τὰ γιγνόμενα). Μερμερίζω scriptum ap. Suidam.]

[Μερμηρικὸς, ἡ, όν.] Μερμηρικοὶ, Hesychio οἱ πειραταὶ, Prædones.

[Μερμησσὸς, Mermessus. Πόλις Τρωικὴ, ἀφ' ἧς ἡ Ἐρυθραία Σίβυλλα ... Τὸ ἐθνικὸν Μερμήσσιος καὶ Μερμησσεὺς, Steph. Byz.]

[Μέρμιθα, ἡ, Μέρμιθον, τό. V. Μήρινθος.]

Μέρμῖς, ῖθος, ἡ, Funiculus, Filum : λεπτὸν σχοινίον. Hom. Od. K, [23] : Κατέδει μέρμιθι φαεινῇ. Volunt derivari hoc vocab. παρὰ τὸ εἴρειν, pleonasmo τοῦ μ, quasi ἔρμις. [Diod. 3, 21 : Εἷς δ' ἔχων μέρμιθα μακρὰν καὶ δήσας τῆς οὐρᾶς, ubi libri μέρμινθα, μέρμουθα, μέρμηνθα, μέρινθα et μήρινθον. Pro quo ap. Agatharchid. Photii p. 451, 36 : Τέχνῃ καὶ σπουδῇ καὶ μερμίθαις εἰς τὴν χέρσον ἐκβαλόντες. Hesych. : Μέρμιθα, μέρμιθον, σπαρτίον, λεπτὸν σχοινίον, ἢ ἀργυροῦν δεσμόν. Zonaras p. 1345 : Μέρμιθος, ἡ σχοῖνος.]

[Μερμνάδαι, οἱ, Mermnadæ. Eos qui a Candaule ad Crœsum usque regno potiti sunt, sic appellarunt Lydi, teste Herodoto 1, 7, 14. An a generis auctore, an alia de causa, mihi nondum constat. Jablonsk.]

Μέρμνης, ὁ, Hesychio τρίορχος : ambiguum an Accipitris genus quod τριόρχης dicitur, an generaliter pro Tres habens testiculos. [V. Μερμνὸς, Μέρμνων.]

[Μέρμνης, Μέρμνος, Μέρμνων, ap. schol. Pind. Ol. 1, 114, 127, procus Hippodamiæ, i., ut videtur, q. ap. Pausan. Μάρμαξ, quod v.]

[Μερμνὸς, ὁ, Accipiter. Ælian. N. A. 12, 4.]

[Μέρμνος. V. Μέρμνης.]

[Μέρμνων, ωνος, ὁ, Mermnon, n. viri ap. Theocr. 3, 35. Quod παρὰ τὸ μέρμνης fieri dicitur in Epimer. Hom. Cram. An. vol. 1, p. 64, 24. V. etiam Μέρμνης.]

[Μερμόδας, ὁ, Mermodas, fl. Albaniæ, ap. Strab. 11, p. 504.]

[Μεροειδὴς, ὁ, ἡ. Orac. Sib. 11, 65, p. 202 : Αἰαῖ σοι, Μήδειον ἔθνος, μετέπειτα λατρεύσεις ἀνδράσιν Αἰθιόπεσσιν ὑπὲρ μεροειδέα χῶρον.]

[Μερόεις, εσσα, εν.] Μερόεν, Hesychio μεριστικόν.

[Μερόη, ἡ, Meroe. Πόλις Αἰγύπτου. Ἡρόδοτος δευτέρᾳ (29), Ἀπὸ Μερόης. Ἔστι καὶ νῆσος. Ὁ πολίτης Μεροΐτης, ὡς τῆς Ἀρσινόης Ἀρσινοΐτης. Ἔστι καὶ Μερόη κατὰ ἀνατολὰς τῆς περὶ Δάφνην Ἀντιοχείας. Τὸ ἐθνικὸν Μεροαῖος ἢ Μερούσιος κατὰ τὸ τῆς ἑορτῆς ὄνομα, καὶ τὸ κτητικὸν Μερουσιακός. Ἔστι καὶ Μερόη πόλις Λυκίας, Steph. Byz. Insulam memorant Diodor. 1, 33, Strabo locis plurimis aliique geographi et historici. Μεροεὺς gent. ap. Steph. Byz. in Φολόη.]

[Μερόηβος, ὁ, Meroebus, n. viri in Heliodori Æth. 10, 23.]

[Μερόης, ὁ, Meroes, Indus, ap. Arrian. Exp. 5, 18, 12.]

[Μερόλας, ὁ, Merula, n. Rom. ap. Polyb. 31, 18, 9, etc.]

[Μερόπειος, α, ου, Theod. Prodr. in Notitt. Mss. vol. 8, p. 185 : Κῦδος γενέθλης μεροπείης. Elberl. Ion. et poeticum] Μεροπήϊος, Humanus. Epigr. [Christodor. Ecphr. 272] : Μεροπήϊα πήματα. [Manetho 4, 215; Oppian. Cyn. 2, 364. Wakef.]

[Μέροπες, Μεροπεύς. V. Μέροψ.]

[Μερόπη, ἡ, Merope, Polybi, regis Corinthi, conjux, Soph. OEd. T. 775, 990. Aliæ tres ap. Apollodorum.]

[Μεροπήιος. V. Μερόπειος.]

[Μεροπηὶς, ίδος, ἡ, Humana. Oppian. Cyn. 1, 23 : Ἡμετέρῃ μεροπηίδι λέξομεν ἠχῇ. Wakef. Ib. 2, 541 : Φθογγὴν ἐκ στομάτων μεροπηίδα. Apollinar. ap. Bandin. Bibl. Med. vol. 1, p. 63, A : Ψυχὴν μεροπηίδα.]

[Μεροπηὶς, Μεροπία, Μεροπίς. V. Μέροψ.]

[Μεροπίδαι, οἱ, Meropidæ, filii Meropis Percosii, ap. Strab. 13, p. 586.]

[Μερόπιος, ὁ, Meropius, n. viri ap. Sozom. H. E. 2, 24, Socr. 1, 19.]

[Μεροποιέομαι, ap. Phot. C. Manich. in Wolf. Anecd. Gr. vol. 2, p. 282 : Καὶ μεροποιεῖται τῆς ἀμοιβῆς, ἃ μηδὲ τὴν ἀρχὴν ἔδει κεκτῆσθαι, Int. vertit Præmii rependendi partem ea facit quæ ab initio ne possidere quidem licebat.]

[Μεροποσπόρος, ὁ, ἡ, Homines serens. Manetho 4, 577 : Ἑρμῆς δ' εἰς ὥρην μεροποσπόρον ἠνίκ' ἂν ἔλθῃ.]

Μέρος, ους, τὸ, q. d. Quod facta divisione obvenit, Pars. Aristot. Rhet. 1 : Ἢ τὸ αὐτῆς ὅλης, ἢ μέρους τινός. [Idem Metaphys. 4, p. 116, 9-24 Brand. exponit quot modis μέρος dicatur de Parte. Pind. Ol. 8, 77 : Ἔστι τι καὶ θανόντεσσιν μέρος· Pyth. 3, 98 : Τὸν ἐρήμωσαν εὐφροσύνας μέρος· 4, 65 : Ὄγδοον θάλλει μέρος Ἀρκεσίλας· 12, 11 : Τρίτον κασιγνητᾶν μέρος, de tertia sororum. Nem. 3, 70 : Τρίτον ἐν παλαιτέροισι μέρος· Pyth. 4, 157 : Ἤδη με γηραιὸν μέρος ἁλικίας. Æsch. Ag. 507 : Θανὼν μεθέξειν φιλτάτου τάφου μέρος. Soph. El. 1135 : Τύμβου πατρῴου κοινὸν εἰληχὼς μέρος Ant. 147 : Ἔχετον κοινοῦ θανάτου μέρος ἄμφω· 918 : Οὔτε του γάμου μέρος λαχοῦσαν οὔτε παιδείου τροφῆς· Tr. 147 : Ἕως λάβῃ ἐν νυκτὶ φροντίδων μέρος ἤτοι πρὸς ἀνδρὸς ἢ τέκνων φοβουμένη.] Lucian. [Hermipp. 55] : Ἀπὸ τῶν μερῶν ἀξιῶν τὰ ὅλα εἰδέναι. Et sic sæpe hæc inter se opponuntur, sicut Latina Totum et Pars. Et λαχεῖν τὸ μέρος, item τὸ λαχὸν μέρος : necnon τὸ γιγνόμενον μέρος, quo utitur Xen. [Hist. Gr. 7, 4, 33], pro eo quod Latini dicunt Ratam partem. Dicitur autem de variis rebus, sicut Lat. Pars. Thuc. [1, 106] : Καί τι αὐτῶν μέρος οὐκ ὀλίγον προσβιασθέν· 6 : Τοῦ ναυτικοῦ μέγα μέρος· 1, [104] : Τοῦ τε ποταμοῦ κρατοῦντες καὶ τῆς Μέμφιδος τῶν δύο μερῶν, πρὸς τὸ τρίτον μέρος ἐπολέμουν. [Æschin. p. 74, 3 : Τῶν εἰς πόλεμον ἀναλωμάτων τὰ μὲν δύο μέρη ὑμῖν ἀνέθηκεν, τὸ δὲ τρίτον μέρος Θηβαίοις. Unde facile intelligitur in hujusmodi locis, ut Demosth. p. 1379, 19 : Πελοποννησίοις ἅπασι τὰ δύο μέρη τῆς στρατιᾶς πέμπειν ἐπιτάξαντες, Βοιωτοῖς δὲ ... πανδημεὶ ἐπαγγείλαντες στρατεύειν, Polyb. 6, 39, 13 : Πυρῶν Ἀττικοῦ μεδίμνου δύο μέρη, rem cogitari tripertitam, nec dubitari posse duos dici trientes.] Xen. Cyrop. 4, [1, 16] : Πόστῳ αὐτῶν μέρει. [Apud quem frequens est de parte copiarum, ut Cyrop. 3, 3, 39 : Ὑμεῖς πλησιάζετε αὐτοῖς, ἕκαστος τῷ ἑαυτοῦ μέρει· Anab. 6, 4, 23 : Κατὰ τὸ Χειρισόφου μέρος. De gente Græcorum Isocr. p. 76, B : Τὰ λοιπὰ μέρη τῶν Ἑλλήνων (præter Italiam et Siciliam).] Dem. [p. 117, 17] : Πολλοστὸν μέρος. Sic τρίτον μέρος, et τέταρτον, πέμπτον. Et Πλεῖον μέρος τοῦ φόβου, Xen. [OEc. 7, 25. Isocr. p. 61, C : Τῶν κακῶν πλεῖστον μέρος μετασχόντες· 216, D : Κάλλους πλεῖστον μέρος μετέσχεν.] || Μέρος τοῦ σώματος, Pars corporis, Membrum, Plut., et alii. [Plato Leg. 7, p. 795, E : Τῶν τοῦ σώματος μελῶν καὶ μερῶν.] Quem usum habet ap. Medicos frequentem dimin. μόριον. [Utrumque etiam obscœna signif., rarius tamen prius. Ælian. N. A. 4, 55 : Καίονται καὶ αἱ θήλειαι (cameli) τὰ ἐξάπτοντα εἰς οἶστρον μέρη αὐτούς. Leo Diac. p. 14, D : Οὐ ταύτῃ δὲ μόνον τὸ ἰταμὸν ἐκεῖνο γύναιον τὸ ἀναιδὲς καὶ ἀκόλαστον ἐπεδείκνυτο, ἀλλὰ καὶ τὸν χιτωνίσκον παρὰ τὸ μέτριον ἀνασεσυρκὸς καὶ ἀπογυμνοῦν τὰ μέρη τοῦ σώματος ἐς τὸν στρατηγὸν ἐπέσκωπτεν ἐπαρώμενον.] || Τὰ ἐπὶ μέρους, quæ vulgo Particularia, Bud. ex Philone. [Ἐπὶ μέρος (l. μέρους) συντάξεις, Historiæ particulares, Polyb. 3, 32, 10; οἱ τὰς ἐπὶ μέρους γράφοντες πράξεις, Particulares historias, 7, 7, 6. Schweigh. Lex. Schol. Philostr. Her. p. 315 Boiss. : Τὸ δρέπομαι ἀεὶ παθητικῶς γράφεται, καὶ τὴν ἐπὶ μέρους σύνταξιν ἔχει.] Pro eod. dicitur τὰ ἐν μέρει aliquando. [Aristid. vol. 1, p. 38.] Sic ὁ ἐν μέρει λόγος, ex Aristide, pro Particularis oratio. [Opposito ἐν τῷ καθάπαξ id. vol. 1, p. 492.] Necnon ἐν μέρει, ex Eod. pro Sigillatim. [V. infra in signif. Vicissim.] Sed et ὁ κατὰ μέρος ead. signif. [Quod in primis frequentant Polybius, de quo plurima Schweigh. in Lex., et Diodorus, tam cum substantivis, ut ἡ κατὰ μέρος οἰκονομία 5, 1, quam seq. genitivo, ut 4, 50 : Προειποῦσαν τὰ κατὰ μέρος τῆς ἐπιθέσεως.] Et οἱ κατὰ μέρος, pro Singuli : unde τὰς κατὰ μέρος ἐνεργείας, ex Galeno Ad Glauc., pro Singulas operationes. At ex Plat. cum alia constr. De rep. 1, [p. 344, B] : Κατὰ μέρη ἀδικεῖν τῶν τοιούτων κακουργημάτων, pro Hujuscemodi scelera sigillatim patrare. [Idem alibi utitur plurali, ut Theæt. p. 182, A : Κατὰ μέρη οὖν ἄκουε.] Plin. κατὰ μέρος vertit Particulatim, quum hæc Theophrasti [H. Pl. 7, 3, 1], Ἀνθεῖ δὲ καὶ κατὰ μέρος ὁ σίκυος καλούμενος, vertit, Particulatim cucumis floret. Ap. Suidam est Καταμέρος conjunctim scriptum, qui etiam dicit esse adverbium. [Thuc. 4, 26 : Αἱ μὲν τῶν νεῶν σῖτον ἐν τῇ γῇ ᾑροῦντο κατὰ μέρος. Xen. Anab. 5, 1, 9 : Ἐὰν οὖν κατὰ μέρος μερισθέντες φυλάττωμεν. Et alibi. Dicitur etiam aliter cum κατὰ, ut Plat. Tim. p. 86, D : Κατὰ τὸ πολὺ μέρος, Magnam partem. Leg. 6, p. 757, D : Κατά τι μέρος.] || Μέρος τι, Aliqua ex parte. Thuc. [4, 30.] Subaudit autem, ut opinor, κατὰ, licet alioqui præp. hæc adjecta aliam etiam signif. efficiat. [V. HSt. in fine. Nihil autem intelligendum esse non opus est moneri. Xen. Eq. 1, 12 : Μέρος μέν τι καὶ αἰσχύνει, μέρος δέ τι καὶ ἀσθενέστερον τὸν ἵππον παρέχεται. Isocr. p. 426, D : Μέρος τι καὶ δι' ἐμὲ τυγχάνουσιν ὧν ἐπεθύμουν.] Dicit et τὸ μέρος, ut docebo infra in Ἐκ μέρους.

|| Ἐν μέρει ἀδικήματος τίθημι, Bud. ex Greg. [immo ex Demosth. p. 668, 26] pro Sceleris loco duco. Sed ap. Plat. De rep. 1, [p. 348, E] : Εἰ ἐν ἀρετῆς τίθης μέρει τὴν ἀδικίαν, vertit, Si injuriam partem esse virtutis putas. [Sic alibi ap. eundem.] Sic cum verbo ποιεῖσθαι, in VV. LL. : Ἐν μέρει κατηγορίας ποιεῖσθαι. [Dem. p. 1095, 19 : Οὐ δὴ δίκαιόν ἐστιν ἐν τεκμηρίου μέρει ποιεῖσθαι τἀδίκημα. Et p. 626, 6 : Εἰς εὐεργεσίας μέρος καταθέσθαι· 638, 5 : Τοὺς ἐχθρὰ ποιοῦντας ἐν ἐχθροῦ μέρει κολάζειν.] At Dem. dixit etiam ἐν εὐεργεσίας ἀριθμεῖν μέρει : item ἐν δωρεᾶς μέρει καὶ χάριτος παρέχειν [p. 567, 11]. Idem dixit [p. 37, 4] : Ἐν ὑπηρέτου καὶ προσθήκης μέρει γεγένησθε. [Id. p. 668, 24 : Ὅσα στρατιώτης ὢν ἐν σφενδονήτου καὶ ψιλοῦ μέρει ἐστράτευται.] Isocr. autem in Evag. [p. 193, D] : Ἐν ἰδιώτου μέρει διαγαγεῖν. [Ἐν ἀρᾶς ἔθηκε μέρει, Suid. in Ἀραῖς. Ἐν παροιμίας εἰρῆσθαι μέρει, Antigon. Ἱστ. Π. Σ. c. 136. Τὰ συμβάντα ἐν οἴκτου μέρει λέγων, Strab. 8, p. 381. Ἐν παιδιᾶς μέρει δεξάμενος, id. 14, p. 675. Ὅσα ἐν μέρει χάριτος καὶ δωρεᾶς ἔλαβον, Philo J. p. 989, D. Hemst.] Itidem vero ἐν μέρει φαρμάκου affertur ex Theophr. pro Medelæ loco. Et ἐν διδασκάλου μέρει, ex Aristide [vol. 1, p. 183], Præceptoris loco, vice. Rursum Dem. [p. 23, 14] : Ἐν οὐδενὸς εἶναι μέρει, pro Nullo loco esse, Nullo esse in numero. [Xen. Cyrop. 6, 1, 28 : Τοῦτο ἐν ἀκροβολιστῶν μέρει εἶναι. « Schol. Soph. Tr. 370 : Ἐν δούλης μέρει ἔσχεν αὐτήν. » Valck.] || Μέρος sicut in loquendi genere proxime præcedente reddi potest nomine Numerus, sic et in aliis quibusdam, alio tamen modo; nam μέρος ἐστὶ ponitur pro Est ex numero, Unus est ex numero. Herodian. 1, [10, 14] : Ἀναμίξας τε τῷ πλήθει τῶν αἰχμοφόρων, καὶ τῆς πομπῆς νομισθεὶς μέρος. Tale autem exemplum Bud. hoc affert ex Gregor. [Stelit. sec.] : Μέρος γίνεται καὶ αὐτὸς ἐκείνῳ τῆς προπομπίου τιμῆς, Unus erat ex numero, Inter alios erat, Interfuit. Sic Lucan., Et in tanta pavidi formidine motus, Pars populi lugentis erat. [Οὐδὲν μέρος notabili genere loquendi Isocr. p. 90, E : Ἀλλ' εἴ τις ἀθρήσειε καὶ σκέψαιτο τὰς τῶν Ἑλλήνων συμφοράς, οὐδὲν ἂν μέρος οὖσαι φανεῖεν τῶν διὰ Θηβαίους καὶ Λακεδαιμονίους ἡμῖν γεγενημένων· 243, E : Δέκα ἄνδρας, ὧν ἐπιχειρήσας ἄν τις κατηγορεῖν τρεῖς ἢ τέτταρας ἡμέρας συνεχῶς οὐδὲν ἂν μέρος εἰρηκέναι δόξειε τῶν ἐκείνοις ἡμαρτημένων. Minori hyperbole dixisset οὐδὲ μικρὸν μέρος. || Ap. Polyb. interdum i. fere q. Res, etsi recte vertitur etiam Pars. « Ἤλθομεν ἐπὶ τί μέρος, 15, 8, 6. Τοῦτο τὸ μέρος, Hoc, Hæc res, 1, 20, 8 et 10; 2, 37, 10, etc. Πρὸς τοῦτο τὸ μ. ἐφιλοτιμήθην, 1, 4,.2. Ἐπὶ τοῦτο τὸ μ. ὁρμήσας, 1, 16, 5. Εἰς τοῦτο τὸ μ. μεγάλην αὐτοῖς παρέχεσθαι χρείαν, 1, 16, 8. » Schweigh. Lex.] || At vero ap. Virg. Pars mihi pacis erit, dextram tetigisse tyranni, ait Bud. partem accipi pro principio, et Gregor. μέρος εὐσεβείας duobus in ll. [Stelit. pr. : Καὶ μέρος εὐσεβείας ἅπασιν ἐνομίζετο ὅτι πλεῖστα ἐκεῖνον δρᾶσαι κακά· Et : Οἷς μέρος εὐσεβείας δόξει λόγῳ βάλλειν τὸν ἀλιτήριον] ea signif. dixisse; sed ego illi in hac expos. non assentior; quippe qui putem μέρος hic potius esse quod etiam dicunt μέρος οὐκ ἐλάχιστον, aut μέγα μέρος, cum verbo συμβάλλεσθαι. [Plato Reip. 1, p. 331, B : Μέγα μέρος εἰς τοῦτο ἡ τῶν χρημάτων κτῆσις συμβάλλεται. Andocid. p. 71, 38 : Αὐτῶν τῶν ἔργων, δι' ἅπερ ἡ πόλις ἐσώθη, οὐκ ἐλ. μέρος οἱ ἐμοὶ πρόγονοι συνεβάλοντο.] || Huc autem pertinet istud loquendi genus, τοὐμὸν μέρος, significando Pro mea parte virili, Quantum in me est, Quantum in me fuit, ad me attinet. Perinde enim est ac si utendo verbo illo συμβάλλεσθαι, diceretur ὅσον δύναμαι συμβάλλεσθαι μέρος. [« V. Συμβάλλομαι. » HSt. Ms. Vind.] Sic τὸ σὸν μ., Eur. [Rhes. 405. Soph. OEd. T. 1509 : Πάντων ἐρήμους, πλὴν ὅσον τὸ σὸν μέρος· OEd. C. 1366 : Οὐκ ἂν ἦ τὸ σὸν μέρος· Ant. 1062 : Οὕτω γὰρ ἤδη καὶ δοκῶ τὸ σὸν μέρος. Eur. Heracl. 678 : Ἐρήμους δεσπότας τοὐμὸν μέρος οὐκ ἂν θέλοιμι πολεμίοισι συμβαλεῖν. Sæpe sic etiam Plato], Quantum in te est, fuit. Et τὸ ἐκείνου μ., Dem. [Eur. Hec. 989 : Τοὐκείνου μὲν εὐτυχεῖς μέρος.] Sic et Isocr. τὸ ταύτης μ., in Ægin. [p. 391, A] : Ἐνθυμεῖσθε δ' ὅτι τὸ μὲν ταύτης μέρος, οὔτ' ἐν τῇ νόσῳ θεραπείας ἔτυχεν, οὔτ' ἀποθανὼν τῶν νομιζομένων ἠξιώθη. Sed et cum κατὰ ap. Isæum, τὸ κατ' ἐμαυτοῦ μ., et τὸ κατὰ σαυτοῦ μ. Itidemque ap. Plat. Epist. 7 [p. 328, E] : Κατὰ τὸ σὸν μ. ἐγὼ καταλιπὼν Συρακούσας ἐνθάδε πάρειμι. Idem dixit μέρος ὅσον ἐπί σοι γέγονεν, scribens [ibid.], Φιλοσοφία προδέδοται μετ' ἐμοῦ μέρος ὅσον ἐπί σοι γέγονε. Affertur autem ex Dionys. H. et cum infin. : Τόγε ἐφ' ἡμῖν εἶναι μέρος. Dicunt et τὸ ἐπί σε ἧκον μέρος, ἐπ' ἐμέ, ἐπ' αὐτόν. [Τὸ γοῦν ἐπ' αὐτὸν ἧκον μέρος, Philo J. p. 533, D. Hemst.] Quinetiam omisso hoc nomine μέρος, Bud. p. 772, 773. Interdum etiam simpliciter τὸ μέρος, Dem. Pro cor. [p. 367, 5 : Οὕτω διέθηκας αὐτοὺς τὸ μέρος σύ. Alii libri addunt σὸν et κατὰ σαυτόν. Τὸ μέρος de vicibus Herodot. 2, 173 : Εἰ ἐθέλοι κατεσπουδάσθαι αἰεὶ μηδὲ ἐς παιγνίην τὸ μέρος ἑωυτὸν ἀνιέναι, λάθοι ἂν μανείς. Quanquam hic etiam Ex parte

vertere licet, de qua signif. sub finem HSt. || Μέρος, Vices. Herodot. 3, 69 : Ἡ Φαιδύμη, ἐπείτε αὐτῆς μέρος ἐγίνετο τῆς ἀπίξιος (inter ceteras pellices) παρὰ τὸν μάγον.] At vero τὸ ἐπιβάλλον μέρος, aliud significat, ut cognosces ex iis quæ in Ἐπιβάλλω dixi.

|| Ἐν μέρει, Vicissim. [Æsch. Eum. 198 : Ἀντάκουσον ἐν μέρει. Et alibi sæpe ipse et Euripides. « Nicomach. ap. Athen. 7, p. 291, D : Μικρὰ διάκουσον ἐν μέρει χαμοῦ. » Hemst. Herodot. 1, 26 : Ἐν μέρεϊ ἑκάστοισι Ἰώνων τε καὶ Αἰολέων ἄλλοισι ἄλλος αἰτίας ἐπιφέρων.] Xen. Cyrop. 6, [1, 11] : Ἐγὼ δὲ ἐν τῷ μέρει πάλιν ἐκείνῳ δώσω δίκην. Ap. Thuc. [4, 11] ἐν τῷ μέρει exp. etiam Per vices, Alternis vicibus : Ἐν τῷ μέρει ἀναπαύοντες. [Sine art. idem 8, 93 : Λέγοντες τούς τε πεντακισχιλίους ἀποφανεῖν, καὶ ἐκ τούτων ἐν μέρει, ᾗ ἂν τοῖς πεντακισχιλίοις δοκῇ, τοὺς τετρακοσίους ἔσεσθαι. Eodemque modo sæpius Xen. et Plato, qui etiam cum art. aliter Conv. p. 185, D : Ἐγὼ ἐρῶ ἐν τῷ σῷ μέρει, σὺ δ' ἐν τῷ ἐμῷ μέρει· Critiæ p. 119, C : Ἐν μὲν τῷ καθ' αὑτὸν μέρει.] Item pro Sigillatim et Deinceps, Bud. p. 772, ex Aristoph. [Ran. 497 : Ἐγὼ δ' ἔσομαί σοι σκευοφόρος ἐν τῷ μέρει. Eur. Or. 452 : Ἀντιλάζου καὶ πόνων ἐν τῷ μέρει], et Aristide [Panath. : Ἐν μ. εἰπεῖν σώζοντα ἀλλήλοις τὴν διαδοχήν. Aliter ap. Xen. Anab. 7, 6, 36 : Πολλὰ μὲν δὴ πρὸ ὑμῶν ἀγρυπνήσαντα, πολλὰ δὲ σὺν ὑμῖν πονήσαντα καὶ κινδυνεύσαντα καὶ ἐν τῷ μέρει καὶ παρὰ τὸ μέρος, Et pro officio et præter officium.] Affertur autem et pro Partim ex Dionys. H. 5. [In specie, Singulatim, ap. Aristot. Metaphys. 3 initio : Ἔστιν ἐπιστήμη τις ἣ θεωρεῖ τὸ ὂν ᾗ ὂν καὶ τὰ τούτῳ ὑπάρχοντα καθ' αὑτό· αὕτη δ' ἐστὶν οὐδεμιᾷ τῶν ἐν μέρει λεγομένων ἡ αὐτή.]

|| Μέρος jungitur et aliis præpp. idque diversis modis. Παρὰ μέρος [quod aliter positum v. paullo ante], sicut et præcedens ἐν μέρει, sed non ita frequentis usus, pro Vicissim, Alternis : ut ex Theophr. docet Bud. p. 240. [Aristot. Polit. 2, 2 : Οἱ μὲν γὰρ ἄρχουσιν, οἱ δ' ἄρχονται παρὰ μέρος, ὥσπερ ἂν ἄλλοι γενόμενοι. Antonin. Lib. c. 30, p. 196 : Ὤρεγον παρὰ μέρος γάλα. Alciphr. 3, 66. Oribas. p. 82 ed. Mai. : Ἐντεῦθεν γὰρ γίνονται παρὰ μέρος μὲν ἡ τοῦ βρόχου πλοκή, παρὰ μέρος δ' αἱ ἀρχαί· et 83, 85.] Sic etiam Ἀνὰ μέρος pro Vicissim, Per vices, reperitur quum alibi, tum ap. Plut., necnon ap. Paulum. [HSt. in Ind. : « Ἀναμέρος, s. Ἀνὰ μ., Vicissim : ἐν μέρει, Hesych. » Eur. Phœn. 478 : Ὥστ' αὐτὸς ἄρχειν αὖθις ἀνὰ μέρος λαβών· 486 : Οἰκεῖν δὲ τὸν ἐμὸν οἶκον ἀνὰ μέρος λαβών. Polybii exx. plura indicavit Schweigh.] At Πρὸς μέρος ap. Aristot. OEc. 2 exp. Pro rata parte, Pro proportione, Ἑκάστῳ πρὸς μέρος διέδοσαν. [Demosth. p. 954, 19 : Ὅτε τὰ μητρῷα πρὸς μέρος ἠξίους νέμεσθαι· 1068, 4 : Ἐὰν δὲ μὴ πλείους ὦσιν ἐν τῷ αὐτῷ γένει, τῇ ἐπικλήρῳ πρὸς μέρος ἐπιδιδόναι ἕκαστον· 1145, 20 : Ψήφισμα δήμου ἠνάγκαζε τὸ πρὸς μέρος ἡμῖν διδόναι τῶν ὀφειλόντων ἕκαστον εἰσπρᾶξαι· 1286, 26 : Εἰ βούλεσθε κομίζεσθαι τὸ πρὸς μέρος τοῦ πλοῦ τοῦ πεπλευσμένου, δώσω ὑμῖν. Polyb. 5, 19, 7 : Περὶ τὴν Ἑλίαν (l. Ἑλείαν), ἥτις ἐστὶν ὡς πρὸς μέρος θεωρουμένη, πλείστη καὶ καλλίστη χώρα τῆς Λακωνικῆς· 44, 3 : Ἡ Μηδία διαφέρει καὶ κατὰ τὸ μέγεθος καὶ κατὰ τὴν εἰς ὕψος ἀνάτασιν πάντων τῶν κατὰ τὴν Ἀσίαν τόπων, ὡς πρὸς μέρος θεωρουμένη.] De Κατὰ μέρος autem et Κατὰ μέρη dictum fuit supra, necnon de Ἐπὶ μέρους. Venio igitur ad Ἀπὸ μέρους et Ἐκ μέρους. His Paulus utitur pro eo, quod Latine dicitur Ex parte, Aliqua ex parte : Ad Rom. 15, 15 : Τολμηρότερον δὲ ἔγραψα ὑμῖν, ἀδελφοί, ἀπὸ μέρους. [Thuc. 2, 37 : Κατὰ δὲ τὴν ἀξίωσιν, ὡς ἕκαστος ἔν τῳ εὐδοκιμεῖ, οὐκ ἀπὸ μέρους τὸ πλεῖον ἐς τὰ κοινὰ ἢ ἀπ' ἀρετῆς προτιμᾶται. Schol. : Τοῦτο λέγει διὰ τοὺς Ἡρακλείδας βασιλεῖς τῶν Λακώνων, οἵτινες ἀπὸ μέρους ἦρχον διὰ μόνην τὴν εὐγένειαν, κἂν μὴ εἶχον ἀρετήν. A. F. Did.] 1 Ad Cor. 13, 9 : Ἐκ μέρους γὰρ γινώσκομεν καὶ ἐκ μέρους προφητεύομεν· ubi possumus dicere, meo quidem judicio, ἐκ μέρους opponi τῷ τελείῳ : quum sequatur, Ὅταν δὲ ἔλθῃ τὸ τέλειον, τότε τὸ ἐκ μέρους καταργηθήσεται. Fuerit igitur hoc quidem loco ἐκ μέρους non tam quod dicitur Ex parte, quam Imperfecte, Non plene. At Diosc. dicit et ipse ἐκ μέρους pro Ex parte, ut loquitur Plin. [Aristot. Metaphys. 6, p. 144, 17 : Ὑπὸ τούτων κινηθήσεται τῶν οὐκ ἐχόντων μὲν τὴν τέχνην, κινεῖσθαι δὲ δυναμένων αὐτῶν, ἢ ὑπ' ἄλλων οὐκ ἐχόντων τὴν τέχνην ἢ ἐκ μέρους.] Ceterum ut ἐκ μέρους ad verbum respondet Latino loquendi generi Ex parte, sic ἐκ τοῦ πλείστου μέρους ap. Herodian. 8, [2, 11] est ad verbum Latine, Maxima ex parte. Affertur autem ex Babriæ Fabulis, scriptoris minime antiqui, ἐκ μέρους etiam pro Vicissim. [Alius generis sunt locutiones ἐξ ἑκατέρου, θατέρου μέρους etc., quarum exx. poni inutile est. « Aliter Theorianus Dialog. init. : Ἐκ τοῦ μέρους τοῦ βασιλέως, Nomine Imperatoris, *de la part de...* » Boiss.] At vero Thuc. pro ἐκ μέρους, Ex parte, Aliqua ex parte, dixit μέρος τι, 2, [64] : Καὶ δι' αὐτὴν οἶδ' ὅτι μέρος τι μᾶλλον ἔτι μισοῦμαι· nam hic et Valla, et VV. LL. perperam reddunt, Magna ex parte. Itidem vero ap. Paul. 1 Ad Cor. 11, [18] μέρος τι vet. Interpr., necnon Erasmus interpr. Ex parte, ubi sc. ita scribit ille : Πρῶτον μὲν γὰρ συνερχομένων ὑμῶν ἐν τῇ ἐκκλησίᾳ, ἀκούω σχίσματα ἐν ὑμῖν ὑπάρχειν· καὶ μέρος τι πιστεύω. Sed Beza mavult reddere, Et aliquam partem credo. Nam Ex parte credo, sic potest accipi, inquit, quasi dicat Apostolus se non prorsus credere famæ, nec prorsus etiam non credere. Atqui apparet Paulum non scripsisse de re incerta, ut qui manifeste in Corinthiis majorem animorum conjunctionem et caritatem requirat. Ceterum pro hoc μέρος τι Thuc. dicit etiam τὸ μέρος, si non mentiuntur vulg. ejus exempll. Habent enim ea 1, [127] : Ὡς καὶ διὰ τὴν ἐκείνου ξυμφορὰν τὸ μέρος ἔσται ὁ πόλεμος. Sed ut suspectam hic exemplarium fidem habeam, ac potius τι μέρος legendum putem quam τὸ μέρος, non tantum alter ille locus facit, sed etiam alius Ejusd., in quo τὸ μέρος memini me in alia signif. legere, sc. pro eo quod Latini dicunt Pro virili parte, in qua signif. alioqui frequentius genit. addunt Græci, ut paulo ante docui; ubi tamen Demosthenem quoque τὸ μέρος ita usurpasse admonui. [De μέρος τι v. etiam supra. || Τὸ μέρος, de certa suffragiorum parte, h. e. quinta, quod etiam addito numero dicitur τὸ πέμπτον μέρος, libris inter utrumque interdum variantibus. V. G. Dindorf. præf. ad Demosth. p. 7. Alioqui τὸ μέρος dicitur de quavis Portione qualem alicui convenit tribui aut ab eo conferri. Demosth. p. 38, 4 : Τῶν κοινῶν ἕκαστος τὸ μέρος λαμβάνων· 1031, 15 : Οὐδὲ ταύτης ἀξιοῖ συμβαλέσθαι τὸ μέρος· 17 : Ἃ μὲν ἔχει προλαβών, τῶν δὲ τὰ μέρη κομίζεται. Lysias p. 872, 3 : Διὰ τὸ ἀναγκαῖον σφίσιν αὐτοῖς ἡγεῖσθαι εἶναι μετέχειν τὸ μέρος τῶν δεινῶν. || De στρατείᾳ τῇ ἐν τοῖς μέρεσιν, quæ erat tironum apud Athenienses, Æschines p. 50, 35 : Πρώτην ἐξελθὼν στρατείαν τὴν ἐν τοῖς μέρεσι καλουμένην· 37 : Τὰς ἄλλας τὰς ἐκ διαδοχῆς ἐξόδους τὰς ἐν τοῖς ἐπωνύμοις καὶ τοῖς μέρεσιν ἐξῆλθον. Suidas (et minus emendate Photius) v. Τερθρεία, a Palmerio collatus : Ἄλλοι δὲ (τερθρείαν) φασὶ καὶ τὴν ἐν τοῖς μέρεσι καλουμένην μάχην. Οἱ δὲ ὅτι ἔθος ἦν τοὺς ἐφήβους μετὰ τὸ γενέσθαι περιπόλους τῆς χώρας, στρατεύεσθαι μέν, εἰ συμβαίη πόλεμος, μὴ μέντοι μετὰ τῶν ἄλλων, ἀλλ' ἰδίᾳ ἐν μέρεσι τοῖς ἀκινδύνοις τῆς μάχης. Διὸ τὴν στρατείαν καλεῖσθαι τὴν ἐν τοῖς μέρεσιν. Conf. Corsin. F. A. part. 1, diss. 11, 5. || Constant. Cærim. p. 94, D : Καὶ δούλκιον ἐποίει ὁ κύριος Θεοφύλακτος ὁ πατριάρχης ἐπὶ τὸ μέρος τοῦ εὐχτηρίου. Reiskius vol. 2, p. 233 : « In parte oratorii, in plaga. Μέρος sæpe Græcis novis pro Plaga, Tractu ponitur. V. Constant. Tact. p. 23, 23. Ita quoque Latini medii ævi, e. c. in partibus infidelium pro in plagis, tractibus, terris. Ita pars mulierum, pars virorum pro statione in ecclesia. » || Factio Circi. De hac signif. plura Ducang. Qui annotavit etiam : Μέρη, Partes, Actor et Reus, in Basilic. L. Dind.]

[Μερούσιον τό, Merusium. Χωρίον Σικελίας, ὡς Θεόπομπος Φιλιππικῶν λθ'. Οἱ οἰκήτορες ὁμοίως Μερούσιοι καὶ Μερόεσσα ἡ Ἄρτεμις. Ἀπέχει δὲ ὁ τόπος Συρακουσῶν στάδια ἑβδομήκοντα. Τινὲς δὲ ἀπὸ τῆς Μερόης τῆς Αἰθιοπίας, Steph. Byz. Μερ in numo ap. Mionnet. *Suppl.* vol. 1, p. 400, n. 269, huc refert Sestinius. V. Μεργανή.]

Μέροψ, οπος, ὁ, unde Μέροπες, Hominum epith., διὰ τὸ μεμερισμένην ἔχειν τὴν ὄπα, i. e. φωνήν, Hesych., vel quod articulata lingua loquantur, quum ceterorum animalium voces sint ἄναρθροι : vel quod diversis loquantur linguis. Hom. Il. A, [250] : Γενεαὶ μερόπων ἀνθρώπων, ubi et schol. itidem ut Hesych. exp. μεμερισμένην τὴν φωνὴν ἐχόντων, ὡς πρὸς σύγκρισιν τῶν ἄλλων ζώων τουτέστι, μεριζομένην εἰς συλλαβὰς καὶ ἔναρθρον ἐχόντων τὴν ὄπα. Legitur et Il. Γ, [402]: Φίλος μερόπων ἀνθρώπων. [B, 285: Μερόπεσσι βροτοῖσι. Æsch. Suppl. 89: Μερόπεσσι λαοῖς.] Alicubi vero [nusquam ap. Hom. et Hesiod.] absolute μέροπες pro μέροπες ἄνθρωποι, vel simpliciter ἄνθρωποι: sicut et Hesych. μερόπων exp. ἀνθρώπων: ut in Epigr. [Paulli Sil. Anth. Pal. 7, 563, 2]: Ἀρχεγόνων μερόπων, Priscorum hominum. Ibid., ἐν μέροψι, Inter homines. [Μέροψ, Homo, in sing., Manetho 4, 577. Wakef. Plur. Æsch. Cho. 1017: Οὔτις μερόπων. Eur. Iph. T. 1263: Πολέσιν μερόπων. Apoll. Rh. 4, 537, aliique recentiorum. Hymnus ap. Bœckh. C. I. vol. 1, p. 477, n. 511, I, 4: Ὕπνον ἀπὸ βλεφάρων σκεδάσας εὐχῶν ἐπάκουε σῶν μερόπων, οἳ πολλὰ γεγηθότες ἱλάσκονται σὸν σθένος, ἠπιόφρων Ἀσκλήπιε. Ubi mira est Gesneri de Meropibus cogitantis opinio. Conf. Lucian. Tragœdop. 193: Κλύε σῶν ἱερῶν μερόπων ἐνοπάς. Quæ podagrici accinunt Podagræ. Mira forma Μεροπεὺς Eudocia ap. Bandin. Bibl. Med. vol. 1, p. 130, 165: Ἔνθεν θέρμηνεν γενεὴν πάντων μεροπήων· 234, 101: Κεῖθι μεγασθενέων καὶ μηχεδανῶν μεροπήων· 235, 115, et singulari 129: Εὐσεβέος μεροπῆος. L. Dind.] || Μέροπες dicuntur etiam Coi, i. e. Qui in insula Co habitant [Pind. Nem. 4, 26, Isthm. 5, 29], quæ inde Μεροπηῒς nominatur. Eust. p. 97: Εὕρηνται δὲ καὶ οἱ Κῶοι, τουτέστιν οἱ τῆς Κῶ τῆς νήσου ἔποικοι, μέροπες ἰδίως καλούμενοι, ὀνόματι ἐθνικῷ, καὶ ἡ νῆσος αὐτῶν Κῶς Μεροπηΐς. [Callim. Del. 160.] Ap. Steph. Byz. vero non Μεροπηῒς scribitur, sed Μεροπίς: qui etiam addit, a Merope quodam Coos id nomen sortitos. Μέροψ, inquit, Τριόπα παῖς, ἀφ' οὗ Μέροπες οἱ Κῶοι, καὶ νῆσος Μεροπίς. [Conf. id. in Κῶς, Eur. Hel. 382. Μεροπὶς etiam ap. Thuc. 8, 41, Strab. 15, p. 686, Pausan. 6, 14, 12. Alia Μεροπὶς est ap. Strab. 7, p. 299: Τὴν παρὰ Θεοπόμπῳ Μεροπίδα γῆν (fictam).] Μερόπη ead. insula dicitur, teste Plin. 5, 31: Nobilissima autem in eo sinu Cos, Merope vocata: Cos, ut Staphylus: Meropis, ut Dionysius. At Meropia et Acis quondam appellata Siphnus fuit, ut ex Eod. discimus 12, 4. Rursum Μερόπη, una est ex septem Pleiadibus, ut præter alios [Arat. 261, Apollod. 1, 9, 3, 1; 3, 10, 1, 1] Eust. meminit. [F. Cypseli ap. Pausan. 4, 3, 6. Œnopionis ap. Apollod. 1, 4, 3, 3.] || Μέροψ, οπος, ὁ, avis quoque nomen est, de qua Plin. 10, 33: Merops vocatur, genitores suos reconditos pascens, pallido intus colore pennarum, superne cyaneo, primori subrutilo. Quæ desumpsit ex Aristot. H. A. 9, 13. Vocatur a nonnullis Apiaria, quod inimica apibus sit: a Gaza Apiaster, ab aliis Riparia. [Conf. id. Aristot. c. 40 med.]

[Μέροψ, οπος, ὁ, Merops, n. viri, cujus ex. v. in præced. voc. Alii sunt ap. Hom. Il. B, 831, Λ, 329, Apoll. Rh. 1, 976, Apollod. 3, 12, 5, 5.]

[Μερτρὺξ, i. q. γεράνιον, Diosc. 3, 131.]

Μερύτης, Hesych. exp. ἀναιδής, Impudens.

Μερῶν, Hesych. ἐλάσσων, Minor. [Pro Μείων.]

[Μεσαβατικὴ, ἡ, Mesabatice, regio Mediæ, ap. Strab. 11, p. 524. Dionysio Per. 1015 per duplex σ Μεσσαβάται.]

Μέσᾰβον, poet. et Μεσόβοιον, τὸ, Medium inter boves junctum lignum, ut Suid. exp.; ut alii, ἡ τοῦ ζυγοῦ γλυφὴ, ἔνθα αἱ αὐχένες τῶν βοῶν δέδενται: ut alii, λῶρον τὸ παρὰ τῷ ζυγῷ, ᾧ προσδέδεται ὁ ἱστοβοεὺς, Lorum, quo temo jugo alligatur. Polluci vero [1, 252, ubi etiam Μεσόβοιον ponitur] i. q. ἐχέβοιον, ut supra ex eo annotavi. Hesiod. Op. [467]: Βοῶν ἐπὶ νώτου ἵκηαι Ἔνδρυον ἑλκόντων μεσάβῳ. Ubi Tzetz.: Μέσαβοι δὲ, οἱ λῶροι, οἱ μέσοι ὄντες τοῦ ζυγοῦ, καὶ συνδέοντες τὸν ῥυμὸν τῷ ζυγῷ. [Ad eundem versum Proculus affert l. Callimachi: Μέσσαβα βοῦς ὑποδύς.] Unde Μεσαβόω, quod Varin. proprie esse dicit Jungo boves, βοῦς ζευγνύω, abusive vero ad alia quoque animalia transferri. [In Ind.:] Μέσσαβον, Hesych. exp. τὸν ἱμάντα, ᾧ τὸν ἱστοβοέα πρὸς μέσον τὸ ζυγὸν προσδέουσι, quod nonnulli ἐχέβοιον. [Duplicato propter metrum σ verbum est ap. Lycophr. 817: Τὸν ἐργάτην μύκλον κάνθων' ὑπὸ ζεύγλῃσι μεσσαβοῦν.]

[Μέσαβος, Μεσαβόω. V. Μέσαβον.]

[Μεσάγκῠλον, τὸ, Amentatum jaculum. Eur. Phœn. 1141: Πρῶτα μὲν τόξοισι καὶ μεσαγκύλοις ἐμαρνάμεσθα. Schol. τοῖς ἀκοντίοις, διὰ τὸ κατὰ μέσον τοῦ ξύλου τὰ ἀκόντια ἀγκύλον τι καὶ κοῖλον ἔχειν. Immo formatur ab ἀγκύλη. Alia scholl.: Τὸ μεσάγκυλον εἶδός ἐστιν ἀκοντίου, ἐν μέσῳ τῷ ξύλῳ κοῖλον ἔχον, ὡς ἂν ἐρείδηται ἡ χεὶρ τοῦ πέμποντος, κατὰ τροπὴν τῆς οι διφθόγγου εἰς υ ψιλόν. Eust. Il. p. 344, 7: Οἱ (οἱ παλαιοὶ) φασι καὶ ὅτι αἰγανέα, ἧς ἡ ἀγκύλη ἐξ αἰγείου δορᾶς· λέγουσι δὲ ἀγκύλην, τὴν τῆς αἰγανέας λαβήν· ... καὶ ἡ ἀγκύλη δὲ, ἀκόντιόν ἐστί τι, ὅθεν καὶ οἱ ἀκοντισταὶ, ἀγκυλισταί. Ἀπ' αὐτῆς δὲ καί τι ἐκηβόλον μεσάγκυλον παρωνόμασται, ὡς δηλοῖ παρ' Εὐριπίδῃ τὸ, κτλ. (Eur. Androm. 1133: Ἀλλὰ πόλλ' ὁμοῦ βέλη, οἰστοὶ, μεσάγκυλ' ἔκλυτοί τ' ἀμφώβολοι. Schol.: Μεσάγκυλα, εἴδη ἀκοντίων ἐν μέσῳ σπάρτῳ δεδεμένων, ὃ κατέχοντες ἠφίεσαν.) Ἴσως δὲ πολυωνυμίας λόγῳ ταυτόν ἐστιν ἀγκύλην εἰπεῖν, καὶ μεσάγκυλον. Polyb. 23, 1, 9: Ταῦρον βαλεῖν ἀφ' ἵππου μεσαγκύλῳ. A. Gell. 10, 25, inter telorum, jaculorum, gladiorumque vocabula ponit frameas, mesanculas (l. mesancylon, ut tacite legit Gesner. Thes. L. L. et diserte Forcellin.) Paulus: Mesancilum, teli missilis genus. « L. Mesancylum. Μεσάγκυλον, Amentatum jaculum. Ennius Ansatas vocat: Mittunt ansatas de turribus. Menand. (ap. Plut. Mor. p. 547, C): Πῶς τὸ τραῦμα τοῦτ' ἔχεις; μεσαγκύλῳ. » Scalig. Hesych.: Μεσάγκυλα, ἀκόντια. Etym. M. p. 113, 35: Ἀγκύλος, μεσάγκυλος. Imo μεσάγκυλος est ab ἀγκύλη. Ponunt Μεσάγκυλος etiam Photius, Suidas, Zonaras. Angl.]

[Μεσάγριος vel Μεσάγροικος, ὁ, ἡ, Semiferus vel Semirusticus, ap. Strab. 13, p. 592: Ἔστι δέ τις διαφορὰ καὶ παρὰ τούτους τῶν ἀγροίκων καὶ μεσαγροίκων καὶ πολιτικῶν, al. ἀγρίων καὶ μεσαγρίων.]

Μεσάζω, i. q. μεσόω, Sum in medio. [Intercedo, Intervenio, Gl.] Hippocr.: Καὶ πότερον ἄρχοιτο τὸ πάθος, ἢ μεσάζοι, ἢ λήγοι. Usus est schol. Eurip. exponens illud ejus verbum μεσοῖ, in l. quem proferam in Μεσόω. Et Herodian. [7, 3, 2] μεσαζούσης ἡμέρας dixit, ut aliis dicitur μεσούσης. [Jo. Damasc. in Hist. Barlaami p. 7 codicis Reg. 903. Boiss. Μεσάζειν, a nemine damnatum, tamen in nullo scriptore idoneo inveni. Extat sæpissime apud recentiores, ut Diod. 1, 32: Πᾶς ὁ μεσάζων τόπος, ubi alii legunt νησίζων, Apollon. Alex. De synt. p. 267, 14 (Αἱ μεσαζόμεναι λέξεις· conf. id. in Bekk. An. p. 523, 26; 487, 14), Eust. Od. p. 1389, 38: Ὁ μῦθος περί που τὴν Δελφικὴν χώραν λέγει μεσάζεσθαι· 1390, 9: Ὁ ὀμφαλὸς μεσάζει τὰ ζῷα· schol. Eurip. Med. 60: Οὐ μόνον οὐ λήγει, ἀλλ' οὐδὲ μεσάζει· Phavorin. et Etymol. ineditum apud Bielium in N. Thes. philol. v. Μεσίτης, et Sapient. 18, 14. Sturz. V. Steph. Byz. in Μεσσήνη cit. || Μεσάζοντες dicti qui in Aula imperatoris primas obtinent, Rerum ministri, ap. Manilium, quibus scilicet velut sequestris res suas peragunt. Anna Comn. 14, p. 436: Ὁπηνίκα δέ τις ἀνακόψαι τῶν μεσαζόντων τούτους ἐπεχείρει. Nicetas Man. 1, 3: Μελεδωνὸν δὲ μεσεύοντα καὶ τῶν οἰκείων ὑποδρηστῆρα διαταγμάτων, ubi cod. barbarogr. μεσάζοντα τῶν οἰκείων ὑποθέσεων. Pachymeres 5, 6: Πέμπεται πρέσβυς ἐκεῖθεν ὁ καὶ μεσάζων ἐκείνων. Et alii. Ducang.]

[Μεσαίγεως, ὁ, ἡ, i. q. μεσόγειος, Mediterraneus. Scymn. 363: Βρεντέσιον ἐπίνειόν τε τῶν μεσαιγέων.]

[Μεσαῖος. V. Μέσος.]

Μεσαιπόλιος, ὁ, ἡ, Semicanus, Qui medium canæ ætatis attigit, non ita pridem canescere cœpit. Hom. Il. N, [361]: Ἔνθα μεσαιπόλιός περ ἐὼν Δαναοῖσι κελεύσας Ἰδομενεὺς Τρώεσσιν ἐπάλμενος ἐν φόβον ὦρσε. Epigr. [Paulli Sil. Anth. Pal. 5, 234, 4]: Αὐχένα σοι κλίνω Κύπρι μεσαιπόλιος. Schol. Hom. l. c. exp. μεσῆλιξ, s. ὁ λεγόμενος σπαρτοπόλιος, sc. ᾧ διεσπαρμέναι εἰσὶν αἱ πολιαί. [Alciphr. 3, 25: M. ἄνθρωπος. Hemst. Pollux 2, 12, Hesych.]

[Μεσαίχμιον. V. Μεταίχμιον.]

Μέσακμον, Hesychio κανὼν τοῦ ἱστοῦ, s. τὸ ἀντίον, Malus textorius. Suid. habet: Μεσάτμῳ· τῷ κανόνι, τῷ μέσῳ καλάμῳ τοῦ ἱστοῦ. In 1 Reg. 17, [7] legitur μεσάντιον: Ὁ κοντὸς τοῦ δόρατος αὐτοῦ ὡσεὶ μεσάντιον ὑφαίνοντος. [Μεσάντιον, Liciatorium, Gl. De varia hujus voc. scriptura v. intt. Hesychii, cujus glossæ quæ appensa sunt Οἱ δὲ τὸ μεσάκτων, ἢ μεσάκρων ἢ μεσάτων τριχῶν, ἢ τὸ μέσον τῆς αὐλῆς, ex variis corrupta videntur compositis cum μέσος, et postremum quidem ex μέσαυλον. De ceteris conjecturas interpretum nec repetere nec novis augere velim, nisi quod τριχῶν fortasse ex τοίχων corruptum dicam. L. Dind.]

A [Μεσάκτιος vel Μέσακτος, ὁ, ἡ, Medius inter litora vertitur Æsch. Pers. 887 : Καὶ τὰς ἀγχιάλους ἐκράτυνε μεσάκτους, Λῆμνον Ἰκάρου θ' ἕδος. Μεσακτίους schol. Medius fractus in ejusd. fr. Protei ap. Athen. 9, p. 394, A : Σιτουμένην δύστηνον ἀθλίαν φάβα, μέσακτα πλευρὰ πρὸς πτύοις πεπλεγμένην (πεπληγμένην Schweigh.). Sed non videtur dubitari posse eandem utroque l. obtinere signif. Medii, quum ab ἀκτὴ analogia fieri jubeat μεσάκτιος.]

[Μεσαλιανοί, Μεσαλιανῆται. V. Μεσσαλία.]

[Μεσαμβρίη. V. Μεσημβρία.]

[Μεσανίτης κόλπος, ὁ, ap. Marcianum in Periplo m. Persici, sec. Stephanum Byz.]

[Μεσάντιον. V. Μέσαχμον.]

[Μεσάνωτος, Etym. M. p. 472, 8 : Μεσάνωτον τον τόπον λέγων. Wakef. Scrib. μέσα νῶτα, ex schol. Hom. Od. K, 161.]

[Μεσαραϊκός. V. Μεσάραιον.]

Μεσάραιον, τὸ, i. q. μεσεντέριον. Siquidem, Hesychio auctore, ἀραιὴ dicitur ἡ γαστὴρ καὶ λεπτὰ ἔντερα, Venter et tenuia intestina. Item ἀραιὸν dicitur τὸ λεπτὸν καὶ στενὸν, Tenue et angustum. Eam ob rem μεσάραιον dicitur, quasi in medio intestinorum tenuium vel ventre positum, non autem a raritate, ut quidam existimarunt. Gorr. Alii dicunt esse Membranam venis, arteriis, nervisque contextam per cujus vasa, quæ Μεσαραϊκὰ inde dicuntur, alimentum ex ventriculo in hepar distribuitur. [Alex. Trall. 12, p. 221 : Καὶ ἐπὶ φλεγμονῇ τοῦ ἥπατος καὶ γαστρὸς καὶ μεσαραίου. Galen. vol. 2, p. 296 : Τὸ μεσάραιον· 4, p. 137 : Τὸ μεσεντέριον, ὃ καὶ μεσάραιον καλεῖται· etc. Meletius Cram. An. vol. 3, p. 100, 7 : Ταῖς μεσαραϊκαῖς φλεψί· 18; 110, 16 : Αἱ μεσαραϊκαὶ φλέβες. Pro quo 102, 7 : Τὸ ἧπαρ ἐκ τῶν μεσαραίων φλεβῶν δεξάμενον (τὸ αἷμα)· 106, 8 : Τινῶν φλεβῶν λεγομένων μεσαραίων. L. Dind.]

[Μεσαριστερὸς vel potius Μεσαρίστερος, ὁ, Medius sinister. Constant. Cærim. p. 205, B : Ὀνομάζει τὸν μεσαριστερόν.]

[Μέσαρνον, Dimidium agni, tributi genus. Novella Isaacii Comneni : Ἀπὸ δὲ τοῦ ἔχοντος εἴκοσι καπνοὺς τὸ δίμοιρον τοῦ νομίσματος καὶ ἀντὶ τῶν δύο ἀργυρῶν, μέσαρνον ἕν, κριθῆς μόδια τέτταρα. Ducang.]

Μέσαρχον, vocari τὸ μεσεντέριον, quod omnes venas quæ ad ipsum ex hepate feruntur, una cum adjacentibus arteriis circumquaque ambit et complectitur, dicunt VV. LL. [Pro μεσάραιον, ut videtur, quod v.]

[Μεσασμὸς, ὁ, Ratio agendi aliquid publice, in mediis hominibus, Conversatio in publico. Jo. Chrys. In Esaiæ c. 1, vol. 1, p. 1026, 10 (vol. 6, p. 14, C) : Οὐχ ὀλίγα περὶ μέτρων καὶ αὐτὸς (Christus) διείλεκται, καὶ τῶν τούτων εὐτελεστέρων εἶναι δοκούντων, ἀσπασμῶν καὶ μεσασμῶν καὶ πρωτοκλισιῶν. Seager. Rectius exponere videntur Savilius et Montef. Medios incessus, de loco honoratissimo inter ambulandum.]

[Μεσαστὴς, ὁ, Anna Comn. p. 287 (?). Elberl.]

[Μεσατεύς. V. Μεσάτις.]

[Μεσάτη, ἡ, Mesate, prom., de quo Pausan. 7, 5, 6 : Πρὸς ἄκρᾳ καλουμένῃ Μεσάτῃ· ἡ δὲ ἔστι μὲν τῆς ἠπείρου· τοῖς δὲ ἐκ τοῦ Ἐρυθραίων λιμένος ἐς νῆσον τὴν Χίων πλέουσι τοῦτό ἐστι μεσαίτατον.]

D Μεσάτιος, vel Μεσσάτιος cum σσ : quo utitur [Callim. Dian. 78 : Μεσσάτιον στέρνοιο μένει μέρος· Nicand. Th. 104,] Dionys. P. [296.] Sed a Polluce [1, 142 et Hesychio], si mendo carent ejus exempll., μεσάτιον annumeratur etiam inter partes currus : item [ib. 148] μεσάτιος esse traditur ὁ ἀπὸ ἵππου ἐπὶ ἵππον ἀπηρτημένος ἱμάς. [ᾰῐ]

[Μεσάτις, εως, ἡ, Mesatis, oppidum Achaiæ, apud Pausan. 7, 18, 4 et 6. A quo dictus Bacchus Μεσατεὺς 7, 21, 6.]

[Μέσατμον. V. Μέσαχμον.]

Μέσᾰτος, η, ον, i. q. μέσος, Medius, [Medianus, Gl.] : et ab eo ita factum, ut τρίτατος a τρίτος. [Theocr. 7, 10 : Κοὔπω τὰν μεσάταν ὁδὸν ἄνυμες· 21, 19 : Οὔπω τὸν μέσατον δρόμον ἄνυεν ἅρμα Σελάνας. Et sæpe Nicander et Orph. Arg.] Scribitur autem et Μέσσατος, metri causa : sicut μέσσος quoque pro μέσος passim ap. poetas occurrit. Hom. Il. Θ, [223, Λ, 6] : Ἦ ῥ' ἐν μεσσάτῳ ἔσχε. Quo in l. annotat Eust. Atticos postea dixisse ἐν μεσαιτάτῳ, quod Hom. ἐν μεσσάτῳ. Quo fit ut non lubenter assentiar scholiastæ Aristoph. existimanti μέσατος in Vesp. [1502] posse accipi pro μέσος [cujus ex. affert ex Menandro. Marianus Anth. Plan. 201, 2 : Μεσάτην ἐς κραδίην. In l. Aristoph. sec. schol. nonnulli Μέσατον quendam tragicum intellexerunt. Unde Μέσατος, ὁ, Mesatus, Euripidis inimicus in Epist. Ps.-Eurip. 5, p. 503, 16, ubi Μεσάτος scriptum.]

[Μεσαύλη, ἡ. Vitruv. 6, 10 : Ædium quædam itinera Mesaulæ dicuntur apud Græcos, quod inter duas aulas media sunt interposita; nostri Andronas vocant. V. Μέσαυλος.]

[Μεσαυλικὸς, ή, όν, Qui tibiarum cantui interponitur, ap. Aristid. Quint. 1, p. 26 : Τὰ ἐν ταῖς ᾠδαῖς μεσαυλικὰ ἢ ψιλὰ κρούματα. Conf. Eust. in Μεσαύλιον et Hesych. in Διαύλιον citt.]

Μεσαύλιον, τὸ, i. q. μέσαυλον, Suid. [Atrium, Compluvium, Impluvium, Contila, Gl. Suidæ autem gl. : Μεσαύλιον (μέσαυλον Lex. ap. Bachm. An. vol. 1, p. 298, 16, s. ap. Ducang. in Gl.), κυρίως μὲν ἡ μέση θύρα· B καλεῖται δὲ ἀντὶ τοῦ μεσαύλιον (eadem Photius, ap. quem καλεῖται)· ἢ μεσαύλιον ὁ μέσος τόπος τῆς αὐλῆς, sententiam habet nullam, nisi aut μέσαυλον scribatur in capite aut, quod Bernhardy conjecit, ἀντὶ τοῦ μεταύλιον. Appendix autem, quæ in libris nonnullis exstat etiam post Μαῖρα sic scripta : Μεσαύλιος, ὁ μέσος τόπος τῆς αὐλῆς, nihil differt a gl. Etym. M. s. Zonaræ p. 1345 : Μεσαύλιος, ἡ κατὰ τὸν ἀγρὸν ἔπαυλις. Ἀττικῶς δὲ τὴν μέσην το πυλῶνος καὶ τῆς αὐλῆς ἢ τῆς ἀνδρωνίτιδος καὶ γυναικωνίτιδος. Etsi autem ἡ μεσαύλιος perinde ut ἡ μεταύλιος de janua dicitur, ut suis locis ostendimus, neutro tamen genere nonnisi Atrium significari recte animadvertit Vales. ad Euseb. Vit. Constant. 3, 39, p. 600 (ubi male per diphthongum) : « Ἔκφρασις μεσαυλείου καὶ ἐξεδρῶν καὶ προπύλων) Gravi errore Christophorsonus μεσαύλιον Portas atrienses vertit, quasi μεσαύλιον et ἡ μέσαυλος idem esset. Atqui μεσαύλιον est Area. Nam quod in titulo capitis μεσαύλιον dicitur, id in contextu capitis αἴθριον vocat Eusebius. »] Item μεσαύλιον vocabatur κροῦμά τι μεταξὺ τῆς αὐλῆς [ᾠδῆς Schneider.] αὐλούμενον, Eust. [Il. p. 862, 19. V. Μεσαυλικός.] V. C Διαύλιον. || Μεσαύλιος autem nom. servi ap. Hom. hinc ductum [Od. Ξ, 449, 455.]

[Μεσαύλιος, ὁ, Mesaulius. V. Μεσαύλιον.]

[Μεσαύλιος, ὁ, ἡ. V. Μέσαυλον.]

Μέσαυλον, τὸ, vel Μέσαυλος, ὁ, Locus in medio stabulo, s. in media caula; aut etiam Casa, Bud. [Hom. Il. Λ, 548 : Βοῶν ἀπὸ μεσσαύλοιο, et sine βοῶν P, 112 : Ἔβη ἀπὸ μεσσαύλοιο· 657 : Ὥς τίς τε λέων ἀπὸ μεσσαύλοιο· Ω, 29 : Ὅς νείκεσσε θεὰς, ὅτε οἱ μέσσαυλον ἵκοντο. Quint. 12, 580. Hesych. : Μέσαυλον, θυρωρὸν (?), καὶ ἡ τῆς αὐλῆς θύρα καὶ ἡ ἐν ἀγρῷ οἴκησις.] Alii proprie volunt esse Januam, quæ sit inter duas αὐλὰς, sed pro tota Casa s. Tugurio accipi. V. Eust. [Il. p. 862, 14. Schol. Apoll. Rh. 3, 235 : Ἔνθα δὲ καὶ μέσσαυλος ἐλήλατο) Μέσαυλον τὸ μέσον τῆς αὐλῆς, ὅπου τῶν βοῶν αἱ στάσεις. Οἱ δὲ Ἀττικοὶ μέσαυλόν φασιν τὴν φέρουσαν εἴς τε τὴν ἀνδρωνῖτιν καὶ τὴν γυναικωνῖτιν. Ea βαλανωτὴ est in l. Xenophontis, quem infelicibus aliorum conjecturis tentatum emendavi in Βαλανωτός.] Apud Eur. [Alc. 552] legitur et μέσαυλος adjective, Θύρας μεσαύλους. [Pro quo μεσαύλιος Philo vol. 2, p. 327, 33 : Θηλείαις δ' (ἐφαρμόζει) οἰκουρία καὶ ἔνδον μονὴ, παρθένοις μὲν εἴσω κλισιάδων τὴν μεσαύλιον ὅρον πεποιημέναις, τελείαις δὲ ἤδη γυναιξὶ τὴν αὔλιον (l. αὔλειον). Sic infra μεταύλιος pro μέταυλος.] || Μέταυλον etiam dixerunt Attici pro μέσαυλον. [Mœris p. 264 : Μέταυλος ἡ μέση τῆς ἀνδρωνίτιδος καὶ τῆς γυναικωνίτιδος θύρα, Ἀττικοί, Μέσαυλος Ἕλληνες. Atrium, Compluvium, Gl. « Conc. Cp. sub Mena Act. 1 : Ἐν τῷ μεσαύλῳ τῷ δυτικῷ τοῦ σεβασμίου οἴκου τῆς ἁγίας ἐνδόξου Θεοτόκου. V. Theophan. a. 37 Justiniani, a. 14 Mauricii, Cedrenum a. 1 et 37 Justiniani, a. 14 Mauricii. » Ducang. Inserto ι Chron. Pasch. p. 335, C : Ἐποίησε καὶ τὸ μεσίαυλον τῆς βασιλικῆς κιστέρναν μεγάλην· quæ forma bis est etiam ap. Jo. Malalam, p. 435, 20; 482, 2. Solent enim Byzantini in compositis cum μέσος pro ο ponere vel interponere interdum literam ι. V. Μεσοπέλαγος. L. Dind.]

[Μεσαύχην, ὁ, ἡ.] Μεσαύχενες, Media cervice ligati. VV. LL. [Hesych. : Μεσαύχενες, οἱ μέσου τοῦ αὐχένος δεσμευόμενοι, ante Μεσσηγός. Idem suo loco : Μεσαύχενες· Ἀριστοφάνης φησὶ, μεσαύχενας νέκυας, ἀσώτους· διὰ τοῦ σ (μ Dobr. Advers. vol. 1, p. 601) γραπτέον, μεσαύχενες, ὅτι μέσον αὐχένα αὐτοῦ πεζεῖ παρεβάλλοντο τὸ (αὐτοῦ vel αὐτῶν περιέβαλον, vel περιεβάλοντο intell. οἱ ἀσκοὶ, Dobr.) σχοινίον. Τραγῳδεῖ δὲ τὰ ἐν τῷ Φιλοξένου Σύρῳ. Ἔνιοι δὲ διὰ τοῦ δ γρ.(άφουσι) Δεσαύχενες, καὶ οὐ καλῶς. Hanc scripturam memorat Photius : Μεσαύχενες οἱ ἀσκοὶ ἢ δεσαύχενες, p. 258, 29, Etym. M. et Hesych. suo loco. Βυσαύχενας τοὺς ἀσκοὺς Ἀριστοφάνης κέκληκεν dicit Pollux 2, 135, miro dissensu. Ap. Hesych. autem ineptum est τραγῳδεῖ de Aristophane dictum, et in παρῳδεῖ mutandum. L. Dind.]

[Μεσαφέτης, ὁ, Jo. Chrys. Hom. 122, vol. 6, p. 974. Seager. Pseudochr. in Or. de Circo vol. 8, p. 88, C, ubi metaphoræ pleræque de circo petitæ : Christus habet Mosen, Samuelem, Davidem, οἳ προκατήγγειλαν περὶ τῆς ἐλεύσεως τοῦ δικαίου· ἔχει ἐκεῖνος (diabolus) μεσαφέτας δαίμονας, Βὴλ καὶ Δαγὼν καὶ Βαὰλ καὶ Χαμὼς, οἳ τὸν Ἰσραὴλ ἔβαλον ἀπὸ σκελῶν ..., Quos in medium immittat dæmones, Int.]

[Μεσαιώριον. V. Μεσαμβρίη in Μεσημβρίαν.]

[Μέσβλης, ητος, ὁ, quod scribendum Μέσθλης, quod v., ponit Herodianus qui dicitur in Cram. An. vol. 3, p. 233, 1.]

[Μέσδων. V. Μείζων.]

[Μεσεγγὺ scriptura vitiosa pro μεσηγὺ, quod v.]

[Μεσεγγυάω, Sequestro, Gl. Activum bis ponit etiam Pollux 8, 28.] Μεσεγγυάομαι, Apud sequestrem pecuniam deponendam stipulor vel contendo, Deponi apud sequestrem stipulor vel jubeo : de iis dictum redemptoribus, qui sequestratione pecuniæ sibi cavent. Dem. [p. 995, 21] : Καὶ μεσεγγυησαμένης ἀργύριον ἐπὶ τούτοις, δίδωσι τὸν ὅρκον αὐτῇ, Et, quum pecuniam ab eo sibi promissam ipsa apud sequestrem deponi jussisset et voluisset, tunc ei ex compacto pater jusjurandum detulit. Et in pass. ap. Lys. [p. 182, 1] : Τρία τάλαντα μεσεγγυηθέντα παρὰ Ἐργοκλέους τοῖς λέγουσιν, εἰ δύναιντο αὐτὸν σῶσαι, Apud sequestres depositam mercedem oratorum, si servare eum possent. [Plato Leg. 11, p. 914, D : Ἐὰν δὲ τὸ μεσεγγυηθὲν θρέμμα ᾖ.] Et μεσεγγυησάμενος, Intercessor, Sequester, h. e. ὁ τὸ μεσεγγύημα δεξάμενος : sic enim ap. Antiphontem accipi Bud. putat. [Μεσεγγυοῦνται pro μεσεγγυῶνται ex libris optimis restitutum Isocrati p. 292, A, ex eodem citavit Suidas. Sic μεσεγγυωθῆναι pro μεσεγγυηθῆναι codex Timæi Lex. Plat. p. 178, ap. Bast. Ep. cr. p. 23.]

[Μεσεγγύη, ἡ, Sequestratio, Gl.]

Μεσεγγύημα, τὸ, Id ipsum, quod apud sequestrem deponitur, Sequestrum, Sequestratio. Harpocr. : Μεσεγγύημα, τὸ ὁμολογηθὲν ἀργύριον παρ' ἀνδρὶ μέσῳ γινομένῳ ἐγγυητῇ τῆς ἀποδόσεως, καὶ μεσεγγυήσασθαι τὸ τοῦτο ποιῆσαι λέγεται, Apud sequestrem deponere, Bud. [Similiter Hesych. et Photius s. Suidas.] Pro Sponsione mercedis et pretio δωροδοκίας, pro Pacta mercede occulta, Æschin. p. 68 [71, 18]. Bud. [E Xenophonte per errorem citat Pollux 8, 28 et ex Hyperide. Qui ibidem ponit formulam ἐν μεσεγγυήματι ἐποιήσασθε. Memorat etiam 6, 181. Formam Μεσεγγύωμα præbent libri optimi Isocratis p. 235, C. V. Μεσεγγυάω.]

[Μεσεγγυητής, ὁ, Fidejussor, Gl., i. q. sequens, παρ' ᾧ πολλοὶ ἐπίδικον παρατίθενται πρᾶγμα ἐπὶ δήλῳ ὅρῳ, Gl. Basilic. V. Cujac. ad Nov. 90. Ducang. V. Μετεγγυητής.]

Μεσέγγυος, ὁ, Qui ut sponsor intervenit, Budæo Interventor, Sequester [Gl.], Intercessor, διαλλακτής, ἐργολάβος, Hesychio μεσίτης. [V. etiam Μετέγγυος. Pollux 8, 28 : Μεσέγγυον τὴν μείρακα καταθέσθαι Ἀριστοφάνης λέγει. Alia phrasi Phrynich. Bekk. An. p. 61, 13 : Τὸ θέσθαι τι παρὰ μεσεγγύῳ. V. autem Μετέγγυος.]

[Μεσεγγυόω. V. Μεσεγγυάω.]

[Μεσεγγύωμα. V. Μεσεγγύημα.]

[Μεσεμβολέω, Medium interjicio. Nicom. Arithm. 1, p. 29 (97) : Ἣν καὶ διαφορὰν αὐτομάτως ἡμῖν ἡ φύσις ἐμεσεμβόλησε μεταξὺ τῶν ἀντεξεταζομένων. Iambl. In Nicom. p. 119, A : Εἰ μὴ τοὺς μεσοταγεῖς μεσεμβολοίημεν. Id. V. Pyth. 26, p. 260 Kiessl. : Τοῦ μεσεμβληθέντος. Quod scrib. esse μεσεμβοληθέντος animadvertit Lobeck. ad Phryn. p. 622, ut est ib. p. 158, C; 159, A.]

[Μεσεμβόλημα, τὸ, Quod medium interjicitur, Parenthesis. Schol. Æsch. Prom. Ms. : Σημείωσαι ὅτι διαφέρει τὸ καθ' ὑπέρθεσιν ὑπέρβατον τοῦ κατὰ παρένθεσιν, ὅτι τὰ μὲν καθ' ὑπέρθεσιν κατ' αὐτὸ τὸ ἄρθρον ἐστὶν ἢ τὴν πρόθεσιν, ὡς ἐνταῦθα· τὸ δέ γε κατὰ παρένθεσιν, ὅπερ καὶ μεσεμβόλημα λέγεται, τὸ διὰ μέσου λεγόμενον. Ducang. Schol. Oppiani Hal. 1, 409. Wakef. Nicephor. schol. in Synes. p. 417, D; Joseph. Rhacend. in Walzii Rhett. vol. 3, p. 536, 9.]

[Μεσέμβολον, τὸ, i. q. præcedens. Anna Comn. p. 287, B : Οἰκοδομήσαντες τεῖχος μεσέμβολά τινα καθάπερ κάχληκας τὰ ὀστᾶ τῶν ἀπολωλότων ἐνέθεντο. Elberl.]

Μεσεντέριον, τὸ, In medio intestinorum situm corpus membranosum, venæ portæ ramos connectens. Gaza, inquit Gorr., μεσεντέριον passim ap. Aristot. [H. A. 1, 16, 17, etc. et De partt. anim.] Lactes [Gl.] interpretatur. Id quod ab eo nimis licenter factum esse Herm. Barbarus scribit, Plinium secutus, qui Lactes appellavit molliora intestina quæ primum in homine et ove occurrant, per quæ cibus labitur. Sed Gazæ Bud. patrocinatur : siquidem Lactes non tam intestina, quam pingue illud, quod ea ambit, significat. Nostrates in piscibus vocant *Laitances*. [Pollux 2, 211. Μεσέντερον ap. Aristot. De partt. anim. 4, 4, quum versu proximo fuisset μεσεντέριον, non dubium quin μεσεντέριον scrib. sit.] Alio nomine μεσαραῖον Græci appellant illud μεσεντέριον. [V. Μεσόβλημα.]

[Μεσέρκειος.] Μεσέρκιος, epith. Jovis, teste Hesych., forsan quod in medio τῷ ἕρκει statui et coli antiquitus soleret. [Schol. Hom. Il. Π, 231 : Μέσῳ ἕρκεϊ· ἐπεὶ ἐν μέσῳ τοῦ οἴκου Ἑρκείου Διὸς βωμὸς ἵδρυται, μεσέρκειον καλοῦσι τὸν Δία. Quæ vera scriptura est. Altera non minus vitiosa quum ἕρκιος pro ἕρκειος.]

[Μεσευθὺς, ὁ, ἡ, Qui medius est inter rectum. Clem. Al. Strom. 6, p. 811 : Οἵ τε Πυθαγόρειοι ἐντεῦθεν οἶμαι ἀπὸ τῆς τοῦ κόσμου κατὰ τὸν προφήτην γενέσεως τὸν ἓξ ἀριθμὸν τέλειον νομίζουσι καὶ μεσευθὺν καλοῦσι διὰ τὸ μέσον αὐτὸν εἶναι τοῦ εὐθέος, τουτέστι τοῦ δέκα καὶ τοῦ δύο· φαίνεται γὰρ ἴσον ἀμφοῖν ἀπέχων.]

Μεσεύω, Medius sum, i. e. Utriusque particeps, Ambigo ad utrumque. [Xen. H. Gr. 7, 1, 43 : Οὐκέτι ἐμέσευον, ἀλλὰ προθύμως συνεμάχουν τοῖς Λακεδαιμονίοις.] Aristot. Pol. 7, p. 191 [c. 7] : Τὸ δὲ τῶν Ἑλλήνων γένος ὥσπερ μεσεύει κατὰ τοὺς τόπους, Inter Asiam et Europam medium est, Bud. [Liban. vol. 1, p. 279, 5 : Εἰ τὸ μεσεύειν τοῖς ὅλοις ἐδίδου κρατεῖν. Cum gen., Plato Leg. 6, p. 756, E : Μέσον ἂν ἔχοι μοναρχικῆς καὶ δημοκρατικῆς πολιτείας, ἧς ἀεὶ δεῖ μεσεύειν τὴν πολιτείαν. V. Μεσάζω. Pollux 2, 10 : Ἐν τῷ μεσεύοντι τῶν ἡλικιῶν.]

[Μέση. V. Μέσος.]

Μεσηγὺ, seu Μεσηγὺς, adv. pro In medio, Inter. Scribitur autem sæpe et Μεσσηγὺ, seu Μεσσηγὺς gemino σ. Hom. Il. Θ, [258] : Τῷ δὲ μεταστρεφθέντι μεταφρένῳ ἐν δόρυ πῆξεν, Ὤμων μεσσηγύς· διὰ δὲ στήθεσφιν ἔλασσεν, In medio humerorum, Inter humeros. [Theocr. 25, 237 : Μεσσηγὺς δ' ἔβαλον στηθέων. Arat. 320 : Βορέω καὶ ἀλήσιος ἠελίοιο μεσσηγὺς κέχυται· 855 : Ταὶ δ' ἀμφί μιν ἔνθα καὶ ἔνθα ἀκτῖνες μεσσηγὺς ἑλισσόμεναι διχόωνται. Apoll. Rh. 2, 51 : Τοῖσι δε μεσσηγὺς ... Λυκωρεὺς θῆκε δοιοὺς ἱμάντας.] I, [545] : Κουρήτων τε μεσηγὺ καὶ Αἰτωλῶν. [Arat. 272 : Ἡ δὲ μεσηγὺ ὀρνιθέης κεφαλῆς καὶ γούνατος ἐστήρικται. Μεσηγὺς Apoll. Rh. 4, 602.] Alibi [Od. O, 528], Μεσσηγὺ [μεσσηγὺς] νηὸς καὶ αὐτοῦ. || Interdum vero sine adjectione pro In medio. Υ, [370] : Οὐδ' Ἀχιλεὺς πάντεσσι τέλος μύθοις ἐπιθήσει, Ἀλλὰ τὸ μὲν τελέει, τὸ δὲ καὶ μεσσηγὺ κολούει, ubi mesηγὺ puto reddi posse In medio cursu : sicut sc. diceret aliquis cœpta sua in medio cursu fuisse interrupta. [Λ, 573 : Πολλὰ δὲ καὶ μεσσηγύ· Ψ, 521 : Οὐδέ τι πολλὴ χώρη μεσσηγύς. Arat. 23 : Ἔχει δ' (ἄξων) ἀτάλαντον ἁπάντη μεσσηγὺς γαῖαν, περὶ δ' οὐρανὸν αὐτὸν ἀγινεῖ. De usu Hippocr. Foes. : « Μεσεγγὺ, ἐν μέσῳ, exp. Erotian. Gl. (p. 252. Sic Μεσεγγὺς ap. Photium.) Verum μεσηγὺ legitur passim et μεσσηγὺ (quod poetis relinquendum), p. 394, 34 : Μεσσηγὺ μέντοι ὀξυμέλιτος καὶ μελικρήτου· et p. 833, A : Θέσθαι τὸν πῆχυν μεσηγὺ τοῦ περιναίου καὶ τῆς κεφαλῆς. Et alibi. P. 792, G : Κατὰ δὴ τὸ μεσηγὺ τῶν ὠμοπλατέων, etc. » Sic cum articulo etiam. Theocr. 25, 216 : Ἤματος ἦν τὸ μεσηγὺ, Medium. Et adverbialiter Theogn. 553 : Οὐ πολλὴν τὸ μεσηγὺ διαπρήξουσι κέλευθον.] || Aliquando et pro Interim, Interea : ut exp. in Od. [H, 195] : Μηδέ τι μεσσηγύς γε κακὸν καὶ πῆμα πάθησι. [|| Apoll. Rh. 2, 307 : Ἠέ τις ἄτη σωομένοις μεσσηγὺς ἐνέκλασεν, et 3, 665, ut sæpe μεταξὺ conjungitur cum participio. Ap. eundem 1, 85 : Τόσσον ἑκὰς Κόλχων ὅσσον τέ περ ἠελίοιο μεσσηγὺς δύσιές τε καὶ ἀντολαὶ εἰσορόωνται, schol. interpr. τοσοῦτον κεχωρισμένους ὅσον ... ἀφεστήκασι. || Ap. Orph. fr. 19, 12 : Οὔτε τι λίην ψυχρὸς ... οὔτ' ἔμπυρος, ἀλλὰ μεσηγύς, Medium inter frigidum et calidum.]

Μεσήεις, Mediocris. Hom. Il. M, [269] : Ὦ φίλοι Ἀργείων, ὅς τ' ἔξοχος, ὅς τε μεσήεις, Ὅς τε χερειότερος, Et qui eximius, et qui mediocris, et qui infimus est (fortitudine), Cujus eximia et cujus mediocris est fortitudo. At Hesych. μεσήεις exp. μέσος τῇ ἡλικίᾳ : quod mendo carere non puto, ac pro ἡλικίᾳ scr. ἀνδρείᾳ : si tamen ex isto Homeri l. suum illud μεσήεις et ipse deprompsit. Esse autem hujus μεσήεις παραγωγὴν a μέσος, scribit Eust.

[Μεσηλικιότης, ητος, ἡ, Media ætas. Theodor. Stud. p. 438, B : Ἐκ παιδὸς μέχρι μεσηλικιότητος. L. Dind.]

Μεσῆλιξ, ἴκος, ὁ, ἡ, Qui mediæ ætatis est, i. q. καθεστηκὼς et μεσήεις, ap. Hippocr. [Ἀπὸ ἐτῶν μ' ἕως ν' Hesychio.] Et μ. ὀδόντες, Artemid. Onirocr. 20, οἱ χυνόδοντες, Bud. [Geopon. 1, 12, 16 : Τοῖς νέοις καὶ μεσήλιξι. Wakef. Mediæ ætatis, Medietas, Gl. Pollux 2, 12. V. Μεσαιπόλιος. || Qui est mediæ staturæ. Pseudo-Callisthenes in *Notices* vol. 13, p. 228 : Τὴν μὲν ἡλικίαν μεσῆλιξ. Infra Μεσόηλιξ. L. Dind.]

Μεσημβρία, ἡ, Meridies. [Media dies, add. Gl.] Ex Μεσημερία factum per sync., adjecto β per pleonasmum. [Archiloch. ap. Stob. Flor. 110, 10, 3 : Ζεὺς ἐκ μεσημβρίας ἔθηκε νύκτα. Æsch. Suppl. 746 : Ἐν μεσημβρίας θάλπει βραχίον' εὖ κατερρινημένους. Eur. fr. ap. Priscian. 18, 20 : Οὐχ ἑσπέρας φασ', ἀλλὰ καὶ μεσημβρίας. Aristoph. Av. 1499 : Σμικρόν τι μετὰ μεσημβρίαν · Vesp. 500 : Τῆς μεσημβρίας. Xen. H. Gr. 5, 3, 1 : Ἅμα μεσημβρίᾳ · 5, 4, 40 : Ὑποπεπωκόσι που ἐν μεσημβρίᾳ· Cyn. 4, 11, μέχρι et ἔξω μεσημβρίας. Plato Leg. 10, p. 897, D : Νύκτα ἐν μεσημβρίᾳ ἐπαγόμενοι. Axioch. p. 372, A : Ἐκ μεσημβρίας παρέσει.] Thuc. 6, [100] : Κατὰ σκηνὰς ὄντας ἐν μεσημβρίᾳ. [Conf. 2, 28.] Synes. τὸ τῆς μεσημβρίας σταθερώτατον appellat Maximum meridiei fervorem. [Plato Phædr. p. 242, A : Ὡς σχεδὸν ἤδη μ. ἵσταται σταθερά. Porph. De antro Nymph. c. 26 : Ἱσταμένης τῆς μεσημβρίας. Liban. vol. 1, p. 286, 24 : Ἀνὴρ εὔζωνος ἅμα ἡλίῳ κινηθεὶς ἐνθένδε κομιεῖ τι τῶν ἐκεῖθεν ἔτι μεσημβρίας ἑστώσης. L. D. Eadem signif. μ. ἀκμαζούσης Longus 1, 2.] || Meridies respondens septentrioni. [Τὸ κλίμα, Gl. Xen. Cyrop. 1, 1, 5 : Πορεύεσθαι πρὸς μεσημβρίαν · et alibi sæpe.] Herodian. [2, 11, 16] : Ἀπὸ τῆς ἀρκτώας θαλάσσης ἐπὶ τὴν μ. || Metaph. μ. τοῦ βίου, ad verbum Meridies vitæ, pro Ætate ingravescente. [De forma Ionica HSt. :] Μεσαμβρίη, ap. Herodot., Ion. pro μεσημβρία. [Medius dies, 4, 181. Μεσαμβρίης et τῇ μεσαμβρίῃ, Medio die, Meridiano tempore, 3, 104. Ἀποκλιναμένης τῆς μεσαμβρίης, Postquam de medio cœlo declinavit sol, 3, 104. || Plaga meridionalis 1, 6, 142 ; 2, 8, et alibi frequenter. Schweigh. || Hesych. : Μεσαμβρίη (sic ordini literarum accommodata script. codicis μεσημβρίη), μεταφορικῶς, ἐν τῇ ἀκμῇ καὶ μεσότητι τῆς ἡμέρας (f. ἡλικίας), μεσαώριον.]

[Μεσημβρία, ἡ, Mesembria. Πόλις Ποντική. Νικόλαος πέμπτῳ. Ἐκλήθη ἀπὸ Μέλσου. Βρία γὰρ τὴν πόλιν φασὶ Θρᾶκες · ὡς οὖν Σηλυμβρία ἡ τοῦ Σήλυος πόλις, Πολτυμβρία ἡ Πόλτυος πόλις, οὕτω Μελσημβρία ἡ Μέλσου πόλις · καὶ διὰ τὸ εὐφωνότερον λέγεται Μεσημβρία. Ὁ πολίτης Μεσημβριανός. (Polyb. 26, 6, 13.) Ἔστι καὶ Θράκης Μεσημβρία, πρὸς τῷ τέλει τῆς Χερρονήσου, ὡς Ἡρόδοτος ἑβδόμῃ. Τὸ ἐθνικὸν ὅμοιον, Steph. Byz. Ap. Herodotum Ion. Μεσαμβρίη 4, 93 ; 6, 33 ; 7, 108. Strabo 7, p. 319 : Εἶτα τὸ Αἶμον ὄρος, εἶτα Μεσημβρία, Μεγαρέων ἄποικος, πρότερον δὲ Μενεβρία, οἷον Μενάπολις, τοῦ κτίσαντος Μένα καλουμένου, τῆς δὲ πόλεως βρίας καλουμένης θρᾳκιστὶ κτλ. Μεσαμβριανοὶ et Μεσσαμβριανοὶ est in inscrr. urbis Ponticæ ap. Bœckh. vol. 2, p. 76, 77, n. 2053, a, c. L. Dind.]

Μεσημβριάζω, Meridior, i. e. Meridie dormio, Bud., afferens ex Plat. Phædro [p. 259, A] : Ἡγούμενοι ἀνδράποδα ἄττα σφίσιν ἐλθόντα εἰς τὸ καταγώγιον, ὥσπερ A προβάτια μεσημβριάζοντα περὶ τὴν κρήνην εὕδειν. Sed et ipse sol dicitur μεσημβριάζειν, pro quo et μεσουρανεῖν, Pollux [4, 157, 158. Porph. A. N. c. 27, p. 24 : Ἱστᾶσι καὶ σύμβολον τῆς μεσημβρίας καὶ τοῦ νότου, ἐπὶ τῇ θύρᾳ μεσημβριάζοντος τοῦ θεοῦ. Wakef. Hesych. in Ἐνδιῶν.]

[Μεσημβριὰς, άδος, ἡ, Meridiana. Nonn. Dion. 48, 590 : Κεῖθι δὲ διψώωσα μεσημβριὰς ἔτρεχεν Αὔρη.]

Μεσημβριάω, pro μεσημβριάζω, [Meridio, Gl.] : unde Apollon. [Rh. 2, 739] : Μεσημβριόωντος ἰαίνεται ἠελίοιο. [Paullus Sil. Anth. Pal. 9, 764, 5 : Ἐκ θαλίης ἀθρῶτα μεσημβριάοντα φυλάσσει (ὁ κωνωπεών).]

[Μεσημβρίζω, Meridio, Gl. Joseph. A. J. 7, 2, 1 : Εὑρόντες μεσημβρίζοντα καὶ κοιμώμενον. Strabo 15, p. 694 : Ὑφ' ἑνὶ δένδρῳ μεσημβρίζειν σκιαζομένους ἱππέας ν'. « Hesych. : Ἀμολγάζει, μεσημβρίζει. » Hemst. Ducang. : « Glossæ græcob. : Ἀμολγάζει, μεσημβρίζει, μεσημερίζει. Theophanes a. 2 Philippici : Εἰσδραμὼν εἰς τὸ παλάτιον εὗρεν Φιλιππικὸν μεσημβρίζοντα. Ubi Nicephorus Cpol. : Εἰς ὕπνον κατὰ τὸν μεσημβρινὸν τῆς ἡμέρας καιρὸν ἐτράπετο. Occurrit præterea in Vita Ms. S. Theodori Syceotæ fol. 96 cod. Colb. 206. »]

B Μεσημβρινὸς, ἡ, ὸν, pro Μεσημερινὸς (invenitur autem et Μεσημέριος), Meridianus [Gl.] : μ. κύκλοι, Procl. [Omisso subst. ὁ μεσημβρινὸς sæpe ap. Strab., ut 2, p. 70, etc. Theocr. 7, 21 : Πᾷ δὴ τὺ μεσαμέριον πόδας ἕλκεις ; Quod adverbialiter dictum Toupius scrib. putabat μεσαμέριος.] Aristoph. Vesp. [774] : Κἂν ἔγρῃ μεσημβρινὸς, Si surgas meridianus, i. e. meridie. [Ach. 40 : Ἀλλ' οἱ πρυτάνεις γὰρ οὑτοιὶ μεσημβρινοί · Av. 1096 et Æsch. Sept. 431, θάλπεσι. Æsch. ib. 382 : Μεσημβριναῖς κλαγγαῖσιν · 565, κοίταις. Apoll. Rh. 4, 1505 : Μεσημβρινὸν ἦμαρ ἀλύσκων. De situ Æsch. Prom. 721 : Ἐς μεσημβρινὴν βῆναι κέλευθον. || Adverbialiter Nicand. Th. 401 : Μεσημβρινὸν ἀΐξαντος. Τὸ μ. Theocr. 1, 15 : Οὐ θέμις ... τὸ μεσαμβρινὸν ἄμμιν συρίσδεν · 10, 48 : Φεῦγεν τὸ μεσαμβρινὸν ὕπνον. || Penultinam Attici corripiunt, produxerunt Callim. Lav. Min. 72 : Μεσαμβρινὰ δ' εἶχ' ὄρος ἁσυχία · ejusque simia qui sequens distichon composuit : Μεσαμβριναὶ δ' ἔσαν ὧραι · Oppian. Cyn. 1, 299 : Καί τε μεσημβρινὴν δίψους δριμεῖαν
C ἐνιπήν · 2, 17 : Θῆρας ἕλε ξυνοχῆσι μεσημβρινοῖο δρόμοιο · Synesius Anth. Pal. App. 92, 8 : Κλεινὰ μεσημβρινῆς κέντρα συνηλύσεως. Quæ inter se et cum similis prosodiæ exx., de quibus in Ὀπωρινὸς et Ὀρθρινὸς dicemus, contulit Ruhnk. Ep. cr. p. 165.]

[Μεσημερίζω. V. Μεσημβρίζω.]

[Μεσημέριος. V. Μεσημβρινός.]

[Μεσήνη. V. Μεσσήνη.]

Μεσήπειρος, ὁ, ἡ, Mediterraneus, μεσόγαιος. Dionys. P. [211 : Ἀσβύσται δ' ἐπὶ τοῖσι μεσήπειροι τελέθουσι · 1068.]

[Μεσηρεύω.] Μεσηρεύειν, Medium esse : τὸ μηδετέροις συμμαχεῖν, Hesych. ex Philisto.

[Μεσήρης. V. Μεσσήρης.]

Μέσης, ου, ὁ, Venti nomen ap. Aristot. 2 Meteorol. p. 189, 190 [c. 6 : Ὃν καλοῦσι μέσην · οὗτος γὰρ μέσος καικίου καὶ ἀπαρκτίου · et ib. : Ἔστι δὲ τῶν εἰρημένων πνευμάτων βορέας μὲν ὅ τ' ἀπαρκτίας κυριώτατα, καὶ θρασκίας κοινὸς ἀργέστου καὶ μέσου · et infra : Νιφετώδης δὲ μέσης καὶ ἀπαρκτίας μάλιστα · οὗτοι γὰρ ψυχρότατοι · et
D ib. : Ἀστραπαῖοι δὲ μάλιστα οὗτοί τε καὶ ὁ μέσης. Theophr. fr. 6 De signis 2, 11 et 12. HSt. in Ind. :] Meminit et Plin. 2, 47 : Alii Mesen nomine addidere inter Borean et Cæcian.

[Μεσητεύω vitiose pro μεσιτεύω, ut Μεσητία, Arbitrium, Interventio, Gl.]

Μεσήτιος ἄρχων, ex Aristot. Polit. 5, 6, affertur pro Princeps medius, et in neutram partem magis inclinans. Florentina edit. habet Μεσίδιος : sic enim ibi : Διὰ τὴν ἀπιστίαν τὴν πρὸς ἀλλήλους, ἐγχειρίζουσι τὴν φυλακὴν στρατιώταις καὶ ἄρχοντι μεσιδίῳ, ὃς ἐνίοτε γίνεται κύριος ἀμφοτέρων. Sed forsan scr. μεσιτίῳ. [Verum est μεσίδιος, ut in l. ejud. in Μεσόδιχος citando.] Pro superiore μεσήτιος facit Μεσητίοισι, quod Hesych. affert pro μέσοις. Infra et Μεσσίδιος.

[Μεσήτρια, ἡ, inter nomina in ήτρια ponit Herodianus qui dicitur in Crameri An. vol. 3, p. 289, 8. V. Μεσίτρια.]

[Μέσθλης, ὁ, Mesthles, dux Mæonum. Hom. Il. B, 864, P, 216.]

[Μεσίας. V. Μεσσίας.]

[Μεσίαυλον. V. Μέσαυλον.]

[Μεσιδίδομαι, i. q. μεσεγγυάομαι, quod v., sed improbatum Phrynicho Ecl. p. 121 : Μεσιδιωθῆναι, τέτριπται καὶ ἐν τοῖς δικαστηρίοις καὶ ἐν τοῖς συμβολαίοις· ἀλλὰ σὺ μεσεγγυηθῆναι λέγε.]

[Μεσίδιος. V. Μεσόδικος.]

[Μεσιτεία, ἡ, Arbitrium, Sequestratio, Arbitratus, Interventus, Gl. Proculus a Mœrbeka versus vol. 1, p. 211 ed. Cousin. : « Propter boni μεσιτείαν, id est mediationem. » L. D. Schol. Maximi in Dionys. Areop. p. 179 : Τὴν πρόξενον τῆς ἐν θεῷ ἑνώσεως μεσιτείαν. Angl. Georgii Pachymeris exx. quædam annotavit Ducang.]

[Μεσιτευτήριος, ὁ, ap. Eust. Opusc. p. 324, 43 : Ἔστω δὲ τῇ πανσεβάστῳ σου ἐνδοξότητι μεσιτευτήριον δῶρον τὰ μῆλα ταῦτα τὰ Περσικὰ, Donum mediatoris.]

Μεσιτεύω, Mediator sum, Mediatorem ago. [Sequestro, Intervenio, Gl.] Sed in Ep. ad Hebr. 6, 17, Ἐμεσίτευσεν ὅρκῳ, aliter accipitur : sc. pro Intervenit per jusjurandum (quum etiam schol. Græcus putet hoc verbo μεσιτεύειν designari illam promissionem jam tum interventore Christo conceptam), vel Interposuit se cum jurejurando ; nam Interposuit jusjurandum, quod habet Erasmus cum vet. Interprete, nullo modo probare queo. Exp. etiam Fidejussit jurejurando. [Cum accus. Polyb. 11, 34, 3 : Ἠξίου τὸν Τηλέαν μεσιτεῦσαι τὴν διάλυσιν εὐνοϊκῶς. Diod. 19, 71 : Μεσιτευσάντος τὰς συνθήκας Ἀμίλκου. Et cum eodem voc. Dionys. Ant. R. 9, 59. Μεσιτεύοντες de arbitris ex Basilic. 7, 2 et al. annotavit Ducang. « Eustath. Il. p. 1166, 25, Dædalus in isto amore τῇ Πασιφάῃ ἐμεσίτευσε· 1338, 50 : Μεσιτεύων ἰσότητα τιμῆς· 1342, 40 : Ὁ ὑπὲρ χρεώστου ἀρρώστου μεσιτεύων. » Valck. Theodor. Prodr. 4, 483, p. 182 : Τοὺς μεσιτεύοντας ἠδέσθης πόθους (ut ex cod. Urb. correctum ; Vat. et ed. μεσητ.). Elberl.] || Μεσιτεύειν, Suidas exp. ἀνάμεσον κεῖσθαι in quodam l. quem affert. [Τὰ δὲ χρήματα μεσιτεύειν ἐν Κύπρῳ συνετάξαντο παρ' οἷς ἂν αὐτὸς (αὐτοῖς) εὐδοκηθῇ. Pro quo ap. Polyb. Exc. Vat. p. 429 : Τὰ δὲ χίλια καὶ πεντακόσια (τάλαντα) πέμψειν φέροντας τοὺς περὶ Πολεμοκράτην εἰς Σαμοθρᾴκην, κἀκεῖ μεσιτεύεσθαι, quod et propter tempus et propter formam vitii manifestum videtur.] || Μεσιτεύειν ap. Damasc. cum dat., pro In medio esse, Interjectum esse inter : Εἶτα ἡ θερινὴ τροπὴ διαδέχεται, μεσιτεύουσα τῷ τε ἔαρι καὶ τῷ μετοπώρῳ. Idem, Μεσιτεύουσα τῇ τε θερινῇ καὶ τῇ χειμερινῇ τροπῇ.

Μεσίτης, ὁ, q. d. Mediator : quo quum alii ex recentioribus usi sunt, tum Lactantius et Apul. [Sequester, Arbitrator, Arbiter his add. Gl.] Ab aliis autem, vel Interventor, ex Ulpiano, vel Intercessor, vel Conciliator, vel etiam Internuntius redditur. A Bud. redditur Interconciliator ; Interventor : quod ita accipiatur ut in hoc Ulpiani l., Sed si filius fidejussor vel quasi interventor acceptus sit. Additque Lampridium sic uti. Sed et nomine Auspex posse reddi existimat : Ad Galat. 3, 19 : Ὁ νόμος διαταγεὶς δι' ἀγγέλων ἐν χειρὶ μεσίτου· ὁ δὲ μεσίτης, ἑνὸς οὐκ ἔστιν· ὁ δὲ Θεὸς, εἷς ἐστίν. Et 1 Ad Tim. 2, [5] : Εἷς γὰρ θεὸς, εἷς καὶ μεσίτης, Θεοῦ καὶ ἀνθρώπων, ἄνθρωπος Χριστὸς Ἰησοῦς. Quibus in ll. ego minime tam religiosus esse velim, ut nomine Mediator uti dubitem, quum omnino Græco respondeat ; et Lactantius eo usus sit, et quidem de ipso Christo, vocans illum Mediatorem inter Deum et homines, Bud. : sed si ab eo discedendum sit, nullum ex bene Latinis vocabulis mihi magis placuerit quam Interpres : ut, si profana sacris accommodare fas est, μεσίτης Θεοῦ καὶ ἀνθρώπων reddatur, Interpres Dei et hominum : eo modo quo dixit Virg. Hominum divumque interpres. Sed et ubi Christus dicitur μεσίτης τῆς καινῆς διαθήκης, s. τῆς νέας [Hebr. 9, 15], non male, meo quidem judicio, eod. verbo utemur : ut dicatur Interpres novi Fœderis (eo modo quo Pacis interpres dicitur a Liv.), præsertim etiam quum μεσίτης, a Suida exponatur εἰρηνοποιὸς, Pacificator. Ceterum quod a Thuc. dicitur 4, p. 148 [c. 83] μέσος δικαστὴς, id ab ejus scholiaste exp. recentiore isto vocabulo μεσίτης, itemque nomine διαιτητής. Copulavit autem et Philo hæc duo, V. M. 3 : Καὶ οἷα μ. καὶ διαιτητὴς, οὐχ εὐθὺς ἀπεπήδησεν. [Polyb. 28, 15, 8 : Τοὺς Ῥοδίους μεσίτας ἀπο-

A δεῖξαι. Diod. 4, 54 : Μεσίτην γεγονότα τῶν ὁμολογιῶν. Alia v. ap. Schleusner. Lex. N. T. Byzantinorum exx. annotavit Ducang., vel eadem signif. qua supra Μεσάζων usurpantium vel de Intercessoribus episcopis, qui sede vacante episcopatum administrarent.]

[Μεσῖτις, ιδος, ἡ, Conciliatrix, Mediatrix. Lucian. Amat. c. 27 : Τράπεζα, φιλίας μεσῖτις. p. 457, 94 : Φιλίας μεσῖτις ἡδονή. Hemst. Heraclit. A. H. p. 437, Minervam facit μεσῖτιν τοῦ πρὸς Ἀγαμέμνονα θυμοῦ· 448, μεσῖτις καὶ διάκονος voluptatum, alibi ὑπουργός. Valck.]

[Μεσίτρια, ἡ, i. q. μεσῖτις. Moschop. Π. σχεδ. p. 39. Boiss. V. Μεσήτρια.]

Μεσκόνια, τὰ, vocabant οὗ τὰ τῶν ὄνων κρέα ἐπιπράσκοντο, pro quo fere alibi μεμνόνεια. [Ex Polluce 9, 48 : Μεμνόνια δὲ ἐκάλουν ... ἐπιπρ., ἴσως τῶν ὀνείων ἐνόντων τῷ ὀνόματι. Ubi olim μεσκόνια vel μεσκονία ; alii libri μεσκονίαν. Sed verum quod in uno est libro μεμνόνεια, quam formam Hesychio tacito restituit HSt. in Μέμνων.]

B Μέσκος, ex Nicandro Hesych. affert pro δέρμα, κώδιον. [V. Πέσκος.]

Μεσμα, Hesych. dici scribit pro μέστωμα.

[Μέσμα, ἡ, Mesma. Πόλις Ἰταλίας. Ἀπολλόδωρος ἐν τρίτῳ Χρονικῶν. Τὸ ἐθνικὸν Μεσμανὸς, ὡς τῆς Νώλης Νωλανὸς, Steph. Byz. Etym. M. : Μέσμα, πόλις κτισθεῖσα ὑπὸ Λοκρῶν ὁμωνύμως (vel potius —ώνυμος) τῷ ποταμῷ. Ὧρος. In Μέσα corruptum ap. Scylacem p. 4. Supra Μέδμα.]

[Μεσόα. V. Μεσσόα.]

[Μεσοβασιλεία, ἡ.] Μεσοβασιλείαν Plut. Numa p. 111 [c. 2 extr.] interpr. quod Lat. Interregnum. [Sic Gl.]

[Μεσοβασίλειος, ὁ, ἡ, unde μ. ἀρχὴ, Interregnum ap. Dionys. A. R. 2, 57 ; 3, 1, 36 ; 11, 20, p. 2205, 15.]

Μεσοβασιλεὺς, έως, ὁ, Lat. Interrex [Gl.]. Ap. Suidam : Μετὰ θάνατον Ῥωμύλου ἀναρχίας οὔσης, ἐνιαυτὸν ὅλον ἡ σύγκλητος τὸ κῦρος τῶν κοινῶν εἶχε πραγμάτων, πενθήμερον ἀρχὴν τοῖς ἐπιφανεστέροις τῶν βουλευτῶν ἐκ διαδοχῆς κατανέμουσα, οὓς μεσοβασιλεῖς ὠνόμασαν. [Dionys. A. R. 2, 58 ; 3, 46 ; 11, 62 ; Plut. Num. c. 7. « Conf.

C Corsin. De Præf. Urbis p. 7, 10. » Boiss.]

Μεσόβλημα, Galen. in Lex. Hippocr. dictum ab Hippocr. ait ac si μεσέντη diceret. Ubi quidam codd. habent μεσόκλειον et μεσεντέριον pro μεσόβλημα et μεσέντη : quod sane μεσέντη non suspectum habere non possum. Quidam interpr. Interstitium. [Scr. existimo : Μεσοκώλων, ὡς εἰ καὶ μεσεντερίων ἔλεγεν. V. Μεσόκωλον. Foes.]

[Μεσόβοα, τὰ, Mesoboa, vicus Arcadiæ, ap. Pausan. 8, 25, 2 : Ῥεῖ δὲ (Ladon fl.) πρῶτον μὲν παρὰ Λευκάσιον χωρίον καὶ Μεσόβοα. Male libri nonnulli Μεσοβόα.]

[Μεσόβοιον. V. Μέσαβον.]

Μεσόγαια, ἡ, Mediterranea regio. Thuc. 6, [88] : Τῶν τὴν μεσόγαιαν ἐχόντων. [Herodot. 1, 175 : Οἰκεῦντες μεσόγαιαν· 2, 7 et 9 : Ἐς τὴν vel ἐς μεσόγαιαν. Id. 9, 89 : Τὴν μεσόγαιαν τάμνων τῆς ὁδοῦ. Schweigh. Strabo 4, p. 189 : Τὰ εἰς τὴν μεσόγαιαν. Pausan. 1, 26, 5 : Ὅσοι μεσόγαιαν οἰκοῦσιν. Et sæpe Xenoph. et Polybius. Inter formam μεσόγαια et μεσόγεια variatur ap. Plat Phæd. p. 111, A.]

D [Μεσόγαια, ἡ, Mesogæa, φυλὴ τῶν ἐπὶ Κραναοῦ, sec Polluc. 8, 109.]

Μεσόγαιος, et Μεσήγαιος, ὁ, Mediterraneus. Pausan. [7, 22, 6 : Ἐν μεσογαίῳ ᾤκισται· 8, 1, 1] : Νέμονται δὲ οὗτοί τε καὶ τὸ ἄλλο Ἀρκαδικὸν τὸ μεσόγαιον τῆς Πελοποννήσου. [Μεσόγαιοι τόποι Polyb. 5, 5, 13. Μεσόγαιοι πόλεις 2, 5, 2 ; 1, 20, 6. Ἡ μεσόγαιος 1, 52, 8, etc. Schweigh. Inter formas μεσόγαιος et μεσόγειος variatur ap. Appianum, cui Hispan. 6, 6, p. 107, 10, τὸ μεσόγεων exemit Schweigh., quum μεσόγαιον præbuisset liber unus. Comparat. Strabo 13, p. 606, μεσογαιότεροι. Forma μεσήγαιος ficta videtur ex μεσαίγεως, quod v.]

Μεσογάστωρ, ορος, ὁ, ἡ, Medio ventre incinctus, Hesych. [Μεσογάστορα ναῦται (ναύταν edd.), τὸν ἐν τῇ μέσῃ νηΐ. Βέλτιον δὲ τὸν διεζωσμένον μέσην τὴν γαστέρα, ζωνογάστορα.]

Μεσόγεια, ἡ, Mediterranea regio. Thuc. 1, [120] : Τοὺς δὲ τὴν μεσόγειαν μᾶλλον καὶ μὴ ἐν πόρῳ κατῳκημένους, Qui mediterranea, non autem ad mare incolunt. [Callim. Del. 168 : Ἀμφοτέρη μεσόγεια. Dionys. A. R.

1, 28 : Πόλιν ἐν μεσογείᾳ sec. cod. Vat. Vulgo μεσογείῳ. Philostr. Her. p. 688, ubi v. Boiss. p. 449. Accentum vitiosum μεσογεία, quasi fem. sit a μεσόγειος, sæpe inferunt librarii, velut Diod. 17, 50, ubi pro μεσόγειον al. μεσογείαν, Philostr. V. Soph. 1, p. 530, et alibi.]

[Μεσόγειον, τὸ, locus Lesbi, ap. Plut. Mor. p. 163, A : Χρησμοῦ γενομένου τοῖς οἰκίζουσι Λέσβον, ὅταν ἕρματι πλέοντες προστύχωσιν, ὃ καλεῖται Μεσόγειον κτλ.]

Μεσόγειος, ὁ, ἡ, Mediterraneus. [Meditullius, Mediterraneus, Gl. Diod. 20, 59 : Τὴν μεσόγειον, ubi al. μεσόγαιαν, et ib. 60. Pollux 9, 17 : Πόλιν μεσόγειον. Hesych. : Μ. γῆ, ἄνευ λιμένος. Ubi Μεσόγηος fuisse videtur in cod.] Philo De mundo : Ὅσαι μὲν ἠπείροις οὐ παράλιοι μόνον, ἀλλὰ καὶ μεσόγειοι μοῖραι κατεπόθησαν, Non oræ tantum maritimæ, sed etiam mediterraneæ. [Gl. : Μεσόγειον, Meditullium, Mediterraneum. Et eodem modo in masc. Τὸ μεσόγειον τελεῖν signif. obscura in inscr. ap. Lebas. *Inscr.* fasc. 5, p. 221, 6, si modo recte ita legitur.]

[Μεσόγεως, i. q. μεσόγαιος, quod v. Plat. Leg. 10, p. 909, A : Ἐν τῷ τῶν μεσόγεων δεσμωτηρίῳ. Ubi olim μεσογείων. Accusativum annotavit Suidas. « Herodian. Epimer. p. 208. » Boiss. Qui ibid. citavit Heliod. Æth. 9, 4, ubi pro ἡ μεσόγαιος al. μεσόγεως. Per ο scriptum apparet interdum in libris pro μεσόγαιος, quod nihili est. Duplici σ, Callim. Dian. 37 : Πολλὰς δὲ ξυνῇ πόλιας διαμετρήσασθαι μεσσόγεως νήσους τε.]

[Μεσογεώτης, ὁ, ἡ, et Μεσογεωτικὸς, ἡ, ὸν, Mediterraneus, Gl. Prius ap. Gregor. Nyss. vol. 2, p. 78, C.]

Μεσογονάτιον, τὸ, sive Μεσογόνιον, q. d. Quod est inter genicula, (ab illa nominis γόνυ signif. metaphorica,) Internodium calami s. arundinis, Theophr. H. Pl. 4, 12 [11, 6].

Μεσόγραφος, ὁ, ἡ, Semiscriptus, VV. LL. [Eratosth. Anth. Pal. App. 25, 11 : Μεσόγραφα μυρία τεύχοις.]

[Μεσοδάκτυλον, τὸ, Interdigitium. Phryn. Ecl. p. 194 : Μεσοδάκτυλα· ἐναυτίασα τοῦτο ἀκούσας τοὔνομα· ἐγὼ μὲν οὖν τὰ μέσα τῶν δακτύλων. Diosc. 4, 188 : Ῥαγάδας τὰς ἐν μεσοδακτύλοις, ap. Plin. 26, 66 : Rimas digitorum in pedibus. Gl. : Μεσοδάκτυλα, Interdita (Interdigitia).]

[Μεσοδερκὴς, ὁ, ἡ, Medium spectans. Manetho 4, 583 : Ἦν Κρόνος οὐρανίην ἀτραπὸν μεσοδερκέα βαίνῃ.]

[Μεσόδικος, ὁ.] Μεσόδικοι dicuntur a quibusdam οἱ δικασταὶ, ut Qui medii in lite judicanda esse debeant, tum justissimi. Aristot. Eth. 5, 4 : Καὶ καλοῦσιν ἔνιοι μεσοδίκους (sc. τοὺς δικαστὰς), ὡς ἐὰν τοῦ μέσου τύχωσιν, τοῦ δικαίου τευξόμενοι, Bud. At Florent. edit. habet μεσιδίους, ut supra quoque in Μεσήτιος. Quam sequendo scripturam, μεσίδιος erit Intermedius, Interpres, Mediator, Arbiter. [Idem Μεσίδιος ex Michaele Ephes. In Nicom. 5, p. 66, B, indicat Lobeck. ad Phryn. p. 122, improbantem verbi hinc ducti μεσιδιωθῆναι usum. Conf. Μεσσίδιος.]

Μεσόδμαι, αἱ, et Μεσόδματα, Hesychio τὰ μεσόστυλα : seu, ut alii interpr., τὰ τῶν δοκῶν διαστήματα. [Et Μεσόδμη, ξύλον τὸ ἀπὸ τῆς τρόπεως ἕως τοῦ ἱστοῦ. Suspectum autem μεσόδματα et per se et propter sequens τά.] Galen. [vol. 12, p. 454] μεσόδμην vocari scribit τὸ μέγα ξύλον ἀπὸ τοῦ ἑτέρου τοίχου πρὸς τὸν ἕτερον διῆκον, ἔν τε τοῖς τῶν πανδοχείων οἴκοις τοῖς μεγάλοις, ἐν οἷς ἵστασι τὰ κτήνη, καὶ κατ' ἀγρὸν ὁμοίως ἐν τοῖς γεωργικοῖς οἴκοις· et in Lex. τὴν καθ' ἕνα οἶκον εἰς δύο μεμερισμένον διορίζουσαν τοῦ δοκοῦ εἶρξιν· ut sit Magna trabs, quæ per mediam domum trajecta est per transversum, sustinens alias trabes minores aut pavimentum eis impositum. [Pergula, Gl.] Utitur vero hoc vocab. Hippocr. De artic. [p. 832, G] : Χρὴ δὲ καὶ ἐπάνωθεν τῶν ἐπιγουνίδων προσπεριδεδλῆσθαι πλατεῖ ἱμάντι καὶ μαλθακῷ, ἀνατείνοντι εἰς τὴν μεσόδμην. Et Hom. Od. Τ, [36] : Τοῖχοι μεγάρων καλαί τε μεσόδμαι, Εἰλάτιναί τε δοκοὶ καὶ κίονες ὑψόσ' ἔχοντες. [Conf. Υ, 354.] Idem poeta μεσόδμην vocat Foramen in media navi, cui malus inditur : nisi potius sit Trabs transversa pertusa, per quam demittitur et a qua retinetur. Od. Β, [424, Ο, 289] : Ἱστὸν δ' εἰλάτινον κοίλης ἔντοσθε μεσόδμης Στῆσαν ἀείραντες. [Apoll. Rh. 1, 563 : Δή ῥα τότε μέγαν ἱστὸν ἐνεστήσαντο μεσόδμῃ, et iisdem fere verbis Orph. Arg. 1150, Lycophr. 751 Quint. Sm. 13, 451 : Ἄλλῳ δ' αὖ φεύγοντι

A διὰ μεγάροιο μεσόδμη ἔμπεσε καιομένη. Hesych. : Πεντηκοστομέσοδμοι, πολύστεγοι· αἱ γὰρ μεσόδμαι στέγαι.]

Μεσοδόμα, Laconibus γυνὴ, Hesych. Sed suspecta hæc reddunt quæ paulo ante leguntur ap. Eund., Μεσόδμα, γυμνή. Quare ἐφεκτέον. [Ex Μεσοδόμη contractum μεσόδμη perhibet Etym. M.]

[Μεσοδόμιον. V. Μεσολάνιον.]

[Μεσόδομος, ὁ, ἡ, i. q. κατῆλιψ. Schol. Aristoph. Ran. 574 : Κατήλιφα, τὴν μεσόδομον ἢ τὴν κλίμακα. Nisi leg. —δμην. L. Dind.]

[Μεσοειδὴς, ὁ, ἡ, Qui est ad modum μέσης, quod v. in Μέσος, unde μελοποιία μ. ap. Aristid. Quint. De mus. 1, p. 28 : Μελοποιία δὲ δύναμις κατασκευαστικὴ μέλους· ταύτης δὲ ἡ μὲν ὑπατοειδής ἐστιν, ἡ δὲ μεσοειδὴς, ἡ δὲ νητοειδής· 29 : Τρόποι δὲ μελοποιίας γένει μὲν τρεῖς, διθυραμβικὸς, νομικὸς, τραγικός. Ὁ μὲν οὖν νομικὸς τρόπος ἐστὶ νητοειδὴς, ὁ δὲ διθυραμβικὸς μεσοειδὴς, ὁ δὲ τραγικὸς ὑπατοειδής. Et ib. : Διαφέρουσι δ' ἀλλήλων αἱ μελοποιίαι ... συστήματι, ὡς ὑπατοειδὴς, μεσοειδὴς, νητοειδής. L. Dind.]

B [Μεσόεις, εσσα, εν, Medius. Manetho 4, 65 : Ἦν μὲν γὰρ μεσόεντα κατ' οὐρανὸν ἀνδράσιν ὀφθῇ. Quod ex conj. in μεσσοῦντα mutatum.]

Μεσόζευγμα, τὸ, ap. grammaticos Quum in medio clausulæ positum verbum præcedentia sequentiaque connectit.

[Μεσοζύγιος, ὁ, Remex medius. Etym. M. [p. 441, 23 : Θαλαμίδιοι κῶπαι, αἱ ἠρέμα ἐλαύνουσαι· ὁ κατώτατος ἐρέτης θαλάμιος λέγεται· ὁ δὲ μέσος μεσοζύγιος, ὁ δὲ ἀνώτατος θρανίτης. Wakef. ὑτ]

[Μεσῆλιξ, ἶκος, ὁ, ἡ, Qui mediæ est staturæ. Tzetz. Posth. 368, 475, 660. Supra μεσῆλιξ.]

[Μεσόθεν. V. Μεσσόθεν.]

[Μεσοθινῖται, οἱ, Isthmi incolæ quivis, qui inter utramque maris ripam habitant. Pachymeres 4, 27 : Ἦν γὰρ τὸ Παφλαγονικὸν πολύ τε καὶ μέγιστον, ἣν δ' ἐξ Ἀλιζώνων πλεῖστον, καὶ τὰ εἰς πόλεμον ἀγαθὸν, οὓς καὶ μεσοθινίτας ὁ κοινὸς εἴποι λόγος. Ita utitur Gregoras. Ducang. App. Gl. p. 209.]

C [Μεσόθριξ, τρῖχος, ὁ, ἡ, Mediocriter capillatus. Proculus Paraphr. Ptolem. 3, c. 16, p. 203, 204, 205.]

[Μεσοθύρα, ἡ, var. script. pro μέση θύρα in libro Suidæ v. Μεσαύλιον.]

[Μεσοικέτης, ὁ, ἡ.] Μεσοικέται, μέτοικοι, [ἢ] οἱ τὰς λαγόνας οἰκοῦντες, Hesych.

[Μεσοκάρδιον, τὸ, Medium cor. Constant. Cærim. p. 336, B : Ἐν τοῖς τέσσαρσι μεσοκαρδίοις τοῦ μεσοπυργίου, et sæpius in seqq., Meditulliis s. Mediis loculis vel tabulatis, Int. L. Dind.]

Μεσοκάρπιον, et Μετακάρπιον, et Προκάρπιον [Diosc. 3, 161], Quod est in medio καρποῦ, post καρπὸν, ante, supra καρπὸν, Media, Postrema, Prima pars καρποῦ, Pollux [2, 142, 143, ubi προκ. et μετακ.]

[Μεσοκήπιον, τὸ, Hortus in medio ædium. Continuator Theophanis l. 3, n. 43 : Ἔνθα καὶ ἡ Νέα ἔκτισται ἐκκλησία καὶ αἱ δύο φιάλαι εἰσὶν, καὶ τὸ μεσοκήπιον. Apud Scylitzen p. 521 μεσοκήπιον τοῦ Λαυσιακοῦ occurrit. Constantin. in Basil. n. 85 ed. Combef. : Παράδεισον ἐξειργάσατο κατὰ ἀνατολὰς, ὃν ἀπὸ τῆς θέσεως μεσοκήπιον ὀνομάζειν εἰώθαμεν. Ducang.]

D [Μεσόκλαστος, ὁ, ἡ, Qui medius fractus est. Plut. Π. τῶν ἐν στίχοις παθῶν vol. 10, p. 812 R., vol. 5, p. 1288 Wytt. : Μεσόκλαστοι δέ εἰσιν ὅσοι κατὰ τὸ μέσον πάθος τι ἔχουσιν, ὡς οὗτος, Βῆν εἰς Αἰόλου κλυτὰ δώματα· ἐνταῦθα γὰρ ὁ δεύτερος ποὺς τροχαῖός ἐστιν. Tzetzes in Crameri An. vol. 3, p. 331, 25.]

[Μεσόκληρος, ὁ, ἡ, Pisid. Opif. p. 416, 1238 : Γῆς μεσοκλήρου δίκην, Quæ est mediæ sortis, i. e. Mediæ.]

[Μεσοκνήμιον, τὸ, Media tibia. Strabo 15, p. 734 : Χιτὼν ἕως μεσοκνημίου διπλοῦς.]

[Μεσόκοιλος, ὁ, ἡ, In medio depressus. Polyb. 10, 10, 7 : Ἡ πόλις αὐτὴ μεσόκοιλός ἐστι. Sed ap. Diosc. 1, 10 : Καυλὸν μεσόκοιλον, In medio cavum. Hinc Μεσόκοιλα, τὰ, in navi i. q. μεσόδμη, ap. Ps.-Lucian. Amor. c. 6 : Τὸν ἱστὸν ἐκ τῶν μεσοκοίλων ἄραντες.]

[Μεσοκόνδυλος, ὁ, ἡ. V. Ταρσός.]

[Μεσόκοπος, ὁ, ἡ.] Μεσόκοποι αὐλοὶ dicuntur οἱ ὑποδεέστεροι τῶν τελείων, μέσοι, Hesych. [Phot., Pollux 4, 77.] Ii ab Athen. dicuntur ἡμίοποι. [At ap. eum 4, p. 176, F, αὐλοὶ μεσόκοποι et ἡμίοποι diversi sunt. || Μεσόκοπος, Qui est media ætate, Xenarchus ib. 13, p. 569, B : Νέᾳ, παλαιᾷ, μεσοκόπῳ, πεπαιτέρᾳ, de meretrice. Antiatt. Bekkeri p. 108, 24 : Μεσόκοπον, ἀρρενικῶς, τὸ ἐπιμέσου ἡλικίας. Κρατῖνος.]

[Μεσοκουρὰς, άδος, ἡ.] Μεσοκουράδες, Hesychio sunt δένδρα τὰ ὑπὸ ἀνέμων καταγέντα καὶ [εἶδος addit Vossius] κουρᾶς, Arbores quæ vel a ventis fractæ sunt, vel a securi per medium cæsæ. [Immo Genus tonsuræ. Vid. seq. voc.]

[Μεσόκουρος, ὁ, ἡ, Qui media capitis parte tonsus est. Pollux 4, 139 : Τὸ δὲ οἰκετικὸν (γρᾴδιον) μεσόκουρον· 140 : Ἡ δὲ μ. ὠχρὰ, ὁμοία τῇ κατακόμῳ, πλὴν ὅσα ἐκ μέσου κέκαρται· ἡ δὲ μεσόκουρος πρόσφατος τὴν μὲν κουρὰν ἔχει κατὰ τὴν πρὸ αὐτῆς κτλ. Theophr. Char. c. 26, μέσην κουρὰν κεκαρμένος, ubi v. intt., confert Schneid.]

Μεσόκρανον, τὸ, Media capitis seu cranii pars, Vertex. Scribit enim Pollux 2, [39] τὸ ἔγκοιλον τοῦ κρανίου vocari κορυφὴν, quod et μεσόκρανον nominari in Orphicis carminibus.

[Μεσοκρῑνὴς, ὁ, ἡ.] Μεσοκρινεῖς κίονας vocitabant Metallici οὓς κατέλιπον μέσους ἀνέχειν τὴν γῆν [verba Pollucis 3, 87]: ut forsan sit Terræ moles quam in medio relinquebant ceu columnam, ad sustinendum ceteræ terræ pondus. [Μεσοκρινεῖς κίονας occurrit ap. Plut. in Lycurg. orat. p. 843, D, sed ubi legitur μεσοκρανεῖς. Confer Hesychium v. Αὐτόκρανα. KUSTER. Pollux 7, 98 : Μεσοκρινεῖς κίονες, οἱ ἐν τοῖς μετάλλοις ὑφεστηκότες ἀνέχειν τὰ ὀρύγματα. Memorat etiam Photius, qui addit ἐκαλοῦντο δὲ μεσοκρινεῖς, ὅτι μέσοι ὄντες τῶν ἔργων διέκρινον τοὺς ὅρους τῶν μισθουμένων.]

Μεσοκύνιον, τὸ, Suffrago, Talus, Pedis cum tibia compago. Hippiatr. : Διακόπτων τὰ μεσοκύνια. Opponuntur suffragines genibus anteriorum pedum, quia aversæ sunt; genua enim ante se flectunt quadrupedes, suffragines vero in aversum. Unde Hippiatria : Χρὴ τῷ ἱμάντι τῆς φορβέας δεσμεῖν, ἀπὸ τῶν ἐμπροσθίων ποδῶν ἄγοντα τὸν δεσμὸν ἐπὶ τὰ μ. Sunt et in anterioribus pedibus, h. e. sub talis. Ibid. : Διακόπτειν δεῖ τὰς ἐν τοῖς ἐμπροσθίοις μ. φλέβας, καὶ ἐᾶν ἀπορρυῆσαι τὸ ἱκανόν. Bud. [ὗτ]

Μεσόκωλον, τὸ, nom. ab Hippocr. usurpatum Epidem. 6, [s. 4, aph. 6 coll. p. 274, 15] quod Galen. Mesenterium interpr., partis vocabulum pro toto accipiens. Sed proprie eo nomine videtur designari Pars ea mesenterii, quæ crassis intestinis continua est, ut quæ pertinet ad tenuia intestina. Posset, si usus ferret, μεσονήστιον nuncupari. Et revera sicut duæ summæ sunt intestinorum differentiæ, tenuiorum et crassorum, ita bipartitum videtur mesenterium, ut in ejus loci Comm. Galenus ostendit. Hæc Gorr.

[Μεσόλα, ἡ, Mesola. Πόλις Μεσσήνης, μία τῶν πέντε. Νικόλαος τετάρτῳ. Τὸ ἐθνικὸν Μεσολάτης, ὡς τῆς Μεσσόας Μεσσοάτης, Steph. Byz. Duplici σ nunc ap. Strab. 8, p. 360.]

Μεσολᾰβέω, Medium capio, prehendo, In medio cursu prehendo, Intercipio, Anteverto, Bud., dicens ap. OEcum. In Act. Ap. 29, cum accus. construi. Idem Bud. μεσολαβεῖν τὸν τοῦ εἰπόντος λόγον interpr. Medium sermonem intercipere, Interfari. [Μεσολαβήσας ὁ Μάρκος ἤρετο, Polyb. 16, 34, 5; 20, 10, 6. Μεσολαβήσας τὸν Παρμενίωνά φησι, 18, 34, 3. Μεσολαβηθέντες ἐκωλύθησαν (τοῦ ποιεῖσθαι πλείους λόγους), 20, 9, 3. SCHWEIGH. Diod. 12, 70 : Μεσολαβήσασα τὰς τῶν διωκόντων ὁρμάς· 16, 1 : Μεσολαβοῦσι τὴν ἐπιθυμίαν τῶν φιλαναγνωστούντων. Schol. Æsch. Prom. 472 : Μεσολαβοῦσι δὲ αἱ τοῦ χοροῦ τὴν ἔκθεσιν. « Τῶν φλεβῶν μεσολαβεῖν τὴν ἔκκρισιν, vel ut Stob. habet Flor. 100, 17, τὴν ἔκρυσιν, Plutarch. De flum. p. 73. Οὐ ψαύοντα ἀλλήλων μεσολαβούμενα τόποις τισὶ διορισθήσεται, Sext. Emp. p. 316, 31. Hesych. in Ἐς μέσον ἀμφοτέροισι. » HEMST.] Et Μεσολαβέομαι, In medio cursu intercipior. Ap. Suidam : Τὸν δὲ υἱὸν ἔπεισεν, εἰ τύχοι μεσολαβηθεὶς αὐτὸς ὑπὸ τῆς πεπρωμένης ἐξενεγκεῖν τὸν κατὰ Ῥωμαίων πόλεμον, i. e., ut ipse exp., ἐν τῷ μεταξὺ συσχεθείς. In VV. LL. citantur ea verba ex Diod. Sic. cum hac interpr., Si in medio fortunæ cursu fato præriperetur. [V. Wessel. ad 11, 2. Id. 1, 6 : Μεσολαβηθέντες τὸν βίον ὑπὸ τῆς πεπρωμένης· 16, 1 : Μεσολαβηθεὶς ὑπὸ τῆς π.] Ap. Philon. autem V. M. 1 init. : Ἀφθονίαν παντοίων ἀγαθῶν ἀνὰ πᾶν ἔτος χορηγοῦσιν, εἰ μήπου μεσολαβήσῃ ἐν ὀργῇ Θεοῦ, Ubertatem omnis generis bo-

A norum toto anno prolixe largiuntur, nisi Dei indignatio intercedat. Videtur vero aliter ibi legisse, sc. aut ἡ ὀργὴ Θεοῦ, vel ἐν ὀργῇ Θεός. [Vitiose ap. Heliodor. Cocchii p. 158, 32 : Σαρκώδους τινὸς σώματος μεσολαβημένου, ἐκτεμνέσθω, pro μεσολαβουμένου, nisi quis perf. malit, Si in medio deprehendatur.]

[Μεσολάβημα, τὸ, Intermedium. Eust. Opusc. p. 194, 58 : Τὸν τοιοῦτον στῦλον, ὃς διειργόμενος μεσολαβήμασιν, ὅσα καὶ συνδετικοῖς ὁ κάλαμος γόνασι, μεμέστωται.]

[Μεσολαβὴς, ὁ, ἡ, Medium prehendens, tangens. Æsch. Eum. 157 : Μεσολαβεῖ κέντρῳ.]

[Μεσολάβησις, εως, ἡ, Prehensio mediæ partis. Eust. Il. p. 664, 14 : Τῇ μεσολαβήσει τοῦ δόρατος.]

Μεσόλαβον, τὸ, Vitruvio 9, 3, Instrumentum mathematicum, pro Astrolabio, nisi sit erratum, inquit Bud. [Μεσολάβιον legit Schneider. Lex., simul tamen afferens v. Mesolabus e Pappi Collect. Mathem. p. 7, 8, conferens etiam Reimeri Hist. probl. de cubi duplicatione, Gœtt. 1798, p. 132. ANGL.]

[Μεσολάνιον, μεσοδόμιον, Hesychii gl. obscura. Ad
B μεσαύλιον alludere animadvertit Vossius.]

Μεσόλευκος, ὁ, ἡ, Albo intermixtus, distinctus, Cui aliquid albedinis interjectum est, quasi in medio positum, vel Quem aliquid albedinis velut intercipit, Athen., s. potius Ephippus ap. Athen. 12, [p. 537, E] de Alexandro loquens: Χλαμύδα τε πορφυρᾶν καὶ χιτῶνα μεσόλευκον (ἐφόρει). Quo ex l. manifestissimum est non recte interpretes Plut. in l. quem in Διάλευκος protuli ex ejus Alexandro, διάλευκον vertisse Album : videmus enim, quem Plut. διάλευκον dixit, Ephippum μεσόλευκον appellasse. Nisi forte μεσόλευκον quoque Album significare velint : ut δ. et μ. nihil aliud sit quam λευκός : quod absurdius etiam ab illis diceretur. Sed convincit eos et Lucian., ubi μεσόλευκον χιτῶνα copulat cum πορφυροῦν [Alex. c. 11] : Καὶ μεσόλευκον χιτῶνα πορφυροῦν ἐνδεδυκώς. [Ap. Athen. 5, p. 196, C : Μεσολεύκοις. VALCK. Xen. Cyrop. 8, 3, 14 : Προὐφαίνετο ὁ Κῦρος ἐφ' ἅρματος, ὀρθὴν ἔχων τὴν τιάραν καὶ χιτῶνα πορφυροῦν μεσόλευκον· ἄλλῳ δ' οὐκ ἔξεστι μεσόλευκον ἔχειν. V. Μεσοπόρφυρος.]

C [Μεσόλοφον. V. Μεσόμφαλος.]

[Μεσομάζιον, τὸ, Spatium inter mammas. Diocles Oribasii p. 109 ed. Mai. OSANN.]

[Μεσομήδης, ους, ὁ, Mesomedes, Cretensis lyricus, de quo Suidas. Poemata ejus quædam sunt in Anthologia Gr.]

[Μεσομηνία, ἡ, i. q. seq. Jo. Laurent. De mens. p. 34, 35.]

[Μεσομήνιον, τὸ, Idus, Gl.]

Μεσομήρια, q. d. Interfemina, τὰ μεταξὺ τῶν μηρῶν, inquit Pollux [2, 188], i. e. Spatium quod est inter femina, s. femora. Apuleius autem Interfeminium de pudendo muliebri dixit. In VV. LL. perperam μεσομήρια redditur Femina, ut παραμήρια, Femora. [Gl. : Μεσομηρίον (sic), Inter femus (femur Muncker. ad Antonin. Lib. c. 41, p. 278).]

[Μεσομφαλία, ἡ μέσος τῶν Δελφῶν πόλις, Hesych. V. Μεσόμφαλος.]

Μεσομφάλιον, τὸ, Medius umbilicus, simpl. Umbilicus. Pollux 2, [169] : Τὸ δὲ κατὰ μέσην γαστέρα κοῖλον,
D ὀμφαλὸς καὶ μεσομφάλιον. Exp. etiam Umbilicus clypei, s. Umbo. [Pollux 1, 133, inter partes clipei.]

Μεσόμφᾰλος, ὁ, ἡ, Umbilicum in medio habens. [Agatho ap. Athen. 10, p. 454, D : Γραφῆς ὁ πρῶτος ἦν μεσόμφαλος κύκλος, de litera Θ.] Μ. φιάλη, quæ et βαλανειόμφαλος, ita appellata, ut Timarchus tradit ap. Athen. 11, [p. 501, E], quoniam τὰ πλεῖστα τῶν Ἀθήνησι βαλανείων κυκλοειδῆ ταῖς κατασκευαῖς ὄντα, τοὺς ἐξαγωγοὺς ἔχει κατὰ μέσον· ἐφ' οὗ χαλκοῦς ὀμφαλὸς ἔπεστιν. Ion in Omphale [ib. F] : Ἴτ' ἐκφορεῖτε παρθένοι κύπελλα, καὶ μεσομφάλους, sc. φιάλας. [Unde citat Hesych. in Μεσομφ.] Cratinus [ib. D] : Δέχεσθε φιάλας τάσδε βαλανειομφάλους. Theopompus [p. 502, A] : Λαβοῦσα πλήρη χρυσέων μεσόμφαλον φιάλην. [Pollux 6, 98.] Μεσόμφαλοι dicuntur etiam species quædam placentarum, Pollux 2, [69]. || Μεσόμφαλος, In medio umbilico situs. [Æsch. Sept. 747 : Ἐν μεσομφάλοις Πυθικοῖς χρηστηρίοις· Cho. 1036 : Μεσόμφαλον ἵδρυμα, Λοξίου πέδον· Ag. 1056 : Ἑστίας μεσομφάλου. Quod recte sic interpretatur Rochett. *Monum. inéd.* vol. 1, p. 419.

Nonn. Dion. 1, 181 : Μεσόμφαλον ἄστρον Ὀλύμπου. Soph. OEd. T. 480 : Τὰ μεσόμφαλα γᾶς ἀπονοσφίζων μαντεῖα.] Eur. Or. [331] de Pythone, s. Delphis : Ἵνα μεσόμφαλοι λέγονται μυχοὶ γᾶς. [Sic alibi idem de eadem μ. ἕδρα, ἑστία, μεσόμφαλα γύαλα.] Causam ejus nominis Eust. p. 1389 explicat his verbis : Τὴν μὲν γῆν ὁ μῦθος περί που τὴν Δελφικὴν χώραν λέγει μεσάζεσθαι, ἀετοῖς μετρηθεῖσαν ὑπὸ Διός· διὸ καὶ ὀμφαλὸς καὶ μεσόμφαλον γῆς ὁ Πύθιος τόπος ὁ περὶ Δελφοὺς ἐλέγετο. Umbilicum Siciliæ eodem modo appellat Cic. Ennense nemus. [Batrach. 128 : Ἀσπὶς δ' ἦν λύχνου τὸ μεσόμφαλον. || « Μεσόμφαλος appellabant Cpolitani. Collem medium Urbis ex septem quos includebat, unde ἑπτάλοφος appellata. Codinus Orig. Cpol. n. 83 : Τὸ καλούμενον μεσόλοφον μέσον ἐστὶ τῶν ἑπτὰ λόφων, ἤγουν ἡ μία μοῖρα τῆς πόλεως· ἔχει τρεῖς λόφους, καὶ ἡ ἑτέρα τρεῖς, καὶ τοῦτό ἐστιν μέσον, ὃ καλοῦσιν οἱ ἰδιῶται μεσόμφαλον. Ejusmodi fuit Umbilicus Romæ. Habuit etiam Nicæa suum Mesomphalum. Gregor. Presb. Cæsar. in Orat. in Nicænos Patres : Συνέβη κατὰ τὸν λεγόμενον Μεσόμφαλον τῆς ἀνατολικῆς εἰσόδου. » Ducang.]

[Μεσόναος τῆς ἐκκλησίας, Pars media ædis sacræ, ap. Balsamonem ad Synod. Trull. Can. 62 et 76.]

[Μεσοναύτης, ὁ.] Μεσοναῦται, Medii inter nautas et vectores : quales fere sunt Mediastini in domo. Legitur in Pand.

[Μεσόνεος, ὁ, ἡ.] Μεσόνεοι ap. Aristot. Mechan. p. 4, Remiges qui in media navi sedent, Bud. Dicitur autem μεσόνεοι ea forma qua περίνεοι. Verba Aristotelis sunt [quæst. 4] : Διὰ τί οἱ μ. μάλιστα τὴν ναῦν κινοῦσι· paulo post, sub fin. quæstionis : Διὰ τοῦτο οἱ μ. μάλιστα κινοῦσι· μέγιστον γὰρ ἐν μέσῃ νηὶ τὸ ἀπὸ τοῦ σκαλμοῦ τῆς κώπης τὸ ἐντὸς κινοῦσι. [Ap. eund. De partt. an. 4, 10, p. 687, 18 : Καὶ ὁ ἔσχατος (δάκτυλος) δὲ μικρὸς ὀρθῶς καὶ ὁ μέσος μακρὸς, ὥσπερ κώπη μέσον νεώς· μάλιστα γὰρ τὸ λαμβανόμενον ἀνάγκη περιλαμβάνεσθαι κύκλῳ κατὰ τὸ μέσον πρὸς τὰς ἐργασίας, bene Schneiderus in Lex. restituit μεσόνεως : sed fallitur quum et remiges μεσονέους eosdem esse putat atque ζυγίτας et κώπας μεσόνεως easdem atque ζυγίας : quum μεσόνεοι tam remiges quam remi complexi sint etiam remiges remosque θρανίτας et θαλαμίτας perinde ut ζυγίτας, quod animadvertit Bœckh. *Urkunden* p. 117, qui cum l. Aristot. contulit l. Galeni vol. 4, p. 312 (3, p. 85 Lips.).]

[Μεσονήστιμος, ἡ, Hebdomas quarta Quadragesimæ, quæ Latinis Mediana dicitur, μέση ἑβδομὰς τῶν νηστειῶν, Cedreno in Leone Copronymi f. et auctori De invent. cap. S. Jo. Bapt. Prostant Patrum Græcorum complures homiliæ εἰς τὴν προσκύνησιν τοῦ θείου καὶ ζωοποιοῦ σταυροῦ ἐν τῇ μεσονηστίμῳ, Theophylacti Bulg., Chrysostomi etc. Ducang.]

[Μεσονυκτικὸς, ἡ, όν. V. Μεσονύκτιος.]

Μεσονύκτιον, τὸ, Media nox, [Intempesta nox, Concubium, add. Gl.] ἡ μέση νὺξ, ut infra habebimus. Poeticam esse hanc vocem et oratoribus inusitatam annotat Phryn. [p. 53, ad quem Lobeck. : « Primum occurrit ap. Hippocr. De morb. 2, 17, p. 569, C, quem excipiunt Aristoteles, Diodorus, Strabo, aliique his etiam recentiores, Lucianus, Plut. et S. S. » Hesych. v. Ἀσάλπιγκτον ὥραν. Valck.]

Μεσονύκτιος, ὁ, ἡ, ut [(Θεὸν) μεσονύκτιον δεξαμένα, Pind. Isthm. 6, 5. Eur. Hec. 914 : Μεσονύκτιος ὠλλύμαν. Theocr. 13, 69 : Ἱστία δ' ἥϊθεοι μεσονύκτιον ἐξεκάθαιρον Ἡρακλῆα μένοντες· 23, 11 : Ἆμος δὲ στρέφεται μεσονύκτιον ἐς δύσιν ἄρκτος.] Μεσονυκτίοις ποθ' ὥραις, Anacr. [3, 1. Diod. 19, 30. « Μεσονύκτιον, Μεσανύκτιον et Μεσονυκτικὸν, officium ecclesiasticum, quod ex psalmis, hymnis, aliisque precibus media nocte perficitur, non vero hymnus duntaxat, qui media nocte canatur, ut putavit Meursius, in hoc diversum ab ὄρθρῳ, quod ὄρθρος matutinas preces, seu eam nocturni officii partem, quam Laudes dicimus, complectatur. V. Goarum ad Euchololog. p. 33. Explicatio horarum divini officii : Ψάλλομεν πρῶτον τὸ μεσονύκτιον. Christoph. Aug. De hod. Gr. statu c. 34 : Ὅταν παρέλθῃ ἡ ὥρα τῆς προσευχῆς, ἥτις καλεῖται μεσονύκτιον. Anthos : Τὸ μεσονυκτικὸν ψάλλεται. Et alibi. » Ducang. Alia Suicer. « Μεσονυκτικὸν, Marc. Eugen. ap. Fabric. B. Gr. vol. 14, p. 106. » Cramer.] Sic μ. ἐκλείψεων, Defectuum qui

A noctis medio incipiunt. Et μ. πνεῦμα, Ventus de media nocte surgens : Aristot. Probl. p. 90 [26, 18] : Καὶ ἀχρόνυχον μὲν πνεῦμα γίνεται πρὸ τῶν μ. ἐκλείψεων, μεσονύκτιον δὲ πρὸ τῶν ἑώων.

[Μεσόνυξ, υχος, Qui est mediæ noctis. Chœrobosc. vol. 1, p. 82, 29 Gaisf. : Μεσόνυξ, μεσόνυχος· εἷς τῶν ζ' πλανήτων παρὰ τοῖς Πυθαγορείοις ὀνομάζεται. Μέμνηται Στησίχορος. Μεσόννυξ μεσόννυχος male p. 83, 15. L. D.]

[Μεσοπαγής, ὁ, ἡ.] Μεσοπαγὲς, Usque ad medium terræ defixum, Hesych. [Ex Hom. Il. Φ, 172 : Μεσσοπαγὲς δ' ἄρ' ἔθηκε κατ' ὄχθης μείλινον ἔγχος. Synes. Hymn. 6, 9 citat Boiss. Add. Nonn. Dion. 1, 233.]

[Μεσοπαλής, ὁ, ἡ.] Μεσοπαλὲς, Hesychio κραδαινόμενον ἐκ μέσου. [Τὸ ἐκ τοῦ μέσου κρ. δόρυ, Quod medium concutitur. Sic alii in l. Hom. in præced. voc. citato.]

[Μεσοπέλαγος, ους, τὸ, Mare mediterraneum. Jo. Laurentius in Creuzeri Meletem. vol. 1, p. 91, annot. 73 : Ὅτι ὅροι τῆς μὲν Εὐρώπης πρὸς Λιβύην ὁ κατὰ τὰς Ἡρακλείους στήλας πορθμὸς καὶ τὸ δι' αὐτοῦ πληρούμενον ἐπὶ

B ἀνατολὴν μεσιπέλαγος ἄχρι τοῦ Κανωπικοῦ στόματος, ubi μεσοπέλαγος Creuzerus, si mutanda esset scriptura codicis, cui conferenda quæ diximus in Μέσαυλον.]

[Μεσοπεντηκοστή, ἡ, (Dies festus qui est vicesimus quintus a festo Paschali, vertit Vales. ad Euseb. V. Const. 4, 64, Suicerus, Solennitas quæ per dies octo celebratur et incipit ab hebdomadæ quartæ post Pascha feria quarta, et desinit in feriam quartam quintæ hebdomadæ), Andr. Cret. p. 326, 330. Kall. Feria quarta hebdomadis quartæ post Pascha, Græcis Paralytici dictæ. Conc. Afric. can. 20 : « In quarta hebdomada, quæ consequitur, i. e. media Pentecoste. » Synaxarium hujus diei in Pentecostario : Τῇ τετάρτῃ τοῦ Παραλύτου τὴν τῆς μεσοπεντηκοστῆς ἑορτάζομεν ἑορτὴν, διὰ τὴν τιμὴν τῶν μεγάλων δύο ἑορτῶν, τῶν πάσχα λέγω καὶ τῆς Πεντηκοστῆς, ὡς ἑκατέρας ἑνοῦσάν τε καὶ συνδέουσαν.... Chron. Alex. a. 16 Heraclii 14 indict. : Τούτῳ τῷ ἔτει, μηνὶ ἀρτεμισίῳ, κατὰ Ῥωμαίους μαίῳ ιδ', ἡμέρᾳ δ', αὐτῇ τῇ ἁγίᾳ μεσοπεντηκοστῇ. Et alii multi. Τὸ μεσοπεντηκοστὸν dicitur in Nomocanone Coteler. n. 291.

C Ducang.]

[Μεσοπέρδην. V. Μεσοφέρδην.]

Μεσοπερσικὰ, τὰ, Semi-Persica, putantur esse Calceamenta ad Persicorum formam accedentia. Meminit Hesych. [Qui ὑποδήματα γυναικεῖα interpretatur. Pollux 7, 94, inter γυναικεῖα, ponit Μεσοπερσικαί. V. Περσικαί.]

[Μεσοπετής, ὁ, ἡ, Qui medio loco est. Dionys. Areop. p. 28, D : Τῶν θεαρχικῶν ἐλλάμψεων ὡς μεσοπετεῖς εὐλαβῶς ἐφίενται. Kall.]

[Μεσόπλατος, ὁ, Qui medius latior est. Agathemerus Geogr. 1, p. 3 : Ποσειδώνιος δὲ ὁ Στωικὸς σφενδονοειδῆ καὶ μεσοπλατὸν (sic) ἀπὸ νότου εἰς βορρᾶν (γράφει τὴν γῆν). Forma simile est μεγάπλατος.]

[Μεσοπλεύριον, Μεσοπλεύριος, Μεσόπλευρον. V. Μεσόπλευρος.]

Μεσόπλευρος, sive Μεσοπλεύριος, Qui in medio latere est : μ. μύες, quod v. in Πλευρά. [Galen. vol. 4, p. 173 : Τοὺς μεσοπλευρίους μῦς· etc.] Et τὰ μεσόπλευρα s. μεσοπλεύρια, Mediæ costæ. Pollux 2, [167] : Τὰ μὲν

D ὑπὸ μασχάλην, πλευρὰ ὀνομάζεται, τὰ δὲ ὀστᾶ, πλευραί· ὧν τὰ μέσα, μεσόπλευρα καὶ μεσοπλεύρια· ubi etiam nota, eum discrimen facere inter πλευρὸν et πλευρὰ, s. inter τὰ πλευρὰ et αἱ πλευραί : quod tamen perpetuum non est, ut ex ll. in utroque citatis liquido apparet. [Galen. vol. 4, p. 70 : Ἐκ τοῦ δευτέρου μεσοπλευρίου· et alibi sæpe.]

[Μεσόπλουτος scriptura suspecta ap. Alciphr. Ep. 3, 34, ubi νεοπλ. Piersonus. V. autem Μεσσόπλουτος.]

Μεσοπόλιος, ὁ, Semicanus. [Ponitur in Gl. sine interpr. Photio ὠμογέρων. Fab. Æsop. 165 : Ἀνὴρ μ. δύο ἐρωμένας εἶχεν. Etym. M. aliique lexicogrr. in Μεσαιπόλιος.]

[Μεσόπολις, εως, ἡ, in Actis Mart. SS. Alphii, Philadelphi et Cyrini, occurrit non semel ἡ τῶν Λεοντίνων μεσόπολις, in Sicilia, n. 14, 16, 17, 23, 26, etc. Ubi ita hanc urbem appellari suspicantur viri docti, quod in insulæ mediterraneis exstructa sit. Ducang. Martyr. hoc ap. Lambec. Bibl. Cæs. vol. 8, p. 214, A : Ἐν τῇ Λεοντίνων μεσοπόλει τῆς Σικελῶν ἐπαρχίας. Lambecius : « Ita ibi perperam scriptum est pro μητροπόλει. » L. D. Plut. Mor. p. 301, D : Ἴστρος ... προσιστόρηκεν ὅτι τῷ Λαέρτῃ δοθεῖσα πρὸς γάμον (Anticlea) καὶ ἀναγομένη περὶ τὸ Ἀλαλκομένειον ἐν τῇ Βοιωτίᾳ τὸν Ὀδυσσέα τέκοι, καὶ διὰ τοῦτο ἐκεῖνος ὥσπερ μητροπόλεως ἀναφέρων τοὔνομα τὴν ἐν Ἰθάκῃ πόλιν οὕτω φησὶ προσηγορεύεσθαι. Wyttenb. : « Fort. leg. οὕτω προσηγόρευσε (vel potius προσαγορεύσειε, ut scripsit Hutten.). Pro μητροπόλεως, quod Stephano debetur, omnes libri μεσοπόλεως; præter E, qui habet lacunam » loco syllabarum μεσο.]

[Μεσοπόνηρος, ὁ, ἡ, Mediocriter malus. Theodor. Stud. p. 372, C : Ἡ αἵρεσις αὕτη, εἰ καὶ τοῖς προλαβοῦσιν ἐφάνη ἄλλως ἢ καί τισι φαίνοιτο νῦν μεσοπόνηρος καὶ οὐ λίαν χαλεπή. Non enim hic locum habet μισοπόνηρος. L. Dindorf.]

[Μεσοπόντιος Ποσειδῶν ὁ Ἐρέσιος. Οὕτω γὰρ ἐν Ἐρέσῳ τιμᾶται, πόλει τῆς Λέσβου. Καλλίμαχος Αἰτίων πρώτῳ, Steph. Byz.]

[Μεσοπορεία, Media via. Schneid. sine testim.]

[Μεσοπορέω, ut Menandri verbum rejicit Phrynichus p. 182 (416). Ex illius igitur comœdiis transiisse videtur in linguam vulgarem. Præter Siracidem enim 34, 21, ubi L. Bos male servavit μεσοπωρῶν pro μεσοπορῶν, utuntur eo Diodor. 18, 34, Appian. B. C. 2, 88, Theophrastus Char. 25, 1, ubi pro μεσοπορεῖ Reiskio rescribendum videbatur χερσοπορεῖ. Sturz. Jo. Chrys. Hom. 139, vol. 5, p. 878, 10. Seager. Dioscor. 1, 148 in Μεσοπωρέω cit. V. etiam Μεσόπορος. Vitiose ap. Hesych. : Μεσηρροπῶν, μέσην ὁδεύων. Pro quo μεσοπορῶν Photius, μεσορῶν non minus vitiose Suidas.]

[Μεσόπορος, ὁ, ἡ.] Μεσόπορον, Hesych. μέσην ὁδεύων, Mediam viam carpens : pro quo puto scrib. μεσοπορῶν : cujus vestigia extant ap. Suid. [Legitur autem μεσόπορος in Eur. Ion. 1171 : Μεσοπόρου δι' αἰθέρος. Et duplici σ signif. pass. ap. Oppian. Hal. 5, 46 : Κήτεα μεσσοπόροις μὲν ἐνιτρέφεται πελάγεσσι πλεῖστά τε καὶ περίμετρα, Mediis.]

[Μεσοπόρφυρος, ὁ, ἡ, Purpura intertextus. Plut. Arato c. 53 : Στρόφιον οὐχ ὅλον λευκὸν, ἀλλὰ μεσοπόρφυρον. Dio Cass. 78, 3 : Χλαμύδα τοτὲ μὲν ὁλοπόρφυρον, τοτὲ δὲ μεσόλευκον, ἔστι δ' ὅτε καὶ μεσοπόρφυρον. LXX Esai. 3, 20 : Τὰ περιπόρφυρα καὶ τὰ μ., sc. ἐνδύματα, Prætextas et clavatas et intertextas purpura vestes. Μεσοπορφυροῦν scriptum in Bekk. An. p. 461, 24.]

[Μεσοποταμία, Μεσοποτάμιος, Μεσοποταμίτης. V. Μέσος.]

[Μεσοπτερύγιον, τὸ, Media pars inter alas avium, Dorsum. Ælian. N. A. 7, 17 : Γήρᾳ παρειμένους τοὺς κηρύλους ἐπιθέμεναι αἱ ἀλκυόνες περιάγουσιν ἐπ' αὐτῶν τῶν μεσοπτερυγίων.]

[Μεσοπύγιον τῆς περιστερᾶς exponitur ὁ ὄρρος a schol. Aristoph. Pl. 122. Hemst.]

[Μεσόπυχνος, ὁ, ἡ. V. Βαρύπυχνος.]

[Μεσοπύλη, ἡ, i. q. μεσόπυλον. Duplici σ Asclepiad. Anth. Pal. 5, 203, 6 : Οὕνεκεν ὅπλον σοὶ κατὰ μεσσοπύλης χρύσεον ἐκρέμασε. ῡ]

[Μεσόπυλον, τὸ, Media porta. Æneas Tact. c. 39.]

Μεσοπύργιον, τὸ, Muri ea pars quæ inter duas turres media est. Bud. ait esse Locum in muris ubi excubiæ fiunt. Synes. : Ἐν μεσοπυργίῳ τεταγμένος ὑπνομαχῶ. [Polyb. 9, 41, 1; Diod. 17, 24. Pollux 1, 170. Lobeck. ad Phryn. p. 194.]

Μεσοπωρέω, In medio autumni sum. Diosc. [1, 148] : Μεσοπωρούσης τῆς κατὰ τὴν ὀπώραν ἀκμῆς τρυγᾶται, Medio autumni vigore, Bud. [Scribendum μεσοπορούσης, quod v.]

[Μεσορί.] Μεσώρι, Mesori : mensis nomen ap. Ægyptios, cujus meminerunt Synes. et Lucian. [Philopatr. c. 22, ubi Μεσορί.] Sunt qui existiment respondere Latinorum Sextili s. Augusto. [Μεσορὶ, nomen Ægypt. mensis ultimi. In anno gentis hujus fixo, quo omnes illic utuntur a temporibus religionis Christianæ penitus stabilitæ, mensis hic respondet maximam partem Augusto. In Copt. libris, præcipue antiquioribus, scribitur *Mesouri.* Nomen hoc La Crozius mihi aliquando interpretabatur *mes souri,* Plenum Nilum. Qua de re videri possunt quæ disserui in Panth. 4, c. 1, § 9 ... Verum quum certo sciamus, olim obtinuisse annum ex diebus tantum 360 compositum,

A illique successisse annum vagum, in quo cuncti menses pervagabantur tempestates omnes, merito hic ἐπέχω. Ut Mesori responderet fere mensi Augusto Latino, nonnisi a temporibus Augusti Imperatoris apud Alexandrinos locum habuit. Jablonsk. Etiam *mesôrê.* Conf. Thes. Epist. La Croz. t. 3, p. 134. Græcum nomen varie scriptum legitur, Μεσόρι, Μεσορὶ, Μεσσορὶ, Μεσωρὶ, Μεσορή. V. Fabric. Menolog. p. 23, 26. In Synesii Epist. 142, p. 280, C, scribitur Μεσωρί. Ex cod. Mosq. edidit Matthæi Anecd. Gr. vol. 1, p. 86, ὀνόματα μηνῶν, ubi Μεσωρὶ invenitur. Tewater. Scriptura per ο et ι productum est in epigr. Leontii schol. Anth. Pal. 9, 617, 8 : Τῷ μεσορὶ λοῦσαι· πνεῖ γὰρ ἔσω Βορέας.]

[Μεσόρινον sine interpr. ponunt Gl.]

[Μεσόριον pro μεθόριον legebatur Dionys. A. R. 3, 55. V. Μεσούριον.]

[Μεσορομάσδης, ὁ, dicitur Oromasdes ap. Plut. Mor. p. 780, D.]

[Μεσορραγὴς, ὁ, ἡ, Qui medius rumpitur vel ruptus B est. Eust. Opusc. p. 327, 20 : Μεσορραγῆ κενεῶνες γῆς διασχόντες ἣν ὅτε ὕδατος ἐνεκολπίσαντο χάσματα.]

[Μεσόρριν, ὁ, ἡ, Qui est naribus mediocribus. Inc. in Boiss. Anecd. vol. 3, p. 39. Osann.]

[Μεσόρρομβος, ὁ.] Μεσόρρομβος, ap. Medicos, δεσμὸς quidam est, teste Hesych.

Μεσορῶν, ap. Suid., in ms. etiam cod., expositum μέσην ὁδεύων : sed perperam, ut opinor, pro μεσοπορῶν.

Μέσος, η, ον [et ὁ, ἡ ap. Hesych. : Μεσομφαλία, ἡ μέσος τῶν Δελφῶν πόλις· schol. Eur. Phœn. 237 : Μέσον τῆς πάσης γῆς ἐσχηκυῖα χώραν· Etym. M. p. 340, 4 : Ἐν μέσῳ τῇ κιθάρᾳ, nisi aut τῆς κιθάρας aut μέσῃ scribendum, ut ap. HSt. in Ἐνεργμός], Medius. [Medioximus, Gl. Theognis 3 : Ἀλλ' αἰεὶ πρῶτόν τε καὶ ὕστατον ἔν τε μέσοισιν ἀείσω. Theocr. 17, 4 : Ἀνδρῶν δ' αὖ Πτολεμαῖος ἐνὶ πρώτοισι λεγέσθω καὶ πύματος καὶ μέσσος. Alio ordine Demosth. p. 772, 6 : Ὧν μέσος καὶ τελευταῖος καὶ πρῶτός ἐστιν οὗτος.] Dem. Phal., vel potius quicunque alius est auctor libri qui illi ascribitur : Τὸ γὰρ αὐτὸ, πρῶτον C μὲν τεθὲν, ἢ μέσον, Positum primum, medium : pro In principio, medio. Plut. Ad Col. : Καὶ ὁ μὲν θεὸς, ὥσπερ δὴ καὶ ὁ παλαιὸς λόγος, ἀρχήν τε καὶ μέσα καὶ τελευτὴν ἔχων τοῦ παντός· quæ sunt ex Platone [Leg. 4, p. 715, E] sumpta : cujus hæc verba [Tim. p. 34, B], Ψυχὴν δὲ εἰς τὸ μέσον αὐτοῦ, διὰ παντός τε ἔτεινε, Cic. vertit, Animum autem ut in ejus (corporis) medio collocavit, ita per totum tetendit. [Aristoph. Thesm. 80 (et 376) : Ἐπεὶ τρίτη 'στὶ Θεσμοφορίων ἡ μέση. Quod quomodo intelligendum sit, quum quattuor diebus celebrarentur Thesmophoria, pluribus exponit schol.] Et ut dicitur τὸ μέσον τοῦ σώματος, sic μέσον σῶμα. Sed Hom. aliquem transfigi μέσον : Il. N, [396] : Τὸν δ' Ἀντίλοχος μενεχάρμης δουρὶ μέσον περόνησε. [Et similiter alibi sæpe Idem neutro adverbialiter Il. M, 167 : Σφῆκες μέσον αἰόλοι. Hesiod. Sc. 133 : Πρόσθεν μὲν θάνατόν τ' εἶχον καὶ δάκρυσι μῦρον, μέσσοι δὲ ξεστοί· Op. 231 : Δρῦς ἄκρη μέν τε φέρει βαλάνους, μέσση δὲ μελίσσας. Ap. Soph. Ant. 1236 : Ἤρεισε πλευραῖς μέσσον ἔγχος, Usque ad medium.] Et dicitur aliquis ἔχεσθαι μέσος, Teneri meD dius, οὗ σῶμα μέσον κρατοῦμεν. Quo dixit modo Liv. Medium arripere : dixit vero et Terentius ante eum : metaph. autem ab athletis sumpta dicitur ab Aristoph. [Ach. 571, Ran. 469, Eq. 388] ἔχεσθαι μέσος, Qui ita tenetur ut eluctari manus ejus, qui eum tenet, non possit, et cui nullum patet effugium, Bud. [Act. Nub. 1047 : Εὐθὺς γάρ σε μέσον ἔχω λαβών· Ach. 274 : Ὡρικὴν ὑληφόρον μέσην λαβόντ' ἄραντα καταγιγαρτίσαι· Vesp. 260 : Μέση γὰρ οὐδέποτε ληφθήσομαι· Lys. 43 : Οὐ ξυναρπάσει μέσην; « Demosth. p. 1252, 9 : Ἁρπάζει μέσον. » Hemst. Eadem verba ap. Herodot. 9, 107. Ejusdem generis locutio est διαρραγῆναι μέσον Aristoph. Ran. 955.] Ap. eund. Hom. [Il. Φ, 111], μέσον ἦμαρ, Medius dies, pro quo dicitur Meridies. Ut autem ille [et Pind. Pyth. 9, 117] μέσον ἦμαρ dixit, sic Herodian. [8, 5, 22], μέσην ἡμέραν. Xen. autem [Anab. 1, 8, 8, etc.] etiam μέσον ἡμέρας. [Interdiu, Gl. De utroque v. Lobeck. ad Phryn. p. 53 sq.] Eodemque pacto μέση νὺξ, s. μέσαι νύκτες [Aristoph. Vesp. 218, et rursus ἐν μέσῳ νυκτῶν Xen. Cyrop. 5, 3, 52] dictum reperitur ·

pro quo composite etiam μεσονύκτιον. [Hesiod. Op. 500 : Θέρευς ἔτι μέσσου ἐόντος. Aristoph. fr. Hor. ap. Athen. 9, p. 372, B : Χειμῶνος μέσου.] Sed frequentius est subst., et quidem in dat. sæpe et accus., sc. ἐν μέσῳ et εἰς μέσον, sicut Lat. In medio, In medium, in variis loquendi generibus, quæ vix aliter quam propositis exemplis distingui possunt : quare ea proferam. [Hesiod. Sc. 201 : Ἐν δ' ἄρα μέσσῳ ἱμερόεν κιθάριζε Διὸς καὶ Λητοῦς υἱός. Soph. El. 733 : Κλύδων' ἔφιππον ἐν μέσῳ κυκώμενον · Trach. 515 : Μόνα δ' εὔλεκτρος ἐν μέσῳ Κύπρις ῥαβδονόμει ξυνοῦσα.] Hom. Il. Γ, [70] : Αὐτὰρ ἔμ' ἐν μέσσῳ καὶ ἀρηΐφιλον Μενέλαον Συμβάλετ' ἀμφ' Ἑλένῃ καὶ κτήμασι πᾶσι μάχεσθαι. (Dicitur vero et μέσσῳ interdum, subaudita præp. ἐν [Δ, 444 : Ἥ σφιν καὶ τότε νεῖκος ὁμοίιον ἔμβαλε μέσσῳ].) Δ, [299] : Κακοὺς δ' ἐς μέσσον ἔλασσεν · Γ, [77] : Καί ῥ' ἐς μέσσον ἰὼν, Τρώων ἀνέεργε φάλαγγας. [Soph. Tr. 514 : Ἴσαν ἐς μέσον ἱέμενοι λεχέων · Aj. 1285 : Οὐ δραπέτην τὸν κλῆρον ἐς μέσον καθείς. Eur. Ion. 1558 : Μὴ τῶν πάροιθε μέμψις ἐς μέσσον μόλῃ · Iph. T. 420 : Τοῖς δ' εἰς μέσον ἥκει · Suppl. 439 : Τίς θέλει πόλει χρηστόν τι βούλευμ' ἐς μέσον φέρειν ἔχων ; Tro. 54 : Φέρω δὲ σοὶ κοινοὺς ἐμαυτῇ τ' ἐς μέσον λόγους · Hel. 1542 : Δόλιον οἶκτον ἐς μέσον φέρων. Theocr. 15, 27 : Αἶρε τὸ νᾶμα καὶ ἐς μέσον θὲς πάλιν · 22, 82 : Ἐς μέσσον σύναγον · 183 : Ὁ δ' ἐς μέσον ἤλυθε Λυγκεύς. Xen. Anab. 1, 5, 14 : Εἰς τὸ μέσον ἀμφοτέρων ἄγων, Inter utrosque. Sed 3, 1, 46 : Εἰς τὸ μέσον τοῦ στρατοπέδου, In media castra. Plato Gorg. p. 485, D : Φεύγοντι τὰ μέσα τῆς πόλεως καὶ τὰς ἀγοράς · Hipp. maj. p. 290, C : Τὰ μέσα τῶν ὀφθαλμῶν. || Ἐς μέσον, aliter ut sit Usque ad medium, Eur. Hec. 559 : Λαβοῦσα πέπλους ἐξ ἄκρας ἐπωμίδος ἔρρηξε λαγόνος ἐς μέσον. Sic ἐν μέσῳ, In medio, seq. genit., ib. 1150 : Ἵζω δὲ κλίνης ἐν μέσῳ. Aristoph. Vesp. 1374 : Τί δὲ τὸ μέλαν τοῦτ' ἐστὶν αὐτῆς τοὐν μέσῳ ; Et sæpe ap. Xen. et alios quosvis. || Aliter Eur. Ion. 1285 : Τί δ' ἐστι Φοίβῳ σοί τε κοινὸν ἐν μέσῳ ;] Est autem ea differentia inter nominis μέσον signiff. in hoc et illo proxime præcedente l., quæ est inter signiff. nominis Medium, quum dicitur Collocare in medio, Prodire in medium, Procedere : de qua signif. dicam et infra. [Hom. Il. Ψ, 704 : Ἀνδρὶ δὲ νικηθέντι γυναῖκ' ἐς μέσσον ἔθηκε. Æsch. Cho. 145 : Ταῦτ' ἐν μέσῳ τίθημι.] Interdum cum genit. : Il. Z, [120] : Ἐς μέσον ἀμφοτέρων συνίτην μεμαῶτε μάχεσθαι. Sic Γ, [416] : Μέσσῳ δ' ἀμφοτέρων μητίσσομαι ἔχθεα λυγρὰ Τρώων καὶ Δαναῶν. [Η, 277 : Μέσσῳ δ' ἀμφοτέρων σκῆπτρα σχέθον · Od. Θ, 66 : Μέσσῳ δαιτυμόνων.] Potest autem μέσῳ, s. potius ἐν μέσῳ, reddi etiam particula Inter : Cic. ap. Plat. [Tim. p. 32, B], Ἐν μέσῳ πυρός τε καὶ γῆς, vertit Inter ignem et terram. Hæc autem verba [ib. p. 35, A], Ξυνέστησεν ἐν μέσῳ τοῦ τε ἀμεροῦς αὐτῶν καὶ τοῦ κτλ., reddidit, Interjecit inter individuum atque etc., quos ll. habes p. 21 et 28 mei Cic. Lex. [Xen. Anab. 2, 2, 3 : Ἐν μέσῳ ἡμῶν καὶ βασιλέως ὁ Τίγρης ποταμός. In qua locutione interdum omittitur alterum eorum inter quod situm quid dicitur. Aristoph. Av. 187 : Ἐν μέσῳ δήπουθεν ἀήρ ἐστι γῆς, intell. καὶ οὐρανοῦ. Xen. Anab. 3, 1, 2 : Ποταμοὶ διεῖργον ἀδιάβατοι ἐν μέσῳ τῆς οἴκαδε ὁδοῦ. Præpos. omissa Lycophr. 490 : Πολλὰ χείλευς καὶ δεπαστραίων ποτῶν μέσῳ κυλίνδει μοῖρα. Schol. ἀναμεταξύ.] Sic vero et γῆ μέση ποταμῶν ap. Basil., quæ et nomine composito μεσοποταμία, Terra media fluviorum, pro In medio fluviorum, dicetur, utendo ead. illa particula, Terra quæ est inter fluvios, amnes. Polit. vero composita etiam voce dixit Regionem interamnem, reddens istum Herodiani l., 3, [9, 5] : Ὁ δὲ Σεβῆρος διαβὰς τὴν τῶν ποταμῶν μέσην γῆν. [Ἐς μέσον, latiori signif., Pind. ap. Stob. Fl. 109, 1 : Καλῶν μὲν ὦν μοῖράν τε τερπνῶν ἐς μέσον χρὴ παντὶ λαῷ δεικνύναι. Soph. Phil. 609 : Δέσμιον δ' ἄγων ἔδειξ' Ἀχαιοῖς ἐς μέσον.] Huc autem pertinet [Soph. El. 1364 : Τοὺς γὰρ ἐν μέσῳ λόγους · OEd. C. 583 : Τὰ λοίσθι' αἰτεῖ τοῦ βίου · τὰ δ' ἐν μέσῳ ἢ λῆστιν ἴσχεις ἢ δι' οὐδενὸς ποιεῖ. Eur. Or. 16 : Τὰς γὰρ ἐν μέσῳ σιγῶ τύχας · Med. 819 : Περισσοὶ πάντες οὑν μέσῳ λόγοι], et τὰ ἐν μέσῳ, quo utitur et Dem., pro Quæ interjecta sunt. Affertur etiam τὸ τούτων διὰ μέσου ex Plat. [Leg. 7, p. 805, A] pro Quod est inter hæc. In soluta quoque oratione dicitur interdum quum ab aliis, tum a Plut. [Agid. c. 9, al.] εἰς μέσον παριέναι, Prodire in medium : et φέρειν τι εἰς

A τὸ μέσον [vel εἰς μέσον, Xen. Conv. 3, 3], vel ἄγειν, aut προάγειν, aut etiam ἐμβαλεῖν, ut Lat. Afferre vel Proferre vel Adducere in medium, Proponere in medio. [Γνώμην ἐς μέσον φέρω, Herodot. 4, 97 ; τὸ λεγόμενον ἐς τὸ μέσον, 6, 129. Schweigh. Lex. Ἐς μέσον Πέρσῃσι καταθεῖναι τὰ πρήγματα, Herodot. 3, 80, Abrogato imperio regio ἰσονομίαν constituere. Εἰς τὸ μέσον καταθεῖναι, Appian. Pun. c. 28. Hemst. Aristoph. Eccl. 602 ; Xenoph. Cyrop. 2, 1, 14, OEc. 7, 26.] Imo vero et τιθέναι ἐν μέσῳ dicunt illi : quod magis ad verbum respondet huic Latino loquendi generi, Ponere in medio. Ita enim Lucian. [De hist. conscr. c. 60] : Καὶ μὴν καὶ μῦθος, εἴ τις παρεμπέσοι, λεκτέος μὲν, οὐ μὴν πιστωτέος πάντως, ἀλλ' ἐν μέσῳ θετέος τοῖς ὅπως ἂν ἐθέλωσιν εἰκάσουσι περὶ αὐτοῦ · ubi tamen nec qui reddiderit Relinquere in medio, peccasse dicendus fuerit, meo quidem judicio. Bud. autem ex Synes. affert ἐν μέσῳ τιθέναι, pro In medio ponere : quod explicat, Omnibus exponere, et non celare : Τιθεὶς ἐν μέσῳ τἀμὰ, καὶ διδοὺς ἐξ ἁπάντων αὐτῷ βουλεύσασθαι περὶ ἡμῶν. [Har-

B pocr. in Λευκάς. Hemst.] Jam vero et ἐν μέσῳ κεῖσθαι dicitur aliquid a Dem. [p. 84, 14] et Æschine pro Esse positum in medio, et quasi omnibus esse expositum. [Aristoph. Pac. 1118 : Ἀλλ' ἁρπάσομαι σφῷν αὐτὰ, κεῖται δ' ἐν μέσῳ. Theognis 988 : Ἆθλον δ' ἐν μέσσῳ παῖς καλὸν ἄνθος ἔχων. Xen. Anab. 3, 1, 21 : Ἐν μ. κεῖται ταῦτα τὰ ἀγαθὰ ἆθλα ὁπότεροι ἂν ἡμῶν ἄνδρες ἀμείνονες ὦσιν.] Bud. vero affert etiam ἐκ μέσου θέσθαι ita dictum ut Lat. De medio tollere aliquid, et ἐκ μέσου γενόμενος, pro Ex medio sublatus : addens ἐκ μέσου γίνεσθαι in alia etiam signif., sc. pro Ex medio discedere, vel, uno verbo, Secedere. [Xen. Hipparch. 3, 10 : Ἐξελάσειαν τοὺς ἐκ τοῦ μ. ἀνθρώπους · Anab. 1, 5, 14 : Ἐκ τοῦ μ. ἐξίστασθαι.] Plut. autem [Mor. p. 150, D] dixit etiam ἐκ μέσου μετέστη, pro Ex medio recessit. [Huc referenda dictio Herodotea 3, 83 ; 4, 118 : 8, 73, ἐκ μέσου, vel ἐκ τοῦ μ., κατῆσθαι, Extra medium, Procul sedere ; i. e. Aliorum litibus se non immiscere, A neutris partibus stare, sed velut spectator otiosus sedere. Schweigh.] Ceterum in quibusdam ll. μέσον

C redditur etiam Publicum : ut quod dicit Plut., εἰς μέσον παριέναι, Bud. vertit Prodire in medium, publicum. Quinetiam, quod huc pertinet, interpretatur alicubi Remp. : ut in hoc Gregorii l. : Ἀλλ' ἐν μέσῳ στρέφῃ, καὶ μολύνῃ τοῖς δημοσίοις, In rep. versaris. Et in isto Ejusd. : Καὶ μικρὸν κατορθώσας πολλάκις ὁ ἐν τῷ μέσῳ, πλέον ἔσχε τοῦ ἐν ἐλευθερίᾳ μὴ τὸ πᾶν κατορθώσαντος. Itidem in VV. LL. ex Eur. [El. 797 : Τοῦτον μὲν οὖν μεθεῖσαν ἐκ μέσου λόγον] affertur ἐκ μέσου, pro A populis, A multitudine. [Incerta signif. Menand. ap. Polluc. 10, 80 : Τὰ δ' ἐκ μέσου τριπόδια καὶ τραγήματα.] Ibid. ἐν μέσῳ ex Xen. [Anab. 3, 1, 21] pro In propatulo, In promptu. [De hoc l. v. supra. Eur. Hel. 630 : Πολλοὺς δ' ἐν μέσῳ λόγους ἔχων οὐκ οἶδ' ὁποίου πρῶτον ἄρξωμαι τὸ νῦν · 944 : Οἰκτροὶ μὲν οἱ παρόντες ἐν μέσῳ λόγοι. Callim. Epigr. 32, 6 : Χοὐμὸς ἔρως τοιόσδε · τὰ μὲν φεύγοντα διώκειν οἶδε, τὰ δ' ἐν μέσσῳ κείμενα παρπέταται. Xen. Cyrop. 4, 5, 49 : Κἂν μὲν δοκῶμεν ὠφελεῖν πλέον ἐπὶ τῶν ἵππων συναγωνιζόμενοι, οὕτω προθυμίας οὐδὲν ἐλλείψομεν · ἢν δὲ πεζοὶ γενόμενοι δοκῶμεν καιριω-

D τέρως ἂν παρεῖναι, τὸ καταβῆναι ἐν μέσῳ καὶ εὐθὺς πεζοὶ ὑμῖν παρεσόμεθα. Strabo 2, p. 80 : Τῶν δὲ πλαγίων πλευρῶν τὴν ἑσπερίαν λέγει πρῶτον ἢν ὁποία τίς ἐστιν, εἴτε μία εἴτε δύο, ἐν μέσῳ πάρεστι σκοπεῖν. || Contraria signif. Impedimenti cum inf. Xen. Cyrop. 5, 2, 26 : Τί δ' ἐν μέσῳ ἐστὶ τοῦ συμμίξαι ; Demosth. p. 682, 1 : Οὐδὲν ἂν ἦν ἐν μέσῳ πολεμεῖν ἡμᾶς. Et absolute Æsch. Suppl. 735 : Φοβοῦμαι νῆες ὡς ὠκύπτεροι ἥκουσι, μῆκος δ' οὐδὲν ἐν μέσῳ χρόνου. Theocr. 21, 17 : Οὐδεὶς δ' ἐν μέσσῳ γείτων, παντᾷ δὲ παρ' αὐτὰν θλιβομέναν καλύβαν τρυφερὸν προσέναχε θάλασσα. Xen. Reip. Ath. 2, 2 : Τοῖς κατὰ θάλατταν ἀρχομένοις οὐχ οἷόν τε συνάρασθαι εἰς τὸ αὐτὸ τὰς πόλεις · ἡ γὰρ θάλαττα ἐν τῷ μέσῳ. Et alii ap. Dorv. ad Char. 7, 3 init. || Dicitur etiam cum præp. κατὰ ut Hom. Il. E, 8 : Ὦρσε δέ μιν κατὰ μέσσον · Π, 285 : Ἀντικρὺ κατὰ μέσσον. Et cum genit. I, 87 : Κὰδ δὲ μέσον τάφρου καὶ τείχεος ἷζον. Xen. Cyrop. 7, 5, 3 : Στὰς κατὰ μέσον τῆς αὐτοῦ στρατιᾶς. Et cum ἀνὰ Theognis 337 : Τούτων δ' ἂν τὸ μέσον στρωφήσομαι. Theocr. 14, 9 : Λασῶ δὲ μανείς ποκα · θρὶξ δ' ἀνὰ μέσσον · 22, 21 :

Ὄνων δ' ἀνὰ μέσσον ἀμαυρὴ φάτνη. Et seq. plur. Nicand. Th. 167 : Σμερδαλέον δ' ἀνὰ μέσσα κάρη πεφρικὸς ἀείρει. Aristot. H. A. 1, 17 : Μέσην τῷ μεγέθει τὴν ἀνὰ μέσον· et ib. 3, 9. Strabo 11, p. 503 : Ῥεῖν τὸν Μερμάδαλιν ποταμὸν τούτων τε καὶ τῶν Ἀμαζόνων ἀνὰ μέσον. Alia v. ap. Schneider. in Indice Theophr. Cum ἀπὸ et quidem cum accus. more Byzantinorum conjuncto, Leges Homerit. in Boiss. Anecd. vol. 5, p. 80 : Τὴν γλῶτταν αὐτοῦ ἀπὸ μέσον τμηθῆναι. || Μέσος sæpissime dicitur de iis qui cingunt alium sic ut ipse sit medius inter eos. Hom. Il. Δ, 212 : Ὁ δ' ἐν μέσσοισι παρέστατο ἰσόθεος φώς· Λ, 413 : Ἔλσαν δ' ἐν μέσσοισι· Μ, 209 : Ὄφιν κείμενον ἐν μέσσοισι· Π, 384 : Ὁ τοῖσιν στὰς ἐν μέσσοισιν· Ν, 308 : Ἢ ἐπὶ δεξιόφιν παντὸς στρατοῦ ἢ ἀνὰ μέσσους, ἢ ἐπ' ἀριστερόφιν· Od. Π, 336 : Μέσησι μετὰ δμωῇσιν. Pind. Isthm. 7, 32 : Εἶπεν εὔβουλος ἐν μέσοισι Θέμις. Soph. Phil. 630 : Δεῖξαι νεὼς ἄγοντ' ἐν Ἀργείοις μέσοις. Aristoph. Pac. 882 : Καταθήσομαι γὰρ αὐτὸς εἰς μέσους ἄγων. Et apud alios omnes, etiam in prosa. Sic μέσα dicuntur etiam inter quæ situm est aliquid, ut ap. Diod. 1, 65 : Ἐὰν μὴ τοὺς ἱερεῖς ἅπαντας διατεμὼν διὰ μέσων αὐτῶν διέλθῃ· 19, 108 : Διὰ μέσων τῶν παρεμβολῶν ἦν ποταμός. Quibus locis in libris paucis est διαμέσον h. e., ut videtur, διὰ μέσου, quod sane usitatius. Multo vero insolentius Polyb. 1, 15, 10 : Τὴν Ἐχέτλαν ἐν μέσῃ κειμένην τῇ τῶν Συρακοσίων καὶ Καρχηδονίων ἐπαρχίᾳ, ubi μέσῳ cod. unus, quod etiam genitivum postularet. Utrumque desiderabat Casaub. || Ducangius : « Μέση, nude, Media platea Cpoli sic dicta, ut pluribus probamus in Cpoli Christ. l. 1. Μέση λεωφόρος, ap. Theophan. a. 10 Rhinotmeti. Leo grammat. p. 462 de Barda Cæsare : Ἐπὶ ἅρματος ἐποχηθεὶς ἔδωκεν ὑπατείαν τῇ μέσῃ. V. eundem p. 497, 498 et Theophan. a. 8 Mauricii. (Alios aliorum ll., in quibus modo μέση simpl., modo addito πλατεῖα vel λεωφόρος, v. ap. Reisk. ad Constantin. Cær. vol. 2, p. 167. De platea etiam Euseb. V. Constant. 3, 39, p. 600, 7 : Αὐλὴ πρώτη, στοαί τ' ἐπὶ ταύτῃ, καὶ ἐπὶ πᾶσιν αἱ αὔλειοι πύλαι, μεθ' ἃς ἐπ' αὐτῆς μέσης πλατείας ἀγορᾶς τὰ τοῦ παντὸς προπύλαια, ubi ἀγορᾶς suspectum fuit Valesio.) || Media pars Templi, ap. Philotheum Patr. Cp. in Ordine S. Ministerii p. 2, 8, et in Euchologio p. 67. Anon. De templo S. Sophiæ p. 246 : Καὶ ὁ τόπος τοῦ ἄμβωνος καὶ ἡ μέσης τοῦ ναοῦ, ὑπῆρχεν οἶκος Ἀντιόχου εὐνούχου. Legendum ἡ μέση, sc. media pars Templi, quam ὀμφαλὸν vocabant. (V. Reisk. infra.) || Μέση, Forum, quia plerumque Fora in media sunt civitate. Glossæ græcobarb. : Ἀγορὰ, ἡ μέση. Rursum εἰς τὴν μέσην ἢ ἀγορὰν ἢ φόρον. Theophan. a. 7 Phocæ : Καὶ μετὰ τοῦτο σύραντες αὐτὸν ἐπὶ τὴν μέσην, ἐφόνευσαν καὶ πολλοὺς κτητόρων. V. eundem a. 27 Copronymi et a. 5 Leonis Chazari. (V. l. Eusebii supra cit.) || Μέση, Mediana, Septimana media jejuniorum. Conc. Calchedon. art. 11 : Τῇ μέσῃ ἑβδομάδι κατηνάγκασάν με. Jo. Chrysost. Hom. in adorat. S. Crucis : Ἧκεν ἡμῖν ἐνιαύσιος ἡμέρα ... ἡ μέση ἑβδομὰς κτλ. » || Μέση ap. recentiores, maxime Byzantinos, est Medium. Reisk. l. c. : « Ἡ μέση, nempe ὁδὸς, i. est q. τὸ μέσον vel τὸ ἐν μέσῳ. Procop. De ædif. Justin. : Περόνη χρυσῆ τῇ χλαμύδι ἐπέκειτο, λίθον ἐπὶ μέσης περιφράττουσά τινα ἔντιμον. Leo Grammat. p. 450, C, 12 : Ἡ μέση τῆς ὁδοῦ, Media via. Cedren. p. 318, D, 4 : Κατὰ μέσην, Media in via. Idem p. 348, B, 4, et 351, C, 8, ἐν τῇ μέσῃ τῆς πόλεως. Ita infra ap. Constantinum p. 89, B, 9 : Διὰ μέσης τοῦ ναοῦ (v. Ducang. supra), et 87, A, ult. : Ἐν τῇ μέσῃ τοῦ φόρου, et paullo post ἐν τῇ μέσῃ τῶν ἀξιωματικῶν· p. 124, D, 5 : Εἰς τὴν μ. τῶν ὑπάτων· 142, C, 7 : Εἰς τὴν μέσην τοῦ τρικλίνου. » || De climate schol. Hesiodi Theog. 378 : Ἐπεὶ καὶ τέσσαρα κλίματα τοῦ κόσμου, Εὐρώπη, Ἀσία, Λιβύη, Μέση.]

|| Μέσον, Spatium quod in medio relinquitur, Intervallum, Spatium. [Pind. Nem. 4, 37 : Ἔχει μέσον. Xen. Anab. 1, 4, 4 : Τὸ μέσον τῶν τειχῶν ἦσαν στάδιοι τρεῖς· H. Gr. 7, 2, 7 : Τὸ μέσον τῆς ἀκροπόλεως. Et sic sæpe ap. eundem aliosque historicos τὸ μέσον vel μέσον, de media parte aciei.] Synes. : Θέα δὴ πόσῳ τῷ μέσῳ τὸ πνεῦμα τοῦτο ἐμπολιτεύεται, Quanto intervallo. Sic ut πολὺ τὸ μέσον, Magnum est intervallum : quod etiam exp. Magnum est discrimen, ap. Eur. [Alc. 917 : Πῶς δ' οἰκήσω μεταπίπτοντος δαίμονος. Πολὺ γὰρ τὸ μέσον.

A Conf. Herodot. 1, 126; 9, 82. Aristid. vol. 2, p. 288 : Πολὺ τοὐμμέσῳ, de qua orthogr. v. in M. Vita Theophanis fol. 1 verso extr. : Μακρῷ τῷ μέσῳ παρατρέχειν τὴν αἴσθησιν· fol. e iii, recto : Παρατρέχων πολλῷ τῷ μέσῳ τοὺς ἅπαντας· fol. i recto : Μακρῷ τῷ μέσῳ τούτους ὑπερβαλλόμενος.] In VV. LL. ex Thuc., Ἐν ὀλίγῳ τῷ μέσῳ, pro In parvo spatio. Dicitur præterea Διὰ μέσου γίνεσθαί τι, vel cum alio verbo, pro, Interjecto temporis intervallo, Interim, Interea : ubi et verbum Intervenire aptissimum locum habere existimo. Thuc. 4, [20] : Πρίν τι ἀνήκεστον διὰ μέσου γενόμενον ἡμᾶς καταλαβεῖν· 5 : Καὶ τὴν διὰ μέσου ξύμβασιν· 8, [75] : Ἔπειτα μέντοι ὑπὸ τῶν διὰ μέσου κωλυθέντες. Sic usus est [Xen. H. Gr. 5, 4, 25 : Τὸν δὲ Ἀγησίλαον καὶ τοὺς ἐκείνου φίλους ἐφοβοῦντο καὶ τοὺς διὰ μέσου δέ·] Plut. De def. orac. [p. 431, D] : Πολλαὶ γὰρ ἅμα πράξεις διὰ μέσου καὶ ἀσχολίαι συντυγχάνουσαι. Legitur etiam ὁ διὰ μέσου χρόνος, et ἐν τῷ διὰ μέσου χρόνῳ. [Διὰ μέσου, figura, vel σχῆμα λέξεως Æl. Herodiano ap. Villois. Anecd. vol. 2, p. 92, ἔνωσις λόγου τὸ ἀκόλουθον ἀφαιρουμένη ἑτέρου τινὸς παραθέσει

B λόγου. Exemplum affertur Hom. Il. Δ, 286 : Σφῶϊ μὲν, οὐ γὰρ ἔοικ', ὀτρυνέμεν οὔτι κελεύω. Ernest. Lex. rhet. Proprie de mœnibus Athen. ap. Harpocrat. : Διὰ μέσου τείχους Ἀντιφῶν πρὸς Ναυσικλέα. Τριῶν ὄντων τειχῶν ἐν Ἀττικῇ, ὡς καὶ Ἀριστοφάνης φησὶν ἐν Τριφάλητι, τοῦ τε βορείου καὶ τοῦ νοτίου καὶ τοῦ Φαληρικοῦ, διὰ μέσου τούτων ἐλέγετο τὸ νότιον, οὗ μνημονεύει καὶ Πλάτων ἐν Γοργίᾳ (p. 455, E : Περικλέους καὶ αὐτὸς ἤκουον, ὅτε συνεβούλευον ἡμῖν περὶ τοῦ διὰ μέσου τείχους). Τὰ διὰ μέσου τείχη dicit Dio Chr. Or. 6, vol. 1, p. 199, de iisdem loquens Athenarum mœnibus. Cum genitivo Plato Leg. 7, p. 805, E : Τὸ τούτων διὰ μέσου φῶμεν τὸ Λακωνικόν; Reip. 5, p. 474, D : Τὸν διὰ μέσου τούτων ἐμμετρότατα ἔχειν, quibus ll. de medio statu dicitur. Xen. Anab. 1, 4, 4 : Διὰ μέσου δὲ ῥεῖ τούτων (portarum) ποταμός· quod etiam 1, 2, 23, pro διὰ μέσης τῆς πόλεως in pluribus est libris melioribus. Aliter idem Cyrop. 6, 3, 3 : Ὅπου δὲ στενωτέρα εἴη ἡ ὁδὸς, διὰ μέσου ποιούμενοι τὰ σκευοφόρα ἔνθεν καὶ ἔνθεν ἐπορεύοντο οἱ ὁπλοφόροι.] Ad hanc porro nominis μέσον signif., qua pro

C spatio ponitur, pertinent tum alia quædam compp., tum etiam Μεσοποταμία pro Spatium inter duo flumina ap. Strab. [locis pluribus, et Polyb. 5, 44, 6; 48, 16. Steph. Byz. : Μέση τῶν ποταμῶν, χώρα μεταξὺ Εὐφράτου καὶ Τίγριδος. Καὶ Ἀδιαβηνὴ ἐκαλεῖτο, ὡς ἱστορεῖ Κουάδρατος. Τὸ ἐθνικὸν Μεσοποταμίτης. De alia Plut. Oth. c. 4 : Τὸν ἐν μεσοποταμίᾳ νήσῳ Γαΐου Καίσαρος ἀνδριάντα, de insula Tiberina. || Plur. τὰ μέσα, Medium, Xen. Vect. 1, 6 : Τῆς οἰκουμένης ἀμφὶ τὰ μέσα || Μέσον, adverbialiter i. q. ἐν μέσῳ, Hom. Od. Ξ, 300 : Ἡ δ' ἔθεεν Βορέῃ ἀνέμῳ ἀκραέϊ, καλῷ, μέσσον ὑπὲρ Κρήτης. Conf. l. M, 167 initio cit. Cum pron. Xenophanes ap. Athen. 11, p. 462, E : Βωμὸς δ' ἄνθεσιν αὐτὸ μέσον πάντη πεπύκασται. || Μέσον, Inter. Eur. Or. 983 : Μόλοιμι τὰν οὐρανοῦ μέσον χθονός τε τεταμέναν αἰωρήμασι πέτραν. Chron. Pasch. p. 498, 9 : Μέσον Ἐδέσσης καὶ Καρρῶν. Constantin. Cær. p. 38, B : Διέρχεται μέσον διὰ τοῦ μεγάλου τρικλίνου καὶ τῶν δύο κιόνων· et similiter alibi. Schol. Æsch. Prom. 853 : Ἐπεὶ δὲ μέσον αὐτῶν φιλονεικία ἐγένετο. L. D. Astrampsychus in Theoria

D astrorum Ms. : Αἱ πράξεις τῶν γυναικῶν κακαί· μάχαι μέσον τῶν ἀνδρογύνων καὶ ψεύδη. Mox : Ἔχθρα καὶ ψεῦδος μέσον τῶν γραμματικῶν. Balsamon ad Nomocan. Photii 13, 2, p. 143, 1 edit. : Συστάντα γάμον μέσον τοῦ Κανταχουζηνοῦ κυρίου Ἰωάννου καὶ τῆς κυρίας Εἰρήνης. Ducang. Idem μέσα pro Intus dictum annotavit ex Byzantinis recentissimis. Quo tamen etiam veteres adverbialiter utuntur, ut Eur. Rhes. 531 : Μέσα δ' αἰετὸς οὐρανοῦ ποτᾶται. Nicander fr. ap. Athen. 15, p. 683, D : Κρόκῳ μέσα χροισθεῖσαι· Alex. 366 : Τῷ τρισσὰς πόσιας πόρε, μέσσα μὲν ὄξευς, δοιὰς δὲ γλυκέος.]

|| Μέσον ἑαυτὸν φυλάττειν, Lucian. [Conv. c. 43], Medium se servare, i. e. quasi In medio manere, ad neutram partem magis inclinando. Exp. autem, Neutrum se servare, pro Neutras partes sequi, Neutrarum esse partium. At Xen. [Cyrop. 7, 5, 46] alio sensu dicit, Παρέχειν ἐν τῷ μέσῳ ἑαυτόν. [Dicit eum qui facilem ad se aditum præbet. Itaque hic l. ponendus erat supra in locutione ἐν τῷ μέσῳ.] Sic autem affertur ex Thuc. οἱ μέσοι τῶν πολιτῶν, Cives qui neutros se servant, qui

non sunt in partibus, neutras partes sequuntur. Sed ap. eum invenio τὰ μέσα τῶν πολιτῶν in illa signif. 3, [82] : Τὰ δὲ μέσα τῶν πολιτῶν ὑπ' ἀμφοτέρων, ἢ ὅτι οὐ ξυνηγωνίζοντο, ἢ φθόνῳ τοῦ περιέναι, διεφθείροντο. [Plato Leg. 11, p. 929, E : Δώδεκα ἄνδρας τῶν νομοφυλάκων τοὺς μέσους.] Sed et alia signif. appellari μέσους πολίτας docebo in proxime sequente tmematio. || At μέσος δικαστής, v. Μεσίτης. [Similiter Hom. Il. Ψ, 574. Ἀλλ' ἄγετ', Ἀργείων ἡγήτορες ἠδὲ μέδοντες, ἐς μέσον ἀμφοτέροισι δικάσσατε, μηδ' ἐπ' ἀρωγῇ. Schol., μήτε τούτῳ προχαριζόμενοι μήτε ἐμοί. || « Μέσος, Quo interveniente vel cujus opera aliquid perficitur. Pontifex excellenti quadam esse debet natura, ἵνα διὰ μέσου τινὸς ἄνθρωποι ἱλάσκωνται θεὸν, Philo J. p. 895, E. Id. p. 828, B. Sic δι' ἐπιστολῆς vel διὰ μέσου ἀνθρώπων, Basil. Ep. 206, cui opponitur αὐτὸς δι' ἑαυτοῦ. Ita Salmas. ad Solin. p. 462, D, recte videtur exponere διὰ μέσου αὐτοῦ in Horapoll. 1, c. 49 med. Παρ' ἀνδρὶ μέσῳ, Harpocr. in Μεσεγγύημα. » Hemst.]

|| Μέσον, Medium, Quod est in medio veluti gradu, ut quum dicit Horat., Virtus est medium vitiorum et utrimque reductum. [Theognis 335 : Μηδὲν ἄγαν σπεύδειν· πάντων μέσ' ἄριστα. Pind. Pyth. 11, 52 : Τῶν ἀμ πόλιν εὑρίσκων τὰ μέσα μακροτέρῳ ὄλβῳ τεθαλότα. Æsch. Eum. 529 : Μήτ' ἄναρκτον βίον μήτε δεσποτούμενον αἰνέσῃς· παντὶ μέσῳ τὸ κράτος θεὸς ὤπασεν. Eur. fr. ap. Stob. Fl. 22, 8 : Βροτοῖς τὰ μείζω τῶν μέσων τίκτει νόσους. Aristoph. ap. Sext. Emp. Adv. gramm. 1, p. 264: Διάλεκτον ἔχοντα μέσην πόλεως οὔτ' ἀστείαν ὑποθηλυτέραν οὔτ' ἀνελεύθερον ὑπαγροικοτέραν. Xen. Cyrop. 2, 4, 28 : Τῷ μέσῳ τῆς σπουδῆς ἡγοῦ· Ven. 6, 25 : Κύνα τὴν φιλάνθρωπον, τὴν αὐθάδη, τὴν μέσην.] Aristot. Eth. 2, 6 : Οὕτω δὴ πᾶς ἐπιστήμων τὴν ὑπερβολὴν καὶ τὴν ἔλλειψιν φεύγει, τὸ δὲ μέσον ζητεῖ καὶ τοῦθ' αἱρεῖται. Dixerat autem paulo ante, Τὸ δ' ἴσον μέσον τι ὑπερβολῆς καὶ ἐλλείψεως. Ibid. legimus : Τῆς μὲν κακίας, ἡ ὑπερβολὴ καὶ ἡ ἔλλειψις, τῆς δὲ ἀρετῆς, ἡ μεσότης· quibus pene ad verbum exp. Horatianus ille versus. Thuc. 1, [10] : Πρὸς τὰς μεγίστας γοῦν καὶ ἐλαχίστας ναῦς τὸ μέσον σκοποῦντι. Gregor. cum duobus genitt., ut in illo priore Aristot. l. : Μέσος μεγέθους καὶ ταπεινότητος. [Herodot. 7, 11 : Πονέειν ἢ παθέειν προκέεται ἀγών· ἵνα ἢ τάδε πάντα ὑπὸ Ἕλλησι ἢ ἐκεῖνα πάντα ὑπὸ Πέρσῃσι γένηται· τὸ γὰρ μέσον οὐδὲν τῆς ἔχθρης ἐστί. « Μέσος χαρακτὴρ, ea forma dicendi quæ inter τὸ ὑψηλὸν et ἰσχνὸν medium tenet. De quibus generibus l. classicus est Cic. Or. c. 5. V. Marcellin. V. Thucyd. § 60, ubi Herodoto illum characterem tribuit. » Ernest. Lex. rh.] Ex Plat. μέσον ἔχειν [μοναρχικῆς καὶ δημοκρατικῆς πολιτείας, Leg. 6, p. 756, E] pro Medium tenere, Medium esse inter etc., i. e. Medium tenere gradum. Sic, Μέσα φέρεσθαι βαρέος ἀθλητοῦ καὶ κούφου, Philostr. Her. Dicitur etiam μέσην βαδίζειν. Greg. in Or. de Cyp. : Ἵν' οὖν μέσην βαδίσω τοῦ καιροῦ καὶ τοῦ πόθου τῶν ἀκουόντων, οὕτω μοι δοκεῖ ποιητέον εἶναι, Ut medium teneam inter modum orationis et desiderium auditorum. Sic et in isto l., quem ejusd. Gregorii esse puto, de judice, qui tyrannidi quantum poterat obsistebat : Μέσην βαδίζων τοῦ καιροῦ καὶ τῶν νόμων. Non dubito autem quin his in ll. subaudiatur accus. ὁδόν. [Quem addit Theognis 220 : Μηδὲν ἄγαν ἄσχαλλε ταρασσομένων πολιητῶν, Κύρνε, μέσην δ' ἔρχου τὴν ὁδὸν, ὥσπερ ἐγώ· 331 : Ἥσυχος, ὥσπερ ἐγὼ, μέσσην ὁδὸν ἔρχεο ποσσί.] At in VV. LL. affertur μέσον τέμνειν, pro Medium tenere, ubi suspicor reponendum μέσην : ut dicatur μέσην τέμνειν, subaudito itidem illo accus. ὁδόν. [Μέση intell. γραμμὴ Aristot. Metaphys. 2, p. 44, 14 ed. Brand. : Τί ἐστι τὸ τετραγωνίζειν, ὅτι μέσης εὕρεσις.] Dicuntur etiam οἱ τοῦ μέσου βίου ἄνθρωποι a Luciano [De luctu c. 9], Homines mediæ conditionis. Sed et ipsi ἄνθρωποι dicuntur μέσοι a Plat. pariter [Leg. 10, p. 907, A] et Aristot., quorum mediocres sunt fortunæ. Aristot. Pol. 4, [3]. : Τούτου τοῦ πλήθους τοὺς μὲν, εὐπόρους ἀναγκαῖον εἶναι, τοὺς δὲ, ἀπόρους, τοὺς δὲ, μέσους. [Ib. 4, 11.] Sic autem et ap. Thuc. [6, 54] μέσος πολίτης a schol. exp. ὁ οὔτε ἐπιφανὴς, οὔτε ἄδοξος. [Herodot. 1, 107 : Τὸν εὕρισκε οἰκίης μὲν ἐόντα ἀγαθῆς, ... πολλῷ ἔνερθε ἄγων αὐτὸν μέσου ἀνδρὸς Μήδου.] Lucian. [De hist. conscr. c. 46] εὔκρατον et μέσην copulavit : Καὶ μὴν καὶ συνθήκη τῶν ὀνομάτων εὐκράτῳ καὶ μέσῃ χρηστέον, οὔτε ἄγαν ἀφιστάντα καὶ ἀπαρτῶντα, τραχὺ γὰρ,

A οὔτε ῥυθμῷ παρ' ὀλίγον, ὡς οἱ πολλοὶ, συνάπτοντα. Optime autem convenire mihi videtur locus hic, quantum ad illorum duorum nominum copulationem attinet, cum isto Plut. in l. qui Π. ἠθικῆς ἀρετῆς inscribitur [p. 444, E] : Ἐπεὶ δὲ πολλαχῶς τὸ μέσον· καὶ γὰρ τὸ κεχραμένον τῶν ἀκράτων μέσον, ὡς λευκοῦ καὶ μέλανος τὸ φαιόν· atque hinc patet etiam unde sumpta sit illius εὔκρατος metaph., quod cum μέσῃ jungitur. [De ætate, ut ἐπίμεσος, Eur. Epist. 5, p. 503, 36 : Ὅτε νέοι τε καὶ ὅτε μέσοι τὴν ἡλικίαν ἦμεν. Theocr. 25, 164 : Ἦλυθε γὰρ στείχων τις ἀπ' Ἄργεος ὡς μέσος ἀκμῆς ... ἀνήρ. Plat. Epist. 3, p. 316, C : Ἐν ἡλικίᾳ ὄντος μέσῃ.] Ceterum μέσος redditur etiam Mediocris interdum (nam Mediocris est qui medium velut gradum tenet), et τὸ μέσον, Mediocritas. Sic et in l. quem paulo ante ex Gregor. protuli, μέσην βαδίζειν, Mediocritatem sequi, vertit Bud. Plin. μέσοι reddit Modici, quum hæc Aristot. [H. A. 1, 10], Τῶν δ' ὀφθαλμῶν οἱ μὲν μεγάλοι, οἱ δὲ μικροὶ, οἱ δὲ μέσοι, reddidit, Oculi grandiores, modici, parvi.

[|| Μέσον, δικαστήριον Ἀθήνησι, Photius. || Μέσα,
B τὰ, Pudenda. Etym. M. p. 575, 10 : Μέζεα, τὰ αἰδοῖα, ὅτι μέσα εἰσὶ τῆς οὐρᾶς, μέσεα ὄντα· Σικελοὶ δὲ καὶ Ταραντῖνοι μέσα αὐτὰ ἀποκαλοῦσιν.]

|| Μέσα, et alio nomine ἀδιάφορα, vocantur a Græcis Quæ in medio honestorum et turpium sunt. Gellius 2, 7 : Quæ sua vi recta aut honesta sunt, ut fidem colere, ut patriam defendere, ut amicos diligere : ea fieri oportet, sive imperet pater, sive non imperet : sed quæ his contraria, quæque turpia et omnino iniqua sunt, ea, ne si imperet quidem. Quæ vero in medio sunt, et a Græcis tum ἀδιάφορα, tum μέσα appellantur, ut in militiam ire, rus colere, honores capessere, causas defendere, uxorem ducere, uti jussum proficisci, ut accersitum venire : quoniam et hæc et his similia, per sese ipsa neque inhonesta sunt neque turpia, sed perinde ut a nobis aguntur, ita ipsis actionibus aut probanda fiunt aut reprehendenda : propterea in ejusmodi omnium rerum generibus etc. Quibus postremis verbis apertius declarat quæ appellentur μέσα.

C || Μέσου appellatio habet et grammaticis Græcis peculiarem usum; dicitur enim vocabulum μέσον, sicut et vocabulum Medium a quibusdam Latinis gramm., quod interdum in bonam, interdum in malam partem capitur. [Etym. M. p. 626, 39 : Ἔστι δὲ τῶν μέσων λέξεων (ὄνειδος), ὡς τύχη καὶ ζῆλος καὶ δόλος. Et alii.] Iisd. μέση συλλαβὴ, Media syllaba, quæ aliquando producitur, aliquando contra corripitur. Sed et verbum quod nec activum est nec passivum, sed velut medium inter utrumque, μέσον, itidemque ejus χρόνους vocant μέσους, Tempora media, ut μέσος παρακείμενος, ἀόριστος, etc. Eust. in quendam l. Od. Σ [p. 1846, 30] : Καὶ εἰκὸς τὸ οὐλομένη καὶ ἐνεργητικῶς καὶ παθητικῶς λέγεσθαι, διὰ τὸ χρόνου εἶναι μέσου ἀορίστου δευτέρου· οἱ δὲ μέσοι ἐπαμφοτερίζουσιν ὡς ἐπὶ πολὺ τῇ ἑρμηνείᾳ. [Plato Phil. p. 18, C : Τὰ φωνήεντα καὶ τὰ μέσα.]

|| Μέσον, Dimidium. Thuc. 4, p. 164 [c. 133] : Ἔτη δὲ Χρυσὶς τοῦ πολέμου τοῦδε ἐπέλαβεν ὀκτὼ, καὶ ἔνατον ἐκ μέσου.

D || Μέση, chorda quædam dicta q. d. Media. Dicitur autem sine adjectione, ut ὑπάτη et νήτη. Bud. ex Plut. [ceterisque musicis. Plat. Reip. 4, p. 443, D : Ὅρους τρεῖς ἁρμονίας, νεάτης τε καὶ ὑπάτης καὶ μέσης. V. Μεσοειδής.] Item μέσον tetrachordum, Medianum, Vitruv. 5, 4, [7]. Ibid. [§ 5, ubi μέσων est,] numeratur inter φθόγγους. [Μέσοι ἦχοι in Musica græcanica, de quibus ita Hagiopolites Ms. : Τεσσάρων τοίνυν ὄντων κυρίων καὶ πρώτων ἐξ αὐτῶν (ἤχων), ἐπεισήχθησαν οἱ τεσσάρεις πλάγιοι, τὸν αὐτὸν δὴ τρόπον καὶ ἐκ τῶν τεσσάρων πλαγίων οἱ τέσσαρες μέσοι· ἐκ δὲ τῶν μέσων πάλιν αἱ φθοραί· οἷόν τί φημι, εἰ μὲν τεσσάρεις πρῶτοι ἔχουσι τὰς ὑπαλλαγὰς αὐτῶν, ἐξ ὧν οἱ μέσοι ἀποτίκτονται, οἷον ὁ μέσος πρώτος κτλ. Infra : Ἐκ δὲ τῶν μέσων πάλιν εἰσήχθησαν αἱ φθοραὶ, ἐκ μὲν τοῦ μέσου πρώτου φθορὰ πρώτη. Ducang. || De funibus nauticis schol. Apoll. Rh. 1, 567, post verba in Μεσουρία posita : Οἷς δὲ ἰσχυροποιεῖται ὁ ἱστὸς ἐξ ἑκατέρου μέρους ἐπὶ τὴν πρῷραν προτόνους· τοὺς δὲ κατὰ τὰς γωνίας πόδας, ἐφεξῆς δὲ τούτων πρόποδας· μεθ' οὓς εἰσιν οἱ καλούμενοι τέρθριοι, εἶτα οὓς λέγουσι μέσους. ||

Θεράπων μέσος memoratur inter personas scenicas ap. Polluc. 4, 148, 150. Ubi μέσος ad ætatem spectare videtur, de qua signif. supra. || Adverbii a dativo facti forma Æolica est Μέσοι, de quo Apollon. De adv. Bekk. An. p. 588, 27 : Τὸ γὰρ παρὰ τοῖς περὶ τὸν Ἀλκαῖον μέσσοι δῆλον ὅτι κατὰ τὴν ἰδίαν διάλεκτον ἀνάλογον βαρυνθείη ἄν· οὐ γάρ ἐστιν ἐλλιπὴς τῇ ἐν προθέσει, συστελλομένου τοῦ ω εἰς τὸ ο, ὥς τινες ὑπενόησαν, ἐν μέσσῳ· ἀλλ' ὃν τρόπον παρὰ τὸ οἶκος τὸ οἴκοι ἐγένετο, σημαῖνον τὸ ἐν οἴκῳ... τὸν αὐτὸν τρόπον καὶ παρὰ τὸ μέσος τὸ μέσσοι ἐγένετο, σημαῖνον τὸ ἐν μέσῳ· ὅπερ ἔφην κατὰ τὸ Αἰολικὸν ἔθος βαρύνεσθαι· 610, 30 : Τῇδε γὰρ ἔχει καὶ τὸ ἐπίρρημα παρ' Αἰολεῦσι τὸ μέσοι, Γαίας καὶ νιφόεντος ὠράνω μέσοι. Koen. ad Gregor. p. 369 : « Apollonii errorem non coarguam. A μέσοι, quomodo ante usum literæ ω omnino pro μέσῳ scribendum fuit, Æolicum μέσυϊ fluxit. Hesychius : Μέσυϊ, ἐν μέσῳ, Αἰολεῖς. » Codex Hes. μεσυΐ. Sed verus accentus est μέσυι et μέσυϊ. Conf. quæ dixi in Ἀτέρυϊ sub Ἕτερος vol. 3, p. 2143, B, quod et ipsum ἀτέρυϊ potius scribendum quam ἀτερύϊ. Memorat μέσον μέσοι etiam schol. Dionys. Bekk. An. p. 945, 2.]

|| Compar. Μεσαίτερος : superl. Μεσαίτατος, η, ον, q. d. Qui est magis in medio; Qui est maxime in medio. [Herodot. 4, 17 : Τοῦτο γὰρ μεσαίτατόν ἐστι πάσης τῆς Σκυθίης. Schweigh. Apoll. Rh. 4, 1000 : Οἷόν τε μεσαιτάτῃ ἐμβεβαῶτες Αἱμονίῃ.] Quidam interpr. Penitior, et Penitissimus. Aristot. De mundo [c. 2] : Κατὰ τὸ μεσαίτατον τοῦ κόσμου συνερηρεισμένη γῆ συνέστηκε, ubi tamen redditur ac si scriptum esset κατὰ τὸ μέσον, sc. In medio. Tale est ap. Philonem ead. de re : Καὶ γῆς ἵδρυσιν ἐν τῷ μεσαιτάτῳ τοῦ παντός. Herodian. autem dixit 5, [5, 12] : Ἐν τῷ μεσαιτάτῳ τῆς συγκλήτου τόπῳ, ubi Polit. vertit In media curia. [Pausan. 7, 5, 6.] Dicitur autem μεσαίτερος et μεσαίτατος, pro μεσώτερος, et [quod ponit Etym. M. p. 344, 18 : Ἐν μεσάτῳ, ἐν μεσωτάτῳ τόπῳ, κατὰ συγκοπήν] μεσώτατος : cujus formæ et alia quædam a gramm. referuntur. Sed comparativi μεσαίτερος exempla nulla proferuntur. [Plat. Parm. p. 165, E : Ἐν τῷ μέσῳ ἄλλα μεσαίτερα τοῦ μέσου. Ponit Etym. M. p. 227, 30.] Ac certe Eust. non videtur μεσαίτατος pro superlativo habere, ut ostendunt ea, quæ ex eo attuli in Μέσατος. Adde quod Suidas μεσαίτατος exp. simpliciter μέσος. Sed et pro ὑψηλὸς accipi tradit, quam signif. Bud. putat convenire posse cuidam Philonis l., in quo τὸ ἡγεμονικὸν ita vocat. [Est vero haud dubie μεσαίτατος superlativus, per sync. pro μεσαιότατος, legitime formatus a positivo Μέσαιος s. Μεσαῖος, quo usus est Antiphanes ap. Athen. 3, p. 95, A, ubi μέσαιον s. μεσαῖον, sc. μέρος, est Frustum e medio exsectum. Schweigh. Ἀνὴρ ὁ μεσαῖος ἀνέβαινε pro Ἀμεσσαῖος, ut est in Alex., Ald., Compl., conjiciebat Schleusner. Lex. V. T. v. Ἀμεσσαῖος, Sam. 1, 17, 4, ut esset i. q. μεσάζων ap. Aquilam. Hesych. : Μεσσαῖον, τὸ ὑπὸ τοὺς τραχήλους ὑποτιθέμενον. Ceterum recte formari posse etiam a μέσος comparativum μεσαίτερος et superlativum μεσαίτατος aliarum ejusmodi formarum ostendit analogia.]

|| Μέσσος, poetica geminatione pro μέσος dicitur, Medius. Hesiod. Theog. [323] : Πρόσθε λέων, ὄπιθεν δὲ δράκων, μέσση δὲ χίμαιρα. [Alia exx. v. supra. Eadem forma Soph. Trach. 636 : Οἵ τε μέσσαν Μηλίδα πὰρ λίμναν· Eur. Herc. F. 403 : Οὐρανοῦ θ' ὑπὸ μέσσαν... ἕδραν. Et in trimetris Soph. Ant. 1223 : Τὸν δ' ἀμφὶ μέσση περιπετῆ προσκείμενον· 1236 : Ἤρεισε πλευραῖς μέσσον ἔγχος. Superlat. Apoll. Rh. 4, 649 : Μεσσότατον δ' ἄρα τοίγε διὰ στόμα νηὶ βαλόντες. Manetho 6, 373 : Μεσσοτάτῳ δ' εὖτ' ἂν κέντρῳ Θοῦρός τε καὶ Ἑρμῆς ἔσπωνται κατόπισθε.]

|| Μέσως, ab ea nominis μέσος signif., qua ponitur pro Mediocris, Modicus, Mediocriter, Modice, Moderate, Intra modum. Aristot. Eth. 2, 5 : Οἷον πρὸς τὸ ὀργισθῆναι εἰ μὲν σφοδρῶς ἢ ἀνειμένως, κακῶς ἔχομεν· εἰ δὲ μέσως, εὖ· i. e., ut ibi exp., Veluti si ita affecti simus ut vehementius aut remissius irascamur, male affecti sumus; si ita ut intra modum, bene : 3, 12 : Ὁ δὲ σώφρων, μέσως περὶ ταῦτ' ἔχει, Temperans autem in his rebus mediocriter et moderate affectus est. Ex Eur. affertur et pro Tenuiter, sed hæc interpr. mihi suspecta est. [Hec. 1113 : Φόβον παρέσχεν οὐ μέσως

A ὅδε κτύπος· Andr. 873 : Πόλεως οὐ μέσως εὐδαίμονος· Herc. F. 58 : Ὅστις καὶ μέσως εὔνους ἐμοί. Thuc. 2, 60 : Ὥστ' εἴ μοι καὶ μέσως ἡγούμενοι μᾶλλον ἑτέρων προσεῖναι αὐτὰ κτλ. Menander ap. Athen. 11, p. 472, B : Μέσως μεθύων Θηρίκλειον ἔσπασεν. Plato Phæd. p. 113, D : Οἳ ἂν δόξωσι μ. βεβιωκέναι· Protag. p. 346, E : Καὶ εἰ μ. ἔλεγες ἐπιεικῆ καὶ ἀληθῆ. Isocr. p. 193, C : Οὐ μέσως, ἀλλ' εἰς ὑπερβολήν.] || At μέσως ἔχοντες ἀρετῆς καὶ κακίας, a Greg. crediderim dici Qui mediam quandam quasi viam insistunt inter virtutem et vitium. Atque ita fuerit hoc μέσως a priori nominis μέσος signif. [Aristid. vol. 1, p. 298 : Μέσως ἔχειν ὕπνου καὶ ἐγρηγόρσεως. Apud grammaticos de significatione, ut supra μέσος. Eust. Od. p. 1461, 49 : Τὸ δὲ πείσεσθαι μέσως ἔχει· δηλοῖ γὰρ καὶ τὸ πείσειν καὶ τὸ πεισθῆναι. « Cum adjectivo junctum hoc adv. signif. Mediocriter, Non admodum, Aliquatenus, ut μ. εὔχυλος Diphilus Siphn. ap. Athen. 2, p. 51, F; 3, p. 82, F. » Schweigh.]

[Μεσοσέληνον, τὸ, Interlunium, Gl.]

[Μεσοσκέλιον, τό. Lex. Ms. ex schedis Combefisii :
B Κοχῶναι, τὰ μεσοσκέλια. Ubi idem Combefisius Bracchas interpretatur. At μεσοσκέλιον aliud videtur sonare, illud nempe quod Interfemur et μεσομήριον appellatur in Gl. Gr.-Lat., qua notione Interfeminium dixit Apuleius in Apolog. pro eo quod γυναικεῖον Græci dicunt. Ducang.]

[Μεσοστάτης, ὁ, Medius parastates. Hero Belop. p. 137 : Τὰ πάχη τῶν παραστατῶν καὶ τῶν μεσοστατῶν, et ib. in seqq. Vitruvio Medianæ parastatæ. ἄ]

[Μεσόστενος, ὁ, ἡ, Qui in medio angustus est. Apollodor. Poliorc. p. 18 : Κύλινδρος ξύλινος μεσόστενος.]

[Μεσοστροφωνίαι, ἡμέραι, ἐν αἷς Λέσβιοι κοινὴν θυσίαν ἐπιτελοῦσιν, Hesych.]

[Μεσοστύλιον, τὸ, Intercolumnium, Gl. Agatharch De m. Rubro p. 59 : Ὡσαύτως καὶ τὰ μεσοστύλια θέαν ἔχειν εὐπρεπῆ.]

[Μεσόστυλον, τὸ, i. q. μεσοστύλιον, ut ἐπίστυλον dicitur pro ἐπιστύλιον. Schol. Hom. Od. T, 37 : Ὁ Ἀρίσταρχος μεσόστηλοι (al. τὰ μεσόστυλα). Hesych. : Μεσόδμαι, τὰ μεσόστυλα. Gl. : Μεσόστηλον, Intercolumnium.
C « Μεσόστυλα, Tabernæ in intercolumniis exstructæ, in Basilic. 56, 10, 4; 58, 11, 11. Tabulata intercolumniis affixa in l. 45 Cod. Th. de Operib. publ. » Duc.]

Μεσοσυλλαβέω, Comprehendo s. Complector medium. Alex. Aphr. [Probl. 2, 14, ubi Sylb. μεσολαβ. ex codice] : Ὑπὸ τῆς παρατρίψεως τῶν λίθων μεσοσυλλαβουμένου ἀέρος. [Moschop. Π. σχεδ. p. 36. Boiss. Etiam hic pro, Σημειοῦνται τὸ παρὰ Πλάτωνι, Ἀρετῆς δ' αὖ πέρι, διότι ἀναστρέφει, μεσοσυλλαβοῦντος τοῦ δὲ συνδέσμου καὶ τοῦ αὖ, scribendum μεσολαβοῦντος. L. D.]

[Μεσόσφαιρος, ὁ, ἡ, Qui mediocris sphæræ est. Arrian. Peripl. m. Erythr. p. 38 : Ἐξινιάσαντες καλάμους τοὺς λεγομένους πέτρους ἐπὶ λεπτὸν ἐπιδιπλώσαντες τὰ φύλλα καὶ σφαιροειδῆ ποιοῦντες διείρουσι ταῖς ἀπὸ τῶν καλάμων ἴναις· γίνεται δὲ γένη τρία, ἐκ μὲν τοῦ μείζονος φύλλου τὸ ἁδρόσφαιρον μαλάβαθρον λεγόμενον, ἐκ δὲ τοῦ ὑποδεεστέρου τὸ μεσόσφαιρον, ἐκ δὲ τοῦ μικροτέρου τὸ μικρόσφαιρον.]

Μεσοσχιδής, ὁ, ἡ, In medio fissus, s. per medium, Epigr. [Pauli Sil. Anth. Pal. 6, 64, 3 : Ὀξυντῆρα μεσοσχιδέων δονακήων. Theophr. H. Pl. 3, 11, 1.]
D
[Μεσοταγής, ὁ, ἡ, Qui in medio collocatus est. Iamblich. In Nicom. p. 119, A : Εἰ μὴ τοὺς μεσοταγεῖς μεσεμβολοίημεν.]

[Μεσοτείχιον, τὸ, Spatium inter mœnia urbis et vallum hostium, ap. Appian. B. Annib. 7, 29, p. 265, 15 : Τοὺς ἀχρείους σφῶν ἐς μάχας ἐξέβαλον ἐς τὸ μεσοτείχιον. Inter μέρη τείχους ponit Pollux 1, 170. || Adjective dici videtur ap. Appian. l. c. 37, p. 274, 75 : Τὸ δὲ ἀπὸ τοῦ περιτειχίσματος ἐς τὴν Καπύην διάστημα διστάδιον ἦν μάλιστα· ἐν ᾧ πολλαὶ ἐγίγνοντο πεῖραι καὶ συμβολαὶ καθ' ἑκάστην ἡμέραν, πολλὰ δ' ὡς ἐν θεάτρῳ μεσοτειχίῳ μονομάχια, προκαλουμένων ἀλλήλους τῶν ἀρίστων. Nam Schweighæuseri ratio in Ind. hæc explicantis per ἐν μεσοτειχίῳ, ὡς ἐν θεάτρῳ, propter articulum ante μ. omissum ferri non potest. Sic dicitur ἐντείχιος.]

Μεσότης, ητος, ἡ, Medietas [Gl.]. Sed Cic. dicere maluit Medium; nam hunc l. Plat. Timæo [p. 36, A] : Ὥστε ἐν ἑκάστῳ διαστήματι δύο εἶναι μεσότητας, ita vertit, Quas intervallis ita locabat, ut in singulis essent bina media. Et subjungit, Vix enim audeo dicere medietates, quas Græci μεσότητας appellant : sed quasi ita dixerim, ita intelligatur. In alio Ejusd. l. μεσότητα vertit Interjectum medium, ut videbis p. 17 mei Cic. Lex. [p. 32, B : Δύο μεσότητες συναρμόττουσιν· 43, D : Τὰς τῶν ἡμιολίων μεσότητας.] Plut. De virt. morali [p. 445, A] : Αὐτίκα τὴν μὲν ἀνδρείαν, μεσότητά φασιν εἶναι δειλίας καὶ θρασύτητος, ubi μεσότητα apte reddi posse arbitror Medium quiddam : hoc modo, Fortitudinem esse aiunt medium quiddam inter timiditatem et audaciam. [|| Ἐπίρρημα μεσότητος ap. Eust. Il. p. 769, 21, grammat. post Gregor. p. 644, 673, XIII, Qualitatis. Etym. M. p. 581, 9 : Μεσότητος λέγεται εἶναι ἐπιρρήματα ἀπὸ τοῦ μεταξὺ εἶναι ὀνόματα καὶ ῥήματα (ὀνόματος... ῥήματος Sylburg.), οἷον ἀπὸ τοῦ φιλοσοφῶ καὶ φιλόσοφος καὶ φιλοσόφως. Τοῦτο δ' οὐκ ἀεὶ εὑρίσκεται· διὸ καὶ σεσυκοφάντηται· τὸ γὰρ καλῶς καὶ σοφῶς ῥῆμα οὐκ ἔχει παρακείμενον. Βέλτιον οὖν σημειώσεις ποιότητος δηλωτικὰς αὐτὰς καλεῖν. Ὧρος. Alibi in Etym. M. et Gud. ab genere masc. et fem., a quibus ducantur, nomen repetitur. V. p. 78, 24; 785, 20.] || Mediocritas, Modus. Aristot. Eth. 4, 5, in princ. : Πραότης δ' ἐστὶ μὲν μεσότης περὶ ὀργάς. Sic Eid. [2, 7] ἀνδρεία est μεσότης περὶ φόβους καὶ θάῤῥη. Quod ap. Eund. legimus 2, [6] : Μεσότητα περὶ τὸ ἀδικεῖν καὶ δειλαίνειν καὶ ἀκολασταίνειν, Cic. vertit, Moderatam injustitiam, moderatam ignaviam, moderatam intemperantiam. Sed ab Eod. dicitur etiam virtus esse μεσότης : ubi ponitur sine adjectione, sicut et alibi. [Conf. Suidas v. Μεσότης. « Ἡ δὲ μεσότης ἐν πᾶσιν ἀσφαλεστέρα, ap. Stob. Flor. 105, 51. In omnibus rebus optima, Dionys. Hal. De comp. vv. c. 24, p. 186 R. » Valck. Genus elocutionis ex austero et eleganti genere mixtum et temperatum. Dionys. Comp. c. 24, p. 186. Causa nominis ab Aristotelis ratione profecta, qui virtutes μεσότητι quadam metiri solebat, ita ut duorum extremorum media continerent. Id. Cens. scriptt. c. 2, 10, p. 423 : Ὁ Εὐριπίδης οὔτε ὑψηλός ἐστιν οὔτε μὴν λιτὸς, ἀλλὰ κεχραμένῃ τῆς λέξεως μεσότητι κέχρηται. Conf. c. 5, 2, p. 433. Ernest. Lex. rh.]

Μεσότοιχον, τὸ, Paries interjectus et medius, Cic. [Μεσότοιχος, Medius paries; Μεσότοιχον, Intergerinus, Gl.] : Paries intergerinus, Plin. et Fest. : Paries medianus, ut Vitruv. Columna mediana, i. e. Paries qui conclavia aut cubicula aliqua a se invicem discludit, utpote interjectus. Sed ap. Athen. 7, [p. 281, D] masc. genere legitur μεσότοιχος, ubi Eratosth. de quodam suo discipulo dicit, Ἤδη δέ ποτε καὶ τοῦτον πεφώρακα τὸν τῆς ἡδονῆς καὶ ἀρετῆς μεσότοιχον διορύττοντα. [Τοῖχον id. 13, p. 588, A.] Neutro autem genere in Ep. ad Ephes. 2, [14] : Ὁ ποιήσας τὰ ἀμφότερα ἓν, καὶ τὸ μεσότοιχον τοῦ φραγμοῦ λύσας, Qui utraque fecit unum, et intergerini parietis septum solvit. [Et Hesych. v. Κατῆλιψ. Hemst. Basil. Seleuc. p. 215. Boiss.]

Μεσοτομέω, Medium s. Per medium seco. Xen. OEc. [18, 2] μεσοτομεῖν et ἀκροτομεῖν de messoribus dixit, qui interdum summos culmos amputant, interdum per medium cædunt, Bud. [Medium divido, Plato Polit. p. 265, A : Δεῖ μεσοτομεῖν ὡς μάλιστα.]

Μεσότομος, ὁ, ἡ, Per medium sectus.

[Μεσότοπος ap. Hesych. in Μεσαιχμίῳ, μεσοτόπῳ πολεμοῦντες, non melius est quam quod supra notavimus μεσοθύρα, et scribendum μέσῳ τόπῳ cum Vossio.]

[Μεσοτρῖβής, ὁ, ἡ, Qui medius attritus est. Χιτὼν Hesych. in Θύστινον. Blæsus ἐν Μεσοτρίβᾳ citatur apud Athen. 3, p. 111, C. Hemst.]

Μεσοτύλαρον, τὸ, Hesychio αἰδοῖον [Pudendum].

Μεσουρανέω, In medio s. umbilico cœli sum : ut, Μεσουρανοῦντος τοῦ ἡλίου, Cœli medium permeante sole : Gaza vertit, Meridiante sole. Aristot. Meteor. 3, [4] : Οἷον ὁ ἥλιος καὶ τὰ ἄστρα ἀνίσχοντα καὶ δύνοντα μείζω φαίνεται ἢ μεσουρανοῦντα. De sole meridiante s. μεσουρανοῦντι dixit Hom. [Il. Θ, 68], Ἦδη δ' ἠέλιος μέσον οὐρανὸν ἀμφιβεβήκει. [Μεσουρανεῖν Ægyptios dixisse pro μεσημβριάζειν vel ὑπὲρ κεφαλῆς ἑστάναι, Phavorin. v. Ἀνατέλλει notavit e Polluce 4, 57, ad quem l. Kuhn. illud verbum tribuendum esse vidit dialecto Alexandrinæ. Sane μεσουρανεῖν et μεσουράνημα et μεσουράνησις, et ἀντιμεσουρανεῖν, et συμμεσουρανεῖν et συμμεσουράνησις, sæpe leguntur ap. Cl. Ptolemæum, qui vixit Alexandriæ, Tetrab. ed. Phil. Melanchth., Basil. 1553, p. 20, 29, 30, 33, 53, 74, 76, 77, 79, 81, 110, 112, 115, 118, 122, 128, 131, 134—140, 151, 155, 156, 177, 178, 186, 201, 207, 209, 216, 218, 221, 224. (Item Ptolem. Math. comp. vol. 1, p. 111, 208; vol. 2, p. 98, 99, 100, et alibi.) Item Apoc. 8, 13, ap. Plutarch. De Is. et Osir. c. 52, Quæst. Rom. 84, Achill. Tat. Introd. in Arat. c. 22 extr., 31 init., 35, schol. Apoll. Rh. 1, 450; 3, 1028. Conf. Scalig. ad Manil. 5, p. 372 ed. Argent. 1655. Sturz. Frequens etiam ap. Manethonem, qui etiam pass. vel med. 5, 324 : Εἰ δ' Ἄρης ἠοῦς γε μεσουρανέοιτο, λογίζου, si vera scriptura.]

Μεσουράνημα, τὸ, et Μεσουράνησις, εως, ἡ, Quum sidus aliquod medium cœli tenet. Basil. Hexaem., de solis magnitudine loquens : Οὔτε μὴν ἐν τῷ μ. γενόμενος, τῆς ἐφ' ἑκάτερα ὄψεως διαλλάττει. Et ap. Strab. [2, p. 75] : Ἔξαρμα τοῦ ἡλίου κατὰ τὰς μ., Solis elevatio meridiana. Annotatur ex Comm. Joann. Grammatici in l. 2 Hesiodi, μεσουράνημα dici quum astrum 90 partibus, i. e. tribus signis, solem ortu præcurrit : Μεσουράνημα δέ ἐστιν, ὅταν ἐννενήκοντα μοίρας πρὸ ἡλίου ἀστὴρ ἀνατείλῃ· τουτέστιν, ὅταν τρία ὅλα ζώδια προδράμῃ τὸν ἥλιον· quibus subjungit, Ἀεὶ γὰρ καθ' ἕκαστον νυχθήμερον ἓξ εἰσι ζώδια περὶ τὸ κάτω καὶ ὑπὸ γῆν ἡμισφαίριον· τὰ δὲ ἕτερα ἓξ, περὶ τὸ ἄνω καὶ ὑπὲρ γῆν· τότε οὖν ὁ Ὠρίων τρία ὅλα ζώδια προανατέλλων τοῦ ἡλίου μεσουρανεῖ σὺν τῷ ταύρῳ ἀναφερόμενος. [Μεσουράνημα, Manetho p. 40, Matth. Anecd. vol. 1, p. 23. Schæf. Μεσουράνησις, schol. Hom. Il. Θ, 68. Wakef. V. Μεσουρανέω. ||Non de sidere Apocal. 8, 13 : Ἤκουσα ἑνὸς ἀετοῦ πετομένου ἐν μεσουρανήματι· 14, 6 : Εἶδον ἄγγελον πετόμενον ἐν μ. 19, 17 : Λέγων πᾶσι τοῖς ὀρνέοις τοῖς πετομένοις ἐν μ., Medio cœlo.]

[Μεσουράνησις. V. Μεσουράνημα.]

Μεσουράνιος, ὁ, ἡ, Qui in medio s. umbilico cœli est. At τὸ μ., Umbilicus cœli, Gaza. [Aristot. Meteor. 3, 6 : Ἄνω μεσουρανίου ὄντος· et ib. : Οὐδ' ἐκ πλαγίας μεσουρανίου γίγνεται.]

[Μεσουργέω, Medium facio. Anon. in Walz. Rhett. vol. 3, p. 747, 12 : Ὅ φησί τις τῶν ἁγίων περὶ τοῦ Χρυσοστόμου πατρὸς, τοῦτο κατὰ κοινὸν περὶ πάντων εὔκαιρον ἀποφήνασθαι, ὡς τὰ θεῖα τούτων συγγράμματα ἐν μίξει τοῦ ἀληθοῦς τε καὶ τοῦ πιθανοῦ μεμεσουργημένα τυγχάνουσιν.]

[Μεσουρίαι, Funes nautici quibus vela demittuntur. Schol. Apoll. Rh. 1, 566 : Καθόλου δὲ πᾶν σχοινίον κάλως λέγεται· διὸ καὶ διαιροῦντες αὐτοὺς οἷς μὲν κατάγεται τὸ ἱστίον μεσουρίας λέγουσιν.]

Μεσούριον, τὸ, Terminus s. Limes inter duas regiones medius, Qui inter duas regiones interjectus eas disterminat : quod et μεθόριον dicitur. Citatur ex Dionys. Per. [17.] Est vero Ionicum pro Μεσόριον.

[Μεσοφάλακρος, ὁ, Media capitis parte calvus. Procl. Paraphr. Ptol. p. 203. ᾰ]

[Μεσοφᾰράγγιον, τὸ, Convallis, Gl.]

[Μεσοφέρδην, Medium corripiendo.] Μεσοφέρδειν, Hesychio μεσολαβεῖν, Comprehendere medium : nisi forte sit Comprehensum medium gestare. [Componenda cum hac gl., ut viderunt intt., altera ejusdem : Μεσοπέρδην (sic enim correcta scriptura codicis μεσόπερα ἦν), μεσοφέρδην (cod. iterum μεσόφερα ἦν), τὸν μέσον τὸν φερόμενον (τὸν, vel potius τὸ, μέσον λαβόμενον φέρειν Albertus : sufficit alterum τὸν deleri). Μεσοφέρδειν, μεσολαβεῖν. Τὸ γὰρ παλαιὸν τῷ π ἀντὶ τοῦ φ ἐχρῶντο, προστιθέντες τὸ τῆς δασύτητος σημεῖον. Photius : Μεσομέρδην, ἐκ τῶν μέσων, ἀντὶ τοῦ μεσοφέρδην, μεμενηκότα (-των Albert.) τῶν ἀρχαίων χαρακτήρων. Pollux 3 fin. : Καὶ πλαγιάζειν δὲ καὶ κλιμακίζειν παλαισμάτων ὀνόματα· μοχθηρὸν γὰρ τὸ μέσον πέρδειν ἐν τῇ κωμῳδίᾳ σχῆμα παλαίσματος τὸ πέρδειν. Ubi libris Jungermanni et Kuhnii desunt verba τὸ μέσον πέρδειν, in illo etiam πέρδην scriptum. Unde deletis his verbis τὸ μεσοπέρδην pro τὸ πέρδειν Dobræus Advers. vol. 1, p. 601. Nam non solum apertum illud de μεσοπέρδην agere Pollucem, sed etiam hoc, schema palæstricum nullum fuisse πέρδειν, sed μεσοφέρδην, quod recte Dobr. comparat cum ἄρδην, φύρδην, σύρδην et joco obscœno in μεσοπέρδην a Comico quopiam detortum animadvertit, ut mirabile sit acumen grammaticorum serio hoc ex antiqua orthographia ΠΗ pro Φ repetentium.]

[Μεσόφθαλμος, ὁ, ἡ, Qui mediocribus est oculis. A Procl. Paraphr. Ptol. 3, 16, p. 202. Μεγαλοφθ. legisse videtur Leo Allatius. Struv.]

[Μεσόφθεγμα, τὸ, i. q. ἐφύμνιον, quod v., sec. schol. Æsch. Eum. 342.]

[Μεσοφλέβιον, τὸ, Intervenium, Gl.]

Μεσόφρυον, τὸ, Quod medium est inter supercilia. [Intercilium, Gl. Anacr. 28, 13; Oppian Cyneg. 1, 181. Pollux 2, 49, 226.]

Μεσόχθων, ονος, ὁ, ἡ, Mediterraneus, μεσόγαιος. [Dionys. A. R. 1, 49, p. 123 : Τῇ νήσῳ λεγομένῃ, καίπερ οὔσῃ μεσόχθονι.]

Μεσόχλοος, ὁ, ἡ, Semivirens, Dimidia ex parte virens, ut Nicander Ther. 753 : Μεσοχλόου ἐντὸς ἀρούρης, schol. μήτε λίαν σκληρᾶς, μήτε λίαν ἁπαλῆς.

Μεσόχορος, ὁ, ἡ, [Manuductus, Gl.] Qui medius in choro est, Medio loco stans in choro. Plin. Epist. 2 ad Maximum [14] : Hoc ingens corona colligitur, hoc infiniti clamores commoventur, quum μεσόχορος dedit signum. Sidonius [Ep. 1, 2] : Nullus ibi lyristes, choraules, mesochorus, tympanistria, psaltria, canit. B [Chori magister. Photius in Bibl. p. 760 (240, 36) : Οἱ τῆς Ἀρείου θυμέλης μεσόχοροι, Arianæ scenæ saltatores, i. e. Arianissantes. Koenig.]

[Μεσόχροος, ὁ, ἡ, Qui medii est coloris. Procl. Paraphr. Ptol. p. 205.]

[Μεσόχωρος, ὁ, ἡ, Mediterraneus, Gl. Apollodor. Poliorc. p. 42 : Καὶ γίνεται βαθμὸς τὸ μεσόχωρον πληρῶν, Spatium quod in medio est implens.]

[Μέσοψ, οπος, ponere videtur Hesychius : Μέσοπα, ἱμάντα, τὸν περὶ τὸν ζυγὸν καὶ τὸ ἄροτρον δεδεμένον, ut sit i. q. μέσαβον.]

Μεσόψηρον, Hesychio ἡμίξηρον, Semiaridum.

Μεσόω, Sum in medio. [Æsch. Pers. 435 : Εὖ νυν τόδ' ἴσθι μηδέπω μεσοῦν κακόν.] Eur. Med. [60] : Ἐν ἀρχῇ πῆμα, κοὐδέπω μεσοῖ. Aristoph. [Ran. 924] : Τὸ δρᾶμα ἤδη μεσοίη. [Epigr. Anth. Pal. 9, 584, 3 : Ἐν δὲ μεσούσᾳ ᾠδᾷ μοι χορδὰν πλᾶκτρον ἀπεκρέμασεν. Μεσεύσᾳ, quod intulit Planudius, servatum in edd.] Sic Θέρους μεσοῦντος dixit Thuc. 6, p. 207 [30; 5, 57], Media jam æstate. Itidemque Chion Ep. ad Matridem, Με- C σοῦντος τοῦ χειμῶνος, Media hyeme. Et Μεσοῦσα ἡμέρα, Herodot. [3, 104, Xen. Anab. 6, 5, 7. Alias ejusmodi formulas annotavit Pollux], Media dies, Meridies : at μεσοῦντος δείπνου VV. LL. exp. Media cœna jam peracta, quod interpretationis genus non placet : ac malim vel In media cœna, vel Cœna jam ad medium progressa. Qua sermonis forma utitur Bud., quum τὸ δρᾶμα ἤδη μεσοίη ap. Aristoph. vertit Ad medium acta fabula. Idem Ἐν μεσοῦντι ἐνιαυτῷ ap. Xen. [H. Gr. 2, 2, 23] reddit Circa medium anni : ap. Jo. autem [7, 14], Μεσούσης ἑορτῆς, vertit, Dimidiato festo : itidemque ap. Plat. Phædro [p. 241, D] : Ἀλλὰ δή σοι πέρας ἐχέτω ὁ λόγος. Φ. Καίτοιγε ᾤμην γε μεσοῦν αὐτὸν, Adhuc esse dimidiatum. Sed ab eod. Thuc. dicitur etiam μεσοῦν Qui est in medio, pervenit ad medium, medium tenet rei alicujus. Sic μεσοῦντας τῆς πορείας Aristides [vol. 1, p. 124, et Plato Polit. p. 265, B] dixit de iis qui ad medium viæ pervenerant. [Herodot. 1, 181 : Μεσοῦντί κου τῆς ἀναβάσιος.] At ex Æschine [p. 57, 19] affertur μεσῶν τὴν ἀρχὴν pro μεταξὺ ἄρχων, sed perperam : Ὅτι D μεσοῦντα αὐτὸν τὴν ἀρχὴν ἔγραψε στεφανοῦν, pro In medio magistratu. [Theophr. C. Pl. 2, 4, 8 : Ἥλιον ἀνιόντα ἢ δυόμενον ἢ μεσοῦντα. Alia v. ap. Boiss. ad Philostr. Her. p. 482.] Invenitur autem μεσῶ et cum partic. : Plato Symp. p. 240 [175, C] : Ἥκειν οὖν αὐτὸν οὐ πολὺν χρόνον διατρίψαντα, ἀλλὰ μάλιστα σφᾶς μεσοῦν δειπνοῦντας. [Medium locum teneo. Reip. 10, p. 618, B : Τὰ δ' ἄλλα ἀλλήλοις τε καὶ πλούτοις καὶ πενίαις, τὰ δὲ νόσοις, τὰ δὲ ὑγιείαις μεμῖχθαι, τὰ δὲ καὶ μεσοῦν τούτων.] Et pass. μεσοῦται, quod Suid. exp. πληροῦται : vereor autem ne reponendum sit ap. eum μεστοῦται. [Ms. ap. Pasin. Codd. Taurin. vol. 1, p. 323 (male expressum 325) : Ἄλλος πίναξ ἐνταῦθα τῶν μεσουμένων, Eorum quæ superioribus chartis interjecta sunt, Int. L. Dind.]

[Μέσπιλα, Mespila, urbs Medorum. Xen. Anab. 3, 4, 10. Μίσπιλα Stephano Byz.]

Μεσπίλη, ἡ, Mespilus : arbor satis nota, de qua Theophr. H. Pl. 3, [15 et al.], Athen. l. 2. [Diosc. 1, 169, 170; Plin. 15 22. Schneider. Ind. Theophr.]

Μέσπιλον, τὸ, Mespili fructus; neutro genere dicitur Lat. itidem Mespilum : similis sorbo. [Ex Archilocho citat Pollux 6, 79. Theophr. C. Pl. 2, 8, 2. Pollux 1, 233; Hesych.]

Μεσπιλώδης, ὁ, ἡ, Mespilo similis, Ad mespili naturam accedens, s. Mespilaceus. [Theophr. H. Pl. 3, 15, 6, etc.]

Μέσπλη, Scythis dicitur ἡ σελήνη, Luna. Hesych.

[Μεσράϊμ s. Μεσράϊν. V. Μεστραΐμ.]

[Μέσσα, ἡ, Messa, urbs Lacon. ap. Pausan. 3, 25, 9 : Ὀλίγον δὲ ἀπωτέρω Μέσσα πόλις καὶ λιμήν· ἀπὸ τούτου στάδια τοῦ λιμένος πεντήκοντά ἐστι καὶ ἑκατὸν ἐπὶ Οἴτυλον. Palmerius : Ἴσως Μεσόα vel Μελόα (voluisse videtur Μεσσόα), ὡς Στέφανος.]

[Μέσσαβα, Messaba. Πόλις Καρῶν. Ἑκαταῖος Ἀσίᾳ. Τὸ ἐθνικὸν Μεσαβεὺς τῷ τύπῳ τῶν Καρικῶν πόλεων, Steph. Byz.]

[Μέσσαβον. V. Μέσαβον.]

[Μεσσαῖον. V. Μέσος.]

[Μεσσαλιανοὶ, οἱ, Messaliani, hæretici, etiam Μασσαλιανοὶ (quod v. ap. Ducang.) dicti, iidem qui Εὐχῖται (quod v., et v. ult. p. 2521, D, scr. Εὐτυχῆται pro Εὐχῆται). De quibus præter alios Vales. ad Theodoret. H. E. p. 161. Μεσαλιανῖται est aliquoties in Synodo ap. Photium cod. 52. L. Dind.]

[Μεσσαπέαι, αἱ, Messapeæ. Χωρίον Λακωνικόν. Τὸ ἐθνικὸν Μεσσαπεύς· οὕτω γὰρ ὁ Ζεὺς ἐκεῖ τιμᾶται. Θεόπομπος πεντηκοστῷ ἑβδόμῳ, Steph. Byz.]

[Μεσσαπία, ἡ, Messapia. Χώρα Ἰαπυγίας, προσεχὴς Τάραντι. Τὸ ἐθνικὸν Μεσσάπιος. Παυσανίας δεκάτῳ (10, 6), Steph. Byz. Μεσσαπίους memorat Herodot. 7, 170, Thuc. 3, 101; 7, 33, Polyb. 2, 24, 11 etc., eosdemque cum terra Μεσσαπίᾳ Strabo 6, p. 277, etc. Μέσσαπος, a quo Messapia dicta Iapygia, ap. eund. 9, p. 405.]

[Μεσσάπιον, τὸ, Messapium. Ὄρος Εὐβοίας. Καὶ Μεσσαπικὸς ἀπὸ Μεσσάπου τοῦ μετοικήσαντος εἰς Ἰταλίαν, Steph. Byz. Montem memorant Æsch. Ag. 293 : Ἐπ' Εὐρίπου ῥοὰς Μεσσαπίου φύλαξι, Pausan. 9, 22, 5, Strabo 9, p. 405. Aliud ap. Aristot. H. A. 9, 45 : Ἐν τῇ Παιονίᾳ ἐν τῷ ὄρει τῷ Μεσσαπίῳ, ὃ ὁρίζει τὴν Παιονικὴν καὶ τὴν Μαιδικήν.]

[Μεσσάτιος, Μέσσατος. V. Μέσατος.]

[Μέσση, ἡ, Messe, urbs Laconicæ. Hom. Il. B. 582 : Μέσσην πολυτρήρωνα. Strab. 8, p. 364. Hesych.]

[Μεσσηγὺ s. Μεσσηγύς. V. Μεσηγύ.]

Μεσσηγυδορποχέστης, ex præced. adv. et ex duobus nominibus, sc. δόρπος et χέστης. Fuit autem dictus ab Hipponacte μεσσηγυδορποχέστης, honor sit auribus, Qui inter cœnam cacat : i. e. Qui inter cœnandum subinde surgit ex mensa ad exonerandum ventrem, et aliis postea cibis onerandum. Κατὰ δὲ Ἱππώνακτα, inquit Eust. [Od. p. 1837, 43], καὶ ὁ μεσσηγυδορποχέστης· ἤγουν, ὃς μεσοῦντος δείπνου, πολλάκις ἀποπατεῖ, ὡς πάλιν ἐμπίπλασθαι.

[Μεσσηῒς, ίδος, ἡ, Messeis, fons Thessaliæ, Hom. Il. Z, 457, Pausan. 3, 20, 1, Strab. 9, p. 431.]

Μεσσηνεὺς, έως, ὁ, Messeneus, n. viri, in inscr. Iasensi ap. Bœckh. vol. 1, p. 460, n. 2671, 2.]

[Μεσσήνη, ἡ, Messene, Triopæ f., ap. Pausan. 4, 1, 1 etc. Regio et post pugnam Leuctricam (v. Pausan. 4, 1, 3) urbs Peloponnesi, ap. Hom. Od. Φ, 15, Pind. Pyth. 4, 126, Tyrtæum ap. Pausan. 4, 6, 5, Aristoph. Lys. 1141, Theocr. 22, 158, ubi forma Dor. Μεσσάνα, historicos et geographos. Gent. Μεσσήνιος, α, ον, Messenius, ap. Hom. Od. Φ, 18, Herodot. 9, 35, 64, Thucyd., Xenoph. et alios. Dor. Μεσσάνιος ap. Pind. Pyth. 6, 35, Theocr. 22, 208. Possess. Μεσσηνιακὸς, ή, όν, Messeniacus, ap. Aristot. Pol. 5, 7, Rhet. 1, 13 et alibi in iisdem, Strab. 6, p. 278; 8, p. 361, 362, 366, Chœroboscum vol. 1, p. 65, 22 Gaisf., et in Crameri An. vol. 2, p. 208, 27. Nota etiam Rhiani Μεσσηνιακὰ, sæpius citata ab Steph. Byz. Quorum omnium ad exemplum haud dubie corrigenda duobus ex codicibus inscriptio libri quarti Pausaniæ, quæ adhuc obtinuit, Μεσσηνικά. Fem. gent. Μεσσηνὶς, ίδος, in orac. ap. Diod. Exc. Vat. p. 7, Thuc. 4, 41, et Steph. Byz. Qui addit : Ἔστι καὶ ἄλλη Μεσσήνη τῆς Σικελίας (ap. Herodot. 7, 164, Thuc. 6, 5 etc., geographos et alios) καὶ χώρα Περσίδος Μεσήνη δι' ἑνὸς σ, ὑπὸ τῶν δύο ποταμῶν Εὐφράτου καὶ Τίγριδος μεσαζομένη, ὡς Ἀσίνιος

Κουάδρατός φησι. Conf. Strab. 2, p. 84, et ubi gent. Μεσηνοὶ 17, p. 739. De Peloponnesiaca simplici σ Dionys. Per. 411 : Σχιζόμενος προχοῇσι Μεσηνίου Εὐρώταο, ubi tamen al. προχοῆς Μεσσηνίου. Carmen in Lyricos ante schol. Pind. p. 8 ed. Bœckh. : Ἴϐυκος Ἰταλὸς αὖ ἐκ Ῥηγίου ἠὲ Μεσήνης. L. Dind.]

[Μεσσήρης, ὁ, ἡ.] Μεσσήρης Σείριος, Medius Sirius, x Eur. [Iph. A. 8 : Σείριος ἐγγὺς τῆς ἑπταπόρου Πλειάδος ᾄσσων ἔτι μεσσήρης· Ion. 910 : Γαίας μεσσήρεις ἕδρας, de Delphis. || Simplici σ Eratosth. ap. Ach. Tat. Isag. in Arat. p. 152, A : Αὐτὴν μέν μιν ἔτετμε μεσηρέα παντὶ (παντὸς Brunck. Anal. vol. 3, p. 111) Ὀλύμπου.]

[Μεσσίας, ὁ, Messias, Jo. 1, 42; 4, 25. Est v. Hebr. משיח *Maschiach* : Unctus, Rex, ὁ Χριστός. Scribitur interdum simplici σ.]

Μεσσίδιος, pro μεσίδιος dicitur, h. e. Medius. Hesychio μέσος, ἴσος, Medius, Æqualis, Par.

[Μεσσόα, ἡ, Messoa. Τόπος Λακωνικῆς. Στράϐων ὀγδόῃ (libri male ἑϐδόμῃ vel ϛ'. V. p. 364). Ἔστι καὶ φυλὴ Λακωνική. Τὸ ἐθνικὸν Μεσσοάτης, Steph. Byz., apud quem male scribitur Μέσσοα. V. autem Μεσόλα. Ut in Steph. cod. Vratisl. est Μεσοάτης, sic Μεσόα ap. Strab. l. c. et Pausan. 3, 16, 9; 7, 20, 8. Quam scripturam poscit ordo literarum in gl. Suidæ illata Μεσσόα, τόπος. Sed Μεσσόα omnes ejusdem v. Ἀλκμάν. Et quum ap. Steph. Byz. Μεσσόα poscat ordo literarum, hujus de scriptura apud Strabonem testimonium ne præferatur librorum multo omnium recentiorum auctoritati nihil obstat nisi inscr. Fourmonti ap. Bœckh. vol. 1, p. 654, n. 1338, in qua Μισο.... esse putatur Μεσοάταν, quod testimonium apparet quam sit incertum. Λόχος Μεσοάτης est ap. schol. Thuc. 4, 8.]

[Μεσσόγεως. V. Μεσόγεως.]

Μεσσόθε, s. Μεσσόθεν, Ex medio. [Parmenides ap. Plat. Soph. p. 244, E. Apoll. Rh. 1, 1168 : Μεσσόθεν ἆξεν ἐρετμόν. Arat. 214 : Ἀπ' ὀμφαλίοιο γὰρ ἄκρου μ. ἡμιτελὴς περιτέλλεται ἱερὸς Ἵππος· 317. Julian. Æg. Anth. Pal. 9, 661, 1 : Μεσσόθεν ὕλης ἱστάμενον (δένδρον). Simplici σ Tim. Locr. p. 95, D, Anna Comn. Alex. 1, p. 21, A.]

Μεσσόθι, In medio. Arat. [527] : Μέσσος δέ ἑ μεσσόθι τέμνει. [Et 231. Cum genit., ut sit Inter, 511 : Μεσσόθι δ' ἀμφοτέρων.] Apollon. Arg. 2, [172], μεσσόθι νηὸς pro Usque ad medium navis. [Id. 1, 1278 : Κυρτώθη δ' ἀνέμῳ λίνα μεσσόθι. Hesiod. Op. 367 : Ἀρχομένου δὲ πίθου καὶ λήγοντος κορέσασθαι, μεσσόθι φείδεσθαι. Eratosth. schol. Anth. Pal. 5, 242, 6 : Ἄκρον ἐπιϐλῆτος μεσσόθι πηξάμενος.]

[Μέσσοι. V. Μέσος.]

[Μεσσοπαγής. Μεσσοπαλής. V. Μεσοπ—.]

Μεσσόπλουτον προσόψημα, Hesychio τὸ σκώληκα ποιῆσαν, Vermiculatum. Sed mendum ei vocab. subest. [Conjecturas interpretum v. ap. ipsos.]

[Μεσσοπόρος. V. Μεσόπορος.]

Μεσσόρης, Hesychio ὁ μέσος ὠκεανοῦ καὶ οὐρανοῦ τόπος. [Μεσσήρης Sopingius, quod v.]

[Μεσσορί. V. Μεσορί.]

[Μέσσορος, ὁ, Medius terminus. Tab. Heracl. p. 187, 15 : Ἐστάσαμες δὲ καὶ μεσσόρως δύο μὲν ἐπὶ τᾶς Fοδῶ τᾶς ἀγώσας ἔκ τε πόλιος καὶ ἐκ Πανδοσίας διὰ τῶν Fιαρῶν χώρων, δύο δὲ ἐν ταῖς Fακροσκιρίαις, iisdemque fere verbis p. 191, 21. Mazochius : « Μέσσορος (Dor. pro μέσορος) Terminum significat medianum, qui sc. inter ὅρον et ἄντορον (h. e. inter terminum incipientem et terminum ei respondentem) medius intercedit. Meminit Jul. Frontinus p. 112 in Col. Florent. : Sunt, inquit, et medii termini, qui dicuntur Epipedonici. »]

[Μέσσος. V. Μέσος.]

Μεσσότομος, ὁ, ἡ, ut μεσσότομοι κάλαμοι, Epigr. [Damocharid. Anth. Pal. 6, 63, 4], Calami per medium scissi.

Μεσσοφανής, ὁ, ἡ In medio apparens. [Nonn. Jo. c. 6, 7 : Μεσσοφανῆ δὲ ἑζόμενον στεφανηδὸν ἐκυκλώσαντο μαθηταί. Wakef. Dion. 1, 252 : Ἀμαξαίῳ δ' ἐνὶ κύκλῳ μεσσοφανὴς ... ἐλέλιξε σελασφόρον ὁλκὸν ἁμάξης. L. D.]

[Μέσσωγις, ιδος, ἡ, Messogis. Ὄρος Λυδίας. Τὸ τοπικὸν Μεσσωγίτης. Στράϐων ιδ' (p. 650)· Ὅθεν ἄριστος Μεσσωγίτης οἶνος ὁ Ἀρωμεύς, Steph. Byz. Memorat autem Strabo montem ibidem et alibi.]

Μεσσωτήρ, ῆρος, ὁ, Hesychio ὁ μεσιτεύων κατὰ τὸν

A ἀγῶνα, Qui se medium in certamine interponit, dirimens pugnantes.

[Μέσταξ, ακος.] Μέστακα, s. Μάστακα [hoc ἢ μάστακα est Musuri] Hesych. τὴν μεμασσημένην [μεμασημένην] τροφὴν, Cibum præmansum.

Μεστὸς, ἡ, ὸν, Plenus, [Cumulatus add. Gl.] Refertus. [Iresiones Hom. tributæ 5 : Ὅσα δ' ἄγγεα, μεστὰ μὲν εἴη. Matro] ap. Athen. l. 4, [p. 137, B] : Τῶν δ' ἐγὼ οὐδενὸς ἧσθον ἁπλῶς, μεστὸς δ' ἀνεκείμην. [Ubi de saturo dicitur. De opulento Aristoph. Eq. 814 : Ὡς ἐποίησεν τὴν πόλιν ἡμῶν μεστὴν εὑρὼν ἐπιχειλῆ.] Construitur etiam cum genit. [Proprie Aristoph. Nub. 382 : Τὰς νεφέλας ὕδατος μεστάς· Pl. 223 : Οἰκίαν χρημάτων μεστὴν ποιῆσαι· 806 : Ἡ μὲν σιπύη μεστή 'στι λευκῶν ἀλφίτων, οἱ δ' ἀμφορῆς οἴνου μέλανος ἀνθοσμίου, τὸ φρέαρ δ' ἐλαίου μεστόν· Ran. 1347 : Λίνου μεστὸν ἄτρακτον· Vesp. 617 : Τὸν ὄνον τόνδ' εἰσκεκόμισμαι οἴνου μεστὸν, Onustum, ut in Gl. Xen. Cyrop. 5, 3, 3 : Οὐ δαρεικῶν μεστοὶ ἥκομεν· 8, 4, 9 : Τῶν μεστῶν γρυπὴ ἡ γαστὴρ γίγνεται, τῶν δὲ ἀδείπνων σιμή. Improprie Eur.
B Iph. T. 804 : Τό τ' Ἄργος αὐτοῦ μεστὸν ἥ τε Ναυπλία. Aristoph. Pac. 554 : Ὡς ἅπαντ' ἤδη 'στι μεστὰ τἀνθάδ' εἰρήνης σαπρᾶς· Ran. 1021 : Δρᾶμα ποιήσας Ἄρεως μεστόν. Arat. init. : Μεσταὶ δὲ Διὸς πᾶσαι μὲν ἀγυιαὶ, πᾶσαι δ' ἀνθρώπων ἀγοραὶ, μεστὴ δὲ θάλασσα καὶ λιμένες. Plato Reip. 1, p. 330, B : Ὑποψίας καὶ δείματος μεστὸς γίγνεται. Et similiter alibi sæpissime cum vocc. ἀπορία, ἐλπὶς, εὐδαιμονία, ἡδονὴ, ταραχὴ et aliis. Xen. Cyrop. 6, 2, 12 : Μεστὰ ἦν πάντα ἀλλήλους ἐπερωτώντων· H. Gr. 3, 4, 18 : Ἐνταῦθα πάντα μεστὰ ἐλπίδων ἀγαθῶν εἶναι· Conv. 1, 13 : Σπουδῆς μεστοί· Comm. 3, 5, 6 : Μεστοὶ ἀταξίας. Similiter sæpe quum alii tum Demosth.] Isocr. Ad Philipp. [p. 91, B] : Πολλῆς ἀνοίας μεστός· Panath. [p. 269, B] : Τοσαύτης ἀμαθίας εἶναι καὶ φθόνου μεστόν· ibid. [p. 249, C] : Ὀργῆς καὶ θυμοῦ καὶ φθόνου καὶ φιλοτιμίας μεστούς· et rursum [p. 257, D] : Πλείστης ὠμότητος μεστῶν. Sic Demosth. [p. 577, 16] : Μεστὰ ὑπερηφανίας καὶ ὑπεροψίας. [Id. p. 328, 6 : Φυλάττει ὁπηνίκ' ἐστὲ μεστοὶ τοῦ συνεχῶς λέγοντος. « Cum participio nominat., Soph. OEd. C. 768 : Ἀλλ' ἡνίκ' ἤδη
C μεστὸς ἦν θυμούμενος. Demosth. p. 1175, 4 : Ἐπειδὴ δὲ μεστὸς ἐγένετο ἀγανακτῶν, Quum desæviisset. » Seager. Μεστὸς ὢν ἤδη τὸν θυμὸν, Plut. Alex. c. 13. V. autem Μεστόω.]

[Μεστότης, ητος, ἡ, Plenitas, Gl. « Plenitudo orationis, e sententia Hermogenis Π. ἰδ. l. 1, p. 186, fit tum, quum figuræ et formæ dicendi, quæ amplam orationem facere possunt (σχήματα περιϐλητικά) cumulantur. Quare περιϐολὴν πλεονάσασαν eandem appellat. Schol. ad hunc l. (vol. 5, p. 479 ed. Walz.) Μέστωσιν dicit, et interpretatur λόγον πλειόνων καὶ μακροτέρων ἐννοιῶν ἐπεμϐολὰς περιέχοντα. Eodem modo τὸ μεστοῦν a Photio ad illam orationis ubertatem significandam adhibetur, quæ ex studio ornandi artisque usu oritur. Ille Bibl. cod. 77, de Eunapio : Πλὴν ἐνιαχοῦ δικανικώτερον μᾶλλον ἢ ἱστορικώτερον μεστοῖ καὶ περιϐάλλει τὸν λόγον. » Ernest. Lex. rh. Μέστωσις etiam ap. Jo. Sicel in Walz. Rh. vol. 6, p. 110, 4 : Οἱ μερισμοὶ κατὰ μέστωσιν εἰσαχθέντες καὶ πνευματικῶς περιϐολὴν ἀπειργάσαντο. Hermias In Plat. Phædr. p. 145.]

D Μεστόω, Impleo [Gl.], Repleo, Refercio : quod itidem cum gen. construitur. Soph. Antig. [280] : Παῦσαι πρὶν ὀργῆς κἀμὲ μεστῶσαι λέγων, Desine antequam et me tuis verbis ira impleas. [Procop. H. arc. p. 40, A : Ἠγριωμένος τε καὶ σεσηρὼς μεστοῦσθαι ἐδόκει, Irasci, ut p. 12, C : Ἡ Θεοδώρα μεστὴ ἐγεγόνει, Ira impleta erat. « Aristot. H. A. 9, 37 : Ἂν δὲ φοϐηθῇ, καταδύνει τῆς θαλάττης μεστώσας τὸ ὄστρακον. Pass. Soph. El. 715 : Ἐν δὲ πᾶς ἐμεστώθη δρόμος κτύπου. » Valck. Quem l. cum altero Ant. 420 : Ἐν δ' ἐμεστώθη μέγας αἰθὴρ, ad verbum ἐμμεστόω referre licet, cujus tamen nondum allatum est ex. Nicand. Th. 598 : Μεστωθὲν δὲ χάδοι βάθος ὀξυϐάφοιο. Μεμεστωμένος, Fartus, Confertus, Gl. Plato Leg. 1, p. 649, B : Παρρησίας μεστοῦται καὶ ἐλευθερίας· 4, p. 713, C : Ὕϐρεως τε καὶ ἀδικίας μεστοῦσθαι. Act. 2, 13 : Ὅτι γλεύκους μεμεστωμένοι εἰσὶ, de ebriis. V. autem Μεστότης.]

[Μεστραΐμ, Ægyptus. Joseph. Ant. 1, 6, 2, testatur, suo adhuc tempore Ægyptum ab indigenis vocatam esse Μέστρην, Ægyptios Μεστραίους. Huc fortasse etiam facit nomen primi regis Heliopolitani in Ægypto Μεστραῖμ, ap. Syncellum p. 52, 53, 21. Dicitur is Mestres a Plinio 36, 8, ut fide codicum Harduinus edidit, quum antehac legeretur Mitres, qui in Solis urbe regnabat. Interpretes Gr. V. T. Μεσραΐν vel Μεσραΐμ. JABLONSK.]

[Μεστραῖος, Μέστρη. V. Μεστραΐμ.]

[Μέστωμα, τὸ, Plenitas. Euseb. Præp. evang. 4, 9, p. 145, C, in oraculo: Πάντα γὰρ ἐνδέχεται φύσεως μεστώμασι (μεστώματα Viger.) τῶνδε.] Μέσμα Hesych. dici scribit pro μέστωμα.

[Μέστωσις, εως, ἡ. V. Μεστότης.]

[Μέσυϊ. V. Μέσος.]

[Μεσύμνιον, τὸ, Ephymnium versibus singulis medii carminis interpositum. Hephæstio p. 70=128: Ὅταν δὲ τὸ ἐφύμνιον μὴ μετὰ στροφὴν, ἀλλὰ μετὰ στίχον κέηται παραλαμβανόμενον ἄλλῳ στίχῳ, μεσύμνιον καλεῖται τὸ ποίημα, οἷόν ἐστι τὸ παρὰ Σαπφοῖ, Ὕψι δὴ τὸ μέλαθρον | Ὑμήναον | ἀέρρετε, τέκτονες ἄνδρες, | Ὑμήναον· | γαμβρὸς ἔρχεται ἴσος Ἄρηι.]

Μέσφα, poeticum adv. pro μέχρι, Dum, Donec, Usquedum. [Callim. Del. 47: Μέσφ' ἐς Ἀθηναίων προσενήξαο Σούνιον ἄκρον· Cer. 93: Ἐτάκετο μέσφα ... ὀστέα μοῦνον ἐλειφθεν.] Apollon. Arg. 2, [1229]: Ἠγορόωντο Μέσφ' αὖτις δόρποιο κορεσσάμενοι κατέδαρθεν. [Cum conjunct. Dion. Per. 585: Μέσφ' ἐλάσσῃ. Et addito κε Oppian. Hal. 1, 754: Μέσφα κε δεῖμα χάσσηται.] Et ap. Hesych. μέσφ' ὅτε pro μέχρις ὅτε. [Callim. Dian. 195: Μέσφ' ὅτε ... ἥλατο· Cer. 111: Μέσφ' ὅτε μὲν Τριόπαο δόμοις ἔνι χρήματα κεῖτο, μῶνοι ἄρ' οἰκεῖοι θάλαμοι κακὸν ἠπίσταντο.] Cum genit., pro Usque ad, ut μέχρι, Hom. Il. Θ, [508]: Μέσφ' ἠοῦς ἠριγενείης. [Arat. 725: Μέσφ' αὐτῶν γονάτων. 807. Apoll. Rh. 4, 337. Et aliquoties Dionys. Per. Cum accus. Callim. Cer. 129: Μέσφα τὰ τᾶς πόλιος πρυτανήια.] Aratus vero [599] dixit, Μέσφα παρ' αὐτὴν οὐρήν, Usque ad ipsam caudam. [Cum ἐπὶ Antipat. Sid. Anth. Pal. 12, 97, 2: Εὐπάλαμος ξανθὸν μὲν ἐρεύθεται, ἶσον Ἔρωτι, μέσφ' ἐπὶ τὸν Κρητῶν ποιμένα Μηριόνην. Cum adv., Theocr. 2, 144: Κοὔτε τι τῆνος ἐμὶν ἐπεμέμψατο μέσφα τοι ἐχθὲς, οὔτ' ἐγὼ αὖ τήνῳ. || Absolute, Interea. Callim. Lav. Min. 55: Πότνι' Ἀθαναία, σὺ μὲν ἔξιθι· μέσφα δ' ἐγώ τι ταῖσδ' ἐρέω. Similiter μέσφ' ὅτε posuit Rhodomannus in argumentis librorum Quinti Sm. 8, 11, p. 104, quæ mirabiliter pro ipsius Quinti carmine habuit Ernestus ad Callim. Dian. 28, p. 75. Hesych. interpretatur etiam ἀφ' οὗ χρόνου.]

[Μέσφι, Usque ad. Aret. p. 33, 53: Μέσφι τῶν ὁρίων τοῦ μέσου· 39, 29, τῆς τρηχείης ἀρτηρίης· 43, 16, ἀκμῆς· 55, 50: Ἀτερπὲς καὶ ἀηδὲς μέσφι ἀκοῆς. Cum verbo p. 134, 37: Μέσφι ἂν προαπαυδήσῃ· 38: Μέσφι διαχωρέει, Donec.]

[Μεσῳδικὸς, ἡ, όν.] Μεσῳδικὰ, ap. Metricos dicuntur ἐν οἷς περιέχει μὲν τὰ ὅμοια, μέσον δὲ τὸ ἀνόμοιον τέτακται, inquit Hephæst. Sic Idem aliquanto post: Οὕτω γένοιντο ἄν τινες καὶ μεσῳδοὶ, ὅταν περιέχῃ μὲν τὸ μεῖζον, μεταξὺ δὲ τὸ μεῖον ᾖ τεταγμένον. Meminit et schol. Aristoph. [Eq. 753.]

Μέσωρ, Hesychio μέσος: afferenti et μέσωρον pro μέσον. Ap. Eund. et Polluc. [7, 158] μέσωρα ὅπλα [τὰ καὶ τοῖς παισὶν ἁρμόσαι δυνάμενα], de Armis quæ mediæ ætatis pueris aptabantur, decennibus sc. Hesych. festum fuisse innuere videtur. Utriusque verba vide, mendo non carentia. [Hesychii hæc sunt: Μεσώρα, ἐν τῇ δεκαετῶν (præstat fortasse δέκα ἐτῶν) ἡλικίᾳ καὶ παρήλια καὶ ἀγγεῖα καὶ παίγνια, οἷς ἔχαιρον, καὶ τὰ ὅπλα, οἷς ἐχρῶντο καὶ παῖδες ὄντες καὶ ἔφηβοι καὶ τελειωθέντες. Ubi de παρήλια, in quo festi nomen quæsivit HSt., v. conjecturas interpretum.]

[Μεσωρί. V. Μεσορί.]

[Μεσώρια, τὰ, Mediæ horæ, quæ post primam, tertiam, sextam et nonam a Græcis decantantur: quarum ea quæ post primam canitur μεσώριον τῆς πρώτης dicitur, quæ post tertiam, μεσώριον τῆς τρίτης, et sic deinceps, ea describuntur in Horologio c. 1 etc. DUCANG. v. Ὥρα p. 1791-2.]

[Μέσωρος. V. Μέσωρ.]

[Μέσως. V. Μέσος.]

Μετὰ, præpos., Cum, Una cum: qua in signif. jungitur genitivo. Hesiod Theog. [392]: Ὃς ἂν μετὰ εἷο θεῶν Τιτῆσι μάχοιτο. [Hom. Il. N, 700: Ναῦφιν ἀμυνόA μενοι μετὰ Βοιωτῶν ἐμάχοντο. Æsch. Prom. 1069: Μετὰ τοῦδ' ὅ,τι χρὴ πάσχειν ἐθέλω. Et alii quivis.] Dem. Pro cor. [p. 300, 6]: Τὸν ἀγῶνα μεθ' ὑμῶν μᾶλλον ἢ πρὸς ὑμᾶς ἑλόμενοι ποιήσασθαι. Plut. in Apophth. [p. 187, A]: Τὴν πόλιν περὶ ἐμοῦ πείθων βουλεύεσθαι, καὶ μὴ μετ' ἐμοῦ. Synes. Ep. 143: Τοῦ μόνου φίλου, ἢ μετὰ δυοῖν μάλιστα φίλου. Xen. Hell. 1, [1, 4]: Ὅπως ἀναλάβῃ τὰς μετὰ Δωριέως (τριήρεις). [Sic alibi sæpe ap. Xenoph. et alios de copiis, navibus, comitibus, sociis. Plat. Phæd. p. 81, A: Μετὰ θεῶν διάγουσα· Leg. 10, p. 909, A: Οἰκείτω μετὰ τῶν σωφρόνων· Reip. 2, p. 359, E: Καθήμενον μετὰ τῶν ἄλλων. || Notanda autem in præp. cum genit. pers. conjuncta constructio cum plurali verbi, ap. Diodor. 4, 58: Μετὰ δέ τινας χρόνους Λικύμνιος μὲν μετὰ τῶν παίδων καὶ Τληπολέμου, ἑκουσίως τῶν Ἀργείων αὐτοὺς προσδεξαμένων, ἐν Ἄργει κατῴκησαν. Dionys. A. R. 6, 11: Θατέρου τῶν Ταρκυνίου παίδων Σέξτου μετὰ τῶν ἐκ Ῥώμης φυγάδων ..., ἐπιδοηθησάντων αὐτοῖς. Chr. Pasch. p. 714, 6: Ἡράκλειος μετὰ τῆς βασιλίσσης ὥρμησαν.] At Aristot. Rhet. 2: Καὶ σώφρονες μετὰ ἀνδρείας, καὶ ἀνδρεῖοι μετὰ B σωφροσύνης. Interdum autem ubi præp. μετὰ jungitur hujusmodi genitivis (i. e. significationem hujusmodi habentibus), tam ipsa, quam genit. in adverbium resolvitur: ut μετὰ δικαιοσύνης sit pro δικαίως, Juste: et μετ' ἀδικίας, pro ἀδίκως, Injuste. Sic μετὰ φόβου, Cum timore: Plut., Μετὰ φόβου προσιὼν, pro Timide. [Μετ' αἰδοῦς Mor. p. 153, F.] Ap. Plat. Apol. [p. 34, C, Isocr. p. 19, C], μετ' ὀργῆς, Cum ira, Irate, Irato animo. [Plato ibid.: Ἱκέτευσε μετὰ πολλῶν δακρύων.] Itidem μετ' ἐπιστασίας [—εως], Polyb. [2, 2, 2], Considerate. Sic cum articulo τοῦ habente infin., ut μετὰ τοῦ θαρρεῖν, Synes., Cum fiducia, Audacter. [Eur. Iph. A. 545: Μάκαρες, οἳ μετρίας θεοῦ μετά τε σωφροσύνας μετέσχον λέκτρων Ἀφροδίτας. Xen. Ven. 13, 15: Τοῖς μὲν ἄγρα μετὰ σωφροσύνης, τοῖς δὲ μετὰ θράσους· Ages. 11, 9: Πλέον μετ' εὐβουλίας ἢ μετὰ κινδύνων. Plato Polit. p. 294, A: Τὸν μετὰ φρονήσεως βασιλικόν· et alibi sæpe cum similibus substantivis. Demosth. p. 601, 13: Μετ' ἀδείας ἔσεσθαι πολλοὺς πονηροὺς ἡγεῖτο. Polyb. 4, 74, 3: Τὴν εἰρήνην δυνάμενοι μετὰ τοῦ δικαίου καὶ καθή- C κοντος κτᾶσθαι.] Alicubi etiam præp. μετὰ commode redditur participio, ut μετὰ ποίας ἐλπίδος ap. Isocr., Qua spe fretus? ubi tamen et Cum locum habet. [Thuc. 5, 103. Plato Reip. 1, p. 330, A: Ζῇ μετὰ κακῆς ἐλπίδος.] Thuc. autem dixit de Theseo [2, 15]: Γενόμενος μετὰ τοῦ ξυνετοῦ καὶ δυνατὸς, ubi μετὰ existimatur reddi etiam posse Præter: ut sit, Qui præter eam, qua præditus fuit, prudentiam, fuit etiam potens. Ego non puto aptius reddi posse Latine quam Vir prudens juxta et potens. Quod interpretationis genus omnibus aliis ejusmodi ll. adhibendum censeo. [Idem 6, 85: Πρὸς ἕκαστα δὲ δεῖ ἢ ἐχθρὸν ἢ φίλον μετὰ καιροῦ γίγνεσθαι· 8, 27: Οὐ γὰρ αἰσχρὸν εἶναι Ἀθηναίους μετὰ καιροῦ ὑποχωρῆσαι, ἀλλὰ καὶ μετὰ ὁτουοῦν τρόπου αἴσχιον ξυμβήσεσθαι. V. Valcken. ad Phalar. p. XXI. Antipho p. 137, 38: Οὕτως ἀγαθόν ἐστι μετὰ τοῦ χρόνου βασανίζειν τὰ πράγματα. Plato Theæt. p. 173, A: Οὓς (κινδύνους καὶ φόβους) οὐ δυνάμενοι μετὰ τοῦ δικαίου καὶ ἀληθοῦς ὑποφέρειν· Phædr. p. 253, D: Τιμῆς ἐραστὴς μετὰ σωφροσύνης· E: Μάστιγι μετὰ κέντρων μόγις ὑπεί- D κων· 255, B: Ὅταν πλησιάζῃ μετὰ τοῦ ἅπτεσθαι.] || Nonnunquam, ut Lat. dicitur Cum Platone, Cum Aristotele, significat Sequendo Platonis sententiam, vel Aristotelis, sic Græce dicitur μετὰ Πλάτωνος, et μετ' Ἀριστοτέλους. Ita sane est usus Synes. Ep. 30: Εἰ δὲ καί σοι δοκεῖ μετὰ τοῦ Πλάτωνος τὸ ἀδικεῖν τοῦ ἀδικεῖσθαι μεῖζον εἶναι κακόν. At Cic. pro μεθ' Ἑρμάχου, et simul participio σκοπούμενος [ap. Diog. L. 10, 19] dixit De Hermachi sententia: ut videbis p. 51 mei Cic. Lex.

|| Μετά τινος εἶναι, Cum aliquo esse, pro Ab alicujus partibus stare. Isocr. Archid.: Εἰκὸς γὰρ τὴν τῶν θεῶν εὔνοιαν ἔσεσθαι μετὰ τούτων. [Ib. p. 129, A: Εἰ μὴ πάντα μεθ' ἡμῶν εἰσιν· B: Ταῖς εὐνοίαις μεθ' ὑμῶν ὄντας.] Idem [p. 74, D] dixit μεθ' ἡμῶν εἶναι, pro Nobiscum sentire, Nobis assentiri: quæ signif. est affinis illi quam modo attuli ex Synes. Et μετ' ἀλλήλων στάντες ap. Thuc. [7, 57] exp. συμμαχήσαντες ἀλλήλοις. [Xen. Cyrop. 2, 4, 7: Μετὰ τοῦ ἀδικουμένου ἔσεσθαι· H. Gr. 4, 1, 35: Ἔξεστί σοι μεθ' ἡμῶν γενομένῳ ζῆν. Demosth.

p. 1236, 8 : Μηδὲ μεθ' ἑτέρων τὴν γνώμην γενόμενοι μήτε μετὰ τῶν διωκόντων μήτε μετὰ τῶν φευγόντων. De signif. Adjuvandi HSt. in fine. Polyb. 3, 19, 11 : Μετὰ τῆς Φιλίππου γνώμης· 25, 1, 10 : Χάριν ἀποδώσουσι μετὰ τῆς τῶν θεῶν προνοίας.]

‖ Μὴ μετὰ νόμων ἥμαρτε affertur ex Thuc. [3, 62], pro Non salvis legibus : quæ expositio si vera est, habebit μετὰ hic quoque quandam assensus signif.; qui enim aliquid facit non salvis legibus, is habet leges ei facto non assentientes, sed contra repugnantes. [Plato Apol. p. 32, B : Μετὰ τοῦ νόμου καὶ τοῦ δικαίου ᾤμην μᾶλλόν με δεῖν διακινδυνεύειν ἢ μεθ' ὑμῶν γενέσθαι. Antipho p. 136, 24 : Ἐξὸν αὐτῷ ... μετὰ τῶν νόμων τῶν ὑμετέρων ἀπολέσαι ἐκεῖνον.] ‖ Ex Eod. affertur Μετὰ τῆς αἰτήσεως τῆς συμμαχίας, pro Ad poscendam societatem : quæ expositio mihi suspecta est.

‖ Μετὰ interdum genit. adhibetur loco dativi instrumenti. Liban. : Μετὰ τούτων (τῶν χρημάτων) καὶ τοὺς γνωρίμους ὠφελοῦμεν, Cum pecunia juvamus amicos, pro Juvamus pecunia. Nam Lat. loquendo nequaquam addenda est illa præp. : at Galli suam præp. *Avec*, quæ respondet illi μετὰ genitivum habenti, et Latinæ Cum, interdum sic usurpant de instrumento; dicunt enim *Couper avec un cousteau*, pro *Couper d'un cousteau.* ‖ Μεθ' ὅπλων, Thuc., Cum armis; Latinius, In armis. [Eur. Or. 573 : Μεθ' ὅπλων ἄνδρ' ἀπόντ' ἐκ δωμάτων. Ps.-Eur. Iph. A. 65 : Κἀπιστρατεύσειν καὶ κατασκάψειν πόλιν Ἕλλην' ὁμοίως βάρβαρόν θ' ὅπλων μέτα.] Sed et cum aliis quibusdam genitivis ita reddi potest, et quidem sequendo M. Tullium, qui hæc Platonis [Reip. 1, p. 330, A] : Ὅτι οὔτ' ἂν ὁ ἐπιεικὴς πάνυ τοι ῥᾳδίως γῆρας μετὰ πενίας ἐνέγκοι, οὔθ' ὁ μὴ ἐπιεικὴς, πλουτήσας, εὔκολός ποτ' ἂν ἑαυτῷ γένοιτο, ita vertit, Nec enim in summa inopia levis esse senectus potest, ne sapienti quidem : nec insipienti, etiam in summa copia, non gravis : ubi animadverte Cic. vertisse ead. forma participium πλουτήσας, qua verterat μετὰ πενίας, tanquam dicente Platone πλουτήσας pro μετὰ πλούτου. Sic vero et Latini medici, s. qui ad medicinam pertinentia tradunt, utuntur præp. In, ubi Græci præp. μετά : veluti quum pro his Diosc. [4, 41] de eupatorio loquentis, Τὸ δὲ σπέρμα μετ' οἴνου πινόμενον δυσεντερικοὺς ὠφελεῖ, dicit Plin., Semen dysentericis in vino potum auxiliatur. Sic pro his Plinii loquentis de succo brassicæ, Hoc item spleneticis invenio datum in vino albo per dies quadraginta, legitur in Geopon. [12, 17, 9] : Σπληνητικοὺς [Σπληνικοὺς] δὲ ἐπὶ ἡμέρας τεσσαράκοντα μετ' οἴνου λευκοῦ πινόμενος ὁ χυλὸς αὐτῆς θεραπεύσει. Idem Cic. μετ' ἐκείνης vertit Ea adjutrice, quum hunc Plat. l. De rep. 2, [p. 360, B] : Ἐλθόντα δὲ καὶ τὴν γυναῖκα αὐτοῦ μοιχεύσαντα, μετ' ἐκείνης ἐπιθέμενον τῷ βασιλεῖ, ἀποκτεῖναι, καὶ τὴν ἀρχὴν κατασχεῖν, ita vertit, Reginæ stuprum intulit, eaque adjutrice regem dominum interemit. Potest autem hæc signif. videri vicina illi, quam paulo ante dedi huic præp. genitivum habenti cum verbo εἶναι. [Ubi v. Postposita præp. Soph. Aj. 950 : Μὴ θεῶν μέτα. ‖ Alius generis est hoc Eur. Phœn. 1006 : Μὰ τὸν μετ' ἄστρων Ζῆνα. Et hoc Callimachi ap. Stob. Flor. 59, 11 : Τρισμάκαρ ἢ παύρων ὄλβιός ἐστι μέτα. Xen. Ages. 11, 9 : Μετ' ὀλίγων ἐδόκει τὴν ἀρετὴν εὐπάθειαν νομίζειν. ‖ Μεθ' ἡμέρας, Cum die, Primo diluculo, Geopon. 13, 1, 8 : Μεθ' ἡμέρας ἐπελθὼν εὑρήσεις αὐτὰς ἐν τοῖς βόθροις ὕπνῳ βεβαρημένας. Ubi v. Nicolaus.]

‖ Dativo juncta præp. μετὰ ap. poetas duntaxat, nisi me memoria fallit, invenitur, ut vicissim illius usus cum genitivo, solutæ orationis est potius quam poeticus. [De signif. conjuncti cum dat. et accus. μετὰ ap. Hom. v. Apollon. Lex. Hom. v. Μετά.] Est autem μετὰ dativo juncta in carmine interdum i. q. μετὰ genitivo juncta in prosa, sc. Cum : ut quum dicit Hom. Od. E, [224] atque alibi, Μετὰ καὶ τόδε τοῖσι γενέσθω. [Et Δ, 499 : Αἴας μὲν μετὰ νηυσὶ δάμη δολιχηρέτμοισι· Il. N, 668 : Ἢ μετ' Ἀχαιῶν νηυσὶν ὑπὸ Τρώεσσι δαμῆναι· Od. I, 418 : Εἴ τινά που μετ' ὄεσσι λάβοι στείχοντα θύραζε. Quanquam his quoque ll. rectius vertitur Inter. Sic etiam ubi cum dat. pers. Æsch. Cho. 366 : Μετ' ἄλλῳ δορικμῆτι λαῷ. Eur. Hec. 355 : Δέσποινα δ' ἡ δύστηνος Ἰδαίαισιν ἦν γυναιξὶ, παρθένοις ἀπόβλεπτος μέτα, ἴση θεοῖσι.] Et Apoll. Arg. 2, [755] : Ἀρθμὸν ἔθεντο μετὰ σφίσι, Fœdus cum iis inierunt, Fœdus amicitiæ, Amicitiam. Qua in signif. utitur et Herodotus. Sed et in compositione ponitur pro σὺν interdum, ut in μεθήμενος pro συγκαθήμενος, et in μετεῖναι pro συνεῖναι. ‖ Μετὰ cum dativo frequenter ponitur pro Inter. Hom. Il. A, [516] : Ὄφρ' εὖ εἰδῶ Ὅσσον ἐγὼ μετὰ πᾶσιν ἀτιμοτάτη θεός εἰμι. Sic Od. Ξ, [234] : Μετὰ Κρήτεσσι. Et Il. A, [525] : Μετ' ἀθανάτοισι· B, [93] : Μετὰ δὲ σφίσιν ὄσσα δεδήει, Inter eos rumor percrebrescebat. Γ, [110] : Ὅπως ὄχ' ἄριστα μετ' ἀμφοτέροισι γένηται. Tale est quod ab eo sæpe repetitur, μετὰ πᾶσιν ἔειπε, et μετ' ἀμφοτέροισιν ἔειπε· dicit vero et μετέειπε juncta præp. cum verbo. Quidam autem sunt ll. ubi vel Inter vel In possumus interpretari, ut docebo in proxime sequente tmematio. Quinetiam nonnullis in ll. potest pro Inter poni Apud. At in Il. T, [110] : Ὅς κεν ἐπ' ἤματι τῷδε πέσῃ μετὰ ποσσὶ γυναικὸς, Eust. μετὰ ποσσὶ exp. μεταξὺ τῶν ποδῶν, dicitque hoc loquendi genere εὐσχημόνως et σεμνῶς et γοργῶς et σαφῶς expressam esse τὴν λοχείαν. Quidam tamen interpr. Ad pedes. [N, 579 : Καί τις Ἀχαιῶν μαρναμένων μετὰ ποσσὶ χυλινδομένην ἐκόμισσεν.]

‖ Μετὰ cum dativo apud poetas alicubi pro In. Hom. Il. O, [118] : Κεῖσθαι ὁμοῦ νεκύεσσι, μεθ' αἵματι καὶ κονίῃσι· X, [49] : Ἀλλ' εἰ μὲν ζώουσι μετὰ στρατῷ. [T, 50 : Κὰδ δὲ μετὰ πρώτῃ ἀγορῇ ἵζοντο κιόντες.] Sic μετ' ἀνδράσιν pro ἐν ἀνδράσιν, et μετ' ἀνδρῶν ἵζειν ἀριθμῷ, ubi exp. ἐν ἀνδρῶν ἀριθμῷ. Item μετὰ σφίσι pro ἐν ἑαυτοῖς. Atque adeo iisd. loquendi generibus interdum μετὰ, interdum ἐν adhibita invenitur : Od. Λ, [427], Μετὰ φρεσὶ βάλῃται, pro ἐν φρεσὶ βάλῃται. Hesiod. dixit etiam [Th. 283], Ἔχεν μετὰ χερσὶ, pro Habebat in manibus. De qua formula v. paullo post. Μετὰ χεῖρας dicitur in prosa. Id. [Op. 689] : Δεινὸν γὰρ πόντου μετὰ κύμασι πήματι κύρσαι· et [685] : Δεινὸν δ' ἐστὶ θανεῖν μετὰ κύμασι. Alicubi tamen exp. ἐν : ubi Latine reddi etiam potest Inter, ut si quis μετὰ κύμασι, quod constat esse pro ἐν κύμασι, reddat Inter fluctus. Sed et Latine dici scimus In his erat pro Inter hos erat, s. Ex horum numero erat. [Similiter Il. Ψ, 367 : Χαῖται τ' ἐρρώοντο μετὰ πνοιῇς ἀνέμοιο· Od. B, 148 : Τὼ δ' (αἰετὼ) ἕως μέν ῥ' ἐπέτοντο μετὰ πνοιῇς ἀνέμοιο. Apoll. Rh. 1, 223 : Κυάνεαι δονέοντο μετὰ πνοιῇσιν ἔθειραι. Pro quo alibi ἅμα. Il. Λ, 416 : Θήγων λευκὸν ὀδόντα μετὰ γναμπτῇσι γένυσσιν. Ubi vertere licet etiam Inter, ut N, 200 : Αἶγα λέοντε ... μετὰ γαμφηλῇσιν ἔχοντε. Aliter Æsch. Pers. 613 : Λιβάσιν ὑδρηλαῖς παρθένου πηγῆς μέτα.] ‖ Μετὰ cum dat. ap. poetas, interdum pro διὰ, Per : ubi alioqui dativo instrumentali utendum esset, Latine autem ablativo. Pro qua signif. affertur ex Hom. Il. E, [344] : Μετὰ χερσὶν ἐρύσατο Φοῖβος· ut sit pro ταῖς χερσί : ita enim malo quam διὰ τῶν χειρῶν : Talem autem et in prosa usum hujus præp. cum gen., ostendi supra. [Soph. Phil. 1110 : Οὐ φορβὰν ἔτι προσφέρων, οὐ πτανῶν ἀπ' ἐμῶν ὅπλων κραταιαῖς μετὰ χερσὶν ἴσχων. Callim. Dian. 73 : Λητώ σε μετ' ἀγκαλίδεσσι φέρουσα. ‖ Adverbialiter, omisso dativo, Hom. Il. B, 445 : Οἱ δ' ἀμφ' Ἀτρείωνα διοτρεφέες βασιλῆες θῦνον κρίνοντες, μετὰ δὲ γλαυκῶπις Ἀθήνη· 477 : Ἡγεμόνες, μετὰ δὲ κρείων Ἀγαμέμνων· I, 131 : Τὰς μέν οἱ δώσω· μετὰ δ' ἔσσεται ... κούρη Βρισῆος· O, 67 : Πολέας αἰζηοὺς τοὺς ἄλλους, μετὰ δ' υἱὸν ἐμόν. Eodem modo positum v. infra in signif. Postea.]

‖ Accusativo juncta præpos. μετὰ aliud poetis ut plurimum quam ceteris scriptt. significat. Ut autem ab illis meo more incipiam, μετὰ non raro in motu ad locum illos usurpare dico, pro ἐπὶ, εἰς, Ad. Hom. Il. A, [423] : Ζεὺς γὰρ ἐπ' ὠκεανὸν μετ' ἀμύμονας Αἰθιοπῆας Χθιζὸς ἔβη μετὰ δαῖτα· de quo l. dicam etiam infra, tmematio abhinc tertio. Et B, [163] : Ἀλλ' ἴθι νῦν μετὰ λαὸν Ἀχαιῶν χαλκοχιτώνων, Proficiscere ad exercitum Græcorum. Sic Od. Π, [341] : Βῆ ῥ' ἴμεναι μεθ' ὕας· Il. Δ, [292] : Βῆ δὲ μετ' ἄλλους. Id. [E, 165] : Μετὰ νῆας ἐλαύνειν. [Et similiter alibi sæpe cum accusativis rerum, locorum, personarum, ap. Epicos, Pindarum, et Eur. Alc. 483 : Καὶ ποῖ πορεύει; — Θρῃκὸς τετρωρὸν ἅρμα Διομήδους μέτα· Heracl. 218 : Φημὶ γάρ ποτε σύμπλους γενέσθαι τῷνδ' ὑπασπίζων πατρὶ, ζωστῆρα Θησεῖ τὸν πολυκτόνον μέτα.]

‖ Μετὰ cum accus. ap. poetas nonnunquam pro In.

Hom. Il. B, [143]: Τοῖσι δὲ θυμὸν ἐνὶ στήθεσσιν ὄρινε Πᾶσι μετὰ πληθὺν, ὅσοι οὐ βουλῆς ἐπάκουσαν· P, [149]: Πῶς κε σὺ χείρονα φῶτα σαώσειας μεθ' ὅμιλον, Σχέτλι', ἐπεὶ κτλ. Sed interdum ponitur etiam pro In habente accus.: Il. B, [376]: Ὅς με μετ' ἀπρήκτους ἔριδας καὶ νείκεα βάλλει, pro εἰς, Qui me in contentiones irritas et jurgia conjicit. Item pro In significante Adversus: ut de Amphitryone dicitur ab Hesiodo [Sc. 79]: Μετ' [μέγ'] ἀθανάτους μάκαρας ... Ἤλιτεν, Peccavit s. Deliquit in deos. || Μετὰ cum accus. ap. poetas aliquando pro Inter: Od. Π, [419]: Καὶ δέ σέ φασιν Ἐν δήμῳ Ἰθάκης μεθ' ὁμήλικας ἔμμεν' ἄριστον Βουλῇ καὶ μύθοισι. Hac autem in signif. jungi etiam dat., multis exemplis paulo ante docui.

|| Μετὰ, cum accus. ap. poetas aliquando propter: μετὰ κάλλος pro διὰ κάλλος, Hom. Od. Λ, [280]: Τήν ποτε Νηλεὺς Γῆμεν ἑὸν μετὰ [διὰ] κάλλος. At vero X, [351]: Ὣς ἐγὼ οὔτι ἑκὼν ἐς σὸν δόμον οὐδὲ χατίζων Πωλεύμην μνηστῆρσιν ἀεισόμενος μετὰ δαῖτα (ubi legitur et δαῖτας), accipitur μετὰ vel pro διὰ, vel pro κατὰ, si Eustathio credimus, quem vide p. 1929. Sed quid si accipiamus simplicius μετὰ δαῖτα, ut Il. A accipi docui paulo ante? sc. pro εἰς δαῖτα. Ego certe quando hunc l. cum illo comparo, Eustathio assentiri nullo modo possum, sed potius suspicor sicut ibi dicitur in eodem membro, Ἔβη μετ' ἀμύμονας Αἰθιοπῆας, deinde μετὰ δαῖτα (ita enim ibi legitur: Ζεὺς γὰρ ἐπ' ὠκεανὸν μετ' ἀμύμονας Αἰθιοπῆας Χθιζὸς ἔβη μετὰ δαῖτα) ita etiam hic dici ἐς σὸν δόμον (sonat autem i. q. μετὰ σὸν δόμον), deinde addi peculiarius μετὰ δαῖτα: perinde ac si dixisset, πωλεύμην μετὰ σὸν δόμον, πωλεύμην inquam μετὰ δαῖτα: i. e. μετὰ τὴν ἐν τῷ σῷ οἴκῳ δαῖτα: vel, πωλεύμην ἐς σὸν δόμον, πωλεύμην inquam ἐς δαῖτα: atque ita μνηστῆρσιν ἀεισόμενος erit accipiendum tanquam per parenthesin dictum. Tantum abest autem, ut durior sit hic usus particulæ μετὰ in illo versu Od. X, quam in isto Il. A, ut contra longe sit mollior; illic enim unum verbum non solum duobus, sed tribus jungitur accusativis, intercedentibus, ut quidam gramm. loquuntur, tribus præpositionibus, sc. duabus μετὰ et una ἐπί. Sed de illo altero l. quid dicendum est? an et in illo μετὰ secus exponi poterit quam διά? De eo certe vix ausim quicquam pronuntiare: contentus hoc in medium afferre, dubitanter id quidem, posse credi ἑὸν μετὰ κάλλος dictum quasi μεθέπων ἑὸν κάλλος: quo verbo utitur idem poeta alicubi. Sed et aliquos mihi legisse ll. videor meæ illi conjecturæ patrocinantes. [Sic Il. Λ, 227: Γήμας δ' ἐκ θαλάμοιο μετὰ κλέος ἵκετ' Ἀχαιῶν. Callim. Epigr. 1, 11: Κείνων ἔρχεο, φησὶ, μετ' ἴχνια.]

|| Μετὰ sine casu ap. poetas pro eo, quod in prosa dicitur μετὰ ταῦτα, εἶτα, ἔπειτα, Postea, Deinde. Hom. Il. A, [48]: Ἕζετ' ἔπειτ' ἀπάνευθε νεῶν, μετὰ δ' ἰὸν ἕηκε, schol. μετὰ exp. μετὰ ταῦτα. [Est pro μεθέηκεν, ponendusque hic l. inter tmesis exx., de qua infra.] Legimus ap. Eund. hanc præp., vel potius hoc adverbium ex præp. factum, præcedente πρῶτος, item præcedente πρόσθε, Od. Φ, [231]: Πρῶτος ἐγὼ, μετὰ δ' ὔμμες· Il. Ψ, [133]: Πρόσθε μὲν ἱππῆες, μετὰ δὲ νέφος εἵπετο πεζῶν. || At vero Apollonius particulam μετὰ junxit etiam accusativo, utens ea tanquam præpositione, hac etiam in signif. (sicut et in prosa passim usurpari, mox docebo), Arg. 1, [1309], μετὰ χρόνον, i. e. Post tempus, ad verbum, pro Postea. [Sic Hom. Il. B, 674: Κάλλιστος ἀνὴρ ὑπὸ Ἴλιον ἦλθε τῶν ἄλλων Δαναῶν μετ' ἀμύμονα Πηλείωνα· Θ, 289: Πρώτῳ τοι μετ' ἐμὲ πρεσβήιον ἐν χερὶ θήσω. Callim. Jov. 36: Πρωτίστη γενεῇφι μετὰ Στύγα τε Φιλύρην τε. Æsch. Sept. fin.: Μετὰ γὰρ μάκαρας καὶ Διὸς ἰσχὺν ὅδε Καδμείων ἤρυξε πόλιν μὴ ἀνατραπῆναι μηδ' ἀλλοδαπῶν κύματι φωτῶν κατακλυσθῆν, quemadmodum illa scribenda dixi in Μάλιστα.]

|| Μετὰ habetur interdum a suo verbo disjuncta per tmesin, quod et in aliis præpp. fieri videmus. Hom. Il. [A, 48: Μετὰ δ' ἰὸν ἕηκεν·] K, [516]: Μετὰ Τυδέος υἱὸν ἕπουσαν, pro μεθέπουσαν. Od. M, [312]: Μετὰ δ' ἄστρα βεβήκει, pro μεταβεβήκει ἄστρα. Id. [Il. Θ, 94]: Μετὰ νῶτα βαλὼν, pro μεταβαλὼν νῶτα. [Υ, 114: Ἡδ' ἄμυδις στήσασα θεοὺς μετὰ μῦθον ἔειπεν. Et sic ap. Hom. alibi μετὰ ... πρέπειν. Æsch. Prom. 1059: Τόπων μετά ποι χωρεῖτ' ἐκ τῶνδε θοῶς· Suppl. 819: Μετά με δρό-
A μοισι διόμενοι· Ag. 757: Τὸ δυσσεβὲς γὰρ ἔργον μετὰ μὲν πλείονα τίκτει. Eur. Suppl. 57: Μετά νυν δὸς ἐμοὶ σᾶς διανοίας. Callim. Lav. Min. 97: Μετὰ πάντα βάλευ πάλιν ὅσσα δι' ὀργὰν εἶπας. Herodot. 7, 12: Μετὰ δὴ βουλεύεαι. Et postposita præpositione Soph. Phil. 1110: Ἦλθόν με νηὶ ποικιλοστόλῳ μέτα. Eur. Alc. 46: Δάμαρτ' ἀμείψας, ἣν σὺ νῦν ἥκεις μέτα· 67: Εὐρυσθέως πέμψαντος ἵππειον μέτα ὄχημα Θρῄκης ἐκ τόπων δυσχειμέρων· Suppl. 670: Ἡμεῖς ἥκομεν νεκροὺς μέτα.]

|| Μέτα, retracto in priorem accentu dicitur pro μέτεστι, sicut πάρα pro πάρεστι, Eust. [Il. p. 74, 45] ex Eur. [Hom. Od. Φ, 93: Οὐ γάρ τι μέτα τοῖος ἀνὴρ ἐν τοῖσδεσι πᾶσιν, οἷος Ὀδυσσεὺς ἔσκεν. Soph. Antig. 48: Ἀλλ' οὐδὲν αὐτὸν αὐτῷ τῶν ἐμῶν εἴργειν μέτα. Aristoph. Eccl. 173: Ἐμοὶ δ' ἴσον μὲν τῆσδε τῆς χώρας μέτα. « Οὐδὲν ἐμοὶ τούτων μέτα, Herodot. 1, 88. Τούτοισι μὲν δὴ μέτεστι, τούτοισι δὲ οὐ μέτα, 1, 171. Μοῖρά μοι τῆς Ἑλλάδος οὐκ ἐλαχίστη μέτα, 7, 157.» Schweigh. Lex. || Dicitur etiam pro μετὰ, ubi postponitur, ut Il. N, 301: Τὼ μὲν ἄρ' ἐκ Θρῄκης Ἐφύρους μέτα θωρήσσεσθον· Υ, 329:
B Ἔνθα δὲ Καύκωνες πόλεμον μέτα θωρήσσοντο. Et sæpe ap. Tragicos.]

|| At vero in soluta oratione præp. μετὰ juncta accusativo significat utplurimum Post, Secundum. Thuc. 2, [101]: Ἀδελφιδοῦ ὄντος, καὶ μέγιστον μεθ' ἑαυτὸν δυναμένου, Qui plurimum post ipsum poterat, vel secundum ipsum. Varro: Cassius secundum columbinum stercus scribit esse hominis: pro quibus habetur in Geopon. [12, 21, 6]: Μετὰ δὲ τὴν κόπρον τῶν περιστερῶν ἐστὶν ἡ ἀνθρωπεία. Plut. De frat. amicitia [p. 488, E]: Ἂν δὲ βασιλεὺς κρίσει καὶ ψήφῳ Περσῶν ἀναγορευθῇ, δίδωσί σοι δευτέρῳ μεθ' ἑαυτὸν εἶναι. Habet autem locum in hoc posteriore exemplo et præp. Ab, in ea quidem signif. qua dicunt Latini Secundus a rege. [Ποταμὸς μέγιστος μετὰ Ἴστρον, Herodot. 4, 53. Ἔσχατοι μετὰ Κύνητας οἰκέουσι, 4, 49. Schweigh. Lex.] || Sæpe etiam pro Post, in signif. temporis, ut in variis proverbiis: quid enim vetat me celebria dicta in exempla proferre? ex quibus est, Μετὰ τὸν πόλεμον ἡ συμμαχία, Post bellum, auxilium. (Cujusmodi est μετὰ τὸν πόλε-
C μον ἥκειν, ap. Plat.) Item, Μετὰ τὴν Μαραθῶνα μάχη. Item, Μετὰ τὰ δεινὰ φρονιμώτερος, Post mala prudentior. Quo pertinet iste senarius, in quo idem est hujus præp. usus, Κλέων Προμηθεύς ἐστι μετὰ τὰ πράγματα. [Plato Reip. 7, p. 537, B: Μετὰ τοῦτον τὸν χρόνον.] Sæpe vero cum τοῦτο aut ταῦτα, pro Post, Postea, Posthac. Multis autem in ll. conjunctim invenitur scriptum Μεταταῦτα, sicut Lat. Postea, non Post ea, scribi videmus. Dicunt etiam ὁ μετὰ ταῦτα χρόνος: Xenoph. Cyrop. 7, [2, 7]: Καὶ τὸν μετὰ ταῦτα δὴ χρόνον, ἕως μὲν εἶχον ἡσυχίαν, οὐδὲν ἐνεκάλουν μετὰ τὸν τοῦ παιδὸς θάνατον, ταῖς τύχαις, ubi observa etiam usum ejusdem præp. cum alio accus.: habent tamen et in hoc ipso l. alteram illam scripturam quædam exempll. Interdum vero interjicitur particula δὲ, ut ab Eodem ita inchoante primum Hellenicωn librum: Μετὰ δὲ ταῦτα οὐ πολλαῖς ἡμέραις ὕστερον ἦλθεν ἐξ Ἀθηνῶν Θυμοχάρης. [Dicitur etiam addito articulo τὸ vel τὰ, ut ap. Plat. Critiæ p. 120, A: Τὸ μετὰ τοῦτο μηδὲν τῶν γραμμάτων ἑκόντες παραβήσεσθαι· Phil. p. 34, C:
D Λέγωμεν ἤδη τὸ μετὰ ταῦτα· Soph. p. 257, A: Οὕτω πειθέτω τὰ μετὰ ταῦτα. Et alibi sæpe.] Dicitur etiam μετ' ὀλίγον pro Paulo post. [Addito ὕστερον Plato Leg. 1, p. 646, C: Τοὺς εἰς τὰ ἰατρεῖα αὐτοὺς βαδίζοντας ἐπὶ φαρμακοποσίαν ἀγνοεῖν οἰόμεθα ὅτι μετ' ὀλίγον ὕστερον καὶ ἐπὶ πολλὰς ἡμέρας ἕξουσι τοιοῦτον τὸ σῶμα.] Qua in signif. Xen. addidit et gen. τούτων, initio ejusdem l. Hell. 1: Μετ' ὀλίγον τούτων, q. d. Post breve (tempus) horum. I. e. Brevi post hasce res gestas tempore. [Eadem constructione dicitur οὐ μετὰ πολὺ, vel μετ' ἔτη, ἡμέρας, μῆνας, χρόνον, sequente genitivo. Exx. rei pervulgatæ contulit Schæfer. ad Bosii Ell. p. 553. Μετὰ μικρὸν sic ap. Ach. Tat. 3, 5: Μετὰ μ. τῆς εὐχῆς.] Et grammaticis χρόνου cujusdam, i. e. temporis, nomen est ὁ μετ' ὀλίγον μέλλων, q. d. Paulo post futurum. At μετὰ μικρὸν dicitur potius pro Paulo post, significante Paucis interjectis: ut quum citato alicujus scriptoris loco, dicitur καὶ μετὰ μικρόν: quo usus est modo Plut. non semel. Eundem autem usum habet interdum et illud μετ' ὀλίγον, μετ' ὀλίγα. [Pro μετ' ὀλίγον dicitur

etiam οὐ μετὰ πολὺ vel μετ' οὐ πολὺ, hoc quoque sequente genitivo, ut ap. Lucian. Enc. Demosth. c. 31 : Μετ' οὐ πολὺ τῆς συκοφαντίας, et alibi. Et mirabili pleonasmo Οὐ μετ' οὐ πολὺ pro μετ' οὐ vel οὐ μετὰ πολὺ, ap. Dionys. A. R. 7, 19 : Καὶ οὐ μετ' οὐ πολὺ παρῆν εὐπορωτέρα γεγονυῖα· in Chron. Pasch. p. 240 meæ ed. et locis quos illic citavi, quibus alii recentiorum haud pauci addi possint.] Et μεθ' ἡμέρας δύο, Dem. In Mid., Duobus diebus post, Secundo post die : μετὰ τρίτην, τετάρτην ἡμέραν, pro eo, quod Lat. Tertio post die, Quarto post die. Sic μετὰ δεύτερον, τρίτον ἔτος, Secundo post anno, Tertio post anno. Aut etiam sine Post : ut quum dicit Plin., Cæsa spina Ægyptia anno tertio resurgit, pro his Theophrasti [H. Pl. 4, 2, 8] : Ὅταν δὲ κοπῇ, μετὰ τρίτον ἔτος εὐθὺς ἀναβεβλάστηκεν. [Wessel. ad Diodor. 2, p. 130, 86 : « Μετὰ τρίτον ἔτος) Tertio abhinc anno, εἰς τρίτον ἔτος, et in Suida et cap. seq. Joseph. B. J. 1, 13, 1, μετὰ δύο ἔτη i. e. q. δευτέρῳ ἔτει A. J. 14, 13, 3. Et μετὰ τεσσαράκοντα ἡμέρας B. J. 1, 16, 2, quod εἰς τεσσαρακοστὴν ἡμέραν A. J. 14, 15, 4.»] || Μετὰ non solum in carmine [ut ap. Apoll. Rh. 1, 708 : Μετὰ δ' εἰς ἑὸν ὦρτο νέεσθαι· 2, 374 : Μετὰ δὲ σμυγερώτατοι ἀνδρῶν τρηχείην Χάλυβες καὶ ἀτειρέα γαῖαν ἔχουσιν· 394 : Μετὰ δ' αὖ περιώσια φῦλα Βεχείρων], sed in soluta etiam oratione ponitur aliquando sine adjectione pro Postea, Deinde; sed sequente δέ : sic autem utuntur quum alii, tum Lucian. [D. mort. 9, 2, Anach. 1, etc.] Quem usum habet etiam πρὸς δέ. [Sic Herodot. 1, 128, 171; 5, 24, etc. Schweigh. Lex. Galen. Comm. 3 in lib. De rat. vict. in morb. ac. (p. 84, 15) : Καὶ γὰρ ἐν τούτῳ τῷ βιβλίῳ καὶ ἐν ἄλλοις Ἱπποκράτης φαίνεται χρώμενος τῇ μετά προθέσει, κατὰ τὸ τῶν Ἰώνων ἔθος ἐλλειπτικῶς. Foes. Œcon. Hipp. Diodori et Pausaniæ exx. v. ap. Wessel. ad Diod. 13, p. 627, 78. || Simul, Una, ap. Apoll. Rh. 3, 115 : Οὐχ οἶον, μετὰ καὶ Γανυμήδεα.]

|| Μετὰ significationem temporis habet et quum jungitur accusativo ἡμέραν : significat autem μεθ' ἡμέραν, Interdiu; unde Μεθημερινὸς, Diurnus. Dem. In Mid. : Καὶ γὰρ ἐχθρὸς ἦν, καὶ μεθ' ἡμέραν εἰδὼς ὕβριζε. Sic Aristoph. Pl. [930] : Ἀποδύομαι μεθ' ἡμέραν. Exp. autem et Luce, Luci. [Eur. Or. 58 : Φυλάξας νύκτα, μή τις εἰσιδὼν μεθ' ἡμέραν στείχουσαν κτλ. Bacch. 485 : Νύκτωρ ἢ μεθ' ἡμέραν. Herodot. 1, 150. Hæc formula in libris sæpissime depravata est in καθ' ἡμέραν. Quod alius est significationis, frustraque pro illo positum defenditur et locis corruptis vindicatur veteribus. Addito μία Æschines p. 72, 51 : Θῆβαι δὲ πόλις ἀστυγείτων μεθ' ἡμέραν μίαν ἐκ μέσης τῆς Ἑλλάδος ἀνήρπασται.]

|| Μετὰ χεῖρας ἔχειν, In manibus habere; ita enim malo quam Inter manus habere. Thuc. 1, [138] : Καὶ ἃ μὲν μετὰ χεῖρας ἔχοι, καὶ ἐξηγήσασθαι οἷός τε. [Herodot. 7, 16.] Poetæ autem μετὰ χερσὶ hac signif. dicunt, ut supra docui. [|| Μετὰ cum accus. dicitur etiam compendiario loquendi genere, ut ap. Plat. Phæd. p. 61, B : Οὕτω δὴ πρῶτον μὲν εἰς τὸν θεὸν ἐποίησα, οὗ ἦν ἡ παροῦσα θυσία, μετὰ δὲ τὸν θεὸν, ... οὓς προχείρους εἶχον καὶ ἠπιστάμην μύθους τοὺς Αἰσώπου, τούτων ἐποίησα οἷς πρώτοις ἐνέτυχον. Leg. 5, p. 746, D : Νῦν δὴ τοῦτ' αὐτὸ προθυμητέον ἰδεῖν μετὰ τὴν δόξαν τῆς τῶν δώδεκα μερῶν διανομῆς κτλ. Achill. Tat. 6, 22 : Λευκίππη παρθένος μετὰ βουκόλους, παρθένος καὶ μετὰ Χαιρέαν, παρθένος καὶ μετὰ Σωσθένην. Ἀλλὰ μέτρια ταῦτα· τὸ δὲ μεῖζον ἐγκώμιον καὶ μετὰ Θέρσανδρον παρθένος τὸν καὶ λῃστῶν ἀσελγέστερον. Philostr. Her. p. 683 : Ἀχιλλέως ἔφασκεν εἶναι τὸ ἄγαλμα μετὰ τὴν κόμην, ἣν ἐκείρατο ἐπὶ τῷ Πατρόκλῳ. Ubi Boiss. p. 429 contulit V. Apoll. 7, 22, p. 302 : Τὴν Λευκοθέαν ποτὲ κρήδεμνον Ὀδυσσεῖ δοῦναι μετὰ τὴν ναῦν, ἧς ἐκπεσὼν ... ἀνεμέτρει ταῖς ἑαυτοῦ χερσὶ τὸ πέλαγος· Imag. 2, 7, p. 821 : Οἴχεται γὰρ τοῦτο αὐτῷ (ἡ κόμη τῷ Ἀχιλλεῖ) μετὰ τὸν Πάτροκλον· V. Soph. 2, 29, p. 621 : Τὸν Ἀριστείδην Ἀθηναῖοι ᾄδουσι μετὰ τὴν ἐπίταξιν τῶν φόρων καὶ τὰς νήσους ἐπανελθεῖν σφίσιν ἐν τῷ προτέρῳ τρίβωνι. || Apud Byzantinos frequens est constructio cum accusat. pro genit., cujus exx. v. ap. Reisk. ad Constantin. Cær. p. 54, D, vol. 2, p. 197, Boiss. Anecd. vol. 4, p. 479, qui etiam utriusque consuetudinis conjunctæ exx. attulit, qualem barbariem notavimus etiam in Ἕως, p. 2645, A. Non minus frequens apud recentissimos constructio cum genit. pro accusat. Chron. Pasch. p. 685, 8 : Μετὰ τῆς ὑπατείας Βασιλείου. Tzetz. in Cram. An. vol. 3, p. 365, 29 : Μετὰ πεντηκοσίων (sic) ἐτῶν. Schol. Eur. Rhes. 822, Hec. 899. Sed cum dativo positum, ut in inscr. Calaur. ap. Bœckh. vol. 1, p. 593, n. 1190, 5 : Μετὰ τῷ πρέποντι κόσμῳ, in Crameri An. vol. 1, p. 96, 19, μετ' αὐτῷ, est fortasse error librarii. || Recentioribus etiam peculiaris est usus præpositionis cum ejusmodi vocc. positæ, ut εἰρήνη, ap. Sozom. H. E. 3, 23 fin. : Εἰρήνην ἔχειν μετὰ σοῦ. Item cum verbis μάχομαι (quod v.), διαμάχομαι, ut ap. Apollod. Poliorc. p. 41, C : Διαμαχέσεται μετὰ τῶν πολεμίων· ἐρίζειν et aliis ejusmodi conjunctæ. Ubi pro simplici dativo ponitur, ut ap. grammat. in Crameri An. vol. 2, p. 347, 7 : Ἐργαλεῖον, μεθ' οὗ ἕλκουσι λίθους. || Notandum etiam sæpe inter nomen et præpos. interponi part. καὶ, ut ap. Athen. 12, p. 529, B : Μετὰ καὶ τῆς γυναικὸς αὐτοῦ· Apollon. De constr. p. 163, 3, et alibi. || In libris frequens est hujus præpositionis confusio cum κατά. || « Pro μετὰ Æolice dicebatur Πεδὰ, quod et Hesychius annotavit. Sic Pind. Pyth. 5, 63 : Πεδὰ μέγαν κάματον· et in fr. ap. Athen. 14, p. 641, C : Πεδ' ἄφθονον βορὰν, Post copiose captum cibum. » Schweigh. Πέτα male scriptum ap. grammat. Leid. post Gregor. p. 638, ubi exx. nonnulla annotavit Koen., quæ repeti inutile est. Tragici, qui nunquam ipso πεδὰ, compositis cum πεδὰ aliquoties usi sunt, ut πεδαίρω, πεδάρσιος.]

Μεταβαίνω, βήσω trans., βήσομαι intrans., Digredior, Transgredior, Transeo, [Migro, Demigro, Gl. Hom. H. Ven. 294 : Σεῦ δ' ἐγὼ ἀρξάμενος μεταβήσομαι ἄλλον ἐς ὕμνον. Eodemque modo in fine aliorum hymnorum. Æsch. Cho. 308 : Τῇδε τελευτᾶν ᾗ τὸ δίκαιον μεταβαίνει. Herodot. 1, 57 : Μεταβαίνοντες ἐς ταῦτα τὰ χωρία. Antipho p. 132, 8 : Τὸ πλοῖον εἰς ὃ μετέβημεν. Plato Leg. 10, p. 893, D : Μεταβαίνοντα εἰς ἕτερον ἀεὶ τόπον· Reip. 8, p. 550, D : Ὡς μεταβαίνει ἐκ τῆς τιμαρχίας εἰς τὴν ὀλιγαρχίαν· Leg. 5, p. 744, C : Ὅταν μεταβαίνωσιν εἰς τὸ προσῆκον ἕκαστοι ἑαυτοῖς τίμημα· 3, p. 676, A : Τὴν τῶν πόλεων ἐπίδοσιν ἐπ' ἀρετὴν μεταβαίνουσαν ἅμα καὶ κακίαν· Phædr. p. 265, C : Ὡς ἀπὸ τοῦ ψέγειν πρὸς τὸ ἐπαινεῖν ἔσχεν ὁ λόγος μεταβῆναι· Crat. p. 438, A : Ὅθεν δεῦρο μετέβημεν.] Aristot. Pol. 7 : Ἔτι δ' ὅθεν ἀρχόμενοι δεῦρο μετέβημεν. Galen. Ad Glauc. 1 : Νυνὶ δὲ μεταβῶμεν ἐπὶ τὸν περὶ τῶν ἐπιλοίπων ἐκλύσεων λόγον. Quod autem legitur ap. Hom. Od. Θ, [492] : Ἀλλ' ἄγε δὴ μετάβηθι, καὶ ἵππου κόσμον ἄεισον δουρατέου, Eust. a quodam per parodiam mutatum ait in Ἀλλ' ἄγε δὴ μετάβηθι καὶ ἄλλον κόσμον ἄεισον, quod proverbialiter dicatur ἐπὶ τῶν εὖ ἐξαλλασσόντων τὰ διηγήματα. Idem Od. M, [312] μεταβαίνειν ἄστρα esse dicit τὸ μετακινηθῆναι, ad occasum sc. [Absolute, ut sit i. fere q. μεταβάλλω intransitive positum, Plato Reip. 5, p. 449 E : Ὡς μοι ἐφαίνοντο ἕκασται ἐξ ἀλλήλων μεταβαίνειν 8, p. 569, C : Ὡς μεταβαίνει τυραννὶς ἐκ δημοκρατίας || Aor. med. Apoll. Rh. 4, 1176 : Αὐτίκα δ' Ἀλκίνοος μετεβήσατο, ubi al. μετεβήσετο, quibus de formis dictum in simplici. Aor. priori activi signif. transitiva Pind. Ol. 1, 42 : Ὕπατον Εὐρυτίμου ποτὶ δῶμα Διὸς μεταβᾶσαι. Qui eodem usus dixit Ol. 6, 22, βάσομεν, conj. aor. (non, ut in Βαίνω vol. 2, p. 41, D, scriptum, fut. indicat.). Eur. El. 727 : Τότε δὴ τότε φαεινὰς ἄστρων μετέβασ' ὁδοὺς Ζεὺς, quod alibi dicit μεταβάλλειν. || Aor. sec. signif. transitiva Eur. Hipp. 1292 : Πῶς οὐχ ὑπὸ γῆς τάρταρα κρύπτεις δέμας αἰσχυνθεὶς ἢ πτηνὸς ἄνω μεταβὰς βίοτον πήματος ἔξω πόδα τοῦδ' ἀνέχεις. V. Βαίνω, p. 43, B].

Μεταβάλλω, Inverto, Obverto. Hom. Il. Θ, 94 : Πῇ φεύγεις, μετὰ νῶτα βαλὼν, κακὸς ὥς, ἐν ὁμίλῳ, i. e. μεταβαλὼν νῶτα. Qui autem fugiunt, invertunt, s. potius obvertunt terga. Latini tamen simplici utentes, Vertere terga dicunt. Gregor., Homerum imitatus, μεταβάλλειν τὰ νῶτα dixit. Xen. autem Œc. [16, 13] μεταβάλλειν τὴν γῆν, pro Vertere solum arando, Bud. Affertur autem et ex Theophr. 3, 25, μεταβάλλειν τὴν γῆν pro Invertere terram cespites refringendo : sic ex Eod. γῆν περιτρέπειν ead. signif. [Μεταβάλλω χώραν, Pastino, Verto, Gl. || De corpore huc illuc jactando, ut solent ægroti, Eur. Hipp. 204 : Θάρσει, τέκνον, καὶ μὴ χαλεπῶς μετάβαλλε δέμας. De veste Aristoph. Av. 1568 : Οὐ μεταβαλεῖς θοἰμάτιον ὧδ' ἐπιδέξια, de quo

l. v. in Ἐπιδέξιος.] || Μεταβάλλω vel Μεταβάλλομαι, Muto. [Eur. Med. 121 : Δεινὰ τυράννων λήματα καί πως ὀλίγ' ἀρχόμενοι, πολλὰ κρατοῦντες χαλεπῶς ὀργὰς μεταβάλλουσι· Herc. F. 216 : Ὅταν θεός σοι πνεῦμα μεταβαλὼν τύχῃ· 884 : Ταχὺ τὸν εὐτυχῆ μετέβαλεν δαίμων· Bacch. 54 : Μορφὴν ἐμὴν μετέβαλον εἰς ἀνδρὸς φύσιν· Cycl. 687 : Ὄνομα μεταβαλών· Ion. 1512 : Ὦ μεταβαλοῦσα μυρίους ἤδη βροτῶν καὶ δυστυχῆσαι καὖθις αὖ πρᾶξαι καλῶς. « Herodot. 1, 57 : Τὸ οὔνομα μετέβαλε. Μετέβαλον τὸν ῥυθμὸν τῶν γραμμάτων, 5, 58. Οἱ Βρίγες τὸ οὔνομα μετέβαλον ἐς Φρύγας, 7, 73. Ζάγκλην τὴν ἐς Μεσσήνην μεταβαλοῦσαν τοὔνομα, 7, 164. Τὰς φυλὰς μετέβαλε ἐς ἄλλα οὐνόματα, 5, 68. Ὕδατα μεταβάλλοντες, 8, 117. » Schw. Lex. De victus ratione et temporum commutatione Hippocr. p. 229, 48, 51; 230, διαιτήματα μεταβάλλειν, Victus rationem immutare, et διαιτημάτων μεταβολὴ ibid., quod μεταβάλλειν interdum simpliciter dixit, p. 1239, F, Οὐ μετέβαλλεν, de eo qui in victus ratione nihil immutaverat. Foes. Thuc. 2, 16 : Δίαιταν μέλλοντες μεταβάλλειν. Cum genitivo Philostr. V. Apoll. 4, 38, p. 178 : Λέοντες καὶ παρδάλεις ἐνίοτε κολακευόμενοι ἡμεροῦνται καὶ μεταβάλλουσι τοῦ ἤθους. Constructione compendiaria Eur. Iph. A. 343 : Μεταβαλὼν ἄλλους τρόπους τοῖς φίλοισιν οὐκέτ' ἦσθα τοῖς πρὶν ὡς πρόσθεν φίλος· 363 : Κᾆθ' ὑποστρέψας λέληψαι μεταβαλὼν ἄλλας γραφάς. Plato Reip. 4, p. 424, C : Εἶδος καινὸν μουσικῆς μεταβάλλειν εὐλαβητέον· 7, p. 535, C : Χωλὸς καὶ ὁ τἀναντία τούτου μεταβεβληκὼς τὴν φιλοπονίαν· Crat. p. 405, D : Μεταβαλόντες ἀντὶ τοῦ οὖ ἄλφα· Phædr. p. 241, A : Μεταβαλὼν ἄλλον ἄρχοντα ἐν αὐτῷ. Aliæ constructiones notabiliores sunt ap. Plat. Leg. 6, p. 782, A : Μεταβάλλειν αὐτῶν μεταβολάς· 10, p. 903, D : Μεταβάλλει παντοίας μεταβολάς· Reip. 3, p. 404, A : Πολλὰς μεταβολὰς ἐν ταῖς στρατείαις μεταβάλλοντες. Et cum præp. εἰς Ep. 8, p. 354, C : Εἰς βασιλέως εἶδος πειρᾶσθαι μεταβάλλειν τὴν τυραννίδα· Polit. p. 269, A : Μετέβαλον αὐτὸ ἐπὶ τὸ νῦν σχῆμα. Ex eodem notanda locutio Reip. 6, p. 508, D : Ἄνω καὶ κάτω τὰς δόξας μεταβάλλον· Soph. p. 242, D : Μεταβαλὼν ἐμαυτὸν ἄνω καὶ κάτω.] Aristot. Probl. [l. 3] : Ὁ οἶνος μεταβάλλει τοὺς πίνοντας ἐκ προσαγωγῆς. Xen. [Comm. 1, 6, 6] : Οἱ μεταβαλλόμενοι τὰ ἱμάτια, ψύχους καὶ θάλπους ἕνεκα μεταβάλλονται. Isocr. De pace [p. 163, E] : Ἢν δὲ μεταβαλλώμεθα τὸν τρόπον. Sic Aristoph. Vesp. [1461] : Μετεβάλοντο τοὺς τρόπους. [Activo Pl. 36, Ran. 734.] Aristot. rursus De partt. anim. 5, cum ἀντὶ usus est : Τὰ μὲν γὰρ ἄλλα μίαν ἔχουσι βοήθειαν, καὶ μεταβάλλεσθαι ἀντὶ ταύτης ἑτέραν οὐκ ἔστι. || Et μεταβάλλειν, sicut et μεταβάλλεσθαι, pro Mutari. [Eur. Herc. F. 480 : Μεταβαλοῦσα δ' ἡ τύχη· Iph. T. 1120 : Μεταβάλλει δυσδαιμονία· Tro. 1118 : Καιναὶ καινῶν μεταβάλλουσαι χθονὶ συντυχίαι· Ion. 1614 : Ἥνεσ' οὕνεχ' εὐλογεῖς θεὸν μεταβαλοῦσα, ubi de mente mutata dicitur. « Herodot. 1, 65 : Μετέβαλον ὧδε ἐς εὐνομίην· 66 : Μεταβαλόντες εὐνομήθησαν. Μεταβαλὼν πρὸς Ἀθηναίους, 8, 109. Similiter olim 5, 75 editum erat Μετέβαλλόν τε καὶ ἀπαλλάσσοντο, ubi al. μετεβάλλοντο. Rursus 7, 170 : Μεταβαλόντας ἀντὶ Κρητῶν γενέσθαι Ἰάπυγας. » Schweigh. Lex. Xen. H. Gr. 4, 3, 13 : Τὸ μὲν πρῶτον χαλεπῶς ἔφερεν, ... ἐπεὶ μέντοι ἐνεθυμήθη, ... ἐκ τούτου μεταβαλὼν ἔλεγεν. Qua animi mutati signif. medium positum v. infra. De victu consueto id. Cyrop. 6, 2, 27 : Τοῦτο ποιοῦντες οὐ πολὺ μεταβαλοῦμεν. De loco Cyn. 6, 4 : Εἰς τὰ κυνηγέσια μεταβάλλοντα ἄγειν. De equis mutatis Eq. 1, 17 : Εἴ τινες αὐξανόμενοι μεταβάλλουσι. Frequens est etiam ap. Platonem tam absolute positum, maxime in participio, ut sit Vicissim, quam conjunctum cum præpp. ἐκ et εἰς vel ἐπί.] Aristot. Polit. 5 : Ἀλλὰ μετέβαλεν ἡ τάξις πᾶσα τῆς πολιτείας εἰς δυναστείαν, Mutata est. Thuc. 2 : Ὑμεῖς δὲ μεταβάλλετε, Vos autem mutamini. Sic Animi mutarant, pro Animi mutati erant, ex Liv. Bud. affert. [Hippocr. p. 308, 29 : Τὸ σῶμα ποιέει μεταβάλλειν. Constructione compendiaria, qualem in signif. transitiva notavimus, p. 306, 53 : Ἐπειδὰν ἐξαπίνης μετὰ βόρεια πνεύματα νότος μεταβάλῃ. Medio, Eur. Tro. 101 : Μεταβαλλομένου δαίμονος ἀνέχου. Palladas Anth. Pal. 9, 182, 1 : Καὶ σὺ, Τύχη, λοιπὸν μεταβαλλομένη καταπαίζου. Thuc. 1, 71 : Οὔτε γὰρ ἂν ὅσια ποιοῖμεν μεταβαλλόμενοι. Plato Ep. 2, p. 315, A : Μόνος οὐδὲν μετεβάλετο περὶ τῆς σῆς καὶ ἐμῆς συνουσίας, ἀλλ' ἀεί τι

A ἀγαθὸν... λέγων διατελεῖ· Gorg. p. 481, E : Ἄνω καὶ κάτω μεταβαλλομένου. Cum genitivo Sozom. H. E. 1, 2 : Μεταβαλομένου Λικινίου τῆς πρὸς αὐτοὺς εὐνοίας.] Μεταβάλλεσθαι πᾶσαν μεταβολὴν, Plut. Sertor. [c. 12], pro In omnes facies se vertere. Sic idem Bud., qui et μεταβάλλεσθαι pro Converti ex Arriano [Exp. 4, 26, 3; 6, 7, 8] affert. Rursum vero signif. act. pro Transferre, e Xen. [Eq. 8, 10] : Καὶ τὸ δόρυ εἰς τοὔπισθεν μεταβαλλόμενος. [Anab. 6, 5, 16 : Κρεῖττον προβαλλομένους τὰ ὅπλα ἢ μεταβαλλομένους ὄπισθεν ἡμῶν ἐπιόντας τοὺς πολεμίους θεᾶσθαι· Eq. 3, 5, τὴν ἱππασίαν. Aristoph. Ran. 8 : Μεταβαλλόμενος τἀνάφορον. Eur. Hipp. 1115 : Ῥᾴδια δ' ἤθεα τὸν αὔριον μεταβαλλομένα χρόνον ἀεὶ βίου συνευτυχοίην. Isocr. p. 224, D : Τοὺς μεταβαλλομένους τὰς ἐργασίας. || Activum signif. neutra rariori constr. cum ὑπὸ conjungit schol. Theocr. 2, 17 : Ὅθεν ὑπὸ Ἥρας εἰς ὀρνιθάριον αὐτὴν μεταβαλεῖν, quod μεταβληθῆναι scrib. putabat Bentlejus.]

|| Μεταβάλλω τὴν τροφὴν, pro Concoquo cibum : affertur ex Gazæ interpr. ap. Alex. Aphr. in Præf. lib. B 1. Sed et hic tamen Mutationis signif. retinetur : nam cibus in concoctione mutatur. || De Commutatione mercium dictum, v. in Μεταβολεύς : et pro παραφράζειν, v. in Μεταβολή. || Muto sedem, Migro, [Trajicio, Gl. Transitive Eur. Or. 1002 : Ὅθεν Ἔρις τό τε πτερωτὸν ἁλίου μετέβαλεν ἅρμα... ἑπταπόρον τε δρόμημα Πελειάδος εἰς ὁδὸν ἄλλαν Ζεὺς μεταβάλλει. Aristoph. Thesm. 723 : Τάχα δέ σε μεταβαλοῦσ' ἐπὶ κακὸν ἑτερότροπον ἐπέχει τις τύχη.] In aliam regionem commeo ; de avibus ap. Aristot. H. A. 8, [12] : Μεταβάλλουσι γὰρ ἐκ τῶν Σκυθικῶν εἰς τὰ ἕλη τὰ ἄνω τῆς Αἰγύπτου. [Plato Theæt. p. 181, C : Ὅταν τι χώραν ἐκ χώρας μεταβάλλῃ ἢ καὶ ἐν τῷ αὐτῷ στρέφηται. Polyb. 21, 10, 13 : Μεταβαλεῖν τὴν χώραν.] Hinc et μεταβολὴ pro Migratione. V. Bud. p. 469. Ubi et μεταβαλλόμεναι anguillæ εἰς τοὺς ἐγχελεῶνας, interpr. Translatæ vel Commeantes. || Μεταβάλλομαι, Transeo, i. e. Sum transfuga. Plut. Antonio : Ἀπὸ Ἀντωνίου μεταβαλλόμενος πρὸς αὐτόν. [Ib. c. 62, 76, Demetr. c. 49.] Et μεταβάλλομαι, Galen., pro Transeo et Degenero de una specie in aliam. [Μετα- C βάλλεσθαι, μεταβαλέσθαι, Convertere se, Retro se convertere, de classe, Polyb. 1, 27, 10. De exercitu 5, 19, 6. Πρός τινα, Transire, Deficere ad aliquem, 5, 47, 3; 54, 1; 9, 26, 9; 18, 9, 10. Πρὸς τάς τινος ἐλπίδας, 5, 51, 11. Schweigh. Lex.] || Item μεταβάλλομαι, Me pœnitet, Muto mentem s. sententiam, vel Mutatur mihi mens : μετανοῶ et μεταβουλεύομαι, quæ signif., ut notat Bud., ad illam accedit, qua de transfuga dicitur [Xen. H. Gr. 2, 3, 31] : Ἢν δέ τι ἀντικόπτῃ, εὐθὺς μεταβάλλεσθαι· sic Thuc. 8, pp. 285, 291 [c. 45 : Ὡς ἐγώ (Theramenes) εἰμι οἷος ἀεί ποτε μεταβάλλεσθαι· 48 : Πρόσθεν ἄριστον ἡγούμην εἶναι καὶ νῦν οὐ μεταβάλλομαι. Plato Gorg. p. 481, E : Μεταβαλλόμενος λέγεις. « Dem. p. 205 : Οὐκ ἔτ' ἂν ἡμεῖς εἴημεν οἱ μεταβαλλόμενοι, ἀλλ' οἱ μὴ θέλοντες τοῖς δικαίοις ἐμμένειν... Μεταβάλλεσθαι δόξει, καὶ οὐδὲν ἔχειν πιστὸν ἡ πόλις. » Seager. Cum accusat. Soph. El. 1261 : Τίς οὖν ἀξίαν γε σοῦ πεφηνότος μεταβάλοιτ' ἂν ὧδε σιγὰν λόγων; Per tmesin divisum v. in Μετά.]

|| Μεταβάλλομαι, pro Vendo et permuto, Aristot. D OEcon., inquit Bud., qui etiam μεταβαλέσθαι, πωλεῖν, affert ex Polluce p. 127 [3, 124; activ. eadem signif. 7, 8]. In VV. LL. citatur ex Plat. Leg. [8, p. 849, D] : Μεταβαλλόμενος οἴνου πρᾶσιν, pro In vino vendendo cauponariam exercens. [Soph. p. 223, D : Τὴν τὰ ἀλλότρια ἔργα μεταβαλλομένην μεταβλητικήν.] Et, Μεταβαλλόμενοι ἐν τῇ ἀγορᾷ e Xen. [Comm. 3, 7, 6] pro In foro permutantes. [Diod. 5, 13 : Ταῦτα συναγοράζοντες ἔμποροι καὶ μεταβαλλόμενοι. || Μεταβάλλομαι, Converto me, de acie, Xen. Cyrop. 7, 5, 6 : Ἐπεὶ δὲ ἔξω βελῶν ἐγένοντο, στραφέντες, καὶ τὸ μὲν πρῶτον ὀλίγα βήματα προϊόντες μετεβάλλοντο ἐπ' ἀσπίδα, καὶ ἵσταντο πρὸς τὸ τεῖχος βλέποντες· ὅσῳ δὲ προσωτέρω ἐγίγνοντο, τοσῷδε μανότερον μετεβάλλοντο, ἐπεὶ δὲ ἐν τῷ ἀσφαλεῖ ἐδόκουν εἶναι, ξυνεῖρον ἀπιόντες, ἔστε ἐπὶ ταῖς σκηναῖς ἐγένοντο. Arrian. Tact. c. 72 : Ἐπὶ δόρυ μεταβαλοῦ ἢ ἐπ' ἀσπίδα. Æliano Tact. c. 24, Μεταβολὴ est ἡ εἰς τὰ ὀπίσω κατ' ἄνδρα στροφή· ὅρος δέ ἐστι τῆς μεταβολῆς, μετάληψις τῆς προϋπαρχούσης ἐπιφανείας εἰς τὴν κατ' οὐρὰν ἐπιφάνειαν ἢ ἀπὸ ταύτης ἐπὶ τὴν ἐναντίαν. Memorat eandem Arrian. Tact. p. 54.

Schweigh. Lex. Polyb. : « M. est Conversio retrorsum, in partem oppositam, semicirculum describens : nempe duplex κλίσις in eandem partem. Sic enim definiunt Tactici : Αἱ δὲ δύο ἐπὶ τὸ αὐτὸ γινόμεναι κλίσεις ἐπὶ τὴν κατὰ νώτου ἐπιφάνειαν τὴν ὄψιν τοῦ ὁπλίτου μετατιθέασι, καὶ τὸ τοιοῦτο καλεῖται μεταβολή. Ἡ εἰς τοὔπισθεν μ. 18, 13, 4. Equites Hispani et Galli pugnare solebant ἐξ ἀναστροφῆς καὶ μεταβολῆς, Avertendo se et mox revertendo, 3, 115, 3. Ἐκ μεταβολῆς de exercitu sive in pugna sive in itinere, Facta conversione, Converso agmine, 1, 19, 4, etc. De navium conversione 1, 50, 3; 51, 6; converso equo 11, 18, 4.»]

[Μεταβάπτω, Tinctura muto. Plut. Lysand. c. 17 : Ὄξει μεταβαπτόμενον ἐκ πυρὸς νόμισμα. « Jo. Chrys. Hom. 118, vol. 5, p. 762 : Μεταβάπτεται καὶ τοῦ ἀέρος τὸ κάλλος εἰς χρυσὸν ἢ εἰς πορφύραν. Lucian. Anach. c. 33 : Ὠχροὶ ἅπαντες, ὑπὸ δέους μεταβαφέντες· Bis acc. c. 8, Amor. c. 40. » Seager.]

[Μεταβᾰσᾰνίζω, Postea exploro. Galen. vol. 12, p. 90 : Τῇ πείρᾳ μεταβασανίσας αὐτὸ τοιοῦτον εὗρον ὑπάρχειν οἷον καὶ ἤλπισα. L. Dind.]

Μετάβᾰσις, εως, ἡ, Transitio. [Plato Reip. 8, p. 547, C : Δοκεῖ μοι αὕτη ἡ μ. ἐντεῦθεν γίγνεσθαι· Leg. 3, p. 676, C : Τὴν πρώτην τῶν πολιτειῶν γένεσιν καὶ μ. Aristot. Polit. 5, 3 : Πολλάκις λανθάνει μεγάλη γινομένη μετάβασις τῶν νομίμων· H. A. 8, 1 : Ἡ δὲ μετάβασις ἐξ αὐτῶν (τῶν φυτῶν) εἰς τὰ ζῷα συνεχής ἐστιν. Theophr. Metaphys. p. 314, 25 : Ἡ εἰς τὸ χεῖρον μετάβασις. Aret. p. 66, 30 : Περίστροφος ἤδε μετάβασις ἐς νώτου μύας καὶ θώρηκος.] Peculiariter autem vocatur μετάβασις schema quoddam ap. Rhetores, quod vulgo Transitio. De hoc v. Fab. [9, 3, 25 : « Si qui tam parva momenta nominibus discreverunt, μετάβασιν vocant (ἀποστροφὴν vel παρένθεσιν), quam et aliter fieri putant : Quid loquor, aut ubi sum ? »] et Rutil. Lup. [2, 1 : Metabasis. Hoc duobus modis fieri solet. Ex quibus unum genus est ejusmodi, quum ab ea sententia, quum proposuimus, convertimus ad aliquam personam aut rem, ut fortunam et tanquam præsentem appellamus, ita uti fecit Myron (cujus longior locus sequitur). Alterum genus est, quum ad aliam rem et actionem atque orationem nostram revocamus, ut Demosth. (p. 240, 2 sqq.). « Proprie Antipho p. 715 R. : Ἡ μετάβασις ἐγένετο εἰς τὸ ἕτερον πλοῖον οὐδενὶ μηχανήματι οὐδ' ἀπάτῃ· ἀλλ' ἀνάγκῃ καὶ τοῦτο ἐγίγνετο· ἐν ᾧ μὲν γὰρ ἐπλέομεν, ἀστέγαστον ἦν τὸ πλοῖον, εἰς ὃ δὲ μετέβημεν, ἐστεγασμένον. » Seager. ‖ Translatio, Demigratio, Gl. V. etiam Μεταβάτης. Μετάβασις εἰς ἀνόμοιον τόνον v. in Μεταβολή. Μετάβασις τοῦ ὁμοίου Medicorum v. in Ἐμπειρικός.]

[Μεταβατέον, Transeundum. Hipparch. in Petav. Uranol. p. 257, D : M. εἰς τοὺς κύκλους. L. D. Philo J. Angl.]

[Μεταβάτης, ὁ, Dissultor, Desultor, Gl. Hesych. in Ζευγηλάτης, Ζευγήτης. Hemst. ‖ Acclamationes in Conc. Constant. sub Mena act. 5 : Τὴν σύναξιν κήρυξον..., ἄνω βάλε τοὺ. μεταβάτας. Episcopos forte ab una sede ad aliam translatos. Nam μετάβασις Translationem Episcopi diserte sonat in cod. Can. Eccl. Afric. can. 48. Ducang.]

Μεταβᾰτικὸς, ἡ, ὸν, q. d. Transitivus. Et ita Bud. interpr. ap. Philon. : Τὰ μεταβατικῇ κινήσει χρώμενα φυτὰ, φαμὲν ἡμεῖς ζῷα εἶναι. [Eust. Opusc. p. 223, 50 : Μόνιμος ἔλαχες εἶναι θειότερον· οὐ μὴν μεταβατικὸς κοσμικώτερον ἀπανέστη. Meletius in Cram. Anecd. vol. 3, p. 31, 19 : Μεταβατικὸν εἶναι καὶ πρακτικὸν τὸ ὄργανον τῆς ψυχῆς... ἐμηχανήσατο. L. D. Τὸ μεταβατικὸν καὶ ἐμπορικὸν, Hippodam. Stob. Flor. 43, 93 (vol. 2, p. 123). Valck.] Apud gramm. autem μεταβατικὰ ῥήματα, Quorum signif. in aliam personam transit quam ejus, qui loquitur. [Exc. Herodian. Cram. An. vol. 3, p. 272, 16. De pronomine Apollon. De pron. p. 60, B.]

Μεταβατικῶς, ut μεταβατικῶς κινητὰ, Philo [vol. 1, p. 492, 26], Quæ transitu moveri et quasi locali motu uti queunt. Addit Bud. μεταβατικῶς esse perinde ac si quis dicat Transibunde vel Transeunter, aut Præteribunde, s. Promoventer. [Clem. Alex. p. 487. Wakef. Signif. grammat., Transitive, Thom. p. 65, schol. Theocr. 1, 3.]

[Μεταβιάζομαι, Vim facio. Aret. p. 123, 37 : Ἐπεὶ γὰρ ἡ τῆς φύσιος ἐς ἄνδρα μεταβολὴ ἀγαθόν τι πρήσσει,

A μετεβιάσαντο τὴν παίδων φύσιν ἀώρῳ ξυνουσίῃ, ὡς θᾶσσον ἀναρρώσοντες.]

Μεταβῐβάζω, Transfero, Averto, Alio abduco, Bud. [Xen. H. Gr. 1, 6, 19 : Τοὺς ἐπιβάτας εἰς κοίλην ναῦν μεταβιβάσας.] Plato [Phædr. p. 262, B : Μεταβιβάζειν κατὰ σμικρόν· Leg. 7, p. 795, C : Ὁπόταν αὐτόν τις μεταβιβάζων ἐπὶ θάτερα ἀναγκάζῃ διαπονεῖν·] De rep. 7 : Μετὰ γὰρ τοῦτο μεταβιβαστέοι [καταβιβαστέοι] ἔσονταί σοι εἰς τὸ σπήλαιον πάλιν ἐκεῖνο· Gorgia [p. 517, B], Μεταβιβάζειν τὰς ἐπιθυμίας καὶ μὴ ἐπιτρέπειν, πείθοντες καὶ βιαζόμενοι ἐπὶ τοῦτο, ὅθεν ἔμελλον ἀμείνους ἔσεσθαι. [Leg. 5, p. 736, D : Ἐν πολλῷ χρόνῳ σμικρὸν μεταβιβάζουσιν. Demosth. p. 142, 24 : Ὅταν τὸ ἀπὸ τῶν κοινῶν ἔθος ἐπὶ τὰ ἴδια μεταβιβάζοντας ὁρῶσί τινας.] Aristoph. Pac. [947] : Νῦν γὰρ δαίμων φανερῶς εἰς ἀγαθὰ μεταβιβάζει, quod Referre in melius Virg. dicit. [Μεταβιβάζειν τὸν πόλεμον εἰς Λιβύην, Polyb. 1, 41, 4. Milites 1, 58, 1. Τὴν διήγησιν εἰς τοὺς κατὰ τὴν Ἑλλάδα τόπους, 3, 3, 1. Schweigh. Lex. Diodor. 4, 7 : Μεταβιβάσομεν τὸν λόγον ἐπὶ τὰς Ἡρακλέους πράξεις. Et 18, 53.] ‖ Est etiam Ab opinione deduco,
B μεταπείθω, ut Bud. ex Alex. Aphr. In Top. interpretatur.

[Μεταβῐόω, Supervivo. Plut. Plac. phil. p 908, D : Περιρρηγνυμένου τοῦ φλοιοῦ, ἐπ' ὀλίγον χρόνον μεταβιῶναι.]

Μετᾰβλαστάνω, Germen muto, Mutato germine pullulo. [Theophr. H. Pl. 2, 4, 4 : Ὥστε αὐτομάτως μεταβλαστάνειν.]

[Μεταβλαστικὸς, Μεταβλατικός. V. Μεταβλητικός.]

[Μεταβλέπω, Oculos averto. Arat. 186 : Αὐτὰρ ἀπὸ ζώνης ὀλίγον κε μεταβλέψειας πρώτης ἱέμενος καμπῆς μεγάλοιο δράκοντος. Apoll. Rh. 1, 726 : Τῆς μὲν ῥηΐτερόν κεν εἰς ἠέλιον ἀνιόντα ὄσσε βάλοις ἢ κεῖνο μεταβλέψειας ἔρευθος, Aspicias, Aspectum ejus feras. « Nicet. Eugen. 8, 51 : Γεωμετρῶν με καὶ πυκνῶς μεταβλέπων. » Boiss.]

[Μετάβλημα, τὸ, Mutatio. Manetho 4, 522, χώρης.]

[Μεταβλητέον, Convertendum, Mutandum. Plato Theæt. p. 167, A : M. δ' ἐπὶ θάτερα· et ib. : Ἐπὶ τὴν ἀμείνω ἕξιν μ. Reip. 3, p. 413, B : Νέους εἰς δείματ' ἄττα κομιστέον καὶ εἰς ἡδονὰς αὖ μ. Hippocr. p. 392, 11.]

Μεταβλητικὸς, ἡ, ὸν, Mutabilis [Gl., quæ ponunt
C etiam Μεταβλητική, Cociatria. V. Μεταβολή], ut Bud. in Theophr. C. Pl. 6, [10, 2] exp. : Δεῖ γὰρ ἐξ οὗ τι μέλλει γίγνεσθαι, μεταβλητικὸν εἶναι· τὸ δὲ ἁλμυρὸν, ἀπαθὲς καὶ ἀμετάβλητον. Et μεταβλητικὰ ζῷα, Gaza ap. Aristot. [H. A. 1, 1 med.] vertit Animalia sede mutabili et vaga degentia. Μεταβλητικὸν Budæo est etiam Quod mutationem facit, ap. Aristot. Metaphys. 4, [2] : Αἴτιον δὲ καὶ ὁ πατὴρ τέκνου, καὶ ὅλως τὸ ποιοῦν τοῦ ποιουμένου, καὶ τὸ μεταβλητικὸν τοῦ μεταβάλλοντος. Sic μεταβλητικὴ eid. Bud. est Permutatoria, ut κτητικὴ et χρηματιστικὴ, δι' ἧς καταλλάττονται. Aristot. Pol. 1, p. 101 [c. 6]. Idem p. 103 [c. 7] : Τῆς δὲ μεταβλητικῆς μέγιστον μὲν ἐμπορία. [Pollux 7, 9. Plato Soph. p. 219, D : Τὸ μὲν ἑκόντων πρὸς ἑκόντας μεταβλητικὸν ὂν διά τε δωρεῶν καὶ ἀγοράσεων καὶ μισθώσεων· 223, D : Τὴν τὰ ἀλλότρια ἔργα μεταβαλλομένην μεταβλητικήν· 224, D : Τὸ κτητικῆς μεταβλητικόν. De sophista Pollux 4, 48. ‖ Forma Dor. Μεταβλατικὸς ap. Philolaum Stobæi Ecl. phys. vol. 1, p. 422, ut ib. 420 est ἀμετάβλατον. Libri duo Μεταβλαστικὸς, quod forma ἀμφίβληστρον defendi
D putabat Bœckh. Philol. p. 168. ‖ Adv. Μεταβλητικῶς, Pollux 4, 51.]

[Μεταβλητὸς, ἡ, ὸν, i. q. μεταβλητικὸς, Mutabilis. Plut. Mor. p. 718, D, φύσις· 1013, D; 1116, C.]

[Μεταβοθρεύω.] Μεταβοθρεύοντες, Hesychio μετασκάπτοντες, μεταφυτεύοντες, Mutato scrobe plantantes, Transplantantes.

Μεταβολεὺς, έως, ὁ, Qui merces mercibus, aut etiam pecunia, commutat. Quidam tamen minus esse generale putarunt. Propolam, ex Cic., Bud. [et Gl.] interpr. Μεταβολεὺς scholiastæ Aristoph. [Pl. 1156] proprie est ὁ κατὰ τὴν κοτύλην πωλῶν, ὥσπερ οἱ νῦν λεγόμενοι κάπηλοι· παρὰ τὸ συνεχὲς μεταβάλλειν. Quomodo autem ab αὐτοπώλης, κάπηλος, ἔμπορος, et παλιγκάπηλος, differat, ap. Eund. reperies. Eust. vero [Od. p. 1406, 20] simplicius exp., dicens, Μεταβολεῖς ὀβολῶν, καὶ ἀλφίτων, καὶ τῶν τοιούτων, οἱ αὐτὰ καταλλάσσοντες [Dem. p. 784, 8 : Κάπηλός ἐστι πονηρίας, καὶ παλιγκάπηλος καὶ μεταβολεὺς, καὶ μονονοὺ ζυγὰ καὶ στάθμα ἔχων, ἅπανθ' ὅσα πώποτ' ἔπραξεν, ἐπώλει. Seager. Aliquo-

ties memoratur etiam a Polluce, velut de sophista 4, A
48, ut μεταβλητικός. || « De paraphrastis οἱ παλαιοὶ μεταβολεῖς τῶν λέξεων, Eust. Il. p. 1347, 40. » HEMST. Idem Od. p. 1428, 44.]

Μεταβολὴ, ἡ, Mutatio, ut in proverbio, ap. Eur. [Or. 234, Aristot. Rhet. 1, 11, Eth. Nic. 7, 15], Μεταβολὴ πάντων γλυκύ. [Κακῶν Herc. F. 735, et alibi πόνων. Plur. idem fr. OEdipi ap. Stob. Flor. 105, 44, 2 : Μεταβολὰς τῆς τύχης· Herc. F. 1292 : Φωτὶ μακαρίῳ ποτὲ αἱ μ. λυπηρόν· Iph. A. 500 : Ἀλλ' ἐς μεταβολὰς ἦλθον ἀπὸ δεινῶν λόγων, Animum mutavi. Ibid. 1101 : Πολλὰς ἱεῖσα μεταβολὰς ὀδυρμάτων· Iph. T. 722 : Ἀλλ' ἔστιν ἔστιν ἡ λίαν δυσπραξία λίαν διδοῦσα μεταβολὰς, ὅταν τύχῃ· Tro. 611 : Τὸ δ' εὐγενὲς ἐς δοῦλον ἥκει μεταβολὰς τοσάσδ' ἔχον· Bacch. 1267 : Ἔθ' αὑτὸς ἤ σοι μεταβολὰς ἔχειν δοκεῖ; Pind. Pyth. 4, 292 : Ἐν δὲ χρόνῳ μεταβολαὶ λήξαντος οὔρου ἱστίων. « Herodot. 1, 57 : Ἅμα τῇ μεταβολῇ τῇ ἐς Ἕλληνας, Ex quo in Hellenum nomen transiit hic populus. Ib. 74, ἡ μ. dicitur Mutatio illa qua solis lumen medio die deficit. Αἱ μεταβολαὶ τῶν ὡρέων, Mutationes cœli et tempestatis, 2, B
77. » SCHWEIGH. Lex. De anni tempestatum vicissitudinibus Hippocr. Aphor. 1, lib. 3, ubi διαδοχαὶ exp. Galenus. Diodor. 13, 24 : Ὅταν ὁ πρότερον ἐχθρὸς ὢν ἐκ μεταβολῆς ἱκέτης γενόμενος κτλ. Eademque phrasi alibi sæpius. Polybii tam proprie dicentis de rebus, ut de vento 1, 61, 7, quam de acie, ut in Μεταβάλλομαι diximus, quam improprie, v. exx. ap. Schweigh. in Lex.] Ap. Thuc., μεταβολὴ ἐμπεσοῦσα. [Id. 1, 2 : Μάλιστα δὲ τῆς γῆς ἡ ἀρίστη ἀεὶ τὰς μεταβολὰς τῶν οἰκητόρων εἶχεν· 2, 48 : Τὰς αἰτίας τοσαύτης μεταβολῆς. Et similiter sæpius Xen. de mutatione victus, vestitus, status reip. Eodemque modo Plato, cujus hæc ponimus exx. constructionum cum præpositionibus, Reip. 4, p. 434, B : Ἡ τριῶν ὄντων γενῶν μ. εἰς ἄλληλα· 8, p. 553, D : M. ἐκ φιλοτίμου νέου εἰς φιλοχρήματον· 565, D : M. ἐκ προστάτου ἐπὶ τύραννον· Parm. p. 162, C : M. ἐκ τοῦ εἶναι ἐπὶ τὸ μὴ εἶναι· Leg. 5, p. 732, D : Τῶν νῦν παρόντων ἐπὶ τὸ βέλτιον μεταβολάς.] Et ἡ κατὰ τόπον μεταβολὴ, ex Cic. exp. Loci mutatio, et Loci commutatio. Item μεταβολὴν s. μεταβολὰς ποιεῖσθαι, Aristot. [H. A. C
8, 12 : Τὰ μὲν, ἐκ τῶν ἐγγὺς τόπων ποιούμενα τὰς μεταβολὰς, τὰ δὲ ἐκ τῶν ἐσχάτων, ut grues.] Budæus [ibi] μεταβολὴν Migrationem interpr. p. 469. [Translatio, Gl., et Pastinatio, Repastinatio, et Cocio, de qua interpr. conf. Μεταβλητικός.] || Paraphrasis; ut Dionys. Thrax μεταβολὰς Odysseæ appellavit, quam scripsit ejus Paraphrasin, Eust. [Od. p. 1406, 19.] Sic et Nonni μεταβολὴ Evangelii Joannis. || Figura quædam, per quam res diversæ conjunguntur : ut vult Quintil. 9, 3, ubi et exemplum vide. [M., Dionysio Hal. dicitur ea Commutatio rhythmi, metri, figurarum, periodorum, quæ orationis compositionem jucundam, elegantemque faciat, et insit in ποικιλίᾳ, varietate, De compos. vv. c. 19. In oratione soluta latius etiam hæc varietas patet, pertinetque ad periodos, membra, et cetera compositionis genera, quorum varia permutatio suavis esse solet : ibid. p. 133. Itaque in eo genere laudat Herodotum, Platonem, Demosthenem, qui ἐν ἐπεισοδίοις et σχήμασι magnam varietatem adhibuerint, majoremque quam Isocrates ejusque asse- D
clæ, apud quos reperiatur εἷς περιόδου κύκλος, ὁμοειδὴς σχημάτων τάξις, συμπλοκὴ φωνηέντων ἡ αὐτή. Ex quibus omnibus vis illius μεταβολῆς intelligi potest : conf. ejusd. Ep. ad Pomp. p. 772, ubi μεταβολὴν et τὸ ποικίλον τῆς γραφῆς jungit. In Jud. Isocr. c. 4 Isocrati quidem tribuit τὸ διαλαμβάνεσθαι τὴν ὁμοειδίαν ἰδίαις μεταβολαῖς καὶ ξένοις ἐπεισοδίοις, quæ laus illis repugnare videtur : sed ea maxime commemorat, in quibus Isocrates a Lysia differt : v. Krebs. ad Plutarch. De aud. poet. p. 156. — Alexander Rhet. p. 585 Ald. : Ἐπὶ τούτου τοῦ σχήματος μετάθεσις μορίων ὅλων γίνεται καὶ καθ' ἕκαστον κῶλον ἢ κόμμα. Etiam pro παραφράσει a nonnullis dici μεταβολὴν docuit Capperon. ad Quintil. 10, 5, 5, p. 659. Ipse autem Quintilianus 9, 3, 36, postquam de ἐπανόδῳ, πολυπτώτῳ et similibus figuris, quæ orationem casibus, temporibus, generibusque varie distinguant, verba fecit, Hanc, inquit, rerum conjunctam diversitatem Cæcilius μεταβολὴν vocat, exemplo addito ex Cic. Or. pro Cluent. c. 14, Illum

A tabulas publicas violasse, censorias corrupisse, etc. — Eodem sensu μεταβάλλειν Aristoteles dixit Rhet. 3, 12 : Ἀνάγκη δὲ μεταβάλλειν τὸ αὐτὸ λέγοντας, ὅπερ ὡς προοδοποιεῖ τῷ ὑποκρίνεσθαι, Οὗτός ἐστιν ὁ κλέψας ὑμῶν· οὗτός ἐστιν ὁ ἐξαπατήσας, οὗτος ὁ τὸ ἔσχατον προδοῦναι ἐπιχειρήσας κτλ. (Addit Spalding. ad Quinct. 9, 3, 38 l. Alexandri Numen. [Walz. Rhett. vol. 8, p. 474] : Περὶ μεταβολῆς. Ἐπὶ τούτου τοῦ σχήματος μετάθεσις μορίων ὅλων γίνεται καὶ καθ' ἕκαστον κῶλον καὶ κόμμα, ὡς ἔχει τὸ Δημοσθενικὸν (p. 328, 27) « Τίς γὰρ συμμαχία σοῦ πράξαντος γέγονε τῇ πόλει, τίς δὲ βοήθεια ἐκ τῆς σῆς εὐνοίας καὶ δόξης; » κτλ. Cassiodor. In Psalmos p. 24, 25 : M., i. e. iteratio unius rei sub varietate verborum. « Verba mea auribus percipe, Domine, intellige clamorem meum, intende voci orationis meæ. ») — Denique, quum μεταβολὴ Græcis, qui rem musicam et rhythmicam tractarent, dictus esset Transitus ab uno genere rhythmi ad aliud et diversum genus, rhetores hac eadem voce usi sunt, ut docerent, quanam re rhythmus a metro differret. Itaque Quintil. 9, 4, 50,
B « Sunt et illa discrimina, inquit, quod ῥυθμοῖς libera spatia, μέτροις finita sunt, et his certæ clausulæ, illi quomodo cœperant, currunt usque ad μεταβολὴν, id est transitum in aliud genus rhythmi. » ERNEST. Lex. rhet. Exc. Phrynichi Bekk. An. p. 15, 25 : ... οὐ ταυτὸν οὖσα ἡ ἁρμογὴ τῇ μεταβολῇ· ἡ μὲν γὰρ μεταβολή ἐστιν ἐξ ὁμοίου τόνου εἰς ἀνόμοιον μετάβασις, οἷον εἴ τις ἐν ἑνὶ ποιήματι ἢ κρούματι τὴν μελοποιίαν, τυχὸν Δώριον οὖσαν Ὑποδώριον ποιεῖ, μιγνὺς τῇ Δωρίῳ τὴν Ὑποδώριον, ἁρμογὴ δέ ἐστιν ὅταν αὐλήσας τὸν Φρύγων τόνον ... μεθαρμόττηται εἰς ἕτερον τόνον. Bacchius Mus. p. 13 : Μεταβολὰς πόσας λέγομεν; Ἑπτά. Τίνας; Ταύτας, συστηματικὴν, γενικὴν, κατὰ τρόπον, κατὰ ἦθος, κατὰ ῥυθμὸν, κατὰ ῥυθμοῦ ἀγωγὴν, κατὰ ῥυθμοποιίας θέσιν. Quas postquam pluribus quam quæ repeti hic possint exposuit, addit p. 14 : Μεταβολὴ δὲ τί ἐστιν; Ἑτεροίωσις τῶν ὑποκειμένων ἢ καὶ ὁμοίου τινὸς εἰς ἀνόμοιον τόπον μετάθεσις. Aristid. De mus. 1, p. 42 : M. δέ ἐστι ῥυθμικὴ ῥυθμῶν ἀλλοίωσις ἢ ἀγωγῆς. Γίνονται δὲ μεταβολαὶ κατὰ τρόπους ιδ', quos v. apud ipsum. Alia Santen. ad Te-
C rentian. p. 158. || Permutatio mercium, Mercatura. Thucyd. 6, 31 : Ὅσα ἐπὶ μεταβολῇ τις ἢ στρατιώτης ἢ ἔμπορος ἔχων ἔπλει, πολλὰ ἂν τάλαντα ηὑρέθη ἐκ τῆς πόλεως τὰ πάντα ἐξαγόμενα. De μεταβολῇ aciei v. in Μεταβάλλομαι. Ap. Polyb., præter communis usus exx., sunt etiam, ubi de defectione dicitur, ut « ἡ πρὸς Ῥωμαίους μ. 9, 26, 2; 10, 34, 2. Πάντα ἦν οἰκεῖα μεταβολῆς, 14, 9, 5. » SCHWEIGH.]

[Μεταβολία, ἡ, Permutatio. De mercatura Sirach. 37, 12 : Μετὰ ἐμπόρου περὶ μεταβολίας. V. Μεταβουλία.]

Μεταβολικὸς, ή, όν, Mutabilis, Commutabilis, ut quidam exponunt. [Polyb. Exc. Vat. p. 456 : Ὁ μεταβολικὸς τρόπος. Plut. Mor. p. 373, D : Τοῖς παθητικοῖς καὶ μεταβολικοῖς μέλεσι. Sext. Emp. Mathem. 1, p. 238 : Τρία κοινὰ μήκους τε καὶ βραχύτητος, α, ι, υ, ἅπερ δίχρονα καὶ ὑγρὰ καὶ ἀμφίβολα καὶ μεταβολικὰ καλοῦσιν. De mercatura Heraclid. Polit. 29 : Καπηλεῖον οὐκ ἔστι μεταβολικὸν ἐν αὐτοῖς. || Adv. Μεταβολικῶς, Hephæstio p. 75 : Ἡ δὲ διπλῆ σημαίνει τὸ μ. τὸ ᾆσμα γεγράφθαι.]

[Μεταβολιμαῖος, α, ον, Translatitius, Gl.]

D Μετάβολος, ὁ, Negociator, Bud. Propola : πραγματευτὴς Hesychio; μεταπράτης Suidæ. I. q. μεταβολεὺς, quanquam μεταβολεὺς multo usitatius esse constat. Aristoph. vero schol. [Nub. 1200] μεταβόλους suo tempore vocatos fuisse scribit eos quos Aristoph. προθέντας nominat, h. e. τοὺς προλαμβάνοντας καὶ προεσθίοντας τὰ ὄψα πρὶν εἰς ἀγορὰν κομισθῆναι, καὶ μεταπιπράσκοντας πλείονος. [Μετάβολος, Dardanarius, Cociator, Arilator, Cocio; Μετάβολος, μεταπράτης ἀνδραπόδων, Mango, Venalitiarius. Παντομετάβολος, Dardanarius, Gl. Hesych. v. Λαγγών, Etym. M. v. Εὔαρχος. « Mœris et Thomas. : Μεταβολεὺς, οὐ μετάβολος, quod Steph. Byz. s. Ἰσεῖον (conf. Biel. Thes. vol. 2, p. 338), præterea nullus luculentior scriptor recepit. » Lobeck. ad Phryn. p. 315.]

[Μετάβολος, ὁ, ἡ, adj. est ap. Plut. Mor. p. 428, B : Δυοῖν ὑποκειμένων φύσεων, τῆς μὲν αἰσθητῆς ἐν γενέσει καὶ φθορᾷ μεταβόλου καὶ φορητῆς ἄλλοτε ἄλλως, nisi fallit scriptura.]

[Μέταβος, ὁ, Metabus, f. Alibantis, sic dictus quod

μετὰ τοὺς βοῦς τοῦ Γηρυόνου ἵει (ἧει), sec. Etym. M. F. Sisyphi, conditor Metaponti, sec. Steph. Byz. in Μεταπόντιον citandum. Strabo 6, p. 265 : Δοκεῖ δ' Ἀντίοχος τὴν πόλιν Μεταπόντιον εἰρῆσθαι πρότερον Μέταβον, παρονομασθῆναι δ' ὕστερον, ubi etiam memorat ἡρῷον τοῦ Μετάβου. || Huc pertinet Hesychii gl. : Μετάβολοι, πραγματευταὶ, καὶ οἱ Μεταπόντιοι παρὰ Ἰταλοῖς. Nam haud dubie latet forma Μέταβοι, quemadmodum Metapontum barbare vocatam Μέταβον tradit Steph. Byz. in Μεταπόντιον. Quod animadvertit etiam Bernhardy ad Suidam.]

[Μεταβόσκομαι, Depascor. Append. Basil. M. vol. 3, p. 500, D : Τὰ ἐκεῖ ἀποτιθέμενα οὐ σῆτες μεταβόσκονται.]

[Μεταβούλευμα, τὸ, Mutatum consilium. Symm. Job. 21, 2.]

[Μεταβουλεύω, Aliud decerno. Hom. Od. E, 286 : Ὢ πόποι, ἦ μάλα δὴ μετεβούλευσαν θεοὶ ἄλλως ἀμφ' Ὀδυσῆι.] Μεταβουλεύομαι, Muto consilium, Me pœnitet. [Eur. Or. 1526 : Ἀλλὰ μεταβουλευσόμεσθα. « Herodot. 7, 12 : Οὔτε μεταβουλευσάμενος εὖ ποιέεις· 8, 57 : Μεταβουλεύσασθαι, ὥστε αὐτοῦ μένειν· 7, 12 : Μετὰ δὴ βουλεύεαι στράτευμα μὴ ἄγειν. » Schweigh. Lex. Plato Epin. p. 982, D : Οὐ μεταβουλευόμενον ἄνω καὶ κάτω.] Lucian. [Prometh. c. 7] : Ἐπεὶ τό γε μεταβουλεύεσθαι, Ἐπιμηθέως ἔργον, οὐ Προμηθέως ἐστί. Fortasse autem seq. μετάβουλος ponitur simpl. pro μεταβουλευόμενος. [Dem. p. 1442, 12; 1444, 16; 1456, 16; 1466, 21. Seager. Lucian. Abdic. c. 9. Cum genit. Alciphro 2, 4 : Εἰ μεταβουλεύσαιο τῆς πρὸς βασιλέα ἀφίξεως. Sic alia cum μετὰ composita cum accus. et gen. conjunguntur.]

[Μεταβουλία, ἡ, Mutatio consilii. Simonid. ap. Dionys. H. De comp. vv. p. 223 : Μεταβουλία δέ τις φανείη, ubi al. ματαιοβουλία, cod. Reg. antiquiss. μαιταβ., μεταιβολία restituit Bergk. « Wolf. Anecd. Gr. vol. 3, p. 3 (?). » Kall.]

Μετάβουλος, ὁ, ἡ, Qui cito mutat consilium. Exp. enim ap. Aristoph. [Ach. 632] ταχύβουλος, Qui celeris est consilii, i. e. Qui cito et repente consilium capit : aut Qui cito ex uno consilio ad aliud transit.

Μετάβρασκος, Hesych. μέτριος : item ἑρμηνεὺς, qui potius μεταφράστης.

Μετάγγελος, ὁ, ἡ, Internuntius, s. simpliciter Nuntius. Hom. Il. O, [144] : Ἶρίν θ', ἥτε θεοῖσι μετάγγελος ἀθανάτοισι. [Quanquam ibi alii scribi jubent θεοῖσι μέτ', ut μετὰ pertineat ad θεοῖς, pro ἐν θεοῖς. Eust. p. 1009, 48 : Τὸ δὲ μετάγγελος περιττὴν καὶ αὐτὸ ἔχει πρόθεσιν, καθὰ καὶ τὸ ἐπίουρος, καὶ τὸ, Χαλεπὴ δὲ θεοῦ ἐπιμῆνις, καὶ, Ἐπιβουκόλος ἀνὴρ, καὶ, Τίς ἂν κατὰ θνητῶν (l. καταθνητῶν) ἀνθρώπων, καὶ, Ἀνδρῶν κατατεθνειώτων. Εἰ δὲ γράφεται καὶ Θεοῖσι μέτ' ἄγγελος, οὐκ ἂν εἴη ἀπῳδὸν, ἵνα λέγῃ ὅτι ἐν θεοῖς ἄγγελος ἡ Ἶρις. Sic et Ψ, 198 : Ὠκέα δ' Ἶρις Ἀράων ἀΐουσα μετάγγελος ἦλθ' Ἀνέμοισιν, ubi quidam μετ' ἀδ ἦλθε referunt, pro μετῆλθεν ἀνέμοις, Ivit ad ventos, quo tamen loco compositum μετάγγελος, Internuntius, præstare videtur. Damm. Eust. ad hunc l. : Ὅρα δὲ κἀνταῦθα τὸ μετάγγελος ὅ ἐστιν ἄγγελος, χαιρίαν ἑρμηνείαν τῆς Ἴριδος· εἰπεῖν γὰρ ἓν πρὸς ἓν, Ἶρις ἡ ἀγγελός ἐστι παρὰ τὸ εἴρειν ὃ δηλοῖ τὸ ἀγγέλλειν, τινὰ δὲ τῶν ἀντιγράφων ἐν δυσὶ μέρεσι λόγου ἔχει τὸ μετ' ἄγγελος, ἵνα λέγῃ, ὅτι ἄγγελος μετ' ἀνέμοισιν, ἤγουν ἐπ' ἀνέμοις, καὶ εἰς ἀνέμους ἦλθεν ἡ Ἶρις.]

Μεταγγίζω, In aliud vas fundo, De vase in vas transfundo, quo significatu Latini Elutriare dicunt, Decapulare, Deplere, et Transfundere : Græci synonymo verbo μετεράσαι. Diosc. 1, 62 : Μετάγγιζε δὲ πολλάκις εἰς ἕτερα ἀγγεῖα μέλιτι κατακεχρισμένα. [5, 35 : Μετὰ δὲ τρεῖς μῆνας διυλίσας μετάγγιζε καὶ ἀποτίθεσο· 45 : Εἶτα μεταγγίζειν, καὶ ἡλιάσαντας ἀποτίθεσθαι· in fine : Ἡλιάσαι τε ἐφ' ἡμέρας μ· μετὰ δὲ ταῦτα διυλίζειν καὶ μεταγγίζειν· 49 : εἶτα διυλίσαντες καὶ μεταγγίσαντες ἀποτίθενται· mox : Καὶ μεθ' ἡμέρας μ' μεταγγίζουσιν· 50, 54, 55. Ib. 64 : Καὶ μετὰ τὸ ἀποζέσαι τὸν οἶνον μετάγγιζε· 70, 72, 79, 81. Geopon. 3, 5 : Τούτῳ τῷ μηνὶ τοὺς οἴνους μεταγγίσομεν· 7, 6, ubi Niclas. : « E doliis in amphoras et cados transfundere, ut in his serventur in vetustatem. Nam in dolia modo nova vina conjiciebantur, inde ad asservandum in alia vasa diffundebantur. Sic enim Latini interpretantur τὸ μεταγγίζειν. Quam veterum consuetudinem egregie illustrat Lambin. ad Horat. Epist. 1, 5, 4, qui omnino adeatur. » || Metaphorice ponitur de animabus. Clem. Al. Strom. 3, p. 516 : Κἄστιν τὸ δόγμα τοῦτο οὐ τοῖς ἀπὸ Μαρκίωνος ἔτι, τοῖς δὲ ἐνσωματοῦσθαι (leg. μετενσωματοῦσθαι coll. 4, p. 601 : Ἀλλὰ πρὸς μὲν τὰ δόγματα ἐκεῖνα, εἰ μετενσωματοῦται ἡ ψυχὴ κτλ., et 6, p. 757 : Τὸ περὶ τὴν μετενσωμάτωσιν τῆς ψυχῆς δόγμα. V. Ἐνσωμάτωσις) καὶ μετενδεῖσθαι καὶ μεταγγίζεσθαι τὰς ψυχὰς ἀξιοῦσιν, οἰκεῖον, ubi Sylb. : Sic Transfundi animas Seneca quoque dicit Ep. 108 : « Nulla, si Pythagoræ credas, anima interit, nec cessat quidem, nisi tempore exiguo, dum in aliud corpus transfunditur, quasi e vase in vas, sic in corpus e corpore. » Ejus μεταγγισμοῦ mentio etiam ap. Epiphan. in Simone Mago p. 57 : Καὶ συνέχοντες αὐτὴν τοῦ μὴ ἄνω δύνασθαι ἀνιέναι, συνεγίνετο αὐτῇ ἕκαστος ἐν ἑκάστῳ σώματι γυναικείας καὶ θηλυκῆς σχέσεως, μεταγγιζομένης αὐτῆς ἀπὸ σωμάτων θηλυκῶν εἰς σώματα διάφορα ἀνθρωπίνης φύσεώς τε καὶ κτηνῶν καὶ ἄλλων, κτλ. Augustin. Hær. 58 : « Metangismonitas etiam quosdam hæreticos appellatos esse monet, quod Filium in Patre, ut vas in vase, esse dicerent. » De quibus loquens corrigendus est Philastrius De hæresibus, ubi μετάννιχαν pro μεταγγισμὸν, post eum locum, ubi in Theodorum agit. Angl. Epiphan. in hæresi Manichæorum n. 28 : Ἐρῶ δὲ ὑμῖν καὶ τοῦτο πῶς μεταγγίζεται ἡ ψυχὴ εἰς πέντε σώματα. Ducang. Eust. Il. p. 1090, 32 : Δεδοικυῖαν μὴ μεταγγισθεῖσα (anima sec. Pythagoreos) ἀναξίῳ περιπέσῃ σώματι. Valck.]

[Μεταγγισμονῖται, οἱ, Metangismonitæ, hæretici sic appellati, ex voce ἄγγος, quia asserebant sic esse in Patre Filium, tanquam vas minus intra vas majus. Ducang. V. Μεταγγίζω.]

Μεταγγισμὸς, ὁ, De vase in vas transfusio, Elutriatio, Decapulatio. [Geopon. 7, 6, e Zoroastre : Περὶ μεταγγισμοῦ οἴνου, καὶ πότε χρὴ μεταντλεῖν τοὺς οἴνους. || « Μεταγγισμὸν ψυχῶν Manichæi τὴν μετεμψύχωσιν appellabant, ut est in Anathematismo hæresis Manichæorum. » Ducang. Hierocles apud Photium Bibl. cod 215, p. 172, 23 : Τὸν ἐξ ἀλόγων ζώων ἢ εἰς ἄλογα μεταγγισμόν. Creuzer. Eust. Opusc. p. 89, 1 : Τὸν τερατευόμενον μεταγγισμὸν μετεμψυχώσεως λόγῳ.]

[Μεταγείρω, Recolligo. Oppian. Hal. 1, 294 : Μετὰ δ' αὖτις ἀγειρόμενοι νόον ἤδη βαιὸν θαρσήσαντες ἀπὸ ψαμάθοιο πάσαντο. Wakef.]

[Μεταγείτνια. Μεταγείτνιος Ἀπόλλων. V. Μεταγειτνιών.]

Μεταγειτνιὼν, ῶνος, ὁ, Metagitnion, secundus Atheniensium mensis, in quo Apollini Μεταγειτνίῳ sacrificant, ut tradit Lysimachides De Atheniensium mensibus. Ita Harpocratio. Plut. Publ. p. 189 [c. 14]. Εἰδοῖς Σεπτεμβρίαις, ὃ συντυγχάνει περὶ τὴν πανσέληνον τοῦ Μεταγειτνιῶνος· indicans Idus Septembres et plenilunium Metagitnionis maxime concurrere. Idem Camillo p. 251 [c. 19] scribit mensem Metagitnionem a Bœotis vocari Panemum : et Nicia p. 989 [c. 18] mensem Carneum Syracusanorum ab Atheniensibus nominari Metagitniona. Meminit ejus et Aristot. H. A. 5, 17. [Et historici, oratores et inscrr. passim. Schol. Thuc. 2, 15 : Ἠνάγκασε μιᾷ πόλει ταύτῃ χρῆσθαι, ἣ ἁπάντων ἤδη ξυντελούντων ἐς αὐτὴν μεγάλη γενομένη παρεδόθη ὑπὸ Θησέως τοῖς ἔπειτα· καὶ ξυνοίκια ἐξ ἐκείνου Ἀθηναῖοι ἔτι καὶ νῦν τῇ θεῷ ἑορτὴν δημοτελῆ ποιοῦσι) ὁ δὲ μὴν ἐκεῖνος ὠνομάσθη Μεταγειτνιών. Plut. Mor. p. 601, B : Ἐπώνυμον θυσίαν ἄγουσι τοῦ μετοικισμοῦ τὰ Μεταγείτνια, i. q. μετοίκια.]

Μεταγενέστερος, α, ον, Qui post natus est, Minor natu, Qui tempore est posterior alio. [Posterior, Minor, et in plur. Posteritas, Gl. « Didymus s. schol Hom. Od. (A, 302) : Ὀψιγόνων, μεταγενεστέρων. Μεταγενέστεροι δανεισταί, Posteriores creditores, ap. Harmenop. 3, 3, 59. Διατάξεις μεταγενέστεραι, Posteriores constitutiones, 1, 1, 38. Item Posthumus in Gl. Basilic. » Ducang.] Fit autem hoc tanquam a μεταγενὴς, et μεταγενὴς ut a μεταγίνομαι, significante Sum post, quod habet Hesychius [Qui Μεταγενὴς interpretatur μεταγενέστερος. Menander ap. Athen. 13, p. 559, F : Ἐξώλης ἀπόλοιθ' ὅστις ποτὲ ὁ πρῶτος ἦν γήμας, ἔπειθ' ὁ δεύτερος, εἶθ' ὁ τρίτος, εἶθ' ὁ τέταρτος, εἶθ' ὁ μεταγενής. Valck. Diodor. 11, 14; 12, 11. Hemst. Idem 1, 15.]

[Μεταγένης, ους, ὁ, Metagenes, n. viri, Laconis, ap. Thuc. 5, 19, 24. Aliorum ap. Æschinem et alios, inter quos notissimus Comicus.]

[Μεταγεννάω, Denuo genero. Joseph. A. J. 11, 3, 3 : Μεταποιεῖ καὶ μεταγεννᾷ τὰς ψυχάς.]

Μεταγίγνομαι. V. Προγίγνομαι. [Transferor, Deportor. Maccab. 2, 2, 1 : Εὑρίσκεται δὲ ἐν ταῖς ἀπογραφαῖς Ἱερεμίας ὁ προφήτης ὅτι ἐκέλευσε τοῦ πυρὸς λαβεῖν τοὺς μεταγινομένους ὡς σεσήμανται, καὶ ὡς ἐνετείλατο τοῖς μεταγενομένοις. Schleusn. Lex.]

Μεταγιγνώσκω s. Μεταγινώσκω, Sententiam muto, s. Quod decrevi, Consilium aliud capio. Qui enim sententiam mutat, et aliud consilium capit, veluti post decernit s. statuit. Potest tamen μετὰ, sicut et in aliis multis compp., Mutandi etiam signif. habere. Interdum vero reddi potest et Resipisco, Me pœnitet. [Æsch. Ag. 221 : Τόθεν τὸ παντότολμον φρονεῖν μετέγνω. Soph. Phil. 1270 : Οὐκοῦν ἔνεστι καὶ μεταγνῶναι πάλιν; « Herodot. 1, 40 : Νενικημένος ὑπὸ σέο μεταγινώσκω· 86 : Μεταγνόντα τε καὶ ἐννώσαντα κτλ. » Schweigh. Plato Phædr. p. 231, A : Τοῖς δὲ οὐκ ἔστι χρόνος ἐν ᾧ μεταγνῶναι προσήκει.] Thuc. 3, [46] : Οὔτε ἀνέλπιστον καταστῆσαι τοῖς ἀποστᾶσιν ὡς οὐκ ἔσται μεταγνῶναι· 1 : Ἐν δὲ τῇ ὑστέρᾳ μετέγνωσαν (οἱ Ἀθηναῖοι), Posteriore autem concione consilium aliud ceperunt, Sententiam mutarunt. Id. [3, 58] : Καμφθῆναι ὑμᾶς καὶ μεταγνῶναι εἴτι ὑπὸ Θηβαίων ἐπείσθητε. Ubi tamen μεταγνῶναι crediderim non itidem absolute poni, sed jungi cum sequente accus. : sicut et μεταγνῶναι τὰ προδεδογμένα ab Eod. dicitur [ib. 40. Id. 4, 92 : Νυνὶ δ' εἴ τῳ καὶ ἀσφαλέστερον ἔδοξεν εἶναι, μεταγνώτω.] Itidem ap. Eur. Med. [64] : Μετέγνων καὶ τὰ πρόσθ' εἰρημένα. Quibus in ll. μεταγνῶναι non possumus reddere Mutare sententiam, nisi accus., qui additur, in ablativum, præfixa præp. De, convertamus. Veluti si μεταγνῶναι εἴτι ἐπείσθητε (jungo enim cum accus. et hoc in loco, uti dixi) reddamus, Mutare sententiam de eo quod persuasi fueritis facere. Itidemque, μεταγνῶναι τὰ προδεδογμένα, Mutare sententiam de iis quæ decreta fuerint. Alioqui si accus. Græcus accusativo Latino reddatur, contenti esse debebimus verbo Mutare : hoc modo, Mutare quæ decreta erant, s. ante decreta. Sed ut revertar ad μεταγινώσκειν neutraliter positum, sciendum est inveniri etiam μεταγινώσκειν ἐπί τινι, item sine præp. μεταγινώσκειν τινί. Lucian. De cal. [c. 4] : Πτολεμαῖος οὕτω λέγεται μεταγνῶναι [legitur αἰσχυνθῆναι] ἐπὶ τοῖς γεγονόσιν. Sic Herodian. 2, [13, 20] : Μετεγίγνωσκον δ' ἐπὶ τῷ ἀνόπλως ἐλθεῖν. Rarior est altera constr. cum dat., præfixam præpositionem non habente : cujus exemplum est ap. Philostr. Ep. 25 : Κλαίει γοῦν καταπεσὼν, καὶ μεταγινώσκει τῷ φόνῳ τῶν τριχῶν. His autem ll., in quibus dat. vel cum præp. vel solum habet, aptime convenit interpr. per verbum Pœnitere : licet Polit. in illo Herodiani l. μετεγίγνωσκον reddere maluerit, Pertæsi ac dolentes. Ap. Hesych. legitur aor. pass. Μετεγνώσθη (ita enim scripsisse putandus est, aut μετανεγνώσθη, non μεταγνώσθη), quod exp. μετανεπείσθη. Existimo autem sumptum esse ex Soph. hoc verbum, Aj. p. 43 meæ edit. [716] (ubi tamen non μετεγνώσθη, sed μετανεγνώσθη legitur) hoc in l. : Εὖτέ γ' ἐξ ἀέλπτων Αἴας μετανεγνώσθη θυμῶν Ἀτρείδαις μεγάλων τε νεικέων. Sed quædam exempll. μετεγνώσθη habent. Utram autem lectionem secutus sit Hesych. incertum est : sic tamen ut alphabetica series pro lectione illa μετανεγνώσθη potius quam pro hac μετεγνώσθη faciat : præterquam quod expos., quam ei dat, sc. μετανεπείσθη, eam comprobare videtur : quod et hic composito uti voluerit illam præp. ἀνὰ habente. Verum cur multo post eand. scripturam ab eo repeti dicemus? Post μεταναστεύου enim expositum μετέρχου et μετοίκει, legitur μετανεγνώσθη cum eadem illa expositione. Cui subjungitur, Τὸ ἀναπεῖσαι, ἀναγνῶναί φασι. Quæ verba addita lectionem illam μετανεγνώσθη aperte et ipsa comprobant : adeo ut existimem priore in loco irreptitium esse μεταγνώσθη, quod ibi sedem invenerit ratione habita seriei alphabeticæ, quum per errorem prætermissa fuisset syllaba νε. Ad illum autem Sophoclis l. ut redeam (ex quo non dubium est quin lexicographus ille vocem hanc deprompserit), schol. μετανεγνώσθη legit, exponens μετεπείσθη καὶ μετεβλήθη τὴν ψυχήν. Totius autem loci ap. eum est hæc expos. : Ὁπότε ἐξ ἀνελπίστων καὶ μεγάλων νεικέων ὁ Αἴας μετεπείσθη καὶ μετεβλήθη τὴν ψυχὴν τοῖς Ἀτρείδαις ἀπὸ τῆς A ἔχθρας. Sed (libet enim quædam obiter de hoc l. addere) non placet quod ἐξ ἀέλπτων jungit cum νεικέων : existimo enim ἐξ ἀέλπτων poni pro ἐξ ἀέλπτου, quod nihil aliud est quam ἀέλπτως. Quod autem θυμὸν legit, in eo lubenter illi assentior, præsertim si sequatur τῶν μεγάλων νεικέων, ut ipse bis scribit : quum alioqui, dicens ἐξ ἀνελπίστων μεγάλων τε νεικέων, non τῶν, sed τε agnoscat : si tamen hæc, quæ subjunguntur, Ejusd. sunt : quod vix credo. Legendo autem θυμὸν, ita reddendum censuerim, Deductus est de sententia erga Atridas. Vel, Mutata sententia s. Mutato animo factus est alius erga Atridas. [Sequente ὡς Xen. Cyrop. 5, 5, 40 : Ὥστε τὸν Κυαξάρην μεταγιγνώσκειν ὡς οὔτε Κῦρος ἀφίστη ἀπ' αὐτοῦ κτλ. || Æsch. Suppl. 110 : Ἄταν δ' ἀπάτᾳ μεταγνοὺς, Sero intelligens.]

Μετάγχεια, ας, ἡ, in VV. LL. Vallis, in qua signif. abundat præpositio μετά. [Imo μετάγχεια perperam scribitur pro μεσάγκεια. V. Hemst. ad Lucian. Char. c. 13, p. 508. Angl. Hemsterh. l. c. agit de μισγαγκείᾳ, quam restituere dubitat Theophilo Ad Autol. 3, 27, B p. 398, A, pro μεσαγγίᾳ, quod Μασσαγετίᾳ scripsit Fellus. Μεσάγκεια sine testimonio posuit Schneiderus, fortasse fictum ex hoc l., ubi μετάγχεια interpretatur μεσάγκεια.]

[Μεταγλωττάω, Theod. Prodr. Epist. p. 139.]

[Μεταγλωσσίζω s. Μεταγλωττίζω, Interpretor, Transfero. Ms. ap. Pasin. Codd. Taur. vol. 1, p. 473, B : Λόγοι ἀσκητικοὶ μεταγλωττισθέντες ἀπὸ τῆς Ἀράβων γλώττης. V. Μεταγλωσσιστής. L. Dind.]

[Μεταγλωσσιστὴς s. Μεταγλωττιστὴς, ὁ, Interpres, ἑρμηνευτὴς ap. Sguropulum Hist. Concil. Florent. 2, 28; 4, 22; 5, 2, 4; 8, 8, 11. Μεταγλωττίζειν, Interpretari, διερμηνεύειν, ap. eund. 6, 17; 9, 3. Ducang.]

Μετάγνοια, ἡ, ap. Soph. pro Pœnitentia; sed quum sit pro μετάνοια, minime huc pertinet. Nisi forte tale esse velimus quale ἄγνοια : cujus formam retinet etiam ἀπόγνοια pro ἀπόγνωσις. [El. 581 : Μὴ πῆμα σαυτῇ καὶ μετάγνοιαν τίθῃς.]

[Μεταγνώμη, ἡ, Defectio. Appian. B. C. 5, 122 : Περὶ τῆς μεταγνώμης τοῦ πεζοῦ πυθόμενος.]

C Μετάγνωσις, εως, ἡ, Mutatio sententiæ, Pœnitentia. [Herodot. 1, 87 : Μαθὼν τὴν Κύρου μετάγνωσιν. Schw. Demosth. Epist. 1, p. 1466, 23 : Ἀλλὰ ἡ περὶ τούτων μετάγνωσις ἧττα τῆς προαιρέσεως γίγνεται. Seager. Pollux 6, 115.]

[Μεταγομφόω, In clavum s. clavos muto. Nicet. Chon. p. 199, D : Εἰς ὅπλα καὶ βέλη τοὺς ἑαυτῶν ὀδόντας μεταγομφοῦντες.]

[Μεταγραμματίζω, Literas muto s. Literis mutandis transfero. Nicet. Chon. p. 189, C : Ἐς τὸ κατάλληλον τῶν ἔργων τὴν κλῆσιν μετάγοντες. Cod. barbarogr. μεταγραμματίζοντες. « Tzetz. V. Lyc. (p. 264 Müll., ubi pass.) » Boiss.]

[Μεταγραμματισμὸς, ὁ, τῶν μεταβαλλόντων ἐκ τῆς παλαιᾶς γραφῆς εἰς τὴν ὑστέραν, ap. Galen. vol. 12, p. 58, Transcriptio et mutatio veteris orthographiæ in novam. L. Dind.]

[Μεταγραπτέος, α, ον, Transcriptitius, Gl. « Plut. » Wakef.]

Μεταγραφεὺς, έως, ὁ, Exscriptor, Qui transcribere D solet. [Tzetz. ad Lyc. 354, 496, 664. Boiss.]

Μεταγραφὴ, ἡ, Descriptio libri et exemplum, Julian. ap. Bud. [Ep. 9 : Μετέδωκε γάρ μοι ... πρὸς μεταγραφήν τινα.]

[Μεταγραφικὸς, ἡ, ὸν, Qui transcribentis est, πταῖσμα, Tzetz. ad Hesiod. Op. 696.]

Μεταγράφω, Muto scriptum, Bud. e Xen. [H. Gr. 6, 3, 19 : Προσελθόντες πάλιν τῇ ὑστεραίᾳ οἱ πρέσβεις αὐτῶν ἐκέλευον μεταγράφειν ἀντὶ Θηβαίων Βοιωτοὺς ὀμωμοκότας. Thuc. 1, 132 : Ἣν ἐκεῖνός τι μετάγραψαι αἰτήσῃ. « Eur. Iph. A. 108 : Ἃ δ' οὐ καλῶς ἔγνων τότ', αὖθις μεταγράφω καλῶς πάλιν ἐς τήνδε δέλτον. Demosth. p. 542, 9 : Τὸ μὲν οὖν πρῶτον οἷός τ' ἦν πείθειν τὴν δίκην, ἣν καταδεδιῃτήκει, ταύτην ἀποδεδιῃτημένην ἀποφέρειν, καὶ τοὺς ἄρχοντας μεταγράφειν, Corrumpere acta judicii, mutando scripta, veris expunctis falsa suggerendo. » Seager. Isocr. p. 365, A : Ἐπειδὴ μετεγράφησαν (αἱ συνθῆκαι).] Et μεταγράφω τὸν νόμον, Abrogo, Refigo, Idem ex Dinarcho [p. 95, 31]. Idem p. 596, μεταγράφειν interpr. Arbitrium inducere et circumducere, h. e. Sententiam arbitrorum antiquare. Schol. exp. μεταγράφειν τὴν ὑπογραφὴν τῆς διαιτήσεως, Jam probatum arbitrium inducere, ut alibi vertit Bud. [Apoll. Lex. Hom. p. 697 : Ζηνόδοτος μεταγράφει. Schol. Hom. Il. B, 681, et sic alibi.] || Μεταγράφω, pro ἀπογράφω, Exscribo, Describo. Ap. Thuc. [4, 50] non solum Describo, sed simul etiam In aliam linguam transfero : Τὰς μὲν ἐπιστολὰς μεταγραψάμενοι ἐκ τῶν Ἀσσυρίων γραμμάτων ἀνέγνωσαν. || Transcribo [Gl.], ut, μεταγράφω τοῦτο εἴς σε, Pausan. [1, 18, 3 : Τὰς Μιλτιάδου καὶ Θεμιστοκλέους εἰκόνας ἐς Ῥωμαῖόν τε ἄνδρα καὶ Θρᾶκα μετέγραψαν.] V. Bud. p. 597. [Ap. Diodor. 3, 4 : Οὐ γὰρ ἐκ τῆς τῶν συλλαβῶν συνθέσεως ἡ γραμματικὴ παρ' αὐτοῖς τὸν ὑποκείμενον λόγον ἀποδίδωσιν, ἀλλ' ἐξ ἐμφάσεως τῶν μεταγραφομένων καὶ μεταφορᾶς μνήμῃ συνηθλημένης, otiosam videri præpositionem, quæ facile nasci ex sequenti voc. potuit, dixi in Γραμματικὸς, vol. 2, p. 760, C. Cum dat. Vita Euthymii in Cotel. Eccl. monum. vol. 2, p. 248, C : Τοῖς πίναξιν ὥσπερ τῆς ἑαυτοῦ ψυχῆς μεταγράφειν τὰ ἐκείνου καλά.]

Μετάγω, Transfero, Traduco. [Redigo, Gl.] Interdum, Dimoveo. [Palladas Anth. Pal. 10, 77, 6 : Μᾶλλον ἐπ' εὐφροσύνην δὲ βιάζεο καὶ παρὰ μοῖραν, εἰ δυνατὸν, ψυχὴν τερπομένην μετάγειν.] Herodian. 3, [5, 2] : Πρῶτον δὲ πᾶσαν τὴν ἀρχὴν Ῥωμαίων εἰς ἑαυτὸν καὶ τοὺς παῖδας μεταγαγεῖν καὶ βεβαιῶσαι ἠθέλησε. Ibid. [8, 10] : Χρημάτων δὲ ἐπιθυμεῖν διδάξαι, καὶ μεταγαγὼν εἰς τὸ ἁβροδίαιτον. Plut. De primo frigido μετάγειν et μετοικίζειν copulavit. [M. τὴν ἐκκλησίαν (ἐξ Αἰγίου) εἰς Σικυῶνα, Polyb. 5, 1, 9. M. τοὺς ἄνδρας μετὰ τέκνων καὶ γυναικῶν εἰς Ἠμαθίαν, 24, 8, 4. Schweigh. Lex. Diodor. 20, 3 : Τὸν πόλεμον μετάξειν εἰς τὴν Λιβύην.] || Sequor cum exercitu, inquit Bud., citans hæc e Xenoph. Cyrop. 7, [4, 8] : Ἐπεὶ ἧκεν ὁ Ἀδούσιος, μετάγειν αὐτὸν ἐκέλευσεν ᾗπερ ὁ Ὑστάσπης προῴχετο.

[Μετᾰγωγεὺς, έως, ὁ, « Cocchii Chirurg. vett. p. 8 : Μεταγωγεὺς Ἡλιοδώρου, Heliodori Adducens. Et ib. p. 28 : M. Ἱπποκράτους. » Kall. Epiphan. Adv. hær. 31, p. 171 : Λέγει δὲ αὐτός τε καὶ οἱ αὐτοῦ, τὸν κύριον ἡμῶν Ἰησοῦν Χριστὸν, ὡς ἔφην, καὶ Σωτῆρα καὶ Χριστὸν καὶ Λόγον καὶ Σταυρὸν καὶ Μεταγωγέα καὶ Ὁροθέτην καὶ Ὅρον, ubi vertitur, Traductorem. Et ib. : Ὅλη δὲ ἡ ὀγδοὰς συνῆλθε μετὰ ἡδονῆς ἀγηράτου καὶ ἀφθάρτου μίξεως· οὐ γὰρ ἦν χωρισμὸς ἀλλήλων· ἦν δὲ σύγκρασις μεθ' ἡδονῆς ἀμώμου καὶ ἀνέδειξε πεντάδα προυνείκων ἀθηλύντων, ὧν τὰ ὀνόματά ἐστι ταῦτα, Καρπιστὴς, Ὁροθέτης, Χαριστήριος, Ἄφετος, Μεταγωγεύς· οὗτοι τῆς μεσότητος ὠνομάσθησαν υἱοί. Pluribus de signif. Μεταγωγέως ap. hunc et Irenæum disputat Massuetus ad Iren. p. 10, Deductorem i. e. quasi Tutorem dici opinatus. Circumductorem dixit Tertullianus.]

Μεταγωγὴ, ἡ, Translatio, Traductio. [Evectio, Transvectio ; M., ἐπὶ ξένης, Transductio, Gl. Favor. : M. καὶ διάβασις ἀπὸ τῶν διαιτῶν (l. διαιτητῶν) εἰς τοὺς δικαστάς. Joseph. A. J. 12, 2, 3 med. : Καὶ διὰ τὴν εἰς Αἴγυπτον αὐτῶν μεταγωγὴν πολλὴν ὠφέλειαν ἐκ τούτου τοῖς στρατιώταις γεγονέναι. Angl. Μεταγωγαὶ πραγμάτων, Rerum inversiones et translationes, methodus oratoria, in narrationibus utilis. Dionys. Jud. Isæi 15, p. 614 : Πολλὰς δ' ἂν ἔχοιμι καὶ ἄλλας παρασχέσθαι διηγήσεις, πρὸς τὸ συμφέρον ᾠκονομημένας ὑπὸ τοῦ ῥήτορος, προκατασκευαῖς, παρασκευαῖς, μερισμοῖς, χωρίων ἀλλαγαῖς, πραγμάτων μεταγωγαῖς, τῷ τὰ κεφάλαια ἀνεστράφθαι, κτλ. Ernest. Lex. rhet.]

[Μεταγωγητικὸς, ἡ, όν, Traducens, in inscr. Basilic. Homil. cod. Berolin. fol. 129 r. : Ἑρμηνεία τοῦ ἐν ἁγίοις πατρὸς ἡμῶν Βασιλίου περὶ τῆς ἐκκλησιαστικῆς καταστάσεως καὶ εἰς σωτηρίαν μεταγωγητική. Osann.]

Μεταγωγὸς, ὁ, Translator, ap. Dionys. Areop., inquit Bud. Idem scribit, Didymum interpretantem illud Odysseæ A [immo K, 32] : Αἰεὶ γὰρ πόδα νηὸς ἐνώμων, annotare, τὸν μεταγωγὸν τοῦ κέρατος κάλων, ἢ τὸ πηδάλιον. [Id. ad E, 260 : Πόδας) τοὺς πόδας τοὺς κάτωθεν συνέχοντας τὴν ὀθόνην, ἢ τοὺς μεταγωγοὺς τοῦ κέρατος. Conf. Eust. Od. p. 1534, 27.]

[Μεταγώνιον, ἡ, Metagonium. Πόλις Λιβύης. Ἑκαταῖος Λιβύῃ· θηλυκῶς δὲ ταύτην φασί. Τὸ ἐθνικὸν Μεταγωνίτης, Steph. Byz. Strabo 3, p. 170 : Τὸ ἀντικείμενον ὄρος τῆς Λιβύης ὅ φησιν Ἐρατοσθένης ἐν τῷ Μεταγωνίῳ Νομαδικῷ ἔθνει ἱδρῦσθαι· iterumque ibid. Et 17, p. 827 : Καλεῖται δὲ καὶ ἄκρα μεγάλη πλησίον τοῦ ποταμοῦ καὶ Μεταγώνιον τόπος· et sæpius in seqq. Τὰ Μεταγώνια et gent. Μεταγωνῖται, ap. Polyb. 3, 33, 12 et 13. Μεταγωνῖτις ἄκρα Ptolem. 4, 1.]

[Μεταγωνίτης. V. Μεταγώνιον.]

[Μεταδαίνυμαι, Epularum particeps sum. Hom. Il. X, 498 : Οὐ σός γε πατὴρ μεταδαίνυται ἡμῖν· Σ, 48 · Αἰεὶ δ' αὖθ' ἡμῖν μεταδαίσεται. Absolute Quintus 2, 157.]

Μεταδαίομαι, quod quidam interpr. Inter alios epulor, Particeps sum epuli. Secundum quam interpr. legerem ap. Hesych. μεταδαίσωμαι, μεταλάβω εὐωχίας. [Respicitur Hom. Il. Ψ, 207 : Ἵνα δὴ καὶ ἐγὼ μεταδαίσομαι ἱρῶν.]

[Μεταδειπνέω, Mutata consuetudine cœno. Hippocr p. 389, 7 : Εἰ δέ γε ἐπὶ πλείω χρόνον κενεαγγήσας ἐξαπίνης μεταδειπνήσειεν.]

[Μεταδετέον, Loris solvendum est. Xen. Eq. 4, 4 : M. (τὸν ἵππον) μετὰ τὸ ἄριστον ἀπὸ τῆς φάτνης.]

Μεταδεῦσαν, Hesych. μετάνοιαν, Pœnitentiam, sed suspectum.

[Μεταδέχομαι, Excipio. Nathanael Antithet. adv. Plotin. vol. 2, p. 1430 med. : Εἰ φαύλους ἡμᾶς παρέξομεν ἐν τῷ παρόντι καὶ πονηροὺς, πονηρὰ κἀκεῖ μεταδέχεται. L. Dind.]

Μεταδήα, Hesych. μεταμελέτη, sed suspectum.

Μεταδήμιος, ὁ, ἡ, i. q. ἐνδήμιος, Eust. [et Hesych.], Qui in populo est, versatur. Hom. Od. N, [46] : Μή τι κακὸν μεταδήμιον εἴη· quemadmodum ἐνδήμιον et ἐπιδήμιον νόσημα dicitur. [Dionys. Per. 744 : Οὐδὲ μὲν οὐδ' οἶνος μεταδήμιος.] || Qui præsens in populo est, opp. τῷ ἀπόδημος et ἔκδημος. Od. Θ, [293] : Οὐ γὰρ ἔθ' Ἥφαιστος μεταδήμιος, ἀλλά που ἤδη Οἴχεται εἰς Λῆμνον. [Μετάδημος, ap. Hesych. in Μετένδημος. Hemst.]

Μεταδιαιτῶ, ap. Lucian. [D. mort. 12, 3] : Ἀποστὰς τῶν πατρῴων προσκυνεῖσθαι ἠξίου, καὶ δίαιταν τὴν Μηδικὴν μετεδιῄτησεν ἑαυτὸν, Suum vitæ genus Medico commutavit. Sed non dubito, quin mendose omissa sit præp. εἰς ante δίαιταν. Ceterum in VV. LL. perperam legitur Μεταδιαιτέω, similique errore διαιτέω pro μεταδιαιτάω et διαιτάω. [Pass. Macc. 4, 8, 7 : Μεταδιαιτηθέντες.]

[Μεταδιαίτησις, εως, ἡ, Mutatio victus. Niceph. Greg. Hist. Byz. 2, 4, p. 19, C : Διὰ τὴν ἐς τὰ ἐκείνων ἤθη ... μεταδιαίτησιν· 5, p. 23, C : Ἐς τοσαύτην γὰρ τὴν μεταδιαίτησιν ἤδη παρήλλαξαν.]

Μεταδῐδάσκω, Dedocens priora, nova doctrina erudio; μετὰ enim, ut Bud. docet, τὴν ἀπό τινος εἰς ἕτερον μεταλλαγὴν δηλοῖ, ut in μεθαρμόζω. Plut. [Mor. p. 784, B] : Τὸ γὰρ, πόλις ἄνδρα διδάσκει, κατὰ Σιμωνίδην, ἀληθές ἐστιν ἐπὶ τῶν ἔτι χρόνον ἐχόντων μεταδιδαχθῆναι καὶ μεταμαθεῖν μάθημα, διὰ πολλῶν ἀγώνων καὶ πραγμάτων μόλις ἐκπονούμενον. [Οὔτε τὴν διάλεκτον τὴν Δωρίδα μετεδιδάχθησαν, Pausan. 4, 27 extr. Hemst. Χαλεποῦ δὲ ὄντος τοῦ διδάσκειν, τῷ παντὶ χαλεπώτερον τὸ μεταδιδάσκειν, Dio Prus. Orat. 11. Gataker. Philostr. 1, 16. Aliud ex. annotavit Suidas.]

Μεταδίδωμι, Dono partem, Impertior, [Impertio, Protendo, Tribuo, Gl.] Participo, Communico. Cum accus. rei et dat. personæ ap. [Theogn. 921 : Οὔτε γὰρ ἂν προχαμὼν ἄλλῳ κάματον μεταδοίης, sed ubi al. καμάτου,] Herodot. [8, 5] : Μεταδιδοῖ Εὐρυβιάδῃ πέντε τάλαντα, Eurybiadi quinque talenta impertit. Sic Aristoph. Vesp. [917] : Οὐδὲν μετέδωκεν οὐδὲ τῷ κοινῷ γ' ἐμοί. Sic [alibi] et Plato Epist. 7, [p. 336, E, et alibi sæpe]. Sed et Lucian. : Μεταδιδόασι δωρεάς. [Xen. Anab. 7, 8, 11 : Ἵνα μὴ μεταδοῖεν τὸ μέρος. Et alibi.] Usitatius tamen ap. Herodoti posteros cum eod. quidem dat., sed cum gen. rei, [vel sine dat., ut Μεταδίδωμι μέρους, Participo, Impertio, Gl. Theognis 104 : Οὔτε κεν ἐσθλὸν ἔχων τοῦ μεταδοῦν ἐθέλοι. Eur. Or. 450 : Μετάδος φίλοισι σοῖσι σῆς εὐπραξίας· Suppl. 57 : Μετά νυν δὸς ἐμοὶ σᾶς διανοίας, μετάδος δ' ὅσσον ἐπαλγῶ κτλ. « Herodot. 1, 143 : Μεταδοῦναι αὐτοῦ μηδαμοῖσι ἄλλοισι· 4, 145 : Γῆς μετέδοσαν· 7, 150 : Οὐ μεταδώσουσι τῆς ἀρχῆς· 9, 33 : Τῶν πάντων μεταδιδόντες. » Schweigh. Lex.] ut μεταδιδόναι τῶν κινδύνων τοῖς πολλοῖς, Thuc. Sic, Χρὴ τοῦ βάρους μεταδιδόναι τοῖς φίλοις, Xen. [Comm. 2, 7, 1, et alibi sæpe similiter. || « Μεταδοῦναι τοῖς φίλοις ὑπὲρ τῶν προσπεπτωκότων, Communicare, Deliberare cum amicis, Polyb.

29, 11, 4. Περί τινος 39, 2, 1. » Schweigh. Lex. Eucharistiam populo porrigere. Conc. Cpol. sub Mena act. 5 : Τότε διάκονος ὢν μετεδίδων εἰς τὸ ἅγιον θυσιαστήριον. Mox : Μετάδος εἰς τὸ ὑποδιακονικόν. Et alibi. Duc.]

[Μεταδικάζω, Judicium muto. Pollux 8, 8. Sed deest in cod.]

[Μεταδίομαι, Insequor. Æsch. Suppl. 819 : Μετά με δρόμοισι διόμενοι. ĭ]

Μεταδιωκτέον, Persequendum, Insequendum. [Plato Tim. p. 64, B : Μ. πάντα ὅσα ἐπινοοῦμεν ἑλεῖν. Theophr. Metaphys. p. 318, 1 Brand. « Nemes. p. 226, 6; Dionys. Areop. Ep. 8, p. 455, 2. » Boiss.]

Μεταδίωκτος, ὁ, ἡ, Persequendo captus, Quem nacti sunt qui insequebantur, aliis Retractus, ut, Μ. γενόμενος ἦκε, Retractus venit [ex Herodoto 3, 63. Iamblich. In Nicom. p. 9 : Μεταδιωκτά τε καὶ ἐκ παντὸς αἱρετὰ ταῦτα τὰ μαθήματα, ex Platone illa citans. Kust.]

Μεταδιώκω, [ξομαι, rarius ξω, ut ap. Plotin. vol. 1, p. 388, 13 : Ὁπότε μεταδιώξουσι], Persequor, [Peto, Appeto, Adorior, Gl.] Insequor, Vestigo, Inquiro, ut dicitur μεταθέω, et μετέρχομαι. [Μεταδιώκει, τῶν εὐνούχων τὸν πιστότατον ἀποστείλας κατ' αὐτὸν, Herodot. 3, 4; μεταδιώξαντες τὸν κήρυκα, 3, 62. Schweigh. Lex. Xen. Cyrop. 7, 3, 7 : Ἐκέλευσε μεταδιώκειν, non Persequi, sed Subsequi, ut H. Gr. 4, 1, 39 : Ἀναπηδήσας μετεδίωκε τὸν πατέρα· 4, 5, 12 : Τὸν ἱππαρμοστὴν ἐκέλευσε ... μεταδιώκειν. De hostibus persequendis vero Cyrop. 4, 3, 2 : Μεταδιώκοντες τοὺς ἄλλους· H. Gr. 6, 5, 9.] Ita Cic. ap. Plat. [Tim. p. 46, D] μεταδιώκειν vertit Conquirere, p. 39 mei Cic. Lex. Gregor. : Καὶ πολλῆς παυσάμενοι πλάνης, μεταδιώξαιεν τὴν ἀλήθειαν. [Diod. 2, 32 : Ἀφροδισιακὰς τέρψεις μεταδιώκειν.] Ap. Plat. [Reip. 7, p. 531, C] in pass. : Ἄλλως δὲ μεταδιωκόμενον ἄχρηστον. Et in Philebo [p. 32, D] : Ὅτι ταύτῃ πῃ δεῖ διαθηρευθῆναι τὸ νῦν μεταδιωκόμενον. [Soph. p. 225, E : Τὸν μεταδιωκόμενον ὑφ' ἡμῶν σοφιστήν. Aristot. Meteor. 4, 11 : Ποῖα θερμὰ ... ἐκ τῶν εἰρημένων δεῖ μεταδιώκειν. « Διὰ τῶν γνωρίμων μεταδιώκειν τὰ ἀγνώριστα, Theophr. H. Pl. 1, 3, p. 5. » Hemst. Simpliciter Sequi ap. Theophil. Inst. 4, 7, 232 : Τρόπον τινὰ πρὸς αὐτὸν δοκῶ συναλλάττειν καὶ τὴν αὐτοῦ μεταδιώκειν πίστιν.]

[Μεταδίωξις, εως, ἡ, Petitio, Persecutio, Gl. Pollux 5, 165 : Ἡ δὲ μ. σκληρόν. Nicomach. Introd. ar. 1, 1, p. 67 : Τὴν ταύτης ὄρεξιν καὶ μεταδίωξιν. L. Dind.]

Μεταδοκεῖ μοι, Mutata sententia, s. Mutato consilio, censeo, vel mihi videtur. Dem. [p. 467, 21] : Καὶ μηδ' ἂν μεταδόξῃ ποτὲ, Si pœnituerit capti consilii, Bud. [Id. p. 1241, fin. : Μεταδόξαν αὐτῷ μὴ ἐκεῖσε πλεῖν.] Ex Herodoto [7, 13] affertur μή σφι μεταδόξῃ, pro Ne illis voluntas immutaretur. [Id. 4, 98 : Ἐπεῖτε οὕτω μετέδοξε. Pass. « Herodot. 7, 13 : Ὡς ὦν μεταδεδογμένου μοι μὴ στρατεύεσθαι. » Schweigh. Lex.] Sed et ex Luciano [Apolog. c. 3] cum infin. : Μετέδοξέ σοι ταῦτα βελτίω εἶναι, Mutata sententia hæc tibi meliora visa sunt. [Pausan. 5, 9, 1 : Μεταδόξαν μηκέτι ἄγειν αὐτὰ Ἠλείοις.]

Μεταδοξάζω, Opinionem muto, et μεταπείθομαι, ut Bud. exp. in hoc l. Plat. [Reip. 3, p. 413, C] : Τοὺς γε μὴν γοητευθέντας σύ γε φαίης ἂν εἶναι οἳ ἂν μεταδοξάσωσιν, ἢ ὑφ' ἡδονῆς κηληθέντες, ἢ ὑπὸ φόβου τι δείσαντες. [Soph. p. 265, D : Ἐγὼ ἴσως διὰ τὴν ἡλικίαν πολλάκις ἀμφότερα μεταδοξάζω.]

Μεταδόρπια, τὰ, Secundæ cœnæ, Postcœnia, ut Hermolaus vocat, Apuleium secutus, qui Antecœnia dixit, i. q. τραγήματα, Bellaria, Athen. 14, ex Plat. comico [immo philosopho, Critiæ p. 115, B] citans : Καὶ ἀκροδρύων πλῆθος, καὶ ὅσα παραμύθια ἡδονῆς μεταδόρπια, i. q. ἐπιδορπίσματα et ἐπιδορπὶς supra. [Pindar. ap. eund. 11, p. 480, C : Ὦ Θρασύβουλ', ἐρατᾶν ὄχημ' ἀοιδᾶν τοῦτο πέμπω μεταδόρπιον. Crinagoras Anth. Pal. 6, 229, 3 : Ἦν τι λάθῃ μίμνον μεταδόρπιον ἐγγὺς ὀδόντων. Athen. 14, p. 660, A : Ὅμηρος τὸ θύειν ἐπὶ τοῦ ψαιστὰ μεταδόρπια θυμιᾶν.]

Μεταδόρπιος, ὁ, ἡ, Cœnatus, quum de persona dicitur; at quum de re, i. q. ἐπιδόρπιος, q. d. Postcœnius. Hom. Od. Δ, [194] : Οὐ γὰρ ἔγωγε Τέρπομ' ὀδυρόμενος μ., Nec enim post cœnam, s. cœnatus, lamentis delector aut fletu; ut schol. exp., licet Eust. pro ἐνδόρπιος dictum velit, ut sit Inter cœnandum; sic μεταδόρπιος ποτὸς, Compotatio a cœna. [Ap. Polluc. 6, 30.

A Strato Anth. Pal. 12, 250, 1 : Νυκτερινὴν ἐπὶ κῶμον ἰὼν μεταδόρπιον ὥρην.]

Μεταδορπίσματα, in VV. LL. pro μεταδόρπια.

Μετάδοσις, εως, ἡ, Communicatio et q. d. Impertitio. [Xen. Cyrop. 8, 2, 2, σίτων καὶ ποτῶν.] Μ. τῶν καρπῶν, Aristid. Erogatio, Bud. in hoc l. Plut. : Ἄλλως τε καὶ πρὸς τὰς μεταδόσεις ἐλευθέριος. [Cleom. c. 32 fin.] Sic et ap. Gregor. μ. τῶν δεομένων interpr. Erogatio, et Eleemosynæ. [De corporis Dominici communione dictum v. in Μετάληψις.]

[Μεταδοτέον, Communicandum, Impertiendum. Xenoph. Cyrop. 7, 5, 79 : Πολεμικῆς ἐπιστήμης οὐ μ. Plato Lys. p. 211, C; et Alc. 1 p. 134, B : Ἀρετῆς σοι μ. τοῖς πολίταις. « Clem. Al. Pæd. 2, 7, p. 203. » Kall.]

Μεταδοτικὸς, ἡ, ὸν, Communicativus, Qui lubenter communicat, s. impertitur. [Diod. 1, 70 : Μεταδοτικὸς τῶν ἀγαθῶν. Iambl. Protr. p. 348 : Κοινωνικὸς ἴσθι καὶ μ.] Qui libenter erogat, Erogatorius, Bud. Idem ex gramm. affert, μεταδοτικὰ verba esse, ut ἀξιῶ, μεταδίδωμι : quibus respondere μετουσιαστικὰ, ut κοινωνῶ, μετέχω. In VV. LL. exp. et Contagiosus. V. et

B in Ἐπιδοτικός. [Τὸ μεταδοτικὸν, Marc. Anton. 1, 3. Gataker.]

[Μεταδότις, ιδος, ἡ, Quæ communicat. Dionys. Areop. p. 158. Kall.]

[Μεταδοτὸς, ὁ, Communicandus. Schol. Plethonis in Zoroastris Orac. Maittair. Misc. p. 137, 58 : Οὐδ' ὅλως μεταδοτὸν τῷ ἑτέρῳ ὄν. L. Dind.]

[Μεταδουλόω, Servum facio. Severus De clyster. p. 27 fin. : Τυραννηθὲν γὰρ ὑπ' αὐτῆς καὶ οἱονεὶ μεταδουλωθέν. Nisi leg. καταδουλωθέν. L. Dind.]

Μετάδουπος, ὁ, ἡ, Intercidens, i. e. Inter alios medius cadens, ut Liv. h. v. Intercidere usus est. In qua expos. antecedens pro consequente ponitur, i. e. casus pro sonitu, qui casum sequitur. Sic enim exp. Hesiod. [Op. 821] : Αἵδε μὲν ἡμέραι εἰσὶν ἐπιχθονίοις μέγ' ὄνειαρ. Αἱ δ' ἄλλαι μετάδουποι, ἀκήριοι, i. e. αἱ δ' ἄλλαι παρεμπίπτουσαι, s. μεταξὺ πίπτουσαι, ut Procl. et Moschop. exponunt.

Μεταδρομάδην, quod ex Apollonio [Rh. 1, 755] af-

C fertur pro Cursim, Currendo. Videndum tamen ne significet Currendo post, i. e. Persequendo. Hesych. certe exp. μετατροχαζόντως. [Hom. Il. E, 80 : Τὸν μὲν ἄρ' Εὐρύπυλος ... πρόσθεν ἔθεν φεύγοντα μεταδρομάδην ἔλασ' ὦμον. Oppian. Hal. 4, 508. ᾰ]

Μεταδρομὴ, ἡ, Transcursus. Exp. etiam Incursio, Discursio. [Eur. Iph. T. 941 : Μεταδρομαῖς Ἐρινύων μαινόμεσθα. Xen. Cyn. 3, 7 : Ἐν ταῖς ἴχνείαις καὶ μεταδρομαῖς· 6, 20; 9, 18, etc.]

Μετάδρομος, ὁ, ἡ, exp. Cursor; Animadversor, Ultor, τιμωρός. Atque ita μετατρέχειν i. foret q. μετέρχεσθαι et μετιέναι : sc. Currere post aliquem ad pœnas de eo sumendas, i. e. Persequi et ulcisci. [Soph. El. 1387 : Βεβᾶσιν ἄρτι δωμάτων ὑπόστεγοι μετάδρομοι κύνες κακῶν πανουργημάτων ἄφυκτοι, de Furiis. Eust. Opusc. p. 107, 72 : Οὐκ ἔστι φρονοῦντά με καὶ ἐπιμεμνημένον τοῦ ἐπ' ἐμοὶ βασιλικοῦ ἀγαθοῦ μὴ συνεπιμεμνῆσθαι ἅμα καὶ τῶν ἑτέρωθεν κακιῶν, ἐφ' αἷς μετάδρομον ἐμοὶ τὸ καλόν.]

[Μεταδύομαι, ap. Arat. 627 : Τῆμος ἀποιχομένην κεφαλὴν μεταδύεται Ἵππος, rectius scribitur divisim μέτα

D δύεται.]

[Μεταείρω. V. Μεταίρω.]

[Μέταζε, Interea. Herodian. Π. μον. λ. p. 46, 22, schol. Dionysii in Bekkeri Anecd. p. 945, 7, ex Hesiodo Op. 392, μήπως τὰ μέταζε χατίζων, ubi libri μεταξύ. Conf. schol. Ven. et Eust. Il. Γ, 29. Ap. Hesychium : Τὰ μετάξαι, μετὰ ταῦτα, Δωριεῖς, leg. esse τὰ μέταζε quivis videat, et animadvertit Meinek. Quæst. scen. 3, p. 38.]

Μεταζευγνύω, vel Μεταζεύγνυμι, Transjungo. Μεταζεῦξαι, inquit Bud., dici potest quod Lat. Transjungere. [Xen. Cyrop. 6, 3, 21 : Οὐδενὶ ἅρματι καιρὸς τοὺς ἵππους μεταζευγνύναι. « Psellus Opusc. p. 165, 4. » Boiss.]

[Μεταθέμενος, ὁ, Metathemenus, cogn. Dionysii Heracleotæ. V. Μετατίθημι.]

[Μεταθέσιμον, τὸ, Translatio episcopi ab una sede ad aliam. Theophanes a. 2 Artemii : Μετετέθη Γερμανὸς ἀπὸ τῆς μητροπόλεως Κυζίκου εἰς ΚΠ., ἐφ' ᾗ καὶ κητατόριν μεταθεσίμου τὸ ὑποτεταγμένον ἐκπεφώνηται. Ducang.]

Μετάθεσις, εως, ἡ, Transpositio, Permutatio. [Translatio, Gl. Diodor. 1, 23 : Ἀφορμὰς δ' ἔχειν τὸν Ὀρφέα πρὸς τὴν μετάθεσιν τῆς τοῦ θεοῦ γενέσεως τε καὶ τῆς τελετῆς τοιαύτας.] Dem. [?] de præstigiatoribus : Ψήφοις παίζειν τὴν ὄψιν κλεπτούσαις τῷ τάχει τῆς μεταθέσεως. [Id. p. 727, 10 : Μετὰ ταῦτα τηλικοῦτο πρᾶγμα ἀνελὼν ἐν τῇ τῶν ῥημάτων μεταθέσει προσέγραψε κτλ.] Est et figuræ grammaticæ nomen, quam Tryphon [et iisdem verbis Josephus Rhacendyt. in Walzii Rhett. vol. 3, p. 569, 9] sic definit, Μετάθεσις δέ ἐστι στοιχείου μετακίνησις ἐκ τῆς ἰδίας τάξεως ἐφ' ἑτέραν, ut quum κραδία dicitur pro καρδία, et κάρτος pro κράτος : quam, ἐνάλλαξιν etiam et ὑπέρθεσιν appellari tradit. Item et rhetoricæ figuræ nomen, de qua Jul. Rufin. [c. 9] : Μετάθεσις, inquit, est quum quod ante dictum est, postponitur; et quod post dictum est, anteponitur : ut, Eripis ut perdas, perdis ut eripias. Dicitur et μετάθεσις αἰτίας pro Translatio causæ, ut testatur Donatus, qui explicans hoc Terentii in Phormione [2, 1, 53], Postquam ad judices ventum est, non potuit cogitata proloqui : Hæc, inquit, apud oratores μετάθεσις αἰτίας dicitur, h. e. Translatio causæ facti : quem vulgo colorem nominant. Et aliquanto ante exponens hæc verba [45], Nostrane ea culpa est, an judicum ? Potentior, inquit, facta est sententia τῇ ἐρωτήσει : et oratorie, Nostrane culpa an judicum ? duplex μετάθεσις : altera in accusatorem, altera in judices. [M. αἰτίας, Hermogeni II. στάσ. 40 dicitur, quum alia de caussa factum aliquid esse affirmatur, quam adversarius intenderit, ut, si accusator dixerit : Sepelivisti, ut sedem celares, defensor, Nequaquam, inquit, sed quia honestum est, etiam inimicum sepelire, ne a feris lanietur. In his ergo est ἀναίρεσις, h. e. Remotio causæ vitiosæ, et θέσις ἀληθοῦς αἰτίας, Veræ causæ expositio, Syrian. ad Hermog. l. c. p. 156, in tom. 2 Ald. Rhett. : M. αἰτίας καλεῖται, διότι τὸ ἐπιφερόμενον ἔγκλημα ἐπί τι ἀνεύθυνον ἢ ἐπαίνου ἄξιον μετάγειν πειρᾶται ὁ φεύγων· et ibid. Marcellin. : Παρὰ τὸ μεταθεῖναι τὴν αἰτίαν τοῦ ἐγκλήματος εἰς αἰτίαν ἑτέραν εὔλογον. Hanc omnem formam, nominatim ab Hermagoreis, χρῶμα appellatam, Porphyrius ait ad Hermog. l. c. p. 162, et Sopater Διαιρ. στάσ. p. 316, itemque in schol. ad Hermog. 51 : Ἰστέον, ὅτι χρῶμα ἡ μετάθεσις λέγεται τῆς αἰτίας, διὰ τὸ πρόφασιν παρέχειν τῆς ἀπολογίας, καὶ οἱονεὶ χρωννύναι τὸν λόγον. Conf. Syrian. ad Herm. p. 49 Ald. Et p. 156 : Ὠνόμασται οὕτως ἀπὸ μεταφορᾶς τῶν ἐν τοῖς σώμασι χρωμάτων· ὥσπερ γὰρ ἐκεῖνα διήκει τῶν ὑποκειμένων, οὕτω καὶ τοῦτο τὴν πᾶσαν τοῦ φεύγοντος χρώννυσιν ἀπολογίαν. Conf. Cic. De inv. 2, 29. Deinde μετάθεσις etiam est figura, qua ... (quæ supra e Jul. Ruf.) Eadem ἀντιμεταβολὴ dicitur, ejusque formæ similes sunt, quæ vocantur τὸ διάλληλον, vel χιαστόν : v. Voss. Inst. rhett. 5, p. 405. » Ernest. Lex. rhet.] Item Mutatio, ap. Plutarchum tum alibi, tum in Sympos. sept. sap. [p. 147, C.] Et ap. Synes. Epist. 67 : Τὴν δὲ μετάθεσιν ὤκνουν, Verum mutationem metuebant. Et ap. Greg. Naz. : Ταῖς κατὰ μέρος μεταθέσεσι κλαπέντες ἐπὶ τὸ εὐαγγέλιον, Sensim ea mutatione ad legem Evangelicam ita asciti et allecti, ut falli viderentur, Bud. Itidem pro Mutatione accipitur in l. quodam Dem., quem Bud. affert Comm. p. 504. [Τὴν μὲν κοινωνίαν οὐ δέξασθαι, τὴν μετάθεσιν αἰσχυνόμενοι. Thuc. 5, 29 : Τοὺς Λακεδαιμονίους ἅμα δι' ὀργῆς ἔχοντες ἐν ἄλλοις τε καὶ ὅτι ἐν ταῖς σπονδαῖς ταῖς Ἀττικαῖς ἐγέγραπτο εὔορκον εἶναι προσθεῖναι καὶ ἀφελεῖν ὅ,τι ἂν ἀμφοῖν τοῖν πολέοιν δοκῇ, Λακεδαιμονίοις καὶ Ἀθηναίοις· τοῦτο γὰρ τὸ γράμμα μάλιστα τὴν Πελοπόννησον διεθορύβει καὶ ἐς ὑποψίαν καθίστη μὴ μετὰ Ἀθηναίων σφᾶς βούλωνται Λακεδαιμόνιοι δουλώσασθαι. Δίκαιον γὰρ εἶναι πᾶσι τοῖς ξυμμάχοις γεγράφθαι τὴν μετάθεσιν. Aristot. Metaphys. 4, p. 117, 10 Brand. : Ὅσων ἡ μὲν φύσις ἡ αὐτὴ μένει τῇ μεταθέσει, ἡ δὲ μορφὴ οὔ, οἷον κηρὸς καὶ ἱμάτιον. ‖ « Mutatio, Transitio ad alias partes, Polyb. 3, 99, 7. Sic ἡ μ. πρός τινα, 5, 86, 8. Ἡ ἐπὶ τὸ βέλτιον μ., i. q. διόρθωσις, Reductio in meliorem viam, Profectus ad meliora. Formatio ingenii et morum, 1, 35, 7. Ἡ μ. τῶν ἡμαρτημένων, Correctio peccatorum, 5, 11, 5; 16, 20, 7. Αἱ ἀλλαγαὶ καὶ μεταθέσεις (τῶν ἐμπορευμάτων), Permutatio et venditio mercium, 10, 1, 8. Ἐκ μεταθέσεως, Mutata sententia vel oratione, 30, 18, 2. » Schweigh. Lex. ‖ Ap. grammaticos de Mutatione literarum, ut Etym. M. p. 795, 34 : Φηρσὶ κατὰ μετά-

A θεσιν τοῦ θ εἰς φ· aliisque ll. plurimis ap. Sylburg. in Ind., Eust. Il. p. 824, 30. ‖ « Μετάθεσίς ἐστιν ἡ ἀπὸ παροικίας εἰς παροικίαν μετένεξις etc. » Ducang.]

[Μεταθετέον, Transponendum. Plato Leg. 10, p. 894, D. « Schol. Pind. Ol. 6, 72. » Boiss.]

[Μεταθετικὸς, ή, όν, ap. Epiphan. vol. 2, p. 57, D : Τὸ δὲ μετὰ τοῦ ἄρθρου ἑτέρου προσώπου ἐστὶ διαληπτικὸν καὶ ἑτέρου τρόπου μεταθετικὸν, Int., Ad alium modum traducit. L. D. Adv. Μεταθετικῶς, Planud. Dial. Ms. de Grammatica. (Bachm. Anecd. vol. 2.) Boiss.]

[Μετάθετος, ὁ, ἡ, Mutabilis, Inconstans. Polyb. 15, 6, 8 : Ὡς μετάθετός ἐστιν ἡ τύχη.]

Μεταθέω, θεύσομαι, Curro post, i. e. Cursu persequor. Xen. [Cyn. 6, 22] : Ταχὺ μεταθεύσονται, i. e. διώξουσι, Persequentur. [Plato Parm. p. 128, C : Ὥσπερ αἱ Λάκαιναι σκύλακες εὖ μεταθεῖς τε καὶ ἰχνεύεις τὰ λεχθέντα. Absolute Lach. p. 194, B : Τὸν ἀγαθὸν κυνηγέτην μεταθεῖν χρή· Soph. p. 226, A : Τοιόνδε τι μεταθέοντας ἴχνος αὐτοῦ· Polit. p. 301, E : Μεταθέοντας τὰ τῆς ἀληθεστάτης πολιτείας ἴχνη.] Item Transcurro,
B Cursu usquequaque persequor, permetior. Xen. Cyn. [6, 25] : Ἐπειδὰν δὲ μεταθέουσαι αἱ κύνες ἤδη ὑπόκοποι ὦσι, καὶ ᾖ ὀψὲ ἤδη τῆς ἡμέρας· et [4, 9] : Τὰ μὲν γὰρ ὄρη οἷόν τε ἐστὶ καὶ ἰχνεύειν καὶ μεταθεῖν καθαρῶς· τὰ δὲ ἔργα, οὐδέτερα, διὰ τοὺς τριμμούς· Montes enim promptum est vestigare canibus, et usquequaque persequi leporum cubilia, et cursu permetiri, quum neutrum in locis cultis et in liras digestis perinde facile sit, propter tramites limitesque transversos, Bud. [Ib. 5, 33 : Τὸ θηρίον μεταθεόμενον· Cyrop. 2, 4, 24 : Ἢν μὲν ἀντιστῆται, δῆλον ὅτι μάχεσθαι δεήσει, ἢν δὲ ὑποχωρῇ τοῦ πεδίου, δῆλον ὅτι μεταδεῖν δεήσει· 27 : Ὅπῃ ἂν τὰ θηρία ὑφηγῆται, ταύτῃ μεμάθηκας μεταθεῖν. De apibus Aristot. H. A. 9, 40 med. « Metaph. μεταθέουσα ταῖς ἐπιθυμίαις, Sua persequens desideria, de muliere quadam dixit Clearchus ap. Athen. 4, p. 619, C. » Schweigh.]

[Μεταθωρήσσομαι. V. Μέτα in Μετά.]

[Μεταιβολία. V. Μεταβουλία.]

Μεταΐγδην, Insequendo cum impetu. Schol. Apol-
C lonii exp. ὁρμητικῶς, in hoc l., Arg. 2, [95] : Ὁ δ' ἄγχ' αὐτοῖο παρ' ἐκ γόνυ γουνὸς ἀμείβων Κόψε μ. ὑπὲρ οὔατος.

Μεταΐζω, Consideo, Una sedeo. Hom. Od. Π, [361] : Αὐτοὶ δ' εἰς ἀγορὴν κίον ἀθρόοι, οὐδέ τιν' ἄλλων Εἴων, οὔτε νέων μεταΐζειν, οὔτε γερόντων.

Μεταίρω, Transfero, inquit Bud. [Eur. Iph. T. 1158 : Τί τόδε μεταίρεις ἐξ ἀκινήτων βάθρων ἄγαλμα ;] Theophr. C. Pl. 1, 27 : Τὸ γεννήσασαν ἐν τῷ ξηρῷ τὴν φύσιν μεταίρειν εἰς τὸ ὑγρόν. [Quæ quum Empedoclis verba sint, huic μεταείρει restituit Karsten. v. 244, p. 120.] Et Μετηρμένος voce passiva Translatus. Gregor. p. 265 : Καὶ τὴν ἐξ Αἰγύπτου μετηρμένην καὶ μεταπεφυτευμένην ἄμπελον. Est etiam Muto, Transmuto, ut scribit idem Bud., citans ex Demosth. p. 165 [395 fin.] : Ἔπειτα τὸ ψήφισμα ἐπεχείρησαν κινεῖν καὶ μεταίρειν ἐφ' ᾧ πρεσβεύοντες ἥκομεν. Idem significare dicit et in quodam loco Proverb. [25, 2, ubi pass. μετήρθην. Plut. Mor. p. 1089, D : Ὅρα δὴ οἷα ποιοῦσι τὴν εἴτε ἡδονὴν ταύτην εἴτ' ἀπονίαν ἢ ἀπάθειαν ἄνω καὶ κάτω μεταίροντες ἐκ τοῦ σώματος εἰς τὴν ψυχήν. Ap. eund. p. 52,
D B : Εἰς ἄλλον ἐξ ἄλλου τόπον, ὥσπερ τὸ μεταιρόμενον ὕδωρ, περιρρέων, sunt varr. μεταιωρούμενον et μετεωρ., quod v. ‖ Migro. Eumath. Ism. p. 129 : Τὰ πτηνὰ τὸν χειμῶνα φρίσσει καὶ μεταίρει πρὸς τὸ θερμότερον. Eust. Op. p. 334, 54 : Ὁπότε πρὸς τὴν ἐκεῖσε λῆξιν μετάρω. ‖ De forma Æol. HSt. :] Πεδαίρω, item pro Ex solo in sublime eveho [ut HSt. vertendum putavit, a πέδον ducens, ut πεδάρσιος, quæ tamen sunt Æol. pro μετ—], ex Eur. affertur. [Herc. F. 819 : Νωθὲς πέδαιρε κῶλον· 872 : Στεῖχ' ἐς Οὔλυμπον πεδαίρουσ', Ἶρι, γενναῖον πόδα· Rhes. 372 : Πέλταν δοχμίαν πεδαίρων· Phœn. 1027 : Διρκαίων ἐκ τόπων νέους πεδαίρουσα.]

Μεταίσιον, Hesych. μεταχρόνιον. [Μετάρσιον Ruhnken.]

[Μεταΐσσω.] Μεταΐξας, Hesychio μεταδιώξας, Insecutus; malim, Cum impetu insecutus, est aor. a them. μεταΐσσω. Hom. Il. Φ, [564] : Καί με μεταΐξας μάρψῃ ταχέεσσι πόδεσσι. [Et alibi. Præsenti Il. Π, 398 : Κτεῖνε μεταΐσσων. Pind. Nem. 5, 54 : Ἦτοι μεταΐξαντα καὶ νῦν τεὸς μάτρως ἀγάλλει κείνου ὁμόσπορον ἔθνος. Theocr. 22, 201 ; Apoll. Rh. 1, 1243.]

Μεταιτέω, Inter alios peto, Una cum alio vel aliis peto. Unde etiam ponitur pro Partem peto, ab Herodoto [4, 146: Τῆς βασιλήιης μεταιτέοντες· 7, 150, ubi sine genit.], sicut μεταδίδωμι pro Partem do, ut annotat Bud. Sic Demosth. [p. 410, 12]: Ἢ παρὰ τούτων, ἀφ' ὧν εἰλήφασι, μεταιτεῖν. Adjungitur tamen τὸ μέρος ab Aristoph., ubi scribit [Vesp. 971: Αὐτοῦ μένων γὰρ, ἅττ' ἂν εἴσω τις φέρῃ,] Τούτων μεταιτεῖ τὸ μέρος, εἰ δὲ μὴ, δάκνει. Ubi vacat præpositio in hoc verbo, vel certe abundat τὸ μέρος. || Μεταιτῶ, Stipem peto, Mendico, cujus signif. rationem v. in fine verbi Ἐπαιτῶ. Heraclitus in Epist.: Ἀμείνους ἂν ἦσαν μεταιτοῦντες. Lucian. [Cynic. c. 2] cum accus. junxit, Οἳ τὴν ἐφήμερον τροφὴν μεταιτοῦσι. Sic et Lat. Mendicare ponitur interdum absolute, interdum cum accus. [Aristoph. Eq. 775: Ὃς πρῶτα μὲν, ἡνίκ' ἐβούλευον, σοι χρήματα πλεῖστ' ἀπέδειξα ἐν τῷ κοινῷ τοὺς μὲν στρεβλῶν, τοὺς δ' ἄγχων, τοὺς δὲ μεταιτῶν.]

Μεταίτης, ου, ὁ, Mendicus, qui et ἐπαίτης et προσαίτης. [Hesych.: Μεταίτου, ἐπαίτου. Lucian. Menipp. c. 15: Τὸν μεταίτην Ἶρον. Et sæpius Artemidor. 3, 53. Suidas in Προΐκτης.]

[Μεταίτησις, εως, ἡ, Angl. *Entreaty*, *Intercession*. Schol. Hom. Od. Φ, 306. Wakef.]

Μεταίτιος, ὁ, ἡ, Qui una cum alio in causa est alicujus rei, Particeps, eo sensu, quo a Cic. dicitur aliquis Belli particeps, et Conjurationis particeps, quod Gall. *Complice*. In VV. LL. exp. etiam, Causa similis cum alio. Xen. Hell. 5, [1, 31]: Οἱ μὲν σφαγεῖς καὶ οἱ μεταίτιοι τοῦ ἔργου, ubi μεταίτιοι interpretor Participes. || A Bud. autem μεταίτιος exp. simpliciter Auctor et causa alicujus facti, et citatur ex Herodoto [2, 100; 4, 202], Οὓς μάλιστα μεταιτίους τοῦ φόνου ᾔδεε. Item, [4, 100]: Πᾶν γὰρ τὸ πλῆθος ἦν μεταίτιον. Et e Xenoph. de Theramene [H. Gr. 2, 3, 32]: Σὺ δὲ διὰ τὸ εὐμετάβολος εἶναι, πλείστοις μὲν μεταίτιος εἶ ἐξ ὀλιγαρχίας, ὑπὸ τοῦ δήμου ἀπολωλέναι κτλ. Sic et in VV. LL. μεταίτιός εἰμι τοῦ πάθους [ap. Herodot. 8, 101] exp. Damni culpa est penes me. Videtur tamen in ll. illis Herodoti μεταίτιοι significare Participes, ut et in illo priore l. Xenophontis. [Æsch. Ag. 811: Πρῶτον μὲν Ἄργος καὶ θεοὺς ἐγχωρίους δίκη προσειπεῖν τοὺς ἐμοὶ μεταιτίους νόστου· Cho. 100: Τῆσδ' ἐστὲ βουλῆς, ὦ φίλαι, μεταίτιαι· 134: Αἴγισθον, ὅσπερ σοῦ φόνου μεταίτιος· Eum. 199: Αὐτὸς σὺ τούτων οὐ μεταίτιος πέλει, ἀλλ' εἷς τὸ πᾶν ἔπραξας, ὡς παναίτιος. Soph. Trach. 260: Μεταίτιον τοῦδ' εἶναι πάθους· 447: Μεταιτία τοῦ μηδὲν αἰσχροῦ· 1234: Ἣ μοι μητρὶ μὲν θανεῖν μόνη μεταίτιος. Eur. Suppl. 26: Ὅς μ' ἐξοτρύνει παῖδ' ἐμὸν πεῖσαι λιταῖς νεκρῶν κομιστὴν ἢ λόγοισιν ἢ δορὸς ῥώμῃ γενέσθαι καὶ τάφου μεταίτιον. Addito οὐδὲν Herodot. 9, 88: Τοῦ μηδισμοῦ παῖδας οὐδὲν εἶναι μεταιτίους, quemadmodum idem sæpe constat poni cum αἴτιος sive simplici sive cum genit. conjuncto. Plato Reip. 10, p. 615, B: Ἤ τινος ἄλλης κακουχίας μεταίτιοι.]

Μέταιτος. Ap. Suidam ex Polyb. [immo Jo. Antioch. Excerpt. Vales. p. 786]: Οὕτω τε μέταιτος ἐτελεύτησε καὶ χρημάτων ἄπορος, ὡς κοινοῦ ταφῆναι. [I. q. Μεταίτης.]

Μεταίφνιος, Repentinus, ἐξαπίνης, Hesych.

[Μεταιχμέω.] Μεταιχμεῖ, Hesychio μοχθεῖ.

[Μεταίχμιος, ὁ, unde] Μεταίχμιον, τὸ, q. d. Interlancearium, Spatium inter duas acies, τὸ μεταξὺ τῶν αἰχμῶν, i. e. στρατευμάτων, ut μεταμάζιον dicitur τὸ μεταξὺ τῶν μαζῶν. Vel μεταίχμιον quasi μεσαίχμιον. Quarum deductionum utraque ponitur ab Eust. Sed et Hesych. Μεσαίχμιον quoque agnoscit, ut paulo post docebo. Eurip. Phœn. [1246]: Κἀν μεταιχμίοις Ὅρκους συνῆψαν ἐμμένειν στρατηλάται. Ubi schol. esse μεταίχμιον dicit τὸν μεταξὺ δύο στρατευμάτων τόπον. [Ib. 1279: Ἡγοῦ σὺ πρὸς μεταίχμια· 1361: Οἱ νεανίαι ἔστησαν ἐλθόντ' ἐς μέσον μεταίχμιον· Heracl. 803: Ἔστη μέσοισιν ἐν μεταιχμίοις δορός.] Idem vero alibi scribit μετακύμιον dictum τὸ μεταξὺ τῶν δύο κυμάτων, eadem forma qua μεταίχμιον. || Per metaph. autem, s., ut vult Eust., per catachresin, dicitur et de Interstitio, quod est inter res quaslibet. [Æsch. Sept. 197: Ἀνὴρ γυνή τε χὤτι τῶν μεταίχμιον· Cho. 61: Τὰ δ' ἐν μεταιχμίῳ σκότου. Lycophr. 443: Ἐν μεταιχμίῳ σταθήσεται. Aristot. De partt. an. 3, 14: Τότε γὰρ ἤδη μ. γίνεται τῶν τόπων ἀμφοτέρων. «Lucian. Fugit. c. 4: Εἰσί τινες

A ἐν μεταιχμίῳ τῶν τε πολλῶν καὶ τῶν φιλοσόφων, τὸ μὲν σχῆμα καὶ τὸ βλέμμα καὶ τὸ βάδισμα ὅμοιοι.» Koenig. Id. Amor. c. 21: Οὐδὲν ἀνδρῶν μεταίχμιον ἔχοντες. Incert. ap. Cic. Att. 6, 3 init.: Πολλὰ δ' ἐν μεταιχμίῳ νότος κυλίνδει κύματα. Apion. ap. Athen. 1, p. 16, F. Valck.] Herodot. [8, 140]: Ἐξαίρετόν τι μεταίχμιον τὴν γῆν κεκτημένων. [Id. 6, 77: Μεταίχμιον οὐ μέγα ἀπολιπόντες· 112: Ἦσαν στάδιοι τὸ μεταίχμιον αὐτέων ὀκτώ. Schweigh.] Eust. [Il. p. 385 pr.] postquam dixit μεταίχμιον per catachresin vocari etiam τὸ ἁπλῶς μεταξὺ δύο τινῶν, Ut si, inquit, aliquis dicat ἐν μεταιχμίῳ δύο φροντίδων εἶναι. Gregor. in Macc. Encomio: Καὶ τῶν δύο παθῶν ἦν ἐν μεταιχμίῳ. Damascenus: Νοῦς γὰρ μεταίχμιόν ἐστι θεοῦ καὶ σαρκός. Lucian. [Jov. trag. c. 28] paulo etiam aliter usurpavit, ubi Momum inducit Apollini dicentem, Σὺ δὴ λοξὸς εἶ καὶ γριφώδης, καὶ πολλὰ εἰς τὸ μεταίχμιον ἀποῤῥίπτεις, i. e., inquit Bud., Oracula ancipitia das, et in utramque partem ambigua, q. d. Inter duas acies ambigentia. [Adjectivo, cujus neutrum est μεταίχμιον, Lycophr. 1435: Πολλοὶ

B δ' ἀγῶνες καὶ φόνοι μεταίχμιοι. Neutro adverbialiter Comet. Anth. Pal. 9, 597, 3: Νωθρὸς ἐγὼ τελέθεσκον ἀπ' ἰξύος ἐς πόδας ἄκρους, τῆς πρὶν ἐνεργείης δηρὸν ἀτεμβόμενος, ζωῆς καὶ θανάτοιο μεταίχμιον.]

|| Μεσαίχμιον in eadem signif. agnoscit Hesych. VV. LL. autem μεσαίχμιον interpr. etiam Partem mediam hastæ. Quæ expos. ex illo sumpta videtur, ita scribente, Μεσαίχμιον· μέσον αἰχμῆς, ἤγουν μέσον δόρατος, ἢ δύο στρατευμάτων. Sed illam horum verborum Hesychii expos. dubiam reddunt, quæ sequuntur ap. eum. Nam subjungitur ab illo, Μεσαίχμιος γῆ· ἡ διὰ πόλεμον ἀργή. Καὶ μεσαίχμιον, πᾶν τὸ μέσον τινὸς, κυρίως τῆς αἰχμῆς.

[Μεταιωρέω scriptura vitiosa. V. Μεταίρω.]

Μετακαθέζω, affertur pro Transfero. Malim Μετακαθίζω, Transpono, Mutata sede loco. [Immo Μετακαθέζομαι, Sedem muto. Lucian. Icarom. c. 26: Χρηματίσας δὲ καὶ τούτοις... μετεκαθέζετο ἐπὶ τὸν ἑξῆς θρόνον.]

[Μετακαθίζω. V. Μετακαθέζω. Sext. Emp. p. 261, 24: Μετακαθίσαντες. Fabric., Mutata sententia, quasi μεταβάλλοντες. Hemst. Proprie schol. Hom. Il. N, 281.]

C [Μετακαθοπλίζω, Aliter armo. Polyb. 3, 87, 3: Μετακαθώπλιζε τοὺς Λίβυας εἰς τὸν Ῥωμαϊκὸν τρόπον.]

[Μετακαινίζω, Muto. Dioscorides Anth. Pal. 7, 411, 5: Καὶ τὰ κατὰ σκηνὴν μετεκαίνισεν. Jo. Antiochenus p. 786 ed. Vales.: Τῆς ἀρχῆς ἐπιλαβόμενος μετεκαίνισεν ἐπὶ τὸ αὐθαδέστερον. «Novare, μετατίθεσθαι, ἀναψηλαφεῖν in Gloss. Basilic.» Ducang.]

Μετακαλέω, Ad me voco, Accerso. [Devoco huic add. Gl.] Aristoph. Pl. [1182]: Μετεκάλει [Κἀμέ γ' ἐκάλει] τὸν ἱερέα. [Medio schol. Philostr. Her. p. 538 Boiss.: Μεταπέμπου ἐνταῦθα, μετακαλοῦ ἐνθάδε.] Sic Μετακαλοῦμαι, Accersor. Plato Axiocho [fin.], Ὁπόθεν δεῦρο μετεκλήθην. [Philostr. Her. p. 688: Δεδιότες μὴ πρόσοικοι τῷ Ἰλίῳ ὄντες ἐς κοινωνίαν τῶν κινδύνων μετακληθῶσι.] || Revoco, ἀνακαλῶ. Thuc. p. 267 [8, 11]: Ἀλλὰ καί τινας προανηγμένας μετακαλεῖν. [Æschin. p. 49, 30: Μετακαλεῖ τὴν ψυχὴν ἀπὸ τῆς ὀργῆς ὁ κίνδυνος ἐπὶ τοὺς ὑπὲρ τῆς σωτηρίας λόγους. Polyb. 14, 1, 3: Μετακαλέσειν αὐτὸν ἀπὸ τῆς τῶν Καρχηδονίων συμμαχίας· 30, 2, 4: Μετεκά-

D λεσε τὸν Ἄτταλον ἀπὸ τῆς ἀλόγου φορᾶς. Diod. 20, 43: Μετακαλούμενος ὑπὸ τῆς εὐλαβείας.] Philo V. M. 1: Καὶ διὰ δέος ἤδη πρὸς φυγὴν ὁρμῶν μετακαλεῖται. [Medio Diod. 16, 10: Ἐπειρῶντο μετακαλεῖσθαι τοὺς Συρακοσίους ἀπὸ τῆς ἀποστάσεως. || Aliter nomino. Tzetz. Exeg. Il. p. 40, 23: Τοῦτον μετακαλοῦσιν Ἀλέξανδρον· 63, 11: Ἀχαιοὶ μετεκλήθησαν. || Med. Accerso, Accito, Arcesso, Gl. Eurip. Epist. 4, p. 502, 9: Τοὺς κατὰ τέχνας σπουδαζομένους μετακαλεῖσθαί σε πανταχόθεν.]

Μετακάρπιον, τὸ, inquit Cam., est Palma, quæ pars infra digitos aperitur et in illos finditur. [V. Ταρσός. Μετακάρσιον male ap. Hesychium. «Eust. Od. p. 1572, 38.» Valck. Soranus ed. Cocch. p. 51, κβ': Περὶ καρποῦ καὶ μετακαρπίου. Oribas. p. 148 ed. Mai., aliique medici.]

[Μετακατάτροπα, τὰ, ap. Polluc. 4, 66: Μέρη δὲ τοῦ κιθαρῳδικοῦ νόμου, Τερπάνδρου κατανείμαντος, ἔπαρχα..., κατάτροπα, μετακατάτροπα. Quas partes explicare studuit Prideaux ad Marm. Oxon. p. 401 ed. Lond. Conf. Bœckh. De metr. Pind. p. 182.]

A [Μετακαταχέω, Postea perfundo. Hippocr. p. 395, 15: Καὶ προσκαταχεῖσθαι μὴ ὀλίγῳ καὶ μετακαταχεῖσθαι.]

[Μετακαταψύχομαι, Postea refrigeror. Hippocr. p. 205, G: Μετακαταψυχθεῖσαι, ἐκθερμαίνονται ὀξέως. ῡ]

Μετάκειμαι, Transponor, Transferor: μετατίθεμαι. [Plato Crat. p. 394, B: Εἴ τι πρόσκειται γράμμα ἢ μετάκειται. Aristot. De partt. an. 2, 17: Πρὸς μὲν οὖν τῇ ἄνω οὐκ ἔχουσι τὴν γλῶτταν, πρὸς δὲ τῇ κάτω, ὅτι ὥσπερ μετακειμένη ἡ ἄνω ἐστίν. Dionys. De comp. vv. p. 209, 3: Ποικίλως μετακειμένην τὴν ἀρχὴν τῆς πολιτείας ἔχουσαν· A. R. 2, 14: Ἐφ' ἡμῶν δὲ μετάκειται τὸ ἔθος· οὐ γὰρ ἡ βουλὴ διαγινώσκει τὰ ψηφισθέντα ὑπὸ τοῦ δήμου, τῶν δ' ὑπὸ τῆς βουλῆς γνωσθέντων ὁ δῆμός ἐστι κύριος.] Strabo 4: Οὐδὲ βαρβάρους ἔτι ὄντας, ἀλλὰ μετακειμένους τοπλέον εἰς τὸν τῶν Ῥωμαίων τόπον. [De versibus translatis schol. Hom. H, 398: Ὁ ἀστερίσκος ὅτι ἐντεῦθεν μετάκεινται εἰς τὴν ἀποπρεσβείαν· et Ψ, 806.] Dicuntur etiam verba aliqua ap. Rhetores μετακεῖσθαι, ut itidem Lat. Transferri: qua signif. μεταφορὰ dicitur. Dem. Phal. [188], postquam citavit hunc l. poeticum, Ἐγέλα που ῥόδον ἠδύχροον, subjicit, Ἥ τε γὰρ B μεταφορὰ ἡ Ἐγέλα, πάνυ μετάκειται ἀπρεπῶς.

[Μετακελητίζω, Alium equum conscendo, Nicet. Chon. p. 24, B: Τῷ βασιλεῖ τὸν ἵππον δίδωσιν ἄκων· μετακελητίσας δ' εἰς ἕτερον ὄχημα κτλ.]

[Μετακενόω, Defundo, Transfundo, Gl. Epiphan. vol. 2, p. 45, C: Ἀπ' οὐρανοῦ μετακενωθέντα εἰς ἀνθρωπότητα. Verbale Geopon. 7, 15, 1: Ἐμβληθέντος τοῦ οἴνου ἐν τῷ πίθῳ μετά τινα χρόνον μετακενωτέον εἰς ἕτερον ἀγγεῖον πράως.]

[Μετακεντρίζω, Transplanto. Anon. in Walzii Rhett. vol. 1, p. 643, 10: Πόθον, ὅνπερ ὕστερον πρὸς τὸν ἀληθῆ θεὸν νουνεχῶς μετεκέντρισεν.]

Μετακεράννῡμι s. Μετακεραννύω, Transfundo, Ruell. ap. Diosc. 1, 63: Μετακεράσας ἐκ τοῦ χυρτιδίου τὸ ἐξιπωθὲν ἄρωμα εἰς τὸν λουτῆρα, Odores expressos ex quasillo in labrum structura transfundens. [Eadem structura Plut. Mor. p. 801, C. Hemst.] Exp. etiam Diffundens, ex Plin. Posset μετακεράσαι hic etiam reddi, Ea, quæ mixta fuerunt, transfundo [« transfundere » HSt. Ms. Vind.]; et sic exprimeretur τὸ κεράσαι. [Pausan. 9, 28 C fin.: Ἅτε γὰρ σιτουμένοις τοῖς ἔχεσι μύρων τὸ εὐοσμότατον μετακεράννυσί σφισιν ἐκ τοῦ θανατώδους εἰς τὸ ἠπιώτερον ὁ ἰός.]

Μετάκερας, ατος, ὁ, ἡ, τὸ, Temperatus, Qui medii temperamenti est, ut μ. ὕδωρ, Aqua temperata, mixta ex frigida et calida; nam de tepida propie dici tradunt. Athen. 2, [p. 41, D]: Ἀθηναῖοι δὲ μετάκερας καλοῦσι τὸ χλιαρόν· ὡς Ἐρατοσθένης φησὶν, ὑδαρὲς φησὶ, καὶ μ. Quod 3, [p. 123, D sq.] iisd. fere verbis repetit, afferens hæc exempla: Alexis in Locris, Αἱ δὲ παῖδες παρέχεον, Ἡ μὲν τὸ θερμὸν, ἡ δὲ ἑτέρα τὸ μετάκερας. Ibid. ex alio poeta [Amphide]: Ἀνεβόησεν... Ὕδωρ ἐνεγκεῖν θερμὸν, ἄλλος μετάκερας. Hesych. quoque exp. τὸ εὔκρατον ὕδωρ ἢ χλιαρόν. [Pro quo ἢ τὸ ψυχρὸν Photius, qui ex Philyllio citat. Apud utrumque autem scriptum μετακέρας. Quem accentum ferri non posse disputat Lobeck. Paralip. p. 223, qui adverbialiter dici monet.]

Μετακέρασμα, τὸ, Plut. [Mor. p. 951, E]: Οὔτε θερμὸς ὢν αὐτὸς, οὔτε ψυχρὸς, ἀλλὰ ψυχροῦ καὶ θερμοῦ μετα- D κέρασμα καὶ κοινώνημα, Ut qui neque calidus sit neque frigidus, sed caloris et frigoris medium quoddam temperamentum et communio, Turn. Peculiariter vero ap. Hippocr. accipitur pro Aqua lactei teporis: qua de re vide in Μετάκερας et Μετακύρας. [Ib. p. 945, D, pro μέγα κέρας restituit Lennep. ad Phalar. p. 275, B.]

[Μετακηπεύω, Transplanto. Anonym. Procem. in Aristot. De plantis (p. 814, 35 ed. Bekk.: Οὗτος πρός τισιν ἄλλαις καὶ τὴν περὶ φυτῶν τήνδε βίβλον μεθερμηνεύει, κἀκ τῶν λογικῶν Ἀραβικῶν λειμώνων ὅσα καὶ φυτὸν εὐγενὲς εἰς τὰς Ἰταλικὰς μετακηπεύει φυταλιάς). Boiss. Med. Niceph. in Walzii Rhett. vol. 1, p. 524, 9: Μετεκηπευσάμην (τὴν κυπάριττον) τῷ κήπῳ μου.]

Μετακίαθε, Hesych. μέτελθε: afferens itidem μετεκίαθον pro μετῆλθον, μετήρχοντο, ἐπεδίωξαν. Hom. Od. A, [22] de Neptuno: Ἀλλ' ὁ μὲν Αἰθίοπας μετεκίαθε τηλόθ' ἐόντας, i. e., μετῆλθεν, Mutato loco ivit, s. Abiit inde ad. [Il. Λ, 52: Ἱππῆες δ' ὀλίγον μετεκίαθον· 714: Ἀλλ' ὅτε πᾶν πεδίον μετεκίαθον· Π, 685: Τρῶας καὶ Λυκίους μετεκίαθε, Insequebatur. Σ, 532: Ἐφ' ἵππων βάντες ἀερσιπόδων μετεκίαθον· 581: Τὸν δὲ κύνες μετεκίαθον ἠδ' αἰζηοί. Callim. Dian. 46: Κύκλωπας μετεκίαθε. Et sæpe Apoll. Rh. Dionys. Per. 485. Notandum autem hoc quoque verbum aoristi esse, ut alia in αθειν, quorum vulgo finguntur præsentia in αθω. ῐᾰ]

Μετακῑνέω, Transmoveo, Dimoveo [Gl.]. Bud. in Pand. accipi tradit pro Dimoveo, et Removeo; et a Themistio in principio Analyt. postt. pro Muto, i. e. Reformo. Sed accipi generalius etiam pro Muto, ostendunt composita. [Loco emoveo, Herodot. 1, 51: Μετεκινήθησαν οὗτοι (οἱ κρητῆρες)· 9, 74: Ἵνα μιν οἱ πολέμιοι μετακινῆσαι μὴ δυναίατο· 51: Μετακινέεσθαι ἐδόκεε, Discedere. Schweigh. Lex. Xen. Eq. 7, 6: Κνήμη ὑπείκοι ἂν καὶ τὸν μηρὸν οὐδὲν μετακινοίη. Pass. Plato Leg. 10, p. 894, A: Μεταβάλλον καὶ μετακινούμενον γίγνεται πᾶν· improprie Xen. Reip. Lac. 15, 1: Πολιτείας μετακεκινημένας καὶ ἔτι καὶ νῦν μετακινουμένας· Reip. Athen. 3, 9. Demosth. p. 688, 26. Diodor. 1, 95: Πολλὰ τῶν καλῶς δοκούντων ἔχειν νομίμων φασὶ κινηθῆναι, al. μετακινηθῆναι. « Τοὺς χρόνους τῆς τελευτῆς τοὺς πατρίους μετακινηθῆναι, Philoch. ap. Harpocr. in Ἀνεπόπτευτος. » Hemst.]

[Μετακίνημα, τὸ, unde μετακινήματα τῶν ὄψεων, ap. Hippocr. p. 102, F, Pupillarum dimotiones, emotiones, transmotiones. Foes. Inc. Psalm. 43, 15.]

[Μετακίνησις, εως, ἡ, i. q. præced. ap. Hippocr. p. 379, 9. « Ἡ μ. Ἀλεξάνδρου ἐς τὸ βαρβαρικώτερον, Arrian. Exp. 4, 8, 6. » Hemst. Alia exx. v. ap. Schleusner. Lex. V. T. « Μ. ἐπισκόπων, Translatio episcoporum, ab una ecclesia ad aliam, in Canon. Eccl. Afr. can. 48. » Ducang.]

Μετακινητὸς, ἡ, ὸν, Qui transmoveri s. dimoveri potest, Qui mutari potest, Mutabilis. Plut. [Mor. p. 152, A]: Ὅτι τοὺς νόμους ὁ Σόλων ἔφη μετακινητοὺς εἶναι, Quod Solon mutabiles esse leges dixit. Ap. Thuc. 5, p. 172 [21]: Καὶ ἅμα βουλόμενος εἰδέναι εἰ ἔτι μετακινητὴ εἴη ἡ ὁμολογία, ubi redditur, An immutari posset; sed videtur esse potius An retractari posset, ea in signif., qua dixit Trajanus Ep. ad Plin., Retractari atque in irritum vindicari.

[Μετακιρνάω, Permisceo, Tempero, Transmuto, Converto. Sap. 16, 21: Πρὸς ὅ τις ἐβούλετο μετεκιρνᾶτο, Ad quod quisque volebat, convertebatur s. transtemperabatur. Schleusn. Lex.]

[Μετακίω.] Μετέκιον, i. q. μετῆλθον: a them. μετακίω, i. q. μέτειμι s. μετέρχομαι. [ῐ]

Μετακλαίω, Fleo post, Lacrymis et fletu prosequor. Hom. Il. A, [762]: Ἦτέ μιν οἴω Πολλὰ μετακλαύσεσθαι, ἐπεί κ' ἀπὸ λαὸς ὄληται. Greg. Naz.: Μετακλαύσονται πολλά. [Eur. Hec. 214: Τὸν ἐμὸν βίον οὐ μετακλαίομαι.]

[Μετακλάω, Contero, Confringo. Symm. Ps. 74, 10, μετακλάσω. Schleusn.]

Μετακλείω, Mutato nomine appello, q. d. Transnomino. Apoll. Arg. 2, [296]: Στροφάδας δὲ μετακλείουσ' ἄνθρωποι.

[Μετακληΐζω, i. q. præc. Poeta ap. Etym. M. p. 665, 45: Τὸν μὲν καὶ Περσῆα μετακλήισαν (scr. —ήισσαν) Ἀχαιοὶ, οὕνεκεν ἄστεα πέρθεν ἀπειρεσίων ἀνθρώπων..]

Μετάκλησις, εως, ἡ, Accitus s. Accersitio [Accersio, Gl.]: κλῆσις δι' ἑτέρου τινὸς, Hesych. [|| Revocatio. Joseph. B. J. 1, 31, 1: Πρός τε τὴν μετάκλησιν ἀγανακτοῖεν. || Mutatio nominis, Tzetz. Exeg. Il. p. 38, 21.]

[Μετακλητέος, α, ον, Acciendus, Gl.]

[Μετάκλητος, ὁ, ἡ, Advocatus. Heliod. Æth. 9, 26: Πρὸς τὸν Ὀρονδάτην μετάκλητον καὶ φοράδην ἀχθέντα. Phot. Bibl. p. 507, 21: Διαλαμβάνει ὅθεν μετάκλητος εἰς Κωνσταντινούπολιν ἧκε (Chrysostomus). « Const. Manass. Chron. 5830: Μετάκλητον πάλιν τὸν ἄνδρα θέσθαι, Revocare, Int. » Boiss.]

Μετακλίνω, Declino, VV. LL. [Hom. Il. Λ, 509: Πολέμοιο μετακλινθέντος, Pugna inclinata. Aret. p. 49, 45: Πνεῦμα γὰρ, κἢν μετακλιθῇ τὸ ἀμπέχον ἄνω τε καὶ κάτω ἴσον πάντη. ῑ]

Μετάκλῐσις, εως, ἡ, Inclinatio, Reflexio, VV. LL. [Aret. p. 49, 38: Ἀτὰρ καὶ ἐν τῇσι τοῦ ἀνθρώπου τῇδε ἢ τῇδε ἐπιστροφῇσι, εἰ τὰς μετακλίσιας τὸ ὑγρὸν ὄγκον τε καὶ κλύδωνα ποιέει.] Est et Figura gramm., de qua in Κλίσις. [Eust. Il. p. 15, 29.]

[Μετακλύζω, Perfundo, Eluo post. Hippocr. p. 565, 38; 566, 37; 574, 25, 28; 630, 10, 12.] A

[Μετακλώθω, De novo texo. Greg. Nyss. vol. 3, p. 230, D. Wakef.]

[Μετακοιμίζομαι, Interquiesco. Æsch. Cho. fin.: Ποῖ καταλήξει μετακοιμισθὲν μένος ἄτης;]

[Μετάκοινος, ὁ, ἡ, Communis, Socius. Æsch. Eum. 346: Οὐδέ τίς ἐστι συνδαίτωρ μετάκοινος· 964: Δαίμονες ὀρθονόμοι παντὶ δόμῳ μετάκοινοι· Suppl. 1038: Μετάκοινοι δὲ φίλᾳ ματρὶ πάρεισιν.]

[Μετακοίνωνος, ὁ.] Μετακοινωνὸν, Hesychio κοινωνὸν, Participem.

[Μετακόκκω, ἡμέραι μεθ' ἑορτῶν ἑορτὴ οὐκ ἔστι, Hesych. Qui dixisse videtur Dies post festum.]

[Μετακομιδὴ, Evectio, Transvectio, Gl. « Planud. in Laud. Diomedis Martyris Ms. » Boiss. Jo. Chrys. In Genes. 1, p. 91, 34; Athanas. vol. 1, p. 568. Suidas: Ἀννωνῶν μετακομιδή.]

Μετακομίζω, Transveho [Gl.], Transporto, i. q. διακομίζω supra. [Plato Leg. 10, p. 904, D: Μετακομισθεῖσα εἰς ἀμείνω τινὰ τόπον ἕτερον.] Polyb. [3, 42, 8]: B Πολλὰς ἥρμοσαν σχεδίας ἀρκούσας τῇ χρείᾳ πρὸς τὸ παρὸν, ἐφ' αἷς διεκομίσθησαν ἀσφαλῶς. Quod ita Liv., Alveos informes raptim faciebant quibus se suaque transveherent. [Huic l. substituenda quæ Schweigh. in Lexico scripsit: « Μετακομίζειν ταῦτα εἰς τὴν ἑαυτῶν πατρίδα, 9, 10, 2. Τὰ ἐκ Μακεδονίας μετακομισθέντα εἰς τὴν Ῥώμην χορήγια, 32, 11, 7. Εἰκόνες μετακεκομισμέναι, 40, 8, 10. »] Pro Transporto autem, Transfero, accipitur in Herodiano 1, [14, 8]: Ἁρπάσασαι γὰρ τὸ ἄγαλμα αἱ τῆς Ἑστίας ἱέρειαι παρθένοι διὰ μέσης τῆς ἱερᾶς ὁδοῦ εἰς τὴν τοῦ βασιλέως αὐλὴν μετεκόμισαν, In aulam regiam transtulerunt. [Gl.: Μετεκομίσθη, Relatum est. HSt. in Ind.:] Μετακορμίζω, Trajicio, Transfero, VV. LL. perperam pro μετακομίζω.

[Μετακόμισις, εως, ἡ, Transportatio. Schol. ad Diod. 2, 16: Πλοῖα διαιρετὰ, διὰ τὴν μετακόμισιν διακεκομμένα.]

[Μετακομιστέος, α, ον, Transferendus. Plut. Mor. p. 710, E: Εὐριπίδης ἐμὲ γοῦν οὐ πέπεικε περὶ μουσικῆς νομοθετῶν ὡς ἐπὶ τὰ πένθη καὶ τὰς βαρυφροσύνας μετακομιστέας οὔσης.] C

[Μετακόνδυλον, τὸ, s. Μετακόνδυλος, ὁ.] Μετακόνδυλοι dicuntur Nodi et tubera in ea digiti curvatura et junctura, quæ metacarpio vicina est. Ruf. Ephes. [p. 30 Cl.]: Τὰ δὲ ὀστᾶ τῶν δακτύλων σκυταλίδες καὶ φάλαγγες· τὰ δὲ πρῶτα ἄρθρα προκόνδυλοι· τὰ δὲ ἑξῆς, κόνδυλοι· τὰ δὲ τελευταῖα, μετακόνδυλοι. [Add. p. 50.] Pollux [2, 145]: Τὰ δὲ ἐπὶ τῷ μετακαρπίῳ πρὸ τῶν κονδύλων μετακόνδυλοι. [Immo μετακόνδυλα. Sed altero genere Hesychius: Μετακόνδυλοι, τῶν κονδύλων τῶν μεταξὺ τῶν κονδύλων. Μετακονδύλια scriptum ap. Melet. in Cram. Anecd. vol. 3, p. 130, 18.]

[Μετακόπτω, Cudendo muto. Polyæn. 6, c. 9, 1: Ὅπως μετακοπὲν (τὸ νόμισμα) δόκιμον εἴη. Hemst.]

Μετακοσμέω, q. d. Aliter compono, In alium statum s. aliam formam compono. In VV. LL. scribitur accipi pro Transmuto ornatum; item simpliciter pro Muto et Novo, Transformo, afferturque ex Luciano [Prometh. c. 12]: Εἶτι ἠδίκησα ἐγὼ, μετακοσμήσας καὶ νεωτερίσας τὰ περὶ τοὺς ἀνθρώπους. [Id. Imag. c. 5, Fugit. c. 13 medio, Cronos. c. 11.] At Bud. vult accipi pro In melius constituo et ordino, ap. eund. Lucian. scribentem, Ἦν ταῦτα ἐπανορθώσῃς καὶ μετακοσμήσῃς. [De hist. conscr. c. 34, cum μεταπλάσῃς. Μετακοσμούμενον θέσει, Aristot. Π. Ξενοφ. p. 2, 3. Hemst. Manetho 4, 302: Ἤματα νύκτας ἄγοντας ὕπνῳ μετακοσμηθέντα. «Galen. De sect. 6. » Angl.] D

[Μετακόσμησις, εως, ἡ, Transformatio, Mutatio constitutionis. Plato Leg. 10, p. 892, A: Μεταβολῆς τε αὐτῶν καὶ μετακοσμήσεως ἁπάσης ἄρχει παντὸς μᾶλλον (ψυχή). Plut. Sull. c. 7: Τυρρηνῶν οἱ λόγιοι μεταβολὴν ἑτέρου γένους ἀπεφαίνοντο καὶ μετακόσμησιν ἀποσημαίνειν τὸ τέρας· Mor. p. 75, E: Ὁ Καινεὺς, γενόμενος κατ' εὐχὴν ἀνὴρ ἐκ γυναικὸς, ἀγνοῆσαι τὴν μετακόσμησιν κτλ. « M. καὶ μεταβολὴ τοῦ γένους, Suid. in Σύλλας. » Hemst. Etym. M. v. Ἀμειψικόσμη.]

[Μετακόσμιος, ὁ, ἡ.] Μετακόσμια, τὰ, Intermundia. Ita enim Cic. De fin. 2, [23] de Epicuro: Individua et intermundia vocat ἀτόμους et μετακόσμια. [De iisdem Plut. Mor. p. 731, D; 734, C. Philo vol. 1, p. 648, 34: Ἡ ἐντὸς τοῦ κόσμου ἢ ἐκτὸς μετακόσμιόν τινα. Photius s. Suidas: Μετακόσμιον, τοῦ κόσμου κρεῖττονα.]

[Μετακούω, Audio vicissim, cod. Juliani Epist. 62, p. 128 fin., ubi edd. ἐπακούειν. Gail. fil.]

[Μετακρίνω, Vita S. Nili p. 2 ed. Rom. 1644. Boiss.]

[Μετακρούω, Navem verto, Sententiam s. Animum muto. Plut. Mor. p. 1069, C: Ὥσπερ οἱ θεῶν τινων ἢ δαιμόνων ἱερὰ δόξαντες ὑπερηφάνως καθυβρίσαι καὶ λοιδορῆσαι, μετακρούσαντες εὐθὺς ὑποπίπτουσι καὶ κάθηνται ταπεινοί. Schneid. Μετακρούομαι, Depello, Andr. Cret. p. 119. Kall.]

[Μετακτέον, Traducendum. Theodor. Stud. p. 568, B: Ἐπὶ δὲ τῇ τοῦ πρεσβυτέρου ὑποθέσει μετακτέον τὸν λόγον. Ubi notandus etiam dat. pro accusativo. L. D. Soranus De sign. fract. in Cocchii Chirurg. vett. p. 51: Μετακτέον οὖν τὴν ἐπὶ τῆς ὠμοπλάτης σημείωσιν, ὡσαύτως δὲ κἀπὶ τῶν τῆς ἥβης ὀστῶν, Adducenda huc sunt quæ de signis circa scapulam diximus, itemque et ad ossa pectinis.]

Μετακτίζω, Aliter condo s. creo, Transformo. [Strabo 13, p. 631: Πισιδῶν οἰκισάντων καὶ μετακτισάντων (urbem) εἰς ἕτερον τόπον εὐερκέστατον.]

[Μετακύβευσις, εως, ἡ, Translatio per aleam. Nicetas Chon. p. 289, D: Ὑφορώμενος τὸ μὴ ἀειπαγὲς τῆς ἀρχῆς καὶ τὴν τῆς ἰσχύος ἀπόζωσιν καὶ τὴν ἐκ τοῦ αὐτοῦ κινήματος ἐς τὸ αὐτὸ κατάντημα πολλάκις μετακύβευσίν τε καὶ παλινδρόμησιν. L. Dind.]

[Μετακυβεύω, Alea transfero. Nicet. Chon. p. 363, A: Ὡς οὖν καθαρῶς εἰς Δούκαν ἡ βασιλεία μετακεκύβευτο. Boiss. Idem p. 131, D: Φύσει τὸ πιστὸν ἔχειν δοξάντων καὶ μὴ πρὸς τὸ συμπῖπτον τῆς τύχης τὰς γνώμας μετακυβεύεσθαι, Mutari temere.]

[Μετακυκλέω, Transvolvo. Plato Epin. p. 982, D: Πλανᾶσθαί τε καὶ μετακυκλεῖσθαι (τὰ ἄστρα).]

Μετακυλινδέω, De loco in locum volvo, Volvendo transfero. Metaph. Aristoph. Ran. [536]: Ταῦτα μὲν πρὸς ἀνδρός ἐστι νοῦν ἔχοντος καὶ φρένας, καὶ πολλὰ περιπεπλευκότος μετακυλινδεῖν αὑτὸν αἰεὶ πρὸς τὸν εὖ πράττοντα τοῖχον. Paulo post dicit μεταστρέφεσθαι pro μετακυλινδεῖν ἑαυτόν. [Jo. Diac. ad Hesiodi Theog. v. 147, p. 459: Ὁ χρόνος μετακυλινδούμενος … τῆς γονιμότητος ἀφανιστικός ἐστιν· 460: Μετακυλινδουμένου τοῦ ἐνιαυτοῦ. L. Dindorf.]

Μετακύμιος, ὁ, ἡ, Post fluctus adveniens, Fluctibus succedens: unde exp. Tranquillus, μετὰ τὸ κῦμα κατάστασιν παρέχων, schol. Eur. Alc. [91: Εἰ γὰρ μετακύμιος ἄτας, ὦ Παιὰν, φανείης.] Sed addit posse etiam dici μετακύμιον, ea forma, qua μεταίχμιον, τὸ μεταξὺ τῶν δύο κυμάτων. Sic autem et Hesych. exp. τὸ μεταξὺ τῶν κυμάτων, Quod est inter fluctus intervallum. [|| Substant. Μετακυμία, ἡ. Ναῦν ἁλιάδα … μετακυμίαις ἐχομένην, Numen. ap. Euseb. Præp. ev. 11, p. 543, C. Hemst. ŭ]

[Μετακύνιον, τὸ, Vena quædam seu nervus pedis. Hippiatr. p. 265: Πρῶτον τῷ ποδὶ ἀκροβαμονεῖ καὶ τὸ μετακύνιον ἔχει πηδῶν· et ibid.: Καταφύσησον αὐτοῦ τὸ μετακύνιον.]

Μετακύρας, ap. Galen. Lex. Hippocr. scribitur, quod exp. γαλακτῶδες σύγκραμα, Misturam s. Temperamentum lacteum; ubi ex Athen. reponendum videtur μετάκερας, ac intelligendum de Temperatura aquæ lactei teporis: nisi veriorem scripturam esse putemus, quam vulgatæ Hippocr. edd. habent, sc. μετακέρασμα. Est autem hic l. Hippocr. in l. Π. διαίτ. ὀξ. [3, 5], de lavando ægro: Καὶ μετακέρασμα πολλὸν ἑτοιμᾶσθαι, καὶ τὰς ἐπαντλήσιας ταχείας ποιέεσθαι.

Μετακύριον, Hesychio φοινικόν. [V. conjecturas interpretum.]

Μεταλαγχάνω, Mutatis vicibus sortior, Mutata sorte obtineo, Præsenti sorte amissa et mutata, alia sorte obtineo, et quasi sortito muto. [Simpl. Sortior, Eur. Suppl. 1078: Μετέλαχες τύχας Οἰδιπίδα μέρος. Plato Reip. 4, p. 429, A: Ὧ προσήκει ταύτης τῆς ἐπιστήμης μεταλαγχάνειν· Leg. 9, p. 873, C: Μηδὲ αἰσχύνης τινὸς ἀπόρου καὶ ἀβίου μεταλαχών. Polyæn. 8, 43: Τῶν κρεῶν ἕκαστος φιλοτίμως ἐδαίσαντο, ὡς δαιμονίου καὶ θείας ἱερουργίας μεταλαχόντες.] Philo De mundo: Ἀφθάρτου ζωῆς μεταλαχεῖν. Sic Plut. [Mor. p. 585, F]: Ὅπως ἐκεῖ μεταλάχῃ τῶν νομιζομένων. Basil.: Πάντα γὰρ ταῦτα μεταλαγχάνει τοῦ εἶναι ἐν τούτῳ τῷ προστάγματι τοῦ θεοῦ. Hesych. μεταλαγχάνειν exp. μεταλαμβάνειν, μετέχειν. || Exp. etiam Sero ad muneris functionem accedo, ὕστερον λαγχάνω : quomodo accipi potest in principio Gorgiæ Platonis, Πολέμου καὶ μάχης φασὶ χρῆναι οὕτω μεταλαγχάνειν· nam ibi Socrates respondens interrogat an, quod in communi proverbio est, Κατόπιν ἑορτῆς ἥκει καὶ ὑστερεῖ. [Hic quoque eadem Sortienda signif. positum, ut pluribus explicavit Hemst. ad Timæi Lex. p. 178. || Impertior. Plut. Aristid. c. 6 : Δίκης δὲ καὶ θέμιδος οὐδενὶ ὅτι μὴ τῷ φρονεῖν καὶ λογίζεσθαι τὸ θεῖον μεταλαγχάνει. Ælian. V. H. 12, 43, cum genitivo : Λυκοῦργος τοῖς ἐμμένουσι τῇ τῶν παίδων ἀγωγῇ πολιτείας Λακωνικῆς μεταλαγχάνει. Conf. Λαγχάνω p. 26, C. ἅ]

Μεταλαμβάνω, λήψομαι, Cum alio accipio, capio, Partem capio, Particeps fio s. sum. [Percipio, Participo, Transumo, Gl.] Plane enim μετὰ cum hoc λαμβάνω ita sumitur, ut cum ἔχω, habentque ejusd. generis significationem : imo vero unum ex altero quodam modo sequitur; oportet enim prius λαμβάνειν quam ἔχειν. Sic autem habes expositam a me præp. μετὰ cum ἔχω [in Μετέχω] : ac fuit etiam in causa verbum illud μετέχω, cur huic signif. primum locum dederim, et quod hujus signif. sit frequens usus, quum alioqui hunc sibi vindicare videretur ea, cui secundum dabo. Sed hoc sciendum est, ita significare Partem capio, ut simul etiam significet Particeps sum, et de eo dicatur potius, qui jam cepit partem, atque adeo pro illo ipso μετέχω ponatur : sæpe vero et præt. μετείληφα sic utuntur. De hoc quoque admoneo, interdum dici de eo etiam, qui mali alicujus fit particeps. Præterea interdum genitivo, interdum accusativo jungi. Quæ omnia ex seqq. patebunt exemplis. Ac primum eum gen., [Pind. Nem. 10, 79 : Καμάτου μεταλαμβάνειν. Aristoph. Pl. 370 : Μεταλαβεῖν ζητῶ; τίνος; Herodot. 4, 64 : Τῆς ληίης μεταλαμβάνει. Xen. H. Gr. 3, 5, 2 : Οἱ Ἀθηναῖοι οὐ μεταλαβόντες τούτου τοῦ χρυσίου.] Aristot. De mundo, Τῆς ὠφελείας μεταλαμβάνειν. Utilitatis partem capere, i. e. participem fieri s. esse, Plato Epinomide [p. 986, A] : Μεταλαβὼν φρονήσεως εἷς ὢν μιᾶς. Lucian. [Prometh. c. 18] : Εἰ καί τις ἄλλος αὐτοῦ μεταλάβοι. Uno autem eodemque in l. verbis μεταλαμβάνειν et μετέχειν eand. signif. dedit Rhetor quidam, Ἑκάστων δὲ τούτων τῶν τεχνῶν μεταλαμβάνουσιν ἄλλοι ἄλλος, ἀρίστων δὲ οἱ ἄριστοι· ὧν Γοργίας ἐστὶν ὅδε, καὶ μετέχει τῆς καλλίστης τῶν τεχνῶν. [Cum genit. personæ Xen. Cyrop. 7, 5, 51 : Ἔργον σου ἦν μεταλαβεῖν, Adire te.] Ad alteram hujus verbi constr. venio, sc. cum accus. Ita igitur [Eur. Bacch. 302 : Ἄρεώς τε μοῖραν μεταλαβὼν ἔχει τινὰ, si accus. hic non conjungitur cum ἔχει, ut absolute positum sit μεταλαβών. Herodot. 6, 23 : Τῶν ἐπίπλων τὰ ἡμίσεα μεταλαβεῖν, ubi al. λαβεῖν.] Isocr. : Οὗτος οὐδεμίαν ψῆφον μετέλαβε, ubi redditur etiam Consecutus est, Nactus est; atque adeo simpliciter etiam Accepit. Sic autem et ap. Theophr. H. Pl. 7 : Ὅθεν τοὔνομα μετείληφεν. [Aret. p. 36, 12 : Ἢν ὁ πνεύμων ἕλκος ἴσχῃ, τοὔνομα οὐκέτι ἐμπύη, ἀλλὰ φθόην μεταλαμβάνει. Ubi tamen subest signif. Mutandi, de qua infra. « Μετειληφέναι τὸ πρῶτον βιβλίον, Apollon. Perg. Præf. Conic. p. 8, 2. Id. p. 217, 6. » Hemst.] Ac profecto in iis, quæ subjungam, exemplis, in quibus additur μέρος, meminisse oportebit eorum, quæ in Μετέχω dicam, sc. vim suam amittere præp. μετά. Plato Apol. Socr. [p. 36, B] : Οὐ μεταλαβὼν τὸ πέμπτον μέρος τῶν ψήφων. [Leg. 12, p. 948, D, Isocr. p. 373, C, Demosth. p. 702, 7.] Quo usus est verbo ead. in re Isocr. : Οὐδεμίαν ψῆφον μετέλαβε. Dem. [p. 312, 2] : Τῷ δὲ προσκροῦσαι, καὶ μὴ πάνθ' ὡς ἠβουλόμεθ' ἡμῖν συμβῆναι, τῆς τῶν ἄλλων ἀνθρώπων τύχης τὸ ἐπιβάλλον ἐφ' ἡμᾶς μέρος μετειληφέναι νομίζω τὴν πόλιν, Quod autem nostra civitas, alioqui felix, in paucis inceptis offendit, nec omnia nobis ex animi sententia successerunt, in eo ego vero ratam quandam partem ad nosque pertinentem tulisse existimo communis aliorum mortalium fortunæ, Bud. Quod si quis nolit vacare hic præp. μετὰ, dicat vacare μέρος : detracto enim hoc nomine idem manebit sensus : sic autem et in aliis plerisque ll. idem experieris. Ac idem in verbo μετέχω usuvenit; nam verbi gratia, in Aristoph. [Pl. 226] :

A Ἡμῖν μετάσχῃ τοὐδὲ τοῦ Πλούτου μέρος, si detraxeris μέρος, manebit idem sensus. Verum id minus commode fieri potest iis in ll., in quibus non simpliciter μέρος ponitur, sed additur illi aliquid, ut in illo altero paulo ante citato dicitur πέμπτον μέρος : quanquam et hic si esset additus articulus τὸ, omitti posset μέρος, et dici οὐ μεταλαβὼν τὸ πέμπτον τῶν ψήφων. Aptius tamen id fiet, ubi adjunctum erit πλεῖστον, aut tale quid : sicut rursum in verbo μετέχω, ex Isocr. Archid. [p. 116, C] : Οἵπερ καὶ τῶν κινδύνων πλεῖστον μέρος μεθέξουσιν. Fateor tamen, detracto hoc nomine duriorem sermonem fore. [Μεταλαμβάνειν τι παρά τινος, Polyb. 6, 6, 12; 18, 28, 6. Μεταλαμβάνειν τὴν προσηγορίαν, Accipere, 2, 38, 4. Schweigh. Lex. || Prehendo. Ξιφίδιον ὁρῶ κακῶς (f. κακόνως) μεταλαμβάνοντα· et mox αὐτοῦ μετειληφότος ἤδη τὸ ἐγχειρίδιον, Chion Ep. 13. Hemst.] Passive autem Μεταλαμβάνεσθαι dicitur res aliqua, q. d. Participari, ab eo qui ejus fit particeps. Bud. autem vertit, Percipi, in Gregor. : Καλὸν μὲν, εὐκαίρως μεταλαμβανόμενον, Quum opportune percipitur.

B || At vero ex Herodoto [4, 45] μεταλαμβάνομαι affertur significatione activa, sc. pro Vindico, quæ signif. affinis est proxime præcedenti : μεταλαμβάνομαι τούτου τοῦ ὀνόματος, Nomen hoc mihi vindico. Nullum alioqui affertur exemplum vocis pass. μεταλαμβάνομαι positæ pro activa μεταλαμβάνω in altera illa proxime præced. signif. [Verba Herodoti sunt : Ἤδη γὰρ Λιβύη μὲν ἐπὶ Λιβύης λέγεται ὑπὸ τῶν πολλῶν Ἑλλήνων ἔχειν τὸ οὔνομα γυναικὸς αὐτόχθονος· ἡ δὲ Ἀσίη ἐπὶ τῆς Προμηθέος γυναικὸς τὴν ἐπωνυμίην. Καὶ τούτου μὲν μεταλαμβάνονται τοῦ οὐνόματος Λυδοὶ, φάμενοι ἐπὶ Ἀσίεω τοῦ Κότυος τοῦ Μάνεω κεκλῆσθαι τὴν Ἀσίην, ἀλλ' οὐκ ἐπὶ τῆς Προμηθέος Ἀσίης. In quibus quum non magis apta sit præp. μετὰ quam usitata est forma μεταλαμβάνομαι, videndum ne delenda sit præpositio, quæ ex μὲν facile nasci potuit. L. D.] || Μεταλαμβάνω, q. d. Post accipio. I. e., Unum capio post alterum, Uno relicto alterum capio : ut faciunt qui permutant s. commutant : unde fit ut μεταλαμβάνω generaliter ponatur pro Commuto, Permuto; atque ita dixit Thuc. 1, [120] : Τὸν πόλεμον

C ἀντ' εἰρήνης μεταλαμβάνειν, Bellum cum pace commutare, vel Pace commutare, sine præp.; nam et hoc modo loquuntur Latini. Esset tamen ad verbum, Bellum pro pace commutare. Sic autem dixit vicissim Herodian. 8, [2, 11] : Μετειληφυιῶν δὲ ἀντὶ πολέμων εἰρήνην βαθεῖαν. Ead. vero forma sermonis utens rursum Thuc. 6, [87] scripsit : Ἀντὶ τοῦ ἀεὶ φυλάσσεσθαι αὐτοὺς, καὶ ἀντεπιβουλεῦσαι ποτὲ ἐκ τοῦ ὁμοίου μεταλάβετε. Quo in l. μεταλαμβάνω ἀντεπιβουλεῦσαι, nihil aliud esse quam ἀντεπιβουλεύω, annotant VV. LL., quum potius dicendum sit vacare præp. ἀντὶ in verbo ἀντεπιβουλεῦσαι. Ita locutus est et Isocr. Areop. [p. 154, C] : Τάχ' οὖν ἄν τινες θαυμάσειαν, τί βουλόμενος, ἀντὶ τῆς πολιτείας τῆς οὕτω πολλὰ καὶ καλὰ διαπεπραγμένης ἑτέραν ὑμᾶς πείθω μεταλαβεῖν. [Idem p. 256, A : Μηδεὶς ὑπολάβῃ με ταῦτ' εἰρηκέναι περὶ ταύτης, ἣν ἀναγκασθέντες μετελάβομεν (πολιτείας).] Geometris, μεταλαμβανόμεναι γωνίαι, Quæ permutantur. Cam. [Plato Prot. p. 355, C : Ἄλλο ὄνομα μετείληφεν ἀντὶ τῆς ἡδονῆς τὸ ἀγαθόν. Demosth. p. 1490, 20 : Εἰ ὡρμηκὼς κατ' ἐμαυτὸν εὐνοϊκῶς ἔχειν

D σοι τὴν ἐναντίαν γνώμην μεταλαβεῖν ἀναγκασθείην.] Interdum vero μεταλαμβάνω reddendum est potius simplici verbo Muto. Polyb. [6, 25, 11] : Ἀγαθοὶ γὰρ, εἰ καί τινες ἕτεροι, καὶ μεταλαβεῖν ἔθη, καὶ ζηλῶσαι τὸ βέλτιον καὶ Ῥωμαῖοι. [Τὰς ἐσθῆτας 3, 78, 3.] Sic Xen. Cyrop. 4, [5, 4] : Καὶ ἱμάτια μεταλαβόντες ἐδείπνουν. Usus est autem de vestibus itidem, quæ mutantur, poeta quidam Comicus ap. Athen. 6. At in VV. LL. inepte redditur μεταλαβεῖν ἱμάτια in l. illo Xen. Assumere vestimenta. In illo autem Thuc. l., Τὸν πόλεμον ἀντ' εἰρήνης μεταλαμβάνειν, tolerari potest interpretatio τοῦ μεταλαμβάνειν pro Sumere, sicut et in ceteris ll., ubi construitur μεταλαμβάνειν cum ἀντί : quia μεταλαμβάνειν πόλεμον ἀντ' εἰρήνης nihil est aliud, quam λαμβάνειν πόλεμον ἀντ' εἰρήνης : verum ut his ll. elegantius adhibetur comp. quam simplex, ita etiam elegantior est altera illa interpr., quam attuli supra. Eust. [Il. p. 79, 18], scribens μεταλαμβάνειν significare ἀλλάσσειν, affert hoc ex., Ἔχων τις δόρυ, μετέλαβε σπάθην. [Thuc. 6, 18 : Καὶ οὐκ ἐκ τοῦ αὐτοῦ ἐπισκεπτέον ὑμῖν τοῖς ἄλλοις τὸ ἥσυχον, εἰ μὴ καὶ τὰ ἐπιτηδεύματα ἐς τὸ ὅμοιον μεταλήψεσθε. Schol., εἰ μὴ καὶ κατὰ τὰ ἐπιτηδεύματα τοῖς ἄλλοις ἐξομοιωθήσεσθε. Exemplo quod ponit Eust. simillima Xenophontea Eq. 10, 6 : Ὅταν τὸν λεῖον μεταλάβῃ · 12, 13 : Μεταλαβεῖν παλτόν. Plato Theæt. p. 172, D : Ὥσπερ ἡμεῖς τινὶ τρίτον ἤδη λόγον ἐκ λόγου μεταλαμβάνομεν · Reip. 4, p. 434, B : Ὅταν τὰ ἀλλήλων οὗτοι ὄργανα μεταλαμβάνωσι καὶ τὰς τιμάς · Prot. p. 355, E : Μεταλάβωμεν δὴ τὰ ὀνόματα πάλιν τὸ ἡδύ τε καὶ ἀνιαρὸν ἐπὶ τοῖς αὐτοῖς τούτοις.] || Μεταλαμβάνειν, inquit Bud., est Quum alter alterius vestem vel instrumenta sumit, Plato De rep. 4, 4 [p. 434, A] : Τέκτων σκυτοτόμου ἐπιχειρῶν ἔργα ἐργάζεσθαι, ἢ σκυτοτόμος τέκτονος, ἢ τὰ ὄργανα μεταλαμβάνοντες τἀλλήλων. At ego hic quoque verbum Commutare dico locum habere, ut sc. τὰ ὄργανα μεταλαμβάνοντες ἀλλήλων, reddamus Commutantes instrumenta inter se : Plaut. Capt., Itaque inter se commutant vestem et nomina. Hoc enim aptissime redditum iri puto Gr. hisce verbis, Τὰ ἱμάτια καὶ τὰ ὀνόματα μεταλαμβάνουσιν ἀλλήλων. || Aliud pro alio sumo, Bud., afferens tamen exemplum ex solo Gaza, ita scribente de ἐμαυτοῦ et ἑαυτοῦ pronominibus : Ἔνθα δὴ καὶ μεταλαμβάνειν ἔξεστιν ὄνομα ἰσοδυναμοῦν, οἷον τὸ ἴδιον ἢ οἰκεῖον. Possit vero hæc signif. et in quibusdam exemplis paulo ante citt. locum habere, ubi μεταλαμβάνειν expositum fuit Mutare; nam quum dicuntur Romani μεταλαβεῖν mores, intelliguntur alienos sumere pro suis, loco suorum. Sic et qui ἐσθῆτα μεταλαμβάνει, Vestem mutat, unam loco alterius accipit; simplicius, Una relicta alteram accipit, ut dictum fuit supra de verbi hujus signif. [M. καὶ μεθαρμόττειν, Plut. Mor. p. 515, D. Τῶν κατὰ τοὔνομα (Νεῖλος) στοιχείων εἰς ψήφους μεταλαμβανομένων, Heliodor. 9, 22. Nomades μεταλαμβάνοντες τόπους ἀεὶ τοὺς ἔχοντας πόαν, Strab. 7, p. 307. Hemst. M. τὴν ἀρχήν, τὴν στρατηγίαν, Succedere in regnum, in præturam, post fratrem s. patrem, Polyb. 5, 40, 6; 4, 37, 7. Παρὰ μίαν μεταλαμβάνουσι τὴν ἀρχήν, 3, 110, 4. Τὴν οὐραγίαν ἀντὶ τῆς πρωτοπορείας μεταλαμβάνουσι, 6, 40, 8. Πᾶν σχῆμα μεταλαμβάνειν, ib. 3; 9, 20, 2. Μετέλαβον τὴν Ἑλληνικὴν κατασκευὴν τῶν ὅπλων, Asciverunt, 6, 25, 8. M. τὰς δυναστείας, Aliorum imperia in se transferre, 9, 10, 13. Μεταλαβὼν τὴν τῶν Καρχηδονίων στρατοπεδείαν, Pœnorum castra suis relictis occupans, 10, 40, 11. Μεταλαβόντες καιρὸν ἁρμόττοντα, 2, 16, 15; 5, 98, 11. Τόπον βουλόμενος εὐφυέστερον μεταλαβεῖν, 5, 80, 6. M. τὸν λόγον, τοὺς λόγους, Suscipere sermonem, Suscipere loquendi vices, 17, 2, 2; 29, 9, 1. Et nude μεταλαβεῖν, eadem notione, Suscipere sermonem, Respondere, 10, 38, 1; 18, 37, 5; 20, 10, 3. Neutraliter ἅμα τῷ μεταλαβεῖν τὸ τῆς νυκτός, Succedente nocte, 15, 30, 2. Schweigh. Lex.] || Vicissim accipio, assumo, Bud. in Plat. Philebo [p. 51, D] : Μήπω τοίνυν μαλθακιζώμεθα · τὸν δὲ τοῦ νοῦ μεταλαβόντες αὖ βίον ἴδωμεν · i. e., inquit ille, Vicissim post vitam voluptariam assumamus vitam prudentiæ, et eam æstimemus. Sed alicubi μεταλαμβάνειν exp. etiam simpliciter Assumere. Plut. De def. orac. [p. 423, B] : Κἀγώ, δοκεῖ γὰρ οὕτως, ἔφη, ἀφέντας ἤδη τὸν περὶ χρηστηρίων λόγον ὡς τέλος ἔχοντα, μεταλαμβάνειν ἕτερον τοσοῦτον. Quod autem attinet ad illam signif., qua ponitur a Plat. pro Vicissim accipio, existimat Bud. eand. habere, aut certe significare Alium pro alio sumo, de qua etiam signif. dictum modo fuit, in isto ejusd. Plat. l. [Polit. p. 257, C] : Διαναπαύσωμεν αὐτόν, μεταλαβόντες αὐτοῦ τὸν συγγυμναστὴν τόνδε. [Prot. p. 356, D : Ἡ αὐτὴ μὲν ἡμᾶς ἐπλάνα καὶ ἐποίει ἄνω τε καὶ κάτω πολλάκις μεταλαμβάνειν ταὐτὰ καὶ μεταμέλειν ;] || Transsumo, ut μετάληψις a Fabio redditur Transsumptio : quod nomen vide. || Intelligo per allegoriam. Bud. ex Eust. : Τὸν Ὀδυσσέα μὲν εἰς φιλόσοφον οἱ παλαιοὶ μεταλαμβάνουσι, τὴν δὲ ὑπὸ αὐτοῦ διοικουμένην Πηνελόπην, εἰς φιλοσοφίαν ἐκλαμβάνονται. [Eadem constr. id. Il. p. 631, 38 : Εὐριπίδης που τὰ Ὁμηρικὰ σήματα εἰς ξύμβολα μεταλαβὼν φησι, ubi tamen est potius Mutans. || Μεταλαμβάνω, de sumtione sacræ eucharistiæ, in Liturgia Chrysostomi : Καὶ οὕτω μεταλαμβάνουσι τὸν ἅγιον ἄρτον, ὁμοίως καὶ τὸ ἅγιον ποτήριον. Aliique scriptores Byzantini ap. Ducang. V. Μετάληψις. || Mira verbi forma ap. Jo. Damasc. vol. 2, p. 15, A : Εἰ δὲ ὀφείλεται χάρις καὶ δικαιοσύνη τῷ πιστεύοντι, δῆλον ὅτι καὶ τῆς κληρονομίας τῆς

A ἐπαγγελίας μεταλάβει, pro μεταλαμβάνει sive μεταλήψεται, nisi fuit μεταλάβῃ.]

[Μεταλαμπαδεύομαι, Lampadis instar trador. Clem. Al. Strom. p. 503 : Ἐπισκευάσας τὴν ἀθανασίαν τοῦ γένους ἡμῶν καὶ οἱονεὶ διαμονήν τινα παισὶ παίδων μεταλαμπαδευομένην.]

[Μεταλαξεύω. V. Μεταλλαξείω.]

[Μεταλγέω, Doleo, Condoleo. Æsch. Suppl. 405 : Τί τῶνδ' ἐξ ἴσου ῥεπομένων, μεταλγεῖς τὸ δίκαιον ἔρξαι ;]

Μεταλδήσκω, ex Apollonio affertur pro Produco. [Perperam exponitur Produco, 3, 414 : Οὐ σπόρον ὁλκοῖσιν Δηοῦς ἐνιβάλλομαι ἀκτήν, ἀλλ' ὄφιος δεινοῖο μεταλδήσκοντας ὀδόντας ἀνδράσι τευχηστῆσι δέμας · ubi μεταλδήσκοντας, Mutata forma crescentes ; præpositio enim mutationis est σημαντική. Brunck.]

Μεταλήγω, Desino s. Desisto, Cesso. Hom. Il. I, [157] : Ταῦτά κέ οἱ τελέσαιμι μεταλήξαντι χόλοιο, i. e. λήξαντι, παυσαμένῳ, ubi sunt qui λ geminant, ut in Ἀπολλήξεις supra. [Hom. H. Cer. 339 : Ὄφρα ἑ μήτηρ ὀφθαλμοῖσιν ἰδοῦσα μεταλλήξειε χόλοιο. Apoll. Rh. 1,
B 1271 : Μεταλλήγων καμάτοιο · 3, 110 : Μεταλλήξει γὰρ ὀπίσσω · 3, 951 : Μεταλλήγεσκεν ἀμήχανος.]

[Μεταληπτέον, Participandum. Plato Parm. p. 163, D : Τῷ ἑνὶ ... οὔτε μεταληπτέον οὐσίας οὐδαμῶς. « Heliod. 1, 14; Liban. vol. 3, p 337, 8; Greg. Naz. Or. 38, p. 619, A. » Boiss.]

Μεταληπτικός, ἡ, όν, q. d. Participativus, Participandi vim habens. At in VV. LL. pro Particeps affertur ex Gregor. [Aptus ad recipiendum, Plut. Plac. phil. p. 884, A : Πλάτων τὸ μεταληπτικὸν τῶν εἰδῶν (φησὶ τόπον).] || Ap. grammaticos, Pertinens ad figuram illam, quæ μετάληψις [quod v.] appellatur. [Eust. Il. p. 26, 31 : Τὰ εἰς ις θηλυκὰ ὀξύτονα εἰ ἐν τῇ συνθέσει φυλάσσει τὸ θηλυκὸν μόνον γένος ..., εἰ δὲ μεταληπτικὰ γίνονται καὶ ἀρσενικοῦ γένους.]

Μεταληπτικῶς, Per metalepsin. [Scholl. Aristoph. Pl. 18, Hesiodi Theog. 411.]

Μεταληπτός, ἡ, όν, Cujus participatio esse potest, Cujus particeps aliquis fieri potest. || Qui potest exponi, Cujus expositio afferri potest, s. ἑρμηνεία.

C Μετάληψις, εως, ἡ, [Perceptio, Gl.] Participatio. Plato Parm. [p. 131, A] : Οὐκοῦν ἤτοι ὅλου τοῦ εἴδους ἢ μέρους ἕκαστον τὸ μεταλαμβάνον, μεταλαμβάνει, ἢ ἄλλη τις ἂν μ. χωρὶς τούτων γένοιτο; [Reip. 7, p. 539, D : Ἀρκεῖ δὴ ἐπὶ λόγων μεταλήψει μεῖναι ἐνδελεχῶς. Definitt. p. 411, A : Γένεσις μετάληψις οὐσίας. Plut. Mor. p. 826, C : Λέγεται πολιτεία καὶ μ. τῶν ἐν πόλει δικαίων. Ammon. v. Χαρὰ p. 146 : Ἀπόλαυσις δὲ ἕξις κοινῶς ἐπὶ πάσης μεταλήψεως τασσομένη.] || Commutatio, Permutatio. [Plato Theæt. p. 173, B : Ἵνα μὴ καὶ λίαν πολὺ τῇ ἐλευθερίᾳ καὶ μεταλήψει τῶν λόγων καταχρώμεθα. Quod 172, D, dicitur, ὥσπερ ἡμεῖς νυνὶ τρίτον ἤδη λόγον ἐκ λόγου μεταλαμβάνομεν.] Aristot. Rhet. 1, [10] : Ἀντὶ μείζονος (κακοῦ) ἐλάττονος μετάληψιν, ubi tamen et simpliciter accipi potest pro Sumptione, s. Acceptione, ut μετάληψις sit pro simplici λῆψις, sicut in πόλεμον ἀντ' εἰρήνης μεταλαμβάνειν, posse μεταλαμβάνειν accipi et pro Sumere, dictum supra fuit. [M. τῆς ἀρχῆς, Successio in regnum, Polyb. 31, 21, 3. Τοῦ σχήματος, Mutatio figuræ, 9, 20, 2. Παραγγείλαντες ἐκ μεταλήψεως τοῖς
D ξίφεσι χρῆσθαι, Gladio pro hasta, 2, 33, 4. Ἡ ἐκ μ. τοῦ σαυρωτῆρος χρεία, Cuspidis usus inversa hasta, 6, 25, 9. Schweigh. Lex.] || Apud Rhetores Status quidam, quasi Transsumptio, Translatio, Transpositio; ita enim Fabius 3, 6 : Et μετάληψιν, quam nos varie, Translativam, Transsumptivam, Transpositivam vocamus. A quibusdam exp. etiam Translativa causæ constitutio, Præscriptionis status, lis, Exceptio. Ab Hermog. μετάληψις esse dicitur, ὅταν ἡ ζήτησις ᾖ, εἰ δεῖ τὸν ἀγῶνα εἰσελθεῖν. [« Judicii aut Fori vitatio et declinatio, quam Lat. Translationem s. Translativam constitutionem dixerunt, quia negotium a judice ad alium judicem, a loco in alium locum, a tempore in aliud tempus, a pœna ad aliam pœnam, a supplicio ad aliud, a forma judicii ad aliam formam transfertur. A nonnullis etiam Reprehensio dicta est, eo quod, quum maxime inducatur in judicium caussa, reprehenditur, et quasi retrahitur. V. Aurel. August. Princ. rhetor. p. 294. Quintil. 3, 8, et Cicero De invent. 1, 8, hanc translationem referunt ad status generales. Conf. In-

vent. 2, 19, De partitt. c. 28 seqq., Hermog. II. στάσ. p. 28 et 96 ed. Sturm. Hæc μ. dividitur in ἔγγραφον et ἄγραφον, posteriorque κατ' ἐξοχὴν dicitur μ., et est maxime τοῦ κατηγόρου, sicut ἔγγραφος τοῦ φεύγοντος. V. Syrian. ad Hermog. p. 321 Ald. Illa porro μ. ἔγγραφος appellatur παραγραφή, quod v. Alia μ. est quæ constat ἐν στάσει et ἀντιπαραστάσει, Negatione et concessione hypothetica, ap. Hermog. II. στάσ. p. 40, cui fere similis est quæ reprehendit modum actionis, ut : Non recte fecisti, Non bona ratione egisti. Eam semper sequitur ἀντίληψις, qua probatur recte factum esse. V. Hermog. l. c. p. 60 et 82, schol. ad h. l. p. 153 Ald., ubi Sopater : Μετάληψις ὠνόμασται μὲν οὕτως ἀπὸ τοῦ τὸν κατήγορον συγχωροῦντα κατά τι τῇ παρὰ τοῦ φεύγοντος προβαλλομένῃ ἐξουσίᾳ μεταλαμβάνειν ἕν τι τῶν περιστατικῶν μορίων, τόπον, χρόνον ἢ πρόσωπον, ἤ τι τῶν λοιπῶν· it. p. 255 et ibi Syrian. inprimis. » Ernest. Lex. rhet. || Translatio proprie, ap. Aret. p. 38, 43 : Ἀγαθαὶ δὲ πάντων μᾶλλον αἱ ἐς νεφροὺς καὶ κύστιας μεταλήψιες, de materia transferenda.] || Apud poetas schema quoddam, quod itidem redditur Transsumptio ab eod. Fabio, ita scribente 8, 6 : Superest ex iis, quæ aliter significant, μετάληψις, i. e. Transsumptio, quæ ex alio in aliud velut viam præstat. Tropus et rarissimus et maxime improprius : Græcis tamen frequentior, qui centaurum, Chirona, et νήσους θοὰς, ὀξείας dicunt : nos quis ferat, si Verrem, furem : aut Lælium, doctum nominemus ? [Eodem ex. usus Plut. De Hom. poesi, Ἕτερος τρόπος, inquit, ἐστὶν ἡ καλουμένη μ. κατὰ συνωνυμίαν σημαίνουσα πρᾶγμα διάφορον, οἷον, Ἔνθεν δ' αὖ νήσοισιν ἐπιπροέηκε θοῇσι. Βούλεται γὰρ σημῆναι τὰς κυρίως ὀξείας λεγομένας νήσους, ἐπεὶ συνωνυμεῖ τὸ θοὸν τῷ ὀξεῖ κτλ. Ernest. Lex. rhet.] Est enim hæc in metalepsi natura, ut inter id, quod transfertur, sit medius quidam gradus, nihil ipse significans, sed præbens transitum. Hæc Fab. Huc autem pertinentia multa suppeditabit tibi Eust. p. 79, ubi μετάληψιν nihil aliud esse dicit quam μεταλλαγήν. Idem vero p. 1875, vult lusciniam ab Hom. vocari κούρην Πανδαρέου per quandam metonymiam, s. μετάληψιν. Donatus in hæc Terentii verba, quæ in Andria leguntur, act. 3, scena 2, [22], Quasi tu dicas factum id consilio meo : Dicas, inquit, pro Credas; non enim dicimus nisi quod credimus. Ab eo quod sequitur, id quod præcedit : figura metalepsis, a posterioribus ad priora. [Heraclides Pont. De alleg. Homer. ait ab Homero per Ἥφαιστον intelligi τὸ πῦρ, μεταληπτικῶς. In quo tamen potius est metonymia caussæ. Omnino veteres grammaticos, inprimis Eustathium, animadvertimus, quæ *translate* et *tropice* utcunque dicuntur, ea μεταληπτικῶς, vel μεταληπτικῷ τρόπῳ dicta pronunciare : v. quæ dicimus ad voc. Μεταφορά. Eodem modo ap. Suidam in Παρθένιοι : Καλοῦνται δὲ καὶ ἐκ μεταλήψεως καὶ ἄφθοροι. Præterea etiam Dionys. Halic. μετάληψιν poeticam vocat, quando συγγενὲς et ἑταῖρον dicimus pro συγγενεῖς et ἑταῖροι, h. e. abstractum pro concreto. Ceteras notiones, quas Capperonerius ex Origene et scriptt. eccles. adfert, omittimus. Ernest. Lex. rhet. Etym. M. v. Ἄωροι : Καλλίμαχος κατὰ μετάληψιν τοὺς ἀγρίους· ἄωρον γὰρ τὸ ὠμὸν, τὸ δὲ ὠμὸν ἄγριον.] || Apud grammaticos, quæ alio nomine κλίσις, Schema quoddam, cujus usus est in constructione, quum casus, qui præcedit, suam ἀκολουθίαν non servat, sed in alium μεταλαμβάνεται aut μετακλίνεται. Cujus schematis exx. vide ap. Eust. p. 103. || Allegoria, ἀλληγορία, Eust. p. 79, ex quo habuisti et supra μεταλαμβάνειν pro Allegorice significare. Sed Idem p. 691, μετάληψιν exp. etiam μετάφρασιν, sicut μεταφράζειν et μεταλαμβάνειν idem esse tradit. Et rursum in illa p. 79, μετάληψιν vocari tradit etiam τὴν τῶν λέξεων ἑρμηνείαν : unde ἀμετάληπτοι λέξεις dicuntur αἱ ἀνερμήνευτοι. [Apollon. De constr. 4, 10, p. 335, 1 : Ἐκ τοπικοῦ ἐπιρρήματος τοῦ οὗ ἀπετελεῖτο Δωρικὴ μετάληψις ἡ εἶ, de mutatione per dialectum. || De sumtione sacræ eucharistiæ Isidor. Pel. Ep. 1, 228 : Κοινωνία κέκληται ἡ τῶν θείων μυστηρίων μετάληψις. M. τῆς εὐχαριστίας in Synodo Antioch. 1 can. 2. Jo. Damasc. Orthod. fid. 4, p. 114 : M. δὲ λέγεται· δι' αὐτῆς γὰρ τῆς Ἰησοῦ θεότητος μεταλαμβάνομεν. Differunt autem ap. Græcos interdum μετάληψις et μετάδοσις : quippe μετάληψιν vocant sanguinis, μετάδοσιν vero
A corporis dominici communionem. Unde in imaginibus in S. altaris conchis Christus effingitur mensæ assidens manibus in Crucem decussatis, dextra quidem, cui vox μετάληψις inscripta est, calicem, sinistra, ubi vox alia μετάδοσις legitur, panem porrigit. M. sumitur etiam de perceptione ἀντιδώρου seu Panis benedicti. Pachymeres 5, 8 extr. : Ἐν μεταλήψει δὲ θείου ἄρτου ὃν ἀντίδωρον λέγουσιν. Ex Ducang. Gl.]

[Μετάλκης, ους, ὁ, Metalces, f. Ægypti, ap. Apollod. 2, 1, 5, 8.]

Μεταλλᾰγή, ἡ, et Μετάλλαξις, εως, ἡ, Mutatio, Immutatio. [Transmutatio, Gl. Soph. Phil. 1134 : Ἀλλ' ἐν μεταλλαγᾷ πολυμηχάνου ἀνδρὸς ἐρέσσει, de arcu Philoctetæ ab Ulixe extorto. Eur. Herc. F. 765 : Μεταλλαγαὶ γὰρ δακρύων μεταλλαγαὶ συντυχίας; ἔτεκον ἀοιδάς· fr. Danaes ap. Stob. Ecl. phys. vol. 1, p. 216 : Φθίνουσ' ἐτείοις προσφερεῖς μεταλλαγαῖς. Herodot. 1, 74 : Τὴν μεταλλαγὴν ταύτην τῆς ἡμέρης Θαλῆς προηγόρευσε ἔσεσθαι, ubi, ut supra μεταβολὴ, dicitur de solis defectu.] Xen. Cyrop. 6, [2, 29] : Ἡ κατὰ μικρὸν μετάλλαξις [nunc ex
B melioribus libris παράλλαξις]. Et Cyn. [4, 4], μ. τῶν σημάτων. Ap. Eund. Hell. 7, [4, 10] : Ἀπεκρίνατο ὅτι ἡ μὲν συμμαχία, οὐκ εἰρήνη, ἀλλὰ πολέμου μεταλλαγὴ εἴη. [Plato Theæt. p. 199, C : Ἡ τῶν ἐπιστημῶν μεταλλαγή· Tim. p. 61, C : Κοινωνίαις τε καὶ μεταλλαγαῖς εἰς ἄλληλα· Crat. p. 420, B : Διὰ τὴν τοῦ ὦ ἀντὶ τοῦ οὗ μεταλλαγήν.] Ap. Athen. [12, p. 531, D] citatur Anaximenis liber inscriptus Βασιλέων Μεταλλαγαί· ubi μεταλλαγαὶ significare puto Mortes, quo plurali utitur et Cic. Tusc. 1, ut perinde sit ac si inscripsisset Βασιλέων Θάνατοι. [Aret. p. 17, 14 : Μεταλλαγὴν τοῦ βίου. « Clem. Al. Str. 1, p. 702. » Routh.]

[Μεταλλακτέον, Mutandum. Philo Belop. p. 93, C.]

[Μεταλλακτὴρ, ῆρος, ὁ, Mutator, Qui mutare assuevit. Sic Io tragicus ap. Athen. 7, p. 318, E : Στυγῶ μεταλλακτῆρα πουλύπουν χροός. Schweigh.]

[Μεταλλακτὸς, ὁ, ἡ, Mutabilis, Mutatus. Pind. fr. ap. Plut. Mor. p. 705, F : Τῶνδε οὔτε τι μεμπτὸν οὔτε μεταλλακτόν. Æsch. Sept. 706 : Ἐπεὶ δαίμων λήματος ἐν τροπαίᾳ χρονίᾳ μεταλλακτὸς ἴσως ἂν ἔλθοι θαλερωτέρῳ
C πνεύματι.]

[Μεταλλαξείω, Mutare gestio. Eust. Od. p. 1734, 63 : Διὸ καὶ ὁ Πορφύριος τὸ πᾶν τοῦτο ἄντρον εἰς ἀλληγορίαν μεταλλαξεύει. Μεταλλαξείει Pierson. ad Mœr. p. 15, A.]

[Μετάλλαξις. V. Μεταλλαγή.]

[Μεταλλάπυτον, τὸ, loci nomen. V. Λαγινάπυτον.]

[Μεταλλάρχης, ὁ, Metallis et iis qui ad metalla damnati sunt præfectus. Paul. Alex. in Isagoge Ms. ad Apotelesmat. : Ὅτε δὲ καὶ δημίους ἢ δεσμοφύλακας ἢ μεταλλάρχας ἢ τελώνας. Ducang.]

Μεταλλάσσω, s. Μεταλλάττω, Muto, Immuto. [Transmuto, Gl., et Μετηλλαγμένος, Versus. Soph. fr. Terei ap. Stob. Fl. 98, 45 : Τὰν ἀνθρώπου ζόαν ποικιλομήτιδες ἆται πάσαις μεταλλάσσουσιν ὥραις· id. ap. Plutarch. Demetr. c. 45 : Ἀλλ' οὑμὸς ἀεὶ πότμος ... μεταλλάσσει φύσιν· et ap. Stob. Fl. 29, 38 : Πόνου μεταλλαχθέντος οἱ πόνοι γλυκεῖς. Herodot. 1, 59 : Οὔτε θέσμια μεταλλάξας.] Thucyd. 8, p. 284 : Ὕστερον δὲ πολὺ μεταλλάξαντες τῆς τοῦ δήμου διοικήσεως. [Plato Crit. p. 53, D : Τὸ σχῆμα τὸ σαυτοῦ μεταλλάξας· Polit. p.
D 291, B : Ταχὺ μεταλλάττουσι τὰς ἰδέας καὶ τὴν δύναμιν εἰς ἀλλήλους· Leg. 6, p. 775, C : Μεταβολὴν οὐ σμικρὰν βίου μεταλλάττοντας.] Isocr. autem Ad Demon. [p. 7, A] μεταλλάττειν φίλους dixit : Ὁμοίως γὰρ αἰσχρὸν, μηδένα φίλον ἔχειν, καὶ πολλοὺς ἑταίρους μεταλλάττειν. Sic et μεταλλάττειν τὸν βίον dicunt, ut Latini Vitam cum morte commutare, pro Mori, relinquentes tamen subaudienda illa Cum morte, ut Isocr. Archid. [p. 119, B] : Ἐπεὶ Ἡρακλῆς μετήλλαξε τὸν βίον. Sic in Encom. Evag. [p. 192, A.] Sed sæpe sub illo etiam accus., ut Polyb. 2 : Ἀντιγόνου δὲ μεταλλάξαντος. Idem [2, 44, 3] : Δυσελπιστήσαντες ἐπὶ τῷ μετηλλαχέναι τὸν Δημήτριον. [Utriusque exx. v. ap. Schweigh. in Ind.] Plut. : Τὸ δὲ φιλεῖν τὸν μεταλλάξαντα καὶ στέργειν. [Μετηλλαχότος ἐκείνου, Apollon. Perg. Pr. libri 4 Conic. Hemst. Axioch. p. 367, C : Νυκτὶ μετήλλαξαν· 369, B : Οὔτε περὶ τοὺς ζῶντας οὔτε περὶ τοὺς μετηλλαχότας.] Dicitur etiam μεταλλάττειν ἑτέραν χώραν, Mutare aliam regionem, q. d. Suam regionem cum alia commutare, pro Migrare ex sua regione, Ex sedibus suis migrare. Antipho

[immo Lycurg. p. 158, 34] : Οἱ δὲ προηροῦντο ἀποθνήσκειν μᾶλλον ἢ ζῶντες ἑτέραν μεταλλάξαι χώραν. [Plato Parm. p. 138, C : Ἢ μεταλλάττοι χώραν ἑτέραν ἐξ ἑτέρας· Leg. 6, p. 760, C : Τοὺς τῆς χώρας τόπους μεταλλάττοντας.] Ap. Plat., inquit Bud., μεταλλάττειν est Inverso ordine aut immutatis vicibus aliquid facere : et quum alter alterius fungitur officio, et alter alterius præmia occupat. Quæ enim sic fiunt, μεταλλαττόμενα ab eo [Reip. 4, p. 434, A] dicuntur. [|| Transitive sic, ut sit Transfero, Plato Tim. p. 19, A : Τὰ μὲν τῶν ἀγαθῶν θρεπτέον ἔφαμεν εἶναι, τὰ δὲ τῶν φαύλων εἰς τὴν ἄλλην λάθρᾳ διαδοτέον πόλιν· ἐπαυξανομένων δὲ σκοποῦντας ἀεὶ τοὺς ἀξίους πάλιν ἀνάγειν δεῖν, τοὺς δὲ παρὰ σφίσιν ἀναξίους εἰς τὴν τῶν ἐπανιόντων χώραν μεταλλάττειν. || De enallage grammat. Vit. Homeri p. 310 ed. Gal. : Οὕτω καὶ τὰς προθέσεις εἴωθε μεταλλάσσειν, Χθιζὸς ἔβη μετὰ δαῖτα, ἀντὶ τοῦ ἐπὶ δαῖτα. || Constructione compendiaria Aristoph. Av. 117 : Πρῶτα μὲν ἦλθ' ἄνθρωπος ... εἶτ' αὖθις ὀρνίθων μεταλλάξας φύσιν καὶ γῆν ἐπεπέτου καὶ θάλατταν. || Signif. neutra Mutor, ap. Eur. fr. Archelai ap. Stob. Fl. 105, 31 : Ὡς εὖ μεταλλάσσουσιν (αἱ τύχαι)· fr. Autolyci ap. Athen. 10, p. 413, D : Ἔθη γὰρ οὐκ ἐθισθέντες καλὰ σκληρῶν μεταλλάσσουσιν ἐς τἀμήχανα, ubi tamen etiam transitive capere licet. || Medio Pollux 7, 44 : Λυσίας (dixit) μεταλλαξαμένη χιτῶνα. Dinarch. p. 101, 43 : Εἰ μετοιωνίσασθαι τὴν τύχην καὶ μεταλλάξασθαι βουλόμεθα. Intransitive Vita Jo. Damasc. vol. 1, p. xvi, C : Πρὸς τὴν οὐράνιον μονὴν μετηλλάξατο.]

[Μετάλλᾱτος, ὁ, Quærendus. Pind. Pyth. 4, 164 : Μεμάντευμαι δ' ἐπὶ Κασταλίᾳ, εἰ μετάλλατόν τι, Dor. pro μετάλλητον.]

Μεταλλάω, Scrutor, Inquiro, Curiose scrutor et exquiro : sumpta metaph. a metallorum scrutatione, qua nihil est περιεργότερον, ut ex antiquis gramm. tradit Eust. [Il. p. 148, 8, Od. p. 1413, 55.] De qua Ovid. Met. 1 : Nec tantum segetes alimentaque debita dives Poscebatur humus; sed itum est in viscera terræ, Quasque recondiderat Stygiisque admoverat umbris, Effodiuntur opes. Et Plin. 33, in præf. : Metalla nunc dicentur, tellurem intus inquirente cura multiplici modo : quippe alibi divitiis foditur, quærente vita aurum, argentum, electrum, æs : alibi deliciis, gemmæ, et parietum digitorumque pigmenta : alibi temeritati ferrum, auro etiam gratius inter bella cædesque. Persequimur omnes ejus fibras. Ab hac igitur curiosa investigatione μεταλλᾷν capitur pro ἐρευνᾷν, ζητεῖν, ut Hesych. exp. Hom. Il. N, [780] : Ἕταροι δὲ κατέκταθεν οὓς σὺ μεταλλᾷς, Quæris et indagas. [Od. Ω, 321 : Κεῖνος μέν τοι ὅδ' αὐτὸς ἐγὼ, πάτερ, ὃν σὺ μεταλλᾷς.] Dicitur etiam μεταλλᾷν Qui sciscitatur et quærit ex aliquo, et qui unum post aliud curiose scrutando exquirit, ut in metallorum venis fieri solet, Od. Ξ, [128] : Ἡ δ' εὖ δεξαμένη φιλέει καὶ ἕκαστα μεταλλᾷ, de Penelope peregrinos errones domum suam recipiente, et multa super Ulysse rogitante. [P, 554 : Μεταλλῆσαί τί ἑ θυμὸς ἀμφὶ πόσει κέλεται. Epigr. Anth. 183, 3 : Μὴ προπετῶς, ὦ ξεῖνε, θεῶν πέρι τοῖα μετάλλα.] Frequenter cum ἔρομαι copulatur, quod est Interrogo, Rogito. Od. Π, [465] : Οὐκ ἔμελέν μοι ταῦτα μεταλλῆσαι καὶ ἔρεσθαι· A, [231] et al. [Ω, 477] : Ἐπεὶ ἂρ δὴ ταῦτά με εἴρεαι ἠδὲ μεταλλᾷς· Γ, [243] : Νῦν δ' ἐθέλω ἔπος ἄλλο μεταλλῆσαι καὶ ἔρεσθαι. [Utitur etiam Pind. Ol. 6, 61 : Ἀντεφθέγξατο δ' ἀρτιεπὴς πατρία ὄσσα μετάλλασσέν τε μιν. Apoll. Rh. 4, 1471. De origine verbi disputat Buttmann. Lexil. vol. 1, p. 139 sq.]

Μεταλλεία, ἡ, Metallorum scrutatio. Suidæ ἡ ἔρευνα τοῦ χρυσοῦ. [Plato Critiæ p. 114, E : Ὅσα ὑπὸ μεταλλείας ὀρυττόμενα στερεὰ καὶ ὅσα τηκτὰ γέγονε· Leg. 8, p. 842, D, ubi plurali. « Demetr. Phal. ap. Athen. 6, p. 233, E : Τὸ πολὺ τούτου (τοῦ ἀργύρου) βαθείαις καὶ κακοπάθοις μεταλλείαις εὑρίσκεται. » Schw.] Item λίθων μεταλλεῖαι ap. Polluc. [7, 100], quæ comp. voce λιθουργίαι et λιθοτομίαι. Metaph. dicitur de Ductu subterraneo quo cuniculi aguntur : quum per occultos canales, ut in metalli fodinis fieri solet, sub terra in aliquam urbem aditum machinantur : quod Latini Cuniculos appellant. Diod. S. [16, 74] : Διὰ τῆς μ. ὑπορύττων ἐπὶ πολὺ μέρος τοῦ τείχους κατέβαλλε, Actis cuniculis : quod Polyb. dicit διὰ μετάλλων. [Plato Leg. 6, p. 761, C : Συνάγοντες μεταλλείαις (aquas).]

[Μεταλλεῖον, τὸ, i. q. μέταλλον. Plato Leg. 3, p. 678, D : Σίδηρος καὶ χαλκὸς καὶ πάντα τὰ μεταλλεῖα συγκεχυμένα ἠφάνιστο.]

Μετάλλειον, μύρον a quodam Metallo Siculo, ejus inventore, Hesych., afferens hunc Aristoph. l., Μεταπέμπου νῦν ταῦτα σπουδῇ, καὶ μύρον, εὕρημα Μετάλλου. Meminit et Pherecrates, teste eod. Hesych. Ab Eust. autem vocatur μεγάλλιον, et inventor Μέγαλλος : ab aliis Μεγάλειον, ut supra dictum fuit. [Ubi v.]

Μεταλλεὺς, έως, ὁ, Metallorum scrutator et effossor, Metallicus; Qui circa metalla et fodinas versatur; qui infra μεταλλουργός. [Harpocrationi et] Suidæ sunt μεταλλεῖς οἱ τὰ μέταλλα ἐργαζόμενοι. [Pherecratis fabulam sic dictam, quæ ab Eratosthene Nicomacho tributa sit, cum aliis memorat Harpocr., qui etiam Lysiæ addit testimonium. Theophr. fr. 2 De lapid. 52.] Apud Polluc. κίβδηλοι μεταλλεῖς, Metallici qui metalla adulterant. [Id. 3, 87.] Item, χρυσοῦ μεταλλεῖς ap. Eund. [7, 97] : quos comp. voce χρυσουργοὺς et χρυσουργοῦντας appellat. [Plato Leg. 3, p. 678, D. De iis qui cuniculos agunt Diod. 20, 94 : Διὰ τῶν μεταλλέων ὑπορύξαντος τὸ τεῖχος.] Μεταλλεῖς dicuntur etiam τῶν μυρμήκων τινὲς, Formicæ quædam, Hesych.

[Μετάλλευσις, εως, ἡ, i. q. μεταλλεία. Palæphat. c. 10 : Ἐν τῇ μεταλλεύσει λύχνους καταφέρων. Philo Belop. p. 91, B.]

[Μεταλλευτὴρ, ῆρος, ὁ, i. q. sequens. Paul. Sil. Ecphr. 621 : Ἐπεὶ καὶ χλωρὰ Καρύστου νῶτα μεταλλευτῆρι χάλυψ ἐχάραξεν ὀδόντι, de lapicida.]

[Μεταλλευτὴς, ὁ, i. q. μεταλλεύς. Manetho 4, 259 : Γαίης μεταλλευταί. Strabo 15, p. 700 : Γόργος ὁ μ. Eidem 9, p. 407, ὁ μεταλλευτὴς Κράτης restitutum pro ὁ μεταλλεὺς τῆς Κρήτης.]

Μεταλλευτικὸς, ή, όν, Metallicus, Pertinens ad eos qui metalla scrutantur et effodiunt : μ. κτῆμα, Plato [Leg. 8, p. 847, D]. At ἡ μεταλλικὴ [« μεταλλευτικὴ » HSt. Ms. Vind.], sc. τέχνη, Ars metallica, scrutandorum aut elaborandorum metallorum : v. Μεταλλεύω. [Aristot. Pol. 1, 11 : Ὑλοτομία καὶ πᾶσα μεταλλευτική. Adv. Μεταλλευτικῶς Eust. Opusc. p. 251, 19 : Ἐν τῷ κατὰ σὲ χειμάρρῳ εἴ τις ἐπιμελῶς ἀνορύσσων ἀποπλύνῃ τὸν χοῦν μ.]

Μεταλλευτὸς, ὁ, Qui a metallicis effoditur et elaboratur. Aristot. Meteor. 3 fin. : Δύο δὲ καὶ τὰ εἴδη τῶν ἐν τῇ γῇ γινομένων, τὰ μὲν, ὀρυκτὰ, τὰ δὲ, μεταλλευτά· ubi ὀρυκτὰ vocat Lapides et terræ quædam genera, sandaracham, ochram, minium, sulphur, et quæ hujusmodi : at μεταλλευτὰ, ead. quæ τὰ μεταλλευόμενα : de quibus mox sequitur, Τῆς δ' ἀναθυμιάσεως τῆς ἀτμιδώδους, ὅσα μεταλλεύεται, καὶ ἔστιν ἢ χυτὰ, ἢ ἐλατὰ, οἷον σίδηρος, χρυσὸς, χαλκός.

Μεταλλεύω, Metalla eruo, i. q. μεταλλουργέω. [Lycophr. 485 : Καὶ τὸν ἐκ βόθρου σπάσει βῶλον, δικέλλῃ πᾶν μεταλλεύων γνύθος. Dionys. Per. 1114 : Τῶν δ' οἱ μὲν χρυσοῖο μεταλλεύουσι γενέθλην.] Pollux 7, c. 23 [§ 97] : Μεταλλεύειν, ὀρύττειν, γεωρυχεῖν, σκάπτειν, ἀνασκάπτειν. Idem 3, c. 11 [§ 87] cum accus. dicit, Χρυσία μεταλλεύειν, ὀρύττειν. [Immo sic ibi legitur : Ἀργύρεια μέταλλα καὶ χρύσεια, μεταλλεύειν. « Palæph. c. 10 : Λυγκεὺς πρῶτος ἤρξατο μεταλλεύειν χρυσὸν καὶ ἄργυρον. » Valck. Diod. 5, 37 : Ἐκεῖνα (τὰ μέταλλα) οἱ μεταλλεύοντες.] Et μεταλλεύοντες, Qui metalla effodiunt, Metallici, οἱ μεταλλουργοί. Lucian. [Char. c. 11] : Χρυσὸν δ' ὀλίγον ἐκ πολλοῦ τοῦ βάθους οἱ μεταλλεύοντες ἀνορύττουσι. Ipsa autem μέταλλα dicuntur μεταλλεύεσθαι, quum effodiuntur et μεταλλουργεῖται ἐκ τῶν μυχῶν. Plato [Polit. p. 288, D] : Χρυσὸς καὶ ἄργυρος καὶ πάνθ' ὅσα μεταλλεύεται. Aristot. Eth. 1 : Ἡ δὲ μεταλλευτικὴ πολλὰ εἴδη περιείληφε· πολλὰ γὰρ εἴδη τῶν ἐκ τῆς γῆς μεταλλευομένων ἐστί. Strabo p. 63 : Ὁ δὲ χρυσὸς οὐ μεταλλεύεται μόνον, ἀλλὰ καὶ σύρεται. Lucian. [De sacrif. c. 11] : Χρυσίον μεταλλευθὲν ἐκ Θρᾴκης, Effossum et purgatum, Bud. Aliquando τὰ μεταλλευόμενα commodius redditur Metallica. [Latiori signif. Diod. 18, 70 : Διὰ τῶν μεταλλευόντων ὑπορύξας τὰ τείχη. Dionys. A. R. 4, 44 : Μεταλλεύοντες ὑπονόμους. Polyæn. 7, 11, 5 : Ἤρξαντο μεταλλεύειν ὑπόνομον Πέρσαι. « Mala in alios μεταλλεύοντες, Athenag. p. 43, 10. » Valck. Porphyr. Ad Marcellam p. 45 (391) : Μεταλλεύων τὴν ἔρευναν. Schn.] || Hesychio μεταλλεύει est etiam ζητεῖ : metaph. sumpta

A a metallicorum indagatoribus et perscrutatoribus. Et μεταλλεύω, Suidæ ἐρευνάω, πολυπραγμονῶ, Curiose scrutor. Epigr. [Leonidæ Anth. Pal. 6, 302, 5] : Τῷ τι μεταλλεύεις τοῦτον μυχὸν, ὦ φιλόλυχνε. [Nicand. Th. 672 : Κυνὸς, ὅστε μεταλλεύων αἰγὸς ῥόθον κτλ. || Transitive Polyæn. 2, 1, 26 : Ἧκόν τινες ἐκ τῶν μετάλλων ἐκπεπηδηκότες Ἕλληνες, ἀγγέλλοντες ὡς ἄρα Λαμψακηνοὶ πάντας μεταλλεύουσιν οὓς ἂν λάβωσι, ubi est i. q. μεταλλίζω.]

[Μετάλλητος. V. Μετάλλατος.]

[Μεταλλίζω, In metalla damno.] Μεταλλίζεσθαι, In metallum damnari, Bud. ex Pandect. [Basilic. 6, 1, 25 : Οἱ πάσας τὰς ἐπαρχίας διοικοῦντες δίκαιον ἔχουσι ξίφους καὶ τοῦ μεταλλίζειν· 4, 2 : Εἰ δὲ καταμηνύσωσιν αὐτοὺς ἢ τοῖς ἐχθροῖς αὐτῶν συμπνεύσωσι, μεταλλίζονται. V. Photium in Nomocan. tit. 2, c. 2, etc. Ducang.]

Μεταλλικὸς, ή, όν, Metallicus : ut Plin. dicit Natura metallica. Medicis autem μεταλλικὰ dicuntur Ea quæ in metallis generantur, sive sponte naturæ sive per fornacem producantur : quibus etiam accedit tertium genus eorum quæ ex his ipsis homines conficiunt, B velut est cerussa, ærugo, scandix, et istis similia : ut docet Gorr. Μεταλλικὰ, inquit Aetius 2, 40, προσαγορεύειν ἔθος ἐστὶ τοῖς ἰατροῖς, ὧν ἡ γένεσις ἐν τοῖς μετάλλοις ἐστὶν, ἤτοι αὐτοφυῆ ἢ διὰ καμίνου γιγνόμενα· καὶ τρίτα ἐπ' αὐτοῖς ἐστὶν ὅσα πάλιν ἐκ τούτων αὐτῶν οἱ ἄνθρωποι σκευάζουσι· quæ ordine alphabetico enarrat et explicat, Ἀδάρκης, ἀλκυώνια, ἅλες, ἁλὸς ἄνθος, ἀρμενιακὸν τὸ τῶν ζωγράφων, ἄσφαλτος, ἀφρόνιτρον καὶ νίτρου ἀφρός· γύψος, δίφρυγες, διαφανὲς, ἤτοι σπεκλάριον, θεῖον, ἰὸς ξυστὸς, ἰοῦ σκώληξ, καδμία, λεπὶς χαλκοῦ καὶ σιδήρου, λιθάργυρος, λίτρον, μελαντηρία, μέλαν ᾧ γράφομεν, μίσυ καὶ σῶρυ καὶ χαλκῖτις, μόλιβδος, πομφόλυξ, ῥοϊδάριον, σανδαράχη, σάνδυξ, σκωρία, στίμι, σπόγγος, στυπτηρία, τίτανος, φῦκος, χάλκανθος, χαλκῖτις, χαλκὸς κεκαυμένος, χαλκοῦ ἄνθος, χρυσοκόλλα, ψιμμύθιον, ψωρικόν. Quæ vero Plin. metallorum genere complectatur, ap. eum videre est l. 33 et seq. usque ad fin. : nimirum non solum aurum, argentum, æs, electrum, orichalcum, stannum, plumbum, ferrum, sed etiam terrarum quasdam species, et quæ gemmarum ac pretiosiorum lapidum nomine censentur, præter ea C quæ ab Aetio sunt enumerata. [Aliter Demosth. p. 976, 24 : Τὸν μεταλλικὸν νόμον· et ibid. et 977, 16 : Δίκας μεταλλικάς. Pollux 8, 88. Hesych. : Ξοῖς, μεταλλικὸν σκεῦος καὶ λιθουργικόν.]

Μεταλλίτης, ὁ, Metallicus, Metallites. Fem. Μεταλλῖτις γῆ, ap. Hesych., Terra metallitis, metallica : ut χρυσῖτις, ἀργυρῖτις, ἀμπελῖτις.

[Μεταλλοιόω, Immuto. Stob. Ecl. phys. p. 1102 : Ὁ ἐντεῦθεν μεταλλοιούμενος ἀτμὸς μεταλλοιοῖ ἤτοι τὴν τῆς ψυχῆς διάθεσιν ἢ τὴν τοῦ σώματος. Ms. in *Notices et Extr.* vol. 7, p. 227 : Ταῦτά εἰσι μεταλλοιοῦντα τὴν ὕλην. Pass. etiam Steph. Byz. v. Ἀζανοί : Ἔοικε δὲ μετηλλοιῶσθαι ἐκ τοῦ Ξοάνου τὸ Ἀζάνιον. Aristæus Hist. LXX intt. p. 105, B : Κτίσμα γὰρ ὂν θεοῦ τὸ γένος τῶν ἀνθρώπων καὶ μεταλλοιοῦται καὶ τρέπεται πάλιν ὑπ' αὐτοῦ. « Synes. ap. Fabric. Bibl. Gr. vol. 8, p. 236. » Cramer.]

[Μεταλλοίωσις, εως, ἡ, Mutatio. Plotin. Enn. 6, 3, 11, p. 573, 1 ed. Creuz. : Καὶ ὁ κόσμος δὲ γένοιτο ἂν ἄνευ μεταλλοιώσεως. Schol. Æsch. Sept. 690 : Ἐν ἀνατροπῇ καὶ μεταλλοιώσει τοῦ φρονήματος.]

D Μέταλλον, τὸ, Metallum. [Stricturæ add. Gl.] Item μέταλλον ἁλὸς, Metallum salis, ap. Herodot. [4, 185], ut Plin. dicit Æris metalla, pro Metalla ærea. Sic Virg. Georg. 2 : Hæc eadem argenti rivos ærisque metalla Ostendit venis. Et μέταλλα χρυσᾶ, ut Lucr., Aurata metalla. [Thuc. 2, 55 : Μέχρι Λαυρείου, οὗ τὰ ἀργύρεια μέταλλά ἐστιν Ἀθηναίοις. Frequens est etiam ap. Xen. in libro De vectig. 4, 4, etc. et ap. Demosth. et alios.] Notandum vero, quum genitivus additur, non tam pro Eo ipso accipi, quod ex terra effoditur, quam etiam pro Venis ex quibus eruitur, s. Locis ipsis in quibus reperitur : quemadmodum Etym. quoque μέταλλον esse dicit τὸν τόπον ἐν ᾧ χρυσὸς τίκτεται : unde μέταλλα Valla ap. Herodot. vertit Fodinas. [Τὸ μ. ἐξ οὗ τάλαντον ἀργυρίου ἡμέρης ἑκάστης ἐφοίτα, 5, 17. Χρύσεα μέταλλα, Aurifodinæ, 6, 46, 47; 7, 112. Schweigh. Lex. Her.] Similiter et Plin. 33, 7 : Metalla minaria, plumbaria, argentaria; Lucan., Aurifera metalla. Ap. Suidam in Μεταλλεῖς, de Fauno : Μέταλλον ἐφεῦρε χρυσοῦ ἢ ἀργύρου καὶ σιδήρου, καὶ τὴν τούτων ἐργασίαν παρέδωκε τοῖς δυτικοῖς, ὡς καὶ Πλουτοδότην αὐτὸν ὑπὸ τῶν ἐγχωρίων καλεῖσθαι. Et Callias comicus dixit μετάλλου στόμα, quod Diosc. ὀρυγμάτων στόμια, Fauces metallorum, i. e. Locorum ex quibus metalla eruuntur; Fauces cuniculorum. Nam μέταλλα aliquando sunt Cuniculi, Meatus subterranei ad evertendas urbes, quales in metallorum fodinis visuntur. Polyb. [16, 11, 2] : Ἤρξατο πολιορκῶν διὰ τῶν μετάλλων· quod exp. Actis cuniculis cœpit obsidere. Diod. dicit διὰ μεταλλείας. Quod vero ad etymon attinet, Eust. derivat a μετὰ et ἄλλος, ita vocata μέταλλα dicens, διὰ τὸ μετὰ τὰ ἄλλα πάντα ἐπινοηθῆναι : verisimile enim esse τῶν περὶ γῆν πάντων τῶν ἄλλων εὐθετηθέντων, τότε δὴ μετὰ τὰ ἄλλα ἐκεῖνα, ἐπιχειρῆσαι τοὺς ἀνθρώπους καὶ ταῖς γεωρυχίαις, καὶ ἀφεῖναι μὲν τὰ νῶτα τῆς γῆς, ἐπιχειρῆσαι δὲ ταῖς λαγόσιν αὐτῆς. Plin. quoque ab ead. derivat originem, sed paulo verisimiliorem affert rationem, quum 33, 6, de argenti metallis in Hispania loquens, ait : Et ubicumque una inventa vena est, non procul invenitur alia : hoc quidem et in omni fere materia : unde μέταλλα Græci videntur dixisse. V. Μεταλλικά. [Postremis seculis ποινὴ μετάλλου ἐστὶ τὸ καταδικασθῆναί τινα ἄσβεστον ποιεῖν ἢ θεῖον ὀρύττειν, ut est in Gl. Basilic. et ap. Mich. Attal. in Synopsi tit. 78. Gl. Basilic. : Μετάλλου χειρουργία, θείου καὶ σιδήρου βάσανος. Ducang. De origine voc. disputat Buttmann. Lexil. vol. 1, p. 140.]

Μέταλλος, Hesychio λίθος, θάλασσα, προμνήστρια. [Nihil ad hanc gl. expediendam confert quam Dorv. ad Char. p. 512 comparat ejusd. gl. Προμνηστῖναι.]

[Μέταλλον, τὸ, Metallum, portus s. navale Gortynis urbis Cretæ, ap. Strab. 10, p. 478, 479.]

[Μέταλλος, ὁ, Metallus. V. Μετάλλειον μύρον. Pro Μάταλλος legitur in libris nonnullis Æsch. Pers. 314.]

[Μεταλλουργεῖον, τὸ, Metalli fodina. Diod. 5, 38 : Τῶν μεταλλουργείων οὐδὲν πρόσφατον ἔχει τὴν ἀρχήν.]

Μεταλλουργέω, Metalla effodio. Diosc. [5, 84] : Μεταλλουργεῖται δὲ ἐκ τοῦ ὑπερκειμένου ὄρους, Effoditur, Bud.

Μεταλλουργὸς, ὁ, Metallicus (ut Plin. 34, 16 : Lavant eas arenas metallici, et quod subsidit, coquunt in fornacibus), Qui in terræ visceribus metalla scrutatur et ea elaborat : qui et μεταλλεύς.

[Μεταλλόχρυσος, ὁ, ἡ, Qui auri habet metalla. Paul. Sil. Therm. Pyth. 44, μ. γαῖαν.]

[Μετάλλω.] Ap. Polluc. reperio et Μετάλλω pro Metalla eruo; nam l. 7, c. 23 [§ 97] ait, Καὶ μετάλλειν καὶ μεταλλεύειν, ὀρύττειν. [Sed recte omittitur in codd.]

[Μεταλογίζομαι, Mentem muto. Schol. Eur. Hec. 857 (840 M.) : Μεταλογισάμενός φησι. Boiss.]

[Μεταλωφέω, Interquiesco. Apoll. Rh. 1, 1161 : Τειρόμενοι καὶ δὴ μετελώφεον.]

Μεταμάζιος, ὁ, ἡ, q. d. Intermamillaris, Qui est medius inter mamillas, s. ambas mammas : unde στῆθος μεταμάζιον ap. Hom., Pectus intermamillare, i. e. Pectoris ea pars quæ est inter ambas mammas, sive mamillas : sicut et Aristot. στῆθος esse dicit διφυὲς τοῖς μαστοῖς : Il. E, 19 : Ἀλλ' ἔβαλε στῆθος μεταμάζιον. Ad hunc autem l. respiciens aliosque hujusmodi, μεταμάζιος scripsi adjectivi forma : quum alioqui in VV. LL. μεταμάζιον duntaxat habeatur tanquam substantivum. || Μεταμάζιον substantive, ap. Anacr. in ea Ode qua Bathyllum sibi depingi jubet [29, 30] : Μεταμάζιον δὲ ποίει Διδύμας τε χεῖρας Ἑρμοῦ, ubi olim verti Pectus, reddens duos illos versiculos, hisce duobus Latinis : Habeat deinde pectus Manusque Mercuri ambas. Si quis tamen generaliorem illam esse interpr. putet, ita reddat ac si scriptum esset στῆθος μ. : quod modo interpretatus sum. [Hesych. : Μεταμάζιον, τὸ μεταξὺ τῶν μαζῶν ἢ ὑπὲρ τῶν μαζῶν ἢ τὸ μετὰ μαζῶν.]

[Μεταμαίομαι, Investigo. Pind. Nem. 3, 77 : Αἰετὸς μεταμαιόμενος ἄγραν.]

Μεταμανθάνω, μαθήσομαι, q. d. Post disco, i. e., Disco post illud quod antea didiceram, seu, relicto eo quod antea didiceram. [Æsch. Ag. 710 : Μεταμανθάνουσα δ' ὕμνον Πριάμου πόλις γεραιά. Aristoph. Pl. 924 : Οὔτ' ἂν μεταμάθοις; Schol. : Κυρίως μεταμαθεῖν ἔλεγον τὸ μετὰ ταῦτα ἕτερόν τι μαθεῖν ἀφέμενον τοῦ πρώτου. Herodot. 1, 57 : Τὴν γλῶσσαν μετέμαθε. Plato

Reip. 3, p. 413, A : Ἡ ψευδὴς δόξα τοῦ μεταμανθάνοντος. Pausan. 4, 34, 8 : Ἔμελλον δὲ ἄρα διάλεκτόν τε ἀνὰ χρόνον καὶ ἔθη μεταμαθήσεσθαι τὰ Δωριέων. Lucian. Hermotim. c. 64 : Εἰ γέρων ἄνθρωπος μεταμαθήσει.] Theodorit. H. E. 1, de Constantino : Πᾶσι γὰρ τοῖς ὑπὸ τὴν Ῥωμαίων τελοῦσιν ἡγεμονίαν δήμοις ἐπέστειλε, τὴν τοῦ σωτῆρος ἡμῶν μεταλαβεῖν ἡγεμονίαν προτρέπων. Et quidam ἀνώνυμος ap. Suidam : Καὶ μετέμαθεν Ἑβραῖος ὢν τὴν τῶν Ἀσσυρίων δυσσέβειαν. Ab Aristot. accipi ait Bud. pro Discendi rationem muto. Ab Æschine autem [p. 76, 4 : Πρεσβύτας ἀνθρώπους, πρεσβύτιδας γυναῖκας, ὀψὲ μεταμανθάνοντας τὴν ἐλευθερίαν] pro Dedisco sumi videtur. At vero illæ signiff., quas huic verbo Suid. tribuit, ne iis quidem quos affert ll. conveniunt.

Μεταμείβω, Transmuto, μεταλλάσσω, Hesych. [Cum accus. et genit. Pind. Ol. 12, 12, forma Æolica : Ἐσλὸν βαθὺ πήματος ἐν μικρῷ πεδάμειψαν χρόνῳ. Cum accus. et dat. Eur. Herc. F. 796 : Ὃς γᾶν τέχνων τέκνοις μεταμείβει. Moschus 2, 52 : Τὴν δ' ἐκ βοὸς εὐκεράοιο πάλιν μετάμειβε γυναῖκα. Nonn. Dion. 4, 182 : Ὦ μοι τίς μετάμειψεν ἐμὴν φρένα; || Med. Alterno. Pind. Nem. 10, 55 : Μεταμειβόμενοι δ' ἐναλλὰξ· Pyth. 3, 96 : Διὸς χάριν ἐκ προτέρων μεταμειψάμενοι καμάτων. Eur. Phœn. 831 : Ἰὼ ... Καδμείων βασιλῆας ἐγείνατο· μυριάδας δ' ἀγαθῶν ἑτέρας ἑτέραις μεταμειβομένα πόλις ἅδ' ἐπ' ἄκροις ἕστακ' Ἄρεως στεφάνοισιν. Passivo, ut videtur, Quintus 9, 109.]

Μετάμειψις, εως, ἡ, Transmutatio. [Schol. Æsch. Pr. 670 : Μετάμειψις καὶ ἀλλοίωσις τῆς ἐμῆς μορφῆς.]

Μεταμέλει, impersonale, Pœnitet : hinc autem esse puto ortam hanc signif. quod pœnitentia sit veluti posterior quædam cura. Solet enim nos pœnitere alicujus facti, quum animum id attentius expendentem cura et solicitudo subit, atque adeo anxietas. [Aristoph. Pl. 358 : Κᾆπειτ' ἴσως σοι μεταμέλει. Thuc. 2, 61 : Μεταμέλειν κακουμένοις. Et similiter sæpe ap. Xen. et alios.] Plato Apol. [p. 38, A] : Οὔτε νῦν μοι μεταμέλει οὕτως ἀπολογησαμένῳ· de qua constr. dicam in Μεταμέλομαι. [Cum genit. Xen. Cyrop. 5, 1, 22 : Μήποτε μεταμελῆσαι τῆς πρὸς ἐμὲ ὁδοῦ. Plato Phædr. p. 231, A.] Lucian. [Scyth. c. 3] : Μετέμελεν αὐτῷ τῆς ὁδοῦ. Isocr. [p. 87, A] : Μετέμελε δὲ αὐτοῖς ἁπάντων τῶν εἰρημένων. Et infin. μεταμέλειν, Isocr. [p. 385, B] : Μεταμέλειν ὧν εἰς ζῶντα ἐξήμαρτεν. Et μεταμελήσει fut., sicut μελήσει a μέλει [Aristoph. Pac. 1315 : Ἦ τάχ' ὑμῖν φημι μεταμελήσειν. Xen. H. Gr. 1, 7, 35] : item aor. μετεμέλησε : unde μεταμελήσειε, Isocr. [p. 383, B. Μετεμέλησέ σφι ταῦτα ποιήσασι, Herodot. 1, 130, eademque constr. 4, 203; 7, 54. Et futuro 9, 89. Schweigh. Lex. Aor. etiam Plato Gorg. p. 471, B.] || Sed Herodot. alia constr. dixit 6, [63] : Καὶ τῷ Ἀρίστωνι τὸ εἰρημένον μετέμελε, q. d. Pœnitentiam ei afferebat illud suum dictum, pro Pœnitebat illum dicti sui. [Conf. 9, 1.] Sic autem et ex Aristoph. Nub. [1113] : Οἴομαι δέ σοι Ταῦτα μεταμελήσειν. [Æsch. Eum. 771 : Ὡς αὐτοῖσι μεταμέλῃ πόνος.] Et μεταμέλον, pro Quum pœniteret; ea forma, qua dicitur ἐξὸν, et προσῆκον, atque alia ejusmodi. Isocr. [p. 382, C] : Τῶν ἀναλωμένων αὐτοῖς μεταμέλον. [Plato Phæd. p. 114, A : Μεταμέλον αὐτοῖς.]

|| Μεταμέλομαι, Pœnitentia ducor, [Pœnitet me, Gl.] pro μεταμέλει μοι. Thuc. 7, [50] : Μετεμέλοντο οὐκ ἀναστάντας, i. e., διὰ τὸ οὐκ ἀναστῆναι. 4, [27] : Καὶ μετεμέλοντο τὰς σπονδὰς οὐ δεξάμενοι, pro διὰ τὸ οὐ δέξασθαι. Tale autem est ap. Plat., Οὔτε νῦν μοι μεταμέλει οὕτως ἀπολογησαμένῳ· est enim pro διὰ τὸ οὕτως ἀπολογήσασθαι. Xen. Cyrop. 4, [6, 5] : Οὔτε μεταμελόμενος πώποτε φανερὸς ἐγένετο. [Et cum dat. Diodor. 15, 9 : Μετεμέλοντο τοῖς πεπραγμένοις· Plut. Timol. c. 6 : Ἀπεκρίνατο τοῖς μὲν γεγενημένοις λυπεῖσθαι, τοῖς δ' εἰρημένοις μὴ μεταμέλεσθαι, ut recte Vulcob. pro —μελεῖσθαι, forma a Plutarcho aliena.] Id. [Comm. 2, 6, 23] : Εἰς τὸ μεταμελησόμενον προϊέναι, Progredi ad id, quod consecutura sit pœnitentia. [Demodocus p. 382, D : Εἰκότως φήσετε ξυμπίπτειν ἀπιστεῖν καὶ μεταμέλεσθαι πολλάκις αὐτοῖς. Perf. μεταμεμέλημαι nonnulli Reg. 1, 15, 11, ubi alii aliter. Aor. Plut. Cat. min. c. 7 : Πρὸ τοῦ γάμου μεταμεληθεὶς ὁ Σκιπίων. Et cum præp. ἐπὶ seq. dativo Diodor. 19, 75. Prov. 25, 8 : Ἵνα μὴ μεταμεληθῇς.] Sed et præsens circumflex. ex Phalaridis Epist. [76] affertur, Μεταμελοῦμαι [μεταμελεῖσθαι] περὶ τῶν βελτιόνων, ubi

A observa et constr. Item [114] : Μεταμελούμενος ἐπὶ τῇ παρέσει χρημάτων. [Locis duobus Phalarideis nihil esse tribuendum ipsæ librorum varietates ostendunt et consuetudo sophistæ, cujus ex. ad constructionem simile annotavit Lennepius ex epist. 2 : Μεταμελομένου περὶ μοναρχίας, et μεταμέλου ex ep. 62. Sed diserte Thomas p. 350 : Μεταμέλομαι κάλλιον ἢ μεταμελοῦμαι. Schol. Aristoph. Pac. 363 : Ἔστι γὰρ ὅτε μετεμελοῦντο. Harmenopulus ap. Pasin. Codd. Taurin. vol. 1, p. 381, A : Τοῖς δεχομένοις αὐτοὺς εἰς μετάνοιαν μὴ μεταμελουμένους ἀπὸ τῆς ἀποστασίας καὶ καταλιμπάνοντας αὐτήν. Et sic μεταμελούμενος Ephræm. Syr. vol. 1, p. 174, E, μεταμελεῖται ib. p. 94, E, anon. in Cram. An. vol. 4, p. 259, 28. Futuri forma pass. schol. Eur. Phœn. 899 : Οὐκ ἀρκέσει σοι ἡ ἀκοὴ, ἀλλ' εὐθέως μεταμεληθήσῃ ἐπὶ τῇ ἀκοῇ. L. D.] Μεταμέμβλεται, Hesychio μεταμελήσεται.

Μεταμέλεια, ἡ, Pœnitentia, [Pœnitudo huic add. Gl.] et quidem usitatius quam μετάμελος. Sæpe autem exponi commode potest et Mutatio consilii. Aristot. Eth. 3, [1] : Ἔτι δεῖ τὴν πρᾶξιν λυπηρὰν εἶναι καὶ ἐν

B μεταμελείᾳ. Thuc. 3, [37] : Μάλιστα δ' ἐν τῇ ὑμετέρᾳ περὶ Μιτυληναίων μεταμελείᾳ, ubi commode reddi potest Consilii mutatione. [Polyb. 1, 39, 14 : Αὖθις ἔγνωσαν ἐκ μεταμελείας ἀντιλαμβάνεσθαι τῆς θαλάττης· et 2, 53, 6.] Plut. dixit ἐν μεταμελείᾳ εἶναι, p. 987 meæ ed. [Cum verbo λαμβάνω etiam poeta comicus ap. Stob. Fl. 116, 6 : Λαβὼν δὲ πεῖραν μεταμέλειαν λαμβάνει.] Usurpatur et in plurali : λαμβάνειν μεταμελείας, Thuc. [1, 34 : Ἐλαχίστας τὰς μεταμελείας ἐκ τοῦ χαρίζεσθαι τοῖς ἐναντίοις λαμβάνων.] Ποιεῖσθαι μεταμελείας πολλὰς, Isocr. [p. 281, B], pro Subinde consilium mutare, *Se raviser souvent.* [Ἐν μεταμελείῃ (al. μεταμελίῃ) γενόμενοι, Ps.-Herodot. Vit. Hom. 19. Schweigh. Lex. Xen. Cyrop. 5, 3, 7 : Σὲ μεταμέλεια ἔχει· Hipparch. 8, 11 : Τὸ νικᾶν οὐδενὶ μεταμέλειαν παρέσχεν. Plato Leg. 5, p. 727, C : Μεταμελείας ἐμπιπλὰς αὐτήν· 9, p. 866, E : Μ. εὐθὺς τοῦ πεπραγμένου γίγνηται· Reip. 9, p. 577, E : Ταραχῆς καὶ μεταμελείας μεστὴ ἔσται.]

Μεταμελητικὸς, ἡ, ὸν, Pronus ad pœnitentiam, Bud. ex Aristot. Eth. 7, [8, 9].

C Μεταμελητὸς, ὁ, Cujus nos pœnitet. [Schol. Hom. Il. A, 526 : Παλινάγρετον, μεταμελητόν. Hesych. v. Πεδάγρετον, ubi μεταμέλητον.]

[Μεταμελλησμὸς, ὁ, Cunctatio, Gl. Quod ad Μελλησμὸς referendum videtur.]

[Μεταμέλομαι. V. Μεταμέλει.]

Μετάμελος, ὁ, Pœnitentia, Thuc. 7, p. 251 [c. 55 : Πολὺ δὲ μείζων ἔτι (ἦν) τῆς στρατείας ὁ μ.]. Apud Plat. autem [Phæd. p. 114, A], ubi μεταμέλον, quod v., adjective. [Joseph. A. J. 2, 6, 4 : Πάντας εἶχε τῶν πραγμάτων μετάμελος. Niceph. Call. 4, 17. « Zosim. 2, 30, 3 : Ἐλθὼν εἰς μετάμελον. Suidas : Μεταμέλει, μετάμελος γίνεται. » Boiss. Josephus ap. Pasin. Codd. Taurin. vol. 1, p. 339, col. 2, D : Οὐδ' εἰ μετάμελόν ποτε σχοίη. || Adj. Μετάμελος, ὁ, ἡ, Quem pœnitet. Diodor. Exc Vat. p. 56 : Διὸ πᾶσα πόλις ἀεὶ τὰ παραγγελλόμενα φιλοπευστοῦσα καὶ διαδιδομέναις φήμαις μετάμελος οὖσα πολλῆς ἀγωνίας ἐπληροῦτο. Si recte ita legitur. L. Dind.]

[Μεταμέλπομαι, Salto inter alios. Hom. H. Apoll. 197 : Τῇσι μὲν οὔτ' αἰσχρὴ μεταμέλπεται οὔτ' ἐλάχεια.

D Scribendum esse μέτα μέλπεται animadvertit jam Schneiderus.]

[Μεταμέμβλομαι. V. Μεταμέλει in fine.]

[Μεταμεμελημένως, Cum pœnitentia. Epiphan. vol. 1, p. 979, A.]

Μεταμήθεια, ἡ, Hesychio μετάνοια, Pœnitentia.

[Μεταμίγνυμι, Permisceo, Commisceo. Hom. Od. Χ, 221 : Κτήμαθ' ὁπόσσα τοι ἔστι, τοῖσιν Ὀδυσσῆος μεταμίξομεν.]

Μεταμὶξ, Mixtim : ἀναμὶξ, μετὰ μίαν, Hesych.

Μετάμιξις, εως, ἡ, Mixtio, Commixtio. [Pro μετάψυξις positum v. in Μεταπνοή.]

[Μεταμίσγω, Commisceo. Hom. Od. Σ, 309 : Δαΐδας μετέμισγον. Hippocr. p. 475, 7 : Μεταμίσγειν ὕδωρ· 483, 55.]

[Μεταμορφάζω, i. q. sequens. Epiphan. vol. 1, p. 250, A : Ἐκ τῶν προφητικῶν ὅσα μεταμορφάζουσιν. Nicetas Chon. p. 121, C : Βαπτόμενοι πρὸς ὦχρον ὑπὸ δέους, εἰς οἷον τὰ πέταλα τῶν δένδρων κατὰ καιρὸν τὸν φυλλοχόον μεταμορφάζεται.]

Μεταμορφόω, Transformo, Transfiguro, [Deformo his add. Gl.]: ut Virg., Omnia transformat sese in miracula rerum; Ovid., Jupiter aut in aves aut se transformat in aurum; Plin., In lupum transfigurari, In plurimas similitudines transfigurari. [Ammon. p. 92: Μεταμορφοῦσθαι, μεταχαρακτηρισμὸς καὶ μετατύπωσις σώματος εἰς ἕτερον χαρακτῆρα, etc., quibus docet quomodo differat a μεταβάλλεσθαι et ἑτεροιοῦσθαι.] Athen. 8, [p. 334, C]: Τὴν Νέμεσιν ποιεῖ διωκομένην ὑπὸ Διὸς καὶ εἰς ἰχθῦν μεταμορφουμένην. Philo V. M. 1: Καὶ λέγων ἅμα ἐνθουσίᾳ μεταμορφούμενος εἰς προφήτην, In prophetam mutatus; videntur enim vatum numine afflatorum et facies et gestus mutari: unde et Insanam vatem dixit Virg.

[Μεταμόρφωμα, τὸ, pro μόρφωμα, Figura, legitur in cod. barbarogr. Nicetæ Chon. p. 683 ed. Bonn.: Καθὼς σφραγὶς μία πάντα τὰ ἐκτυπώματα αὐτῆς καὶ μεταμορφώματα τοῖς μεταλαμβάνουσιν μεταδίδωσι. Scribendum videtur μορφώματα. L. Dind.]

Μεταμόρφωσις, εως, ἡ, Transfiguratio, Transformatio, [Reformatio add. Gl.] In aliam formam mutatio, μεταχαρακτηρισμὸς καὶ μετατύπωσις σώματος εἰς ἕτερον χαρακτῆρα, Ammon.; qui quomodo a μεταβολὴ, ἀλλοίωσις, et ἑτεροίωσις distinguat, ap. eum vide in Μεταβάλλεσθαι. Extant Ovidii libri xv Μεταμορφώσεων, in quorum init. vim Græci vocab. exprimit, In nova fert animus mutatas dicere formas Corpora. [Lucian. Halc. inscr. Id. De salt. c. 57: Τὰς μυστικὰς. μ.]

[Μεταμόσχευσις, εως, ἡ, Propago, Gl., ubi —ησις.]

Μεταμοσχεύω, Transplanto: unde ap. Hesych. [et Suidam s. Photium], Μετεμόσχευσε, μετεφύτευσε. [Jo. Chrys. Serm. 13, vol. 5, p. 68, 35. Seager. Hom. 3 de Anna vol. 2 ed. Paris. p. 979: Καθάπερ οἱ φιλόπονοι τῶν γηπόνων, ἐπειδὰν ἴδωσι τὸ σπέρμα δένδρου γενόμενον, οὐκ ἀφιᾶσιν ἐπὶ τῆς αὐτῆς γῆς, ἀλλὰ ἀνασπάσαντες ἐκεῖθεν ἐφ' ἑτέραν μεταμοσχεύουσι χώραν. Clem. Al. Str. 7, p. 902, 4: Ἐξ ὧν μεταμοσχεύσας καὶ μεταφυτεύσας ὁ γεωργὸς κτλ. 736, 38: Ὁ παράδεισος ὁ πνευματικὸς, εἰς ὃν καταφυτευόμεθα μετατεθέντες καὶ μεταμοσχευθέντες εἰς τὴν γῆν τὴν ἀγαθὴν ἐκ βίου τοῦ παλαιοῦ. Cyrill. Alex. In Jo. 1, 9, p. 90: Ἐντρυφήσει τὰ ἔθνη τοῖς ἐκ πίστεως ἀγαθοῖς ... καὶ πρὸς τὸν ἐκείνου μεταμοσχευθήσεται τόπον· 2, 5, p. 201: Δικαίως ἀπορρίπτεται ὁ Ἰσραὴλ, μεταμοσχεύονται δὲ οἱ ἀλλογενεῖς ἐπ' αὐτήν. Cit. Suicer. Verb. Μεταμοσχευτέον pro μεταλισχευτέον Nicol. restituebat Geopon. 9, 5, 11, ubi verbum est 11, 3, 3.]

Μεταμπίσχομαι, Vestem muto. [Plato Reip. 8, p. 569, C: Ἀντὶ ... ἐλευθερίας τὴν χαλεπωτάτην δούλων δουλείαν μεταμπισχόμενος. Aristid. vol. 2, p. 207, 9: Πρὸς τὸ παρὸν μεταμπίσχηται. Hemst. Mich. Nicetas ap. Tafel. De Thessalonica p. 379: Ἔκφυλόν τινα σκευὴν μεταμπισχομένους. V. Μεταμφιέννυμαι.]

[Μεταμύνω, Insequor ut vindicem. Lysias p. 97, 43, ubi conf. Reisk. p. 145. Boiss. Quintus 8, 451; 11, 286. Wakef. ᾰῡ]

[Μεταμφιάζω, Alia veste induo, unde] Μεταμφιάζομαι, i. q. μεταμφιέννυμαι. Athen. [13, p. 593, E]: Μεταμφιασαμένη τὴν βασιλικὴν ἐσθῆτα, καὶ ἀναλαβοῦσα θεραπαινίδος τῆς τυχούσης. [Conf. id. p. 281, D: Ἀποδὺς τὸν τῆς ἀρετῆς χιτῶνα ἀνθινὰ μετημφιάσατο. Diod. 17, 11: Τῆς πόλεως μετημφιασμένης ἀντὶ τῆς δουλείας τὴν ἐλευθερίαν. « Polyæn. 8, 61: Τὴν βασιλικὴν ἐσθῆτα μεταμφιασαμένη. Eunap. p. 54, 3. » Hemst. Act. Μετημφιακὼς ap. Ephræm. Cæsar. p. 32, 1232.]

[Μεταμφίασις, εως, ἡ, Vestis mutatio. Theodor. Metoch. p. 298, de Pythagora: Τὸν πολυτίμητον μηρὸν καὶ τοὺς Εὐφόρβου βοστρύχους καὶ τὰς περιόδους τῆς ζωῆς καὶ τὰς σαρκικὰς αὐτοῦ μεταμφιάσεις. Cramer.]

[Μεταμφιέννῡμι.] Μεταμφιέννυμαι, Vestibus exutum, aliis induo [hæc est activi signif.]; Vestem muto, permuto, Bud. [Theopompus ap.] Athen. 12, [p. 533, C]: Ὁπότε τῶν πολιτῶν τινὰ ἴδοι κακῶς ἠμφιεσμένον, κελεύειν αὐτῷ μεταμφιέννυσθαι τῶν νεανίσκων τινὰ τῶν συνακολουθούντων αὐτῷ. Lucian. [Necyom. c. 16]: Τὴν πορφυρίδα μεταμφιέσομαι [μεταμφιάσομαι], Relicto pallio philosophico purpuram induar. Herodian. [5, 5, 9]: Πείθειν τε λιπαροῦσα ἐπειρᾶτο μεταμφιέσασθαι τὴν Ῥωμαίων στολὴν, Ut mutaret Syrium cultum. Bud. [Ψυχὴ πολλὰ μεταμφιεννυμένη σώματα, Diog. L. 3, 67. Τοὺς τρίβωνας ἀπέθεντο καὶ εἰς τὸ κοινὸν σχῆμα μετημφιέννυντο, Socrat. H. E. p. 206, 12. Hemst. Vitiose ap. Pollucem 7, 44 et Hesychium Μεταμφιέσθαι, μετενδύεσθαι τὴν ἐσθῆτα, pro quo codd. Pollucis μεταμφίσχεσθαι vel μεταμφισχέσθαι, quod μεταμπίσχεσθαι scrib. viderunt interpretes. Improprie Eust. Opusc. p. 202, 21: Τὸν μὲν πρᾶον ἀποτιθέμενος, τὸν δὲ ἐπιστρεπτικὸν μεταμφιεννύμενος.]

Μεταμφίσκω, i. q. μεταμφιέννυμι s. μεταμφιάζομαι [immo μεταμφιάζω].

Μεταμώλιος, ὁ, Vanus, Irritus, Inutilis: μάταιος, οὐκ ὤνιος: seu, ut quidam volunt, μεταμελείας ἄξιος. Hom. Od. B, [98]: Μή μοι μεταμώλια νήματ' ὄληται· Il. Δ, [363]: Τὰ δὲ πάντα θεοὶ μεταμώλια θεῖεν. Reperitur et Μεταμώνιος scriptum pro μεταμώλιος, ut Od. Σ, 331, 391: Ἦ νύ τοι αἰεὶ Τοιοῦτος νόος ἐστὶν, ὃ καὶ μεταμώνια βάζεις, Vana et inutilia. [Pind. Ol. 12, 6: Ψεύδη μεταμώνια· Pyth. 3, 23: Μεταμώνια θηρεύων. Theocr. 22, 181: Τὰ δ' οὐκ ἄρ' ἔμελλε θεὸς μεταμώνια θήσειν. Eodem sæpe utitur Apoll. Rh.] Et ap. Aristoph. [Pac. 117]: Ἐς κόρακας βαδιεῖ μεταμώνιος; itidem pro μάταιος καὶ πρὸς οὐδὲν χρήσιμος. Pro Irritum, Inefficax, Nicander Ther. [737], de phalangiorum quodam genere: Ἄχμητον δ' ἐπὶ τύμμα φέρει μεταμώνιον ἀνδρὶ, i. e. μάταιον καὶ ἀδρανές. [Ib. 152: Οὔ κεν ἐκείνων ἀνδράσι δάγμα πέλει μεταμώνιον, ἀλλὰ κακηθές. || Μεταμώλιος Hesychio est etiam ἐμπόλεμος, μετὰ μάχης καὶ φροντίδος, quæ signif. pertinet ad μῶλος, Pugna.]

[Μεταμώνιος. V. Μεταμώλιος.]

Μεταναγιγνώσκω, s. Μεταναγινώσκω, De sententia deduco. Unde pass. Μεταναγινώσκομαι: ex quo μετανεγνώσθη ap. Soph. [Aj. 717, indeque ap. Hesych., qui tamen etiam μεταγνώσθη ex eodem, ut videtur, l. annotavit, et Suidam], de quo multa supra in verbo Μεταγινώσκω, quoniam ibi μετεγνώσθη etiam legitur.

Μεταναιέτης et Περιναιέτης, ὁ, non habent itidem suum singula verbum, cujus quidem exemplum afferatur. Sonat autem Μεταναιέτης i. q. μετανάστης, de quo paulo post dicetur, quamvis VV. LL. interpr. simpliciter Incola, in Hesiod. Theog. [401]: Παῖδας δ' ἤματα πάντα ἑοὺς μεταναιέτας εἶναι. Esse autem hic ας breve Dorico more, ibid. annotatur. Alterum comp. Περιναιέτης sonat ad verbum, Circumhabitator, ideoque reddi potest nomine Accola.

[Μεταναπείθω, Aliud persuadeo. Hesych.: Μεταγνώσθη, μετανεπείσθη.]

Μεταναστάσιος, ὁ, ἡ, ut μ. ὕδωρ, Nonn., Aqua quæ de loco in locum transfertur, quasi migrans. [Ap. Nonn. Jo. c. 2, 47, legitur Μετανάστιον, ut Dion. 1, 110: Ταῦρε, παρεπλάγχθης μετανάστιος, et in epigr. Anth. Pal. 9, 814, 1: Νύμφαι Νηιάδες μετανάστιοι. Boiss.]

Μετανάστᾰσις, εως, ἡ, Migratio, Emigratio. Thuc. [1, 2: Φαίνεται ἡ νῦν Ἑλλὰς καλουμένη οὐ πάλαι βεβαίως οἰκουμένη, ἀλλὰ μεταναστάσεις τε οὖσαι τὰ πρότερα κτλ.] 2, [16]: Οὐ ῥᾳδίως τὰς μ. ἐποιοῦντο, Difficulter emigrabant. [Xen. Comm. 3, 5, 12.] Philo V. M. 1: Τὴν ἐνθένδε μ. εἰς ἀμείνω χώραν ὁμολογῶν αὐτοῖς ἔσεσθαι, Illinc demigrationem in meliores partes pollicitus. [Cum μετάστασις permutatur ap. Dionys. A. R. 5, 7, ubi locum non habet μετανάστασις, et, ubi habet, ap. Diod. 5, 80.]

Μετανάστᾰτος, ὁ, ἡ, Qui demigrat, Ocellus De universo [3, p. 530: Πολλάκις καὶ γέγονε καὶ ἔσται βάρβαρος ἡ Ἑλλὰς, οὐχ ὑπ' ἀνθρώπων μόνον γινομένη μετανάστατος, ἀλλὰ καὶ ὑπ' αὐτῆς τῆς φύσεως.]

[Μετανάστευσις, εως, ἡ, Migratio, Exsilium. Eust. Opusc. p. 214, 86: Τοιοῦτος μεν αὐτοῖς ὁ σκοπος τῆς μεταναστεύσεως.]

[Μεταναστευτέον, Migrandum. Planud. in Anecd. meis vol. 5, p. 393, n. 3: Μὴ δίχα προστάγματος τούτου, παρ' οὗ ἡμῖν αὕτη (ἡ ψυχὴ) δέδοται, ἐκ τῆς τῶν ἀνθρώπων ζωῆς μ. Boiss.]

Μεταναστεύω, [Demigro, Gl.] Exulo, Solum mutans alio commigro, Bud. Pand.: Licebat reis post primam actionem exilium sibi consciscere ante judicium peractum, idque appellabant exilii causa solum vertere, μεταναστεύειν, μετοικίζεσθαι. Synes. Ep. 124: Διά σέ μοι δοκῶ μόνην ὑπερόψεσθαι τῆς πατρίδος, κἂν λάβωμαι σχολῆς, μεταναστεύειν, Et si consequar otium, emigraturus esse. [HSt. in Μετανάστης:] Ab hoc μετανάστης factum fuit et verbum Μεταναστεύω, Migro, Commigro, Sedibus meis relictis, s. Patriis sedibus alio habitatum me confero. Synes. : Διά σε μοι δοκῶ μόνην, ὑπερόψεσθαι τῆς πατρίδος· κἂν λάβωμαι σχολῆς, μεταναστεύειν. Sed plura de μετανάστης et μεταναστεύω habes infra post verbum Μετανίστημι, ubi positum fuit sequendo aliam derivationem, quam et Eustathio placuisse ostendunt quædam ejus verba quæ ibi habentur. Hanc tamen ego præferendam illi censeo. [Proculus Proleg. ad Hesiod. p. 5 Gaisf. : Τὴν ἑαυτῶν πατρίδα Κύμην ἀφέντες μεταναστεύουσιν ἐπὶ τὴν Ἄσκρην. Ms. ap. Bandin. Bibl. Med. vol. 1, p. 76, B. Cyrill. Alex. vol. 1, part. 1, p. 38, C. Cum genit. Eust. Opusc. p. 35, 9 : Μεταναστεῦσαι τῆς ἀνθρωπίνης ζωῆς. || Medio Psalm. 10, 1 : Μεταναστεύου ἐπὶ τὰ ὄρη ὡς στρουθίον. Unde retulerunt grammatici.]

Μετανάστης, ὁ, i. q. μέτοικος, Qui solum vertens alio commigrat. [Transfuga, Migrator, Gl.] Hom. Il. I, [643] : Μνήσομαι ὥς [ὅς] μ' ἀσύφηλον ἐν Ἀργείοισιν ἔρεξεν Ἀτρείδης, ὡσεί τιν' ἀτίμητον μετανάστην. Eust. μετανάστην esse dicit τὸν μετὰ τὸ γεννηθῆναί που ἀναστατωθέντα ἐκεῖθεν. Utitur Synes. quoque Ep. 67, Αὐθαίρετοι μ. γινόμενοι, Voluntarii exules facti, Sua sponte solum vertentes. Ap. Aratum [457], Ἐπεὶ πάντες μετανάσται, Cic., Malunt errare vagæ per nubila cœli, Atque suos vario motu metirier orbes. [Ap. Herodot. 7, 161 : Μοῦνοι δὲ (Athenienses) ἐόντες οὐ μετανάσται Ἑλλήνων. At non ad them. ἀνίστημι (cum HSt.) referendum h. v., sed ad νάω, ναίω, Habito; Μετανάω, Μεταναίω, Sedes muto, In aliam regionem migro, quod vide suo loco, et conf. nott. ad Herod. l. c. Schweigh. Cum genit. Manetho 2, 420 : Τοὺς δ' ἄρα καὶ πάτρης γλυκερῆς θῆκεν μετανάστας. || Fem. Μετανάστιν Lobeck. Paralip. p. 433 restituebat schol. Hom. Il. Π, 59.]

[Μετανάστης, ὁ, Metanastes, Archandri f., ap. Pausan. 7, 1, 7.]

[Μετανάστιος. V. Μεταναστάσιος.]

Μετανάστρια, ἡ, Quæ commigrat, Profuga. In Epigr. [Agathiæ Anth. Pal. 7, 204, 1] : Σκοπέλων μετανάστρια πέρδιξ, Quæ scopulis relictis alio commigras.

[Μετάνειρα, ἡ, Metanira, uxor Celei, ap. Hom. H. Cer. 161, etc., Nicand. Th. 487, Pausan. 1, 39, 1. V. Μεγάνειρα. Alia mulier ap. Demosth. p. 1351, 24.]

Μετανείσσομαι s. Μετανίσσομαι, Mutato loco vado, Transeo. Hom. Od. I, [58] : Ἦμος δ' ἠέλιος μετενίσσετο βουλυτόνδε, i. e. μετῆλθε, ἐπορεύθη. [Cum accus. etiam in Mens. Rom. Anth. Pal. 9, 384, 13 : Καρκίνον Ἠέλιος μετανίσσεται, ubi Planud. μετανείσεται, ut ap. Maxim. Καταρχ. 162. Pind. Pyth. 5, 8 : Σύ τοι νῦν κλυτᾶς αἰῶνος ἀκρᾶν βαθμίδων ἄπο σὺν εὐδοξίᾳ μετανίσσεαι ἕκατι χρυσαρμάτου Κάστορος, Redis. Ubi al. νιν pro νῦν, quod si ad præcedens πλοῦτος referretur, μετανίσσεαι foret Consectaris. Apoll. Rh. 1, 1245 : Ἠΰτε τις θὴρ ἄγριος, ὅν ῥά τε γῆρυς ἀπόπροθεν ἵκετο μήλων, λιμῷ δ' αἰθόμενος μετανίσσεται, οὐδ' ἐπέκυρσεν ποίμνῃσιν· 4, 628 : Ῥοδανοῖο, ὅστ' εἰς Ὠκεανὸν μετανίσσεται. Divise 3, 1243 : Καί τε Καλαύρειαν μετὰ δῆθ' ἅμα νίσσεται ἵπποις. Arat. 21 : Αὐτὰρ ὅ γ' οὐδ' ὀλίγον μετανίσσεται. Schol. μεταστρέφεται. || « Accerso, Eur. Tro. 131 : Τὰν Μενελάου μετανισσόμεναι στυγνὰν ἄλοχον. » Seager.]

[Μετανέμομαι, Impertior. Theodor. Prodr. in *Notices* vol. 8, part. 2, p. 207 : Ῥώμη Κωσταντινιάς, τίς ποτέ τοι Γάγγρην μετενείματο; L. Dind.]

[Μετανέομαι, Adeo, Accedo, unde μετανεύμενος, ap. Musæum 205.]

[Μετανθέω, Colores vario. Philostr. Icon. 1, 10, p. 779 : Κατὰ τὴν ἶριν μετανθεῖ. Boiss. Aristæn. Ep. 1, 11, p. 56. Hemst.]

[Μετανθρωπίζομαι, In alium hominem mutor. Eust. Opusc. p. 120, 44 : Ἀμαλδύνεσθαι τυφεδόνι φροντίδων καὶ μεθόδων τηκεδόνι δι' ὧν ἄν τις ἀποθηριοῖτο ἢ καὶ εἰς Τίμωνα μετανθρωπίζοιτο.]

Μετανίζω, Refundo in aliud vas, VV. LL.

[Μετανιπτρίς, ίδος, ἡ. V. Μετάνιπτρον.]

Μετάνιπτρον, τὸ, Poculum quod lotis a cibo manibus affertur, quod et Μετανιπτρὶς κύλιξ, et Ἐπινιπτρίς. Pollux 6, [31] : Πότος μεταδόρπιος, καὶ κύλιξ μετανιπτρὶς ἡ ἐπὶ πᾶσιν· εἴποις δ' ἂν τὴν αὐτὴν καὶ ἐπινιπτρίδα· l. eod. [100] : Ἡ δὲ μετανιπτρὶς, κύλιξ ἐστὶν ἣν μετὰ τὸ ἀπονίψασθαι ἐλάμβανον· observa autem in hoc posteriore l. distingui inter μετανιπτρὶς et κύλιξ. Athen. 11, [p. 486 sq.] : Μετάνιπτρον, ἡ μετὰ τὸ δεῖπνον, ἐπὴν ἀπονίψωνται,

A διδομένη κύλιξ. Hesychio [ἡ μετὰ τὸ δεῖπνον ἐπὰν νίψωνται, διδομένη κύλιξ et] ὑστάτη πόσις : aliis autem ἡ μετὰ τὸ νίψασθαι πόσις. Exempla ex diversis poetis habes ap. Athen. l. c., ubi et μετανιπτρὶς τῆς ὑγιείας. [V. Antiphan. ap. eund. 10, p. 423, D.]

[Μετανίσσομαι. V. Μετανείσσομαι.]

Μετανίστημι, Sedibus pello, Migrare facio. || Μετανίσταμαι, Sedibus pellor, Migro, Emigro. [Transfugio, Gl. Soph. OEd. C. 175 : Σοὶ πιστεύσας μεταναστάς. Theætet. Anth. Plan. 233, 3 : Πὰν, ὃς μεταναστὰς ἕδραμον αἰχματᾶν ἐς δάϊν Ἀσσυρίων.] Thuc. [1, 12 : Ἐπεὶ μετὰ τὰ Τρωικὰ ἡ Ἑλλὰς ἔτι μετανίστατό τε καὶ κατῳκίζετο·] 3, [114] : Οἵπερ καὶ μετανέστησαν παρὰ Σαλύνθιον καὶ Ἀγραίους, Migrarunt. [Plato Conv. p. 223, A : Οὐκ ἔσθ' ὅπως ἂν ἐνθάδε μείναιμι, ἀλλὰ ... μεταναστήσομαι. Diod. 5, 85 : Εἰς Εὔβοιαν μεταναστῆναι.] Philo De mundo [vol. 2, p. 602, 34], loquens de Abrahamo : Εἰ δὲ μετανασταίη, μεταναστῆναί τε καὶ τῆς διανοίας τὴν ἀπάτην, Sin inde migrare institisset, emigraturam quoque ab se rationis imposturam. V. M. 1 [vol. 2, p. 81,
B 21] : Κατὰ ζήτησιν τροφῆς εἰς Αἴγυπτον πανοικὶ μεταναστάντων, Cum omni familia ad alimenta quærenda domo profecti, Turn. Ead. signif. est vocis passivæ, Philo De mundo [vol. 2, p. 612, 34] : Πρὸς ἣν σπεύδοντα μετανίσταται, Demigrant. V. M. 1 [vol. 2, p. 125, 27] : Ὥσπερ μετανισταμένου τοῦ λογισμοῦ τὰ ὑποβαλλόμενα ἐξελάλει, Ceu mente capti, Turn. [Μετανίσταται Πελοποννήσου, Conon ap. Phot. Bibl. p. 141, 2 Bekk. Philo vol. 1, p. 358, 41. Hemst.]

Μετανοέω, Post intelligo, sapio. I. e., Postquam res est facta, tum demum intelligens et mecum reputans qualis ea sit, meam de ea sententiam muto. Sed brevius reddi potest, Sententiam muto, Mentem muto; nam et Latini Mentem interdum pro Sententia dicunt. Xen. [Cyrop. 1, 1, 3] : Ἐκ τούτου δὴ ἠναγκαζόμεθα μετανοεῖν, μὴ οὔτε τῶν ἀδυνάτων, οὔτε τῶν χαλεπῶν ἔργων ἢ τὸ ἀνθρώπων ἄρχειν, ἤν τις ἐπισταμένως τοῦτο πράττῃ. Hic tamen non tam est Mutare sententiam, quam Sententia mutata cogitare : dixerat autem initio illius periodi, Ἐπειδὴ δὲ ἐνενοήσαμεν ὅτι Κῦρος
C κτλ. Interdum vero Μετανοῶ, Me pœnitet [Gl. Et, Μετανοῶ ἐπὶ τῷ δώρῳ, Pœnitet me hujus muneris. Xen. H. Gr. 1, 7, 19 : Οὐ μετανοήσαντες ὕστερον εὑρήσετε σφᾶς αὐτοὺς ἡμαρτηκότας τὰ μέγιστα. Plato Euthyd. p. 279, C : Μετανοήσας εἶπον.] Lucian. [De saltat. c. 84] : Καὶ αὐτὸν μέντοι φασὶν ἀνανήψαντα οὕτω μετανοῆσαι ἐφ' οἷς ἐποίησεν, ὥστε καὶ νοσῆσαι ὑπὸ λύπης. Synes. : Οὐ μετενόουν ἐφ' οἷς εὖ πεποιηκειν τὸν ἄνδρα. [Cum præp. περὶ Plut. Galb. c. 6 : Τὸ μ. περὶ τῶν γεγονότων.] || Sed plerumque pro Mutata mente resipisco, simpliciter Resipisco, et veluti ad me redeo. Redditur etiam Ad sanam mentem redeo : v. in Μετάνοια quum alia, tum ea quæ ex Lactantio afferam. Matth. 3 init., de Joanne Baptista : Κηρύσσων ἐν τῇ ἐρήμῳ τῆς Ἰουδαίας, καὶ λέγων, Μετανοεῖτε· ἤγγικε γὰρ ἡ βασιλεία τῶν οὐρανῶν· ubi vet. Interpres reddit Pœnitentiam agite : Erasm., Pœnitentiam agite vitæ prioris. At ego assentior potius reddentibus Resipiscite. Sic et ap. Marc. At vero Act. 8, [22] præpositioni ἀπὸ jungitur : Μετανόησον οὖν ἀπὸ τῆς κακίας. In Apoc. 9, [20] cum ἐκ. Invenitur autem et,
D Μετανοησάντων ἐπὶ τῇ ἀκαθαρσίᾳ, ap. Paul. 2 Ad Cor. 12, [21], quæ constructio durior est. || Μετανοῶ opp. τῷ προνοῶ v. in Προνοῶ. [Οὐ μετανοεῖν, ἀλλὰ προνοεῖν χρὴ τὸν ἄνδρα τὸν σοφὸν, Epicharmus Stobæi Fl. 1, 14. Gatak. || Μετανοεῖν, Metanœam facere (quod v. in Μετάνοια), in Thesauro ascetico Possini. Ducang. Geronticon Ms. : Μετανοήσας οὖν αὐταῖς ὁ γέρων παρεκάλει λέγων. Rursum : Ἀπελθὼν ὁ διάκονος μετενόησεν τῷ ἀδελφῷ. Id. in App. p. 130.]

[Μετανοητικός, ή, όν, Quem pœnitet. Max. Tyr. 11, 3, p. 193 : Ὁ στρεπτὸς ἀνὴρ καὶ μετανοητικός.]

Μετάνοια, ἡ, Mutata mens, s. sententia, Alia mens quam antea. [Pœnitentia, Pœnitudo, Gl.] Quo pertinet quod ap. Rutil. Lup. [1, 16] legitur, μετάνοιαν esse schema, quum ipse se, qui loquitur, reprehendit, et id, quod prius dixit, sententia posteriori commutat. Sed ut plurimum redditur, ac certe reddi debet, Resipiscentia, alicubi vero et Pœnitentia. Lactant. 6, 24 : Is enim, quem facti sui pœnitet, errorem suum pristinum intelligit; ideoque Græci melius et significantius μετάνοιαν dicunt, quam nos Latine possumus Resipiscentiam dicere; resipiscit enim ac mentem suam quasi ab insania recipit, quem errati piget, castigatque seipsum dementiæ, et confirmat animum suum ad rectius vivendum : tum illud ipsum maxime cavet, ne rursus in laqueos inducatur. Unde apparet et μετανοεῖν apte reddi Resipiscere. Quamvis autem in multis N. T. ll. apte reddatur Resipiscentia, est tamen et ubi ponatur pro Pœnitentia, quæ alioqui dicitur potius μεταμέλεια. Sic certe et ap. profanos scriptt. utramque signif. habet. Plut. De discern. adul. [p. 56, A] : Ὅταν δ' ἁμαρτάνωσι καὶ πλημμελῶσιν, ὁ μὲν ἐλέγχῳ καὶ ψόγῳ δηγμὸν ἐμποιῶν καὶ μετάνοιαν, ἐχθρὸς δοκεῖ καὶ κατήγορος· Pericle [c. 10] : Μετάνοια δεινὴ τοὺς Ἀθηναίους καὶ πόθος ἔσχε τοῦ Κίμωνος. Idem plurali utens dixit Symp. 7 [p. 712, C] : Σωφρονισμοῖς τισιν ἢ μετανοίαις τῶν νέων. Pausan. Att. : Ἐς τοσοῦτον μετανοίας ἐλθεῖν. [Batrachom. 70 : Ἄχρηστον μετάνοιαν ἐμέμφετο. || Usum voc. apud scriptt. Eccles. copiose exposuit Suicer. Ap. eosd. est Corporis et capitis inclinationes, quales fieri solent a monachis, sic appellatæ quod essent pœnitentium. Dorotheus Doctr. : Καὶ βάλλει ἐκεῖθεν ἡμῖν μετάνοιαν· Doctr. 7 etc. aliique Byzantini, ap. Suicer. et Ducang. || « Μετάνοιαι, Feminarum pravæ ac dissolutæ vitæ pœnitentium et ad meliorem frugem redeuntium monasteria vel receptacula. Theophanes a. 1 Heraclii : Ἐκράτησεν αὐτὰς καὶ ἐφύλαξεν αὐτὰς εἰς τὸ δεσποτικὸν μοναστήριον τὸ λεγόμενον τῆς νέας Μετανοίας. Symeon Logotheta in Theophilo n. 26 : Ἡ γυνὴ μοναστήριον κατεσκεύασεν καὶ τὰ Μετανοίας ἐκάλεσεν. Etc. DUCANG.]

[Μετανοστέω, Theod. Prodrom. Tetrast. p. 76 med. ed. Souvigny. BOISS.]

[Μεταντλέω, Transfundo hauriendo. Palladas Anth. Pal. 9, 180, 3 : Καὶ συγκυκῶσα καὶ μεταντλοῦσα πάλιν. « Const. Manass. Chron. 2004. » BOISS. Geopon. 9, 19, 8. WAKEF. Pass. ib. 9.]

Μέταξα, ης, ἡ, a recentioribus Græcis dictum fuit Sericum, quod Itali Setam vernacula lingua appellant. Et nominatim ex Actuar. et Nicol. Myrepso afferunt μέταξαν ὠμὴν, Sericum crudum : h. e. Bombycum vellus nondum evolutum nec infectum. Legitur hoc vocab. et in Pand. 39, tit. de Public. et Vectig. Ibi enim Martianus ait, Metaxa, vestis serica vel subserica, vela tincta. Sic Codic. 11 de Muricilegis : Lotas sericoblattæ et metaxæ hujusmodi species inferri præcipimus. Unde Metaxarii Cod. 8 de Pignor. et Hypoth. appellantur Serici negotiatores. [Exx. plurima v. ap. Ducang., qui etiam formarum τὸ Μέταξον et ἡ Μέταξις, εως, testes citavit.] Verum et Μεταξωτὸν communi lingua a Græcis vocari Sericum tradunt. [Hujus quoque exx. (Herodian. Epim. p. 125 citat Boiss.) v. ap. Ducangium, qui de Μεταξάριος, ὁ, Serici opifex vel venditor, exx. annotavit Basilic. Ecl. 25, tit. 2, § 56 : Ἀργυροπράτης ἢ μεταξάριος, et Manethonis in Apotelesm. Alia vocc. barbarogr. hinc ducta sunt ap. eundem.]

[Μετάξιον, τὸ, diminut. præcedentis. Schol. Hom. Il. Ψ, 760.]

[Μεταξοποιὸς, ὁ, Sericum faciens. Manuel Philes in Ideleri Phys. vol. 1, p. 287, 1 : Εἰς τὸν μεταξοποιὸν σκώληκα. L. DIND.]

Μεταξὺ, Inter, [Interea, Interhæc, Interim add. Gl.] In medio : cum genit. [Æsch. Sept. 762 : Μεταξὺ δ' ἀλκὰ δι' ὀλίγου τείνει πύργος ἐν εὔρει. Eur. Hec. 437 : Ξίφους βαίνω μεταξὺ καὶ πυρᾶς Ἀχιλλέως. Aristoph. Ach. 433 : Κεῖται δ' ἄνωθεν τῶν Θυεστείων ῥακῶν, μεταξὺ τῶν Ἰνοῦς. Herodot. 7, 85 : Σχευὴν μεταξὺ ἔχουσι πεποιημένην τῆς τε Περσικῆς καὶ τῆς Πακτυϊκῆς. Thuc. 1, 118 : Ὅσα ἐγένετο ἐν ἔτεσι πεντήκοντα μάλιστα μεταξὺ τῆς Ξέρξου ἀναχωρήσεως καὶ τῆς ἀρχῆς τοῦδε τοῦ πολέμου· 4, 42 : Μεταξὺ Χερσονήσου τε καὶ Ῥείτου. Et alii quivis. Xen. Cyn. 4, 1 : Ὀσφὺν τὰ μεγέθη μεταξὺ μακρῶν καὶ βραχέων· 5, 8 : Κατακλίνονται... ἄποθεν πολὺ, μικρὸν, μεταξὺ τούτων.] Plato Leg. 9, [p. 878, B] : Μεταξὺ ἀμφοῖν γίγνοιτ' ἂν, Sit amborum medium, s. In medio amborum. Theophr. ap. Athen. 2, [p. 70, D] de rubo canino : Μεταξὺ θάμνου καὶ δένδρου, Inter fruticem et arborem. Item in proverbio [ap. parœmiogrr.], Πολλὰ μεταξὺ πέλει κύλικος καὶ χείλεος ἄκρου, Inter calicem

A supremaque labra multa sunt interjecta. [Cum genit. personæ anon. De incredib. c. 10 : Κρῖναι αὐτὸν μεταξὺ Παλλάδος καὶ Ἥρας καὶ Ἀφροδίτης. Chron. Pasch. p. 712, 18 : Μελλούσης μεταξὺ Ῥωμαίων καὶ Ἀβάρων εἰρήνης γίνεσθαι.] Dicunt etiam μεταξὺ λόγων pro Inter confabulandum, Interea dum loquimur. Construitur cum participiis etiam vel genitivi vel alius etiam casus, et tunc redditur Interim dum, Interea dum : ut μεταξὺ [θύων Aristoph. Ran. 1242, ἀναγιγνώσκων Plato Phædr. p. 234, D,] λουόμενος, Interea dum lavaretur. Item μεταξὺ ὀπτώμενα, Interea dum assarentur : s. Inter assandum. Et μεταξὺ λέγοντος, Inter dicendum : pro quo Plato dicit λέγοντα μεταξὺ, in Apolog. Socr. [p. 40, B] : Καί τοι ἐν ἄλλοις λόγοις πολλαχοῦ δή με ἐπέσχε λέγοντα μεταξύ. [Theage p. 128, E : Λέγοντός σου μ. γέγονέ μοι ἡ φωνή. BOISS. Reip. 1, p. 336, B : Διαλεγομένων ἡμῖν μεταξύ· et alibi.] Sic Xen. Cyrop. 8, [8, 11] dicit Persis ἐπιχώριον fuisse τὸ μεταξὺ πορευομένους μήτε ἐσθίειν μήτε πίνειν, Interea dum proficiscuntur, Inter proficiscendum. [Omisso partic. Anab. 3, 1, 27 : B Ἤρχετο λέγειν τὰς ἀπορίας. Ὁ μέντοι Ξενοφῶν μεταξὺ ὑπολαβὼν ἔλεξεν ὧδε. Herodot. 4, 155 : Ὡς δὲ κατὰ ταὐτὰ ἐθέσπιζε, οἴχετο μεταξὺ (θεσπιζούσης) ἀπολιπὼν ὁ Βάττος.] Sæpe absolute et sine casu ponitur. Hom. Il. A, [156] : Πολλὰ μεταξὺ οὔρεα, Multi interjecti sunt montes. [H. Merc. 159 : Ἤ σε λαβόντα μεταξὺ κατ' ἄγκεα φηλητεύσειν.] Aristot. in Rhet. : Φίλος ἢ ἐχθρὸς ἢ μεταξὺ, Amicus vel inimicus vel inter hos medius. Subintelligitur enim hic genitivus. [De tempore, Interea, Soph. fr. Heracl. ap. Polluc. 10, 110 : Συνέλεγον τα ξύλ', ὡς ἐκκαυμάτων μή μοι μεταξὺ προσδεήσειεν. Antipater Anth. Pal. 11, 219, 1 : Οὐ προσέχω, καίτοι πιστοί τινες. Ἀλλὰ μεταξὺ, πρὸς Διὸς, εἴ με φιλεῖς, Πάμφιλε, μή με φίλει. Xen. Anab. 5, 2, 17 : Οὐ πολλοῦ χρόνου μεταξὺ γενομένου. Plato Reip. 4, p. 443, E : Εἴ ἄλλα ἄττα μ. τυγχάνει ὄντα· Tim. p. 69, E : Αὐχένα μ. τιθέντες· 77, D : Τὸν γόνιμον μ. λαβόντες μυελόν.] Præmisso articulo adjective significat Medius, Intermedius, Qui in medio est, Qui interjectus est medius. [Soph. OEd. C. 291 : Τὰ δὲ μεταξὺ τούτου μηδαμῶς γίγνου κακός. Plato C Gorg. p. 468, A : Τὰ μεταξὺ ταῦτα, et alibi sæpe vel absolute vel addito genitivo.] Isocr. Panath. [p. 275, A] : Τὰ γὰρ μεταξὺ τί δεῖ λέγοντα διατρίβειν; Sic ὁ μεταξὺ χρόνος, Dem. [p. 233, 27]; qui dicit etiam ἐν τῷ μεταξὺ, subaudito substantivo χρόνῳ. [Et subst. non subaudito, ἐν τῷ μ. χρόνῳ, p. 868, 16. BOISS. Plato Reip. 5, p. 450, C.] Quin et τὸ μεταξὺ substantive interdum redditur pro Intercapedo, Interstitium, Interjectus et Interpositus : subaudito substantivo διάστημα, quod omissum est. [Aristoph. Av. 551 : Κἄπειτα τὸν ἀέρα πάντα κύκλῳ καὶ πᾶν τουτὶ τὸ μεταξὺ περιτειχίζειν· 968 : Τὸ μεταξὺ Κορίνθου καὶ Σικυῶνος. Thuc. 4, 25 : Ἐν τούτῳ τῷ μεταξὺ οἱ Συρακόσιοι ἠναγκάσθησαν ναυμαχῆσαι. Xen. H. Gr. 6, 4, 10 : Ἅτε πεδίου ὄντος τοῦ μεταξύ. Antiatt. Bekk. p. 92, 15 : Ἐν τοσούτῳ, ἐν τῷ μεταξύ. Ubi de tempore dicitur, ut ap. Xen. Conv. 1, 14 : Ὡς δὲ οὐδὲ τότε ἐγέλασαν ἐπ' αὐτῷ, ἐν τῷ μεταξὺ παυσάμενος τοῦ δείπνου συγκαλυψάμενος κατέκειτο. Hesychii interpretationem μετ' ὀλίγον Wyttenb. adhibet Plut. Mor. p. 177, C, ubi τῶν μεταξὺ βασιλέων conjicit D atque tum illo loco tum aliis quibusdam interpretatur Postea. || Præter esse videtur ap. Suidam v. Διονυσιάδης, p. 1011, C : Γέγραπται αὐτῷ μεταξὺ ἄλλων καὶ Χαρακτῆρες ἢ Φιλοκώμῳδοι. ὕ]

[Μεταξυλογέω, Interpello, Interjicio inter loquendum. OEcum. In 2 Petri c. 2, p. 179 : Μεταξυλογήσας πολλά. SUICER.]

Μεταξυλογία, ἡ, Interlocutio, Interfatio. Thuc. schol. accipit pro Parenthesi, 2, p. 58 [c. 31]. Suidas μεταξυλογίαν esse dicit τὸ πρὸς βραχὺ παραλιπόντα τὴν παροῦσαν ὑπόθεσιν, περὶ ἑτέρας κινῆσαι τὸν λόγον. Cui expos. subjungit hoc exemplum [Menandri Exc. p. 122], Πρὸς βραχὺ ὁ λόγος ἐπέπαυτο αὐτῷ περὶ τῆς χώρας, καὶ αὖτις ὥσπερ ἐν μεταξυλογίᾳ τινὶ, περὶ Ἄβρου τοῦ Σαρακηνοῦ διελεγέσθην ἄμφω. [Theodor. Stud. p. 248, E : Ἀναληπτέος γὰρ ἐξ οὗ εἰς μεταξυλογίαν μετῆλθεν ὁ λόγος. L. D. Theo Progymn. c. 4.]

[Μεταξύλον, τὸ, Trabs. Epimerismi Mss. : Δοκὸς, θηλυκὸν, τὸ μεταξύλον. DUCANG. App. Gl. p. 130. Pro μεταξὺ ξύλον, ut videtur.]

[Μεταξύτης, ητος, ἡ, Medietas. Nicom. Harm. p. 11 : Τὴν μεταξύτητα τῆς τε διὰ τεσσάρων καὶ τῆς διὰ πέντε. Iambl. V. P. p. 112 (248, 258). Wakef.]

[Μεταξυτριγλύφιον, τὸ, Intercolumnium, Spatium epistylii a triglypho, qui super columnam est, ad alium super proximam. Schneid.]

[Μεταξωτός. V. Μέταξα.]

[Μέταον, τὸ, Metaum, Steph. Byz. : Πόλις Λέσβου, ἣν Μέτας Τυρρηνὸς ᾤκισεν, ὡς Ἑλλάνικος.]

[Μέταπα, πόλις Ἀκαρνανίας. Πολύβιος πέμπτῳ (7, 8; 13, 8). Τὸ ἐθνικὸν Μεταπαῖος ἢ Μεταπαεὺς διὰ τὸ ἐπιχώριον, Steph. Byz.]

Μεταπαιδαγωγέω, i. q. μεταπαιδεύω. Lucian. [Nigr. c. 12, ubi nunc παραπαιδ.] : Ἠρέμα τε μεθαρμόττουσι καὶ μεταπαιδαγωγοῦσι, καὶ πρὸς τὸ καθαρὸν τῆς διαίτης μεθιστᾶσιν.

Μεταπαιδεύω, Aliter erudio et instituo, Mutato institutionis genere erudio. Lucian. [Lexiph. c. 21] : Παραλαβὼν αὐτὸν μεταπαίδευε, καὶ δίδασκε ἃ χρὴ λέγειν. [Id. Pseudol. c. 13, μ. καὶ ἀναδιδάσκειν· Anach. c. 17.]

[Μεταπαιφάσσομαι, Celeri motu mico. Apoll. Rh. 3, 1265 : Φαίης κεν ζοφεροῖο κατ᾽ αἰθέρος ἀΐσσουσαν χειμερίην στεροπὴν θαμινὸν μεταπαιφάσσεσθαι ἐκ νεφέων· ubi schol. τὸ διαλάμπον σημαίνει. Brunck.]

[Μεταπαραδίδωμι, Trado alii post alium. Iambl. V. Pyth. c. 226, p. 448 Kiessl. : Ὥσπερ μυστήρια θεῶν μεταπαραδιδόντες. Euseb. V. C. 9 (Hist. p. 369); Aster. Homil. p. 26 Ruben.; Clem. Epist. ad Cor. § 20, p. 46. Boiss. Insc. Att. ap. Bœckh. *Staath.* vol. 2, p. 353, § 7. Schneid.]

[Μεταπαραλαμβάνω, Traditum ab alio accipio. Pseudo-Origen. C. Marcion. 1, p. 37, 38. Struv.]

[Μεταπάροδος, ἡ, Accessio alterius chori in scena tragica. Euclides ap. Tzetz. in Welckeri Mus. Rhen. 4, 3, p. 403. Osann.]

Μεταπαύομαι, Interquiesco; Alternis quiesco, VV. LL. : Eust. quoque in isto Homeri l. [Il. P, 373] : Μεταπαυόμενοι δὲ μάχοντο, Ἀλλήλων ἀλεείνοντες βέλεα στονόεντα Πολλὸν ἀφεσταότες, ait esse dictum μεταπαυόμενοι pro ἀμείβοντες ἀλλήλους, ὡς παύεσθαι μὲν τούτους, ἑτέρους δὲ μάχης ἄρχεσθαι, vel pro ἀναπαυόμενοι.

Μεταπαυσωλή, ἡ, ap. Hom., ut παυσωλή a παύομαι, pro Requies, eorum sc. qui interquiescunt et respirant; nam μεταπαυσωλή in Il. T, [201] : Ὁππότε τις μεταπαυσωλὴ [l. μετὰ π.] πολέμοιο γένηται, Eust. ait esse παῦσις, quam alibi vocarit ἀνάπνευσις.

Μεταπείθω, [Induco, Traduco, Gl.] Traduco in aliam persuasionem, A persuasa sententia dimoveo, Animum alicujus in diversam sententiam adduco, exempta ea quam prius induerat. [Plato Reip. 3, p. 399, B : Ἢ διδάσκοντι ἢ μεταπείθοντι.] Dem. [p. 303, ult.] : Μεταπείθειν ὑμᾶς ἐζήτει. Plut. Pericle [c. 8] : Νικᾷ καὶ μεταπείθει τοὺς ὁρῶντας. Utitur et Isocr. Symm. [p. 160, E.] Passivum Μεταπείθομαι, In diversam persuasionem s. sententiam traducor, deposita ea quam indueram, A persuasa sententia in contrariam traducor. Male alicubi etiam simpliciter reddunt Persuadeor. Xen. Hell. 7, [1, 15] : Ἀκούσαντες ταῦτα οἱ Ἀθηναῖοι μετεπείσθησαν. [Plato Reip. 3, p. 413, B : Τοὺς μεταπεισθέντας. Demosth. p. 1438, 21 : Τυχὸν ἴσως κἂν μεταπεισθείητε.] Isocr. Ad Nicocl. [p. 36, C] : Οἱ μὲν γὰρ τύχῃ καὶ μὴ γνώμῃ σωφρονοῦντες, τυχὸν ἂν καὶ μεταπεισθεῖεν. Utitur et Aristoph. [Ach. 626 : Τὸν δῆμον μεταπείθει περὶ τῶν σπονδῶν.] Τὸ μεταπειθόμενον, Mutatio sententiæ. [Euseb. H. E. p. 351, 26. Hemst. ‖ Med. Hesych. : Μεταπείσασθαι, μεταπεισθῆναι. Μεταπείσεσθαι Lobeck. ad Phryn. p. 725. Perf. pass. v. in Μεταπεττεύω.]

Μεταπειράω et Μεταπειρῶμαι, Mutata arte tento. Pro Muto, Vario, affertur ex Aristoph. [Eccl. 217.]

[Μεταπείρω, Iterum perforo. Oribas. p. 50 ed. Mai. : Δὶς καὶ τρὶς μεταπείρομεν, ubi in præcedentibus est καταπ. L. Dindorf.]

Μετάπειστος, ὁ, ἡ, Cui aliud persuasum est, In aliam sententiam et persuasionem adductus. Cujus tamen usus nullum exemplum affertur. At Μεταπειστὸς fuerit, Qui potest a sententia dimoveri, Cui aliud persuaderi potest. [Plato Tim. p. 51, E : Τὸ μὲν ἀκίνητον πειθοῖ, τὸ δὲ μετάπειστον· Definitt. p. 414, C : Ὑπόληψις μετάπειστος ὑπὸ λόγου. Ceterum accentus discrimen

A quod ponit HSt., etiam aliis quam significationis rationibus regi copiose disputavit Lobeck. in Paralip. Diss. 7.]

[Μεταπέλομαι, unde partic. forma epica ap. Hesychium : Μεταπλομένοισι, τοῖς ἐξ ἀνθρώπων γενομένοις θεοῖς, Diis ex hominibus factis.]

Μεταπεμπτέος, α, ον, Accersendus. Et Μεταπεμπτέον, Accersendum. [Thuc. 6, 25 : Ἐκ τῶν ξυμμάχων μεταπεμπτέας εἶναι (naves).]

Μετάπεμπτος, ὁ, ἡ, Accersitus, Accitus. [Herodot. 8, 67 : Παρῆσαν μετάπεμπτοι οἱ τῶν ἐθνέων τύραννοι.] Thuc. 6, p. 221 [c. 74] : Ὅτ᾽ ἀπῄει ἐκ τῆς ἀρχῆς ἤδη μετάπεμπτος· de Alcibiade, de quo similiter Plut. in Vita ipsius [c. 20] : Μετάπεμπτος ὑπὸ τῶν Ἀθηναίων ἐπὶ τὴν κρίσιν γενόμενος. Sic Id. [Mor. p. 419, D] : Γενέσθαι μετάπεμπτον ὑπὸ Τιβερίου Καίσαρος, A Tiberio Cæsare accersitum fuisse. Et Ἧκε μετάπεμπτος, Venit accersitus : quod ex Synesio afferam in Πομπεύω. Rursum Thuc. 6, p. 207 [c. 29] : Βουλόμενοι μετάπεμπτον κομιθέντα αὐτὸν ἀγωνίσασθαι, Accersitum et advectum cau-
B sam dicere : de Alcibiade. Exp. etiam alicubi Revocatus. [Xen. Anab. 1, 4, 3 : Χειρίσοφος μετάπεμπτος· H. Gr. 2, 1, 15 : Πρὸς τὸν πατέρα μετάπεμπτος ἀνέβαινε. « Probum censeo nulloque pacto mutandum illud Phœnicis apud Athen. 8, p. 359, F : Θεοὶ, γένοιτό τοι μετάπεμπτος ἡ κούρη, Arcessatur in mariti domum ducenda virgo. (Libri meliores γ. πάντ᾽ ἄμεμπτος.) OEnom. ap. Euseb. Præp. ev. p. 234, C. » Hemst.]

Μεταπέμπω, Mitto post aliquem, qui aliquem accersant, simpl. Accerso, Accio : cujus signif. exemplum habes in Ἐπιπέμπω. [V. infra.] Usitatius Μεταπέμπομαι, itidem act. signif. [Accerso, Accito, Accio, Gl. Aristoph. Pl. 341 : Τοὺς φίλους μεταπέμπεται· 609 : Ἦ μὴν ὑμεῖς ἔτι μ᾽ ἐνταυθὶ μεταπέμψεσθον. Exx. Herodoti, ut 1, 41 : Μεταπέμπεται τὸν Ἄδρηστον, etc. collegit Schweigh. in Lex. Thuc. 2, 85 : Ἕως μὲν αὐτοὺς μετεπέμποντο οἱ φίλοι.] Xen. Cyrop. 4, p. 64 [5, 32] : Συμβουλεύω σοι, ὅταν τινὰ βούλῃ πρός σε ταχὺ ἐλθεῖν, μὴ ἀπειλοῦντα μεταπέμπεσθαι. Plato Apol. [p. 32, C] : Μεταπεμψάμενοί με εἰς τὸν [τὴν] Θόλον. Plut. [Mor. p. 598,
C A] : Μετεπέμψαντο δεσμώτην οἱ πολέμαρχοι; An miserunt qui eum vinctum accerserent? s. Adducerent. Et passiva signif. ap. Apoll. [e Lex. Septemv.] μετεπέμφθην, Accersitus s. Accitus sum. Alicubi reddi potest non tam Mitto qui accersat, quam Mitto qui petat, Mitto ad aliquem qui afferat aut advehat; etiam simpliciter Peto. Isocr. Archid. [p. 122, B] : Ἐδήλωσε παρ᾽ ὧν ἔδει βοήθειαν μεταπέμπεσθαι, Unde accersenda essent auxilia, petendæ copiæ auxiliares. Xen. Cyrop. 6, [2, 1] : Πέμπω σοι χρήματα· κἂν ἄλλων δέῃ, μεταπέμπου, Mitte qui petant, ad te ferant; aut Pete. Aristot. OEcon. 2, [14] : Μεταπέμψασθαι ἐκ τῆς Ἑλλάδος κόμην. In eadem signif. Aristoph. activa voce usus est : Vesp. [679] : Παρ᾽ Εὐχαρίδου τρεῖς ἀγλίθας μετέπεμψα, Tria capita alliorum ab Eucharide qui peteret misi. [Antiatt. Bekk. p. 107, 20 : Μεταπέμψαι ἀντὶ τοῦ μεταπέμψασθαι. Per anastrophen Eur. Hec. 504 : Ταλθύβιος ἥκω, Δαναϊδῶν ὑπηρέτης, Ἀγαμέμνονος πέμψαντος, ὦ γύναι, μέτα. Ubi tamen non est Accerso, sed Mitto ad.]

Μετάπεμψις, εως, ἡ, Missio qua aliquem accersimus.
D Seu Accersitus : ut Cic., Quum ipsius rogatu accersituque venissem. Plato Epist. 7, [p. 339, B] : Ἐδεῖτο ἡμῶν τῇ μεταπέμψει μὴ ἀπειθεῖν, Ut sibi accersenti morem gererem. [Conf. 8, p. 339, B.] Alii, Ne nuntium remitterem vocanti, Ne vocationem prætermitterem. [Plut. Mor. p. 594, F, Alex. c. 33.]

[Μεταπερισπάω, Clem. Alex. p. 454, τῶν θείων, Abstraho e rebus divinis. Kall.]

[Μεταπέτομαι, Transvolo. Lucian. De hist. scrib. c. 50 : Μεταπετέσθω ἀπ᾽ Ἀρμενίας εἰς Μηδίαν. « Theodor. Prodr. Rhod. 3, 384, p. 130 : Οὐκ ἄν ποθ᾽ ἀρθῇ καὶ μεταπτῇ τὴν τύχην. » Boiss.]

[Μεταπέττευσις, εως, ἡ, Mutatio. Nicetas Chon. p. 292, A : Ἐπὶ ταῖς τῶν πραγμάτων μεταπεττεύσεσι καὶ ταῖς τῶν κρατούντων μεταθέσεσι. L. Dindorf.]

Μεταπεττεύω, Mutatis calculis ludo, ut ii, qui calculos initio male posuerunt, postea rectius collocant et promovent. Metaph. Plato Minoe [p. 316, B], Ἴσως γὰρ οὐκ ἐννοεῖς ταῦτα μεταπεττευόμενα ὅτι ταυτά ἐστι, pro Eadem esse etiamsi transponantur ac transmutentur. [Photius : Μεταπεττεύειν, τὸ μεταβάλλεσθαι καὶ μεταβαίνειν (eadem Lex. rh. Bekk. An. p. 280, 9, sed μεταλλάττεσθαι ponens pro μεταβάλλεσθαι), ἀπὸ μεταφορᾶς τῶν πεττευόντων, οἵτινες πολλάκις μεταβάλλονται ἐν τῇ παιδιᾷ. Hesychii vero gl. Μεταπεπεῖσθαι, μεταβληθῆναι, sine caussa in Μεταπεττεύεσθαι mutabat Albert. Ap. Nicetam Chon. p. 150, B : Ἦγεν ὡς ᾑρεῖτο πάντα καὶ μετεπέπτευεν, scr. —πέττευεν. L. D. Aristænetus p. 57.]

[Μεταπήγνῡμι, Transferendo figo. Dio Chrys. Or. 72, vol. 2, p. 387 : Ξυνετίθει λόγον Αἴσωπος τοιοῦτον, ὡς τὰ ὄρνεα ξυνῆλθε πρὸς τὴν γλαῦκα, καὶ ἐδεῖτο... πρὸς τὰ δένδρα τὴν καλιὰν ... καὶ τοὺς τούτων μεταπήγνυσθαι κλῶνας. Wakef. Μεταπήγνυται εἰς λίθου στερρότητα, Suid. in Κουράλιον, Concrescit. Hemst.]

Μεταπηδάω, Transilio [Gl.], Transulto : vide Ἄμφιπποι. Vel, Resilio ab eo ad quod assilieram. [Μεταπηδᾶν ἐπὶ τὸν Ἐπίκουρον, Athen. 7, p. 281, E. Hemst.] Jo. Chrys. De prec. : Ἀπὸ φαυλοτέρου βίου πρὸς εὐσέβειαν μετεπήδησε, A turpiori vita ad pietatem resiliit. At ex Galeno affertur, Εἰς τὰ πλάγια μεταπηδᾷν, pro In obliquum salire. [Appian. Annib. c. 23 : Πᾶσιν ἐνέπιπτον καὶ μετεπήδων ἀφειδῶς. Wakef. Pollux 6, 129, inter epitheta turbatoris reip.]

Μεταπήδησις, εως, ἡ, Saltus mutatus, mutatio. Ap. Plut. Symp. 9, 4 [p. 739, C], ubi quæritur utram manum Veneris vulnerarit Diomedes, et exp. versus iste Homeri, Il. E, [336], Ἄκρην οὔτασε χεῖρα μετάλμενος ὀξέϊ δουρὶ, Maximus ait : Δῆλόν ἐστιν ὅτι πατάξαι βουλόμενος οὐκ ἐδεῖτο μεταπηδήσεως· ἐπεὶ κατὰ τὴν ἀριστερὰν τὴν δεξιὰν εἶχεν, ἐξ ἐναντίου προσφερόμενος. Ubi etiam nota Μετάλμενος ab eo exponi μεταπηδήσας, non ἐφαλλόμενος, ut a schol.

[Μεταπίνω, Postea bibo. Hippocr. p. 393, 32 : Προπινόμενον οὐ βλάπτει ὄκως μεταπινόμενον. ῑ]

[Μεταπιπράσκω, Iterum vendo. Exc. Phryn. p. 51, 25; schol. Aristoph. Nub. 1199; Suid. v. Προτένθαι. Boiss.]

Μεταπίπτω, πεσοῦμαι, Recido [Gl. Aliter cado, Convertor. Plat. Crat. p. 440, A : Εἰ μεταπίπτει πάντα χρήματα καὶ μηδὲν μένει· Gorg. p. 493, A : Μεταπίπτειν ἄνω κάτω. Et structura compendiaria, ut in loco Leg. continuo citando, qualem notavimus etiam in Μεταβάλλω, Theæt. p. 162, D : Νῦν δὲ αὖ τοὐναντίον ταχὺ μεταπέπτωκεν, Contra res cecidit. Phædr. p. 241, B : Ὀστράκου μεταπεσόντος· Leg. 10, p. 895, B : Ὑπ' ἄλλου γὰρ οὐ μήποτε ἔμπροσθεν μεταπέσῃ· 304, D : Πλείω καὶ ἀδικώτερα μεταπεσόντα· Tim. p. 50, B : Ἃ μεταξὺ τιθεμένου μεταπίπτει.] Herodian. 2, [3, 3] : Οὓς ὑπώπτευεν οὐκ ἀνεξομένους, μετὰ βασιλέα εὐγενέστατον τὴν ἀρχὴν μεταπεσοῦσαν εἰς ἄνδρα ἐξ ἰδιωτικοῦ καὶ ἀσήμου γένους ἐπὶ τοῦτο ἐλθόντα, Post imperatorem generosissimum, recidisse principatum ad hominem privatæ stirpis atque obscuræ, Polit. Itidem vero ap. Herodian. 2, [10, 5] : Εἰς Κόμμοδον δὲ μεταπεσοῦσα (ἡ Ῥωμαίων ἀρχὴ), vertit, Posteaquam ad Commodum recidit. Ib. [1, 1, 5] : Ἐξ οὗπερ ἡ Ῥωμαίων δυναστεία μετέπεσεν εἰς μοναρχίαν, vertit, Quum sc. Romanorum potentia ad unius est arbitrium devoluta. || Excido spe. Æschin. [p. 89, 36] : Εἰ δὲ μιᾷ [μία] μόνον (ψήφῳ) μετέπεσεν, ὑπερώριστ' ἂν, h. e. ἀφήμαρτεν, Bud. Sed et ipsæ ψῆφοι dicuntur μεταπίπτειν, ut mox videbis in quodam Platonis loco. || Dilabor. Isocr. Ad Phil. [p. 91, A] : Καὶ πάλιν μεταπεσούσης τῆς τύχης. Quem l. affert Bud. postquam dixit μεταπίπτειν accipi pro In deteriorem partem mutari, h. e. Labi et everti. At ego malo Dilabi ; præsertim quum junctum reperiatur nomini Fortuna, quod est illi Græco τύχη synonymum : junctum inquam illi in eadem re significanda. [Thuc. 8, 68 : Ἐπειδὴ τὰ τῶν τετρακοσίων ἐν ὑστέρῳ μεταπεσόντα ὑπὸ τοῦ δήμου ἐκακοῦτο. Eur. Alc. 913 : Πῶς δ' οἰκήσω μεταπίπτοντος δαίμονος; Menander ap. Stob. Fl. 105, 28, 5 : Τὸ τῆς τύχης γὰρ ῥεῦμα μεταπίπτει ταχύ.] Apud Plat. autem Epist. 7 [p. 325, A] : Μετέπεσε τὰ τῶν τριάκοντα, perinde est ac si dictum esset, μετέπεσεν ἡ τῶν τριάκοντα τύχη. Quidam vero interpr., Eversæ sunt res triginta tyrannorum. [Μεταπεσεῖν, ἀπὸ δόξης εἰς ἀτιμίαν πεσεῖν, Hesych. Hemst.] Porro ut in illo Isocr. l. μεταπίπτειν vertit Bud. In deteriorem partem mutari, sic pro Mutari in meliorem voluntatem et laudabiliorem, ex Isocr. affert. [Herodot. 6, 61 : Ἀπὸ ταύτης τῆς ἡμέρης μεταπεσέειν τὸ εἶδος (Helenæ). In bonam partem etiam Eur. Ion. 412 : Εἰ γὰρ αἰσίως ἔλθοιμεν, ἄτε νῷν συμβόλαια πρόσθεν ἦν ἐς παῖδα τὸν σὸν, μεταπέσοι βελτίονα. Aristoph. Av. 627 : Ὦ φίλτατ' ἐμοὶ πολὺ πρεσβυτῶν ἐξ ἐχθίστου μεταπίπτων. Lycurg. C. Leocr. p. 155, 32 : Ὥσπερ γὰρ ἀνθρώπῳ ζῶντι μὲν ἐλπὶς ἐκ τοῦ κακῶς πρᾶξαι μεταπεσεῖν. Schol. Aristoph. Pl. 504 : Οἳ ἐθελήσουσι τὸν πρότερον ἀφέντες βίον μεταπεσεῖν ἐπὶ τὰ ἀμείνω. Agatharchid. Photii p. 443, 28 : Ὑπὸ τῆς Μηδείας γέροντα κριὸν ἐπῳδαῖς μεταπεσόντα νέον γενέσθαι πάλιν.] Item et μεταπεσὼν Ἑρμείας, ex Polyb., Mutatus ex priore habitu. Denique generalius etiam pro Mutor. [De sententia mutata Eur. Iph. A. 500 : Ἐς μεταβολὰς ἦλθον ἀπὸ δεινῶν λόγων. Εἰκὸς πέπονθα· τὸν ὁμόθεν πεφυκότα στέργων μετέπεσον. Demosth. p. 805, 26 : Τὰ μὲν γὰρ (μετ' ὀργῆς πάθη) ταχὺ μεταπίπτειν εἴθισται.] Plato Apol. [p. 36, A] : Εἰ τρεῖς μόναι μετέπεσον τῶν ψήφων, ἀπεπεφεύγειν ἂν, Si tres sententiæ ex damnatoriis in absolutorias mutatæ essent. Dicitur item aliquis μεταπίπτειν μιᾷ ψήφῳ ab Æschine in l. quem modo protuli. V. Bud. p. 535, 536. [Mutor simpl., cum genitivo, ap. Plat. Crat. p. 440, A : Εἰ ἡ γνῶσις τοῦ γνῶσις εἶναι μὴ μεταπίπτει. Hesych. v. Παῖδες : Μεταπεσούσης τῆς χρήσεως. Inter nomina τοῦ κούφου ponit Pollux 6, 121.] || Transeo, et degenero ab una specie ad aliam, h. e. μεταβάλλομαι, Bud., exemplum tamen non afferens; sed habemus in his Chrysost. verbis, Εἰς ὀξίνην μεταπεσεῖν. [Plato Crat. p. 440, B : Ἅμα τ' ἂν μεταπίπτοι εἰς ἄλλο εἶδος γνώσεως. De usu Hippocr. Foes. : « M. plerumque de morbo dicitur qui in aliam transmutatur speciem, quando priore cessante morbo alter supervenit, aut prior morbus in alium degenerat, velut pleuritis in peripneumoniam transmutatur, Aphor. 7, 2. Interdum etiam humorum transfluxu et transpositu effertur, ubi locum subinde commutant, ut p. 73, B : Ἐκ νώτου φρῖκαι πυκναὶ ὀξέως μεταπίπτουσαι. Sic de symptomatum in contraria permutatione p. 70, G : Ἄκρεα ἐπ' ἀμφότερα ταχὺ μεταπίπτοντα· 68, B : Ἐν τοῖσι φρενιτικοῖσιν ἐν ἀρχῇ τὸ ἐπιεικὲς, πυκνὰ δὲ μεταπίπτειν κακόν· 69, E : Τὰ ἐν φρενίτισι πυκνὰ μεταπίπτοντα. » || Transeo sine signif. Degenerandi, ap. Suid. : Κνίψ· ἡ γενικὴ τοῦ κνιπός μεταπίπτει εἰς εὐθεῖαν. Ubi tamen libri meliores μετέστη.]

[Μετάπλᾰσις, εως, ἡ, i. q. μεταπλασμός. Poeta de Sancto Theodoro ante Philen v. 187 ed. Wernsd. : Τοῦ Διός σου τὰς νόθους μεταπλάσεις. Boiss. Signif. grammat. Eust. Il. p. 58, 35 : Ποιητικῶς διὰ τοῦ ι (ὑσμῖνι) κατὰ μετάπλασιν.]

Μεταπλασμὸς, ὁ, Transformatio. [Vit. S. Pauli CPol. ap. Phot. Bibl. p. 474, 33 : Καὶ τολμήσαντες ταῦτα ἐπιτολμῶσι καὶ τὸν μεταπλασμὸν τῆς πίστεως. Jacobs.] Sed μεταπλασμὸς peculiariter vocatur a grammaticis Mutatio terminationis alicujus vocabuli, ut ἀλκὶ pro ἀλκῇ, et ὑσμῖνι pro ὑσμίνῃ, necnon κλαδὶ pro κλάδῳ. Quod et in verbis fit, ut docet Eust., ap. quem v. plura p. 58, [32 : Ἔστι γὰρ μ. μετάθεσις καὶ μετασχηματισμὸς λήξεως λέξεως εἰς ἕτερον συγγενὲς τελικόν], item p. 75 [ceterisque ll. qui citati sunt in indice Devarii]. Sed et voces, in quibus facta est hujusmodi mutatio, dicuntur μεταπεπλάσθαι. [|| Genus luctæ. Eust. Il. p. 1327, 12 : Εἰς ὕψος μὲν ἆραι Ὀδυσσεὺς τὸν Αἴαντα οὐ δύναται διὰ τὸ βάρος, τάχα δὲ οὐδὲ βούλεται, ἵνα μὴ πάθῃ ὅπερ ἐποίησεν· ἄρας δὲ ὀλίγον καὶ ὅσον τῆς στάσεως παρασαλεῦσαι τῷ δεξιῷ γόνατι περιτρίβει τὸ ἀριστερὸν σκέλος, καὶ πίπτουσι πλάγιοι, ἢ ἄκοντος Ὀδυσσέως τοῦτο παθόντος ἢ ἐντάσει τοῦ βάρους συναποκυλίσαντος ἑαυτῷ τὸν Αἴαντα· τοῦτο δὲ τὸ σχῆμα τῆς πάλης οἱ μὲν μεταπλασμὸν, οἱ δὲ παρακαταγωγὴν ὀνομάζουσι.]

Μεταπλάσσω, vel potius Μεταπλάττω, Transformo, Refingo. [Defingo, Gl. Plato Tim. p. 50, A : Εἴ τις μηδὲν μεταπλάττων παύοιτο ἕκαστα εἰς ἅπαντα. Ib. p. 92, B : Οἱ μεταπλάττοντες. « Liban. vol. 4, p. 175, 27 : Φασὶ δὲ αὐτὸν μεταπλάττειν (μεταλλάττειν cod. Mon. 113. Jacobs.) τὴν οἰκίαν. Μεταπλάσσων βίον ἄλλοτ' ἄλλως, Melinno ap. Stob. Flor. 7, 13. » Hemst. Pollux 5, 154 : Μεταπλάττων τὴν φωνήν. Medio Philippus Maced. Anth. Pal. 9, 708, 4 : Καὶ βυθὸν εἰς χέρσου σχῆμα μετεπλάσατο.] Pass. Μεταπλάττομαι, unde partic. μεταπλασθὲν ap. Lucian. [Halc. c. 4] : Ἢ γυναικὸς εἶδος μεταπλασθὲν εἰς ὄρνιθός τινος ποιῆσαι · quibus hæc addit (in quibus μετασχηματίζειν non aliud esse videtur quam μεταπλάττειν) : Τὸ μὲν γὰρ τοιοῦτο καὶ τὰ παιδάρια τὰ παρ' ἡμῖν, τὰ πλάττειν ἐπιστάμενα, πηλὸν ἢ κηρὸν ὅταν λάβῃ, ῥᾳδίως ἐκ τοῦ αὐτοῦ πολλάκις ὄγκου μετασχηματίζει πολλὰς ἰδεῶν φύσεις. [Hedylus ap. Athen. 8, p. 345, A : Ἥξει γὰρ τοιαῦτα, μεταπλασθεὶς τυχὸν ὡς Ζεὺς χρυσορόης ἐπὶ τήνδ' Ἀκρισίου λοπάδα. || Ap. grammaticos de metaplasmo, ut Eust. Il. p. 122, 9 : Πρὸς ἃ (κεῖθι, ὅθι) μεταπέπλασται τὸ πολλάκι· 365, 13 : Μετεπλάσθη δὲ ὡς καὶ τὸ Δωδῶνι.]

[Μεταπλέκω. Greg. Naz. vol. 2, p. 188 : Τοῦ γὰρ πλέκοντός ἐστι καὶ μεταπλέκειν, Vertere id quod nexuit.]

[Μεταπλέω, Transnavigo. Anon. in Crameri An. vol. 3, p. 219, 15 : Ἐπὶ τὸν ἠεροειδέα πόντον μεταπλευσοῦμαι. L. Dindorf.]

[Μεταπλώω, Renavigo. Oppian. Hal. 3, 427 : Ὁ δ' αὐτίκα κύρτον ἀνέλκει ῥίμφα μεταπλώσας.]

[Μεταπνέω, Respiro. Oppian. Hal. 5, 314 : Μεταπνεῦσαι καμάτοιο ποντοπόρου. Greg. Naz. vol. 2, p. 171.]

[Μεταπνοή, ἡ, Respiratio. Hesych. : Μετάμιξις (μετάψυξις), μεταπνοή.]

Μεταποιέω, Muto, Commuto, Transmuto. Proprie autem Muto formam, Muto aliquid, faciens diversum ab eo quod prius erat. Quia sc. qui aliquid mutat, postea facit, i. e. quod factum erat, id postea alio modo facit. Nisi potius μετὰ hic significat id quod Trans, in Transformo. Exp. μεταποιῶ etiam verbo Refingo. Bud. [Hesych. : Μετεποίησε, μετεσκεύασεν. Solon ap. Diog. L. 1, 61 : Καὶ μεταποίησον ... ὧδε δ' ἄειδε.] Μεταποιεῖν νόμον, quod ille ex Dem. [p. 268, 5] sumpsit, interpr. Derogare legi, Obrogare aliquid legi. [Θεσμὸν ib. p. 640, 3, 13. « Μεταποιῶν αὐτοὺς καὶ μεθιστὰς τοῦ θρύπτεσθαι, Philostr. Icon. 2, p. 856, 16. Id. Ep. 55. Πᾶσαν μεταποιῆσαι τὴν γνώμην, Basil. vol. 2, p. 61, A. Ἀδριανὸν ... οὕτω τι μετεποίησε τοῖς Σμυρναίοις, Philostr. p. 531, 16. » Hemst. Id. Phil. V. Ap. 2, 31, p. 83 : Ψευσαμένῳ τι ἢ ψευσθέντι τῷ ἄρχοντι ἐπιτιμῶσιν οἱ νόμοι, μὴ ἄρξαι αὐτὸν ἔτι ἀρχὴν μηδεμίαν, ὡς μεταποιήσαντα βίον ἀνθρώπου. Valck. Exc. Phryn. p. 39, 23 : Τὰ παλαιὰ τῶν δραμάτων μεταποιούντων καὶ μεταρραπτόντων.] At pass. Μεταποιοῦμαι interpr. Vindico, Mihi assero, Capesso : afferens ex Synesio, Μεταποιεῖσθαι τῆς πολιτικῆς δυνάμεως. Et ex Gregor., Τῆς ἀγχινοίας μεταποιούμενοι, Qui solertiam sibi vindicant. Ex Eodem : Εἰ δὲ καὶ αὐτοὶ μεταποιοῦνται τῆς καλοκἀγαθίας λόγῳ γοῦν, Sibi vindicant verbo tenus saltem. [Thucyd. 1, 140 : Ἢ μηδὲ κατορθοῦντας τῆς ξυνέσεως μεταποιεῖσθαι· 2, 51 : Οἱ ἀρετῆς τι μεταποιούμενοι. Plato Polit. p. 289, E : Ἥκιστα βασιλικῆς μεταποιουμένους τέχνης.] Item cum accus. ex Eod., Χριστὸν ἐνδέδυμαι, Χριστὸν μεταπεποίημαι διὰ τοῦ βαπτίσματος, Capessere cœpi, ut Idem interpr. Alioqui redditur et Acquisivi. [Μετασκευάζεται, φροντίζει, ἀντιποιεῖται interpr. Hesychius.]

Μεταποίησις, εως, ἡ, Mutatio, Commutatio. In VV. LL. exp. etiam Instauratio, et Refectio. Ibid. ex Greg. Naz., Συνθέσεως μεταποίησις, Fœderis commutatio. Ex quo et Bud. affert, Καὶ τὴν τοῦ παντὸς μ. καὶ μετάθεσιν εἰς τὸ ἀκίνητον καὶ ἀσάλευτον. [Eust. Il. p. 58, 31 : Κατὰ μεταποίησιν τοῦ ω εἰς τὸ ε. Quæst. ad Christ. p. 546, D ed. Bened. : Ἄτοπον τὸ ἀπιστεῖν αὐτῷ (deo) τὴν ὑπὲρ φύσιν μεταποίησιν. Hippolytus vol. 1, p. 229, A.]

Μεταποιητής, ὁ, Mutator. In VV. LL. Reformator, et Refector.

[Μεταποιητικός, ή, όν, Mutans. Eust. Opusc. p. 119, 37 : Εἰ δέ ποτε καὶ ἀντιδότου τῆς ἐξ αὐτοῦ δέομαι, ὀψὲ μοι τοῦτο γίνοιτο, καὶ μηδὲ προσφεροίμην αὐτόχρημα ἔχιδναν, ἀλλὰ κατὰ εἰδοποίησιν μεταποιητικήν. Quæst. ad Christ. p. 544, D : Δύναμιν θατέρου εἰς ἕτερον μεταποιητικήν.]

Μεταποίνιος, ὁ, ἡ, Pœnalis, i. q. ποίνιμος : ut δίκη μεταποίνιος ap. Suidam in Ποινή, cui subjungit ex Epigr. [Pauli Sil. Anth. Pal. 5, 248, 7] : Μή, λίτομαι, δέσποινα, τοίην μὴ λάμβανε ποινήν.

[Μεταποιπνύω, pro μέτα π. scriptum ap. Apoll. Rh. 4, 1113, correxit HSt.]

Μεταπομπή, ἡ, i. q. μετάπεμψις. [Accitus, Accersitio, Gl.] Plato Epist. 7, [p. 348, D] : Ἀπὸ τῆς προτέρας μεταπομπῆς. Attuli et μετάπεμψις ex ead. Epist. [Exc. Phryn. Bekk. p. 52, 4.]

[**Μεταπόντιον**, τὸ, Metapontium, πόλις Ἰταλίας, ἣ
A πρότερον Σῖρις (hoc falsum esse animadverterunt intt.), ἀπὸ Μετάβου τοῦ Σισύφου τοῦ Αἰόλου. Τὸν γὰρ Μετάποντον οἱ βάρβαροι Μέταβον ἔλεγον. (Strabo 6, p. 265 : Ἐνταῦθα δὲ καὶ τὸν Μετάποντον μυθεύουσι ... Δοκεῖ δ' Ἀντίοχος τὴν πόλιν Μεταπόντιον εἰρῆσθαι πρότερον Μέταβον, παρονομασθῆναι δ' ὕστερον· τήν τε Μελανίππην οὐ πρὸς τοῦτον, ἀλλὰ πρὸς Δῖον κομισθῆναι, ἐλέγχειν ἡρῷον τοῦ Μετάβου κτλ. Conf. quæ de Metabo diximus in ipso et Steph. B. in Καυλωνία. ΜΕΤΑΒΟ est in numo ap. Eckhel. D. N. vol. 1, p. 156, quum in aliis plerisque sit Μεταποντιν. Μετάποντον autem heroem, de quo dubitabat Salmasius, præter Strab. memorat etiam Etym. infra cit.) Ὁ πολίτης Μεταποντῖνος. Λέγεται καὶ Μεταπόντιος, ὡς Βυζάντιος, καὶ Μεταποντίνη, Steph. Byz. Altera forma Dionys. Per. 368 : Τοὺς δὲ μεθ' ἑξείης Μεταπόντιοι. Μεταπόντιον et aliquoties Μεταποντῖνοι ap. Herodot. 4, 15, Pausan. 5, 22, 5; 6, 19, 11. Μεταπόντιοι rursus Thuc. 7, 57, Polyb. 10, 1, 4. Inter utramque formam variant libri Dionis Chr. Or. 33, vol. 2, p. 12, sed neutram fert constructio quæ Μεταπόντιον poscit.
B Μεταποντικῆς olim male ap. Strab. 6, p. 255, pro Μεταποντίνης, qui urbem Μεταπόντιον sæpe memorat eod. libro. || Alia forma Μεταπόντιος, quam ponunt Suidas : Μεταπόντιος, ὄνομα κύριον, καὶ θηλυκῶς, ὄνομα πόλεως, et Etym. M. p. 587, 10 : Μεταπόντιος, πόλις Ἰταλίας, ἀπὸ Μεταπόντου τινὸς βασιλεύσαντος ἐν αὐτῇ, ab ipsis ficta videtur. Μεταπόντιος quidam Metapontius Æoli hospes memoratur ap. Diodor. 4, 67.]

[Μεταπόντιος, ὁ, Transmarinus. Hesychius : Μεταπόντιος, διαπόντιος. || V. Μεταπόντιον.]

Μεταπορεύδην, Persequendo, μετελθών, ἐπελθών, Hesych.

[Μεταπορεύω, Arcesso. Schol. Eur. Hec. 504 : Μεταστείχων, μεταπορεύων. L. D.] Μεταπορεύομαι, Proficiscor s. Eo post, Persequor; et specialiter Vindicta persequor, Vindico, Ulciscor, sicut μέτειμι et μετέρχομαι. Lys. p. 174 [187, 1] : Ἐγὼ τὴν κατὰ τουτουὶ Φίλωνος ποιήσομαι κατηγορίαν, οὐ μέντοιγε ἰδίαν ἔχθραν οὐδεμίαν μεταπορευόμενος, Ulciscens, Persequens. Itidem Polyb. [2, 58, 11] : Τοῖς μεταπορευο-
C μένοις τὴν ἀσέβειαν αὐτῶν. Idem [ibid. 8, 10] Romanis dicit esse moris τὰ κατ' ἰδίαν ἀδικήματα κοινῇ μεταπορεύεσθαι. Itidem ap. Eur. in Argum. Orestis, Τὸν φόνον τοῦ πατρὸς μεταπορευόμενος, ἀνεῖλεν Αἴγισθον καὶ Κλυταιμνήστραν. || Ambio, ut μέτειμι : cujus signif. exemplum v. in Προσπορεύομαι. Alioqui Μεταπορεύομαι videri possit sonare Mutato itinere proficiscor, Iter muto, aut Transeo. [Sic, ut sit Proficiscor, Plato Leg. 10, p. 904, C : Σμικρότερα μὲν τῶν ἠθῶν μεταβάλλοντα ἔλαττω κατὰ τὸ τῆς χώρας ἐπίπεδον μεταπορεύεται. « Senatuscons. in Grut. Inscr. p. 503, 13, 15 etc. » Hemst.]

[Μεταπορθμεύω, Transfreto, Trajicio. Const. Manass. Amat. 4, 5 : Πρὶν ἂν αὐτὸ νεκραγωγὸς μεταπορθμεύσῃ. L. D. Epiphan. Hær. Manich. c. 25; Zacagnii Monum. p. 13. Kall. Anonymi Proœm. in Aristot. De plantis p. 814, 33 : Τὰ τῶν Ἀράβων εἰς Ἰταλοὺς καὶ τὰ τῶν Ἰταλῶν μεταπορθμεύειν εἰς Ἄραβας. Boiss.]

Μεταποροποιέω, Meatuum statum muto : cujus signif. exemplum [Diosc. 4, 157] habes in Μετασύγκρισις.

[Μεταποροποίησις, ἡ, i. q. sequens. Galen. vol. 10,
D p. 91. L. Dind.]

Μεταποροποιΐα, ἡ, Meatuum in corpore mutatio, τῶν πόρων μετασχηματισμός, ut Plut. loquitur.

[Μεταποτέον, Postea bibendum. Hippocr. p. 394, 50 : Ὕδωρ μ. ὀλίγον.]

[Μετάπρᾱσις, εως, ἡ, Cocionatura, Gl.] Μεταπράσεις ædium dicuntur, quum venditæ aliter extruuntur. Strabo 5, p. 103 [235] : Ξύλοις καὶ λίθοις πρὸς τὰς οἰκοδομίας, ἃς ἀδιαλείπτους ποιοῦσιν αἱ συμπτώσεις καὶ ἐμπρήσεις καὶ μεταπράσεις, ἀδιάλειπτοι καὶ αὗται οὖσαι. Quibus subjungit, Καὶ γὰρ αἱ μεταπράσεις ἑκούσιοί τινες συμπτώσεις εἰσὶ καταβαλόντων καὶ ἀνοικοδομούντων πρὸς τὰς ἐπιθυμίας ἕτερα ἐξ ἑτέρων· nam qui veteres domus emunt, de novo eas ædificare solent, et alias facere ab illis quæ ipsis venditæ sunt.

[Μεταπράτης, ὁ, Cocio; M. ἀνδραπόδων, Mango, Venalicarius; Μεταπρᾶται, Bolanæ, Gl. Suidas v. Μετάβολοι et Παλιγκάπηλος. ᾱ]

[Μεταπρεπής, ὁ, ἡ, Excellens. Hom. Il. Σ, 370 : Ἡφαίστου δόμον μεταπρεπέ' ἀθανάτοισι.]

Μεταπρέπω, i. q. διαπρέπω. Jungitur cum dat. personæ, et significat Decorus sum s. Insignis inter. Hom. Il. B, [481]: Βόεσσι μεταπρέπει, Spectabilis est inter. Hesiod. [Theog. 92]: Μετὰ δὲ πρέπει ἀγρομένοισι, Spectabilis est inter eos in unum locum congretatos, In toto cœtu eminet et conspicuus est. Huic vero dativo personæ accedit interdum dat. instrumentalis, aut accus., subaudito κατά: ib. [377]: Πᾶσι μετέπρεπεν ἰδμοσύνῃσι, Inter omnes excellit scientia. [Hom. Od. Σ, 2: Μετὰ δ' ἔπρεπε γαστέρι μάργῃ.] Et ap. Apollon. Arg. 2, [784]: Πάντεσσι μετέπρεπεν ἠϊθέοισιν Εἶδός τ' ἠδὲ βίην, Inter omnes juvenes forma ac robore præstabat et conspicuus erat. [Id. 3, 443: Θεσπέσιον δ' ἐν πᾶσι μετέπρεπεν Αὔσονος υἱός. Idem cum dat. rei 4, 220: Ὁ δ' εὐτύκτῳ ἐνὶ δίφρῳ Αἰήτης ἵπποισι μετέπρεπεν. « Phalæc. ap. Athen. 10, p. 440, E: Οὕνεκα συμποσίοισι μετέπρεπεν. » Hemst. Cum præp. ἐν etiam Orph. Arg. 804: Αἶψα δ' ἄρ' ἐν πάντεσσι μετέπρεπε δῖος Ἰήσων.]

[Μεταπτοιέω, Aufugio. Æsch. Suppl. 331: Ἔχθει μεταπτοιοῦσαν εὐναίων γάμων.]

Μετάπτωσις, εως, ἡ, Dilapsio: ab ea verbi Dilabor signif. qua dicitur Dilapsa fortuna. || Mutatio a specie in speciem, Degeneratio. [Plato Leg. 10, p. 895, B: Ὑπ' ἄλλου γὰρ οὐ μήποτε ἔμπροσθεν μεταπέσῃ, μηδεμιᾶς γε ἐν αὐτοῖς οὔσης ἔμπροσθεν μεταπτώσεως.] Galen. Κατὰ τόπ. 2: Ἤτοι φυλάττειν ἀεὶ τὴν ἀπ' αὐτῆς ἔνδειξιν, ἢ περὶ τῆς μ. εἰρηκέναι τι. Item, Mutatio in utramque partem, Bud.: quæ verba ita sunt intelligenda, ut μ. dicatur aliquando significare Mutationem in deteriorem partem, s. in deterius, aliquando contra in meliorem partem, s. in melius: quod et in ipso verbo videre est. [Plut. Mor. p. 556, B: Μετάπτωσιν ὀξεῖαν ὁρμῶν. « Μ. πρὸς Ῥωμαίους, Transitio ad partes Rom., Defectio ad Romanos, Polyb. 3, 99, 3. Animorum mutatio, 27, 1, 9. » Schweigh. Lex. Μ. καὶ μεταβολὴ τῶν λημμάτων, Mutatio propositionum argumentationis in diversam sententiam, Arrian. Epict. 1, 7, 20. Πῶς περὶ τὰς μ. τῶν λόγων δεῖ ἀναστρέφεσθαι, 3, 2, 17. » Schweigh. Ind. Apollon. De constr. p. 109, 16: Ἐφ' ὧν χρὴ αὐτὸ μόνον τὴν μετάπτωσιν διδάσκειν (participiorum in nomina mutatorum, ut ἐρωμένη, εἱμαρμένη).]

[Μεταπτωτικός, ή, όν, Inconstans. Marc. Anton. 11, 10: Οὐ γὰρ τηρηθήσεται τὸ δίκαιον, ἐὰν ἤτοι διαφερώμεθα πρὸς τὰ μέσα ἢ εὐεξαπάτητοι καὶ προπτωτικοὶ καὶ μεταπτωτικοὶ ὦμεν. Dionys. De comp. vv. p. 74, 11: (Γράμματα) ἃ οἱ μὲν δίχρονα, οἱ δὲ μεταπτωτικὰ καλοῦσιν. Clem. Al. Strom. 2, p. 468: Ἡ ἄγνοια φαντασία ἐστὶ μεταπτωτικὴ ὑπὸ λόγου.]

[Μεταπτωτός, ή, όν, Mutabilis. Marc. Anton. 5, 10: Πᾶσα ἡ ἡμετέρα συγκατάθεσις μεταπτωτή. Plut. Mor. p. 447, A: Ἐνεργείας τινὰς οὔσας ἐν ὀλίγῳ μεταπτωτάς. || Adv. « Μεταπτωτῶς, Inconstanter. Arrian. Epict. 2, 22, 8: Ὁ μ. ἑλόμενος τὸν φίλον. » Kall. Libri μεταπτώτως, unus ascripto inter versum εὐ, unde εὐμεταπτώτως scrib. videtur cum Schweigh., addendumque hoc ex. adverbii adjectivo suo loco nobis relato.]

Μεταπύργιον, τό, Spatium quod inter duas turres est, τὸ ἐν μέσῳ οἰκοδόμημα τῶν ἐπὶ τοῦ τείχους πύργων, Ædificium quod est in medio turrium muri, ut Harpocr. exp., et cum eo Suidas. Utitur hoc vocab. sæpius Thuc. 3, [22]: Κατὰ μεταπύργιον προσέμισγον πρὸς τὰς ἐπάλξεις, Qua intervallum erat turrium. Et rursum paulo post, Διὰ τοῦ μεταπυργίου ὑπερέβαινον, Per intervallum turrium transcendebant. [Philo Belop. p. 80 sæpius, 99, A. Inter hoc et μεσοπύργιον variant libri Josephi A. J. 13, 5, 1, p. 674, ab Lobeck. ad Phryn. p. 194 cit. Memorat Pollux 1, 170; 7, 120.]

[Μεταπυργίς, ίδος, ἡ, ap. Philon. Belop. p. 81, C: Φερομένων τῶν λιθοβόλων ἐκ τῶν πλαγίων τοίχων καὶ τῶν μεταπυργίδων, ἐν οἷς αἱ θυρίδες κατασκευάζονται, scrib. μεταπυργίων. L. Dind.]

[Μεταπωλέω, Revendo, Gl. Hesych. in Καπηλεύει. Hemst. Inscr. Delph. ap. Bœckh. vol. 1, p. 816, n. 1690, 15: Τῶν μεταπωληθέντων τὰ πρῶτα. L. Dind.]

[Μεταρδεύω, Derivo. Heraclit. Alleg. Hom. p. 433: Ταῦτα ὥσπερ ἐκ πηγῆς τῶν Ὁμηρικῶν ἐπῶν εἰς τοὺς ἰδίους διαλόγους ὁ Πλάτων μετήρδευσεν.]

Μεταρίθμιος, ὁ, ἡ, Annumeratus, Connumeratus. [Hom. H. Bacch. 6: Μεταρίθμιος ἀθανάτοισιν.] Apollon.

A [Rh. 1, 205. « In æstimatione habitus, Oppian. Hal. 2, 43: Ἰχθύσι δ' οὔτε δίκη μεταρίθμιος οὔτε τις αἰδώς. » Wakef.]

[Μεταρράπτω, Consuendo muto. Phryn. Προπαρ. p. 39, 23: Τὰ παλαιὰ τῶν δραμάτων μεταποιούντων καὶ μεταρραπτόντων. Boiss.]

[Μεταρρέπω, Transeo. Eust. Opusc. p. 287, 94: Πρὸς τὸν εὖ ἔχοντα τοῖχον μεταρρέπων.]

Μεταῤῥέω, Refluo, Reciproco, Bud., afferens hæc verba, Καὶ ὅλως τοῦ τῆς εὐβουλίας γενναίου φρονήματος ἀμοιρῶν, ῥᾶον εὐρίπου παντὸς μεταῤῥεῖ· quæ verba, Platonis esse putat. Ad ea certe non dubito quin Aristot. respexerit, Eth. 9, 6: Οὗτοι γὰρ (οἱ ἐπιεικεῖς) καὶ ἑαυτοῖς ὁμονοοῦσι καὶ ἀλλήλοις, ἐπὶ τῶν αὐτῶν ὄντες ὡς εἰπεῖν· τῶν τοιούτων γὰρ μένει τὰ βουλήματα, καὶ οὐ μεταῤῥεῖ ὥσπερ εὔριπος· qui l. ita redditus fuit, Talium enim virorum eædem manent voluntates, neque instar euripi fluunt et refluunt. Idem quum scripsisset, μεταπίπτω, esse Transeo et degenero ab una specie ad aliam, h. e. μεταβάλλομαι, ap. Galen.: addidit, pro eod. dici

B et μεταῤῥέω. Ego certe existimo μεταῤῥέω esse proprie Fluendi modum muto, Cursum muto: ut certe fit refluendo et reciprocando. [Proprie Aret. p. 49, 49: Τυμπανίας ἡμιτελὴς μεταρρέων· 125, 13: Ἄλλῃ πῃ τοῦ αἵματος μεταρρυέντος. Improprie « Athen. 5, p. 212, A: Ὅτε εἰς Μιθριδάτην τὰ πράγματα μετέρρει. » Valck. Joseph. B. J. 1, 4, 5: Μεταρρεῖν πᾶν τὸ ἔθνος εἰς αὐτόν. Wak. Philostr. V. Ap. 3, p. 128: Μισῆσαι μὲν ἐκ τούτων τὸ γυναικῶν ἐρᾶν, μεταρρυῆναι δὲ ἐς τὸν παῖδα τοῦτον, Amorem ad hunc puerum transtulisse. Id. V. Soph. p. 567: Τοὺς ἀπὸ τοῦ περιπάτου φιλοσοφήσας λόγους ἐς τοὺς σοφιστὰς μετερρύη. « Futur. Theodor. Prodr. in Notitt. Mss. vol. 8, p. 191: Ἴσως μεταρρυήσομαι πρὸς σὲ καὶ μεταπέσω. » Elberl. Inter nomina τοῦ κούφου ponit Pollux 6, 121. || Transitive Plato Theæt. p. 193, C: Οἷα τὰ ἐν τοῖς κατόπτροις τῆς ὄψεως πάθη δεξιὰ εἰς ἀριστερὰ μεταρρεούσης, Transferentis.]

[Μεταρριζόω, Eradico. Nonn. Dion. 21, 104: Ὄφρα μὲν Ἐννοσίγαιος ... νερτερίων κευθμῶνα μετερρίζωσεν ἐναύλων· 32, 143: Δρύας εὐκάρποιο μετερρίζωσεν ἀρούρης.]

C [Μεταρριπίζω, Flatu excito. Nonnus Dion. 2, 408: Ἄλλα δὲ δινηθέντα δι' ἠέρος ὀξέϊ ῥοίζῳ ἄσθμασιν ἀντιπόροισι μετερρίπιζον ἀῆται. Eumath. Ism. p. 125: Οἷον μεθεῖλκε τὴν φλόγα καὶ μετερρίπιζε· 141: Τὴν φλόγα πρὸς τὴν ψυχὴν μετερρίπιζεν. Wakef. || Pass., Flatu jactor, « Arrian. Epict. 1, 4, 19: Ἀνάγκη μεταπίπτειν καὶ μεταρριπίζεσθαι ἅμα ἐκείνοις καὶ αὐτόν. » Kall. Etym. M. p. 423, 30: Τὰ εὐκίνητα καὶ εὐχερῶς μεταρριπιζόμενα ὑπὸ τῶν ἀνέμων.]

[Μεταρριπτάζω. Antimach. ap. Etym. M. p. 770, 11 (fr. 67=60): Κοίας (h. e. σφαίρας) ἐκ χειρῶν εἰς σκόπελον μεταρριπτάζουσιν. In qua scriptura etsi consentiunt grammatici ap. Cram. Anecd. vol. 1, p. 401, 2; vol. 2, p. 329, 10, dudum tamen vera restituta est scriptura χ. σκόπελον μέτα β.]

Μεταῤῥιπτέω, vel Μεταῤῥίπτω, In diversam partem jacio: ut interpr. Bud., afferens ex Gregor. Π. φιλοπτωχίας, ubi loquitur de bonis caducis: Ταῦτα μὲν γὰρ ῥευστὰ καὶ πρόσκαιρα, καὶ ὥσπερ ἐν παιδιᾷ ψήφων, ἄλλοτε εἰς ἄλλους μεταῤῥιπτούμενα καὶ μετατιθέμενα. Ubi

D tamen habemus pass., non activum participium. Alibi vero activum affert ex Galeno: Μεταῤῥιπτῶν ἑαυτὸν ἄλλοτ' εἰς ἄλλο σχῆμα, de febricitante. At in VV. LL. μεταῤῥίπτω exp. Perturbo. [Demosth. p. 797, 11: Ταῦτα τοίνυν Ἀριστογείτων τὰ καλῶς οὕτω πεπηγότα τῇ φύσει καὶ τοῖς ἤθεσι τοῖς ὑμετέροις κινεῖ καὶ ἀναιρεῖ καὶ μεταρρίπτει. « Simonid. ap. Theoph. Ad Autol. 2, 51: Ὀλίγῳ χρόνῳ δὲ πάντα μεταρρίπτει θεός. » Kall. Μεταρρίπτειν τοὺς Ἀχαιοὺς ἀπὸ τῆς Φιλίππου συμμαχίας πρὸς τὴν Ῥωμαίων, Polyb. 17, 13, 8; 30, 6, 8; 7, 2 et 9. Schweigh. Lex. Plut. Mor. p. 104, C: Μεταρρίψαι τὴν δοκοῦσαν εὐημερίαν.]

[Μεταρροή, ἡ, i. q. sequens. Greg. Naz. vol. 2, p. 205: C: Ἐπεὶ γάρ ἐστι θεία τις μ.]

Μετάῤῥοια, ἡ, Refluxus, Reciprocatio, sequendo illam verbi μεταῤῥέω signif. Pro Refluxu utitur Aristot. 2 Meteor. [c. 8: Οἷον μεταρροίας εἴσω γινομένης τοῦ πνεύματος.] Plut. De def. orac. [p. 433, F]: Καὶ μεταῤῥοίας ἀλλαχόθεν εἰκός ἐστι συμβαίνειν, Alio immigrare verisimile est, Turn. [Diod. 3, 51. Kall.]

[Μεταρρυθμέω. V. Μεταρρυθμίζω.]

[Μεταρρύθμησις. V. Μεταρρύθμισις.]

Μεταῤῥυθμίζω, non est Formo, s. Informo, sed Reformo, ut vertit Bud., addens etiam, Emendo, Corrigo. Affert Idem ex Xen. [OEc. 11, 2] : Ἵνα καὶ μεταῤῥυθμίσῃς με, ἐάν τι σοὶ μὴ καλῶς δοκῶ ποιεῖν. Ἀλλ' ἐγὼ μὲν δὴ, ἔφην, πῶς ἂν μεταῤῥυθμίσαιμι ἄνδρα ἀπειργασμένον καλόν τε κἀγαθόν; Ex Eod. [ib. 16], loquente de officiis patris familias in agro : Ταῦτα δὴ ἐπισκεψάμενος ὅπως ἕκαστα γίγνεται, μεταῤῥυθμίζω, ἐὰν ἔχω τι βέλτιον τοῦ παρόντος. Item ex Aristot. Eth. 10, [9] : Τοὺς δὴ τοιούτους τίς ἂν λόγος μεταῤῥυθμίσαι; Quæ doctrina posset emendare homines sic in errore mersos, et in animi morbos delapsos? Affert vero et pro Commuto, s. Transmuto, ex Gazæ interpretatione ap. Theophr., sed passiva voce utentem : Ἀνάγκη γὰρ τὰ σχήματα μεταῤῥυθμίζεσθαι, καὶ ἐξ ὀξυγωνίων περιφερῆ γίγνεσθαι. [Apud Herodot. 5, 58 : Μεταρρυθμίζειν τὰ γράμματα est μεταβάλλειν τὸν ῥυθμὸν τῶν γραμμάτων, Mutare formam literarum. Schweigh.] At in VV. LL. habetur non solum μεταῤῥυθμίζω (quod exp. Accommodo, Apto, non expressa vi præp. μετά), sed etiam Μεταῤῥυθμέω : quod redditur Transformo, item Traduco, Retraho. Sed mihi suspectum est hoc μεταῤῥυθμέω, ne ex errore manarit, sicut καταῤῥυθμέω pro καταῤῥυθμίζω. [Ap. Plat. Tim. p. 46, A : Ἑνὸς περὶ τὴν λειότητα ἑκάστοτε γενομένου καὶ πολλαχῇ μεταρρυθμισθέντος, male nonnulli μεταρρυθμηθέντος. Ib. p. 91, D : Τὸ τῶν ὀρνέων φῦλον μετερρυθμίζετο. « Clem. Al. Strom. 6, p. 631 : Ἡ διδαχὴ μεταρρυθμίζει τὸν ἄνθρωπον, μεταρρυθμοῦσα δὲ φυσιοποιεῖ. » Kall. Alcidamas II. σοφιστ. p. 79, 11 : Τὴν τῆς ψυχῆς ἕξιν μεταρρυθμίσαντες. Seager. Exc. Athen. in Anim. Casaub. p. 784, 27. Τὰ τραγικὰ μεταρρυθμίζων ἐς τὸ γελοῖον, Stephan. in Τάρας. Μετερρύθμισε τῶν ἁμαρτημάτων, Philostr. p. 75, 12. Hemst.]

Μεταῤῥύθμῐσις, εως, ἡ, ipsa Actio τοῦ μεταῤῥυθμίζειν. [Tzetz. ad Hesiod. Op. v. 32, p. 59 : Τὴν ἐκ τοῦ ἀπερίττου καὶ σκληροῦ βίου ἐπὶ τὸ πολυπρεπέστερον καὶ βλακωδέστερον μεταρρύθμησιν. Liber unus per ι. Cit. Boiss.]

[Μεταρρυθμόω, Transformo; unde μετερρυθμωμένα, Hesychio μετεσχηματισμένα. « Μεταρρυσμόω, verbum Democriteum, conjectando bene repertum ab Heimsoeth. Doctrina Democriti de anima p. 25. » Osann.]

[Μεταρρυΐσκομαι, Transfluo. Nicetas Chon. p. 150, C : Εἰς ἔντερον πόρνης πολλάκις μεταρρυΐσκεσθαι τὰ χρόνῳ καὶ πόνῳ συλλεγέντα μακρῷ. Eust. Opusc. p. 128, 91 : Τὸ ἐκεῖθεν ἀγαθὸν μεταρρυΐσκεται εἰς ἡμᾶς· 142, 85 : Ἐκεῖθεν μεταρρυΐσκεσθαι τὸ σεμνὸν καὶ ἐπὶ τὸν ἱερέα.]

[Μετάρρυσις, εως, ἡ, Refluxus. Niceph. Blemm. Epit. Phys. p. 140 : Πολλὴν ἡ θάλασσα παρέχει χορηγίαν τῷ πνεύματι, καὶ διὰ τῶν στενῶν ἀθρόα ταῖς μεταρρύσεσιν εἰς βάθος αὐτὸ ἀπωθεῖ.]

[Μεταρσιολεσχέω.] Μεταρσιολεσχεῖν, De sublimibus rebus disputare aut fabulari, s. sermocinari, more physicorum. [Iterum HSt. :] Μεταρσιολεσχεῖν exp. etiam De rebus futilibus fabulari, s. sermocinari.

Μεταρσιολέσχης, ὁ, Qui de sublimibus rebus, i. e. cœlestibus inaniter disputat. Vel magis ad verbum, Qui fabulatur de rebus sublimibus; unde μεταρσιολέσχαι dicti sunt physici, inquit Bud. [Sisyph. p. 389, A : Τοὺς ἄλλους τοὺς μεταρσιολέσχας.]

Μεταρσιολεσχία, ἡ, De rebus sublimibus disputatio. Plut. Pericle [c. 5] : Τῆς λεγομένης μετεωρολογίας καὶ μεταρσιολεσχίας ὑποπιμπλάμενος. [Theophrasti Τῆς μεταρσιολεσχίας α′ citat Diog. L. 5, 43. Iterum HSt. :] Μεταρσιολεσχία, De rebus futilibus fabulatio s. sermocinatio.

Μεταρσιολογία, ἡ, i. q. μεταρσιολεσχία, nisi quod μεταρσιολέσχης et μεταρσιολεσχία majorem quendam contemptum indicare videntur.

[Μεταρσιολογικὸς, ή, όν, Ad μεταρσιολογίαν pertinens. Theophrasti Μεταρσιολογικὰ citat Diog. L. 5, 44.]

Μεταρσιολόγος, ὁ, ἡ, i. q. μεταρσιολέσχης.

Μετάρσιος, ὁ, ἡ et ία, ιον, Sublimis, [Celsus add. Gl.] Altus, a verbali μέταρσις, tanquam Sublationem etiam s. Elevationem significante. [Soph. Tr. 786 : Ἐσπᾶτο γὰρ πέδονδε καὶ μετάρσιος· Ant. 1009 : Μετάρσιοι χολαὶ διεσπείροντο. Eur. Hec. 499 : Ἀνίστασ', ὦ δύστηνε, καὶ μετάρσιον πλευρὰν ἔπαιρε καὶ τὸ δύστηνον κάρα· Hel. 299 : Πῶς θάνοιμ' ἂν οὖν καλῶς; ἀσχήμονες μὲν ἀγχόναι μετάρσιοι· Iph. T. 27 : Ὑπὲρ πυρᾶς μεταρσία ληφθεῖσα· Herc. F. 1093 : Πνοὰς θερμὰς πνέω μετάρσι', οὐ βέβαια, πνευμόνων ἄπο· Andr. 1220 : Ἀμπτάμενα φροῦδα πάντα κεῖται κόμπων μεταρσίων πρόσω· Alc. 963 : Ἐγὼ καὶ διὰ μούσας καὶ μετάρσιος ἦξα. Quod recte explicat schol. : Περὶ μετεώρων ἐφρόντισα οἷον ἠστρολόγησα. (Conf. Argum. Rhesi : Ἡ περὶ τὰ μετάρσια ἐν αὐτῷ πολυπραγμοσύνη τὸν Εὐριπίδην ὁμολογεῖ.) Aristoph. Av. 1383 : Ὑπὸ σοῦ πτερωθεὶς βούλομαι μετάρσιος ἀναπτόμενος κτλ. Apoll. Rh. 3, 1563 : Πολλὰ δ' ἄρ' ἔνθα καὶ ἔνθα μετάρσιον ἴχνος ἔπαλλεν. Lycophr. 265 : Ἁρπάσας μετάρσιον. De Pherecyde Christodor. Ecphr. Anth. Pal. 2, 353 : Οὐρανὸν ἐσκοπίαζε μετάρσιον ὄμμα τιταίνων. Ib. 374 : Δεξιτερὴν γὰρ ἀνέσχε μετάρσιον. De ædificio alto ib. App. 357, 1 : Τὸ τετράπλευρον θαῦμα τῶν μεταρσίων.] Dicuntur autem peculiariter μετάρσια quæ sunt ἀπὸ τοῦ κύκλου τῆς σελήνης καθήκοντα μέχρι πρὸς τὴν θέσιν τῆς γῆς, ut scribit Plut. De plac. philos. 3 [init.], Bud. interpr. Quæ a circulo lunæ ad situm usque terræ pertinent. Ocellus autem μετάρσιον s. ἀέριον vocari tradit quod est inter cœlum et terram : Λέγω δὲ μέρη τοῦ κόσμου, οὐρανὸν, γῆν· τὸ μεταξὺ τούτων, ὃ δὴ μετάρσιον καὶ ἀέριον ὀνομάζεται. Sic ap. Philon. De mundo μετάρσιον χώραν Sublimem regionem interpretantur. [Schol. Plat. Sisyphi p. 466 : Διαφέρει μετέωρα μεταρσίων, ᾗ τὰ μὲν μετέωρα ἐν οὐρανῷ καὶ αἰθέρι ἐστὶν, ὡς ἥλιος καὶ τὰ λοιπὰ καὶ οὐρανὸς καὶ αἰθὴρ, μετάρσια δὲ τὰ μεταξὺ τοῦ αἰθέρος καὶ γῆς ἐν ἀέρι συνιστάμενα, ὡς ἄνεμοι, νεφέλαι, ὄμβροι, ἀστραπαὶ, βρονταὶ, κομῆται, δοκίδες, πώγωνες, λαμπάδες, ἴριδες, ἅλωες, διάττοντες, ῥυμοὶ, ῥύακες καὶ τὰ τοιαῦτα. Dionys. A. R. epit. 16, 1 : Τὸ κεραύνιον πῦρ, εἴτε δὴ αἴθριον (αἰθέριον) εἴτε μετάρσιόν ἐστι. Improprie Agathias Anth. Pal. 5, 273, 1 : Ἡ πάρος ἀγλαΐῃσι μετάρσιος, ἡ πλοκαμῖδας σειομένη πλεκτάς. Dio Chr. Or. 4, vol. 1, p. 179 : Ὁ δὲ τῶν φιλοδόξων ἀνδρῶν προστάτης ἀεὶ μετέωρος οὐδέποτε γῆς ἐφαπτόμενος, ... ἀλλὰ ὑψηλὸς καὶ μετάρσιος. « Τὸν νοῦν μετάρσιον ἄγων τῇ τέχνῃ, Aristæn. 1, 13, p. 64, obscure dictum. » Hemst. Eust. Opusc. p. 142, 79 : Πλάτων ὁ τὴν φιλοσοφίαν μετάρσιος· 130, 23 : Τὸ κατ' ἀρετὴν μετάρσιον. Theophyl. Sim. Ep. 59, de philosophis qui amori succubuerint : Τὸ μετάρσιον ἐπάγγελμα ἐχεύσαντο· ἅπαντα φροῦδα τὰ πρὶν αὐτοῖς μεμελετημένα πρὸς ἄσκησιν.] || Ap. Herodot. autem in Polymnia [7, 188] μετάρσιαι νῆες, Quæ altum tenent et in salo sunt. Pro quo male in VV. LL. Exteriores naves. V. Μετέωρος. [Aliter Theocr. 13, 68 : Ναῦς ἄρμεν' ἔχοισα μετάρσια. Hecatæus ap. Steph. Byz. v. Χέμμις : Ἔστι δ' ἡ νῆσος μεταρσίη καὶ περιπλεῖ ἐπὶ τοῦ ὕδατος. De usu Hippocr. Foes. : « Μετάρσιον, ὑψηλὸν, exp. Erotian., p. 647, 26 : Ἦν ἴῃ πνεῦμα μετάρσιον, Respiratio sublimis. Est et μετάρσιον πρόσωπον, Facies elevata, tumida, in tumorem sublata et inflata, p. 638, 21 : In nimio sanguinis fluxu χρῶμα ἀφνῶδες καὶ τὸ πρόσωπον μετάρσιον. Quod Erot. exp. τὸ ἐπηρμένον εἰς ὄγκον. P. 617, 27, μετάρσιος ἡ κλίνη, Lectus sublimis aut elatus. Ὀρθὴ p. 261, 30. » || Adv. Μεταρσίως Cosmas Topogr. Christ. p. 117, C : Οἶκοι κενοὶ μεταρσίως πως ἱστάμενοι. L. Dind.]

Μεταρσιόω, In altum vel sublime tollo. [Eust. Opusc. p. 175, 15 : Ἡ ἐκτὸς καὶ παρ' ἐλπίδας χαρὰ, ἥτις αἴφνης ἐπιπνεύσασα μεταρσιοῖ τὸν χαίροντα· 130, 28 : Καὶ οἱ λοιποὶ τῆς γῆς μὲν ἄνθρωποι, θεοῦ δὲ μὴ ἐκλανθανόμενοι, ὁμοίως μεταρσιοῦνται εἰς ὅσον ἔξεστιν· 139, 54 : Φρόνημα κοῦφον καὶ μὴ κατὰ θεὸν μεταρσιούμενον· 174, 76 : Εἰ δὲ ὡς ἐπὶ σωτηρίου ἱππασίας μεταρσιοῦνται.] Unde μεταρσιωθὲν ap. Herodot. [8, 65], μεταρσιωθὲν φέρεσθαι, In sublime elatum s. evectum. [Tatian. Adv. Græc. p. 61 : Μεταρσιοῦσθαι πρὸς τὴν ἐν οὐρανοῖς πορείαν. Wakef.]

Μέταρσις, εως, ἡ, Translatio, ut μέταρσιν δέχεσθαι ap. Theophr., Translationem admittere, i. e. Transferri posse, ut Gaza vertit, De C. Pl. 1, [4, 2] : Αἱ γὰρ τοιαῦται φυτείαν μόνον δέχονται καὶ μέταρσιν. Est etiam Mutatio, Transmutatio, ut μεταίρω, Muto, Transmuto. [|| Elevatio. Photius s. Suidas : Ἑώρα, ὕψωσις ἢ μέταρσις, ubi μετάρσιος cod. Photii et liber optimus Suidæ. L. Dind.]

[Μετάρχιος, ὁ, Metarchius, mensis Creticus quartus, respondens Rom. d. 24 Dec. — 23 Januar., in Hemerolog. Flor. ap. Ideler. Chronol. vol. 1, p. 426.]

[Μέταρχον, τὸ, inter nomos musicos memorat Pollux

4, 66 : Μέρη δὲ τοῦ κιθαρῳδικοῦ νόμου, Τερπάνδρου κατανείμαντος, ἔπαρχα, ἐπαρχεῖα (hoc recte delere videtur Bœckh. De metr. Pind. p. 182), μέταρχα κτλ. Conf. Prideaux in Μετακατάτροπα cit. L. Dind.]

[Μέτας. V. Μέταον.]

[Μετασᾰλεύω, Amoveo. Orig. C. Cels. vol. 1, p. 387, E : Τὸ μετασαλεύειν αὐτά (τὰ δόγματα) ἐστιν ἀσεβές. || Fluctuo. Cod. barbarogr. Nicetæ Chon. p. 595, 23 : Οὐ γὰρ ἀεί ποτε τὸ στάσιμον ἐν τῇ ἀνθρωπείᾳ φύσει ἵσταται, ἀλλ' ἀεὶ μετασαλεύει καὶ μεταπίπτει ἀπὸ τοῦ ἑνὸς πρὸς τὸν ἕτερον. L. Dind.]

[Μετασεύομαι. V. Μετασσεύομαι.]

Μετασκαίρω, Salto inter : quomodo legisse videtur Cic. ap. Arat. 280 : Τὸν δὲ μετασκαίροντα δύ' ἰχθύες ἀμφινέμονται Ἵππον· quippe qui ea verba sic interpretatus sit, Ipse autem labens multis equus ille tenetur Piscibus. At Festus Avienus videtur legisse, Τὸν δὲ μέτα σκαίροντα· sic enim ille, Nam post cornipedem flagrant duo sidera pisces.

[Μετασκάπτω, Const. Manass. Chron. p. 44 (?), sed codd. alii ἀνασκ. Boiss. Hesych. : Μεταβοθρεύοντες, μεταφυτεύοντες, μετασκάπτοντες, Mutato scrobe fodientes.]

Μετασκευάζω, In aliam formam habitumque verto. Sed proprie Locum mutare facio, Traduco in alium locum, quasi ex uno in alium vasa transferendo : ut qui sedes mutant : cujus tamen signif. exemplum non affertur. [Thomas p. 508 : Μετασκευάζω, τὸ μεταποιῶ. Aristoph. Eccl. 499 : Πάλιν μετασκεύαζε σαυτὴν αὖθις ἥπερ ἦσθα. Schol. Eur. Phœn. 93 : Ἵνα τὸν πρωταγωνιστὴν ἀπὸ τοῦ τῆς Ἰοκάστης προσώπου μετασκευάσῃ, de mutando histrionis habitu scenico. Xen. Cyrop. 6, 2, 8 : Τὰ Μηδικὰ ἅρματα εἰς τὸν αὐτὸν τρόπον μετασκευάσαι ἐκ τῆς Τρωικῆς καὶ Λιβυκῆς διφρείας. Lucian. De salt. c. 59 : Εἰς ὅσα ἑαυτὸν μετεσκεύασεν (Juppiter). Dionys. Comp. vv. p. 43, 8 : Λελύσεται λέγων τὸ λυθήσεται μετασκευάζει τὰς λέξεις. Diog. L. 1, 109 : Παρεγένετο εἰς τὸν ἀγρὸν καὶ μετεσκευασμένα πάντα καταλαβὼν καὶ παρ' ἑτέρῳ τὴν κτῆσιν, quod recte Casaub. int. Mutata. Maximus Conf. vol. 2, p. 48, A : Ταῦτα πρὸς τὴν ἑαυτοῦ θείαν μετασκευάσαντος φύσιν.] At pass. Μετασκευάζομαι Bud. interpr. non solum Vitæ genus muto, sed etiam In alias sedes migro, et quasi vasa transfero. [Sic Psellus Op. p. 137, 18 : Τοῖς πρὸ ἡμῶν φιλοσόφοις οὐκ ἐξήρκει τὰ ἐν ταῖς πατρίσιν αὐτῶν παιδευτήρια, ἀλλ' οἱ μὲν ἀπὸ τῆς Ἀσίας ἐπὶ τὴν Εὐρώπην ἐστέλλοντο, οἱ δέ γε Εὐρωπαῖοι ἐπὶ τὴν ἑτέραν μετεσκευάζοντο ἤπειρον.] Antea autem μετασκευάζω erat interpretatus, In aliam formam habitumque verto. In hoc tamen Synesii l., quem affert, Καίτοι τίς οὐκ οἶδεν ὅτι καὶ τοὺς φύσει στρατιωτικῶς ἔχοντας τῶν ἀρχόντων μεταδιδάσκουσι καὶ μετασκευάζουσιν εἰς ἐμπόρους ; verbum μετασκευάζουσιν exp. μεταμορφοῦσιν : addens, Mutare genus vitæ vel ordinem faciunt. Sed malim, si magis exprimenda sit hujus significationis origo, interpretari, Mutato vitæ genere traducunt. Perinde est certe ac si diceretur, Faciunt ut ad illud vitæ genus migrent, quasi ex superiore translatis ad illud vasis. [Medio de habitu mutato Philostr. Her. p. 660 : Τὸ δὲ Ἰωνικὸν τῆς στολῆς; — Ἐπιχώριον ἤδη καὶ ἡμῖν ταῖς ἐκ Φοινίκης. — Πόθεν οὖν μετεσκεύασθε; Unde habitum mutastis? Polyæn. 6, 49 : Οἰκετικαῖς ἐσθήσεσι μετασκευασάμενοι.] In VV. LL. ex Aristide [vol. 1, p. 135] : Τὴν πόλιν εἰς τὰς τριήρεις [πᾶσαν] μετεσκευάσαμεν, Mutavimus. Alia autem exx. tibi videnda relinquo ap. Bud. p. 580. [Medio Dionys. A. R. 4, 6 : Ἐκ Τυρρηνίας μετανίσταται τὸν οἶκον μετασκευασάμενος ὅλον. Xen. Eph. 5, 13, p. 115, 14 : Ὁ Ἱππόθοος τὰ αὐτοῦ μετεσκευάζετο παρὰ τὸν Λεύκωνα. Absolute Lucian. Toxar. c. 57 : Ἡμεῖς καταγωγήν τινα ἐπὶ τῷ λιμένι σκεψάμενοι κἀκ τοῦ πλοίου εἰς αὐτὴν μετασκευασάμενοι.]

[Μετασκευᾰσις, εως, ἡ, Mutatio, Translatio. Eust. Opusc. p. 50, 69 : Τὸ μὴ ἐνέργειαν ἀποτεταγμένως, ἀλλὰ τὰς ἁπλῶς ἐνεργείας, ἃς ὁ θεὸς ἀπονέμει, ὥσπερ τοῖς ἄλλοις στοιχείοις, οὕτω καὶ τῷ περὶ μετασκευάσεως λόγῳ, ἐφ' οἷς ἂν εὐδοκήσειεν, ἀπομερίζεσθαι, ὅπῃ χρεὼν, ὡς αὐτὸς ἐπιτάξει.]

[Μετασκευαστικὸς, ή, όν, Mutans. Diog. L. 3, 100 : Ἡ χαλκευτικὴ καὶ ἡ τεκτονικὴ μετασκευαστικαί εἰσιν.]

[Μετασκευὴ, ἡ, Omnis verbi vel nominis a recta forma mutatio, cujus tres veluti partes sunt, ἀφαίρεσις, προσθήκη, et ἀλλοίωσις. Dionys. Comp. vv. 6, p. 39, ut si dicitur τουτονὶ pro τοῦτον, vel κατιδὼν pro ἰδὼν, ἕνεχ' pro ἕνεκα, ἔγραψεν pro ἔγραψε, χωροφιλῆσαι pro φιλοχωρῆσαι. Etiam μετασκευαὶ τῶν κώλων fiunt vel προσθήκαις vel ἀφαιρέσεσι, quæ quum non sint ad sensum necessaria, ornatus et gratiæ causa adhibentur. Dionys. l. c. 9, p. 47 : Ἃς οὐκ ἄλλου τινὸς ἕνεκα ποιοῦσι ποιηταί τε καὶ συγγραφεῖς, ἢ τῆς ἁρμονίας, ἵν' ἡδεῖα καὶ καλὴ γένοιτο. Ernest. Lex. rhet.]

[Μετασκευωρέομαι, Muto. Plato Polit. p. 276, C : Τοὔνομα μετασκευωρήσασθαι.]

[Μετασκηνόω, Tabernacula alio transfero. Diod. 14, 32 : Τινῶν ἐπιχειρησάντων μετασκηνοῦν. Joseph. A. J. 3, 5, 1 : Ἐκείνους ἐκέλευσε πλησίον μετασκηνῶσαι τῷ ὄρει. Cum genitivo anon. ap. Walz. Rhett. vol. 3, p. 583, 25 : Τῆς πατρίδος μετασκηνῶ. Conf. Joseph. ibid. p. 532, 28.]

[Μετασκιρτάω, Absilio. Jo. Chrys. Π. παρθεν. κεφ. 27, vol. 6, p. 259, 16 : Ὁ γὰρ ὅλον δι' ὅλου διὰ τῶν βαρυτέρων πλέκων τὸν λόγον, ἐπαχθής τέ ἐστι τῷ ἀκούοντι, καὶ πολλάκις ἀναγκάζει μετασκιρτῆσαι τὴν ψυχὴν μὴ φέρουσαν τῶν λεγομένων τὸ βάρος. Seager.]

[Μετασοβέω, Persequor, Abigo ; unde Μετασοβῶν, Suidæ et Photio ἀποδιώκων.]

[Μετασπάω, Traho in aliam partem. Soph. OEd. C. 774 : Νῦν τ' αὖθις πειρᾷ μετασπᾶν, σκληρὰ μαλθακῶς λέγων.]

Μέτασσαι, Suidæ τὰ ὕπαρνα πρόβατα, Oves agnos sub uberibus habentes : rectius Eustathio μεσήλικες, per epenthesin syllabæ τα pro μέσαι, Mediæ, Mediæ ætatis inter agnos et jam grandiores natu [vel potius primo tertioque partu annuo editas] oves. Utitur autem eo vocab. Hom. Od. I, [221] : Χωρὶς μὲν πρόγονοι, χωρὶς δὲ μέτασσαι, Χωρὶς δ' αὖ ἕρσαι. [Conf. Etymol. p. 596, 32, qui recte monet formari a μετὰ, ut ἔπισσαι ab ἐπὶ (et quod Schneiderus confert, περισσὸς a περί). Pollux 1, 250. Μέτασσα legitur in loco corrupto Hom. H. Merc. 125.]

[Μετασσεύομαι.] Μετασσεύεσθαι, Cum impetu insequi, μετά τινα ὁρμᾶν, ἀκολουθοῦντα αὐτῷ, i. e. μεταδιώκειν, Eust. Hom. Il. Z, 296 : Πολλαὶ δὲ μετεσσεύοντο γεραιαί. Aor. Φ, 423 : Ἀθηναίη δὲ μετέσσυτο· et cum accus. Ψ, 389 : Μάλα δ' ὦκα μετέσσυτο ποιμένα λαῶν, Accurrit ad. Perf. Apoll. Rh. 4, 1270 : Νῦν δ' ἡ μὲν πελαγόσδε μετέσσυται. Nicand. ap. Athen. 15, p. 683, A : Ἤνυσε γὰρ χλούνην μετεσσύμενος σκυλάκεσσιν. Quintus 7, 141 : Τηλέφου ὄβριμον υἷα μετεσσύμενον τρομέοντες. Divise Callim. Dian. 98 : Μετὰ καὶ κύνες ἐσσεύοντο.]

[Μεταστάσιμον. V. Μετάστασις.]

Μετάστᾰσις, εως, ἡ, Mutatio, qua sc. aliud pro alio statuitur, status alicujus rei in alium traducitur. Dem. [p. 21, 24] : Πολλὴν δὴ τὴν μ. καὶ μεγάλην δεικτέον τὴν μεταβολήν. [Simonid. ap. Stob. Fl. 105, 9 : Ὠκεῖα γὰρ οὐδὲ τανυπτερύγου μυίας οὕτως ἁ μετάστασις. Eur. Hec. 1266 : Πῶς οἶσθα μορφῆς τῆς ἐμῆς μετάστασιν; Andr. 1003, γνώμης· Iph. T. 816, ἡλίου· fr. OEdipi ap. Stob. Fl. 105, 44, βίου. Xen. H. Gr. 1, 4, 16 : Οὐκ ἔφασαν καινῶν δεῖσθαι πραγμάτων οὐδὲ μεταστάσεως. Plat. Leg. 9, p. 856, C : Βιαίου πολιτείας μεταστάσεως ἅμα καὶ παρανόμου. Pollux 4, 138.] || Summotio, Amotio. Andoc. p. 20, [37] : Τὴν ταχίστην τοῦ τότε παρόντος κακοῦ μ. Sic ἡ εἰς τὸ δαιμόνιον μ. τῆς αἰτίας τοῦ κακοῦ, Qua in divinum numen causa malorum removetur. Unde ap. Rhetores inter sex status genera numeratur. Quintil. 3, 5 : Et translationem, cujus ab hoc novum nomen inventum est μετάστασις : novum tanquam in statu, alioquin ab Hermagora inter species juridiciales usitatum. Est vero et figura oratoria, de qua Aquila [§ 16], Μετάστασιν, inquit, quidam inter figuras nominant, quum res a nobis alio transmovemus in aliqua parte orationis, non ita ut ibi causam constituamus : alioqui jam non figura erit, sed species quædam ejus status, quem qualitatis aut ex accidenti appellant, secundum Hermagoram. Rursus Quintil. 9, 2, de figuris sententiarum, scribit μετάστασιν proprie esse Translationem temporum. || Transitus, i. q. μετάβασις. Pro Transitu ab hac luce in aliam, ponitur ap. Greg., Bud. Sic Lucian. [De luctu c. 15 extr.], ἡ ἐκ βίου μετάστασις. In hac signif. figuræ quoque oratoriæ nomen est, quæ et μετάβασις dicitur. Unde Julius Rufus [23] : Metastasis est, vel Metabasis, quum a persona ad personam transitum facimus, ratione aliqua vel affectu. Quidam Transitum interpr. et Variationem. [Rhetoribus Græcis dicitur ea forma defensionis, qua in aliam rem alienam culpa transfertur (Remotionem Latini dicunt : v. Quintil. Instit. 3, 6, p. 138, et 7, 4). V. Hermog. Π. στάσ. p. 82, 88. Ejus schol. Syrianus et Sopater p. 98 Ald.: Ἡ μ. γίνεται ὅταν εἰς καιρὸν ἢ εἰς πρόσωπον ἢ εἴς τι τοιοῦτον τῶν ἔξωθεν μεταφέρῃ τὸ ἔγκλημα ὁ φεύγων· ἡ δὲ συγγνώμη ὅταν εἰς τὰ τῆς ψυχῆς πάθη, οἷον φόβον, ἔρωτα, λύπην ἤ τι τοιοῦτον. Ab aliis huc referuntur et aliæ res, ut ἡλικία. V. Marcellin. ad Hermog. l. c. p. 99. Alexander Π. σχημ. p. 581 Ald. ita definit : Ὅταν ἀπ' αὐτῶν μεθιστῶμεν τὴν αἰτίαν ἐφ' ἕτερον ἔξω τοῦ πράγματος ὄντα. In hunc intendit Aquila Rom. 16, ubi notat dici etiam μετάστασιν speciem quandam ejus status quem qualitatis appellant. Quintiliano etiam 9, 2, 41 sic dicitur Translatio temporum, qua orator non solum quæ fiant vel facta sint, sed etiam quæ futura fuerint imaginatur, ut quum Cicero Pro Milone in ea inquirit quæ facturus fuisset Clodius, si præturam invasisset. Ernest. Lex. rhet.] || I. q. μετανάστασις, Migratio, qua ex loco in locum imus [Cum genit. Plato Tim. p. 82, A : Τῆς χώρας μετάστασις ἐξ οἰκείας ἐπ' ἀλλοτρίαν γιγνομένη] : interdum Exilium, Exilii species quædam. Plato Epist. 7, [p. 338, B] : Δίωνα δὲ ἠξίου διανοεῖσθαι μὴ φυγὴν αὐτῷ γεγονέναι τότε, μετάστασιν δὲ, Non exilium, sed sedis mutationem. Leg. 9, [p. 877, A] : M. εἰς τὴν γείτονα πόλιν αὐτῷ γίγνεσθαι διὰ βίου, In vicinam urbem per totam vitam relegetur. [De exsilio Epist. 8, p. 356, E : Θανάτου καὶ δεσμοῦ καὶ μεταστάσεως τῶν πολιτῶν.] Plut. Aristide p. 103 [c. 7] : Ἐξοστρακισμὸς, μ. δέκα ἐτῶν, Exilium decennale. Sicut vero in superiori l. Plat. differentia statuitur inter φυγὴν et μ., ita et in hoc Plut. [Mor. p. 403, D], ubi loquitur de quodam, qui περὶ φυγῆς αὐτοῦ καὶ μ. oraculum sciscitabatur : Ἀνεῖλεν οὖν ὁ θεὸς, διδόναι Προκλεῖ φυγὴν καὶ μ., ὅπου τὸν φορμὸν ἐκέλευσε καταθέσθαι τὸν Αἰγινήτην ξένον, i. e. εἰς τὴν θάλασσαν. [Pollux 9, 158.] At in Polyb. 2, [68, 9] : Διὰ τὸ μὴ καταλείπεσθαι τόπον εἰς ἀναχώρησιν καὶ μ. ἑαυτοῖς, Ad recedendum et recipiendum sese, Cam. || Sublatio de medio. Polyb. 5, p. 95 [c. 56, 14] : Πάντων ... κατὰ τὴν δίοδον ἐπισημαινομένων τὴν Ἑρμείου μετάστασιν, Transeunte rege plausu approbantium mortem Hermiæ, Bud. [Id. 30, 2, 5 : Ἀεὶ προσδοκῶντος τὴν ἐκ τοῦ βίου μετάστασιν· 37, 3, 9 : Τῇ ἐκείνου μεταστάσει, item de morte. Inscr. ap. Caylus *Recueil* vol. 2, tab. LVI, 10 : Τὰν ἐξ ἀνθρώπων μετάστασιν.] || Ap. Soph. Antig. [718] : Ἀλλ' εἶκε θυμῷ, καὶ μετάστασιν δίδου, schol. exp. μετάνοιαν. Cam. ait illum his verbis juberi, concedere iracundiæ, et mutare quasi statum cogitationum. [|| De usu Hippocr. Foes. in Μεθίστασθαι p. 243 : « M. humorum aut morbi transpositum ac depositionem indicat. Quæ quomodo ἀπὸ τῆς ἀποστάσεως differat, ex Galeno expressimus in Ἀπόστασις. Etsi interdum μ. pro ea morbi mutatione quam solutio consequitur sumitur, ut Aph. 5, 7 : Τὰ ἐπιληπτικὰ μετάστασιν ἴσχει. Ubi Galen. : Κυρίως μὲν ὀνομάζονται μεταστάσεις πάθους ὅταν ἐξ ἑτέρου μέρους εἰς ἕτερον μετέρχωνται. Καταχρωμένων δὲ καὶ αἱ λύσεις οὕτω προσαγορεύονται. Καί μοι δοκεῖ νῦν ὁ Ἱπποκράτης κατὰ τὸ δεύτερον σημαινόμενον κεχρῆσθαι τῇ προσηγορίᾳ· οὐ μόνον γὰρ εἰς ἕτερα μόρια μεθισταμένων τῶν τὴν ἐπιληψίαν ἐργαζομένων χυμῶν λύεται τὸ πάθος, ἀλλὰ καὶ τελέως ἐκθεραπευομένων. »] || Aristot. Gen. anim. 5 : Μικραὶ μ. μεγάλων αἰτίαι γίνονται, Parvæ commotiones, causæ magnarum esse solent, Cam. In scenicis autem, ἡ μὲν εἴσοδος τοῦ χοροῦ, πάροδος vocatur, ut Pollux [4, 108] tradit, ἡ δὲ κατὰ χρείαν ἔξοδος ὡς πάλιν εἰσιόντων, μ. [|| M. τῆς ἁγίας Θεοτόκου, Assumptio Deiparæ, in Novella Man. Comneni de Feriis, quæ crebrius ap. Græcos scriptt. Κοίμησις s. Dormitio indigitari solet. || Μεταστάσεις dictæ solemnes Imperatorum Processiones, quum sc. e magno Palatio in alia Palatia se cedebant, cum omni imperatorio comitatu, ut auctor est Luithprandus Legat. : «His tribus hebdomadibus habuit Nicephorus extra Cpolin μετάστασιν, i. e. Stationem, in loco qui dicitur Πηγήν. » || Μεταστάσιμον, eadem notione. Codin. Orig. Cpol. n. 85 de Arcadio Imp. : Εἰς πρόκενσα ἤγουν τὰ μεταστάσιμα. || Μετάστη-

A μα, eodem signif. Constantin. Adm. imp. c. 51 : Ὁ μακάριος βασιλεὺς τὰ πλείονα μεταστήματα εἰς τὰς Πηγὰς ἐποίει. Ducang. Latiori signif. Eust. Opusc. p. 125, 3 : Πρὸ δέ γε τοιούτου μεταστήματος ἐμμένειν χρὴ πάντα ἄνθρωπον τῇ πολιτικῇ καταστάσει.]

Μεταστατέον, Sedes mutandæ, Transmigrandum. [Ejiciendum, Isocr. p. 109, B : Ἀναστρεπτέον καὶ μ. ταῦτ' ἐστίν. L. D. Themist. Wakef.]

Μεταστατικὸς, ή, όν, Translativus, vocab. rhetoricum. [Schol. Thuc. 3, 65 : Εἰ δὲ) μεταστατικόν. Tzetz. schol. in Hermog. ap. Cram. An. vol. 4, p. 78, 4.]

[Μετάστατος, ὁ, ἡ, Translatus, Sublatus. Hippocr. p. 302 : 31 : Ὅκου γὰρ ὑπὸ καθαρμῶν τοιούτων μετάστατος γίγνεται.]

Μεταστείχω, Adeo, μεταπέμπομαι [Arcesso], ex Eur [Suppl. 90 : Ἣν μεταστείχω ποδί· Hec. 509 : Μεταστείχων σε. Sequendi et Investigandi signif. aor. utitur Callim. Cer. 9 : Δαμάτερα, ἁρπαγίμας ὅτ' ἄπυστα μετέστιχε κώρας. Apoll. Rh. 3, 451 : Αὔτως δ' αὖ Μήδεια μετέστιχε.]

B Μεταστέλλομαι, i. q. μεταπέμπομαι, Accerso, Mitto qui advocet. Lucian. [De luctu c. 19] : Ἵνα παρ' ὑμῶν τὰ σιτία μεταστελλώμεθα, Ut a vobis cibaria accersamus, s. transmittenda ad nos curemus. Ibid. [20] : Μεταστειλάμενοι τινὰ θρήνων σοφιστὴν, Mittentes qui huc adducerent, Accersendum curantes. Exp. etiam Transmitto, Deporto. [Char. c. 12 : Εἰ ἐκ Λυδίας μεταστέλλεσθαι τὸ χρυσίον δεήσει αὐτούς.]

Μεταστένω, Ingemisco et suspiro ob, Pœnitet me, adeo ut gemitu pœnitentiæ signum dem. Apud Hom. certe [Od. Δ, 261] μετέστενον ἄτην exp. μετεμελόμην, Pœnitebat me erroris. [Æsch. Eum. 59 : Οὐδ' ἥτις αἶα τοῦτ' ἐπεύχεται γένος τρέφουσ' ἀνατὶ μὴ μεταστένει πόνον. Eur. Med. 997 : Μεταστένομαι δὲ σὸν ἄλγος.]

[Μεταστεφανόω, q. d. Recorono. Eumath. p. 73 : Χεὶρ ἔρωτος τὴν ἐμὴν ταύτην κεφαλὴν ἐστεφάνωσε καὶ μετεστεφάνωσε. Boiss.]

Μεταστήθιον, τὸ, Interstitium inter τὰ στήθη. V. Στῆθος. At Μεταστήθιος adj., significabit Interjectus s. Situs inter τὰ στήθη.

C [Μετάστημα. V. Μετάστασις.]

Μεταστοιχεὶ [vel Μεταστοιχὶ], Ordine, Serie. Hom. Il. Ψ, [358, 757] de iis qui curule certamen inituri erant : Στὰν δὲ μεταστοιχεὶ, Ordine stabant : primus, Antilochus, secundus, Eumelus, tertius, Menelaus, quartus, Meriones, quintus, Tydides. Sed series ista erat non κατὰ μῆκος, sed κατὰ βάθος, ut quum in στοίχῳ militari post λοχαγὸν s. πρωτοστάτην stat ἐπιστάτης, et post hunc πρωτοστάτης iterum, et sic deinceps faciendo συστοιχίαν. Nam si æqualis omnibus statio fuisset, i. e. si ab æquali omnes linea excurrissent, non opus fuisset sortitione, qua sciretur quis primus ex carceribus exiret, quis secundus; sed una omnes prorupissent effusis habenis : testatur id Eust. p. 1305.

Μεταστοιχειόω, In aliud elementum transmuto, Transformo. [Grammat. Bekk. An. p. 393, 1 : Μεταστοιχειοῖ ἢ μεταπλάττει.] Meminit Suidas [s. Photius] particip. μεταστοιχειοῦσα, exponens μετασχηματίζουσα, μεταπλάττουσα. [Jo. Chrys. In Ps. 155, vol. 1, p. 834. Seager. Theoph. Bulg. In Latinos p. 289, 5 Ming.;
D Greg. Nyss. Epist. p. 10, 15, cum nota Casaub. p. 117. Μεταστοιχειοῦσθαι, Planud. Ovid. Met. 14, 553. Boiss. Xerxes γῆν μετεστοιχείου, Philo p. 1124, C. Valck. Theodor. Stud. p. 533, D : Οὕτως οὖν παρακαλοῦμέν σε τὸν καιρὸν τῆς δυσπραγίας κρείττονι λογισμῷ εἰς εὐτυχίαν μεταστοιχειώσασθαι. Act. ap. Cyrill. Al. vol. 1, part. 1 (al. part. 2), p. 409, E : Τῷ ἁγίῳ μεταστοιχειώσας πνεύματι πρὸς πᾶν εἶδος ἀρετῆς. Pass. ibid. p. 399, E : Εἰς νέαν ὥσπερ ζωὴν μεταστοιχειούμεθα. L. D.]

[Μεταστοιχείωσις, εως, ἡ, Transformatio. Greg. Naz. ap. Casaub. ad Greg. Nyss. Epist. p. 118. Conf. p. 117. Boiss. Idem. C. Eunom. 2, p. 431; Nicephorus in Act. Ephes. p. 309; S. Maxim. In Dionys. Areop. p. 183; Theodor. Stud. p. 320, E.]

[Μεταστοιχί. V. Μεταστοιχεί.]

[Μεταστοιχίζω. Cyrill. Al. De adorat. p. 405 : Εἰς καινότητα ζωῆς ἐν Χριστῷ μετεστοιχίσμεθα, Renovati sumus.]

Μεταστοναχίζω, Ingemisco ob, Lamentor et deploro.

Hesiod. Sc. [92] : Ἦ που πολλὰ μεταστοναχίζετ' ὀπίσσω Ἣν ἄτην ἀχέων, Suum infortunium calamitatemque suam deplorabat cum gemitu. Hom. dicit μετέστενεν ἄτην.

[Μεταστρᾰτεύομαι, Exercitum transfero. Appian. Mithr. c. 51 : Καὶ μέρος αὐτῶν προπεμφθὲν ἐς Θεσσαλίαν ἐς τὸν Σύλλαν μετεστρατεύσαντο.]

Μεταστρατοπεδεύω, Castra muto, transfero. Qua in signif. utitur [Polyb. 3, 112, 2 : Ἀναγκασθήσονται μεταστρατοπεδεύειν· 27, 8, 15;] Plut. Apophth. Lac. [p. 228, D : Διὰ τί πυκνὰ μεταστρατοπεδεύειν κελεύει· Aristid. c. 16 : Πορρωτέρω μετεστρατοπέδευσαν.] Pass. Μεταστρατοπεδεύομαι idem significat. [Xen. Cyrop. 3, 3, 23, Ages. 1, 21. Ib. 2, 18 : Μετεστρατοπεδεύετο πρὸς τὸ ἄστυ. Dionys. A. R. 9, 6, ubi ante cod. Vat. act.] Exp. tamen [male] et simpliciter Castra metor, Castra pono.

[Μεταστρεπτέον, Convertendum, Invertendum. Aristot. Soph. elench. 2, 27 : Τὴν ἄγνοιαν ... εἰς τὸν ἐρωτῶντα μ.]

[Μεταστρεπτικὸς, ἡ, ὸν, Convertens. Plato Reip. 7, p. 525, A : Τῶν ἀγωγῶν ἂν εἴη καὶ μεταστρεπτικῶν ἐπὶ τὴν τοῦ ὄντος θέαν ἡ περὶ τὸ ἓν μάθησις. Ubi est var. μετατρ., ut ap. Iamblich. in Villois. Anecd. vol. 2, p. 195, coll. Kiessl. ad Porphyr. V. P. p. 296, ubi repetuntur Platonica.]

Μεταστρέφω, Converto, [Retorqueo huic add. Gl.] Inverto, Verto, Verso; proprie Ex uno latere in aliud converto, aut Ex uno statu locove in alium. [Apoll. Rh. 1, 378 : Ὕψι δ' ἄρ' ἔνθα καὶ ἔνθα μεταστρέψαντες ἐρετμὰ κτλ. Xen. Reip. Lac. 3, 6 : Ἐκείνων ἧττον ἂν ὄμματα μεταστρέψαις ἢ τῶν χαλκῶν. Plato Conv. p. 190, E : Τὸ πρόσωπον μεταστρέφειν πρὸς τὴν τομήν.] Geopon. [14, 7, 20] : Μεταστρεψάτω τὰ ὠὰ, ἵνα πάντοθεν ὁμαλῶς θάλπωνται· pro his Columellæ, Debet manu ova versare, ut æqualiter calore concepto facile animentur. [Μεταστρέφω χώραν, Pastino, Repastino, Gl. De quæstione in omnes partes versanda Plato Theæt. p. 191, C : Ἐν ᾧ ἀνάγκη πάντα μεταστρέφοντα λόγον βασανίζειν· Phædr. p. 272, B : Χρὴ πάντας τοὺς λόγους ἄνω καὶ κάτω μεταστρέφοντα ἐπισκοπεῖν.] Et pass. Μεταστρέφομαι, Convertor, [Transvertor, Gl.] ut qui conversa facie retro aliquid respicit. [Aristoph. Lys. 125 : Τί μοι μεταστρέφεσθε; Ran. 538 : Τὸ δὲ μεταστρέφεσθαι πρὸς τὸ μαλθακώτερον.] Plato De rep. 1, [p. 327, B] : Μετεστράφην καὶ ἠρόμην, Conversus ac respiciens, eum interrogabam. [7, p. 526, E : Ὅσα ἀναγκάζει ψυχὴν εἰς ἐκεῖνον τόπον μεταστρέφεσθαι· Crat. p. 428, D : Δεῖ θαμὰ μεταστρέφεσθαι ἐπὶ τὰ προειρημένα.] Xen. Cyrop. 2, [2, 7] : Μεταστραφεὶς πρὸς τοὺς λοχίτας, ἔφη, Conversus ad manipulares, dixit. [Ib. 8, 1, 42 : Μεταστρεφόμενοι ἐπὶ θέαν· H. Gr. 2, 4, 18 : Πυκνὰ μεταστρεφόμενος ὡς φοβούμενος.] Sic Il. N, 545 : Ἀντίλοχος δὲ Θόωνα μεταστρεφθέντα δοκεύσας, Οὔτασ' ἐπαΐξας· quo sensu ἐπιστραφεὶς quoque dicitur, ut, Ἐπιστραφέντος ὀφθαλμὸν ἀπέκοψε, Plut., Oculum ei eruit, quum retro se converteret. [Λ, 595 : Στῆ δὲ μεταστρεφθείς.] Μεταστρέφω, Inverto, Perverto. [Plato Gorg. p. 456, E : Οἱ δὲ μεταστρέψαντες χρῶνται τῇ ἰσχύϊ οὐκ ὀρθῶς· Reip. 9, p. 587, D : Ἐάν τις μεταστρέψας ... λέγῃ. Demosth. p. 1032, 1 : Οὐδὲ προσήκειν, ὅταν τις φανερῶς ἐξελέγχηται, μεταστρέψαντα τὰς αἰτίας ἐγκαλεῖν καὶ διαβάλλειν.] Aristot. Rhet. 1, fin. : Καὶ τὸ τοῦ Ξενοφάνους μεταστρέψαντα φατέον οὕτως, Invertendum est et sic dicendum. Et paulo ante, Τὸ δίκαιον οὐκ ἔστι μεταστρέψαι οὔτ' ἀπάτῃ οὔτ' ἀνάγκῃ, Pervertere. [Menander in Comp. Men. et Phil. p. 357 : Ἅπαντα νικᾷ καὶ μεταστρέφει τύχη· ap. Stob. Fl. 44, 3 : Οὐ παντελῶς δεῖ τοῖς πονηροῖς ἐπιτρέπειν, ἀλλ' ἀντιτάττεσθ'· εἰ δὲ μὴ, τἄνω κάτω ἡμῶν ὁ βίος λήσει μεταστραφεὶς ὅλος. Plato Reip. 2, p. 367, A : Μεταστρέφοντες αὐτοῖν τὴν δύναμιν φορτικῶς.] Pro Flectere etiam accipitur, ut et στρέφω, Hom. Il. O, 203 : Ἦ τι μεταστρέψεις; στρεπταὶ μέν τε φρένες ἐσθλῶν· K, 107 : Εἴ κεν Ἀχιλλεὺς Ἐκ χόλου ἀργαλέοιο μεταστρέψῃ φίλον ἦτορ. Idem Hom. dicit etiam μεταστρέφειν νόον, pro Flectere animum suum, et Mutare consilium, s. sententiam, Il. O, 51 : Τῷ κε Ποσειδάων γε, καὶ εἰ μάλα βούλεται ἄλλῃ, Αἶψα μεταστρέψειε νόον μετὰ σὸν καὶ ἐμὸν κῆρ, ubi et schol. μεταβάλοι ἐπὶ τὸ σοὶ καὶ ἐμοὶ ἀρέσκον. Itidem ex Apoll. [Rh. 1, 808] μεταστρέφω νόον, affertur pro

A Sententiam muto. Rursum Od. B, 67 : Θεῶν δ' ὑποδείσατε μῆνιν, Μή τι μεταστρέψωσιν ἀγασσάμενοι κακὰ ἔργα, schol. itidem exp. μεταβάλλωσι, Mutent et in pejus convertant. [De mutatione pass. Aristoph. Ach. 537 : Λακεδαιμονίων ἐδέοντο τὸ ψήφισμ' ὅπως μεταστραφείη. Et constructione compendiaria, quales in Μεταβάλλω, Μεταλαμβάνω, Μετατίθημι notavimus, Plato Crat. p. 418, C : Νῦν δὲ ἀντὶ μὲν τοῦ ἰῶτα ἢ εἶ ἢ ἦτα μεταστρέφουσιν. || Absolute cum genit. Eur. Hipp. 1226 : Αἱ δ' ἐνδακοῦσαι στόμια πυριγενῆ γνάθοις βίᾳ φέρουσιν, οὔτε ναυκλήρου χερὸς οὔθ' ἱπποδέσμων οὔτε κολλητῶν ὄχων μεταστρέφουσαι, Respicientes, Rationem habentes. Sine genit. Demosth. p. 585, 11 : Αὐτίκ' ἐπειδὰν ἀναστῇ τὸ δικαστήριον, εἷς ἕκαστος ὑμῶν οἴκαδ' ἄπεισιν. οὐδέν γε φροντίζων οὐδὲ μεταστρεφόμενος οὐδὲ φοβούμενος.]

[Μεταστροφάδην, Retroversum. Agathias Hist. 5, 19, p. 165, A : M. ἐπιτοξεύοντες.]

Μεταστροφὴ, ἡ, Conversio [Gl.], Epigr. [Palladæ Anth. Pal. 10, 96, 2 : Τὰς ἀκαίρους τοῦ βίου μεταστροφὰς, ubi nunc μεταβολὰς τὰς τοῦ βίου. Plato Reip. 7,
B p. 525, C : Ἕνεκα πολέμου τε καὶ αὐτῆς τῆς ψυχῆς ῥᾳστώνης τε μεταστροφῆς ἀπὸ γενέσεως ἐπ' ἀλήθειάν τε καὶ οὐσίαν· 532, B : Μεταστροφὴ ἀπὸ τῶν σκιῶν ἐπὶ τὰ εἴδωλα καὶ τὸ φῶς.]

[Μεταστρωφάω, Retroverto, Inverto. Proculus H. in Sol. 16 : Ἂψ δὲ μεταστρωφῶσιν ἀναγκαίης λίνον αἴσης. Med. Revertor, Orph. Lith. 733 : Μηδὲ μεταστρωφᾶσθαι, ἐπεί κ' ἀπὸ νόσφι τράπησθε.]

[Μεταστύλιον, τὸ, Porticus. Dio. Cass. 68, 25 : Ἀψιδοειδεῖ τινι μεταστυλίῳ. ῡῐ]

[Μεταστῠφελίζω, Percutio. Nonn. Dion. 17, 164 : Δήιον εὐθώρηκα μετεστυφέλιξε κεραίῃ.]

Μετασυγκρίνω, Recorporo, Cæl. Aurel., h. e. Miscellæ corporis statum præter naturam se habentem instauro atque transmuto : quod et μεταποροποιῶ, ut dicetur in Σύγκριμα. Paul. Ægin. 3, 63 : Ἐν δὲ τοῖς διαλείμμασι μετασυγκρίνειν αἰώραις διαφόροις, et quæ sequuntur. [Galen. vol. 10, p. 86. || Basil. M. vol. 1, p. 3, B : Νῦν μὲν συνιόντων ἀλλήλοις τῶν ἀμερῶν σωμάτων, νῦν δὲ μετασυγκρινομένων. ῑ L. Dind.]

C Μετασύγκρῐσις, εως, ἡ, Exiguorum meatuum in naturalem statum mutatio. Nomen est a Methodicis, ut ait Galen., nec clare nec prudenter usurpatum, idem plane indicans potestate, quod ἡ μεταποροποίησις. Quum ergo illi existimarent ex corpusculis et meatibus corpora nostra constare, et in exiguorum meatuum symmetria sanitatem, in ametria morbum constituerent, reditum ad pristinam meatuum symmetriam, μ. appellabant : nam et ipsam meatuum compositionem συγκρίματα, et συγκρίνεσθαι τὰ σώματα καὶ διακρίνεσθαι, quasi Misceri secernique corpora, dicebant. [Diosc. 3, 43 : Ἰσχιαδικοῖς ἐπιτίθεται εἰς μετασύγκρισιν. Cæl. Aurel. Acut. m. 2, 38, p. 173 : « Si quidem est recorporativæ virtutis, quam Græci metasyncrisin vocant. » Galen. vol. 10, p. 91.]

[Μετασυγκρῐτικὸς, ἡ, όν.] Μετασυγκριτικὰ nominabantur medicamenta quæ id præstarent quod dicitur μετασυγκρίνειν : quod nomen quamvis a Methodicis profectum, postea celebres etiam medici usurparunt. Sunt autem ea, primis quidem qualitatibus calefa-
D cientia et exiccantia; secundis vero, cutem relaxantia, ex profundo attrahentia, et habitum corporis aut partis cui adhibentur, mutantia. Hæc Gorr. Quæ autem ea sint, ibid. docet. Et μ. δύναμις, Ejusmodi facultas. Cæl. Aurel. Chron. 2, 3 : Oportet igitur accessionis tempore discernere curationem : in lenimento communem magis, h. e. recorporativam, quam Græci μετασυγκριτικὴν vocant, approbare. Diosc. 4, [157] de thapsia : Κέκτηται δὲ καὶ μ. δύναμιν ὅ,τε ὀπὸς καὶ ῥίζα πάντων μάλιστα τῶν ἰσοδυναμούντων, ὅπου δεῖ τι ἐκ βάθους ἑλκύσαι ἢ μεταποροποιῆσαι, Habet tum succus, tum radix ex omnibus idem pollentibus vel maximam vim metasyncriticam, quum nimirum quid ex alto evocare oporteat aut meatuum statum transmutare : ut Celsus 2, 17, de balneo : Ubi summam cutem relaxari, evocarique corruptum humorem et habitum corporis mutari expedit. [Diosc. 5, 130 : Δύναμιν ἔχει (nitrum) μετασυγκριτικήν. Moschio De aff. mul. p. 70, 71. M. θεραπείαν Oribas. Photii p. 175, 14. « M. θεραπεία a Methodicis appellata, quæ in inveteratis affectionibus

adhibebatur, quum nihil profecissent reliqua auxilia, A
ut scribit Galen. Comp. pharm. κατὰ τόπ. 2, p. 183, 8. » Foes.]

[Μετασυλλογίζομαι, Postea reputo. Theodor. Metoch. p. 463. Cramer.]

[Μετασυμβάλλομαι vitium scripturæ pro μέγα συμβ. ap. Hippocr. p. 273, 32.]

[Μετασυνεθίζομαι, Consuetudine mutata asciscor. Galen. vol. 5, p. 146 : Τὸ μὲν ἄρα κακὸν ὑπὸ τοῦ ἀσυνήθους ταχὺ συναρπάζεται, τὸ δ' ἐναντίως ἡγμένον χρόνῳ μετασυνεθιζόμενον. L. Dind.]

[Μετασυντίθημι, Aliter compono. Demetr. Phal. c. 59 : Διαταττομένῳ καὶ μετασυντεθέντι· 249.]

[Μετασύρω, Transverto. Eust. Il. p. 32, 42 : Τὰ μὲν πρωτότυπα ἐμοῦ σοῦ οὗ· ἡ δὲ διάλυσις ποιεῖ αὐτὰ ἐμέο σέο ἕο· τοῦτο δὲ συναίρεσις μὲν ποιητικὴ συναλείφει εἰς τὸ ἐμεῦ σεῦ εὗ· ἐπένθεσις δὲ τοῦ ι μετάγει εἰς τὸ ἐμεῖο σεῖο εἷο· παραγωγὴ δὲ μετασύρει αὐτὰ εἰς τὸ ἐμέθεν σέθεν ἕθεν. ϋ]

[Μετασφαιρισμὸς, ὁ, Varius pilæ jactus. Antyllus Oribasii p. 123 Matth.]

[Μετάσχεσις, εως, ἡ, Communio. Plato Phæd. p. B
101, C : Τὴν τῆς δυάδος μετάσχεσιν.]

Μετασχηματίζω, Transfiguro [Gl.], Transformo, In alium habitum traduco. [Plato Leg. 10, p. 903, E : Μετασχηματίζων τὰ πάντα. Pass. 906, C : Τοῦτο αὖ τὸ ῥῆμα μετεσχηματισμένον.] Plut. De def. or. [p. 426, E] : Τῆς εἰς ἓν δεδυκυίας σῶμα καὶ προσηρτημένης ἑνὶ, καὶ τοῦτο μετασχηματιζούσης καὶ ἀναπλαττούσης ἀπειράκις, Quæ uni implicata est corpori et innexa, quod infinite aliter atque aliter interpolare, instaurare, renovareque soleat, Turneb. Philo De mundo [p. 715], loquens de tribus modis corruptionis : Κατὰ δὲ ἀναίρεσιν τῆς ἐπεχούσης ποιότητος, ὁ μετασχηματιζόμενος ἵνα μηδὲ ἑτεροειδῆ τινὰ τύπον παράσχοι μορφῆς, Peremptivus autem qualitatis modus est, quum ita fit habitus immutatio, ut ne diversa quidem forma faciem quandam præbeat. [Plut. Ages. c. 14. « Zachar. Mityl. Dial. p. 193, 6. » Boiss. Ὥσπερ Εὐριπίδην ὅλον μετασχηματισάμενος καὶ ἀναλαβὼν ἐν ἑαυτῷ· ita καταπιὼν Εὐριπίδην exponit schol. Aristoph. Ach. 483. Hemst. Pollux 5, 170.]

[Μετασχημάτισις, εως, ἡ, i. q. sequens. Jo. Chrys. In C
Ep. ad Hebr. serm. 3, vol. 4, p. 443. Seager. Aristot. De sensu c. 6 : Ἡ τῶν γραμμάτων μ.]

Μετασχηματισμὸς, ὁ, Transfiguratio, In aliam figuram traductio, Habitus immutatio. Plut. [Mor. p. 687, B] : Ἐνδείᾳ γὰρ οὐ γίνεται τὸ δίψος, ἀλλὰ πόρων τινῶν μ. Et paulo post [688, E] : Ὧν ὑπ' οὐδενὸς αὔξεται τὸ ὑγρὸν, ἀλλὰ μόνον οἱ πόροι παρασχόντες τι τῷ μετασχηματίζεσθαι τάξιν ἑτέραν καὶ διάθεσιν. Est etiam figura gramm. : cujus exemplum in VV. LL. est ὄπις, ιδος, pro ὄψ, ὀπός. [Joseph. in Walz. Rhett. vol. 3, p. 569, 16 : M. οἷον παρθένος, παρθενική. Etym. M. p. 93, 53, aliique grammatici. L. D. Zachar. Mityl. Dial. p. 193 med. Boiss.]

[Μετασχίσις, εως, ἡ, restituendum conjecit Reuvens. *Troisième lettre* p. 56, in inscr. Ægypt., ubi εἰς μ̄, collato, qui in alia ib. p. 57 memoratur μετασχίστης, obscuræ signif. nomine.]

[Μετάταξις, εως, ἡ, Mutatio aciei. Polyb. Exc. Vat. p. 392 : Τὰς ἐκτάξεις καὶ μετατάξεις τὰς κατ' αὐτοὺς τοὺς κινδύνους. L. D. Traductio. Dionys. Areop. p. 136, D
139. Kall. Planudes in Diomed. Laud. Ms. Boiss.]

Μετατάσσω, vel Μετατάττω, Ordinem muto, VV. LL. At Bud. reddit, Ordines muto in acie instruenda, et a Xen. sic accipi tradit. Alibi tamen Xen. locum affert, in quo habetur non activa vox, sed passiva μετατάττεσθαι : ex Cyrop. 6, [1, 43] : Ἀναγκαῖον οὕτω τετάχθαι αὐτοῖς· μετατάσσεσθαι γὰρ ὀκνήσουσι, καὶ ἤν πη ἄλλη μετατάττωνται, ἐξ ὑπογυίου ταράξονται. A Dionysio Areop. autem μετατάττομαι usurpari ait pro Transcribor in aliam decuriam vel ordinem. Accipi item pro Transeo ab uno exercitu ad alium; sed nullum hujus signif. exemplum affert. Habetur certe ap. Thuc. [1, 95] : Καὶ τοὺς ξυμμάχους τῷ ἐκείνου ἔχθει παρ' Ἀθηναίους μετατάξασθαι· sub. ξυνέβη, i. e. Contigit ut socii odio illius ad Athenienses transirent, s. deficerent. Schol. exp. μετελθεῖν et μετατεθῆναι. [Pollux 1, 162. « Philo vol. 2, p. 393, 18 : Κἂν εἴ τινες ἐθελήσειαν αὐτῶν μετατάξασθαι πρὸς τὴν Ἰουδαίων πολιτείαν, οὐχ ὡς ἐχθρῶν παῖδας ἀσυμβάτως σκορακιστέον. » Valck.] || Μετατάττειν Bud. Annot. in Pand. esse dicit, quod Lat. vocant Transcribere : afferens ex Virg., Et tua Dardaniis transcribis sceptra colonis. [Clem. Alex. p. 940. Wakef. Damasc. ap. Wolf. Anecd. Gr. vol. 3, p. 208. Kall.]

Μετατίθημι, Transpono [Gl., et Μετάθες, Trajice], Mutato loco pono, Transfero. [Julian. Anth. Pal. 11, 367, 2 : Ἦ ῥά σε Κίρκη ἐς πτηνὴν μετέθηκε φύσιν. De nomine mutato « Herodot. 5, 68 : Ἐπὶ ὑὸς καὶ ὄνου τὰς ἐπωνυμίας (τῶν φυλῶν) μετατιθεὶς, Nomina tribuum mutans, et a sue et asino nomina illis imponens. » Schweigh. Notus est præp. ἐπὶ cum verbis Nominandi usus. De pacto mutando Thuc. 5, 18 : Εἰ δέ τι ἀμνημονοῦσιν ὁποτεροιοῦν ... εὔορκον εἶναι ἀμφοτέροις ταύτῃ μεταθεῖναι ὅπῃ ἂν δοκῇ ἀμφοτέροις. De obsoniis variis inter se permistis Xen. Comm. 3, 14, 6 : Πῶς οὐ γελοῖόν ἐστι παρασκευάζεσθαι μὲν ὀψοποιοὺς τοὺς ἄριστα ἐπισταμένους, αὐτὸν δὲ μηδ' ἀντιποιούμενον τῆς τέχνης ταύτης τὰ ὑπ' ἐκείνων ποιούμενα μετατιθέναι; De statu civitatis Pollux 4, 36, μετατιθεὶς τὴν πολιτείαν. Τὸν βίον μετατιθέναι, Mori, ap. Diog. L. 5, 78. Similiter in V. et N. T. μετατιθέναι dicitur de deo in cœlum transferente, et μετατίθεσθαι de hominibus in cœlum translatis. V. Schleusn. Lexx. Georg. Sync. p. 154, 2; 155, 4.] Et Μετατίθεμαι, Transponor, Mutato loco ponor. Philo De mundo : Ἀλλὰ τὰ μέρη τοῦ κόσμου μετατίθεσθαι φήσομεν; Age, nunquid partes mundi transponendas comminiscemur? Item, Huc illuc transfero, Commuto, Permuto. Plut. Coriol. : Οὐ τὰς χεῖρας ὡς δεῖ μετατιθέντες αὐτοὶ καὶ τοὺς πόδας. [Callim. Lav. Min. 22 : Πολλάκι τὰν αὐτὰν δὶς μετέθηκε κόμαν. Plato Conv. p. 191, B : Μετατίθησιν αὐτῶν τὰ αἰδοῖα εἰς τὸ πρόσθεν· Leg. 10, p. 903, D : Μετατιθέναι τὸ ἄμεινον γιγνόμενον ἦθος εἰς βελτίω τόπον. Demosth. p. 303, 9 : Προφάσεις ἀντὶ τῶν ἀληθῶν ψευδεῖς μεταθέντα. Passivo Plato Leg. 3, p. 683, B : Ἀντὶ ποίων ποῖα μετατεθέντα εὐδαίμονα τὴν πόλιν ἀπεργάζοιτ' ἄν· 8, p. 835, B : Ταῦτα οὔτε χαλεπὸν γνῶναι τίνα τρόπον χρὴ τάξεως ἐννόμου λαγχάνειν οὐδ' αὖ μετατιθέμενα ἔνθα ἢ ἔνθα μέγα τῇ πόλει κέρδος ἢ ζημίαν ἂν φέροι. « Μετατιθέναι τι τῇ λέξει, Orationis formam mutare et inflectere, mox στρέφειν, ut, si virtutum præcepta damus, et deinde has virtutes de altero prædicamus. Ita fit ex præcepto elogium. Aristot. Rhet. 1, 9, 54 sqq. » Ernest. Lex. rh. Τῶν ὅλων οὐδὲν ἔτι μετέθηκαν, Polyb. 1, 63, 2. Μεταθεῖναι τοὺς ἡγνοηκότας, 1, 67, 5, In viam reducere. Πρὸς τὸ βέλτιον μετατίθησι τοὺς ἁμαρτάνοντας, 6, 12, 3. Μετατιθέναι τὰς ἑαυτῶν πατρίδας ἀπό τινων ὑποκειμένων πρὸς ἑτέρας συμμαχίας, 17, 3, 5, Transducere. Schw. Lex.] Frequentior usus est pass. vocis, in activa tamen signif., itidem pro Transpono; nec non pro Transfero [Gl.] : ut μεταθέσθαι τὴν βασιλείαν dicitur pro Transferre ab uno ad alium. Item alicui μετατίθεσθαι ὄνομα dicimur pro Mutare nomen, Mutato priore et vero nomine, aliud ei fictum imponere. [Dionys. Per. 224 : Οἱ δὲ Συήνης ἐνναέται στρεφθέντι μετ' οὔνομα Νεῖλον ἔθεντο.] Dem. [p. 320, 13] : Ὁμολόγεις καὶ προσεποιοῦ φιλίαν καὶ ξενίαν εἶναί σοι πρὸς αὐτὸν, τῇ μισθαρνίᾳ ταῦτα μετατιθέμενος τὰ ὀνόματα. [Plato Crat. p. 384, D : Ὥσπερ τοῖς οἰκέταις ἡμεῖς μετατιθέμεθα (τὰ ὀνόματα)· et, Τὸ μετατεθὲν ὄνομα. De legibus Xen. Comm. 4, 4, 14 : Νόμοις, οὓς πολλάκις αὐτοὶ οἱ θέμενοι ἀποδοκιμάσαντες μετατίθενται. Dial. Plat. De lege p. 316, C : Ἄνω καὶ κάτω μετατιθέμενοι τοὺς νόμους· 317, B : Οὐδὲ μεταθήσονταί ποτε περὶ τῶν αὐτῶν ἕτερα καὶ καινὰ νόμιμα;] Præterea aliquis τὸ δόξαν vel τὸ εἰρημένον μετατίθεσθαι dicitur, itidem pro Mutare. [Eur. Rhes. 131 : Τάδε μεταθέμενος νόει· Iph. A. 388 : Εἰ δ' ἐγὼ γνοὺς πρόσθεν οὐκ εὖ, μετετέθην εὐβουλίᾳ, μαίνομαι; Orph. H. 68, 13 : Θεαὶ Μοῖραι, πρηΰνοον μετάθεσθε βίου μαλακόφρονα δόξαν. Demosth. p. 304, 3 : Μεταθέσθαι ταύτην τὴν δόξαν ἀξιῶν ὑμᾶς.] Thuc. 8, p. 280 [c. 53] : Ὕστερον γὰρ ἐξέσται ἡμῖν καὶ μεταθέσθαι, ἢν μή τι ἀρέσκῃ. Synes. Ep. 153 : Μετάθου τὴν γνώμην, Muta sententiam. [Herodot. 7, 18 : Ἐγὼ καὶ αὐτὸς τράπομαι καὶ τὴν γνώμην μετατίθεμαι.] Id. Ep. 103, passiva tum voce tum signif. : Τοῦ μὴ μετατεθεῖσθαί σου τὴν προαίρεσιν, Cur institutum s. propositum tuum non mutatum sit, consilium et propositum non mutaris. Xen. [Comm. 4, 2, 18] : Ἀλλὰ μετατίθεμαι τὰ εἰρημένα, εἰ ἔξεστι, Muto et retracto. [Demosth. p. 450, 21 : Τὸν τρόπον μεταθήσεται.] Sæpe omisso accus.

dicitur simpliciter μετατίθεσθαι pro Retractare dicta et Mutare sententiam. Plato De rep. 1, [p. 345, B] : Ἀλλὰ πρῶτον μὲν ἃ ἂν εἴποις, ἔμμενε τούτοις· ἢ ἐὰν μετατιθῇ, φανερῶς μετατίθεσο, καὶ ἡμᾶς μὴ ἐξαπάτα, Si quid retractes et mutes. Et aliquanto ante [p. 334, E] : Ἀλλὰ μεταθώμεθα· κινδυνεύομεν γὰρ οὐκ ὀρθῶς τὸν φίλον καὶ ἐχθρὸν θέσθαι. [Demosth. p. 287, 7 : Τὸν παρόντα ἐπανεῖναι φόβον, εἶτα μεταθέσθαι καὶ φοβεῖσθαι πάντας ὑπὲρ Θηβαίων· 379, 10 : Ἵνα μηδὲν μετάθησθε ὧν ἐξηπάτησθε. || Cum genitivo Diodor. 16, 31 : Μεταθέσθαι τῆς ὑπερηφάνου καὶ δεινῆς τιμωρίας. Appian. Civ. 3, 29, τῆς γνώμης.] || Structura eadem quam supra in Μεταβάλλω et Μεταλαμβάνω notavimus, Soph. Phil. 515 : Εἰ δὲ πικροὺς, ἄναξ, ἔχθεις Ἀτρείδας, ἐγὼ μὲν τὸ κείνων κακὸν τῷδε κέρδος μετατιθέμενος κτλ. Eur. Or. 254 : Οἴμοι κασίγνητ', ὄμμα σὸν ταράσσεται, ταχὺς δὲ μετέθου λύσσαν, ἄρτι σωφρονῶν. Cum infin. Plato Gorg. p. 493, C : Ἐάν πως οἷός τε ὦ μεταθέσθαι ἀντὶ τοῦ ἀπλήστως ἔχοντος βίου τὸν κοσμίως ἔχοντα βίον ἑλέσθαι. Ubi al. καὶ ἀντί. Ib. D : Πότερον μετατίθεσαι εὐδαιμονεστέρους εἶναι τοὺς κοσμίους τῶν ἀκολάστων, Sententia mutata censes. || « Μετατίθεσθαι τὴν ἄγνοιαν, Errorem suum corrigere, Polyb. 11, 25, 10. Absolute μεταθέμενος τοῖς ἐκ τῆς τύχης ἐλαττώμασιν, 18, 16, 7, coll. 27, 1, 9. Μεταθέσθαι πρὸς τὴν Ῥωμαίων αἵρεσιν, 26, 2, 6. Μετετίθετο πρὸς τοὺς Καρχηδονίους, 3, 111, 8. » Schweigh. Lex.] Partic. μετατεθεὶς exp. non solum Transmutatus, sed etiam Qui migravit; item Defunctus. At μεταθέμενος cognomen est cujusdam ap. Athen. 10, [p. 437, E,] nec non 7, [p. 281, D] ubi etiam cognominis illius causam innuit, his verbis : Ὃς (sc. Dionysius Heracleotes) ἄντικρυς ἀποδὺς τὸν τῆς ἀρετῆς χιτῶνα, ἀντιμεταμφιάσατο [ἀνθινὰ μετ.], καὶ Μεταθέμενος καλούμενος ἔχαιρε· καίτοι γεραιὸς ἀποστὰς τῶν τῆς στοᾶς λόγων, καὶ ἐπὶ τὸν Ἐπίκουρον μεταπηδήσας, Cognomentum ex eo sortitus, quod ex Stoica secta ad Epicuream transfugerat, retractata sententia quam ante defenderat. Meminit ejusd. Eustath. quoque p. 1680. [Diog. L. 7, 37 : Διονύσιος ὁ μεταθέμενος εἰς τὴν ἡδονήν. || Pass. cum genitivo Apollon. De constr. p. 109, 9 : Μέρη λόγου μετατεθέντα τῆς ἰδίας συντάξεως· 131, 5 : Μετατίθεσθαι τοῦ ἰδίου τόπου. L. Dind.]

[Μετατίκτω, Postea pario. Æsch. Ag. 760 : Τὸ δυσσεβὲς γὰρ ἔργον μετὰ μὲν πλείονα τίκτει.]

[Μετατίννυμι, Theod. Prodr. Ep. f. 37.]

[Μετατράπεζα, ἡ, Mensæ secundæ. Xiphilinus Ms. ap. Pasin. Codd. Taurin. vol. 1, p. 146, A : Τοῖς καλοῖς ὑμῖν δαιτυμόσι τὴν συνήθη παραθῶ μετατράπεζαν. L. D.]

[Μετατρεπτικὸς, ἡ, όν. V. Μεταστρεπτικός.]

[Μετάτρεπτος, ὁ, ἡ, var. script. in l. Æschyli in Μετάτροπος cit.]

Μετατρέπω, Converto. [Deflecto, Gl. Pindarus ap. Priscian. De metris com. p. 414 Kr. : Πεπρωμέναν ἔθηκε μοῖραν μετατραπεῖν ἀνδρόφθορον. Apoll. Rh. 3, 261 : Μετὰ δ' ὑμέας ἔτραπεν αἶσα. Parmenio Anth. Pal. 9, 114, 3 : Μήτηρ ἐξόπιθεν μαζῷ μετέτρεψε νόημα.] Pass. Μετατρέπομαι, Convertor, Converto me. Plut. [Mor. p. 154, E] : Μετατραπεὶς δὲ ὁ Χίλων ἀπεφήνατο, Conversus autem Chilon pronuntiavit. Et ante ipsum Hom. Il. A, [199] : Θάμβησεν δ' Ἀχιλεὺς, μετὰ δ' ἐτράπετ', αὐτίκα δ' ἔγνω, Et se convertit, Faciem retro convertit. Significat enim μετὰ loci mutationem. [Apoll. Rh. 3, 649 : Μετὰ δ' ἐτράπετ' αὖτις ὀπίσσω. Μετατρεπόμενον et μετατρεπόμενος de homine ponit Pollux 5, 170; 6, 121.] Eust. vero pro μεταβάλλειν etiam accipi ait μετατρέπειν : id autem est Mutare. || Pass. Μετατρέπομαι significat etiam Curo, Curam habeo. Ad verbum sonat q. d. Ob curam alicujus rei converto me : veluti quis inter eundum aliquid quærens, subinde se retro convertit, ne forte suos oculos fugerit quod quærit. Quo sensu ἐντρέπομαι etiam accipitur, et ἐπιστρέφομαι. Jungitur autem cum gen., ut et illa. Il. A, [160] : Τῶν οὔτι μετατρέπῃ οὐδ' ἀλεγίζεις. Itidemque M, [238] : Τῶν οὔτι μετατρέπομ' οὐδ' ἀλεγίζω· I, [626] : Ἄγριον ἐν στήθεσσι θέτο μεγαλήτορα θυμὸν, Σχέτλιος, οὐδὲ μετατρέπεται φιλότητος ἑταίρων. [Apoll. Rh. 4, 358.] Possis vero hic μετατρέπεσθαι accipere etiam pro Flecti, Moveri : genitivum Græci nominis reddendo per ablativum Latini : qua de re admonui etiam in Ἐντρέπομαι.

Μετατρέφω, Alo et educo inter. Unde pass. Μετα-
A τρέφομαι, Nutrior et educor inter. Apoll. Arg. 2, [1236] : Κουρήτεσσι μετετρέφετ' Ἰδαίοισι, Inter Idæos Curetes educabatur. Id. [1, 198] : Μετετράφη Αἰτωλοῖσι, Inter Ætolos educatus est.

Μετατρέχω, θρέξω, θρέξομαι, s. δραμοῦμαι, Transcurro [Gl.]; vel etiam Curro post. [Arcesso. Aristoph. Pac. 261 : Οὔκουν παρ' Ἀθηναίων σὺ μεταθρέξει (ἀλετρίβανον) ταχύ; « Βούλει Διοπείθη μεταδράμω, Arcessam, Phrynich. ap. schol. Aristoph. Av. 989. » Hemst.]

[Μετατροπάδην, var. script. pro μεταδρομάδην, Oppian. Hal. 4, 508.]

[Μετατροπᾰλίζω, Retro verto.] Μετατροπαλίζουσαι, Hesych. ἐπιστρέφουσαι. [Med. Hom. Il. Υ, 190 : Τότε δ' οὔτι μετατροπαλίζεο φεύγων. Hesychius ponit etiam Μετετροπάζετο, μετεστρέφετο, a Μετατροπάζομαι, nisi excidit syllaba λι.]

[Μετατροπεύω, Hesych. v. Προμαλχατεύειν, obscura signif.]

Μετατροπὴ, ἡ, Conversio, Mutatio, Cura, Animadversio. [V. l. Eur. in Μετάτροπος cit. Plut. Mor. p. 720,
B C : Ἐν γενέσει καὶ μετατροπῇ καὶ πάθεσι παντοδαποῖς semper est mundus. « Hippodamus ap. Stob. Fl. 98, 71, λαμβάνοντα » Valck. Etym. M. p. 107, 2.]

[Μετατροπία, ἡ, i. q. μετατροπή. Pind. Pyth. 10, 21 : Φθονεραῖς ἐκ θεῶν μετατροπίαις.]

[Μετατροπιάζομαι, Revertor. Hesych. : Μετετροπάζετο, μετεστρέφετο. Leg. Μετετροπιάζετο.]

Μετάτροπος, ὁ, ἡ, Qui potest μετατρέπεσθαι, Mobilis. Versatilis. Ap. Nonn. [Jo. c. 3, 83], μετάτροπον ἦθος [ἀμείψας] interpr. Mores versatiles; ἕδρη μετάτροπος, ap. Eund., Sedes mobilis s. mutabilis. [De mente mutata Apoll. Rh. 3, 818 : Καὶ τὴν μέν ῥα πάλιν σφετέρων ἀποκάτθετο γούνων Ἥρης ἐννεσίῃσι μετάτροπος.] Item Reversus, Redux. Epigr. [Leonidæ Anth. Pal. 7, 506, 5] : Αὐτὸς δὲ μετάτροπος ἐκ βυθοῦ ἔρρων, Reversus ex inferorum specu. [Callim. Del. 99 : Λητὼ δὲ μετάτροπος αὖθις ἐχώρει. Nonn. Jo. c. 5, 94 : Ἵξεται ἐκ θανάτοιο μετάτροπος.] Quo referri potest, quod ex Hesiodo Theog. [89] affertur, Ἀγορῆφι μετάτροπα ἔργα τελεῦσι, pro Res in integrum restituunt. Ex Eur. quoque [Andr.
C 494], Ἔτι σοι μετάτροπα [immo μετατροπὰ] τῶνδ' ἔπεισιν ἔργων, affertur, pro Hæ res sunt tibi adhuc integræ. [Æsch. Pers. 942 : Δαίμων γὰρ ὅδ' αὖ μετάτροπος ἐπ' ἐμοί.] Ap. Aristoph. autem Pac. [945] μετάτροπος αὔρα [αὔρα] exp. non solum μεταβληθεῖσα, sed etiam εὔκρατος. [Vera prior interpretatio. Eur. El. 1148 : Ἀμοιβαὶ κακῶν· μετάτροποι πνέουσιν αὖραι δόμων.]

[Μετατροχαζόντως, i. q. μεταδρομάδην, quod v.]

[Μετατρωπάω, Muto. Apoll. Rh. 3, 297 : Ἁπαλὰς δὲ μετετρωπᾶτο παρειὰς ἐς χλόον, ἄλλοτ' ἔρευθος, ἀκηδείῃσι νόοιο.]

[Μετατρωχάω, i. q. μετατρέχω. Rhian. ap. Stob. Fl. 4, 34 : Ἄτη, ἁπαλοῖσι μετατρωχῶσα πόδεσσιν.]

Μετατῠπόω, Transformo. [Deformo, Reformo, Gl. Clem. Alex. Str. 4, p. 631, 43. « Philo vol. 2, p. 360, 23 : Μετατυπώσας αἰσχρὸν ἀντὶ καλοῦ χαρακτῆρος. Adamant. Physiogn. p. 422 : Εἰς στυγνότητα ἑαυτοὺς μετατυποῦσι. » Wakef. Signif. grammat. Eust. l. in Μετατύπωσις cit.]

Μετατύπωσις, εως, ἡ, Transformatio s. Transfigu-
D ratio. Grammatici veteres μετατύπωσιν vocant σχῆμα quoddam, quo ἐκ συνθήκης ἁπλοῦν γίνεται, s. quo aliquid μετατυποῦται ἀπὸ συνθέτου λέξεως εἰς ἁπλῆν, Eust. p. 75. Sic p. 626 : Διάλυσις ἢ μετατύπωσις λέγεται τοῖς παλαιοῖς τὸ ἐν πόλει ἄκρῃ, ληφθὲν ἀντὶ συνθέτου ὀνόματος τοῦ ἀκροπόλει. Ubi et hæc affert exempla, Μέση ποταμῶν pro Μεσοποταμία, et Λευκὴ πέτρα pro Λευκοπέτρα, et κενὴ δόξα pro κενοδοξία, et θέης ἄξιος ap. Herodot. [1, 25] pro ἀξιοθέατος. Sic quum Theocr. [15, 112] dicit δρυὸς ἄκρα pro ἀκρόδρυα, et Soph. [OEd. T. 324] τέλη λύει φρονοῦντι pro λυσιτελεῖ. [Schol. Hom. Il. Z, 88. Wakef.]

[Μεταυγάζω, Splendeo. Philostr. p. 793 : Ἱστία ἁλουργῆ μεταυγάζοντα ἐν τῷ κόλπῳ. Forma Æol. Πεδαυγάζω, Conspicio, Pind. Nem. 10, 61 : Ἀπὸ Ταϋγέτου πεδαυγάζων ἴδεν Λυγκεὺς δρυὸς ἐν στελέχει ἡμένους.]

Μεταυδάω, q. d. Interloquor, cum dat. Hom. Od. A, [31] : Ἔπε' ἀθανάτοισι μετηύδα, pro ηὔδα μετ' ἀθανάτοισι, Verba inter deos faciebat, et q. d. in medio deorum cœtu. [Apoll. Rh. 2, 773 : Τοῖον ἔπος πάντεσσι μετηύδα.] Sic N, [36] : Φαιήκεσσι μετηύδα. [Et similiter alibi sæpe. Apoll. Rh. 2, 467.] || Μεταυδᾶν, cum accus. etiam personæ, pro Alloqui. Apollon. Arg. 2, [54] : Αὐτὰρ ὅ τόν γ' ἐπέεσσιν ὑπερφιάλοισι μετηύδα. Ubi quidam putant esse pro Alloquebatur post. [Moschus 4, 61 : Μυθοῖσιν πυκινοῖσι φίλην νυὸν ὧδε μετηύδα.]

[Μεταῦθις, In posterum, Postea, Rursus. Æsch. Eum. 478 : Αὗται δ' ἔχουσι μοῖραν οὐκ εὐπέμπελον, καὶ μὴ τυχοῦσαι πράγματος νικηφόρου, χώρᾳ μεταῦθις ἰὸς ἐκ φρονημάτων πέδοι πεσὼν ἄφερτος αἰανὴς νόσος. Divise 498 : Πολλὰ δ' ἔτυμα παιδότρωτα πάθεα προσμένει τοκεῦσιν, μετά τ' αὖθις ἐν χρόνῳ. || Forma Ion. Apoll. Rh. 4, 426 : Τὸν μέν ῥα Διωνύσῳ κάμον αὐταὶ Δίῃ ἐν ἀμφιάλῳ Χάριτες θεαί· αὐτὰρ ὁ παιδὶ δῶκε Θόαντι μεταῦτις.]

[Μέταυλος, ἡ, Minor lingua s. Epiglossis, a Plutarcho Mor. p. 698, C, vocatur: nimirum duabus eam interpositam esse fistulis, arteriæ et gulæ (v. Αὐλὸς), atque alterutram operire, putabat. Huic loquendi figuræ lucem dabit Mœris : M., ἡ μέση τῆς ἀνδρωνίτιδος καὶ γυναικωνίτιδος θύρα. Seager. Quam sic Attici, ceteri μέσαυλος dixerunt, ut in forma Μέσαυλος dictum. Lysias p. 93, 19 : Ἐν ἐκείνῃ τῇ νυκτὶ ἐψόφει ἡ μέταυλος καὶ ἡ αὔλειος. Unde citat Harpocratio, additque : M. ἐστιν ἡ ῥυπαρὰ λεγομένη αὐλὴ, οὗ ὄρνιθες ἦσαν· Ἀριστοφάνης Λημνίαις καὶ Μένανδρος Θαΐδι. Eadem phrasi Heliod. Æth. 3, 14 : Ἐψόφει ἡ μέταυλος. Plut. Arat. c. 26 : Τὴν μέταυλον ἀποκλείων. Ubi est var. μέσαυλον, quæ non commendatur loco paullo ante cit., ubi in μέταυλος libri consentire videntur. Ceterum etiam Hesychius post Μέτρον ponit Μέταυλον, μέσαυλον.]

Μεταύριον, Perendie [Gl.], ut scribit Bud. Eod. autem modo dicitur ἡ ἐπαύριον, et ἡ μεταύριον, sub. ἡμέρα.

[Μέταυρος, ὁ, Metaurus, fl. Umbriæ, ap. Strab. 5, p. 227; Bruttiorum, 16, p. 256. Ubi etiam ὕφορμος ὁμώνυμος memoratur. A quo non diversum fortasse quod suo loco memoravimus Μάταυρος (Suidæ in Στησίχορος ex more recentiorum Ματαυρία dictum). Quod Siciliæ ascribit Steph. Byz., quo nomine constat interdum comprehendi partem Italiæ.]

Μεταυτίκα, Mox, Statim post. [Ap. Theocr. 25, 222, nunc receptum παραυτίκα. Herodot. 5, 112 : Ταῦτα εἶπε καὶ μεταυτίκα συνέμισγε τὰ στρατόπεδα πεζῇ καὶ νηυσί.]

[Μεταῦτις. V. Μεταῦθις.]

[Μεταυτος. Tab. Heracl. p. 219, 76 : Τως δε πολιανομως τως επι τω Fετεος ποτελομενως μεταυτος αυτων απο τω δαμω μη μειον η δεκα ανδρας αμφιστασθαι. Novam vocem pro μετὰ positam putat Mazochius. Neque admodum verisimile est errorem esse pro μετὰ, ex seq. αὐτῶν natum. L. Dind.]

Μεταυχένιον, τὸ, Quod post cervicem est. Pollux 2, cap. De spina et dorso [117] dicit νῶτα ὑπ' αὐχένι κεῖσθαι, Dorsum cervici subjacere : ejus τὸ ἔγκυρτον nominari χελώνιον : τὰ δὲ ἑκατέρωθεν ὠμοπλατῶν, πτερύγια : ὧν τὰ πλάγια vocari μεταυχένια. Sunt qui interpr. Interscapilium ex Marcello Empirico.

Μεταφέρω, Transfero, ut dicitur Transferre ex uno loco in alium. [Redigo, Gl. Soph. Phil. 962 : Εἰ καὶ πάλιν γνώμην μετοίσεις. Eur. Phœn. 179 : Ὡς ἀτρεμαῖα κέντρα καὶ σώφρονα πώλοις μεταφέρων ἰθύνει. Plato Tim. p. 73, E : Μεταφέρων πολλάκις (γῆν) εἰς ἑκάτερον (ὕδωρ καὶ γῆν).] A cujus pass. Μεταφέρομαι sunt participia μετενηνεγμένος et μετενεχθεὶς, Translatus. Dem. [p. 303, 8] dixit etiam, Μετενεγκόντα τοὺς χρόνους. [Μεταφέρειν τὰ σκέλη, De loco movere, Theophr. Char. c. 10, p. 48. Hemst. Improprie Xen. Cyrop. 1, 6, 39 : Εἰ σὺ μηδὲν ἄλλο ἢ μετενέγκοις ἐπ' ἀνθρώπους τὰς μηχανὰς, ἃς καὶ πάνυ ἐπὶ τοῖς μικροῖς θηρίοις ἐμηχανῶ. Plato Tim. p. 26, C : Τοὺς δὲ πολίτας καὶ τὴν πόλιν, ἣν χθὲς ἡμῖν ὡς ἐν μύθῳ διήεισθα σὺ, μετενεγκόντες ἐπὶ τἀληθὲς κτλ. Critiæ p. 113, A : Εὗρε τοὺς Αἰγυπτίους τοὺς πρώτους αὐτὰ (nomina) γραψαμένους εἰς τὴν αὑτῶν φωνὴν μετενηνοχότας. Demosth. p. 210, 9 : Τὸ δὲ συμβησόμενον καὶ τὸν τοῦ κινδύνου λογισμὸν μετενεγκόντες σκοπῶμεν ἐπὶ Θηβαίων· 262, 25 : Ἐκ τῶν ἀπόρων εἰς τοὺς εὐπόρους μετήνεγκα τὰς τριηραρχίας· 491, 16 : Ἐπειδάν τις κακουργῶν ἐπὶ μὴ προσήκοντα πράγματα τοὺς λόγους μεταφέρῃ· 495, 14 : Τὸ τῶν λειτουργιῶν ὄνομα ἐπὶ τὸ τῶν ἱερῶν μεταφέροντες· 724, ult. : Τὴν ἐκ τῆς ὀλιγαρχίας ἀδικίαν εἰς τὸν αὐτοῦ νόμον μετήνεγκε. Pollux 6, 130 : Ἄνω καὶ

A κάτω τὴν πολιτείαν μεταφέρων, de turbatore reip.] || Transfero, ea signif. qua dicimur transferre aliquod vocab. ab una signif. in aliam. Interdum vero μεταφέρω sine adjectione, Metaphora utor, Metaphorice loquor. Bud. ex Aristot. Eth. 9, [5] : Διὸ μεταφέρων φαίη τις ἂν αὐτὴν ἀργὴν εἶναι φιλίαν. [Ib. 3, 12. Dio Chr. Or. 5, vol. 1, p. 189 : Αἰνιττόμενοι καὶ μεταφέροντες. HSt. in Ind. :] Μετενεγκεῖν, Transferre : unde pass. μετενεχθεὶς, Translatus. [Pollux inter vocc. de ἑρμηνεῖ usurpanda refert 5, 154 : Τὴν φωνὴν ... μεταφέρων. Suidas : Μετάφερε σαυτόν. Ὅτι προσήκει ἑαυτοὺς μεταφέρειν καὶ μεταχειρίζεσθαι τὰ πράγματα. || Medio « Ἡ ἐξ Αἰγίνης Ἀθήναζε μετενεγκαμένη τὴν πορνείαν, Theopomp. ap. Athen. 13, p. 595, B. » Hemst. || Μεταφέρεσθαι de canibus discursantibus Xen. Cyn. 4, 5 : Διωκέτωσαν δὲ ... συνεκπερῶσαι μετὰ τοῦ λαγῶ πάντῃ· μεταθείτωσαν δὲ ταχὺ καὶ λαμπρῶς, πυκνὰ μεταφερόμεναι καὶ ἐπανακλαγγάνουσαι. Plato Tim. p. 58, B : Πάντ' ἄνω καὶ κάτω μεταφέρεται πρὸς τοὺς ἑαυτῶν τόπους· Prot. p. 339, A : Ἔσται τὸ ἐρώτημα περὶ τοῦ αὐτοῦ μὲν, μετενηνεγμένον
B δὲ εἰς ποίησιν.]

Μετάφημι, Interloquor, Inter alios loquor, s. verba facio, ut μετέφη τοῖσδε, non semel ap. Hom. [Il. A, 58 : Τοῖσι δ' ἀνιστάμενος μετέφη ... Ἀχιλλεύς.] Adeo ut sit μετέφην i. q. et μετέειπον : sic enim dicitur ab eo [Od. Ξ, 459] : Τοῖς δ' Ὀδυσεὺς μετέειπε, Interfatus est, Inter eos locutus est, verba fecit. Et sic alibi sæpe. [Etiam ap. alios. Cum accus. B, 795 : Τῷ μιν ἐεισαμένη μετέφη πόδας ὠκέα Ἶρις.]

[Μεταφημίζω, Nomen muto. Manetho 2, 136 : Μετεφήμισαν, ubi liber a pr. m. habebat μετεφήμησαν. Schleusn. || Μεταφημίζομαι, Mutato priore nomine appello. Rhian. ap. schol. Apoll. Rh. 3, 1089 : Τοῦ δ' ἀπὸ Θεσσαλίαν λαοὶ μετεφημίξαντο. Hemst.]

[Μεταφθάνω, pro Homerico μεταμείβεσθαι utitur Theod. Prodr. Rhod. 3, 250, p. 121 : Πρὸς ταῦτα φησὶ Μιστύλος μεταφθάσας. Elberl.]

[Μεταφοιτάω, Migro. Fig. Strabo 16, p. 783 : Παρ' ἀλλήλων οὐ μεταφοιτᾷ τὰ ἐπιτηδεύματα, ἀλλ' ἐν τοῖς πατρίοις διαμένουσιν ἕκαστοι. « Joann. monach. in Anecd.
C meis vol. 4, p. 363, 9. Anonym. ap. Allat. De Method. p. 34=361 ed. Rom. : Τῶν ἑσπερίων πρὸς τὴν ἕω μεταπεφοίτηκεν. Planud. Ovid. Met. 15, 172. » Boiss. Transeo, Dionys. Areop. p. 99, εἰς νοῦν ἱερὸν ἐκ τῶν χειρόνων· 111. Athanas. vol. 2, p. 531. Kall.]

[Μεταφοίτησις, εως, ἡ, Migratio. De morte, Andr. Cret. p. 221. Kall.]

Μεταφορά, ἡ, Translatio [Gl. et, M. λέξεως, Derivatio]. Frequenter autem de Translatione illa, cujus mentio fit a rhetoribus, vel potius de qua ab illis tractatur. Fab. 8, c. 6, quod est de tropis : Incipiamus igitur ab eo, qui quum frequentissimus est, tum longe pulcerrimus. Translationem dico, quæ μεταφορὰ Græce vocatur. Aliquanto post : Transfertur ergo nomen aut verbum ex eo loco in quo proprium est, in eum in quo aut proprium deest, aut translatum proprio melius est. Frequens est hujus vocis μεταφορὰ usus quum ap. alios, tum ap. Isocratem. Utitur vero et Isocr. Enc. Evag. [p. 190, D] : Δηλῶσαι μὴ μόνον τοῖς τεταγμένοις ὀνόμασιν, ἀλλὰ τὰ μὲν ξένοις, τὰ δὲ καινοῖς, τὰ δὲ μεταφοραῖς. [Æschin. p.
D 24, 5 : Μεταφοραῖς ὀνομάτων αἰσχρὰς ὑποψίας παρεμβάλλειν. Pollux 5, 154 inter vocc. de ἑρμηνεία ponit ἐξήγησις, μ., διαφορά. « M., Aristoteli Poet. c. 21 est idem quod *tropus*, cujus tamen species quædam metaphora rectius dicitur : v. Demetr. De eloc. 78. Hinc auctore Diog. L. 8, 2, 3, ab Aristotele Empedocles dictus δεινὸς περὶ τὴν φράσιν καὶ μεταφορικὸς, Crebris translationibus usus, quippe ad poeticam dictionem pronus. Nimirum Aristotelis ævo nondum tropi singuli proprium nomen adepti erant : post eum rhetores cuncta minutius conciderunt. Conf. Cic. De orat. 3, 38, et Voss. Institt. rh. 4, p. 84. » Ernest. Lex. rhet. || Schol. Aristoph. Pl. 436 : Ταῖς μεταφοραῖς τῶν μέτρων ἀπατῶσά με, Mensurarum subdolas immutationes, interpretatur Hemst. Frequens apud grammaticos formula est ἀπὸ s. ἐκ μεταφορᾶς seq. genitivo, ut in schol. Ar. Pl. 863, 958, etc., vertenda, Metaphora ducta ex.]

[Μεταφορέω, Transfero. Herodot. 2, 125 : Τοὺς νεκροὺς μετεφόρεε ἐς ἄλλον χῶρον.]

Μεταφόρητος, ὁ, ἡ [vel Μεταφορητὸς, ή, όν], Translatilis, Qui transferri potest, ut Aristot. Phys. 4, [2] τὸ ἀγγεῖον esse dicit τόπον μεταφόρητον. Sic μεταφόρητον οἶκον dictum fuisse τὸ πλοῖον, αἰνιγματικῶς, tradit Eust. [Il. p. 1125, 57. Niceph. H. E. 7, 46; Niceph. Blemm. p. 73. Eustath. Opusc. p. 235, 43 : Κατοικίδιος ὀπώρα, οὐ μεταφορητή.]

Μεταφορικὸς, ἡ, ὸν, Translatitius, accipiendo pro Positus per translationem, s. Usurpatus, Metaphoricus : ut μεταφορικὴ λέξις, vel μεταφορικὸν ὄνομα, ap. grammaticos. [Aristot. Poet. c. 22 : Πολὺ μέγιστον τὸ μεταφορικὸν εἶναι. V. Μεταφορά.] A quo adj. est et adv. Μεταφορικῶς, Per translationem, Metaphorice, ut μ. λαμβάνεσθαι vel ἐκλαμβάνεσθαι ap. gramm. Eust. p. 150 : Ἡ τὸν θυμὸν μ. ἀπὸ τῆς τῶν ποταμῶν ὄχθης.

[Μεταφορτίζομαι, Impono vicissim (navi). Psellus Opusc. p. 137, 20 : Τὰ μὲν μετακομίζοντες πρὸς οὓς χαταίρειν ἔδοξαν, τὰ δὲ μεταφορτιζόμενοι καὶ ἐπὶ τῆς οἰκείας ἀγώγιμα ἔχοντες. Boiss.]

Μεταφράζω, In aliud orationis genus s. In aliam formam muto, vel In aliud loquendi genus. Philo V. M. 2, postquam dixit linguam Græcam supra quamvis aliam, esse divitem : Καὶ ταυτὸν ἐνθύμημα οἷόν τε μεταφράζοντα καὶ παραφράζοντα σχηματίσαι πολλαχῶς· ubi μεταφράζειν quidam interpr. Traducere orationem. Eust. p. 691, ex quodam anonymo : Λαμβάνουσι τὴν ἧῶ ἡμέραν, οἱ μεταφράζοντες· ὃ δὴ ταυτόν ἐστι τῷ μεταλαμβάνοντες· ἡ γὰρ διασαφητικὴ τῶν λέξεων ἑρμηνεία, μετάληψις καὶ μετάφρασις καίριος λέγεται. [Tzetz. ad Lycophr. 287 : Μεταφράζει δὲ τὴν παρ' Ὁμήρῳ Ἑλληνικὴν ναυμαχίαν, Transfert, Exprimit, Imitatur.] || Μεταφράζω, In aliam orationem, i. e. alius linguæ, transfero, Interpretor. Plut. hoc dicit de Cicerone [c. 40] dialogos philosophicos scribente, quasique transferente, ut inquit Bud.; qui etiam addit ab illo in Cat. [c. 19] poni pro Vertere de Græco in Latinum. [Timæus Lex. p. 3 : Τάξας ταῦτα κατὰ στοιχεῖον καὶ μεταφράσας ἀπέστειλά σοι. V. Μετάφρασις.] || Μεταφράζομαι, Postea s. Posterius considero, et in animo verso. Hom. Il. A, [140] : Ἀλλ' ἤτοι μὲν ταῦτα μεταφρασόμεσθα καὶ αὖτις, Hæc considerabimus, De his deliberabimus, aut consultabimus.

Μετάφρασις, εως, ἡ, Mutatio in aliud orationis genus, s. in aliam formam. Pro eod. et μετάληψις, ut vides in eo Eust. loco quem modo protuli. Plut. Utrum Atheniens. etc. [p. 347, F] : Γλῶσσαι καὶ καταχρήσεις καὶ μεταφράσεις καὶ μέλη καὶ ῥυθμοὺς ἡδύσματα τοῖς πράγμασιν ὑποτίθεται. Interdum μετάφρασις, Interpretatio. [Capperonerius ad Quintil. 10, 5, 15 : *Metaphrasis*, si proprie loquamur, est translatio conscripti operis in aliam linguam, vel in aliud scriptionis genus, puta ex oratione metrica in prosaicam et contra, vel in aliam dicendi formam. Sic Photius cod. 170 laudat Procopii Gazæi μεταφράσεις στίχων Ὁμηρικῶν εἰς ποικίλας λόγων ἰδέας· cod. 414, Imperatricis Eudociæ *Metaphrasin* in Octateuchum καθ' ἡρῷον μέτρον· cod. 195, μεταφράζεσθαι usurpat pro E Syriaca lingua in Græcam transferre. In Phavorini Lexico ἡ μετάφρασις definitur τῆς ἑρμηνείας ἀλλοίωσις τὴν αὐτὴν φυλάττουσα διάνοιαν. Quum ergo *paraphrasis* ipsa rem eandem uberiore stilo exponat, hinc factum est, ut quædam paraphrases nomen obtinuerint *metaphraseos*. Hinc legimus B. Gregorii Thaumaturgi μετάφρασιν in Ecclesiasten. Hinc Simeon ille *Metaphrastes* dictus, eo quod sanctorum vitas nudo simplicique stilo conscriptas copiosiori et elegantiori exornavit. Quo sensu sumpta *metaphrasis* dicitur etiam a nonnullis μεταβολή (quod v.). Denique μετάφρασις aliquando significat meram dictionis interpretationem per quoddam vocabulum synonymum ; ut ap. Etym. M. p. 684 : Ἔνιοι μετέφρασαν τὸ πορφύρει, ἀντὶ τοῦ κατὰ βάθος κινεῖται. Idem p. 377, Æschylum ait μεταφράζοντα leonum catulos vocasse δρόσους. Hæc Capperon. Ern. Lex. rhet. Adde Μεταφράζω. « Μετάφρασιν multorum poetarum veterum versibus jambicis fecit Μαριανὸς Suidæ. » Valck. In Gl. confunditur cum μετάπρασις.]

Μεταφραστὴς, ὁ, Qui mutat orationem in aliam formam, Qui metaphrasi utitur. Aut etiam Interpres. [V. Μετάφρασις. Tzetz. Hist. 9, 370 : Ἀνθρώποις συγγραφεῦσι καὶ μεταφρασταῖς βιβλίων. Accentum Μεταφράστης, quem, ubi Simeo diceretur, ferendum putaverat Bast.

A ad Gregor. p. 872, recte improbat Schæferus p. 1005.]

Μεταφραστικὸς, ἡ, ὸν, ut μ. λόγος, ap. Eust., Qui habet metaphrasin s. formam metaphraseως. Potest etiam sonare q. d. Interpretatorius.

Μετάφρενον, τὸ, Dorsi pars quæ ad septum transversum sita est, quasi τὸ μετὰ τὰς φρένας : sic enim veteres Septum transversum appellarunt. Rufus [p. 30 Cl.] μετάφρενον esse dicit τὸ μεταξὺ τοῦ νώτου καὶ ὀσφύος, κατὰ τὴν τῶν νεφρῶν πρόσφυσιν· i. e. Partem inter dorsum et lumbos mediam, qua renes adjacent. [Greg. Naz. C. Astron. in Matth. Lectt. Mosq. part. 2, p. 39 : Μετάφρενα τὰ ὄπισθεν τῆς κεφαλῆς λέγονται.] Nec tamen inter partes spinæ numeratur, quam veteres totam diviserunt in cervicem, dorsum, lumbos, et os sacrum. Hæc Gorr.; qui etiam scribit, non satis esse a veteribus explicatum quid sit μετάφρενον : sed ex ipso etymo verisimile esse partem illam dorsi significare, quæ ad septum transversum sita est. In VV. LL. μετάφρενον dicitur esse Quod a tergo præcordiis objectum est : quod in aversa corporis parte sit hic situs τῶν

B φρενῶν, quæ hepati juxta Homerum adhærent. Additur Marc. Empiricum videri vocasse Interscapilium. [Interscapulum, Conscaplium, Gl.] Sic certe et ap. Hom. μετάφρενον pro Interstitio quod est inter scapulas s. humeros, Il. B, [265] : Σκήπτρῳ δὲ μετάφρενον ἠδὲ καὶ ὤμω πλῆξε. [Aliisque locis plurimis. Hesiod. Sc. 223 : Πᾶν δὲ μετάφρενον εἶχε κάρη δεινοῖο πελώρου. Meleager Anth. Pal. 5, 204, 3 : Ἐπὶ μὲν νώτοιο μετάφρενον, ὡς κέρας ἱστῷ, κυρτοῦται. Plurali Il. A, 447 : Ὁτέῳ στρεφθέντι μετάφρενα γυμνωθείη, μαρναμένων. Archilochus ap. Synes. p. 75, B : Ἡ δέ οἱ κόμη ὤμους κατασκιάζει καὶ μετάφρενα. Sed ap. Dionys. A. R. 3, 19 : Ὁ Ἀλβανὸς τοῦ Ῥωμαίου κατὰ τῶν μεταφρένων καὶ μέχρι τῶν σπλάγχνων βάψας τὸ ξίφος, cod. Vat. τοῦ μεταφρένου. Heliodor. Æth. 10, 31 : Ὤμους καὶ μετάφρενα γυρώσας. Improprie Lycophr. 1438 : Πολλοὶ δ' ἀγῶνες καὶ φόνοι μεταίχμιοι λύσουσιν ἀνδρῶν οἱ μὲν ἐν γαίᾳ πάλας ..., οἱ δ' ἐν μεταφρένοισι βουστρόφοις χθονός. Schol. ἀρούραις, πεδίοις. Plato Prot. p. 352, A : Τὰ στήθη καὶ τὸ μετάφρενον.]

C [Μεταφρίσσω s. Μεταφρίττω, Postea horreo. Hippocr. p. 133, B : Ἦρά γε καὶ μεταφρίξαντες οἱ ἐπ' ὀλίγον περιψύχοντες.]

[Μεταφρονέω, Sententiam muto. Basil. M. vol. 3, p. 294, D : Ὥστε μεταφρονεῖν τὸν ὀμνύοντα χρή. Bast.]

[Μεταφρουρέω, Alibi custodio. Theodor. Stud. p. 284, D : Σὺ δὲ, ὦ τέκνον μου ἠγαπημένον, εἰ καὶ μετεφρουρήθης ἑτέρωθι, καθὰ ἐσήμανας, χαῖρε, ὅτι οἱ στέφανοί σου πλείους πλέκονται· 392, E : Ἤμην γὰρ προμαθὼν ὅτι μόνον μετεφρουρήθης. Utroque l. vertere licet etiam Iterum in vincula conjectus es. L. Dind.]

[Μεταφρούρησις, εως, ἡ, Mutata s. Iterata custodia. Theodor. Stud. p. 257, E : Πάλιν ἑτέρα σοι φυλακὴ, τέκνον ἠγαπημένον, ἀλλὰ καὶ πάλιν στήλη μὲν τῶν δυσωνύμων αἱρετικῶν, σοὶ δὲ προσθήκη ἄθλων τε καὶ ἐπαίνων οὐρανίων ... Ἡ οὐχὶ δοκιμώτερόν ἐστι σε γενέσθαι τῇ μεταφρουρήσει καθάπερ χρυσὸν διαπυρούμενον ὑπὸ χωνείας; L. Dindorf.]

[Μεταφυτεία. V. Μεταφυτεύω.]

[Μεταφύτευσις, εως, ἡ, Transplantatio. Geopon. 3, 2,

D 1; 5, 14, 2, et alibi.]

[Μεταφυτευτέος, α, ον, Transplantandus. Geopon. 5, 13.]

Μεταφυτεύω, Transplanto [Gl.], Plantatum alio transfero : unde Μεταφυτεία, ἡ, Transplantatio, Translatio plantæ de loco in locum. Utroque utitur Theophr. eodem in loco, H. Pl. 2, 17, de palmis loquens : Ὅταν δὲ ἐνιαύσια γένηται, μεταφυτεύουσι· χαίρουσι γὰρ σφόδρα τῇ μεταφυτείᾳ· μεταφυτεύουσι δὲ οἱ μὲν ἄλλοι τοῦ ἦρος, οἱ δὲ ἐν Βαβυλῶνι, περὶ τὸ ἄστρον. Unde Plin. 13, 4 : Plantaria instituunt, anniculasque transferunt ; gaudent enim mutatione sedis, verna alibi, in Assyria autem circa canis ortum. Pro his ejusd. Plinii, Translatione quoque rosa proficit, surculis quaternum digitorum longitudine : dein translata pedalibus intervallis, crebroque circumfossa, in Geopon. legimus [11, 18, 14] : Λαβὼν τὰ κλήματα αὐτῶν δίελε, καὶ ποιήσας ὡσεὶ τετραδακτυλιαῖα, [ἢ μικρῷ μείζονα,] κατατίθεσο· ὅταν δὲ γένηται ἐνιαυσιαῖα, μεταφύτευε, ἀπέχοντα ἀπ' ἀλλήλων πόδα, καὶ οὕτως ἐργάζου, σκάπτων ἐπιμελῶς. [Philemo in Comp. ejus cum Men. p. 358 : Μὴ νουθέτει γέρονθ' ἁμαρτάνοντά τι· δένδρον παλαιὸν μεταφυτεύειν δύσκολον. V. in Γεράνδρυον. «Schol. Pind. Pyth. 4, 26.» Boiss. Pass. Geopon. 4, 8, 5 : Κλῆμα μεταφυτευόμενον. Substant. ib. 10, 85, 2.]

[Μεταφύω.] Μεταφύομαι, Transformor, Naturam muto. [Empedocles ap. Aristot. Metaph. 3, p. 78, 4, v. 319 ed. Karsten. : Ὅσσον γ' ἀλλοῖοι μετέφυν, τόσον ἄρ σφισιν ἀεὶ καὶ τὸ φρονεῖν ἀλλοῖα παρίστατο.] Plato Tim. [p. 90, E : Τῶν γενομένων ἀνδρῶν ὅσοι δειλοὶ ... γυναῖκες μετεφύοντο ἐν τῇ δευτέρᾳ γενέσει. Quemadmodum Photius s. Suidas μεταφῦναι interpr. μεταπλασθῆναι. || Postea nascor. Hippocr. p. 251, 54 : Οἱ δὲ μεταφύντες (dentes) συγκαταγηράσκουσιν. Philostr. Her. p. 725, 14 : Ἔλεγεν ὁ Πυθαγόρας Εὔφορβος γεγονέναι, μεταφῦναί τε Ἴων μὲν ἐκ Τρωὸς, σοφὸς δὲ ἐκ πολεμικοῦ, κεκολασμένος δὲ ἐκ τρυφῶντος· Imag. p. 781 : Φασὶ τὰς Ἡλιάδας ἐπὶ τῷ ἀδελφῷ μεταφῦναι.]

Μεταφωνέω, Interloquor, Inter alios loquor, s. vocem edo : eund. usum habente præpositione μετὰ, quem et in μετέφη. Nam ut μετέφη τοῖσδε dicit Hom., ita [ipse Il. H, 384 : Αὐτὰρ ὁ τοῖσιν στὰς ἐν μέσσοισιν μετεφώνεεν ἠπύτα κῆρυξ, et alibi,] Μετεφώνεεν ἱεμένοισι, Apollon. [Rh. 2, 43. Et ib. 208 : Τοῖσι ... μετεφώνεε μαντοσύνῃσιν.] Ap. Eund. [1, 1287] : Τοῖον ἔπος μετεφώνεε. Sed affertur ex Eod. [1, 702] et pro Alloquor, Compello, cum accus. personæ : Ἰφινόην μετεφώνεεν ἆσσον [ἄσσον] ἰοῦσαν. Verum miretur aliquis non immerito fortassis cur non potius προσεφώνεεν dixerit, si quidem simpliciter significare voluerit Alloqui. [Absolute 2, 1178 : Δὴ τότ' ἄρ' Αἰσονίδης μετεφώνεεν ἦρχέ τε μύθων· et 3, 169.]

[Μεταφωτίζω, Iterum illumino. Ptolem. Mathem. Comp. 3, vol. 1, p. 155, C : Ὡς ἐνίοτε καὶ δὶς ἐν ταῖς αὐταῖς ἰσημερίαις μεταφωτίζεσθαι τὰς κοίλας αὐτῶν ἐπιφανείας. L. Dindorf.]

[Μεταχάζομαι, Retrocedo, cum gen., Apoll. Rh. 3, 436 : Εἰ δὲ σύγε ζυγὰ βουσὶν ὑποδδείσαις ἐπαεῖραι ἠὲ καὶ οὐλομένου μεταχάσσεαι ἀμήτοιο.]

[Μεταχάλκευσις, εως, ἡ, Reformatio, Renovatio. Cyrillus Al. De adorat. 2, p. 59, postquam sacrificiorum V. T. abrogationem ex prophetis docuisset, subjicit : Συνίης δὴ οὖν ὅτι μονονουχὶ μεταχάλκευσίν τινα καὶ ἀναπλασμὸν ἱερωσύνης τε ἅμα καὶ θυσιῶν ἔσεσθαι φησίν. Suicer.]

[Μεταχαλκεύω, Refingo, Reformo. Cyrill. Alex. De adorat. 3, p. 83 : Παρέδειξε γὰρ ἡμῖν (Χριστὸς) τὴν εἰς εὐθὺ (ὁδὸν) καὶ ἀγχοῦ, τουτέστι τὴν διὰ πίστεως μεταχαλκεύων εἰς εὐτολμίαν. Id. In cap. 45 Jes. p. 610 : Τί τὸ παράδοξον εἰ τὴν τοῦ ἀνθρώπου διάνοιαν μεταχαλκεύει πρὸς τὸ δοκοῦν ὁ ἰδίᾳ χειρὶ στερεώσας τὸν οὐρανόν ; Suicer. Eumath. p. 150 : Τὴν τῆς Πανθίας γλῶτταν εἰς Τυρσηνικὴν μετεχάλκευσε σάλπιγγα. Boiss.]

[Μεταχᾰρακτηρίζω, Characterem muto. Julian. Epist. 42, p. 79 : Πάντας μὲν οὖν χρὴ τοὺς καὶ ὁτιοῦν διδάσκειν ἐπαγγελλομένους εἶναι τὸν τρόπον ἐπιεικεῖς καὶ μὴ μαχόμενα τοῖς δημοσίᾳ μεταχαρακτηρίζοντας τὰ ἐν τῇ ψυχῇ φέρειν δοξάσματα. Schol. Hom. Il. Ξ, 241 : Καὶ ἴσως ἔδει οὕτως ἔχειν· παρεφθάρη δὲ ὑπὸ τῶν μεταχαρακτηρισάντων, de iis qui veterem orthographiam in novam mutassent.]

[Μεταχαρακτηρισμὸς, ὁ, Mutatio characteris. Ammon. v. Ἀλλοίωσις p. 11 : Ἀλλοίωσις οὐ μόνον μ. κτλ. Et v. Μεταβάλλεσθαι p. 93 : Μεταμορφοῦσθαι, μ. καὶ μετατύπωσις σώματος εἰς ἕτερον χαρακτῆρα. Etym. Havn. ap. Bloch. ad Etym. M. p. 964, (526, 36).]

[Μεταχάραξις, εως, ἡ, Mutatio, Transformatio. Cyrill. Al. vol. 1, part. 1 (al. part. 2), p. 5, C : Μεταπλασμὸν ὥσπερ τινὰ καὶ ἵν' οὕτως εἴπω, μεταχάραξιν τῶν ἐν τύποις ἐπὶ τὸ ἀληθές. L. Dind.]

[Μεταχαράσσω, s. Μεταχαράττω, metaph. Refingo. Cyrill. Al. In Nahum 2, p. 496 : Μέτοχοι γεγονότες τοῦ ἁγίου πνεύματος, εἰς τὸ ἀρχαῖον τῆς φύσεως ἀναστοιχειούμεθα κάλλος, καὶ εἰς εἰκόνα τὴν πρώτην νοητῶς μεταχαραττόμεθα. Suicer. Muto ; Orig. C. Cels. p. 79, 80. Kall. Menander in Comp. Men. et Philem. p. 357 : Μεταχαράσσον (γῆρας) τὴν μὲν ἀνδρίαν μελῶν εἰς τἀπρεπές. «Philo vol. 1, p. 454, 42 : Ὅσαι (ἐπιθυμίαι) ἀντὶ παθῶν εἰς εὐπάθειαν μεταχαράττονται. Medio idem vol. 2, p. 460, 45 : Πᾶν ὅσον ἐξ ὑπαιτίου τροφῆς καὶ διαίτης ἐν ταῖς ψυχαῖς κεκιβδήλευται μεταχαραττόμενοι πρὸς τὸ δόκιμον.» Hemst.]

[Μεταχείμᾰσις, εως, ἡ, Tempestas quæ post diem statutam sequitur. Veget. 4, 40, ap. HSt. in Προχείμασις, quod v.]

[Μεταχειρέω, quod in Gl. ponitur : Μεταχειρήσομεν, Aggrediemur, scribendum μεταχειρίσομεν.]

[Μεταχείρησις scriptura vitiosa pro μεταχείρισις, q. v.]

Μεταχειρίζω, sive Μεταχειρίζομαι, Tracto, [Attrecto add. Gl.], manibus sc. (quæ tamen adjectio cum hoc Latino verbo supervacanea videri possit) : ut nimirum dicitur μετὰ χεῖρας ἔχειν, Inter manus habere, s. In manibus. Potest autem et nostro verbo *Manier* in multis ll. reddi : quod itidem factum a manu esse, docebo in Χειρίζω. [Eur. fr. ap. Clem. Al. Strom. 5, p. 688 : Σκῆπτρον τὸ Διὸς μεταχειρίζων. Herodot. 3, 142 : Λόγον δώσεις τῶν μετεχείρισας χρημάτων.] Chrysost. In 1 Ad Cor. 13, loquens de variis opificiis, sc. τῶν οἰκοδόμων, τῶν τεκτόνων, τῶν ὑποδηματοῤῥάφων, τῶν ἀρτοποιῶν, aliisque ad quotidianos vitæ usus necessariis : Τίς γὰρ ἂν ἕλοιτο τῶν πλουτούντων ταῦτα μετιέναι ποτέ ; ὅπου γε καὶ αὐτοὶ οἱ ταῦτα μεταχειρίζοντες, ὅταν εὐπορήσωσιν, οὐκ ἀνέχονται τῆς ἀπὸ τῶν ἔργων τούτων ταλαιπωρίας ; Ubi animadverte eand. prope signif. dari verbo μετιέναι et verbo μεταχειρίζειν. Possumus certe μεταχειρίζειν hic commode reddere Tractare, vel ex hoc Horatii l., Tractant fabrilia fabri. Idem passiva voce utens dixit μεταχειρίζεσθαι τὰ ὅπλα, Tractare arma. Ubi uti possumus itidem illo Gallico verbo *Manier*, et reddere *Manier les armes*. Eod. modo τόξον μεταχειρίζεσθαι, ap. Plut. De def. orac. [p. 422, D] : Τὸν Ὀδυσσέα θαυμασάντων τὸ τόξον μεταχειριζόμενον. [Xen. OEc. 14, 2 : Ὁ τοὺς καρποὺς μεταχειριζόμενος. Plato Reip. 3, p. 417, A : Μεταχειρίζεσθαι καὶ ἅπτεσθαι χρυσοῦ καὶ ἀργύρου οὐ θέμις· Phæd. p. 84, A : Πηνελόπης τινὰ ἐναντίως ἱστὸν μεταχειριζομένην.] Thuc. autem [4, 18] activa voce utens dixerat ante hunc, μεταχειρίζειν τὸν πόλεμον, ubi Administrare bellum malit fortassis quispiam quam Tractare bellum : cujus tamen generis loquendi exempla extant. [Id. 6, 12 : Τὸ πρᾶγμα μέγα εἶναι καὶ μὴ οἷον νεωτέρῳ βουλεύσασθαί τε καὶ ὀξέως μεταχειρίσαι.] At quum dicit μεταχειρίσαι τὰ περὶ τὰς ναῦς, l. 1, possumus verbo Tractare uti. Locus est 1, p. 5 meæ ed. [c. 13] : Πρῶτοι δὲ Κορίνθιοι λέγονται ἐγγύτατα τοῦ νῦν τρόπου μεταχειρίσαι τὰ περὶ τὰς ναῦς, Quamproxime ad hujus ætatis consuetudinem tractasse quæ ad naves pertinent ; vel Tractasse nautica. Sed malim (ne qua relinquatur ambiguitas), Tractasse fabricandarum navium artem. Nam et Latini Artem tractare dicunt. At schol. perperam μεταχειρίσαι exp. ἐναλλάξαι, signif. novam tribuens huic verbo, omissa ea cujus passim exempla inveniuntur. Eum tamen sequens vir quidam alioqui doctiss. μεταχειρίσαι reddidit Commutasse. Sed nec Valla recte interpr. Excogitasse, ita l. illum reddens, Corinthii autem primi feruntur excogitasse naves, quæ ad eam, quæ nunc in usu est, formam proxime accederent. Rursum autem exemplum pass. vocis μεταχειρίζεσθαι habes in hoc l., qui est Synesii : Καὶ ἡ δρόσος ἐξισταμένη παρεῖχεν ἡμῖν κεχρῆσθαι τοῖς καλωδίοις, καὶ τὸ ἱστίον μεταχειρίζεσθαι, Velum tractare : ut etiam τοὺς κάλως μεταχειρίζεσθαι possis reddere Rudentes tractare, ex Juv. [|| Μεταχειρίζειν ἑαυτὸν, Manus sibi inferre, ap. Athanas. vol. 1, p. 1194, A : Εὐθέως μετὰ τὴν προδοσίαν ἀγχόνῃ ἑαυτὸν μεταχειρίσας ἀπηλλάγη.] || Μεταχειρίζω non est simpliciter Tracto, sed Tracto cum attentione, potius Excutio, Examino : in isto Chrysostomi l., In Ep. ad Rom. 8 : Καὶ ὅτι ταῦτα τοῦτον ἔχει τὸν τρόπον, καὶ οὐ σαρκὸς διαβολὴ τὰ εἰρημένα, πάλιν αὐτὴν μεταχειρίσαντες τὴν λέξιν, ἐξετάσωμεν ἀκριβέστερον. || Μεταχειρίζομαι, Tracto vulnus, Manu attrecto, Manu medicor. Bud. ex Lys. [p. 169, 9] : Ζητεῖν καὶ τοῦτο φιλοσοφεῖν, ὅπως ὡς ἀλυπότατα μεταχειριοῦνται τὸ συμβεβηκὸς πάθος. [De ægrotis Plato Reip. 3, p. 408, D : Ὅσοι (medici) πλείστους μὲν ὑγιεινοὺς, πλείστους δὲ νοσώδεις μετεχειρίσαντο.] || Μεταχειρίζομαι, redditur Tracto, Administro, et in hoc l. Plut. [Mor. p. 794, B] : Καθάπερ ἣν σὺ νῦν Ἀθήνησι μεταχειρίζῃ τῆς ἐξ Ἀρείου πάγου βουλῆς ἐπιστασίαν. Sed Latini vel Gerere magistratum vel Fungi magistratu potius dicunt : erat autem magistratus ille ἐπιστασία. Atque ita ex Plat. [Tim. p. 20, A] affertur, Μετακεχείρισται μεγίστας ἀρχὰς, pro Functus est summis magistratibus. Huc autem referri posse videtur ea signif., quam habet μεταχειρίζομαι ap. Xen. [Comm. 1, 4, 17]: Ὁ σὸς νοῦς τὸ σὸν σῶμα ὅπως βούλεται μεταχειρίζεται. Hic enim μεταχειρίζεται redditur Regit, Moderatur: hoc modo, Mens tua corpus pro suo arbitrio moderatur. Utimur profecto nostra illa voce *Manier* in hac quoque signif., pro Regere, Moderari; atque adeo hic etiam uti ea possemus, ita reddendo hunc l., *Ton esprit manie ton corps comme bon lui semble.* [Aristoph. Eq. 345: Καλῶς γ' ἂν οὖν τι πρᾶγμα προσπεσόν σοι ὠμοσπάρακτον παραλαβὼν μεταχειρίσαιο χρηστῶς. Xen. Vect. 5, 4: Χειροτέχναι, φιλόσοφοι, οἱ δὲ ποιηταὶ, οἱ δὲ τὰ τούτων μεταχειριζόμενοι. Plato Reip. 6, p. 497, D: Μεταχειριζομένη πόλις φιλοσοφίαν· 7, p. 529, A: Ὡς νῦν αὐτὴν (astronomiam) μεταχειρίζονται οἱ εἰς φιλοσοφίαν ἀνάγοντες. Et similiter alibi sæpe, etiam in malam partem, Hipp. maj. p. 304, B: Λήρους καὶ φλυαρίας μεταχειριζόμενος. Id. Reip. 3, p. 410, B: Ῥώμης ἕνεκα σιτία καὶ πόνους μεταχειριεῖται. Apud Polybium in locis hujusmodi Schweigh. in Lex. non recte præpositioni tribuit signif. Post, quum scribit: « Μεταχειρίζεσθαι, Administrare post alium, vel aliud post aliud, ἕτερον ἐφ' ἑτέρῳ παρασπόνδημα μεταχειριζόμενος, 15, 24, 1. Βασιλεῖς ἐκ βασιλέων μεταχειριζόμενοι, Qui reges alios post alios tractaverant, quasi manu duxerant, gubernaverant, 15, 34, 4. Τληπόλεμος ὁ τὰ τῆς βασιλείας μεταχειριζόμενος, sc. μετὰ Ἀγαθοκλέα, 16, 21, 1. » Nam omnibus his ll. aut ceteris verbis expressa est illa signif., aut abest.] || Μεταχειρίζομαι, aut etiam act. μεταχειρίζω, habet et aliam Tractandi signif. longe a præcedentibus diversam: eam sc. quam habet verbum Tractare, junctum adverbiis Clementer, Commode, Liberaliter, etc.; aut contra, Aspere, Acerbe, Dure, Injuriose, et ceteris eodem pertinentibus. Thuc. 7, p. 263 meæ ed. [c. 87]: Τοὺς δ' ἐν ταῖς λιθοτομίαις οἱ Συρακούσιοι χαλεπῶς τοὺς πρώτους χρόνους μετεχείρισαν, Dure eos tractarunt, vel Aspere. Hoc quoque modo verbum illud nostrum *Manier*, quod dixi respondere Latino Tractare, usurpare solemus. Dicimus enim, *Je le manieray bien*, vel, *Je l'ay bien manié*, de hac posteriore tractatione loquentes. At Bud. ap. Plat. Gorgia [p. 519, B], Μεταχειρίζεσθαι ὡς ἀδικοῦντα, vertit In eum animadvertere, quum alioqui verbo Tractare uti itidem posset. [Demosth. p. 753, 13: Τοὺς πολλοὺς ὠμῶς μεταχειρίζεσθαι.] || Μεταχειρίζομαι habet præterea alium quendam usum nostri verbi *Manier*, proxime præcedenti affinem. De eo loquor, quo dicimus *Manier quelcun*, veluti quum dicimus, *Je le scay bien manier*, vel *Je le manie à mon plaisir; j'en fay ce que je veux.* Sed hujus usus hoc duntaxat exemplum reperio ap. Athen. 13: Οὕτως ἐρωτικῶς τὸ κόριον μετεχειρίζετο, ubi est ironia. Videndum autem an non et hic verbo Tractare uti possimus, ita reddendo, Adeo amatorie puellulam illam tractabat. [Antiphon p. 113, 29: Τὸν ἑαυτῶν φονέα μεταχειριζόμενοι.] || Μεταχειρίζομαι τὸ σῶμα, verbum est funebre, ap. Isæum, Bud.; sed locum non afferens. Extat autem is Isæi locus in Or. quæ inscribitur Περὶ τοῦ Κίρωνος κλήρου p. 64 Ald. ed. [p. 71, 17], ubi tamen non simplex μεταχειρίζεσθαι, sed comp. συμμεταχειρίζεσθαι habetur: Δεομένης δὲ τῆς τοῦ πάππου γυναικὸς ἐκ τῆς οἰκίας αὐτὸν ἐκείνης θάπτειν, καὶ λεγούσης ὅτι βούλοιτ' ἂν αὐτὴ τὸ σῶμα ἐκείνου συμμεταχειρίζεσθαι μεθ' ἡμῶν καὶ κοσμῆσαι. De quo l. dicam in Συμμεταχειρίζομαι. [Μεταχειρίζεσθαι σοφίαν, Evertere s. Irritam facere sapientiam s. prudentiam, Joseph. Hypomn. c. 41. SCHLEUSN.]

Μεταχείριος, ὁ, ἡ, Qui est inter manus, s. in manibus, Qui versatur in manibus. Ex Nonno [Jo. c. 13, 40], μεταχείριον ὕδωρ, Aqua quæ administratur. [Ib. c. 19, 172: Ὄφρα μὴ Ἑβραίοις μεταχείριος ἔκδοτος εἴην.]

Μεταχείρῐσις, εως, ἡ, Tractatio, sicut et μεταχειρισμὸς, quod proxime sequitur. Sed ap. Galen. Comm. 1 in l. Π. ἀγμῶν, pro illa Tractatione chirurgica, quæ χείριξις etiam vocatur. Convenit autem istud verbale μεταχείρισις in hac signif. cum μεταχειρίζεσθαι, quod ex Lys. attuli pro Tractare vulnus. [Μεταχείρησις, Tractatio, i. q. τὸ μεταχειρίσασθαι, ap. Dionys. A. rh. c. 4, p. 248. Sic et ap. Hermog. Π. στάσ. p. 78, ubi est synonymum τῷ ἐργάζεσθαι, et μεταχείρησις eadem quæ ἐργασία. Ita semper Ulpian. in Comment. ad Demosth. ERNEST. Lex. rh. In μεταχείρησις corruptum est etiam ap. Polluc. 5, 156; 9, 150. Quod vulgare librorum vitium aliis ab Schæfero Melet. p. 58 exemplis probatum est.]

Μεταχειρισμὸς, ὁ, Tractatio. [Μεταχειρισμὸν, Contractum, Gl., fort. pro Contactum.] Quemadmodum autem μεταχειρίζεσθαι varias Tractandi signiff. habet, sic μεταχειρισμὸν habere posse existimo. Sed dicendum est de signif. quam huic verbali Bud. tribuit, in qua signif. sui verbi prætergreditur. Tribuit tamen ita ut non affirmet. Hæc enim scribit, Μεταχειρισμὸς videtur esse Retractatio, Emendatio sui errati, ap. OEcumen. In Acta [p. 164]. Sed locum ejus non subjungit: quem proferendum censui, ut judicium de illa interpr. ferri possit. Tractans igitur OEcumenius eum locum Act. c. 23, in quo Paulus quum pontificem Ananiam vocasset parietem dealbatum, et reprehensus fuisset, quod pontifici Dei convitiaretur, respondit se nescisse eum esse pontificem, hæc scribit: Ὥσπερ μεταμεληθεὶς λέγει, Οὐκ ᾔδειν ὅτι ἐστὶν ἀρχιερεύς· καίπερ εἰδώς. Et paucis verbis interjectis, Ἔστι γὰρ καὶ μεταχειρισμῷ χρήσασθαι ἰσχυροτέρῳ παῤῥησίας· πολλάκις γὰρ παῤῥησία μὲν ἄκαιρος ἔβλαψε τὴν ἀλήθειαν, μεταχειρισμὸς δὲ εὔκαιρος κατώρθωσε τὸ προκείμενον. [Eadem verba in Catena ap. Wolf. Anecd. Gr. vol. 3, p. 188. BOISS. Phurnut. N. D. p. 76 (209 Gal.): Τὸν μεταχειρισμὸν τῆς κριθῆς (docuit Ceres). WAKEF.]

[Μεταχειριστέον, Tractandum. Clem. Alex. p. 128. KALL. Geopon. 7, 18 inscr.: Πῶς μ. τὰς ἀμπέλους εἰς τὸ γλυκὺν ἡμῖν ἀποδοῦναι τὸν οἶνον.]

[Μεταχεύομαι, Transfundo in me, Resorbeo. Oppian. Hal. 1, 572: Κρυερὸν δὲ πάλιν μεταχεύεται ἰὸν λάπτων, ὃν πάρος ἧκε καὶ ἐξήφυσσεν ὀδόντων.]

Μεταχέω, Transfundo [Gl.], Ex uno vase in aliud fundo. V. Χοάνη. [Μεταχεῖν τὸν οἶνον εἰς ἑτέρους πίθους, Geopon. 7, 4, 3. HEMST. Pass. 2, 7, 4: Μεταχεέσθω εἰς ἄλλα σκεύη. Ubi notanda etiam forma soluta recentioribus in hujusmodi verbis consueta.]

Μεταχθόνιος, α, ον, Terrestris, ut quidem ex Nonno [Jo. c. 20, 18] affertur μ. χιτὼν pro Terrestris tunica. [Πᾶσιν ὑπωροφίοισι ἔπος ξύνωσε μαθηταῖς ὅττι μεταχθονίου γυμνούμενα γυῖα χιτῶνος Χριστὸν ἴδε στίλβοντα θεοκμήτῳ τινὶ πέπλῳ.]

[Μετάχοιον, τὸ, Metachœum. Φρούριον Βοιωτίας, μεταξὺ Ὀρχομενοῦ καὶ Κορωνείας. Ἔφορος τριακοστῷ. Τὸ ἐθνικὸν ἐκ Μεταχοίου, ὡς τοῦ Οἴου τὸ ἐξ Οἴου..., ἢ Μεταχοιάτης· καὶ γὰρ Οἶος πολίχνιον, ἧς τὸ ἐθνικὸν Οἰάτης. Ἀνδροτίων δὲ ἐν τῷ ζ' Μεταχοίου ναέτης φησὶ καὶ ἴσως περιφραστικῶς, Steph. Byz. Numum Ligorii inscriptum: Ἥρα Μεταχοιᾶτις, memorat Holstenius.]

Μετάχοιρον, τὸ, s. Μετάχοιρος, ὁ, Porcellus qui in utero matris læsus post statum solemneque tempus partu editur. Aristot. De gen. anim. 2 fin.: Ἔστι δ' ὁ γίννος ὥσπερ τὰ μετάχοιρα ἐν τοῖς χοίροις· καὶ ἐκεῖ τὸ πηρωθὲν ἐν τῇ ὑστέρᾳ, καλεῖται μετάχοιρον, γίνεται δὲ τοιοῦτος ὡς ἂν τύχῃ τῶν χοίρων. Et rursum quum dixisset eod. modo pygmæos fieri, Καὶ γὰρ οὗτοι πηροῦνται τὰ μέρη καὶ τὸ μέγεθος ἐν τῇ κυήσει, καί εἰσι ὥσπερ μετάχοιρα καὶ γίννοι. Idem Aristot. H. A. 6, 18, de suibus loquens: Ἐν δὲ τῇ κυήσει ὃ ἂν βλαφθῇ τῶν τέκνων, καὶ τῷ μεγέθει πηρωθῇ, καλεῖται μετάχοιρον· τοῦτο δὲ γίνεται ὅπου ἂν τύχῃ τῆς ὑστέρας. Vocat igitur μετάχοιρον Quod in utero post conceptum fuerit oblæsum, ita ut mutilum partu edatur: quod in equino genere et mulino γίννος nominatur, i. e. Mannus s. Mannulus: in humano νάνος, πυγμαῖος, Nanus, Pygmæus, Pumilio. Pollux vero ita vocari ait Porcellos serius natos s. serotino editos partu (fortasse vero et Serotinos dicere possis, ut dicuntur Serotina poma, et Serotini pulli), Editos partu solito tardiore. Sic enim ille 1, c. 12 [§ 251]: Χοῖροι, σύες τέλειοι, ὕες ἀγάλακτοι καὶ γαλαθηνοί· καὶ τὰ ὀψίγονα, μετάχοιροι· 6, c. 9 [§ 55]: Τὰ δὲ ὀψίγονα τῶν ὑῶν, μετάχοιρα. Itidemque l. 7, [187]: Καὶ τὰ ὀψίγονα τῶν ὑῶν καὶ μικρὰ, μετάχοιρα. Ubi recte addidit μικρά: ut hæc plena μεταχοίρων sit definitio, μετάχοιρα nominari Fœtum porcæ s. scrofæ qui in utero post conceptum oblæsus mutilatusque editur, nec non serius, ac minor quam pro more. [Schneid. ad Varron. p. 432.]

[Μεταχρηματίζω, Alius nomini ascribo, Alio nomine appello. Diod. Exc. Leg. p. 629, 42 : Τὸ μὲν δῶρον ἐδέξατο, ἀντὶ δὲ Τρύφωνος μεταχρηματίσασα τὴν δόσιν εἰς τὸν ὑπ' αὐτοῦ δολοφονηθέντα βασιλέα τὴν ἐπιγραφὴν ἐποιήσατο. Diogenis Epist. nova 14 : Μέγα χρηματίσαντες τὴν πόλιν καὶ καλέσαντες ἀντὶ Μαρωνείας· leg. μεταχρ. Schneid.]

Μεταχρόνιος, α, ον, Aliquanto post tempore faciens aliquid : μεταχρόνιος ἰάλλειν, φορεῖσθαι, vel πέτεσθαι, dicitur qui μετὰ χρόνον φέρεται s. πέτεται, i. e. εἰς οὐρανὸν, In cœlum; nam ὁ οὐρανὸς vocatur etiam Χρόνος, ut annotat schol. Hesiodi Theog. 269, de Harpyis : Αἵ ῥ' ἀνέμων πνοιῇσι καὶ οἰωνοῖς ἅμ' ἕπονται Ὠκείῃς πτερύγεσσι· μεταχρόνιαι γὰρ ἴαλλον. Itidem Suidæ μεταχρονία est ἡ εἰς ὕψος φερομένη, in hoc l., cujus auctorem reticet : Τίς γὰρ ἐμοὶ σέο μισθὸς ἐπάξιος, ἥν σε διδάξω Ὑψοῦ ὑπὲρ πόντοιο μεταχρονίην ποτέεσθαι ; Utitur vero et Apollon. hoc vocab. in ead. signif., ut Arg. 2, [300] de iride cum harpyis fugata pulsaque : Ἡ δ' ἀνόρουσεν Οὔλυμπόνδε θοῇσι μεταχρονίη πτερύγεσσιν. Et rursum [587], de navi quæ fluctu quodam in sublime attollebatur : Ὑψοῦ δὲ μεταχρονίη πεφόρητο. Ubi schol. annotat pro μεταχρονίη scribi etiam μεταχθονίη : significare autem τὴν μετέωρον. Nota igitur ibi Μεταχθόνιος [quod v.], quo idem poeta utitur, 3, [1151] : Ψυχὴ γὰρ νεφέεσσι μεταχθονίη πεπότητο. Ubi interpretari etiam queas Relicta terra. Quæ interpr. et scriptura præcedentibus etiam tam Apollonii quam Hesiodi ll. convenire potest : atque adeo ego hanc illi præfero; nam χρόνος pro Cœlo poni insolens esse videtur. [Addendi his ll. 4, 952 : Αἱ μὲν ἔπειτα (σφαῖραν) ἄλλη ὑπὲξ ἄλλης δέχεται καὶ ἐς ἠέρα πέμπει ὕψι μεταχρονίην· 1384 : Λιβύης ἀνὰ θῖνας ἐρήμους νῆα μεταχρονίην ... ἀνθεμένους ὤμοισι φέρειν· 1568 : Νῆα μεταχρονίην ἐκομίσσαμεν ἐς τόδε λίμνης χεῦμα. Quibus eadem est var. μεταχθ. Tum quos Ruhnk. Ep. cr. p. 207 indicat, Nonni Dion. 20, 289 : Μεταχρονίῳ δὲ πεδίλῳ αἰθέρος ἔνδον ἵκανε· 42, 1 : Μεταχρονίῳ δὲ πεδίλῳ ἔρως ... ὑψινεφὴς πτερόεντα κατέγραφεν ἠέρα ταρσῷ. Maximi Καταρχ. 420 : Ἐν νεφέεσσι μεταχρονίην φορέεσκεν· et Hesychii in Μετάρσιον (Μεταίσιον scriptum). Cui antiquum videtur vitium linguæ pro μεταχθόνιος. || Tempore posterior. Lucian. Alexand. c. 28 : Ἐπενόησε τοὺς μεταχρονίους χρησμοὺς ἐπὶ θεραπείᾳ τῶν κακῶς προτεθεσπισμένων. Eust. Il. p. 361, 32 : Μεταχρόνιον τὸ τῶν ψήφων εὕρημα. Anon. in Walz. Rhett. vol. 7, p. 209, 20 : Νόμοι πρὸς λόγους τὸ μεταχρόνιον ἔχουσι. Tryphiodor. 1 : Τέρμα πολυκμήτοιο μεταχρόνιον πολέμοιο καὶ λόχον, Serum.]

[Μετάχρονος, ὁ, ἡ, Tempore posterior. Lucian. De salt. c. 80 : Τὰ πράγματα μετάχρονα ἢ πρόχρονα, οἷον ἐγώ ποτε ἰδὼν μέμνημαι· τὰς γὰρ Διὸς γονὰς ὀρχούμενός τις καὶ τὴν τοῦ Κρόνου τεκνοφαγίαν παρωρχεῖτο καὶ τὰς Θυέστου συμφοράς.]

Μεταχρόω, sive Μεταχρωννύω, aut Μεταχρώννυμι, Alio colore inficio et imbuo, Pristino colore adempto, aliter coloro; Transfiguro, ut ap. Suid. : Μεταχρωννύντες, μετασχηματίζοντες. [Eumath. Ism. p. 121 : Μέλαν οὐ κατ' Αἰθίοπα κατεχρώσθη τὸ πρόσωπον, ἀλλ' οἷον ἥλιος μεταχρώννυσι. Boiss. Prima forma omittenda erat.]

[Μεταχρωματίζω, i. q. præcedens. Eumath. Ism. p. 133 : Ἔρως δ' οὐ περιγέγραπται τῇ γραφῇ, οὐ πρὸς καιρὸν τῇ τέχνῃ μετεχρωμάτισται, pro μετακεχρωμάτισται.]

[Μεταχρώννυμι s. Μεταχρωννύω. V. Μεταχρόω.]

[Μεταχρωστέον, Tingendum. Clem. Al. Pæd. p. 291, 13 : Τὰς πολιὰς μ.]

[Μεταχυμίζω, Succum muto. Joseph. in Walz. Rhett. vol. 3, p. 532, 7 : Τὸ ἀλλοιοῦσθαι τὸν χυμὸν μεταχυμίζεσθαι.]

[Μεταχωνεύω, Transfiguro conflando. Socr. H. E. 5, 16, p. 282 : Τὰ ἀγάλματα τῶν θεῶν μετεχωνεύετο εἰς λεβήτια. « Eadem formula Amphil. p. 63. » Kall.]

Μεταχωρέω, Secedo, Migro, Transeo, ut quum dicitur aliquis ex hac vita transire in æter. am, inquit Bud., afferens ex Greg. Naz. hæc de magno Constantino : Καὶ τοσοῦτον μεταχωρήσαντα ὅσον μεταθέσθαι τὴν βασιλείαν. [Aristoph. Av. 710 : Σπείρειν μὲν ὅταν γέρανος κρώζουσ' ἐς τὴν Λιβύην μεταχωρῇ. Thuc. 2, 72 : Αὐτοὶ μεταχωρήσατε ὅποι βούλεσθε· 5, 112 : Οἱ Ἀθηναῖοι μετεχώρησαν ἐκ τῶν λόγων. Divise Æsch. Prom. 1060 : Τόπων μετά ποι χωρεῖτ' ἐκ τῶνδε θοῶς. Xen. Anab. 7, 2,

A 18 : Ὤετο μετακεχωρηκέναι ποι τὸν Σεύθην· 3, 4, 26 : Μεταχώρησον εἰς τὴν Φαρναβάζου. Aret. p. 49, 44 : Μεταχωρέει τὸ πνεῦμα.] Interdum vero, Transeo in diversas partes, Transitionem facio. Plut. Demetr. [c. 29] : Πολὺ γὰρ μέρος ἀποῤῥαγὲν μετεχώρησε πρὸς ἐκείνους· τὸ δὲ λοιπὸν ἐτράπη. [Ælian. N. A. 9, 43 : Ὅταν ἄρξηται πήγνυσθαι καὶ εἰς ὀστράκου φύσιν μεταχωρεῖν.]

Μεταχώρησις, εως, ἡ, Secessio, Migratio, Transitio : sequendo signiff. quæ verbo μεταχωρῶ datæ fuerunt. [Eust. Il. p. 1259, 61 : Μεταχωρήσει ἐθίμῳ τοῦ δ εἰς ζ.]

[Μεταψαίρω.] Μεταψαίρων Hesych. affert pro μεταφέρων, Transferens [ex Eur. Phœn. 1390 : Ποδὶ μεταψαίρων πέτρον].

[Μεταψάλάσσω s. Μεταψαλάττω.] Μεταψαλάσσειν, Hesych. μετατιθέναι, Transponere.

Μεταψέφω, Hesychio est μεταβουλεύομαι, Consilium muto : afferenti itidem μεταψέφειν pro μεταβουλεύεσθαι. [Immo μεταμελεῖσθαι.]

Μεταψηφίζω, Bud. Comm. p. 168, significare scribit

B Quod uni decretum est, in aliud transfero, ut, inquit, quum provincia ab uno imperatore ad alium transfertur. Unde pass. Μεταψηφίζεσθαι Appian. dicit Syriam et Macedoniam, ex uno in alium s. alios transferri : B. C. 4, [57] de Bruto et Cassio loquens, post mortem Cæsaris : Οἰχομένων δὲ τούτων, Συρία μὲν καὶ Μακεδονία ἐς τοὺς ὑπάτους Ἀντώνιον καὶ Δολοβέλλαν μετεψηφίζετο, τῆς βουλῆς πάνυ δυσχεραινούσης.

Μεταψήφισις, εως, ἡ, Decretum quo aliquid ex uno in alium transfertur.

[Μετάψυξις, εως, ἡ, Refrigeratio, Respiratio. Hesych. : Μετάμιξις, μεταπνοή. Quod ordo literarum poscit μετάψυξις restituit Is. Vossius.]

[Μεταψύχωσις, εως, ἡ, Transanimatio, Gl. Quod vulgo μετεμψύχωσις, nisi ita scribendum.]

[Μετεγγραφή, ἡ, Transcriptio. Georg. Pachym. Mich. Pal. p. 182, A : Τὰ τρία νομίσματα ... ἰδίοις κόποις τοῖς ἐκ μετεγγραφῆς ψαλτῆρος κτηθέντα. L. Dind.]

Μετεγγράφω, Transcribo, Quod uno loco scriptum est, alio transfero. Vel, Professionem muto. Ita Bud.,

C afferens ex Greg. De sancto baptismo : Εἰ μὲν ἄλλως ἐγγέγραψαι ἢ ὁ ἐμὸς ἀπαιτεῖ λόγος, δεῦρο καὶ μετεγγράφηθι. Citat et pro Scribo alterius loco, ex Eod. : Ἵνα μὴ ἀλειφθῇ τὰ πονηρὰ γράμματα μόνον, ἀλλὰ καὶ μετεγγραφῇ τὰ βελτίονα. [Aristoph. Eq. 1370 : Οὐδεὶς κατὰ σπουδὰς μετεγγραφήσεται. De facie fucata Nicet. Chon. p. 323, A : Μετεγγραφὲν ἐντρίψεσι καὶ φαρμάκοις τὸ σὸν πρόσωπον. L. Dind.]

[Μετεγγυητής, ὁ, Fidejussor, Gl. V. Μετέγγυος.]

[Μετέγγυος, Ἀττικοὶ, μεσίτης, Ἕλληνες, unus ponit Mœris p. 256. Scribendum Μεσέγγυος, et, nisi forte est vitium recentiorum, Μεσεγγυητής in Gl. pro μετεγγυητής. Sic μεσεγγυησάμενοι pro μετεγγυησάμενοι olim legebatur ap. Antiphontem p. 147, 18. L. Dind.]

[Μετεγείρομαι, Expergiscor. Aor. Apollin. Metaphr. p. 243, 30 : Ἠῶθεν δὲ λιτῇσι μετεγρόμενός σε καλέσσω.]

[Μετεγκεντρίζω, Transplanto inserendo alii arbori s. inoculando. Geopon. 4, 8, 5 : Κλῆμα μεταφυτευόμενον ἢ μετεγκεντριζόμενον. L. D. Improprie Photius Epist. 2, p. 49 : Εἰς τὴν τῶν Χριστιανῶν παραδόξως μετενε-

D κεντρίσθησαν πίστιν. Suicer. Jo. Climac. p. 154, 230. Boiss.]

[Μετεγκλίνω, Inclino. Jo. Malal. p. 25, 4 : Ὁ τὸν αἰθέριον μετεγκλίνων δρόμον.]

[Μετέγκλισις, εως, ἡ, Inclinatio. Niceph. Chumn. in Anecd. meis vol. 3, p. 363 : Μετασχηματισμοῖς καὶ μετεγκλίσεσι. Boiss.]

[Μετεγχέω, Transfundo in. Etym. M. p. 149, 41 : Ἄρσην, παρὰ τὸ ἄρδω τὸ ποτίζω καὶ τὸ μετεγχέω· ὁ γὰρ ἀνὴρ τῇ γυναικὶ ἐπαρδεύει.]

Μέτειμι, Intersum, Sum inter, Versor inter. Hom. Il. Δ, [316] : Κουροτέροισι μετεῖναι· Ε, [85] : Ποτέροισι μετείη· Od. Ξ, [487] : Οὔτι ἔτι ζωοῖσι μετέσσομαι. [Hesiod. Op. 172 : Μηκέτ' ἔπειτ' ὤφειλον ἐγὼ πέμπτοισι μετεῖναι ἀνδράσιν.] At vero Il. Β, [386] : Οὐ γὰρ παυσωλή γε μετέσσεται, redditur Intercedet. [Inf. Il. Σ, 91 : Ἐπεὶ οὐδέ με θυμὸς ἀνώγει ζώειν οὐδ' ἄνδρεσσι μετέμμεναι.] || Μέτεστί μοι τούτου, Sum particeps hujus rei. [Æsch. Eum. 575 : Τί τοῦδέ σοι μέτεστι πράγματος λέγε. Soph. OEd. T. 630 : Κἀμοὶ πόλεως μέτεστιν, οὐχὶ σοὶ μόνῳ. Et sæpe Euripides.] Aristoph. Pl. [630]: Ὅσοις μέτεστι τοῦ χρηστοῦ τρόπου. [Av. 1666: Τοῖς ἐγγυτάτω γένους μετεῖναι τῶν χρημάτων.] Dem. [p. 633, 8]: Μέτεστι τούτῳ τῶν ὁσίων καὶ ἱερῶν. Isocr. [p. 10, D]: Ἐκείνων τοῖς φαύλοις μέτεστι. Et [imperf. Eur. Phœn. 412: Καὶ σοὶ τί θηρῶν ὀνόματος μετῆν; Ion. 1297: Τοῖς Αἰόλου δὲ πῶς μετῆν τῆς Παλλάδος; Aristoph. Lys. 588: Αἷς οὐδὲ μετῆν πάνυ τοῦ πολέμου.] Aristot. Pol. 2: Μετῆν αὐτοῖς ἀρχῆς οὐδεμιᾶς· ubi redditur, Illis nullum jus assequendi magistratus erat. [Xen. Reip. Ath. 1, 3: Ὁπόσαι μὲν σωτηρίαν φέρρυσι τῶν ἀρχῶν χρησταὶ οὖσαι καὶ μὴ χρησταὶ κίνδυνον τῷ δήμῳ ἅπαντι, τούτων μὲν τῶν ἀρχῶν οὐδὲν δεῖται ὁ δῆμος μετεῖναι, οὐδὲ τῶν στρατηγικῶν κλήρων οἴονται σφίσι χρῆναι μετεῖναι, ubi insolentius omittitur dat. οἱ, Heindorfius desiderabat μετέχειν, nisi ex seq. versu irrepsit μετεῖναι. Cum genit. pers. ut infra μετέχω, Demosth. p. 1380, 25: Μετεῖναι αὐτοῖς... μηδὲ τῶν ἐννέα ἀρχόντων.] Et in partic. μετόν: pro quo Ion. μετεὸν, Herodot. [5, 94. Suidas: Οὐ μετὸν αὐτῷ, ἀντὶ τοῦ οὐκ ἐξόν. Ἀριστοφάνης Νεφέλαις (nisi in in mente habuit Eccl. 667: Πῶς γὰρ κλέψει μετὸν αὐτῷ, quem l. citavit in Μετόν), καὶ Μένανδρος, Ὕδατος αὐτοῖς οὐ μετόν. Plato Leg. 10, p. 900, D: Θεοῖς δὲ οὔτε μέγα οὔτε σμικρὸν τῶν τοιούτων μετὸν ἐροῦμεν. Et alibi.] Thuc. 1, [28]: Ὡς οὐ μετὸν αὐτοῖς Ἐπιδάμνου, Tanquam nullum jus haberent in Epidamnum. [Et seq. infin., Soph. El. 538: Οὐ μετῆν αὐτοῖσι τήν γ' ἐμὴν κτανεῖν. Schweigh. Quomodo positum μέτα v. in illo. Plato Theæt. p. 186, E: Ὧ γε οὐ μέτεστιν ἀληθείας ἅψασθαι.] Dicitur etiam μέτεστί μοι τοῦτο. Plato Ap. Socr. [p. 19, C]: Τῶν τοιούτων οὐδέν μοι μέτεστι. [Thuc. 5, 47: Τὸ ἴσον τῆς ἡγεμονίας μετεῖναι πάσαις.] Et cum μέρος, ac tum in μέτεστι dici potest vacare præp., ut Eur. [Iph. T. 1299]: Μέτεστιν ὑμῖν τῶν πεπραγμένων μέρος. [Herodot. 6, 107: Ὀκόσου τι μοι μέρος μετῆν.] Sic et Isocr. [p. 20, E]: Ἀρετῆς οὐδὲν μέρος τοῖς πονηροῖς μέτεστι. [Et sæpius Xen., ut Cyrop. 2, 3, 6, variantibus interdum libris inter additum et omissum μέρος.] Et Μέτα ap. poetas et Herodotum pro μέτεστι: ut [Hom. Od. Φ, 93: Οὐ γάρ τις μέτα τοῖος ἀνήρ·] Eur. [Iph. A. 494]: Τί δ' Ἑλένης παρθένῳ τῇ σῇ μέτα; ubi redditur, Quid rei, aut negotii, est tuæ virgini cum Helena? [V. Μετά.] Ex Herodoto autem [1, 171 extr.]: Τούτοισι δὲ οὐ μέτα, pro His non est communis. [Conf. 1, 88. HSt. in Ind.:] Μετείω, pro μέτειμι, dici tradunt. [Hom. Il. Ψ, 47: Ὄφρα ζωοῖσι μετείω.] Dixerim potius esse pro μετῶ, Ion. dialysi et epenthesi: ab eod. themate. [Μετέω forma soluta Il. Χ, 388: Ὄφρ' ἂν ἔγωγε ζωοῖσιν μετέω. Forma item epica tertiæ sing. conj. μετέησι est Il. Γ, 109: Οἷς δ' ὁ γέρων μετέησιν.]

Μέτειμι, Eo post, postea, μετὰ ταῦτα ἔρχομαι, Hom. [Il. Ζ, 341: Ἦ ἴθ', ἐγὼ δὲ μέτειμι. Xen. H. Gr. 4, 5, 8: Τοῦ μὲν ὑφηγουμένου, τῶν δὲ μετιόντων· 5, 2, 24: Τοὺς ὑπολειπομένους τῶν ἑαυτῷ προστεταγμένων ἀθροίσαντα μετιέναι. || Med. aor. Hom. Il. Ν, 90: Ἀλλ' Ἐνοσίχθων ῥεῖα μετεισάμενος κρατερὰς ὤτρυνε φάλαγγας· Ρ, 285: Αἴας ῥεῖα μετεισάμενος Τρώων ἐκέδασσε φάλαγγας.] Sed pro Eo post redditur Persequor, ut dicitur venator feras μετιέναι, Ovidio Feras persequi: i. e. quasi post eas s. pone eas ire. [Aratus 339: Αὐτὰρ ὅ γ' αἰεὶ Σείριος ἐξόπιθεν φέρεται μετιόντι ἐοικώς. Plato Phædr. p. 276, D: Παντὶ τῷ ταὐτὸν ἴχνος μετιόντι. || « Μετήει, ἀφυστερεῖ· ἢ ἀποτυγχάνει κλήρου, Suidas. » Hemst.] Sed multo usitatior est metaph. signif., qualis et verbi Persequor, ut μετιέναι τὴν σοφίαν dicitur Socrates a Xen. [Comm. 4, 2, 9], pro Persequi, Bud., addens etiam διώκειν, item Affectare. [Plato Reip. 7, p. 530, B: Οὕτω καὶ ἀστρονομίαν μέτιμεν· Phædr. p. 263, B: Τὸν μέλλοντα τέχνην ῥητορικὴν μετιέναι· Men. p. 74, D: Εἰ, ὥσπερ ἐγὼ, μετήει τὸν λόγον· et cum eodem nomine Soph. p. 252, B. Polit. p. 263, B: Ταῦτα εἰσαῦθις κατὰ σχολὴν καθάπερ ἰχνεύοντες μέτιμεν. Eryx. p. 401, A: Εἰ πάλιν ὧδε μετίοιμεν.] Sic autem dixit Isocr. Ad Nic. [p. 21, E]: Ὅ,τι ἂν ἀκριβῶς εἰδέναι βούλῃ, ἐμπειρίᾳ μέτιθι. Itidem vero qui ambit magistratum, dicitur μετιέναι. Plut.: Ὑπατείαν μετιόντι συμπράττων. Et, Ἐπηρώτησεν εἰ καὶ αὐτὸς ὑπατείαν μέτεισι. [Coriol. c. 14, Æmil. c. 37, Mar. c. 14, etc.] Sic autem et μετελθεῖν usurpat. Gallice hoc quoque vocamus *Poursuivre*, quod est Persequi. Interdum vero μετιέναι conatus

A signif. habet: ut sc. qui rem aliquam affectant, vires et conatum ei impendunt. Sic Synes. quoque utitur, ap. quem tamen exp. non solum Conari, sed et Moliri. [Sic Eur. Med. 390: Δόλῳ μέτειμι τόνδε καὶ σιγῇ φόνον.] Polit. autem ap. Herodian. μετιέναι cum accus. rei [Τοῦ δὲ ἀπρεπέστερον μετιόντος (αὐτὰ), 1, 13, 17] vertit etiam Tractare. [Τοῖς μετιοῦσι τὸ μάθημα τοῦτο, Sext. Emp. p. 338, 17. Οἱ μετιόντες τὴν τοιαύτην παιδιὰν, Athen. 14, p. 621, E. Μετίωσι τὴν κτῆσιν, 6, p. 233, C. Οὐ μόνον αὐτοὶ μετέρχονται (τὴν ἀστρονομίαν), ἀλλὰ καὶ τοῖς μετιοῦσι μέμφονται, Galen. vol. 2, p. 356, B. Hemst. Præp. περὶ hac signif. jungit Plato Soph. p. 218, D: Βούλει δῆτα περί τινος τῶν φαύλων μετιόντες πειρηθῶμεν παράδειγμα αὐτὸ θέσθαι τοῦ μείζονος; Præp. ὑπὲρ Theophr. C. Pl. 5, 4, 7: Ὑπὲρ δὲ τῶν ἐν αὐτοῖς τοῖς φυτοῖς ἐκ τῶν εἰρημένων πειρατέον μετιέναι καὶ θεωρεῖν.] || Μέτειμί σε, Persequor injuriam a te mihi illatam, Persequor pœnas abs te, Ulciscor te: qua etiam in re Gallicum *Poursuivre* locum habet. [Æsch. Ag. 1676: Ἀλλ' ἐγώ σ' ἐν ὑστέραισιν ἡμέραις μέτειμ' ἔτι· Cho. 273: Εἰ μὴ B μέτειμι τοῦ πατρὸς τοὺς αἰτίους. Soph. El. 477: Δίκα μέτεισιν οὐ μακροῦ χρόνου. Eur. Andr. 260: Αἱμάτου θεᾶς βωμὸν ἢ μέτεισί σε.] Tale est, Μέτεισιν Ἀθηναίους ὑπὲρ τῶν ἀθέσμων φόρων ἡ δίκη. Et ex Plat. Pol. [p. 257, B]: Καί σε ἀντὶ τούτων εἰσαῦθις μέτειμι. [Leg. 6, p. 754, E: Τὸν μέλλοντα μετιέναι, de accusatore.] Synes.: Νεμεσᾷ Ῥουφῖνος, καὶ μέτεισι ζημίᾳ χρυσοῦ λιτρῶν πεντεκαίδεκα. Ap. Eund., Μετῆλθε τὴν Ἀνδρονίκου μανίαν, pro Ultus est, Puniit. [Cum duplici accus Æsch. Eum. 231: Δίκας μέτειμι τόνδε φῶτα. Eur. Bacch. 345: Τῆς σῆς ἀνοίας τόνδε τὸν διδάσκαλον δίκην (sic Elmsl. pro δίκῃ) μέτειμι· 516: Ἀτάρ τοι τῶνδ' ἄποιν' ὑβρισμάτων μέτεισι Διόνυσός σε. Similem constr. v. in Μετέρχομαι. || In bonam partem, ut infra μετέρχομαι, Herodot. 7, 178: Θυσίῃσι σφέας (ventos) μετήισαν, Prosequuti sunt.] || Solicito: ut Gall. dicimur *Aller après quelcun*, cujus opera indigemus, et a quo aliquid impetrare volumus. Sic autem utuntur [Soph. El. 430: Εἰ γάρ μ' ἀπώσει, σὺν κακῷ μέτει πάλιν·] Thuc., Aristoph. [Herodot. 9, 33, ubi etiam reddi potest Accersere, C Vocare; sicut 3, 19 et alibi. Schweigh. Peto, Gl., Hesych.: Μετήεσαν, ἱκέτευσαν. Thucyd. 8, 73: Τῶν στρατιωτῶν ἕνα ἕκαστον μετήεσαν μὴ ἐπιτρέπειν· ubi etiam schol. ἀντὶ τοῦ ἐδέοντο ἑκάστου. Brunck. Adeundi signif. etiam Apoll. Rh. 3, 249: Κασιγνήτην μετιοῦσαν. Et Sollicitandi 1027: Εὖτ' ἂν δὴ μετιόντι πατὴρ ἐμὸς ἐγγυαλίξῃ... ὀλοοὺς σπείρασθαι ὀδόντας. Tum 4, 450, 483. Huc referendus Xen. Ag. 2, 25: Ὅσα μὲν ἐδύνατο οἴκοι μένων ἐμηχανᾶτο· ἃ δὲ καιρὸς ἦν, οὐκ ὤκνει μετιέναι. || Arcesso, Apporto. Aristoph. Pac. 274: Οὔκουν ἕτερον γέ τιν' ἐκ Λακεδαίμονος μέτει; Ach. 727: Ἐγὼ δὲ τὴν στήλην καθ' ἣν ἐσπεισάμην μέτειμ', ἵνα στήσω φανερὰν ἐν τἀγορᾷ· Nub. 800: Ἀτὰρ μέτειμί γ' αὐτόν· Eq. 605: Ταῖς ὁπλαῖς ὤρυττον εὐνὰς καὶ μετῆσαν στρώματα. Apoll. Rh. 3, 181: Εἰ πίσυνος βίῃ μετιόντας (δέρος χρύσειον) ἀτίσσει. Xen. H. Gr. 2, 1, 25: Τὰ ἐπιτήδεια ἐκ Σηστοῦ μετιόντας.] || Transeo. [Apoll. Rh. 2, 688: Νῆσον μὲν ἑωίου Ἀπόλλωνος τήνδ' ἱερὴν κλείωμεν, ἐπεὶ πάντεσσι φαάνθη ἠῷος μετιών.] Lucian. [Prometh. c. 18]: Ἤδη δὲ ἐπὶ τὸ πῦρ μέτειμι, Ad ignem transeo, i. e. Ad cri- D men de igne. Polit. ap. Herodian. [5, 4, 11], Μετιόντες πρὸς τὸν Ἀντωνῖνον, vertit Transfugientes. Sic autem μετελθὼν et αὐτομολῶν pro eod. ab eo ponitur. Μέτειμι, Redeo, ex Aristoph. [Nub. 1408]: Ἐκεῖσε δ', ὅθεν ἀπέσχισάς με, τοῦ λόγου μέτειμι. [Τόπον ἐκ τόπου μέτεισι, Sext. Emp. p. 624, 11; modo dixerat μετατίθεται. Hemst. Forma non contracta Theodor. Prodr. in *Notices* vol. 7, part. 2, p. 256, 37: Ἦρ εὐθὺς μετάεισι ποηφόρον. Hesych.: Μετάειμι, μετὰ σὲ ἐλεύσομαι. L. Dindorf.]

[Μετειπεῖν. V. Μετάφημι.]

[Μετεισβαίνω, Transcendo. Heliodor. Æth. 5, 27, p. 211: Ἐπεχείρουν τὴν πρώτην ἔνιοι τῶν λῃστῶν εἰς τὴν αὐτῶν μετεισβαίνειν ἄκατον.]

Μετεισδύνω, Transeo, ut μ. εἰς ἄλλο, VV. LL. [Aristot. H. A. 5, 16: Αὐξανόμενον μετεισδύνει πάλιν εἰς ἄλλο μεῖζον, et ibid. in seqq.]

[Μετεισέρχομαι, Transeo. Photius: Ἐρινάζειν, ὀλύνθους περιάπτειν ταῖς ἡμέροις συκαῖς ἀπὸ τῶν ἐρινεῶν καὶ ἀγρίων συκῶν· ἐξ ὧν οἱ λεγόμενοι ψῆνες μετεισέρχονται εἰς τὸν τῶν ἡμέρων συκῶν καρπὸν κτλ. Pro quo μεταστάντες Suidas in Ἀνερίναστος. L. Dind.]

Μετεκβαίνω, Transcendo, Migro : ut exp. ap. Herodot. [7, 41] : Μετεκβαίνεσκε ἐκ τοῦ ἅρματος ἐς ἁρμάμαξαν. Bud. μετεκβαίνω exp. Ex navi in navem transeo, ap. Antiphont. [p. 131 extr.] : Ὅπου τὸ πλοῖον ὥρμει τοῦτο, εἰς ὅ φασι μετεκβάντα αὐτὸν ἀποθανεῖν. [Strato Anth. Pal. 12, 187, 2 : Πῶς ἀναγινώσκειν, Διονύσιε, παῖδα διδάξεις, μηδὲ μετεκβῆναι φθόγγον ἐπιστάμενος; Ἐκ νήτης μετέβης οὕτω ταχὺς εἰς βαρύχορδον φθόγγον. Plato Leg. 1, p. 642, A : Εἰ μετεκβαῖμεν εἰς ἕτερόν τινα νόμων πέρι λόγον· 11, p. 935, A : Μετεκβαίνειν εἰς τό τι γελοῖον φθέγγεσθαι.]

Μετεκβϊβάζω, Alio expono, Transpono, Thuc. [8, 74, ubi tamen nunc recte μετεμβιβάσαντες. Dio Cass. 48, 47 : Τοὺς τραυματίας... ἐς ἑτέρας ναῦς... μετεκβιβάζοντος, nisi hic quoque fallit scriptura.]

[Μετεκβολή, ἡ, i. q. μεταβολὴ καὶ ἐξάλλαξις, Photius ex Cratino.]

[Μετέκγονος, ὁ, ἡ, de Natis natorum schol. Aristid. vol. 3, p. 651, 31 : Οἱ τῶν Ἡρακλειδῶν τούτων μετέκγονοι. L. Dind.]

[Μετεκδέχομαι, Excipio. Dionys. P. 74 : Τὸν δὲ μετεκδέχεται Γαλάτης ῥόος. Ubi alii divise μετ' ἐκδ. Paulus Silent. Descr. Soph. 236 : Τὴν δὲ μετεκδέχεται... ἄντυξ.]

[Μετεκδημέω, Transmigro. Germanus In Dormit. B. Mariæ p. 89 Comb. Boiss.]

Μετεκδίδωμι, Post edo, eloco. [Plut. Comp. Lyc. et Num. c. 4.]

[Μετέκδυμα, τὸ, ap. Socratem Stob. Flor. 4, 61 : Τῷ τῶν ἀπαιδεύτων βίῳ, καθάπερ ὑποκριτῇ, πολλὰ τύφου μετεκδύματα ὑπόκειται, Quasi vestes aliæ super alias exuendæ.]

Μετεκδύω, et Μετεκδύομαι, Exuo, ut, Μετεκδύεσθαι τὴν ἑαυτῶν φύσιν, Plut. [Numæ c. 15. « Τὸ σχῆμα τοῦ φιλοσόφου μετεκδύεται, Maxim. Tyr. p. 31 f. » Valck.]

[Μετεκεῖνος, ὁ, apud Constantin. Cærim. p. 5, C : Ἐν τῷ κατεκείνῳ ἤτοι μετεκείνῳ εὐκτηρίῳ τῆς ἁγίας Τριάδος, Int. vertit In secundo seu proximo sacello. L. Dind.]

[Μετέκκλητος, ὁ, ἡ, Qui est post appellationem. Jo. Laur. De magistr. 2, 15 : Ταύτας δὲ (τὰς δίκας καλεῖσθαι) σάκρας, οἱονεὶ θείας, διὰ τὸ πρὸς τὴν βασιλέως ἀκρόασιν μετέκκλητον ἀναπέμπεσθαι, Quod post appellationem ad imperatoris audientiam mittuntur, ideoque sacræ vocantur. Sed præstare videtur μετ' ἔκκλητον, Post appellationem. L. Dind.]

[Μετεκλαμβάνω, Participo. Theodor. Stud. p. 604, κθ', 3 : Ἄνδρες πορευταὶ, τοῖς πόνοις κεκμηκότες, μετεκλάβοιτε τῶν ἐμῶν ξενισμάτων. L. Dind.]

[Μετεκμισθόω, Iterum eloco. Eustath. De intervallis p. 49 ed. Teuch. : Τὸν οἶκον μετεκμισθοῦν. L. Dind.]

[Μετεκπνέω, Efflo. Oppian. Hal. 2, 164 : Ψυχὴν μετεκπνεύσῃ ῥοθίοισιν.]

[Μετεκχωρέω, Decedo. Theophyl. Simoc. Hist. p. 22, B. Boiss.]

[Μετελέγχω, Redarguo. Iambl. V. P. 218, p. 436 : Τὸν Φάλαριν μετελέγχων ἐνουθέτει.]

[Μετελευστέον, Vindicandum, Ulciscendum. Lucian. Fugit. c. 22 : Οἷα πέπονθεν ἡμῖν ἡ φιλοσοφία πρὸς τῶν καταράτων ἐκείνων· ὥστε ὥρα σκοπεῖν... ὅπως αὐτοὺς μετελευστέον.]

[Μετελλούπολις, εως, ἡ, Metellopolis, Phrygiæ Cappadociæ memoratur in Ms. ap. Pasin. Codd. Taurin. vol. 1, p. 212, B. L. Dind.]

Μετεμβαίνω, βήσομαι, Transcendo, ut qui uno mutato navigio aliud conscendit. Plut. [Lucull. c. 13] : Μετεμβὰς εἰς μυοπάρωνα. [E loco in locum migro, Philostr. V. Soph. 1, p. 544 : Δότε μοι σῶμα καὶ μετεμβήσομαι. Nic. Damasc. p. 437 : Εἰς τὸ ἅρμα αὐτοῦ μετενέβη. Wakef.]

[Μετεμβϊβάζω, Transfero. Polyæn. 5, 41 : Μετεμβιβάσας τοὺς ἐρέτας. V. Μετεκβιβάζω.]

[Μετεμπλοκή, ἡ, Marcus Eremita p. 36. Boiss.]

[Μετεμπολάω, i. q. ἀπεμπολάω, quod ipsum in alio libro legitur, Testament. Joseph. c. 13, in Fabric. Cod. Pseud. V. T. p. 715. Struv.]

Μετέμφῡτος, ὁ, ἡ, quod ex Epigr. affertur pro Insitus, potius est Ex uno in aliud insitus. [Cyllenius Anth. Pal. 9, 4, 3 : Ἀχρὰς... ὀθνείοις ὄζοισι μετέμφυτος.]

Μετεμψυχόω, Transfero in aliud ἔμψυχον, s. Traduco animam ex uno corpore animato in aliud.

Μετεμψύχωσις, εως, ἡ, Translatio s. Traductio animæ ex uno corpore in aliud. Tradunt enim Pythagorici τὰς τῶν φαύλων ψυχὰς μετὰ τὸν θάνατον πλανωμένας τινὰ χρόνον καὶ δίκην τινούσας τῆς προτέρας τροφῆς, κακῆς οὔσης, τοῦ σωματοειδοῦς ἐπιθυμίᾳ, πάλιν ἐνδεῖσθαι εἰς σῶμα· ἐνδεῖσθαι δὲ εἰς τὰ τοιαῦτα ἤθη ὁποῖα ἄττ' ἂν καὶ μεμελετηκυῖαι τύχωσιν ἐν τῷ βίῳ· veluti τοὺς γαστριμάργους εἰς τὰ τῶν ὄνων γένη ἐνδύεσθαι, ut prolixius Plato in Phædone [p. 81 seq.] ostendit, nec non in Timæo. Imo ipse etiam Plato in ea fuit opinione, ut Athen. testatur sub fin. l. 11, ubi etiam eum reprehendens, ait, Ἐὰν γὰρ καὶ συγχωρήσῃ τις μεθίστασθαι τὰς τῶν τετελευτηκότων ψυχὰς εἰς ἄλλας φύσεις, καὶ πρὸς τὸν μετεωρότερον ἀνέρχεσθαι τόπον, ἅτε κουφότητος μετεχούσας, τί πλέον ἡμῖν;

[Μετένδεσις, εως, ἡ, Mutata illigatio, Translatio. Clem. Alex. 7, p. 849, τῆς ψυχῆς. Routh.]

[Μετενδεσμέω, Vincula muto. Basil. M. vol. 1, p. 3, A : Μετενδεσμῶν ἀεὶ τοὺς δανείζοντας. Hemst.]

[Μετενδέω, ap. Clem. Al. Strom. 3, p. 516 : Τοῖς μετενδεῖσθαι καὶ μεταγγίζεσθαι τὰς ψυχὰς ἀξιοῦσιν, i. est q. μετενσωματόω, de anima ex corpore in corpus illiganda tanquam carcerem.]

[Μετένδημος, μετάδημος, Hesych.]

[Μετενδύω, Induo aliud ex alio. Lucian. Bis acc. c. 34 : Θοἰμάτιον τοῦτο τὸ Ἑλληνικὸν περισπάσας αὐτοῦ βαρβαρικόν τι μετενέδυσα. Strabo 17, p. 814. Dio Cass. 46, 39 : Τὰς στολὰς μετενέδυσαν. « Aster. Homil. p. 20; Joseph. Vita s. 28. » Boiss. || Med. Transeo. Tim. Locr. p. 104, D : Ὡς μετενδυομέναν τὰν ψυχὰν ἐς γυναικῆα σκάνεα. Cum genit. Nicetas ap. Tafel. De Thessalon. p. 379, 8 : Τὴν Περσικὴν στολὴν τῆς Μακεδονικῆς φασι μετενδύσασθαι τὸν Ἀλέξανδρον. Forma præs. Μετενδιδύσκομαι ap. Theodor. Stud. p. 413, D : Ὥσπερ τι ἔνδυμα πενθικὸν τὴν κατήφειαν μετενδιδυσκόμενοι εὐφροσύνης ἀγαλλιάματι. L. Dind.]

[Μετενεκτέον, Transferendum. Strabo 13, p. 613 : Ἀφ' ὧν ὁ Σμινθεὺς, ἐπειδὴ σμίνθιοι οἱ μύες, δεῦρο μ. Masc. Theodor. Stud. p. 440, E : Ἐπὶ σὲ ὁ λόγος μετενεκτέος.]

[Μετενθρονιάζω, Episcopum ab episcopatu ad alium episcopatum transfero. Theophanes a. ... Zenonis : Ὃν Καλαιδίων εἰς Τύρον πρωτόθρονον Ἀντιοχείας μετενεθρονίασεν. Ducang. v. Θρόνος p. 500. (Formam hanc simplicis ex cod. Vat. restitui velim Chron. Pasch. p. 431, 7.) Μετενθρονιασμὸς, ὁ, Translatio, idem ponit sine testim. (De ἐνθρονισμῷ iis quæ suo loco p. 1091, B, diximus addere hic libet, ap. Suid. rectius Valesium Emend. p. 52 intelligere initiationem mystarum in sacro throno collocatorum, illisque initiis facta carmina Pindari et Orphei.)]

[Μετεννέπω, Interloquor, Alloquor. Moschus 2, 101 : Ἡ δὲ βαθυπλοκάμοισι μετέννεπε παρθενικῆσι. Narro, ap. Apoll. Rh. 3, 1168 : Αὐτὰρ ὁ τοῖς πάντεσσι μετέννεπε δήνεα κούρης.]

[Μετενσωματόω, In aliud corpus transfero. Athanas. vol. 1, p. 217, 377. Clem. Al. Str. 4, p. 601 : Εἰ μετενσωματοῦται ἡ ψυχή. « Orig. C. Cels. p. 272. » Kall.]

Μετενσωμάτωσις, εως, ἡ, Corporis unius in aliud corpus transmutatio, veluti quum corpus aliquod priorem naturam exuens, induit aliam : quam finxere quidam philosophi, ut Plato Leg. 10, p. 332 [892]. Greg. Naz. De homine p. 62 : Τῶν Ἑλληνικῶν δογμάτων τῶν περὶ τῆς μετενσωματώσεως αὐτοῖς μεμυθολογημένων. Ibid. ex quodam philosopho s. mythologo refert ὅτι ἀνὴρ γέγονεν ὁ αὐτὸς, καὶ γυναικὸς σῶμα μετημφιάσατο, καὶ μετ' ὀρνέων ἀνέπτη, καὶ θάμνος ἔφυ, καὶ τὸν ἔνυδρον ἔλαχε βίον. Vide et ap. Pamphilum in Apologia Origenis, et Augustin. De civitate Dei, 10, 30. Simile quid somniarunt de μετεμψυχώσει. [Clem. Al. p. 757. Valck. Zachar. Mitylen. Dialog. p. 184, 9. Boiss.]

[Μετένταλμα, τὸ, quid significet, patet e verbis Imp. Zenonis, in Cod. Justin. l. 2, tit. 13, l. 27, ubi sæpe legitur, semel autem explicatur per Translationem mandati. Eandem legem Græce e Basilicis posuit et interpretatus est Cujacius Obss. 13, 5. Sturz.]

[Μετενταφιάζω, Alia veste funebri induo. Theodor. Stud. p. 581, E : Περιπλακῆναι τῷ λειψάνῳ καὶ εἰς ἀγκάλας ἑλεῖν μετενταφιάζουσαν. Margo μεταμφιάζουσαν. L. Dindorf.]

[Μετεντίθεμαι, Transonero, Transportari curo. Demosth. p. 1290, 19 : Οὐχ ἅπαντα τὸν γόμον τῆς νεὼς μετενέθεσθε.]

[Μετεξαιρέω, Eximo et transfero. Demosth. p. 1290, 10 : Μετεξειλόμην τὸν γόμον, Curavi merces ex alia navi in aliam aliasve egerendas, Reisk.]

Μετεξανίστημι, Expello et alibi sedem ponere cogo. Alii, Transfero subinde. [Lucian. Conviv. c. 13.]

Μετεξαντλέω, Haustum transfundo. Athen. 5, [ex Callixeno, p. 204, D. Hemst.] : Μετεξήντλησε πάλιν τὴν θάλασσαν ὀργάνοις, quod Bayf. interpr. Rursusque aquam marinam extraxit machinis.

[Μετεξάρτυσις, εως, ἡ, Restitutio. Philo Belop. p. 58, 3 : Ῥαγέντων δὲ τῶν τόνων ἤ τινων ἄλλων πονησάντων τὴν μεταξάρτυσιν (l. μετεξάρτυσιν) μηδενὶ τρόπῳ δύνασθαι ποιήσασθαι.]

Μετεξέτεροι, οι, α, Quidam, Nonnulli, i. q. ἔνιοι, ut exp. Hesych. Herodot. [1, 63] : Μετεξέτεροι αὐτῶν, οἱ μὲν πρὸς κύβους, οἱ δὲ πρὸς ὕπνον (ἐτράποντο). Idem [2, 83] : Μετεξέτεροι τῶν θεῶν, Certi, Quidam dii. [8, 87 : Κατὰ δὲ τοὺς ἄλλους οὐκ ἔχω μετεξετέρους εἶπαι ὡς ἕκαστοι ἠγωνίζοντο, Ad reliquos quod attinet, de eorum nonnullis dicere non possum quo pacto quique pugnaverint. Schweigh. Lex.] Ap. Eund. [1, 199] reperitur et fem. μετεξέτεραι, Nonnullæ. Nicander [Th. 588 : Τὴν δὲ μετεξετέρην θανάτου φύξιν τε καὶ ἀλκήν·] ap. Athen. 2, [p. 54, D] : Λόπιμον κάρυόν τε Εὐβοέες, βάλανον δὲ μ. καλέσαντο. Usus est et Arrian. 6, [26, 1] : Ὡς μ. ἀνέγραψαν. [Et Aret. p. 2 initio. Foes. Œcon. Hippocr. : « Μετεξέτεροι ap. Hippocr. ἕτεροι, Alii, exponit Bacchius, ut scribit Erotianus. Verum idem ἔνιοι melius esse scribit, quod est, Nonnulli, aut Quidam, quemadmodum ex Herodoto l. 2, (36) adducit, Τὰς ζείας μετεξέτεροι καλέουσι, Zeam nonnulli vocant. Est autem Ionibus frequens dictio et ex Herodoto annotata. Ex Corintho quoque adscribitur μετεξέτεροι pro ἕτεροι Ionibus dici. Et ex Lexico Herodoti : Μετεξέτεροι, τινές. Quod Hesychio quoque exponitur ὃ ἡμεῖς φαμεν ἔνιοι. Usurpatur autem crebro hæc dictio Hippocrati, ut p. 759, E : Ἦν δὲ παχὺ καὶ σκληρὸν οἷα μετεξέτεροι ἴσχουσιν· 817, C : Μάλα μὲν οὖν μετεξέτεροι καταμελέουσι τῶν τοιούτων σινέων· 822, F : Τὸ μέν τοι ὑπόδημα μετεξέτεροι τούτων ὑποδέεσθαι οὐ δύνανται· 819, H : Χρῆσις γὰρ μετεξετέρη ῥύεται τῆς ἄγαν ἐκθηλύνσιος. Ubi scribit Galen. : Ἔνεστι μὲν παρ' Ἡροδότου μάλιστα μαθεῖν οὐδὲν πλέον σημαῖνον παρὰ τοῖς Ἴωσι τὸ μετεξετέρην τοῦ παρ' ἡμῖν ἑτέρην. Πολλάκις γὰρ αὐτῷ κέχρηται, καθάπερ καὶ τῷ μετεξέτεροι. Δῆλον οὖν καὶ διὰ τοῦτο πάλιν ὅπερ ἡμῖν διὰ τοῦ τινές σημαίνειν, εἰ μὲν καὶ νῦν οὖν διὰ τῆς μετεξετέρης τοιοῦτόν τι δηλοῖ. P. 829, C : Ἐπιτήδεια δὲ πρὸς τὰ τοιαῦτα καὶ τῶν ἐναίμων μετεξέτερα. »]

[Μετέπειτα. V. Ἔπειτα, vol. 2, p. 1470, B. Ubi addenda in fine : « Dicitur et ἐς τὸ μ., ut εἰς τὸ ἔπειτα, In posterum. » Item exx. Herodoti 1, 25; 7, 7, 197.]

[Μετεπιγράφω, Postea inscribe, Inscriptionem muto. Plut. Mor. p. 839, D, μετεπιγεγραμμένη εἰκών. Ap. Nicetam Eugen. vol. 2, p. 7 : Ἥτις τὴν ἐννεάλογον μετεπεγράψω, videtur esse Transcribo.]

[Μετεπίδεσις, εως, ἡ, Deligatio. Hippocr. p. 759, A; 763, G : Τὰς μετεπιδέσιας.]

[Μετεπιδέω, Postea deligo. Hippocr. p. 757, H : Μετεπιδησάτω· 765, B : Μετεπιδείσθω.]

[Μετεπικᾰλέω. Pro ἐπεκαλοῦμεν Eumath. Ismen. p. 186 Teuch. codd. 2 Monacc. μετεκαλούμην, unus μετεπικαλούμην. Jacobs.]

Μετεράω, άσω, i. q. μεταγγίζω, De vase in vas transfundo, Elutrio, Decapulo. Utuntur Dioscor., Galen. et alii medici pharmacopœi. [Dioscor. 5, 26 : Μετὰ δὲ ταῦτα μετεράσας τὸν οἶνον εἰς ἕτερον ἀγγεῖον, ἀπόθου περισφηκώσας ἐπιμελῶς· ibid. : Εἶτα ὑλίσας καὶ μετεράσας ἀπόθου. V. Μετεωρέω.]

Μέτεῤῥος [immo Μέτεῤῥος] Æolico πάθει pro μέτριος dicitur : et Μέτεῤῥα pro μέτρια. Etym. et Lex. meum vetus.

Μετέρχομαι, ελεύσομαι, Adeo. Hom. Il. Z, [280] : Ἐγὼ δὲ Πάριν μετελεύσομαι, [ὄφρα καλέσσω,] pro εἰς τὸν Πάριν ἐλεύσομαι, aut certe pro μετά σε εἰς τὸν Πάριν ἐλεύσομαι, Eust. : quod et Od. Γ, [83] : Πατρὸς ἐμοῦ

A κλέος εὐρὺ μετέρχομαι, ἥν που ἀκούσω, exp. δι' ἀκοὴν ἔρχομαι τοῦ πατρός. [E, 429 : Ἀλλὰ σύγ' ἱμερόεντα μετέρχεο ἔργα γάμοιο· Od. Π, 314 : Ἔργα (ruri) μετερχόμενος. Eur. El. 56 : Πηγὰς ποταμίας μετέρχομαι. Cum accus. pers. Archiloch. ap. schol. Pind. Ol. 12, 10 : Μετέρχομαί σε σύμβολον ποιουμένη, quod προσελθεῖν interpr. schol. Hom. Il. Ψ, 199. Eur. Hec. 512 : Οὐκ ἄρ' ὡς θανουμένους μετῆλθες ἡμᾶς; Apoll. Rh. 3, 370 : Τῶν γάρ σφε μετελθέμεν οὕνεκ' ἐώλπει. Et omisso 1, 701 : Οἱ δ' ἐρέεινον χρεῖος ὅ,τι φρονέουσα μετήλυθεν· 3, 482 : Ἔμπης δ' ἐξαῦτις μετελεύσομαι ἀντιβολήσων.] Admonet autem posteris ab Hom. dici etiam de ulciscente, item de eo, qui aliquid tractat. Quum tamen alioqui et ap. ipsummet Hom. Il. Φ, [422] μέτελθε non solum ἐπὶ τοῦ ὕστερον ἐλθεῖν, sed et ἐπὶ ἐκδικήσεως accipi posse tradat, p. 1244. Cum dat. autem pro συνελθεῖν ab eo poni Idem alibi testatur. [Ubi est Intervenio. Il. Ξ, 334 : Πῶς κ' ἔοι, εἴ τις νῶι θεῶν αἰειγενετάων εὕδοντ' ἀθρήσειε, θεοῖσι δὲ πᾶσι μετελθὼν πεφράδοι; Π, 487 : Ἠύτε ταῦρον ἔπεφνε λέων ἀγέληφι μετελθών·
B Od. Z, 132 : Αὐτὰρ ὁ βουσὶ μετέρχεται ἢ ὀΐεσσιν· ubi al. ἐπέρχεται. A, 134 : Μὴ ξεῖνος ἀνιηθεὶς ὀρυμαγδῷ, δείπνῳ ἀδδήσειεν, ὑπερφιάλοισι μετελθών· Z, 222 : Αἰδέομαι γὰρ γυμνοῦσθαι κούρῃσιν ἐϋπλοκάμοισι μετελθών.] Qui usus ap. alios rarus est. [Absolute eadem Interveniendi signif. Hom. Od. A, 229 : Νεμεσσήσαιτό κεν ἀνὴρ, αἴσχεα πόλλ' ὁρόων, ὅστις πινυτός γε μετέλθοι· Il. Δ, 539 : Ἔνθα κεν οὐκέτι ἔργον ἀνὴρ ὀνόσαιτο μετελθών· et alibi.] At vero cum accus. pro Adire usi sunt itidem ceteri poetæ. [Pind. Isthm. 6, 7 : Ὁπότ' Ἀμφιτρύωνος ἄλοχον μετῆλθεν (Juppiter) Ἡρακλείοις γοναῖς.] Sed prosæ scriptt. pro Accerso potius. Dem. [p. 1150, 2, et 1149, 27] : Ὡς δὲ ἀφικνεῖται ὁ Θεόφημος μετελθούσης αὐτὸν τῆς ἀνθρώπου. Et Lucian. [D. mort. 18, 2] : Ἐγὼ δὲ τοὺς ἄλλους νεκροὺς ἤδη μετελεύσομαι. [De arcessentibus Eur. Andr. 562 : Οὐ γὰρ μιᾶς σε κληδόνος προθυμίᾳ μετῆλθον, ἀλλὰ μυρίων ὑπ' ἀγγέλων. Xen. Cyrop. 6, 3, 1 : Ὅπως, εἴ τίς τι ἐπιλελησμένος εἴη, μετέλθοι. Soph. Phil. 343 : Ἦλθόν με νηὶ ποικιλοστόλῳ μέτα.] Sed interdum et Quæro, Investigo, ut investigamus quos ac-
C cersere volumus : sicut ap. Synes. : Μετέλθετε τοὺς φῶρας ῥινηλατοῦντες. Et μετῆλθον δέρας [δέρος], Eur. [Med. 6], Quæsiverunt pellem. [Ubi etiam dat. additur : Οἳ τὸ πάγχρυσον δ. Πελίᾳ μετῆλθον, Accersiverunt. Ion. 1546 : Οὐχ ὧδε φαύλως αὔτ' ἐγὼ μετέρχομαι, ἀλλ' ἱστορήσω Φοῖβον εἰσελθὼν δόμους κτλ. El. 582 : Ἦν ἐκσπάσωμαί γ' ὃν μετέρχομαι βόλον· Phœn. 1655 : Τί πλημμελήσας τὸ μέρος εἰ μετῆλθε γῆς. Ubi est Reposcere, ut Heracl. 1023 : Νεκρὸν τοῖς μετελθοῦσιν φίλων δώσω. Latiori signif. de re instituenda et excogitanda Aristoph. Lys. 268 : Ὅσαι τὸ πρᾶγμα τοῦτ' ἐνεστήσαντο καὶ μετῆλθον. Pertinet huc etiam usus Platonis, ut Reip. 6, p. 502, E : Τὰ μὲν δὴ τῶν γυναικῶν τε καὶ παίδων πεπέρανται, τὸ δὲ τῶν ἀρχόντων ὥσπερ ἐξ ἀρχῆς μετελθεῖν δεῖ· 7, p. 528, E : Νῦν ἣ σὺ μετέρχει ἐπαινῶ· Phædr. p. 252, E : Τότε ἐπιχειρήσαντες μανθάνουσί τε ὅθεν ἄν τι δύνωνται καὶ αὐτοὶ μετέρχονται· Phæd. p. 88, D : Πῇ ὁ Σωκράτης μετῆλθε τὸν λόγον. Quod proprie dicit Theæt. p. 187, E : Ἴσως γὰρ οὐκ ἀπὸ καιροῦ πάλιν ὥσπερ ἴχνος μετελθεῖν. || De via ingredienda Eur. Ion.
D 930 : Σῶν λόγων ὕπο, οὓς ἐκβαλοῦσα τῶν παρεστώτων κακῶν μετῆλθες ἄλλων πημάτων κοινὰς ὁδούς.] || Alicubi autem μετέρχομαι cum acc. pers., exp. Adiens obsecro : ut in Herodoto [6, 68] : Μετέρχομαί σε πρὸς θεῶν τὠληθὲς εἰπεῖν, et [ib. 69] : Μετέρχεαί με λιτῇσι εἰπεῖν. Sed Bud. exp. simpl. Obsecrare, Compellare, Appellare, Alloqui : ut ap. Eund. [6, 86] : Ἡ Πυθίη μετέρχεται τοῖσδε τοῖς ἔπεσι. [Τὸν χρυσὸν τὸν ἱρὸν θυσίῃσι μεγάλῃσι ἱλασκόμενοι μετέρχονται, 4, 7. Conf. Μέτειμι. Schweigh.] Sic et in Phalar. Ep. p. 86 : Μέτελθε ταύτην αὐτὸς, Compella eam, et hoc ab ea contende. Idem exp. et Solicitare. Quod autem ad illam Compellandi s. alloquendi signif. attinet, in ea μετέρχομαι aptissime reddi puto Latino Prosequor : ut, Μετέρχεται τοῖσδε τοῖς ἔπεσι, in Herodoti l. cit., sit quod Virg. dicit His dictis prosequitur : atque ita μετέρχεσθαί τινα in hoc loquendi genere sit quasi ἔρχεσθαι μετά τινα, Ire post aliquem, i. e. Sequi aliquem, Prosequi. [Eur. Bacch. 713 : Ὥστ' εἰ παρῆσθα, τὸν θεὸν τὸν νῦν ψέγεις, εὐχαῖσιν ἂν μετῆλθες, εἰσιδὼν τάδε, ubi tamen est potius Accer-

sivisses. Quomodo ponit Demosth. p. 1149, 27 : Ἐκέλευσα τὴν ἄνθρωπον τὴν ὑπακούσασαν μετελθεῖν αὐτὸν ὅπου εἴη.] Sed et in aliis quibusdam loquendi generibus, μετέρχομαι verbo Prosequi commode reddi existimo. [In bonam partem etiam Eur. Hipp. 444 : Κύπρις γὰρ οὐ φορητὸν, ἢν πολλὴ ῥυῇ, ἣ τὸν μὲν εἴκονθ' ἡσυχῇ μετέρχεται, ὃν δ' ἂν περισσὸν καὶ φρονοῦνθ' εὕρῃ μέγα, τοῦτον λαβοῦσα πῶς δοκεῖς καθύβρισεν. Macedonius Anth. Pal. 5, 240, 1 : Τῷ χρυσῷ τὸν Ἔρωτα μετέρχομαι. || Dicitur vero etiam in malam partem de hostili accessu, ut Eur. Phœn. 260 : Οὐ γὰρ ἄδικον εἰς ἀγῶνα τόνδ' ἔνοπλος ὁρμᾷ, ὃς μετέρχεται δόμους. Ad quam signif. pertinent loci qualis est Plat. Prot. p. 322, A : Προμηθέα ὕστερον δίκη κλοπῆς μετῆλθεν, et quæ addit HSt.] || Sæpe vero cum eod. accus. pers. pro Ulciscor. [Æsch. Cho. 988 : Ὡς τόνδ' ἐγὼ μετῆλθον ἐνδίκως μόρον τὸν μητρός. Eur. fr. Alcmæon. ap. Stob. Fl. 79, 15 : Τὰ τῶν τεκόντων ὡς μετέρχεται θεὸς μιάσματα. Julianus Anth. Pal. 5, 298, 1 : Ἱμερτὴ Μαρίη μεγαλίζεται, ἀλλὰ μετέλθοις κείνης, πότνα Δίκη, κόμπον ἀγηνορίης, μὴ θανάτῳ, βασίλεια. Τὸ δ' ἔμπαλιν ἐς τρίχας ἥξοι γήραος. Polyb. 4, 48, 9 : Τὸν φόνον μετῆλθε παραχρῆμα· 6, 4, 9 : Τοῦ πλήθους ὀργῇ μετελθόντος τὰς τῶν προεστώτων ἀδικίας· 23, 14, 8 : Κατὰ πάντα τρόπον ἀμύνασθαι καὶ μετελθεῖν αὐτούς.] Antiph. p. 101 [112, 32] : Μετέρχομαι τὸν φονέα τοῦ πατρός. Herodot. [3, 128] : Μετῆλθον τίσιες Ὀροίτεα. [Conf. 6, 86.] Et ex Eur. [Iph. T. 13] cum acc. rei, Μετελθεῖν γάμους Ἑλένης ὑβρισθέντας, Sumere vindictam de nuptiis etc. [|| Cum duplici accus., ut supra μέτειμι, Eur. Cycl. 280 : Ἦ τῆς κακίστης οἳ μετήλθεθ' ἁρπαγὰς Ἑλένης ... Ἰλίου πόλιν· Or. 423 : Ὡς ταχὺ μετῆλθόν σ' αἷμα μητέρος θεαί. « Μετελθεῖν ἐν δίκῃ τὸν κλεπτὴν, Gregor. Nyss. vol. 2, p. 293, B. » Hemst.] || Punio. Synes. : Τῶν πληγῶν αἷς μετῆλθε τὰς ἁμαρτίας ἡμῶν. Aphthon. : Τὰ ἁμαρτήματα τῶν παίδων μετέρχονται. || Transeo [Palladas Anth. Pal. 9, 171, 1 : Ὄργανα Μουσάων τὰ πολύστονα βιβλία πωλῶ, εἰς ἑτέρας τέχνης ἔργα μετερχόμενος. Crinagoras ib. 234, 5 : Μουσέων ἀλλ' ἐπὶ δῶρα μετέρχεο. Demosth. p. 1472, 9 : Μετελθὼν εἰς τὸ τοῦ Ποσειδῶνος ἱερόν. Polyb. 5, 27, 2 : Μετῆλθε πάλιν εἰς τὰς Θήβας· et alibi] : ut, Μεταληλυθὼς ἀπὸ τῶν πραγμάτων ἐπὶ τοὺς ἄνδρας, ex Luciano. VV. LL. Ap. Herodian. [5, 5, 1] : Στρατὸς μετελθὼν πρὸς τὸν Ἀντωνῖνον, non simpl. Transeundi, sed et Transfugiendi signif. habet. [Cum genit. Theodor. Stud. p. 434, B : Οὐ μετέρχεσθε τῆς πονηρᾶς ἀπαγωγῆς; Et mire idem p. 246, D : Διὸ μετελεύσομαι τὸν λόγον ἐπὶ τὸ κατεπεῖγον. De re Apollon. De construct. p. 93, 22 : Τὴν εὐθεῖαν εἰς γενικὴν μετελθεῖν.] || Ut autem inclusam habet Persequendi signif. in proxime præced. exemplis, quibus addi potest ex Thuc. [1, 34] : Τὰ ἐγκλήματα πολέμῳ μετελθεῖν, Querelas suas persequi : sic et in iis, quæ sequuntur, alioqui diversis. Atque adeo Consectari etiam exp., Ambire : quod autem ambimus, id persequimur, et quidem summo studio. Thuc. 2, [39] : Οἱ μὲν ἐπιπόνῳ ἀσκήσει, εὐθὺς νέοι ὄντες, τὸ ἀνδρεῖον μετέρχονται, Fortitudinem consectantur. Plut. Pol. præc. [p. 804, F] : Τὴν ἀγορανομίαν μετερχόμενον, Ambientem. Idem, Δευτέραν ὑπατείαν μετελθὼν ἀπέτυχε. Bud. vero a Luciano accipi tradit et pro Exercere, Meditari [ὑπόκρισιν Demosth. enc. c. 14]; ubi meminisse oportet τοῦ μεταχειρίζεσθαι, quod aliquando hoc verbo declarari scribit Eustath. Esse autem et hic aliquam Persequendi [quomodo interpr. Gl.] signif., fatebuntur, qui quam late pateat ap. Latinos hujus verbi usus considerabunt. [Persequendi significatione proprie Eurip. Androm. 992 : Μὴ παιδὸς οἴκους ἐξερημοῦσαν μαθὼν Πηλεὺς μετέλθῃ πωλικοῖς διώγμασι. || Forma Æol. Πεδέρχομαι Pind. Nem. 7, 74 : Εἰ πόνος ἦν, τὸ τερπνὸν πλέον πεδέρχεται, Consequitur. Theocr. 29, 25 : Ἀλλ' ἀπρὶξ ἀπαλῷ στόματός σε πεδέρχομαι.]

Μετεύχομαι, ex Eur. [Med. 600] affertur pro Opto. [Οἶσθ' ὡς μέτευξαι (sic Elmsl. pro μετεύξει, voluitque fortasse etiam Valck., qui hunc l. ut emendandum ascripserat) καὶ σοφωτέρα φανεῖ; vertendum Alia, Aliter opto.]

Μετέχω, Habeo cum alio, Partem habeo, Particeps sum, [« ut μεταλαμβ. » HSt. Ms. Vind. Pind. Pyth. 2, 83 : Οὔ οἱ μετέχω θράσεος. Æsch. Prom. 331 : Πάντων μετασχὼν καὶ τετολμηκὼς ἐμοί· Eum. 869 : Χώρας μετασχεῖν τῆσδε. Soph. El. 1168 : Ξὺν σοὶ μετεῖχον τῶν ἴσων. Herodot. 7, 16 : Ἐστὶ τοῦτό τι τοῦ θεοῦ μετέχον.] Xen. Hell. 4, [3, 13] : Ἀγαθῶν μὲν γιγνομένων ἡδέως μετέχειν. Aristot. Polit. 3, [3] : Ὥσπερ μέτοικος γάρ ἐστιν ὁ τῶν τιμῶν μὴ μετέχων, Is quasi inquilinus est, qui honorum particeps non est, Cum quo honores non communicantur. Dem. In Neær. [p. 1381, 21 ?] : Μηδὲ ἱερωσύνης μηδεμιᾶς μετασχεῖν, exp. etiam Non consequi. [Xen. Ag. 8, 2 : Μετεῖχε παιδικῶν λόγων.] Additur interdum dat. pers., qui etiam alioqui subaudiri fere solet, et dicitur μετέχω σοι τούτου : ut in Epist. Philippi, ap. Dem. [p. 160, 22.] Sic Plato in Epist. : Ἵνα δὴ μετέχοι τῶν πραγμάτων αὐτοῖς. [Eur. Heracl. 8 : Πόνων πλείστων μετέσχον Ἡρακλέει· 627 : Εἰ δὲ σέβεις θανάτους ἀγαθῶν, μετέχω σοι· fr. ap. Clem. Al. Strom. 5, p. 688 : Χθονίων Ἅδη μετεῖχες ἀρχῆς.] Sed et qui rei malæ particeps est, dicitur μετέχειν : ut [Æsch. Pers. 540 : Ἄλγους μετέχουσαι. Et ap. Eurip. ἀμπλακίας, μιάσματος, κακῶν, νόσου, eodemque modo ap. alios], μετέχειν πόνων, Æschin. [et Eur. Heracl. 8 supra cit.]; et μετέχειν κινδύνων, Isocr. [Cum genit. pers. Herodot. 8, 86 : Τῶν πεντακισχιλίων ὅτι πάντες ἐν τῷ μέρει μεθέξουσι.] Habet vero et aliam constr.; nam dicitur etiam μετέχω τοῦτο. [Soph. OEd. C. 1484 : Ἀκερδῆ χάριν μετάσχοιμί πως. Eur. fr. Philoct. ap. Aristot. Eth. Nic. 6, 8 et alios : Ὦ παρῆν ἀπραγμόνως ἴσον μετασχεῖν τῷ σοφωτάτῳ τύχης· fr. ap. Clem. Al. Str. 5, p. 732 : Ὧν ἀτηρὰ γλῶσσ' εἰκοβολεῖ περὶ τῶν ἀφανῶν, οὐδὲν γνώμης μετέχουσα. Theognis 82 : Ἴσον τῶν ἀγαθῶν τῶν τε κακῶν μετέχειν.] Aristoph. Pl. [1144] : Οὐ γὰρ μετεῖχες τὰς ἴσας πληγὰς ἐμοί. Xen. Cyrop. 7, [2, 26] : Τῶν ἀγαθῶν ... ἐμοὶ τὸ ἴσον μετεῖχε. [Plato Reip. 5, p. 472, C : Ἐὰν πλεῖστα τῶν ἄλλων ἐκείνης μετέχῃ· Leg. 7, p. 804, B : Σμικρὰ ἀληθείας ἄττα μετέχοντες.] Sæpe vero cum μέρος, μοῖρα : cum his autem accuss. vim suam amittit præp., estque simpl. ἔχω, alioqui cum omni accus. eam non amittit : quod falso in VV. LL. annotari, ostendunt illi Aristoph. et Xen. ll. [Æsch. Ag. 507 : Τῇδ' ἐν Ἀργείᾳ χθονὶ θανὼν μεθέξειν φιλτάτου τάφου μέρος· Cho. 292 : Καὶ τοῖς τοιούτοις οὔτε κρατῆρος μέρος εἶναι μετασχεῖν.] Aristoph. Pl. [226] : Ἡμῖν μετάσχῃ τοῦδε τοῦ πλούτου μέρος. [Xen. Cyrop. 2, 3, 6 : Ἄλλου τινὸς μᾶλλον ἢ τοῦ ἀγαθοῦ μεθέξω πλέον μέρος· 7, 5, 54 : Ὅπως πλεῖστόν σου μέρος μεθέξομεν. Priori tamen l., ut in simili constr. v. μετεῖναι, quod v., aliis deest μέρος. Plat. Euthyd. p. 306, B.] Isocr. Archid. [p. 116, E] : Οἵπερ καὶ τῶν κινδύνων πλεῖστον μέρος μεθέξουσιν. Herodot. autem dixit [4, 145] : Μετέχοντες μοῖραν τιμέων. [Conf. 1, 204. Id. 6, 107 : Ὁκόσον μέρος μοι μετῆν, ὁ ὀδὼν μετέχει.] At vero ap. Thuc. invenitur μετέχειν et cum dat., sed antiptosin esse putat schol., p. 54 [2, 16] : Τῇ τε οὖν ἐπιπολὺ κατὰ τὴν χώραν αὐτονόμῳ οἰκήσει μετεῖχον οἱ Ἀθηναῖοι, Perdiu igitur in agris liberam habitationem usurpabant; ita enim malo quam Habitationis participes erant. || Alicubi Compos sum. Cic. autem ap. Plat. Tim. [p. 37, A], Μετέχουσα λογισμοῦ καὶ ἁρμονίας ψυχὴ, vertit Compos et particeps. || Alicubi etiam Conscius sum. Thuc. 3 : Ὃς οὔτε μετέσχε τῆς ἀποστάσεως. Sic Herodot., μετέχειν [μετίσχειν] φόνου. Sed possumus et hic nomine Particeps uti, ut Particeps conjurationis, sceleris, legimus. [Sic Aristoph. Pl. 880 : Μῶν καὶ σὺ μετέχων καταγελᾷς. Quanquam sequitur Ἐπεὶ πόθεν θοἰμάτιον εἴληφας τοδί; || Constructiones rariores sunt in decreto Imp. ap. Pasin. Codd. Taurin. vol. 1, p. 334, 1 : Ὁ Δημητριάδος οὐ μετέχει εἰς τὴν μονὴν ταύτην, ubi dicitur fere ut infra μετόχιον, quod v. Et cum præp. πρὸς in Epim. Hom. Cram. An. vol. 1, p. 393, 3 : Τί μετέχει τὸ στυγῶ πρὸς τὸ Στυγός; Eadem signif. qua μέτεστι schol. Flor. Eur. Hec. 433 : Μέτεστι δ' οὐδέν) μετέχει ἐμοί. || « Valet etiam μετέχειν i. q. μεταβάλλειν, μεταστῆναι, Mutari, Vices mutare, Variare : si modo vera est scriptura, de qua dubitant critici ap. Lucian. D. mort. 26 : Οὐ γὰρ ἐν τῷ αὐτῷ ἀεὶ, ἀλλὰ καὶ ἐν τῷ μετασχεῖν ὅλως τὸ τερπνὸν ἦν. » Schweigh. || Formæ Æol. Πεδέχω ex. est ap. Alcæum Hephæstionis p. 67, 2 : Ἔμε πάσαν κακοτάτων πεδέχοισαν· et Sapphonem Stobæi Flor. 4, 12 : Οὐ γὰρ πεδέχεις βρόδων τῶν ἐκ Πιερίας.]

[Μετεωρέω, i. q. μετεωρίζω. Schol. Pind. 9, 31 : Τὴν

καλλίδενδρον ὑψοῦσι καὶ μετεωρίζουσιν, ὑμνοῦσιν. Et ap. Hesych. : Μετεωρηθήσονται, ὑψωθήσονται, nisi leg. —ισθήσονται. L. D. Ap. Plut. Mor. p. 52, B, ubi al. μεταιρόμενον, Lobeckius ad Phryn. p. 65 μετερώμενον.]

[Μετεωρία, ἡ. Sueton. Claud. 39 : « Inter cetera in eo mirati sunt homines et oblivionem et inconsiderantiam, vel, ut Græce dicam, μετεωρίαν et ἀβλεψίαν. » M. Aurelius ap. Fronton. ad M. Cæs. 4, 1 : « Quum diis juvantibus ad urbem veniemus, admone me ut tibi aliquid de hac re narrem. Sed quæ tua et mea meteoria est, neque tu me admonebis neque ego tibi narrabo. »]

Μετεωρίζω, In sublime tollo. [Suspendo, Conniveo, Sublimo, Elevo, Exalto, Gl. Xen. Eq. 10, 4 : Τὰ σκέλη ὑγρὰ μετεωρίζει· 11, 7 : Ὅταν καλῶς μετεωρίζῃ ἑαυτόν (equus) · et ib. 9. Cyn. 10, 13 : Πειρᾶται μετεωρίζειν (τὸν πεσόντα). Plato Crat. p. 406, E : Τὸ ἢ αὐτὸν ἤ τι ἄλλο μετεωρίζειν· Phædr. p. 246, D : Ἄνω μετεωρίζουσα (ἡ πτεροῦ δύναμις) · Tim. p. 63, C : Ῥώμῃ μιᾷ δυοῖν ἅμα μετεωριζομένοιν. Thuc. 4, 90 : Παντὶ τρόπῳ ἐμετεώριζον τὸ ἔρυμα, de exstruendo et exaggerando. Xen. Cyrop. 6, 3, 5 : Μετεωριζόμενον ἢ καπνὸν ἢ κονιορτόν.] Vel simpliciter Attollo; Extollo. Plut. De Socr. dæm. [p. 597, C] : Ἐγὼ μὲν ἐκ μέσου διαλαβὼν τὸ δόρυ, καὶ μετεωρίσας ὑπὲρ κεφαλῆς, ἐβόων ἀφεῖναι. || Interdum absolute ponitur pro μετεώρως φέρομαι, Sublime peto, Bud. ex Theophr. [H. Pl. 4, 2, 4, μετεωρίζον, ubi nunc μετεωρόρριζον], p. 838. Sic μετεωρίζειν εἰς πέλαγος citatur ex Philostr. pro In altum provehi, de navigante dictum. [Transitive V. Ap. 6, 12, p. 250, 26 : Μετεωρίσαι τὴν ναῦν εἰς τὸ πέλαγος, ἀνέμοις ἐπιτρέψας τὰ ἑαυτοῦ. || Hegemo Thas. ap. Athen. 15, p. 698, D : Ἐς δὲ Θάσον μ' ἐλθόντα μετεωρίζοντες ἔβαλλον πολλοῖσι σπελέθοισι. Coraes : « Μετεωρίζομαι et sæpius μετωρίζομαι (quomodo pronuntiandum etiam ap. Hegem.) apud hodiernos Græcos significat Jocor, Cavillor, Irrideo, ut in hac phrasi, Τὸ λέγεις ἀληθινὰ, ἢ μετεωρίζεσαι; Verene an per jocum hoc dicis? Sic μετεωριζόμενος ap. Hierocl. Facet. n. 28, p. 36 ed. Lips. 1768, et ap. Hesych. : Λαπίστρια, ῥεμβομένη, μετεωριζομένη, θέλουσα εὐωχεῖσθαι, et schol. Thuc. 2, 37, Εἰ καθ' ἡδονήν τι δρᾷ) Οἱ Λακεδαιμόνιοι Ἀλκαμένη ἐν προαστείῳ θεασάμενοι μετεωρίζοντα κακῶς ἐχρήσαντο. Οἱ γὰρ Λακεδαιμόνιοι ... τὸ τερπνὸν τοῦ βίου κώλυμα νομίζουσι τῶν ἀναγκαίων. » Transitive et proprie ap. Hegemonem capi posse putabat Schweigh. Locus schol. Thuc. comparandus cum l. Malalæ in pass. citando.] || Ponitur etiam metaphorice μετεωρίζειν signif. activa pro In spem erigere, Ad spem rerum novarum excitare. Polyb. 5, [70, 10] : Πολλοὺς ἐμετεώρισε τῶν παρὰ τοῖς ἐναντίοις ἡγεμόνων, Ad defectionem excitavit, inquit Bud. [Similiter id. 24, 3, 6 : Ἡ σύγκλητος ἀπερεισαμένη τὴν χάριν ἐπὶ τὸν Δημήτριον ἐμετεώρισε μὲν τὸ μειράκιον.] Idem scribit μετεωρίζειν pro Erigere, Confirmare, Ad spem meliorem perpellere, ap. Plut. [Demosth. c. 18 : Παραθαρρύνας καὶ μετεωρίσας, ὡς εἴωθε, τὸν δῆμον ταῖς ἐλπίσιν] sumi, et Athen. p. 66. [Posidonius 5, p. 212, A : Μετεώριζε τοὺς Ἀθηναίους δι' ἐπιστολῶν. Ubi mirum quod ab omnibus tolerata est forma vitiosa μετεώριζε pro ἐμετεώριζε, cui comparandum μετεωρίσθαι ap. schol. Thuc. 6, 96, et μετεωρισμένον (-νων) μέριμνα ap. Euthym. Zigab. in Pasin. Codd. Taurin. vol. 1, p. 190, B. Recta forma μεμετεωρισμένοι est ap. Diod. 11, 32. De spe facienda Polyb. 26, 5, 4 : Πολλοὺς ἐμετεώρισε, δοκῶν καλὰς ἐλπίδας ὑποδεικνύναι πᾶσι τοῖς Ἕλλησιν ἐν αὐτῷ.] || Reperio item μετεωρίζειν junctum cum φυσᾶν, Inflare, metaph., ut ἐπαίρειν et φυσᾶν copulata antea vidimus, pro Elatum reddere, Animum addere. Ap. Philon. V. M. 1, Μετεωρίσας καὶ φυσήσας ἡμᾶς τῷ λόγῳ. [Sic ap. Demosth. p. 169, 23, nisi quod ibi κατέβη pro τῷ λόγῳ. De usu Hippocrateo verbi Μετεωρίζω et subst. Μετεωρισμὸς Foes. OEcon. Hipp. : « Τὰ μετεωριζόμενα vocantur humores Sursum elevati, exæstuantes et ebullientes, p. 338, 35, quum æstate τὰ μετεωριζόμενα κάτω ὑπάγειν suadet, Humores elevatos et in altum sublatos per purgationem infra educere. Μετεωρισμὸς est Tumor in altum sublatus, et μετεωρίζεσθαι, In tumorem efferri, p. 1153, E, et p. 220, A : Μετεωρίζεται κοιλίης οἰδήματα, Ventris tumores in altum subvehuntur. Sic μετεωριζόμενος, A flatibus ela-

A tus aut subvectus, hoc est distentus et inflatus, p. 1136, C. Μετεωρισμοὶ etiam dicuntur ægrorum Exsurrectiones, dum exsurgendo sese attollunt et resident, p. 39, 34, et p. 196, E : Καὶ ἐν τοῖσι μετεωρισμοῖσιν ἐλαφρὸν εἶναι, Et quum sese attollit, levem esse; ubi Galen. διανιστάμενον, Exsurgentem ægrum, exponit. » || Med. Aristoph. Eq. 762 : Πρότερον σὺ τοὺς δελφῖνας μετεωρίζου καὶ τὴν ἄκατον παραβάλλου.]

|| Μετεωρίζομαι, In sublime tollor, etc. [Aristoph. Nub. 703 : Ὅταν εἰς ταύτας ἄνεμος ξηρὸς μετεωρισθεὶς καταχλεισθῇ.] Ap. Thuc. 8, p. 268 [c. 16] : Μετεωρισθεὶς ἐν τῷ πελάγει, In altum provectus, de navigante dictum. Ap. Alex. Aphrod. [Probl. 1, 27], μετεωρίζομαι περιπατῶν exp. Vultu sublimi suspensoque corpore incedo. [Immo Obambulo. Jo. Malalas p. 82, 20 : Ἡ Λήδα ἐπορνεύθη μετεωριζομένη ἐν προαστείῳ ἰδίῳ χειμένῳ παρὰ τὸν Εὐρώταν ποταμόν. Joel Chronogr. p. 150, B : Μετεωριζόμενος ἐπὶ τὸ παράλιον μέρος τῆς Τύρου εἶδε ποιμενικὸν κύνα. Pro quo ap. Malalam in eadem fabula iisdem fere verbis narrata p. 323 est ἑωριζόμενος, ap.
B Cramer. Anecd. Paris. vol. 2, p. 239, 14, διερχόμενος. De qua signif. dictum in Ἑωρίζω. Similiter περιπάτους et ἑώρας conjungit Porphyrius in Ἑώρα citatus, ille tamen usitata, ut videtur, significatione Gestationis dicens. (In inscr. ib. cit. σορῶν legendum videtur pro εορων.) Conf. autem l. schol. Thuc. modo citatus. L. D.] Et metaphorice, Μετεωρισθέντων δὲ τῶν Βοιωτῶν διὰ τὴν εὐημερίαν, Elatis propter successum, ἐπαρθέντων, inquit Suid. [Aristoph. Av. 1447 : Ὑπὸ γὰρ λόγων ὁ νοῦς τε μετεωρίζεται ἐπαίρεταί τ' ἄνθρωπος. « Μετεωρισθεὶς ἐπὶ τῷ γεγονότι, Spiritu elatus, inflatus, Polyb. 3, 70, 1; 4, 59, 4; 5, 20, 11; 30, 1, 9. Spe elatus, 3, 40, 7; 33, 2, 2. Ὑπό τινος, Vana spe inflatus ab aliquo, 7, 4, 6. » SCHWEIGH. Lex. Et similiter alii.]

[Μετεώρισις, εως, ἡ, Elevatio. Plut. Mor. p. 951, C : Αἱ ἀναρρίψεις καὶ μετεωρίσεις τὸ θερμὸν ἐξαιροῦσι τῶν ὑδάτων. WAKEF.]

[Μετεώρισμα, τὸ, i. q. φρόνημα, Superbia. Hesych. in Φρύαγμα. HEMST.]

C Μετεωρισμὸς, ὁ, Elevatio in sublime, ipsa Actio attollendi. A Suida exp. etiam ὑπερηφανία, Superbia. [Theodor. Stud. p. 445, D : Μετεωρισμοὶ, διάκενα φυσήματα. || Dissimulatio, Conniventia, Gl. De usu Hipp. v. in Μετεωρίζω. Ubi quæ dicta sunt, augenda l. ejusd. p. 398, 47 : Διὰ τὴν ἔνδοθεν ταραχὴν καὶ μετεωρισμὸν γνώμης, ut μετέωρος γνώμη ex Aretæo afferemus in Μετέωρος. Proprie Theophr. C. Pl. 1, 3, 5 : Ὁ μ. (τῶν ῥιζῶν).]

[Μετεωριστὴς, ὁ. Hesych. : Πεδαωριστὴς (scrib. πεδαοριστὴς, etsi ω poscit ordo literarum) ἵππος φρυαγματίας καὶ μετεωριστής. Quæ gl. collata est cum Theocriteo Ep. 17, 5 : Τοὶ Συρακόσσαις ἐνίδρυνται πεδωριστᾷ πόλει, de magnifica Syracusarum urbe.]

[Μετεωροβάμων, ὁ, ἡ. Const. Manass. Amator. 3, 57 : Κοῦφον γὰρ φρόνημά φασι καὶ μετεωροβᾶμον. BOISS.]

[Μετεωροθήρας, ὁ.] Μετεωροθῆραι, q. d. In sublimi venantes, avium genus, ita dictum quod prædam in sublimi petant. Aristot. De anim. 9, [36] : Μετεωροθηρῶν εἷς ἱέραξ· quo in loco si ἱέραξ vertatur Accipiter,
D non bene μετεωροθῆραι dicentur esse accipitrum genus. Alioqui enim perinde esset ac si ita loqueretur Aristot., Accipiter est ex accipitrum genere, qui μετεωροθῆραι appellantur. Nisi Accipitrum appellatio generalius et peculiarius accipiatur. Μετεωροθῆραι, inquit tamen Bud., Aristoteli sunt ex accipitrum genere, qui prædam in sublimi petunt : Οἱ τὴν περιστερὰν πετομένην πειρῶνται λαμβάνειν, οὐκέτι δὲ τὴν ἐπὶ γῆς καθημένην, quod faciunt οἱ χαμαιτύποι. Observandum est autem dici μετεωροθῆραι eadem forma qua ὀρνιθοθῆραι. [Hodie ap. Aristot. scribitur μετεωροθήρων tanquam ab —ρος. « Philo vol. 1, p. 674, 3 : Ταῦτα παρετέον τοῖς μετεωροθήραις σκοπεῖν. » WAKEF.]

[Μετεωροκοπέω.] Μετεωροκοπεῖν, Latiore remi parte frustra aquam cædere : ita quidem proprie, sed metaphorice pro περὶ τὰ μετέωρα πέτεσθαι, et μάτην ὡς ἔτυχε κάμνειν, ut schol. Aristoph. tradit in hunc ejus l. in Pace [92] : Ποῖ δῆτ' ἄλλως μετεωροκοπεῖς; Sic θαλαττοκοπεῖν a Suida exp. ματαιολογεῖν ap. Eund. Mirum vero cur si a κόπτ deducitur hoc verbum, non scribatur μετεωροχωπῶ, cum ω in penult. Quod etiam fecit ut aliquando μετεωροσκοπεῖν leg. suspicatus sim. [Quod metro adversatur. Ceterum hæc verba duci a κόπτειν similiter dicto ut Lat. *cædere*, vix moneri opus est.]

[Μετεωρολεσχέω.] Μετεωρολεσχῶ, De rebus sublimibus garrio, ap. Plut. II. τοῦ μὴ χρᾶν κτλ. [p. 400, E. Philo vol. 1, p. 581, 9 : Νοῦς μετεωρολεσχῶν τῷ κόσμῳ (τὰ κόσμου Mangej.)· 628, 51 : Τί δ' ἀστρονομεῖς μετεωρολεσχῶν. L. Dind.]

Μετεωρολέσχης, ὁ, Qui de rebus sublimibus, i. e. cœlestibus, fabulatur, s. garrit, aut nugatur, Qui de rebus sublimibus inaniter disputat. A Luciano, inquit Bud., μετεωρολέσχαι appellantur quidam philosophi fastu præditi, et verborum insolentia utentes, s. philosophi superciliosi et verborum insolentia philosophos se ementientes. Locum autem, quem Bud. intelligit, hunc esse puto in Dial., qui Ἔρωτες inscribitur [c. 54] : Μετεωρολέσχαι δὲ, καὶ ὅσοι τὴν φιλοσοφίας ὀφρὺν ὑπὲρ αὐτοὺς τοὺς κροτάφους ὑπερῄρκασι, σεμνῶν ὀνομάτων κομψεύμασι τοὺς ἀμαθεῖς ποιμαινέσθωσαν. Plato De rep. 6, [p. 489, C] μετεωροσκόπους et μετεωρολέσχας vocari solitos dicit ab ignaris philosophos, ut Socratem. Ap. Suidam legimus et μετεωρολέσχους ex Aristoph. Nub. [«Ibi tamen hodie nulli reperiuntur μετεωρολέσχαι, sed μετεωροφένακες v. 332, μετεωροσοφιστὴς v. 359. Apud schol. exstant ad v. 223, 330. » Hemst. ad Lucian. Prometh. c. 6. Philo vol. 1, p. 589, 3 : Ὁ φιλομαθὴς καὶ μετ. vol. 2, p. 458, 7 : Τὸ φυσικὸν μετεωρολέσχαις ἀπολιπόντες. Plut. Niciæ c. 23 : Τοὺς φυσικοὺς καὶ μετεωρολέσχας τότε καλουμένους.]

[Μετεωρολογέω.] Μετεωρολογῶ, De sublimibus rebus verba facio, aut commentor et scribo. Plato in Axiocho, aut quicunque est auctor illius dialogi [p. 370, E] : Ἵνα τι κἀγὼ μιμησάμενος τοὺς ῥήτορας περιττὸν εἴπω καὶ πάλαι μετεωρολογῶ. Bud. μετεωρολογῶν exp. τὰ μετέωρα ἐπικρυπτόμενος in loco alio ejusdem Platonis [Crat. p. 404, C]. V. Comm. p. 837, 838.

Μετεωρολογία, ἡ, Sermo de rebus sublimibus, s. Disputatio. Sic dicitur et commentatio ac scriptio de illis. Quod Plato in Phædro [p. 270, A] de Pericle dicit μετεωρολογίας ἐμπλησθεὶς, Cicero vertit, Quum præclara quædam et magnifica didicisset. V. p. 125 mei Lex. Cic. [Plut. Pericl. c. 5 μετεωρολογίαν καὶ μεταρσιολογίαν in Pericle non plane inter vitia ponit. Nam exinde ei tribuit λόγον ὑψηλὸν καὶ καθαρὸν ὀχλικῆς βωμολοχίας. Ernest. Lex. rhet.] Atque ita olim in bonam partem accipiebatur, licet postea in loquacitatis et vanitatis significationem venerit, inquit Bud. p. 837. [Ib. : Προσδέονται ἀδολεσχίας καὶ μετεωρολογίας φύσεως πέρι.]

Μετεωρολογικὸς, ἡ, ὸν, Ad meteorologiam pertinens. [Plato Tim. p. 91, D : Μετεωρολογικῶν (ἀνδρῶν). Philo vol. 2, p. 588, 29 : Μετεωροπόλον τε καὶ μετεωρολογικόν. Ponitur una cum adv. Μετεωρολογικῶς a Polluce 4, 155.]

Μετεωρολόγος, ὁ, ἡ, Qui de rebus sublimibus, i. e. cœlestibus, verba facit, s. disputat. [Eurip. ap. Clem. Al. Str. 5, p. 732 : Μετεωρολόγων δ' ἑκὰς ἔρριψεν σκολιὰς ἀπάτας. Hippocr. p. 281 med. : Εἰ δοκέοι τις ταῦτα μετεωρολόγα εἶναι.] Plato Cratylo [p. 401, B] : Κινδυνεύουσι δ' οἱ πρῶτοι τὰ ὀνόματα τιθέμενοι, οὐ φαῦλοι εἶναι, ἀλλὰ μετεωρολόγοι καὶ ἀδολέσχαι τινές. [Conf. ib. p. 396, C, Polit. p. 299, B. || « Mathematici, Chaldæi, Divini. Nicephorus Uranus in Vita S. Symeonis jun. Styl. n. 82 : Ἐλήλεκται γὰρ ἡ πλάνος τῶν μετεωρολόγων τέχνη περὶ τὸ μέλλον τυφλώττουσα. » Ducang. App. Gloss. p. 131.]

[Μετεωροποιέω, i. q. μετεωρίζω, Sublime colloco. Hippocr. p. 832, D : Μηδὲ (l. μήτε) μετεωροποιεῖν μηδὲ (μήτε) ἐς τὸ κάτω ῥέπειν.]

Μετεωροπολέω, Sublimia verso, vel Sublimia perago, vel perlustro. In VV. autem Lexx. male, Sublimia contemplor. Plato Phædro [p. 246, C] : Τελέα μὲν οὖν οὖσα ψυχὴ μετεωροπολεῖ [μετεωροπορεῖ] τε καὶ ἅπαντα τὸν κόσμον διοικεῖ, q. d. τὰ μετέωρα περιπολεῖ. Philo De V. M. : Μετεωροπολοῦσα ἀεὶ καὶ τὰ θεῖα διερευνωμένη. [Simplic. In Epict. p. 387 ed. Schw. (104 Par.) : Ἡ ἀνθρωπίνη ψυχὴ τελειωθεῖσα καὶ εἰς θεὸν ἀναχθεῖσα μετεωροπολεῖν λέγεται. Himer. Or. 14, 12. « Philo vol. 1, p. 101, 13 : Ὅταν ὁ νοῦς μετεωροπολῇ. » Wakef.

A Sic ib. 104, 6. Pro μετεωρολογεῖν ex libris repositum ib. 196, 34. Dionysii Hal. Epitome 16, 1 : Ἀπὸ γῆς ἄνω μετεωροπολεῖν, Struvius conjiciebat —πορεῖν.]

[Μετεωροπόλος, ὁ, ἡ, Qui res sublimes tractat, Qui res cœlestes speculatur. Hesych. : Μετεωροπόλων, τῶν τὰ οὐράνια σκοπούντων. Philo vol. 1, p. 588, 29 : Μετεωροπόλον τε καὶ μετεωρολογικόν. L. Dind.]

[Μετεωροπορέω, In sublimi gradior, Per sublimia meo. Philostr. V. Ap. 3, 15 : Μετεωροποροῦντας ἰδεῖν ἀπὸ τῆς γῆς εἰς πήχεις δύο. Ælian. N. A. 3, 45 ; 9, 63. Wak. V. l. Plat. in Μετεωροπολέω cit. Quocum permutatur etiam ap. Greg. Nyss. in Wolf. Anecd. vol. 3, p. 28. Est etiam ap. Plotin. vol. 2, p. 698, 2 ; 876, 3 ; 1014, 2. L. Dind.]

[Μετεωροπόρησις, εως, ἡ, i. q. μετεωροπορία. Theodor. Stud. p. 292, E : Ἐν τούτοις ὑπομένων αὐταρκοῦ, καθαρότητα θηρεύων τῶν λογισμῶν διὰ τῆς μετεωροπορήσεως τῆς τιμίας σου ψυχῆς. L. Dind.]

[Μετεωροπόρητος, ὁ, ἡ, In sublime elatus vertitur ap. Joann. Damasc. vol. 2, p. 854, D : Χαῖρε, θρόνε, ὁ μ.
B ἐν δόξῃ, ὁ ἔμψυχος θῶκος. Editor : « Allatius legit μετεωροπόθητος, Superna concupita? Non placet. » Et quum multa sint ap. Damasc. singularia vocc., tum hoc tuetur præced. μετεωροπόρησις.]

[Μετεωροπορία, ἡ, Sublime iter. Eust. Il. p. 636, 38 : Βελλεροφόντου ἐκ μετεωροπορίας τῆς διὰ Πηγάσου κατάπτωσιν. Wakef.]

Μετεωροπόρος, ὁ, ἡ, In sublimi gradiens, sic dictum ut ἀεροπόρος. Citatur ex Basilio, Μήτε λογισμοὺς ἔχε μετεωροπόρους, Elatos vel Inania sectantes. [Gregor. Nyss. vol. 1, p. 2, B : Τὰς ὑψηλάς τε καὶ μ. ψυχάς. L. D.]

[Μετεωρόροφος, ὁ, ἡ, Qui altum habet tectum. Lex. Havn. Ms. : Ὑψηρεφὴς, ὑψηλὸς κίων, μετεωρόροφον. Cit. Osann.]

[Μετεωρόρριζος, ὁ, ἡ, Qui radices habet in superficie. Theophr. H. Pl. 4, 2, 4 : Ἀείφυλλον, μὴ μ. δὲ σφόδρα. Libri μετεωρίζον.]

Μετέωρος, ὁ, ἡ, ab ἀείρω, i. q. μετήορος, paulo post ponendum, videlicet Sublimis. Bud. μετέωρος deductum esse ait a nom. αἰώρα, vel potius utrumque ab ἀείρω.
C Quæ posterior deductio magis mihi placet, sicut et Eustathio placuisse video, qui scribit, aliorum tamen referens sententiam, sed quam approbare videtur, ab ἀείρω fieri ἄοιρος, et mutato α in ε, et diphthongo οι in ω, μετέωρος. Recordor tamen in vett. Codd. aliquando μεταίωρος me legisse, et quidem vett. Codd. alioqui non inemendate scriptis. Ap. Etym. quoque, in antiquiore etiam illa edit., legitur μεταιωριζόμενον, in verbo Αἰωρῶ. Sic autem vicissim ἑώρα pro αἰώρα scribunt Græci lexicographi. Sophoclis autem schol. ab hoc ἑώρα fieri μετέωρος, addit. Cui certe potius subscriberem, quam deducentibus ab αἰώρα. Ad hoc autem nomen quod attinet, verbo αἰωρῶ posterius esse puto, quod quidem malim ab αἴρω per pleonasmum, quam ab ἀείρω deducere. Μετέωρος igitur, quæcunque sit ejus deductio, prima signif. Sublimem significat s. Editum [vel Elatum. Aristoph. Pac. 80 : Ὁ δεσπότης γάρ μου μετέωρος αἴρεται ἱππηδὸν ἐς τὸν ἀέρ' ἐπὶ τοῦ κανθάρου· Nub. 264 : Ὦ δέσποτ' ἄναξ, ἀμέτρητ' Ἀὴρ, ὃς ἔχεις τὴν γῆν μετέωρον. Gl., ὑψηλὸς, Sublimis, Celsus,
D Excelsus. Herodot. 2, 148 : Οἰκήματα δ' ἔνεστι διπλᾶ, τὰ μὲν ὑπόγαια, τὰ δὲ μετέωρα ἐπ' ἐκείνοισι.] Thuc. 3 : Ἐς τὴν ἀκρόπολιν καὶ τὰ μετέωρα τῆς πόλεως καταφεύγει, Ad loca edita civitatis, vel editiora. Sic 4, [128] : Οἱ δὲ λοιποὶ διαφεύγοντες πρὸς τὰ μετέωρα ἡσύχαζον. [Polyb. 5, 13, 3.] Ap. Eund. 2, ἀπὸ τοῦ μετεώρου exp. Ex loco superiore. [Id. 7, 82 extr. : Πρὸς μετέωρόν τι ἐκάθισε τὴν στρατιάν. « Actores τὰ ἐκ μετεώρου λέγουσι, Hesych. in Ὀκρίβας. » Hemst.] Sic ap. Synes. in Epist. 104 : τὰ μετεωρότερα compar. gradu, Superiora et montosa loca. [Τὰ μετεωρότατα μέρη τῆς οἰκήσεως, Protagorid. apud Athen. 3, p. 124, F. Hemst. Demosth. p. 1279 fin. : Τῆς ὁδοῦ στενωτέρας γεγενημένης καὶ μετεωροτέρας. || De vultu Plato Theæt. p. 175, D : Βλέπων μετέωρος ἄνωθεν.] || Μετέωρα etiam dicuntur Quæ fiunt circa locum astris vicinum, de quibus Aristot. tres libros scripsit [de quibus Agathias Anth. Pal. 11, 354, 7 : Αὐτὰρ ὁ τὰς βίβλους ἀνελέξατο τῶν μετεώρων καὶ τὸ περὶ ψυχῆς ἔργον Ἀριστοτέλους], qui Μετεωρολογικὰ dicuntur, Bud. p. 837. Alii μετέωρα interpr. Quæ supra nos

sunt, in aere videlicet aut in cœlo, unde μετεωρολόγος ap. Plat., Qui verba facit de iis, quæ in cœlo fiunt. [Aristoph. Av. 690 : Ἀκούσαντες πάντα παρ' ἡμῶν ὀρθῶς περὶ τῶν μετεώρων · Nub. 228 : Οὐ γὰρ ἄν ποτε ἐξηῦρον ὀρθῶς τὰ μετέωρα πράγματα· 490 : Ὅταν τι προβάλωμαι σοφὸν περὶ τῶν μετεώρων · 1284 : Εἰ μηδὲν οἶσθα τῶν μετεώρων πραγμάτων. De locis Av. 818 : Ἐκ τῶν νεφελῶν καὶ τῶν μετεώρων χωρίων. Xen. Conv. 6, 6 : Εἰ μή γε ἐδόκεις τῶν μετεώρων φροντιστὴς εἶναι. ... Οἶσθα οὖν μετεωρότερόν τι τῶν θεῶν; Plato Prot. p. 315, C : Περὶ φύσεώς τε καὶ τῶν μετεώρων. Gl. ἐπὶ τῶν οὐρανίων, Supernus. Discrimen inter μετάρσιος et μετέωρος explicat schol. Plat. in illo cit.] || Μετέωρος, Erectus, ut equus μετέωρος ap. Xen., Qui posterioribus pedibus insistens erigitur, ut annotat Camer., De arte eq. [11, 1] : Ἦν τις βούλοιτο καὶ πομπικῷ καὶ μετεώρῳ καὶ λαμπρῷ ἵππῳ χρήσασθαι. [Unde Pollux 1, 195. || Illustris, Gl.] || Ap. Suidam μετέωρον ἄρασθαι videtur ita dictum ut Lat. Sublimem rapere : Οἱ γὰρ δορυφόροι μετέωρον ἀράμενοι τὸν Σύφακα, etc. [Aristoph. Eq. 1362 : Ἄρας μετέωρον ἐς τὸ βάραθρον ἐμβαλῶ · Pac. 890 : Ὥστ' εὐθέως ἄραντας ὑμᾶς τὰ σκέλη ταύτης μετέωρα καταγαγεῖν ἀνάρρυσιν. « Τὴν νύμφην μετέωρον ἐπὶ τὸ ζεῦγος ἀναθήσει, Arar. apud Suid. in Ἀναθεῖναι. » Hemst. De Suspenso, ut in Gl., ὁ κρεμώμενος, Suspensus, quæ interpretantur etiam Pendulus, Pensilis, Lucillius Anth. Pal. 11, 164, 5 : Ἀπήγξατο καὶ μετέωρος θνήσκει. Xen. Anab. 1, 5, 8 : Μετεώρους ἐξεκόμισαν τὰς ἁμάξας. Plat. Tim. p. 80, A : Ὅσα ἀφεθέντα μετέωρα καὶ ὅσα ἐπὶ γῆς φέρεται.] || Bud. ap. Galen. : Μετέωροί τε εἰσὶ καὶ τεταμέναι φλέβες, interpr. Tumidæ et extantes. [De oculis canum Xen. Ven. 4, 1 : Ὄμματα μετέωρα, μέλανα, λαμπρά.] || Μετέωρος, Qui est in summo tantum et non profundus, Superficiarius, ἐπιπόλαιος. Bud. ex Theophr. C. Pl. 1, [3, 4] : Ὅτι μετέωρα καὶ οὐ βαθύρριζά ἐστιν. [Ὅταν αἱ ῥίζαι μετέωροι γίνωνται καὶ ἐπιφανεῖς, C. Pl. 5, 9, 8 ; καὶ μαναί, 5, 12, 8. Schneid. || Foes. OEc. Hipp. : « Μετέωρον Sublime, Sublatum et suspensum dicitur, ut μετέωρα ἀλγήματα, Dolores sublimes et qui in superficie corporis fiunt, eos qui supra peritonæum sunt et in externis partibus exponit Galenus, iisque opponuntur qui in profundo corporis fiunt, et τὰ μὴ μετέωρα dicuntur, hoc est Non sublimes, sed alti, quique intra peritonæum fiunt, exponit Galen. Comm. ad Aphor. 7 lib. 6. Sic τὰ ὑποχόνδρια μετέωρα Sublata præcordia vocat Hippocr. Aphor. 64 lib. 4, τὰ ἐμπεφυσημένα, φυσώδη καὶ τεταμένα, Flatibus distenta et a flatibus in altum subvecta exp. Galen. Interdum vero τὰ ἐπηρμένα, In tumorem elevata, Tumida et inflammata, ut Ægr. 8 lib. 1 Epid. »] In VV. LL. μετεωρότερον πνεῦμα citatur ex Galen. 3 De diffic. spirandi, pro τὸ σμικρὸν καὶ μετρίως πυκνὸν, ut ei anhelitus vehementior atque incitatior opponatur. Ibid. exp. ex Horatio Sublimis anhelitus. Quæ expos. convenire mihi non videtur illi interpretationi, quum Sublimem anhelitum vocet Horatius eum, qui ex alto imoque pectore ducitur, qui a Virg. appellatur Attractus ab alto spiritus. Quod si μετεωρότερον opponeret Galen. vehementiori et incitatiori, significaret contra Non ex alto, i. e. non ex profundo petitum, sed veluti superficiarium, et ita μετέωρον hic affinem signif. haberet ei, quæ est in proxime præcedente exemplo. Gorr. μετέωρον πνεῦμα ab Hippocr. dici tradit secundum tertiam Galeni interpr., Spiritum, qui ad fauces modo penetrare, atque in iis subsistere, non autem in imum thoracem subire videatur. V. ibid. plura de μετεώρου πνεύματος expositione. [Μετέωρα πνεύματα καὶ ῥεύματα sunt Hippocrati p. 397, 21, In altum sublati et pendentes humores et spiritus, hoc est suspensi necdum fixi aut congelati, sed adhuc ad fluxum aut vacuationem habiles ac comparati : Ἀλλὰ χρὴ τοὺς τοιούτους προπυριῶντας φλεβοτομέειν ἐν ἀρχῇσιν εὐθέως, μετεώρων ὄντων πάντων τῶν λυπεόντων πνευμάτων καὶ ῥευμάτων, Quum adhuc sublati sunt, qui affligunt, humores et spiritus, hoc est nondum fixi, stabiles aut congelati, velut in apoplexia et καταψύξεσι fieri scribit. Hujusmodi humores et spiritus κενωθῆναι μὴ δυσλύτους, Evacuationi minime contumaces, exponit ibi Galenus, quibus etiam paulo post τὸ πεπηγὸς αἷμα καὶ ἀκίνητον καὶ στάσιμον, h. e. Sanguinem fixum, immobilem et

A stabilem, opponit Hipp. Alioqui μετέωρον πνεῦμα Sublimem et elatam respirationem eamque quæ sublato toto corpore et erecto thorace trahitur, indicat, ut postea scribemus. Etiam p. 16, 21, non longe ab hac translatione τὰ μετέωρα dicuntur humores corporis Quasi penduli aut suspensi, quum sinceri sunt in corpore, necdum ceteris mixti aut temperati, sedati sunt aut compositi, sed suis qualitatibus præpollent, necdum aliorum temperatione sunt diluti, neque consistunt, verum adhuc fervent et exæstuant : Ὅσον δὲ αὖ χρόνον ταῦτα μετέωρα ᾖ καὶ ἄπεπτα καὶ ἄκρητα, Quandiu autem hæc elevata, cruda et intemperata fuerint. Hanc humorum elevationem Exaltationem Chymici appellare videntur. Huicque τὸ καταστορεσθῆναι paulo post ibid. opponi videtur, quod est Dejectum et prostratum esse, hoc est, compositum, sedatum, quod humorum concoctione fit et temperatione. Foes. OEcon.] || Μετέωρος, Qui in alto navigat, Qui in altum provehitur, Qui vela in altum dedit. Bud. ex Demosth. [l. infra citato.] Sic Synes., μετέωρος πλεῖν. V. Comm.
B p. 837. Dicitur et ipsa navis esse μετέωρος, et quidem frequentius, ut opinor, Quæ altum tenet. Ap. Thuc. autem frequentior est hic usus. Sic 1, [48] : Καθορῶσι τὰς τῶν Κερκυραίων ναῦς μετεώρους τε καὶ ἐπὶ σφᾶς πλεούσας. Sic 2, [91] : Ἔτυχε δὲ ὁλκὰς ὁρμοῦσα μετέωρος. Sic et 4, p. 126 et 130 [c. 26]; item 8, p. 267, et alibi. [Polyb. 17, 1, 7 ; 34, 3, 7. Schweigh. Πλεῖν μετέωρον ζεφύροις συνεχέσι, Strabo 2, p. 99. Hemst.] Sed et ipsa navis dicitur σαλεύειν ἐπὶ μετεώρου, a Synes. Epist. 4. Bud. interpr., In alto stare in ancoris, In salo jactari, i. e. οὐ προσπελάζειν τῇ γῇ. [Ἐν μετεώρῳ ἦν ἡ ναῦς, Suid. Μετεώρους κατέχειν τὰς ναῦς, Hesych. in Ἀνακωχήσαντες. Confer in Ἀνακωχεύειν. Hemst.] Sic autem et in Demosth. l. [p. 1213, 24], qui ab eod. Bud. affertur, postquam dixit μετεώρους esse Qui in alto navigant, s. in altum provehuntur, habetur ἀποσαλεύειν μετεώρους, et additur etiam ἐπ' ἀγκύρας cum ἀποσαλεύειν. Sic et in illo Thuc. loco 4, [26] : Καὶ τῶν νεῶν οὐκ ἐχουσῶν ὅρμον, αἱ μὲν σῖτον ἐν τῇ γῇ ᾑροῦντο κατὰ μέρος, αἱ δὲ μετέωροι ὥρμουν, schol. in μετέωροι annotat ἤγουν ἐπ'
C ἀγκυρῶν. Cui l. et similibus non convenit illa expos., In alto navigare, nec quod dicit Suidas, μετεώρους νῆας ap. Thuc. esse πελαγίους καὶ μὴ ἐπ' ἀγκυρῶν ἱσταμένας. Quare distinguendum est inter exempla citata ex Thuc. Budæus tamen, postquam scripsit μετεώρους dici Qui in alto navigant, Synesii loco subjungit illum Demosth., Ἐπ' ἀγκύρας ἀποσαλεύειν τὴν νύκτα μετεώρους, et Thucydidis, Ἔτυχε δὲ ὁλκὰς ὁρμοῦσα μετέωρος. [Μετέωρον (τυγχάνειν) σκιατροφίας, Theoctist. p. 621, 56, Educationem umbratilem evitare, Interpr. Hemst. || Μετέωρον ὄχημα, Pilentum, Gl.]

|| Μετέωρος, metaphorice Erectus et intentus. Lucian. [De merc. cond. c. 15] : Σὺ δὲ ἐφ' ἑκάστῳ τῶν πραττομένων μετέωρος εἶ. Significat, addit Bud., et ἐπαιρόμενον καὶ ὑπερφαιδρούμενον. Plut. Catone [maj. c. 12] : Καὶ σάλον εὐθὺς ἡ Ἑλλὰς εἶχε, καὶ μετέωρος ἦν, ἐλπίσι διαφθειρομένη ταῖς βασιλικαῖς ὑπὸ τῶν δημαγωγῶν. Quanquam metaphoram hoc loco Plut. a navigantibus duxisse videtur, qui in alto navigant et undis eriguntur. Μετέωροι enim sunt Qui in alto navigant, etc. Idem
D paulo post, Μετέωρον dicitur quod adhuc certum non est, sed expectatione suspensos homines tenet. Dem. De fals. leg. [p. 378, 23] : Ἔτι γὰρ τῶν πραγμάτων ὄντων μετεώρων, καὶ τοῦ μέλλοντος ἀδήλου. Et inde μετέωρος δίκη, quæ Pendere Latine dicitur, cujus scilicet judicium suspensum est. Hactenus Bud. Ut autem μετέωρος δίκη, sic et μετέωρος ἀρχὴ φέρεσθαι dicitur ab Herodiano 1 [2, 9, 3], Principatus, de quo adhuc contenditur, s. qui adhuc controversus est. A Bud. exp. μετέωρος ἀρχὴ, Quum imperium adhuc controversum est, et in nullo residet, et uno verbo Interregnum, ap. eund. Herodian., ubi dicit τὰ τῆς βασιλείας μετέωρα, scribens [2, 12, 7] : Οἱ δὲ ὕπατοι τὰ τῆς Ῥώμης διοικεῖν εἰώθασιν ὁπηνίκα ἂν τὰ τῆς βασιλείας μετέωρα ᾖ, Polit. interpr. Quoties de imperio ambigitur. Et μετέωρα πράγματα, Quæ in expectatione sunt, vel Quorum exitus expectatur. Rursum μετέωρος de persona dictum exp. ab eod. Bud. Suspensus, Erectus animo, Nondum fixo animo, sed suspenso, ut qui est ex eventu consulturus [ὁ μὴ σταθερὸς τὸν νοῦν, Jactans, Vacuus, Gl.],

ut ap. Thuc. 2, [8]: Ἥ τε ἄλλη Ἑλλὰς πᾶσα μετέωρος ἦν, ξυνιουσῶν τῶν πρώτων πόλεων, veluti ἐπαιωρουμένη τῇ ψυχῇ, vel ταλαντευομένη τῇ γνώμῃ. Sic fere et ὀρθὸς interdum usurpatur. Μετέωρος exp. etiam Animi dubius, quod convenit cum præcedente interpr. [Μετέωρος πόλις apud Thucyd. 6, 10, ea est cujus res firmæ non sunt, cujus imperium confirmatum non est: Οὐ χρὴ μετεώρῳ τῇ πόλει ἀξιοῦν κινδυνεύειν, καὶ ἀρχῆς ἄλλης ὀρέγεσθαι, πρὶν ἣν ἔχομεν βεβαιωσώμεθα. Brunck. M. ταῖς διανοίαις, Fluctuans animo, Dubia fide, Polyb. 3, 107, 6. Suspensus, Anxius, Inter spem et metum fluctuans, 5, 18, 5; 8, 22, 8; 24, 10, 11; Exspectatione suspensus, 11, 27, 6. Schweigh. Plut. Mor. p. 1059, A: Οὕτω σοι διασέσεισμαι καὶ γέγονα μετέωρος ὑπὸ Στωικῶν ἀνδρῶν. Hemst. Aret. p. 20, 12: Γνώμη μετέωρος, ut ap. Hippocr. γνώμης μετεωρισμός, quod v. De hominibus vanis et ventosis Tim. Locr. p. 104, E: Μετενδυομέναν τᾶν ψυχᾶν ... τῶν κούφων καὶ μετεώρων ἐς πτηνῶν ἀεροπόρων (σώματα).] || Dicitur etiam aliquis esse μετέωρος ad rem quampiam pro Ejus desiderio erectus esse, ut quum ita scribit quidam innominatus auctor ap. Suid.: Ὁ δὲ μετέωρος ἦν πρὸς πᾶσαν καινοτομίαν. Et, Μετῆλθε τὰς πόλεις μετεώρους πρὸς ἀπόστασιν οὔσας. Sic ap. Ciceronem Ardens et erectus ad rem quampiam faciendam. Subjungit autem illud exemplum Suidas, postquam μετέωρος significare dixit, ὁ ἤδη πρὸς πρᾶξίν τινα ηὐτρεπισμένος. V. et alia exempla ibidem cum alia constr. Budæus scribit μετέωρον a Polyb. solere dici Qui defectionem circumspectat: unde μετεωρίζειν ap. eum l. 5, Ad defectionem excitare. Pro hac autem expositione τοῦ μετεωρος faciunt quæ a Suida in ea voce citantur. [De usu Polybii, quatenus huc spectat, Schweigh. in Lex.: « Animo, spiritu, spe elatus, inflatus, tumidus, Μετέωρος καὶ θυμοῦ πλήρης, 3, 82, 2. M. καὶ φιλόδοξος, 16, 21, 2. Μειράκιον μετέωρον τῇ φύσει καὶ πάσης πονηρίας ἔμπλεων, 27, 30, 6. M. ἐγενήθη ταῖς ἐλπίσι, 1, 30, 1, 4; 31, 8, 12. » — « M. cum infinit. vel cum πρὸς, ἐπὶ, aut εἴς τι: ἕτοιμος ἦν καὶ μ. στρατεύειν, 5, 42, 9. Εὐθαρσὴς καὶ μ. ὢν πρὸς τὰς ὑπογραφομένας ἐλπίδας, 5, 62, 1. M. ὢν ταῖς ἐπιβολαῖς ἐπὶ τὸν κατὰ τῶν Αἰτωλῶν πόλεμον, 5, 101, 2. Σπεύδοντας καὶ μετεώρους ὄντας εἰς τὴν πολεμίαν, 3, 78, 5. Πάλαι μετέωρος ὢν εἰς τὴν τῆς Ὀλυμπίας θέαν, 30, 15, 2. M. ἦν εἰς τὴν Ἀλεξάνδρειαν, 13, 2, 1. »] || Μετέωρος etiam dicitur Elatus spe alicujus rei; ita enim intelligendum puto in hoc Luciani l. in Nigrino [c. 5]: Γαῦρός τε γὰρ ὑπὸ τοῦ λόγου καὶ μετέωρός εἰμι, καὶ ὅλως μικρὸν οὐκέτι οὐδὲν ἐπινοῶ. Dictum autem fuerat eadem de re initio dialogi, Ὡς σεμνὸς ἡμῖν σφόδρα καὶ μετέωρος ἐπανελήλυθας. Sic Latinis dicitur non solum Erigi ad spem, vel in spem, et Erectus spe, sed et Erectus absolute. Videtur autem tali quadam metaphora μετέωρος cum γαῦρος et cum σεμνὸς copulari, qua dicitur Gall. *Aller la teste levée*. Sic fere et ap. Ciceronem, Extollere caput et se erigere, cui opponit Abjicere se. Itidem Horat., Liberum et erectum fortunæ responsare, dixit. [Μετέωρον αὐχένα αἴρειν, Suidas in Δίαιτα. Hemst. De superbo Rufinus Anth. Pal. 5, 21, 5: Μή τίς σοι, μετέωρε, προσέρχεται ἢ κολακεύων λίσσεται; Anon. ib. 28, 5: Μηκέτι μοι, μετέωρε, προσέρχεο, ubi Stultum vertit Grotius. Sed est potius Superbus. || « Μετέωρον, Sublime tumidumque genus dicendi, ex nimio ornandi concinnandique studio. Jungitur τὸ ποιητικὸν μετέωρον καὶ πομπικὸν, quibus Isocrates usus fuerit, ap. Dionys. Jud. Isocr. c. 19. Contrarium vitium est τῷ ὑψηλῷ, ut Longin. 3, 2: Τινὰ τῶν Καλλισθένους ὄντα οὐχ ὑψηλὰ, ἀλλὰ μετέωρα. » Ernest. Lex. rhet.] || Μετεωρότερος, Sublimior, vel Altior. Μετεωρότατος, Sublimissimus, si Latine dicere liceat, vel Altissimus. Τὸ μετεωρότατον, Quod est omnium altissimum; unde et pro Fastigio ponitur. At VV. LL. perperam μετεώρατον interpr. Fastigium. [Alia exx. superl. v. initio.]

[|| Μετεώρως, Cum dubitatione, Dubitanter, Pseudo-Chrys. Ep. ad Monach. vol. 7, p. 227. Seager. Plut. Cimon. c. 13: Δυσπίστως ἔτι καὶ μετεώρως ἐχόντων. Augustus ap. Sueton. Claud. c. 4: « Qui vellem diligentius et minus μετεώρως deligeret sibi aliquem cujus motum et habitum et incessum imitaretur misellus. » Ubi eodem modo dicitur ut Μετεωρία ap. eundem. || Jactanter. Pollux 9, 144.]

A [Μετεωροσκοπέω.] Μετεωροσκοπῶ, Sublimia speculor. Ap. Aristoph. Pace, pro Cœlum intueor. [V. Μετεωροκοπέω.]

[Μετεωροσκοπικὸς, ἡ, όν.] Μετεωροσκοπικὴ, in VV. LL. Astrologiæ pars, quæ elevationum differentias astrorumque distantias exquirit. [Conf. Procul. In Euclid. p. 12, et seq. voc.]

[Μετεωροσκόπιον, τὸ, Instrumentum meteoroscopicum. Ptolem. Geogr. 1, 3: Τὴν ζητουμένην περιφέρειαν ἐξ αὐτοῦ τοῦ μετεωροσκοπίου δείκνυμεν. Ὄργανον μετεωροσκοπικὸν vocat ib. paullo ante, et describit Mathem. Comp. 1, 10, vol. 1, p. 46.]

Μετεωροσκόπος, ὁ, ἡ, Sublimium rerum, i. e. cœlestium, speculator. Accipitur et pro Curioso ac inutili rebus agendis, ap. Plat. [Reip. 6, p. 488, E.] V. Bud. Comm. p. 838.

Μετεωροσοφιστὴς, οῦ, ὁ, Qui circa sublimia, i. e. cœlestia, philosophiam ostentat. Aristoph. Nub. [360.]

[Μετεωροσύνη, ἡ, i. q. μετεωρολογία. Maneth. 4, 435.]

[Μετεωρότης, ητος, ἡ, Elevatio. Phurnut. p. 52
B (ed. Cantabr.: nam in Amst. p. 187 recte μετεωροτάτους.) Wakef.]

[Μετεωροφανὴς, ὁ, ἡ, Qui in sublimi conspicitur, Altus. Philo De sept. mirac. 6: Διεγείρων πρὸς βάσιν μετεωροφανές. Ubi οἰκοδόμημα fuisse in seqq., quæ perierunt de fine libri, conjicit Orellius.]

[Μετεωροφέναξ, ᾶκος, ὁ.] Μετεωροφένακες, Qui per suas de rebus sublimibus argutias imponunt auditoribus. Aristoph. Nub. [333.]

[Μετεωροφρονέω, Efferor, Superbio. Suid. v. Χάσμα, schol. Aristoph. Eq. 821.]

[Μετεώρως. V. Μετέωρος.]

Μέτη, Media. Hesych. enim μέτην affert pro μέσην, exponens tamen et μετουσίαν. [Hoc ad μετῆν referebat Valcken. ad Phœn. p. 152, v. 415.]

[Μετήλη. V. Μετιτήλη.]

[Μέτηλις, πόλις Αἰγυπτία, πλησίον Ἀλεξανδρείας, ἣ νῦν Βῆχις λέγεται. Τὸ ἐθνικὸν Μετηλίτης νομὸς, Steph. Byz. Per ι scriptum nomen urbis in libro Vratisl., ut ap. Melam. Alteram scripturam tuentur Ptolem. 4, 5,
C et alii quos citat Holst.]

[Μετηλλαγμένως, ap. Epiphan. vol. 1, p. 366, A: Κεῖται παρὰ τῷ Μαρκίωνι, μ. δὲ, Commutata serie. L. D.]

Μέτηλυς, υδος, ὁ, ἡ, Migrator, Advena. Dionys. P. [689]: Κόλχοι ναιετάουσι, μετήλυδες Αἰγύπτοιο, ubi Eust. vocari scribit ἀποίκους, μετοίκους. [Nonnus Dion. 42, 83: Πλαζομένης ἔστησε μετήλυδα βότρυν ἐθείρης. Tryphiod. 133, 352. Theodor. Prodr. in *Notices* vol. 7, part. 2, p. 255, 22: Οἷς δὲ γέρουσι δέδωκε μετήλυδα γήραος ἥβην· vol. 8, part. 2, p. 207, 287: Καὶ θεὸν ὡς σε τίσωσι μετήλυδες Ἄρεος υἱοί.]

[Μετημάτιος, Theod. Prodr. Ep. 75.]

Μετηνέμιος, ὁ, ἡ, πῶλος, Pullus equinus, qui pedum pernicitate vel cum ventis contendat, ut illi, qui ap. Hom. πέτοντο μετὰ πνοιῇς ἀνέμοιο. [Epigr. Anth. Plan. 62, 4: Σὲ μετηνεμίῳ πώλῳ ἐφεζόμενον. « Theod. Prodromus in notis ad Theophyl. Simoc. p. 228 fin. » Boiss.]

Μετήορος, ὁ, ἡ, Sublimis, ap. poetas pro μετέωρος, quod ab eadem est origine. Hom. Il. Θ, [26]: Τὰ δέ
D κ' αὖτε μετήορα πάντα γένοιτο, ubi exp. μετέωρα, et ἐφ' ὕψους. [Ψ, 369: Ἅρματα δ' ἄλλοτε μὲν χθονὶ πίλνατο, ἄλλοτε δ' ἀΐξασκε μετήορα· H. Merc. 135: Μετήορα δ' αἶψ' ἀνάειρεν. Apoll. Rh. 2, 600: Ἡ δ' ἰκέλη πτερόεντι μετήορος ἔσσυτ' ὀϊστῷ· 4, 1366: Ἵππος χρυσέῃσι μετήορος αὐχένα χαίταις. Palladas Anth. Pal. 9, 165, 7: Ἠέρι καὶ νεφέλῃσι μετήορον οἶδεν Ὅμηρος.] Aratus [406]: Καὶ τῷ μὲν μάλα πάγχυ μετήοροί εἰσι κέλευθοι. [574: Ἥμισυ μέν κεν ἴδοιο μετήορον, ἥμισυ δ' ἤδη ἐσχατιαὶ βάλλουσι κατερχομένου Στεφάνοιο· 610: Ἀργὼ δ' αὖ μάλα πᾶσα μετήορος ἵσταται ἤδη.] || Capitur μετήορος, sicut et μετέωρος, etiam pro Suspenso et animi dubio. Item μετήορον, Quod instabile est tanquam in aere suspensum, ut μετήορα δήνεα φωτῶν [in epigr. Anth. Pal. 11, 356, 2]. Hic enim puto μετήορα δήνεα esse, quas Hom. φρένας ἠερεθομένας appellat. [Vanus, Hom. H. Merc. 488: Μὰψ αὔτως κεν ἔπειτα μετήορά τε θρυλίζοι.] Ceterum hoc compositum, sicut et sequentia, cum η scribo habente subscriptum ι, etymi supradicti rationem habens, quod tamen ap. Eust. in παρήορος

potius observatum fuit quam in ceteris, sed ne in illo quidem satis constanter. [Iterum HSt. :] Ex ἀείρω fiunt et hæc composita, Μετήορος, Παρήορος, Συνήορος. Ut ex ἀείρω significante συζυγῶ fit παρήορος, inquit Eust., sic ex ἀείρω significante κουφίζω, fit μετήορος. Ex quo ἀείρω factum et μετέωρος. De his igitur compositis prius dicam, deinde de Μετέωρος et illis, quæ ab eo derivata sunt. [Scribendum autem μετήορος, non μετῄορος.]

Μετίσχω, i. q. μετέχω. [Herodot. 5, 92 med. : Ἔδοξε πάντας τοῦ φόνου μετίσχειν. Plato Tim. p. 58, E : Μετίσχει μᾶλλον κινήσεως· Reip. 3, p. 411, D : Οὔτε λόγου μετίσχον· Phil. p. 56, C : Ἐλάττονος ἀκριβείας μετισχούσας.] Diog. L. : Εἶπεν ὅτι οἱ τὰ Ὀρφικὰ μυούμενοι, πολλῶν ἀγαθῶν ἐν ᾅδου μετίσχουσι, Multa bona participant.

[Μετιτέον, Transeundum. Diog. L. 6, 105 : M. ἐπὶ τοὺς Στωικούς. Idem 2, 144. Boiss. Ἑξῆς μετιτέον ἐπὶ τὰ etc. Ruf. Ephes. p. 56, 2. Valck. Alciphr. Ep. 3, 13 : Μετιτέον μοι ἐφ' ἕτερον βίον. || Quærendum. Aristot. Top. 4 fin. : Περὶ μὲν οὖν τοῦ γένους, καθάπερ εἴρηται, μετιτέον. L. D. Adj. Μετιτέος Philo (seu potius Pletho) De virt. c. 13, 2; c. 23, 2. Boiss.]

[Μετιτήλη, ἡ.] Μετιτῆλαι, Hesychio sunt αἱ ἐξ ἑκατέρου μέρους τοῦ ἅρματος ῥάβδοι. Pollux 1, tit. de partibus currus [§ 143], habet Μετῆλαι, ita vocari scribens τὰς διδύμους ῥάβδους τὰς εἰς τοὺς ἵππους βλεπούσας ἀπὸ τῆς χαπάνης μέχρι τοῦ χυρτίου.

[Μετοιακίζω, Huc illuc gubernacula jacto. Plut. Mor. p. 34, A : Ὁ ὑφ' ἡδονῆς καὶ ὥρας ὧδε κἀκεῖ μετοιακιζόμενος.]

Μετοικεσία, ἡ, Habitatio et mansio in peregrina regione. Matth. 1, [11] : Ἐγέννησεν ἐπὶ τῆς μ. Βαβυλῶνος, Dum in Babylonio solo incolæ essent, Babylonia regione degerent Judæi, ex sua patria eo deportati. Vel brevius, In deportatione Babylonica. [Leonidas Anth. Pal. 7, 731, 6 : Ἐς πλεόνων ἦλθε μετοικεσίην, de mortuo.]

[Μετοικέσιον, τὸ, i. q. præcedens. Hesych. : M., τὸ ἐκ τόπου εἰς τόπον οἰκῆσαι.]

[Μετοικέτης, ὁ, Qui in medio habitat. Hesych. : Μετοικέται, κατὰ μέσον οἰκοῦντες.]

Μετοικέω, [Migro, Commigro, Demigro, Transmigro, Gl.] Mutatis sedibus et domicilio commigro, Domo mea pulsus habito, Sum μέτοικος, i. e. Incola. [Eur. Suppl. 892 : Ὡς χρὴ τοὺς μετοικοῦντας ξένους, λυπηρὸς οὐκ ἦν. Aristoph. Av. 1319 : Τί γὰρ οὐκ ἔνι ταύτῃ καλὸν ἀνδρὶ μετοικεῖν; Leontius Anth. Pal. 9, 617, 4 : Αἰόλος ὧδε μετοικήσας ἤγαγε τοὺς ἀνέμους. Ita Planudius. Sed in cod. Palat. est μετοικίσας, i. e. μετοικίσσας.] Isocr. : Πολὺ γὰρ ἀθλιώτερον παρὰ τοῖς αὑτοῦ πολίταις ἠτιμωμένον οἰκεῖν ἢ παρ' ἑτέροις μετοικεῖν, Longe miserius est apud suos cives ignominiosum vivere quam apud exteros exulare, nec jus civitatis habere. [Id. p. 62, D.] Pausan. [4, 12, 4] : Λυκίσκου μετοικοῦντος ἐν Σπάρτῃ, Quum esset incola Spartæ ex Messene profugus, Bud. p. 205, alia ibi exempla addens. Sic Dem. Πρὸς Τιμόθ. p. 193 [1191 extr.] : Ἄνδρα μὲν τὸ γένος Μεγαρέα, μετοικοῦντα δ' Ἀθήνησι. [Absolute id. p. 632, 19.] Bud. p. 206. Μετοικοῦντες, inquit, etiam dicuntur Qui patria pulsi aut alias migrantes, alio se contulerunt. Pausan. : Σικελοὺς ἐξαρχῆς ὄντας, Ἀκαρνανίαν μετοικῆσαι, Acarnaniæ incolas fuisse. [Cum dat. Pind. Pyth. 9, 86 : Καδμείων μετοικήσαις ἀγυιαῖς. Cum genit. Æsch. Suppl. 609 : Ἡμᾶς μετοικεῖν τῆσδε γῆς ἐλευθέρους. Cum accus. Eur. Hipp. 837 : Τὸ κατὰ γᾶς θέλω ... κνέφας μετοικεῖν σκότῳ θανών. Plato Leg. 8, p. 848, A : Οἵ τέ τινες ἂν τῶν μετοικούντων ὦσι ξυνοικοῦντες; Menex. p. 237, B : Μετοικοῦντας ἐν τῇ χώρᾳ.]

Μετοίκησις, εως, ἡ, Incolatus, Sedis et habitationis mutatio, Migratio [Gl.]. Plato sub fin. l. 8 Legum [p. 850, A] : Ἰέναι δὲ τὸν βουλόμενον εἰς τὴν μ. ἐπὶ ῥητοῖς, ὡς οἰκήσεως οὔσης τῶν ξένων τῷ βουλομένῳ καὶ δυναμένῳ μετοικεῖν, τέχνην κεκτημένῳ καὶ ἐπιδημοῦντι. Idem in Apol. Socr. [p. 40, C], de morte loquens : Μεταβολή τις τυγχάνει οὖσα καὶ μετοίκησις τῆς ψυχῆς τοῦ τόπου τοῦ ἐνθάδε [ἐνθένδε] εἰς ἄλλον τόπον, Migratio animi ex hoc loco in alium. [Phæd. p. 117, C : Τὴν μετοίκησιν τὴν ἐνθένδε ἐκεῖσε.]

Μετοικία, ἡ, Incolatus, Incolam esse, Sua urbe relicta in aliena habitare. [Thuc. 1, 2 : Διὰ τὰς μετοι-

A κίας ἐς τὰ ἄλλα μὴ ὁμοίως αὐξηθῆναι (τὴν Ἀττικήν).] Plato Leg. 8 fin. : Παισὶ δὲ μετοίκων δημιουργοῖς οὖσι, καὶ γενομένοις ἐτῶν πεντεκαίδεκα, τῆς μὲν μ. ἀρχέτω χρόνος ὁ μετὰ τὸ πέμπτον καὶ δέκατον ἔτος. Incolatum autem dicit Modestinus Dig. l. 50 de Mun. et Hon. : Incola jam muneribus publicis destinatus, nisi perfecto munere, incolatui renuntiare non potest. [Æsch. Eum. 1018 : Μετοικίαν ἐμὴν εὐσεβοῦντες. Soph. Ant. 890 : Μετοικίας δ' οὖν τῆς ἄνω στερήσεται. Xen. Vect. 2, 7 : Πάντες ἂν οἱ ἀπόλιδες τῆς Ἀθήνησι μετοικίας ὀρέγοιντο.]

Μετοικίζω, Transfero incolas, Migrare facio ab uno loco in alium, s. ab una urbe in aliam, Bud. ex Aristot. OEc. 2. Exp. etiam Habitationem mutare cogo. Plut. De primo frig. [?] : Ἡ δὲ καθ' ἕκαστον ἐνιαυτὸν ἡμᾶς μετάγουσα καὶ μετοικίζουσα χρεία, Illa consuetudo et usus, qui quotannis nos domicilii commutatione traducit, Turn. [V. Μετοικέω. « Ὁ θυμὸς μετοικίσας τὰς φρένας dicitur a Melanthio ap. Plut. Mor. p. 551, A, et Tzetz. ad Hesiod. Op. v. 338. Julian. Ep. 10, p. 378, D. » Hemst.] Sic pass. Μετοικίζομαι, Trans-
B feror et migrare cogor, Migro. Lucian. [De sacrif. c. 11] : Τὸν Κρόνου καὶ Ῥέας ἐς τὴν γῆν ὑπὸ Φειδίου μετῳκισμένον. Alia autem exempla v. ap. Bud. p. 206. [Aristoph. Eccl. 754 : Πότερον μετοικιζόμενος ἐξενήνοχας αὐτάς; Argum. Ar. Pac. in cod. Ven. : Μετοικισαμένων τῶν θεῶν εἰς τὰ τοῦ οὐρανοῦ ἀνωτάτω. Et transitive epigr. ap. Bœckh. C. I. vol. 2, p. 200, n. 2211, 10 : Ἡ δ' εὐδαίμων Μυτιλήνη σῶμα μετῳκίσατο. « Med. Μετῳκίσατο πρὸς θεὸν, anon. ap. Suid. in Διῳκίσατο. » Hemst.]

Μετοικικὸς, ή, όν, Ad incolas pertinens. Per jocum autem Lucian. [Lexiph. c. 25] dicit, Τὸ Ἵπτατο καὶ τὸ Ἀπαντώμενος καὶ τὸ Καθεσθεὶς, οὐδὲ μετοικικὰ τῆς Ἀθηναίων φωνῆς· q. d. Ne incolarum quidem jure in Attica lingua donari possint : usqueadeo peregrinum olent. [Bis accus. c. 9 : Ἐς τὸ μετοικικὸν συντελῶν.] Et μ. ἄνθρωπος, i. q. μέτοικος, ut Demosth. vocat. Plut. Alcib. [c. 5] : Ἕνα μετοικικὸν ἄνθρωπον, οὐ πολλὰ κεκτημένον. [Pollux 8, 144 : Τὸ παρ' Ὑπερίδῃ μετοικικῆς συμμορίας.]

Μετοίκιον, τὸ, Pensio, quam incolæ quotannis re-
C præsentabant : summa duodecim drachmarum, Harpocr. Sed addit Idem, ex Isæo colligi, viros quidem duodecim drachmas pendere consuevisse, mulieres autem, sex : et qui eam pecuniam non contulissent, adduci ad cives solitos, convictosque venundari. Vide et alia ap. Eund. et ap. Jurisconsultos. Pollux [3, 55] τὸ μετοίκιον fuisse ait τῷ δημοσίῳ δραχμὰς δυοκαίδεκα, καὶ τῷ γραμματεῖ τριώβολον. Quod vero peregrini persolvebant, ξενικὸν dicebatur : quorum hoc habes ap. Dem. p. 213 [1309, 5], illud p. 215 [1315, 22, et aliis ll. pluribus. Xen. Vect. 2, 1 : Μέτοικοι μετοίκιον προσφέρουσιν. Plat. Leg. 8, p. 850, B : M. μηδὲ σμικρὸν τελοῦντι.] Diog. L. in Xenocr. p. 187 [4, 14] : Αὐτὸν ἐπίπρασκόν ποτε τὸ μετοίκιον ἀτονοῦντα θεῖναι. Plut. Phocione p. 246 [c. 29], μετοίκιον τελεῖν, Tributum incolatus persolvere, Bud.; Incolatus vectigal solvere, ut alii. Lucian. [Deor. conc. c. 3], μετοίκιον καταβάλλω. [Inscr. ap. Bœckh. vol. 1, p. 126, n. 87, 33 : Μὴ ἐξεῖναι αὐτοὺς μετοίκιον πράττεσθαι.] || Ap. Plut. autem in Theseo Μετοίκια Sacrum esse tradunt a mutatis civium
D sedibus dictum : alii Ferias ob receptos in urbem incolas, p. 3 [c. 24] : Ἔθυσε δὲ καὶ μετοίκια τῇ ἕκτῃ ἐπὶ δέκα τοῦ Ἑκατομβαιῶνος, ἣν ἔτι νῦν θύουσι.

[Μετοίκιος Ζεὺς, ὁ ὑπὸ τῶν μετοίκων τιμώμενος, Phrynich. Bekk. p. 51, 24.]

[Μετοίκισις, εως, ἡ, Translatio, restituebat Wesselingius in Argum. Diod. l. 14 fin. : Καυλωνίας καὶ Ἱππωνίου ἅλωσις καὶ κατασκαφὴ καὶ μετοίκησις εἰς Συρακούσας. Sed etiam μετοίκησις dici hic potuit.]

[Μετοικιστὴς, ὁ, Qui traducit. Plut. Thes. Comp. c. Rom. c. 4 : Οἰκισταὶ πόλεων, οὐ μετοικισταὶ, καθάπερ ἦν ὁ Θησεύς.]

Μετοικισμὸς, ὁ, Translatio incolarum, ipsa Actio transferendi incolas, cogendi ex uno loco migrare in alium. In VV. LL. Habitatio apud exteras gentes. [Plut. Agide c. 11, etc.]

[Μετοικιστέον, Traducendum. Plut. Mor. p. 746, C. Boiss.]

Μετοικοδομέω, Ædificatum muto, Quod ædificatum fuerat demolior, et alio modo ædifico. Plut. [Cæs. c.

51] : Μετοικοδομῶν τὴν Πομπηΐου οἰκίαν. [Arrian. Epict. 3, 24, 6, τὰς νεοσσιάς.]

[Μέτοικος, ὁ, ἡ, Advena, Accola, Gl.] Μέτοικοι, Qui principum jussu in aliam civitatem pœnæ causa transferuntur, et quorum prædia publicantur : quo vocabulo etiam ἀνάσπαστοι qui dicuntur, significantur, ut mea fert opinio. Sic Bud. p. 206. Quam suam interpretationem desumpsit ex l. 10 Codic. tit. 4, ubi sic legimus : Certa forma super metœcis data est, qui jussu principis in aliam civitatem translati sunt; nam prædia eorum, quæ antequam demigrarent, habuerint, si ab eis distracta non essent, fisci rationibus vindicari, jam pridem decretum est. Sic et μετανάσται. Idem Bud. in Pand. : Μέτοικοι sunt, qui Latine dicuntur Incolæ, qui in aliena civitate longæ moræ causa habitant, nec habent jus civitatis, nec honores civiles capiunt, tributum tamen pendunt, quod μετοίκιον dicitur. [Æsch. Sept. 548 : Ὁ δὲ τοιόσδ' ἀνὴρ, μέτοικος, Ἄργει δ' ἐκτίνων καλὰς τροφάς· Suppl. 994. Eur. Bacch. 1354 : Ἐγὼ δ' ὁ τλήμων βαρβάρους ἀφίξομαι γέρων μέτοικος· Heracl. 1033 : Μέτοικος ἀεὶ κείσομαι κατὰ χθονός. Herodot. 4, 151 : Τις Κρητῶν ἢ μετοίκων.] Plut. [Mor. p. 38, F] : Τῶν ἐγγραφομένων εἰς τὰς πολιτείας, οἱ μὲν ἀλλοδαποὶ καὶ ξένοι κομιδῇ πολλὰ μέμφονται καὶ δυσκολαίνουσι τῶν γινομένων· οἱ δ' ἐκ μετοίκων σύντροφοι καὶ συνήθεις ὄντες τῶν νόμων, οὐ χαλεπῶς προσδέχονται τὰ ἐπιβάλλοντα. Dem. p. 236 [567, 15] : Τὸν μέτοικον ἐξέπεμψε, τὸν Αἰγύπτιον Πάμφιλον. Isocr. Symm. [p. 163, B] : Μεστὴν γενομένην τὴν πόλιν ἐμπόρων καὶ ξένων καὶ μετοίκων. Ubi copulavit ξένων καὶ μετοίκων, sicut Cic. Off. 1 : Peregrini autem atque incolæ officium est nihil præter suum negotium agere, nihil de alieno inquirere, minimeque esse in aliena rep. curiosum. [Aristoph. Lys. 580 : Καταμιγνύντες τούς τε μετοίκους κεἴ τις ξένος ἢ φίλος ὑμῖν· Pac. 297 : Καὶ μέτοικοι καὶ ξένοι. Xen. H. Gr. 5, 1, 12 : Ξένοι καὶ μέτοικοι.] Aristot. Polit. 3, [1] : Ὁ δὲ πολίτης ἐν τῷ οἰκεῖν ποῦ πολίτης ἐστί; καὶ γὰρ καὶ μ. καὶ δοῦλοι κοινωνοῦσι τῆς οἰκήσεως. Xen. Athen. rep. [1, 12] : Ἰσηγορίαν καὶ τοῖς δούλοις πρὸς τοὺς ἐλευθέρους ἐποιήσαμεν, καὶ τοῖς μ. πρὸς τοὺς ἀστούς. [Qui memorat eosdem multis aliis ll. Item Plato Leg. 8, p. 845, A, etc.] Aristoph. [Ach. 508] : Μετοίκους ἄχυρα τῶν ἀστῶν λέγω. Rursum Aristot. Polit. 3, [1 non longe a fin.] : Πολλοὺς ἐφυλέτευσε ξένους καὶ δούλους μετοίκους, Turn. interpr. Inquilinos, sic vertens hunc l. Philonis V. M. 2 : Τῶν μ. εἰωθότων ἀσφαλείας ἕνεκα τὰ ξενικὰ τιμᾶν, Quum tamen inquilini ad securitatem soleant in peregrina studia degenerare. Sic redditur et in Dem. [p. 462, 13] : Αἱ τῶν μετοίκων λειτουργεῖαι [-γίαι] καὶ αἱ πολιτικαὶ, Inquilinorum functiones et civium. Metaph. autem Lucian. [Deor. conc. c. 1] Herculem, Liberum, Ganymedem, μετοίκους θεοὺς vocat, quasi Incolas advenasque deos : h. e. Ascitos, ascriptitios, adoptivos : quos et παρεγγεγραμμένους appellat. Bud. Pand. Quid vero discriminis sit inter μέτοικον et ξένον, patet ex Harpocr. : Μέτοικος, ὁ ἐξ ἑτέρας πόλεως μετοικῶν ἐν ἑτέρᾳ, καὶ μὴ πρὸς ὀλίγον, ὡς ξένος ἐπιδημῶν, ἀλλὰ τὴν οἴκησιν αὐτόθι καταχτησάμενος. Hos μετοίκους Comici σκαφέας vocabant, quoniam ἐν ταῖς πομπαῖς τὰς σκάφας ἐκόμιζον, ut idem Harpocr. inter alia multa tradit. Itidemque Pollux [3, 55] eos nominatos fuisse σκαφηφόρους, annotat, et uxores eorum ὑδριαφόρους, utrosque ἀπὸ τοῦ ἔργου. [Ξένος μέτοικος Soph. OEd. T. 452 : Ξένος λόγῳ μέτοικος. Aristoph. Eq. 346 : Εἴ που δικίδιον εἶπας εὖ κατὰ ξένου μετοίκου. Thuc. 4, 90 : Αὐτοὺς καὶ τοὺς μετοίκους καὶ ξένων ὅσοι παρῆσαν.] Soph. autem schol. in OEd. C. dicit μετοίκους ab aliis quidem nominari τοὺς ἀπὸ ἑτέρας χώρας μεταβαίνοντας καὶ κατοικοῦντας ἐν ἑτέραις, a Soph. autem μέτοικον vocari τὸν ἔνοικον, hoc l. p. 302 [934] : Τὰς παῖδας ὡς τάχιστα δεῦρ' ἄγειν τινὰ, Εἰ μὴ μέτοικος τῆσδε τῆς χώρας θέλεις Εἶναι βίᾳ τε κοὐχ' ἑκών· itidemque Æschylum Agam. de avibus dixisse, τῶνδε μετοίκων, accipientem μετοίκους pro ὑψηλῶν τόπων ἐνοίκους, p. 178 [58] de vulturibus pullos sibi surreptos deplorantibus, et suos nidos circumvolitantibus : Ὕπατος δ' ἀίων, ἤ τις Ἀπόλλων ἢ Πὰν ἢ Ζεὺς οἰωνόθροον γόον ὀξυβόαν τῶνδε μετοίκων, ὑστερόποινον πέμπει παραβᾶσιν Ἐρινύν· sed Æschyli schol. in propria signif. exp. τῶν μετοικισθέντων νεοσσῶν. [Cum genit., ut Soph., etiam A id. Cho. 971 : Μέτοικοι δόμων· Pers. 311 : Σκληρᾶς μέτοικος γῆς ἐκεῖ κατέφθιτο. || Gen. fem. Æsch. Eum. 1011 : Ὑμεῖς δ' ἡγεῖσθε, πολισσοῦχοι παῖδες Κραναοῦ, ταῖσδε μετοίκοις, ubi al. μέτοικοι, quomodo dixit Soph. Ant. 851 : Μέτοικος οὐ ζῶσιν οὐ θανοῦσιν. Ib. 867 : Πρὸς οὓς ἐγὼ ἀραῖος ... ἅδ' ἐγὼ μέτοικος ἔρχομαι.]

[Μετοικοφύλαξ, ἄκος, ὁ, Inquilinorum curator et patronus. Xen. Vect. 2, 7. Conf. Suid. v. Προστάτης, et Terent. Eun. 5, 8, 8.]

Μετοίχομαι, Eo post, Accerso, i. q. μετέρχομαι. Hom. [Il. Ε, 148 : Ὁ δ' Ἄβαντα μετῴχετο·] Od. Θ, [47] : Κήρυξ δὲ μετῴχετο θεῖον ἀοιδόν, Accersebat. Sic Gall. *Aller après quelcun*, de eo quem quærimus, accersere volentes. Ubi tamen Eust. μετοίχεσθαι accipi dicit pro εἴς τινα ἐλθεῖν. [Apoll. Rh. 4, 758 : Αἰψηρῇσι μετοιχομένη πτερύγεσσι δεῦρο Θέτιν μοι ἄνωχθι μολεῖν. Eur. Iph. T. 1332 : Ὡς ἀπόρρητον φλόγα θύουσα καὶ καθαρμὸν, ὃν μετῴχετο.] || Eo cum, Comitor. Od. Τ, [24] : Ἀλλ' ἄγε τίς τοι ἔπειτα μετοιχομένη φάος οἴσει. || Interdum et pro Transeo capitur.

B Μετοιωνίζομαι, Augurium muto, Aliis auspiciis suscipio, Felicioribus auspiciis iterum tento. [Photius s.] Suid. μετοιωνίσασθαι exp. μεταθέσθαι τὸν φαῦλον οἰωνόν. [Ex Dinarcho p. 95, 5; 101, 43, adnotavit Harpocr. HEMST.]

Μετοκλάζω, Ingeniculo me, Curvatis et flexis genibus subsideo. Hom. Il. Ν, [281] : Οὐδέ οἱ ἀτρέμας ἧσθαι ἐρητύετ' ἐν φρεσὶ θυμὸς, Ἀλλὰ μετοκλάζει καὶ ἐπ' ἀμφοτέρους πόδας ἵζει, schol. μετακαθίζει ἐπ' ἀμφοτέρους πόδας : quia ὀκλὰξ significat τὸ ἐπὶ γόνυ, h. e. ἐγκλίνει τὰ γόνατα διὰ δειλίαν μετακαθίζων. Hesych. γονατίζει. [Epigr. Anth. Pal. 9, 209, 1 : Τίπτε μετοκλάζεις πωτωμένη ὄζον ἀπ' ὄζου; « Etymol. M. p. 187, 34. » HEMST.]

Μετοχωχή, ἡ, pro μετοχὴ dicitur, teste Hesychio, qui tamen exp. etiam ἐποχὴ, necnon ὀχεία. [Conf. de secunda interpr. Valck. Anim. ad Ammon. p. 24.]

[Μετολισθαίνω, Dilabor. Tzetz. Hist. 8, 839 : Περί τινος οὐ σώζοντος στάσιν ἐν τῇ φιλίᾳ, ἀλλὰ μετολισθαίνοντος καὶ μετατρεπομένου. ELBERL.]

Μετονομάζω, Transnomino [Gl.], quo utitur Suet., C aut quicunque scripsit libellum De claris grammaticis. Et Μετονομάζομαι, Transnominor. Athen. 13, [p. 576, D] : Πρότερον Μιλτὼ καλουμένην, Ἀσπασίαν μετονομασθῆναι, Quum prius Milto appellaretur, Aspasiam fuisse transnominatam, Mutato nomine dictam fuisse Aspasiam. Nam μετονομάζω potes etiam reddere Mutato nomine appello; idque commodius, quam Muto nomen, Transmuto nomen, ut habent VV. LL. Ubi etiam legitur, Μετωνόμασται τὸ ἐναντίον ὄνομα, Contrario nomine appellatur. Potest autem μετονομάζω videri sonare q. d. Postnomino. [Leontius Anth. Pal. 9, 617, 2 : Τίς βαλανεῖον τὴν κρήνην ψευδῶς τήνδε μετωνόμασεν; Herodot. 1, 94 : Ἀντὶ Λυδῶν μετονομασθῆναι αὐτοὺς ἐπὶ τοῦ βασιλέος τοῦ παιδός· 8, 44 : Ἀθηναῖοι μετωνομάσθησαν. Thuc. 1, 122 : Τὴν πλείστους δὴ βλάψασαν καταφρόνησιν, ἣ ἐκ τοῦ πολλοὺς σφάλλειν τὸ ἐναντίον ὄνομα ἀφροσύνη μετωνόμασται. Plato Theæt. p. 180, A : Καινῶς μετωνομασμένῳ. Dio Chr. Or. vol. 1, p. 503 : Τὸ ὄνομα αὐτοῦ μετωνόμασε γυναικεῖον.]

Μετονομασία, ἡ, Transnominatio, Mutatio nominis. D Athen. 7, [p. 296, D] : Νικάνωρ δὲ ὁ Κυρηναῖος ἐν Μετονομασίαις τὸν Μελικέρτην φησὶ Γλαῦκον μετονομασθῆναι. Vide Μετωνυμία.

Μετόπη, ἡ, vocab. architectonicum. Vitruv. 4, 1 : Utraque enim, et inter denticulos et inter triglyphos, quæ sunt intervalla, Metopæ nominantur : ὀπὰς enim Græci Tignorum cubilia et asserum appellant, ut nostri ea cava, Columbaria. Ita quod inter duas opas est intertignium, id Metopa apud eos est nominatum. Sed notandum, scribi vocab. hoc constanter ibi per *th*, itemque cap. seq. : Necesse est triglyphos constitui contra medios tetrantes columnarum : methopasque : quæ inter triglyphos fient, æque longas esse quam altas. Et mox, Ita methopæ, quæ proxime ad angulares triglyphos fiunt, non exeunt quadratæ, sed oblongiores triglyphis dimidia altitudine. Itidem vero ap. Hesych. reperio Μεθόπιον, quod et ipse esse dicit μέρος τι τῆς καλουμένης ὑπὸ τῶν ἀρχιτεκτόνων τριγλύφου : ut difficile sit de etymo statuere : nam si μετόπιον scriberetur, esset τὸ μεταξὺ τῶν ὀπῶν, Quod inter foramina est, s. tignorum asserumque cubilia et veluti columbaria. Quam scripturam, alii secuti sunt, ego rejiciendam non putavi. [Pro μετοχὴ restituit Schneiderus Vitruv. 3, 5, 11 : « Intersectio quæ græce μετόπη dicitur. » V. Μέτωπον.]

Μετόπιν, A tergo, postea, μετόπισθεν, Hesych. [Apollon. Rh. 4, 1764 : Ἀλλὰ τὰ μὲν μετόπιν γένετ' Εὐφημοιο. Soph. Phil. 1189 : Τί σ' ἔτ' ἐν βίῳ τεύξω τῷ μετόπιν ;]

[**Μετόπιον**. V. Μετόπη. || Τὸ ξύλον τῆς χαλβάνης, in Lexico botan. ex cod. Reg. 1845, Lignum Galbani. Ducang. App. Gl. p. 131.]

[**Μέτοπις**, voc. ridiculum, ab librariis pro μετ' ὄπις positum, in Epigr. Hom. ap. Ps.-Herodot. V. Hom. c. 19 : Δεινὴ γὰρ μέτ' ὄπις ξενίου Διός.]

Μετόπισθεν s. **Μετόπισθε**, poetice, idem cum præc. [κατόπισθεν, Pone, A tergo. Hom. Il. Z, 68 : Μήτις νῦν ... μετόπισθεν μιμνέτω· K, 490 : Τὸν δ' Ὀδυσεὺς μετόπισθε λαβὼν ποδὸς κτλ.] Item, Post, Postea. Hom. Il. P, [261] : Ὅσσοι δὴ μετόπισθε μάχην ἤγειραν Ἀχαιῶν, Qui postea pugnam civerunt, h. e. post Ajacem, et Diomedem Merionemque. Pro Postea, s. In Posterum, utitur et Hesiod. [Op. 282, et Hom. alibi sæpissime. Eur. fr. Hippolyti ap. Stob. Fl. 5, 16, 5 : Ἦλθε γὰρ ἢ πρόσθ' ἢ μετόπισθεν τῆς εὐσεβίας χάρις ἐσθλή. Aliique poetæ.] Ab Hesych. exp. ὕστερον, μετὰ ταῦτα.

[**Μέτοποι**, ἄνδρες, Hesychius, gl. obscura et vitiosa.]

[**Μετοπωρίζω**, quod improbat Pollux 1, 62 : Οὐκέτι μέντοι καὶ μετοπωρίσαι ἐστὶν ἐν χρήσει· ἐκ δὲ τοῦ ὁμοίου χρῆσθαι ἄν τις αὐτῷ δύναιτο, habet Philo vol. 1, p. 13, 19 : Ἔαρος μετοπωρίζοντος, ἢ μετοπώρου ἐαρίζοντος, Autumno similis veris.]

Μετοπωρινὸς, ἡ, ὸν, Qui extremi et senescentis autumni est. Interdum et Autumnalis. Plut. : Πρὸ μετοπωρινῆς ἰσημερίας, Ante æquinoctium autumnale : cui opp. ἡ ἐαρινὴ ἰσημερία, Æquinoctium vernum ; nam bis æquatur nox diei, vere et autumno, Plin. 2, 19. Et μ. ὕδατα [Theophrastus] ap. Athen. 2, [p. 62, B], Autumnales aquæ. [Orph. H. 28, 14 : Ἁρπαγιμαῖα λέχη μετοπωρινά. Thuc. 7, 87 : Αἱ νύκτες μετοπωριναὶ καὶ ψυχραί. Xen. OEc. 17, 2 : Μετοπωρινὸς χρόνος. Aristot. H. A. 5, 22 : Μετοπωρινὸν μέλι. Μετοπωρινὴ ὥρα Pollux 1, 60, Plut. Camill. c. 3.] Adverbialiter autem Hesiod. [Op. 413], μετοπωρινὸν ὀμβρεῖν, Autumnales mittere pluvias, Sub extremum autumnum pluere. [Aratus 1064 : Αὐτὰρ ὅτε σφῆκες μετοπωρινὸν ἤλιθα πολλοὶ πάντη βεβρίθωσι.] Sicubi autem μετόπωρον, Autumnum, et μετοπωρινὸν, Autumnalem reddamus, vacabit præp.

Μετόπωρον, τὸ, q. d. Tempus illud quod est post autumnum, Senescens autumnus, et in hyemem inclinans, Tempus illud autumni, quod collectos autumnales fructus sequitur : ut Tempus brumale. [Autumnus, Gl. Thuc. 7, 79 : Τοῦ ἔτους πρὸς μετόπωρον ἤδη ὄντος. Frequens est etiam ap. Xenoph. Inepte Thomas p. 895 : Φθινόπωρον κάλλιον ἢ μετόπωρον. Ubi Oudendorp. annotavit Lucian. Toxar. c. 4 : Ὀψὲ τοῦ μετοπώρου· Ælian. V. H. 13, 4 : Οὐ μόνον τὸ ἔαρ τῶν καλῶν κάλλιστον, ἀλλὰ καὶ τὸ μετόπωρον. Inter μ. et φθινόπωρον variat Theophr. H. Pl. 5, 1, 2 et 4.] Aristot. Meteor. 1, [12] : Αἱ δὲ χάλαζαι γίγνονται μὲν ἔαρος καὶ μετοπώρου μάλιστα, εἶτα καὶ τῆς ὀπώρας· χειμῶνος δὲ ὀλιγάκις· quo in l. Bud. ὀπώρας interpr. Æstate : malim ego, Ineunte autumno : vel Ante autumnum : quibus verbis τὸ φθῖνον θέρος denotatur. Plut. Symp. 2, [quæst. 2] : Βρωτικώτεροι γίνονται περὶ τὸ μ. In ætate autem et juvenili μετόπωρον dicitur, quum in virilem inclinat; et barba pullulat, Plut. Alcib. [c. 1] : Οὐ γὰρ, ὡς Εὐριπίδης ἔλεγε, πάντων καλῶν καὶ τὸ μ. καλόν ἐστι· quod dictum et in Apophth. Euripidi tribuit, τὸν καλὸν Ἀγάθωνα in convivio amplexanti et osculanti ἤδη γενειῶντα.

Μετόρχιον, τὸ, Interstitium quod est inter arborum s. plantarum ordines, qui ὄρχοι nominantur. Scribit enim Pollux [7, 145] μετόρχιον nominari τὸ μεταξὺ τῶν πεφυτευμένων, ut quorum ὁ στίχος vocetur ὄρχος. Colum. Interordinia appellat. De spatiis, inquit l. 5, c. 5, ordinum eatenus præcipiendum habemus, ut intelligant agricolæ, sive aratro vineas culturi sint, laxiora interordinia relinquenda. Et sic alibi. Utitur vero Græca voce Aristoph. Pac. [568] : Ἦ καλῶς αὐτῶν ἀπαλλάξειεν ἂν μετόρχιον. Ubi schol. quoque μετόρχιον

A esse dicit τὸ μεταξὺ τῶν συμφύτων πεδίον, ἐν ᾧ ἢ σῖτος ἢ ἄλλο τι ἔσπαρται : qualia spatia etiamnum in Italia visuntur inter vitium ordines, consita tritico aliove semine. [Ex Γεωργοῖς citat Etym. M. p. 634, 39.] Ap. schol. Theocr. [1, 48] scriptum Μετόρχμιον, qui et ipse id esse ait τὸ μεταξὺ τῶν φυτῶν, sed ea scriptura minus recta est.

[**Μετόσσω**. V. Μετουσῶ.]

[**Μέτουλον**, τὸ, Metulum, urbs Liburnica, ap. Strab. 5, p. 207; 7, p. 314.]

Μετουσία, ἡ, Participatio, Communicatio, Consortium. [Aristoph. Ran. 442 : Παίζοντες, οἷς μετουσία θεοφιλοῦς ἑορτῆς· Thesm. 152 : Αὐτίκα γυναικεῖ' ἢν ποιῇ τις δράματα, μετουσίαν δεῖ τῶν τρόπων τὸ σῶμ' ἔχειν.] Xen. Cyrop. 8, [5, 23] : Πεποίηκε Πέρσαις καὶ πεδίων εἶναι μετουσίαν. [Demosth. p. 199, 15 : Τῶν ἰδίων δικαίων τῶν ἐκ ταῖς πολιτείαις κοινὴν τὴν μετουσίαν ἔδοσαν καὶ ἴσην καὶ τοῖς ἀσθενέσι καὶ τοῖς ἰσχυροῖς· 555, 17 : Τὰς τῆς ἰσηγορίας καὶ τὰς τῆς ἐλευθερίας ἡμῶν μετουσίας ἀφαιρεῖσθαι· 1100, 7 : Τὰς κληρονομίας καὶ τὴν τῶν ἀγαθῶν

B μετουσίαν τοῖς αὐτοῖς ἀπέδωκεν.]

[**Μετουσιασμὸς**, ὁ, i. q. μετουσία. Theodor. Stud. p. 444, C : Κατὰ δευτέρωσιν ἁγιαστικοῦ μετουσιασμοῦ. L. Dindorf.]

[**Μετουσιαστικὸς**, ἡ, όν.] Μετουσιαστικὰ nomina ap. grammaticos Quæ participationis significationem inclusam habent : a nonnullis Materialia dicta : ut λίθινος, ξύλινος, σάρκινος. [Exx. sunt in Etym. M., ut p. 30, 11 : Μετουσιαστικόν ἐστι τὸ μετέχον οὐσίας τινὸς, οἷον κέδρινος ... Διαφέρουσι δὲ τὰ μετουσιαστικὰ τῶν μερῶν τοῦ σώματος, ὅτι τὰ μὲν μετουσιαστικὰ ἀπὸ ἀψύχων, τὰ δὲ δηλοῦντα μέρος σώματος ἀπὸ ἐμψύχων παράγονται· 34, 52 : Τὸ δὲ αἱματόεις ἐστὶ μετουσιαστικόν. Et ap. alios quosvis.]

[**Μετουσίωσις**, εως, ἡ, Transsubstantiatio. Vox quando primum inducta v. ap. Ric. Simonem in not. ad Gabriel. Severum archiep. Philadelph. p. 105 seqq. Ducang. App. Gl. p. 209.]

Μετουσῶ, ap. Hesych. περιβλέπω, ἀποβλέπω, ἀφορῶ : sed suspectum. [Μετόσσω Guietus.]

C [**Μετοχέτευσις**, εως, ἡ, Derivatio. Aret. p. 17, 54 : Οὐδὲ οὖρον ἀλίζεται ὑπὸ τῆς ἐς τὸ ἔντερον τῶν ὑγρῶν μετοχετεύσεως. Galen. vol. 2, p. 222.]

Μετοχετεύω, [Derivo, Gl.] Alio derivo et per canalem deduco. [Μετοχετεύεσθαι, Manare; Μετοχεύεται, Derivatur, Gl. Tzetz. Hist. 1, 824 : Ὄπισθε μετωχέτευσε τὸν ποταμόν. Elberl. Schol. Hesiodi Th. 520, et figurate Melet. Cram. An. vol. 3, p. 28, 26.] Metaph. accipitur pro Traduco, Transfero. Herodian. [1, 3, 4] : Ῥᾶστα γὰρ αἱ τῶν νέων ψυχαὶ εἰς ἡδονὰς ἐξολισθαίνουσαι, ἀπὸ τῶν παιδείας καλῶν μετοχετεύονται. [Theophylacti Simoc. exx. quædam contulit Boiss. ad Epist. p. 226.]

Μετοχὴ, ἡ, i. q. μέθεξις. [Leonidas Tar. Anth. Pal. 9, 316, 9 : Μισέω τὰν μετοχὰν οὐδ' ἥδομαι. Herodot. 1, 144 : Ἐξεκλήισαν τῆς μετοχῆς τὴν ἕκτην πόλιν. Plato Ep. 7, p. 345, A : Ἀγαπῶν δόξαν τὴν τῆς μετοχῆς γενομένην.] Plut. De primo frig. [p. 945, F] : Ἧς παρουσίᾳ τινὶ καὶ μ. γίγνεσθαι τῶν ἄλλων ἕκαστον ψυχρὸν, Cujus præsentia et perceptione reliqua frigida fiant omnia. || Pars orationis ap. grammaticos, quam Par-

D ticipium Latini appellant. [Gl. et grammatici passim.]

Μετοχικὸς, ἡ, ὸν, Participialis. [Eust. Il. p. 32, 33; 138, 15. Seager. Phot. cod. 177, p. 123, 33, λέξεις. || Adv. Μετοχικῶς, Apollon. Lex. p. 766 Vill.]

[**Μετόχιον**, τὸ, Cella monastica, a majori monasterio dependens ... Sumitur etiam pro quovis Monasterio. Ducang. Qui plurima annotavit exx. Byzantinorum, facile totidem aliis augenda. Unde cognomen Μετοχίτης, Georgii, Theodori, de quibus Fabric. in B. Gr., Nicephori in *Notices* vol. 6, p. 12 sq. L. Dind.]

Μετοχλίζω, Vecte transmoveo; simpliciter Transmoveo, Transfero. Hom. [Il. Ω, 567 : Οὐδέ κ' ὀχῆας ῥεῖα μετοχλίσσειε θυράων ἡμετεράων·] Od. Ψ, [188] : Ἀνδρῶν δ' οὔ κεν τις ζωὸς βροτὸς οὐδὲ μάλ' ἡβῶν Ῥεῖα μετοχλίσσειε· verba sunt Ulyssis, cui aliquis ἄλλοσε θῆκε λέχος, s. ἔθηκ' ἄλλῃ ἐνὶ χώρῃ, ut ibid. loquitur. [Crinagoras Anth. Pal. 9, 81, 5 : Ἀστοὶ γὰρ τύμβοιο μετοχλίσσαντες ὀχῆας εἴρυσαν ἐς ποινὰς τλήμονα δυσθανέα. Lycophr. 627.]

Μετοχμάζω, Tollo, In tergum sustollo. [Nonn. Dion. 1, 48 : Μετοχμάζων δὲ γυναῖκα κυκλώσας παλάμας περὶ γαστέρα δίζυγι δεσμῷ.]

Μέτοχος, ὁ, ἡ, Particeps [Gl. Eur. Herc. F. 721 : Μέτοχος ἂν εἴην τοῦ φόνου· Ion. 697 : Πόσιν ἐν ᾧ τὰ πάντ' ἔχουσ' ἐλπίδων μέτοχος ἦν τλάμων· Andr. 769 : Πατέρων ἀγαθῶν εἴην πολυκτήτων τε δόμων μέτοχος. Ex Aristophanis Γηρυτάδῃ citat Antiatt. Bekk. 107, 32. Gregor. Naz. Anth. Pal. 8, 1, 4 : Καὶ φωτὸς μετόχους δεῖξεν ἀκηρασίου. Epigr. App. 241, 5 : Πρόσθεν μὲν θνητὴ, νῦν δὲ θεῶν μέτοχος. Herodot, 3, 52 : Ἐγὼ τῆς συμφορῆς τὸ πλεῦν μέτοχός εἰμι. « Lysias p. 109, 44. » Hemst.] Plato Polit. 7, [p. 522, C et aliis multis ll.]. Synes. : Τὸ πνεῦμα ἱλαρύνει τοὺς μετόχους αὐτοῦ. [Dem. p. 1411, 4 : Τοὺς μὲν γὰρ ἡ τύχη σοι μετόχους κατέστησε.]

Μετρέω, Metior. [Modificor, Demigro, Grumo, add. Gl. Aristoph. Av. 1004 : Ὀρθῷ μετρήσω κανόνι προστιθείς. Æsch. Cho. 209 : Τενόντων ὑπογραφαὶ μετρούμεναι εἰς ταὐτὸ συμβαίνουσι τοῖς ἐμοῖς στίβοις. Aratus 497 : Δι' ὀκτὼ μετρηθέντος· 543 : Ἑκάστη ἴση μετρηθεῖσα. Theocr. 10, 39 : Ὡς εὖ τὰν ἰδέαν τᾶς ἁρμονίας ἐμέτρησεν. Herodot. 2, 6 : Μεμετρήκασι τὴν χώρην ὀργυιῇσι, σταδίοισι κτλ. Passivo 4, 86.] Plut. De exil. [p. 602, F] : Σχοίνοις καὶ παρασάγγαις μετροῦντες. Xen. Cyrop. 8, [2, 21] : Τὰ δὲ ἀριθμοῦντες καὶ μετροῦντες καὶ ἱστάντες, πράγματα ἔχουσι. Eur. ap. Athen. 13, [p. 599, F] de Venere : Ἣν οὐδ' ἂν εἴποις οὐδὲ μετρήσειας ἂν Ὅση πέφυκε, καὶ ἐφ' ὅσον διέρχεται. [Theocr. 16, 60 : Ἀλλ' ἴσος γὰρ ὁ μόχθος ἐπ' ᾀόνι κύματα μετρεῖν.] Et μετρεῖν dicuntur etiam οἱ σιτοδοτοῦντες, Qui demetiuntur annonarium frumentum, demensum dant, ut loquitur Plaut. [Eur. Rhes. 772 : Πώλοισι χόρτον ἀφθόνῳ μετρῶ χερί. Aristoph. Eq. 1009 : Περὶ τῶν μετρούντων τἄλφιτ' ἐν ἀγορᾷ κακῶς· Ach. 548 : Σιτίων μετρουμένων. Et cum duplici accus. Pac. 1254 : Ἔστιν γὰρ ἐπιτήδεια συρμαίαν μετρεῖν. Cum dat. pers. Av. 585 : Κᾆπειτ' αὐτοῖς ἡ Δημήτηρ πυροὺς πεινῶσι μετρείτω. Demosth. p. 1135, 5 : Ἐὰν ἐξ ἐπικλήρου τις γένηται, ... κρατεῖν τῶν χρημάτων, τὸν δὲ σῖτον μετρεῖν τῇ μητρί. Polyæn. 7, 33, 2.] Et Μετρέομαι pass. ap. Aristot. : Μετροῦνται μᾶλλον ἢ μετροῦσιν, Non tam metiuntur, quam mensuram admittunt. Idem Phys. ausc. l. 4 : Παρὰ γὰρ τὸ μέτρον οὐδὲν ἄλλο παρεμφαίνεται τὸ μετρούμενον· quibus verbis significat μέτρον et μετρούμενον idem esse. [Plut. Lys. c. 19 extr. : Καλεῖται ὁμωνύμως τῷ ξύλῳ σκυτάλη τὸ βιβλίον, ὡς τῷ μετροῦντι τὸ μετρούμενον.] Ibid. [8, 8] dicit κύκλον esse id quod μετρεῖται τῇ κυκλοφορίᾳ. [Dionys. Per. 197 : Καρχηδὼν, ἣν μῦθος ὑπαὶ βοῒ μετρηθῆναι.] Hermog. : Ἐν κώλοις καὶ κόμμασι μετρούμενον, Collis et commatis quasi dimensum. Dicitur etiam aliquis μετρεῖσθαι, Qui demensum accipit, certa mensura accipit. [Theocr. 16, 35 : Πολλοὶ ἐν Ἀντιόχοιο δόμοις καὶ ἄνακτος Ἀλεύα ἁρμαλιὴν ἔμμηνον ἐμετρήσαντο πενέσται.] Dem. [p. 918, 11] : Ἐπὶ τῆς μακρᾶς στοᾶς τὰ ἄλφιτα καθ' ἡμίεκτον μετρούμενοι, Farinas accipientes ad quaternarum chœnicum modum dimensas. Plut. Cæs. [c. 48] : Τοὺς στρατιώτας τὸν κάκιστον μετρουμένους καὶ παλαιότατον σῖτον. [Ita dicendum esse, non σιτομετρεῖσθαι, præcipiunt Phrynich. p. 383, Thomas p. 795.] Gregor. : Οὐ γὰρ μετρεῖται παρὰ Θεοῦ Θεὸς, Non enim Deus filius ad certum modum a Deo Patre accipit. Aliquando μετρεῖν est Certa mensura mutuum dare, quod postea reddas. Theopomp. ap. schol. Aristoph. [Ach. 1020] : Καπήλισον [Καπηλίσιν·] ἢ μετάδος, ἢ μέτρησον, ἢ τιμὴν λάβε. Sic Aristoph. per jocum [Ach. 1021] : Μέτρησον εἰρήνης τί μοι, κἂν πέντ' ἔτη, i. e. δάνεισον, schol. Et μετρέομαι, Dimensum mutuo accipio : μέτρῳ λαμβάνω ἐν δάνει, Ammon., ap. Hesiod. Op. [347] : Εὖ μὲν μετρεῖσθαι παρὰ γείτονος, εὖ δ' ἀποδοῦναι, Bona mensura mutuum accipe a vicino, sed et bona redde. Cic. vertit, Utendum accipio; Quint., Mensura accipio, p. 147 Lex. Cic. Huc pertinet metaph. illud Gregorii ex Evangelio, Ὡς ἂν μετρήσω, μετρηθησόμενος, Quo modo mensus fuero, eodem accepturus. Item μετρεῖν τὴν ἴσην, Vices rependere, Paria vel beneficio vel maleficio facere. Bud. p. 262, ex Pausan. [2, 18, 2.] Quæ metaphora est itidem a μετρέω pro δανείζω. Et vulgo hodie dicunt Mutuum tibi reddam, pro Eodem modo ulciscar, quo injuriam accepi, Bud. ibid. Quo vero signif. Ovid.
A dicit Aquas metiri carina ; Virg. Georg. 4 : Et juncto bipedum cursu metitur equorum ; sc. pro Transmeare, quod et Emetiri : ita Hom. Od. Γ, [179] : Πέλαγος μέγα μετρήσαντες. Ubi Eust. exp. διαπεραιωσάμενοι, μετάραντες. Sic Apoll. Arg. 2, [915] : Οὐ μέν θην προτέρω τε [ἔτ'] ἐμέτρεον, Non ulterius metiebantur et verrebant cærula. [1, 930 : Πέλαγος δὲ τὸ μὲν καθύπερθε λέλειπτο, τὸ δ' ἐννύχιοι Ῥοιτειάδος ἔνδοθεν ἀκτῆς μέτρεον· 4, 1779 : Γαῖαν Κεκροπίην παρά τ' Αὐλίδα μετρήσαντες Εὐβοίης ἔντοσθεν. Epigr. Anth. Pal. 12, 156, 5 : Κύματα μετρῶν δινεῦμαι. Oppian. Hal. 2, 504 : Μυρία πόντου ἄλγεα μετρήσαντα. Medio Moschus 2, 153 : Σὸς δὲ πόθος μ' ἀνέηκε τόσην ἅλα μετρήσασθαι ταύρῳ ἐειδόμενον. Dionys. Per. 716.] Quibus addi potest Sophocleum hoc initio Ajacis, Πάλαι κυνηγετοῦντα καὶ μετρούμενον Ἴχνη τὰ κείνου νεοχάραχθ', ὅπως ἴδῃς Εἴτ' ἔνδον εἴτ' οὐκ ἔνδον· (ut Catull., Iter cursu metiens, et Plin., Emetiri iter vehiculis:) schol. ἀριθμοῦντα, ζητοῦντα, ἀκολουθοῦντα τὰ ἴχνη τὰ ἐκείνου. [Idem de tempore OEd. T. 561 : Μακροὶ παλαιοί τ' ἂν μετρηθεῖεν χρόνοι. Idem fr. OEnomai
B ap. Athen. 13, p. 564, B : Ἐξοπτᾷ δ' ἐμὲ, ἴσον μετρῶν ὀφθαλμὸν, ὥστε τέκτονος παρὰ στάθμην ἰόντος ὀρθοῦται κανών. Medio, cujus alia exx. v. paullo ante, Apoll. Rh. 1, 724 : Κανόνεσσι δάε ζυγὰ μετρήσασθαι. Bianor Anth. Pal. 7, 644, 5 : Τί τοσοῦτον ἐμετρήσασθε θρῆνον ;] ‖ Μετρεῖν, Æstimare : ut et Lat. Metiri, metaph. sumpta a metatoribus. Lucian. [De hist. conscr. c. 5] : Τότε τῷ αὐτῷ πήχει, ὥσπερ καὶ νῦν, μετρούντων τὸ πρᾶγμα, ut Horat., Metiri se quemque suo modulo ac pede verum est, metaph. huic simili. Aristot. Rhet. 2, [c. 14 fin.] : Τῇ γὰρ αὑτῶν ἀκακίᾳ τοὺς πέλας μετροῦσιν· ut Liv., Metiens aliorum in se odium suo in alios odio. Dem. [p. 314, 24] : Τῇ γαστρὶ μετροῦντες καὶ τοῖς αἰσχίστοις τὴν εὐδαιμονίαν· ut Cic., Omnia, quæ ad beatam vitam pertineant, ventre metiri. Idem de Epicuro : Summum bonum suis commodis, non honestate metitur. [Proprie sic Eur. Phœn. 182 : Ἐκεῖνος προσβάσεις τεκμαίρεται πύργων, ἄνω τε καὶ κάτω τείχη μετρῶν. Improprie similibus in loquendi generibus, ut quæ Hemst. memorat, Καιρὸν εὖ μετρῆσαι καὶ πράγματα, Vit.
C Sophocl. p. 4, 12 ; Μέση καὶ μεμετρημένη διδασκαλία, Sext. Emp. p. 357, 7. « Μετρεῖν πάντα ταῖς τοῦ συμφέροντος ψήφοις, Polyb. 2, 47, 5. Ταῖς ἰδίαις ὀργαῖς καὶ φιλοτιμίαις, 12, 14, 5. Πάντα μετρῶν πρὸς τὸ τῆς ἰδίας πατρίδος συμφέρον, 17, 14, 11. » Schweigh. Lex. ‖ Numero. Cod. Paris. A Thucydidis ap. Bekker. præf. vol. 1, p. III : Ἐμετρήθησαν τὰ φύλλα τοῦ παρόντος βιβλίου ... καὶ εὑρέθησαν ὄντα σζα'. ‖ Metris scribo, ap. Nilum Epist. 2, 49, qui Apollinarem πολλὰ μετρῆσαι καὶ ἐποποιῆσαι dicit. L. Dind.]

[Μετρηδὸν, Mensura. Nicander Al. 45 : Ὅτε νέκταρ εὔτριβι κιρρὸν ἀφύσσῃς μετρηδόν· 203 : Δήποτε δ' ἰρινέου θύεος μετρηδὸν ὀρέξαις. ‖ Sensim sensimque interpretatur Græfius ap. Nonn. Dion. 48, 340 : Ἀκροβαφῆ κατὰ βαιὸν ἀναστείλασα χιτῶνα κρυπτόμενον μετρηδὸν ὅλον δέμας ἔκλυσε κούρη, ut scripsit pro μιτρηδόν. ‖ « Carmine, Nonn. Dion. 7, 115 : Καὶ χρύσειον ἔπος μετρηδὸν ἑκάστῳ ἔγραφεν εἰς μέσα νῶτα ποθοβλήτοιο φαρέτρης. » Wakef.]

Μέτρημα, τὸ, Demensum, Quod mensura tribuitur.
D [Eur. Iph. T. 954 : Ἐς ἄγγος ἴδιον ἴσον ἅπασι Βακχίου μέτρημα πληρώσαντες· Ion. 1138 : Μέτρημ' ἔχουσαν τοὐμμέσῳ γε μυρίων ποδῶν ἀριθμόν.] Peculiariter pro Frumento quod militibus certa mensura tribuebatur, quod comp. voce σιτομέτριον. Polyb. [6, 38, 3] : Τοῖς δὲ λοιποῖς (στρατιώταις) τὸ μέτρημα κριθὰς δοὺς ἀντὶ πυρῶν. Plautus ea signif. dicit Demensum petere ; sed de servis, quibus itidem τὸ σιτομέτριον dabatur. [Stipendium, id. 9, 27, 11. Schweigh. Lex. Pap. Ægypt. ap. Forshall *Description* part. 1, p. 7, 22 : Μετρήματα καὶ ὀψώνια. L. Dind.]

Μέτρησις, εως, ἡ, Mensio [Gl.], Dimensio. Plut. [Mor. p. 147, A] : Τῆς πυραμίδος τὴν μέτρησιν ὑπερφυῶς ἠγάπησεν. Citat Pollux [4, 166] ex Dem. quoque. [Xen. Comm. 4, 7, 2 : Τῇ μετρήσει (terræ). Plato Polit. p. 285, A : Μετρήσεως πάνθ' ὁπόσα ἔντεχνα μετείληφε· Leg. 7, p. 819, C : Ἐν ταῖς μετρήσεσιν.]

[Μετρητέον, Moderandum, Gl. Metiendum, Plat. Reip. 7, p. 531, A : Ὦ μετρητέον.]

[Μετρητὴ vox nihili. V. Μετμητής.]

[Μετρητήριον pro μετρητὴς legebatur olim ap. Mœrin v. Ἀμφορεὺς p. 45.]

Μετρητὴς, ὁ, Mensor. V. Προμετρητής. [Dial. de justo p. 373, A, B: Οἱ μετρηταί.] || Metreta, Cadus, Amphora Attica: mensura est liquidorum, ap. Atticos maxima, capiens χόας duodecim, s. libras mensurales centum et octo. Eam Fannius Atticam amphoram appellavit his versibus: Attica præterea dicenda est amphora nobis, Seu cadus: hanc facies, nostræ si adjeceris urnam. Ex quibus apparet, Atticam amphoram capere amphoram Romanam et urnam, et Romanam ab Attica magnitudine differre. Itaque qui accuratius scripserunt, non simpliciter μετρητὴν dixerunt, nisi quum Atticam intelligerent; quum enim Romanam intelligebant, Romanam vel Italicam addebant, sicut Diosc. [5, 26] in descriptione vini scillitici: Λαβὼν σκίλλης ἐντετμημένης καὶ κεκαθαρμένης μνᾶς γ', κάθες εἰς γλεύκους καλοῦ μετρητὴν Ἰταλικόν· hic enim Metretem Italicum appellavit amphoram Romanam. Idem [ib. 49] et κεράμιον Ἰταλικὸν dixit in Vino absinthite. A Latinis Metretem dici Cadum, ex Diosc. et Plin. perspicuum est. Ubi enim ap. Diosc. μετρητὴς legitur, Plin. Cadum convertit: ut quo loco [ib. 33] Diosc. vinum ex labrusca factitium describit: qui totus l. a Plin. in Latinum versus est 14, 16. In quo tamen animadvertendum est, non omnem amphoram Cadum dici, sed Atticam tantummodo: quum Plinius Cadi nomen non soleat usurpare nisi Græca in sermonem Latinum transferens, vel de vinis Græcis loquens. Ead. mensura alio etiam nomine a Græcis κεράμιον appellatur, ut auctor est Hesych., et στάμνος s. σταμνίον, ut habetur ap. schol. Aristoph. Ran. [22.] Nec vero semper ubi Metretæ nomen ap. auctores occurrit, mensuram hanc modo isto definitam intelligere oportet, sed simpliciter aliquando Vas magnæ cujusdam capacitatis, nulla certa definitum mensura. Hactenus Gorr. Dem. [p. 1045, 6] ap. Polluc. [4, 166] dicit μετρητὰς οἴνου. Idem etiam Poll. [10, 70] τὸν ἀμφορέα dicit vocari μετρητὴν, proferens hunc l. Phillylii, Σοὶ μὲν οὖν τόνδ' ἀμφορέα δίδωμι τιμήν· πρῶτα μὲν τοῦτ' αὐτὸ ἔχειν ὄνομα μετρητὴν, μετριότητος ἕνεκα· quemadmodum et Theopompus ap. schol. Apollonii [4, 1187] ἀμφιφορῆας dici scribit τοὺς ὑπ' ἐνίων μετρητάς. Athen. 1 [2, p. 66, F]: Ἐλαίου μετρητής· 5: Λουτῆρα πέντε μετρητὰς δεχόμενον. Xenarchus autem Rhodius Μετρητὴς cognominabatur διὰ τὴν πολυποσίαν, ut idem Athen. 10, [p. 436, F] refert. Sed perperam ap. Polluc. scribitur, licet tribus in ll., μετριτής: perperam item in VV. LL. ponitur nomin. μετρητὴ, pro μετρητής. [Thom. p. 44: Ἀμφορεὺς λέγε, μὴ στάμνος μηδὲ μετρητής, εἰ καί τινες. Athen. 10, p. 415, C; 11, p. 467, D, μετρηταὶ οἴνου. Valck. Polyb. 2, 15, 1. Aristot. H. A. 8, 11, Μακεδονικοὺς μ.]

[Μετρητικὸς, ή, ὸν, Ad mensuram pertinens; Metiendi peritus. Plato Philebo p. 55, E: Ἀριθμητικὴν καὶ μετρητικήν· Leg. 7, p. 817, E: Μετρητικὴ μήκους καὶ ἐπιπέδου καὶ βάθους. Dial. de justo p. 373, C: Οἱ μετρητικοί. || «Μετρητικὸν, Mensuraticum, quod Descriptoribus pro mensurandis agris dabatur. Man. Comn. Jur. Græcor. p. 154: Πλὴν τῇ τοιαύτῃ προφάσει οὐκ ἐξέσται τοῖς δηλωθεῖσιν ἀπογραφεῦσιν ἢ καπνικὸν ἀπαιτῆσαι ἢ μετρητικὸν, quod ib. p. 153 μετρητίκιον.» Duc.]

Μετρητικῶς, Mensorum more, More eorum quæ μετρεῖται, Pollux [4, 166].

Μετρητὸς, ὁ, ἡ, Mensus, Dimensus, Demensus, Quem metiri possumus, Mensuram admittens, Pollux [4, 166. Eur. Bacch. 1242: Ὦ πένθος οὐ μετρητὸν οὐδ' οἷόν τ' ἰδεῖν. Nicand. Th. 169: Τῆς ἤτοι μῆκος μὲν, ὃ χύντατον ἔτρεφεν αἶα, ὀργυιῇ μετρητόν. Plato Leg. 7, p. 119, C: Ἆρ' οὖν οὐ δοκεῖ σοι ταῦτα εἶναι πάντα μετρητὰ πρὸς ἄλληλα; 820, C: Τὰ τῶν μετρητῶν καὶ ἀμέτρων πρὸς ἄλληλα· Polit. p. 284, B. Dionys. A. R. 2, 10: Τὸ μακάριον ἀρετῇ μετρητὸν, οὐ τύχῃ. Plut. Mor. p. 156, E.]

Μετριάζω, Modicus sum, [Mediocris sum, Gl.] Modum adhibeo, Non nimius sum. [Soph. Phil. 1184: Μετρίαζε. Plato Leg. 6, p. 784, E: Μετριαζόντων περὶ τὰ τοιαῦτα τῶν πλειόνων. Tim. Locr. p. 100, E: Μετριάζοντα τᾷ ῥύψει ἁλμυρὰ (φαίνεται).] Herodian. 8, [3, 12]: Οἱ ὑπὲρ ἄλλων μαχόμενοι, μετριάζουσιν ἐν τῷ προθύμῳ τῆς μάχης, Minus acriter decertant. Aristot. Polit. 5,

A [c. 11 post med.] μετριάζειν τοῖς τοιούτοις, sc. ταῖς ἀπολαύσεσι ταῖς σωματικαῖς, Moderationem adhibere, Modice frui. [Conf. ibid. initio.] 7, [13]: Περὶ δὲ τὴν ἔξω κτῆσιν τῶν ἀγαθῶν μετριάζουσιν. [Dionys. A. R. 6, 61: Ὡς μετριάσει περὶ τὰς ἀξιώσεις ὁ δῆμος.] Item μετριάζειν πρὸς λύπην, ap. Plat. De rep. [10, p. 603, E], quod paulo ante μετρίως φέρειν. VV. LL. μετριάζειν exp. Medium et mediocre sequor. Μετριάζειν dicitur etiam pro μέτριον καὶ ἐπιεικῆ ἑαυτὸν παρέχειν. Philo V. M. 1: Παραινῶν τοῖς μὲν ἐφεστῶσι μετριάζειν, Ut æquiores se præberent. Et ap. Thuc. 1, [76] Μετριάζομεν schol. exp. ταπεινοί ἐσμεν. Item Modeste ago, loquor. Lucian. [Timon. c. 48]: Ὅμως μετριάζομεν, ὡς μὴ ἐμπηδᾶν δοκῶμεν. Plut. Ad Col. [p. 1120, C]: Δῆλός ἐστιν ἀποδειλιάσας πρὸς τοὺς ζῶντας, οὐ μετριάσας ὑπ' αἰδοῦς. Ex Greg. Naz.: Οἱ περὶ τὸν Υἱὸν μετριάζοντες, Qui de filio Dei modeste sentiunt. [Demosth. p. 506 fin.: Διὸ δεῖ μετριάζειν ἐν ταῖς εὐπραξίαις. Aristot. De gen. an. 1, 7: Ἀγονώτεροί εἰσιν (οἱ μέγα τὸ αἰδοῖον ἔχοντες) τῶν μετριαζόντων· 2, 4: Μετριάζουσαι αἱ ἀποκρίσεις. || Transitive,
B Compesco, Plato Leg. 3, p. 692, B: Ὅρκοις μετριάσαι ψυχὴν νέαν λαβοῦσαν ἀρχήν. Pass. Simplic. ad Epictet. p. 249 ed. Schweigh.: Ὅπως ὁ φθόνος μετριάζοιτο. Id. p. 387: Μετριάζων τὴν ἐπίπληξιν. Dionys. Epit. 13, 13: Τοσοῦτον ἐδέησε μετριάσαι τὸ δίκαιον, Adeo ab æquitate servanda abfuit. Pro quo Hierocl. In Pythag. p. 97 intransitive ead. signif.: Μετριάσαι τῶν παθῶν.] Μετριάζειν, si Phrynicho [p. 425] credimus, Menander accepit pro ἀσθενεῖν: antiqui vero pro τὰ συμβαίνοντα μετρίως φέρειν. [Vera Phrynichum præcepisse, quum hoc verbum, ubi pro Ægrotare dictum reperitur, improbaret, manifestum est. Nunquam enim sic legitur, nisi in versione Alex., Nehem. 2, 2, ubi pro μετριάζων in edit. Complut. est ἀρρωστῶν, atque apud alios scriptores recentiores, qualis est auctor carminis De effectis plant. in Fabr. Bibl. Gr. vol. 2, p. 630-660, in quo μετριάζοντες statim v. 3 sunt Ægroti V. ibi Fabric. p. 632 sq., qui de omnibus verbi notionibus dilucide exposuit. Sturz.]

[Μετρίασις, εως, ἡ, Moderatio. Nicetas Chon. p. 345,
C D: Ἐν ἐπιτόμῳ ποιήσομαι τὴν διήγησιν, κερδαλεωτέραν ἐσομένην... διὰ τὴν τῶν ἀλγεινῶν ἀκουσμάτων μετρίασιν καὶ τὴν ἐντεῦθεν τῆς πλείονος λύπης ὑφαίρεσιν.]

[Μετριασμὸς, ὁ, ap. Suidam in Ἀκρισία, ubi verba Καὶ ἄλλο κατὰ μετριασμὸν præmittuntur loco anonymi, in quo ad Danaen quandam, δυσπειθῶς πρός τινα δίκην ἀπαντῶσαν, per jocum quis dixisse fertur Κρίθητι καί συ· οὐκ εἶ Δανάη ἡ Ἀκρισίου θυγάτηρ, primo apertum videtur dici de Cavillatione, ut seq. μετριαστικός: deinde pro ἄλλο aut scriptoris nomen aut aliud quid simile, ut ἄλλως, reponendum esse, ut longe a vero aberrarint interpretes.]

[Μετριαστικὸς, ή, ὸν, de Cavillandi genere cod. barbarogr. Nicet. Chon. p. 410, 24 ed. Bonn.: Γελοιαστικὸν καὶ λόγους μετριαστικοὺς ἐν τοῖς καπηλείοις καὶ ῥύμαις λέγων τῆς πόλεως· 416, 12: Αἱμύλα) Λόγοι μετριαστικοὶ καὶ γελοῖοι. Boiss. ad Theophyl. Simoc. p. 260: «Auctor de epistolico charactere, Proclus, si fides codici 1630, similem Theophylacteæ epistolam fecit in exemplum μετριαστικῆς, quam inter σκωπτικὴν
D et αἰνιγματικὴν mediam posuit: Μετριαστική ἐστι δι' ἧς πρός τινα τῶν ἀγαπωμένων θαρρικῶς μετριάζομεν.»]

[Μετριεύομαι. Hesych.: Λαγαρίττεται, μετριεύεται.]

Μετρικὸς, ή, όν, Pertinens ad τὰ μέτρα, Qui est τῶν μέτρων: ut ἡ μετρικὴ τέχνη, Scientia mensurarum, s. Ars recte metiendi. Cujus qui peritus est, nominatur μετρικὸς et ipse. Est et carminum ac versuum μετρικὴ, et μετρικοὶ, Qui ejus periti sunt, ap. quos μετρικὸς ῥυθμὸς, Rhythmus s. Numerus metricus, h. e. Qui s. Qualis in metro et mensura versuum requiritur. [Aristot. De partt. an. 2, 16: Δεῖ πυνθάνεσθαι παρὰ τῶν μετρικῶν· Poet. c. 20: Περὶ ὧν καθ' ἕκαστον ἐν τοῖς μετρικοῖς ἔστι θεωρεῖν. Et ib.: Καὶ τούτων θεωρῆσαι τὰς διαφορὰς τῆς μετρικῆς ἐστιν. Lucian. Salt. c. 35: Οὐ μουσικῆς μόνον, ἀλλὰ καὶ ῥυθμικῆς καὶ μετρικῆς. Superl. Tzetz. Hist. 7, 654: Καταλογάδην συγγραφῇ, μηδὲ μετρικωτάτῃ. L. D. Nicet. Dav. In Greg. Naz. ed. Dronk. p. 119, 23: Τῆς ποιητικῆς ἤτοι μετρικῆς λέξεως. Philo vol. 2, p. 84, 15: M. θεωρίαν. Longin. fr. 3, 10: Τὰ κεφάλαια τῶν μ. παραγγελμάτων. Hase.]

Μετριολόγος, ὁ, ἡ, Moderatus in verbis, Antiphon. [Pollux 2, 123.]

[Μέτριον, τὸ, Laurus, Δάφνη, ap. Interpolat. Diosc. c. 729 (4, 145, ubi μέθριον, de lauru Alexandrina). Ducang. || Pro μέτρον Georg. Syncell. p. 9, D : Μέτρια καὶ στάθμια. Boiss. Hoc fortasse Μετρία scribendum. Epimer. in Crameri Anecd. vol. 2, p. 389, 21 : Μετρίον (sic), τὸ ταπεινόν. ... Μέτριον καὶ μετρίον διαφέρει· μέτριον τὸ ταπεινόν· μετρίον δὲ τὸ ὑποκοριστικὸν τοῦ μέτρου· τὰ γὰρ διὰ τοῦ ιον ὑποκοριστικὰ, εἰ μὲν ὦσιν δακτυλικὰ, πρὸ μιᾶς ἔχουσι τὸν τόνον, οἷον κλειδίον, μετρίον κτλ. Antiquiores in hac formula dicunt μέτρα καὶ σταθμὰ, ut in Μέτρον videre licebit. L. Dind.]

Μετριοπάθεια, ἡ, Mediocritas perturbationum, affectuum, Modicæ perturbationes. Plut. [Mor. p. 1119, C]: Οὐδὲ ὅσον ἦν φρόνημα τῇ ψυχῇ μετὰ πραότητος καὶ μ. Synes. Ep. 140 : Εἰ φιλοσοφία πρεσβεύειν οἶδεν ἀπάθειαν αὐτὴν, αἱ μέσαι δὲ ἕξεις εἰς μ. ἵστανται, τὴν ἀπειροπάθειαν καὶ τὸ εὐταπείνωτον ποῦ χώρας τάξωμεν; Cic. hanc ipsam vocem exprimere voluit, ut opinor, quum dixit, In omni permotione naturalem quendam modum : ita scribens in Lucullo : Sed quæro quando ista fuerint ab Academia vetere decreta, ut animum sapientis commoveri et conturbari negarent. Mediocritates illi probabant, et in omni permotione naturalem volebant esse quendam modum. Ubi obiter observa etiam vocari πάθος Permotionem. [Sext. Empir. p. 10, 14. Id. p. 8, 21 : Τέλος εἶναι τοῦ σκεπτικοῦ τὴν ἐν τοῖς κατὰ δόξαν ἀταραξίαν, καὶ ἐν τοῖς κατηναγκασμένοις μ., Affectuum moderationem. Hase. Iambl. V. P. p. 278 Kiessl.; Archytas p. 697 Gal.]

Μετριοπᾰθέω, [Moderor; Μετριοπαθήσας, Moderatus, Gl.] In quadam perturbationum s. affectuum mediocritate versor, Sunt mihi mediocres s. modicæ perturbationes, modici affectus : Modice afficior, Bud. Sed ap. auctorem Epistolæ ad Hebr. 5, 2 : Μετριοπαθεῖν δυνάμενος τοῖς ἀγνοοῦσι καὶ πλανωμένοις, ἐπεὶ καὶ αὐτὸς περίκειται ἀσθένειαν, a vet. quidem Interpr. redditur, μετριοπαθεῖν δυνάμενος, Qui condolere possit; ab Erasmo, Qui placabilis esse possit; a Beza, Qui quantum satis est miserari possit vicem. Illa certe Erasmica interpr. nimis remota esse mihi videtur; qui plane existimo μετριοπαθεῖν hic nove ab Apostolo usurpatum fuisse, et nova etiam constr., pro eo quod in fine præcedentis Epist. dixerat συμπαθῆσαι, eadem de re loquens (Οὐ γὰρ ἔχομεν ἀρχιερέα μὴ δυνάμενον συμπαθῆσαι ταῖς ἀσθενείαις ἡμῶν), vel potius pro συμπαθῆσαι μετὰ μετριοπαθείας. [Philo vol. 1, p. 113, 44; vol. 2, p. 37, 26. Id. ib. p. 45, 38 : Παιδευθεὶς μετριοπαθεῖν. Joseph. A. J. 12, 3, 2 : Μετριοπαθησάντων. Hase.]

Μετριοπαθὴς, ὁ, ἡ, Cui sunt mediocres perturbationes, Qui modum tenet in perturbationibus, affectibus. [Μικρὰ (μέτρια Martinus) πάσχων, ἢ συγγινώσκων ἐπιεικῶς, Hesychius.] In VV. LL. μετριοπαθὴς exp. Qui modice perturbatur; et additur ex Aristot., sapientem esse μετριοπαθῆ quidem, at non ἀπαθῆ. A Bud. autem exp. Modice affectus, i. e., inquit, qui modum in ira non excedit. Exp. etiam Moderatus et Clemens. [Diog. L. 5, 31. Seager. Μετριοπαθὴς inscripta Themistii Or. 32. Dionys. A. R. 8, 61 : Τὸ εὐδιάλλακτον καὶ μετριοπαθές. || Adv. Μετριοπαθῶς, Appian. Pun. c. 51. L. D. Pallad. V. Chrys. p. 51. Boiss. Sext. Emp. p. 719, 34 : M. δὲ διατίθεται. Georg. Alex. Vita Chrys. t. 8, p. 207, 40. Philo vol. 1, p. 113, 31 : M. ἀσκεῖ· ubi tamen conj. Mangey., μετριοπάθειαν. Hase.]

[Μετριόπλουτος, ὁ, ἡ, Qui mediocribus fruitur divitiis. Achmet. Onirocr. p. 175, 17 : Ταπεινὸν ἄνδρα καὶ μ. Hase.]

[Μετριοποσία, ἡ, Modicus potus. Suidas. Angl.]

Μετριοποτέω, Modice poto s. Moderate.

Μετριοπότης, ὁ, ap. Xen. [Apol. 19] significat Qui modice s. moderate potat. Aut q. d. Moderatus potator. Habet vero Pollux [6, 20] et superl. Μετριοποτίστατος, quod magis probat quam τὸ ἁπλοῦν μετριοπότης : dicit enim esse εὐτελές.

Μέτριος, α, ον [et ὁ, ἡ, Plat. Tim. p. 59, D : Μέτριον ἂν ἐν τῷ βίῳ παιδιὰν καὶ φρόνιμον ποιοῖτο. Sed idem sæpius altera forma, quæ usitatior], Modum non excedens. Galen. Ad Glauc. : Ὅσον τοῖς παροῦσι μ., Quantum satis sit. Aliquando uno verbo redditur, Mediocris, Modicus [ita Gl.], Moderatus, etiam Non nimius. [Hesiod. Op. 304 : Σοὶ δ' ἔργα φίλ' ἔστω μέτρια κοσμεῖν. Æsch. Suppl. 1060 : Μέτριόν νυν ἔπος εὔχου. Soph. Phil. 179 : Ὦ δύστανα γένη βροτῶν οἷς μὴ μέτριος αἰών. Eur. Tro. 683 : Ναύταις γὰρ ἢν μὲν μέτριος ᾖ χειμὼν φέρειν, προθυμίαν ἔχουσι σωθῆναι πόνων· Iph. A. 543 : Μάκαρες οἳ μετρίας θεοῦ ... μετέσχον λέκτρων Ἀφροδίτας· 555 : Εἴη δέ μοι μετρία μὲν χάρις, πόθοι δ' ὅσιοι· Ion. 635 : Τὴν φιλτάτην μὲν πρῶτον ἀνθρώπων σχολὴν ὄχλον τε μέτριον· Med. 253 : Χρῆν γὰρ μετρίας εἰς ἀλλήλους φιλίας θνητοὺς ἀνακίρνασθαι· 839 : Μετρίας ἀνέμων ἡδυπνόους αὔρας· Tro. 717 : Οὐ γὰρ μέτρια πάσχομεν κακά.] Thuc. 1, [6] de Lacedæmoniis : Μετρίᾳ ἐσθῆτι πρῶτοι ἐχρήσαντο, Usi sunt primi veste mediocri. Redditur tamen ibi Veste modica : quod videndum est an dici possit, sicut dicitur aliquis Modicus cultu vel in cultu. [Xen. Comm. 3, 13, 5 : Περαιτέρω τοῦ μετρίου μηκύνειν τὰς ὁδούς· Hipparch. 4, 1 : Τοῦ μετρίου οὐκ ἂν ἁμαρτάνοις Et sine art. 4, 1 : Μέτριον μὲν ὀχοῦντα, μέτριον δὲ πεζοποροῦντα· Ven. 6, 25 : Παραμυθούμενον μέτρια. Plato Soph. p. 237, B : Μέτρια βασανισθείς. Et singulari Leg. 8, p. 846, C : Ζώντων τούτοις ἤδη χρώμενοι μέτριον ἔχουσι. Qui etiam sæpe cum art. τὸ μέτριον. African. Cest. Procem. p. 277, A : Κατὰ τὸ ἐμαυτοῦ μ. κατώρθωται.] At Plut. Symp. [p. 656, F] de elleboro : Ἢν ἐλάττων τοῦ μετρίου δοθῇ. Idem De educ. lib. [p. 9, B] : Τὰ φυτὰ τοῖς μετρίοις ὕδασι τρέφεται, τοῖς δὲ πολλοῖς πνίγεται, Aquis modicis. Id. Symp. sept. sap. [p. 161, B, de nautis], μετρίῳ πνεύματι χρώμενοι. [Plato Reip. 5, p. 460, D : Μέτριον χρόνον.] Xen. Cyrop. 4, [1, 1] : Μείνας δὲ ὁ Κῦρος μέτριον χρόνον αὐτοῦ· 2, [4, 31] : Ἀπεκοιμήθησαν ὅσον ἐδόκει μέτριον εἶναι. [Reip. Lac. 1, 3 : Σίτῳ ὡς ἀνυστὸν μετριωτάτῳ.] Item, Οἱ μέτριον οὐθὲν φρονοῦντες, Plut. De orac., Qui nimis altum sapiunt. Et, Οἱ τὰ μέτρια διενεχθέντες, Thuc. 4, p. 128 [c. 19], quibus opponit τοὺς μειζόνως ἐχθρούς. [Ib. 22 : Ὁρῶντες ... οὔτε τοὺς Ἀθηναίους ἐπὶ μετρίοις ποιήσοντας ἃ προὐκαλοῦντο· 8, 84 : Δουλεύειν Μιλησίους ... τὰ μέτρια.] Item τὸ μέτριον, Quicquid modicum, moderatum et non nimium est, modum non excedit : interdum etiam Modus. [Soph. OEd. C. 1212 : Ὅστις τοῦ πλέονος μέρους χρῄζει τοῦ μετρίου παρείς· El. 140 : Ἀπὸ τῶν μετρίων ἐπ' ἀμήχανον ἄλγος ἀεὶ στενάχουσα διόλλυσαι. Menander ap. Stob. Fl. 72, 2, 17 : Ἀνάγκη γὰρ γυναῖκ' εἶναι κακόν· ἀλλ' εὐτυχὴς ἐσθ' ὁ μετριώτατον λαβών.] Alexis ap. Athen. 10, [p. 419, B] : Ὡς ἡδὺ πᾶν τὸ μέτριον· οὔθ' ὑπεργέμων Ἀπέρχομαι νῦν, οὔτε κενός. Aristot. Polit. 4, [11] : Ἐπεὶ τοίνυν ὁμολογεῖται τὸ μέτριον ἄριστον, καὶ τὸ μέσον· Rhet. 3 : Δεῖ στοχάζεσθαι τοῦ μετρίου. Plut. Symp. 3, [p. 656, F] : Λαβόντες ἐνδοτέρω τοῦ μετρίου, Modice, Quantum satis sit, et modum non excedat. [Theophr. C. Pl. 6, 1, 4 : Ὅσα ῥύπτει πέρα τοῦ μετρίου. Et mox, ἐπὶ τὸ μέτριον τῇ ῥύψει χρώμενα.] Interdum μέτριος accipitur ut Lat. Modicus pro Paucus. Dem. Πρὸς Ἀπατούρ. init. : Μέτρια δ' ἔχων, τούτοις πειρῶμαι ναυτικοῖς ἐργάζεσθαι, Pecunia autem non grandi, quam habeo, quæstum facere cœpi, fœnore nautico occupata, Bud. p. 252. Synes. Ep. 4 : Μέτριά γε ἐνετιθέμεθα, καὶ οὐδὲ τούτοις μετρίως ἐχρώμεθα, Pauca ponebamus in navi. [Eur. Ion. 490 : Μετὰ κτεάνων μετρίων· 632 : Εἴη δ' ἔμοιγε μέτρια μὴ λυπουμένῳ. Xen. Cyrop. 2, 4, 17 : Ἐγώ σοι οὐκ ἐθελήσω διδόναι πλὴν μετρίους τινάς. Plato Leg. 2, p. 666, C : Οὐκ ἐν πολλοῖς, ἀλλ' ἐν μετρίοις. Item pro Parvo, ut Xen. Conv. 2, 19 : Εἰ μείζω τοῦ καιροῦ τὴν γαστέρα ἔχων μετριωτέραν βούλομαι ποιῆσαι αὐτήν.] || Moderatus, Modestus : de homine aliquo qui se supra alios non effert. Unde et ταπεινὸς interdum exp. [Quo tamen superius est ap. Xen. Ages. 11, 11 : Τῶν ὑπεραυχῶν καταφρονῶν τῶν μετρίων ταπεινότερος ἦν.] Herodian. 2, [4, 18] : Οὕτω γὰρ μέτριος καὶ ἰσότιμος ἦν, Adeo se æqualem paremque ceteris præstabat, Polit. Id. 4, [3, 4] : Μέτριόν τε καὶ πρᾶον ἑαυτὸν τοῖς προσιοῦσι παρεῖχε, Moderatum et lenem. Dem. C. Mid. [p. 574, 15], μέτριος βίος καὶ φιλάνθρωπος. Ib. [p. 573 extr.] : Τὶς τῶν μετρίων καὶ δημοτικῶν, Aliquis tenuiorum; nam opponit ei τὸν πλούσιον. Lucian. [Tim. c. 51] : Μέτρια τὰ περὶ σαυτοῦ λέγεις, Modeste de te loqueris. Herodian. [5, 1, 14] : Ἐκ μετρίων πράξεων εἰς τοῦτο ἐλθόντες, Qui modestiæ experimento ad imperium asciscuntur, Polit. [Eur. fr. Melanippæ ap. Stob. Fl. 72, 13 : Μετρίων λέκτρων μετρίων δὲ γάμων μετὰ σωφροσύνης κῦρσαι θνητοῖσιν ἄριστον· Med. 125 : Τῶν γὰρ μετρίων πρῶτα μὲν εἰπεῖν τοὔνομα νικᾷ.] Item οἱ μέτριοι τὰ ἤθη, Homines modesti. [Theognis 615 : Οὐδένα παμπήδην ἀγαθὸν καὶ μέτριον ἄνδρα τῶν νῦν ἀνθρώπων ἠέλιος καθορᾷ. Aristoph. Pl. 245 : Μετρίου γὰρ ἀνδρὸς οὐκ ἐπέτυχες πώποτε. Ἐγὼ δὲ τούτου τοῦ τρόπου πώς εἰμ' ἀεί· χαίρω τε γὰρ φειδόμενος ὡς οὐδεὶς ἀνὴρ πάλιν τ' ἀναλῶν, ἡνίκ' ἂν τούτου δέῃ. Theocr. Ep. 12, 3 : Μέτριος ἦν ἐν πᾶσι. Plato Phæd. p. 82, B : Ἄνδρας μετρίους.] Et τὸ μέτριον, Modestia. [Inscr. Olbiop. ap. Bœckh. vol. 2, p. 126, n. 2059, 16 : Διὰ τὸ μ. αὐτοῦ καὶ περὶ τὴν πατρίδα φιλόστοργον.] Herodian. 5, [1, 5] : Πολλάκις τὸ μέτριόν μου καὶ πρὸς τοὺς ἀρχομένους φιλάνθρωπον διαβάλλων, Modestiam et humanitatem. Ib. [1, 7] : Ἐμοὶ δὲ ἐξ ἀρχῆς τὸ πρᾶον καὶ μέτριον προσφιλές. Interdum μέτριος redditur potius Moderatus et Æquus, Non nimium rigidus et severus. Thuc. 1, [77] : Πρὸς τοὺς ὑπηκόους μετρίοις οὖσι· 4, p. 132 [c. 30] : Φυλακῇ τῇ μετρίᾳ τηρήσονται. [6, 87 : Τῆς δὲ ὑπαρχούσης ἀκολασίας ἐπειρώμεθα μετριώτεροι ἐς τὰ πολιτικὰ εἶναι.] Idem vero dixit l. 4, [22] οὐκ ἐπὶ μετρίοις, pro Conditionibus non moderatis. [Aristoph. Nub. 1137 : Ἐμοῦ μέτρι' ἄττα καὶ δίκαι' αἰτουμένου, Ὦ δαιμόνιε, τὸ μέν τι νυνὶ μὴ λάβῃς, τὸ δ' ἀναβαλοῦ μοι, τὸ δ' ἄφες. Demosth. p. 283, 6 : Καὶ γὰρ νῦν οὐ κέκρικε βοηθεῖν ἐν οὐδενὶ τῶν μετρίων.] Dem., Ἐπιεικὴς ἂν φανείη καὶ μέτριος. Herodian. 1, [2, 5] : Παρεῖχε δὲ καὶ τοῖς ἀρχομένοις ἑαυτὸν ἐπιεικῆ καὶ μέτριον βασιλέα, Commodum principem, Polit. Dem. In Mid. [p. 547, 13] : Μέτριος πρὸς ἅπαντας, ἐλεήμων, εὖ ποιῶν πολλούς. Item sicut Moderatus et temperans a Cic. copulantur, ita dixit Æschin. [p. 78, 4] : Σώφρονα καὶ μ. χρὴ πεφυκέναι αὐτὸν πρὸς τὴν καθ' ἡμέραν δίαιταν. [Demosth. p. 556, 19.]

|| Μετρίως, Modice, Mediocriter [Gl.], Ita ut satis sit. [Aristoph. Nub. fin. : Κεχόρευται γὰρ μ. τό γε τήμερον ἡμῖν· Eccl. 969 : Καὶ ταῦτα μέντοι μ. πρὸς τὴν ἐμὴν ἀνάγκην εἰρημέν' ἐστίν. Xen. Cyrop. 1, 3, 14 : Ἐν τῷ δείπνῳ ἐπὶ τὸ μετρίως σοι δοκοῦν ἔχειν ὁποίαν ἂν βούλῃ ὁδὸν πορεύσει· Hier. 1, 12 : Τῶν μ. διαιτωμένων.] Herodian. 4, [9, 16] : Ἔτι ἐμπνέοντες καὶ δυνάμεως μ. ἔχοντες, Qui reliquias adhuc spiritus retinebant, et quibus C modicæ adhuc vires superabant, Neque penitus defecti viribus. Id. 2, [7, 8] : Τὴν ἡλικίαν ἤδη μ. προβεβηκώς. Et Plato Epist. [7, p. 328, B], μ. ἔχω ἡλικίας, Sum ætate satis matura. [Idem sæpe dicit μετρίως λέγειν, ποιεῖν, eadem signif.] Et οὐ μ., Plut. [Flamin. c. 9, et al.], pro Summopere, Maximopere. [Menander ap. Athen. 11, p. 484, C : Εὐποροῦμεν οὐδὲ μετρίως· ap. Stob. Fl. 109, 3 : Σκαιὸν οὐ μετρίως λέγεις. « Μετρίως ἔχομεν καὶ αὐτοί, Satis commode valemus, Apollon. Perg. Præf. Conic. 1 et 2. » Hemst.] || Modice, i. e., Parum. [Demosth. p. 70, 21 : Σωφρονοῦσί γε καὶ μετρίως.] Herodian. 4, [6, 3] : Οὐδεὶς δὲ περιεγένετο τῶν κἂν μετρίως ἐκείνῳ γνωσθέντων, Ex iis quibus vel levis modo cum eo intercesserat notitia. Id. 1, [13, 16] : Καὶ σώφρων μὲν πᾶς καὶ παιδείας κἂν μ. μεμυημένος, τῆς αὐλῆς ἐδιώκετο, Quem autem probitas aut disciplina ulla etiam mediocris illustraret, Polit. Id. 3, [15, 2] : Τῶν πρὸς τοὺς βαρβάρους μ. ἐφρόντιζεν, Non magnopere de barbaris solicitus erat. [Eadem signif. Diodor. 17, 114 : Μετρίως ἡμῖν μελήσει.] Isocr. Panath. : Ἔχοντα D ἀρετὰς πάσας, καὶ ταύτας οὐ μετρίως, ἀλλ' ὑπερβαλλόντως, Non mediocriter. Item Moderate, Non nimis; rursum, Modice, Mediocriter. Isocr. Ad Demon. [p. 8, B] : Μηδὲν ὑπερβαλλόντως, ἀλλὰ μετρίως αὐτὴν ἀγάπα. Et, Ὧν τὸ γῆρας μ. ἐστὶν ἐπίπονον, Eorum qui tolerabilem agunt senectutem : v. Εὔκολος, ubi ita Cic. interpr. Dicitur aliquis ferre aliquid μετρίως, Qui non nimia lætitia effertur, aut nimio dolore deprimitur. Isocr. Ad Nic. [p. 22, E] : Καλῶς καὶ μ. καὶ τὰς συμφορὰς καὶ τὰς εὐτυχίας φέρειν ἐπισταμένους. Plut. Fabio [c. 24] : Τὴν μὲν συμφοράν, ὡς ἀνήρ τε φρόνιμος καὶ πατὴρ χρηστός, ἤνεγκε μετριώτατα. Herodian. 4, [14, 9] : Φέρειν δὲ τὰς συμφορὰς καὶ [τὰ] προσπίπτοντα μ. ὑπομένειν, ἀνθρώπων ἔργον σωφρονούντων, ut Cic., Quod mihi non mediocriter ferendum videtur, Dolorem ferre moderate; Ovid., Sed te, quæcunque est, moderate injuria turbet; Liv., Nec patres satis moderate ferre lætitiam. Rursum Cic., Nostra causa susceptum dolorem modice ferre debemus. Item μ. ἄρχειν, Herodian. [6, 4, 4], Modeste imperare, Mo-

A deratum et humanum pariter et æquum esse in imperio : ut supra βασιλεὺς μέτριος καὶ φιλάνθρωπος. At μ. χρῆσθαί τινι, ap. Plat. [Reip. 4, p. 432, C], pro Humaniter et benevole tractare. || Moderate, Modeste. [Eur. Iph. A. 921 : Ἐπίσταται δὲ τοῖς κακοῖσί τ' ἀσχαλᾶν μετρίως τε χαίρειν τοῖσιν ἐξωγκωμένοις· fr. Alex. ap. Stob. Fl. 108, 17 : Τὸ κοινὸν ἄχος μετρίως ἀλγεῖν· Herc. F. 709 : Ἃ χρῆν σε μετρίως, κεἰ κρατεῖς, σπουδὴν ἔχειν.] Xen. [Hier. 1, 8 : Πολὺ μείω εὐφραίνονται οἱ τύραννοι τῶν μ. διαγόντων ἰδιωτῶν· Œc. 12, 16 : Εἰ πρὸς τὸ φιλοκερδεῖς εἶναι μ. ἔχουσιν·] Cyrop. 4, [3, 3] : Μετριώτερον πρὸς ἡμᾶς φρονοῦντας, Non ita sese nobis venditantes. Isocr. Panath. [p. 269, A] : Μ. περὶ αὐτῶν τε διαλεχθέντες, καὶ τῶν ἐπιστρατευσάντων κατηγορήσαντες, ἔδοσαν τῇ πόλει τὴν ἀναίρεσιν, Modeste, etiam Modice : ut Liv., De re pauca et modice locutus est. Et Cic., A me timide modiceque dicetur. [Similiter Xen. Anab. 2, 3, 20 : Συμβουλεύω ὑμῖν μ. ἀποκρίνασθαι· H. Gr. 6, 4, 29 : Ἔφασαν πάνυ μ. ἑκάστῃ πόλει ἐπαγγελλομένῳ γενέσθαι βοῦς οὐκ ἐλάττους χιλίων.] Ap. Thuc. autem 2, p. 59, B μ. εἰπεῖν, schol. exp. συμμέτρως, ἀξίως. [Cum λέγειν conjungit etiam Plato Theæt. p. 180, C, etc. || Ap. Polyb. 9, 20, 5 : Οὐ γὰρ οἴομαι τοῦτό γε μετρίως ἡμῖν ἐποίσειν οὐδένα, est i. fere q. Jure, Merito.] Sicut vero μέτριος aliquando exp. ταπεινός, ita Thuc. schol. 4, p. 128 [c. 19] : Ἦν μετρίως ξυναλλαγῇ, accipit pro μετὰ ταπεινοφροσύνης. Præterea quemadmodum οἱ μέτριοι aliquando opp. τοῖς πλουσίοις, ita et οἱ μετρίως πράττοντες dicuntur Qui sunt modici [« modicis » HSt. Ms. Vind.] facultatibus, ut Plin. Junior loquitur, Quibus modice suppetunt pecuniæ. Antiphanes ap. Athen. 2, [p. 40, E] : Τοὺς ἀποκρυπτομένους δὲ καὶ Πράττειν μετρίως φάσκοντας, ἀχρήστους ὁρῶν Ἀνελευθέρως τε ζῶντας· paulo ante vero dixerat, Τοὺς εὐτυχοῦντας ἐπιφανῶς δεῖ ζῆν, opponens τοὺς εὐτυχοῦντας τοῖς μετρίως πράττουσι. [Menander ap. Stob. Fl. 95, 11 : Ὁ γὰρ μετρίως πράττων περισκελέστερον ἅπαντα τἀνιαρά, Λαμπρία, φέρει. || Adv. comp. Μετριωτέρως ap. Aristot. H. A. 7, 9 : Τοῖς μὲν οὖν ἄλλοις ζῴοις οὐκ ἐπίπονοι γίγνονται οἱ τόκοι, ἀλλὰ μ. ἐπίδηλά ἐστιν ἐνοχλούμενα ὑπὸ τῆς ὠδῖνος. Achmes C Onir. c. 126, p. 86 : Μετριωτέρως θλιβήσεται. || Μετριώτατα superl. Thuc. 6, 88 : Τὸ λοιπὸν ἐδόκει αὐτοῖς ὑπουργεῖν τοῖς Συρακοσίοις μᾶλλον ἔργῳ ὡς ἂν δύνωνται μετριώτατα. Plato Crit. p. 46, C : Πῶς οὖν ἂν μετριώτατα σκοποίμεθα αὐτά; Leg. 3, p. 691, D : Ὡς νῦν ἐστι μετριώτατα τοπάσαι· Reip. 10, p. 597, E : Τοῦτο ἔμοιγε δοκεῖ μετριώτατ' ἂν προσαγορεύεσθαι μιμητής· Critiæ p. 111, E : Ὥρας μετριώτατα κεκραμένας. Et Herodian. ap. HSt. initio.]

[Μετριόσιτος, ὁ, ἡ, Qui modico utitur cibo. Pollux 6, 28, 34.]

Μετριότης, ητος, ἡ, Moderatio. [Mediocritas add. Gl.] Xen. Cyrop. 5, p. 72 [2, 17] : Ἐπεὶ κατενόησε τὴν μ. τῶν σίτων, Moderationem quam in cibo sumendo adhibebant; nam ἐν τῷ σίτῳ ᾤοντο δεῖν φρόνιμοι καὶ μέτριοι φαίνεσθαι, ut paulo post sequitur. Alioqui videri posset aliud hic sonare istud nomen. [Plato Defin. p. 411, E : Σωφροσύνη μετριότης τῆς ψυχῆς περὶ τὰς... ἐπιθυμίας τε καὶ ἡδονάς· 412, B : Μετριότης ἐν D συμβολαίοις· Reip. 8, p. 560, D : Μετριότητα καὶ κοσμίαν δαπάνην. Et alibi.] Et ἡ τοῦ βίου μετριότης, Æschin. [p. 85, 6.] Plut. Symp. 4, [p. 663, D] dicit τὴν ὑγιεινὴν δίαιταν non appellandam esse φυγὴν οὐδὲ ἀπόδρασιν ἡδονῆς, sed περὶ ἡδονὰς μετριότητα καὶ τάξιν, Moderationem in voluptatibus. Thuc. 1, [38] : Βιάσασθαι τὴν τούτων μ., Istorum moderationem, schol. ἀνεξικακίαν, ἐπιείκειαν. Item Modestia. Chion Matridi : Προκαλύπτεσθαι δόξαν μετριότητος, Modestiæ speciem præ se ferre, Modestiam prætendere, Bud. [Moderatio animi, Polyb. 1, 88, 3; 2, 61, 4; 5, 10, 2; 8, 14, 6. Schweigh. Lex.] || Mediocritas, ut μετριότης τοῦ βίου, Mediocris et modica vitæ conditio : qua sc. aliquis μετρίως ἔχει, nec ex opulentiorum numero est. Aristot. Polit. 5, [c. 11] : Τὰς μετριότητας τοῦ βίου διώκειν, μὴ τὰς ὑπερβολάς. Cic., Status mediocris : a Plauto dicuntur alicujus res esse pauperculæ, modicæ, et modestæ. [Hac voce utebantur Patriarchæ præsertim quum de se loquebantur aut quum scribebant. Leontius Presbyter in Vita Ms. S. Gregorii Agrigentini : Καὶ λέγει ὁ ἐπίσκοπος, πόθεν παραγέγονεν πρὸς τὴν ἡμετέραν μετριότητα. Et alii plurimi. Soli Patriarchæ competiisse innuunt Salutationes Epistolar. Pontif. : Μητροπολίτην ἕτερον οὐχ οἴδαμεν γράφοντα ἡ μετριότης ἡμῶν, εἰ μὴ μόνον τῆς Θεσσαλονίκης κτλ. Nec nupera et formula. Vegetius Prol. l. 3 : Quæ per diversos auctores librosque dispersa, Imperàtor Auguste, mediocritatem meam abbreviare jussisti. Ex Ducang. Gl.]

[Μετριοτροφία, ἡ, Modica victus ratio. Theodor. Stud. p. 483, E : Ὡς ἂν διὰ τῆς ἡσυχίας καὶ μετριοτροφίας καθάρωμεν καρδίαν. L. Dind.]

Μετριοφρονέω, Moderate de me sentio, s. Modeste de me sentio, Non nimium me effero. Appian. [Euthym. Zig. in Matthæi Lect. Mosq. vol. 1, p. 34 : Μὴ θρασύνεσθαι, ἀλλὰ μετριοφρονεῖν. « Jo. Chrys. In Gen. hom. 21, vol. 1, p. 148, 8. » Seager. Anon. Laud. calv. ed. E. Miller. p. 51, 6 : Φιλοσοφεῖς τὸ μετριοφρονεῖν. Pallad. V. Chrys. p. 47, 24 : Μετριοφρονοῦντας πρὸς τοὺς λοιποὺς ἀνθρώπους. Hase. Hesych. in Μετριάζει.]

[Μετριοφρόνως. V. Μετριόφρων.]

[Μετριοφροσύνη, ἡ, Moderatio, Modestia, Humilitas. Jo. Chrys. In Ep. 1 ad Cor. serm. 28, vol. 3, p. 428, 33. Seager. Id. t. 11, p. 167, A ed. Par. alt. : M., ἐπιείκειαν. Nil. Epist. p. 260, 6. Id. ib. p. 249, 5 : Ὑποταγὴν καὶ μ. Hase. Simplic. In Epict. p. 249 ed. Schweigh.]

[Μετριόφρων, ονος, ὁ, ἡ, Moderatus, Modestus. Const. Manass. Chron. 6100. Boiss. Gregor. Nyss. t. 1, p. 250, D. Nil. Epist. p. 306, 12 : M. καὶ κατανενυγμένος. Hase. Adverb. Μετριοφρόνως, ap. Theophyl. Bulg. vol. 1, p. 436.]

[Μετριόω, Metior. Tab. Heracl. p. 157, 18 : Καὶ ἐγένοντο μετριώμεναι ἐν ταύτᾳ τᾷ μερείᾳ ἐρρηγείας μὲν διακάτιαι μία σχοῖνοι, eodemque modo in seqq. 22, 28, 33, locis partim lacunosis, sed ex comparatione inter se suppletis. Ms. ap. Bandin. Bibl. Med. vol. 1, p. 162, A med. : Τρίτος δὲ Λουκᾶς ῥητορεύει μειζόνως τοῦ μέχρις ἡμῶν μετριωθέντος λόγου τὴν παιδικὴν αὔξησιν. Μετριῶ ponit Theognost. Can. p. 146, 23. Quod pariter atque μετριώμεναι in Tab. Heracl. referre licet etiam ad μετριάω. L. D. Figurate Pseudochrys. t. 10, p. 913, D ed. Paris. alt. : Οὐ πολὺ μετριώσας τὸ θαῦμα. Hase.]

[Μετρίστρα, Certa aquæ mensura in Aquæductibus. Typicum Ms. monasterii τῆς Κεχαριτωμένης c. 69, ubi de aqua in idem monasterium inducenda : Γεγόνασι δὲ μετρίστραι δύο ἰσόμετροι. An legendum μετρῖται (Hoc μετρηταὶ dicendum foret). Apud Cleopatram in Cosmetico ὁ μετρίτης continet ξέστας ιϐ'. Ducang.]

[Μετρίως, Μετριωτέρως. V. Μέτριος.]

[Μετρίωσις, ἡ, Mediocritas, Attenuatio. Achmes Onir. p. 228, 18 : Ὕφεσιν καὶ μ. τῆς βασιλείας. Hase.]

[Μετροϐολία, ἡ, Mensura. Gramm. in Bekk. An. p. 1097 : Πόσαι καὶ τίνες εἰσὶ μετροϐολίαι.]

[Μετροειδής, ὁ, ἡ, Metro similis, Metri speciem habens. Demetr. Phal. c. 184, 185.]

[Μετρόκροτος, ὁ, ἡ, Metrice sonans. Tzetz. ad Lycophr. 497. Kall.]

Μέτρον, τὸ, Mensura, Modus. [Linea, Temperamentum add. Gl.] Hesiod. Op. [347] : Εὖ μὲν μετρεῖσθαι παρὰ γείτονος, εὖ δ' ἀποδοῦναι Αὐτῷ τῷ μέτρῳ, καὶ λώϊον, αἴκε δύνηαι· quæ Cic. interpretans scribit in l. De clar. oratt. : Quanquam illud Hesiodeum laudatur a doctis, quod eadem mensura reddere jubet qua acceperis, aut etiam cumulatiore, si possis. Alicubi autem vertit Majore mensura. [Hesiod. ib. 598 : Μέτρῳ δ' εὖ κομίσασθαι ἐν ἄγγεσιν (Δημήτερος ἱερὸν ἀκτήν). Id. fr. ap. Strab. 14, p. 642 : Μύριοί εἰσιν ἀριθμὸν, ἀτὰρ μέτρον γε μέδιμνος. Et ib. : Καί σφιν ἀριθμὸς ἐτήτυμος εἴδετο μέτρου. Theocr. 7, 33 : Μάλα γάρ σφισι πίονι μέτρῳ ἁ δαίμων εὔκριθον ἀνεπλήρωσεν ἀλωάν. Soph. fr. Nauplii ap. Achill. Tat. Isag. in Arat. c. 1, 2 : Ἐφεῦρε ... σταθμῶν, ἀριθμῶν καὶ μέτρων εὑρήματα· 9 : Ἐφεῦρε δ' ἄστρων μέτρα καὶ περιστροφάς. Eur. Phœn. 541 : Μέτρα καὶ μέρη σταθμῶν. Aristoph. Av. 1041 : Χρῆσθαι Νεφελοκοκκυγιᾶς τοῖσδε τοῖς μέτροισι καὶ σταθμοῖσι καθάπερ Ὀλοφύξιοι. Xen. Comm. 3, 10, 10 : Τὸν ῥυθμὸν (thoracis) πότερα μέτρῳ ἢ σταθμῷ ἐπιδεικνύων πλείονος τιμᾷ; Herodot. 6, 127 : Φείδωνος τοῦ τὰ μέτρα ποιήσαντος Πελοποννησίοισι. De Mensura in universum 4, 198 : Τῶν ἐκφορίων τοῦ καρποῦ τὰ αὐτὰ μέτρα τῇ Βαϐυλωνίᾳ γῇ κατίσταται· 2, 133 : Ὁ Νεῖλος τῷ Ἴστρῳ ἐκ τῶν ἴσων μέτρων ὁρμᾶται. Thuc. 8, 95 : Ἀπέχει δ Ὠρωπὸς τῆς τῶν Ἐρετριῶν πόλεως θαλάσσης μέτρον ἑξήκοντα σταδίους.] Plato in Tim. [p. 39, D] : Ἵνα δὲ εἴη μέτρον ἐναργές τι πρὸς ἄλληλα βραδυτῆτι καὶ τάχει· Cic., Atque ut esset mensura quædam evidens, quæ etc. Lucian. in Tim. [c. 57] : Καὶ μὴν ἐπεμϐαλῶ χοίνικας ὑπὲρ τὸ μέτρον τέτταρας. [Theognis 498 : Ὅταν δὴ πίνῃ ὑπὲρ τὸ μέτρον.] Plut. De loq. [p. 513, C] : Τῷ δὲ ἀποκρινομένῳ μέτρον ἔστω ἡ τοῦ ἐρωτῶντος βούλησις. Lucian. De hist. scrib. [c. 50] : Καὶ πᾶσι τούτοις μέτρον ἐπέσθω [ἐπέστω], Adsit modus. Sic Hesiod. Op. [692] : Μέτρα φυλάσσεσθαι, ubi observa plur., Modum servato. At pro his Ejusd. [ib. 718] : Γλώσσης τοι θησαυρὸς ἐν ἀνθρώποισιν ἄριστος Φειδωλῆς, πλείστη δὲ χάρις κατὰ μέτρον ἰούσης, Gell. habet : Hesiodus poetarum prudentissimus linguam non vulgandam, sed recondendam esse dicit, perinde ut thesaurum : ejusque esse in promendo gratiam plurimam, si modesta et parca et modulata sit. [De signif. hujus formulæ, qua sit Parce, dixit Schæfer. ad Phocyl. 130. Eadem phrasi Aratus 1046 : Πρῖνοι μὲν θαμινῆς ἀκύλου κατὰ μ. ἔχουσαι· 1098. Theognis 475 : Μέτρον γὰρ ἔχω μελιηδέος οἴνου· 614 : Οἱ δ' ἀγαθοὶ πάντων μέτρον ἴσασιν ἔχειν. Pind. Ol. 13, 46 : Ἕπεται δ' ἐν ἑκάστῳ μέτρον· Pyth. 2, 34 : Παντὸς ὁρᾶν μέτρον· 4, 237 : Ἐξεπόνασ' ἐπίτακτον μέτρον· 286 : Καιρὸς βραχὺ μέτρον ἔχει· Isthm. 1, 62 : Ὕμνος βραχὺ μέτρον ἔχων· Nem. 11, 47 : Κερδέων μέτρον θηρευέμεν χρή· Pyth. 8, 82 : Δαίμων δὲ παρίσχει, ἄλλοτ' ἄλλον ὕπερθε βάλλων, ἄλλον δ' ὑπὸ χειρῶν μέτρῳ καταϐαίνει, quod schol. recte animadvertit periphrastice dici, ut infra ἥϐης μ. et alia. Solon ap. Stob. Fl. 9, 25, 52 : Ἱμερτῆς σοφίης μέτρον ἐπιστάμενος. Plur. Pind. Ol. 13, 20 : Τίς γὰρ ἱππείοις ἐν ἔντεσσιν μέτρα ἐπέθηκε, quæ quid sint multis disputant scholl. Isthm. 5, 67 : Μέτρα μὲν γνώμᾳ διώκων, μέτρα δὲ καὶ κατέχων. Idem in fr. ap. Philostr. Epist. 72, p. 949, coll. Dionys. De adm. vi Demosth. p. 972, 6, Solis ἀκτῖνα dixerat μέτρα ὀμμάτων. Æsch. Cho. 736 : Προστιθεὶς μέτρον. Soph. El. 236 : Καὶ τί μέτρον κακότητος ἔφυ; Eur. Tro. 616 : Νοσεῖς δὲ χἄτερα. — Ὧν γ' οὔτε μέτρον οὔτ' ἀριθμός ἐστί μοι· Herc. F. 1251 : Ὁ πολλὰ δὴ τλὰς Ἡρακλῆς λέγει τάδε; — Οὔκουν τοσαῦτά γ', Εἰ μέτρῳ μοχθητέον. Xen. Reip. Lac. 2, 1 : Σίτου αὐτοῖς γαστέρα μέτρον νομίζουσιν· Cyrop. 1, 3, 18 : Μέτρον αὐτῷ οὐχ ἡ ψυχὴ, ἀλλ' ὁ νόμος ἐστίν· Hipparch. 4, 1 : Αὐτὸς γὰρ μέτρον ἕκαστος τοῦ μὴ λαθεῖν ὑπερπονοῦντας.] Lucian. dixit Ὑπὲρ ἀνθρώπινον μέτρον φρονῶν, ubi puto μέτρον reddi posse Captum. [De ambitus magnitudine Arat. 366 : Οἱ δ' ὀλίγῳ μέτρῳ, ὀλίγῃ δ' ἐγκείμενοι αἴγλῃ· 377 : Πολέων δ' ἐπὶ ἶσα πέλονται μέτρα τε καὶ χροιή. Schol. μεγέθη. 464 : Μέτρα περισκοπέοντι κατανομένων ἐνιαυτῶν· 730 : Νυκτὸς μέτρον ἠὲ πλόου.] || Poetæ μέτρον ἥϐης periphrastice dicunt pro ἥϐη : cujus loquendi generis quum ap. alios [ut Theogn. 1115 : Ἥϐης μέτρον ἔχοιμι· Eur. Ion. 354 : Σοὶ ταὐτὸν ἥϐης, εἴπερ ἦν, εἶχ' ἂν μέτρον], tum ap. Hom. [Il. Λ, 225, etc.] et Hesiod. [Op. 131] exempla extant. Jungunt vero itidem aliis quibusdam genitivis hoc nomen poetæ. Quinetiam μέτρα κελεύθου legimus ap. Hom. non uno in l. [Od. Δ, 389, K, 539. Apoll. Rh. 3, 308], ubi fortasse dicere quis possit periphrastice poni μέτρα κελεύθου pro κέλευθον. Alioqui crediderim ead. forma dici μέτρα κελεύθου de mari (de eo enim loquitur), qua a Lat. poetis dicitur aliquis Emensus mare, atque adeo ab ipsomet Hom. [Od. M, 428] : Τὴν ὀλοὴν ἀναμετρήσαιμι Χάρυϐδιν. Sic et μέτρα θαλάσσης, Hesiod. [Op. 646. Pertinet huc Eur. Alc. 1062 : Σὺ δ', ὦ γύναι, ταὔτ' ἔχουσ' Ἀλκήστιδι μορφῆς μέτρ' ἴσθι.] || Μέτρον vocatur et Vas quo aliquid metimur, ad quod mensuram examinamus : ab Hom. autem μέτρα vocantur ξέσται τινὲς, continentes τέσσαρα μέτρα. [Il. H, 471 : Χωρὶς δ' Ἀτρείδῃ Ἀγαμέμνονι καὶ Μενελάῳ δῶκεν Ἰησονίδης ἀγέμεν μέθυ, χίλια μέτρα. Xen. Anab. 3, 2, 4 : Ὠνεῖσθαι μικρὰ μέτρα πολλοῦ ἀργυρίου.] De quibus lege Eust., qui etiam scribit quosdam μέτρον putasse dici ἐπὶ τάξεως quoque. [Μέτρου ὄνομα, Modius; Μέτρον οἴνου ἑξάξεστον, Congiarium, Congius, Gl.] Ceterum a μείρω deducit μέτρον Etym. [et Longin. fr. 3, 8. || Mensura agri, ap. Hom. Il. M, 422 : Ἀλλ' ὥστ' ἀμφ' οὔροισι δύ' ἀνέρε δηριάασθον, μέτρ' ἐν χερσὶν ἔχοντες ἐπιξύνῳ ἐν ἀρούρῃ, ὥτ' ὀλίγῳ ἐνὶ χώρῳ ἐρίζητον περὶ ἴσης. Schol. Apoll. Rh. 3, 1322 : Ἄκαινά ἐστι μέτρον δεκάπουν ἡ ῥάϐδος ποιμενικὴ, περὶ ἧς Καλλίμαχός φησιν, Ἀμφότερον κέντρον τε βοῶν καὶ μέτρον ἀρούρης. Sic de lyræ magadiis Hom. H. Merc. 47 : Πῆξε δ' ἄρ' ἐν μέτροισι ταμὼν (Mercurius, quum lyram fabricaretur) δόνακας καλάμοιο, πειρήνας διὰ νῶτα λιθορρίνοιο χελώνης.] || Μέτρον in carmine dicitur Mensura quæ binis pedibus constat; vel potius plurali numero μέτρα sunt Quæ carmen s. versum certis pedibus ac veluti spatiis, tanquam dimensionibus, distinguunt. [Μέτρα, Pedes, Gl. V. infra.] || Sed μέτρον appellatur et Id quod ex mensuris illis constat : Lat. Carmen, Versus. [Xen. Comm. 1, 2, 21 : Τῶν ἐν μέτρῳ πεποιημένων ἐπῶν. Eademque cum præp., vel cum μετὰ, ἄνευ, sæpius Plato et alii.] Aristot. Rhet. 3, [4] : Διὸ ῥυθμὸν δεῖ ἔχειν τὸν λόγον, μέτρον δὲ μή· ποίημα γὰρ ἔσται. Ad quem l. respiciens Cic. dixit, de ipso Aristot. loquens : Is igitur versum in oratione vetat esse, numerum jubet. Sequitur autem mox ap. Aristot., Διὸ μάλιστα πάντων τῶν μέτρων ἰαμϐεῖα φθέγγονται λέγοντες. [Aristoph. Nub. 638 : Πότερα περὶ μέτρων ἢ περὶ ἐπῶν ἢ ῥυθμῶν; 641 : Οὐ τοῦτ' ἐρωτῶ σ', ἀλλ' ὅ,τι κάλλιστον μέτρον ἡγεῖ, πότερον τὸ τρίμετρον ἢ τὸ τετράμετρον; Sequentia addo ex Longini fr. 3, ubi dicit 1 : Μέτρον ἐστὶ ποδῶν ἢ βάσεων σύνταξις, αἰσθήσει τῇ δι' ἀκοῆς παραλαμϐανομένη· et 5 : Διαφέρει δὲ μέτρον ῥυθμοῦ. Ὕλη μὲν γὰρ τοῖς μέτροις ἡ συλλαϐὴ, καὶ χωρὶς συλλαϐῆς οὐκ ἂν γένοιτο μέτρον. ... Ἔτι τοίνυν διαφέρει ῥυθμοῦ τὸ μέτρον ᾗ τὸ μὲν μέτρον πεπηγότας ἔχει τοὺς χρόνους, μακρόν τε καὶ βραχὺν καὶ τὸν μετὰ τοῦτον τὸν κοινὸν καλούμενον, ὃς καὶ αὐτὸς πάντως μακρός ἐστι καὶ βραχύς· ὁ δὲ ῥυθμὸς, ὡς βούλεται, ἕλκει τοὺς χρόνους. Quibus addit l. Aristoph. supra cit. pergitque 6 : Τὸ δὲ μέτρον λέγεται πολλαχῶς. Καὶ γὰρ τὴν εὐμετρίαν μέτρον προσαγορεύομεν, ὡς ὁ εἰπὼν, Μέτρον ἄριστον· λέγεται δὲ μέτρον καὶ τὸ μετροῦν (ut supra dictum) ... καὶ ἐπὶ ταύτης τῆς θεωρίας πολλαχόθεν (potius —χῶς) λέγεται μέτρον. Μέτρον τε γὰρ καλοῦμεν πᾶν τὸ μὴ πεζὸν, ὡς ὅταν εἴπω τὰ μὲν Πλάτωνος πεζὰ, τὰ δὲ Ὁμήρου μέτρα. Μέτρον καλεῖται καὶ εἶδος ἑκάστου, ὡς ὅταν εἴπω μέτρον Ἰωνικὸν κτλ. Μέτρον καλεῖται καὶ στίχος ἕκαστος, ὡς ὅταν εἴπω, ἡ πρώτη Ὁμήρου ῥαψῳδία μέτρα ἔχει χ'... Ἔτι τοίνυν μέτρον καλοῦμεν τὴν συζυγίαν, τουτέστι τὴν διποδίαν, ὅταν τὸ Ἰαμϐικὸν τὸ ἀπὸ ἓξ ποδῶν συγκείμενον τρίμετρον καλῶμεν. Μέτρον καλοῦμεν καὶ τὸν χρόνον, ὅν τινες τῶν ῥυθμικῶν σημεῖον προσαγορεύουσιν κτλ. De versibus Plato Lys. p. 205, A : Οὔτι τῶν μέτρων δέομαι ἀκοῦσαι, ἀλλὰ τῆς διανοίας. Idem Leg. 2, p. 669, D : Λόγους ψιλοὺς εἰς μέτρα τιθέντες. || Forma pluralis Μέτρεα pro μέτρα, tanquam ab neutro μέτρος, ap. Tzetzen ap. Potter. ad Lycophr. p. 1362 ed. Müller. s. Cram. Anecd. vol. 3, p. 333, 4 : Γραμματικοῖς ποθέουσι τὰ μέτρεα πάντα δαῆναι, et ib. 6, 10. De forma Μέτρος, ὁ, v. Boisson. Anecd. vol. 4, p. 374, (4). L. Dind.]

Μετρονόμοι, οἱ, Athenis dicebantur Qui curabant et inspiciebant, ut omnia justa mensura tribuerentur et venderentur, quorum quindecim in Piræeo, novem in urbe erant, [Lex. rhet. Bekk. An. p. 278, 25, Photius s.] Suid. [et Harpocratio, qui Dinarchi (etiam a Polluce 4, 167 memorati) et Aristotelis testimonia addit. Numeri autem apud hos grammaticos sic corrigendi videntur, ut quinque in Piræeo, decem in urbe fuisse dicantur, quod animadvertit Bœckh. OEcon. Ath. vol. 1, p. 52.]

[Μετροποιέω, Mensuro, Metior. Hermes ap. Stob. Ecl. phys. p. 1098 : Πρὸς τὴν ὀλιγομετρίαν τὰ λοιπὰ ζῷα μεμετροποίηται. || « Versus facio. OEnom. ap. Euseb. Præp. ev. 5, p. 229, B. » Hemst.]

[Μετροποιία, ἡ, Metrica ars, ratio, lex. Longin. fr. 3, 9 : Τοῖς μήπω τῆς μετροποιίας γεγευμένοις. Schol. Hom. Il. B, 546 : Διὰ τὸ μὴ δύνασθαι πάντας (τοὺς δήμους) εἰς μετροποιίαν καταταγῆναι. Schol. Aristoph. Ach. 299 : Ἐνταῦθα πάλιν περιττεύει τὸ ποτέ διὰ τὴν μετροποιίαν. Epim. Hom. Cram. An. vol. 1, p. 57, 12.]

[Μέτρος, ὁ, vel τό. V. Μέτρον fine.]

[Μετροσύνθετος, ὁ, ἡ, γραφὴ, Scriptura metro composita, Tzetz. Hist. 7, 651.]

[Μετρότῑμος, ὁ, Metrotimus, n. viri, in inscr. Att. ap. Bœckh. vol. 1, p. 466, n. 470. L. Dind.]

[Μετροφαγέω pro μέτρῳ μὲν φαγεῖν præbet liber Barocc. Phocylid. 62, inepte.]

Μέττον, Hesych. pro μεῖζον, Majus : quod et μέσδον.

A [Μέτων, ωνος, ὁ, Meton, celeber astrologus Atheniensis, circulum decemnovennalem excogitasse scribitur. i. e. annum magnum. Nicet. Choniat. p. 279 : Τὰς εὐεργεσίας εἰς τοὺς Μέτωνος αἰῶνας ἀναϐάλλεσθαι, Beneficia in Metonis annum magnum differre, de illiberali. Koenig. Memoratur ab Aristoph. Av. 997, ubi v. schol. 1010, Theophr. De sign. 1, 4 et al. Alius est pater Empedoclis ap. Diog. L. 8, 52. Alius memoratur in inscr. ap. Lebas. *Inscr.* fasc. 5, p. 110, 7, sec. conjucturam editoris : nam in lapide est Μέγωνος, quod nomen recte habere supra diximus.]

[Μετωνομασμένως. V. Μετωνυμικῶς.]

Μετωνῠμία, ἡ, Transnominatio [Gl.]; si tamen formam vocis respiciamus, μετονομασία quidem est Transnominatio : at μετωνυμία sonat q. d. Transnominitas. [De mutato nomine, ut infra μετωνυμικῶς, inscr. Æliani V. H. 2, 32 : Περὶ Ἡρακλέους μετωνυμίας. Aliter in inscr. 3, 41 : Πολλαὶ τοῦ Διονυσίου μετωνυμίαι. Ubi Coraes p. 304 : « Ἐπωνυμίαι ὤφειλεν εἰπεῖν, οὐ γὰρ μετωνομάζετο, ἀλλ' ἐπωνομάζετο παρ' ἄλλοις ἄλλως ὁ Διόνυσος. » L. D.] A Fabio [8. B 6] exp. Nominis pro nomine positio. Cujus vis est, inquit, pro eo quod dicitur, causam propter quam dicitur, ponere. Sed, ut ait Cicero, ὑπαλλαγὴν rhetores dicunt. Hæc inventa ab inventore, et subjecta ab obtinentibus significat : ut, Cererem corruptam undis et, Receptus terra Neptunus classes aquilonibus arcet V. plura ibid. Is autem Ciceronis l., cujus hic meminit, habetur in Oratore [27, 93] : Mutata (verba, ea dico) in quibus pro verbo proprio subjicitur aliud, quod idem significet, sumptum ex re aliqua consequenti. Quod quanquam transferendo fit, tamen alio modo transtulit, quum dixit Ennius, Arce et urbe orba sum; alio modo, si pro patria arcem et urbem dixisset. Et, horridam Africam terribili tremere tumultu, quum dicit, pro Afris immutat Africam. Hanc, ὑπαλλαγὴν rhetores dicunt, quia quasi summutantur verba pro verbis, μετωνυμίαν grammatici vocant, quod nomina transferantur. Eust. [Od. p. 1875, 34 etc.] ait in eo, quod Homerus dicit Πανδαρέου κούρην, Pandarei filiam, ἀντὶ τῆς ἀηδόνος, Pro luscinia, esse τινὰ τρό- C πον μετωνυμίας vel μεταλήψεως : quem ap. Pind. esse frequentem, quippe multorum locorum mentionem facientem, qui ab heroidibus nomen acceperunt, de locis illis tanquam de personis loquatur. [Etym. M. p. 460, 47. Plut. V. Hom. § 23.] At Fabius non in illo libro ex quo verba quædam protuli, sed 9, 3, alium quendam usum μετωνυμίας affert, quem ap. eum vide.

Μετωνυμικὸς, ἡ, ὸν, Metonymicus, Ad metonymiam pertinens, Metonymiam habens, Per metonymiam positus. [OEcumen. In Apocal. ed. Cramer. p. 374, 17. Hase. Etym. M. p. 460, 45 : Μετωνυμικῷ τρόπῳ. Melet. in Cram. Anecd. vol. 3, p. 90, 2.]

Μετωνυμικῶς, Metonymice, Per metonymiam, Utendo metonymia : M. δὲ τοῦτο λέγεται. [Schol. Hom. Il. A, p. 1, 28 ed. Bekk. « Hesych. in Ἥφαιστος, schol. in Theocr. Syringem ap. Gail. vol. 2, p. 430. » Boiss. Artemid. Onirocr. 5, 87 : Καλοῦμεν μ. Basil. t. 1, p. 1082, D. Id. ib. p. 813, B : M. πόλιν λέγομεν τοὺς ἐν τῇ πόλει. Hase. || Eadem signif., quam in Μετωνυμία ex D Æliano notavi, ponit Suidas : Μετωνυμικῶς, μετωνομασμένως, Mutato nomine.]

[Μετώνῠμος, ὁ, Metonymus, n. viri, in inscr. Att ap. Bœckh. vol. 2, p. 597, n. 2953, 26, si recte ita expletur Με..νυμου. L. Dind.]

[Μέτωπα, ων, τὰ, Metopa, n. loci, ap. Theodor Stud. p. 40, A : Τῷ ἀντιπέραν τῆς λίμνης κάστρῳ, ὃ Μέτωπα καλεῖται. Margo : « Vatican. codex, καλουμένῳ μετώπῳ. » L. Dind.]

[Μετωπᾰδὸν, A fronte. Oppian. Cyn. 2, 65 : Οἷα δ' ἐνὶ πτολέμῳ δοιαὶ νῆες ἀντίϐιον πρῴρῃσι μετωπαδὸν ἐγχρίμπτονται. Nonn. Dion. 5, 65.]

[Μετωπᾶς, ὁ, Metopas, n. viri, ap. Athanas. vol. 1, p. 192, C. L. Dind.]

Μετώπη, ἡ, ap. Pind. [Ol. 6, 84, Apollodor. 3, 12, 6, 5, Metope, f. Ladonis fl., Sangarii fl. conjux, Hecubæ mater, ap. Apollod. 3, 12, 5, 3. Fl. Stymphaliorum sec. Ælian. V. H. 2, 32, suspectus Corae, sed quem ipsum dicere videtur Callim. Jov. 26. L. D. Ad quem Callimachi l. conf. Ross. *Reisen im Pelop.* part. 1, p.

p. 39, (30). De Metope Ladonis f. conf. Diodor. Sic. 40, 72, 30, et Lenormant *Trésor de numism.* p. 29 (21). Hase.]

Μετωπηδὸν, adv., Adversa fronte, Adversis frontibus. Quidam vero et Adversis rostris, pro eod., ut Thuc. 2, [90]: Ἀπὸ σημείου ἑνὸς ἄφνω ἐπιστρέψαντες τὰς ναῦς, μετωπηδὸν ἔπλεον, Adversa fronte navigabant. Ubi schol. scribit μετωπηδὸν πλέειν, esse κατ' εὐθεῖαν πλέειν, quod prora vocetur μέτωπον: fuerit igitur μετωπηδὸν ἔπλεον, Proras obvertebant hostibus. Vulgo autem redditur, Naves dirigebant, propter illam expos. scholiastæ, dicentis esse κατ' εὐθεῖαν ἔπλεον. Affertur autem in VV. LL. et ex Herodoto [7, 100]: M. τρέψαντες, pro In frontem dirigentes. Sed suspicor scrib. στρέψαντες, et dici μετωπηδὸν στρέψαντες, ut a Thuc., Ἐπιστρέψαντες τὰς ναῦς μετωπηδὸν ἔπλεον. Quid si vero dicamus μετωπηδὸν in illo quoque Thuc. l. cum ἐπιστρέψαντες jungi? Ceterum legitur et κατὰ μέτωπον pro μετωπηδόν. Itidem autem frontes navibus tribuit Virg., Junctisque feruntur frontibus. [Pollux 2, 46: Μετωπηδὸν ἔταξαν τὰς ναῦς. Polyæn. 5, 18: Φανερὸς γενόμενος τοῖς ἐπιπλέουσι μετέστρεψε μετωπηδόν. « Μετωπηδὸν ποιεῖσθαι τὴν ἔφοδον, Acie in frontem porrecta, explicata fronte aggredi hostem, Polyb. 11, 22, 10. Ἡ μετωπηδὸν ἔφοδος, 2, 27, 4. » Schweigh. Lex. Etym. M. v. Μέτωπον. Plut. Mor. p. 967, B: Πέτανται γὰρ (grues) οὐχ, ὥσπερ εὐδίας οὔσης, μ. Lysand. c. 10: Τῶν Ἀθηναίων μ. ἀπάσαις ἐπιπλεόντων.]

[Μετωπιαῖος, α, ον, et Μετωπίδιος, α, ον, Qui est in fronte; quorum illud est ap. Galen. vol. 12, p. 476: Τῶν ἐπινεμήσεων ἡ μέν τις λέγεται εὐθεῖα, ἡ δὲ μετωπιαία· et p. 477, 478, 479, Oribasium p. 93, 96, 97, 98 ed. Maji. Hoc ap. Philippum Thessalon. Anth. Pal. 9, 543, 4: Πλέγμα μετωπίδιον· et Phrynichum Bekk. p. 52, 10: Μετωπιδία θρὶξ, ἡ τῶν θυομένων ἱερείων, ἣν πρὸ τοῦ θύεσθαι ἀποκείροντες εἰς τὸ πῦρ ἐμβάλλουσιν. Aut hoc aut illo modo scribendum quod est ap. Hippocr. p. 663, 23, ἱδρὼς μετωπιδαῖος, quod ex δ super α posito ortum videtur. Monuit de vitio Lobeck. ad Phryn. p. 557.]

Μετωπίας, ὁ, Fronto [Gl.], Qui lata est fronte, Cui frons est lata, ut dicitur fuisse Alcibiadi. V. Εὐρυμέτωπος. [Pollux 2, 43.]

[Μετωπίδιος. V. Μετωπιαῖος.]

Μετώπιον, τὸ, i. q. μέτωπον, Frons, μεσόφρυον: utriusque significationis meminit et Pollux [2, 46, 49], i. e. Interstitium inter supercilia. Utroque enim modo exp. Hom. Il. Λ, [95]: Τὸν δ' ἰθὺς μεμαῶτα μετώπιον ὀξέϊ δουρὶ Νύξ' οὐδὲ στεφάνη, κτλ. Sic et Π, [739]: Βάλε δ' Ἕκτορος ἡνιοχῆα Κεβριόνην νόθον υἱὸν ἀγακλῆος Πριάμοιο, Ἵππων ἡνί' ἔχοντα, μετώπιον ὀξέϊ λᾶϊ· quibus subjungit, Ἀμφοτέρας δ' ὀφρῦς σύνελεν λίθος. Vult autem Eust., μετώπιον, si accipiatur pro μέτωπον, esse dictum ead. forma qua ἐνώπιον: vel esse derivatum a μέτωπον, sicut ἴχνιον ab ἴχνος: nequaquam autem esse dimin. [Justin. Mart. p. 90, C: Ἀπὸ τοῦ μ. τεταμένον τὸν λεγόμενον μυξωτῆρα φέρειν. Hase.] Affertur autem μετώπιον pro μέτωπον et ex Hippocr. De superfœt. [V. Foes. in sequenti voc. « Fascia frontalis. Galen. vol. 18, part. 1, p. 803, 10 et 812, 17. » Hase. Frontale, armatura frontis equi. Constant. Porph. in Tacticis: Μετώπια ἱππαρίων. Ducang. || Ora paginæ. Herodian. Epim. p. 2: Ὅρα καὶ ἐν τοῖς μετωπίοις τῶν καταβατῶν ἐπισημαινομένους τοὺς ἐπιμερισμοὺς, ὡς ἂν ἔχῃς εὑρίσκειν ῥᾳδίως τὸ ζητούμενόν σοι· iterumque in l. quem Boiss. comparat. V. Μέτωπον. L. Dind.]

|| Μετώπιον a nonnullis dictum fuit Galbanum, Diosc. [1, 71]. Eod. nomine vocatum fuit et Unguenti quoddam genus in Ægypto, quod Hippocr. Αἰγύπτιον μύρον appellavit, ut scribit Galen. Lex. Hipp. [p. 414], atque sic appellatur propter galbani mistionem. Nam lignum, inquit, in quo galbanum enascitur, μετώπιον vocant. Est igitur μετώπιον tum Arboris, tum Succi ex ea manantis nomen. Hæc Gorr. [« Erotianus vero Αἰγύπτιον μύρον apud Hippocr. dici contendit τὸ ἀπὸ σκάφης dictum, quod calefacit, quibusdam etiam Malabathrinum, aliis Mendesium, quod et oleum Ægyptium dici l. 2 Π. γυναικ. asserit. Galen. vero in Exegesi Αἰγύπτιον μύρον λευκὸν Mendesium dici scribit. Αἰγύπτιον μύρον ἐκ πλειόνων ἔκ τε τοῦ κινναμώμου, καὶ

A ἐκ τῆς σμύρνης, καὶ ἐξ ἄλλων confici scribit Theophr. libr. Π. ὀσμῶν (28 seqq.). Ita ut μετώπιον idem quod νέτωπον apud Hipp. significare videatur, cujus crebra fit mentio in tota γυναικείων πραγματείᾳ et lib. Π. ἐπικυήσιος, ut νέτωπον aut νετώπιον pro μετωπίῳ poni existimetur. Scribit enim Hesych.: Νέτωπον ἢ νετώπιον, μύρον συντιθέμενον ἐκ πολλῶν μιγμάτων· οἱ δὲ μετώπια, forte pro μετώπιον. Sic μέτωπον apud Hippocr. l. De locc. in homine pro μετωπίῳ aut νετώπῳ poni certum est, quum scribit (p. 411, 4): Τῷ ὑπὸ τῆς ὀδύνης ἐχομένῳ φάρμακον θερμὸν φύσει χλιαρὸν ποιήσαντα, διέντα μετώπῳ ἐγχεῖν. Illic enim νετώπῳ aut μετωπίῳ legendum, quum medicamentum aut unguentum calidum ad auris fluxionem cum dolore adhibeatur, ut et l. 5 Epid. νέτωπον ad surditatem (p. 1157, B). Sumitur et μετώπιον pro Oleo amygdalino quibusdam, quemadmodum sumit Calvus l. De locc. in homine, etsi illic νετώπῳ, ut et Cornarius legisse videtur. Quod autem μετώπιον pro μέτωπον ex Hippocr. l. Π. ἐπικυήσιος ascriptum annotant nonnulli, ibi certe νέτωπον le-
B gitur et pro unguento sumitur, ut p. 265, 49; 266, 54; 265, 44. » Foes. OEc. Hipp.] Annotatur autem ex eod. Diosc. μετώπιον pro quodam Oleo ex amaris nucibus confecto, cui adhibebatur galbanum. [Diosc. 1, 39: Ἀμυγδάλινον ἔλαιον, ὅ τινες μ. καλοῦσιν. Hase. Conf. Athen. 15, p. 688 fin., Paulus Æg. 7, p. 298 init., Matthæi Med. p. 345.]

[Μετώπιον adverbialiter dictum ponit Etym. M. p. 346, 10.]

Μετωπὶς, ίδος, ἡ, Fascia qua devinciebatur frons: Hesych. ait esse ἰατρικὸν ἐπίδεσμον, Medicinalem fasciam.

Μέτωπον, τὸ, Frons. Sonat autem μέτωπον q. d. Pars faciei quæ est post oculos; perinde est enim ac si diceretur τὸ μετὰ τοὺς ὦπας. Nec vero necesse puto credere cum Etym. positam hic esse præp. pro præp., sc. μετὰ pro ὑπέρ: et vocari μέτωπον quasi ὑπέρωπον. Eodem enim sensu dicitur τὸ μετὰ τοὺς ὦπας, quo τὸ ὑπὲρ τοὺς ὦπας. Hesiod. Theog. [143]: Μοῦνος δ' ὀφθαλμὸς μέσσῳ ἐπέκειτο μετώπῳ. [De dracone Sc. 147: Ἐπὶ δὲ βλοσυροῖο μετώπου δεινὴ
C ἔρις πεποτήτο.] Hom. Il. [Δ, 460: Ἐν δὲ μετώπῳ πῆξε· N, 615: Ἤλασε προσιόντα μέτωπον ῥινὸς ὑπὲρ πυμάτης· Od. X, 86: Χθόνα δ' ἤλασε παντὶ μετώπῳ·] O, [101]: Ἡ δ' ἐγέλασσε Χείλεσιν, οὐδὲ μέτωπον ἐπ' ὀφρύσι κυανέοισιν ἰάνθη· Ψ, [396]: Θρυλλίχθη δὲ μέτωπον ἐπ' ὀφρύσι. Observa autem utrobique itidem ἐπ' ὀφρύσι post μέτωπον: sed et in aliis ll. eadem verba legisse mihi videor. [Theocr. 20, 24: Λευκὸν τὸ μ. ἐπ' ὀφρύσι λάμπε μελαίναις. Soph. Trach. 521: Ἦν δὲ μετώπων ὀλόεντα πλίγματα· El. 727: Πῶλοι μέτωπα συμπταίουσι Βαρκαίοις ὄχοις· fr. ap. schol. Aristoph. Lys. 8: Ὡς ἂν Διὸς μέτωπον ἐκταθῇ χαρᾷ. Eur. Tro. 1198: Ἱδρὼς, ὃν ἐκ μετώπου πολλάκις πόνους ἔχων ἔσταζεν Ἕκτωρ. Et de bestiis Rhes. 307: Γοργὼ χαλκῆ μετώποις ἱππικοῖσι πρόσδετος, ut supra et infra in plur. Aristoph. Eq. 550: Φαιδρὸς λάμποντι μετώπῳ. De galea Hom. Il. Π, 70: Οὐ γὰρ ἐμῆς κόρυθος λεύσσουσι μέτωπον ἐγγύθι λαμπομένης. || Plurali Hom. Od. Z, 107: Πασάων δ' ὑπὲρ ἥγε κάρη ἔχει ἠδὲ μέτωπα. Eur. Hel. 1568: Μονάμπυκον δὲ Μενέλεως ψήχων δέρην μέ-
D τωπά τε. Agesianax ap. Plut. Mor. p. 920, E: Ἠΰτε κούρης ὄμμα καὶ ὑγρὰ μέτωπα. Apoll. Rh. 4, 44: Λαιῇ μὲν χερὶ πέπλον ἐπ' ὀφρύσιν ἀμφὶ μέτωπα στειλαμένη καὶ καλὰ παρήια· 695. Arat. 698. Exc. Phrynichi Bekk. An. p. 32, 10: Διεσκέδασται τὰ μέτωπα.] Utuntur porro hac appellatione et prosæ scriptt. Lucian. in Dialogo Charontis et Mercurii et aliorum [D. mort. 10, 9], dicenti Menippo, Βούλει μικρὸν ἀφέλωμαι καὶ τῶν ὀφρύων; respondetur a Mercurio, Μάλιστα· ὑπὲρ τὸ μέτωπον γὰρ καὶ ταύτας ἐπῆρχεν, οὐκ οἶδ' ἐφ' ὅτῳ ἀνατείνων ἑαυτόν. Habetur autem paulo ante, Ὁ τὰς ὀφρῦς ἐπηρκὼς, cui subjungitur, ὁ ἐπὶ τῶν φροντίδων. Quinetiam ut Contrahere, et contra Remittere s. Laxare frontem dicunt Latini, pro quo et Exporrigere, ita Græci τὸ μέτωπον ἀνασπᾷν, χαλᾷν: quorum utrumque ap. Aristoph. legitur. [Hoc Vesp. 655, illud Eq. 631, ubi plurali. Pro quo ἀνασπᾷν τὸ πρόσωπον ap. Xen. Conv. 3, 10, nisi error est librarii, quum frequens sit permutatio horum nominum, ut in loco Arist. et Æschyleo infra cit.] Ad illud autem ἀνασπᾷν τὸ μέτωπον pertinet

dictum Amphidis comici [ap. Athen. 10, p. 448, A], ἐν τῷ μετώπῳ νοῦν ἔχειν, pro σεμνοπροσωπεῖν. [Μετόπισθε aliquando voluerat Valck. in Mss. V. Μετωποσώφρων.] || Plin. in Μετωποσκόπος vertit μέτωπον Faciem, ut videbis paulo post. || Μέτωπον τῆς νεὼς, Frons navis, metaphorice vocatur ejus Prora. V. Μετωπηδὸν, Ἀντιμέτωπος. || De muro quoque μέτωπον Herodotus dixit, Cam. [2, 124 : Τῆς (pyramidis) ἐστι πανταχῇ μέτωπον ἕκαστον ὀκτὼ πλεῦρα. Apollodor. Poliorc. p. 41, B : Δέρρεις περικρεμάσθωσαν αὐτοῦ (τοῦ προτειχίσματος) κατὰ μέτωπον. De monte, quemadmodum dicitur etiam ὀφρὺς, Pind. Pyth. 1, 30 : Γαίας μέτωπον. Oppian. Hal. 1, 131 : Ἄλλαι δ' αὖ ποιῆσιν ἐπίχλοοι ὑγρὰ μέτωπα πέτραι. Philostr. Her. p. 738 : Τὸν κολωνὸν, ὃν ἐπὶ τοῦ μετώπου τῆς ἀκτῆς ὁρᾷς ἀνεστηκότα.] || Μέτωπον in acie, Frons, ap. [Æsch. Pers. 720 : Διπλοῦν μέτωπον ἦν δυοῖν στρατευμάτοιν·] Thuc., Xen. et ceteros historicos. Xen. [Hipparch. 4, 9] : Τὸ μέτωπον μηκύνειν τῆς τάξεως, Explicare frontem aciei, et porrigere, Bud. [Πλατυντέον ib. 3.] V. et μῆκος φάλαγγος in libello De vocabulis rei militaris. Dicitur autem et ἐπὶ μετώπου ἰέναι [Xen. Cyrop. 2, 4, 2] de agmine quod exporrecta fronte incedit. Itidem ἐπὶ μετώπου ἄγειν. [Ἐλαύνειν Xen. Hipparch. 3, 6. Ib. 10 : Καλὸν οὕτω τάξασθαι ὡς ἂν ἐπὶ μετώπου ἐμπλήσαντες ἵππων τὸν ἱππόδρομον ἐξελάσειαν τοὺς ἐκ τοῦ μέσου ἀνθρώπους.] Item ἐν μετώπῳ παρατάξασθαι, Xen. Hell. 2, [1, 22] : Παρετάξαντο ἐν μετώπῳ ὡς ἐς ναυμαχίαν. [Cum εἰς Xen. Cyrop. 2, 3, 21 : Τὸν ὕστερον λόχον παράγειν καὶ τὸν τρίτον καὶ τὸν τέταρτον εἰς μέτωπον· 2, 4, 1 : Εἰς μέτωπον στῆναι· Reip. Lac. 11, 8 : Εἰς μέτωπον καθίστασθαι. Cum ἐν Polyæn. 4, 3, 22 : Τὸ ἱππικὸν ἐπὶ τοῦ δεξιοῦ κέρως ἔταξεν ἐν μετώπῳ. Schweigh. Lex. Polyb. : « Τοὺς ἐλέφαντας ἐφ' ἕνα πρὸ πάσης τῆς δυνάμεως ἐν μετώπῳ κατέστησε, 1, 33, 6. Frons aciei navalis. Παραγεγονότες εἰς τὸ μέτωπον, Advenientes et in frontem instructi, 1, 28, 2. || Sed ἐν μετώπῳ significat etiam Eadem linea, Eadem fronte, sive in ipsa fronte aciei ante omnes alios sit hæc linea sive post alios locata. Sic in pugna ad Rhaphiam Antiochus παρὰ τοὺς ἱππεῖς ἐν μετώπῳ (juxta equites eadem fronte) τοὺς Κρῆτας ἔστησε, 5, 82, 10, ubi equites illi post alios erant locati, ut docet § 9. Et in navali acie Romanorum, 1, 26, 13, post duas legiones, quarum naves erant in rostri formam dispositæ, ἐπέβαλον τούτοις ἐπὶ μίαν ναῦν ἐν μετώπῳ τὸ τρίτον στρατόπεδον, Navibus omnibus in unam eandemque frontem directis, non aliis post alias locatis. Ita ἐν μετώπῳ idem est q. ἐπὶ τῆς αὐτῆς εὐθείας. » Κατὰ μ. Apollodor. Poliorc. p. 41, C : Ἐπὶ ταύταις ἐφεστῶτες διαμαχήσονται ὑψηλότεροι κατὰ μέτωπον μετὰ τῶν πολεμίων, ἐπάλξεις προκειμένας ἔχοντες. Et ib. p. 42, D. Pollux 2, 46.] || Μέτωπα dixit Gaza, in interpretatione libri Cic. De senect., in vitibus, pro Articulis unde oculi exeunt : i. e. Gemma, ut annotat Bud., afferens hæc illius verba : Ὥσπερ ὑπὸ μέτωπα τῶν κλημάτων ἀνέῳγεν ὁ καλούμενος ὀφθαλμός. || Μέτωπον, de Contignationibus asserum, in VV. LL. sine auctore et exemplo. [De pilæ capitulo inscr. Att. ap. Müller. De munim. Athen. p. 36, 66 : Ἐπικρούσει ἀκρογείσιον ὀρθὸν κατὰ κεφαλὴν πλάτος ἑπτὰ δακτύλων πάχος παλαστῆς παρατεμὼν ἐκ τοῦ ἔνδοθεν πάχος ἱμάντος καὶ τὸ μέτωπον ποιήσας πρὸς τὴν καταφοράν. Conf. Millingen. *Peint. ant. de vases grecs* p. 16, (1). Machinæ μέτωπον est ap. Oribas. p. 160 ed. Mai. : Τὸ ἐμπρόσθιον μέρος τῆς χελώνης, τὸ λεγόμενον μ., τέτρηται. || Ora paginæ sive margo, ut supra μετώπιον. Galen. vol. 12, p. 91 : Συμβαίνει δὲ ἐν τοῖς τοιούτοις βιβλίοις ... ἄλλως καὶ ἄλλως ἐνίοτε τὸν γραφέα τὰ αὐτὰ πράγματα γράφειν ... εἶθ' εὑρόντα τὸν βιβλιογράφον ἐνίας μὲν αὐτῶν (τῶν λέξεων) ἐν τοῖς μετώποις γεγραμμένας, ἐνίας καὶ κατὰ τοῦ μετώπου, πάσας ἔγραψε (l. ἐγγράψαι) τῷ ἐδάφει τοῦ συγγράμματος. Ms. ap. Pasin. Codd. Taur. vol. 1, p. 158, B : Τῶν παρακειμένων ἐν τοῖς μετωπίοις σχολίων· pro quo in alio ib. p. 94, B : Τῶν παρακειμένων ἐν τοῖς μετώποις σχολίων. || Dat. plur. forma μέτωψι est in Ms. ap. Lambec. Bibl. Cæs. vol. 5, p. 242, B : Πρὸς τοῖς μέτωψι τῶν ἁγίων Θεοδώρου καὶ Θεοφάνους. Similis metaplasmus est προσώπασι pro προσώποις. L. Dind.]

[Μέτωπος, ὁ, Metopus, Metapontinus, Pythagoreus, de quo Fabric. B. Gr. vol. 1, p. 852.]

Μετωποσκόπος, ὁ, Frontis inspector. Uno verbo, Frontispex; nec enim dubitarim hoc composito uti, quum similia extent in lingua Latina. Plin. tamen usus est Græco vocabulo, et quidem ipsum interpretans, 35, 11, ubi scribit de Apelle : Imagines adeo similitudinis indiscretæ pinxit, ut incredibile dictu Apion grammaticus scriptum reliquerit, quendam ex facie hominum addivinantem, quos μετωποσκόπους vocant, ex iis dixisse aut futuræ mortis annos, aut præteritæ. Animadverte autem hic Plin. μέτωπον vertisse non Frontem, sed Faciem : tanquam sc. pars in hoc nomine μετωποσκόπος ponatur pro toto. In VV. LL. exp., Qui hominis ingenium dijudicat ex fronte, indeque futura auguratur. Habetur autem Metoposcopus et ap. Suet. Vespasiano [Tito c. 2] : Quo quidem tempore ajunt metoposcopum, a Narcisso Claudii liberto adhibitum ut Britannicum inspiceret, constantissime affirmasse, illum quidem nullo modo, ceterum Titum, qui tunc prope astabat, utique imperaturum. [Clem. Alex. p. 261. Wakef. Conf. John *Malerei der Alt.* p. 149 (130). Hase.]

[Μετωποσώφρων, ονος, ὁ, ἡ, Qui fronte modestiam præ se fert. Æsch. Suppl. 198 : Τὸ μὴ μάταιον δ' ἐκ μετωποσωφρόνων ἴτω προσώπων. V. locum Amphidis in Μέτωπον cit.]

[Μετωποφορέω, In fronte fero. Acta SS. Maji vol. 5, p. 187*, A : Τοῦ ἐπουρανίου βασιλέως τὸ σίγνον μετωποφοροῦσα. L. Dind.]

[Μετωπόψορες, οἱ, sic scripta gens in Hist. Alex. Ms. Lugd. Bat. ap. Berger de Xivrey in *Notices* vol. 13, p. 220, ubi inter Χαλδαίους et Ἀγριοφάγους ponuntur. L. Dindorf.]

[Μεύω.] Μεύει Hesych. affert pro κοιμᾶται, Cubat, Dormit.

Μεχεὶρ, ὁ, nomen mensis Ægyptiaci in Epigr. [Anth. Pal. 9, 383, 6, versus ex Plan. additus : Σημαίνει πλωτῆρσι Μεχεὶρ πλόον ἀμφιπολεύειν.] In quodam meo Lex. vet. γράφεται etiam Βεχεὶρ, diciturque esse Februarius Romanorum. [Maxime Lat. Februario, sed et ex parte Januario respondet. Hieron. In Zachar. c. 1, col. 1709 fin. : Ab Ægyptiis Mechir, ... a Romanis Februarius appellatur. Plin. H. N. 6, 23, Machirem vocat. In opt. Copt. monumentis scriptum reperimus *Mechir*. Jablonsk. Variare nominis scripturam Græcam docet Fabric. in Menologio p. 22. In Gr. inscr. Rosett. legitur, ΜΗΝΟΣ ΞΑΝΔΙΚΟΥ ΤΕΤΡΑΔΙ ΑΙΓΥΠΤΙΩΝ ΔΕ ΜΕΧΕΙΡ ΟΚΤΩ ΚΑΙ ΔΕΚΑΤΗΙ. Μεχεὶρ est in cod. Ms. Mosq. ap. Matth. Anecd. 1, p. 86. Tewater. Μεχὶρ ap. Athanas. vol. 1, p. 394, D; 395, D.]

[Μεχερῖνος. V. Μενχερῖνος.]

Μέχρῐ, vel Μέχρῐς, Usque ad, Adusque. [Tenus huic add. Gl. De utraque forma Phrynichus Ecl. p. 14 : Μέχρις καὶ ἄχρις σὺν τῷ σ ἀδόκιμα, μέχρι δὲ καὶ ἄχρι λέγε. Herodian. Philet. p. 451 : Ἄχρι καὶ μέχρι ἄνευ τοῦ σ, τὸ δὲ σὺν τῷ σ Ἰωνικόν. Thomas p. 135 : Ἄχρι καὶ μέχρι Θουκυδίδης ἀεὶ λέγει οὐ μόνον ἐπαγομένου συμφώνου, ἀλλὰ καὶ φωνήεντος· οἱ δ' ἄλλοι ἐπαγομένου μόνου φωνήεντος καὶ μετὰ τοῦ σ καὶ χωρὶς τοῦ σ γράφουσιν, οἷον ἄχρις οὗ καὶ ἄχρι οὗ. (Mœris p. 34 : Ἄχρι ἄνευ τοῦ σ Ἀττικοὶ, ἄχρις Ἕλληνες.) Utraque forma pro metri necessitate utuntur Hom. Il. N, 143 : Ὡς Ἕκτωρ εἴως μὲν ἀπείλει μέχρι θαλάσσης· Ω, 128 : Τέκνον ἐμὸν, τέο μέχρις ὀδυρόμενος καὶ ἀχεύων (semel enim utraque ap. hunc forma legitur, sæpius ἄχρις), et Bucolici. Forma μέχρις Apoll. Rh. 4, 1235 : Νύκτας ὁμῶς καὶ τόσσα φέρ' ἤματα μέχρις ἵκοντο, et sæpius Callimachus (iidemque sæpe forma ἄχρις), nusquam altera. Atticos poetas (h. e. Comicos : Tragicos enim non uti constat particulis ἄχρι et μέχρι, nedum formis ἄχρις et μέχρις, quorum hanc intulit homo imperitus Soph. Aj. v. 570, quem ipse fecit : Μέχρις (al. addunt οὗ vel ἂν) μυχοὺς κίχωσι τοῦ κάτω θεοῦ, dudum ejecto ab Elmslejo) formis per ι uti vel ante vocalem ostendi jam olim ad Xen. Anab. 1, 4, 13, exemplo Machonis ap. Athen. 8, p. 346, A, ubi est γεύου σὺ μέχρι ἂν ἁρμόσῃ, quod in συμμετρίαν corruptum est in libris. Quibus accedit Menandreum ap. Arsen. Viol. p. 177 : Δεῖ τοὺς γενομένους μέχρι ἂν ζῶσιν πονεῖν, pro quo μέχρις codd. Stobæi Fl. 29, 17. Ceterum laborat versus initium, ubi πενομένους cum Bentlejo et τούς γε scribendum videtur. Μέχρι ἂν οὗ, quod conjectavit Meinek. Com. vol. 4, p. 258, est ap. Diodor. 16, 60: Μέχρι ἂν οὗ τὰ χρήματα ἐκτίσωσι, ubi tamen mox est μέχρι ἂν ἐκτίσωσι, et 3, 14: Μέχρι ἂν ὅτου καθαρὸν γένηται, ubi ὅτου omittit liber unus. Multo minus prosæ Atticorum concedendas esse formas per σ hodie vix opus est dici, etsi librorum Thucydidis, Platonis, Xenophontis et Oratorum non minor est inconstantia quam librariorum his in rebus esse solet imperitia. Minus liquere videatur de Ionibus, ut Herodoto et Hippocrate (quorum libri quantopere fluctuent inter utrasque formas exx. nonnullis ostendit Lobeck. ad Phryn. p. 14), quum formam per σ Ionicam perhibeat Herodianus. Sed quum non tantum numero ap. Herodotum quidem prævaleant formæ ἄχρι et μέχρι, sed etiam dialecto hiatus amanti accommodatior sit literæ σ abjectio, recte jam Valcken. his quoque vindicasse censendus est usum formarum per ι. Dialecti communis scriptoribus an concedendæ sint formæ per ις, anceps fere putatur judicium. Sed hoc tamen certum videtur non solum nulli relinquendas esse eorum qui Plutarcho sint antiquiores, sed ne huic quidem aut ætate supparibus, adeoque eximendam vel multo hoc recentioribus. Μέχρις est in inscr. Cea non antiqua ap. Bœckh. vol. 2, p. 287, n. 2360, 17: Μέχρις ἂν ἥλιος δύῃ, et, ut videtur, ib. 37: Μέχρις ἂν δοκῇ, quum μέχρι δραχμῆς sit 26. Conf. etiam ibid. p. 587, n. 2927, 9, et Ἄχρις. Vicissim μέχρι οὗ est in Hierapytn. ib. vol. 2, p. 420, n. 2562, 6, μέχρι τοῦ in Mylas. n. 2693, e, p. 476, 12, μέχρι ἀρχῆς in Aphrodis. n. 2741, 18, p. 496, et alibi, μέχρι ἂν ἐξέλθῃ in Vol. Hercul. part. 1, p. 18. Aristoph. Eq. 964: Ψωλὸν γενέσθαι δεῖ σε μέχρι τοῦ μυρρίνου· Vesp. 700: Ὅστις πόλεων ἄρχων πλείστων ἀπὸ τοῦ Πόντου μέχρι Σαρδοῦς. Xen. Anab. 1, 7, 6: Μέχρι οὗ διὰ καῦμα οὐ δύνανται οἰκεῖν ἄνθρωποι· H. Gr. 4, 5, 12: Μέχρι ὁπόσου αὐτοὶ κελεύοιεν μεταδιώκειν.] Aristot. De mundo [c. 3]: Ἐκ περάτων τῆς ἀρχῆς μέχρι Σούσων, Abusque finibus imperii adusque Susa, Ad Susa usque. Plato [Leg. 11, p. 925, A]: Ὀμφαλοῦ μέχρι. Sic, M. τῶν ἀμφωτίδων, quod Suid. dici testatur de iis quæ repleta sunt. [Xen. Anab. 6, 4, 26: Ἐδίωξαν μέχρι εἰς τὸ στρατόπεδον· et cum ἐπὶ 5, 5. Arat. 492: Γαστέρα μέχρι παρ' αἰδῶ.] Interdum vero μέχρι πρὸς cum accus. itidem pro Usque ad, Aristot. ap. Bud. p. 970. [In Metaphys. 6: Τὰ δὲ ἄλλα τούτων ἐχόμενά φασι γραμμὰς καὶ ἐπίπεδα, μέχρι πρὸς τὴν τοῦ οὐρανοῦ οὐσίαν καὶ τὰ αἰσθητά. Theocr. 25, 31: Μέχρι πρὸς ἐσχατιὰς πολυπίδακος ἀκρωρείης. Plat. Tim. p. 25, B, etc. Postpositum, ut ap. Plat. ab HSt. cit., est ap. Callim. Dian. 11: Ἐς γόνυ μέχρι χιτῶνα ζώννυσθαι λεγνωτόν. Dionys. Per. 850: Παμφύλων καὶ μέχρι.] Polit. ap. Herodian. [6, 2, 5] vertit Tenus: Πάντα μέχρις Ἰωνίας καὶ Καρίας. Et μέχρι τοῦ λέγειν, Dem., Verbis tenus. Ap. Thuc. autem [1, 71], μέχρι τοῦδε, pro Eatenus. Itidemque μέχρι τινὸς, pro Aliquatenus. [Xen. Comm. 4, 7, 2: Μέχρι τούτου μανθάνειν, ἕως ἱκανός τις γένοιτο. Pro quo μέχρι τούτου sequente μέχρι τοῦ est ib. 5, ut ap. Plat. Leg. 2, p. 670, D, μέχρι τοῦ est post μέχρι τοσούτου. Synes. Ep. 16, p. 173, B: Μέχρις ἐκείνου ζῆν ἄξιον Συνέσιον μέχρις ἦν ἄπειρος τῶν τοῦ βίου κακῶν.] Et cum adverb., ut μέχρις ἐνταῦθα, Huc usque, Ad hunc usque locum, Hactenus. Ap. [Xen. Anab. 5, 5, 4,] Plat. [Soph. p. 222, A, etc.] et Aristot. [Idem μέχρι κάτω H. A. 1, 16 fin.] Sic μέχρι δεῦρο ap. Æschin., Μέχρι δεῦρο εἰρήσθω μοι. [Et ap. Plat. Leg. 6, p. 769, A. Et seq. genitivo Conv. p. 217, E: M. μὲν οὖν δὴ δεῦρο τοῦ λόγου καλῶς ἂν ἔχοι.] Μέχρι temporis signif. sæpe habet [Adhuc, Donec, Dum, Gl.]: ut μέχρι τοῦδε, τούτου [Xen. Cyrop. 6, 1, 11; 8, 8, 9], sub. τοῦ χρόνου: ut si Lat. dicas, Usque ad hoc, subaudiendo tempus, Ad hunc usque diem. Quidam autem [velut Gl. Μέχρι τοῦδε et μέχρι τοῦ παρόντος] Hactenus etiam his in ll. exp. Habet vero μέχρι τούτου respondens sibi ἕως ap. Dem. [p. 241, 24, 26.] Et μ. τοῦ νῦν ap. Xen. pro μέχρι τοῦ νῦν χρόνου: q. d. Usque ad tempus quod nunc est. Pro eod., M. ταύτης τῆς ἡμέρας, Isocr. Herodot. autem [5, 114] dixit, Μέχρις [μέχρι] ἐμεῦ, quod sonat ad verbum, Usque ad me, pro Usque ad meam ætatem: quo dixerunt modo et alii μέχρις ἐμοῦ et μέχρις ἡμῶν. [3, 10: Τὸ μέχρι ἐμεῦ. Bion 12, 4: Ὑστατίῳ μέχρι γήραος.

A Xen. Anab. 7, 1, 1: Μέχρι τῆς μάχης· Cyrop. 1, 2, 8: Μέχρι μὲν δὴ ἓξ ἢ ἑπτακαίδεκα ἐτῶν.] Huc pertinent [Μέχρις οὗ, Quo adusque, Usque quo, Quatenus, Quantisper, Gl.], μέχρις οὗ ἂν et μέχρις ἂν, pro Quoad [Gl.], Quamdiu, Dum, Bud.; sicut μέχρι περ ἂν οὗ εἷς ᾖ, pro Quousque sit unus. [Pro quo μέχρι ἑνὸς, Ad unum, Gl.] Et μέχρι τίνος interrog. pro Quousque. [Ap. Hom. l. supra cit. et alibi.] Eademque signif. μέχρι ποῦ: de quibus ille p. 969, 970. At μέχρι τινὸς Polit. ap. Herodian. [1, 8, 5] vertit Aliquandiu. [Usque adeo, Aliquatenus, Quadantenus, Quousque, Gl. « Demosth. Olynth. 1 (p. 11, 3): Σφαλεροὶ σύμμαχοι καὶ μέχρι του ταῦτ' ἂν ἐγνωκότες ἦσαν ἴσως, Infirmi socii et in hac sententia ad tempus fortassis essent. » HSt. Ms. Vind. Non de tempore Plato Crat. p. 412, C: Ἔοικε μέχρι μέν του ὁμολογεῖσθαι.] Item μέχρι ζωῆς, pro Quoad quis vivet: idem Bud. ex Phalaride [Ep. 122], h. e. διὰ βίου: sicut μέχρι παντὸς i. q. διὰ παντὸς, sine præfinitione temporis. [Herodot. 3, 160: Μέχρι τῆς ἐκείνου ζόης.] At μέχρι πολλοῦ, subauditum
B itidem habens genit. χρόνου, redditur potius per adverbium Diu: refertur autem aliquando et ad longum loci intervallum, subaudiendo sc. διαστήματος. [Gl.: Μέχρι παντὸς, μέχρι πολλοῦ, Jamdiu; Μέχρι τοσούτου, Eatenus, Usque adeo; Μέχρι τούτου ὅμως, Adhuc tamen. Μέχρι πολλοῦ est ap. Dionys. A. R. 2, 10.] Sciendum est porro inveniri interdum οὗ post μέχρις, sequente et alio gen.: ut, μέχρις [μέχρι hic et postea] οὗ ἀγορῆς διαλύσιος, Herodot. [3, 104]; et, Μέχρις οὗ ὀκτὼ πύργων [1, 181. Id. 2, 19: Μέχρι οὗ αὖτις τροπέων τῶν θερινῶν.] Sic et cum ὅτου: ut, Μέχρις ὅτου πληθούσης ἀγορῆς [2, 173], quibus in ll. vacant οὗ et ὅτου. ‖ Μέχρι jungitur et adverbiis: ut μέχρι νῦν [Usque adhuc, Gl.], μέχρι νυνὶ, Dem., pro μέχρι τοῦ νῦν, de quo modo dictum fuit. [Inter μέχρι νῦν et τοῦ νῦν variatur ap. Diod. 17, 110. Μέχρι καὶ νῦν ap. Strab. 16, p. 753, Act. SS. April. vol. 3, p. xxii, A, init., quemadmodum etiam ante alia vocc. interponitur καὶ, ut ap. Strab. 14, p. 668: Μέχρι καὶ Φοινίκης· 17, p. 829: Μέχρι καὶ Σύρτεων.] At μέχρι πόῤῥω, Diu. [Xen. H. Gr.
C 7, 2, 19: Ἐκάθευδον μέχρι πόρρω τῆς ἡμέρας. Isocr. p 310, D: Μέχρι πόρρω τῆς ἡλικίας. Μέχρι σήμερον, Usque hodie, Gl.] Item μέχρις ἕως, ac μέχρ' [immo μέχρι] ἕως, pro Usquedum, Bud. [Ex Prisciano 18, 25, 239, vol. 2, p. 221 ed. Krehl. Μέχρι πότε, Quousque, Gl. Achill. Tat. 4, 1, p. 82, 10: M. πότε χηρεύομεν τῶν τῆς Ἀφροδίτης ὀργίων; Μέχρι τότε ap. Dionys. A. R. 4, 2, ex cod. Vat. scribendum τούτου.] Et μέχρις ἐχθὲς, ad verbum Usque ad heri, pro Non ante hodiernum diem, Heri primum: ea forma, qua dicitur Gallice, *Je n'en ay rien sceu jusques à hier*. Interdum μέχρις ἐχθὲς καὶ πρώην, aut μέχρι πρώην: ut, Ἀπενθὴς μέχρι πρώην διαγενόμενος, Qui nuper in luctu primum esse cœpit, Bud. [ex Synesio]; sed ad verbum sonant illa verba, Qui permansit luctus expers usque ad nuper. [Porphyr. Vita Plotini p. lxxi, 7 ed. Creuzer.: Οἱ μέχρι πρώην ἀκμάσαντες.] Tale est autem ap. Herodot. [2, 53]: Μέχρι οὗ πρώην οὐκ ἠπιστέατο· ubi vacat οὗ, sicut et in illis ll. quos paulo ante retuli. [Cum particula loci Xen. H. Gr. 4, 7, 5: Πυνθανόμενος ὁ
D Ἀγησίπολις μέχρι μὲν ποῖ πρὸς τὸ τεῖχος ἤγαγεν ὁ Ἀγησίλαος, μέχρι δὲ ποῖ τὴν χώραν ἐδῄωσεν. Plat. Gorg. p. 487, C: Μέχρι ὅποι τὴν σοφίαν ἀσκητέον εἴη. ‖ Cum nominibus pretium significantibus, ut Plat. Leg. 6, p. 764, C: Μέχρι μνᾶς. Cum numeralibus, ut supra in signif. temporis, Xen. Conv. 2, 8: Ἀνεδίδου τοὺς τροχοὺς μέχρι δώδεκα. Et seq. accusativo, ut sæpe particulæ in talibus extra constructionem ponuntur, ap. Æschin. p. 45, 35: Τοὺς μέχρι τριάκοντα ἔτη γεγονότας, in Ms. ap. Ducang. ad Chr. Pasch. p. 594, 9, vol. 2, p. 422 ed. Bonn.: Λαβεῖν μέχρι κεντηνάρια πεντήκοντα. Similiter Iamblich. In Nicom. p. 134, C: Ἐφαρμόζοιμεν τοὺς ὁμογενεῖς ἀλλήλοις εὐτάκτως μέχρις ὁποσονοῦν, nisi quis scribendum putet ὁποσουοῦν. Sed ap. Tzetzen Cramer. Anecd. vol. 4, p. 42, 27: Ἐρρίπισε μέχρις πυρσὸν ἀσβέστου leg. videtur μάχης. ‖ Cum aliis vocc., Xenoph. Hier. 6, 2: Διῆγον ἐν συμποσίοις πολλάκις μέχρι κοινῆς ἐπιθυμίας ἐμῆς τε καὶ τῶν παρόντων· Comm. 4, 7, 3: Τὸ μέχρι τῶν δυσξυνέτων διαγραμμάτων γεωμετρίαν μανθάνειν ἀπεδοκίμαζεν· Epist. 1, 5: Μουσι-

κὴν μέχρι ὤτων συνιέντα. Plato Gorg. p. 500, B : Μέχρι ἡδονῆς· Reip. 6, p. 559, A : Φαγεῖν μέχρι ὑγιείας τε καὶ εὐεξίας.] Μέχρι redditur etiam Quoad (nam Quoad nihil est aliud quam Usquedum), Donec, in iis præsertim ll. ubi construitur cum subjunctivo [vel simpliciter posito vel cum part. ἂν et κεν conjuncto, ut ap. Callim. ab schol. Soph. Ant. 264 cit. : Φωκαέων μέχρις κε μένη μέγας εἰν ἁλὶ μύδρος], vel infinitivo, ut ap. Herodot., Μέχρι τοῦτο ἴδωμεν, μενέομεν, Donec istud videamus, manebimus. Et Thuc. [1, 137 : Μέχρι πλοῦς γένηται· 4, 46] : Μέχρις [μέχρι] οὗ πεμφθῶσι. [Aristot. H. A. 7, 4 : Μέχρι γένωνται ἑπτὰ μῆνες. Addito ἂν Xen. Anab. 1, 4, 13 : Μέχρι ἂν καταστήσῃ. Et ap. alios omnes. Addito οὗ Aristot. H. A. 9, 37 med. bis : Μέχρι οὗ ἂν ἐκτέκωσιν. Et sæpe Theophr., de quo Schneid. in Ind. v. Μέχρι.] Et Athen., Μέχρις οὗ ἂν ὑπολαβὸν τὸ ὕδωρ κατενέγκῃ. [De μέχρι ἂν οὗ vel ὅτου v. supra.] Cum infin. autem, ut ap. Ceb. Theb. [p. 100 ed. Cor.] : Μέχρις ἂν ἕξιν λαβεῖν. [Quod tamen non magis Græcum quam ἕως ἂν cum infin., de quo in Ἕως p. 2641, B. Sine ἂν Oribas. p. 28 ed. Mai. : Μέχρις αἷμα ἀποκριθῆναι. Appian. Civ. 3, 76 : Μέχρι συστεῖλαι τὸν Ἀντώνιον. Quintus 1, 830 : Τέρποντ' ἐν θαλίαις, μέχρις ἠῶ δῖαν ἱκέσθαι.] At ubi construitur cum præt. imperfecto indicativi, redditur etiam Quamdiu, Tantisperdum : Μέχρις ἦν ἄπειρος τῶν τοῦ βίου κακῶν. Et Μέχρις οὗ [al. ὅσου] ἐδέοντο, Herodot. [8, 3.] Sed hunc usum frequentius habet particula ἄχρι, si memoria me non fallit. [Cum indicativo aoristi Theocr. 22, 128 : Μέχρι συνηλοίησε παρήια· 25, 270 : Μέχρι οἱ ἐξετάνυσσα βραχίονας. Moschus 4, 120 : Μέχρι δή μοι ἀπέσσυτο νήδυμος ὕπνος. Apoll. Rh. 4, 1234 : Μέχρις ἵκοντο. Et sæpissime ap. Xen., ut Anab. 3, 4, 8 : Μέχρι ἐξέλιπον οἱ ἄνθρωποι. || Cum optativo Xen. H. Gr. 1, 3, 11 : Περιέμενεν ἐν Καλχηδόνι μέχρι ἔλθοι ἐκ τοῦ Βυζαντίου. Addito ἵνα Callim. Dian. 28 : Πολλὰς δὲ μάτην ἐτανύσσατο χεῖρας, μέχρις ἵνα ψαύσειε. Ubi alterum abesse poterat. Ernestus quod comparat μέσφ' ὅτε, non est Quinti, ut putat, sed Rhodomanni. Idem μέχρις ὅπου Del. 169 : Μέχρις ὅπου περάτη τε καὶ ὁππόθεν ὠκέες ἵπποι ἠέλιον φορέουσι. || Μέχρι pro μέχρι οὗ Xen. H. Gr. 1, 1, 6 : Ἐπεισβαίνων τῷ ἵππῳ εἰς τὴν θάλατταν μέχρι δυνατὸν ἦν ἐμάχετο. Iambl. In Nicom. p. 33, C : Ἀδιάφορον γὰρ τῷ πρώτῳ τὴν προτέραν ἔκθεσιν καθ' ἕκαστον ἐξ ἀρχῆς μηκυντέον μέχρι τις θέλει. || Μέχρι γε Dio Cass. 57, 13 : Μέχρι γε καὶ ὁ Γερμανικὸς ἔζη· et ib. 17. || Μέχριπερ est quum ap. alios tum ap. Plat. tam sequente verbo, ut Critiæ p. 120, D : Μέχριπερ ἡ τοῦ θεοῦ φύσις αὐτοῖς ἐξήρκει, et addito ante conjunctivum ἂν, Soph. p. 259, A : Μέχριπερ ἂν ἀδυνατῇ, quam sequente genitivo, ut Leg. 6, p. 772, A : Θεωροῦντάς τε καὶ θεωρουμένους ... γυμνοὺς καὶ γυμνὰς μέχριπερ αἰδοῦς σώφρονος.]

Μὴ, Ne, [Noli add. Gl.] Hom. Il. X, [38] : Ἕκτορ, μή μοι μίμνε, φίλον τέκος, ἀνέρα τοῦτον. Theocr. 15, [12] : Μὴ λέγε τὸν θεὸν ἄνδρα, φίλα, τοιαῦτα Διώνα Τῶ μικκῶ παρεόντος, Ne dicas hæc, Noli hæc dicere. Aristoph. Pl. [127] : Ἃ μὴ λέγ', ὦ πόνηρε, ταῦτ'· et [1053] : Ἃ τὴν δᾷδα μή μοι πρόσφερ'· et [215] : Μὴ φρόντιζε μηδὲν, ὦ 'γαθέ· et [208] : Μὴ νῦν μελέτω σοι μηδέν. Æschin. : Μὴ, τίς φησιν εἶναι, σκοπεῖτε. [De constructione particulæ μὴ (et quæ ab ea ducuntur μηδὲ, μηδεὶς, etc.) cum secunda persona aut præs. imperativi aut conjunctivi aoristi jungendæ, nunquam cum secunda conjunctivi præs., raro cum sec. imperativi aoristi, exstant præcepta Herodiani Phil. p. 479, Thomæ p. 612, schol. Philostr. Her. p. 590. Et conjunctivi quidem præsentis quæ passim in libris feruntur exx., et olim ferebantur vel apud optimos scriptores, ita jam sunt abolita ut dicere de plerisque inutile sit. Stratonem Anth. Pal. 12, 16, 1, Μὴ κρύπτῃς potius quam quod alii conjecerunt κρύψῃς scripsisse unius fide codicis non magis probatur quam ceteris qui cum hoc comparati sunt locis ap. Jacobsium vol. 3, p. 735, ferendam esse constructionem vitiosam, quæ fere litera una alterave mutata tollitur. Nec dubitatione vacare videtur μηδὲ ... δίζηαι in epigr. Eratosth. Anth. Pal. App. 25, 9. Jo. Chrys. vol. 3, p. 383, E : Ἀφίησι φωνὴν ἅπασι παραινῶν, μὴ ποιῆτε ταῦτα, ἵνα μὴ πάθητε ταῦτα, quibus non magis offensus est Valck. Opusc. vol. 2, p.
A 234, quam conjunctivo præsentis in versu Euripidis Hipp. 871, ubi μὴ σφάλλῃς scribi ab Eurip. potuisse putat, ego non minus eximendum puto solœcismum recepto ποιεῖτε, quam schol. Soph. Aj. 583 : Μὴ προδῷς, μὴ καταλείπῃς, reposito καταλίπῃς, ut duobus defungar scriptorum inferioris ætatis exemplis, quæ facile sit pluribus augere. || Aoristi imperativi secundæ exx. sunt Homeri Il. Δ, 410 : Τῷ μή μοι πατέρας ποθ' ὁμοίῃ ἔνθεο τιμῇ· Σ, 134 : Ἀλλὰ σὺ μὲν μήπω καταδύσεο μῶλον Ἄρηος· Od. Ω, 248 : Σὺ δὲ μὴ χόλον ἔνθεο θυμῷ· et secundum Aristophanem B, 70 : Μή μ' οἷον ἐάσατε, ubi nunc ἐάσετε. Pindari Pyth. 4, 99 : Μὴ εἰπέ. Sophoclis fr. Pelei ap. schol. Ven. Il. Δ, 410 et Aristoph. Thesm. 877 : Μὴ ψεῦσον ὦ Ζεῦ (et ipsius Aristophanis ib.), quod præter Herodian. l. c. et Gregor. Cor. p. 15, tanquam καινὸν notantem ita memorat Antiatt. Bekk. p. 107, 30 : Μὴ νόμισον, ἀντὶ τοῦ μὴ νομίσῃς. Σοφοκλῆς Πηλεῖ, καὶ μὴ ψεῦσον. Qui potius Καὶ Σ. Πηλεῖ scribere debebat, quum Μὴ νόμισον Thugenidis sint verba ap. Photium et Suidam. Callimacheum Ἴσχε,
B τέκος, μὴ πῖθι, addit grammat. Π. βαρβαρισμοῦ apud Cramer. in Mus. philol. vol. 2, p. 113 sive Boiss. An. vol. 3, p. 239. Pseudophocylidi 33 : Μηδέ τιν' αὐξόμενον καρπὸν λώβησον ἀρούρης, quod in Λωβάομαι restituendum dixi λωβήσῃ, id ipsum est non solum in codd. Vat. et Mut., sed etiam, ubi plurima Phocylidea repeti illius fugit editores, Carm. Sib. 2, 103, quæ numeris melioribus λωβήσῃ καρπόν. Notandus autem error Schæferi ad Gregor. p. 16 et Gnom. p. 155 aliorumque ante et post eum, qui, quod in mentem non venit grammaticis, etiam tertias imperativi aoristi personas dici ab illis opinati opposuerunt locos Hom. Od. Π, 301 : Μήτις ἔπειτ' Ὀδυσῆος ἀκουσάτω ἔνδον ἐόντος· Æsch. Prom. 332 : Μηδέ σοι μελησάτω, Sept. 1036 : Μὴ δοκησάτω· Soph. OEd. T. 1449 : Μήποτ' ἀξιωθήτω· Aj. 1180, 1334, quibus addi possent Pind. Ol. 8, 55 : Μὴ βαλέτω· Pyth. 5, 23 : Μὴ λαθέτω. Xen. Cyrop. 7, 5, 73 : Μηδεὶς νομισάτω, et alii. Non magis quæ de secunda, etiam de prima et tertia conjunctivi præsentis intelligenda sunt, quarum hæc est
C e. gr. ap. Soph. Aj. 1085 : Καὶ μὴ δοκῶμεν ... ἀντιτίσειν· Plat. Charm. p. 163, E : Μὴ γάρ πω τὸ ἐμοὶ δοκοῦν σκοπῶμεν. Tertia Plat. Leg. 9, p. 861, E : Μή τις ... οἴηται.] Et cum subjunctivo : Demosth. [p. 573, 26] : Μὴ τοίνυν αὐτοὶ καθ' ὑμῶν αὐτῶν δεῖγμα τοιοῦτον ἐξενέγκητε, ὦ ἄνδρες Ἀθηναῖοι, ὡς ἄρα κτλ., quibus subjungitur, Μὴ δῆτα· οὐ γὰρ δίκαιον. Gregor. : Μὴ κατοκνήσῃς ὥστε τυχεῖν τοῦ χαρίσματος. [Alia hujus constructionis exx., quam modo diximus aoristi legitimam esse, inutile est addere. || Futuri eadem significatione positi exx. quæ contulit Schæferus ad Gnom. p. 318, 364, pleraque vix refelli merentur, nonnulla interpunctione tantum emendata convincuntur, ut Æsch. Sept. 250 : Οὐ σῖγα; μηδὲν τῶνδ' ἐρεῖς κατὰ πτόλιν, de quo ab Elmslejo monitum. Aristoph. Pl. 488 : Ἀλλ' ἤδη χρῆν τι λέγειν ὑμᾶς σοφὸν, ᾧ νικήσετε τηνδὶ ἐν τοῖσι λόγοις ἀντιλέγοντες· μαλακὸν δ' ἐνδώσετε μηδέν· ubi comma ponendum post ἀντιλέγοντες. Nihilo certius est ex. Demosth. p. 659, 16 : Ταύτην, ἂν ἐμοὶ χρῆσθε συμβούλῳ, φυλάξετε τὴν πίστιν, καὶ μὴ βουλήσεσθε εἰδέ-
D ναι τίνα ἂν ... πρὸς ὑμᾶς σχοίη γνώμην, ubi βούλεσθε restituit Bekkerus.] Interdum οὐ μὴ pro μὴ solo cum subjunctivo, ut, Οὐ μὴ σκώψεις, Aristoph. [Nub. 295. De qua formula hoc ipso loco allato pluribus in Οὐ agit HSt., ubi v. Rarius est οὐδὲν μὴ sequente futuro vel conjunctivo. Xen. H. Gr. 1, 6, 32 : Ὁ δὲ Καλλικρατίδας εἶπεν ὅτι ἡ Σπάρτη οὐδὲν μὴ κάκιον οἰκεῖται (l. οἰκῆται) αὐτοῦ ἀποθανόντος. Diodor. 16, 43 : Οὐδὲν μὴ συντελέσει τῶν ἐπηγγελμένων.] Cum optativo autem pro Ne, Absit ut [Æsch. Ag. 341 : Ἔρως δὲ μήτις πρότερον ἐμπίπτοι στρατῷ· et alii quivis], ex Dem., Μὴ ποιήσαιτε, Absit ut faciatis. Idem vero addidit δῆτα, utens itidem optativo, Pro cor. [p. 332, 18] : Μὴ δῆτα, ὦ πάντες θεοὶ, μηδεὶς ταῦθ' ὑμῶν ἐπινεύσειεν. Ut autem μὴ ποιήσαιτε redditur Absit ut faciatis, sic μὴ γένοιτο redditur Absit ut hoc fiat, simpliciter Absit [Gl.] : quum alioqui sonet perinde ac si dicas, Ne fiat. [Æsch. Ag. 1249 : Ἀλλὰ μὴ γένοιτό πως· Sept. 5 : Εἰ δ' αὖθ', ὃ μὴ γένοιτο, συμφορὰ τύχοι. L. D. Μὴ γένοιτο, quando est vox omen aversantium, et absolute poni-

tur, haud dubitanter huc retuli. Nusquam enim sic reperitur, nisi in versione Alex., ut Gen. 44, 7, 17; Jos. 22, 29; Reg. 3, 20, 3, in quibus ll. omnibus interpretes hac formula Gr. reddiderunt Hebraicum vocabulum חלילה, et in libris N. T., ut Luc. 20, 16, Rom. 3, 4, 6, 31; 6, 2, 15, etc., atque apud alios scriptores recentiores, ut Arrianum Diss. Epict. 1, 1, 2, 8; 2, 8, et sæpius, Simplicium in Epictet. p. 186, Achillem Tatium Erot. 5, 18, p. 323, Apuleium in Geopon. 13, 5, 6, et interpretes quidem Alexandrini, etiam in iis locis, ubi alii μηδαμῶς cum dativo habent, v. c. Reg. 1, 12, 23, formulam μὴ γένοιτο semper sequi jusserunt infinitivum, quo indicatur res, quam quis abominatur et abesse cupit. Eodem modo Alciphron 1, epist. 26 extr. : Μή μοι γένοιτο ... μὴ λύκον ἔτι, μὴ δανειστὴν ἰδεῖν. Ceteri vero, quos laudavi, omnes formulam istam simpliciter posuerunt. Grotius ad Matth. 16, 22, docte comparat formulas ἵλεώς μοι et μηδαμῶς ἐμοὶ, quæ et ipsæ dialecto Alex. tribuendæ sunt, et tam absolute ponuntur, ut Reg. 2, 20, 20, ubi pro ἵλεώς μοι ed. Complut. habet μὴ γένοιτο, Reg. 2, 2, 30, μηδαμῶς ἐμοὶ, quam sequente infinitivo, ut Reg. 2, 23, 17 : Ἵλεώς μοι τοῦ ποιῆσαι τοῦτο· ubi iterum ed. Complut. μή μοι γένοιτο παρὰ κυρίου ποιῆσαι. Paral. 1, 11, 19, Reg. 1, 26, 11 : Μηδαμῶς μοι παρὰ κυρίου ἐπενεγκεῖν· ubi rursus alii dant μὴ γένοιτο. Idem Grotius l. l. notavit, Josephum pro his dixisse ἀπίῃ ἡ πεῖρα τοῦ λόγου. Ne quis autem formulam μὴ γένοιτο defendi posse opinetur Herodoti auctoritate. Ejus enim verba 5, 111, sunt hæc : Ἤν τε κατέλῃς ἄνδρα στρατηγὸν, μέγα τοι γίνεται· ἤν σε ἐκεῖνος, τὸ μὴ γένοιτο, ὑπ' ἀξιόχρεω καὶ ἀποθανεῖν, ἡμίσεα συμφορή· ubi facile apparet, τὸ μὴ γένοιτο dictum esse pro ὃ ἵνα μὴ γένοιτο εὐκτέον ἐστί. Mihi saltem hic locus similis quidem quodammodo locis supra laudatis, sed tamen non parum diversus videbatur. Nec magis recte attulerit quis verba Xenophontis Cyrop. 5, 5, 5 : Φοβούμενος μή τι γένοιτο ... ὅ τι πάντας ἡμᾶς λυπήσει. Sturz.] Pro quo μὴ γένοιτο dicit Hom., Μὴ τοῦτο θεὸς τελέσειεν, Od. Υ, [344. Pind. Ol. 6, 97 : Μὴ θραύσαι χρόνος ὄλβον ἐφέρπων· 8, 29 : Ὁ δ' ἐπαντέλλων χρόνος τοῦτο πράσσων μὴ κάμοι. || Cum aoristo vel imperf. optandi signif. Hom. Il. I, 698 : Μὴ ὄφελες λίσσεσθαι ἀμύμονα Πηλείωνα. Soph. Trach. 998 : Ἣν μήποτ' ἐγὼ προσιδεῖν ... ὄφελον· Œd. C. 1713 : Μὴ γᾶς ἐπὶ ξένας θανεῖν ἔχρῃζες.]

|| Μὴ post quædam verba adjunctum habentia infin., vacat Attico [vel potius communi Græcorum negationem sic repetendi] more, ut, Ἀπαγορεύω μὴ ποιεῖν τοῦτο, quod affertur a schol. Thuc., Veto hoc facere. Sed possumus hujusmodi etiam locis adhibere particulam Ne, mutando infin. modum in conjunctivum, et dicendo, Veto ne facias. Tale est [Æsch. Prom. 1056 : Τί γὰρ ἐλλείπει μὴ παραπαίειν ἡ τοῦδε τύχη· Sept. 1075 : Ὅδε Καδμείων ἤρυξε πόλιν μὴ ἀνατραπῆναι μηδ' ἀλλοδαπῶν κύματι φωτῶν κατακλυσθῆν· Ag. 1027 : Εἶργε μὴ πλέον φέρειν. Et cum eodem verbo Plato Reip. 5, p. 465, B, etc.] Ἀπαυδῶ μὴ παριέναι, Eur. [Suppl. 468.] Eademque forma dicitur a Thuc. : Μὴ διαφθεῖραι διεκώλυσε. Et ap. Eur. [Iph. A. 661] : Ἴσχει μὴ στέλλειν. [Plato Reip. 9, p. 574, B : Ἆρ' εὐλαβηθείη ἂν καὶ φείσαιτο μή τι δρᾶσαι τῶν τυραννικῶν;] Aristides autem præfixit etiam articulum τὸ particulæ μὴ, scribens, Οὔτε θάλαττα διείργει τὸ μὴ εἶναι πολίτην, ubi μὴ redditur Quominus, ita interpretando hunc l., Neque mare prohibet quominus sit civis. [Æsch. Prom. 236 : Ἐξελυσάμην βροτοὺς τὸ μὴ διαρραισθέντας εἰς Ἅιδου μολεῖν· 665 : Μίαν δὲ παίδων ἵμερος θέλξει τὸ μὴ κτεῖναι σύνευνον. Et alibi sæpe. Omisso infinitivo Soph. Aj. 96 : Κοὐκ ἀπαρνοῦμαι τὸ μή. Plato Phæd. p. 117, D : Τέως μὲν οἷοί τε ἦσαν κατέχειν τὸ μὴ δακρύειν.] Sed παρελκόντως adhibetur hæc particula aliis etiam verbis, i. e. aliud significationis genus habentibus, ubi nec particula Ne, nec particula Quominus locum ullum habere possunt. Dem. : Ἀπιστῶ μὴ δυνήσεσθαι, Diffido fore ut possim : at ἀπιστῶ δύνασθαι, brevius, Diffido me posse. Ex Eod. [p. 396, 3] : Μὴ πέμπειν ἀποψηφίζομαι, Censeo non esse mittendum. Sic etiam cum ἀρνοῦμαι et ἀπαρνοῦμαι : ut ἀρνοῦμαι μὴ πράττειν ex eod. Dem. [et Antiphonte p. 123, 12], Nego me facere. Itidemque ex Eur. [Hipp. 1266] : Μὴ χρᾶναι λέχη

A ἀπαρνηθεὶς, Qui negavit se polluisse lectum. Alia autem hujus generis exx. v. ap. Bud. p. 936. [Pind. Nem. 7, 71 : Ἀπομνύω μὴ τέρμα προβὰς ὄρσαι. Æsch. Prom. 248 : Θνητοὺς ἔπαυσα μὴ προδέρκεσθαι μόρον. Soph. Ant. 535 : Ἦ 'ξομεῖ τὸ μὴ εἰδέναι; || Ponitur autem post verba jurandi etiam cum indicativo præsentis vel futuri, ut Hom. Il. Ο, 41 : Ἴστω νῦν τόδε Γαῖα καὶ Οὐρανὸς εὐρὺς ὕπερθεν ..., μὴ δι' ἐμὴν ἰότητα Ποσειδάων ἐνοσίχθων πημαίνει Τρῶάς τε καὶ Ἕκτορα, τοῖσι δ' ἀρήγει. (Ubi μὴ inepte grammatici quidam pro οὐ poni putarunt. Steph. Byz. v. Ἀλάβανδα : Λέγεται καὶ κτητικὸν Ἀλαβανδιακὸς, ἐξ οὗ καὶ Ἀλαβανδιακὸς σολοικισμὸς, ὡς Φιλόξενος τὴν Ὀδύσσειαν ἐξηγούμενος, ὅταν ἡ μὴ ἀπαγόρευσις ἀντὶ τῆς οὐ κεῖται, ὡς τὸ, Μὴ δι' ἐμὴν κτλ.) Κ, 330 : Ἴστω νῦν Ζεὺς αὐτὸς, μὴ μὲν τοῖς ἵπποισιν ἀνὴρ ἐποχήσεται ἄλλος Τρώων. Apoll. Rh. 4, 1021. Cum infinitivo 2, 253 : Ἔστ' ἂν ὀμόσσῃς μὴ μὲν τοῖο ἕκητι θεοῖς ἀπὸ θυμοῦ ἔσεσθαι· 293. || Μὴ cum infinitivo pro imperativo, Æsch. Prom. 712 : Οἷς μὴ πελάζειν· et pro optativo Sept. 253 : Θεοὶ πολῖται, μή με δουλείας τυχεῖν.]

B || Μὴ post δείδω s. δέδοικα s. φοβοῦμαι, et post alia quædam verba, itidem pro Ne. Hom. Od. Ε, [300] : Δείδω μὴ δὴ πάντα θεὰ νημερτέα εἶπεν. [Et conj. Il. Α, 555 : Δείδοικα μή σε παρείπῃ.] Dem., Δέδοικα μὴ λελήθαμεν. Id. [p. 342, 10] : Δέδοικα μή τινα λήθην ὑμῖν ἐμπεποιήκῃ. Thuc. 3, p. 101 [c. 53] : Νῦν δὲ φοβούμεθα μὴ ἀμφοτέρων ἅμα ἡμαρτήκαμεν. [Ubi est var. ἡμαρτήκωμεν, ut ap. Soph. Tr. 551 : Ταῦτ' οὖν φοβοῦμαι μὴ πόσις μὲν Ἡρακλῆς ἐμὸς καλεῖται, τῆς νεωτέρας δ' ἀνὴρ, olim scribebatur καλῆται. Plato Lys. p. 218, D : Φοβοῦμαι μὴ λόγοις ψευδέσιν ἐντετυχήκαμεν. Sequente futuro Phileb. p. 13, A : Φοβοῦμαι μή τινας ἡδονὰς ἡδοναῖς εὑρήσομεν ἐναντίας· Reip. 5, p. 451, A : Φοβερὸν μὴ ... σφαλεὶς τῆς ἀληθείας κείσομαι.] Plato autem et cum præsenti in Phædro [Phædone p. 84, E] : Ἀλλὰ φοβεῖσθε μὴ δυσκολώτερόν τι νῦν διάκειμαι ἢ ἐν τῷ πρόσθεν βίῳ. Sic cum verbo ὅρα. [Plato Alc. 2 p. 139, D : Ὅρα μὴ οὐχ οὕτω ταῦτ' ἔχει· Theæt. p. 145, B : Ὅρα μὴ παίζων ἔλεγεν.] Lucian. [De salt. c. 23] : Ὅρα μὴ ἀνόσιον ᾖ κατηγορεῖν ἐπιτηδεύματος θείου τε ἅμα καὶ μυστικοῦ.
C Et cum ὅπως μὴ pro eod. ap. Thuc. : 3, [57] : Ὁρᾶτε ὅπως μὴ οὐκ ἀποδέξωνται· 1, [82] : Ὁρᾶτε ὅπως μὴ αἴσχιον καὶ ἀπορώτερον τῇ Πελοποννήσῳ πράξωμεν. Item ὅρα μή που pro μὴ, Bud. p. 953, ex Plat. [Cum μή πῃ Plato Crat. p. 393, C : Φύλαττέ με μή πῃ παρακρούσωμαί σε. || Optativus post μὴ ponitur, ubi præcessit tempus præteritum. Soph. Trach. 482 : Δειμαίνων τὸ σὸν μὴ στέρνον ἀλγύνοιμι, ἥμαρτον· 25 : Ἐγὼ γὰρ ἥμην ἐκπεπληγμένη φόβῳ μή μοι τὸ κάλλος ἄλγος ἐξεύροι ποτέ. || Addito ἂν ponitur ubi quid fieret, si aliud foret, indicatur. Soph. Tr. 631 : Τί δῆτ' ἂν ἄλλο γ' ἐννέποις; Δέδοικα γὰρ μὴ πρῲ λέγοις ἂν τὸν πόθον τὸν ἐξ ἐμοῦ. Xen. Anab. 6, 1, 28 : Εἰ ἐγὼ δοκοίην ..., ἐκεῖνο ἐννοῶ μὴ λίαν ἂν ταχὺ σωφρονισθείην.] || Sed plerumque ponitur μὴ subaudito aliquo horum verborum, aut similium. Hom. [Il. Θ, 95] : Μή τις τοι φεύγοντι μεταφρένῳ ἐν δόρυ πήξῃ, Vide ne tibi fugienti quispiam terga figat. Alia autem exempla ex Eod. affert Bud. p. 952, item exemplum unum ex Plat. [Hipp. maj. p. 287, A], Μή τι κωλύω, pro Vereor ne obturbem :
D cujus tamen l. affert et aliam expositionem alibi, et [Gorg. p. 489, A] : Ὅπως μὴ ἁλώσῃ, ex Eod., pro Vide ne tenearis. Illis autem addo ex eod. Plat. Critone [p. 48, C] : Ἃς δὲ σὺ λέγεις τὰς σκέψεις περί τε χρημάτων ἀναλώσεως καὶ δόξης, καὶ παίδων τροφῆς, μὴ ὡς ἀληθῶς, ὦ Κρίτων, ταῦτα σκέμματα ᾖ τῶν ῥᾳδίως ἀποκτιννύντων τούτων τῶν πολλῶν, pro ὅρα μὴ etc. Vide ne hæc sint animadvertenda non nobis, sed multitudini, quæ temere homines morte mulctat. Sic et Synes. : Μὴ καθαρῷ γὰρ, φησὶ, καθαροῦ ἐφάπτεσθαι, μὴ οὐ θεμιτὸν ᾖ, Vide ne nefas sit : ubi animadverte subaudiri ὅρα non ante prius μὴ, sed ante posterius. Apud Eund. subaud. δέδοικα s. φοβοῦμαι, quum dicit, Ἀλλὰ μὴ λίαν ἀπειρόκαλος ὦ. [|| Μὴ sequente infinitivo Dio Cass. 61, 12 : Ἐν μὲν τῇ Ῥώμῃ οὐδὲν ἐτόλμησε ποιῆσαι, μὴ καὶ ἐκδημοσιευθῆναι τὸ μίασμα, ubi τοῦ μὴ vel ἐκδημοσιευθῇ aut ἐκδημοσιευθῆναι συμβῇ conjiciebat Reiskius. || Μὴ repetitum ap. Soph. El. 1208 : Μὴ πρὸς γενείου μὴ 'ξέλῃ τὰ φίλτατα· 1275 : Μή τί με, πολύπονον ὧδ' ἰδὼν — Τί μὴ ποιήσω; — Μή μ' ἀποστερήσῃς· Aj. 192 :

Μὴ μή μ' ἄναξ ... ἄρῃ· OEd. C. 210 : Μὴ μὴ μή μ' ἀνέρῃ τίς εἰμι· 1409 : Μή τοί με ... μή μ' ἀτιμάσητέ γε. Theodor. Hyrtac. *Notices* vol. 6, p. 15 : Μὴ, δέομαι, τοῦ λοιποῦ, μή. || Absolute positum, verbo quod regat particulam omisso, ap. Soph. Antig. 577 : Μὴ τριβὰς ἔτι· Eur. Hec. 408 : Μὴ σύγε· Aristoph. Ach. 345 : Ἀλλὰ μή μοι πρόφασιν· Pac. 457 : Ἑρμῇ, Χάρισιν, Ὥραισιν, Ἀφροδίτῃ, Πόθῳ· — Ἄρει δὲ μή; — Μή. — Μηδ' Ἐνυαλίῳ γε; — Μή. Plato Protag. p. 331, C : Μή μοι, ἦν δ' ἐγώ· Men. p. 74, C : Μή μοι οὕτως. Dinarch. p. 101, 3 : Προήσεσθε τὴν πρὸς θεοὺς εὐσέβειαν; Μὴ, ὦ Ἀθηναῖοι, μή. Et Chrysost. Π. προνοίας : Μὴ, παρακαλῶ ..., citat Budæus p. 912. Theodor. Hyrtac. *Notices* vol. 6, p. 10 : Εἰ δὲ καὶ τοῦ σοῦ λιμένος ἂν ἐξοκείλαιμι (ἀλλὰ μὴ, σῶτερ, μὴ, ἐλευθέριε)· et ib. : Ὁ μὴ σύγε ὅρμε γαλήνιε. || Repetitur etiam cum aliis modis, ubi minori cum emphasi μήτε aut μηδὲ poneretur. Xen. Cyrop. 1, 2, 2 : Προστάττουσιν αὐτοῖς μὴ κλέπτειν, μὴ ἁρπάζειν, μὴ βίᾳ εἰς οἰκίαν παριέναι κτλ. || Sequente ἀλλὰ, quocum per crasin coalescit, Æsch. Cho. 918 : Αἰσχύνομαί σοι τοῦτ' ὀνειδίσαι σαφῶς. — Μὴ, ἀλλ' εἴφ' ὁμοίως καὶ πατρὸς τοῦ σοῦ μάτας. Aristoph. Av. 109, et alibi. Quod scriptum ut pronuntiandum est μἀλλὰ in μάλα corrumpi solet ab librariis, ut in l. Arist. et ap. Photium, qui male interpretatur οὐκ, ἀλλὰ, quum μὴ referatur ad imperativum omissum nec locus sit alteri particulæ.]

|| Μὴ, Ne, Ut ne. Hom. Il. A, [566] : Μή νύ τοι οὐ χραίσμωσιν ὅσοι θεοί εἰσ' ἐν Ὀλύμπῳ. Ex prosæ autem scriptoribus exempla hujus signif. affert Bud. p. 909, atque iterum p. 913. [Non absolute Hom. Il. A, 522 : Ἀλλὰ σὺ μέν νυν αὖτις ἀπόστιχε, μή σε νοήσῃ Ἥρη. Et ap. alios quosvis. Rursus absolute cum prima pers. Il. A, 26 : Μή σε παρὰ νηυσὶ κιχείω. Et alibi. Soph. OEd. C. 172 : Ὦ ξεῖνοι, μὴ δῆτ' ἀδικηθῶ σοι πιστεύσας μεταναστάς.] || Μὴ, Non. Accipitur enim interdum μὴ pro οὐ [in enuntiationibus relativis, h. e. non liberis, et necessario ponitur, ubi negatio pertinet ad rem, non quatenus sit, sed esse cogitetur : aliter enim apud antiquiores nunquam μὴ ponitur pro οὐ] : non tamen vicissim οὐ pro μὴ, Bud. Dem. : Ἐπειδή με μὴ πείθοιεν, Quum mihi non persuaderent. [Rectius hoc ceterisque exx., quæ non accommodata esse ad particularum harum permutationem probandam, neque inter se similia non opus est moneri, hic memorantur talia quale hoc Theodori Hyrtac. *Notices* vol. 6, p. 10 : Ἐπεὶ δὲ μὴ τοῦτο τῶν ἐφικτῶν, ὡς χελιδόσιν ἐαριναῖς, χρῶμαι τοῖς γράμμασιν. Et magis etiam Galeni vol. 11, p. 192 : Πρὸς ὃν ἔστιν εἰπεῖν, Καὶ πῶς βλέπεις τὴν δύναμιν; Μὴ γὰρ φαίνεται. Et ibid. : Ὁ γὰρ δοκεῖ ἰσχυρὸς μὴ δι' ὧν ἡ δύναμις γνωρίζεται. Et ib. : Ἀλλὰ μηδ' ἂν σφυγμοῦ ἅψῃ, γνωρίσεις πότερον κτλ. Gramm. Cram. An. vol. 4, p. 203, 34 : Μηδὲ γὰρ ἔχει τὸ πρᾶγμα παράτασιν. Jo. Malal. p. 476, 16 : Διὰ τί μὴ τοῦτο ἐποιήσατε;] Sic, Σκοπεῖτε δὲ μὴ τοῦτο, Æstimate vero non hoc. Eur. [Iph. A. 55] : Τὸ πρᾶγμα δ' ἀπόρως εἶχε Τυνδάρεῳ πατρὶ, Δοῦναί τε μὴ δοῦναί τε, Hæsitabat Tyndareus pater utrum daret, an non. [In interrogatione Æsch. Ag. 672 : Καὶ νῦν ἐκείνων εἴ τις ἐστὶν ἐμπνέων, λέγουσιν ἡμᾶς ὡς ὀλωλότας, τί μή; Soph. Aj. 668 : Ἄρχοντές εἰσιν· ὥσθ' ὑπεικτέον· τί μή; Et addito conjunctivo, qui in his repetendus ex præcedentibus, Soph. Aj. 77 : Τί μὴ γένηται;] || Sic quum jungitur μὴ infinitivo præcedente οὐ, cum alio verbo. Xen. Apol. [34] : Οὐ δύναμαι μὴ μεμνῆσθαι αὐτοῦ, Non possum non meminisse ejus, recordari. Interdum vero et ipsi μὴ adjicitur οὐ : ut ibid., Οὐ δύναμαι μὴ οὐκ ἐπαινεῖν, Non possum non laudare. Sic autem μὴ οὐ s. μὴ οὐχὶ ponitur et post verbum ἀρνοῦμαι s. ἐξαρνοῦμαι, itidemque post ἀντιλέγειν et ἀντειπεῖν, Bud. p. 936. [Æsch. Prom. 627 : Τί δῆτα μέλλεις μὴ οὐ γεγωνίσκειν τὸ πᾶν; Eum. 300 : Οὔτοι σ' Ἀπόλλων ... ῥύσαιτ' ἂν ὥστε μὴ οὐ παρημελημένον ἔρρειν. Soph. Aj. 540 : Τί δῆτα μέλλει μὴ οὐ παρουσίαν ἔχειν; Herodot. 5, 79 : Τί δεῖ τούτων γε δέεσθαι. Ἀλλὰ μᾶλλον μὴ οὐ τοῦτο ᾖ τὸ χρηστήριον· 2, 110 : Οὔκων δίκαιον εἶναι ἱστάναι ἔμπροσθε τῶν ἐκείνου ἀναθημάτων μὴ οὐκ ὑπερβαλλόμενον τοῖσι ἔργοισι· 6, 106 : Εἰνάτῃ οὐκ ἐξελεύσεσθαι ἔφασαν μὴ οὐ πλήρεος ἐόντος τοῦ κύκλου· 8, 57 : Οὔτε σφέας Εὐρυβιάδης κατέχειν δυνήσεται οὔτε τις ἀνθρώπων ἄλλος ὥστε μὴ οὐ διασκεδασθῆναι τὴν στρατιήν. Ante verbum Lucian. D. mort. 29, 2 :

A Τὸν Ὀδυσσέα μὴ οὐχὶ μισεῖν οὐκ ἂν δυναίμην. || Addito articulo Æsch. Prom. 787 : Οὐκ ἐναντιώσομαι τὸ μὴ οὐ γεγωνεῖν πᾶν· 918 : Οὐδὲν γὰρ αὐτῷ τοῦτ' ἐπαρκέσει τὸ μὴ οὐ πεσεῖν· Eum. 914 : Οὐκ ἀνέξομαι τὸ μὴ οὐ τήνδ' ἀστύνικον ἐν βροτοῖς τιμᾶν πόλιν. Soph. OEd. T. 1232 : Λείπει μὲν οὐδ' ἃ πρόσθεν ᾔδεμεν τὸ μὴ οὐ βαρύστον' εἶναι. Plato quum alibi tum Reip. 1, p. 354, B : Οὐκ ἀπεσχόμην τὸ μὴ οὐκ ἐπὶ τοῦτο ἐλθεῖν. Ubi, quod sæpe accidit post talia verba, τοῦ substitutum pro τὸ in libris nonnullis. Semper autem, ut ap. Latinos ante *quin*, præcedit negatio sive diserte posita sive interrogatione, ut in ll. Æschyli et Sophoclis, aut alio voc. inclusa, ut Soph. OEd. T. 13 : Δυσάλγητος γὰρ ἂν εἴην τοιάνδε μὴ οὐ κατοικτείρων ἕδραν. Xen. Anab. 2, 3, 11 : Ὥστε πᾶσιν αἰσχύνην εἶναι μὴ οὐ συσπουδάζειν· Reip. Lac. 6, 2 : Αἰσχρόν ἐστι μὴ οὐκ ἄλλας πληγὰς ἐμβάλλειν τῷ υἱεῖ. Plato Prot. p. 352, D : Αἰσχρόν ἐστι καὶ ἐμοὶ σοφίαν μὴ οὐχὶ πάντων κράτιστον φάναι· et post idem voc. Theæt. p. 151, D. Phæd. p. 85, A : Τὸ τὰ λεγόμενα μὴ οὐχὶ παντὶ τρόπῳ ἐλέγχειν πάνυ μαλθακοῦ εἶναι ἀνδρός·

B Conv. p. 210, B : Πολλὴ ἄνοια μὴ οὐχ ἕν τε καὶ ταὐτὸν ἡγεῖσθαι. Significatio enim in his inest negativa Inhonesti, Imprudentis, Ignavi, poniturque μὴ post ejusmodi vocc. sic ut supra post vocc. vetandi aut alia vi negativa prædita : ut apertum sit nullo significationis discrimine et addi et omitti.] || Quinetiam quemadmodum dicitur οὔ φημι, οὐ φάσκω, Non dico, pro Nego : ita et [in enuntiationibus non liberis, ut Eur. Heracl. 903 : Ὁ δὲ μή σε φάσκων,] μὴ φάσκω, μὴ λέγω, Bud. p. 954, simul vero et μὴ προσποιοῦμαι, ubi similem usum habet hæc particula, i. e. Simulo non, pro Dissimulo. Item μὴ ἀξιοῦν, p. 955. [Et μὴ δοκεῖν.] || Μὴ interdum est potius μηδαμῶς, Nequaquam : ut docet Idem p. 912, ubi etiam ostendit quomodo post illam particulam remaneat oratio velut intercisa. [De quo genere diximus paullo ante. Addit autem Bud. etiam hunc usum, ubi cum adjectivis conjungitur, ut ap. Plat. Reip. 6, p. 486, A : Ὅταν κρίνειν μέλλῃς φύσιν φιλόσοφόν τε καὶ μή. Sic Theæt. p. 201, E : Μὴ οὐσίαν· Leg. 6, p. 759, B : Δῆμον καὶ μὴ δῆμον·

C 768, C : Οὔθ' ὡς ἀρχὰς οὔθ' ὡς μή· Charm. p. 167, C : Μὴ ὄψεων· D : Τῶν μὴ ἀκοῶν. Etym. M. p. 366, 38 : Ἐπιτιμία, ἡ μὴ ἀτιμία. Xen. Cyrop. 7, 4, 12 : Τὸν ὀρθῶς ἀποδιδόντα καὶ τὸν μή, et ibid. 13 : Ὅπως εἰδεῖεν οἵ τε σῶα ἀποδιδοῖεν οἵ τε μή. || Postpositum est apud Soph. Phil. 67 : Εἰ δ' ἐργάσει μὴ ταῦτα, λύπην πᾶσιν Ἀργείοις βαλεῖς. Ps.-Eur. Iph. A. 637 : Ὀργισθῇς δὲ μή. Leonidas Anth. Pal. 7, 731, 3 : Δυσκώφει μὴ, Γόργε. Hedylus ap. Athen. 8, p. 344, F : Ἔλθῃ μὴ Πρωτεὺς Ἆγις ὁ τῶν λοπάδων. Usitatior talis collocatio est in antithesi, ut ap. Xen. Cyrop. 6, 1, 34 : Βιάζεσθαι μὲν μὴ, πείθειν δέ.]

|| Μὴ pro εἰ μὴ, Si non, i. e. Nisi : cujus usus exempla Bud. affert p. 936, ex Aristot. [OEcon. 1, 6 : Ὡς ἀδύνατον μὴ ἐπιμελείᾳ δεσποτῶν ἐπιμελεῖς εἶναι τοὺς ἐφεστῶτας· et al.], item ex Dem. [ubi ὅτῳ μὴ, et Synesio : Οὐ γὰρ ἂν μὴ φιλτάτῳ σοι τυγχάνοντι συνεβούλευσά τι τοιοῦτον.] Extant autem et ap. Plut. [Hac signif. conjungitur cum participiis, adjectivis, adverbiis in enuntiationibus non liberis, quas per εἰ μὴ plerumque resolvere licet. Sed pro εἰ μὴ cum indicativo est in

D Chron. Pasch. p. 721, 19 : Ἄλλως γὰρ ὑμᾶς οὐκ ἔνι σωθῆναι, μὴ ἰχθύες ἔχετε γενέσθαι καὶ διὰ θαλάσσης ἀπελθεῖν.] Sed et pro Quominus, Quin, a Luciano accipi tradit. [Ita ponitur post verba negandi, impediendi, et similia, de quibus supra.]

|| Μὴ, Nunquid, An. [Æsch. Pers. 344 : Μή σοι δοκοῦμεν τῇδε λειφθῆναι μάχῃ; Suppl. 295 : Μὴ καὶ λόγος τις Ζῆνα μιχθῆναι βροτῷ; Soph. OEd. C. 1502 : Μή τις Διὸς κεραυνός; Trach. 316 : Μὴ τῶν τυράννων; Plato Prot. p. 310, B : Μή τι νεώτερον ἀγγέλλεις; Et alibi sæpissime.] Lucian. [Somn. c. 17] : Μὴ ὀνείρων ἡμᾶς ὑποκριτὰς ὑπείληφε. Item post ἐρωτᾶν, aliaque hujusmodi verba. Plut. [Apophth. p. 172, F] : Καὶ περὶ τῶν φόρων ἠρώτησε, μὴ βαρεῖς εἰσί. [Eur. Phœn. 93 : Ὡς ἂν προὐξερευνήσω στίβον, μή τις πολιτῶν ἐν τρίβῳ φαντάζεται, κἀμοὶ μὲν ἔλθῃ φαῦλος, ὡς δούλῳ, ψόγος, σοὶ δ', ὡς ἀνάσσῃ. Ubi notandus duplex modus, pro diversa utriusque sententiæ natura, quarum altera ad præsens, altera ad futurum tempus refertur, necessario diversus. Seq.

conjunctivo Plato Reip. 1, p. 337, B : Μὴ ἀποκρίνωμαι; et alibi. Insolentius Sozom. H. E. 2, 30, p. 88, 4 : Οὐ δεῖ τινος ἐπεμβαίνειν, κἂν ἐχθρὸς ᾖ ὁ τελευτήσας, ἀδήλου ὄντος μὴ ἕως ἑσπέρας καὶ αὐτὸν τοῦτο καταλάβῃ.] || Et post verbum σκοπῶ, atque alia. Xen., Σκοπῶ μὴ ᾖ, Considero num sit. Plato De rep. 1, [p. 330, E] : Στρέφουσιν αὐτοῦ τὴν ψυχὴν μὴ ἀληθεῖς ὦσι, Versant ejus animum et angunt num veri sint, VV. LL. [Hom. Il. K, 98 : Ὄφρα ἴδωμεν μὴ τοὶ μὲν καμάτῳ ἀδδηκότες ... κοιμήσωνται, ἀτὰρ φυλακῆς ... λάθωνται. Δυσμενέες δ' ἄνδρες σχεδὸν εἵαται, οὐδέ τι ἴδμεν μήπως καὶ διὰ νύκτα μενοινήσωσι μάχεσθαι.] || Item cum particula τις : Μήτις, Nunquis. [Æsch. Ag. 683 : Μή τις ὄντιν' οὐχ ὁρῶμεν;] Lucian., Μή τις ἄλλος τοῦτο γνωρίζει; At Μή τι et Μήτι δὴ, et Μή τι γε, et Μή τι γε δὴ, significant Nedum, Bud. p. 911. Sciendum est autem conjunctim etiam scribi Μήτις; et Μήτι alicubi, et Μήτιγε. [Hom. Il. A, 550 : Μήτι σὺ ταῦτα ἕκαστα διείρεο· Σ, 130 : Μήτι σύγ' ἀθανάτοισι θεοῖς ἀντικρὺ μάχεσθαι τοῖς ἄλλοις· 252 : Μήτι φόβονδ' ἀγόρευε. Æsch. Prom. 959 : Μήτι σοι δοκῶ ταρβεῖν; Pers. 698 : Μήτι μακιστῆρα μῦθον, ἀλλὰ σύντομον λέγων. Soph. Trach. 383 : Ὄλοιντο, μήτι πάντες οἱ κακοί. Eur. Ion. 1035 : Ἰδίᾳ δὲ, μήτι πᾶσι. Plato Parm. p. 130, D : Ἔθραξέ με μήτι ᾖ περὶ πάντων ταὐτόν. In interrogatione Euseb. Dem. evang. p. 3, B : Πῶς ἂν ἥρμοζε τοῖς τῆς Ἰουδαίας καὶ ἐπὶ μικρὸν διεστῶσι, μήτι γε τοῖς καθ' ὅλης τῆς οἰκουμένης ἔθνεσι; 14, C : Τίς ἄρα αἰτία ἦν; μήτι γε τὰ Μωσέως παραγγέλματα; Οὐδαμῶς. || Μήτι δὴ ... γε Plat. Epist. 4, p. 321, A : Ὑπὸ τῶν παίδων παροξυνομένους μήτι δὴ ὑπό γε τῶν φίλων. De Μήτι γοῦν dictum in Γοῦν, vol. 2, p. 742, B. || Divise Thuc. 7, 63 : Τοῖς ναύταις παραινῶ ... μὴ ἐκπεπλῆχθαί τι ταῖς ξυμφοραῖς ἄγαν.] Scribitur etiam Μήτοι seu Μήτοιγε pro Nedum, vel Μήτοιγε δή. Sed hæc accipiuntur et pro Minime, Nequaquam; Minime vero, Certe quidem nequaquam; Saltem : Bud. p. 910, 911. [Æsch. Prom. 436 : Μήτοι χλιδῇ δοκεῖτε μηδ' αὐθαδίᾳ σιγᾶν με. Xenoph. Cyrop. 2, 3, 24 : Μὰ Δί', ἔφη, μήτοι γε ἐν μιᾷ γε ἡμέρᾳ· 2, 4, 27 : Μηδέ γε σὺ ... μήτοι οὕτω τὰ δύσβατα πορεύου· 28 : Μηδέ γε σὺ ... μήτοι δρόμῳ ἡγήσῃ. Plato Reip. 1, p. 352, C : Ἢ αὐτοὺς ἐποίει μήτοι καὶ ἀλλήλους γε καὶ ἐφ' οὓς ἦεσαν ἅμα ἀδικεῖν· 3, p. 388, B : Πολὺ δ' ἔτι τούτων μᾶλλον δεησόμεθα μήτοι θεούς γε ποιεῖν ὀδυρομένους, εἰ δ' οὖν θεοὺς, μήτοι τόν γε μέγιστον τῶν θεῶν κτλ. Phil. p. 67, A : Οὐκοῦν καὶ νοῦς ἀπήλλακτο καὶ ἡδονὴ μήτοι τἀγαθόν γε αὐτὸ μηδ' ἕτερον αὐτοῖν εἶναι.] || Sed μὴ præterea ponitur interdum pro μήποτε : quod non tam percunctantis est, quam addubitantis, et addubitanter decernentis. Aristot. Polit. 4 : Μὴ γὰρ ἓν τῶν ἀδυνάτων ᾖ, Nescio enim an impossibile sit. Bud. [Æsch. Prom. 388 : Μή γάρ σε θρῆνος οὑμὸς εἰς ἔχθραν βάλῃ.]

|| At Μὴ γὰρ δὴ, et Μὴ γάρ γε, Absit, Dii avertant, Dii prohibeant. Bud. p. 913, ex Dem. et Synes. [Demosth. p. 295, 9 : Μὴ γὰρ τῆς πόλεώς γε μηδ' ἐμοῦ. Ubi deteriores μὴ γὰρ δή. Eurip. Tro. 210 : Μὴ γὰρ δὴ δίναν γ' Εὐρώτα.] Sed Μὴ γὰρ ὅτι ex Galeno affertur pro Non solum enim. [Intellecto ex præcedentibus imperativo vel conjunctivo Plato Theæt. p. 177, E : Μὴ λεγέτω τὸ ὄνομα. — Μὴ γάρ· Reip. 9, p. 584, C : Μὴ ἄρα πειθώμεθα. — Μὴ γάρ. || Μὴ γοῦν καὶ peculiari quadam ratione positum v. ap. Peyron. Papyr. part. 1, p. 169, 20, qui vertit Sed tamen. || Μὴ δὲ aliquoties in μηδὲ male conjunctum notavit Schæfer. Append. ad Bast. Ep. crit. p. 29 sq. || Μὴ ἄρα, Ne forte, Gl. V. l. Plat. paullo ante cit. || Μὴ δὴ Hom. Il. A, 545 : Ἥρη, μὴ δὴ πάντας ἐμοὺς ἐπιέλπεο μύθους εἰδήσειν· Π, 81 : Μὴ δὴ πυρὸς αἰθομένοιο νῆας ἐνιπρήσωσι. Μὴ δὴ οὖν, μηδαμῶς οὖν ponit Hesychius.] || Sic Μὴ δῆτα pro Absit, Dii avertant, Dii meliora : estque frequentior harum particularum usus in hac signif. quam illarum. Sed in hoc l. Dem. Pro cor. [p. 332, 18] : Μὴ δῆτ', ὦ πάντες θεοὶ, μηδεὶς ταῦθ' ὑμῶν ἐπινεύσειε, Bud. interpr. etiam Videte ne : itidemque in Or. c. Mid., Μὴ δῆτα, Videte obsecro ne faciatis. V. plura ap. eum p. 913. [Æsch. Prom. 1076 : Μηδὲ ποτ' εἴπηθ' ὡς Ζεὺς ὑμᾶς εἰς ἀπρόοπτον πῆμ' εἰσέβαλεν, μὴ δῆτ', αὐταὶ δ' ὑμᾶς αὐτάς. Soph. El. 1206 : Μὴ δῆτα, πρὸς θεῶν, τοῦτό μ' ἐργάσῃ, ξένε· OEd. T. 830 : Μὴ δῆτα μὴ δῆτ', ὦ θεῶν ἁγνὸν σέβας, ἴδοιμι ταύτην ἡμέραν· Ph. 763 : Μὴ δῆτα τοῦτό γε. || Inprimis frequens est Μὴ καὶ, ut

A Æsch. Sept. 657 : Ἀλλ' οὔτε κλαίειν οὔτ' ὀδύρεσθαι πρέπει, μὴ καὶ τεκνωθῇ δυσφορώτερος γόος· Pers. 531 : Προπέμπετ' ἐς δόμους, μὴ καί τι πρὸς κακοῖσι προσθῆται κακόν. || Μὴ μὲν post verba jurandi Hom. Il. Ψ, 585 : Ἐννοσίγαιον ὄμνυθι μὴ μὲν ἑκὼν τὸ ἐμὸν δόλῳ ἅρμα πεδῆσαι· T, 261 : Ἴστω νῦν Ζεὺς πρῶτα ... μὴ μὲν ἐγὼ κούρῃ Βρισηΐδι χεῖρ' ἐπενεῖκαι. Et absolute K, 330 : Ἴστω νῦν Ζεὺς αὐτὸς, μὴ μὲν τοῖς ἵπποισιν ἀνὴρ ἐποχήσεται ἄλλος. || Μὴ μὴν s. μὰν Hom. Il. Θ, 512 : Μὴ μὰν ἀσπουδί γε νεῶν ἐπιβαῖεν ἕκηλοι. || Μή νυ, Hom. Il. A, 566 : Μή νύ τοι οὐ χραίσμωσιν. De Μή νυν v. in Νῦν.] || Μὴ οἷον, Μὴ ὅτι, et Ὅτι μὴ, v. in Οἷον et Ὅτι. || Μὴ οὐ s. Μὴ οὐχὶ habes supra in Μὴ pro οὐ : cetera quæ de eo dicenda supersunt, vide partim in Οὐ, partim ap. Bud. p. 936, 937. [|| Μὴ οὖν, Apollon. Bekk. An. p. 526, 11 : Ταύτῃ γοῦν καὶ ἡ μὴ ἀπαγόρευσις, συνταττομένη τῷ οὖν καὶ δηλοῦσα ἀπαγόρευσιν, οὐδὲν ἐξαλλάσσει τοῦ τόνου. Φαμὲν γὰρ οὕτως, Μὴ οὖν παρέσται; καὶ ἐν προστάξει, Μὴ οὖν γράφε, Μὴ οὖν διαλέγου. Καὶ τὸ τοιοῦτον πάλιν πρός τινων βαρύνεται. Plato Theæt. p. 163, D : Μὴ οὖν
B ἐγὼ ληρῶ; et iisdem verbis Reip. 8, p. 552, D. || Μή πῃ, Plato Soph. p. 242, B : Ἐπισκέψασθαι μή πῃ τεταραγμένοι ὦμεν· Crat. p. 393, C : Φύλαττέ με μή πῃ παρακρούσωμαί σε.] || Μή ποτε, v. in Μήποτε. || Μή που, v. in Που : itidemque Μή πως in Πως. || Μή τοι, seu Μήτοι conjunctim, item Μήτοι γε, interdum deprecationi adhibetur. Synes. : Ἀλλὰ μή τοί ποτε διάπειραν λάβοιμι, μὴ ὦ σῶτερ, μὴ ὦ ἐλευθέριε, Quod utinam hoc mihi nunquam experiri contingat : absit ut etc. Sed frequenter pro οὔτοι, i. e. pro Minime, Nequaquam, etc. quæ paulo ante retuli, et quorum exx. etiam affert Bud. p. 910, 911. [V. supra.]

[Μήδα, ας, ἡ, Meda, uxor Idomenei. Lycophr. 1221. Filia Phylantis, ap. Pausan. 1, 5, 2; 10, 10, 1, schol. Soph. Tr. 460.]

[Μήδαβα, πόλις τῶν Ναβαταίων. Ὁ πολίτης Μηδαβηνὸς, ὡς Οὐράνιος ἐν Ἀραβικῶν δευτέρῳ, Steph. Byz. Sæpius memorat etiam Josephus.]

[Μηδαμὰ, Μηδαμᾶ, Μηδαμῆ, Μηδαμινὸς, Μηδαμόθεν, Μηδαμόθι, Μηδαμοῖ, Μηδαμὸς, Μηδαμόσε, Μηδαμοῦ,
C Μηδαμῶς. V. Οὐδαμὰ etc.]

Μηδαπὴ, Hesych. γῆ ἰδία, Terra propria; sed viderit. [Ἡμεδαπὴ intt.]

[Μήδας, ὁ, Medas, n. canis, Xen. Ven. 7, 5.]

Μηδὲ, [Nec, Gl.] Neque; sed scriptum invenitur etiam Μὴ δὲ, idque plerisque in ll. Jungitur autem hæc particula μὴ et cum τε, ac dicitur Μήτε, itidem pro Neque. Accipitur vero et hic μὴ pro οὐ : unde etiam μηδὲ et μήτε ead. plane signif. dicuntur, qua οὐδὲ et οὔτε : sed præcedente μὴ, subjungitur μηδὲ, vel μήτε : at præcedente οὐ, subjungi solet οὐδὲ, vel οὔτε : Ἵνα μὴ φάγῃς σκόροδα μηδὲ κυάμους. Dem. Or. de Haloneso [p. 81, 5] : Ἀμφισβητεῖ μὴ δεδωκέναι, μηδὲ τοὺς πρέσβεις ταῦτα εἰρηκέναι πρὸς ὑμᾶς. Idem Π. παραπρ. : Οὐκ ἐτόλμα ψεύσασθαι, οὔτ' εἰς ἐπιστολὴν γράψαι οὐδεμίαν. Non tamen semper præcedunt illæ particulæ μὴ et οὐ, sed geminantur interdum hæ compositæ μηδὲ et οὐδὲ : p. 37 [94, 11] : Τί δὲ, ἂν ἀπελθὼν ἐκ Θράκης, καὶ μηδὲ προσελθὼν Χερρονήσῳ μηδὲ Βυζαντίῳ· p. 33 [84, 14] : Τοὺς δὲ μήθ' ἡμετέρους ὄντας, μήτε Φι-
D λίππου ξυμμάχους· 28 [74, 13] : Μήτε [Μηκέτι] περὶ τῶν δικαίων, μήθ' ὑπὲρ τῶν ἔξω πραγμάτων. Item cum diversis verbis, p. 36 [91, 10] : Καὶ μήτε τῶν ἡμετέρων ἔχει παρὰ τὴν εἰρήνην μηδὲν, μήτε παρασκευάζεται [συσκ.] πάντας ἀνθρώπους ἐφ' ὑμᾶς. Apud quem scriptorem, sicut et ap. alios plerosque, in multis exempll. μήτε quidem conjunctim, at μηδὲ disjunctim scriptum habetur : de qua scriptura admonui etiam paulo ante. Ceterum μηδὲ accipitur et aliter, resolviturque Latine in particulitas Ne et Quidem : ut quum dicit Plato Timæo, Ὃ μηδ' εἰπεῖν τινι θέμις, pro Ne dictu quidem fas est, Cic. Sic Athen. 3 : Τί δὲ ἡ ἐπιστολὴ δηλοῖ, νομίζω ἐγὼ μηδὲ τὸν Πύθιον διαγνῶναι, Quis autem sit epistolæ sensus, ne ipsum quidem Pythium animadversurum puto. Sic accipitur et μήτε aliquando. [Missis quæ in his non recte tradita sunt, satis est monuisse post μὴ nunquam poni μήτε nisi culpa librariorum, quam hodie nemo ne Phalaridi quidem condonet, cujus in Ep. 96, p. 278, 33 adhuc legitur : Μὴ στένετε μήτ' ὀλοφύρεσθε, sed semper μηδὲ, duplex

vero μηδὲ ubi ponitur, singula membra non disjungi inter se, sed alterum alteri annecti. Interdum vero post μήτε sequitur μηδὲ, ubi tanquam contraria ponuntur quæ tanquam disjungenda poni cœperant. Pind. Isthm. 2, 45: Μή νυν... μήτ' ἀρετάν ποτε σιγάτω πατρῴαν μηδὲ τούσδ' ὕμνους. Quanquam hoc ipso loco et aliis plerisque, qui habent hoc μήτε... μηδὲ, ut Æsch. Eum. 859-861, in tenui scripturæ et sententiæ discrimine, dubium est fere μήτε duplex scriptori placuerit an μήτε... μηδέ. Μηδὲ post triplex μήτε est ap. Plat. Protag. p. 327, D: Οἷς μήτε παιδεία ἔστι μήτε δικαστήρια μήτε νόμοι μηδὲ ἀνάγκη μηδεμία, ubi magnus videtur librorum in postremo μηδὲ esse consensus. || Ut sequente affirmante sententia dicitur μήτε... τε, velut Soph. Tr. 1363: Χρῆν γάρ σε μήτ' αὐτὸν ποτ' ἐς Τροίαν μολεῖν ἡμᾶς τ' ἀπείργειν, et post duplex μήτε, Tr. 583, sic μήτε... δὲ ponitur, ubi altera contraria ponitur potius quam disjungitur. Æsch. Suppl. 988: Ὡς ἔχοιμι τίμιον γέρας καὶ μήτ' ἀέλπτως δορικανεῖ μόρῳ θανὼν λάθοιμι, χώρᾳ δ' ἄχθος ἀείζων πέλοι. Soph. Tr. 143: Ὡς δ' ἐγὼ θυμοφθορῶ μήτ' ἐκμάθοις παθοῦσα, νῦν δ' ἄπειρος εἶ. || Dicitur etiam μήτε... μὴ, ut Eur. Herc. F. 645: Μή μοι μήτ' Ἀσιήτιδος τυραννίδος ὄλβος εἴη, μὴ χρυσοῦ δώματα πλήρη τᾶς ἥβας ἀντιλαβεῖν· Or. 1086: Μήθ' αἷμά μου δέξαιτο κάρπιμον πέδον μὴ λαμπρὸς αἰθήρ. Ibid. 46: Ἔδοξε δ' Ἄργει τῷδε μήθ' ἡμᾶς στέγαις μὴ πυρὶ δέχεσθαι μήτε προσφωνεῖν τινα μητροκτονοῦντας, Elmsl. ad Med. 1316 recte præferre videtur μηδὲ, ut non tria sed duo inter se nexa membra sint, unum μήτε... μὴ, alterum μηδὲ προσφωνεῖν. || Denique interdum omittitur prius μήτε, ut Soph. Phil. 771: Ἐφίεμαι ἑκόντα μήτ' ἄκοντα... κείνοις μεθεῖναι ταῦτα· Ant. 267: Τὸ μήτε δρᾶσαι μήτε τῳ ξυνειδέναι τὸ πρᾶγμα βουλεύσαντι μήτ' εἰργασμένῳ. || Μήτε δὲ post μὴ est ap. Jo. Malalam p. 305, 20: Ὥστε μηδένα τῶν λεγομένων Χριστιανῶν ὑπομεῖναί τι κακὸν, μήτε δὲ κωλύεσθαι θρησκεύειν ὡς βούλονται· 401, 10: Ὥστε μὴ ποιεῖν τινα ἔγγραφον κοπιδερμίας μήτε δὲ αὐτὸ τὸ ὄνομα τοῦ κοπιδέρμου ὀνομάζεσθαι μήτε τὸ πρᾶγμα γίνεσθαι· 460, 3: Δηλώσας αὐτῷ τοῦ μὴ δέξασθαι πρεσβευτὰς παρὰ Γελίμερ ἐκπεμπομένους πρὸς αὐτὸν, μήτε δὲ τὴν ὀνομασίαν αὐτοῦ εἰς ῥῆγα. || Μὴ inter membra per μηδὲ adjuncta positum in epigr. in Apollodori Biblioth. ap. Phot. Bibl. p. 142, 11: Μηδ' ἐς Ὁμηρείην σελίδ' ἔκβλεπε μηδ' ἐλεγείην, μὴ τραγικὴν μοῦσαν μηδὲ μελογραφίην, μὴ κυκλίων ζήτει πολύθρουν στίχον. || Repetitur etiam ipsum μὴ, ut Plut. Brut. c. 29: Μὴ ναῦν ἐνήρη, μὴ στρατιώτην ἕνα, μὴ πόλιν ἔχοντες.] || Ab Homero autem μηδὲ ponitur etiam pro μὴ, solo, s. pro μὴ δὴ, Eust. [Il. p. 541, 8. Quanquam loco illo (Ε, 218) μὴ δ' scribendum, de quo supra dictum. || Μηδὲ post μὴ repetitum ita ut abesse possit, est Od. Δ, 684: Μὴ μνηστεύσαντες μηδ' ἄλλοθ' ὁμιλήσαντες ὕστατα καὶ πύματα νῦν ἐνθάδε δειπνήσειαν· Λ, 613: Μὴ τεχνησάμενος μηδ' ἄλλο τι τεχνήσαιτο.] || Ex μηδὲ per compositionem facta sunt quum alia, tum Μηδεὶς, pro μηδὲ εἷς, cujus fem. Μηδεμία, neutr. Μηδέν. Item Μηδέτερος, pro μηδὲ ἕτερος, quod v. in Ἕτερος. Atque ut μηδεὶς dicitur tanquam μηδὲ εἷς, sic etiam Μηδαμὸς tanquam μηδ' ἀμὸς, Ne unus quidem; nam ἀμὸς exp. non solum Aliquis, sed etiam Unus. Plura autem de hoc comp., et de derivatis ab eo dicam in Οὐδὲ, ubi sc. de Οὐδαμὸς agam, quod eod. prorsus modo est factum. Sic de Μηδεὶς ceterisque omnibus tractare in Οὐδεὶς decrevi. [|| Μηδὲ, Ne... quidem, frequens est ap. omnes, ut sufficiant seqq., quæ ad hanc signif. pertinent, ab HSt. in Ind. posita:] Μηδ' ἂν εἷς, Ne unus quidem: h. e. Nullus, Nemo: pro quo dicitur et οὐδ' ἂν εἷς, necnon μηδεὶς ἄν. Μηδ' ἂν εἴ τι γένοιτο, Ne si accideret quidem aliquid, pro Nullo modo, Nullo pacto, quidquid acciderit: quod dicitur et οὐδ' ἂν ὁτιοῦν γένηται. Greg. Invect. 1 in Jul.: Τοσοῦτον ἀόργητος ἦν καὶ παθῶν ὑψηλότερος, κατὰ τοὺς πώποτε τῶν βασιλέων ἀτρέπτους καὶ ἀκινήτους, καὶ μηδ' ἂν εἴ τι γένοιτο, τοῦ προσώπου τι παρατρέψαντας. Μηδ' ἐξ ἑνὸς, Ne una quidem ex re, h. e. Nulla ex re. Plato Phædro [p. 245, D]: Ἐξ ἀρχῆς γὰρ ἀνάγκη πᾶν τὸ γιγνόμενον γίγνεσθαι, αὐτὴν δὲ μηδ' ἐξ ἑνὸς, Nam ex principio oriuntur omnia: ipsum autem nulla ex re alia nasci potest, Cicerone interpr. [Sic sæpe ap. Plat. et alios etiam cum aliis præpositionibus, ut Conv. p. 222, D: Μηδ'

A ὑφ' ἑνὸς ἄλλου· Alc. 1 p. 122, A: Μηδ' ὑπὸ μιᾶς ἄρχεσθαι τῶν ἡδονῶν.] Μηδ' ὁστισοῦν, Ne quicunque quidem ille sit, i. e. Nullus, Nemo. Μηδοτιοῦν s. Μηδ' ὁτιοῦν, Nihil quidquam. [Theognis 64: Χρῆμα δὲ συμμίξῃς μηδενὶ μηδ' ὅ,τι οὖν. Plato Polit. p. 300, C: Ἐᾶν δρᾶν μηδ' ὅ,τι οὖν.] Μηδ' ἂν εἷς, s. μηδείς. [Plato Crat. p. 414, D. De forma Μηθοτιοῦν v. in Μηθείς.]

[Μήδεια, ἡ, Medea, f. Æetæ, regis Colchorum, ap. Hesiod. Th. 961, Pind. Ol. 13, 51, etc. Euripidem in fabula cognomine ceterosque post hos poetas et mythologos aliosque. Μηδείην, quod est ap. Herodot. 1, 2, Μήδειαν scribendum esse potius quam Μηδίην animadvertit Gaisf. Idem vitium est ap. Ctesiam ab Georgio Sync. p. 167, D, citatum, ubi tamen sequitur Μήδεια. Formam Æolicam Μήδεϊα ex Sapphone citat Jo. Alex. Τον. παραγγ. p. 4, 29. Μήδη dicta Andromacho ap. Galen. vol. 13, p. 875: Ὠκύμορον πόμα Μήδης· unde Euphorioni ap. schol. Hom. Od. Δ, 228, Κυταϊὰς ἢ ὅσα Μήδη restituit Meinek. p. 64. Memorat Μήδη κύριον etiam Suidas et Theognostus Can. p.
B 109, 7. L. D. Μήδεια scriptum in fictili Canus. ap. Kramer. *Styl der griech. Thongef.* p. 177. De Μηδείας ἐλαίῳ, i. e. Naphtha, copiosus est Salmas. ad Solin. p. 241 sqq. Hase.]

Μήδειν, Hesych. μὴ ἐσθίειν, Non comedere. Sed vereor ne scribendum sit μἤδειν, Attica synaliphe pro μὴ ἔδειν. [Conf. etiam Μηίω.]

[Μήδειος, ὁ, Medeus, f. Medeæ et Iasonis, ap. Hesiod. Th. 1001. Infra Μῆδος. || N. pueri ap. Theocr. Ep. 18, 2. Hagnusius quidam ap. Demosth. p. 1052, 6. Alius ap. Dion. Cass. 51, 2, si modo uterque recte scribitur per ει. || I. q. Μῆδος, quod v. De accentu Arcad. p. 44, 11.]

Μηδεὶς, pro μηδὲ εἷς, ut Οὐδεὶς, pro οὐδὲ εἷς, Nullus [Nemo, Gl.] In fem. Μηδεμία, Οὐδεμία, Nulla. [Μηδεΐα, ab Æol. ἴα pro μία, in inscr. Mytilen. ap. Bœckh. vol. 2, n. 2166, p. 186, 7.] Neutr. Μηδὲν, Οὐδὲν, Nullum. [Nihil, Gl. Rarius ap. antiquissimos, ut Hom. Il. Σ, 500: Ὁ δ' ἀναίνετο μηδὲν ἑλέσθαι. Hesiod. Op. 393: Μηδὲν ἀνύσσῃς. Pind. fr. ap. Plut. Mor. p. 116,
C D: Μηδὲν ἄγαν. De ceteris vix refert annotare constructionem cum part. ἢ ap. Xen. Cyrop. 7, 5, 41: Μηδένα ἢ τοὺς φίλους.] Et μηδεὶς quidem frequens est, i. e. Nullus, sicut et οὐδείς: at plur. μηδένες non item: cujus tamen exempla hæc sunt: Xen. Hell. 5, [4, 20]: Μηδένες ἄλλοι. Synes.: Μηδέσιν ἄλλοις. [Cujus dativi de accentu Arcad. p. 138, 2.] At Soph. [Aj. 1114] μηδένας vocavit Nullius pretii homines. [Idem ib. 1231: Ὅτ' οὐδὲν ὢν τοῦ μηδὲν ἀντέστης ὕπερ· El. 1166: Δέξαι με... τὴν μηδέν· OEd. T. 1019: Καὶ πῶς ὁ φύσας ἐξ ἴσου τῷ μηδενί· OEd. C. 918: Κἄμ' ἴσον τῷ μηδενί· OEd. T. 1187: Ὡς ὑμᾶς ἴσα καὶ τὸ μηδὲν ζώσας ἐναριθμῶ· Antig. 234: Κεἰ τὸ μηδὲν ἐξερῶ.] Hermog. vero [et Dio Cass. 62, 16; 76, 15] cum μηδένα addidit ὄντινα, ut Aristot. dicit εἷς ὁστισοῦν. Neutr. μηδὲν quod Lat. Nihil. Μηδὲν, οὐδὲν λέγειν, Xen. [Cyrop. 8, 3, 20] et Aristot. atque alii [Plato Lach. p. 195, A], Nihil dicere, pro Nihil afferre, quod alicujus sit momenti, ad rem faciat; aut etiam sufficiat ad probanda ea, quæ probare volumus. Bud. exp. etiam Nugari. [Soph. Aj. 767:
D Κἂν ὁ μηδὲν ὤν· 1094: Ὃς μηδὲν ὢν γοναῖσιν εἶθ' ἁμαρτάνει. Eur. Ion. 594: Ὁ μηδὲν ὢν κἀξ οὐδένων κεκλήσομαι· Hec. 843: Παράσχες χεῖρα τῇ πρεσβύτιδι τιμωρὸν, εἰ καὶ μηδέν ἐστιν, ἀλλ' ὅμως. Cum art. Soph. Trach. 1107: Κἂν τὸ μηδὲν ὦ κἂν μηδὲν ἕρπω, τήν γε δράσασαν τάδε χειρώσομαι κἀκ τῶνδε· Aj. 1275: Οὐ μνημονεύεις οὐκέτ' οὐδὲν ἡνίκα ἑρκέων ποθ' ὑμᾶς οὗτος ἐγκεκλῃμένους, ἤδη τὸ μηδὲν ὄντας, ἐν τροπῇ δορὸς ἐρρύσατ' ἐλθὼν μοῦνος. Eur. Tro. 609: Ὁρῶ τὰ τῶν θεῶν, ὡς τὰ μὲν πυργοῦσ' ἄνω τὸ μηδὲν ὄντα. Herodot. 8, 106: Ὅτι με ἀντ' ἀνδρὸς ἐποίησας τὸ μηδὲν εἶναι. Lucian. Rhet. præc. c. 2, De merc. cond. c. 16, D. mort. 12, 2. Eur. Hec. 622: Ὡς ἐς τὸ μηδὲν ἥκομεν. « Herodot. 1, 32: Ἡ ἡμετέρη εὐδαιμονίη οὕτω τοι ἀπέρριπται ἐς τὸ μηδὲν, Contemnitur, Abjicitur. 6, 137: Χώρην κακήν τε καὶ τοῦ μηδενὸς ἀξίην. » Schweigh. Lex. Addito subst. Soph. OEd. T 638: Οὐ... μὴ τὸ μηδὲν ἄλγος ἐς μέγ' οἴσετε;] || Ap. Soph. autem μηδὲν εἶναι, sicut οὐδὲν εἶναι, Nihil esse, pro Mortuum esse, Perditum esse. [V. supra Neutrum plur. μηδένα ap. Meletium Cram. An. vol. 3, p. 74, 19.] || At

μηδὲν ἧττον, Nihilo minus, Non minus. Isocr. [p. 20, D]: Ἄρχε σεαυτοῦ μηδὲν ἧττον ἢ καὶ τῶν ἄλλων. [Soph. Aj. 1329: Μηδὲν ἧσσον ἢ πάρος· et alibi cum aliis comparativis. Addito τι Soph. Aj. 280: Μηδέν τι μᾶλλον. Plato Soph. p. 258, A: Πρὸς τὸ μηδέν τι μᾶλλον εἶναι.] || Μηθὲν, Nihil, s. Nihil quicquam: ex μήτε et ἕν, ut μηδὲν ex μηδὲ et ἕν. Legitur ap. prosæ etiam scriptores [non Atticos], Aristot. et Plut., sed sæpius in carmine. [Sic etiam μηθεὶς in inscr. recentiori Attica ap. Bœckh. vol. 1, n. 123, p. 166, 17: Ὅπως μηθεὶς ... χρῆται. Μηθὲν est in papyris Ægypt. ap. Peyron. Pap. part. 1, p. 25, 27; 34, 18; 46, 37 et Volum. Herculan. part. 1, p. 18, ut exx. ex libris recentiorum scriptorum petenda omittam. Continetur autem hoc vitium masculino et neutro, δ propter seq. aspiratam in θ mutato. V. Οὐθείς. Ita scribuntur etiam μηθέτερος, μηθ' ὁτιοῦν, quorum hoc memorat Thomas p. 662, et alia. L. D.] Sed sæpissime accipitur pro οὐ [immo μὴ], Non, ut Lat. Nihil. [Hesiod. Sc. 98: Μηδὲν ὑποδδείσας κτύπον. Æsch. Prom. 72: Μηδὲν ἐγκέλευ' ἄγαν· 949: Καὶ ταῦτα μέντοι μηδὲν αἰνικτηρίως, ἀλλ' αὔθ' ἕκαστ' ἔκφραζε· Ag. 1462: Μηδὲν θανάτου μοῖραν ἐπεύχου. Et sic sæpissime cum verbis ap. Platonem et alios.] || Affertur autem et μηδεὲν pro μηδὲν ex Aristoph. [Pl. 37], quum alioqui potius aut μηδὲν aut μηδὲ ἓν dicatur, ut μηδεὶς vel μηδὲ εἷς. [Εἶναι πανοῦργον ἄδικον, ὑγιὲς μηδὲ ἕν. Sic aliquoties οὐδὲ ἓν ap. Aristoph., quod v. Masc. Tab. Heracl. 1, 109, p. 240: Μηδὲ κατ' ἄλλον μηδὲ ἕνα τρόπον. Plato Leg. 10, p. 909, D: Ἱερὰ μηδὲ εἷς ἐν ἰδίαις οἰκίαις ἐκτήσθω. De interpositis præpositionibus et part. ἂν v. in Μηδέ.]

Μηδέποτε, Haud unquam, Nunquam, cum omnibus temporibus copulatur. [Aristoph. Pac. 1225: Ἵνα μὴ λάθητε μηδέποτ' αὐτήν· 442: Ὅστις δὲ πόλεμον μᾶλλον εἶναι βούλεται, μηδέποτε παύσασθ' αὐτὸν... Et alibi. Xen. Cyrop. 1, 6, 10. Et cum adjectivo 3, 1, 28: Παρὰ τῶν μηδέποτε πολεμίων. Plato Prot. p. 315, B: Ὡς ηὐλαβοῦντο μηδέποτε ἐμποδὼν ἐν τῷ ἔμπροσθεν εἶναι Πρωταγόρου· Theæt. p. 151, D: Μηδέποτ' εἴπῃς. Distinguendum autem ab hoc divisum μηδέ ποτε, Neque unquam, ap. Hesiod. Op. 715, 755, Æsch. Prom. 1073: Eur. Med. 636, et alibi.]

Μηδέπω, Necdum, Nondum. [Æsch. Prom. 741: Εἶναι δόκει σοι μηδέπω 'ν προοιμίοις· Pers. 435: Εὖ νυν τόδ' ἴσθι μηδέπω μεσοῦν κακόν. Et alii quivis. Divise Plato Phædro p. 271, D: Ἢ μηδὲ εἰδέναι πω.]

Μηδεπώποτε, Nunquam: quod soli præterito jungi Thom. Mag. [p. 662, ubi de Οὐδεπ.] et Gaza tradunt. [Vitiose Zosimus 3, 4, 5: Περὶ φιλίας διαλεξομένους καὶ περὶ τοῦ Ῥωμαίοις μηδεπώποτε πολεμήσειν. V. Lobeck. ad Phryn. p. 458.]

[Μηδεσικάστη, ἡ, Medesicaste.] Sonat Μηδεσικάστη q. d. μήδεσι κεκασμένη. Hom. Il. N, [173]: Κούρην δὲ Πριάμοιο νόθην ἔχε Μηδεσικάστην. Ubi Eust., Ἡ δὲ ῥηθεῖσα Μηδεσικάστη, inquit, ad exemplum τῆς Ἰοκάστης videri possit dici. Siquidem nomen Ἰοκάστη sonat ἡ κοσμουμένη ἰότητι, i. e. βουλῇ: itidemque Μηδεσικάστη est ἡ καζομένη μήδεσιν, i. e. βουλεύμασιν. [Memoratur etiam a Pausan. 10, 25, 9, Apollod. 3, 12, 5, 13, qui sororem Priami cognominem nominat ap. schol. Lycophr. 921, 1075.]

Μηδέτερος, α, ον, Eust., (pro quo divisa voce μηδὲ ἕτερον dixisse Thuc. supra ostendi,) Neuter. Plato [Reip. 5, p. 470, B]: Ἐμοὶ μὲν τοίνυν τούτων δοκεῖ μηδέτερον ποιεῖν, Neutrum horum. Idem Philebo [p. 43, D]: Τὸ μὲν χρυσὸν, τὸ δὲ ἄργυρον, τρίτον δὲ μηδέτερον τούτων. Et in fem. ap. Aristot. Eth. 6: Αἱρετὰς δὲ οὔσας ἑκατέρας, καὶ εἰ μὴ ποιοῦσι μηδὲν μηδετέρα αὐτῶν. [Frequens est etiam ap. Xenophontem et alios quosvis. || Forma Μηθέτερος est ap. Aristot. De cœlo 1, p. 282, 11, 18.]

[Μηδετέρωθεν, Ab neutra parte. Liban. vol. 3, p. 4, 11; Phurnut. De nat. deor. c. 17, p. 171.]

Μηδετέρως, Neutro modo, Neutro genere, ap. grammaticos.

Μηδετέρωσε, sive Οὐδετέρωσε, Neutro [Gl.], Neutram in partem. Hom. Il. Ξ, [18]: Οὐ δ' ἄρα τε προκυλίνδεται οὐδ., Nec in unam nec in alteram partem volvitur. Quædam tamen exempll. ibi divisim habent οὐδ' ἑτέρωσε. At Eust. priorem scripturam agnoscit.

A Thuc. 4, [118]: Μήτε ἐπιμισγομένους μηδετέρους μηδετέρωσε, Neutrosque cum alteris ultro citroque commercium habere. [Pausan. 2, 1, 4: Τοῦ δεσμοῦ μηδετέρωσε εἴκοντος.]

[Μήδευμα, τὸ, i. q. μῆδος. Schol. Hesiod. Th. 510.]

[Μηδεύς. V. Μηδινεύς.]

[Μηδεών. V. Μηλιών.]

[Μήδη. V. Μήδεια.]

[Μηδησιγίστη, ἡ, uxor Ganymedis, Plut. De fluv. 12, 3. Boiss.]

[Μηδία. V. Μῆδος.]

[Μηδίας, ὁ ῥήτωρ, ponit Suidas. Ubi si ὁ ῥήτωρ diceretur Demosthenes, Μειδίας scribendum foret, ut ipsius grammatici, qui antiquiorem, quem sequeretur, non intellexisset, error subesset. Μηδίας pro Μειδίας ap. Dionys. Hal. vol. 6, p. 1127, 11, cum Suidæ gl. contulit Sylburg.]

[Μηδιάτης, Μηδίζω. V. Μῆδος.]

[Μηδικάριον, τὸ, herbæ species, nescio an ea quam Botanici μηδικὴν vocant, de qua Ruellius et alii. Μηδικὴν
B ἑλένιον interpretatur Dioscoridis Interpolator c. 80 (1, 27), Medium c. 600 (4, 18). Achmes Onir. c. 208: Ἐκ τῶν Περσῶν περὶ μηδικαρίου, et sæpius ib. Ducang.]

[Μηδίκη, Μηδικός. V. Μῆδος.]

[Μηδινεὺς, Μηδεὺς, παρὰ..... παρὰ δὲ Λυδοῖς, ὁ Ζεὺς, ζεῦσις, Hesychii gl. obscura et corrupta, et interposita post prius παρὰ alia, Μηδοτιοῦν, μηδαπλῶς (vel potius μηδὲν ἁπλῶς), vitiata.]

[Μήδιον. V. Μῆδος.]

[Μήδιος, ὁ, Medius, Larisæus, ap. Aristot. H. A. 9, 31, Diod. 14, 82. Alexandri M. comes ap. Arrian. Exp. 7, 24, 8 etc. V. Reines. ad Suid. v. Μήδιος. Antigoni navarchus, ap. Diod. 19, 75. Alius, Stoicus ap. Porphyr. Vit. Plotini p. LXXI, 8 ed. Creuzer., de quo v. Toup. ad Longin. fr. 8, p. 545. Alius in inscr. Att. ap. Bœckh. vol. 1, n. 266, p. 368, 29.]

[Μηδὶς, Μηδισμός. V. Μῆδος.]

[Μηδιστὶ, More s. Lingua Medorum. Strabo 11, p. 500: Ἀρμενιστί τε καὶ μ. ἐσκευασμένοι. Apollon. De
C advv. p. 572, 10. ῐ]

[Μήδοκος, ὁ, Medocus, rex Odrysarum Thracum, Xen. Anab. 7, 2, 32 etc., qui alia forma dicitur Ἀμάδοκος, quæ forma erat H. Gr. 4, 8, 26, ubi dixi de utraque sæpius confusa in libris. Μήδοκος etiam Diod. 13, 105; 14, 94. L. D. Conf. quoque de utraque forma Ott. Jahn. Spec. epigraph. p. 78, ubi in lapide, Amatocus. Hase.]

[Μηδόκριτα, ἡ, Medocrita, n. mulieris, in inscr. Theræa ap. Bœckh. vol. 2, p. 377, n. 2469, b. L. D.]

[Μηδοκτόνος, ὁ, ἡ, Medorum interfector. Epigr. Anth. Plan. 62, 1: Ὦ βασιλεῦ Μηδοκτόνε.]

Μηδόλως, pro μηδὲ ὅλως, Haudquaquam. [Jo. monachus Hist. Barlaam. cod. Reg. p. 27. Boiss. Galen. vol. 6, p. 415, 15: Ὡς εἰ καὶ μ. ἦν, Perinde ac si omnino non esset. Procl. Hypotyp. p. 125, 26: Ὡς εἰ μ. ἐκινεῖτο. Leo phil. Consp. med. p. 169, 14 Ermerins.: Ἀνορεξία, ὅταν μ. ἐφίηταί τις τροφῆς. Sacra Const. Pogon. Actt. Concc. t. 3, col. 1045, 62: Μ. ὑπαναγκάζοντες. Hase. V. Ὅλως.]

D Μήδομαι, fut. μήσομαι, Curam gero, Consulo, Delibero. Item Cogito, Excogito, Meditor; nec non Molior, Machinor, Struo. Est hoc verbum μήδομαι ex nomine μῆδος: nisi potius aliquis μῆδος ex μήδομαι factum esse velit: qua de re pertinacius contendere nolim. Hom. Il. B, [360]: Ἀλλά, ἄναξ, αὐτός τ' εὖ μήδεο πείθεό τ' ἄλλῳ· et [38]: Οὐδὲ τὰ ᾔδει ἅ ῥα Ζεὺς μήδετο ἔργα, Neque norat quænam moliretur Jupiter, s. machinaretur. [Od. Γ, 160: Ζεὺς δ' οὔπω μήδετο νόστου.] Sic Hesiod. [Sc. 34: Φρεσὶ μήδετο θέσκελα ἔργα·] Op. [95]: Ἀνθρώποισι δ' ἐμήσατο κήδεα λυγρά. Tale est Od. I, [92]: Μήδονθ' ἑτάροισιν ὄλεθρον. Apud Eund. legimus non solum μήδομαί σοι τοῦτο [Il. H, 478: Ἐννύχιος δέ σφιν κακὰ μήδετο], vel ἐμοὶ αὐτῇ [Od. E, 189], sed etiam μήδομαί σε τοῦτο: Il. X, [395] et Ψ, [24]: Ἦ ῥα καὶ Ἕκτορα δῖον ἀεικέα μήσατο ἔργα. Sed μήδομαί σε τοῦτο ab illo ita dici videtur, ut Latini usurparunt verbum μήδεσθαι, quum dixerunt Male consulere in aliquem. Unde Il. K, [52]: Τόσα γὰρ κακὰ μήσατ' Ἀχαιούς, schol. exp. εἰργάσατο. Quem sequendo, dicendum fuerit poni id quod antecedit pro eo quod consequi solet. Quidam vero in hujusmodi ll. exp. βουλευτικῶς μεταχειρίζεσθαι. Sic Eust. particip. μησαμένου alicubi exp. βουλευτικῶς μεταχειρισαμένου. [HSt. in Ind. :] Μήσασθαι, est βουλεύσασθαι, μηχανήσασθαι, τεχνήσασθαι, Animo moliri et machinari. Od. Λ, [473]: Τίπτ' ἔτι μεῖζον ἐνὶ φρεσὶ μήσεαι ἔργον; Il. Ζ, [157]: Αὐτάρ οἱ Προῖτος κάκ' ἐμήσατο θυμῷ. Ex ead. Il. affertur, Κακὰ μήσατ' Ἀχαιοὺς, pro εἰργάσατο. Sunt autem hæc a them. μήδομαι. [Cum duplici accus. Hom. Od. Ε, 173 : Ἄλλο τι δὴ σὺ, θεὰ, τόδε μήδεαι. Utitur etiam Pind. Ol. 1, 31 : Ἄπιστον ἐμήσατο πιστὸν ἔμμεναι· 106: Θεὸς ἐπίτροπος ἐὼν τεαῖσι μήδεται ἔχων τοῦτο κᾶδος μερίμναισιν· 6, 94 : Ἄρτια μηδόμενος· Nem. 10, 64 : Μέγα ἔργον ἐμήσαντ' ὠκέως. Æsch. Prom. 477 : Οἵας τέχνας τε καὶ πόρους ἐμησάμην· Sept. 1058 : Τί δὲ μήσωμαι; Ag. 1100 : Τί ποτε μήδεται; 1102 : Μέγ' ἐν δόμοισι τοῖσδε μήδεται κακόν· Cho. 607 : Τὰν... Θεστιὰς μήσατο πυρδαῆ τινα πρόνοιαν· 991 : Ἐπ' ἀνδρὶ τοῦτ' ἐμήσατο στύγος. Soph. Tr. 884 : Πῶς ἐμήσατο πρὸς θανάτῳ θάνατον ἀνύσασα μόνον; Ph. 1139 : Ὅσ' ἐφ' ἡμῖν κάκ' ἐμήσατο. Eur. Herc. F. 1076 : Εἰ πρὸς κακοῖς κακὰ μήσεται· Phœn. 799 : Ἦ δεινά τις Ἔρις θεὸς, ἃ τάδε μήσατο πήματα γᾶς βασιλεῦσιν· Hipp. 592 : Τί σοι μήσομαι; 1400 : Κύπρις γὰρ ἡ πανοῦργος ὧδ' ἐμήσατο. Aristoph. Av. 689 : Τοῖς ἄφθιτα μηδομένοισιν· Thesm. 676 : Ὅσια καὶ νόμιμα μηδομένους. Theocr. 22, 218 : Ὑμῖν κῦδος, ἄνακτες, ἐμήσατο Χῖος ἀοιδός.] || Μήδομαι in soluta etiam oratione aliquem usum habet. Plato Gorgia [p. 462, A]: Εἴτι μήδῃ [κήδει] τοῦ λόγου τοῦ εἰρημένου, Si qua tibi cura est ejus sermonis qui dictus est; vel, ejus verbi quod dictum est. Bud. Legimus et ap. Plut. De def. orac. [p. 407, D] : Ὧν μήδεσθαι [κήδεσθαι libri Pariss.] προσήκει, καὶ φυλάττειν ὅπως, κτλ. In VV. LL. dicitur idem scriptor hoc verbo esse usus in libello Π. τοῦ ἀκούειν [p. 41, F], de apibus loquens. Sciendum est autem extare de iisd. ap. Eund. in opusculo quod inscribitur Πῶς ἄν τις αἴσθοιτο ἑαυτοῦ προκόπτοντος ἐπ' ἀρετῇ [p. 79, C], verum non ipse Plut. ibi utitur, sed Simonides; ita enim scribit : Ὥσπερ γὰρ ἄνθεσιν ὁμιλεῖν ὁ Σιμωνίδης φησὶ τὴν μέλιτταν ξανθὸν μέλι μηδομέναν. Ubi μηδομέναν fortassis reddi queat Scrutantem, Rimantem. [Formæ Dor. ex. notatum est in Μάσσω, p. 601, A. Quod ap. Hesych. est : Μῆστο, ἐβουλεύσατο, an ex μήσατο corruptum sit incertum videtur.]

[Μηδοπότερος, α, ον, Neuter. Lemma Anth. Pal. 3, 12 med. Boiss.]

[Μηδοπωστιοῦν, Nequaquam. Aristid. C. Lept. 1, 9. Boiss.]

Μῆδος, ὁ, Medus : filius Medeæ, a quo [sec. Apollod. 1, 9, 28, 5, Diodor. 4, 55, Strab. 11, p. 526, sec. Pausaniam vero 2, 3, 8, a Medea] Μῆδοι dicti sunt populi, qui Caspiis adjacentem portis regionem incolunt, ut Persæ a Persa ejus fratre, regionem habitantes vicinam. [Primi memorant Theognis 762, 773, et sæpe Simonides, Æsch. Pers. 236, 765, Eur. Bacch. 16, Aristoph. et Herodotus ceterique historici. Μῆδοι ἀλεκτρυόνες memorantur ab Hesychio.] Illorum regio dicitur Μηδία, Media [ap. Herodotum, Xen. in Cyrop., Anab. et H. Gr., aliosque omnes] : pro Μηδία χώρα, Media regio : ex adj. Μήδιος, [α, ον,] Medius : ex quo Μήδιοι, s. Μήδιοι ἄνδρες, dicuntur οἱ Μῆδοι, Medi, Qui a Medo originem trahunt : auctore Steph. Byz. [Quod ex Eust. ad Dionys. 1017, ubi Μήδειοι προπαροξυτόνως scripti memorantur, correctum Μήδειος, quæ forma est ap. Pind. Ol. 1, 78 : Μήδειοι χάμον ἀγκυλότοξοι· Simonidem Anth. Pal. 7, 301, 4 : Μηδείων δ' ἀνδρῶν δεξάμενοι πολέμῳ, et quum propria sit poetarum, non recte a Berglero esse putatur ap. Alciphr. Ep. 1, 38, p. 227, 16 : Οἶσθα τὸν Μήδειον ἐκεῖνον τὸν ἀπὸ τῆς Συρίας δεῦρο κατάραντα, quod vicissim Μήδιον scribendum et pro n. pr. habendum, supra nobis aliunde memorato.] Hesych. autem Μήδιος exp. μαλακὸς, Mollis : procul dubio a vitio ejus gentis; fuisse enim eos μαλακοὺς καὶ ἁβροὺς tam in cultu corporis, quam in victu, præter alios Athen. tradit 12. Rursum Hesych. et Herbam quandam hoc nomine esse ait, necnon λίθον Μηδιάτην. De herba v. Diosc. 4, 18, ex quo hæc Plin. 27, 12 init. : Medion folia habet iridis sativæ,

A caulem tripedalem, et in eo florem grandem, purpureum, rotundum, semine minuto, radicem semipedalem : in saxis opacis nascitur. [Matthæi Med. p. 355 : Μήδιον.] Meminit Idem et Medeæ gemmæ, 37, 10 : Medea nigra est, a Medea illa fabulosa inventa : habet venas aurei coloris : sudorem reddit croci, saporem autem vini. Præter hoc Μήδιος a Medis derivatur Μηδικὸς, ἡ, ὸν, Medicus, Medorum proprius : ut [στράτευμα Æsch. Pers. 791,] Μηδικὴ στολὴ, Amictus s. Habitus Medicus. Et Μηδικὴ βοτάνη, Medica herba : sic dicta ἀπὸ τοῦ ἐν Μηδίᾳ πλεονάζειν, Quod magna ejus in Media copia sit : maxima prædita vi nutriendi equos, inquit Strabo 11, [p. 525] et ex eo refert Steph. B. [et Eust. l. c. Ποία μηδικὴ ap. Aristoph. Eq. 606 : Ἤσθιον δὲ (equi) τοὺς παρούρους ἀντὶ ποίας Μηδικῆς· ubi schol. : Τοῦ παρ' ἡμῖν χόρτου. Λέγεται δὲ καὶ πόα τις Μηδικὴ ἀρίστη καὶ καλλίστη καὶ ἐπιτηδειοτάτη ἵπποις. Ἡ αὐτὴ δὲ τρίφυλλος λέγεται. Pollux 7, 142 : Μηδικὴν πόαν ἔλεγον χόρτου τι εἶδος. Unde corrigenda interpunctio in Gl. : Μηδικὴ χόρτος, Medica, sic ut

B χόρτος sit interpretatio. Τρίφυλλον interpr. etiam Hesychius et λωτὸν κτήνεσιν ἁρμόζοντα. Ceterum accentum μηδίκη præcipit Arcad. p. 107, 10, Eust. Od. p. 1967, 27 : Μηδίκη μὲν χόρτος, ὃ καὶ σημείωσαι· Μηδικὴ δὲ ἡ Περσική. Atque sic scriptum ap. Diod. 3, 43 : Ἄγρωστιν καὶ μηδίκην, ἔτι δὲ λωτόν. Μηδικὴ rursus etiam ap. Theophrastum, cujus ll. v. ap. Schneider.] Sic et Plin. 18, 16 : Medica externa etiam Græciæ, ut a Medis advecta per bella Persarum, quæ Darius intulit. Sed vel in primis dicenda; tanta dos ejus est : quum uno satu amplius quam tricenis annis duret. Similis est trifolio, caule foliisque geniculata : quicquid in caule assurgit, folia contrahuntur. V. et Caton. R. R. 42, Varron. 1, 42; 2, 2, Columell. 2, 2, item Aristot. H. A. [3, 21;] 8, [8,] et Diosc. 2, 177. Rursum Strabo l. c., Fert, inquit, Media et τὸ σίλφιον : unde succus ejus dicitur Μηδικὸς ὀπὸς, Medicus succus : Cyrenaico non multo inferior, nonnunquam et præstantior. Idem est ap. Steph. B. Est et Μηδικὴ μηλέα, Medica malus : et Μηδικὸν μῆλον, Medicum malum : de quibus v. in Μῆλον,

C et Plin. 12, 3; 11, 35, ubi itidem malum Medicum vocat, nec aliam arborem in Medis laudari ait. [Μηδικὸν, Citreum, Gl.] Quin et Virg. Georg. 2, [127]: Media fert tristes succos tardumque saporem Felicis mali : quo non præsentius ullum, Pocula si quando sævæ infecere novercæ, Miscueruntque herbas et non innoxia verba, Auxilium venit, ac membris agit atra venena. Ipsa ingens arbos, faciemque simillima lauro, Et, si non alium late jactaret odorem, Laurus erat; folia haud ullis labentia ventis, Flos apprima tenax : animas et olentia Medi Ora fovent illo, et senibus medicantur anhelis. Item Μηδικὸς ὄρνις [ap. Hesych.], Medica avis, dicitur [ab Suida] ὁ ταὼς, Pavo, quod ex Media in hæc citeriora loca sit transvectus. [Et Μηδικὰ παραπετάσματα ap. Aristoph. Ran. 938.] Plur. τὰ Μηδικὰ ap. [Aristoph. Lys. 653 : Τὸν ἔρανον τὸν λεγόμενον παππῷον ἐκ τῶν Μηδικῶν·] Historicos pro Res contra Medos gestæ, Bella Persica. Aristot. Polit. 5, [4] : Μετὰ τὰ Μηδικά. Ibid. : Μικρὸν ὕστερον τῶν Μηδικῶν. Et rursum, Ἐν τοῖς Μηδικοῖς. [Μηδικὸς λίθος

D Alex. Trall. 9, p. 165.] Inde Μηδοφόνοι, Medorum occisores, in bello sc. contra eos, s. contra Persas, gesto. Epigr. [Lollii Bassi Anth. Pal. 7, 243, 2. Et alibi in Anthologia. « Paul. Sil. Descr. S. Soph. 138. Plut. De glor. Athen. c. 7 : Μιλτιάδου τοῦ Μηδοφόνου. » Boiss.] Pro Μηδικὴ, s. Μηδία, dicitur etiam Μηδὶς, cujus Steph. B. meminit : ut Μηδὶς γυνὴ, Μηδὶς χώρα. [Herodot. 1, 91, de muliere.] || Denique a Medis est verb. Μηδίζω, Medos imitor. Item Medos sequor, h. e. Medorum partes sequor, Cum Medis s. Persis facio. [Herodot. 4, 144, etc.] Xen. Hell. 3, [1, 6] : Ὅτι μόνος Ἐρετριέων μηδίσας ἔφυγεν. [Thuc. 3, 62; Demosth. p. 1377, 12.] || Μηδισμὸς, ὁ, Cum Medis s. Persis facere. Herodot. [4, 165, etc.] : Ἐς τῶν Αἰγινητέων Μηδισμὸν ὀνειδίζων. [Demosth. p. 688, 24. « Diog. L. 2, 12. » Boiss.]

[Μῆδος, ὁ, Medus, fl. ex Media in Araxem fluens. Strabo 15, p. 729. || « Μῆδος, filius Bacchi, Plut. De fluv. 24, 1. » Boiss.]

Μῆδος, de quo nunc dicendum est, usitatiorem habet

plur. numerum μήδεα. Existimo autem ex hoc nomine fieri μήδομαι, non contra μῆδος ex μήδομαι. Si enim μῆδος ex μήδομαι factum esset, quidni itidem μέδος ex μέδομαι haberemus? Imo vero et hoc ipsum μέδομαι non immerito fortassis quispiam ex μήδομαι factum esse suspicetur: quamvis alioqui deductio a μέλομαι talis sit, quæ omnino rejici non possit. Quod autem ad ea attinet quæ θ habent (ex quibus sunt προμηθὴς, προμήθεια, et προμηθοῦμαι, nam μήθομαι aliunde esse existimatur), ea literam δ in θ mutarunt, eod. modo quo in οὐθεὶς, facto ex οὐδεὶς, mutatam esse videmus. Μῆδος, τὸ, Cura, Consilium. Sed singularis numeri exemplum non affertur: pluralis autem Μήδεα quum ap. alios poetas, tum ap. Hom. extat variis locis: Il. [Γ, 202: Εἰδὼς παντοίους τε δόλους καὶ μήδεα πυκνά·] Ω, [674]: Πυκινὰ φρεσὶ μήδε' ἔχοντες. Sic Od. Τ, [353]: Ἔστι δέ μοι γρηῦς πυκινὰ φρεσὶ μήδε' ἔχουσα. Habet Idem [Il. Ω, 88], pariterque Hesiodus [Th. 545]: Ζεὺς ἄφθιτα μήδεα εἰδώς. Apud hunc [Th. 559] extat etiam, Πάντων πέρι μήδεα εἰδὼς, de Prometheo. Apud illum cum gen., non semel: Il. [Π, 120]: Ἦ δὴ πάγχυ μάχης ἐπὶ μήδεα κείρει Δαίμων ἡμετέρης. [HSt. in Ind.:] « Ἐπιμήδεα, Consilia, VV. LL. Sed hic, sicut in aliis plerisque locis, præp. perperam nomini jungitur, quæ ad verbum pertinet. Nam quum scribit Hom. ἐπὶ μήδεα κείρει, ad verbum κείρει tendit præp. ἐπί: pro ἐπικείρει μήδεα. » Ap. Eund. [Il. Β, 340] (ut alios plerosque ll. omittam) extat nomen hoc μήδεα nomini βουλαὶ subjunctum: Ἐν πυρὶ δὴ βουλαί τε γενοίατο μήδεά τ' ἀνδρῶν, κτλ. Ubi fortasse non male μήδεα reddatur Curæ, (βουλαὶ autem Consilia,) ut μήδομαι est Curam gero. Alioqui dicendum esset ἐκ παραλλήλου poni duo illa nomina βουλαὶ et μήδεα. [Hesiod. Th 397: Ἦλθε δ' ἄρα πρώτη Στὺξ ἄφθιτος Οὔλυμπόνδε.. φίλου διὰ μήδεα πατρός· fr. ap. schol. Lycophr. 682: Ἴσα μήδεα ἴσμεν θνητοῖς ἀνθρώποις. Pind. Pyth. 4, 27: Μήδεσιν ἀμοῖς· 10, 11: Τεοῖς γε μήδεσι. Æsch. Prom. 603: Ἐπικότοισι μήδεσι. Poeta anon. ap. Stob. Ecl. phys. vol. 1, p. 172: Περιῶσι' ἄφυκτά τε μήδεα παντοδαπᾶν βουλᾶν.] || Μήδεα, Hesychio non solum βουλεύματα, Consilia: ut, Ἐν πυρὶ δὴ βουλαί τε γενοίατο, μήδεά τ' ἀνδρῶν· sed etiam τὰ αἰδοῖα, Pudenda, Verenda, ut [Od. Σ, 87]: Μήδεά τ' ἐξερύσας δώῃ κυσὶν ὠμὰ δάσασθαι. [Od. Ζ, 129: Πτόρθον κλάσε, ὡς ῥύσαιτο μήδεα φωτός· Σ, 67: Ζώσατο μὲν ῥάκεσιν περὶ μήδεα· Χ, 476: Μήδεά τ' ἐξέρυσαν. Hesiod. Th. 180: Φίλου δ' ἀπὸ μήδεα πατρὸς ἐσσυμένως ἤμησε. Iterum HSt.:] Μήδεα etiam scribitur pro μείδεα, i. e. τὰ αἰδοῖα, Genitalia: de qua scriptura v. quæ dixi in Φιλομμειδής. [Antonin. Lib. c. 17, p. 144 (118): Latona ἔφυσε μήδεα τῇ κόρῃ. Valck. || Urina. Oppian. Cyn. 4, 441: Λαγόνων τ' ἀπὸ μήδεα χεύῃ. Wakef.]

[Μηδοσάδης, ὁ, Medosades, Thrax, Xen. Anab. 7, 1, 5 seqq.]

[Μηδοσάκκου, βασιλέως Σαρματῶν, mentionem facit Polyæn. 8, 56.]

Μηδοσύνη, ἡ, Consilium, βουλὴ [Photio s.] Suidæ. [Simias Securi Anth. Pal. 15, 22, 1. ῠ]

[Μηδοφόνος, ὁ, ἡ. V. Μῆδος.]

[Μήδων, ωνος, ὁ, Medon, Berœensis, Persei regis Maced. legatus, Polyb. 27, 8, 5.]

[Μηθείς. V. Μηδείς.]

[Μηθίδη, ἡ, φυτὸν ὑπεραῖρον πάσης ἐλαίας μέγεθος, Plut. De Is. et Osir. p. 359, B. Quale autem fuerit illud φυτὸν, et unde nomen traxerit, nec ex illo Plutarchi loco, nec aliunde discere potui. Jablonsk. « Μηδίθης codd. Pariss. μηδίφθης Pol., Amiot., Mez., μηδιχῆς Baxt. » Wyttenb.]

[Μήθυμνα, ης, ἡ, Methymna, urbs Lesbi, dicta a Methymna f. Macaris, sec. Stephanum Byz., qui memorat etiam gent. Μηθυμναῖος, α, ον, quod est ap. Herodot. 1, 157, Polybium, Diodorum, Strab. 13, p. 617, qui etiam urbem memorat ib. 616, cum aliis plurimis. Forma Dor. Μάθυμνα est in inscr. ap. Lebas. *Inscr.* fasc. 5, p. 111, 112. De forma per ε v. in Μέθυμνα, Boissonad Herodian. Epim. p. 81. L. D.]

Μήθω s. Μήθομαι, inus. them. [quod fingunt grammatici, ut Etym. M.], ex quo μανθάνω mutuatur sua tempora, ut λανθάνω a λήθω, λαμβάνω a λήβω.

[Μηθώνη. V. Μεθώνη (ubi v. 2 leg. Μεθυμναῖος).]

A [Μηίω.] Μηΐειν, Galeno Lex. Hippocr. [p. 528] μασσᾶσθαι, ἐσθίειν. [Hesychii gl. Μίειν, ἐσθίειν, comparat Foes. in Œcon. Quod verbum sive sic sive μνίω scriptum, memoratur etiam in aliis Hesychii gll., quas annotarunt intt. Et μηίειν ex μνίειν depravatum videtur. Conf. etiam Μήδειν.]

[Μῆκα. V. Μηκάω.]

[Μηκαίνω, i. q. μηκύνω, si sana lectio Actt. Concc. t. 3, col. 701, 4, ubi: Μηκαίνειν τὸν λόγον. Hase.]

[Μηκάζω.] Utitur Nicander et verbo Μηκάζειν, a μηκάω derivato, et eand. retinente signif. Verum tribuit id homini qui toxicum biberit: Al. 214: Αὐτὰρ ὅ μηκάζει μανίης ὕπο μυρία φλύζων· ubi schol. exp. μηκᾶται ὡς πρόβατον, Balat ut ovis: poeta paulo post pro eo dicit generalius βοάα, Clamat, Vociferatur. [Synes. Ep. p. 285, D: Μηκάζον αἰπόλιον καὶ προβατίων βληχή. Greg. Nyss. t. 1, p. 62, B: Ἦ βληχᾶσθαι παντελῶς, ἢ μηκάζειν. Interpr.: Caprissare. Hase. Schol. Hom. Il. Ψ, 31: Οὐκέτι ὀρέχθεον (αἶγες), ἀλλ' ἐμήκαζον.]

[Μηκάομαι.] Μῆκα, Hesychio Cornua. Unde Μηκάδας B αἶγας secundum quosdam ab Hom. vocatas esse ait τὰς κερατώδεις, Cornutas. Sed horum opinio parum probabilis: revera enim αἱ αἶγες appellantur μηκάδες a verbo Μηκᾶσθαι significante Capris propriam vocem reddere: nam proprium capris est μηκᾶσθαι, ut βληχᾶσθαι ovium, et μυκᾶσθαι bovum. Sunt qui interpr. Balare: quum tamen id ovibus peculiariter conveniat, ut Mugire bobus: dicente tamen et Plin. 20, 14, de pulegio: Gustatum a pecore caprisque balatum concitat. [Exc. Phrynichi Bekk. An. p. 33, 8: Μηκᾶται αἲξ καὶ ἔλαφος. Gl.: Μηκᾶται ἐπὶ αἰγὸς, Mugit, Valat (sic).] Hom. præter. med. ovibus etiam tribuit: Il. Δ, [435]: Ἀζηχὲς μεμακυῖαι ἀκουσάμεναι ὄπα ἀρνῶν, Indesinenter balantes postquam audierunt vocem agnorum: nam et schol. id præteritum reddit per præsens μηκώμεναι. [Forma per η Il. Κ, 362: Ἢ κεμάδ' ἠὲ λαγωὸν ... ὁ δέ τε προθέῃσι μεμηκώς· Od. Ι, 439: Θήλειαι δ' ἐμέμηκον ἀνήμελκτοι.] || Μακὼν, exp. βοήσας, Vociferatus: forsan a μηκῶ. Hesych. Alii interpretantur In longitudinem extensus. Legitur ap. Hom. Il. Π, [469], Od. Σ, [97]
C et Τ, [454]: Καδδ' ἔπεσ' ἐν κονίῃσι μακών.

[Μηκάς, άδος, ἡ.] Adjectivo μηκάδες utitur non Hom. solum, quum alibi [Il. Λ, 383, etc.], tum Od. Ι, [124]: Βόσκει δέ τε μηκάδας αἶγας, sed Theocritus etiam [1, 87; 5, 100] et Comicus quidam [Antiphanes] ap. Athen. 10, [p. 449, C] caprinum lac gryphice vocans Μηκάδων αἰγῶν ἀπόρρουν θρόμβον. [Soph. fr. Amphiar. ap. Erotian. p. 306: Κυνὸς πέλης τε μηκάδος βοός. Eur. Cycl. 189: Μηκάδων ἀρνῶν. Callim. Apoll. 51, Orph. Lith. 191, Antiphil. Anth. Pal. 9, 123, 1. Lucian. D. mer. 7, 1: Θῦσαι μὲν τῇ Πανδήμῳ δεήσει λευκὴν μηκάδα.]

Μηκασμός, ὁ, Balatus. Plut. in Probl. Rom. [p. 290, A], de iis qui comitiali morbo corripiuntur: Μηκασμῷ παραπλησίαν φωνὴν ἀφιᾶσι. [Pollux 5, 87.]

[Μηκαφρόδιτος. V. Μηκώνιον.]

Μηκεδανὸς, ἡ, όν, ap. poetas, Longus, ea forma qua ex ῥῖγος dicitur ῥιγεδανός. [Etym. M. Hesych.: Μηκεδανὸν, μακρόν. Eudocia ap. Bandin. Bibl. Med. vol. 1, p. 234, 101: Μεγασθενέων καὶ μηκεδανῶν μεροπήων. Improprie Synes. p. 329, B: Μηκεδανὸν μήρυμα χρόνου.

D [Μηκεσίκρανος. V. Μακεσίκρανος.]

[Μηκέτι, Nunquam, Gl., Ne vel Non jam, Non amplius. V. Ἔτι vol. 3, p. 2154, B. Ubi quæ citata sunt exx., augeri possunt quum Homeri aliis, tum Hesiod. Op. 172: Μηκέτ' ἔπειτ' ὤφειλον ἐγὼ πέμπτοισι μετεῖναι ἀνδράσιν, etc. Pind. Ol. 1, 5: Μηκέθ' ἁλίου σκόπει ἄλλο θαλπνότερον ἐν ἁμέρᾳ φαεινὸν ἄστρον· 114: Μηκέτι πάπταινε πόρσιον· Æsch. Cho. 805: Γέρων φόνος μηκέτ' ἐν δόμοις τέκοι. Et aliorum quorumvis. Eadem autem lex est constructionis hujus particulæ, quæ particulæ μή, ut cum conjunctivo aoristi, imperativo præsentis conjungatur, ubi secunda verbi persona ponitur.]

Μηκὴ, ἡ, dicitur pro μηκασμὸς, Balatus, Caprarum vox: ut βληχὴ, Vox s. Balatus ovium: hoc, a βληχάομαι: illud, a μηκάομαι. Affertur autem id μηκὴ a schol. Hom. [Il. Δ, 435. Μήκη Od. Ι, 124. Wakef.]

[Μηκηθμὸς, ὁ, Balatus. Oppian. Cyn. 2, 359: Λισσομένην τοίοισιν ἀπόπροθι μηκηθμοῖσι. Schneid. Greg. Nyss. t. 1, p. 250, A: Διὰ τοῦ μ. τῆς ὄνου, Ruditu. Edit. perperam, μηκυθμοῦ. Hase.]

[Μηκητικὸς, ἡ, ὸν, Qui balare potest. Schol. Hom. Il. K, 383; Ψ, 31. Wakef.]

[Μηκίζω, i. q. μηκύνω. Eust. in Dionys. Per. 65. Wakef.]

[Μηκικὸς, ἡ, ὸν, Ad longitudinem pertinens. Bryenn. Harmon. p. 411, C : Κατὰ τὴν μηκικὴν αὐτῶν πάροδον. L. D. Procl. Hypotyp. p. 114, 29 : Τὴν μ. θέσιν. Id. ib. 1 : Τὰς ἑκάστου τῶν ἀστέρων μ. τε καὶ πλατικὰς θέσεις. Hase.]

[Μηκίνης, ου, ὁ, Mecines, n. pr. Chœrobosc. vol. 1, p. 49, 3. Nisi scribendum Μικίνης. L. Dind.]

[Μηκιονίκη, ἡ, Mecionice, mater Euphemi, ap. Hesiod. in schol. Pind. Pyth. 4, 35, Tzetz. ad Lycophr. 886, p. 858. tt]

[Μηκιστεὺς, έως, ὁ, Mecisteus, f. Talai, Argivorum princeps. Hom. Il. B, 566, Ψ, 678, Herodot. 5, 67, Apollod. 1, 9, 13, 1, qui etiam filium Lycaonis memorat 3, 8, 1, 3. Alius Græcus, f. Echii, Il. Θ, 333, N, 422, et ubi accus. Μηκιστῆ, O, 339. Patron. Μηκιστηιάδης de Euryalo, Mecistei primi filio, Z, 28. || Μηκιστεὺς epith. Herculis ap. Lycophr. 651, ubi apud Eleos sic dictum perhibet schol., Zonaram p. 1356.]

[Μηκιστήρ. V. Μακιστήρ. Ubi Μακιστὴρ scrib. in l. Pers., Μαστικτὴρ autem in l. Suppl., quod voc. hoc exemplo augendum.]

[Μηκιστογράφέω, Producta litera scribo. Ms. apud apud Miller. *Journ. des Sav. Nov.* 1838, p. 702 : Καὶ τὸ Ἄπρως μηκιστογραφῶ, ὡς τὸ Ἄθως. L. Dind.]

[Μήκιστον, τὸ, Mecistum. Steph. B.: M., πόλις Τριφυλίας. Ἑκαταῖος Εὐρώπη. Ἔστι καὶ ἄλλη τῆς Ἤλιδος. Τὸ ἐθνικὸν Μηκίστιος. Simillimum Μάκιστος.]

Μήκιστος, η, ον, Longissimus, Procerissimus. Hom. Il. H, [155] et Od. Λ, [308, utroque loco de hominibus, ut ap. Dionys. A. R. 6, 13]. Et μ. ὕψος, Philo De mundo, Maxima altitudo. [Orac. ap. Zosim. 2, 6 : Ἀλλ' ὁπόταν μήκιστος ἴκῃ χρόνος ἀνθρώποισι ζωῆς. Dionys. Per. 801 : Ποτὶ μηκίστου ῥόον Αἰγαίοιο. Aret. p. 32, 39, κόμαι. Eutecn. Paraphr. Opp. Ixeut. 3, 13, p. 197 : Μηκίστης ἐν τῷ μέσῳ ῥάβδου κειμένης. De urbe Pollux 9, 19. L. Dind.] || Item πρὸς μήκιστον, ap. Eund., pro In longissimum tempus, Diutissime. [Τὸ μ. αἰῶνος vel ἀνθρωπίνου αἰῶνος, Xen. Ages. 1, 15; 10, 4.] Quo dicitur modo ἐπὶ μήκιστον a Luciano, Ζώης ἐπὶ μήκιστον. Ita enim scrib. censeo potius quam ἐπιμήκιστον conjunctim. [Ἐπὶ μ. συνεγενόμην, Demonact. c. 1. Courier.] Xen. autem dixit μήκιστον pro Longissime significante Maxime procul, Cyrop. 4, [5, 28]: Ἀλλ' οἱ τοὺς ἐχθροὺς μήκιστον ἀπελαύνοντες, μᾶλλον τοὺς φίλους ἐν ἀκινδύνῳ καθιστᾶσι. [Cum artic. Lucian. Hermotim. c. 50 : Μὴ πλείω βιῶναι τὸ μ. ἐτῶν ἑκατόν.] || Apud Homerum autem μήκιστα exp. Tandem : Od. E, [465] : Ὦ μοι ἐγὼ τί πάθω; τί δέ [νύ] μοι μήκιστα γένηται; [H. Cer. 258 : Καὶ σὺ γὰρ ἀφραδίῃσι τεῆς μήκιστον ἀάσθης. Apoll. Rh. 4, 1364 : Ἔνθα τὸ μήκιστον τεράων Μινύαισιν ἐτύχθη. Aliter idem 1, 82 : Ὡς οὐχ ἀνθρώποισι κακὸν μήκιστον ἐπαυρεῖν, Nullum adeo remotum.] Μάκιστος ap. Soph. pro μήκιστος : ejus schol. exp. μέγιστος. [OEd. T. 1301 : Τίς ὁ πηδήσας μείζονα δαίμων τῶν μακίστων πρὸς σῇ δυσδαίμονι μοίρᾳ; Ph. 849 : Ἀλλ' ὅτι δύναιο μάκιστον. Æsch. fr. Orithyiæ ap. Longin. De subl. c. 3 : Μάκιστον σέλας. || Forma Μηκίστατος est ap. Gregor. Naz. vol. 2, p. 187, C, μηκιστάτην. L. Dindorf.]

[Μήκοθεν, Ex longinquo, Longe. Fab. Æsop. 356 Fur. : Ἀλώπηξ μήκοθεν στᾶσα. Et sæpius. Etym. M. p. 465, 53; schol. Lucian. Hipp. c. 2. Macar. Alexandr. in Cavei Hist. Liter. p. 164. Schneid. Paul. Æg. 5, p. 171, 5 : Ἐπιφέρει σκοτώματα καὶ ἀχλῦς, ὥστε μήκοθεν μηδ' ἐπ' ὀλίγον βλέπειν. Eust. Il. p. 42, 22. Hemst. Alia plurima exx. præter Ducangium annotavit Hasius ad Leon. Diac. p. 266-7, quorum in nonnullis scribitur μηκόθεν.]

Μηκοποιέω, Longitudinem addo; ad verbum, Longitudinem facio. In VV. LL. In longum produco. At μηκοποιήσας ibid., Qui produxit.

Μῆκος, ους, τὸ, Longitudo, Prolixitas [Gl.], Proceritas. [Hom. Od. I, 324 : Τόσσον ἔην (ῥόπαλον) μῆκος, τόσσον πάχος εἰσοράασθαι. Pind. Pyth. 4, 245 : Πάχει μάκει τε (draconis) · Ol. 11, 75 : Μᾶκος Ἐνικεὺς ἔδικε πέτρῳ χέρα κυκλώσαις ὑπὲρ ἁπάντων. Eur. Hel. 1268 :

A Πόσον δ' ἀπείργει μῆκος ἐκ γαίας δόρυ; Ion. 1137 : Πλέθρου μῆκος. Aristoph. Av. 1130, Herodot. 4, 195, et alii quivis.] Plato Timæo [p. 36, B] : Ταύτην οὖν τὴν ξύστασιν πᾶσαν, διπλῆν κατὰ μῆκος σχίσας· Cic. : Hanc igitur omnem conjunctionem, duplicem in longitudinem diffidit. [Cum ead. præp. Arat. 516. Ἐπὶ μῆκος 556.] Diosc. [2, 185] : Θλάσπι βοτάνιόν ἐστι στενὸν τοῖς φύλλοις, ὡς δακτύλου μῆκος · Plin. : Thlaspe angustis foliis, digitali longitudine. Et φάλαγγος μῆκος ap. Herodian. [4, 15, 12], sicut βάθος : item ὁδοιπορίας μῆκος [3, 7, 17], Itineris longitudo. [Μῆκος, τόπου διάστημα, Spatium, Gl. Æsch. fr. ab Etym. M. v. Δι' ἀσπίδεος cit.: Μῆκος ὁδοῦ. Et cum eod. nomine sæpius Xenophon. Μῆκος πλοῦ Plato Menex. p. 243, A.] Sic μῆκος τοῦ χρόνου, Isocr. in Helen. Enc. [p. 217, E], Longitudo temporis. [Prolixitas, Gl. Æsch. Prom. 1019 : Μακρὸν δὲ μῆκος ἐκτελευτήσας χρόνου · Ag. 609, Soph. Tr. 69 : Ἐν μήκει χρόνου · Suppl. 57 : Γνώσεται δὲ λόγους τις ἐν μάκει. Soph. Ant. 393 : Ἡ γὰρ ἐκτὸς καὶ παρ' ἐλπίδας χαρὰ ἔοικεν ἄλλῃ μῆκος οὐδὲν ἡδονῇ. Eur. Or. 72 : Μακρὸν μῆκος χρόνου. Plato Leg. 3, p. 683, A : Ἐν χρόνου

B τινὸς μήκεσιν ἀπλέτοις.] At e Xen. [Cyrop. 4, 3, 16] affertur Ἐξ ὄψεως μήκους, pro Ex longo prospectu. Quum vero dicitur μῆκος λόγου s. λόγων ab [Æsch. Eum. 201 : Τοσοῦτο μῆκος ἔκτεινον λόγου · Soph. OEd. C. 1139 : Οὔτ' εἴ τι μῆκος τῶν λόγων ἔθου πλέον·] Thuc. [4, 62] et Plat. [Tim. p. 51, C, etc.], itidemque μῆκος ἐπιστολῆς ap. Dem. In Epist. Philippi, aptius redditur Prolixitas. [Absolute Soph. Ant. 446 : Εἰπέ μοι μὴ μῆκος, ἀλλὰ σύντομα.] || Ap. Hom. autem exp. Proceritas, Od. Y, [71] : Ἥρη δ' αὐτῇσιν πέρι πάσεων δῶκε γυναικῶν Εἶδος καὶ πινυτὴν, μῆκος δ' ἔπορ' Ἄρτεμις ἁγνή. [Λ, 312 : Μῆκός γε γενέσθην ἐννεόργυιοι. Gl. : Μῆκος τοῦ ἀνθρώπου, Statura, Longitudo; Μῆκος ἡλικίας, Statura, Gl. Hesychius quod scribit : Μῆκος, μακρὸς, fort. scribendum μάκρος. || Improprie Empedocl. 11 : Ἐξ οἵης τιμῆς τε καὶ ὅσσου μήκεος ὄλβου ὧδε πεσών. Similiter dicitur μακρὸς πλοῦτος et εὐμήκεις τύχαι a Ps.-Eurip. Iph. A. 596. || « Μῆκος pro libri seu voluminis forma in Indice Ms. Bibliothecæ Monasterii S. Tri-

C nitatis Insulæ Chalces : Μῆκος πρῶτον, Μῆκος πάμπρωτον, Μῆκος κατάπρωτον, Μῆκος πρωτοδεύτερον, Μῆκος δευτερόπρωτον, Μῆκος τρίτον μικρόν. » Ducang.] Μᾶκος, Dor. pro μῆκος, Longitudo, etc., ut paulo ante dictum fuit. [Exx. v. supra. Aristoph. Ach. 909 : Μικκός γε μᾶκος οὗτος.]

[Μηκότης, ἡ, i. q. μῆκος. Galen. vol. 19, p. 478, 8 : Οὐδὲ μ. οὐδὲ τῶν ἄλλων τι συμβεβηκότων. Hase.]

[Μηκύβερνα, ἡ, Mecyberna. Steph. B. : M., πόλις Παλλήνης τῆς ἐν Θράκῃ Χερρονήσου. Ἑκαταῖος Εὐρώπῃ. Ὁ πολίτης Μηκυβερναῖος, cujus exx. addit. Memorat etiam Herodot. 7, 122, Thucyd. 5, 39, Diodor. 12, 77; 16, 53, Strabo epit. 7, p. 330. Gentile Μηκυβερναῖος ap. Thuc. 5, 18. L. D. Inscr. ap. Franz. Elem. epigr. gr. p. 121, 9 : Μηκυπερναῖοι. Hase.]

[Μήκυνσις, εως, ἡ, Productio. Schol. Dionys. Bekk. An. p. 822, 23, de syllaba. L. Dind.]

[Μηκυντέον, Producendum. Iamblich. In Nicom. p. 33, C : Τὴν προτέραν ἔκθεσιν μ. L. D. Epist. Socrat. 30, p. 36 m. Boiss.]

D [Μηκυντικὸς, ἡ, ὸν, Producens. Apollon. De advv. p. 577, 26 : Μᾶλλον μηκυντικοί εἰσι (Attici) κατὰ τὰ φωνήεντα. L. Dind.]

Μηκύνω, Longum facio, Produco [Longo, Protollo, Gl.] : a cujus pass. Μηκύνομαι est partic. μηκυνομένη συλλαβὴ, Syllaba quæ producitur. [Xen. Hipparch. 4, 9 : Τὸ μέτωπον μηκύνοιεν ἂν τῆς τάξεως.] Æschin. autem in Epist. [9, ubi fut.] voce activa μηκύνειν pro passiva utens, dixit νόσον μηκύνειν, Morbum protrahi. || Sæpe etiam usurpatur hoc verbum de prolixitate sermonis. [Herodot. 2, 35 : Ἔρχομαι περὶ Αἰγύπτου μηκυνέων τὸν λόγον.] Ἐξ ὧν ἄν τις καὶ τὸν ἔπαινον καὶ τὴν ἀπολογίαν μηκύνειεν, Isocr. Busir. [p. 229, E.] Et μηκύνειν τι ap. Thucyd. non semel [2, 42], Verbose explicare, Pluribus verbis disserere de re aliqua. [Plat. Theæt. p. 151, B.] Sed Idem [4, 17, et Plato Phil. p. 50, D] dixit etiam μηκύνειν λόγους, et quidem addens μακροτέρους, quod supervacaneum est. [Aristoph. Lys. 1132 et] Plato autem [Reip. 4, p. 437, A etc.] μηκύνειν sine adjectione etiam dixit pro μακρολογεῖν. [Soph. El. 1484 : Μηκύνειν λόγους· OEd. C. 1120, λόγον. Sed ib. 489 : Ἄπυστα φωνῶν μηδὲ μηκύνων βοήν, de voce summissa dicitur. Eur. Herc. F. 87 : Μὴ θανεῖν ἑτοῖμον ᾖ, χρόνον δὲ μηκύνωμεν ὄντες ἀσθενεῖς· 143 : Τίν' ἐς χρόνον ζητεῖτε μηκῦναι βίον ; Apoll. Rh. 4, 151 : Μήκυνε δὲ μυρία κύκλα. Callim. Dian. 182 : Τὰ δὲ φάεα μηκύνονται, de diebus longioribus. Apoll. Rh. 4, 961 : Ὅσση εἰαρινοῦ μηκύνεται ἤματος αἶσα· 1616 : Κήτεος ὁλκαίη μηκύνετο. Dionys. Per. 971 : Συρίης δολιχὴ μηκύνεται αἶα· 412 : Ἧχι καὶ ὠγύγιος μηκύνεται ὕδασι Λάδων. Xen. Comm. 3, 13, 5 : Περαιτέρω τοῦ μετρίου μηκύνειν τὰς ὁδούς. Plato Polit. p. 282, E : Μηκυνθέν τε καὶ σχὸν πλάτος· Theæt. p. 184, A : Μηκυνόμενος (λόγος). Dionys. A. R. 9, 13 : Χρόνος ἐμηκύνθη τοῦ ἀγῶνος, ubi cod. Vatic. ἐμηχύσθη. Perf. pass. ap. Philodemum p. 25, 21 ed. Dübner. : Ἤδη μεμηκυσμένον τὸ σύγγραμμα καταπαύσομεν. « Et Eust. ad Dionys. p. 96, 23. » Boiss. || Μακύνω Pind. Pyth. 4, 286 : Οὐ μακύνων τέλος οὐδέν. || Medio epigr. Anth. Pal. 6, 171, 1 : Αὐτῷ σοὶ πρὸς Ὄλυμπον ἐμακύναντο κολοσσὸν τόνδε Ῥόδου ναέται Δωρίδος, Ἀέλιε, de colosso Rhodio.]

[Μηκυσμὸς, ὁ, Productio. De vocali brevi Eust. Il. p. 81, 6 : Ἡ τῶν ψιλῶν συμφώνων ἐπιφορὰ βοηθεῖν εἰς μηκυσμὸν δύναται τῷ βραχεῖ φωνήεντι.]

Μήκων, ωνος, [ὁ, Polemo ap. Athen. 11, p. 487, D : Μήκωνες λευκοί. Polyæn. 8, 6 : Τοὺς ὑψηλοτάτους μήκωνας ἀποκλάσας,] ἡ, Papaver [Gl.] : nomen et herbæ et seminis : ejus quatuor produntur differentiæ : unum, sativum sive hortense, cujus tria genera observant : primum, capitulo longo et semine candido, quod panibus sanitatis usu inspergitur, vel tostum in secunda mensa bellarii modo editur : secundum, cui caput insidens demissumque est, et semen nigrum, quod πιθῖτις vocatur et ῥοιάς, quia ejus scapo lacteus succus emanat : tertium, magis sylvestre, multo hoc longius et productiore capitulo. Alterum genus papaveris, erraticum est, quod ῥοιάδα proprie vocant, quia flos ejus protinus decidit : id in arvis nascitur flore interdum puniceo, interdum albo, capite oblongo, sed minore quam est caput anemones, cui similis est. Tertium est quod κερατῖτις μήκων dicitur, Papaver corniculatum, flore pallido, calyculo fœnigræci in corniculorum modum inflexo, semine papaveris pusillo nigroque. Quartum, ἀφρῶδες, h. e. Spumeum, dictum, quia totum colore candido spectatur atque spumeum ; vocatur ab aliis Ἡράκλειον. Hæc inter alia Gorr. V. et Theophr. 9, 13 [et Schneider. Ind. ad Theophr., qui de generibus modo memoratis pluribus egit ibid.]; Plin. 20, 18, 19; et 19, 8. V. item Diosc. 4, 64, 65, 66, 67. [Foes. OEcon. Hipp. : « Μήκων, tum herbam, tum semen significat. Verum Hipp. interpretes μήκωνα interdum Papaver, interdum etiam Peplum sumunt, quod πέπλος μήκων ἀφρώδης dicatur Galeno et Dioscoridi 4, 168. Sic p. 407, 7 : Ῥοφήματα δὲ μήκωνος τῆς λευκῆς ὑποτρίψας ὁκόσον λεκίσκιον· p. 580, 26 : Μήκωνος λευκῆς ὅσον πεμπτημόριον ἡμιχοινικίου. Ib. p. 581, 20, μήκωνα ὀπτὴν ponit, Peplum tostum, pro quo eadem in re μήκωνα λεπτὴν scribit p. 657, 50, sed Corn. μήκωνα λευκὴν, Peplum album, legit, quemadmodum p. 614, 53, μήκωνα λευκήν, Peplum album, exhibet Hipp. Rursus in fluore albo muliebri μήκωνα λευκὴν πιπίσκειν suadet p. 641, 39, et p. 639, 35, μήκωνος καρπὸν in fluore muliebri rubro pepli semen cum polenta cribratum exhibet. Et rursus p. 645, 13 : Μήκωνα τρίψας διεὶς ὕδατος κυάθοις τρισὶ δίδου πίνειν. Et p. 643, 29, μήκωνος τὸ κέλυφος, Pepli corticem, propinat. Et p. 667, 35, μήκωνα ἁδρὰν, Peplum plenum. P. 576, 52, τῶν μηκώνων πίνειν dicitur pro Pepli aut meconii succo potu exhibito, quod eadem in re etiam repetitur p. 611, 47. Et p. 577, 53, τῶν μηκώνων τῶν λευκῶν, Pepli albi succum, pro quo μήκων λευκὸς eadem in re scribitur p. 647, 11. Quibus in ll. quid. m papaveris succum aut semen sumunt, Peplum tamen intelligere certe præstat. At μήκωνος ὀπὸς Papaveris succus dicitur interpretibus p. 670, 24, ut et ibid. 27, ὑπνωτικὸν μηκώνιον, Somnifer papaveris succus, et ἡ μέλαινα μήκων καὶ ἡ λευκή, p. 357, 34. » Aristoph. Av. 160 : Καὶ μύρτα καὶ μήκωνα καὶ σισύμβρια. Orph. Arg. 919. Thuc. 4, 26 : Κολυμβηταὶ ὕφυδροι, καλωδίῳ ἐν ἀσκοῖς ἐφέλκοντες μήκωνα μεμελιτωμένην· ubi v. schol.] A Nicandro [Al. 433] ἡ μήκων dicitur κεβληγόνος, quoniam semen et veluti fœtum suum in capite fert : quod caput κωδίαν nominare solent s. κωδύαν. Hom. κάρη etiam appellat, Il. Θ, [306] : Μήκων δ' ὣς ἑτέρωσε κάρη βάλεν, ἥτ' ἐνὶ κήπῳ Καρπῷ βριθομένη νοτίῃσί τε εἰαρινῇσι. Et hujus imitatione Caput Virg. Æn. 9 : Lassoque papavera collo Demisere caput, pluvia quum forte gravantur. [Μήκωνος ὀπὸς, Opium, Gl. Nicand. Th. 946 : Μήκωνος φιαρῆς ὀπόν. || Forma Dor. Theocrit. 7, 157 : Δράγματα καὶ μάκωνας ἐν ἀμφοτέρῃσιν ἔχοισα· 11, 57 : Ἢ μάκων ἁπαλὸν ἐρυθρὰ πλαταγῶνι' ἔχοισαν.] || Hesychio μήκων est etiam ἡμεροπίτυς, et ὕφασμα βύσσινον, necnon περίττωμά τι τῆς πίννης et ceterorum ostreorum, ut et Aristot. H. A. 4, 4, scribit τὴν μήκωνα esse veluti περίττωμα πᾶσι τοῖς ὀστρακηροῖς : esse autem ἐν τῷ πυθμένι, εἶτα ἐπικάμψασαν, ἄνω φέρεσθαι πάλιν πρὸς τὸ σαρκῶδες· unde ἑλίκην ei tribuit, dicens, Ἡ δὲ ἀρχὴ τοῦ ἐντέρου περὶ τὴν ἑλίκην τῆς μήκωνος. Sicut vero ibid. ait μέχρι τῆς μήκωνος ἥ ἐστιν ἐν τῷ πυθμένι : ita Athen. 3, [p. 91, F, ex Diphilo Siphn.] de buccinis : Τούτων δὲ αἱ μήκωνες λεγόμεναι πρὸς τοῖς πυθμέσιν, ἁπαλαί. Rursum Aristot. H. A. 5, 15, de purpuris : Τὸ δὲ ἄνθος ἔχουσιν ἀνὰ μέσον τῆς μήκωνος καὶ τοῦ τραχήλου· Plin. vero 9, 36, scribit purpuras florem illum tingendis expetitum vestibus, in mediis habere faucibus. [De partt. an. 4, 5 med. : Τούτου δ' ἔχεται ἡ κοιλία, ἐν ᾗ ἡ καλουμένη μήκων, ἀφ' ἧς συνεχές ἐστιν ἔντερον ἁπλῆν τὴν ἀρχὴν ἔχον ἀπὸ τῆς μήκωνος. L. D. Athen. 3, p. 88, C : Τὸ δ' ἐντὸς τῆς πίννης Ἐπαίνετος ἐν Ὀψαρτυτικῷ καλεῖσθαί φησι μήκωνα. Valck.] Ex Æliani quoque Hist. anim. tradit Suid. μήκωνα esse μέρος τι τῶν ἐντοσθίων τοῦ πολύποδος τοῦ ἰχθύος, ὃς κεῖται ἐπάνω τῆς κοιλίας οἱονεὶ κύστις ἐν αὐτῇ ἔχουσα τὸν θολόν. Sic Athen. 7, [p. 316, D] de polypo itidem : Ἔχει δὲ τὸν λεγόμενον θολὸν οὐ μέλανα, καθάπερ σηπία, ἀλλ' ὑπέρυθρον ἐν τῷ λεγομένῳ μήκωνι· ὁ δὲ μήκων κεῖται ἐπάνω τῆς κοιλίας, οἱονεὶ κύστις· ut sit Folliculus et veluti vesica supra ventrem sita in qua suum gerit atramentum. Ubi etiam nota eos masculino genere dicere ὁ μήκων. [Oppian. Hal. 3, 157 : Σηπίαι αὖ τοίῃσι δολοφροσύνῃσι μέλονται. Ἔστι τις ἐν μήκωσι δόλος κείνῃσι πεπηγώς.] || Μήκων ap. Metallicos dictum fuit etiam ψάμμου τι εἶδος, teste Polluce 7, c. 27 [§ 100], forsan a similitudine seminis papaveris, ut κέγχροι a milii similitudine nominantur arenulæ aureæ. [Ἄμμος μεταλλικὴ Photio.] || Μήκωνες, οἱ, dicuntur esse etiam Pisces quidam gregales ap. Aristot. H. A. 9, [3, 1, ubi μήκονες ab optimis libris abest]; Gazæ Papaveres. [|| Hesych. : Κρατηρίσκοι, οἱ τοῦ ὀφθαλμοῦ, οἳ καὶ μήκωνες λέγονται. || Pausan. 5, 20, 9 : Ἐπὶ κορυφῇ δέ ἐστι τοῦ Φιλιππείου μήκων χαλκῆ, σύνδεσμος ταῖς δοκοῖς. De accentu v. Arcad. p. 16, 15. L. D. Peculiaris est Mich. Frid. Lochneri scriptio : Μηκωνοπαίγνιον s. de Papavere, edita Norimberg. 1719, in-4°. Hase.]

[Μήκων, ωνος, ὁ, Meco, pictor, ap. Lycurgum ab Harpocratione citatum. Quem Salmasius eundem esse conjicit qui in prov. Μήκων Βούτην ἔγραψεν memoretur. Et Μήκων, ὄνομα κύριον ponunt etiam Suidas et Moschop. Sed, quod de his animadvertit jam Boiss. ad Herodian. Epim. p. 85, scribendum Μίκων, q. v.]

[Μηκωνάριος, α, ον, i. q. μηκωνικός. Democrat. ap. Galen. vol. 14, p. 130, 2 : Μ. τοῦ σπέρματος. Hase.]

[Μηκώνειος, ὁ, Papavereus. Philostr. De gymnas. p. 6, 19 : Ἄρτοις τε μηκωνείοις καὶ ἀπεπτημένοις ἑστιῶσα. Cit. Boiss.]

[Μηκώνη, ἡ, Mecone.] Denique παρὰ τὴν μήκωνα dicta Μηκώνη fertur, quod ibi primum Ceres papaveris fructum invenerit, Etym. : Suid. urbis nomen esse dicit. [Hesiod. Th. 536 : Ὅτ' ἐκρίνοντο θεοὶ θνητοί τ' ἄνθρωποι Μηκώνῃ. Ubi scholl. monent esse nomen antiquius Sicyonis, sec. Strab. 8, p. 382. Idem dicit schol. Pind. Nem. 9, 123, Callimachi versum addens. L. D. Conf. Rossignol. *Journ. des Sav.* 1837, p. 43. Hase.]

Μηκωνικός, ή, όν, Papavereus, s. Qui papaveris est : ut σπερματια μηκωνικὰ, Athen. 2, [p. 66, E, ex Theophr. H. Pl. 9, 20, 1], Semina papaveris, s. Semina papaverea : ut Ovid. dicit Papavereæ comæ, de capite papaveris.

[Μηκώνιον, τό.] Est autem Μηκώνιον, Succus papaveris, qui ὄπιον etiam alio nomine vocatur. Sunt tamen qui ea distinguant, Plinium secuti, qui 20, 18, scriptum reliquit, quum capita ipsa et folia papaveris decoquuntur, succum Meconium vocari, multo opio ignaviorem. [Theophr. H. Pl. 9, 8, 2 : Εἰς ἀγγεῖα συνάγουσιν, ὥσπερ καὶ τὸν τοῦ τιθυμάλλου ἢ μηκωνίου· καλοῦσι γὰρ ἀμφοτέρως. Hippocr. De vict. rat. in acut. morb. p. 407, 39, τὸ μηκώνιον τὸ ἀπὸ τῶν κοπρίων collectum servari jubet, quem l. male interpretatur Foes. Conf. Heringa Obss. p. 209. SCHNEIDER. Ind. Theophr.] Μηκώνιον vocat Hippocr. τὸν πέπλον καλούμενον : quem et μηκωνίτην nominat : inquit Galen. in Lex. Hippocr. [Existimo locum p. 535, 33, ab eo subindicari, quum in pulmonis erysipelate ventrem purgat τῷ τοῦ πεπλίου καὶ τῆς μηκωνίδος καὶ τοῦ κόκκου τοῦ Κνιδίου. Sic enim lego, quum passim μηκόνιδος legatur, existimoque ap. Galen. μηκωνίδα pro μηκωνίτην legendum. Quanquam μηκωνὶς aut μηκωνῖτις lactucæ atræ, amaræ et lactentis genus quoddam est, etc. (V. Μηκωνίς.) FOES. OEcon. Hipp. Aret. p. 75, 18.] Sic Plin. 27, 12 : Peplos, quam aliqui Sycen, alii Meconion aphrodes vocant : pro his Diosc. 4, 168 : Πέπλος· οἱ δὲ συκῆν, οἱ δὲ μήκωνα ἀφρώδη καλοῦσι. Hanc μήκωνα ἀφρώδη ab Aetio vocari Μηκαφρόδιτον, et commendari in potu contra viperas, auctor Gorr. Rursum μηκώνιον dicitur Excrementum illud quod pueri primum emittunt, forsan a coloris aut spissitudinis similitudine. Scribit enim Aristot. H. A. 7, 10, infantem recens editum ἀφιέναι περίττωμα, et quidem πλέον ἢ τοῦ παιδὸς κατὰ μέγεθος : hoc a mulieribus vocari μηκώνιον : ejus χρῶμα esse αἱματῶδες καὶ σφόδρα μέλαν καὶ πιττῶδες· μετὰ δὲ τοῦτο ἤδη γαλακτῶδες· quoniam sc. lac sugere incipit. Sic Aet. Serm. 4 Tetrab. 1, 3, infantis recens nati anum digitis diduci jubet : eo enim modo ipsum τὸ μηκώνιον λεγόμενον ἐκβάλλειν. Plin. 28, 4, in ipso utero emitti has sordes ab infante ait. Rursus, inquit, de sordibus humanis loquens, in feminis, infantium alvo editas sordes in utero ipso, contra sterilitatem subdi censent : Meconion vocant. Et Celsus 7, 29 : Solet evenire ut is infans humore distendatur, ex eoque profluat fœdi odoris sanies : loquens de partu intus mortuo. [Hippocr. p. 409, 25 : Τὸ μ. περίττωμα ὃν ἐξ ὅλης τῆς τοῦ ἐμβρύου τροφῆς ἐστίν. Scribitur interdum non recte μηκώνειον, ut ap. Cramer. An. vol. 3, p. 411, 29.]

[Μηκωνὶς, ίδος, ἡ, Papaver, Gl.] Μηκωνὶς θρίδαξ, species Lactucæ atræ : sic vocata a copia lactis soporiferi, teste Plin. 19, 8 : Quanquam enim omnes lactucæ somnum parere dicantur, hæc tamen multo magis, papaverea quadam vi prædita. Meminit ejusd. idem Plin. 20, 7; et Galen. τῶν Κατὰ τόπους 8, 4. Apud Aetium 15, μηκωνῖτις dicitur, ut tradit Gorr., qui et ipse μηκωνίδα esse scribit Lactucæ atræ, amaræ et lactentis quoddam genus, sic dictum a copia lactis soporiferi, quo somnum inducit non aliter quam τὸ μηκώνιον. [Nicander Th. 630 : Ἄγρει μὰν ὀλίγαις μηκωνίσι ῥάμνον ἐΐσην. || Forma Dor. « Alcman ap. Athen. 3, p. 111, A : Τράπεσδαι μακωνίδων ἄρτων ἐπιστέφοισαι, Papavere sparsorum. » VALCK.]

[Μηκωνὶς, ίδος, ἡ, Meconis, meretrix ap. Theophilum Athen. 13, p. 587, F. BOISS.]

Μηκωνίτης λίθος, ὁ, Gemma papavera exprimens, auctore Plin. 37, 10. [Conf. Μηκώνιον.]

[Μηκωνῖτις. V. Μηκωνίς.]

[Μηκωνοειδὴς, ὁ, ἡ, Papaveris speciem habens, Suid.]

[Μηλάβδας, ὁ. V. Μῆλον sub finem.]

[Μηλάγριον, τὸ, Pomum silvestre. Cyrill. mon. Vita Joann. Silent. Actt. SS. Maii t. 3, p. 18, 38 : Οὐδὲν ἐνταῦθα βρώσιμον ἔχομεν πλὴν τῶν μ. τούτων. HASE.]

Μηλάνθη, ἡ, ut Eust. [Il. p. 1329, 26] annotat ex quodam vet. auctore, ζῶον μεῖζον σφηκὸς ἐκ τῆς ἀνθήσεως τῶν μηλεῶν γεννώμενον, ἢ ἀρχομέναις ἀνθεῖν προσιπτάμενον· οὗ παῖδες λίνον τρίπηχυ ἐξάπτοντες, ἐῶσι πέτεσθαι, καὶ φερομένου δι' ἠέρος ἑλικοειδῶς, ἡδόμενοι τῇ θέᾳ παρέπονται, τὰς χεῖρας ἐπικροτοῦντες. Atticis autem μηλόνθην vocari scribit, et non ab ὄνθος, sed ἄνθος compositum esse : alio vero nomine χρυσαλλίδα quoque appellari. V. Χρυσαλλίς. [Herodi ap. Stob. Fl. 78, A 6, 3 : Ἡ ταῖσι μηλάνθῃσιν ἅμματ' ἐξάπτων, restituit Gaisf., quum μηλάνθαισιν esset in codd., vulgo μηλολόνθης. Ita vero aut μηλάνθαισιν aut τῇσι scribendum. Suidas : Μηλάνθη, εἶδος ζῴου μικροῦ. || « Μηλάνθη et Μηλολόνθη, εἴδη βοτανῶν in Glossis Mss. ex cod. Colberteo 2218 (s. Zonara p. 1357). V. Χρυσοκάνθαρον. DUCANG. Μηλάνθη arboris nomen apud Philostr. Imag 1, p. 803, 12 : Οὐδὲ συκῆν καταλέλοιπεν οὐδὲ μῆλον ἢ μηλάνθην. HEMST. Rectius intelligi videtur quod Homerus dicit ἄνθη μήλου, de quo v. in Μῆλον sub initium.]

[Μηλασπαῖοι, ἐθνικὸν, Zonaras p. 1356.]

Μηλάτης, ὁ, Ovium pastor. Bœotice Μηλατάς, idem. Nam μηλατὰν a Bœotis vocari τὸν ποιμένα tradit Hesych. [Zonar. p. 1357 : Μηλάτης, ὁ ποιμήν. Eust. Il. p. 877, 50 : Ποιμένων, οἳ καὶ προβατεῖς καλοῦνται καὶ μηλᾶται. Infra Μηλωτής. Cujus si Dorica forma esset μηλατης, non solum accentus in ultima ponendus foret, sed etiam μαλατὰς, potius quam μηλατὰς dicendum.]

[Μήλατον, τό.] Μήλατα, τὰ, Oves : unde gen. B μηλάτων, ut μηλάτων ἀπάργματα : quæ verba Eust. in exemplum affert, auctoris nomen tacens, sed videntur ex quopiam Tragico esse sumpta. [Sunt Lycophronis 106.] Affert autem gen. hunc μηλάτων in exemplum metaplasmi : qualem esse ait in προσώπασι pro προσώποις, et ἔγκασι pro ἐγκάτοις, nec non ὀνείρασι et ἄστρασι. At in VV. LL. habetur nominat. sing. Μήλατον : quem ego testimonio quopiam idoneo posse confirmari non puto; sed temere potius ascriptum ab aliquo fuisse, tanquam sc. μήλατον dici necesse esset, si μήλατα diceretur. Atqui eadem ratione constituendus esset nominativus sing. πρόσωπας tanquam usitatus, quoniam προσώπατα et προσώπασι legimus : eod. modo ὄνειρας sicut ὀνείρατα et ὀνείρασι dici scimus : idemque et de aliis sentiendum esset : quum contra ubi est μεταπλασμὸς (sicut in his esse grammatici omnes testantur) talis, ut ita dicam, analogia minime quærenda sit. Adde quod μήλατα, si sequatur illam dativorum προσώπασι et ὀνείρασι declinationem, dativum habebit itidem μήλασι : ideoque nominativum sing. μῆλας, C ατος, τὸ, non μήλατον. Ceterum quod hic de nominativo sing. μήλατον dico, idem infra de μηρὸν dicam, nominativo singulari neutrius generis, qui itidem in VV. LL. habetur, tanquam, si μηρὰ per metaplasmum in usu sit pro μηροὶ, usurpari μηρὸν quoque necesse sit. Sed verisimilius tamen esset hoc μηρὸν quam illud μήλατον usurpari.

[Μηλαφέω.] Μηλαφῆσαι, Hesychio [et Photio] ψηλαφῆσαι, Tangere, Contrectare. [Eust. Od. p. 1390, 30 : Μῆλα τὰ θρέμματα, ἐξ ὧν καὶ τὸ μηλαφῆσαι, περὶ οὗ φασιν οἱ παλαιοὶ ὅτι μηλαφῆσαι τὸ ψηλαφῆσαι. Etym. M. p. 818, 21.]

[Μηλέα.] Nomini Μηλέα, s. potius nomini μῆλον, quam originem tribuere videatur Etym., dicam postea, ubi agam de altero nomine μῆλον, quo significatur Ovis. De hoc tantum in præsentia lectorem monitum volui : quamvis Μηλέα hic ponatur ante Μῆλον, Arboris nomen ante nomen Fructus, sicut et in quibusdam aliis hujusmodi factum fuit (quod etiam rationi maxime consentaneum esse videtur), Tryphonem tamen D ap. Athen. 2, [p. 53, B] ἀμυγδάλη nomen fructus, pro ἀμύγδαλον, prius esse censet quam Arboris nomen ἀμυγδαλῆ : Κτητικοῦ παρὰ τὸν καρπὸν ὄντος τοῦ χαρακτῆρος, καὶ διὰ τοῦτο περισπωμένου. Μηλέα, ἡ, Malus [Gl.] arbor. Per contractionem dicendum esset μηλῆ, ut συκέα, συκῆ, et ἀμυγδαλέα, ἀμυγδαλῆ : itidemque alia : sed in hoc non itidem receptam contractionem esse puto; nusquam enim μηλῆ invenio, sed μηλέα passim. Atque adeo Eust. ad Hom. Od. Ω, [339] : Ὄγχνας μοι δῶκας τρεισκαίδεκα καὶ δέκα μηλέας, annotat minime contrahi μηλέα in μηλῆ, ut συκέα contrahitur in συκῆ. Ap. eund. poetam [Od. H, 115] legimus μηλέαι ἀγλαόκαρποι, de quo epith. disserit Plut. Symp. [p. 683, C.] Pausan. in Atticis 5, [8] : Ταῖς δὲ χερσὶν ἔχει, τῇ μὲν κλάδον μηλέας, τῇ δεξιᾷ δὲ φιάλην. [Ap. Clem. Al. Strom. 7, p. 901 perperam editur μηλαίαις pro μηλέαις. HEMST.] Est autem generalis hæc appellatio Arboris, sicut μῆλον, Fructus; atque ut dicitur μῆλον κυδώνιον ad differentiam, vel addito quopiam alio adjectivo, sic dicitur μηλέα κυδωνία, aliudve adjectivum discriminis causa adjicitur. Diosc. 1, 160 : Μηλέας πάσης τὰ φύλλα A καὶ τὰ ἄνθη καὶ οἱ βλαστοὶ στύφουσι· μάλιστα δὲ τῆς κυδωνίας. Sic μηλέα [Μηδικὴ vel] Περσικὴ, Malus Persica, Malopersica (si hoc composito uti licet), ap. Theophr. C. Pl. 8. [Locos Theophrasti de hac ceterisque μηλέας generibus collegit Schneiderus in Ind.] V. Μῆλον. [|| Forma poet. Nicand. Al. 230 : Καί τε σὺ μηλείης ῥηγώδεα ἄγρια κάρφη. Nonnus Dion. 12, 275 : Ἀμφὶ δὲ μηλείῃ τανύεις πόδας. L. D. Nemesin gestare ramum non μελίας, ut voluerunt nonnulli, sed μηλέας, docet Viscont. Mus. Pioclem. t. 2, p. 104, n. 5. Quam autem adhuc circa astu inque insulis Ægæi maris, quas quidem obii, Græci μηλέαν vocant, ea est Pyrus malus Linn. Hase.]

Μηλεαγορεῖ, Hesych. δημηγορεῖ, Concionatur. [Μηλεατορεῖ est ap. Hes.]

[Μηλεία. V. Μηλέα.]

Μήλειος, ὁ, ἡ [α, ον], Ovinus, s. Ovillus : μ. κρέας, Ovilla caro, sicut βόειον, Bubula. [Pamphos ap. Philostr. Her. p. 98 : Κόπρῳ μηλείῃ τε καὶ ἱππείῃ. Eur. El. 92 : Αἷμα μηλείου φόνου· Cycl. 218 : Μήλειον ἢ βόειον B (γάλα). Hermesianax ap. Athen. 13, p. 597, E : Μηλείοις θῆκαθ' ὑπὸ προγόνοις. Herodot. 1, 119 : Μηλείων κρεῶν. Quas sæpius memorat etiam Hippocr., cujus ll. indicat Foes. Idem μήλειον στέαρ p. 574, 18; 672, 5. Μήλειος Ἡρακλῆς, ἐπὶ τῶν εὐτελῶν, proverb. ap. Suidam, qui v. De accentu sive hujus sive sequentis μήλειος v. Arcad. p. 44, 7.]

[Μήλειος, a μηλέα, Malus. Apoll. Rh. 4, 1401 : Μήλειον βέβλητο ποτὶ στύπος. Nicand. Al. 238 : Σπέρμασι μηλείοισι. Orac. ap. Phlegont. De Olymp. extr. : Ἴφιτε, μήλειον καρπὸν μὴ θῇς ἐπὶ νίκῃ. Suidas : Μήλειος καρπὸς, ὁ τῆς μηλέας.]

Μήλη, ἡ, Specillum [Gl.] : instrumentum chirurgicum quo aliquid illinitur, vel finditur, vel extrahitur, vel infunditur. Quæ quum varia sint, eorum varietas adjuncto distinguitur : ut σπαθομήλη, Specillum latum, s. potius Specilli altera pars lata, instar spathæ s. rudiculæ, quo chirurgi unguenta vel diluunt, aut miscent, vel ægris oblinunt, vel super alutam aut linamentum expandunt. Id Hippocr. μήλην C πλατείην nuncupavit. Dicit igitur Galen. l. 1 τῶν Κατὰ τόπους, c. 8, de parygro emplastro : Τοῦτο αὐτὸ μαλάξας ἐπὶ τῆς χειρὸς διὰ σπαθομήλης ἅμα ῥοδίνῳ, καὶ ποιήσας ἐπίχριστον, οὐκ ἐμπλαστὸν, ἐπιθήσεις. Et Marcell. Empir. : Spathomela agitabis. Et Hippocr. : Μήλης τῷ πλατεῖ. Apud eund. Hippocr. est et μήλη διαστομωτρὶς, qua nimirum aliquid διαστομοῦται καὶ διαστέλλεται : unde et διαστολεὺς nominatur, teste Galeno in Lex. Hippocr. Ibid. annotat idem Galen. μήλην ἐξωτίδα ab Hippocr. vocari τὴν μηλωτίδα, s. μηλωτρίδα : de qua paulo infra. At μήλην ἰσχυρὴν, Eid. esse τὴν τραυματικὴν μήλην, Specillum vulnerarium, quo in vulneribus peculiariter uti solent Chirurgi. Præterea τῇ μήλῃ tribuitur κυαθίσκος et πυρήν. Latini κυαθίσκον τῆς μήλης vocant Specillum aversum. Cels. 5, 28 : Quidquid autem inspergitur, averso specillo infundi debet. Et 7, 21 : Quod parvulum est, super inguen in alvo vel digito vel averso specillo repellendum est. Et c. 27 : Vulnus digitis vel averso specillo diducendum est, ut torquentibus exitus detur. Id autem esse τὸν κυαθίσκον, D Scribon. docet, inquiens c. 227 : Ac quarto die auriscalpio averso, quam partem κυαθίσκον Græci vocant, sensim tentare, movere abalienatum oportet, quo celerius hæmorrhoides excidant. At πυρὴν τῆς μήλης, Nucleus specilli, est Extremum ejus capitulum, piri formam repræsentans. Gorr. quoque scribit specillum duobus extremis constare : alterum, fere semper latum esse, alterum vero diversæ figuræ : si concavum est, κυαθίσκον appellari : si rotundum, πυρῆνα μήλης, h. e. Specilli nucleum : si fissum est, ut aliquid apprehendi et extrahi possit, ἄγραν nuncupari. Celsum omnem eam partem uno nomine Aversum specillum dicere Galen. l. 4 τῶν Κατὰ τοπους pharmacum illini jubet ἢ πτεροῖς ἢ ἐρίῳ περιβεβλημένῳ μήλῃ ἢ πυρῆνι, Specillo lana obvoluto, aut ejus capitulo. [De usu Hippocr. Foes. in OEc. : « Eo instrumento vulnera pertentantur et explorantur, aut aliquid in corpore latens deprehenditur, interdum aliquid jungitur et extenditur, interdum extrahitur, finditur, infunditur, immittitur et respergitur, et pro vario munere diversa sortitur nomina, ut officia. Μήλης communi nomine creberrime utitur Hipp. in tota γυναικείων πραγματείᾳ, in pertentando aut dilatando uteri osculo. Μήλην διαστομωτρίδα ab eodem vocari annotat Galen. et τὸν διαστολέα, h. e. Specillum diducens aut dilatans exponit. P. 659, 8, τὴν μήλην καθιεὶς, et p. 577, 38. Et p. 578, 17, in osculo uteri occluso τὴν μήλην καθιέναι. Ὑπάλειπτρον καθιέναι eadem in re p. 661, 32. P. 679, 53, castorio cum vino specillum oblitum et lana involutum in uterum immittit, μήλῃ ἀμφιπλάσας, etsi ibi μέλι aut μέλιτι legisse videtur Cornar. Ib. p. 682, 5, τῇ μήλῃ ἀνευρῦναι τὸ στόμα τῶν μητρέων. Et p. 685, 39, medicamento oblinit ea crassitudine ut in uteri osculum immitti possit, τοῦτο περιπλάσαι περὶ μήλην. Ib. p. 686, 7, μήλας διαπύρους, Specilla ignita, in acetum et aquam marinam ad fovendum uterum immittit, non secus ac l. 2 Π. γυναικ. μυδροὺς διαπύρους, Massas candentes, in urinam intingit ad uteri fotum. Ac rursus p. 687, 2, in uterorum callo exstirpando jubet ὑποθεῖναι τὴν μήλην, Specillum immittere, deinde ἀναστρέφειν ἄνω καὶ κάτω τὴν μήλην ἕως ἂν προκύψῃ, Specillum sursum ac deorsum convertere donec callus promineat. P. 1211, G, in quadam muliere maxillæ et dentes inter se conserti sunt, πλέον ἢ μήλην παρεῖναι, Specillum ut immitti non possit. P. 881, G : Καὶ ὅταν ἀφαιρῇς τὸ αἷμα, τῇ μήλῃ μὴ κάρτα πιέζειν, Ubi sanguinem detrahis, specillum non admodum apprimito. P. 901, H : Εἰ δὲ μὴ, τῇ μήλῃ σκέπτεσθαι, Quod si oculis non pateat, specillo considerandum est. Et p. 913, D : Θαμινὰ δὲ ἐξαιρεῦντα τὸν πρίονα σκοπεῖσθαι, καὶ ἄλλως, καὶ τῇ μήλῃ περὶξ κατὰ τὴν ὁδὸν τοῦ πρίονος. Ut autem varia specillorum genera, h. e. tenuiora, crassiora et pleniora, reperiuntur apud Hipp., ita et sæpe specilla stannea aut plumbea eidem celebrantur præcipueque in uteri malis. Sic p. 612, B, in uteri hydrope scribitur, Καὶ μήλην ποιησάμενος κασσιτερίνην ἐγκαθιέναι. Quod eadem in re dicitur p. 577, 15 : Καὶ μήλην ποιησάμενος κασσιτερίνην καθιέναι. Et p. 678, 2, in duro et occluso uteri osculo ἀνευρύνειν τὸ στόμα τῆς μήτρης μήλῃ κασσιτερίνῃ ἢ μολυβδίνῃ. Ubi ad uterum plura specilla, aut plumbea, aut stannea, apparata esse vult, ut primum tenuiori, deinde paulatim crassioribus utendum sit. Ibidem quoque μήλην emolliente aliquo medicamento diluto et liquido intinctam esse vult, et τὰς μήλας ποιέειν ὄπισθεν πλατείας, ut specilla aversa aut posteriore parte lata sint præcipit (ut κοίλας, h. e. cava, lib. Π. ἐπικυήσιος) et longis lignis adaptata, ibique τὴν μήλην sæpius usurpat. Quæ iisdem verbis repetuntur p. 264, 18. Sic quoque p. 679, 26, uterum diducit μολιβδίοις ἐληλασμένοις, Penicillis plumbeis in longitudinem octo digitorum ductis et fabricatis. Quinque autem parari vult, ut primum sit tenuius, alterum crassius, et reliqua deinceps crassiora. P. 891, G, ferramenta septem octove parari jubet extrema parte recurva, σπιθαμιαῖα τὸ μέγεθος, πάχος δὲ ὡσεὶ μήλης παχείης. P. 885, B, μήλην κασσιτερίνην ἐπ' ἄκρου τετρημένην, ibique sæpius τὴν μήλην ἀντὶ τῆς μηλωτίδος usurpat. Quam enim illic μήλην adhibet Hippocr., Paulus διπύρηνον et μηλωτίδα 6, 78 et author Isagoges p. 389, 29 vocat. Et rursus ib. 15 in fistulam ἄνθος χαλκοῦ ὀπτὸν συχνὸν τῇ μήλῃ, Per specillum, immitti jubet, pro τῆς μήλης κυαθίσκῳ aut τῇ μήλῃ πλατείῃ, ut mihi legisse videtur Gal., Per specillum aversum et specilli concavum. Lib. etiam 2 De morbis in polypi curatione μήλην ἀντὶ τῆς μηλωτίδος usurpat, ut (p. 472, 2) περιθεὶς περὶ τὴν μήλην ξηρὸν ὀθόνιον, μετῶσαι. Ac rursus ibid. 21 ad eandem curationem μήλην ἐντετμημένην, Specillum insectum, fissum, et extrema sui parte in duo capita divisum, adhibet; χήλην ibidem vocat, μήλην δίκρουν κατὰ τὸ ἄκρον ἐντετμημένην ἐμφερῶς χήλῃ, exponit Galen., Specillum bisulcum aut bifidum in summo divisum ad ungulæ similitudinem. Qua in re Paulus 6, 25, διπυρήνῳ, Specillo bicipiti, utitur. Ad id vero respexisse mihi videtur Erotianus quum scribit, Μήλην, οὕτω καλεῖ τὴν μηλωτίδα. Nam hæc Hippocratis loca, præcipue vero p. 885, B, disertis verbis innuit. Quum autem rursus ab eo scribitur, ἣν γὰρ ἡμεῖς μήλην καλοῦμεν, αὐτὸς ὑπάλειπτρον καλεῖ, locus p. 661, 32, subindicatur, ubi ὑπάλειπτρον vocat, quod eadem in re μήλην p. 578, 17. Est autem ὑπάλειπτρον Specillum illitorium, aut omne id instrumentum quod ad illinendum est idoneum, velut μήλη, σπαθομήλη, et quæ διπύρηνα vocantur, hoc est specillum latum, velut spatha, aut gladiolus, aut rudicula, et quæ nucleata dicuntur, aut in summo duo habent capitula, ut exponit Galenus Comm. 2 in libr. De artic. p. 608, 25. Illic enim Hippocrates ad nasum fractum ὑπάλειπτρον παχὺ adhibet, Paulus 6, 91, τῆς μήλης πυρῆνα, Specilli caput nucleatum, Celsus vero specillum Subjectum. Rursusque ib. p. 590, 55, in alæ ustione, ὑπάλειπτρον λεπτὸν, Specillum illitorium tenue, usurpatur. Quibus ex locis cuivis est manifestum ὑπάλειπτρον apud Erotianum legendum esse, non ὑπάλειπτον aut ὑπάλιπτον ut passim legitur. Ὑπάλειπτρον autem μήλην ὑπαλειπτρίδα vocat p. 263, 35, Specillum unctorium, in utero purulento. Est igitur μήλη communi notione Hippocrati, tum Specillum latum, tum tenue, tum etiam Specillum aversum, quæ tamen adjunctis inter se distingui vult Galenus. Sic enim in Exegesi vocum Hippocratis, μήλην διαστομωτρίδα, τὸν διαστολέα, Specillum dilatans, exponit, et μήλην ἰσχυρὴν, τὴν τραυματικὴν μήλην, Specillum vulnerarium, et μήλην ἐξωτίδα, τὴν μηλωτίδα, Specillum auricularium. Sic μήλῃ πλατείῃ τῇ σπαθομήλῃ, h. e. Rudicula aut specillo lato, apud eundem exponitur, et μήλης τῷ πλάτει, τῷ κυαθίσκῳ τῆς ὀφθαλμικῆς μήλης, Specilli ocularis concavo et cyatho. Quæ certe omnia communem τῆς μήλης notionem apte mihi distinguere et exponere videntur, non levem tamen mendi suspicionem injicere, quod veros fontes unde ista educantur, nondum eruere licuerit. P. 407, 31, scribitur remedium ad aquas hydropicorum educendas, Μῆλαι τρεῖς τῷ πλάτει, Squamæ æris specilla lata tria, aut specilla aversa tria. His enim verbis mensuræ genus cyathiscum in specilli extremitate cavatum continens designatur, quo utimur ad ocularia medicamenta. Eumque locum in Exegesi a Galeno adumbrari existimo. Est autem μηλωτὶς Specillum auriculare quo utimur in aurium doloribus. Istud enim lana obvolutum, medicamento aliquo intinctum, doloribus aurium leniendis et confovendis admovetur initio lib. 3 Κατὰ τόπ. (p. 188, 9, 12.) Ibidem etiam μηλωτρὶς dicitur (p. 196, 42, 49, 51). Celsus c. 6, 7, Specillum auricularium vocat, Scribonius Largus Auriscalpium. At τῆς μήλης κυαθίσκος quod est Specilli concavum, Celso c. 5, 28, in Theriomatis curatione, Aversum specillum dicitur, ut auriscalpium aversum Scribonio Largo c. 227. Sic τῆς μήλης πυρὴν, Specilli nucleus aut caput summum, Celso 7, 21, 27 etiam Aversum specillum dicitur, etsi eidem parum inter se ista distinguuntur. Μήλην etiam ad hæmorrhagiam adhibet Gal. lib. 4 Κατὰ τόπ., ut et lib. 2 in sternutatoriis per μήλην in nares aliquid infundit, quæ ῥινεγχύτης vocatur.» Epigr. Anth. Pal. 11, 126, 1 : Οὐ μήλῃ, τριόδοντι δ' ἐνήλειψέν με Χαρῖνος. De accentu Arcad. p. 108, 9.]

[Μήλης, ὁ, Meles, rex Lydiæ, Herodot. 1, 84. Fl. Colophonis ap. Chœrob. vol. 1, p. 141, 33 seqq., qui ponit etiam genit. Μήλητος.]

[Μηλία. V. Μῆλος.]

[Μηλιάς. V. Μηλὶς, Μῆλος.]

Μηλιαυθμὸς, ὁ, quasi μήλων ἰαυθμὸς, Ovium stabulum. Affert [Zonaras p. 1356,] Etym. ex Lycophr. [96.] In VV. LL. annotatur dici etiam Μηλιαθμός : sed ego mendosum istud esse arbitror.

[Μηλιεύς. V. Μῆλος.]

Μηλίζω, Ad colorem mali vergo s. inclino, Colore malum refero s. Colorem mali. Sed existimatur potius de colore mali cotonei dici. Redditur etiam, Sum colore luteo. Diosc. [1, 173], de sorbis : Μηλίζοντα καὶ μήπω πέπειρα· 2, 107 : Πυροὶ πρὸς ὑγείας χρῆσιν ἄριστοι, οἳ πρόσφατοι καὶ τελείως ἡδρηκότες, τῇ χρόᾳ μηλίζουσιν, Ruell. Optima ex tritici generibus ad secundæ valetudinis usus habentur, quæ recentia et jam perfecte adulta, colorem luteum referunt. [Oribas. p. 30 Mai.]

[Μηλικαὶ Νύμφαι, i. q. Μηλιάδες, Long. p. 88. Wakef.]

Μηλῐνοειδὴς, ὁ, ἡ, Melinum colorem referens, i. e. Luteum (nisi alio adjectivo illud Græcum exprimere libeat), Ad melinum colorem accedens. Sed ex Theophr. affertur μηλινοειδὲς ἄνθος et pro μήλινον. [H. Pl. 6, 2, 8; 7, 3, 1; 11, 4.]

Μηλῐνόεις, εσσα, εν, i. q. μήλινος, Melinus, h. e. Colorem mali cotonei referens. Nicander Ther. 173 : Χροιὴ Ἄλλοτε μηλινόεσσα καὶ αἰόλος, ἄλλοτε τεφρὴ, Πολλάκι δ' αἰθαλόεσσα. Quanquam ibi cum diphthongo ει, Μειλινόεσσα scribitur : forsitan παρὰ τὸ μέλι, poetica epenthesi τοῦ ι : schol. et ὠχρὸν et χλωρὸν exp.

[Μηλῐνόη, ἡ, Melinoe, f. Plutonis et Proserpinæ, Orph. H. 70, 1. Μειλινόη Lobeck. Aglaoph. p. 818, n. L. Dindorf.]

Μήλῐνος, η, ον, Colorem mali habens, Luteus, ut vertit Plin. Exp. etiam Qui est flavo colore, item Gilvus, ex Serv. [Πορφυρᾶς καὶ μηλίνας ἐσθῆτας, Flavas, Citrinas vestes, et πορφυρᾶ καὶ μήλινα ὑποδήματα habes ap. Athen. 12, p. 539, E, et 6, p. 259, D, ex Hippia Erythr. Schweigh. De vestibus ap. Polluc. 4, 117, 118, 119. Automedon Anth. Pal. 11, 325, 2 : Κανναβίνης κράμβης μήλινον ἀσπάραγον· Lucill. 210, 2 : Μήλινα λωμάτια. Diodor. 2, 53 : Καρποὺς τῇ χρόᾳ μηλίνους.] Plin. μήλινον ἄνθος ap. Diosc. [2, 75] reddit Luteum, ubi de cantharidibus loquitur. [Μήλινον μύρον Theophr. fr. 4 De odor. 4, 26, 28, 31. Athen. 15, p. 688, E : Ἀμαράκινον Κῷον καὶ μήλινον.] Et quod hic Idem dicit [3, 120] : Βότρυς, πόα ἐστὶν ὅλη μηλίνη, θαμνοειδὴς, ille interpr. Botrys, fruticosa herba est, luteis ramulis. At vero Μήλινον ἔλαιον, Melinum oleum, i. e. Ex malis cotoneis. [Ap. Theoph. Nonnum c. 148 etc., in Matthæi Med. p. 61.] A quibus et μήλινος color dici existimatur : quod τὸ κυδώνιον μῆλον vocetur etiam simpliciter μῆλον. Afferturque ex Colum. 12, 45 : Liquor mulsei saporis ex conditivis in melle cydoniis malis appellatur melimeli. Intellige autem pro μηλίμελι. Itidem Μηλίνη ἔμπλαστρος vel Μήλινον ἔμπλαστρον, Melinum emplastrum, sic dictum a colore mali cotonei : cujusmodi esse solet id, in quo ærugo mediocriter coquitur : ut docet Galen. Nam ex cruda viridis color, ex ea vero quæ plus æquo cocta est, emplastrorum genus emergit, quod et δίχρωμον et διπρόσωπον, et ab aliis κιῤῥὸν vocatur. Verum plurima emplastra a veteribus μήλινα appellata æruginem non habent. Itaque sic ea dicuntur vel quod a varia mistura coctionisque modo prædita sint eodem colore, vel quod vires habeant easdem, quas Galeno 2 τῶν Κατὰ τόπους definit : ut non adeo magna vulnera glutinent, et ulceribus cicatricem obducant, quæ a medicis ἀπερίστατα dicuntur : quæque ex rosaceo liquefacta, cava ulcera carne replent. Crito a coloris similitudine, eadem emplastra πύξινα, i. e. Buxea, appellavit. Gorr. [Ὕδωρ ψυχρὸν κελαδεῖ δι' ὄσδων μηλίνων, Sappho apud Hermog. Π. ἰδ. p. 400 (ap. Walz. vol. 3, p. 315, 1, ubi rectius ὔσδων μαλίνων). Hemst. Hippiatr. p. 10, 12 : Μήλινοι τὸ χρῶμα. Ib. p. 201, 11 : Ὀφθαλμοὶ μ. γίνονται. Epiphan. t. 1, p. 457, B : Τὰ μὲν γὰρ θειώδη ἱμάτια, χρόα τις ἐστὶ, μηλίνη οὕτω καλουμένη ἐρέα. Hase.]

[Μήλινος λιμὴν Arabiæ memoratur Strab. 16, p. 771.]

[Μηλινόχρους, ὁ, ἡ, Qui est melino colore. Phot. Bibl. p. 345, 1, χιτῶνα, ubi libri μελινόχρουν vel —χροα.]

[Μήλιον, τὸ, Diosc. Notha 3, 144 : Οἱ δὲ (σατύριον) μήλιον τὸ ἐν ὕδασιν.]

[Μήλιον, τὸ, Ovile. Dipl. Rogerii a. 1130 ap. Montf. Palæogr. p. 398 : Ἀπὸ τῶν χωραφίων, βιλλάνων, ὥρων, μιλίων (sic). Int., In fundis, villis, horreis, ovilibus. Kall.]

[Μήλιος. V. Μῆλος.]

[Μήλιος, ὁ, Melius, f. Priami, Apollod. 3, 12, 5, 13.]

Μηλὶς, ίδος, ἡ, Malus arbor, quæ usitato magis nomine dicitur μηλέα. Ibycus ap. Athen. 13, [p. 601, B] : Ἦρι μὲν αἵ τε κυδώνιαι μηλίδες ἀρδόμεναι ῥοᾶν ἐκ ποταμῶν. [Arcad. p. 30, 23. Forma Dor. ap. Theocr. 8, 79 : Τᾷ μαλίδι μᾶλα.] Est etiam Coloris genus. [Τὴν μηλίδα τρίβοντα παιδάρια τὰ τοῦ Ζεύξιδος, Ælian. V. H. 2, 2. Valck. Sive Plut. Mor. p. 58, D. Eust. Opusc. p. 120, 87 : Ὑμεῖς μὲν γράφετέ με, ὅπως ἂν αἱ μηλίδες ὑμῖν ὑπουργοῖεν.] Item Instrumentum quoddam medicum. Est et Malida, quidam morbus asinorum, de quo Aristot. H. A. 8, [25, ubi μηλίδα accus. a nom. μηλὶς, non Malida nominativus. Timotheus in Cram.

An. vol. 4, p. 266, 30: Ὅτι μίαν νόσον ἔχει (asinus) τὴν μηλίδα. L. D.]. Ex VV. LL.

[Μηλίς. V. Μῆλος. || Forma Dor. Μαλὶς, ίδος, ἡ, Malis, nympha ap. Theocr. 13, 45. Eust. Od. p. 1963, 39: Ἐκ τῆς μηλέας καὶ Μηλίδες αἱ κατὰ Δωριεῖς Μαλίδες νύμφαι, αἳ καὶ τετρασυλλάβως Μαλιάδες, κατὰ τὸ Φίττα Μαλιάδες, φίττα Ῥοιαὶ, φίττα Μελίαι, ἐν οἷς νυμφῶν μέν εἰσιν ὀνόματα τὰ θηλυκὰ, τὸ δὲ φίττα ἐπίρρημα τάχους δηλωτικόν. Unde corrigendus Pollux 9, 127, ut monuit Soping. ad Hesychii gl.: Μηλιάδες, νύμφαι. Μηλίδας dicit Eust. Il. p. 652, 35. Μηλιδος cujusdam mentio fit in inscr. Orop. ap. Bœckh. vol. 1, n. 1570, p. 748, 49. || Formæ Æol. Μᾶλις n. proprii exemplum v. in Μόγις.]

[Μηλίτης, ὁ. Proclus In Euclid. p. 12: Ὅθεν καὶ τὴν ἐπωνυμίαν τοῖς ἀπὸ τῶν μετρουμένων τίθεται μηλίας (leg. μηλίτας) καλῶν καὶ φιαλίτας. Schol. Plat. p. 91 (ad Charmid. p. 324: Θεωρεῖ οὖν (ἡ λογιστικὴ) τοῦτο μὲν τὸ κληθὲν ὑπ' Ἀρχιμήδους βοεικὸν πρόβλημα, τοῦτο δὲ μηλίτας καὶ φιαλίτας ἀριθμοὺς, τοὺς μὲν ἐπὶ φιαλῶν, τοὺς δὲ ἐπὶ ποίμνης, Oviles s. Pecuarios: conf. Probl. Arithm. Anth. Pal. 14, 50; et ib. 3, 4). Schneid. ῑ]

Μηλίτης οἶνος, Vinum ex malis cotoneis. [Plut. Mor. p. 648, E: Μηλίτας τινὰς, οἱ δὲ φοινικίνους οἴνους ποιοῦσιν.] Dicitur etiam Κυδωνίτης οἶνος, VV. LL. [ῑ]

[Μηλιών, ῶνος, ὁ, Pomarium, Gl. Sed rectius Etym. M. p. 130, 29, Μηλών. Quod ponit etiam Arcad. p. 13, 3. Dubium videtur an ad hoc voc. referendum sit quod ap. eund. p. 17, 3 ponitur μηδεών. L. Dind.]

Μηλόβαι, et Μηλοβάται, Ovium pastores. Hesych. exp. ποιμένες: sed mendi suspicione illa vocabula non carent. [Μηλοβόται pro utroque Albertus.]

[Μηλοβᾰτέω, Oves ineo. Oppian. Cyn. 1, 388: Κτίλοι εἰλικόεντες ἐν εἴαρι μηλοβατεῦσι.]

[Μηλοβᾰφὴς, ὁ, ἡ, Colore i. q. μήλινος, ap. Philon. De sept. mir. c. 2, p. 10: Ὡσεὶ μηλοβαφές (χρῶμα). Angl. Ad quem l. conf. Letronn. *Journ. des Sav.* 1841, p. 461. Hase.]

[Μηλόβῐος, ὁ, Melobius, unus e triginta tyrannis, ap. Xen. H. Gr. 2, 3, 8, Lysiam p. 392, 3; 396, 1, Hyperidem, quem citat Harpocr.]

Μηλοβολέω, Malo s. Malis peto, ut legimus ap. Virg. Ecl. 3: Malo me Galatea petit, lasciva puella, Et fugit ad salices, et se cupit ante videri. Quæ Theocriti imitatione dixisse videtur, 5, [89]: Βάλλει καὶ μάλοισι τὸν αἰπόλον ἁ Κλεαρίστα, Τὰς αἶγας παρελῶντα, καὶ ἁδύ τι ποππυλιάσδει. Ubi schol. βάλλει μάλοισι ait significare, πειρᾶταί με εἰς ἔρωτα ὑπαγαγέσθαι, Conatur me ad amorem allicere. Additque, Τὸ γὰρ μήλοις βάλλειν ἐπὶ τούτοις ἔτασσον (sed pro τούτοις repono τούτου). Convenitque optime quod iste scribit cum iis quæ a schol. Aristoph. Nub. [996] scribuntur, Μηδ' εἰς ὀρχηστρίδος εἰσιέναι· ἵνα μὴ πρὸς ταῦτα κεχηνὼς, Μήλῳ βληθεὶς ὑπὸ πορνιδίου, τῆς εὐκλείας ἀποθραυσθῇς. Hic enim μήλῳ schol. exp. ἔρωτι, additque, eos μηλοβολεῖν appellasse τὸ εἰς ἀφροδίσια δελεάζειν: quod μῆλον Veneri sit sacrum. Est autem εἰς ἀφροδίσια δελεάζειν, Ad rem veneream aliqua illecebra invitare s. incitare. Sed quum μηλοβολεῖν ita exponat (quam expos. cum alterius schol. expositione convenire dico), μήλῳ in eo loco debuit potius δελεάσματι ἔρωτος aut ἀφροδισίων, quam ἔρωτι, explicare. Sic autem in quodam Platonis Epigr. (i. e. quod Diog. L. Platoni ascribit in ejus Vita [3, 32]) legimus: Τῷ μήλῳ βάλλω σε· σὺ δ' εἰ μὲν ἑκοῦσα φιλεῖς με, Δεξαμένη, τῆς σῆς παρθενίης μετάδος. Εἰ δ' αὖ κτλ. Subjungiturque et istud, tanquam Ejusdem, Μῆλον ἐγὼ, βάλλει με φιλῶν σέ τις. Sed hoc epigr. Philodemo ascribitur, in Epigr. l. 7, p. 467 meæ ed. [Platoni Anth. Pal. 5, 80.] Alterum vero illud extat ejusd. operis p. 486, tanquam incerti auctoris, aut certe tanquam Ἰουλιανοῦ. [Platonis Anth. Pal. 5, 79. Antonin. Lib. c. 1, p. 4: Ἰδὼν (Ctesyllam) Ἑρμοχάρης ἐπεθύμησεν αὐτῆς· καὶ ἐπιγράψας μῆλον ἔρριψεν ἐν τῷ ἱερῷ τῆς Ἀρτέμιδος. Ubi v. Verheyk. Theocr. 11, 10: Ὠρχαῖος Πολύφαμος, ὅκ' ἤρατο τᾶς Γαλατείας... Ἤρατο δ' οὐ μάλοις οὐδ' αὖ ῥόδῳ οὐδὲ κικίννοις, ἀλλ' ὀλοαῖς μανίαις. Ubi schol., ἠράσθη οὐχ ἐλαφρῶς, ὥστε μῆλα διδόναι ἢ ῥόδα κτλ.] Ceterum dicuntur μήλοις βάλλειν, qui muneribus assequi student quod optant, aut qui donis provocant ad amorem mutuum ut Erasmus scribit in Prov. Malis ferire s. petere: ubi cetera legere poteris, si videbitur. Hoc tantum addo, quamvis μηλοβολεῖν composite dixerit schol. Aristoph., existimare tamen me μήλῳ βάλλειν disjunctim potius usurpari, hac præsertim in signif. Quod tamen ap. Hesych. legimus μηλοβαλεῖν, expositum πτοῆσαί τινα καὶ εἰς ἔρωτα ὑπαγαγέσθαι, non dubito quin mendose pro μηλοβολεῖν scriptum sit. [Michael Nicetas ap. Tafel. De Thessalonica p. 354: Οὔτε μὴν ἐπιστολὰς οἷον μηλοβολεῖν. L. Dind.]

[Μηλόβοσις, ἡ, Melobosis, f. Oceani et Tethyos. Hesiod. Th. 354. Pro quo Μηλοβότη ap. Hom. H. Cer. 420, quod ex Pausan. 4, 30, 3, correctum.]

[Μηλοβότειρα, ἡ, dicta urbs Macedoniæ Αἰγαὶ, quod v., sec. Steph. Byz. in hoc nomine.]

Μηλοβοτέω, Oves pasco. Hesych.

Μηλοβότης, ὁ, vel Μηλοβοτὴρ, ῆρος, ὁ, Ovium pastor, Opilio; aut etiam generalius, Pastor. Legimus ap. Hom. [Il. Σ, 529, H. in Merc. 286] μηλοβοτῆρας [Apoll. Rh. 2, 130, 165]: alterum autem extat [ap. Pind. Isthm. 1, 48: Μηλοβότᾳ τ' ἀρότᾳ τε· Eur. Cycl. 53,] in Epigr. [Antiphanis Anth. Pal. 9, 84, 2. Photius s. Suidas: Μηλοβοτέα· γῆν εὐτραφῆ, ἀνειμένην εἰς νομὴν προβάτων. Quod recte Kusterus ex eadem forma depravatum censet.]

Μηλόβοτος, ὁ, ἡ, Ab ovibus depastus, Quem oves depascuntur. Redditur etiam Vastus, Desertus. [Pind. Pyth. 12, 2: Μηλοβότου Ἀκράγαντος. Æsch. Suppl. 548, Φρυγίας. Munatius Anth. Pal. 9, 103, 5, Μυκήνη.] Isocr. Plataico [p. 302, C]: Μόνοι τῶν συμμάχων ἔθεντο τὴν ψῆφον ὡς χρὴ τήν τε πόλιν ἐξανδραποδισθῆναι καὶ τὴν χώραν ἀνεῖναι μηλόβοτον. Herodian. 8, [4, 23]: Καὶ κατασκάψας τὴν πόλιν, μηλόβοτον καὶ ἔρημον τὴν χώραν καταλείπῃ, ubi Polit. vertit Vastam. Exp. et Hesych., nec non Suidas, exemplum afferens. [Philostr. V. Soph. 1, 16, p. 501. Metaphorice ap. Maxim. Tyr. p. 265: Μηλόβοτον ἐῶντες τὴν ψυχὴν καὶ ἄγονον. Philostr. V. Ap. 5, 27, p. 210: Μηλόβοτον γυναίοις τὴν ἀρχὴν ἀνῆκεν. Valck. Id. Philostr. V. Soph. 1, 21, 4, p. 517: Τὰ μὲν Ἀναξαγόρου μ. εἶναι, τὰ δὲ αὐτοῦ δουλόβοτα· ad quem l. conf. Himer. ap. Phot. Bibl. p. 357, 9: Ἀναξαγόρας γῆν ἀνῆκε τὴν ἑαυτοῦ πᾶσαν μ. Agatharch. ib. p. 446, 29. Philo vol. 2, p. 473, 27: Μηλοβότους εἴασαν γενέσθαι τὰς οὐσίας. Hase.]

[Μηλοδόκος, ὁ, ἡ, Oves recipiens. Pind. Pyth. 3, 27: Ἐν μηλοδόκῳ Πυθῶνι.]

[Μηλοδροπεὺς, έως, ὁ, Qui poma decerpit. Sappho ap. schol. Hermog. Walz. Rhett. vol. 7, p. 883: Οἷον τὸ γλυκύμαλον ἐρεύθεται ἄκρῳ ἐπ' ὄσδῳ, ἄκρον ἐπ' ἀκροτάτῳ, λελάθοντο δὲ μαλοδροπῆες. L. Dind.]

[Μηλόδρῠον, τὸ, fictum voc. tanquam forma communis Dor. μαλόδρυον, quod rursus ad explicandum μάδρυον fingitur, ap. Eust. Od. p. 1963, 33.]

Μηλοειδὴς, ὁ, ἡ, Mali speciem præ se ferens, vel colore, vel alia re. [V. Μήλωψ. Forma contracta Μηλώδης, Dionys. ap. Steph. B. v. Δρεσία, ubi μηλώδεα γαῖαν, Epim. Hom. Cram. An. vol. 1, p. 280, 2. Comparativo Galen. vol. 5, p. 62: Ὥσπερ ἢ τοῦ μήλου μηλωδεστέρου.]

[Μηλοθύτης, ὁ, Oves immolans. Eurip. Alc. 121: Θεῶν δ' ἐπ' ἐσχάραις οὐκ ἔχω ἐπὶ τίνα μηλοθύταν πορευθῶ· Iph. T. 1116: Βωμούς τε μηλοθύτας. ῠ]

Μηλόκαρπον, τὸ, Aristolochiæ longæ, quæ mascula dicitur, cognomen, quod florem ferat, quum dehiscere cœperit, piro similem, Gorr. [Diosc. Notha 3, 5. Boiss.]

[Μηλοκίτριον, τὸ, i. q. μῆλον κίτριον, quod v. in Μῆλον. Galen. vol. 13, p. 615: Μηλοκίτρια ε'. L. Dind.]

[Μηλοκτόνος, ὁ, Oves occidens. Hesych.: Οἰσφάγῳ σιδήρῳ, οἷον μηλοκτόνῳ.]

[Μηλοκυδώνιον, τὸ, i. q. μῆλον Κυδώνιον. Diosc. Parab. 2, 12; Theoph. Nonn. c. 119, p. 358; 181, p. 85.]

Μηλολόνθη, sive Μηλολάνθη, aut etiam Μηλόνθη, sive Μηλάνθη, ἡ, Scarabeorum quoddam genus, i. e. κανθάρων: qui peculiari nomine Χρυσοκάνθαρος dicitur. Nam μηλολόνθη, teste Hesych., est εἶδος κανθάρων, quos aliqui χρυσοκανθάρους appellant. At schol. Aristoph. non ait esse εἶδος κανθάρου, Scarabei speciem, sed ζωΰφιον χρυσίζον κανθάρῳ ὅμοιον. Verum alia expos. his verbis subjungitur, secundum quam est illud ipsum quod χρυσοκάνθαρος appellatur (ita enim ibi intelligendum est adv. ἄλλως, sicut et aliis plerisque horum scholl. et aliorum locis, quod in VV. LL. animadversum non fuit, i. e. ab eorum consarcinatoribus). Annotat autem hæc in Aristoph. Nub. [763] : Ἀλλ' ἀποχάλα τὴν φροντίδ' ἐς τὸν ἀέρα, Λινόδετον ὥσπερ μηλολόνθην τοῦ ποδὸς, ubi ait respici ad puerorum morem, qui hoc animalculum filo alligatum emittunt; ideoque perinde esse ac si diceret, Οὕτως δῆσόν σου τὴν γνώμην, ἵν' ὅταν ἁρπάσῃς ἐκ τοῦ ἀέρος τὴν γνώμην, πάλιν ἐπισπάσῃ αὐτήν. Possumus autem ex Suida et Eust. puerilem hunc lusum exactius cognoscere, i. e. conjungentes quæ unus dicit, iis quæ ab altero dicuntur. Scribunt enim, pueros filum (τρίπηχυ, ut refert Eust.), pedibus hujus animalculi appendere s. alligare, deinde in aerem emittere, et sinere volare. Dum autem sic alligatum volat, velut in gyros circumagi et circumvolvi, puerosque tali spectaculo gaudentes, non sine manuum plausu ipsum comitari. Suid. tamen non dicit tantum λίνον τοῦ ποδὸς ἐξαρτῶντες, sed adjicit, καὶ ξυλύφιον, ὃ οὐκ ἰσχύουσιν ἀνακουφίσαι. Quidam vero (addentes fortasse de suo) scribunt pueros hujus fili pedibus μηλολόνθης appensi, caput digitis suis alligare. Scribit autem Eust. [Il. p. 1329, 25] ex quodam vet. gramm. aut lexigrapho (unde et præcedentia se accepisse profitetur), esse animal vespa majus, quod nasci ἐκ τῆς μηλεῶν ἀνθήσεως, aut μηλέαις advolare quum florere incipiunt. Sic et Pollux [9, 124] ἐκ τῆς ἀνθήσεως τῶν μήλων (quod pro μηλεῶν accipiendum erit, nisi potius scripsisse μηλεῶν, non μήλων, existimandus sit), aut σὺν τῇ ἀνθήσει γίγνεσθαι tradit. Dicit autem duntaxat esse animal volucre; vocarique et μηλολάνθην. Suidas esse scribit Animalculum quod floribus insidet; sed fortasse scriptum reliquit τοῖς ἄνθεσι τῶν μηλεῶν, vel τοῖς τῶν μηλεῶν ἄνθεσι. [Aristot. De respir. c. 9 : Τἄλλα ὅσα βομβεῖ, οἷον σφῆκες καὶ μηλολόνθαι καὶ τέττιγες· De partt. an. 4, 6 : Ἔχει δ' ἔλυτρα τοῖς πτεροῖς, οἷον αἵ τε μηλολόνθαι καὶ τὰ τοιαῦτα τῶν ἐντόμων. Idemque sæpius in H. A., ut 1, 5, etc.] A nonnullis μηλολόνθη redditur Galleruca, a quibusdam Bruchus (qui tamen a Græcis esse dictus μάσταξ potius existimatur). || In Geopon. vox Latina usurpatur, in βροῦχος commutata, 13, [2] : Περὶ τὸ στέλεχος τῆς ἀμπέλου παρὰ τὴν ῥίζαν τρεῖς κόκκους σινήπεως χῶσον· φυτευόμενα γὰρ ταῦτα τῇ ὀδμῇ τὸν βροῦχον ἀναιρεῖ. Quidam denique annotant μηλόνθην esse Illud animalculum quod a nobis *Haneton* appellatur. Sciendum est porro lusum illum puerilem, cujus modo facta fuit mentio, hoc ipsum nomen habere ap. Polluc. [9, 122, 124, 125, ubi modo μηλολόνθη modo μηλολάνθη scriptum, sed in libris constanter per α], sicut ap. Eund. eod. in loco alii etiam lusus commemorantur, quorum nonnulli animalium nomen habent : ut χαλκῆ μυῖα et χελιχελώνη. [Artemid. Onir. 2, 22 : Κάνθαροι δὲ καὶ μηλολόνθαι. Hase.] || Μηλολόνθη est etiam Flos quidam, Suid. V. Μηλάνθη.

[Μηλολόνθιον, τὸ, diminit. præcedentis μηλολόνθη, ap. schol. Aristoph. Vesp. 1332.]

[Μηλόμασθος, Is. Porphyrog. in Allatii Exc. p. 316. Boiss.]

Μηλομᾰχία, ἡ, Malis commissa pugna s. Pomis, Pugna quæ malis committitur, i. e. in qua alii in alios mala jaculantur. Qualis autem fuerit Alexandri μηλομαχία, docet Eust., et ante eum Athen. 7, [p. 277, A]; ex quo sumpsisse eum, quæ de illa scribit, opinor.

[Μηλόμελι, ιτος, τὸ, genus Potionis quod e cotoneis malis et melle fit : de quo Diosc. 5, 39.]

Μῆλον, τὸ, Malum, Fructus quem fert malus, Pomum. [Primam tertiamque interpr. ponunt Gl.] (Dorice Μᾶλον, et plur. Μᾶλα, ap. Theocr. aliquoties.) Hom. Od. H, 115 : Ὄγχνη ἐπ' ὄγχνῃ γηράσκει, μῆλον δ' ἐπὶ μήλῳ. Sic autem versu 110, ὄγχνας et μηλέας simul commemorarat [ut Theocr. 7, 144 : Ὄχναι μὲν πὰρ ποσσὶ, παρὰ πλευρῇσι δὲ μᾶλα], interjiciens ῥοιάς. [Eadem præter Tzetzen in fine citandum conjungit Aristoph. Vesp. 1268 : Οὗτος ὅν γ' ἐγώ ποτ' εἶδον ἀντὶ μήλου καὶ ῥοιᾶς δειπνοῦντα μετὰ Λεωγόρου. Ubi recte monent intt. poma quibus nunc ille vescatur comparari cum lauto quo olim usus sit victu. Pac. 1001 : Μήλων, ῥοιῶν.] Libro vero ultimo Odysseæ ὄγχνας et μηλέας duntaxat nominat hoc in v. [339] : Ὄγχνας μοι δῶκας τρεισκαίδεκα καὶ δέκα μηλέας, ubi annotat Eust. μῆλον esse non solum τὸ συνήθως οὕτω λεγόμενον, τὸ καὶ ἀληθῶς ἀγλαὸν οἷς ἐρεύθεται ὡς εἰς ἄγαλμα φύσεως, sed etiam τὸ τῆς περσέας, παρὰ τοῖς ὕστερον. Quin etiam τὸ κιτρίον, quod vocari a Romanis κίτρον, teste Pamphilo. Quibus addit, hoc κιτρίον ap. Libyas (ut quidam perhibent) vocari μῆλον ἑσπερικόν. A quibus Hercules Eurysthei jussu in Græciam attulit μῆλα, quæ propter τὴν ἰδέαν vocantur χρύσεα : nimirum τὰ τῶν ἑσπερίδων : quæ μῆλα dicit in stellas ἀλληγορεῖσθαι, quum Hercules εἰς ἥλιον μεταλαμβάνεται. [Isocr. p. 212, E : Τὰ μῆλα τὰ τῶν Ἑσπερίδων. Hesiod. Th. 335 : Κητὼ δ' ὁπλότατον Φόρκυι φιλότητι μιγεῖσα γείνατο δεινὸν ὄφιν, ὃς ἐρεμνῆς κεύθεσι γαίης πείρασιν ἐν μεγάλοις παγχρύσεα μῆλα φυλάσσει. Liban. Epist. 34, p. 16 : Πίνδαρος πού φησι Μήλων χρυσῶν εἶναι φύλαξ. Soph. Trach. 1100 : Τὸν χρυσέων δράκοντα μήλων φύλακ' ἐπ' ἐσχάτοις τόποις. Aristoph. Nub. 978 : Τοῖς αἰδοίοισι δρόσος καὶ χνοῦς ὥσπερ μήλοισιν ἐπανθεῖ· Lys. 856 : Κἂν ᾠὸν ἢ μῆλον λάβῃ, Κινησίᾳ τουτὶ γένοιτο, φησίν· Vesp. 1056 : Ἐσβάλλετ' ἐς τὰς κιβωτοὺς (τὰ νοήματα τῶν ποιητῶν) μετὰ τῶν μήλων. Plato Leg. 7, p. 819, B : Μήλων τινῶν διανομαί (puerorum in Ægypto præmia in schola). Ludorum Pythicorum præmia μῆλα memorat epigr. Anth. Pal. 9, 357, 4, ubi Jacobsius contulit Max. Tyr. Diss. 5, 8, et 7, 4. Aret. p. 77, 2 : Μῆλα θλασθέντα.] Ceterum ut ὄγχναι et μῆλα in duobus illis Hom. ll. junguntur, i. e. eorum simul fit mentio, sic ἄπια et μῆλα interdum jungi in oratione soluta videmus. [Plat. Leg. 8, p. 845, B.] Est enim ἄπιον i. q. ὄγχνη, Latine Pirum. Cujus vocabuli si mihi quoque divinare originem liceret, dicerem Pirum dictum esse quasi Pium, ex Græco Apium (sc. interjecta deinde litera *r)* : potius quam a nomine πῦρ, quod in flammæ modum ex lato in acutum tendat : secundum quam deductionem scrib. fuerit Pyrum, per *y*. [Mala multiplicia enumerat Athen. 3, p. 80, F, et 81, 82. Valck. Ib. p. 82, D : Ὅτι δὲ καὶ τῶν μήλων εὑρετής ἐστι Διόνυσος μαρτυρεῖ Θεόκριτος ὁ Συρακόσιος οὑτωσί πως λέγων (2, 120)· Μᾶλα μὲν ἐν κόλποισι Διωνύσοιο φυλάσσων. Ubi v. Philetæ versum ap. schol.] Ceterum quoniam a Plut. ἄπια et μῆλα, sicut ab Hom. ὄγχνας et μῆλα, simul poni dixi : sed vocem quidem ἄπιον in superioribus habes, at vocem Ὄγχνη sive Ὄχνη, non item : hanc de ea occasionem non omittam. Hoc igitur sciendum est, quamvis ὄγχνη generaliter de Piro dicatur, et quidem alicubi (ut in illis Homeri ll.), de hortensi s. sativo potius quam de agresti, proprie tamen hanc appellationem agresti piro, quod et ἀχρὰς vocatur, convenire existimari : tanquam hoc nomen sortito a verbo ἄγχειν, quod Strangulare significat : quoniam acerbitate sua propemodum strangulant. Adeo ut sit proprie quod Galli dicunt *Poire d'cstranguillon :* quod sonat quasi quis dicat Pirum strangulatorium; aut, magis ad verbum, Pirum strangulatus s. strangulationis. Sed in eo, quod certo cuidam pirorum generi appellatio ista tribuitur, et quidem hortensi alioqui, cum nomine ὄγχνη undiquaque non convenit. Eo autem nomine et ipsa arbor Pirus appellatur. Sed quod ad scripturam attinet, non dubito quin ὄγχνη potius quam ὄχνη scribi debeat, si verum sit (quod certe verisimile est), dici a verbo ὄγχειν, quod est Strangulare. [HSt. in Ind. : « Κόγχναι, Hesychio sunt αἱ ὄγχναι, Pira sylvatica. »] Venio ad locum in quo Plut. ἄπια et μῆλα jungit. Is extat in Artox. [c. 24] : Ἀπίοις δὲ καὶ μήλοις καὶ τοιούτοις ἄλλοις ἀκροδρύοις τρέφουσαν ἀνθρώπους πολεμικοὺς καὶ θυμοειδεῖς. Alibi ἰσχάδας et μῆλα conjungit, ut Symp. 6, 8 : Πάσχουσι δὲ τοῦτο καὶ ἵπποι καὶ ὄνοι, καὶ μάλιστα ὅταν ἢ ἰσχάδας ἢ μῆλα κομίζωσιν [De lacrimis Moschus 4, 56 : Τὰ δέ οἱ θαλερώτερα δάκρυα μήλων κόλπον ἐς ἱμερόεντα κατὰ βλεφάρων ἐχέοντο || De malis melophororum (v. Μηλοφόρος), Herodot. 7, 41 : Τουτέων χίλιοι ἐπὶ τοῖσι δόρασι ἀντὶ τῶν σαυρωτήρων ῥοιὰς εἶχον ... Εἶχον δὲ χρυσέας ῥοιὰς καὶ οἱ ἐς τὴν γῆν τρέποντες τὰς λόγχας καὶ μῆλα οἱ ἄγχιστα ἑπόμενοι Ξέρξῃ. Idem 1, 195 : Σφρηγῖδα ἕκαστος (Babyloniorum) ἔχει καὶ σκῆπτρον χειροποίητον· ἐπ' ἑκάστῳ δὲ σκήπτρῳ ἔπεστι πεποιημένον ἢ μῆλον ἢ ῥόδον ἢ κρίνον ἢ αἰετὸς ἢ ἄλλο τι.]

|| Μῆλον cum adjectione, præter primam illam et

propriam signif., alias etiam accipit, i. e. cum aliis
etiam fructibus, ob quandam formæ rotundæ præsertim similitudinem, nomen suum communicat. [La-
tiori signif. Hom. Il. I, 542: Πολλὰ δ' ὅγε προθέλυμνα
χαμαὶ βάλε δένδρεα μακρὰ, αὐτῇσι ῥίζῃσι καὶ αὐτοῖς ἄνθεσι
μήλων. Callim. Cer. 137: Φέρβε βόας, φέρε μᾶλα. Hesych.: Μῆλον, πᾶς καρπός. V. idem in Μῆλα.] Est
enim quoddam Περσικὸν μῆλον, Persicum malum, s.
Malum Persicum, aut composite Malopersicum (sicut
μηλέα Περσικὴ habuisti paulo ante ex Theophr.),
vulgo *Pesche*: corrupte pro *Perse*, ut opinor, i. e.
voce *Perse* prave detorta in *Pesche*. Quod autem
vocamus *Presse*, estque ex genere eorum quæ appellantur *Pesches*, sunt qui Duracinum Persicum esse
existiment. At lingua Italica vocem Persicum pene
integram servat; atque adeo et aliæ linguæ, quæ præ
Italica præsertim et Gallica semibarbaræ censeri possunt, ejus vestigia retinent. Sed hoc sciendum est,
Diosc. l. 1, uno capite, sc. 165, agere de Persicis malis; at c. 167 (interjecto sc. capite 166, de Armeniacis malis), agere de iis quæ vel Medica vel Persica vel
Cedromela, vel Latine Citria vocentur. Ap. Eund.
extat c. 188 ejusd. libri de arbore cui nomen Περσέα:
quam extare in Ægypto dicit. Sic et Theophr. [H. Pl.
4, 2, 5], Ἐν Αἰγύπτῳ, inquit, ἐστὶν ἕτερον Περσέα κα-
λούμενον· παραπλήσιον μάλιστα τῇ ἀπίῳ φύλλοις· πλὴν
τὸ μὲν, ἀείφυλλον, τὸ δὲ, φυλλοβόλον. Unde Plin.: Ægyptus et Persicam arborem sui generis habet, similem
piro, folia retinentem. Quæ autem ab his Περσέα, a
Nicandro est dicta Περσεῖα, interjecto ι, propter metrum, vel potius Ionice Περσείη, Alexiph. [98]: Καί
τε κατατριφθέντα μετ' ἀργήεντος ἐλαίου Σκλήρ' ἀπὸ περσείης κάρυα βλάβος οἷον ἐρύξει. Quibus addit, Περσεὺς
ἥν ποτε ποσσὶ λιπὼν Κηφηΐδα γαῖαν, Αὐχέν' ἀποτμήξας
ἅρπῃ γονόεντα Μεδούσης (ita enim scrib. est, non ἀρπη-
γονόεντα conjunctim, ut habent edd. quæ meam præcesserunt), Ῥεῖα Μυκηναίῃσιν ἐνηέξησεν ἀρούραις. Ubi
schol. annotat primum quidem, quod ad nomen Κάρυον attinet, esse hic quod vulgus ὀστέον appellet;
atque ita vocari etiam a Theophr.; esse enim κάρυα
ὅλα τὸ ξυλῶδες λέπος ἔχοντα. (Estque obiter hic anno-
tandum et istud de voce κάρυον, eam pro Osse accipi,
i. e. eo quod vulgo appellamus *Le noyau*: ut Suet.
Ossa palmularum dixit. Quin etiam de voce Ὀστέον
s. Ὀστοῦν, idem observandum est, eam et hunc me-
taphoricum usum, sicut ap. Latinos, habere; itidem
enim ὀστᾶ et Diosc. usurpasse videbis paulo post.
Vocatur autem κάρυον ob similitudinem quam cum
nuce habet.) Quod vero ad vocem περσείης attinet,
annotat, Περσείης δὲ εἶχε τὸ ἀρχαῖον ἀπὸ τοῦ Θεοδοσια-
κοῦ Νικάνδρου μεταγεγραμμένον. Scribo enim εἶχε, non
εἶπε, meum vetus exemplar sequens: ut sit sensus,
τὸ ἀρχαῖον, sc. ἀντίγραφον (neque enim dubito quin hoc
subaudiri debeat), habuisse hanc vocem περσείης. At
si retineamus εἶπε, quod vulg. edd. habent, non video
quis hinc elici sensus possit. Verum et hoc obiter addendum est, non Νικάνδρου, sed Νικανδρίου, in illo
ipso exemplari scriptum esse. Ceterum ap. eund.
poetam legimus gen. περσεῖος, tanquam a nominativo
Περσεὺς, significante illud ipsum περσείη, i. e. περσέη.
Siquidem in Theriacis [764] canit de quodam papi-
lione, Τῷ ἴκελος περσεῖος ὑποτρέφεται πετάλοισι. Ubi
schol. περσεῖος genit. Æolicum esse ait, a nominat. περ-
σεύς: ut nimirum a βασιλεὺς est βασιλεῖος. Itaque περσέα a Nicandro περσεῖα etiam et περσεὺς vocatur: a
Callim. autem Περσεῖος ἐπώνυμος: ubi canit, Καὶ τρι-
τάτη Περσεῖος ἐπώνυμος· ἧς ὀρόδαμνον Αἰγύπτῳ κατέπη-
ξεν. In quibus versibus observare etiam debemus,
eum de Ægypto dicere (quod convenit cum iis quæ
ex aliis scriptt. antea protuli), quod Nicander de
Mycenis. Constat porro unam eandemque arborem
esse cum ea, quæ a Diosc. περσέα vocatur, quum ipse
de hac disserens, dicat esse arborem in Ægypto nascentem, quæ fructum ferat ἐδώδιμον et εὐστόμαχον:
et in eo φαλάγγια inveniri, quæ dicuntur Κρανοκολά-
πτα [« κολάπται » HSt. Ms. Vind.]: itidemque Nicander sub περσεῖος foliis bestiolam φαλαίνῃ similem nutriri tradat. Ceterum περσεῖα (si scholiastæ illius poetæ
credimus, quem scripsisse περσέα verisimilius est),
fuit dicta Ῥοδακινέα. Sed nomen hoc recentius et suo

A tempore vulgare fuisse videtur innuere, quum scribit,
Τὴν Περσεῖαν, ἣν ῥοδακινέαν καλοῦσι. Sic autem a Suida
περσέα nomine illo ῥοδακινέα, tanquam notiore, exp.
At VV. LL. habent Ῥοδακηνέα, cum η, et quidem ex
Aetio quoque, Tract. 13, c. 118. Fructus autem meminisse illum tradunt l. 1, ubi de Persiæ malo agit.
At vero ap. Nicolaum Myrepsum, capite De unguentis esse scriptum Ῥοδακινία. Ibid. annotatur, alia esse
quæ dicuntur Δωράκινα: quæ tamen sunt de genere
Persicorum. Annotavi autem supra, Duracina persica
esse quæ vulgo appellamus *Des presses*, in Persicorum genere: quæ appellatio Plinii auctoritate nititur,
scribentis 15, 12 init.: Sed Persicorum palma duraci-
nis. Si tamen sunt ea quæ vulgo Parisiis appellamus
Des presses, longe nunc a Pliniano diversus est Pa-
risiensis gustus. Non dubium est autem quin vox
illa δωράκινα s. δωρακινὰ (accentu posito in ultima) ex
Latino sermone petita sit. Verum, ut tandem finem
dicendi de περσέα faciam, sciendum est non parvam
esse inter eos, qui in Dioscoridem scripserunt, hac
B de arbore controversiam: nimirum an ea non aliud
sit quam Malus persica, an contra discrimen aliquod
inter has esse existimandum sit. Equidem ut idem
esse putemus, facere potest et hoc, quod ap. Diosc.
legimus, 6, 22, adversus ψιμμύθιον, i. e. Cerussam,
auxiliari περσικῶν τὰ ὀστᾶ: quoniam sc. ap. Nicandr.
περσείης κάρυα adversus hoc ipsum opitulari legimus.
Sed vicissim non pauca sunt quæ ad constituendum
inter hæc duo discrimen impellere nos videantur: ex
quibus unum hoc est, quod ipse Diosc. non una cum
malis Persicis, sed seorsum mentionem facit: et quidem talem ut peculiaris descriptio esse judicari possit. Quamobrem si meo quis stare judicio velit, duo
illa esse eadem negabit.

|| Postquam autem περὶ τῶν περσικῶν μήλων men-
tionem fecit Diosc., de iis quæ vocantur Ἀρμενιακὰ,
meminit [1, 166] et quidem ita ut unum idemque
μήλων genus illi esse manifestum sit. At quæ minora
sunt, inquit, et appellantur Armeniaca, Latine Præcocia, stomacho sunt utiliora. Ceterum hoc nomen
C Πραικόκια, cujus meminit Diosc., quidam ex recentioribus Græcis usurparunt. Hoc porro sciendum est,
non solum περσικὸν μῆλον s. περσικὰ μῆλα dici, sed
interdum etiam περσικὸν s. περσικὰ, sine substantivi
adjectione, ut vel in illo quem ex Diosc. paulo ante
protuli loco videre est, ubi sc. dicit περσικῶν τὰ ὀστᾶ,
pro περσικῶν μήλων. Nec dubito quin alia quædam
adjectiva ex iis, quæ subjungam, itidem sine substantivi adjectione posita inveniantur; sed huic adjectivo frequentiorem quam ulli alii hunc usum esse
arbitror: adeo ut Latini quoque hanc ἔλλειψιν sibi per-
mittentes, Persica dixerint, non addito substantivo
Mala. Sed hoc sciendum est, non solum dici περσικὰ
μῆλα, sed etiam περσικὰ κοκκύμηλα. Scribit enim Diphilus Siphnius ap. Athen. 3, [p. 82, F]: Περσικὰ λεγόμενα μῆλα, ὑπό τινων δὲ Περσικὰ κοκκύμηλα, μέσως
ἐστὶν εὔχυλα, θρεπτικώτερα δὲ τῶν μήλων. Scribit autem
Suidas κοκκύμηλα esse quæ vocata sint a recentioribus βερίκοκκα (quum enim dicit τὰ παρ' ἡμῖν λεγόμενα,
i. e. Quæ a nobis dicuntur: vel sui sæculi vel suæ
D regionis homines ita vocasse significat): quod βερίκοκκα
id omnino esse videtur, ex quo factum sit a nobis vocab. *Abricots*. Quæ tamen alii esse censent ea quæ
Diosc. ἀρμενιακὰ μῆλα nominat. Nonnulli vero, quoniam addit ea esse quæ a Latinis Præcocia vocentur,
volunt potius esse quæ dicuntur *Avantpesches*: quæ
peculiariter etiam fuisse appellata *Pesches de Troye*
(i. e. Persica Trecensia) quidam annotarunt.

|| Celebre est etiam Μηδικὸν μῆλον, i. e. Medicum
malum; estque μηδικὸν nomen ἐθνικόν. [V. Μηδικὸς in
Μῆδος.] Constat autem id esse, quod vulgo vocamus
Orange. Sed quod περσικοῦ appellationem huic quoque tribuit Diosc. non minus quam μηδικοῦ, id vero
quidam mirantur. Legimus tamen et ap. Theophr. 4,
4, [2]: Οἷον, ἥ τε Μηδία χώρα καὶ ἡ Περσὶς ἄλλα τε
ἔχει πλείω, καὶ τὸ μῆλον τὸ Μηδικὸν καὶ τὸ Περσικὸν
καλούμενον· quæ autem subjungit, unius tantum mali,
nimirum Citrii, descriptionem continent. Quin etiam
Athenæus [3, p. 83, D] ipsum Theophrastum testem
producens, scribit, Καὶ τὸ μῆλον τὸ Περσικὸν ἢ Μηδι-

κὸν καλούμενον· quæ lectio minus etiam dubitationis A
relinquere cuiquam potest. Adde quod Macrobius ex
Oppio scribit : Generantur autem in Perside omni
tempore mala citrea ; alia enim præcarpuntur, alia
interim maturescunt. [Plut. Mor. p. 733, F : Σικύου
πέπονος καὶ μήλου Μηδικοῦ.] Jam vero et illa vox Κεδρόμηλον (quæ ap. Diosc. tertia est mali Medici appellatio) quibusdam suspecta fuit (idque non immerito
fortasse), ne nimirum pro κιτριόμηλον s. κίτριον μῆλον,
aut κιτρόμηλον, posita esset : quamvis hoc ipsum κεδρόμηλον alibi quoque extare faterentur. In VV. autem
LL. annotatur, vocem κέδρος dici etiam de Arbore
citrei mali : cujus materies Citrum a Varrone et Martiale appelletur. Sed hujus appellationis illud ipsum,
quod suspectum esse dico; testimonium afferunt :
illum sc. ex Diosc. petitum locum, in quo tamen non
κέδρος, sed duntaxat compositum vocab. κεδρόμηλον
habetur. Addunt vero et Plinii locum, 13, 16, ubi de
cedro locutus, subjungit, Alia est arbor eodem nomine, malum ferens execratum aliquibus odore et
amaritudine, aliis expetitum, domos etiam decorans, B
nec dicenda verbosius. Hanc enim aliam arborem,
Medicam malum esse ajunt. Sed quo teste id probare
possunt? Hoc certe si verum esset, Plinium hæc de
Medica malo intellexisse, citrum illi et cedrum idem
esse dicendum foret : atqui hæc diversa illi esse manifestum est, 13, 1 : Cedri tantum et citri suorum
fruticum in sacris fumo convolutum nidorem verius
quam odorem, noverant, jam rosæ succo reperto.
Quin etiam 15, 14, ita inchoat : Malorum plura sunt
genera. De citreis cum sua arbore diximus. Medica
autem Græci vocant, patriæ nomine. Atqui si verum
esset quod de cedri appellatione in VV. LL. anno-
tari dico, aliquam vel hic vel aliis in locis, ubi de
Medica malo agit, mentionem fecisset : ubi nimirum
et Assyriam nominat; ut 12, 3 : Malus Assyria, quam
alii vocant Medicam, venenis medetur. Reliqua ibi
vide. Hoc quoque de pomo isto addam, nos *Orange*
(uti jam dixi), Italos autem simili voce nominare :
utrosque ab eadem origine, nimirum a quadam appellatione quæ recentioribus Græcis in usu fuit : sic C
tamen ut Itali multo minus quam nos illam immuta-
rint. Ea enim est Νεράντζιον, ap. Nicandri schol. Nam
in Alex. [533] : Ποτὲ φύλλον ἐναλδόμενον πρασιῇσι Καρ-
δαμίδος, μῆλόν τε, καὶ ἐμπριόεντα σίνηπι, schol. annotat,
μῆλον (quod sine adjectione ponitur) significare τὸ
μηδικὸν μῆλον : quod μηδικὸν μῆλον esse τὸ νεράντζιον.
Non dubium est certe quin hanc appellationem tanquam suo tempore omnibus familiarem atque adeo
vulgarem afferat. Facitque hæc vox νεράντζιον ut Itali
ii, qui *Naranzo* aut *Narancio* s. *Narangio* pronuntiant (ut taceam illos qui *Naranzaro* dicunt), se rectius loqui dicere possint quam ii, qui *Arancio* vel
Arangio proferunt : quamvis alioqui Dantes, et Pe-
trarcha, nec non Boccatius horum altero, non autem
ullo illorum utantur. Sed hoc addo, extare ap. eos
et aliam vocem, eamque compositam, sc. *Melarancio :*
verum hanc de arbore potius quam de fructu usurpasse illi Italicæ linguæ scriptores videntur. Quin
autem *Melarancio* sonet i. q. *Pomo arancio*, utpote
compositum ex Melo (ut si ex μῆλον facias Melum pro D
Malum), et ex *Arancio*, minime mihi dubium est.
Hoc quoque sciendum est, sicut κεδρόμηλον ap. Diosc.
scribi dicebam, quum tamen κιτρόμηλον s. κιτριόμηλον
scrib. potius videatur, sic Italos dicere *Cedri*, cum *d*,
non *t*. Sed hoc nomine appellant id genus, quod
omnium maximum s. crassissimum est. Et quoniam
in hunc sermonem incidi, paulo eum longius persequens, ostendam quanto diligentius nostri sæculi homines singula hujusce fructus genera propriis appellationibus quam vel ipsi Græci olim (quatenus quidem novimus) distinxerint. Atque ut per gradus a
minoribus ad majora ascendam : primum genus statuam, *Aranci* s. *Arangi*, aut etiam *Narangi*, s. *Naranzi*
(quæ propius ad vocem νεράντζιον accedere docui),
Gallice *Auranges*, vel *Oranges*, ut alii pronuntiant.
Secundum genus, *Limoni* et per diminutionem *Li-
moncelli :* Gallice itidem *Limons*. Quin etiam *Limes*
alicubi, terminatione feminina, de rotundioribus.
Tertium genus *Ponciri :* quæ tamen appellatio non

A est per totam taliam usitata : nobis itidem *Poncires*.
Quartum genus *Cedri*, de omnium maximis et cras-
sissimis. Sic vero et in quibusdam Galliæ locis illa
vocantur *Cidres :* quum tamen alii *Poncires* potius
appellent. At vero *Cedrangoli* diminutiva forma dici
videtur : quod in Italia me audisse non memini, sed
tamen in quibusdam ejus partibus ita vocari ea etiam,
quæ ab aliis *Aranci* s. *Arangi* nominentur, intellexi.

‖ Ut porro dicitur fructus Μηδικὸν μῆλον, sic arbor Μηδικὴ μηλέα. Atque ut fructus alio nomine dicitur Κίτριον μῆλον, sic ipse arbor Κιτρία μῆλος
[« μηλέα » HSt. Ms. Vind.], aut certe Κιτρία, sine adjectione : sicut κίτριον pro κίτριον μῆλον. Auctor Γεω-
πονικῶν, 10, [7, 11] : Τὰς κιτρίας [nunc κιτρέας ex
libris] φυτεύουσι παρὰ τὸν τοῖχον. Sed et Κίτριον ab Eod.
pro Ipsa arbore dicitur [ib. 9, et sæpius eo cap.] :
Ἐὰν δὲ τὸν καρπὸν τοῦ κιτρίου γύψῳ πεφυραμένῃ κατα-
χρίσῃς. Est alioqui hæc appellatio Latina potius quam
Græca : sic tamen ut Citrea potius quam Citria ap.
Plin. et alios legamus, et quidem de Fructu duntaxat.
B Eust. autem [Od. p. 1572, 40] ex quodam Pamphili
Περὶ γλωσσῶν libro tradit τὸ κιτρίον a Latinis vocatum
esse κίτρον. [Herodian. Philet. p. 468=475 : Μῆλα Μηδικὰ, τὰ νῦν κίτρα.] Sed Citrum ap. Varronem de ipso
citrei mali ligno potius legimus : Galeno hæc appellatio κίτριον minime placuit tanquam recens solo novitatis studio introducta. [Galen. vol. 13, p. 209 : Μηλέα
Μηδική· ταύτης ὁ καρπὸς οὐκέτι μῆλον Μηδικὸν, ἀλλὰ
κιτρίον ὑπὸ πάντων ὀνομάζεται, et intt. ad Josephi A. J.
3, 10, p. 175, indicavit Lobeck. ad l. Herod.] At hodie
Italis et nobis aliisque nonnullis vulgare est hoc nomen, sed de certo quodam Medicorum pomorum genere : ut ex iis, quæ modo dicta fuerunt, satis liquere
potest. His omnibus et istud addendum est : κίτριον
interdum peculiariter de Cortice mali citrei usurpari :
atque ita reddi in isto Alex. Aphr. l., Probl. 1, [119
extr.] : Τὸ κίτριον ἔξωθεν προστεθὲν καὶ θλασθὲν, τῷ κρά-
ματι ἔνδοθεν ὄντι τὴν ἑαυτοῦ δίδωσι ποιότητα. [HSt. in
Ind. :] Κίτριον, s. Κίτριον μῆλον, Κίτρον. [Aret. p. 133,
44 : Μήλων τῶν κιτρίων τὸ ἄβρωτον.] Meminit Suid.
C quoque hujus vocis κίτρον, scribens ita vocari τὸν
καρπὸν, Fructum : sc. τῆς κιτρίας, quæ et Assyria s.
Medica malus nominatur, necnon Indica, si non mentiuntur Hesychii codd. : ap. quem paroxytonως legimus, κιτρίον, τὸ Ἰνδικὸν μῆλον. Paroxytonως item ap.
Athen. 3, [p. 83, F], veruntamen et proparoxytonως
[in prioribus editt. : nam Schweighæus constanter
scripturam κιτρίον tenuit], ubi et quæritur an τοῦ κιτρίου nomen sit antiquum et ap. antiquos scriptt. reperiatur. Respondet Æmilianus [p. 83, B] Jubam in
Libycis meminisse τοῦ κίτρου, dicere ipsum apud Li-
byas vocari μῆλον ἑσπερικόν : a quibus et Herculem in
Græciam asportasse, quæ διὰ τὴν ἰδέαν vocantur χρύσεα
μῆλα, Aurea mala. Democritus ap. antiquos reperiri
negat : a Theophr. H. Pl. 4, vocari Περσικὸν s. Μηδικὸν μῆλον, a Comicis χρυσοῦν μῆλον, ex Hesperidibus
oriundum : Phæniam innuere κιτρίον dictum quasi
κεδρίον, ἀπὸ τῆς κέδρου : ut enim cedrum, ita et τὸ
κιτρίον ἀκάνθας ἔχειν περὶ τὰ φύλλα. Alii tamen negant
τὰ χρυσόμηλα, Aurea mala, eadem esse cum Medicis,
D sed ex genere Cydoniorum s. cotoneorum : nam citria
et Medica esse quæ vulgo dicuntur narantia, limo-
nes, citrones. [Κίτριων scriptum etiam ap. Artemid.
1, 67, p. 95, 6.]

‖ Celebratur etiam Κυδώνιον μῆλον ap. veteres [Poll.
6, 51 ex Aristoph. (qui de mammis dixit κυδώνια Ach.
1199). Aret. p. 104, 39 : Μῆλα κυδώνια. Matthæi Med.
p. 43, 62, qui p. 392 indicat l. Pauli Ægin. p. 247];
quod Latini Cotoneum malum, potius quam Cydo-
nium, vocant. Nos *Coin*, quasi *Cotoin :* Itali autem
minus depravata voce Latina, *Codogno* appellant. Galen. simpliciter quoque et sine adjectione μῆλον per
excellentiam vocasse traditur, Κατὰ τόπους, 2, 1. Τὰ
δὲ κυδώνια, inquit Diosc. [1, 160], εὐστόμαχα, οὐρητι-
κὰ, κτλ. Plinius de pineis nucibus locutus, His proxima amplitudine, inquit, mala quæ vocamus Cotonea, et Græci κυδώνια, ex Creta insula advecta. Scribo
autem κυδώνια ap. eum, s. Cydonia, Latinis literis,
non Cydonea (ut tamen pleraque ejus exemplaria habent), quum κυδώνια ubique ap. scriptt. Græcos, κυ-

δώνεα nusquam egamus. Sic quoque arbor Κυδώνιος μηλέα, vel Κυδωνία μηλέα dicitur Cotonea malus. Pro κυδώνιον autem Nicander dixit etiam Κύδων. Legitur enim ap. eum Alex. 234 : Βλοσυροῖο κύδωνος· quod schol. exp. στυπτικοῦ κυδωνίου. Sed pro κύδωνος perperam scriptum est κυδῶνος in edd. quæ meam præcesserunt. Ceterum κυδωνίων quædam sunt dicta Χρυσόμηλα, quod sonat Aurea mala, s. Aurei coloris mala : quædam Στρούθεια, sive Στρουθειόμηλα. Plura cotoneorum genera, inquit Plin. 15, 11, χρυσόμηλα, incisuris distincta, colore ad aurum inclinato. Quæ candidiora, nostratia cognominata, odoris præstantissimi. Est et Neapolitanis suus honos. Minora ex eodem genere στρούθεια odoratius vibrant, serotino proventu, præcoci vero mustea. Strutheis autem cotone insita suum genus fecere mulvianum : quæ sola ex his vel cruda manduntur. Sed in hoc Plinii l. pro Minora consentaneum rationi esse videtur ut Majora reponamus. Hæc enim scriptura quum ex aliis locis confirmari posse videtur, tum vero ex isto Diosc., 1, 191, in quo de cotoneis malis agit : Τὰ δὲ λεγόμενα στρούθεια καὶ μεγάλα, ἧττόν ἐστιν εὔχρηστα. Invenitur porro scriptum etiam Στρουθία μῆλα, et quidem ap. ipsum Diosc., nec non ap. Athen. : ap. quem tamen et altera scriptura extat : 3, [p. 81, A] : Τὰ δὲ κυδώνια, ὧν ἔνια καὶ στρούθεια [στρουθία libri] λέγεται κοινῶς, ἁπάντων ἐστὶ τῶν μήλων εὐστομαχώτερα, καὶ μάλιστα τὰ πέπονα. At vero alterius scripturæ exemplum aliquanto post habetur, ubi de voce Κοδύμαλον agit, et mala Cydonia ab Hermone ἐν Κρητικαῖς Γλώσσαις vocari tradit [ib. F] κοδύμαλα. Deinde ex Polemone addit, nonnullos velle κοδύμαλον esse quoddam Floris genus. Quibus addit, Ἀλκμὰν δὲ τὸ στρουθίον μῆλον· sed hanc scripturam incuriæ librariorum imputandum esse existimo. [HSt. in Ind. :] Hesych. quoque κοδύμαλον esse dicit τὸ στρούθειον μῆλον, s. κυδώνιον, sed quosdam velle esse genus Floris, alios κόσμον περιτραχήλιον, Ornamentum collare. [Κοδύμαλον per ο breve in prima syllaba scribitur quidem vulgo ap. Athen., itemque ap. Hesych.; sed verior scriptura Κωδύμαλον per ω longum, quam quidem ap. Athen. servarunt vetustissimæ membranæ : malles tamen Κωδίμαλον per iota in secunda syllaba, ut a vocab. κῶας ejusque diminutivo κώδιον ducatur, significetque vi originis Malum villosum, lanuginosum. Schweigh.] Quod autem attinet ad id Cydoniorum genus, quod Plin. χρυσόμηλα vocat, sunt qui ea aurea mala esse putent quæ legimus ap. Virg. Ecl. 3 : Aurea mala decem misi, cras altera mittam : quum tamen VV. LL. tradant ex Athen. Χρυσᾶ μῆλα, nec non Ἑσπερίδων μῆλα, esse Mala Medica, de quibus antea dictum fuit. Sed vereor ne parum attente Athenæi locus consideratus fuerit; vel potius, ne librariorum error non deprehensus, eos, qui hoc annotarunt, in errorem induxerit. Quale autem illud erratum sit, ut ostendere possim, locum totum proferre necesse habeo. Scribit igitur Athen. [p. 82, E] : Ἑσπερίδων δὲ μήλων οὕτως καλεῖσθαί τινά φησι Τιμαχίδας ἐν τῷ τετάρτῳ, εἰπὼν, Καὶ ἐν Λακεδαίμονι παρατίθεσθαι τοῖς θεοῖς φησὶ Πάμφιλος ταῦτα· εὔοσμα δὲ εἶναι καὶ ἄβρωτα· καλεῖσθαι δ' Ἑσπερίδων μῆλα. Ἀριστοκράτης γοῦν ἐν τετάρτῳ Λακωνικῶν, Ἔτι δὲ μῆλα καὶ τὰς λεγομένας Ἑσπερίδας περσικά. Θεόφραστος ἐν τῷ κτλ. Hunc, inquam, illorum errorem ex librarii errore natum esse dico, qui περσικὰ cum præcedentibus junxerit, quum alioqui nomen hoc tanquam titulus interjiciatur, ut variis hujus scriptoris locis, præsertimque in libris prioribus, nomina quædam textui inserta esse videmus, quæ nullo modo vel præcedentibus vel sequentibus annexa sint, neque cum illis vel his cohæreant, quantum quidem ad structuram orationis attinet, sed seorsum ponantur, tanquam eorum quæ proxime sequuntur materies s. argumentum. Ac ne longe abeamus, habemus, paucis interjectis, nomen κιτρίον hoc ipso officio fungens. Ex illo igitur Athenæi l. nihil minus quam illud probari potest. Posse alioqui aureorum malorum appellationem non uno pomorum generi tribui fateor, prout varium auri colorem in variis numis esse videmus, et quidem in iis etiam qui recens cusi fuerunt. Illis porro addit Plin., de cotoneis : Sunt præterea parva sylvestria a strutheis odoratissima, in sepibus nascentia. Geopon. 10, [20, 1] ex Cydoniis malo insitis μῆλα nasci ait κάλλιστα, quæ ab Atticis sint dicta Μελίμηλα. Quin etiam μήλινος et μηλίτης ad μῆλα κυδώνια interdum pertinere, docebo paulo post.

|| Sunt vero et alia quædam μῆλα, quæ adjectivi nominis adjectione distinguuntur, veluti ea quæ ἠπειρωτικὰ vocantur. Sunt præterea quæ nomine composito appellantur : ut μελίμηλα, ἀγριόμηλα : de quibus omnibus partim jam dictum est, partim suo loco dicetur, in Indice. || Μῆλα, si verum est quod Hesych. scribit, dicendum fuerit tam late patere quam apud Latinos Poma : ut enim Poma Latini generaliter interdum vocant Quosvis fructus, sic ille μῆλα esse ait παντὸς δένδρου καρπόν : sed ἐξαιρέτως ita vocari τὸν τῆς μηλέας. Sic ap. Hom. Il. I, [537] ubi canit, Πολλὰ δ' ὅγε προθέλυμνα χαμαὶ βάλε δένδρεα μακρὰ Αὐτῇσιν ῥίζῃσι καὶ αὐτοῖς ἄνθεσι μήλων, nomine μῆλα significari generaliter ἀκρόδρυα, ἐκ μέρους, tradit Eust.

|| Μῆλα metaphorice vocantur et alia. Nam Malæ, vel potius Genæ [Gl.], μῆλα etiam appellantur, teste Polluce [2, 87]. (Hippocrati κύκλοι τοῦ προσώπου, ut Galen. testatur.) Sed is tamen sibi minime constat in hujus vocis expositione, meo quidem judicio. Postquam enim dixit, ea quæ vocantur μῆλα, ab utraque nasi parte protuberare (si ἀνέστηκεν ita interpretandum est), et esse ὑποφθάλμιον φρουρὰν τῶν ὀφθαλμῶν, ut sc. διατειχίζοιτο εἰς ἀσφάλειαν ἄνωθεν μὲν ταῖς τῶν ὀφρύων προβολαῖς, κάτωθεν δὲ ταῖς τῶν μήλων ἀνοχαῖς, et esse hæc nominata μῆλα, quoniam ἀνθοῦσιν ἐν ὥρᾳ, subjungit, vocari etiam παρειὰς et γνάθους. Non sibi constat, inquam, Pollux; in eo quod primum μῆλα esse ait ὑπὲρ τὰς παρειάς : deinde ea vocari etiam παρειὰς dicit. Quod tamen de hujus appellationis ratione scribit, παρειαῖς optime convenire constat; hæ enim ἀνθοῦσαι dicuntur et εὐανθεῖς, quum in iis lanugo velut effloresccit. Ita enim accipio verbum ἀνθεῖν, et in eo loco ubi dicit παρὰ τὸ ἀνθεῖν ἐν ὥρᾳ : non autem, ut interpr. quidam, Quod in iis ætatis flos eluceat. Plane enim coacta hæc interpretatio mihi videtur. Sunt vero et qui aliam hujus metaphorici usus nominis μῆλα rationem afferentes, μῆλα dicta esse velint, quia in modum mali orbiculati extuberant. Utut se res habeat, non absimile vero esset, Latinos exemplo Græcorum, nomini Malæ significationem illam dedisse, et Malæ quasi Mala (i. e. Poma) dixisse. Neque enim mihi unquam persuadebit Cic., Malas a Maxillis, nihilo magis quam Alas ab Axillis, Talos a Taxillis, Palos a Paxillis fieri : qui tamen id velle significare videtur. Μῆλον scribit Gorr. in sing. : tradens esse Partem faciei inter nasum et aurem, sub oculo leviter eminentem. Additque, pilis nudam esse, non modo propter os subjectum, sed etiam ad ornatum et decorem vultus, quodque natura voluerit eam esse sedem pudoris, ibique maxime ostendi ruborem. Et sic dictam esse a mali similitudine, sive rubeum mali colorem spectemus, sive rotunditatem quam illi natura donavit, ut sic oculum ab externis injuriis infra tutaretur : ideoque Hippocr. De morbis 1, non illepide malas κύκλους προσώπου nominasse. Hæc et ille. Nunc autem ad exempla veniendum est. Legimus igitur ap. Lucian. ἐν Εἰκόσι vocem μῆλα de Faciei parte quadam [c. 6] : Καὶ τῶν ὀφθαλμῶν δὲ τὸ ὑγρὸν ἅμα τῷ φαιδρῷ καὶ κεχαρισμένῳ, καὶ τοῦτο διαφυλάξει κατὰ τὸ Πραξιτέλει δοκοῦν· τὰ μῆλα δὲ, καὶ ὅσα τῆς ὄψεως ἀντωπὰ, παρ' Ἀλκαμένους καὶ τῆς ἐν κήποις λήψεται. Legimus et ap. Alex. Aphr. Probl. [2, 4] : Διὰ τί τῶν περιπνευμονικῶν τὰ μῆλα ἐρυθρά ἐστι; Singulare autem μῆλον extat ap. LXX Cantic. Solom. 4, [3. Theocr. 14, 38 : Τήνῳ τὰ σὰ δάκρυα μᾶλα ῥέοντι. Valck. De cujus tamen l. sententia et scriptura v. annot. interpretum Aret. p. 2, 43 : Ἐρύθημα μήλων. Diodorus Zonas Anth. Pal. 9, 556, 4 : Ἠρέμα φοινιχθεὶς μᾶλα παρηιάδων.]

|| Μῆλα, de Mammis puellæ dictum ab Aristoph., utpote teretibus, sicut teres est malum. [Eccl. 903 : Τὸ τρυφερὸν γὰρ ἐμπέφυκε τοῖς ἁπαλοῖσι μηροῖς κἀπὶ τοῖς μήλοις ἐπανθεῖ· Lys. 155 : Ὁ γῶν Μενέλαος τᾶς Ἑλένας τὰ μᾶλά πα γυμνᾶς παρενιδὼν ἐξέβαλ', οἰῶ, τὸ ξίφος. Theocr. 27, 48 : Μᾶλα τεὰ πρώτιστα τάδε χνοάοντα διδάξω.]

|| **Μῆλον**, Oculi procidentia jam inveterata, atque adeo aucta ut etiam palpebras excedat. Sic dicta a mali similitudine, quod ita protuberet oculus ut malum exertum appareat. Gorr. Una est ex speciebus τῶν ὀφθαλμοῦ προπτώσεων.

|| **Μῆλα**, Carnes quædam rubræ et teretes sub tonsillis, quæ tonsillæ ἀντιάδες et παρίσθμια dicuntur, s. Tonsillæ duæ penitiores, in intimo ore positæ ad radicem linguæ, Pollux [2, 201].

|| **Μῆλα**, Labra. Unde verbum Διμηλαίνειν [διαμυλλαίνειν], Labra movere, διακινεῖν τὰ χείλη, Pollux [2, 90]. Sed Comicis hoc verbum peculiariter tribuere videtur, sicut et nomen illud μῆλα [μύλλα], in ea signif.

|| **Μῆλον** in signif. ἔρωτος, potius δελεάσματος εἰς ἔρωτα s. εἰς τὰ ἀφροδίσια, vide in Μηλοβολῶ. [Referri huc potest etiam fabula de Malo Eridis, ap. Lucian. D. mar. 5, 1, quod quid significet quærit Tzetzes Exeg. Il. p. 42, 28. Ludum σπέρμα μήλων memorat Pollux 9, 122, describit 128.]

Μῆλον autem, quod Ovem significat, a v. μέλω, s. μέλομαι, originem habere existimatur, quoniam μῆλα διὰ πολλῆς φροντίδος ἦσαν τοῖς παλαιοῖς : vel a voce Μῆλον significante ἥσυχον et ἥμερον et χαῦνον : quoniam τὸ πρόβατον tale est. Attalus quidam a nomine μαλλὸς deduci censuit : quæ deductio plane rejicitur : quod rationi consentaneum videatur, ut contra μαλλὸς a μῆλον derivari dicatur. Fuerunt denique et qui μῆλον appellatum putarint παρὰ τὸ μηλώδη καρπὸν ἔδεσθαι : secundum quam deductionem μῆλον hoc posterius altero esset, quod proxime præcessit. (Observandum est autem interim et nomen Μηλώδης, quod perinde sonat ac si a Pomum diceres Pomeus s. Pomaceus : sive fictum sit illud possessivum, sive aliunde allatum.) Sed Etym. primam illam derivationem ceteris anteponit : qui, paucis interpositis, addens, Ὁ δὲ καρπὸς κατ' ἐξοχὴν, πᾶς γὰρ οὕτως ἐλέγετο (ita enim leg. est ap. eum, non autem, πᾶς οὕτως, sine γὰρ), videtur eandem deductionem et alteri μῆλον velle tribuere : intelligens, μῆλον, quo certus quidam fructus significatur, a μέλω s. μέλομαι dictum esse κατ' ἐξοχήν : tanquam sc. ἐπιμελείας ἠξιωμένον præ quovis alio. Alioqui enim μῆλον non Certum illum fructum, sed Quemlibet significabat. Μῆλον, τὸ, Ovis, Pecus. [Μῆλα, Bidentes, Gl.] Hom. Od. I, [336] : Καλλίτριχα μῆλα νομεύων · et [444] : Ἀρνειὸς γὰρ ἔην μήλων ὄχ' ἄριστος ἁπάντων · et [184] : Μῆλ', ὄϊές τε, καὶ αἶγες. Sed latius hujus nominis signif. interdum extenditur, ad capras sc., interdum et ad boves. De capris Od. Ξ, [105] : Ἕκαστος ἐπ' ἤματι μῆλον ἀγινεῖ, Ζατρεφέων αἰγῶν ὅστις φαίνηται ἄριστος. Atque adeo de Quibuslibet quadrupedibus dictum fuisse traditur, sicut μηλωτὴ de Qualibet pelle. V. lexicographos Græcos, et Eust. [P, 170 : Ἐπήλυθε μῆλα πάντοθεν ἐξ ἀγρῶν · 246 : Αὐτὰρ μῆλα κακοὶ φθείρουσι νομῆες. Pind. Ol. 7, 63 : Εἶπέ τιν' αὐτὸς ὁρᾶν ἔνδον θαλάσσας αὐξομέναν πεδόθεν πολύβοσκον γαῖαν ἀνθρώποισι καὶ εὔφρονα μήλοις. Idem alibi dicit de ovibus, ut Pyth. 4, 148 : Μῆλα καὶ βοῶν ξανθὰς ἀγέλας. Æsch. Eum. 944 : Μῆλά τ' εὐθενοῦντα γᾶ ξὺν διπλοῖσιν ἐμβρύοις τρέφοι χρόνῳ τεταγμένῳ · fr. Danaid. ap. Athen. 13, p. 600, A : Μήλων τε βοσκὰς καὶ βίον Δημήτριον · Ag. 1057 : Ἕστηκεν ἤδη μῆλα πρὸς σφαγάς · 1416 : Μήλων φλεόντων εὐπόκοις νομεύμασιν. De ovibus frequens est etiam ap. Soph. et Euripidem. De Soph. Eust. Il. p. 877, 58 : Προφέρει δὲ (Aristophanes gramm.) καὶ Σιμωνίδου χρήσεις, ἐν αἷς βοῦν ἄρρενα ὁτὲ μὲν ταῦρον, ὁτὲ δὲ μᾶλον ἤγουν μῆλον ὀνομάζει, καί τινα χρῆσιν ἑτέραν ταύτην, Μῆλα, βόας κεραούς, καὶ ὄϊς καὶ πίονας αἶγας. Σοφοκλῆς δὲ, φησὶ, δόξειεν ἄν που καὶ τὰ θηρία πάντα μῆλα καλεῖν. Τὸν γοῦν Ἀχιλλέα τραφῆναί φησιν ἐν τῷ Πηλίῳ πᾶν μῆλον θηρῶντα. Quæ sæpius repetit aliis ll. Tzetz. ad Lycophr. 933 : Ἀμφὶ μήλων τῶν δορικτήτων) ἀπὸ μέρους τῶν κτημάτων ὅλων, ὡς καὶ Ἡσίοδος τῶν κτημάτων ὅλων, ἀντὶ τοῦ πλούτου καὶ βασιλείας τοῦ Οἰδίποδος. Phrynich. Bekk. p. 17, 8 : Μῆλα ἅπαντα τὰ τετράποδα καλοῦσιν οἱ ἀρχαῖοι. Et similiter Hesych. et reliqui. || Forma Dor. Μᾶλα est etiam ap. Theocr. 1, 109, etc. || De usu ap. Byzantinos, ubi est ap. Leonem quidem Tact. c. 6, 25 : Κατὰ τῶν μήλων ἤτοι τῶν ὤμων τῆς ζάβας, φλαμουλίσκια, et Mauric. Strat. 12, 4 : Φλάμουλα κατὰ τῶν μήλων, ubi v. de signif. conjecturas Schefferi p. 510, et in Novel.. Justin. 105, 2, 1 : Τοῦτον (ἄργυρον) ἐφίεμεν αὐτοὺς ῥίπτειν ἔν τε τοῖς καλουμένοις μιλιαρησίοις καὶ μήλοις, de numis rotundis, plura v. ap. Ducang. Qui addere poterat Tzetzæ ll. de μήλοις quibusdam loquentis obscurius Hist. 9, 342 : Ἐκεῖ Πανδώραν γὰρ αὐτός φησιν ἐξαποπέμπειν ἐγὼ τὰ διλιτραῖα δὲ μῆλα τῶν κλεπταββάδων, quibuscum conferenda seqq. 347 : Ἐγὼ δὲ τὰ λιτρόμηλα καὶ διλιτρόμηλα δὲ τῶν κλεπταββάδων ὄπισθεν εἰρήκειν ἀποπέμπειν, μήπου κακόν τι γένηται ἀποθανεῖν ἀμήλους, ὅσοι λίτρας μὴ κέκτηνται, μηλάββαδα ὠνεῖσθαι · 353 : Τὰ κλεπταββάδων ἔφασκε λιτρόμηλα ὁ Τζέτζης στρέφειν, μὴ θάνοι ἄμηλος πᾶς ἄλιτρος ἀνθρώπων · 368 : Εἰ λίτρας κλεπταββάσι τε καὶ τζουριχοαγίοις ἐπὶ ἑνὶ τῷ μήλῳ τε δωρεῖσθε καὶ τῇ ῥοᾷ, ἀνθρώποις συγγραφεῦσι δὲ μεταφρασταῖς βιβλίων λέγεται, μεταφράσαιμεν μῆκος τοσαύτης βίβλου, καὶ τότε δοίητε αὐτοῖς ὅπερ ὑμῖν δοκήσει, μὴ εἴην, εἴπω, συγγραφεὺς μηδὲ ἐμός τις φίλος, εἰ πόνοις τόσοις μὲν οὐδὲν ὁ συγγραφεὺς λαμβάνει, οἱ τεχνικοὶ τὰς λίτρας δὲ ἀπόνως μηλοπρᾶται.]

[Μηλόνθη. V. Μηλολόνθη.]

Μηλονόη, dea quædam cujus Hymnus extat apud Orph., VV. LL.; sed ap. Orph. Μηλινόη legitur.

Μηλονομεὺς, έως, ὁ, pro quodam genere Bruchi, VV. LL. ex Max. Tyrio.

Μηλονομεὺς, έως, vel Μηλονόμος, ὁ, Ovium pastor, Opilio. Μηλονομεῖς, ποιμένες, Hesych. [Epigr. Anth. Pal. 9, 452, 4 : Ἐν ἕρκεσι μηλονομήων.] Alterum autem illud μηλονόμος ap. Suid. extat; per hoc enim exp. illud μηλοβοτὴρ, quod supra habuisti. Μηλοβοτὴρ, inquit, ὁ τῶν προβάτων ποιμήν · καὶ μηλονόμος, ὁ αὐτός [Exstat etiam ap. Eur. Cycl. 660, et in Glossis mss. cod. Reg. 1673 ap. Ducang. Gl. p. 924, v. Μηλωτάριον.]

[Μηλονόμης, ὁ, Dorice μηλονόμας, ὁ, i. q. præcedens Eur. Alc. 572.]

[Μηλονομιαῖον, Hesych. interpretatur ἐννόμιον. Quod voc. quum non tantum de Pascuis, sed etiam de Vectigali pro pascuis s. Scriptura dicatur, anceps est etiam hujus significatio. De forma v. Lobeck. ad Phrynich. p. 543.]

[Μηλονόμος. V. Μηλονομεύς.]

[Μηλόνομος, ὁ, ἡ, Ab ovibus depastus. Lemma Anth. Pal. 9, 103 : Ὅτι τὴν τύχην ἀλλάξασα μηλόνομος γέγονε καὶ βούνομος ἡ τὴν πολυθρύλητον Ἴλιον ἐκπορθήσασα.]

Μηλοπάρῃος, q. d. Malis similes habens genas, Cujus malæ s. genæ colorem mali referunt, ut quidam interpr. Sed Eust. [Il. p. 691, 52] exp. [μαλοπάρῃος] ἁπαλοπάρῃος, ex μαλὸς significante i. q. ἁπαλός. Affert autem ex Theocr. [26, 1], ap. quem tamen est Μαλοπάρῃος Dorice. Quin etiam alias duas nominis hujus scripturas ed. mea tibi indicabit; sed eas mendosas esse puto [sc. μαλλοπάρῃος, et λευκοπάρῃος, quibus addenda quæ est ap. Hesychium et in libris nonnullis μαλοπάραυος, h. e. μαλοπάραος, ut χαλκοπάραος est ap. Pind., quem contulit Meinekius].

[Μηλοπέπων, ονος, ὁ.] Μηλοπέπονες, Melopepones. Species sunt cucumerum, qui quum magnitudinem excessere, Pepones Plinio vocantur; quum vero rotundi formam et effigiem mali referunt, tunc facto ex pepone et malo nomine, Melopepones dicti sunt. Neque enim aliud inter illa discrimen quam ex figura quondam fuit. Totum autem hoc genus in Martio et Aprili, melones, quasi μήλωνες, a mali figura Palladio dicuntur. Est vero eadem melopeponibus vis, quæ et peponibus. Hæc Gorr. At in VV. LL. hæc annotantur : Μηλοπέπονες, ap. Galen. De alim. 2, a Palladio Melones dicuntur : a mali Cydonii figura, quod μῆλον per excellentiam Græci vocant. [Galen. vol. 6, p. 465, 17 : Οἱ δὲ πέπονες καὶ μ. ὀνομαζόμενοι. Id. ib. p. 556, 16; 558, 1 et 16; 564, 8; 566, 4, aliisque multis ll. Incert. De cibis ed. Ermerins. p. 251, 5 et 275, 12, ubi semper distinguuntur πέπων et μηλοπέπων, qui videtur esse Cucumis melo Linn. Hase. Matthæi Med. p. 312.]

Μηλοπλακούντιον, τὸ, Gorr. annotat esse Confectionem quandam ex malis cotoneis in vino coctis, adjecto postea melle, pipere, aniso, atque aliis, pro arbitrio pharmacopœi : quæ deinde omnia mista, instar semunciæ formantur, et cum lauri foliis componuntur. Additque, Speciem esse cydoniati.

Μηλοπλακοῦς, οῦντος, ὁ, Placenta ex malis cotoneis.

[Galen. vol. 6, p. 603, 3 : Ἐν Ἰβηρίᾳ δὲ τὸν καλούμενον μηλοπλακοῦντα συντιθέασι, subjectis nonnullis de confectione ejus. Hase.]

[Μηλοπράτης, ὁ, Qui μῆλα vendit. Tzetz. Hist. 9, 376. V. alterum Μῆλον in fine.]

Μῆλος, ἡ, Melus : insula una ex Cycladibus, in qua urbs ejusdem nominis. [Xen. H. Gr. 4, 8, 7, et sæpe ap. Thuc.] Ejus civis, Μήλιος, Melius. [Theognis 672 : Μηλίου ἐκ πόντου. Xen. H. Gr. 2, 2, 3.] Ab Aristoph. Nub. [830] Socrates vocatur Μήλιος, non quod ex Melo oriundus esset, sed quod videretur facere cum Diagora Melio, qui Ἄθεος habebatur : posito ibi τῷ Μήλιος pro ἄθεος καὶ ἀσεβὴς ὡς Διαγόρας ὁ Μήλιος. [Διαγόραν τὸν Μήλιον Av. 1073.] Ap. Eund. [Av. 186] proverb., Μήλιος λιμὸς, Melia fames, pro Maxima ; quia talis olim Melum pressisse dicitur. Ab hac ipsa insula denominata Μηλία γῆ, Terra Melia, coloris cinericii ut Eretria, non medicis tantum usitata ad corpus reddendum purum, sed pictoribus etiam ad diuturnitatem colorum. V. Diosc. 5, 180. Vocatur eadem et Μηλίς. Ita enim ap. Plut. De discern. amico et adul. B [p. 58, D] Apelles pictor Megabyzo volenti aliquid disserere de lineis et umbra, respondit : Ὁρᾷς τὰ παιδάρια ταυτὶ τὰ τὴν μηλίδα τρίβοντα ; [Μηλιὰς idem p. 436, C.] A Theophr. De lap. [fr. 2, 62, 63] nominatur et Μηλία et Μηλιάς [nunc bis Μηλιάς] : ubi etiam dicit pictores ea uti quod sit καλὴ, διὰ τὸ λίπος ἔχειν καὶ πυκνότητα καὶ λειότητα. [Formam Doricam Μᾶλιρ (γῆ) notavimus in Μάλιον.] Ap. Hippocr. vero De ulc. μηλιάδος ὠμῆς Galen. exp. τῆς ἀπὸ Μήλου χαλκίτεως ἢ στυπτηρίης : quoniam eod. lib. bis pro eod. dicit, στυπτηρίην μηλείην [Μηλεία στυπτηρίη Hipp. p. 875, B ; 876, D ; 879, F. Verum μηλία στυπτηρίη aut μηλίη legendum potius, ut legitur p. 681, 26. Quemadmodum etiam legisse Galenum existimo, eoque referendum quod scribitur in Exeg. (p. 526) : Μηλιὰς ἡ ἀπὸ Μήλης τῆς νήσου. Etsi exemplaria quædam Μηλία legunt, Μηλίας etiam quædam perperam pro Μηλιάς. Alumen autem Melinum probat ut glutinans Celsus 2, 5, eoque ad ulcera utitur Galenus l. 3 Κατὰ τόπους p. 193, 46, ubi tamen στυπτηρίας μηλεσίας pro Μηλίας C vitiose legitur. Foes. Oec. Hipp.], attestante et Diosc., τὴν Μηλίαν γῆν esse στυπτηριώδη τῇ δυνάμει, Aluminosa vi præditam. Latini τὴν Μηλίαν γῆν appellant Melinum : ut Plin. 35, 6, 7, et Paul. Jurisc. Pand. 31 de Legatis 3. Ita Vitruv. 7, 7 : Melinum nomen habet ex eo, quod ejus vis metalli insulæ cycladi Melo dicitur esse. Necnon Plaut. Mostell. [1, 3, 107] : Neque cerussam, neque melinum, neque aliam offuciam. || At Μήλιαι, Hesychio ἀστράγαλοι. [Pro quo antea Μελεαί.] Alioqui Μηλία est et urbs Thessaliæ vicina Trachini : cujus incolæ dicuntur Μηλιεῖς, ut [quod attinet ad urbem, quam de nihilo finxit, perperam] tradit schol. Soph. Trach. p. 338 [194], qui ab iisdem et Μηλιάδας νύμφας denominari scribit in Philoct. p. 410 [725]. Ab eandem urbe [quam nullam fuisse infra dicetur] dicta Μηλὶς λίμνη a Soph. Trach. p. 353 [636, et Μηλὶς αἶα Callim. Del. 287, M. γῆ vel absolute Herodot. 7, 198 ; 8, 31] : et Μηλιακὸς κόλπος a [Thuc. 3, 96,] schol. ibid., qui etiam addit, eum λίμνην dixisse pro θάλασσαν. [Μηλιακὸν πλοῖον ap. Suid. et parœmiogrr.] Mentio D horum ap. Steph. Byz. quoque, qui Μηλίαν esse dicit etiam Vicum Acarnaniæ. [Et addit : Καὶ διὰ τοῦ α Δωρικῶς. Γίγνεται καὶ ἀπὸ τοῦ Μήλιος Μηλιεὺς καὶ Μηλιακὸς καὶ Μηλὶς ἡ χώρα. Æsch. Pers. 486 : Δωρίδ' αἶαν Μηλιᾶ τε κόλπον. Aristoph. Lys. 1169 : Τὸν Μηλιᾶ κόλπον. Herodot. 4, 33 : Τὸν Μηλιέα κόλπον. Thuc. 4, 100 : Τοῦ Μηλιῶς κόλπου. Polyb. 9, 41, 11 ; et Steph. Byz. v. Θουμακία. Soph. Trach. 194 : Μηλιεὺς ἅπας λεώς· Phil. 4 : Ἔνθα τὸν Μηλιᾶ Ποίαντος υἱὸν ἐξέθηκ' ἐγώ ποτε. Μηλιέες sunt ap. Herodot. 7, 132, 196. Quæ in prosa recentiori dicuntur per α. Steph. Byz. : Μαλιεὺς, πόλις ἐπώνυμος τῶν Μαλιέων, ἀπὸ Μάλου τοῦ Ἀμφικτύονος υἱοῦ ἢ Ἀμύρου τοῦ Βοιωτοῦ. Ὁ πολίτης Μαλιεύς. Ἔστι καὶ Μαλιακὸς κόλπος. Λέγεται καὶ Μαλεάτης. Ἀνδροτίων πέμπτῳ. Ap. Scylacem p. 24, ubi distinguuntur ita ut post Μηλιεῖς ponantur Μαλιεῖς, altero loco scribendum esse Λαμιεῖς, etsi sæpius vitium repetitur, animadvertit Vossius ad Catullum, ut annotavit Hudson. p. 35, nec tueri vitiosa potuit Millerus ad

A Scyl. p. 212. Recte Palmerius, qui tamen scriptoris errorem putabat, Exerc. p. 278 : « Iidem Μαλιεῖς et Μηλιεῖς. Sic Atheniensibus et omnibus Ionici generis, illi Doriensibus sic dicti ... Auctores diverse pronuntiavere, modo Μηλιεῖς proferentes modo Μαλιεύς, unde κόλπος Μηλιεὺς et Μαλιεὺς, Μηλιακὸς et Μαλιακὸς idem est sinus, qui etiam aliquando Λαμιακὸς ab urbe Lamia dictos. Ideo Herodotus semper Μηλιεῖς habet, ut et Thuc. et Æschylus Athenienses antiqui. » Formæ per η alia exx. sunt ap. Thuc. 3, 92, Diod. 11, 4 ; 12, 77 ; 18, 11, Xen. H. Gr. 3, 5, 6 ; 4, 2, 17, ut sponte intelligatur 6, 5, 23 male scribi Μαλιεῖς, quæ forma est ap. Demosth. p. 1379, 22, ubi tamen est var. Μηλ., Aristot. Polit. 4, 13, Diodor. 15, 85, nisi hic quoque scripserat per η, Pausan. 1, 23, 4 etc., Strabonem locis plurimis, qui citati sunt in Ind., et in numis ap. Mionnet. *Descr.* vol. 2, p. 18, *Suppl.* vol. 3, p. 297, sive Eckhel. D. N. vol. 2, p. 143, qui recte animadvertit p. 142 male fingi ex populo Μαλιεῖς urbem ap. Steph. Byz., nihiloque melius ab schol. Soph. Trach. 194, Phil. 4, urbem Μηλίαν, aut Μῆλον ab schol. Aristoph. Av. 186. L. D. De Meli insulæ incolis despicatui ductis Liban. t. 2, p. 217, A ed. Morell. : Κἂν εἰ Μεγαρεὺς ἐτύγχανεν ὢν, ἢ Μήλιος. Hase.]

[Μηλὸς, unde sit μηλὸν, τὸ ἥσυχον καὶ ἥμερον καὶ χαῦνον, ponit Etym. M. p. 584, 16.]

[Μηλοσκόπος, ὁ, ἡ, Oves speculans. Hom. H. Pan. 11 : Ἀκροτάτην κορυφὴν μηλοσκόπον εἰσαναβαίνων.]

[Μήλοσμον, τὸ, i. q. Πόλιον. Diosc. Notha 3, 124. Boiss.]

Μηλοσόη, ἡ, Via per quam oves aguntur, ap. Rhodios, Hesych. [V. Μαλόσα.]

Μηλόσπορος, ὁ, ἡ, ut μηλόσπορος ἀκτὴ, Malis s. Pomis consitum litus, ex Eur. [Hipp. 742.]

[Μηλοσόος]. Μηλόσσοος, ὁ, ἡ, Ovium servator. [Leonidas Tar. Anth. Pal. 6, 331, 3 : Καὶ σὺ, τετραγλώχιν, μηλοσσόε, Μαιάδος Ἑρμᾶ.]

Μηλοσφαγέω, Oves jugulo, Oves macto, s. immolo. [Soph. El. 280 : Μηλοσφαγεῖ θεοῖσιν ἔμμηνʼ ἱερὰ τοῖς σωτηρίοις. Eur. fr. Plisth. ap. Ammon. v. Βωμὸς cit. : C Μηλοσφαγεῖτε δαιμόνων ἐπʼ ἐσχάραις. Aristoph. Av. 1232 : Μηλοσφαγεῖν τε βουθύτοις ἐπʼ ἐσχάραις· Lys. 191 : Εἰς ἀσπίδα μηλοσφαγούσας· 196 : Μηλοσφαγοῦσαι Θάσιον οἴνου σταμνίον. L. D. Porphyr. De abst. p. 100, 12 : Ἐν ταῖς θυσίαις μηλοσφαγοῦντές τε καὶ βουθυτοῦντες. Hase.]

Μηλοσφαγία, ἡ, Ovium jugulatio, mactatio, immolatio. Μηλοσφαγίαι, θυσίαι προβάτων, Hesych.

Μηλοτρόφος, ὁ, ἡ, Ovium nutritor, Qui oves alit, ex Nonno [Jo. c. 10, 7], μηλοτρόφος ποιμὴν, Pastor qui oves alit. [Archiloch. ap. schol. Eur. Med. 713, Eust. Od. p. 1790, 17 : Ἀσίης μηλοτρόφου. Æsch. Pers. 764, Ἀσίδος. Synes. p. 166, B : Μηλοτρόφον ἀγαθήν.]

[Μήλουσσα, ἡ, Melussa. Νῆσος κατὰ Ἴβηρας. Ἑκαταῖος Εὐρώπῃ. Τὸ ἐθνικὸν Μηλουσσαῖος, Steph. Byz.]

[Μηλοῦχος, ὁ, ἡ, Mammas continens, i. q. μίτρα, Strophium. Leonidas Tar. Anth. Pal. 6, 211, 3 : Τὸ πορφυροῦν ... κόμης ἕλιγμα, καὶ μηλοῦχον ὑαλόχροα. Schneid. Conf. C. O. Müller. *Handb. der Arch.* § 339, 3. Hase.]

Μηλοφάγος, ὁ, ἡ, Qui oves comedit, Ovilla carne D vescens. [Nonn. Jo. c. 16, 262, ἑορτή.]

[Μηλοφόνια, ων, τὰ, Festum, annot. in Athen. 3, 21 (?). Angl.]

Μηλοφόνος, ὁ, ἡ, Ovium occisor s. interfector. Lupi epith. ap. Oppian. Cyn. 3, [263] : Μηλοφόνον τε λύκον, δυσδερκέα τʼ αὖθις ὕαιναν. [Fem. Æsch. Ag. 738 : Μηλοφόνοισιν ἄγαισιν.]

[Μηλοφορέω, Poma fero. Theocr. Epigr. 2, 4 : Πήραν, ἃ ποχʼ ἐμαλοφόρει.]

[Μηλοφορία, ἡ, Gestatio malorum (in hastis, ut dicetur in Μηλοφόρος). Athen. 12, p. 514, D : Τὴν παρὰ Μήδων γενέσθαι Πέρσαις μηλοφορίαν μὴ μόνον ὧν ἔπαθον τιμωρίαν κτλ.]

Μηλοφόρος, ὁ, ἡ, [Pomifer, Gl.] q. d. Mala ferens s. gestans. Quidam Cereris cognomentum esse annotant. [Ap. Pausan. 1, 44, 3.] Apud Athen. autem 12, [p. 514, D] et Hesych. μηλοφόροι (nam ap. hunc non dubito quin μηλοφόροι reponi debeat pro μηλοφόρη), sunt Regis Persarum satellites, μῆλα χρυσᾶ φέροντες ἐπὶ τῶν στυράκων. [Themist. Or. 2, p. 36, C ; 19, p.

226, A. Wakef. Diodor. 17, 59. Hesych. | Proprie Eur. Herc. F. 396 : Χρύσεον πετάλων ἀπὸ μηλοφόρων χερὶ καρπὸν ἀμέρξων.]

[Μηλοφύλαξ, ἄκος, ὁ, Pomorum custos. Schol. Eur. Hipp. 742, δράκων. ῠ]

Μηλοφύλαξ, ὁ, Ovium custos, Epigr. [Forma Dor. Theætet. Anth. Plan. 233, 2 : Εὐκεράου μαλοφύλαξ ἀγέλας.]

[Μηλόχρους, ὁ, ἡ, Colore μήλινος. Comput. Pythag. in Bibl. Matrit. p. 336 : Ὁ Κρόνος σημαίνει τοιούτους ἄνδρας· μηλάχροας (sic), σκυθρωπούς. Lobeck. ad Phryn. p. 662. Legendum videtur μελάγχροας. L. D. Hippiatr. p. 135, 11 : Τοὺς ὀφθαλμοὺς μηλόχροας. Hase.]

Μηλόω, Specillum demitto in, s. Specilli demissione pertento. Pollux enim [4, 181] et Hesych. μηλῶσαι esse dicunt τὸ τὴν μήλην καθεῖναί που : quod et Καταμηλῶσαι dicitur. Idem Hesych. μηλοῦν et καταμηλοῦν dici solitos scribit, quum ἐν τῷ ἐμεῖν καθίεσάν τι εἰς τὸ στόμα. Cujus hoc extat exemplum ap. Polluc. ex Phryn. : Ἔμει καταμηλῶν· φλέγματος γὰρ εἶ πλέως, Specillo in guttur immisso vome, seu manu aut penna specilli loco. [V. Μήλωσις. Aristophanis ex., in quo est τὴν φάρυγα μηλῶσαι vel potius μηλῶν, citant Photius s. Suidas, qui μηλῶσαι interpretantur τὸ καθεῖναί τι εἰς βάθος, τὴν φάρυγα μηλῶσαι autem τὸ διαχρῖσαι τῷ δακτύλῳ. Medium ead. signif. est ap. Rufum p. 119 ed. Matth. : Ἀρκεῖ δὲ καὶ ἕνα καθιέναι δάκτυλον, εἰ ἰατρός τε ἔμπειρος εἴης ... καὶ παιδίον μήλοιο. Quod μηλοῖο scribendum, ut monuit Matthæus, et sequitur ib. p. 120 : Καὶ τῷ νοσοῦντι καὶ τῷ μηλουμένῳ.] Præterea Hesych. verbo hoc significari ait τὸ τὰ βαπτόμενα ἔρια πιέζειν εἰς τὸ χαλκεῖον, Lanas quæ tinguntur spatha s. rudicula deprimere in ahenum. [Idem : Μηλῶν, βάπτων. Pollux 7, 169 : Λέγεται δὲ καὶ φαρμάττειν τὰ ἔρια καὶ μηλοῦν καὶ καταμηλοῦν τὸ τῷ κινήθρῳ καταδύειν.]

[Μηλώδης. V. Μηλοειδής.]

[Μήλωθρον, τό.] Μήλωθρα, τὰ βάμματα, Coloramenta quibus panni immerguntur. Hesych. enim βάμματα esse dicit : sed addens, alios hoc μηλώθρου vocabulo accipere τὸ τῶν δερμάτων βάμμα, alios τὸ πρόστυμμα τῆς πορφύρας : alios hoc nomine intelligere χαλλωπίσματα, Fucamenta. [Μήλωθρα, τὰ βεβαμμένα ἔρια, Eust. Od. p. 1394, 32.] Sane ἄμπελος ἡ λευκή, Vitis alba, μήλωθρον et ψίλωθρον a quibusdam vocatur quia fructu ejus, qui est βοτρυοειδὴς et πυῤῥός, ψιλοῦται τὰ δέρματα, teste Diosc. 4, 184, ut et Plin. 23, 1, quum dixisset vitem albam esse quam Græci Ampeloleucen, alii Ophiostaphylon, alii Melothron, alii Psilothron appellant : subjungit aliquanto post, Semen in uva raris acinis dependet, succo rubente, postea croci : novere id qui coria perficiunt : illo enim utuntur. Ab eod. Plin. 21, 9, melothron numeratur inter herbas quæ in coronamenta venere folio. Meminit et Theophr. H. Pl. 3, c. ult., et 6, 10. [Conf. Schneider. Ind. Theophr. L. D. It. J. Chr. Wernsdorf. De ant. Balear. p. 87, ubi in l. Hesychii πρόστυμμα mutari vult in πρόστριμμα, sine causa. Hase.]

[Μηλών. V. Μηλιών.]

Μήλων, ωνος, ὁ, Hercules cognomento dictus est a Melitensibus, s. a Thebanis, aut Bœotis, quod non victimas ei immolarent, sed malis duntaxat sacra facerent. V. Polluc. [1, 31] et Hesych. : Pollux dicit apud Thebanos s. Bœotos ita vocari, altius repetita historia originem hujus appellationis declarans : Hesych. autem non dicit apud Melitenses ita fuisse appellatum, sed ideo tributum fuisse illi hoc nomen, quoniam Melitenses οὐκ ἔθυον αὐτῷ ἱερεῖα, sed τὸν καρπὸν τὰ μῆλα. [Zonar. p. 1356; Theognost. Can. p. 35, 31.]

[Μηλώσιος, α, ον, Ovium custos, Pastoralis. Bœckh. C. inscr. gr. vol. 2, p. 29, n. 1870, Corcyræ : Διὸς Μηλωσίου. Id. ib. p. 355, n. 2418, Naxi in saxo : Ὅρος Διὸς Μηλωσίου. Conf. Franz. Elem. epigr. gr. p. 338 et Ross. *Reisen auf den gr. Ins.* vol. 1, p. 43. Hase.]

Μήλωσις, εως, ἡ, dicitur Specilli demissio, s. Pertentatio et exploratio quæ fit specillo immisso. Hippocr. [p. 772, F] : Ἕδρην τε τοῦ βέλεος ἐξελέγχει μήλωσις, καὶ ἣν ἐμφλασθῇ τὸ ὀστέον ἔσω ἐκ τῆς φύσιος τῆς ἑωϋτοῦ, καὶ ἣν ἰσχυρῶς ῥαγῇ τὸ ὀστοῦν. [Conf. p. 902, B.] Idem Hippocr. et verbo μηλῶσαι utitur, De morb.

A 1, [p. 448, 39] : Καὶ μηλοῦντα κεφαλὴν μὴ γινώσκειν εἰ τὸ ὀστέον κατέηγε, Specillum in caput demittendo explorandi causa. [Et p. 886, F. Rufus p. 119 Matth., aliique medici.]

[Μηλωτάριον, τὸ, i. q. μηλωτή. Glossæ Mss. ex cod. Reg. 1673 : Μηλονόμος, ὁ τὰ πρόβατα νέμων· ὅθεν καὶ τὰ δέρματα μηλωτάρια. Eadem habentur in Epimerismis Herodiani (p. 85). De vestimento monachorum, quod etiam μηλωτὴ dicitur, Jo. Moschus c. 3 : Ὁ πρεσβύτερος Κόνων, λαβὼν τὸ μηλωτάριον αὐτοῦ ἀνεχώρησεν. Aliique Byzantini. Ducang.]

Μηλωτὴ, ἡ, Ovina pellis, proprie; sed interdum de quavis Pelle dicitur, ut tradit Hesych. in Μῆλον : idemque testatur Etym., et Eust. [Il. p. 877, 52, Od. p. 1828, 57. Pellis lanata, Gl.] Ab Hesych. exp. etiam διφθέρα : a Suida ζώνη ἐκ δέρματος. [Philemo ap. Polluc. 10, 176 : Στρῶμα μηλωτήν τ' ἔχει. Memorat idem ib. 181. || Monachorum vestimentum, ap. Byzantinos, ut Euagrium De vestibus monachorum Ægypti Ms. : Τὴν μηλωτὴν ἔχουσιν οἱ πάντοτε τὴν νέκρωσιν τοῦ Ἰησοῦ

B ἐν τῷ σώματι περιφέροντες, et alios ap. Ducang. L. D. Marc. Eugen. Ecphr. ed. Kays. p. 153, 10 : Τῇ μ. βαρυνόμενος. Pallad. Hist. Laus. p. 945, B; 957, E; 975, A; 1001, B; 1006, D; 1014, C. Id. ib. p. 955, E : Μ. αἰγείαν εἰργασμένην λευκήν. Hase. De accentu Arcad. p. 114, 14.]

Μηλωτής, ὁ, Ovium pastor. [Hesych. ante Μηλοφόροι ponens : Μηλωταί, ποιμένες. V. Μηλάτης.]

Μηλωτὶς, ίδος, ἡ, vel Μηλωτρὶς, Specillum auricularium, quo ad repurgandas aures utimur. V. Μήλη. [Μηλωτίς, Specillum, Gl. Theoph. Nonn. c. 88, p. 292 : Ἔρια εἰλήσας εἰς μηλωτίδα, Oribas. Maji p. 14, 15, Soranus in Cocchii Chir. p. 44, 11, etc., et alii medici. L. D. Galen. vol. 2, p. 574, 10 : Διπύρηνα, μηλωτίδας. Id. ib. p. 581, 10; 712, 17; vol. 14, p. 331, 12; 789, 19, aliisque multis ll. Hase.]

Μηλωτρὶς, ίδος, ἡ, Specillum oricularium, [Auriscalpia, Gl.] Hippocr. μήλη ἐξωτίς. Galen. l. 3, τῶν Κατὰ τόπους, de iis quæ in aurem inciderint : Κυαθίσκῳ στενῷ μικρῷ μηλωτρίδος ἀνάσπα εὐφυῶς· ut Cels. 6,

C capite De extrahendis quæ in aurem inciderunt : Sin aliquid exanime est, specillo oriculario protrahendum est. Rursum tamen Galen. τῇ μηλωτρίδι utitur etiam in hæmorrhagia narium, τῶν Κατὰ τόπους l. 4 : Τὸ σπογγίον ἐπιτίθει ἔξωθεν τοῦ αἱμοῤῥοοῦντος μυκτῆρος, πιέζουσα μηλωτρίδι μέχρι τοῦ προωθῆναι. Ac fortasse parvum specilli genus est quo μηλοῦσιν οἱ ἰατροὶ τὰ ὦτα aut alias cavitates : i. e. quo immisso aliquid extrahunt premuntve. [Ineptam hanc etymologiam notavit Lobeck. ad Phryn. p. 255. Oribas. in Cocchii Chirurg. vett. p. 94, 31, τραυματικῆς μηλωτρίδος. Oribas. Maji p. 23, 29, etc. L. D. Galen. vol. 19, p. 85, 6, ubi editum, μηλοτρίδι. Hase. Pollux 10, 149.]

Μήλωψ, οπος, ὁ, Colore referens malum, Mali colorem referens, q. d. Mali faciem habens, ex μῆλον, et ὤψ, ὀπός. Hom. Od. H, [104] : Πεντήκοντα δ' ἔσαν δμωαὶ κατὰ δῶμα γυναῖκες. Αἱ μὲν ἀλετρεύουσι μύλης ἔπι μήλοπα καρπόν. Ubi μήλοπα καρπὸν quidam exp. πυρὸν, utpote μηλοειδῆ τῷ χρώματι. Alii vero per μήλοπα καρπὸν intellexerunt τὸ ἔριον τῶν μήλων, Lanam ovium. Sed

D posterior hæc expos. multo minus probatur quam altera. V. Hesych. [in Μήλοπα], nec non Eust.

Μὴν, ηνὸς, ὁ, Mensis. [Μήν· Mensis. Huetius, in Diss. de Gad et Meni, in Huetianis p. 335 sqq., derivandam hanc vocem censet ex Hebr. מנה *manah* : unde מני *meni*, Jes. 65, 11, quod nomen solis esse putat et μήνη, Lunæ. Sed מני *mni* stellam Veneris designare contendit. Dahler.] Hom. [Il. B, 292 : Ἕνα μῆνα μένων ἀπὸ ἧς ἀλόχοιο· E, 387 : Χαλκέῳ δ' ἐν κεράμῳ δέδετο τρεισκαίδεκα μῆνας·] Od. K, [14 : Μῆνα δὲ πάντα φίλει με· 470] : Ἀλλ' ὅτε δή ῥ' ἐνιαυτὸς ἔην, περὶ δ' ἔτραπον ὧραι, Μηνῶν φθινόντων, περὶ δ' ἤματα μακρὰ τελέσθη· Λ, [293] : Ἀλλ' ὅτε δὴ μῆνές τε καὶ ἡμέραι ἐξετελεῦντο Ἂψ περιτελλομένου ἔτεος, καὶ ἐπήλυθον ὧραι, i. e., Bis seni menses. Plut. Quæst. Rom. [p. 268, A] : Οὐ δώδεκα μησὶν, ἀλλὰ δέκα συνεπλήρουν οἱ τότε Ῥωμαῖοι τὸν ἐνιαυτόν. Quod vero Latini per ablativum dicunt Mense, Mensibus, id Græci per gen. μηνὸς, μηνῶν. [Xen. Comm. 4, 8, 2 : Διὰ τὸ Δήλια ἐκείνου τοῦ μηνὸς εἶναι.] Æschin. In Ctes. : Ἐπὶ τίνος ἄρχοντος, καὶ ποίου μηνὸς, καὶ ἐν τίνι ἡμέρᾳ. Dem. [p. 280, 12]: Ἐνεστῶτος μηνὸς Λῴου. Plut. Quæst. Rom. [p. 284, F]: Τοῦ Μαΐου μηνὸς οὐχ ἄγονται γυναῖκας. [Apud veteres hæc dicuntur casibus paribus: sed in Chrysobulla Jo. Alexii Comn. ap. Pasin. Codd. Taurin. vol. 1, p. 222, col. 2, C, est dat. cum genit.: Ἐν μηνὶ Ἰουλλίου.] Alcibiade [c. 23]: Δέκα μηνῶν οὐκέτι συνῆλθεν αὐτῇ, Decem mensibus, Spatio decem mensium. [Τοῦ μηνὸς, Singulis mensibus, Aristoph. Nub. 612, Xen. Cyrop. 1, 2, 9 et alibi. Addito ἑκάστου, Plato Leg. 6, p. 760, C: Ἑκάστου μηνός. Aristoph. Ach. 859: Πλεῖν ἢ τριάκονθ' ἡμέρας τοῦ μηνὸς ἑκάστου. Eadem signif. κατὰ μῆνα ap. eund. Pl. 596: Δεῖπνον κατὰ μῆν' ἀποπέμπειν· Nub. 1287: Κατὰ μῆνα καὶ καθ' ἡμέραν. Xen. Reip. Lac. 15, 7; Plato Reip. 2, p. 359, C. De uno mense, OEc. 7, 36: Εἰς τὸν μῆνα δαπανᾶται. Plato Leg. 8, p. 849, B: Εἰς πάντα τὸν μῆνα. Plur. 6, p. 762, B: Μεθίστασθαι κατὰ μῆνας εἰς ἕτερον ἀεὶ τόπον. Dativo Xen. H. Gr. 1, 4, 21: Μετὰ τὸν κατάπλουν τρίτῳ μηνί· 3, 3, 2: Ἀφ' οὗ ἔφυγε δεκάτῳ μηνὶ ἐγένου. Addita præpos. 4, 5, 1: Ἦν ὁ μὴν ἐν ᾧ Ἴσθμια γίγνεται, quemadmodum etiam 7, 4, 28: Ὁ μὴν ἧκεν, ᾧ τὰ Ὀλύμπια γίγνεται, scribendum conjeci ἐν ᾧ. Et 2, 4, 21: Πλείους ἀπεκτόνασιν ἐν ὀκτὼ μησὶν ἢ κτλ. Isocr. p. 125, C: Ἐντὸς τριῶν μηνῶν.] Quod vero Latini per accus. dicunt Tres menses regnavit, id Græci eod. modo. [Aristoph. Av. 39: Ἕνα μῆν' ἢ δύο ᾄδουσιν.] Thuc. 2, [2]: Πυθοδώρου ἔτι δύο μῆνας ἄρχοντος Ἀθηναίοις. [Xen. H. Gr. 1, 5, 21: Προσκαθεζόμενοι ἑπτὰ μῆνας. Alia phrasis est ap. Aristoph. Av. 1047: Καλοῦμαι Πεισθέταιρον ὕβρεως ἐς τὸν Μουνυχιῶνα μῆνα.] Prima mensis dies νουμηνία vocatur, Latinis Calendæ: a qua usque ad primam decadem additur ἱσταμένου μηνός: post quam dicitur πρώτη ἐπὶ δεκάδι, et sic deinceps usque ad vigesimam: inde autem πρώτη ἐπὶ εἰκάδι, vel ἐνάτη φθίνοντος, ordine retrogrado: trigesima vero ἕνη καὶ νέα appellatur. Ita tres mensis partes sunt, ἱσταμένου, μεσοῦντος, φθίνοντος, in tres decades divisæ. Sed si cum Polluce [1, 63] post εἰκάδα dicamus ἐνάτη φθίνοντος, erunt tantum 29 dies mensis: nisi post πρώτην ponamus ἕνην καὶ νέαν, s. τὴν τριακάδα, ideoque dicendum δεκάτη ἐπὶ εἰκάδι, ut patet ex Plut. Alexandro [c. 76], ubi mortem ejus refert, ex diariis regiis: ibi enim quum dixisset, Τῇ εἰκάδι λουσάμενος, πάλιν ἔθυσε, et quæ sequuntur; de sequenti die ait, Τῇ δεκάτῃ φθίνοντος ταυτὰ ποιήσας, μᾶλλον ἀνεφλέχθη· paulo post, Τῇ ἕκτῃ σμικρὸν ὕπνωσεν· aliquanto post, Τῇ δὲ τρίτῃ φθίνοντος, πρὸς δείλην ἀπέθανεν. De secunda vero decade, i. e., ea quæ est ante τὴν εἰκάδα, in qua ægrotare incepit, ibid. ita: Ὀγδόῃ ἐπὶ δεκάτῃ Δαισίου μηνὸς, ἐκάθευδεν ἐν τῷ λουτρῶνι, διὰ τὸ πυρέξαι· τῇ δὲ ἑξῆς, λουσάμενος εἰς τὸν θάλαμον μετῆλθεν. Inde sequitur, Τῇ εἰκάδι λουσάμενος, ut paulo ante retuli. Aristobulus ibid. dicit eum τελευτῆσαι τριακάδι Δαισίου μηνὸς, Die trigesima. Natus autem est ἱσταμένου μηνὸς Ἑκατομβαιῶνος, ὃν Μακεδόνες Λῷον καλοῦσιν, ἕκτῃ, Die sexto ineuntis mensis Hecatombæonis. Thuc. 5, [19]: Μηνὸς Ἀρτεμισίου τετάρτῃ φθίνοντος, Quarto ante finem die. [5, 54: Τοῦ πρὸ τοῦ Καρνείου μηνὸς ἐξελθόντες τετράδι φθίνοντος.] Idem ibid., Μηνὸς ἕκτῃ φθίνοντος, Sexto ante finem die. Et [4, 52]: Ἡλίου ἐκλιπές τι ἐγένετο περὶ νουμηνίαν, καὶ τοῦ αὐτοῦ μηνὸς ἱσταμένου ἔσεισε, ubi reddere possis, Ante VIII Idus: nam is dies primam decadem, quæ est μηνὸς ἱσταμένου, non excedit. Cur autem retrogrado ordine post vicesimum diem reliqui usque ad trigesimum numerentur, et quamobrem hæc trigesima dicta sit ἕνη καὶ νέα, docet Plut. Solone p. 29 [c. 25], ubi et addit primum Solonem recte intellexisse Homeri illum versum Od. Ξ, [162] de reditu Ulyssis, Τοῦ δ' αὐτοῦ λυκάβαντος ἐλεύσεται ἐνθάδ' Ὀδυσσεὺς, Τοῦ μὲν φθίνοντος μηνὸς, τοῦ δ' ἱσταμένοιο, sc. de ἕνῃ καὶ νέᾳ: cujus partem eam, quæ prior est coitu solis et lunæ, mensi jam desinenti, reliquam ineunti tribuebat: quippe in qua cessat alius mensis, alius incipit. Quod si dies mensis triginta et unus forent, post εἰκάδα dicebatur ἑνδεκάτη φθίνοντος: sin 28, ὀγδόη ἐπὶ δέκα. Sed erant etiam qui post εἰκάδα dicerent εἰκοστὴ πρώτη φθίνοντος, et sic deinceps. V. plura ap. schol. Aristoph. [Nub. 1131. Eur. Heracl. 779: Μηνῶν φθινὰς ἁμέρα.] De duobus autem mensium generibus, civili et naturali,

A et de duabus naturalis mensis speciebus, lunari et solari, vide quæ Gorr. ex Galeno tradit: ubi et de hebdomadibus. [De mensibus sacris Xen. H. Gr. 4, 7, 2: Οὐχ ὁπότε καθήκοι ὁ χρόνος, ἀλλ' ὁπότε· ἐμβάλλειν μέλλοιεν Λακεδαιμόνιοι, τότε ὑπέφερον τοὺς μῆνας· et ib. 5, 1, 29: Ἡ τῶν μηνῶν ὑποφορά· et iisdem verbis 5, 3, 27. Thuc. 5, 54: Οἱ μὲν τὸν μῆνα προὐφασίσαντο, de Carneo, Dorum ἱερομηνίᾳ. || I. q. μηνίσκος. Photius: Μὴν, τὸν μηνίσκον. Aristoph. Av. 1114: Ἦν δὲ μὴ κρίνητε, χαλκεύεσθε μηνίσκους φορεῖν, ὥσπερ ἀνδριάντες· ὡς ὑμῶν ὃς ἂν μὴ μῆν' ἔχῃ κτλ. Ita Dobræus Adv. vol. 2, p. 226, coll. Cleomede Περὶ μετεώρων p. 514 ed. Bas.: Ἡ σελήνη, ὅταν ᾖ σιγμοειδὴς τῷ σχήματι, μὴν καλεῖται. Libri enim μήνην, quod fefellit HStephanum in Μήνη et Μηνίσκος, quæ v.] || Μῆνες dicuntur etiam Menstrua, quæ καταμήνια γυναικεῖα appellat Aristot., alii ἔμμηνα, καθάρσεις ἐμμήνους. Plin. itidem Menses ea signif. dicit, 21, 25: Ciet urinas ex vino pota, et menses: de helichryso, de quo Diosc. 4, 57: Ἔμμηνα ἄγει. || Μῆνες Hesychio sunt etiam αἱ ἡμέραι. || Μῆνες, genus quoddam
B Saltationum, ab inventore denominatum, Pollux [4, 104: Καὶ μῆνες, χορίνων μὲν ὄρχημα, ἐπώνυμον δ' ἦν τοῦ εὑρόντος αὐλητοῦ. Libri scripti καὶ μὴν ἐσχάρινθον, καὶ μῆνες χάρινθον, vel omisso μὲν, unde recte interpretes καὶ μὴν restituendum et in sequentibus nomen latere animadverterunt, velut ἐσχαρίων.] || Pro μὴν autem Dorice dicitur Μὰν, Æolice autem, Μείς. Hom. Il. Τ, [117]: Ἡ δ' ἐκύει φίλον υἱὸν, ὁ δ' ἕβδομος εἱστήκει μείς, Septimus inibat mensis. [H. Merc. 11: Τῇ δ' ἤδη δέκατος μεὶς οὐρανῷ ἐστήρικτο.] Hesiod. [Op. 555]: Μεὶς γὰρ χαλεπώτατος, οὗτος. [Anacreon ap. Eust. Il. p. 1012, 1: Μεὶς Ποσιδηΐων. Pind. Nem. 5, 44: Μεὶς ἐπιχώριος. Herodot. 2, 82. Qui forma μὴν non utuntur nisi in casibus obliquis. Sic Hippocr. p. 256, 1: Ἐν τοῖς ἕνδεκα μησὶ μείς ἐστιν· in inscr. Mylas. ap. Bœckh. vol. 2, n. 2693, e, p. 476, 12: Ὁ ἐνεστὼς μείς, sequente ibi quoque paullo post μηνῶν. Formam Μὴς ab nonnullis introductam in loco Il. memorant scholl., Arcad. p. 126, 9, Theognost. Can. p. 134, 31. Tab. Heracl. 1, p. 145: Μὴς Ἀπελλαῖος. Plato Crat. p. 409, C: Τὸν μῆνα
C πῶς λέγεις; — Ὁ μεὶς ἀπὸ τοῦ μειοῦσθαι εἴη ἂν μείης ὀρθῶς κεκλημένος. Idem eadem forma utitur Tim. p. 39, C: Μεὶς (γέγονεν) ἐπειδὰν σελήνη περιελθοῦσα τὸν ἑαυτῆς κύκλον ἐπικαταλάβῃ. Achmes Onir. c. 154, p. 124: Οὐ μὴ παρέλθῃ ὁ μεὶς οὗτος καὶ σφαγήσῃ. Chœrob. In Theodos. vol. 1, p. 200, 1 ed. Gaisf.: Μεὶς, ὁ Ὦρος καὶ ὁ Ἀρκάδιος καὶ ὁ Εὐδαίμων ἄκλιτον εἶναι λέγουσι τὸ μείς. Καὶ δῆλον εἴ γε, φασὶ, μηνός ἡ γενικὴ, ὡς ἀπὸ τῆς μὴν εὐθείας. Εἰ δὲ ἐκλίνετο, φασὶ, τὸ μεὶς, μενός εἶχεν εἶναι ἡ γενικὴ, ὥσπερ κτεὶς κτενός. Forma Bœotica genitivi, quæ huic respondet, est μεινὸς, in inscrr. Orchomen. ap. Bœckh. vol. 1, p. 741, n. 1569, a, 1, etc. Μῆννος est in Mytilen. ib. vol. 2, n. 2166, p. 186, 34. Dor. μασὶ ap. Theocrit. 17, 127. L. Dind.]

[Μὴν, ηνὸς, ὁ, Mensis dæmon ap. Orph. ad Musæum 40: Ἄττιν καὶ Μῆνα κικλήσκω, ... σὺν δ' ἄμβροτον ἁγνὸν Ἄδωνιν. Ubi Gesnerus admonet Attidis Menotyranni ap. Latinos. Conferenda etiam hæc Luciani Jov. trag. c. 8: Ὁ Ἄττις καὶ ὁ Μὴν, ubi v. schol., et quæ de Μηνὸς Κάρου, Καμαρείτου, Φαρνάκου ab Stra-
D bone memoratis templis disseruit Wesseling. ad Hierocl. p. 669, deum Lunum et sub ejus figura Adonin significari putans. L. Dind.]

[Μὴν, ηνὸς, ὁ, Men, Ægyptiorum rex primus inter homines, Herodot. 2, 4, 99. Μηνᾶς Diodoro 1, 45, ubi alias nominis formas, alibi etiam per ι vel ει scripti, persequitur Wessel.]

[Μήν.] Quum in præcedentibus de particula μὲν egerim, hic de particula μὴν eadem opera esse agendum censeo: in dubio relinquens tamen an hæc ex illa facta sit. Ad μὰν autem quod attinet, non esse diversam voculam a μὴν, sed Dorice α in ea poni pro η, satis notum esse potest. Ceterum quum μὴν nonnullis voculis subjungatur, de quibus quum dissererem, declaranda simul hujus particulæ illis adjunctæ fuit significatio: ad singulos hujus operis locos, ubi dictum de ea fuit, lectorem remittam, reliqua, i. e. quæ dicenda de ea supersunt, illis adjicere contentus. Μὴν, particula non subjuncta alii particulæ, et cum earum aliqua velut copulata (qui usus ejus alioqui est frequentissimus), sed per se posita, interdum quidem officio fungens τῆς δὲ, redditur particulæ μὲν, et ei in altera orationis parte respondet, ut in isto Plat. l. [Leg. 10, p. 903, B]: Πᾶς γὰρ δημιουργὸς ἔντεχνος, παντὸς μὲν ἕνεκα πάντα ἐργάζεται, πρὸς τὸ κοινῇ συντείνων βέλτιστον· μέρος μὴν ἕνεκα ὅλου καὶ οὐχ ὅλον μέρους ἕνεκα ἀπεργάζεται. Sic ap. Eund. in Epinomide [p. 973, B]: Ὦ φίλε Κλεινία, καλῶς μὲν λέγεις· ἄτοπον μὴν ἀκούσεσθαί σε λόγον οἶμαι, καί τινα τρόπον οὐκ ἄτοπον αὖ. Ubi μὴν Bud. vertit Ceterum : ita reddens hunc l., Recte quidem loqueris, o Clinia, ceterum absurdum sermonem, ut opinor, auditurus es, et rursus eundem modo quodam non absurdum. Ubi particulam μὴν pro γεμὴν positam esse tradit : subjungens, Hermogenem quoque usum esse illa pro δέ. In isto autem ejud. Plat. l. Leg. 11, [p. 920, A]: Δεύτερος μὴν νόμος, μέτοικον εἶναι χρεὼν ἢ ξένον ὃς μέλλῃ καπηλεύειν, vult μὴν positum esse itidem pro γεμὴν, vel pro δέ. At in loco quem primum ex eod. scriptore attuli, Πᾶς γὰρ δημιουργὸς κτλ., (præcedente particula μὲν,) non alium voculæ μὴν, quam particulæ δὲ, usum tribuit. Sic pro δὲ accipi testatur in isto Alciphr. l., initio cujusdam Epistolæ [1, 38]: Οἴχεται Βακχὶς ἡ καλὴ, Εὐθύκλεις φίλτατε, οἴχεται· πολλά τε μοι καταλιποῦσα δάκρυα καὶ ἔρωτος ὅσον ἡδίστου τὸ τέλος οὐ πονηροῦ μὴν μνήμην. (Scimus autem δὲ pro loco aliter atque aliter reddi. Interdum enim δὲ non Vero vel Autem redditur; sed debet potius verti Verum aut Sed, aliave quapiam hujusmodi particula.) Idem interpr. Vero, in isto Plat. l. [Polit. p. 302, A], Πάσχουσαι γὰρ δὴ τοιαῦτα αἱ πόλεις νῦν χρόνον ἀπέραντον, ὅμως ἔνιοί τινες αὐτῶν μόνιμοί τέ εἰσι καὶ οὐκ ἀνατρέπονται· πολλαὶ μὴν ἐνίοτε, καθάπερ πλοῖα καταδυόμενα, διόλλυνται, καὶ διολώλασι, καὶ ἔτι διολοῦνται. [Hom. Il. A, 302 : Τῶν οὐκ ἄν τι φέροις ἀνελὼν ἀέκοντος ἐμεῖο. Εἰ δ' ἄγε μὴν πείρησαι, ἵνα γνώωσι καὶ οἵδε, dicitur eodem modo ut Sophocli restituendum dixi Aj. 384 : Ἴδοιμι μήν νιν καίπερ ὧδ' ἀτώμενος, supra vol. 3, p. 602, A.]

|| Μὴν non raro ponitur et pro Tamen, et quidem præcedente nonnunquam eod. modo particula μέν. Sic ex Plat. Epist. 7, [p. 347, C] affertur μὴν pro Tamen : Ἀξιῶ μὴν, ἔφην, μὴ κύριον ἡγεῖσθαί σε Δίωνος ἐμέ. Sic e Xen. [Comm. 2, 8, 5]: Ὅλως μὴν τὸ ὑπαίτιον εἶναί τινι, οὐ πάνυ προσίεμαι. At vero μὴν pro Tamen, præcedente μὲν, habes in isto Synesii l. : Ἀλλὰ μόλις μὲν ἂν ἐν τῇ θνητῇ φύσει συνέλθοιεν ἰσχύς τε καὶ φρόνησις· ἔστι μὴν ὅτε συνήγαγεν αὐτὰς ὁ Θεός. Sed alicubi præcedente μὲν, sequitur μὴν, ubi tamen interpr. illa non convenit, qua redditur Tamen. Exemplum ejus rei habemus in isto Plat. l. Epist. 7, [p. 326, C]: Ταῦτα δὴ πρὸς τοῖς πρόσθε διανοούμενος, εἰς Συρακούσας διεπορεύθην· ἴσως μὲν κατὰ τύχην· ἔοικε μὴν τότε μηχανωμένῳ τινὶ τῶν κρειττόνων, ἀρχὴν βαλέσθαι τῶν νῦν γεγονότων πραγμάτων περὶ Δίωνα καὶ τοῖς περὶ Συρακούσας. Hic enim Bud. μὴν positum esse scribit pro δὴ, vel potius pro γοῦν. Sed nihil obstat fortasse quominus hic quoque pro Tamen accipiatur. [Plato Phædr. p. 268, E : Ἀνάγκη μὲν καὶ ταῦτ' ἐπίστασθαι, οὐδὲν μὴν κωλύει κτλ.] Invenitur etiam ὅμως μήν : ubi vel hæc duo ponuntur ἐκ παραλλήλου (sicut τυχὸν ἴσως, et λίαν πάνυ, atque alia pleraque), vel μὴν vacat. Plato in Politico [p. 297, D]: Τοιόν δέ τι δεῖ γε ζητεῖν, οὐ πάνυ ξύνηθες οὐδὲ ῥᾴδιον ἰδεῖν· ὅμως μὴν πειρώμεθα λαβεῖν αὐτό. [Ponitur etiam in interrogatione post partt. πότε, πῶς, ποῦ etc., et pron. τίς. Æsch. Eum. 203 : Ἔχρησας ὥστε τὸν ξένον μητροκτονεῖν. — Ἔχρησα ποινὰς τοῦ πατρὸς πέμψαι. Τί μήν; Eur. Rhes. 706 : Δοκεῖς γάρ; — Τί μὴν οὔ; Xen. Cyrop. 8, 4, 10 : Ἀλλὰ τίνος μὴν ἕνεκα; 1, 6, 28 : Πῶς μὴν... τἀναντία ἐδιδάσκετε; Conv. 3, 13 : Ἀλλ' ἐπὶ τῷ μήν; 4, 23 : Ἀλλὰ πότε μήν; Plato Theæt. p. 142, Ποῦ μήν; Polit. p. 258, B : Τί μήν;]

|| Μὴν, uti dixi, plerisque particulis subjungitur; dicitur enim Ἀλλὰ μὴν, et Γεμὴν, et Καὶ μὴν, et Οὐ μὴν, et quidem sequente interdum tertia quapiam particula, ut mox docebo. || Ἀλλὰ μὴν et Ἀλλὰ μὴν οὐδὲ, vide in Ἀλλά. || Γεμὴν autem (quod reservatum in hunc locum fuit), significat Vero et Porro : h. e. μέντοι, inquit Bud., afferens e Xen. [Eq. 1, 15]: Τοὺς γεμὴν ὄρχεις δεῖ μὴ μεγάλους τὸν ἵππον ἔχειν· et [12]: Ὀσφὺς γεμὴν ὅσῳ ἂν πλατυτέρα καὶ βραδυτέρα ᾖ, τοσούτῳ ῥᾷον ὁ ἵππος τὰ πρόσθεν αἴρεται. Ex Plat. item, Leg.
A 10, [p. 888, E]: Ἑπόμενοι γεμὴν αὐτοῖς, σκεψώμεθα τοὺς ἐκεῖθεν, τί ποτε καὶ τυγχάνουσι διανοούμενοι. In VV. LL. γὲ μὴν traditur significare Utique, Autem, Vero; nec non Tamen, Porro, Sane. Interdum etiam, Atqui, Quanquam. Sed trium duntaxat signiff. exempla afferuntur. Pro Porro, e Xen. [Comm. 1, 4, 5]: Ὀσμῶν γεμὴν τί ἂν ἡμῖν ὄφελος; Odorum porro, quæ nobis utilitas? Item ἔτι γὲ μὴν pro Atque etiam, ex Alex. Aphr. Subjungiturque hic l. sine auctoris nomine : Εἴγε μὴν μηδεὶς δύναιτ' ἂν ἐξελέγξαι με, πῶς οὐκ ἂν ἤδη δικαίως ἐπαινοίμην; pro Quod si nullus, etc. Sed quum duæ tantum reperiantur harum particularum scripturæ, in fide dignis exemplaribus, tertiam hic videmus. Prima scriptura est qualis in illo Xen. l., τοὺς γεμὴν ὄρχεις· item, ὀσφὺς γεμήν· item, ὀσμῶν γεμὴν, etc. Secunda autem est, si τούς γε μὴν, et ὀσφύς γε μὴν, et ὀσμῶν γε μὴν scribamus : ut sc. γε sub præcedentis vocabuli accentu pronuntietur. At tertia est quum ὀσμῶν γὲ μὴν scribitur, ut habent VV. LL., ita ut particula γε nec sub præcedentis vocabuli accentu legatur, nec
B tamen cum μὴν jungatur. In iisd. VV. LL. scriptum est in iis qui allati modo fuerunt locis, ἔτι γὲ μὴν, et εἰ γὲ μὴν, ubique particula γε suum accentum habente. Verum etiamsi concederem scribi posse ἔτι γὲ μὴν, non tamen itidem post ὀσμῶν et εἰ scripturam illam admitti posse putarem, quum in vocem ἔτι minime rejici possit accentus, ut in ὀσμῶν et εἰ rejici posse scimus. Sed γεμὴν conjunctim ubique scrib. potius censuerim. Atque hanc scripturam ap. Herodot. etiam reperio, 7, p. 274 meæ ed. [c. 152]: Ἐγὼ δὲ ὀφείλω λέγειν τὰ λεγόμενα, πείθεσθαι γεμὴν οὐ παντάπασι ὀφείλω· hanc enim ipsam scripturam eæ quoque edd., quæ meam præcesserunt, habent. Ubi γεμὴν particula Sed, sive At, aut etiam Tamen reddi potest. Sic autem et γεδὴ conjunctim scriptum alicubi invenio. [Æsch. Prom. 871 : Σπορᾶς γε μὴν ἐκ τῆσδε φύσεται θρασύς. Soph. El. 973 : Λόγῳ γε μὴν εὔκλειαν οὐχ ὁρᾷς ὅσην σαυτῇ τε κἀμοὶ προσβαλεῖς; OEd. C. 587 : Ὅρα γε μήν.]

|| Η μὴν, Certe quidem, Equidem, Profecto. Hom. Il. B, [291]: Ἦ μὴν καὶ πόνος ἐστὶν ἀνιηθέντα νέεσθαι.
C (Alibi autem ἦ μὰν Dorice scribit, ut docebo ubi de μὰν disseram.) [I, 57 : Ἦ μὴν καὶ νέος ἐσσί. Æsch. Prom. 73 : Ἦ μὴν κελεύσω· 167 : Ἦ μὴν ἔτ' ἐμοῦ χρείαν ἕξει.] Aristoph. Pl. [608]: Ἦ μὴν ὑμεῖς γ' ἔτι μ' ἐνταυθοῖ Μεταπέμψεσθον· Nub. [865]: Ἦ μὴν σὺ τούτοις τῷ χρόνῳ ποτ' ἀχθέσῃ, quem locum VV. LL. perperam afferunt, ut sponsionibus et expromissionibus has particulas convenire probent. Illis enim alicubi adhiberi non inficior; sed hunc versum nihil tale habere dico. Ap. Plat. Euthyd. [p. 276, E] post exclamationem : Ὦ Ζεῦ, ἔφην ἐγὼ, ἦ μὴν καὶ τὸ πρότερόν γε ὑμῖν ἐφάνη καλὸν τὸ ἐρώτημα. Ubi etiam addi γε observandum est, et dici Ἦ μήν γε pro ἦ μήν : nam γε, quod hic habetur post πρότερον, non secus ad ἦ μὴν pertinere censeri potest, quam pertinet ad ἀλλὰ μὴν, ubi Dem. scribit, Ἀλλὰ μὴν ὑπέρ γε τοῦ κτλ. Item ad καὶ μὴν, in hoc ejusd. l., Καὶ μὴν περὶ ὧν γε προσετάξατε εἰπεῖν. || Ἦ μὴν frequentissimum in jurejurando usum habet. [Æsch. Sept. 531 : Ὄμνυσι δ' αἰχμὴν ... ἦ μὴν λαπάξειν. Soph. Tr. 1186 : Ὄμνυ Διός νυν τοῦ με φύσαντος κάρα. — Ἦ μὴν
D τί δράσειν;] Dem. : Καὶ κατὰ παίδων ὤμνυες ἦ μὴν ἀπολωλέναι Φίλιππον. Sic ap. Thuc., Xen., Platonem, aliosque veteres scriptt., post ὀμόσαι addi solet ἦ μὴν plerisque locis. Eadem ratione post ὁρκοῦν adjicitur, quod significat Jusjurandum exigere, ut Thuc. 8, p. 286 meæ ed. [c. 75]: Ὥρκωσαν πάντας τοὺς στρατιώτας τοὺς μεγίστους ὅρκους, καὶ αὐτοὺς τοὺς ἐκ τῆς ὀλιγαρχίας μάλιστα, ἦ μὴν δημοκρατήσεσθαί τε καὶ ὁμονοήσειν. Quin etiam simplici et nudæ promissioni s. sponsioni (i. e. cui jusjurandum non intervenit), interdum adhibent ἦ μήν : ut legimus ap. eund. historicum, 8, p. 288 [c. 81]: Ὡς Τισσαφέρνης αὐτῷ ὑπεδέξατο, ἦ μὴν, ἕως ἄν τι τῶν ἑαυτοῦ λείπηται, ἢν Ἀθηναίοις πιστεύῃ, μὴ ἀπορήσειν αὐτοὺς τροφῆς. Nisi forte quispiam, quamvis non adjiciatur verbum quod jurare significat, tamen ἦ μὴν eand. vim habere, atque adeo ante ἦ μὴν subaudiri debere existimet : ut perinde sit ac si dictum esset, ὑπεδέξατο, ὀμνύων ἦ μὴν, etc. [Ἠ μὴν Theodor. Hyrtac. *Notices* vol. 6, p. 3, 1 : Εἰ μὲν παρῆσαν Αἰσχύλοι ἢ μὴν Εὐριπίδαι ἢ Σοφοκλεῖς.]

|| Καὶ μὴν item, quoniam in Καὶ non exposui, hic exponam. Est igitur καὶ μὴν, ap. Hom., Quin etiam [vel potius Et vero. Il. T, 45 : Καὶ μὴν οἱ τότε γ' εἰς ἀγορὴν ἴσαν· Ψ, 410 : Καὶ μὴν τετελεσμένον ἔσται·] Od. Λ, [581] : Καὶ μὴν Τάνταλον εἰσεῖδον χαλέπ' ἄλγε' ἔχοντα. Paulo post, Καὶ μὴν Σίσυφον εἰσεῖδον κρατέρ' ἄλγε' ἔχοντα. Usus autem fuerat aliquanto ante particula καὶ sine μὴν, hoc in versu, similem alioqui narrationem habente (similem voco cujus similis est forma)· Καὶ Τιτυὸν εἶδον γαίης ἐρικυδέος υἱόν. In soluta quoque oratione legisse mihi videor pro Quin etiam, sed potius sequente καί. Bud. tradit significare Et quidem, item Atqui : afferens ex Plat. Polit. [p. 297, C] : Καὶ μὴν οὐ φαῦλόν γε ἂν κινήσας τις τοιοῦτον τὸν λόγον αὐτοῦ καταβάλη, Et quidem. Ex eod. ejus l. [p. 297, B] affert καὶ μὴν sequente καὶ pro Atqui : Καὶ μὴν καὶ πρὸς ἐκεῖνα οὐδὲ ἀντιῤῥητέον. Sic καὶ μὴν, non sequente illa copula, ex Aristide, in assumptione, pro Atqui, ut ἀλλὰ μήν : Πρώτους τε γὰρ φύντας, ἔδει καὶ πρώτους δεηθῆναι· δεηθέντας δέ που, καὶ τυχεῖν· καὶ μὴν τοῦτό γε ἀμήχανον, μὴ θεοφιλεῖς ὄντας. Sic καὶ μὴν οὐδὲ pro Atqui neque, vel Neque vero, ex Dem. : Καὶ μὴν οὐδ' ἐκεῖνο καλόν. Ap. Eund. legimus et καὶ μὴν sequente μέν, et in altera orationis parte δέ : Καὶ μὴν πάντα μὲν αἰσχρὰ εὐλαβεῖσθαι δεῖ ποιεῖν, μάλιστα δὲ ταῦτα. Sic et ap. Thuc., Καὶ μὴν οὐδὲ, pro Neque vero. [Καὶ μὴν vel καὶ μὴν ... γε frequens est etiam ap. Tragicos, ut Æsch. Prom. 1082 : Καὶ μὴν ἔργῳ κοὐκέτι μύθῳ χθὼν σεσάλευται· Sept. 372 : Καὶ μὴν ἄναξ ὅδ' αὐτὸς Οἰδίπου τόκος· Pers. 993 : Καὶ μὴν ἄλλον γε ποθοῦμεν. Nullo interposito voc. Dio Chr. Or. 38, vol. 2, p. 140 : Καὶ ταῦτα δὲ τυγχάνει διωρισμένα καὶ μήν γε καὶ τἄλλα πάντα. Quod alienum est ab antiquioribus.] || Καὶ μὴν δὴ, Imo, Enimvero, Sedenim, VV. LL. absque ullo exemplo. [Est, ubi reperitur, vitium librorum pro καὶ μὲν δή.] || Καὶ μὴν εἰ, Quod si, VV. LL. ne hic quidem allato ullo exemplo. Fortasse autem reddi potest etiam Atqui si. || Καὶ μὴν καὶ pro Quin etiam alicubi invenitur, sicut καὶ δὴ καί. Habent alioqui et alium usum hæ particulæ καὶ μὴν καὶ, ut vides in loco qui ex Plat. allatus fuit, ubi de Καὶ μὴν agebatur. Sed pro Quin etiam invenitur etiam Ναὶ μὴν καί. Dionys. Per. p. 151 edit. paternæ [v. 1125] : Ναὶ μὴν καὶ λειμῶνες ἀεὶ κομόωσι πετήλοις. At in VV. LL. est scriptum Ναιμὴν conjunctim : quod exp. Insuper, Vere, Sane : absque exemplo. [V. Ναί.] || Καὶ μὴν οὐδὲ, vide paulo ante. || Καὶ μήν που, sequente καὶ, sicut et καὶ μὴν, Et quidem, ut exp. Bud. in hoc Themistii l., in Orat. quæ Περὶ φιλίας inscribitur [22, p. 269, A] : Καὶ μήν που καὶ τόδε δεῖ σκοπεῖν, εἰ βάσκανος, εἰ φθόνου κρείττων. At vero καὶ μὴν καὶ ex Plat. in assumptione positum affert (ut assumptioni adhibitum vidisti supra καὶ μὴν, ap. Aristidem), De rep. 2, fin., p. 27 Ald. [381, A], ubi interrogative ponitur : Καὶ μήν που καὶ τάγε ξύνθετα πάντα σκεύη τε καὶ οἰκοδομήματα καὶ ἀμφιέσματα, κατὰ τὸν αὐτὸν λόγον, τὰ εὖ εἰργασμένα καὶ εὖ ἔχοντα, ὑπὸ χρόνου τε καὶ τῶν ἄλλων παθημάτων ἥκιστα ἀλλοιοῦται, ad quam interrogationem respondetur, Ἔστι δὴ ταῦτα. Sed quamvis hic sicut in l. Aristidis assumptioni adhiberi velit (quum alioqui diversam esse hujus formam manifestum sit), non tamen reddere itidem potest Atqui, quum adversative non ponatur. Nec male fortassis a Ficino redditur Quin etiam : qui et citra interrogationem legisse videtur : hoc quoque forsitan non male : ut autem hic interpretabimur, ita interpretari poterimus et in isto ejusd. Plat. loco, De rep. 6, p. 2 [485, E] : Καὶ μήν που καὶ τόδε δεῖ σκοπεῖν, ὅταν κρίνειν μέλλῃς φύσιν φιλόσοφόν τε καὶ μή. Ubi idem Interpres vertit Præterea : quod cum Quin etiam significatione convenire scimus.

|| Μὴ μὴν, i. q. οὐ μὴν, Non tamen. Sed multo usitatius est οὐ μὴν quam μὴ μήν. Bud. ex solo Chrysost. exempla profert : quorum unum est hoc, Ὅτι συνέβαινεν αὐτῷ ἡμαρτῆσθαι τινὰ ἁμαρτήματά, μὴ μὴν αὐτὸν εἰδέναι ταῦτα ἁμαρτήματα. In altero autem, μὴ μὴν respondet præcedenti μέν : Ἐπειδὴ γάρ ἐστιν εὐλογῆσαι μὲν, καὶ μὴ καταρᾶσθαι, μὴ μὴν ἐξ ἀγάπης τοῦτο ποιῆσαι, βούλεται καὶ διαθερμαίνεσθαι ἡμᾶς τῇ φιλίᾳ. Ubi μὴ μὴν exp. οὐ μὴν, s. μὴ μέντοι, sicut et in proxime præcedente loco. Apud Hom. autem legitur μὴ μὰν pro μὴ
A μὴν, ut mox docebo in Μὰν Dorico. [Μήτε μὴν ap. Nicetam Chon. p. 380, D : Μόνον οὐκ ἐμεμψιμοίρουν τοῖς τείχεσιν, ὡς μόνοις ἀπαθέσι, μηδὲ (l. videtur μήτε) κατάγουσι δάκρυα μήτε μὴν εἰς χῶμα κειμένοις ἀλλ' ὀρθίαν εἰσέτι στάσιν ἔχουσι.]

|| Οὐ μὴν, Non s. Nec tamen, Nec vero, Verum non, Sed non, etc. : item Οὐ μήν γε, et Οὐ μὴν ἀλλὰ, s. Οὐ μὴν ἀλλά γε, et Οὐ μὴν ἀλλὰ καί : item Οὐ μὴν οὐδὲ, et Οὐ μὴν ἀλλ' οὐδὲ, vide in Οὐ. Οὐδὲ μὴν autem s. Οὔτε μὴν, habes in Οὐδέ.

|| Dorice Μὰν pro μὴν dicitur. [Pind. Ol. 2, 58 : Ὁ μὰν πλοῦτος· 7, 45 : Ἐπὶ μὰν βαίνει· Pyth. 1, 63 : Καὶ μὰν Ἡρακλειδᾶν ἔκγονοι ὄχθαις ὕπο Ταϋγέτου αἰεὶ μένειν τεθμοῖσιν ἐν Αἰγιμίου Δωριοῖς· 9, 40 : Ἦ μάν νιν ὤτρυνον θαμά· 87 : Οὐδὲ μὰν χαλκάρματός ἐστι πόσις· 2, 82 : Ὅμως μὰν σαίνων ποτὶ πάντας. Æsch. Suppl. 1019 : Ἴτε μάν. Soph. OEd. C. 182 : Ἕπεο μὰν, ἕπεο· 1468 : Τί μὰν ἀφήσει τέλος;] Theocr. 1, [71] : Τῆνον μὰν θῶες, τῆνον λύκοι ὠρύσαντο. Ap. Eund. 11, [60] : Νῦν μὰν, ὦ κόριον, νῦν αὐτό τι νεῖν γε μαθεῦμαι. Ap. Eund. extat Ἦ μὰν, B i. valens q. ἦ μὴν, de quo antea dictum fuit, 4, [14] : Ἦ μὰν δειλαῖαί γε, καὶ οὐκέτι λῶντι νέμεσθαι. Sic Hom. Il. B, [370] : Ἦ μὰν αὖτ' ἀγορῇ νικᾷς, γέρον, υἷας Ἀχαιῶν. (Idem alioqui ἦ μὴν etiam usurpat pro eod., ut vides in versu, quem supra e libro eod. protuli.) Ap. Eund. habes Μὴ μὰν, quum alibi, tum in Il. X, 304 : Μὴ μὰν ἀσπουδεί γε καὶ ἀκλειῶς ἀπολοίμην, Ἀλλὰ μέγα ῥέξας τι καὶ ἐσσομένοισι πυθέσθαι. (Dixerat autem antea, νῦν αὖτέ με μοῖρα κιχάνει.) Ubi μὰν Eust. exp. simpliciter δή. In hoc autem l. Il. Θ, [512] : Μὴ μὰν ἀσπουδεί γε νεῶν ἐπιβαῖεν ἕκηλοι, auctor brevium scholl. exp. μὲν δή. Legitur et O, [477] : Μάρναό τε Τρώεσσι, καὶ ἄλλους ὄρνυθι λαούς. Μὴ μὰν ἀσπουδεί γε δαμασσάμενοί περ ἕλοιεν Νῆας εὐσσέλμους· ἀλλὰ μνησώμεθα χάρμης. In illo quidem certe primo l. μὴ μὰν reddi posse arbitror Non tamen : at duobus posterioribus, præsertimque secundo, nequaquam convenire, mea quidem sententia, potest. Sonat enim potius quasi quis dicat, Ne saltem : quam interpr. et ille primus posse admittere videtur. Apud eund. poetam legimus etiam Οὐ μὰν, C Il. O, [16] : Οὐ μὰν οἶδ' εἰ αὖτε κακοῤῥαφίης ἀλεγεινῆς Πρώτη ἐπαύρηαι, καί σε πληγῇσιν ἱμάσσω, ubi quidam interpr. Verum haud scio. [Soph. OEd. C. 154 : Ἀλλ' οὐ μὰν ἔν γ' ἐμοὶ προσθήσεις τάσδ' ἀράς.]

Μηνᾰγυρτέω, Singulis mensibus stipem colligo matri deum : solebant enim justis diebus stipem cogere, ut patet ex verbis duodecim Tabularum quæ Cic. refert De leg. 2. Euseb. de Præp. Evang. 2, cap. περὶ τῆς κατὰ Ῥωμαίους θεολογίας, loquens de matre Idæa, s. matre Phrygia aut matre deum, quam ibi ἱερὰν θεὰν appellat [p. 79, B] : Ἱέραται δ' αὐτῆς ἀνὴρ Φρὺξ καὶ γυνὴ Φρυγία, καὶ περιάγουσιν ἀνὰ τὴν πόλιν οὗτοι μηναγυρτοῦντες, ὥσπερ αὐτοῖς ἔθος· τύπους τε περικείμενοι τοῖς στήθεσι, καὶ καταυλούμενοι πρὸς τῶν ἑπομένων τὰ μητρῷα μέλη καὶ τύμπανα κροτοῦντες· cum quibus conveniunt ea, quæ infra in Μητραγύρτης ex diversis annotanda erunt. Sequitur ibid. : Ῥωμαίων δὲ τῶν αὐθιγενῶν οὔτε μηναγυρτῶν τις, οὔτε καταυλούμενος πορεύεται διὰ τῆς πόλεως, ποικίλην ἐνδεδυμένος στολὴν, οὔτε ὀργιάζων τὴν θεόν. [Μητραγυρτ. legitur in l. Dionysii A. R. 2, 19, D unde hæc petita. « Verum Eusebianam scripturam rejicit Car. Neapolis ad Ovid. Fast. p. 177, quod hæc corrogatio semel in anno fuerit, non menstrua.» Reisk.]

Μηναγύρτης, ὁ, ὁ ἀπὸ μηνὸς συνάγων πανήγυρις [hoc delet Vigerus], Hesych.; ὁ ἀπὸ μηνὸς συνάγων, [Photius et] Suid., sed addit μηναγύρτης, ὁ τῆς Ῥέας ἱερεὺς ὁ κατὰ μῆνα ἀγείρων καὶ συναθροίζων [quam etymologiam improbat Coraes ad Æsop. p. 428, tuetur Lobeck. Aglaoph. p. 645]· ita μηναγύρτης et μητραγύρτης idem fuerit; nam μητραγύρτης est Qui matri deum stipem colligit : μηναγύρτης autem, Qui singulis mensibus id facit. [« Quo minus ferenda est audacia quum aliorum tum Mangeji ad Philon. vol. 2, p. 316, qui ubicunque μηναγύρτης legitur, notius voc. μητραγύρτης substituunt. V. Polluc. 7, 188, et ibi interpretes, D. Heins. ad Clem. Alex. Protr. p. 20. Antiphanis fabula Μητραγύρτης dicitur ab Athenæo 12, p. 553, C, at Μηναγύρτης a gramm. SG. (Bekk. An. p. 88, 18.)» Ruhnk. ad Tim. p. 11. Etiam Menandri fabula fuit Μηναγύρτης. « Jo. Chrys. In Babyl. 2, vol. 5, p. 459, 15 : Ἐντεῦθεν μάγοι, καὶ γόητες, καὶ μάντεις, καὶ οἰωνοσκόποι, καὶ μηναγύρται. » Seager. Tzetz. Hist. 13, 243 seqq.]

[Μηναῖος, α, ον, Lunaris, Menstruus. Orac. ap. Jo. Laurent. De mens. p. 88 ed. Rœther. : Μηναῖοι πάσης ἐπιβήτορες ἠδ' ἐπιβῆται. Alia ex iisdem oraculis exx. contulit Lobeck. Aglaoph. p. 954. || « Μηναῖα, Menæa, dicuntur volumina cujusque diei et cujusque Sancti officia continentia, in duodecim menses dispertita, in quibus præterea eorundem Sanctorum, quorum festum agitur, Vitæ aut Martyrii compendia, quæ Συναξάρια vocant. Quæ quidem Menæa in tot volumina, quot sunt menses, distribuuntur. Interdum tamen ex iis habentur quædam redacta in ἐπιτομήν, ac in duo duntaxat volumina dispertita, singula sex menses continentia, quæ vulgo Anthologii titulum præferunt, ut in cod. Colbert. 4365 : Ἀρχὴ σὺν θεῷ, Ἀνθολόγιον περιέχον τὴν ἅπασαν ἀκολουθίαν τῶν ἐξ μηνῶν, a Martio ad Augustum. Gennadius Περὶ τῆς ἀπολαύσεως τῶν ἁγίων cap. 4 : Ἄδονται μετὰ μελῳδιῶν καθ' ἡμέραν καὶ Μηναῖα καὶ Τριῴδια καὶ λόγοι. » Hæc et alia plura Ducang. Idem : « Μηναῖα, Menstruæ distributiones, quæ ecclesiæ officialibus fieri solent. V. Euchol. Goari p. 270, 287. Μηνιαῖα eadem notione in Nov. 59 Justiniani c. 1, 2. »]

Μήνανθος, ἡ, Mensiflora, ut Gaza interpr. ap. Theophr. H. Pl. 4, 11, ubi tamen et μίνανθος scribitur. [V. Μινυανθής. Iterum HSt. :] Μήνανθος, τὸ, Mensiflora, Gaza ap. Theophr. H. Pl. 4, 11, ubi tamen et aliter scriptum legitur. [Quod Græci hodie Μηνυανθὲς s. Μινυανθὲς (nam utrumque eodem sonat modo) vocant, est Trifolium pratense Linn. Hase.]

[Μηναπίων, ὁ, Menapion, n. pr. patris Tryphænæ athlophoræ. Letronn. *Rec. des inscr. de l'Ég.* t. 1, p. 259. Hase.]

[Μηνᾶς, ᾶ, ὁ, Menas, forma diminut. pro Μηνόδωρος, ut Ἑρμᾶς pro Ἑρμόδωρος, memoratur ab grammaticis in Cram. Anecd. vol. 2, p. 295, 14; 4, p. 273, 6; 335, 31, Chœrobosco vol. 1, p. 29, 32 et alibi, et cum Μητρᾶς pro Μητρόδωρος componitur. Byzantinus quidam hujus nominis est ap. Jo. Malal. p. 396, 15, et ap. eund. p. 483 et alios patriarcha Cpolitanus. Conf. Codin. Orig. Cpol. p. 18. Alii in inscrr., ut ap. Bœckh. vol. 1, p. 640, n. 1296, etc. L. D. De variis hominibus ejusdem nominis conf. Osann. *Beitr. zur Litteraturgesch.* vol. 2, p. 310. Hase.]

[Μηνὰς, άδος, ἡ, i. q. μήνη. Eur. Rhes. 534 : Οὐ λεύσσετε μηνάδος αἴγλαν;]

Μήνη, ἡ, Luna. Hom. Il. [T, 374 : Σέλας ἠΰτε μήνης·] Ψ, [455] : Λευκὸν σῆμ' ἐτέτυκτο περίτροχον ἠΰτε μήνη. [Pind. Ol. 3, 21 : Χρυσάρματος μήνα. Æsch. Prom. 797 : Ἡ νύκτερος μήνη. Eur. ap. schol. Apoll. Rh. 1, 1280 : Γλαυκῶπις τε στρέφεται μήνη.] Hermesianax ap. Athen. 13, [p. 597, C] : Οὐ μὴν οὐδ' υἱὸς μήνης ἀγέραστον ἔθηκεν Μουσαῖος χαρίτων ἤρανος Ἀντιόπην· sicut idem Musæus et Orpheus dicuntur σελήνης ἔγγονοι, ut in Ἔγγονοι ex Plat. annotavi. [Apoll. Rh. 3, 533 : Ἄστρα τε καὶ μήνης ἱερῆς ἐπέδησε κελεύθους· 4, 55 : Θεὰ ἐπεχήρατο Μήνη· et alibi. Orph. H. 8, 3 : Μήνη, κόρη εὐάστερος· fragm. ap. Proc. In Tim. p. 283, 11 : Μήσατο δ' ἄλλην γαῖαν ἀπείριτον, ἥντε σελήνην ἀθάνατοι κλῄζουσιν, ἐπιχθόνιοι δέ τε μήνην.] Μήνη capitur etiam pro μηνίσκος, ut videbis paulo post in Μηνίσκος. [Ubi monitum est vitium esse scripturæ.] Dicta est autem μήνη a μὴν, quia μηνὸς, i. e. Mensis, spatio curriculum absolvit : unde et Menstrua luna a Virg. vocata. [Paul. Alex. Apotelesm. p. 28, 14 : Αὐτὴ γὰρ ἡ σελήνη μ. ἐστὶν, ἐπειδὴ καὶ μηνιαίαν τὴν ἀνατολὴν ποιεῖται. Orph. fragm. ap. Just. Mart. p. 104, D : Φαεσφόρου ἔκγονε μήνης. Μήνη Σαμίων, eadem ac Juno Lucina, memoratur in illorum numis. Eckhel. Doctr. vol. 2, p. 569. Hase.]

[Μήνη, ἡ, Mene, ins. Hesperiæ Africæ. Diod. 3, 53.]

[Μηνιάζω, i. q. μηνίζω, quod v.]

Μηνιαῖος, α, ον, Menstruus, [Menstrualis, Gl.] : μηνιαία κάθαρσις, Alex. Aphr. [Probl. 2, 57], Menstrua purgatio : ἡ ἔμμηνος, ἐπιμήνιος, καταμήνιος κάθαρσις. [Æsch. Suppl. 266 : Τὰ δὴ παλαιῶν αἱμάτων μιάσμασι χρανθεῖσ' ἀνῆκε γαῖα μηνιαῖ' ἄκη. Pollux 1, 59 : Μηνιαῖον

A σιτηρέσιον. Matthæi Med. p. 224 : Τέσσαρας ὥρας μηνιαίας. Strabo 3, p. 173 : Περίοδον τὴν μὲν ἡμερήσιον, τὴν δὲ μηνιαίαν· et ib. paullo post. L. D. Procl. Hypotyp. p. 89, 22 ed. Halm. : Τοῦ ἡμερησίου, καὶ τοῦ ὡριαίου, καὶ τοῦ μ. Cleomedes p. 47, 22 ed. Bak. : Μ. ἡμέρα. Isaac mon. Comput. p. 391, B : Μ. κύκλος. Gemin. El. astron. p. 31, 22 : Μ. χρόνος. Antyll. ap. Stob. Florileg. 101, 29 : Τὰς μηνιαίους παραλλαγάς. Hase. Μηνιαῖα, Menstrua mulierum, ap. Jo. Moschum in Limon. c. 205. Ducang. Frequens est in V. T., ut Levit. 27, 6 : Ἀπὸ μηνιαίου ἕως πενταετοῦς ἔσται ἡ τιμή. Num. 18, 6 : Ἡ λύτρωσις αὐτοῦ ἀπὸ μηνιαίου· 3, 15 : Πᾶν ἀρσενικὸν ἀπὸ μηνιαίου καὶ ἐπάνω κτλ.]

[Μηνίαμα, τὸ, Indignatio. Sir. 40, 6 : Μηνίαμα καὶ ἔρις. Schleusn. Basil. t. 1, p. 601, A : Πᾶσαν προσβολὴν αἱρετικῶν μ., Furorum. Hase.]

[Μηνίαμβος, ὁ.] Μηνίαμβοι, et Παριαμβίδες, dicti fuerunt quidam νόμοι κιθαριστήριοι οἷς καὶ προσηύλουν. Pollux 4, c. 10 [§ 83. Μημίαμβοι Rittershusius. Qui μιμίαμβοι voluerat, quod v.]

B Μηνιάω, i. q. μηνίω. Esse autem Atticum existimat Eust. [Il. p. 95, 11; 224, 2. Memorat Theognost. Can. p. 146, 21. Est ap. Dionys. A. rh. 9, 16, p. 372, 12 R. : Διὰ σὲ μηνιῶντα· ap. Xenoph. Eph. p. 3, 2 : Μηνιᾷ, ubi interpretes citant Ælian. N. A. 6, 17, Joseph. A. J. 8, 4, 3; B. J. 2, 5, 1, quibus add. Synes. p. 160, C : Ἐφ' οἷς ἐδυστυχοῦμεν ἐμήνιε, ubi margo γρ. ἐμηνία, Suid. v. Ἐποργῶσαι, et quem Hemst. citat Galen. vol. 2, p. 206, D, Sir. 10, 6, Jo. Malal. p. 412, 17, Vita Epiphan. vol. 2, p. 350, D.] Ex Dionys. Areop. affert Bud. pro Pertinaciter irascor. [|| Forma epica Apoll. Rh. 2, 247 : Τῷ τοι μέγα μηνιόωσιν.]

[Μηνίγγιον, τὸ, Membranula, Gl.]

Μηνιγγοφύλαξ, ακος, ὁ, Custos membranæ cerebri : instrumenti chirurgici genus, de quo Corn. Cels. 8, 3 : Lamina est ænea, firma, paulum resima, ab exteriore parte lævis, qua chirurgi in vulneribus capitis utuntur quoties excidendum os est et attollendum, metusque imminet ne in ipso opere cerebri membrana, negligentius et ultra quam res postulat, premendo,
C lædatur : ex quo sopores et graves inflammationes cum periculo mortis oriuntur. Ea de causa Græcis μηνιγγοφύλαξ, Celso Membranæ custos appellatur. Gorr. Meminit et Galen. Comm. εἰς τὸ Κατ' ἰητρεῖον. [Conf. id. vol. 4, p. 179. Oribas p. 6, 18 ed. Mai.]

Μήνιγμα, τὸ, Hesychio μήνην : si tamen non potius scripsit μῆνις, ut i. sit q. μήνιμα, Ira, Excandescentia. Μηνιθμὸς ap. poetas pro eod. Usus est Hom. [Il. Π, 282] de ira Achillis pro μῆνις, ei opponens etiam alicubi φιλότητα.

[Μῆνιγξ.] Μῆνιγξ, γγος, [ὁ, ap. Tzetz. in Cram. An. vol. 3, p. 379, 31, ubi etiam μῆνιξ scriptum est, ut ib. p. 274, 30, et alibi haud raro,] ἡ, Membrana [Empedocles 307 : Τότ' ἐν μήνιγξιν ἐεργμένον ὠγύγιον πῦρ, λεπτῇσιν ὀθόνῃσι λοχάζετο κύκλοπα κούρην, de lumine oculorum. « Hippocr. l. Περὶ σαρκῶν μήνιγγα generaliore quodammodo notione sumit et venis, stomacho, faucibus, ventri, intestinis, et partibus cavis attribuit, et τοῦ χιτῶνος differre videtur, quod μῆνιγξ extenuiore, sicciore et solidiore materia fieri, χιτὼν vero crassiore
D existimetur. Sic cavarum partium exteriorem tunicam ambientem χιτῶνα, μήνιγγα fieri scribit, quum quod in circuitu est frigidum glutinositatem acceperit et a calido exustum fuerit, p. 249, 26, 31. Simili quoque notione postea 54 μήνιγγα παχείην, h. e. Crassam cerebri membranam, temporis successu χιτῶνα evadere et in tunicam transire scribit. » Foes.], et peculiariter ea quæ cerebrum foris integit, Pellicula cerebrum ambiens, Tunica s. Involucrum cerebri [Aristot. H. A. 1, 16 : Ἔστι δὲ ἡ μῆνιγξ ὑμὴν δερματικὸς ὁ περιέχων τὸν ἐγκέφαλον. Nicand. Th. 557. Pollux 2, 44, 107, 226] : a Polybo medico dicta εἰλαμὶς, quoniam cerebri est involucrum. Alex. Aphr. Probl. l. 1 : Ἐκπυροῖ τὰς μήνιγγας τοῦ ἐγκεφάλου. [Cassius Probl. 41.] Sic Aristot. H. A. 3, [3], μῆνιγξ ἡ περὶ τὸν ἐγκέφαλον. [Galen. vol. 2, p. 709, 14 : Τὴν σκληρὰν μ. Pluraliter id. vol. 4, p. 680, 6 : Τῶν περιεχουσῶν μ. τὸν ἐγκ. M. equorum Hippiatr. p. 243, 29. De philosophis cogitatorium animæ ἐν τῇ μήνιγγι collocantibus Sext. Empir. p. 431, 39. Hase.] || Hesychio μήνιγξ est non

solum ὑμὴν τοῦ ἐγκεφάλου, sed etiam τὸ ἐφιστάμενον τοῖς οἰνηροῖς πίθοις ἐν τῷ οἴνῳ πρὸ τοῦ ἀνθεῖν : item ἐπίπλους. [Et δῆμος, quod alii δημός, alii νῆσος scrib. conjecerunt.] Est et insulæ nomen ap. Ptolem. et Strab. [1, p. 25; 2, p. 123, 157, Dionys. Per. 480, Polyb. 1, 39, 2; 34, 3, 12. Νῆσος περὶ τὰς Σύρτεις καὶ πόλις. Τὸ ἐθνικὸν Μηνίγγιος, Steph. Byz.]

[Μηνίδου cujusdam mentio fit in inscr. Veneris Meliæ Parisinæ ap. Bœckh. vol. 2, p. 358, n. 2435, b.]

[Μηνίζω, i. q. μηνίω. Lex. Ms. in Psalmos ap. Pasin. Codd.Taurin. vol. 1, p. 191, A : Ἐνεχότουν μοι, ἐμήνιζον, ἐμνησικάκουν. Pro quo in gll. editis 54, 3, ἐμηνίαζον, pariterque in Etymol. Ms. Paris. ap. Bast. ad Gregor. p. 349, qui sedem glossæ ignorabat. Sed ἐμήνιζον etiam ap. Cramer. An. vol. 2, p. 440, 27. L. Dind.]

Μηνιθμὸς, ὁ, et Μήνιμα, τὸ, dicuntur potissimum de Ira divina, Odio divino adversus eos qui deliquerunt, ut μήνιμα θεῶν, ap. Hom. Od. Λ, [73], Il. [X, 358. Eur. Phœn. 934 : Κάδμου (Κάδμῳ Valck.) παλαιῶν Ἄρεος ἐκ μηνιμάτων. Plato Phædr. p. 244, D : Παλαιῶν ἐκ μηνιμάτων ποθέν. Antiphon p. 127, 1 : Ὑμῖν καὶ οὐ τούτῳ τὸ μήνιμα τῶν ἀλιτηρίων προστρίψομαι· 128, 4 : Τῷ τούτου φόνῳ τὸ μήνιμα τῶν ἀλιτηρίων ἀκεσαμένους.] Sic μήνιμα ἐκ τοῖν θεοῖν, Pausan. Item μήνιμα Apollinis ap. Eund. in Lac. [9, 13, 5] : Τοῦτον γὰρ τὸν Κάρνον ἀποκτείναντος τοῦ Ἱππότου, ἐνέπεσεν εἰς τὸ στρατόπεδον Δωριεῦσι μήνιμα Ἀπόλλωνος. Et in plur. ap. Plut. [cujus locos cum aliis Pausaniæ collegere Wytt. ad Mor. p. 149, D, Lobeck. Aglaoph. p. 637], quo et Thuc. ante eum est usus, Μηνιμάτων δὲ τοῖς Χίοις προφαινομένων, καὶ τοῦ θεοῦ κελεύσαντος κτλ. [Altera forma Hom. Il. Π, 62 : Οὐ πρὶν μηνιθμὸν καταπαυσέμεν· 202 : Πάνθ' ὑπὸ μηνιθμόν· 282 : Μηνιθμὸν ἀπορρῖψαι.]

[Μήνιμα, τό. V. Μηνιθμός.]

[Μήνιον, τὸ, Pæonia, Diosc. Notha p. 460 (3, 147). Boiss.]

[Μήνιος, Mensurinus, Gl. Ponit etiam Theognost. Can. p. 286, 30; 287, 15. L. Dind.]

[Μήνιος, ὁ, Menius, n. pr. fictum Selenitæ, ap. Lucian. Ver. H. 1, 20. || Fl. Elidis, ap. Pausan. 5, 1, 10; 6, 26, 1, ubi quod est Μηνίου, nonnulli habuerunt pro templo Lunæ, Theocr. 25, 15. De quo pluribus disseruit Unger. Parad. vol. 1, p. 126 sq. Μηνιὸς male ap. Cramer. Anecd. vol. 2, p. 284, 28, Bachm. An. vol. 1, p. 443, 17. || N. viri in inscr. ap. Caylus *Recueil* vol. 2, tab. LV, 12; LXXIV, etc. L. Dindorf.]

Μῆνις, [μηνὶς voluisse Glauconem Tarsensem refert schol. Hom. Il. A, 1, et oxytonum μηνίς, non dicens, quid sit, ponit Draco p. 23, 25; 45, 27 : quorum ll. priori ex altero τὰ γὰρ ἄλλα vel ἄλλα πάντα, utroque autem Μινωὶς corrigendum videtur pro μηνὶς ex Regg. prosod. p. 447, n. 118 ult. Μῆνις præcipit Arcad. p. 32, 13; 196, 5], ιος [Hom. Od. Γ, 135 : Μήνιος ἐξ ὀλοῆς. Epigr. Anth. Pal. App. 268, 4 : Μήνιος ἐξ ἀδίκου. Herodot. 7, 137, Plato Reip. 3, p. 390, E. Μήνιδος Ælian. ap. Suid. v. Ἀρχίλοχος, Julian. Or. 2, p. 50, B, Themist. Or. 22, p. 265, D, Porphyr. Epist. ad Aneb. p. 2, 9, et præter Eustathium aliosque grammaticos (qui etiam accusativum μήνιδα pro μῆνιν inusitatum perhibent: v. Eust. Il. p. 8, 38, Chœrobosc. vol. 1, p. 103, 29; 356, 35, coll. p. 196, 23) schol. Hom. Il. A, 1, Jesai. 13, 9], ἡ, Ira permanens, ὀργὴ ἐπίμονος : nam a μένω deduci putatur. [Iracundia, Gl.] Ira memor apte reddi potest, meo quidem judicio, ex Virg. : quia eum Memorem Junonis iram dixisse puto, quam Græcus aliquis poeta Ἥρης μῆνιν dixisset. Sed et Ira pertinax non dubitarim reddere. A Cic. redditur Odium, p. 60 mei Cic. Lex.; ibi enim hanc Stoicam definitionem hujus nominis, μῆνις, ὀργὴ πεπαλαιωμένη, interpr. Odium, ira inveterata. Phocyl. autem dixit [58] : Ὀργὴ δ' ἐστὶν ὄρεξις, ὑπερβαίνουσα δὲ, μῆνις. Hom. de Ira Achillis, s. Odio quod conceperat Achilles adversus Agamemnonem, in ipso Iliadis limine : Μῆνιν ἄειδε, θεὰ, Πηληϊάδεω Ἀχιλῆος Οὐλομένην. Ubi quidam Iram simpliciter interpr., quidam Indignationem furentem. At ego malim Pertinacem iram; vel Virgilianum illud, Memorem iram. De ead. alibi eod. utitur verbo. Horat. Gravem stomachum appellavit, Carm. 1, ode 6 : Nec gravem Pelidæ stomachum cedere

A nescii. Sunt tamen alioqui multi ap. eund. poetam ll., in quibus simpliciter Iram posse verti existimo; nam et Eust. testatur μῆνιν appellari interdum τὸν χόλον, sicut μηνίειν dicitur τὸ χολοῦσθαι nonnunquam ab ipso Hom. [Quæ conjungit Apoll. Rh. 3, 337 : Ἀμειλίκτοιο Διὸς θυμαλγέα μῆνιν καὶ χόλον. Plur. 4, 1205 : Οὐδὲ βαρεῖαι ἐπήλυθον Αἰήταο μήνιες. Æsch. Eum. 314 : Τὸν μὲν καθαρὰς χεῖρας προνέμοντ' οὔτις ἀφ' ἡμῶν μῆνις ἐφέρπει· 889 : Οὔτ' ἂν δικαίως τῇδ' ἐπιρρέποις πόλει μῆνίν τιν' ἢ κότον τινά. Soph. Aj. 656 : Ὡς ἂν μῆνιν βαρεῖαν ἐξαλεύσωμαι θεᾶς· OEd. T. 699 : Ὅτου ποτὲ μῆνιν τοσήνδε πράγματος στήσας ἔχεις. Eur. Heracl. 762 : Δεινὸν μὲν πόλιν ὡς Μυκήνας μῆνιν ἐμᾷ χθονὶ κεύθειν. Menander ap. Stob. Flor. 72, 11 : Ἤτοι μῆνιν ἐκτίνει θεῶν. Cum genit. rei cujus caussa quis irascitur, Eur. El. 1260 : Ἀλιρρόθιον ὅτ' ἔκταν' ὠμόφρων Ἄρης, μῆνιν θυγατρὸς ἀνοσίων νυμφευμάτων, quod dicitur eodem modo ut χάριν. Forma Dor. Pind. Pyth. 4, 159 : Δύνασαι δ' ἀφελεῖν μᾶνιν χθονίων. Qua Tragici non usi videntur, ut Æsch. Ag. 155 : Μνάμων μῆνις τεκνόποινος· Eur. Hel. 1355 :
B Μῆνιν μεγάλας ματρός. Et in l. Heraclid. supra citato.] Aliquis est porro et in prosa hujus nominis usus. [Herodot. 7, 134 : Τοῖσι Λακεδαιμονίοισι μῆνις κατέσκηψε Ταλθυβίου. Plato Leg. 9, p. 880, E : Τῶν ἄνω θεῶν μῆνιν· Hipp. maj. p. 282, A : Φοβούμενος μῆνιν τῶν τετελευτηκότων. Diod. 15, 49 : Τοῦ ἐκ Ποσειδῶνος γεγονέναι τὴν μῆνιν ταῖς πόλεσι.] Plut. [Mor. p. 773, B] : Μῆνιν εἶναι Ποσειδῶνος, οὐκ ἀνήσοντος ἕως ἂν τὸν Ἀκταίωνος θάνατον μετέλθοιεν. Existimo autem Plut. hic imitari Homerum voluisse, quippe qui multis in ll. μῆνιν diis tribuat. Sic et μηνίειν passim de iis [« diis. » HSt. Ms. Vind.]

[Μῆνις, ιδος, Menis, n. viri in inscr. Chia ap. Bœckh. vol. 2, p. 201, n. 2214, 25, Ephes. p. 619, n. 3004. Et in Orchomen. vol. 1, p. 764, n. 1584, 3. Alius ap. Damaget. Anth. Pal. 7, 540, 3.]

[Μήνισις, εως, ἡ, quod legitur ap. Hesychium : Ἀπομηνίειν, τὴν μήνισιν ἀπαγγέλλειν, scribendum μῆνιν, ut est ap. Apoll. Lex. Hom. v. Ἀπομηνίσει.]

[Μηνίσκη, ἡ. Photius vitiose Μῆνις, ὑμένας, πέταλα,
C περιτραχήλια κόσμια. Hesych. : Μηνίσκην, ὑμένα, πέταλα· unde corrigendus Photius.]

Μηνίσκος, ὁ, Lunula. [Bolla, Gl.] Aristophani μηνίσκοι sunt Umbellæ lunatæ, quæ in statuarum capitibus solent poni, ne ab avibus conspurcentur : σκεπάσματα τῶν ἀνδριάντων, διὰ τὸ μὴ ἀποπατεῖν κατ' αὐτῶν τὰ ὄρνεα, schol. Aristoph. Av. [1114] : Χαλκεύεσθε μηνίσκους φορεῖν, Ὥσπερ ἀνδριάντες [ἀνδριάντες Dobr. Similibus verbis interpr. Hesychius]. Ibid. μήνην [μῆν', ut in Μὴν dictum] in eadem signif. usurpat, ut et schol. tradit, quoniam sc. τῇ μήνῃ ἔοικε : nam lunata forma sunt. [Conf. Viscont. *Iconogr. gr.* vol. 1, p. 89.] Dicitur etiam de Lunata forma aciei, ut μηνοειδὴς φάλαγξ, Polyb. 3, p. 63 [115, 5] : Τῷ βάρει θλιβόμενοι κλίναντες ὑπεχώρουν εἰς τοὐπίσω, λύσαντες τὸν μ. [Conf. ib. 7.] Ab Aristot. autem μηνίσκοι dicuntur Lunati splendores, Bud. ex Gaza, Probl. p. 58 [s. 15, qu. 10] : Διὰ τί ἐν ταῖς τοῦ ἡλίου ἐκλείψεσιν, ἐάν τις θεωρῇ διὰ κοσκίνου, ἢ τοὺς δακτύλους τῆς ἑτέρας χειρὸς ἐπὶ τὴν ἑτέραν ἐπιζεύξας, μηνίσκοι αἱ αὐγαὶ ἐπὶ τῆς
D γῆς γίνονται. Ubi etiam reddi possit Lunulæ, Lunatæ species. Ibid. paulo post, Ὅταν οὖν ἐχόντων οὕτως, ἄνωθεν κύκλῳ ἀποτέμνηται, ἔσται μ. ἐξ ἐναντίας ἐπὶ τῆς γῆς τοῦ φωτός· ἀπὸ τοῦ μηνίσκου γὰρ τῆς περιφερείας γίνονται οἱ ἀκτῖνες. Quidam interpr. in his ll., Species lunæ nondum completæ : quales sunt αἱ μηνοειδεῖς. [De luna Cornutus N. D. c. 34, p. 231 : Ἡ Ἑκάτη τρίμορφος εἰσῆκται διὰ τὸ τρία σχήματα γενικώτατα ἀποτελεῖν τὴν σελήνην, μηνοειδῆ γενομένην καὶ πανσέληνον, καὶ τρίτον τι ἄλλο σχῆμα πλάττουσιν ἀναλαμβάνεσθαι, καθ' ὃ πεπλήρωται μὲν αὐτὴ ὁ μηνίσκος, οὐ πεπλήρωται δ' ὁ κύκλος. De cornubus Panis schol. Theocr. 7, 3 : Τὸ μὲν τῶν κεράτων ἀπομίμημα ἡλίου καὶ σελήνης καὶ μηνίσκους φασὶν εἶναι. Valck.] || Hesychio μηνίσκοι sunt etiam τὰ χαλκώματα τῶν πηδαλίων : item ὑμένες, πέταλα περιτραχήλια, μανιάκια, περιδέραια : Plaut., Lunulam, atque annellum aureolum in digito. [Jud. 8, 21 : Ἔλαβε τοὺς μηνίσκους τοὺς ἐν τοῖς τραχήλοις. Jesa. 3, 18. Μανιάκης s. μανιάκιον et περιδ. explicatur etiam ab aliis grammat.] Eæd. expositiones habentur et ap.

Suid., qui a philosophis μηνίσκους vocari scribit τὰ τοῦ κύκλου τμήματα.

[Μηνίτης, ὁ, Iracundus. Arrian. Epict. 4, 5, 18, p. 599 : Ποιῶ πολίτην τοῦτον, παραδέχομαι γείτονα, σύμπλουν. Ὅρα μόνον ..., μή τι ὀργίλος ἐστὶ, μή τι μηνίτης; Μηνυτής, Delator, suspicatus erat Schweigh.]

[Μηνίφιλος, ὁ, Meniphilus, n. viri, ap. Herodian. 8, 2.]

Μηνίω, [ίσω, ιῶ, ut Psalm. 102, 9 : Οὐδὲ εἰς τὸν αἰῶνα μηνιεῖ,] Iram exerceo, seu, quod frequentius, Odium exerceo, vel Simultatem, aut Odium magnum habeo in aliquem : μηνίειν enim dicitur, non quum excitatur ira, sed quum jam concepta est. Ideoque non assentior iis qui interpr. Irascor, si quidem prima et propria signif. respicienda sit. Alioqui sic etiam accipi alicubi facile crediderim. [Succenseo, Gl.] Hom. Il. A, [488] : Αὐτὰρ ὁ μήνιε νηυσὶ παρήμενος ὠκυπόροισι Διογενὴς Πηλέως υἱὸς, πόδας ὠκὺς Ἀχιλλεὺς, Odium exercebat s. Simultatem, In ira perseverabat. Vel, Iram pertinaciter retinebat. Sic et alibi de eod. [Ib. 422 : Μήνι' Ἀχαιοῖσιν· Σ, 257 : Οὗτος ἀνὴρ Ἀγαμέμνονι μήνιε.] In prosa sæpe tribuitur diis : Plut. [Mor. p. 556, A] : Ἐκ δὲ τούτου λέγεται μηνίσαι τὸ θεῖον αὐτοῖς. Sic Athen. 12 : Μηνίσαντος τοῦ δαιμονίου. [Sic Hom. Il. E, 178, cum genit. rei : Ἱρῶν μηνίσας (θεός). Eadem constructione Theocr. 25, 200 : Ἱρῶν μηνίσαντα· Soph. OEd. C. 1177 : Πατρὶ μηνίσας φόνου. Alia ib. 965 : Τάχ' ἂν τι μηνίουσιν ἐς γένος πάλαι· Trach. 274 : Ἔργου δ' ἕκατι τοῦδε μηνίσας.] Item cum πρὸς ap. Synes. : Καὶ πρὸς ἡμᾶς ἐφ' οἷς ἐδυστυχοῦμεν, ἐμήνιε. Eust. [Il. p. 8, 31; 95, 8] pro χολοῦσθαι etiam poni ab Hom. per catachresin tradit. [Cum accus. Soph. OEd. C. 1274 : Οὐδ' ἃ μηνίεις φράσας. Herodot. 7, 229 : Μηνῖσαι μεγάλως Ἀριστοδήμῳ· 9, 7 : Ἀθηναῖοι ὑμῖν μηνίουσι. Idem 5, 84 : Πέμψαντες οἱ Ἀθηναῖοι ἐμήνιον τοῖσι Ἐπιδαυρίοισι, Iram eis suam declaraverunt. || Medio Æsch. Eum 102 : Οὐδεὶς ὑπέρ μου δαιμόνων μηνίεται. Anceps secundæ mensura est nonnisi ubi non sequitur consona. Correpta est in locis Hom. supra citatis et ap. Eur. Hipp. 1146 : Μανίω θεοῖσιν· Rhes. 494 : Ἀλλὰ μηνίων | στρατηλάταισιν. Producta ap. Hom. Il. B, 769 : Ὄφρ' Ἀχιλεὺς μήνιεν, et ap. Æsch. l. c.]

[Μηνογένης, ους, ὁ, Menogenes, n. viri, in inscr. Att. Fourmonti ap. Bœckh. vol. 1, p. 360, n. 246, 23.]

[Μηνόδοτος, ὁ, Menodotus, n. viri, in inscr. apud Caylus *Recueil* vol. 2, tab. LV, fin. Historici Perinthii ap. Diod. Exc. p. 513, 87. Aliorum alibi. L. Dind.]

[Μηνόδωρος, ὁ, Menodorus, n. viri, in inscr. apud Caylus *Recueil* vol. 2, tab. LXII, B, LXV, fin., Lebas. *Inscr.* fasc. 5, p. 179, n. 256. Athen. statuarii apud Pausan. 9, 27, 4. Aliorum alibi. L. Dind.]

Μηνοειδής, ὁ, ἡ, Lunæ formam habens, Corniculatus, Instar lunæ in cornua flexus et falcatus. Thuc. 2, [28] : Ὁ ἥλιος ἐξέλιπε μετὰ μεσημβρίαν, καὶ πάλιν ἀνεπληρώθη, γενόμενος μ. Sic Xen. Hell. 4, [3, 10] : Ὁ ἥλιος μ. ἔδοξε φανῆναι. Item, μ. τεῖχος, Murus lunatus, Thuc. 2, [76] : Ἔνθεν δὲ καὶ ἔνθεν αὐτοῦ ἀρξάμενοι ἀπὸ τοῦ βραχέος τείχους ἐκ τοῦ ἐντὸς, μηνοειδὲς ἐς τὴν πόλιν προσῳκοδόμουν. [7, 34 : Τοῦ χωρίου μηνοειδοῦς ὄντος.] Item μ. φάλαγξ, Lunata. Plut. Fabio [c. 16] : Ἡ δὲ φάλαγξ τοῦ Ἀννίβου μεταβαλοῦσα τὸ σχῆμα, μ. ἐγεγόνει. Et ap. Herodian. 1, [15, 11] : Βέλη ὧν αἱ ἀκαὶ ἦσαν μ., Spicula lunatæ cuspidis. [Herodot. 1, 75 : Διώρυγα βαθέαν ὀρύσσειν, ἄγοντα μηνοειδέα. Polyb. 3, 113, 8, κύρτωμα· 115, 7, σχῆμα.] Et τὸ μ. τῶν νεῶν, Herodot. [8, 16], Lunata navium forma, Lunata classis. [Nicetas ap. Tafel. De Thessalonica p. 381, 10 : Τοῦ Πειραιῶς τὸ μηνοειδὲς καὶ νήνεμον ῥόθιον.] Ipsa etiam luna μηνοειδὴς dicitur, quum triduana adhuc exilia cornua ostendit, s. in cornua curvatur, abestque partibus LX, i. e. duobus signis, et sexangulam facit mundi ad solem figuram; aspectum hexagonum, s. sextilem vocant; διχότομος autem vocatur Semiplena : ἀμφίκυρτος, quando ad διχότομον accedit convexitas, ac plusquam media circuli pars illuminatur : plena, πανσέληνος : ubi rursus decrescit, ad ἀμφίκυρτον redit, inde ad διχότομον, inde ad μηνοειδές : postremo quum offuscata evanescit, ἁρπαγιμαία appellatur : συνοδικὴ autem dicitur quum in coitu est, eodemque in signo easdem cum sole regiones occupat. VV. LL. [Hæc sumta sunt ex schol.

A Arati ad Διοσ. v. 1. Hemst.] Ap. Plut. [Mor. p. 157, B] mater lunæ roganti illi ut sibi σύμμετρον χιτῶνα texeret, respondit : Καὶ πῶς σύμμετρον ὑφήνω; νῦν μὲν γὰρ ὁρῶ σε πανσέληνον, αὖθις δὲ μηνοειδῆ, ποτὲ δὲ ἀμφίκυρτον. [|| Adv. Μηνοειδῶς, In lunæ formam. Oribas. p. 2, 21, 153 ed. Mai. L. D. Philostr. V. Ap. 3, 11 : Ὑποστίλβειν αὐτῷ μ. τὸ μετόφρυον. « Schol. Jo. Climac. p. 370; Longus p. 51; anonym. ap. Ruland. Synon. Latinogr. p. 694 ed. a. 1612. » Boiss.]

[Μηνόκρανος, ὁ. Orac. ap. Rutgers. V. L. 5, p. 480, 133 : Ἄξατε τοῦτον εἰς βασιλείας δόμους μηνόκρανον, μείλιχον, πραῢν, ὑψίνουν, Int. Sapientem.]

[Μηνοκράτωρ, ορος, ὁ, Schol. Tzetz. Carm. Il. p. 41.]

[Μηνολογέω, Mensem adscribo constitutioni aut cuivis alii scripto, quod Imperatoris duntaxat erat, quum mensem et indictionem sua manu ... adderet. Totum hunc ritum discere est ex Novellis Imperatoriis inferioris ævi, ac præsertim ex Novella Manuelis Comneni de Judicibus ... Hanc igitur mensis et indictionis appositionem Μηνολόγημα appellabant. Balsamon Juris Græcorom. p. 141 et ad Can. 19, 7 synodi

B p. 323 ed. Oxon. : Πρόσταξις ἀοιδίμου βασιλέως κυρίου Ἀλεξίου τοῦ Κομνηνοῦ μηνολόγημα φέρουσα τὸν δεκέμβριον μῆνα τῆς ε' ἐπινεμήσεως. Pachymeres 7, 1 : Αὐτὸς πρώτως μηνολογησάμενος πρόσταγμα. Infra : Γνῶναι οὔτινος ἂν εἴη τὸ μηνολόγημα ... Id. 4, 29 : Ὑπογράφειν βασιλικῶς, πλὴν οὐ μηνολογεῖν. Ducang.]

[Μηνολόγιον, τὸ, Menologium, i. q. Martyrologium, in quo Vitæ sanctorum exhibentur secundum dies mensium dispositæ, vel nomina recitantur. Tale est Menologium Basilii ex ed. Albani, Urbini 1727. Alia ap. Pasin. Codd. Taurin. vol. 1, p. 296, B, et quæ memorat Ducangius. L. Dind.]

[Μῆνος, ὁ, Menus, n. pr. Theognostus Can. p. 65, 30. L. Dind.]

[Μηνὸς κώμη, ἡ, vicus Phrygiæ, ap. Athen. 2, p. 43, A.]

[Μηνοτύραννος. V. Μήν.]

[Μηνοφάνης, ους, ὁ, Menophanes, dux Mithridatis, ap. Pausan. 3, 23, 3. Alius n. viri, in inscr. Cea ap.

C Ross. *Hall. Lz. Intell.-Bl.* 1838, n. 13, p. 99. Genit. Μηνοφάνου in alia ap. Caylus *Recueil* vol. 2, p. LXIX, A, 16. Alii sunt in Anthologia. L. Dind.]

[Μηνόφαντος, ὁ, Menophantus, n. viri, ap. Morell. Bibl. Ms. p. 229, Sozom. H. E. 3, 12, et al. L. Dind.]

[Μηνοφίλη, ὁ, Menophile, n. mulieris ap. Marc. Argent. Anth. Pal. 5, 105, 1; 113, 4.]

[Μηνόφιλος, ὁ, Menophilus, n. viri, in inscr. apud Caylus *Recueil* vol. 2, p. LXVI, ap. Goens. ad Porphyr. De antro Nymph. p. 88. Aliorum alibi. L. Dind.]

[Μηνοφῶν, ῶντος, ὁ, Menophon, n. viri, in inscr ap. Lebas. *Inscr.* fasc. 5, p. 150, n. 215. L. Dind.]

[Μηνοχάρης, ους, ὁ, Menochares, Demetrii Soteris legatus. Polyb. 32, 4, 1. Alius in inscr. Att. ap. Bœckh. vol. 1, p. 392, n. 283, 13. ἄ]

Μήνυμα, τὸ, Indicatio, Nuntiatio. [Indago, Gl. Orph. H. 85, 16 : Λίτομαί σε θεῶν μηνύματα φράζειν. Manetho 4, 556 : Ἔν τε καταγγελίησι θεῶν μηνύσμασί τε. Recte Dorvill. μηνύμασι.] Thuc. l. 6, [62] : Κατὰ τὸ μήνυμα ξυλλαβόντες τοὺς ἄνδρας. [Conf. c. 29.] Item,

D Indicium [Gl.], Signum. VV. LL. ex Philone. [Clearch. ap. Athen. 10, p. 457, F : Μήνυμα τῆς ἑκάστου πρὸς παιδείαν οἰκειότητος. Hemst. De signif. Renuntiationis patriarchi vel episcopi et Denuntiationis s. Citationis in jus pluribus agit Ducangius.]

[Μήνυον, τὸ, εἶδος ἄνθους, inter trisyllaba in υον ponit Theognostus Can. p. 130, 6. Pro μίνυον, ut videtur. L. Dind.]

Μήνυσις, εως, ἡ, Indicatio, [Notaria, Indicium, add. Gl.] Nuntiatio, Significatio. [Plato Leg. 11, p. 932, D : Τιμωρούμενος τῆς μηνύσεως ἕνεκα.] Plut. De Socr. dæm. [p. 596, A] : Ἐλογιζόμην λόγον εἶναι τὴν μ. οὐ βέβαιον. [Conf. ib. p. 576, B, et sæpius in Vitis. Plotin. Enn. vol. 2, p. 1159, 15 : Διαφόρους μηνύσεις ποιήσασθαι. « Μ. ἔγγραφος Suidas in Ἀπαγωγή. » Hemst. Jo. Malalas p. 471, 21 : Ἥντινα μήνυσιν δεξάμενος.]

[Μήνυσμα et Μήνυστρον, vitia scripturæ pro Μήνυμα et Μήνυτρον.]

[Μηνυτέον, Indicandum est. Philo V. M. 3, § 30, p. 170. Boiss.]

[Μηνυτήρ, ῆρος, ὁ, i. q. sequens. Æsch. Eum. 245: Ἕπου δὲ μηνυτῆρος ἀφθέγκτου φραδαῖς. Orph. H. 40, 7: Μηνυτῆρ' ἁγίων λέκτρων χθονίου Διός.]

Μηνυτής, ὁ, Index, [Delator, Gl.] Nuntiator. [Eur. Hipp. 1051: Οὐδὲ μηνυτὴν χρόνον δέξει; Meletius in Cram. Anecd. vol. 3, p. 112, 8: Μηνυτὴς καὶ ὁ ἀλέκτωρ ἡμέρας. De delatore] Thuc. [1, 132]: Γίγνεται αὐτοῖς μηνυτής. Id. [6, 53]: Καὶ οὐ δοκιμάζοντες τοὺς μηνυτὰς, ἀλλὰ πάντας ὑπόπτως ἀποδεχόμενοι. [Plato Leg. 3, p. 680, D, et alibi sæpe. Demosth. p. 320, 19: Κατὰ σαυτοῦ μ. γεγονώς. || Vita Sophoclis: Γέγονε δὲ καὶ θεοφιλὴς ὁ Σοφοκλῆς ὡς οὐκ ἄλλος, καθά φησιν Ἱερώνυμος Περὶ τῆς χρυσῆς στεφάνης. Ταύτης γὰρ ἐξ ἀκροπόλεως κλαπείσης κατ' ὄναρ Ἡρακλῆς ἐδήλωσε Σοφοκλεῖ .... Ἐμήνυσε δ' αὐτὴν τῷ δήμῳ καὶ τάλαντον ἐδέξατο .... Λαβὼν οὖν τὸ τάλαντον ἱερὸν ἱδρύσατο Μηνυτοῦ Ἡρακλέους. Hesych.: Μηνυτής, Ἡρακλῆς ἐν Ἀθήναις. || Μανυτὰς, Dorice, Moschus 1, 3. || Photius: Μηνύτην, τὴν γυναῖκα. Κρατῖνος. Μηνυτὴν Schæferus, quod de muliere dixerit Cratinus.]

[Μηνυτικός, ή, όν, Indicativus, Gl. Dio Cass. 78, 21, γράμμα. Plotin. Enn. 4, vol. 2, p. 761, 13: Ἡ φαντασία, οἷον αἴσθησις ἀπαγγελτικὴ καὶ μηνυτικὴ τοῦ πάθους. « Niceph. Oneir. in Πετᾶν. » Boiss.]

[Μηνύτρια, ἡ, Proditrix. Philes In Cantacuz. 645.]

[Μηνυτρίζομαι. Hesych. et Photius: Μηνύεσθαι, μηνυτρίζεσθαι. Hesych.: Μηνύεται, μηνυτρίζεται, μήνυτρα δίδωσι. Qui si i. esse voluit μήνυτρα διδόναι et μηνυτρίζεσθαι, hoc vertendum est Indicii præmia do.]

Μήνυτρον, τὸ, [Indicium, Indicina, Gl.] Indicii præmium; Præmium quod datur indicii. [Hom. H. Merc. 264, 364. Lysias p. 107, 3; Andocid. p. 20, 6.] Plut. [Mor. p. 421, A]: Μήνυτρα τελέσας μεγάλα. [Phrynichus com. ap. eund. Alcib. c. 20: Μήνυτρα δοῦναι τῷ παλαμναίῳ ξένῳ.] Quidam ex Apul. interpr. Indicinæ præmia. Invenitur etiam scriptum Μήνυστρον, sed perperam. [Ap. Polluc. 6, 187. Alia exx. nonnulla v. ap. intt. Thomæ p. 615.] Μινύτροις μεγάλοις, VV. LL. ex Thuc. [6, 27], perperam pro μην. [Μήνυθρον, Indicium, Gl. Sic sæpe scribitur Θύρεθρον, Κάλλυνθρον.]

Μηνύτωρ, ορος, ὁ, poet. pro μηνυτής: Epigr. [Philippi Anth. Pal. 11, 177, 1: Τὸν τῶν κλεπτόντων μανύτορα Φοῖβον ἔκλεψεν Εὐτυχίδης, εἰπών, μὴ πάνυ πολλὰ λάλει. ῡ]

Μηνύω, Indico [Gl.], Significo, Nuntio, Certiorem facio. [Schol. Theocr. 6, 31: Μηνύειν ἐστὶ τὸ κλέπτοντά τινα δεικνύειν ἢ φεύγοντα ἢ τοιοῦτό τι ποιοῦντα. Μηνύειν καὶ τὸ σημαίνειν ἁπλῶς καὶ δηλοῦν, οἷον, Ὁ τῆς κορώνης κρωγμὸς χειμῶνα μηνύει. Valck. Hom. H. Merc. 254: Μήνυέ μοι βοῦς θᾶσσον· et sæpius in seqq. Soph. OEd. T. 102: Ποίου γὰρ ἀνδρὸς τήνδε μηνύει τύχην; 1384: Τοιάνδ' ἐγὼ κηλῖδα μηνύσας ἐμήν· OEd. C. 1188: Τά τοι κακῶς ηὑρημέν' ἔργα τῷ λόγῳ μηνύεται. Eur. Hipp. 520: Μή μοί τι Θησέως τῶνδε μηνύσῃς τόκῳ· 296: Ὡς ἰατροῖς πρᾶγμα μηνυθῇ τόδε· 1077: Τόδ' ἔργον οὐ λέγον σε μηνύει κακόν. Aristoph. Ach. 206: Ἀλλά μοι μηνύετε, εἴ τις οἶδ' ὅποι τέτραπται. Cum præp. κατὰ Lysias p. 105, 18: Ἐμήνυσε κατὰ τῶν ἑαυτοῦ συγγενῶν· 19: Μηνύων κατὰ τῶν ἑαυτοῦ φίλων. Et πρὸς Lucian. Hermot. c. 34: Οὐκ ἐμήνυσε πρὸς αὐτὸν εἰδυῖα τὴν δυσωδίαν. Tzetz. Hist. 9, 632: Τοῦτο ἰδοῦσα πρὸς αὐτὸν ἐμήνυσε τὸν Τζέτζην.] Bud. μεμηνυκέναι ex Plut. affert pro Indicasse. Idem in Symp. sept. sap. [p. 161, C]: Εἶτα καὶ παρὰ κυβερνήτου λάθρα πύθοιτο μηνύσαντος, Qui clanculum certiorem fecerat. Sic autem utitur Thuc. non solum activo μηνύειν, sed et pass. μηνύεσθαι: ut [4, 89: Μηνυθέντος τοῦ ἐπιβουλεύματος·] 1, [20]: Ὑποτοπήσαντες Ἱππίᾳ μεμηνύσθαι. [6, 61: Ἐπί τε ἐκεῖνον καὶ ὧν πέρι ἄλλων ἐμεμήνυτο. Xen. H. Gr. 3, 3, 10: Πρὶν αἰσθέσθαι αὐτοὺς ὅτι μεμήνυνται.] A Plut. quoque dicuntur μεμηνύσθαι, quorum aliquod consilium patefactum et indicatum est. [Demetr. c. 49, aor. Nic. c. 28.] Gall. dicitur, *Ils ont esté descouvers*. Philo de Deo etiam dixit: Μηνύοντος διὰ συμβόλων τοῦ Θεοῦ, Deo significante. Plato pro Declarare usus est, ead. sc. signif. usurpans et δηλοῦν, in Phædro [p. 277, C]: Ὡς ὁ ἔμπροσθεν πᾶς μεμήνυκεν ἡμῖν λόγος· sic alibi sæpe. [Hesych. in v. Illi ad quos est indicium delatum μηνυθέντες dicuntur a Dionys. A. R. 7, 10 (p. 1334, 3, Reisk., qui —θὲν), nisi scribendum sit μηνυθέντος. (Sic

A Jo. Malalas p. 300, 6: Ἐμηνύθη (Αὐρηλιανὸς) περὶ αὐτῆς ὅτι ἐπραίδευσε. Qui etiam activum conjungit cum accusativo pro dativo p. 273, 3: Ἐμήνυσεν αὐτὸν ταῦτα.) Absolute Στρατιὰν συνθήμασι μηνυθεῖσαν, ib. 11 init. Hemst. De aliis rebus, ut sit Prodere, Xen. Eq. 3, 5: Τοὺς ἑτερογνάθους μηνύει ἡ πέδη καλουμένη ἱππασία. Plato Critiæ p. 108, E: Ἀφ' οὗ γεγονὼς ἐμηνύθη πόλεμος. Ex eodem notandæ sunt constructiones Reip. 2, p. 366, B: Οἳ ταῦθ' οὕτως ἔχειν μηνύουσιν· Menex. p. 239, B: Ποιηταὶ εἰς πάντας μεμηνύκασιν.] || Μανύω, Dorice pro μηνύω, Indico: item Expono, Eur. [Hec. 194. Pind. Ol. 6, 52: Ὡς ἄρα μάνυε· Isthm. 7, 55: Οἷς δῶμα Φερσεφόνας μανύων· Pyth. 1, 93: Ἀποιχομένων ἀνδρῶν δίαιταν μανύει καὶ λογίοις καὶ ἀοιδοῖς· Nem. 9, 4: Ματέρι αὐδὰν μανύει. Theocr. 21, 38. υ sequente vocali ap. poetas non Atticos etiam corripitur, sequente consona ne apud hos quidem.]

[Μῆον. V. Μεῖον.]

[Μηονία, ἡ, eadem quæ Μαιονία, quod v. supra, dialecto epica et Ionica. Hom. Il. Σ, 291, H. Apoll.

B 179: Μηονίην ἐρατεινήν· Γ, 401, aliique Epici. Eadem forma est in inscr. ap. Constantin. Them. 1, p. 3, fin. Gent. Μηῶν vel Μήων (v. quæ de accentu diximus in Μαιονία) Hom. Il. Β, 866: Οἳ καὶ Μήονας ἦγον ὑπὸ Τμώλῳ γεγαῶτας, etc. Herodot. 1, 7, etc. Callim. Del. 250: Μηόνιον Πακτωλόν. || Adv. Μηονιστὶ, Lydice, apud Hipponactem ab Tzetza in Cram. Anecd. vol. 3, p. 351, 9, citatum: Ἑρμῆ κυνάγχα, μηονιστὶ Κανδαύλα. L. Dind.]

[Μήποθεν, Necunde, Gl.

Μήποτε, Nunquam, Haud unquam. [Nequando, Ne forte, Ne unquam, Gl. Hom. Il. Η, 343: Μήποτ' ἐπιβρίσῃ πόλεμος Τρώων ἀγερώχων· Ι, 133: Ἐπὶ μέγαν ὅρκον ὀμοῦμαι μήποτε τῆς εὐνῆς ἐπιβήμεναι· Τ, 128: Ὤμοσε καρτερὸν ὅρκον μήποτ' ἐς Οὔλυμπον ... αὖτις ἐλεύσεσθαι· Χ, 106: Αἰδέομαι Τρῶας, μήποτέ τις εἴπησι κακώτερος ἄλλος ἐμεῖο. Hesiod. Op. 86: Ἐφράσαθ' ὥς οἱ ἔειπε Προμηθεὺς μήποτε δῶρον δέξασθαι. Pind. Ol. 9, 83: Παραγορεῖτο μήποτε σφετέρας ἄτερθε ταξιοῦσθαι ... αἰχμᾶς. Æsch. Prom. 203: Σπεύδοντες ὡς Ζεὺς μήποτ' ἄρξειεν

C θεῶν· Suppl. 617: Ζηνὸς κότον μέγαν προφωνῶν μήποτ' εἰσόπιν χρόνου πόλιν παχῦναι. Cum imperat. Theognis 1165: Κακοῖσι δὲ μήποθ' ὁμάρτει. Cum opt. Æsch. Prom. 535: Ἀλλά μοι τόδ' ἐμμένοι καὶ μήποτ' ἐκτακείη. Aristoph. Eq. 410: Ἦ μήποτ' ἀγοραίου Διὸς σπλάγχνοισι παραγενοίμην· Pac. 3: Καὶ μήποτ' αὐτῆς μᾶζαν ἡδίω φάγοι. Xen. Cyrop. 5, 3, 7: Ἀλλὰ μήποτέ σοι λήξειεν αὕτη ἡ μεταμέλεια. Cum inf. Æsch. Sept. 75: Κάδμου πόλιν ζυγοῖσι δουλείοισι μήποτε σχεθεῖν. Et alibi. Postpositum est ap. Æsch. Prom. 1002: Εἰσελθέτω σε μήποτε. || Cum perf. ubi erat ap. Isocr. p. 62, A: Εἰ δὲ μήποτε τοῦτο γέγονε, Urbinas præbuit μήτε. || Pro οὔποτε Bion 1, 12: Θνάσκει καὶ τὸ φίλαμα τὸ μήποτε Κύπρις ἀφήσει.] Xenoph. Cyrop. 8, [1, 43]: Ἐπεμελεῖτο δὲ ὅπως μήποτε [μήτε] ἄσιτοι μήτε ἄποτοί ποτε ἔσοιντο, Ut ne unquam; ubi divisim etiam scribi queat μή ποτε. [Sic interposito καὶ Æsch. Suppl. 399: Μὴ καί ποτε εἴπῃ λεώς.] Apud scholiastas autem, aut alios qui locum alicujus auctoris exponunt, sæpe occurrit μήποτε δὲ, pro Videndum vero ne forte: subau-

D diendo ὅρα. Sed et ap. alios μήποτε est Addubitantis et addubitanter decernentis, Bud. p. 909, ubi interpr. quum aliis modis, tum adverbio Fortasse. [Plato Phæd. p. 78, D: Μήποτε μεταβολὴν καὶ ἡντινοῦν ἐνδέχεται; « Μήποτε sæpissime apud scholiastas aliosque veterum scriptorum interpretes, ubi ostendere volunt, locum aliquem etiam aliter posse explicari, sic legitur, ut fere idem sit quod ἴσως, Fortasse. Exempla ubique sunt obvia. Quare pauca attuli. Et primum quidem, quod Ægyptiorum codicum reliquiæ Venetiis in bibl. Naniana asservatæ, et ab Jo. Aloys. Mingarellio Bononiæ, 1785, fol. editæ, p. xcvi suppeditant, quanquam ibi de re grammatica non agitur. Mingarellius p. c notavit, particulam μήποτε ab Origene, Didymo, aliisque accipi pro Fortasse. Sic Athen. 1, p. 11, E: Ἄριστον μέν ἐστι, τὸ ὑπὸ τὴν ἕω λαμβανόμενον· δεῖπνον δὲ, τὸ μεσημβρινὸν ... μήποτε δὲ καὶ συνωνυμεῖ τὸ ἄριστον τῷ δείπνῳ· v. Casaub. ad hunc l. et Schweigh. Idem Athen. 13, p. 586, E: Μήποτε δὲ δεῖ γράφειν ἀντὶ τῆς Ἀνθείας, Ἄντειαν. Eustath. Od. p. 1571, 15. In versione Alex. similiter est Gen. 24, 5 : Μήποτε οὐ βούληται· ubi cod. Alex. βούλεται. Ib. 15 : Μήποτε μνησικακήσῃ· ubi all. μνησικακήσει. Jud. 3, 24, aliisque in locis. Et in libris N. T. Matth. 25, 9, etc. Item apud Marc. Antonin. 4, 24, et Theophyl. Bulg. Epist. p. 937, vol. 8 Opp. Meursii. » Sturz. Dicitur etiam Οὐ μήποτε et οὐδὲν μήποτε. Aristoph. Ach. 662 : Κοὐ μήποθ' ἁλῶ. Plato Phædr. p. 260, E : Οὔτε μήποθ' ὕστερον γένηται· 262, E : Ἔστιν οὖν ὅπως ... ἔσται; — Οὐ μήποτε· Polit. p. 290, A : Ἀλλ' οὐ μὴν ... μήποτε ... εὕρωμεν· Reip. 5, p. 473, D : Οὐδὲ αὕτη ἡ πολιτεία μήποτε πρότερον φυῇ. Quod solœce cum indicativo præsentis conjungitur ap. Plotin. vol. 1, p. 182, 9 : Ἀὴρ οὐ μήποτε ἐπιλείπει, ubi vel ex codd., qui ἐπιλείπῃ, restituendum ἐπιλίπῃ. Cum optativo (ut sæpius ap. eundem οὐ μὴ conjunctum legi cum opt. dicemus in Οὐ) ib. p. 478, 5 : Καὶ ὅτι πόλεμος ἀεὶ, καὶ οὐ μήποτε παῦλαν οὐδ' ἂν (hoc del.) ἀνοχὴν λάβοι. Et in oratione obliqua Niceph. Greg. Hist. Byz. 2, 8, p. 29, C : Ὅρκοις αὐτὸν βεβαιώσαντα ὅτι τε ψευδεῖς αἱ διαβολαὶ καὶ ὅτι οὐ μήποτε βουληθείη βασιλείᾳ ἐπιχειρῆσαι. Et οὐδὲν μ. Plato Conv. p. 214, A : Οὐδὲν μᾶλλον μήποτε μεθυσθῇ. Aristoph. Thesm. 1166 : Οὐδὲν μήποτε κακῶς ἀκούσητε. || Forma Ion. Μήκοτε Herodot. 1, 77 : Οὐδαμὰ ἐλπίσας μήκοτε ἄρα ... ἐλάσῃ.]

Μήπω et Οὔπω, ejusd. signif. cum μηδέπω et οὐδέπω, Nondum, Necdum. [Aristoph. Av. 323 : Μήπω φοβηθῇς τὸν λόγον. Cum opt. Soph. El. 403 : Μήπω νοῦ τοσόνδ' εἴην κενή· Ph. 961 : Ὄλοιτο μήπω, πρὶν μάθοιμ' εἰ κτλ. Cum imp. OEd. T. 740 : Μήπω μ' ἐρώτα.] Aristoph. μήπωγε etiam dixit pro μήπω [Nub. 196] : Μήπωγε μήπωγ', ἀλλ' ἐπιμεινάντων, Nondum, sed expectent. [Ib. 267 : Μήπω μήπωγε· Eq. 1100 : Μήπωγ', ἱκετεύω. Æsch. Prom. 631 : Μήπω γε (λέξῃς). Soph. El. 1409. Addito μὴ Callim. Del. 89 : Μήπω μή μ' ἀέκοντα βιάζεο μαντεύεσθαι. Divise Soph. OEd. T. 1110 : Μὴ ξυναλλάξαντά πω. Xen. H. Gr. 1, 4, 5 : Ἢ παραδοῦναι ἢ μὴ οἴκαδέ πω ἀποπέμψαι. Plato Parm. p. 138, D : Μήτε πω ἐν ἐκείνῳ εἶναι μήτε κτλ. || Μηπώποτε Soph. Ant. 1094 : Μηπώποτ' αὐτὸν ψεῦδος ἐς πόλιν λακεῖν.]

[Μηράδου πύργου mentio fit in inscr. Teja ap. Bœckh. vol. 2, p. 648, n. 264, 31, quod pluribus explicat Bœckh. p. 650 sq.]

[Μῆρα, τά. V. Μηρός.]

Μηριαῖος, α, ον, Ad femur s. femora pertinens, q. d. Femoralis : ut μ. ὀστᾶ ap. schol. Hom. [Il. A, 40], Femoralia ossa, i. e. Ossa femorum. [Xen. Eq. 11, 4 : Ὑπὸ τὰς μηριαίας παίειν· Ven. 4, 1 : Μηριαίας σκληράς· 8 : Ἐπὶ ταῖς μηριαίαις ἄκραις τρίχας ὀρθάς. Pollux 1, 199 : Τὴν μηριαίαν (equi)· 2, 187 : Μηριαῖα· pro quo 5, 63, male μηρίδια.]

Μῆριγξ, ιγγος, ἡ, Spina quæ villis ovium adhæret, Hesych. [Conf. Σμῆριγξ.]

[Μηριζὸς, ὁ, Merizus. Suidas : Καταΐξ· καταιγίς. Ἡ δ' ἀπὸ Μηρισοῖο θοὴ βορέαο καταΐξ. Ἤτοι ἀπὸ τῆς Θρᾴκης. « Rescribendum Μηρίζοιο. Est autem Μήριζος mons Thraciæ. Hierocli in Synecd. (p. 633) Μόριζος. Plinio *Merisus*. Sed Constantinus in Them. (p. 2, p. 21) recte admodum Μήριζον vocat. Quam quidem scripturam confirmat hexametri modulus. Videtur autem vel Apollonii vel Callimachi esse. » Toup. Qui sine caussa rejicit scripturam per σ, ut ι producatur, confirmatam a Plinio H. N. 4, 11, 41, ubi memorantur *Moriseni*, quo respicere videtur Toupius.]

[Μηρίζω, Coxizo, vertit Int. ap. Diog. L. 7, 172 : Φησὶ δὲ ὁ Ἑκάτων ἐν ταῖς χρείαις εὐμόρφου μειρακίου εἰπόντος, Εἰ ὁ εἰς τὴν γαστέρα τύπτων γαστρίζει, καὶ ὁ εἰς τοὺς μηροὺς τύπτων μηρίζει, ἔφη (Cleanthes : sed aut φάναι legendum, aut supra post χρείαις addendum ὅτι), Σὺ μὲν τοὺς διαμηρισμοὺς ἔχε, μειράκιον.]

[Μηριθμὸς, δέλτος, ἡ μήρινθος, Hesychii gl. corrupta.]

[Μηρινθία, ἡ.] Ap. Hesych. legitur et Μηρινθίᾳ, σπάρτῳ. [Μηρινθίῳ Cyrillus, unde Μηρίνθῳ interpretes.]

[Μηρίνθιον. V. Μηρινθία.]

Μήρινθος, ἡ, Funiculus, [Filua, Gl.] : σπαρτίον, σχοινίον : quod et μέρμις. Alex. Aphr. [Probl. præf. p. 249, 4] : Ἡ θαλασσία νάρκη διὰ τῆς μηρίνθου τὸ σῶμα ναρκοῖ, Per funiculum piscatorium piscatoris corpori torporem immittit. Sic et in Epigr. [Leonidæ Anth.
A Pal. 7, 504, 9 : Μηρίνθων καὶ δούνακος,] pro Funiculo piscatorio positum legitur. [Theocr. 21, 12 : Μήρινθοι κῶάς τε. In tela μήρινθος τετράγωνος, οἷον πεῖσμα τοῦ ἱστοῦ· περιῆπται δὲ τῇ μηρίνθῳ λεπτὸς ἱστὸς, Philostr. Imag. 2, 39, p. 854.] Ap. Aristot. vero De mundo [c. 6] : Οἱ νευροσπάσται μίαν μήρινθον ἐπισπασάμενοι ποιοῦσι καὶ αὐχένα κινεῖσθαι καὶ χεῖρα τοῦ ζώου, καὶ ὦμον καὶ ὀφθαλμὸν, ἔστι δὲ ὅτε πάντα τὰ μέρη, μετά τινος εὐρυθμίας, Uno funiculo s. nervo adducto, Una fidicula. Hom. quoque hoc vocabulo usus est, Il. Ψ, [854] : Ἐκ δὲ τρήρωνα πέλειαν Λεπτῇ μηρίνθῳ δῆσεν ποδὸς, Tenui funiculo. [Athen. 1, p. 25, D : Τὴν πελειάδα τῇ μηρίνθῳ κρεμάντες (sic) ἀπὸ νηὸς ἱστοῦ. Prov. Αὕτη μὲν ἡ μήρινθος οὐδὲν ἔσπασεν est ap. Aristoph. Thesm. 935, et Diogenian. 3, 35. Lycophr. 13 : Ἄκραν ἐγὼ βαλβῖδα μηρίνθου σχάσας. Plotin. Enn. 4, vol. 2, p. 814, 21 : Ὥσπερ ἐκ μηρίνθων ὁλκαῖς τισι φύσεως μετατιθεμένων. Alius formæ accusativus est in Orph. Arg. 595 : Ἀμφὶ δὲ δειρῇ ἀψαμένη μήρινθα· 1095 : Δολιχὴν μήρινθα βαλόντες. Μήρινθον 241. Qui μέρμιθα conjiciebat Schnei-
B derus, speciem conjecturæ conciliare poterat ex varietatibus librorum Diod. 3, 21, ubi vel μήριθον cum μέρμιθα confusum. Conferenda autem cum hac forma ἕλμινθα, πείρινθα.]

[Μηρινθώδης, ὁ, ἡ, Qui funiculo similis est. Nicetas Chon. p. 351, A : Τεκτηνάμενοι κλίμακας τὰς βαθμῖδας μηρινθώδεις ἐχούσας.]

Μηρίον, τὸ, forma dimin., i. tamen valens q. μηρὸς, Femur. [Bion 1, 84 : Ὁ δὲ μηρία λούει. Sed plerumque dicitur de victimis.] Unde μηρία καίειν ap. Hom. [Il. A, 40] et Hesiod. [Op. 335], i. q. μηροὺς καίειν. [Singulari Posidonius ap. Athen. 4, p. 154, B : Παρατεθέντων κωλήνων τὸ μηρίον ὁ κράτιστος ἐλάμβανεν. Ap. Homerum, ubi est καίειν μηρία vel (de quo v. in Μηρὸς) μῆρα, non tota femora, sed ossa femorum intelligebat Vossius Epist. myth. vol. 2, p. 361 seqq., itemque ap. Soph. Ant. 1008, 1020, promiscue eadem dicentem μηρία et μηροὺς, et Pausan. 1, 24, 2 : Τοὺς μηροὺς κατὰ νόμον ἐκτεμών. (2, 10, 5 : Τῶν ἱερείων τοὺς μηροὺς θύουσι πλὴν ὑῶν, et mox : Καιομένοις ὁμοῦ τοῖς
C μηροῖς, addit Schneider.) Μηροὺς enim ap. Hom. nonnisi exsecari, minime totos cum carnibus comburi. Idem addidit locos Simonidis in Etym. M. v. Δαύω cit. : Μηρίων δεδαυμένων· Bacchylidis, quem emendavimus in Δασύθριξ, ap. Stob. Fl. 55, 3 : Δαιδαλέων τ' ἐπὶ βωμῶν θεοῖσιν αἴθεσθαι βοῶν ξανθᾷ φλογὶ μηρία (μῆρα) τανυτρίχων τε μήλων· Theognidis 1145 : Ἀγλαὰ μηρία καίων· Apollonii Rh. 2, 691 : Δὴ τότε οἱ κεραῶν ἐπὶ μηρία θήσομεν αἰγῶν· et ibid. 699; Theocriti 17, 126 : Πολλὰ δὲ πιανθέντα βοῶν ὅγε μηρία καίει· Eubuli ap. Clem. Al. Strom. 7, p. 847, qui in loco corrupto item memorat μηρία· Pausaniæ 8, 38, 8 : Τὰ μηρία ἐκτεμόντες καίουσι. Eandemque fuisse veterum grammaticorum, velut Hesychii v. Μηρία et aliorum, opinionem ostendit p. 371 seqq., quorum unum Eranii Phil. p. 170 locum repetere libet : Μηρία καὶ μηρὸς διαφέρει· μηρία μὲν γὰρ τὰ ἐναγιζόμενα τοῖς θεοῖς· μηρὸς δὲ τὰ μὴ οὕτως ἔχοντα. Aristoph. Av. 193 : Τῶν μηρίων τὴν κνῖσαν οὐ διαφρήσετε· 1517 : Οὐδὲ κνῖσα μηρίων ἄπο ἀνῆλθεν. Idem eodem respicit Thesm. 693, de ficto
D puello loquens, quem mulier se gestare simulabat : Ἀλλ' ἐνθάδ' ἐπὶ τῶν μηρίων πληγὲν (τὸ παιδίον) καθαιμάτώσει βωμόν. Est enim perrarum μηρίον de femoribus hominis, ut supra ap. Bionem.]

[Μηριόνης, ὁ, Meriones, n. viri Cretensis, Hom. Il. B, 651 etc., Ps.-Eur. Iph. A. 201, Diod. 5, 79. Obscœna signif. Antipater Anth. Pal. 12, 97, 2 : Εὐπάλαμος ξανθὸν μὲν ἐρεύθεται, ἶσον Ἔρωτι, μέσφ' ἐπὶ τὸν Κρητῶν ποιμένα Μηριόνην. Rufin. ib. 5, 36, 2 : Ἤρισαν ἀλλήλαις Ῥοδόπη, Μελίτη, Ῥοδόκλεια, τῶν τρισσῶν τις ἔχει κρείσσονα Μηριόνην. Sextus Pyrrh. hyp. 3, 24, p. 176 : Λέγεται καὶ παρὰ Θηβαίοις τὸ παλαιὸν οὐκ αἰσχρὸν τοῦτο (τὴν ἀρρενομιξίαν) εἶναι δόξαι, καὶ τὸν Μηριόνην τὸν Κρῆτα οὕτω κεκλῆσθαί φασιν δι' ἔμφασιν τοῦ Κρητῶν ἔθους.]

[Μηριοχάνη. V. Μυοχάνη.]

[Μηρὶς, ίδος, ἡ, Tripolium, Diosc. Notha p. 472 (4, 133). Boiss.]

[Μηρισός. V. Μηριζός.]

[Μηροδέται, αἱ, Feminalia. V. Σαράβαρα.]

[Μηροκαυτέω, Femora comburo. Phrynichus Bekkeri An. p. 51, 18 : Μηροκαυτεῖν, ὁμοίως τῷ ἱεροκαυτεῖν καὶ ὁλοκαυτεῖν.]

[Μηρόκλαστος, ὁ, ἡ, Qui femur s. femora fregit. Chron. Pasch. p. 270, A : Ἐκονδύλησεν ὁ ἵππος αὐτοῦ καὶ μηρόκλαστος ἐγένετο. L. Dind.]

Μηῤῥᾰφὴς, ὁ, ἡ, Femori insutus. V. Εἰραφιώτης. [Ubi hæc leguntur, supra vol. 3, p. 274, C, non integra posita :] Pro etymo [v. Εἰραφιώτης a verbo Ῥάπτω] facit etiam Μηροῤῥαφὴς ejusdem Bacchi epithetum, i. e. Femori insutus : qui μηρὸς propterea vocatur εὐῤῥαφὴς in l. Dionysii 939. Observa autem obiter et hæc duo composita Μηροῤῥαφὴς atque Εὐῤῥαφὴς, addenda quibusdam superioribus [a v. Ῥάπτω], quæ ejusdem formæ sunt. Sed videtur εὐῤῥαφὴς μηρὸς dici potius Pulchram seu elegantem suturam habens, quod eleganti quodam suturæ genere Bacchus ei esset insutus, quam Pulchre seu bene consutus. Atque ita fuerit potius a nomine ῥαφή.

Μηρὸς, quod nunc tractandum est, post verbum Μερίζω ponendum fuisset, inter ejus derivata, aut post Μέρος, vel, quod mihi magis placet, post Μείρω. Quæ tres deductiones eodem tendunt, i. e. eadem ratione nituntur : ut sc. μηρὸς dicta sit Græcis Pars corporis quam Latini Femur appellant, quod inde corpus velut dividi incipiat. Καὶ ὁ μηρὸς δὲ ἀπὸ τοῦ μερίζω γίνεται, τροπῇ τοῦ ε εἰς η, inquit Eust. [Il. p. 80, 19.] In meo autem vet. Lex. scriptum est μηρὸς esse a μείρω significante μερίζω : ut sc. ex μερὸς, factum sit μηρὸς, sive ut μηρὸς dictum quasi μερός : quoniam corpus κατ' ἐκεῖνα τὰ μέρη μερίζεται, i. e. Dividitur. At vero ap. Etym. legimus quidem eod. modo μηρὸν esse dictum a μέρος, vel a μείρω, διὰ τὸν μερισμὸν τοῦ σώματος : sed etymum aliud ibi præcedit longe ineptissimum, quo hoc nomen μηρὸς a μέλας deducitur, mutatione ἀμεταβόλου λ in ἀμετάβολον ρ, scil. Μηρὸς, ὁ, Femur, Femen. [Aristot. H. A. 1, 15 : Σκέλους τὸ μὲν ἀμφικέφαλον μηρός.] Sunt qui μηρὸν verterint etiam Crus, quo tamen nomine Celsus τὴν κνήμην proprie intelligit : scribens 8, 1, Crus ex duobus ossibus constare, tibia et sura ; idemque Femoris nomine manifesto τὸν μηρὸν intelligit : scribens, Tibiæ os cum femoris inferiore capite committi sicut cum humero cubitum. Hæc Gorr. Observavi certe ap. Virg. dici aliquem eripere ensem a femore, ut ap. Hom. ξίφος s. φάσγανον ἐρύσσασθαι παρὰ μηροῦ, s. ἄορ σπάσασθαι παρὰ μηροῦ. Legimus enim ap. Virg. Æn. 10 : Ocyus ensem Æneas viso Tyrrheni sanguine lætus Eripit a femore, et trepidanti fervidus instat. (Dicit alioqui idem poeta et Eripere ensem vagina, nec non Diripere. Atque ut ibi legimus ap. eum Eripere ensem a femore, sic alibi, Exuere ensem humero, quum tamen alioqui in latere potius ap. eum ipsum gestetur : unde sunt illa, Accommodare ensem lateri, Accingere ensem lateri. Sed alicubi dativos duos Lateri et Humeris conjungit : in hoc nimirum versu, Tum lateri atque humeris Tegeæum subligat ensem. Denique et Suspendere ensem collo ap. eum legitur. Quæ a me obiter dicta sint.) Hom. Od. K, 126 : Τόφρα δ' ἐγὼ ξίφος ὀξὺ ἐρυσσάμενος παρὰ μηροῦ · Il. A, 190 : Ἢ ὅγε φάσγανον ὀξὺ ἐρυσσάμενος παρὰ μηροῦ · Od. K, [439] et Il. Π, [473] : Σπασσάμενος τανύηκες ἄορ παχέος παρὰ μηροῦ. At vero E, [666] quum dicit δόρυ ἐξερύσαι μηροῦ, aliam signif. habet ἐξερύσαι. [Ib. 305 : Ἔνθα τε μηρὸς ἰσχίῳ ἐνστρέφεται · 660 : Τληπόλεμος μηρὸν ἀριστερὸν ἔγχεϊ μακρῷ βεβλήκειν · Λ, 829 : Μηροῦ δ' ἔκταμ' ὀϊστόν.] Pluralem μηροὶ et dualem μηρὼ ap. eund. poetam aliquoties legimus : Il. Π, [125] : Μηρὼ πληξάμενος. Item [M, 162], Πεπλήγετο μηρὼ, præcedente verbo ᾤμωξεν, ap. Eund. non semel. Sic ap. Plut. (quod observatione dignissimum est), in Fabio [c. 12] : Μηρόν τε πληξάμενος καὶ στενάξας μέγα. [Liban. vol. 4, p. 843, 26 : Δεινὸν ἔβλεπε καὶ τὸν μηρὸν (sic lege. V. Addit. ad Athen. p. 310) ἔπληττε. Jacobs.] Apud Xen. quoque legimus, de Cyro commoto iis quæ de morte Abradatæ audiverat, Cyrop. 7, p. 109 meæ ed. [c. 3, 6] : Ἐπαίσατο τὸν μηρόν. [Polyb. 15, 27, 11, τύπτων · 39, 2, 8, πατάξας.] In VV. LL. μηρὸς redditur etiam Coxa. Ibid. Μηροῦ κεφαλὴ, Coxæ caput, Rotundum os, τὸ τῇ κοτύλῃ συνηρμοσμένον : at Πλῆκτρον μηροῦ, καθ' ὃ ἡ κεφαλὴ τοῦ μηροῦ τῇ κοτύλῃ συνῆπται. In

A iisd. redditur μηρὸς et Inguen ; sed perperam : ut vel ex hoc ipso loco apparet, quem ex Galeno Ad Glauc. 1, afferunt, Βουβῶσί τε καὶ μηροῖς προσάξομεν, Inguinibus et femoribus applicabimus. [Pherecrates ap. Clem. Al. Strom. 7, p. 847 : Οὐ τὼ μηρὼ περιλέψαντες μέχρι βουβώνων. Tyrtæus ap. Stob. Fl. 50, 7, 23 : Μηρούς τε κνήμας τε κάτω. Solon ap. Plut. Mor. p. 751, C : Μηρῶν ἱμείρων καὶ γλυκεροῦ στόματος. Archiloch. ap. schol. Eur. Med. 679 : Μηρούς τε μηροῖς προσβαλεῖν. Æsch. fr. Myrmid. ap. Athen. 13, p. 602, E : Σέβας δὲ μηρῶν ἁγνὸν οὐκ ἐπῃδέσω · et ap. Ps.-Lucian. Amor. c. 54 : Μηρῶν τε τῶν σῶν εὐσεβὴς ὁμιλία. Soph. fr. Colch. ap. Athen. 13, p. 602, E : Μηροῖς ὑπαίθων τὴν Διὸς τυραννίδα. Eur. Androm. 598 : Γυμνοῖσι μηροῖς, de mulieribus Spartanis. Aristoph. Eccl. 902 : Τὸ τρυφερὸν γὰρ ἐμπέφυκε τοῖς ἁπαλοῖσι μηροῖς · Lys. 1073 : Ὥσπερ χοιροκομεῖον περὶ τοῖς μηροῖσιν ἔχοντες · Nub. 973 : Ἐν παιδοτρίβου δὲ καθίζοντας τὸν μηρὸν ἔδει προβαλέσθαι τοὺς παῖδας.] Μηροὶ equo etiam aliisque nonnullis animalibus tribuuntur. Quin Femina et Femora, inquit Cam., B sint μηροὶ, dubium non est : Femina tamen Latini Carnes hujus membri s. Pulpas dixerunt : ut quum equitatu Plinius scripsit atteri et aduri femina. Nam μηροὶ equo applicantur ea parte, qua interius illum contingunt. Xen. Eq. [7, 5] : Τοῖν τε γὰρ μηροῖν οὕτως ἂν ἔχοιτο μᾶλλον τοῦ ἵππου, Sic enim et feminibus firmius adhæserit equo. Idem scriptor μηρὸν interius in equis nominavit [1, 14] : Μηρούς γε μὴν τοὺς ὑπὸ τῇ οὐρᾷ ἣν ἅμα πλατείᾳ τῇ γραμμῇ διωρισμένους ἔχῃ, Femina quidem sub cauda si latioris intervalli linea distinxerit. Hujus igitur membri totius, cum carnibus pulparum et toris, quale apparet, nomen est μηρὸς, Femur. Sed et ossis, quod insertum acetabulo in genu desinit, propria est hæc appellatio. Hic est nimirum μηρὸς ἀμφικέφαλος Aristoteli [cujus verba paullo aliter scripta v. initio], Utrimque quasi caput habens. Hæc est et Coxa. Ita enim Celsus, Coxis proxima sunt genua. Sed Coxas et Coxendices potius ἰσχία plerique vocarunt. [Herodoto est non solum Femur proprie dictum, ut 6, 75, sed et quælibet pars cruris cameli C inter duos articulos comprehensa, 3, 103 : Κάμηλος ἐν τοῖσι ὀπισθίοισι σκέλεσι ἔχει τέσσερας μηροὺς καὶ γούνατα τέσσερα. Schweigh.] Ab Hom. aliisque poetis dicitur etiam Μηρὰ pro μηροὶ per metaplasmum : ut Od. N, [26] : Μηρὰ δὲ κήαντες. Ap. Eund. aliquot locis, Αὐτὰρ ἐπεὶ κατὰ μῆρ' ἐκάη, καὶ σπλάγχν' ἐπάσαντο. Sic ap. Apollon. [Rh. 1, 433] : Μῆρ' ἐτάμοντο. [Verus accentus si esset μηρὰ, scribendum foret μήρ'. Sed μῆρα præcipiunt schol. Hom. Il. A, 464. De femoribus leonis Theocr. 25, 269 : Πλευροῖσι δὲ μῆρ' ἐφύλασσον.] Quamvis autem dicatur μηρὰ in plur., non necesse est dici μηρὸν in sing. Sunt enim quædam nomina, quæ in plurali duntaxat numero talem metaplasmum patiuntur : ut δεσμὸς per metaplasmum habet plur. δεσμά : et κέλευθος, κέλευθα : item ζυγὸς, ζυγά. Quibus addere possumus δίφρα et λύχνα ex δίφρος et λύχνος. Hoc autem ignorantes VV. LL. consarcinatores singularem μηρὸν, τὸ, nobis dederunt. || Μηροὶ sunt τὰ μηριαῖα ὀστᾶ, Femorum ossa, ut exp. auctor brevium scholl. Il. A, 463, Μηρούς τ' ἐξέταμον. Sed Eust. hujus D expositionis non meminit. [V. Μηρίον. Duali Aristoph. Pac. 1040 : Τίθεσο τὼ μηρὼ λαβών. Ἐγὼ δ' ἐπὶ σπλάγχν' εἶμι καὶ θυλήματα.] || Μηρὸς ab Hesych. exp. etiam τόπος ἀμπέλου, et ξύλον, et τὸ τῆς καλάμης κῶλον : item ὄρος. Quod autem ad hanc ultimam expos. attinet, qua dicitur esse ὄρος, sciendum est, de quodam Indiæ monte debere intelligi, qui Libero patri sacer erat : unde Bacchus Μηροτραφὴς [quod v.] appellatus est, In Mero monte educatus. [Μηρὸς, Femur, nomen montis, quem Indi *Merou* (*Himalaya* s. *Himala*, qui est Imai pars) appellant, ubi Bacchus copias suas peste laborantes sanavisse traditur. Hinc Græci Bacchum in femore Jovis nutritum commenti sunt. Diod. 2, 38, Plin. H. N. 6, 21. V. Langlès *Recherches asiatiques* vol. 1, p. 278. Dahler. Memorat Μηρὸν montem etiam Theophr. H. Pl. 4, 4, 1.] At de Μηροῤῥαφὴς, dictum est supra. [De Baccho Jovis femori insuto v. Eur. Bacch. 96 etc., Jo. Laur. De mens. 4, 38, p. 83. || Cum secunda int. Hesychii ξύλον comparari potest usus improprius ap. Apollod. Poliocr. p. 46, B : Ὁ δὲ εἰρημένος κόραξ τὰς μὲν ῥίζας τῶν μηρῶν αὐτοῦ ἐπικειμένας ἔχει ἐν τῷ μεσωτάτῳ ζυγῷ τοῦ ῥώσταχος· et sæpius ib. et p. 47. Sic ap. Latinos dicitur Femur. || Μήρου loci Phrygiæ mentio fit in Ms. ap. Pasin. Codd. Taurin. vol. 1, p. 209, D, pro quo Μηροῦ est ap. Constantin. Them. 1, p. 3. L. Dind.]

Μηροτομέω, Femur incido, abscindo.

Μηροτράφὴς, ὁ, vide paulo ante in iis quæ postremo loco de v. Μηρὸς annotata fuerunt. [Strabo 15, p. 687 : Καὶ μ. δὲ λέγεται (Bacchus). Eust. Il. p. 310, 7, ad Dionys. 1153. Nicarchus Anth. Pal. 11, 329, 4 : Κοὐκ ὢν ἐκ Σεμέλης μ. γέγονας. Μηροτρεφὴς Orph. H. 51, 3.]

[Μηροτρεφής. V. Μηροτραφής.]

Μηροτύπης, ὁ, ἡ, Femora verberans s. percutiens : μ. κέντρον, Epigr. [Philippi Anth. Pal. 9, 274, 2], Stimulus quo femora boum s. vaccarum percutiuntur.

[Μήρυγμα. V. Μήρυσμα.]

Μηρυκάζω, Μηρυκάομαι, et Μηρυκίζω, idem significant, nimirum Rumino. Etym. ea derivat ex them. Μηρύκειν, quod significare ait τὸ ἐκ βάθους ἀρύεσθαι καὶ εἰς μικρὰ κόπτειν, Ex profundo haurire et in minuta concidere : hoc autem μηρύκειν esse παρὰ τὸ μηρύειν, quod sit ἀναλέγεσθαι. Ita ut μηρύκειν, μηρυκᾶσθαι, μηρυκάζειν et μηρυκίζειν proprie significent Cibum jam ante mansum et deglutitum veluti revolvere ac rursum mandere : ἀναρύττεσθαι τὴν τροφὴν καὶ πάλιν μασσᾶσθαι : quod ipsum Ruminare est. Porro μηρύχομαι legitur in Hippiatr. : Συμβαίνει δὲ τοῖς ἐλάφοις ἐγγίνεσθαι τοὺς σκώληκας ἐν τῇ κοιλίᾳ, καὶ μηρυκομένων αὐτῶν ἀναφέρεσθαι. [Hoc μηρυκωμένων scribendum.] Secundum μηρυκᾶσθαι, ap. Lucian. [Gallo c. 8] : Ἀναμηρυκώμενος τῇ μνήμῃ τὰ βεβρωμένα. [Gl. Rumino. Ælian. N. A. 2, 54.] Tertio utitur Aristot. sub fin. H. A. [2, 17 : Τῶν τετραπόδων καὶ ζῳοτόκων ὅσα μή ἐστιν ἀμφώδοντα τῶν κερατοφόρων, τέτταρας ἔχει τοὺς τοιούτους πόρους, ἃ δὴ καὶ λέγεται μηρυκάζειν · et 3, 21 etc. 9, 48 fin.] : Τὰ δὲ μηρυκάζοντα, inquit, τῶν ζώων χαίρει μηρυκάζοντα, καὶ μηρυκάζουσιν ὥσπερ ἐσθίοντα · μηρυκάζει δὲ τὰ μὴ ἀμφώδοντα, ut boves, oves, capræ, cervi : necnon τῶν ἀμφωδόντων quædam, ut mures Pontici et pisces quidam, et inter hos is qui ἀπὸ τοῦ ἔργου dicitur Μήρυξ, [Rumen, Gl.]. Hæc ille. [Μηρυκαζόμενα, forma media, Pollux 2, 204.] Meminit vero et Hesych. [ap. quem male per ι] τῶν μηρύκων ἰχθύων, Piscium qui μήρυκες nominantur, eo quod ruminent ut quadrupeda. At Athen. [7, p. 319, F] vult τὸν σκάρον μόνον τῶν ἄλλων ἰχθύων μηρυκάζειν. [Galen. vol. 7, p. 527, E, F. Hemst.] Quarto μηρυκίζειν utitur Basil. : Οὐδὲ γὰρ μηρυκίζει τι παρ' ἰχθύσι. [Ælian. N. A. 5, 42, Galen. vol. 12, p. 306, Suid. v. Ἀναπολεῖ et Κεκρύφαλον, et schol. Aristoph. Eq. 355, Hesych.] Idemque utitur et verbali Μηρυκισμὸς, Ruminatio. [Μηρυκισμὸς est etiam Levitici 11, 3, 4, Deuteronom. 14, 6, 7.] Necnon et Gregor. [HSt. in Ind. :] Μαρυκάομαι, Rumino : ut Hesych. [et Gl.] quoque μαρυκᾶσθαι exp. ἀναπέμπειν τὴν τροφὴν, καὶ πάλιν αὐτὴν ἀναμασσᾶσθαι. Doricum est et ipsum pro μηρυκᾶσθαι. Inde verbale Μαρύκημα, Id quod ruminatur, s. Ruminatio. Plut. De solert. anim. [p. 974, C] : Ἄχρις μαρυκημάτων [immo ἄχρις οὗ μυρμήκων] ἀνάπλεως γένηται.

[Μηρυκίζω, Μηρυκισμὸς, Μηρύκω. V. Μηρυκάζω.]

Μήρῡμα, τὸ, dicitur τὸ κάταγμα, Filum s. Stamen quod digitis ex colu deductum, et fusi circumactione recollectum agglomeratumque est : quod idem νῆμα. [Σπείραμα et κάταγμα huic addit Photius s. Suidas. Tractum, Gl.] Ita Soph. schol. in Trach. p. 356 [v. 697], quod Tragicus vocat κάταγμα οἰὸς, ipse exp. αἴγειον μήρυμα, Fila deducta ex caprina lana aut ovina. Plut. vero De def. orac. [p. 434, A] Carystum dicit aliquando tulisse μηρύματα λίθων μαλακὰ νηματώδη, ex quibus confierent χειρόμακτρα, δίκτυα, et κεκρύφαλοι, h. e. Lapides molles qui in fila s. stamina deduci possent, vel, ut Turn. vertit, Molles lapidum glomos qui in licia deducerentur : quo modo et Strab. initio l. 10 scribit Carysti φύεσθαι λίθον τὴν ξαινομένην καὶ ὑφαινομένην, Lapidem qui carpatur, in fila deducatur et texatur : indeque fieri tum alia ὑφάσματα, tum χειρόμακτρα. [Theodoret. De prov. 4, p. 540 : Τὸ κάταγμα μ. γίνεται. Schneid. Hero Autom. p. 253, C : Πλειόνων οὖν ἐπειλήσεων καὶ μηρυμάτων γινομένων, iterumque ibidem.

A Pro quo ib. paullo ante τὸ χάλασμα τοῦ μηρίσματος, quod, nisi omnino vitiosa esset forma per σ, per υ certe scribendum foret. Eust. Opusc. p. 304, 70 : Σκώληκα, ἐργάτην τρυφεροῦ μηρύματος. Pro quo p. 276, 36 : Τὸ τῆς ἀρχῆς μήρυγμα εὖ συνεκλώσατο. Joseph. B. J. 4, 8, 4, de asphalto : Πληρώσασι δὲ ἀποκόπτειν οὐ ῥᾴδιον, ἀλλὰ δι' εὐτονίαν προσήρτηται τῷ μηρύματι τὸ σκάφος, ἕως ἂν κτλ. Improprie Synes. Hymn. p. 330, B : Ἐς μηκεδανὸν μήρυμα χρόνου. || Pollux 6, 61 : Καὶ πολφοὶ δέ τι ἐκαλεῖτο, μηρύματα ἐκ σταιτὸς, ἃ τοῖς ὀσπρίοις ἐνέβαλλον. L. Dind.]

[Μηρυμάτιον, τὸ, diminut. præcedentis μήρυμα. Hero Autom. p. 148 fin. : Μηρυμάτιον ποιήσαντες.]

[Μήρυξ. V. Μηρυκάζω.]

[Μήρυσμα, τό.] Ap. Hesych. reperio et Μήρυσμα [Μήρισμα], et Μήρυγμα, hoc, expositum σπείραμα et τὸ ἐκτεινόμενον : illud, κάταγμα et σπάσμα ἐρίου. Itemque ap. Polluc. 7, c. 10 [§ 29], reperio τὸ κάταγμα vocari et μήρυγμα [μήρυμα codd.]. Utitur hac voce Nicand. ; nam Ther. 160, dicit aspidem serpentem
B κατ' ἐναντίον ἕρπειν Ἀτραπὸν ὁλκαίην δολιχῷ μηρύγματι γαστρός· pro μακρῷ διασπασμῷ καὶ εἱλιγμῷ. Et 265, de ceraste : Θοὸς ἀντία θύνει Ἀτραπὸν ἰθεῖαν δολιχῷ μηρύγματι γαστρός · appellans μήρυγμα hoc loco Tractum illum serpentum quo sese in incessu convolvunt ac veluti glomerant et extendunt : τὸν εἰλυσπασμὸν, Quum sese convolvendo trahunt. [V. Μήρυμα. Formam μήρυσμα, de qua ib. diximus, una cum forma μήρυγμα rejiciendam putabat Lobeck. Paralip. p. 433. Et ap. Hesychium quidem literarum ordo commendat quod ap. Poll. præbuerunt libri.]

Μηρύω, Etymologo est τὸ ἀναλέγομαι, Revolvo : Suid. τὸ τὰ ἱστία συνάγω, Glomero. [Hom. Od. M, 170 : Ἀνστάντες δ' ἕταροι νεὸς ἱστία μηρύσαντο. Quem l. spectare videtur Hesychii gl. infra cit. Apoll. Rh. 4, 889 : Ἐκ δὲ βυθοῖο εὐναίας εἷλκον περιγηθέες, ἄλλα τε πάντα (πόντῳ male codd. quinque) ἄρμενα μηρύοντο κατὰ χρέος. Quod schol. interpr. ἐσώρευον καὶ εὐτρέπιζον. Orph. Arg. 633 : Προτόνοις δ' ἐπὶ χεῖρα βαλόντες ἱστία μηρύσαντο καὶ ἀμφ' ἱμᾶσιν ἔδησαν.] Galen. quoque ap.
C Hippocr. μεμήρυκεν exp. συνείληκεν, Convolvit : metaphoram esse dicens ἀπὸ τῶν μηρυομένων ἐρίων. Quoniam vero inter nendum stamina, fila non solum agglomerantur, sed etiam deducuntur, et id quidem prius, ideo non mirum esse debet Hesychium afferre et μηρυομένη pro ἐκτεινομένη, et μηρύσαντο pro συνέστειλαν : mulieres enim filum quod deducendo extenderunt, mox contrahendo agglomerant, utrumque fusi circumactione. Hesiod. usurpavit pro Texere s. Intexere, Op. [536] : Στήμονι δ' ἐν παύρῳ πολλὴν κρόκα μηρύσασθαι, In pauco stamine multam tramam intexere. [Pollux 7, 32. L. D. Significat autem Μηρύω non solum Involvo, Convolvo, sed etiam Evolvo, Extraho : quam in sententiam Schneiderus in Lex. ex Oppiano Cyn. 1, 50, μηρύσασθαι ἀπὸ βυθῶν. Eodem pertinet Sophoclis versiculus ap. Athen. 3, p. 99, D : Ναῦται δ' ἐμηρύσαντο νηὸς ἰσχάδα, Nautæ evolverunt (extraxerunt) ancoram quæ navem retinebat. Schweigh.] || Μαρύεσθαι, Dorice pro μηρύεσθαι, q. e. κλώθειν, Eust. [Od. p. 1914, 56. Theocr. 1, 29 : Τῷ περὶ μὲν χείλη
D μαρύεται ὑψόθι κισσός. Antipater Sid. Anth. Pal. 10, 2, 5 : Τούνεκα μηρύσασθε διάβροχα πείσματα, ναῦται. Thyillus ib. 10, 5, 5 : Σχοίνους μηρύεσθε. ῡ]

Μήστωρ, ωρος, ὁ, Consultor, Consiliarius, βουλευτής : μήστωρ ὕπατος Ζεὺς, Hom. Il. Θ, [22] quasi κορυφαῖος ἐν βουλευταῖς. Vel accipiendo μήστωρ seorsum ab ὕπατος, i. q. μητιέτης. Ex Eod. affertur, Il. H, [366] : Δαρδανίδης Πρίαμος θεόφιν μήστωρ ἀτάλαντος, pro ἶσος θεοῖς κατὰ τὴν βουλήν. Idem vocat Hectorem μήστωρα φόβοιο, Cujus consilio et virtute in fugam conjiciuntur hostes. (At μήστωρε φόβοιο quidam interpr. Equi fugæ periti, i. e. Periti arripiendi fugam velociter. Unde etiam de celerrimis equis dici hoc existimatur.) Item μήστωρ ἀϋτῆς, Cujus consilio et virtute bellum geritur. Sunt tamen qui malint, Qui consilio, non autem temere, prælium committit : ὁ ἐν μάχῃ βουλευτικός. Quidam simpliciter, Peritus pugnæ. V. Eust. et Hesych. Fit autem μήστωρ ex μῆστο, quod Hesych. exp. ἐβουλεύσατο. [Legitur etiam in l. corrupto ap. Hippocr. p. 863, G.] Est et nomen propr. Μήστωρ [f. Priami, Hom. Il. Ω,

257, Apollod. 3, 12, 5, 13, qui etiam Persei et Pterelai filios memorat 2, 4, 5, 2 et 6. Alius ap. Plat. Critiæ p. 114, C], sicut et Ἀγαμήστωρ : quod VV. LL. esse tradunt Apollinis cognomentum, tanquam valde periti et consulti. Id genitivum facit ορος, per ο μικρὸν, superius autem per ω μέγα, Eust. [Il. p. 1348, 47.]

[Μήτα, ἡ, Meta, f. Hopletis, ap. Apollod. 3, 15, 6, 1 et 2, ubi v. Heyn.]

[Μήτε. V. Μή.]

Μήτειρα, ἡ, Mater, μήτηρ : item φρονίμη, Hesych. Hom. Od. [immo Il.] Ξ, [259] : Εἰ μὴ νὺξ μήτειρα θεῶν ἐσάωσε καὶ ἀνδρῶν· sed δμήτειρα pleraque exempll. scriptum habere testatur Eust., sicut et in meo Ms. Hom. reperio, ubi exp. δαμάστρια. Verumtamen δμήτειρα, non autem μήτειρα, majori eruditorum parti placere, Idem annotavit. [Μάτειρα, Synes. Hymn. p. 326, D : Μάτειρα φύσις.]

[Μητέριον, τὸ, dimin. a μήτηρ, Matercula. Heliodor. Æth. 7, 10 : Οἶσθά που πάντως, ὦ μῆτερ, ὃν λέγω. Codd. nonnulli μητέριον.]

Μητέριος, Maternus, Epigr. [V. Μητριάς.]

Μήτηρ, έρος, et τρὸς, per sync., Mater. Hom. Il. [Z, 58] : Ὅντινα γαστέρι μήτηρ Κοῦρον ἐόντα φέροι· P, [78] : Τὸν ἀθανάτη τέκε μήτηρ, ut alibi γείνατο μήτηρ. Z, [413] : Πατὴρ καὶ πότνια μήτηρ. [Contrario ordine Soph. OEd. T. 1037 : Πρὸς μητρὸς ἢ πατρός. Et alibi, ubi metrum postularet.] Od. Σ, [226] : Μῆτερ ἐμή. Hesiod. Op. [518] : Ἥτε δόμων ἔντοσθε φίλῃ παρὰ μητέρι μίμνει. [Pauca his adjecisse sufficit, velut Soph. Ant. 905, ubi cum genit. : Εἰ τέκνων μήτηρ ἔφυν· El. 234 : Εὐνοίᾳ γ' αὐδῶ, μάτηρ ὡσεί τις πιστά· Tr. 526 : Ἐγὼ δὲ μάτηρ μὲν οἷα φράζω.] Dem. C. Mid. : Ἡ μὲν γὰρ ὡς ἀληθῶς μήτηρ, ἡ τεκοῦσα αὐτόν. Et ap. Xen. Hell. 3, [3, 2] ἡ μήτηρ dicitur κάλλιον εἰδέναι τὸν πατέρα τοῦ υἱοῦ, sicut ap. Hom. Od. A, [215] Telemachus dicit : Μήτηρ μέν τ' ἐμέ φησι τοῦ ἔμμεναι, αὐτὰρ ἔγωγε Οὐκ οἶδ'. Aristot. Pol. 2, 2 : Οὐ μὴν ἀλλ' οὐδὲ διαφυγεῖν δυνατὸν τὸ μή τινας ὑπολαμβάνειν ἑαυτῶν ἀδελφούς τε καὶ παῖδας, καὶ πατέρας καὶ μητέρας, sc. ob τὰς ὁμοιότητας, quæ in iis cernuntur. [Notanda est locutio ap. Plat. Leg. 7, p. 789, B : Τοῖς ἐντὸς τῶν αὐτῶν μητέρων τρεφομένοις.] Ὁ τῆς μητρὸς ἀδελφὸς, ap. Herodot. et Xen. [Cyrop. 1, 5, 2, etc.], Matris frater, i. e. Avunculus, qui et μήτρως et μητρώας. [Μητρὸς ἀδελφὴ, Matertera, Gl. Xen. Cyrop. 8, 6, 28, sed in verbis interpolatis.] Item, μήτηρ θεῶν, Mater deorum [deum, Gl.], ap. Athen. [10, p. 422, D], in quam extat Hymnus Orphei [26. Μήτηρ ἀθανάτων idem Ad Musæum 40. Eadem μεγάλη μήτηρ dicebatur, ut ap. Eur. Hel. 1355. Alia utriusque appellationis exx. v. ap. Bœckh. ad fr. Pindari 63, p. 591.] Et σεμνὴ μήτηρ ap. Aristoph. [Av. 746], ἡ Ῥέα. [Eur. Bacch. 59 : Ῥέας τε μητρός.] Et ἡ τῆς κόρης μήτηρ, Mater Proserpinæ, i. e. Ceres. Herodot. [8, 65] : Τῇ μητρὶ καὶ τῇ Κούρῃ ὁρτὴν οἱ Ἀθηναῖοι ἄγουσι, Cereri et Proserpinæ, Proserpinæ matrique ejus Cereri. [Μητέρας vel Ματέρας ap. Enguinos Siciliæ cultas memorat Diodor. 4, 79, ubi v. Wesseling. De terra Æsch. Sept. 16 : Γῇ τε μητρί· ut infra pluribus ll. Sophocl. OEd. Col. 1481 : Εἴ τι γᾷ ματέρι τυγχάνεις ἀφεγγὲς φέρων· Ph. 392 : Ὀρεστέρα παμβῶτι Γᾶ, μᾶτερ αὐτοῦ Διός. Eurip. Hipp. 601 : Ὦ γαῖα μῆτερ· Hel. 40 : Πλήθους τε κουφίσειε μητέρα χθόνα. De Minerva Eur. Heracl. 771 : Ἀλλ', ὦ πότνια, σὸν γὰρ οὖδας γᾶς σὸν καὶ πόλις, ἇς σὺ μάτηρ δέσποινά τε καὶ φύλαξ. Alia similia exx. sunt in Hymnis Orph. Plato Menex. p. 237, E : Ἡ ἡμετέρα γῆ τε καὶ μήτηρ· B : Τρεφομένους οὐχ ὑπὸ μητρυιᾶς, ἀλλ' ὑπὸ μητρὸς τῆς χώρας. Demosth. p. 1390, 13.] || Ceterorum quoque animalium μητέρες dicuntur αἱ τεκοῦσαι, Genitrices, Quæ pepererunt. Hom. Od. [K, 414] de vitulis : Ἀδινὸν μυκώμεναι ἀμφιθέουσι μητέρας, sicut Fœta mater a Statio de vacca dicitur. Et Virg. Georg. 3 : Excretos prohibent a matribus hœdos. Xen. Cyn. [7, 3] : Μὴ ὑποβάλλειν ὑφ' ἑτέραν κύνα· αἱ γὰρ θεραπεῖαι αἱ ἀλλότριαι οὐκ εἰσὶν αὔξιμοι· τῶν δὲ μητέρων καὶ τὸ γάλα ἀγαθὸν καὶ τὸ πνεῦμα, καὶ αἱ περιβολαὶ φίλαι. In Geopon. [19, 6, 8] : Λειπόθηλα γίνεται διὰ τὴν δυσκρασίαν τοῦ ἀέρος, καὶ τὸ μὴ μεταλαμβάνειν γάλακτος ἱκανῶς, τῶν μητρῶν αὐτὰ διωθουμένων· pro quibus sic ap. Varronem : Porci, qui nati hyeme, fiunt exiles propter frigora, quod matres aspernantur. Latinum autem Mater de arboribus etiam dicitur. [Aristot. H. A. 5, 21 : Τῶν δ' ἡγεμόνων (μελιττῶν) ἐστὶ γένη δύο, ὁ μὲν βελτίων πυρρὸς, ὁ δ' ἕτερος μέλας καὶ ποικιλώτερος ... καὶ καλοῦνται ὑπό τινων μητέρες ὡς γεννῶντες. De vitibus Geopon. 4, 3, 9 : Ἰσχυρότεραι αἱ ῥίζαι γίνονται δευτέρῳ ἔτει ἀποτεμνομένου τοῦ κλήματος, δηλονότι ἀπὸ τῆς ἀμπέλου, ἵνα μὴ βλάψῃ τὴν μητέρα ... εἰς ἑαυτὸ τὴν τῆς μητρὸς δύναμιν ἐφελκόμενον. Conf. 13, 2; 5, 18, 1. || Latiori signif. Hesych. : Μήτηρ ἡ πρεσβυτάτη πᾶσα. Sic Alexander ap. Diod. 17, 37, matrem Darii compellat μῆτερ, et ap. Aristæn. Ep. 1, 6, puella nutricem.] || Improprie quoque et metaph. dicitur. [Eur. fr. Stheneb. ap. Athen. 10, p. 422, A : Ὑγρὰ δὲ μήτηρ, οὐ πεδοστιβὴς τροφὸς, θάλασσα.] Epigr. in fures [Lucillii Anth. Pal. 11, 174, 1, ubi nunc restitutæ formæ Doricæ] : Τὴν ἀναδυομένην ἀπὸ μητέρος ἄρτι θαλάσσης, Emergentem ex mari parente Venerem : nam ex maris spuma nata creditur. [De terra Pind. Pyth. 4, 74 : Πὰρ μέσον ὀμφαλὸν εὐδένδροιο ῥηθὲν ματέρος, de Delphis.] Isocr. Pan. [p. 45, C] : Μόνοις γὰρ ἡμῖν τῶν Ἑλλήνων τὴν αὐτὴν τροφὸν καὶ πατρίδα καὶ μητέρα καλέσαι προσήκει, de solo Atheniensium, qui jactabant se esse αὐτόχθονας. Itidem Brutus dicitur τὴν μητέρα osculatus esse, i. e. matrem omniparentem. Plut. II. σαρκοφαγίας, l. 1, init. : Βαλάνων δὲ γευσάμενοι καὶ φαγόντες, ἐχόρευσαν ὑφ' ἡδονῆς περὶ δρῦν τινα καὶ φηγὸν, ζείδωρόν τε καὶ μητέρα καὶ τροφὸν ἀποκαλοῦντες ἐκείνην. Idem De fort. Alex. l. 2 [p. 338, C, ex Dionysii tyranni tragœdia, ut testatur etiam Stob. Fl. 49, 9], de tyrannide : Ἀδικίας μήτηρ ἔφυ· ut Cic., Luxuries avaritiæ mater; et, Sapientia omnium bonarum rerum mater. [De patria Æsch. Sept. 416 : Εἴργειν τεκούσῃ μητρὶ πολέμιον δόρυ. Pind. Ol. 6, 100 : Ματέρ' εὐμήλοιο λείποντ' Ἀρκαδίας· 9, 22 : Κλυτὰν Λοκρῶν ματέρ' ἀγλαόδενδρον· Pyth. 8, 103 : Αἴγινα, φίλα μᾶτερ· Isthm. 1, 1 : Μᾶτερ ἐμὰ, Θήβα. Improprie item Ol. 8, 1 : Μᾶτερ ἀέθλων, de Olympia. Nem. 5, 6 : Ματέρ' οἰνάνθας ὀπώραν. Æsch. Sept. 225 : Πειθαρχία γάρ ἐστι τῆς εὐπραξίας μήτηρ· Pers. 614 : Μητρὸς ἀγρίας ἄπο ποτὸν παλαιᾶς ἀμπέλου γάνος τόδε· Ag. 265 : Εὐάγγελος ἕως γένοιτο μητρὸς εὐφρόνης πάρα. Soph. Phil. 326 : Χὴ Σκῦρος ἀνδρῶν ἀλκίμων μήτηρ ἔφυ· 1361 : Οἷς γὰρ ἡ γνώμη κακῶν μήτηρ γένηται, τἄλλα παιδεύει κακά· Aj. 174 : Ὦ μεγάλα φάτις, ὦ μᾶτερ αἰσχύνας ἐμᾶς. Eur. Alc. 757 : Πίνει μελαίνης μητρὸς εὔζωρον μέθυ, de uva, ut videtur. Tro. 1222 : Σύ τ' ὦ ποτ' οὖσα καλλίνικε μυρίων μῆτερ τροπαίων, Ἕκτορος φίλον σάκος· Hel. 1452 : Φοίνισσα Σιδωνιὰς ὦ ταχεῖα κώπα, ῥοθίοισι μάτηρ. Scolion ap. Athen. 15, p. 694, C : Πλούτου μητέρ' Ὀλυμπίαν ἀείσω Δήμητρα. De metropoli Callim. fr. ap. Strab. 17, p. 837 : Θήρη, μήτηρ εὐίππου πατρίδος ἡμετέρης. Dionys. Per. 165 : Καλέουσι δὲ μητέρα πόντου (Mæotin)· ἐκ τῆς γὰρ Πόντοιο τὸ μυρίον ἕλκεται ὕδωρ· 356 : Ῥώμην τιμήεσσαν, μητέρα πασάων πολίων· 594 : Μητέρα Ταπροβάνην Ἀσιηγενέων ἐλεφάντων. Xen. OEc. 5, 17 : Τὴν γεωργίαν τῶν ἄλλων τεχνῶν μητέρα καὶ τροφὸν εἶναι. « Eust. Il. p. 113, 39 : Ἡ μονάζουσα εὐθεῖα καὶ ὡς εἰπεῖν στερίφη μήτηρ, τὰς νόθους πλαγίους φιλιοῦται. » Valck.] || Aliter autem Hesiod. ἡμέρας quasdam appellat μητέρας, i. e. benignas, quibus opp. μητρυιὰς, quæ novercarum modo infestæ sunt et noxiæ : Ἡμ. [Op. 823] : Ἄλλοτε μητρυιὴ πέλει ἡμέρη, ἄλλοτε μήτηρ, i. e., aliquando ἤπιος καὶ ἀγαθὴ, veluti mater : aliquando κακὴ καὶ βαρεῖα, ut noverca : seu, ut Tzetz. exp., ποτὲ μὲν συνεργεῖ καί ἐστι μήτηρ, ποτὲ δὲ ἐναντιοῦται καὶ δοκεῖ μητρυιά. || Dorice autem dicitur Μάτηρ. || De etymo ex Eust. retuli in Μάω : cum quo facit Lex. meum vetus, in quo ita scribitur, Μήτηρ, ἡ μαστεύουσα τὰ πρὸς τὴν τροφὴν τοῖς κυηθεῖσιν· a μῶ τὸ ζητῶ. [Accusat. μητέραν est in pap. Ægypt. ap. Peyron. Pap. part. 1, p. 22, et in inscr. Thessalonic. ap. Bœckh. vol. 2, p. 58, n. 1988, 10 : Μητέραν εὐσεβίῃ πολλῇ διασώσαθ', ἱκνοῦμαι. Præterea de formis notandum vitiosas esse in prosa et apud Atticos poetas formas trisyllabas genitivi et dativi singularis, ut μητέρος olim erat ap. Agathiam p. 116, 19 ed. Nieb., et apud omnes bisyllabas pluralis, ut μητρῶν in l. Geopon. paullo ante citato ab HSt., et ib. 19, 2, 9, et μητρὰς ib. 6, 11, pro μητέρας. Formam Bœot. Μήτειρ annotat Theognost. Can. p. 41, 31. L. Dind.]

[Μητιάδουσα, ἡ, Metiadusa, f. Eupalami, Apollod. 3, 15, 5, 1, ubi v. Heyn. ῐᾰ]

Μητῐάω, Consilia agito, Consilio, Consulto, Delibero. Redditur et Consulo. Hom. Il. H, 45 : Βουλὴν, ἥ ῥα θεοῖσιν ἐφήνδανε μητιόωσι, verba hæc θεοῖσι μητιόωσι non dubitarim reddere istis Horatianis, Divis consiliantibus. Alioqui reddi etiam possunt, Consultantibus divis. Sed plerumque addito accus. dicitur aliquis μητιᾷν quidpiam pro Consilium inire de re quapiam, aut etiam Agitare in animo quidpiam, s. Versare : vel Cogitare de re quapiam, aut etiam Moliri rem quampiam. Sic [Il. K, 208 : Ἅσσα τε μητιόωσι μετὰ σφίσιν·] Od. Z, [14] : Νόστον Ὀδυσσῆϊ μεγαλήτορι μητιόωσα. Itidemque quum dicit [Il. Υ, 153] μητιόωντες βουλὰς, non possumus (meo quidem judicio) aptius interpretari μητιόωντες quam Agitantes : ut scimus Latinis sæpe in usu esse Agitare consilia. Sic κακὰ μητιόωντι ap. eum reddi queat Mala consilia agitanti; sed malim, Mala consulenti, i. e. Res malas et perniciosas; vel, Mala consilia danti, aut Malum consilium : Il. Σ, 312 : Ἕκτορι μὲν γὰρ ἐπήνησαν κακὰ μητιόωντι· Πουλυδάμαντι δ' ἄρ' οὔτις, ὃς ἐσθλὴν φράζετο βουλήν. Possit vero κακὰ et adverbio reddi, ut κακὰ μητιόωντι sit Male consulenti. Estque obiter observandum hic κακὰ μητιᾷν et ἐσθλὴν βουλὴν φράζεσθαι sibi opponi : itidemque supra μητιόωντες βουλὰς perinde esse ac si diceretur βουλεύοντες βουλάς. Nam et hi loci μῆτιν nihil aliud esse quam βουλὴν, aperte ostendunt. [Apoll. Rh. 3, 612 : Ἡ δὲ καὶ αὐτὴ πρόσθεν μητιάασκε· 4, 7 : Δόλον αἰπὺν ἐπὶ σφίσι μητιάασκεν· 492 : Ναυτιλίης πυκινὴν πέρι μητιάασκον βουλήν· 526 : Οὐδέ σφιν ἀνάρσια μητιάασκον· 1070 : Κούρης πέρι μητιάασκον οἷσιν ἐνὶ λεχέεσσι διὰ κνέφας.] Dicitur etiam Μητιᾶσθαι voce passiva [media], signif. eadem, Il. X, 174 : Ἀλλ' ἄγετε, φράζεσθε θεοὶ καὶ μητιάασθαι, Ἠέ μιν ἐκ θανάτοιο σαώσομεν κτλ. [Apoll. Rh. 2, 1278 : Ὥρη δ' ἡμὶν ἐνὶ σφίσι μητιάασθαι εἴτ' οὖν μειλιχίῃ πειρησόμεθα κτλ. 3, 106 : Ὥρη μητιάασθαι ὅ κ' ἔρξομεν· 3, 743 : Τοῖα παρὲξ οὗ πατρὸς ἐπ' ἀνέρι μητιάασθαι. Conf. etiam Μητίομαι. Cum inf. Hom. Il. M, 17 : Μητιόωντο Ποσειδάων καὶ Ἀπόλλων τεῖχος ἀμαλδῦναι.]

Μητῐέτης, ὁ, (quod dici existimatur quasi μητίτης, per pleonasmum τοῦ ε,) Consultus, Prudens; Consiliarius, Consultor. Ab Hesych. exp. βουλευτής : a Suida autem βουλευτικὸς, et quidem rectius, mea sententia; atque adeo Eust. quoque non illam, sed hanc expos. affert. Ap. Hom. [et Hesiod.] frequentissimum est Jovis epith.; sed nominativi locum ap. eum obtinet vox Μητίετα proparoxytone : Il. A, [175] : Μάλιστα δὲ μητίετα Ζεύς. Qui σχηματισμὸς Bœotis atque Æolibus a veteribus fuit ascriptus, ut docet Eust., qui dubitat an μεταπλασμὸς vocari debeat. V. et Etym. Hoc quidem certe constat, eund. σχηματισμὸν in aliis plerisque nominibus ap. Hom. extare : ex quibus sunt hæc, ἱππότα, ἠπύτα, αἰχμητὰ, κυανοχαῖτα. [« Accusativum μητίετα e metaplasmo, ut ait, ortum, affert technicus (Chœroboscus) in Bekkeri Anecd. p. 1241 (vol. 2, p. 433 seq. ed. Gaisf.), neque analogiæ explicandæ causa fingere videtur. Accentum autem huic accusativo reddidit, non quem communis accus. μητιέτην habet, sed quo nominativus μητίετα ab Aristarcho signatus est (v. Lehrs. De Aristarchi stud. p. 269), canonem sequutus quo edicitur ὁμοτονεῖν τὰς ὁμοφώνους πτώσεις, ib. p. 1240. Μητίετα vero Aristarchus scripsisse videtur ut dilatatum ex μητῖτα. » Lobeck. Paralip. p. 184.] Ceterum quod ad nominis hujus signif. attinet, Eust. μητίετα Ζεὺς exp. et altera voce paulo post ponenda μητιόεις : quem, inquit, Theocr. ἑρμηνεύει, quum dicit, Διὸς μέγα βουλεύοντος. Huc autem pertinere dico et μήστωρ, quod epith. ab eod. poeta huic deo tribuitur. Latine autem non satis exprimi videtur, interpretando (quum de Jove dicitur) Consultus. Magisque placeret Consiliarius, Consultor, si activam signif. dare liceret; aut etiam Consilii auctor. Alioqui non minus lubenter reddiderim Providus (quoniam providentiam Deo proprie tribui notum est), quam Consultus. Quidam vero reddiderunt superlativo Consultissimus.

Μητίζομαι, vel Μητίομαι potius (ut ap. Eust. legitur vox activa Μητίω, licet absque exemplo [quod præbet Orph. Arg. 1331 : Αἶψα γὰρ Ἥρη ... θοῶς φάτο καὶ κατένευσε, τά οἱ μήτιον ἄνακτες]), Consilia agito, Consulto, sicut et Μητιῶ. [Præsenti Pind. Pyth. 2, 92 : Πρὶν ὅσα φροντίδι μητίονται τυχεῖν.] In hoc autem l. Homeri Il. Ψ, [312] : Οὐδὲ μὲν αὐτοὶ Πλείονα ἴσασιν σέθεν αὐτοῦ μητίσασθαι, puto μητίσασθαι esse Consilio et solertia circa rem quampiam uti, Consilio et solertia rei cuipiam providere. Sequitur enim ibi dat. μήτι de re eadem dictus, qui (ut hoc docebo in nomine Μῆτις) Solertiam s. Solertem quandam industriam significare videtur; nonnulli vero Artem interpretati sunt. Nonnunquam μητίομαι est Excogito. Alioqui (sicut præcedens etiam μητιῶ interdum) cum accus. sæpe est Consilium ineo de re quapiam, s. potius Molior rem quampiam; s. Consilio inito molior, aut etiam facio, s. patro. Sic tamen ut verba illa potius subaudienda relinqui debeant quam addi. Il. K, [48] : Οὐ γάρ πω ἰδόμην οὐδ' ἔκλυον αὐδήσαντος Ἄνδρ' ἕνα τοσσάδε μέρμερ' ἐν ἤματι μητίσασθαι (vel μητίσσασθαι, cum σσ, de qua scriptura dicam postea), Ὅσσ' Ἕκτωρ ἔρρεξε Διῒ φίλος υἷας Ἀχαιῶν, ubi brevium scholl. auctor exp. ἐργάσασθαι : itidemque Eust. πρᾶξαι : qui etiam addit illum τὸ τέλος declarasse ἐκ τῶν πρὸ τέλους : et volentem exponere illud μητίσασθαι, subjungere ὅσσ' Ἕκτωρ ἔρρεξε. Nisi tamen alia hujus signif. exempla extarent, aliter exponi posse verbum μητίσασθαι putarem : ut sc. diceret poeta, alium ne molitum quidem esse tam multa uno die quam multa hic non molitus sit duntaxat, sed etiam fecerit. Ac non omnino fortasse rejicienda mea hæc expos. fuerit, (utpote quam sequendo aliquid majus a poeta dicatur quam si alteram sequamur,) etiamsi signif. illius exempla extent. Ea autem afferam, illam explicationem lectori interim considerandam relinquens. Legimus igitur ap. Hom. Il. O, [349] : Αὐτοῦ οἱ θάνατον μητίσομαι· ubi μητίσομαι θάνατον non est simpliciter Moliar necem, sed Patrabo necem, vel Afferam mortem; neque enim verbum Facere cum hoc accus. locum habet. Sic Il. Γ, [416] : Μέσσῳ δ' ἀμφοτέρων μητίσομαι ἔχθεα λυγρὰ Τρώων καὶ Δαναῶν. Hic enim μητίσομαι ἔχθεα non significat simpliciter Moliar (quoniam multa molimur quæ tandem efficere non possumus), sed ita moliar ut faciam. Verum quoniam hic quoque verbum Facere locum habere non potest, utendum est verbo quod apte accusativo Inimicitias s. Odia (quorum altero interpretabimur Græcum illum ἔχθεα) jungi possit. Tale autem est Concitabo, Excitabo. Ut tamen plane quod sentio dicam, nec Eustathio nec brevium scholl. auctori assentiri in eo possum, quod in hoc l., quem ex Il. Ψ attuli, μητίσασθαι exponant simpliciter ἐργάσασθαι et ποιήσασθαι. Existimo enim et ibi et in seqq. ll. duobus, nec non in aliis plerisque, μητίζεσθαι non esse simpliciter Facere, sed Adhibita solertia aut arte facere, Solertia aut Consilio s. Solerti consilio providere et operam dare ut aliquid fiat. Dixi porro in plerisque aliis, non in omnibus (quibus alioqui convenire videri possit illa expos. quam ex scholiographis attuli), quod vel isti Od. M, 373 : Οἱ δ' ἕταροι μέγα ἔργον ἐμητίσαντο μένοντες, haud itidem quadrare mea illa expos. possit; sed ἐμητίσαντο aut simpliciter exponi debeat εἰργάσαντο s. ἔπραξαν, aut certe sonet quod Gallice dicimus, *Ils se sont avisez de faire.* Hoc enim loquendi genere simul et consilium aliquibus fuisse rem quampiam facere, et eos illam fecisse declaramus. Ceterum verb. Μήσασθαι [« Μητίσασθαι » HSt. Ms. Vind.] cum accus. illam τοῦ ἐργάσασθαι signif. itidem habere antea dictum fuit. Ubi etiam vide quæ de illa dixi. Invenitur autem et absolute positum s. potius adverbio junctum hoc verbum ap. Hom. Od. I, [262] : Οὕτω που Ζεὺς ἤθελε μητίσασθαι. Ubi brevium scholl. auctor μητίσασθαι perperam exponere videtur ἐργάσασθαι. Puto enim μητίσασθαι hoc in loco esse quod Gallice dicimus *Disposer*, et quidem ibi etiam, ubi Deo verbum hoc tribuimus, veluti in hoc proverb. *L'homme propose et Dieu dispose :* ut hæc verba, οὕτω που Ζεὺς ἤθελε μητίσασθαι, sonent perinde ac si diceremus, *Il a pleu à Dieu d'en disposer ainsi.* Atque ita conveniet hoc dictum cum eo quod habemus initio Iliadis, Διὸς δ' ἐτελείετο βουλή. Quam sententiam alibi his verbis exprimit, Διὸς μεγάλου διὰ βουλὰς, (sicut et θεῶν διὰ βουλὰς, alicubi ap. eum legimus). Hesiod. eod. plane sensu dicit, Διὸς μεγάλοιο ἕκητι. Latine autem hæc reddentes, voce Consilium aptissime utemur. Virg. tamen alia usus est in hac sententia exprimenda. Hæc enim ejus verba, Jovis sic numina poscunt, Servio quoque teste, respondent illis Homericis, Διὸς δ' ἐτελείετο βουλή. Sed hoc præterea sciendum est, pro μητίσασθαι legi etiam μητιάασθαι, et (quod mirum est) Eust. in uno suorum Comm. loco, sc. in priore, habere μητιάασθαι, in altero μητίσασθαι. [Sic variant libri Apoll. Rh. 4, 412. Idem 1, 665 : Ὑμέων δ' εἴ τις ἄρειον ἔπος μητίσεται ἄλλη· 3, 1026 : Φράζεό νυν, ὥς κέν τοι ἐγὼ μητίσομ' ἀρωγήν· 744 : Ἄλλο μὲν οὔ τι κακὸν μητίσομαι ἐνθάδ' ἰούσῃ.] ‖ Ne hoc quidem silentio prætereundum est, legi Μητίσσασθαι in nonnullis exempll. cum σσ, non hic solum, sed aliis quoque locis qui hunc infin. habent : itidemque μητίσσομαι et μητίσσατο, atque adeo ubicunque ea a them. μητίομαι deducta unicum σ habent, geminum habere. Fortassis autem ratione hæc scriptura non caret, quod alioqui syllabam τις, in nomine μῆτις (unde hoc verbum deductum est) corripi sciamus : quemadmodum in plerisque aliis verbis pro simplici σ duplex ad producendam syllabam, quæ alioqui corriperetur, poni videmus. Sic certe in illo quem ex Il. Ο protuli loco, μητίσσομαι scribit meum vetus exemplar, eandemque scripturam habet non solum textus Commentariis Eustathii præfixus, sed is quoque qui illis insertus est; ideoque et in mea edit. gemino σ scripsi μητίσσομαι. Sed (tanta est exemplarium eorundem in hac voce, sicut et in quibusdam aliis, inconstantia), Γ, 416, idem verbum, atque adeo idem ejus futurum in textu illis Eust. Comm. præfixo scriptum habemus unico σ, μητίσομαι. Sic vero Il. Κ, 49, scriptum est μητίσασθαι, non μητίσσασθαι, et quidem ap. ipsum quoque Eust., i. e., non solum in textu Comm. ejus præfixo, sed in duobus ipsorum Comm. locis. [ι natura longum corripuit Pindarus, ap. quem etiam μητιῶνται locum habebat.]

Μήτῖμα, τὸ, quod verbale sonat quasi a verbo Consulto deduceretur Consultamentum. Sed accipitur pro μῆτις, i. e. Consilium : sicut pro μῆνις accipitur μήνιμα. Quod verbale omnino simile isti dicere poterimus, i. e. prorsus eod. factum modo, si constituamus thema Μητίω. Sicut enim μήνιμα a μηνίω, sic μήτιμα erit a μητίω. At Eust. ipsius nominis μῆτις esse ἀρχὴν tradit verbum μητίω : quum alioqui rationi consentaneum esse s. potius ratio poscere videatur, ut μῆτις verbi μητίω esse ἀρχὴν dicamus. Sed multa ejusmodi ab Eust. de quorundam vocabulorum deductionibus tradi, in quibus minime sequendum esse ejus judicium judico, alibi quoque docui. [Hesych. : Μήτεα, μητίματα.]

Μητϊόεις, ὁ, Consilio abundans, Cui multum est consilii. Hesiod. Op. [51] : Διὸς παρὰ μητιόεντος· Theog. [457] : Ζῆνά τε μητιόεντα, θεῶν πατέρ' ἠδὲ καὶ ἀνδρῶν. In VV. LL. tamen μητιόεις redditur simpliciter Consultus, Consiliarius, Consilii auctor. Dixi de hoc epith. μητιόεις et in Μητιέτης. ‖ Μητιόεντα φάρμακα, Hom. Od. Δ, 227 : Τοῖα Διὸς θυγάτηρ ἔχε φάρμακα μητιόεντα, Quæ magno consilio s. magna prudentia excogitata sunt; vel τὰ βουλῆς δεόμενα εἰς ἀποφυγὴν, inquit Eust. : μητιόεντα Bud. vertit Consulte medica composta sub arte, quatuor Homeri versus quatuor Latinis reddens : additque a Plut. exponi κατὰ τὴν θεωρητικὴν τέχνην ἐσκευασμένα. Inducebant autem hæc pharmaca malorum omnium oblivionem, ut ibi docet poeta : unde nomen vel epith. unius ap. illum ibid. est νηπενθές. Ille porro locus Plutarchi est in iis quæ de Homero scripsit. [Alex. Ætol. ap. Parthen. c. 14, v. 18, δόλος.]

[Μητίομαι. V. Μητίζομαι.]

[Μητιόχη, ἡ, Metioche, Troas, ap. Pausan. 10, 26, 2.]

[Μητίοχος, ὁ, Metiochus, n. viri, f. Miltiadis, Herodot. 6, 41. Alius in versibus ap. Plut. Mor. p. 811, F, quod Μήτιχος scribendum conjecit Elmslejus in *Edinburgh Review* 37, p. 72, ut numero trochaico consuleret. Sic apud Photium Μητίοχος et Μητιοχεῖον scriptum pro Μήτιχος et Μητιχεῖον, et Μητίοχος in Lex. rh. Bekk. An. p. 309, 18.]

[Μῆτις.] Quod sequitur nomen Μῆτις, si πρωτότυπον, i. e. Primitivum, censeri non debet, non dubium est quin a μῆδος s. μήδομαι deductum censere oporteat. Etym. a μήδω derivat : hujus μήδω fut. esse dicens μήσω, a quo nomen verbale μῆσις, et per mutationem literæ σ in τ, μῆτις. Cui derivationi, tanquam non nimium longe accersitæ, facile assentior. Sed pro μήδω dicere malim μήδομαι : quod hujus passivæ vocis exempla multa, illius autem activæ nullum inveniam. Est autem omnino poeticum hoc nomen μῆτις, quamvis verbi μήδομαι aliquis sit et in soluta oratione usus : sicut in præcedentibus docui. Huc autem pertinentia quædam præfabor in nomina ex hoc μῆτις compp. [Ubi hæc scribit :] De sequentibus compp., quæ ex nomine μῆτις facta sunt, hoc sciendum est, unum idemque duobus modis scriptum inveniri, sc. cum terminatione non solum in τις, sed etiam in της : et τις quidem pro utroque genere, της autem pro masc. duntaxat. Quamvis autem rationi consentaneum videatur, ut non minus hæc quam illa a nomine μῆτις deducamus, Eust. tamen terminationem in της a verbo μήδω esse tradit; at ego a μῆτος esse potius dicerem. V. Ποικιλόμητις. Μῆτις, δος, [Ion. ιος : v. Photius v. Μέμφις, quanquam νήστιος potius quam μήτιος sibi agnoscere videbatur Dobr. in annot. et add.] ἡ, Consilium. Interdum Intelligentia, vel Prudentia, Sapientia. Homerus suum Ulyssem, quem sæpe πολύμητιν vocat, interdum Διῒ μῆτιν ἀτάλαντον appellat, i. e. Jovi consilio parem, Il. Β, 408 : Ἕκτον δ' αὖτ' Ὀδυσῆα Διῒ μῆτιν ἀτάλαντον. Ap. Eund. legimus aliquoties ἀμείνων μῆτις et ἀρίστη μῆτις, item λεπτὴ μῆτις : et alicubi, ἄλλη μῆτις. Nec non cum variis verbis : ut μῆτιν φράζεσθαι, item metaphorice μῆτιν ὑφαίνειν (quod ap. Hesiod. quoque legitur), et μῆτιν τεκταίνεσθαι : quibus omnibus in Il. non dubium est quin βουλὴν, i. e. Consilium, significet, quum nomen illud βουλὴν iisd. aut similibus verbis jungere soleat. Atque adeo apud hunc ipsum eod. in l. μῆτιν et βουλὴν manifeste idem significare videmus : Il. Ι, [93] : Τοῖς ὁ γέρων πάμπρωτος ὑφαίνειν ἤρχετο μῆτιν Νέστωρ, οὗ καὶ πρόσθεν ἀρίστη φαίνετο βουλή. Quo pertinentia quædam attuli et in v. Μητιᾶν. [Il. Η, 447 : Ἦ ῥά τίς ἐστι, ὅστις ἔτ' ἀθανάτοισι νόον καὶ μῆτιν ἐνίψει· Ξ, 107 : Νῦν δ' εἴη ὃς τῆσδέ γ' ἀμείνονα μῆτιν ἐνίσποι. Plur. H. Ven. 249 : Ἐμοὺς ὀάρους καὶ μήτιας.] At vero in his versibus Il. Ψ, [315] : Μήτι τοι δρυτόμος μέγ' ἀμείνων ἠὲ βίηφι, Μήτι δ' αὖτε κυβερνήτης ἐνὶ οἴνοπι πόντῳ Νῆα θοὴν ἰθύνει ἐρεχθομένην ἀνέμοισι, Μήτι δ' ἡνίοχος περιγίνεται ἡνιόχοιο, dativus μήτι (qui per crasin factus est ex dativo Ionico μήτιϊ, non ex μήτιδι per apoc.; alioqui enim ι corriperetur, quum contra producatur; ideoque male in quibusdam exempll. scriptum est μῆτι, priore syllaba circumflexa), non tam sonat Consilio (quamvis Eust. exponat τῇ βουλῇ), nec Prudentia, quam Solertia, aut Solerti quadam industria. Quidam vero interpr. etiam Arte, sicut brevium scholl. auctor exp. τέχνῃ. Quam expositionem præcedit alia, sc. συνέσει. [Pind. Ol. 1, 9 : Σοφῶν μητίεσσι· 13, 48 : Μῆτιν γαρύων παλαιγόνων· Nem. 3, 9 : Μήτιος ἀμᾶς ἄπο· Pyth. 4, 58 : Πυκινᾶν μῆτιν κλύοντες· 262 : Ὀρθόβουλον μῆτιν ἐφευρομένοις· Isthm. 3, 65 : Μῆτιν ἀλώπηξ, αἰετοῦ ἅτ' ἀναπιτναμένα ῥόμβον ἴσχει. Æsch. Pr. 907 : Τὰν Διὸς γὰρ οὐχ ὁρῶ μῆτιν ὅπᾳ φύγοιμ' ἄν· Cho. 626 : Γυναικοβούλους τε μήτιδας φρενῶν· Suppl. 60 : Ὄπα τᾶς Τηρείας μήτιδος οἰκτρᾶς ἀλόχου. Soph. Ant. 158 : Τίνα δὴ μῆτιν ἐρέσσων;] ‖ Μῆτις in malam partem etiam sumitur pro Vafro consilio. Inveniuntur enim conjuncta ap. Hom. alicubi δόλοι et μῆτις, item μῆτις et κέρδεα. [Hom. Od. Ν, 299 : Ἐγὼ δ' ἐν πᾶσι θεοῖσι μήτι τε κλέομαι καὶ κέρδεσιν.] Quod tamen vocab. κέρδεα alicubi et in bonam partem sumitur, ut vel ex eo loco apparet, quem modo protuli, i. e. ex iis quæ ibi proxime sequuntur. Siquidem de eo ipso, cui μῆτιν tribuerat, dicit mox, Ὃς δέ κε κέρδεα εἰδῇ ἐλαύνων ἥσσονας ἵππους.

[Μῆτις, ιδος, ἡ, Metis, f. Oceani et Tethyos, apud Hesiod. Th. 358, Jovis conjux 886, aliosque poetas, Plat. Conv. p. 203, B, et mythologos, velut Apollod.]

[Μητίχη, ἡ, Metiche, meretrix ap. Athen. 13, p. 567, D.]

[Μήτϊχος, ὁ, Metichus, n. viri, a quo Athenis fuit dictum dicasterium. V. Pollux 8, 121, et Hesych., qui Μητίχου τέμενος et Μητιχεῖον vocat. V. Μητίοχος.]

[Μητίω. V. Μητίζομαι.]

[Μητίων, ονος, ὁ, Metion, f. Erechthei ap. Apollod.

3, 15, 1, 2, etc., Pausan. 2, 6, 5, pater Musæi, apud schol. Dionysii in Bekk. An. p. 283, 12, ubi male Μητίωνος. Pater Dædali, ap. Diod. 4, 76, cujus libri item variant inter ω et ο, quorum hoc recte probavit Heyn. ad Apollod. 3, 15, 5, 3. Hinc patron. Μητιονίδαι, οἱ, de ejus stirpe, ap. Pausan. 1, 5, 3; 7, 4, 5. L. Dind.]

Μῆτος, εος, τὸ, i. q. μῆτις. Cujus plur. Μήτεα ap. Hesych. extat, exponentem μητίματα. Quo illum ideo usum esse arbitror, quod μήτιδες in usu esse non existimaret. Ceterum ab hoc μῆτος derivari censeo compp. in ης terminata, αἰολομήτης, et ἀγκυλομήτης, et ποικιλομήτης, ac cetera : quum Eust. ea quæ sunt in τις, ut ποικιλόμητις, a μῆτις esse tradat; at quæ in της, ut ποικιλομήτης, a μήδω.

Μήτρα, ἡ, Mater, Vesparum quoddam genus. Aristot. H. A. 9, 41, de vespis : Εἰσὶ δ' αὐτῶν οἱ μὲν μῆτραι, οἱ δ' ἐργάται· mox, Τίς δ' ἡ φύσις τοῦ ἐργάτου καὶ τῆς μήτρας, ἐπὶ τῶν ἡμερωτέρων ἔσται δῆλον· ὧν οἱ μὲν ἡγεμόνες, οὓς καλοῦσι μήτρας· οἱ δ' ἐργάται· εἰσὶ δὲ μείζους οἱ ἡγεμόνες πολὺ καὶ πραότεροι. Plin. 11, 21 : Aliorum, qui mitiores videntur, duo genera; opifices minore corpore, qui moriuntur hyeme; matres, quæ biennio durant : ii et clementes. Et mox, Latior matrum species, dubiumque an habeant aculeos, quia non egrediuntur. [Conf. De generat. anim. 3, 10.] || Matrix, [Vulva, Genitalia, add. Gl.] Uterus : pars muliebris tunica constans velut ex duabus dividuis coagmentata, concipiendi gerendique fœtus instrumentum, Gorr.; ap. quem plura vide de ejus fibris et tunicis, de venis et arteriis quæ in eam feruntur, de nervis qui in eam distribuuntur : de ejusd. cornibus, et testibus qui ejus lateribus ad fundum adjacent : de connexione cum partibus vicinis, de magnitudine, de sinibus, de ejusdem ore et collo. [Hippocr. p. 106, E; Plato Tim. p. 91, B, D. Aristot. H. A. 3, 1 : Καλεῖται δὲ τούτων τὰ μὲν ὑστέρα καὶ δελφὺς, ὅθεν καὶ ἀδελφοὺς προσαγορεύουσι, μήτρα δ' ὁ καυλὸς καὶ τὸ στόμα τῆς ὑστέρας.] V. et Soranum, cujus libellus extat Περὶ μήτρας καὶ γυναικείου αἰδοίου : in cujus initio de nominis ratione ita scribit : Ἡ μήτρα, καὶ ὑστέρα λέγεται καὶ δελφύς· μήτρα μὲν οὖν, ὅτι μήτηρ ἐστὶ τῶν ἐξ αὐτῆς γενομένων ἐμβρύων, ἢ ὅτι τὰς ἐχούσας αὐτὴν μητέρας ποιεῖ. Pollux 2, [221] : Ἐπὶ γυναικῶν μέσον ἀρχοῦ τε καὶ κύστεως κεῖται τὸ μητρῷον χωρίον, ὃ μήτραν τε καλοῦσι καὶ ὑστέραν καὶ δελφύν. Diosc. 3, [147] de pæonia s. glycyside : Καὶ πρὸς τὰς ὑστερικὰς πνίγας καὶ ὀδύνας μήτρας ἐν μελικράτῳ ἢ οἴνῳ· quam Plin. 27, 10, scribit sanare matricem, decoctam in vino. Lucian. [Vitt. auct. c. 26] : Τῆς ἐν ταῖς μ. τῶν ἐμβρύων πλαστικῆς. Plut. Symp. 2, 3 [p. 637, C] : Ὡς γὰρ ἡ μ. πρὸς τὸ ὠὸν, οὕτω πάλιν τὸ ὠὸν πρὸς τὸν νεοσσὸν πέφυκε, κυόμενον ἐν αὐτῷ καὶ λοχευόμενον. [Herodot. 3, 108 : Τὸ δὲ ἄρτι ἐν τῇσι μήτρῃσι πλάσσεται, de lepusculis; et sæpius ibidem eodem numero. Plurali item Theophr. H. Pl. 9, 13, 3.] Verum κατ' ἐξοχὴν μήτρα dicitur de Vulva suilla, quæ et ipsa Latinis simpliciter dicitur Vulva : numerata quondam in deliciis. Plut. Symp. 8, 9 [p. 733, C] : Πολλὰ γὰρ τῶν ἀγεύστων καὶ ἀβρώτων πρότερον ἥδιστα νῦν γέγονεν, ὥσπερ οἰνόμελι καὶ μ. Ap. Athen. 9, de quodam ventre multis λιχνεύμασι farto : Κίχλας ἐν ἑαυτῷ ἔχει καὶ ἄλλα ὀρνίθια, ὑπογαστρίων τε μέρη χοίρων, καὶ μήτρας τόμους, καὶ τῶν ὠῶν τὰ χρυσᾶ. Ap. Eund. 3, [p. 96, E] : Μήτρα ἑξῆς ἐπεισηνέχθη, μητροποιός [μητρόπολίς] τις ὡς ἀληθῶς οὖσα, καὶ μήτηρ τῶν Ἱπποκράτους υἱῶν, οὓς εἰς ὑωδίαν κωμῳδουμένους οἶδα. [Conf. idem p. 100, 101. Valck.] || A Galeno autem Lex. Hippocr. [p. 526] μήτρη exp. κάλυμμα καὶ οἷον ἔλιγμά τι, ἢ ἐπιδιδυμὶς ὀνομαζομένη : quam esse dicit κιρσώδη τινὰ ὄγκον κατὰ τὴν κορυφὴν ἐπικείμενον τῷ διδύμῳ. [Μίτρα scribere malim, ut faciunt nonnulli. || Μῆτραι interdum τὰ ὕστερα Hippocrati dicuntur, quæ Latinis Secundæ, ut p. 584, 12 : Ἐκβόλιον ἐμβρύου καὶ μητρέων, quod ἐκβ. ὑστέρων dicitur p. 624, 55. Foes.] || In arboribus dicitur Medulla s. Vitalis anima. Plin. 17, 21, de vitibus : Medulla, sive illa vitalis anima est, ante se tendit, longitudinem impellens, quamdiu nodis pervia patet fistula. Hæc pars in medio ligno tertia est a cortice, alio nomine ἐντεριώνη, μυελὸς, καρδία, ἐγκάρδιον : quamvis ἐντεριώνη et μυελὸς proprie tribuantur illis quibus medulla multa, rara et fungosa : μήτρα et καρδία, quibus pauca, solida atque dura : ut in buxo et corno mascula : contra in sambuco et ferula. [Conf. Hesych. in v. et in Μήνα.] Theophr. H. Pl. 1, 4 : Μήτρα δὲ, τὸ μεταξὺ τοῦ ξύλου, τρίτον ἀπὸ τοῦ φλοιοῦ, οἷον ἐν τοῖς ὀστοῖς μυελός. Καλοῦσι δέ τινες τοῦτο καρδίαν, οἱ δὲ μυελόν. In materie hanc partem eximere jubent architecti, ne contorqueantur ligna in opere, mota illa interna medulla quæ viva ad multum tempus remanet : Theophr. H. Pl. 5, 6 : Ἔστι δὲ τὸ ἕλκεσθαι, τὸ συμπεριΐστασθαι κινουμένης τῆς μήτρας· ζῇ γὰρ, ὡς ἔοικεν, ἐπὶ πολὺν χρόνον· διὸ πανταχόθεν μὲν ἅμα, μάλιστα δ' ἐκ τῶν θυρωμάτων ἐξαιροῦσι. Et c. seq. : Διὸ καὶ ἀρχιτέκτονες συγγράφονται παραιρεῖν τὰ πρὸς τὴν μήτραν, Partes quæ medullæ contingunt, ἃ ἐπιβάλλει τῇ καρδίᾳ, h. e. τὰ γυρώματα, quæ sunt veluti flexus et gyri medullam ambientes : quæ γυρώματα esse putantur, quos Torulos appellat Vitruv. 2, 9, de materia cædenda, et speciatim de abiete : Ejecto torulo ex eadem arbore, ad intestina opera comparatur. Et paulo ante, Cædi autem ita oportet, ut incidatur arboris crassitudo ad mediam medullam, et relinquatur, uti per eam exsiccescat stillando succus. Ita qui inest in his inutilis liquor, effluens per torulum, non patietur emori in eo saniem, nec corrumpi materiæ qualitatem. V. et Plin. 16, 25, 28; 17, 21. Cerealibus quoque μήτρα tribuitur ab eod. Theophr. C. Pl. 4, 12 : Ἡ κριθὴ καὶ ὁ πυρὸς ἀμφοτέρως· καὶ ὅσα μήτραν ἁπαλὴν, ἐλάττους καὶ ἀσθενεστέρους φέρει τοὺς στάχυας. Sic enim ibi reponitur pro μήτρην ἁπλῆν : et exp., Medullam teneram et mollem. A Plin. medulla calamis quoque tribuitur. [Conf. de signif. Medullæ Schneider. Ind. Theophr.] || Μήτρα Solensibus est ὁ κλῆρος, ut ex Clitarcho tradit Hesych. Idem μήτραν esse dicit κεφαλῆς διάδημα βαρβαρικόν : pro quo potius μίτρα. Sed ap. eum pro μητέρα reponendum μήτρα : quod et alphabeticus ordo ostendit. [|| Μήτρα θύρας, Repagulum, Gl.]

[Μητραγάθης. V. Μιτρογάθης.]

Μητραγυρτέω, Metragyrtam ago, Matri deum cogo stipem, Magnæ matri s. Cybelæ stipem colligo. [Clearchus ap.] Athen. 12, [p. 541, E] de infelici exitu Dionysii Siciliæ tyranni : Αὐτὸς δὲ Διονύσιος τέλος μητραγυρτῶν καὶ τυμπανοφορούμενος, οἰκτρῶς τὸν βίον κατέστρεψεν. Nam tympanizare, ut Suet. loquitur, matris deum ministros consuevisse, Lucr. testatur l. 2 : Tympana tenta tonant palmis, et cymbala circum Concava. Idem et μητριάζειν, quod v. [Antiphanes Athenæi 6, p. 226, D : Αὗται δ' ὑπερβάλλουσι μετά γε νὴ Δία τοὺς μητραγυρτοῦντάς γε. « Eustath. Od. p. 1824 : Μητραγυρτεῖν, τὸ μετὰ τυμπάνων καί τινων τοιούτων περιιέναι, καὶ ἐπὶ τῇ Μητρὶ ἀγείρειν τροφὰς δηλαδὴ, ὅ ἐστιν ἐπὶ τῇ Ῥέᾳ, ὡς δῆλον ἐκ τοῦ, Διονύσιος μητραγυρτῶν καὶ τυμπανιζόμενος, ἢ τύμπανον κρούων, οἰκτρῶς τὸν βίον κατέστρεψεν. Quod subjicit exemplum, petiit ex Athen. 12, p. 541, E. Classicus de iis locus est Dionysii Halic. A. R. 2, 19 : Θυσίας μὲν γὰρ αὐτῇ καὶ ἀγῶνας ἄγουσιν ἀνὰ πᾶν ἔτος οἱ στρατηγοὶ κατὰ τοὺς Ῥωμαίων νόμους, ἱερᾶται δὲ αὐτῆς ἀνὴρ Φρὺξ, καὶ γυνὴ Φρυγία· καὶ περιάγουσιν ἀνὰ τὴν πόλιν οὗτοι μητραγυρτοῦντες, ὥσπερ αὐτοῖς ἔθος, τύπους τε περικείμενοι τοῖς στήθεσι καὶ καταυλούμενοι πρὸς τῶν ἑπομένων τὰ μητρῷα μέλη καὶ τύμπανα κροτοῦντες· Ῥωμαίων δὲ τῶν αὐθιγενῶν οὔτε μητραγυρτῶν τις οὔτε καταυλούμενος πορεύεται διὰ τῆς πόλεως. » Ruhnk. ad Tim. p. 10. Pollux 3, 11; Suidas in v.]

Μητραγύρτης, ὁ μητρὸς ἀγύρτης, Qui matri deorum colligit. Μητραγῦρται, inquit Bud. p. 796, Qui stipem cogebant matri deorum, tympana gestantes : quales hodie cæcos videmus vestibulatim tympana pulsantes et canentes. Quo nomine οἱ φιλοκερδεῖς καὶ ἀπατεῶνες significantur, natioque hominum præstigiatrix, et circulatrix et flagitatrix stipis. Plato De rep. 2 ἀγύρτας vocat : cujus verba a Bud. ibi citantur. Hos intelligi voluit satyrographus, quum inquit in Sat. 6 : Ecce furentis Bellonæ, matrisque deum chorus intrat : paulo post, En animam et mentem, cum qua dii nocte loquuntur. Cic. De legib. 2, citat verba hæc duodecim Tabularum : Præter Idææ matris famulos, eosque justis diebus, ne quis stipem cogito. Aristot. Rhet. 3, [2] : Ἔφη ἀμύητον αὐτὸν εἶναι· οὐ γὰρ ἂν μ. αὐτὸν καλεῖν, ἀλλὰ δᾳδοῦχον, ubi ostendit vilius fuisse ministerium cogere stipem quam face prælucere. Menander quoque ap. Clem. Alex. Protr. [p. 64] hoc mendicorum genus religionem mentientium damnat, sic inquiens, Οὐδείς μ' ἀρέσκει περιπατῶν ἔξω θεὸς Μετὰ γραὸς, οὐδ' εἰς οἰκίας παρεισιὼν Ἐπὶ τοῦ σανιδίου μητραγύρτης· quibus subjicit ipse Τοιοῦτοι γὰρ οἱ μ. Apud Eund. Pæd. 3, [p. 270] culpatur muliercularum superstitio hoc hominum genus colentium: Περιφέρονται δὲ αὗται ἀνὰ τὰ ἱερὰ ἐκθυόμεναι καὶ μαντευόμεναι, ἀγύρταις καὶ μητραγύρταις καὶ γραίαις βωμολόχοις οἰκοφθορούσαις συμπομπεύουσαι. In hujus Berecynthiæ mysteriis erant purificationes menstruæ, quæ μητρωακαὶ ἁγιστεῖαι dicuntur: quas observasse Proclum, ita scripsit Marinus Neapolit. in l. de ipsius Vita [c. 19], s. Περὶ εὐδαιμονίας, ubi ait: Τὰς δὲ μητρωακὰς παρὰ Ῥωμαίοις ἢ καὶ πρότερόν ποτε παρὰ Φρυξὶν σπουδασθείσας ἁγιστείας ἑκάστου μηνὸς ἥγνευεν. Solebant autem hi μητραγῦρται μυεῖν τὰς γυναῖκας τῇ μητρὶ τῶν θεῶν, Suid., referens quandam fabulam de occiso quodam ejusmodi circulatore ab Atheniensibus. V. et Μητριάζειν.

[Μητρᾰδελφεός, ὁ, i. q. μητράδελφος, sed poeticum. Pind. Pyth. 8, 36.]

[Μητραδέλφη, ἡ, Matertera, Gl. Const. Manass. Chron. 2619. Boiss.]

Μητράδελφος, ὁ, Matris frater, Avunculus maternus, at ἡ μητράδελφος, Fratris soror, Matertera. Pollux 3, [22]: Ὁ δὲ μητρὸς ἀδελφὸς, θεῖος, ἢ μητράδελφος, ἢ μήτρως, ἢ νέννος· paulo post, Ἡ δὲ μητρὸς ἀδελφὴ, θεῖα, ἢ μητράδελφος, ἢ τηθίς. [Justin. Mart. p. 183.] At Μητράδελφοι, Fratres una eademque matre orti, Fratres uterini, VV. LL., quod volunt esse a μήτρα: quemadmodum ἀδελφοὶ a δελφύς.

[Μητράζω, Matresco, Gl.]

Μητραλοία, ἡ, in VV. LL. Matricidium, sed absque testimonio.

Μητρᾰλοίας, ὁ, Matris percussor, etc. [Æsch. Eum. 153: Τὸν μητραλοίαν δ' ἐξέκλεψας· 210: Τοὺς μητραλοίας. Plato Leg. 9, p. 881, A, Phæd. p. 114, A; Lysias p. 116, 42; Diodor. Exc. p. 491, 72. Hesych., Pollux 3, 13; 6, 152.] Sciendum est autem ap. Eust. male scriptum esse μητρολῴας pro μητραλῴας, p. 505; qui licet istud duntaxat ponat post πατραλοίας et μητραλοίας, voluisse tamen et πατραλῴας intelligi credibile est. [Μητρολοίας male scriptum etiam ap. Nathan. Adv. Plotinum vol. 2, p. 1429 extr. ed. Creuzer. et Μητρολῴας in Gl. et libro Suidæ. Ludificata videtur librarios etymologia ab ὄλλυμι. Inter μητραλῴας, μητρολῴας et —οίας autem variatur etiam ap. Lucian. Deor. conc. 12 et Timoth. 1, 1, 9. L. Dind.]

[Μητραλῴας. V. Μητραλοίας.]

[Μητράνανδρος, ἡ, Mater sine viro facta. Const. Manass. Chron. 4086: Τῆς μητρανάνδρου κόρης. Boiss. Ephræm Cæs. p. 20, 748; 24, 935. ἄ]

[Μητράριον, τὸ, Matercula, Gl.]

[Μητρᾶς, ᾶ, ὁ, Metras, forma diminut. a Μητρόδωρος, ut Μηνᾶς, ap. grammat. Crameri Anecd. vol. 2, p. 270, 31; 295, 14; 4, p. 273, 5, Chœrob. vol. 1, p. 30, 1, etc. L. Dind.]

Μητρεγχύτης, ὁ, Instrumentum quo in uterum medicamentum infunditur clysteris modo. V. Καθετήρ. [Iterum HSt.:] Sed qui utero adhibetur, peculiari nomine est Μητρεγχύτης dictus. Gorr. [Matthæi Med. p. 323: Ἐγχυματισμοῖς δὲ χρώμεθα ἰδίως ἐπὶ ὑστέρας διὰ μητρεγχύτου. ῠ]

Μητριάζω, Sacra matris deum perago, Stipem ei cogo. Pollux 3, c. 2 [§ 11]: Μητρῷον Ἀθήνησι, τὸ τῆς Φρυγίας θεοῦ ἱερόν. Et Μητριάζειν, τὸ ταῦτα τελεῖν ἢ ἐπ' αὐτῷ ἀγείρειν. Et μητραγύρτης, ὁ τελεστής.

[Μητριάς, άδος, ἡ, Materna. Julian. Æg. Anth. Pal. 9, 398, 2: Ὁλκὰς ὕδωρ προφυγοῦσα πολυφλοίσβοιο θαλάσσης ἐν χθονὸς ἀγκοίναις ὤλετο μητριάσιν. Ita Brunckius. Planudius μητερίαις. Cod. Pal. δημιτρίας, cui propius est μητριάδος. Θαλάσσης τὴν ἐμὲ γειναμένην εὗρον ἀπιστοτέρην dicit Leonidas Tar. in epigr. simillimi argumenti ib. 106, 4. L. Dind.]

[Μητρίδιον, τὸ, Matercula. Aristoph. Lys. 549: Ἀλλ', ὦ τηθῶν ἀνδρειοτάτη καὶ μητριδίων ἀκαληφῶν. Bergler.: « Est homonymia in his vocibus: nam μητρίδιον est Mater in forma diminutivi, et dicuntur etiam μητρίδιαι ἀκαλῆφαι, Urticæ, quum in iis generantur grana seminum: quo tempore maxime urunt. » Schol.: Μητρι-

A δίας δὲ λέγουσι τὰς ἐχούσας τὸ σπέρμα τῆς βοτάνης τῆς ἀκαλήφης. Μητρίδιαι igitur scribendum videtur ap. Eust. Od. p. 1485, 41: Μητρίδια δὲ αἱ κατὰ θάλασσαν ἀκαλῆφαι.]

[Μητρίζω, Qui matre deorum lymphatus furit. Iamblichus De myster. p. 69: Οἱ τῷ Σαβαζίῳ κάτοχοι καὶ οἱ μητρίζοντες. Quæ sunt verba Porphyrii Ep. ad Aneb. p. 3, 33. Conf. Iamblich. ibid. p. 71, 17, 19.]

Μητρικὸς, ἡ, ὸν, Maternus. Pollux [3, 11], μ. κτῆσις. [Aristot. Eth. Nic. 9, 2, τιμή. Isidor. Pel. Ep. p. 11, A; schol. Eur. Andr. 612. || Adv. Μητρικῶς, Dionys. A. rh. 9, 4, p. 325, 2: M. παραμυθουμένη (Thetis Achillem). Theodor. Stud. p. 192, A: Ἱμειρομένη μ. || Μητρικὸς est etiam nomen Æonis Valentinianorum ap. Irenæum p. 7, A.]

[Μήτριος, ὁ, Maternus. Gl.: Μήτρια, Materna.]

Μητρὶς, ίδος, ἡ, sc. πόλις, Materna civitas, Patria matris, Civitas ex qua mater alicujus oriunda est: quæ et μητρόπολις infra: Τριῶν, inquit Eust. p. 1391, ὄντων αἰτίων γενέσεως τέκνοις, πατρὸς, μητρὸς, τόπου, πατρὶ
B μὲν παρωνόμασται ἡ πάτρα, καὶ τὸ ἐξ αὐτοῦ παρώνυμον, ἡ πατρίς· μητρὶ δ' οὐχ ἡ μήτρα τοπικῶς, ἀλλὰ ἡ μητρὶς ποιητικώτερον· ἔτι δὲ ἡ μητρόπολις κάλλιον· οὕτω γάρ τις ἔφη τὰς Θήβας Διονύσου μητρόπολιν, ἤγουν πόλιν τῆς ἐκείνου μητρὸς Σεμέλης. Cretense autem hoc vocab. esse testantur Plut. et Synes. Et Plut. quidem in lib. Εἰ πρεσβυτέρῳ πολ. [p. 792, E]: Ἡ δὲ πατρὶς καὶ μητρὶς, ὡς Κρῆτες καλοῦσι, πρεσβύτερα καὶ μείζονα δίκαια γονέων ἔχουσα. Synes. autem Ep. 94: Μέλει καὶ Πενταπόλεως· πῶς γὰρ οὔ; τῆς γε μητρίδος, ὡς ἂν Κρῆτες εἴποιεν. Idem habetur ap. Plat. De rep. 9, p. 120 [575, D: Τὴν πάλαι φίλην μητρίδα τε, Κρῆτές φασι, καὶ πατρίδα. [Ex hoc et Pherecrate citat Photius. Epigr. in Homerum ap. Pausan. 10, 24, 2: Μητρὶς δέ τοι, οὐ πατρίς ἐστιν.]

[Μητροβάτης. V. Μιτροβάτης.]

[Μητρόβιος, ὁ, Metrobius, n. viri, ap. Plat. Euthyd. p. 272, C, Menex. p. 235, E.]

[Μητρογᾰμέω, Matrem propriam in matrimonium duco. Jo. Chrys. Π. παρθ. 8, vol. 6, p. 248: Πέρσας μὲν μὴ μητρογαμοῦντας θαυμάζομεν, Ῥωμαίους δὲ οὐκέτι.
C Seager. Const. Manass. Chron. 557. Boiss. Schol. Plat. p. 457.]

[Μητρογαμία, ἡ, Nuptiæ cum matre. Jo. Chrys. In Ep. ad Tit. serm. 5, vol. 4, p. 403. Seager.]

[Μητρογάμος, ὁ, Qui matrem ducit uxorem. Theophyl. Simoc. Quæst. phys. p. 59, 5, ed. Riv. Sed hæc lectio, quæ est et Vulcanii, suspecta est. Cf. ed. Comm. p. 18, 6. Boiss.]

[Μητροδάτης, ὁ, Metrodates, ὄνομα κύριον, Suidas.]

Μητροδίδακτος, ὁ, ἡ, A matre edoctus, eruditus. Ita vocatus fuit junior Aristippus, cujus mater Ἀρήτη filia fuit Aristippi majoris, et eum docentem audivit, filiumque postea erudiit. Suid. in Ἀρίστιππος. [Diog. L. 2, 83 (ubi v. Menag.). Themist. Wakef.]

[Μητρόδοκος, ὁ, ἡ, A matre acceptus. Pind. Nem. 7, 84: Ὑπὸ ματροδόκοις γοναῖς.]

[Μητροδώρα, ἡ, Metrodora, n. mulieris, in inscrr. Att. ap. Bœckh. vol. 1, p. 489, n. 546; p. 540, n. 974. L. Dind.]

[Μητρόδωρος, ὁ, Metrodorus, Proconnesius, Hero-
D dot. 4, 138. Lampsacenus ap. Plat. Ion. p. 530, C; Erythræus ap. Pausan. 6, 15, 6. Alii ap. Polybium et alios. Forma Dor. Ματρόδωρος in numis Magnesiæ Lydiæ ap. Mionnet. *Descr.* vol. 4, p. 68, n. 362, *Suppl.* vol. 7, p. 372, n. 250. Trallium ibid. p. 479, n. 756. Forma diminut. est Μητρᾶς, quod v.]

[Μητρόθειος, ὁ, Avunculus maternus. Constant. Porphyrog. De admin. Imp. c. 22, p. 981. Boiss.]

Μητρόθεν, A matre, Ex parte matris. [Pind. Ol. 7, 24: Ματρόθεν Ἀστυδαμείας· Pyth. 2, 48: Τὰ ματρόθεν μὲν κάτω· Isthm. 3, 17: Ματρόθε Λαβδακίδαισιν σύννομοι. Æsch. Sept. 664: Φυγόντα μητρόθεν σκότον· Cho. 611: Ἐπεὶ μολὼν ματρόθεν κελάδησε· 750: Ὃν ἐξέθρεψα μητρόθεν δεδεγμένη.] Herodot. [1, 173: Καταλέξει ἑαυτὸν μ.] Et Plut. Pericle [c. 33]: Ὦ τὸ μητρόθεν γένος τοῦ Περικλέους ἔνοχον ἦν. [Soph. Œd. C. 527: Ἦ μητρόθεν δυσώνυμα λέκτρ' ἐπλήσω. Eur. Ion. 672: Ὡς μοι γένηται μητρόθεν παρρησία· Hel. 214: Ὅτε σε τέκετο ματρόθεν Ζεύς. Aristoph. Ach. 478: Σκάνδικά μοι δὸς μητρόθεν δεδεγμένος.]

[Μητρόθεος, ἡ, Dei mater s. parens, epith. B. Virginis, Lexx. Gr. sine exemplo.]

Μητροκἄσιγνήτη, ἡ, Matris soror, germana, i. e. Matertera. [Æsch. Eum. 962 : Θεαὶ, τῶν Μοῖραι ματροκασιγνῆται.]

Μητροκασίγνητος, ὁ, Matris frater, Avunculus.

[Μητροκλείδης, ου, ὁ, Metroclides, n. viri, esse videtur in inscr. Att. ap. Bœckh. vol. 1, n. 193, p. 331, 33.]

[Μητροκλῆς, έους, ὁ, Metrocles, n. viri. Philosophi Cynici, ap. Plut. Mor. p. 468, A etc., Ps.-Crat. in *Notices* vol. 11, part. 2, p. 23, 25, etc. Forma Dor. Ματροκλέος in inscr. Megar. ap. Bœckh. vol. 1, p. 558, n. 1052, 3. L. Dind.]

[Μητροκομέω, Maternam curam gero. Nicetas Chon. p. 142, D : Διφῆσαι τὸν ἀνθεξόμενον τοῦ τῆς ἀρχῆς κληρονόμου παιδὸς οὔπω παραγγείλαντος ἐς ἥβην καὶ πιστῶς προστησόμενον τῆς βασιλίδος καὶ οἷον μητροκομήσοντα.]

Μητροκτονέω, Matrem occido, [Sum matricida]. Aristot. Eth. 3, 1 : Τὸν Εὐριπίδου Ἀλκμαίωνα γελοῖα φαίνεται τὰ ἀναγκάσαντα μητροκτονῆσαι. [Æsch. Eum. 202 : Ἔχρησας ὥστε τὸν ξένον μητροκτονεῖν, et alibi. Eur. Or. 887. « Pallad. H. L. 5. » Boiss.]

[Μητροκτονία, ἡ, Matricidium. Schol. Eur. Or. 206, 830, 832. Boiss. Plut. Mor. p. 18, A ; 810, F.]

Μητροκτόνος, ὁ, ἡ, Matricida [Gl.], ut Cic.; Qui matrem occidit. Ap. Suet. Nerone [c. 39] : Multa Græce Latineque proscripta aut vulgata sunt : sicut illa, Νέρων, Ὀρέστης, Ἀλκμαίων [Ἀλκμέων], μητροκτόνοι. Νεόνυμφον Νέρων, ἰδίαν μητέρα ἀπέκτεινεν. Quis negat Æneæ magna de stirpe Neronem? Sustulit hic matrem, sustulit ille patrem. [Æsch. Eum. 102 : Πρὸς χερῶν μητροκτόνων · 281 : Μητροκτόνον μίασμα · 494 : Τοῦδε μητροκτόνου · Ag. 1281 : Μητροκτόνον φίτυμα. Eur. El. 975 : Μητροκτόνος νῦν φεύξομαι · Tro. 363 : Μητροκτόνους ἀγῶνας · Iph. T. 1200 : Κηλὶς μητροκτόνος · Or. 1649 : Αἵματος μητροκτόνου. Plato Leg. 9, p. 869, B. « Adamant. Physiogn. 1, 9, p. 349. » Wakef.]

[Μητροκωμητὴς, ὁ, Habitator metrocomiæ, in Eclog. Basilic. 55 tit. Περὶ προτιμήσεως. Ducang.]

Μητροκωμία, ἡ, Vicus aliorum vicorum mater, Ex quo coloniæ ducuntur. Sic est, inquit Bud. in Pand., μητροκωμία inter vicos ut μητρόπολις inter urbes, a suisque colonis ut matrix agnoscitur. Metrocomia legitur in Lege ultima de Exactoribus Tributorum. [Constant. Porph. Nov. Περὶ δυνατῶν. Nicetas l. 4 Thesauri fidei cathol., ubi de hæresi Valentis Arabis p. 210. Ducang. Jo. Damasc. vol. 1, p. 89, B. Inscr. ap. Burckhardt. *Reisen in Syrien* vol. 1, p. 510. L. D.]

[Μητρόλεθρος, ὁ, ἡ, i. q. sequens. Nicet. Annal. 21, 10, p. 847, 13.]

[Μητρολέτης, ὁ, Matris perditor, Matricida. Orac. Sibyll. 5, p. 621 : Μητρολέται, παύσασθε θράσους.]

[Μητρόληπτος, ὁ, ἡ, A matre (deorum Rhea) correptus, Lymphatus. Hermias In Plat. Phædr. p. 105 : Εἰσὶ δὲ καὶ Πανόληπτοι καὶ Μητρόληπτοι. L. Dind.]

[Μητρομανία, ἡ, Furor uterinus. Philostorg. Hist. Eccl. 4, 7 : Τῆς Κωνσταντίου γυναικὸς τῷ τῆς μητρομανίας ἁλούσης πάθει.]

Μητρομήτωρ, ορος, ἡ, Matris mater, i. e. Avia materna, quæ et μαῖα, μάμμη, μάμμις, τήθη, Pollux [3, 17] ex Pind. [Ol. 6, 84 : Ματρομάτωρ ἐμὰ Στυμφαλὶς, εὐανθὴς Μετώπα. Ælian. N. A. 11, 16.]

[Μητρομιξία, ἡ, Concubitus cum matre. Sext. Emp. Adv. Eth. 11, 191 : Τὰ τῆς μ.]

[Μητρομίξιον, τὸ, i. q. præcedens. Schol. Æsch. Sept. 763 : Εὐδαίμων γὰρ ἦν (OEdipus) πρὸ τοῦ μαθεῖν τὸ μητρομίξιον.]

[Μητρόμοιος, ὁ, ἡ, Qui matri similis est. Jo. Damasc. vol. 2, p. 854, E : Μητρομοίῳ σώματι · Theodor. Stud. p. 605, λϛ', 1 : Ἐπ' ὠλένης μου μητρόμοιόν μοι βρέφος. Adv. ap. eundem p. 498, C : Ἐξεικονιζόμενος μητρομοίως. L. Dind.]

Μητρόξενος, ὁ, ἡ, Spurius. Pollux 3, [21] : Τὸν δὲ νόθον, καὶ μ. ἔνιοι καλοῦσι. Pro quo Dorice dicitur Ματρόξενος : unde ματροξένους παῖδας Hesych. exp. τοὺς νόθους. [Rhodios ita vocare τοὺς νόθους tradit schol. Eur. Alc. 1001.]

[Μητροπάρθενος, ἡ, Mater virgo, epith. Mariæ. Senarius in Bandini Bibl. Med. vol. 1, p. 68 : Ὠδὴ θεάνδρου, μητροπαρθένου κόρης. Boiss. Suid. v. Ἄρρητον, Nicetas Manuel. 1, 4. Ducang.]

[Μητροπατρῷος, ὁ, Maternus et paternus. Nicet. Eugen. 8, 142 : Μητροπατρώου γένους · et cum eod. nomine 9, 253. Boiss. Theod. Prodr. p. 273, 289. Elberl.]

Μητροπάτωρ, ορος, ὁ, Matris pater, i. e. Avus maternus, sicut πατροπάτωρ, Avus paternus : προπάτωρ de utroque : quibus Pollux [3, 16] scribit licere uti, quamvis compositionis forma magis poetica sit. Hom. Il. Λ, [224] : Κισσῆς τόν γ' ἔθρεψε δόμοις ἐνὶ τυτθὸν ἐόντα Μητροπάτωρ. [Herodot. 3, 51 ; 6, 131 ; Apollodor. 2, 4, 6, 1 ; 3, 12, 5, 5, et alii. || « Hermes (ap. Lactant. De vera sap. 4, 13) αὐτοπάτορα et αὐτομήτορα, quasi dicas, Sui ipsius patrem matremque, nuncupat (deum). ... Pæne putem hæc fuisse delibata ex Orphei Theologia, qui ap. (Clem. Al. Strom. 5, p. 724 sive) Euseb. Præp. 13, 13, deum μητροπάτορα nominat, referendaque ad insulsam ejus opinionem Deum et marem et feminam esse ... Certe vix dubito quin ex hoc fonte ad Valentinianos emanarit ut Deum μητροπάτορα colerent ... Irenæus ap. Epiphan. Hæres. 31, c. 18 : Ὅθεν καὶ μητροπάτορα καὶ ἀπάτορα καὶ δημιουργὸν αὐτὸν καὶ πατέρα καλοῦσι. » Wessel. Obss. p. 178-9. Aliquanto hæc probabilior explicatio quam Massueti ad l. Irenæi p. 23, Matris patrem interpretantis, quod naturæ omnium matris parens esset deus. Quanquam non esse cur Valentiani hæc ab Orpheo repetiisse putentur animadvertit Lobeck. Aglaoph. p. 547.]

[Μητροπενθέρα, ἡ, Matris socrus. Nomocan. in Cotel. Mon. vol. 1, p. 98, A. Ubi tamen —πενθερὰν scriptum.]

Μητροποιὸς, habes in Μήτρα. [Scriptura vitiosa pro μητρόπολις.]

Μητρόπολις, εως, ἡ, Metropolis [Gl.], i. e. Urbs matrix, Urbium aliquarum mater. Μητρόπολις, inquit Bud. in Pand., dicitur Urbs ex qua coloniæ deductæ sunt, quales multæ Athenis et ab urbe Roma. Sic enim se habet metropolis ad coloniam, ut mater ad filiam : id quod illo Thuc. l. manifeste declaratur [1, 34] : Ἀποικία εὖ μὲν πάσχουσα τιμᾷ τὴν μ., ἀδικουμένη δὲ ἀλλοτριοῦται, Colonia beneficio quidem affecta, honore metropolin suam prosequitur : injuria autem affecta, ab ea alienatur. Μητροπόλεις, inquit Suid., dicuntur Quæcunque civitates colonias deduxerunt. Non igitur metropoleis a mensura vocantur urbium, ut Gratian. verbis Isidori dixit Distinct. xxi : alioqui primam brevem natura haberet, quum habeat longam. Melius igitur illud dictum est Distinct. lxiii, ad episcopi electionem sufficere ecclesiæ matricis arbitrium. Matrices enim urbes Lat. dicuntur quas Græci μητροπόλεις appellant. Inde ὀρτυγομήτρα, Coturnicum matrix : et τεττιγομήτρα, Cicadarum : et similia nomina, quæ legimus ap. Plin. et alios. Suet. in Aug. : Ex ea arbore continuo nata soboles adeo paucis diebus adolevit, ut non æquipararet modo matricem, verum etiam obtegeret. Ubi Matricem arborem dixit, ex qua stolones succrerunt. Fuerunt etiam urbes proprio nomine sic appellatæ, quas Steph. Byz. enumeravit. Hæc Bud. Thuc. 3, [92] : Ξυνεπρεσβεύοντο αὐτοῖς καὶ Δωριεῖς, ἡ μ. τῶν Λακεδαιμονίων, Parens civitas Lacedæmoniorum, Aborigines, Creatores : Dorienses, a quibus oriundi erant Lacedæmonii. Sic enim interpr. [Pind. Pyth. 4, 20 : Μεγαλᾶν πολίων ματρόπολιν γενέσθαι · Nem. 5, 8 : Ματρόπολιν ἐγέραρεν. Epigr. ap. Strab. 9, p. 425 : Μητρόπολις Λοκρῶν. Æsch. Pers. 895 ; Soph. OEd. C. 708. Id. Ant. 1122 : Ὦ Βακχεῦ Βακχᾶν ματρόπολιν Θήβαν ναίων. Herodot. 7, 51 ; et ubi de terra, 8, 31. (Sic Dionys. A. R. 1, 30 : Τῆς μητροπόλεως γῆς μηνύματα.) Thuc. 1, 24, et alii quivis. || « Μητρόπολις, Civitas, in quo Metropolitanus episcopus sedet. Neque enim semper provinciæ caput hoc nomine donabatur, quum una interdum provincia plures contineret metropoles, ut est in Novella 20 Justiniani c. 1 : Καὶ μία τὸ λοιπὸν ἐπαρχία γενήσεται πλείους ἔχουσα μητροπόλεις · τοῦτο ὅπερ καὶ ἐν ἑτέραις ἡμῶν ἐπαρχίαις ἐστίν, » etc. Ducang.] Μητρόπολις metaph. quoque dicitur ut μήτηρ. [Hippocr. p. 249, 49 : Ὁ ἐγκέφαλός ἐστι μ. τοῦ ψυχροῦ καὶ τοῦ κολλώδους. Foes. Diod. 1, 2 : Τὴν ἱστορίαν, τῆς ὅλης φιλοσοφίας οἱονεὶ μητρόπολιν οὖσαν.] Plut. [Mor. p. 718, E] de geometria, ex Philone : Ἀρχὴ καὶ μ. οὖσα τῶν ἄλλων, Origo et matrix ceterarum. Sic Chrysipp. ap. Athen. 3, [p. 104, B] dicit μητρόπολιν εἶναι τῆς φιλοσοφίας (τοῦ Ἐπικούρου) τὴν Ἀρχεστράτου γαστρολογίαν, ἣν πάντες οἱ τῶν φιλοσόφων γαστρίμαργοι θεογονίαν τινὰ αὐτῶν εἶναι λέγουσι. Et Pontianus ap. eund. Athen. 10, [p. 443, D] dicit πάντων τούτων τῶν δεινῶν μητρόπολιν τὸν οἶνον. [Diog. L. in Diog. Cyn. p. 396 (6, 30) : Τὴν φιλαργυρίαν εἶπε μητρόπολιν πάντων τῶν κακῶν. Koenig. In malam partem etiam Diod. Exc. p. 509, 18 : Ἡ ἀδικία μ. οὖσα τῶν κακῶν. « Μ. τῶν ἡμερῶν dictus dies quo Christi Natale celebratur, a Jo. Chrysost. Extat epistola Jo. Zonaræ s. Michaelis Glycæ 43 : Λαμπροτέραν τὴν ἡμέραν τῶν φώτων ἐκάλεσε τῆς τοῦ Χριστοῦ γεννήσεως, ἣν ὁ χρυσορρήμων ὁ Ἰωάννης τῶν λοιπῶν ἑορτῶν ὀνομάζει μητρόπολιν. Μητρόπολις τῶν ἀρετῶν ἀγάπη, seu Caritas, ap. Theodor. Edess. in Capitulis præt. c. 76. Duc.] Hominis autem alicujus μητρόπολις dicitur Civitas ex qua mater ipsius oriunda est. Athen. 12, [p. 547, D]. Εἰς τὴν Λοκρῶν πόλιν παρελθὼν, οὖσαν αὐτῷ μητρόπολιν, Δωρὶς γὰρ ἡ μήτηρ αὐτοῦ τὸ γένος ἦν Λοκρὶς, στρώσας οἶκον τῶν ἐν τῇ πόλει τὸν μέγιστον ἑρπύλλοις καὶ ῥόδοις. Eust. vero [Od. p. 1391, 32] hoc μητρόπολις usurpatum pro ἡ τῆς μητρὸς πατρίς, vult esse καταχρηστικόν : ap. quem quidam dicit Θήβας esse Διονυσίου μητρόπολιν, h. e., inquit, πόλιν τῆς ἐκείνου μητρὸς Σεμέλης : cui synonymum est μητρίς, quod vide.

[Μητρόπολις, εως, ἡ, Metropolis. Πόλις Φρυγίας, ὑπὸ τῆς μητρὸς τῶν θεῶν οἰκισθεῖσα, ὡς Ἀλέξανδρος ἐν τῷ περὶ Φρυγίας. Ἔστι καὶ ἄλλη Φρυγίας ὁμώνυμος. Τρίτη Λυδίας. Τετάρτη Θεσσαλίας. Πέμπτη Ἀκαρνανίας (ap. Thuc. 3, 107, Polyb. 4, 64, 4). Τὸ ἐθνικὸν Μητροπολίτης. Ἕκτη Δωριέων. Ἑβδόμη τῶν ἐν τῷ Πόντῳ Μοσσυνοίκων. Ὀγδόη Σκυθίας. Ἐνάτη Εὐβοίας. Δεκάτη τῆς ἄνω Θετταλίας (Hanc omittit cod. Vratisl.), Steph. Byz. Plura de singulis v. ap. interpretes.]

Μητροπολίτης, ὁ, Qui ex matrice urbe est. Et Matrici urbi præfectus : ut μητροπολίτης ἐπίσκοπος, Episcopus metropolitanus, Qui episcopatu fungitur in urbe, ex qua coloniæ deductæ sunt, quæ et ipsæ suos habent episcopos ei subjectos. [Plura v. ap. Ducang.]

[Μητροπολιτικὸς, ή, όν, Qui ad urbem matricem pertinet. Jo. Malal. 2, p. 183 : Δοὺς αὐτῇ μητροπολιτικὸν δίκαιον. Elberling. Sozom. H. E. 3, 6, ἐκκλησίας.]

[Μητροπόλος, ὁ, ἡ.] Μητροπόλοι, quæ olim μέλισσαι, Hesych. Dicebantur autem μέλισσαι, Matris magnæ antistites : a qua et μητραγῦρται. [Pind. Pyth. 3, 9, Εἰλείθυια, Quæ circa matres versatur, vel eas curat.]

[Μητροπρεπῶς, Ut matrem decet. Jo. Damasc. vol. 2, p. 853, E : Χαῖρε, κυρία, ὡς τοῦ τῶν ὅλων κυρίου μητροπρεπῶς τὴν κυρείαν εἰληφυῖα. Theodor. Stud. p. 606, λη', 1. L. Dind.]

Μητροῤῥαίστης, ὁ, Qui matri manus infert, ὁ φθείρων τὴν μητέρα Suidæ. [Ubi aliud ex. annotavit Gaisf.]

[Μητρόῤῥιπτος, ὁ, ἡ, A matre abjectus. Dosiadæ Ara Anth. Pal. 15, 26, 8, ubi Dorica forma ματρ.]

[Μητρότης, ητος, ἡ, Maternitas. Quæst. et Resp. ad Orthod. p. 501, B, ad illud, Τί ἐμοὶ καὶ σοὶ, γύναι : Ἐν ταῖς ἄλλαις φωναῖς οὐχ ὡς ἀποστερῶν τὴν μητέρα τῆς πρεπούσης τιμῆς, ἀλλὰ δείκνυσι κατὰ ποίαν μητρότητα μακαριστή ἐστιν ἡ παρθένος.]

[Μητροτύπτης, ὁ, Matricida. Hesych. v. Ἀλοιᾷ. Boiss.]

[Μητροφάνης, ους, ὁ, Metrophanes, n. viri, in inscr. Spart. ap. Bœckh. vol. 1, p. 667, n. 1376, Samia vol. 2, p. 212, n. 2248, 5, in Ms. ap. Bandin. Bibl. Med. vol. 1, p. 132, B. Alia exx. v. ap. Suidam et Fabric. in Bibl. Gr. ᾱ L. Dind.]

[Μητρόφαντος, ὁ, Metrophantus, n. viri ap. Hippocr. p. 1122, E.]

Μητροφθόρος, ὁ, ἡ, Qui matrem occidit [immo vitiavit]. Habes ex Epigr. [εἰς Πέρσην μητροφθόρον, Anth. Pal. 9, 498 : Γῆ πάντων μήτηρ μητροφθόρον οὐ δέχετ' ἄνδρα.]

Μητροφόνος, ὁ, ἡ, Matricida, i. q. μητροκτόνος, Eur. [Æsch. Eum. 257 : Ματροφόνος· 268 : Ἀντιποίνους τίνῃς ματροφόνους δύας. Pollux 3, 13.]

Μητροφόντης, ὁ, i. q. μητροφόνος, Eur. [Or. 479, et alibi sæpius. Aristot. Rhet. 3, 2. Poll. 3, 13.]

Μητρυιά, Noverca. [Matertera add. Gl.] Hom. Il. N, [697] : Γνωτὸν μητρυιῆς Ἐριώπιδος. [Pind. Pyth. 4, 162 : Ματρυιᾶς ἀθέων βελῶν. Eur. Alc. 305 : Μὴ 'πιγήμῃς τοῖσδε μητρυιὰν τέκνοις, etc.] Epigr. [Anth. Pal. 11, 298, 6] : Μῆτερ μητρυιῆς χαλεπὸν τρόπον ἀντικρατοῦσα, Quæ tibi induxisti novercæ improbos mores. Plut. in l. qui Π. εὐθυμίας inscribitur [p. 467, C] : Ὁ τῆς κυνὸς ἁμαρτὼν τῷ λίθῳ, καὶ τὴν μητρυιὰν πατάξας, Οὐδ' οὕτως, ἔφη, κακῶς. [Hegesander ap.] Athen. 11, [p. 507, C] de Platone : Καὶ τὸ καθόλου πᾶσι τοῖς Σωκράτους μαθηταῖς ἐπεφύκει μητρυιᾶς ἔχων διάθεσιν· sunt enim novercæ invidæ et malevolæ plerumque. [Herodot. 4, 154 : Ἡ δὲ ἐπεσελθοῦσα ἐδικαίευ εἶναι καὶ τῷ ἔργῳ μητρυιὴ τῇ Φρονίμῃ. Plato Leg. 11, p. 930, B : Μὴ μητρυιὰν ἐπαγόμενον. Poeta anon. ap. Diod. 12, 14 : Ὁ παισὶν αὑτοῦ μητρυιὰν ἐπεισάγων, ubi notanda etiam diphthongus correpta, ut sæpe fit in υἱός.] Unde et Hesiod. ἡμέρας quasdam metaph. dicit μητρυιὰς, i. e. μὴ ἀγαθὰς, ut supra quoque in Μήτηρ dictum fuit. Metaph. Æschylo quoque [Pr. 727] dicitur Σαλμυδησσία γνάθος Ἐχθρόξενος ναύτῃσι, μητρυιὰ νεῶν, h. e. ἐχθρὰ καὶ ὀλέθριος. Eust. [Il. p. 560, 17], qui scribit τὰς ἀγαθὰς διαθέσεις optime vocari posse μητέρας : at τὰς μὴ τοιαύτας, μητρυιάς : sicut Idem dicit, Ψυχικὴ διάθεσις οὐκ ἀγαθὴ, ὁποῖα καὶ ἡ μήτηρ· ἀλλὰ τρόπον τινὰ μητρυιὰ ἔγκοτος. Ceterum ut Græcis μητρυιὰ vox est deflexa a μήτηρ, sic etiam Gallis *Marastre*, quod μητρυιάν, Novercam, significat, vocab. est a *Mère* inclinatum. Dicitur enim *Merastre*, licet in mea patria et alibi pronunciëtur a plerisque *Marastre*. Estque hæc terminatio similis illi quam habent quum alia quædam Lat. nomina, tum Philosophaster. [Plat. Menex. p. 237, B : Τρεφομένους οὐχ ὑπὸ μητρυιᾶς, ἀλλ' ὑπὸ μητρὸς τῆς χώρας. Plut. Mor. p. 201, E : Συγκλύδων ἀνθρώπων, ὧν οὐ μητέρα τὴν Ἰταλίαν, ἀλλὰ μητρυιὰν οὖσαν ἐπίσταμαι.]

[Μητρυιάζω, Novercor, Gl.]

[Μητρυιοπενθέρα, ἡ, Novercæ socrus. Nomocan. in Cotel. Mon. vol. 1, p. 95, C, ubi tamen —πενθερᾷ scriptum.]

Μητρυιὸς, ὁ, per jocum dicitur Vitricus. Eust. [Il. p. 560, 16] : Καὶ μητρυιὸν οἱ παλαιοί φασι τὸν πατρυιὸν, ἀῤῥενωνυμοῦντες τὴν μητρυιάν. Citat autem ex Theopompo et aliis Comicis. [Mœris p. 255 : Μητρυιόν, τὸν πατρυιόν. (Codex bis per οι.) Ex Theopompo et Hyperide citat Pollux 3, 27. Ex Theop. etiam Photius.]

Μητρυιώδης, ὁ, ἡ, Novercalis : ut Odia novercalia, ap. Tacit. Plut. [Mor. p. 143, A] de nova nupta, Ἐπισταμένη τὸ τῆς ἑκυρᾶς μητρυιῶδες, Novercalem animum. At in VV. LL. perperam scribitur Μητριώδης.

Μητρῳακὸς, ή, όν, ut μητρῳακαὶ ἁγιστεῖαι, Purificationes quæ in sacris Cybeleis fiebant : exemplum habes in Μητραγύρτης : quod et a Suida citatur, non nominato tamen auctore : ap. quem pro ἁγιστείας legitur καστείας. [Quod etiam Marino, cujus locum citat Suidas, restitutum ex cod. Idem Marinus V. Procli c. 33 : Λαβέτω (τις) εἰς χεῖρας τὴν μητρῳακὴν αὐτοῦ βίβλον· ὄψεται γὰρ ὡς οὐκ ἄνευ θείας κατακωχῆς τὴν θεολογίαν τὴν περὶ τὴν θεὸν ἐξέφηνεν ἅπασαν. Tzetz. in Cramer. An. vol. 3, p. 314, 10 : Μητρῳακὸν γαλλίαμβον. Conf. Hephæst. p. 67, 10, cum annot. Gaisf.]

[Μητρῴας. V. Μήτρως.]

[Μητρῴζω verbum ponit Theognostus Can. p. 142, 23.]

[Μητρωίας. V. Μήτρως.]

[Μητρώιος. V. Μητρῷος.]

[Μήτρων, ωνος, ὁ, Metro, n. viri, in inscrr. Chiis ap. Bœckh. vol. 2, p. 201, n. 2214, 3; 207, n. 2228, 1. Supra Μάτρων. L. Dindorf.]

[Μητρωνυμικὸς, ή, όν, A matre nominatus. Gramm. ap. Cramer. Anecd. vol. 2, p. 299, 13, Etym. M. p. 166, 11. || « Adv. Μητρωνυμικῶς, Schol. Pind. Pyth. 3, 118. » Boiss.]

[Μητρῷον. V. Μητρῷος. || Metroum, locus Bithyniæ, ap. Arrian. Peripl. P. Eux. p. 14 ed. Huds. Conf. Miller. ad Marcian. p. 185.]

Μητρῷος, α, ον, Maternus [Gl. Forma soluta Hom. Od. T, 410 : Μητρώιον ἐς μέγα δῶμα. Æsch. Eum. 84 : Καὶ γὰρ κτανεῖν σ' ἔπεισα μητρῷον δέμας· 230 : Ἄγει γὰρ αἷμα μητρῷον· et forma Dor. 325 : Ματρῷον ἅγνισμα κύριον φόνου. Soph. Ant. 863 : Ἰὼ ματρῷαι λέκτρων ἆται, etc. Eur. Andr. 622 : Ἐκφέρουσι γὰρ μητρῷ' ὀνείδη. Et alibi.] Xen. Cyn. [1, 15] : Σώσας τοὺς πατρῴους καὶ μητρῴους θεοὺς, de Ænea. Id. Hell. 2, [4, 20] : Πρὸς θεῶν πατρῴων καὶ μητρῴων, καὶ ξυγγενείας καὶ κηδεστείας. [Inscr. Att. ap. Bœckh. vol. 1, p. 474, n. 493 : Μητρῴων θεῶν. Οἴκησις Plat. Crit. p. 114, A. Hierocl. Stob. Fl. 39, 34 : Ἵν' οἷον μίγμα τυγχάνοι τῆς τε πατρῴας καὶ μητρῴας (nomen patriæ generis feminini). Demosth. p. 954, 18 : Τὰ μητρῷα πρὸς μέρος ἠξίους νέμεσθαι.] Et μητρῴα κτῆσις ap. Polluc. [3, 11] ἡ μητρική. || At Μητρῷον χωρίον [Hippocr. Epid. 6, 5, 13 (quod μητρώιος scribendum apud Iones : v. gramm. post Greg. Cor. p. 673, 687), Pollux 2, 221] dicitur Matrix, Vulva, ἡ μήτρα, ὑστέρα, καὶ δελφύς : v. Μήτρα. || Neutr. gen. Μητρῷον, sub. ἱερὸν, dicitur Athenis τὸ τῆς Φρυγίας θεοῦ ἱερὸν, Pollux [3, 11], i. e. Phrygiæ deæ fanum (quam Ovid. Phrygiam matrem vocat), Matris deum fanum : quæ appellatur et μήτηρ θεῶν supra, et a qua dicitur μητριάζειν et μητραγύρτης. [Chamæleo ap.] Athen. 9, [p. 407, C] de Alcibiade : Ἧκεν εἰς τὸ Μ., ὅπου τῶν δικῶν ἦσαν αἱ γραφαί. Lycurg. ap. Suid. : Τοὺς νόμους ἔθεντο ἀναγράψαι ἐν τῷ Μ. Idem Suid. in Μητραγύρτης scribit, Ἐχρῶντο δὲ τῷ Μητρῴῳ ἀρχείῳ καὶ νομοφυλακείῳ. Athen. 5, [p. 214, E] de Apelliconte Teio : Τά τ' ἐκ τοῦ Μ. τῶν παλαιῶν αὐτόγραφα ψηφίσματα ὑφαιρούμενος ἐκτᾶτο. Erat juxta βουλευτήριον [Æschin. p. 80, 23], ubi erant picturæ, ut in ποικίλῃ. Bud. [Conf. Demosth. p. 381, 1 ; 799, 25. Harpocratio, Suidas, Lex. rh. Bekk. An. p. 280, 6. Μητρῷον Smyrnæ memorat Strabo 14, p. 646.] Et Μητρῷα, sub. ἱερὰ, Sacra matris deum, Sacra Cybeleia. Plut. De orac. Pyth. [p. 407, C] : Τὸ ἀγυρτικὸν καὶ ἀγοραῖον καὶ περὶ τὰ Μητρῷα καὶ Σεράπεια βωμολοχοῦν καὶ πλανώμενον γένος, de μητραγύρταις loquens ; Erot. [p. 758, F] : Τὰ γὰρ Μ. καὶ πανικὰ κοινωνεῖ τοῖς βακχικοῖς ὀργιασμοῖς. Aliquanto post [p. 763, A] : Τῶν ἐνθεαζομένων οὗτος ὁ αὐλὸς καὶ τὰ Μητρῷα, καὶ τὸ τύμπανον ἐξίστησιν ἡμῖν τὸ αὐτὸ σῶμα. Idem Ad Colot [p. 1127, C] : Οὐδὲ μάστιγος ἐλευθέρας δεόμενος, ἀλλὰ τῆς ἀστραγαλωτῆς ἐκείνης, ᾗ τοὺς γάλλους πλημμελοῦντας ἐν τοῖς Μ. κολάζουσι. [Dionys. H. vol. 6, p. 1022, 6 : Τῶν τὰ μητρῷα τελουμένων.] Apud Ovid. autem Matralia dicuntur esse festa matronarum, a quibus excludebantur famuli, Fast. 6, [475] : Ite bonæ matres : vestrum matralia festum, Flavaque Thebanæ reddite liba deæ. [Apud (Dionys. A. R. 2, 19,) Athen. 14, p. 618, C, τὰ μητρῷα sc. μέλη, Carmina in honorem Matris Deorum. Schweigh. Pausan. 10, 30, 9 : Ἐθέλουσι δὲ καὶ εὕρημα εἶναι τοῦ Μαρσύου τὸ μητρῷον αὔλημα.]

[Μητρῷος, ὁ, Metrous, mensis Bithynorum tertius, in Catalogo mensium ap. Cramer. Anecd. vol. 3, p. 403, 3 s. Matth. Glossar. vol. 1, p. 86, et in Hemerolog. Flor. ap. Ideler. Chronolog. vol. 1, p. 421, qui responderet 23 Nov. — 23 Decembris. Memorat Ptolem. Math. Comp. 7, 3, vol. 2, p. 27, 19. L. Dind.]

Μήτρως, et Μάτρως Dor., ωος [vel Attice sec. Suidam ω], ὁ, Avunculus maternus, i. q. μητράδελφος, Pollux [3, 22], cujus verba in Μητράδελφος ascripsi. Hom. Il. Β, [662] : Πατρὸς ἑοῖο φίλον μήτρωα κατέκτα, Qui patri suo erat avunculus maternus, seu, ut Eust. pluribus exp., τὸν ἑαυτῷ μὲν πάππον, τῷ δὲ πατρὶ μήτρωα, ἤτοι τὸν πρὸς μητρὸς θεῖον, sc. Licymnium, fratrem Alcmenæ. Idem Eust. aliquanto post, Οἱ δὲ, inquit, πάτρωας καλοῦσι καὶ μήτρωας. Πίνδαρος δὲ οὐχ ἀδελφοὺς, ἀλλὰ γονέας μητρὸς, μάτρωας ἔφη · Στησίχορος δὲ, πάτρωα, τὸν κατὰ πατέρα πρόγονον εἶπε · secundum quos μήτρως erit Avus maternus ; πάτρως, Avus paternus. Il. Π, [717] : Ὃς μήτρως ἦν Ἕκτορος ἱπποδάμοιο. Ubi itidem Eust. annotat, recentiores μήτρωα vocare non τὸν ἀπὸ μητρὸς θεῖον, secundum Hom., sed τὸν πρὸς μητρὸς πάππον. Suidæ generalius μήτρως est ὁ θεῖος : et dicit Attice declinari μήτρω. [Thomas p. 849 : Μήτρως οὐ μόνον ὁ τῆς μητρὸς πατὴρ, ἀλλὰ καὶ ὁ ταύτης ἀδελφός. Pind. Ol. 6, 77 : Μάτρωες ἄνδρες · de avo 9, 68 : Μάτρωος ἰσώνυμον. Et alibi. De utraque signif. agunt schol. ad hunc l. et ad Isthm. 5, 87. De avunculo materno Herodot. 4, 80.] || Idem cum μήτρως significat Μητρώας et Μητρωΐας. Pollux 3, [116] : Μητρὸς πατήρ · τοῦτον δ' Εὐριπίδης [Herc. F. 43] μητριῶαν [μήτρωα] ὠνόμασε · sicut Pind. paulo ante μάτρωα vocat Avum maternum, qui qui et μητροπάτωρ eid. Pind. dicitur. Et μητρωῖαι καὶ μήτρωες, μητρὸς ἀδελφοὶ Hesych.

A [Μητρωσμὸς, ὁ, Sacra matris deorum. Phintys ap. Stob. Fl. vol. 3, p. 84 : Μὴ χρέεσθαι (uxorem) ὀργιασμοῖς καὶ ματρωσμοῖς · 85 : Ὀργιασμῶν καὶ ματρωσμῶν τῶν κατ' οἶκον ἀπέχεσθαι. Valck.]

Μηχἄνάω, Machinor, vide in Μηχανάομαι habente pass. signif. || Μηχανάομαι, Machinor, Molior, Excogito, Struo. Hom. Od. Π, [134] : Πολλοὶ γάρ ἐμοὶ κακὰ μηχανόωνται · sic et Ρ, [449] : Ἐπεὶ κακὰ μηχανόωνται At Γ, [207] : Ἀτάσθαλα μηχανόωνται · Π, [93] : Ἀτάσθαλα μηχανάασθαι. Sed Idem usus est et sine adjectione accusativi hoc verbo, cum præp. ἐπὶ habente dat. personæ : sc. Δ, [822] : Δυσμενέες γὰρ πολλοὶ ἐπ' αὐτῷ μηχανόωνται, Ἱέμενοι κτεῖναι πρὶν πατρίδα γαῖαν ἱκέσθαι, ubi quidam interpr. Insidias struunt ; sed ego malim, si exprimenda sit vis verbi, accusativum ex ipso verbo sumens, reddere ad verbum, licet minus Latine fortasse, Machinas adversus eum struunt. [Æsch. Sept. 1038 : Κατασκαφὰς ἐγὼ τῷδε μηχανήσομαι · Ag. 965 : Ψυχῆς κόμιστρα τῆσδε μηχανωμένη. Soph Ph. 295 : Ταῦτ' ἂν ἐξέρπων τάλας ἐμηχανώμην · OEd.
B C. 1035 : Χὤτε ταῦτ' ἐμηχανῶ. Eur. Rhes. 513 : Τοῦτον δ' ὃν ἵζειν φὴς σὺ κλωπικὰς ἕδρας καὶ μηχανᾶσθαι · et sæpissime addito accus., ut Hipp. 331 : Ἐκ τῶν γὰρ αἰσχρῶν ἐσθλὰ μηχανώμεθα · Phœn. 1612 : Οὐ γὰρ τοσοῦτον ἀνόσιος πέφυκ' ἐγὼ ὥστ' εἰς ἔμ' ὄμματ' ἔς τ' ἐμῶν παίδων βίον ... ταῦτ' ἐμηχανησάμην · Bacch. 805 : Τόδ' ἤδη δόλιον ἔς με μηχανᾷ · Med. 342 : Παισίν τ' ἀφορμὴν τοῖς ἐμοῖς, ἐπεὶ πατὴρ οὐδὲν προτιμᾷ μηχανήσασθαι τέκνοις · Iph. T. 101 : Ἐσβάσεις τε μηχανώμενοι. Aristoph. Thesm. 736 : Κἀκ παντὸς ὑμῖν μηχανώμεναι πιεῖν · Ach. 445 : Πυκνῇ γὰρ λεπτὰ μηχανᾷ φρενί.] Non rarus est hujus verbi in prosa quoque usus, et quidem tam in bonam, quam in malam partem. Herodot. [6, 88] : Οὐκέτι ἀνεβάλλοντο τὸ μὴ οὐ τὸ πᾶν μηχανήσασθαι ἐπ' Αἰγινήτῃσι. [Alia constr. 6, 121 : Τὰ ἔχθιστα ἐς αὐτὸν ἐμηχανᾶτο. Cum accus. solo 8, 106 : Ἐδόκεες θεοὺς λήσειν οἷα ἐμηχανῶ τότε. Alia constr. Xen. Comm. 2, 3, 10 : Οὐδὲν καινὸν δεῖ ἐπ' αὐτὸν μηχανᾶσθαι. Et cum dat. Cyrop. 1, 6, 39 : Τὰς μηχανὰς, ἃς καὶ πάνυ ἐπὶ τοῖς μικροῖς θηρίοις ἐμηχανῶ · et rursus cum acc. 41 : Εἰ
C τοιαῦτα ἐθελήσαις καὶ ἐπὶ τοὺς ἀνθρώπους μηχανᾶσθαι, sed ubi dativum præbuerunt meliores. (Qui erat etiam ap. Lucian. Toxar. c. 13 : Μῆλα ἀποδεδηγμένα καὶ ἄλλα ὁπόσα αἱ μαστροποὶ ἐπὶ τοῖς νέοις μηχανῶνται, ubi nunc τοῖς ν. ἐπιμηχανῶνται. Inter utrumque casum variat Antiphon, p. 142, 21 : Μηχανῶνται ἐπ' ἐμὲ λόγους ψευδεῖς συντιθέντες · 145, 34 : Τοῦτ' οὐκ ἐπ' ἐμοὶ πρῶτον ἐμηχανήσαντο Φιλῖνος καὶ οἱ ἕτεροι, ἀλλὰ καὶ ἐπὶ Λυσιστράτῳ.) Rursus alia constr. 8, 2, 26 : Ταῦτα ἐμηχανᾶτο πρὸς τὸ πρωτεύειν.] Et ap. Herodian., ii qui conspirantes aliquid machinantur, dicuntur id μηχανᾶσθαι. Et, Ψευδῆ μηχανήσασθαι λόγον, Isocr. Hel. enc. [p. 208, D], Comminisci mendacium. At in bonam partem, ut ap. eund. Herodot., Μηχανάομαί σφι ἀγαθὰ πάντα, Illis omnia commoda procuro. Plato Epist. ad Dionis propinquos [7, p. 326, D] : Μηχανωμένῳ τι τῶν κρειττόνων. Xen. [Cyrop. 2, 2, 14], μηχανᾶσθαι σωφροσύνην υἱοῖς · sed addit κλαύμασι, qui est dativus instrumenti. Item μηχανᾶσθαι χρήματα, Procurare. [Herodot. 1, 123 : Λαγὸν μηχανησάμενος. Thuc. 4, 47 : Μηχανησαμένων
D τὸ πλοῖον. Xen. Cyrop. 8, 8, 17 : Σκιὰς ἄνθρωποι μηχανώμενοι αὐτοῖς παρεστᾶσι.] Et Aristot. de natura dicit, Εὖ δὲ καὶ τὸ τῶν ὀνύχων μεμηχάνηται. [De partt. an. 3, 3 : Ἡ φύσις μεμηχάνηται τὴν ἐπιγλωσσίδα.] Sic de ead. Gregor. dixit, Εὐκολίαν τινὰ τῇ διεξόδῳ τοῦ πνεύματος μηχανωμένη. Denique et μηχανᾶσθαι γέλωτα dicit Xen. [Cyrop. 2, 2, 12], sicut Lat. interdum Risum moliri. Sed usitatius, Risum movere, ciere. At μηχανᾶσθαι ἀπολογίαν vide paulo post. Sed jungitur interdum cum ὅπως ab eod. illo scriptore [Comm. 2, 6, 35] : Ὅπως ταῦτα γίγνηται τοῖς φίλοις, οὐκ ἀποκάμνεις μηχανώμενος · et [ib. 3, 9] : Ἐπιχειρεῖς μηχανᾶσθαι ὅπως σοι ὡς βέλτιστος ᾖ. At vero ap. Plat. [Apol. p. 39, A] legitur τοῦτο μηχανᾶσθαι, sequente ὅπως cum indicativo : Οὐδένα δεῖ τοῦτο μηχανᾶσθαι, ὅπως ἀποφεύξεται πᾶν ποιῶν θάνατον. Sic autem in proxime præcedente Xen. l. pro ᾖ legitur etiam indicativi futurum, ἔσται. || Μηχανῶμαι, pass. ut voce, sic etiam signif. interdum, Arte mechanica fio, Fabricor. Moschion ap. Athen. 5, [p. 207, C] : Ἡ δ' ἑτέρα τοῖς εἰς τὰς διαίτας βουλομέ-

νοις εἰσιέναι μεμηχάνητο, Transitus alter erat arte mechanica factus, Bud. Et generalius μεμηχανῆσθαι interdum pro Factum esse adhibito artificio, Arte factum esse. [Soph. Tr. 586 : Μεμηχάνηται τοὔργον. Xen. Cyrop. 8, 3, 1 : Καὶ γὰρ αὐτῆς τῆς ἐξελάσεως ἡ σεμνότης ἡμῖν δοκεῖ μία τῶν τεχνῶν εἶναι τῶν μεμηχανημένων τὴν ἀρχὴν μὴ εὐκαταφρόνητον εἶναι· 8, 18 : Ἦν δ' ἐξ ἀδίκου φανερῶς ἢ μεμηχανημένα (τὰ ἐκπώματα).] Demostheni autem Πρὸς Ἄφοβον [p. 604, 6] est μεμηχανημένος λόγος, Oratio subdole atque artifici solertia composita ad fallendum. [Conf. p. 847, 23.] Tale est, sed activa signif., ap. Æschin. [p. 13, 24]: Λογογράφος γέ τις ὁ μηχανώμενος αὐτοῖς τὴν ἀπολογίαν. || Ut autem μηχανῶμαι invenitur, aut certe quædam ejus tempora, in signif. pass., sic et ipsa vox act. Μηχανῶ, ap. Soph. Aj. [1037] : Καὶ ταῦτα καὶ τὰ πάντ' ἀεὶ Φάσκοιμ' ἂν ἀνθρώποισι μηχανᾶν θεούς, ubi exp. Moliri et excogitare. Usus est autem et Hom. participio act., Od. Σ, [142]: Οἶ' ὁρόω μνηστῆρας ἀτάσθαλα μηχανόωντας. [Apoll. Rh. 3, 583 : Ὄφρ' ἀλεγεινὴν ὕβριν ἀποφλύξωσιν ὑπέρβια μηχανόωντες. Manetho 6, 401 : Ἄλλα τε μηχανόωντας.] || Μηχανεώμενοι, Ionice ap. Herodot. [7, 172], pro μηχανώμενοι. [Idem 6, 46, μηχανοίατο· 8, 7, ἐμηχανέοντο.]

[Μηχανέομαι, Conon c. 37, p. 34 : Ἀρχὴν μὲν ἰδίαν ἐν Εὐρώπῃ μηχανούμενον πλάττεσθαι ἀδελφῆς ἡρπασμένης ποιεῖσθαι ζήτησιν. Ubi Heyn. p. 179 : « Corrige μηχανώμενον : non enim μηχανέομαι dictum memini. » Cod. Vat. 19 confirmat hanc emendationem. Bast.]

[Μηχανεύομαι pro μηχανάομαι præbent libri nonnulli Xen. Cyrop. 4, 5, 49. « Paralip. 2, 26, 15 : Μηχανὰς μεμηχανευμένας. » Schleusn. Georg. Sync. p. 289, D : Ταῖς θήκαις τῶν βασιλέων διὰ βάθους μεμηχανευμέναις οὐδεὶς προσεπέλασεν. Medio Ephræm Syr. vol. 3, p. 241, A : Ὁ πάντων δεσπότης ἀεὶ θέλων οἰκτειρῆσαι τὸ γένος τῶν ἀνθρώπων πάντα μηχανεύεται (fort. add. ὅπως) ἐφέλκων τὸν Ἡλίαν εὐσπλαγχνίαν ἐνδεῖξηται. L. D.]

[Μηχανεύς, έως, ὁ, cogn. Jovis. Pausan. 2, 22, 2 : Πέραν τοῦ τάφου (Πελασγοῦ) χαλκεῖόν ἐστιν οὐ μέγα, ἀνέχει δὲ αὐτὸ ἀγάλματα ἀρχαῖα, Ἀρτέμιδος καὶ Διὸς καὶ Ἀθηνᾶς. Λυκέας μὲν οὖν ἐν τοῖς ἔπεσιν ἐποίησε Μηχανέως τὸ ἄγαλμα εἶναι Διός, καὶ Ἀργείων ἔφη τοὺς ἐπὶ Ἴλιον στρατεύσαντας ἐνταῦθα ὀμόσαι παραμένειν πολεμοῦντας, ἔστ' ἂν ἢ τὸ Ἴλιον ἕλωσιν ἢ μαχομένους τελευτὴ σφᾶς ἐπιλάβῃ. Μαχανέως esse videtur in libro uno. Quod præstat. Sic infra Μαχανῖτις, quod olim item male scribebatur per η. || Mensis Corcyræorum undecimus, ut conjiciebat Corsinus F. A. vol. 2, p. 416, de quo v. in Μαχανεύς. L. Dindorf.]

[Μηχάνευσις, εως, ἡ, Apparatus. Hippocr. De septim. lib. spur. vol. 1, p. 167 Lind. (?) Struv.]

Μηχανή, ἡ, Artificium, Adminiculum, quo quis utitur ad rem aliquam efficiendam. [Machina, Ciconia, Molitio, Gl. Aristotelis definitionem vocabuli v. in Μηχανικός.] Dixissem et Molimen, nisi significaret potius Id ipsum quod molitur. Machinatio quidam interpr., sed nomine Machinamentum aptius redditur : quod tamen alioqui respondet potius nomini μηχάνημα, quum machinatio sit ipsa machinandi actio. A Bud. liberius exp. Inventum, Commentum, Artificium, Ars, Solertia. Polit. autem reddidit nomine Machina metaphorice sumpto. Ego vero existimo μηχανὴν multis in ll. aptissime redditum iri nomine Lat. Fabrica : eum sc. huic nomini dando usum, quem dedit Plautus, quum dixit, Nunc hoc consilium capio, et hanc fabricam apparo, Ut te allegemus, quot filias dicas tuas. Item, Quot admovi fabricas et quot fallacias. Quem imitatus Terent. dixit, Nonne ad senem aliquam fabricam fingit ? Sic autem et Galli verbo suo *Forger*, quod proprie est Fabricari, metaph. utuntur, quum dicunt, *Forger un mensonge*, *Forger une tromperie*. Sed quid vetat, objiciet aliquis, hujusmodi in ll. Machinam dicere ? Nihil certe : sed quum Machina et Machinæ metaphorica significatione in malam partem accipiantur pro Technis et Fallaciis, s. Dolis, alterum illud nomen Fabrica nonnullis puto locis adhiberi posse, quibus Machina non item : quod illud paulo videatur mollius quam hoc, et εὐφημότερον : sicut Eust. [Il. p. 482, 32] μηχανὴν esse dicit εὐφημοτέραν τοῦ δόλου. Qua tamen de re vix pronuntiare audeo. At vero de hoc loquendi

A genere Omnes adhibere machinas, dicam infra in Μηχανὴ pro Machina belli. Addo porro et hæc, quod ad commodam nominis hujus μηχανὴ interpretationem attinet, quum ponitur in dat., tum ablativum Lat. Ope aliquando ei interpretando esse idoneum. Sed ad exempla venio. [Pind. Pyth. 1, 41 : Ἐκ θεῶν μαχαναὶ πᾶσαι βροτέαις ἀρεταῖς· 3, 62 : Τὰν ἔμπρακτον ἄντλει μαχανάν· 109 : Τὸν ἀμφέποντ' ἀεὶ φρασὶν δαίμον' ἀσκήσω κατ' ἐμὰν θεραπεύων μαχανάν· 8, 35 : Ἐμᾷ ἀμφὶ μαχανᾷ, de arte poetica. 78 : Ὀρθοβούλοισι μαχαναῖς· Nem. 7, 22 : Ποτανᾷ μαχανᾷ. Æsch. Sept. 132 : Ἰχθυβόλῳ μαχανᾷ· Pers. 113 : Λαοπόροις μηχαναῖς· 722 : Μηχαναῖς ἔζευξεν Ἕλλης πορθμόν· Suppl. 462 : Τί σοι περαίνει μηχανὴ συζωμάτων· 956 : Εὐερκῆ πόλιν πύργων βαθείᾳ μηχανῇ κεχληιμένην· Prom. 206 : Αἱμύλας δὲ μηχανὰς ἀτιμάσαντες. Soph. El. 1228 : Μηχαναῖσι μὲν θανόντα, νῦν δὲ μηχαναῖς σεσωσμένον, et alibi sæpius eodem casu. Eur. Ion. 833 : Οἳ συντιθέντες τἄδικ' εἶτα μηχαναῖς κοσμοῦσι. Et alibi. Idem Rhes. 578 : Ἴσως ἐφ' ἡμῖν μηχανὴν στήσων τινά· Or. 1421 : Κᾀδόκει τοῖς μὲν οὔ,
B τοῖς δ' ἐς ἀρκυστάταν μηχανὰν ἐμπλέκειν παῖδα τὰν Τυνδαρίδ' ὁ μητροφόντας δράκων. Cum genit. rei Eur. Ion. 1216 : Τόλμας Κρεούσης πώματός τε μηχανάς· fr. ap. Athen. 4, p. 158, E : Ἄλλων ἐδεστῶν μηχανὰς θηρεύομεν.] Aristoph. Vesp. [365] : Ἀλλὰ καινὴν [καὶ νῦν] ἐκπόριζε μηχανὴν ὅπως τάχισθ', ubi commode usuros nos existimo nomine illo Fabrica, ita vertendo, Sed novam reperito fabricam quamcitissime. [Ach. 391 : Εἶτ' ἐξάνοιγε μηχανὰς τὰς Σισύφου· 738 : Μεγάρικά τις μαχανά· Thesm. 1132 : Ἄλλην τινὰ τούτῳ πρέπουσαν μηχανὴν προσοιστέον.] Itidem vero in hoc ejusd. Aristoph. l. [Vesp. 149] : Ἐνταῦθα νῦν ζήτει τιν' ἄλλην μηχανήν. Usus est autem Herodian. eod. nomine cum eod. verbo, 3, [15, 10] : Καὶ πᾶσαν μηχανὴν κατὰ τοῦ ἀδελφοῦ ἐζήτει, ubi Polit. Nullasque non machinas adversus germanum intendebat. [Eur. Iph. T. 112 : Τολμητέον τοι ξεστὸν ἐκ ναοῦ λαβεῖν ἄγαλμα πάσας προσφέροντε μηχανάς. Xen. Anab. 4, 5, 16 : Ἐδεῖτο αὐτῶν πάσῃ τέχνῃ καὶ μηχανῇ μὴ ἀπολείπεσθαι. « Μηχανὴν πᾶσαν προσφέρεσθαι, Polyb. 1, 18, 11. Πᾶσαν βίαν προσφέρον-
C τες καὶ μ., 2, 2, 7. Ἐπεισάγειν 29, 10, 1. » Schweigh. Lex.] Lucian. : Καὶ ὀδοῦσι καὶ ὄνυξι καὶ πάσῃ μηχανῇ ἐφύλαττον, ubi apte redditum iri puto Omni ope. [Πάσῃ μ., Omnino, Aristoph. Lys. 300 : Κἄστι Λήμνιον τὸ πῦρ τοῦτο π. μ. Seager.] Cic. certe itidem dixit Omnibus ungulis, scribens, Toto corpore atque omnibus ungulis, ut dicitur, contentioni vocis inserviunt. Legitur autem et ap. Plat. Leg. [4, p. 713, E], Πάσῃ μηχανῇ hac in signif. At Synes. dixit, Ἁπάσῃ ῥώμῃ καὶ μηχαναῖς, ubi videri possit omissus dat. ἁπάσαις post μηχαναῖς : ita enim scriptum est ap. eum initio Epist. 11 : Οὔτε πρότερον ὑμῶν ἐγὼ περιῆν, ἁπάσῃ ῥώμῃ καὶ μηχαναῖς ἐκκλίνας ἱερωσύνην, οὔτε νῦν ὑμεῖς ἐμοῦ κεχρατήκατε. Sed fortasse ex dat. ἁπάσῃ relinquere voluit subaudiendum itidem dat. ἁπάσαις cum μηχαναῖς. [Sic Eur. fr. Temen. ap. Stob. Fl. 39, 1 : Εἰκὸς δὲ παντὶ καὶ λόγῳ καὶ μηχανῇ πατρίδος ἐρῶντας ἐκπονεῖν σωτηρίαν.] Xen. Cyrop. 7, [5, 38] : Καὶ ὠθουμένων περὶ τοῦ προσελθεῖν, μηχανή τε πολλὴ καὶ μάχη ἦν, ubi redditur Conatus. Alicubi [Herodot. 8, 57] Bud., Εἴ τίς ἐστι
D μηχανή, reddidit, Si quidem comminisci potes. [Contra Lucian. D. mort. 27, 5 : Οὐδεμιᾷ μηχανῇ ἀνίστασθαι ἤθελεν.] Et μηχανὴ πεπλεγμένη in VV. LL. ex Eur. Andr. [996], Structa fraus, Compositus dolus : ut autem hic μηχανὴ πεπλεγμένη, sic, Ἀεί τινας πλέκων μηχανάς, in Plat. Symp. [p. 203, D] legitur. [Eur. Andr. 66 : Ποίας μηχανὰς πλέκουσιν αὖ ;] Ibid. ex Hesiodo [Th. 146] : Μηχαναὶ ἦσαν ἐπ' ἔργοις, Molitiones operum erant : i. e. Valebant peritia ad opera facienda. Ita quidem ibi exp., sed et aliam expos. admittit hic locus. [Herodot. 3, 83 : Ἤτοι κλήρῳ γε λαχόντα ἢ ἄλλῃ τινὶ μηχανῇ. « Lucian. Jov. trag. c. 24 : Ἐκποδὼν ποιήσασθαι ... ἤτοι κεραυνῷ ἢ ἄλλῃ τινὶ μ. » Courier.] Ceterum dicitur etiam μηχανὴ cum gen. [tam rei inveniendæ quam amoliendæ] : item sequente ὥστε cum infin. [Æsch. Sept. 209 : Μὴ εἰς πρῷραν φυγὼν πρύμνηθεν ηὗρε μηχανὴν σωτηρίας. (Eadem phrasi Eur. Hel. 1034.) Ag. 1609 : Πᾶσαν συνάψας μηχανὴν δυσβουλίας. Eur. Alc. 221 : Ἔξευρε μηχανήν τιν' Ἀδμήτῳ κακῶν. Diodor. 3, 28, θήρας.] Xen. Cyrop. 5, [1, 13] :

Μυρίων δ' οὐσῶν μηχανῶν ἀπαλλαγῆς τοῦ βίου. [Æsch. Eum. 82 : Μηχανὰς εὑρήσομεν ὥστ' ἐς τὸ πᾶν σε τῶνδ' ἀπαλλάξαι πόνων.] Plato Apol. [p. 39, A] : Καὶ ἄλλαι πολλαὶ μ. εἰσὶν ἐν ἑκάστοις τοῖς κινδύνοις, ὥστε διαφεύγειν θάνατον. [Conf. Conv. p. 178, E. Ps.-Herodot. Vita Hom. c. 10 : Ἀπὸ τῆς ποιήσιος τοῦ βίου τὴν μηχανὴν ἔχων.] At vero de τίς μηχανὴ, sequente infin., pro Quid causæ est : et ἦ ἐστί τις μηχανὴ, pro Fierine quoquo pacto potest? item de οὐδεμία μηχανὴ μὴ, sequente itidem infin., pro Nullo pacto fieri potest quin etc., de his, inquam, consule Bud. p. 936, 937. [Lucian. Abdicat. c. 10 : Τίς ἔτι μηχανὴ μεταβάλλεσθαι; De merc. cond. c. 5 : Τίς ἔτι μηχανὴ μὴ οὐχὶ καὶ πρὸς τοῦτο κακῶς βεβουλεῦσθαι δοκεῖν αὐτούς; Pro imag. c. 24 : Οὐδεμία μηχανὴ μὴ οὐχὶ καὶ αὐτὸν σὺν ἐμοὶ ἁλῶναι. Cum articulo Necyom. c. 2 : Ἃ (ψηφίσματα) οὐδεμία μηχανὴ τὸ διαφυγεῖν αὐτούς· Pisc. c. 4: Οὐδεμία μηχανὴ τὸ διαφυγεῖν με. Herodot. 2, 160 : Οὐδεμίαν εἶναι μηχανὴν ὅκως οὐ τῷ ἀστῷ ἀγωνιζομένῳ προσθήσονται· 181 : Ἔστι τοι οὐδεμία μηχανὴ μὴ οὐκ ἀπολωλέναι κάκιστα. Et cum infinit. 1, 209 : Οὐκ ὦν ἔστι μηχανὴ ἀπὸ τῆς ὄψιος ταύτης οὐδεμία τὸ μὴ κεῖνον ἐπιβουλεύειν ἐμοί. Et sequente μὴ οὐ 3, 51 : Περίανδρος οὐδεμίαν μηχανὴν ἔφη εἶναι μὴ οὔ σφι ἐκεῖνον ὑποθέσθαι τι. Plato Phæd. p. 72, D : Τίς μηχανὴ μὴ οὐχὶ πάντα καταναλωθῆναι; 86, A : Οὐδεμία γὰρ μηχανὴ εἴη τὴν λύραν ἔτι εἶναι. Absolute Herodot. 7, 51 : Συμβουλεύω τοι μηδεμιῇ μηχανῇ ἄγειν ἐπὶ τοὺς πατέρας.] || Machina, Machina belli (nam et cum hoc gen. usus est Maro), Machinamentum. Thuc. 4 : Μηχανῆς μελλούσης προσάξεσθαι αὐτοῖς ἀπὸ τῶν ἐναντίων· 2, [76] : Ἅμα δὲ τῇ χώσει καὶ μηχανὰς προσῆγον τῇ πόλει, quod Latini dicunt Admovere machinas. 8, [100] : Ὡς κατὰ κράτος μηχαναῖς τε καὶ παντὶ τρόπῳ ἢν δύνωνται αἱρήσοντες τὴν Ἔρεσόν. Sic et aliis plerisque ll. : itidemque ap. ceteros Historicos [Xenoph., Polybium et al.]. Ceterum in metaphoram abiit hoc loquendi genus, προσάγειν τὰς μηχανὰς, quæ extat ap. Lucian. Ead. autem et Ciceronem usum esse manifestum est, quum dixit, Ut omnes adhibeam machinas ad tenendum adolescentem. Μηχανὴ generalius etiam pro Machina : unde μηχανικός. Sic et in proverb. Θεὸς ἀπὸ μηχανῆς, de quo lege Erasm. in his proverbialibus verbis, Deus ex improviso apparens. [Aristot. Poet. c. 15 : Φανερὸν οὖν ὅτι καὶ τὰς λύσεις τῶν μύθων ἐξ αὐτοῦ δεῖ τοῦ μύθου συμβαίνειν, καὶ μὴ, ὥσπερ ἐν τῇ Μηδείᾳ, ἀπὸ μηχανῆς. Antiphanes ap. Athen. 6, p. 222, C : Αἴρουσιν ὥσπερ δάκτυλον τὴν μηχανήν (de locutione Αἴρειν τὸν δάκτυλον v. in Αἴρω). Plut. Themistocl. c. 10 : Ὥσπερ ἐν τραγῳδίᾳ μηχανὴν ἄρας σημεῖα δαιμόνια καὶ χρησμοὺς ἐπῆγεν αὐτοῖς · et eadem phrasi c. 32, Lysand. c. 25. Alexis ap. Athen. 6, p. 226, C : Καὶ θᾶττον ἀποπέμψουσι τοὺς ὠνουμένους ἀπὸ μηχανῆς πωλοῦντες... ὥσπερ οἱ θεοί. Plat. Clitoph. p. 407, A : Ὥσπερ ἐπὶ μηχανῆς τραγικῆς θεός· Crat. p. 425, D : Ὥσπερ οἱ τραγῳδοποιοὶ ἐπὶ τὰς μηχανὰς καταφεύγουσι θεοὺς αἴροντες. Demosth. p. 1026, 1 : Τιμοκράτης μόνος, ὥσπερ ἀπὸ μηχανῆς, μαρτυρεῖ. || Hesychius : Μηχαναὶ, ὄργανά τινα μηχανικὰ, ἐν οἷς προσδεσμούμενα τὰ κτήνη ἀλήθουσιν.]

Μηχάνημα, τὸ, Machinamentum, Machina : ut videmus Lucian. [De hist. scrib. c. 29] vocare μηχάνημα, quod a Thuc. dicitur μηχανὴ, de quodam l. ejus loquentem. Ap. Dem. [p. 115, 7, 16] non semel μηχανήματα ἐφιστάντα πολιορκεῖν, item μηχανήματα προσάγειν τοῖς τείχεσι. Nec tantum de machinis bellicis, sed et de aliis ap. Athen. || Metaphorice, sicut Lat. Machina, Lucian. De cal. [et Alex. c. 20.] Exp. et Commentum, Artificium. [Molitio, Gl. Æsch. Prom. 469 : Τοιαῦτα μηχανήματ' ἐξευρὼν τάλας βροτοῖσιν, de equitatione et navigatione. Et 989 : Οὐκ ἔστιν αἴκισμ' οὐδὲ μηχάνημ', ὅτῳ προτρέψεταί με Ζεὺς γεγωνῆσαι τάδε. Et alibi. Soph. OEd. C. 762 : Κἀπὸ παντὸς ἂν φέρων λόγου δικαίου μ. ποικίλον. Anon. ap. Plut. Mor. p. 16, D : Ὦ μηχάνημα, Σφιγγὸς αἰολώτερον. Et sæpius ap. Eurip. Aristoph. Eq. 850 : Ἔστι τοῦτο μηχάνημ', ὦ Δῆμ', ἵν', ἢν σὺ βούλῃ τὸν ἄνδρα κολάσαι τουτονὶ, σοὶ τοῦτο μὴ 'γγένηται· 901 : Ἦν γε τοῦτο Πυρράνδρου τὸ μηχάνημα. Xen. Cyrop. 1, 6, 38 : Καὶ ἐν τοῖς πολεμικοῖς μᾶλλον τὰ καινὰ μηχανήματα εὐδοκιμεῖ· Hipparch. 5, 3 : Ἀγαθὸν δὲ μηχάνημα καὶ τὸ δύνασθαι... φόβον πα-

A ρασκευάζειν τοῖς πολεμίοις. Cum præp. πρὸς Cyrop. 1, 6, 38 : Τῶν πρὸς τοὺς πολεμίους μηχανημάτων. Et aliter 8, 6, 17 : Κατεμάθομεν δὲ αὐτοῦ καὶ ἄλλο μηχάνημα πρὸς τὸ μέγεθος τῆς ἀρχῆς. Cum præp. εἰς sic Reip. Lac. 8, 5 : Πολλῶν ὄντων μηχανημάτων καλῶν τῷ Λυκούργῳ εἰς τὸ πείθεσθαι τοῖς νόμοις ἐθέλειν τοὺς πολίτας. Callistratus Stat. p. 895 : Οὐ γὰρ ἦν αὐτῷ μηχάνημα τὰς παρειὰς φοινίξαι.]

[Μηχάνησις, εως, ἡ, Machina. Polyb. 1, 22, 7, σιτοποιική. Forma Dor. Μαχάνασις ap. Theagem p. 682 ed. Galei.]

Μηχανητέον, Machinandum. Plato Leg. l. 7, [p. 798, E] : M. μηχανὴν πᾶσαν ὅπως ἂν κτλ. [Gorg. p. 481, A : M. ὅπως ἂν διαφύγῃ. Xen. Hipparch. 5, 11 : Τοῦτο αὐτῷ μ.]

Μηχανητὴς, ὁ, Machinator. [Schol. Aristoph. Ach. 850, pro Mechanico. Hemst.]

Μηχανητικὸς, ἡ, ὸν, Machinandi peritia præditus s. machinas fabricandi. Sed exp. etiam, Solers et excogitator, a Bud., in Xen. [Eq. 5, 2] : Χρὴ δὲ τὸν ἵπ-
B παρχον μηχανητικὸν εἶναι καὶ τοῦ πολλοὺς μὲν φαίνεσθαι τοὺς ὀλίγους ἱππέας, πάλιν δ' ὀλίγους, τοὺς πολλούς. Sed μηχανητικὸν εἶναι τοῦ aptius exponetur aut hoc, aut simili modo, Artem aliquam excogitare, qua efficiat ut etc.

[Μηχανητὸς, ἡ, ὸν, Arte factus. Tzetz. Hist. 3, 42 : Ἐν τοῖς ὀρόφοις οὐρανὸν ἔχων τεχνιτευθέντα, ἐξ οὗ βρονταὶ καὶ κεραυνοὶ μηχανητοὶ καὶ ὄμβροι· 6, 612 : Στήλη τούτῳ γέγονε πυρροποικίλου λίθου μηχανητή. Elberling. Idem in Cram. An. vol. 3, p. 384, 27. L. Dind.]

[Μηχανία, ἡ, i. q. μηχανή. Ephræm Syr. vol. 3, p. 230, B : Οὓς διασκορπίζει ὁ ἐχθρὸς τῇ αὐτοῦ μηχανίᾳ. Epiphan. vol. 1, p. 69, D : Μαγγανικαῖς μηχανίαις. L. D. Forma poet. Orac. Sibyll. 8, p. 709 : Οὐ φθόγγος κιθάρης, οὐ μηχανίη κακοεργός.]

Μηχανικὸς, ἡ, ὸν, i. q. μηχανοποιὸς infra (vel potius latius patens, quum μηχανοποιητικὴ pars esse censeatur τῆς μηχανικῆς, ut ex Polit. docebo infra), Mechanicus [Gl.], Suetonio in Augusto. Quidam interpr. et Machinarius ex Paulo JCto. Est autem μηχανικὸς,
C s. Mechanicus, Qui fabricandarum machinarum est peritus, Machinalis artis peritus. Sed id de certis quibusdam machinarum generibus intelligendum est, ut videbis paulo post in Μηχανικὴ τέχνη : quum alioqui vulgo definiatur μηχανικὸς, Opifex eorum operum quæ ingenio simul et manu fiunt. [Manetho 4, 439 : Μηχανικοὺς τεύχει. Schol. Hom. Il. Σ, 590 : Δαιδάλου τοῦ μηχανικοῦ.] Sed et aliquod opus dicitur esse μηχανικὸν, A mechanico factum, s. arte mechanica : atque ita μηχανικὸν ἔργον dixit Alex. Aphr. [et κατασκευάσματα, Probl. 1, 95.] Legitur et μηχανικὰ ὄργανα [ap. Diod. 17, 98. « Ἑλεπόλεις μηχανικαὶ ap. Anon. in Romano Lecapeno n. 24. » Ducang.] Sed et ναῦς μηχανικὴ, qualis illa quam Moschion ap. Athen. [5, p. 206 sqq.] describit, ut Machinosa navis ap. Suet. Extat etiam liber Aristotelis inscriptus Μηχανικὰ problemata, i. e. De rebus ad artem mechanicam pertinentibus. Hæc autem ars dicitur μηχανικὴ, subaudiendo, ut in aliis hujusmodi adjectivis, τέχνη. [Epigr. Anth. Pal. 9, 807, 1 : Μηχανικὴ Φαέθοντα
D βιάζεται ἁρμονικοῖσι γνώμοσιν ἀγρεύειν τὸν δρόμον ἠελίου.] De qua ita Aristot. initio suorum Μηχανικῶν Probl. : Ὅταν οὖν δέῃ τι παρὰ φύσιν πρᾶξαι, διὰ τὸ χαλεπὸν ἀπορίαν παρέχει, καὶ δεῖται τέχνης· διὸ καὶ καλοῦμεν τῆς τέχνης τὸ πρὸς τὰς τοιαύτας ἀπορίας βοηθοῦν μέρος, μηχανικήν [μηχανήν]. Quæ ita reddita sunt : Quando igitur aliquid præter naturam oportet facere, difficultas ejus hæsitationem affert, arteque indiget. Quamobrem eam artis partem quæ hujusmodi succurrit difficultatibus, μηχανικὴν appellamus. Quibus subjungit, Καθάπερ γὰρ ἐποίησεν Ἀντιφῶν ὁ ποιητὴς, οὕτω καὶ ἔχει· τέχνῃ γὰρ κρατοῦμεν ὧν φύσει νικώμεθα. Τοιαῦτα δέ ἐστιν, ἐν οἷς τά τε ἐλάττονα κρατεῖ τῶν μειζόνων, καὶ τὰ ῥοπὴν ἔχοντα μικρὰν, κινεῖ βάρη μεγάλα, καὶ πάντα σχεδὸν ὅσα τῶν προβλημάτων μηχανικὰ προσαγορεύομεν. Quæ etiam sunt ibi ita reddita : Quemadmodum enim Antipho poeta scribit, sic se res habet; arte enim superamus ea, a quibus natura vincimur. Hujusmodi autem sunt ea, in quibus et minora superant majora, et quæcunque momentum parvum

habent, magna movent pondera : et omnia fere illa, quæ μηχανικὰ nuncupamus problemata. Hæc ille ; sed ex ipsorum Problematum lectione multo erit apertius qualibus in rebus versetur hæc ars μηχανική. Libuit tamen et ex Herone quædam proferre de hac arte, vel potius ea Politiani quæ ex Herone mutuatus est : quo simul et alia vocabula declarentur, quæ alioqui nobis alibi declaranda essent. Ita igitur ille in suo Panepistemone : Mechanica sequitur, cujus, ut Heron, Pappusque declarant, altera pars rationalis est, quæ numerorum, mensurarum, siderum, naturæque rationibus perficitur : altera χειρουργική, cui vel maxime artes illæ, æraria, ædificatoria, materiaria, picturaque, adminiculantur. Hujus autem partes, manganaria, per quam pondera immania minima vi tolluntur in altum : μηχανοποιητική, Quæ facile aquas antliis extrahit : ὀργανοποιητική, Quæ bellis accommodata instrumenta fabricatur, arietes, testudines, turres ambulatorias, helepoleιs, sambucas, exostras, tollenones, et quæcunque Græco vocabulo πολιορκητικὰ vocantur, tormentorumque varia genera, quæ libris Athenæi, Bitonis, Heronis, Pappi, Philonis, Apollodorique continentur, ut Latinos omiserim. Mox et quæ θαυματουργική, cujus exempla sunt ὑδραυλικὰ organa, quæque per se ventorum flatu resonant. Et quod vas Dicæometron vocabant, et quod voces avium variarum exprimit : et quod indidem merum, mox dilutum vinum, mox aquam calidam, mox frigidam, copiosam tenuemque vicissim funditat. Et σίφωνες extinguendis incendiis, et medicinabiles cucurbitulæ sine ignis ministerio cutem prehendentes, et pilæ sponte saltantes, et lucerna suas ipsa producens stuppas : et animal, quod a structore dum secatur in mensa, bibit interim, crepituque suo quodam et voce sitientis repræsentat imaginem : milleque alia id genus, quæ brevitatis studio præterimus. Hæc igitur, ut in capita quædam conferatur, aut ponderibus utitur, et spiritu, quorum præponderatio movet, æquilibrium sistit, sicuti etiam Timæus definit, aut nervis et funiculis animatos quasi tractus ac motus imitatur, ac circa illa quæ subnatent aquis, aut item circa aquarum vertitur horologia : quorum quidem generum primum docet in pneumaticis Heron, alterum idem in automatis et zygiis, quartum rursus in hydriis, tertium vero in ochumenis Archimedes. Est in eadem mechanicæ serie quæ Centrobatica pars dicitur, ex qua reliquæ pendere dicuntur, et sphæropœia, qualis illa Archimedea Claudiani laudata versibus. Suppeditat eadem architecturæ quoque scansorias, tractiles, et spirituales machinas. Dici autem et Μηχανικὸς a Xen. pro μηχανητικὸς, testatur idem Bud. p. 258. [Comm. 3, 1, 6 : Καὶ γὰρ παρασκευαστικὸν τῶν εἰς τὸν πόλεμον τὸν στρατηγὸν εἶναι χρὴ... καὶ μηχανικὸν καὶ ἐργαστικόν· 4, 3, 1 : Λεκτικοὺς καὶ πρακτικοὺς καὶ μηχανικοὺς γίγνεσθαι τοὺς συνόντας. Et cum genit. Reip. Lac. 2, 7 : Μηχανικωτέρους τῶν ἐπιτηδείων βουλόμενος τοὺς παῖδας ποιεῖν. Atque etiam H. Gr. 3, 1, 8 : Δερκυλίδας, ἀνὴρ δοκῶν εἶναι μάλα μηχανικὸς, καὶ ἐπεκαλεῖτο δὲ Σίσυφος, ubi μηχανητικὸς plures libri meliores, hanc formam præstare videtur Photius : Μηχανικόν· Ξενοφῶν τὸν πανοῦργον καὶ δεινόν. || Adv. Μηχανικῶς, Diod. 18, 27 : Κατὰ μέσον τὸ μῆκος εἶχον πόλον ἐνηρμοσμένον μηχανικῶς ἐν μέσῃ τῇ καμάρᾳ.]

[Μηχανῖτις, ιδος, ἡ, cogn. Minervæ. Pausan. 8, 36, 5 : Ἔστι δὲ (prope Mænalum Arcadiæ) Ἀθηνᾶς ἱερὸν ἐπίκλησιν Μαχανίτιδος, ὅτι βουλευμάτων ἐστὶν ἡ θεὸς παντοίων καὶ ἐπιτεχνημάτων εὑρέτις. Veneris, 8, 31, 6 : Ἀγάλματα δὲ ἐν τῷ ναῷ Δαμοφῶν ἐποίησεν, Ἑρμῆν ξύλου καὶ Ἀφροδίτης ξόανον· καὶ ταύτης χεῖρές εἰσι λίθου καὶ πρόσωπόν τε καὶ ἄκροι πόδες. Τὴν δὲ ἐπίκλησιν τῇ θεῷ Μαχανῖτιν ὀρθότατα ἔθεντο, ἐμοὶ δοκεῖν· Ἀφροδίτης τε εἵνεκα καὶ ἔργων τῶν ταύτης πλεῖσται μὲν ἐπιτεχνήσεις, παντοῖα δὲ ἀνθρώποις ἀνευρημένα ἐς λόγους ἐστίν.]

[Μηχανιώτης, ὁ, Machinator, Versutus. Hom. H. Merc. 436.]

Μηχανόβιος, ὁ, ἡ, i. q. βιομήχανος (it hoc autem expositum in Βίος), afferturque a Bud. μηχανόβιος ex Aristot., quum tamen ap. eum non μηχανόβιος, quod quidem sciam, sed βιομήχανος legatur. Sed sive consulto ita scripserit Bud., diversum a nostris secutus exemplar, sive per imprudentiam, non dubito quin illud æque dici possit atque hoc.

[Μηχανογράφος, ὁ, vocatur Philo, qui de Machinis scripsit, Tzetz. Hist. 2, 152. Conf. Fabric. Bibl. Gr. vol. 4, p. 231. Πᾶς μ., Tzetz. ib. 12, 976. Elberl.]

[Μηχανοδίφης, ὁ, Machinæ scrutator. Aristoph. Pac. 790. Quod quomodo explicent scholl. v. ap. ipsos. ῑ]

[Μηχανόεις, εσσα, εν, Artificiosus, Callidus. Soph. Antig. 365 : Σοφόν τι τὸ μηχανόεν τέχνας.]

[Μηχανοπλοκέω, Machinas plecto. Const. Man. Chron. 5324 : Δόλους ὑπορράπτουσι καὶ μηχανοπλοκοῦσι. Boiss.]

[Μηχανοποιέω, Machinor, Machinas adhibeo. Hippocr. p. 763, A : Καὶ γὰρ σολοικότερον μηχανοποιέειν· et p. 772, C. Medio p. 765, B : Μηχανοποιέεσθαι χρή. Passivo 772, A : Εἰ καλῶς μηχανοποιηθείη.]

[Μηχανοποίημα, τὸ, Machina. Salust. De diis et mundo c. 8, p. 259 ed. Gal.]

[Μηχανοποιητική. V. Μηχανικός.]

[Μηχανοποιία, ἡ, Machinarum fabricatio.]

Μηχανοποιὸς, ὁ, Machinarum faber, qui et μηχανικός. Quidam interpr. Organarius ex Jul. Firmico. [Aristoph. Pac. 173 : Ὦ μηχανοποιέ (in scena). Idemque in fr. Dætal. ap. Erotian. p. 50. Xen. Cyrop. 6, 1, 22, H. Gr. 2, 4, 27 ; Plato Gorg. p. 512, B, C ; Diod. 14, 43.]

[Μηχανορράφέω, Machinas consuo. Æsch. Cho. 221 : Αὐτὸς καθ' αὑτοῦ τἄρα μηχανορραφῶ.]

Μηχανορραφία, ἡ, Machinarum consutura, etc. Fraudum excogitatio. [Const. Manass. Chron. 1298 : Δόλους ἤρτυε καὶ μηχανορραφίας. Boiss.]

Μηχανορράφος, ὁ, q. d. Machinarum consutor, Machinarum structor. Technarum (aut Fraudum, qua in signif. Plaut. voce hac uti dixi), Machinarum excogitator s. Fraudum. Eur. [Andr. 448] : Μηχανορράφοι κακῶν, ubi ponitur simpliciter pro Machinatores. Sic autem et Hom. κακὰ μηχανόωνται non semel dicit. [Ib. 1117 : Εἷς ἦν ἁπάντων τῶνδε μ. Sine genitivo Soph. OEd. T. 387. Themist. Or. 7, p. 92, D ; schol. Æsch. Cho. 19, Hesych.]

[Μηχανοτευχέω, Machinas fabricor. Tzetzes Hist. 3, 59. Elberl.]

[Μηχανουργία, ἡ, Machina vel Machinarum fabrica. Tzetz. Hist. 11, 595 : Γεωμετρία χρήσιμος πολλαῖς μηχανουργίαις πρός τε ἑλκύσεις τῶν βαρῶν, ἀναγωγὰς, ἀφέσεις πετροπομποὺς καὶ μηχανὰς ἄλλας πορθητηρίας... καὶ σωστικὰς δὲ πόλεων ἄλλας μηχανουργίας. Elberl. Is. Porphyrog. in Allatii Exc. p. 278, 280, 286. Boiss. Improprie Joseph. Thessalonic. ap. Gretser. Opp. vol. 2, p. 87, B : Τὰς τοῦ Βελιὰλ δεινὰς μηχανουργίας. Et ap. Hesychium in gl. a Musuro omissa ap. Schow. p. 741 : Τακτωρία, μ., ubi voc. a τρακτ— formatum latere, velut Τρακτεία, ostendit proxima Τρακτεύει, μηχανᾶται. L. Dind.]

Μηχανουργὸς, ὁ, i. q. μηχανοποιὸς paulo ante. [Epigr. Anth. Plan. 382, 1 : Σκόπει τὸ δρᾶμα μηχανουργοῦ τοῦ δόμου. Εἰ μὴ γὰρ ἐστέγαστο καρτερᾷ σκέπῃ, πρὸς οὐρανοὺς ἂν ὦρτο Φαυστῖνος τρέχων κτλ.]

[Μηχανοφόρος, ὁ, ἡ, Machinas ferens, vehens. Plut. Anton. c. 38 : Τῶν μ. ἁμαξῶν.]

[Μηχάνωμα, τὸ, i. q. μηχάνημα.] Μηχανώματος Hesych. affert pro διαζώματος [διαζώσματος. Theophr. De igni 59 : Πρὸς τὰς ἐμπρήσεις τῶν μηχανωμάτων βοηθεῖν. Inscr. ap. Bœckh. *Urkunden* XI, b, 159, p. 411 : Μηχάνωμα σαπρόν. L. D. Inc. Exod. 28, 22, Symm. Lev. 8, 7. Schleusn.]

[Μηχανωτὸς, ἡ, ὸν, Artificiosus. Basil. Patric. ap. Fabric. B. Gr. vol. 8, p. 138 : Αὐτὸς δὲ ἀεὶ τῶν πρώτων ἐκτελεῖς τὰ δεύτερα μείζονα, καὶ τῇ τούτων ὑπερβολῇ πάντων περιγινόμενος μηχανωτῷ μεγέθει τῶν δευτέρων ἀποκρύπτεις τὰ πρῶτα. Cramer.]

Μῆχαρ, i. q. μῆχος, μηχανὴ (nam μῆχος i. esse q. μηχανὴ, mox dicetur), et ex μῆχος factum, ut δέλεαρ fit a δέλος. Utitur Æsch. Suppl. [394], ubi schol. exp. μηχανήν. [Cum genit., ut μηχανὴ, Ag. 199 : Χείματος μῆχαρ. Sine genit. Prom. 606, Suppl. 594.] Affertur et ex Lycophr. [568 : Βαιόν τι μῆχαρ ἐν κακοῖς δωρούμενος] pro Conamen : exponiturque ibi et ὄφελος. [Μηχάνημα, ὄφελος explicat etiam Hesych.]

[Μήχι, Ne, Non. Antiatt. Bekk. p. 108, 14 : Μήχι, ὡς ναίχι καὶ οὐχί. Εὔβουλος Δαιδάλῳ.]

Μῆχος, τὸ, i. q. μηχανή. Quare exp. Artificium, Consilium, Commentum, Remedium, Dolus. Hom. Il. B, [342]: Οὐδέ τι μῆχος Εὑρέμεναι δυνάμεσθα, πολὺν χρόνον ἐνθάδ' ἐόντες, Nullum consilium excogitare possumus, Nullam rationem inire. Et Od. Ξ, [238]: Οὐδέ τι μῆχος Ἦεν ἀνήνασθαι· sicut et μηχανὴ infinitivo jungitur interdum. Pro Dolo, Epigr. [Antipatri Anth. Pal. 6, 291, 6] in hoc pentametro, Αὐτῆμαρ τοῖον μῆχος ἐπεφράσατο. Sic autem dicitur μῆχος pro μηχανὴ ut ἦδος pro ἡδονή : itidemque est indeclinabile. [Cum genit. Æsch. Ag. 2 : Φρουρᾶς ἐτείας μῆχος. Eur. Andr. 536 : Τί δ' ἐγὼ κακῶν μῆχος ἐξανύσωμαι; Theocr. 2, 95 : Χαλεπᾶς νόσω εὑρέ τι μᾶχος. Herodot. 2, 181 : Τοῦτο γάρ οἱ κακοῦ εἶναι μῆχος· 4, 151 : Ἐπείτε κακοῦ οὐδὲν ἦν σφι μῆχος. Cum inf. Lycophr. 1459 : Ὅτ' οὐδὲν ἔσται μῆχος ὠφελεῖν πάτραν.]

[Μήων. V. Μείων.]

[Μήων, ονος, ὁ, Meon, rex Phrygiæ et Lydiæ, ap. Diod. 3, 58. V. Μαιονία. Μήων Trojanus est Hom. Il. E, 43.]

Μιαιγαμία, ἡ, Pollutæ nuptiæ, Temeratæ ac impuræ nuptiæ. Ita vocat Suid. filiorum Sethi et Enochi coitum cum filiabus Caini : quod hæ pollutæ et impuræ essent, illi contra ex numero filiorum Dei. [Georg. ante Jo. Malalam p. 7, 18 : Ἀκολασίᾳ πρὸς τὰς θυγατέρας Καΐν εἰσῆλθον, ἐξ ὧν οἱ ἐκ τῆς καταλλήλου μιαιγαμίας γίνονται γίγαντες. Wakef.]

Μιαίνω, ανῶ, Inquino, Contamino, Conspurco, Fœdo. [Attamino, Inquino, Incesto, Violo, Scelero, Impio, Pio, add. Gl.] A cujus pass. Μιαίνομαι est μιάνθησαν, ap. Hom. Il. Ψ, [732] : Μιάνθησαν δὲ κονίῃ. Π, [795] : Μιάνθησαν δὲ ἔθειραι Αἵματι καὶ κονίῃσι· dici autem et de homicidis μιαίνεσθαι αἵματι, docebo infra. [Δ, 146 : Τοῖοί τοι, Μενέλαε, μιάνθην αἵματι μηροί. Theocr. 27, 51 : Βάλλεις εἰς ἀμάραν με καὶ εἵματα καλὰ μιαίνεις· 23, 56 : Ἐπὶ νεκρῷ εἵματα πάντ' ἐμίανεν ἐφαβικά. « Anon. ap. Suid. v. Ψαφαρῇ cit.: Ἔστασαν οὐδὲ κόμας (em. κόμαι) ψαφαρῇ μεμίαντο κονίῃ.» Valck.] Idem poeta dixit μιαίνειν pro Inficere, simpliciter Tingere, i. e. βάπτειν, Il. Δ, [141]: Ὡς δ' ὅτε τίς τ' ἐλέφαντα γυνὴ φοίνικι μιήνῃ Μηονὶς ἠὲ Κάειρα. Videtur autem ideo usus hoc verbo Hom., quod veluti fœdari videatur ebur, quum pulcro ejus candori alius color imponitur. Virg. certe μιαίνειν videtur voluisse interpretari Violare : quippe qui ead. comparatione utens, dixit Æn. 12, [67] : Indum sanguineo veluti violaverit ostro Si quis ebur. [Qua de potestate conf. Porphyrius Abst. 4, p. 368, et Μιασμός. Ad ejusmodi signif. an spectet Hesychii gl.: Ἐμίηνεν, ἐκ μίξεως διέφθειρεν, incertum. Videtur enim potius vertendum Incesto, ut supra in Gl. Æsch. Eum. 695 : Κακαῖς ἐπιρροαῖσι βορβόρῳ θ' ὕδωρ λαμπρὸν μιαίνων. Γυνὴ μεμιασμένη Geopon. 12, 25, 2, i. q. ἔμμηνος 20, 5.] || Polluo, Contemero, Contamino, Conscelero, veluti quum dicitur de iis qui cædem perpetrant : qui usus est frequens in soluta oratione, diciturque μιαίνειν τὰς χεῖρας φόνῳ, αἵματι. [Æsch. Ag. 209 : Μιαίνων παρθενοσφάγοισιν ῥεέθροις πατρῴους χέρας. Soph. OEd. C. 1374 : Πρόσθεν αἵματι πεσεῖ μιανθείς. Apoll. Rh. 4, 716 : Ὀθνείῳ μεμιασμένοι αἵματι χεῖρας. Eademque constr. Nicand. Al. 253 : Κνίδῃ χρῶτα μιαινόμενος. Plato Reip. 10, p. 621, C : Τὴν ψυχὴν οὐ μιανθησόμεθα.] Lucian. [Pseudom. c. 56] : Οὐκ ἂν βουλοίμην μιᾶναι φόνῳ τὰς χεῖρας. Herodian. 2, [5, 10] : Καὶ μὴ μόνον ἐμφυλίῳ, ἀλλὰ καὶ βασιλείῳ μιᾶναι τὰς δεξιὰς αἵματι. [Diod. 1, 65 : Μιάνας ἀσεβεῖ φόνῳ τὸν ἴδιον βίον. Similia Bergler. ad Alciphr. Ep. 1, 8.] Virg. μιαίνειν τὰς χεῖρας αἵματι dixit ad verbum Commaculare manus sanguine : de Medea, Sævus amor docuit natorum sanguine matrem Commaculare manus. Quare ego hæc carmine Græco ita interpretanda censerem, Αἰνὸς ἔρως ἐδίδαξε καὶ αἵματι χεῖρα μιῆναι Μητέρα ὧν τεκέων. Cic. dixit etiam Inquinare se parricidio. Hinc comp. μιαιφόνος. [Pind. Nem. 3, 16 : Μυρμιδόνες ἵνα πρότεροι ᾤκησαν, ὧν παλαίφατον ἀγορὰν οὐκ ἐλεγχέεσσιν Ἀριστοκλείδας... ἐμίανε. Solon ap. Plut. Sol. c. 14 : Μιάνας καὶ καταισχύνας κλέος. Æsch. Sept. 344 : Μιαίνων εὐσέβειαν Ἄρης· Ag. 637 : Εὔφημον ἦμαρ οὐ πρέπει κακαγγέλῳ γλώσσῃ μιαίνειν· 1670 : Μιαίνων τὴν δίκην· Suppl. 225 : Μιαινόντων γένος· 366 : Εἰ μιαίνεται πόλις· Cho. 859 : Μιανθεῖσαι πεῖραι κοπάνων. Soph.

A Ant. 1044 : Θεοὺς μιαίνειν οὔτις ἀνθρώπων σθένει· fr. Alet. ap. Stob. Fl. 88, 11 : Τὸ καλῶς πεφυκὸς οὐδεὶς ἂν μιάνειεν λόγος. Similiter sæpe Euripides, ut Hel. 1009 : Κλέος τοῦ 'μοῦ πατρὸς οὐκ ἂν μιάναιμι.] || Μιαίνω interdum Profano : unde μεμιασμένος ex Thuc. Profanatus. [2, 102 : Ὡς τῆς γε ἄλλης (γῆς) αὐτῷ μεμιασμένης. Plato Leg. 9, p. 868, A : Ὅστις ἀγοράν τε καὶ τὰ ἄλλα ἱερὰ μιαίνῃ. Diod. Exc. p. 537, 57 : Τὸ ἱερὸν τῆς θεοῦ μεμιάνθαι. Plut. Ti. Gracch. c. 21 : Μεμιαγκότα φόνῳ σώματος ἀσύλου τὸ ἁγιώτατον... τῶν ἱερῶν. Quam rariorem perf. formam memorat gramm. Cram. Anecd. vol. 4, p. 182, 25. De incestando, ut supra dictum, Alexander in Gretseri Opp. vol. 2, p. 20, C : Πολλὰς τῶν ἐλευθέρων γυναικῶν ἐμίανεν. Georg. Sync. p. 12, B : Ἔλαβον γυναῖκας καὶ ἤρξαντο μιαίνεσθαι ἐν αὐταῖς. || Photius : Μιαίνεσθαι καὶ ἐκμιαίνεσθαι τὸ ὀνειρώττειν, Σοφοκλῆς. || Ap. Porphyr. Abst. 4, p. 166 : Ἐπίσης μεμίανται τό τε λεχοῦς ἅψασθαι καὶ τὸ θνησειδίων, i. esse q. μιαρὸν δοκεῖ vel ἐστι, animadvertit Lobeck. Aglaoph. p. 190, confertque Horapoll. Hierogl. 1, 44, p. 46 B Leem. : Διὰ τὸ τὴν τούτου (piscis) βρῶσιν μισεῖσθαι καὶ μεμιᾶσθαι (alii libri μεμιᾶνθαι) ἐν τοῖς ἱεροῖς. Comparandus etiam Porph. ipse ib. p. 366 : Τὰ ὑπὸ φύσεως διοικούμενα μὴ μιαίνεσθαι ᾤοντο. || Perf. Μεμίασμαι ex. supra notatum est. Aliud præbet Plato Phæd. p. 81, B. Alius formæ partic. est ap. Jo. Malal. p. 303, 18, ubi μεμιαμμένος, ut in libris nonnullis Orac. Sib. 4, 29, p. 166 ed. Alex. Quam formam testatur gramm. in Cram. Anecd. vol. 4, p. 197, 23. Infinitivi duplicem μεμιᾶσθαι et μεμιᾶνθαι modo notavimus, estque forma μεμιᾶνθαι etiam ap. Diod. Exc. Phot. p. 537, 58. L. Dind.]

Μιαιφονέω, Polluo me cæde, s. Contamino, Homicidium perpetro, Interficio, Trucido [Gl.] : Cic. ap. Plat. [Reip. 9, p. 571, D] p. 11 mei Cic. Lex. μιαιφονεῖν ὁτιοῦν vertit Trucidare aliquem et impie cruentari. [Absolute ib. 8, p. 565, E, Eur. Iph. A. 1364. Addito accusativo Demosth. p. 424, 25.] Isocr. in Panath. [p. 271, B] : Οὐδὲ τοὺς πονηροτάτους τῶν οἰκετῶν ὅσιόν ἐστι μιαιφονεῖν. Lucian. [D. mort. 12, 3] de Alexandro : C Καὶ ἐμιαιφόνει ἐν τοῖς συμποσίοις τοὺς φίλους. [Diod. 19, 1 : Ἡβηδὸν μιαιφονῶν· Exc. p. 614, 25 : Μιαιφονηθέντες (cod. male -φονευθ.) ἀκρίτως.]

Μιαιφονία, ἡ, Pollutio s. Contaminatio ex cæde, Cædes, Homicidium. [Demosth. p. 795, 7. Diod. 17, 5; 19, 1.] Plut. plurali etiam usus est, dicens τὰς τυραννικὰς μιαιφονίας, in libello Π. ἀοργ. [Sing. Mor. p. 857, A; 994, A; 996, E, etc. Epigr. Anth. Pal. 9, 157, 4; 12, 19, a, 6.]

[Μιαιφονικὸς, ή, όν, i. q. sequens. Hesych.: Μιαιφόνον αἷμα, μιαιφονικόν.]

Μιαιφόνος, ὁ, ἡ, Qui polluit se cæde, s. contaminat, Pollutus cæde, s. Contaminatus, Qui homicidium admisit, Homicida, [Cruentus add. Gl.] Sanguinarius, Sicarius, q. d. ὁ μιαίνων φόνῳ ἑαυτόν : ita enim malo quam per vocem pass. resolvere : licet alioqui quod ad signif. attinet, perinde sit. Ap. Hom. Martis est epith., Il. E, [31] : Ἄρες, Ἄρες βροτολοιγὲ, μιαιφόνε, τειχεσιπλῆτα· ex quo versu Lucill. elegantissime hunc fecit per parodiam, Epigr. p. 153 meæ editio- D nis [Anth. Pal. 11, 191, 1] : Ἄρες, ἄρες βροτολοιγὲ, μιαιφόνε, παύεο κουρεῦ, sed παύεο jungitur cum τέμνων, quod habetur initio hujus pentametri, qui illum hexametrum excipit, Τέμνων· οὐ γὰρ ἔχεις οὐκέτι τοῦ με τάμῃς. [Æsch. Prom. 868 : Κλύειν ἄναλκις μᾶλλον ἢ μιαιφόνος. Soph. El. 493 : Μιαιφόνων γάμων ἁμιλλήματα. Eur. Or. 1563 : Ἀνδρῶν ἐκ χερῶν μιαιφόνων· Phœn. 1760 : Σφιγγὸς τῆς μιαιφόνου· El. 322 : Μιαιφόνοισι χερσί· Or. 524 : Τὸ θηριῶδες τοῦτο καὶ μιαιφόνον· Andr. 335 : Μιαιφόνον μὲν οὐκέτ' ἂν φεύγοι μύσος. Cum genit. Med. 1346 : Αἰσχροποιὲ καὶ τέκνων μιαιφόνε. Orph. Lith. 353 : Λοιγὸν ἀδελφειοῖο μιαιφόνον.] Usi sunt hoc nomine et prosæ scriptt., quum alii, tum Xen. [Cyrop. 8, 7, 17] et Aristot. [Athanas. in Chron. Pasch. p. 9, 12 : Παύσονται τῆς μ. προαιρέσεως. Acta SS. April. vol. 3, p. XXI, col. 1 fin.: Τὴν μιαιφόνον ἐκείνου δεδιττόμενοι γνώμην· XXII, col. 2, D : Σκοπὸν ἐχόντων τῶν μιαιφόνων κενῶσαι ταῦτα τῇ γῇ.] In VV. LL. μιαιφονώτερος, Magis mortifer. [Ex Herodoto 5, 92, 6 : Κυψέλου μιαιφονώτερος· et ib. 1 : Τυραννίδας κατάγειν παρασκευάζεσθε, τοῦ οὔτε ἀδικώτερον οὐδέν ἐστι... οὔτε μιαιφονώτερον. Eur. Med. 206 : Οὐκ ἔστιν ἄλλη φρὴν μιαιφονωτέρα. Superl. Tro. 881 : Τῆς μιαιφονωτάτης κόμης ἐπισπάσαντες. HSt. in Ind. :] Ἰαιφόνος, pro μιαιφόνος, Qui cæde se polluit, teste Hesych. Μιηφόνος ead. signif., ut ap. Archilochum, Παῖ δ' Ἄρεω μιηφόνου [ex Eust. Il. p. 519, 6]. Invenitur autem et μιηφόνος non ascripto ι ipsi η : sed mihi placet ascribi, quod putem esse ab ἐμίηνα. [Sed id ipsum scribendum ἐμίηνα. || Adv. Μιαιφόνως, Memno ap. Phot. Bibl. p. 222, 40. Superl. Μιαιφονώτατα, Dio Cass. 79, 3.]

[Μιάκωρος, πόλις Χαλκιδική. Θεόπομπος κε' Φιλιππικῶν. Ὁ πολίτης Μιακώριος, Steph. Byz. Infra Μίλκωρος.]

[Μίαμμα. V. Μίασμα.]

[Μίανσις, εως, ἡ, Inquinamentum, Pollutio. Levit. 13, 44. Porphyr. Abst. 4, p. 367 sq.]

[Μιαντήριον, τὸ, i. q. præcedens. Ms. ap. Lambec. Bibl. Cæs. vol. 8, p. 207, annot. A : Σὲ μὲν διεκώλυσε τῆς τῶν σεπτῶν ἐποπτείας μολυσμῶν τὸ πρότερον τὸ ἐπισυρόμενον μιαντήριον. L. Dindorf.]

[Μιάντης, ὁ, Contaminator. Etym. M. p. 785, 37.]

[Μιαντὸς, ἡ, ὸν, Inquinatus, Gl.]

[Μιαρεύς. V. Μιερεύς.]

Μῐᾱρία, ἡ, Impuritas, Scelus. A Suida affertur ex quodam l. : Τὴν μιαρίαν τοῦ καπνοῦ καὶ τὴν ὄχλησιν τῆς κόπρου, ubi videri possint permutatæ esse sedes horum accusativorum μ. et ὄχλησιν. Phrynich. autem [Epit. p. 343] hanc vocem respuit. [Demosth. p. 845, 23, Isæi p. 51, 32 : Εἰς τοῦτο ὕβρεως καὶ μιαρίας ἀφίκοντο· Antiphontis p. 118, 1 ; 119, 2, et, ubi cum ὑπὲρ, 12 : Ἀπολύεσθε τῆς ὑπὲρ τούτου μιαρίας· Xenoph. H. Gr. 7, 3, 6, et recentiorum inde ab Luciano testimonia annotarunt intt. Phrynichi et Thomæ p. 615, hoc præceptum repetentis cum Antiatt. Bekk. p. 108, 15.]

[Μιαρόγλωσσος s. Μιαρόγλωττος, ὁ, ἡ, Qui lingua est impura. Erycius Anth. Pal. 7, 377, 2 : Τοῦ μιαρογλώσσου ... Παρθενίου. Cod. Pal. inter lineas μυσαρογλ.]

[Μιαρόθρησκος, ὁ, ἡ, Qui impuro cultui dei addictus est. Eudocia Ms. ap. Bandin. Bibl. Med. vol. 1, p. 237, v. 274 : Μερόπων μιαροθρήσκων. L. Dind.]

[Μιαρολογέω, Impura loquor. Anon. in Anecd. meis vol. 1, p. 91 : Ἄνθρωπος μιαρολογῶν πολὺ ἀλογώτερος τῶν κτηνῶν ὑπάρχει. Boiss.]

Μιαρὸς, ὰ, ὸν, a quo Gall. *Maraud*, Pollutus, Contaminatus, Fœdatus, [Obscœnus, Gl.] : αἵματι μιαρὸς, Sanguine contaminatus : itemque μιαρὸς sine adjectione pro eod. Eust. ap. Hom. [Il. Ω, 420 : Θηοῖό κεν αὐτὸς ἐπελθὼν οἷον ἐερσήεις κεῖται (Hector), περὶ δ' αἷμα νένιπται, οὐδέ ποθι μιαρός] exp. αἱμοβαφής. Sed ab Homeri posteris dicitur μιαρὸς φόνῳ, sicut μιαιφόνος, itemque sine adjectione Qui cæde contaminatus est. Synes. Ep. 44 : Ἅπασα γὰρ ἂν εἴη μιαρὰ τῷ φόνῳ, τολμηθέντος αἵματος ὁμογνίου. [De rebus impuris Eur. fr. Auges ap. Clem. Al. Str. 7, p. 841 extr. : Κοὐ μιαρά σοι ταῦτ' ἐστὶ (νεκρῶν ἐρείπια). Photius : Μιαρὰ ἡμέρα, ἐν τοῖς χουσὶν Ἀνθεστηριῶνος μηνὸς, ἐν ᾧ δοκοῦσιν αἱ ψυχαὶ τῶν τελευτησάντων ἀνιέναι, ῥάμνῳ (sic) ἕωθεν ἐμασῶντο καὶ πίττῃ τὰς θύρας ἔχριον. Hesychius : Μιαραὶ ἡμέραι τοῦ Ἀ. μ., ἐν αἷς τὰς ψ. τῶν κατοιχομένων ἀνιέναι ἐδόκουν. Eust. Il. p. 456, 6 : Μιαραὶ ἡμέραι παρὰ τοῖς ὕστερον αἱ τῶν κατοιχομένων. Dio Cass. Exc. p. 13, 100 : Τὴν ἡμέραν ἐς τὰς μιαρὰς ἐνέγραψαν· 51, 19 : Τὴν ἡμέραν μιαρὰν ἐνόμισαν, de diebus nefastis.] Sed generalius etiam pro Scelesto s. Impuro. Dem. In Mid. [p. 583, 23] : Ἀνεκράγετε ὅπως ἐπέξει τῷ μιαρῷ τούτῳ. Qua signif. dicitur etiam quum a Dem. [p. 552, 21], tum ab aliis [Æschine p. 84, 19, de quo l. v. HSt. in Κεφαλὴ], μιαρὰ κεφαλὴ, q. d. Scelestum caput, pro Homine scelesto s. scelerato. Cic. ap. Plat. vertit Improbus, ut videbis p. 128 mei Cic. Lex. Videtur tamen Plato [Leg. 4, p. 716, D, E] μιαρὸν et ἀκάθαρτον pro eod. ponere. [Soph. Trach. 987 : Ἡ δ' αὖ μιαρὰ βρύκει· Ant. 746 : Ὦ μιαρὸν ἦθος. Eur. Bacch. 1384 : Μήτε Κιθαιρὼν μιαρός μ' ἐσίδοι· Cycl. 677 : Ὁ ξένος ὁ μ. Frequentissimum omnibus gradibus est ap. Aristoph., Xenoph., Plat. et alios, maxime de hominibus dictum, interdum etiam de aliis rebus, ut Pac. 38 : Μιαρὸν τὸ χρῆμα καὶ κάκοσμον καὶ βορὸν, de scarabæo. Lucian. Anth. Pal. 9, 367, 10 : Τῇ θ' ὑπὸ τὴν μιαρὰν γαστέρα μαργοσύνῃ. Hesych. : Τυφλότερος ἀσπάλακος. Τοῦτο τὸ ζῶον ... ἔχει ὀδόντας μιαρω-

A τάτους. Aristot. Poet. c. 13 : Οὐ γὰρ φοβερὸν οὐδὲ ἐλεεινὸν τοῦτο (τὸ μεταβάλλειν τοὺς ἐπιεικεῖς ἄνδρας ἐξ εὐτυχίας εἰς δυστυχίαν), ἀλλὰ μιαρόν. Et bis c. 14. M. ὀφθῆναι, Fœdus aspectu, ap. Xenoph. Eph. 3, 12, p. 73, 3 : Εἶχε γυναῖκα ὀφθ. μιαράν. || « Ὦ μιαρὲ, blandientis vox, Plat. Phædr. p. 236, E, Theag. p. 124, E, etc. » Valck. In libris sæpe confunditur cum μικρὸς, ut ap. Hippocr. p. 91, E : Μικρὴν ὀδμὴν ἔχον, ubi μιαρὴν legendum monui in Ἐχθήττω. || Forma Μιερὸς est in var. script. Maccab. 2, 4, 19. V. Μιαροφαγέω. Improbatam a Phrynicho p. 309, Lobeck. p. 343 restituebat Prisco p. 192, 7 ed. Niebuhr., qui ἀνιαρότατον pro ἀνιερώτατον, quod probabilius. Memorat grammat. in Cram. Anecd. vol. 2, p. 328, 21. Alia exx. v. in Μιερεύς.]

|| Μιαρῶς, Pollute, Contaminate, Sceleste. [Aristoph. Eq. 800. Orac. Sib. 1, 124.]

[Μιαρότης, ητος, ἡ, i. q. μιαρία. Orig. C. Cels. p. 136 ; Hesych. v. Μιάς. Wakef. Act. Arethæ in Anecd. meis vol. 5, p. 13, 20. Boiss. Gramm. in Cram. An. vol.

B 2, p. 440, 30.]

[Μιαροτρώκτης, ὁ, i. q. μιαροφάγος. Anonym. poeta de S. Theod. v. 253, p. 46 Wernsd.]

[Μιαρουργία, ἡ, Impuritas in agendo. Basil. Seleuc. V. Thecl. p. 267. Boiss.]

Μιαροφαγέω, Pollutos cibos edo, Contaminatis cibis vescor. Ap. Gregor. in Enc. Macc., pro Idolothyta comedo : Οὐ μιαροφαγήσομεν, οὐκ ἐνδώσομεν. [Μιαροφαγεῖν dicuntur Qui immundis et vetitis carnibus vescuntur, cujusmodi sunt quæ Morticinia vocant. Exstat in Euchologio εὐχὴ ἐπὶ τῶν μιαροφαγησάντων, p. 670. Ubi Goarus. Ducang. Suidas v. Ἀντίοχος ὁ βασιλεύς. Wakef. Forma Μιεροφ. est in var. script. Maccab. 4, 5, 19, 25, 27.]

Μιαροφαγία, ἡ, Pollutorum esus, Areth. In Apoc. [Maccab. 4, 5, 3 et 25.]

Μιαροφάγος, ὁ, ἡ, Pollutorum ciborum esor, s. Contaminatorum, Qui impuris escis vescitur.

[Μιαρῶς. V. Μιαρός.]

Μιὰς, s. Μιασμὸς, dicitur μολυσμὸς, ἀκαθαρσία, ῥύ-

C πος, μιαρότης, μῶμος, Hesych. Idem crebrius μίασμα. [Ita pro μιὰς legendum etiam ap. Hes.]

Μίασμα, τὸ, Inquinamentum. [Contagium, Piaculum Stuprum add. Gl.] Et Μιασμὸς, ὁ, Inquinatio, [Stuprum, Gl.] : vel etiam pro μίασμα Inquinamentum : quo vocab. Gellius utitur. Sed μίασμα redditur etiam Labes, interdum vero et Piaculum, Scelus. [Æsch. Sept. 682 : Οὐκ ἔστι γῆρας τοῦδε τοῦ μιάσματος· Eum. 169 : Μιάσματι μυχὸν ἔχρανας. Soph. Ant. 172 : Παίσαντές τε καὶ πληγέντες αὐτόχειρι σὺν μιάσματι· OEd. T. 97 : Ἄνωγεν ἡμᾶς Φοῖβος ... μίασμα χώρας ... ἐλαύνειν· 241 : Ὡς μιάσματος τοῦδ' ἡμῖν ὄντος· 313 : Ῥῦσαι δὲ πᾶν μίασμα τοῦ τεθνηκότος· 1012 : Ἦ μὴ μίασμα τῶν φιτυσάντων λάβῃς ; Eur. Or. 517 : Τὸ λοίσθιον μίασμα λαμβάνων χεροῖν· 598 : Μίασμα λῦσαι· Hipp. 946 : Ἐπειδή γ' ἐς μίασμ' ἐλήλυθας· Alc. 22 : Μὴ μίασμά μ' ἐν δόμοις κίχῃ. Cum genit. Hipp. 35 : Μίασμα φεύγων αἵματος Παλλαντιδῶν· et pers. Phœn. 816 : Οὐδ' οἱ μὴ νόμιμόν ποτε παῖδες ματρὶ λόχευμα, μιάσματα πατρός· Iph. T. 946 : Ἔκ του δὴ χερῶν μίασματος.] Æschin. : Καὶ εἰ μὴ

D πεπλήρωκέ σε μηδὲν τῶν ἡμετέρων κακῶν, μίασμα τοῦτο προσθῇς σαυτῷ τε καὶ τοῖς παισίν. Bud. quoque vertit Piaculum, afferens ex Dem. [p. 1374, 11] : Ἵνα μὴ μιάσματα μηδ' ἀσεβήματα γίγνηται ἐν τοῖς ἱεροῖς. Et ex Luciano [Timon. c. 43] : Καὶ τὸ προσομιλῆσαί τινι αὐτῶν, μίασμα· καὶ εἴ τινα ἴδω μόνον, ἀποφρὰς ἡ ἡμέρα. Affert præterea ex Antiph. p. 115, 116 [129, 11], Μίασμα τῶν ἀλιτηρίων, pro Piaculo itidem, dictum sc. de civitate quæ ob cædem contaminata et religione obstricta erat. Item ex alio Ejusd. l. [p. 139, 7] : Πολλοὶ ἤδη ἄνθρωποι μὴ καθαροὶ χεῖρας, ἢ ἄλλο τι μίασμα ἔχοντες, συναπώλεσαν μετὰ τῆς αὐτῶν ψυχῆς τοὺς ὁσίως διακειμένους τὰ πρὸς τοὺς θεούς. Exp. autem et Impiamentum : quod vocab. Cypriano ascribitur. Addit et Contaminatio, Conscéleratio. [De homine scelere contaminato Æsch. Ag. 1645 : Γυνὴ, χώρας μίασμα καὶ θεῶν ἐγχωρίων· Cho. 1028 : Μητέρα, πατροκτόνον μίασμα.] Invenitur scriptum etiam Μίαμμα, et expositum βάμμα, Tinctura : ab ea sc. verbi μιαίνω signif. quæ manavit ex Hom. illo versu, Ὡς δ' ὅτε τίς τ' ἐλέφαντα γυνὴ φοίνικι μιήνῃ. Dici autem non solum μεμίασμαι, unde μίασμα, sed etiam μεμίαμμαι, sicut μεμόλυσμαι et μεμόλυμμαι, testatur et Bud. [De illa signif., quam ponunt Photius s. Suidas, βαφῇ, Plut. Mor. p. 393, C : Τὸ δὲ ἐν εἰλικρινὲς καὶ καθαρόν· ἑτέρου γὰρ μίξει πρὸς ἕτερον ὁ μιασμὸς, ὥς που καὶ Ὅμηρος ἐλέφαντά τινα φοινισσόμενον βαφῇ μιαίνεσθαί φησι, καὶ τὰ μιγνύμενα τῶν χρωμάτων οἱ βαφεῖς φθείρεσθαι καὶ φθορὰν τὴν μίξιν ὀνομάζουσιν. Eademque forma Porphyr. Abst. 4, p. 367.]

[Μιασμός. V. Μίασμα.]

Μιάστωρ, ορος, ὁ, [ἡ, Eur. Or. 1584 : Τὴν Ἑλλάδος μιάστορα,] q. d. Inquinator, Pollutor, Contaminator, Conscelerator. [Stellionator, Gl.] Ita enim vocatur Qui quum scelere aliquo se contaminarit, atque ita piaculum contraxerit, ceteros, veluti contagione quadam, eidem obnoxios reddit. Pro qua mea expositione facere videtur quod Soph. schol. scribit in hunc ejus l., El. p. 95 meæ ed. [275] : Ἡδ' ὧδε τλήμων, ὥστε τῷ μιάστορι Ξύνεστ', Ἐρινὺν οὔτιν' ἐκφοβουμένη. [Soph. OEd. T. 353 : Ὡς ὄντι γῆς τῆσδ' ἀνοσίῳ μιάστορι.] Hinc fit ut exponatur aliquando Cæde contaminatus, Impurus, Sceleratus. [Æsch. Cho. 944 : Ὑπὸ δυοῖν μιαστόροιν. Eur. Andr. 615, El. 682. V. etiam Photius s. Hesych.] Affertur vero et μιάστωρ Mars ex Epigr. [Antipatri Anth. Pal. 9, 323, 3] pro Homicida. Quinetiam Malus dæmon exp. in VV. LL. [|| I. q. ἀλάστωρ, Sceleris ultor. Æsch. Eum. 177 : Ἕτερον ἐν κάρᾳ μιάστορ' ἐκ κείνου πάσεται. Soph. El. 603 : Ὀρέστης, ὃν πολλὰ δή με σοι τρέφειν μιάστορα ἐπητιάσω. « Eur. Med. 137, Iason Medeæ de liberis quos occidit : Οἴδ' εἰσιν, οἴμοι, σῷ κάρᾳ μιάστορες. » Brunck.]

Μίαχος, Hesych. μίασμα, ἀσέβημα, Piaculum, Scelus. Quibus addit, poni etiam ἐπὶ τοῦ δυσώδους. Attamen Μιαχρὸν Idem affert pro καθαρὸν, Purum : quum potius videatur debere significare μιαρὸν, Impurum, Scelestum.

Μίγα, Mistim, Mixtim, Permixtim, Promiscue, i. q. μίγδα. [Pind. Pyth. 4, 113 : Μίγα κωκυτῷ γυναικῶν. Apoll. Rh. 4, 1345 : Τούς γε... μίγα θηλυτέρῃσιν ἱδρύσας. Orph. Arg. 342 : Αὔραις μίγα· 789 : Σὺν ἐνδαπίαις μίγα νύμφαις· 904 : Κυτηιάσιν μίγα κούραις. Manetho 4, 219 : Μήνης ὁρμώσης μίγα Κύπριδι κοινὰ σὺν αὐτοῖς· 527. Nicand. Al. 372. Μίσγα male scriptum ap. Apollon. De advv. p. 562, 5, quod aut μίγα scribendum aut μίγδα. Illud malebat Schæfer. ad Greg. p. 573, sine ratione tamen μίγω inferens pro μίσγω, quod satis tuetur Apoll. ipse p. 549, 30. ῐᾰ]

[Μιγάδην, i. q. præcedens et sequens. Nicand. Al. 277, ubi pro μίγδην ex libri unius scriptura ἀμίγδην Schneiderus scripsit : Μιγάδην δὲ βαλὼν ἐμπίσεο μύρτοις, ut est 349 : Ἤέ τι καὶ σφύρῃ μιγάδην τεθλασμένα κόψας, nisi potius hic μίγδην scribendum, qua forma utitur Al. 179, ubi metrum ferret μιγάδην, et ubi non fert 385, Th. 932. ῐᾰ]

[Μιγάδις, Mixtim. Inter advv. paroxytona in άδις ponit gramm. Ms. Barocc. Bekk. An. p. 1317 (Theognost. Can. p. 163, 22). Boiss. ῐᾰῐ]

Μιγάζομαι, pro μιγνύω, Misceo. A cujus pass. est partic. μιγαζομένους, ap. Hom. Od. Θ, [271] : Μιγαζομένους φιλότητι, quum paulo ante dixisset μίγησαν. [Orph. Arg. 341 : Δαίμονας εἰναλίους τε μιγαζομένους ἥρωσιν. Μισγομένους interpretatur Hesychius.]

Μιγὰς, άδος, ὁ, Mistus, Permistus, Miscellaneus, Miscellus. Eur. Andr. [1143] : Πολλοὶ δ' ἔπιπτον μιγάδες, exp. Alii aliis permixti. Item μιγάδες Homines convenæ, Bud. ap. Isocr. Paneg. et ap. Athen., et q. d. Miscellanei. [Eur. Bacch. 18 : Μιγάσιν Ἕλλησι βαρβάροις θ' ὁμοῦ πλήρεις ἔχουσα καλλιπυργώτους πόλεις· 1355 : Ἐς Ἑλλάδ' ἀγαγεῖν μιγάδα βαρβάρων στρατόν. Isocr. p. 45, C : Ἐκ πολλῶν ἐθνῶν μιγάδες συλλεγέντες· 132, D : Λαβεῖν ἀτάκτους καὶ μιγάδας καὶ πολλοῖς ἄρχουσι χρωμένους· 258, C : Ὄντας μήτε μιγάδας μήτ' ἐπήλυδας, de Atheniensibus. Diodor. 5, 80 : Μιγάδων βαρβάρων· 14, 66 : Μιγάσιν ἀνθρώποις. Polyb. 4, 75, 6.] Idem tradit ex Gregor. μιγάδα βίον opponi τῷ ἐρημικῷ, item μιγάδας homines τοῖς μοναστεῖς. [« Μιγὰς, Cœnobium. Μιγάδες, Cœnobitæ. Etym. Ms. : Μιγὰς, τὸ κοινόβιον, τὸ μοναστήριον. Καὶ μιγάδες, οἱ ἐν κοινοβίοις μεμιγμένοι ζῶντες, ἤτοι τὸ ἐκ πολλῶν ἀδιορίστως ἄθροισμα, ἐκ τοῦ μίγω. S. Chrysost. Hom. in falsos Prophetas : Οἱ κα-

A τοικοῦντες τὴν οἰκουμένην ἐπὶ τὸ αὐτὸ πλούσιος καὶ πένης· εἴτε ἄρσεν εἴτε θῆλυ, εἴτε μιγάδες νεανίσκοι καὶ παρθένοι etc. Theophylactus In S. Marcum c. 4 : Οἱ μὲν εἰσι παρθένοι καὶ ἐρημικοὶ, ἄλλοι μιγάδες καὶ ἐν κοινοβίῳ. » Ducang. De aliis rebus Apoll. Rh. 3, 1210 : Ἐπὶ δὲ μιγάδας χέε λοιβάς. Idem cum dat., 4, 320 : Θρήιξιν μιγάδες Σκύθαι.]

[Μίγας, α, ὁ, Migas, n. viri. Chœrob. p. 33, 33; 34, 13.]

[Μίγδα. V. Μίγδην.]

Μίγδαλοι, Hesychio ἀναμεμιγμένοι, Mixti. [Μίγδ' ἄλλοισι ex Hom. Il. Θ, 431 Valckenarius.]

Μίγδην, Mistim, Permistim, seu, ut alii scribunt, Mixtim, Permixtim. Vel, Promiscue [Gl. Hom. H. Merc. 491 : Ἔνθεν ἅλις τέξουσι βόες ταύροισι μιγεῖσαι μίγδην θηλείας τε καὶ ἄρσενας. Apoll. Rh. 3, 1381 : Οὕτα δὲ μίγδην ἀμώων. Paul. Sil. In therm. Pyth. 158 : Ὕδωρ τε καὶ πῦρ μίγδην. Ubi est var. σμίγδην, ut σμίγειν dicebant Byzantini pro μίσγειν. Manetho 1, 302 ; 4, 499. V. Μιγάδην. In prosa Nicomach. Introd. ar. 2, 24, p.

B 144.] || Μίγδᾰ pro eod. ap. Hom. [Il. Θ, 437, Od. Ω, 77, H. Cer. 426. Apollon. De advv. p. 549, 29. Accentum μιγδὰ refellit idem p. 562, 12. || « Μιγῆ, i. q. μίγα et μίγδην. Nicander ap. Athen. 3, p. 126, C : Εὐώδει δὲ μιγῆ ἅμα φῦρσον ἐλαίῳ. » Schweigh.]

Μιγδηράζειν, Hesych. ὑβρίζειν : forsan pro μυκτηρίζειν.

[Μίγδων, ωνος, ὁ, Migdon, Spartanus, Xen. H. Gr. 3, 4, 20. Libri aliquot Μύγδονα.]

[Μιγῆ. V. Μίγδην.]

[Μίγης. V. Μίσγητες.]

[Μίγκιος, ὁ, Mincius, fl. ex lacu Benaco effluens, ap. Strab. 4, p. 209, sive Polyb. 34, 10, 19.]

[Μίγκων, ωνος, ὁ, Minco, n. viri, in inscr. in agro Bruttio effossa ap. Bœckh. vol. 1, p. 9, n. 4, ubi Μιγκων scriptum. Exspectes Μίκων. Litera ν tamen apparet etiam in formis Μινύθω et similibus cognatisque Latinorum, quæ ejusdem sunt stirpis cujus μικρὸς s. μικκός. L. Dindorf.]

[Μῖγμα.] Μίγμα, τὸ, Mistura, Mixtura [Gl.], Miscella, Farrago, Bud. [Aristot. De gen. an. 1, 18 med. :

C Τὸ γιγνόμενον ἐκ θήλεος καὶ ἄρρενος πρῶτον μῖγμα· 19 init. : Εἴ ἐστιν ἓν μῖγμα τὸ γιγνόμενον ἐκ δυοῖν σπερμάτοιν. De Empedoclis μίγματι s. materia (ap. Aristot. Metaphys. p. 241, 7 Br.) v. Karsten. p. 320 sq. Plotin. Enn. 4, p. 762, 2 : Ἐκ τοῦ μίγματος τούτων.] Et peculiariter μίγματα de Medicamentorum misturis. [Plut. Mor. p. 80, A : Τοὺς τὰ φάρμακα καὶ τὰ μίγματα πωλοῦντας ἰατρεύειν. De coloribus Dionys. De Isæo c. 4 : Εἰσί τινες ἀρχαῖαι γραφαὶ, χρώμασι μὲν εἰργασμέναι ἁπλῶς καὶ οὐδεμίαν ἐν τοῖς μίγμασιν ἔχουσαι ποικιλίαν· et ibid. : Ἐν τῷ πλήθει τῶν μιγμάτων τὴν ἰσχὺν ἔχουσαι. Μῖγμα, non, ut vulgo scribitur, μίγμα, recte scriptum ap. Theognost. Can. p. 23, 4.]

Μιγματοπώλης, ὁ, Qui medicamentorum misturas vendit : quo nomine Pamphilus quidam vocatur ap. Galen. De comp. med. x. τόπ. [7, 3.]

[Μιγμὸς, ὁ, pro μῖγμα, affertur ex Diog. L.]

[Μίγνῡμι s. Μιγνύω.] Μίγω, inusitatum [nisi quod ap. Theodor. Stud. p. 357, E, est : Οὐ μίγει ὁ θεὸς κορώνην καὶ περιστεράν· et προσμίγεται ap. Severum De clyst. p.

D 33], a quo est Μίσγω ap. Hom., f. ίξω. Sed pro Μίγω in usu est Μίγνυμι, et Μιγνύω. Significat autem Misceo (quod verbum Latini a μίσγω potius deduxerunt), vel Permisceo : ut Cic. vertit ap. Plat. in quodam Timæi l. [p. 35, A], ubi quoniam habetur etiam nomen verbale ab hoc verbo deductum, eum proferam totum cum ipsius Ciceronis interpretatione : Καὶ τρία λαβὼν αὐτὰ ὄντα, συνεκεράσατο εἰς μίαν πάντα ἰδέαν, τὴν θατέρου φύσιν δύσμικτον οὖσαν εἰς ταυτὸ ξυναρμόττων βίᾳ· μιγνὺς δὲ μετὰ τῆς οὐσίας, καὶ ἐκ τριῶν ποιησάμενος ἕν. Quæ Cic. ita reddidit : Et quum tria sumpsisset, unam in speciem temperavit; naturamque illam, quam alterius diximus, vi cum eadem conjunxit, fugientem et ejus copulationis alienam, permiscens cum materia. Quum ex tribus effecisset unum etc. Ubi observa videri Cic. legisse μιγνύς τε. Ac certe longe aptius dicetur ξυναρμόττων, μιγνύς τε, quam μιγνὺς præsens jungetur cum ποιησάμενος. [Cum præp. ἐν Eur. Ion. 399 : Κἂν ταῖς κακαῖσιν ἁγαθαὶ μεμιγμέναι μισούμεθα. Nicand. Al. 347. Cum præp. μετὰ Plato Tim. p. 35, B : Μιγνὺς μετὰ τῆς οὐσίας. Sch. Arist. Pl. 436. Cum præp. σὺν Pind. Nem. 3, 84 : Ἐγὼ τόδε τοι πέμπω μεμιγμένον μέλι λευκῷ σὺν γάλακτι. Soph. El. 1485 : Τί γὰρ βροτῶν ἂν σὺν κακοῖς μεμιγμένων θνήσκειν ὁ μέλλων τοῦ χρόνου κέρδος φέροι; Lycophr. 1242 : Σὺν δέ σφι μίξει φίλιον ἐχθρὸς ὢν στρατόν. Frequentius cum simplici dat., ut Hom. Od. Λ, 123 : Οὐδέ θ' ἅλεσσι μεμιγμένον εἶδαρ ἔδουσιν· Θ, 196 : Ἐπεὶ οὔτι μεμιγμένον ἐστὶν ὁμίλῳ· H. Cer. 209 : Ἄλφι καὶ ὕδωρ μίξασαν γλήχωνι τερείνῃ. Pind. Nem. 4, 21 : Καδμεῖοί νιν οὐκ ἀέκοντες ἄνθεσι μίγνυον· fr. ap. Dionys. Comp. vv. p. 154 : Ῥόδα κόμαισι μίγνυται. Æsch. Cho. 546 : Θρόμβῳ δ' ἔμιξεν αἵματος φίλον γάλα. Eur. Ion. 1233 : Σπονδᾶς... ἐχίδνας σταγόσιν μιγνυμένας φόνῳ. Aristoph. Eq. 1399 : Τὰ κύνεια μιγνὺς τοῖς ὀνείοις πράγμασι. Xen. Cyrop. 6, 2, 28 : Ὕδατι μεμιγμένην τὴν μᾶζαν. Improprie Theognis 443 : Δειλὸς δ' οὔτ' ἀγαθοῖσιν ἐπίσταται οὔτε κακοῖσι θυμὸν ὁμῶς μίσγειν. Xen. Cyrop. 1, 2, 3 : Ὡς μὴ μιγνύηται ἡ τούτων τύρβη τῇ τῶν πεπαιδευμένων εὐκοσμίᾳ. Et alii quivis. Notanda est constr. ap. Plat. Reip. 10, p. 620, D : Ἐκ τῶν ἄλλων θηρίων ὡσαύτως εἰς ἀνθρώπους ἰέναι καὶ εἰς ἄλληλα, τὰ μὲν ἄδικα εἰς τὰ ἄγρια, τὰ δὲ δίκαια εἰς τὰ ἥμερα μεταβάλλοντα καὶ πάσας μίξεις μίγνυσθαι, ubi intelligendum videtur τὰ θηρία.] Dicitur etiam μιγνύναι τινὶ [V. supra], εἴς τι [Plato Polit. p. 260, D : Εἰς ταὐτὸν μίξωμεν βασιλικὴν ἑρμηνευτικῇ. Demosth. p. 1465, 22 : Οὔτε μίγνυμι τῆς ἰδίας ἔχθρας εἰς τὰ κοινῇ συμφέροντα οὐδέν] : unde μιχθὲν εἰς ὕδωρ ex Aristot. Polit. pro Aquæ immistum, s. potius permistum, Cum aqua confusum. Item aliquid dicitur μεμίχθαι ἔκ τινων. [Plato Prot. p. 320, D : Ἐκ γῆς καὶ πυρὸς μίξαντες· Reip. 8, p. 548, C : Μεμιγμένην πολιτείαν ἐκ κακοῦ τε καὶ ἀγαθοῦ. Et alibi.] Plut. Symp. p. 1134 meæ ed. [p. 638, D] : Ὅτι γὰρ μέμικται τὸ παγκράτιον ἔκ τε πάλης καὶ πυγμῆς, δῆλον. Interdum vero sine casu. [Pind. Isthm. 6, 25 : Μάτρωι, χαλκάσπις ᾧ πότμον Ἄρης ἔμιξεν. Theognis 190 : Πλοῦτος ἔμιξε γένος.] Hom. Il. B, [475] : Ῥεῖα διακρινέωσιν, ἐπεί κε νομῷ μιγέωσιν· nam hic νομῷ intelligitur esse pro ἐν νομῷ. Sed in illa cum dat. constructione varie usurpatur : Apoll. Arg. 2, [78] : Χερσὶν ἐναντία χεῖρας ἔμιξε, Manus conseruit. [4, 402 : Μίξαντες δαΐ χεῖρας.] Hom. autem dixit Il. O, [510] : Μῖξαι χεῖράς τε μένος τε· item μισγομένους de præliantibus, ut infra videbis. Idem Apollon. ibid. [985] : Ἀμαζονίδεσσιν ἔμιξαν ὑσμίνην, Cum Amazonibus pugnam miscuerunt, conseruerunt. [4, 1050 : Ἐμίξατε δούρατα Κόλχοις. Pind. Pyth. 4, 213 : Ἔνθα Κόλχοισιν βίαν μίξαν. Soph. OEd. C. 1047 : Ὅθι δαΐων ἀνδρῶν τάχ' ἐπιστροφαὶ τὸν χαλκοβόαν Ἄρη μίξουσιν. Lycophr. 1358, πάλην.] Sed in pass. voce Hom. dicit etiam μιγῆναι τινὶ ἐν παλάμαις, pro Manus conserere : dicit quoque μιγῆναι ἐν δαΐ, ead. signif., Il. Ξ, [386] : Τῷ δ' οὐ θέμις ἐστὶ μιγῆναι Ἐν δαΐ λευγαλέῃ. Alibi autem [Il. E, 134] μιγῆναι προμάχοισι vel [Od. Σ, 379] ἐνὶ προμάχοισι, pro προμάχεσθαι s. πρόμαχον εἶναι : qua forma Pind. [ap. Eust. Il. p. 532, 10] μιγῆναι νίκῃ dixit pro νικῆσαι. [Nem. 2, 22, στεφάνοις· 1, 18, φύλλοις ἐλαιᾶν. Εὐλογίαις μ. pro εὐλογεῖσθαι, Isthm. 3, 3. Θάμβει Nem. 1, 56. Aliter Pyth. 5, 19 : Γέρας τεᾷ τοῦτο μιγνύμενον φρενί. Cum præp. ἐν Ol. 1, 91 : Νῦν δ' ἐν αἱμακουρίαις ἀγλααῖσι μέμικται· Isthm. 2, 29 : Ἵν' ἀθανάτοις Αἰνησιδάμου παῖδες ἐν τιμαῖς ἔμιχθεν. « Inscript. Regillæ Anth. Pal. App. 51, 18 : Πρίν περ γηραιῇσι μιγήμεναι ἠλακάτῃσι (Antequam anus fieret). » Valck.] Sed et generalius ponitur μίγνυσθαι pro πελάσαι, Prope accedere : Hom. Il. [Γ, 209 : Ὅτε δὴ Τρώεσσιν ἐν ἀγρομένοισιν ἔμιχθεν·] O, [409] : Κλισίῃσι μιγήμεναι οὐδὲ νέεσσιν. Sed dicitur etiam μίγνυσθαί τισι, pro In eorum cœtu esse, Inter eos versari. [K, 365 : Ὅτ' ἔμελλε μιγήσεσθαι φυλάκεσσιν.] Et, Μιχθεὶς ἀλλοδαποῖσι, Il. Γ, [48], Cui commercium fuit cum exteris [Il. Λ, 354, Ω, 91, Od. A, 209. Pind. Pyth. 4, 251 : Ἔν τ' Ὠκεανοῦ πελάγεσσι μίγεν πόντῳ τ' ἐρυθρῷ Λαμνιᾶν τ' ἔθνει γυναικῶν· 267 : Λακεδαιμονίων μιχθέντες ἤθεσι] : vel in signif. motus, Cui ad exteros profecto commercium fuit cum illis. [Æsch. Eum. 69 : Αἷς (Furiis) οὐ μίγνυται θεῶν τις οὐδ' ἄνθρωπος οὐδὲ θὴρ ποτε.] Quinetiam legitur μίξεσθαι ξενίῃ Od. Ω, [313], ubi ξενίῃ resolvendum puto in διὰ ξενίης : ut si dicas μίγνυσθαί τινι διὰ ξενίης : quod nihil aliud est quam ξενίζεσθαι. [Absolute Od. Δ, 178 : Καί

A κε θάμ' ἐνθάδ' ἐόντες ἐμισγόμεθα· Il. Ψ, 73. Pind. fr. ap. Plut. Mor. p. 643, D : Ἥρωες αἰδοίαν ἐμίγνυντ' ἀμφὶ τράπεζαν. Addito ἔσω Hom. Od. Σ, 49 : Πτωχὸν ἔσω μίσγεσθαι ἐάσομεν, de intrante (ut supra vol. 3, p. 426, D, ἐσμιχθῆναι et ἔσμιξις, quæ tamen pertinent potius ad hodierni Græcismi usum vv. σμίγομαι et σμίξις).] || Μίγνυσθαι usurpatur etiam de concubitu, quo dixit modo Virg. Mista deo mulier : Il. T, [176] : Μήποτε τῆς εὐνῆς ἐπιβήμεναι, ἠδὲ μιγῆναι. De quo verbi μίγνυσθαι usu dicetur et in Μίσγω paulo post. [Pind. Pyth. 9, 87 : Ζηνὶ μιγεῖσα· 3, 14 : Μιχθεῖσα Φοίβῳ· Ol. 9, 63 : Ὀλύμπιος ἁγεμὼν θύγατρ' ἀπὸ γᾶς Ἐπειῶν Ὀπόεντος ἀναρπάσας ἕκαλος μίχθη. Aliam cum usitata constr. conjungit Isthm. 7, 35 : Δί τε μισγομέναν ἢ Διὸς παρ' ἀδελφεοῖσιν. (Conf. Hom. Od. Ψ, 219 : Οὐδέ κεν Ἀργείη Ἑλένη... ἀνδρὶ παρ' ἀλλοδαπῷ ἐμίγη φιλότητι καὶ εὐνῇ.) Æsch. Prom. 737 : Τῇδε γὰρ χρήζων μιγῆναι. Soph. OEd. T. 791 : Ὡς μητρὶ χρείη με μιχθῆναι.] Usus est autem hujus signif. verbi μίγνυσθαι in prosa quoque : μητρὶ μίγνυσθαι, ap. Plat. [Reip. 9, p. 571, D],
B quod Cic. vertit Cum matre corpus commiscere. [Xen. Comm. 4, 4, 20.] Sed illud animadvertendum est lectori diligenter, ne κούρῃσιν μίξεσθαι Od. Z, [136] et si qui sunt loci similes [ib. 288 : Καὶ δ' ἄλλῃ νεμεσῶ, ἥτ' ἀνδράσι μίσγηται· H, 247 : Οὐδέ τις αὐτῇ μίσγεται οὔτε θεῶν οὔτε θνητῶν ἀνθρώπων], ad hanc signif. referat, quum referri debeant ad eam, qua ponitur pro Versari inter aliquos, cum aliquo, In cœtu esse. Interdum tamen motus etiam includitur, ut quum dicitur in l. illo Od. Z : Ὣς Ὀδυσεὺς κούρῃσιν ἐϋπλοκάμοισιν ἔμελλε Μίξεσθαι, γυμνός περ ἐών, In cœtum puellarum venturus erat, vel in congressum. Nam In congressum puellarum venire, multo fuerit tolerabilius hoc quidem loco, ad vitandam ambiguitatem, quam Congredi cum puellis, ut quidam interpr. Quod si verbo Congredior uti volebant, quo tamen in hujusmodi ll. abstinere malim, ei danda potius erat antiqua constr., sc. cum accus., ut dicit Plautus, Hominem ne congrediamur quæso, priusquam stomachum detexerit. Nec tamen ignoro Congredi cum puellis pro μίγνυσθαι
C ἐν φιλότητι, quod et μίγνυσθαι sine adjectione dicitur, non satis Latinum existimari; sed multos tamen ex recentioribus eo usos esse constat. V. Μίσγω. [De nuptiis ipsis Pind. Pyth. 9, 13 : Ξυνὸν ἁρμόζοισα θεῷ τε γάμον μιχθέντα κούρᾳ θ' Ὑψέος. Transitive Apoll. Rh. 4, 1154 : Κεῖνο καὶ εἰσέτι νῦν ἱερὸν κληΐζεται ἄντρον Μηδείης, ὅθι τούς γε σὺν ἀλλήλοισιν ἔμιξαν (nymphæ Iasonem et Medeam), τεινάμεναι ἑανοὺς εὐώδεας. De coitu bestiarum Hom. H. Merc. 493 : Βόες ταύροισι μιγεῖσαι. Pind. Pyth. 2, 45 : Κένταυρον, ὃς ἵπποισι Μαγνητίδεσσιν ἐμίγνυτο.]

|| Μίσγω, idem, nec inusitatum sicut Μίγω [ap. Homerum et Herodotum, qui non utuntur forma Μίγνυμι, semper, sæpius ap. alios Epicos, rarius ap. Atticos et communis dialecti scriptores]. Hom. H. Γ. [270] : Κρητῆρι δὲ οἶνον μίσγον, ubi Eust. ait μίσγον οἶνον, sc. τὸν τῶν Ἀχαιῶν καὶ τὸν ἐκ Τροίας, εἰς ἓν ἄγοντες αὐτόν. Sunt tamen et qui interpretentur Infundebant in craterem. Usus est hoc verbo [Sophocles ap. Strab. 6, p. 271 : Μίσγει δ' ὕδασιν τοῖς Ἀχελῴου, de fluvio,]
D et Plato Timæo [p. 41, D], ubi Cic. vertit Permiscere, ut videbis p. 32 mei Cic. Lex. [Dionys. Comp. vv. p. 112, 10 : Εἰ δ' ἀναγκαῖον εἴη μίσγειν τοῖς κρείττοσι τοὺς χείρονας. Diodor. 3, 62 : Μίσγοντας εὐωδεστέραν (vini) τὴν φύσιν κατασκευάζειν.] Et Παισὶ μίσγεσθαι, Plutarch. [Mor. p. 857, B, ex Herodoto.] Frequens est ap. Hom. pass. Μίσγεσθαι, et quidem in illis etiam loquendi generibus, quorum facta fuit antea mentio. [Il. Δ, 438 : Οὐδ' ἴα γῆρυς (ἦεν), ἀλλὰ γλῶσσ' ἐμέμικτο· Od. T, 175 : Ἄλλη δ' ἄλλων γλῶσσα μεμιγμένη· Δ, 230 : Πολλὰ μὲν ἐσθλὰ μεμιγμένα, πολλὰ δὲ λυγρά· E, 317 : Μέσον δέ οἱ ἱστὸν ἔαξεν δεινὴ μισγομένων ἀνέμων ἐλθοῦσα θύελλα.] Quibus addendum est ex Od. Y, [203] : Μισγέμεναι κακότητι καὶ ἄλγεσι λευγαλέοισι· ubi μισγέμεναι ἄλγεσι, Misceri doloribus, ad verbum, est velut In mediis doloribus versari, Implicari doloribus, Implicitum esse : μεμιγμένος κακοῖς, Soph. [El. 1485, de quo l. v. sub initium], Implicitus malis. Sed utitur et cum præp. ἐς, Il. Σ, [216] : Οὐδ' ἐς Ἀχαιοὺς μίσγετο, pro Neque in Achivorum cœtum veniebat,

Neque se Achivis immiscebat. Præsertim autem pro Concumbere frequens est, ap. Hom. Od. O, [429]: Ὃς ἐμίσγετο λάθρη. [Hesiod. Th. 238: Γαίῃ μισγόμενος.] De puella Z, [288]: Ἥτ' ἀέκητι φίλων πατρὸς καὶ μητρὸς ἐόντων Ἀνδράσι μίσγηται, πρίν γ' ἀμφάδιον γάμον ἐλθεῖν. [Hic vero est Versari cum viris, ut recte interpr. Eust. Exx. Herodoti tam de viro quam de muliere usurpantis 2, 64; 1, 5 etc. annotavit Schweigh.] Ridiculum vero esse quod quidam annotant [Lucian. Pseudosoph. c. 6: Ἑτέρου δὲ εἰπόντος, Ἡ δὲ τῷ Ἡρακλεῖ μιχθεῖσα, Οὐκ ἄρα, ἔφη, ὁ Ἡρακλῆς ἐμίχθη αὐτῇ; Thomas p. 616: Μίγνυται ὁ ἀνὴρ τῇ γυναικί, οὐχ ἡ γυνὴ τῷ ἀνδρί, ubi v. intt.], dici sc. virum mulieri μίσγεσθαι, non autem mulierem viro, non ille solum l. ostendit ex Od. Z [qui huc non pertinet], sed et alii ejusd. poetæ. Ex quibus est hic Od. Υ, [7]: Ταὶ δ' ἐκ μεγάροιο γυναῖκες Ἤϊσαν, αἳ μνηστῆρσιν ἐμισγέσκοντο πάρος περ. Itidemque hic X, [444]: Εἰσόκε πασῶν ψυχὰς ἐξαφέλοισθε, καὶ ἐκλελάθοιντ' Ἀφροδίτης Τὴν ἄρ ὑπὸ μνηστῆρσιν ἔχον, μίσγοντό τε λάθρη. Quin etiam ut dicitur vir μίγνυσθαι ἐν φιλότητι [ap. Hom. et alios, vel φιλότητι καὶ εὐνῇ, Il. Γ, 445], sic et mulier: Hesiod. in Theog. passim, Μιχθεῖσ' ἐν φιλότητι· idque interdum dativo, interdum sequente gen. Cum dat., ut [922]: Ἡ δ' Ἥβην, καὶ Ἄρηα, καὶ Εἰλείθυιαν ἔτικτε, Μιχθεῖσ' ἐν φιλότητι θεῶν βασιλῆϊ καὶ ἀνδρῶν. Sic [970]: Ἰασίῳ ἥρωϊ μιγεῖσ' ἐρατῇ φιλότητι. At gen. sequente [944]: Μιχθεῖσ' ἐν φιλότητι Διὸς νεφεληγερέταο. [V. Μίγνυμι. Accusativo Hom. Il. O, 33: Φιλότης τε καὶ εὐνή, ἣν ἐμίγης ἐλθοῦσα θεῶν ἄπο. De mulieribus Aristoph. Ran. 1081: Καὶ μιγνυμένας τοῖσιν ἀδελφοῖς. Et alii haud pauci.] At μισγόμενοι sine adjectione dicuntur præliantes, Il. Δ, [456]: Ὣς τῶν μισγομένων γένετο ἰαχή τε φόβος τε· possumus autem hic quoque verbo Misceo uti, dicendo sc. Prælia miscentium, ex Virg. Legitur vero et Miscere certamina ap. Liv. [Cum genitivo, si integrum est fragmentum anonymi ap. Herodian. Π. μον. λ. p. 30, 16: Ἐπεὶ Ἄραρ τις λέγεται ποταμός, ὡς παρατιθέναι καὶ ἐπίγραμμα ἔχον οὕτως, Μισγόμεθ' ἀλλήλων ὡς Ἄραρος Ῥοδανός. Alioqui enim ἀλλήλοιν scribendum videri possit. Cum præp. εἰς Antiphanes Anth. Pal. 9, 258, 6: Εἰς ἕνα Βάκχον Νύμφαι μισγόμεθ', οὐκ ἐς Ἄρη. ‖ Med. aor. forma poet. Nicand. Al. 587: Ὁτὲ πίσσαν ἐν ἡδέϊ μίγμενος οἴνῃ. Pro quo Th. 603 dicit: Πῖνε δὲ μιξάμενος κυάθῳ τρὶς ἀφύξιμον οἴνην. Epigr. Anth. Pal. 7, 44, 4: Τὸν σοφίῃ Μουσέων μιξάμενον χάριτα, de Euripide. De vino μίξασθαι ponit Pollux 6, 24; de cera 7, 128. Μίξασθαι τὴν οὐσίαν idem 8, 135. Aor. pass. forma epica μίκτο est Hom. Il. Λ, 354, Π, 813, Apoll. Rh. 3, 1223. Ἔμικτο 3, 1163. Fut. tertium Hesiod. Op. 177: Ἀλλ' ἔμπης καὶ τοῖσι μεμίξεται ἐσθλὰ κακοῖσιν. Æsch. Pers. 1052: Μέλαινα δ' αὖ μεμίξεται καὶ στονόεσσα πλαγά. ‖ « Μεμιγμένον collyrii nomen est, quod habetur apud Celsum 6, 6. » Gorræus. ‖ Produci ι hujus verbi testatur scriptura per diphthongum, ut μέμειχται in Vol. Hercul. part. 1, p. 20, quocum conferenda quæ dicentur in Μικτὸς et Σύμμικτος. Itaque scribendum foret μῖξαι, ut interdum scribitur in libris, de quibus monuerunt Heyler. ad Juliani Epist. p. 303, Alexander ad Orac. Sib. vol. 1, p. 12, nisi obstaret grammaticorum de litera ι ante ξ nunquam nisi per augmentum producta præceptum: quod etsi nunc nonnisi recentiorum testimoniis, ut Chœrobosci, Draconis, Lascaris, cognitum est, non constat tamen illorum esse inventum. V. Φοῖνιξ. L. D.]

[Μιγώνιον, τὸ, Migonium, et Μιγωνῖτις, ιδος, Migonitis, cogn. Veneris. Pausan. 3, 22, 2: Ἡ δὲ νῆσος ἡ Κραναὴ πρόκειται Γυθείου, καὶ Ὅμηρος Ἀλέξανδρον ἁρπάσαντα Ἑλένην ἐνταῦθα ἔφη συγγενέσθαι οἱ πρῶτον. Κατὰ δὲ τὴν νῆσον ἱερόν ἐστιν Ἀφροδίτης ἐν τῇ ἠπείρῳ Μιγωνίτιδος, καὶ ὁ τόπος οὗτος ἅπας καλεῖται Μιγώνιον.]

[Μιδάειον, τὸ, Midaeum. Πόλις Φρυγίας. Ἑλλάνικος ἐν δευτέρῳ Δευκαλιωνίας. Καὶ Μιδαὶ λέγονται. Τὸ ἐθνικὸν Μιδαεὺς καὶ Μιδαιεὺς καὶ Μιδήιον, Steph. Byz., Suidas et Strabo 12, p. 576. « Aliis dicitur Μίδαιον. Nomen accepit ἀπὸ Μιδέας Φρυγίας τινὸς γυναικός, teste Pindari schol. Ol. 7, 36 (qui tamen urbem tantum dicit ab illa sic vocatam, Midæi nomen non ponit). Existimo autem esse Μήδαιον Phrygiæ oppidum Cedreni et aliorum (velut in Ms. ap. Pasin. Codd. Taurin. vol. 1, p. 209, D). Μίδαι autem legitur in Mss. retracto in primam accentu. » Holsten. Gent. Μιδαεὺς exx. sunt in numis.]

Μίδας, α [v. Bast. Ep. cr. p. 49], ου, ὁ, Midas: rex Phrygiæ [ap. Herodot. 1, 14, etc., ubi forma Ion. Μίδης, Xen. Anab. 1, 2, 13, Diod. 3, 59, Pausan. 1, 4, 5], olim ditissimus: a quo Μίδας denominatur ὁ παμπλούσιος, Prædives: item ὁ φιλόχρυσος, quod ille auri esset cupidissimus. [Primus memorat Homerus qui dicitur in epigr. Anth. Pal 7, 153, 1: Μίδα δ' ἐπὶ σήματι κεῖμαι. Tyrtæus ap. Stob. Fl. 51, 1, 6: Οὐδ' εἰ πλουτοίη Μίδεω καὶ Κινύρεω βάθιον. Aristoph. Pl. 287; Philemo ap. Eust. Od. p. 1701, 6. « Suidas in Ἁβρόν: Χρυσίον, ὅσον ἱκανὸν ἐμπλῆσαι τὸν ἐκ μύθου Μίδαν » Koenig. Lucian. De merc. cond. c. 20: Τοῦτο γὰρ ὑπὲρ τὰ Κροίσου τάλαντα καὶ τὸν Μίδα πλοῦτον. V. etiam Aristot. Reip. 1, 9 et quæ Hesychius v. Μιδάθεος (Μίδας θεὸς intt.) scribit.] Est etiam nom. κυβευτικοῦ βόλου, teste Hesychio et Suida, unde esse volunt proverb. Μίδας ὁ [articulus recte deest ap. parœmiogrr., ubi Eubulus hujus jactus mentionem fecisse dicitur in Κυβευταῖς] ἐν κύβοις εὐβουλότατος [εὐβολώτατος. Conf. Pollux 7, 204, 205. Idem memorat ludi genus, in quo respondebatur Ἐγὼ Μίδας, 9, 114]. Ita vocatur etiam θηρίδιόν τι διεσθίον τοὺς κυάμους, Bestiola quædam fabas peredens, teste Hesych. [et Photio], necnon Theophr. C. Pl. 4, 16: Οἱ μὲν πυροὶ καὶ αἱ κριθαί, τοὺς κίας (sc. generant)· ὁ δὲ κύαμος, τὸν ὑπό τινων καλούμενον μίδαν. [Est etiam servi n. Aristoph. Vesp. 433: Ὦ Μίδα καὶ Φρὺξ βοήθει, et, ut videtur, in inscr. ap. Bœckh. vol. 1, p. 463, n. 455, 4. Conf. Hellad. ap. Phot. Bibl. p. 532, b, 37. Agrigentinus nobilis ap. Pind. Pyth. 12. Alius ap. Euphronem Athen. 7, p. 307, E. ἴα]

[Μιδέᾱ, ἡ, Midea, pellex Electryonis. Pind. Ol. 7, 29, Apollodor. 2, 4, 5, 7. V. etiam Μιδάειον.]

[Μιδέᾱ vel Μίδεια, ἡ, Midea. Πόλις ἐν Ἄργει, ἡ νῦν κώμη, ἡ πρότερον Περσέως πόλις, ἀπὸ Μιδείας τῆς Ἀλωέως θυγατρός. Λέγεται καὶ χωρὶς τοῦ ι Μίδεα. Ὁ πολίτης Μιδεάτης καὶ θηλυκὸν Μιδεᾶτις (ap. Theocr. 13, 20: Ἀλκμήνας υἱὸς Μιδεάτιδος· 24, 1) καὶ Μιδιαῖος. Ἔστι καὶ ἑτέρα πόλις Βοιωτίας. Ὅμηρος (Il. B, 507), Οἵ τε πολυστάφυλον Ἄρνην ἔχον οἵ τε Μίδειαν. Ἔστι καὶ Λυκίας ἄλλη, Steph. Byz. Argolicam Μιδέαν memorat Pind. Ol. 11, 69, ubi adv.: Μιδέαθεν στρατὸν ἐλαύνων. Xen. H. Gr. 7, 1, 28, 29. Μίδεαν, ut ap. Steph., ap. quem etiam Μιδεαῖος scribendum videtur pro Μιδιαῖος, male scriptum ap. Apollod. 2, 4, 4, 4 et 6, 5 (quo tamen loco Μιδείαν optimus cod. Paris. ap. Müllerum præf. ed. Didot. p. v). Alterum enim accentum præcipit Strabo 8, p. 373: Ἡ πλησίον Μιδέα, ἑτέρα οὖσα τῆς Βοιωτίας· ἐκείνη γάρ ἐστι Μίδεα, ὡς πρόνοια, αὕτη δὲ Μιδέα, ὡς Τεγέα, ubi Μίδεια malebat Casaub., etsi Μίδεα agnoscit Eust., de quo v. Tzschuck. Μίδειαν dicit ipse Strabo 1, p. 59; 9, p. 413. Utramque sæpius memorat etiam Pausan. idemque 9, 38, 9, nympham Μίδειαν, matrem Aspledonis.]

[Μιδείου cujusdam mentio fit in inscr. vasis ap. Bœckh. vol. 1, p. 489, n. 542. Exspectes Μειδίου. L. Dindorf.]

[Μιδιόλας, α, ὁ, Midiolas, n. viri ap. Chœrob. vol. 1, p. 36, 35, nisi forte per diphthongum scribendum.]

[Μιδύλος, ὁ, unde Μιδυλίδαι, οἱ, ap. Pind. Pyth. 8, 40: Πάτραν Μιδυλιδᾶν· et in fr. ap. schol.: Φατρία ἐν Αἰγίνῃ Μιδυλιδῶν ἀπὸ Μιδύλου προγόνου ἐπιδόξου γεγονότος. Αὐτὸς δ' ἐν ἄλλοις, Ἁ Μιδύλου δ' αὐτῷ γέννα, φησί, Μειδύλος potius et Μειδυλίδαι dicendi sunt, quo de nomine diximus supra. Μιδ— enim si verum esset, corriperetur. V. Μίδων. L. Dind.]

[Μίδων, ωνος, ὁ, Mido, n. viri, cujus nomine inscriptæ fabulæ Alexidis et Antiphanis memorantur ab Athen. 15, p. 699, F, et Polluce 10, 152. Platoni suppositum dialogum Μίδων inscriptum memorat Diog. L. 3, 62. Quibus testimoniis hoc nomen non magis confirmatum foret quam Erycii Anth. Pal. 9, 233, 1: Κάμμορε Μίδων, ubi Μείδων Planudius, Μίνδων codex Palat., quorum alterum supra retulimus, alterum analogia non caret, nisi certius exstaret ex. anonymi Anth. Plan. 255, 5: Ἃ σὺν πόνῳ φυτουργὸς ἔκτηται Μίδων, et quod minoris est momenti, in inscr. ap. Orell. vol. 2, p. 335, n. 4765. Non magis enim ι, nisi corripiatur, ferri potest quam in proximo Μιδύλος. V. etiam Μύδων. ĭ L. Dindorf.]

[Μίεζα, ἡ, Mieza. Πόλις Μακεδονίας, ἣ Στρυμόνιον ἐκαλεῖτο ἀπὸ Μιέζης θυγατρὸς Βέρητος τοῦ Μακεδόνος, ὡς Θεαγένης ἐν Μακεδονικοῖς. ... Τὸ ἐθνικὸν Μιεζεὺς καὶ Μιεζαῖος. Οὕτω γὰρ χρηματίζει Νικάνωρ, καθὰ Λούσιος, Steph. Byz. Memorat Μίεζαν Plut. Alex. c. 7. Alia v. ap. interpretes.]

[Μιερεὺς, Μηρεύς. Clemens Constitt. Apost. 2, 28 : Πλὴν ἐν τοῖς ἐμπαίγμασιν αὐτῶν οὐδὲν προσφέρουσιν οὐδὲ ἐπιτελοῦσι, καὶ ἄνευ αὐτοῦ ποιοῦσιν οὐδὲν καὶ τιμῶσιν αὐτὸν τὸν μηρέα κτλ. Petrus Sic. Hist. Manich. : Μαθηταὶ δὲ τούτου ὑπῆρχον μυστικώτεροι Μιχαὴλ ... καὶ τρεῖς μηρεῖς. Infra : Οὗτοι τοίνυν οἱ μαθηταὶ αὐτοῦ, οἱ καὶ συνέκδημοι παρ' αὐτοῖς λεγόμενοι, ὡς μιερεῖς τινες. Passio S. Basilii Presbyteri n. 13 : Εἰσελθὼν ἐν τῷ παλατίῳ ἐκάλεσε τοὺς μιαρεῖς τῶν εἰδώλων, καὶ ἐδίδου χρήματα. Meursius hanc vocem Sodales denotare putavit : Sirmondus Sacerdotes reddidit, Gretserus Consacerdotes, ex μιᾶς καὶ ἱερεῖς. Sed potior videtur conjectura virorum doctorum ad Passionem S. Basilii, Christianos scriptores ita per contumeliam indigitasse gentilium sacerdotes, quos non ἱερεῖς sed μιερεῖς appellarunt quasi μιαροὺς vel μιαροὺς ἱερεῖς, vel quasi μὴ ἱερεῖς, Non sacerdotes. Ducang. Id præ ceteris docent Acta S. Donati Mart. n. 7 : Καὶ ἐπυνθάνετο παρὰ τῶν ἱερέων τὴν αἰτίαν τῆς σιωπῆς (idolorum). Οἱ οὖν μιερεῖς ἀπεκρίναντο, πάρεστί τις ἐνταῦθα, ὃν οὐκ ἴσμεν, ὃς λατρεύει τὸν Χριστὸν etc. In Actis fabulosis S. Meletii n. 2 et 42, οἱ μιαροὶ ἱερεῖς τῶν Ἑλλήνων· et n. 4 μιερεῖς dicuntur, et Μιεροθύται. Adde n. 9. Chron. Alex. p. 376, de Christo : Ἐν τῷ ἀνασκολοπίζεσθαι αὐτὸν ὑπὲρ τῶν μιερῶν τοῦ νόμου. Utuntur alii. V. Coteler. in Epist. S. Barnabæ c. 18. Idem in App. p. 131.]

[Μιεροθύτης, ὁ, Impurus sacrificulus s. sacrificator. V. Μιερεύς.]

[Μιερὸς, Μιεροφαγεῖν. V. Μιαρ—.]

[Μιηφόνος. V. Μιαιφόνος.]

Μίθαικος, ὁ, Suidæ ὁ ταχύς : alioqui est nom. propr. [pistoris Atheniensis, ap. eundem Suidam, cujus v. intt., Plat. Gorg. p. 518, B, Athen. 3, p. 112, D. Simile nomen est ap. Pollucem 4, 141, ubi inter personas scenicas memorantur Μιθάκου νύμφαι, sed nomen omittitur in codd. Μίθικος, ὄνομα κύριον, autem, quod ponit Suidas, ipse ex Μίθαικος confinxisse videtur. Μίθαικος vero memorat etiam Theognost. Can. p. 60, 26.]

[Μιθραδάτης. V. Μιθριδάτης.]

[Μιθραῖος, ὁ, Mithriacus. Eudocia ap. Bandin. Bibl. Med. vol. 1, p. 233, 15 : Ἔτος δ' ἐπὶ ἕβδομον ἐλθὼν Μιθραίῳ Φαέθοντι τελέσθην. L. Dind.]

[Μιθρανήλιος, nomen Saturni, ap. Procul. Paraphr. Ptolem. 2, 4, p. 93, sed ubi fortasse legendum Μίθραν ἢ ἥλιον. Struv. Nihili certe est Μιθρανήλιον.]

Μίθρας, s. Μίθρης, ὁ, apud Persas dicitur ὁ ἥλιος, Sol, quem summi dei loco habebant et venerabantur. Ejus Sacra dicebantur Μιθριακὰ [ap. Strab. 11, p. 530, ubi v. annot.], quibus non nisi per gradus quosdam pœnarum initiatos ferunt, ut ostenderent sese veluti ἀπαθεῖς et indolentes. [Xen. Cyrop. 7, 5, 53 : Μὰ τὸν Μίθρην· ubi Schneid. contulit OEc. 4, 24 : Ὄμνυμί σοι τὸν Μίθρην, et Plut. Artox. c. 4 : Νὴ τὸν Μίθραν· Alex. c. 30 : Εἰπέ μοι, σεβόμενος Μίθρου τε φῶς μέγα καὶ δεξιὰν βασίλειον. Forma Μίθρης est etiam ap. Strab. 15, p. 732, ap. Lucian. Jov. trag. c. 8, ubi plures libri Μιθρῆν vel Μίθρην pro Μίθρης. Utramque formam annotavit etiam Hesychius, priorem Photius. « Plut. De Is. et Os. p. 369, D : Μίθρην Πέρσαι τὸν μεσίτην ὀνομάζουσι. Burton p. 85. Persis hodie *Mìhr;* v. Hammer. » Angl.]

[Μιθραύστης, ὁ, Mithraustes, dux Armeniorum in exercitu Persico, ap. Arrian. Exp. 3, 8, 9.]

[Μιθρεῖον, τὸ, Templum Mithræ. Socrat. H. E. 3, 2; 5, 16. Μίθριον male ap. Sozom. 5, 7.]

[Μιθρήνης, ους, ὁ, Mithrenes, Persa, ap. Diod. 17, 21, ubi genit. Μιθρήνους, et 64, ubi dat. Μιθρήνῃ. Plerique libri per ινν vel ιν in secunda, unus semel per α, quæ forma est ap. Dion. Chr. Or. 73, vol. 2, p. 389. Sic variatur inter Μίθρας et Μίθρης. Inter Μιθρίνης et Μιθρήνης variant etiam libri Arriani Exp. 1, 17, 3; 3, 16, 8. L. Dind.]

[Μίθρης. V. Μίθρας. ΜΙΘΡΗΣ n. inscriptum numo Sardium Lydiæ ap. Mionnet. *Descr.* vol. 4, p. 119, n. 670. Conf. Morell. Bibl. Ms. p. 229. L. Dind.]

[Μιθρὶ, Mithri, mensis Cappadocum quartus in Menologio ap. HSt. App. Thes. p. 225. Conf. Ideler. Chronol. vol. 1, p. 442.]

[Μιθριακός. V. Μίθρας.]

[Μιθριδάνιος, Scordium, Diosc. Noth. 3, 115.]

[Μιθριδάτειος, ὁ, ἡ, Mithridaticus. Memno Photii Bibl. p. 234, 25 : Τὰς Μιθριδατείους ναῦς. Ib. p. 236, 7 : Ὁ Μιθριδάτειος στόλος. Alex. Trall. 4, p. 244 ed. Bas. : Τὴν Μιθριδάτειον αὐτοῖς παρεῖχον, de antidoto Mithridatis, ut ap. Galen. vol. 13, p. 865, et alibi. Μιθριδάτειος inscriptus etiam liber Appiani De bello Mithridatis cum Romanis.]

[Μιθριδάτης, ὁ, Mithridates, Persa, ap. Xen. Cyrop. 8, 8, 4, Diod. 15, 90. Alii sunt in Anabasi 2, 5, 35 etc., ap. Diod. et alibi. Reges Ponti plures, quorum notissimus est Εὐπάτωρ. Μιθριδάτεω s. Μιθριδάτου (ἀντίδοτος) memoratur ap. Aretæum p. 122, 13; 130, 18; 126, 36, Galenum et alios medicos. N. viri est in inscr. ap. Bœckh. vol. 1, p. 748, n. 1570, b, 28. || Forma Μιθραδάτης est in libris nonnullis ap. Xen. in Anab., in inscrr. ap. Bœckh. vol. 2, p. 231, n. 2276 seqq. Μιθριδάτης rursus vol. 2, p. 205, n. 2222, 14. « In numis perpetuo scriptum reperitur Μιθραδάτης, non Μιθριδάτης, eamque scripturam Græca etiam marmora confirmant. Ac jure istud, quum ducatur a vetustissimo Indorum *mitra,* quod *Solem* et *amicum* significat, ex quo Persæ et Græci inserta aspirata fecerunt *Mithra.* Jure igitur carpendi auctores Græci non pauci, qui Μιθριδάτην eum appellant, mutato perperam α in ι, non item, ut recte observat Spanhemius, auctores Latini, in quorum lingua sæpius α nn. propriorum in ι abiit. » Eckhel. D. N. vol. 2, p. 363, A. || Tertia forma Μιτραδάτης est ap. Herodot. 1, 110, ubi pastor Astyagis, et Ctesiam Photii p. 43, 8; 44, 17, ubi alius Persa hujus nominis memoratur, ut sponte intelligatur ib. 28 pro Μιθραδάτης ex cod., qui μιστροδάτις, corrigendum esse Μιτραδάτης. Sic quod ib. est 33 Μιτρώστης non diversum videtur a n. Μιθραύστης. L. Dindorf.]

[Μιθριδατικὸς, ή, όν, Mithridaticus, Ad Mithridatem pertinens. Nicol. Damasc. ap. Athen. 8, p. 332, F : Κατὰ τὰ Μιθριδατικά. Plut. Num. c. 9 : Περὶ τὰ Μιθριδατικὰ, de bello Mithridatico, qui ap. Strabonem sæpius dicitur Μιθριδατικὸς πόλεμος.]

[Μιθριδάτιον, τὸ, Mithridatium, castellum Galatiæ, ap. Strab. 12, p. 567.]

[Μιθριδᾶτις, ιδος, ἡ, Mithridatis, f. Mithridatis Eupatoris, ap. Appian. Mithr. 111, ubi —δάτις scriptum.]

[Μιθριδατισμὸς, ὁ, Mithridatis studium s. sectatio. Strabo 13, p. 614 : Αἰτίαν εἶχε μιθριδατισμοῦ.]

[Μίθριος, dicta laurus, sec. Dioscor. Noth. p. 443, B : Οἱ δὲ μυθρακικὴ, οἱ δὲ μίθριος (4, 145, σαμοθρακική, οἱ δὲ μέθριον).]

[Μιθροβαῖος, ὁ, Mithrobæus, Persa, ap. Arrian. Exp. 7, 6, 7, ubi est var. Μιθροδαῖος.]

[Μιθροβαρζάνης, ὁ, Mithrobarzanes, Persa, ap. Diod. 15, 91. Alii sunt 17, 21, ap. Lucian. Necyom. c. 6, Plut. Lucull. c. 25.]

[Μιθροβουζάνης, ὁ, Mithrobuzanes, in regnum Sophenes ab Ariarathe restitutus, memoratur ab Diod. Exc. p. 584, 69.]

[Μιθροπαύστης, ὁ, Mithropaustes, Persa, ap. Plut. Themist. c. 29. Idem nomen videtur Μιθρωπάστης ap. Strab. 16, p. 766, 767, in quo ω quidem minus probabile et analogiæ consentaneum quam ο, sed verius fortasse —πάστης quam quod ex Græco fingi potuit —παύστης, quanquam simile est Μιθραύστης.]

[Μίθρος, ἢ μίθρους συζευγνυμένους, Hesychii gl. obscura. Etym. M. p. 588, 8 : Μίνθη, ἣν τινες ἡδύοσμον καλοῦσιν ... μήποτ' οὖν ἡμεῖς μίθρον κατ' ἀντίφρασιν τὴν δυσωδίαν καλοῦμεν. Ubi legendum μίνθον, quod v.]

[Μιθρωπάστης. V. Μιθροπαύστης.]

[Μιθύλιος, n. viri vitiose scriptum, ut videtur, in inscr. Aphrodisiad. ap. Bœckh. vol. 2, p. 515, n. 2776, 10. Suspiceris Μικύλος sive Μίκυλλος. L. Dind.]

[Μίκᾱ, ἡ, Mica, n. mulieris, ap. Aristoph. Thesm. 767.]

Μίκαι, Hesychio λάχανα ὄμβρια. [V. conjecturas interpretum.]

[Μικατανοὶ, οἱ, Micatani, Numidæ, ap. Diod. Exc. p. 569, 23.]

Μίκης, ὁ, Hesychio ὁ μικρολόγος. [Μίκας est ap. Hesychium.]

[Μικίζομαι, Parvulus, infans sum. Gloss. Herodot. v. Εἴρην, p. 357 ed. Schweigh. : Παρὰ Λακεδαιμονίοις ἐν τῷ δευτέρῳ (ἐνιαυτῷ ὁ παῖς καλεῖται) προκομιζόμενος, τῷ τρίτῳ μικιζόμενος. Προμικκιζόμενος et μικαιζόμενος Wesseling. recte, nisi quod simplex κ servare licebat. Atque sic codex ap. Bachmann. Anecd. vol. 2, p. 355, 34.]

[Μικιάδης. V. Μεικιάδης, quæ illius nominis scriptura, comparanda cum Μεικύλος pro Μικύλος, minus proba videtur. Idem nomen est Micciades, quo vocatus fuit sculptor ap. Plin. N. H. 36, 5, 11.]

[Μικιεὶ, Anagallis, herba. Append. Dioscor. 2, 209, p. 449.]

[Μικίνας, ὁ, Micinas, olympion. Rhodius ol. 114, 1, ap. Diod. 17, 113, et Euseb., quorum hic male Μικίννας. Infra duplici κ. ῐῑᾱ || Forma Μικίνης est ap. Lysiam in Orat. κατὰ Μικίνου ap. Athen. 8, p. 365, B, Priscian. 18, 24, 191, vel πρὸς Μικίνην in argum. orat. Antiphont. p. 115, quod Μικρίνην scriptum ap. schol. Hermog. vol. 4, p. 405, 16. Μηκίνης Μηκίνου male Chœrob. vol. 1, p. 49, 3. L. Dind.]

[Μικίψᾱς, ὁ, Micipsa, f. Masinissæ. Polyb. 37, 3, 5, Appian. et alii. F. ejus ap. Diod. Exc. p. 607, 81.]

[Μικίων, ωνος, ὁ, Micio, n. viri in numis Atticis ap. Mionnet. *Descr.* vol. 2, p. 125, n. 145-150, in inscr. Salamin. ap. Bœckh. vol. 1, p. 499, n. 624; Tegeat. p. 699, n. 1513, 54. Aliorum ap. Plut. Phocion. c. 25, Arati c. 41. Duplici κ Μικκίων, ut de Zeuxidis pictoris discipulo quodam ap. Lucian. Zeux. c. 7, scriptum fuisse videtur in Carthæensi p. 290, n. 2363, b, 7, ubi ΜΙΚΛΙΩΝ. Incertum ad utram rationem referendum sit Μ.ΙΩΝΑ, quod est in alia Psyris reperta, ib. p. 211, n. 2245, 3. Primam producere videtur Alexis ap. Athen. 6, p. 227, E : Παρὰ Μικίωνος ἐγχέλεις ὠνούμενον, ut Terentius in Adelphis. V. autem Μίκων. L. D.]

[Μίκκα. V. Μίκκη.]

[Μικκᾰλίων, ωνος, ὁ, Miccalio, n. viri ap. Leonid. Tar. Anth. Pal. 9, 335, 1. Alius ap. Demosth. p. 885, 10.]

[Μίκκαλος, ὁ, Miccalus. Porphyr. Vita Plotini p. LVII, 15 : Ἔσχε δὲ καὶ ἰατρικόν τινα Σκυθοπολίτην Παυλῖνον, ὃν ὁ Ἀμέλιος Μίκκαλον προσηγόρευσε, παρακουσμάτων πλήρη γεγονότα. Μίκκαλον quendam musicum memorat Aristot. Analyt. pr. 1, 33. Clazomenium Arrian. Exp. 7, 19, 10. Alius, frater Olympii, est in Libanii Epist. 96, etc. ΜΙΚΚΑΛΟ in numo Eumenensium Phrygiæ ap. Mionnet. *Descr.* vol. 4, p. 293, n. 564. L. D.]

[Μίκκη, ἡ, Micce, n. mulieris, in inscr. Att. ap. Bœckh. vol. 1, p. 539, n. 970. Eleam quandam Μίκκαν memorat Plut. Mor. p. 250 seq. L. Dind.]

[Μικκίνας, ὁ, Miccinas, n. viri, in inscr. *Annali dell' Isnt. di corrisp. archeol.* 1829, p. 157, 17. V. Μικίνας. L. Dindorf.]

[Μικκίων. V. Μικίων.]

Μικκὸς, ὰ, ὸν, Dorice pro μικρὸς, Parvus, Pusillus. Callim. [fr. 179] : Τοῖς μικκοῖς μικκὰ διδοῦσι θεοί. Frequens ap. Theocr., qui et adverbialiter dicit [5, 66] : Ἴθ', ὦ ξένε, μικκὸν ἄκουσον, pro Paulum ausculta. [Simplici κ anon. ap. Letronn. post Aristoph. ed. Didot. p. 13, XVI : Οὐκ ἀξιῶ μικῶν σε, μεγάλα δ' οὐκ ἔχω. Duplici Bœotus ap. Aristoph. Ach. 909 : Μικκός γα μᾶκος οὗτος. Μικτὸν Scytha Thesm. 1114, ubi μικκὸν conjiciebat Bentl. Callim. Cer. 110 : Θηρία μικκά. Alia exx. v. ap. Valck. ad Adon. p. 349 sq. Plut. Mor. p. 1127, A : Ὀνόμασι μόνοις τὸν Ἐπαμεινώνδαν ἐσχηκέναι τι λέγοντες ἀγαθὸν, καὶ τοῦτο δὲ μικκὸν, οὑτωσὶ τῷ ῥήματι φράζοντες. Ex Myrepso De antidotis c. 334 citat Ducang. De accentu acuto v. Eust. Il. p. 610, 26. Ap. Suidam et Etym. M. p. 587, 36, male est barytonon. Ad hoc autem voc. referri gl. Hesychii : Μαμμικὸν, μικρὸν, quam supra retulimus, conjecit Koen. ad Greg. p. 282, μάμμικον scribens, quod Laconicum sit pro πάμμικρον, ut in aliis ib. ab eo memoratis vocc. μ ponitur Laconice pro π. Quæ addenda sunt nostris in M et Μαμμικός. Notandum etiam nomen ab hoc voc. fictum Miccotrogus ap. Plaut. Stich. 1, 3, 88. Ceterum utraque scriptura sive per duplex sive per simplex κ, quanquam in μικκὸς et Μίκκος hæc est usitatior, recte videtur habere, hoc tamen discrimine ut μικὸς producta, μικκὸς correpta dicatur litera ι, ut testatur Chœrob. Cram. Anecd. vol. 2, p. 240, 8. L. Dind.]

[Μίκκος, ὁ, Miccus, n. viri, in inscr. Naupact. ap. Bœckh. vol. 1, p. 857, n. 1756, 7, ap. Plat. Lys. p. 204, A, Callim. Epigr. 51, 1; 53, 2, ap. Polyb. 4, 59, 2, et alibi. V. Valcken. ad Adon. p. 351.]

Μικκύλος, ὁ, dimin. a μικκὸς, Parvulus, Pusillus. Mosch. [1, 13] : Μικκύλα μὲν τήνω τὰ χερύδρια, μακρὰ δὲ βάλλει. [Unde citat Etym. M. p. 587, 46. Huc referendum nomen Μικκύλος s. Μικύλος, de quo in hac forma dicemus.]

[Μίκκων, ωνος, ὁ, Micco, n. viri, in inscr. Bœot. ap. Bœckh. vol. 1, p. 739, n. 1567, 3. A quo nomine penitus diversum Μίκων, quod est in Atticis Fourmonti ib. p. 399, n. 289, 14; 498, n. 618, 2, 4; et marm. Pario vol. 2, p. 297, 79, ubi memoratur archon Att. ol. 94, 3, qui Μικίων dicitur in libris Diod. 14, 17, sed Μίκων etiam in Argum. Soph. OEd. Col. Qualis fluctuatio est etiam in nomine oratoris Attici, qui Μίκων in libris Pausan. 2, 9, 4, Μικίων in Polybii 5, 106, 7, vocatur, ut inter Μίκων et Μικίων variant libri Demosth. p. 1321 seqq. Μίκων est in numo ins. Co ap. Mionnet. *Descr.* vol. 6, p. 570, n. 55. Μίκωνες quum alii quidam tum artifices clari memorantur a Pausania, Plinio, et aliis. In Μήκων depravatum notavimus in illo. Primam hujus nominis corripi constat ex Aristoph. Lys. 679 : Τὰς δ' Ἀμαζόνας σκόπει, ἃς Μίκων ἔγραψ' ἐφ' ἵππων μαχομένας τοῖς ἀνδράσιν· Theocr. 5, 112 : Αἲ τὰ Μίκωνος αἰεὶ φοιτῶσαι κτλ., epigr. ap. Pausan. 8, 42. 10 : Υἱὸς μέν με Μίκωνος, et Diotimi Anth. Pal. 7, 227, 1. Μικίων autem quum prima producta dicatur, ut in ipso ostendimus, apparet diversæ utrumque nomen esse originis. Itaque et Diodoro nuper restitui Μίκων, nec, si fides libris Pausaniæ, ap. Polybium ferendum est Μικίων. In schol. vet. Apoll. Rh. 1, 186 : Ὁ Μίλητος Εὐξαντίου τοῦ Μίκωνος ἦν, ex seqq. et Paris. correctum Μίνωος. Idem autem hic Εὐξάντιος, de quo diximus in Εὐξάνθιος, quod scribendum Εὐξάντιος, et in Εὐξάντιος, ubi Εὐξαντίδος γενεῆς fortasse de ipso illo dictum est Mileto. L. Dind.]

Μίκλας, Hesych. αἶγας, Capras. [Alludit ad μηκάδας, quod restituit Ruhnk.]

[Μικραδικητὴς, ὁ, Qui in rebus parvis injuriam facit. Aristot. Rhet. 2, 17.]

Μικραίτιος, ὁ, ἡ, De parvis rebus expostulans, vel Parvam ob causam. Μικραίτιος amor, ait Plin. Epist. [2, 2], parvam ob causam expostulans. Bud. [Lucian. Fugit. c. 19 : Τὸ δ' ὀξύχολον καὶ μικραίτιον καὶ πρὸς ὀργὴν ῥάδιον.]

[Μίκρασπις, ιδος, ὁ, ἡ, Qui parvo utitur clipeo. Plato Critia p. 119, B, ubi al. σμικρ. Pollux 1, 141; 7, 155.]

[Μικραῦλαξ, ἄκος, ὁ, ἡ, Paucos vel etiam Parvos sulcos habens. Philipp. Thess. Anth. Pal. 6, 36, 1 : Δράγματα χώρου μικραύλακος.]

[Μικρίνης, ὁ, Micrines, n. viri, cujus usitata forma est Σμικρίνης, q. v. Μικρίνας pro Σμικρίνας libri nonnulli Diod. 16, 37, ubi v. Wesseling. Ex Μικίνης corruptum v. in Μικίνας.]

[Μικρίου cujusdam mentio fieri videtur in inscr. Teja ap. Bœckh. vol. 2, p. 666, n. 3069, 23, si recte ita legitur pro ΜΙΚ..ΡΟΥ. Sed quum neque Μίκριος neque Μικρίας græcum videatur, lapidem iterum inspecturis judicandum relinquo an præstet Μικρίνου vel Μικύθου vel Μικύλου. L. Dindorf.]

[Μικρίων, ωνος, ὁ, Micrio, n. viri, in inscr. Lebad. ap. Bœckh. vol. 1, p. 754, n. 1571, 18, 21. V. Σμικρίων. L. Dind.]

[Μικροβᾰσῐλεία, ἡ, Parvum regnum. Eust. Il. p. 76, 40 : Μικροβασιλείας οὔσης αὐτῷ τῆς ἀρχῆς· Od. p. 1952, 42.]

[Μικροβασιλεὺς, έως, ὁ, Regulus. Eust. Il. p. 81, 35; 104, 10; 289, 1, etc.]

Μικρόβιος, ὁ, ἡ, Qui exiguæ vitæ est.

[Μικρόβοτρυς, ὁ, ἡ, Qui parvas habet uvas. Hesych. A v. Μικρόρρωξ.]

Μικρόβωλος, ὁ, ἡ, Qui parvis est glebis. Bud. opp. τῷ ἁδρόβωλος.

[Μικρογένειος, ὁ, ἡ, Qui est mento parvo. Polemo Phys. 1, 13, p. 257. Wakef.]

[Μικρογένεσις, εως, ἡ, Parva Genesis. Liber apocryphus. V. Bredov. Dissert. de Georg. Syncello p. 31. Boiss. Fabric. Cod. pseudepigr. V. T. vol. 2, p. 750. L. Dindorf.]

[Μικρόγενυς, ὁ, ἡ, i. q. μικρογένειος. Adamant. Physiogn. 2, 17, ubi μικρογένυες.]

[Μικρογλάφυρος, ὁ, ap. Aristot. Physiogn. p. 55, vox susp. Wakef. Vertitur Parvorum articulorum, quum sit Parvus et concinnus.]

[Μικρογνωμοσύνη, i. q. μικροψυχία. Pollux 4, 13. Theodor. Metoch. Misc. p. 285, etc. ῦ]

[Μικρογνώμων, ονος, ὁ, ἡ, Pusillanimis, Imbellis. Const. Manass. Chron. 5649, εὐνοῦχοι. Boiss. Gregor. Theophan. p. 32: Οἱ μικρογνώμονες οὗτοι. Theodor. Metoch. Misc. p. 285, et alibi. L. Dind.] B

[Μικρογρᾰφέω, Per ο μικρὸν scribo. Schol. Soph. El. 199, 694, OEd. T. 674. « Schol. Æsch. Sept. 240; Herodian. Epimer. p. 200, 210, 211, 228, 275. Σμικρογραφέω ib. p. 202, 270. » Boiss. Unde subst. Μικρογραφία, ἡ, Scriptura per o, ap. Eust. Il. p. 410, 47: Τῆς ἐν τῇ παραληγούσῃ μικρογραφίας. L. Dind.]

[Μικροδάκτῠλος, ὁ, ἡ, Qui parvos habet digitos. Ms. ap. Bandin. Bibl. Med. vol. 1, p. 158, A. L. Dind.]

[Μικροδιάστᾰτος, ὁ, ἡ, Qui parvum quid distat. Georg. Acropolit. Hist. p. 15, C: Τεῖχος οὐ μικροδιάστατον, de muro hiante. Boiss.]

Μικροδοσία, ἡ, Exiguæ donationes, Parva munera. Polyb. [5, 90, 5]: Τῶν βασιλέων μικρολογία [μικροδοσία] καὶ μικροληψία τῶν ἐθνῶν.

[Μικρόδουλος, ὁ, ἡ, Minutus servus. Arrian. Epict. 4, 1, 55: Ἐκείνους μὲν μικροδούλους λέγε, τοὺς μικρῶν τινῶν ἕνεκα ταῦτα ποιοῦντας.]

[Μικροδύναμος, ὁ, ἡ, Qui parvæ est potentiæ. Const. Manass. Chron. 4690, ἰσχύς. Boiss.]

[Μικροθαύμαστος, ὁ, ἡ, Qui nihil admiratur. Jo. Cli- C macus: Κατὰ δύο τρόπους πάντες οἱ μικροθαύμαστοι τοῦτο πάσχειν πεφύκασιν. Ducang. App. Gl. p. 132. Contrariam signif. ponendam fuisse ostendit schol. Aristoph. Eq. 677: Διασύρει δὲ αὐτοὺς ὡς μικροθαυμάστους καὶ ταχέως ἀπατωμένους ὀλίγῳ λήμματι, Parvarum rerum admiratores.]

Μικροθῡμέω, Animo pusillo sum.

Μικροθῡμία, ἡ, Animus pusillus, μικροψυχία. Quidam Pusillanimitas, ut μικρόθυμος Pusillanimis, interpretantur. [Plut. Mor. p. 906, F: Στείρας γίνεσθαι παρὰ μικροθυμίαν.]

Μικρόθυμος, ὁ, ἡ, Qui pusillo est animo, i. q. μικρόψυχος. [Dionys. A. R. 11, 12.]

[Μικροκαμπής, ὁ, ἡ, Nonnihil incurvatus. Paul. Ægin. 6, 18, p. 181, 29: Ἀγκίστρῳ μικροκαμπεῖ. Oribas. p. 50 ed. Mai.]

[Μικροκαλύβη, ἡ, Parvum tugurium. Eust. Opusc. p. 294, 36: Βραχὺ τὰ γόνατα κάμψαντες ἔν τινι μικροκαλύβῃ. ᾰῡ L. Dind.]

[Μικροκάρδιος, ὁ, ἡ, Qui parvo corde est. Const. D Manass. Chron. 4131. Boiss.]

Μικροκαρπία, ἡ, Parvi fructus editio, Fructus exiguitas, exilitas. [Theophr. C. Pl. 6, 18, 8; Strabo 2, p. 73.]

Μικρόκαρπος, ὁ, ἡ, [Qui parvos fructus fert. Eust. Il. p. 1356, 64: Φαύλη ἐλαία ἡ μ., ἡ καὶ φαυλία. Schol. Plat. p. 337.]

Μικροκέφᾰλος, ὁ, ἡ, Qui parvo capite est. [Aristot. Physiogn. 5, p. 809, 5: Ἕκαστον ἐν ἑκάστῳ γένει θῆλυ ἄρρενος μικροκεφαλώτερόν ἐστι. L. D. Geopon. 19, 6. Hemst.]

Μικροκίνδῡνος, ὁ, ἡ, Qui in parvis periclitatur, parva pericula suscipit. Aristot. Eth. 4, 3, de magnanimo: Οὐκ ἔστι δὲ μικροκίνδυνος, οὐδὲ φιλοκίνδυνος, διὰ τὸ ὀλίγα τιμᾶν· μεγαλοκίνδυνος δὲ, καὶ, ὅταν κινδυνεύῃ, ἀφειδὴς τοῦ βίου.

[Μικρόκλᾰδος, ὁ, ἡ, Qui parvos habet ramos, pro μικρὸν κλάδον restituebat Schneider. ap. schol. Nicandri Th. 631.]

[Μικροκλέπτης, ὁ, Parvus fur. Schol. Aristoph. Vesp. 962.]

Μικροκοίλιος, ὁ, ἡ, Qui parvo ventre est. [Aristot. De partt. an. 3, 4.]

[Μικρόκομψος, ὁ, ἡ. Μικρόκομψον σχῆμα συνθέσεως, forma orationis in rebus minutis comta, Dionys. De compos. vv. c. 4, ubi Reisk. explicat τὸν μικρόκομψον, Bellulum, qui venustatem et elegantiam affectat in rebus minutis: *Ziererey*. Unde jungitur τὸ ἀγενὲς et μαλθακόν. Ernest. Lex. rh.]

[Μικρόκοσμος, Parvus mundus, homo. Gataker. 2, p. 114, B, C, D. Valck. Μικρὸς κόσμος Vit. Pythag. ap. Phot. Bibl. p. 440, 33.]

[Μικροκωμία, ἡ, Parvus pagus. Basil. M. Epist vol. 3, p. 282, D: Ἐὰν δὲ τοῦτο μὴ ῥᾴδιον ᾖ, σπουδὴ γενέσθω ἡμῖν πρότερον ταῖς μικροπολιτείαις ἤτοι μικροκωμίαις ταῖς ἐκ παλαιοῦ ἐπισκόπων θρόνον ἐχούσαις δοῦναι τοὺς προϊσταμένους, καὶ τότε τὸν τῆς πόλεως ἀναστήσομεν. Sic dicitur μητροκωμία.]

[Μικρολεγής, ὁ, ἡ, fingit Eust. Od. p. 1436, 11: Ὃν θάνατον καὶ τανηλεγέα ἐνταῦθα λέγει, πρὸς διαστολὴν τοῦ ἀδελφοῦ ὕπνου· ὁ μὲν γὰρ ὡς εἰπεῖν μικρολεγής, ὡς ἐπὶ μικρὸν λέγων ὅ ἐστι κατακοιμίζων τὸν ἄνθρωπον· ὁ δὲ θάνατος ἐπὶ μακρὸν παρατείνει τὸ τοιοῦτον λέξασθαι. Id. p. 1502, 34 (?).]

Μικροληψία, ἡ, Parva accipere. V. Μικροδοσία.

[Μικρολογέω s. Σμικρολογέω, Imminuo. Cosmas Topogr. Christ. p. 275, A: Διὸ, φιλόχριστε, ἀρκετὸν μὲν ᾠήθην ἀναγινώσκοντά σε τὸ ἡμέτερον ποιημάτιον, οὕτω γὰρ δεῖ σμικρολογεῖν τὰ ἡμέτερα, τὴν χριστιανικὴν λέγω τοπογραφίαν παντὸς τοῦ κόσμου κατιδεῖν. Significatione medii infra ponenda Dionys. H. vol. 6, p. 1015, 10: Οὐδὲ πάντα μικρολογῶν συγκρίσει· 1041, 13: Οὕτως μικρολογεῖ (potius οὕτω σμικρολογεῖ). Aliud activi ex. v. infra. Ap. Athen. 1, p. 3, D: Τί μικρολογεῖς, Schweigh. conjiciebat —γεῖ.] Μικρολογέομαι, seu Σμικρολογέομαι, Rei parvæ rationem habeo; Anxie et scrupulose circa vilia et spernenda occupor, Parvas res et minutas aspernabilesque (ut vocat Gellius) consector; De rebus minutis et levibus accurate disputo. Quarum signiff. Bud. p. 798, 799, exempla profert. Addit vero, μικρολογοῦμαι esse etiam Sordide et præparce rationem ineo, tribuo: ex hoc Plut. l. in Apophth. [p. 179, F]: Ἵνα μηκέτι μικρολογῇ πρὸς [περὶ codd. Paris.] τοὺς θεοὺς, Ne ultra præparce et sordide agas cum diis, parcens sc. thuri in sacrificando. At Plin. pro μὴ μικρολογεῖσθαι πρὸς τοὺς θεοὺς dixit Large deos adorare, illam ipsam referens historiam quæ ibi a Plut. commemoratur: v. Λιβανωτοφόρος. [Lucian. Navig. c. 28: Οὐ μικρολογήσομαι πρὸς τοὺς θεούς. Xenoph. H. Gr. 3, 1, 26: Ὑμεῖς δὲ μὴ λίαν μικρολογεῖσθε. Lysias p. 912, 5: Ἐγὼ δὲ ἥκω οὐ μικρολογησόμενος οὐδὲ περὶ τῶν ὀνομάτων μαχούμενος. Pollux 2, 124: Καὶ ῥήματα δὲ ἐκ τούτων προάγεται μικρολογῆσαι. Μικρολογεῖσθαι δὲ εἴρηκεν Εὔπολις καὶ μικρολογήσομαι Κρατῖνος. Cum inf. Appian. Pun. c. 79: Οὐκ ἀπατῶντες ὑμᾶς οὐδὲ μικρολογούμενοι παθεῖν ὅ τι ἂν ζημιῶτε. || Verbale, Μικρολογητέον ἐν τοῖς νενομισμένοις φιλοτιμήμασιν, Plut. Mor. p. 822, A. « Greg. Naz. Epist. 209. » Boiss.]

Μικρολογία, seu Σμικρολογία, ἡ, [Rerum minutarum consectatio s. cura. Plato Reip. 6, p. 486, A: Ἐναντιώτατον σμικρολογία ψυχῇ μελλούσῃ τοῦ ὅλου καὶ παντὸς ἀεὶ ἐπορέξασθαι θείου τε καὶ ἀνθρωπίνου· 8, p. 558, B: Ἡ συγγνώμη καὶ οὐδ' ὁπωστιοῦν σμικρολογία αὐτῆς· et similiter alibi.] Magni facere s. æstimare rem parvam, et quæ contra nihili facienda est: unde redditur etiam Sordes, Avaritia: sicut μικρολόγος, Sordidus, Avarus, Parcus. [Parsimonia, Parsimonium, Gl. Theophr. Char. 11. Valck.] Utunturque hac in signif. quum alii, tum Lucian. et Herodian. [2, 3, 22], veluti ubi dicit Lucian. [Jov. trag. c. 15]: Ἐννοῶν ἅμα τοῦ Μνησιθέου τὴν μικρολογίαν, ὃς ἑκκαίδεκα θεοὺς ἑστιῶν, ἀλεκτρυόνα μόνον κατέθυσε. Sæpe autem et pro Cura quæ impenditur rebus nihili, vel minutis. [Sic ap. Athen. 12, p. 526, A, ἡ πρὸς ἀλλήλους μ. est Mutuæ levibus de causis contentiones. Schweigh.] Affertur vero μικρολογία et pro Oratione tenui, nullamque habente verborum et sententiarum dignitatem: ex Suida de Simonide, Οὗτος δοκεῖ μικρολογίαν εἰσενεγκεῖν εἰς τὸ ᾆσμα. [De quæstiunculis minutis et futilibus Plat. Hipp. maj. p. 304, B:

Χαίρειν ἐάσαντα τὰς σμικρολογίας ταύτας. Isocr. De antid. p. 485, s. 21 : Οἱ μὲν γὰρ πλεῖστοι τῶν ἀνθρώπων ὑπειλήφασιν ἀδολεσχίαν καὶ μικρολογίαν εἶναι τὰ τοιαῦτα τῶν μαθημάτων. De Extenuatione capere licet ap. eund. p. 310, C : Οὐδεπώποτε τὴν μικρολογίαν ταύτην ἠμυνάμην αὐτῶν (τῶν βλασφημούντων περὶ τῆς ἐμῆς διατριβῆς καὶ λεγόντων ὡς ἔστι περὶ δικογραφίαν).]

Μικρολογίζομαι pro μικρολογοῦμαι, VV. LL.; sed nullum illius usus exemplum affertur.

Μικρολόγος, seu Σμικρολόγος, ὁ, ἡ, Qui μικροῦ, Rei parvæ, λόγον ποιεῖται, Rationem habet. Nullam enim aliam invenio viam exponendi quid valeat λόγος in hoc comp. et aliis ab eo deductis. Sed μικροῦ λόγον ποιεῖται potest etiam, et fortasse rectius, exponi, Qui rem parvam in pretio habet, magni facit, magni æstimat. Bud. autem p. 799, ait duntaxat μικρολόγους esse qui a Cic. vocentur Minuti et Angusti, Exiles et Exigui. [Plato Conv. p. 210, D : Φαῦλος καὶ σμικρολόγος. Ps.-Demosth. C. Neær. p. 1357, 9 : Πολυτελὴς δ' ἦν, οἱ Μεγαρεῖς δ' ἀνελεύθεροι καὶ μικρολόγοι.] Isocr. Panath. [p. 234, C] : Οὕτω μοι τὸ γῆρας ἐστὶ δυσάρεστον καὶ μ. καὶ μεμψίμοιρον, ubi quidam interpr. Senectus parca, alii Sordida : sicut et γύναιον μικρολόγον Polit. ap. Herodian. [6, 9, 10] vertit Mulierem sordidam. [Ita Gl., Sordidus, Scrupulosus.] Sed Cam. sic reddit illum Isocr. l., Ita est senecta mea morosa, et inquirens in minima quæque, et querula : quæ interpr. mihi non displicet. Ut autem Isocr. cum δυσάρεστον et μεμψίμοιρον junxit μικρολόγον : sic Lucian. [Hermot. c. 80] μικρολόγος cum ὀργίλος et φιλόνεικος, quæ ejusd. generis signif. habent cum illis quæ ab Isocr. ponuntur. Plut. vero [Mor. p. 171, B] μικρολόγοι et μικρόλυποι copulavit. [Dionys. H. vol. 6, p. 780, 9 : Ἦθος ταπεινὸν καὶ μικρολόγον.]

Μικρολόγως vel Σμικρολόγως, Res parvas magni æstimando, Sic ut minutas etiam res consectemur; Sordide, Avare, More eorum qui σμικρολόγοι vocantur. [Gregor. Naz. Epist. 80, p. 834, A. Boiss.]

[Μικρολῡπία, ἡ, pro μικρὰ λύπη, ap. Nicetam Chon. p. 21, C : Κατὰ μικρολυπίαν τοῦ δμογνίου διαζευχθείς· 37, B. 166, D : Παλαιᾶς μικρολυπίας ὑποτῦφον ἐμπύρευμα. Ducang. Plutarcho restituendum putabat Wyttenb. Mor. p. 123, C.]

Μικρόλυπος, ὁ, ἡ, Cui vel minimæ res animi molestiam afferunt, Qui ob minima quæque dolet, Cujus animo vel minima quæque molesta sunt. Plut. [Mor. p. 129, C] : Ταῖς ὀργαῖς ἐπίχολοι καὶ ὀξεῖς καὶ μ. Et [ib. p. 454, B] : Ὅταν ἑλκώδης καὶ μ. ὁ θυμὸς γένηται, καὶ φιλαίτιος ὑπὸ τῶν τυχόντων· Phocione p. 242 [c. 2] : Τὰ μικρὰ ἤθη καὶ μ. καὶ ἀκροσφαλῆ πρὸς ὀργάς, i. e. ἐπὶ μικροῖς λυπούμενα.

[Μικρόμαστος, ὁ, ἡ, Qui parvis est mammis. Tzetz. Carm. Il. 181, Anteh. 354. Per θ Jo. Malal. p. 100, 18.]

[Μικρομεγέθης, ὁ, ἡ, Qui exiguæ est magnitudinis, Parvus. Soran. De arte obstetr. c. 10, p. 28; Acta Theclæ p. 95; Xenocr. De aquat. 53. Boiss. Eust. Opusc. p. 285, 49.]

[Μικρομελής, ὁ, ἡ, Parva habens membra. Aristot. Physiogn. p. 55.]

Μικρομέρεια, ἡ, Tenuitas partium. [Aristot. Meteor. 1, 12.]

Μικρομερὴς, s. Σμικρομερὴς, ὁ, ἡ, Parvis partibus constans s. minutis, aut tenuibus. Aristot. De cœlo [3, 5] : Λεπτὸν γὰρ τὸ μικρομερές, παχὺ δὲ τὸ μεγαλομερές. [Plato Tim. p. 60, E : Τῆς ξυστάσεως τῶν διακένων αὐτῆς σμικρομερέστερα πεφυκότα, et ib. 78, B, et superlativo 78, A. Plut. Mor. p. 878, F.] Vide Μεγαλομερὴς, quod huic opponitur. [|| Adv. Μικρομερῶς, Hesych. Wakef.]

[Μικρομετρέω, Parvo utor modulo. Schol. Aristoph. Pl. 436, ubi κοντομετρ., quod ejusd. est signif., præbuit cod. Ven.]

[Μικρόμισθος, ὁ, ἡ, Qui exiguam accipit mercedem s. exiguæ est mercedis. Procop. Gotth. 4, p. 638, A : Οὐ μικρόμισθοι γεγενημένοι. L. Dind.]

Μικρόμματος, ὁ, ἡ, Qui parvis est oculis. [Diog. L. 5, 1, de Aristotele. Wakef. Aristot. Physiogn. p. 55.]

[Μικρόμυρτος, ὁ, ἡ, Qui parva habet myrta. Theophr. C. Pl. 6, 18, 5.]

[Μικρόνησος, ἡ, Parva insula. Eust. Od. p. 1619, 8 : Ἡ τῆς μικρονήσου ταύτης ἐρημία.]

A [Μικρόνοια, ἡ, Pusillus animus. Cinnamus p. 100, B : Μικρονοίᾳ τινὶ περὶ τὰ πράγματα κεχρῆσθαι. L. Dind.]

[Μικροπιστὴς, ὁ, ἡ, Liutprandi Historia 2, 10. Elberling. Verba sunt p. 439, a, C, ed. Murat. : « Tam diræ autem postmodum factus est famæ, ut hujusmodi vera de eo tam a majoribus quam a pueris cantio diceretur. Et quia sonorius est, græce illud dicamus, Adelbertus comis curtis, μακροσπαθὴς, μικροπιστὴς, quo signatur et dicitur lungo (sic) eum uti ense et minima fide. » Analogia postulat μικρόπιστος vel certe μικρόπιστις. Quanquam et aliæ apud recentiores sunt mirabiles formæ adjectivorum in —ής. L. D.]

[Μικρόπνους, ap. Hippocr. p. 1025, C : Ἰητήριον συνεχέων χασμέων μακρόπνους, τοῖσιν ἀπότοισι καὶ μόγις μικρόπνους, substantive, ut μακρόπνους, quod v., de longa, sic μικρόπνους de brevi respiratione ceperunt nonnulli.]

[Μικροποιέω, Minutum, humile reddo. Longin. De subl. 41, 1 : Μικροποιοῦν δ' οὐδὲν οὕτως ἐν τοῖς ὑψηλοῖς ὡς ῥυθμὸς κεκλασμένος λόγῳ καὶ σεσοβημένος.]

B [Μικροποιὸς, ὁ, ἡ, Minutum, humile reddens. Longin. De subl. 43, 6; 44, 6.]

[Μικροπόλειον, τὸ, Oppidulum. Lex. Ms. Havn. : Πολίχνας, κώμας ἢ μικροπόλεια. Per ι certe scribendum videtur.]

[Μικροπολῖτεία, ἡ, Exiguitas civitatis. Stob. Fl. 39, 29 : Σερίφιος ὀνειδιζόμενος ὑπὸ Ἀθηναίου τὴν μικροπολιτείαν, Ἐμοὶ μὲν, ἔφη, ἡ πατρὶς ὄνειδος, σὺ δὲ τῇ πατρίδι. De Civitate ipsa videtur usurpare Basil. in Μικροκωμία citatus. L. Dind.]

Μικροπολίτης, ὁ, Parvæ urbis civis, Aristoph. [Eq. 817. Xen. H. Gr. 2, 2, 10; Æschines p. 44, 4. Pollux 9, 25.]

[Μικροπολιτικὸς, ή, όν.] Τὸ μικροπολιτικὸν, Multitudo parvi oppidi, ap. Aristoph. [Pollucis 9, 25, qui tamen non addit interpret. ab HSt. positam.]

[Μικροπολῖτις, ιδος, ἡ, Quæ parvæ urbis est. Synes. Ep. 58, fin. : Εἰ δέ τις ὡς μικροπολῖτιν ἀποσκυβαλίσει τὴν ἐκκλησίαν.]

Μικροπόνηρος, ὁ, ἡ, Qui in parva re s. parvis rebus
C improbus est. [Aristot. Polit. 4, 11.]

[Μικρόπους, οδος, ὁ, ἡ, Qui parvis est pedibus. Is. Porphyrog. in Allatii Exc. p. 316 bis. Boiss. Jo. Malal. 1, p. 134. Elberl. Philes p. 242, v. 117 : Ῥαγὶ σταφυλῆς ἐμφερὴς καὶ μ. Eust. Od. p. 1502, 34. Μικρόπος Tzetz. Posthom. 372 : Μικρόπος, ἥσυχος ἦεν· 506 : Μικρόπος, ἀνθερόχειλος.]

Μικροπρέπεια, ἡ, Illiberalitas. Aristot. Eth. 4, 2, de μεγαλοπρεπείᾳ et ἐλευθεριότητι loquens : Τῆς τοιαύτης δ' ἕξεως, ἡ μὲν ἔλλειψις, μ. λέγεται· ἡ δ' ὑπερβολὴ, βαναυσία καὶ ἀπειροκαλία· ubi redditur Indecora parsimonia, qualis est et ἡ σμικρολογία. Ead. verba habentur ap. eund. Aristot. Eth. 2, 7. Idem in Rhet. 1, [c. 9, 2] : Μεγαλοπρέπεια δὲ, ἀρετὴ ἐν δαπανήμασι μεγέθους ποιητική· μικροψυχία δὲ καὶ μ., τἀναντία. [Hierocles p. 194. Wakef. Pollux 3, 116; 4, 13. Iterum HSt. :] Μικροπρέπεια, Vitium magnificentiæ, i. e. τῇ μεγαλοπρεπείᾳ, contrarium; Illiberalitas, Sordes, ut quidam interpr.; Indecora parsimonia, ut alii. Vide Μεγαλοπρέπεια. Aristot. Rhet. 1 : Μεγαλοπρέπεια δὲ, ἀρετὴ ἐν
D δαπανήμασι μεγέθους ποιητική· μικροψυχία δὲ καὶ μικροπρέπεια, τἀναντία.

Μικροπρεπεύομαι, In parvis occupor, Occupor iis quæ viles et abjectos homines decent. Synes. Ep. 134 fin. : Συνηδόμεθα φιλοσοφοῦντι καὶ παραιτουμένῳ μὲν τὸ μικροπρεπεύεσθαι, συνόντι δὲ τῷ παρά σοι κρείττονι. [Iterum HSt. :] Μικροπρεπεύομαι, Sum μικροπρεπὴς, Sum vel vilis abjectique animi, vel indecore parcus; i. fere q. σμικρολογοῦμαι. Synes. Ep. 138 : Συνηδόμεθα φιλοσοφοῦντι καὶ παραιτουμένῳ τὸ μικροπρεπεύεσθαι, Recusanti in parvis et illiberalibus animum suum occupari.

Μικροπρεπὴς, ὁ, ἡ, Viles abjectosque homines decens, ideoque Vilis, vel etiam Illiberalis. [Aristot. Eth. Nic. 4, 4 : Ἡ ἀκριβολογία μικροπρεπές. Conf. ib. 6, ubi mores τοῦ μικροπρεποῦς exponit.] Synes. Ep. 143 : Τὸ δὲ καὶ γράφειν περὶ τούτων μικροπρεπὲς δοκεῖ, Illiberale. Ep. 132 : Οὐδὲ γὰρ ἄξιον καλεῖν αὐτοὺς πολεμίους, ἀλλὰ λῃστὰς ἢ λωποδύτας, ἤ τι τοιοῦτον ὄνομα μικροπρεπέστατον, Aut alio aliquo nomine valde humili abjectoque. Præterea Homo etiam aliquis dicitur μικροπρεπὴς, qui se non est μεγαλοπρεπὴς, nec item ἐλευθέριος, sed Sordidus. Item alia signif. pro Illiberalis, ut quum Plut. De educ. puer. [p. 8, A] dicit, Ὁ μὲν ἔκλυτος καὶ δοῦλος τῶν ἡδονῶν, ζωώδης καὶ μικροπρεπής ἐστι. Ex Phalar. quoque Ep. affertur pro Homine abjecti animi et illiberali. Pollux vero [4, 14] pro μικρόφρων accipere videtur, e Xen. [per errorem] usum ejus afferens. [Iterum HSt. :] Μικροπρεπὴς, Viles et abjectos homines decens, Vilis, Abjectus. Synes. Ep. 132 : Οὐδὲ γὰρ ἄξιον καλεῖν αὐτοὺς πολεμίους, ἀλλὰ λῃστὰς ἢ λωποδύτας, ἤ τι τοιοῦτον ὄνομα μικροπρεπέστατον, Aut alio aliquo nomine valde humili et abjecto. Interdum redditur potius Illiberalis, ap. Eund. Ep. 143 : Τὸ δὲ καὶ γράφειν περὶ τούτων μικροπρεπὲς δοκεῖ. Plut. De educ. puer. [p. 8, A] : Ὁ μὲν ἔκλυτος καὶ δοῦλος τῶν ἡδονῶν, ζωώδης καὶ μ. ἐστί. [Σμικροπρεπὴς, Anna Comn. p. 126. Σμικροπρεπέστερον, ib. p. 88. Elberl.] Apud Polluc. [4, 14] exstat adv. Μικροπρεπῶς, et quidem locum habens cum adverbiis ἀνοήτως, σκαιῶς, ἀπαιδεύτως. [Iterum HSt. :] Μικροπρεπῶς, Ita ut homines viles et abjectos decet, Illiberaliter. [Schol. Eurip. Phœn. 111, annot. 7. L. Dind.]

[Μικροπρόσωπος, ὁ, ἡ, Qui est parvo vultu. Aristot. Physiogn. p. 55.]

[Μικρόπτερος, ὁ, ἡ, Qui est parvis alis. Const. Manass. Chron. 163. Boiss. Gl. : Μικρόπτερα, ὡς Βάρρων, Auxillæ.]

[Μικροπτέρυξ, ὔγος, ὁ, ἡ, i. q. præcedens. Schol. Pind. Pyth. 4, 29.]

[Μικροπύρηνος, ὁ, ἡ, Qui est parvo nucleo. Theophr. C. Pl. 1, 16, 2. ῡ]

Μικρόῤῥαξ, αγος, ὁ, ἡ, Parvos acinos habens. Μικρόῤῥαξ σταφυλὴ citat Bud. ex Plat. Leg. 8, [p. 844, D; 845, A, ubi σταφυλὴν quidem est et κατὰ ῥᾶγα, sed non μικρόρραξ.]

[Μικρόρριν, ὁ, ἡ, Qui parvo est naso. Suidas v. Κολοβόρριν.]

Μικροῤῥοπύγιος, ὁ, ἡ, Parvum orrhopygium habens, Aristot. H. A. 2, 12, de avibus. Sed perperam ibi Ald. edit. habet μικροουῤῥοπύγιοι : nam aut μικροῤῥοπύγιοι scrib., aut μικροουροπύγιοι, ab Οὐροπύγιον.

[Μικρόρρωξ, ωγος, ὁ, ἡ, i. q. μικρόρραξ, Parvas uvas habens, Hesych. Wakef.]

Μῑκρὸς, vel Σμικρὸς, ὰ, ὸν, Parvus, [Modicus, Minor, Pusillus, Minusculus, Putus, Gl. Formam σμικρὸς poetæ Attici ita videntur prætulisse, ut Tragici Comicique nonnisi metri vel euphoniæ caussa σ abjicerent. De prosa quum difficilius sit in librorum inconstantia certi quid pronuntiare, notandum apud Platonem quidem prævalere in libris formam σμικρὸς, ap. Xenophontem vero et alios plerosque μικρὸς fere solum obtinere. De scriptura ζμικρὸς v. Eustath. Il. p. 217, 29.] Hom. Il. E, [801] : Τυδεύς τοι μικρὸς μὲν ἔην δέμας, ἀλλὰ μαχητὴς, Parvus quidem corpore erat Tydeus, sed bellicosus, strenuus. Athen. 12, [p. 552, D] : Ἱππώνακτα τὸν ποιητὴν οὐ μόνον μικρὸν γενέσθαι τὸ σῶμα, ἀλλὰ καὶ λεπτόν. Atque ut aliquis dicitur μικρὸς δέμας, μικρὸς τὸ σῶμα, sic etiam ipsum σῶμα dicitur μικρόν : sicut vicissim μέγα σῶμα, unde comp. μεγαλόσωμος. Sed utplurimum μικρὸς appellatur sine adjectione Qui est parvus, i. e. parvo corpore. [Theognis 254 : Ἀλλ' ὥσπερ μικρὸν παῖδα λόγοις μ' ἀπατᾷς. Sappho fr. ap. Max. Tyr. 24, 9 : Σμίκρα μοι φαίνεαι ἔμμεναι · et sic ap. alios quosvis, ut Aristoph. Ran. 709 : Κλειγένης ὁ μικρός · Xen. Comm. 1, 4, 2 : Πρὸς Ἀριστόδημον τὸν μικρὸν ἐπικαλούμενον.] Plut. Pol. præc. [p. 804, B] : Ὀφθεὶς δὲ μικρὸς καὶ γελασθεὶς κτλ. Sic μικρὰ γυνή : ut ap. Plut. Lacon interrogatus cur duxisset μικρὰν γυναῖκα, respondit minima ex malis eligi debere. Hom. vocavit etiam σμικρὰς ὄρνιθας, Parvas aves, Il. P, [757] : Ὅστε σμικρῇσι φόνον φέρει ὀρνίθεσσι. [Theognis 580 : Μικρῆς ὄρνιθος κοῦφον ἔχουσα νόον, ubi liber unus σμικρῆς.] Dicitur et de aliis rebus variis, sicut Lat. Parvus. [Hom. Od. Γ, 296 : Μικρὸς λίθος.] M. μάχαιρα, Parvus gladius : μικροὶ οἴακες, Plut. De Socr. dæm. [p. 588, F] : Ὑπὸ μικροῖς οἴαξι μεγάλων περιαγωγὰς ὁλκάδων. Item μικρὰ πόλις, Xen. [H. Gr. 5, 2, 35.] Sed jungitur interdum etiam diminutivis, ut Lat. Parvum, veluti quum dicitur Parva munuscula; nam et μικρὸν πολίχνιον legimus ap. Isocr. [p. 111, D], necnon μικρὸν νησίδιον. [Aristoph. Vesp. 803 : Δικαστηρίδιον μικρὸν πάνυ · Nub. 630 : Σκαλαθυρμάτι' ἄττα μικρὰ μανθάνων. V. Ἐγχειρίδιον. L. Dind. Τραπέζια μικρὰ, Plut. Demetr. c. 20; μικροὺς ἀνδριαντίσκους, Thes. c. 20. Valck.] Tale est μικρὸν πινακίσκιον ap. Athen. Xenoph. autem diminutivo junxit μικρὸν præcedente etiam adverbio μάλα, quum dixit, Μάλα μικρὸν γήδιον, Cyrop. 8, [3, 38. Cum inf. Aristoph. Pac. 821 : Μικροὶ δ' ὁρᾶν ἄνωθεν ἦστε.] Μικραὶ κύλικες, Cic. ap. Xen. [Conv. 2, 26] vertit Minuta pocula, ut videbis p. 133 mei Cic. Lex.

‖ Μικρὸν dicitur etiam Quod est parvi pretii, s. parvi momenti, ut quum dicit Eur. [ap. Plut. Mor. p. 464, A] de Deo : Τῶν ἄγαν ἅπτεται, τὰ μικρὰ δὲ εἰς τύχην ἀφεὶς ἐᾷ, ubi etiam observa τὰ μικρὰ opponi τοῖς ἄγαν. Interdum autem μικρὰ et μείζω opponunt, pro Rebus levioribus et gravioribus. Plut. Polit. præc. [p. 814, E] : Καὶ μικρὰ καὶ μείζω φέροντες ἐπὶ τοὺς ἡγεμόνας. At Dem. dixit etiam Ἐπηρεάζειν καὶ μικρὰ καὶ μείζω, in Orat. C. Mid. [p. 519, 13. Contraria etiam sæpe μικρὸς et μέγας. Priscian. 18, 25, 241 : « Attici μικρὸν ἢ μέγα. Nos Plus minusve. » Plato Reip. 3, p. 402, C : Μήτε ἐν σμικροῖς μήτε ἐν μεγάλοις. Stob. Fl. App. vol. 4, p. 22 : Ὧν ἐγὼ οὔτε μέγα οὔτε μικρὸν πέρι ἐπαΐω. Comparativo Plato Phil. p. 25, C : Καὶ μεῖζον καὶ σμικρότερον · Ep. 7, p. 343, A : Οὔτε τι σμικρότερον οὔτε μεῖζον.] In VV. LL. ex Eod. [p. 1455, 19] affertur ὁ μικρότατος pro Abjectissimus. Et μικρὰ φρονεῖν pro Submisse se gerere : quod et μικρὸν φρονεῖν dicitur in hoc versu, qui exstat ap. Plut. [Mor. p. 28, C] : Μικρὸν φρονεῖν χρὴ τὸν κακῶς πεπραγότα. [Soph. Aj. 1120 : Ὁ τοξότης ἔοικεν οὐ σμικρὸν φρονεῖν. Ubi plerique male μικρά.] Sed et μικρὸς τὴν γνώμην dicitur esse aliquis ap. Athen. [De homine Pind. Pyth. 3, 117 : Σμικρὸς ἐν σμικροῖς, μέγας ἐν μεγάλοις ἔσσομαι. Soph. OEd. T. 1083 : Οἱ δὲ συγγενεῖς μῆνές με μικρὸν καὶ μέγαν διώρισαν · OEd. C. 958 : Ἐπεὶ ἐρημία με, κεἰ δίκαι' ὅμως λέγω, σμικρὸν τίθησι · Aj. 161 : Μετὰ γὰρ μεγάλων βαιὸς ἄριστ' ἂν καὶ μέγας ὀρθοῖθ' ὑπὸ μικροτέρων. De dea Eur. Tro. 940 : Οὐχὶ μικρὰν θεὸν ἔχων αὑτοῦ μέτα. ‖ De rebus Theognis 322 : Μήπου ἐπὶ σμικρῇ προφάσει φίλον ἄνδρ' ἀπολέσσαι · 607 : Ἀρχῇ ἔπι ψεύδους σμικρὴ χάρις. Æsch. Prom. 976 : Οὐ σμικρὰν νόσον · et similiter alibi forma σμικρός. Soph. Tr. 361 : Ἔγκλημα μικρὸν αἰτίαν θ' ἑτοιμάσας. Eur. fr. Melanipp. ap. Stob. Fl. 94, 1 : Βίος ὁ μικρὸς, de vitæ conditione mediocri. « De oratione Longin. De subl. 10, 6 : Ἐπεχείρησε καὶ ὁ Ἄρατος τὸ αὐτὸ τοῦτο μετενεγκεῖν ... πλὴν μικρὸν αὐτὸ καὶ γλαφυρὸν ἐποίησεν ἀντὶ φοβεροῦ. ‖ Et de scriptore Exilis, Tenuis, ταπεινός. Dionys. Censur. scriptt. c. 3, 2, de Philisto, p. 427. » Ernest. Lex. rhet.]

‖ Μικρὸς interdum, sed rarius, oppositum habet non μέγας, Magnus; sed πολὺς, Multus : veluti quum in Phil. 2 [p. 71, 5] dicitur a Dem. μικρὸν χρόνον pro Parvo tempore; huic enim opponeremus πολὺν χρόνον. [Aristoph. Pl. 126 : Ἐὰν ἀναβλέψῃς σὺ κἂν μικρὸν χρόνον.] Possumus autem μικρὸν χρόνον reddere non solum Parvo tempore, sed et Brevi vel Pauco tempore. [Pind. Ol. 12, 12 : Ἐν μικρῷ χρόνῳ. Eur. Iph. T. 306. De tempore Pollux 1, 72 : Ἄρτι, ὅ ἐστι πρὸ μικροῦ.] Sicut ap. Eund. In Mid. habemus μικρὰ λέγειν pro Pauca dicere, ὀλίγα λέγειν. Sed et μικρὸν ἀργυρίδιον, Aristoph. Pl. [240], Pauca pecunia, ad verbum Pauca pecuniola [Antiphanes ap. Athen. 10, p. 444, B : Ὅστις δὲ μεῖζον ἢ κατ' ἄνθρωπον φρονεῖ | μικρῷ πεποιθὼς ἀθλίῳ νομίσματι, | εἰς ἄφοδον ἐλθὼν ὅμοιον πᾶσιν αὑτὸν ὄψεται. Quorum versuum medium cretico ab initio augendum putarunt editores, ut tetrametrum facerent ex trimetro. Qui non animadverterunt totum esse delendum. L. D.] : sicut et ap. Hesiod. [Op. 359] quidam interpr. : [Εἰ] σμικρὸν ἐπὶ σμικρῷ καταθεῖο, [τάχα κεν πολὺ καὶ τὸ γένοιτο. Ad signif. Pauci Ducang. App. Gloss. p. 132 confert Jo. Carpath. episc. Ms. : Ἀγγεῖον ἔχον μικρὸν μέλι, et alibi μικρὸν ὕδωρ, ἔλαιον, etc. Apophth. Patr. in Cotel. Mon. vol. 1, p. 393, B : Ἔμειναν μικρὰς ἡμέρας.] Interdum vero μικρὸν s. σμικρὸν cum gen., ut σμικρὸν μέλιτος, ap. Aristoph. [Vesp. 878], q. d. Paucum mellis, pro Paucum mel, Paulum mellis. [Miro loquendi genere ap. Eur. Hel. 302 : Σμικρὸν δ' ὁ καιρὸς ἄρτ' ἀπαλλάξαι βίου. Sed hic quoque versus inepti hominis emblema est. Alia phrasis ap. Strab.

9, p. 442 : Νυνὶ δὲ μικρὸν ἢ οὐδὲν αὐτῶν ἴχνος σώζεται, ubi al. οὐδὲν ἢ μικρὸν, sed altero ordine 11, p. 519 : Μικρὸν ἢ οὐδὲν Ἀμισοῦ ἑωθινώτερος. L. D.] Sæpe vero adverbialiter, oppositum itidem τῷ πολὺ, pro Paulum, Parum. Isocr. in Hel. Enc. init. : Καὶ μικρὸν προέχειν ἐν τοῖς μεγάλοις, ἢ πολὺ διαφέρειν ἐν τοῖς μικροῖς. Sic ex Aristide, Τὰ μικρὸν τῆς γῆς ὑπανέχοντα. [Insolentius Aristot. Polit. 7, 16, p. 1335, 29 : Διὸ τὰς μὲν (feminas) ἁρμόττει περὶ τὴν τῶν ὀκτωκαίδεκα ἐτῶν ἡλικίαν συζευγνύναι, τοὺς δ' ἑπτὰ καὶ τριάκοντα, ἢ μικρόν. Ubi Schneiderus lacunam, ego brachylogiam subesse puto, ut μικρὸν sit Fere, ut μικροῦ. || Brevi, est ap. Jo. Malalam p. 382, 2 : Μικρὸν γὰρ, ἐὰν ἀνδρωθῇ ὁ υἱὸς αὐτοῦ ὁ Καῖσαρ, πάντως καὶ ἐμὲ παραβαίνει.] Sed et μικρόν τι adverbialiter etiam positum a [Platone Crat. p. 410, A : Σμικρόν τι παρακλίνοντες·] Gregor. pro Aliquantulum, Bud.; qui affert et μικρὰ ex eo pro Paululum, [Pusillum add. Gl. Plato Reip. 7, p. 527, A : Ὅσοι καὶ σμικρὰ γεωμετρίας ἔμπειροι. Et similiter alibi,] Paulisper, Μικρὰ τῷ κόσμῳ καὶ τῇ σκηνῇ χαρισάμενοι. [Strabo 14, p. 641 : Δόξαντος ὑπερβαλέσθαι μικρὰ τὸ στάδιον.] Et cum compar., ut μικρὸν ἐλάττω, Dem., ut Lat. Paulo pauciora : quo dicitur modo πολὺ ἐλάττω. Utuntur tamen et dativo μικρῷ, idque non minus frequenter : ut [Μικρῷ ἀνωτέρω, Paulo superius ; Μικρῷ πρότερον, Paulo ante, Gl. Plato Leg. 3, p. 698, B : Οὐ σμικρῷ χείρων· 4, p. 719, B : Σμικρῷ πρόσθεν·] μικρῷ πλείους, idem Dem., et μικρῷ πρότερον : quo dicitur modo et μικρῷ ὕστερον : sicut etiam μικρὸν πρότερον, ὕστερον. [Σμικρὸν ἔμπροσθε Plato Phil. p. 42, A.] Interdum etiam cum ὅσον : Μικρὸν ὅσον διαφέρειν, VV. LL., Parum admodum differre. Sed tamen Plin. ap. Theophr. interpr. Fere, quum hæc ejus verba [H. Pl. 3, 4, 5], Πεύκη καὶ πίτυς προτεροῦσι τῇ βλαστήσει μικρὸν ὅσον πεντεκαίδεκα ἡμέραις, τοὺς δὲ καρποὺς ἀποδιδόασι μετὰ πλειάδα κατὰ λόγον, ita vertit, Pinus et picea præveniunt germinatione abietem, quindecim fere diebus, semen vero post vergilias et ipsæ reddunt. [Dicitur etiam μικρὸν ὅσον ὅσον. V. de utroque Boiss. An. vol. 4, p. 295. Dat. plur. Demosth. p. 858, 4 : Ταῦτα δὴ τὰ χρήματα οὐδαμοῦ παραδοὺς ἐφαίνετο, οὐδ' ἐλάττω μικροῖς.] || Sic et μικροῦ pro Fere, [Paulo, Pauco, Prope, Gl.] non est infrequens. Xen. Cyrop. 1, [4, 8] : Καὶ μικροῦ κἀκεῖνον ἐξετραχήλισεν. Dem. [p. 277, 20] : Μικροῦ μὲν ἅπαντας κατηκόντισαν. Idem alibi : Μικροῦ γε, ἃ μάλιστά με δεῖ πρὸς ὑμᾶς εἰπεῖν, παρῆλθον. Quibus in ll. μικροῦ est Fere, Propemodum, Parum abfuit quin. Existimo autem dici μικροῦ hujusmodi in ll., subaudito infin. δεῖν : nam μικροῦ δεῖν [Paulo minus, Pœne, Gl.] hac signif. dici solet : Dem. [p. 316, 10] : Τὸ δὲ τὰς ἰδίας εὐεργεσίας ὑπομιμνήσκειν καὶ λέγειν, μικροῦ δεῖν ὅμοιόν ἐστι τῷ ὀνειδίζειν. [Xen. H. Gr. 4, 6, 11 : Ἐπεὶ μικροῦ ἔδεον ἤδη ἐν χερσὶ τῶν Λακεδαιμονίων ὁπλιτῶν εἶναι. Μικροῦ πρόσθεν, Paulo ante, Gl.] Jungitur etiam præpositionibus hoc nomen, obtinens locum adverbii. Dicitur enim εἰς, ἐπὶ μικρόν : item κατὰ, μετὰ, παρὰ μικρόν. [Ἐν μικρῷ, Eur. Tro. 1040 : Πόνους τ' Ἀχαιῶν ἄποδος ἐν μικρῷ μακροὺς θανοῦσα. Xen. Ven. 5, 32 : Ἐν μικρῷ πολὺ καταλιπὼν τὸ ἐπιφερόμενον· Eq. 7, 15 : Κάμπτειν ἐν μικρῷ· et ib. 8, 7.] Affertur εἰς μικρὸν ex Luciano [scriptore Philopatr. c. 2] pro Paulisper, Parumper : Ἐς μικρὸν πέπαυσο, Quiesce parumper. Ἐπὶ μικρὸν autem non solum pro Parumper s. Paulisper, sed et pro Parum, ex Aristot. [Soph. El. 414 : Ἀλλ' οὐ κάτοιδα, πλὴν ἐπὶ σμικρὸν φράσαι. Xen. Ven. 5, 23 : Τὰ μέλανα οἱ μὲν ἐπὶ πολὺ, οἱ δ' ἐπὶ μικρόν. Antiphon p. 143, 31 : Ἐπὶ σμιρκὸν ὑπονοεῖν τὰ λεγόμενα.] Quantum ad reliqua tria attinet, de μετὰ μικρὸν quidem dixi in Μετά. At κατὰ μικρὸν sæpe ponitur pro Paulatim, quo usus est modo Isocr. [p. 409, C] dicens, Κατὰ μικρὸν προϊών. Itidemque dixit Dem. Phal. : Κατὰ μικρὸν καὶ κατὰ βραχὺ προϊών. [Xen. Comm. 4, 3, 9 : Οὕτω κατὰ μικρὸν προσιέναι τὸν ἥλιον, οὕτω δὲ κατὰ μικρὸν ἀπιέναι.] Et ap. Gregor. : Ταῖς κατὰ μικρὸν ἀναβολαῖς, Bud. vertit, Sensim prolatando. Sed Plin. ap. Aristot. [H. A. 6, 12] reddidit, Subinde, quum hæc Aristot. verba de vitulo marino loquentis, Ἄγει δὲ δωδεκαταῖα ὄντα τὰ τέκνα εἰς τὴν θάλατταν πολλάκις τῆς ἡμέρας, συνεθίζουσα κατὰ μικρὸν, sic interpr. : Non ante duodecimum diem deducit in mare, ex eo subinde assuefaciens. At κατὰ σμικρὰ νεῖμαι ex Plat. Leg., Par-

A ticulatim distribuere, in minima quæque. [3, p. 699, D : Κατὰ σμικρὰ ἕκαστος σκεδασθεὶς ἄλλος ἄλλοσε διεσπάρη· Tim. p. 62, A : Κατὰ σμικρὰ τὰ σώματα κερματίζουσα. Eadem signif. Aristoph. Nub. 741 : Σχάσας τὴν φροντίδα λεπτὴν κατὰ μικρὸν περιφρόνει τὰ πράγματα· Vesp. 702 : Καὶ τοῦτ' ἐρίῳ σοι ἐνστάζουσιν κατὰ μικρὸν ἀεί. Xen. Anab. 7, 3, 22 : Τοὺς ἄρτους διέκλα κατὰ μικρόν. Ubi μικρὰ Athenæus, quod est 5, 6, 32 : Διασπασθέντες καὶ κατὰ μικρὰ γενομένης τῆς δυνάμεως, ubi vicissim μικρὸν liber optimus. In Ind. :] Καταμικρὸν, alicubi conjunctim scriptum reperitur pro κατὰ μ. [|| Antiatt. p. 108, 7 : Μεῖζον μεῖζον, μικρὸν μικρὸν, ἀντὶ τοῦ ἀεὶ κατὰ μικρόν. Ἀντιφάνης Ἀγροίκῳ.] Ultimum autem παρὰ μικρὸν, pro Ferme. Item in alia signif., ubi non itidem adverbialiter poni videtur, habes ap. Bud. p. 245. [In Ind. :] Παραμικρὸν, s. Παρὰ μικρὸν, Propemodum, Pene, Parum abfuit quin. [Eur. Heracl. 295 : Ὡς δεῖν' ἔπαθεν καὶ παρὰ μικρὸν ψυχὴν ἦλθεν διαχναῖσαι. Isocr. p. 141, B.] Chrysost. De sacerdotio : Παραμικρὸν ἦλθεν ἀποθανεῖν, εἰ μὴ ἡ τοῦ ἀδελφοῦ προστα-
B σία ἔλυσε τοῦ θεοῦ τὴν ὀργήν. Isocr. [p. 367, B] : Παραμικρὸν ἐδέησα ἀποθανεῖν ἄκριτος. Ex Luciano [Apolog. c. 4] : Οὐ παραμικρὸν ἀτοπώτερον, pro Non paulo minus absurdum. Et ex Aristide [vol. 1, p. 159] : Ναυμαχίας οὐ παραμικρὸν ἐνίκων, pro Non modice, sed multum et vehementer. [Polyb. 12, 20, 7 : Διόπερ οὐδὲ παρὰ μικρὸν ἦν κρεῖττον ἄγειν διφαλαγγίαν ἢ τετραφαλαγγίαν, Multam præstabat. Alia signif. Ps.-Demosth. p. 1416, 21 : Ἵνα μᾶλλον προτρέψω σε πρὸς τὴν φιλοσοφίαν ἐὰν μὴ παρὰ μικρὸν ποιήσῃ μηδ' ἐπὶ τοῖς ὑπάρχουσιν ἀγαθοῖς μέγα φρονήσας τῶν μελλόντων ὀλιγωρήσῃς, Parvi pendas. Isocr. p. 52, D : Οὐ γὰρ παρὰ μικρὸν ἐποίησαν, ἀλλὰ τοσοῦτον τὰς τύχας ἑκατέρων μετήλλαξαν κτλ. Idem p. 98, A : Μὴ καταφρονεῖν τοῦ πλήθους μηδὲ παρὰ μικρὸν ἡγεῖσθαι τὸ παρὰ πᾶσιν εὐδοκιμεῖν. Polyb. 15, 6, 8 : Ὡς ἡ τύχη παρὰ μικρὸν εἰς ἑκάτερα ποιεῖ μεγάλας ῥοπάς. Alia locutione Soph. Phil. 498 : Τοὐμὸν ἐν σμικρῷ μέρος ποιούμενοι. Polyb. 3, 9, 5 : Ἐγὼ δέ φημι μὲν δεῖν οὐκ ἐν μικρῷ προσλαμβάνεσθαι τὴν τοῦ συγγραφέως πίστιν, οὐκ αὐτοτελῆ δὲ κρίνειν. Eur. El. 430 : Τῆς δ' ἐφ' ἡμέραν βορᾶς ἐς σμι-
C κρὸν ἥκει. Comparat. et superl. in Gl. : Μικρότερος, Minor ; Μικρότατον, Paululum. Aristoph. Eq. 789 : Καὶ σὺ γὰρ αὐτὸν πολὺ μικροτέροις τούτων δελεάσμασιν εἷλου. Demosth. p. 1455, 19 : Τῶν ὑμετέρων ψηφισμάτων ἀλλ' οὐδὲ τὸ μικρότατον φροντίζουσιν. Adverbialiter Xenoph. Comm. 3, 11, 12 : Οἷα ποιοῦσιν αὐτοῖς σμικρότατα (al. μικρότατα) μελήσει. Et alibi. Μικρὸς quum priorem natura producat, interdum scribitur μεικρὸς, ut in inscr. in Λοιγάω citata. Correpta dixit Gregor. Naz. Carm. 2, 278, ab Jacobsio citatus ad Anth. Pal. 14, 35, 1.]

|| Μικρῶς, vel Σμικρῶς, Parve, Parum. [Plato Critiæ p. 107, D : Σμικρῶς εἰκότα λεγόμενα.] Herodian. 3, [9, 9] : Οὐ μ. ἐλύπουν τὸν τοῦ Σεβήρου στρατόν. [Prolog. Orac. Sib. p. 4 ed. Alex. : Οὐ μ. ὠφελεῖν.]

[Μικρόσαρκος, ὁ, ἡ, Qui parvis carnibus est. Xenocr. Aquat. § 48, p. 11.]

[Μικρόσιμος, ὁ, ἡ, Subsimus. Jo. Malal. 1, p. 134.]

[Μικροσιτία, ἡ, Exiguus esus, Cœna modica. Alexis ap. Athen. 4, p. 161, D : Ἔδει θ' ὑπομεῖναι μικροσιτίαν. Ita Porsonus. Libri μικρὸν ἀσιτίαν.]

D [Μικρόσιτος, ὁ, ἡ, Qui paucis vescitur. Hesych. et Suidas v. Σιχός.]

[Μικροσκελής, ὁ, ἡ, Qui parvis cruribus est. Aristot. De partt. an. 4, 8 : Οἱ Ἡρακλεωτικοὶ (καρκίνοι) μικροσκελεῖς εἰσιν.]

[Μικρόσοφος, ὁ, ἡ, Sciolus. Diod. Exc. p. 513, 60 : Ἔστι γάρ τινα τῶν ἀνθρώπων (ἀνθρωπίων) φιλόφθονα καὶ μικρόσοφα.]

Μικροσπέρματος, ὁ, ἡ, Parvum semen ferens.

[Μικρόσπερμος, ὁ, ἡ, i. q. præcedens. Theophr. H. Pl. 8, 3, 5.]

[Μικρόσπλαγχνος, ὁ, ἡ, Qui parvis est intestinis. Galen. vol. 5, p. 121, A. Hemst.]

Μικρόσταχυς, ὁ, ἡ, Parvam spicam ferens, Parvas spicas protrudens.

Μικρόστομος, ὁ, ἡ, Qui parvo s. angusto ore est. [Hippocr. p. 515, 19, ἄγγος. Lucian. Timon. c. 14, λυχνίδιον. Proprie de animalibus Aristot. H. A. 2, 7. Plut. Mor. p. 977, D. « Is. Porphyrog. in Allatii Exc. p. 316. » Boiss.]

[Μικρόσφαιρος, ὁ, ἡ, Qui parvæ est sphæræ sive parvi globi. Arrian. Peripl. 38, ubi Malabathri tria memorantur genera, ἁδρόσφαιρον, μεσόσφαιρον, μικρόσφαιρον. V. Μαλάβαθρον p. 539, A, B, et Μεσόσφαιρος.] A

Μικρόσφυκτος, ὁ, ἡ, Cui parvus est pulsus et exilis, Cui venæ admodum exiliter moventur, ita ut pulsus ob suam exilitatem et obscuritatem deprehendi nequeat, Cui pulsus elanguit. Exp. etiam Debilis. [Dioscor. p. 331, C. Hemst.]

[Μικροσφυξία, ἡ, Exilitas pulsus arteriarum. Paul. Æg. 3, 34. Inter μικροσφυξίαν et σμικροσφ. variant libri Theophanis Nonni vol. 1, p. 422.]

[Μικρόσχημος, ὁ, ἡ, Monachus s. Monacha parvi habitus, h. e. Qui s. quæ ad perpetuam vitam monachicam obligati μανδύαν s. Pallium gestarent. V. Ducang. v. Σχῆμα p. 1506, C. Qui p. 1507, A, affert Pœnitent. Joannis Jejunat. p. 79 : Αἱ γὰρ μικρόσχημοι ὡς πόρναι κρίνονται, et alia. Forma Μικροσχήμων Eust. Opusc. p. 257, 54, etc.]

[Μικροτελεστής, ὁ, Parvarum rerum perfector. Eust. Opusc. p. 281, 58 : Μεγαλεπίβολος μὲν τὴν ἔφεσιν, μικροτελετής (sic) δὲ ἐν ταῖς ἐπιβολαῖς.] B

[Μικροτερπής, ὁ, ἡ, Parvis insistens vertitur ap. Theodos. Diac. Exp. Cret. 208, ubi de Philippo Amyntæ : Ὁ μικροτερπής, πλὴν φανεὶς ἀριστόπαις. Boiss.]

[Μικροτέχνης, ὁ, Vilis artifex. Clem. Alex. p. 78.]

[Μικροτεχνία, ἡ, Pusillum artificium. Eust. in Dionys. p. 1052. Wakef. Schol. Dionys. Thrac. in Bekk. An. p. 651, 25. Boiss.]

Μικρότης, ητος, ἡ, vel Σμικρότης, Parvitas, [Pusillitas, add. Gl.] Exiguitas. Plato Tim. [p. 43, A] : Δεσμοῖς διὰ σμικρότητα ἀοράτοις, Vinculis quæ cerni non possent propter parvitatem. [Isocr. p. 45, E : Τὰς εὐεργεσίας τὰς διὰ μικρότητα διαλαθούσας.] Aristot. μέγεθος et μικρότητα inter se opposuit. Isocr. dixit etiam σμικρότητα τοῦ μισθοῦ. [Plut. Æmil. c. 8. « Μικρότης ὀνομάτων, Humilia verba, quæ rei dignitati non respondent, Longin. c. 43, ubi paullo post τῆς ὕλης ἀδοξότερα, Rei gravitate inferiora, dicit. Unde et mox ἄσεμνον et ἰδιωτικὸν tale verbum dicitur. Deinde μικρότης etiam est Nimia brevitas membrorum in oratione, unde oritur ξηρὰ σύνθεσις, Demetr. De eloc. c. 4. Contrarium vitium est ἡ ἀμετρία. Illud c. 6 etiam ἡ σμικρότης, et ἀποκοπὴ τοῦ ῥυθμοῦ appellatur. » Ernest. Lex. rh. Theodor. Stud. p. 317, A : Τῆς σμικρότητός μου.] C

Μικροτράπεζος, ὁ, ἡ, Qui exiguam s. tenuem mensam apponit, ὁ εὐτελῆ τράπεζαν παρατιθέμενος : oppositum μεγαλοτρ. Antiph. ap. Athen. 4, [p. 130, E] : Τί δ' ἂν Ἕλληνες μικροτράπεζοι φιλοτρῶγες [φυλλοτρ.] δράσειαν; ὅπου τέτταρα λήψῃ κρέα μίκρ' ὀβολοῦ· παρὰ δ' ἡμετέροις προγόνοισιν ὅλους βοῦς ὀπτῶσιν, ἐλάφους, ἄρνας. [ᾰ]

Μικρότρῐχος, ὁ, ἡ, Qui exiguis est pilis, brevibus est pilis, Cam. [Aristot. H. A. 2, 1 med.]

[Μικροϋποκριτής, ὁ, Parvus histrio. Eust. Opusc. p. 92, 95 : Οἱ ἐν τοῖς τοιούτοις εἰσέτι πλέον μικροϋποκριταί.]

[Μικροφάγος, ὁ, ἡ, Qui paucis vescitur. Suid. v. Ματιολοιχός.]

[Μικροφᾰνής, ὁ, ἡ, Specie parvus. Diodorus De fato ap. Phot. Bibl. p. 211, 29 : Καὶ εἰ μικροφανὴς ὁ Κρόνος, μείζων, ὥς φασι, τῶν ἄλλων ὑπάρχων πλανήτων. Jacobs.] D

[Μικροφάρυγξ, υγγος, ὁ, ἡ, Qui longam habet gulam. De lagena Marc. Argentar. Anth. Pal. 9, 229, 2 : Εὔστομε, μακροφάρυγξ. ᾰ]

[Μικρόφθαλμος, ὁ, ἡ, Qui parvis est oculis. Procul. Paraphr. Ptolem. p. 203, 204; schol. Vict. Hom. Il. Θ, 164; Is. Porphyrog. in Allatii Exc. p. 308, 315. Boiss. Σμικρόφθαλμος, Hippocr. p. 1194.]

[Μικροφιλοτῑμία, ἡ, Gloriæ ex rebus pusillis cupido. Theophr. Char. c. 23 : Ἡ δὲ μ. δόξειεν ἂν εἶναι ὄρεξις τιμῆς ἀνελεύθερος.]

[Μικροφιλότιμος, ὁ, ἡ, Ex rebus tenuibus gloriam captans. Theophr. Char. c. 23.]

Μικροφρόνως, et Ὀλιγοφρόνως, a Polluce [4, 15] rejiciuntur ut ἀτοπώτερα, pro iis usurpante adv. μικροπρεπῶς. Attamen Idem [ib. 14] admittit ut μικροπρεπής, ita etiam Μικρόφρων [Dio Cass. 61, 5] et Ὀλιγόφρων, Pusillanimus. Quinetiam [ib. 13] affert subst. Μικροφροσύνη, Pusillanimitas, Parvus et angustus animus. [Plut. Mor. p. 351, A, σοφιστικὴ μ.]

[Μικροφροσύνη. Μικρόφρων. V. Μικροφρόνως.]

[Μικροφῠής, ὁ, ἡ, Pusillus, Gl. Schol. Aristoph. Av. 441. Hemst. Porphyr. De A. N. c. 28, p. 26 : Τὰ μὲν νότια μικροφυῆ ποιεῖ τὰ σώματα. Wakef. Eust. Op. p. 169, 21 : Μικροφυεῖ ζωιδίῳ· et alibi ib. Comparativo 166, 81 : Μικροφυέστερον θηρίδιον. « Qui parva corporis statura est, Suid v. Γυνὴ μεγάλη. » Schleusn. Zonaras v. Νᾶπυ. Eust. Il. p. 1061, 1. || Adv. Μικροφυῶς, Eust. Il. p. 1196, 12. || Σμικροφυής Constantin. Melit. De proc. Sp. S. c. 35, p. 883. L. Dind.]

[Μικροφυΐα, ἡ, Exiguitas. Strabo 17, p. 821, de Pygmæis. « Μικροφυΐα τοῦ λόγου, Exilitas orationis, Andr. Cret. p. 35. » Kall.]

Μικρόφυλλος, ὁ, ἡ, Qui parvis s. minutis est foliis.

[Μικροφυῶς. V. Μικροφυής.]

Μικροφωνία, ἡ, Exiguitas vocis, i. e. Exilitas, λεπτοφωνία. [Σμικροφωνία, Pollux 2, 112.]

Μικρόφωνος, ὁ, ἡ, Qui parvam habet vocem s. exiguam : i. e. exilem, λεπτόφωνος. [Phot. v. Ἠχυθιστής. Boiss. Alexis ap. Antiatt. Bekk. p. 108, 4. Galen. vol. 4, p. 169. De literis soni exilioris ap. Dionys. H. De comp. vv. p. 75, 12. || Σμικρόφωνος et Σμικροφώνως Pollux 2, 111, 112.]

[Μικροχᾰρής, ὁ, ἡ, Minutiis gaudens. Longin. De subl. 4, 4 : Τί δεῖ περὶ Τιμαίου λέγειν, ὅπου γε καὶ οἱ ἥρωες ἐκεῖνοι, Ξενοφῶντα λέγω καὶ Πλάτωνα, καίτοι γ' ἐκ τῆς Σωκράτους ὄντες παλαίστρας, ὅμως διὰ τὰ οὕτως μικροχαρῆ ἑαυτῶν ποτε ἐπιλανθάνονται; 41, 1 : Εὐθὺς γὰρ πάντα φαίνεται τὰ κατάρρυθμα κομψὰ καὶ μικροχαρῆ. Philodemus p. 24, 29 ed. Dübner. : Οὐ μέντοι τὰ νοούμενα κωφά τ' ἐστὶ καὶ μικροχαρῆ καὶ διεψευσμένα. Antipater Stob. Fl. vol. 3, p. 18 : Ποικίλων ἡδονῶν ἀπόλαυσιν ἀγεννῶν καὶ μικροχαρῶν, Minuta gaudia afferentium.]

[Μικρόχρονος, ὁ, ἡ, Qui est brevis temporis. Const. Manass. Chron. 4107 : Βραχύ τι καὶ μικρόχρονον ἐπιβιοὺς τῷ κράτει. Boiss.]

[Μικρόχωρος, ὁ, ἡ, Qui parvam habet terram. Strabo 3, p. 166; 11, p. 410.]

Μικροψῡχέω, Pusillo animo sum, Sum pusillanimis. Exp. etiam Animo deficio : ac si i. esset q. λειποψυχέω. [Aristot. Probl. 9, 9. « Liban. vol. 4, p. 165, 20, pro λειποψυχῶ, cod. Mon. n. 113. » Jacobs. Niceph. Chumn. Epist. 87. Boiss. Ephræm. Syr. vol. 3, p. 244, F. L. Dindorf.]

Μικροψυχία, ἡ, Pusillanimitas, [Pusillitas, add. Gl.] Parvus et angustus animus : vitium oppositum τῇ μεγαλοψυχίᾳ, ut vides ex locis illic citatis. Aristot. Rhet. 2, [15, 1] scribit μικροψυχίας καὶ ταπεινότητος σημεῖα esse τὸ ὑφ' ἑτέρου εὖ πάσχειν, καὶ τὸ πολλάκις· καὶ ἃ εὖ ἐποίησεν, ὀνειδίζειν. [Conf. id. ib. 1, 9, 2, Eth. Nic. 4, 9. Menander ap. Stob. Fl. 20, 22 : Τὸ δ' ὀξύθυμον τοῦτο καὶ λίαν πικρὸν δεῖγμ' ἐστὶν εὐθὺς πᾶσι μικροψυχίας. Demosth. p. 319, 5 : Φθόνου καὶ μικροψυχίας· 401, 18 : Τίνα ἐν αὐτῷ μικροψυχίαν ἐνεορακώς; Isocr. p. 133, C, etc. || « Μικροψυχία, vox non satis probe intellecta a multis interpretibus, vulgo significat Simultatem, Dissensionem, quæ quidem ex pusillanimitate oritur. Athan. vol. 1, p. 142, A : Λελυπημένων διὰ τὴν πρὸς ἀλλήλους μικροψυχίαν· 152, F : Δι' ὀλίγων μικροψυχίαν. Basil. Epist. 74 : Ὁ παρ' ἡμῶν λόγος ὕποπτός ἐστι τοῖς πολλοῖς, ὡς τάχα διά τινας ἰδιωτικὰς φιλονεικίας τὴν μικροψυχίαν πρὸς αὐτοὺς ἑλομένων. » Index Athanasii. Jo. Chrys. vol. 11, p. 14, B, et passim. Alia exx. v. ap. Routh. Scriptt. eccles. Opusc. vol. 2, p. 434, ad verba Conc. Nic. vol. 1, p. 357, 5 : Μικροψυχία ἢ φιλονεικία. L. Dind.]

Μικρόψυχος, ὁ, ἡ, cui opp. μεγαλόψυχος, significans sc. Pusillanimis, Qui est animo pusillo et dejecto. Aristot. Eth. 4, 3 : Ὁ δὲ μεγάλων αὑτὸν ἀξιῶν, ἀνάξιος ὤν, χαῦνος· ὁ δὲ ἐλαττόνων ἢ ἄξιος, μικρόψυχος· Rhet. 2, [c. 15, 1] ait τοὺς μικροψύχους τεταπεινῶσθαι ὑπὸ τοῦ βίου, quoniam οὐδενὸς μεγάλου οὐδὲ περιττοῦ, ἀλλὰ τῶν πρὸς τὸν βίον ἐπιθυμοῦσι· iisdemque in eod. lib. dicit πάντα δοκεῖν μεγάλα εἶναι. Ex Dem. vero [p. 316, 9] affertur pro Illiberalis et sordidus. [Comparativo Isocr. p. 76, D. De equo Pollux 1, 197. || Adv. Μικροψύχως, Abjecte, Ignave, Timide. « Jo. Chrys. In Ep. ad Rom. serm. 7, vol. 3, p. 52, 32. » Seager. Gregor. Naz. Epist. 80, p. 834, A. Boiss. Schol. Soph. OEd. C. 1375.]

Μικρύνω vel Σμικρύνω, Parvum reddo, Imminuo.

[Demetr. De eloc. 236 : Ὥσπερ τις ἐπὶ Ξέρξου, ἔφη, ὅτι Κατέβαινεν ὁ Ξέρξης μετὰ πάντων τῶν ἑαυτοῦ. Μάλα γὰρ ἐσμίκρυνε τὸ πρᾶγμα. De ο μικρῷ Eust. Il. p. 68, 21 : Ὡς ἂν οὕτω σμικρυνθέντος τοῦ ο διὰ τὴν πρὸ αὐτοῦ μακρὰν συλλαβήν. Zonar. vol. 1, p. 861 : Ἔρον σμίκρυνε, Per ο μικρὸν scribe. ῡ]

[Μικρώνῠμος, ὁ, ἡ, Qui parvi est nominis. Iambl. In Nicom. p. 100, D : Ἕκαστος γὰρ πολύγωνος σύστημά ἐστι τοῦ ὑπὲρ αὐτὸν μονάδι μικρωνυμωτέρου. V. Μειώνυμος.]

[Μικρὼ, οῦς, ἡ, Micro, n. mulieris, in inscr. Hermionensi ap. Bœckh. vol. 1, p. 598, n. 1211, 26. L. D.]

[Μικρῶς. V. Μικρός.]

Μικτέον, Miscendum. [Plato Tim. p. 48, A : Μικτέον καὶ τὸ τῆς πλανωμένης εἶδος αἰτίας.]

[Μικτικῶς. Eo vocab. μίγα explicat glossator Pind. Pyth. 4, 201 in Heynii varietate. Boiss.]

Μικτὸς, ἡ, ὸν, Mixtus [Gl.]. Galen. Ad Glauc. : Μικτὸν ἐξ αἵματος καὶ ξανθῆς χολῆς τὸ ῥεῦμα· perinde ac si dixisset μεμιγμένον. [Callim. Lav. Min. 16 : Οὐ γὰρ Ἀθαναία χρίματα μικτὰ φιλεῖ. Apoll. Rh. 4, 677 : Τοίους καὶ προτέρης ἐξ ἰλύος ἐβλάστησε χθὼν αὐτὴ μικτοῖσιν ἀρηρεμένους μελέεσσιν. Manetho 6, 322 : Τόσσοι ἀπ' ἀλλοίων μικτοὶ τελέθουσι τοκήων. Plato Leg 8, p. 837, B : Μικτὴ ἐκ τούτων γινομένη (φιλία). Et alibi. Isocr. p. 312, D. Notabili constructione Aristid. vol. 1, p. 293 : Ῥύμματα ἄττα διὰ σταφίδων (Aristides potius δι' ἀσταφ. scripsisse videtur) τε καὶ ἑτέρων μικτά. || « Μικτὸν, figura orationis, aliquid simile habens τῆς προσωποποιίας vel ἠθοποιίας, ut si quis reum ita alloquatur : Si jam viveret pater tuus et te incesti accusatum videret, hoc vel illo modo lamentaretur. Commemorat eam figuram auctor Συνοπτικῆς παραδόσεως ῥητορ. p. 14, ubi Schefferus illam putat hanc vim habere, ut figuræ προσωποποιίας et ἠθοπ. conjunctim adhibeantur et veluti misceantur dicendo. Conf. quæ de κράματι sic dicto ad voc. Κεραννύειν notata sunt. » Ernest. Lex. rhet. Dionys. H. vol. 6, p. 975, 17 : Τὸν χαρακτῆρα τὸν ἐξ ἁπάσης μικτὸν ἰδέας. || « Paul. Ægin. 6, 88, p. 208, 35 : Τὰ μὲν (τῶν τραυμάτων) εἰσὶ μεγάλα ἄχρι τριῶν τὸ μῆκος δακτύλων, τὰ δὲ μικρὰ ὅσον δακτύλου, ἃ δὴ καὶ μικτὰ καλοῦσι κατ' Αἴγυπτον. » Ducang. Qui in Μυϊτὸν p. 976 μυϊτὰ affert ex codice Pauli Æg. Prima hujus voc. etiam natura longa in lapidibus interdum exprimitur diphthongo, ut in Voll. Hercul. part. 1, p. 17. V. Μίγνυμι sub finem. || Adv. Μικτῶς, « schol. Nicandri Th. 912. » Wakef.]

[Μικτόχροος, s. Μικτόχρους, ὁ, ἡ, Qui mixti est coloris, Variegatus. Archimedis Probl. bovinum v. 13 et 21 : Μικτοχρόων. L. Dind.]

[Μικύθινος, ὁ.] Μικύθινον, Hesychio τὸ μικρὸν καὶ νήπιον. [Μικύλον Tittmann. ad Zonar. p. 1361, 37. L. D.]

[Μικυθίων, ωνος, ὁ, Micythio, n. viri Chalcidensis, ap. Liv. 35, 38 et 46, sec. conjecturam Gronovii. Libri enim, ut videtur, *Miction* (vel *-io*), *Micion*, plerique *Mictilo, Myctilo, Mityllo, Mittilio, Mitilo, Mitilio, Mitillio, Michitio*, quorum postremum nihil esse nisi *Micythio*, quod n. est ap. Appian. Syr. c. 12, sed male ibi quoque scriptum Μικιθίων, animadverterunt interpretes. Ceteræ vero varietates spectare potius videri possunt ad Μικυλίων, quod nomen est ap. eundem App. Civ. 5, 78. Utrumque recte formatur. V. autem Σμικυθίων. ῐῠῑ L. Dind.]

[Μίκυθος, ὁ, Micythus, n. viri, ap. Leonid. Tar. Anth. Pal. 6, 355, 1, ubi Jacobsius vol. 7, p. 79 : « Μίκυθος vetus nomen apud Siculos fuit. Micytho servo Anaxilaus liberorum suorum tutelam commisit sec. Justinum 4, 2, Macrob. Sat. 1, 11. Rheginum, quem Μίκυθον vocat Herodotus 7, 170, Σμίκυθον nominat Pausan. 5, 24 et 26 (ubi tamen nunc restitutum, quod est etiam ap. Strab. 6, p. 252, Μίκυθος). V. Valck. ad hunc l., Wessel. ad Diod. 11, 48. Σμίκυθον Macedonem commemorat Plut. Mor. p. 177, D. » Alii Μίκυθοι memorantur in inscrr. Att. ap. Bœckh. vol. 1, p. 291, n. 164, 14; 314, n. 183, 9, Orop. n. 1570, b, p. 748, 30. Ceterum v. Σμίκυθος et conf. Σμικύθη. De accentu v. Arcad. p. 49, 24, Theognost. Can. p. 59, 1. ῑῠ L. Dind.]

[Μικυλίνη, ἡ, Micyline, n. mulieris, in inscr. Coa ap. Bœckh. vol. 2, p. 391, n. 2517. L. Dind.]

[Μικυλίων. V. Μικυθίων.]

A [Μικύλος s. Μικκύλος, ὁ, Micylus s. Miccylus, n. viri. Duplici κ inscr. Delph. ap. Bœckh. vol. 1, p. 830, n. 1706, 2. Simplici et per diphthongum Μείκυλος cod. Pal. in epigr. Callimachi Anth. 7, 460, 3, sed in lemmate a prima manu μικ-, ab secunda μεικ-. Accentum correxit Jacobsius. Quod ap. Lucian. in Somnio s. Gallo scribitur Μίκυλλος, indeque, ut videtur, repetitur ap. Herodian. Epim. p. 84 et Suidam, ut n. pr., id in libris Thomæ nonnullis, hunc dialogum Micylli nomine citantis, simplici λ scribitur. Duplex si non est librariis tribuendum, comparandæ sunt alia ejusmodi nomina inter utramque scripturam fluctuantia, de quibus Bast. Ep. cr. p. 243. Et ΜΙΚΥΛΛΟΣ (sic) est in numo Coo ap. Mionnet. *Suppl.* vol. 6, p. 574, n. 83. L. Dind.]

[Μίκων. V. Μίκκων.]

[Μιλάκιον. V. Μέλλαξ.]

[Μῖλαξ, ακος, ἡ] Μίλαξ, pro σμίλαξ dicitur : ea est Hederæ species, ex qua tori fiebant : eadem poetas coronari solitos ajunt. Aristoph. Nub. [1007] : Μίλακος
B ὄζων. [Av. 215 : Φυλλοκόμου μίλακος, ubi ipse Rav. et Ven. σμίλακος. Eur. Bacch. 108 : Μίλακι καλλικάρπῳ, ubi olim σμίλακι. 702 : Στεφάνους δρυός τε μίλακός τ' ἀνθεσφόρου. Anton. Lib. c. 10, p. 69. Eadem forma est in libris melioribus Theophrasti, neque eripienda erat Platoni Reip. 2, p. 372, B.] Inde dici Μίλινον χρῶμα, Eust. [Od. p. 1822, 22] tradit ex quopiam Τεχνικῷ. [Idem ponit Suidas sine interpr., ubi μήλινον volebat Kusterus, ut μηλινόχρους pro μιλινόχρους scriptum nunc ap. Photium Bibl. p. 345, 1. || Ὁ. V. Μέλλαξ.]

[Μίλη, ἡ τοῦ ἰατροῦ, Specillum, Gl. « Cyrillus Scythopol. in Vita Ms. S. Euthymii, ex cod. Colbert. : Ἀλάβαστρον ἀργυρὸν μετὰ μίλης ἐξαγαγὼν καὶ ἐκβάλας τὴν μίλην, et infra : Τοῦ δὲ ἐμβληθέντος διὰ τῆς μίλης. » Ducang. Pro μήλη.]

[Μιλης, ητος, ὁ, Miles, quod tanquam n. fluvii ponit Choerob. vol. 1, p. 45, 15, scribendum Μήλης, quod v., eodemque modo corrigendum Μήλλης ap. Ps.-Herodian. in Crameri Anecd. vol. 3, p. 232, 33. L. Dindorf.]

C [Μιλησίου cujusdam mentio fit ap. Æschinem p. 22, 30, ubi scribendum videtur Μελησίου, quod notum est vitio librorum sæpe in Μιλησίου depravari.]

[Μῑλησιουργὴς, ὁ, ἡ. Unde] Μιλησιουργές, Milesio opere factum, s. Milesiaco opificio; celebrantur enim Milesii artifices : a quibus et Μιλήσια στρώματα. [Κλίνη μιλησιουργὴς ap. Critiam Athen. 11, p. 486, E, Harpocrat. v. Λυκιουργεῖς.] Laudantur etiam Μιλήσια ἔρια, et Μιλήσιαι κυπάρισσοι. Est autem Miletus urbs Asiatica [Cariæ, primum memorata ab Hom. Il. B, 868, aliisque poetis, historicis et geographis. Cognominem Creticam Hom. memorat ib. 647, Strabo sæpius, Pausan. 10, 30, 2 (qui etiam hominem Cretensem Miletum memorat), Hesychius. Antiquiora Caricæ nomina recenset Steph. Byz. Gent. Μιλήσιος memorat idem, estque ap. Aristoph., Herodotum et alios quosvis. Μιλησὶς, ίδος, ap. Parthen. 11, 2 : Παρθενικαὶ Μιλησίδες. De Milesiis in inscrr. Atticis v. Bœckh. vol. 1, p. 506, n. 692. Possess. Μιλησιακὸς, ἡ, ὸν, ap. Plut. Crass. c. 32, Lucian. Amor. c. 1. || Forma Æol. est
D Μίλλατος (ι natura brevi, quod producitur in ceteris dialectis). V. Chœrob. in Bekk. An. p. 1398, b, Greg. Cor. p. 597, ubi tamen simplici λ scriptum, quum nonnisi de η in α mutato agatur. Vicissim in inscrr. interdum scribitur per ει. || Μίλητος n. viri est in numo Cii Bithyniæ ap. Mionnet. *Descr.* vol. 2, p. 491, n. 437. Et Blaundi Lydiæ vol. 4, p. 21, n. 107. Alius, a quo dicta Miletus Cariæ, ap. Apoll. Rh. 1, 186, ubi v. schol. Conf. Parthen. l. c.]

[Μιλητία, ἡ, Miletia, n. mulieris ap. Plutarch. Amat. narr. c. 3. Boiss.]

[Μιλητοχαρία, ἡ, Regio Mileti Cariæ. Tzetz. Hist. 13, 124.]

[Μίλητος, ὁ, ἡ. V. Μιλησιουργής.]

[Μιλητούπολις, εως, ἡ, Miletopolis. Πόλις μεταξὺ Κυζίκου καὶ Βιθυνίας περὶ τὸν Ῥυνδακόν. Ἔστι καὶ ἄλλη ἐν Περσίδι. Ὁ πολίτης Μιλητοπολίτης καὶ τὸ θηλυκὸν ἡ Μιλητοπολῖτις. Στράβων δυοκαιδεκάτη (p. 575, qui ibidem et alibi etiam urbem memorat), Steph. Byz. Exx. masculini v. in numis ap. Mionnet. *Suppl.* vol. 5, p. 381,

De priori male Μελιτουπόλεως ap. Pasin. Codd. Taurin. vol. 1, p. 204, C. L. Dind.]

[Μιλιάριον, τὸ, in Gloss. Gr.-Lat. Miliarium cocinatorium s. aenum in quo aqua ad potandum calefit. Athen. 3, p. 98, D : Τὸ μιλιάριον καλούμενον ὑπὸ Ῥωμαίων εἰς θερμοῦ ὕδατος κατεργασίαν κατασκευαζόμενον. Nicarchus (Anth. Pal. 11, 244, 1) epigr. εἰς μιλιάριον μικρόν (ψυχρὸν cod. Pal.) : Ἠγόρασας χαλκοῦν μιλιάριον, Ἡλίοδωρε. V. Cujac. Obs. 2, 6, et infra in Μίλιον. Ducang. Schol. Luciani Lexiph. c. 8 : Ἰπνολέβης) τὸ ἐν τῇ συνηθείᾳ μιλιάριον. Frequens est ap. Heronem Spirit. p. 224-7. V. Forcellin. v. Milliarium.]

[Μιλιαρίσιον, τὸ, Miliarisium, numismatis pars duodecima. Glossæ Basil. : Μιλιαρίσιον, στρατιωτικὸν δῶρον. Μιλιαρίσιον, τὸ χιλιοστὸν τῆς τοῦ χρόνου (χρυσοῦ) λίτρας· μίλε γὰρ οἱ Ῥωμαῖοι τὰ χίλια καλοῦσι, καὶ οὕτω κατακερμάτωσε (sic) τὸ πόσον τῆς λίτρας, ἵνα δι' αὐτοῦ σώζηται τὰ χίλια μιλιαρίσια, ὥστε κατὰ νόμισμα λαγχάνει μιλιαρίσια ιδ'. Eædem : Ἔχει δὲ ἕκαστον τῶν τοιούτων λεπτῶν ἀργυρίων, μιλιαρησίων καλουμένων, κεράτιον ἓν ἥμισυ τέταρτον. (Etym. Ms. ex Epiphanio : M. τὸ καὶ χρυσοῦν, καὶ ἥμισυ τοῦ ἀργυρίου· ἄγει οὐγκίας ι'· καὶ εἷς [εἰς ?] τὸ ἄργυρος. M. ἓν, δηνάρια δύο, στρατιωτικὸν δῶρον· μίλιν γὰρ ἡ στρατεία. Ducang. in App. p. 133.) Cosmas Indicopl. (p. 339) : Τοῦ μὲν νόμισμα, τοῦ δὲ δραχμὴν, τουτέστιν τὸ μιλιαρίσιον. Infra : Ἦν δὲ καὶ τὸ μιλιαρίσιον ἅπαξ εἰπεῖν ἀργυρός. Cedrenus in Julio p. 168 : Μιλιαρίσια δὲ ἀπὸ τῆς μιλιτίας, ἤγουν στρατείας· ὁ γὰρ Σκιπίων δι' ἔνδειαν χρυσίου τοῖς στρατιώταις τὰ μιλιαρίσια κατασκευάσας ἐπιδέδωκε, Ἀννίβου τοῖς πράγμασιν ἐπικειμένου. (Eadem etymologia inepta in Etym. Gud. v. Ἀργύρειος : Δίχρυσον δὲ ἐκάλουν οἱ παλαιοὶ τὸ ἥμισυ τοῦ ἀργυρίου· τοῦτό ἐστιν, ὃ οἱ Ῥωμαῖοι μιλλιαρήσιον καλοῦσι, ὅπερ ἑρμηνεύουσι στρατιωτικὸν δόμα. Et v. Μιλιαρήσιον ἕν.) Schol. Basil. Ecl. 23 : Χρὴ γινώσκειν ὅτι τὸ ἓν κεράτιον φόλλεις εἰσὶ ιϐ', ἤτοι τοῦ μιλιαρισίου τὸ ἥμισυ· τὰ οὖν ιϐ' κεράτιά εἰσι νομίσματος ἥμισυ· τὸ γὰρ ἀκέραιον νόμισμα ἔχει μιλιαρίσια ιϐ', ἤτοι κεράτια κδ'. Rationalium Peræquatorum Alexis Comn. Imp. Ms. : Λογαριάζειν ιϐ' μιλιαρίσια τῷ νομίσματι, ἤτοι τὸ μιλιαρίσιον ἔχειν φόλλεις κδ'. V. Scalig. De re num. et Salmas. Adv. Kercoetium p. 68. Ducang., qui plurima Byzantinorum inde ab Justiniano exx. indicavit.]

[Μιλιασμὸς, ὁ, Distinctio per columnas miliares. Strabo 6, p. 266. || Mensura per milliaria. Eust. Od. M sub finem : Ἰστέον δὲ ὅτι Ὅμηρος μὲν τὸ ἀναμετρήσαιμι ὡς ἐπί τινος μιλιασμοῦ, οἷα τὸ μετρεῖν, λαμϐανομένου καὶ ἐπὶ εὐνοίας τοιαύτης· ad Π : Ἄλλοι νοοῦσιν ἑρμαίους, κοινῶς λόφους, σημεῖα ὁδῶν κατὰ ποσήν τινα διάστασιν, μιλιασμοῦ τυχὸν ἢ σταδιασμοῦ. Ducang. App. Gl. p. 133. Ubi i. fere est q. Miliare. Sic Opusc. p. 45, 58 : Ὅσους δὲ πολυτενεῖς καὶ οἵους τραχυτάτης ὁδοῦ μιλιασμοὺς ἐξήνυσας· 146, 51 : Γῆ πολυτενὴς εἰς μιλιασμοὺς καὶ πολυτελής.]

[Μιλιάω, Columnis miliaribus distinguo viam. Ita bene explicatur in Glossario Polyb., additis tribus Polybii ll., 34, 11, 8; 3, 39, 8; 34, 12, 3. Quare Strabo 6, p. 285, A, Πολύϐιος, inquit, ἀπὸ τῆς Ἰαπυγίας μεμιλιᾶσθαί φησι. Idem p. 266, A, τὰ διαστήματα dicit διῃρημένα μιλιασμῷ. Patet autem, hæc et nomen μίλιον, quo sæpissime Strabo aliique recentiores utuntur, origine esse Latina. Sturz. Rectius autem præs. ab Schneidero poni videtur Μιλιάζω, ut μιλίζω.]

[Μίλιγγος. V. Μέλιγγος.]

Μίλιγδος, plasticæ artis vox. Ita enim Pollux 10, cap. penult. [§ 189, 190] : Αὐτὸ δὲ τὸ πῖλον [πήλινον], ὃ περιείληφε τὰ πλασθέντα κήρινα, ἃ κατὰ τὴν τοῦ πυρὸς προσφορὰν τήκεται, καὶ πολλὰ ἐκείνῳ τρυπήματα ἐναπείληπται [ἐναπολείπεται], μίλιγδος καλεῖται. Unde apud Soph. in Captivis esse ἀσπίδα ἡμιμίλιγδον, pro eo, quod est multis pertusam foraminibus ex crebris ictibus. [Veram scripturam esse λίγδος et in verbis Sophoclis ἀσπὶς μὲν ἡμῖν λίγδος ὣς κτλ. animadvertit Hemst. Ad hæc autem casu omisimus ablegare in Λίγδος p. 279, B.]

[Μιλίζω, μετρῶ, Metior. Zonar. « Μιλίζειν, Milia metiri, μετρεῖν, in Lex. Ms. ex sched. Combefisii. » Duc.]

[Μίλινον. V. Μῖλαξ.]

[Μιλιοδρομέω. Jo. Chrysost. in Orat. de Circo : Καὶ ἱππεὺς αὐτοῦ οὐκ ἀπὸ λευκῆς ἐπὶ σφενδόνα μιλιοδρομῶν,
A ἀλλ' ἀπὸ γῆς εἰς οὐρανὸν πυρίνου ἅρματος κατατολμῶν, A linea alba ad fundam in milio decurrens. V. Bulinger. De Circo c. 51. Ducang.]

Μίλιον, τὸ, Hesych. esse dicit Arborem similem abieti, qua adolescentes coronari solerent ἐν ταῖς πομπαῖς. Item Mensuram s. Spatium viæ continens septem stadia. [Quibus addit, οἱ δὲ ζ' ὑποδῶν δ', de quibus v. conjecturas intt.] Alii vero octo ei stadia tribuunt : quemadmodum Suid. quoque scribit decem milia conficere stadia octoginta. [Heronis Isagogæ Mss. : Τὸ μίλιον ἔχει στάδια ἑπτὰ ἥμισυ, πλέθρα με', ἄκενας υν', ὀργυιὰς ψν', βήματα αω', πήχεις γ', πόδας φιλεταιρίους μὲν δφ, ἰταλικοὺς δὲ ευ'. (Pro his cod. Reg. 3502, fol. 114 ap. Ducang. in App. p. 133 : Τὸ μ. ἔχει στάδια ζ', ἥως (l. semper ἤγουν) μϐ', ἥως ἀκαίνας υκ', ἥως ὀργυιὰς ψ', ἥως βήματα ͵αχπ', ἥως πήχεις ͵βω', ἥως πόδας ͵δσ', ἥως σπιθαμὰς ͵εχ', ἥως ͵ασω', ἥως δακτύλους ͵ςζσ'.) Astronomus Græcob. Ms. cod. Reg. : Ἔστι δὲ μίλιον στάδια ἑπτά. Pæonius s. Capito metaphr. Eutrop. l. 1 ad verba « Duodecimo miliario, » μίλια γὰρ καλοῦσιν αὐτὰ Ῥω-
B μαῖοι· τὰ γὰρ βήματα οὕτως ὀνομάζουσι, τοσούτοις βήμασι συμμετρούμενοι τὸ σημεῖον. Leo Tact. c. 17, 89 : Αἱ δὲ ἑκατὸν ὀργυιαὶ ποιοῦσι στάδιον ἓν, τὰ δὲ ἑπτὰ καὶ ἥμισυ στάδια ποιοῦσι μίλιον ἕν. Nicetas Alex. 1, 4 : Διελθὼν ἀνέτῳ ῥυτῆρι ὡσεὶ σταδίους τριάκοντα, ubi cod. Græcobarb. ὡσεὶ μίλια ἕξ. Basil. Seleuc. p. 373 : Ἀπὸ δεκαπέντε σταδίων, ὅπερ ἦν μίλια δύο. Macarius Hom. 27 : Ὥσπερ μίλια εἰσὶ στήκοντα καὶ σημεῖα τῆς βασιλικῆς ὁδοῦ ἀναγούσης εἰς τὴν ἐπουράνιον πόλιν τοὺς διοδεύοντας. Utuntur passim scriptores (Byzantini, quorum locis indicandis supersedemus). Ducang. Strabo 6, p. 285 sæpius; 7, p. 322 : Ὁδὸς ... βεϐηματισμένη κατὰ μίλιον. Plut. Cic. c. 32. Eust. Opusc. p. 338, 65 : Ἀγγαρείας οὔτε σταδίοις οὔτε μιλίοις ὁριζομένας.] Vocant idipsum etiam Μιλιάριον, Miliarium, [Autempsa, add. Gl.] sive Miliare : a mille passibus. Necnon Lapidem : quod lapidibus miliaria essent distincta. [|| Minutior moneta, eadem forte quæ μιλιαρίσιον appellatur. Nov. Constant. Porphyrog. de fugis mancipiorum : Ὑπὲρ ἀπολωλότος ψυχαρίου καὶ ἐν τῷ αὐτῷ θέματι εὑρεθέντος πα-
C ρέχει ὁ δεσπότης N. (νόμισμα) ἓν, μίλια δ', etc. Occurrit ibi pluries. Ducang.]

[Μίλκων, ωνος, ὁ, Milcon, Alexidis citatur ab Athen. 8, p. 354, D.]

[Μίλκωρος, Χαλκιδικὴ πόλις ἐν Θρᾴκῃ. Ὁ πολίτης Μιλκώριος. Θεόπομπος εἰκοστῷ πέμπτῳ Φιλιππικῶν, Steph. Byz. Supra Μιάκωρος.]

[Μίλλα, ἡ, inter nomina in ιλλα ponit Theognost. Can. p. 17, 9. L. Dind.]

[Μίλλης, ου, ὁ, Milles, n. viri ap. Sozom. H. E. 2, 14.]

[Μιλλιαρήσιον. V. Μιλιαρίσιον.]

Μιλλὸς, Hesychio βραδὺς, χαῦνος, Tardus s. Hebes, Levis. [Μιλὸς scriptum ap. eund. in Ἀργός. Eidem v. Νωχέλεια, ἀσθένεια, βραδυτὴς, μιλώτις, Toup. ad Suid. v. Νωχελῆ restituit μιλλότης. Idem ap. Suid. v. Νωχελὴς pro ὁμαλὸς suspicabatur μιλλός.]

[Μιλλότης, ητος, ἡ, Tarditas, Segnities. V. Μιλλός.]

[Μιλμιλλις, Rubrica, Gl. Μίλτωσις Ducang.]

Μίλος, ἡ, vocari dicitur Taxus arbor : quæ et σμίλαξ. Ap. Polluc. [6, 106] : Μίλου, ὅπερ ἦν τῆς μίλακος
D ἄνθος, quod intellige de smilace Cilicia, vel lævi. Observa autem hic quoque et μίλου et μίλακος, absque σ. [Μῖλος, ut σμῖλος, quod v., scribendum etiam Theophr. H. Pl. 3, 4, 2; 10, 2. Conf. Schneider. Ind. Theophr.]

[Μῖλος, ἡ, Milus, insula, ap. Theognost. Can. p. 61, 2, quod ne scribendum videatur Μῆλος ipsa obstant verba grammatici. L. Dind.]

[Μίλτας, ὁ, Miltas, vates. Plut. Dion. c. 24.]

[Μιλτεῖον, τὸ, Vas minio servando adhibitum. Leonid. Tar. Anth. Pal. 6, 205, 3 : Στάθμαι καὶ μιλτεῖα.]

Μίλτειος, ac Μίλτινος, Miniaceus, h. e. Qui ex minio est. Epigr. 6 sub fin. [Philippi Anth. Pal. 6, 103, 4] : Πρίονα μιλτείῳ στάγματι πειθόμενον, Serram quæ lineam miniato fune factam sequitur. Sic μίλτινον χρῶμα, Miniaceus color, Color ex minii gleba. Plut. [Mor. p. 287, D] : Ταχὺ γὰρ ἐξανθεῖ τὸ μίλτινον, ᾧ τὰ παλαιὰ τῶν ἀγαλμάτων ἔχρωζον. [Μίλτιον βάμμα, quod ponit Suidas sine interpret., per diphthongum scribendum videtur potius quam μίλτινον. Ap. eundem μίλτιον mox libri nonnulli pro μίλτος. L. Dind.]

Μιλτηλἴφὴς, ὁ, ἡ, Minio illitus, Rubrica illitus, Miniatus, Rubricatus. [Herodot. 3, 58. De forma v. Lobeck. ad Phryn. p. 572.]

[Μιλτιάδης, ὁ, Miltiades, f. Cypseli, ap. Herodot. 6, 34 etc. F. Cimonis, ap. eund. sæpe aliosque historicos, Simonid. Anth. Plan. 232, Aristoph. Eq. 1325. Alii ap. Polybium, Diodorum et alibi. ῐᾰ]

[Μιλτίνη, ἡ, Miltine, urbs Africæ ap. Diodor. 20, 58, ubi est var. Μιλτιάνη.]

[Μίλτινος. V. Μίλτειος.]

[Μιλτὶς, ίδος, ἡ, i. q. μίλτος. Epiphan. Hær. 18, 3. Routh.]

Μιλτίτης, ὁ, ut μιλτίτης λίθος, Lapis minii colorem referens. Sotacus ap. Plin. 36, 21, dicit quarti generis hæmatiten coctum vocari Miltiten, ad omnia utiliorem rubrica. [ῑ]

Μιλτοθῦρὴς, ὁ, ἡ, Quo foribus inducitur minium. Epigr. [Philippi Anth. Pal. 6, 103, 5] : Μιλτοθυρῆ τε Σχοῖνον ὑπ' ἀκρονύχῳ ψαλλόμενον κανόνι. Ibi enim intelligitur Funiculus fabrorum rubrica tinctus, quo signare ligna solent rectis lineis quas in eis complanandis sequantur. Suid. habet μιλτοφυῆ τε σχοῖνον : forsan scrib. μιλτοφυρῆ, ut sit Minio imbutum. [Sic libri Anthol. Quod quum formetur a passivo, recte penultimam corripit.]

[Μιλτοκάρηνος, ὁ, ἡ, Qui capite est rubro. Oppian. Hal. 5, 273, λόφων. Ubi al. μιλτοπαρῄων. ᾰ]

[Μιλτοκύθης, ὁ, Miltocythes, Thrax, ap. Xen. Anab. 2, 2, 7, Demosth. p. 655, 1, etc.]

Μιλτοπάρῃος, ὁ, ἡ, Minio infectas genas habens, Qui miniatis s. rubricatis genis est. Hom. metaphor. μιλτοπαρῄους ναῦς dixit Eas quarum proræ minio s. rubrica essent infectæ : Il. B, [637] : Τῷ δ' ἅμα νῆες ἕποντο δυώδεκα μιλτοπάρῃοι. [Oppian. Cyn. 3, 509 : Ξανθοὶ δ' αὖθ' ἕτεροι πεδίων ἐπὶ μιλτοπαρῄων. Orph. Lith. 609, de lapide. ᾰ]

[Μιλτόπρεπτος, ὁ, ἡ.] Μιλτόπρεπος, Miniaceo s. Rubeo colore decorus, i. e., Rubens : ut Eust. etiam p. 1254, affert μιλτοπρέποισι μόροισι pro ἐρυθροῖς. [Ex Æschyli Cressis, quod μιλτοπρέπτοισι scribendum docet Athen. 2, p. 51, D.]

[Μιλτόπρῳρος, ὁ, ἡ, Qui prora est rubra. Apollon. Lex. Hom. p. 459; Hesych. v. Μιλτοπάρῃοι.]

Μίλτος, ἡ, Minium. [Rubrica add. Gl.] Ita enim Plin. 33, 7 : Milton vocant Græci minium : quidam Cinnabari. Et quod Ctesias dicit psittacum avem habere collum rubrum ὡς κιννάβαρι, idem Plin. 10, 42, psittacen esse viridem toto corpore, torque tantum miniato in cervice distinctam. Vocat etiam Rubricam : 33, 7 : Auctoritatem colori (minio sc.) fuisse non miror. Jam enim Trojanis temporibus rubrica in honore erat, Homero teste, qui naves ea commendat : eas nimirum appellans μιλτοπαρῄους. Sic quam Diosc. 5, 11, vocat μίλτον Σινωπικὴν, Vitruv. 7, 7, nominat Rubricam Sinopicam, Marcellus Empir. Minium Sinopicum. Rursum quam Nicand. Ther. [864] μίλτον Λημνίδα appellat, Vitruv. ibid. Rubricam Lemniam nuncupat : quæ alio nomine Λημνία σφραγὶς dicitur : ut et Diosc. in præfat. l. 6 ait, Μίλτου τῆς καλουμένης Λημνίας σφραγίδος, Rubricæ quæ Lemnia σφραγὶς nominatur. Et aliquanto post, Ὧν ἐστιν ἡ Λημνία μίλτος, Lemnia rubrica, s. Minium Lemnium. Itidemque vocatur in versibus Andromachi ap. Galen. 3 De theriaca ad Pisonem. Celsum quoque 4, c. de Torminibus, minii glebam dixisse ferunt pro μίλτον Λημνίαν, s. Λημνίαν σφραγίδα, aut Λημνίαν γῆν : tot enim nominibus appellatur. Rursum Vitruv. 9, 3, dicit Signans cera ex milto, pro Cera miniata, ut Cic. loquitur. [Εἶδος ἐρυθρὸν Σινωπίδος Hesychio. « Μίλτον Σινωπίδα vocat Crito ap. Galen. l. 5 Κατὰ τόπ. p. 226, 5 et 7. » Foes. OEcon. Hipp., qui annotavit etiam l. Hipp. p. 881, C : Μίλτον τούτῳ ὑπαλείψας. Herodot. 4, 191 : Τὸ σῶμα χρίονται μίλτῳ. Xen. OEc. 10, 5 : Μίλτῳ ἀλειφόμενος. Locos Theophrasti exposuit Schneiderus in Indice. Genera quædam memorat etiam Strabo 3, p. 144; 12, p. 540; 15, p. 726. « Μίλτος ὀρεινὴ in Glossis chym. Mss. ἐστὶ μίσυ ξανθὸν μετὰ αὐτωρύτου. » Ducang.] || Μίλτος dicta fuit etiam ἡ ἐρυσίβη : h. e. δρόσος καταληφθεῖσα ὑπὸ καύσωνος, ὑφ' ἧς διαφθείρεται πᾶς σπόριμος καρπὸς, ut Eust. [Il. p. 310, 34] refert ex Pausa-
A nia, atque adeo idem Pausan. sic usurpasse dicitur in Bœoticis. Latini Rubiginem dicunt, itidem a rubido et miniaceo colore.

[Μιλτοφυρής. V. Μιλτοθυρής.]

[Μιλτόχριστος, ὁ, ἡ, Minio oblitus. Orac. Sib. 3, 589.]

[Μιλτόχροος, ὁ, ἡ, Qui minii colorem habet, Ruber. Tzetz. Posth. 269, ὄρος.]

[Μιλτόχρωτος, ὁ, ἡ, i. q. præcedens. Euseb. Præp. evang. 9, 4 (?).]

Μιλτόω, Minio inficio, Rubrica tingo : s. Minio [Gl.], ut Plin. dicit Jovem miniandum locare. [Hesych. : Μιλτῶσαι, βάψαι. Et, Μιλτῶ, πλύνω. Herodot. 4, 194 : Μιλτοῦνται πάντες οὗτοι, de populis qui μίλτῳ χρίονται τὸ πρόσωπον, ut ait idem 4, 191. Schweigh.] Inde pass. partic. μεμιλτωμένος, Miniatus : ut Idem dicit Miniatus torques, et Cic., Miniata cerula. Dicit enim schol. Aristoph. [Ach. 22] μεμιλτωμένον σχοινίον, Miniatum funem, Funiculum rubrica tinctum. [De quo plura v. ap. intt. Eodem spectat Eccl. 378, ἡ μίλτος in concione. Pollux 8, 104 : Σχοινίον μιλτώσαν-
B τες διὰ τῶν τοξοτῶν συνήλαυνον τοὺς ἐκ τῆς ἀγορᾶς εἰς τὴν ἐκκλησίαν.]

[Μιλτὼ, οῦς, ἡ, Milto, Cyri minoris pellex. Plut. Pericl. c. 24.]

Μιλτώδης, ὁ, ἡ, Miniaceus, Minio similis, colore sc. rubeo. [Eubulus] ap. Athen. 13, [p. 557, F] : Ἐκ δὲ τῶν γνάθων ἱδρὼς Ἐπὶ τὸν τράχηλον ἄλοκα μιλτώδη ποιεῖ. [Timæi Lex. p. 122, v. Ἐρυσίβη. Epitome Orph. Lith. 604 : Τὸ φοινικοῦν καὶ ἐρυθρὸν ἐν αὐτῷ καὶ οἷον μιλτῶδες. Μιλτῶδες ὄρος Arabiæ memorat Strabo 16, p. 769. Idem alibi memorat μ. ὕδωρ vel ὑγρόν. Γῆν μιλτώδεα Lucian. De dea Syr. c. 8.]

[Μιλτωρυχία. V. Μιλτωρύχος.]

Μιλτωρύχος, ὁ, ἡ, Minii s. Rubricæ effossor : est enim ἡ μίλτος ex genere metallorum. Ipsa ejus effossio dicitur Μιλτωρυχία. Amborum horum meminit Pollux 7, c. 23 [§ 100] scribens, Quum Amipsias [ex quo citat etiam Photius] ἐν Μυχοῖς dixerit μιλτωρυχίαν, videri ἐν μεταλλεῦσι numerari posse τὸν μιλτωρύχον. Meminit Eust. quoque [Il. p. 310, 33] nominis μιλτωρυ-
C χία, sed dicens esse τόπον ἐν ᾧ μίλτος ὀρύσσεται, Locum in quo foditur minium s. rubrica : quæ Plinio est Miniaria. [Τόπος οὗ μ. ὀρ. etiam Hesychio.]

[Μίλτωσις. V. Μίλμιλλις.]

[Μιλτωτὸς, Rubricatus, Gl. « Eust. Od. p. 1885, 21 : Μιλτωτοῖς προσωπείοις. In commentario ad Dionysium hoc voc. sæpe utitur idem. » Barker. Ep. cr. post Arcadium p. 285.]

[Μιλύαι, οἱ πρότερον Σόλυμοι, ὡς Τιμαγένης πρώτῳ βασιλέων (et Herodot. 1, 173, qui memorat etiam 3, 90; 7, 77), καὶ ἡ χώρα Μιλυὰς, ὡς Μινυάς. (Ap. Herodot. 1, 173.) Λέγονται καὶ Μίλυες, ἀπὸ Μιλύης τῆς γυναικὸς Σολύμου καὶ ἀδελφῆς, ὕστερον δὲ Κράγου γυναικός. Τὸ ἐθνικὸν Μιλυεὺς καὶ Μιλυΐτης, Steph. Byz. Joseph. A. J. 1, 3, 6. Strabo 12, p. 570 : Τὰ πρὸς τῇ Μιλυάδι· et 554, de gente Μιλύας, etc.]

[Μιλύας, ὁ, Milyas, n. viri ap. Demosth. p. 819, 18; 844, etc.]

[Μίλφη, ἡ.] Μίλφαι, s. Μίλφωσις, εως, ἡ, Defluvium pilorum palpebræ : quod vitium alio nomine μαδά-
D ρωσις dicitur. Nam Paul. Ægin. 3, 22 [p. 74, 11, 17. Hemst.], et Actuar. 2 Περὶ διαγνώσ. παθ. c. 7, scribunt μαδάρωσιν s. μίλφωσιν esse ἀπόπτωσιν τῶν τοῦ βλεφάρου τριχῶν. Idem Paul. Ægin. μίλφας appellat, et Galen. τῶν Κατὰ τόπους 4, 5. Aetius τὴν μίλφωσιν esse dicit πάθος τῶν ταρσῶν, in eoque τοὺς ταρσοὺς fieri ἐρυθροὺς, ἐοικότας μίλτῳ τῇ χροιᾷ. [Diosc. 1, 149, variatur inter μίλφας et μίλφους. Μίλφωσις est ap. Theophan. Nonn. vol. 1, p. 218.]

[Μίλφος, ὁ, Lippus, Gl.]

[Μίλφωσις. V. Μίλφη.]

[Μίλων, ωνος, ὁ, Milo, Crotoniata, luctator, apud Simonid. Anth. Plan. 3, 24, Herodot. 3, 137, Pausaniam et alios. Alii in numo Trall. ap. Mionnet. *Suppl.* vol. 7, p. 462, n. 666, et Nacrasi Lydiæ ib. p. 396, n. 366, ap. Polyb. 29, 6, 6, et in inscrr. Primam præter Simonidem produxit Theocr. 4, 6, etc. Corripuerunt recentiores, ut anon. Anth. Pal. 11, 316, 1 : Εἰς ἱερόν ποτ' ἀγῶνα Μίλων μόνος ἦλθ' ὁ παλαιστής· Christodor. Ecphr. 230.]

[Μιλωνία, πόλις Σαυνιτῶν ἐπιφανεστάτη. Διονύσιος ἑπταχαιδεκάτῳ. Τὸ ἐθνικὸν Μιλωνιάτης, Steph. Byz.]

Μιμαίκῠλον, τὸ, dicitur ὁ καρπὸς τοῦ κομάρου, Fructus arbuti, Pomulum arbuti : simile mespilo. Theophrast. ap. Athen. 2, [p. 50, E, F] : Κόμαρος ἡ τὸ μιμαίκυλον φέρουσα τὸ ἐδώδιμον. Amphis ibid. : Ἡ συκάμινος συκαμίνους, ὡς ὁρᾷς, φέρει· Ὁ πρῖνος ἀκύλους, ἡ κόμαρος μιμαίκυλα. Ibib. Theopompus : Τρώγουσι μύρτα καὶ πέπονα μιμαίκυλα. [Hesych. v. Κόμαρος.] Varie peccatur in hujus voc. scriptura : alicubi enim [ut ap. Polluc. 7, 144, Theophr. H. Pl. 3, 16, 4, sed μιμ. C. Pl. 2, 8, 2] μεμαίκυλον pro eo reperitur, alicubi μαιμαίκυλον, alicubi μεμήκυλον, alicubi aliter : sed omnes eæ scripturæ mendosæ sunt : hæc non ap. Eust. solum et Athen. extat, sed eam confirmat etiam series alphabetica Hesychiani Lex. [V. intt. Hesychii, apud quem Μιμάκυλος. Ap. Paul. Ægin. p. 247, 12, scriptura μεμαίκυλος confirmatur ordine literarum. L. Dind.]

[Μῐμαλὶς (sic enim scrib. pro Μίμαλις videtur), ίδος, ἡ, ἡ νῦν Μῆλος, Hesychius, post Μιμαυλεῖν. Ex quo supra retulimus Μεμϐλὶς ejusdem Meli nomen. Apud Plin. N. H. 4, 12, 70 : « Melos cum oppido quum Aristidas Byblida appellat, ... Callimachus Mimallida, » libri item variant inter Byblida et *Memblida* s. Mymblida, quod alii per *imb* vel *ib* scribunt. Verior autem videtur scriptura per duplex λ etiam in hoc nomine, ut in Μιμαλλών.]

[Μίμαλκες, ἔθνος Λιϐυκόν· Φίλιστος Σικελικῶν ὀγδόῳ, Steph. Byz.]

[Μιμαλλών. V. Μιμαλόνες.]

Μιμαλόνες, αἱ, proprie vocatæ fuerunt Mulieres : παρὰ τὸ μιμεῖσθαι ἄνδρας, ut habetur in quodam meo Lex. vet., in quo et uno λ scribitur. [Μιμαλῶνες male in Etym. M., quod vitium notavit Bentl. ad fr. Callim. 401.] Reperitur vero et Μιμαλλόνες gemino λ, ac certe in illo meo Lex. scriptum fuisse gemino apparet ex rasura, et λ illo simplici, quod diverso atramento in gemini locum repositum fuit. Sic scribitur et ap. Suid., qui μιμαλλόνας exp. τὰς βάκχας τοῦ Διονύσου, antea κλώδωνας appellatas, itidem vero ἀπὸ τῆς μιμήσεως ipsas denominatas annotat : Hesych. βάκχας βοηδρόμους. Athen. 5, [p. 198, E] de simulacro Bacchi : Μετὰ δὲ ταῦτα μακέται αἱ καλούμεναι μιμαλλόνες, καὶ βασσάραι καὶ Λυδαὶ καταχεχυμέναι τὰς τρίχας. Plut. Alex. init. : Πᾶσαι μὲν αἱ τῇδε γυναῖκες ἔνοχοι τοῖς Ὀρφικοῖς οὖσαι, καὶ τοῖς περὶ Διόνυσον ὀργιασμοῖς, ἐκ τοῦ πάνυ παλαιοῦ, κλώδωνές τε καὶ μιμαλλόνες ἐπωνυμίαν ἔχουσαι· loquitur autem de Macedonicis mulieribus, ex fabula quadam id referens. [Lycophr. 1464 : Κλάρου Μιμαλλών. Nonnus Dion. 1, 34 : Ἄξατέ μοι νάρθηκα, Μιμαλλόνες.] Strabo 10, p. 204 [468] : Διονύσου δὲ (πρόσπολοι), σειληνοί τε καὶ σάτυροι καὶ βάκχαι, λῆναί τε καὶ θυῖαι καὶ μιμαλλόνες, καὶ ναΐδες καὶ νύμφαι, καὶ τίτυροι προσαγορευόμενοι. Sunt qui μιμαλλόνας inde dictas putent, quod Bacchum imitarentur, et, ut ipse, cornua ferrent. Latini quoque eo vocabulo utuntur. Ovid. De arte am. 1, [541] : Ecce Mimallonides sparsis in terga capillis, Ecce leves satyri, prævia turba dei : de Baccho proficiscente ad Gnossidem, quam amabat. Dixit autem Mimallonides pro Mimallones, sicut dicitur ἀμαζονίδες pro ἀμαζόνες. Iidem Lat. utuntur et adjectivo Mimalloneus : Pers. 1, [99] : Torva mimalloneis implerunt cornua bombis. [Polyæn. 4, 1 : Ἀργαῖος ἀμαχεὶ κρατήσας (Ταυλαντίων) ἱερὸν ἱδρύεται Διονύσῳ Ψευδάνορι· καὶ τὰς παρθένους, ἃς πάλαι Κλώδωνας ἔκληζον οἱ Μακεδόνες, αὐτὸς κλήζειν ἔταξε διὰ τὴν μίμησιν τῶν ἀνδρῶν (quam antea descripsit) Μιμαλλόνας. V. intt. Suidæ. De accentu acuto Arcad. p. 13, 5, ubi item simplici λ, ut ap. Theognost. Can. p. 36, 7; 38, 33, Epim. Hom. Cram. An. vol. 1, p. 18, 14.]

[Μίμαξ. Anon. Π. κωμῳδίας in Cram. An. Paris. vol. 1, p. 5, 26 : Τέταρτον (ὁ γέλως τῆς κωμῳδίας) κατὰ παρωνυμίαν, ὡς ὅταν τῷ κυρίῳ ἔξωθέν τι κατάθηται, ὡς τὸ μίμαξ καλοῦμαι Μίδας. Pro quibus in edd. Aristophanis (p. 28, 8) Ἔξωθέν τις ἅπτηται, ὡς τὸ Μώμαξ κ. Μ., ubi μὼξ cod. Laur. Μίμακας gentem Africæ memorat Ptolem. 4, 3 et 6.]

[Μιμάξασα, Hesychio χρεμετίσασα. V. Μιμιχμός.]

[Μιμάριον, τὸ, Lupanar, in Vita MS. S. Andreæ Sali c. 3. Ducang. Qui in App. p. 133 addit verba : « Ἀπέρχονται εἰς τὰ μιμάρια τῶν ἀσέμνων γυναικῶν. Infra : Τῶν μιμάδων ἤτοι τῶν πορνικῶν καταγώγιον. »]

[Μίμαρκυς.] Μίμαρκις, ἡ, est σκευασία quædam κοιλίας καὶ ἐντέρων : proprieque esse volunt τὴν ἐκ τοῦ λαγῴου αἵματος καὶ τῶν ἐντοσθίων σκευαζομένην καρύκην : ut sit Farciminis genus ex sanguine et interaneis leporis. Ita schol. Aristoph. Ach. [1112] : Ἀλλ' ἢ πρὸ δείπνου τὴν μίμαρκιν κατέδομαι. Itemque Suid. At Hesych. habet Μιμάρκυς, esse dicens κοιλίαν καὶ ἔντερα τοῦ ἱερείου μεθ' αἵματος σκευαζόμενα : maxime vero de leporinis dictum fuisse, interdum et suillis : Pherecr. vero per jocum de asininis etiam dixisse. [Idem ponit Μιμάρκης, λαγωοῦ χορδή. V. Μίναρ. Μίμαρκυν restitutum nunc etiam Aristophani. Polluci 6, 56, reddidit cod.]

[Μιμὰς, άδος, ἡ, Mima. Ælianus Suidæ v. Κρίσεως. Lemma Anth. Pal. 9, 139. « Theophanes an. 25 Theodosii jun. Nonno Episcopo Edesseno (p. 79, A) : Ὁ τὴν πρώτην τῶν μιμάδων Ἀντιοχέων τῷ θεῷ ἀφιερώσας. » Ducang. V. Μιμάριον. « *On le trouve aussi par diphthongue* Μειμὰς *dans une inscription envoyée d'Udine par Siauve.* » Coraes.]

[Μίμας, αντος, ὁ, Mimas, insula s. scopulus prope Chium. Hom. Od. Γ, 172 : Παρ' ἠνεμόεντα Μίμαντα. Aristoph. Nub. 273 : Σκόπελον νιφόεντα Μίμαντος. Callim. Del. 67, etc., Thuc. 8, 34, Pausan. et alii. Nomen acceperat a Centauro Mimante, quem memorant Hesiod. Sc. 186, Eur. Ion. 215, aliique poetæ et mythologi. Filium Æoli Diod. 4, 67. Alium Apoll. Rh. 2, 105, Gigantem 3, 1227. Ἐν πεδίοισι Μίμαντος Orac. ap. Ammian. Marc. 29, 1, 33; 31, 14, 8. ῐᾱ L. D.]

Μίμαστα, Hesychio ἄγρια λάχανα, Sylvestria olera. [Μίμας, τὰ Albertus conferens ejusd. gl. Μύκαι, λάχανα.]

[Μιμαυλέω. V. Μίμαυλος.]

Μίμαυλος, ὁ, ἡ, videtur dici Qui mimos tibia exprimit. Athen. 10, [p. 452, F] : Κλέων ὁ μ. ἐπικαλούμενος, ὅσπερ καὶ τῶν Ἰταλικῶν μίμων ἄριστος γέγονεν αὐτοπρόσωπος ὑποκριτή. At Μιμαυλεῖν Hesychio est μιμεῖσθαι, ὑποκρίνεσθαι : et VV. LL. Imitari tibiarum cantum.

Μῑμέομαι, Imitor, [Sector, Gl. Hom. H. Apoll. 163 : Πάντων ἀνθρώπων φωνὰς ... μιμεῖσθ' ἴσασιν· Batr. 7 : Γηγενέων ἀνδρῶν μιμούμενοι ἔργα γιγάντων. Eur. Ion. 451 : Εἰ τὰ τῶν θεῶν κακὰ μιμούμεθα· El. 1037 : Μιμεῖσθαι θέλει γυνὴ τὸν ἄνδρα χἄτερον κτᾶσθαι φίλον. Thuc. 2, 37 : Παράδειγμα μᾶλλον αὐτοὶ ὄντες τινὶ ἢ μιμούμενοι ἑτέρους.] Aristot. De poet. [c. 4] : Τὸ μιμεῖσθαι σύμφυτον ἀνθρώποις ἐκ παίδων ἐστί. Dem. [p. 34, 19] : Οὓς ἐπαινοῦσι μὲν οἱ παριόντες ἅπαντες, μιμοῦνται δ' οὐ πάνυ. Isocr. [p. 265, C] : Μήτε τοὺς ἅμα τε θαυμάζοντας καὶ βασκαίνοντας καὶ μιμεῖσθαι γλιχομένους. Idem in Archid. [p. 133, D], μιμεῖσθαι τὰς ἐκείνων πράξεις. Sæpe etiam cum ζηλόω copulatur, ut in ipso Ζηλόω videre est. Sic ap. Plut. De fort. Alex. [p. 332, B] : Ἡρακλέα μιμοῦμαι, καὶ Περσέα ζηλῶ, Ad Herculis imitationem me contuli, ad æmulandum Perseum me comparavi, Bud. Et Herodian. 5, [2, 8] de Macrino : Ἐζήλου δὲ ταῦτα ὡς δὴ Μάρκου ἐπιτηδεύματα, τὸν δὲ λοιπὸν βίον οὐκ ἐμιμήσατο. [Cum duplici accus. Aristoph. præter Nub. 1430 l. infra citandum, Pl. 306 : Τὴν Κύπριν μιμήσομαι πάντας τρόπους. Xen. Cyrop. 1, 3, 10 : Τὰ ἄλλα μιμούμενος τὸν Σάκαν. Galen. Protr. init. : Τὴν ὑφαντικὴν ἐμιμήσατο τὰς ἀράχνας. Plato Leg. 4, p. 705, C : Μιμήσεις πονηρὰς μιμεῖσθαι τοὺς πολεμίους.] Dicitur etiam de imitatione gestuum, vocum, et rerum aliarum. [Pind. Pyth. 12, 21 : Μιμήσαιτ' ἐρικλάγκταν γόον. Simonides ap. Plut. Mor. p. 748, B : Κύνα Ἀμυκλαίαν ἀγωνίῳ ἐλελιζόμενος ποδὶ μίμεο. Æsch. Cho. 564 : Γλώσσης αὐτὴν Φωκίδος μιμουμένου. Aristoph. Eccl. 278 : Κᾆτα ταῖς βακτηρίαις ἐπερειδόμεναι βαδίζετ', ᾄδουσαι μέλος πρεσβυτικόν τι τὸν τρόπον μιμούμεναι. Et alibi.] Plut. Symp. 5, [p. 673, D] : Τῶν μιμουμένων τοὺς ὀργιζομένους καὶ λυπουμένους, ubi etiam reddere possis, Simulantes. Corn. autem Tacitus dicit Mœstitiam imitantes, pro Præ se ferentes vultu. Gestum alicujus imitari dicit Lucr. 4. Aristoph. Nub. [1430] : Τοὺς ἀλεκτρυόνας ἅπαντα μιμεῖ. Plato Cratylo [p. 423, C] : Τοὺς τὰ πρόβατα μιμουμένους καὶ τοὺς ἀλεκτρυόνας καὶ τἄλλα ζῷα. Plut. Symp. 5, [p. 674, B] : Μιμούμενος ἀλεκτορίδα βοῶσαν· Plin., Turdum habuit imitantem sermones hominum. [De imitatione hominis Aristoph. Thesm. 850 : Τὴν καινὴν Ἑλένην μιμήσομαι, ubi tamen fabula Eur. dicitur, et Eccl. 545 :

Μιμουμένη σε· Pl. 312 : Τὸν Λαρτίου μιμούμενοι. Plat. Euthyd. p. 288, C : Ἡμεῖς τὸν Μενέλαον μιμώμεθα. Ex eodem notanda locutio Polit. p. 293, E : Τὰς ἄλλας ἐπὶ τὰ αἰσχίονα μεμιμῆσθαι· Phil. p. 40, C : Μεμιμημέναι τὰς ἀληθεῖς ἡδονὰς ἐπὶ τὰ γελοιότερα.] Dicitur etiam fictor aut pictor imitari : sicut et Cic., Quem si imitari atque exprimere non possumus. Idem, Imitari atque adumbrare dicendo: sumpta metaph. a pictorum imitationibus, de quibus et illud quod Apollodori operibus inscriptum fuit, Μωμήσεταί τις μᾶλλον ἢ μιμήσεται [Eadem ut contraria ponit Theognis 370 : Μωμεῦνταί δέ με πολλοὶ, ὁμῶς κακοὶ ἠδὲ καὶ ἐσθλοὶ, μιμεῖσθαι δ' οὐδεὶς τῶν ἀσόφων δύναται] : cujus et Plin. meminit 35, 9 : Fecit et Penelopen, in qua pinxisse mores videtur, et athletam, adeoque sibi in illo placuit, ut versum subscriberet, celebrem ex eo, Invisurum aliquem facilius quam imitaturum. Chirographa imitari, post Cic. dixit Suet. [De poetis se imitatis Aristoph. Nub. 559 : Τὰς εἰκοὺς τῶν ἐγχελέων τὰς ἐμὰς μιμούμενοι.] Et in pass. signif. μεμιμημένον, Imitatum, Imitando expressum, A docto imitatore expressum, Imitatione factum aut effictum. [Aristoph. Lys. 159 : Φλυαρία ταῦτ' ἐστὶ τὰ μεμιμημένα. Herodot. 2, 78 : Νεκρὸν ξύλινον, μεμιμημένον ἐς τὰ μάλιστα καὶ γραφῇ καὶ ἔργῳ· 86 : Παραδείγματα νεκρῶν τῇ γραφῇ μεμιμημένα. Plato Reip. 10, p. 604, E : Οὔτε μιμούμενον εὐπετὲς καταμαθεῖν· Leg. 2, p. 668, B : Τὸ μιμηθέν· Crat. p. 425, D : Τὰ πράγματα μεμιμημένα· Reip. 10, p. 599, A : Τό τε μιμηθησόμενον καὶ τὸ εἴδωλον.] Aristot. Rhet. 1, [c. 11, 3] : Ἀνάγκη ἡδέα εἶναι τό, τε μεμιμημένον, ὥσπερ γραφικὴ καὶ ἀνδριαντοποιία καὶ ποιητικὴ, καὶ πᾶν ὃ ἂν εὖ μεμιμημένον ᾖ, κἂν μὴ ᾖ ἡδὺ τὸ μίμημα. [De saltatione mimica Xen. Conv. 2, 21 : Διῆλθε μιμούμενος τήν τε τοῦ παιδὸς καὶ τὴν τῆς παιδὸς ὄρχησιν· 22 : Ὅτι ἡ παῖς καμπτομένη τροχοὺς ἐμιμεῖτο, ἐκεῖνος ταῦτα εἰς τὸ ἔμπροσθεν ἐπικύπτων μιμεῖσθαι τροχοὺς (nisi del. hoc v.) ἐπειρᾶτο· Anab. 6, 1, 9 : Ὡς δύο ἀντιταττομένων μιμούμενος ὠρχεῖτο. De imitatione scenica Plato Reip. 10, p. 605, C : Τινὸς τῶν τραγῳδοποιῶν μιμουμένου τινὰ τῶν ἡρώων ἐν πένθει ὄντα. || Act. Ignatius ap. Boiss. Anecd. vol. 4, p. 436, 11 : Λόγους σοφῶν μίμησον, pro μίμησαι. L. Dind.]

[Μιμέρα, ἡ μιμητικὴ τέχνη καὶ ἡ μίμησις, Hesychius. « Scribendum μιμηλά. Quod literarum ordo satis confirmat. Poeta nescio quis ap. Lucian. Jov. trag. c. 33 : Πλασθεὶς παρηώρητο μιμηλῇ τέχνῃ. » Toup. Em. vol. 1, p. 405. V. Μιμία.]

Μιμηλάζω, Imitor, Imitando exprimo : Hesych. enim μιμηλάζειν exp. μιμεῖσθαι. [Philo vol. 1, p. 557, 13 : Εἰκότως οὖν καὶ τοὺς ἄξια θανάτου δρῶντας ἑτέρων χερσὶν ἐκδίδωσιν ἐπὶ τιμωρίαν, βουλόμενος ἡμᾶς ἀναδιδάσκειν ὅτι ἡ κακοῦ φύσις μακρὰν ἀπελήλαται χοροῦ θείου, ὁπότε καὶ τὸ μιμηλάζον ἀγαθὸν κακῷ, ἡ τιμωρία, δι' ἑτέρων βεβαιοῦται. Ubi ἡ τιμωρία vertit interpres. L. Dind.]

[Μιμηλίζω, i. q. præcedens. Philo ib. p. 610, 11 : Μιμηλίζοντες δ' οἱ σοφισταὶ καὶ παρακόπτοντες τὸ δόκιμον νόμισμα. Ubi alterius formæ locique modo citati admonuit Mangejus. Quod si recte hic legitur μιμηλίζω, præter alia comparandæ sunt formæ μορφάζω et μορφίζω, de quibus in Ἐπιμορφ. diximus.]

Μιμηλὸς, ἡ, ὸν, Imitatus (ut Cic. dicit Imitata et efficta simulacra), Imitando expressus, A docto imitatore effictus, μεμιμημένος, ἀπομεμιμημένος. Plut. Ages. p. 196 [c. 2] : Ἀπεῖπε μήτε πλαστὰν, μήτε μιμηλάν τινα ποιήσασθαι εἰκόνα τοῦ σώματος. At in Apophth. [p. 215, A] ead. referens, μιμηλὰν absolute dixit pro μιμηλὰν εἰκόνα s. γραπτὴν, ut Suid. exp. : Τοὺς φίλους ἐκέλευσε μηδεμίαν πλαστὰν μηδὲ μ. ποιήσασθαι· τὰς εἰκόνας οὕτω προσαγορεύων· ubi μιμηλὰ recte reddi potest Imago; nam et Imago ab imitando dicta est. Hesychio μιμηλὸν est ὅμοιον ἐξ ὁμοίου, Ad exemplar factum. || Accipitur etiam active pro Imitandi solertia præditus : unde et μιμηλὰ Suid. exp. μιμητική : ut μ. τέχνη, Lucian. [Jov. trag. c. 33], Imitatrix ars, Imitandi peritia. [Conf. Μιμέρα.] Id. De imag. [c. 17] : Αἰσχίνης καὶ Σωκράτης μιμηλότατοι τεχνιτῶν ἁπάντων, Imitandi dexteritate præstantissimi, μιμητικώτατοι. [Apollonid. Anth. Pal. 9, 280, 5 : Μιμηλὸν βιότου πτερόν. Nonn. Dion. 1, 29 : Εἰ δὲ πέλοι μιμηλὸν ὕδωρ. Manetho 6, 525 : Μορφὰς μιμηλῇσι χαρασσομένους γραφίδεσσιν, ubi μιμητῇσι legebatur. « Μιμηλοὺς ἀνθρώπους γελοίων, Clem. Al. Pæd. 2, 5. » Hemst. Alia Boiss. ad Herodian. Epimer. p. 83. De accentu Arcad. p. 55, 16.]

[|| Μιμηλῶς, adv. Eust. Il. p. 6, 7. Boiss. Etym. M. p. 286, 21. Hemst. Suidas v. Δρᾶμα.]

Μιμηλότης, ητος, ἡ, Imitandi dexteritas. Ap. Suidam sine expositione.

Μίμημα, τὸ, Imitamentum, Imitamen, Imago. [Αἰθυρνικῆς μίμημα μανδύης χιτών, Æschyl. ap. Polluc. 7, 60. Hemst. Eur. Tro. 922 : Οὐ κτανὼν βρέφος, δαλοῦ πικρὸν μίμημ', Ἀλέξανδρόν ποτε· Herc. F. 294 : Ἐμοί τε μίμημ' ἀνδρὸς οὐκ ἀπωστέον· 992 : Ὡς ἐντὸς ἔστη παῖς λυγροῦ τοξεύματος, μυδροκτύπον μίμημ', ὑπὲρ κάρα βαλὼν ξύλον καθῆκε παιδὸς ἐς ξανθὸν κάρα· Hel. 74 : Θεοί σ', ὅσον μίμημ' ἔχεις Ἑλένης, ἀποπτύσαιεν· 875 : Ἥκει πόσις σοι Μενέλεως ὅδ' ἐμφανὴς νεῶν στερηθεὶς τοῦ τε σοῦ μιμήματος, de simulacro Helenæ. Et alibi similiter. « Antiphanes ap. Athen. 3, p. 112, D : Ἄρτους, μίμημα χειρὸς Ἀττικῆς. » Valck.] Plato Crat. [p. 423, B] : Ὄνομ' ἄρ' ἐστὶν, ὡς ἔοικε, μίμημα φωνῆς ἐκείνου ὃ μιμεῖται, καὶ ὀνομάζει ὁ μιμούμενος τῇ φωνῇ ὃ ἂν μιμῆται. Idem in Tim. [p. 40, D] : Ἄνευ διόψεως τούτων τῶν μιμημάτων, Nullo posito sub oculos simulacro earum rerum, Cic. Aliud exemplum habes paulo ante in Μιμέομαι. [Κήρινα μιμήματα Leg. 11, p. 933, B. Et alibi sæpe.] Frequenter copulatur cum εἴδωλον et ἀπεικόνισμα. Plut. De def. orac. [p. 428, D] : Ἕκαστον ἑκάστου μίμημα τῇ φύσει καὶ εἴδωλόν ἐστι γεγενημένον, Singula singulorum simulacra, et imagines naturam esse molitam. Idem De frat. am. [p. 479, C] : Σκιαὶ γάρ εἰσιν ὄντως αἱ πολλαὶ φιλίαι, καὶ μιμήματα καὶ εἴδωλα τῆς πρώτης ἐκείνης, quæ sc. liberis cum parentibus et fratri cum fratre intercedit. Philo V. M. 3 : Μ. καὶ ἀπεικονίσματα τῶν ἰδεῶν ἐκείνων, ubi Turn. : Quæ imitata sunt illarum formarum simulacra; 2 : Ὧν ἀπεικονίσματα καὶ μιμήματα οἱ δηλωθέντες νόμοι γεγόνασι, Quorum imagines et adumbrationes leges illæ extiterunt. [Quæ distinguit Plato Soph. p. 241, E : Εἴτε εἰδώλων εἴτε εἰκόνων εἴτε μιμημάτων εἴτε φαντασμάτων αὐτῶν.] Philo : Ἀπ' ἀρχετύπου νοητοῦ παραδείγματος μίμημα αἰσθητῶν, Ab exemplari primigenio intelligibili sensibilem imaginem.

Μίμησις, εως, ἡ, Imitatio [Gl.]. Plut. De aud. poem. [p. 18, A] : Ἡ δὲ μ. ἄν τε περὶ φαῦλον, ἄν τε περὶ χρηστὸν ἐφίκηται τῆς ὁμοιότητος, ἐπαινεῖται. Thuc. [1, 95] : Τυραννίδος μᾶλλον ἐφαίνετο μίμησις ἢ στρατηγία, Tyrannidis imitatio vel æmulatio. Herodian. 3, [6, 22] : Μιμήσει καὶ ζήλῳ τοῦ βασιλέως· sic 2, [4, 3] de Pertinace : Τῆς Μάρκου ἀρχῆς ζήλῳ τε καὶ μιμήσει τοὺς μὲν πρεσβυτέρους ὑπομιμνήσκων εὔφραινε, ubi μίμησιν et ζῆλον copulavit, sicut supra μιμεῖσθαι et ζηλοῦν. Aristoph. [Ran. 109], Κατὰ σὴν μίμησιν, Te imitando. [Thesm. 156 : Ἃ δ' οὐ κεκτήμεθα, μίμησις ἤδη ταῦτα συνθηρεύεται.] Plato Leg. [4, p. 705, C] : Μιμήσεις πονηρὰς μιμεῖται τοὺς πολεμίους, de imitatione in re mala. Item de imitatione qua scriptorem aliquem imitamur. Lucian. [Herod. c. 1] : Ὅσα μυρία καλὰ ἐκεῖνος ἅμα συλλαβὼν ἔχει, παρὰ τῆς εἰς μίμησιν ἐλπίδος, Quæ fore aliquem qui imitari et exprimere possit, spes nulla est. Item de imitatione gestuum joculari, qualis histrionum est. [Plato Reip. 10, p. 606, B : Ἐν μιμήσει κωμῳδικῇ. Idem Soph. p. 265, A : Ἡ μίμησις ποίησίς τίς ἐστιν, εἰδώλων μέντοι φαμὲν, ἀλλ' οὐχ αὐτῶν ἑκάστων. De μιμήσεως ap. Plat. et Aristot. notione dissertationem edidit G. Abeken, Gotting. 1836.] Aristot. De poet. [c. 6, § 12], in definitione s. descriptione tragœdiæ : Μίμησίς ἐστιν οὐκ ἀνθρώπων, ἀλλὰ πράξεως καὶ βίου εὐδαιμονίας καὶ κακοδαιμονίας. Lucian. De salt. [c. 83], loquens de quodam qui Ajacem furentem agebat : Ὑπώπτευον μὴ ἄρα ἐκ τῆς ἄγαν μιμήσεως εἰς τὴν τοῦ πάθους ἀλήθειαν ὑπηνέχθη, Ex nimis accurata imitatione; et [c. 64 extr.] : Ἡ μ. τῆς ὀρχήσεως, ἐπίσημός τε καὶ σαφὴς φανεῖσα· et [c. 82] : Ἐν ὀρχήσει ἡ πρὸς τῶν πολλῶν λεγομένη κακοζηλία, ὑπερβαινόντων τὸ μέτρον τῆς μιμήσεως καὶ παρὰ τοῦ δέοντος ἐπιτεινόντων. In oratione etiam μίμησις dicitur, quum cogitata, verba, gestus aut actiones alicujus exprimimus accurata imitatione : quæ frequens est ap. Terent. [« M., Imitatio, ex mente Dionysii Art. rhet. c. 10, 19, est ὁμολογία τῶν καιρῶν, ἔντεχνος μεταχείρισις, Artificiosa opportunitatis observatio; et mox τέχνης ζῆλος καταμαθὼν ἐνθυμημάτων ὁμοιότητα, Artis quædam æmulatio, enthymematum perdiscens similitudinem. Nempe hoc ibi vult Dionysius, imitationem non in singulorum verborum vel sententiarum (διανοημάτων) similitudine captanda inesse, sed in universa artificiorum vim et virtutem oratoriam complectentium (ἐνθυμημάτων) æmulatione cerni. Censur. scriptt. c. 1, ubi hanc imitationis vim notat: Ἡ ψυχὴ τοῦ ἀναγινώσκοντος, ὑπὸ τῆς συνεχοῦς παρατηρήσεως, τὴν ὁμοιότητα τοῦ χαρακτῆρος ἐφέλκεται. Hermog. II. ἰδ. 2, p. 394, τὸ μιμητικὸν et δραματικὸν jungit. Deinde p. 392, de Thucydide: Κέχρηται μιμήσει κατὰ τὰς δημηγορίας. Sic et Demetrius Eloc. 226, Τὸ μιμητικὸν, ait, οὐ γραφῆς οὕτως οἰκεῖον, ὡς ἀγῶνος· et, Μίμησις ὑποκριτῇ πρέπει μᾶλλον, οὐ γραφομέναις ἐπιστολαῖς. Innuitur artificiosa quædam dictionis forma, qua affectus et morum vicissitudines imitamur dicendo. Conf. Photius Bibl. cod. 57, ubi de Appiano: Ἐπᾶραί τε λόγοις τεταπεινωμένον φρόνημα στρατοῦ καὶ διαπραῦναι φλεγμαῖνον, καὶ πάθος δηλῶσαι, καὶ εἴτι ἄλλο λόγοις ἐκμιμήσασθαι ἄριστος. Cicero De orat. 3, 52, Morum et vitæ imitationem appellat, quo et ἠθοποιία pertinet. Huc fere pertinet illa μίμησις, quæ habet observationem τοῦ πρέποντος, et orationem jucundam elegantemque efficit. Quare Dionys. De compos. c. 20: Δεῖ τὸν ἀγαθὸν ῥήτορα μιμητικὸν εἶναι τῶν πραγμάτων, ὑπὲρ ὧν ἂν τοὺς λόγους ἐκφέρῃ, μὴ μόνον κατὰ τὴν ἐκλογὴν τῶν ὀνομάτων, ἀλλὰ καὶ κατὰ τὴν σύνθεσιν. Cum his contendenda est μίμησις Aristotelica in Poet. c. 1, quam in variis poeseos generibus statuit, ῥυθμῷ, λόγῳ, ἁρμονίᾳ conspicuam. — Denique Apsines Rhet. II. λύσεων p. 698 Ald., λύσιν fieri dicit etiam κατὰ μίμησιν, hoc est ita, ut, quamvis possit orator argumentum contrarium negare, tamen id concedat, elevandi causa. Ergo eadem est, quam alii συγχώρησιν, ὑπόκρισιν, vel εἰρωνείαν in eadem re dicere solent. » Ernest. Lex. rhet. Ex Dionys. notanda etiam constr. A. rh. 10, 10: Ἐνίοτε λέγουσι τὰ σπάνια τῶν ὀνομάτων κατὰ μίμησιν τὴν πρὸς ἑτέρους.]

Μιμητέον, Imitandum. [Eur. Hipp. 114: Τοὺς νέους γὰρ οὐ μιμητέον. Plato Reip. 3, p. 396, B; Xen. Reip. Lac. 9, 5. Et cum duplici accus. Comm. 1, 7, 2: Τὰ ἔξω τῆς τέχνης μιμητέον τοὺς ἀγαθοὺς αὐλητάς. Adj. ib. 3, 10, 8: Τῶν εὐφραινομένων ἡ ὄψις μιμητέα. Julian. Cæs. p. 333, D.]

Μιμητής, ὁ, Imitator [Gl. Archias Anth. Pal. 7, 191, 6: Μιμητὰν ζᾶλον ἀνηναμένα Manetho 5, 135: Μιμητὰς τέχνης καμάτου πυρὸς ἠδὲ σιδήρου]. Xen. [Comm. 1, 6, 3]: Μιμητὰς ἑαυτῶν ἀποδεικνύουσι. [Plato Reip. 10, p. 566, D: Εἰδώλου δημιουργὸς, ὃν δὴ μιμητὴν ὡρισάμεθα.] Herodian. [6, 8, 5], de Maximino ita tyrones erudiente, Ὡς μὴ μαθητὰς εἶναι μόνον, ἀλλὰ ζηλωτὰς καὶ μιμητὰς τῆς ἐκείνου ἀνδρείας, Æmulos et imitatores virtutis. [Eadem conjungit Isocr. p. 4, B.] Poetæ quoque et histriones dicuntur μιμηταί: illi, quod verbis et oratione, hi, quod gestu præcipue imitentur eos quorum personas agunt. Aristot. De poet. [c. 25]: Ἐπεὶ γάρ ἐστι μ. ὁ ποιητὴς ὥσπερ ἂν εἰ ζωγράφος ἤ τις ἄλλος εἰκονοποιός. Plut. Symp. 8 [p. 717, C]: Μ. τῶν τραγικῶν παθῶν. [Cui opponit ἀγωνιστήν. Plato Soph. p. 235, A: Εἰς γόητα καὶ μιμητὴν ἄρα θετέον αὐτόν τινα; Polit. p. 303, C: Μεγίστους ὄντας μιμητὰς καὶ γόητας· Reip. 10, p. 600, E: Τοὺς ποιητικοὺς μιμητὰς εἰδώλων ἀρετῆς εἶναι. Et alibi similiter. De pictore Pollux 7, 126.]

Μιμητικός, ή, όν, [Gesticularius, Gl.] Imitandi solertia præditus, Peritus imitator. [Plato Reip. 10, p. 602, A: Ὁ ἐν τῇ ποιήσει μιμητικός· 605, A: Ὁ μ. ποιητής. Et similiter alibi.] Aristot. De poet. [c. 4]: Τό, τε γὰρ μιμεῖσθαι, σύμφυτον τοῖς ἀνθρώποις ἐκ παίδων ἐστὶ, καὶ τούτῳ διαφέρουσι τῶν ἄλλων ζώων ὅτι μιμητικώτατόν ἐστι· Rhet. 2 [immo 3, 1, 4]: Ὑπῆρξε δὲ καὶ ἡ φωνὴ πάντων μιμητικώτατον τῶν μορίων ἡμῖν. Lucian. [De salt. c. 19], loquens de Proteo: Μιμητικὸν ἄνθρωπον καὶ πρὸς πάντα σχηματίζεσθαι καὶ μεταβάλλεσθαι δυνάμενον. Item μ. ζῆλος, Æmulatio, quæ imitari aliquem possit aut cupiat, Plut. Pericle [c. 2]: Πρὸς ἃ μ. οὐ γίνεται ζῆλος, οὐδὲ ἀνάδοσις κινοῦσα προθυμίαν καὶ ὁρμὴν ἐπὶ τὴν ἐξομοίωσιν. Apud Aristot. autem in Probl. [19, 15]: Οἱ διθύραμβοι ἐπειδὴ μιμητικοὶ ἐγένοντο, οὐκέτι ἔχουσιν ἀντιστρόφους, Turn. interpr., Postquam imitatores esse cœperunt. Item μιμητική, sc. τέχνη, Imitatrix ars, Imitandi peritia, Plato Sophista [p. 219, B,

A etc. Et addito τέχνῃ 265, A. Pollux 4, 105]. Et τὸ μ., Imitatio, Imitandi solertia. Dem. Phal.: Καὶ τὸ μ. οὐ γραφῆς οὕτως οἰκεῖον ὡς ἀγῶνος. [V. Μίμησις. Item Ἐμπειρικὸς, p. 864, B.]

Μιμητικῶς, Imitando, More imitatorum. Athen. 11, [p. 505, B] de Platone: Τοὺς διαλόγους μ. γράψας. [Plut. Mor. p. 18, B; 747, D. Theodor. Stud. p. 94, A; 173, C; 174, B. Comparat. μιμητικώτερον Ptolem. Harmon. p. 132, B. L. Dind.]

Μιμητός, ή, όν, Imitabilis, Quem imitari datur. [Xen. Comm. 3, 10, 3: Ἦ οὐδὲ μιμητόν ἐστι τοῦτο; et in seqq. Passive Pollux 1, 7: Μιμητὰ τυπώματα, de simulacris.]

[Μιμήτωρ, ορος, ὁ, i. q. μιμητής. Manetho 4, 75.]

[Μιμία, ἡ, Imitatio. Philo vol. 2, p. 598, 33: Κατα χλευαζόμενοι καὶ κερτομούμενοι πρὸς τῶν ἀντιπάλων, ὡς ἐν θεατρικοῖς μίμοις. Καὶ γὰρ τὸ πρᾶγμα μιμία τις ἦν. Quod quum rectius scribi videatur per diphthongum, ita legendum videri potest pro Μιμέρα, quod v. supra. L. Dindorf.]

B [Μιμίαμβοι, οἱ, Mimi iambis scripti, ab Cercida, ut est ap. Steph. Byz. v. Μεγάλη πόλις, Stob. Fl. 58, 10. Cujusmodi poetæ fuerunt ap. Latinos, de quibus v. Lexx. Lat. Sed ap. Steph. et Stob. ex ipsis librorum vestigiis restituendum esse μελίαμβος, quod v., animadvertit Meinek. Anal. Alex. p. 388. Nec magis huc pertinet locus Pollucis 14, 83, in Μηνίαμβος memoratus, ubi μὴν ἴαμβοι Meinek. ib. p. 389, 2).]

Μιμικός, ή, όν, Mimicus, h. e. Ad mimos pertinens, Mimos decens. Dem. Phal. [§ 151]: Καὶ μιμικώτερα τὰ τοιαῦτά ἐστι καὶ αἰσχρὰ, Mimis magis conveniunt. Utitur et Cic. hoc adjectivo, De Orat. 2, [59]: Vitandum est oratori utrumque, ne aut scurrilis jocus sit, aut mimicus.

Μιμιχμός, Hesychio τοῦ ἵππου φωνή: qui et χρεμετισμός, Hinnitus. [V. Μιμάξασα.]

Μιμνάζω, i. q. μίμνω, unde et derivatum est. Hom. Il. K, [549]: Οὐδέ τι φημὶ Μιμνάζειν παρὰ νηυσὶ γέρων περ ἐὼν πολεμιστής, Manere hic apud naves: ubi similiter ὀνειδισμὸν ἀργίας habet, ut μίμνειν paulo post.

C Sic B, [391]: Ὃν δέ κ' ἐγὼν ἀπάνευθε μάχης ἐθέλοντα νοήσω Μιμνάζειν παρὰ νηυσὶ κορωνίσι, Manere et cunctari apud naves, Desidere. [Apoll. Rh. 1, 226: Δόμοις ἔνι πατρὸς ἔῆος μιμνάζειν. Agath. Procem. Anth. Pal. 4 fin., 6: Κάνθάδε μιμνάζει μνῆστιν ἐφελκομένη. Pass. ponit Hesychius: Μιμνάζεται, μίμνεται, μένεται. Secundam hujus verbi natura brevem esse annotat gramm. Cram. An. vol. 1, p. 232, 23.]

[Μίμνερμος, ὁ, Mimnermus, poeta elegiacus, de quo Suidas, Fabric. in Bibl. Gr. vol. 1, p. 733, et Bach. in coll. fragm. Mimnermi.]

[Μιμνῆ ζωγράφου mentionem fecisse Hipponactem tradit Tzetz. ad Lycophr. 424, p. 596, additque ejus versus, quorum in primo est Μιμνῆ vocativus. Duo codd. priori loco Μνημῆ.]

[Μιμνηδὸς, πόλις Λυδῶν. Ἑκαταῖος Ἀσίᾳ. Τὸ ἐθνικὸν Μιμνήδιος, ὡς τῆς Λυχνίδος (l. Λυχνιδοῦ) Λυχνίδιος, Steph. Byz.]

[Μίμνησιν, ἀνάμνησιν ποιῆσαι, Hesych.]

Μιμνήσκομαι, i. q. μνάομαι, Recordor, Memini. Hom.

D Od. O, [54]: Τοῦ γάρ τε ξεῖνος μιμνήσκεται· Υ, [138]: Ἀλλ' ὅτε δὴ κοίτοιο καὶ ὕπνου μιμνήσκοιτο· Il. Ω, [9]: Τῶν μιμνησκόμενος θαλερὸν κατὰ δάκρυον εἶβεν. [Theocr. 25, 173: Εἰ ἐτεόν περ ἐγὼ μιμνήσκομαι· 13, 27: Ναυτιλίας μιμνάσκετο. Axioch. p. 368, A: Μὴ μηκύνω καὶ ἑτέρων μιμνησκόμενος. Dionys. A. R. 1, 13: Οἰνώτρου καὶ Πευκετίου μιμνήσκεται (Pherecydes).] || Μιμνήσκω autem, Facio μιμνήσκεσθαι, i. e. Facio recordari, In memoriam revoco, Memoriam renovo, ex Hom. Od. Ξ, [169]: Μηδέ με τούτων Μίμνησκ'. [Theognis 1123: Μή με κακῶν μίμνησκε. Arat. 7: Λαοὺς δ' ἐπὶ ἔργον ἐγείρει μιμνήσκων βιότοιο. Hesychius vero ponit etiam: Μιμνήσκει, μνημονεύει, idemque: Μιμνήσκεται, μνημονεύεται. || Plotinum transpositis literis pronuntiasse ἀναμνημίσκεται, nunquam ἀναμιμνήσκεται, quod nunc legitur vol. 1, p. 28, 4; 101, 4, narrat Porphyrius Vita ejus p. LXIII, 15, ubi codex unus ἀναμνήσκεται. De ceteris temporibus, quæ nunc ad hoc thema referri solent, HSt. egit in Μνάομαι. || Formam Æol. Μιμναίσχω memorat Etym. M. p. 272, 16. L. Dind.]

[Μιμνήσκω. V. Μιμνήσκομαι.]

[Μιμνόμαχος, ὁ, Mimnomachus, Pythagoreus, Tarentinus, ap. Iamblich. V. Pythag. p. 526.]

Μίμνω, Maneo, i. q. μένω [sed poeticum] : unde et fieri constat, ead. forma qua γίγνω a γένω. Hom. Il. B, [296] : Ἡμῖν δ' εἰνατός ἐστι περιτροπέων ἐνιαυτὸς Ἐνθάδε μιμνόντεσσι· ubi sequendo Eust. habet hoc verbum ὀνειδισμὸν ἀργίας, sicut et ipsum μένω. Sed simpliciter quoque pro μένω capitur, Maneo, Il. T, [188] : Αὐτὰρ Ἀχιλλεὺς Μιμνέτω αὖθι τέως περ ἐπειγόμενός περ Ἄρηος. Μίμνετε δ' ἄλλοι πάντες ἀολλέες. [Æsch. Sept. 34 : Πυλῶν ἐπ' ἐξόδοις μίμνοντες. Sic sæpe etiam Soph. et Eur.] Item res aliquæ μίμνειν dicuntur, ut μένειν, pro Non dilabi et μεταπίπτειν, Il. Ω, [382] : Ἵνα περ τάδε σοι σόα μίμνοι. [N, 713 : Οὐ γάρ σφι σταδίῃ ὑσμίνῃ μίμνε φίλον κῆρ.] Interdum vero pro Maneo, i. e. Expecto; jungiturque accusativo, ut Il. Θ, [561] : Ἑσταότες παρ' ὄχεσφιν εὔθρονον ἠῶ μίμνον. Hesiod. Op. [628] : Αὐτὸς δ' ὡραῖον μίμνειν πλόον εἰσόκεν ἔλθῃ. Dicitur etiam hostem μίμνειν, qui eum non tantum expectat, sed etiam irruentem sustinet et excipit : quod et μένειν et ὑπομένειν. Il. P, [721] : Μίμνομεν ὀξὺν ἄρηα παρ' ἀλλήλοισι μένοντες· X, [38] Priamus ad Hectorem : Ἕκτορ, μή μοι μίμνε, φίλον τέκος, ἀνέρα τοῦτον. [De arboribus M, 133 : Αἵτ' ἄνεμον μίμνουσι καὶ ὑετὸν ἤματα πάντα. Cum dat., ut supra μένω, Æsch. Ag. 1149 : Ἐμοὶ δὲ μίμνει σχισμὸς ἀμφήκει δορί. Lycophr. 815 : Μίμνειν πάτρα βοηλατοῦντι· 1076 : Σοὶ δὲ πρὸς πέτραις μόρος μίμνει δυσαίων. || Seq. inf. Æsch. Ag. 1563 : Μίμνει δὲ μίμνοντος ἐν χρόνῳ Διὸς παθεῖν τὸν ἔρξαντα. || Imperf. frequentat. Orph. Lith. 108 : Ἱστάμενος μίμνεσκεν. Eudocia ap. Bandin. Bibl. Med. vol. 1, p. 232, 308 : Δέκα δ' ἐξείης ἐνιαυτοὺς μίμνεσκεν διέπων κλισμὸν τότε δημογέροντος. || In prosa Hippocr. Epist. p. 1280, 20 : Ὦ Ἀβδηρῖται, αὐτόθι μίμνετε. Aret. p. 28, 34 : Ἢν μίμνῃ ἡ σκοτοδίνη. Lucian. De Syr. dea c. 29 : Μίμνει χρόνον τῶν εἶπον ἡμερέων. Passivum v. in Μιμνάζω. L. Dind.]

[Μίμνων, ὁ, Mimnon, n. viri in inscr. Att. ap. Bœckh. vol. 1, n. 169, p. 298, 22. L. Dind.]

[Μιμόβιος, ὁ, Qui vitam imitatur, Mimus. Manetho 4, 280 : Μιμοβίους, χλεύης τ' ἐπιβήτορας, ὑβριγέλωτας.]

Μιμογράφος, ὁ, Qui mimos scribit, Mimorum scriptor, quales ap. Græcos fuerunt Sophron et Xenarchus, ap. Latinos Laberius. Utitur Diog. L. [Philodemus Περὶ ποιημ. p. 13, 21 ed. Dübner. : Τὸν δὲ ποητὴν τὸν ἀγαθὸν συνορίζουσι κατὰ μιμογράφου καὶ ἀρεταλόγου, ἀλλ' οὐ συγγραφέως ἀρετήν. Galen. vol. 4, p. 161 : Μαρύλλου τοῦ μιμογράφου. L. Dind.]

[Μιμοειδής, ὁ, ἡ, Mimo similis. Eust. Il. p. 217, 36 : Τὸ δὲ ἀχρεῖον ἰδὼν (Il. B, 269) οὐχ ὅμοιον τῷ τὴν Πηνελόπην ἀχρεῖον γελάσαι ... Ἐνταῦθα δὲ ἀχρεῖον ἰδεῖν τὸ ἀκαίρως ὑποβλέψαι ... ἢ ἀντὶ τοῦ μιμοειδὲς καὶ ἀχρειοποιόν, ὡς ἀμορφωθέντος τοῦ προσώπου τοῖς δάκρυσι. Seager.]

Μιμολογέω, Mimos recito, Mimice recito. Strabo 5, p. 102 [233], de Osca lingua : Τῶν μὲν γὰρ Ὄσκων ἐκλελοιπότων ἡ διάλεκτος μένει παρὰ τοῖς Ῥωμαίοις, ὥστε καὶ ποιήματα σκηνοβατεῖσθαι κατά τινα ἀγῶνα πάτριον καὶ μιμολογεῖσθαι.

[Μιμολόγημα, τὸ, Mimorum fabula. Epiphan. Hær. 37, 3 : Τὰ παρ' αὐτοῖς νομιζόμενα μυστήρια, μιμολογήματα δὲ ὄντα καὶ χλεύης ἔμπλεα.]

[Μιμολογία, ἡ, i. q. præcedens. Epiphan. Hæres. 21, 66.]

Μιμολόγος, ὁ, ἡ, Qui mimos recitat. [I. q. μῖμος. Theodor. Anth. Pal. 7, 556, 2, epigr. in mimum : Καὶ νεκύων θῆκέ σε μιμολόγον. Ephræm Syr. vol. 1, p. 271, E : Μὴ συνδιατρίβε μιμολόγοις. L. D. Aristeas De leg. transl. p. 2 ed. Hav.] || In Epigr. autem [Euodi Anth. Plan. 155] μιμολόγος ἠχὼ dicitur ab imitatione vocis humanæ, quæ et λάλος et ἀντίθρουν φθόγγον ἔμπαλιν ᾄδουσα, 4 : Ἠχὼ μιμολόγον, φωνῆς τρύγα, ῥήματος οὐρήν.

Μῖμος, ὁ, ἡ, Imitator, [Histrio, Gl.] : proprie de imitatore histrionico, et eo, qui gestus aut dicta ac facta alicujus imitatur et effingit, ad risum movendum. Dem. [p. 23, 21] : Τοιούτους ἀνθρώπους μίμους γελοίων, καὶ ποιητὰς αἰσχρῶν ᾀσμάτων. Sic Gregor. : Μῖμοι γελοίων ἦγον αὐτόν, καὶ τοῖς ἀπὸ τῆς σκηνῆς αἴσχεσιν ἐπομπεύετο. Aliquando absolute dicitur sine casu de iis, qui in theatris imitantur omnis generis gestus aut

A actiones. Plut. in l. qui Π. εὐθυμίας inscribitur [p. 477, D] : Καὶ τοιαύτας ἄλλας ἡμέρας (quales sunt Saturnalium, Bacchanalium, Panathenæorum) περιμένουσιν ἵν' ἡσθῶσι καὶ ἀναπνεύσωσιν ὠνητὸν γέλωτα, μίμοις καὶ ὀρχησταῖς μισθοὺς τελέσαντες. Idem De anim. solert. [p. 973, E] de cane quodam a mimo erudito : Παρὼν γὰρ ὁ κύων μίμῳ πλοκὴν ἔχοντι δραματικὴν καὶ πολυπρόσωπον, ἄλλας τε μιμήσεις ἀπεδίδου τοῖς ὑποκειμένοις πράγμασι προσφόρους, et assumpto pane in soporifero mortiferoque, ut putabatur, pharmaco tincto, ὅμοιος ἦν ὑποτρέμοντι καὶ σφαλλομένῳ καὶ καρηβαροῦντι· τέλος δὲ προτείνας ἑαυτὸν, ὥσπερ νεκρὸς ἔκειτο, καὶ παρεῖχε ἕλκειν καὶ μεταφέρειν· ubi etiam exprimit τὸ μιμητικὸν ejusmodi histrionum. Græcum vocabulum Cic. quoque retinuit, ac Juvenalis, qui dicit Agere mimum. In fem. autem gen. Mimam post Cic. dixit Plin. : et Mimulam Cic. Item sicut Plut. μίμους et ἠθολόγους junxit, sic etiam Cic., sed non addita part. copulativa, De orat. 2 : Mimorum est enim ethologorum, si nimia est imitatio, sicut obscœnitas. [Athen. 5, p. 195, F : Ὑπὸ τῶν
B μίμων introductus rex in convivium etc. 6, p. 261, C, Sylla delectabatur μίμοις καὶ γελωτοποιοῖς. Sic sæpe 10, p. 452, F. Valck. Hedylus Anth. Pal. App. 34, 2 : Μίμων κὴν θυμέλῃσι χάρις. Psellus Synops. Leg. 920 : Ὁ μῖμος ὁ θυμελικός. Manetho 5, 104 : Ξυρομένους κεφαλὰς μίμους ὄχλοισι γελοίων. Pollux 6, 123. Fem. Plut. Sull. c. 36 : Συνῆν μίμοις γυναιξὶ καὶ κιθαρισταῖς.] || Μῖμος dicitur etiam Fabula paulo obscœnior ac licentior quam Comœdia, quales erant Laberii Mimi, ἀπὸ τοῦ μιμεῖσθαι appellata, quoniam imitatur et sermones obscœnos et facta indecora ac turpia; vel, ut alii scribunt, ab diuturna imitatione vilium rerum et levium personarum. Mimus, inquit Diomedes, est sermonis cujuslibet motus sine reverentia, vel factorum cum lascivia imitatio : mimus dictus, qua solus imitetur. Herodian. 5, [7, 14] : Ἡνιόχοις τε καὶ κωμῳδοῖς καὶ μίμων ὑποκριταῖς. Athen. 11, [p. 504, B] : Ὁ τοὺς μίμους πεποιηκώς, Mimorum poeta. [Qui est Sophron, cujus noti sunt Μῖμοι ἀνδρεῖοι et γυναικεῖοι.] A Plut. Symp. 7, 8, duo ponuntur μίμων genera, ὑποθέσεις et παίγνια:
C quæ παίγνια esse dicit πολλῆς γέμοντα βωμολοχίας καὶ σπερμολογίας : et quosdam mimos ἐπιδείκνυσθαι μιμήματα πραγμάτων καὶ λόγων ἁπάσης μέθης ταραχωδέστερον τὰς ψυχὰς διατίθησι. Latini quoque in hac signif. Mimos dicunt. Ovid. : Scribere si fas est imitantes turpia mimos. Idem, Quid si scripsissem mimos obscœna jocantes? [Galen. vol. 4, p. 165 : Τοῖς γράφουσι τοὺς μίμους τῶν γελοίων. Add. Ducang. || Latiori signif. Æschylus ap. Strab. 10, p. 471 : Ταυρόφθογγοι δ' ὑπομυκῶνταί ποθεν ἐξ ἀφανοῦς φοβεροὶ μῖμοι. || Imitatio, Gl. Pro μίμημα Eur. Rhes. 256 : Τετράπουν μῖμον ἔχων ἐπὶ γᾶν θηρός. Quod 211 dicit : Τετράπουν μιμήσομαι λύκου κέλευθον. De accentu barytono Theognost. Can. p. 63, 9.]

[Μιμοψηφιστής, ὁ, unde Μιμοψηφισταί, fabula Philistionis mimographi, ap. Suidam v. Φιλιστίων, ubi Μισοψηφισταὶ libri deteriores.]

Μιμώ, οῦς, ἡ, Simia, auctore Tzetze, quia hominis actiones imitatur, ἡ πίθηκος. [Suidas : Πίθηξ ἡ μιμώ. Moschop. : Μιμώ, ζῶον. Achmes Onir. c. 135 : Πίθηκον
D ἤτοι μιμώ· 282 : Ἐάν τις ἴδῃ ὅτι ἐπολέμει μιμοῖ οἰκείᾳ, et passim toto isto capite. Ducang. Tzetz. in Lycophr. p. 113, 158. Idem in App. p. 133. Eust. Ism. p. 322 : Καλὴ μὲν ἁπλῶς, πρὸς δέ γε τὴν ἐμὴν Ὑσμίνην, ὡς πρὸς Ἀφροδίτην μιμώ. Wakef.]

[Μιμῳδός, ὁ, Mimus. Plut. Sulla c. 2 : Ὥστε μιμῳδοῖς καὶ ὀρχησταῖς τιθασσὸς εἶναι. Boiss.]

Μὶν, Ipsum, vel Ipsam : poetice [vel potius Ionice, ut νιν Dorum est et Atticorum, sec. Apollon. De pron. p. 108, A] pro αὐτὸν vel αὐτήν [vel αὐτὸ ap. Hom. ceterosque Epicos et Lyricos, nusquam ap. Tragicos, ut animadvertit jam Valck. ad Hipp. 1253, etsi aliquoties irrepsit in libros, inprimis Æschyli. Pro αὐτὸ Il. A, 237, Z, 221, Pind. Ol. 3, 48]. Dicunt etiam μιν αὐτὸν pro αὐτὸν ἐκεῖνον : ut Hom. Od. Γ, [19] : Λίσσεσθαι δέ μιν αὐτὸν ὅπως νημερτέα εἴπῃ. Necnon αὐτόν μιν pro ἑαυτὸν, Seipsum : ut de Ulysse [Δ, 244] : Αὐτόν μιν πληγῇσιν ἀεικελίῃσι δαμάσσας. [Hic quoque recte nunc legitur αὐτὸν, quocum Nitzschius comparat Herodot. 1 24 : Κελεύειν τοὺς πορθμέας ἢ αὐτὸν διαχρᾶσθαί μιν, qui ib. paullo post dicit : Τελευτῶντος τοῦ νόμου ῥῖψαί μιν ἐς τὴν θάλασσαν ἑωυτόν.] Apoll. Arg. 2, [8] μιν posuit etiam pro αὐτούς : Καὶ δὲ τότε προτὶ νῆα κιὼν χρειὼ μιν ἐρέσθαι Ναυτιλίης, οἵ τ' εἶεν, Interrogare ipsos de navigatione, et quinam sint. [Quæ scriptura in scholiis vitiosa dicitur pro μὲν, aut ita explicatur ut μὶν pro singulari positum sit. Plurali enim numero non poni disputat etiam Apoll. l. c. In prosa eodem utuntur Herodotus, Hippocrates, Aretæus aliique Iones. ί]

Μίνα, Hesychio μύρια, et τὰ μικρὰ σῦκα. [Eidem in gl. a Musuro deleta : Μίναι, προφάσεις. Scribendum Μῦναι.]

Μίναρ, Hesychio χορδὴ, Chorda. [Inter Laconica hoc refert Meurs. Misc. Lacon. 3, 8. Μίναρ est Chorda acutum sonum reddens, μινυρίζουσα. Is. Voss. V. Μιμάρκης.]

[Μινδαλοέσσας, ἀριθμοί· καὶ ἡ περὶ τὰ οὐράνια σύνταξις. Βαβυλώνιοι, Hesych. « Locus corruptus. Excidisse videtur interpretatio, et caput novi articuli. » Albert. « Vide an possit e Chald. מדה שוה *Middah schavah*, Mensura æqualis, vox aliquam lucem accipere? » Dahler.]

[Μίνδανα, ων, τὰ, Mindana, locus ap. Basil. M. vol. 3, p. 274, E ; 275, A. L. Dind.]

Μίνδαξ, ἄκος, ἡ, Hesychio est θυμίαμα ποιὸν, Suffimentum quoddam. [Amphis Athenæi 15, p. 691, A : Τὴν βασιλικὴν θυμιᾶτε μίνδακα.]

[Μίνδᾰρος, ὁ, Mindarus, Spartanorum navarchus, Thuc. 8, 85, etc. Xen. H. Gr. 1, 1 etc.]

[Μίνδιος, ὁ, Mindius, n. viri in numis Sardium Lydiæ ap. Mionnet. *Descr.* vol. 4, p. 122 sq., et *Suppl.* vol. 7, p. 419, n. 468.]

[Μινδυρίδης. V. Σμινδυρίδης.]

[Μίνδων, ὁ, Mindo, n. viri. V. Μίδων.]

[Μινίας, ὁ, n. viri esse dicitur in numo Ephesi Ioniæ ap. Mionnet. *Suppl.* vol. 6, p. 123, n. 303.]

Μίνθᾰ, s. Μίνθη, ἡ, Mentha : herba quæ alio nomine ἡδύοσμος dicitur a suavi odore, ut Diosc. tradit 3, 41; unde et στέφανον εἶχον μίνθης ap. Athen. l. 2, [p. 49, E]. Plut. inter μίνθην et ἡδύοσμον discrimen facit : Symp. 8, 9 [p. 732, B] : Οὕτω γὰρ οὔτε ὄξος ὀξίνου φήσομεν διαφέρειν, οὔτε πυρῶν αἶραν, οὔτε μίνθης ἡδύοσμον [μίνθον ἡδυόσμων Wyttenb. cum hac annot. : « Μίνθον ἡδυόσμων Palat. (et Regius 2074.) Vulgo μίνθον ἢ ἡδύοσμον. Xyl. μίνθης ἡδύοσμον. Mez. μίνθον ἡδυόσμου. »] indicans μίνθην esse degenerem ἡδύοσμον, s. vitium ἡδυόσμου, ut lolium est vitium tritici, vappa vini. [Μίντη (sic), τὸ ἡδύοσμον, apud Psellum Ms. De nominibus morborum. Μίνθη Ruscus apud Interpol. Dioscor. c. 728. Ducang. Formam μίνθα ponit Theognost. Can. p. 16, 19, et qui α corripi dicit Arcad. p. 96, 15, habetque Theophr. ll. ab Schneidero in Indice citatis et Suidas. Nicand. Al. 374 : Χλοεραὶ μίνθης ἀπὸ φυλλάδος. Ubi schol. : Μίνθη Ἅδου παλλακὴ οὕτω καλουμένη, ἣν διεσπάραξεν ἡ Περσεφόνη, ἐφ' ᾗ τὴν ὁμώνυμον πόαν ἀνέδωκεν ὁ Ἅδης. Pollux 6, 68 : Μίνθα ἢ μίνθη τὸ καλούμενον ἡδύοσμον, ὅπερ ὠνομάσθαι φασὶν ἀπὸ Μίνθου· ἡ δ' ἦν Πλούτωνος παλλακὴ, εἰς τοῦτο τὸ φυτὸν μεταβαλοῦσα. Μέμνηται τῆς μίνθου Κρατῖνος ἐν τοῖς Νόμοις· ubi pro μίνθου recte codd. μίνθης. Cratini autem ex. quum μίνθη habeat, suspectum etiam μίνθου ap. Pollucem, cujus libri similiter variant in formis μίνθα et μίνθη.] Apud Theophr. reperio μίνθον pro μίνθην, H. Pl. 6, 7 : Οὔτε σισύμβριον οὔτε μίνθον. Et C. Pl. 2, 21 : Τὸ σισύμβριον εἰς μίνθον μεταβάλλειν. Alioqui μίνθος, sed et μίνθα, ut vult Hesych. [in v. et in Ψώιζος], dicitur ἡ ἀνθρωπεία κόπρος, Stercus humanum, Merda [Gl. Formam μίνθος Etym. M. in Μίνθη pro μίθρος restituit Hemst. ad schol. Aristoph. Pl. 310.]

[Μίνθη, ἡ, Minthe. V. Μίνθα.]

[Μίνθος. V. Μίνθα.]

[Μινθόω.] Unde Μινθῶσαι est Merda aspergere vel inquinare. Item Merdam affricare : ut ap. Aristoph. Pl. [313] : Τῶν ὄρχεων κρεμῶμεν, μινθώσομέν θ', ὥσπερ τράγου, τὴν ῥῖνα, ejusque velut hirci, naribus merdam affricabimus. Solent enim pastores, quum hirci ex perfrictione veternum contraxerint, merda naribus eorum oblitis, sternutamenta eis ita ciere, et fœtore illo eos excitare : ut et Catull., Nunc eum volo de tuo ponte mittere pronum, Si potest olidum repente excitare veternum, Et supinum animum in gravi re-
A linquere cœno. Schol. tamen μίνθου nomine et herbam quandam accipi vult in stercoribus nascentem, qua hirci mire afficiantur. Sed prior expositio melior est : nam idem Comicus et alibi μινθῶσαι usurpat pro Merda aspergere contaminareque, Ran. [1075] : Καὶ προσπαρδεῖν γ' ἐς τὸ στόμα τῷ θαλάμακι, Καὶ μινθῶσαι τὸν ξύσσιτον. [Archestratus Athen. 6, p. 285, B : Τὴν ἀφύην μίνθου πᾶσαν πλὴν τὴν ἐν Ἀθήναις. Nicetas Annal. 10, 8, p. 195, D : Τὸ στόμα μινθούμενοι.]

[Μίνθωνος ἀπὸ τῆς μίνθης dicti mentio fit ap. Philodemum in Voll. Hercul. part. 1, p. 22. L. Dind.]

[Μινίκιος, ὄνομα κύριον, ap. Suidam scrib. videtur Μινύκιος.]

[Μινναίου f. Ptolemæus Μεννέου potius dicendus, ut dictum in Μεννέου, ubi add. Etym. M. in v. || Μιναῖοι, οἱ, ἔθνος ἐν τῇ παραλίᾳ τῆς Ἐρυθρᾶς θαλάσσης. Μαρκιανὸς ἐν περίπλῳ αὐτῆς, Steph. Byz. Μινναῖοι ap. Diodor. 3, 42, ubi Wessel. confert Dionys. Per. 959 : Μινναῖοί τε Σάβαι τε, annotatque post Bochartum : « Natum genti cognomen est ex Hebræorum *Meunim*,
B quo titulo signantur Chron. 2, 26, 7, vertunturque Μιναῖοι ab Alexandrinis. » Μινναίου etiam ap. Basil. M. vol. 3, p. 116, E. Μιναῖοι rursus ap. Agatharch. Photii Bibl. p. 457, 39. Ap. Strab. etiam Μειναῖοι. V. annot. ad 16, p. 768.]

[Μινίων, ωνος, ὁ, Minnio, n. viri in numo Mileti Ioniæ ap. Mionnet. *Descr.* vol. 3, p. 172, n. 801. Alius in inscr. Iasensi ap. Bœckh. vol. 2, p. 462, n. 2672, 1.]

[Μίννος, ὁ, Minnus, n. viri esse dicitur in numo Ephesi Ioniæ ap. Mionnet. *Suppl.* vol. 6, p. 114, n. 219.]

[Μῖνος, (vel Μῖνον, τὸ,) Mandragora, ap. Interpol. Diosc. c. 658 (4, 76). Ducang.]

[Μινος, vel quocunque modo formandus sit nominat., loci nomen esse videtur in inscr. Corcyr. ap. Bœckh. vol. 2, p. 16, n. 1840, 12 : Ἐν Μινῳ. L. D.]

[Μίντη. V. Μίνθη.]

[Μινύα, ἡ, πόλις Θετταλίας ἡ πρότερον Ἀλμενία, ἀφ' ἧς ἡ Μινύα ἀπὸ Μινύου κληθεῖσα. Καὶ Μινύειον καὶ Μινυὴς καὶ Μινυήιος. Ἔστι καὶ ἑτέρα Φρυγίας ἐν τοῖς ὁρίοις
C Λυδίας. Τὸ ἐθνικὸν Μινύαι, Steph. Byz. Pind. Ol. 14, 4 : Παλαιγόνων Μινυᾶν ἐπίσκοποι. De Argonautis idem Pyth. 4, 69 : Πλευσάντων μετὰ νάκος Μινυᾶν· Lycophr. 874, et Orpheus. (Apoll. Rh. 1, 229 : Τόσσοι ἄρ' Αἰσονίδῃ συμμήστορες ἠγερέθοντο · τοὺς μὲν ἀριστῆας Μινύας περιναιετάοντες κίκλησκον μάλα πάντας, ἐπεὶ Μινύαο θυγατρῶν οἱ πλεῖστοι καὶ ἄριστοι ἀφ' αἵματος εὐχετόωντο ἔμμεναι · ὣς δὲ καὶ αὐτὸν Ἰήσονα γείνατο μήτηρ Ἀλκιμέδη, Κλυμένης Μινυηΐδος ἐκγεγαυῖα.) Gentem Minyarum, Argonautarum ex filiis conflatam sec. Herodot. 4, 145, 146; 1, 146, memorant Eur. Herc. F. 50, 220, 560, Pausan. 9, 36, 4 etc. Minyam, cujus de nomine v. Herodian. Π. μον. λ. p. 18, 10, Pind. Isthm. 1, 56 : Τὸν Μινύα μυχόν. De urbe Pind. Ol. 14, 19 : Ἡ Μινυεία. Ludi Μινύεια dicti memorantur ab schol. Pind. Isthm. 1, 11. Hom. Il. Β, 511 : Ὀρχομενὸν Μινύειον· Theocr. 16, 104, et forma poet. Od. Λ, 284 : Ἐν Ὀρχομενῷ Μινυηίῳ · et Il. Λ, 721 (coll. Pausan. 5, 6, 2) : Ποταμὸς Μινυήιος, de Anigro, unde retulit Hesychius. Libri Strabonis 8, p. 346, 347, 352, quomodo varient in nomine fl.
D vel per ει vel per ηι scribendo v. ap. interpretes. Hesiod. ap. Pausan. 9, 36, 7 : Ὀρχομενὸν Μινυήιον, et sæpius Apollon. Rh., qui etiam fem. Μινυηὶς ponit in l. paullo ante citato. Μινυῆας a Μινυεὺς est ap. Orph. Arg. 277, ubi non recte Μινύηας scriptum. Μινυΐδαι, quod Μινυάδαι scrib. putabat Heyn., est ap. schol. Pind. Ol. 14, 5. Μιν... in numis ap. Mionnet. *Suppl.* vol. 3, p. 297 sq. ῦ L. Dindorf.]

[Μινυᾶμάχος, ὁ, Qui cum Minyis pugnat. Samus Anth. Pal. 6, 116, 1 : Ἀλκείδα Μινυαμάχε.]

[Μινῠανθής, ὁ, ἡ, Ad parvum temporis spatium florens. Maximus Π. καταρχ. 75 : Φιλίην μινυανθέα καὶ ταχύδουλον ἀστασίην. || Hesych. : Μινυανθὲς, πόα ἀσφόδελος καὶ τρίφυλλον. Nicand. Th. 522 : Τρίφυλλον, τὴν ἤτοι μινυανθὲς, ὁ δὲ τριπέτηλον ἐνίσπει. Diosc. 3, 123 ; Plin. 21, 19, 30. V. Salmas. Exerc. p. 172. De hoc voc. dissertationem scripsit E. H. Barker. Angl. Τοῦ μινυάνθους Theophr. H. Pl. 4, 10, 4, ubi libri meliores μιμνάνθου, omisso etiam τοῦ ut μήνανθος et ἡ μήνανθος est 1 et 2.]

[Μινυὰς, άδος, ἡ, Minyas, carmen epicum, ap. Pausan. 4, 33, 7; 9, 5, 9 etc.]

[Μινύας, Μινύεια, Μινύειος, Μινυήιος. V. Μινύα.]

Μινύζηον, Hesych. affert pro ὀλιγόβιον, ut sit pro μίνυνθα ζῶν, Brevi temporis spatio vivens.

[Μινυήιος. V. Μινύα.]

[Μινύθημα, τό. Ap. Hippocr. p. 748, F, τὰ μινυθήματα dicuntur Quæ sunt diminuta, aut imminuta, extenuatæ partes aut quiete et diuturno vinculo emaciatæ ac graciliores effectæ. Foes. ῐῡ]

[Μινύθησις, εως, ἡ, Minutio. Hippocr. p. 48, 11; 824, G; 851, H; 1017, B. « Τῆς σελήνης, Theol. arithm. p. 17. » Hemst.]

[Μινυθικὸς, ἀ, ὀν, Minuens. Cæl. Aurel. Chron. M. 1, 1, p. 282 : « Utendum etiam malagmatibus, quæ valeant ex alto caussas inductione propria detergere, quæ Græci μινυθικὰ vocaverunt. »]

[Μίνυθρος, Arcad. p. 74, 28, ponit inter nn. propria in ρος hyperdisyllaba.]

Μινύθω, Minuo, Imminuo, ἐλαττόω. Hom. [Il. O, 492 : Ἠδ' ὅτινας μινύθῃ·] Od. Ξ, [17] de suibus Ulyssis : Πολλὸν παυρότεροι· τοὺς γὰρ μινύθεσκον ἔδοντες Ἀντίθεοι μνηστῆρες, Eorum enim numerum minuebant proci comedendo. Il. O, [493] : Ὡς νῦν Ἀργείων μινύθει μένος, ἄμμι δ' ἀρήγει· Υ, [242] : Ζεὺς δ' ἀρετὴν ἄνδρεσσιν ὀφέλλει τε μινύθει τε Ὅππως κεν ἐθέλῃσιν. Sic Hesiod. Op. [6] : Ῥεῖα δ' ἀρίζηλον μινύθει, καὶ ἄδηλον ὀφέλλει. [Plotin. vol. 1, p. 75, 10 : Μινύθειν καὶ χείρω τὰ σώματα ποιεῖν.] || Neutraliter etiam accipitur, ut φθινύθω, pro Imminuor, Minor fio, Decresco. Hom. Il. P, [738] : Μινύθουσι δὲ οἶκοι, Imminuuntur domus : incendio sc. At Hesiod. Op. [242] : Μινύθουσι δὲ οἶκοι, pro Imminuuntur et decrescunt domus s. familiæ, tum quoad opes tum quoad sobolem. [Th. 407 : Ἡ δ' ὥρη παραμείβηται, μινύθῃ δέ τοι ἔργον. Theognis 361 : Ἀνδρός τοι κραδίη μινύθει μέγα πῆμα παθόντος. Æsch. Sept. 920 : Ἐκ φρενὸς, ἃ κλαιομένας μου μινύθει· Eum. 374 : Δόξαι ... μινύθουσιν ἄτιμοι. Soph. OEd. C. 686 : Οὐδ' ἄϋπνοι κρῆναι μινύθουσι. Theocr. 21, 23 : Ὅσοι τὰς νύκτας ἔφασκον τῶ θέρεος μινύθειν. Quint. 3, 406 : Αἵ που ὀδυρόμεναι μίνυθον κενεοῖς λεχέεσσιν.] Ex Apollonio quoque [1, 286] affertur pro Deficio, Tabesco. [Id. 4, 1308 : Ἀμηχανίῃ μινύθοντας.] Ap. Hippocr. [p. 850, A] legitur et μεμινυθήκασι : quod Erot. exp. κατισχνάνθησαν, Graciliores facti sunt et macriores. [Alios ejus ll. plurimos indicat Foes.]

[Μινυθώδης, ὁ, ἡ, Imminutus. Hippocr. p. 648, 3; 1098, D : Πνεῦμα μινυθῶδες.]

Μίνυνθα, Paululum, Ad paululum temporis : ἐπ' ὀλίγον χρόνον. Hom. [Il. A, 416 : Ἐπεί νύ τοι αἶσα μίνυνθά περ, οὔτι μάλα δήν· Π, 466 : Μίνυνθα δέ οἱ γένεθ' ὁρμή·] Od. O, [493] : Καδδραθέτην οὐ πολλὸν ἐπὶ χρόνον, ἀλλὰ μίνυνθα· X, [473] : Ἤσπαιρον δὲ πόδεσσι μίνυνθά περ, οὔτι μάλα δήν. [Mimnerm. ap. Stob. Fl. 98, 13, 6 : Μίνυνθα δὲ γίγνεται ἥβης καρπὸς, ὅσον τ' ἐπὶ γῆν κίδναται ἠέλιος. Apoll. Rh. 2, 230 : Οὔ κέ τις οὐδὲ μίνυνθα βροτῶν ἄνσχοιτο πελάσσας· 4, 1060 : Τὴν δ' οὔτι μίνυνθά περ εὔνασεν ὕπνος.]

Μινυνθάδιος, α, ον, dicitur ὁ ὀλιγοχρόνιος, Brevi tempore durans, Qui brevis et exigui temporis est. Dicitur et de homine pro βραχύβιος, et de rebus inanimis pro ὀλιγοχρόνιος. Hom. Od. T, [328] : Ἄνθρωποι δὲ μινυνθάδιοι τελέθουσιν· Il. O, [612] : Μινυνθάδιος γὰρ ἔμελλεν ἔσσεσθαι· Φ, [84] : Μινυνθάδιον δέ με μήτηρ γείνατο· P, [302] : Μινυνθάδιος δέ οἱ αἰὼν ἔπλεθ'· X, [54] : Λαοῖσιν δ' ἄλλοισι μινυνθαδιώτερον ἄλγος ἔσσεται. Sic μινυνθαδίη νοῦσος, Apollon. [Rh. 2, 856], Brevi tempore durans morbus. [Id. 3, 690 : Μινυνθαδίῳ ὕπνῳ. Empedoclus v. 193. Herodian. Π. μον. λ. p. 18, 10; Theognost. Can. p. 54, 26. ῐᾰῐ]

Μινύον, Hesychio τὸ βλίτον [λάχανον], Blitum : et ἀρωματικόν [χρωματικόν Triller.] τι : item τὸ κιννάβαρι, quod Lat. Minium. [Supra male Μήνυον.]

Μινυὸς quidam volunt esse μικρὸς, unde sit μινυώριος et μινύθω. Atque adeo Eust. Attice μινυὸν dici vult pro μικρὸν, Parvum, Exile. [Μινυρὸν suspicabatur Valck. ad Ammon. p. 94, qui tamen unum tantum l. Eustathii Il. E, p. 649, 12 (618, 23) ante oculos habebat, eadem repetentis p. 116, 35; 273, 2, et Od. p. 1515, 56, quorum locorum secundo etiam tum μινυὸς usitatum Atheniensibus perhibet.]

[Μίνυρες, κλίναι μάντεις, Hesych., de qua gl. v. conjecturas intt.]

Μινύριγμα, τὸ, [i. q. μινύρισμα, ap. Philoxenum Cyther. Athen. 4, p. 147, D, ubi tamen pro μινυρίγματα θερμὰ cod. Laur. μινυρίσματα, quod verum videtur.]

Μινυρίζω, significans μινυρᾷ φωνῇ χρῶμαι [ut Hesych. interpr. ὀλίγῃ φωνῇ καὶ οἰκτρᾷ χρ., addens tamen etiam εὐφώνως λέγει, quod ad μινύρεται cum Cyrillo referendum putabat Schowius], Querula et lacrymabili voce loquor, Exili voce lamentor. [Minurio, Vibrisso, Gl.] Hom. Il. E, [889] : Μή τί μοι ἀλλοπρόσαλλε παρεζόμενος μινύριζε· Od. Δ, [719] : Περὶ δὲ δμωαὶ μινύριζον πᾶσαι. || Exili et flebili voce cantillo. Aristoph. Vesp. [219] : Λύχνους ἔχοντες καὶ μινυρίζοντες μέλη. [Av. 1414 : Ὅδ' αὖ μινυρίζων δεῦρό τις προσέρχεται.] Et Plato Polit. 3, [p. 411, A] : Μινυρίζων τε καὶ γεγανωμένος ὑπ' ᾠδῆς. Plut. [Mor. p. 56, F] : Οἱ δὲ πολλοὶ τῶν βασιλέων οὐκ Ἀπόλλωνες μὲν, ἂν μινυρίσωσι, Διόνυσοι δὲ, ἂν μεθυσθῶσιν, Non statim Apollines sunt si cantillent, aut querulas fides pulsent. [Numa c. 4. « Julian. Or. 5, p. 174, B : Ταῦτα ἀκηκοὼς μινυριζόντων πολλῶν πολλάκις. Minurire Latinis : Armend. ad Apollin. Sidon. 2, Ep. 2, p. 497, b. » Hemst. ῐῡ]

Μινύρισμα, τὸ, Flebile murmur, Querulum et exile murmur, Lamentum exili voce. [De cantu lusciniarum Theocr. Ep. 4, 11. « Clemens Al. Str. 2, p. 376, A. » Hemst. V. Μινύριγμα. ῐῡ]

[Μῐνῠρισμὸς, ὁ, Murmuratio, Susurratio, Gl. Schol. Aristoph. Thesm. 106 : Μεταξὺ δὲ τῶν δυοῖν ἀξιοῦσί τινες γράφειν « Μινυρισμὸς », ὡς πολλὰ τοιαῦτα παρεπιγράφεται. L. Dind.]

Μινύρομαι, Querula et flebili voce loquor vel cantillo. [Æsch. Ag. 16 : Ὅταν δ' ἀείδειν ἢ μινύρεσθαι δοκῶ.] Soph. [OEd. C. 671] : Ἔνθα [ἔνθ' ἁ] λίγεια μινύρεται θαμίζουσα μάλιστ' ἀηδὼν χλωραῖς ὑπὸ βήσσαις. Aristoph. Eccl. [880] : Μινυρομένη τι πρὸς ἐμαυτὴν μέλος, Querula et exili voce mecum cantillans. [Callim. Lav. Min. 119 : Τῷ μή τι μινύρεο. Hesychius : Μινυρομένη, θρηνοῦσα. Idem : Μινύρονται, προφωνοῦσι, προλέγουσι. Quam gl. apertum duco referri ad Æsch. Sept. 123 : Διάδετοι γενῦν ἱππειᾶν κινύρονται φόνον χαλινοί. Ubi schol., θρηνοῦσιν ἡμῶν τὴν ἀναίρεσιν καὶ οἷον προφωνοῦσιν. Estque hæc scriptura fortasse non minus vera quam ejusdem carminis v. 149, ex eodem Hesychio restituta a me εὐτυκάζου, vol. 3, p. 2484, C, ubi delenda sunt verba « eodem ... vitio. » ῐῡ L. Dind.]

Μῐνῠρὸς, ἀ, ὀν, Querula ac flebili, ideoque gracili, voce cantillans. [Æsch. Ag. 1165 : Δυσαλγεῖ τύχᾳ μινυρὰ θρεομένας.] Theocritus μινυροὺς ὀρταλίχους dicit pro λεπτῇ φωνῇ θρηνοῦντας, Gracili voce lamentantes, Pipientes, Idyll. 13, [12] : Οὐδ' ὁπότ' ὀρτάλιχοι μινυροὶ ποτὶ κοῖτον ὁρῷεν, Σεισαμένας πτερὰ ματρὸς ἐπ' αἰθαλόεντι πετεύρῳ. Supra κινυρὸς et κινύρομαι pro his habuimus eadem significatione. [Μινυρὸς ὑπερσοφιστὴς, Phrynich. ap. Athen. 2, p. 44, D. Hemst.] || Ad μινυρὸς vero quod attinet, Hesych. μινυρὸν exp. non solum τῇ φωνῇ μινυρίζον, sed etiam μικρὸν, ὀλίγον, Parvum, Pusillum. [V. Μινυός.]

Μῐνῠώριος, ὁ, ἡ, Qui brevis est temporis, Pauxillo admodum tempore durans; ideoque Fluxus, Caducus: ut μινυώριον ὕδωρ, Nonn. [Jo. c. 4, 62], Aqua non diu durans. Epigr. [Anth. Pal. 9, 362, 26], μινυώρια τέκνα. Hesychio μινυώριος est ὀλιγοχρόνιος, ὀλίγης ὥρας ἄξιος : nec non βραχύϋπνος, et ἄχρηστος, ἀδύνατος.

Μινύωρον, Suidas adverbialiter exp. ἐπ' ὀλίγον, Paululum. [Adj. Philetas Anth. Pal. 7, 481, 1 : Τὰν μινύωρον, τὰν μικκάν.]

[Μινὼ, ἡ βάτου καρπὸς, in Glossis iatricis græcobarb. Mss. cod. Reg. 1047, ap. Matthæum Silvaticum, « Minon est nux. Inde Diademinon, Confectio de nuce. » Ducang.]

Μινώα, Vitis species est, auctore Hesych.

[Μῑνώα, ἡ, Minoa, urbium quarundam nomen, de quo Steph. Byz. : Πόλις ἐν Ἀμοργῷ τῇ νήσῳ, μιᾷ τῶν Κυκλάδων. (Quam memorat etiam in Ἀμοργὸς et Ἀρκεσίνη. Cujus tamen gentile Μεινοητης scribitur in inscrr. imperatoriis Amorginis ab Rossio descriptis.) Δευτέρα πόλις Σικελίας (ap. Suidam. Forma, Ionica ap. Herodot. 5, 46 : Μινώην τὴν Σελινουσίων ἀποικίην.) Τρίτη ἐν Σίφνῳ, μιᾷ τῶν Κυκλάδων. Ἔχει δὲ Μινώαν καλουμένην κρήνην. Ἐκαλεῖτο καὶ ἡ Γάζα Μινώα. Ἔστι καὶ Ἀραβίας, ἧς οἱ πολῖται Μινωῖται, ἀπὸ Μίνωος. Ἔστι καὶ Κρήτης. Ἔστι καὶ ἄλλη νῆσος οὐ πόρρω Μεγάρων (Thuc. 3, 51; 4, 67, 118). Καὶ ἡ Πάρος Μινώα. Οἱ πολῖται Μινῶαι (Μινωῖται), Steph. Byz. Ad quem plura de singulis annotarunt interpretes. Prom. Laconiæ ap. Pausan. 3, 23, 11. Μινοα Κωιων inscriptum numo Coo ap. Mionnet. *Suppl.* vol. 6, p. 576, n. 99.]

[Μινώδης (l. Μινῴδης) s. Μινωίδης, ὁ, patron. a Μίνως ponunt Suidas s. Zonar. Μινῴδις Etym. M. p. 165, 42; 438, 4.]

[Μινώιος, α, ον, Minoius. Hom. H. Apoll. 396: Κνωσσοῦ Μινωίου. Apoll. Rh. 4, 1504: Πέλαγος Μινώιον. Memorat Theognost. Can. p. 57, 16. Forma contr. Μινῷος memoratur ib. p. 49, 20; 130, 24; 286, 23, et ab Suida.]

[Μινωΐς, ίδος, ἡ, Minois, ponit Herodian in Cram. Anecd. vol. 3, p. 299, 19, habetque sæpe Apoll. Rh., ut 2, 299: Κρήτης Μινωΐδος, etc. Ita pro μηνὶς legendum videtur ap. Dracon. p. 23, 25; 45, 27. L. D.]

[Μινῷος. V. Μινώιος. Μινώου (Μινῴου) mensis ficti mentionem facit Lucianus Ver. H. 2, 13.]

[Μίνως, ω et ωος, ὁ, Minos, rex Cretæ, ap. Hom. Il. N, 450, etc., Hesiod. Th. 948, aliosque poetas, mythologos, et historicos. « Lucian. Philops. c. 20: Ἐμὲ, ὥσπερ τὸν Μίνωος ἡλικιώτην, παραπαίειν ἤδη δοκεῖς, Me tanquam coætaneum Minoi jam delirare putas, i. e. præ senio delirare credis. » Koenig. Alii vero duos fingebant, unde Μίνως ὁ πρότερος memoratur in marm. Pario ap. Bœckh. vol. 2, p. 300, 21, ὁ δεύτερος ap. Diodor. 4, 60, uterque ap. Plut. Thes. c. 20. Alius viri nomen est ap. Hippocr. p. 1135, H. Per diphthongum ab nonnullis scribi annotat Etym. M. p. 588, 23. ‖ De declinatione notandum genitivum Μίνωος esse ap. Hom. Od. Λ, 322, P, 523, Apoll. Rh. 3, 1098. Inter Μίνωος et Μίνω vero variari ap. Herodotum 1, 173; 3, 122, Platon. Min. p. 319, A, sed Μίνω esse p. 318, D, Leg. 1, p. 624, A, Xen. Comm. 4, 2, 33, Isocr. p. 241, C. Aliam formam Μίνωο ap. Herodian. Cram. An. vol. 3, p. 228, 10, et Chœrob. Bekk. An. p. 1223, qui monent etiam de accentu proparoxytono, Etym. M. p. 746, 12. Accusat. Μίνω Il. Ξ, 322: Ἡ τέκε μοι Μίνω τε καὶ ἀντίθεον Ῥαδάμανθυν. Ubi schol. Ven.: Ἀρίσταρχος Μίνων (ἀττικῶς addit Vict.) σὺν τῷ ν, Ζηνόδοτος χωρὶς τοῦ ν. Et Vict.: Τινὲς Μίνωνα (omisso τε, opinor). Quod Μίνων aut Μίνωα scribendum videtur, quæ forma est Il. N, 450: Ὃς πρῶτον Μίνωα τέκε· Od. Λ, 567: Ἔνθ' ἤτοι Μίνωα ἴδον. Alioqui formam Μίνων ponit Priscian. 6, 13, 70: « Μίνως Μίνωος, Minos Minois. Salustius tamen protulit Minonis genitivum in v Historiarum: ... *Minonis fugerat iram* ... Nec tamen hoc sine exemplo apud Græcos quoque invento. Syracusii enim Ἥρων pro Ἥρως dicunt ... Similiter ergo et Μίνων pro Μίνως. » Inter Μίνωα, Μίνων et Μίνω variant libri Herodoti 7, 170, 171, ita ut Μίνων semel sit in optimo, semel supra scriptum in alio, inter Μίνω et Μίνων Platonis Gorg. p. 523, E, Min. p. 318, D, (ubi p. 319, A, est varietas Μίνωνος pro Μίνωος vel Μίνω). Μίνω est Leg. 1, p. 630, D, Epist. 2, p. 311, A, ap. Æsch. Cho. 618: Πιθήσασα δώροισι Μίνω· Apoll. Rh. 3, 1107, Isocr. p. 776, A. Conf. Bast. Ep. cr. p. 176. Rursus Μίνων est ap. Pausan. 2, 30, 3; sed tot aliis locis Μίνω (itemque Μίνω gen. et Μίνῳ dat.), ut hic quoque recte restitutum videatur Μίνω.]

[Μινώταυρος, ὁ, Minotaurus, f. Pasiphaes, conjugis Minois, ap. Pausan. 1, 27, 10 etc. Divise 3, 18, 11: Τὸν Μίνω καλούμενον Ταῦρον· 16: Ταῦρον τὸν Μίνω. Altera forma sæpius est ap. Apollodorum et alios.]

[Μὶξ, Mistim, Promiscue. Nicander Th. 615: Μὶξ δὲ κονυζῆεν φυτόν. Arcad. p. 181, 23; Hellad. Photii Bibl. p. 532, 39; Zonar. p. 1364.]

Μιξαίθριον, τὸ, vel, ut alii, Μιξαιθρία, ἡ, Serenitas pluviis hyemalibus permixta. In VV. LL. exponitur ex Hippocr. [p. 942, G] et Theophr., Temporis conditio permixta ex serenitatis hyemisque natura: item ex Hippocr., Hyems, in qua interdum pluviæ, interdum serenitas apparet.

[Μιξαιπόλιος. V. Μιξοπόλιος.]

[Μιξανάῤῥους, ὁ, Mixtus refluxus. Georg. Pisid. C. Severum p. 272, v. 91: Ἴσως λαβὼν ἴλιγγας ἀντισυστρόφους ὁ μιξανάῤῥους τῶν Σεβήρου σκεμμάτων ... πρὸς τὰς ἀπ' ἀρχῆς ἀντανέλθοι φροντίδας.]

[Μιξάνθρωπος, ὁ, ἡ, Semihomo. Themist. Or. 23, p. 284, A: Οὐδὲν ἀνύτουσιν οἱ μιξάνθρωποι ἢ μιξόθηροι. Liban. vol. 3, p. 282, 18: Κενταύρου σῶμα διφυὲς καὶ τροφέα μιξάνθρωπον.]

[Μιξαρχαγέτης, ὁ, cogn. Castoris, ap. Argivos. Plut. Mor. p. 296, F: Τίς ὁ Μιξαρχαγεύας ἐν Ἄργει; Μιξαρχαγεύαν τὸν Κάστορα καλοῦσι καὶ νομίζουσι παρ' αὐτοῖς τετάφθαι. « Μιξαρχαγέτας lego, quasi semideum diceres, gentilitatis Argivæ auctorem, non tamen cœlitem. Ἀρχαγέτης is est, hinc Apollo ἀρχαγέτης ap. Pausan. in Atticis. » Xylander.]

[Μιξέλλην, ηνος, ὁ, ἡ.] Μιξέλληνες, οἱ, Qui altero tantum parente Græci sunt, ut Hibridæ ap. Romanos. [Inscr. Olbiopolit. ap. Bœckh. vol. 2, n. 2058, p. 119, B, 17: Τοὺς τὴν παρώρειαν οἰκοῦντας μιξέλληνας. Polyb. 1, 67, 7: Οὐχ ὀλίγοι μιξέλληνες (in exercitu Carthag.). Diodor. Exc. p. 509, 23, aliique recentiorum. Singul. ap. Heliod. Æth. 9, 24.]

[Μιξιάδης, ου, ὁ, Mixiades, n. viri, ap. Isæum p. 57, 12. ῐᾰ]

Μιξίαμβος, ὁ, Hesych. λοίδορος: olim enim ἴαμβοι erant λοιδορίαι: itaque quibus admixti essent iambi poesibus, μιξίαμβοι dicebantur. Exponit Idem μιξίαμβος non solum λοίδορος, μεμιγμένος λοιδορίᾳ, sed etiam ποιηματοκόπος.

Μιξίας, ὁ, Hesychio [et Suidæ] ὁ μιγνύων, Mixtor s, Mistor. [N. pr. ap. Zonar. p. 1361. V. Μιξονίδης. ῐᾰ]

[Μιξιδημίδης, ὁ, Mixidemides, n. viri, ap. Aristot. Rhet. 2, 23. ῐ]

[Μιξίδημος, ὁ, Mixidemus, n. viri, ap. Lysiam ab Harpocrat. v. Ἐπιθέτους ἑορτὰς et Προχειροτονία cit. Liban. vol. 2, p. 354, 357, 359, 360, 362.]

[Μίξιμος, ὁ, Mixtus. Suidas: Ὑπόχαλκον δέ σου τὸ χρυσίον, ἀντὶ τοῦ μίξιμον, παρακεκομμένον τὸ νόμισμα, παραχαράξιμον. Cit. Hemst.]

Μίξις, εως, ἡ, Mistio, Permistio. [Suidas ex Alex. Aphrod. in l. 4 Topic. p. 162: Μίξις· ἁμαρτάνει ὁ λέγων μίξεως τὴν κρᾶσιν γένος· τὸ γένος γὰρ ὑποτίθησι τῷ εἴδει· ἐπὶ πλέον γάρ τι ἡ μίξις τῆς κράσεως. Εἰ μὲν γάρ τι κέκραται, καὶ μέμικται· οὐ μὴν πᾶν μεμιγμένον κέκραται. Ἡ μὲν γὰρ τῶν ξηρῶν μίξις οὐκ ἔστι κρᾶσις. Schol. Eur. Hec. 216: Λέγεται δὲ κρᾶσις ἐπὶ τῶν ὑγρῶν, οἷον οἴνου καὶ ὕδατος καὶ τῶν τοιούτων, μίξις δὲ ἐπὶ ξηρῶν, σίτου, κριθῆς καὶ τῶν ὁμοίων. Conf. Antipater ap. Stob. Fl. vol. 2, p. 17.] Emped. ap. Plut. [Mor. p. 885, D]: Ἀλλὰ μόνον μίξις τε διάλλαξίς τε μιγέντων. [Plato Reip. 10, p. 620, D: Πάσας μίξεις μίγνυσθαι.] Lucian. [Zeux. c. 6]: Ἡ μ. δὲ καὶ ἡ ἁρμογὴ τῶν σωμάτων. Philo: Τὰ δὲ δεύτερα μίξιν ἔχει καὶ κοινωνίαν. [Μίξις χρωμάτων ἢ ἄλλης ὕλης, Mixtura, Gl. Constructio usitata est cum præp. πρὸς, ap. Theophr. H. Pl. 3, 1, 4: Σηπομένου τοῦ ὕδατος καὶ μίξιν τινὰ λαμβάνοντος πρὸς τὴν γῆν. Porphyr. De abst. 4, 20, p. 370: Τῇ μίξει τῆς ψυχῆς πρὸς τὰ σώματα.] ‖ Concubitus, Coitus [Gl.]. Herodot. [4, 104, 172] de Agathyrsis: Ἐπίκοινον τῶν γυναικῶν τὴν μίξιν ποιεῦνται. [1, 203: Μίξιν τούτων τῶν ἀνθρώπων εἶναι ἐμφανέα, κατάπερ τοῖσι προβάτοισι. Plato Leg. 6, p. 773, D: Ἐν τῇ τῶν παίδων μίξει, quod breviter dictum de procreatione. Schol. Eur. Phœn. 666: Ἀμήτωρ ἡ Ἀθηνᾶ, ἐπειδὴ ἄνευ μίξεως τῆς πρὸς γυναικὸς γέγονε τῷ Διΐ· ἤρισαν γὰρ πρὸς ἀλλήλους Ζεύς τε καὶ Ἥρα ἄνευ τῆς πρὸς ἀλλήλων μίξεως τεκεῖν. Sed pro abnormi constr. c. genitivo unus cod. legitimam exhibet bis, qui γυναῖκα pro γυναικὸς et ἕτερον pro ἀλλήλων.]

Μιξοβάρβαρος, ὁ, ἡ, Mixtus barbaris, Semi-barbarus. [Eur. Phœn. 138: Ὡς ἀλλόχρως ὅπλοισι μιξοβάρβαρος. Xen. H. Gr. 2, 1, 15; Plato Menex. p. 245, D. Theognost. Can. p. 82, 7; Hesych. post Μειλιχόμητις.]

[Μιξοβόας, ὁ, Cum clamore mistus. Æschyl. ap. Plut. Mor. p. 389, A: Μιξοβόαν διθύραμβον.]

[Μιξοδία. V. Μίξοδος.]

Μίξοδος, ἡ, et Μιξοδία, sive Μισγοδία, ἡ, Mixtio viarum, Ubi tres pluresve viæ miscentur. Ap. Hesych.: Μιξοδίη, τρίοδος. Et, Μίξοδος, ὁδὸς ἢ εἰς ἑτέραν συμβάλλεται. Et, Μισγοδίη, ὅπου ἂν ὁδοὶ μίγνυνται. Sed scribitur ap. eum μισγοδείη per ει in penult.: quam scripturam heroicum metrum non fert. Ab Hom. autem et Apoll. Arg. 4, [921] μιξοδίη vocatur Locus inter Scyllam et Charybdin, ubi ἀντικρὺ ἀλλήλων εἰσί. [V. schol. Hemst.]

[Μιξοθάλασσος, s. Μιξοθάλαττος, ὁ, ἡ, Qui mari miscetur. Orac. ap. Xen. Eph. 1, 6 : Παρ' ἀνδράσι μιξοθαλάσσοις. Boiss. ᾰ]

[Μιξόθηλυς, ὁ, ἡ, Qui muliere mistus est, Effeminatus. Philostr. V. S. 2, p. 623, 1 : Μιξόθηλυς τὴν φωνήν. Georg. Sync. p. 162, C : Μιξόθηλυν στρατόν.]

Μιξόθηρ, ηρος, ὁ, ἡ, Semifer. Ad verbum sonat, Feræ permixtus : μ. ἄνθρωπος, Minotaurus, Epigr. [Anth. Plan. 126, 3.] Vide Φήρ. [Eur. Ion. 1161 : Μιξόθηρας φῶτας. Lycophr. 650; Philo vol. 2, p. 307, 20. Dionys. Hal. vol. 6, p. 822, 14 : Ναΐδας μιξόθηρας. De accentu μιξόθηρ v. Theognost. Can. p. 97, 9.]

[Μιξόθηρος, ὁ, ἡ, i. q. præcedens. Homo belluinis moribus, Athenag. De resurrect. mort. Themist. in Μιξάνθρωπος cit. Etym. M. p. 668, 56.]

Μιξόθριξ, τρῐχος, ὁ, ἡ, Qui mixtis pilis est, Semicanus. [Eust. Il. N, 361 : M. κατὰ τὸ ὑποπόλιον.]

[Μιξόθροος, ὁ, ἡ, Clamore mistus. Æsch. Sept. 331 : Λαΐδος ὀλλυμένας μιξοθρόου.]

Μιξοιφία, ἡ, Hesychio μίξις, πλησιασμὸς, Coitus.

[Μιξόλευχος, ὁ, ἡ, Semialbus. Lucian. Bis accus. c. 8 : Ἀτελεῖς καὶ μιξόλευχοι καὶ κατεστιγμένοι καὶ παρδαλωτοὶ τὴν χροίαν.]

[Μιξολύδιος, ὁ, ἡ, Lydia harmonia mixtus. De ipsa harmonia Strabo 12, p. 572. Angl. Ptolem. Harm. p. 71, D; 93, C, Bryenn. p. 389, C; 409, A, aliique scriptores de musica. ῡ L. Dindorf.]

Μιξολυδιστὶ, Lydia harmonica mixta. Aristot. Polit. 8, [5] : Ἡ μιξολυδιστὶ καλουμένη ἁρμονία. [Plato Rep. 3, p. 398, E; Plut. Mor. p. 46, B, ibique Wytt. ῐ]

[Μιξόμβροτος, ὁ, Semihomo, ut Centaurus. Æsch. Suppl. 568 : Βοτὸν ἐσορῶντες δυσχερὲς μιξόμβροτον.]

[Μιξονίδης. Παρὰ τὸ μίσγω, μίξω, γίνεται μίξις, ὡς πράξω, πρᾶξις, καὶ Μιξίας, ὡς σώσω, Σωσίας, καὶ λέξω, Λεξίας, καὶ Μίξων, Μίξονος, Μιξονίδης, Etym. M. Mire Suidas : Μιξιονίδης, Μιξιονίδου, Μιξωνίδης δέ. Pro Μιξωνίδης libri deteriores Μιξιονείδης. Μιξιονίδης vero et Μιξίων etiam in Etym. M. locum habent.]

[Μιξονόμος, ὁ, ἡ, Qui promiscue pascitur. Ænigma Simonidis ap. Athen. 10, p. 456, C : Μιξονόμου τε πατὴρ ἐρίφου καὶ σχέτλιος ἰχθύς.]

[Μιξοπάρθενος, ὁ, ἡ.] Μιξοπάρθενος dicitur ἡ σφὶγξ, quod virginea facies ei admista esset, h. e. Quod ex parte esset facie virginea. Eur. Phœn. [1030] : Πολύφθορος, πολύστονος, μιξοπάρθενος (-νον), δάϊον τέρας. [Lycophr. 669. Herodot. 4, 9, ἔχιδνα.]

Μιξοπόλιος, ὁ, ἡ, [Canaster, Gl.] Cujus pilis cani misceri incipiunt, Semicanus : Homero μεσαιπόλιος. Supra μιξόθριξ. [Jo. Malal. 1, p. 317, 332, 333, 347, 363, alibi. Elberl. Const. Manass. Chron. p. 306 (?). || Μιξαιπόλιος, nisi librarii ad μεσαιπόλιος aberrantis culpa est, Synaxar. ap. Sirmond. Opp. vol. 5, fol. *h ij* recto, medio : Μιξαιπόλιος τὴν τρίχα, et in Menæis Nov. 11, ib. fol. *h* verso citatis, ubi eadem verba. L. Dindorf.]

[Μιξόπολις, Philem. Lex. 15, forte μιξοπόλιος. Boiss. Μιξοπολίτης Etym. M. p. 46, 29. Μιξοπόλιος utrique restituendum esse ex Zonara Lex. p. 99, animadvertit Lobeck. ad Phryn. p. 771. L. Dind.]

[Μιξόπῡος, ὁ, ἡ, Pure permixtus. Οὖρα μ. Hippocr. p. 948, A. Wakef.]

[Μιξοφρύγιος, ὁ, ἡ, Phrygia harmonica mixtus. Strabo 12, p. 572; 13, p. 629. « Clem. Alex. p. 307. » Kall. ῠ]

[Μιξόφρυξ, υγος, ὁ, Phryx mixtus. Basil. Scholl. Mss. in Greg. Naz. p. 45. Bast.]

Μίξοφρυς, ὁ, ἡ, Cui supercilia coeunt, Qui μεσόφρυον non habet, Superciliorum interstitium, i. e. τὸ μετώπιον s. μεσόφρυον, confusum habens. Habet Pollux 2, p. 92 [§ 49] et ex Cratino affert.

[Μιξοφυὴς, ὁ, ἡ, Qui mixtæ est naturæ. Schol. Eur. Phœn. 813 (806 M.) : Πτερὸν δὲ τὴν σφίγγα λέγει, ἐπειδὴ πτερωτὴ ἦν παρθένου πρόσωπον ἔχουσα, λέοντος δὲ τὸ πᾶν σῶμα, μιξοφυὴς οὖσα. Wakef.]

[Μιξόχλωρος, ὁ, ἡ, Pallido mixtus. Hippocr. p. 95, B : Μιξόχλωρον ἢ χλωρὸν χρῶμα.]

A [Μιξόχροος, ὁ, ἡ, Variegatus. Jo. Gaza Tab. M. 2, 202. Cramer.]

[Μίξων, Μιξωνίδης. V. Μιξονίδης.]

[Μιργάδωρ, τὸ λυκόφως, Diluculum, gl. Laconica ap. Hesych., pro μισγήως.]

[Μίργης, ητος, ὁ, cum Μίσγης et Μόργης componit Herodian. in Cram. An. vol. 3, p. 232, 30. L. Dind.]

[Μιργόω.] Μιργῶσαι, Hesychio πηλῶσαι, Luto obducere, [apud Lacones].

Μιρέα, Hesychio λάχανα, Olera.

[Μιρεὺς, ὄνομα κύριον, sec. Etym. M. p. 426, 42.]

Μίρχα, Hesych. pro εὐανθὴς, ποικίλη ἄνθεσι.

Μίρμα, Hesych. dici scribit ἐπὶ τοῦ κακοπινοῦς, καὶ ῥυπαροῦ, καὶ πονηροῦ, De sordido et improbo. [Anonymus in cod. Burm. ascripserat Hebr. v. מרמה *Mirmah*, quæ Fraudem et Dolum malum significat. Albert.]

[Μίρος, ὁ, ποταμὸς Φρυγίας, sec. Etym. M. p. 475, 27. Μιρὸς Suidas.]

[Μιρράνης, ὄνομα κύριον, Suidas. Conf. Μιτράνης, ex quo tamen non dixerim hoc esse corruptum.]

B Μίῤῥινον, τὸ, affertur pro Gula.

Μίρτουλον, Hesychio μῦσος [μύσος, quod recte posuit HSt. pro μῖσος], μίασμα, Piaculum.

[Μίρονος (s. Μίρωνος) ἀνέθηκεν inscriptum numo Coloss. ap. Mionnet. *Descr.* vol. 4, p. 268, n. 425. Μνησίθεος Μίρωνος Θηβαῖος inscr. Bœot. ap. Bœckh. vol. 1, p. 771, n. 1590, 7. L. Dind.]

[Μίσα. V. Μίση.]

Μῑσᾰγᾰθία, ἡ, Odium bonorum, rerum bonarum : cui opp. μισοπονηρία. [Plut. Phoc. c. 27.]

[Μισάγαθος, ὁ, ἡ, Qui bonos vel res bonas odit. Schol. Pind. Pyth. 4, 507 : Ὅμηρος δὲ τὸν Θερσίτην εἰσήγαγε φιλόκακον καὶ μισάγαθον. Theod. Prodrom. *Notices* vol. 8, p. 198, 11 : Τὴν μισάγαθον νόσον. « Jo. Chrys. In Ps. 7, vol. 1, p. 563, 28. » Seager.]

[Μισάγιος, ὁ, Osor sancti vel sanctorum. Stephanus monachus in Vita Jo. Damasc. vol. 1, p. xxxii, A : Εἰκονοχαύστην τε καὶ μισάγιον. L. Dind.]

[Μισαδελφία, ἡ. V. Μισάδελφος.]

Μισάδελφος, ὁ, ἡ, Fratris s. Fratrum osor. Et τὸ C μισάδελφον, i. q. Μισαδελφία, Fratris aut Fratrum odium, Odium in fratres. Plut. De frat. amor. [p. 482, C] : Τῷ μισαδέλφῳ μισοπονηρίαν ὄνομα θέμενοι. In eod. l. [p. 478, C] : Ὁρῶ καθ' ἡμᾶς τὴν φιλαδελφίαν οὕτω σπάνιον οὖσαν, ὡς τὴν μισαδελφίαν ἐπὶ τῶν παλαιῶν. [Ephræm Syr. vol. 3, p. 215, D; 397, E. ᾰ L. Dind.]

[Μισαθήναιος, ὁ, Osor Atheniensium. Demosth. p. 687, ult. : Μισαθηναιοτάτους. Lycurg. p. 165, 29. Pollux 6, 172.]

[Μισαλαζὼν, όνος, ὁ, ἡ, Qui odit ostentatores. Lucian. Pisc. c. 20 : Μισαλαζών εἰμι καὶ μισογόης. Μισαλάζων recte scripsisse videtur Schneiderus. Sic infra Μισοποσείδων.]

Μισαλέξανδρος, ὁ, ἡ, Alexandri osor. Plut. [Mor. p. 344, B] : Βάσκανος ἡ τύχη καὶ φιλοβάρβαρος καὶ μ. Aliud exemplum ex Æschine habes in Μισοφίλιππος. [Pollux 6, 172.]

[Μισαλήθης, ὁ, ἡ, Qui odit veritatem. Tzetz. Hist. 10, 873 : Ταῦτα δ' εἰσὶ ληρήματα μισαληθῶν ἀνθρώπων. Boiss. De accentu paroxytono Arcad. p. 27, 15, D Chœrob. vol. 1, p. 175, 32; 177, 4.]

Μισαλληλία, ἡ, Odium mutuum. [Tzetzes Epist. post Chiliad. p. 525. Boiss.]

Μισάλληλος, ὁ, ἡ, vel potius Μισάλληλοι, plur. num, Mutui osores, vel Mutuo odio se prosequentes. Et Μισαλληλία, Mutuum odium. [Μισάλληλος, Dionys. A. R. 5, 66 : Δωρεὰν ... δι' ἣν ἀσυνάλλακτος ὁ κοινὸς ἔσται βίος καὶ μισάλληλος. Wakef.] Μισάλληλοι, Qui se mutuo oderunt, mutua exercent odia, οἱ μισοῦντες ἀλλήλους, ut Plut. loquitur. [Justin. M. Apol. 1, p. 51, E : Οἱ μ. καὶ ἀλληλοφόνοι. Jacobs.]

[Μισάμπελος, ὁ, ἡ, Qui vites odit. Epigr. Anth. Pal. App. 100, 7 : Φεῦγε δ' ἐμὴν πηγὴν μισάμπελον.]

[Μισανδρία, ἡ, Odium viri s. virorum. Schol. Eur. Andr. 228. Boiss.]

[Μίσανδρος, ὁ, ἡ, Qui virum s. viros odit. Pollux 3, 48.]

Μισανθρωπέω, Odi homines, Alieno in homines animo sum. Bud. in Comm. scribit μισανθρωπεῖν esse id quod Hippocr. ἀπανθρωπεύεσθαι dicit, quibus oppositum est τὸ φιλανθρωπεύεσθαι. [Diog. L. 9, 3. Hemst. Et 1, 107.]

Μισανθρωπία, ἡ, Odium hominum, Inhumanitas. [Plato Phædr. p. 89, D; Demosth. p. 264, 2; 1122, 13; Stob. Ecl. eth. p. 182; Aret. p. 29, 54. Pollux 3, 64; 4, 13.]

Μισάνθρωπος, ὁ, ἡ, Osor hominum, Inhumanus: quo nomine Timo dictus est, Lucian. [Timon. c. 1, 35, 44. Callim. Epigr. 3, 1. Plato Phæd. p. 89, D, Leg. 8, p. 791, D. Pollux quum alibi tum de equo 1, 198.]

[Μισαπόδημος, ὁ, ἡ, Qui odit peregrinationem. Pollux 6, 172.]

[Μισαργυρία, ἡ, Contemtus pecuniæ. Diod. 15, 88. Misargyrides est ap. Plautum in Mostellaria.]

[Μισάρετος, ὁ, ἡ, Virtutis hostis. Maccab. 4, 11, 4. ῐᾰ]

[Μισάρχης, ου, ὁ, Invisus princeps. 2 Macc. (?) Lex. Gr.-Lat. ap. P. Baldvin. 203. Angl.]

[Μισατίς. V. Μίση.]

[Μίσγα. V. Μίγα.]

Μισγάγκεια, ἡ, Locus in valle, in quo fit mistio aquarum. Ἐὰν δὲ εἰς τοιοῦτον ἄγκος πολλὰ συμβάλλωσιν ὕδατα, μισγάγκεια τοῦτο λέγεται, Eust. in Hom. Il. Δ, [453], ex quo significatio hujus vocis ostenditur: Ὡς δ' ὅτε χείμαῤῥοι ποταμοὶ κατ' ὄρεσφι ῥέοντες, Ἐς μισγάγκειαν συμβάλλετον ὄμβριμον ὕδωρ Κρουνῶν ἐκ μεγάλων κοίλης ἔντοσθε χαράδρης, ubi Eust., quod et antea dixerat, annotat Hom. seipsum explicare his verbis, κοίλης ἔντοσθε χαράδρης, quum μισγάγκεια nihil aliud sit quam κοίλη χαράδρα. Idem Eust. postquam docuit μισγάγκειαν dici ἐὰν εἰς τοιοῦτον ἄγκος, etc., ut supra, addit paulo post μισγάγκειαν esse Aquarum σύῤῥοιαν. Secundum illum igitur fuerit μισγάγκεια non solum Locus in valle, in quem confluunt et ingurgitantur aquæ, sed et ipse Aquarum gurges ibi collectus. At in VV. LL. primis μισγάγκεια exponitur Conjunctio duarum vallium. Μισγάγκειον [μισγάγκιον cod.], Hesych. pro eodem, si mendo caret illa scriptura. [Non caret. Plato Phil. p. 62, D: Εἰς τὴν τῆς Ὁμήρου καὶ μάλα ποιητικῆς μισγαγκείας ὑποδοχήν. « Galen. vol. 2, p. 66, F. » Hemst. Improprie Colluvies, Damasc. ap. Suid. v. Εὐπείθιος: Ἐπεὶ τά γε ἔξω μισγάγκεια κακῶν ἐφαίνετο μηδὲν διαφέρουσα τῆς τῶν ἀγελαίων ἀνθρώπων. Valck.]

[Μίσγητες, ἔθνος Ἰβήρων. Ἑκαταῖος Εὐρώπῃ, Steph. Byz. Quo spectare videtur Μίσγης, ητος, ap. Herodian. Crameri An. vol. 3, p. 232, 29, Chœrob. vol. 1, p. 142, 22. Itaque Μίγης Μίγου et Μίγητος qui ponit Priscian. 6, 11, 60, item Herodiano usus auctore, fortasse scripserat Μίσγης. L. Dind.]

Μισγητία. V. Μισητία.]

[Μισγοδία. V. Μίξοδος.]

[Μισγολαΐδας, ὁ, Misgolaidas, ephorus Spartanus. Xen. H. Gr. 2, 3, 10. ᾰῐᾱ]

Μισγόλᾶς, ὁ, Hesychio θόρυβος, Tumultus: nimirum ex confluxu et mistione multitudinis. [N. viri Arcadis est in inscr. Corcyr. ap. Bœckh. vol. 2, p. 16, n. 1840, 19. Alius Collytensis, de quo v. Athen. 8, p. 339, Liban. vol. 3, p. 380, 3, Μισγόλαος dictum ap. Suidam libris deterioribus, cui Μισγόλας restitutum ex libro optimo.]

[Μισγομεναί, αἱ, πόλις Θετταλίας. Ἑλλάνικος πρώτῳ Δευκαλιωνείας. Τὸ ἐθνικὸν Μισγομένιος, ὡς Κλαζομένιος, Steph. Byz.]

Μισγονόμος, Hesychio ὅπου [οὗ codex] πάντες νέμουσι γῆ, Terra ubi promiscue pascunt omnes.

[Μίσγω. V. Μίγνυμι.]

[Μίσδης, ὁ, Misdes, Pœnus. Polyb. 36, 1, 8.]

[Μισεία. V. Μίσυ.]

[Μισέλεγχος, ὁ, ἡ, Qui odit convinci s. reprehendi. Gregor. Acindyn. in Allat. Gr. orthod. vol. 1, p. 757, 60: Οἱ μισέλεγχοι τῶν ὑπερφρόνων τρόποι. L. Dind.]

Μισέλλην, ηνος, ὁ, ἡ, Græcorum osor: cui opp. φιλέλλην. [Xen. Ages. 2, 30.] Plut. Alcib. [c. 24]: Τἆλλ' οὖν ὠμὸς ὢν καὶ μ. ἐν τοῖς μάλιστα Περσῶν ὁ Τισσαφέρνης. [Manetho 4, 561. Pollux 6, 172.]

[Μίσεργος, ὁ, ἡ, Qui odit opus. Pollux 6, 172.]

[Μισέρως, ωτος, ὁ, ἡ, Qui odit amorem. Herodian. Epimer. p. 206. Boiss.]

[Μισεταιρεία, ἡ, Odium sodalitatis. Pollux 3 64. Scribendum μισεταιρία. L. Dindorf.]

[Μισέταιρος, ὁ, ἡ, Qui odit sodales. Pollux 6, 172.]

Μισέω, Odi, Odio prosequor, Odio habeo: opp. τῷ ἀγαπᾷν, sicut ap. Cic., Odisse et amare, Odisse et diligere, contraria sunt. [Pind. Pyth. 4, 284: Ὑβρίζοντα μισεῖν. Æsch. Prom. 1067: Τοὺς προδότας γὰρ μισεῖν ἔμαθον. Soph. El. 357: Σὺ δ' ἡμῖν ἡ μισοῦσα μισεῖς μὲν λόγῳ, etc. Aristoph. Eccl. 579: Μισοῦσι γὰρ ἢν τὰ παλαιὰ πολλάκις θεῶνται. Et notabili constructione Av. 36: Αὐτὴν μὲν οὐ μισοῦντ' ἐκείνην τὴν πόλιν, τὸ μὴ οὐ μεγάλην εἶναι φύσει κεὐδαίμονα.] Plut. De invid. et odio [init.]: Τῷ μισεῖν τὸ φθονεῖν ταὐτὸ εἶναι, ὅτι τὴν ἐναντίαν τῷ φιλεῖν ἔχει προαίρεσιν. Lucian. [De calumn. c. 27]: Ἠγάπα τινὰς καὶ ἐμίσει. Rursum Plut. De cupid. div. [p. 526, D]: Οὐ φιλοῦντες ὅτι πολλὰ λήψονται, ἀλλὰ μισοῦντες ὅτι μήπω λαμβάνουσι. Lucian. [ib. c. 24]: Προσμειδιᾷ τοῖς χείλεσιν ἄκροις, μισεῖ δὲ, καὶ λάθρα τοὺς ὀδόντας διαπρίει. Plut. De odio et invid. [p. 537, C]: Ὃ γὰρ δεδίασι, καὶ μισεῖν πεφύκασι· quale Ennianum illud ap. Cic., Quem metuunt, oderunt: et comicum illud, ap. Eund., Oderint dum metuant. Idem, Μισεῖν ἀλλήλους. Dixit etiam κακῶς μισεῖν, et Cic. itidem, Male odisse aliquem: pro Acerbe et penitus odisse, ut alibi loquitur. Et in proverb. Odisse pejus cane et angue, sicut idem Plut. [p. 537, A] dicit μισεῖν καὶ δυσχεραίνειν καὶ μυσάττεσθαι ζῶόν τι. A Dem. copulantur tria, μισεῖν, δεδιέναι, φθονεῖν [p. 42, 17]: Μισεῖ τις ἐκεῖνον καὶ δέδιεν καὶ φθονεῖ. Item μισῶ σε τῆς ἀναιδείας, Odi te ob impudentiam tuam. Et Μισέομαι, Odio sum, habeor. [Æsch. Prom. 45: Ὦ πολλὰ μισηθεῖσα χειρωναξία. Soph. Aj. 818: Ἀνδρὸς ξένων ἐμοὶ μάλιστα μισηθέντος. Et sæpius ap. Eurip., qui etiam fut. Tro. 659: Ἐμαυτῆς δεσπόταις μισήσομαι, et alibi. Thuc. 8, 83: Μισεῖσθαι ὑπ' αὐτῶν. Et alii quivis.] Xen. Cyrop. 8, [2, 1]: Τοὺς γνωσθέντας ὡς φιλοῦσι καὶ εὐνοοῦσιν, οὐχ ἂν δύνασθαι μισεῖσθαι ὑπὸ τῶν φιλεῖσθαι ἡγουμένων. Plut. Apophth.: Βούλομαι εἶναι τὸν ἐμοῦ μᾶλλον μισούμενον. Ibid. dicit, Δυσχεραινόμενον ὑπὸ τῶν πολιτῶν· sicut supra μισεῖν et δυσχεραίνειν copulavit. Hom. autem μισεῖν cum infin. jungit: Il. Ρ, [272]: Μίσησεν δ' ἄρα μιν δηΐων κυσὶ κύρμα γενέσθαι Τρωῇσιν· τῷ καί οἱ ἀμυνέμεν ὦρσεν ἑταίρους. Paulo aliter vero accipi videtur Horatianum illud, Oderunt peccare boni. [Eur. Rhes. 333: Μισῶ φίλοισιν ὕστερον βοηδρομεῖν. || Cum duplici accus. Aristænetus 1, 22: Ὁ Νικίας σε μισεῖ μῖσος ἐξαίσιον. Ubi Abresch. eandem constr. affert ex Sozom. 5, 4.] || Μισεῖν obscœnam quoque signif. habet. Eust. p. 1650: Τὸ μισεῖν κοινότερον ἐπὶ τοῦ ἐχθραίνειν τεθὲν ἡ κωμικὴ σεμνότης ἐπὶ μίξεων ἔθετο ἀσέμνων. Ἀριστοφάνης γοῦν μισητέαν ἐπὶ κατωφερείας ἔφη ἤγουν ῥοπῆς ἀσχέτου τῆς περὶ μίξεις· ἄλλοι δὲ μισήτην βαρυτόνως, πρὸς διαστολὴν τῆς ὀξυτονουμένης, τὴν κοινὴν καὶ ῥᾳδίαν· λέγοντες καὶ χρῆσιν αὐτῆς εἶναι παρὰ Κρατίνῳ καὶ Σώφρονι. Ibid. affert hoc proverb., Περὶ σφυρὸν παχεῖα μισήτη γυνή. Sed scrib. μισητίαν pro μισητέαν in l. illo Eust.; nam ab Aristoph. μισητία ponitur pro κατωφέρεια: ut ex seqq. patebit.

[Μίση, ἡ, Mise, dea. Orph. H. 41: Μίσης θυμίαμα στύρακα. Θεσμοφόρον καλέω ναρθηκοφόρον Διόνυσον ... ἁγνήν τ' εὔιερόν τε Μίσην, ἄρρητον ἄνασσαν. Hesych.: Μισατίς· Μίσης τῶν περὶ τὴν μητέρα τις, ἣν καὶ ὀμνύουσιν. Ubi Δημήτερα Schneiderus, quod certe Δήμητρα dicendum.]

[Μισηδονία, ἡ, Odium voluptatis. Theages in Stob. Flor. vol. 1, p. 33. L. Dind.]

[Μίσηθρον. V. Μίσητρον.]

[Μισήλιος, ὁ, Solifuga, Gl.]

[Μίσημα, τὸ, Odium, s. potius Id quod odio habetur, Odiosus homo. Æsch. Sept. 186: Σωφρόνων μισήματα· Eum. 72 Furiæ vocantur Μισήματ' ἀνδρῶν καὶ θεῶν Ὀλυμπίων. Soph. El. 289: Ὦ δύσθεον μίσημα. Eur. Hipp. 407: Γυνή τε πρὸς τοῖσδ' οὖσ' ἐγίγνωσκον καλῶς, μίσημα πᾶσιν· fr. Meleagri ap. Macrob. Sat. 5, 18: Κύπριδός τε μίσημ' Ἀρκὰς Ἀταλάντη. V. Ἔχθιμα.]

[Μισήνερως.] Apud Polluc. [6, 189] reperio etiam Μισήνερως, quod i. esse dicit q. θρήνερως, ἐρωτομανῶν, ἐρωτομανής, quibus significatur ὁ ἐπ' ἀφροδισίοις μαινόμενος, et is, quem μισητὸν a Comicis vocari scribit. Μισητίας in VV. LL. a μισητία, pro præcedenti μισήνερως, s. Salax, κατωφερής. Ap. Suidam autem, pro μισητίαν, τὸν εἰς τὰς συνουσίας ἐπίφορον, reponendum

est τὸ, ex Aristoph. schol., cujus verba in Μισητία A
ascribo.

[Μισηνὸν, τὸ, Misenum, prom. Campaniæ, ap. Lycophr. 737, Strab. 1, p. 60, aliisque ll. multis (et ap. eund. 1, p. 26, Μισηνὸς socius Ulixis, de quo etiam 5, p. 245), Diod. 4, 22, et alios.]

[Μισητέον, Odisse oportet. Lucian. Fugit. c. 30 : Οὐκοῦν τὸν Κάνθαρόν σοι μισητέον. Masc. Xen. Conv. 8, 20 : Ὅτι οὐ βιάζεται, ἀλλὰ πείθει, διὰ τοῦτο μᾶλλον μισητέος.]

[Μισητὴς, ὁ, Osor, Gl.]

Μισητία, ἡ, Insatiata vel Pruriens libido, ἡ εἰς τὰ ἀφροδίσια ἀκρασία, ut Aristoph. schol. exp. Av. [1620] : Καὶ μὴ 'ποδιδῶ, μισητίαν Ἀναπράξομεν καὶ ταῦτα· addit tamen, videri potius accipiendum ibi pro ἀπληστίαν : quemadmodum Hesychio μισητὸς est ὁ ἀνίκανος et ἄπληστος : et certe milvum cogitat qui immittere pecunias numeranti surripiat. [Photius : Μισητία, ἡ πρὸς ὁτιοῦν ἄχαρις ἀπληστία.] Ap. Eund. Pl. [989] vetula de adolescentulo quodam suo amasio dicit, Καὶ ταῦτα τοίνυν οὐχ ἕνεκεν μισητίας Αἰτεῖν μ' ἔφασκεν, ἀλλὰ φιλίας B
οὕνεκα· ubi schol. exp. οὐχ ἕνεκα τοῦ ὑπηρετεῖν μου τῇ ἀσελγείᾳ : dicens μισητίαν ubi vocari τὸ εἰς τὰς συνουσίας εὐεπίφορον. Pollux quoque paulo post loco qui citatur in Μισητὸς, synonymως ponit λαγνείαν, ἀσέλγειαν, ἀκολασίαν, εὐχέρειαν, μαχλοσύνην, ἑταίρησιν, πορνείαν, μισητίαν. [Conf. id. 5, 116, ibi inter vocc. quæ significant Odium ponitur. Ap. Aristoph. in libris quibusdam est μισγητίας, quo spectat interpr. μίξεως. Quod fictum a grammaticis voc. esse animadvertit Brunck. Procop. H. arc. c. 9, p. 28, A ; 42, C, ubi libri μισητείαν et μισητείας. V. Μισέω et Μισήνερως.]

[Μισητίζω.] A μισητὸς significante μίσους ἄξιος, ut Hesych. exp., derivari potest verb. Μισητίζω, Odi, Odio prosequor : unde μισήτιζε, μίσει, στύγει, Hesych.

[Μισητικὸς, ἡ, ὸν, In odium pronus, Malignus. Origen. C. Celsum 4, p. 195. Seager.]

Μισητὸς, ἡ, ὸν, Odiosus, Invisus [Gl.], Qui odio habetur, est. Et μισητὴ, Quæ odio habetur. [Æsch. Ag. 1228 : Γλῶσσα μισητῆς κυνός. Epigr. Anth. Pal. 11, 250, 2 : Εἰ δύο μισητοὺς ἀνθ' ἑνὸς ὀψόμεθα. Poeta novitius ap. C
schol. Soph. Œd. C. 1375 : Τίς μοι τόδ' ἀντ' ὤμοιο μισητὸν κρέας πέμπων. Xen. Comm. 2, 6, 21 : Μισητὸν δὲ ὁ φθόνος· 3, 10, 5 : Ἤθη πονηρὰ καὶ μισητά. Plato Phil. p. 49, E : Μισητὰ δ' ὁπόσα ἐρρωμένα. Aristot. Eth. Nic. 3, 13; 4, 14.] || Libidinosus, Insatiata libidine pruriens. Pollux 6, c. 42 [§ 189] περὶ τοῦ ἐπ' ἀφροδισίοις μαινομένου loquens, et multa synonyma enumerans : Καὶ μισητὸν δὲ τοῦτον οἱ Κωμικοὶ καλοῦσι, καὶ μισητὴν τὴν μάχλον. Hesych. autem μισητὸν esse dicit [ἄπληστον et] τὸν ἀνίκανον ἢ ἄπληστον τῇ τροφῇ. [Similiter Photius.] Idem μισητὴν [μισήτην cod.] vocari scribit τὴν καταφερῆ. In quibus ll. oxytonως scriptum est ap. utrumque. Eust. vero [Od. p. 1650, 64] annotat esse qui accentum in penult. retrahant, ut videre est paulo ante in Μισέω, ubi et exemplum ex eo ascripsi. Similiter et ille, qui conscripsit Συναγωγὴν λέξεων διαφόρως τονουμένων πρὸς διάφορον σημασίαν, ponit μισήτη accentu in penult. [Idem discrimen facit Thomas p. 617.] Item et Suid. μισήτη scribit : cui dictum videtur quasi μισγήτη. [V. Phot.] Et Ammon. [p. 94] ex Tryphone D
μισητὴν exp. ἀξίαν μίσους : at μισήτην, τὴν καταφερῆ πρὸς συνουσίαν. [Additque p. 95 idem discrimen observare dici Iones et Dores.] Cratinus ap. Suid. : Μισῆται δὲ γυναῖκες ὀλίσβοισι χρήσονται. Sic enim reponendum pro ὀλίσβωσι, ut ap. eum habetur, et pro ὀλίσκοισι, ut ap. Hesych., si quidem recte ap. eund. Suid. alibi ὄλισβος esse dicitur αἰδοῖον δερμάτινον. [Schol. Aristoph. Av. 1619 : Τὸ, Περὶ σφυρὸν παχεῖα μισητὴ γυνὴ, οὕτως ἐξηγοῦνται (ut μισητίαν de libidine). || Adv. Μισητῶς, Odiose. Zonar. Lex. p. 1808 : Φιλαπεχθήμων, ὁ ἔχων πρὸς τοὺς φίλους μισητῶς. Quæ tamen falsa est interpretatio, a φίλος ducentis quod est a φιλεῖν.]

[Μισητὸς, πόλις Μακεδονίας. Θεαγένης Μακεδονικοῖς. Τὸ ἐθνικὸν Μισήτιος, ὡς Βηρύτιος, Steph. Byz.]

Μίσητρον, τὸ, Causa odii, VV. LL. [Lucian. D. mer. 4, 5 : Ἔτι δὲ καὶ τοῦτό με σφόδρα κατὰ τῆς Φοιβίδος τὸ μίσηθρον ἐδιδάξατο. Schol. Eur. Phœn. 1260 : Φίλτρον τὸ φιλίαν ἐμποιοῦν, ὥσπερ μίσητρον τὸ ἐμποιοῦν μῖσος. Schol. in cod. Gud. ad Pauli Sil. In Therm. Pyth. ap. Jacobs. ad Anth. vol. 11, p. 181 : Μισητρὸν (sic), τὸ μῖσος ἐμποιοῦν. Galen. vol. 13, p. 275 : Φίλτρων ... τε καὶ μισήτρων. De duplici hujusmodi vocc. scriptura per θ et τ v. Lobeck. ad Phryn. p. 131.]

[Μισητῶς. V. Μισητός.]

Μισθαποδοσία, ἡ, Mercedis s. Præmii persolutio. [Mercis (sic) retributio, Gl.] Accipitur etiam pro ipsa Mercede s. Præmio. Ad Hebr. 2, [2] : Ἔλαβεν ἔνδικον μισθαποδοσίαν· 10, [35] : Ἥτις ἔχει μισθαποδοσίαν μεγάλην. [Theodor. Stud. p. 205, C, et alii recentiorum. Diodoro male inferunt libri nonnulli 16, 73.]

[Μισθαποδοτέω, Mercedem solvo. Pass. Mercedem accipio, Theodor. Stud. p. 227, E : Τὰ δέοντα ὡς ὑπὸ θεοῦ ἀνακρινομένη καὶ μισθαποδοτουμένη ὑποβαλεῖν. L. D.]

Μισθαποδότης, ὁ, i. q. μισθοδότης infra : sicut διδόναι μισθὸν et ἀποδιδόναι idem significant. Greg. Naz. [Or. 11, p. 185] de Deo : M. δίκαιος. [Ad Hebr. 11, 6. Theodor. Stud. p. 205, C.]

Μισθάριον, τὸ, Mercedula, Vilis merces, ut Cic. : Apud Græcos infimi homines mercedula adducti mini-
B stros in judiciis se præbent oratoribus. Epigr. [Lucillii Anth. Pal. 11, 154, 2] : Οὐδ' αἴρει φορτία μισθαρίου, Nec vili mercedula onera bajulat. Ubi dicitur μισθαρίου αἴρειν, ut infra μισθοῦ λέγειν, i. e. ἕνεκα μισθοῦ, ἐπὶ μισθῷ. Athen. 13, [p. 582, D] ex Comico quodam, de Glycerio, quæ fulloni vestem poliendam dederat : Πέμψασα τὴν θεραπαινίδα Τὸ μισθάριον ἔχουσαν, ἐκέλευσ' ἀποφέρειν Θοἰμάτιον. Alibi, Τὸ μισθάριον γὰρ ἂν ἀπαιτῇς. [Aristoph. Vesp. 300, Eupolis ap. Photium, Menander in Bekk. An. p. 438, 11, Plut. Mor. p. 1044, A. ἄї]

[Μισθαρνεία, ἡ, Is. Porphyrog. in Allatii Exc. p. 270. Boiss. Rectius μισθαρνία.]

Μισθαρνευτικὸς, ἡ, ὸν, i. q. μιρθαρνητικός. Et τὸ μ., Vitæ genus, institutum mercenarium, Vita mercenaria. Plato in Sophista [p. 222, D] : Τῆς ἰδιοθηρευτικῆς τὸ μὲν μ. τί ἐστι, τὸ δὲ, δορυφορικόν· de quo mox, Τοῦ δέ γε μ., τὸ μὲν προσομιλοῦν διὰ χάριτος, καὶ παντάπασι δι' ἡδονῆς τὸ δέλεαρ πεποιημένον, καὶ τὸν μισθὸν πραττόμενον τροφὴν ἑαυτῷ μόνην, κολακικὴν ὡς ἐγῷμαι πάντες φαῖμεν ἂν, ἡδυντικήν τινα τέχνην εἶναι. [Μισθαρνητικὸν et
C μισθαρνητικοῦ recte Heindorfius, ut est Reip. 1, p. 346, B : Τὴν ἰατρικὴν μισθαρνητικὴν (καλεῖς), ἐὰν ἰώμενός τις μισθαρνῇ; D : Ἡ μὲν ἰατρικὴ ὑγίειαν ποιεῖ, ἡ δὲ μισθαρνητικὴ μισθόν.]

Μισθαρνεύω, dicitur ead. signif. qua μισθαρνέω. [Forma non minus vitiosa quam μισθαρνευτικός. Ap. Hippocr. p. 1274, 48, quem afferunt Schneider. et Lobeck. ad Phryn. p. 568, non hoc legitur, sed forma Ion. legitima μισθαρνεῦντες.]

Μισθαρνέω, Mercedem accipio, Mercede operam meam loco, quod infra μισθὸν ἄρνυμαι : nam inde compositum hoc verbum est. [Soph. Ant. 302 : Ὅσοι δὲ μισθαρνοῦντες ἤνυσαν τάδε. Plato Reip. 1, p. 346, B; 6, p. 493, A. Demosth. p. 136, 15 : Τοῖς παρ' ἐκείνου μισθαρνοῦσι, de Philippo.] Æschin. [p. 85, 22] : Τὸ δὲ μηδεμίαν παραλιπεῖν ἡμέραν, ἐργαζομένου καὶ μισθαρνοῦντος, Ejus est qui mercede operam suam locat, Oratoris mercenarii, τοῦ ἐπὶ μισθῷ λέγοντος, vel μισθοῦ, sicut Dem. infra μισθοῦ λέγειν. [De oratore etiam ap. Polluc. 6, 190. Aristot. Pol. 4, 12 : Τὸ τῶν βαναύσων
D καὶ μισθαρνούντων. Alia exx. v. ap. intt. Thomæ p. 452.] Dicitur et de meretricio quæstu. [Ps.-Demosth. p. 1351, 21 : Εἰργάζετο τῷ σώματι μισθαρνοῦσα τοῖς βουλομένοις αὐτῇ πλησιάζειν· 352, 14 : Ἐμισθάρνει τῷ βουλομένῳ ἀναλίσκειν. Philo V. M. 1 [§ 54, p. 127, 39] : Ταῖς οὖν περικαλλεστάταις ἐὰν ἐπιτρέψῃς μισθαρνεῖν καὶ δημοσιεύειν, Quæstum facere et prostare : sic infra quoque μισθοφόροι dicuntur Meretrices, quæ et Latinis a Merendo dictæ sunt. Athen. 13, [p. 571, D] : Καλοῦσι δὲ τὰς μισθαρνούσας, ἑταίρας, καὶ τὸ ἐπὶ συνουσίᾳ μισθαρνεῖν, ἑταιρεῖν· est igitur ἑταιρεῖν et μισθαρνεῖν, Meretricium quæstum facere, Quæstum corpore facere. [Æschines p. 22, 7 : Μεμισθαρνηκὼς τῷ σώματι. V. etiam Μισθαρνεύω.]

Μισθαρνὴς, ὁ, Mercenarius, Qui mercede aliquid facit, ut μισθοφόρος. Hesychio est ὁ λατρεύων μισθοῦ, s. ὁ μισθὸν ἀφαιρῶν καὶ ἀντικαταλλάττων. Sed ap. eum malit forsan aliquis scribere μισθάρνης, paroxytonως. [Ita Photius. Oxyt. ap. Suidam.]

Μισθαρνητικὸς, ἡ, ὸν, Ad eos pertinens, qui mercede

operam suam locant. Et μισθαρνητικὴ, sub. τέχνη, Ars mercenaria, Vitæ genus mercenarium, quod μισθαρνευτικὸν [quod v.] Plato appellat.

Μισθαρνία, ἡ, Mercedis acceptio, Opera mercenaria, Locatio operæ suæ, quum sc. aliquis mercede accepta operam alicui suam locat. Hesych. ἡ ἐπὶ μισθῷ γινομένη ἐργασία. Aristot. Polit. 1, 7, de speciebus τῆς χρηματιστικῆς et τῆς μεταβλητικῆς: Δεύτερον δὲ (sc. post τὴν ἐμπορίαν) τοκισμὸς, τρίτον δὲ μισθαρνία· cujus partes et species subjungens, ait, Ταύτης δ' ἡ μὲν, τῶν βαναύσων τεχνῶν· ἡ δὲ τῶν ἀτέχνων καὶ τῷ σώματι μόνῳ χρησίμων. Accipitur pro quavis etiam Opera quæ mercede alicui locatur. Dem. [p. 242, 17]: Εἰδότες τὴν τούτου τότε μισθαρνίαν· καί τοι φιλίαν γε καὶ ξενίαν αὐτὴν ὀνομάζει· et [p. 320, 13]: Ὡμολόγεις καὶ προσεποιοῦ φιλίαν καὶ ξενίαν εἶναί σοι πρὸς αὐτόν· τῇ μισθαρνίᾳ ταῦτα μετατιθέμενος τὰ ὀνόματα· paulo post dicit, Ἐμισθώθης ἐπὶ τῷ τὰ τουτωῒ συμφέροντα διαφθείρειν. Budæo μισθαρνία est Opera quæstuaria, Locatio operæ suæ. [Diodor. Exc. p. 552: Κατεχρήσατο τῇ τοῦ λέγειν δυνάμει οὐχ εἰς μισθαρνίαν. Lucian. Fugit. c. 17: Ἀποζῶντας ἐκ τῆς τοιαύτης μισθαρνίας. Pollux 4, 50; et de oratore 6, 191.]

Μισθαρνικὸς, ἡ, ὸν, Ad eos pertinens qui operas suas mercede locant. Aristot. Polit. 8, 1: Τάς τε τοιαύτας τέχνας, ὅσαι τὸ σῶμα παρασκευάζουσι χεῖρον διακεῖσθαι, βαναύσους καλοῦμεν, καὶ τὰς μ. ἐργασίας, ubi μ. ἐργασίας dicit quam paulo ante μισθαρνίαν appellat. Et μισθαρνικὴ, sub. τέχνη, ap. Plat. in Soph. [Immo μισθαρνευτικὴ vel μισθαρνητικὴ, quod v. Adv. Μισθαρνικῶς ponit Pollux 4, 51.]

[Μισθάρνιος, ὁ, i. q. præcedens. Scriptor barbarus ap. Bandin. Bibl. Med. vol. 1, p. 215, A: Ὕπτια ῥύβδην μισθάρνια πήματά μου. L. Dind.]

[Μισθάρνισσα, ἡ, Mercenaria. Herodian. Epim. p. 57: Θῆσσα, ἡ μισθάρνισσα.]

Μίσθαρνος, ὁ, ἡ, pro μισθαρνὴς in VV. LL. [M. σοφιστὴς Pollux 4, 48. Θὴς pro eo dici Attice putabat Thom. p. 452. Hesych. v. Πελάται. Herodian. Epim. p. 57. Accentum libri interdum male collocant in ultima.]

[Μισθαρνότης, ητος, ἡ, i. q. μισθαρνία. Psell. In Cantic. 6, 7. Boiss.]

[Μισθαρχία, Μισθαρχίας. V. Μισθαρχίδης.]

Μισθαρχίδης, ὁ, Qui mercede magistratum gerit, ὁ ἐν τῇ ἀρχῇ μισθὸν λαμβάνων, Suid. [s. Phot.] Aristoph. Ach. [595]: Πολίτης χρηστὸς, οὐ σπουδαρχίδης, Ἀλλ' ἐξ ὅτου περ ὁ πόλεμος, στρατωνίδης· Σὺ δ' ἐξ ὅτου περ ὁ πόλεμος, μισθαρχίδης· ubi schol. μισθαρχίδην appellatum etiam scribit, quoniam militum stipendia ipse devorabat. Est autem fictum vocab., sicut et σπουδαρχίδης et στρατωνίδης, ac patronymici potius formam habet: ut μισθαρχίδης sit Filius ejus qui mercede magistratu aliquo fungitur, aut quæstui eum habet. Ap. Hesych. autem ita scribitur, Μισθαρχία, ὁ ἐπὶ τῇ ἀρχῇ μισθὸν λαμβάνων· ὠψωνιάζοντο γὰρ καὶ οἱ ἄρχοντες, καὶ μισθὸν ἐλάμβανον δημόσιον· ubi dubium est, reponendumne sit μισθαρχίας an μισθαρχίδης: nam μισθαρχία esset potius Magistratus mercenarius. [ῐ]

[Μισθεία, s. Μισθία, ἡ, s. Μίσθια, ων, τὰ, Misthia. Μισθίων Lycaoniæ episcopus memoratur in Ms. ap. Pasin. Codd. Taurin. vol. 1, p. 210. B. Hierocl. Synecd. p. 675 inter oppida Lycaoniæ: Μίσθεια. Ubi Wessel.: «Est hujus præsul in Chalcedon. p. 674, Armatius πόλεως Μισθείας, et Longinus Μιστιανῶν πόλεως Λυκαονίας in Cpol. 3, p. 670, Theophanes Chronogr. p. 320. Μισθίαν et Mistiam Ravennas 2, 17, appellat. Basil. M. Ep. 118: Τὸν ἀγρὸν τὸν ὑποκείμενον τῇ Μηστείᾳ. Vett. editi Μισθίᾳ, Balsamon et Zonaras t. 2 Beveregii Canon. p. 66 Μισθείᾳ recte.» Μίσθιον Ptolem. 5, 3. L. Dind.]

Μίσθιος, ὁ, Mercenarius, [Meritorius, Metellus, add. Gl.] i. q. μίσθαρνος. Luc. 15, [19]: Ποίησόν με ὡς ἕνα τῶν μισθίων. Et μ. ποιμὴν, Pastor mercenarius: pro quo dicitur et μισθωτὸς ποιμὴν, Jo. 10, sicut et Eustathio μισθωτὸς ac μίσθιος synonyma sunt. At μ. πηνίσματα, Epigr. [Anth. Pal. 6, 283, 3, ubi male μισθία] pro Tela quæ mercede texitur. [Plut. Lycurg. c. 16: Μισθίοις παιδαγωγοῖς· Cæs. c. 31: Μισθίων ζευγῶν. Gregor. Nyss. vol. 2, p. 43, B; Ephræm Syr. vol. 1, p. 270, D. Chœrob. vol. 1, p. 43, 17.]

Μισθοδοσία, ἡ, est Mercedis s. Stipendii solutio.

A [Thuc. 8, 83; Xen. An. 2, 5, 22; Polyb. 1, 69, 3. Cum genit. Diod. 16, 73: Τὰς τῶν ξένων μισθοδοσίας. De oratore Pollux 6, 191. De judicibus 8, 38.]

Μισθοδοτέω, Mercedem do, Stipendium persolvo, numero: quod disjunctim etiam μισθὸν διδόναι dicitur infra. [Xen. Anab. 1, 13: Κυνίσκος ὑμῖν μισθοδοτήσει. Absolute H. Gr. 4, 8, 21.] Exempla ex Dem. et Polyb. habes ap. Bud. p. 876. Dicitur autem μισθοδοτῶ σε, pro μισθόν σοι δίδωμι: ut ap. Dem. in Psephism. p. 109, μισθοδοτεῖν τοὺς ὁπλίτας, ubi Bud. interpr. Stipendiis alere. [M. τὴν δύναμιν Polyb. 5, 2, 11, etc. Τὴν βουλὴν τῶν Ἀχαιῶν, 23, 7, 3. Schweigh. Lex. Frequenter sic etiam Diodorus.] Et Μισθοδοτοῦμαι, Mereo, Mercedem fero, Merces mihi datur, Stipendio afficior. Exemplum ex Synes. habes ap. Bud. l. c.: ubi dicitur μισθοδοτεῖσθαι παρά τινος, item ὑπό τινος: cujus exemplum de militibus ibid. ascribitur ex Polyb. [Polyb. 1, 66, 3: Τοὺς μισθοδοτηθέντας τὰ προσοφειλόμενα τῶν ὀψωνίων. Pollux 6, 190: Παντὸς τοῦ διδόντος μισθοδοτούμενος.]

B Μισθοδότης, ὁ, Qui mercedem dat. [Theocr. 14, 59: Μισθοδότας Πτολεμαῖος.] Æschin. [p. 85, 10]: Λέγεις δὲ οὐχ ὁπόταν σοι δοκῇ, οὐδ' ἃ βούλει, ἀλλ' ὁπόταν οἱ μισθοδόται σοι προστάττωσι· ut Dem. infra, μισθοῦ λέγειν, ἐπὶ μισθῷ. [Xen. Anab. 1, 3, 9; Plato Reip. 5, p. 463, B. De Quæstore sociorum Rom. Polyb. 6, 21, 5.]

[Μισθοδουλία, ἡ, Mercenaria servitudo. Hesych.: Θητεῖαι, μισθώσεις μισθοδουλεῖαι. Scribendum μισθοδουλίαι, quod ducitur ab sequenti μισθόδουλος. Eodem modo corrigendum quod suo loco positum est ἐθελοδουλεία, ut alibi diceimus. L. Dind.]

[Μισθόδουλος, ὁ, Mercenarius, Mercede conductus servus s. famulus. Anon. in Crameri Anecd. vol. 2, p. 362, 5: Λάτρης, ὃ σημαίνει τὸν μισθοδοῦλον, τουτέστιν τὸν μισθωτόν. Scribendum μισθόδουλον. L. Dind.]

[Μισθόδωρος, ὁ, ἡ, Mercedem donans. Athen. 10, p. 437, D: Τῇ ἑορτῇ τῶν χοῶν ἔθος ἐστὶν Ἀθήνησι πέμπεσθαι δῶρά τε καὶ τοὺς μισθοὺς ταῖς σοφισταῖς..., ὥς φησιν Εὐβουλίδης..., Σοφιστιᾶς, κάκιστε καὶ χοῶν δέει τῶν μισθοδώρων.]

C Μισθὸς, ὁ, Merces, [Salarium, Stips add. Gl.] Præmium laborum. Hom. Il. K, [304] et Od. Σ, [357]: Μισθὸς δέ οἱ ἄρκιος ἔσται· Il. Φ, [457]: Μισθοῦ χωόμενοι τὸν ὑποστὰς οὐκ ἐτέλεσσε, ubi deest præp. ἕνεκα, ut sit Mercedis causa: de Neptuno et Apolline, qui Laomedonti πὰρ Διὸς ἐλθόντες ἐθήτευσαν εἰς ἐνιαυτὸν Μισθῷ ἐπὶ ῥητῷ, Pacta mercede, ut Horat. loquitur. Od. Δ, [525]: Ὑπὸ δ' ἔσχετο μισθὸν Χρυσοῦ δοιὰ τάλαντα. [Il. M, 435: Ἵνα παισὶν ἀεικέα μισθὸν ἄρηται· Od. K, 84: Ἔνθα κ' ἄϋπνος ἀνὴρ δοιοὺς ἐξήρατο μισθούς. Apoll. Rh. 4, 528: Μισθὸν ἀειρόμενοι τρίποδα μέγαν Ἀπόλλωνος. Pind. Ol. 11, 30: Αὐγέαν λάτριον μισθὸν πράσσοιτο· Pyth. 11, 41: Τὸ δὲ τεὸν, εἰ μισθῷ συνετίθευ παρέχειν. Soph. Ant. 294: Παρηγμένους μισθοῖσιν. Eur. Andr. 609: Μισθόν τε δόντα μήποτ' εἰς οἴκους λαβεῖν. Theognis 434: Εἰ δ' Ἀσκληπιάδης τοῦτό γ' ἔδωκε θεός..., πολλοὺς ἂν μισθοὺς καὶ μεγάλους ἔφερον. Eur. Bacch. 257: Ἐμπύρων μισθοὺς φέρειν. Xen. Œcon. 1, 6. Quod medio dicit Eur. Rhes. 162: Πονοῦντα δ' ἄξιον μισθὸν φέρεσθαι· et

D Xen. ib. 4.] In prosa quoque frequentis usus est. [Herodot. 9, 33: Μισθῷ πείσαντες· 8, 137: Ἐθήτευον ἐπὶ μισθῷ παρὰ τῷ βασιλέϊ.] Herodian. 1, [3, 5]: Ἡδονὰς ἐπὶ μεγίστοις μισθοῖς ἐθήρατο. Sic Lucian. [Nigr. c. 25]: Ἐπὶ μισθῷ φιλοσοφοῦντες. Et ap. Philon. V. M. 1: Ἐπὶ μισθῷ συναγορεύειν, Mercede causas agere. [Διδάσκειν Pollux 4, 43; μαθεῖν 46; λέγειν 6, 190.] Μισθοῦ etiam dicitur pro ἐπὶ μισθῷ. [Soph. Tr. 560: Ὃς τὸν βαθύρρουν ποταμὸν Εὔηνον βροτοὺς μισθοῦ 'πόρευε χερσίν. Xen. Cyrop. 3, 2, 7, et alibi.] Lucill. Epigr.: Μισθοῦ ἐτάφη, Mercede tumulatus est. Dem. [p. 151, 17]: Τίς μισθοῦ λέγει· Pro cor. [p. 242, 24]: Θεριστὰς καὶ τοὺς ἄλλο τι μισθοῦ πράττοντας. Interdum vero in malam partem, ut usus est Crantor p. 62 Cic. Lex., ubi Cic. Mercedem itidem interpr. [Æsch. Ag. 1261: Κἀμοῦ μισθὸν ἐνθήσει κότῳ. Soph. Ant. 221: Καὶ μὴν ὁ μισθός γ' οὗτος. Eur. Hipp. 1050: Μισθός ἐστιν οὗτος ἀνδρὶ δυσσεβεῖ· Iph. A. 1169: Κακῆς γυναικὸς μισθὸν ἀποτῖσαι τέκνα. Et qui ibidem 1179, ut dixi jam in Βαπτίζω p. 109, A, Euripidis personam agit: Τοιόνδε μισθὸν καταλιπὼν πρὸς τοὺς δόμους. Callim. Dian. 263 : Οὐδὲ γὰρ Ἀτρείδης ὀλίγῳ ἐπεκόμπασε μισθῷ· Lav. Min. 102 : Μισθῷ τοῦτον ἰδεῖν μεγάλῳ. Dionys. A. R. 10, 51 : Ἐπεὶ δὲ τοῖς ἐμαυτοῦ σωφρονισθεὶς κακοῖς μετὰ μεγάλων μισθῶν ἔμαθον κτλ.] Item cum verbis, ut μισθὸν τελεῖν, διδόναι, et vicissim λαμβάνειν, ac ἀπαιτεῖν. Aristoph. Ran. [173] : Δύο δραχμὰς, μισθὸν τελεῖς· quod Juv. dicit, Mercedem solvere. [Eur. Herc. F. 19 : Καθόδου δίδωσι μισθὸν Εὐρυσθεῖ μέγαν.] Thuc. 6, [31] : Ἐπιφορᾶς τε πρὸς τῷ ἐκ δημοσίου μισθῷ διδόντων τοῖς θρανίταις. Et ap. Plat. Protag. [p. 349, A], μισθὸν ἄρνυσθαι, Mercedem accipere, auferre : quod comp. voce μισθαρνεῖν. [Aristot. Polit. 3, 16.] Ead. signif. ap. Thuc. 8, p. 294 [c. 97] : Μισθὸν μηδένα φέρειν μηδεμιᾷ ἀρχῇ. [Eur. Iph. T. 593 : Μισθὸν οὐκ αἰσχρὸν λαβών.] Plut. An seni capess. resp. [p. 786, C] : Λαμβάνειν γὰρ ἂν μισθὸν, οὐ διδόναι τοὺς ἀκούειν ἐθέλοντας, de quodam tibicine. Idem De fort. Alex. [p. 334, A] : Τὸν μισθὸν ὧν ἔτερπες ἀπελάμβανες. Lucian. [Vitt. auct. c. 23] : Μόνος ὁ σπουδαῖος μισθὸν ἐπὶ τῇ ἀρετῇ λήψεται. Sic Mercedem accipere dicit Cic. Idem [De hist. scr. c. 39] : Ἵππον τῶν Νισαίων λήψεσθαι μισθόν· Hermot. [c. 80] : Ἀπαιτῶν παρά τινος τῶν μαθητῶν τὸν μισθὸν, ut Quintil., Exigere mercedem ab aliquo. [Cum verbis λαμβάνειν, πράττεσθαι etc. frequens utroque numero est etiam ap. Platonem. Eur. Epist. 5, p. 503, 8 : Μισθὸν οὐκ ἀηδῆ οὐδὲ ἄπονον ἀναπράσσεσθαι.] || Quum vero de præmio dicitur, quod militibus persolvitur, non tam Merces redditur, quam Stipendium. [M. εἰς στρατιώτην, στρατιωτικὸς, Stipendium, Gl. Aristoph. Ach. 170 : Ἀπαγορεύω μὴ ποιεῖν ἐκκλησίαν τοῖς Θρᾳξὶ περὶ μισθοῦ.] Xen. Hell. 1, [5, 7] : Τέτταρες ὀβολοὶ ἦν ὁ μισθός. Thuc. [6, 8] : Ἄγοντες ἑξήκοντα τάλαντα ἀσήμου ἀργυρίου, ὡς ἐς ἑξήκοντα ναῦς μηνὸς μισθόν· 4, p. 161 [c. 124] : Οἳ ἔτυχον τῷ Περδίκκᾳ μισθοῦ μέλλοντες ἥξειν· 1, [143] : Μισθῷ μείζονι πειρῶντες ὑπολαβεῖν τοὺς ξένους· 6, μισθῷ προσαγαγέσθαι. Et 2 : Μισθῷ ἔπειθεν, Amplis stipendiis promissis, vel etiam Mercede : ut Cæs., Mercede accersere militem ; Curt., Mercede militare. [V. Πείθω.] Item μισθὸν διδόναι et λαμβάνειν. Dem. [p. 47, 1] : Οὐ γάρ ἐστιν ἄρχειν μὴ διδόντα μισθόν. Athen. 4 : Μισθὸν ἀργύριον λαμβάνουσι, Æra merent. Xen. Anab. 7, [3, 13] : Εἰ δὲ μισθὸν προσλήψοιντο, εὕρημα ἐδόκει εἶναι, Si insuper stipendium acciperent, lucrum insperatum id censeri. Dem. [p. 48, 12] : Ὥστ' ἔχειν μισθὸν ἐντελῆ. Isocr. Paneg. [p. 70, B] : Πεντεκαίδεκα μηνῶν τοὺς στρατιώτας τὸν μισθὸν ἀπεστέρησε. Xen. Hell. 6, [2, 16] : Δυοῖν ἤδη μηνοῖν ὤφειλε τὸν μισθόν. Lat. Afficere stipendio, Numerare vel Persolvere stipendium : de milite autem, Accipere, Capere, Facere, Mereri. At Μισθοὺς προστάττειν τινὶ, quod ex Xen. affertur, erit quod Cæsar et Liv. dicunt Stipendium imponere alicui : si tamen illud προστάττειν μισθὸν dicitur de militum mercede. Ἐν μισθῷ οἰκεῖν domum dicitur aliquis, qui vel eam conducit et inhabitationis certum pretium persolvit, vel locatori sua opera id compensat. Xen. Symp. p. 514 [4, 4] : Τέκτονάς τε καὶ οἰκοδόμους πολλοὺς ὁρᾷς οἳ ἄλλοις μὲν πολλοῖς ποιοῦσιν οἰκίας, ἑαυτοῖς δὲ οὐ δύνανται ποιῆσαι, ἀλλ' ἐν μισθῷ αὐταῖς [ἐν μισθωταῖς] οἰκοῦσι, ubi exp. Mercede conducunt. Videtur autem potius leg. αὐτὰς οἰκοῦσι. [Aliter cum hac præp. Diodor. 14, 78 : Τοῖς μισθοφόροις ἔδωκεν ἐν τοῖς μισθοῖς τὴν τῶν Λεοντίνων πόλιν τε καὶ χώραν, Loco mercedis vel Inter stipendia. || Μισθὸς, τὸ ἔπαθλον τῶν κωμικῶν, καὶ τὸν ἀμφορέα. Ἔμμισθοι δὲ πέντε ἦσαν, Hesychius. || Photius : Ὀψώνιον, τὴν ὀψωνίαν· τὸ δὲ παρ' ἡμῖν ὀψώνιον μισθὸν λέγουσι καὶ σιτηρέσιον. || Μισθὸς ἀπὸ φίσκου, Lucar ; Μισθὸς εἰς δοῦλον, Auctoramentum ; Μισθὸς θεατρικὸς, Lucar ; Μισθὸς χειρῶν, Manupretium, Gl.]

[Μισθουργὸς, ὁ, Mercenarius. Hesych. : Λάτρις, μ. L. Dindorf.]

Μισθοφορὰ, ἡ, est Id ipsum quod mercedis loco aufertur, ipsa Merces, Salarium, Stipendium [Gl.], ὁ μισθὸς τῶν στρατευομένων ap. antiquos, ut docet Suid., afferens hunc Aristoph. l., Οἴων ἀγαθῶν τὴν μισθοφορὰν αὐτῶν παρεκόπτου ; qui l. ex Eq. [807] desumptus est, et aliter legitur in vulg. edd., sc., Οἴων ἀγαθῶν αὐτὸν τῇ μισθοφορᾷ παρεκόπτου, quam lectionem schol. quoque agnoscit, quippe qui exponat, τὴν βλάβην, ἣν διὰ τῆς μισθοφορᾶς αὐτοὺς ἔβλαπτες. Et ap. Thuc. ἀΐδιος μισθοφορὰ, Stipendium perpetuum. [Thuc. 8, 45 : Τὴν μι-

A σθοφορὰν ξυνέτεμεν, ἀντὶ δραχμῆς Ἀττικῆς ὥστε τριώβολον, καὶ τοῦτο μὴ ξυνεχῶς, δίδοσθαι. Xen. Anab. 5, 6, 23 : Ὑπισχνοῦμαι ὑμῖν ἀπὸ νουμηνίας μισθοφορὰν παρέξειν κυζικηνὸν ἑκάστῳ τοῦ μηνός· et ib. 26 : Κἀγὼ ὑπισχνοῦμαι ὑμῖν τὴν μισθοφορὰν, ubi al. —ρίαν, ut 6, 1, [16. Isocr. Ad Phil. [p. 408, D] : Μισθοφορᾶς ἕνεκα μείζονος εἰκῇ τοὺς κινδύνους προαιρουμένους, Majori stipendio aut Ampliori salario allectos. [Diod. 16, 81 : Διὰ τὸ μέγεθος τῆς μισθοφορᾶς· 17, 64 : Διμήνοις μισθοφοραῖς· 17, 76 : Ἐπὶ ταῖς αὐταῖς μισθοφοραῖς· 18, 50, 52, 61. Polyæn. 4, 2, 6.]

Μισθοφορέω, Mercedem capio, aufero, Quæstum facio. Aristoph. Vesp. [683] : Αὐτούς τ' εἶναι καὶ τοὺς κόλακας τοὺς τούτων μισθοφοροῦντας, Ad quos inde ampla merces redeat (ut Cic. dicit Prædiorum fructuosorum merces pro Captura et emolumentis ex prædiis fructuosis), Qui magnos reditus et compendia ex illis magistratibus consequantur. [Av. 584 : Εἶθ' ὅ γ' Ἀπόλλων ἰατρός γ' ὢν ἰάσθω· μισθοφορεῖ δέ. Xen. OEcon. 1, 4 : Οἰκονομοῦντα, ὥσπερ καὶ οἰκοδομοῦντα, μισθοφορεῖν. Lucian.
B Apolog. c. 11 : Δημοσίᾳ πράττοντά τι τῶν κοινῶν καὶ ἐς δύναμιν πολιτευόμενον ἐπὶ τούτῳ παρὰ βασιλέως μισθοφορεῖν.] Erant autem magistratus nonnulli μισθοφόροι. [De oratore corrupto Pollux 6, 190.] Frequenter de militibus dicitur pro Æra mereo, Stipendia facio, Stipendior : ut Plin. dicit, Regi eorum sexcenta millia per omnes dies stipendiantur. Exemplum ex Thuc. [8, 65] habes ap. Bud. p. 876. [Aristoph. Av. 1367 : Φρούρει, στρατεύου, μισθοφορῶν σαυτὸν τρέφε.] Sic ap. Plut. Apophth. [p. 181, B] : Τροφὴν ἔχοντες ἐκ δημοσίου μισθοφοροῦσι. Æschin. cum dat. dixit [p. 74, 21] : Μισθοφορῶν ἐν τῷ ξενικῷ κεναῖς χώραις. [Item Polyæn. 4, 3, 3, et Xen. Cyrop. 8, 8, 20 : Ἱππέας πεποιήκασιν, ὅπως μισθοφορῶσιν αὐτοῖς. Cum præp. παρὰ ib. 3, 2, 25 : Ἐμισθοφόρουν παρὰ τῷ Ἰνδῶν βασιλεῖ. Μισθοφορῶ πρὸς σίδηρον, Auctoro, Gl. Addito accusativo Aristoph. Pac. 477 : Καὶ ταῦτα διχόθεν μισθοφοροῦντες ἄλφιτα· Eccl. 206 : Τὰ δημόσια γὰρ μισθοφοροῦντες χρήματα ἰδίᾳ σκοπεῖσθ' ἕκαστος ὅ,τι τις κερδανεῖ· Ach. 602, τρεῖς δραχμάς. Lysias p. 178, 39 : Ὑμεῖς τὰ τούτων μισθοφοροῦντες.]
C || Transitive etiam dicitur pro μισθοδοτέω, Stipendia persolvo, numero. Phalar. [Ep. 50, p. 168, 20] : Στρατιὰν ἐπ' ἐμὲ μισθοφορεῖς, Exercitum contra me alis, Bud. ibid. [Dicitur etiam de re quæ mercedem affert. Isæus p. 72, 39 : Οἰκίαν μισθοφοροῦσαν.]

[Μισθοφορητέον, Mercedem accipere oportet. Thuc. 8, 65 : Ὡς οὔτε μ. εἴη ἄλλους ἢ τοὺς στρατευομένους.]

Μισθοφορία, ἡ, in VV. LL. pro μισθοφορά : videtur tamen potius significare ipsam Actionem æra merendi, Vitæ genus quo quis stipendiatur : quasi Stipendiationem dicas. [Plato Gorg. p. 515, E : Ταυτὶ γὰρ ἔγωγε ἀκούω, Περικλέα πεποιηκέναι Ἀθηναίους ἀργοὺς ... καὶ φιλαργύρους, εἰς μισθοφορίαν πρῶτον καταστήσαντα, ubi pauci libri —ράν. Xen. Reip. Athen. 1, 3 : Ὁπόσαι δ' εἰσὶν ἀρχαὶ μισθοφορίας ἕνεκα καὶ ὠφελείας εἰς τὸν οἶκον, ταύτας ζητεῖ ὁ δῆμος ἄρχειν. De mercenaria conditione oratoris Pollux 6, 191. Inter μισθοφορὰ et μισθοφορία variatur etiam in libris quum Polyæni tum Diodori ll. in Μισθοφορὰ citatis : sed est etiam ubi libri consentiant in μισθοφορία significatione Stipendii posito, ut
D in argum. l. 16, p. 80, 47 : Ὡς τὰς μισθοφορίας ἀναβιβάσας ἤθροισε μισθοφόρων πλῆθος, qui si minus librarii, certe scriptoris est error, confundentis quæ veteres accurate discernere solent, ut non multum tribuendum videatur loco Ps.-Demosth. p. 1199, 3 : Ἐκ γὰρ τῶν κοινῶν συντάξεων ἡ μισθοφορία ἦν τῷ στρατεύματι, quum ap. Dem. ipsum sit p. 38, 2 : Οὐκοῦν σὺ μισθοφορὰν λέγεις ; aut Luciani Navig. c. 13 : Ὁπόσην ἀποφέρει ἡ ναῦς τῷ δεσπότῃ... τὴν μισθοφορίαν, quum ejusd. De merc. cond. c. 6 sit, Ἐπὶ τήνδε ῥάστην οὖσαν τὴν μισθοφορὰν ἀπηντηκέναι, ibique liber unus præbeat μισθοφορίαν· quod per se hic quidem non ineptum est, sed non commendatur loco ejusd. scripti c. 3 : Ἐπήνεσέ τις τὴν τοιαύτην μισθοφορὰν, ubi μισθοφορίαν malebat Solanus, non male, sed præter necessitatem. Aristeæ Hist. LXX intt. p. 107, D : Εἰς τὸ στρατιωτικὸν σύνταγμα κατεχώρισεν ἐπὶ μείζοσι μισθοφορίαις, et similibus non videtur eripiendum μισθοφορία pro —φορά. Nam ap. Diod. 16, 61 : Νομίζων ἢ καταλήψεσθαί τινα πόλιν ἢ τεύξεσθαι μισθοφορίας, aliisque ejusmodi locis, non

opus est moneri conditionem mercenariam significari. L. Dindorf.]

Μισθοφορικὸς, ἡ, ὸν, Qui mercenariorum est, s. militum æra merentium, Qui stipendia facere solet. Et τὸ μ. dicuntur ipsi μισθοφόροι milites, ut στρατιωτικὸν ipsi milites. Plut. Artox. p. 305 [c. 4. Polyb. 1, 67, 4; Lucian. Enc. Demosth. c. 34. Contra de stipendio Gl. : Μισθοφορικὸν, Stipendiale. || Adv. Μισθοφορικῶς Pollux 4, 51.]

Μισθοφόρος, ὁ, ἡ, Qui aufert mercedem s. capit, Mercenarius, [Stipendiatus, huic add. Gl.] Qui mercede aliquid facit. Epigr. [Anth. Pal. 9, 622, 3]: Μισθοφόρους [ἐπὶ] μαχλάδας, Mercenarias meretrices. Aristot. Pol. [2, 12]: Μισθοφόρα κατέστησε τὰ δικαστήρια, Salaria s. Mercedem judicibus constituit; ita enim rectius per periphrasin, quod Mercenarius prætor a Cic. in malam partem dicatur. Itidemque paulo ante in quodam l. Thuc. cavetur μισθὸν μηδένα φέρειν μηδεμιᾷ ἀρχῇ. [Ῥήτωρ Pollux 6, 190. Σοφιστής 4, 48.] Item μισθοφόροι milites dicuntur Qui mercede militant, ut Curt. loquitur : s. Qui æra merentur, Milites mercede conducti. [Ærarii milites, Gl.] Archestr. ap. Athen. 1, [p. 4, E]: Μισθοφόρων ἁρπαξιβίων σκηνὴ στρατιωτῶν. Dem. quoque μισθοφόροι στρατιῶται dicit. Xen. Cyrop. 8, [2, 19] : Φρουροὺς μισθοφόρους ἐπεστησάμην, Mercede conductos. Ibid. dicit, Φύλακας αὐτοῖς ἐφιστάντα μισθοφόρους· censentur autem et hi militum nomine. Dem. [p. 153, 21]: Ξένους μισθοφόρους εἰσπέμψαντες. Interdum absolute dicitur μισθοφόροι, subaudiendo στρατιῶται vel ξένοι. Thuc. 1, [35]: Κωλύειν τοὺς ἐκ τῆς ὑμετέρας μισθοφόρους, Milites qui ex vestro solo mercede accersuntur, ut Cæs. loquitur. [Et sæpissime ap. Xenoph. aliosque historicos.] Herodian. 3, [1, 5]: Τῷ μὴ ἔχειν μισθοφόρους καὶ συνεστὸς στρατιωτικὸν, Mercenarios milites, Polit. Athen. 4 : Οἱ μισθοφόροι ἐν τῇ Ἑλλάδι μισθὸν ἀργύριον λαμβάνουσι, Qui stipendia faciunt in Græcia, æra merere solent. [Μισθοφόροι τριήρεις Aristoph. Eq. 555.]

Μισθόω, [Loco, Conduco, Gl.] Mercede loco, Faciendum aut Utendum loco certa mercede : utriusque signif. exemplum unum habes ap. Bud. p. 876, ex Dem. Sic in isto Ejusd. l., Εἰ γὰρ ἡ ναῦς ἐρράγη, οὐκ ἂν εἰς ἕτερα δήπου ἐμπόρια ἐμίσθουν αὐτήν [p. 1290, ubi bis medium], Non in alia utique emporia appellendam locassent : sic μισθῶσαι οἶκον, Pollux [1, 75, Isæus p. 59, 42], Certa mercede locare inhabitandum : quod Herodot. dicit ἐκδιδόναι. Et μισθῶ πλείονος, Majore mercede loco, Plut. Apophth. [p. 239, E.] Dicitur aliquis etiam μισθοῦν αὑτὸν, qui operam suam alicui mercede locat. Dem. Pro cor. [p. 327, 24]: Ἀποστάντα τῶν συμφερόντων τῇ πόλει, μισθώσαντα δ' αὑτὸν τοῖς ἐναντίοις, τοὺς ὑπὲρ τῶν ἐχθρῶν καιροὺς ἀντὶ τῶν τῆς πατρίδος θεραπεύειν. In ead. oratione dicit, Μισθώσας σαυτὸν κατὰ τουτωνὶ πολιτεύῃ· sæpe etiam ei exprobrat τὴν μισθαρνίαν, et ἔμμισθον appellat. Idem alibi [p. 433, 20]: Ἑαυτὸν ἐμίσθωσεν εἰς Αἴγυπτον Χαβρίας. Et alibi, Ἐπὶ ταῦτα μισθώσαντες ἑαυτούς. At pro Faciendum certa mercede loco accipitur in his Herodoti [2, 180] verbis, Μισθώσαντες τὸν νηὸν τριακοσίων ταλάντων [ἐξεργάσασθαι], Qui trecentis talentis construendum templum locarunt. [Aristoph. Lys. 958 : Μίσθωσόν μοι τὴν τιτθήν.] || At Μισθοῦμαι, Mercede conduco. [Aristoph. Av. 1152: Τί δῆτα μισθωτοὺς ἂν ἔτι μισθοῖτό τις; Ran. 167 : Μίσθωσαί τινα τῶν ἐκφερομένων. Thuc. 4, 52. Plato Prot. p. 347, D : Πολλοῦ μισθούμενοι ἀλλοτρίαν φωνήν.] Dem. Pro cor. [p. 242, 25]: Εἰ μὴ καὶ τοὺς θεριστὰς καὶ τοὺς ἄλλο τι μισθοῦ πράττοντας, φίλους καὶ ξένους δεῖ καλεῖν τῶν μισθωσαμένων, ubi nota correlativa esse τοὺς μισθοῦ πράττοντάς τι et τοὺς μισθωσαμένους, Eos qui mercede operam suam alicui locant, et eos qui mercede conducunt. Aristoph. Vesp. [52] : Δοὺς δύ' ὀβολοὺς μισθώσομαι, Duobus obolis datis conducam. Thuc. 4, p. 138 [c. 52] : Μισθωσάμενοι ἐκ Πελοποννήσου ἐπικουρικὸν, Mercede conducentes auxilia; vel Mercede accersentes, ut Cæs. loquitur. Dem. Pro cor. [p. 236, 22]: Μισθοῦται τὸν κατάπτυστον τουτονί. Item cum gen. præmii s. mercedis. Æschin. : Τὸ δὲ ἀσελγαίνειν ἀργυρίου μισθούμενον, ὑβριστοῦ καὶ ἀπαιδεύτου ἀνδρὸς εἶναι ἡγοῦμαι, Stupri consuetudinem habere cum catamito pretio conducto, hominis est petulantis. Et Aristot. Polit. 1,

A Μισθωσάμενος ὀλίγου, Qui conduxit parva mercede. Item de re inanimata ap. Polluc. [1, 75] ex Herodoto, Μισθώσασθαι οἶκον παρά τινος. [Dicit Pollux, Εἴποις δ' ἂν μισθώσασθαι καὶ μισθῶσαι οἶκον, ὅπερ Ἡρόδοτος ἐκδιδόναι καλεῖ. Sed dicit Herod. 1, 24 : Μισθώσασθαι πλοῖον.] Qui ll. pertinent ad eam τοῦ μισθώσασθαι signif. qua accipitur pro Utendum loco pacta mercede, sicut et quum usurpatur pro Conduco vectigalia : ut μισθώσασθαι τέλη ap. Polluc. [9, 33], quo pertinet et μισθοῦσθαι μισθώματα, Redempturas facere : de quibus plura ap. Bud. l. c. Quum vero aliquis dicitur μισθώσασθαι ἐργασίαν τινὰ, est potius Factitandum conducere certa mercede. Dem. [p. 946, 3] : Μισθοῦται τὴν ἐργασίαν ταύτην τὴν τῆς τραπέζης, Mensam exercendam conducit. Item Faciendum conduco pacta mercede : πρίαμαι τὸ οἰκοδόμημα, Ut redemptor, conduco faciendum, et ἐργολαβῶ, Bud. ibid. Dem. [p. 1253, 15] : Ἢ ὀπώραν πρίαιντο ἢ θέρος μισθοῖντο ἐκθερίσαι, Aut poma legenda redimerent aut messem demetendam conducerent. [Cum inf. etiam Herodot. 9, 34 : Ὡς μιν οἱ Ἀργεῖοι

B ἐμισθοῦντο ἐκ Πύλου παῦσαι τὰς σφετέρας γυναῖκας τῆς νούσου. Ὁ μισθούμενος, Locatarius; Ἐμισθωσάμην, Locaverim; Ἐμισθώσατο, Conduxit, Gl. Photius : Μισθώσασθαι τὸ ἐπὶ τόκῳ δανείσασθαι.] Item in pass. signif. ex Plat. Leg. [7, p. 800, E] μεμισθωμένοι, Mercede aut Pretio conducti. [Herodot. 9, 37 : Μαρδονίῳ μεμισθωμένος (vates quidam) οὐκ ὀλίγου ἐθύετο. Xen. Anab. 1, 3, 1 : Μισθωθῆναι δὲ οὐκ ἐπὶ τούτῳ ἔφασαν. Ps.-Demosth. p. 1382, 8 : Μισθωθεῖσα ὑπὸ τῆς Νικαρέτης.]

Μίσθωμα, τὸ, Merces, qua aliquid utendum locatur, conducitur, alicujus opera conducitur, aliquis operam suam locat. [Herodot. 2, 180 : Τεταρτημόριον τοῦ μισθώματος παρασχεῖν. Demosth. p. 379, 20, de mercede Æschinis a Philippo corrupti. De largitionibus Appian. Civ. 2, 120 : Ἔδοξεν ἐπὶ τὰ πλήθη μισθώματα περιπέμπειν. De pretio pro tabula picta ab spectatoribus solvendo Ælian. V. H. 4, 12 : Ὡς οὖν μίσθωμα τοῦ Ἡρακλεώτου (Zeuxidis) λαμβάνοντος ὑπὲρ τῆς γραφῆς, ἐκάλουν οἱ τότε Ἕλληνες ἐκείνην τὴν Ἑλένην ἑταίραν.] Isocr. Areop. [p. 145, C] : Ἐν δὲ τοῖς ἁγιωτάτοις τῶν

C ἱερῶν, ἀπὸ μισθωμάτων ἔθυον. Ap. Athen. 12, [p. 526, C] : Τὰς αὐλητρίδας καὶ τὰς ψαλτρίας καὶ πάντα τὰ τοιαῦτα τῶν ἀκροαμάτων, τὰ μισθώματα λαμβάνειν ἀπὸ πρωῒ μέχρι μέσης ἡμέρας. Frequens est pro Mercede quæ meretricibus datur, s. quæstu meritorio. Ælian. ap. Suidam : Ἡ δὲ οὐ προσεῖτο τὴν δόσιν, ἑταιρικὸν φάσκουσα εἶναι τὸ μίσθωμα, τὸ ἑαυτὴν παραβαλεῖν ἀνδρὶ ἀγνῶτι, καὶ ὥσπερ ὤνιον τὸ κάλλος ἀποδόσθαι, Meretricium esse quæstum dixit, homini ignoto se indulgere. Comicus quidam ap. Athen. 13, [p. 581, A] : Τότ' εἶδος αὐτῆς τοὺς ῥυθμούς τε καταμαθὼν, Ἐπυνθάνετο μίσθωμα πράσσεται πόσον Τῆς νυκτός. Paulo post [D] : Οὐχ ὑπομένουσαν τὴν Γναθαίνιον λαβεῖν μίσθωμα, Quum mereri amplius non sustineret, h. e. Quum factitare meretriciam artem per ætatem non posset : de qua paulo ante, Οὐκ ἔτι θ' ἑταιρεῖν ὑπομενούσης· ubi in ead. signif. usurpavit ἑταιρεῖν et μίσθωμα λαβεῖν, ut Athen. paulo ante μισθαρνεῖν et ἑταιρεῖν. [Lucian. D. mer. 6, 3, Tim. c. 22. Qua una signif. dictum probat Thomas p. 617. A μισθῷ distinguit Philo vol. 2, p. 536, 48 : Μετὰ τὸν ἐπάρατον μισθὸν

D ἢ κυριώτερον εἰπεῖν μίσθωμα. || De habitatione conducta Act. Apost. fin. : Ἔμεινε διετίαν ὅλην ἐν μισθώματι.]

Μισθωμάτιον, τὸ, Mercedula qua aliquid locatur aut conducitur, i. q. μισθάριον paulo ante. Alciphr. p. 182 fin. [3, 36] : Ἀλλὰ μισθωμάτια καὶ αἱ δυστυχεῖς αὗται καὶ κατεστεναγμέναι τῶν ἀνοήτων ἐραστῶν χάριτες, Capturæ, Bud.

[Μίσθων, ωνος, ὁ, Mistho, Sybarita, ap. Lucian. Pseudolog. c. 3, ubi Ἡμιθέωνα ex l. Adv. ind. c. 23 restituit Solanus.]

[Μισθωσιμαῖος, Conductitius, Locatorius, Gl.]

Μισθώσιμος, ὁ, ἡ, [Locatitius, Gl.] Qui mercede locatur, conducitur, Quem mercede locare aut conducere queas. Athen. [8, p. 337, C] ex Machone comico, de Dorione quodam : Κατάλυσιν οὐδαμοῦ μισθωσίμην Δυνάμενος εὑρεῖν. [Μισθώσιμος κέραμος Alex. ap. Athen. 4, p. 164, F. Hemst.] Item, Talis qui mercede conduci debeat, ap. eund. Athen. cum gen., sicut supra ἀργυρίου μισθώσασθαι, et ὀλίγου μισθώσασθαι. [Dem. p. 713, 4 : Τῶν τὰ μισθώσιμα μισθουμένων.]

Μίσθωσις, εως, ἡ, Locatio [Gl.] aut Conductio [Gl.] A
quæ fit pacta mercede. [Plato Soph. p. 219, D : Κτητικῆς εἴδη, τὸ μὲν ἑκόντων πρὸς ἑκόντας μεταβλητικὸν ὂν διά τε δωρεῶν καὶ μισθώσεων καὶ ἀγοράσεων· Leg. 6, p. 759, E.] Pro Conductione et Redemptura ap. Isocr. Areop. [p. 146, B] : Τοῖς μὲν γεωργίας ἐπὶ μετρίαις μ. παραδιδόντες· dicitur enim μισθώσασθαι ἔργον τι, pro Faciendum conducere. [De locatione Hesychius in Μισθοδουλία citatus. Μίσθωσις οἴκου ap. Polluc. 6, 178; 8, 31. Formula μισθώσεως τραπέζης, qua Πασίων ἐμίσθωσε τὴν τράπεζαν Φορμίωνι, est ap. Demosth. p. 1111, 6. || De mercede Demosth. p. 960, 8 : Μίσθωσιν φέρων δύο τάλαντα καὶ τετταράκοντα μνᾶς· et sæpius ib., et 1069, 26 : Τοὺς μὴ ἀποδιδόντας τὰς μισθώσεις τῶν τεμενῶν κτλ. Isæus p. 54, 27 : Τὸν κλῆρον φέροντα μίσθωσιν τοῦ ἐνιαυτοῦ ὀγδοήκοντα μνᾶς· et μίσθωσιν λαμβάνειν ib. 33.]

[Μισθωτεύω, Operam loco. Eudocia p. 20 ex Nonno Ms. in Gregor. Naz. Epitaph. Basil. M. sec. Bast. ad Aristoph. Plut. p. xxx : Ἦλθεν ὁ Ἄβαρις ἐν τῇ Ἑλλάδι καὶ ἐμισθώτευσε τῷ Ἀπόλλωνι.]

[Μισθωτήριον, τὸ, Locus ubi mercenarii conducuntur. B
Hesych. et parœmiogrr. in Ὀψ' ἦλθες : Τοὺς ἐπὶ τὸ ἔργον ἐλθόντας ὀψὲ ἀπέλυον πάλιν εἰς τὸ μισθωτήριον· τὸ δὲ ἦν ἐν Κολωνῷ.]

[Μισθωτής, ὁ, Conductor, Gl. Isæus p. 60, 1 : Ὅπως μισθωταὶ δι' αὐτοῦ γενόμενοι τὰς προσόδους λαμβάνοιεν. V. Λαβεργός. || Significationem Mercenarii, qua ponitur in Hesychii gl. : Θῆτας, μισθωτάς, ubi Valesius μισθωτούς, ut ap. eund. est Θής, μισθωτός, Schæfer. ad schol. Apoll. Rh. p. 6 defendi putabat fem. Μισθώτρια, cujus tamen de signif. passiva non satis constat, nec magis μισθωτεύω, quod recte a μισθωτὸς ducit Coraes ap. Bastium l. supra cit., ducitur a μισθωτής, quod putabat Schæf., quam εἱλωτεύω ab εἱλώτης, cujus fem. εἱλῶτις intulit Plut. Ages. c. 3, ubi recte scribebatur εἵλωτις, aut θητεύω a θητεύς, quod ipse finxit.]

Μισθωτικός, ἡ, όν, in VV. LL. Mercenarius. Et μισθωτική, Ars mercenaria. [Plat. Reip. 1, p. 346, A, B, C. || Adv. Μισθωτικῶς, Eust. Od. p. 1695, 35.]

Μισθωτός, ἡ, όν, Mercede conductus, Qui mercede aliquid faciendum redimit, operam suam locat, Mercenarius, ut μίσθιος supra. [Ambactus, Conductitius, C
Gl. Aristoph. Av. 1152 : Τί δῆτα μισθωτοὺς ἂν ἔτι μισθοῖτό τις;] Plato De rep. 2, [p. 371, E] de διακόνοις quibusdam, qui corporis tantum modo viribus pollent : Οἳ δὴ πωλοῦντες τὴν τῆς ἰσχύος χρείαν, τὴν τιμὴν ταύτην μισθὸν καλοῦντες, κέκληνται, ὡς ἐγῷμαι, μισθωτοί. [Polit. p. 290, A : Μισθωτοὺς καὶ θῆτας. Ps.-Demosth. p. 1199, 21 : Πότερα μισθωτοὶ ἢ οἰκέται;] Timocles comicus ap. Athen. 8, [p. 342, A] : Μισθωτὸς ἄρδει πεδία τοῦ δεδωκότος, Mercede conductus : qualis senex ille ap. Hom., cui μισθὸς ἄρκιος promittitur pro cultura horti. Ap. eund. Athen. 14, [p. 619, A] : Τῶν μισθωτῶν δέ τις ἦν ᾠδὴ τῶν εἰς τοὺς ἀγροὺς φοιτώντων. Et [Jo. 10, 12], μ. ποιμήν. In quibus ll. dicitur de μισθαρνίᾳ, quæ ab Aristot. inter βαναύσους τέχνας numeratur. Dem. vero in Orat. pro cor. [p. 242, 27] dixit etiam, Μισθωτὸν ἐγώ σε Φιλίππου πρότερον, καὶ νῦν Ἀλεξάνδρου καλῶ· de Æschine, cui in ead. orat. τὴν μισθαρνίαν exprobrat et quod seipsum ἐμισθώσατο. [De oratore ponit etiam Pollux 6, 190. « Xen. Conv. 4, 4 : Ἐν μισθωταῖς (οἰκίαις) D
οἰκοῦσι. Athen. 5, p. 212, D : Ὁ πρότερον ἐκ μισθωτῆς οἰκίας ἐξιών. » Valck.]

[Μισθώτρια, ἡ.] Μισθώτριαι, ap. Polluc. [7, 131], Quæ mercede operam suam locant, Quæ mercede conducuntur, ex Phrynicho, μισθώτριαι γυναῖκες : ubi dubium est an de meretricibus intelligat, de quibus μισθοῦσθαι et μίσθωμα etiam paulo ante.

[Μισιεραρχία, ἡ, Odiosa hierarchia. Anastas. Sin. ap. Bandin. Bibl. Med. vol. 1, p. 299, B : Περιτυγχάνει τινὶ Ἀθανασίῳ πατριάρχῃ λεγομένῳ τῆς τῶν Ἰακωβιτῶν μισιεραρχίας. L. Dind.]

[Μίσιππος, ὁ, ἡ, Qui odit equos. Pollux 1, 198; 6, 172.]

[Μίσις, Μίσιδος, sine interpr. Suidas.]

Μίσκαιος, Hesych. κῆπος, Hortus.

Μίσκει, Hesych. ἄρχεται, Incipit.

Μίσκελλος [cod. Μίσκελος], εὐτελὴς καὶ μέλας οἶνος, Vile et nigrum vinum, Hesych. [Varro R. R. 1, 54 : Miscella, quam vocant nigram (uvam).] Μίσκελλον autem volunt esse Sordidum et præparcum, qui frusta etiam et fragmenta colligat. Nam Μίσκοι dicuntur Frusta et rejectamenta cœnarum [ὀπώρας, Frugum], quæ everri solent, ut est ap. Polluc. 6, c. 15 [§ 94. Non diversum hoc voc. videtur a μίσχος, quod v.]

[Μίσκερα, ἡ, Miscera. Πόλις Σικανίας. Θεόπομπος τεσσαρακοστῷ ἐνάτῳ Φιλιππικῶν. Τὸ ἐθνικὸν Μισκερεύς, ὡς Μεγαρεύς, Steph. Byz.]

[Μίσκος. V. Μίσκελλος.]

Μῑσοβάρβᾰρος, ὁ, ἡ, Osor barbarorum. [Plat. Menex. p. 245, C; Lucian. Demosth. enc. c. 6. Pollux 6, 172. « Dio Chrys. Orat. 37, p. 109, 3. » Boiss.]

Μισοβᾰσῐλεύς, έως, ὁ, Regis osor. Plut. [Mor. p. 147, A] : Διεβλήθης μισοβασιλεὺς εἶναι, Insimulatus es esse regum osor.

[Μισόβουλος, ὁ, ἡ, inter composita cum μισος ponit gramm. Cram. An. vol. 2, p. 290, 22, quod erit Qui odit consilia vel consilium, nisi forte scrib. —δουλος. L. Dind.]

[Μισόγᾰμος, ὁ, ἡ, A nuptiis abhorrens.]

[Μισογέλως, ωτος, ὁ, ἡ, Qui odit risum. De Euripide Alexander Æt. ap. A. Gell. 15, 21. Kall.]

[Μισογόης, ητος, ὁ, ἡ, Qui odit præstigiatores. Lucian. Piscat. c. 20.]

[Μισογύναιος. V. Μισογύνης.]

Μισογυνεία, ἡ, Odium mulierum, ut Cic. interpr. Tusc. Quæst. 4, [11]; opponens ei τὴν φιλογυνείαν, Mulierositatem. [Legendum Μισογυνία, ut est ap. Antipatrum Stob. Fl. vol. 3, p. 17. L. Dind.]

Μισογύνης, ὁ, Osor mulierum, ut Plautus loquitur : qui dicit etiam, Osor uxoris. Athen. 13, [p. 557, E] ex Hieronymo : Εἰπόντος Σοφοκλεῖ τινος ὅτι μισογύνης ἐστὶν Εὐριπίδης, Ἔν γε ταῖς τραγῳδίαις, ἔφη ὁ Σοφοκλῆς. [Fabulam sic inscripserat Menander. Strabo 7, p. 297. Plut. Mor. p. 403, F : Μισογύνου Ἡρακλέους ἱερόν ἐστιν ἐν τῇ Φωκίδι. Mœris p. 257 : Μισογύνης Ἀττικοί, μισογύναιος Ἕλληνες. Ubi pro altero est var. μισόγυνος.] Μισογύναιος i. q. μισογύνης, Hesych. [in Μισογύνης. Ex Alciphr. Ep. 1, 34 et Proculo In Ptolem. 3, p. 224, annotarunt intt., quorum Piers. addit : « In Cicer. Tusc. 4, 11, 25, Davisius edidit : Odium mulierum, quale in μισογύνῳ Atili est, » quasi esset a μισόγυνος. Sed præstat μισογύνῃ vel μισογυναίῳ, quo Mss. lectio μισογυνείᾳ sponte ducit. » Non falsa tamen putanda forma Μισόγυνος. Theognost. Can. p. 88, 23 : Τὰ παρ' αὐτὸ (τὸ γυνή) διὰ τοῦ υ ψιλοῦ, οἷον ἀνδρόγυνος, λάγυνος, μισόγυνος. L. Dind.]

[Μισογυνία. V. Μισογυνεία.]

[Μισόγυνος. V. Μισογύνης.]

[Μισοδᾰνειστής, ὁ, Osor fœneratorum. Etym. M. p. 435, 28. Wakef. De accentu acuto Arcad. p. 28, 3, Chœrob. vol. 1, p. 175, 26.]

[Μισοδημία, ἡ, Odium status popularis. Lysias p. 805 (177, 20); Andoc. p. 114, 9 (30, 3). Wakef.]

Μισόδημος, ὁ, ἡ, Osor populi. [Aristoph. fr. ap. Athen. 3, p. 75, A, Vesp. 474; Plato Reip. 8, p. 566, C; Æschines p. 51, 6.] Isocr. Areop. [p. 151, C] : Μὴ τὰ βέλτιστα συμβουλεύων μισόδημος εἶναι δόξω. Plut. Alcib. [c. 21], de Andocide : Ἐδόκει δὲ μισόδημος καὶ ὀλιγαρχικός. Et ap. Suidam : Μισόδημε καὶ μοναρχίας ἐραστά. Xen. Hell. 2, [3, 47] : Ἐν μὲν τῇ δημοκρατίᾳ πάντων μισοδημότατος ἐνομίζου, ἐν δὲ τῇ ἀριστοκρατίᾳ, πάντων μισοχρηστότατος γεγένησαι. Dicitur etiam μισόδημος aliquis Qui populi suæ civitatis osor est. Plut. Pericle [c. 9] : Κίμωνα δ' ὡς φιλολάκωνα καὶ μ. ἐξοστρακισθῆναι. [Sæpius memorat etiam Pollux.]

[Μισοδημότης, ὁ, Osor plebis. Dionys. A. R. 7, 42 : Τοῖς μισοδημόταις.]

[Μισοδῐδασκαλία, ἡ, Odium magistri. Pallad. V. Chrys. p. 135. Kall. Georg. Alex. V. Chrys. p. 207. Seager.]

[Μισοδῐκαστής, ὁ, Osor judicis s. judicum. Schol. Aristoph. Av. 111, sec. Ald., ubi libri meliores μὴ φιλοδικασταί.]

Μισόδικος, ὁ, ἡ, Qui jure agere odit, Osor litigiorum, controversiarum judicialium : cui opp. φιλόδικος. [Schol. Aristoph. Av. 109, 110, 111.]

[Μισόδοξος, ὁ, ἡ, Qui odit gloriam. Vita S. Euthymii in Cotel. Eccl. Gr. mon. vol. 4, p. 13 : Ὁ μ. καὶ φιλόθεος Εὐθύμιος. L. Dind.]

[Μισόδουλος, ἡ, Herbæ genus, ap. Demetr. CpoL.

Hieracosoph. 1, 9 : Λαβὼν μισόδουλον βοτάνην εἴτε ξηρὰν εἴτε χλωρὰν λείου καλῶς. Ducang. Geopon. 11, 28.]

Μισόθεος, ὁ, ἡ, Dei osor, Deum exosus. [Æsch. Ag. 1090 : Μισόθεον (στέγην).] Lucian. Timon. [c. 35] : Μισάνθρωπον μὲν εἶναί σε, τοσαῦτα ὑπ' αὐτῶν δεινὰ πεπονθότα, μ. δὲ μηδαμῶς. [Gramm. Cram. An. vol. 2, p. 290, 22. Pollux 1, 21; 6, 172.]

[Μισόθηρος, ὁ, ἡ, Qui odit venationem. Xen. Ven. 3, 9 : Τὰ διώγματα ἀφιεῖσαι διὰ τὸ μισόθηρον. Pollux 5, 63; 6, 172.]

[Μισόθριξ, τρῐχος, ὁ, ἡ, Qui capillos odit. Clem. Alex. p. 261. Wakef.]

[Μισοΐδιος, ὁ, ἡ, Qui odit suos. Proculi Paraphr. p. 226.]

[Μισοινία, ἡ, Odium vini. Stob. Ecl. eth. p. 182.]

[Μίσοινος, ὁ, ἡ, Qui odit vinum. Hippocr. p. 677, 15.]

[Μισοκαῖσαρ, αρος, ὁ, ἡ, Qui odit Cæsarem. Plut. Bruto c. 8.]

[Μισοκᾰκέω, Mala odio (sic), Gl.]

Μισόκᾰλος, ὁ, ἡ, Honesti osor, ὁ μισῶν τὸ ἀγαθὸν, Hesych. [Philo p. 352, D. Hemst. Athanas. vol. 1, p. 200, A; Ephræm Syr. vol. 1, p. 171, B; Cosmas Topogr. Chr. p. 151, B; Ms. ap. Pasin. Codd. Taurin. vol. 1, p. 427, A. L. Dind.]

[Μισοκερδὴς, ὁ, ἡ, Lucrifuga, Gl.]

[Μισοκοσμία, ἡ, Odium mundi. Theodor. Stud. p. 445, E. L. Dind.]

[Μισόκοσμος, ὁ, ἡ, Qui odit mundum. Theodor. Stud. p. 276, E; 446, E. L. Dind.]

[Μισοκύκλωψ, ωπος, ὁ, ἡ, Qui odit Cyclopem. Eust. Od. p. 1643, 23 : Narrans παρὰ τοῖς φιλοξένοις μισοκύκλωψιν τὴν τοῦ κακοξένου Κύκλωπος τύφλωσιν.]

[Μισοκύριος, ὁ, Osor Domini. Pseudo-Chrys. Serm. 65, vol. 7, p. 432, 31. Seager.]

[Μισολάκων, ωνος, ὁ, ἡ, Qui odit Lacones. Aristoph. Vesp. 1165. ᾰ]

Μισολάμαχος, ὁ, ἡ, Osor Lamachi, et per consequens, belli : ut μισολάμαχος ἡμέρα, Aristoph. [Pac. 304], ἡ μισοπόλεμος : nam Lamachus erat φιλοπόλεμος στρατηγός. [ᾱᾰ]

[Μισόλεκτρος, ὁ, ἡ, Qui odit concubitum. Heliod. Æth. 3, 9 : Ἡ μ. καὶ ἀνέραστος.]

Μισολογέω, Bonas literas odi; et per consequens, Imperitus sum, ἀμαθαίνω, ἀνοηταίνω, Pollux [4, 15].

Μισολογία, ἡ, Odium bonarum literarum, disputationum et ratiocinationum : de qua multis ap. Plat. Phædone p. 47, 48 [p. 89, D]. Plut. [Mor. p. 864, D] : Ἐπιχειρῶν δὲ τοῖς νέοις διαλέγεσθαι καὶ συσχολάζειν, ὑπὸ τῶν ἀρχόντων ἐκωλύθη δι' ἀγροικίαν αὐτῶν καὶ μ. [Odium sermonis, Hierocl. Pyth. p. 141. Wakef. Pollux 2, 121; 4, 12.]

Μισολόγος, ὁ, ἡ, Qui disputationes odit et ratiocinationes, rationesque, Osor literarum, Politiorem literaturam exosus, Indoctus, ἀμαθής. Plato [Reip. 3, p. 411, D] : M. δὲ ὁ τοιοῦτος γίνεται καὶ ἄμουσος. Idem pro eod. dicit, ὁ μισήσας λόγους. Item [p. 90, D] : Καὶ ἤδη τὸν λοιπὸν βίον μισῶν τε καὶ λοιδορῶν τοὺς λόγους διατελοῖ, τῶν δὲ ὄντων τῆς ἀληθείας τε καὶ ἐπιστήμης στερηθείη. [Id. Lach. p. 188, C. « Galen. vol. 8, p. 505, E. » Hemst. Synes. Epist. 154, p. 290, B. Boiss. Pollux 2, 121; 4, 14; 6, 172. Adv. Μισολόγως 4, 14. Ceterum μισόλογος scribendum, ut φιλόλογος, quod v.]

[Μισομᾰθὴς, ὁ, ἡ, Basil. Grammat. p. 33 f. Boiss.]

Μισόνοθος, ὁ, ἡ, Qui nothos odit, Spurios exosus, Epigr. [Archiæ Anth. Plan. 94, 8 : Ἥρης μισονόθοιο χόλον.]

[Μισόνυμφος, ὁ, ἡ, Qui sponsas odit. Lycophr. 355 : Τῆς μισονύμφου Λαφρίας, de Minerva.]

[Μισοξενέω, Odi peregrinos, Inhospitalis sum. Theodor. Stud. p. 615, ρδ'. L. Dind.]

Μισοξενία, ἡ, Odium peregrinorum, Inhospitalitas, ap. Gregor. [LXX Sap. 19, 13.]

Μισόξενος, ὁ, ἡ, Osor peregrinorum s. hospitum, Inhospitalis. [Diod. Exc. Photii vol. 2, p. 525, 61 : Μισόξενα νόμιμα· 543, 33 : Ἀπάνθρωπόν τινα καὶ μισόξενον βίον. « Gloss. Pind. Ol. 11, 17. » Wakef. Pollux 6, 172.]

[Μισόπᾰθος, i. q. ocimoides. Diosc. Notha p. 464 (4, 28). Boiss.]

A Μισόπαις, αιδος, ὁ, ἡ, Liberorum osor, Liberos exosus. [Lucian. Abdic. c. 18. Pollux 3, 14.]

[Μισοπάρθενος, ὁ, ἡ, Virgines odio prosequens. Plut. De fluv. c. 23, 1, p. 1164, F : Ἀράξα βοτάνη... ἥτις μεθερμηνευομένη λέγεται μισοπάρθενος.]

[Μισοπάτωρ, ορος, ὁ, ἡ, Qui patrem odit. Dionys. A. R. 4, 28, ubi fem. Eust. Il. p. 885, 22. ᾰ]

[Μισοπέρσης, ὁ, Osor Persarum. Xen. Ages. 7, 7. Pollux 6, 172.]

[Μισοποιέω, Odium facio s. excito. Aquila Psalm. 80, 16 : Μισοποιοῦντες κύριον ἀρνήσονται αὐτόν, ubi Symmachus μισοποιοὶ, LXX οἱ ἐχθροί. « Tædio afficio. Constantin. De adm. imp. : Μισοποιούντων ὑμῶν, et ibid. μισοποιησάσης. » Ducang.]

[Μισοποιὸς, ὁ, ἡ, i. q. μισοποιῶν. Symm. Ps. 80, 16.]

[Μισοπόλεμος, ὁ, ἡ, Qui odit bellum. Schol. Aristoph. Pac. 661.]

Μισόπολις, ιδος, ὁ, ἡ, Civitatis osor, habes ap. Polluc. [3, 66; 4, 36; 6, 172. Aristoph. Vesp. 411. Gramm. Cram. An. vol. 2, p. 290, 22.]

B [Μισοπολίτης, ὁ, Osor civium. Proculi Paraphr. Ptol. 3, 18, p. 223. ῑ]

Μισοπονέω, Odi laborare, Labores odi, Non contendo, nec enitor, nec studeo, Bud. p. 865, ex Plat. [Reip. 7, p. 535, D] : Ἂν ἐν πᾶσι τούτοις μισοπονῇ· opp. ei ibid. τὸ φιλοπονεῖν.

[Μισοπονηρεύω, Odium improbitatis ostendo et declaro, Macc. 2, 4, 49, sec. Alex. Sed leg. ut vulgo μισοπονηρήσαντες.]

Μισοπονηρέω, Osor malorum sum, Improbos odi, Improbitatem aversor, Malos detestor. Exemplum ex Lys. [p. 186, 32] habes ap. Bud. p. 865. [Polyb. 9, 39, 6; Diod. 17, 69.]

Μισοπονηρία, ἡ, Improbitatis odium, τὸ μισοπόνηρον, ut sequitur. [Pollux 8, 11. Diodor. 16, 23 : Κοινῇ ὑπὸ τῶν Ἑλλήνων μισοπονηρίας ἀξιοῦσθαι· 17, 106 : Τῆς εἰς τοὺς παρανενομηκότας ἡγεμόνας μισοπονηρίας.] Plut. [Mor. p. 59, E] : Θηριώμενοι μισοπονηρίας δόξαν· et [ib. p. 56, D] : Τὴν Διονυσίου καὶ Φαλάριδος ὠμότητα, μ. καὶ δικαιοσύνην προσαγορεύων. Utitur et Philo V. M.

C [Μισοπονηρία aliquando significat nemesin vel iram ob malum aliquod facinus perpetratum. Plutarch. De flumin. c. 21, 4, p. 1163, E : Τῆς θεᾶς ἐξιλάσατο τὴν μισοπονηρίαν. V. Μισοπονήρως. Kuster.]

Μισοπόνηρος, ὁ, ἡ, Malorum osor, Qui improbos aversatur. [Severus, Gl.] Dem. [p. 584, 12] : Σώφρονες εἶναι καὶ καλοὶ καὶ ἀγαθοὶ καὶ μισοπόνηροι. [Æschines p. 10, 21 : Ἀνὴρ καλὸς κἀγαθὸς καὶ μισοπόνηρος· 51, 6. Pollux 6, 172; 8, 10.] Philo V. M. 2 : Ἡ πάρεδρος τῷ θεῷ μ. δίκη, Pravitati infesta; 3 : Πρὸς δικαίαν ὀργὴν ὑπὸ μ. πάθους ἠκονήθη, Ex improbitatis odio ad justam iram exacuitur; 1 : Ἀγάμενος αὐτοῦ τὸ φιλόκαλον καὶ μ. ἦθος, Mores ejus admiratus honesti studio et improbi odio inflammatos. Et τὸ μ., Improbitatis odium, Idem 1 : Διὰ ψυχῆς εὐγένειαν καὶ φρονήματος καὶ τὸ μ. φύσει, Insitum adversus improbitatem odium. Et 2 : Τὸ φιλάνθρωπον, τὸ φιλοδίκαιον, τὸ φιλάγαθον, τὸ μ. [Const. Manass. Chron. 5700. Boiss. || Adv. Μισοπονήρως, Polyb. 31, 8, 5. « M. διακεῖσθαι πρός τινα, Animo malevolo esse, Plut. Parall. p. 313, F. Id. De flum. c. 12, 1,

D p. 1157, B : Ἡ δὲ (μήτηρ τῶν θεῶν) μισοπονήρως ἐνεγκοῦσα τὴν πρᾶξιν· c. 11, 3, ib. A : Οἱ δ' ἀτιμούμενοι θεοὶ τὴν πρᾶξιν βαρέως καὶ μ. ἐνεγκόντες· c. 21, 4, p. 1163, D : Ἄρτεμις δὲ βαρέως καὶ μ. ἐνεγκοῦσα τὴν πρᾶξιν, i. e. irata. » Kuster. Pollux 8, 11.]

[Μισοπονία, ἡ, Odium laboris. Lucian. De astrol. c. 2. Ephræm Syr. vol. 1, p. 217, D; 292, A.]

[Μισόπονος, ὁ, ἡ, Qui odit laborem. Dio Cass. 72, 2.]

Μισοπορπᾰκίστατος, η, ον, Qui pessime odit habenam s. amentum clypei; et per consequens, Qui pessime odit bellum : nam præcipue in bello πορπάκων in clypeis usus est. Aristoph. Pac. [662] : Ἰθ', ὦ γυναικῶν μισοπορπακιστάτη.

[Μισοποσείδων, ωνος, ὁ, ἡ, Qui odit Neptunum. Chœrob. vol. 1, p. 74, 23 : Μισοποσείδων, μισοποσείδωνος.]

Μισοπράγμων, ονος, ὁ, ἡ, Qui negotia odit, non libenter negotiis se implicat; quippe qui quiete delectetur; Qui multis sese negotiis immiscere odit, aversatur τὴν πολυπραγμοσύνην. [Damascius Photii p. 352, 19 : Μισοπράγμονι ζωῇ.]

[Μισοπρόβατος, ὁ, ἡ, Qui odit pecora vel oves. Archytas ap. Stob. Flor. vol 2, p. 275 : Ἄτοπον γὰρ ἦμεν ποιμένα μισοπρόβατον.]

[Μισοπροσήγορος, ὁ, ἡ, Difficilis aditu. Pollux 5, 138; 6, 172. Adv. Μισοπροσηγόρως, id. 5, 139.]

[Μισόπτωχος, ὁ, ἡ, Qui odit mendicos. Lucian. Anth. Pal. 11, 403, 1 : Μισόπτωχε θεά, de podagra.]

Μισοπώγων, ωνος, ὁ, Osor barbæ : quo nomine inscripsit Julian. Apostata Στηλιτευτικὸν suum adversus Antiochenos : qui hodieque extat. Meminit Theodorit. H. E. 3 fin. [Theophanes Chron. p. 44, C : Ὅτε καὶ (Julianus) τὸν Μισοπώγωνα λόγον Ἀντιοχικὸν πρὸς ἄμυναν δῆθεν ἐπόνησε. L. Dind.]

[Μισορώμαιος, ὁ, Osor Romanorum. Plut. Antonio c. 54. Eust. Opusc. p. 299, 96. || De osoribus Romanæ ecclesiæ Jo. Veccus Orat. 2 de injusta sui deposit. p. 39, B : Μ. Πάντες οἱ ἀντιλέγοντες. Μισορωμαιότης, ητος, ἡ, Odium Romanæ ecclesiæ, ib. p. 40, B; 50, A. Rectius autem scribitur Μισορρώμαιος. L. Dind.]

Μῖσος, ους, τὸ, Odium, [Tædium add. Gl.] quod Cic. ex Stoicis definit, Ira inveterata : Aristot. autem Polit. 5, 11, ὀργὴν esse dicit μόριον μίσους. Plut. De invidia et odio, inter alias differentias, quas inter utrumque constituit, ait [p. 537, C] : Καὶ ταύτῃ φαίνεσθαι διαφέροντα τοῦ μίσους τὸν φθόνον, τὸ μὲν δεχομένης τῆς τῶν θηρίων φύσεως, τὸν δὲ μὴ δεχομένης· dici enim quædam animalia sese mutuo odisse, non autem invidere. Ibid. [p. 536, F], Γεννᾶται, inquit, τὸ μῖσος ἐκ φαντασίας τοῦ ὅτι πονηρὸς ἢ κοινῶς ἢ πρὸς αὐτόν ἐστιν ὁ μισούμενος. Ibid. dicit, Τῷ λέοντι πρὸς τὸν ἀλεκτρυόνα, καὶ τῷ ἐλέφαντι πρὸς τὴν ὗν μῖσος ἰσχυρὸν γεγεννηκέναι τὸν φόβον· paulo post, Αἱ μὲν ἄκρατοι πονηρίαι συνεπιτείνουσι τὸ μῖσος. Lucian. [De calumn. c. 24] : Ὑποτρέφειν τὴν χολὴν, καὶ τὸ μῖσος ἐν αὑτῷ κατάκλειστον αὔξειν, ἕτερα μὲν κεύθοντα ἐνὶ φρεσὶν, ἄλλα δὲ λέγοντα· qui l. convenit cum eo Ciceronis, in quo odium esse dicit iram inveteratam; nam et paulo ante præcedit, Βυσσοδομεύει τὴν ὀργήν. Soph. El. [1311] : Μῖσός τε γὰρ παλαιὸν ἐντέτηκέ μοι. Cic., Insitum penitus odium; Juv., Immortale odium : quod ad παλαιὸν referri potest. Reddere itaque possis, Odium mihi vetus insitum est, i. e. Inexpiabili eam odio prosequor. [Id. OEd. C. 1392 : Καλῶ δ' Ἄρη τὸν σφῷν τὸ δεινὸν μῖσος ἐμβεβληκότα.] Isocr. Symm. [p. 174, D] : Ἀντὶ δὲ τῆς εὐνοίας τῆς παρὰ τῶν συμμάχων αὐτοῖς ὑπαρχούσης, εἰς τοσοῦτο μίσους κατέστησεν, ὥστε κτλ. Plato De rep. 1, [p. 351, D] : Ἔργον ἀδικίας, μῖσος ἐμποιεῖν ὅπου ἂν ἐνῇ. Ibid. : Μισεῖν ποιήσει ἀλλήλους καὶ στασιάζειν· paulo ante, Στάσεις γάρ που ἥ ἀδικία καὶ μίση καὶ μάχας ἐν ἀλλήλοις παρέχει. Dem. [p. 291, 10] : Εἰς ἔχθραν καὶ μ. καὶ ἀπιστίαν τῶν πόλεων ὑπηγμένων ὑπὸ τούτων. Statius dicit, Inflammare urbes odiis. Et aliquis dicitur μῖσος ἔχειν, ut Cic., Magnum odium habere in aliquem. Thuc. [4, 128] : Καὶ ἐς τὸ λοιπὸν Πελοποννησίων τῇ μὲν γνώμῃ δι' Ἀθηναίους οὐ ξυνήθες μῖσος εἶχε, In posterum Peloponnesios oderat, præter morem quidem, minimeque animo ad hoc odium inclinato, sed propter Athenienses. Dicitur etiam μῖσος ἔχειν, Qui odio est s. odio habetur. [Æsch. Ag. 1413 : Μῖσος ἀστῶν δημόθρους τ' ἔχειν ἀράς.] Lucian. [Adv. ind. c. 16] : Μῖσος ἔχων παρὰ πάντων. Sic Cic., In odio est omnibus. Idem, In odio sumus apud exteras nationes. [Ea ipsa cum præp. Polyb. 7, 3, 2 : Ἐν μίσει ὄντων τῶν πρεσβευτῶν.] Et μῖσος ἔχειν πρός τινος, ap. Plat. Leg. 3, [p. 691, D] Odio esse alicui, Invisum esse alicui. [Cum ead. præp. Plut., præter l. initio ab HSt. cit., Arat. c. 13 : Μίσει τῷ πρὸς τοὺς τυράννους. Id. ib. 3 : Συνηύξετο τὸ σφοδρὸν καὶ διάπυρον μῖσος ἐπὶ τοὺς τυράννους. Dionys. A. R. 11, 2 : Τοῦ κατὰ τῆς ὀλιγαρχίας μίσους.] Sicut vero Cic. dicit, Id odio fecit tuo, ita Herodian. 7, [7, 13] : Τὰ ἔθνη ἀποστήσαντες ῥᾳδίως μίσει τῆς Μαξιμίνου τυραννίδος. Thucyd. vero [1, 96] dixit etiam μῖσος Παυσανίου, pro Odium erga Pausaniam. [Soph. El. 348 : Τὸ τούτων μῖσος ἐκδείξειας ἄν· 771 : Οὐδὲ γὰρ κακῶς πάσχοντι μῖσος ὧν τέκῃ προσγίγνεται. Eur. Hipp. 1257 : Μίσει ἀνδρός· et alii quivis. Aristoph. Lys. 792, 814 : Ὑπὸ μίσους. Xen. H. Gr. 3, 5, 2 : Τὰς πόλεις εἰς μῖσος αὐτῶν προήγαγον. Plato Leg. 11, p. 935, A : Μίση τε καὶ ἔχθραι.

A Demosth. p. 168, 2 : Τὰ μίση καὶ τὰ ἐγκλήματα. || De homine inviso, ut μίσημα, Æsch. Ag. 1411 : Μῖσος ὄβριμον ἀστοῖς. Soph. Ph. 991 : Ὦ μῖσος· Ant. 760 : Ἄγετε τὸ μῖσος. Eur. Heracl. 52. Id. Iph. T. 525 : Ὦ μῖσος εἰς Ἕλληνας, οὐκ ἐμοὶ μόνῃ.]

Μισόσοφος, ὁ, ἡ, Sapientiam et sapientiæ studium exosus, Osor philosophiæ : opp. τῷ φιλόσοφος apud Plat. [Reip. 5, p. 456, A.]

[Μισοστρατιώτης, ὁ, Osor militum. Pollux 1, 179.]

[Μισοσύλλας, ὁ, Osor Sullæ. Plut. Sertor. c. 4.]

[Μισοσώματος, ὁ, ἡ, Qui corpus odit. Proculi Paraphr. p. 222.]

Μισοτεκνία, ἡ, Odium liberorum. Plut. De educ. puer. [p. 4, E] : Φιλαργυρίας ἅμα καὶ μ., Odii in liberos. [Ib. p. 13, D. « Philo vol. 2, p. 451, 6. » Wakef. Pollux 3, 14.]

Μισότεκνος, ὁ, ἡ, Liberorum osor, μισόπαις. Æschin. [p. 64, 41] : Ὁ γὰρ μ. καὶ πατὴρ πονηρὸς, οὐκ ἄν ποτε γένοιτο δημαγωγὸς χρηστός. [Pollux 6, 172.]

Μισοτύραννος, ὁ, ἡ, Osor tyrannorum. [Herodot. 6,

B 121, 123.] Plut. [Mor. p. 859, C] : Καί τοι πόλιν ἐν τοῖς τότε χρόνοις οὔτε φιλότιμον οὕτως οὔτε μισοτύραννον ἴσμεν, ὡς τὴν Λακεδαιμονίων γενομένην, Quæ usque adeo tyrannos oderit. [Æschin. p. 66, 41. Iterum HSt. :] Μισοτύραννος, Tyranni osor, Tyrannos exosus s. perosus, Odio habens tyrannos. Cui oppos. φιλοτύραννος. [Dio Chrys. Or. 37, p. 109, 3. Boiss. ῡ]

[Μισότῡφος, ὁ, ἡ, Qui fastum odit. Lucian. Piscat. c. 20.]

Μισοῦν ap. Plut. De orac. Pyth. Ἡρακλέους ἱερόν ἐστιν ἐν τῇ Φωκίδι. [Pro Μισογύνου, quod v.]

[Μισοφαής, ὁ, ἡ, Qui lucem odit. Nicet. Annal. 9, 16, p. 170, D. « Psell. Dæmon. p. 18 ed. Boiss. : Ἔσχατον δὲ τὸ μισοφαὲς καὶ δυσαίσθητον. Ubi Boiss. : « Ultimus mundus Chaldæorum dictus fuit μισοφαής. Psell. Expos. Chald. dogm. init. : Ὁ ἔσχατος (τῶν σωματικῶν κόσμων) χθόνιος εἴρηται, ὅς ἐστιν ὁ ὑπὸ σελήνην τόπος. »]

Μισοφίλιππος, ὁ, ἡ, Osor Philippi. Æschin. C. Ctes. : Μισαλέξανδρος νυνὶ φάσκων εἶναι καὶ τότε μ. [Conf. p. 30,

C 6. Pollux 6, 172. ῐ]

[Μισοφιλόλογος.] Μισοφιλολόγος, ὁ, ἡ, Osor hominum qui literarum sunt studiosi s. sermocinationum. Apud Athen. 13, [p. 610, D] : Δικαίως πάντας τοὺς φιλοσόφους μισῶ, μισοφιλολόγους ὄντας.

Μισόφῐλος, ὁ, ἡ, Osor amicorum, Qui amicos aversatur. [Gramm. Cram. An. vol. 2, p. 290, 22. L. D.]

[Μισοφῐλόσοφος, ὁ, ἡ, Qui odit philosophos. Eunap. p. 91. Wakef.]

Μισόφροντις, ιδος, ὁ, ἡ, Osor curarum. Synes. Epistol. 105 [p. 250, A] : Καὶ μ. ὢν, ὀδυνήσομαι μὲν, ἀνέξομαι δέ.

[Μισοχρηματία, ἡ, Contemtus divitiarum. Georg. Pachym. Mich. Pal. p. 145, A.]

Μισόχρηστος, ὁ, ἡ, Bonorum osor. Exemplum habes in Μισόδημος. [Xen. H. Gr. 2, 3, 47 : Ἐν μὲν τῇ δημοκρατίᾳ πάντων μισοδημότατος ἐνομίζου, ἐν δὲ τῇ ἀριστοκρατίᾳ πάντων μισοχρηστότατος γεγένησαι. Dionys. A. R. 8, 6.]

[Μισοχριστιανὸς, ὁ, Osor Christianorum. Chron.

D Pasch. p. 619, 21.]

Μισόχριστος, ὁ, ἡ, Osor Christi, Qui Christum odit s. exosus est, Greg Naz. [Vita Jo. Damasc. vol. 1, p. III, A; XI, D. Theodor. Stud. p. 22, E; 417, A, et superlat. 146, C. L. Dind.]

[Μισοψευδής, ὁ, ἡ, Osor mendaciorum. Lucian. Piscat. c. 20.]

[Μισοψηφιστής. V. Μιμοψηφιστής.]

[Μίσπιλα, πόλις Μήδων. Ξενοφῶν τρίτῳ Ἀναβάσεως (3, 4, 10, ubi Μέσπιλα). Τὸ ἐθνικὸν Μισπιλάτης, Steph. Byz.]

[Μισσιανή, ἡ, Missiana, terræ nomen, ut videtur, in l. anon. ap. Suidam.]

[Μισσυνή, ἡ ὀξύτης, παρὰ Χαλδαίοις, Hesych. « Leg. sec. ordinem literarum Μιστύνη s. Μισύνη. » Is. Voss. « An a שנן *Schanàn,* Acuere? unde Tela שנונים *Schenunim,* Acuta. » Albert.]

[Μιστυλάομαι.] Μιστυλᾶσθαι, διὰ μιστύλης ἀρύεσθαι, Pane in cochlear excavato haurire, jus sc. aut pulmentum. Aristoph. Pl. [627] : Ὦ πλεῖστα Θησείοισι μεμιστυλημένοι, Γέροντες ἄνδρες, ἐπ' ὀλιγίστοις ἀλφίτοις. Ubi schol. quoque exp. οἱ τοῖς κοίλοις ἄρτοις ζωμοὺς καὶ ἀθάρας ἀρυόμενοι, quod μιστυλᾶν sit τὸ διὰ μιστύλης, ὅ ἐστι ἄρτου κοίλου οἷα δοίδυκος, ζωμὸν ἀρύεσθαι. [Formam activam fictam videri ab schol. Juntino animadvertit Hemst.] Theseorum autem festo ζωμοὺς et ἀθάρας gratis eis appositas fuisse. [Eq. 1165 : Ἐγὼ δὲ μυστίλας μεμυστιλημένας ὑπὸ τῆς θεοῦ τῇ χειρὶ τῃλεφαντίνῃ. Hæc enim scriptura etiam altero l. recte restituta. De qua HSt. :] Μυστιλᾶσθαι est τὸ τῇ μυστίλῃ ἀρύτεσθαι, Haurire pane excavato, polentam sc. aut jusculum. Metaphor. Aristoph. Eq. [826] : Κάμφοῖν χεροῖν Μυστιλᾶται τῶν δημοσίων, pro ἀρύεται καὶ κατατρώγει. [Eadem constructione, usitata in verbis edendi, bibendi et similibus, Lucian. Lexiph. c. 5 : Ὁ δὲ ἀραιὰς ποιῶν τὰς ῥαφανῖδας ἐμυστιλᾶτο τοῦ ἰχθυηροῦ ζωμοῦ.] Eust. quoque p. 1476, scribit μυστίλας esse ψωμοὺς κοίλους, veluti μύστρα, auctore Ælio Dionysio : unde μιστυλᾶσθαι vocari τὸ οὕτως ἐσθίειν, s. τὸ κοιλαίνειν ψωμοὺς, Bucceas panis excavare et ita pulmentum jusve haurire. Supra μιστύλη habuimus et μιστυλᾶσθαι : quarum scripturarum utramque agnoscit Eust.

Μιστύλη, ἡ, dicitur Panis cochlearis modo excavatus : ὁ κοῖλος ἄρτος, Eust. [Od. p. 1368, 48] et schol. Aristoph. [Gl. : Μιστύλλη, Missisulæ. V. præcedens voc. De altera forma HSt. :] Μυστίλη, Polluci [6, 87] ψωμὸς κοῖλος quo ἔτνος aut ζωμὸς ἀρύεται, Buccea panis cava qua pulmentum aut jus hauritur : qui et τὸ κοχλιάριον vocari Μυστιλάριον posse addit. Itemque schol. Aristoph. μυστίλην dici tradit κοῖλον ἄρτον ᾧ δύναταί τις καὶ ζωμὸν ἀρύσασθαι, Panem cavum quo et jusculum hauriri potest. [V. l. Aristoph. in Μιστυλάομαι citatum. Pherecrates ap. Athen. 6, p. 268, F : Ποταμοὶ μὲν ἀθάρης καὶ μέλανος ζωμοῦ πλέῳ ... ἔρρεον αὐταῖσι μυστίλαισι. Athen. 3, p. 126, A : Δότε, ἔφη, μυστίλην· οὐ γὰρ ἂν εἴποιμι μύστρον. Hoc ipsum voc. μύστρον autem commendat scripturam μυστίλη, quam habet etiam Aret. p. 83, 26 : Μελίκρητον ἢ χυλὸν ἐγχέαντα μυστίλῃ μακρῇ, et agnoscunt Arcad. p. 109, 9, Chœrob. vol. 1, p. 658, 1, Theognost. p. 111, 11, aliique grammatici in Cram. An. vol. 2, p. 303, 19; vol. 4, p. 420, 25. L.] At Μύστιλλον Atticos vocasse τὸν ἄρτον τὸν τοῖς κυσὶ παραβαλλόμενον, annotat schol. Aristoph., Panis bucceas quæ canibus objicerentur, quales fere Canicæ ap. Festum. [« Μύστιλλον habet schol. Eq. 824, sed, si valet auctoritas Suidæ, perperam pro μυστίλην : eum v. in Μυστιλᾶται. » Hemst. ad schol. Pluti v. in Μιστυλάομαι cit. Est illud μυστίλοις etiam in cod. Veneto. Non minus vitiosum Μιστύλλα, ibidem ab Hemst. notatum.]

Μιστύλλω, In minutas partes seco, In parva frusta concido, εἰς μικρὰς μερίδας διαιρῶ. Hom. Il. A, [465] : Μίστυλλόν τ' ἄρα τἆλλα, καὶ ἀμφ' ὀβελοῖσιν ἔπειραν. Ubi schol. quoque exp. εἰς μικρὰ διέκοπτον. [Et similiter alibi.] Utitur hoc ipso verbo Clidemus quoque apud Athen. 14, [p. 660, A] : Ἔδρων δ' οἱ κήρυκες ἄχρι πολλοῦ βουθυτοῦντες καὶ σκευάζοντες, καὶ μιστύλλοντες, ἔτι δ' οἰνοχοοῦντες. Ubi itidem significat Carnes in minuta frusta secantes. [Lycophr. 154 : Ἄσαρκα μιστύλασ' ἐτύμβευσεν φόνῳ. Paul. Sil. Anth. Pal. 9, 782, 1 : Ἐνθάδε (in horologio) μιστύλλουσι δρόμον Φαεθοντίδος αἴγλης ἀνέρες ὡράων ἀμφὶ δυωδεκάδι. De altera forma HSt. :] Μυστίλλει, Hesychio τέμνει, In frusta secat.

Μίσυ, υος, τὸ, Misy : succus in metallis concretus in glebæ formam vel pollinis aliquando, finitimus chalcitidi : ex ea namque efflorescit, quanquam non ex ea tantum, sed ex sory etiam atque melanteria, omnique atramento sutorio : nascitur in iisdem metallis in quibus et chalcitis, atque in se invicem aliquanto temporis spatio transeunt : luteum est, et micas habet auri colore internitentes. V. et Diosc. 5, 117. [Μίσυ ad ocularia emplastra adhibet Hippocr. in Nothis quæ adjecta sunt libro 1 Π. γυν. p. 635, 33. Μίσυ ξενικὸν, Misy peregrinum, crebro celebrat Crito ap. Galen. 5 Κατὰ τόπ. p. 226, 41, et p. 227, 7, in pastillis ad lichenas. Foes. Œc. Hipp. Τῶν μεταλλικῶν interpretatur Hesychius. L. D. Plin. 34, 12, § 31, ubi Harduinus : « Nostris *Couperose jaune* s. Vitriolum Romanum. » V. Salm. in Solin. p. 815, B. Genit. μίσυος legitur ap. Dioscor. l. c., et *misyos* ap. Cels. 5, 19, § 8

A et 27. « Ap. Scribon. Larg. Compos. 34 et 240 legitur et *misys* in genitivo positione Latina, et fortasse etiam ap. Cels. alicubi. Quin et *misy* in genitivo legitur ap. eund. 6, c. 7, § 2, ut sit indeclinabile. » Forcellinus.] At Plin. 19, 3, [§ 12] post sermonem de tuberibus, Simile est, inquit, et quod in Cyrenaica provincia vocant Misy, præcipuum suavitate odoris ac saporis, sed carnosius, et quod in Thracia [Iton, et quod in Græcia] Ceraunium. [Pro *ceraunium* Harduinus recte *geranion* reposuit e libri hujus indice, in quo diserte legitur, e Mss. omnium fide, Misy, iton, geranion : et ipse Theophrastus ap. Athen. 2, p. 62, A (quem Plinius hoc l. vertit), et Apuleius De herb. (qui Plinium sequitur) hæc tria tuberum genera iisdem fere verbis laudant. V. Salm. in Solin. p. 498, b, B, qui ex Apuleio inseruit verba « Iton ... Græcia. » Testibus Theophrasto (l. c. sive H. Pl. 1, 6, 13 : Τοῦ φυομένου περὶ Κυρήνην, ὃ καλοῦσι μίσυ), Athenæo, Plinio, et Apuleio, misy, tuberis genus, Cyrenæorum vocabulum est. Forte Ægyptiacum origine est. Quam facilis ex
B Ægypto transitus fuerit in Cyrenaicam provinciam, sponte patet cuique. V. Sturz. De dial. Maced. et Alex. p. 154. Angl. Ap. Alex. Trall. 3, p. 206 : Χαλκίτεως χαλκοῦ κεκαυμένου καὶ μιείας, ubi Int. *mysi* pro *misy*, scrib. puto μισείας, ut in cod. Reg. 1334, ap. Ducang. Gl. p. 1238, est : Μίσσει καὶ ὁ χαλκίτης. Struv.]

[Μίσυβρις, ὁ, ἡ, Osor contumeliæ, et ex adjuncto Ultor, Vindex contumeliæ et injuriæ illatæ. Sic Deus vocatur Maccab. 3, 6, 7. Schleusn. Lex.]

[Μισυός, ὁ.] Μισυοὶ, Qui dimidiam corporis partem albam habent, dimidiam nigram : quos nonnulli μίσγους appellant. Hesych.

Μίσχη, Hesychio πιλήματα, ταινίαι, οἱ μαλλοὶ τῶν ἐρίων.

Μίσχος, ὁ, Hesychio auctore dicitur ᾧ συνήρτηται πρὸς τὸ φυτὸν καὶ ὁ καρπὸς καὶ τὸ φύλλον, Id quo fructus et folia appensa sunt plantæ : ut et Theophr. H. Pl. 1, 3, μίσχον esse id ᾧ συνήρτηται πρὸς τὸ φυτὸν τὸ φύλλον καὶ ὁ καρπός. [Alios ll. Theophr. v. in Ind. Schneideri, coll. ejus annot. ad H. Pl. 3, 3, 4. « Athen. 3,
C p. 82, C : Ἀπὸ τοῦ μίσχου τῶν στρουθείων (στρουθιῶν) malorum. » Valck.] || Hesychio μίσχος est etiam ὁ παρὰ τῷ φύλλῳ κόκκος, Granum folio adhærescens. Ita Basil. Homil. 5 in Hexaem. [vol. 1, p. 45, B] de salice, ulmo, populis : Ὁ γὰρ ὑποκείμενος τῷ φύλλῳ κόκκος, ὃν μίσχον τινὲς τῶν περὶ τὰς ὀνοματοποιίας ἐσχολακότων προσαγορεύουσι, τοῦτο σπέρματος ἔχει δύναμιν. [Conf. Μίσκος.] || Est μίσχος etiam Instrumentum rusticum vertendæ terræ. Theophr. C. Pl. 3, 25 [20, 8] : Θετταλοὶ δ' ἰσχυρότερον ἔτι δικέλλης ὄργανον ἔχουσιν, ὃ καλοῦσιν μίσχον, ὃ μᾶλλον εἰς βάθος κατιὸν, πλείω γῆν περιτρέπει καὶ κατωτέρωθεν. Gaza Pastinum esse putat : alii Rutrum aut Bipalium Varronis. [Artemid. 2, 24, p. 181, 3, inter instrumenta rustica : Ὁ λεγόμενος μίσγος. Reiffius μίσχος. Λίσγος Coraes ad Plut. vol. 6, p. 434.]

Μισώδης, ὁ, ἡ, affertur pro Odiosus, Odio dignus.

[Μιταρικὴ, ἡ, Ars variandi. Lex. Ms. ad V. T : Ποικιλτικὴν, τὴν μιταρικήν. V. Hesychium. Ducang. App.]

[Μιτάριον, τὸ, Filum. Moschop. Π. σχεδ. p. 130.
D Boiss. Herodian. Epim. Mss. : Πηνίον, τὸ μιτάριον. Ducang. Eudem. Lex. Ms. : Μίτος, τὸ μιτάριον καὶ λεπτὸν σχοινίον. Idem App. p. 133. Schol. Eur. Hec. 905 : Τὰ νῦν λεγόμενα βιτάρια ἰδιωτικῶς μιτάρια λέγονται, ὡς μετὰ τῶν μίτων πλεκόμενα. L. Dind.]

[Μίτιλος. V. Μίτυλλον.]

[Μίτινοι, Licinæ, Gl.]

[Μίτιος, ὄνομα πόλεως, Suidas. Μίτιος quidam Argivus memoratur Plut. Mor. p. 553, D. Quod scribendum Μίτυς, quod v. L. Dind.]

Μιτίτριζον, Hesych. ἐθρήνουν, Flebant. Forsan est Cum stridore flere et ejulare. [Corruptum ex Μινύριζον, quod v. Albert.]

[Μιτοεργὸς, ὁ, Qui filum facit. Leonidas Anth. Pal. 6, 289, 3 : Τὸν μιτοεργὸν ἀειδίνητον ἄτρακτον.]

[Μιτόλινον, τὸ, Filum e lino. Demetr. Cpol. Hieracosoph. 1, 162 : Καὶ πάλιν ἔσωθεν τοῦ περωνίου ἄλλο περιδέσμει μιτόλινον. Ducang.]

Μιτοῤῥαφὴς, ὁ, ἡ, Filo sutus, Epigr. [Zosimi Anth. Pal. 6, 185, 3 : M. ἀμφίβληστρον.]

A Μίτος, ὁ, Licium, [Licia, add. Gl.] Filum, [Pensa, add. Gl.] quod stamini implicatur : vel, ut Eust. exp., δι' οὗ τοὺς στήμονας ἐναλλάσσουσιν εἰς πλοκὴν τῆς κρόκης. Hom. Il. Ψ, [762] : Ἄγχι μάλ' ὡς ὅτε τίς τε γυναικὸς ἐϋζώνοιο Στήθεός ἐστι κανὼν, ὅντ' εὖ μάλα χερσὶ τανύσσῃ Πηνίον ἐξέλκουσα παρὲκ μίτου, ut habet meus Cod. Ms. : alii autem μίτον, ut et Eust., qui ibi annotat, μίτον vel idem esse cum πηνίον, ejusque διασαφητικὸν, vel ἀντιδιαιρεῖσθαι τῷ στήμονι καὶ τῇ κρόκῃ. Ap. Suidam [ex epigr. Antipatri Sid. Anth. Pal. 6, 174, 6], Εὐκρίτους εὖ [Εὐκρέκτους ἃ] διέκρινε μίτους. Ibid. [Archiæ ib. 39, 3] : Ἀραχναίοιο μίτου πολυδινέα λάτριν Ἄτρακτον, δολιχᾶς οὐκ ἄτερ ἠλακάτας· ubi nota dici de Filo quod ex colo ducitur, et quod stamen ac στήμων interdum appellatur. [De araneæ filo Eur. fr. Erechth. ap. Stob. Fl. 55, 4, 1 : Κείσθω δόρυ μοι μίτον ἀμφιπλέκειν ἀράχναις. Eust. Op. p. 304, 69 : Λοιπὰ ἔργα ἱστοῦ, οἷς ἀραχνῶν μίτος ἐρίσειεν ἄν.] Sic et in proverbio, Ἀπὸ λεπτοῦ μίτου τὸ ζῆν ἠρτῆσθαι, i. e. λεπτοῦ σχοινίου, ut ipse Suid. exp. : Synes. Ep. 4 : Τοῖς οὖν ἐν τῷ τοιῷδε πλέουσιν ἀπὸ λεπτοῦ φασὶ μίτου τὸ B ζῆν ἠρτῆσθαι, Tenui filo : ubi etiam respici videtur ad trium sororum licia, ut Stat. vocat : quæ Horat. Atra fila trium sororum, Martial. Fila supremæ horæ. [De filo Parcarum Lycophr. 584 : Καὶ ταῦτα μὲν μίτοισι χαλκέων πάλαι στρόμβων ἐπιρροιζοῦσι γηραιαὶ κόραι. Manetho 1, 7; 5, 8.] Et Eustath. [Od. p. 1645, 44] ἀργύρεον μίτον dicit, quam Hom. ἀργυρέην μέρμιθα : addens, σύρμα vocari ὑπὸ τῶν ἰδιωτιζόντων. [Polyb. 3, 32, 2 : Βίβλους καθαπερανεὶ κατὰ μίτον ἐξυφασμένας, Filo continuo, perpetua et continente rerum serie contextos libros. Cicero Ad Att. 14, 16, 3 : « Herodi mandaram ut mihi κατὰ μίτον scriberet. » Schweigh.] Μίτοι a Philostrato dicuntur etiam Citharæ fides, quæ et χορδαὶ et νευραὶ et νεῦρα. [Pollux 4, 62, Etym. M. p. 188, 18.] Sic Synes. Hymno 8 : Ὑπὸ Δώριον ἁρμογὰν Ἐλεφαντοδέτων μίτων λύρας Στάσω λιγυρὰν ὄπα Ἐπί σοι, μάκαρ, Ebori alligatarum fidium. [|| Clemens Al. Strom. 5, p. 676 : Μίτον δὲ τὸ σπέρμα ἀλληγορεῖσθαι (ap. Orpheum).] || Fluvii nomen, Eust. [Il. p. 636, 61.] Et nomen civitatis, Suid. [ῐ]

C [Μιτουργία, ἡ, Textura. Theod. Prodr. 9, p. 409 : Οὓς δημιουργεῖ Σηρικὴ μιτουργία.]

Μιτόω, Licia tendo, Fidibus tensis cano. Epigr. [Meleagri Anth. Pal. 7, 195, 5] in cicadam : Ὥς με πόνων ῥύσαιο παναγρύπνοιο μερίμνης, Ἀκρὶ μιτωσαμένη φθόγγον ἐρωτοπλάνον. [Priori signif. Nicarchus ib. 6, 285, 1 : Ἡ πρὶν Ἀθηναίης ὑπὸ κερκίσι καὶ τὰ καθ' ἱστῶν νήματα Νικαρέτη πολλὰ μιτωσαμένη. V. Μίω.]

Μίτρα [nisi quod μίτρᾶν dixit Theocr. l. infra cit.], ἡ, Cinctus, Cingulum. [Palla, Gl.] Ab Hom. usurpatur pro Cingulo militari, lato, quo ilia et venter tegebatur : qualis fere ap. Juv. balteus, quum ait, Ilia subter Cæcum vulnus habes, sed lato balteus auro Protegit. Schol. Homeri μίτραν dici scribit τὸ ἐσώτερον τῆς λαγόνος εἴλημα ἐρεοῦν, χαλκῷ ἔξωθεν περιειλημμένον : s. χαλκῆν λεπίδα, ἣν ζώννυνται περὶ τὸν κενεῶνα χάριν πλείονος ἀσφαλείας [Similiter Hesychius] : ac qui εἴλημα laneum esse dicunt, ἀπὸ τῶν μίτων, i. e. a filis, denominatum μίτραν volunt, quasi μιτηράν : alii autem, quod sit περὶ τὰ ἦτρα ζώνη. Il. Δ, [216] : Λῦσε δέ οἱ D ζωστῆρα παναίολον, ἠδ' ὑπένερθε Ζῶμά τε καὶ μίτρην τὴν χαλκῆες κάμον ἄνδρες· de Menelao sagitta percusso : cui ipsa sagitta paulo ante διὰ ζωστῆρος ἐλήλατο, καὶ διὰ θώρηκος, Μίτρης θ' ἣν ἐφόρει ἔρυμα χροὸς, ἕρκος ἀκόντων. E, [857] : Ἐπέρεισε δὲ Παλλὰς Ἀθήνη Νείατον εἰς κενεῶνα ὅθι ζωννύσκετο μίτρην. [Apoll. Rh. 3, 156 : Αὐτίκα δ' ἰοδόκην χρυσέη περικάτθετο μίτρῃ πρέμνῳ κεκλιμένην.] A prosæ quoque scriptoribus in hac signif. usurpatum reperitur. Athen. 12, [p. 523, D] de Siritis : Ἰδίως παρ' αὐτοῖς ἐπεχωρίασε φορεῖν ἀνθινοὺς χιτῶνας, οὓς ἐζώννυντο μίτραις πολυτελέσι· καὶ ἐκαλοῦντο διὰ τοῦτο ὑπὸ τῶν περιοίκων μιτροχίτωνες, ἐπεὶ Ὅμηρος τοὺς ἀζώστους ἀμιτροχίτωνας καλεῖ. Ubi observa eum μίτραν et ζῶμα s. ζώνην, pro iisd. accipere : sc. pro Cinctu s. Cingulo quodam lato, aut etiam Fascia. Et mulier pariens, aut vir cum virgine congrediens, μίτραν λύειν dicitur, ut Lat. Solvere cingulum (nam, ut Festus, Cingulo nova nupta præcingebatur, quod vir in lecto solvebat, factum ex lana ovis) et Solvere zonam. [Callim. Del. 222 : Λητώ τοι μίτρην ἀναλύεται ἔνδοθι νήσου.] Apoll. Arg. 1, [287] : Ὦ ἐπὶ μούνῳ Μίτρην πρῶτον ἔλυσα καὶ ὕστατον· unde Ἄρτεμις λυσιζώνη [λυσίζωνος cod. Par. schol., unde hæc repetit HSt.], cui consecrabant cingula mulieres de primo puerperio. Solvit etiam cingulum, qui virginem ducit : ut de pomo Hippomanis ap. Catull., Quod zonam solvit diu ligatam. Et Od. Λ, [244] : Λῦσε δὲ παρθενίην ζώνην. [Medio Callim. Jov. 21 : Ῥέη ὅτ' ἐλύσατο μίτρην.] Sed de hoc loquendi genere vide plura in Λύω. [Apoll. 4, 1024 : Ἔτι μοι μίτρη μένει, ὡς ἐνὶ πατρὸς δώμασιν ἄχραντος. Moschus 2, 73 : Οὐ δ' ἄρα (δηρὸν ἔμελλεν) παρθενίην μίτρην ἄχραντον ἔρυσθαι. Theocr. 27, 54 : Καὶ τὰν μίτραν ἀπέσχισας. Ἐς τί δ' ἔλυσας; Ubi notanda etiam ultima correpta, nisi scriptura fallit. De cingulo muliebri pectoris Callim. Ep. 40, 4 : Τήν τε μίτρην, ἧ μαστοὺς ἐφύλασσε. Apoll. Rh. 3, 867 : Τό ῥ' ἥ γ' ἐξανελοῦσα θυώδεϊ κάτθετο μίτρῃ, ἥτε οἱ ἀμβροσίοισι περὶ στήθεσσιν ἔερτο· et ib. 1013.] || Μίτρα dicitur etiam ἐπὶ τῆς περὶ κεφαλὴν ταινίας, s. φασκίας, Eust. citans ex Eur. [Hec. 924], Μίτραις ἀναδέτοις ῥυθμίζεσθαι πλόκαμον. [Bacch. 833 : Ἐπὶ κάρᾳ δ' ἔσται μίτρα· 929 : Οὐχ ὡς ἐγώ νιν (τὸν πλόκαμον) ὑπὸ μίτρᾳ καθήρμοσα. Aristoph. Thesm. 257 : Κεκρυφάλου δεῖ καὶ μίτρας· 941 : Ἐν κροκωτοῖς καὶ μίτραις.] Et ex Herodoto, Μίτραις κατειλίχατο. [Pollux 4, 154 : Ἡ διάμιτρος ἑταίρα μίτρᾳ ποικίλῃ περὶ τὴν κεφαλὴν κατείληπται.] Idem Eust. scribit quosdam dicere μίτρας esse στεφάνους, et proprie τοὺς ἀπὸ φασκιῶν ἢ ὠραρίων στεφάνους : ac fortassis tales στεφάνους esse γυναικείους : quemadmodum a Latinis quoque viris pariter et mulieribus mitra tribuitur. Juvenal. [3, 66] : Picta lupa barbara mitra. Et Virg. [Copæ 1] : Copa Syrissa caput Graia redimita mitella : sicut vero Juv. pictam mitram dicit, ita Plin. 35, 9 : Capita mulierum mitris versicoloribus operuit. Et Claudian., Teres mitra. [Pind. Ol. 9, 90 : Ἰσθμιάισι μίτραις, i. q. στεφάνοις. Nem. 8, 15 : Λυδίαν μίτραν· Isthm. 4, 69 : Εὔμαλλον μίτραν. Bacchylides vel Simonides Anth. Pal. 13, 28, 3 : Μίτραισι δὲ καὶ ῥόδων ἀώτοις σοφῶν ἀοιδῶν ἐσκίασαν λιπαρὰν ἔθειραν. Eur. El. 163 : Οὐ μίτραισι γυνή σε δέξατ' οὐδ' ἐπὶ στεφάνοις. « Parthen. Erot. 9, 6 : Οἱ Νάξιοι πάντες πολὺν πόθον εἶχον θεάσασθαι τὴν κόρην· καὶ οἱ μέν τισιν αὐτὴν μίτραις ἀνέδουν, οἱ δὲ ζώναις. » Valck. Herodot. 1, 195 : Κομῶντες δὲ (Babylonii) τὰς κεφαλὰς μίτρῃσι ἀναδέονται.] Plut. Hellen. [p. 304, C], de sacerdote Herculis apud Coos : Γυναικεῖαν ἐνδεδυμένος ἐσθῆτα, καὶ τὴν κεφαλὴν ἀναδούμενος μίτρᾳ κατάρχεται τῆς θυσίας. [Duris apud] Athen. 12, [p. 536, A] de Demetrio rege : Μίτρα δὲ χρυσόπαστος, ἣ καυσίαν ἁλουργῆ οὖσαν ἔσφιγγεν· paulo ante vero [p. 535, C] de Alcibiade in patriam navigante, Ἐστεφάνωσε τὰς Ἀττικὰς τριήρεις θαλλῷ, καὶ μίτραις καὶ ταινίαις. Et 5, [p. 198, D] de statua Bacchi : Προσήρτηντο δὲ καὶ στέφανοι καὶ ταινίαι καὶ θύρσοι καὶ τύμπανα καὶ μίτραι. [|| De diademate regio, ut ap. Hesychium infra cit. ab HSt., Callim. Del. 166 : Ἀλλά οἱ ἐκ μοιρέων τις ὀφειλόμενος θεὸς ἄλλος ἐστὶ σαωτήρων ὕπατον γένος, ᾧ ὑπὸ μίτρην Ἵξεται οὐκ ἀέκουσα Μακηδόνι κοιρανέεσθαι. Inter apparatum scenicum refert Pollux 4, 116.] || Μίτρη ab Hippocr. dicitur Tegmen vel tanquam Involucrum quoddam, aut Epididymis : quæ est varicosus quidam tumor, summo didymo insidens, ut Gorr. annotat ex Lex. Galeni : in quo tamen μήτρη scribitur : sicut vicissim ap. Hesych. μήτρα pro μίτρα significat κεφαλῆς διάδημα βαρβαρικόν.

[Μίτρα, ἡ, Mitra. Herodot. 1, 131 : Καλέουσι δὲ (τὴν Ἀφροδίτην) Πέρσαι Μίτραν. Ubi v. Wessel.]

Μιτράγχουσα, ἡ, Hesychio, ὡς λεπὶς χρυσῆ, ἢ τῷ μετώπῳ φορεῖται, cui μίτρα quoque est ἡ χαλκῆ λεπίς. [Pro χρυσῆ cod. χρυσάων. Conjecturas interpretum v. apud ipsos.]

[Μιτραδάτης. V. Μιθραδάτης.]

[Μιτραῖος, ὁ, Mitræus, n. Persæ, Xen. H. Gr. 2, 1, 8. Μιτραίων ὄρη Ponti vel Scythiæ sunt ap. Lucian. Tox. c. 52.]

[Μιτρέον, ποικίλον, Hesychii gl. suspecta.]

[Μιτράνης, quod sine interpr. ponit Suidas, videtur esse nomen Μιθράνης, de quo supra.]

[Μιτρηφορέω, Μιτρηφόρος. V. Μιτροφ—.]

[Μιτρίον, τὸ, Mitella, Gl.]

[Μιτροβάτης, ους, ὁ, Mitrobates, Persa, Xen. H. Gr. 1, 3, 12, ubi Μιτροβάτει restituit ex libris optimis pro

Μητροβάτει. Nam Μιτροβάτεα et Μιτροβάτεω de alio Persa est ap. Herodot. 3, 120, 126, 127, ubi item libri pauci Μητροβ. et Μιτραβ. L. Dind.]

[Μιτρογάθης, ὁ, Mitrogathes, Persa, ap. Æsch. Pers. 43. Sic enim scribendum esse nomen monui ad Xen. H. Gr. 1, 3, 12, in quo accentu et illato η pro ι peccat cod. Mediceus qui Μητρογαθὴς, alii solo accentu in ultima posito, nonnulli etiam inferendo Μητραγ. vel Μιθρογ. ἄ L. Dind.]

[Μιτρόδετος, ὁ, ἡ, Mitra redimitus. Phalæcus Anth. Pal. 6, 165, 6, κόμη.]

[Μιτροφορέω, Mitram fero. Aristoph. Thesm. 163 : Ἐμιτροφόρουν τε καὶ διεκλῶντ' ἰωνικῶς.]

Μιτροφόρος, ὁ, ἡ, Mitram gestans, Mitratus, Mitra redimitus. Herodot. 7, [62] de Cissiis : Ἀντὶ δὲ τῶν πίλων μιτροφόροι ἔσαν. Plut. Symp. 4 sub fin. [p. 672, A] de summo sacerdote Judæorum : M. τε προϊὼν ἐν ταῖς ἑορταῖς, καὶ νεβρίδα χρυσόπαστον ἐνημμένος, χιτῶνα δὲ ποδήρη φορῶν. [De forma per η HSt. :] Μιτρηφόρος pro eod. Athen. 14, [p. 636, A] Diogenis Tragici Semele : Καί τοι κλύω μὲν Ἀσιάδος μιτρηφόρους Κυβέλας γυναῖκας παῖδας ὀλβίων Φρυγῶν, de sacerdotibus deæ Phrygiæ. [Orph. H. 51, 4. Etiam Herodoti libri meliores μιτρηφόροι, ut Diodori 4, 4, ubi Bacchi cognomen dicitur. Quod poeticum potius et ab librariis, ut ibidem μίτρῃ pro μίτρᾳ, illatum videatur : quanquam etiam ap. Maxim. Tyr. Diss. 26, 7, μιτρηφόρος nunc pro μιτροφ. restitutum ex cod. Paris. L. Dind.]

Μιτροχίτων, ωνος, ὁ, Tunicam mitra, fascia, cinctu cingens, qui μίτρα appellatur : exemplum habes in Μίτρα.

Μιτρόω, Mitra s. Fascia circumdo, Cingo, Nonn. [Dion. 16, 275 : Αὐτοφυὴς μίτρωσεν ἕλιξ εὐάμπελον εὐνήν. Medio 1, 160 : Καὶ βοέας σπειρηδὸν ἐμιτρώσαντο κεραιάς· 198 : Δρακόντων ἰοβόλοι τελαμῶνες ἐμιτρώσαντο Βοώτην· 12, 187 : Οἴνοπι γείτονα δένδρα νέῳ μιτρώσατο καρπῷ· 44, 109 : Μείλιχος εἱλικόεντι δράκων μιτρούμενος ὁλκῷ· et aor. μιτρώσατο ib. 113. Pass. 21, 325 : Ἔρνεσι παντοίοισιν ἐμιτρώθη ῥάχις ὕλης· Jo. c. 20, 88 : Εἰς μέσον ἔστη μιτρωθεὶς ἑτάροισι.]

[Μιτρώδης, ὁ, ἡ, vitium scripturæ librorum quorundam Soph. Ant. 1222, pro μιτώδης. Sed ap. Tzetzen Cram. An. vol. 3, p. 351, 21 : Κρώβυλος δέ ἐστι μιτρῶδές τι πλέγμα, est Mitræ simile. L. Dind.]

[Μιτρώστης, ὁ, Mitrostes, Persa, ap. Ctesiam Photii Bibl. p. 43, 33. Videtur idem nomen quod supra Μιθραύστης, ut ib. est Μιτραδάτης pro Μιθραδάτης.]

Μίττος, τάξις, σειρὰ, τόνος, Hesych. [Æolice βίττος, unde Lat. Vitta. Salmas. Plin. Exerc. p. 174.]

[Μιτυλήνη. V. Μυτιλήνη.]

Μίτυλλον, Lacedæmonii vocant ἔσχατον νήπιον, Hesych. [Arcadius p. 55, 23 : Τὸ μίτιλος (cod. Havn. μύτιλος) ὁ ἔσχατος προπαροξύνεται, inter nomina in ιλος. Corrigendus igitur videtur Hesychius sic ut μίτιλον scribatur et interpungatur post ἔσχατον. V. seq. voc.]

Μιτύλος, η, ον, Mutilus cornibus, Carens cornibus. Nam schol. Theocr. μιτύλαν αἶγα esse dicit τὴν ἀκερων, 8, [86] : Τήναν τὰν μιτύλαν δωσῶ τὰ δίδακτρά τοι αἶγα. [Infra HSt. :] Μυτίλαν αἶγα, ex Theocr. afferunt pro Mutilam : pro quo supra μιτύλαν. Ap. Hesych. oxytonως μυτιλὸν, expositum ἔσχατον : necnon νήπιον, νέον. [V. præcedens voc. et conf. Μυτιλος.]

Μίτυς, υος, ἡ, vocab. rei apiariæ. Aristot. H. A. 9, 40 : Περὶ δὲ τὸ στόμα τοῦ σμήνους τὸ μὲν πρῶτον τῆς εἰσδύσεως περιαλήλιπται μίτυϊ· ἡ δὲ συνεχὴς ἀλοιφὴ τούτῳ, πισσόκηρος, ἀμβλύτερον καὶ ἧττον φαρμακῶδες τῆς μίτυος. Ubi etiam addit τὴν μίτυν esse μέλαν ἱκανῶς ὥσπερ ἀποκάθαρμα τοῦ κηροῦ, καὶ τὴν ὀσμὴν δριμύ. Plin. id Commosin videtur dicere, 11, 7. [Ed. Parm. et Vincent. *Mityn* s. *Metin*. Schneider.]

[Μίτυς, υος, ὁ, Mitys, Argivus. Demosth. p. 1356, 7, non alius fortasse quam qui memoratur ap. Aristot. Poet. c. 9, qui male Βίτυς ap. Ps.-Aristot. Mir. c. 167, et Μίτιος sæpius ap. Plut. in Μίτιος citatum, hoc quoque fortasse errore librarii.]

[Μιτώδης, ὁ, ἡ, Textilis. Soph. Antig. 1222 : Βρόχῳ μιτώδει.]

[Μίτωμα, τὸ, Licium. Eust. Il. p. 118, 41. Seager. Schol. Hom. Od. H, 107. Wakef. Georg. Pachym. Andron. Pal. p. 268, D.]

[Μίτων, ωνος, ὁ, Mito, n. pr. viri ap. Theognost. Can. p. 30, 15; 34, 13. L. Dindorf.]

[Μιχαίας, ὁ, Michæas, propheta, cujus nomine inscriptus exstat libellus in V. T.]

[Μιχθάδιος, α, ον, inter nomina in διος positum ap. Herodian. Π. μον. λ. p. 18, 9, non liquet utrum recte sic scribatur an, quod probabilius, ex διχθάδιος sit corruptum. L. Dind.]

[Μιχθαλόεις.] Μιχθαλόεσσαν, s. Ἀμιχθαλόεσσαν, Hesychio ἁλίμενον. [Schol. Vict. Hom. Il. Ω, 753, ubi ἀμιχθαλόεσσαν, annotat : Ἀντίμαχος μιχθαλόεσσαν. Ap. Coluth. 208 : Ἡ δ' ἄρα μιχθαλόεντος ἀπ' ἠέρος ὄμβρον ἱεῖσα, olim μυχθ., sed ex cod. Mut., qui ἄρ' ἀνοχθαλόεντος, restituendum ἄρ' ἀμιχθ. potius, quam quod Bekk. exhibuit ἄρα μ., ut scripsit jam Dorvillius. Conf. Schneider. v. Ὀμιχέω.]

Μιχωχεῖ, Hesych. affert pro ἠχεῖ, Sonat.

[Μίψος, ὁ, Mipsus, ap. Theognost. Can. p. 77, 1 : Μίψος, τὸ ἔθνος.]

[Μίω, Edo. Hesychius : Μίειν, ἐσθίειν, vitiose, ut videtur. V. Μνίω. || Verbum μιῶ primitivum verbi μιαίνω fingit Etym. M. p. 267, 2. || Med. Photius : Μίσασθαι, τὸ μιτώσασθαι, Πλάτων, et omisso testim. Platonis Hesychius. Quo respicit Pollux 7, 31 : Φαίης δ' ἂν καὶ μίσασθαι τὸ μιτώσασθαι. Quod v. Non constat autem de forma præsentis hujus aoristi. L. Dind.]

Μνᾶ, ᾶς, ἡ, Mina. [Μνάα, contr. Μνᾶ, Mina, Libra. Ab Hebr. מנה *Manèh*, s. Syr. ܡܢܐ *Manjo*, quod nomen in omni fere Oriente usitatum est. Nam et Arabes et Persæ hoc habent eodem signif. Schleusn. Lex. N. T. Sic et Etym. Gud. : Μνάς· ἀντὶ τοῦ μανή· τῇ γὰρ Ἑβραΐδι ὁ ἀργυροῦς μανὴ (מנה) καλεῖται. Angl. De origine nominis non Græca, sed Chaldæa conf. Bœckh. *Metrolog. Untersuch.* p. 34, 39.] Pondus est quod apud Medicos unciarum sedecim fuit. Id quod patet ex Diosc., qui in libro de Ponderibus et Mensuris scribit τὴν μνᾶν κατὰ τὴν ἰατρικὴν χρῆσιν ἄγειν οὐγγίας ις', τουτέστιν ὁλκὰς ρκη'. Verum ἡ Ἀττικὴ μνᾶ multo levior est Romana : nam centum modo drachmas pendit, ut ex Suida [s. Lex. rh. Bekk. An. p. 278, 17, et Photio] apparet, qui scribit centum drachmas facere minam unam : [mercatoria vero 130 drachmas, neutra 73 drachmas, qualem finxit Plutarchus, ut pluribus dicetur sub finem. « Pollux 9, 59, 86. Gronov. Pec. vet. 3, 3, 4 et 5. Fuit tantum imaginarium numismatis genus, ut talentum. Ex Xenoph. Vect. 4, 14, 15, patet minam 600 obolis constitisse. Anab. 1, 4, 13 : Πέντε ἀργυρίου μνᾶς· 5, 8, 1 : Εἴκοσι μνᾶς ... δέκα μνᾶς, pœnæ loco pendere jubentur imperatores rem male administrantes. » Sturz. Lex. Theocr. 15, 36 : Πλέον ἀργυρίω καθαρῶ μνᾶν ἢ δύο. Thuc. 3, 50 : Οἷς ἀργύριον Λέσβιοι ταξάμενοι τοῦ κλήρου ἑκάστου τοῦ ἐνιαυτοῦ δύο μνᾶς φέρειν, αὐτοὶ εἰργάζοντο τὴν γῆν. Plato Leg. 11, p. 936, A : Ζημιούσθω μναῖς τρισίν. Frequens est etiam ap. Aristoph. et alios.] item ex Plin., qui 21, c. ult., Mna, inquit, quam nostri Minam vocant, pendet drachmas Atticas centum : quinetiam ex Fannio, sic canente : Mnan vocitant, nostrique Minam dixere priores. Centum hæ sunt drachmæ. Proinde quum Plin. verba Dioscoridis in Latinum vertens, μνᾶν reddit Libram, proculdubio Atticam intelligit, ceu drachmis tantum quatuor differentem a libra Romana, quæ drachmarum est nonagintasex. Eod. modo mina usus videtur Philoxenus medicus, dum ap. Galen. τῶν Κατὰ γένη l. 4, scribit, Κηροῦ δραχμὰς ρ'· ὃ μνᾶν ἐπιγράφει. Galen. vero quum Crito minam scripsisset, dubitat quamnam intelligat : locus is est l. 5 ejud. operis, quum inquit, Φαίνεται δὲ καὶ ἐν ἄλλοις ρ' δραχμῶν βουλόμενος εἶναι τὴν μνᾶν. Quoniam vero Romæ egisse Critonem constat, ut qui Cæsareus medicus fuerit, dubium est an quum drachmas scribit, ut alii denarios intelligens, voluerit minam esse centum denariorum : tunc enim ab Attica mina multum, a medica parum differret. Sic autem ait Galen. [vol. 13, p. 778] : Διαπεφώνηται δὲ τοῖς περὶ τῶν σταθμῶν καὶ μέτρων γράψασιν, ὁπόσος ἐστὶν ὁ τῆς μνᾶς σταθμός· ἐνίων μὲν ἑκκαίδεκα λεγόντων οὐγγιῶν εἶναι τὴν μνᾶν, ἐνίων δὲ εἴκοσι· ἐνίων δὲ καὶ διοριζομένων, καὶ τὴν μὲν Ἀλεξανδρειωτικὴν εἴκοσι φασκόντων εἶναι οὐγγιῶν, τὴν δὲ ἄλλην, ἑκκαίδεκα. [Conf. de hoc l. Bœckh. *Metrol. Unters.* p. 155 sqq. Idemque ib. p. 299 sq. de mina Italica. De qua Galen. vol. 13, p. 980, 981, 982, ubi etiam de Ptolemaica unciarum duodeviginti. De Romana idem ib. p. 976, multisque illius De mensuris et ponderibus libelli locis de ceteris generibus.] Idem vero etiam l. 1 dicit, Τινὲς μὲν οὖν εἴκοσι οὐγγίας ἔχειν φασὶ τὴν μνᾶν, ἔνιοι δὲ ἑκκαίδεκα. Alexandrinam autem Medicis in usu fuisse, Galen. indicat, recensens ex Asclepiade emplastrum Moschionis veteris medici, sic scribentis: Λιθαργύρου μνᾶ μία· ἡ δὲ μνᾶ ἐπὶ τούτου τοῦ φαρμάκου ἔχει ὁλκὰς ρξ'. Itaque Galen. addit, Καὶ κατὰ τοῦτο τὸ φάρμακον καὶ κατὰ τὸ ἐφεξῆς αὐτῷ γεγραμμένον ρξ' δραχμὰς φησὶν ἔχειν τὴν μνᾶν· εὔδηλον οὖν ὅτι Ἀλεξανδρειωτικὴν λέγει μνᾶν, οὐγγίας κ' ἔχουσαν, ὅπως ἑκάστη τῶν οὐγγιῶν ἔχῃ δραχμὰς η'· οὕτω γὰρ ξυμβήσεται τὰς ρξ' δραχμὰς ἔχειν τὴν μνᾶν. Hinc videmus Medicis aliis in usu fuisse Atticam minam, aliis quam nominant Medicam, aliis Alexandrinam: Atticam, potissimum iis qui vel antequam populi Romani nomen et res florerent, scripserunt, vel in Græcia agentes Romana pondera ignorarunt: Alexandrinam vero, iis qui Alexandriæ medicinam exercuerunt: Medicam autem, quibus res Romanæ non fuerunt ignotæ. Sed quum a Galeno nulla ratio sit indicata cur hæc mina constituta sit, poterit forte ratio ista afferri quod medici qui Romæ egerunt, quia uterentur Romanis ponderibus, utpote libra, uncia, denario, quem Drachmam appellare solent, et scirent Atticis minam esse centum drachmarum, scripserunt minam quoque esse centum drachmarum, denarios intelligentes. Sic Crito videtur accepisse minam. Alii referentes ad drachmam Atticam, qua denarius quinta parte gravior est ex Cleopatræ sententia, drachmas invenerunt Atticas centum vigintiquinque tot denarios efficere: quæ drachmæ in uncias collectæ, conficiunt sedecim, minus tribus drachmis, quas non curarunt. Sic natam arbitror Medicam minam, quæ ead. et centum sit denariorum, et drachmarum Atticarum centum vigintiocto. Porro Alexandrinæ ratio est aut quod drachmas graviores habuerint, si Polluci credimus, minas omnibus fuisse centum drachmarum, ipsas vero drachmas pro earum gravitate vel levitate variasse: aut quod mina, si Pollucis sententiam non probamus, plures apud eos quam centum drachmas habuerit. Itaque si graviorem drachmam fuisse putarimus, non semper quinque drachmæ Alexandrinæ efficient octo Atticas: habebit enim una drachma Alexandrina sesquidrachmam Atticam et decimam ipsius partem: sin mina plurium fuit drachmarum quam centum, nemo quot fuerint, nisi gravitate drachmæ prius cognita, scire potest. Illud nobis satis sit, Alexandrinam minam drachmas Atticas pendere centum sexaginta. Gorr. [Inscr. Prien. ap. Bœckh. vol. 2, p. 577, n. 2906, 6: Βοείου χρέως μνᾶν Εὐβοϊκήν. In Att. vol. 1, n. 123, p. 166, 29, quod est: Ἀγέτω δὲ καὶ ἡ μνᾶ ἡ ἐμπορικὴ Στεφανηφόρου δραχμὰς ἑκατὸν τριάκοντα καὶ ὀκτὼ πρὸς τὰ στάθμια τὰ ἐν τῷ ἀργυροκοπείῳ, cum verbis Plutarchi Sol. c. 15: Ἑκατὸν γὰρ ἐποίησε (Solon) δραχμῶν τὴν μνᾶν, πρότερον ἑβδομήκοντα καὶ τριῶν οὖσαν, ὥστ' ἀριθμῷ μὲν ἴσον, δυνάμει δ' ἔλαττον ἀποδιδόντων, ὠφελεῖσθαι μὲν τοὺς ἐκτίνοντας μεγάλα, μηδὲν δὲ βλάπτεσθαι τοὺς κομιζομένους, Bœckh. OEcon. Ath. vol. 2, p. 350, ita conciliandum animadvertit ut Solon non minam, quæ 73 drachmarum fuerit, 100 drachmarum fecerit, sed 73 (vel potius $72\frac{32}{69}$) drachmas veteres minæ sive 100 drachmis novis exæquaverit. De accentu v. Arcad. p. 194, 8. Compendio scribitur per μν, sec. script. De mensuris Cotel. Mon. vol. 4, p. 394: Μ κατ' αὐτοῦ τεταγμένον ἔχον ν, μ̆ μνᾶ. Et similibus verbis Galen. De mens. et pond. vol. 13, p. 978, 980.] At pro μνᾶ Ionice Μνέα dicitur: ut Μνέας εἴκοσι, Herodot. [2, 180], Minas viginti. [Quod ap. Lucian. De Syr. dea c. 48 est: Πολλαὶ μνέες ἐκ τουτέου τοῦ ἔργου ... ἀγείρονται, recte mutatum videtur in μνέαι. Inscr. ap. Ross. Inscrr. fasc. 2, p. 43, n. 150, ubi superest μνε. || Forma Lat. Μίνα utitur Tzetz. Hist. 13, 307, 309.]

Μναιαῖος, et [vitiose] Μναῖος, α, ον, Minæ pondus æquans, Tantum ponderans quantum mina. Xen. Eq. p. 548 [4, 4]: Λίθων στρογγύλων ἀμφιτόμων [—δόχμων] ὅσον μναιαίων [μναιαίων cum Polluce 1, 200 libri plerique, ut Hipparch. 1, 16: Λίθους ὅσον μναιαίους]. Et ap. Suidam de Balearidum insularum funditoribus [ex Diodoro 19, 109]: Μναιαίους λίθους ἔβαλον. [Diod. ib. 45: Χαλάζης ἀπίστου τὸ μέγεθος· μναιαῖαι γὰρ ἔπιπτον, ἔστι δ' ὅτε καὶ μείζους.] Alioqui ponuntur etiam pro Minæ pretium æquans: et neutro genere τὸ μναιαῖον s. μναῖον dicitur Minæ pretium, Tantum quantum mina valet: ut ap. Suid., Μναιαῖον διδοῦσι τοῦ κεραμίου ὑδρεύεσθαι τοῖς ἐθέλουσι. Ap. Eund. reperio Μναιαῖον, et Δεκαμναιαῖον: sed metuo ne perperam pro μναῖον et δεκαμναῖον: præsertim quum ea non sint in Ms. Cod., et ap. Eund. sua serie scriptum sit δεκαμναῖον. Eust. et tetrasyllabum Μναϊαῖος affert ex Aristot. [De cœlo 4, 4], ut μναϊαῖος λίθος, χαλκὸς, aut tale quid, exponens itidem μνᾶν ἱστῶν, Minam pendens, Minam ponderans. [Eust. Od. p. 1878, 58: Ὅρα δὲ τὸ ἑξάμνουν καὶ δεκάμνουν καινῶς παρασχηματισθὲν ἐκ τῆς μνᾶς. Ἐκείνης γὰρ ἡ ἀνάλογος παραγωγὴ μναῖος καὶ μναῖον (μναιαῖον Lobeck. ad Phryn. p. 552) εἶναι ὤφειλεν. Ἀριστοτέλης δὲ σεμνότερον ἄλλως παραγαγὼν μναϊαῖος ἔφη, φυλάξας μὲν τὴν τριγράμματον εὐθεῖαν, ἥπερ ἦν ἡ μνᾶ, παραγαγὼν δὲ ἀπ' αὐτῆς μετὰ καὶ πλεονασμοῦ τοῦ ἰῶτα τὸ μναϊαῖος λίθος τυχὸν μνᾶν ἱστῶν κτλ., in quibus ι literæ pleonasmum hunc comparat cum καμινιαῖος et ταλαντιαῖος, quod λίθος μναϊαῖος ex Aristot. affert iterum p. 1905, 37. Atque μναϊαῖαι vel μναιαῖαι in alio l. Aristotelis (H. A. 5, 15) præbent libri deteriores Athenæi 3, p. 89, A, meliores cum libris Aristot. μναΐαι vel μναῖαι, quorum neutrum est græcum. Inter μναιαῖον et μναῖον variatur item in libris Pollucis 9, 96. Μναιαῖον est ap. Polyb. 13, 2, 3, et μναιαῖα βάρη ap. Philon. Belop. p. 69, C. Contra μναιαῖος præter Diodorum locis supra citatis habet Themist. Or. 23, p. 290, C. Μναιαῖος ἐφύλαξε τὸ α, dicit Apollon. Bekk. An. p. 586, 16, ut μναιαῖος quidem antiquiori nitatur testimonio quam μναϊαῖος, hoc vero Eustathii et librorum haud paucorum, qui μναιαῖος, quod nihili, præbent, auctoritate. Dixit de his formis et nonnullos de locis supra citatis indicavit Lobeck. ad Phryn. p. 553, Paralip. p. 21.] Compositorum vero ex μνᾶ præter μναιος est et alia terminatio, μνους sc. [V. Lobeck. ad Phryn. l. c.]

Μναὰς, άδος, ἡ, Capra quæ mulgetur. Hesych. enim μναάδας dici tradit τὰς ἀμελγομένας αἶγας. [Ἀμνάδας Ruhnken.]

[Μναδάριον, τὸ, dimin. a μνᾶ. Diphilus ap. Antiatt. Bekkeri p. 108, 32.]

[Μναιαῖος, Μναϊαῖος, Μναῖος, Μνάϊος. V. Μναιαῖος.]

[Μναίκιος, ὁ, Mnæcius, ὄνομα κύριον ap. Suidam, fortasse scribendum Μαίκιος. L. Dind.]

[Μναίσκω. V. Μνήσκω.]

[Μνάμμος, ὁ, Natus. Arcad. p. 59, 9, inter nomina in μμος: Ἔτι καὶ τὸ μνάμμος ὁ ἔκγονος βαρύνεται, ἐπιθετικὸν ὄν. L. Dindorf.]

[Μναμόνα. V. Μνημοσύνη.]

Μναμοσύρειν, Hesychio τὸ ἐπιτηρεῖν ἢ μεμνῆσθαί τινος. [Τινὶ est ap. Hesych. Scribendum autem videtur μναμονεύειν, ut præcedit μναμονεύθημεν.]

Μνανόοι, Hesychio μοῦσαι et μνηστῆρες.

Μνάομαι, ήσομαι, μέμνημαι, aor. 1 ἐμνήσθην (quæ tempora multo sunt usitatiora quam præsens), Memoro, Commemoro, Mentionem facio. Hom. Il. Β, [492]: Εἰ μὴ Ὀλυμπιάδες Μοῦσαι Διὸς αἰγιόχοιο Θυγατέρες μνησαίαθ' ὅσοι ὑπὸ Ἴλιον ἦλθον, Nisi Musæ commemorarint quot ad Ilium venerunt; vel, Nisi Musæ memorarint: ut dixit Virg.: Musa, mihi causas memora quo numine læso ... regina deum impulerit. Sed hac in signif. jungitur etiam genitivo, idque vel solo, vel interjecta præp. περί. [Od. Δ, 118: Ἠέ μιν αὐτὸν πατρὸς ἐάσειε μνησθῆναι, ἦ πρῶτ' ἐξερέοιτο. Pind. Nem. 1, 12: Ἀέθλων Μοῖσα μεμνᾶσθαι φιλεῖ. Æsch. Prom. 522: Ἄλλου λόγου μέμνησθε· Suppl. 52: Τῶν πρόσθε πόνων μνασαμένα. Eur. Or. 579: Πρὸς θεῶν, ἐν οὐ καλῷ μὲν ἐμνήσθην θεῶν· Hel. 120: Ἄλλου λόγου μέμνησο.] Item accusativo, et eo quidem itidem solo, vel interjecta præp. ἀμφί: quæ tamen constr. rarissima est, nisi me fallit memoria, ut contra constr. illa cum gen. solo est frequentissima, ap. prosæ etiam scriptt. Dionys. Alex. suum De situ orbis poemation ita auspicatur: Ἀρχόμενος γαῖάν τε καὶ εὐρέα πόντον ἀείδειν, Καὶ ποταμοὺς πολιάς τε, καὶ ἀνδρῶν ἄκριτα φῦλα, Μνήσομαι Ὠκεανοῖο βαθυῤῥόου. Herodot., Μνήσασθαι περὶ παιδὸς, Filii mentionem facere. [V. infra.] Cum accus. autem, ut ἄλλα μεμνώμεθα, ex Hom. [Od. Ξ, 168.] Sic Apollon. initio libri 1 Argon.: Ἀρχόμενος σέο, Φοῖβε, παλαιγενέων κλέα φωτῶν Μνήσομαι, i. e., ut exp. schol., εἰς μνήμην ἄξω τὰ ἔνδοξα τῶν Ἀργοναυτῶν ἔργα. Hom. in principio Hymni qui Βάκχος vel Λησταὶ inscribitur [6, 1]: Ἀμφὶ Διώνυσον Σεμέλης ἐρικυδέος υἱὸν Μνήσομαι, ὡς ἐφάνη παρὰ θῖν' ἁλὸς ἀτρυγέτοιο. Sed hanc constr. rarissimam esse puto, uti dixi; atque adeo ne hic quidem μνήσομαι ἀμφὶ Διώνυσον esse existimo pro μνήσομαι Διωνύσου: sed ita intelligo, μνήσομαι τούτου ἀμφὶ Διώνυσον: perinde ac si diceretur, ἐκ τῶν περὶ Διονύσου (scribitur autem ibi per ω propter metrum) λεγομένων τοῦτό ἐστιν οὗ πρώτου μνήσομαι. [Plato Phileb. p. 59, E: Ἃ καὶ πρότερον ἐμνήσθημεν. Rariori constr. Xen. Cyrop. 8, 2, 12: Οὔκουν ὅπως μνησθῆναι ἄν τις ἐτόλμησε πρός τινα περὶ Κύρου φλαῦρόν τι. Et simili Plato Lach. p. 200, D: Ὅταν τι αὐτῷ περὶ τούτου μνησθῶ. (Cum dat. pers. sic etiam Xen. loco paullo post cit.)] At constr. cum gen. frequentissima est omnium, uti dixi, et quidem solutæ etiam orationi. Thuc. 3: Τούτων μνησθήσομαι. [2, 45: Εἰ δέ με δεῖ καὶ γυναικείας τι ἀρετῆς, ὅσαι νῦν ἐν χηρείᾳ ἔσονται, μνησθῆναι.] Demosth.: Ἐὰν μνησθῶ τινων ὀνόματι. Plut. [Mor. p. 861, B]: Ἐρετριέων δὲ κομιδῇ μνησθεὶς ἐν παρέργῳ, καὶ παρασιωπήσας μέγα κατόρθωμα. Sic παλαιῶν πράξεων μέμνηνται, Xen. [Comm. 2, 1, 33.] Et μνησθῆναί τινος πρός τινα [Cyrop. 1, 4, 12, ubi tamen libri meliores Ἀστυάγει pro πρὸς Ἀστυάγην. V. etiam l. Cyrop. paullo ante cit.]. Sed et cum περὶ ap. Thuc. [1, 10: Ἄλλων μεγέθους πέρι ἐν νεῶν καταλόγῳ οὐκ ἐμνήσθη. Et Xen. Ages. 5, 4: Περὶ ἀφροδισίων ἐγκρατείας αὐτοῦ μνησθῆναι], necnon ap. Plat. [Lach. p. 181, E, Leg. 6, p. 781, B, et alibi. Et Herodot. 1, 36: Παιδὸς πέρι τοῦ ἐμοῦ μὴ μνησθῆτε ἔτι. || « Sequente part. εἰ, Mentionem facio, id est quandoque Quæro, Periculum facio. Theocr. 3, 28: Ἔγνων πρὰν, ὄκα μευ μεμναμένω εἰ φιλέεις με, οὐδὲ τὸ τηλέφιλον ποτιμαξάμενον πλατάγησεν. Schol. ὅτε σημεῖον θέλοντός μου λαβεῖν εἰ φιλεῖς. » Brunck. || Cum inf. Xen. Anab. 6, 4, 11: Ἐάν τις τοῦ λοιποῦ μνησθῇ δίχα τὸ στράτευμα ποιεῖν. Photius Bibl. p. 26, 20: Μέμνηται ἐν τῷ πρώτῳ λόγῳ καὶ τὰ κατὰ Ἰουστινιανὸν ἱστορῆσαι.]

|| Μνάομαι, Memor sum, Recordor, Reminiscor. Hom. Il. [Δ, 71,] Π, [771]: Ὡς Τρῶες καὶ Ἀχαιοὶ ἐπ' ἀλλήλοισι θορόντες Δῄουν, οὐδ' ἕτεροι μνώοντ' ὀλοοῖο φόβοιο. [Callim. Apoll. 94: Μνωόμενος προτέρης ἁρπακτύος.] Apoll. Arg. 2, [861]: Οὔτε τι σίτου Μνώοντ' οὔτε ποτοῖο· et [1, 518]: Ἐμνώοντο ὕπνου. [Orph. Arg. 620: Εἰρεσίης μνώοντο.] Apud Hom. et cum φύγαδε, Il. Π, [697]: Οἱ δ' ἄλλοι φύγαδ' ἐμνώοντο ἕκαστος, pro ἐμνώοντο φυγῆς· proprie autem sonat ἐμνώοντο ἐς φυγὴν, quam constr. miratur et ipse Eust. [Od. Δ, 106: Ὅστε μοι ὕπνον ἀπεχθαίρει μνωομένῳ· Ο, 400: Μνωομένω.] Item μνώεο ap. Eund. [i. e. Apoll. Rh. 1, 896, etc.], Memento. [Orph. Arg. 553: Τότε δὴ μνώεσθε πλόοιο.] Observandi sunt autem hi ll., quod rarus alioqui sit usus hujus verbi in præs., aut præt. imperf., quum istam signif. habet. Sunt porro qui hæc deducant a themate Μνώομαι, quum alioqui dici constet per epenth. τοῦ ο, sicut alia pleraque. [De eadem forma HSt. iterum agit sub finem.] At præt. Μέμνημαι, et aor. ἐμνησάμην [vel forma frequentativa Il. Λ, 566: Αἴας μνησάσκετο θούριδος ἀλκῆς, et pass. ἐμνήσθην, et fut. μνήσομαι et μεμνήσομαι], frequenti sunt in usu. Hom. Il. Ψ, [648]: Ὥς μευ ἀεὶ μέμνησαι ἐνηέος· Ω, [3]: Αὐτὰρ Ἀχιλλεὺς Κλαῖε φίλου ἑτάρου μεμνημένος. [Æsch. Pers. 821: Μέμνησθ' Ἀθηνῶν Ἑλλάδος τε· Cho. 112: Μέμνησ' Ὀρέστου.] Et cum accus. Il. Ζ, [222]: Τυδέα δ' οὐ μέμνημαι. [Ι, 527: Μέμνημαι τόδε ἔργον ἐγὼ πάλαι, οὔτι νέον γε, ὡς ἦν. Pind. Isthm. 7, 26: Ταῦτα καὶ μακάρων ἐμέμναντ' ἀγοραί. Æsch. Prom. 1071: Μέμνησθ' ἁγὼ προλέγω· Suppl. 208: Τάσδε μεμνῆσθαι σέθεν κεδνὰς ἐφετμάς. Herodot. 2, 20: Τὰς μὲν δύο τῶν ὁδῶν οὐδ' ἀξιῶ μνησθῆναι· 7, 18: Μεμνημένος μὲν τὸν ἐπὶ Μασσαγέτας Κύρου στόλον ὡς ἔπρηξε, μεμνημένος δὲ καὶ τὸν ἐπ' Αἰθίοπας.] Et cum infin., ut [Il. Ρ, 364], Μέμνηντο ἀλεξέμεναι· sicut Lat. Memento hoc facere. [Æsch. Suppl. 205:

A Μέμνησο δ' εἴκειν. Aristoph. Eq. 495: Μέμνησό νυν δάκνειν. Theocr. 17, 7: Μεμναμένοι τελεῖν ἐπίχειρα. Xen. Cyrop. 8, 6, 6: Ὅ,τι ἂν ἐν τῇ γῇ ἑκάστῃ καλὸν ἢ ἀγαθὸν ᾖ, μεμνήσονται καὶ δεῦρο ἀποπέμπειν· Anab. 3, 2, 39: Μεμνήσθω ἀνὴρ ἀγαθὸς εἶναι. Cum participio Pind. Nem. 11, 15: Θνατὰ μεμνάσθω περιστέλλων μέλη. Eur. Herc. F. 1122: Οὐ γάρ τι βακχεύσας γε μέμνημαι φρένας. Et alibi.] In aor. autem, ut [Hom. Od. Α, 29: Μνήσατο γὰρ κατὰ θυμὸν ἀμύμονος Αἰγίσθοιο· et alibi sæpius,] ἐμνήσατο σίτου, et δόρπου μνησώμεθα. Item μνησώμεθα χάρμης, et μνήσασθε ἀλκῆς: quæ dicuntur pro Animari ad pugnam, Erigi animo ad pugnam. Quidam vero interpr. Strenue pugnare. Sed de hoc genere loquendi et similibus alibi disserui. [Fut. Hom. Od. Κ, 177: Μνησόμεθα βρώμης· Il. Δ, 172: Αὐτίκα γὰρ μνήσονται Ἀχαιοὶ πατρίδος αἴης· Ι, 647: Ὁππότ' ἐκείνων μνήσομαι, ὥς μ' ἀσύφηλον ἐν Ἀργείοισιν ἔρεξεν· Χ, 390: Φίλου μεμνήσομ' ἑταίρου. Aoristi formæ pass. exx. v. antea et postea.] At μεμνῆσθαι πατρὸς καὶ μητρὸς, ex Hom. [Od. Σ, 267], pro Curam gerere patris et matris. De B qua signif. lege Eust. [Partic. μεμνημένος in formulis monendi s. jubendi plerumque absolute interponitur, ut Hom. Il. Ε, 263: Αἰνείαο δ' ἐπαΐξαι μεμνημένος ἵππων· Τ, 153: Ὧδέ τις ὑμείων μεμνημένος ἀνδρὶ μαχέσθω. Hesiod. Op. 420: Τῆμος ἄρ' ὑλοτομεῖν μεμνημένος ὥρια ἔργα· 621: Γῆν δ' ἐργάζεσθαι μεμνημένος. Addito genit. 296: Ἀλλὰ σύγ' ἡμετέρης μεμνημένος αἰὲν ἐφετμῆς ἐργάζευ. Aristoph. Eq. 1052: Ἀλλ' ἱέρακα φίλει μεμνημένος ἐν φρεσίν. Æsch. Cho. 676: Πρὸς τοὺς τεκόντας πανδίκως μεμνημένος τεθνεῶτ' Ὀρέστην εἰπέ. Futuro in simili loquendi genere utitur Herodot. 8, 62: Ὑμεῖς δὲ συμμάχων τοιῶνδε μουνωθέντες μεμνήσεσθε τῶν ἐμῶν λόγων. || Cum præp. περὶ Hom. Od. Η, 192: Ἔπειτα δὲ καὶ περὶ πομπῆς μνησόμεθα. Aliæ formulæ sunt ap. Thuc. 2, 8: Οὔπω σεισθεῖσα ἀφ' οὗ Ἕλληνες μέμνηνται· 5, 66: Μάλιστα δὴ οἱ Λακεδαιμόνιοι, ἐς ὃ ἐμέμνηντο, ἐν τούτῳ τῷ καιρῷ ἐξεπλάγησαν.]

|| Μνάομαι, [Precor, Procio, Petesso, Gl.] Ambio: ut dicitur Ambire puellam, inquit Bud.: sunt alioqui quibus vox Ambire hac in signif. non satis placet, C sed tamen in hoc verbo et in ejus derivatis ea utendum erit. Qui etiam exp. Conjugium peto s. Connubium aut Nuptias: item Procus sum, Uxorem peto. Sic certe proci Penelopes, qui et μνηστῆρες, eam dicuntur μνᾶσθαι ab Hom. variis in ll., ex quibus est hic versus Od. Α, [248], Π, [125]: Τόσσοι μητέρ' ἐμὴν μνῶνται, τρύχουσι δὲ οἶκον. Et Od. Ζ, [34] Nausicaæ dicitur, Ἤδη γάρ σε μνῶνται ἀριστῆες κατὰ δῆμον Πάντων Φαιήκων. [Α, 39: Μήτε μνάασθαι ἄκοιτιν· Ξ, 91: Ὅτ' οὐκ ἐθέλουσι δικαίως μνᾶσθαι. Anacreon ap. Hephæst. p. 39, 6: Μνᾶται δηὖτε φαλακρὸς Ἄλεξις. Hermesianax v. 24: Ἠοίην μνώμενος Ἀσκραϊκήν. Ex Eupolide citat Photius v. Μνώμενος. De Oto et Ephialte Apollodor. 1, 7, 4, 6: Ἐμνῶντο δὲ Ἐφιάλτης μὲν Ἥραν, Ὦτος δὲ Ἄρτεμιν. Quo respicit Rhian. Stob. Fl. 4, 34, 14: Μνᾶται δ' εὐπηχυν Ἀθήνην, ἠέ τιν' ἀτραπιτὸν τεκμαίρεται Οὔλυμπόνδε.] Dicitur non solum μνᾶσθαι γυναῖκα, sed et μνᾶσθαι γάμον. Lucian. [Pseudol. c. 28]: Πρώην γοῦν, ἐπειδή τινα γάμον μνᾶσθαι ἐτόλμησας κτλ. [Forma epica, de qua HSt. supra et sub finem, Od. Α, 288: D Τὴν πάντες μνώοντο περικτίται. Theocr. 27, 22: Πολλοί μ' ἐμνώοντο. In Ind.:] Μνᾷ, Hesych. affert pro μνηστεύεται. [Μναᾷ scriptum ap. Hesych., nec μναᾶται literarum quidem fert ordo. Itaque μνηστεύεις scribendum videtur, ut gl. referatur ad Od. Π, 431: Μνάᾳ δὲ γυναῖκα. Imperf. frequent. Hom. Od. Υ, 290: Ὃς ... μνάσκετ' Ὀδυσσῆος δὴν οἰχομένοιο δάμαρτα. Exx. Herodotea v. paullo post.] || Μνῶμαι, generalius pro Affecto, ut [Pind. ap. Plutarch. Mor. p. 457, B: Ἄγαν φιλοτιμίαν μνώμενοι ἄνδρες·] μνᾶσθαι ἀρχὴν, Herodian. [2, 7, 11.] Cujus signif. exempla alia Bud. affert p. 873. Apud eund. Herodian. 7, [9, 24]: Εὔνοιαν ἑαυτῷ παρὰ τῶν στρατιωτῶν μνώμενος, Polit. vertit Militum sibi animos concilians; ubi tamen malim interpretari, Conciliare sibi cupiens, conans, Militum in se benevolentiam affectans. [Plut. Dion. c. 7: Διατριβὰς ἐμνῶντο, nunc ex codd. ἐμηχανῶντο. Heliodor. Æth. 3, 14, p. 127: Κἀκ τοῦ τὴν οὖσαν ἀποκρύπτειν πᾶσαν ἑαυτῷ πόλιν πατρίδα μνώμενος. Philo vol. 2, p. 82, 14: Σωτηρίαν ἑνὶ μνώμενοι. Greg. Naz. vol. 2, p. 26,

D : Τὸ κρατεῖν ἐντεῦθεν ἑαυτῷ μνώμενος. Cum infinit. præfat. tit. Constantiniani De legat. : Εὔκλειαν ἀείμνηστον ἐκ τῶν ἐντυγχανόντων καρπώσασθαι μνώμενοι, quod frustra Schweigh. ad Polyb. vol. 2, p. XXIX corrigebat μώμενοι. Quæ tamen correctio propter numeros necessaria est Soph. Tr. 1136 : Ἥμαρτε χρηστὰ μνωμένη, ubi v. Brunck. : ut addi hic l. possit exx. in Μάω p. 629, C, citatis. HSt. in Ind. :] Μνεώμενος, Ionice pro μνώμενος. Herodot. 1, [96], μνεώμενος ἀρχὴν, Imperium affectans. [Ubi libri aliquot μνώμενος, ut omnes 1, 205 : Ταύτην ὁ Κῦρος ἐμνᾶτο τῷ λόγῳ... Ἡ δὲ συνιεῖσα οὐκ αὐτήν μιν μνώμενον ...]

|| Μέμνημαι in soluta etiam oratione passim occurrit in signif. præsentis, sicut Lat. Memini : nec tantum cum gen. et accus., sicut et in exemplis modo citt. ex Hom., sed et cum partic. : ut, Μέμνημαι ἀκούσας ποτέ σου, Xen. [Cyrop. 1, 6, 3.] Sic μέμνημαι ἐλθὼν, Eur. [Hec. 244.] Interdum cum gen. s. accus. personæ habente itidem partic. : Μέμνημαι καὶ τοῦτό σου λέγοντος, Xen. Cyrop. 1, [6, 8]. Et, Μέμνημαί σε λέγοντα, Dem. [Cum part. ὅτι Xen. Cyrop. 3, 1, 27 : Μεμνησόμεθα ὅτι ἡμεῖς αὐτῶν αἴτιοί ἐσμεν.] At vero, Μέμνησ' ὅπως Εὖ μοι στομώσεις αὐτὸν, quidam interpr. ap. Aristoph. [Nub. 1107], Cura ut, Da operam ut. Sed et in aliis modis, ut [Hom. Il. Ω, 745,] μεμνήμην : unde μεμνῇτο ap. Eund. Pl. [991] : Ἵνα τοὐμὸν ἱμάτιον φορῶν μεμνῇτό μου. [Unde citat schol. Hom. continuo memorandus.] Affert autem Etym. et μεμνοῖτο ex Cratino [Cratete], item [cum schol. Ven. Hom. Il. Ψ, 361] μεμνῶτο e Xen. [Cyrop. 1, 6, 3, cui Anab. 1, 7, 5, μεμνῷο pro μέμνοιο restituit Schneider. Qui annotavit etiam tertiæ pers. formam μεμνῇτο ex Plat. Reip. 7, p. 518, A : Μεμνῇτ' ἂν, et secundæ plur. μεμνῇσθε ex. Andocid. p. 18, 30] : sicut μεμνέωτο ex Hom. [Il. Ψ, 361] ; necnon μεμναῖτο Dorice ex Pind. [« Procul dubio legendum μεμναῖτο : sic enim Dorismus erit pro μεμνῇτο. Vulg. μεμναίατο pluralem terminationem habet, eamque Ionicam, ut μνησαίατο et similia.» Sylburg. Μεμνάατο Bœckh. ad fr. 277, ut sit pluralis. Formam Æol. μεμνείμην memorat gramm. in Cram. An. vol. 4, p. 205, 7.] At in subj. ἐὰν μέμνῃ, ex Plut., Si memineris, et μεμνώμεθα ex Hom. [Od. Ξ, 168] ac Soph. [OEd. T. 49, ubi tamen μεμνῴμεθα optativus restitutus ex Eust. Il. p. 1305, 48; 1332, 18, quanquam priori quidem loco etiam ap. illum male omittitur ι subscr. Primam pers. μεμνῷμαι properisp. ponit Arcad. p. 170, 25.] Item μέμνῃ pro μέμνησαι, Il. Ο, [18 etc., Theocr. 21, 41.] Sed η habet ι subscriptum ap. Eust. quoque. [Pro quo Il. Φ, 442 : Οὐδέ νυ τῶνπερ μέμνηαι. Μέμνησαι Ψ, 648. Imperat. μέμνεο ap. Orph. Lith. 603 : Πίνειν μέμνεο· anon. Anth. Pal. App. 310, 5 : Μέμνεο χὴν ζωοῖς ἐμέθεν. Herodot. 5, 105. Pro quo Attici μέμνησο, ut Aristoph. Eq. 495, et alii supra. Partic. μεμνόμενος, quod Archilocho ap. Stob. Fl. 124, 30, 2, pro μεμφόμενος ex inutili conjectura Scaligeri intulit Grotius, Græcum non esse monuit jam Valcken. || Aor. pass. ἐμνήσθην, unde imperat. μνήσθητι, Memor esto, Recordare, Memorare, Gl., ap. Pind. Ol. 7, 61 : Μνασθέντι· Nem. 9, 10 : Ὧν ἐγὼ μνασθείς. Alia exx. v. supra et infra. De usu quodam in inscrr. Pocock. Inscr. ant. p. 92 : « Ἡλιόδωρος ἐμνήσθην Ζήνωνος. Illud ἐμνήσθην animadverti velim. Solebant peregrinantes pietatis et memoriæ caussa absentium et relictorum amicorum et cognatorum in his locis, ubi suam volebant relinquere memoriam, etiam eorum nomine scripto se testari non immemores fuisse ; et eo modo acceperim duorum lapidum ἐπιγραφὰς in Thes. Muratoriano p. LXVI, 7 : Ἐπάγαθος ἐμνήσθη παρὰ θεοῖς Διοσκόροις· p. MDCCXXXV, 9 : Ἐμνήσθη Τρύφων παρὰ τοῖς Διοσκόροις τῶν συνδούλων, etc. » || Eadem signif. ponitur ab Hesychio post Μνᾶται : Μνηῶ (Μνείω Cyrillus), μνησθῶ, de quo aliam conjecturam v. in Μνίω. L. Dind.]

|| At Μνάω, pro μνᾶσθαι ποιῶ, s. potius μνησθῆναι (nam μνᾶσθαι vix reperiri arbitror), Meminisse facio, Recordari, Reminisci, In memoriam revoco, redigo. Vel, Commonefacio, Admoneo. [Præsens ponit Photius : Μνῶ, μνήσκω. Fut.] Hom. [Il. Ο, 31 : Τῶν σ' αὖθις μνήσω·] Od. Μ, [38] : Σὺ δ' ἄκουσον Ὥς τοι ἐγὼν ἐρέω· μνήσει δέ σε καὶ θεὸς αὐτός. Et Il. Α, [407] : Τῶν νῦν

A μιν μνήσασα παρέζεο, καὶ λάβε γούνων. [Od. Γ, 103 : Ἐπεί μ' ἔμνησας οἰζύος, ἣν ἀνέτλημεν· Ξ, 170 : Ὁππότε τις μνήσῃ κεδνοῖο ἄνακτος. Pind. Pyth. 11, 13 : Ἀγῶνι, ἐν τῷ Θρασυδαῖος ἔμνασεν ἑστίαν τρίτον ἐπὶ στέφανον πατρῴαν βαλών· schol. ἀνέμνησε τὴν πατρῴαν ἑστίαν τῶν νικῶν. Eur. Alc. 878 : Ἔμνησας ὅ μου φρένας ἥλκωσεν. Theocr. 17, 36 : Μὴ μνάσῃς, Γοργοῖ. Apoll. Rh. 4, 1116 : Ὄφρα σε ... μνήσω ἐμῇ ἰότητι πεφυγμένον.] || Μνάομαι habet et aliam signif., de qua dicam infra.

|| Μνώομαι, poetice pro μνῶμαι, Memini, Recordor, In mentem mihi venit. Hom. Il. Β, [686] : Οὐ πολέμου μνώοντο δυσηχέος. Sic Apoll. Arg. 2, [862] : Οὔτε τι σίτου Μνώοντ' οὐδὲ ποτοῖο. Ib. [1, 518] : Ὕπνου μνώοντο. Rursum ap. Hom. extat imperat. μνώεο pro μνῶ, Memineris, Memento : necnon particip. μνωόμενος pro μνώμενος, Od. Ο, [399] : Κήδεσι μνωομένω τερπώμεθα, Ærumnarum recordatione et commemoratione nos oblectemus. Vide supra [initio v. Μνάομαι, Memor sum. Ejusdem formæ exx. v. etiam in signif. Ambiendi. || Quod ex Hippocrate annotat Erotianus p. 256 :
B Μνῶται, κινεῖται ἢ κτείνεται. Καὶ γὰρ οὕτως εὕρομεν γεγραμμένην τὴν λέξιν, corruptum est quum in lemmate tum in interpretatione, ubi altera dittographia est alterius.]

[Μνάριον. V. Μναρός.]

[Μναρὸς, ὁ, Dulcis. Arcad. p. 68, 1, inter oxytona in αρὸς, Μναρὸς, ὁ ἡδύς.] Μναρὸν, Hesychio μαλακὸν, θυμῆρες, ἡδὺ, Molle, Animo gratum, Jucundum. [Omisso θυμῆρες Photius post ἡδὺ addit, ῥᾴδιον, οὕτως Κρατῖνος. Pro μνιαρὸς scriptum suspicabatur Schneider. Quod nihil huc pertinere videtur. Λαρὸν conferunt intt. Hesychii.] Exp. etiam κόρημα : quomodo et Μνάριον a Bœotis vocari τὸ κάλυντρον [κάλλυντρον] ait, Scopas. [Κόρημα autem ad μνάριον pertinere videtur, cui Ναρὸν, quod v., conferunt intt.]

[Μνασαγόρας. V. Μνησαγόρας.]

[Μνασάλκας, α et ου, ὁ, Mnasalcas, poeta Sicyonius, ap. Strab. 9, p. 412 et alibi. V. Jacobs. Anth. Gr. vol. 13, p. 918.]

[Μνάσανδρος, ὁ, Mnasander, n. viri in inscr. Lesbia
C ap. Ross. Inscrr. fasc. 2, p. 80, n. 197, c. L. Dind.]

[Μνασέας, ου, ὁ, Mnaseas, Argivus, ap. Demosth. p. 324, 10. Atheniensis ap. Mionnet. *Descr.* vol. 2, p. 125, n. 151, et in numis Sardium ib. 4, p. 122, n. 691, in inscr. Corcyr. ap. Bœckh. vol. 2, p. 36, n. 1907, 4; Halicarnas. p. 458, n. 2666, 1. Phocensis ap. Aristot. Pol. 5, 4, Diodor. 16, 38. Cyrenæus ap. Pausan. 6, 13, 7; 18, 1. Scriptores quidam, de quibus Fabric. in Bibl. Gr. (Scholl. Pind. Pyth. 4, 104, Eur. Phœn. 411. Medicus ap. Soranum De arte obstetr. c. 8, p. 21 et 23. Boiss.) Rursus alius in Vita Arati, pater poetæ sec. nonnullos. Theognost. Can. p. 42, 26. Μνεσέας, Μνεσέου, quod ponitur in Cram. An. vol. 2, p. 296, 33, fortasse scrib. per α, etsi Μνησέαν quendam infra notabimus. Per ι Μνασίας inscr. Lebad. ap. Bœckh. vol. 1, n. 1575, p. 759, 11, et Daulia ap. Ross. Inscrr. fasc. 1, n. 81, p. 35, 36. Sed Argivus Μνασίας ap. Polyb. 17, 14, 3, Μνασέας potius dicendus, ut ap. Demosth. Ita Μνασίου vel Μνασείου libri Pausan. 1, 29, 15, de patre Zenonis, de quo Μνασέα vel Μνασέου
D 2, 8, 4. Etsi Μνασίας defendi videatur non solum proximo Μνασιάδας, sed etiam aliorum hujusmodi nominum formis duplicibus in εας et ιας, ut Καλλίας, Λυσίας, qui interdum sunt Καλλέας et Λυσέας. L. D.]

[Μνασιάδας, ου, ὁ, Mnasiadas, Argivus, ap. Polyb. 5, 64, 6. Alius in inscr. ap. Bœckh. vol. 1, p. 774, n. 1591, 64, et l. in Μνασέας cit. 4, ubi tamen Μνησιάδες contra dialectum scriptum. ᾱῐᾱᾱ L. Dind.]

[Μνασίβροτος, ὁ, Mnasibrotus, n. viri, unde in inscr. Theb. ap. Bœckh. vol. 1, p. 761, n. 1578, 7, adj. patronymicum : Δέξιππος Μνασιβρότιος, si recte ita legitur pro Μνασισρότιος, quod potius Μνασιστρότιος esse videtur, quum non inusitatum sit n. Μνησίστρατος. L. Dindorf.]

[Μνασιγείτων, ονος, ὁ, Mnasigiton, n. viri, scurræ, ap. Athen. 14, p. 614, C. Scriptoris ap. Plut. Mor. p. 295, F.]

[Μνασιγένης. V. Μνησιγένης.]

[Μνασίδαμος, ὁ, Mnasidamus, n. viri, in inscr. Delph. ap. Bœckh vol. 1, p. 833, n. 1709, b, 16. L. D.]

[Μνασιδίκα, ἡ, Mnasidica, n. mulieris ap. Sapphonem ab Hephæst. p. 64, 5 cit. (Cujus versus vitiosa deceptus scriptura Μναΐς vel Μνηΐς n. muliebre finxit Chœrob. Aldi p. 268, B.) Alia in inscr. Pholegandr. ap. Bœckh. vol. 2, p. 360, n. 2444, 2. ῐῐ]

[Μνασιδωρέω. V. Μνησιδωρέω.]

[Μνασίθεος, ὁ, Mnasitheus, n. viri, in numo Cnossi Cretæ ap. Mionnet. *Descr.* vol. 2, p. 269, n. 91. Opuntii ap. Aristot. Poet. c. 26. Infra Μνησίθεος. L. Dind.]

[Μνασικλῆς, έους, ὁ, Mnasicles, Corinthius, in inscr. Orop. ap. Bœckh. vol. 1, p. 748, n. 1570, b, 12. Cretensis ap. Diod. 18, 20, 21. L. Dind.]

[Μνασίκρῐτος, ὁ, Mnasicritus, n. viri, in inscr. Dor. ap. Bœckh. vol. 2, p. 375, n. 2462, A. L. Dind.]

[Μνασικύδης, ου, ὁ, Mnasicydes, n. viri in inscr. ins. Rhenææ ap. Lebas. *Inscr.* fasc. 5, p. 185, n. 268. L. Dindorf.]

[Μνασιλαΐδας, α, ὁ, Mnasilaidas, n. viri, in inscr. Delph. ap. Bœckh. vol. 1, p. 815, n. 1689, 3, ubi gen. Μνασιλαΐδα, et Lamiaca p. 865, n. 1776, ubi accus. Μνασιλαΐδαν. ᾱῐᾱ L. Dind.]

[Μνασίλοχος, ὁ, Mnasilochus, Acarnan, ap. Polyb. 21, 14, 7; 22, 26, 11.]

[Μνασίμᾰχος, ὁ, Mnasimachus, n. viri, in numo Rhodio ap. Mionnet. *Descr.* vol. 3, p. 420, n. 193. Alius in inscr. Lebad. ap. Bœckh. vol. 1, n. 1575, p. 759, 8, et in alia vol. 2, p. 44, n. 1936, 7. L. Dind.]

[Μνασίμειλος, ὁ, Mnasimilus, n. viri, si recte lectum, in inscr. Lebad. ap. Bœckh. vol. 1, n. 1575, p. 759, 8. Quæ est forma Bœot. Vulgaris Μνασίμηλος est in Stiriensi ap. Ross. Inscrr. fasc. 1, p. 75, 33. L. Dind.]

[Μνασίνους, ὁ, Mnasinus, f. Pollucis et Phœbes, ap. Pausan. 2, 22, 5; 3, 18, 13, qui Μνησίλεως, quod v., ap. Apollod. Utrumque nomen memorat schol. Lycophr. 511, Μνησίλεως, ἢ Μνησίνοος. Μνασίνω cujusdam mentio fit in inscr. Orchomen. ap. Bœckh. vol. 1, p. 763, n. 1583, 1. Eodem an referendum sit Μνασηνον in inscr. Apteræ Cretæ reperta ib. vol. 2, p. 419, n. 2561, 1, incertum. L. Dind.]

Μνασίον, τὸ, Hesych. esse dicit μέτρον τι διμέδιμνον, Mensuram quandam duorum medimnorum capacem. [Conf. Μνασίς.] At Μνάσιον in Ægypto dicitur herbaceum quoddam, quod ut papyrus edule est, dulcissimum in cibo saporem offerens, Theoph. H. Pl. 4, 9 [8, 2 : Διαφέρειν δὲ δοκεῖ τῇ γλυκύτητι, καὶ τῷ τρόφιμα μάλιστα εἶναι τρία ταῦτα· ὅ τε πάπυρος, καὶ τὸ καλούμενον Σάρι, καὶ τρίτον, ὃ Μνάσιον καλοῦσιν. Et ib. 6 : Τὸ δὲ Μνάσιον ποῶδές ἐστιν, ὥστε οὐδεμίαν παρέχεται χρείαν, πλὴν εἰς τροφήν. De quo v. annot. intt. Est autem priori l. in cod. Urbinati μνάσι, altero in omnibus μναύσιον.]

[Μνασίππα, ἡ, Mnasippa, n. mulieris, in inscr. Thesp. ap. Bœckh. vol. 1, p. 794, n. 1633, 2, si recte ita legitur pro Μνασιππα ... L. Dind.]

[Μνασιππίδας, ὁ, Mnasippidas, n. viri, Polyæn. 2, 23.]

[Μνάσιππος, ὁ, Mnasippus, Bœotus, Polyb. 30, 10, 3. Laco, ap. Xen. H. Gr. 6, 2, 4 et 5, Diod. 15, 46, 47. Atticus in inscr. Att. ap. Bœckh. vol. 1, p. 157, n. 115, 11, 21, ubi Μνήσιππος exspectes. L. Dind.]

[Μνάσις, κατὰ μέδιμνον· οἶμαι δὲ ἐκ Ῥωμαϊκῆς γλώσσης παρήχθησαν· τὸ γὰρ μεδιοὺμ μέσον ἑρμηνεύεται ἐν αὐτῇ τῇ γλώσσῃ· μνάσις τοίνυν παρὰ Κυπρίοις μετρεῖται καὶ παρ' ἄλλοις ἔθνεσιν· εἰσὶ δὲ καὶ (hoc del.) μόδιοι σίτου ι', ἢ κριθῆς, Etym. Gud. ex Epiphanio vol. 2, p. 178, B. V. Μνασίον.]

[Μνασιστρότιος. V. Μνασίβροτος.]

[Μνασίων, ωνος, ὁ, Mnasion, n. viri, in inscr. Bœot. ap. Bœckh. vol. 1, p. 757, n. 1574, 19, ubi etiam patronymici forma Bœotica 17 : Μνασιώνιος, ὁ, Mnasionis f., de qua v. Bœckh. p. 758. Alius in Hermionensi p. 596, n. 1207, iv, 7. Rhapsodus ap. Athen. 14, p. 620, C. ῐ L. Dindorf.]

[Μνασκύρης, ὁ, Mnascyres, rex Parthorum, cujus nomen sic scriptum in numo (ap. Mionnet. *Descr.* vol. 5, p. 663, 54) legi ferebatur, sed per errorem, quem pluribus exagitavit R. Rochett. *Journ. des Sav.* 1836, p. 261 sq. Μνασκίρης scriptum ap. Lucian. Macrob. c. 16. L. Dind.]

Μναστὴρ, dictus fuit Mensis quidam, Hesych. [Γαμηλιὼν comparat Junius.]

A [Μνάσυλλα, ἡ, Mnasylla, n. mulieris, ap. Persen Anth. Pal. 7, 730, 1. ᾱ]

[Μνασύριον, τὸ, Mnasyrium, locus ins. Rhodi. Strab. 14, p. 655.]

[Μνασὼ, οῦς, ἡ, Mnaso, n. mulieris, in inscr. Dor. ap. Bœckh. vol. 2, p. 363, n. 2448, iii, 35. Conf. Alciphr. Epist. ined. p. 217. L. Dind.]

[Μνάσων, ωνος, ὁ, Mnaso, Aristotelis familiaris ap. Athen. 6, p. 264, D; 272, B. Aliorum mentio fit in inscrr. Spartanis ap. Bœckh. vol. 1, p. 618, n. 1241, 25, ubi Μνα; 619, n. 1242, 24; 627, n. 1255, 3; 639, n. 1291; 642, n. 1304, 8; 655, n. 1340, 14, Tanagr. p. 735, n. 1562, 2, ap. Bandin. Bibl. Med. vol. 1, p. 130. B, Lucian. Philops. c. 22. L. Dind.]

[Μνασωνίδας, ὁ, Mnasonidas, n. viri, in inscr. Calymn. ap. Ross. Inscrr. fasc. 2, p. 67, n. 185, b. L. D.]

[Μνάω. V. Μνάομαι.]

[Μνέα. V. Μνᾶ.]

Μνεία, ἡ, Mentio : μνείαν ποιεῖσθαι, Mentionem facere. [Plato Prot. p. 317, E : Περὶ ὧν μνείαν ἐποιοῦ πρὸς
B ἐμὲ ὑπὲρ τοῦ νεανίσκου.] Lysias : Οὐδεμίαν περὶ τούτου μνείαν ποιησάμενος φαίνεται. [Æschin. p. 23, 5.] Jungitur alioqui sæpe genitivo sine περί. [Plato Phædr. p. 254, A : Μνείαν ποιεῖσθαι τῆς τῶν ἀφροδισίων χάριτος.] Interdum vero μνεία est Memoria : ut μνείαν ἔχειν sequente gen., ap. [Soph. El. 392 : Βίου δὲ τοῦ παρόντος οὐ μνείαν ἔχεις; Et sæpius ap. Euripidem, Plat. Menex. p. 244, A : Χρὴ τῶν ἐν τῷ πολέμῳ τελευτησάντων μνείαν ἔχειν. Quo uno l. refellitur Ammonii p. 95 distinctio : Μνήμη γίνεται νεκροῦ, μνεία ζῶντος.] Aristoph. [Eq. 876] et Plat. [Leg. 7, p. 798, A], ut Gallice *Avoir mémoire de quelque chose.* [Μνείαν, τὴν μνήμην, ex Sophoclis Alexandro citant Antiatt. p. 107, 25, ex Sophocle Photius et Suidas.] Sed et μηδεμίαν ποιησαμένους μνείαν Bud. affert ex Dem., pro Oblitos. [Cum eod. verbo inscr. ap. Bœckh. vol. 2, p. 213, n. 2254, 8 : Οὕτω γὰρ ἡμῖν ἐποιοῦντο τὴν μνείαν ἐν τοῖς πρότερον... οἱ πρέσβεις.] Videmus autem in his exemplis μνείαν utrumque usum habere nominis μνήμη : statuit tamen non parvum inter hæc discrimen Eust. [Od. p. 1443,
C 11], sicut et Ammon. [p. 95 : Μνήμη καὶ μνεία διαφέρει· εἴ τι μὲν γὰρ μνήμη, τοῦτο οὐ πάντως καὶ μνεία· εἴ τι δὲ μνεία, τοῦτο εὐθέως καὶ μνήμη. Ἔστι δὲ μνήμη γενικὴ τύπωσις ψυχῆς, μνεία δὲ λόγος κατὰ ἀνανέωσιν λεγόμενος· ὁ μὲν γὰρ μιμνησκόμενος οὐ πάντως καὶ μνήσκεται (cod. recte μέμνηται)· ὁ δὲ μεμνημένος πάντως καὶ μιμνήσκεται. — Μνήμη ἐστὶν ἡ τῷ μνημονικῷ ἀεὶ συνοῦσα· μνεία δὲ προγεγονότος τινὸς ὑπόμνημα, ὥστε ὁ τούτοις ἐναλλὰξ χρώμενος ἁμαρτήσεται. || Frequens in inscrr. formula est μνείας χάριν. V. Bœckh. vol. 1, p. 866, n. 1784; p. 867, n. 1786, 1, etc. Infra μνήμης χάριν. || « Exsequiæ, ut μνημόσυνον, quod v. Clem. Constt. Apost. 8, 42 : Δεῖ καί ποτε γίνεσθαι τὰς τῶν κοιμηθέντων πιστῶν μνείας. » Ducang. || Sanctorum ædes sacræ. Vita S. Marthæ n. 3 : Διαγρηγορήσας ἐν ταῖς τῶν ἁγίων μαρτύρων μνείαις. Id. in App. p. 133. || Ap. Ælian. N. A. 12, 32 : Προνοίᾳ τοῦ θείου κατά γε τὴν μνείαν ἐμήν· et V. H. 6, 1, Mea sententia. || De accentu mire Theognost. Can. p. 103, 26 : Χειὰ, Φειὰ, οἷς ὅμοια κατὰ τὴν γραφὴν, εἰ καὶ μὴ κατὰ τόνον, τὸ χρεῖα, μνεῖα, διὰ
D βραχέος τοῦ α ἐκφερόμενα. Eodem accentu idem scribit eadem p. 105, 33, quanquam non diserte. Alteram prosodiam recte ponit Arcad. p. 98, 16. L. Dind.]

[Μνείω. V. Μνίω.]

[Μνεσέας. V. Μνασέας.]

[Μνεῦις, ὁ, Mnevis. Bos Ægyptiorum sacer, religiose Heliopoli cultus, sicuti Memphi Apis. Plura de numine hoc Ægypt. dixi in Panth. l. 4, c. 4, § 2—7. Jablonsk. Ap. Plut. Mor. p. 364, C, Μνεῦϊν probarunt Xylander et reliqui. Alii male Μνύειν. Optimi codd. Diodori (1, 21, Strabonis 17, p. 803, 805), Æliani et aliorum pariter habent Μνεῦϊν. De origine nominis aliter statuit Kocherus in Misc. Obs. critt. novis vol. 2, p. 135, 6, existimans, nomen Μνεῦϊς et Μέμφις esse idem. Tewater. In inscr. Ægypt. ap. Letronn. *Recueil* vol. 1, p. 460, E, quod est : Εὐχαριστήσας Σαράπιδι τῷ Μνίει, Letronnius p. 462 habet pro epitheto Serapidis idem significante quod Μνεῦις. Μνήγειος pro Μνεύιος v. ibid. p. 296. L. Dind.]

[Μνηίων, ωνος, ὁ, Mneion, n. viri, in inscr. Lebad.

ap. Bœckh. vol. 1, p. 759, n. 1575, 8. Exspectes Μνασίων, quod v.]

Μνῆμα, τὸ, Id quo nobis res aliqua in memoriam revocatur, Quod nos alicujus recordari facit. Adeo ut perinde sit ac si a Reminiscor dicat quis Reminiscimentum, liceat enim mihi multa hujusmodi in tyronum gratiam fingere. Sed Latini vel Monimentum dicunt, vel Mnemosynum, a Græcis mutuati. Hom. Od. O, [126] : Μνῆμ' Ἑλένης χειρῶν. Sic Il. Ψ, [619] : Πατρόκλοιο τάφου μνῆμ' ἔμμεναι, ubi Eust. exp. μνήμην, addens, καὶ ἰδιωτικῶς εἰπεῖν, ὑπόμνησιν. [Pind. Ol. 3, 16 : Μνᾶμα καλλίστων ἀέθλων· Isthm. 7, 63 : Μνᾶμα πυγμάχου κελαδῆσαι. Simonid. ap. Thuc. 1, 132 : Φοίβῳ μνᾶμ' ἀνέθηκε τόδε. Anth. Pal. 6, 215, 2 : Ὅπλ' ἀνέθεν Λατοῖ μνάματα ναυμαχίας. Diod. 11, 14 : Μνᾶμά τ' ἀλεξάνδρου πολέμου καὶ μάρτυρα νίκας Δελφοί με στᾶσαν. Æsch. Prom. 841 : Πόντιος μυχὸς Ἰόνιος κεκλήσεται τῆς σῆς πορείας μνῆμα τοῖς πᾶσιν βροτοῖς. Soph. Aj. 1210 : Λυγρᾶς μνήματα Τροίας· Ant. 1258 : Μνῆμ' ἐπίσημον διὰ χειρὸς ἔχων. || I. q. μνεία s. μνήμη, Memoria. Theognis 112 : Οἱ δ' ἀγαθοὶ τὸ μέγιστον ἐπαυρίσκουσι παθόντες, μνῆμα δ' ἔχουσ' ἀγαθῶν καὶ χάριν ἐξοπίσω.] || At in prosa Sepulcrum, [Bustum, Gl.] : ad quam signif. restringi itidem Monumentum a Latinis, notissimum est. Xen. [Cyrop. 7, 3, 16] : Τὸ μνῆμα μέχρι τοῦ νῦν τῶν εὐνούχων κεχῶσθαι λέγεται. [Huic loco, quem non esse Xenophontis dixi ad ipsum, substituendi ib. 17 : Τὸ μνῆμα ὑπερμέγεθες ἐχώσθη· 7, 3, 11 : Τὸ μνῆμα πολλοὶ χώσουσιν ἀξίως ὑμῶν.] Et μνήματα plur. Dem. [p. 297, 15; 1307 ter; 1311, 5. Xen. H. Gr. 3, 2, 14 : Ὁρῶσιν ἐκ τοῦ ἀντιπέρας σκοποὺς ἐπὶ τῶν μνημάτων· 7, 1, 19. Et utroque numero sæpe ap. Platonem et alios. Ceterum de sepulchro etiam poetæ, ut Simonid. ap. Herodot. 7, 228 : Μνῆμα τόδε κλεινοῖο Μεγιστία. Et sæpissime Eur. utroque numero, ut plurali Suppl. 663 : Ἔνερθε σεμνῶν μνημάτων Ἀμφίονος.]

[Μνημάτιον, τὸ, dimin. a μνῆμα, Parvum monumentum. Fabulas sic inscriptas Diphili et Epigenis comicorum citat Athen. 3, p. 124, D; 11, p. 472, F, etc.]

Μνηματίτης, ὁ, q. d. Sepulcralis : μν. λόγος, Oratio quæ habetur super sepulcro, Oratio funebris : ut ἀπὸ τοῦ τάφου dicitur ὁ ἐπιτάφιος, et ἀπὸ τοῦ τύμβου, itidem ἐπιτύμβιος, Eust. [Od. p. 1673, 45. Chœrob. Cram. An. vol. 2, p. 169, 11; Suidas v. Τυμβείτης. ῑ]

[Μνημεῖον. V. Μνημήϊον.]

Μνήμη, ἡ, Memoria, Mentio [Gl. Theognis 798 : Τῶν δὲ κακῶν μνήμη γίγνεται οὐδεμία· 1114 : Ἀλλήλους δ' ἀπατῶντες ἐπ' ἀλλήλοισι γελῶσιν, οὔτ' ἀγαθῶν μνήμην εἰδότες οὔτε κακῶν. Simonid. ap. Aristid. vol. 2, p. 379 : Μνήμῃ δ' οὔτινά φημι Σιμωνίδῃ ἰσοφαρίζειν. Æsch. Prom. 461 : Μνήμην θ' ἁπάντων μουσομήτορ' ἐργάτιν· Suppl. 273 : Τούτων ἄκη τομαῖα καὶ λυτήρια πράξας ἀμέμπτως Ἆπις Ἀργείᾳ χθονὶ μνήμην ποτ' ἀντίμισθον εὗρετ' ἐν λιταῖς. Soph. El. 346 : Τῶν φίλων μὴ μνήμην ἔχειν, et cum eod. verbo OEd. T. 1246, Col. 509. Id. Aj. 521 : Ἀνδρί τοι χρεὼν μνήμην προσεῖναι τερπνὸν εἴ τί που πάθοι· OEd. T. 1131 : Οὐχ ὥστε γ' εἰπεῖν ἐν τάχει μνήμης ὕπο· 1239 : Ὅσον γε κἀν ἐμοὶ μνήμης ἔνι. Eur. Ion. 250 : Μνήμην παλαιὰν ἀνεμετρησάμην τινὰ, et alibi sæpius cum verbo ἔχειν, ut Soph. et Aristoph. Eccl. 1162. Et significatione Memorandi Herodot. ll. infra cit. Id. 2, 77 : Μνήμην ἀνθρώπων πάντων ἐπασκέοντες μάλιστα.] Thuc. 2, [87] : Φόβος γὰρ μνήμην ἐκπλήσει. Et ὡς μνήμης ἔχοι, ap. Eund., Prout meminisset. [Et 1, 9 : Οἱ τὰ σαφέστατα Πελοποννησίων μνήμῃ δεδεγμένοι.] Item φέρειν διὰ μνήμης, Memoria tenere, Herodian. [2, 2, 19. Lycophr. 8 : Ἅσσα θυμῷ καὶ διὰ μνήμης ἔχω] : Dem. autem [p. 273, 18] dixit, Ἀλλ' οὐ τίθεται ταῦτα παρ' ὑμῖν εἰς ἀκριβῆ μνήμην. [Cum eod. verbo aliter Eur. Phœn. 1585 : Οἴκτων μὲν ἤδη λήγεθ', ὡς ὥρα τάφου μνήμην τίθεσθαι. Eratosth. Catast. c. 10 : Μνήμην αὐτῶν Ζεὺς θέσθαι βουλόμενος τῆς κοινότητος. Aliæ locutiones sunt ap. Jo. Siceliot. in Walz. Rhett. vol. 6, p. 225, 26 : Οὐ γὰρ φέρω ἐπὶ μνήμης τὰ ἰαμβικὰ ἐπιλαθόμενος· Thomam M. p. 57 : Ἀνανεοῦμαι τῇ μνήμῃ τόδε κάλλιον λέγειν ἢ εἰς μνήμην λαμβάνω, ubi τῇ μνήμῃ παραλαμβάνειν ex Ælian. V. H. 2, 29, comparat Stœber. Longus p. 74 Schæf. : Ἐν μνήμῃ γενόμενοι τῶν καταλειφθέντων τερπνῶν.] Synes. : Σφόδρα διὰ μνήμης ὑμῖν ἀνδρὸς γενομένου. Exp. Memo-

A ria et in his loquendi generibus : Ἐφ' ὅσον ἀνθρώπων μνήμη ἐφικνεῖται, Xenoph. Cyrop. 5, [5, 8]. Et, Καὶ τῆς ἐκείνων ἀρετῆς μνήμην εἰς ἅπαντα τὸν χρόνον καταλιπεῖν, Isocr. Paneg. [p. 80, B, ubi nunc μνημεῖον ex cod. Urbin.] Item, ἀπὸ μνήμης εἰπεῖν, [Pollux 2, 110,] Memoriter vel A memoria exponere, Bud. ex Cic. Quinetiam ὁ τῆς ὁσίας μνήμης a Synesio sic dicitur, ut a quibusdam Christianis scriptt., Vir sanctæ vel piæ memoriæ. [Inscr. Opunt. ap. Bœckh. vol. 1, p. 856, n. 1755, 5 : Ὁ μνήμης ἀρίστης Ἰούλιος Ἀριστέας. Et Paria vol. 2, p. 345, n. 2383, 1. Chron. Pasch. p. 669, 19 : Οἱ ἐν ὁσίᾳ τῇ μνήμῃ, ut ap. Leonid. Tar. Anth. Pal. 7, 440, 4 : Ἐν μνήμῃ πᾶσιν Ἀριστοκράτους.] At vero pro Mentio : ut, Μνήμην ποιήσομαι, Herodot. [1, 15], Mentionem faciam. [Ead. signif. cum verbo ἔχειν 1, 14 : Τοῦ μάλιστα μνήμην ἄξιον ἔχειν ἐστί· 4, 81 : Τοῦ καὶ ὀλίγον τι πρότερον τούτων μνήμην εἶχον.] Sic videtur reddendum potius in isto etiam l. Synesii, Δι' εὐφήμου μνήμης τὴν σὴν ἄγοντι σεμνοπρέπειαν· ut ἄγειν διὰ μνήμης εὐφήμου sit Honorifica mentione prosequi. B Quidam tamen interpr. Per honorificam memoriam celebrare. [Thuc. 2, 54 : Οἱ ἄνθρωποι πρὸς ἃ ἔπασχον τὴν μνήμην ἐποιοῦντο. Plurali Plato Leg. 1, p. 645, E; 10, p. 896, D, et alibi. « Μνήμην ποιήσασθαι περί τινος, Polyb. 2, 7, 12. Τὴν ἐπὶ πλεῖον μνήμην ποιεῖσθαι ὑπέρ τινος, 2, 71, 1, et absque art. τὴν, 1, 20, 8. Εἰς μνήμην ἄγειν τε καὶ παράδοσιν τοῖς ἐπιγινομένοις, 2, 35, 5 et 7. » Schweigh. Lex. Cum præp. ὑπὲρ etiam ap. Diod. 15, 52 : Ἡγούμενος τὸν ὑπὲρ τῶν καλῶν λογισμὸν καὶ τὴν ὑπὲρ τῶν δικαίων μνήμην αἱρετωτέραν εἶναι τῶν παρόντων σημείων. Cum præpos. πρὸς in inscr. Aphrodisiad. ap. Bœckh. vol. 2, p. 496, n. 2741, 7 : Διὰ τὴν πρὸς τοὺς διαθεμένους μνήμην. Et apud Ephræm. Syr. vol. 3, p. 342, B : Ἵνα δυνηθῇ τὸν νοῦν ἀπὸ τῆς πρὸς θεὸν μνήμης ... περισπάσαι. Et locutio ἐν μνήμῃ ποιεῖσθαι cum accusat. ap. Synes. Epist. 8, p. 169, D : Οὐκ ἔδοξεν ὑμῖν ἄξιον εἶναι τὸν ἀδελφὸν ἐν μνήμῃ ποιεῖσθαι· et genitivo ap. Macarium Chrysoc. in Fabric. B. Gr. vol. 8, p. 683, A : Αὐτὰ μόνον θεωρῆσαι, ὧν ὁ Ματθαῖος οὐκ ἐποιήσατο ἐν μνήμῃ. || Formula μνήμης C χάριν, ut supra μνείας χάριν, est in inscrr. ap. Bœckh. vol. 1, p. 766, n. 1781; vol. 2, p. 275, n. 2343. Pro quo μνήμη et μνήμη θανάτου in inscrr. sepulcralibus ib. p. 275, n. 2344; 279, n. 2349.] || At μνῆμαι κυπαρίττιναι, Bud. ex Plat. [Leg. 5, p. 741, C] pro Monumenta, Præcepta in cupresso incisa. Item μνῆμαι ἐν μέτροις, VV. LL. ex Aristot. pro Decantationes per carmina. [Rhetor. 1, 5. || Ap. Dionys. A. R. 8, 59 : Μνήμας ὧν εἷλε πόλεων, vertitur Imagines urbium. || Ap. Herodian. 4, 8 : Φῆστος τῆς βασιλείου μνήμης προεστὼς, Qui regi a memoria erat. || « Memoria, Ædes sacra, in qua extat Sancti alicujus Sepulcrum. Conc. Calched. Act. 1, p. 144 : Ἐν διαφόροις εὐκτηρίοις οἴκοις, ἐν ταῖς τῶν ἁγίων μνήμαις. V. Nomocanon Photii tit. 5, c. 1. || Μνῆμαι, Memoriæ, Anniversaria Sanctorum festa. Conc. Carthag. can. 46 : Τὰ πάθη τῶν ἁγίων ἐν ταῖς μνήμαις τῶν ἁγίων ἀναγινωσκέσθωσαν. Codin. De off. 15, 4 : Κατὰ τὴν μνήμην τοῦ μεγάλου Δημητρίου. Et alii. || Exsequiæ defunctorum. Justinian. Nov. 133, 3, 1 : Προφάσει τῶν περὶ τὴν ὁσίαν πραττομένων, ἃς δὴ μνήμας καλοῦσιν. » D Ducang. Alia id. in App. p. 134.]

[Μνήμη, ἡ, Mneme, Musa, sec. Aloei filios ap. Pausan. 9, 29, 2. I. q. Mnemosyne, mater Musarum, in ep. Anth. Pal. 9, 496, 6 : Ἁ μία τῶν Μνήμης ἥνυσε θυγατέρων.]

Μνημήϊον, et Μνημεῖον, τὸ, i. q. μνῆμα in ea signif., quam ex Hom. protuli. Potest autem reddi Monumentum [Gl.] quum aliis in ll. [ut Æsch. Sept. 49 : Μνημεῖα δ' αὑτῶν τοῖς τεκοῦσιν ἐς δόμους... ἔστεφον. Soph. El. 933 : Οἶμαι μάλιστ' ἔγωγε τοῦ τεθνηκότος μνημεῖ' Ὀρέστου ταῦτα προσθεῖναί τινα· 1126 : Ὦ φιλτάτου μνημεῖον ἀνθρώπων ἐμοὶ ψυχῆς Ὀρέστου λοιπόν· Phil. 1432 : Ἃ δ' ἂν λάβῃς σὺ σκῦλα τοῦδε τοῦ στρατοῦ, τόξων ἐμῶν μνημεῖα πρὸς πυρὰν ἐμὴν κόμιζε, et similibus locis Euripidis et aliorum, ut Aristoph. Eq. 269 : Ὡς δίκαιον ἐν πόλει ἑστάναι μνημεῖον ὑμῶν ἐστιν ἀνδρείας χάριν· Thuc. 2, 41 : Πανταχοῦ μνημεῖα κακῶν τε κἀγαθῶν ἀΐδια ξυγκατοικίσαντες. Et similibus locis Platonis], tum in his Isocratis : in Bus. Enc. [p. 223, D] : Ἀλλ' ᾠήθη δεῖν καὶ τῆς ἀρετῆς τῆς αὑτοῦ μνημεῖον εἰς ἅπαντα τὸν χρόνον καταλιπεῖν· in Or. ad Phil. [p. 105, B] : Τρόπαιον μὲν τῶν βαρβάρων, μνημεῖον δὲ τῆς ἀρετῆς αὐτῶν. [De rebus futuris Plato Phædr. p. 233, A : Ταῦτα μνημεῖα καταλειφθῆναι τῶν μελλόντων ἔσεσθαι.] Ut autem illud μνῆμα accipitur etiam pro Sepulcro (ad quam signif. restringitur et Monumentum, uti dixi), sic et μνημεῖον, teste Suida. [Eur. Iph. T. 702 : Τύμβον δὲ χῶσον κἀπίθες μνημεῖά μοι· 821. Xenoph. H. Gr. 2, 4, 17 : Μνημείου οὐδεὶς οὕτω πλούσιος ὢν καλοῦ τεύξεται· 3, 2, 15 : Ἀνταναβιβάσαντες εἰς τὰ παρ' ἑαυτοῖς μνημεῖα καὶ τύρσεις τινὰς, quæ paullo ante dixerat μνήματα. Plato Reip. 3, p. 414, A : Τάφων τε καὶ τῶν ἄλλων μνημείων. « Sepulcrum s. Ædes Sanctis dedicata. S. Maximus in Ascetico p. 386 : Οἰκοδομοῦμεν τοὺς τάφους τῶν μαρτύρων καὶ κοσμοῦμεν τὰ μνημεῖα τῶν ἀποστόλων. » Ducang.] Affertur et pro Loco secretiore domus, in quo pretiosissima quæque asservantur, ex hoc Dionis l. in Antonio, Εἰς τὸ μνημεῖον ἐσέδραμε. [|| Ædes sacra, ut μνῆμα. Synod. Carthag. can. 76 : Περὶ τῶν πλαστῶν μνημείων τῶν μαρτύρων, ubi Zonaras εὐκτήρια ἐπὶ μαρτύρων ὀνόμασιν. Ducang.] At μνημήϊον poetis est in usu : exp. autem μνημήϊα Suid. μνημόσυνα. [Pind. Pyth. 5, 49 : Ἔχεις λόγων μναμήϊα. Apollon. Rh. 3, 1206; 4, 28, et sæpius in Anthol. Apollinar. Metaphr. 9, 12, p. 19, 1. Herodot. 2, 135. Arcad. p. 120, 11.]

[Μνημὶς, ῖδος, ἡ, quod ponit Chœrob. vol. 1, p. 189, 16, ex κνημὶς corruptum videtur. L. Dind.]

[Μνημοθέσιον. V. voc. sequens.]

[Μνημονεῖον, τὸ, Monumentum. Martyrium S. Philetæri n. 28 : Σεμνὸν κηδευτήριον, ἐν ᾧ μνημονείῳ τιμίως καὶ εὐλαβῶς κατετίθεντο τοὺς ἑπτά. Ducang. App. Gl. p. 134. Nisi leg. μνημείῳ, vel, quod minus lene, μνημοθεσίῳ, ut ap. Codin. Orig. Cpol. n. 151 : Τὸ δὲ ἔξω μνημοθέσιον τῶν τε ὀρθοδόξων καὶ τῶν αἱρετικῶν ὁ μέγας Ἰουστινιανὸς ἐποίησε καὶ διὰ μουσίων ἐκαλλώπισεν αὐτό.]

[Μνημόνειος. V. Μνημόνιος.]

Μνημόνευμα, τὸ, Res quæ memoriæ mandatur, memoria tenetur, q. d. Recordamentum, a Recordor. Lucian. De saltat. [c. 44] : Καὶ τὰ ἐν Νεμέᾳ δὲ, ἡ Ὑψιπύλη καὶ Ἀρχέμορος, ἀναγκαιότατα τῷ ὀρχηστῇ μνημονεύματα, q. d. Hæc sunt, quibus ejus memoria instructa esse debet, quæ ejus memoria velut in numerato habere debet. Dixerat enim paulo ante Lucian., antequam sc. ad catalogum horum μνημονευμάτων veniret, Ἡ δὲ πᾶσα τῷ ἔργῳ χορηγία, ἡ παλαιὰ ἱστορία ἐστὶν, ὡς προεῖπον, καὶ ἡ πρόχειρος αὐτῆς μνήμη τε καὶ μετ' εὐπρεπείας ἐπίδειξις· quare non possum ei assentiri, qui μνημονεύματα in l. illo interpr. Monumenta. [Ap. Eust. Opusc. p. 118, 12 : Εἰ δὴ τὸ τοιοῦτον μνημόνευμα καὶ ἡ κατ' αὐτὸ ἄμυνα οὐκ ἔστιν ἀναντιρρήτως μνησικακεῖν κτλ., i. esse videtur q. Recordatio.] Aristot. Rhet. 1, [3, 13] in enumeratione rerum honestarum : Καὶ τὰ μν., καὶ τὰ μᾶλλον, μᾶλλον· καὶ ἃ μὴ ζῶντι ἕπεται, καὶ οἷς τιμὴ ἀκολουθεῖ· καὶ τὰ περιττὰ, καὶ τὰ μόνῳ ὑπάρχοντα, καλλίω· εὐμνημονευτότερα γάρ· in quem l. hæc scribit P. Victorius : Μνημονεύματα, nisi fallor, appellat elogia, et quæ memoriam alicujus ornant. Plut. in Commentario quo disputat oportere senem in republ. versari [p. 786, E], videtur appellasse Rem quæ memoria repetitur (quod Cic. sæpe Recordationem vocat) : Θέαμα δὲ καὶ μν., καὶ διανόημα τῶν ὄντων, et quæ sequuntur. Non me tamen fugit, legi in excusis quibusdam μνημονευτὰ, quum tamen in reliquis et impressis formis et scriptis libris invenerim μνημονεύματα. Quare tantum consensum eorum damnare, consilium non fuit. Qui ita emendarunt, videntur hoc verbum sic cepisse quasi valeat, Quæ feruntur, prædicantur. Ubi tamen res efficientes voluptatis hoc ipso in libro infra indicat, μνημονευτὰ vocat Quæ memoria adhuc retinemus, vetera facta dictave quæ recordamur : Τὰ μὲν οὖν μν. ἡδέα ἐστίν. Quod vero ad sententiam pertinet : Et ea, inquit, quæ memoriam alicujus colunt, et famam extingui non patiuntur, vel quæ ferenda et prædicanda sunt, honesta sunt, necnon quæ magis hujuscemodi, magis honesta. Sunt etiam scripti nonnulli, in quibus mutato ordine posteriorum verborum, Καὶ μᾶλλον τὰ μᾶλλον legatur, quum alii, et in iis antiquissimus, receptam lectionem sequantur. Hæc ille. [Aristot. De memor. c. 1 : Ἐνταῦθά τε ἄλλο τὸ πάθος τῆς θεωρίας ταύτης καὶ ὅταν ὡς ζῶον γε-

A γραμμένον θεωρῇ, ἔν τε τῇ ψυχῇ τὸ μὲν γίγνεται ὡς νόημα μόνον, τὸ δ' ὡς ἐκεῖ ὅτι εἰκὼν, μνημόνευμα. Moschio ap. Stob. Eclog. p. 244, Eratosth. Cat. 41.]

[Μνημονευτέον, Recordandum. Plato Reip. 4, p. 441, D : Μνημονευτέον ἄρα ἡμῖν ὅτι ... ἔσται. « Gregor. Naz. Or. 18 init. » Boiss. V. Μνημονεύω.]

Μνημονευτικὸς, ή, όν, Qui valet memoria : ut exp a Bud. in isto Damasc. l., Τὸ δὲ μν., ἐστὶ μνήμης καὶ ἀναμνήσεως αἴτιόν τε καὶ ταμεῖον. Sed, si exempll. mendo hic carent, μνημονευτικὸν, fuerit quod potius dicitur μνημονικὸν, de quo habes paulo post. [Plotin. Enn. 4, vol. 2, p. 732, 17 : Ἆρ' οὖν τῷ αἰσθητικῷ φέροντες ἀναθήσομεν τὴν μνήμην καὶ τὸ αὐτὸ ὑμῖν μνημονευτικὸν καὶ αἰσθητικὸν ἔσται; Melet. in Cram. An. vol. 3, p. 23, 25. De eo qui valet memoria, schol. Æsch. Prom. 789 : Μνήμοσιν δέλτοις φρενῶν) ταῖς μνημονευτικαῖς. L. D. Planud. Paraphr. Herenn. p. 4. Adv. Μνημονευτικῶς, ib. p. 5.]

[Μνημονευτὸς, ὁ.] Ut μνημόνευμα fit a præt. pass., sic Μνημονευτὸς a tertia, de quo lege quæ dicta fuerunt in
B proxime præcedente Μνημόνευμα. [Aristot. De memor. c. 1 : Πρῶτον ληπτέον ποῖά ἐστι τὰ μνημονευτά· Rhetor. 1, 9 et 11. Ap. Strab. 1, p. 13, pro μνημόνευτον (sic) libri meliores εὐμνημόνευτον.]

Μνημονεύω, i. e. μνήμων εἰμὶ, Memor sum, Memoria teneo, Memini. Cum gen., sicut et μέμνημαι, ap. [Xen. Anab. 4, 3, 2 : Πολλὰ τῶν παρεληλυθότων πόνων μνημονεύοντες, ubi etiam altera Memorandi signif. locum habet,] Lucian. [D. mar. 12, 2, De merc. cond. c. 1, al.] Sic Athen. : Εἴ γε τῆς φωνῆς μνημονεύω. Plut. Othone [init.] : Μνημονεύειν τῆς ἀφέσεως. Et in Sympos. p. 1176 meæ ed. : Ἐνταῦθα δὲ καὶ τοῦ Σωκράτους ἅμα μνημονευτέον. Ex Phalar. [Ep. 2. Hemst.] et cum dat. personæ, sequente gen. rei : Μνημονεύω σοι τῆς χάριτος, pro Memor sum tui beneficii, VV. LL. Vide Ἀπομνημονεύω. Dem. autem accusativo jungit, non semel. [Τὰς χάριτας p. 1478, 13.] Sic et [Æsch. Pers. 780 : Κοὐ μνημονεύει τὰς ἐμὰς ἐπιστολάς. Soph. Ph. 121, fr. ap. Jo. Dam. App. Stob. vol. 4, p. 34; Eur. Andr. 1165. Herodot. 1, 36 : Μνημονεύων τοῦ ὀνείρου τὰ ἔπεα. Xen.
C Comm. 2, 7, 7 : Μνημονεύειν ἃ ἂν μάθωσι. Et sæpe Plato et alii.] Isocr. [p. 22, A] : Ἐὰν τὰ παρεληλυθότα μνημονεύῃς, ἄμεινον καὶ περὶ τῶν μελλόντων βουλεύσῃ, Si in memoriam revoces præterita, Si recorderis præterita. Sed et [μνημονεύω ἡνίκα Soph. Aj. 1273 : Οὐ μνημονεύεις οὐκέτ' οὐδὲν ἡνίκα ... ἐρρύσατο,] μνημονεύω ὅτι, [Plat. Reip. 5, p. 480, A,] Dem. Item cum partic., ap. Plut. : Ἀνεγνωκὼς ἔφη μνημονεύειν. [Cum infinitivo Aristoph. Eccl. 264 : Ἐκεῖνο δ' οὐ πεφροντίκαμεν ὅτῳ τρόπῳ τὰς χεῖρας αἴρειν μνημονεύσομεν τότε· εἰθισμέναι γὰρ ἐσμεν αἴρειν τὼ σκέλη. Μνημον s. μνημονευε in gemmis v. *Cabinet d'Orléans* vol. 2, p. 180. || Pass. Thuc. 1, 23 : Ἡλίου ἐκλείψεις, αἳ πυκνότεραι παρὰ τὰ ἐκ τοῦ πρὶν χρόνου μνημονευόμενα ξυνέβησαν. Xen. Comm. 4, 8, 2 : Ὁμολογεῖται οὐδένα πώποτε τῶν μνημονευομένων ἀνθρώπων κάλλιον θάνατον ἐνεγκεῖν.] || Memoro [Gl.], Memoriæ prodo; Commemoro, Mentionem facio, qua in signif. Memini itidem ponitur a Latinis. Athen. 3, [p. 101, A] : Τῆς δὲ διαφορᾶς τῆς περὶ τὴν ἐκτομίδα μνημονεύει Ἵππαρχος, ἐν τούτοις. Plut. Themist. [c. 32] : Οὗ
D καὶ Πλάτων μνημονεύει· Symp. 2 [p. 631, A] : Ἀπλήστως ἔχουσι τοῦ διηγεῖσθαι καὶ μνημονεύειν. [Cum accus. rei et dat. pers., Orationem illam ἐμνημόνευσεν Ἀλεξάνδρῳ, Epist. Socr. p. 66, 27. Valck. Cum accus. pers. Theodor. Stud. p. 279, A : Μνημονεύει τὸν μητροπολίτην· C : Μνημονεῦσαι νεκρὸν, ὀρθόδοξον μέντοι.] Et Μνημονεύομαι, Memoror. [Plato Leg. 4, p. 723, C : Οὐδ' ὀλίγον διαφέρον ἢ σαφῶς ἢ μὴ σαφῶς αὐτὰ μνημονεύεσθαι.] Unde μνημονευομένας dixit Isocr. in Pan. [p. 46, A] : Ἀλλὰ τὰς διὰ τὸ μέγεθος ὑπὸ πάντων ἀνθρώπων καὶ πάλαι καὶ νῦν καὶ πανταχοῦ καὶ λεγομένας καὶ μνημονευομένας, sc. εὐεργεσίας. Bud. ap. Eund. μνημονεύεσθαι [ἡ εἰς ἅπαντα τὸν χρόνον μνημονευθησομένη δόξα p. 259, B] vertit Celebrari, In ore haberi. [Pass. de re cujus memoria servatur, Eur. Heracl. 334 : Μνημονεύσεται χάρις. Inscr. Teja ap. Bœckh. vol. 2, p. 654, n. 3066, 28 : Ἵνα δὲ καὶ μνημονεύηται αὐτῶν εἰς ἅπαντα τὸν χρόνον ἡ φιλοτιμία. Xen. H. Gr. 4, 8, 4 : Ὅταν τινὲς ἐν συμφοραῖς γενομένων φίλων βέβαιοι φανῶσι, τοῦτ' εἰς τὸν ἅπαντα χρόνον μνημονεύεται. Theodor. Stud. p. 45 B : Τῷ μνη-

μονευθέντι. || Μναμονεύθημεν, διεκλήθημεν, Hesychius. || « Usurpatur de nominibus vivorum et mortuorum, quæ in sacra Liturgia ex diptychis recitabantur a sacerdote. Liturgia Chrysostomi p. 78 : Ἐνταῦθα ὁ ἱερεὺς μνημονεύει ὧν θέλει ζώντων καὶ τεθνεώτων, etc. || Funus facere, Parentare, Justa exsolvere, ἐνταφιάζειν, ἐναγίζειν, μνημόσυνα ποιεῖν. Nomocanon Coteler. n. 75 : Ἐὰν (νεκρὸς) τύχῃ δαιμονικὸν, εἰς τὸ λείψανον, μὴ μνημονευέτω· εἰ δὲ καθαρός ἐστι, μνημονευέτω μνημόσυνα δ΄. » Ducang.] Μναμονεύω Dorice pro μνημ., ut μνάμων. [Perfectum hujus verbi sine augm. est ap. Oribas. p. 11 ed. Mai. : Μνημονεύκασιν. Legitima forma ἐμνημόνευκα ap. Pausan. 3, 20, 6, Origen. vol. 1, p. 352, D.]

[Μνημόνη. V. Μνημοσύνη.]

Μνημονικὸς, ἡ, ὸν, Memoria valens, [Memorosus, Memoriosus, Gl.] : ut, Εἰ μνημονικὸς εἶ, Aristoph. [Nub. 483], qui ei opponit ἐπιλήσμων. [Ut Cratinus ap. Hephæst. p. 14, 5. Xen. Cyrop. 5, 3, 46 : Ὡς μνημονικὸς ὁ Κῦρος. Plato Reip. 6, p. 486 : D : Μνημονικὴν ψυχήν.] Et τὸ μν. ἔχειν, Xen. [OEc. 9, 11], Valere memoria, Bud.; qui etiam Μνημονικῶς ἔχειν affert pro Memorem esse, Meminisse, sed tantum ex Gaza. [Aristot. De memor. c. 1 : Οὐ γὰρ οἱ αὐτοί εἰσι μνημονικοὶ καὶ ἀναμνηστικοὶ, ἀλλ' ὡς ἐπὶ τὸ πολὺ μνημονικώτεροι μὲν οἱ βραδεῖς, ἀναμνηστικώτεροι δὲ οἱ ταχεῖς καὶ εὐμαθεῖς. Eust. Opusc. p. 105, 57 : Οἱ καθ' ἡμῶν μὲν ψεῦσται μνήμονες, ἡμῶν δὲ ἀφορίζοντες τὸ ἀγαθὸν μνημονικὸν, τὸ καλὸν δῶρον τῆς φύσεως. Id. p. 208, 1 : Τῆς μν. δέλτου.] Sic autem et μνημονικὸς interdum simpl. pro Memor [Gl.] : unde μνημονικώτερος, ap. [Plat. Phædr. p. 274, E, et Aristot. supra cit.] Synes., Magis memor. [Superl. Xen. Anab. 7, 6, 38 : Ὦ πάντων μνημονικώτατοι. Demosth. p. 329, 25.] Et Τὸ μν. τῆς μαθήσεως μέρος, ex Plut. De lib. educ. [p. 9, F], Pars recordatrix. [Marm. Par. ap. Bœckh. vol. 2, p. 302, 70 : Σιμωνίδης ὁ τὸ μνημονικὸν εὑρών. Philostr. V. Ap. 1, 14, p. 16 : Τό τοι μνημονικὸν καὶ ὑπὲρ τὸν Σιμωνίδην ἔρρωτο ἑκατοντούτης γενόμενος, et iisdem fere verbis V. S. 2, 21, 3, p. 604, de quo conf. Quinct. Inst. 11, 2, 11 sqq. Xen. Conv. 4, 62 : Ἱππίᾳ τῷ Ἠλείῳ, παρ' οὗ οὗτος καὶ τὸ μνημονικὸν ἔμαθεν· ubi Schneid. contulit Aristot. De anima 3, 3 : Πρὸ ὀμμάτων γὰρ ἔστι ποιήσασθαι, ὥσπερ οἱ ἐν τοῖς μνημονικοῖς τιθέμενοι καὶ εἰδωλοποιοῦντες· et scriptorem Ad Herennium 3, 17 : « Qui μνημονικὰ didicerunt, possunt quæ audierunt, in locis collocare, et ex his memoriter pronuntiare. » 24 : « In μνημονικοῖς minimum valet doctrina, nisi industria, studio, labore comprobetur. » Add. Plat. Hipp. min. p. 368, D : Τὸ μνημονικὸν ἐπελαθόμην σου τέχνημα· et ib. 369, A. Hipp. maj. p. 285, E : Οὐκ ἐνενόησα ὅτι τὸ μνημονικὸν ἔχεις. Aristot. De insomn. c. 1 : Οἱ δοκοῦντες κατὰ τὸ μνημονικὸν παράγγελμα τίθεσθαι τὰ προβαλλόμενα. || Memorabilis, Gl. Nisi hoc active dictum. || Adv. Μνημονικῶς, Plato Polit. p. 257, B : Πάνυ μν. ἐπέπληξας. Dem. p. 1383, 7 ; Sext. Emp. p. 438. Antiatt. Bekk. p. 105, 8.]

[Μνημόνιος.] Μνημόνια ζητήματα fuerunt dictæ quædam quæstiones convivales, a Theodecte quodam Sophista nomine hoc donatæ, quod ille valde in iis celebratus μνημονικὸς esset. Ita Pollux [6, 108, ubi nunc Μνημόνεια].

[Μνημόνως. V. Μνήμων.]

[Μνημόριον. Etym. Ms. : Μνημόριον, μνήμη δρῶντος. Ducang. App. Gl. p. 134. Inepte pro μεμόριον, ut videtur, de quo voc. multa Ducang. suo loco.]

Μνημοσύνη, ἡ, [Moneta Gl.] accipitur a poetis pro μνήμη, estque ita usus Hom. [Il. Θ, 181 : Μνημοσύνη τις ἔπειτα πυρὸς δηΐοιο γενέσθω. Pind. Ol. 8, 74 : Μναμοσύναν ἀνεγείροντα. Eur. Herc. F. 679 : Ἔτι τοι γέρων ἀοιδὸς κελαδεῖ μναμοσύναν. Plur. Orph. H. 27, 12 : Ἐργασίῃσι, λόγου χάρισιν καὶ μνημοσύνῃσιν. || Mnemosyne, mater Musarum. Hom. H. Merc. 429; Hesiod. Th. 54 etc. ; Pind. Nem. 7, 15 : M. λιπαράμπυκος· Isthm. 5, 72, χρυσοπέπλου. Apollodor. 1, 1, 3 ; ib. 3, 1, 5, Pausan. et alii. ΜΝΕΜΟΣΥΝΗ inscriptum statuæ ap. Viscont. *Mus. Pio-Cl.* vol. 1, tab. XXVIII. V. etiam Bœckh. C. I. vol. 2, p. 70, n. 2037. || Pro quo ap. Aristoph. Lys. 1248 : Ὅρμαον τὼς κυρσανίως, ὦ Μναμόνα, τὰν τεὰν μῶαν. Ubi Μναμοσύνα libri plures. Cum Μνημὼ, quod v., confert Lobeck. Aglaoph. p. 733. ῠ L. D.]

Μνημόσυνον, τὸ, [Memorabile, Memoriale, Gl.] Latine quoque Mnemosynum, Quod nobis memoriam rei alicujus renovat; Id quo nobis res aliqua in memoriam revocatur, Quod nos alicujus recordari facit. Qua in signif. et μνῆμα poni ab Hom. docui supra : addens, perinde esse ac si a Reminiscor fingere liceret Reminiscimentum. Lat. etiam Mnemosynum, uti dixi, sed quidam ejus signif. ap. illos restringere nimium videntur; item Monimentum, hac in signif. Thuc. 5, p. 169 [c. 11] : Καὶ ἀφανίσαντες εἴ τι μν. που ἔμελλεν αὐτοῦ τῆς οἰκίσεως περιέσεσθαι. Quem l. ita Valla reddidit, Et si quæ ædes in illius memoriam futuræ erant. Sed perperam, ut docui in mea edit. Latina Thuc., quæ huic l. ascriptas habet has interprett. vice illius : Et si quod aliud deductionis ejus mnemosynum vel monimentum superfuturum erat. Vel, Et quicquid supererat quod deductæ ab eo coloniæ memoriam renovare posset s. conservare. Tale est μνημόσυνα καταλιπέσθαι. [Epigr. ap. Bœckh. vol. 1, p. 586, n. 1152, 7 : Μναμόσυνον προλιποῦσα πόσει κατὰ δῶμα θύγατρα. De calendario ib. vol. 2, p. 487, n. 2722 : Μνημόσυνον ἀνθρώποις τόδ' ἡμερήσιον εὗρον. « Sing. Τοῦτο ἀναθεῖναι μνημόσυνον ἑαυτῆς, Herodot. 2, 135. Μνημόσυνον ἑωυτοῦ λιπέσθαι, 4, 166. Plur. de uno, ut de labyrintho, Καί σφι μνημόσυνα ἔδοξε λιπέσθαι, 2, 148. Μνημόσυνα λιπέσθαι ἐς τὸν ἅπαντα ἀνθρώπων βίον, 6, 109, ubi al. μνημόσυνον. Μνημόσυνά τοι γνώμης τῆς ἐμῆς καταλιπέσθαι θέλω, 9, 16. Μνημόσυνον πυραμίδα λιπέσθαι, 2, 136. Et, Ταῦτα τὰ ἔπεά φασι αὐτὸν λιπέσθαι μνημόσυνα, 7, 226. » Schweigh. Lex.] At vero in Aristoph. Vesp. [538] : Καὶ μὴν ὅσ' ἂν λέξῃ γ' ἁπλῶς μνημόσυνα γράψομαι 'γὼ, schol. exp. τῶν λεγομένων τὰ κεφάλαια, q. d. Summas eorum, quæ dicta fuerint, memoriæ causa confectas; Ea, quæ dicta fuerint, in capita redacta memoriæ causa. [Μνημόσυνα, Monumenta, singulare non habet, Gl. Aristoph. ib. 559 : Τουτὶ περὶ τῶν ἀντιβολούντων ἔστω τὸ μνημόσυνόν μοι. Meleager Anth. Pal. 12, 68, 7 : Δάκρυα τἀμὰ λάβοι, μναμόσυνον στοργᾶς.] || Sed ap. Matth., Marc., et Lucam μνημόσυνον exp. etiam Memoria : sc. Matth. 26, [13] et Marc. 14, [9] : Λαληθήσεται καὶ ὃ ἐποίησεν αὕτη, εἰς μνημόσυνον αὐτῆς, Commemorabitur quod hæc fecit, ad ejus memoriam. Ubi non male etiam fortasse, Ad conservandam ejus memoriam. Sed ap. Lucam licet itidem reddatur nomine Memoria, videtur suam illam signif. retinere : sc. Act. 10, 4 : Αἱ προσευχαί σου καὶ αἱ ἐλεημοσύναι σου ἀνέβησαν εἰς μνημόσυνον ἐνώπιον τοῦ Θεοῦ· perinde enim est, opinor, ac si dictum fuisset, ἀνέβησαν γενησόμεναι μνημόσυνον. [Eadem formula Jo. Malalas p. 183, 4. || « Exsequiæ. Μνημόσυνον κάμνειν, Exsequiare Portio. Sic porro appellatur Officium, quod supra mortuos, ab Ecclesia institutum, sive canendo sive legendo, recitatur. Theophanes a. 2 Mich. Curopal. : Ἀνελθὼν εἰς τὴν μονὴν τοῦ ἁγίου Ταρασίου καὶ ἐπιτελέσας αὐτοῦ τὰ μνημόσυνα, aliique plurimi Byzantini. » Ducang.]

Μνημύει, Hesych. exp. σκυθρωπάζει, Vultu est tetrico : afferens et μνήμυκεν pro ὑποπτήσσει, δυχεραίνει. Idem fere ἠμύει. [V. Ὑπομνημύω.]

[Μνημὼ, οῦς, ἡ. Olympiodor. In Plat. Phileb. p. 268 : Ὅτι εἰσὶ μνῆμαι τοσαίδε, πρώτη μὲν ἡ κατὰ αἴσθησιν... Εἶτα ἡ θεὸς αὐτὴ, ἀφ' ἧς πᾶσα ἡ ἰδιότης ἐπιγίγνεται, εἴτε ἡ παρὰ τῷ Ὀρφεῖ μνήμη εἴτε καὶ ἄλλη τις οὖσα τυγχάνει. Ubi Μνημὼ pro μνήμη exhibuit Gesner. fr. Orph. p. 410. Quod cum Μναμόνα, de quo in Μνημοσύνη, confert Lobeck. Aglaoph. p. 733, ab eoque repetit filias Mnemosynæ Mnemonidas ap. Ovidium et Ausonium, ubi tamen alii Mæonidas et Mnemosynas. L. Dindorf.]

Μνήμων, ονος, ὁ, ἡ, Memor, [Memoriosus, add. Gl.] Qui recordatur (alicujus rei). Hom. Od. Φ, [95] : Καὶ γὰρ μνήμων εἰμί. [Æsch. Prom. 516 : Μνήμονες Ἐρινύες· 789 : Ἣν ἐγγράφου σὺ μνήμοσιν δέλτοις φρενῶν· Ag. 150 : Μνάμων μῆνις τεκνόποινος· Eum. 375 : Κακῶν μνήμονες σεμναί. Soph. Aj. 1390. Aristoph. Pac. 761 : Ἀποδοῦναί μοι τὴν χάριν ὑμᾶς εἰκὸς καὶ μνήμονας εἶναι. Xen. Ages. 11, 13 : Οἱ ὑπουργήσαντές τι μνήμονα ἐκάλουν.] Item Memoria valens, μνημονικὸς, unde ei opp. ἐπιλήσμων ap. Aristoph. [Nub. 485], i. e. Obliviosus. [Id. 413 : Εἰ μνήμων τ' εἶ καὶ φροντιστής. Plato Reip. 6,

p. 487, A, et alibi sæpe.] || Μνήμων φόρτου, Eust. ap. Hom. [Od. Θ, 163] exp. γραμματεὺς, addens, ἤτοι ἀποσημάντωρ διὰ γραμμάτων, λογιστὴς, ἐπιμελητής. [Contra hanc interpr. disputat Wolf. Proleg. p. 89.] Hinc autem ap. Homeri posteros compositi nominis ἱερομνήμων originem sumpsisse existimo. Quod autem quum alibi, tum in VV. LL. annotatur μνήμονας et ἱερομνήμονας pro iisd. poni, idque testari schol. Aristoph. [Nub. 619]: id vero, ut alia infinita, falso ibi annotatur, si bene perpendantur et intelligantur illius verba, dicentis ἱερομνήμονας vocari quasi ἱερεῖς γραμματεῖς: quod μνήμονες dicti fuerint γραμματεῖς, ut appareat ex isto Hom. l., Φόρτου τε μνήμων καὶ ἐπίσκοπος ᾖσιν ὁδαίων. Est autem hic versus ille ipse, in quo nomini μνήμων signif. illam ab Eust. tribui dixi. De ἱερομνήμονες dictum fuit suo loco. [Aristot. Polit. 6, 8: Καλοῦνται δὲ ἱερομνήμονες καὶ ἐπιστάται καὶ μνήμονες. Hesych.: Μνάμων, ἱερομνήμων. Μνήμονες, ἢ τὰς θυσίας ἀπομνημονεύοντες. Et: Μνήμονες, ἀρχὴ γυναικῶν ἐπιτελουμένων τῶν ἱερείων (ἱερῶν). || De monitoribus ap. Eust. Od. p. 1697, 54: Χρησμοῦ δοθέντος Νέστορι φυλάττεσθαι ἐπὶ τῷ υἱῷ Ἀντιλόχῳ τὸν Αἰθίοπα, ἔδοτο αὐτῷ μνήμονα ὁ πατὴρ καὶ ὑπασπιστὴν Χάλκωνα.... Ἐδόθησαν δὲ καὶ ἄλλοις τῶν ἡρώων μνήμονες, οἷον τῷ Ἀχιλλεῖ ὑπὸ τῆς μητρὸς, ὡς ἱστορεῖ καὶ Λυκόφρων (240) κτλ. Add. Ptolem. Hephæst. c. 1, p. 13 ed. Roulez., qui v. p. 62. || Comparat. ap. Tzetz. Hist. 9, 937: Ὁ Ἰσοκράτης... καὶ ὁ Θεόφραστος ἁπάντων μνημονέστεροι θρυλοῦνται ἐν τῷ βίῳ, et ib. in inscr. hist. 296.] Dorice Μνάμων pro μνήμων, Memor, in proverb. Μισῶ μνάμονα συμπόταν [ap. Lucian. Conv. c. 3, Plut. Mor. p. 612, C, D], de quo lege Erasmum in his proverbialibus verbis Latinis, Odi memorem compotorem, ubi inter alia tradit μνάμονας secundum quosdam dictos, quos Latini Modiperatores appellarint. Lege et Eustathium [Il. p. 770, 13: Οὐ δεῖ γὰρ, φασὶ, δέχεσθαι μνάμονα, ὡς ἔνιοι τὸν μεμνημένον χθιζῶν ἁμαρτημάτων συμποσιαίων, ἀλλὰ τὸν ἄγαν ἐπιμελητὴν τοῦ συμποσίου· μισοῦμεν γὰρ τὸν ἐν τοιούτοις ἐπιμελούμενον καὶ ἐπιτάσσοντα. Plut. l. c.: Τὸ μισέω μν. σ. ἔνιοι πρὸς τοὺς ἐπιστάθμους εἰρῆσθαι λέγουσι, φορτικοὺς ἐπιεικῶς καὶ ἀναγώγους ἐν τῷ πίνειν ὄντας· οἱ γὰρ ἐν Σικελίᾳ Δωριεῖς, ὡς ἔοικε, τὸν ἐπίσταθμον μνάμονα προσηγόρευον· ἔνιοι δὲ τὴν παροιμίαν οἴονται τοῖς παρὰ πότον λεγομένοις καὶ πραττομένοις ἀμνηστίαν ἐπάγειν. Altera signif. recte ceperat Antipater Anth. Pal. 11, 31, 4: Μύθων μνήμονας ὑδροπότας. || Adv. Μνημόνως, Ælian. N. A. 13, 22.]

[Μνήμων, ονος, ὁ, Mnemon, n. viri in numo ins. Rhodi ap. Mionnet. *Descr.* vol. 3, p. 415, n. 131. Medicus Sidetes, ap. Galen. vol. 9, p. 239. Artaxerxis regis Persarum cognomen, de quo Plut. Marii c. 1.]

[Μνησάλκης, ου, ὁ, Mnesalces, Armenius ap. Plut. De fluv. 23, 1. Boiss.]

[Μνησαγόρας pro Μελησαγόρας male ferebatur ap. Apollod. 3, 10, 3, 12, quod correxit Heyn. Formæ per α ex. est Μνασαγο in numo Attico ap. Mionnet. *Suppl.* vol. 3, p. 540, n. 31, quod huc videtur referendum, et ap. Suidam in Ἀρχύτας, ubi per dittographiam adjunctum videtur Μνασαγέτου. Formæ per η exx. sunt in inscrr. Att. ap. Bœckh. vol. 1, p. 157, n. 115, 26, et p. 302, n. 171, 30. L. Dind.]

[Μνήσαιος, ὁ, Mnesæus, Trojanus. Quintus 10, 88. Rhetor. ap. Suidam in Νικαγόρας.]

[Μνησᾰρέτη, ἡ, Mnesarete, Phrynes meretricis nomen, antequam Phryne a colore pallido vocaretur. Plut. Mor. p. 401, A. Cit. Kall.]

[Μνησάρχειος, ὁ, adj. a Μνήσαρχος, unde Μνησάρχειος ξένος de Pythagora ap. Callimachum Hephæst. p. 15, 5.]

[Μνησαρχίδης, ου, ὁ, Mnesarchides, f. Euripidis, in Vitis ejus memoratus. V. Μνήσαρχος. Alii in inscr. Att. ap. Bœckh. vol. 1, p. 157, n. 115, II, 23, ap. Demosth. p. 581, 14; 1332, 14.]

[Μνησαρχὶς, ίδος, ἡ, Mnesarchis, n. meretricis Ephesiæ, ap. Tatian. C. Græc. c. 52, p. 114 ed. Worth., 33, p. 270 ed. Paris., in quibus male scriptum Μνησιαρχίς. L. Dind.]

[Μνήσαρχος, ὁ, Mnesarchus, pater Pythagoræ, ap. Herodot. 4, 95, Pausan. 2, 13, 2. Euripidis tragici ap. Suidam et scriptores Vitæ, Thomam et Moscho-

A pulum: nam in Ambrosiana male Μνήσταρχος, et Μνησταρχίδης pro Μνησαρχίδης. Ceterum consueta patronymici et primitivi permutatione idem dictus etiam Μνησαρχίδης, ut annotat Moschop. Atque sic est non tantum ap. Dion. Chr. Or. 64, vol. 2, p. 331: Ὦ παῖ Μνησαρχίδου, ποιητὴς μὲν ἦσθα, sed etiam in orac. ap. Euseb. Præp. 5, 33: Ἔσται σοι κοῦρος, Μνησαρχίδη, et in herma Mus. Borgiani ap. Viscont. *Mus. Pio-Cl.* vol. 6, p. 79: ΕΥΡΙΠΙΔΗΣ. ΝΗ.ΑΡΧΙΔΟ. ΑΛΑΜΕΙΝΙΟΣ ΤΡΑΓ..... ΠΟΙΗΤΗΣ. Chalcidensis ap. Æschin. p. 65, 37. Alii in inscrr. Patron. Μνησαρχίδης, ὁ, Mnesarchides, Filius Mnesarchi, de Pythagora ap. Lucian. Gall. c. 4. L. D.]

[Μνησέας, ὁ, Mneseas, n. viri, in numo Mileti ap. Mionnet. *Descr.* vol. 3, p. 166, 764, ubi μνηξέας scriptum.]

[Μνησεὺς, έως, ὁ, Mneseus, n. viri, ap. Platon. Critiæ p. 114, B.]

[Μνησίβουλος, ὁ, Mnesibulus, Elatensis, Pausan. 10, 34, 5, ubi semel alii libri Μνασίβουλος. Attici quidam ap. Demosth. p. 1155, 14; 1480, 13, 26. Alii
B alibi.]

[Μνησιγένης, ους, ὁ, Mnesigenes, n. viri, in inscr. Att. ap. Bœckh. vol. 1, p. 292, n. 165, I, 17, II, 58. Alius ap. Diog. L. 5, 62. Forma Dor. Μνασιγένης in inscr. Ægypt. ap. Letronn. *Recueil* vol. 1, p. 409. || Forma Bœot. Μνασιγενείω est in inscr. Orchom. edita in Mus. Rhen. novissimo vol. 2, p. 107, 2. L. Dind.]

[Μνησίδημος, ὁ, Mnesidemus, n. viri, ap. Polyæn. 5, 17. Archontis Attici ap. Dionys. Hal. vol. 5, p. 651, 1.]

[Μνησιδώρα, ἡ, Mnesidora, n. mulieris, in inscr. Arcesin. ap. Ross. Inscrr. fasc. 2, p. 37, n. 141, ubi per η Μνησιδώρη.]

[Μνησιδωρέω, Munerum recordor, h. e. Munera offerre non obliviscor. Forma Dor. in oraculis ap. Demosth. p. 531, 13; 1072, 24.]

[Μνησίδωρος, ὁ, Mnesidorus, n. viri, in inscr. Delia ap. Bœckh. vol. 2, n. 2266, p. 220, 26.]

[Μνησιέπης, ὁ, Mnesiepes, n. viri, in inscr. Delia ap. Bœckh. vol. 2, p. 246, n. 2310, b.]

C [Μνησίεργος, ὁ, Mnesiergus, n. viri, in inscr. Att. ap. Bœckh. vol. 1, p. 232, n. 150, 6.]

[Μνησιθείδης, ου, ὁ, Mnesithides, unus 30 tyrannorum, ap. Xen. H. Gr. 2, 3, 2. Archon Att. pseudepon. ap. Demosth. p. 279, 17. Alius p. 291, 6, ap. Diodor. 11, 81.]

Μνησίθεος, ὁ, affertur pro Pius. [Ex Plat. Crat. p. 394, E, ubi significatio nominis spectatur.] In Append. Diosc. [1, 103] annotatur τὴν ἀρκευθίδα τὴν μεγάλην a nonnullis vocari μνησίθεον, ab aliis κυπάρισσον ἀγρίαν. Alioqui est nom. propr. [viri, in numo Miles. ap. Mionnet. *Descr.* vol. 3, p. 164, n. 739, in inscr. Att. ap. Bœckh. vol. 1, p. 116, n. 76, 1, et aliis, ap. Demosth. p. 541, 7. Medici ap. Pausan. 1, 37, 4. V. etiam Λάμιος. Pro Μνησιθείδης ap. schol. Aristoph. Ach. 10, ubi archon Att. dicitur.]

Μνησικᾰκέω, Memor sum injuriæ, Sum memor veteris injuriæ, Non possum oblivisci injuriæ, Malevolo sum animo ob veterem injuriam, et simultatem exerceo. [Succenseo, Gl. Rectius autem quam ab
D HSt. vertitur Memor sum mali vel malorum, quum non tantum de injuriis dicatur, sed etiam aliis malis, ut in l. Aristoph. Nub. 999 infra cit.] Μνησικακῆσαι, inquit Petr. Vict., est Firmas in memoria veteres injurias tenere. [Aristoph. Lys. 590. Herodot. 8, 29: Ἡμεῖς οὐ μνησικακέομεν. Thuc. 4, 74: Ὀρκώσαντες μηδὲν μνησικακήσειν. Xen. H. Gr. 2, 4, 43: Ὀμόσαντες ὅρκους ἦ μὴν μνησικακήσειν.] Id autem verbum intellexit Cic. quum in 1 Phil. inquit, Græcum etiam verbum usurpavi, quo tum in sedandis discordiis erat usa civitas illa. Æschin. enim de ead. re loquens [p. 83, 37] inquit: Νῦν δὲ ἐκεῖνοι μὲν μεγάλων κακῶν συμβάντων, ἔσωσαν τὴν πόλιν, τὸ κάλλιστον ἐκ παιδείας ῥῆμα φθεγξάμενοι, μὴ μνησικακῆσαι. Hæc ille; sed ego crediderim potius, verbum illud, quod intellexit Cic., esse ἀμνηστία, ut supra docui. Herodian. 3, [7, 11]: Τὸν δὲ Λαῖτον μόνον, ὡς εἰκὸς, μνησικακήσας διεχρήσατο. Dicitur etiam μνησικακῶ σοι [Plato Leg. 4, p. 706, A: Φράσω γὰρ οὔτι μνησικακεῖν βουλόμενος ὑμῖν], πρός σε. Et cum genit. rei, aut accus., vel cum ὑπὲρ habente suum gen.

Thuc. 8, p. 285 [73] : Τοῖς δ' ἄλλοις οὐ μνησικακοῦντες, δημοκρατούμενοι τολοιπὸν ξυνεπολίτευον, ubi οὐ μνησικακοῦντες exp. uno verbo Ignoscentes. At μνησικακῶ πρός σε : Dem. [p. 259, fin.] : Τί ἔμελλον κελεύσειν, ἢ τί συμβουλεύσειν αὐτῇ ποιεῖν; μνησικακήσειν νὴ Δία πρὸς τοὺς βουλομένους σώζεσθαι, Scilicet censere debui, ut iis ad animum revocatis, quæ secus in se admissa esse meminerat, offenso animo cum illis ageret, qui tum saluti suæ subsidium ab ea postulabant, Bud. Exempla autem constructionis cum casu rei sunt hæc. Cum gen., [Xen. Anab. 2, 4, 1 : Μὴ μνησικακήσειν αὐτοῖς τῆς ἐπιστρατείας·] Lucian. [Abdic. c. 4] : Οὔτε ἐμνησικάκησα τῆς ἀποκηρύξεως, οὔτε μετάπεμπτος γενέσθαι περιέμεινα, Ad patrem ultro veni, oblitus abdicationis, Bud. Cum accus. autem, et quidem adjuncto etiam dativo personæ, ap. Dem. [p. 258, 12] : Τῶν τότε Ἀθηναίων πολλὰ ἂν ἐχόντων μνησικακῆσαι καὶ Κορινθίοις καὶ Θηβαίοις τῶν περὶ τὸν Δεκελεικὸν πόλεμον πραχθέντων· nisi quis malit πολλὰ non jungi cum τῶν πραχθέντων, sed adverbialiter accipi; ac tum construetur genitivo verbum μνησικακῆσαι. [Cum accus. rei, ut hic, Aristoph. Nub. 999 : Μηδ' ἀντειπεῖν τῷ πατρὶ μηδὲν μηδ' Ἰαπετὸν καλέσαντα μνησικακῆσαι τὴν ἡλικίαν, ἐξ ἧς ἐνεοττοτροφήθης. Cum præp. περὶ et genit. rei, Isocr. p. 229, B : Μνησικακεῖν περὶ τῶν τότε γεγενημένων. Apollod. 2, 1, 5, 1 : Μνησικακῶν περὶ φυγῆς.] At cum præp. ὑπὲρ, ut ap. Gregor. : Ὥσπερ μνησικακῶν ὑπὲρ τούτων Χριστιανοῖς, ubi vides et dat. personæ. Sic autem cum gen., simulque dativo personæ interdum jungitur. At Plato adhibuit dativum huic verbo, sed qui est velut instrumentalis, ut loquuntur gramm. : Epist. 7 [p. 336, D] : Πρὶν ἂν οἱ κρατήσαντες, μάχαις καὶ ἐκβολαῖς ἀνθρώπων καὶ σφαγαῖς μνησικακοῦντες παύσωνται. Vide et Erasmum in his proverbialibus verbis, Ne malorum memineris. [Cum accus. personæ Xenoph. Eph. 2, 9 : Ἐμνησικάκει τὴν Ῥόδην. Chron. Pasch. p. 297, B : Μνησικακήσαντος αὐτὸν τοῦ Ἰουλιανοῦ. Pass. Eust. Opusc. p. 117, 56 : Ἅπας ὁ ζητῶν μὴ μνησικακηθῆναι, οὕτως ἂν ποτνιάσηται τὸν συνάνθρωπον, Μὴ μνησθῇς, ὦ ἑταῖρε, ἁμαρτημάτων παλαιτέρων, εἰς ἀπόδοσιν δηλαδὴ, ὡς οἷα μνησίκακος. L. Dind.]

[Μνησικάκημα, τὸ, i. fere q. μνησικακία. Eust. Opusc. p. 117, 48 : Εἰπεῖν τι καὶ ὑμέτερον, ἐξ οὗπερ ἀνακύπτει φιλόσοφος λόγος ὁρίζων τὸ μνησικάκημα.]

[Μνησικακητικὸς, ή, όν, i. q. μνησίκακος. Arrian. Epict. 4, 5, p. 601.]

Μνησικακία, ἡ, Injuriæ memoria s. Injuriarum, Injuriæ tenax memoria. Plut. [Mor. p. 860, A] : Καὶ ταῦτα, μετὰ τρεῖς γενεὰς ὀργὴν καὶ μνησικακίαν ἀναφέροντες ὑπὲρ τυραννίδος. [Cum genit. pers., cui quis succenset, Etym. M. v. Τυφωεὺς p. 772, 51 : Ἥρας μόνης κατὰ μνησικακίαν Διὸς τεκούσης αὐτόν. Definit Eust. Op. p. 117, 60 : Εἴη ἂν καὶ οὕτω μνησικακία μνήμη παλαιῶν ἁμαρτημάτων ἐπὶ ἀνταποδόσει ὁμοίᾳ· 262 : Καί μοι ἀρέσκει φάναι ὡς ἡ μν. οὐκ ἔστιν ἐπιμονὴ κακίας ἐπὶ ἁπλῶς ἀμύνῃ τῇ τυχούσῃ, ὃ δὴ καὶ πᾶς θυμὸς ἔχειν ἐθέλει, ὄρεξις ὢν καὶ ἐκεῖνος ἀντιλυπήσεως ..., ἀλλὰ μν. ἐκφαίνεται τυγχάνειν μόνιμος θυμὸς εἴτουν κότος δαιμόνιος ἐπὶ ὀρέξει οὐχουν ἀντιλυπήσεως, ὃ δὴ λέγεται, ἀλλὰ, ὡς φαίνεται, καὶ θανάτου ἀπαραιτήτου, μεθ' ὃν οὐκ ἂν λυπήσεται ὁ θανών. Plurali Ephræm Syr. vol. 3, p. 273, A : Εἴτις μνησικακίας ἔχων πρὸς τὸν πλησίον καὶ διαλλαγῇ αὐτῷ.]

Μνησίκᾰκος, ὁ, ἡ, sive ab illa 2 persona formatum existimandum sit, s. a fut. s. ab aor., hic [in Μνῆσις] ponendum censui, utpote aptiorem ei locum non inveniens. Est autem Μνησίκακος, q. d. Memor mali, i. e., Qui meminit mali quo affectus est ab aliquo, s. quod ei quis intulit. Sed Latinius, Injuriæ illatæ memor, aut simpliciter Injuriæ s. Injuriarum memor, Qui acceptæ injuriæ oblivisci non potest; Veteris injuriæ memor. [Succensus, Gl.] Aristot. Eth. 4, 3, περὶ τοῦ μεγαλοψύχου loquens, i. e. de magnanimo : Οὐδὲ μνησίκακος· οὐ γὰρ μεγαλοψύχου τὸ ἀπομνημονεύειν, ἄλλως τε καὶ κακὰ, ἀλλὰ μᾶλλον παρορᾶν, ubi a Bud. redditur Odii tenax, Injuriæ refricator. Interdum vero generalius pro Malevolus. [LXX Prov. 12, 29.]

Μνησικάκως, Malevolo animo et veterum injuriarum memori; Eorum more qui ob veteres injurias simultatem exercent.

[Μνησίκᾰλος, ὁ, ἡ, Memor bonorum, voc. fictum ab Eust. Opusc. p. 262, 25, cui contrarium sit μνησίκακος.]

[Μνησικλείδης, ου, ὁ, Mnesiclides, n. viri, in inscr. Att. Fourmonti ap. Bœckh. vol. 1, p. 296, n. 167, 13, ubi Μνεσικλειδος scriptum. Ib. 29 est Μνησικιδες.]

[Μνησικλῆς, έους, ὁ, Mnesicles, n. viri, cujus exx. sunt in inscrr. ap. Bœckh. vol. 1, p. 298, n. 169, 61; p. 307, n. 172, 9; p. 467, n. 471; ap. Demosth. p. 967, 20; 995, 8, Phalar. Epist. 27. L. D. Architectus, ap. Plut. Pericl. c. 13. Boiss.]

[Μνησικράτης, ους, ὁ, Mnesicrates, n. viri, in inscr. Att. ap. Bœckh. vol. 1, p. 298, n. 169, 21, 34. ᾰ L. D.]

[Μνησίλεως, ὁ, Mnesileos, f. Pollucis et Phœbes. Apollod. 3, 11, 2, 2. V. Μνασίνους.]

[Μνησίλοχος, ὁ, Mnesilochus, Euripidis tragici socer, ap. Aristoph. in Thesmoph. et in Vitis poetæ. Filius Euripidis in iisdem Vitis. Unus 30 tyrannorum, Xen. H. Gr. 2, 3, 2. Alius ap. Demosth. p. 1219, 20, in inscr. Att. ap. Bœckh. vol. 1, p. 157, n. 115, II, 21. L. Dind.]

[Μνησιμάχη, ἡ, Mnesimache, f. Dexameni, Apollod. 2, 5, 5, 6. Mnesimaches prope Cephisum fl. monumentum memorat Pausan. 1, 37, 3. Mulier Attica ap. Demosth. p. 1083, 11. ᾰ]

[Μνησίμᾰχος, ὁ, Mnesimachus, poeta com. mediæ comœdiæ Atheniensis, ap. Athen. et alibi. Phaselites ap. schol. Apoll. Rh. 2, 477 etc. Alius in inscr. Att. ap. Bœckh. vol. 1, p. 307, n. 172, IV, 37. L. Dind.]

[Μνησινόη, ἡ, Mnesinoe, dicta Leda sec. Plutarchum Mor. p. 401, B. Quod nomen suspectum fuit nonnullis.]

[Μνησίνοος. V. Μνασίνους.]

[Μνήσιος. Theognost. Can. p. 58, 4 : Τὰ παρὰ μέλλοντα διὰ τοῦ ιος γινόμενα διὰ τοῦ ι γράφονται, οἷον ... κτήσω, κτήσιος, μνήσω, μνήσιος. Itaque nihil dubitationis habet n. viri Μνήσιος in inscr. Att. ap. Bœckh. vol. 1, p. 598, n. 1211, IV, 4. Aliud ex. ap. Suidam in Ἀριστόξενος. L. Dindorf.]

[Μνησιόχη, ἡ, Mnesioche, f. Amphidamantis. Schol. Hom. Il. Λ, 692.]

[Μνησιπήμων, ονος, ὁ, ἡ, Memor malorum s. calamitatum. Æsch. Ag. 184, πόνος.]

[Μνησιπονηρέω, Memor (malorum in me commissorum) male ago. Clem. Al. Strom. 2, p. 475 : Ναὶ μὴν τὰ ἔθνη τετίμηκε, καὶ τοῖς γε κακῶς πεποιηκόσιν οὐ μνησιπονηρεῖ. Wakef.]

[Μνήσιππος, ὁ, Mnesippus, n. viri, ap. Menandrum Stob. Fl. 113, 9.]

[Μνησιπτολέμα, ἡ, Mnesiptolema, f. Themistoclis, ap. Plut. Themist. c. 30, 32.]

[Μνησιπτόλεμος, ὁ, Mnesiptolemus, nom. viri, ap. Isæum p. 52, 29. Historici ap. Athen. 10, p. 32, B, C; 15, p. 697, D.]

Μνῆσις, εως, ἡ, i. e., Recordatio, quod ab 2 pers. formari manifestum est, sicut alia a prima, vel sicut μνήμων a prima, ex quo deinde cetera; nullius scriptoris auctoritate confirmatur : quum alioqui ab ἀναμνάομαι s. ἀναμνάω eand. formationem habens ἀνάμνησις non sit infrequens. At Μνῆστις poeticum est, et dici id quidem non pro μνῆσις, sed pro μνῆτις, deducendo non ab 2 persona, sed a tertia, docebo paulo post.

[Μνῆσις, ιδος, ἡ, Mnesis, tibicina, Ptolemæi Philadelphi concubina. Polyb. ap. Athen. 13, p. 576, F.]

[Μνησιστέφᾰνος, ὁ, ἡ, Coronarum memor, s. cupidus et studiosus. Eust. Opusc. p. 56, 22 : Καὶ ἀγῶνα δὲ μνησιστέφανον (καλεῖ Πίνδαρος), ὃν καὶ ἑτέρως κατὰ λόγον δριμύτατον μνηστῆρα (quod v.) στεφάνων εἶπεν, ὥς που καὶ αὐλητικὸν νόμον μνηστῆρα ἀγώνων ἔφη, ἤγουν εἰς μνήμην ἄγοντα τοὺς ἀγῶνας κτλ. L. Dind.]

[Μνησιστράτειος. V. Μνησίστρατος.]

[Μνησιστράτη, ἡ, Mnesistrate, n. mulieris, in inscr. Att. ap. Bœckh. vol. 1, p. 246, n. 155, 27, 51.]

[Μνησίστρᾰτος, ὁ, Mnesistratus, n. viri, in inscr. Att. ap. Bœckh. vol. 1, p. 246, n. 155, 27; et in alia vol. 2, p. 181, n. 2158, 8. Suidas quod ponit : Μνησιστράτιος, ὄνομα κύριον, Μνησιστράτειος δὲ λόγος, Μνησίστρατος scribendum vidit Reines., qui v. de Mnesistrato et Mnesistrateis philosophis ap. Athen. 7, p. 279, D (et Diog. L. 7, 177. Boiss.) . Μνησιστράτειος οἶκος ponit Zonaras p. 1364. Ceterum v. Μνασιβρότιος. L. D.]

[Μνησίτοκος, ἡ, Memor partus, Non sterilis. Hippocr. p. 593, 3. Sed Κνησίτοκος, Aboriens, leg. censet Coraes ad Plut. vol. 3, p. 8.]

[Μνησιφάνης, ους, ὁ, Mnesiphanes, n. viri, in inscr. Att. ap. Bœckh. vol. 1, p. 307, n. 172, 31. ᾶ L. Dind.]

[Μνησίφιλος, ὁ, Mnesiphilus, Atheniensis ap. Herodot. 8, 57. Archon Att. ap. Demosth. p. 235, 2; 238, 2. Alius in inscr. Att. ap. Bœckh. vol. 1, p. 292, n. 165, 53. Alius ap. Plutarch. Themist. c. 3. L. Dind.]

Μνησιχάρη, ἡ, Hesychio ἡδονή, Voluptas.

[Μνήσκω activum ponunt grammatici, ut Etym. Gud. p. 221, 33, et formam Æol. Μναίσκω M. p. 452, 34, 35 (cum Epim. Hom. Crameri An. vol. 1, p. 197, 2, quanquam μιμναίσκω schol. Hom. Il. Λ, 799, quam formam notavi in Μιμνήσκω), Photius v. Μνῶ. Conf. Ὑπομνήσκω. Medio, Recordor, Memini, Anacreon ap. Athen. 11, p. 463, A : Ὅστις Μουσέων τε καὶ ἀγλαὰ δῶρ' Ἀφροδίτης συμμίσγων ἐρατῆς μνήσκεται Εὐφροσύνης. Ephræm Syr. vol. 3, p. 230, E : Αὕτη ποιεῖ τὸν ἄνθρωπον μὴ γινώσκειν τὴν ἀσθένειαν τῆς ἰδίας φύσεως μηδὲ μνήσκεσθαι τῆς ἡμέρας τοῦ θανάτου. Aliud sed corruptum ex. v. in Μνεία. L. Dind.]

[Μνῆσος, ὁ, Mnesus, n. Pæonis, ap. Hom. Il. Φ, 210 sq., Herodian. Π. μον. λ. p. 11, 15, Arcad. p. 75, annot. 94, Theognost. Can. p. 72, 8.]

Μνηστεία, ἡ, ipsa Actio ambiendi : dici enim περὶ τοῦ μνηστῆρος, Pollux tradit l. 3, [34].

[Μνηστεῖον, τό. Gl. : Μνηστεία, Sponsalia. Accentu in prima posito v. in Μνήτεια.]

[Μνήστειρα, ἡ, Admonens, Cupida. Pind. Isthm. 2, 5 : Ὅστις ἐὼν καλὸς εἶχεν Ἀφροδίτας εὐθρόνου μνάστειραν ἁδίσταν ὀπώραν, schol., τὴν τοῦ σώματος ὀπώραν τὴν τῆς Ἀφροδίτης μνήμην ἐμποιοῦσαν. De sponsa vero Agathias Anth. Pal. 5, 276, 1 : Σοὶ τόδε τὸ κρήδεμνον, ἐμὴ μν., κομίζω.]

[Μνηστέον, Admonendum. Dionys. A. rh. 2, 5, p. 238, 9 : Μνηστέον καὶ ἐνδόξων γάμων. Eust. Od. p. 1722, 46, et alibi.]

Μνήστευμα, τὸ, idem prope signif. quod μνηστεία. Eur. Phœn. [583] : Ὦ κακὰ μνηστεύματα. Nisi ibi pro Sponsalibus accipere malis. [Hel. 1514 : Ἄλλης ἐκπόνει μνηστεύματα γυναικός.]

[Μνήστευσις, εως, ἡ, i. q. μνηστεία. Antiatt. Bekk. p. 107, 23 : Μνήστευσιν τὴν μνηστείαν.]

[Μνηστευτικὸς, ἡ, ὸν, Sponsalis, Gl.]

Μνηστεύω, i. q. μνῶμαι, Ambio nuptias, etc. [Sponso, Gl.] Hom. Od. Σ, [276] et alibi. Sic Eur. [Alc. 720 : Μνήστευε πολλάς· Iph. A. 841] : Ἐμνήστευσα παῖδα σήν, Filiæ tuæ nuptias ambivi, connubium petii, Filiam tuam petii uxorem, in uxorem. [Hesiod. ap. schol. Ven. Hom. Il. Ξ, 200 : Δημοδόκης, τὴν πλεῖστοι ἐπιχθονίων ἀνθρώπων μνήστευον. Theognis 1112 : Μνηστεύει δ' ἐκ κακοῦ ἐσθλὸς ἀνήρ. Theocr. 18, 6; 22, 155. Isocr. p. 211, E; 216, A; Diod. 18, 23. Antiatt. Bekk. p. 107, 23 : Μνηστεύειν ἀντὶ τοῦ μνηστεύεσθαι.] Dicitur autem et μνηστεύεσθαι ead. signif., quod Bud. exp. etiam Procum esse ap. Plut. [Mor. p. 774, E], et μνηστευομένων ap. Diog. L., Procorum [Apollod. 1, 4, 3, 3 : Μερόπην ἐμνηστεύσατο· ib. 7, 8, 1. V. infra] : licet quidam velint μνηστεύεσθαι proprie dici de eo qui alteri stipulatur, Bud. Intellige autem Qui stipulatur nuptias. [Cum dat., ut sit Despondeo alicui, activo sic utitur Apollod. 2, 5, 5, 6 : Ἡρακλῆς πρὸς Δεξαμενὸν ἧκε, καὶ κατέλαβε τοῦτον μέλλοντα δι' ἀνάγκην μνηστεύειν Εὐρυτίωνι Κενταύρῳ Μνησιμάχην τὴν θυγατέρα.] Et μνηστεύειν γάμον κόρης, pro μνηστεύειν κόρην, Ambire nuptias puellæ, s. matrimonium. [Callim. Dian. 265.] Affertur vero et pro Inire matrimonium, ex Plat. Leg. 6, [p. 773, B]. Item μνηστεύεσθαι γάμον. [Apollod. 2, 5, 12, 5 : Πειρίθουν τὸν Περσεφόνης μνηστευόμενον γάμον.] Reprehendit tamen Lucian. [Solœc. c. 9] eum qui dixit μνηστευόμενος αὐτῷ γάμον. [Schol. : Ἐπὶ γυναικὸς τὸ μνηστεύεσθαι, ἐπὶ δὲ ἀνδρῶν τὸ μνᾶσθαι· μνᾶται μὲν γὰρ ἀνὴρ γυναῖκα, μνηστεύεται δὲ γυνή.] Et similiter Eranius Philo p. 171, Moschop. et Thomas a Grævio citati. Qui addit : « Improprie igitur Lucian. Tox. c. 44 : Ὅπερ ὑμεῖς ἐν τοῖς γάμοις ἐπὶ πολὺ μνηστευόμενοι· ib. : Δεῖ δὲ τῶν μνηστήρων ἕκαστον προσαγγείλαντα ἑαυτὸν διότι μνηστευόμενος ἥκει. Et paulo post : Μνηστεύεσθαι

A τὴν παῖδα πολλὰ ἐπαινοῦντα ἑαυτόν. » Ut omittam ll. Plutarchi, Pausaniæ aliorumque recentiorum ab eodem citatos, quibus addendi supra memorati.] Sed μνηστεύειν γάμον exp. etiam Conciliare nuptias. Apollon. Arg. 2, [511] : Τῷ καὶ ἀεξηθέντι θεαὶ γάμον ἐμνήστευσαν. Sic et ap. Eur. [Iph. A. 847] μνηστεύειν γάμους, ubi Clytæmnestra de filiæ nuptiis loquitur. [Cum inf. Xen. H. Gr. 6, 4, 37 : Πέμπων εἰς Θήβας ἐμνήστευε τὴν Ἰάσονος γυναῖκα ἀναλαβεῖν (λαβεῖν Stephanus).] || At passive Μνηστεύεσθαι dicitur ipsa mulier, Peti in uxorem s. Posci, etiam Desponderi [Gl.], i. e. Sponsione promitti. [Eur. Iph. T. 208 : Μναστευθεῖσ' ἐξ Ἑλλάνων. Isocr. p. 215, E : Πρὸς τὸ μνηστεύεσθαι λαβούσης ἡλικίαν.] Matth. 1, 18 : Μνηστευθείσης γὰρ τῆς μητρὸς αὐτοῦ Μαρίας τῷ Ἰωσήφ. Sic Luc. [1, 27] eand. dixit μεμνηστευμένην. Itidem in Pand. μεμνηστευμένη, Sponsa. [Origen. vol. 1, p. 352, E; 353, A.] Quod autem Erasmus in illum Matth. l. annotat de v. μνηστεύειν, nimirum significare, Tradere sponsam proco, fide apud me caret, quippe qui nullo exemplo hunc
B istius verbi usum confirmari posse existimem. || Μνηστεύω et μνηστεύομαι metaphorice pro [Ambio. Isocr. p. 162, A : Παρελήλυθα γὰρ οὐ χειροτονίαν μνηστεύσων·] Affecto, Concilio, Comparo, Bud. p. 873, ex Plut. et Synes. [Hoc l. : Νόμος ἀνατείνεται πολλὰ καὶ χαλεπὰ τοῖς μνηστεύουσι τὴν τῆς ἐνεγκούσης ἀρχήν· et in Epist. : Μνήστευσον αὐτῷ φιλίαν ἀνδρὸς λαχόντος ἄρχειν ἐθνῶν. Et ex eod. : Ἵνα τοῖς ἄρχουσι τῶν στρατευμάτων ἄδικα κέρδη μνηστεύσωσιν. Et ex Juliano Ep. 28 : Ἐμοὶ καὶ γράμμα παρὰ σοῦ μικρὸν ἀρκεῖ μεγάλης ἡδονῆς πρόφασιν μνηστεῦσαι· 41 : Αὐτὸς ἡμῖν τοῦ μέλους τὸ ἐνδόσιμον μνηστεύεις· (et 24 : Ἀρκοῦσαν ἡδονὴν μνηστεύων). Plut. autem medio sic Cæs. c. 58 : Μνηστευόμενος ἄρχειν ἑκόντων· et : Μνηστευόμενος ἑαυτῷ μοναρχίαν.]

Μνηστήρ, ῆρος, ὁ, Qui nuptias alicujus ambit, aliquam in uxorem petit, una voce Procus, [Sponsus, Sponsor, Petitor, Derubis (?), add. Gl.] : ut passim ap. Hom. in Odyss. μνηστῆρες vocantur Proci Penelopes, quos Horat. appellavit etiam Sponsos Penelopes. [Pind. Pyth. 9, 110 : Μναστῆρες ἔβαν μετὰ κούραν.
C Æsch. Prom. 739 : Πικροῦ δ' ἔκυρσας, ὦ κόρη, τῶν σῶν γάμων μνηστῆρος. Soph. Trach. 9 : Μνηστὴρ γὰρ ἦν μοι ποταμός. Et sæpius Eurip. Thuc. 1, 9 : Τοὺς Ἑλένης μνηστῆρας. Xen. Cyrop. 8, 4, 15 : Πολὺ μᾶλλόν με τῆς θυγατρὸς μνηστῆρα λήψεται.] Affertur vero et pro Memor ex Nonno [Jo. c. 6, 105], εἰλαπίνης μνηστήρ. [Pind. Pyth. 12, 24 : Μναστῆρ' ἀγώνων· Nem. 1, 16 : Λαὸν πολέμου μναστῆρα.] Hesychio quoque μνηστῆρες sunt et οἱ ἐπιβάλλοντες γῆμαί τινα, et οἱ μεμνημένοι : quod μεμνημένοι ab altera verbi μνῶμαι signif. potius esse arbitror.

Μνηστήριος, ὁ, Ad procum pertinens, A proco proficiscens : μν. δῶρα, Epigr. [Christod. Ecphr. 68], Munera, quæ mulieri dantur a procis.

[Μνηστηριώδης, ὁ, ἡ, ap. Clem. Al. Pæd. 2, p. 196 : Ἡ δὲ ἐκμελὴς τοῦ προσώπου ἔκλυσις εἰ μὲν ἐπὶ γυναικῶν γίνοιτο, κιχλισμὸς προσαγορεύεται· γέλως δέ ἐστι πορνικός. Εἰ δὲ ἐπὶ ἀνδρῶν καγχασμός· γέλως ἐστὶν οὗτος μνηστηριώδης καὶ ἐξυβρίζων, collato Hom. Od. Σ, 99 : Αὐτὰρ μνηστῆρες ἀγαυοὶ χεῖρας ἀνασχόμενοι γέλῳ ἔκθανον, de
D risu qualis fuisset Procorum, interpretabatur Toup. ad Suid. v. Γιγλισμός, Emend. vol. 2, p. 508.]

[Μνηστηροκτονία, ἡ, Procorum cædes. Eust. Od. p. 1393, 54, 59; 1394, 1.]

[Μνηστηροκτόνος, ὁ, Procorum interfector. Scholl. Lycophr. 156, Hom. Il. A, 38.]

Μνηστηροφονία, ἡ, Procorum occisio, interfectio, cædes : qualis ab Hom. describitur. [Longin. De subl. 9, 14; Athen. 5, p. 192, D; Eust. Od. p. 1393, 56.]

Μνηστὴς, ὁ, ex Chrysost. affertur pro μνηστήρ, de quo supra. [Melampus Physiogn. p. 473 : Παρθένῳ δὲ μνήστην (scr. μνηστὴν) δηλοῖ. Wakef.]

Μνῆστις, [εως genitivum ponit Moschop. Π. σχεδ. p. 56,] ἡ, i. e. Memoria, μνήμη, licet videatur a μέμνησαι 2 pers. formari, ut habeat τ ex pleonasmo, quibusdam tamen grammaticis placet esse potius a μέμνηται tertia formatum, et non literam τ, sed σ, per pleonasmum esse additam; nec enim simile esse τῷ λῆστις. Hom. Od. M, [280] : Οὐδέ τι; ἡμῖν Δόρπου μνῆστις ἔην, μάλα περ κατέουσιν ἑλέσθαι. Soph. Aj. [520] :

'Αλλ' ἴσχε κἀμοῦ μνῆστιν, Habe memoriam mei, ad verbum. A Sic autem locutus est et Nicander, suum Theriacῶν poema duobus hisce versibus claudens : Καί κεν 'Ομηρείοιο καὶ εἰσέτι Νικάνδροιο Μνῆστιν ἔχοις, τὸν ἔθρεψε Κλάρου νιφόεσσα πολίχνη. [Soph. Aj. 523 : Ὅτου δ' ἀπορρεῖ μνῆστις εὖ πεπονθότος· 1269 : Εἰ σοῦ γ' ὅδ' ἀνὴρ οὐδ' ἐπὶ σμικρῶν λόγων ἔτ' ἴσχει μνῆστιν. Simonid. ap. Diodor. 11, 11 : Προγόνων (πρὸ γόων Eichstad.) δὲ μνᾶστις. Theocr. 28, 23 : Καί οἱ μνᾶστιν ... παρέχῃς ξένῳ. Frequens est etiam ap. Apoll. Rh. et Nicandr. et in Anthol. Herodot. 7, 158 : Οὕτω δὴ Γέλωνος μνῆστις γέγονε. De accentu Arcad. p. 35, 15.]

[Μνηστορίδας, ὁ, Mnestoridas, Lacedæmonius ap. Themistocl. Epist. 14, 7. L. Dind.]

Μνηστὸς, ὁ, Desponsatus, Nuptus, sed absque exemplo. [Eudocia ap. Bandin. Bibl. Med. vol. 1, p. 230, 129 : Ὄφρα σὺν ἡμετέρῳ μνηστῷ νυμφῶνα κατείδω Χριστῷ. L. D. Fem.] Μνηστὴ, ἡ, ut ἄλοχος μνηστὴ, in plerisque Homeri Il. [Il. Z, 246, etc.], Ea quam quis in uxorem duxit, celebratis sponsalibus, postquam ejus nuptias ambivit. Exp. etiam Uxor legitima. [Alex. B Ætol. ap. Parthen. Erot. c. 14, v. 3 : Τῷ δ' ἄλοχος μνηστὴ δόμον ἤξεται.] Vide Hesych. Dicitur autem et μνηστὴ sine adjectione. [Apoll. Rh. 1, 780 : Γάνυται δέ τε ἠιθέοιο παρθένος ἱμείρουσα, ᾧ καί μιν μνηστὴν κομέουσι τοκῆες.] In Pand. Sponsa [Gl.], Bud.

[Μνήστρα, ἡ, Sponsa. Theod. Prodr. p. 281. Elberl.]

[Μνήστρα, ἡ, Mnestra, f. Danai, Apollod. 2, 1, 5, 5. Alia ap. Plut. Cimon. c. 4.]

Μνήστρια, et Προμνήστρια, ἡ, quod usitatius est, Pronuba, vide in Προμνήστρια. [Pollux 3, 31 : Οἱ δ' Ἀττικοὶ καὶ μνήστριαν τὴν προμνήστριαν ὀνομάζουσι.]

Μνῆστρον, τὸ, Nuptiarum arrhabo, Hesych. [Μνῆστρα, Sponsalia, singulare non habet, Gl. Justinian. præf. Digest. p. 2 fin. ed. Spangenb. : Τὰ περὶ μνήστρων καὶ γάμων. Ms. ap. Pasin. Codd. Taurin. vol. 1, p. 104, A : Περὶ τῶν ἐπὶ μνήστρων ἢ συνεστῶτος τοῦ γάμου ἀποτασσομένων. L. Dind.]

Μνηστὺς, ύος, ἡ, Petitio mulieris in uxorem, ipsa Actio petendi mulierem in uxorem, ambiendi nuptias alicujus mulieris. [Hom. Od. B, 199 : Παύσεσθαι μνη- C στύος ἀργαλέης· Π, 294, Τ, 13 : Καταισχύνητέ τε δαῖτα καὶ μνηστύν. Anacr. Od. 18, 12 : Μνηστύν θ' ἅμα τε Κύπριν ὑμεναίοις κροτοῦσαν. ῠ]

Μνήστωρ, ορος, ὁ, Qui dedit nuptiarum arrhabonem, Hesych. [Clem. Alex. p. 212 : Οὔτε οἱ μνήστορες οὔθ' οἱ ἁβροδίαιτοι Φαίακες. Wakef. Theodor. Stud. p. 285, C : Εἰ καὶ ἀναρρωσθείη ὁ μνήστωρ· 469, A : Νυμφίον ἔχουσαι Χριστὸν καὶ μὴ ἐπικαίρους μνήστορας. Nicetas Chon. Annal. 5, 4, p. 95, A ; 6, 8, p. 110. Thomas p. 619 : Μνηστὴρ, οὐ μνήστωρ.] || Sed et Peritus, Sciens : ab altera sc. τοῦ μνῶμαι signif. : quia qui rem aliquam memoria tenet, is ejus peritus est. Suid. enim μνήστορα exp. ἐπιστήμονα in quodam, quem affert, loco : Hesych. autem μνήστορι βασιλεῖ, φρονίμῳ. Sic enim interpungendum esse existimo ap. eum, non autem jungendum βασιλεῖ cum φρονίμῳ. [|| Memor. Æsch. Sept. 181 : Φιλοθύτων δέ τοι πόλεος ὀργίων μνήστορες ἔστε μοι.]

[Μνησώ, οῦς, ἡ, Mneso, n. mulieris in inscr. Att. ap. Bœckh. vol. 1, p. 246, n. 155, 8. L. Dind.]

[Μνήσων, ωνος, ὁ, Mneson, n. viri Phocensis ap. D Aristot. Reip. 5, 4. Alius in inscr. Att. Fourmonti ap. Bœckh. vol. 1, p. 296, n. 167, 9, ubi M. σων. Al. ap. Isæum p. 63, 24, Bœckh. *Urkunden* p. 245. L. D.]

[Μνησωνίδης, ὁ, Mnesonides, Acharnensis, ap. Demosth. p. 929, 23. ῐ]

Μνήτεια, Hesychio γάμων δῶρα : nisi potius scripsit μνήστεια. [Quod v.]

Μνῐᾰρὸς, ά, όν, Muscosus. Quo utitur Oppianus l. 2, dicens, Μνιαροῖσιν ὑπὸ πλαταμῶσι. Et quidam [Antiphil. Anth. Pal. 6, 250, 3] ap. Suid., Μνιαροῖο βαθυβραίνοιο τάπητος· qui Suid. et ipse μνία esse dicit τὰ τῆς θαλάσσης ἀνθήματα, s. βρύα. Nicander. Al. 497, dicit etiam Μνιώδεα θρῖα, pro τὰ φύλλα τῶν βρύων. [V. Μναρός.]

Μνιόεις, εσσα, εν, [i. q. præcedens. Apoll. Rh. 4, 1237 : Ταύτῃ μνιόεντα βυθοῖο τάρφεα.]

Μνίον, τὸ, Muscus, s. Alga. Hesych. enim μνία vocari scribit τὰ βρύα καὶ τὸ φῦκος. [Numenius ap. Athen. 7, p. 295, C : Ἢ γλαῦκον περόωντα κατὰ μνία σιγαλόεντα, Aut glaucum (piscem) molles permeantem algas. Schweigh. Lycophr. 398 ; Nicand. Th. 787, Al. 396 : Γεραιόμενα μνίοισι, ubi notanda etiam prima, ut in μνιώδης ab eodem Nicandro, producta, etsi illud μνῐοειδέα dicere licebat. Phot. Bibl. p. 742 : Ὑπὸ τοῦ διαφαίνοντος μνίου τε καὶ φύκους, citat Albert. De accentu Theognost. Can. p. 121, 13, Arcad. p. 119, 5. « Μνία, in Lexico Ms. Neophyti τὰ θαλάσσια βρύα. » Ducang. App. Gl. p. 134.]

[Μνιὸς, ὁ, Tener. Epimer. ap. Cramer. Anecd. vol. 2, p. 378, 1 : Μνιὸς, ὁ ἁπαλὸς, παρ' Εὐφορίωνι. Eadem Etym. M. p. 472, 44. Ap. Hesychium male Μνοιὸν, quod v. infra. L. Dind.]

Μνίω, Comedo. Hesych. enim et Suid. μνίει afferunt pro ἐσθίει. [Photius : Μνίει, ἐσθίει. Idem : Μνείειν, κατεσθίειν. Theognost. Can. p. 147, 1 : Μνίω, τὸ ἐσθίω. Huc referri posset Hesychii gl. Μνηῶ (pro quo Μνείω Cyrillus), μισθῶ inter Μνᾶται et Μνῆμα posita, si scriberetur Μνίω, ἐσθίω. V. Μίω. L. Dindorf.]

[Μνιώδης, ὁ, ἡ, i. q. μνιαρὸς, quod v.]

[Μνοία. V. Μνῴα.]

[Μνοῖος.] Μνοῖον, Hesychio μαλακὸν, Molle : forsan a μνοῦς. [V. Μνιός.]

[Μνοῖος, ὁ, Furnus, ὁ ἰπνὸς, Theognost. Can. p. 49, 24. L. Dind.]

[Μνούδην. Phav. v. Ἀμνός : Παρὰ τὸ μνοῦς, ὃ σημαίνει τὴν ἐκ γενετῆς αὐτοῦ μαλθακὴν τρίχα, ἐξ οὗ μνούδην, γίνεται ἀμνὸς, οἱονεὶ ὁ ἐστερημένος τῶν νηπίων τριχῶν. Μνούδην manifesto est corrupta et vox nihili, reperitur tamen in Lexico cod. 2551. Conf. Etym. M. p. 84, 33. Bast. Est forma Byz. μνοῦδιν pro seq. μνούδιον, quod v.]

[Μνούδιον, τὸ, Pluma, Gl. V. Μνούδην.]

Μνοῦνες, Hesychio οἱ μηροὶ, Femora. [De qua gl. v. conjecturas interpretum.]

Μνοῦς, ὁ, [Pluma, Gl.] Prima lanugo, ut χνοῦς. Hesychio ἡ πρώτη τῶν ἀμνῶν καὶ πώλων ἐξάνθησις, ἔριον ἁπαλώτατον. Plumas etiam tenerrimas et mollissimas sic nominari tradit, ac proprie anserum. Suid. quoque ἁπαλὴν τρίχα sic vocitari scribit, Tenerum mollemque pilum : hoc ex Epigr. [Philodemi Anth. Pal. 5, 121, 2] in exemplum afferens hemistichium, Καὶ μνοῦ χρῶτα τερεινοτέρη. Pollux etiam [10, 38, 39] χνοῦν et μνοῦν dici ἐπὶ τῶν μαλακῶν tradit, Aristophanem auctorem citans. [Inter bellaria ap. Ephippum Athen. 14, p. 642, E : Μνοῦς, πυραμίδες, μῆλον, κάρυον. L. D.]

[Μνῴα.] Μνώα, ἡ, Hesych. δουλεία, Servitus, pro quo paulo ante μνοία. [Quod v. Hybrias Cretensis ap. Athen. 15, p. 696, A : Τούτῳ (τῷ πλούτῳ) δεσπότας μνωίας κέκλημαι, ubi μνοίας libri contra versum. Strab. 12, p. 542 : Καθάπερ Κρησὶ μὲν ἐθήτευεν ἡ Μνῴα (vel Μνωία, quomodo correcta librorum scriptura Μινώα vel Μινῷα) καλουμένη σύνοδος· ubi suspectum videri potest etiam σύνοδος.] Inde Μνωῖται, Servi. Pollux [3, 83] scribit κλαρώτας et μνωΐτας ap. Cretenses fuisse μεταξὺ ἐλευθέρων καὶ δούλων, ut εἵλωτας [εἵλωτας] ap. Lacedæmonios, πενέστας ap. Thessalos. [Athen. 6, p. 267, C : Ἕρμων δ' ἐν Κρητικαῖς γλώσσαις μνώτας τοὺς εὐγενεῖς (ἐγγενεῖς Eust. Il. p. 1024, 37) οἰκέτας (φησὶ καλεῖσθαι), ubi libri μνῶτας vel cum Eust. μνώτας. Quomodo intt. corrigunt Hesychii gl. : Μνῆτοι, δοῦλοι, scribentes Μνῷται vel μνωῖται. Idem in δμωῖται corruptum ap. Steph. Byz. fefellit Eustathium ad Dionys. v. 535. De altera forma HSt.:] Μνοία, Hesychio ἱκετεία [οἰκετεία Casaub. ad Athen. l. c.]. Athen. vero 6, [p. 263, F] a Cretensibus μνοίαν vocari τὴν κοινὴν δουλείαν refert ex Sosicratis Creticis.

[Μνώνη, ἡ, inter τὰ διὰ τοῦ ωνη δισύλλαβα μονογενῆ μὴ ἀπὸ ῥημάτων γινόμενα ponitur ap. Theognost. Can. p. 115, 24. Memorat inter paroxytona Arcad. p. 112, 21.]

[Μνώσκει, μίσγεται, ἔρχεται, Hesychii gl. suspecta, quam ad βλώσκει refert Albert., alii ad alia.]

[Μνώτης. V. Μνῴα.]

[Μόας cum Θόας et similibus componit Theognost. Can. p. 42, 18. L. Dind.]

[Μοαγέτης, ὁ, Moagetes, Cibyræ Phrygiæ tyrannus. Polyb. 22, 17, 1 ; Strabo 13, p. 631. Numos literis prioribus tribus vel quattuor inscriptos v. ap. Mionnet. *Descr.* vol. 4, p. 264 sq., *Suppl.* vol. 7, p. 537.]

[Μοασάσα locum Syriæ nominat Strabo 16, p. 764.]

[Μοαφέρνης, ὁ, Moaphernes, amicus Mithridatis Eupatoris et matris Strabonis avunculus. Strabo 11, p. 499; 12, p. 557.]

[Μόγγας, saltationis furibundæ genus. Athen. 14, p. 629, D: Μανιώδεις δ' εἰσὶν ὀρχήσεις κερνοφόρος καὶ μόγγας καὶ θερμαστρίς. Libri deteriores μίγγας.]

[Μογγιλαλέω, Μογγιλάλος. V. Μογιλάλος.]

Μόγγος, opp. ei qui clara est voce. Ita enim in Hippiatr., de asino admissario: Ἔστω δὲ τῇ φωνῇ μὴ μογγὸς, ἀλλὰ λαμπρός. [Atubus, Gl. Quo vocab. in iisdem redditur μογιλάλος, quasi a μόγος. « Paul. Æg. p. 80, 10. » Hemst. Vita S. Pachomi n. 31: Καὶ ἄλλος μόγγος (sic) ὢν τῷ ψεύδει κτλ. Ducang.]

[Μογείω. V. Μογέω.]

Μογερὸς, ά, ὸν, Laboriosus, Ærumnosus. [Æsch. Prom. 565: Ὅπῃ γῆς ἡ μογερὰ πεπλάνημαι· 596: Εἰπέ μοι τᾷ μογερᾷ· Ag. 137: Αὐτότοκον πρὸ λόχου μογερὰν πτάκα· Sept. 827: Τοὺς μογεροὺς καὶ δυσδαίμονας πολεμάρχους. Soph. El. 93: Μογερῶν οἴκων. Eur. Tro. 778: Μητρὸς μογερᾶς· 785: Ὦ παῖ παιδὸς μογεροῦ· Med. 205: Ἄχεα μογερά. Aristoph. Ach. 1207: Μογερὸς ἐγώ.] Hesych. μογερᾶς exp. non solum ἐπιπόνου, ἀθλίας, λυπηρᾶς: sed etiam πονηρᾶς, quemadmodum et Suid. μογερῶν affert pro μοχθηρῶν: haud scio an in prima signif. an in secunda accipientes. [Transitive de eo qui aliis gravis est, Æsch. Sept. 939: Ἰὼ μοῖρα βαρυδότειρα μογερά.] Sed et Μογηρὸς pro μογερὸς dici tradunt. [Gregor. Naz. epigr. ap. Bandin. Bibl. Med. vol. 1, p. 261, A fin.: Ἀλλὰ μένει ζωῆς τοῦτο μογηρότατον. L. D. || Adv. Μογερῶς, Cum ærumna. Manetho 1, 146: Οὓς μὲν γὰρ μ. πυρικαέας ὤλεσας ἄνδρας.]

[Μογεύω. V. Μογέω.]

Μογέω, Laboro. Significat etiam Labores tolero, Ærumnas patior et perfero: cum accus., ut κοπιᾶν quoque et κακοπαθεῖν. Hom. Il. A, [162]: Ὧ ἔπι πόλλ' ἐμόγησα. [Ubi de re. De persona I, 492: Ὥς ἐπὶ σοὶ μάλα πόλλ' ἔπαθον καὶ πόλλ' ἐμόγησα. Ib. Ψ, 607: Πόλλ' ἔπαθες καὶ πόλλ' ἐμόγησας... εἵνεκ' ἐμεῖο.] Od. [Δ, 152: Μυθεόμην ὅσα κεῖνος ὀϊζύσας ἐμόγησεν ἀμφ' ἐμοί·] Ξ, [198]: Ὅσσα γε δὴ ξύμπαντα θεῶν ἰότητι μόγησα. [Æsch. Prom. 275: Συμπονήσατε τῷ νῦν μογοῦντι· 603: Οἷ' ἐγὼ μογοῦσιν· Ag. 1624: Πρὸς κέντρα μὴ λάκτιζε, μὴ πταίσας μογῇς.] Item simpliciter pro Tolero, Perpetior: nisi malis Magno cum labore et ærumnis tolero et patior. Od. Z, [175] et Φ, [207]: Κακὰ πολλὰ μογήσας· B, [343]: Καὶ ἄλγεα πολλὰ μογήσας. [Δ, 170: Ὃς εἵνεκ' ἐμεῖο πολέας ἐμόγησεν ἀέθλους. Eademque constructione Theocr. 24, 32: Ἐπεὶ μογέοιεν ἀκάνθας. Cum dativo Eratosth. ap. Heraclit. Alleg. p. 476 sive schol. Ven. Hom. Il. Σ, 468, p. 505, 1: Αἰεὶ δ' ὕδατι μογέουσαι. Callim. Del. 242: Μηδ' ὅθι δειλαὶ δυστοκίῃς μογέουσιν ἀλετρίδες.] Item Labore fessus sum. Ω, [387]: Ἦλθ' ὁ γέρων Δολίος, σὺν δ' υἱεῖς τοῖο γέροντος Ἐξ ἔργων μογέοντες. Item Doleo, ut πονῶ. Eurip. [Alc. 852], μογῶ πλευρὰ, Laterum dolore infestor. [Posidipp. Anth. Pal. App. 66, 8: Πῶς ὁ λιθουργὸς τὰς ἀτενιζούσας οὐκ ἐμόγησε κόρας;] Ap. Demosth. legitur et pass. Μογεῖσθαι pro Laborare et Male se habere, Philipp. 4, [p. 137, 25]: Ἐὰν μογήσηται [λογίσηται libri et edd.] τὰ τῇ πόλει μετὰ ταῦτα γενησόμενα. [Hesych.: Μεμογημένος, μετὰ καμάτου κεκοπιακώς. Imperf. frequent. μογέεσκεν est ap. Nonn. Jo. c. 4, 38, Agath. Anth. Pal. 9, 442, 1. Perf. μεμογηὼς ap. Nicandr. Th. 830, Al. 529. Forma Lacon. μογίομες ap. Aristoph. Lys. 1002, ut ἀπορίομες ap. Xenoph. in H. Gr. De aliis formis HSt.:] Ionica et poetica epenthesi τοῦ ι dicitur etiam Μογείω pro μογέω, ut πνείω pro πνέω: unde Doricum μογεῖοντι, quod Hesych. exp. μογοῦσι, πυρέσσουσι. [Quomodo interpretatur etiam Μόξοντι et Μογξοῦντες, quæ ex μογέοντι et μογοῦντες corrupta conjiciunt intt.] Affert Idem et Μογεύοντας pro μογοῦντας s. μοχθοῦντας, Laborantes, Laboribus et ærumnis conflictantes.

[Μόγημα, τὸ, Labor. Nicet. Annal. 11, 12, p. 225, C: Μετὰ τοσαῦτα μογήματα καὶ παθήματα.]

[Μογηρός. V. Μογερός.]

[Μογηροφόρος, ὁ, ἡ, Ærumnas ferens. Greg. Naz. Carm. 21, 24, vol. 2, p. 95, A: Χαῖρε σὺ, κόσμε, χαῖρε, μογηροφόρε.]

A [Μογῆς, ὁ. Arcad. p. 23, 23: Τὸ δὲ μογῆς καὶ δρογῆς ἰσοσυλλάβως κλινόμενα περισπᾶται. Genitivus igitur videtur μογοῦ, ut cogitare non liceat de adj. contracto ex μογήεις, cui conferendum foret μοχθήεις.]

[Μογιλαῖος. V. Μογιλάλος.]

[Μογιλαλέω, βατταρίζω, Balbutio, Lex. Ms. ap. Ducang. v. Μογγιλάλος p. 942. Μογγιλαλέω Theod. Prodr. Epigr. 53. Vitiose, ut infra Μογγιλάλος.]

Μογιλαλία, ἡ, Difficultas loquendi, Linguæ hæsitantia.

Μογιλάλος, ὁ, ἡ, Qui ægre et difficulter loquitur, Cui impedita lingua est, Balbus. Aet. 8, 38, de ancyloglossis: Οἱ τοιοῦτοι δὲ μόγις διαλέγονται, διὸ καὶ μογιλάλοι ὑπό τινων προσαγορεύονται. Μογιλάλοι, inquit Gorr., Qui difficulter ex aliquo linguæ morbo loquuntur, ut ii, quibus ab ulcere et cicatrice dura sub lingua relicta incurvatur et impeditur libera vocis prolatio. Dicuntur et ἀγκυλόγλωσσοι: nisi quod Aet. μογιλάλους videtur intelligere Eos tantummodo, qui ex aliqua affectione impedite loquuntur; ἀγκυλογλώσ- B σους vero, tum hos, tum illos, qui ex utero et a natura id vitii habent. [Marc. 7, 32; LXX Es. 35 6. Schol. Luciani Jov. trag. c. 27. Antiatt. Bekk. p. 100, 22: Ἰσχνόφωνον τὸν μογιλάλον οὐκ ἐῶσι λέγειν, ἀλλὰ τὸ μογολάλον (sic) ἀπελαύνουσιν, ubi delenda videntur τὸ μογ. Atubus, Gl. Eadem Μογιλαῖος, Vitulus, vitiose, ut videtur. Exx. formæ non minus vitiosæ Μογγιλάλος v. ap. Ducang., cui add. Etym. M. v. Βατταρίζειν. Conf. Μόγγος.]

Μόγις, Vix [Gl.], Ægre, Magno cum labore. Hom. Il. Φ, [417]: Μόγις δ' ἐσαγείρατο θυμόν. Plato De rep. 1, [p. 342, C]: Συνεχώρησεν ἐνταῦθα, καὶ μάλα μόγις. Dicitur et μόλις. [Forma μόγις, quæ, si a μογέω vel μόγος cum schol. Apoll. Rh. infra citando ducitur adv., pro antiquiori habenda est, nunc constanter reddita Homero, ap. quem olim interdum μόλις ferebatur in edd., ubi μόγις præbuerunt libri meliores, ut Il. X, 412, Od. T, 189. Eadem utuntur Simonides Carm. de mul. 44, 75, Herodot. 1, 116. Sed de recentioribus Epicis si quid tribuendum librorum auctoritati, recte judicasse videtur Wellauer. ad Apollo- C nium Rh. 1, 1233, ubi scripsit: « Μόγις vulgo. Μόλις quod ap. Ap. ubique legitur præter hunc locum et 3, 188, hic ex Vat. B restitui, ibi ex aliis libris. Repetitur hemistichium infra 3, 634, ubi omnes libri præter unum Guelf. habent μόλις. » Nam præter Apollonium, ap. quem antiquam esse scripturam per λ testatur schol. ad 1, 674: Μόλις, κακῶς· διὰ τοῦ λ· ἔδει γὰρ διὰ τοῦ γ παρὰ τὸν μόγον, eodem usi videntur Callim. H. Cer. 27, quanquam in carmine Dorice scripto, Ep. 69, 4, Theocr. 15, 4, Lycophr. 757, aliique poetæ in Anthologia, et fortasse Nicander, ap. quem bis μόλις Th. 281, Al. 292, μόγις semel 241, quanquam in l. Th. μόγις Schneiderus cum libris nonnullis. Contra in μόγις consentiunt libri Tryphiodori 89, 440, 507, Homeri exemplum sequuti. Post hos una forma μόγις usi videntur de recentioribus quum alii nonnulli, tum Diodorus, cujus in libris etsi magna est inconstantia et inter utramque formam fluctuatio, tamen non solum meliores μόγις exhibent pro μόλις 2, 48, p. 159, D 69; 4, 11, p. 256, 74 et alibi; sed etiam omnes in μόγις τῷ in μεγίστῳ corrupto consentiunt 13, 79, ut non dubitarim tollere pauca alterius formæ exx. Atque idem faciendum censeo ap. Polybium. De aliis recentiorum nolim singulatim dicere. Vicissim una forma μόλις usi sunt veteres Atticorum poetæ prosæque scriptores, Tragici (quanquam sæpius μόγις libri Æschyli et Euripidis), Aristophanes, de quo v. G. Dind. ad Lys. 329, ceterique Comici, in his etiam Menander (ap. Athen. 12, p. 549, D), Thucydides (de quo non recte judicat Wass. ad 7, 40), Xenophon (cui μόγις exemi duobus, qui soli habebant, locis Anab. 3, 4, 48; 5, 8, 14, auctoritate librorum optimorum et consuetudinis tot aliis locis, qui μόλις habent, probatæ), Plato et Oratores, quanquam ap. hos haud exigua alterius formæ exemplorum copia exstat: sed cujus emendatissimis libris utimur Isocratis consentiunt fere in forma μόλις. Neque Aristoteli Eth. 4, 8, relinquendum videtur μόγις, quum altera forma sit Probl. 1, 18, p. 861, 34. His superest ut addantur grammaticorum testimonia, quorum unum ex schol. Apoll. supra memoratum pariterque Helladii Phot. cod. 279, p. 530, 38 : Ὅτι τὸ μόγις ἀναλογώτερον διὰ τοῦ γ γράφεται, ἐπὶ τῶν μετὰ πόνου γινομένων ταττόμενον· οἱ δὲ Ἴωνες καὶ Αἰολεῖς παραλόγως διὰ τοῦ λ, μόλις λέγοντες ἐκφέρουσι καὶ γράφουσιν, judicium tantum illorum refert, ad usum singulis dialectis ætatibusque assignandum adeo nihil confert ut etiam falsum videatur quod forma μόλις Ionibus tribuitur, qui, ut supra diximus, altera potius utantur; Æolicam autem formam μύγις infra notabimus. (In versu enim anonymi poetæ Æolici sive poetriæ ap. Hephæst. p. 81, 10 : Μόλις μὲν ἔννη λέπτον ἔχοισ' ἐπ' ἀτράκτω λίνον, vera videtur cod. Cantabrig. scriptura Μᾶλις, quod sit n. mulieris, a quo an diversum sit Μάλις, quod v. suo loco, nec potius Μᾶλις scribendum, in medio relinquo. Ἔννη vero non, quod opinati sunt nonnulli, nomen esse, sed verbi Νέω imperfectum, constat jam ex Etym. M. v. Ἔννη.) Luciani joco de litera γ cum λ de sede pugnante, Jud. Voc. c. 4, nihil proficitur. Significationis discrimen, quod ponit Thomas p. 619 : Μόλις ἀντὶ τοῦ βραδέως· μόγις δὲ ἀντὶ τοῦ μετὰ βίας, repetit simul et confutat G. Lecap. in Matth. Lectt. Mosq. vol. 1, p. 71 : Τὸ μόλις λαμβάνεται ἀντὶ τοῦ ὀψὲ καὶ βραδέως καὶ μετὰ χρόνου· λέγεται μόλις καὶ ἀντὶ τοῦ σὺν βίᾳ πολλῇ καὶ μετ' ἀνάγκης... Τὸ αὐτὸ γράφεται καὶ μόγις· ἀττικῶς δὲ ἀεὶ διὰ τοῦ λ· quemadmodum etiam ap. Gregor. p. 65, sed ex contrario μόγις Atticis tribuitur : Τὸ μόλις μόγις ἐκφέρουσιν (al. παρὰ Ἀττικοῖς καὶ τὸ λ εἰς γ τρέπεται· τὸ γὰρ μόλις ἐπίρρημα μόγις λέγουσιν). Quem librarii errorem esse neque per se credibile neque propter schol. Luciani l. c. consensum : Μόγις οἱ Ἀθηναῖοι, μόλις ἡ κοινή. Ceterum significationis illud discrimen nullum est : semper enim μόγις et μόλις est Ægre, Difficulter, quod plerumque i. est q. Sero s. Tarde, unde Hesych. Ὀψέ ποτε interpr. μόλις ποτέ. Μόγις καὶ μετὰ πραγμάτων καὶ σὺν πολλῷ πόνῳ, Maxim. Tyr. p. 463 f. Pausan. 10, 21, 4 : Μόγις μὲν καὶ οὐκ ἄνευ κινδύνου, παραπλεύσαντες δὲ ὅμως. Julian. Misopog. p. 369, C : Πέντε μόγις καὶ ἀγαπητῶς. || Forma Æolica est Μύγις. Epim. Hom. Cram. An. vol. 1, p. 64, 4 : Καὶ παρὰ τοῖς Αἰολεῦσιν εὑρίσκομεν τὸ μόγις μύγις, et Jo. Grammat. p. 244, B. Quod conferendum cum σμυγερὸς pro μογερός. L. Dind.]

|| Μόλις, Vix, [Vix tandem, add. Gl.] : i. q. μόγις supra. Isocr. Ad Philipp. [p. 105, A] : Ἐν ἔτεσι δέκα μόλις αὐτὴν ἐξεπολιόρκησαν. Xen. [Cyrop. 1, 4, 8], μόλις πως, Cum quadam difficultate. [Soph. Aj. 306.] Nicandri schol. accipit etiam pro σπανίως, Ther. [281] : M. γε μὲν ἔκφυγον αἶσαν. Nihil tamen et ibi vetat interpretari Vix, Ægre, Difficulter. [Æsch. Prom. 31 : Πατρῴας μόλις παρειποῦσα φρένας· Pers. 507 : Θρῄκην περάσαντες μόλις πολλῷ πόνῳ. Soph. Ant. 1105 : Μόλις μὲν, καρδίας δ' ἐξίσταμαι τὸ δρᾶν. Eur. quum alibi sæpe tum Tro. 1275 : Ὦ γεραιὲ πούς, ἐπίσπευσον μόλις. Thuc. 1, 12 : Μόλις ἐν πολλῷ χρόνῳ ἡσυχάσασα ἡ Ἑλλὰς ἀποικίας ἐξέπεμψε· 2, 45 : Μόλις ἂν καθ' ὑπερβολὴν ἀρετῆς οὐχ ὅμοιοι ἀλλ' ὀλίγῳ χείρους κριθείητε. Polyb. Exc. Vat. p. 441 : Ὅταν μόλις τὸ ὅλον ἄξιον ἐπιστάσεως φαίνηται τοῖς ἀκούουσιν. Synes. p. 194, B : Τὸ ὠθισμῷ καὶ μόχθῳ καὶ μόλις ποιεῖν. Μόλις δὴ, Vix dum, Gl. Μόλις οὕτως Aristoph. Nub. 326 : Ἤδη νυνὶ μόλις οὕτως. Thuc. 6, 23 : Μόλις οὕτως οἷοί τε ἐσόμεθα τῶν μὲν κρατεῖν. Jo. Veccus in Allat. Gr. Orth. vol. 2, p. 508, B : Οὐ μὴν ἀλλὰ καὶ ταῖς τοῦ ἀναθέματος ἀραῖς καθυποβαλὼν μόλις οὕτω προσδέδεκτο. Et inverso ordine Plut. Alex. c. 63 : Τοῦ θώρακος οὕτω μόλις ἀπολυθέντος. Μόλις ποτὲ, Tandem aliquando, Vix tandem, Gl. Eur. Hel. 892 : Ὃν μόλις ποτὲ λαβοῦσα. Thucyd. 7, 40; Epiphan. vol. 2, p. 3, C. Ποτὲ μόλις Lucian. Rhet. præc. c. 5 : Ἀφικέσθαι ποτὲ μ. εἰς Αἴγυπτον, ubi tamen omittunt μόλις libri boni. || Contraria significatione dicitur Οὐ μόλις, ap. Æsch. Ag. 1080 : Ἀπώλεσας γὰρ οὐ μόλις τὸ δεύτερον· Eum. 864 : Θυραῖος ἔστω πόλεμος οὐ μόλις παρών. Eur. Hel. 334 : Θέλουσαν οὐ μόλις καλεῖς. || Μάλα μόγις vel μόλις v. in Μάλα p. 532, D. Πάνυ μ. Dio Chr. Or. 30, vol. 1, p. 548 : Πάνυ μόλις ἤδη φθεγγόμενος.]

[Μογισαψεδάφα, ἡ, Vix humum tangens. Lucian. Tragœdop. v. 200, de podagra. ᾰᾱ]

Μόγος, ὁ, Labor, Ærumna : πόνος, μόχθος, κακοπάθεια. Hom. Il. Δ, [27] : Ἱδρῶθ' ὃν ἵδρωσα μόγῳ· i. e. ἐν A τῇ κακοπαθείᾳ. [Soph. OEd. C. 1743 : Μόγος ἔχει.] Utuntur et prosæ scriptores.

Μογοστοκέω, In partu s. Circa partum laboro.

[Μογοστοκία, ἡ, Labor in partu. Manetho 1, 337; 4, 412.]

Μογοστόκος, ἡ, Partus laborem suscipiens, Circa partum s. partus laboriosa, Circa partus laborans. Ap. Hom. epitheton Lucinæ, quoniam ea paturientibus adest, earumque labores sublevat : unde Horat. [Carm. sec.], Rite maturos aperire partus Lenis Ilithyia, tuere matres, Sive tu Lucina probas vocari. Hom. Il. Λ, [270] : Ὀξεῖαι δ' ὀδύναι δῦνον μένος Ἀτρείδαο, Ὡς δ' ὅταν ὠδίνουσαν ἔχῃ βέλος ὀξὺ γυναῖκα Δριμὺ, τό,τε προϊεῖσι μογοστόκοι εἰλείθυιαι· Π, [187] : Ἐπειδὴ τόνγε μογοστόκος εἰλείθυια Ἐξάγαγε πρόφόωσδε, καὶ ἠελίου ἴδεν αὐγάς· Τ, [103] : Σήμερον ἄνδρα φόωσδε μογοστόκος εἰλείθυια ἐκφανεῖ. Quibus in ll. μογοστόκος esse dicitur ἡ μογοῦσα καὶ πονουμένη περὶ τοὺς τόκους, s. λοχεύτρια : obstetricis enim operam præstat parturientibus. Ceterum μογοστόκος si de ipsa parturiente dicatur, sonabit in partu B laborans, Quæ vix et magno cum labore parit, Quæ difficili et laborioso partu utitur, aut usa est. [Theocr. 27, 29 : M. Ἄρτεμις. Lycophr. 829 : Τῆς μογοστόκους ὠδῖνας ἐξέλυσε δενδρώδης κλάδος. Figurate Nonnus Dion. 1, 2 : Νυμφιδίῳ σπινθῆρι μογοστόκον ἆσθμα κεραυνοῦ.]

[Μοδάω vel μοδέω [et contr. Μοδῶ ponere videtur Theognost. Can. p. 141, 4 : Τὰ εἰς δω περισπώμενα, πρὸ τέλους ἔχοντα τὸ ο, διὰ τοῦ ο μικροῦ γραφόμενα σπάνια· σποδῶ, μοδῶ, nisi forte scribendum ποδῶ. L. D.]

[Μοδησσός, inter nomina in ησσος ponit Theognost. Can. p. 73, 1, urbis fortasse nomen, ut Ὀδησσός.]

[Μοδιάριος, ὁ, Modiorum confector, artifex. Acclamationes in Conc. sub Mena, Act. 5 : Τὰ κειμήλια ἔλαβεν ὁ τοῦ μοδιαρίου, Filius modiarii. Ducang.]

[Μοδίολον, τὸ, Calyptræ s. Mitræ muliebris species, quæ Augustarum propria erat, sic dicta quod modii s. modioli vasis potorii speciem referret, τυμπανίων etiam interdum appellatione donatæ. Contin. Theophanis 1, 9 : Εἰ τὸ γύναιον τῇ κεφαλῇ ἐπίθοιτο τὸ μοδίολον. Codin. Orig. 1, de Fortunæ urbis statua : Ἡ λεγομένη C τύχη τῆς πόλεως μετὰ μοδιόλου (μοδίου n. 75) ἵστατο ἐν τῇ ἀνατολικῇ ἀψῖδι. In formam turritæ coronæ effingitur in numis. Μόδιος ap. Isaac. Porphyrog. in Palamede : Τὸν πύργον αὐτὸν τὸν καλούμενον μόδιον. Ex Ducang. Gloss. De μοδίῳ, quo se stylitæ contegebant, v. id. in App. p. 134.]

Μόδιος, ὁ, Modius, mensura sedecim continens sextarios. Dinarch. In Demosth. [p. 95, 37], χίλιοι μόδιοι. [Conf. Μέδιμνος. Julian. Misopog. p. 369, B : Μυρίους, οὓς ἐπιχώριόν ἐστι λοιπὸν ὀνομάζειν μοδίους (σίτου). Inscr. Branchid. ap. Bœckh. vol. 2, p. 563, n. 2882, 3. Trall. p. 587, n. 2927, 6 : Μοδίων μυριάδας ἕξ. Monum. Ancyr. : Σειτομετρίαν ἔδωκεν ἀνὰ πέντε μοδίους. Jo. Malal. p. 278, 15. || Forma neutra plur. ap. schol. Hom. Od. B, 355 : Εἴκοσι μόδια ἀλεύρου, suspecta fuit Buttmanno, quum in alio cod. sit μοδ. i. e. μοδίους. || « Arithmetica adespota : Ὁ θαλάσσιος μόδης ὀφείλει χωρεῖν σίτου καθαροῦ καὶ ἀρύπου λίτρας τεσσαράκοντα. » Ducang.]

[Μοδισμὸς, ὁ, Certus modiorum numerus s. Nume- D ratio per modios. Theophyl. Bulg. Epist. 41 extr. : Ἐπὶ τῇ παραδόσει τῆς γῆς τό τε τῆς σχοίνου μέτρον κολοβοῖ καὶ ἔτι περὶ τὴν τοῦ μοδισμοῦ συναρίθμησιν ἀμαθέστατα πράττει. Harmenop. in Legibus naval. : Δεῖ εἶναι τὴν χιλιάδα τοῦ μοδισμοῦ χρυσίων πεντήκοντα μετὰ τῆς ἐξαρτίας αὐτοῦ. Ducang. Tzetz. in Hesiod. Op. (347) : Καλῶς δὲ ἀπόδος τῷ γείτονι αὐτὸ τὸ μέτρον καὶ τὸν μοδισμὸν, ὡς εἴπῃ τις. Et (598) : Μέτρῳ δ' εὖ κομίσασθαι) μοδισμῷ δὲ καλῶς ἀποκόμισον τὸν σῖτον ἐν τοῖς κιβωτίοις. Id. in App. p. 134. Ms. ap. Morell. Bibl. Ms. p. 204. Ex Herone Geom. citat Schneider. Similia vocc. sunt Ἀργυρισμὸς, Δηναρισμὸς, Λιτρισμός.]

[Μόδον, τό.] Μόδα, Hesychio στρώματα, Stramenta s. Stragula.

[Μόδος, ὁ, ap. Hippocratem herbæ cujusdam nomen est, cujus radicem ex vino tritam in tetano propinat p. 408, 17. Cæl. Aurel. Acut. 3, 8, Bryoniæ radicem vertit. Cornar. Mei radicem dixit. Calvus etiam τόμον et μόδον legisse videtur. Foes.]

[Μόδρα, ων, τὰ, Modra, locus Ponti, ap. Strab. 12,

p. 543, ubi κωμοπόλεως Μοδρηνῆς ap. Constantin. Them. 1, 6, mentionem annotavit Tzschuck.]

[Μοεύω. V. Μοθεύω.]

Μόθαξ, ἄκος, ὁ, Verna. Hesychio enim μόθακες sunt οἱ ἀνατρεφόμενοι τοῖς υἱοῖς δοῦλοι παῖδες. Athen. [6, p. 271, E] μόθακας ait Spartæ fuisse liberos quidem, sed non Lacedæmonios: fuisse autem συντρόφους Lacedæmoniorum, utpote qui cum civium filiis educari alique solerent, καὶ μετέχειν τῆς παιδείας πάσης. Infra Μόθων. [Ælian. V. H. 12, 43: Ὄνομα δὲ ἦν ἄρα τοῦτο (τὸ μόθακες) τοῖς τῶν εὐπόρων δούλοις, οὓς συνεξέπεμπον τοῖς υἱοῖς οἱ πατέρες συναγωνιουμένους ἐν τοῖς γυμνασίοις. Wakef. V. Μοῦσαξ.]

Μοθεύω, affertur pro Detestor, Odi, Calumnior. Ap. Hesych. vero Μοεύων, ψέγων: sed pro quo alphabetica series postulet μοθεύων.

Μόθος, ὁ, Hesychio est πόνος, Labor: item πόλεμος, μάχη, θόρυβος, Bellum, Pugna et conflictus, Tumultus. Ita Hom. Il. H, [117]: Εἴπερ ἀδειής ἐστι, καὶ εἰ μόθου ἔστ' ἀκόρητος· Φ, [310]: Τρῶες δὲ κατὰ μόθον οὐ μενέουσι. Sic Hesiod. [Sc. 158]: Τεθνειῶτα κατὰ μόθον. Rursum Il. H, [241]: Οἶδα δ' ἐπαΐξαι μόθον ἵππων, pro μάχην ἵππων, ut paraphrastes exp. [Plur. Callim. Ep. 71, 1: Τίπτε μόθων ἄτλητος Ἐνυαλίοιο λέλογχας, Κύπρι; Epigr. Anth. Plan. 122, 4: Ἔργα μόθων. Coluth. 149, 161. De accentu Arcad. p. 49, 9.]

Μοθούρας, Hesych. τὰς λαβὰς τῶν κωπῶν, Remorum manubria. [Conferendum quod μόθων Pollux in illo cit. dicit ὄρχημα ναυτικόν.] At μόθουρα, eadem quæ λόφουρα. Bud. ex Aristot. Physiogn. [c. 4]: Τῶν μὲν οὖν λοφούρων ἢ μοθούρων κοινόν ἐστιν ὕβρις. Ita enim reponit pro λοθούρων, quod est in Aldino cod. [Nunc deleta sunt verba ἢ μοθούρων, ex dittographia nata.]

Μόθων, ωνος, ὁ, i. q. μόθαξ, Verna. Etym. enim [s. Chœrob. vol. 1, p. 287, 22] Lacedæmonios ita nominare scribit τὸν οἰκογενῆ δοῦλον, Servum domi natum et educatum, quem Athenienses οἰκότριβα appellent: ut et Hesych. μόθωνας a Lacedæmoniis vocari ait τοὺς παρατρεφομένους παιδίσκους, Pueros, qui præter liberos domesticos aluntur et educantur: Aristoph. vero schol. et Suid. τοὺς παρεπομένους τοῖς ἐλευθέροις, Ingenuorum asseclas et pedissequos. Ab his μόθωνας appellarunt τοὺς εὐτελεῖς καὶ δουλοπρεπεῖς, καὶ σπερμολόγους [sec. Hesychium], necnon τοὺς φορτικούς [conf. Pollux 6, 123. Sec. Photium ita dictus ὁ ἀνάγωγος καὶ ὁ ἀκόλαστος ἄνθρωπος]: quod tales essent οἱ μόθωνες, h. e. Homines viles et servili indole præditos, Nugatores et garrulos, Molestos. Aristoph. Eq. [641]: Βερέσχεθοί τε, καὶ κόβαλοι, καὶ μόθωνες [μόθων. Ib. 694: Ἀπεπυδάρισα μόθωνα, περιεκόκκασα. Eur. Bacch. 1060: Πενθεὺς δ' ὁ τλήμων, θῆλυν οὐχ ὁρῶν ὄχλον, ἔλεξε τοιάδ'· Ὦ ξέν', οὗ μὲν ἕσταμεν οὐκ ἐξικνοῦμαι μαινάδων ὅποι μόθων· ὄχθων δ' ἐπεμβὰς ἢ 'λάτην ὑψαύχενα ἴδοιμ' ἂν ὀρθῶς μαινάδων αἰσχρουργίαν. Ubi libri νόθων. Μόθων ex suis, ut ait, vett. codicibus memorat HSt. Quod si verum, aptius est ὅπου quam ὅποι.] Idem in Pluto [279]: Διαρραγείης, ὡς μόθων εἶ, καὶ φύσει κόβαλος. Ubi schol. quoque μόθων exp. φλύαρος, φορτικός: qui etiam addit, μόθωνας dici τοὺς ἀνοήτους καὶ δουλοπρεπεῖς: nam Lacedæmone μόθωνας dictos fuisse τοὺς παρατρεφομένους τοῖς ἐλευθέροις παῖδας, Pueros, qui præter ingenuos educabantur et alebantur. Eidem schol. [Eq. 694] μόθων est etiam εἶδος αἰσχρᾶς καὶ δουλοπρεποῦς ὀρχήσεως: itidemque Suidæ, qui addit etiam καὶ φορτικῆς [et Hesychio, qui simpl. εἶδός τι ὀρχήσεως]: quemadmodum Pollux quoque 4, [101] scribit μόθωνα fuisse φορτικὸν ὄρχημα καὶ ναυτικόν. [Hoc conferendum cum μοθούρας, quod v.] Ab Athen. [Tryphone ap. eum 14, p. 618, C] μόθων numeratur inter τὰ τῶν αὐλήσεων γένη. [De accentu Chœrob. vol. 1, p. 77, 27, Theognost. Can. p. 33, 29, et ubi μώθων scriptum pro μόθων, Arcad. p. 11, 23.] Porro a μόθων quod est φλύαρος καὶ φορτικός, est subst. Μοθωνία, quod Hesych., Etym. [et Suid.] exp. ἀλαζονεία, Insolentia. Et Μοθωνικός, ἡ, ὄν, quod itidem pro Insolens ac Superbus accipitur ap. Plut. Pericl. [c. 5], ubi Io poeta dicit τὴν τοῦ Περικλέους ὁμιλίαν esse μοθωνικὴν καὶ ὑπότυφον. [I. q. δουλοπρεπῆ, φορτικήν, φλύαρον, ἀνόητον. Sic ap. Tacit. et alios Lat. scriptores Verna procax, Vernilitas, Verniliter, Vernile dictum, Verniles blanditiæ. Schneid.]

[Μόθων, ωνος, ὁ, Mothon, pater Naucydis, Pausan. 2, 22, 7. || Scopulus prope oppidum Messeniæ Mothonen, ib. 4, 35, 1: Δόξῃ δὲ τῇ ἐμῇ δέδωκε τῷ χωρίῳ (Mothonæ) τὸ ὄνομα ὁ Μόθων λίθος, quem ante portum urbis situm pluribus describit in seqq.]

[Μοθώνη, ἡ, Mothone, f. OEnei, ap. Pausan. 4, 35, 1. || Oppidum Messeniæ, ap. Pausan. 4, 3, 10 etc.; olim Pedasus, ib. 35, 1. Gent. Μοθωναῖοι, ib. 18, 1; 35, 1, et ap. Suidam. Utrumque in numis.]

[Μοθωνία, Μοθωνικός. V. Μόθων. || Μοθωνία, ἡ, de qua Suidas ἔστι δὲ καὶ χώρα, pertinet ad Μοθώνην.]

Μοιμυᾶν, et Μοιμύλλειν, Comici vocant τὸ συνάγειν τὰ χείλη, Contrahere s. Comprimere labia, teste Polluce [2, 90]. Hesych. μοιμυᾶν quidem esse ait τὸ τὰ χείλη πρὸς ἄλληλα προσάγειν: μοιμύλλειν vero non solum τὸ τὰ χείλη προσάπτειν ἀλλήλοις, sed etiam θηλάζειν, Sugere, et ἐσθίειν, Edere. Νοιμύλειν, perperam ap. Poll. scriptum pro μοιμύλλειν. [Photius: Μοιμυᾶν καὶ μοιμύλλειν, τὸ τὰ χείλη διαστρέφειν. Aristophani restituendam videri formam priorem pluribus dicetur in Μυάω. L. Dindorf.]

[Μοιὸν, τὸ, Pudendum. Theognost. Can. p. 130, 10: Τὰ διὰ τοῦ οιον ὀξύτονα δισύλλαβα οὐδέτερα μονογενῆ διὰ τῆς οι διφθόγγου γράφεται, οἷον ... μοιὸν τὸ αἰδοῖον. Memorat etiam Arcad. p. 121, 24. L. Dind.]

Μοῖος, Hesychio σκυθρωπὸς, Tetricosus, Vultuosus. [Similiter idem interpretatur Σμοῖος, quod v. Duplex enim forma vocabuli fuit, ut aliorum, quæ a μ incipiunt, itemque nominis proprii Μοῖος, ὁ, Mœus, quod inter barytona refert Arcad. p. 37, 14, cujus formam Σμοῖος v. suo loco.]

Μοῖρα, ἡ, Pars, Portio. Frequens ap. Hom. pro Portione quæ in mensa cuique tribui solebat. Od. Θ, [470]: Οἳ δ' ἤδη μοίρας τ' ἔνεμον, κερόωντό τε οἶνον· O, [140]: Κρέα δαίετο, καὶ νέμε μοίρας· Γ, [66]: Μοίρας δασσάμενοι δαίνυντ' ἐρικυδέα δαῖτα· Υ, [281]: Πὰρ δ' ἄρ Ὀδυσσῆϊ μοῖραν θέσαν οἵ ῥ' ἐπένοντο [οἳ πονέοντο] Ἴσην ὡς αὐτοί τε [περ] ἐλάγχανον· Ξ, [448]: Ὁ δ' ἕζετο ᾗ παρὰ μοίρῃ. [Aristoph. Pac. 1105: Ἔγχει δὴ κἀμοὶ καὶ σπλάγχνων μοῖραν ὄρεξον. Pollux 6, 155: Ἡ πρώτη τῶν χρεῶν μοῖρα.] In eod. loquendi genere prosæ quoque scriptoribus usitatum est. Athen. 4: Τῷ νέμοντι τὰς μοίρας ἀκολουθῶν ὁ διάκονος· 14, [p. 640, E]: Ἐπὶ τῶν τραπεζῶν κεῖσθαι τὴν ἑκάστου μοῖραν. Item Pars in aliis loquendi generibus. [Hom. Od. Λ, 534: Ἀλλ' ὅτε δὴ Πριάμοιο πόλιν διεπέρσαμεν αἰπήν, μοῖραν καὶ γέρας ἐσθλὸν ἔχων ἐπὶ νηὸς ἔβαινεν. Ib. Υ, 171: Λώβην ἣν οἵδ' ὑβρίζοντες ἀτάσθαλα μηχανόωνται, οὐδ' αἰδοῦς μοῖραν ἔχουσιν, ubi est i. q. μετέχουσιν. Hesiod. Th. 413: Πόρεν δέ οἱ ἀγλαὰ δῶρα, μοῖραν ἔχειν γαίης τε καὶ ἀτρυγέτοιο θαλάσσης. Pind. Pyth. 3, 84: Τὼ δὲ μοῖρ' εὐδαιμονίας ἕπεται. Et alibi sæpissime similiter. Æsch. Prom. 631: Μοῖραν δ' ἡδονῆς κἀμοὶ πόρε. Soph. Tr. 163: Εἶπε δ' ἣν τέκνοις μοῖραν πατρῴας γῆς διαίρετον νέμοι.] Philo De mundo: Τῆς αἰθερίου φύσεως τὸν ὑμέτερον νοῦν μοῖραν εἰπόντες εἶναι, Mentem nostram ætheriæ naturæ partem esse dictitantes. Item de parte agri s. fundi, Philo De mundo: Τῆς παρακειμένης χώρας μοίρας οὐ λυπρὰς, Partes regionis non macras nec steriles. At ap. Plat. Charm. [p. 155, D] dicitur hinnulus leoni μοῖραν αἱρεῖσθαι κρεῶν, Partem eripere carnium. [Hom. Il. K, 253: Παρῴχηκεν δὲ πλέων νὺξ τῶν δύο μοιράων, τριτάτη δ' ἔτι μοῖρα λέλειπται· O, 195: Καὶ κρατερός περ ἐὼν μενέτω τριτάτῃ ἐνὶ μοίρῃ, de Jove tertiam totius mundi partem, cœlum, sortito. Od. Δ, 97: Ὧν ὄφελον τριτάτην περ ἔχων ἐν δώμασι μοῖραν ναίειν. Et similiter alibi. Aristoph. Thesm. 555: Οὐδέπω τὴν μυριοστὴν μοῖραν ὧν ποιοῦμεν.] Epigr. [Agathiæ Anth. Pal. 11, 382, 22]: Ἐν τριτάτῃ μοίρῃ κάλλιπε κληρονόμον, Ex tertia parte. Item μοῖραν κτερέων ἀφελεῖν, Apoll. [Rh. 1, 691], Auferre et nancisci suam portionem parentalium, pro Sortiri parentalia. At ἰδία ἑκάστου μοῖρα, Sua cujusque virilis pars. [Lycurg. p. 156, 7.] Antiphon: Ἡ γὰρ πόλις οἰκεῖται διὰ τὴν ἰδίαν ἑκάστου μοῖραν φυλαττομένη, Pro sua virili unoquoque civium operam in commune navante. [De aliis rebus, ap. Callim. Epigr. 68, 4: Ἐκ δ' ὕδατος τὸν παῖδα διάβροχον ἥρπασε μάτηρ, σκεπτομένα ζωῆς εἴ τινα μοῖραν ἔχοι. « De terra, οὐκ ἐλαχίστη μοῖρα, Herodot. 1, 146. Μοῖραν τιμέων μετέχοντες, 4, 145. Δυώδεκα μοίρας δασάμενοι Αἴγυπτον πᾶσαν, 2, 147. Προσκτήσασθαι (γῆν) πρὸς τὴν ἑωυτῶν μοῖραν βουλόμενοι, 1, 73. Ἐστρατεύετο ἐς τὴν Περσέων μοῖραν, In ditionem, fines, 1, 75. Τῆς χώρης ταύτης ἀπολαχόντες τὴν Ταναγρικὴν μοῖραν, 5, 57. Πλὴν μοίρης τῆς Ἀραβίων, 7, 91. Τῆς Ἐλλοπίης μοίρης, γῆς δὲ τῆς Ἱστιαιήτιδος, τὰς κώμας, 8, 23. » SCHWEIGH. Lex. Thuc. 1, 10: Πελοποννήσου τῶν πέντε τὰς δύο μοίρας νέμονται. Apollod. 3, 14, 4, 6: Εἰς μοίρας διηρέθη ὁ ἐνιαυτὸς, καὶ μίαν μὲν παρ' ἑαυτῷ μένειν τὸν Ἄδωνιν, μίαν δὲ παρὰ Περσεφόνῃ προσέταξε, τὴν δὲ ἑτέραν παρὰ Ἀφροδίτῃ. Ὁ δὲ Ἄδωνις ταύτῃ προσένειμε καὶ τὴν ἰδίαν μοῖραν.] Dicitur etiam res aliqua οὐ σμικρὰν συμβάλλεσθαι μοῖραν πρός τι, q. d. Non exiguam partem aut portionem conferre ad perficiendum aliquid, i. e. Multum conferre. Plut. De educ. puer. [p. 9, F]: Τὸ μνημονικὸν τῆς μαθήσεως μέρος, οὐ μόνον πρὸς τὴν παιδείαν, ἀλλὰ καὶ πρὸς τὰς τοῦ βίου πράξεις οὐκ ἐλαχίστην συμβάλλεται μοῖραν. [Similiter Sext. Emp. Adv. mathem. 1, p. 237: Οὐκ ὀλίγην δὲ ἂν ἔχοι μοῖραν εἰς προτροπὴν καὶ ὅταν βλέπωμεν κτλ.] Item τῇ μοίρᾳ τινὸς προστιθέναι, pro Alicui attribuere et ascribere. Thuc. [3, 82]: Τὸ δ' ἐμπλήκτως ὀξὺ, ἀνδρὸς μοίρᾳ προσετέθη, Præceps celeritas virilitati ascripta est, Præcipitis celeritatis causam virilitatem esse censebant: ἐν μοίρᾳ τινὸς τάττειν, In loco alicujus censere, Loco alicujus habere. Synes. Ep. 58: Παρ' ἡμῖν ἐν Ἀνδρονίκου μοίρᾳ τετάξεται, In Andronici numero et loco habebitur. Et ex Hermog. ἐν μοίρᾳ τίθεται, Loco et vice. Ex Herodoto [2, 172]: Ἐν οὐδεμιῇ μοίρῃ μεγάλῃ ἦγον, Non magni momenti ducebant. Aristid. [vol. 1, p. 178]: Ἐν πατρίδος μέρει [« μοίρᾳ » HSt. Ms. Vind.] κατέστη, Fuit loco patriæ. [Ib. p. 89, 95.] Plut. De lib. educ. [p. 6, E]: Ὡς ἐν φαρμάκου μοίρᾳ, Vice medicamenti. Dem. [p. 639, 25]: Ἐν πολεμίου μοίρᾳ, Instar hostis. Lucian. [Zeuxid. c. 2]: Τὴν μὲν, ὥσπερ ἐν προσθήκης μοίρᾳ, συνεπικοσμεῖν τι. Plato Leg. 2, [p. 656, B]: Ἐν παιδιᾶς μοίρᾳ, Per jocum. [Æsch. Prom. 291: Οὐκ ἔστιν ὅτῳ μείζονα μοῖραν νείμαιμ' ἢ σοί. Soph. Tr. 1239: Ἁνὴρ ὅδ', ὡς ἔοικεν, οὐ νεμεῖν ἐμοὶ φθίνοντι μοῖραν. Insolenter OEd. C. 278: Καὶ μὴ θεοὺς τιμῶντες εἶτα τοὺς θεοὺς μοίραις ποιεῖσθε μηδαμῶς. Ubi deteriores μοίρας et μοῖραν, μοίρᾳ G. Dind. « Τῆς σωζομένης εἶναι μοίρας, Aristides vol. 2, p. 424. Ἦν τῆς ἀτέγκτου ... μοίρας, Ælian. ap. Suid. in Ἄτεγκτος, p. 368. Psell. Περὶ Ε. Δ. p. 26, 12. » HEMST. Referri huc potest etiam quod Simonid. Carm. de mul. 104 dicit: Ἀνὴρ δ' ὅταν μάλιστα θυμηδεῖν δοκῇ κατ' οἶκον ἢ θεοῦ μοῖραν ἢ ἀνθρώπου χάριν. Et Theocr. 14, 49: Ἄμμες δ' οὔτε λόγω τινὸς ἄξιοι οὔτ' ἀριθματοὶ, δύστανοι Μεγαρῆες, ἀτιμοτάτῃ ἐνὶ μοίρᾳ. Herodot. 5, 69: Ὡς τὸν Ἀθηναίων δῆμον, πρότερον ἀπωσμένον, τότε πάντα πρὸς τὴν ἑωυτοῦ μοῖραν προσεθήκατο.] Μοῖραν ἔχειν dicitur Quod locum habet alicubi et convenit. Eur. [Hipp. 988]: Ἔχει δὲ μοῖραν καὶ τόδ', Convenit etiam hoc, Locum habet hoc quoque. Quibus addi potest κατὰ μοῖραν, Convenienter, Decenter, cui opp. παρὰ μοῖραν. Hom. Od. [Il. Α, 286]: Πάντα, γέρων, κατὰ μοῖραν ἔειπες, Probe, Recte, κατὰ τὸ πρέπον. Π, [367]: Ὣς τῶν ἐκ νηῶν γένετο ἰαχή τε φόβος τε· Οὐδὲ κατὰ μοῖραν πέραον πάλιν· i. e., ἀτάκτως καὶ ἀκόσμως διεπέρων τὴν τάφρον. Od. Ι, [352]: Ἐπεὶ οὐ κατὰ μοῖραν ἔρεξας· Ξ, [509]: Οὐδέ τι πω παρὰ μοῖραν ἔπος νηκερδὲς ἔνισπες, Non indecenter, οὐ παρὰ τὸ προσῆκον. [Et contra Od. Χ, 54: Ὁ μὲν ἐν μοίρῃ πέφαται.] At Il. Τ, [186]: Ἐν μοίρῃ γὰρ πάντα διίκεο καὶ κατέλεξας, est potius Ordine, aut ἐν μερισμῷ, ut Eust. exp. || Μοῖρα in cœlo est gradus. Ptolem. Geogr. [quavis fere pagina. Aliique passim.] Et Damasc. p. 34: Τὸ δὲ ζώδιον ἔχει δεκανοὺς τρεῖς, μοίρας τριάκοντα· ἡ δὲ μοῖρα ἔχει λεπτὰ ἑξήκοντα, Bud. [Arsenius monachus in Zanatæ Geomantia græce versa ap. Lambec. Bibl. Cæs. vol. 7, p. 555, B: Εἰ βούλει σημειώσασθαι τὰς μοίρας τῶν ἀστέρων καὶ τῶν λεπτῶν τοὺς ἀριθμοὺς καὶ τῶν λεπτεπιλέπτων. || De partibus Zodiaci Arat. 560: Μοιράων σκέπτεσθαι ὅτ' ἀντέλλῃσιν ἑκάστη· 581: Τέτρασι γὰρ μοίραις ἅμυδις κατιόντα Βοώτην Ὠκεανὸς δέχεται· 716: Μοίρῃ γε μὲν οὐκ ἐπὶ ταύτῃ ἀθρόος ἀντέλλει, et alibi.] || Μοῖρα dicitur etiam Certum quoddam militum σύνταγμα, ut μόρα infra, qualis est decuria, centuria, manipulus, cohors. Æschin. [p. 88, 31, ubi nunc μόραν]: Χαβρίᾳ μὲν (δωρεὰν ἔδοσαν καὶ εἰκόνα ἔστησαν) διὰ τὴν περὶ Νάξον ναυμαχίαν, Ἰφι-

A κράτει δὲ ὅτι μοῖραν Λακεδαιμονίων ἀπέκτεινε· Manipulum, ut Bud. interpr.: sic enim quædam habent exempll.; alia tamen μόρα, quod Spartanis proprium est vocab., et frequens ap. Xen. Sed μοῖρα quoque in hac signif. capi potest, quum Stob. ap. Xen. pro μόρας legat μοίρας, ut in illo vocab. videre est. Herodian. 6, [6, 4]: Τὸ δὲ σὺν αὐτῷ πλῆθος ὁ Ἀλέξανδρος εἰς τὴν Ἀντιόχειαν ἐπανήγαγε, πολλῶν ἐξ ἐκείνης τῆς μοίρας ἀπολωλότων. [Pausan. 10, 23, 7: Ἐς τὸ στρατόπεδον τὸ πρὸς τῇ Ἡρακλείᾳ μοῖρα οὐ πολλὴ διέφυγεν ἐξ αὐτῶν.] Strabo: Τέτταρες μοῖραι ἀνδρῶν, Quatuor decuriæ, Bud. V. Διμορία. [Ubi de Spartanorum cohortibus dicitur, vitiosum esse μοῖρα dicetur in Μόρα. Sed ap. recentiores, maximeque Byzantinos « Μοῖραι sunt Cohortes mille viris seu militibus constantes: quibus qui præerant μοιράρχαι dicti. Leo Imp. in Tacticis 4, 42: Ταῦτα δὲ τάγματα συνάξεις εἰς χιλιαρχίας ἤτοι μοίρας τὰς λεγομένας δρούγγους, καὶ ἐπιστήσεις αὐτοῖς μοιράρχας χρησίμους ἀνδρείους. » DUCANG. Μοιράρχας memorat Mauric. Strateg. p. 149, 167, 169. || De B classibus civium Eur. Suppl. 244: Τριῶν δὲ μοιρῶν ἡ 'ν μέσῳ σώζει πόλεις, ubi 238 fuerat τρεῖς γὰρ πολιτῶν μερίδες.] || Sors, Conditio, utplurimum Sors divinitus tributa. [Hom. Od. Ε, 114: Ἔτι οἱ μοῖρ' ἐστὶ φίλους ἰδέειν. Æsch. Sept. 488: Θέλων ἐξιστορῆσαι μοῖραν· Pers. 909: Δύστηνος ἐγὼ στυγερᾶς μοίρας τῆσδε κυρήσας ἀτεκμαρτοτάτης· Ag. 1315: Κωκύσουσ' ἐμὴν Ἀγαμέμνονός τε μοῖραν· Eum. 454: Αὗται δ' ἔχουσι μοῖραν οὐκ εὐπέμπελον. Soph. El. 1093: Ἐπεί σ' ἐφηύρηκα μοίρᾳ μὲν οὐκ ἐν ἐσθλᾷ βεβῶσαν· Ph. 682: Μοίρᾳ τοῦδ' ἐχθίονι συντυχόντα· OEd. C. 144: Οὐ πάνυ μοίρας εὐδαιμονίσαι πρώτης. Et cum genit. Aj. 928: Ἔμελλες χρόνῳ στερεόφρων ἄρ' ἐξανύσειν κακὰν μοῖραν ἀπειρεσίων πόνων. Cum inf., ut Hom. l. supra cit., Soph. OEd. T. 376: Οὐ γάρ με μοῖρα πρός γε σοῦ πεσεῖν, et alibi. Aristoph. Thesm. 1047: Μοίρας ἄτεγκτε δαῖμον. « Σεωυτοῦ μοίρῃ περιείς, Herodot. 1, 121. Ἐξέπλησε μοῖραν τὴν ἑωυτοῦ, 3, 42, et 4, 164. Plur. Οὐκ οἷόν τε ἐγένετο παραγαγεῖν μοίρας, 1, 91. » Schweigh. Lex.] Plato Crat. [p. 398, B]: Ἐπειδάν τις ἀγαθὸς ὢν τελευτήσῃ, μεγάλην μοῖραν καὶ τιμὴν ἔχει. C Plut. De aud. poem. [p. 21, F]: Κρείττονα μοῖραν ἕξει Παταικίων ὁ κλέπτης ἀποθανὼν, ἢ Ἐπαμινώνδας, ὅτι μεμύηται; Ex Plat. Epist. [7, p. 329, B] μοῖρα φιλόσοφος, Sors philosophica. Ex eod. [ib. p. 337, E], Ἀγαθῇ μοίρᾳ πρᾶξαι, Bona et felici sorte, Feliciter. [Eur. Ion. 153: Εἴθ' οὕτως ἀεὶ Φοίβῳ λατρεύων μὴ παυσαίμαν ἢ παυσαίμαν ἀγαθᾷ μοίρᾳ.] Contra ap. Synes. Ep. 54: Τὸν κακῇ Πενταπόλεως μοίρᾳ καὶ φύντα καὶ τραφέντα. Simpliciter etiam μοῖρα dicitur pro ἀγαθὴ μοῖρα, Bona fortuna, Felix sors. Hom. Od. [Υ, 76]: Ὁ γάρ τ' εὖ εἶδεν ἅπαντα, Μοῖράν τ' ἀμμορίην τ' καταθνητῶν ἀνθρώπων, Bonam fortunam et infortunia, εὐτυχίαν, Eust. || Fatum, [Letum add. Gl.] ἡ εἱμαρμένη, ἡ πεπρωμένη, ita dictum διὰ τὸ μεμερίσθαι, ut Aristot. scribit De mundo [c. 7], unde Apul. De mundo, Idem fatum μοῖραν vocat, quod ex partibus constet. Et θεία μοῖρα, Fatum divinum, Providentia divina. Aristot. Eth. 1, 9: Ἢ κατά τινα θείαν μοῖραν ἢ καὶ διὰ τύχην παραγίνεται, Aut fato providentiaque divina, aut casu. Xen. [Comm. 2, 3, 18.] Τὼ πόδε θείᾳ μοίρᾳ πεποιημένω πρὸς τὸ συνεργεῖν ἀλλήλοιν, Divina providentia: Hell. 7, [5, 10]: D Θείᾳ τινὶ μοίρᾳ προσελθών. At ex Plat. Epist. [immo φιλόσοφος μοῖρα ex Epist. 7, p. 329, B, affertur in Lex. Septemv., quod non recte HSt. retulit ad verba sequentia, aliunde petita,] affertur θεία μοῖρα γεννηθεὶς, pro Divinæ sortis favore natus. Plerumque in malam partem, ut et Lat. Fatum, vel Parca. Hom. Il. Ζ, [488]: Μοῖραν δ' οὔτινα φημὶ πεφυγμένον ἔμμεναι ἀνδρῶν· et [Φ, 82]: Νῦν αὖ με τεῇς ἐν χερσὶν ἔθηκε Μοῖρ' ὀλοή· Χ, [5]: Ἕκτορα δ' αὐτοῦ μεῖναι ὀλοὴ μοῖρ' ἐπέδησε· Od. Λ, [291]: Χαλεπὴ δὲ θεοῦ κατὰ μοῖρα πέδησε. [Γ, 269: Ἀλλ' ὅτε δή μιν μοῖρα θεῶν ἐπέδησε δαμῆναι. In contrariam partem Pind. Ol. 2, 23: Ὅταν θεοῦ Μοῖρα πέμπῃ ἀνεκὰς ὄλβον ὑψηλόν.] Il. Χ, [303]: Νῦν αὐτέ με μοῖρα κιχάνει· Ν, [602]: Τὸν δ' ἄγε μοῖρα κακὴ θανάτοιο τέλοσδε. [Æsch. Ag. 1365: Πεπαιτέρα γὰρ μοῖρα τῆς τυραννίδος. Anacr. Od. 11, 10: Ὡς τῷ γέροντι μᾶλλον πρέπει τὰ τερπνὰ παίζειν, ὅσῳ πέλας τὰ μοίρης.] Item Xen. Hell. 2, [4, 19]: Ὥσπερ ὑπὸ μοίρας τινὸς ἀγόμενος, ἐκπηδήσας πρῶτος, ἐμπεσὼν τοῖς πολεμίοις, ἀποθνήσκει, Fato quodam. At ὑπὲρ μοῖραν,

Contra quam in fatis est (quod ὑπὲρ μόρον et ὑπέρμορα a μόρος composita voce dicitur), Il. Υ, [336] : Μὴ καὶ ὑπὲρ μοῖραν δόμον Ἄϊδος εἰσαφίκηαι. Quum vero plur. num. μοῖραι dicitur, reddendum est Parcæ [Gl. Filiæ Noctis, sec. Hesiod. Th. 217] : quarum nomina sunt [sec. Hesiod. l. c. et 904], Lachesis, Clotho, Atropos : de quibus multa ap. Aristot. in l. De mundo, circa fin. : et ap. Plat. ac Plut., necnon ap. poetas. [Hom. Il. Ω, 49 : Τλητὸν γὰρ Μοῖραι θυμὸν θέσαν ἀνθρώποισιν. Pind. Isthm. 5, 16 : Κλωθὼ κασιγνήτας τε Μοίρας. (De quo Pausan. 7, 26, 8 : Ἐγὼ μὲν οὖν Πινδάρου τά τε ἄλλα πείθομαι τῇ ᾠδῇ καὶ Μοιρῶν τε εἶναι μίαν τὴν Τύχην καὶ ὑπὲρ τὰς ἀδελφάς τι ἰσχύειν.) Æsch. Prom. 516 : Μοῖραι τρίμορφοι· Cho. 304 : Ὦ μεγάλαι Μοῖραι. Et alibi sæpe cum ceteris Tragicis. Aristoph. Th. 707 : Ὦ πότνιαι Μοῖραι· Ran. 453 : Τὸν ἡμέτερον τρόπον, ὃν ὄλβιαι Μοῖραι ξυνάγουσιν· Av. 1734. Ach. Tat. 1, 3, p. 7, 12 : Αἱ δὲ Μοῖραι τῶν ἀνθρώπων κρείττονες ἄλλην μοι ἐτήρουν γυναῖκα. Juramentum per Parcas ap. Theocr. 2, 160 : Τὰν Ἀΐδαο πύλαν ναὶ Μοίρας ἀραξεῖ. Rarum quod est in inscr. Spart. ap. Bœckh. vol. 1, p. 683, n. 1444 : Μοιρῶν Λαχέσεων. Ap. Plat. in fr. Hyperboli, quod citat Herod. Π. μον. λ. p. 20 : Ὅδ' οὐ γὰρ ἠττίκιζεν, ὦ Μοῖραι φίλαι, Meinek. Com. vol. 2, p. 669, suspicabatur Μοῦσαι. Sic ap. Julian. Misop. p. 337, A : Τρυφᾶν γὰρ ἔλαχεν ἐκ Μοιρῶν (Anacreon), margo γρ. Μουσῶν. Singulari de Parca Hom. Il. Ω, 209 : Τῷ δ' ὥς ποθι Μοῖρα κραταιὴ γεινομένῳ ἐπένησε λίνῳ. Æsch. Eum. 331 : Τοῦτο γὰρ λάχος Μοῖρ' ἐπέκλωσεν ἐμπέδως ἔχειν. Et alibi persæpe cum ceteris Tragicis. Addito μεγάλη Soph. Phil. 1466 : Ἔνθ' ἡ μ. Μοῖρα κομίζει, ut in l. Æsch. paullo ante cit.] Aliquando conjungitur cum θεὸς aut θάνατος, et itidem exponi potest Fatum, Parca : sic vero et κὴρ et μόρος cum iisd. copulantur. Hom. Il. Τ, [87] : Ζεὺς καὶ Μοῖρα καὶ ἠερόφοιτος [—φοῖτις] Ἐριννύς· Π, [849] : Ἀλλά με μοῖρ' ὀλοὴ καὶ Λητοῦς ἔκτανεν υἱός· Τ, [410] : Θεός τε μέγας καὶ μοῖρα κραταιή· Π, [853] : Ἄγχι παρέστηκε θάνατος καὶ μοῖρα κραταιή· Φ, [110] : Ἀλλ' ἐπί τοι καὶ ἐμοὶ θάνατος καὶ μοῖρα κραταιὴ ἔσσεται· et [Od. Φ, 24] : Αἳ δή οἱ καὶ ἔπειτα φόνος καὶ μοῖρα γένοντο. Dicitur etiam μοῖρα θανάτου, pro Fato lethifero, Od. Β, [100] : Εἰς ὅτε κέν μιν Μοῖρ' ὀλοὴ καθέλῃσι τανηλεγέος θανάτοιο. [Et sic ap. alios poetas cum verbis δέχεσθαι, σχεῖν, κατακαλύπτειν, κιγχάνειν, λαμβάνειν. Æsch. Ag. 1462 : Μηδὲν θανάτου μοῖραν ἐπεύχου.] At μοῖρα βιότοιο est potius Fatalis vitæ terminus, Il. Δ, [170] : Αἴκε θάνῃς καὶ μοῖραν ἀναπλήσῃς βιότοιο. [Est Fatale vitæ spatium. Soph. Ant. 896 : Πρίν μοι μοῖραν ἐξήκειν βίου.] Alias pro θάνατος quoque capitur, Μ, [116] : Πρόσθεν γάρ μιν μοῖρα δυσώνυμος ἀμφεκάλυψεν. Quum vero alicui θάνατος καὶ μοῖρα τετύχθαι dicitur, ἐκ παραλλήλου usurpatur pro θάνατος, nisi malis Exitium, Perniciem : quod minus tamen esse videtur. Il. Γ, [101] : Ἡμῶν δ' ὁπποτέρῳ θάνατος καὶ μοῖρα τέτυκται· sic vero dicitur et Od. Λ, [408] : Τεύξας θάνατόν τε μόρον τε. A μείρω autem derivatam esse hanc vocem, tum gramm. tradunt, tum significatio ipsa ostendit. || Μοῖρα, nomen proprium ap. Theocr. [1, 109? || Forma Μοίρη est in epigr. Anth. Pal. 14, 3, 8 : Ἑβδομάτην δ' Ἐρατὼ μετεκίαθε μοίρην· 4, 4 : Μοίρη δ' ὀγδοάτη ὄχθον Κρόνου ἀμφινέμονται, ubi tamen etiam dativi locum habent, pariterque in sqq. App. 248, 1 : Μοίρη καὶ Λήθη με κατήγαγον εἰς Ἀΐδαο. Ap. Herodot. 1, 73; 5, 69, recte codd. dederunt μοῖραν pro μοίρην, de quo vitio pluribus disputavit Schweigh. in Lex. Ap. Hippocr. p. 258, 12 : Καί γε ὁ θάνατος διὰ τὴν μοιρίην ἔλαχεν, alii libri ap. Foes. p. 319 μοίρην vel μοιρίνην. L. Dind.]

[Μοιρᾱγένης, ους, ὁ, Mœragenes, corporis custos Ptolemæi Epiphanis, ap. Polyb. 15, 27. Alii memorantur in numo Phocææ Ioniæ ap. Mionnet. *Descr.* vol. 3, p. 176, n. 822, ubi male Μιραγενης scriptum. Μοιραγενης recte in Ephesio ib. p. 86, n. 186, in inscr. Att. ap. Bœckh. vol. 1, p. 335, n. 200, 29; 406, n. 305, 6; Astypal. vol. 2, p. 381, n. 2483, 4, 18. De scriptore Mœragene v. Tzetz. Hist. 2, 974, cum annot. Olearii ad Philostr. V. Ap. 1, 3, p. 6. L. Dind.]

Μοιρᾱγέτης, ὁ, Parcarum dux, Qui fatum prævius anteit. Exemplum habes in Μοιραῖος. [Alterum præbet Apoll. Rh. 1, 1127 : Τιτίην θ' ἅμα Κυλληνόν τε, οἳ μοῦνοι πολέων μοιρηγέται ἠδὲ πάρεδροι μητέρος Ἰδαίης κεκλήαται, ὅσσοι ἔασι Δάκτυλοι Ἰδαῖοι Κρηταιέες. Tertium Iamblichus De fato p. 179, 1 : Τί οὖν, οἷόν τε ἐστι διὰ τῶν πολευόντων θεῶν λύειν ἑαυτὸν καὶ τοὺς αὐτοὺς ἡγεῖσθαι μοιρηγέτας καὶ δεσμοῖς ἀλύτοις τοὺς βίους δεσμεύοντας; Quartum Proculus In Plat. Alcib. p. 77 : Τὰς τῆς εἱμαρμένης δώσεις καὶ τῶν μοιρηγενετῶν θεῶν, ubi μοιρηνετῶν cod. unus, unde μοιρηγετῶν restituit Creuzer. Idem vitium ap. Hermiam In Plat. Phædr. p. 110 corrigere licet ex p. 134. L. D. || Pausan. 10, 24, 4 : Ἐν δὲ τῷ ναῷ πεποίηται μὲν Ποσειδῶνος βωμὸς, ὅτι τὸ μαντεῖον τὸ ἀρχαιότατον κτῆμά ἦν καὶ Ποσειδῶνος· ἔστηκε δὲ καὶ ἀγάλματα Μοιρῶν δύο· ἀντὶ δὲ αὐτῶν τῆς τρίτης Ζεύς τε Μοιραγέτης καὶ Ἀπόλλων σφισὶ παρέστηκε Μοιραγέτης· 5, 15, 5 : Ἰόντι δ' ἐπὶ τὴν ἄφεσιν τῶν ἵππων ἔστι βωμὸς, ἐπίγραμμα δ' ἐπ' αὐτῷ Μοιραγέτα. Δῆλα οὖν ἐστιν ἐπίκλησιν εἶναι Διὸς, ὃς τὰ ἀνθρώπων οἶδεν ὅσα διδόασιν αἱ Μοῖραι, καὶ ὅσα μὴ πέπρωταί σφισι. Πλησίον δὲ καὶ Μοιρῶν βωμός ἐστιν ἐπιμήκης· 8, 37, 1 : Ἐντεῦθεν δὲ ἐς τὸν ἱερὸν περίβολον τῆς Δεσποίνης ἐστὶν ἔσοδος, ἰόντων δὲ ἐπὶ τὸν ναὸν στοά τέ ἐστιν ἐν δεξιᾷ, καὶ ἐν τῷ τοίχῳ λίθου λευκοῦ τύποι πεποιημένοι· καὶ τῷ μέν εἰσιν εἰργασμέναι Μοῖραι, καὶ Ζεὺς ἐπίκλησιν Μοιρᾱγέτης, δευτέρῳ δὲ Ἡρακλῆς, τρίποδα Ἀπόλλωνα ἀφαιρούμενος κτλ. Angl.]

[Μοιρᾰγόρᾱς, α, ὁ, Mœragoras, n. viri, in numo Ephesi ap. Mionnet. *Suppl.* vol. 6, p. 112, n. 199.]

[Μοιράδιος, α, ον, i. q. μοιρίδιος, Fatalis. Soph. Œd. C. 229 : Οὐδενὶ μοιραδία τίσις ἔρχεται. Sic enim libri optimi. Aliud ex. v. in Μοιρίδιος. Suspectum igitur esse potest formæ μοιρίδιος ex. in altero l. Sophocleo, quem v. in illo. ᾰῑ L. Dind.]

[Μοιράζω. V. Μοιράω.]

Μοιραῖος, α, ον, Fatalis. Alciphr. [1, 20] : Ἀλλ' ὦ μοιραῖοι θεοὶ, καὶ μοιραγέται δαίμονες, ubi μοιραίους θεοὺς accipere possumus Parcas, i. e. τὰς μοίρας. [Ap. Maneth. 5, 8 : Μοιραίοισι μίτοισι λάλον τὸ μάθημα καθεῦρον, Dorvill. ad Charit. p. 301 vel sic vel μοιριδίοισι. Libri μυρίοισι. || Μοιραίως, Fataliter. « Priscian. 15, 4, 24. » Elberling.]

[Μοιράρχης, ου, ὁ, Præfectus μοίρας, quod v.]

[Μοιράς. V. Μοιρίς.]

[Μοιρᾰσία, ἡ, Divisio bonorum inter filios, in Nomocan. Cotel. 513 (Monum. vol. 1, p. 152, B). At ap. Harmenop. 1, 12, 1, Permutatio dicitur. Ducang.]

[Μοιράφιον, τὸ, diminut. a μοῖρα, Particula. Theognost. Can. p. 127, 1. ᾰῐ L. Dind.]

Μοιράω, Divido, Partior. Unde μοιρῆσαι ap. Hesych. μερίσαι ἢ διελεῖν, In partes dirimere. Et μοιράσαι τὰ κρέα, pro Carnes distribuere. [Forma Ion. Tzetz. Posth. 746 : Χρυσὸν ὁμοῦ καὶ ἄργυρον ἠδέ τε Τρώιον ὄλβον Τρωιάδας τε γυναῖκας μοιρήσαντες Ἀχαιοί.] At Μοιράομαι, Sortito partem capio : unde μοιρήσασθαι, Hesych. λαχεῖν : sic enim reponendum pro λαλεῖν. [Æsch. Sept. 889 : Ἐμοιράσαντο δ' ὀξυκάρδιοι κτήματα. Naumach. ap. Stob. Fl. 74, 7 : Ἔστω σοι πόσις οὗτος, ὃν ἂν κρίνωσι τοκῆες· κἂν μὲν ἔῃ πινυτὸς, σὺ μακαρτάτη· εἰ δέ κεν ἄλλως ἀνέρα μοιρήσαιο, φέρειν καὶ τοῦτον ἀνάγκη. || Divido, h. e. Lacero. Apoll. Rh. 4, 1533 : Ἐμοιρήσαντο δὲ χαίτας αὐτοὶ ὁμῶς κοῦραί τε. Similiter Nicand. Th. 51 : Ναὶ μὴν καὶ βαρύοδμος ἐπὶ φλογὶ μοιρηθεῖσα χαλβάνη.] Et cum gen. construitur, ut λαγχάνειν. [Eudocia ap. Bandin. Bibl. Med. vol. 1, p. 234, 112 : Βάσεων, ὧν μοιρήσατο (—σαιτο poscit metrum).] Philo De mundo [§ 18] : Ὅσα ψυχῆς μεμοίραται, Quæ animam sortita sunt, Quibus animæ participibus esse contigit, i. e. animantia. Phalar. [Ep. 40, p. 150 : Εἴγε θείας ψυχῆς, ὥσπερ τὰ λοιπὰ τῆς φύσεως στοιχεῖα, καὶ τὸ κατὰ τὴν Αἴτνην πῦρ μεμοίραται], Μεμοίραται θείας τύχης, Divinam sortem adeptus est, Bud. || Μεμοιραμένος ab Eust. et gramm. accipitur pro Fato destinatus. [Schol. Pind. Pyth. 1, 105 : Μεμοιραμένον ἦν τὸ τὴν Ἴλιον ἁλῶναι τοῖς Ἡρακλείοις τόξοις. Boiss. Lucian. Deor. conc. c. 13 : Τὴν τύχην πράξουσαν τὰ μεμοιραμένα καὶ ἃ ἐξ ἀρχῆς ἑκάστῳ ἐπεκλώσθη. Schol. Philostr. Her. p. 600 : Κεκλωσμένα, ὡς ἀπὸ τῆς Κλωθοῦς μεμοιραμένα. Indicativo, qui cum participio memoratur etiam a Photio s. Suida, Alciphr. Ep. 1, 25 : Ζῆν καὶ τεθνάναι μεμοίραται ἡμῖν. Et aoristo schol. Hom. Il. Ω, 85 : Ἔμελλε, ἀντὶ τοῦ ἐμοιρήθη. || Formæ Μοιράζω exemplis, quæ v. in Διαμοιράζω et Προσμοιράζω, accedit primum μεμοιρασμένον in schol. Æsch. Prom. 933 (in quibus μεμοίραται est 511, 512), tum idem pro μεμοιραμένον scriptum ap. schol. Paris. Apoll. Rh. 1, 973, ubi vet. μεμοιραμένως, et μεμοιρασμένη in iisdem 3, 676, ubi vet. —ραμένη, et μεμοιρασμένον ap. schol. rec. Soph. Ant. 975 Erf., et forma Dorica, de qua in Μείρω dixi, μεμοίρακται secundum conj. Valckenarii ap. Tim. Locr., quod alioqui aut μεμοίραται aut μεμόραται scribendum videtur. Ea autem omnia apparet incerta esse et ad formam illam vindicandam non accommodata. L. Dind.]

[Μοιρέας, ὁ, Mœreas, frater Arcesilai. Diog. L. 4, 28. ᾱ]

Μοιρηγενὴς, ὁ, ἡ, Felici fato natus, ἐν ἀγαθῇ μοίρᾳ γεγενημένος, Hesych.; ὁ ἀγαθῇ τύχῃ γενηθεὶς, Eust. Hom. Il. Γ, [182] : Ὦ μάκαρ Ἀτρείδη, μοιρηγενὲς, ὀλβιόδαιμον. Sed addit Eust. posse etiam exponi ὁ μέτοχος μοίρας ἀγαθῆς, quum subjungatur ὀλβιόδαιμον. [Tzetz. Posth. 759. Ap. Theognost. Can. p. 84, 17 : Μοῖρα μοιρογενὴς καὶ μοιριγενὴς διὰ τοῦ ι, scrib. μοιρηγενὴς διὰ τοῦ η.]

[Μοιρηγέτης. V. Μοιραγέτης.]

[Μοιρητός. V. Μόρτος.]

Μοιρία, ἡ, Pars, VV. LL., i. q. μορία infra.

[Μοιριάδης, ου, ὁ, Mœriades, Atheniensis, ap. Demosth. p. 822, 2. ῐᾰ]

[Μοιριαῖος, α, ον, Particularis. Ptolem. Geogr. 2, p. 30, διάστημα. Synes. Ep. p. 311, B : Τῶν δὲ κύκλων τοὺς μὲν περιηγάγομεν, τοὺς δὲ διηγάγομεν, ἅπαντας δὲ ἐτέμομεν μοιρικῶς, τὰς πέντε μοιριαίας γραμμὰς μείζους τῶν μοιριαίων ποιήσαντες. Simpl. ad Aristot. De cœlo p. 134. Demetr. Hieracosoph. p. 236.]

Μοιρίδιος, ὁ, ἡ, Fatalis [Gl.], Fato quodam immissus, eveniens. [Pind. Pyth. 1, 55 : Μοιρίδιον ἦν· 4, 255 : Μοιρίδιον ἆμαρ· Ol. 9, 28 : Μοιριδίῳ παλάμᾳ· et Isthm. 5, 43 : Ξεῖνον ἀμὸν μοιρίδιον τελέσαι, ubi Felicis significatione dicitur, ut μοιρηγενὴς et interdum ipsum μοῖρα. Active Orph. H. 6, 6 : Μοιρίδιοι, πάσης μοίρης σημάντορες ὄντες.] Eur. ap. Athen. 2, [p. 61, B] in quodam epigrammate : Μητέρα, παρθενικήν τε κόρην, δισσούς τε συναίμους, Ἐν ταὐτῷ φέγγει μοιριδίῳ [μοιραδίῳ] φθιμένους. Et μοιριδίῳ θανάτῳ ap. Plut. Consol. ad Apollon. [p. 109, D, in epigrammate], Fatali morte. [Orph. Arg. 1285, Manetho 4, 49.] Ab Eod. [ib. 106, F] μοιρίδιον χρέος, Fatale debitum, dicitur vita : Μοιρίδιον χρέος εἶναι λέγεται τὸ ζῆν, ὡς ἀποδοθησόμενον, ὃ ἐδανείσαντο ἡμῶν οἱ προπάτορες. Et μοιριδίη μελέτη, Fatalis meditatio, Cui quis quasi fato addictus est : Epigr. [Apollonidæ Anth. Pal. 11, 25, 2] : Μὴ τέρπου μοιριδίῃ μελέτῃ. [V. Μοιράδιος. || Adv. Μοιριδίως, Fataliter, Gl. ῐῐ]

[Μοιρικὸς, ἡ, ὸν, Particularis. Anon. Paraphr. Ptolem. Tetrab. p. 110, A : Λέγει δὲ τὸν μοιρικὸν ὡροσκόπον δεξιᾶς καὶ οὐχ ἀριστερᾶς. || Adv. Μοιρικῶς, Particulariter. Ib. paullo ante : Μοιρικῶς, οὐχ ἁπλῶς· 107, C : M. καὶ οὐ ζῳδιακῶς. Synes. Epist. p. 311, B : Ἅπαντας δὲ ἐτέμομεν μοιρικῶς. L. D. Procul. Paraphr. Ptolem. 3, 10, p. 178.]

[Μοιρίλογχος. V. Μοιρόλογχος.]

[Μοίριος, α, ον, i. q. μοιρίδιος. Pind. ap. schol. Nem. 7, 94 : Ἀμφιπόλοισι μαρνάμενον μοιριᾶν περὶ τιμᾶν ἀπολωλέναι. Ita Bœckh. pro μοιρίαν, quod pro μυρίαν conjecerat Schneider., quum ap. schol. sit περὶ τῶν νομιζομένων τιμῶν. L. Dind.]

[Μοῖρις, ιος, ιδος, ὁ, Mœris, rex Ægypti, ap. Herodot. 2, 13, 101, Diod. 1, 51. || Scriptor ap. schol. Apoll. Rh. 2, 787, et Atticista notissimus. Alii memorantur in Anthol. et ap. Xenoph. Eph. 2, 5 et 9. || Μοίριος vel Μοίριδος λίμνη, Mœridis lacus, Ægypti, ap. Herodot. 2, 4, 69, 148, 149; 3, 91, Diod. 1, 52, Strab. 1, p. 50; 17, p. 789, etc. Vulgare librorum vitium est Μύρις vel Μῦρις (v. Holsten. ad Steph. Byz. v. Ἀσδύνις), ut etiam frater Arati Μύρις, qui in Vitis poetæ ap. Buhl. vol. 2, p. 429 sqq. vel sic vel Λύρης dicitur, fortasse dicendus sit Μοῖρις. L. Dind.]

[Μοιρὶς, ίδος, ἡ, Dividua, Particularis. Nicander Al. 329 : Ἐν καὶ σιλφιόεσσαν ὁποῖο δὲ μοιρίδα λίτρην. Μοιράδα cod. Paris. Schol., τῶν τριῶν ὁμοῦ λίτραν μεμοιραμένην.]

[Μοίριχος, ὁ, Mœrichus, Corinthius, ap. Lucian.

A Dial. mort. 11, 1. Alius ap. Machonem Athen. 13, p. 583, B. Alius in numo Cnidio ap. Mionnet. *Descr.* vol. 3, p. 341, n. 224.]

[Μοιρογένεσις, εως, ἡ. Salmas. De annis climact. p. 535 : « Multum refert ad genituræ exactam collectionem ipsas etiam partes signorum adscribi et minuta partium in quibus planetæ constiterint horæ genitalis tempore. Μοιρογένεσις hæc dicebatur quæ non παχυμερῶς nec platice per Signa vel Decanos collecta esset, sed per Partes signorum. Vox hæc perperam degeneravit ap. Firmicum in μυριογένεσις l. 3, c. 1, ubi citat librum Æsculapii inscriptum fuisse μυριογένεσιν, in quo nempe tractabat de genituris partilite collectis : « Secundum hanc itaque genituram et secundum has conditiones stellarum et secundum testimonia quæ huic genituræ perhibent, et secundum istas rationes, etiam hominum volunt fata disponi, sicut in illo Æsculapii libro continetur qui Μοιρογένεσις appellatur » etc.... Hoc μοιρογένεσις, non μυριογένεσις. Quod nomen similiter ap. eund. corruptum est
B l. 8, c. 18, ubi Apotelesmata enarrat μοιρογενέσεων, i. e. Omnium signorum vires secundum partes suas. Sed videtur ibid. μοιρογένεσιν proprie dictam putare quum etiam minuta partium singula notantur : « Nunc autem ad sequentes partes sphæræ barbaricæ omnem tractatum transferam, qui μοιρογένεσιν ex aliqua parte imitatur. Quidquid enim mœrogenesis de singulis minutis pronuntiat, hoc nos de singulis partibus faciemus. » Atqui liber Æsculapii, cui titulus μοιρογένεσις fuit, de singulis partibus signorum tractabat in genitura cujusque perspiciendis, non de partium minutis. In eo et thema mundi per μοιρογένεσιν computatum descripserat, non minutis partium, sed partibus tantum signorum, adpositis, in quibus constituti essent planetæ. Μοιρογένεσις autem ut μοιροθεσία. Sic enim dicitur quum non solum signum ponitur in quo planeta sit in hora genitali, sed etiam ipsa μοῖρα signi. » Idem Salmasius pluribus disputat in seqq., neque μυριογένεσις neque, si quis hoc malit, μοριογένεσις, ferri posse.]

C [Μοιρογνωμόνιον ὄργανον, τὸ, Instrumentum ad partes s. gradus definiendos. Ptolem. Magn. Syntax. p. 121.]

[Μοιρογραφία, ἡ, Partium descriptio. Paul. Alex. Schneider.]

Μοιροδοκέω, Partem capio, Particeps sum : unde μοιροδοκῆσαι ap. Suid. ex Antiphonte, pro μέρους μεταλαβεῖν. Apud Harpocr. autem Μοροδικῆσαι scribitur : quod mendosum videtur. [« Μοιρολογχῆσαι scripsisse videtur Harpocratio. » Valck. ad Herodot. 7, 53. Idem animadverterat Kuhn. ad Poll. 4, 176, ubi μοιρολοχῆσαι citatur ex Antiphonte.]

[Μοιρόδωρος, ὁ, Mœrodorus, n. viri, in inscr. Panticap. ap. Bœckh. vol. 2, p. 149, n. 2105, 1. L. D.]

[Μοιροθεσία, ἡ, ap. Procul. Paraphr. p. 187, quid sit v. in Μοιρογένεσις.]

[Μοιροκλῆς, έους, ὁ, Mœrocles, orator Atticus, ap. Demosth. p. 435, 6, et alibi sæpe, Aristot. Rhet. 3, 10, et alios. F. Mœroclis Callippus Athen. in bello adversus Gallos dux ap. Pausan. 10, 20, 5. Scripturam vitiosam per υ notavit Salmas. De modo usur.
D p. 41 sq.]

[Μοιρόκραντος, ὁ, ἡ, A Parcis s. fato effectus, perfectus. Æsch. Choeph. 607 : Μοιρόκραντον ἐς ἦμαρ· Eum. 385 : Θεσμὸν τὸν μοιρόκραντον ἐκ θεῶν δοθέντα.]

[Μοιρολαχέω. V. Μοιρόλογχος.]

[Μοιρολέκτης, ὁ, Fatidicus. Planud. Ovid. Met. 15, 436. Boiss.]

[Μοιρολογέω, Fatum sciscitor. Vita Alexandri in *Notices* vol. 13, p. 244 : Ὅτε ἐμοιρολόγησα ἐμαυτὸν, ἔγνων ὅτι ὑπὸ τοῦ ἰδίου τέκνου ἀναιρεθῆναί με δεῖ. V. etiam Ducang. L. D. Pro quo in Ms. ap. Salmas. Plin. Exerc. p. 788, a, Ὡς γὰρ ἐμοιρολογησάμην ἐμαυτὸν, ἦν ῥα εἱμαρμένον μοι ὑπὸ ἰδίου τέκνου ἀναιρεθῆναι.]

[Μοιρολόγος, ὁ, ἡ, Fatidicus, Gl.]

[Μοιρολογχέω, Μοιρολόγχης. Μοιρόλογχος.]

[Μοιρόλογχος, ὁ.] Μοιρολαχέω, sive Μοιρολοχέω [utrumque scrib. Μοιρολογχέω], Sorte dispertior. Pollux 8, [136] : Διελέσθαι, διακληρώσασθαι, διαλαχεῖν, δάσασθαι· τὸ δὲ νείμασθαι, ἑτέρας ἐστὶ χρείας, καὶ τὸ μερίσασθαι, εὐτελέστερον· κρεῖσσον δὲ τὸ μοιρολαχεῖν [—λογχεῖν]. At μοιρολοχεῖν vide paulo post. Qui sortito partes distributas capiunt, s. Partiarii, ut Cato vocat, dicuntur Μοιρολόχαι. Pollux [8, 136]: Οἱ μὲν διανεμόμενοι, νεμηταὶ καὶ μερισταὶ καὶ μερῖται καὶ μοιρολόχαι [μοιρόλογχοι]· οἱ δὲ διανέμοντες, δατηταί. Paulo post addit, ut plurimum μοιρολόχας [μοιρολόγχους] et μοιρολοχεῖν [μοιρολογχεῖν] dictum fuisse ἐπὶ τῶν μετεχόντων κακουργήματος. Prius autem μοιρολαχεῖν habetur ap. Hesych. [et Poll. 7, 135, ubi tamen μοιρολογχεῖν restituendum ex scriptura cod. —λοχεῖν, ut 4, 176 est μοιρολογχῆσαι, quod in —λαχῆσαι mutavit Kuhnius], quod exp. τὸ μερίδι [μερίδας Jungerm. ad Poll.] λαγχάνειν, Sortito portionem s. partem aliquam accipere: addens, quosdam exponere etiam διαιρεῖσθαι, quo modo Poll. accipit. Sed perperam in Hesych. codice est μοιρολαλεῖν, λ posito pro χ. [V. Μοιροδοκέω.] Apud eund. Hesych. reperio et Μοιρίλογχοι, οἱ τὰ κοινὰ διαιροῦντες, Qui publica aliqua bona distribuunt sorte. [Quod ipsum quoque per ο scribendum.]

[Μοιρονόμος, ὁ, ἡ, Qui fatum impertitur s. distribuit fata. Aristides vol. 1, p. 298: Ἐνταῦθα δὲ ἄλλας τε φωνὰς ἠφίειν εἰς τὸν θεὸν καὶ δὴ καὶ μοιρονόμον προσεῖπον αὐτὸν, ὡς τὰς μοίρας τοῖς ἀνθρώποις διανέμοντα.]

[Μοιροφόρητος, ὁ, ἡ, Fato abreptus. Etym. M. p. 511, 31; schol. Hom. Il. Θ, 527. Wakef.]

[Μοιρὼ, οῦς, ἡ, Mœro, nomen poetriæ Byzantiæ, de qua v. Fabric. B. Gr. vol. 2, p. 131. Ex Christod. Ecphr. Anth. Pal. 2, 410: Μοιρὼ χυδαλίμη Βυζαντιὰς, Meleagro ib. 4, 5: Πολλὰ δὲ Μοιροῦς· Antipatro 9, 26, 3: Πρήξιλλαν, Μοιρὼ, Ἀνύτης στόμα, constat, quod jam Salmas. De modo usur. p. 42 animadverterat et post hunc Jacobs. ad Anth. Pal. 4, 1, 5, p. 42, vitiosam esse scripturam Μυρὼ, ap. Eust. Il. p. 327, 11, et alibi.]

[Μοῖσα, Μοισαῖος. V. Μοῦσα, Μουσαῖος.]

[Μοῖτος, ὁ.] Μοιτοὶ ἔντιμοι, ap. Hesych., ut Cujatius quoque Obss. 11, 37, ex Sophrone affert μοιτὸν ἔντιμον: ex hoc μοιτὸς derivari posse dicens Lat. Mutuus: idemque proverb. Siculum ap. Hesych. sic legit, Ἡ γὰρ χάρις μοιτὸν οἴσει χάριν. [Codex Μοιτοὶ ἄντιμοι, παροιμία Σικελοῖς· ἡ γὰρ χάρις μοι τὸν οἰνόχαριν. Pro quibus Schowius post Is. Vossium: Μοῖτον ἀντὶ μοίτου π. Σ. Ἡ γὰρ χάρις μοῖτος. Μοῖτον, χάριν. Varro L. L. 5, 36, p. 178 Sp.: « Si datum quod reddatur, Mutuum, quod Siculi μοῖτον; itaque scribit Sophron μοῖτον ἀντὶ μοίτου. » Hic quoque libri *meton anthymo* vel *mœtum anthimo* vel μοῖτον ἀνατίθημον. Theognostus Can. p. 74, 8: Τὰ διὰ τοῦ οιτος δισύλλαβα ἀρσενικὰ μὴ ἐπιθετικὰ βαρύτονα διὰ τῆς οι διφθόγγου γράφονται, οἷον μοῖτος κτλ. L. Dind.]

Μοιχάγρια, τὰ, Mulcta quam persolvit mœchus deprehensus in adulterio. [Alibi HSt.:] Μοιχάγρια, τὰ, Quæ persolvit qui in adulterio est deprehensus, τὰ ἀποτινόμενα ὑπὸ τοῦ ἐν μοιχείᾳ ἀγρευθέντος, vel, ut Eust., τὰ ὑπὲρ ἀγρεύσεως, ὅ ἐστι συλλήψεως, μοιχῶν ἐκτιννύμενα, Quæ pro comprehensione mœchorum persolvuntur, (ἡ δὲ σύνθεσις αὐτοῦ, ὁμοία τῷ, ζωάγρια, βοάγρια, ἀνδράγρια). Hom. Od. Θ, [332]: Τὸ καὶ μοιχάγρι' ὀφέλλει. [Unde repetierunt lexicographi vett.]

Μοιχάζω: cujus hoc exemplum ap. Suid.: Ἀκολάστων γυναικῶν ἐμοίχαζε· sed sine expositione. Sunt qui interpr. Mœchor.

[Μοίχαινα, ἡ, Adultera. Tzetz. in Lycophr. 1109.]

[Μοιχαλία. V. Μοιχαλίς.]

[Μοιχάλιος, ὁ, Adulter, adj. Jo. Chrys. Hom. 48, vol. 5, p. 326, 26 (vol. 3, p. 187, D): Καὶ τοὺς μοιχαλίους ἐξεκάλυπτε γάμους. Seager.]

Μοιχᾶλὶς, ίδος, ἡ, pro μοιχάς [Adulteratrix, Gl.]: Suidæ πόρνη, μοιχευομένη. Frequens hoc nomen in N. T.: ut Matth. 12, [39] et 16, [4]: Γενεὰ πονηρὰ καὶ μοιχαλίς. Item μοιχαλὶς pro γυνὴ μοιχαλίς. Jac. 4, [4]: Μοιχοὶ καὶ μοιχαλίδες, οὐκ οἴδατε ὅτι ἡ φιλία τοῦ κόσμου ἔχθρα τοῦ θεοῦ ἐστίν; Ad Rom. 7, [3]: Ἄρα οὖν ζῶντος τοῦ ἀνδρὸς μοιχαλὶς χρηματίσει, ἐὰν γένηται ἀνδρὶ ἑτέρῳ, Mœcha vocabitur, si vivente marito fiat alterius. [Clem. Al. Pæd. 3, p. 220.] Petrus et pro Adulterio usurpavit, Epist. 2, 2, 14: Ὀφθαλμοὺς ἔχοντες μεστοὺς μοιχαλίδος, Oculos plenos adulterii. [Quidam codd. habent μοιχαλίας, quod probat Grotius, atque sic Ephræm Syr. vol. 3, p. 237: Ὀφθ. ἔχ. μ. μοιχαλίας;

A καὶ ἀκαταπαύστου ἁμαρτίας. Μοιχαλλὶς inter τὰ εἰς δύο λλ ὑπὲρ δύο συλλαβὰς ὀξύτονα ponit Arcad. p. 31, 19, vitiose, etsi ita scribitur etiam in lemmate epigr. Anth. Pal. 5, 120.]

[Μοιχαλώσια, τὰ, i. q. μοιχάγρια, restituebat Buttmann. in schol. cod. Pal. Hom. Od. Θ, 332: Μοιχάγρια ἐμοὶ χαλεπὰ, τὰ ὑπὲρ ἀγρεύσεως καὶ συλλήψεως τῶν μοιχῶν διδόμενα, scribens ἢ μοιχαλώσια. Legendum μοιχόληπτα, ut est in Vulg. L. Dind.]

Μοιχὰς, άδος, ἡ, Adultera, [Gl.], s. Adulteriis dedita: ut quum Æschines Socraticus ap. Athen. 5, [p. 220, B], τὰς ἐκ τῆς Ἰωνίας γυναῖκας συλλήβδην μοιχάδας καὶ κερδαλέας appellat. [Greg. Naz. In Julian. Stelit. 1, 73 ed. Mont.: Ὑπὲρ τῆς Λακαίνης μοιχάδος, de Helena. Schol. ad eum l. p. 73 in nota: Ἡ μοιχὰς (ἡ μοιχαλὶς) οὐκ εἴρηται. Χρῶνται δὲ ἀντὶ τοῦ ὀνόματος τῇ μετοχῇ οἱ συγγραφεῖς, οἷον ἡ μοιχευομένη· ἀλλ' οἱ ἅγιοι πατέρες οὐκ ἐφρόντισαν τῆς πάσης ἀκριβείας τῶν εὐτελῶν λεξυδρίων (sic) τούτων, ὡς Θεοῦ ἄνθρωποι, ἀλλ' ἔστιν ἢ παρεῖδον ἑκόντες, τὴν τῶν πραγμάτων ἀλήθειαν προτιμήσαντες, ἢ οὔτε ὑψοῦσθαι οὔτε ταπεινοῦσθαι τοῖς ὀνόμασι

B πέφυκε. Bast. M. γυνή, Tzetz. Hist. 4, 349. Elberl.]

[Μοιχάω.] Μοιχάομαι, Mœchor, Adulter sum. Matth. 5, [32] et 19, [9]: Ὁ ἀπολελυμένην γαμήσας μοιχᾶται. Sic Marc. 10, [12]: Ἐὰν γυνὴ ἀπολύσῃ τὸν ἄνδρα αὐτῆς, καὶ γαμηθῇ ἄλλῳ, μοιχᾶται. [Quod improbat Thomas p. 619: Μοιχᾶται ὁ ἀνὴρ, μοιχεύεται δὲ ἡ γυνή.] Apud Xen. legitur et act. μοιχῶ. Apud eum enim Hell. 1, p. 260 [c. 6, 15], Callicratidas Cononi dicit, Ὅτι παύσει αὐτὸν μοιχῶντα τὴν θάλατταν, Adulterantem, Adulteri modo occupantem. [Ælian. N. A. 7, 39: Τοὺς μοιχῶντας τὸ λεχθέν. Hemst. Synes. Ep. 5, p. 167, C: Μοιχᾶσθαι τὴν ἐκκλησίαν καὶ ψευδοδιδασκάλους τινὰς ἐφιστάναι παγίδα ταῖς τῶν ἀκεραιοτέρων ψυχαῖς. Conf. Ducang. in Μοιχὸς cit.]

Μοιχεία, ἡ, Adulterium, [Stuprum, Gl. Λέγεται ἐπὶ ὑπάνδρου, στοῦπρον δὲ ἐπὶ παρθένου καὶ χήρας ἀθεμίστως συνευναζομένων, Glossæ Basilicor. V. easdem in Φθορὰ et Harmenopul. 6, 2, 1 et 2. Paulo aliter Nomocan. Cotel. n. 163: Μοιχεῖαι καλοῦνται ἢ ἐπὶ βίαν

C γενόμεναι, τὸ παρθένον φθεῖραι βίᾳ. Ducang. Balsamon ad Greg. Epist. canon. p. 1048: Μ. ἡ πρὸς γυναῖκα ἀνδρὶ συνοικοῦσαν εἰσέλευσις. Id. ad Responsa canon. Timoth. Alex. p. 1066: Μοιχεία ἐστὶ τὸ ἔτι συνισταμένου τοῦ γάμου ἑτέραν ἀγαγέσθαι τὸν ἄνδρα εἰς συμβίωσιν. Chrysost. t. 8, p. 79: Μ. ἐστὶ τὸ τὴν προτέραν γυναῖκα ἀφεῖναι. Athanas. t. 2, p. 368: Μοιχεῖαί εἰσι δύο· καὶ γὰρ γυνὴ ἡ ὕπανδρος ὅπου ἂν πορνεύσῃ, μοιχεία· καὶ πάλιν ὁ ἀνὴρ ὁ ἔχων γυναῖκα, ὅπου κἂν πορνεύσῃ, μοιχεία ἐστὶ τῆς ἰδίας γυναικὸς, Adulterium adversus propriam uxorem. Chrysost. Hom. 5 in 1 Ad Thessal. p. 187: Οὐ τοῦτο μόνον ἐστὶ μ., ὅταν ἀνδρὶ συνεζευγμένην διαφθείρωμεν γυναῖκα, ἀλλὰ κἂν ἀφετὴν καὶ λελυμένην αὐτὸς δεδεμένος γυναικὶ, μοιχεία τὸ πρᾶγμά ἐστι. Id. Hom. 88, t. 6: Μ. ἐστὶν οὐ συμπλοκὴ μόνον οὐδὲ ὁμιλία σώματος, ἀλλὰ καὶ ὄψις ἀκόλαστος, etc. Suicer.] Plut. De S. N. V.: Γυνὴ κρινομένη μοιχείας. Idem in Problem. Hellen.: Τῶν γυναικῶν τὴν ἐπὶ μοιχείᾳ ληφθεῖσαν. Ubi conf. τῆς μοιχείας δίκην cum ea quæ est ap. schol. Aristoph. Idem Plut. [Mor. p. 475, B]: Δυσγένεια πατρὸς ἢ μοιχεία γυναικός.

D [Plurali Plato Reip. 4, p. 443, A, Leg. 8, p. 839, A. ‖ Metaph. Declinatio ad errorem et idololatriam. Clem. Al. Strom. 6, p. 687: Μ. ἐστὶν ἐάν τις καταλιπὼν τὴν ἐκκλησιαστικὴν καὶ ἀληθῆ γνῶσιν καὶ τὴν περὶ θεοῦ διάληψιν ἐπὶ τὴν μὴ προσήκουσαν ἔρχηται ψευδῆ δόξαν κτλ. Suicer.]

[Μοιχειανίζω, ap. Theodor. Stud. p. 252, D: Καθ' ὧν λυττήσαντες οἱ μοιχειανίζοντες, Int. vertit Mœchiani, ut ap. eund. p. 284, C. Quod voc. est ap. eund. p. 246, B: Καθὰ οἱ μοιχειανοὶ ἐδογμάτισαν· 247, D; 248, E; 276, D; 278, D, E; 282, B; 283, D; 343, B, D. Et adj. μοιχειανικὸς, ἡ, ὸν, ap. eund. p. 256, B: Αὕτη ἡ μοιχειανικὴ αἵρεσις, et cum eod. voc. p. 244, A, et 268, D: Μοιχειανικὴν ψευδοδοξίαν. « Μοιχιανοὶ dicti a monachis Studitis qui matrimonium Constantini filii Irenes cum Theodota cubicularia, Maria Armenia legitima conjuge in monasterium trusa, ut legitimum tuebantur, quum Plato Secundionis et Theod. Stud. et alii ab iis ea de causa divulsissent, damnassentque synodum ab iis coactam a. 809, qua matrimonium istud ex dispensatione dici legitimum sanciverant, et μοιχοσύνοδον appellarent. Conf. Baron. a. 808 seqq., Cedren. a. 7 Nicephori Generalis.» Ducang. Qui non recte scripsit per ι. L. Dind.]

[Μοιχειανικὸς, Μοιχειανός. V. Μοιχειανίζω.]

[Μοιχευτὴς, ὁ, Adulter. Manetho 4, 305 : Μοιχευταὶ μυρόεντες ἀεί.]

[Μοιχευτὸς, ὁ, Adulterinus. Manetho 4, 350 : Μοιχευτὰ λέχη.]

Μοιχεύτρια, Mœcha, Adultera, Quæ solet μοιχεύεσθαι, Mœchari. Plato Sympos. [p. 191, E] : Γυναῖκες φίλανδροί τε καὶ μοιχεύτριαι. Plut. De discern. amico et adul. [p. 60, F] : Ἐὰν δὲ πρὸς ἑταίραν ἢ μοιχεύτριαν ἐρωμένην κνησμός τις ἐξ ὀργῆς καὶ ζηλοτυπίας ὑπογένηται. [Pollux 6, 189.]

Μοιχεύω, Mœchor, Adulter sum, [Stupro, Adultero, Gl.] ut ap. [Xen. Cyrop. 1, 2, 2 : Μὴ μοιχεύειν. Comm. 2, 1, 5 : Κίνδυνος τῷ μοιχεύοντι ἃ ὁ νόμος ἀπειλεῖ παθεῖν·] Athen. 12, [p. 521, B] : Ἐὰν μὴ ὁμολογῇ μοιχεύειν ἢ κίναιδος εἶναι. [Aristoph. Av. 793 : Μοιχεύων τις ὑμῶν· Nub. 1076 : Ἐμοίχευσάς τι.] Sic Plut. [Mor. p. 519, E] : Ἀκρασίας γὰρ τὸ πολυπραγμονεῖν, ὡς καὶ τὸ μοιχεύειν. Sic etiam Lucas 16, [18] : Πᾶς ὁ ἀπολύων τὴν γυναῖκα αὑτοῦ, καὶ γαμῶν ἑτέραν, μοιχεύει. At Apocal. 2, [22] : Τοὺς μοιχεύοντας μετ' αὐτῆς, pro Rem cum ea habentes, Mœchos ipsius. Alioqui μοιχεύω ponitur et active pro Adultero, Stupro, Adulterio vitio. [Aristoph. Av. 559 : Μοιχεύσοντες τὰς Ἀλκμήνας κατέβαινον.] Plato De rep. 2, [p. 360, B] : Τὴν γυναῖκα αὐτοῦ μοιχεύσαντα· pro quo Cic. Offic. 3 : Reginæ stuprum intulit; de Gyge. Sic pass. μοιχεύεσθαι dicitur quæ stupratur et adulterio vitiatur. Athen. 13, [p. 578, F] : Ὑπὸ δ' Ἀντήνορος Μοιχευομένην αἰσθόμενος αὐτὴν ὕστερον. Lucian. [D. mar. 12, 1], de Danae : Ὑπό τινος μεμοιχεῦσθαι οἰηθεὶς αὐτήν. Item μοιχεύεσθαι femina neutraliter dicitur pro Mœchis se dare stuprandam, Mœchis se prostituere, Mœchari; ut ap. Athen. 10 : Τὴν ἐλευθέραν μὴ ἐκπορεύεσθαι ἡλίου δεδυκότος, ἐὰν μὴ μοιχευθησομένην. Sic Jo. 8, [4] : Αὕτη ἡ γυνὴ κατειλήφθη ἐπαυτοφώρῳ μοιχευομένη. [Aristoph. Pac. 985 : Ἅπερ αἱ μοιχευόμεναι δρῶσι γυναῖκες. Palladas Anth. Pal. 9, 166, 3 : Μοιχευσαμένης Ἑλένης. Ps.-Demosth. p. 1383, 2 : Τὴν θυγατέρα μεμοιχευμένην ἐξέδωκε Θεογένει. Cum dat. Aristot. H. A. 7, 6 : Ἡ τῷ Αἰθίοπι μοιχευθεῖσα. Rariori constructione schol. Pind. Pyth. 11, 40 : Τὸ ὑπὸ ἄλλῳ ἀνδρὶ μοιχεύεσθαι ταῖς νέαις γυναιξὶν ἐχθρότατον. De bestiis Aristot. H. A. 9, 32 : Φασὶ δὲ τούτους μόνους καὶ τῶν ἄλλων ὀρνίθων γνησίους εἶναι· τὰ γὰρ ἄλλα γένη μέμικται καὶ μεμοίχευται ὑπ' ἀλλήλων. Figurate Achill. Tat. 4, 8, p. 89, 4 : Οὐ μοιχεύεταί μου τὰ φιλήματα.]

[Μοιχὴ, ἡ, i. q. μοιχαλίς. Eust. Od. p. 1761, 24 : Προφέρει δὲ (Aristophanes grammat.) καὶ τὸ μοιχὴ καὶ μοιχὶς ἀσυνήθη.]

[Μοιχιαῖος, i. q. seq. Basil. Magn. Homil. de Synisactis p. 84. Boiss. Nisi scrib. μοιχίδιος.]

Μοιχίδιος, ὁ, ἡ, Adulterinus, Ex adulterino concubitu natus. [Herodot. 1, 137 : Ἤτοι ὑποβολιμαῖα ἢ μοιχίδια.] Lucian. [D. deor. 22, 1] : Μοιχίδιός εἰμι ἐξ ἔρωτός σοι γενόμενος· ut et Suidas [s. Photius] μοιχίδιον vocari scribit τὸν ἐκ μοιχοῦ γεγεννημένον, non ab Hecatæo solum, sed etiam ab Hyperide. [Quem citat etiam Antiatt. p. 108, 1. Const. Manass. Amat. 5, 54 : Εὐνὴν μοιχίδιον. L. Dind.]

Μοιχικὸς, ἡ, ὸν, ac Μοίχιος, Adulterinus. Quorum hoc in Epigr. legitur, illud ap. Phocyl. [166], dicentem μοιχικὰ λέκτρα. Ap. Athen. vero 15, et μοιχικαὶ ᾠδαὶ, Cantilenæ mœchicæ, quales a mœchis cani solent. Verum et homo μοιχικὸς dicitur pro Mœcho s. In adulteria prono. Plut. [Mor. p. 18, F] : Οὐδένα γὰρ ἄλλων ἀνθρώπων ἡμέρας συγκοιμώμενον γυναικὶ ποιήσας ἢ τὸν ἀκόλαστον καὶ μοιχικόν· Paridem sc. Id. Symp. [p. 144, E] : Τοῦτο πρὸς τοὺς μοιχικοὺς καὶ ἀκολάστους εἴρηται καλῶς. Sic Idem [Mor. p. 562, D] : Ἰατρείας ἕνεκα τὸν μοιχικὸν καὶ πλεονεκτικὸν κολάζει πολλάκις, Propensum in adulteria. [Theod. Stud. p. 229, B : Μοιχικὸν γάμον.]

[Μοιχικῶς, adv. Theodor. Stud. p. 590, C : Ἐκβαλὼν ταύτην μοιχικῶς εἴληφε γυναῖκα Θεοδότην. L. D. Schol. Lycophr. 87. Concil. Cpol. sub Mena act. 1, p. 20 : A Τοῦτον ἐξώθησεν οὗπερ μοιχικῶς καὶ ἀθέσμως ἐπέβη ἀρχιερατικοῦ θρόνου. V. Μοιχός.]

[Μοίχιος. V. Μοιχικός.]

[Μοιχίς. V. Μοιχή.]

[Μοιχογέννητος, ὁ, ἡ, Mœcho natus. Jo. Malalas p. 87, 6; anon. ap. Suidam v. Ἀναξιοπαθοῦντες. Theodor. Stud. p. 236, A.]

[Μοιχοελέγκτης, ὁ, Qui adulteros convincit. Theod. Stud. p. 242, E. L. Dind.]

[Μοιχοζεύκτης, ὁ, Adulteri copulator. Theodor. Stud. p. 224, C, et 229, B : Τὸν μοιχοζεύκτην· 235, E; 239, D; 240, A; 242, C, aliisque multis locis. Acta SS. April. vol. 1, p. LII, F. V. autem Μοιχειανός. L. Dind.]

[Μοιχοζευκτικὸς, ἡ, ὸν, adj. a μοιχοζεύκτης, ap. Theodor. Stud. p. 239, D : Διὰ τῆς μοιχοζευκτικῆς ἐπικυρώσεως. L. Dind.]

[Μοιχοζευξία, ἡ, Adulteri s. Cum adultero conjunctio. Theodor. Stud. p. 242, C; 243, A; 246, B; 247, A; 248, B, E; 249, A; 252, D; 255, D, etc. V. autem Μοιχειανός. L. Dind.]

B [Μοιχοκοινωνία, ἡ, Adulterorum communio. Theodor. Stud. p. 243, E : Τὴν μοιχοζευξίαν καὶ μοιχοκοινωνίαν. V. Μοιχειανός. L. Dind.]

[Μοιχοκτόνος, ὁ, Adulterorum interfector. Greg. Naz. vol. 2, p. 54, B.]

[Μοιχοκύρωτος, ὁ, ἡ, Adulterum vel potius Adulterium sanciens. Theodor. Stud. p. 252, A; 288, E : Τῆς μοιχοκυρώτου συνόδου· 266, B, ubi μοιχοκυρωτῶν scriptum. V. Μοιχειανός. ῡ L. Dind.]

[Μοιχολέτης, ὁ, Adulterorum perditor. Greg. Naz. vol. 2, p. 89, A.]

[Μοιχοληπτία, ἡ, Adulteri deprehensio. Inter nomina in τία ponit Antiatt. Bekkeri p. 21, 20.]

[Μοιχόληπτος, ὁ, ἡ. Μοιχόληπτα ap. schol. Hom. Od. Θ, 332, i. q. μοιχάγρια, quod v. et conf. Μοιχαλώσια.]

[Μοιχομεριδαρχία, ἡ, Mœchorum turma s. manipulus. Theodor. Stud. p. 249, A : Ἅγιοι κατ' αὐτοὺς οἱ κατὰ δύναμιν τῆς μοιχοζευξίας καὶ μοιχομεριδαρχίας τὰς οἰκονομίας πεποιηκότες. Conf. l. ejusd. Theod. in Μοι-
C χοσύνδρομος cit. L. Dind.]

[Μοιχόπολις, εως, ἡ, Adulterorum urbs. Tzetz. App. Chil. p. 260, 510 : Μακαρίζων τὸν Φίλιππον, πάντας πονηροὺς καὶ μοιχοὺς εἰς πονηρόπολιν συνοικίσαντα καὶ μοιχόπολιν, ἡ Βινηρία καλεῖται. Elberl.]

Μοιχὸς, ὁ, Mœchus, Adulter, [Adulator, quod ex hoc corruptum videtur, add. Gl. Vocabulo Epicis, ut ostendit μοιχάγρια, non ignoto, abstinuerunt Tragici, nisi quod eo usus videri possit Ps.-Sophocles in fragmento imperite conficto, de quo dixi in Βαθμὸς, cujus vitiis, quæ fabulæ satyricæ concedenda putaverat Porsonus, hujus quoque voc. usus esset addendus, nisi Clementis potius verba viderentur ὁ μοιχός. Quod qui et ipse credidit Meinek. Com. vol. 3, p. 315, totum tamen fr. pro Sophocleo habuit. L. D.] Plut. in suo Περὶ εὐθυμίας libello [p. 470, A] : Ὥσπερ μοιχοὶ τὰς ἑτέρων γυναῖκας θαυμάζοντες καὶ τῶν ἰδίων καταφρονοῦντες. Aristoph. Pl. [168] : Ὁ δ' ἁλούς γε μοιχὸς διά σε που παρατίλλεται· qui enim deprehensi essent mœchi, si mulctam persolvere non possent, ἀπερα-
D φανιδοῦντο καὶ παρετίλλοντο, podex eis raphano terebrabatur et pili ex natibus ac pudendis evellebantur. [Frequens est ap. Aristoph. ceterosque Atticos et alios quosvis. || Adulter, qui episcopatum invadit urbis alicujus, altero episcopo superstite : qui Victori Gunnunensi Incubator ecclesiæ non semel dicitur. Ita usurpant passim scriptores ecclesiastici. Synes. Epist. 105 : Ταύτης (τῆς γυναικὸς) οὔτε ἀλλοτριώσομαι καθάπαξ οὔτε ὡς μοιχὸς αὐτῇ λάθρᾳ συνέσομαι. Loquitur de suo episcopatu. Euagrius Hist. 3, 16 : Μοιχὸν τὸν Πέτρον ἀπεκάλει, etc. Ducang. V. id. in App. p. 134.] || Μοιχὸς dicta fuit Species quædam κουρᾶς ἀπρεποῦς καὶ κιναιδώδους, Tonsuræ genus indecorum ac cinædicum. Suid. ex Aristoph. [Ach. 849] : Κρατῖνος ἀεὶ κεκαρμένος μοιχὸν μιᾷ μαχαίρᾳ.

[Μοιχοσυνδρομία, ἡ, Adulterorum concursus. Theodor. Stud. p. 246, B : Μὴ τὴν μοιχείαν καὶ μοιχοζευξίαν καὶ μοιχοσυνδρομίαν δεξαμένους ὡς οἰκονομίαν τῶν ἁγίων, καθὰ οἱ μοιχειανοὶ ἐδογμάτισαν. Int. vertit Adulterii patrocinium. Rectius idem p. 243, A : Μοιχοζευξίαν καὶ μοιχοσυνδρομίαν, Adulterorum communionem. V. Μοιχειανός. L. Dind.]

[Μοιχοσύνδρομος, ὁ, ἡ, Cum adulteris concurrens. Theodor. Stud. p. 255, D : Μοιχοσυνδρόμων τε καὶ ὅλων τῶν μετὰ μοιχοῦ τὴν μερίδα θεμένων. L. Dind.]

[Μοιχοσύνη, ἡ, Adulterium. Manetho 4, 394. ῠ]

[Μοιχοσύνοδος, ἡ, Adulterorum conventus. Theodor. Stud. p. 274, A : Παρ' ὃ δὲ εὐηγγελίσατο οὐχ ὁ ἀπόστολος, ἀλλ' αὐτὸς ὁ Χριστὸς, εὐηγγελίσατο ἡ μοιχοσύνοδος τὴν μοιχοζευξίαν. Et ib. B; 240, E; 250, C; 253, A; 256, D; 269, E; 274, B; 279, A; 280, A. Arsen. in Cotel. Mon. vol. 2, p. 175, 176. V. Μοιχειανός. L. Dind.]

[Μοιχοσύστᾰτος, ὁ, ἡ, ap. Theodor. Stud. p. 249, B : Τὴν μοιχοσύστατον αὐτῶν οἰκονομίαν δεχόμενοι, Int. vertit, Dispensationem adulteris patrocinantem. V. Μοιχειανός. L. Dind.]

[Μοιχότροπος, ὁ, ἡ, Adulterinis moribus præditus. Aristoph. Th. 392 : Τὰς μοιχοτρόπους.]

Μοιχοτύπη, ἡ, Hesychio ἡ ὑπὸ μοιχῶν τυπτομένη, Mœchis tundendum cunnum præbens. [Quod ap. Hes. est —τύπης, præter intt. correxit etiam Piers. ad Mœr. p. 416. ῠ]

[Μοιχουργὸς, ὁ, Adulterum faciens. Theodor. Stud. p. 247, B : Τοῦ μοιχουργοῦ διαβόλου. L. Dind.]

[Μοιχοφθόρος, Theod. Prodr. Ep. p. 117.]

[Μοιχόφῐλος, ὁ, ἡ, Adulterorum amicus. Theodor. Stud. p. 235, E : Τῶν μοιχοζευκτῶν καὶ μοιχοφίλων. L. Dind.]

[Μόχα Arabiæ est in numis ap. Mionnet. *Descr.* vol. 5, p. 586, 40, 41.]

[Μοχαδφίσης, ὁ, Mocadphises, rex Bactrianæ, ap. Mionnet. *Suppl.* vol. 8, p. 495 seq. Conf. R. Rochett. *Journ. des Sav.* 1836, p. 265.]

[Μόκαρσος, Θρᾴκης χωρίον, Θεόπομπος α' Φιλιππικῶν. Τὸ ἐθνικὸν Μοκάρσιος, Steph. Byz.]

[Μόκατα, Βιθυνίας πόλις, ὡς Δομίτιος Καλλίστρατος ἐν τῷ περὶ Ἡρακλείας δ'. Τὸ ἐθνικὸν Μοκατηνὸς, Steph. Byz.]

[Μόκκλη, κώμη Φρυγίας. Οἱ οἰκήτορες Μοκκληνοὶ, Steph. Byz. Codex Vrat. uno κ.]

[Μοκλός. V. Μοχλός.]

[Μοκρότου θυμίαμα, genus thuris, bis memoratur ap. Arrian. Peripl. M. Erythr. p. 7 : Θυμίαμα τὸ λεγόμενον Μοκρότου · et ib. : Καὶ μοκρότου, ἧττον τοῦ Μουνδιτικοῦ. L. Dind.]

[Μόκρων.] Μόκρωνα, τὸν ὀξύν. Ἐρυθραῖοι, Hesychius. [« Quasi dicas Mucronem. » Soping.]

[Μόλαγνα, Malvæ, Gl. Qua signif. cognitæ nonnisi formæ μαλάχη et μολόχη.]

[Μολβίς. V. Μολυβίς.]

[Μόλγης, Μόλγινος. V. Μολγός.]

[Μολγοπώλης, ὁ, restituebat Vulcan. in Gl. : Μοιλπόλης, Vulgenarius.]

Μολγὸς, ὁ, Bulga, Saccus coriaceus, Culeus. Xiphilinus in Epit. Dionis [61, 16], de Nerone : Μολγόν τέ τινα ἀπ' ἀνδριάντος αὐτοῦ νύκτωρ ἀπεκρέμασαν· ἐνδεικνύμενοι ὅτι ἐς ἐκεῖνον αὐτὸν δέοι ἐμβεβλῆσθαι. Sic Sueton., Alterius collo et ascopera deligata simulque titulus, Ego quid potui? sed tu culeum meruisti. Pollux 10, [187] Tarentinorum lingua scribit μολγὸν vocari τὸν βόειον ἀσκὸν, Utrem ex bubulo corio : unde Vulcanum a Theodorida dici φυσσητῆρσι [φυσητῆρσι] μολγίνοις χρῆσθαι, Follibus coriaceis : uti vero eo vocab. et Aristoph. [fr. Γεωργ., ut conjecit Brunck., cujus fabulæ alium l., in quo idem est voc., attulit schol. ad l. Aristoph. Eq.] : Μή μοι Ἀθηναίους αἰνεῖτε · μολγοὶ ἔσονται. [Sed locum a Polluce allatum Pacis alterius esse conjecit Bergk. ad fr. Aristoph. p. 989, in utroque restituens verbum αἴνειν.] Idem Aristoph. Eq. [963] dicit, Ἀλλ' ἐὰν τούτῳ πίθῃ, Μολγὸν γενέσθαι δεῖ σε. [Liban. vol. 4, p. 250, 35 : Μάλιστα Φίλιππος δέδοικε τὰς τῶν θεῶν ὑπὲρ τῆς πόλεως μαντείας ... ἀκούει γὰρ τῶν χρησμῶν ἀσκὸν ἀβάπτιστον καλούντων τὴν πόλιν, (ap. Plutarch. Thes. c. 24 : Ἀσκὸς βαπτίζῃ, δῦναι δέ τοι οὐ θέμις ἐστί, et Pausan. 1, 20, 7) conferens Lobeck. Aglaoph. p. 966, utroque l. Aristophanem ad ἀσκὸν alludere animadvertit vocabulo ejusdem signif. μολγός.] Ubi diversæ a scholiaste afferuntur expositiones, hæ tamen præcipuæ : nimirum πένητα καὶ κλέπτην τῶν δημοσίων : μολγοὺς enim s.

A ἀμολγοὺς dici τοὺς ἐξαμέλγοντας τὰ κοινά : vel τυφλόν : quoniam servis Scytharum qui equas mulgebant, eruebantur oculi, ut docet Herodotus [4, 2; vel ἀκμαῖον]. Ibid. ab eo annotatur, Apud Comicos μόλγης [μολγὸς Suidas], ut γόης, est ὁ μοχθηρὸς, Ærumnosus vel Improbus. Hesych. quoque μολγοὺς s. ἀμολγοὺς dici scribit τοὺς μοχθηροὺς, τοὺς κλέπτας, τοὺς ἀμέλγοντας τὰ χρήματα. Alioqui μολγὸν dici τὸν βόειον ἀσκόν : interdum vero poni etiam ἐπὶ τῶν ἁμαξῶν. [Idem : Μολγῷ, νέφος παρὰ Βλαίσῳ, ἢ ἀκόλουθος. Quæ obscura sunt et corrupta videntur.]

[Μολεύω. HSt. in Αὐτόμολος :] In vitibus Αὐτομολίαι dicuntur Stolones, Soboles ex trunco pullulans, Pulluli ex trunco provenientes, αἱ παραφύσεις, quæ et παραβλαστήματα vocantur, et a Plat. ἀναβλαστήματα. Et Μολεύειν Ejusmodi fruticationem inutilem deputare, τὸ τὰς αὐτομολίας κόπτειν, ut Pollux [7, 146] exp. ex Lege Attica scripta, τῇ περὶ τῶν κοινῶν, citans, Μὴ ἀνθρακεύειν μηδὲ μολεύειν, μηδὲ πρεμνίζειν. [In Ind. :] Μολούειν, Hesychio ἐγκόπτειν τὰς παραφυάδας, quod B potius κολούειν dicitur. [Nihil huc pertinere videtur quod Schneider. confert μωλύειν.]

Μολέω [de vera præsentis forma v. infra], Venio, Advenio. Solon Eleg. [1, 5] : Μηδέ μοι ἄκλαυστος θάνατος μόλοι· quæ ita Cic. vertit : Mors mea ne careat lacrymis. Item, Eo, Vado. [De rebus, ut hic Æsch. Prom. 668 : Πυρωπὸν ἐκ Διὸς μολεῖν κεραυνόν · Sept. 367 : Ἐλπίς ἐστι νύκτερον τέλος μολεῖν· Ag. 192 : Πνοαὶ δ' ἀπὸ Στρυμόνος μολοῦσαι· 292 : Φῶς ἐπ' Εὐρίπου ῥοὰς μολόν. Et alibi. Soph. El. 506 : Ἱππεία, ὡς ἔμολες αἰανὴ τᾷδε γᾷ· Tr. 845 : Τάδ' ἀπ' ἀλλόθρου γνώμας μολόντα. Eur. Hec. 641 : Κακὸν γᾷ ἔμολε, etc. De hominibus Pind. Ol. 14, 18 : Ἀσώπιχον ἀείδων ἔμολον · fr. ap. Dionys. De comp. vv. p. 154, 4 : Γόνον μελπέμεν ἔμολον. Et alibi. Æsch. Prom. 718 : Πρὶν ἂν πρὸς αὐτὸν Καύκασον μόλῃς· 236 : Διαρραισθέντας εἰς Ἅδου μολεῖν· 1028 : Εἰς ἀναύγητον μολεῖν Ἅδην.] Soph. ap. Plut. [Mor. p. 21, F] : Τρισόλβιοι Κεῖνοι βροτῶν οἳ ταῦτα δερχθέντες τέλη, Μολῶσ' [μόλωσ'] ἐς ᾅδου. [Pro quo Eur. Alc. 105 : Μολεῖν κατὰ γαίας. Ibid. 52 : Ἔστ' οὖν ὅπως Ἄλκηστις εἰς γῆρας C μόλοι; El. 345 : Εἰς ὕποπτα μὴ μόλῃς ἐμοί.] Idem alibi [Trach. 1016], Ποῖ μολὼν μενῶ; Quo profectus? [Phil. 1332 : Πρὶν ἂν τὰ Τροίας πεδί' ἑκὼν αὐτὸς μόλῃς· El. 163 : Μολόντα τάνδε γᾶν Ὀρέσταν· Aj. 509 : Ζῶντα πρὸς δόμους μολεῖν· Ph. 479 : Ἐὰν μόλω 'γὼ ζῶν πρὸς Οἰδίπου χθόνα. Eur. Or. 94 : Βούλει τάφον μοι πρὸς κασιγνήτης μολεῖν· Iph. T. 1421 : Πάλιν μολοῦσα δεσποτῶν γέρας. Aliæ locutiones sunt ap. Eur. Iph. A. 1392 : Οὐ δεῖ τόνδε διὰ μάχης μολεῖν πᾶσιν Ἀργείοις· Med. 1082 : Διὰ λεπτοτέρων μύθων ἔμολον. Soph. OEd. C. 1164 : Σοί φασιν αὐτὸν ἐς λόγους ἐλθεῖν μολόντα· Neophronem ap. schol. Eur. Med. 666 : Σοὶ δ' ἐς λόγους μολών. Soph. OEd. C. 1297 : Οὔτ' εἰς ἔλεγχον χειρὸς οὔτ' ἔργου μολών. Verbo a comœdia alieno utitur Aristoph. Av. 404, Thesm. 1146, 1155, in carminibus melicis, et in versu tragœdiam imitante Lys. 744, et in oratione Spartani ibid. 984, et in carminibus ejusdem dialecti 1263, 1298, ut in dictis Spartanorum ap. Plut. Mor. p. 220, E; 225, E. In prosa Xen. Anab. 7, 1, 33 : Ἔστε δ' ἂν μόλωσιν. Polyb. 30, 9, 5 : Εἰς τὴν πατρίδα μολεῖν.] D Hesych. μολεῖν exp. non solum ἔρχεσθαι, ἐλθεῖν : sed etiam τρέχειν, δραμεῖν, Currere. [De alia ejud. gl. v. HSt. in Κολεῖν.] Sunt qui malint facere thema Μόλω. [Hodie constat præs. esse Βλώσκω, quod v. Μολίσκω fingunt recentiores, quod v. infra.] A μολέω autem est præt. Μέμβλωκε pro Μεμόληκε, Eust. Hom. Od. P, [190] : Ἀλλ' ἄγε νῦν ἴομεν · δὴ γὰρ μέμβλωκε μάλιστα Ἦμαρ· i. e. μεμόληκε, παρῆλθε, Advenit. [Eur. Rhes. 629 : Πολεμίων μεμβλωκότων. Leonid. Tar. Anth. Pal. 10, 1, 2 : Καὶ γὰρ λαλαγεῦσα χελιδὼν ἤδη μέμβλωκεν. Callim. ap. schol. Soph. OEd. C. 314.] Item Μολεῖσθαι, pro μολεῖν. Æsch. Prom. p. 43 [690] : Οὔποτ', οὔποτ' ηὐχόμην ξένους μολεῖσθαι λόγους Ἐς ἀκοὰν ἐμὰν, Perventuros ad aures meas. [Soph. OEd. C. 1742 : Ὅπως μολούμεθ' ἐς δόμους. Formæ contractæ indicativi vel participii quæ hic illic feruntur exx. librariorum sunt aut linguæ cadentis vitia. Sic ap. Rhianum Anth. Pal. 12, 93, 11 : Χαίρετε, καλοὶ παῖδες, ἐς ἀκμαίην δὲ μολεῖτε ἥβην καὶ λευκὴν ἀμφιέσεσθε κόμην, recte Schæfer. ad Soph. OEd. C. 1742, correxit μόλοιτε, quod et sententiæ aptius est et sequenti ἀμφιέσαισθε· sic enim corrigenda scriptura codicis, ut monuit jam Elmslejus ad l. Soph. Agathiæ autem Anth. Pal. 9, 631, 1, et Christodoro Ecphr. 128, relinquendum sit an eximendum quod in cod. est μολοῦντος et μολοῦντες, et scholiastæ Nicandri Th. 660, μολούντων (ut Soph. Tr. 393, libri nonnulli μολοῦντα pro μολόντα), dubium videri potest, quum non infrequentia sint ap. Byzantinos formarum hujusmodi participiorum aoristi exx., ut monuit etiam Alexander ad Orac. Sib. 1, 85, ubi item est μολοῦντες. Alia forma Tzetz. Anteh. 375 : Οὗτος δ' αὖ προσέειπε παρ' Ἀτρείδησι μολήσας, et Nicetas Chon. p. 229, A. Med. ap. Oppian. Cyn. 3, 514 : Νυκτὶ δέ τ' ἐγρήσσουσι καὶ ἐς φιλότητα μόλονται· νωλεμὲς ἱμείρουσι γάμων, Lobeck. ad Buttm. Gr. v. Βλώσκω scribendum putabat μολόντες.]

[Μόλησις, εως, ἡ, Profectio, Itio. Apollon. Lex. Hom. p. 462 : Μολίονε, μαχηταὶ, ἀπὸ τῆς κατὰ μάχην γενομένης μολήσεως. Ubi tamen μολύνσεως legendum ex aliis grammaticis. Etym. M. p. 201, 20, v. Βλῶσις.]

Μολιβαχθὴς, ὁ, ἡ, Plumbigravis, VV. LL. ex Epigr. [Philippi Anth. Pal. 6, 103, 1 : Στάθμην ἰθυτενῆ μολιβαχθέα.]

Μολίβδαινα una cum Μολύβδαινα vide infra. [Paritérque cum ceteris formis per ι conferendæ formæ cum υ, quæque in illis dicta sunt.]

[Μολιβδαῖος, pro μολίβδεος, scriptum ap. Alex. Trall. 8, p. 473.]

Μολίβδεος, οῦς, Plumbeus, ap. Lucian. [Μολιβδοῦς, ῆ, οῦν, i. q. μολιβοῦς. Philo Belop. p. 99, C : Μολιβδαῖς κεραμῖσι. Hero Spirit. p. 174, C : Βάρος μολιβδοῦν· 187, A : Σφαιρία μολιβδᾶ. L. Dind.]

Μολίβδινος, η, ον, quod vide cum μολύβδινος in Μόλυβδος, paulo infra.

[Μολίβδιον, τὸ, Fistula plumbea, qua utuntur medici. Hippocr. p. 597, 16.]

Μολιβδὶς, ίδος, ἡ, Pila s. Massa plumbea. Plut. [Mor. p. 75, B] ex Tragico quopiam [Sophocle] : Μολιβδὶς ὥστε δίκτυον κατέσπασεν· solent enim retibus plumbeæ appendi pilæ, s. plumbei globi, qui ipsum deprimant. [Eundem l. spectans Etym. M. p. 590, 9, exhibet, καὶ μόλιβος ὥστε δίκτυον κατῆγε. Plut. autem iterum Mor. p. 1096, C : Κατατείναντες τὸ θεωρητικὸν εἰς τὸ σῶμα καὶ κατασπάσαντες ὥσπερ μολιβδίσι ταῖς τῆς σαρκὸς ἐπιθυμίαις. Callim. ap. Etym. M. v. Γλαρὶς p. 233, 6 : Καὶ γλαρίδες σταφύλη τε καθιεμένη τε μολιβδίς. Ubi de instrumento fabrili dicitur, cui globus plumbeus est appensus. Ceterum conf. Μολυβδίς.]

[Μολιβδόγεον. V. Μολυβδόγεον.]

[Μολιβδόδετος. V. Μολυβδόδετος.]

Μολιβδοειδὴς, ὁ, ἡ, Plumbi speciem gerens : quod vide cum μολυβδοειδὴς in Μόλυβδος. [Hippocr. p. o, 16; Diosc. 5, 98; schol. Nicand. Th. 662; Aret. p. 20, 6; et μολιβδώδεες p. 29, 8, ut Hippocr. p. 37, 1. L. D.]

Μόλιβδος, ὁ, Plumbum. [Theognis (quanquam vix Aristoteli, nedum veteribus Atticis aut Epicis, qualis est Theognis, concedenda videtur forma per ι) 417 (coll. 1105) : Ἐς βάσανον δ' ἐλθὼν παρατρίβομαι ὥστε μολίβδῳ χρυσός. Aristot. Meteorol. 1, 12.] Lucian. [De hist. conscr. c. 34] : Ἐκ μολίβδου χρυσὸν ἀποφῆναι, ἢ ἄργυρον ἀπὸ κασσιτέρου. Plut. Symp. 6 [p. 695, D] : Ἀκόναι μολίβδου, Cotes ex plumbo. Ap. Eund. De sera num. vind., λίμνη μολίβδου, Lacus plumbi. [Lucianus Epist. Saturn. c. 20 : Ἡμεῖς οὐδὲ μόλιβδος ἂν εἰκότως δοκοίημεν, ἀλλ' εἴτι καὶ τούτου ἀτιμότερον, Plumbum, aut si quid etiam plumbo vilius, i. e. contemti, nullius pretii. Koenig. || Μόλιβδος ἡμῶν ἐστιν ἡ ἀπὸ δύο στίμεων καὶ λιθαργύρου, Glossæ chemicæ post Pallad. De febr. ed. Bernard. p. 134. L. Dind.]

[Μολιβδοτὴξ, ῆκος, ὁ, ἡ, Plumbum liquefaciens. Chœrob. vol. 1, p. 309, 11 : Τὸ μολιβδοτὴξ, ὥς φησιν Ἡρωδιανὸς ἐπὶ (ἐν Bekker. Anecd. p. 1399) τῇ Καθόλου, τινὲς δὲ βαρύνουσι παραλόγως, κλίνεται δὲ διὰ τοῦ κ, οἷον μολιβδοτῆκος, ἐπειδὴ παρὰ τὸ τήκω ἔχει τὴν σύνθεσιν, τούτου χάριν τὸ σύμφωνον τοῦ τήκω ἐφύλαξε κατὰ τὴν κλίσιν, φημὶ τὸ κ. Μολυβδοτὴξ ap. Theognost. Can. p. 40, 23. L. D.]

[Μολιβδουργὸς, ὁ, Plumbarius, Gl.] Μολυβδουργὸς, Qui plumbum tractat, Plumbarius. [In Gl. perperam Μολοβδουργὸς, Plumbarius. Angl.]

[Μολιβδοῦς. V. Μολίβδεος.]

[Μολιβδοχοέω.] Μολιβδοχοεῖν, Plumbum fundere.

Μολιβδόχρους, ὁ, ἡ, Qui plumbi colore est, Diosc. 5, 100. [Suidas v. Πελιδνόν. Wakef.]

[Μολιβδόχρως.] Μολιβδοχρὼς, ῶτος, ὁ, ἡ, Cujus corpus plumbeo colore est, qui et πελιδνὸς, Lividus : ap. Galen. in Arte medendi l. 12. [De vero accentu dictum in Μελάγχρως.]

[Μολιβδόω, ap. Diosc. 5, 109, μολιβδοῦται, Plinio 33, 6, Plumbum fit.]

[Μολιβδώδης. V. Μολιβδοειδὴς, Μολυβδώδης.]

Μολίβδωμα, τὸ, Opus ex plumbo, quasi Plumbamentum diceres. [Moschio ap.] Athen. 5, [p. 208, A] : Κατεσκεύαστο διὰ μολιβδώματος καὶ σανίδων κλειστῶν ἰχθυοτροφεῖον. Ubi intelligi queant Plumbeæ laminæ, vel Plumbeum tectorium.

[Μολιβίδιον, τὸ, diminut. ap. Heron. Autom. p. 273, D : Προσκολλᾶται δὲ καὶ ὄπισθεν τοῦ σανιδίου τὸ μολιβίδιον λεπτὸν, vertitur Aliquantulum plumbi. Conf. Μολυβίς. L. Dindorf.]

[Μολίβιον, τὸ, i. q. præcedens. Matthæi Med. p. 310 : Τὸ περιηρμοσμένον αὐτῷ μολίβιον· iterumque ib. L. Dind.]

Μόλιβος, ὁ, dicitur etiam sine δ. [Gl. : Μόλιβον, Plumbum.] Hom. Il. Λ, [237] : Μόλιβος ὣς ἐτράπετ' αἰχμὴ, Veluti plumbum. Itidemque in Epigr. [Juliani Æg. Anth. Pal. 6, 67, 2; 68, 2, Philippi ib. 62, 1. Fem. Antip. Sid. ib. 9, 723, 1 : Ἁ μόλιβος κατέχει με καὶ ἁ λίθος. Quod inauditum putabat Brunck., male corrigens ὁ. Apoll. Rh. 4, 1680; Nicand. Th. 256, Al. 613. In prosa Ælian. N. A. 15, 28 : Τὴν χρόαν ἔχει μολίβῳ προσεοικυῖαν. Ms. ap. Reuvens *Troisième Lettre* p. 66 : Μολίβου κάθαρσις. || Glossæ chemicæ ap. Bernard. post Pallad. De febr. p. 133 : Μόλιβός ἐστιν παρεμφερὲς ψιμύθιον. L. Dind.]

[Μολιβοσκούρου inter medicamenta πρὸς τὰ τῆς ῥινὸς ἕλκη mentionem facit anon. medicus ap. Matth. Lectt. Mosq. vol. 1, p. 50.]

[Μολιβοσφιγγὴς, ὁ, ἡ, Plumbo vinctus. Oppian. Cyn. 1, 155 : Μολιβοσφιγγέας τε κορώνας.]

[Μολιβουργὸς, ὁ, i. q. μολιβδουργός. Procul. Paraphr. Ptol. p. 251.]

[Μολιβοῦς, ᾶ, οῦν, Plumbeus. Matthæi Med. p. 217 : Πυξίδι μολιβῇ· 310 : Μολιβοῦν σωλήνιον. Diod. 2, 10 : Μολιβᾶς στέγας, ubi Heronis exx. quædam annotat Wessel. Mœris p. 130, v. Δελφίς. Alia recentiorum exx. nonnulla indicavit Lobeck. ad Phryn. p. 148. Conf. Μολυβοῦς.]

[Μολιβόχαλκος, ὁ. Glossæ chemicæ ap. Bernard. post Pallad. De febr. p. 134 : Μ. ἐστιν χρυσόκολλα (quod v.). Conf. ib. p. 146, ubi rectius Μολιβόχαλκος, quam hic Μολιβοχαλκὸς et Μολυβδοχαλκὸς in loco in illo citando. L. Dind.]

[Μολιβόω, Plumbo obduco. Aristeas Hist. lxx intt. p. 112, C : Πάντα ταῦτα μεμολιβοῦσθαι (l. —ῶσθαι) κατ' ἐδάφους καὶ τοῦ τοίχου. L. Dind.]

[Μολιόνη, ἡ, Molione, conjux Actoris, Cteati et Euryti mater. Ibycus ap. Athen. 2, p. 58, A; Apollod. 2, 7, 2, 2. Inter Μολίνη et Μολιόνη variant libri Pausaniæ 5, 2, 2; 8, 14, 9, librariorum culpa, quum nihili sit Μολίνη, quod illatum etiam Apollonio Lex. Hom. p. 462, recte exemit Villois. L. Dind.]

[Μολιονίδαι. V. Μολίων.]

[Μόλις, ἡ, Venus. Nic. Damasc. p. 20 (429) : Καὶ ἐπώμοσε τόν τε Βῆλον καὶ τὴν Μόλιν· οὕτως γὰρ τὴν Ἀφροδίτην καλοῦσι Βαβυλώνιοι. Angl. « Ita scriptum erat in nostro exemplari. Sed Herodotus l. 1 non Molim, sed Mylitta ab Assyriis appellari Venerem scribit, ab Arabibus Alitta. » Valesius. Nisi forte scribendum Μολῖν. Chœrob. vol. 1, p. 103, 25 : Καὶ γάρ εἰσί τινα εἰς ις περισπώμενα θηλυκὰ, μετὰ συμφώνου ἔχοντα τὴν γενικὴν εἰς ος, καὶ ἔχουσι τὴν αἰτιατικὴν εἰς ν καὶ οὐκ εἰς α, οἷον Μενδῖς (Βενδ.), Μενδῖδος, Μενδῖδι, Μενδῖν, Μολῖς, Μολῖδος, Μολῖδι, Μολῖν, et ib. p. 354, 24, quanquam ille hæc dicit esse ὀνόματα δαιμόνων τιμωμένων παρὰ Θρᾳξίν. Memorat hoc Μολῖς, Μολῖν etiam Arcad. p. 36, 18. L. Dind.]

[Μόλις. V. Μόγις.]

[Μολίσκος. V. Μῶλος.]

Μολίσκω, i. q. μολέω, unde et derivatum est, ut στερίσκω ex στερέω. Schol. Hom. Od. Δ, exp. βαδίζω.

[Frequens est ap. grammaticos, maxime in etymologiis vocc., quæ ab hoc verbo repetunt, velut ἀμολγός, ap. schol. Hom. Il. Λ, 173; βλωθρός, ap. Etym. M. et alios, atque ipsius verbi βλώσκω, quæ usitata est forma præs., cujus aor. est μολεῖν, ap. schol. Apoll. Rh. 1, 322, et alibi.]

[Μολίων, ονος, ὁ, Molion, Thymbræi Trojani minister. Hom. Il. Λ, 322. Alius in numo Erythr. Ion. ap. Mionnet. *Descr.* vol. 3, p. 127, n. 481.]

‖ Μολίονες, Hesychio μαχηταί, Pugnatores : aliis Grassatores, παρὰ τὸ μολεῖν. Alioqui Μολίονες patronymicῶς dicuntur Filii Moli. [Ap. Hom. Il. Λ, 709 : Μετὰ δέ σφι Μολίονε θωρήσσοντο· Pind. Ol. 11, 35 : Μολίονες ὑπερφίαλοι· schol. Apoll. Rh. 2, 1055, Hesychium et Photium. ‖ Μολιονίδαι, οἱ, Molionidæ, de iisdem ap. Apollod. 2, 7, 2, 3 et 4, Plut. Mor. p. 400, F, Athen. 2, p. 58, A, et ap. quem male Μολιονίδες Hesych. Tzetz. Hist. 5, hist. 20. ῐ]

[Μολλῐᾱνός, ὁ, Mollianus, n. viri Thermessensis in inscr. ap. Bœckh. vol. 1, p. 529, n. 904, 3. L. Dind.]

[Μόλλις, ὁ, Mollis, n. viri, in inscr. Theræa ap. Bœckh. vol. 2, p. 363, n. 2448, III, 22. L. Dind.]

[Μολοβόβαρ, ὁ τοῦ Διὸς ἀστὴρ, παρὰ Χαλδαίοις, Hesych. « Leg. Μολοχχόχαβ, q. d. מלך כוכב *Moloccocab*, Rex Stella. » Triller. « Vide an Μολοβόβαρ corruptum sit e Κοχοβόβαλ, i. e. כוכב בעל *Cocab baal*, Stella Baal s. Jovis. » Albert.]

[Μολόβριον, τό.] Μολόβρια dici τῶν ἀγρίων θηρίων τινὰ, auctor Hesych. [Τῶν ἀγρίων ὑῶν τὰ τέκνα Ælian. N. A. 7, 47. Eust. Od. p. 1817, 19 : Ἀριστοφάνης ὁ γραμματικὸς ... εἰπὼν ὅτι τῶν ἀγρίων ὑῶν τὰ νέα οἱ μὲν κολόβρια, οἱ δὲ μονόβρια καλοῦσιν, ἐπάγει ὡς καὶ Ἱππῶναξ τὸν ἴδιον υἱὸν («υἱὸν pro ὗν scriptum invenerat vel per errorem legit et ἴδιον de proprio addidit Eust. Corrigendum autem αὐτὸν τὸν ὗν. » Welcker. ad fr. Hippon. p. 90. Τέλειον ὗν minus probabiliter Jacobs. ad Æliani l. c.) μολοβρίτην που λέγει ἐν τῷ, Κρέας ἐκ μολοβρίτου συός.]

[Μολοβρίς. V. Μολοβρός.]

[Μολοβρίτης, ὁ. Ælian. post verba in Μολόβριον citata : Ἀκούσαις δ' ἂν τοῦ Ἱππώνακτος καὶ αὐτὸν τὸν ὗν μολοβρίτην που λέγοντος. V. Μολόβριον. ῑ]

Μολοβρὸς, ὰ, ὸν, dici putatur quasi ὁ μολίσκων ἐπὶ τὴν βορὰν, Qui cibi causa ventitat aliquo, ut sunt ἐπαῖται καὶ παράσιτοι, Mendici et parasiti : ideo exp. etiam γαστρίμαργος, Gulosus, Vorax. Hom. Od. P, [219] : Πῇ δὴ τόνδε μολοβρὸν ἄγεις, ἀμέγαρτε συβῶτα; [Σ, 26.] Ap. Nicandrum quoque Ther. 662 : Πεδόεσσα μολοβρὴ Ῥίζα ὑπαργήεσσα, schol. metaph. esse vult ἀπὸ τῶν ταπεινῶν τῶν ἐπὶ τῇ βορᾷ μολούντων, pro ταπεινὴ vel etiam μόλις αὐξανομένη. [« Pro μολοβρὴ olim lectum fuisse μολυβρὴ arguit scholion, οἱονεὶ μολιβδοειδῆ. Hesychius : Μολυβρὸν, τὸ μολυβοειδές. » Schneider. Lycophr. 775 : Αὐτὸς δὲ πλείους τῶν ἐπὶ Σκαιαῖς πόνους ἰδὼν μολοβρὸς κτλ. Eust. ad l. pr. post verba supra posita : Τάχα δ' ἂν, φησὶν (Aristophanes gramm.), ἐγγίζοι τούτῳ καὶ ὁ ἐν τῇ Ὀδυσσείᾳ εἴτε μολοβρὸς εἴτε μολαβρὸς, ὃν, φησὶ, Νεοπτόλεμος ἀναπτύσσων μολοβρὸν (f. μολοβορὸν, quod fingit Etym. M. p. 590, 7) εἶπε τὸν ἐπὶ τὴν βορὰν ἐρχόμενον, ὃς εἴη ἂν πάντως καὶ ἀσυνθέτως βορός ... Ἰστέον δὲ καὶ ὅτι μολοβρὸς παρά τισιν ὁ μονοβρὸς, ὅπερ ἐστὶ μονοφάγος. Ælianus quum addat τῶν ὑστρίχων καὶ τῶν τοιούτων ἀγρίων τὰ ἔκγονα ὄβρια dici, hoc voc. cognatum videtur cum μολόβριον item de porcellis, proprie fortasse, dicto, ut μολοβρὸς ad alia translatum proprie sit Immundus et nihil commune habeat cum voc. βορὰ, etiamsi tetra quædam in vorando quoque immunditia significetur. ‖ Suidas quod ponit Μολοβρὶς καὶ μολοβρὸς, ὁ πτωχὸς, corrigendum ex cod. qui recte omittit priora duo, quum nihili videatur μολοβρίς. De accentu acuto v. Arcad. p. 74, 22. L. Dind.]

[Μόλοβρος, ὁ, Molobrus, n. viri Spartani in inscr. Tegeat. ap. Bœckh. vol. 1, p. 697, n. 1511, B, 8, ubi Μόλοβρος pro Μόλοχρος Bœckh., collato Molobro Spart. ap. Thuc. 4, 8, idemque nomen pro Ἡμολοχρὸς, quo accentu etiam Thuc. libri haud pauci utuntur, restituit Polluci 4, 88. L. Dind.]

[Μολόεις, εντος, ὁ, Molois, fl. Bœotiæ, ap. Herodot. 9, 57.]

Μολόθουρος, ἡ, Molothurus : herbæ nomen. Nicand. A Alex. [147] : Πόα [πόη] γε μὲν ὕψι τέθηλεν Οἵηπερ μολόθουρος. Euphorion [ap. schol.] Semper virentium generi annumerat, canens, Πτῶκες ἀειχλωροῖσιν ἰαύεσχον μολοθούροις. Hesych. [male] properispωmenως habet μολοθοῦρος, dicens esse vel ἀσφόδελον vel [ὄσπριόν τι vel] ὁλόσχοινον. [Schol. Nicand. Th. 681 : Οἱ δὲ κλάδοι αὐτῆς (τῆς σκορπιούρου) ἀειθαλεῖς, λευκὰ φύλλα ἔχοντες, ὡς ἡ ἐλαία, εἰς ὕψος ἀνατείνοντα, ὅμοιοι ὄντες τοῖς ἀεὶ χλοάζουσι τῆς μολοθούρου. L. Dind.]

[Μολοθρός, ἡ, όν, quorum primum sine interpr. ponit Suidas, qui μολόθουρος scripsisse visus est interpretibus, μολοθρὴ autem Apollon. Lex. Hom. p. 194, ad explicandum Βλωθρὴ, ut μολοθαίρη schol. Nicandri Ther. 683, grammaticorum est inventum. L. Dind.]

[Μολοχᾶς, ἄντος, ὁ, Molocas, n. loci in inscr. Corcyr. ap. Bœckh. vol. 2, p. 16, n. 1840, 4 : Αυγδάμι Φείδωνος Κνωσσίῳ ἐμ Μολοχᾶντι ἀνπέλων πέλεθρα δέκα. Loci nomen esse a μολόχαις repetitum conjicit Bœckh. Ita conferendum foret Μολοχᾶς, nisi etiam ita scri- B bendum. L. Dind.]

[Μολορχία, ἡ, Molorchia. Πόλις Νεμέας (Νεμαίας cod. Vratisl.), ἀπὸ Μολόρχου τοῦ ξενίσαντος Ἡρακλέα ἀπιόντα ἐπὶ τὸν ἀγῶνα. Τὸ ἐθνικὸν Μολορχίτης, Steph. Byz. Apud quem Μολορχία etc. per χ pro κ restituit Berkel., coll. Apollod. 2, 5, 1, 2 et 5, et Latinis scriptt. Quanquam etiam Apollodori libri per κ scribunt nomen viri.]

Μόλος, ὁ, Hesychio πόνος, μάχη, φρύαγμα, Labor, Pugna, Fremitus : qua fere signif. et μόθος supra. [Et infra μῶλος, quod v. Memorat μόλος una cum μῶλος, non addita signif., Theognost. Can. p. 62, 20. L. D.]

[Μόλος, ὁ, Molus, i. q. Ἄκτωρ, de quo v. in Μολίονες. Pater Merionis, f. Deucalionis, Hom. Il. K, 269, N, 249, Apollod. 3, 3, 1, 1. Alius fortasse in numo Halicarnassi ap. Mionnet. *Suppl.* vol. 6, p. 494, 290.]

[Μολοσσία. V. Μολοσσός.]

[Μολοσσῐᾱνός, ὁ, Molossianus, n. viri, in inscr. prope Nysam Cariæ reperta, ap. Bœckh. vol. 2, p. C 595, n. 2952, 2, si recte ita legitur pro λοσσιανω.]

[Μολοσσικός, ἡ, όν, Μολοσσίς. V. Μολοσσός.]

[Μολοσσοδάκτυλος, Μολοσσοπυρρίχιος. V. Μολοσσός.]

Μολοσσὸς s. Μολοττὸς, ὁ, ap. Metricos Pes quidam dicitur, nimirum ὁ τρίμακρος, qui tribus longis syllabis constat. [Dionys. H. De comp. vv. p. 107, 4 R, et metrici passim.] Nomen accepisse fertur [ab schol. Hephæst. p. 82=158] a Molosso Pyrrhi et Andromaches filio, qui cantilenas quasdam hoc carminis genere in Dodonæo templo recitarit. [Qui in scenam prodit ap. Eurip. in Andromacha et memoratur ap. Pausan. 1, 11, 1, qui Μολοττὸν ducem Atheniensem memorat ibid. 36, 4. Alius quidam Μολοσσὸς est in numo Mileti ap. Mionnet. *Suppl.* vol. 6, p. 266, 1196. Et in Saleno Phrygiæ ib. vol. 7, p. 615, 574, ubi quod verius putabat Mionnetus Λαμοδόχου, ipsum esse vitiosum et Δαμοδόκου scribendum pluribus dicemus in Add. ad hujus vol. p. 77, B. Sculptor quidam in numo Thurino *Descr.* vol. 1, p. 171, 678. Alii in inscrr. ‖ Hinc composita Μολοσσοδάκτυλος, ὁ, Molossus et dactylus, et Μολοσσοπυρρίχιος, ὁ, Molossus et pyrrhichius, ap. Tzetzen in Cram. An. vol. 3, p. 307, 22 D et 19. L. D.] ‖ Μολοσσοὶ vero s. Μολοττοὶ, populi sunt Epiri [in numis, ap. Eur. Alc. 594, Lycophr. 426, Herodot. 1, 146, Thuc. 2, 80, aliosque historicos et geographos] : quorum regio Μολοσσία dicitur [ap. Pind. Nem. 7, 38, Eur. Andr. 1248, et addito γῇ 1244] : necnon Μολοσσὶς, ut Plut. Probl. Hell. [p. 297, B] : Ὤικησαν περὶ τὴν Μολοσσίδα. Inde Μολοττίδες κύνες ap. Polluc. [5, 39], quæ Xen. Cyneg. [immo Polluci 5, 37, et Alexidi ap. Athen. 12, p. 540, D], Μολοττικαὶ κύνες· Athen. 7 : Μολοττικοὶ κύνες. [Et Apollodor. 2, 7, 3, 3.] Horat., Domus alta Molossis Personuit canibus : at Virg. subst., Veloces Spartæ catulos acremque Molossum. [Μολοττικοὶ omisso κύνες Aristoph. Thesm. 416. Μολοττοὶ ap. Alciphr. Ep. 3, 47, ubi Oppian. Cyn. 5, 370, cit. Bergler. Prov. Coislin. 258, p. 143, D : Θεοὶ Μολοττικοὶ, οἱ κύνες, ἢ ὅτι ψυχοπομποὶ ἐν Μολοττίᾳ. Ἐπὶ τῶν φοβουμένων τὰ φόβου ἄξια. (Conf. Eust. Od. p. 1668, 2.) Bodl. 252, p. 26, B : Βοίδιον Μολοττικὸν, ἐπὶ τῶν καλλίστων, ἐπειδὴ διαφέρουσιν οἱ ἐν Ἠπείρῳ βόες.] At μολοσσικὴ ἐμμέλεια a pede molosso dicitur : ap. Athen. 14, [p. 629, D] : Δάκτυλοι, ἰαμβικοὶ, μολοσσικὴ ἐμμέλεια, κόρδαξ. [Præter Μολοσσία et Μολοσσὶς de terra, et Μολοσσὸς de gente Steph. Byz. ponit etiam neutrum τὰ Μόλοσσα (scr. Μολοσσὰ, quem accentum præcipit etiam Arcad. p. 77, 21,) ex Æsch. Prom. 829, ut videtur : Μολοσσὰ δάπεδα. Simonid. ap. Athen. 4, 181, B : Τὸ δ' ὄργανον (καλέουσι) Μολοσσόν. Quem locum respexit Eustath. Il. p. 116, 48. Attica forma est Μολοττὸς, ap. Aristot. Polit. 5, 10, 11 (et Μολοττίᾳ ap. eund. H. A. 9, 1), Polyb. 27, 14, 3 et 30, 15, 5, et restituenda ib. 7, 1, ubi per σσ, quæ formæ alienæ sunt a Polybio, Diodor. 11, 56; 18, 11, et Strabonem ll. pluribus. Tertia de qua Steph. Byz. : Καὶ Μολοτοὶ δι' ἑνὸς τ. Μολοτὸς (Μολωτὸς cod. Vratisl.) ὁ τόπος. Τὸ κτητικὸν Μολοτικός. Theognost. Can. p. 75, 29 : Τὰ διὰ τοῦ οτος ὑπὲρ δύο συλλαβὰς τῷ ο παραληγόμενα προπαροξύτονα δύο ἐστὶν, βίοτος, ἄροτος· ὀξύτονα δὲ τέσσαρα, βιοτὸς, ὁμοτὸς, ὀνοτὸς, μολοτός. Unde corrigendus Arcadius p. 82, 15, ubi μωλοτός. Atque sic liber unus Pausan. 1, 36, 4, ubi Atheniensis hujus nom. memoratur. Quem tamen Molossòν vocat Plut. Phoc. c. 14, etsi hic ab his formis tam est alienus quam Pausanias a formis per ττ pro σσ. Forma per σ uno sigma scripta est in inscr. Att. incertæ ætatis ap. Bœckh. vol. 1, p. 525, n. 874 : Ἀντιγόνη Μολοσίς. || Forma Μολοσσαῖος, ut alibi Ὀδρυσαῖος, ap. Jo. Malal. p. 62, 11. L. Dind.]

[Μολουριάς. V. Μολουρίς.]

Μολουρίδαι, Hesychio βατραχίδαι et τῶν σταχύων τὰ γόνατα. [« Recte Salmas. corrigit Μολουρίδες, βατραχῖδες. Posset etiam legi Μολουρίδας, βατραχῖδας. Videtur Lexicogr. in animo habuisse Nicandri verba (in Μολουρὶς cit.). Non vero habendum est βατραχίδας ap. Hesych. pro expositione voc. Μολουρίδας. Schol. enim Nic. scribit : Μ. ζῷόν ἐστιν ὅμοιον ἀκρίδι. » Arnaldus post Heinsium, qui scriptum ab Hes. putabat : Μολουρίδας. Νίκανδρος, μολουρίδας ἢ βατραχῖδας.]

[Μολούριον. V. Μολουρίς.]

Μολουρὶς, Hesychio est μόλις οὐρῶν, Ægre reddens urinam [hac signif. scribendum foret μολοῦρις, ut est in cod., vel potius μόλουρος] : item κολοβὴ λόγχη, Cuspis mutilata : et αἰδοῖον, Pudendum. Ap. Nicandr. vero schol. μολουρίδας esse dicit animal assimile locustæ, [sec. alios vero σίλφη] : in Ther. [416] de chelydro : Ἀγρώσσων λειμῶσι μολουρίδας ἢ βατραχῖδας. [In Etym. M. p. 474, 2 : Τὰ εἰς ρις λήγοντα ὑπὲρ δύο συλλαβὰς διφθόγγῳ τῇ διὰ τοῦ υ παραληγόμενα ἅπαντα ὀξύνεται, οἷον μελουρὶς, σημαίνει δὲ τὴν σιτοφάγον ἀκρίδα, Schneid. ad l. Nic. scribendum monet μολουρίς.] At Μόλουροι ab eod. poeta numerantur inter serpentes, et eos quidem innoxios, in Th. 461 [491. V. Μολουρίδαι. Vitiose Suidas : Μολυρὶς, μολυρίδος. Μολυρίδας τὰς ἀκρίδας φασί.]

[Μολουρὶς, ίδος, ἡ, Moluris, rupes Megaridis, unde præcipitata Ino cum Melicerte, ap. Pausan. 1, 44, 7 et 8, Tzetz. ad Lycophr. 229 et schol. Pind. Isthm. init. Formam Μολουριὰς Simonidi Anth. Pal. 7, 496, 4, pro μὲ θουριάδος restituit Hemst. ad Lucian. Dial. mar. 8, 1. Qui annotavit etiam formam neutram ap. Zenob. 4, 38 : Εἰς τὴν πρὸς τῷ Μολουρίῳ θάλασσαν.]

[Μόλουρος. V. Μολουρὶς, Μόλυρος.]

[Μολούω. V. Μολεύω.]

Μόλοφθος, ὁ, Hesychio est ἐγκρυφίας [Panis sub cineribus coctus. A μόλις et ἑφθὸς vel ὀπτὸς repetebat Albert. Sed ex neutro recte fiat μόλοφθος.]

[Μολὸχ s. Μολὼχ, Idolum Moabitarum. Levit. 18, 21, etc. Hebr. מלך *Molec*, Rex. Reg. 1, 11, 7; et מלכם *Milcom*, ib. 5.]

[Μολοχᾶς, ὁ, Locus malvis consitus, ut videtur. Anastas. monach. De patribus Sinaitis Ms. ap. Ducang. v. Μολόχα citatus : Ὅτε ἔμενεν εἰς τὸν Μολοχᾶν· τόπος δέ ἐστι χείμαρρος, δύσβατος. V. Μολοχᾶς.]

[Μολόχη, ἡ, Malva, Gl. HSt. in Μαλάχη :] Pro μαλάχη legitur etiam Μολόχη : quod et Athen. testatur 2, [p. 58, D] dicens se reperire scriptum ap. Antiphanem, Τρώγοντες μολόχης ῥίζαν· et Epicharmum, Πραύτερος ἔγωγε μολόχης. Quo vocabulo utitur et Colum., qui ita scribit, Et moloche, prono sequitur quæ vertice solem. [De utraque forma v. in Μαλάχη. Μολόχη est etiam ap. Philon. Belop. p. 89, A. L. Dind.]

A [Μολόχινος, η, ον, ap. Arrian. Peripl. m. Erythr. p. 5 : Καυνάκαι καὶ μολόχινα καὶ σινδόνες ὀλίγαι· 28 : Σινδόνες Ἰνδικαὶ καὶ μολόχιναι καὶ ὀθόνιον· ibid. : Ὀθόνιον παντοῖον καὶ σηρικὸν καὶ μολόχινον· 29. Ὀθόνιον πολὺ χυδαῖον καὶ σινδόνων παντοῖα καὶ μολόχινα, Vestes a malvæ flore vel colore sic dictas intelligi conjecerunt intt. L. Dind.]

[Μολόχιον, τὸ, Malva. Gl. : Μολόχια, Malvæ. || Ornamentum muliebre. V. Μαλάχιον. Vitiose Cyrillus ap. Ducang. p. 945 : Μολούχιον, κόσμος γυναικεῖος. L. D.]

[Μόλοχις, ὁ, nomen suspectum in inscr. Spartana Fourmonti ap. Bœckh. vol. 1, p. 616, n. 1240, 1, 14, 15.]

Μολοχίτης λίθος, Lapis malvæ virorem imitans. Plin. 37, 8 : Non translucet molochites spissius virens, a colore malvæ nomine accepto ; reddentis laudata signis. [ῑ]

[Μολόω, unde ap. Hippocr. p. 200, E : Αἱ σύριγγες μολοῦνταί τε καὶ ἰχωρορροοῦσιν αἰεὶ, Foes. scrib. conjecit μολύνονται.]

B [Μολπᾰγόρᾱς, ου, ὁ, Molpagoras, n. viri, Milesii, ap. Herodot. 5, 30. Aliorum in inscr. Panticap. ap. Bœckh. vol. 2, p. 148, n. 2105, 1, ap. Polyb. 15, 21, 1. L. Dind.]

[Μολπᾰδία, ἡ, Molpadia, quæ Antiopen occiderit et ipsa a Theseo occisa sit, memoratur a Pausan. 1, 2, 1, Plut. Thes. c. 27. V. Μόλπις. F. Staphyli, postea Hemithea vocata, Diod. 5, 62. L. Dind.]

[Μολπάδιος inter proparoxytona in διος ponit Herodian. Π. μον. λ. p. 18, 9.]

Μολπάζω, Canto, Decanto, Celebro. Aristoph. [Ran. 379] : Τῇ φωνῇ μολπάζων. [Hermesianax Athenæi 13, p. 598, F.]

[Μολπαῖος, α, ον, Canorus. Erinna Anth. Pal. 7, 712, 7 : Καὶ σὺ μὲν, ὦ Ὑμέναιε, γάμων μολπαῖαν ἀοιδὰν ἐς θρήνων γοερῶν φθέγμα μεθηρμόσαο. Ubi notandum etiam α feminini rariori, sed non inusitata, licentia correptum, ut non necessaria certe sit correctio μολπαῖον.]

C [Μολπᾶς, ᾶ, ὁ, Molpas, n. viri, in inscr. Branchid. ap. Bœckh. vol. 2, p. 553, n. 2854, 4, ubi genit. Μολπᾶ. Μολπᾶς est etiam in numo Abydi ap. Mionnet. *Descr.* vol. 2, p. 633, 17. L. Dind.]

Μολπαστὴς, ὁ, Cantor. [Theodorid. Anth. Pal. 6, 155, 2, ubi Dor. : Φοίβῳ μολπαστᾷ.] Cujus fem. Μολπάστρια, Cantrix, Μολπαστὴς ab Hesych. exp. συμπαίκτης, Collusor : afferente et Μολπάστρη pro συμπαίκτρια. [Recte Valck. ad schol. Hom. p. 62 μολπάστρια. Nam etiam cod. μολπάστρει.]

[Μολπάστρη, Μολπάστρια. V. Μολπαστής.]

[Μόλπεια. V. Μολπία.]

Μολπὴ, ἡ, Cantus, Hymni : vel etiam Chori cum cantu. Hom. Il. [A, 472 : Οἱ δὲ πανημέριοι μολπῇ θεὸν ἱλάσκοντο, καλὸν ἀείδοντες παιήονα κοῦροι Ἀχαιῶν·] Σ, [572] : Τοὶ δὲ ῥήσσοντες ὁμαρτῇ Μολπῇ τ' ἰϋγμῷ τε, ποσὶ σκαίροντες ἕποντο· Od. Φ, [430] : Ἐψιάασθαι Μολπῇ καὶ φόρμιγγι· τὰ γάρ τ' ἀναθήματα δαιτός· A, [152] : Τοῖσιν μὲν ἐνὶ φρεσὶν ἄλλα μεμήλει, Μολπή τ' ὀρχηστύς τε· τὰ γάρ τ' ἀναθήματα δαιτός. Ubi ut cum ὀρχηστὺς conjungitur, ita cum ὀρχηθμὸς, Il. N, [637] : Πάντων μὲν

D κόρος ἐστὶ καὶ ὕπνου καὶ φιλότητος, Μολπῆς τε γλυκερῆς καὶ ἀμύμονος ὀρχηθμοῖο. Primo loco similis hic Il. Σ, [605, Od. Δ, 19] : Δύω [δοιὼ] δὲ κυβιστητῆρε κατ' αὐτοὺς Μολπῆς ἐξάρχοντες ἐδίνευον κατὰ μέσσους. Ibi enim μολπὴ significat Cantum cum saltu : vel, ut Athen. 1, [p. 14, A] vult, παιδιάν [pro quo ap. Hesych. male παιδεία] : afferens hunc l. ut ostendat antiquos quoque in conviviis usos fuisse κιθαρῳδοῖς καὶ ὀρχησταῖς : allato simul et hoc hemistichio [Od. Δ, 18], de convivio Menelai, Ἐμέλπετο θεῖος ἀοιδὸς, Canebat divinus poeta. [Ἐξάρχοντος, quod defendit Athen. 5, p. 180, D, utroque l. restituit Wolf., qui v. Proleg. p. 263. Hesiod. Th. 69 : Αἳ τότ' ἴσαν πρὸς Ὄλυμπον ἀγαλλόμεναι ὀπὶ καλῇ, ἀμβροσίῃ μολπῇ. Ἡ μετ' ᾠδῆς παιδιὰ interpr. etiam schol. Od. A, 152.] Itidem in Xenophanis Colophonii convivio ap. eund. Athen. 11, [p. 462, E] : Μολπὴ δ' ἀμφὶς ἔχει δώματα καὶ θαλίη. [Plur. H. in Pan. 24 : Λιγυρῇσιν ... μολπαῖς. Pind. Ol. 1, 102 : Αἰοληΐδι μολπᾷ· 6, 97 : Λύραι μολπαί τε· 11, 88 : Χλιδῶσα μολπὰ πρὸς κάλαμον ἀντιάζει μελέων· fr. ap. Clem. Al. Strom. 4, p.

640 : Μολπαῖς μάκαρα ἀείδουσ' ἐν ὕμνοις. Æsch. Ag. 105 : Θεόθεν καταπνείει Πειθὼ μολπάν· Eum. 1043 : Ὀλολύξατέ νυν ἐπὶ μολπαῖς. Soph. Ph. 213 : Οὐ μολπὰν σύριγγος ἔχων. Eur. Herc. F. 684 : Παρὰ χέλυος ἑπτατόνου μολπὰν καὶ Λίβυν αὐλόν. Idemque de cantu sæpe utroque numero, Aristoph. Ran. 370 etc., aliique poetæ.]

[Μόλπη, ἡ, Molpe, Baccha, in vase Etrusco, de quo Jahn. *Vasenbilder* p. 22, c. Quo accentu scribenda etiam Μολπὴ Siren ap. schol. Apoll. Rh. 4, 892. L. Dind.]

[Μολπηδὸν, Instar cantus. Æsch. Pers. 388 : Κέλαδος Ἑλλήνων πάρα μ. ηὐφήμησεν.]

[Μόλπης scriptura vitiosa pro Μόλπις, quod v.]

Μολπηστὴς, ὁ, etiam affertur ex Epigr. [ubi Μολπαστὴς, quod v.], pro Cantor.

[Μολπῆτις, ιδος, ἡ, Cantatrix. Forma Dor. Leonidas Anth. Pal. 6, 288, 5 : Κερκίδα τὰν ἱστῶν μολπάτιδα. Notum κερκὶς ἀοιδὸς ap. Euripidem.]

[Μολπία, ἡ, Molpia, f. Scedasi, ap. Pausan. 9, 13, 5, cujus liber unus Μόλπεια. Plutarcho Mor. p. 773, C, vitiose Μιλητία, quod nihili est.]

[Μολπὶς, ἐλπὶς, Spes, Hesychio.]

[Μόλπις, ιδος, ἡ, Amazon, ap. schol. Lycophr. 1332, p. 1010, scribendum esse Μολπαδίας, quum Μαλπουδίας esset in codd., non vidit Müllerus, quamvis non immemor Plutarchi Thes. c. 26, 27, ubi eadem fabula narratur de Molpadia. L. Dind.]

[Μόλπις, ιδος, ὁ, Molpis, Eleus, ap. Lycophr. 159, ubi Μόλπιδος πέτρα, de Elide. Alius, qui tempore 30 tyrannorum Athenis fuerit inter decemviros in Piræo, memoratur ab Harpocrat., qui Lysiæ et Androtionis utitur testimoniis. Μόλπης male ap. Photium. Scriptor Lacedæm. ap. Athen. 4, p. 148, B, E; 14, p. 664, D. Alius ap. Parmeniscum Athen. 4, p. 156, D.]

[Μολπίων, ωνος, ὁ, Molpio, olympionica, ap. Pausan. 6, 4, 8. ῐ]

Μολπὸς, ὁ, Hesychio ᾠδὸς, ὑμνῳδὸς, ποιητὴς, Cantor, Poeta.

[Μόλπος, ὁ, Molpus, comes Bacchi, in vase ap. Tischbein. vol. 1, tab. 33, ubi Μόλκος, sec. Millingen. *Peint. ant. des vases grecs* p. 19, (1). Viri nomen in numis Ephesi ap. Mionnet. *Suppl.* vol. 6, p. 117, 250, et Iasi Cariæ, *Descr.* vol. 3, p. 353, 284, et inscr. Iasia ap. Bœckh. vol. 2, p. 460, n. 2671, ubi quod est Μολ, recte sic suppletum videtur. Pro Εὔμολπος positum notavit Müller. ad Tzetz. in Lycophr. 232, p. 497.]

[Μόλσος, ὁ δῆμος. Αἰολεῖς, Hesych. Pagum, qui fuerit apud Æoles, intelligebat Spon. Sed veram scripturam servasse videtur Arcad. p. 76, 2 : Μόλσος ὁ δήμιος καὶ τὸ σέλινον, quod in δῆμος mutabat Sponius.] Μόλσον, Hesych. vocari scribit σελίνου καυλὸν vel [ἄνθος, sec. alios τὴν] ὑποφυάδα.

Μολτύους, Hesych. τὰ κοκκύμηλα, Pruna.

[Μολυβδαία forma vitiosa pro μολύβδαινα, quod v.]

Μολύβδαινα, ἡ, idem ac μολυβδὶς, h. e. Globus s. Pila plumbea quæ reti aut etiam hami funiculo appenditur ad ipsum deprimendum : Eustathio ὁ πρὸς τῇ ὁρμιᾷ καὶ τῷ ἀγκίστρῳ περιθέμενος μόλιβδος διὰ τὸ θᾶττον καθικνεῖσθαι [Μολυβδὶς vel μολυβὶς interpr. Hesychius et Photius, pro quo male μολύβδη ap. Apollon. Lex. Hom. p. 462] : ut quum Hom. Il. Ω, [80] dicit, Ἡ δὲ μολυβδαίνῃ ἰκέλη ἐς βυσσὸν ὄρουσεν. [Pollux 1, 97; 10, 133.] Item μολύβδαιναι nominantur Pilæ s. Massæ plumbeæ, quales manu ejaculari solent vel in certamine vel in exercitio. [V. Μολύβδιον sub finem.] Lucian. [Lexiph. c. 5] : Ὁ δὲ μολυβδαίνας χερμαδίους ἀράχνην ἔχων, ἐχειροβόλει. [Conf. Gymn. c. 27.] Verum et vasa plumbea appellantur μολύβδαιναι. Athen. 5, [p. 207, B] : Ἐν οἷς κῆποι παντοῖοι θαυμασίως ἦσαν περιβάλλοντες ταῖς φυτείαις διὰ κεραμίδων ἢ μολυβδαινῶν [nunc κερ. μολυβδινῶν κατεστεγανωμένων], Fictilibus et plumbeis in vasis. Alioqui μολύβδαινα dicitur etiam Metallicum quiddam, de quo Diosc. 5, 100. Plin. 34, c. ult. : Est et molybdæna, quam alibi Galenam vocavimus, plumbi et argenti vena communis, et hanc Metallicam vocant. Adhærescit et auri et argenti fornacibus. Melior hæc quanto magis aurei coloris, quantoque minus plumbosa, friabilis, et modice

A gravis : cocta cum oleo jecinoris colorem trahit. [Matthæi Med. p. 353, ubi Int. Plumbago, ut interpretantur Gl., quæ tamen male Μολυβδαία. Paul. Æg. 7, 40, p. 247, 42 : Μ. λιθαργύρῳ παραπλησίαν ἔχει δύναμιν, ἀποκεχωρηκυῖα τῆς μέσης κράσεως ἐπὶ τὸ ψυχρότερον. Ducang. App. Gl. p. 134 : « Eudemus in Lex. Ms. : Μολύβδαινα, μολυβδίδα. In Lex. botanico Ms. μολυβδόσταχτον exponitur. » Hesychio καὶ τὸ εἶδος τῆς μεταλλικῆς καὶ τὰ λεῖα, cujus voc. signif. exponit HSt. in Λεία supra p. 156, D. Quo spectat quod Pollux 7, 125; 10, 147, ponit inter ἐργαλεῖα οἰκοδόμου.] Est μολύβδαινα Herbæ etiam nomen. Plin. 25, 13 : Nascitur vulgo molybdæna, i. e. plumbago, etiam in arvo, folio lapathi, crassa radice, hispida. Ea, inquit Gorr., multis esse creditur Major persicaria, aut omnino nobis ignota est.

[Μολυβδάνα, ἡ, Molybdana. Πόλις Μαστιηνῶν. Ἑκαταῖος Εὐρώπῃ, Steph. Byz. V. Μολυβδίνη.]

[Μολυβδέω, Plumbo, Gl. Potius Μολυβδόω. Angl.]

[Μολυβδιάω, Plumbo similis sum. Phrynichus Bekkeri p. 52, 5 : Μολυβδιᾷς, ὑπὸ νόσου οἷον μόλυβδοι χρῶμα ἔχεις.]

B [Μολυβδίζω, Plumbei sum coloris. V. l. ap. Salmas. in Μοναχὸς citatum. L. Dind.]

[Μολυβδικὸς, ἡ, ὸν, Plumbarius, Gl.]

[Μολυβδίνη, ἡ, Molybdine, urbs. Ὄνομα πόλεως Suidæ. Herodian. Cram. An. vol. 3, p. 291, 24 : Τὰ διὰ τοῦ ινη παράγωγα... φιλεῖ ἐκτείνειν τὸ ι, χωρὶς τοῦ εἰλαπίνη, καὶ τοῦ Μολυβδίνη, et similibus verbis Theognost. Can. p. 113, 33, Arcad. p. 95, 8. An sit eadem quæ Μολυβδάνα non dixerim. L. Dind.]

Μολύβδῖνος, η, ον, Plumbeus, ut μολύβδινος [κρατευτὴς, Eupolis ap. Pollucem 10, 146,] κανὼν, Aristot. Eth. 5, [10. Polyb. 22, 10, 4, ut eidem 8, 7, 9, hæc forma pro μολίβδινος reddenda videatur, etiam μολυβδὶς dicenti. Gregor. Nyss. vol. 2, p. 41, A : Μολυβδίνοις νομίσμασι. V. etiam Μολύβδιον. « Parthen. 9, 4 : Μολυβδίνην ἐπιστολήν. » Valck.] Scribitur et per ι in secunda syllaba : ut [in Gl.] μολίβδιναι κεραμίδες, Athen. 5, [p. 207, B.] Sic μολιβδίνη θυΐα, et μολίβδινος

C δοίδυξ, Diosc. 5, 95, de plumbo eloto. [Plut. Mor. p. 254, D; Oribas. p. 195 ed. Mai.; Hero Autom. p. 266, A. Athanas. vol. 1, p. 180, B : Μολιβδίνας ὀργάς.]

[Μολύβδιον, τὸ, Plumbeum aliquid significat ap. Hippocr. p. 886, F : Καὶ ἐς τὸ στόμα τῆς σύριγγος μολύβδιον ἐντιθέναι, ὅπως μὴ ξυμφύηται, Et in fistulæ osculum plumbeum aliquid immittito, ut ne coalescat. Plumbeum autem aliquid in fistulam immittitur, quod latera distendat, ne coeant, internaque desiccet sua vi ut plumbum. Quidam plumbeam glandem aut collyrium esse volunt. Neque secus μολύβδιον et μολύβδια aut μόλυβδοι dicuntur in muliebrium morborum tractatione, fistulæ plumbeæ aut penicilli plumbei et pessi ad uteri osculum dirigendum et reserandum. Sic p. 596, 17, 19, μολυβδίῳ utitur, hoc est Fistula plumbea, quæ in sinum muliebrem immittitur, ut uteri osculum aperiatur ad suffitum recipiendum. Ac rursus p. 597, 17, uteri osculum admodum connivens τοῖσι μολυβδίοισι, Fistulis plumbeis, aperiri præcipit. Iterumque p. 647, 53, obversum

D uteri osculum τῷ μολυβδίῳ dirigit, et occlusum deducit p. 659, 44. Rursus p. 650, 10, pessis plumbeis, pluribus et digitorum sex longitudine ad uteri suffitum utitur, indicis digiti crassitudine. Μολυβδίνους μοτοὺς vocat, et μόλυβδον et μολύβδιον sæpius. Μόλυβδοι etiam dicuntur p. 650, 15, et 651, 14, et p. 605, 34. P. 679, 26, quoque uterum diducit μολυβδίοις ἐληλασμένοις ὀκτωδακτύλοισι, Plumbeis penicillis ad octo digitorum longitudinem deductis. Iterumque p. 682, 8, ad uteri osculum connivens τῷ μολύβδῳ utitur et in glandem exacuit. P. 472, 5 et 13 μόλυβδον et μολύβδους vocat Plumbeas lamellas aut massas, vel plumbea penicilla, quæ melle illita post extractum polypum in nasum immittuntur ad ulcus siccandum. Foes. OEcon. Apud Pollucem 10, 146 : Τούτοις δ' ἐπακτέον σφενδόνας, λίθους, μολύβδια, πελέκεις, σαγάρεις, codd. præbuerunt μολυβδίας vel μολυβδίνας, quod recte Jungerm. videtur correxisse μολυβδαίνας, quod v.]

Μολυβδὶς, ίδος, ἡ, Globus s. Pila plumbea, ut quæ reti appenduntur, [vel fundæ. Xen. Anab. 3, 4, 17 :

Οἱ Ῥόδιοι καὶ ταῖς μολυβδίσιν ἐπίστανται χρῆσθαι. Polyb. 27, 9, 6 : Ἐκπίπτον ἐκ τῆς ἀγκύλης, καθαπερεὶ μολυβδὶς ἐκ τῆς σφενδόνης.] Nonnullis etiam Lamina plumbea. Hesychio μολυβδὶς est στάθμιόν τι ἑπταμναῖον : quod et Μολβίς. [Quod v. Soph. ap. Plut. Mor. p. 75, B : Ἀλλ' ἴσῳ σταθμῷ μολιβδὶς ὥστε δίκτυον κατέσπασεν (Καὶ μόλιβος ... κατῆγε male Etym. M. p. 590, 9). Cui restituendum esse apparet μολυβδὶς, quo utitur Plato Reip. 7, p. 519, A : Τὸ τῆς τοιαύτης (pravæ) φύσεως εἰ ἐκ παιδὸς εὐθὺς κοπτόμενον περιεκόπη τὰ τῆς γενέσεως ξυγγενῆ, ὥσπερ μολυβδίδας, αἳ δὴ ἐδωδαῖς τε καὶ τοιούτων ἡδοναῖς τε καὶ λιχνείαις προσφυεῖς γιγνόμεναι περὶ τὰ κάτω στρέφουσι τὴν τῆς ψυχῆς ὄψιν. Clem. Al. Str. 4, p. 570, 18 : Οὐ καθαρὰν τὴν ψυχὴν, ἀλλ' ὥσπερ μολυβδίδας τὰς ἐπιθυμίας μεθ' ἑαυτῆς φερομένην. Hierocl. In Pythag. p. 77. V. etiam Μολύβδαινα. || « Plumbatum. Passio S. Acacii n. 11 : Ὁ δικαστὴς εἶπεν, Κλάσατε αὐτοῦ τὰς σιαγόνας μολυβδίσιν, ἵνα μὴ ἀπαυθαδίζηται τῇ ἡμετέρᾳ ἐπ' αὐτοῦ μακροθυμίᾳ. V. n. 17. » Ducang. Cum hoc l. conf. l. Basilii in Μολυβὶς cit.]

Μολυβδίτης, ὁ, Plumbaceus aut Plumbosus : unde in fem. μολυβδῖτις λιθάργυρος. Plin. 33, 6 : Spumæ argenti genera tria : optima, quam Chrysitin vocant : secunda, quam Argyritin : tertia, quam Molybditin. Chrysitis, ex vena ipsa fit : Argyritis, ex argento : Molybditis, plumbi ipsius fusura.

[Μολυβδῖτις. V. Μολυβδίτης.]

[Μολυβδόγεον, τὸ ψιμίθιον, in Glossis chymicis Mss. Neophyti. Μολυβδοχεῖον, τὸ ψιμίθι, in aliis Glossis iatricis Mss. ex cod. Reg. 1261. Infra : Ψιμίθιον, γίνεται ἐκ τοῦ μολίβδου, Cerusa, ψιμίθιον. Ducang. Idem annotat : « Μολιβδόγενον (-γεον Lex. Neophyti in App. p. 134) ἡ σκορία τοῦ χαλκοῦ, in Glossis iatr. Mss. ex cod. Reg. 190. In Lexico Reg. cod. 1843, ἡ σκουρία τοῦ μολίβδου. »]

[Μολυβδόδετος, ὁ, ἡ, Plumbo vinctus s. ligatus. Pollux 6, 88 : Τὰ δὲ τοῦ μαγειρείου σκεύη χύτρας, λοπάδας, μολυβδοδέτους ἐσχάρας. Sic enim codd. pro μολιβδ.]

Μολυβδοειδὴς, ὁ, ἡ, Plumbi speciem gerens, Plumbo similis. Ap. Diosc. per ι μολιβδοειδὴς λίθος, 5, 98. [Schol. Lucian. Catapl. c. 28. Boiss. Schol. Thuc. 2, 49.]

[Μολυβδοκόπος, ὁ, Plumbarius. Lamnæ plumbeæ inscr. ap. Bœckh. vol. 1, p. 487, n. 539, 13 : [Τὸ]ν μ. L. Dind.]

[Μολυβδοκρατευτὴς, ὁ, Basis plumbea. V. Κρατευτής.]

[Μόλυβδος, ὁ, Plumbum. HSt. in Μόλιβος :] Porro notandum, reperiri scriptum etiam Μόλυβδος, per υ ψιλὸν in secunda syllaba, teste Eust. quoque [Il. p. 1349, 20], confirmante eandem scripturam serie alphabetica quæ ap. Hesych. est, Suida etiam utramque suo ordine collocante. [Verba Eust. sunt : Ἰστέον δὲ ὅτι τὴν παραλήγουσαν τοῦ μόλυβδος διὰ τοῦ υ προέφερον οἱ ἀρχαῖοι, ὡς καὶ τοῦ βίβλος. Αἴλιος γοῦν Διονύσιός φησιν ὅτι μόλυβδος διὰ τοῦ υ καὶ δ· ὅθεν δηλαδὴ ὁμοιόγραφος καὶ ἡ μολύβδαινα· ἐν δὲ τῷ, Μόλιβος ὡς ἐτράπετ' αἰχμὴ, διὰ μέτρον, φασὶν, οὕτω γέγραπται, ἐπεὶ καὶ Ἴωνες ὁμοίως Ἀττικοῖς μόλυβδον λέγουσιν, ὅθεν καὶ τὸ, Μολυβδαίνῃ ἰκέλη. Etym. M. p. 590, 8 : Μόλιβος καὶ Μόλυβδος, εἰ μὲν ι ἐστὶν, τὸ δ οὐκ ἔστιν·... ἐὰν δὲ τὸ υ, τὸ δ· Ἡ δὲ μολυβδαίνῃ ἰκέλη, male ille reprobans his verbis tertiam formam μόλιβδος, de qua v. supra. Eadem sententia scholii Vict. Hom. Il. Ω, 80 : Ἡ μόλιβον δέ φασιν ἢ μόλυβδον, ubi pro φασὶν, quod est ap. Heynium, φησὶν exhibuit Bekkerus, quasi de uno Homero agatur, qui dixerit μόλιβος et μολύβδαινα, ut in Μόλυβος dicemus. V. gl. Mœridis in Μόλυβος cit. Simonid. ap. Plut. Mor. p. 65, B : Παρὰ χρυσὸν ἑφθὸν, ὥς φησι Σιμωνίδης, ἀκήρατον οὐδὲ μόλυβδον ἔχων. Eur. Androm. 267 : Καὶ γὰρ εἰ πέριξ σ' ἔχει τηκτὸς μόλυβδος, ἐξαναστήσω σ' ἐγώ. Ubi Ald. cum libris scriptis aliquot per ι, ut nonnulli Herodoti 3, 56 : Νόμισμα μολύβδου, et plures Thuc. 1, 93 : Λίθοι μολύβδῳ δεδεμένοι, et Xenoph. Anab. 3, 4, 17, Tim. Locr. p. 99, C. Inter utramque formam variatur etiam in libris Theophrasti, cujus ll. v. ap. Schneider.] Ita ap. Medicos μόλυβδος κεκαυμένος, Plumbum ustum : μόλυβδος πεπλυμένος, Plumbum lotum s. Lotura plumbi : σκωρία μολύβδου, Scoria s. Recrementum plumbi. Apud Eosd. μολύβδου ἔλασμα, Lamina plumbi : pro quo et ἐλασμὸς μολύβδου dicitur : ut ap. Suid. εἰς ἐλασμοὺς μολύβδων γράφοντες, In laminas plumbeas. [|| I. q. μολύβδιον. V. Μολύβδιον. || Ἡ, i. q. μολυβδίς. Ammon. De diff. p. 124 : Τὸ μὲν γὰρ βαρυτονούμενον (σταφύλη), φησὶν (Πτολεμαῖος ἐν δευτέρᾳ περὶ τῶν ἐν Ὀδυσσείᾳ προσῳδιῶν) ὄνομα ἐπὶ τῆς καθιεμένης μολύβδου παρὰ τοῖς ἀρχιτέκτοσι τίθεται. Quo de l. v. in Μολιβδίς. De accentu Arcad. p. 48, 15.]

[Μολυβδόσταχτον, i. q. μολύβδαινα, quod v.]

[Μολυβδοτήξ. V. Μολιβδοτήξ.]

[Μολυβδουργός. V. Μολιβδουργός.]

[Μολυβδοῦς, ῆ, οῦν, Plumbeus. Theophr. fr. 4 De odor. 41 : Εἰς ἀγγεῖα μολυβδᾶ. Inscr. Att. ap. Bœckh. vol. 1, p. 166, n. 123, 43 : Τῶν μολυβδῶ[ν ... στη]κωμάτων. Idem an fuerit ib. p. 167, 64, ubi μολυ...ωι, incertum est.]

Μολυβδοφανὴς, ὁ, ἡ, Plumbeus aspectu, Qui plumbeus videtur. Athen. 9, [p. 391, B] ex Alexandro Myndio, de scope ave : Ἐπὶ μολυβδοφανεῖ τῷ χρώματι ὑπόλευκα στίγματα ἔχει.

[Μολυβδόχαλκος, ου, ὁ, Metallum ex plumbo et ære compositum. Synes. ap. Fabric. Bibl. Gr. vol. 8, p. 245. Cramer. Conf. Μολιβδόχαλκος.]

Μολυβδοχοέω, Plumbum fundo, s. Tracto artem fundendi plumbi. Pollux [7, 108] μολυβδοχοεῖν generalius esse dicit τὸ μόλυβδον ἐργάζεσθαι, Tractare plumbum. [Memorat idem 3, 87. Aristoph. Eccl. 1110 : Τὼ πόδε μολυβδοχοήσαντας κύκλῳ περὶ τὰ σφυρά. « Gregor. Nyss. vol. 2, p. 292, D. » Hemst.]

[Μολυβδόχρως, ωτος, ὁ, ἡ, Qui plumbei est coloris. Galen. vol. 2, p. 209 : Ἡ χροιὰ πελιδνή πώς ἐστι καὶ χαλεῖν ἔθος ἐστὶν ἐνίοις τῶν ἰατρῶν τοὺς τοιούτους μολυβδοχρῶτας, sic, accentu vitioso in compositis cum χρὼς, ut dictum in Μελάγχρως. L. Dind.]

[Μολυβδόω, Plumbo. Hesych. : Ἀπόσταδον, δίκτυον μεμολυβδωμένον. Dahler. Euseb. Præp. ev. p. 454. Wakef. V. Μολυβδέω.]

Μολυβδώδης, s. Μολιβδώδης, ὁ, ἡ, Plumbaceus, Plumbi naturam referens. Diosc. 5, 97 : Μηδὲν ἔχουσα μολιβδῶδες. Sic et c. præced. : Ἄχρις ἂν μηδὲν ἔχῃ μολιβδῶδες. [Philostr. V. Ap. 3, 14, p. 103 : Φλόγα μολυβδώδη. Rufus p. 234 Matth., Euseb. Dem. evang. p. 523, C, per ι.]

Μολύβδωσις, εως, ἡ, Plumbatura [Gl.], h. e. Ferruminatio quæ plumbo facta est.

[Μολυβδωτὸς, ή, όν, Plumbatus. Gl. : Μολυβδωταὶ, Plumbatæ.]

[Μολυβίδιον, τὸ, vel Μολυβὶς, ίδος, ἡ, Ellychnii alveolus, τὸ τοῦ ἐλλυχνίου γαστρίδιον, ἡ τοῦ θρυαλλιδίου γλωττὶς, sc. Suber ferreo filo transfixus, quo ellychnium seu lampadis funiculus oleo supernatans retinetur. Ita Goarus Euchthe. p. 428 : Καὶ γεμίζεται ἔλαιον χανδήλα μεγάλη χωροῦσα λίτρας ἑπτὰ, καὶ ἕκαστος καταστέγει τὸ ἴδιον μολυβίδιν μετὰ ἀπτρίου. Et in Off. dedicat. templi p. 833 : Καὶ χανδήλα, ἢ καὶ λυχνὶς λέγεται καὶ λαμπτὴρ καὶ μολυβίδα καὶ θρυαλλίδα. Adde p. 840, 848. Ducang.]

[Μολύβινος, η, ον, i. q. μολύβδινος. Soranus in Cochii Chirurg. p. 47, θ' : Δερματίνων ἢ μολυβίνων ληκύθων. L. Dind.]

[Μολύβιον, τὸ, i. q. μολυβίς. Oribas. p. 41 ed. Maji : Μολύβιον δισκοειδές. L. Dind.]

Μολυβὶς, ίδος, ἡ, ap. Hesych. pro μολυβδὶς, nimirum μολυβδαίνῃ exponentem μολυβίδι, Pilæ s. Globulo plumbeo. [Basil. M. vol. 2, p. 145, E : Κάλει δημίους· Ποῦ δὲ αἱ μολυβίδες; ποῦ δὲ αἱ μάστιγες; ubi est var. μολιβίδες. V. Μολυβδὶς et Μολυβίδιον.]

[Μολυβοειδὴς, ὁ, ἡ, i. q. μολυβδοειδὴς, quod v. Ex. Hesychii est in Μολυβρός.]

[Μόλυβος, ὁ.] Ut μόλιβος interdum sine δ scriptum reperitur, ita etiam Μόλυβος, in carmine præsertim, metri lege postulante secundæ syllabæ correptionem. [Forma μόλυβος pro μόλυβδος etsi non minus rationi consentanea est quam μόλιβος pro μόλιβδος, multo tamen minore nititur testimoniorum numero, quorum unum est disertum Mœridis p. 256 : Μόλυβδος Ἀττικοὶ, μόλυβος Ἕλληνες, si ita scripsit. Nam etiam ap. Hom. Il. Λ, 237, et Apoll. Rh. 4, 1679, ubi metrum postulat formam sine δ, nulla est auctoritas formæ μόλυβος, libris aut μόλυβδος aut μόλιβδος aut μόλιβος præbentibus. V. Μόλυβδος.]

[Μολυβοσκέπαστος, ὁ, ἡ, Plumbo opertus. Ms. recentissimus ap. Montef. Palæogr. Gr. p. 487, D, ναός. L. Dind.]

Μολυβοῦς, ᾶ, οῦν, Plumbeus. Athen. 14, [p. 621, A]: Εἰς μολυβῆν κεραμίδα ἐμβαλὼν καὶ ἀναγαγὼν εἰς τὸ πέλαγος, κατεπόντωσεν. [Ubi liber unus μολιβῆν. Zonaras p. 1366 : Οἱ Ἀττικοὶ μόλυβδον καὶ μολύβδινον· τὸ δὲ μολυβοῦν ἐσχάτως βάρβαρον. Apud Diod. 2, 10, μολυβᾶς (sic) libri plures optimi, ceteri μολιβᾶς, quod, quum μόλιβδον sit in omnibus ib. 8, haud dubie præstat.]

[Μολυβρὸς, ἡ, όν.] Hesych. et Μολυβρὸν affert, exponens μολυβοειδὲς, Plumbi speciem gerens, Plumbosum : quod proculdubio συγκέκοπται ἐκ τοῦ μολυβηρός. [V. Μολοβρός.]

[Μολυβρῶ. V. Μομβρῶ.]

[Μόλυκος, ὁ, Molycus, dux Cassandri, Diod. 19, 54. Liber unus Μόλυκκος.]

[Μολύκραι, αἱ, Molycræ oppidum idem quod Μολύκρεια, restituendum animadverterunt interpretes ap. Steph. Byz. : Ὀλύκραι, πόλις περὶ Ναύπακτον. Ἑκαταῖος περιηγήσει Εὐρώπης. Τὸ ἐθνικὸν Ὀλυκραῖος.]

[Μολύκρεια, ἡ, Molycria. Πόλις Αἰτωλίας. Στράβων ι' (p. 451, 460, et 9, p. 427). Θουκυδίδης Μολύκρειον αὐτὴν καλεῖ (2, 84 et ubi multi libri Μολύκριον, 3, 102), Εὐφορίων δὲ Μολυκρίαν αὐτήν φησι. Τὸ ἐθνικὸν Μολύκριος καὶ θηλυκῶς καὶ οὐδετέρως (h. e. Μολύκριος, α, ον). Καὶ Μολυκρῖται (ita Xylander pro Μολυκρίσαι vel Μολίκρισα, ut cod. Vratisl., quod Μολυκρεῖς potius scribendum) καὶ Μολυκριάς. Λέγεται καὶ Μολυκριεύς. Ἀρκάδιος δὲ Μολυκραίους φησὶ, Steph. Byz. Ap. quem in Ῥίον scriptum Μολυκρίαν, ubi liber Vratisl. Μολικριχόν (sic). Μολυκρίαν ap. Polyb. 5, 94, 7, cui restituendum videtur Μολύκρειαν, quod codices suppeditarunt ap. Diod. 12, 60, et Strabonem locis supra citatis, estque etiam ap. Scylacem p. 14, ubi non recte Μολυκρεία paroxyt. Ap. Pausan. 9, 31, 6 vero : Ἔφυγον ἐς Μολυκρίαν ἐκ Ναυπάκτου διὰ τοῦ Ἡσιόδου τὸν φόνον καὶ αὐτόθι ἀσεβήσασιν ἐς Ποσειδῶνα ἐγένετο τῇ Μολυκρίδι σφίσιν ἡ δίκη, pro quo τῇ Μολυκρίᾳ Porsonus, inutile nomen rectius deleri videtur cum Amasæo. Μολύκριον Ῥίον, nisi forte scribendum Μολυκρικὸν, ut ex cod. factum ap. Helladium Photii Bibl. p. 534, 19, ubi pro Μολύκριον nunc Μολυκρικὸν, ut ap. Thuc. 2, 86, quo spectare videtur cod. Vratisl. Steph. Byz. l. c., memorat Strabo 8, p. 336. Μολύκριον Pausan. 5, 3, 6.]

[Μόλυμμα, τὸ, Inquinabulum, Gl. Infra Μόλυσμα, nisi ita scribendum.]

[Μολύνδεια, ἡ, Molyndia. Πόλις Λυκίας, ἀπὸ Μολυνδαίου. Ἀλέξανδρος ἐν τῷ περὶ Λυκίας α'. Τὸ ἐθνικὸν Μολυνδεὺς, Steph. Byz.]

Μολυνίη, ἡ, [Hesychio] ἡ πυγὴ, Podex : quoniam excrementis quæ ejicit, polluitur.

[Μολῡνοπραγμονέομαι, Inquinor tricis. Aristophan. Ach. 382 : Ὥστ' ὀλίγου πάνυ ἀπωλόμην μολυνοπραγμονούμενος.]

Μόλυνσις, εως, ἡ, Inquinatio, Contaminatio, vel Inquinamentum, Theophr. C. Pl. 4. [Schol. Hom. Il. Λ, 749 : Μολίονε, ἀπὸ τῆς κατὰ τὴν μάχην μολύνσεως (μολήσεως Apollon. Lex. Hom. p. 462). Wakef. V. etiam Μώλυσις.] Aristot. vero μολύνσεως nomine Levem quandam coctionem intelligit, parum ab ipsa differentem cruditate. Ita enim ille Meteorol. 4, [3] : Μόλυνσις δὲ ἀπεψία μὲν, ἐναντία δὲ ἑψήσει, εἴη δ' ἂν ἐναντία ἡ πρώτη λεχθεῖσα ἀπεψία τοῦ ἐν τῷ σώματι ἀορίστου δι' ἔνδειαν τῆς ἐν τῷ ὑγρῷ τῷ πέριξ θερμότητος. [Heliod. Æth. 2, 19, p. 77 : Οἷον λύκοι τινὲς ἢ θῶες ἐλάφυσσον τὰ ἀεὶ τετμημένα καὶ πρὸς ὀλίγον τῷ πυρὶ μεμολυσμένα, cum loco Aristot. confert Coraes p. 79, et interpretatur τοσοῦτον μόνον προσομιλήσαντα τῷ πυρὶ ὅσον μολυνθῆναι, ὅπερ καὶ διὰ τοῦ Ἀφαυήναντες ἀρκούντως ἐδήλωσεν. Poterat etiam conferre ejusd. Aristot. De generat. an. 4, 7 : Πάσχει γὰρ ταὐτὸν τὸ κύημα (quod μύλη dicitur) ἐν τῇ μήτρᾳ ὅπερ ἐν τοῖς ἑψομένοις τὰ μολυνόμενα, καὶ οὐ διὰ θερμότητα, ἀλλὰ μᾶλλον δι' ἀσθένειαν θερμότητος ... τῆς γὰρ σκληρότητος ἡ ἀπεψία αἰτία· ἀπεψία γάρ τις καὶ ἡ μόλυνσίς ἐστιν. Et Theophr. C. Pl. 4, 9, 6 : Ἔοικε δὲ καὶ ἡ ὥρα τι συμβάλλεσθαι πρὸς τὸ μὴ χρονίζειν· οἷον γὰρ εἰς ὀργῶσαν πίπτειν τὴν γῆν· καὶ παραπλήσιον τὸ συμβαῖνον, ὥσπερ τὰ ἐπὶ τὸ ζέον ἐμβαλλόμενα τῶν ἑψομένων· οὐδεμίαν γὰρ οὐδ' ἐκεῖνα λαμβάνει μόλυνσιν.]

A Μολύνω, Polluo, Contamino, Inquino, Conspurco. [Foedo, Attamino, Incesto, Deturpo, Obscœno, add. Gl. « Primitiva notio est Conspergere ; quare etiam in bonam partem usurpavit Sotades comicus ap. Athen. 7, p. 293, D : Ἐμόλυν' ἀλεύρῳ, Farina respersi. » Schw. De simili usu v. in Μόλυνσις.] Synes. Epist. 5 : Ἡ κέρδει παρ' αὐτῶν ἐμολύνατο, Lucro ab his contaminatus est. Activa voce in Apocal. [3, 4] : Τὰ ἱμάτια αὐτῶν οὐκ ἐμόλυναν. [Aristoph. Eq. 1286 : Καὶ μολύνων τὴν ὑπήνην, de fellatore. Pl. 310 : Καὶ μαγγανεύουσαν μολύνουσάν τε τοὺς ἑταίρους. Theocr. 5, 87 : Καὶ τὸν ἀναβον ἐν ἄνθεσι παῖδα μολύνει. Ubi schol. (qui ipse ad v. 118 dicit : Ὁ δεσπότης σου δήσας σε ἐπύγιζεν, ἐμόλυνεν, ὅπερ δηλοῖ τὸ ἐκάθηρεν, ἀντὶ τοῦ ἔτυπτε καὶ ἐξέδειρε) interpr. ἐπὶ συνουσίας. 20, 10 : Ἀπ' ἐμεῦ φύγε, μή με μολύνῃς. « Obscœniori signif., Εἰ δὲ αὐτός τις ἑαυτὸν μολύνοι κατὰ σκελῶν ἀφιεὶς, Artemid. 2, 26, p. 114, 27. Mox τὴν κοίτην μολῦναι et τοῖς μολυνομένοις ἐνδιατρίβειν. » Hemst. Aristot. H. A. 6, 18 : Πρὸς τὰ δένδρα τρίβοντες καὶ τῷ πηλῷ μολύνοντες. Plato Reip. 7, p. 535, E : Ἡ

B (ψυχὴ) ἂν ὥσπερ θηρίον ὕειον ἐν ἀμαθίᾳ μολύνηται. Isocr. p. 98, C : Τόλμαν δυναμένην ὄχλῳ χρῆσθαι καὶ μολύνεσθαι καὶ λοιδορεῖσθαι τοῖς ἐπὶ τοῦ βήματος κυλινδουμένοις. Muson. Stob. Fl. vol. 1, p. 369 : Ὁ μολυνόμενος ὑπὸ τοῦ ὄψου μᾶλλον ἢ χρή. Cum genitivo Themist. Or. 27, p. 334, C : Ἀλλ' ὅμως Πίνδαρος καὶ Κόριννα καὶ Ἡσίοδος οὐκ ἐμολύνθησαν τῆς ὑός. Sed liber optimus τῇ συΐ. || De oratione Phrynich. Epit. p. 440 : Πάλιν ἡμᾶς μολύνων οὐδέν τι ἀναπαύεται (l. οὐδὲν διαπ.) ὁ Μένανδρος. || Perf. pass. partic. μεμολυσμένος exx. grammaticorum nonnulla attulit Schæfer. ad schol. Apollon. Rh. 3, 276, p. 236. Quibus addere licet Epictet. Enchir. 33, 6, Ephræm. Syr. vol. 3, p. 516, F; 542, C. Μεμολυμμένος de conjectura intulerant nonnulli Aristot. H. A. 10 extr. Quam formam testatur gramm. in Cram. Anecd. vol. 4, p. 197, 24, qui etiam μεμόλυγκα ponit p. 182, 25. L. Dind.]

[Μολυρίς. V. Μολουρίς.]

[Μολυρός.] Μολυρὸν, Hesychio νωθρὸν, βραδὺ, Segne, Tardum : item ἀνιαρὸν, λυπηρὸν, ἀηδὲς, ἀχάριστον, Do-

C lorificum, Molestum, Injucundum, Ingratum. [Supra ap. eund. Μολορός. V. nomen sequens.]

[Μόλῡρος, ὁ, Molyrus, f. Arisbantis, ap. Hesiodum in fr. Eœarum ap. Pausan. 9, 36, 7 : Ὕηττος δὲ Μόλυρον Ἀρίσβαντος φίλον υἱὸν κτείνας. Libri plures Μόλουρον. Quod nomen commendari videtur nomine Μολουρὶς s. Μολουριὰς, quod v., alterum vero adjectivo μολυρὸς, nisi hoc ipsum suspectæ esset scripturæ. L. D.]

[Μόλυς inter barytona in υς ponit Herodianus Π. μον. λ. p. 33, 1.]

[Μόλυσμα, τὸ, Piaculum, Gl. Porphyr. De abst. 4, 20, p. 369 : Μόλυσμα καὶ μίανσιν. Ephræm Syr. vol. 3, p. 497, A : Τῶν ψυχικῶν μου μολυσμάτων. Supra μόλυμμα. L. D. Schol. Æsch. Pers. 577, Eum. 327. Schol. Jo. Climac. p. 369. Boiss.]

[Μολυσματώδης, ὁ, ἡ, Inquinatus. Hermias In Plat. Phædr. p. 107 fere med.; Proculus ad Hes. Op. 751.]

Μολυσμὸς, ὁ, Inquinatio, Contaminatio. Item Inquinamentum, [Contagium, add. Gl. Hesychio] μίασμα, [ἀκαθαρσία, et ἁμαρτία δυσέκπλυτος eidem]. Pau-

D lus 2 Ad Cor. 7, [1] : Καθαρίσωμεν ἑαυτοὺς ἀπὸ παντὸς μολυσμοῦ σαρκὸς καὶ πνεύματος. [Plutarch. Mor. p. 779, C. « Suidas in Διαγνώμων : Τοὺς μολυσμοὺς τῆς φύσεως. » Valck. Damnat Thomas v. Προτροπὴ p. 756. Cum duplici genitivo Ephræm Syr. vol. 3, p. 477, F : Τῆς γῆς μολυσμὸς τοῦ αἵματος, Terræ infectio sanguine, Int. Damasc. Photii Bibl. p. 338, 26 : Ὅτι φυλακεῖα οἱ Ἀλεξανδρεῖς ἐκάλουν τὰ ἐκμαγεῖα τῶν γυναικείων μολυσμῶν. L. Dind.]

[Μολυχνὸς, ὁ, Inquinatus, δεισαλέος, Hesychio in gll. : Μοδυχνὸν, διοταλέον, et Μολυχνὸν, δυσταλέον, et Μολύκνον (post Μωλύεται posita), μεμολυσμένον, ut ap. eund. Hes. est : Δυσταλέος, ῥυπαρὸς, pro δεισαλέος.]

[Μόλων, ωνος, ὁ, Molo, n. viri, cujus notissimum ex. est pater Apollonii Alabandensis rhetoris, ap. Dionys. Hal. vol. 5, p. 645, 14, qui ab illo modo Ἀπολλώνιος Μόλωνος modo Ἀπ. Μόλων dicitur, ut pluribus probavit Fabric. Bibl. Gr. vol. 4, p. 273, aliasque ejusmodi permutationes genitivi et nominativi nominis paterni comparavit, quibus Roulez. ad Ptolem.

Hephæst. p. 5 addit exemplum Ptolemæi qui modo Hephæstio dicitur modo Hephæstionis. Ἀπ. ὁ Μολῶν male scriptum ap. Cosmam Topogr. Christ. p. 341, D. Alius ap. Aristoph. Ran. 55, ubi v. schol., quocum conf. Eust. Od. p. 1834, 31, Demosth. p. 418, 5. Archon Att. ol. 104, 3, ap. Demosth. p. 1207, 11, Diod. 15, 90. Alii ap. Theocr. 7, 125, in inscrr. Aphrodis. ap. Bœckh. vol. 2, p. 501, n. 2748, 7; p. 513, n. 2771, 11, 2, Polyb. 5, 40, 7 etc. Conf. Chœrob. vol. 1, p. 79, 26. L. Dind.]

[Μολωναί, αἱ, Molonæ. Arcad. p. 112, 26: Τὸ Κλεωναὶ καὶ Μοχωναὶ πόλεις πληθυντικῶς λεγόμεναι (ὀξύνεται), ubi Μολωναὶ alter codex Paris., quod Κολωναὶ scrib. videri potest. V. tamen Μοχωναί. L. Dind.]

[Μολώνιος, ὁ, patronymicum a Μόλων i. significans quod genit. Μόλωνος, in inscr. Bœot. ap. Bœckh. vol. 1, p. 757, n. 1574, 20; 761, n. 1578, 10. L. Dind.]

[Μολώτας, α, ὁ, Molotas, n. viri, esse videtur in inscr. Corcyr. ap. Bœckh. vol. 2, p. 26, n. 1848 bis. Μολῶτις, ιδος, ἡ, Molotis, n. mulieris, in alia Corcyr. ib. p. 37, n. 1907, b. L. Dind.]

[Μολώχ. V. Μολόχ.]

Μομβρῶ, Hesychio [et Photio s. Suidæ] ἡ μορμὼ καὶ φόβητρον, Larva et terriculamentum. Apud Suidam μολυβρῶ legitur pro μομβρῶ, sed repugnante serie alphabetica.

Μομμὼ, ἡ, idem dicitur quod μορμώ: cui Hesychius subjungit, Μομμὼ, quod nos μορμὼ dicimus, τὸ φόβητρον τοῖς παιδίοις.

[Μομυζία, ἡ, quid sit docet Pœnitentialis Ms. ex cod. Colberteo: Οἱ δὲ εἰς μομυζίας πεσόντες, τουτέστιν εἰς ἰδίας ἀδελφὰς μονοπροσῶπος [sic] ἡμέρας ἢ ἀδελφογυναῖκα ἢ ἐξαδέλφου πρώτου ἢ τῶν τοιούτων, ... ἔτη ε'. Duc.]

Μομφὴ, ἡ, Querela, Querimonia [Gl.], i. q. μέμψις. [Pind. Nem. 8, 39: Μομφὰν ἐπισπείρων ἀλιτροῖς.] Æsch. Sept. c. Th. p. 120 [1010]: Ὅσιος ὢν μομφῆς ἄτερ τέθνηκεν, i. e. ἀμέμπτως, Ita ut nemo de eo conqueri possit, incuset, Inculpate. [Eur. Ion. 885: Σοὶ μομφὰν εἰς τάνδ' αὐγὰν αὐδάσω. Plurali Lycophr. 59, 450.] Plato Epist. [6, p. 323, B]: Πέμπετε μομφῆς κατήγορον ἐπιστολὴν, Mittite epistolam quæ deferat querimoniam. Item μομφὴν ἔχει, ex Aristoph. [Pac. 664], μέμφεται, ἐγκαλεῖ. Et ex Eur. Phœn. [785]: Μομφὰς ἔχει, Succenset, Expostulat. [Pind. Isthm. 3, 54: Μομφὰν ἔχει παίδεσσιν Ἑλλανων. Cum genit. Soph. Aj. 180: Ἤ τιν' Ἐνυάλιος μομφὰν ἔχων ξυνοῦ δορός. Cum accus. Eur. Or. 1069: Ἓν μὲν πρῶτά σοι μομφὴν ἔχω. Idem Alc. 1009: Μομφὰς οὐχ ὑπὸ σπλάγχνοις ἔχειν σιγῶντα. De accentu acuto Arcad. p. 85, 10.]

Μόμφος, ὁ, s. Μόμψις, εως, ἡ, Hesychio δύσκλεια. [Ignominia, in gl. post Μομφὴ posita: Μόμψεις (sic), δ. ἢ μόμφος. Antiatt. Bekk. p. 107, 18: Μόμφιν ἀντὶ τοῦ μέμψιν, Τηλεκλείδης. Μόμφον, τὴν μέμψιν, Εὐριπίδης Πλεισθένει. Μομφὸς scriptum ap. Eust. Od. p. 1761, 39, qui Aristophanem gramm. μομφὸς ex Euripide afferre tradit. Teleclidem μόμφον vel μομφὴν scripsisse putabat Meinek. Com. vol. 2, p. 376, neglecta Hesychii gl., quæ Teleclidem spectare videtur.]

[Μόμψις. V. Μόμφος.]

[Μόμψος. V. Μόψος.]

[Μόνα, Putilia, Gl. obscure.]

[Μοναβαί, αἱ, Monabæ. Πόλις Ἰσαυρίας. Καπίτων ἐν Ἰσαυρικοῖς. Τὸ ἐθνικὸν Μοναβάτης, Steph. Byz.]

[Μονάγκων, ωνος, ὁ, ap. Philon. Belop. p. 91, C: Καὶ τοῖς πετροβόλοις ἄνω βάλλοντας τοῖς παλιντονίοις (—τόνοις) καὶ μοναγκῶσι (μονάγκωσι), Schneider. interpr. Machinam quæ lapides cum ἀγκῶνι s. brachio vel cubito ad feriendum jacularetur, Lat. Onagrum dictum.]

[Μοναγρία, ἡ, Solitarius ager. Alciphr. 2, 2: Ὁ Ἀτρεὺς οὗτος, Ἔξελθε, φησὶν, ἐκ τῆς ἐμῆς μοναγρίας καὶ μὴ πρόσιθι Λεοντίῳ. Philo vol. 2, p. 474, 30: Ἀλλὰ τειχῶν ἔξω ποιοῦνται τὰς διατριβὰς ἐν κήποις ἢ μοναγρίοις, ἐρημίαν μεταδιώκοντες. Euseb. H. E. 2, p. 67, 7: Ἔξω τειχῶν προελθόντας ἐν μοναγρίοις καὶ κήποις τὰς διατριβὰς ποιεῖσθαι· Sozomen. 1, 11, p. 26, 10: Ἔξω τειχῶν ἐν μοναγρίαις καὶ ἐν κήποις διατρίβειν· et Suid. v. Θεραπευταί: Ἐν μονάγροις ἢ κήποις ἢ ὄρεσι τὰς διατριβὰς ποιοῦνται, illa repetentes confert Bast. Ep. crit. p. 181. Idem Philo vol. 2, p. 4, 38: Ἡ διὰ τοὺς ἐπιφοιτῶντας

A συνεχέστερον ἔξω πόλεως προελθὼν ἐν μοναγρίῳ ποιεῖται τὰς διατριβάς. Ubi nonnulli codd. μοναγρίᾳ. Sozomen. 7, 28, p. 321, 13: Οἳ δὴ τὸ πρὶν ἐφιλοσόφουν, οὐκ ἐν μοναγρίαις, ἀλλ' ἐν Γάζῃ πρὸς θάλασσαν, ὅπερ καὶ Μαϊουμᾶν ὀνομάζουσιν. Μονάγροις ap. Suidam græcum non esse recte animadverterunt Angli.]

[Μονάδην, inter adverbia in άδην cum μόνος ponitur ab Apollon. De adv. p. 611, 25, Etym. M. p. 367, 9. Conf. Μοναδόν.]

Μοναδικὸς, ἡ, ὸν, Singularis, Unicus. Et μ. ἀριθμὸς, ap. Aristot. [Eth. Nic. 5, 6, et sæpe in Metaphys.] et Philosophos, ipsa μονὰς et unitas. Item Solitarius. [De bestiis Aristot. H. A. 1, 1: Τὰ μὲν γὰρ αὐτῶν ἐστιν ἀγελαῖα, τὰ δὲ μοναδικά· iterumque ib. et 9, 40 init.] M. βίος, Vita solitaria, Quum quis solitarius degit, Synes. Ep. 66: Ἔτι μειράκιον ὢν, εἰς μ. βίον ἐτέλεσε, Solitariam vitam professus est, Monasticæ vitæ se dedidit, Inter monachos profiteri cœpit. Ead. Epist.: Τῇ δὲ ἡλικίᾳ συμπροϊούσης τῆς μοναδικῆς κατὰ τὸν βίον ἐνστάσεως, Solitariæ s. Monasticæ vitæ instituto. Item μ.

B φύσις, Natura solitaria, Sui juris, Suæ potestatis. [De monachis Niceph. Greg. Hist. Byz. 1, 4, p. 12, B: Μοναδικὸν περιέβαλε σχῆμα. Vita Pauli Theb. ap. Lambec. Bibl. Cæs. vol. 8, p. 723, B: Μοναδικῆς πολιτείας· C: Μοναδικῆς ἀγωγῆς, quod infra μοναχική. L. D.] ‖ Μοναδικῶς, In unitate, More eorum quæ monade continentur. Plut. Symp. 4 [9], 14 [p. 744, E], de novem Musarum choro: Εἶτα πάλιν αὖ μ. ἑκάστη μίαν περιέπει λαχοῦσα καὶ κοσμοῦσα δύναμιν. Ubi sunt qui Sigillatim interpr., s. Peculiariter. ‖ Solitarie. [Μονῳδικῶς, Singulariter. Pseudo-Chrys. Serm. 33, vol. 7, p. 339, 34: Οὐ γὰρ μονῳδικῶς, ἀλλὰ πληθυντικῶς ἐξεφώνησεν. Seager. Leg. μοναδικῶς. Angl. Gregor. Nyss. vol. 3, p. 28, A.]

[Μοναδιστί, Per unitates. Nicomach. Arithm. 2, 8, p. 119 ed. Ast.: Δύο γὰρ καὶ ἐν ὁ γ' ἐστὶ, καὶ τῇ γε σχηματογραφίᾳ οὕτω συνίσταται· ἐπὶ μιᾷ γὰρ μονάδι δύο μονάδες παράλληλοι ὑποτίθενται καὶ τριγωνίζεται ὁ γ' ἀριθμός· εἶτα ἑξῆς ἐπὶ τούτοις ὁ γ' συνεχὴς προσσωρευθεὶς καὶ ἐξαπλωθεὶς εἰς μονάδα καὶ συντεθεὶς τὸν ς' ἀποδίδωσι

C δεύτερον ἐνεργείᾳ τρίγωνον ... καὶ πάλιν ὁ φύσει ἀκόλουθος ὁ δ', ἐπὶ τούτοις σωρευθεὶς καὶ μοναδιστὶ ὑπογραφεὶς ... ἀποδίδωσι τὸν ι'. Ubi μ. ὑπ. i. est q. ἐξαπλωθεὶς εἰς μονάδα. L. Dind.]

Μοναδὸν, Solummodo, Solum, quod tamen schol. Nicandri [Th. 148] ita a μόνος derivari scribit, ut οἰαδὸν ab οἶος: quem sequendo ponendum fuisset post Μόνος. [Μουναδὸν Oppian. Hal. 1, 444, Cyn. 4, 40, Nonn. Jo. c. 20, 32.]

[Μοναδὸς, ὁ, ap. Eust. Opusc. p. 272, 78, corruptum videtur; fortasse ex μοναδικός.]

Μονάζω, Solitarius dego. [Iamblich. V. Pyth. 3, p. 40 Kiessl.: Ἔνθα ἐμόναζε τὰ πολλὰ ὁ Πυθαγόρας κατὰ τὸ ἱερόν.] Hist. Eccles. 4: Οἱ πλείους γὰρ ἦσαν μονάζοντες, ἔρημον οἰκοῦντες δι' ἄσκησιν. [Μονάζοντες, Gl. Mss. μοναδικοὺς, ἀναχωρητὰς ἢ ἁπλῶς μονάζοντας. Sic igitur dicti scriptoribus passim Monachi omnes, adeo ut mirari subeat Suaresium in Notis ad Nili Ascetica p. 600, 601, existimasse alios esse et diversos a monachis, atque ita duntaxat appellari, qui proxime accedebant

D ad monachatus professionem, vel eos qui vestem monachicam, ad quam aspirabant, nondum susceperunt: quum ex ipso Nilo Ep. 3, 108, contrarium eruere potuerit, scribente Lamprotychum Archimandritam habuisse καθηγουμενείαν τῶν μοναζόντων, Monachorum scilicet, et ex Ep. 1, 60, ubi quem in Inscriptione μονάζοντα, in Epistola μοναχὸν vocat. Hanc Suaresii hallucinationem observavit Bulteau Hist. monach. Orientis 2, 6 ... Non aliter fere monachos omnes appellant Eusebius, Athanasius, Gregor. Nyss., Cyrillus etc. Ducang. Μονάζουσα, de nonna, Typicum Irenes Cotel. Eccl. Mon. vol. 4, p. 204, Leo episc. ap. Pasin. Codd. Taurin. vol. 1, p. 426 seq. et alii. L. Dind. ‖ Solus sum. Rufinus Anth. Pal. 5, 66, 1: Εὐκαίρως μονάσασαν ἰδὼν Προδίκην ἱκέτευον. Eust. Il. p. 68, 13: Τὸ Ἀχιλλεύς ποτὲ μὲν διπλασιάζει τὸ λ, ποτὲ δὲ μονάζον ἔχει αὐτό. De vocabulo solitario et singulari Herodian. Π. μον. λ p. 8, 20: Μονάζει ἄρα τὸ Ἄρτεμις. Conf. Apollon. De constr. p. 191, 2. ‖ Transitive Eust. Il. p. 349, 35: Ἄστυ δὲ παρὰ μὲν τῷ ποιητῇ πᾶσα πόλις, Ἀθηναῖοι δὲ ὕστερον εἰς τὴν κατ' αὐτοὺς ἐμόνασαν τὸ ὄνομα. Unde ap. eund. pass. Opusc. p. 189, 10 : Ἐγκλειστέον οὖν ὅλον σεαυτὸν, ... ὥστε σὲ μὲν ὅλον ὡς εἰς ψυχὴν μονάζεσθαι· Il. p. 1321, 28 : Πῶς δὲ οἱ τῇ συμφυΐᾳ μοναζόμενοι νοηθεῖεν ἂν πολλοί; || Per unum multiplico. Iamblich. In Nicomach. p. 85, A : Ἡ μὲν γὰρ μονὰς ἑαυτὴν μονάσασα τετραγωνικὴ γίνεται, ἡ δὲ δυὰς ἑαυτὴν δυάσασα τετράγωνον τὸν δ' ποιεῖ, καὶ ἡ τριὰς ἑαυτὴν τριάσασα τὸν θ'.]

Μονάζωνοι, Monachi appellari dicuntur, peculiari habitu sese distinguentes. [E Lexico septemv. Corruptum videtur ex Μονάζοντες.]

[Μοναθλία, ἡ, i. q. μονομαχία, Singulare certamen. Nicet. Annal. 1, 6, p. 16, A.]

[Μοναίσης, ὁ, Monæses, Parthus, ap. Plut. Anton. c. 37. Μόναισος ut n. pr. ponit Suidas. Μοναίσης Zonaras.]

Μονάκανθος, ὁ, ἡ. Qui unicam spinam habent, μονάκανθοι dicuntur ab Aristotele [ap. Athen. 7, p. 281, F. ἄ]

Μοναλκὴς, ὁ, ἡ, Eximio robore præditus, ita ut solus esse videatur robustus. [Hesychio ἐξέχουσα, ἀνδρωδεστάτη.]

[Μονάλυσις, εως, ἡ, Singularis catena. Pollux 10, 167 : Ἅλυσις καὶ μονάλυσις. Sed duo postrema desunt in libris et suspecta videntur.]

[Μοναμπυκία, ἡ, Si unus tantum equus est ornatus circa caput, si unus equus est frenatus διαχρύσοις χαλινοῖς. Μοναμπυκίᾳ, Pind. Ol. 5, 7, ubi per id abstractum notatur equus κέλης, ut sit δι' ἑνὸς ἵππου. Damm.]

[Μονάμπυκος, ὁ, ἡ, i. q. sequens. Eur. Hel. 1567 : Μονάμπυκον ψήχων δέρην (tauri, qui funiculo vinctus duceretur). V. seq. voc.]

[Μονάμπυξ, υκος, ὁ, ἡ.] Μονάμπυκες πῶλοι, Unum tantum habentes ἄμπυκα [i. e. Redimiculum] singuli. Eurip. ita vocare dicitur τοὺς κέλητας. [Alc. 428 : Τέθριππά θ' οἳ ζεύγνυσθε καὶ μονάμπυκας πώλους· Suppl. 586 : Μοναμπύκων τε φάλαρα· 680 : Μοναμπύκων ἄναξ. Ubi dicitur, ut μονάμπυκος, de redimitis, iisque singulatim incedentibus et solitariis.]

Μονανδρέω, Unicum maritum habeo. Suid. ex quopiam cujus tacet nomen : Οὐχ ᾔδεισαν Αἰγυπτίων αἱ γυναῖκες τοπαλαιὸν μονανδρεῖν.

[Μόνανδρος, ἡ, Univira, Gl. Inscr. Ephes. ap. Bœckh. vol. 2, p. 613, n. 2986, 4 : Τὴν μόνανδρον Νυμφιδίαν. Exc. ex Jo. Chrysostomi τοῦ περὶ μονάνδρων λόγου sunt ap. Bandin. Bibl. Med. vol. 1, p. 98, B. L. Dind.]

[Μοναξία, ἡ, Solitudo. Eust. Il. p. 22, 12 : Ἐκ τούτου δὲ (quod χ vertatur in ξ) ἰδιωτικώτερον καὶ ἡ μοναξία ἔοικε λέγεσθαι. Schol. Eur. Hec. 996 : Ἀρσένων ἐρημία) τῶν ἀνδρῶν μοναξία. Paullo antiquioris esse originis voc. ostendit n. pr. Μονάξιος, et adverb., a quo utrumque ducitur, Μονὰξ s. Μουνὰξ, quorum illud est ap. Eust. Opusc. p. 250, 80 : Τὴν μονὰξ, de hoc HSt. :] Μουνὰξ, Seorsum, Singulatim, Solum. Hom. Od. [Θ, 370] de Alcinoo : Ἅλιον καὶ Λαοδάμαντα κέλευσεν Μουνὰξ ὀρχήσασθαι, ἐπεὶ σφίσιν οὔτις ἔριζε, Ipsos solos, ubi Eust. μόνους, ἢ καθ' ἕνα ἰδίως, Seorsim quemque. Item, μουνὰξ μάχη, ap. Suidam [ex Æliano] ἡ μονομαχία, Qua solus aliquis cum aliquo solo congreditur : quod quidam interpr. Certamen singulare. Et μουνὰξ κτείνειν, Occidere in ejusmodi congressu, Od. Λ, [416]: Ἤδη μὲν πολέων ἀνδρῶν φόνῳ ἀντεβόλησας Μουνὰξ κτεινομένων καὶ ἐνὶ κρατερῇ ὑσμίνῃ· i. e., inquit Eust., κατὰ μόνας, ἐν μονομαχίᾳ : opp. vero ibi μουνὰξ et ἐν ὑσμίνῃ : quum enim μουνὰξ pugnatur, unus cum uno confligit; at in ὑσμίνῃ plures cum pluribus simul. [Euphorio ap. Tzetz. ad Lycophr. 440, p. 612; Manetho 6, 157.]

[Μονάξιος, ὁ, Monaxius, n. viri, in inscr. Aphrodisiad. recentiori ap. Bœckh. vol. 2, p. 499, n. 2144, 6, ubi aliud ex. annotavit Franckius. L. Dind.]

[Μοναπλὸς, ἡ, ὸν, Simplex, λιτὸς, ἁπλοῦς. Proverbia seu dicta vulgaria Mss. : Οἱ πτωχοὶ κατέδειξαν τὰ μοναπλά. Ducang. || Adv. Μοναπλῶς, Simpliciter, ap. Tzetzen in Cram. An. vol. 3, p. 318, 19 : Τὰ μὲν μετροῦνται μοναπλῶς κατὰ μονοποδίαν. Gregor. Acind. in Allat. Græc. Orthod. vol. 1, p. 767, 417 : Τρισὶ μοναπλῶς συγκαταθλᾶται λίθοις. L. Dind.]

Μόναπος, a Pæonibus dicitur ὁ βόνασσος, Bonasus, ut tradit Aristot. H. A. 9, 45. [V. Μόνωτος.]

A [Μοναρίτης οἶνος, ὁ, Vinum in Melitene Cappadociæ nascens, τοῖς Ἑλληνικοῖς ἐνάμιλλος, ap. Strabon. 12, p. 535.]

[Μοναρχεια. V. Μοναρχία.]

Μοναρχέω, Solus impero, s. dominor. [Pind. Pyth. 4, 165 : Καί τοι μοναρχεῖν καὶ βασιλευέμεν ὄμνυμι προήσειν. Plato Reip. 9, p. 576, B, Polit. p. 302, B, et alii.] Et pass. Μοναρχοῦμαι, ut regio dicitur μοναρχεῖσθαι, Quæ unius duntaxat dominatui subest, Quæ ab uno solo regitur. [Aristot. Reip. 1, 7 : Μοναρχεῖται γὰρ πᾶς οἶκος. Et alii.] Interdum autem μοναρχεῖν gen. habet, ut ap. Strab. 5, [p. 249] : Ὑπὸ τοῦ Σύλλα μοναρχήσαντος Ῥωμαίων. [|| Forma Ion. Herodot. 5, 46 : Ἐμουνάρχησε χρόνον ἐπ' ὀλίγον· 61 : Ἐπὶ τούτου μουναρχέοντος, et ib. in epigr.]

[Μονάρχης. V. Μόναρχος.]

Μοναρχία, ἡ, Solius dominatus, Unius imperium, Monarchia. [Dictatura, Gl. Definit Aristot. Rhetor. 1, 8 : Μ. δ' ἐστὶ κατὰ τοὔνομα, ἐν ᾗ εἷς ἁπάντων κύριός ἐστιν· τούτων δὲ ἡ μὲν κατὰ τάξιν τινὰ βασιλεία, ἡ δ' ἀόριB στος τυραννίς· et similiter Reip. 3, 7 : Καλεῖν εἰώθαμεν τῶν μὲν μοναρχιῶν τὴν πρὸς τὸ κοινὸν ἀποβλέπουσαν συμφέρον βασιλείαν· Eth. Nic. 8, 12. Æsch. Sept. 881 : Πικρὰς μοναρχίας ἰδόντες. Soph. Ant. 1163 : Λαβὼν δὲ χώρας παντελῆ μοναρχίαν. Et sæpius Eur. et Aristoph. Vesp. 474. Lycophr. 1229 : Γῆς καὶ θαλάσσης σκῆπτρα καὶ μοναρχίαν λαβόντες, et ubi de terra capi licet, 1384 : Φθειρῶν ὀρείαν νάσσεται μοναρχίαν. Plur. Xen. Cyrop. 1, 1, 1. Idem 8, 1, 4 : Ἔνθα ἄνευ μοναρχίας πόλις οἰκεῖται. Plato Polit. p. 302, D, et alibi. || Forma Ion.] Herodot. 3, [80] : Κῶς δ' ἂν εἴη χρῆμα κατηρτημένον μουναρχίη, τῇ ἔξεστι ἀνευθύνως ποιέειν τὰ βούλεται. [7, 154 : Ἀναλαμβάνει τὴν μ. || De regno Dei dictum v. ap. Suicer. p. 373. || «Summum imperium in exercitum, Xen. Anab. 6, 1, 21 : Ἐμοὶ οἱ θεοὶ οὕτως ἐν τοῖς ἱεροῖς ἐσήμηναν, ὡς καὶ ἰδιώτην ἂν γνῶναι, ὅτι ταύτης τῆς μοναρχίας ἀπέχεσθαί με δεῖ.» Seager. V. Μόναρχος. || Forma in —εια Hymn. in Isid. ap. Ross. Inscrr. fasc. 2, p. 4, I, 6 : Σᾶμα τεᾶς, δέσποινα, μοναρχείας ἱκέταισιν. L. Dindorf.]

C Μοναρχικὸς, ή, ὸν, Ad monarchum pertinens, s. ad monarchiam. Μοναρχικὴ [πολιτεία, Plat. Leg. 6, p. 756, E,] δύναμις, Monarchæ potentia. [Μ. ἐξουσία Polyb. 10, 10, 9. Et μοναρχικωτέρα ib. 26, 2.] Et ap. Plat. [Leg. 3, p. 693, E] τὸ μοναρχικὸν, Quod peculiare est monarchiæ. [Dictatorium, Gl.] || Μοναρχικὸς, inquit Bud., Monarchiæ favens. Appian. C. B. 5, [53] : Ἐγὼ δὲ Φουλβίας ᾐσθόμην μοναρχικῆς. [|| Adv. Theodor. Metoch. Misc. p. 432 : Αὐτοκρατορικῶς καὶ μοναρχικῶς· 765 : Μ. ἄγων τὰ τῆς νήσου. Comparativo Plut. Num. c. 2 : Προσφέρεσθαι μοναρχικώτερον αὐτοῖς. L. Dind.]

Μόναρχος, ὁ, ἡ, vel Μονάρχης, ὁ, Monarcha, Qui solus dominatur, s. imperat. [Dictator, Gl. Solon ap. Diod. Exc. Vat. p. 21 et Diog. L. 1, 50 : Εἰς δὲ μονάρχου δῆμος ... δουλοσύνην ἔπεσε.] Æschyl. Prom. [324] : Ὁρῶν ὅτι Τραχὺς μόναρχος οὐδ' ὑπεύθυνος κρατεῖ. [Aristoph. Eq. 1330 : Τὸν τῆς γῆς τῆσδε μόναρχον. Plato Reip. 9, p. 575, A, de Amore.] Thuc. 1, [122] : Τύραννον δὲ ἐῶμεν ἐγκαθεστάναι πόλει, τοὺς δ' ἐν μιᾷ μονάρχους ἀξιοῦμεν καταλύειν. [De duce Eur. Rhes. 31 : D Ποῦ δὲ γυμνήτων μόναρχοι; V. Μοναρχία. || Adjective Pind. Pyth. 4, 152 : Σκᾶπτον μόναρχον. Dionys. A. R. 7, 55 : Μονάρχου ἐξουσίας.] Apud Herodot. 3, [80 etc. et Theogn. 52] Μούναρχος, Ionice inserto υ. Apud Aristot. [?] et alios [ut in Chron. Pasch. p. 355, 8] μονάρχης.

Μονὰς, άδος, ἡ, Unitas. [Singularis, Unio, Gl. De qua ejusque nominibus variis v. quæ indicavit Ast. Theolog. arithm. p. 332. Alia v. in Δευτεροδέομαι (quod scribendum esse δευτερωδέομαι pariterque δευτερῳδία pro δευτεροδία, ostendit verbum πεντῳδέω, quod est ap. Iamblich. In Nicomach. p. 126, ἡ πεντῳδουμένη μονάς). Automedon Anth. Pal. 11, 50, 6 : Μάτην δ' Ἐπίκουρον ἔασον ποῦ τὸ κενὸν ζητεῖν καὶ τίνες αἱ μονάδες. Plato Phæd. p. 101, E, et alibi, ceterique philosophi.] Plut. : Ἡ μ. οὐκ ἐκβαίνει τὸν ἑαυτοῦ ὅρον, ἀλλ' ἅπαξ τὸ ἓν μένει· διὸ κέκληται μονάς· ubi videtur a μένω derivare. Hanc μονάδα sequitur δυὰς, τριὰς, τετρὰς, πεντὰς, et sic deinceps. Idem Symp. 4 : Τὰ ἐννέα διαίρεσιν εἰς τρεῖς λαμβάνει τριάδας, ὧν ἑκάστη πάλιν εἰς μονάδας διαιρεῖται τοσαύτας. [Conf. p. 744, A, B.] In tessera quoque μονὰς dicitur unum punctum, quod etiam ὄνος et κύβος, Pollux [7, 204; 9, 95]. In divinitate quoque μονὰς dicitur esse: imo et ipse Deus esse μονὰς, quatenus unicus est Deus: in eadem tamen et τριὰς statuitur, propter tres personas distinctas, non tamen divisas. Synes. Hymno 1: Ἑνοτήτων ἑνὰς ἁγνὴ, Μονάδων μονάς τε πρώτη· paulo post, Μονὰς ἄῤῥητα χυθεῖσα Τρικόρυμβον ἔσχεν ἀλκάν. Et Hymno 4: Μονὰς εἶ, τριὰς ὤν. Μονὰς ἃ δὴ μένει· Καὶ τριὰς εἶ δή. [De deo dictum tractavit Suicer. in Μονότης. « M. τρισυπόστατος (Deus), Georg. Lapitha Poem. mor. 886. » Boiss. || Hesychius: M., ἀριθμὸς ἢ ἓξ μοῖραι τῶν ζ' δέων (αἰώνων Salmasius). || Adjective cum nomine masc., ut λογὰς, Æsch. Pers. 734: Μονάδα δὲ Ξέρξην ἔρημον. Eur. Phœn. 1520: Μονάδ' αἰῶνα· Andr. 854: Μονάδ' ἔρημον οὖσαν ἐνάλου κώπας· Bacch. 609: Μονάδ' ἔχουσ' ἐρημίαν. || Forma Μουνὰς Agathias Anth. Pal. 9, 482, 11.]

[Μονᾶς, ᾶ, ὁ, Monas, medicus, ap. Theophr. fr. 9 De sudor. 12, p. 814. L. Dind.]

[Μονασμὸς, ὁ, Solitudo. Eust. Il. p. 636, 36.]

[Μόνασος, ὁ, Monasus, n. viri, ap. Iamblich. Photii Bibl. p. 77, 19. Simile Μόναισος.]

[Μοναστὴ, ἡ, pro μοναστήριον vel μονὴ, mixto ex utroque vocabulo, mire scriptum in Ms. ap. Bandin. Bibl. Med. vol. 1, p. 210 fin.: Ἡ παροῦσα βίβλος ἀνετέθη τῇ σεβασμίῃ μοναστῇ τοῦ Κωφοῦ κυρίως λεγομένῃ παρὰ τοῦ πανευγενεστάτου δεσπότου κυρίου Κωνσταντίνου τοῦ Λασκαρ.... L. Dind.]

[Μοναστηριακὸς, ἡ, ὸν, Ad monasterium pertinens. Jo. patriarch. Cpol. ap. Bandin. Bibl. Med. vol. 1, p. 76, A: Περὶ μοναστηριακῶν κεφαλαίων. Et sæpe ap. Eust. in Opusc. L. Dind.]

Μοναστήριον, τὸ, Monasterium, Locus ubi homines solitarii degunt: quod et Claustrum a recentioribus appellatur, quod eo claudantur qui solitariam vitam degunt. Philo [vol. 2, p. 475, 15], de monachis Ægypti: Ἐν ἑκάστῃ δὲ οἰκίᾳ ἐστὶν οἴκημα ἱερὸν, ὃ καλεῖται σεμνεῖον καὶ μοναστήριον, ἐν ᾧ μονούμεναι τὰ τοῦ βίου σεμνοῦ μυστήρια τελοῦνται· in quod nihil inferri solitum fuisse scribit, nedum necessariarum rerum. Sunt qui Solitudinem interpr. Sed id vocab. multo latius ap. Latinos patere constat: quum contra μοναστήριον ad eorum, qui Monachi dicti sunt, domicilium restringatur. [De monasteriis eorumque generibus plura v. ap. Ducang. et Suicer. in Thes. eccles. Adj. Μοναστήριος in Synaxar. in Arsen. ap. Ducang. p. 955, C: Τὸ μοναστήριον ... πολίτευμα.]

Μοναστὴς, ὁ, Qui solitarius degit, Homo solitarius: ut Cic., Solitario homini atque in agro vitam agenti. Gregor.: Νομοθεσίαι μοναστῶν ἔγγραφοί τε καὶ ἄγραφοι. [De monachis dicti exx. nonnulla v. ap. Ducang. Quibus addere licet Tzetz. Hist. 9, 327; 10, 598, Theodor. Stud. p. 611, π', 4; 618, ριθ', 2. L. Dind.]

Μοναστικὸς, ἡ, ὸν, Ad homines solitarios pertinens. Quum vero homo aliquis aut animal μοναστικὸν dicitur reddendum est Solitarius, vel etiam Solivagus, ut Plin. de elephantis, Gregatim semper ambulant, minime ex omnibus solivagi.

[Μοναστραβής. V. Μονοστραβής.]

Μονάστρια, ἡ, Mulier solitaria, ut ἀσκήτρια, in Pand., i. e. Monacha. [Const. Manass. Chron. 6628. Boiss. Alia plurima exx. Byzantinorum inde ab Joanne Chrysost. et Justiniano v. ap. Suicer. et Ducang. De accentu grammat. in Cram. An. vol. 2, p. 300, 23, et Theognost. ib. p. 98, 25.]

Μονάτωρ ἵππος ex schol. Aristoph. Pac. [900], qui et κέλης dicitur, Equus desultorius, ut Suet. Fuerit ergo ei μονάτωρ is qui Eustathio ὁ κατὰ μόνας ἐλαυνόμενος. Hesych. vero aliter accipere videtur hoc vocab.: nam quum dixisset, κέλης, ἵππος καὶ ἱππαστὴς καὶ εἶδός τι νεὼς, subjungit, καὶ μονάτωρ: accipiens fortasse pro Homine solitario, et qui ἄζυξ est. Nisi putet aliquis hoc μονάτωρ, expuncto καὶ ponendum esse post ἱππαστὴς, ut κέλης sit ἵππος καὶ ἱππαστὴς μονάτωρ. [Lex. Ms. Colbert.: Κέλητα, μονάτωρα. Duc.]

Μοναυλέω, Tibia unius concentus cano. Plut. [Cæs. c. 52]: Ἔτυχε γὰρ αὐτοῖς ἀνὴρ Λίβυς ἐπιδεικνύμενος ὄρχησιν ἅμα καὶ μοναυλῶν θαύματος ἀξίως.

A Μοναυλία, ἡ, Vita solitaria, i. e. Cælibatus, Plato Leg. [4, p. 721, D], ut συναυλία, Conjugium. [Τὸν δίχα γάμου βίον interpr. Photius. « Liban. vol. 4, p. 136, 21: Πρόσεισί τις τῶν ἐπιτηδείων καὶ κακίσας τὴν μοναυλίαν καὶ τὴν συζυγίαν ἐπαινέσας. » Hemst.]

[Μοναυλία, ἡ, Cantus solitarius. Pollux 4, 82: Νίγλαρος δὲ μικρός τις αὐλίσκος, ... μοναυλίᾳ πρόσφορος.]

Μοναύλιον, τὸ, Organum quoddam tibiale unius et simplicis cantus. [Posidon. ap.] Athen. 4, [p. 175, B]: Φωτίγγια, καὶ μοναύλια, κώμων, οὐ πολέμων ὄργανα.

[Μοναύλιος, ὁ, Solitarius, βίος, Logotheta ap. Suid. v. Λουκιανὸς ὁ μάρτυς.]

Μόναυλος, ὁ, ἡ, Tibialem quendam cantum unicum et simplicem edens, ut quidam interpr. μόναυλος κάλαμος ap. Eust. [Il. p. 1157, 38, ex Athen. l. infra cit.]; qui Osiridis inventum esse dicit vocarique a Doriensibus in Italia τιτύρινον, s. σατυρικόν: τίτυρον enim Doriensibus esse σάτυρον. Μόναυλος etiam Qui ejusmodi organo utebatur, quem ibid. Eust. [ex Ath. l. infra cit.] καλαμαύλην et ῥαπταύλην quoque dictum fuisse
B tradit. Et τὸ [immo τὸν] μόναυλον ap. Athen. 4, [p. 175, E], Unius tibiæ concentus [immo Instrumentum musicum]: Ἡμῶν τῶν Ἀλεξανδρέων κατατρέχεις ὡς ἀμούσων, καὶ τὸ [τὸν] μόναυλον συνεχῶς ὀνομάζεις. [Athen. 4, p. 174, B: Παρ' ὑμῖν τοῖς Ἀλεξανδρεῦσι πολὺς ὁ μόναυλος ἀλγηδόνα μᾶλλον τοῖς ἀκούουσι παρέχων ἤ τινα τέρψιν μουσικήν. Et post verba supra posita ab HSt., ἐπεὶ δὲ ἡμῶν ... ὀνομάζεις, addit: Ἄκουε περὶ αὐτοῦ ἃ νῦν ἔχω σοι λέγειν ἐν προχείρῳ. Ἰόβας ... Αἰγυπτίους φησὶ λέγειν τὸν μόναυλον Ὀσίριδος εἶναι εὕρημα ... Τοῦ δὲ μοναύλου μνημονεύει Σοφοκλῆς ἐν Θαμύρᾳ (cujus in fr. corrupto pro λύρα μοναύλοις libri minus boni μόναυλος)· Ἀραρὼς δ', Ἁρπάσας μόναυλον εὐθὺς πῶς δοκεῖς κούφως ἀνήλλετο· Ἀναξανδρίδης δ', Ἀναλαβὼν μόναυλον ηὔλουν τὸν ὑμέναιον, καὶ, Τὸν μόναυλον ποῖ τέτροφας, οὗτος Σύρε; — Ποῖον μόναυλον; — Τὸν κάλαμον (καλάμινον G. D.). Σώπατρος, Καὶ τὸ μόναυλον μέλος ἤχησεν. Πρωταγορίδης, Τῷ ἡδεῖ μοναύλῳ τὰς ἡδίστας ἁρμονίας ἀναμινυρίζει. Et post verba in Μοναύλιον posita: Οὐκ ἀγνοῶ δὲ ὅτι Ἀμερίας ὁ Μακεδὼν ἐν ταῖς Γλώσσαις τιτύρινόν φησι καλεῖσθαι
C τὸν μόναυλον ... Ὅτι δὲ ὁ μόναυλος ἦν ὁ νῦν καλούμενος καλαμαύλης σαφῶς παρίστησιν Ἡδύλος ... Τοῦτο Θέων ὁ μόναυλος ὑπ' ἠρίον ὁ γλυκὺς οἰκεῖ αὐλητὴς ... Ἀλλὰ Θέωνα τὸν καλαμαυλήτην εἴπατε, Χαῖρε Θέων. In fr. Sophoclis non recte Valckenarium Adon. p. 225, B, conjecisse μόναυλος constat vel ex Poll. 4, 75, inter εἴδη ὀργάνων ponente, Μόναυλος εὕρημα μέν ἐστιν Αἰγυπτίων, μέμνηται δὲ αὐτοῦ Σ. ἐν Θ. Αὐλεῖ δὲ μάλιστα τὸν γαμήλιον, nec verbum αὐλεῖν convenit fidibus (quod voc. apud nos in Λωτέω per errorem irrepsit pro Tibiis).]

Μόναυλος, ὁ, ἡ, Qui solus stabulatur aut habitat.

[Μονᾰχάζω pro μονάζω, ut videtur, scribitur ap. Leonem in Ms. ap. Pasin. Codd. Taurin. vol. 1, p. 428, A: Ἕνα τῶν μοναχαζόντων, quum ib. sæpe sit μονάζουσα. L. Dind.]

[Μοναχεῖον, τὸ, i. q. μοναστήριον, ex L. 13 Cod. de sacros. eccles., ubi Monachio annotat Ducang.]

[Μοναχή. V. Μοναχός.]

Μοναχῇ, Sola parte. Xen. [Anab. 4, 4, 19]: Ὡς ἐπὶ τῇ ὑπερβολῇ τοῦ ὄρους [ἐν τοῖς στενοῖς], ᾗπερ μοναχῇ εἴη
D πορεία, ἐπιθησόμενοι τοῖς Ἕλλησι, Qua solummodo patebat iter. Nisi potius μοναχὴ scrib. est. [Quod ab ætate Xenophontis alienum et ex Suida, qui recte μοναχῇ, correctum est. Libri enim μοναχή. HSt. autem hæc repetit ab Lex. Septemv., quod Suidam sequitur. Plato Leg. 4, p. 720, Σ: Διχῇ ἢ μ. Aristot. Metaphys. 4, p. 97, 17: Τὸ δὲ μοναχῇ (λέγεται) γραμμή.]

Μοναχικὸς, ἡ, ὸν, Ad solitarios homines pertinens, Monasticus, s. Monachicus. Dionys. Areop. l. in Μοναχὸς cit.: Δηλοῖ τὴν μ. τάξιν οὐκ εἶναι προσαγωγικὴν ἑτέρων, ἀλλ' ἐφ' ἑαυτῆς ἑστῶσαν ἐν μ. καὶ ἱερᾷ στάσει. Et paulo post, Εἴπερ ἀληθῶς ἐπὶ τὴν μ. ἀφίκοιτο καὶ ἑνιαίαν ἀναγωγήν. [Isaac. ap. Lambec. Bibl. Cæs. vol. 5, p. 184, A: Περὶ ἀποταγῆς καὶ μοναχικῆς πολιτείας. Theophan. Chron. p. 509, C: Τὸν Μαριανὸν τὰ μοναχικὰ ἀποδύσας πατρίκιον πεποίηκεν. L. D. || Adv. Μοναχικῶς, Sozom. H. E. 7, 28; Theodor. Stud. p. 430, D.]

Μοναχόθεν, Una solum ex parte: ut πανταχόθεν, Omni ex parte. [Suidas v. Παραγωγή: Μονοπλεύρῳ δὲ (τάγματι), ὅταν μοναχόθεν φοβηθῇ.]

Μοναχὸς, ἡ, ὸν, [Singularis, Gl.] Unicus, Bud. e Xen. [Anab. 4, 4, 19, de quo l. v. in Μοναχῇ. Aristot. Metaphys. 6, p. 160, 15 : Ὅσα μοναχὰ, οἷον ἥλιος ἢ σελήνη· 12, p. 261, 3 : Συμβαίνει γὰρ στερεὰ μὲν μοναχά. Diodor. 2, 58 : Ὁμοίως τὰ σπλάγχνα καὶ τἄλλα τὰ ἐντὸς πάντα ἔχειν μοναχά.] || Accipitur etiam pro Homine solitario, qui et μοναστὴς dicitur : ut ap. Christianos Qui in loca sola s. solitudines, procul a reliquorum hominum consuetudine, secedebant, ut cultui divino vacare melius possent. [Solitarius, Monachus, Gl. Pallad. Anth. Pal. 11, 384, 1. « Eunap. Ædes. p. 78 : Εἶτα ἐπεισῆγον τοῖς ἱεροῖς τόποις τοὺς καλουμένους μοναχοὺς, ἀνθρώπους μὲν κατὰ τὸ εἶδος, ὁ δὲ βίος αὐτοῖς συώδης. » Ducang. Procop. Pers. 1, 7 : Τῶν Χριστιανῶν οἱ σωφρονέστατοι, οὕσπερ καλεῖν μοναχοὺς νενομίκασι. Id. App. p. 135.] Dionys. Areop. Eccl. Hier. [p. 134, A]: Οἱ μὲν θεραπευτὰς, οἱ δὲ μοναχοὺς ὀνομάζοντες, ἐκ τῆς τοῦ Θεοῦ καθαρᾶς ὑπηρεσίας καὶ θεραπείας, καὶ τῆς ἀμερίστου καὶ ἑνιαίας ζωῆς, ὡς ἑνοποιούσης αὐτοὺς ἐν ταῖς τῶν διαιρετῶν ἱεραῖς συμπτύξεσιν, εἰς θεοειδῆ μονάδα καὶ φιλόθεον τελείωσιν. Idem in eod. l., aliquanto post, Ἀπείρηται τρόπῳ παντὶ τοῖς ἑνιαίοις μοναχοῖς, ὡς πρὸς τὸ ἓν αὐτῶν ὀφειλόντων ἑνοποιεῖσθαι καὶ πρὸς ἱερὰν μονάδα συνάγεσθαι. Latini quoque scriptt. Ecclesiastici Monachos appellant. Quæ vero hujus vocab. afferuntur a gramm. [ut Etym.] et nonnullis aliis etymologiæ, ridiculæ sunt : quibusdam sc. compositum esse dicentibus ex μόνος et εὐχὴ, quibusdam a μόνος et ἄχος : quum ἐκ παραγωγῆς sit illa terminatio. [De compendio quo scribitur in codd. ᾱ pluribus agit Ducang. || Femin. in inscr. Feodosiæ reperta et posita ἀπὸ Ἀδὰμ ἔτους ςτκζ, ap. Waxel. *Recueil de quelques antiquités* n. 22 : Ἑλένη μοναχή. Typicum Irenes ap. Cotel. Mon. Eccl. vol. 4, p. 204, c. 29. L. D. || « Græci recentiores μοναχοὺς appellarunt quos Latini Uniones, dum solam vocab. indolem respiciunt. Nam Unio i. q. μοναχός. Vett. Excerpta : Σμῆξις μοναχοῦ τῶν μολυβδιζόντων, Unionis plumbei coloris. An μοναχαὶ eo sensu in (Arriani) Periplo R. maris (p. 5) : Ὀθόνιον Ἰνδικὸν τὸ πλατύτερον, ἡ λεγομένη μοναχὴ καὶ σαγματογῆναι καὶ περιζώματα καὶ χαυνάκαι. Ita enim scrib. ex alio l. paulo post : Ὀθόνιον ἥ τε μοναχὴ καὶ ἡ σαγματογήνη. Sed ex his ll. constat lineæ vestis potius speciem esse τὴν μοναχὴν quam Unionem. Videtur autem auctor τὸ ὀθόνιον, quod ex India afferebatur, in duas species dividere, μοναχὴν et τὴν σαγματογήνην. Per μοναχὴν intelligo singularem ex lino vestem vel tunicam. ICtus singulares tunicas vocat quæ in synthesin compositæ essent. » Ex Salmas. Plin. Exerc. p. 824, B-D. De accentu acuto Arcad. p. 85, 7.]

|| Μοναχῶς, Uno tantum modo. Aristot. [Eth. Nic. 2, 5 : Τὸ μὲν ἁμαρτάνειν πολλαχῶς ἐστι, τὸ δὲ κατορθοῦν μ.] Polit. 5, [c. 8] : Μ. δὲ καὶ ἐνδέχεται ἅμα εἶναι δημοκρατίαν καὶ ἀριστοκρατίαν. VV. LL. exp. etiam simpliciter, Singulari ac simplici modo. [Metaphys. 2, p. 41, 17 : Πότερον μοναχῶς ἢ πλείονα γένη τῶν οὐσιῶν· 3, p. 85, 7 : Τὰ μ. λεγόμενα· H. A. 5, 2 : Οὕτω τε καὶ μοναχῶς.]

Μοναχοῦ, ut ἐνταῦθα μοναχοῦ, Hoc solum in loco, Hic solummodo, Huc solummodo. Plato Symp. [p. 184, E] : Μ. ἐνταῦθα ξυμπίπτει τὸ καλὸν εἶναι ἐραστῇ χαρίσασθαι. [Conf. p. 212, A. Theophr. H. Pl. 9, 10, 2 : Μ. γίγνεται τῆς Οἴτης περὶ τὴν πυράν. Plotin. Enn. 5, p. 1041, 16 : Ὁ μὲν γὰρ αἰσθητὸς κόσμος μοναχοῦ, ὁ δὲ νοητὸς πανταχοῦ. L. Dind.]

[Μοναχόω, Solitarium facio. Aquila Ps. 85, 11, μονάχωσον, ubi Symmach. ἕνωσον. Schleusn. Lex. In ed. Bos. est μοναχῶς, non μονάχωσον.]

[Μοναχῶς. V. Μοναχός.]

[Μονειδής. V. Μονοειδής.]

[Μονειμοφορῶ, Unum gesto pallium. V. Μονειφορῶ.]

[Μονείμων. V. Μονοείμων.]

[Μονειφορῶ, ἓν ἱμάτιον φορῶ, Suidas. Liber unus μονηφορῶ, alius μονειμοφορῶ cum Zonara p. 1373 : Μονηφορῶ, ἓν φορῶ. Μονειμοφορῶ δὲ δίφθογγον, ἀπὸ τοῦ μόνον καὶ τοῦ εἷμα τὸ ἱμάτιον. Vereor ne et μονηφορῶ et μονειμοφορῶ grammaticorum sint commenta ex μονειμονῶ nata. L. Dind.]

Μονέντερον, τὸ, dicitur Magnum intestinum, Colum, A quia neutra sui parte aliis intestinis annexum est, sed intestinum per se est. Ita enim in Hippiatr. : Γίνεται δὲ τὸ πάθος περὶ τὸ μονέντερον, ὃ καλεῖται κῶλον, διὰ τὸ μὴ συνδεδέσθαι τοῖς ἄλλοις ἐντέροις κατ' ἀμφότερα, ἀλλὰ κυλινδεῖσθαι καθ' ἑαυτόν. Et rursum, Συμβαίνει δὲ τοῦτο τῷ μεγάλῳ ἐντέρῳ ὃ λέγεται μονέντερον.

[Μονεντρεχὴς, ὁ, Unice versutus. Philod. De ira 1, p. 73. Passov.]

[Μονερέτης, ὁ, et forma Ion.] Μουνερέτης, Solus remex, Epigr. [Antipatri Anth. Pal. 7, 637, 1.]

[Μονερημίτης, ὁ, Solitarius, Joann. Mon. in Anecd. meis vol. 4, p. 193, 8. Boiss. 1]

Μονὴ, ἡ, Mansio [Gl. Aristoph. Av. 417 : Ὁρᾷ τι κέρδος ἄξιον μονῆς ; Herodot. 1, 94 : Δύο μοίρας διελόντα Λυδῶν πάντων κληρῶσαι τὴν μὲν ἐπὶ μονῇ, τὴν δὲ ἐπ' ἐξόδῳ ἐκ τῆς χώρας. Xen. Anab. 5, 1, 5 : Ὅσα δοκεῖ καιρὸς εἶναι ποιεῖν ἐν τῇ μονῇ· 6, 22 : Οὐ δεῖ προσέχειν μονῇ. Frequentat etiam Plato.] Apud Plut. [Mor. p. 1063, D] opp. μονὴ (ἐν τῷ βίῳ) et ἐξαγωγὴ, ut Cic., Mansio in vita et excessus ex vita. Polyb. 4, [41, 4] : B Μονὴ καὶ στάσις. [Καὶ τὴν γῆν καὶ πάντα τὰ φερόμενα τοῖς ῥεύμασιν μὴ λαμβάνειν μονὴν μηδὲ στάσιν. Μονὴ ἄστρων Pollux 4, 156. « Parthen. c. 2 : Καὶ αὐτῷ ἦν ἡ μονὴ ἡδομένῳ· 36 : Τὴν κατ' οἶκον δίαιταν καὶ μ. ἀπέστυγεν. » Valck. || Mansio, Diversorium publicum viatorum. Μισθὸς ὁ διδόμενος ὑπὲρ τῆς μονῆς τῷ πανδοχεῖ, Hesych. in Στεγανόμιον. Hemst. « Quorum numerum videre est in Itinerario Antonini. Athanas. vol. 1, p. 147, F. » Index Athanasii. Conc. Ephes. part. 1, c. 36 : Εὔχου, ὦ δέσποτα, καὶ ταύτας τὰς πέντε ἢ ἓξ μονὰς καὶ ἀλύπως ἡμᾶς ὁδεῦσαι. Acta Conc. Calchedon. Act. 9 : Ἀπὸν ἀπὸ τεσσαράκοντα μονῶν, Gloss. in Ἐπίσταθμος cit., et alia addit Ducang. Conf. Jo. Malal. p. 332, 12 ; 459, 9. Sic jam ap. Pausan. 10, 31, 7 : Τέτμηται δὲ διὰ τῶν μονῶν ἡ ὁδός. Quod suspectum illic fuit nonnullis. Improprie Ephræm Syr. vol. 3, p. 533, C : Χειραγώγησον τὴν ἐμὴν ἀθλίαν ψυχὴν πρὸς τὰς αἰωνίους μονάς. Et singulari Vita Jo. Damasc. vol. 1, p. xvi, C.] A Thuc. in malam partem accipitur pro Desidia et Mora, quo etiam modo ἕδρα et καθέδρα, 1, p. 42 C [131] : Οὐκ ἐπ' ἀγαθῷ τὴν μονὴν ποιούμενος, Moram trahens, schol. ἀργίαν. [Similiter Eur. Tro. 1129 : Οὗ θᾶσσον οὕνεκ' ἢ χάριν μονῆς ἔχων· Herc. F. 957 : Διελθὼν ἐς βραχὺν χρόνον μονῆς. De quiete etiam Plut. Mor. p. 747, C : Αἱ μοναὶ (in saltatione) πέρατα τῶν κινήσεων εἰσί. Et p. 927, A : Τὰ μὲν κινήσεως τὰ δὲ μονῆς ἀνάγκαις ἐνδεθέντα. || Monasterium. Jo. Camen. De excid. Thessalon. c. 3 : Μοναὶ μοναχῶν πολλαὶ καὶ συχναί. Et alii ap. Ducang. Idem addit : « Μονὴ interdum etiam pro Ecclesia catholica s. parochiali usurpatur, ut ap. Latinos inferioris ævi scriptt. Monasterium. Id ex Euchologio p. 321, 323, eruit Goarus, ubi ecclesia, in qua sacramenta pro more Græcorum conferuntur, sic appellatur, quod in monasteriis nullatenus fit. » De accentu Arcad. p. 112, 8.]

[Μονὴς, ίδος, ἡ, Solitaria, ἀρχὴ, i. q. μοναρχία. Manetho 4, 98.]

[Μονήλατος, ὁ, ἡ, Ex uno cusus, Solidus. Heliod. Æth. 9, 15, p. 431 : Τρόπος δὲ αὐτοῖς πανοπλίας τοιόσδε, ἀνὴρ κράνος μὲν ὑπέρχεται συμφυές τε καὶ μονήλατον.]

D Μονημέριος, ὁ, ἡ, i. q. μονήμερος, Epigr. [ubi Μονημέριον, Unius diei spectaculum, in lemmate Anth. Pal. 9, 581 : Εἰς τὸ μονημέριον, ἤγουν κυνηγέσιον, ἐν ᾧ ἀγωνίζονται ἄνδρες πρὸς θῆρας. Justinian. Nov. 105, 1 : Μετ' ἐκείνην τὴν τοῦ λεγομένου μονημερίου, ἔνθα πολλῆς ἡδυπαθείας ἐμπλήσει τὸν δῆμον τό τε καλούμενον πάγκαρπον θεώμενον καὶ θηρίοις προσμαχομένους ἀνθρώπους.]

Μονήμερος, ὁ, ἡ, Diarius, Qui est unius diei, ex Galeno. [Μονήμερον, τὸ, ap. Ælian. N. A. 5, 43 : Ζῷον τὸ μονήμερον οὕτω καλούμενον. Adj. legitur in l. obscuro et fortasse corrupto Africani Cest. p. 290, col. 1, A : Ταῦτα μονήμερον οὐδὲ τὸν χρησάμενον εὐθέως ἀναιρεῖ.]

[Μονηνία, ἡ, Monenia, olim dicta urbs Troica Pedasus, sec. Eustathium Il. p. 623, 15.]

Μονήρης, ὁ, ἡ, [Solitarius, Solivago, Gl.] de quo dubitari justius potest, compositumne sit, ut διήρης, τριήρης, δεκήρης, an vero tantummodo derivatum ; nam illa de navibus tantum dicuntur, hoc de hominibus etiam ceterisque animalibus, item et de vita alicujus. De homine solitario dictum reperitur ap.

A [Hippocr. Epist. p. 1275, 38 : Μονήρεες καὶ φιλέρημοι·] Diog. L. [1, 25], ex Heraclide : Καὶ αὐτὸς δέ φησιν μονήρη αὐτὸν γεγονέναι καὶ ἰδιαστήν. Athen. 7, [p. 301, C] de hepato pisce : Ἔστι δὲ μονήρης, ὥς φησιν Ἀριστοτέλης· et [p. 321, E] de salpa : Καρχαρόδους καὶ μονήρης. Solivagum interpretari possumus, ut Plin. de elephantis, Gregatim semper ambulant, minime ex omnibus solivagi. Cic. quoque aves volare ait, partim solivagas, partim congregatas. Opponitur ei in hac signif. ἀγελαῖος. Dicitur etiam aliquis μονήρη vitam agere, qui solitarius degit. [Lycophr. 75 : Ὁποῖα πόρκος Ἰστριεὺς τετρασκελὴς ἀσκῷ μονήρης ἀμφελυτρώσας δέμας.] Item μονήρης δίαιτα pro eo quod Synes. μονήρη βίον vocat. [De quo iterum HSt. :] « Μονηρήβιον in VV. LL. Vita solitaria, Monachismus : quod suspectum est, ac pro eo scr. fortassis μονήρη βίον. » [Sic Athanas. vol. 1, p. 797, A : Τὸν μ. β. ἀσκήσας. Μονηρίβιον pro μονήρη βίον scriptum ap. Ephræm. Syr. vol. 3, p. 336, A, et μονηρήβιον p. 337, C.] Lucian. Tim. [c. 42] : Μ. δὲ ἡ δίαιτα, καθάπερ τοῖς λύκοις, καὶ φίλος εἷς Τίμων· B paulo ante sibi præscribit ἀμιξίαν πρὸς ἅπαντας καὶ ἀγνωσίαν, et pro piaculo dicit τὸ προσομιλῆσαί τινι. De nave autem ap. Polluc. dicitur, 1, c. 9 [§ 82]. Ναῦς ἐνήρης [« ἐνήρης » HSt. Ms. Vind.], ἑπτήρης, τριήρης, διήρης, μονήρης. Ap. Suidam, Πλοῖα μονήρη, ἔστιν ἃ καὶ δίκροτα κατεσκευάσαντο· quo loco, inquit Bayf., μονήρη dicit Ea quæ pluribus quidem remis agerentur, sed unico tantum per transtra et sedilia remo, et non binis, aut ternis, aut etiam pluribus incitarentur : quæ fortasse κέλητες etiam dicta sunt, translatione sumpta ab equis celetibus. Nicand. vero μονήρη ἀκτῖνα dixit Unicum diem, s. Unum solummodo diem, Al. [400] de pharico : Ἐν δὲ μορήνει Ῥηϊδίως ἀκτῖνι βαρὺν κατεναίρεται ἄνδρα · i. e. ἐν μιᾷ ἡμέρᾳ, schol. [Μονῆρες ἀγαθὸν Archytas Stob. p. 14, 21 (p. 675 Gal.). Valck. De vocabulo Eust. Il. p. 633, 41 : Τὸ γράμμα οὐκ οἶδεν ὁ ποιητής· εἰ γὰρ ἐπ' αὐτοῦ ἦν ἐν χρήσει, καθὰ καὶ ἡ ἐν Ὀδυσσείᾳ γραπτύς, οὐκ ἂν τρὶς εἶπε τὸ σῆμα, ἐπιμείνας τῇ λέξει διὰ τὸ μονῆρες καὶ καίριον. Herodiani Περὶ μονήρους λέξεως, De dictione singulari, libellus editus C est in G. Dindorfii Gramm. vol. 1.] Μονῆρες πλοῖον quidam ap. Suid. appellant, Navigium, quod unicum habebat per transtra et sedilia remum, non binos aut ternos : licet alioqui pluribus remis ageretur. Bayf. [V. supra et infra Μονήριον.]

[Μονήριον, τὸ, Navis uniremis, μονῆρες πλοῖον, Galea. Leo Imp. Tact. c. 19, § 74 : Τά τε μονήρια λεγόμενα καὶ τὰς γαλέας· 11 : Οἱονεὶ γαλαίας ἢ μονήρεις λεγομένους. Contin. Theophanis l. 2, n. 22 : Ὁ Φωτεινὸς ἐν μονερίῳ (sic) μόλις σώζεται. Anna Comn. 5, p. 132 : Εἰσεληλυθὼς εἰς μονῆρες. Ducang.]

[Μονήσιμος, ὁ, Monesimus, n. viri, in numo Magnesiæ Ion. ap. Mionnet. *Descr.* vol. 3, p. 150, n. 654.]

[Μονήτα, ἡ, Moneta, cognomen Junonis apud Romanos, ap. Suidam, qui multis exponit nominis rationem. Dea Moneta repræsentatur in numo Alexandrino ΜΟΝΗΤΑ inscripto ap. Zoegam Num. Ægypt. p. 244, n. 84 sive Mionnet. *Descr.* vol. 6, p. 344, n. 2407. || De usu vv. μονήτα et μονητάριος ap. Byzantinos Ducang. : « Theophan. a. 6 Rhinotmeti : Παρεκάλει μὴ D λυθῆναι τὴν εἰρήνην, ἀλλὰ δεχθῆναι τὴν αὐτοῦ μονήταν. Mich. Attaliat. Synops. tit. 78 : Οἱ ἀπὸ μετάλλου ἢ μονήτας βασιλικὰς [sic] κλέπτοντες μεταλλίζονται ἢ ἐξορίζονται. Eclogæ Leonis et Constantini tit. 28 : Οἱ παραχαράκται μονήτας χειροκοπείσθωσαν. (De ædificio Jo. Malal. p. 308, 1 : Ἔκτισε δὲ καὶ ἐν Ἀντιοχείᾳ Μόνηταν (sic), ὥστε χαράσσεσθαι ἐκεῖ νομίσματα· ἦν γὰρ ἡ αὐτὴ Μόνητα ἀπὸ σεισμοῦ καταστραφεῖσα.) Μονίτα Theophanes a. 20 Constantini M. : Τῷ αὐτῷ ἔτει τὴν Ἑλένην ... ἔστεψε, καὶ μονίταν ὡς βασιλίδι ἀπένειμεν. Cosmas Indicopl. (p. 338, C) : Ἔχεις ἀμφοτέρων τὰς μονίτας, τοῦ μὲν τὸ νόμισμα, τοῦ δὲ τὴν δραχμήν, τουτέστι μιλιαρίσιον. Harmenop. 6, 14, 4 et Glossæ Basilic. : Μονίτα καλεῖται τὸ ἀρχέτυπον σφραγιστήριον ἢ βουλλωτήριον, μεθ' ὧν ὁ τῶν νομισμάτων τύπος διαχαράττεται. Ita Basilic. 7, 17, 26; 60, 45, 7. (Ubi dicitur numi Nota s. Character.) || Μονητάριος, Monetarius. Hesychius : Μ., τὸ κέρμα ἐργαζόμενος. Suidas : Μονιτάριοι, οἱ περὶ τὸ νόμισμα τεχνῖται κτλ. »]

[Μονηφορῶ. V. Μονειφορῶ.]

[Μονθύλευσις. V. Μονθυλευτός.]

[Μονθῠλευτὸς, ή, όν.] Μονθυλευτὴν κοιλίαν, Aristoph. schol. [Eq. 343] suo tempore numeratam fuisse ait inter καρύκας s. καρυκεύματα. Et Μονθυλεύσεις s. Ὀνθυλεύσεις, Pollux [6, 60] vocatas fuisse scribit τὰς περιττὰς σκευασίας, Nimis exquisitos et superfluos ciborum apparatus : ut μονθυλευτὴν κοιλίαν intelligamus fuisse Ventrem exquisitioribus καρυκείαις καὶ ἀρτύσεσιν apparatum.

[Μονθυλεύω, unde μεμονθυλευμένος, Alexis ap. Athen. 2, p. 49, F : Σπλῆνα ὀπτὸν, μεμονθυλευμένον, Splenem assatum et scite conditum. Conf. Animadv. ad p. 4. Schweigh. Phrynich. Epit. p. 356 : Μονθυλεύω· οὕτω τινὲς τὸ μολύνοντα ταράττειν λέγουσι. Καὶ ἔστι δυσχερές. Ἀπόρριπτε οὖν καὶ τοῦτο. Conf. Ὀνθυλεύω, et Hering. Observ. p. 208. « V. nos etiam ad Suid. v. Ὄνθος et Hesych. v. Βομβυθυλεύματα. » Kuster. Eodem referendum ἐμμεμενθυλευμένον de καρύκῃ ap. Tzetzæ Hist. schol. in Cram. Anecd. vol. 3, p. 374, 27, sive in Mus. Rhen. novo 4, 1, p. 19, quod per ο scribendum. L. D.]

[Μονία, ἡ, Stabilitas. Empedocles v. 60 : Οὕτως ἁρμονίης πυκινῷ κρύφῳ ἐστήρικται σφαῖρος κυκλοτερὴς μονίῃ περιηγέϊ γαίων. Ubi de signif. v. Karsten. || Vita solitaria. Maximus Καταρχ. 71 : Εἰ μονίην στυγέοι καὶ ἐλεύθερον ἦμαρ, de eo qui uxorem ducat. Ephræm Syr. vol. 3, p. 255, F : Ἡ γὰρ αὐθεντία καὶ ἡ μονία καὶ αὐτοβουλία ἔρημόν τε καὶ πτωχὸν καθίστησι τὸν ἄνθρωπον τῶν πνευματικῶν καρπῶν· 209, B : Ἐν ἡσυχίᾳ καὶ μονίᾳ ὄντων ἡμῶν· 264, B : Μονία καὶ πτωχεία· 290, C : Ἐρημίᾳ καὶ μονίᾳ. L. Dind. || Hinc Μονία, Monachismus. Vita Bacchi jun. mart. de ejus matre : Εἰς Ἱεροσόλυμα ἀφίκετο τῆς ὑψώσεως ἕνεκεν τοῦ τιμίου σταυροῦ καὶ τὴν τοῦ τέκνου μονίαν ἰδεῖν ποθοῦσα. Nam Bacchus monachum antea induerat. || Cella monastica. Schol. Ms. Vitæ S. Joannis Climaci : Μονίαν, κελλίον μονώτατον. Ducang. Μονία inter barytona in ια memorat Arcad. p. 99, 13. Ubi tamen κονία cod. Havn.]

Μονίας, ὁ, de homine solitario dicitur, ut μοναστὴς et μονήρης. Eust. p. 1872 : Ὅρα δ' ἐν τούτοις καὶ τὸν μονίαν σῦν [ap. Ælian. N. A. 15, 3], οὗ διενήνοχεν ὁ μονίας, καθὰ καὶ ὁ μονώτης, λεγόμενα ἐπὶ ἀνθρώπου ἐρημάζοντος. [Id. ib. p. 1409, 61 : Βίον τρίβειν μονίαν καὶ κατηφῆ, ὡς ὁ τὴν Ὀδύσσειαν παραφράσας ῥήτωρ γράφει. Valck. Μονίαι τοῖς ὄρεσιν ἐνδιαιτώμενοι id. Opusc. p. 76, 76.] Hesychio autem μονίας est νήφων, Sobrius : quoniam οἱ μεθύοντες appellantur δεύτεροι. [ῐᾱ]

[Μονιδεια. Numos Magnesiæ ad Sipylum inscriptos ΕΝΜΟΝΙΔΕΙΑ (ap. Mionnet. *Descr.* vol. 4, p. 82, n. 446, 451) Eckhel. D. N. vol. 3, p. 108, referebat ad « ludos celebratos in loco vicino Monidea dicto, ut Monidea nomen campo fuerit, in quo propter insignem L. Scipionis de Antiocho M. victoriam stata certamina peragerentur. » L. Dind.]

[Μονίδιον, τὸ, Monasteriolum, ap. Moschum in Limon. c. 151, 152, 204 ed. Cotel. Ducang. In Mss. ap. Pasin. Codd. Taur. vol. 1, p. 322, B; 344, A; 355, B, 356, A, B. Alibi ap. eund. Μονίδριον, vitiose pro Μονύδριον, quod v. L. Dind.]

[Μόνικος. V. Μόνιχος. Μονικοῦ τοῦ Ἄραβος, a quo condita sit Chalcis Syriæ, mentionem facit Steph. Byz. v. Χαλκίς.]

[Μονίμη, ἡ, Monime, n. mulieris, Milesiæ ap. Plut. Luculli c. 18, Pomp. c. 37. Alius in inscr. Samia ap. Bœckh. vol. 2, p. 216, n. 2259, 5. L. Dind.]

Μόνιμος, ὁ, ἡ [et η, ον, ap. Straton. Anth. Pal. 12, 224, 2 : Φράζεο πῶς ἔσται, Δίφιλε, καὶ μονίμη], Constanter manens, Stabilis. [Sedulus, Efficiosus, Stationalis, Gl. Soph. OEd. T. 1322 : Σὺ μὲν ἐμὸς ἐπίπολος ἔτι μόνιμος.] M. ζῶα, Aristot. H. A. 4, [11, et 1, 1, De anima 1, 5], Quæ constanter in eodem loco permanent, Quæ stabili sede degunt, Quæ sedes suas non mutant. [Conf. De anima 3, 9.] Et μόνιμοι milites, Qui in stationibus suis permanent. [Plato Leg. 4, p. 706, C : Ἀντὶ πεζῶν ὁπλιτῶν μονίμων.] Xen. Cyrop. 8, [5, 11] : Ὅπως οἱ μονιμώτατοι πρόσθεν ὄντες παρέχοιεν αὐτοῖς τὴν καθόπλισιν. [M. στρατιῶται Pollux 1, 130. Παλαισταὶ 3, 149. Ἄστρα 4, 156.] Et [Eur. Or. 340 : Ὁ μέγας ὄλβος οὐ μόνιμος ἐν βροτοῖς. Manetho 5, 123 : Οὐ μόνιμον φῶς. Thuc. 8, 89 : Οὐχ ἐδόκει μόνιμον τὸ τῆς ὀλιγαρχίας ἔσεσθαι], βάρος μ., metaph., Constans gravitas. Plut. Pericle [c. 13]: Ἡ γὰρ ἐν τῷ ποιεῖν εὐχέρεια καὶ ταχύτης οὐκ ἐντίθησι βάρος ἔργῳ μόνιμον. Item μ. πολιτεῖαι, Respublicæ, in quibus nullæ fiunt mutationes, sed in eodem statu perpetuo manent, Aristot. Polit. 5, 7: Καὶ διὰ τοῦτ' εἰσὶν αἱ μὲν ἧττον, αἱ δὲ μᾶλλον μόνιμοι αὐτῶν. Et 4, 12: Ὅσῳ δ' ἂν ἀμείνον ἡ πολιτεία μιχθῇ, τοσούτῳ μονιμωτέρα. Item [ap. Plat. Tim. p. 29, B] μόνιμοι λόγοι καὶ ἀμετάπτωτοι, Rationes immobiles neque refutabiles, cognatæ sc. earum rerum, quarum sunt interpretes. Bud. p. 183. Cic. ap. Plat. [Tim. p. 29, B, coll. Conv. p. 184, B], μ. καὶ βέβαιον, interpr. Res stabilis et immutabilis. [Ap. eund. alibi sæpe, ut Leg. 5, p. 736, E: Ἐπὶ ταύτης οἷον κρηπῖδος μονίμου· Reip. 6, p. 505, E: Οὐδὲ πίστει χρήσασθαι μονίμῳ. «Μονιμώτερος ὁ οἶνος et μονιμώτερον τὸν οἶνον ποιεῖ, Quintil. Geopon. 6, 1, 6. Μόνιμος καὶ βεβηκυῖα μάχη, Polyæn. 6, 4, 3.» Hemst. Μόνιμος βαφὴ Pollux 1, 44. || Adv. Μονίμως, Aristot. H. A. 8, 10: Τὴν δὲ νομὴν ποιοῦνται τὰ μὲν πρόβατα προσεδρεύοντα καὶ μονίμως. Pollux 3, 149, de luctatoribus. Iambl. De myst. p. 30, 27: M. ἑστῶσας, et cum verbo eodem p. 42, 37. Adverbio comparativi præfat. Eclog. Constantini Porph. De legat.: Μονιμώτερον ἐντυποῦσθαι τούτοις τὴν τῶν λόγων εὐφράδειαν. L. Dind.]

[Μόνιμος, ὁ, Ἑρμῆς ap. Syros Edessam habitantes, Julian. Or. de Sole (4, p. 150, C). Bochart Canaan 2, 8, confert Phœnicium מנעם *Minom*: Suavis sermone. Angl.]

[Μόνιμος, ὁ, Monimus, n. viri, Syracus. Cynici, ap. Diog. L. 6, 82. Aliorum ap. Athen. 13, p. 609, B, in inscr. ap. Burckhardt. *Reisen in Syrien* vol. 1, p. 149 bis. L. Dind.]

[Μονιμότης, ητος, ἡ, Constantia, Stabilitas. Procl. In Plat. Alcib. p. 60, ubi Creuzer. excitat Dionys. Areop. 2, p. 522. Gregor. in Anecd. meis vol. 5, p. 448 med. Boiss.]

[Μονίμως. V. Μόνιμος.]

Μονιός, s. Μόνιος, ὁ, Solitarius, Solivagus, Solitudines captans, i. q. μοναστικὸς et μονήρης. Callim. H. in Dian. [84]: Αἲ δέ κ' ἐγὼ τόξοις μόνιον δάκος ἤ τι πέλωρον Θηρίον ἀγρεύσω, schol. κατὰ μόνας νεμόμενον. In Epist. Saturni ap. Lucian. [c. 34]: Ἡδὺ οἶμαι μόνον ἐμπίπλασθαι, ὥσπερ τοὺς λέοντάς φασι καὶ τοὺς μονιοὺς τῶν λύκων· cui l. similis est, quem ex Eod. in Μονήρης ascripsi. Suidæ quoque μονιὸς est ὁ μονόλυκος, Lupus solitarius, solivagus. [Leonidas Tar. Anth. Pal. 6, 262, 2: Τὸν μονιὸν καὶ ἔπαυλα βοῶν καὶ βώτορας ἄνδρας σινόμενον κλαγγάν τ' οὐχὶ τρέσαντα κυνῶν Εὐάλκης... ἐκ ταύτης ἐκρέμασε πίτυος, sec. conjecturam Salmasii. Libri τὴν νομίην.] || Peculiariter autem accipitur pro Porco agresti, qui solitarius pascitur. [Photio et] Suidæ enim μονιὸς est ἄγριος ὗς μεμονωμένος, et Hesychio ὗς ἄγριος ὁ μὴ τοῖς ἄλλοις συναγελαζόμενος. Sic accipitur in Fabulis Æsopi [54]: Μονιὸς ἄγριος ἐπί τινος ἑστὼς δένδρου, τοὺς ὀδόντας ἔθηγεν. [Sic Theodor. Stud. p. 194, B, ex Psalm. 79, 14: Καὶ πῶς ὅτι ἄρτι ἐλυμήνατο αὐτὴν ὗς ἐκ δρόμου καὶ μονιὸς ἄγριος κατενεμήσατο αὐτήν;] Cyrillus in Expos. Hos. prophetæ [14, 8], ut annotat Hesych. [cui hæc ab alio illata sunt, ut monuit Is. Voss.], μονιὸν dicit significare ὄνον: illum fortassis, qui ὄναγρος dicitur, i. e. Asinus sylvestris, quidam μέγα θηρίον καὶ κατὰ μόνας νεμόμενον. Scribitur vero μονιὸς oxytonως ap. Hesychium, [Photium,] Suidam et Eust. [Od. p. 1409, 61], item ap. Lucian. et in Fabulis Æsopi [et præcipitur a Moschop. Π. σχεδ. p. 215 fin.]: μόνιος autem proparoxytonως ap. Callim. [ubi accentum mutavit Ernest.] et ejus schol. || Hesychio ὁ περὶ τράχηλον ὅρμος, Monile, quod etiam περιδέρραιον et μανιάκης. [Forma Ion. Μουνιὸς ap. Antip. Thess. Anth. Pal. 7, 289, 3: Μούνιος (scrib. μουνιὸς) ἐκ θάμνοιο λύκος. Non verisimile enim diversam fuisse prosodiam utriusque formæ, aut ap. Theognost. Can. p. 55, 20: Τὸ μονιὸς ὀξύνεται· δεχόμενον δὲ καὶ αὐτὸ πλεονασμὸν τοῦ υ ἐν τῷ «μούνιος ὕπνος», addendum esse προπαροξύνεται, sed delendum potius est δὲ et scribendum hic quoque μουνιός.]

[Μονίος, ὁ, Monius, n. pr. Arcad. p. 40, 2: Καὶ τὸ μονιὸς (scr. Μονίο;) ὀξύνεται (παροξύνεται cod. Havn.) ὡς κύριον καὶ τρισύλλαβον· εἰ δὲ τὸ υ πλεονάσῃ, προπαροξύνεται· Μούνιος γάρ. Quod v.]

A Μόνιππος, ὁ, ἡ, Qui unico equo utitur, cursu contendit, ὁ ἐπὶ ἑνὸς ἵππου ἀγωνιζόμενος δρόμῳ, ut ex Pausania tradit Eustath. [Od. p. 1539, 29, et qui δρόμον Photius], dicens similem esse τῷ κελητίζοντι. Dicitur autem ad differentiam τῶν ἁμίππων. Plato Leg. 8, [p. 834, B] ἁρμάτων τροφὰς excludit, μονίπποις δὲ ἆθλα τιθέναι jubet, in sua rep. [Pollux 1, 141.] || Item μόνιπποι opp. τοῖς ἁμίπποις, Singuli equi, Qui juncti non sunt. Xen. Cyrop. 6, [4, 1]: Καὶ τοὺς μὲν μονίππους παραμηριδίοις, τοὺς δ' ἐπὶ τοῖς ἅρμασι παραπλευριδίοις (ὥπλιζον), Equos equitum, Bud.: ad differentiam eorum, qui currui juncti sunt. [Ælian. N. A. 14, 26: Κατὰ ζεύγη καὶ μονίππους. Pollux 10, 53, 54.]

[Μόνιτος. V. Μούνιτος.]

[Μόνιχος, ὁ, Monichus, n. viri, in numis Cymes Æolidis ap. Mionnet. *Suppl.* vol. 6, p. 13, 100, pro quo ib. 99 male Μόνικος, etsi Μονιχοῦ cujusdam nomen supra notavimus, si vera est scriptura. L. Dind.]

[Μονιώδης, ὁ, ἡ, Apro qui μονιὸς dicitur similis. Niceph. Chumnus in An. meis vol. 2, p. 27: Δέχεται καὶ B ταύτην τὴν πληγὴν ... καὶ μονιοῦ δίκην βαθεῖαν τρωθέντος ... χωρεῖ κατὰ τὸ ἀκριβὲς τοῦ μονιώδους τολμήματος κτλ. Boiss.]

[Μοννήσης, ου, ὁ, Monneses, rex Characenes, de quo v. Mionnet. *Descr.* vol. 5, p. 707, 3.]

[Μόννος, ὁ, i. q. μάννος, quod v. Pollux 5, 99: Ὠνομάζετο δέ τι καὶ μάννος ἢ μόννος, μάλιστα παρὰ τοῖς Δωριεῦσι.]

Μονοβαίας et Μονόβας, ὁ, Hesychio κλέπτης, Fur, quoniam solus ire solet. [Lobeck. ad Phrynich. p. 610. Alterum voc. nihili.]

[Μονοβάλανος, ὁ, ἡ, epith. clavis, Unum dentem habens, Suid. in Λακωνικαί. Hemst. Ex schol. Aristoph. Thesm. 423. ἄα]

[Μονοβάμων, ὁ, ἡ, Uno pede incedens. De metro vel versu unius pedis, Simiæ vel Besantini Ovum Anth. Pal. 15, 27, 6: Ἐκ μονοβάμονος μέτρου, quæ paullo post vocatur Πιερίδων μονόδουπος αὐδά. ᾱ]

[Μονόβας. V. Μονοβαίας.]

[Μονοβίβλιον, τὸ, i. q. μονόβιβλον. Basil. Ms. in Greg. C Naz. p. 37. Bast. V. seq. voc.]

[Μονόβιβλος, ὁ, et Μονόβιβλον, τὸ, Liber unus, singularis. «Sic dicta a Justiniano Novellarum constitutionum collectio, unico libro comprehensa. Theophan. et Cedren. a. illius 2, et al.» Ducang. Eodem genere neutro Ms. ap. Morell. Bibl. Ms. p. 295. L. D. Suidas v. Φιλάγριος, schol. Arist. Pl. 321. Formæ masculinæ μονόβιβλος exx. v. ap. Reitz. ad. Theophilum vol. 2, p. 1237, qui etiam formæ μονοβίβλιον ex. addidit ex schol. Basilic.]

[Μονόβιος, ὁ, ἡ, Qui vitam solitariam vivit. Eust. Opusc. p. 241, 15: Μὴ θέλε ἀμφίβιος εἶναι ὁ κυρώσας εἶναι μονόβιος.]

[Μονόβολον, τὸ, Simplex saltus, Cursus. Photius Nomocan. 13, 29, p. 241: Μόνον δὲ παίζειν ἔξεστι μονόβολον καὶ κοντομονόβολον. Ubi Balsamon: Γίνωσκε δὲ ὅτι μονόβολον λέγεται ὁ δρόμος. Κοντομονόβολον Saltum cum conto interpretatur Salmas. ad Plin. (p. 726, b, A). V. Mercurial. Art. gymn. 2, 11. Ducang. Quibus Meurs. De ludis Græcorum, Opp. vol. 3, p. 1024, A, D addit Justinian. in L. Victum 1 Cod. de Aleatoribus: «Duntaxat autem ludere liceat μονόβολον.» Iterum in L. Alearum 3 ibid.: «Deinceps vero ordinet quinque ludos, Monobolon,» etc. || De aliis rebus Pind. Pyth. 5, 56, μονόδροπον φυτὸν, ubi schol.: Μονόδροπον τὸ μονόβολον ἢ μονόξυλόν φησι, παρὰ τὸ μόνον αὐτὸν εἰλῆφθαι· δρέπεσθαι γὰρ τὸ λαμβάνειν. «Aratrum, Hesych. in Αὐτόγυον» (post Αὐτάρεστος posito). Hemst. || Adv. Μονοβόλως in Epiphanii vol. 1, p. 508, A: Ἔοικε δὲ ἡ ἁγία τοῦ Θεοῦ Ἐκκλησία νηΐ· ναῦς δὲ οὐκ ἀπὸ ἑνὸς ξύλου ἁρμόζεται, ἀλλ' ἐκ διαφόρων, καὶ τὴν μὲν τρόπιν ἀπὸ ἑνὸς ξύλου κέκτηται, ἀλλ' οὐ μονοβόλως· τὰς δὲ ἀγκύρας ἑτέρων, περιτόνεα (l. περιτόναιά) τε καὶ σανίδας, καὶ τὰ ἐγκυλίσματά (Petav. conjicit χελύσματά) τε, καὶ μέρη πρύμνης, καὶ τοίχων καὶ ζυγωμάτων, ἱστίων τε καὶ πηδαλίων, ὀκνῶν (sic, an typothetæ culpa pro ὁλκῶν?) τε καὶ αὐχενίων, οἰάκων τε, καὶ τῶν ἄλλων πάντων, ἐκ διαφόρων ξύλων ἔχει τὴν συναγωγήν. Ἑκάστη δὲ τούτων τῶν Αἱρέσεων μονόξυλός τις οὖσα, τὸν χαρακτῆρα τῆς Ἐκκλησίας οὐχ ὑποφαίνει. Μονοβόλως Petavio Uno ac simplici modo. Μονόβολος, quod est a μόνος et βάλλω, Pono, Immitto, Condo, Ædifico, generatim exponi possit Ex una eademque materie factus, sed in schol. ad Pindari loc. speciatim usurpatur de statua ex una arbore sculpta. ANGL.]

[Μονογᾰμέω, Unum contraho matrimonium, Unam duco uxorem. Theodor. Abuc. in Μοναγαμία cit.: Τοῦ δημιουργοῦ τῷ καιρῷ τῆς ὀλιγανθρωπίας μονογαμεῖν θεσπίσαντος.]

[Μονογαμία, ἡ, Unæ nuptiæ. Theodor. Abucara Περὶ μονογαμίας in Bibl. Patrum vol. 11, p. 417. Jo. Chrys. in Μονόγαμος cit. Epiphan. Doctr. compend. de fide p. 465, Hær. 48, p. 178, citat Suicer.]

[Μονογαμικὸς, ἡ, ὸν, Qui est unarum nuptiarum, unam habentis uxorem. Theodor. Stud. p. 281, C: Μονογαμικῆς συζεύξεως· D, συναφείας· 283, A, παραδόσεως. L. DIND.]

[Μονογάμιον, τὸ, i. q. μονογαμία. Clem. Al. Strom. 2, p. 423. KALL.]

Μονόγαμος, ὁ, ἡ, Qui unicas nuptias contraxit, Unicam habens uxorem. [Jo. Chrys. Serm. 18, vol. 5, p. 110. SEAGER. Athenag. Leg. pro Christ. § 34, p. 311, C.]

[Μονογένεια, ἡ, i. q. μονογενὴς, forma poet. Μουνογένεια, forma Ion. Apollon. Rh. 3, 847: Κούρην (al. Δαῖραν) μουνογένειαν. Orph. H. 28, 2: Περσεφόνη, μουνογένεια θεά. Pro quo ap. Arrian. Ind. c. 8, 6, p. 49: Ἄρσενας μὲν παῖδας πολλοὺς, θυγατέρα δὲ μουνογενέην. || Unum genus. Theognost. Can. p. 118, 24: Πᾶν εἰς ες λῆγον οὐδέτερον πλὴν τὸ Κυνόσαργες τὴν μονογενείαν (—γένειαν) οὐ προσίεται.]

[Μονογένειον, τὸ, Pæonia. Diosc. Notha p. 460, c. 563 (3, 147, ubi μηνογένειον sine v. l.). BOISS.]

Μονογενὴς, ὁ, ἡ, Unigena: pro quo vulgo Unigenitus. [Unicus, Singularis, his add. Gl. Æsch. Ag. 898: Μονογενὲς τέκνον πατρί. Plato Critiæ p. 113, D: Μονογενῆ θυγατέρα.] Plato Timæo [p. 31, B]: Ἵνα οὖν τόδε κατὰ τὴν μόνωσιν ὅμοιον ᾖ τῷ παντελεῖ ζώῳ, διὰ ταῦτα οὔτε δύο οὔτ' ἀπείρους ἐποίησεν ὁ ποιῶν κόσμους, ἀλλ' εἷς ὅδε μονογενὴς οὐρανὸς γεγονὼς ἐστί τε καὶ ἔσεται. Cic. interpr., Ut hic mundus esset animanti absoluto simillimus, hoc ipso quod solus atque unus esset, idcirco singularem Deus hunc mundum atque unigenam procreavit. [Leg. 3, p. 691, D: Δίδυμον ὑμῖν φυτεύσας τὴν τῶν βασιλέων γένεσιν ἐκ μονογενοῦς. Ap. Christianos de Christo, quorum exx. v. ap. Suicer. || Hephæstio p. 11=*24, coll. schol. p. 83=161: Ἐκ τριῶν μακρῶν καὶ βραχείας ὁ ἐπίτριτος τέταρτος ἢ ἀντισπαστικὴ ἑπτάσημος, ὁ καὶ μονογενὴς ---υ Καλλίξεινος. L. D.] Et Μουνογενὴς, [Ion. et] poet. pro eod. Μουνογενὴς δὲ πάϊς, Hesiod. [Op. 374. Fem. Theog. 426, 448. Herodot. 7, 221. Inter μουνογενῆ et μουνογόνην variant libri Oppiani Hal. 3, 489, ubi Περσεφόνην ex aliis restituit Schneider. || Adv. Μονογενῶς, Arrian. Periplo m. Erythr. p. 149, 173 ed. Blanc.: Γίνεται μ. ὁ λίβανος. « Steph. Byz. v. Ἀθῆναι. » WAKEF. Gregor. Nyss. vol. 3, p. 31, D. L. DIND.]

[Μονογέρων, οντος, ὁ, Solitarius senex. Phrynichus Bekkeri p. 51, 20: M., τὸν μονότροπον καὶ δύσκολον γέροντα σημαίνει.]

[Μονόγισσα, ἡ, Monogissa. Πόλις Καρίας. Ὅθεν Ἄρτεμις Μονογισσηνὴ, ἵδρυμα Δαιδάλου. Γίσσα γὰρ τῇ Καρῶν φωνῇ λίθος ἑρμηνεύεται. Νῦν δὲ τοὺς πλακώδεις καὶ μαλακώδεις λίθους γίσσα λέγομεν, Steph. Byz.]

Μονόγληνος, ὁ, ἡ, Hesychio μονόφθαλμος, Unoculus. [Lycophr. 659. Nonn. Dion. 28, 227: Μονογλήνοιο προσώπου. Forma Ion.] Μουνόγληνος, Epigr. [Antipatri Sid. Anth. Pal. 7, 748, 1. Callim. Dian. 53.]

[Μονογλωσσέω s. Μονογλωττέω, Una utor lingua, Unum edo sonum. Iren. Adv. hær. 1, 14, p. 67: Ἑκάστου στοιχείου μονογλωσσήσαντος. Epiphan. vol. 1, p. 237, C.]

[Μονόγλωσσος s. Μονόγλωττος, ὁ, ἡ. Iren. 1, 10, p. 67 (?). ROUTH.]

[Μονογνάθειος, ὁ, n. viri fictum ap. Alciphr. Ep. fr. 2, p. 219.]

[Μονογνωμέω, (a Μονόγνωμος,) Una utor sententia (mea). Procl. Paraphr. Ptol. p. 222, nisi leg. μονογνωμονοῦντας. SCHNEID.]

[Μονογνωμονικὸς, ἡ, ὸν, Qui una utitur sententia, Pervicax. Procl. Paraphr. Ptol. p. 235. SCHNEID.]

A [Μονογνώμων, ονος, ὁ, ἡ.] Μονογνώμονες, Qui unius sunt sententiæ, Ab una sola dependentes sententia. [Dionys. A. R. 2, 12: Οὐχ ὥσπερ ἐν τοῖς καθ' ἡμᾶς χρόνοις αὐθάδεις καὶ μονογνώμονες ἦσαν αἱ τῶν ἀρχαίων βασιλέων δυναστεῖαι· 5, 71: Μεσοβασιλέων δ' αὐτοῖς μηδὲν ἐν τῷ παρόντι δεῖν, οὓς ἐν ταῖς μοναρχίαις ἀποδείκνυσθαι μονογνώμονας τῶν μελλόντων ἄρξειν ἔθος ἦν.]

[Μονογράμμᾰτος, ὁ, ἡ, Qui est unius literæ. Dionys. H. vol. 5, p. 88, 7: Τῆς μονογραμμάτου (συλλαβῆς η). Apollon. in Bekker. Anecd. p. 531, 19; schol. Soph. Aj. 190; Eustath. Il. p. 193, 43; Thom. M. p. 816, v. Συλλαμβάνει.]

Μονόγραμμος, ὁ, ἡ, Quasi delineatus tantum, non additis reliquis, quæ justam picturam absolvant, VV. LL. Monogrammi homines, inquit Cæl. Rhod. 8, 19, dicuntur homines macie prætenues ac decolores, strigosique; ac incuratiores et vesculi, deflexo nomine a lineari pictura, quæ, priusquam coloribus corporetur, lineis ad umbram fingitur. Ibid. plura tradit et de diis, quos ap. Ciceronem [N. D. 2, 23] Epicurus B Monogrammos vocat. [« Μονόγραμμον, τὸ, Monogramma, de qua voce v. Gloss. Lat. VI Synod. Act. 12: Ἐπεδόθησαν δύο χαρτία, ἐσφραγισμένα ἀπὸ κηρίου ἐντυποῦντα μονόγραμμον Κωνσταντίνου δεσπότου· Act. 15: Χαρτίον βεβουλλωμένον διὰ βούλλας ἐκτυπούσης μονόγραμμον Πολυχρονίου ὁμολογητοῦ. » DUCANG.]

[Μονογράφος, ὁ, Qui solus scribit. Pap. Ægypt. ap. Forshall. *Description* part. 1, p. 29 et alios: Εγραψεν Ωρος Φαβιτος ο παρα των ιερειων τ[ου] Αμονρασονθηρ και των συνναων θεων μονογραφος. L. DIND.]

[Μονοδάκτῠλος, ὁ, ἡ, Qui unicum habet digitum. Lucian. V. H. 1, 23: Ὄνυχας ἐν τοῖς ποσὶν οὐκ ἔχουσιν, ἀλλὰ πάντες ἀεὶ μονοδάκτυλοι.]

[Μονοδαμιουργοὶ, οἱ, οἱ τὰς δίκας δικάζοντες Hesychio, Qui judicia exercent.]

[Μονοδέρκτης, ὁ, Unoculus. Eur. Cycl. 78: Κύκλωπι τῷ μονοδέρκτᾳ.]

[Μονόδερμος, ὁ, ἡ, Qui nonnisi unam pellem s. cutem habet. Hesych. v. Καρπάτινον, Μονόλοπος.]

[Μονοδημιουργός. V. Μονοδαμιουργοί.]

C [Μονοδιαιτησία, ἡ, Solitarius victus. Clem. Alex. Strom. 2, p. 423. KALL.]

[Μονοδιαστᾰτος, ὁ, ἡ, Distantiam solum habens. Nicetas Chon. p. 207, C: Ἐπειδήπερ ὁ ἀνὴρ ὡσεὶ καὶ γραμμὴν μονοδιάστατον καὶ μηκιζομένην εἰς τὸ λεπταλέον καὶ ἀπλατὲς ἐν τῷ ἐδαφίῳ τῆς ψυχῆς καθάπαξ τὴν ὀξυχολίαν προϋποθείς.]

[Μονοδοξέω, Solus gloria fruor. Simplic. In Epict. p. 326.]

[Μονόδουπος, ὁ, ἡ, Qui singulatim sonat. V. Μονοβάμων.]

Μονόδους, οντος, ὁ, ἡ, Unicum habens dentem. Monodous, inquit Festus, appellatus est Prusiæ filius, qui unum os habuit dentium loco. Itidem Pyrrhus Epirota συμφυεῖς habuisse dentes fertur. [Æsch. Prom. 795, κόραι.]

[Μονοδραστικὸς, Iambl. V. P. 144 (?). WAKEF.]

[Μονόδροπος, ὁ, ἡ, Qui solus decerptus vel excisus est. Pind. Pyth. 5, 42.]

[Μονοείδεια, ἡ, Uniformitas, Unitas. Sext. Emp. D Adv. grammat. 117, p. 241: Τεκμήριον τῆς ἁπλότητος καὶ μονειδείας (τοῦ αι καὶ ει φθόγγου). Quinct. Instit. 11, 3, 44: « Quum illi virtuti contrarium vitium sit inæqualitas, huic, quæ dicitur μονοείδεια, quasi quidam unus aspectus. » Ubi alii « qui d. μονοειδής. » || Singularis species. Sextus Emp. Adv. mathem. 226, p. 263: Ὃν τρόπον ἐν πολλοῖς καὶ ἄλλοις φέρει τινὰ κατὰ μονοείδειαν ἡ φύσις, οἷον ἐν ὄφεσι μὲν ἀπείροις οὖσι τὸν κεράστην κερασφόρον.]

Μονοειδὴς, ὁ, ἡ, Uniformis, Uniusmodi. Cic. ap. Platonem [Tim. p. 59, B] τὸ μονοειδὲς vertit Nihil habens admixtum dispar sui atque dissimile. Idem Plato Phæd. [p. 78, D, etc.], ut testatur Bud., μονοειδῆ vocat τὰ ἀσύνθετα καὶ ἀεὶ ὡσαύτως ἔχοντα. [Theophrast. H. Pl. 1, 1, 12: Ὅσα μονοειδῆ τῶν ὀργανικῶν. Et alii multi similiter. Polyb. Exc. Vat. p. 431: Ὅταν φαύλας καὶ μονοειδεῖς λαβόντες ὑποθέσεις βούλωνται μὴ τοῖς πράγμασιν ἀλλὰ τῷ πλήθει τῶν βίβλων ἱστοριογράφοι νομίζεσθαι. Superl. Theodor. Stud. p. 7, B: Ἀρετῆς εἶδος ποικιλώτατον ἅμα καὶ μονοειδέστατον.] || Apud Rhetores μονοειδὲς dicendi genus, quasi unius formæ, quod nec in magnis rebus assurgit, nec in humilibus demittitur. [Pollux 5, 169. || De metris Hephæstio p. 44=77 : Τοσαῦτα περὶ τῶν ἐννέα τῶν μονοειδῶν καὶ ὁμοιοειδῶν μέτρων. Ubi schol. : Μονοειδῶν, ὡς πρὸς ἀντιδιαστολὴν τῶν ἀσυναρτήτων· ἐκεῖνα γὰρ ἐκ δύο εἰδῶν συνέστηκεν, et Marius Victor. p. 2549 : « Ex una eadem specie compositum metrum et quasi uniforme, quod μονοειδὲς Græci dicunt. » || Adv. Μονοειδῶς, Iamblich. De myst. p. 4, 39 : M. δὲ αὐτῶν ἀντιλαμβάνεσθαι δεῖ. Et alibi. L. D. Eust. Il. p. 831, 42; Hermias In Plat. Phædr. p. 89. || Forma Μονειδὴς ap. schol. Hom. Odyss. Ambros. p. 10 ed. Buttm. L. Dind.]

Μονοείμων, ονος, ὁ, ἡ, Qui una et simplici indutus est veste. [Asterius Hom. in Avaritiam, de Elisæo : Ἄοικος, ἀνέστιος, μονοείμων. Suicer. Μονοχίτωνα interpr. Photius. Herodian. Epimer. p. 190. || Forma Μονείμων ap. Moschop. Π. σχεδῶν p. 50 m. Boiss. Et in Ms. ap. Lambec. Bibl. Cæs. vol. 5, p. 501, C. L. Dind.]

[Μονοζυγής. V. Μονόζυξ.]

Μονόζυξ, ὕγος, ὁ, ἡ, [Æsch. Pers. 137 : Εὐνατῆρα προπεμψαμένα λείπεται μονόζυξ], vel Μονοζυγὴς, q. d. Unijugis, pro Unicus : μονοζυγὲς σάνδαλον, Epigr. [Eugenis Anth. Plan. 308, 5. Contraria signif. dici ἑτερόζυγος et ἑτερόζυξ dictum est in illis.]

Μονόζωνος, ὁ, ἡ, Unicam zonam habens. [Schol. Soph. OEd. T. 846 : Οἰόζωνον) μονόζωνον, μόνον.] Μονόζωνοι, οἱ τίμιοι τῶν στρατιωτῶν, οἱ μὴ ταυτὸν τοῖς ἄλλοις ζωστῆρα φοροῦντες, Suid. Vel, ἀσύντακτοι καὶ ὡσανεὶ λησταί. [Quæ hausit ab Olympiodoro In cap. 20 Jobi. Ducang. post Suicerum.] Apud Eund. [et Photium] μονόζωνοι sunt οἱ ἔφοδοι βάρβαροι ἢ ἀπελάται μάχιμοι. Apud Hesych. vero dicuntur Speculatores hostium, aut μάχιμοι, qui et μονομάχοι dicuntur. Vocab. est ap. LXX Interprr. usitatum. Hieron. ubique vertit Latrunculos, quam interpr. sequuntur Bud. et Cam. 4 Reg. 13, [20]: M. Μωὰβ ἦλθον ἐν τῇ γῇ, Latrunculi Moabitæ, Cam. Job 29, [25]: Καὶ κατεσκήνουν ὡσεὶ βασιλεὺς ἐν μονοζώνοις. [Theophan. a. 10 Leonis Isauri : Ἐν χιλιάσι μονοζώνων δεκάπεντε, et alia nonnulla ex Byzantinis citavit Ducang. et in Append. p. 135.] Bud. citat ex nescio quo, Οἶδα καὶ ζώνην στρατιωτικὴν καὶ ἀνδρικὴν, καθ' ἣν ἄζωνοι Συρίας καὶ μ. καλοῦνται. [Ephræm Syr. vol. 3, p. 478, B: Οἱ φονεῖς καὶ λησταὶ καὶ πᾶς κακοῦργος καὶ πόρνος μονόζωνος λέγεται. L. Dindorf.]

[Μονόζωος, ὁ, ἡ, Solitarie vivens, Ps. 67, 6, ubi al. μονόζωνος, al. μονότροπος.]

[Μονόζωστος, ὁ, ἡ, Solus, ut μονόζωνος i. q. μόνος. Hermesianax ap. Athen. 13, p. 597, C : Ἀλλ' ἔτλη παρὰ κῦμα μονόζωστος κιθαρίζων Ὀρφεὺς, ut librorum scripturam μονόζωστον correxit Ruhnken.]

[Μονοήμερος, ὁ, ἡ, Qui unius est diei. Batrachom. v. ult. : Πολέμου τελετὴ μονοήμερος ἐξετελέσθη. Sap. Sal. 5, 15 : Ὡς μνεία καταλύτου μονοημέρου παρώδευσε. Georg. Sync. p. 189, C : Ἐσθίει τὴν μονοήμερον αὐτῆς βρῶσιν. Μονοήμερα κολλύρια v. in Κολλύριον. Conf. autem Μονήμερος.]

[Μονοθελῆται, οἱ, Hæretici, qui Christo unam tribuebant voluntatem, μίαν θέλησιν καὶ μίαν ἐνέργειαν ἐπὶ Χριστοῦ τοῦ ἐκ δύο πεφυκότος φύσεων δυσσεβεῖ καὶ ἀλόγῳ φρονήματι ἐτόλμησαν ἀποφήνασθαι, sec. Photium Epist. 1, p. 13, et alios, ut pluribus exposuit Suicer. Thes. eccl. p. 1350 seq. Μονοθελῆται autem est ap. Jo. Damasc. vol. 1, p. 110, A, Μονοθελῖται male ap. Euthymium in Fabr. B. Gr. vol. 8, p. 333. L. Dind.]

[Μονόθεν, Ab una parte. Schol. Arati Phæn. 7, a Boiss. cit. : Μάκελλα ἡ μονόθεν κέλλουσα ἤγουν τέμνουσα, δίκελλα δὲ ἡ διχόθεν. Herodoti 1, 116 : Ἐπεὶ δὲ ὑπελέλειπτο ὁ βουκόλος μοῦνος, μουνωθέντα τάδε αὐτὸν εἴρετο ὁ Ἀστυάγης, duobus ex libris Gronovius et Bekkerus μοῦνος μουνόθεν, quo nihil absurdius cogitari posse judicabant Valck. et Wessel. Nec quadrat comparatio Homerici οἰόθεν οἶος.]

[Μονοθρηνέω, Solus lamentor. Hesychius : Μονῳδεῖ, μονοθρηνεῖ.]

[Μονόθρονος, ὁ, ἡ, Qui solus thronum occupat. Gregor. Naz. vol. 2, p. 25, C : Πρόεδρον ἄλλον τῷ τέως μονοθρόνῳ. L. Dind.]

Μονόθυρος, ὁ, ἡ, q. d. Uniforis. [Porphyr. De antro Nymph. c. 31, p. 28 : Ἄντρον οὐ μ., ἀλλὰ δύο ἔχον θύρας.

A Wakef.] Apud Aristot. H. A. 4, [4] est μονόθυρον quoddam genus Concharum, Unifore et Univalve Gazæ, sicut δίθυρον, Bivalve, Eid. [Constant. Cærim. p. 202, C : Διὰ τοῦ μονοθύρου, de porticu quadam, ut videtur. Ap. Philon. Belop. p. 87, D : Ἐὰν δὲ προέλῃ μήτε μονόθυρον εἶναι τὸ ὑπέρθυρον μήτε ξύλινον, margo « f. μονόξυλον. » L. Dind.]

[Μονοίκητος, ὁ, ἡ, Solitarius. Lycophr. 960 : Μονοικήτους ἕδρας. Kall.]

[Μονοίκια, τὰ, dicuntur Rurales parœciæ, αἱ ἐν ἐσχατιαῖς κείμεναι καὶ ὀλίγους ἔχουσαι ἐν αὐταῖς οἰκοῦντας. Balsamon ad Concil. 6, can. 17 : Κατέχειν τοὺς ἐπισκόπους τὰς ἐνορίας, κἂν ἀγροικικαὶ ὦσιν ἤτοι μικραὶ, αἳ καὶ μονοίκια λέγονται, et alibi. Ducang.]

[Μόνοικος, ὁ, Monœcus. Μονοίκου λιμένος et Μονοίκου Ἡρακλέους ἱεροῦ mentionem facit Strabo 4, p. 201, 202, in descriptione Alpium. Πόλις Λιγυστική. Ἑκαταῖος Εὐρώπῃ. Τὸ ἐθνικὸν Μονοίκιος, dicit Steph. Byz. Μόνοικος proparoxytonon memorat Arcad. p. 51, 21.]

[Μονοκάθιστος, ὁ, ἡ, ap. Theodor. Stud. p. 464, E :
B Οἱ μονοκάθιστοι, Int. vertit, Qui soli habitatis. L. D.]

[Μονοκάλαμος, ὁ, ἡ, Qui unam habet fistulam. Athen. 4, p. 184, A : Τὴν μονοκάλαμον σύριγγα Ἑρμῆν εὑρεῖν. « Schol. Philostr. in Bekkeri Specim. p. 86. » Boiss. Anon. philos. chymicus Ms. ap. Ducang. v. Χειρόργανον cit. : Τὸ καλούμενον μέγιστον ὄργανον ψαλτήριον ... ἄνευ χαλκοῦ δὲ μονοκάλαμον, δικάλαμον, πολυκάλαμον. ἄᾰ]

[Μονόκαμπτος, ὁ, ἡ.] Μονόκαμπτοι, q. d. Unicum inflexum habentes : de pedum digitis dictum, quod unico inflexu adducantur, Gaza ex Aristot. [H. A. 1, 15 : Μονόκαμπτοι δὲ πάντες οἱ κάτω δάκτυλοι.]

Μονόκαυλος, ὁ, ἡ, Unicaulis [Gl.], ut Plin. Qui unico caule constat. Theophr. H. Pl. 7, 8, [2]: Τῶν ποωδῶν τὰ μὲν πολύκαυλα, τὰ δὲ μονόκαυλα. Item, Simplici caule constans, 4, [6, 8] de quercu et abiete : Γίνεται δὲ ἄμφω καὶ πολύκαυλα· καὶ μονοκαυλότερον δὲ ἡ ἐλάτη. [Et sec. Urbinatem 6, 4, 4. Diosc. 3, 95 : Ἄλυσσον φρυγάνιόν ἐστι μονόκαυλον, ὑπότραχυ.]

[Μονοκέλης, ητος, ὁ, Solitarius equus. Tzetz. Hist.
C 7, 11 : Πρὶν ἵπποις μονοκέλησιν οὐκέτι ἐπωχοῦντο. Forma Ion. Μουνοκέλης, epigr. ap. Pausan. 8, 42, 9.]

Μονοκέρατος, ὁ, ἡ, Unicornis, Cui unum solummodo cornu est, Unico duntaxat cornu armatus. Aristot. H. A. 2, 1 [med.]: Μονοκέρατα δὲ καὶ μώνυχα, ὀλίγα. [De partt. anim. 3, 2 : Ἔστι δὲ καὶ μονοκέρατα. Hesychius : Μονοκέρατος ἢ Μονόκερως, θηρίον φοβερόν.]

Μονόκερως, [ω et ωτος, quibus de formis Thomas p. 193 : Τὰ παρὰ τὸ κέρας οἱ μὲν κοινοὶ διὰ τοῦ τος κλίνουσι, μονόκερως μονοκέρωτος, οἱ δὲ Ἀττικοὶ κατὰ ἀποβολὴν τοῦ σ καὶ ταῦτα], ὁ, ἡ, Unicornis [Gl.], Unico et singulari cornu armatus. Exemplum cum Plinii interpretatione habes in Δίκερως. [Aristot. De generat. anim. 3, 2 : Μονόκερων εἶναι τὸ μώνυχον· et ib.: Μονόκερων ἐποίησεν· H. A. 2, 1 : Μονόκερων δὲ καὶ διχαλὸν ὄρυξ. Plut. Pericl. c. 6 : Κριοῦ μονόκερω.] Μονόκερως est etiam proprium animalis nomen ap. Ælian. [N. A. 16, 20] et alios scriptores, quem Unicornem, itemque Monocerotem Latini appellant. [Cosmas Top. Christ. p. 335, D (ubi pictum exstat inter p. 338 et
D 339) : Μονόκερως. Τοῦτο τὸ ζῷον καλεῖται μονόκερως· οὐχ ἐθεάσαμεν (f. - ασάμην) δὲ αὐτὸ, στήλας δὲ αὐτοῦ χαλκᾶς ἀνατιθεμένας ἐν τῇ Αἰθιοπίᾳ ἐν οἴκῳ τετραπύργῳ βασιλικῷ ἑώρακα. Φασὶ δὲ περὶ αὐτοῦ ὅτι φοβερόν ἐστι καὶ ἀκαταμάχητον, ἐν τῷ κέρατι ἔχον τὴν ὅλην ἰσχὺν, καὶ ἡνίκα δόξῃ παρὰ πολλῶν διώκεσθαι καὶ καταληφθῇ, εἰς κρημνὸν ἐφάλλεται καὶ ῥίπτει ἑαυτὸ ἐκ τοῦ ὕψους καὶ κατερχόμενον ἀντιστρέφεται καὶ τὸ κέρας δέχεται τὴν ὅλην ὁρμὴν κτλ., in quibus addit ll. Psalm. 21, 22 : Σῶσόν με ἐκ στόματος λέοντος, καὶ ἀπὸ κεράτων μονοκερώτων τὴν ταπείνωσίν μου· 28, 6 : Ὁ ἠγαπημένος ὡς υἱὸς μονοκερώτων· et quæ alia sunt in V. T. exx. ab Schleusn. citata. V. etiam Μονοκέρατος. L. D. De Orphei μόσχῳ μονοκέρωτι, de quo HSt. in Μόσχος, Lenzius De personati Orphei Ἔργοις καὶ Ἡμέραις, in Commentt. philol. Ruperti et Schlichthorst. vol. 1, p. 133 : « Traxisse videtur mensis principium epitheta μονόκερως μόσχος, a Luna, quam sibi μόσχοις vectam fingebant, v. c. Dionys. H. in Apoll. 21—3, in Brunckii Anal. vol. 2, p. 254 : Γλαυκὰ δὲ πάροιθε Σελάνα χορὸν ὥριον ἀγεμονεύει, λευ-

χῶν ὑπὸ σύρμασι μόσχων.» Angl. In Ind.:] Μουνόκερα, Unicornia : τὰ μηκέτι ἔχοντα ἀλκὴν, Hesych. ex Archilocho.

[Μονοκέφᾰλος, ὁ, ἡ, Qui unius est capitis. Diosc. Hesych.]

[Μονοκλᾰδέω, Unicus sum ramus. Theodor. Stud. p. 394, C : Ἀπετμήθης κεφαλῆς ὑποκυπτούσης θυγατρὸς μονοκλαδούσης, Unica filia, Int. L. Dind.]

[Μονόκλαυτος, ὁ, ἡ, Quem unus lacrimat. Æsch. Sept. 1064 : Κεῖνος δ' ὁ τάλας ἄγοος μονόκλαυτον ἔχων θρῆνον ἀδελφῆς εἶσι.]

Μονοκληρονόμος, ὁ, ἡ, Qui unicus hæres est, Qui nullos habet cohæredes, sed ipse solus hæreditatem cernit. [Clem. Homil. 11, § 12. Valck. Pallad. Hist. Laus. p. 256. Schol. Aristoph. Av. 1652, Vesp. 581.]

[Μονόκλῑνον, τὸ, Locus unius lecti, in quo unus recumbit. Philodemus Anth. Pal. 9, 570, 3 : Ἐν μονοκλίνῳ δεῖ με λιθοδμήτῳ δήποτε πετριδίῳ εὕδειν ἀθανάτως πουλὺν χρόνον.]

[Μονόκλῐτος, ὁ, ἡ, Indeclinabilis. Herodian. Epimer. p. 191 : Τὰ Ἑβραϊκὰ καὶ μονόκλιτα, οἷον Σαμψὼν, Ἀαρών. Boiss. Etym M. p. 314, 23.]

[Μονόκλονος, ὁ, ἡ, voc. suspectum, ut videtur, ap. Polluc. 4, 73 : Αὔλημα στερεὸν, πλῆρες, ἐμμελὲς, μονόκλονον, μονόκωλον. Nisi forte ex poeta petitum sit, e proximo μονόκωλον ortum videri potest.]

[Μονόκλωνος, ὁ, ἡ, Qui est unius germinis. Diosc. 3, 117 : Ἀρτεμισία, ἡ μὲν πολύκλωνος, ἡ δὲ μ. Theophr. H. Pl. 9, 18, 8 : Διαφέρει δὲ τῆς πτερίδος θηλύπτερις τῷ τὴν μὲν φύλλον ἔχειν μονόκωλον. Urbinas μονόκλονον. Μονόκλωνον Schneiderus. Ap. Hesych. quod post Μονολόγιστον ponitur μονοκλόνως scribendum Μονόκλωνος. L. D.]

Μονοκοίλιος, ὁ, ἡ, Unicum ventrem habens. [Aristot. De generat. anim. 3, 15 : Τὸ γάλα τῶν μονοκοιλίων· H. A. 1, 17.] In VV. LL. scribitur Μονόκοιλος, quod ex Aristot. citatur.

[Μονοκοιτέω, Solus cubo, Secubo. Aristoph. Lys. 592 : Μονοκοιτοῦμεν διὰ τὰς στρατιάς. Lucill. Anth. Pal. 11, 196, 3.]

[Μονοκοίτιος, ὁ, ἡ, Qui est secubantis. Hesychius : Σκιμπόδιον, εὐτελὲς κλινίδιον μονοκοίτιον. Sed fortasse præstat μονοκοίτιον haberi pro substantivo et interpungendo separari a κλινίδιον.]

[Μονόκοιτος, ὁ, ἡ, Solus cubans, Secubans. Schol. Lycophr. 958, 960. « Hesych. » Wakef.]

[Μονόκοκκον, τὸ, Unio, cepæ genus unico capite vel unico nucleo constans. Nostris inde *Oignon*. Gl. cap. de oleribus : Μονόκοκκα, Uniones, Gl. Ita emendat Salmasius. Alibi : Uniones, μαργαρῖται μεγάλοι, μονόκοκκα. Nempe hæc vox Margaritas grandiores et cepas significat. V. Gloss. Lat. in Uniones. Ducang.]

[Μονοκονδύλιον, τὸ, unde Μονοκονδύλια, Ductus calami, quum magnis, perplexis, continuatis nec intermissis lineis, nomina, lineæ integræ interdumque plures una serie scribuntur, Gall. *trait de plume*, nomine orto a κονδύλιον s. κονδίλιον, Calamus s. Penicillus pictorius, sec. Montefalcon. Palæogr. Gr. p. 349, ubi v. specimina ejusmodi scripturæ.]

Μονοκόνδῠλος, ὁ, ἡ, Unum nodum s. tuber habens. Dicitur de pollice, in quo quum una junctura et curvatura sit, unum itidem tuber in ea junctura et curvatura extat, Aristot. [H. A. 1, 15.]

[Μονοκόντια, τὰ, Tela Isaurica. Justinian. Nov. 85, c. 4 : Τὰς καθ' οἷον δήποτε τρόπον γινομένας λόγχας καὶ τὰ παρ' Ἰσαύροις ὀνομαζόμενα μονοκόντια. Ducang.]

[Μονόκοσμον sine testim. apposuit Ducang.]

Μονοκότῠλος, ὁ, ἡ, Qui unam concavitatem habet in cirris suis s. flagellis, In quo unum tantum acetabulum est. Dicitur de quodam polyporum genere, ut videre est in Δικότυλος. [Ubi affert Aristot. H. A. 4, 1. Id. De generat. anim. 4, 9 : Γένος δέ τι πολυπόδων μονοκότυλον ... μονοκότυλον γὰρ ἀναγκαῖον εἶναι τὸ στενόν.]

[Μονοκρᾰτής, ὁ, ἡ, Qui solus dominatur. Theod. Prodr. Ep. p. 98, et in Anecd. meis vol. 4, p. 440, 12. Boiss.]

[Μονοκρατία, ἡ, Unius imperium. Greg. Naz. vol. 2, p. 165, A, 79 : Μονοκρατίην ἐριλαμπέα.]

[Μονοκρατορέω, Solus impero. Theophanes Chron. p. 39, C : Ἰουλιανοῦ μονοκρατορήσαντος· 288, D : Μονοκρατορεῖ ὁ Μαυΐας βασιλικῶς κατοικήσας ἐν Δαμασκῷ. L. D.]

Μονοκρατορία, ἡ, Suidæ i. q. μοναρχία. [Const. Manass. Chron. 4442. Boiss.]

Μονοκράτωρ, ορος, ὁ, Qui solus rerum potitur, Qui solus imperium tenet : μονάρχης. [Theophan. Chron. p. 12, D, de Constantino M. Georg. Chartophylax ap. Bandin. Bibl. Med. vol. 1, p. 26, A extr. et Eugenius philos. ib. p. 27, B, de imperatore Friderico II et Gulielmo rege (Siciliæ). L. D. Ὁ διάβολος, in Lex. Ms. cod. Reg. 1843. Ducang. Const. Manass. Chron. 2327 : Κράτωρ μονοκράτωρ· 5178, 5423, et in var. 6346. Boiss.]

[Μονοκρήπις, ῖδος, ὁ, ἡ] Μονοκρηπὶς, Una crepida indutus, Mercurii epith., qui calceum alterum Perseo ad Gorgonas devolanti dedit. [Pind. Pyth. 4, 75 : Τὸν μονοκρήπιδα. Epigr. Anth. Plan. 127, 1; Lycophr. 1310.]

Μονόκροτος, ὁ, ἡ, Qui uno duntaxat pulsu movetur : μ. ναῦς, ead. quæ μονήρης, Quæ uno duntaxat remorum ordine impellitur. Strabo 7, p. 142 Ald. [p. 325] : Καὶ νεώρια, ἐν οἷς ἀνέθηκε Καῖσαρ τὴν δεκανέαν [δεκαναΐαν] ἀκροθίνιον, ἀπὸ μονοκρότου μέχρι δεκήρους, Sunt et navalia, in quibus Cæsar undeviginti naves decimarum nomine dedicavit, ab uno remorum ordine usque ad deciremes, Bayf., reponens μονοκρότου pro μονικράτου, quod in vulg. edd. habetur : quæ ejus emendatio veterum quoque librorum auctoritate confirmatur. Xen. autem, inquit idem Bayf., in Hell. 2, [1, 18] δικρότους et μονοκρότους naves dixit Eas quæ quum triremes, opinor, essent, propter tamen absentiam remigum et sociorum navalium, duobus tantum vel uno per transtra remige incitarentur, quum tamen possent ternis agi, si adfuissent remiges : Ἐσήμανεν ἐς τὰς ναῦς βοηθεῖν κατὰ κράτος, διεσκεδασμένων δὲ τῶν ἀνθρώπων, αἱ μὲν τῶν νηῶν δίκροτοι ἦσαν, αἱ δὲ μ., αἱ δὲ παντελῶς κεναὶ, Quum autem socii navales in diversas partes ad sua quisque negotia discessissent, navium nonnullæ duobus tantum ordinibus agebantur, aliæ vero uno tantum, quædam autem prorsus vacuæ remigibus erant.

[Μονόκτιστος, ὁ, ἡ, Solus creatus. Isid. Pel. Ep. 3, 31, p. 269, D : Δύναται γὰρ εἶναί τις καὶ πρωτότοκος καὶ μονογενὴς υἱός· ἐν δὲ τοῖς κτίσμασιν οὐκ ἔχει χώραν· ἢ γὰρ μονόκτιστος ἢ πρωτογενής. Boiss.]

[Μονόκυκλος, ὁ, ἡ, Qui unius est circuli. Ex Demiopratis citat Pollux 10, 81, τράπεζα.]

[Μονόκυθρον, τὸ, Compostile, olla complectens varios cibos, cujusmodi monachis apponi solent. Dores (immo Iones) κύτραν pro χύτραν dixerunt. Eust. Il. p. 468, 36 : Ἰωνικῶς δὲ ἰδιώτισται καὶ τὸ ἐκ τῆς χύτρας συντεθὲν μονόκυθρον. Ducang. Qui Byzantinorum addidit exx. Formæ κυθρ- ex. in vulgari dial. est Ἐφαλλοκύθρας, quod v. Ceterum conf. schol. ad l. Hom. Δ, 243. L. Dind.]

Μονόκωλος, ὁ, ἡ, Uno artu porrectus, Gaza ap. Theophr. [C. Pl. 2, 15, 5 : Ἡ δὲ Φωκὶς καλουμένη (ἄπιος κολουομένη) βελτίων πρὸς δένδρωσιν ... καὶ γίνεται μονόκωλος καὶ ἀσθενής. || De hominibus i. q. μονόπους ap. Gellium N. A. 9, 4, 9 : « Homines, qui monocoli appellantur, singulis cruribus saltuatim currentes ; » et iisdem fere verbis Plin. N. H. 7, 2, 23. Conf. Salmas. ad Solin. p. 708, a, A, qui recte monet κῶλον esse Crus vel Pedem, ut suo loco diximus. || Αὔλημα μονόκωλον v. in Μονόκλονος.] Item μ. περίοδος, Quæ unico membro absolvitur . quam Aristot. Rhet. 3, [3] dicit esse ἀφελῆ. Plut. De puer. educ. [p. 7, C] : Τὸν μ. λόγον πρῶτον μὲν ἀμουσίας οὐ μικρὸν ποιοῦμαι τεκμήριον, Unius membri orationem. [Dionys. vol. 6, p. 822, 7 : Τὸ λαβεῖν ὑπόθεσιν μήτε μονόκωλον παντάπασιν μήτ' εἰς πολλὰ μεμερισμένην καὶ ἀσυνάρτητα κεφάλαια· 1089, 4 : Ἵνα μοι μὴ μονόκωλος ᾖ μηδ' αὐστηρὸς ὁ λόγος.] Et metrum μ. ap. poetas [vel potius grammaticos metricosque passim], in quo cola unius modi sunt. [Οἰκήματα μουνόκωλα ap. Herodot. 1, 179, Domunculas unius membri, i. e. Unius conclavis, intelligunt alii ; ego, Domunculas unum continuum latus, unam continuam superficiem offerentes; collato usu vocabuli κῶλον ap. eund. Herodot., de quo supra. Sed adj. μόνος in illius voc. compositione non tam Unitatem et Continuitatem, quam Uniformitatem præsertim indicare videtur : ut οἰκήματα μ. dicantur Domunculæ simillimam cunctæ faciem, unius ejusdemque formæ frontem præferentes. Certe in Plutarchi l. c. ὁ μ. λόγος idem dicitur qui μονῳδὸς et οὐ ποικίλος. Parum commode HSt. Unius membri orationem interpr. SCHWEIGH. Improprie Aristot. Reip. 7, 7: Τὰ περὶ τὴν Ἀσίαν διανοητικὰ μὲν καὶ τεχνικὰ τὴν ψυχὴν, ἄθυμα δέ· διόπερ ἀρχόμενα καὶ δουλεύοντα διατελεῖ. Τὸ δὲ τῶν Ἑλλήνων γένος ὥσπερ μεσεύει κατὰ τοὺς τόπους, οὕτως ἀμφοῖν μετέχει· καὶ γὰρ ἔνθυμον καὶ διανοητικόν ἐστιν ... Τὴν αὐτὴν δ' ἔχει διαφορὰν καὶ τὰ τῶν Ἑλλήνων ἔθνη καὶ πρὸς ἄλληλα. Τὰ μὲν γὰρ ἔχει τὴν φύσιν μονόκωλον, τὰ δὲ εὖ κέκραται πρὸς ἀμφοτέρας τὰς δυνάμεις ταύτας. || « Hesychius : Μυρμήκων ὁδοὶ, αἱ μονόκωλοι ῥίβοι. » HEMST. || Adv. Μονοκώλως, Epiphan. vol. 1, p. 481, D : Διηγεῖσθαι μ.]

[Μονόκωπος, ὁ, ἡ, Qui uno utitur remo, solus remigat. Eur. Hel. 1128 : Μονόκωπος ἀνὴρ, de Nauplio. Schol. Lycophr. 75.]

[Μονολέκῦθος, ὁ, ἡ, Qui unius est vitelli. Schol. Eur. Or. 465 Barn., ᾠόν. BOISS.]

Μονολεχὴς, ὁ, ἡ, Qui solus cubat. [Unicuba, Gl. Plut. Mor. p. 57, D.] Μουνολεχὴς, Qui s. Quæ solus, sola cubat, Epigr. [Rufini Anth. Pal. 5, 9. BOISS. Epigr. ap. Ross. Inscrr. fasc. 2, p. 22, n. 111, b, 7. L. D.]

[Μονολέων, οντος, ὁ, et Ion.] Μουνολέων, ex Epigr. [Leonidæ Anth. Pal. 6, 221, 3], pro Solus leo, Solitarius leo.]

[Μονολήκῦθος, ὁ, ἡ, Qui solus fert ampullam. Posidippus ap. Athen. 10, p. 414, E. Conf. Αὐτολήκυθος.]

Μονολήμμᾰτος, ὁ, ἡ, Unico tantum lemmate constans : μ. συλλογισμὸς, Syllogismus unius propositionis, ut enthymema : in quo, uno posito lemmate infertur conclusio. Alex. Top. 1 : Οὓς γὰρ οἱ περὶ Ἀντίπατρον μ. συλλογισμοὺς λέγουσιν, οὐκ εἰσὶ συλλογισμοὶ, ἀλλὰ ἐνδεῶς ἐρωτῶνται· quorum syllogismorum hoc affert exemplum, Ἀναπνεῖς· ζῇς ἄρα. Vide et Bud. p. 197.

[Μονοληστὴς, ὁ, Latro singularis. V. Μονοπείρας.]

Μονόλῐθος, ὁ, ἡ, Ex uno lapide factus, Uno lapide constans. [Diodor. 1, 46, ὀβελίσκοι· 47, ζῴδια· 59, εἰκόνες· 66, ὀροφή. Ms. ap. Pasin Codd. Taur. vol. 1, p. 73, B, οἶκος. Phocas Descr. Γ. S. p. 5, κορυφὴν ὄρους, aliique Byzant. ap. Ducang. et alii ap. Locell. ad Xenoph. Ephes. p. 219. Forma Ion.] Μουνόλιθος, Ex uno lapide constans, s. Ex lapide tantum constans. [Οἴκημα et στέγη ap. Herodot. 2, 175.]

[Μονολογία, ἡ, Soliloquium. « Breviloquentia, Pauca verba. Georg. Lapitha Poem. mor. 432. » BOISS.]

[Μονολόγιστος, ὁ, ἡ. Μονολόγιστοι dicti monachi quod uni duntaxat orationi intenti sunt. Lex. Ms. Reg. cod. 1708 : Μονότροπος ὁ μονολόγιστος. Nicon in Pandecte Ms. l. 1, fol. 30 v. : Μονολόγιστος, ἤγουν εἰς ἓν ἀποβλέπων καὶ τοῦτο μόνον λογιζόμενος καὶ εὐχόμενος τὸ σωτήριον, Κύριε Ἰησοῦ Χριστὲ κτλ. Schol. Ms. Jo. Climaci ad c. 241 : Καὶ μονολόγιστος Ἰησοῦ εὐχὴ, ἤγουν εἰς ἓν ἀποβλέπουσα καὶ τοῦτο μόνον λογιζομένη καὶ εὐχομένη τὴν σωτηρίαν. V. Μονότροπος. DUCANG. in Gl. et Append. Jo. Veccus in Allat. Gr. Orthod. vol. 2, p. 42, D : Τὴν τοιαύτην οὐκ ἠδυνήθης ἐκκόψαι μονολόγιστον συνήθειαν, Consuetudinem, quæ solis illis in usu est, Int. Sine interpr. ponit Hesychius, addito, de quo in Μονόκλωνος dixi, μονοκλόνως. L. D. Jo. Climac. Scala p. 226. || Adv. Μονολογίστως, ib. p. 433.]

[Μονολόγος, ὁ, ἡ, Soliloquus, Gl. Veriori accentu Ps.-Augustin. ap. Pasin. Codd. Taurin. vol. 1, p. 469, B : Εὐχαὶ... αἱ καλούμεναι μονόλογοι, Soliloquia ad deum. L. D. Nicephorus Presbyter in Vita Ms. S. Andreæ Sali : Οὐκ ἔστιν οὖν τὸ μικρὸν μονόλογον οὐδὲ τὸ γλυκὺ μονότροπον. DUCANG. App. Gl. p. 135.]

Μονόλοπος, ὁ, ἡ, Uno cortice et tunica tectus, vestitus Theophr. [H. Pl. 1, 5, 2] πολύλοπος φλοιὸς, Cortex pluribus tunicis involutus et vestitus : Καὶ τῶν μὲν πολύλοπος, οἷον φιλύρας, ἐλάτης, ἀμπέλου, κρομμύων· τῶν δὲ μονόλοπος, οἷον συκῆς, καλάμου. [« Pro quibus Plin. Quibusdam cortex multiplex tunicis, ut vitibus, tiliæ, abieti : quibusdam simplex, ut fico, arundini. » HSt. Ms. Vind.] Supra calamo λέμμα tribuit, quod ex Plin. etiam Tunicam interpretatus sum. [Hesychius : Μονόλοπα, μονόδερμα, μονοχίτωνα. Photius et Suidas, μονόφυλλα, μονόδερμα. Ubi μονόφυλλα, etsi est etiam in Bachm. An. vol. 1, p. 303, 9, rectius diceretur μονόφλοια. Μονοχίτωνα autem, quod est ap. Hesych., spectat signif. figuratam, nisi quis aut ad præcedentem gl. Μονοείμονα, quæ tamen non exstat ap. Hesych., aut ad Μονόλωπα referendum putet, quod Hesychio intulerat Musurus estque in Suidæ edd. vett. et ap. Zonaram p. 1367 et Cyrillum Ducangii v. Μονοχίτων : Μονόλωπα, μονοχίτωνα· λώπη γὰρ τὸ ἱμάτιον.]

[Μονόλῠκος, ὁ, Lupus solitarius, ut dictum in Μονιὸς, quod v. Arat. Phæn. 1124 : Καὶ λύκος ὁππότε μακρὰ μονόλυκος ὠρύηται ἢ ὅτ' ἀροτρήων ὀλίγον πεφυλαγμένος ἀνδρῶν ἔργα κατέρχηται, ... χειμῶνα δοκεύειν. Schol. λύκοι κατὰ μόνας γενόμενοι. Opinionem Æliani N. A. 7, 47 : Ὁ δὲ τέλειος καὶ μέγιστος (λύκος) καλοῖτο ἂν μονόλυκος, notavit Wyttenb. ad Plut. Demosth. c. 23 : Ἀλέξανδρον δὲ τὸν Μακεδόνα μονόλυκον προσηγόρευσεν (Demosthenes), quanquam confirmatam iis quæ in Μονοπείρας dicemus. Sec. August. anon. ex lupo et hyæna nasci annotat Schneider. in Lex.]

[Μονόλωπος. V. Μονόλοπος.]

[Μονόμαζος, ὁ, Unam mammam habens, Amazon, Eust. Il. p. 402, 37.]

[Μονομαχεῖον, τό. Pro ἡ μονομαχία reperitur etiam Μονομαχεῖον, ap. Athen. 5, p. 191, A. SCHWEIGH. Ut Ludum gladiatorium significet, postulat analogia : sed pro Congressu gladiatorio usurpasse videtur Chrysostomus In Ep. ad Coloss. serm. 6, vol. 4, p. 121, 25 : Ὥσπερ γὰρ μονομαχεῖον γέγονεν· ἔπληξε τὸν Χριστὸν ὁ Θάνατος· ἀλλ' ὁ Χριστὸς πληγεὶς, ὕστερον αὐτὸν ἀνεῖλε. SEAGER. Apud Athen. μονομάχιον restituit G. Dind., quod etiam Joanni Chrys. reddere licet et schol. Eur. Phœn. 1279 Matth.]

Μονομᾰχέω, Singulari certamine pugno. [Depugno, Gl. Eur. Phœn. 1220 : Χωρὶς μονομαχεῖν παντὸς στρατοῦ. Cum dat. Plato Crat. p. 391, E : Ὃς ἐμονομάχει τῷ Ἡφαίστῳ. Polyb. 35, 5, 1 : Μονομαχῆσαι πρὸς τὸν βάρβαρον. Cum præp. μετὰ, de qua constr. v. in Μάχομαι, Triclin. ad Soph. Aj. 1268. Cum accus. schol. Lycophr. 1447 : Μονομαχῶν μάχην. Apollodor. 3, 6, 8, 1 : Περὶ τῆς βασιλείας μονομαχοῦσι. || Forma Ion. « Μοῦνοι Ἑλλήνων μουνομαχήσαντες τῷ Πέρσῃ, Athenienses pugna Marathonia, Herodot. 9, 48. » HEMST. De pugna unius 7, 104; 9, 26, item cum dat.] Plut. Hellen. : Ἐκ δὲ τούτου μονομαχοῦσιν οἱ βασιλεῖς. Et de gladiatoribus, Herodian. [1, 17, 3. Lucian. Toxar. c. 58.]

[Μονομάχημα, τὸ, i. q. μονομαχία. Eust. Il. p. 387, 6.]

[Μονομάχης, ὁ, i. q. μονομάχος. Mœris p. 260 : Μονομάχης Ἀττικοὶ, κατὰ δὲ τὴν ἀναλογίαν μονομάχος. Epim. Hom. in Cram. An. vol. 1, p. 50, 19, inter nomina in ης : Τοιοῦτον δὲ καὶ τὸ μονομάχης. Sextus Pyrrhon. 1, 156, p. 40; 3, 212, p. 180 : Οἱ μονομάχαι. Clem. Al. Pæd. 2, p. 167 : Κόλακές τε καὶ μονομάχαι.]

Μονομαχία, ἡ, Singulare certamen, Duellum [Gladiatorium huic add. Gl.], Gladiatoris cum gladiatore congressus. [Diyllus ap. Athen. 4, p. 155, A : Μονομαχίας ἀγῶνα ἔθηκεν, εἰς ὃν κατέβησαν τέσσαρες τῶν στρατιωτῶν. Polyb. 31, 4, 1 : Ἐπιτελεσθέντων δὲ τῶν ἀγώνων καὶ μονομαχιῶν καὶ κυνηγεσίων κατὰ λ' ἡμέρας, ἐν αἷς τὰς θέας συνετέλει, ubi etiam μονομαχιῶν locum habet. Sed alterum est 32, 14, 5 : Βουλομένου τἀδελφοῦ μονομαχίας ἐπὶ τῷ πατρὶ ποιεῖν. Videturque altera forma ne cadere quidem in ætatem Polybii.] Lucian. [De hist. conscr. c. 12] : Μονομαχίαν γράψαντος Ἀλεξάνδρου καὶ Πώρου. [De bellis μονομαχίᾳ diremtis v. Wessel. ad Diod. 4, 58. Μουνομαχίη forma Ion. Herodot. 5, 1; 6, 92.]

[Μονομαχικὸς, ἡ, ὸν, Qui singularis est certaminis, Gladiatorius. Polyb. 1, 45, 9 : Ὡς ἂν ἐκ τοσούτου πλήθους κατ' ἄνδρα καὶ κατὰ ζυγὸν οἱονεὶ μονομαχικῆς συνεστώσης περὶ τοὺς ἀγωνιζομένους τῆς φιλοτιμίας. Dio Cass. 72, 19, χρήματα.]

[Μονομάχιον, τό. Lucian. D. mer. 13, 5 : Τὸ μονομάχιον ὑπολαβών. Appiani Gall. 4, 10 : Δεύτερον τοῦτο μονομάχιον ἐπὶ Κελτοῖς ἐμεγαλαύχουν Ῥωμαῖοι· Hispan. 6, 53 : Ὑπέστη τὸ μονομάχιον, ubi præcesserat προὐκαλεῖτο ἐς μονομαχίαν, et recentiorum hoc exx. nonnulla indicavit Lobeck. ad Phryn. p. 518, quibus schol. Soph. Aj. 1284 addit Wakef. || « Gl. Assarium, Ἀσσάριον, μονομάχιον, δοκάριον, νουμμίον, ubi forte legendum μονάχιον. » DUCANG.]

Μονομάχος, ὁ, ἡ, Singulari certamine pugnans,

Gladiator, [Percussor, Gladiatus, Autoratus, Singularis, add. Gl.] Bud. Perperam autem μονόμαχος in VV. LL. scribitur proparoxytonως. [Accentum paroxyt. præcipiunt etiam Athen. 4, p. 154, E, F, Arcad. p. 89, 2.] Herodian. 1, [15, 16]: Καὶ τὸν βασιλέα οὐ τὸν μ. ἐννοούντων· sed particula negativa in vulg. editt. omissa est. Lucian. [Demon. c. 57] : Καταστήσασθαι θέαν μονομάχων. [Conf. etiam Μονόζωνος. || Adjective usurpavit Aristophanes ap. Athen. 4, p. 154, E : Μονομάχου πάλης ἀγῶνα νῦν ἱστᾶσι. Schweigh. Et Æsch. Sept. 798 : Πύλας ἐφαρξάμεσθα μονομάχοισι προστάταις. Eur. Phœn. 1325 : Μονομάχῳ δορί· et ib. 1362. Fem. 1300 : Μονομάχον ἐπὶ φρέν' ἠλθέτην· Heracl. 819, ἀσπίδος. || « Ion. Μουνομάχος, Theodor. Prodr. Epigr. p. 104. » Boiss.]

[Μονομαχοτροφεῖον, τὸ, Ludus gladiatorius, Suidas sine interpretatione.]

[Μονομαχοτρόφος, ὁ, Lanista, Gl. V. Λουδοτρόφος.]

[Μονομελὴς, ὁ, ἡ, Qui unius est membri. Simplicius ap. Cramer. Mus. philol. Cantabr. vol. 2, p. 623 : Ἐν ταύτῃ οὖν τῇ καταστάσει μουνομελῆ (—λῆ) ἔτι τὰ γυῖα ἀπὸ τῆς τοῦ νείκους διακρίσεως ὄντα ἐπλανᾶτο. Ipsa forma prodit Empedoclis esse voc., usurpantis de singulis membris corporis humani seorsum vagantibus. L. D.]

[Μονομέρεια, ἡ, Actio juridica vitiosa, quæ fit altera solum e partibus præsente. Athanas. vol. 1, p. 143, F; 146, F, et alibi passim. V. Μονομερῶς.]

Μονομερὴς, ὁ, ἡ, Unius partis, VV. LL. [Eran. Philo post Ammon. 155: Ἄστρον ἐστὶ τὸ ἐκ πολλῶν ἀστέρων συνιστάμενον σχῆμα, ἀστὴρ δὲ ὁ μονομερής. Theodor. Metoch. Misc. p. 621 : Ὥσπερ ἄρα καὶ νοῦς ἐπέχει καὶ λογισμοὶ σώφρονες ἐν τῷ αὐτῷ μὲν, μὴ μονομερεῖ δὲ ζώῳ τῷ ἀνθρώπῳ τὰς ἐκτρόπους ... ὁρμὰς τοῦ σώματος. « Eadem signif. qua supra μονομέρεια et infra μονομερῶς, Vita Athanasii ex Metaphraste in Append. vol. 2, p. 66 : Ἐκ μονομεροῦς πρᾶξιν ὑπομνημάτων ποιήσασθαι· et paulo post : Ποιήσαντες ἐκ μονομεροῦς ὑπομνήματα. Constitt. Apostol. 2, 51, p. 874 : Οὐ χρὴ μονομερεῖς τὰς κρίσεις ποιεῖσθαι. » Suic.] Adv. Μονομερῶς ex Pand. l. 6 affertur pro Simpliciter, Non in universum. [Μον. quidpiam fieri dicitur Quod fit in judicio una tantum parte præsente : contra κατὰ διάγνωσιν, quod utraque parte, cognitionaliter. Photius Epist. 158 : Δεικνὺς ἐν τῷ συμβόλῳ ὡς καθαρὸν μονομεροῦς λοιδορίας. Anon. De arte notaria Ms. : Κρίνειν παρεμπιπτούσας ὑποθέσεις ... μονομερῶς. Jo. Carpathi episc. Ms. : Μὴ μ. ἐξέταζε τὰ πράγματα. Theophan. a. 3 Constantini M. : Πρᾶξιν δὲ κατὰ μονομερίαν συστησάμενοι οἱ Ἀρειόφρονες καθαιροῦσιν ἀπόντα τὸν Ἀθανάσιον. V. Cujac. l. 4 Observ. c. 32, Anton. Augustin. l. 4 Emend. c. 13, Scalig. in Titium l. 1, c. 2. Ducang. V. Μονομέρεια, ut scribendum etiam ap. Theoph. « Pseudo-Chrys. Hom. 121, vol. 5, p. 791, 30. » Seager. Schol. Dem. C. Ctes. 278 Bekk. Boiss.]

[Μονόμετρος, ὁ, ἡ, Qui est unius metri. Dionys. De comp. vv. p. 213, 12 : Τοῖς δὲ μελοποιοῖς ἔξεστι πολλὰ μέτρα καὶ ῥυθμοὺς εἰς μίαν ἐμβαλεῖν περίοδον, ὥσθ' οἱ μὲν τὰ μονόμετρα συντιθέντες, ὅταν διαλύσωσι τοὺς στίχους τοῖς κώλοις διαλαμβάνοντες ἄλλοτε ἄλλως, διαχέουσι καὶ ἀφανίζουσι τὴν ἀκρίβειαν τοῦ μέτρου, καὶ ὅταν τὰς περιόδους μεγέθει τε καὶ σχήματι ποικίλας ποιῶσιν, εἰς λήθην ἐμβάλλουσι τοῦ μέτρου. Marius Victor. p. 2523 : « Leges cetera etiam monometra, i. e. ultimas metrorum particulas, quæ propagatæ dimetron ex se faciunt, inter metra numera, e quis dimetron profecto compositum est. ... Erit ergo Monometrum anapæsticum catalecticum ... tale, Propero pede. » Et p. 2531. Schol. Eur. Phœn. 1284 : Ἀναπαιστικὴ βάσις ἤτοι μονόμετρον· et sæpius ib. Tzetz. Cram. Anecd. vol. 3, p. 318, 14 et seqq. L. Dind.]

[Μονομήτωρ, ορος, ὁ, ἡ, Matre privatus. Eur. Phœn. 1517, ubi —ματ.] Μουνομήτωρ, Cui sola mater superest, Hesych.

Μονόμῖτος, ὁ, ἡ, Simplici licio s. filo textus. [Nicolaus Myrepsus Ms. 5, 12, cap. ult. : Καὶ μετὰ τὸ εἰπεῖν τὸν παρόντα ὁρκισμὸν δῆσον ταύτας τὰς τρεῖς βοτάνας μετὰ μονομήτου μηταρίου. Cod. Fuchsii μονομύτου. Etiam μηταρίου scribitur pro μιταρίου. Ducang. Μονόμιτον sine interpr. Gl.]

Μονόμμᾰτος, ὁ, ἡ, Unoculus, Epigr. [Alcæi Anth. Pal. 11, 12, 3.] Hesych. μονόμματον exponit. μονοειδῆ,

A ἁπλοῦν. [Cratin. ap. Phryn. Ecl. p. 54 (136 Lob.). Boiss. Æschylus fr. Prom. ap. Strab. 1, p. 43. (Et 7, p. 299; 15, p. 711.) Apollod. ap. Tzetz. Hist. 7, 766. Elberl.]

[Μονομοιρία, ἡ, Unica sors. Sext. Emp. Adv. astrolog. 5, 15 : Ἤδη δὲ τὸ μὲν προαναφερόμενον τοῦ ὡροσκοποῦντος ζωδίου ἐν τῷ φανερῷ ὂν κακοῦ δαίμονός φασιν εἶναι, τὸ δὲ μετὰ τοῦτο, ἑπόμενον δὲ τῷ μεσουρανοῦντι ἀγαθοῦ δαίμονος, τὸ δὲ προάγον τοῦ μεσουρανοῦντος κάτω μερίδα καὶ μονομοιρίαν καὶ θεόν. De partibus singulis Paul. Alex. Apotelesm. : Περὶ ἧς δεσπόζουσιν οἱ ζ' ἀστέρες μονομοιρίας κατὰ ζώδιον. Schneid. V. Procul. Paraphr. Ptol. p. 48, B, Περὶ μονομοιρίας. L. Dind.]

[Μονόμοιρος, ὁ, ἡ, i. q. αὐτόμοιρος, quod v., ap. Hesychium.]

[Μονόμορφος, Uniformis. Lexx. Gr. sine testim.]

[Μονόμοσχος, ὁ, ἡ, ap. Diosc. 4, 187 : Τὰ μὲν φύλλα πτέριδι ὅμοια, οὐ μονόμοσχα δὲ ὡς τὰ ἐκείνης, ἀλλὰ πολλὰς ἔχοντα ἀποφύσεις, Int., Non ex uno stipite.]

Μόνον, Solum, Solummodo, Tantum, Tantummodo.
B [Duntaxat, Per se, add. Gl. Æsch. Prom. 209 : Οὐχ ἅπαξ μόνον. Et alii quivis. De αὐτὸ μόνον adverbialiter posito v. in Αὐτός. Inter ἕνεκα et seq. genitivum ponit Apollon. De constr. p. 119, 17 : Αὗται αἱ ἀντωνυμίαι ὑπαγορεύουσι τὸ ἕνεκα μόνον τῆς ἀντιδιαστολῆς συμπαραλαμβάνεσθαι. Et τοῦτο μόνον eodem modo quo αὐτὸ μόνον ib. 18 : Τοῦτο γὰρ μόνον περιττεύουσαι παρῆκαν μὲν τὴν ἐγκλιτικὴν τάσιν. || Ἢ μόνον post negationem est ap. schol. Hom. Il. Ω, 557 : Ἀρίσταρχος οὐδὲν ἀποφαίνεται ἢ μόνον ἀθετεῖ τοὺς στίχους· Apollon. l. c. p. 204, 26 : Οὐκ ἔστι φάναι ἢ μόνον ἐκ τῆς ἀντιλήψεως· Porphyr. Vit. Plotini p. lx, 1 : Τὴν πρὸς ἑαυτὸν πρόσρησιν οὐκ ἄν ποτε ἐχάλασεν ἢ μόνον ἐν τοῖς ὕπνοις· in Epim. Hom. Cram. Anecd. vol. 1, p. 266, 6, et alibi. Pro quo dicitur etiam ἀλλ' ἤ, ut ap. Maximum Conf. vol. 2, p. 56, F : Ὡς μὴ ἄλλου τινὸς αὐτῶν ἢ μόνον Κυρίλλου τὴν εὐσεβῆ τοῦ κηρύγματος πιστευθέντος ἀκρίβειαν, καὶ ταύτην οὐκ ἐν τοῖς ἄλλοις λόγοις αὐτοῦ τοῖς τὴν διαφορὰν δηλοῦσιν, ἀλλ' ἢ μόνον ἐν τῇ μιᾷ καὶ συγγενεῖ ἐνεργείᾳ. || Ἢ μόνον, Simulac. Chron. Pasch. p. 590, 10 : Ἢ μόνον δὲ ἐβασί-
C λευσεν, ἔγημε τὴν ἀδελφὴν, ubi ἢ obliteratum a proximo πέμπτῃ restitui ex Jo. Malala p. 367, 9, qui hoc ἢ μόνον habet p. 70, 20, et locis in Ind. v. Ἢ a me citatis aliisque, ut non dubitarim p. 384, 4, 5, quod erat ἐλάμβανε· μόνον δὲ ῥὴξ ἐγένετο, ceterorum ad ex. locorum corrigere ἐλάμβανεν· ἢ μόνον δὲ κτλ. Simplex vero μόνον similiter ponit Alexander De inv. crucis p. 39, D : Μόνον γὰρ ἤγγισεν ἡ σκιὰ τοῦ σταυροῦ τῇ ἀσθενούσῃ, εὐθὺς ἡ ἄπνους ἀνεπήδησεν.] A Cic. p. 40 mei Lex. Cic. redditur Tantummodo. [Cum optativo Æsch. Cho. 244 : Μόνον κράτος τε καὶ Δίκη συγγένοιτό μοι. Cum imp. Suppl. 1012 : Μόνον φύλαξαι τάσδ' ἐπιστολὰς πατρός.] Plato, Οὐδὲν, ἦν δ' ἐγώ· μόνον ἐλθέτω, Nihil sane, inquam : veniat modo. [Post imperat. id. Gorg. p. 494, D : Ἀλλ' ἀποκρίνου μόνον.] Item μόνον εἰ, Si modo. Gregor. : Καὶ παθεῖν τι, ὡς κατάκριτος, δέχομαι· μόνον εἰ σταίητε μεθ' ἡμῶν, Si modo, Modo si. Isocr. : Μ. εἰ μὴ ἔπραξαν, Modo non fecerint. [Nisi, Præterquam si, ap. Sozom. Hist. eccl. 3, 14, p. 112, 10 : Ξένον δὲ μὴ συνεσθίειν αὐτοῖς, μόνον εἰ μὴ παροδεύων ἐπιξενωθείη.] Item
D μόνον μὴ, Modo ne, i. e., Si modo non. Gregor. : Πρόχειρός ἐστι, μεγαλόδωρος· μόνον μὴ μικρολογίαν καταγνωσθῶμεν τοῦ μικρὰ αἰτεῖν. Sic Cic., Modo ne summa turpitudo sequatur. [Xen. Conv. 8, 6 : Μόνον μὴ συγκόψῃς με. Postpositum est ap. Eur. Cycl. 219 : Μή 'μὲ καταπίῃς μόνον.] Interdum omittitur εἰ. Synes. : Ἐμοὶ δὲ ἀποχρήσει καὶ παρ' ἑτέρων πυνθάνεσθαι τὰ περὶ ὑμῶν, μόνον ὁ Θεὸς ἀγαθῶν εἴη νομεὺς, Sit modo : h. e., Si modo sit. Quod vero Lat. dicunt, Non solum, sed etiam, Non tantummodo, verumetiam, id Græci οὐ μόνον, ἀλλὰ καί [quod frequentissimum est apud omnes, vel, quod rarius, οὐ μόνον, καὶ ... δὲ, ut ap. Musonium Stob. Fl. vol. 2, p. 409 : Τρέφειν δύνανται οὐ μόνον ἑαυτοὺς, καὶ τέκνα δὲ καὶ γυναῖκας· Maneth. 3, 154 : Οὐχὶ μόνον πιναραῖς ἀλόχοις γάμον ἐζεύξαντο, καὶ δ' αὐτοὶ πρήξεις Κυθέρης ἀγάπησαν ἀθέσμους. Vel, quod frequentius, solo δὲ, vel ἔτι δὲ, ut ap. Polyb. 2, 50, 6 : Οὐ μόνον δι' αὐτοῦ, ἔτι δὲ μᾶλλον ἐξ ἁπάντων· et ibid. 70, 7; 3, 15, 11] : item, οὐ μόνον, ἀλλὰ ὡς καί : item, μὴ μόνον, πρὸς δέ. Plato dixit etiam μὴ μόνον, πλέον δὲ, Non solum, sed ma-

gis etiam. Et Idem, Μὴ μόνον,... πρὸς τῇ χώρᾳ δὲ ἅμα, Non solum, sed etiam. [Addito γε Xenoph. Cyrop. 1, 6, 17 : Ἦ καὶ σχολὴ ἔσται ... σωμασκεῖν; Οὐ μὰ Δί' οὐ μόνον γε, ἀλλὰ καὶ ἀνάγκη· 8, 3, 7. Plato Leg. 6, p. 752, A. « Menand. De encom. p. 34. » Jacobs. Plut. Alcib. c. 32.] Interdum οὐ μόνον δὲ pendet ex præcedenti periodo. Gregor. : Τὸν λόγον ὑποδεχόμενοι· οὐ μόνον δὲ, ἀλλὰ καὶ κρατοῦντες· pro, Neque vero hoc solum. Sic Cic. : Primum M. Metellum amicissimum, deinde Hortensium consulem; non solum, sed etiam Q. Metellum : i. e., Neque solum hunc. Aliud exemplum ex eod. Greg. habes ap. Bud. p. 1038. [Aliud præbet Ephræm Syr. vol. 3, p. 220, C. || Οὐχ ὅτι μόνον pro οὐ μόνον v. in Ὅτι. || Οὐ μόνον pro οὐ μόνον οὐ est ap. Xen. H. Gr. 3, 2, 21 : Καὶ οὐ μόνον ταῦτ' ἤρκει, ἀλλὰ καὶ ... ἐξήλασαν· Comm. 1, 4, 13 : Οὐ μόνον ἤρκεσε τῷ θεῷ τοῦ σώματος ἐπιμεληθῆναι, ἀλλὰ καὶ ... ἐνέφυσε· Cyrop. 8, 8, 16 : Τὰς εὐνὰς οὐ μ. ἀρκεῖ μαλακῶς ὑποστρώννυσθαι, ἀλλ' ἤδη κτλ. et ib. 17. Demosth. p. 497, 13 : Πῶς γὰρ οὐχὶ δεινότατ' ἂν πεπονθὼς φανείη, εἰ μὴ μόνον ἐξαρκέσει ..., ἀλλ' εἰ καὶ ἀφέλοιντο. Qui tamen loci omnes non opus habent hac explicatione si μόνον cum verbo ita jungitur quasi postpositum esset, ut ap. Lycurgum p. 151, 7 : Οὐ γὰρ ἐξήρκεσε ... τὰ χρήματα μόνον ὑπεχθέσθαι. Sed prorsus ut ap. Latinos Non modo, ponitur in Chron. Pasch. p. 160, 8 : Οὐ μόνον γὰρ ἐπαύσατο, ἀλλὰ καὶ ἐπιτείνειν τὰ τοιαῦτα ἐπηγγείλατο.] || At Μόνον οὐ sive Μονονού, aut Μόνον οὐχ sive Μονονούχ, Tantum non, Modo non, i. e., Fere Propemodum, σχεδὸν, ἐγγύς [Hesychio]. Lucian. [De sacrif. c. 3] : Ἀπαιτεῖ τὴν ἀμοιβὴν, καὶ μόνον οὐχ ὀνειδίζει· quod dicitur etiam ὅσον οὐ, οὔπω. Aristoph. Vesp. [516] : Καταγελώμενος μὲν οὖν Οὐκ ἐπαΐεις ὑπ' ἀνδρῶν, οὓς σὺ μονονοὺ προσκυνεῖς, Quos tu propemodum venerari. [Eccl. 538 : Μόνον οὐ στεφανώσασα.] Terent., Senem per epistolam pellexit, modo non montes auri pollicens. At Tantum non in hac signif. ap. Liv. et Suet. frequens est. Synes. Ep. 125 : Ἐγὼ μὲν οὖν μονονοὺχ ἔποχος ὢν ἵππῳ, τὴν ἐπιστολὴν ὑπηγόρευσα (ubi durius diceretur Latine Tantummodo), Propemodum conscenso equo. [Rariori usu pro οὐδὲ Polyb. 3, 64, 5 : Ὅταν δὲ χωρὶς τῶν προειρημένων καὶ τῶν νῦν παρόντων ἀνδρῶν ἔχωμεν ἐπὶ ποσὸν πεῖραν ὅτι μόνον οὐ τολμῶσι κατὰ πρόσωπον ἰδεῖν ἡμᾶς· pro quo ad sententiam nihil intererat dici (nisi ita scrib.) κατὰ πρ. μόνον οὐ τ. Et 4, 19, 12 : Διὰ τόπων ποιούμενοι τὰς πορείας εὐεπιθέτων καὶ στενῶν καὶ μόνον οὐ σαλπιγκτοῦ δεομένων· ubi μόνον desiderabat Schweigh.] Et Μόνον οὐχὶ, sive Μονονουχὶ, pro eod. [Σχεδὸν, ἐγγὺς, ἄνω κάτω, εὐθέως, οὐδαμῶς, μόνον, int. Hesych., quorum postremum fortasse del. Idem quod ponit Μονουχὶ, μονονουχὶ, Albert. scrib. conjecit μουνονουχί.] Lucian. Timon. [c. 12] : Μόνον οὐχὶ δικράνοις με ἐξεώθει τῆς οἰκίας. [Polyb. 3, 102, 4, ubi tamen plerique μόνον οὐ. Interposito δὲ 3, 64, 4 : Πολλάκις μὲν ὑπ' αὐτῶν ἡττημένοι, πολλοὺς δ' ἐξενηνοχότες φόρους, μόνον δ' οὐχὶ δουλεύοντες αὐτοῖς. L. Dind.]

[Μοναυτης, ὁ, Qui solus navigat; unde Μοναυτικὴ, ἡ, domus in urbe Pamphyliæ Attaliæ. Eust. Od. p. 1535, 62 : Ἡ Παμφύλιος τῶν Ἀτταλέων πόλις οἰκίαν περιέχει ἐπικαλουμένην μονοναυτικὴν, dictam, ut in seqq. exponit, ab homine Attalensi, qui quum ex Ægypto solus illuc navigasset, μονοναύτης vocatus esset.]

[Μονονόμοι, τῶν εἱλώτων ἄρχοντας (—τες), Hesych. Sic enim codicis scripturam Μονονομοιτῶν correxit Schow.]

[Μονονοὺ, Μονονοὺχ, Μονονουχί. V. Μόνον.]

Μονόξοος, ὁ, ἡ, Unam et simplicem furcam s. fissuram habens. [Theophr. H. Pl. 5, 1, 10 : Μονοξόους δὲ καλοῦσι τὰς ἐχούσας μίαν μόνον κτηδόνα.]

Μονόξυλος, ὁ, ἡ, Ex unico ligno confectus. Plato Leg. 12, [p. 956, A] : Ξύλου δὲ, μονόξυλον ὅ, τι ἂν ἐθέλῃ τις, ἀνατιθέτω, Ligneum autem quodque voluerit, uno ex ligno dedicato, Cic. [Μονόξυλοι τράπεζαι, Strab. 17, p. 826. Etym. M. p. 570, 9. Hemst. Pollux 10, 176, σκεῦος.] Et μονόξυλα πλοῖα, [Xen. Anab. 5, 4, 11, Polyb. 3, 42, 2,] Arrian. [Exp. 1, 3, 7 et Peripl. m. Erythr. p. 151, et Hesych.], Navigia singula ex singulis arboribus s. trabibus cavata. Qua voce utuntur et Latini. Plin. 6, 23 : Regio autem, ex qua piper monoxylis lintribus Becaren convehunt, vocatur Cottona. Quos denotat Liv., quum ait, Novasque alias primum Galli inchoantes cavabant ex singulis arboribus. [Hippocr. p. 290, 2 : Μονοξύλοις διαπλέουσιν ἄνω καὶ κάτω. Aristot. H. A. 4, 8 : Ὅταν ἀθρόως περικυκλώσωσι (τοὺς δελφῖνας) τοῖς μονοξύλοις. Polyb. 3, 42, 3. Polyæn. 5, 23, σκάφας. Byzantinorum exx. plura v. ap. Ducang. || Μονόξυλον, Hasta absque cuspide, ap. anon. In Rhetor. Aristot. p. 75, annotavit idem.]

Μονοούσιος, ὁ, ἡ, Cujus substantia sola est, i. e. Solus in suo genere et nihil suæ substantiæ simile habens : ut sol, luna, cœlum, VV. LL. [Vox Sabellianis usitata, qua ita substantiam unam in Patre et Filio affirmabant, ut tollerent distinctionem personarum, ap. Ps.-Athanas. Expos. Fid. 2, ap. Routh. Opusc. eccles. vol. 2, p. 701 : Οὔτε γὰρ υἱοπάτορα φρονοῦμεν, ὡς οἱ Σαβέλλιοι λέγοντες μονοούσιον καὶ οὐχ ὁμοούσιον. « Cæsarius Dial. 1, Interrog. 43, Spiritum S. vocat πνεῦμα, μονοειδὲς, μονότροπον, μονοούσιον. » Suicer.]

Μονοπάθεια, ἡ, Affectus et morbus unius tantum : μονοπάθεια τῶν ὀφθαλμῶν, Quum unus tantum oculus dolet, Alex. Aphr. Prob. [1, 143.]

[Μονόπαις, αιδος, ὁ, ἡ.] Μονόπαις κόρος, Filius unicus s. unigenitus, Eur. [Alc. 906 : Ἐμοί τις ἦν ἐν γένει, ᾧ κόρος ἀξιόθρηνος ᾤχετ' ἐν δόμοισι μονόπαις.]

[Μονοπάλης, ὁ, et Ion. Μουνοπάλης, unde] Μουνοπάλαι, Hesychio οἱ μόνῃ τῇ πάλῃ νικῶντες. [Epigr. ap. Pausan. 6, 4, 7 : Μουνοπάλης νικῶ δὶς Ὀλύμπια Πύθιά τ' ἄνδρας ἅ]

Μονοπάτιον iter, in Pand. differt τῆς πλατείας ὁδοῦ, inquit Bud. Significare videtur Quod unus tantum calcare queat. [Semita s. Via per quam uni patet incessus. Michael Attaliates in Synopsi tit. 2 : Δουλεῖαι δέ εἰσιν, ὅτε ἔχω μονοπάτιον ἢ πλατεῖαν ὁδὸν διέρχεσθαι εἰς τὸν ἀλλότριον ἀγρόν· tit. 53 : Ὅταν ἔχῃ τις ὁδὸν πλατεῖαν ἢ μονοπάτιον διέρχεσθαι δι' ἀγροῦ ἀλλοτρίου. Ead. Harmenop. 2, 4, 126. Hæc et alia Ducang. Jo. Malal. p. 469, 9 : Μίαν ὁδὸν ἔχον μονοπατίου.]

Μονοπέδιλος, ὁ, ἡ, Uno indutus calceo s. talari. [Schol. Lycophr. 1310. Argum. Apoll. Rh. Arg. med. bis. L. Dindorf.]

[Μονοπείρας, ου, ὁ.] Μονοπεῖραι λύκοι, Lupi qui non plures simul homines, sed singulos invadunt. Aristot. H. A. 8, 5, de lupis : Ἀνθρωποφαγοῦσι δὲ οἱ μονοπεῖραι τῶν λύκων μᾶλλον αὐτῶν ἢ τὰ κυνηγέσια, Lupi hominem illi potius petunt, qui inertes et unipetæ quidem sunt quam qui venatores, Gaza. De quibus Plin. intelligere videtur, Inertes hos parvosque Africa et Ægyptus gignunt, asperos trucesque frigidior plaga. Hesych. μονοπείρας exp. τοὺς μὴ ἀθρόους [ἀθροὺς cod.], ἀλλὰ καθ' ἕνα πειρατεύοντας : quibus verbis dubium est an significet Prædones qui singuli prædatum exeunt, non confertim. Hoc certe fortassis μονοπεῖραι lupi exponi itidem possit, Qui singuli invadunt, non confertim. Perperam vero in VV. LL. ponitur Οἱμονοπεῖραι, Inertes, Unipetæ, pro οἱ μονοπεῖραι. [Photius : Μονοπείρας, τοὺς μὴ ἀθρόους, ἀλλὰ μόνον λῃστάς. Οὕτω Μένανδρος. Recte Coraes ad Plutarch. vol. 5, p. 401, μονολῃστάς.]

[Μονόπελμος, ὁ, ἡ, Qui unam habet soleam. Phanias Anth. Pal. 6, 294, 3 : Μονόπελμον συκχίδα. Harpocratio aliique grammatici in Ἁπλᾶς : Καλλίστρατός φησι τὰ μονόπελμα τῶν ὑποδημάτων οὕτω καλεῖσθαι. Hesych. v. Καρβατίνη, ubi pro μόνῃ πελλὸν restituerunt intt., citat Hemst.]

Μονόπεπλος, ὁ, ἡ, Uno s. Simplici indutus peplo, μονοχίτων. [Eur. Hec. 933. « Schol. Pind. Nem. 1, 74. » Boiss.]

[Μονόπηρος, ὁ, ἡ, Qui unam habet peram s. unum sacculum. Memorat Theognost. Can. p. 93, 21, Etym. M. p. 670, 57.]

[Μονόπλευρος, ὁ, ἡ, Qui est unius lateris. Suidas v. Παραγωγή s. Arrian. Tact. p. 66 : Ἐν μονοπλεύρῳ τῷ τάγματι ἡ στρατιὰ βαδιεῖται ἢ ἐν διπλεύρῳ ἢ ἐν τριπλεύρῳ.]

[Μονόπλοια, ἡ, Navigatio solitaria. Eust. Od. p. 1535, 61 : Τῆς ἡρωικῆς μονοπλοίας.]

[Μονοποδαρία, ἡ, Festum recentiorum Judæorum. Ecthesis de Hebræis ad Christianismum accedentibus : Ἀναθεματίζω ... καὶ τοὺς νέους τῶν Ἰουδαίων χαχοδιδασχάλους, Λαζαρόν φημι τὸν τὴν ἄθεον ἑορτὴν ἐξευρόντα τῆς λεγομένης παρ' αὐτοῖς μονοποδαρίας. An quod uno pede saltarent? Ducang. App. Gl. p. 135.]

[Μονοποδία, ἡ, Unus pes. Schol. Soph. OEd. T. 151.

Boiss. Schol. Aristoph. Nub. 274. Enchirid. Hephæst. in Aristoph.; Triclin. ibid.; schol. Eur. Hec. 1088. Kall. Tzetzes in Cram. An. vol. 3, p. 318, 19 : Μετροῦντας κατὰ μονοποδίαν. Et adj. Μονοποδιαῖος, α, ον, Qui est unius pedis, ib. p. 319, 31 : Τὰ μέτρα τὰ δισύλλαβα τὰ μονοποδιαῖα· 320, 1 : Τῶν τρισυλλάβων δὲ ποδῶν τῶν μονοποδιαίων. L. Dind.]

Μονοπόδιον, τὸ, Mensa quæ uno tantum pede sustinetur, Plin. [V. Lexica Lat. v. Monopodium.]

[Μονόποιος, ὁ, ἡ, Qui unius est qualitatis. Sext. Emp. Pyrrhon. 94, p. 26 : Ἄδηλον οὖν πότερόν ποτε ταύτας μόνας ὄντως ἔχει τὰς ποιότητας ἢ μονόποιον μέν ἐστι, παρὰ δὲ τὴν διάφορον κατασκευὴν τῶν αἰσθητηρίων διάφορον φαίνεται· iterumque paullo post.]

[Μονόπους, οδος, ὁ, ἡ, Unipes, Gl. Τράπεζα μ. ap. Polluc. 10, 69. Schol. Luciani Lexiph. c. 2 : Μονόποδι γάρ τί ἄλλο εἰς κίνησιν περιλείποιτο ἢ ἅλλεσθαι; Schol. Aristoph. Ran. 288. Eustath. ad Dionys. 723 : Μονόπους ποδὶ ζῴου. V. etiam Μονοστόρθυγξ. Adverbialiter Tzetz. in Cram. An. vol. 3, p. 319, 11 : Τὸ δ' ἀναπαιστικὸν μέτρον ἰάμβου καὶ τροχαίου μετροῦντας καὶ μονόποδα καὶ κατὰ διποδίαν, i. q. ib. 9 dixerat μεμέτρηται κατὰ μονοποδίαν. L. Dind. || Forma poet. Μουνόπους Erycius Anth. Pal. 9, 233, 6 : Μουνόποδα βλωθρῆς σκηπάνιον κοτίνου. Manetho 1, 137.]

Μονοπραγματέω, Uni duntaxat rei vaco, s. uni negotio, Unicam rem tracto. Aristot. Pol. 4, [15] : Καὶ βέλτιον ἕκαστον ἔργον τυγχάνει τῆς ἐπιμελείας μονοπραγματούσης ἢ πολυπραγματούσης

[Μονοπρόσμονα, ap. Photium Bibl. p. 18, 6, in Synodo C. Jo. Chrysost. : Ὅτι δέχεται γυναῖκας μονοπρόσμονα, πάντας ἐκβάλλων ἔξω, pro μόνας πρὸς μόνας ex codd. restituit Bekker. Est Solus cum solis. Conf. Isocr. p. 369, A : Περὶ ὧν μόνος πρὸς μόνον ἔπραξεν. L. Dind.]

[Μονοπροσωπέω, Unius sum personæ. Apollon. De pronom. p. 6, A.]

Μονοπρόσωπος, ὁ, ἡ, Qui unius solummodo personæ est : ut μονοπρόσωπος ἀντωνυμία, qualis est ἐκεῖνος : nec enim pluribus personis accommodari potest, ut αὐτός. [Apollon. De pronom. p. 20, B; 41, C; 141, A, aliique grammatici. De aliis rebus, ut ap. Joannem patr. Cpol. Bandin. Bibl. Med. vol. 1, p. 76, B, med. : Ἐπὶ μονοπροσώποις ἀπαιτήσεσιν· Theodor. Stud. p. 524, E, φύσιν· Maxim. Conf. vol. 2, p. 25, B : Μ. θεότης τριώνυμος· 91, E, et alibi. Cod. Lycophronis ap. Bachm. præf. p. xii : Λυκοφρονικῆς μονοπροσώπου βίβλου. L. D. || Μονοπρόσωπον, Pensitationis species. Sancitum Alexii patr. Cpol. l. 4 Juris Græcorom. p. 254 : Εἰ δέ τινα τῶν φροντιστηρίων εἶχον ἐκ παλαιοῦ συνεισφοράν τινα συνεισφέρειν ταῖς μητροπόλεσιν, εἴτε ἐπὶ μονοπροσώπων παροχῇ εἴτε ἐπὶ τροφαῖς κριτῶν κτλ. V. Μονομιξία. Ducang. || Adv.] Μονοπροσώπως, Sub una solum persona. [Tzetz. in Argum. Lycophr. Cassandræ. Boiss. Proleg. ad schol. Hesiod. p. 11 med. : Μονοπροσώπως ὑπόθεσιν ἀφηγεῖσθαι. L. Dindorf.]

Μονόπτερος, ὁ, ἡ, Unicam pinnam habens. Monopteros ædes, Vitruv. Quæ unicum pteron habet, 4, 17 : Fiunt autem ædes rotundæ, ex quibus aliæ monopteræ sine cella columnatæ constituuntur, aliæ peripteræ dicuntur.

[Μονόπτυχος, ὁ, ἡ, Simplex. Thom. M. p. 584, v. Λοπάδιον : Λεπὰς ὄστρεόν τι μονόπτυχον.]

[Μονόπτωτος, ὁ, ἡ, Unum habens casum. Cram. Anecd. vol. 1, p. 354, 7, Chœrob. vol. 1, p. 370, 25. L. Dindorf.]

[Μονοπύργιον, τὸ, Munimentum unica turri constans. Procop. Ædif. 4, 5 : Τὰ πολλὰ τῶν ἐρυμάτων αὐτοῖς ἀμέλει ἀπεκέκριτο εἰς πύργον ἕνα, μονοπύργιά τε, ὡς τὸ εἰκὸς, ἐπεκαλεῖτο. Ducang.]

[Μονοπωλεῖον. V. Μονοπώλιον.]

Μονοπωλέω, Solus vendo quippiam, Monopolium penes me est, Monopolii jus obtineo. Strabo 4, [p. 208, ex Polybio 34, 10, 14] : Αἰσθομένους δὲ τοῦτο τοὺς Ταυρίσκους μονοπωλεῖν, ἐκβαλόντας τοὺς ἐργαζομένους, Monopolium instituisse, sibi usurpasse.

Μονοπώλης, ὁ, Qui solus vendit, aut Qui solus in aliqua urbe merces aliquas divendit.

Μονοπωλία, ἡ, et Μονοπώλιον, τὸ, Privilegium et jus τοῦ μονοπώλου, Quum aliquis solus merces aliquas divendit. Aristot. Polit. 1, [11] : Ἐάν τις δύνηται μονοπωλίαν αὐτῷ κατασκευάζειν, Sibi soli jus vendendi comparare : quod dicit esse χρηματιστικόν. Ibid. : Μονοπωλίαν τῶν ὠνίων ποιοῦσι. Quod autem alii μονοπωλίαν dicunt, id Hyperides Μονοπώλιον, teste Polluce [7, 11]. Utuntur hoc vocab. μονοπώλιον Latini quoque. Plaut., Habes murrinam et calamum; potes monopolium instituere. Et Plin. 8, 37 : Magnum fraus et ibi lucrum monopolio invenit. Ubi Hermolaus quoque annotat Monopolium dici, Quum penes unum aliquem vendendi potestas est. [Diod. 5, 10 : Μονοπώλιον ἔχοντες καὶ τὰς τιμὰς ἀναβιβάζοντες. Procop. Pers. 2, 15 et 29 citat Ducang. additque formæ per diphthongum ex Glycæ p. 330 : Φούνδακα ἐν τῇ Ῥαιδέστῳ καὶ μονοπωλεῖον συνεστήσατο. « Καὶ γὰρ δὴ καὶ μονοπωλείας ἔχει Alexandria, Strabo 17, p. 798. » Hemst. Nunc recte μονοπωλία.]

[Μονοπώλιον. V. Μονοπωλία.]

[Μονόπωλος, ὁ, ἡ, Qui uno utitur equo. Eur. Or. 1004 : Μονόπωλον ἐς Ἀῶ. Schol. Phœn. 800.]

[Μονορρεπής, ὁ, ἡ, Qui in alteram partem vergit. Bryenn. Harmon. p. 486, D : Τῶν ἀτελῶν (τῆς μελῳδίας εἰδῶν) ἃ μὲν καλεῖται μονορρεπῆ, ἃ δὲ ἑτερορρεπῆ, ἃ δὲ ἀμφιρρεπῆ. Καὶ μονορρεπῆ μὲν καλεῖται ὅσα ἀπὸ τῆς μέσης (h. e. chordæ sic dictæ) μὲν αὐτῶν ἄρχεται καὶ ἐπ' αὐτὴν πάλιν καταλήγει, οὐ μέντοι καὶ διὰ πάντων τῶν οἰκείων δίεισι φθόγγων· μονορρεπῆ δὲ τὰ τοιαῦτα καλεῖται διὰ τὸ ἀπὸ τῆς μέσης αὐτῶν ἄρχεσθαι καὶ ἐπ' αὐτὴν πάλιν καταλήγειν καὶ πρὸς μόνα ἑαυτὰ ῥέπειν. L. Dind.]

[Μονόρρηξ, ηγος, ὁ, ἡ.] Μονόρηξ, Defractus, Abscissus : ἀπερρηγμένος, ἀπεσπασμένος, Hesych.

Μονόρριζος, ὁ, ἡ, Unicam s. Simplicem radicem habens. Contrar. πολύρριζος infra. [Theophr. H. Pl. 1, 6, 5; 1, 8, 6; Melet. in Cram. An. vol. 3, p. 81, 30; 82, 1.]

[Μονόρρυθμος, ὁ, ἡ, Solitarius. Æsch. Suppl. 961 : Πάρεστιν οἰκεῖν καὶ μονορρύθμους δόμους. Simile est ἰδιόρρυθμος.]

[Μονορυχὰν et forma Ion. Μουνορυχὰν ὄρυγα, Rastrum unius cuspidis, memorat Phanias Anth. Pal. 6, 297, 4. Quod μουνορύχαν scripsit Brunck.]

[Μόνορχις, ὁ, Unitestis, Unicoleus, Gl. Plut. Mor. p. 917, D : Χλούνην Ὅμηρος ὠνόμασε σῦν τὸν μόνορχιν. Levit. 21, 20, ubi nonnulli codd. Μονόρχης et Μονόρχιος.] Μονόρχεις ἵπποι, in Hippiatr., Equi qui unicum tantum habent testiculum, Altero testiculo mutili.

Μόνος, η, ον, Solus, Unicus, Unus. [De uno Pind. Pyth. 9, 88 : Ἐν μόναις ᾠδῖσιν (edidit geminos). Ps.-Soph. Œd. T. 1280 : Τάδ' ἐκ δυοῖν ἔρρωγεν οὐ μόνου κακὰ, ἀλλ' ἀνδρὶ καὶ γυναικὶ συμμιγῆ κακά. De qua signif. in primis frequenti in compositis v. etiam infra in signif. Simplicis et forma Μοῦνος. Conjunctum cum εἷς v. in illo p. 287, B. || I. q. ὁ αὐτὸς, Unus idemque. Tzetz. Hist. 8, 937, ubi tamen μονὰς recte mutari videtur in κοινάς. || Solus. Æsch. Suppl. 748 : Μόνην δὲ μὴ πρόλειπε, λίσσομαι, πάτερ· γυνὴ μονωθεῖσ' οὐδέν. Soph. Phil. 172 : Μόνος ἀεί. Et alii quivis. Addito ἐρῆμος Soph. Ph. 470 : Μὴ λίπῃς μ' οὕτω μόνον ἐρῆμον ἐν κακοῖς· Ant. 887 : Ἄφετε μόνην ἐρῆμον.] Plut. Polit. præc. : Βουλόμενος εἶναι μὴ μόνος, ἀλλὰ πρῶτος καὶ μέγιστος ἐν πολλοῖς καὶ μεγάλοις. Demonax ap. Lucian. [c. 29] ad quendam qui sibi μόνος et πρῶτος τῶν διαλεκτικῶν esse videbatur : Εἰ μὲν πρῶτος, οὐ μόνος· εἰ δὲ μόνος, οὐ πρῶτος. Id. Hermot. [c. 81 extr.] : Οὐδὲν κωλύσει σε μόνον πλούσιον μόνον βασιλέα εἶναι· Tim. [c. 43] : Εὐωχεῖτο μόνος ἑαυτῷ γείτων καὶ ὅμορος. Xen. Cyrop. 6, [1, 36] : Μόνος μόνῳ ἔλεξεν. [Quam formulam habent etiam Tragici, ut Soph. Aj. 467 : Ξυμπεσὼν μόνος μόνοις· 1283 : Ὅκτορος μόνος μόνου ... ἦλθ' ἐναντίος· Eur. Androm. 1083 : Πῶς δ' οἴχεταί μοι παῖς μόνου παιδὸς μόνος.] Interdum cum gen. construitur. Æschyl. ap. Aristoph. Ran. [1392] : Μόνος θεῶν γὰρ θάνατος οὐ δώρων ἐρᾷ. [Aliique plurimi, et rariori loquendi genere, Eur. Alc. 460 : Σὺ γὰρ, ὦ μόνα, ὦ φίλα γυναικῶν, σὺ ἔτλας κτλ. Herodot. 1, 25.] Sic Dem. [p. 149, 2] : Ἐν μόνῃ τῶν πασῶν πόλεων. Idem Dem., Μόνος τῶν ὄντων ἀνθρώπων, Solus omnium hominum qui sunt, Solus ex omnibus hominibus; nam Latini itidem dicunt Solus omnium, ex omnibus. [Cum ἀπὸ Theolog. arithm. p. 41 ed. Ast. : Μόνη ἀπὸ πάντων τῶν ἐκτὸς δεκάδος. Iamblich. In Nicom. p. 114, D : Μόνη ἀπὸ πάντων ἀριθμῶν ἡ δυὰς κτλ. Cum παρὰ Nicomach. Introd. arithm. 2, 29, p. 153 Ast. : Κυρίως αὕτη καὶ ὡς ἀληθῶς ἁρμονία ἂν λεχθείη μόνη παρὰ τὰς ἄλλας. || Aliæ formulæ sunt Πρῶτος καὶ μόνος ap. Phalar. Epist. 2, p. 6, 26 : Τὴν ψυχὴν, ἣν ἐχρῆν πρώτην ἐπὶ τὰ τοιαῦτα συνησχῆσθαι καὶ μόνην. Cui Polyb. 37, 3, 8, confert Schæfer. *Ἡ μόνος ἢ μάλιστα ap. Aristot. De generat. anim. 4, 7 : Ὅταν οὖν ἐκ δυσπέπτου ἰκμάδος συστῇ τὸ κύημα, τότε γίνεται ἡ καλουμένη μύλη ἐν ταῖς γυναιξὶν εὐλόγως ἢ μάλιστα ἢ μόναις. Μόνος ἢ μάλιστα, ap. Musonium Stob. Fl. vol. 2, p. 410 : Ταῦτα καὶ τὴν ψυχὴν ἀναγκάζει πρὸς αὐτοῖς εἶναι μόνοις ἢ μάλιστα. Pro quo μόνος μάλιστα ap. Dion. Chr. Or. 31, vol. 1, p. 631, et Plut. Pyrrh. c. 14, ubi ἢ inserebat Reiskius, sed libri εὖ μ. vel μ. εὖ. Et ap. Synes. Ep. 31, p. 177, D : Μόνος ἢ μετ' ὀλίγων σὺ μόνος. || *Ἡ μόνος, ut ἢ μόνον, de quo in Μόνον, post negationem, Apollon. De pronom. p. 39, B : Οὐδεμία ἀντωνυμία ἢ μόνη ἡ αὐτός. De αὐτὸς μόνος v. in Αὐτός. Addito καθ' αὑτὸν Plato Tim. p. 89, D : Ἱκανὸν ἂν γένοιτο αὐτὸ καθ' αὑτὸ μόνον. Et alibi.] Ab hoc μόνος reperitur etiam superl. Μονώτατος. Aristoph. Pl. [182] : Μονώτατος γὰρ εἶ σὺ πάντων αἴτιος Καὶ τῶν κακῶν καὶ τῶν ἀγαθῶν, q. d. Solissimus omnium, h. e. Solus ex omnibus. [Eq. 352. Theocr. 15, 137. Theolog. arithm. p. 5, 10, 12, 13, Nicomach. Introd. ar. 1, 8, p. 75 ed. Ast. Ps.-Herodot. V. Hom. c. 37 : Μονώτατον τῶν Ἑλλήνων τὸ Αἰολικὸν ἔθνος οὐ καίει ὀσφύν.] || Redditur etiam Singularis, quod itidem pro Solus vel Unicus interdum capitur, Simplex. [Theophilus De eventibus bellicis ap. Lambec. Bibl. Cæs. vol. 7, p. 547, C : Ἡ φυσικὴ τῶν ἀστέρων ἰδιοτροπὴ οὐχ ἐνιαίαν καὶ μόνην ἔχει τὴν ἐνέργειαν, ἀλλὰ ποικίλην τε καὶ διάφορον.] || Desertus, Separatus, Sejunctus. Soph. Aj. [510] : Εἰ νέος Τροφῆς στερηθεὶς, σοῦ διοίσεται μόνος, Ὑπ' ὀρφανιστῶν, Te orbatus, A te destitutus ; σοῦ χωρὶς, ut schol. exp. Latini etiam Sola loca, Solas rupes, Solas terras dicunt pro Desertas. [Quocum non recte comparatur Demosth. p. 178, 25 : Οὐ μὴν διὰ τοῦτο παραινέσαιμ' ἂν μόνοις τῶν ἄλλων ὑμῖν πόλεμον πρὸς αὐτὸν ἄρασθαι, quod est potius Solos omnium, tritissimo in pronomine ἄλλος græcismo. Eurip. Androm. 1221 : Μόνος μόνοισιν ἐν δόμοις ἀναστρέφει. Cum præp. ἀπὸ hac signif. conjungit Soph. Ph. 183 : Πάντων ἄμμορος ἐν βίῳ κεῖται μοῦνος ἀπ' ἄλλων. || Ut πρῶτος interdum ponitur pro πρῶτον et adjectivo dicitur quod adverbio exprimitur latine, sic μόνος ap. Lucian. Anth. Pal. 11, 403, 1 : Μισόπτωχε θεὰ, μούνη πλούτου δαμάτειρα, de podagra, pro μούνου, quod sonus dissuadebat, nisi una podagra confici divites crediderit Lucianus. Similiter ap. Callim. Del. 114 : Ἦ ῥά τοι ὧδ' αἰεὶ ταχινοὶ πόδες, ἢ ἐπ' ἐμεῖο μοῦνοι ἐλαφρίζουσι, ubi Stephanus conjecit μοῦνον. || Ante μόνος sæpe additur καὶ, maxime ap. recentiores, ut ap. Jo. Malal. p. 62, 4 : Ἀπώλετο πᾶσα ψυχὴ οἰκοῦσα τὴν χώραν ἐκείνην τῆς Ἀττικῆς καὶ μόνης. Constantin. Meliten. De process. Sp. S. p. 767, F : Οἷς ἀπόχρη καὶ μόνον τὸ κακοῖς καὶ εἶναι καὶ ὀνομάζεσθαι.]

|| Καταμόνας, Solum. Thuc. 1, [32] : Αὐτοὶ καταμόνας ἀπεωσάμεθα Κορινθίους, Nos soli marte nostro propulsavimus Corinthios. [Ib. 37. Xen. Comm. 3, 7, 4 : Οἱ κατὰ μόνας ἄριστα κιθαρίζοντες οὗτοι καὶ ἐν τῷ πλήθει κρατιστεύουσιν. Plato Leg. 12, p. 942, A : Αὐτὸν ἐφ' ἑαυτοῦ τι κατὰ μόνας δρᾶν. Et alii multi.] Marcus 4, [10] : Αὐτὸς ἐγένετο καταμόνας, Solus erat. Plautus dicit, Soli inviti cubant, pro καταμόνας. Item Seorsim. Synes. Ep. 135 : Ἐκπέμψαιμεν ἂν ὑμῖν μετ' αὐτοῦ μὲν τὰς στρουθοὺς, καταμόνας δὲ τοὔλαιον, Seorsim, Vobis solis. Scribitur etiam κατὰ μόνας.

|| Μοῦνος, poet. pro μόνος, Solus, Unus, Unicus. [Hom., qui non habet μόνος, Il. B, 212 : Θερσίτης δ' ἔτι μοῦνος · Δ, 388 : Οὐ τάρβει μοῦνος ἐών.] Od. Π, [105] : Εἰ δ' αὖ με πληθυῖ δαμασαίατο μοῦνον ἐόντα, Solus quum sim. [Hesiod. Op. 96 : Μούνη δ' αὐτόθι Ἐλπὶς ἔμιμνε.] Pro Unus accipitur Il. [K, 224 : Σύν τε δύ' ἐρχομένω, καί τε πρὸ ὁ τοῦ ἐνόησεν, ὅππως κέρδος ἔῃ, μοῦνος δ' εἴπερ τε νοήσῃ κτλ.] Ω, [453] : Θύρην δ' ἔχε μοῦνος ἐπιβλὴς, i. e. εἷς, Eust. [Hesiod. Th. 143 : Μοῦνος δ' ὀφθαλμὸς μέσσῳ ἐνέκειτο μετώπῳ, ubi tamen vera et antiqua scriptura, qua usus est etiam auctor v. 146, ἕεις conservata videtur ab Herodiano. Op. 11 : Οὐχ ἄρα μοῦνον ἔην Ἐρίδων γένος, ἀλλ' ἐπὶ γαῖαν εἰσὶ δύω.] Item, μοῦνος υἱὸς dicitur Unus filius s. Unicus : qui et μουνογενής. Id. [Il. I, 477] : Καί με φιλήσ' ὡσεί τε πατὴρ ὃν παῖδα φιλήσῃ Μοῦνον, τηλύγετον, πολλοῖσιν ἐπὶ κτεάτεσσι· [K, 317 : Ὁ μοῦνος ἔην μετὰ πέντε κασιγνήτῃσιν·] Od. Π, [118] : Μοῦνον Λαέρτην Ἀρκείσιος υἱὸν ἔτικτε, Μοῦνον δ' αὖ Ὀδυσῆα πατὴρ τέκεν · αὐτὰρ Ὀδυσσεὺς Μοῦνον ἔμ' ἐν μεγάροισι τεκὼν λίπεν, Unum me, vel Unicum, etiam Me solum. [B, 365 : Μοῦνος ἐὼν ἀγαπητός. Cum εἷς conjunctum Od. Ψ, 227 : Μία μούνη. Herodot. 1, 38. Eadem forma utuntur Pindarus et Tragici etiam in trimetris, ut Soph. OEd. T. 1418 : Χώρας λέλειπται μοῦνος ἀντὶ σοῦ φύλαξ, et alibi. Rarius gen. neutro, ubi adverbialiter ponitur, ut fr. Palamed. ap. Ammon. Ms. Mus. Brit. : Εὔφημος ἴσθι μοῦνον ἐξορμωμένη. || Forma Dor. est Μῶνος, ap. Theocr. 20, 45 : Μώνα δ' ἀνὰ νύκτα καθεύδοις, ubi libri μώνη (ut unus 2, 64, ubi ceteri μούνη), Valck. autem μούνα scrib. putabat, quod aliis plerisque Bucolicorum locis librarii intulerunt pro μῶνος, etsi forma Ionica aliena est a carminibus Dorica, non epica dialecto scriptis. L. D. || Monachus. V. Gloss. Lat. in Monos (ubi Latinorum attulit exx.). Ducang.]

|| Μόνως, Solummodo, Tantummodo, Solum, Tantum. [Strato Anth. Pal. 12, 254, 6 : Διὸς, ὃς Γανυμήδην ἔσχε μόνως.] Xen. Cyrop. 3, [2, 23] : Οὕτως ἂν εἴη μ. εἰρήνη βεβαία, Hoc solum modo. Id. [Comm. 1, 5, 5] : Οὕτως γὰρ μ. ὁ τοιοῦτος σωθείη. Redditur etiam Unice. [Thuc. 8, 81 : Πιστεῦσαι δ' ἂν μόνως Ἀθηναίοις, εἰ κτλ., ubi pauci μόνον. Plato Parm. p. 156, E : Μόνως οὕτως · Tim. p. 72, D : Οὕτω μόνως.]

[Μόνος, ὁ, Monus poeta, ap. Athen. 1, p. 1, C.]

[Μονοσάνδαλος, ὁ, ἡ, Qui unum habet sandalium. Apollod. 1, 9, 16, 3 : Ἐξῆλθε μ., τὸ ἕτερον ἀπολέσας πέδιλον. Schol. Pind. Pyth. 4, 133.]

[Μονοσέβαστος, ὁ, ἡ, Unice reverendus. Anon. in Gretseri Opp. vol. 2, p. 143, B : Δοξάσωμεν τὸν ... μονοσέβαστον ... καὶ ἅγιον σταυρόν. L. Dind.]

[Μονόσεπτος, ὁ, ἡ, i. q. præcedens. Greg. Naz. Carm. 9, 29, vol. 2, p. 113, C : Θεότης μονόσεπτος.]

[Μονοσήμαντος, ὁ, ἡ, Qui unius est significationis. Euseb. ap. Phot. Bibl. p. 105, 31, 38 : Μονοσήμαντον τὸ τῆς φθορᾶς ἐξειληφὼς ὄνομα. Μονοσήματος ap. Tzetzen in Cram. Anecd. vol. 3, p. 317, 7 : Ἡ μὲν φωνὴ τοῦ κόμματος ὁμοίως καὶ τοῦ κώλου τῶν ὁμωνύμων πέφυκεν οὐ τῶν μονοσημάτων, item scrib. μονοσημάντων. || Μονόσημος, ὁ, ἡ, ead. signif. Eust. Opusc. p. 47, 61 : Ἐὰν τὸ κατ' αὐτὴν (τὴν τόλμαν) δίσημον ἐκδέξηται εἰς μονόσημον. L. Dind.]

Μονοσίλλη, ἡ, Clara stella quæ in Hyadibus est, Hesych. [Conf. Μονούαλος.]

Μονόσιροι ὄρνεις, Alexandriæ in Ægypto sunt, ex quibus galli pugnaces nascuntur, bis et ter ova foventes, ut est Geopon. 14, cap. περὶ κατοικιδίων ὀρνίθων [7, 30]. Sunt qui Indicas gallinas vulgo dictas interpr.

Μονοσιτέω, Semel tantum in die cibum sumo, in die cibo utor, qua signif. Hipp. usurpat [p. 11, 48, 53; 385, 13 ; 388, 30]. Notandum vero μονόσιτον dici posse Eum etiam, qui solus et sine conviva cibum capit : et μονοσιτίαν, Morem illum capiendi cibum sine conviva, et μονοσιτεῖν, itidem Solum et sine conviva cibum sumere : ut μονοφαγία et μονοφαγεῖν. Alex. ap. Athen. 2, [p. 47, C] : Ἐπὰν ἰδιώτην ἄνδρα μονοσιτοῦντ' ἴδῃς, *Ἡ μὴ ποθοῦντ' ᾠδὰς ποιητικὰς [ποιητὴν Casaub.] καὶ μέλη· solent enim idiotæ raro agitare convivia, ipsorumque ædes raro musicis personant modulis. In priore autem signif., sc. pro Semel tantum in die cibum capere, usus est verbo μονοσιτεῖν et Xen. Cyrop. 8, p. 141 [8, 9] : Ἦν αὐτοῖς μονοσιτεῖν νόμιμον, ὅπως ὅλῃ τῇ ἡμέρᾳ χρῷντο καὶ εἰς τὰς πράξεις καὶ εἰς τὸ διαπονεῖσθαι. [Apophth. Patr. in Pœmene n. 168. Ducang. Athen. 2, p. 44, C; Steph. Byz. v. Ἰβηρίαι. Wakef.]

Μονοσιτία, ἡ, Semel tantum cibum capere quotidie. Galen. : Πικροχόλοις χαλεπώτερον ἀσιτίαν φέρειν καὶ μονοσιτίαν τῶν ἄλλων. [Hippocr. p. 1010, E. Phot. Bibl. cod. 59, p. 19, 1 : Μονοσιτίαν ἐπιτηδεύων. Oribasius p. 68 ed. Mai.]

Μονόσιτος, ὁ, ἡ, Qui semel tantum cibum capit quotidie.

Μονοσκελής, ὁ, ἡ, Unicum crus habens. Plin. 7, 2 ,

Item hominum genus, qui μονοσκελεῖς vocarentur, A singulis cruribus, miræ pernicitatis ad saltum : eosdemque Sciopodas vocari, quod in majori æstu humi jacentes resupini, umbra se pedum protegant. Sed nota ibi scribi Monosceli : quæ scriptura si mendo caret, erit nomin. Μονόσκελος, ut βραδύσκελος habetur in VV. LL. [Vera scriptura μονόκωλοι posita est in Μονόκωλος.]

Μονόσκηπτρος, ὁ, ἡ, Solus sceptra gerens, Monarcha. [Æsch. Suppl. 374 : Μονοσκήπτροισιν ἐν θρόνοις. Nonn. Jo. c. 19, 12, p. 198, 1 : Καίσαρος μονοσκήπτρου βασιλῆος.]

Μονοστᾰλής, ὁ, ἡ, et Μουνοσταλής, Hesychio ὁ κατὰ μόνας στελλόμενος.

[Μονόστεγος, ὁ, ἡ, Qui unius est contignationis. Dionys. A. R. 3, 68, στοά. « M. οἶκος, Ædes plana, unius contignationis. Harmenop. 2, 4, 23 : Εἰ δὲ μονόστεγοι, τουτέστιν ἐπίπεδοί εἰσιν οἱ οἶκοι. Ita 27. » Ducang. Schol. Od. p. 266. Wakef.]

Μονοστελέχης, sive Μονοστέλεχος, ὁ, ἡ, Qui simplici caudice est, unum a radice caudicem habet. Theophr. [H. Pl. 1, 9, 1] : B Ἔστιν οὖν τὰ μὲν εἰς μῆκος αὐξητικὰ μάλιστα μόνα, οἷον ἐλάτη, φοῖνιξ, κυπάριττος, καὶ ὅλως τὰ μονοστελέχη, καὶ ὅσα μὴ πολύῤῥιζα καὶ πολύκλαδα. [Ib. 1, 3, 1 ; 2, 6, 9.] Unde Plin. : In longitudinem excrescunt abies, palma, cupressus, et si qua unistirpia. Ubi etiam nota eum στέλεχος interpretari Stirps.

[Μονοστέλλομαι, Solus proficiscor. Schol. Eur. Alc. 408, in Μονόστολος cit. Est verbum contra analogiam compositum, qualia notavimus in Δακρυπέμπω et al.]

Μονόστεος et Μόνοστος [immo Μονόστους], ὁ, ἡ, Unico et solo osse constans, cui opp. πολυόστεος. Aristot. [H. A. 3, 7 : Τὰ μὲν γὰρ ἔχει μονόστεον τὸ κρανίον·] De partt. anim. 4, [10] : Οἱ δὲ λύκοι καὶ λέοντες μόνοστον [μονόστουν] τὸν αὐχένα ἔχουσι, Collum perpetuo osse rigens.

[Μονοστῐβής, ὁ, ἡ, Qui solus incedit. Æsch. Choeph. 768 : Ξὺν λοχίταις εἴτε καὶ μονοστιβῆ.]

Μονόστῐχος, ὁ, ἡ, Uno versu s. ordine constans. Ex Epigr. [Lucillii Anth. Pal. 11, 312, 3, ἐπίγραμμα] μονόστιχον affertur pro Unicus versus. [In Etym. M. p. 511, 46 : Οὐδέποτε πρὸ τῶν διπλῶν εὑρήσεις δίχρονον ἐκ- C τεταμένον ἐπὶ μονοστίχου, Sylburg. suspicabatur μονοστοίχου. Μόνου στοιχείου Gud.]

Μονόστολος, ὁ, ἡ, Solus et desertus, ap. Soph., s. Qui solus it : ut Hesych. quoque μονοστόλῳ exp. τῷ κατὰ μόνας ἐλθόντι. [Eur. Alc. 408 : Νέος ἐγὼ, πάτερ, λείπομαι φίλας μονόστολός τε ματρός. Schol., νέος καὶ ἔρημος λείπομαι φίλης μητρός· ἀπὸ μεταφορᾶς τῶν μονοστελλομένων πλοίων· μονόστολος οὖν ἀντὶ τοῦ ἔρημος. Seager. Phœn. 742 : Λόχων ἀνάσσειν ἢ μονοστόλου δορός; Lycophr. 690 : Δέξεται μονόστολον, de eo qui navigat una navi.]

[Μονόστομος, ὁ, ἡ.] Μονόστομος ἀξίνη, Securis unicum solum habens στόμα, Non biceps, Una tantum parte scindens. [Hesych. v. Σάγαρις. « Id. in Ἡμιπέλεκκας, et Suid. in Ἡμιπέλεκα. » Hemst. Schol. Hom. Il. Ψ, 851. || Qui unum habet os. Oribas. p. 25 ed. Mai. : Ταῦτα γινέσθω ἐπὶ τῶν μονοστόμων καὶ μονοσχιδῶν συρίγγων, cui contraria mox σῦριγξ πολύστομος, et sæpius in seqq. Itaque ib. : Γυμνωθεῖσα γὰρ ἡ τοῦ κόλπου ἀρχὴ, μονοστόμιον καὶ μονοσχιδῆ σύριγγα ἐνδείξεται, D scrib. videtur μονόστομον. L. Dind.]

[Μονοστόρθυγξ, υγγος, ὁ, ἡ, Qui ex uno factus est stipite. Zonas Anth. Pal. 6, 22, 5 : Μονοστόρθυγγι Πριήπῳ. Ubi schol. : Ἐπὶ ἑνὶ ποδὶ ἱστάμενος. Et : Τὸν μονόπουν· οὕτως γὰρ κατασκευάζουσι τὸν Πρίηπον.]

[Μονόστους. V. Μονόστεος.]

Μονοστραβὴς ὄχος, Hesychio ἡμίονος. [Μοναστραβὴς ὄχος Soping et Salmas.]

[Μονοστράτηγος, ὁ, Supremus atque unicus exercituum dux. Theophanes a. 3 Leontii : Μονοστράτηγον πάντων τῶν ἔξω καβαλαρικῶν θεμάτων προβαλόμενος. Ubi Miscella « Singularem prætorem omnium exterorum equestrium exercituum » vertit. Conf. p. 334, 350, 352, 359, 401, 462. Ducang. Qui etiam aliorum Byz. exx. attulit.]

[Μονοστροφικὸς, ἡ, ὸν, Qui unius est strophæ. Scholl. Eur. Phœn. 1, Hec. 1023, Aristoph. Eq. 621, Ach. 836, et al., Hephæstionis p. 113, 15; 120, 13; 122, 8.]

Μονόστροφος, ὁ, ἡ, Unicam habens στροφήν. Ap. Theophr. H. Pl. 5, [7, 6], μονόστροφος ἅμαξα Gaza interpr. Plaustrum simplicis verticis. [« Quid si μονοτρόχους scribas? Curru una rota primus hominum Triptolemus usus fertur ap. Hygin. Astronom. c. 14, Ne cursu moraretur. » Schneider. in Ind. || Adv. Μονοστρόφως ap. schol. Eur. Phœn. 239 : Τὰ μὲν μ. καὶ κατὰ συστήματα ἐκφέροντες. Ib. est forma vitiosa μονοστροφὴ, ubi μὲν στροφῆς scribendum, ut v. 638. L. Dindorf.]

[Μονοσυλλᾰβέω, Una consto syllaba. Apollon. De p. 34, B : Οὐ τείνεται μονοσυλλαβῶν ὡς τὰ ὀνόματα· 51, A. Eust. Od. p. 1769, 58 : Διὸ τοῦ φημὶ οὐκ ἔστι παρακείμενος ὅλως ... οὐ γὰρ ἔστι μονοσυλλαβῆσαι παρακείμενον.]

[Μονοσυλλᾰβία, ἡ, Una syllaba. Theognost. Can. p. 134, 12, aliique gramm. L. Dind.]

[Μονοσυλλαβικὸς, ἡ, ὸν, i. q. μονοσύλλαβος. Epim. Hom. Cram. An. vol. 1, p. 324, 32. L. Dind.]

Μονοσύλλαβος, ὁ, ἡ, Una constans syllaba. [Planud. Ms. Dial. de gramm., sensu peculiari. Demetr. Phal. 7 : Πᾶς δεσπότης δούλῳ μονοσύλλαβος. (De hominibus taciturnis et morosis etiam Herodic. epigr. in grammaticos Anth. Pal. App. 35, 3 : Φεύγετ', Ἀριστάρχειοι, ἐπ' εὐρέα νῶτα θαλάσσης, γωνιοβυμβοκες, μονοσύλλαβοι.) || Adv. Μονοσυλλάβως, schol. Plat. p 210 Ruhnk. (444 Bekk.); Eust. Il. p. 751, 55 ; schol. Aristoph. Pl. 143. Boiss.]

[Μονοσχημάτιστος, ὁ, ἡ, i. q. sequens. Apollon. De advv. p. 541, 3 : Ὅτι ἡ γινομένη αὐτοῦ σύνταξις οὐκ ἐπὶ τὰ πρόσωπά ἐστιν, ἐπὶ δὲ τὸ πρὸς ᾧ ἀπαρέμφατον, ὅ ἐστι μονοπρόσωπον, καὶ ἔνθεν μονοσχημάτιστον τὸ ἐμὲ δεῖ γράφειν, quod mox dicit τὸν ἕνα σχηματισμὸν ἀναδέχεται. Conf. ib. 9. Plotius De metris p. 2639.]

[Μονόσχημος, ὁ, ἡ, Qui unius est schematis, Simplex. Phœbamm. p. 96 ed. Normann. μονόσχημον et προσχορῆ λόγον eundem dicere videtur, qui ornatu vario ex figurarum varietate caret, qui infra μονότροπος, quod v.]

[Μονοσχημοσύνη, ἡ, Unus habitus. Eust., alludens ad monachorum varia σχήματα, de quibus v. in Σχῆμα, Opusc. p. 217, 85 : Τῆς κατὰ θεὸν παμμεγίστης μονοσχημοσύνης, καὶ πρὸς ἣν ἀπαραποίητον αἰωνίως οὖσαν αἱ λοιπαὶ ὡσεὶ καὶ σκιαί τινες τεθεώρηνται. L. Dind.]

[Μονοσχῐδής, ὁ, ἡ, Semel fissus. Oribas. p. 25 ed. Mai. : Μονοσχιδῶν συρίγγων· et ibid. in seqq. L. D.]

[Μονότειχος, ους, τὸ, ap. Theophan. a. 2 Artemii : Προδοσίας δὲ γενομένης διὰ τῆς πόρτης τοῦ μονοτείχους τῶν Βλαχερνῶν τὴν πόλιν ἔλαβον, quia Blachernarum tractus Cpoli muro unico includebatur, quum reliqui muri terrestres duplices essent. V. Cp. Christ. 1, 11. Ducang.]

Μονότεκνος, ὁ, ἡ, Unicam habens prolem, Cui unicus filius est aut unica filia, Eur. Herc. F. [1021, Πρόκνης.]

[Μονότης, ητος, ἡ, Unitas. De deo Epiphan. Hær. 69, p. 335 : Οὐχ ἕτερον βούλημα ἦν τὸ τοῦ υἱοῦ παρὰ τὸν πατέρα, ἀλλ' ἔδει αὐτὸν καὶ ἐν τούτῳ ταῦτα δεικνύειν, ἵνα τὸ πᾶν τῆς μονότητος ἐπὶ τὸν πατέρα ἀνάγοι. Quam hic μονότητα dicit, eam tum ipse tum alii μονάδα usitatissime vocant. Epiph. Hæresi eadem : Μὴ διέλῃ τὴν μονάδα, aliique plurimi. || Singularitas, i. e. Vita cælebs. Epiphanius Hæresi 48, quæ est Montanistarum : Ἡ δὲ ἁγία ἐκκλησία καὶ παρθενίαν δοξάζει καὶ μονότητα καὶ ἁγνείαν· 63 Origenianorum : Οὐδεμίαν αἰτίαν ἀμπλακημάτων κἂν ὑπονοηθῆναι ἡ μονότης ἐνδέχεται. Suicer. Unitas, Symm. Ps. 21, 21 ; 34, 20.]

[Μονοτοκία, ἡ, Partus singularis. Aristot. De gen. anim. 4, 4 : Τὴν αὐτὴν αἰτίαν δεῖ νομίζειν τῆς μονοτοκίας.]

[Μονοτοχῖται, οἱ, gens fabulosa, Apollodor. ap. Tzetz. Hist. 7, 768. Elberl.]

Μονοτόκος, ὁ, ἡ, Quæ unum singulis partibus edit, Unum edens partum singulis vicibus. Aristot. [H. A. 5, 14] de elephante : Τίκτει δὲ ἕν· ἔστι γὰρ μονοτόκον· Plin., Aristoteles existimat elephantum non plures gignere quam singulos. [Ib. 6, 22, De partt. an. 4, 10 med. Forma Ion. Μουνοτόκος, Callim. Apoll. 54.]

[Μονότομον sine interpretatione ponunt Gl., incertum an forte pro μονότονον.]

[Μονοτονέω, Unum eundemque servo tenorem, Pervicax sum. Eustath. Od. p. 1393, 4 : Τὸ δὲ, Οὐ γάρ τι δυνήσεται ἀντία πάντων ἐριδαίνειν οἷος, χρήσιμον ῥηθῆναι πρὸς τὸν μονοτονοῦντα καὶ πᾶσιν ἀντικαθίστασθαι θέλοντα.]

Μονοτονία, ἡ, Unus idemque tenor, Tenor uniusmodi, Una eademque spiritus ac soni intentio. Quintil. 11, 3 : Vitemus igitur illam quæ Græce μονοτονία vocatur, una quædam spiritus ac soni intentio ; non solum ne dicamus omnia clamose, quod insanum est, aut intra loquendi modum, quod motu caret, aut summisso murmure, quo etiam debilitatur omnis intentio, sed ut in iisdem partibus iisdemque affectibus sint tamen quædam non ita magnæ vocis declinationes, prout aut verborum dignitas, aut sententiarum natura, aut depositio, aut inceptio, aut transitus postulabit. [Pervicacitas, Pertinacia, Gl.]

Μονότονος, ὁ, ἡ, Qui uno tantum tenore progreditur : ut oratio μονότονος dicitur Quæ uno semper tenore profertur absque ulla vocis intentione : quod vitium reprehendit Aristot. infra in Τόνος. || At μ. λέξις diceretur Quæ unico tono s. accentu profertur : sicut δίτονοι vocari possunt Quæ duobus tonis efferuntur, ut quæ annexam habent voculam encliticam. || Exp. etiam Pervicax : ut sumptum sit ab iis quæ unum semper eundemque tenorem servant, nec quidquam ex eo remittunt. [Pertinax, Destinus, add. Gl.] || Μονοτόνως, Eodem tenore. Longin. [34, 2] : Καὶ οὐ πάντα ἑξῆς καὶ μ.

[Μονοτονόω, verbum contra Græcæ linguæ analogiam formatum, Eust. Od. p. 1393, 4.]

[Μονοτόνως. V. Μονότονος.]

[Μονοτράπεζος, ὁ, ἡ, Qui singularis s. solitariæ est mensæ. Eur. Iph. T. 949 : Ξένια μονοτράπεζά μοι παρέσχον. ᾰ]

[Μονοτρᾰφὴς, ὁ, ἡ, i. q. μονότροπος, Solitarius vivens. Lex. Ms. Colbert. ap. Ducang. v. Μονότροπος p. 954 et ex cod. Reg. 3513 in App. p. 135 : Μονότροπος, μονοτραφείς. Legendum videtur μονοτραφής. L. Dind.]

[Μονοτροπέω, Vitam solitariam dego. Tzetz. Hist. 9, 333 : Τῶν μονοτροπούντων δὲ πλὴν ἐν ἐρήμου τόποις. Elberling.]

[Μονοτροπία, ἡ, Vita solitaria s. monastica. Basil. M. vol. 3, p. 133, D : Καὶ τὰς τῶν ἀνθρώπων συντυχίας λόγῳ τροπῆς ὑποφεύγειν, ἡσυχίαν τε καὶ μ. ἑαυτῷ ἐφαρμόσας. Ducang. || Ap. schol. Hom. Od. Ambros. p. 10 ed. Buttm. : Λόγου δὲ πολυτροπία καὶ χρῆσις ποικίλου λόγου εἰς ποικίλας ἀκοὰς μονοτροπία γίνεται, Simplicitas, Unitas. L. Dindorf.]

Μονότροπος, ὁ, ἡ, [Unius sensus, Gl.] Unius modi, Simplex. Plut. Symp. 4 [p. 662, A] : Ἐν δὲ ταῖς ἁπλαῖς καὶ μονοτρόποις ἡδοναῖς οὐ παρεκβαίνει τὴν φύσιν ἡ θέλξις, In voluptatibus quæ simplices sunt et uniusmodi. Basil. Hexaem. accepit pro Candido et simplici, qui opp. τῷ πολλαπλῷ, Bud. [Id. vol. 1, p. 140, B : Ποικίλην ἐποιήσαμεν καὶ παντοδαπὴν τὴν καρδίαν, τὸ θεοειδὲς αὐτῆς καὶ ἁπλοῦν καὶ μ. διαφθείραντες. Hemst. Ephræm Syr. vol. 3, p. 331, D : Τὴν μονότροπον τῶν ἀρετῶν εὐθύτητα· 332, B : Τὸν μονότροπον τῶν ἀρετῶν καρπόν. Eust. Opusc. p. 115, 53 : Μισῶ Πρωτέα πολύμορφον· φιλῶ τὸ κατὰ θεὸν μονότροπον. L. D.] Μονότροποι dicuntur etiam οἱ μοναστικοὶ, Qui solitariam amant vitam. [Eur. Andr. 281 : Βοτῆρά τ' ἀμφὶ μονότροπον νεανίαν.] Plut. Περὶ φιλαδ. [p. 479, C] : Ὡς ἀφίλους καὶ ἀμίκτους καὶ μονοτρόπους ζῆν μὴ δυναμένους μηδὲ πεφυκότας. Itidemque μονότροπος βίος Eid. est Vita solitaria, in Pelop. [c. 3.] Et in Præc. sanit. Ejusd. [p. 135, B] : Εἰς ἐπίσκιόν τινα βίον καὶ σχολαστὴν καὶ μονότροπόν τινα καὶ ἄφιλον καὶ ἄδοξον ἀπωτάτω πολιτείας καθιστᾶσιν αὐτούς. [Eust. Opusc. p. 96, 31 : Τὸ μονότροπον ὡσεὶ οὐδὲν λογισάμενος πολιτεύεται πρὸς βίον ἀπόβλεπτον. Μονότροπος inscriptæ fuerunt Phrynichi aliorumque Comicorum fabulæ. || De bestiis solitariis Ælian. N. A. 6, 30 : Ὁ ἰχθὺς ὁ ὄνος μονότροπός ἐστι καὶ σὺν ἄλλοις βιοῦν οὐκ ἀνέχεται. « Ὄρνεον μονῆρες καὶ μονότροπον, Suidas in Οὐ τρέφει μία λόχμη. Ἀγελαῖον καὶ μονότροπον opponuntur a Galeno vol. 8, p. 98, F. » Hemst. || Cælebs. Pollux 3, 46, Περὶ ἀγάμων : Μισογύνης, μονότροπος. Et sic Lex. ap. Ducang. paullo post citandum interpretatur ἀγύναιος. Ps.-Herodot. V. Hom. c. 4 : Μισθοῦται τὴν Κριθηΐδα, ὢν μονότροπος. || « Μονότροπος λέξις, Elocutio simplex, nulla varietate distincta. Opposita huic est ἡ ποικίλη, et μεμιγμένη. Dionys. Art. rhet. c. 1, p. 232. Phœbamm. in scholl. μονόσχημον et προσκορῆ λόγον eundem dicere videtur, qui ornatu vario e figurarum varietate caret. Idem genus orationis dicitur τὸ μονοειδὲς, καὶ ἐπὶ ἑνὸς σχήματος προϊὼν λόγος ap. auct. Proleg. ad scholl. Hermog. in Ald. Rhett. t. 2, ubi idem ὕπτιος καὶ προσκορὴς τοῖς ἀκροαταῖς, opponiturque ἡ ἀλλαγὴ τῶν σχημάτων, et ποικιλία. Eo nomine sæpe Eust. episodia Homerica laudat, δι' ὧν τό τε μονοειδὲς τῆς γραφῆς ἐξαιρεῖ τῆς ποιήσεως, καὶ πολυμαθῆ ποιεῖ τὸν ἀκροατήν· vide ad Il. Z, p. 628, et I, p. 759, ubi ab eo poeta hanc ob causam dicitur πολυσχήμων, πολύτροπος, et πολυειδὴς ἐν ταῖς ποικίλαις τῶν ἱστοριῶν παρενθέσεσιν. » Ernest. Lex. rhet. || Μονότροπος de monacho in cod. a. 1272 ap. Montefalc. Palæogr. p. 322 : Ἐμοί τε τῷ γράψαντι... κλῆσιν Λογγίνῳ ἐσχάτῳ μονοτρόπων. Josephus in Gretseri Opp. vol. 2, p. 87, A : Χαῖρε, σταυρὲ, μονοτρόπων καταγώγιον καὶ οἴκημα, ubi vertitur Ascetarum. « Lex. Ms. Colbert. : Μονότροπος, μονοτραφεὶς (-φής), μωρὸς, ἀγαθὸς, ἀγύναιος ἢ καὶ μονάζων. Anon. Ms. De horoscopo : Φιλοσόφους ἢ μονοτρόπους. Cyrillus Scythop. in Vita Ms. Sabæ c. 28 : Τὸν τοιοῦτον μονότροπον οἶδα τὴν γραφὴν ὀνομάζουσαν ἐν τῷ λέγειν, Κύριος κατοικίζει μονοτρόπους ἐν οἴκῳ. » Ducang. Qui aliorum multorum addit exx. etiam in App. p. 135.]

Μονοτρόπως, Uno tantum modo et singulari. Joseph. De capt. Jud. [B. J. 5, 10, 4] : Μ. ἐδόκει πονηρός. [Ephræm Syr. vol. 3, p. 331, E : Μονοτρόπως τὰ χρήσιμα ἐργαζομένους. Conf. p. 332, A. L. Dind. Simplic. ad Epict. p. 41, 35. Hemst.]

Μονοτροφέω, Uno pastu utor. Strabo p. 67 [3, p. 154], de Lusitanis : Ψυχρολουτοῦντας καὶ μονοτροφοῦντας καθαρίως καὶ λιτῶς.

[Μονοτροφία, ἡ, Nutritio solitaria. Plato Polit. p. 261, D : Τὴν τῶν ζῴων τροφὴν τὴν μέν τις ἂν ἴδοι μονοτροφίαν οὖσαν, τὴν δὲ κοινὴν τῶν ἐν ταῖς ἀγέλαις θρεμμάτων ἐπιμέλειαν.]

[Μονότροχος, Carruca, Gl.]

[Μονότυπος. Adv. Μονοτύπως, Uno charactere. Epiphan. Hær. 57, vol. 2, p. 481, D.]

Μόνουα, Hesychio τὰ λεπτὰ λέπαδνα.

Μονούαλος, Clara stella in corde Leonis, Hesych. [Conf. Μονοσίλλη.]

[Μονούατος, ὁ, ἡ, Qui unam habet aurem. Epigr. in lagenam Anth. Pal. 5, 135, 1 : Εὐτόρνευτε, μονούατε.]

[Μονούνιος, ὁ, Monunius, rex Dyrrhachii, in numo ap. Mionnet. *Suppl.* vol. 3, p. 353, n. 314.]

Μονουχία, ἡ, affertur pro Cælibatus [ex Suida sive Photio].

Μονοφαγέω, Solus comedo, Neminem ad cœnam invito. Athen. [1, p. 8, E] : Τὸ μονοφαγεῖν ἐστιν ἐν χρήσει τοῖς παλαιοῖς. Ibid. ex Antiphane, Μονοφαγεῖς ἤδη καὶ βλάπτεις ἐμέ. Ibid. adjectivi μονοφάγος exemplum addit ex Amipsia : Ἔρρ' ἐς κόρακας, μονοφάγε καὶ τοιχωρύχε. Diversa consuetudo ap. Romanos fuisse creditur, ut et vox Latina Cœna innuere videtur, indicans τὴν ἐν τῷ συσσιτεῖν κοινωνίαν. Qua de re Plut. Symp. 8, 6 : Τὸ μὲν γὰρ δεῖπνόν φασι Κοῖνα διὰ τὴν κοινωνίαν καλεῖσθαι· καθ' ἑαυτοὺς γὰρ ἠρίστων ἐπιεικῶς οἱ πάλαι, συνδειπνοῦντες τοῖς φίλοις. Synonymum vero huic μονοφαγεῖν est μονοσιτεῖν : quibus opp. συσσιτεῖν. [Eust. Opusc. p. 128, 74 : Ὁ εἰς κόρον μονοφαγῶν · 242, 40 : Μὴ καὶ μονοφαγῇ.]

Μονοφαγία, ἡ, Solum comedere, Sine conviva cœnare, τὸ μονοσιτεῖν, s. μονοφαγεῖν. [Joseph. Maccab. 2, p. 499 (1, 27). Boiss. Meletius Cram. Anecd. vol. 3, p. 28, 13 : Παντοφαγία, λαιμαργία, μονοφαγία. || Una per diem comestio, refectio, a quibusdam monachis usurpata, qui μ. ἀσπάζεσθαι dicuntur Germano Patr. Cp. Homil. in primam Jejun. dominicam p. 1735 : Παραινέσας ἡμῖν ἐν αὐταῖς πέντε τῆς ἑβδομάδος ἡμέραις τῆς ἁγίας νηστείας μονοφαγίαν ἀσπάζεσθαι καθ' ὥραν ἐνάτην. Quo loco carpit Latinorum διφαγίαν. Hujus etiam μονοφαγίας meminit Pachymeres 12, 21 ; 13, 23. V. Μονοσιτέω. Ducang.]

Μονοφάγος, ὁ, ἡ, Qui solus cibum capit. In Ægina autem μονοφάγοι dicti fuerunt quidam, quod suos propinquos ex bello reversos convivio excepissent, ceteris, qui suos in bello peremptos lugebant, non invitatis : qua de re plura ap. Plut. Probl. Hell. p. 537 meæ ed. [p. 301, D]; et Erasm. in Prov. Μονοφάγοι : quod in eos dici posse scribit, qui sordidi sunt et inhospitales, nec quenquam invitant ad convivium. Μονοφαγίστατος, ap. Aristoph. [Vesp. 923], Qui maxime et supra quosvis alios talis est, ut solus cibum sumat. [ἄ]

[Μονοφαλαγγία, ἡ, ap. African. Cest. 67, p. 312, Acies unius phalangis, Una phalanx.]

Μονόφαντος, ὁ, ἡ, Qui solus apparet, μόνη φαινομένη, Hesych. [Eadem signif. Μονοφανής, et Ion. Μουνοφανής, ὁ, ἡ, ap. Paul. Sil. Ecphr. 423, λαμπτήρ.]

Μονόφθαλμος, ὁ, ἡ, [Luscus, Unioculus, Monoculus, Gl. Et μονόφθαλμον ποιῶ, Elusco,] Cui unicum natura oculum dedit, ut Cyclopibus : ἑτερόφθαλμος autem Is dicitur, qui alterutro orbatus est, Ammon. Sic Cratinus μονόφθαλμον vocavit τὸν Κύκλωπα, teste Phrynicho [p. 136], qui hoc vocabulo pro altero ἑτερόφθαλμος uti vetat. [Lex. rhet. Bekk. p. 280, 22 : Μονόφθαλμος· ἔθνος τι ἀνθρώπων ἕνα ὀφθαλμὸν ἐχόντων· τοὺς γὰρ τὸν ἕτερον ἐκκοπέντας ὀφθαλμὸν ἑτεροφθάλμους καλοῦσιν. Apollod. 2, 8, 3, 4 : Ὀξύλῳ μονοφθάλμῳ. Strabo 2, p. 70 : Οὗτοι γάρ εἰσιν οἱ ἱστοροῦντες τοὺς μονοφθάλμους τε καὶ μακροσκελεῖς. Ion. Μουνόφθ. Herodot. 3, 116; 4, 13, 27.]

Μονόφθογγος, ὁ, ἡ, q. d. Unisonus, Unum sonum habens s. Unicum, Unam vocem habens. Apud grammatt. μονόφθογγος syllaba opp. ei quæ δίφθογγος appellatur, de qua supra dictum fuit.

[Μονοφιλής, ὁ, ἡ, Qui solus amicus esse vult. Schol. Juvenal. 3, 121 : « Græci enim soli volunt majoribus amici esse, hoc est μονοφιλεῖς. » Wakef.]

Μονόφορβος, ὁ, ἡ, Solus pascens, Hesych.

[Μονοφόρος, ὁ, ἡ, Qui unum fert. Hesych. : Μονοφθόρους, μονοφόρους ὄνους. Ubi Albertus delet μονοφθόρους, confertque μοναστραβής, quod v. in Μονοστραβής.]

[Μονόφρουρος, ὁ, ἡ, Qui solus custodiam agit. Æsch. Ag. 257 : Τόδ' ἄγχιστον Ἀπίας γαίας μονόφρουρον ἕρκος.]

[Μονόφρων, ονος, ὁ, ἡ, Qui est unius sententiæ. Æsch. Ag. 755 : Δίχα δ' ἄλλων μονόφρων εἰμί.]

Μονοφυής, ὁ, ἡ, reddunt Unius naturæ, Simplex, Non geminus. In VV. LL. μονοφυὲς redditur Unigenitum. At μονοφυὲς et μονοστέλεχες δένδρον et φυτὸν μονόκαυλον a Theophr. dici annotant quod Plin. appellat Unistirpem, et Simplici caudice, et Unicaulem. [Eust. Opusc. p. 316, 53 : Τὸν ἕνα καὶ μονοφυῆ ἄνθρωπον.] A Bud. μονοφυὴς redditur Singularis, Non geminus, Unistirpis, afferente ex Theophr. [H. Pl. 2, 6, 9] : Ἔστι δὲ φοίνιξ μονοστέλεχες καὶ μονοφυές· οὐ μὴν ἀλλὰ γίνονταί τινες διφυεῖς καὶ τριφυεῖς. Nec non ex Aristot. [De partt. an. 3, 7] : Δοκεῖ δὲ τῶν σπλάγχνων τὰ μὲν εἶναι μονοφυῆ, καθάπερ καρδία καὶ πνεύμων· τὰ δὲ, διφυῆ, καθάπερ νεφροί. [Ib. 12 : Τό τε γὰρ ἧπαρ τοῖς μὲν πολυσχιδές ἐστι, τοῖς δὲ μονοφυέστερον. Id. H. A. 1, 13 : Τὸ μονοφυὲς τὸ ὑπὸ τὸν ὀμφαλὸν ἦτρον. Theophr. H. Pl. 3, 18, 5; 4, 2, 7, C. Pl. 1, 1, 3 et 4. « Δίδυμον μονοφυὲς, Strab. 12, p. 575, Uno cacumine vertunt. » Hemst. Μουνοφυέας ὀδόντας Herodotus 9, 83, dixit Dentes ex uno continuo osse concretos omnes. Schweigh.]

Μονόφυλλος, ὁ, ἡ, Unicum folium habens. [Theophr. H. Pl. 1, 13, 2.]

[Μονόφῦλος, ὁ, ἡ, Qui est unius generis. Oppian. Cyn. 1, 399 : Πολὺ φέρτατα πάντων φῦλα μένειν μονόφυλα.]

[Μονοφυσῖται, οἱ, Monophysitæ, appellati sunt Hæretici, qui unam tantum naturam in Christo Mediatore post incarnationem agnoverunt. De iis Nicephorus Callisti Hist. Eccl. 18, 45, p. 868. Eodem tempore, sub Zenone nimirum et Anastasio, Acephali, quorum dux Severus Antiochenus fuit, unam Verbi et carnis naturam male prædicantes : et præterea Jacobitarum, Theodosianorum, Julianistarum, et plurimorum aliorum catervæ, Ecclesiæ insultarunt : Οἳ καὶ μονοφυσῖται ἐκλήθησαν, ἅτε δὴ μίαν φύσιν τοῦ λόγου καὶ τῆς σαρκὸς μετὰ τὴν ἄρρητον ἕνωσιν πρεσβεύοντές τε καὶ δογματίζοντες, Qui Monophysitæ appellati sunt, quod unam Verbi et carnis naturam post ineffabilem unionem esse sentiant et doceant. Vide de iisdem plura ibid., et cap. 46, περὶ τῶν δύο φύσεων κατὰ μονοφυσιτῶν, De duabus

A naturis contra Monophysitas, integrum scripsit caput Damascenus, quod est tertium libri 3 De orthodoxa fide. De duabus in Christo naturis vide etiam in Φύσις. Suicer.]

[Μονόφωνος, ὁ, ἡ, Qui unam edit vocem. Hippocr. p. 253, 39.]

[Μονοχάλινος, ὁ, ἡ, Qui unis utitur frenis. Schol. Pind. Ol. 5, 8, 15. Boiss. ᾰῑ]

Μονόχειρ, ρος, ὁ, ἡ, Unimanus [Gl.], Unam tantum manum habens. Usus est illo composito Unimanus Liv. l. 5 Macedonici belli : Aretii puerum natum unimanum nuntiatum est. [Nicomach. Intr. ar. 1, 15, p. 21; Iamblich. In Nicom. p. 44, B. L. Dind.]

[Μονοχέριον, τό. « Μονοχερία, Mamillares, Gl. Emendat Meursius Manuales. Melius forte Manulares. Meminit auctor Vitæ S. Theophanis Sigrianensis cujusdam monasteri, quod Μονοχεράριον appellatum fuisse scribit. V. Χέρα. » Ducang.]

Μονόχηλος, ὁ, ἡ, cui opp. δίχηλος, synonymum τῷ μώνυχος s. τῷ μώνυξ, Solidam et non fissam ungulam

B habens, ut [Ps.-] Eur. [Iph. A. 225] μονόχηλα σφυρὰ de equis dixit.

Μονοχίτων, ωνος, ὁ, ἡ, Una tantum indutus tunica, Simplici amictus tunica : ut qui lineam tantum tunicam s. interulam gestat. Utitur Hesych. in exponendo οἰοχίτων, quatenus compositum est ex οἶος significante μόνος, Solus. [Polyb. 14, 11, 2 : Κλεινοῦς τῆς οἰνοχοούσης εἰκόνας πολλὰς ἀνακεῖσθαι μονοχίτωνας καὶ ῥυτὸν ἐχούσας ἐν ταῖς χερσίν. « Apud Athen. 13, p. 589, F, memoratur virgo (item οἰνοχόος), quæ ἀναμπέχονος καὶ μονοχίτων ἦν, Stolam non erat induta, sed unam simplicem tunicam. » Schweigh. Diodor. 17, 35, de regiæ stirpis matronis : Αἱ πρότερον γυμνὸν μέρος τοῦ σώματος οὐδὲν φαίνουσαι τότε μονοχίτωνες... ἐξεπήδων. Lucian. Cronosol. c. 11. De monachis dicti qui unica uterentur veste vel tunica sine pallio, Ducang. attulit exx. Procopii Chartophyl. in Encom. S. Marci n. 4 et Pselli in Epist. Mss. 106 et aliorum, idemque Vitæ Ms. S. Gregorii archiep. magnæ Armeniæ : Μονοχίτονά (sic) τε γὰρ ἐπὶ τῆς ἐρημίας διατρίβειν ἐλέγετο, ubi

C adverbialiter dicitur, si recte habet scriptura. Tum Ducæ Hist. Byz. c. 21, p. 62, C : Δύο τῶν ἀποστόλων αὐτοῦ τῶν μονοχιτώνων ... πῖλον ἕνα μονοχιτωνίσκου ἐνδεδυμένους. Alia v. ap. Suicer.]

[Μονοχιτωνέω, Unicam habeo tunicam. Theodorus Abucara : Μονοχιτωνεῖν κελευσθείς. Suicer.]

[Μονοχιτωνία, ἡ, Unius tunicæ usus. Ephræm Syr. vol. 3, p. 425, F, ubi male expressum per κ. L. D.]

[Μονοχορδίζω, Monochordum pulso. Aristid. Quint. Mus. 3, p. 116 : Πυθαγόραν φασὶ μονοχορδίζειν τοῖς ἑταίροις παραινέσαι.]

[Μονοχόρδιον, τὸ, i. q. μονόχορδον ὄργανον. Nicetas Chon. in Andronico l. 2 : Τραγῳδίαν ὑποκρίνεται. Ubi codex Græcobarb. : Μονοχόρδιον λαβὼν θρηνεῖται μέλος. Nostris vulgo *Manicordion*. Ducang. Gloss. Lat.]

Μονόχορδος, ὁ, ἡ, Unica constans s intentus chorda : μ. ὄργανον, ab Arabibus inventum, et sic cognominatum a chordarum simplicitate et numero, ut τρίχορδον, quo luserunt Assyrii, triplici chorda instructum, quod et πανδοῦραν nominarunt : unde πανδουρίζειν, et

D Pandurizare Sidonio. Pollux 4, c. 9 [§ 60].

[Μονόχροιος, ὁ, ἡ, i. q. μονόχροος. Xenocr. De alim. ex aq. c. 28, p. 469 : Θήλειαι δέ εἰσι μονόχροιαι· ubi Coraes p. 15 μονόχροοι edidit. V. Εὔχροος.]

[Μονοχρονέω, Unius sum temporis sive moræ. Chœrobosc. p. 20, 16 : Τὰ ἐγκλινόμενα μονοχρονοῦσιν, οἷον ὕβρισέ με. L. Dind.]

[Μονόχρονος, ὁ, ἡ, Qui est unius temporis. Aristippus ap. Athen. 12, p. 544, A : Τὴν εὐδαιμονίαν... μονόχρονον εἶναι. || Qui unius est mensuræ. Gramm. Bekk. An. p. 1171 : Τὰ δὲ βραχέα μονόχρονά εἰσι. || Qui unius est anni. Psellus Synops. Leg. 826 : Οἱ νόμοι τῶν πραιτώρων δὲ μονόχρονοι τὴν φύσιν. L. Dind.]

Μονόχροος, s. Μονόχρους, ὁ, ἡ, Qui unius ejusdemque coloris est, Unicolor. M. ᾠὸν, Aristot. [H. A. 5, 33,] De gener. anim. 3, [1 non procul a fine] de vipera : Τὸ δ' ᾠὸν, ὥσπερ ἰχθύων, μονόχρουν ἐστί· Plin., Parit ova unius coloris ut pisces. Vide et Ὁλόχροον. [Ib. 5, 6 : Τῶν ζῴων τὰ μέν ἐστι μονόχροα· H. A. 1, 5 : Μονόχροα ᾠά· 3, 12 : Τῶν μονοχρόων (ζῴων).]

Μονοχρώματος, ὁ, ἡ, i. q. μονόχροος s. μονόχρους, Qui unius est coloris. [Diphilus Siphn. ap. Athen. 3, p. 90, B, bis.] Plur. μονοχρώματα reddere possis ex Plin. Singulis coloribus picta. Legimus enim ap. eum 35, 3 : Græci autem alii Sicyone, alii apud Corinthios repertam picturam ajunt, omnes umbra hominis linea circumducta. Itaque talem primam fuisse : secundam, singulis coloribus, et monochrωmaton dictam, postquam operosior inventa erat. Et c. 5 : Quibus coloribus singulis primi pinxissent, diximus quum de pigmentis traderemus in Metallis : qui monochrωmata genera picturæ vocarint, qui deinde et quæ et quibus temporibus invenerint, dicemus in mentione Artificum. Et c. de Zeuxide : Pinxit et monochrωmata ex albo. Idem 33, 7 : Cinnabari veteres quæ etiam nunc vocant monochrωmata, pingebant.

[Μονόχρωμος, ὁ, ἡ, i. q. μονόχρους. Aristot. De gen. anim. 5, 1 med., ὄμματα· 4 init., ζῷα.]

Μονόχρως, ωτος, ὁ, ἡ, [Unicolor, Gl.] i. q. μονόχροος, Qui unico et simplici est colore, Qui unius ejusdemque est coloris. Unde neutr. τὸ μονόχρων, ut μονόχρουν. [Aristot. H. A. 6, 10 : Τὸ ᾠὸν οὐ δίχρων, ἀλλὰ μονόχρων· De gen. anim. 2, 3 : Μονόχρων προΐενται τὸ ᾠόν.]

[Μονόχυτρον. V. Μονόκυθρον.]

[Μονόχωρος ἐν τάβλῃ, Adunatus, Gl. V. Salmas. ad Vopiscum p. 460, 463. Ducang. Ubi Salmas. cum illa gl. confert nomen aleatoris ap. Aristæn. 1, 23, quod Pauwius interpretatur, Cui, quanquam adhuc calculos suos habeat omnes, in uno loco ita coacervati et adunati sunt, ut inclusus sit ibi nec se possit inde movere.]

Μονοψάδης, Hesychio μονιὸς, ἀτιμάγελος, Solitarius. [Codex Μανοψᾶ (sic). Videndum num forte corruptum sit ex seq. μονόψηφος. Quanquam magis videtur bestiis aptum adjectivum latere.]

[Μονόψηφος, ὁ, ἡ, Qui est unius suffragii. Pind. Nem. 10, 6 : Μονόψαφον ἐν κουλεῷ κατασχοῖσα ξίφος, de ense Hypermnestræ, quæ sola sponso pepercerat, μονόψηφος ἐγένετο, ψῆφον ἤνεγκε μόνη καθ' ἑαυτὴν, ἀπολυτικήν τινα ταύτην, sec. schol. Æsch. Suppl. 373 : Μονοψήφοισι νεύμασιν σέθεν.]

[Μονόψοφος, ὁ, ἡ, ap. Ephræm. Syr. vol. 1, p. 58, F : Τοὺς μὲν γὰρ ἵππους ἐὰν ἀμέτρως ἐλαύνῃ τις, μονόψοφοι τίθενται· καὶ ἐὰν ἀμέτρως χαυνώσωσι πάλιν αὐτοὺς, καὶ τὸν ἡνίοχον καταβαλόντες σύρουσιν, Int. vertit, Si quis immoderatius ad cursum concitavit, solo postmodum strepitu terrentur. L. Dind.]

Μονόω, Solum relinquo, Desero, Destituo. [Solo, Desolo, Gl. Et Μεμονωμένος, Solitarius, Destitutus. Epigr. Anth. Pal. 9, 451, 1 : Σός με πόσις κακοεργὸς ἐνὶ σπήλυγγι βαθείῃ μουνώσας βαρύποτμον ἐμὴν ἀπέκερσε κορείην. Polyb. 5, 16, 10 : Μονώσαντες τὸν Φίλιππον.] Frequentius usurpatur in pass. Hom. Il. Λ, [470] : Δείδω μή τι πάθησιν ἐνὶ Τρώεσσι μονωθείς. [Æsch. Suppl. 749 : Γυνὴ μονωθεῖσ' οὐδέν. Eur. Rhes. 871 : Δεσποτῶν μονούμενος· Alc. 296 : Μονωθεὶς σῆς δάμαρτος· 381 : Σοῦ μονούμενος.] Thuc. 2, [81] : Ἡγησάμενοι, μεμονωμένων εἰ κρατήσειαν, οὐκ ἂν ἔτι σφίσι τοὺς Ἕλληνας ὁμοίως προσελθεῖν, Si superent ab aliis solos relictos, disjunctos : schol. exp. Διεζευγμένων τῆς τῶν Ἑλλήνων συμμαχίας · 5, [40 : Ἔδεισαν μὴ μονωθῶσι·] p. 184 [c. 58] : Ἀργεῖοι ὡς μεμονωμένοις τοῖς Λακεδαιμονίοις παρεσκευάζοντο μάχεσθαι, i. e. ἐρήμοις συμμάχων, Destitutis copiis auxiliaribus. [Βοηθείας Diod. 19, 38, 43.] Plut. [Mor. p. 865, A] : Λακεδαιμονίους μὲν μονωθέντας καὶ γενομένους συμμάχων ἐρήμους. Xen. Cyneg. [9, 9] loquens de hinnulis cervorum, quos cum matribus et cervorum grege pasci ait : Οὐκ εὐάλωτοί εἰσιν, ἐὰν μὴ προσμίξας τις εὐθὺς διασκεδάσῃ αὐτὰς ἀπ' ἀλλήλων, ὥστε μονωθῆναί τινα αὐτῶν· et [10, 23] de apris : Τὰ δὲ νεογνῆ αὐτῶν ὅταν ἁλίσκηται, χαλεπῶς τοῦτο πάσχει· οὔτε γὰρ μονοῦνται ἕως ἂν μακρὰ ᾖ, Nec enim ab eis destituuntur et sola relinquuntur. [Aristot. H. A. 6, 29 : Διὰ τὴν ὁρμὴν τὴν τῶν ἀφροδισίων ἕκαστος (cervus) μονούμενος βόθρους ὀρύττει. Polyb. 11, 1, 12 : Τὰ θηρία μεμονωμένα καὶ ψιλὰ τῶν Ἰνδῶν, de elephantis. 15, 2, 12 : Μονωθέντας πλεῖν.] Plato [Tim. p. 46, E] cum gen. dixit μονωθεῖσαι φρονήσεως· quod Cic. interpr. Vacantes prudentia, p. 39 mei Lex. Cic. Idem in Tim. [p. 59, E] dicit, Μονωθεὶς ἀέρος, Ab aere destitutus. Et Herodot. [8, 62] : Μονωθεὶς [Μουν.] τῶν συμμάχων. Item in VV. LL. Μονωθεὶς ἀπὸ πατρὸς, A patre semotus. [Ex Eur. Iph. A. 669 : Μόνη, μονωθεῖσ' ἀπὸ π. καὶ μητέρος. Pollux 3, 47 : Ἡ δὲ μονωθεῖσα ἀπ' ἀνδρὸς χήρα, ὡς καὶ ὁ μονωθεὶς ἀπὸ γυναικὸς χῆρος. De forma Ion. HSt. :] Μουνόω, Solum aut Unicum reddo, Ad unicum redigo. Telemachus ap. Hom. Od. Π, [117] : Ὧδε γὰρ ἡμετέρην γενεὴν μούνωσε Κρονίων· Μοῦνος Λαέρτην Ἀρκείσιος υἱὸν ἔτικτεν, et quæ sequuntur, paulo ante in Μοῦνος citata : ἐν συμφορᾷ τὸ ἀνάδελφον τιθέμενος, ut Plut. annotat Π. φιλαδελφ. [p. 480, E] : unicus enim filius erat Acrisio Laertes, unicus Laerti Ulysses, unicus Ulyssi Telemachus : et sic Jupiter ipsius γενεὴν ἐμούνωσε. Et in pass. Μουνόομαι, Solus relinquor. Od. Ο, [385] : Ἤ σέ γε μουνωθέντα παρ' οἴεσιν ἢ παρὰ βουσὶν Ἄνδρες δυσμενέες νηυσὶν λάβον. [Herodoti ex. v. supra. De ceteris Schweigh. : « Μεμουνωμένοι συμμάχων, 1, 102. Μουνωθέντα αὐτὸν (remotis arbitris) εἴρετο (cujus loci de scriptura diximus in Μονόθεν), 1, 116. Μουνωθεισέων αὐτῶν, 4, 113. Οἱ δὴ ἐμουνοῦντο, 8, 123, ubi de his quorum quisque nonnisi unum calculum, quo ipse nominaretur, in urna invenit. »] ‖ Aliquando μονούμενον commodius redditur Quod solum est. [Plato Leg. 4, p. 710, B : Τὸ σωφρονεῖν, ὃ καὶ μονούμενον ἔφαμεν τῶν πολλῶν ἀγαθῶν λεγομένων οὐκ ἄξιον εἶναι λόγου.] Aristot. Eth. 1, [4 : Ὅσα καὶ μονούμενα διώκεται, οἷον τὸ φρονεῖν καὶ ὁρᾶν καὶ ἡδοναί τινες καὶ τιμαί·] 7 : Τὸ αὔταρκες τίθεμεν, ὃ μονούμενον, αἱρετὸν ποιεῖ τὸν βίον καὶ μηδενὸς ἐνδεᾶ, Quum per se solum est. Et 10, 23 : Πᾶν γὰρ μεθ' ἑτέρου ἀγαθοῦ αἱρετώτερον ἢ μονούμενον, ubi etiam interpretari possimus Solitarium : sicut Cic. dicit, Ut quoniam solitaria non potest virtus ad ea, quæ summa sunt, pervenire, conjuncta et sociata cum altera perveniret. Dicitur etiam aliquis μονοῦσθαι ἐκ, pro Liberari, et quasi solitarius fieri. In Axiocho [p. 370, D] : Κεῖσε γὰρ ἀφίξῃ μονωθεὶς ἐκ τῆσδε τῆς εἱρκτῆς, Liberatus hoc carcere, h. e., Solutus hoc vinculo, quo anima corpori astricta est, et quo sublato illa solitaria et libera degit.

[Μονόωρος, ὁ, ἡ, Qui unam tantum horam vel tempestatem durat. Jo. Chrys. In Ps. 48, vol. 1, p. 676, 25. Seager.]

[Μονύδριον, τὸ, diminut. a μονὴ, Monasteriolum. Niceph. Gregor. Hist. l. 4, 1, 3 ; Theodor. Hyrtacen. Epist. 61 et 67. Boiss. Theodosium Zygomal. Ms. De monte Sina addit Ducang. Per ι male in Mss. ap. Pasin. Codd. Taur. vol. 1, p. 350, B ; 351, A, vel pro μονύδριον vel pro μονίδιον, quod v. Sic supra λογίδριον, utrumque fortasse linguæ recentioris, non librarii culpa. L. Dind.]

[Μονύσιος, ὁ, Monysius, n. viri, sec. Sestinium, in numo Cymes Æol. ap. Mionnet. *Suppl.* vol. 6, p. 10, 71, vix recte lectum.]

[Μονῳδέω.] Μονῳδεῖν, et Μονῳδία dicitur ὅταν εἷς μόνος λέγει τὴν ᾠδὴν, καὶ οὐχ ὁμοῦ ὁ χορὸς, auctore Suida [et al.], i. e. Quum unus tantum a scena canticum recitat et non totus simul chorus. Id quia in tragicis scenis fieri solebat ἐν τοῖς θρήνοις, factum inde est, ut μονῳδεῖν usurpatum fuerit pro θρηνεῖν, et μονῳδία pro θρῆνος, Nænia, Carmen funebre. [Aristoph. Pac. 1012 : Εἶτα μονῳδεῖν ἐκ Μηδείας · Th. 1076. Cum accus. Lucian. De hist. conscr. c. 1 : Τὴν Εὐριπίδου Ἀνδρομέδαν ἐμονῴδουν. Aristoph. Ran. 849 : Ὦ Κρητικὰς μὲν συλλέγων μονῳδίας · 944 : Εἶτ' ἀνέτρεφον μονῳδίαις, Κηφισοφῶντα μιγνύς · 1329 : Βούλομαι δ' ἔτι τὸν τῶν μονῳδιῶν διεξελθεῖν τρόπον · fr. Gerytadis ap. Athen. 3, p. 99, F : Χόρταζε τῶν μονῳδιῶν. Plato Leg. 6, p. 764, D : Τοὺς περὶ μονῳδίαν τε καὶ μιμητικήν · 765, A : Μονῳδιῶν τε καὶ συναυλιῶν. Tzetzes in Cram. Anecd. vol. 3, p. 338, 26 : Γίνωσκε κυρίως δὲ τὴν μονῳδίαν, ὅταν μόνος λέγῃ τις ἐν θρηνῳδίαις, κατὰ δὲ παράχρησιν, ἂν λέγῃ μόνος, ὥσπερ Λυκόφρων εἰς Ἀλεξάνδραν γράφει. ‖ « Μονῳδία rhetoribus dicitur Genus quoddam orationis funebris, aut in res luctuosas, aut in clades bellicas habitæ. Sic Menander Διαιρ. ἐπιδ. p. 629. Eo nomine inscripta est Himerii Or. 23, μονῳδία εἰς τὸν υἱὸν αὐτοῦ, Ῥουφῖνον, ubi v. quæ notavit Wernsdorf. p. 767. Conf. Phot. Bibl. cod. 170, Suid. in Μονῳδία, Olear.

ad Philostr. Apoll. 4, 21, et Cresoll. Theatr. 4, 9. » Ernest. Lex. rhet. Michaelis Nicetæ in Eustathium μονῳδία est ap. Tafel. De Thessalon. p. 369 sq., Euthymii ib. p. 392 sq.]

[Μονῳδία. V. Μονῳδέω.]

[Μονῳδικὸς, ἡ, όν.] Unde Μονῳδικὸν ποίημα dicitur Poema eo modo compositum. [Schol. Aristoph. Ran. 974 : Μονῳδίαις δὲ, γυμνάσμασι μονῳδικοῖς. || Adv. Μονῳδικῶς v. in Μοναδικῶς.]

Μονῳδὸς, ὁ, poeta dicitur, Qui sub una tantum persona argumentum aliquod exponit, ὁ μονοπροσώπως ἐφηγούμενος τὴν ὑπόθεσιν, ut Lycophro in sua Alexandra. Item μονῳδοὶ dicuntur Qui soli aliquid cantant, sine choro, ut Electra Sophoclea in luctu et dolore. [Tzetz. ad Lycophr. 1, p. 249 Müll. : Εἰς ἐπιθαλαμιογράφον, εἰς μονῳδόν· p. 261 : Μονῳδοὶ δὲ ποιηταὶ λέγονται οἱ μονοπροσώπως γεγραφότες ἐπιταφίους ᾠδὰς, καταχρηστικῶς δὲ καὶ οἱ μονοπροσώπως ὅλην τὴν ὑπόθεσιν ἀφηγούμενοι, ὥσπερ νῦν ἐν τῇδε τῇ Ἀλεξάνδρᾳ ὁ Λυκόφρων ποιεῖ· παριστᾷ γὰρ τὸν θεράποντα μόνον ὅλην τὴν ὑπόθεσιν ἀφηγούμενον. Ἀλλαχοῦ δὲ οὗτος ὁ Λυκόφρων τραγικός ἐστι ξδ' ἢ μς' τραγῳδιῶν δράματα γεγραφώς. Ἀλλ' ἐπειδὴ τὴν περὶ τοὺς ποιητὰς διωρθώσαμέν τε καὶ ἠκριβώσαμεν διαίρεσιν, λέγειν ἐστὶν ἁρμόδιον καὶ περὶ τοῦ μονῳδοῦ τούτου Λυκόφρονος. || Adv. Μονῳδῶς. Tzetz. ad Lycophr. 1, p. 268 : Ὃς ἄγγελος μονῳδῶς καὶ μονοπροσώπως τῷ Πριάμῳ κατὰ λεπτὸν τὸ λαληθὲν τῇ Κασσάνδρᾳ πᾶν ἀφηγεῖται λέγων αὐτῷ. Angl.]

[Μονώνυμος, ὁ, ἡ, Qui unius est nominis. Epiphan. vol. 2, p. 12, C : Ἕκαστον τῶν ὀνομάτων μονώνυμον, μὴ ἔχον δευτέρωσιν· καὶ γὰρ ὁ πατὴρ πατὴρ, καὶ οὐκ ἔχει ἀντιπαράθετον· 13, A. || Adv. Μονωνύμως, Uno nomine, ib. p. 13, A; 28, A. L. D. Amphiloch. p. 150. Kall.]

[Μονῶνυξ.] Μονώνυξ, υχος, sive Μώνυξ, υχος, et Μονώνυχος sive Μώνυχος, ὁ, ἡ, Solidas ungulas habens, Simplices et individuas ungulas habens. Aristot. De part. anim. 2, [16, ubi μώνυχας est in edd.] μονώνυχες πόδες, Pedes solidi, Pedes quorum ungulæ individuæ sunt, qui ungulas fissas non habent : ut equini, asinini. Geopon. [16, 1, 12] : Τῶν ἵππων καὶ σχεδὸν πάντων τῶν μονωνύχους τὰς ὁπλὰς ἐχόντων, pro his Varronis, Equorum et fere omnium quæ ungulas indivisas habent. Et frequenter ap. Hom. μώνυχες ἵπποι, Equi solidis ungulis, simplices et individuas ungulas habentes : ad differentiam boum, ovium, et ceterorum animantium quibus χηλαὶ tribuuntur. Hoc μώνυξ utitur et Aristot., itemque altero μώνυχος : ut quum de cancris ait [H. A. 4, 2] : Τῆς μὲν θηλείας ὁ πρῶτος ποὺς δίκρους ἐστὶ, τοῦ δ' ἄῤῥενος μώνυξ. Pro quibus Plin., Feminæ primus pes duplex, mari simplex. Rursum Aristot. [ib. 2, 1 post med.] : Εἰσὶ γὰρ καὶ ἐν Ἰλλυριοῖς καὶ ἐν Παιονίᾳ μώνυχες ὗες· τῶν ζώων οὖν τὰ μὲν πλεῖστα τῶν ἐχόντων κέρατα, δίχαλα κατὰ φύσιν ἐστί· μώνυχον δὲ καὶ δίκερον οὐδὲν ἡμῖν ὦπται· μονοκέρατα δὲ καὶ μώνυχα, ὀλίγα, οἷον ὁ Ἰνδικὸς ὄνος. Quæ sic Plin. : Sues in Illyrico quibusdam locis solidas habent ungulas : cornigera, fere bisulca : solida ungula et bicorne, nullum : unicorne, asinus tantum Indicus. Improprie Eur. [Iph. A. 250] μωνύχοις ἅρμασι pro Curribus qui ab animalibus solidas ungulas habentibus trahuntur, ut sunt equi, muli. Quod vero ad Μώνυξ et Μώνυχος attinet, per syncop. dicuntur pro Μονώνυξ et Μονώνυχος, quamvis hæc minus usitata putentur. [Galen. vol. 12, p. 307, B : Μώνυχα δέ ἐστι τὰ ἀμφόδοντα, συνῃρημένου τοῦ ὀνόματος, ὥς φασιν οἱ τὰς ἐτυμολογίας τιμῶντες, ἐκ τοῦ μονώνυχας, ἐπειδήπερ ἔχουσιν ὄνων ὄνυχας, mirabili perversæ Græcorum etymologiæ specimine. Ceterum forma μονώνυχα utitur ipse vol. 4, p. 132, schol. Eur. Phœn. 791, 792.]

[Μονώνυχος. V. Μονῶνυξ.]

[Μονώροφος, ὁ, ἡ, Qui unum habet tectum. Eust. Opusc. p. 183, 91 : Ἔνθα εὔθετον φάναι καὶ ὡς οὗτος μὲν οἷα καὶ εἴς τι μονώροφον λογισθήσεται σκήνωμα, ὁ δὲ ἐπ' αὐτῷ δεύτερος ὄροφος λεχθείη ἂν ὁ ὑπὲρ πάντα ὄροφον οὐρανός. L. Dind.]

[Μόνως. V. Μόνος.]

Μόνωσις, εως, ἡ, Actio illa qua quempiam solum relinquimus. In VV. LL. redditur, Solitudo [Gl.], Singularitas, Unitas. Quod vero Plato Tim. [p. 31, B] dixit, Ἵνα ουν τόδε κατὰ τὴν μ. ὅμοιον ᾖ τῷ παντελεῖ ζώῳ, Cic. vertit, Ut hic mundus esset animanti absoluto simillimus, hoc ipso quod solus atque unus esset. [Porph. Abst. 4, 20, p. 367. Wakef. Ὁ ἀστεῖος ... μόνωσιν ἀγαπᾷ, Philo Jud. p. 352, D; 990, B. Hemst.]

[Μονώστης. V. Μονώτης.]

Μονώτης, ὁ, Solitarius, i. q. μοναστικὸς, μονήρης, μονίας. Ap. Dem. Phal. [144] : Ὅσῳ γὰρ αὐτίτης καὶ μονώτης εἰμὶ, φιλομυθότερος γέγονα. Aristot. Eth. 1, 8 : Οὐ πάνυ γὰρ εὐδαιμονικὸς ὁ τὴν ἰδέαν παναίσχης, ἢ δυσγενὴς, ἢ μ. καὶ ἄτεκνος· 8, 5 : Μονώταις μὲν γὰρ εἶναι τούτοις ἥκιστα προσήκει, συνδιάγειν δὲ μετ' ἀλλήλων οὐκ ἔστι, ubi observa opponi inter se τοὺς μονώτας et τοὺς μετ' ἄλλων συνδιάγοντας. Item μονώτης βίος dicitur, ut μονήρης βίος, qualis esse dicitur vita Cyclopis a Maximo Tyrio [Diss. 21, 7, p. 255]. Aristot. Eth. 1, 8 : Τὸ δ' αὔταρκες λέγομεν, οὐχ αὐτῷ μόνῳ τῷ ζῶντι βίον μ., ἀλλὰ καὶ γονεῦσι καὶ τέκνοις καὶ γυναικὶ, καὶ ὅλως τοῖς φίλοις καὶ πολίταις. [Theognost. Canon. p. 45, 1 : Ἀγρώτης καὶ ἐν πλεονασμῷ τοῦ σ ἀγρώστης· ὁμοίως δὲ μονώτης καὶ μονώστης. || Femin. Aristot. H. A. 9, 40 med. (27, 13 Schn.) : Ὅταν δ' ἄφεσις μέλλῃ γίγνεσθαι, φωνὴ μονῶτις καὶ ἴδιος γίγνεται ἐπί τινας ἡμέρας. L. Dind.]

Μονωτὶ, Solitarie, Clam, VV. LL.

[Μονωτικὸς, ἡ, ὸν, Solitarius. Aristot. H. A. 1, 1, p. 488, 1, μ. ζῶα, al. μοναδικά. « Μονωτικὸς καὶ αὐστηρὸς βίος, Philo Jud. p. 454, A; 455, C; 924, A. » Hemst.]

[Μονῶτις. V. Μονώτης.]

Μόνωτος, ὁ, ἡ, Unam habens aurem, ansam. [Polemo ap. Athen. 11, p. 484, C : Κώθωνα μόνωτον. Pollux 6, 96 : Τὸ δὲ μ. (ἔκπωμα) κοτυλίσκος ὠνομάζετο. Sic Hesych. : Κοτυλίσκος, μόνωτα ποτήρια. Suidas v. Κώθων. || Animal i. q. supra μόναπος, et infra μόνωψ, ap. Antig. Car. c. 58 : Τὸν μόνωτον γίνεσθαί φασιν ἐν Παιονίᾳ.]

Μονὼψ, ῶπος, qui soluta oratione μονόφθαλμος, Unoculus. Eur. [Cycl. 644] μονῶπα παῖδα γῆς Polyphemum appellavit, cui unicum fuisse oculum, dictum fuit in Κύκλωψ. [Ibid. 21 : Ἵν' οἱ μόνωπες ποντίου παῖδες θεοῦ, Κύκλωπες, οἰκοῦσ' ἄντρ' ἔρημ' ἀνδροκτόνοι. Quod scribendum μονῶπες ex præcepto Arcadii p. 94, 26, eodemque modo corrigendus accentus ap. Callimachum, qui neutro genere tanquam a μονωπὸς utitur, in fragm. ap. schol. Aristoph. Av. 873 : Τῇ καὶ λίπουρα καὶ μόνωπα (quod aut μονῶπα aut μονωπὰ scribendum) θύεται, et Nicetam in Cocchii Chirurg. p. 11, 3 : Ἀπολλωνίου θηρὸς μόνωψ, etiamsi ap. Constantinum Man. Amat. 2, 73, vel versus caussa servandus est alter : Ζῷόν ἐστι Παιονικὸν, κλῆσις τῷ ζῴῳ μόνωψ etc., quæ repetit ex Æliani N. A. 7, 3, ubi item scriptum μόνωψ et μόνωπα, interpretes autem annotarunt i. esse animal q. supra μόναπος et μόνωτος. L. D.] || Μουνὼψ pro eod., ut μοῦνος pro μόνος, unde accus. Μουνῶπα, ap. Æsch. Prom. p. 49 meæ ed. [803] : Τόν τε μουνῶπα στρατὸν Ἀριμασπῶν ἱπποβάμον', οἳ κτλ.

[Μόξος, ὁ, Moxus, Lydus, ap. Nicol. Damasc. p. 238 ed. Cor.]

Μόρα, ἡ, in Lacedæmonum rep. dicebatur certum quoddam militum σύνταγμα, virorum septingentorum, aut quingentorum, aut triginta, Etym. [« Pollux 1, 129 : Ἰδίως Λακεδαιμονίων ἐνωμοτία καὶ μοῖρα (μόρα). Etym. M. : Ἔστι δὲ ἡ μόρα τάξις ἐξ ἀνδρῶν πεντακοσίων ἢ ἑπτακοσίων ἢ τριάκοντα. Meursius Lectt. Att. 1, 16 et Hutchinson. emendant τριακοσίων ob schol. Demosth. cujus verba sunt : Ἔστι δὲ ἡ μοῖρα τάξις ἀνδρῶν πεντακοσίων ἢ ἑπτακοσίων ἢ τριακοσίων. Sed G. H. Martini in prolus. De Spart. mora Ratisb. 1771 edita, p. 9, in utroque corrigit ἐνακοσίων. Plut. enim Pelop. c. 17, Τὴν δὲ μόραν, inquit, Ἔφορος μὲν ἄνδρας εἶναι πεντακοσίους φησὶ, Καλλισθένης δὲ ἑπτακοσίους, ἄλλοι δέ τινες ἐνακοσίους, ὧν Πολύβιός ἐστιν ... Etiam Diod. 15, 32, moræ tribuit quingentos. » Sturz. Lex. Xen. Lex. rhet. Bekk. p. 279, 13 : Μόρα, σύνταγμά τι Λακωνικὸν ἐξ ὀκτακοσίων ἢ ἐνακοσίων ἀνδρῶν συνεστὸς, ἢ ὄνομα λόχου τινός.] Sunt qui Tribum interpr.; nam, ut tradunt VV. LL. [ex Harpocr. s. Suida], testatur Aristot. Lacedæmonios μόρας quasi μοίρας appellasse, ac totam gentem in μόρας s. μοίρας distributam esse, h. e. in tribus quasdam quæ μόραι dicerentur, quasi μοῖραι. Ac certe in l. Xen., quem ex Lacedæm. rep. mox afferam, Stobæus pro μόρας legit μοίρας, et

A pro μορῶν, μερῶν : adeo ut has μόρας a μείρω dictas esse constet. [Frequens in libris etiam aliorum vitium est μοῖρα pro μόρα, ut dictum jam in ipso Μοῖρα.] Xenoph. Hell. 4, [3, 15] : Σὺν Ἀγησιλάῳ δὲ (ἦν), Λακεδαιμονίων μὲν μόρα ἡ ἐκ Κορίνθου διαβᾶσα, ἥμισυ δὲ μόρας τῆς ἐξ Ὀρχομενοῦ· Reip. Lac. p. 399 [c. 11, 4] : Οὕτω γε μὴν κατεσκευασμένων μόρας μὲν διεῖλεν ἓξ καὶ ἱππέων καὶ ὁπλιτῶν· ἑκάστη δὲ τῶν πολιτικῶν τούτων τῶν μορῶν ἔχει πολέμαρχον ἕνα, λοχαγοὺς τέσσαρας, πεντηκοστῆρας ὀκτώ, ἐνωμοτάρχους ἑκκαίδεκα, ubi pro πολιτικῶν μορῶν Stob. [male] habet ὁπλιτικῶν μοιρῶν : at pro posteriori μορῶν, μερῶν, ut et paulo ante indicavi. [Sex moræ conficiuntur etiam ex H. Gr. 6, 1, 1, et 4, 17. Ib. de equitibus et peditibus moræ dicit 4, 5, 11 : Ὁ ἐκεῖ φρουρῶν πολέμαρχος τοὺς μὲν ἀπὸ τῶν συμμάχων φρουροὺς παρέταξε φυλάττειν τὸ τεῖχος, αὐτὸς δὲ σὺν τῇ τῶν ὁπλιτῶν καὶ τῇ τῶν ἱππέων μόρᾳ ... παρῆγεν.] Idem Ages. p. 383 [c. 2, 6] : Λακεδαιμονίων μὲν ἔχων μόραν καὶ ἥμισυ, Tribum unam et semis, ut ex Philelpho interpr. VV. LL. : sed perperam in μόρος ead. B VV. LL. posuerunt hoc exemplum.

[Μοράζω. V. Μείρω et Μοιράζω in Μοιράω.]

[Μοράφιος, ὁ, Moraphius, s. Μορράφιος, filius Helenæ, memoratur ab schol. Hom. Il. E, 175 : Ὁ Πορφύριος ἐν τοῖς Ὁμηρικοῖς ζητήμασιν οὕτω φησὶν (non in iis quæ supersunt c. 13)· Ἑλένης τε καὶ Μενελάου ἱστορεῖ Δίεθος παῖδα Μορράφιον (Μενελάου παῖδες Δίαιθος καὶ Μορραφίων Ps.-Didymus), ἀφ' οὗ τὸ τῶν Μορραφίων γένος ἐν Πέρσαις, pro quibus alii codd. duo ὁ δὲ Δίαιθος Ἑλένης καὶ Μενελάου ἱστορεῖ παῖδα Μοράφιον et Μοραφίων γένος, Eustath. vero p. 400, 34 : Ἄλλοι δὲ Δίαιθον καὶ Μοράφιον, ἀφ' οὗ γένος φασὶ τὸ τῶν Μαραφίων ἐν Πέρσαις. Quam nominis formam illius gentis supra notavimus, ita aliorum testimoniis confirmatam, ut non ferenda videatur scriptura per Μορ- vel Μορρ-. Pro Δίεθος autem sive Δίαιθος, unde filium commenti sunt primum librarii, tum grammatici recentiores, recte Prellerus *Demeter und Perseph.* p. 157 scripsisse videtur Ἀρίαιθος, ut dubia maneat nominis Δίαιθος fides, de quo diximus vol. 2, p. 1156 sq. L. Dind.]

C [Μοργαντίνη, ἡ, Morgantine, urbs Siciliæ, cujus de situ v. Cluver. Sic. ant. p. 336, ap. Thuc. 4, 65, ubi Μοργαντίνην, et Diod. 19, 6, ubi Μοργαντίνης, et in Exc. Photii p. 529, 67; 533, 60; 534, 30, ubi Μοργαντίνην, quod restituendum videtur p. 533, 77, ubi Μοργαντίναν, quum Diodorus non soleat uti terminationibus Doricis nominum Siculorum, et 14, 78, ubi Μοργαντῖνον, pro quo Μοργάτιον margo Steph. Cujusmodi formam ponit etiam Steph. Byz. : Μοργέντιον, τὸ, πόλις Ἰταλίας, ἀπὸ Μοργήτων. Λέγεται καὶ Μοργεντία. Τὸ ἐθνικὸν Μοργεντῖνος καὶ Μοργήτης λέγεται. « Sed is suo more Siciliæ Murgantiam confudit cum Samnitum in Italia Murgantia, quam Liv. 10, 17, memorat. In Samnium usque olim pertinuisse Morgetum in Italia fines apud neminem reperi. De Siciliæ autem Morgetibus, qui ex antiquissima illa apud Siculum fretum Italia sive OEnotria in Siciliam transmigrarerunt, Strabo 6, p. 257 : Ἀντίοχος δὲ τὸ παλαιὸν ἅπαντα τὸν τόπον τοῦτον οἰκῆσαι Σικελούς φησι, καὶ Μόργητας διᾶραι εἰς τὴν Σικελίαν ὕστερον ἐκβληθέντας ὑπὸ τῶν Οἰνώτρων. Φασὶ δέ τινες καὶ τὸ Μοργάντιον ἐντεῦθεν τὴν προσηγορίαν ἀπὸ τῶν D Μοργήτων ἔχειν. Et ib. p. 270 : Οὐδένα τῆς παραλίας εἴων οἱ Ἕλληνες ἅπτεσθαι· τῆς δὲ μεσογαίας ἀπείργειν παντάπασιν οὐκ ἴσχυον, ἀλλὰ διετέλεσαν μέχρι δεῦρο Σικελοὶ καὶ Σικανοὶ καὶ Μόργητες καὶ ἄλλοι τινὲς νεμόμενοι τὴν νῆσον, καὶ τὴν Μοργάντιον δὲ εἰκὸς ὑπὸ τῶν Μοργήτων ᾠκίσθαι· πόλις δ' ἦν αὕτη· νῦν δ' οὐκ ἔστιν. » Cluver. l. c. p. 335, 336. Strabo autem fortasse etiam altero loco scripserat τό. Μοργάντιον vero etiam ap. Diodor. voluisse videtur qui posuit Μοργάτιον, quum vix Græcum sit Μοργαντῖνον. Ceterum Μόργις gentile memorat etiam Arcad. p. 23, 21, Chœrobosc. p. 45, 17, Herodian. et al. in Crameri Anecd. vol. 3, p. 232, 30; 241, 26. L. Dind.]

[Μοργᾶται, παρῶπται, Hesychius post Μοργυλλεῖ.]

[Μοργεύω. V. Μόργος.]

Μοργή, ἡ, Polluci [7, 151] τὸ μέρος τῶν γεωργῶν, unde ἐπίμοργον γῆν ap. Solon. esse ait τὴν ἐπὶ μέσει γεωργουμένην. [Pro μορτή, quod v.]

[Μόργης, Μοργήτης. V. Μοργαντίνη.]

Μοργίας, Hesychio γαστριμαργίας καὶ ἀκρασίας. [Μαργίας Ruhnkenius.]

Μόργιον, τό, apud Hesych. est μέτρον γῆς, h. e. πλέθρον, et εἶδος ἀμπέλου. [V. Μόρτη.]

Μόργις etiam vocabatur ὁ ἀμόργινος χιτών, ut est ap. Polluc. 7, 16. Sed quidam pro eo reponunt ἀμοργίς. [Quod vide.]

Μόργνῡμι, et Ὀμόργνυμι, ξω, χα, tanquam a Μόργω et Ὀμόργω. Usitatius tamen, præsertim ap. Homeri posteros, ὀμόργνυμι quam μόργνυμι, ut in composito Ἀπομόργνυμι docui, ex Eust. Frequentia sunt autem et Ὀμόργνυσθαι et Ὀμόρξασθαι voce passiva et media, in signif. act. Abstergo exp. ap. Apoll. Arg. 2, [242] : Δάκρυ δ' ὀμορξαμένω. [Eadem locutio est ap. Hom. Il. Σ, 124, et alibi.] Apud Hom. autem ἀπεμόρξατο δάκρυ vult Eust. esse potius Expressit lacrymam; nam verba, quibus id exp., apte Latino isto, et quidem Terentiano, in hoc loquendi genere, reddi posse existimo. Sed et pro Imprimo et Inuro poni simplex ὀμόργνυσθαι tradit Bud., sicut et composita Ἀναμόργνυσθαι, et Ἐναπομόργνυσθαι, et Ἐξομόργνυσθαι, item Ἐπομόργνυσθαι. Suidæ est ἀπομάσσειν s. ἐκμάσσειν, item ἀποψήχειν, et ἀποψᾶν. Hesychio itidem ἀπομάξαι et ἀποψᾶν : quæ signif. datur et composito ἀπομόργνυμι, in illo etiam Hom. loco, de quo in Ἀπομόργνυμι dictum. Ὄμαρξον Hesych. exp. ἀπόμαξον, quod potius ὄμορξον dicitur. [Nicand. Ther. 558 : Ἄλλοτ' ὀμόρξεις ψῆγμα πολυκνήμου· Al. 559 : Πεύκης ἀπὸ δάκρυ ὀμόρξαις. Altera forma Quint. 4, 270 : Χερσὶν ἄδην μόρξαντο κατεσσυμένον περ ἱδρῶτα· 374 : Μορξάμενοι σπόγγοισι μέτωπα. De utraque conf. Porson. præf. ad Eur. Hec. p. 26.]

[Μοργός. V. Ἀμοργός.]

Μόργος, ὁ, Hesychio φραγμὸς, Septum : et τὸ ἐπὶ ταῖς ἁμάξαις φράγμα, ἐν ᾧ τὰ ἄχυρα φέρουσι, quod ap. Polluc. μόργον. [Qui scribit 7, 116 : Τὸ ὑπὲρ τὴν ἅμαξαν περίφραγμα, ὃ περιλαμβάνεται διὰ δικτύων, μόργον καλεῖται. Καὶ Μοργεύειν τὸ δράγματα ἐπ' αὐτῷ φέρειν.] Ab eod. Hesych. exp. σκύτινον τεῦχος [et τεῦχος βόειον].

[Μοργυίων, σπαργάνων, Hesych.]

[Μοργυλλέω.] Μοργυλλεῖ Hesych. exp. χρονουλκεῖ, Tempus protrahit. [Scribendum certe videtur μοργύλλει.]

[Μόργυνα, πόλις Σικελῶν. Φίλιστος δευτέρῳ. Τὸ ἐθνικὸν Μοργυναῖος, Steph. Byz.]

[Μορδιανὰ (μῆλα) καλούμενα, ἃ γίνεται ἐν Ἀπολλωνίᾳ τῇ Μορδίῳ λεγομένῃ, memorat Athen. 3, p. 81, A. Μορδιαίῳ suspicabatur Casaubonus ex Steph. Byz. v. Ἀπολλωνία, ιζ' Πισιδίας, ἡ πρότερον Μορδιαῖον.]

[Μορέα, ἡ, Morus, Gl., sive Μορέη vocabatur ab Alexandrinis Morus arbor, quum morum fructum sive συκάμινον dicerent μόρον : v. Athen. 2, p. 51, B, E (Eust. Il. p. 872, 7), ubi plura hanc in rem disputantur. Conf. Diodor. 1, 34, Salmas. Exercitt. Plin. p. 328, A. Et μόρον quidem sic legitur Maccab. 1, 6, 34. Sturz. Nicand. Al. 69 : Μορέης ἀπὸ ῥίζια φοινικοέσσης. Gl. : Μόρα, Mora. Hesychius : Μορφωνέα, ἡ συκάμινος. Leg. Μορέα. L. Dind.]

Μορέω, Laboro, Affligor : μορῆσαι, Etym. κακοπαθῆσαι, πονῆσαι, sicut μόρος, κακοπάθεια, πόνος. [Dosiadæ Ara 2 Anth. Pal. 15, 26, 8 : Ὃν ὡπάτωρ δύσευνος μόρησε ματρόρριπτος. Schol. ap. Valck. Diatr. Eur. p. 134 : Ὃν μετὰ μόρου καὶ κακοπαθείας ὁ Ἥφαιστος ἐκτήνατο ὁ ἀπάτωρ. « Ex grammaticis solis nobis innotuit μορῆσαι isto signif., pro ποιῆσαι μετὰ κακοπαθείας, qui Homeri μορόεντα nobis interpretantur τὰ μετὰ πολλοῦ καμάτου πεποιημένα, in Γειομόρος quærentes τὸν γεωπόνον. » Valck. Hesych. : Μεμορημένον, ἠσκημένον, πεπονημένον. « Onosander c. 1, p. 14 : Μικρόφρονας καὶ περὶ τὸ κέρδος ἐπτοημένους καὶ μεμορημένους περὶ τὸν πορισμὸν τῶν χρημάτων. » Boiss.] || Μορῆσαι, Hesychio μερίσαι, διελεῖν, Partiri, Dividere : quæ signif. referri potest ad μόρος, Portio : exp. tamen et ἑλεῖν. [Perf. act. et pass. μεμόρηκα et μεμόρημαι, quæ ad hanc signif. referuntur, v. in Μείρω.] || Μορέω ex Etym. affertur in VV. LL. non tantum pro Laboro, sed etiam Abrado, Tumulo.

[Μορζίου regis Paphlagoniæ mentionem facit Polyb. 26, 6, 9. Ubi Schweigh. : « Morzus vocatur ap. Livium 38, 26. Fuisse autem hunc Paphlagoniæ regem ex Strabonis 12, p. 562 intelligitur, ubi scribit : Ὕστατος δὲ τῆς Παφλαγονίας ἦρξε Δηιόταρος ... τὸ Μορζέους (sic ibi editur) βασίλειον ἔχων τὰ Γάγγρα. »]

Μόρημα, τὸ, Ramentum, Cumulus, affertur in VV. LL. ex Etym.

Μορία, ἡ, Pars, μερὶς Hesychio. || Μορία dicitur etiam ἡ ἱερὰ ἐλαία, Polluc. [1, 241, qui ex Solonis tabulis memorare videtur 5, 36], similiter Hesych. et schol. Aristoph. Item Seleuco ap. Etym. μορίαι sunt τῆς Ἀθηνᾶς ἱεραὶ ἐλαῖαι ἐν τῇ ἀκροπόλει, de quibus plura vide ap. Suid. Aristoph. Nub. [1005]: Εἰς ἀκαδημίαν κατιὼν, ὑπὸ ταῖς μορίαις ἀποθρέξεις [-ξει. Locum Arist. afferens schol. Soph. OEd. C. 701, quum alia tum Aristotelis de illis arboribus addit testimonium, qui τοῖς νικήσασι τὰ Παναθήναια ἐλαίου τοῦ ἐκ μορίων γινομένου δίδοσθαι tradiderit]. Dictæ autem putantur μορίαι vel ἀπὸ τοῦ μόρου καὶ τοῦ φόνου Halirrhothii, de qua schol. fabulam narrat: vel quoniam ἐμερίζοντό τε καὶ ἐνέμοντο τὸ ἔλαιον τὸ ἐξ αὐτῶν Ἀθηναῖοι ἅπαντες, Suid.: schol. autem Aristoph. et aliud etymon affert. Etym. quoque μορίας a quibusdam exponi tradit τὰς ἱερὰς τῷ [τῇ Cuper.] θεῷ ἐλαίας, quoniam δημοσίαν μοῖραν ἐκ τῶν καρπῶν ἐλάμβανον: quæ etymologia videtur magis consentanea. Addit tamen, quosdam μορίαν accipere pro quavis Oliva. V. et Μόρον. [Ceterum adjective dici μορία, ut φαυλία, ostendit constans in libris accentus genitivi μορίων. L. D. Alibi HSt.:] Item Μορίαι, Oleæ Minervæ sacræ: quæ unde sic appellatæ fuerint infra referam, ubi etiam aliam deductionem ostendam. Ibid. et de Μόριος dicetur.

[Μορία, ἡ, pro μωρία, Stultitia, correpta prima et producta secunda est ap. Palladam Anth. Pal. 11, 305, 1: Τέκνον ἀναιδείης, ἀμαθέστατε, θρέμμα μορίης.]

[Μοριασμὸς, ὁ, Numeri integri in partes divisio s. fractio. Ptolem. Mathem. Comp. 1, 9, p. 26, C: Καθόλου μέντοι χρησόμεθα ταῖς τῶν ἀριθμῶν ἐφόδοις κατὰ τὸν τῆς ἑξηκοντάδος τρόπον διὰ τὸ δύσχρηστον τῶν μοριασμῶν. L. Dind.]

[Μορίδιος, ὁ, pro μοιρίδιος, Felix. Schol. Nicandri Al. 134, ubi explicat μορόεν.]

[Μορίες. V. Μόριος.]

[Μοριμηνὴ, ἡ, Morimene, regio Cappadociæ, ap. Strab. 12, p. 534, 537, 540. Incolæ Μοριμηνοὶ 568.]

Μόριμος, ὁ, ἡ, idem cum μόρσιμος, Fatalis, Fatis tributus aut concessus. Hom. Il. Υ, [302]: Μόριμον δέ οἱ ἔστ' ἀλέασθαι. [Pind. Ol. 2, 42: Ἐξ οὗπερ ἔκτεινε Λᾶον μόριμος υἱὸς συναντόμενος. Æsch. Cho. 361: Μόριμον λάχος πιπλάντων.]

[Μόρινοι vel Μορινοὶ, nisi potius scrib. Μορῖνοι, οἱ, Morini, gens Galliæ Lugdunensis, ap. Strab. 4, p. 194, 199, 200. Μωρίνους male ap. Dion. Cass. 39, 50.]

Μόριον, τὸ, infra cum suis positum fuit, sc. post Μέρος, ut sit μόριον quasi μέριον. Videri tamen possit dandus illi idem locus qui et superioribus [post Μόρος], si de illa nominis μόρος significatione satis constet. Μόριον, τὸ, Particula, Portiuncula. [Non est diminutivum, quod præter HSt. credidit etiam Cyrillus Ms. ap. Albert. ad Hesych.: Μορίον (sic), μέρος μικρόν.] Interdum vero et pro [immo semper] Pars. [Eur. Androm. 540: Σοὶ δ' οὐδὲν ἔχω φίλτρον, ἐπεί τοι μέγ' ἀναλώσας ψυχῆς μόριον Τροίαν εἷλον καὶ μητέρα σήν. Leonid. Tar. Anth. Pal. 7, 740, 6: Φεῦ τόσσης γαίης ὅσσον ἔχει μόριον. Zonas Sard. ib. 404, 7: Ὥστ' ἔχε μὲν ψαμάθου μόριον βραχύ. Herodot. 2, 16: Οἵ φασι τρία μόρια εἶναι γῆν πᾶσαν, Εὐρώπην τε καὶ Ἀσίαν καὶ Λιβύην· 7, 23: Ἀπολαχόντες μόριον ὅσον αὐτοῖσιν ἐπέβαλλε.] Aristot. De poet. [c. 8 fin.]: Ὃ γὰρ προσὸν ἢ μὴ προσὸν μηδὲν ποιεῖ, ἐπίδηλον ὡς οὐδὲν μόριον τοῦ ὅλου ἐστί. Thuc. dixit [8, 46]: Βραχεῖ μορίῳ τῆς δαπάνης· item, Ἐν βραχεῖ μορίῳ ἡμέρας, 1, [85], In exigua particula diei, s. articulo: quod perinde est ac si Lat. dicas Brevi momento. Sed habetur 1, [141], ἐν βραχεῖ μορίῳ, de tempore itidem dictum, non adjecto hoc gen.: Χρόνιοί τε ξυνιόντες, ἐν βραχεῖ μὲν μορίῳ σκοποῦσί τι τῶν κοινῶν, τῷ δὲ πλείονι τὰ οἰκεῖα πράσσουσι, ubi ego puto vel librariorum incuria omissum esse gen. χρόνου, nam ille gen. ἡμέρας non satis huic l. conveniret, vel Thuc., quum dixisset χρόνιοι, gen. illum χρόνου subaudiendum reliquisse, tanquam hujus subauditionis, ut ita loquar, commonefaciente nos illo adjectivo. Apud Eund. 6, [92], βραχεῖ μορίῳ, sine ἐν, subaudito quopiam alio

A gen., redditur Parva manu. [Idem 2, 39: Ἀθρόᾳ τε τῇ δυνάμει ἡμῶν οὐδείς πω πολέμιος ἐνέτυχε ... ἤν δέ που μορίῳ τινὶ προσμίξωσι κτλ. De parte terræ 7, 58: Οἵδε μὲν τῆς Σικελίας τὸ πρὸς Λιβύην μέρος τετραμμένον νεμόμενοι, Ἱμεραῖον δὲ ἀπὸ τοῦ πρὸς τὸν Τυρσηνικὸν πόντον μορίου. Xen. Cyrop. 5, 4, 20: Ἐλάσσονι μορίῳ (exercitus). Plato Leg. 6, p. 760, B: Δώδεκα ἡμῖν ἡ χώρα πᾶσα ἴσα μόρια νενέμηται· 7, p. 791, C: Οὐ σμικρὸν μόριον εὐψυχίας καὶ κακοψυχίας· Protag. p. 329, E: Τούτων τῶν τῆς ἀρετῆς μορίων, et alibi sæpe eodem similibusve modis.] || Sæpe Pars corporis s. Membrum, interdum etiam peculiariter de certo membro, ut infra docebo. Gaudentque Medici hac in signif. nomine hoc magis quam nomine μέρος: unde etiam Galenus suos illos De fabrica corporis humani libros inscripsit Περὶ χρείας τῶν ἐν ἀνθρώπου σώματι μορίων, dicens μορίων, non μερῶν. Sed quidam Interpretes, fortasse ne viderentur ignorare μόριον dimin. habere formam, Particulas in multis medicorum Græcorum ll., non Partes, interpr.: in plerisque ll. inquam,
B quibus tamen nihilo magis conveniebat diminutiva hæc appellatio Latina, quam si in illo librorum Galeni titulo μορίων aliquis interpretaretur Particularum. Quinetiam Aristot. ante Galenum quosdam ex suis libris inscripserat Περὶ ζώων μορίων, non περὶ ζώων μερῶν, ubi itidem ineptissimum fuerit μορίων reddere Particularum. [Id. H. A. 1, 2: Πάντων δ' ἐστὶ τῶν ζῴων κοινὰ μόρια, ᾧ δέχεται τὴν τροφὴν καὶ εἰς ὃ δέχεται ... Μετὰ δὲ ταῦτα ἄλλα κοινὰ μόρια ἔχει τὰ πλεῖστα τῶν ζῴων πρὸς τούτοις ᾗ ἀφίησι τὸ περίττωμα τῆς τροφῆς καὶ ᾗ λαμβάνει. Et alibi.] || Sed μόριον peculiariter etiam de certa parte corporis dicitur, s. certo membro: nimirum de eo quod Membrum genitale, virile appellatur [κατ' ἐξοχὴν τῶν ἄλλων μορίων τοῦ σώματος, ἐπειδὴ γενέσεώς ἐστιν ὄργανον, sec. Etym.], ut scribit Bud., addens, Æginetam non raro sic uti ἀντὶ τοῦ αἰδοίου, et ex eo afferens in exemplum, ἄπρακτον μόριον l. 3, [p. 111, 43] pro τὸ οὐχ ὁρμῶν πρὸς τὰ ἀφροδίσια. [Schol. Aristoph. Lys. 772.] Meminit etiam Suid. hujus signif. [Cujus verba: Μόριον τὸ αἰδοῖον μέρος τοῦ σώματος
C Albert. componit cum Hesychii Μόριον, μέρος, ubi HSt.: « Aut αἰδοῖον videtur subaudiri aut γυναικεῖον, » et μέρος sic monet dici ab Hesychio in Ἀνασεσυρμένη, qui l. addendus nostris in Μέρος. Μόρια, τὰ αἰδοῖα, Genitalia, Gl. Diodor. 1, 85: Ἀνασυράμενοι τὰ ἑαυτῶν γεννητικὰ μόρια.] Plutarchus autem huic nomini αἰδοῖον adjecit γόνιμον: quod ad verbum interpretari possumus Genitale, De fort. Rom. [p. 323, B]: Μόριον ἀνδρὸς ἀνατεῖναι γόνιμον ἐκ τῆς ἑστίας. [Id. p. 797, F: Ἐντεταμένους τοῖς μορίοις, de hermis.] At vero Lucian. [Vitt. auct. c. 6] τὰ ἀνδρεῖα μόρια vocasse Testiculos, testatur idem Bud. [Id. Luc. D. mort. 28, 2: Τὸ μόριον τὸ γυναικεῖον ἀπεφράγη. De mulieribus Aretæus p. 65, 5: Σκέπει γὰρ (τὴν ὑστέραν) τοῖσι μορίοισι ἡ γυνή. « Hesych. in Μέλαθρον: Τὸ τῶν γυναικῶν μόριον. Sextus Emp. Pyrrh. 3, 205, p. 178: Ὁ Κιτιεὺς Ζήνων φησὶ μὴ ἄτοπον εἶναι το μόριον τῆς μητρὸς τῷ ἑαυτοῦ μορίῳ τρίψαι. » Hemst. Schol. Aristoph. Pl. 152: Ἄτοπον τὴν γυναῖκα τὸ ἔμπροσθεν μόριον ἐπισείειν.] Videmus autem in Geopon. [17, 5, 2] μόρια vaccis etiam tribui: quæ Plin. Natu-
D ralia vocaret. [|| Ap. grammaticos de inseparabilibus voculis et particulis. Etym. M. p. 141, 47: Τὸ ἄλφα οὐκ ἔστι μέρος λόγου, ἀλλὰ μόριον· ὥσπερ γὰρ τοῦ σώματος μέρη εἰσὶ, κεφαλὴ, χεῖρες, πόδες, μέρη δὲ τῆς κεφαλῆς εἰσιν ὀφθαλμοὶ, ὦτα, ὀδόντες κτλ., οὕτω καὶ τῶν μερῶν τοῦ λόγου μέρη εἰσὶ τὰ μόρια· 809, 9: Τὸ δε (in Ἴλιόνδε οὐκ ἔστι μέρος λόγου, ἀλλὰ μόριον. Schol. Hom. Il. B, 486: Οὐδέ τι ἴδμεν) περισσεύοντος τοῦ τι μορίου.]

Μόριος, α, ον, in VV. LL. Partialis, ut μορίης γῆς, Epigr. [Tymnis Anth. Pal. 7, 477, 2.] || Hesychio autem μόριος est ἄπληστος. [Ζεὺς Μόριος, Soph. OEd. C. 705. Schol.: Μόριον Δία εἶπε τὸν ἐπόπτην τῶν μορίων ἐλαιῶν· καὶ ἔστιν ὁ λεγόμενος Μόριος Ζεὺς (περὶ Ἀκαδημίαν addidit, ut videtur, ed. Rom.), ὥς φησιν Ἀπολλόδωρος· Περὶ Ἀκαδημίαν ἐστιν ὅ τε τοῦ Καταιβάτου Διὸς βωμὸς, ὃν καὶ Μόριον καλοῦσι, τῶν ἐκεῖ μορίων παρὰ τὸ τῆς Ἀθηνᾶς ἱερὸν ἱδρυμένων.] Ad idem μόρος videri potest pertinere et Μορίες ap. Hesych., quod exp. μερῖται, κοινωνοὶ, Partiarii, Participes. At vero Μορίδες eid. Hes., si non mentiuntur ejus exempll., sunt μάντεις,

Vates. Sed hæc a μόρος etiam deducta videri possunt, ut infra dicetur.

Μορὶς, ἰδος, ἡ, Pars, Portio, Herodoto, pro μόριον, ut τριτημορὶς infra ex Eod. pro τριτημόριον. [Ex quo ipso ductum hoc μορὶς, quod non est ap. Her.]

[Μόρχος, ὁ, Morcus, Genthii regis Illyr. legatus ad Rhodios. Polyb. 29, 2, 9; 5, 1.]

[Μορμίλλων, ονος, ὁ, Mirmillo, genus gladiatorum. Inscr. Thasia ap. Bœckh. vol. 2, p. 185, n. 2164, 1: Μορμίλλονες. Pro quo Μουρμίλλων et Μουρμίλλονες est in Milesia ib. p. 566, n. 2889. L. Dind.]

[Μόρμισος, ὁ, Mormisus, fl. inter nomina in ισος ponitur ab Theognosto Can. p. 73, 17. L. Dind.]

Μορμολύκειον, s. [verius] Μορμολυκεῖον, τὸ, Larva. Aliquando ita nominantur Tragicorum et mimorum personæ, quas Dorienses etiam γοργεῖα vocant. Aliquando Terricula et spectra. [Basil. schol. Ms. in Gregor. Naz. Or. 35, p. 563, C, ap. Ruhnk. ad Tim. p. 182: « Μορμολυκεῖον, προσωπεῖον εἰς φόβον παιδίων ἀνοήτων, καὶ τόπος τις ἀλλόκοτος ὄψεως. Εἴρηται ἀπὸ τῆς Μορμοῦς τῆς καὶ Λαμίας, quibus addit locum Theocr. in Μορμὼ citandum. Etym. M. p. 590, 52: Μορμολυκεῖον προπερισπᾶται. Ἔστι προσωπεῖον ἐπίφοβον. Ἀριστοφάνης Γήρᾳ. Δηλοῖ δὲ καὶ φόβητρον ἁπλῶς ἐν Θεσμοφοριαζούσαις (417: Προσέτι Μολοττικοὺς τρέφουσι μορμολυκεῖα τοῖς μοιχοῖς κύνας.) Ἔστι δὲ πεποιημένη ἡ φωνή· ἢ τὰ τῶν τράγων (τραγικῶν Sylburg., qui poterat etiam τραγῳδῶν) προσωπεῖα λέγονται. Αἴνιγμα, παρὰ τὴν Μορμώ. Ἔστι δὲ ὄνομα γυναικός· μεταφορικῶς ἐκ ταύτης τὰ πρὸς κατάπληξιν τυπωθέντα προσωπεῖα ἐκάλουν μορμολυκεῖα, quorum postrema sunt etiam in Gud. Schol. Aristoph. Pac. 473: Οὕτως δὲ (Μορμόνα) ἔλεγον τὸ ἐκφόβητρον καὶ τὰ προσωπεῖα τὰ αἰσχρὰ μορμολύκεια (-ύκια Rav.), ἀφ' οὗ καὶ τὰ τραγικὰ καὶ τὰ κωμικά. Καὶ ἐν Ἀμφιαράῳ, Ἀφ' οὗ κωμῳδικὸν μορμολύκειον ἔγνων. » Plato Phæd. p. 77, E: Μὴ δεδιέναι τὸν θάνατον ὥσπερ τὰ μορμολύκεια (sic). Arrian. Epict. 2, 1, 15.] Lucian. Philops. [Toxar. c. 24]: Πανλώβητόν τι καὶ ἀπρόσιτον μορμολύκειον καὶ γιγάντειον. [Conf. Philops. c. 23.] Et ap. Philostr. [4, 25, p. 164] Apollonius dicit Menippi sponsam esse μίαν τῶν ἐμπουσῶν ἃς λαμίας τε καὶ μορμολυκεῖα οἱ πολλοὶ ἡγοῦνται. [Μορμολύκειον memorat etiam Pollux 2, 47 etc. Contra μορμολυκεῖον præcipit etiam Theognost. Can. p. 129, 1.]

[Μορμολύκη, ἡ.] Apud Strabon. [1, p. 19] legitur et Μορμολύκη, itidem pro Larva et spectro: Ἥ τε γὰρ λαμία μῦθός ἐστι, καὶ ἡ γοργὼ καὶ ὁ ἐφιάλτης καὶ ἡ μορμολύκη. [Ibid.: Ταῦτα δ' ἀπεδέξαντο οἱ τὰς πολιτείας καταστησάμενοι, μορμολύκας τινὰς πρὸς τοὺς νηπιόφρονας. Porphyr. Stobæi Phys. p. 1010: Γόργυραν δὲ τοῦ Ἀχέροντος γυναῖκα προσανέπλασαν, ἀπὸ τοῦ γοργὰ φαίνεσθαι πολλοῖς τὰ ἐν ᾅδου· καθὸ δὴ καὶ αὐτοῦ τούτου τιθήνην ὁ Σώφρων Μορμολύκαν ὠνόμασε.]

[Μορμολύττω s.] Μορμολύττομαι, Terreo: ac proprie larvis spectrisque et similibus terriculis. [Aristoph. Av. 1245: Πότερα Λυδὸν ἢ Φρύγα ταυτὶ λέγουσα μορμολύττεσθαι δοκεῖς;] Xen. Symp. [4, 27]: Ἀλλὰ τί δή ποτε ἡμᾶς μὲν οὕτω τοὺς φίλους μορμολύττει ἀπὸ τῶν καλῶν; A pulcris deterres. [Plato Gorg. p. 473, D: Μορμολύττει αὖ καὶ οὐκ ἐλέγχεις· Criton. p. 46, E: Ὥσπερ παῖδας ἡμᾶς μορμολύττηται. Quos ll. cum locis Philonis, Luciani, Themistii, aliorumque recentiorum composuit Ruhnken. ad Tim. p. 182.] Plut. Symp. 5, in fine probl. 7 [p. 683, B]: Ἵνα μὴ με δόξητε πόρρω νυκτῶν οὐσῶν ὑμῖν ἐπάγοντα φάσματα καὶ εἴδωλα πεπνυμένα καὶ φρονοῦντα, μορμολύττεσθαι καὶ διαταράττειν. [Eust. Opusc. p. 68, 68: Ἀπειλοῦμεν καὶ μορμολυττόμεθα.] Accipitur etiam pro Formido, Metuo. Auctor Axiochi [init.]: Διαχλευάζων τοὺς μορμολυττομένους τὸν θάνατον, Eos qui mortem formidant. [Eust. Opusc. p. 325, 59: Ῥωμαίῳ μὲν ἀνδρὶ, Ἀντωνίῳ οἶμαι, λόγος ἐρρέθη ποθὲν ὡς ἄρα ὁ δαίμων αὐτῷ τὸν ἑτέρου τινὸς πεφόβηται δαίμονα, ἡμῖν δὲ δαίμων μὲν φοβερὸς, εἴτουν τύχη μορμολυττομένη τὸ ὅμοιον, οὔτι δεδόξασται. Quem usum rarissimum esse animadvertit Ruhnk. l. c.] Apud Hesych. legitur et act. Μορμολύττει expositum φοβερίζει, Terret. [Ap. quem est etiam: Ἐμορμολύχατε, ἐδεδίττεσθε. Quod ἐμορμολύττετε scribendum conjecerat Meinek. Com. vol. 2, p. 235, retuleratque ad Cratetis fr. Heroum ap. Hesychium in Οὐκ ἀσκίῳ μεντἄρ' ἐμορμολύττετ

A αὐτοὺς, in quo γ' pro μεντἄρ' Prov. Bodl. 715, p. 86, C, quam conjecturam retractat vol. 4, p. 658, ἐμορμολύττετο scripsisse Cratetem opinatus, ut vera maneat Ruhnkenii l. c. sententia activum legi nonnisi ap. recentissimos, velut Basilium schol. Ms. in Greg. Naz. Or. 35, p. 563, C: Μορμολύττειν ἐστὶ τὸ ἐκφοβεῖν. Atque medii, quod etiam Diogenian. 2, 65 ponit: Ἀσκῷ μορμολύττεσθαι, exemplis locum Cratetis ascripserat etiam Hemst. in Mss. « Μορμολύττειν activ. Zachar. Mytil. Barthii p. 170. » Creuzer.]

Μόρμον vocatur τὸ ὑπὲρ τὴν ἅμαξαν περίφραγμα, ὃ περιλαμβάνεται διὰ δικτύων. Unde Μορμογεύειν [μοργεύειν] dicitur τὸ δράματα ἐπ' αὐτῷ φέρειν. Auctor Pollux 7, c. 26. V. Μόργος. [Quæ vera scriptura est.]

Μόρμορος, ὁ, Hesychio φόβος, Terror, Metus: qui infra μόρμος. [Eodemque modo interpretatur Μορμυγαία, quæ est forma vitiosa.]

[Μορμορύζω, i. q. μορμολύττω. Μορμορύζει, Photio ἐκφοβεῖ, παρὰ τὴν μορμώ. Quocum conf. Tim. Lex. Plat. p. 181: Μορμορύττει καὶ μορμολύττει, ἀντὶ τοῦ ἐκ-

B φοβεῖν ἀμφότερον. Utrumque duci a præc. μόρμορος animadvertit Ruhnk., quam primitivam esse formam ostendit etiam seq. μορμορωπός.]

[Μορμορωπὸς, ὁ, ἡ.] Μορμορωπὰ ῥήματα, Aristoph. Ran. [925] vocat τὰ καταπληκτικὰ καὶ φοβερὰ, Terribilia: ἐκ μεταφορᾶς τῆς μορμοῦς τῆς τὰ βρέφη φοβούσης, ut tradit schol. Μορμυρωπὸς ap. Suidam legitur. Ibi enim malum omen esse dicitur si cui in somnis sol videatur ἀμαυρὸς ἢ ὕφαιμος ἢ μορμυρωπός. Ambiguum significetne Terrificus aspectu, an Turbidus aspectu. Supra μορμορωπός. [Locus legitur ap. Artemid. Onir 2, 36. Codd. μορμύρων et μορμυρώδης, unde Reiffius πορφυρώδης.]

Μόρμος, η, ον, Terrificus. Hesych. enim μόρμη exp. καταπληκτική, addens etiam χαλεπή, Gravis, Difficilis. Eid. μόρμοι sunt φόβοι κοινοί: nisi forte scr. κενοί: ut sit, Metus terroresque inanes, quales sunt ex larvis.

[Μορμόφοβος. V. Μορμώ.]

[Μόρμυλος. V. Μορμύρος.]

[Μορμύνω.] Μορμύνει Hesych. affert pro δεινοποιεῖ.

C Μορμυρέη affertur pro Murmur aquarum: sed sine ullo testimonio.

[Μορμυρίζω, Murmuro, Gl.] Apud Suidam et Hesych. reperio et Μορμυρίζει, expositum ἠχεῖ, veluti aquæ. [Ap. Phot. est Μορμορύζει, καταράττει, ἠχεῖ, ὡς ἐπὶ ὑδάτων. Apud Byzantinos, de quibus Ducang., μουρμουρίζων. Idem in App. Gl. p. 135 citat ex Eudemi Lex. Ms.: Μορμορίζει, καταράττει, ἠχεῖ ὡς ἐπὶ ὑδάτων. Quod καταράττει etiam Hesychio restituendum videtur pro ταράττει, pariterque καταράσσων pro ταράσσων in Μορμύρων.]

[Μόρμυρις, in Libro Ms. Cœranidis l. 1, ἰχθὺς θαλάσσιος ἐδώδιμος μικρός. Ducang.]

Μορμύρος, ὁ, Piscis quidam marinus est, de quo Aristot. [H. A. 6, 17, ubi μόρμυρος scriptum] et Athen. 7, [p. 313, E, seq.] Plin. ex Ovidio Pictas mormyras dicit. Athen. hos ipsos pisces ab Epicharmo μύρμας vocari scribit: Ælian. μορμύλους nominasse fertur. [« Apud Ælian. non occurrit, quod sciam, hujus piscis mentio. Sed μορμύλον vocavit Oppianus (Hal. 1, 100,

D ubi μορμύρος Schneider. contra libros), itemque Dorion ap. Athen. l. c. In Archestrati versu ap. eund. Athen. l. c. pro olim vulgato μόρμυλος ex mss. codd. μόρμυρος restitui. » Schweigh. Phanias Anth. Pal. 6, 304, 4: Αἴτε σύγ' ἐν κύρτῳ μελανουρίδας αἴτε τιν' ἀγρεῖς μορμύρον ἢ κίχλην. « Hic piscis hodiedum eandem appellationem servat, monente Duhamel, *Traité des Pêches* p. 2, s. 4, c. 2. » Jacobs. Artemidor. 2, 14, p. 168: Μόρμυροι καὶ μελάνουροι. Inter accentum paroxytonum et proparoxytonum variatur ap. Matronem Athen. 4, p. 136, C, non variari videtur l. supra citato, ubi μόρμυρος, ut in Etym. M. p. 591, 3 (quum μορμύρος sit ap. Eust. Il. p. 1150, 33; 1230, 44), quod præstare videtur. Μορμῦρος codex Hesychii.]

Μορμύρω, Murmuro [Gl.], ποιὸν ἦχον ἀποτελῶ, Hesychio: qui tamen exp. etiam πλημμυρῶ, Inundo. Hom. Il. Φ, [325] de Scamandro: Κυκώμενος, ὑψόσε θύων, Μορμύρων ἀφρῷ τε καὶ αἵματι καὶ νεκύεσσιν. Sic Il. [E, 599: Ἀφρῷ μορμύροντα ἰδών·] P, [403] de Oceano: Ἀφρῷ μορμύρων ῥέεν ἄσπετος. [Leonidas Tar. Anth. Plan.

182, 2: Τὰν ἐκφυγοῦσαν ματρὸς ἐκ κόλπων ἔτι ἀφρῷ τε μορμύρουσαν εὐλεχῆ Κύπριν. Apoll. Rh. 1, 543 Ἀφρῷ δ' ἔνθα καὶ ἔνθα κελαινὴ κήκιεν ἅλμη δεινὸν μορμύρουσα (vel sec. priorem recensionem μορμύρουσα τυπῇσιν) ἐρισθενέων μένει ἀνδρῶν· 4, 287: Πηγαὶ... μορμύρουσιν. Eodemque modo aliquoties Dionys. Per., idemque semel med. 82: Τῇ δ' ἐπὶ Σαρδόνιος μορμύρεται ἔνδοθι πόντος. Ælian. N. A. 14, 26, p. 328, 4: Μορμύροντος τοῦ ῥεύματος καὶ ὠθουμένου σφοδρότατα. Tzetz. Hist. 10, 99: Μορμύρων δίκην λέβητος πυρὶ τεθερμασμένου. Improprie Manetho 5, 118: Μήνη... πλησιφαὴς δ' ἀκτῖσιν ἀπορρείουσα Κρόνοιο... παρέχει σαρκῶν ἐξ ἰδίων ἀπογευομένους ἱεροῖσιν θυμῷ μορμύροντας ἐπίψογον εἰς νόσον ὀργῇ. Cujus l. tamen suspecta videtur scriptura.]

Μορμύσσομαι, Terreo, ut μορμολύττομαι. Callim. H. in Dian. [70], de Mercurio cineribus oblito: Αὐτίκα τὴν κούρην μορμύσσεται· ἡ δὲ τεκούσης Δύνει ἔσω κόλπους, θεμένη ἐπὶ φάεσι χεῖρας· ubi schol. quoque exp. ἐκφοβεῖ. [Del. 297: Ὅτ' εὐηχὴς ὑμέναιος ἤθεα κουράων μορμύσσεται.] Hesychio μορμύσσεσθαι est ἐμβριμᾶσθαι.

[Μορμυρώδης, Μορμυρωπός. V. Μορμορωπός.]

Μορμώ, οῦς, ἡ, Mulier horrenda et monstrosa facie, ut strix, fuisse dicitur: indeque pro Larva [Gl.] et terriculo accipi, derivato inde et nomine μορμολύκειον. Aristoph. quoque horribilitatem vocabulo huic includi indicat quum μορμὼ τοῦ θράσους dicit pro O horrendam audaciam: Eq. [693]: Προσέρχεται Ὠθῶν κολόκυμα καὶ ταράττων καὶ κυκῶν, Ὡς δὴ καταπιόμενός με μορμὼ τοῦ θράσους. [Μορμὼ in hoc Aristophanis et in hoc Theocriti Idyll. 15, 40: Μορμὼ, δάκνει ἵππος, inque similibus ll. nihil aliud est quam ἐπίρρημα, adverbium græcum, latina interjectio quæ pro φεῦ ponitur in abominationibus. Brunck. Lucian. Philops. c. 2 extr.: Πάνυ ἀλλόκοτα καὶ τεράστια μυθίδια, παίδων ψυχὰς κηλούμενα, ἔτι τὴν Μορμὼ καὶ τὴν Λάμιαν δεδιότων. V. Μορμολυκεῖον. Photius: Μορμὼ, ὃν ἡμεῖς μορμόφοβον. Dio Chrys. Or. 66, vol. 2, p. 355: Τῶν παιδαρίων ἕκαστον ἰδιότροπόν τινα μορμὼ δέδοικε.]

Μορμὼν, όνος, ἡ, pro μορμὼ dicitur, ut γοργὼν pro γοργώ. Aristoph. μορμόνα vocat Galeam Lamachi quod μορμόνος s. γοργόνος capite insignis esset, Ach. [582]: Ἀλλ' ἀντιβολῶ σ', ἀπένεγκ' ἐμοῦ τὴν μορμόνα· Pac. [474]: Οὐδὲν δεόμεθ', ὦ 'νθρωπε, τῆς σῆς μορμόνος. Xen. rectius pro Larva et terriculo, Hell. 4, [4, 17]: Οἱ μέν τοι Λακεδαιμόνιοι ἐπισκώπτειν ἐτόλμων ὡς οἱ σύμμαχοι φοβοῖντο τοὺς πελταστὰς, ὥσπερ μορμόνας [libri μορμῶνας] παιδάρια. Hesych. μορμόνας esse dicit πλάνητας δαίμονας, Dæmonas erraticos, ut qui noctu discurrunt variisque terriculis formidolosos perterrent.

[Μορμωτὸς, ἡ, ὸν, Terrificus. Lycophr. 342: Τὸν ὠδίνοντα μορμωτὸν λόχον, de equo Trojano.]

Μοροδικέω, Particeps sum: unde μοροδικῆσαι Harpocr. ex Antiphonte affert pro τοῦ μέρους μεταλαβεῖν. Suid. habet Μοιροδοκῆσαι, quod magis probo. [Utrumque vitiosum pro Μοιρολογχῆσαι, quod v.]

Μορόεις, εσσα, εν, Fatalis, Exitiosus, Lethalis. Nicand. Alex. [582] de rubeta rana: Ὅστ' ἐνὶ θάμνοις Εἴαρι προσφύεται μορόεις λιχμώμενος ἕρσην, schol. κακοποιὸς, ὁ μόρον ἄγων, Exitialis, Mortiferus. || At μορόεν ποτὸν dicitur Potio quæ exitiali s. lethali alicui malo adhibetur. Nicand. Al. 129: Ἐμπλήδην κυκεῶνα πόροις ἐν κύμβεσι τεύξας, Νηστείρης Δηοῦς μορόεν ποτὸν, schol. τὸ ἐν κακοπαθείᾳ δοθέν· paulo post, Ἠέ τι που χηνὸς μορόεν ποτὸν αἴνυσο χύτρον, ubi Idem annotat accipi vel pro πολυέψητον, vel μοιρίδιον, aut αἴσιμον, ὃ ἄν τις ἐπὶ τοῦ συμφέροντος ἐκδέξαιτο· vel τὸ ἁρμόζον τῷ πάθει: subjungens Homericum illud, ἐπεὶ κατὰ μοῖραν ἔειπεν. Idem 455, dicit μορόεντος ἐλαίης pro μοροέσσης: quod ipsum in præcedenti signif. capi potest pro Salutiferæ, Medica vi ad depellendum μόρον præditæ. || Multo labore confectus, μετὰ μόρου ὅ ἐστι κακοπαθείας ἐκπεπονημένος, μετὰ πολλοῦ καμάτου πεπονημένος, ut ab Eustathio et Hesychio exp. ap. Hom. Od. [Σ, 297]: Ἕρματα δ' Εὐρυδάμαντι δύω θεράποντες ἔνεικαν Τρίγληνα, μορόεντα. Sic et Il. Ξ, [183].

[Μόρον. V. Μορέα.]

Μόροξος s. Μόροχθος, ὁ, Morochthus: lapis quidam Ægyptiacus, alio nomine dictus γαλαξίας et λευκογραφίς. Eo utuntur linteones πρὸς λεύκωσιν τῶν ἱματίων, ad dealbandas vestes, teste Dioscor. [5, 152], ut Galenus quoque eo uti scribit τοὺς στιλπνοῦντας τὰς ὀθόνας. Ap. eund. Gal. legitur et μόροξος pro eodem, Simpl. Medic. [vol. 13, p. 255, D], ubi agit περὶ τοῦ σχιστοῦ. Ibi enim tradit Ægypt. lapidem a quibusdam μόροξον nominari, ab aliis λευκογραφίδα. [« Galaxiam Plin. 37, 10, cum Galactite confudit: λευκογραφίδα vero herbam esse falso opinatus est, 27, 11, cui vires easdem tribuit, quas huic lapidi Dioscor. Porro hunc λευκογραφίδα idcirco dictum refert Aetius, quod quum subviridis appareat, si ad cotem affricetur, aut ad asperius pallium, locum inalbat. Id ipsum voluit Plin. 37, 10, Meroctes porracea, lacte sudat, quo loco fortasse Morochthus rectius legas. » Hæc Saracenus. Pro Meroctes Harduinus e codd. et Indice Morochitis reposuit. Angl. Glossæ iatricæ Mss. ex cod. Regio 190 et 1843: Μόροξος, ἡ λευκογραφής. Ducang.]

Μοροπονέω, Fatalibus infortuniis premor: μοροπονοῦν, Hesych. κακοπαθοῦν.

Μόρος, ὁ, Acutus, Velox; nam Eust. [Il. p. 998, 44, Od. p. 1749, 34] ex quorundam gramm. sententia tradit μόρον Cypriis esse ὀξύ: qui ἰόμωροι ap. Hom. exp. ὀξεῖς ἰοὺς ἔχοντες. Similiter et Aristarch. ὑλακόμωροι ap. Eund. esse dicit ὀξύφωνοι, et ectasin in o factam esse. [Μόρον λέγουσι Κύπριοι τὸ ὀξὺ, Etym. M. v. Ὑλακόμωροι. Hesychius: Μωρὸν, ὀξύ.]

Μόρος, ὁ, et Μόρον, τὸ, Morum. Pro masc. gen. Eust. [Il. p. 835, 8] hoc affert exemplum, Πρῶτον μὲν ὄψει λευκὸν ἀνθοῦντα στάχυν, Ἔπειτα φοινίξαντα στρογγύλον [γογγύλον] μόρον, quæ verba Athen. 2, [p. 51, D] citat ex Soph. Ex iis tamen certo colligi non potest masc. genere μόρος dici. [Multo minus ex Æschyli fr. in Phrygibus: Ἀνὴρ δ' ἐκεῖνος ἦν πεπαίτερος μόρων· et Cressis: Λευκοῖς τε γὰρ μόροισι καὶ μελαγχίμοις καὶ μιλτοπρέπτοις, ibidem ab Ath. citatis, quæ ad neutrum genus retulit Pollux 6, 46 et Ath. ipse. Sed ap. Soph. φοινίξαντα intransitive dictum ostendit recte sensisse Eustathium.] Neutrius autem generis exempla habes ap. Athen. l. c. ex Æschylo, Soph. [immo ex Æschyli fragmentis modo citatis generis ambigui, ex Soph. autem unum ab HSt. ipso modo allatum, quod ad masc. genus referri diximus], et aliis: item ex Parthenio, Ἄβρυνα συκάμινα, ἃ καλοῦσιν ἔνιοι μόρα· et ex Diphilo, Τὰ δὲ συκάμινα, ἃ καὶ μόρα λέγεται, εὔχυλα. Ibid. Phanias τὸν τῆς ἀγρίου συκαμίνου καρπὸν μόρον καλεῖ, Mori sylvestris fructum: Τὸ μόρον τὸ βατῶδες ξηρανθείσης τῆς σφαίρας τῆς συκαμινώδους, σπερματικὰς ἔχει τὰς συκαμινώδεις διαγονάς· hæc vero sylvestria mora dicuntur et βάτια: nam in rubis nascuntur. Arbor autem hujus fructus dicitur Μορέα, Lat. Morus: alio vocabulo Græco συκάμινος. Nicand. ap. eund. Athen. l. c.: Καὶ μορέης, ἣ παισὶ πέλει μείλιγμα νέοισι, Πρῶτον ἀπαγγέλλουσα βροτοῖς ἡδεῖαν ὀπώρην· nam ante cetera ἀκρόδρυα φαίνεται. Alexandrinis autem hoc vocab. τῆς μορέας esse usitatius, testatur Athen., quo utitur et Diosc. 1, 181: Μορέα, ἡ συκαμινέα, δένδρον ἐστὶ γνώριμον. Μόρα et μορέα voce composita appellantur etiam συκόμορα et συκομορέα. In Galeni autem Lex., qui ap. Hippocr. συκῆς exp. συκύας, h. e. συκαμίνου, adduntur et hæc verba ex eod. Hippocr., μορέου ῥίζης, ubi μορέου i. est q. μορέας: si tamen vera ea scriptura est. || Μόρον vocabant etiam τὸ βρύον τῶν ἐλαιῶν: unde αἱ ἀνθοῦσαι ἐλαῖαι dicebantur μορίαι, inquit Zeno ap. Etym. in Μορία.

Μόρος, ὁ, Portio. Plerumque, Portio fatalis, Fatum. Hom. Od. [Il. T, 421]: Εὖ νύ τοι οἶδα καὶ αὐτὸς ὅ μοι μόρος ἐνθάδ' ὀλέσθαι, i. e. μεμοιραμένον, μοιρίδιον, Eust. [A, 34: Ἐξ ἡμέων γάρ φασι κάκ' ἔμμεναι· οἱ δὲ καὶ αὐτοὶ σφῇσιν ἀτασθαλίῃσιν ὑπὲρ μόρον ἄλγε' ἔχουσιν· ὡς καὶ νῦν Αἴγισθος ὑπὲρ μόρον Ἀτρείδαο γῆμ' ἄλοχον μνηστήν· E, 436, ubi alii ὑπέρμορον, ut ὑπέρμορα quoque dicitur. Æsch. Prom. 248: Θνητοὺς ἔπαυσα μὴ προδέρκεσθαι μόρον· Ag. 1146: Λιγείας μόρον ἀηδόνος.] Aliquando cum θάνατος jungitur, sicut κήρ. Od. [Λ, 408]: Ἀλλά μοι Αἴγισθος τεύξας θάνατόν τε μόρον τε, Ἔκτα· Υ, [241]: Μνηστῆρες δ' ἄρα Τηλεμάχῳ θάνατόν τε μόρον τε Ἤρτυον· I, [61]: Οἱ δ' ἄλλοι φύγομεν θάνατόν τε μόρον τε. In quibus ll. μόρος reddi etiam posset Exitium, Interitus, ὄλεθρος. [Letum, Gl.] Alioquin etiam pro Morte capitur, sicut et κὴρ aliquando, quum per se ponitur; et quidem aliquando in soluta etiam oratione : ut in Phalar. [Ep. 5, p. 24] : Οὐ γάρ πω τὸν ἐν αὐτῷ λελοχημένον ἐπεδέδεικτο μόρον, Nondum sævum illud genus mortis intus latens ostenderat, Bud. [Hom. Il. X, 280 : Οὐδ' ἄρα πώ τι ἐκ Διὸς ἠείδης τὸν ἐμὸν μόρον· Ω, 75 : Κλαῖε μόρον οὗ παιδὸς ἀμύμονος. Pind. Ol. 13, 87 : Διασωπάσομαί οἱ μόρον ἐγώ· Pyth. 3, 58 : Κεραυνὸς ἐνέσκιμψεν μόρον· Nem. 1, 66 : Δώσειν μόρον. Et Tragici locis plurimis, quum singulari, tum interdum etiam plurali, ut Æsch. Sept. 420 : Αἱματηφόρους μόρους· Soph. Ant. 1313, et ib. 1329 : Φανήτω μόρων ὁ κάλλιστ' ἐμῶν ἐμοὶ τερμίαν ἄγων ἁμέραν. Lycophr. 320. Locutiones ap. eos usitatæ sunt θνήσκειν, ὄλλυσθαι, κτείνειν μόρῳ, quorum secundum Hom. paullo post citandus conjunxit cum accusativo, ut Æsch. Pers. 447 : Τεθνᾶσιν αἰσχρῶς δυσκλεεστάτῳ (vel δυστυχεστάτῳ) μόρῳ· 449 : Ποίῳ μόρῳ δὲ τούσδε φῂς ὀλωλέναι; et Soph. Œd. C. 1656. Id. Ant. 56 : Μόρῳ δὲ ποίῳ καί σφε βουλεύει κτανεῖν; Herodot. 3, 65 : Ἀνοσίῳ μόρῳ τετελεύτηκε ὑπὸ τῶν οἰκηιωτάτων· 5, 21 : Τούτῳ τῷ μόρῳ διεφθάρησαν· 9, 17.] Et θανάσιμος μ., Eur. Hec. [1145] pro θάνατος simpliciter aut μόρος. [Θανατόεις Iph. A. 1287, quanquam totum illud canticum v. 1283-1318 suspectum est, ut nihilo melius quam simile ib. 1080-97, aut 1327-9. Similia sunt Æsch. Sept. 199 : Λευστῆρα δήμου δ' οὔτι μὴ φύγῃ μόρον· 704 : Τί οὖν ἔτ' ἂν σαίνοιμεν ὀλέθριον μόρον; Suppl. 987 : Δορικανεῖ μόρῳ θανών. Soph. Trach. 357 : Ὁ ῥιπτὸς Ἰφίτου μόρος. Eur. Rhes. 817 : Καρανιστὴς μόρος. Diodorus Zonas Anth. Pal. 7, 404, 4 : Οὐ γάρ σευ μήτηρ ἐπιτύμβια κωκύουσα εἶδεν ἁλίξαντον (vel ἁλιξάντου) σὸν μόρον. Ubi Jacobsius confert λακιστὸν μόρον ap. Lucian. Pisc. c. 2, monetque, ut ap. Latinos sæpe *Mors* dicitur de cadavere, eodem modo et hic poni μόρον et ap. Crinagoram ib. 439, ἀτυμβεύτου θανάτοιο λείψανον.] Item κακὸς μ., pro κακὴ τύχη, Infortunium, Exitium, Od. Α, [166] : Νῦν δ' ὁ μὲν ὣς ἀπόλωλε κακὸν μόρον, nisi quis ibi mallet Improbo fato. Il. Φ, [133] : Ἀλλὰ καὶ ὣς ὀλέεσθε κακὸν μόρον, Malo exitio peribitis. [Z, 357 : Οἷσιν ἐπὶ Ζεὺς θῆκε κακὸν μόρον· Od. Λ, 618 : Ἦ τινα καὶ σὺ κακὸν μόρον ἡγηλάζεις; Æsch. Pers. 369 : Εἰ μόρον φευξοίαθ' Ἕλληνες κακόν.] Potest etiam Mortem tetram s. miseram significare, i. e. Tetrum mortis genus s. miserum. [Il. Σ, 465 : Αἲ γάρ μιν θανάτοιο δυσηχέος ὧδε δυναίμην νόσφιν ἀποκρύψαι, ὅτε μιν μόρος αἰνὸς ἱκάνοι.] Pro Supplicio usurpatur a Phalar. [Ep. 5, p. 29] : Ἄνθρωπον ἀνθρώποις τοιούτου μόρου ἄρξαντα, εἶναι ἀτιμώρητον, Talis supplicii auctorem et conditorem, Bud. [Similiter Alexander in Gretseri Opp. vol. 2, p. 21, D : Ταῦτα ἀκούσας ὁ Γαλέριος Μαξιμιανὸς ἐξεληλύθει· ἐξεδέχετο γὰρ καὶ αὐτὸς τὸν αὐτὸν μόρον. De bestiis Æsch. Ag. 1415 : Ὡσπερεὶ βοτοῦ μόρον ... ἔθυσεν αὐτοῦ παῖδα. De navibus id. Pers. 478 : Σὺ δ' εἰπὲ ναῶν αἳ πεφεύγασιν μόρον, ποῦ τάσδ' ἔλειπες. Quo cum verbo conjungit etiam Eur. de hominibus dicens Hel. 1077 : Διαφυγεῖν μόρον· Andr. 381 : Παῖς ὅδ' ἐκφεύγει μόρον. || Transitive, ut Hesychius interpr. φόνος, cum verbis transitivis, ut supra cum κτείνειν, et similiter ap. Eur. Tro. 876 : Ἐμοὶ δ' ἔδοξε τὸν μὲν ἐν Τροίᾳ μόρον Ἑλένης ἐᾶσαι, ναυπόρῳ δ' ἄγειν πλάτῃ Ἑλληνίδ' ἐς γῆν, κᾆτ' ἐκεῖ δοῦναι κτανεῖν· et cum nomine ejus qui occidat Rhes. 379 : Σὲ γὰρ οὔτις ὑποστὰς Ἀργείας ποτ' ἐν Ἥρας δαπέδοις χορεύσει, ἀλλά νιν ἅδε γᾶ καπφθίμενον Θρῃκὶ μόρῳ φίλτατον ἄχθος οἴσει, ab Rheso Thrace cæsum. Alcæus Messen. Anth. Pal. 6, 218, 5 : Δείσας δ' ὠμηστέω θηρὸς μόρον. Herodot. 1, 117 : Τέῳ μόρῳ τὸν παῖδα κατεχρήσαο· 7, 197 : Ἐμηχανήσατο Φρίξῳ μόρον.] Μόρος Hesychio est μοῖρα τοῦ βίου, θάνατος, φθόρος, πόνος, νόσος. Ab eod. Hes. μόρος exp. κλῆρος : quæ signif. etymo est vicinior, ut μόρος dicatur pro Portione et sorte. [Ab eodem etiam λῶροι, κόποι, πόνοι. Conf. Μορέω.] Ceterum nomini μόρος locum hic dandum censui, proxime post Μείρω et ejus compp., illi autem et illius compp. subjungendum Μοῖρα, propter ἔμμορα medium præt. verbi μείρω. Composs. autem a μείρω interjicienda censui, quia nimis procul a simplici ea removissem, si μόρος, et μοῖρα cum toto suo comitatu illis præfixissem. [Μόρος cum μοῖρα conjungit Æsch. Cho. 911 : Καὶ τόνδε τοίνυν μοῖρ' ἐπόρσυνεν μόρον. || Μόρος f. Noctis fingitur ab Hesiodo Theog. 211.]

[Μορόσυκος, Μορόσυκον. V. Μῶρον, Μωρόσυκος.]

Μόροττον, Hesych. dicit fuisse quoddam πλέγμα ἐκ φλοιοῦ, quo sese mutuo verberarent in sacris Cereris.

[Μορόφονος, ὁ ἀεὶ περὶ φόνον μεμορημένος, Qui semper circa cædem vel mortua corpora versatur, Suid. v. Μορφνός. Schleusn. Voc. a grammaticis fictum.]

[Μόροχθος. V. Μόροξος.]

[Μόρρα. V. Μύρρα.]

[Μορράφιος. V. Μοράφιος.]

[Μόρρια, Μόρρινος. V. Μύρρα.]

Μόρσιμος, ὁ, ἡ [et η, ον, Æsch. Eum. 217 : Εὐνὴ γὰρ ἀνδρὶ καὶ γυναικὶ μορσίμη. Ubi libri scripti μόρσιμοι. Quod utrum rectius Robortellus μόρσιμος an Turnebus μορσίμη scripserit ambiguum est. Μόρσιμος commendat Eur. Rhes. 636 : Μορσίμους σφαγάς, quanquam illius loci propter euphoniam alia est ratio. Sed etiam in epigr. Anth. Pal. 7, 343, 6 : Τὸν ἥρπασε μόρσιμος αἶα. Nihilo certius formæ femin. ex. est Hesychii Μορσική, ἡ Ἰνδική, quod Vossius scrib. putabat ἐν δίκῃ, quomodo legendum foret Μορσίμη, etsi ne huic quidem satis conveniret interpretatio], Fatalis [Gl.]. Hom. Od. K, [175] : Πρὶν μόρσιμον ἦμαρ ἐπέλθῃ, Fatalis dies. Il. O, [613] : Ἤδη γάρ οἱ ἐπώρνυε μόρσιμον ἦμαρ Παλλὰς Ἀθηναίη. [Pind. Ol. 2, 11 : Αἰὼν ἔφεπε μόρσιμος· Isthm. 6, 41 : Ἐς τὸν μ. αἰῶνα. Æsch. Suppl. 47 : Ἐπεκραίνετο μόρσιμος αἰών.] Item μόρσιμον alicui dicitur esse ut Lat. Fatale esse, Fato destinatum : T, [417] : Ἀλλά σοι αὐτῷ Μόρσιμόν ἐστι θεῷ τε καὶ ἀνέρι ἶφι δαμῆναι· E, [674] : Οὐδ' ἄρ Ὀδυσσῆϊ μεγαλήτορι μόρσιμον ἦεν Ἴφθιμον Διὸς υἱὸν ἀποκτάμεν ὀξέϊ χαλκῷ, Fato concessum. [Pind. Pyth. 12, 30 : Τό γε μόρσιμον οὐ παρφυκτόν· Nem. 4, 61 : Τὸ μόρσιμον Διόθεν πεπρωμένον· 7, 44 : Τὸ μόρσιμον ἀπέδωκεν. Æsch. Sept. 263 : Πείσομαι τὸ μόρσιμον, et similiter alibi. Prom. 932 : Ὦ θανεῖν οὐ μόρσιμον· Suppl. 1047 : Ὅτι τοι μόρσιμόν ἐστι, τὸ γένοιτ' ἄν· 787 : Θέλοιμι δ' ἂν μορσίμου βρόχου θανεῖν· Ag. 157 : Τοιάδε ... ἀπέκλαγξε μόρσιμ' ἀπ' ὀρνίθων· 1048 : Ἐκτὸς οὖσα μορσίμων ἀγρευμάτων. Eodemque modo ceteri Tragici et alii poetæ, ut Apoll. Rh. 2, 605 : Ὃ δὴ καὶ μόρσιμον ἦεν ἐκ μακάρων. Herodot. 3, 154 : Ἐδόκεε μόρσιμον εἶναι ἤδη τῇ Βαβυλῶνι ἁλίσκεσθαι.] Dicitur aliquis etiam μόρσιμος ἐλθεῖν, Qui fatali s. divina quadam sorte sese nobis offert, Od. Π, [392], Φ, [162] : Ἡ δέ κ' ἔπειτα γήμαιθ' ὅς κεν πλεῖστα πόροι καὶ μόρσιμος ἔλθοι. || Μόρσιμος, Mortalis, Fato obnoxius. Id. Od. [Il. X, 13] : Οὐ μέν με κτανέεις· ἐπεὶ οὔτοι μόρσιμός εἰμι· i. e. μοίρᾳ ὑποκείμενος, θνητός, schol. [Iamblich. V. Pyth. 217, p. 434 Kiessl. : Εἰδὼς ὡς οὐκ εἴη Φαλάριδι μόρσιμος. Conf. Μόριμος. De loco Orph. H. 58, 8 : Μορσίμῳ ἐν πεδίῳ.] || Μόρσιμος, nomen poetæ ap. Aristoph. [Eq. 401, Pac. 801, Ran. 151], de quo et ap. Suidam. Factum est autem hoc μόρσιμος a 2 præt. pass. μέμορσαι, Eust. Sed Etym. a μόριμος derivat, pleonasmo literæ σ.

[Μόρσος, ὁ, inter barytona in σος quæ consonam habent ante σος ponit Arcad. p. 76, 3.]

[Μόρσων, ωνος, ὁ, Morso, n. viri. Theocr. Id. 5, 65 et sæpius in eod.]

Μόρτη, ἡ, τὸ ἕκτον μέρος τῶν καρπῶν, ἣ ἐδίδοτο τοῖς ἑκτημορίοις, ut refert Eustathius [Od. p. 1854, 31] ex anonymo quodam Lex. rhet. : Hesych. habet μορτὰν, ita vocari scribens τὴν γενομένην καταβολὴν ἀπὸ τῶν καρπῶν. [Idem : Ἐπίμορτος· Μορτὴ γὰρ τὸ μέρος ἐκαλεῖτο. Pollux 7, 151 : Μορτὴ, τὸ μέρος τῶν γεωργῶν. « Moschop. Π. σχεδ. p. 67 : Γεώμορον, ἡ κοινὸς μορτή. In Legibus Georgicis 1, 20, Περὶ μορτῆς, concipitur. » Ducang. Emendandus igitur accentus ap. Eust. Conf. Lobeck. Paralip. p. 349. Ap. Hesych. autem rectius scribitur γινομένην.]

[Μορτίτης, ὁ, γεωργός, Partiarius colonus, cui opponitur χωροδότης, Is qui fundum colendum dedit, in Legibus Georgicis 1, 20, 21. Ducang.]

[Μορτοβάτις, ιδος, ἡ, Quam homines conscendunt.] Μορτόβατιν, Hesychio ἀνθρωποβάτιν ναῦν. [Codex bis —την, tanquam a —βατος, η, ον.]

Μορτὸς, quod Hesych. exp. θνητὸς ἄνθρωπος, Mortalis : item μέλας, φαιός, Ater, Fuscus, a tertia persona derivari potest. [Callimachus ap. Orion. p. 33, 26 : Βροτὸς παρὰ τὸ μείρω μορτὸς εἴρηται ὁ ἄνθρωπος· K., Ἐδείμαμεν ἄστεα μορτοί. Ἄστεα recte Ammon. ap.

Bentl. fr. 271 : Βροτὸς ὡς μορτὸς καὶ μοιρητός. Conf. autem Theognost. Can. p. 64, 2.]

[Μόρτυξ, υγος, ὁ, Mortyx, rex Corcyræorum, ap. Chœrobosc. p. 82, 24.]

[Μόρυς, ὁ, Morys, Phryx, Hom. Il. N, 792; Ξ, 514.]

Μορύσσω, Inquino, Contamino, Fœdo : μολύνω. Hom. Od. N, [435] de vestimentis Ulyssis : Ῥωγαλέα, ῥυπόωντα, κακῷ μεμορυγμένα καπνῷ. [Unde retulisse videtur Hesychius. Oppian. Cyn. 3, 39. Nicander Al. 144 : Ἠὲ μελισσάων καμάτῳ ἔνι παῦρα μορύξαις σκορπιόεντα ταμὼν ψαφαρῆς ἐκ ῥίζια γαίης· 318 : Μεμορυγμένος ἀφρῷ· 330 : Μεμορυγμένον ὄξει.]

[Μορυχίδης, ὁ, Morychides, n. viri, ut archontis Attici ol. 85, 1, ap. Diodor. 12, 29, schol. Aristoph. Ach. 67, Vesp. 283, Suid. v. Εὐθυμένης, Μοριχίδης scriptus in inscr. ap. Bœckh. vol. 1, p. 349, n. 229, 13, ut Μουριχίδης in libris nonnullis. Μουρυχίδης Hellespontius ap. Herodot. 9, 4 sq. Alius Μορυχίδης Atheniensis est in inscr. Att. ap. Bœckh. p. 186, n. 138, 5 seq.]

[Μορυχίων, ωνος, ὁ, Morychio, n. viri, in inscr. Tenia ap. Bœckh. vol. 2, n. 2338, p. 263, 41; 264, 59. ῐ L. Dindorf.]

[Μόρυχος, ὁ, Morychus, n. viri, ap. Aristoph. Ach. 887, Pac. 1008, Vesp. 506, 1142, schol. Ach. 61, Nub. 109. Conf. etiam Μωρός. Itaque in epigr. Leonidæ Tar. Anth. Plan. 190, 1, pro Μόριχος scribendum videtur Μόρυχος. || Adj. Μορύχιος, α, ον, ap. Plat. Phædr. p. 227, B : Οἰκίᾳ τῇ Μορυχίᾳ, quod Μορυχείᾳ potius scribendum. Μορυχαία Tim. Lex. p. 183. Quam formam mirum est Porsonum pro vera Μορυχεία non dubitasse inferre etiam Photio, cujus gl. Μορυχεῖα (—χεία manus secunda), οἰκία τις ἀπὸ Μορύχου, ἐν ᾗ καὶ Ἄρτεμις, repetitur fere a Timæo, sed aucta in fine verbis Μορυχαία, ἀπὸ τοῦ καθιδρύσαντος, quæ ad Μουνυχίαν spectare monuit jam Hemsterh. L. Dind.]

Μορφάζω diversæ signif. est; ponitur enim pro Nuo et Annuo, siquidem Hesychio μορφάζειν est νεύειν. Item Gestum adhibeo. Xen. Symp. p. 520 [c. 6, 4]: Οἶμαι γὰρ ὥσπερ ἡ ᾠδὴ ἡδίων πρὸς τὸν αὐλὸν, οὕτω καὶ τοὺς σοὺς λόγους ἡδύνεσθαι ἄν τι ὑπὸ τῶν φθόγγων, ἄλλως τε καὶ εἰ μορφάζοις, ὥσπερ ἡ αὐλητρὶς, καὶ σὺ πρὸς τὰ λεγόμενα, Præsertim si, ut solet tibicina, tu quoque inter recitandum aliquem adhibeas gestum. [Pollux 4, 95. Ælian. N. A. 1, 29 : Ἤδη δὲ καὶ ἐν ἡμέρᾳ θήρατρα ἕτερα τοῖς ὄρνισι προσείει μωκωμένη (noctua) καὶ ἄλλοτ' ἄλλην ἰδέαν προσώπου στρέφουσα, ὑφ' ὧν αἱροῦνται καὶ παραμένουσιν οἱ νέοι πάντες ὄρνιθες, ἠρημένοι δέει καὶ μάλα γε ἰσχυρῷ ἐξ ὧν ἐκείνη μορφάζει. || Exprimo, Figuro. Const. Manass. Chron. 4864 : Ἔνθα γλυφεῖσα δεξιῶς μάρμαρος βοῦν τυποῖ καὶ λέοντα μορφάζει. Eust. Opusc. p. 63, 62 : Οὐκ ἂν δὲ εἴη κυριολεκτικῶς ἀγαπῶν, ἀλλὰ μορφάζει τὸ κατὰ κακίαν εἰδεχθὲς εἰς εὐπρόσωπον, ὀνόματι σεμνῷ περιπέττων τὴν κατ' αὐτὸν μοχθηρίαν. Aliter idem p. 107, 28 : Τὰ χείριστα κακολογοῦσι, μορφάζοντες μὲν φίλον ἄνθρωπον, τοῖς δὲ ἔργοις λυσσητῆρας κύνας ὑπογράφοντες, Personam agentes.]

[Μόρφασμα, τὸ, Nicet. Chon. ap. Fabric. B. Gr. vol. 4, p. 413, sed Bandurius habet μόρφωμα. Boiss. Eust. Opusc. p. 73, 37 : Ψυχῆς ἐκπορνευούσης μόρφασμα (ἡ ὑπόκρισις), i. est fere q. μορφασμός.]

Μορφασμὸς, ὁ, genus Saltationis quod diversorum animalium motus imitabatur, Cam. Conformatio, Pollux 4, c. 14 [§ 103], de saltationis speciebus : Ὁ δὲ μορφασμὸς, παντοδαπῶν ζώων μίμησις ἦν. Solitos autem fuisse saltatores imitari quosvis gestus, cognoscere est ex iis quæ supra in Μιμητικὸς, et in Παντόμιμος dicta sunt. Ab Athenæo 14, [p. 629, F] inter ridiculas saltationes numeratur : Καὶ γελοῖαι δέ εἰσιν ὀρχήσεις ἴγδις καὶ μακτρισμὸς, ἀπόκινός τε καὶ σόβας· ἔτι δὲ μορφασμὸς, καὶ γλαὺξ, καὶ λέων, ἀλφίτων τε ἐκχύσεις, καὶ χρεῶν ἀποκοπή.

[Μορφάω, Exprimo. Nossis Anth. Pal. 6, 354, 2 : Ἁ δ' εἰκὼν μορφᾷ καὶ μεγαλοφροσύναν.]

Μορφεὺς, έως, ὁ, filius aut minister Somni : ita dictus quod dormientibus inducat varias formas et rerum simulacra. Ovid. Met. 11, [635] : Excitat artificem simulatoremque figuræ Morphea.

Μορφὴ, ἡ, Forma : generaliter de quavis re, ut ap. **A** Aristot. [Categ. c. 6] in prædic. qualitatis : Τέταρτον δὲ γένος ποιότητος, σχῆμά τε καὶ ἡ περὶ ἕκαστον μορφή· ea a Philosophis dicitur dare esse rei. [Id. Metaphys. 6, p. 130, 21 : Λέγω δὲ τὴν μὲν ὕλην οἷον τὸν χαλκὸν, τὴν δὲ μορφὴν τὸ σχῆμα τῆς ἰδέας.] Plerumque de Forma humana, s. Specie et figura, quæ et Species oris. Hom. [ap. quem non est in Iliade,] Od. Θ, [170] : Ἄλλος μὲν γάρ τ' εἶδος ἀκιδνότερος πέλει ἀνήρ· Ἀλλὰ θεὸς μορφὴν ἔπεσι στέφει. Plut. [Mor. p. 780, A] : Ἡρωϊκὴν καὶ θεοπρεπῆ μορφὴν ἔχοντες. Et metaph. μορφὴ ἐπέων, de venusto et eleganti orationis genere, Od. Λ, [366] : Σοί δ' ἔπι μὲν μορφὴ ἐπέων, ἐπὶ δὲ φρένες ἐσθλαί· i. e. κάλλος ἢ πιθανότης, Eust., annotans pro ἔπι scribi etiam ἔνι. [« Photius cod. 181, μορφὴ διὰ μεγέθους ἥκουσα, Forma orationis grandis, magnifica, quæ instruitur τόνῳ, περιβολαῖς, καινοπρεπείᾳ. » Ernest. Lex. rhet. Pind. Ol. 6, 76 : Εὐκλέα μορφάν. Proprie 9, 70 : Ὑπέρφατον ἄνδρα μορφᾷ τε καὶ ἔργοις· Nem. 3, 18 : Ἔρδων ἐοικότα μορφᾷ· 11, 13 : Μορφὰν παραμεύσεται ἄλλων. Et ubi de statura, Isthm. 3, 74 : Μορφὰν βρα- **B** χύς. Æsch. Prom. 21 : Οὔτε φωνὴν οὔτε του μορφὴν βροτῶν ὄψει· 78 : Ὅμοια μορφῇ γλῶσσά σου γηρύεται· 210 : Ἐμοὶ δὲ μήτηρ οὐχ ἅπαξ μόνον Θέμις καὶ Γαῖα, πολλῶν ὀνομάτων μορφὴ μία· 449 : Ὀνειράτων ἀλίγκιοι μορφαῖσι (ut fr. ap. Athen. 11, p. 491, A : Νυκτέρων φαντασμάτων ἔχουσι μορφάς)· 645 : Διαφθορὰν μορφῆς (Ius)· 674 : Εὐθὺς δὲ μορφὴ καὶ φρένες διάστροφοι ἦσαν· Eum. 193 : Πᾶς δ' ὑφηγεῖται τρόπος μορφῆς· Suppl. 496 : Μορφῆς δ' οὐχ ὁμόστολος φύσις. Soph. Trach. 699 : Μορφῇ μάλιστ' εἰκαστὸν, ὥστε πρίονος ἐκβρώματ' ἂν βλέψειας· Phil. 129 : Ναυκλήρου τρόποις μορφὴν δολώσας· OEd. C. 578 : Τὰ δὲ κέρδη παρ' αὐτοῦ κρείσσον' ἢ μορφὴ καλή. Orph. H. 25, 5 : Ἀγαλλόμεναι (Nereides) θηροτύποις μορφαῖς, ὧν βόσκει σώματα πόντος, ut ib. 38, 8 : Θηρότυπον θέμενος μορφὴν δνοφεροῖο δράκοντος. Et sic utroque numero etiam in prosa. Tanquam in periphrasi, ut εἶδος, quod v. p. 208, B, C, Soph. El. 1159 : Ὅς σ' ὧδέ σοι προὔπεμψεν ἀντὶ φιλτάτης μορφῆς σποδόν τε καὶ σκιὰν ἀνωφελῆ. Aristoteles ap. Athen. 15, p. 696, B : Σᾶς πέρι, παρθένε, μορφᾶς καὶ θανεῖν ζηλωτὸς ἐν Ἑλλάδι **C** πότμος· D : Σᾶς δ' ἕνεκεν φιλίου μορφᾶς καὶ Ἀταρνέος ἔντροφος ἀελίου χήρωσεν αὐγάς. || Cum εἶδος conjungit præter alios, de quibus in Εἶδος diximus p. 207, C, D, Apoll. Rh. 4, 1193 : Θάμβευν δ' εἰσορόωσαι ἀριπρεπέων ἡρώων εἴδεα καὶ μορφάς. Ubi schol. : Τὸ μὲν εἶδος κυρίως ἐπὶ προσώπου τέταχεν· μορφὴ δὲ τὸ σχῆμα. Quod contra Vultum dici μορφὴν tradit Eust. Od. p. 1799, 37 : Ἀρέσκει τοῖς παλαιοῖς ἐπὶ προσώπου τιθέναι τὴν μορφήν· διὸ καί φασιν ὅτι εὐειδὴς μὲν ὁ τοῦ εἴδους εὖ ἔχων ἤγουν ἅπαν τὸ σῶμα καλὸς, εὔμορφος δὲ ὁ μορφῆς εὖ ἔχων οἷον εὐπρόσωπος, quibuscum conf. ejusd. verba in Εὐειδὴς citata p. 2235, B. Et de Vultu ponit Eudocia ap. Bandin. Bibl. Med. vol. 1, p. 237, 237 : Κύκλῳ δὲ κλισμῶν πολέες στάσαν ἀσπιδιῶται, μορφὰς ἐς οὖδας ἔχοντες, ἀρηρότες ἠΰτε φάλαγγες, Humi fixa ora tenentes, Int. Aliter Plato Reip. 2, p. 380, D : Ἀλλάττοντα τὸ αὑτοῦ εἶδος εἰς πολλὰς μορφάς. Εἶδος μορφῆς dicit Agathias Anth. Pal. 1, 34, 1, de imagine Archangeli : Ἄσκοπον ἀγγελίαρχον, ἀσώματον εἴδεϊ μορφῆς, ἆ μέγα τολμήεις κηρὸς ἀπεπλάσατο· Christodor. Ecphr. ib. 2, 314 : Ἣ **D** καὶ χαλκὸν ἔχευεν ὁμῇ θεὸς εἴδεϊ μορφῆς. || Plur. pro sing. Orph. Arg. 879 : Ἀμφιπλακεῖσα περιπτύξασά τε μορφὰς στέρνα τε μαιμώωσα κύσεν χαρίεν τε πρόσωπον, ubi est Corpus potius quam Facies s. Os.] Dicitur etiam in genere de Forma s. Aspectu. [Eur. fr. Thesei ap. Athen. 10, p. 454, B : Ἐγὼ πέφυκα γραμμάτων μὲν οὐκ ἴδρις, μορφὰς δὲ λέξω καὶ σαφῆ τεκμήρια· et alio ap. Plut. Mor. p. 20, F : Πολλαῖσι μορφαῖς οἱ θεοὶ σοφισμάτων σφάλλουσιν ἡμᾶς κρείσσονες πεφυκότες· Antiop. ap. Stob. Fl. 98, 34 : Βροτείων πημάτων ὅσαι τύχαι ὅσαι τε μορφαί· Alc. fin. : Πολλαὶ μορφαὶ τῶν δαιμονίων· Ion. 382 : Πολλαί γε πολλοῖς εἰσι συμφοραὶ βροτῶν, μορφαὶ δὲ διαφέρουσι· 1067 : Εἰς ἄλλας βιότου μορφάς· Tro. 1265 : Ἵν' αὐτὸς λόγος ἔχῃ μορφὰς δύο. Aristot. Polit. 7, 1 : Ἀνδρεία δὲ πόλεως καὶ δικαιοσύνη καὶ φρόνησις τὴν αὐτὴν ἔχει δύναμιν καὶ μορφὴν, ὧν μετασχὼν ἕκαστος τῶν ἀνθρώπων λέγεται δίκαιος καὶ σώφρων. Et proprie De gen. an. 3, 8 : Αἴτιον δ' ἡ μορφὴ (vulvæ sepiarum) στρογγύλη τὴν ἰδέαν οὖσα καὶ σφαιροειδής. Theophr. Metaphys. p. 309, 4 : Οἷον γὰρ μεμηχανημένα δοκεῖ δι' ἡμῶν εἶναι σχήματα τε καὶ μορφὰς καὶ λόγους περιτιθέντων.] Plut. Pericle [c. 31]: Αὐτοῦ τινὰ μορφὴν ἐνετύπωσε· De sera num. vind.: Ἄνθρωπον δὲ μόλις ἄν τις οἰκεῖος ἢ φίλος ἐντυχὼν διὰ χρόνου μορφὴν γνωρίσειεν, ubi etiam reddi potest, Ex facie agnoscat. At de Forma totius corporis et cujusvis rei, ap. Aristot. Poet. [c. 15], ubi de bonis εἰκονογράφοι, loquitur: Ἀποδιδόντες τὴν ἰδίαν μορφὴν, ὁμοίους ποιοῦντες, καλλίους γράφουσι. Epicurus, Αἱ διὰ μορφῆς κατ' ὄψιν ἡδεῖαι κινήσεις· quod Cic. interpr. Voluptates quæ ex formis percipiuntur oculis. Plato De rep. 2 [l. supra cit.]: Ἀλλάττοντα τὸ αὐτοῦ εἶδος εἰς πολλὰς μορφάς. Plut. Π. δεισιδαιμ. [p. 171, C] ex Empedocle: Μορφὴν ἀλλάξαντα. Theophr. [H. Pl. 3, 10, 4]: Τῆς δὲ φιλύρας ἡ μὲν ἄρρεν ἐστὶν, ἡ δὲ θήλεια· διαφέρουσι δὲ τῇ μορφῇ τῇ ὅλῃ· i. e., Plin. interpr., In tilia mas et femina differunt omni modo. [« Τὰς ἄλλας μορφὰς ἑκάστων διασημαίνει, ib. 1, 1, 11. Μορφαὶ plantarum quid comprehendant, 1, 4, 1. Ταῖς ἄλλαις μορφαῖς τε καὶ μορίοις διαφέρει, 1, 14, 4, etc. Τοῖς καρποῖς, τοῖς στάχυσι καὶ ταῖς ἄλλαις μορφαῖς διαφέροντα, 8, 4, 2. Τοῖς μεγέθεσι, χρώμασι καὶ ταῖς μορφαῖς διαφέρουσιν ἐρέβινθοι, 8, 5, 1. Κατὰ τὰς ἰδίας μορφὰς, οἷον μεγέθους καὶ μικρότητος καὶ σχήματος, C. Pl. 4, 11, 4. Σηπόμενον ἕκαστον ἰδίαν τινὰ ποιεῖται ἐκ τῆς οἰκείας ὑγρότητος μορφὴν, 4, 15, 4, etc. Μορφαῖς ἀναυξήτοισι de statura hominum dixit Theodectes Strabonis 15, p. 695. » Schneider. Ind. Theophr.] Item μορφαὶ θεῶν, Deorum formæ, ut Cic. interpr. ap. Xen. [Comm. 4, 3, 13], p. 132 mei Lex. Cic. [« Μορφὴ θεοῦ Philipp. 2, 6, significat Naturam seu essentiam Dei, sed proprietatibus suis, nempe divina gloria et majestate, velut vestitam. Theodoret. ad hunc l. Dial. 1, p. 29: Ἡ μ. τοῦ θ. φύσις νοεῖται θεοῦ. Et paullo post: Μορφὴ τοῦ θεοῦ οὐσία τοῦ θεοῦ, eodemque modo Gregor. Nyss. vol. 2, p. 566. Id. vol. 3, p. 284: Μορφὴν θεοῦ λέγει τὸν κύριον, οὐ κατασμικρύνων τῇ τῆς μορφῆς ἐννοίᾳ τὸν κύριον, ἀλλὰ τὸ μέγεθος τοῦ υἱοῦ διὰ τῆς μορφῆς ἐνδεικνύμενος κτλ. Chrysost. Hom. 2 in Ep. ad Hebr. p. 437: Ὥσπερ ἡ μορφὴ τοῦ δούλου οὐδὲν ἄλλο ἐμφαίνει ἢ ἄνθρωπον ἀπαράλλακτον, οὕτως ἡ μορφὴ τοῦ θεοῦ οὐδὲν ἄλλο ἐμφαίνει ἢ θεόν. Quod ipsum μορφὴ δούλου Philipp. 2, 7, ubi Christus dicitur μορφὴν δούλου εἰληφέναι, Patres explicant οὐσία et φύσις. » Ex Suiceri Thes. V. etiam quæ de μορφὴ signif. οὐσίας dicto disserit Heins. Aristarch. Sacr. p. 348 sq. Epigr. εἰς τὸν Ἀβραάμ, ὅτε ὑπεδέξατο τὸν θεὸν, Anth. Pal. 1, 67: Μορφὴν ἐνθάδε μοῦνον ἔχει θεός· ὕστερον αὖτε ἐς φύσιν ἀτρεκέως ἤλυθεν ἀνδρομένη. || Μορφαὶ εἰς θυσίαν, Bolitis, Gl. || De spectro, Callim. Epigr. 68, 2: Τὸν τριετῆ παίζοντα περὶ φρέαρ Ἀστυάνακτα εἴδωλον μορφᾶς κωφὸν ἐπεσπάσατο.]

[Μορφήεις, εσσα, εν, Formosus. Pind. Isthm. 6, 22: Ἰδεῖν μορφάεις. || Imagine expressus s. sculptus. Epigr. Anth. Pal. App. 111 s. ap. Bœckh. C. I. vol. 1, n. 380, p. 439, 19: Τούνεκα δὴ καὶ παῖδες ἀγακλειτὸν γενετῆρα μορφήεντα λίθον θῆκαν ἀμειβόμενοι. Apud Hesychium quod est Μορφήεις, μωμητὸς, Soping. scribebat Μομφήεις. Quomodo aptius foret μωτητής.]

Μορφίζω, Formam mentior, Concilio formam, VV. LL. Ammon. in Εὔμορφος quum dixisset εὔμορφον esse τὸν τὴν μορφὴν εὖ ἔχοντα, εὐπρόσωπον, addit: Καὶ γὰρ τὸ τὴν ὄψιν πως σχηματίζειν, μορφίζειν λέγομεν. [Valck. expulso Tusani commento μορφίζειν cum Ald. μορφάζειν. Certiora, nisi in illis quoque fallit scriptura, exx. v. in Ἐπιμορφίζω.]

Μορφνὸς, ὁ, Suidæ σκοτεινὸς, Obscurus, Tenebrosus, Hesychio ξανθὸς, Flavus, Fulvus. Hoc nomine dicitur et Aquilæ species quædam: Aristot. H. A. 9, 32, aliud aquilarum genus esse dicit, quod πλάγκος vocatur, magnitudine et robore secundum, inhabitans valles et paludes: id cognominari νηττοφόνον et μορφνόν. Inde Plin. 10, 3, de aquilis: Tertii generis Morphnos, quam Homerus et Percnon vocat, aliqui et Plancum et Anatariam: secunda magnitudine et vi: huicque vita circa lacus. Homeri l., quem respicit, est Il. Ω, [316] ubi Jupiter Priamo ad Apollinem proficiscenti αἰετὸν ἧκε τελειότατον πετεηνῶν Μορφνὸν θηρητῆρ', ὃν καὶ περκνὸν καλέουσι. Nota igitur μορφνὸν et περκνὸν dici a colore vel nigro vel vario: unde et Gaza scribit eam a macula pennæ quasi Næviam dici posse. Meminit ejus et Hesiod. Sc. [134] canens, Μορφνοῖο φλεγύαο καλυπτόμενοι πτερύγεσσι. [Accentu gravi Lycophr. 838:

A Τὸν χρυσόπατρον μόρφνον ἁρπάσας γνάθοις. Et μόρφνος ut ὕπνος scriptum τὴν ἀνάγνωσιν ferre tradit schol. ad l. Hom., testaturque Etym. M. p. 591, 25, in quo μορφνοῖο scriptum in l. Hesiodi p. 796, 2. Atque etiam Arcad. p. 62, 8: Τὸ δὲ μόρφνος, ὁ μέγας (μέλας Passov.), ἔχει τὸ ορ, aperte hunc probat accentum, quum antea dixisset: Τὰ εἰς νος ἁπλᾶ ἔχοντα πρὸ τοῦ η ἕν τι τῶν ἀντιστοίχων ὀξύνεται, ἐπιθετικὰ ὄντα καὶ μὴ ἔχοντα πρὸ τοῦ τέλους ορ, componatque cum μόρφνος barytonum ὄκνος. Gl.: Ὁ μορφνὸς, ἀγρικὸν ὄρνεον, Emussulus, Gl.]

Μορφοειδὴς, ὁ, ἡ, Formalis. Plut. [Mor. p. 735, A], de corporum εἰδώλοις quæ Epicurus imaginabatur: Ἔχοντα μορφοειδεῖς τοῦ σώματος ἐκμεμαγμένας ὁμοιότητας. [Ib. p. 335, D; 921, F.]

[Μορφοποιέω, Conformo. Justin. Mart. Apol. 2 pro Christianis: Ἐξ ἀτίμων πολλάκις σκευῶν διὰ τέχνης τὸ σχῆμα μόνον ἀλλάξαντες καὶ μορφοποιήσαντες θεοὺς ἐπονομάζουσι. Phot. ap. OEcumen. In cap. 6 Ad Romanos p. 291: Καταργεῖται καὶ τὸ σῶμα τῆς ἁμαρτίας, ἐν ᾗ
B ἐστηρίζετο καὶ ὑφ' ἧς ἐμορφοποιεῖτο ὁ παλαιὸς ἡμῶν ἄνθρωπος. Idem In cap. 2 Ad Philipp. p. 667: Αὐτός ἐστιν ὁ τελειῶν καὶ οἱονεὶ μορφοποιῶν τὴν ἡμετέραν καὶ θέλησιν καὶ ἐνέργειαν. Suicer.]

[Μορφοποιΐα, ἡ, Conformatio, Fictio. Theodor. Stud. p. 74, E: Ἡ τῶν εἰδώλων μορφοποιΐα· 81, D: Ὅτι μὴ τιμὴ τοῖς ὑπερκόσμιον εἰληχόσι δόξαν ὑλικαῖς ἀποτυποῦν μορφοποιΐαις. Pachymeris Paraphr. in Dionys. Areop. p. 23, B: Αἱ διὰ τῶν ἀνομοίων μορφοποιΐαι τοῦ βοὸς, τοῦ ἀετοῦ καὶ τῶν λοιπῶν. L. Dind.]

[Μορφοποιὸς, ὁ, ἡ, Formam effingens. Theodor. Stud. p. 605, λϛ', 1: Ἐκ μορφοποιοῦ χειρὸς ὡραϊσμένην βλέποντες ἄνδρες ἐγγραφεῖσαν ἐνθάδε, de pictura. L. D.]

Μορφοσκοπέω, Formas specto.

[Μορφοσκοπία, ἡ, Formarum spectatio. Josephi Hypomnest. p. 327: Ἡ διὰ μορφοσκοπίας μαντική. Hemst. V. Μορφοσκόπος.]

[Μορφοσκόπος, ὁ, Qui formas spectat, Vates ex figura. Artemid. Onir. 2, 69, p. 250: Μορφοσκόποι, χειροσκόποι. V. Μορφοσκοπία.]

C [Μορφοφανὴς, ὁ, ἡ, Forma conspicuus. Epigr. in Dionys. Areop. ap. Bandin. Bibl. Med. vol. 1, p. 31, A (sive Anth. Pal. 1, 88, 2): Μορφοφανῶν τε τύπων χρύφιον νόον εἰς φάος ἕλκων. L. Dind.]

[Μορφόχροος, ὁ, ἡ, Pulchram formam habens. Epiphan. in Physiol. (c. 12) p. 205. Suicer. fil. Suppl. Thes. p. 1035. Dictum est de pavone. Legendum videtur μορφνόχροος. Boiss.]

Μορφόω, Formo, Figuro. Ovid. dicit, Formatum ex marmore signum, Cic. Formare imaginem, In animo ea formata habemus, quæ nunquam vidimus. Exemplum verbi Græci in act. signif. habes in Ἄμορφος ex Philone [vol. 2, p. 615, 2: Εὐπρεπὲς δὲ θεῷ ἄμορφα μορφοῦν.] At μορφῶσαι pro τυπῶσαι, aut κοιλᾶναι λίθον εἰς Θεοῦ μορφὴν, Pollux [1, 13] durum esse annotat. [Clemens Al. Strom. 6, p. 635: Μορφώσαντες ξύλα καὶ λίθους καὶ χαλκὸν καὶ σίδηρον κτλ. Suicer. Aratus 374: Τά τις ἀνδρῶν οὐκέτ' ἐόντων ἐφράσατο … ἤλιθα μορφώσας. Nilus Anth. Pal. 1, 33, 1: Ὡς θρασὺ μορφῶσαι τὸν ἀσώματον. (Et passivo Agathias ib. 36, 1: Ἴλαθι μορ-
D φωθεὶς, ἀρχάγγελε.) Epigr. ib. 50, 1: Δέμας μόρφωσεν ὁ αὐτός. || Aliter Æneas Tact. c. 40, p. 116: Τῶν γυναικῶν τὰ ἐπιεικέστατα σώματα μορφώσαντες καὶ ὁπλίσαντες ὡς ἐς ἄνδρας μάλιστα. || Muto, Transfiguro. Symm. Ps. 33, 1, ubi alii, Ὅτε ἠλλοίωσε τὸ πρόσωπον (vel νεῦμα) αὐτοῦ, ponit μεμόρφωκε τὸν τρόπον αὐτοῦ.] Passive [« Passivo » HSt. Ms. Vind.] utitur [Theophrast. Metaphys. p. 313, 21: Πῶς δέ ποτε χρὴ καὶ ποίας τὰς ἀρχὰς ὑποθέσθαι, πότερον ἀμόρφους ἢ μεμορφωμένας· C. Pl. 5, 6, 7: Μεμορφωμένα γὰρ εὐθὺς ἐκεῖνα (τὰ ζῶα), ταῦτα (plantæ) δ' ἅμα τῇ γενέσει μορφοῦται. Ammon. v. Ἄστρον p. 26: Ἄστρον ἐστὶ τὸ ἐκ πολλῶν ἀστέρων μεμορφωμένον ζώδιον,] Paulus Ad Galat. 4, [19]: Ἄχρις οὗ μορφωθῇ Χριστὸς ἐν ὑμῖν. Et Gregor.: Ὁ τῇ αὐτῇ πίστει μεμορφωμένος, Qui eadem fide informatus est. Plut. De anim. generatione [p. 1013, C]: Καὶ τῆς μὲν ὕλης τὸ μετοχῇ καὶ εἰκασίᾳ τοῦ νοητοῦ μορφωθὲν, Et quicquid materiæ vindicatione et adumbratione ejus quæ intelligentia percipitur, informatum est, Turn. [Justinus M. Apolog. 2, p. 56: Ὑπ' αὐτοῦ τοῦ λόγου

μορφωθέντος καὶ ἀνθρώπου γενομένου καὶ Ἰησοῦ Χριστοῦ κληθέντος. Ad Galat. 4, 19 : Τεκνία μου, οὓς πάλιν ὠδίνω, ἄχρις οὗ μορφωθῇ Χριστὸς ἐν ὑμῖν. Et alii eadem formula. Suicer. Eust. Opusc. p. 257, 16 : Μορφωθῆναι δι' ἔργων ἀγαθῶν ἐν αὐτῷ τῷ σωτῆρι Χριστῷ, quod etiam τὸν σωτῆρα Χριστὸν dicere licebat. Idem p. 88, 71 : Παρεισάγων εἰς τὸ θέατρον καὶ τύπους κακιῶν, οὐχ ὥστε μὴν μορφωθῆναί τινα πρὸς αὐτάς, ἀλλ' ὡς ἐκτρέψασθαι. || Med. Exprimo, Orno. Vita Jo. Damasc. vol. 1, p. xx : Τῆς θείας εἰκόνος κάλλος τὸ ἐξ ἀρχῆς ἐμορφώσατο κάλλιον. Euthymius ap. Tafel. Thessalon. p. 399, § 5, 7 : Πάντα γὰρ ὁμοῦ συλλαβὼν ὅσα τε (l. γε) ὄντως κοσμοῦσιν ἄνθρωπον, ἀλλήλοις ταῦτα καλῶς συνήρμοσάς τε καὶ συνεκέρασας, καὶ εἰς οἰκονομίαν ἐξετελέσθης, ἣν τεχνικῶς ἐμορφώσαντο παντοδαπὰ καὶ ἄνθη καὶ χρώματα. L. Dind.]

Μορφύνω, Formæ lenociniis exorno : Hesych. μορφύνει, καλλωπίζει, κοσμεῖ.

Μορφώ, οῦς, ἡ, Veneris cognomen [ad pulchritudinem, quam impertiat, referendum] ap. Lacedæmonios, calyptram et pedicas habentis. [Sec. Pausan. 3, 15, 10. Lycophr. 449 : Μορφὼ τὴν Ζηρινθίαν. Μορφώ, ἡ Ἀφρ. Hesych. || N. monadis. Nicomach. Theolog. ar. Phot. Bibl. p. 143, 32 : Καὶ μορφὼ δὲ καὶ Ζανὸς πύργος. || I. q. μορφή, Forma. Archytas Stobæi Ecl. phys. p. 81 : Τὰν ἐστὼ τῶν πραγμάτων καὶ τὰν μορφώ, pro τὴν οὐσίαν καὶ τὴν μορφήν.]

Μόρφωμα, τό, Formatura (ut Lucr., Servat enim formaturam, servatque figuram), Forma, μορφή, Hesych. [Æsch. Ag. 873 : Ἅπαξ ἑκάστῳ κατθανὼν μορφώματι· 1218 : Ὀνείρων προσφερεῖς μορφώμασι· Eum. 412 : Βροτείοις ἐμφερεῖς μορφώμασι. Eur. fr. Antiop. ap. Philostr. V. Apoll. 4, 21 : Γυναικομίμῳ μορφώματι· Hel. 19 : Κύκνου μορφώματ' ὄρνιθος λαβών. Genes. 31, 19 : Τὰ εἴδωλα τοῦ πατρὸς αὐτῆς. Aquila μορφώματα. Eust. Opusc. p. 88, 77 : Ψεῦδος, οὗ τὸ μὲν παχὺ καὶ πρὸς αἴσθησιν οὐδὲν οὐδόλως ἦν, τὸ δὲ πρὸς ἔννοιαν τὴν ἐκλαλουμένην ψυχῆς ἦν τι μόρφωμα· 303, 28 : Τὸ ἅγιον μόρφωμα.]

[Μόρφων, ωνος, ὁ, Simulator, Personatus. Ignat. Ep. ad Magn. p. 144=53 ed. Genev. 1623 : Οἱ γὰρ τοιοῦτοι οὐκ εὐσυνείδητοι, ἀλλ' εἴρωνές τινες καὶ μόρφωνες εἶναί μοι φαίνονται.]

Μόρφωσις, εως, ἡ, Formatio, ipsa Formandi actio, Formæ impressio. [Theophr. C. Pl. 3, 7, 4 : Ἡ δὲ ἀναγωγὴ καὶ ἣν καλοῦσιν οἱ πολλοὶ τῶν φυτῶν παιδείαν, οἷον σχηματισμός ἐστι καὶ μόρφωσις τῶν δένδρων ὕψει τε καὶ ταπεινότητι καὶ πλάτει καὶ τοῖς ἄλλοις.] Hesychio est σχηματισμός, itidem et Suidæ. Pro Forma et Imagine etiam accipitur : quemadmodum etiam a Suida et Hesych. exp. εἰκών. [Uterque respicit vel ad Rom. 2, 20, vel ad Timoth. 2, 3, 5. Priori l. dicit Apostolus : Ἔχοντα τὴν μόρφωσιν τῆς γνώσεως καὶ τῆς ἀληθείας ἐν τῷ νόμῳ. Theophyl. p. 28 : Ἐν τῷ νόμῳ πεποιθὼς αὐτῷ, ὡς μορφοῦντι τὴν ἀρετήν. Τινὲς δὲ μόρφωσιν ἐνόησαν τὴν ἐπίπλαστον εἰκόνα τῆς γνώσεως ... καὶ ἐπικεχρωσμένην. Posteriori loco inquit Apostolus : Ἔχοντες μόρφωσιν εὐσεβείας, Speciem. Chrysost. Homil. 8 in hanc epistolam dicit μόρφωσιν ἄψυχον καὶ νεκρὸν καὶ σχῆμα μόνον καὶ τύπον καὶ ὑπόκρισιν δηλοῦν. Suicer. Georg. Pis. Pers. 79 : Τὴν ψυχικὴν μόρφωσιν. Eust. Opusc. p. 233, 94 : Μάννα βρεχόμενον ἄνωθεν καὶ πολυειδεῖ μορφώσει τραπέζας ἐξαρτύον. De habitu induendo p. 257, 83 : Ὥστε σωθῆναι τῇ μεταλήψει καὶ μορφώσει τοῦ μεγάλου σχήματος.]

[Μορφωτικός, ή, όν, Formans, Forma induens. Eust. Opusc. p. 217, 43 : Καὶ ἔστι τὸ τοιοῦτον σχῆμα, τὸ τῆς κατὰ πνεῦμα εὐσχήμονος μορφωτικῆς ἐνάρξεως δηλαδή, θεῖον μὲν κτλ. || Adv. Μορφωτικῶς, anon. De incredibil. c. 20, p. 95 Gal.; Psell. Schol. in Orac. Chald. p. 90, 13.]

[Μορφώτρια, ἡ, Eur. Tro. 437 : Αἰγυστὶς δ' ἡ συῶν μορφώτρια Κίρκη, Qui homines in sues mutaret, ut μορφόω supra de mutando dictum notavimus.]

[Μόρων, ωνος, ὁ, Moro, oppidum Hispaniæ. Strab. 3, p. 152.]

Μοσπνεῦσαι, Hesych. ῥινηλατῆσαι. [Nihil quod satisfaciat afferunt interpretes neque ad hanc gl. neque ad seq. Μοσποί, θυσίαι.]

[Μόσσινα, ων, τά, Mossina, urbs Lydiæ, cujus numos Μοσσινων inscriptos v. ap. Mionnet. *Descr.* vol. 4, p. 88, *Suppl.* vol. 7, p. 391. Itaque vitiosa vide-

A tur scriptura per υ, in Ms. ap. Pasin. Codd. Taurin. vol. 1, p. 212, B, Hierocl. p. 665, et alios, nec probandæ conjecturæ Wesselingii et Eckhelii D. N. Add. p. 34. L. Dindorf.]

Μόσσυν, υνος, ὁ, [et Μόσσυνος, ὁ,] Hesychio πύργος, ἔπαλξις, Turris, Propugnaculum. Sed peculiariter dici volunt de Turri lignea, de Propugnaculo ligneo : necnon de Muro ligneo. [Lycophr. 433 : Μόσσυνας Ἐκτήνων (vel Ἐγκτήνων), de muris Thebarum. 1432 : Μόσσυνα φηγότευκτον, de navi. Dionys. A. R. 1, 26 : Οἰκοῦσι κἀκεῖνοι (Mossynœci) ἐπὶ ξυλίνοις ὥσπερ ἂν πύργοις ὑψηλοῖς σταυρώμασι, μόσσυνας αὐτὰ καλοῦντες. Xen. Anab. 5, 4, 26 : Ὁ βασιλεὺς (Mossynœcorum) ὁ ἐν τῷ μόσσυνι. Et ib. : Σὺν τοῖς μοσσύνοις. Strabo 12, p. 549 : Τινὲς δὲ καὶ ἐπὶ δένδρεσιν ἢ πυργίοις οἰκοῦσι, διὸ καὶ Μοσσυνοίκους ἐκάλουν οἱ παλαιοί, τῶν πύργων μοσσύνων λεγομένων. Dionys. Per. 766 : Μάκρωνες Φίλυρές τε καὶ οἳ μόσσυνας ἔχουσι δουρατέους. Altera forma præter Xen. l. c. schol. vet. Apoll. 2, 379 : Μόσσυνοι οἱ ξύλινοι οἶκοι λέγονται. Neutro, ut videtur, genere Nicetas Chon. p.
B 305, D : Πολλοὶ τῆς πατρίδος ἄγχιστα πηξάμενοι μόσυνα, οὕτω δοκοῦν τῷ Πέρσῃ, προσέμειναν δούλειον ὑποδύντες ζυγόν, nisi scribendum μόσσυνας. || De gente dictum ponit Hesychius, Μόσσυνες interpretatus etiam ἔθνος Σκυθικόν. Ita Scylax p. 33 : Μετὰ Μοσσινοὺς, sec. cod. ap. Miller. p. 220, etsi antea fuerat Μοσσυνοικοί. Artemid. 1, 8, p. 21 : Καὶ Μόσσυνες οἱ ἐν Ποντικῇ συνουσιάζουσι δημοσίᾳ. Georg. Pachym. Mich. Pal. p. 210, C : Ἐν Μαρυανδηνοῖς τε καὶ Μόσυσι (qui etiam Andron. Pal. p. 144, C, substantivi hac forma utitur : Κατασκευάζεται μόσυνας). Altera forma, ut substantivi duplex ap. Xenoph. forma est, Nicolaus Dam. p. 5, 17, ubi bis μόσυνοι, et præter Pomp. Melam 1, 19, 10, Orph. Arg. 740 : Λαοί τε Βέχειρες μίγδην Μοσσύνοισι πέδον περιναιετάουσι, ubi libri duo omittunt quod ceteri præponunt ἐν et μνημοσύνης exhibent.] Unde Μοσσύνοικοι appellentur Qui in ligneis turribus sedes suas et domicilia habent. Testis Apoll. Arg. 2, [379] : Τῇ δ' ἔπι Μοσσύνοικοι ὁμούριοι ὑλήεσσαν Ἑξείης ἤπειρον ὑπωρείας τε νέμονται, Δουρατέοις
C πύργοισιν ἐν οἰκία τεκτήναντες [quæ sequuntur, ut ex v. 1016 : Ἠ ἐνὶ Μοσσύνοικοι ἀν' οὔρεα ναιετάουσι μόσσυνας ... ἔασι repetita seclusit Brunckius] Κάλλιμα καὶ πύργους εὐπηγέας, οὓς καλέουσι Μόσσυνας· καὶ δ' αὐτοὶ ἐπώνυμοι ἔνθεν ἔασσι. Idem μόσσυνα vocat Sedem ligneam, Tribunal s. Suggestum ligneum, 2, [1027] Αὐτὰρ ἐν ὑψίστῳ βασιλεὺς μόσσυνι θαάσσων Ἰθείας πολέεσσι δίκας λαοῖσι δικάζει. [Steph. Byz. : Μοσσύνοικοι, ἔθνος, περὶ οὗ Εὔδοξος ἐν πρώτῳ γῆς περιόδου. Τὸ ἐθνικὸν Μοσσυνοικικός. Simplici σ male libri plures paucioresve Herodoti 3, 94; 7, 78, Xen. Anab. 5, 4, 1, sqq., Diodori 14, 30, 5, Strab. l. c. et 11, p. 528, Eust. ad l. Dionys.] A Mossynœcis, gente Pontica, Didymus Μοσσυνοίκια dici scribit ξυλίνους πίνακας, eosque μεγάλους, adeo ut in iis etiam ἄλφιτα μάσσεσθαι queant : s. μαζονόμια ξύλινα μεγάλα : proculdubio quod apud Mossynœcos ejusmodi disci fierent. [Verba Hesychii, a quo hæc repetit HSt., sunt : Μοσυνοίκια μαζονόμια· Ποντικὰ ὁ Δίδυμος ἤκουεν· οἱ (δὲ inter uncos addit codex) γὰρ Μοσύνοικοι ἐν Πόντῳ εἰσί. Λέγει δὲ τοὺς ξυλίνους πί-
D νακας. Et : Μοσύνοικοι, ξύλινοι πίνακες μεγάλοι, ὥστε ἐν αὐτοῖς καὶ ἄλφιτα μάσσειν· ἐν τῷ Πόντῳ δέ εἰσιν. Scribendum Μοσσυνικὰ μαζονομεῖα, et Μοσσυνικοί, quum prior certe gl. petita sit ex Aristophanis fr. (Holcadum, ut tradit Pollux 10, 84) ap. Photium : Σκαφίδας, μίξας (μάκτρας), Μοσσυνικὰ μαζονομεῖα. Quod adjectivum ducitur a n. gentis Μόσσυνες vel Μόσσυνοι. Hæc autem Μοσσυνικὰ μαζονομεῖα, pariterque verbum Μοσσυνέω, quod ipsum quoque ad vescendum referri tradit Hesych., an explicanda sint ex iis quæ de victu gentis tradit Xenophon, cujus verba non repetam, in medio relinquo. Ceterum quantum ex verbis Strabonis colligitur, græcum, non barbarum, sed obsoletum fuit voc. μόσσυν, ex quo factum n. gentis Μοσσύνοικος, ut Τρωγλοδύτης et alia, etsi Μόσσυνον (deteriores libri Μόσυνον) τῆς Θρᾴκης ap. Athen. 8, p. 345, E. || De mensura secundæ in μόσσυν Arcad. p. 193, 24 : Τὸ μόσυνος, φόρκυνος, πόλτυνος, τῶν εὐθειῶν συστελλομένων, ἐξέτειναν τὸ υ, ὡς Ἡρωδιανός, qui v. in Crameri Anecd. vol. 3, p. 287, 5. Ceterum Μόσσυνος et

μόσυν memorantur etiam ab Theognosto Can. p. 68, 9, Arcadio Havn. p. 10, 6. Et similibus verbis Draco p. 46, 20. Conf. quæ in Γόρτυν diximus. L. Dind.]

[Μοσσυνέω.] Μοσσυνεῖν Hesych. exp. μασσᾶσθαι [μασᾶσθαι] βραδέως, Tarde mandere. [V. Μόσσυν.]

[Μοσσυνικὸς, ἡ, ὸν, Μοσσύνοικος, Μόσσυνος. V. Μόσσυν.]

[Μόστηνος, ὁ, adj. dubiæ auctoritatis et signif. ap. Athen. 2, p. 52, B, ubi de nucibus (τοῖς καρύοις) agens ait, ut quidem vulgo legitur, Καλεῖται δέ τινα καὶ μόστηνα κάρυα· ubi quod pro καὶ μόστηνα leg. Πραινεστῖνα censuit Salmas. (Plin. Ex. p. 424, b, D), ea quidem inanis videtur conjectura: nam particula καὶ recte ibi posita est, nec loco movenda. Schweigh. Ita vero nihil superest quam ut Μοστηνὰ scribatur, intelliganturque nuces regionis Lydiæ, quod dudum fecerat Cellar. Geogr. ant. 3, 4, 14, qui ita scribit: « In eodem campo aut prope illum fuerunt etiam Mosteni, quorum oppidum Μοστηνοὶ, communi nomine Mosteni, vel Μοστήνη, Mostena. Tacitus vicinitatem Mostenorum Hyrcanorumque ostendit, Quique, inquit, Mosteni aut Macedones Hyrcani vocantur ... Verum nomen gentis ex nummo Gallieni (aliisque ap. Mionnet. *Descr.* vol. 4, p. 39, *Suppl.* vol. 7, p. 392, in quibus Μοστην vel Μοστηνων) cognoscitur. Nec aliud oppidi nomen apud Ptolem. (5, 2) est quam Μοστηνοὶ, Mosteni, plur. numero, ut gentis et urbis commune nomen fuerit. Aliis vero est femineum et singulare, Hieronymo Mosthene, Nicephoro Μωστήνη, Hierocli (p. 671) Μυστήνη et Μοστίνα, manifesto errore, voce quæ in margine adnotata forte fuit, in textum recepta, quasi distinctarum urbium nomina essent: in ceteris Notitiis Μουστίνη. Omnia prave. Corriguntur ex numo ita: Μοστήνη sive Mostena sine adspiratione, quæ perperam Hieronymo adrepsit, cum *o* brevi et *e* longo in media. Atque ita hoc nomen sincere expressum in basi est colossea ΜΟΣΤΗΝΗ, urbs ejus monimenti duodecima. Athen. memorat 2, 12 nucum genus quas Μόστηνα κάρυα vocat, forte quod Mostenorum ager illarum feracior fuerit, ita adpellatas. » Ceterum Μοστηνὸς, ἡ, ὸν, esse scribendum cum accentu in ultima vix opus est addi. L. Dind.]

[Μοσυλῖτις, ιδος, ἡ, Casiæ genus. V. Μόσυλον.]

[Μόσυλον, ἀκρωτήριον καὶ ἐμπόριον Αἰθιοπίας. Μορκιανὸς ἐν πρώτῳ περιόδου, Steph. Byz. Memorat etiam Ptolem. 4, 7, idemque Μόσυλον ἄκρον ib. 8. Μοσσουλοὶ cod. Marciani p. 19 ed. Miller.]

[Μόσυλον, τὸ, genus Cinnamomi. Diosc. 1, 13: Διαφέρει δὲ τὸ μόσυλον διὰ τὸ τηρεῖν ποσὴν ἐμφέρειαν πρὸς τὴν μοσυλῖτιν καλουμένην κασίαν.]

[Μόσυν. V. Μόσσυν.]

[Μοσυχλαῖος. V. Μόσυχλος.]

[Μόσυχλος, ὁ, Mosychlus, mons ins. Lemni, ap. Nicandr. Th. 472: Ἡ Σάου ἠὲ Μοσύχλου, ubi fragmenta Antimachi: Ὄρεος κορυφῇσι Μοσύχλου, et qui adj. Μοσυχλαῖος, α, ον, utitur, Eratosthenis: Μοσυχλαίῃ φλογὶ ἶσον, citat schol. De quo v. Buttmann. in *Museum der Alterthumswiss.* vol. 1, p. 295—312.]

Μοσχάριον, τὸ, Parvus vitulus, Vitulus tenellus, Etym., Hesych. [Herodian. Epimer. p. 88. Boiss. Exx. V. T., ut Genes. 18, 7, 8, Lev. 9, 2, et alia citavit Schleusner. Lex. ἄï]

[Μοσχὰς, άδος, ἡ, Bucula, Vitula, Juvenca, Vacca, Gl.]

Μοσχέη sive Μοσχῆ, ut κυνέη et κυνῆ, ἡ, sub. δορὰ, Pellis vitulina, ἡ τοῦ μόσχου δορὰ, Anaxandrides ap. Polluc. [5, 16]: Ἀρκτῆ, λεοντῆ, παρδαλῆ, μοσχῆ, κυνῆ. [Herodiani Phil. p. 445.]

[Μοσχεία, ἡ, Plantatio, Gl. Schol. Theocr. 1, 48: Ὄρχος ἐστὶν ὁ βόθρος, εἰς ὃν ἐντίθεται τὸ φυτὸν πρὸς μοσχείαν. Seager. Philo De 7 mirac. c. 1, p. 6: Γεωργεῖται ὁ τόπος ὡς ἐπ' ἀρούραις καὶ τὰς ἐργασίας τῆς μοσχείας κομίζεται τῇ χέρσῳ παραπλησίως. V. l. Etym. M. p. 591, 49, ab HSt. in seq. Μοσχεῖον citatum.]

Μοσχεῖον, τὸ, in VV. LL. Tenuium olerum s. etiam Plantarum insitio, ex Etym., ap. quem hæc leguntur non sine mendo: Κυρίως τὰ μ. ἢ τῶν λεπτῶν λαχάνων φυτεῖα ἢ φυτῶν· videtur enim potius scrib. μοσχεία, a v. μοσχεύω, et φυτεία a φυτεύω, ac pro ἢ priori, ἡ: pro τὰ autem, vel τε vel aliquid aliud: itemque pro Μοσχύνεται, quod exp. τρέφεται, reponendum puto

A μοσχεύεται. [Ap. Photium: Μοσχεύηται, τρέφηται· κυρίως γὰρ μοσχεία, ἡ τῶν λεπτῶν λαχάνων φυτεία. Μοσχεῖα eidem ἁπαλὰ φυτά.]

Μόσχειος, ὁ, ἡ, Vitulinus [Gl., et Μόσχειον, Vitulina, Vitlina. Leonidas Tar. Anth. Pal. 6, 263, 5: Μοσχείου αἵματος· Palladas 9, 377, 9, μόσχεια, intell. κρέα]. M. κυνοῦχος, Xen. Cyneg. [2, 10], Lorum vitulinum retinendis et ductandis canibus. Et μ. ἱμὰς, Lorum s. Flagrum ex pelle vitulina. Apud Athen. 13, [p. 585, C] in apophthegmate Callistii meretricis, quam μαστιγίας ἐμισθώσατο· θέρους δὲ ὄντος, ἐπεὶ γυμνὸς κατέκειτο, τοὺς τύπους τῶν πληγῶν ἰδοῦσα, Πόθεν οὗτοι, τάλαν; εἶπεν· καὶ ὃς, Παιδὸς ὄντος μου, ζωμὸς κατεχύθη· ἡ δὲ, Δηλαδὴ μόσχειος· intelligit autem per ζωμὸν μόσχειον, Lorum s. Flagellum ex pelle vitulina, μόσχειον ἱμάντα s. μάστιγα. Rursum Xen. Eq. [12, 7]: Τό γε μὴν ψιλούμενον αἱρομένης τῆς δεξιᾶς, στεγαστέον ἐγγὺς τοῦ θώρακος ἢ μοσχείῳ ἢ χαλκείῳ· ubi subaudiri potest στεγάσματι, aut tale quid. Cam. interpr. Loreo aut Æreo integumento. [Κρέα μόσχεια Xen. Anab. 4, 5, 31. Δέρμα Po-
B lyb. 6, 23, 3, Pollux 5, 31.]

Μοσχέλαιον, τὸ, a Nicolao Alex. vocatur Oleum quod conficitur ex moscho odorato capreæ, ut vocat τὸν μόσχον Phocion gramm.: Nicolai tamen codex habet μοσέλαιον. VV. LL. [V. Salmas. Plin. Exerc. p. 237, b, F.]

[Μόσχερις, nomen regis Thebæi in Ægypto ap. Eratosth. Catal. n. 17, qui illud interpretatur ἡλιόδοτος. Nempe *Moi-chré* Ægyptiace dicitur Donum solis, vel Donatus a sole. V. notas meas ad illum Catal., in Vignolii Chron. S. vol. 2, p. 752. Jablonsk.]

Μόσχευμα, τὸ, Surculus qui ex arbore demptus seritur: Ramus tenellus qui ex arbore in humum defertur, ut talea s. clavola ex olea, malleolus ex vite. Theophr. C. Pl. 3, 17 [11, 5]: Τὰ μ. δεῖν εἰς τὰς ἐπομβρίους μᾶλλον ἐμβάλλειν ἢ τὰ φυτεύματα πάντων τῶν δένδρων, ὅτι τὰς ῥίζας καθιεμένας τῶν φυτευμάτων ἀσθενεῖς οὔσας ἐκσήπει· τὰ δὲ τῶν μεμοσχευμένων, ἰσχυρότερα, καὶ εὐθὺς ἀντιλαμβάνεται· ubi nota eum discrimen facere inter φυτεύματα, Viviradices, s. Plantaria quæ
C jam radices alicubi egerunt et inde alio transferuntur, et inter μεμοσχευμένα, quæ ex arbore avulsa, in humum delata sunt. De iis dixit Plin. 17, 10: Surculos abscissos serere: et paulo ante, Avulsique arboribus stolones vixere: quo in genere et cum perna sua avelluntur, partemque aliquam ex matris quoque corpore auferunt secum fimbriato corpore. Et initio capitis, de satione arborum: Aut enim semine proveniunt, aut plantis radicis, aut propagine, aut avulsione, aut surculo, aut insito et consecto arboris trunco. Aliquando commodius reddes Plantarium novellum quod ex arbore in humum delatum fuerat: ut Plin. l. c.: Natura et plantaria demonstravit, multarum radicibus pullulante sobole densa. Qui pulluli, ut ibid. vocat, ex radice, ex qua provenerunt, in humum delati, et deplantati, μοσχεύματα dicuntur. Theophr. H. Pl. 2, 3 [2, 5] de sationibus arborum: Αὐξηθεῖσαν ἐγκεντρίζειν κελεύουσιν· εἰ δὲ μὴ, τὸ μόσχευμα μεταφυτεύειν πολλάκις. Bud. μόσχευμα exp. τὸ εἰς φυτείαν κατορωρυγμένον κλῆμα: et Malleolus, ex Gaza:
D quemadmodum ap. Philon. V. M. 1, [41, vol. 2, p. 117, 43]: Βότρυς ὑπερμεγέθεις ἦσαν, ἀντιπαρεκτεινόμενοι ταῖς κλημάτισι καὶ μοσχεύμασι, Turn. vertit, Uvæ prægrandes per totos palmites et malleolos porrectæ. Item Viviradix, Propago [Gl.], Philo De mundo [§ 6, p. 608, 18]: Τῶν ἄλλων τοῦ σώματος μερῶν ὅσα ἐντός τε καὶ ἐκτὸς, δυνάμεις ἁπάσας εὐγενῆ μοσχεύματα εἶναι συμβέβηκε, Generosas viviradices ac propagines. Idem eod. l. [§ 1, p. 603, 15], Τέλεια τοῦ παντὸς ἦν μοσχεύματα, Propagines quædam et viviradices universi. Bud. [Id. vol. 2, p. 348, 12 et 456, 11: Ὥσπερ εὐγενῆ μοσχεύματα γεωργοῦντες. Hemst. Sap. Sal. 4, 3: Ἐκ νόθων μοσχευμάτων οὐ δώσει ῥίζαν εἰς βάθος.] Μοσχεύματα, Hesychio τὰ νεόφυτα, Plantæ novellæ: Suidæ ἁπαλὰ φυτὰ δένδρων καὶ λαχάνων. Et Aristoph. schol. [Ach. 996] μοσχεύματα σύκων dicit τὰς νέας συκᾶς, quas Aristoph. μοσχίδια συκίδων, Pullulos ficuum. [Pollux 1, 222. Nonn. Dion. 14, 253: Φυταλιῆς κομίσαντο νέης μοσχεύματα Βάκχου. Figurate Nicetas Ann. 21, 4, ἐρώτων. Schol. Nicand. Al. 357: Μόσχευμα πᾶν τὸ ἁπαλόν.]

[Μοσχευματικὸς ῥάβδος, Malleolaris, Gl. Ubi notandum ῥάβδος gen. masc. Sed μοσχευτικὴ conjicit Kuhn. ad Polluc. 7, 145.]

[Μόσχευσις, εως, ἡ, Plantatio. Geopon. 11, 3: Περὶ μ.]

[Μοσχευτικός. V. Μοσχευματικός.]

Μοσχεύω, Surculis ex arbore demptis sero, Ramis tenerrimis ex arbore avulsis planto, Plantaria s. Viviradices instituo. Theophr. [C. Pl. 1, 2, 1] de palma: Τὰς γὰρ ῥάβδους φασὶ μοσχεύειν περὶ Βαβυλῶνα τὰς ἁπαλωτάτας· καὶ ὅταν ἐμβιώσωσι, μεταφυτεύουσι. Unde desumptum videtur quod ap. Plin. legimus 13, 4, itidem de palmarum satione: Et a radice avulsæ vitalis est satus, et ramorum tenerrimis. In Assyria, ipsa quoque arbor strata in solo humido tota radicatur, sed in frutices, non in arborem. Ergo plantaria instituunt, anniculasque transferunt. Est autem illic μοσχεύειν ab ea signif. nominis μόσχος, qua ponitur pro Plantario s. Viviradice, h. e. Planta traduce, quæ quum radices alicubi egit, in alium locum transfertur. Sic μοσχεύειν τὰ κλήματα, Bud. interpr. Viviradices facere ex sarmentis, ap. Theophr. C. Pl. 3, [5, 1]: Διὰ τοῦτο γὰρ ἐπὶ τῶν δένδρων ἔνιοι μοσχεύουσιν, οἱ δὲ περιαιροῦσι τὴν θάλειαν τῶν κλάδων, ὅπως μὴ ἐξαναλώσῃ τὴν δύναμιν εἰς τὴν βλάστησιν. [« Πεύκην μεταφυτεύων μεμοσχευμένην, idem H. Pl. 2, 5, 2, ubi editum est μεμοχλευμένην. Ἀπὸ ῥάβδων erat 2, 2, 2. Ἐπ' αὐτῶν τῶν δένδρων, 2, 5, 3. Τὸ μεμοσχευμένον C. Pl. 3, 5, 3; 3, 11, 5. » Schneider. Ind.] Aliquando tamen μοσχευόμενα sunt potius Rami tenelli qui ex arbore in humum deferuntur: ut sunt in oleis taleæ, s. clavolæ, in vitibus malleoli: et distinguuntur ἀπὸ τῶν φυτευομένων, ut vidisti in Μόσχευμα. [Com. ap. Galen. vol. 8, p. 68: Οὔτε γεράνδρυον μετατεθὲν μοσχεύεται. Hemst.] Pollux [7, 146] μοσχεύειν dici posse annotat τὸ ἀνατρέφειν τὰ φυτά: Suid. vero exp. μεταφυτεύειν. Hesychio autem μοσχεύσας est γεννήσας. At metaphorice dicit Dionys. H. 7, [46]: Μοσχευομένη κατὰ τοῦ δήμου τυραννὶς, καθ' ὅλης τῆς πόλεως μοσχεύεται· et Eunap. ὑπομοσχεύειν πόλεμον pro ὑποφυτεύειν, ut Suid. exp. [Demosth. p. 785, 4: Οὐδὲ γὰρ τοὺς προγόνους ὑπολαμβάνω τὰ δικαστήρια ταῦθ' ὑμῖν οἰκοδομῆσαι, ἵνα τοὺς τοιούτους ἐν αὐτοῖς μοσχεύητε, ἀλλὰ τοὐναντίον ἵν' ἀνείργητε καὶ κολάζητε. Philostr. V. Ap. 6, 30: Ὁ ἐκ νέου μοσχεύσας με, τὸν πατέρα τὸν ἑαυτοῦ λέγων. Eust. Opusc. p. 136, 17: Αὐτὸν δέ σε τὸ ἔτι ἔνικμον φυτὸν, τὸ ἐκ παραδείσου ἀνέκαθεν πεφυκὸς, οὐκ ἔχει μοσχεῦσαι.]

Μοσχηδὸν, In modum vituli, More vituli. Nicand. Al. [357]: Ἡ δ' γε καὶ θηλῆς ἅτε δὴ βρέφος ἐμπελάοιτο Ἀρτιγενὲς, μαστοῦ δὲ ποτὸν μοσχηδὸν ἀμέλγοι, i. e. μόσχου δίκην, schol., dicens ea voce significari τὸ ἁπαλὸν καὶ τρυφερόν.

[Μοσχῖανὸς, ὁ, Moschianus, n. viri, in numis Acrasi Lydiæ, ap. Mionnet. *Descr.* vol. 4, p. 4; Hadrianotheræ Bithyn. ib. vol. 2, p. 437, *Suppl.* vol. 5, p. 51; Thyatir. Lydiæ *Descr.* vol. 4, p. 162.]

Μοσχίας, ου, ὁ, q. d. Ad vitulum accedens: ita dicebatur Aries triennis, τριέτης κριὸς, Eust. ex vett. gramm. [V. Μοσχίον.] At vero ap. Polluc. 5, c. 15 [§ 74]: Οἱ μ. καλούμενοι τῶν λαγωῶν, VV. LL. interpr. Lepusculi: μοσχίον quoque [quod v.] pro Agno novello Idem accipit, adeo ut μοσχίαι et μοσχία ad plurium animalium catulos referantur quam ad boum fœtus, h. e. vitulos. [ῐᾰ]

Μοσχίδιον, τὸ, capitur pro Novello germine; nam a Suida μοσχίδια exp. τὰ νέα βλαστήματα: ab Hesych. autem μοσχεύματα. Aristoph. Ach. [996]: Πρῶτα μὲν ἂν ἀμπελίδος ὄρχον ἐλάσαι μακρὸν, Εἶτα παρὰ τόνδε νέα μοσχίδια συκίδων, Καὶ περὶ τὸ χωρίον ἅπαν ἐλαΐδας ἐν κύκλῳ, Ficus novellas: νέας συκᾶς, s. μοσχεύματα σύκων, ubi possis etiam interpretari Viviradices, Clavolas, Taleas; nam utroque modo ficus seruntur.

[Μοσχικός. V. Μόσχος.]

[Μόσχιλος, ὁ, Moschilus, n. viri, in numo Apolloniæ Illyrici, ap. Mionnet. *Descr.* vol. 2, p. 29, 15.]

Μοσχιναῖος, In modum vituli lascivi exultans: μοσχιναῖοι, σκιρτητικοί, Hesych. [Nisi forte scrib. Μόσχοι νέοι. Obscura etiam gl. proxima: Μοσχίνδα, τὸ ἐξῆς καὶ ἀνελλιπῶς.]

[Μοσχίνης τῆς Ἀττικῆς, ἰάμβων ποιητρίας, matris Hedyles, mentionem facit Athen. 7, p. 297, B.]

A Μοσχίον, τὸ, Vitulus novellus. [Theocr. 4, 4: Ὁ γέρων ὑφίητι τὰ μοσχία· 44: Βάλλε κάτωθε τὰ μοσχία.] A Polluce accipitur etiam pro Agnello recens nato: siquidem ait 7, [184]: Καὶ αἱ τῶν προβάτων ἡλικίαι· τὸν μὲν ἀπὸ γονῆς, εἴποις ἂν μοσχίον· τὸν δὲ ἔτειον ἄρνα, εἶποις ἂν ἀμνὸν ἢ ἀρνίον· εἶτα εἴποις ἀρνόν· εἶτα λειπογνώμονα· suspicetur tamen fortassis aliquis propter articulum mascul. τὸν, leg. esse μοσχίαν: præsertim quum ap. Eust. quoque μοσχίας scribatur, ap. quem [Od. p. 1627, 11] eædem ovini generis ætates ita recensentur: Ἴστρος ἐν Ἀττικαῖς Λέξεσιν ἄρνα φησὶν, εἶτα ἀμνὸν, εἶτα ἀρνειὸν, εἶτα λειπογνώμονα· ἐλέγετο δὲ καὶ μοσχίας ὁ τριέτης κριός· nisi potius subaudiendum sit ἀρνὸν, aut pro τὸν leg. τό. Pro Vitulo novello aut Agnello accipitur in hoc l. Philippi [Ephippi] comici ap. Athen. 8, [p. 359, B]: Τὸ μοσχίον Τὸ τῆς Κορώνης αὔριον δειπνήσομεν· quæ verba sunt juvenis cujusdam, qui κατασμικρύνων ἅπαντα τὰ περὶ τὴν ὀψωνίαν, non πολυτελῶς, sed καθαρίως parari convivium jubebat, et coemi τευθίδια, σηπίδια, ἐγχελίδια, ἀλεκτρυόνια, φάττια,
B περδίκια: dimin. quoque forma dicens μοσχίον. [Eran. Philo p. 164: Βοῦς μὲν ὁ τέλειος, μόσχος δὲ ὁ νεογνὸς, ἀφ' οὗ καὶ μοσχία, ἡ νέα. Quod τὰ potius dicere debebat, nisi fem. putavit μοσχία.] Apud Hesych. μόσχια sunt κρέα μοσχαρίου, ubi quum accentus in antep. positus sit, fortasse leg. μόσχεια, ut dicitur βόεια. || Μοσχίον accipitur etiam pro Novello germine aut Stolone. Hesychio et Suidæ μόσχια sunt ἁπαλὰ φυτὰ ac scribitur proparoxytonως ap. utrumque. Μόσχια ab eod. Hesych. exp. κρομμύου τὸ σπέρμα.

[Μόσχιος, α, ον, Vitulinus. Eur. El. 811: Μοσχίαν τρίχα τεμών.]

[Μόσχιος, ὁ, Moschius, n. viri, in numis Thyatir. Lydiæ ap. Mionnet. *Descr.* vol. 4, p. 163 sq.]

[Μοσχίτης, ὁ, Piscis quidam ex genere exsanguium qui nec squamas habent nec testacea operimenta. Anonym. Ms. De diæta 1, 14: Καὶ τὰ μαλάκια καλούμενα, οἷον ὀκτώποδες, σιπύαι, καλαμάρια, ὡς θίναι (l. ῥῖναι. L. D.) καὶ μοσχῖται κτλ. Rursum: Σηπίαι, μοσχῖται, καλαμάρια. Ducang. App. Gl. p. 136. Schol. Oppiani Hal. 1, 307,
C 310, pro eo quem Opp. dicit ὀσμύλον. L. Dind.]

[Μοσχίων, ωνος, ὁ, Moschio, n. viri, ap. Theognost. Can. p. 27, 27, cujus exx. sunt ap. Demosth. p. 1171, 12 sq., Diod. 19, 57, ubi Antigoni regis ad Rhodios legatus memoratur, Elei ap. Pausan. 6, 12, 6; 17, 5, in inscrr. Atticis ap. Bœckh. vol. 1, p. 312, n. 180; p. 507, n. 706; p. 514, n. 766; Chia vol. 2, p. 201, n. 2214, 15; Delia p. 242, n. 2298, 8, ubi Μοσσχίων, Didym. p. 561, n. 2879, 4, et in numis Athenarum, Magnesiæ Ion. et Smyrnæ aliisque ap. Mionnet. Alii sunt alibi, in his Tragicus. L. Dind.]

[Μοσχοδειπνίζομαι, Theod. Prodr. Ep. p. 97.]

[Μοσχοθυτέω, Vitulum vel Vitulos macto. Theod. Prodr. 7, 487, p. 329. Elberl.]

[Μοσχοθύτης, ὁ, Victimarius, Gl.]

[Μοσχοκαρύδιον. V. Μοσχοκάρυον.]

Μοσχοκάρυον, τὸ, Nux moschata. Dicitur et Μοσχοκαρύδιον, et nux μυρεψικὴ, h. e. Unguentaria, quod dum recens est, tota succo pingui et oleoso madeat, sic ut in unguentum exteri possit. Gorr. Dicitur etiam
D κάρυον μυριστικὸν, ἀρωματικόν. [Byzantinorum in Μοσχοκάρυδον et Μουσχοκάρυδον corrumpentium exx. v. ap. Ducang.]

[Μοσχοκάρφιον, τὸ, Caryophyllum, Italis *Garofano aromatico*, Gall. *clou de Girofle*. Liber Ms. De phylacteriis: Μοσχοκάρφια οὐγγία α'. Ducang., qui etiam formarum Μοσχοκάρφιον et Μουσχοκάρφι exx. Byzantinorum citavit.]

[Μοσχολατρέω, Theod. Prodr. Epigr. f. 14.]

[Μοσχολάχανον, τὸ, Latinis Caulis muscata, sive odorata, et ex aquis enasci solita. Goarus ad Euchol. p. 645. Ducang.]

[Μοσχόμυρον, τὸ, i. q. μοσχέλαιον. V. Salmas. in illo citatus.]

Μοσχοποιέω, Vitulum facio. Act. 7, [41] de populo Judaico qui in deserto degebat: Ἐμοσχοποίησεν ἐν ταῖς ἡμέραις ταύταις· loquitur autem de μόσχῳ Αἰβάνου, ὃν ἐν Χωρὴβ ἐθεοποίησαν, ut Suid. annotat: quem conflatilem vitulum Moses postea contrivit: ut habetur Exod. 32, ubi pro ἐμοσχοποίησαν habetur, μόσχον αὐτοῖς ἐποίησαν. [Athanas. vol. 2, p. 133, A : Περιέχει τοῦτο τὸ βιβλίον τήν τε παράβασιν τοῦ λαοῦ ὅτε ἐμοσχοποίησε κάτω τοῦ ὄρους κτλ. Justin. M. p. 119 et 197 ed. Bened.]

[Μοσχοποιία, ἡ, Vituli confectio. Origen. Exhort. ad Martyr. p. 167 Wetst. « Procop. Reg. 350. » Wakef. Justin. M. p. 171 ed. Bened.]

Μόσχος, ὁ, ἡ, Vitulus, [Juvencus add. Gl.] Vitula, Tenera boum soboles, ut ex Polluce discimus, qui l. 2, c. 12 [immo 1, 250] ait, Καλεῖται δὲ τῶν μὲν βοῶν τὰ νέα, μόσχοι· τῶν δὲ προβάτων, ἄρνες· τῶν δὲ αἰγῶν, ἔριφοι. Eur. ap. Athen. 14, [p. 640, B] ubi de mensis secundis sermo est: Μόσχων τέρειναι σάρκες, χηνεία τε δαίς. [Idemque aliis multis locis utroque genere, et Bucolici aliique quivis. Plato Crat. p. 393, C : Οὐ πῶλον κλητέον, ἀλλὰ μόσχον· Apol. p. 20, A : Εἰ μέν σου τὼ υἱέε πώλω ἢ μόσχω ἐγενέσθην. De Api Herodot. 3, 28 : Ὁ Ἆπις οὗτος ὁ Ἔπαφος γίνεται μόσχος ἐκ βοὸς, ἥτις οὐκέτι οἵη τε γίνεται ἐς γαστέρα ἄλλον βάλλεσθαι γόνον. Aristot. H. A. 5, 14 : Καὶ οἱ μόσχοι τῶν τελείων βαρύτερον φθέγγονται· De gen. an. 5, 7 : Τῶν βοῶν οἱ μόσχοι β. φθ.] Luc. 15, [23] : Ἐνέγκαντες τὸν μόσχον τὸν σιτευτὸν, θύσατε. Ad Hebr. 9, [19] : Τὸ αἷμα τῶν μόσχων καὶ τράγων. Rursum ap. Eur. Hec. [205] dicit Polyxena : Σκύμνον γάρ μ' ὥστ' οὐριθρέπταν μόσχον δειλαία δειλαίαν εἰσόψει χειρὸς ἀναρπαστὰν σᾶς ἄπο, Vitulam montanam : de eadem Polyxena paulo ante : Ἥξει δ' Ὀδυσεὺς ὅσον οὐκ ἤδη, πῶλον ἀφέλξων σῶν ἀπὸ μαζῶν. [Ib. 526 : Σκίρτημα μόσχου σῆς καθέξοντες χεροῖν· Andr. 711 : Ἡ στεῖρος οὖσα μόσχος οὐκ ἀνέξεται τίκτοντας ἄλλους. Eodem modo δαμάλης et δάμαλις dicta notavi in illis p. 886, B. Χελιδόνος μόσχον Achæus trag. ap. Ælian. N. A. 7, 47, cujus versum servavit Eust. Il. p. 753, 55. || Ταῦρον et μόσχον dicta asphalti μεγέθη memorat Diodor. 2, 48; 19, 98.] In iis præcedentibus ll. μόσχος accipitur pro Vitulo s. Vitula primæ ætatis, ut Horat. Tener vitulus, Ovid. Lactentes vituli. Et Varro De re rust. 2, 5, de quatuor ætatis gradibus in bubulo genere· Prima vitulorum, secunda juvencorum, tertia boum novellorum, quarta vetulorum. Discernuntur in prima vitulus et vitula, in secunda juvencus et juvenca, in tertia et quarta taurus et vacca. Ubi quam Vitulam dicit, Græcis est πόρτις et μόσχος : quam juvencam, δάμαλις. Apud Juv. autem pro adultiore et ad juvencum accedente, Ferox vitulus templis maturus. || Accipitur etiam pro Bove novella s. tertiæ ætatis (ut et Vitula a Virgil. Ecl. 3 : Ego hanc vitulam, ne forte recuses, Bis venit ad mulctram, binos alit ubere fœtus, Depono) : i. e. Vacca juvenca. Nicand. Ther. [552] : Ἦτε καὶ ἀστόργοιο κατείρυσεν οὔθατα μόσχου Πρωτογόνου, στέργει δὲ περισφαραγεῦσα γάλακτι. || Ab Orpheo autem mensis vocatur μόσχος μονόκερως tempore intermenstrui, s. eo die quæ ἕνη καὶ νέα appellatur, quoniam altera ejus pars ad præcedentem mensem φθίνοντα pertinet, altera ad sequentem ἱστάμενον s. ἀρχόμενον : id quod testatur Proclus ap. Hesiod. Diebus fin. : Καὶ ὁ μὴν ἐν αὐτῇ (ἕνῃ καὶ νέᾳ) παρ' Ὀρφεῖ προσαγορεύεται μονόκερως μόσχος· ἁπλῶς μὲν γὰρ ὁ μὴν, ὡς γενέσεως ἐργάτης, λέγεται βοῦς· ὡς δὲ πρώτην ἔχων τότε τῆς οἰκείας οὐσίας τὴν ἔκφασιν, μόσχος· καὶ διὰ τὸ μοναδικὸν, μονόκερως. Eust. vero [Od. p. 1408, 20] ipsum quoque annum circa hanc diem μόσχον μονόκερων appellari posse existimat, quum hujus l. mentionem faciens, ait, Ἵνα καὶ ὁ ἕνος (i. e. ὁ ἐνιαυτὸς, Annus,) κατὰ τὴν ἕνην ἣν θεωρεῖ ὁ Πρόκλος, εἴη μόσχος μονόκερως. Idem Eust. alibi ipsam etiam ἕνην καὶ νέαν appellat μόσχον, p. 1866 : Τὸ δὲ νῦν ἀπήρξατο ἐν τῇ ἕνῃ, ἥτις ἐστὶ νουμηνία, ὅθεν καὶ μόσχος ἡ τοιαύτη λέγεται ἀρχὴ τοῦ μηνὸς παρά τῶν τινι παλαιῶν. [V. Μονόκερως.]

|| Μόσχος in arbore quoque dicitur, Novellum et tenellum germen, Ramulus tenellus; nam Hesychio μόσχοι sunt οἱ νέοι βλαστοὶ, qui μόσχοισι similiter exp. τοῖς νεοφύτοις βλαστήμασιν, ἁπαλοῖς κλαδίσκοις, νέοις πτόρθοις : et videntur metaphorice dici, quod ita ex arboribus pullulent, ut vituli ex bobus nascuntur. Nicand. Ther. [72] : Ταμὼν ἀπὸ κλήματα σίδης, Ἠὲ καὶ ἀσφοδέλοιο νέον πολυαυξέα μόσχον, ubi schol. exp. κλάδον. Sunt qui μόσχους interpr. Stolones : quid autem ii sint, indicat Varro 1, 2 : Nullus in ejus fundo reperiri poterat stolo, quod effodiebat circum arbores ex radicibus, quæ nascerentur ex solo, quos Stolones appellabant. Plin. autem 17, 1 : Stolones in arboribus appellari scribit fruticationem inutilem : alibi vero Pullulos ex radicibus provenientes, Sobolem densam radicibus pullulantem. Hermol. Barb. μόσχους interpr. Pampinos, Capreolos, Claviculos, ex Galeno, qui in Lex. Hipp. ait, Ὄσχος γὰρ καὶ μόσχος, τὰ κλήματα καὶ αἱ ἕλικες. Nonnulli vertunt Viviradices : sunt autem Viviradices, quæ ἔνριζα φυτὰ appellat Constant. Geopon. 5, Semina s. plantæ vivæ, quæ ex loco suo sublatæ alio transferuntur : quod a Varrone 1, 49, secundum seminum genus vocatur (ut παρασπὰς, quod tertium genus seminum ab eo nominatur), est Quod ex arbore demptum demittitur in humum, s. Quod ex arbore per surculos defertur in humum ac deplantatur : et specialiter in olea vocatur Clavola s. Talea. Sed si Græcos gramm. sequamur, μόσχος nullo modo Viviradix erit, sed potius Stolo aut surculus nondum avulsus; in vite autem Palmes aut pampinus : nam hæc potius νέοι κλάδοι s. ἁπαλὰ βλαστήματα dici posse videntur quam viviradices; quod hæ per se plantæ sint, illa autem in arbore adhuc consistant. Id ipsum autem patebit ex seqq. Posse tamen interdum etiam reddi Plantaria, Viviradices, cognoscere est ex iis ll. qui in μοσχίδιον et μοσχεύω prolati sunt. [Μόσχοι, Plantæ, Gl. « De μόσχῳ Dioscoridis dictum ad H. Pl. 9, 18, 8. (V. Μονόμοσχος.) Addo locum 4, 7, 8, de aconito : Καυλὸν, καθάπερ πτερίδος μόσχον ψιλόν. Οἱ μόσχοι μάλιστα ἀστρόβλητοι γίνονται, Theophr. C. Pl. 5, 9, 1. » Schneider. Ind. Aristot. H. A. 9, 40 med. : Μέλι κάλλιον γίγνεται ἐκ νέου κηροῦ καὶ ἐκ μόσχου.] Hom. autem Μόσχος adjective usurpavit pro ἁπαλὸς, ut Suid. quoque exp., et μόσχους λύγους dixit Tenera vitilia s. vimina ex vitice pullulantia, s. τοὺς ἁπαλοὺς ἀκρέμονας καὶ μᾶλλον παραφυάδας τοῦ λύγου, Eust. in Il. Λ, [105] de duobus Priami filiis : Ὤ ποτ' Ἀχιλλεὺς Ἴδης ἐν κνημοῖσι δίδη μόσχοισι λύγοισι Ποιμαίνοντ', ἐπ' ὄεσσι λαβὼν, καὶ ἔλυσεν ἀποίνων, ubi Eust. μόσχους λύγους exp. τοὺς ἁπαλοὺς καὶ τρυφεροὺς, ex Apione et Herodoro tradens translatum esse ἀπὸ τῶν ἔτι ἁπαλῶν βοῶν, ὅ ἐστι μόσχων, ad τὰ τρυφερὰ καὶ λυγώδη φυτά. Aristoph. scholiastæ [Ach. 995] substantive quoque μόσχος est ἡ ἁπαλὴ καὶ νέα λύγος, subjungenti tamen Hom. l. c.; et Hesychio itidem μόσχος est νέος λύγος : sed duo substantiva sine intercedente adjectivo aut particula, copulari nequeunt : itaque rectius in meo Ms. Hom. μόσχοισι λύγοισι exp. ἁπαλοῖς ἱμαντώδεσι φυτοῖς : quemadmodum et a schol. Nicandri accipitur. || In VV. LL. Μόσχος exp. etiam Pediculus s. Petiolus, Tenaxque Palladio, quo folia et fructus annexi dependent in suis plantis : pro quo scrib. μίσχος, quod in ea signif. agnoscitur ab Hesychio, licet perperam ejus cod. habeat μίαχος : sed reponendum esse μίσχος ordo etiam alphabeticus ostendit. [V. Nicol. ad Geopon. 2, 6, 29.]

|| Μόσχος recentioribus apud Græcos Medicis dicitur etiam Pretiosissimum odoris genus, quod ex umbilici animalis cujusdam Indici vomica erumpit, Aetius II. τροφῶν δυνάμεων, ubi ait, In umbilico cujusdam animalis gignitur uno cornu præditi, maximi, capreæ similis : siquidem quum veneris stimulis agitur, ei umbilicus intumescit, congesto inibi crassiore sanguine : quo tempore et pabulo et potu fera abstinet, in terramque crebro volvitur, et umbilicum exprimit sanguine refertum : qui post aliquod tempus concrescens, magnam odoris suavitatem asciscit. Hæc ex Gorr., qui et diversa ejus genera esse ex eod. Aetio annotat, et quodnam inter ea primatum teneat, tum quis ejus in medicina usus et vis. Non multum dissimilia sunt quæ referuntur ex libris Alberti magn. De hist. anim. Μόσχῳ odore non dissimile aliud odoramentum, quod Zibethum vocant, et recentiores Medici Græci, ut Actuarius, ζαπέτιον : quo nomine vocatur et Animal ipsum ex quo id odoramentum colligitur, simile marti, cujus quoque martis stercus odoratum esse traditur. Sunt qui μόσχον esse velint Eum qui ab Hieronymo Muscus dicitur, licet Hermol. Barb. id neget, et istum muscum eund. esse scribat cum βρύῳ, Musco arborum, ut quidam interpr., μόσχον autem veteribus, et ipsi etiam Galeno,

ignotum fuisse, et inter pretiosa odoramenta numeratur, 2 C. Jovinianum : Odoris autem suavitas et diversa thymiamata, et amomum et cyphi et œnanthe, muscus et peregrini muris pellicula, quod dissolutis et amatoribus conveniat, nemo nisi dissolutus negat. Et in Epist. ad Principiam Virginem : Illæ enim solent purpurisso et cerussa ora depingere, sericis nitere vestibus, splendere gemmis, aurum portare cervicibus, auribus perforatis rubri maris pretiosissima grana suspendere, fragrare musco, mure. [Cosmas Topogr. Christ. p. 335, C : Τὸ δὲ μικρὸν ζῶόν ἐστιν ὁ μόσχος· καλοῦσι δὲ αὐτὸ τῇ ἰδίᾳ διαλέκτῳ οἱ ἐγχώριοι καστοῦρι· διώκοντες δὲ αὐτὸ τοξεύουσι καὶ τὸ συναγόμενον αἷμα περὶ τὸν ὀμφαλὸν δεσμεύοντες ἀποκόπτουσι. Τοῦτο γάρ ἐστι τὸ μέρος αὐτοῦ τὸ εὐῶδες, τουτέστιν ὁ παρ' ἡμῶν λεγόμενος μόσχος· τὸ δὲ λοιπὸν αὐτοῦ σῶμα ἔξω ῥίπτουσιν. Pictum est in tabula inter p. 338 et 339, n. 6. Cui Symeonis Sethi De facultat. cibor. in Μόσχος, aliorumque Byzantinorum locos plurimos addit Ducang., et in Append. p. 136 Aetium l. 1 : Μόσχου διαφοραὶ πολλαί εἰσιν, ὧν ὁ κρείττων γίνεται ἐν πόλει τινὶ τοῦ Χορασὰν ἀνατολικώτερόν.]

Μόσχος, nom. proprium cujusdam grammatici Syracusani, qui secundus post Theocritum bucolica carmina scripsit, ut docet Suid. [Aliorum quum in inscrr., ut ap. Caylus *Recueil* vol. 2, t. LXX, A, Lebas. *Inscr.* 5, p. 26, in Museo Worslejano vol. 1, p. 29, et aliis, tum scriptorum ap. Fabric. in Bibl. Gr. || Μόσχοι, Κόλχων ἔθνος, προσεχὲς τοῖς Ματιηνοῖς. Ἑκαταῖος Ἀσίᾳ, Steph. Byz. Herodot. 3, 94; 7, 78, et Strabo 11, p. 497, etc., qui etiam Μοσχικὰ ὄρη et Μοσχικὴ de regione ib. et 498 et alibi.] Item nomen cujusdam citharœdi, de quo proverb. ap. Aristoph. [Ach. 14]: Μόσχος ᾄδων Βοιώτιον· Suid. et schol. Aristoph. [Cujus verba sunt : Ἡνίκ' ἐπὶ μόσχῳ ποτὲ Δεξίθεος εἰσῆλθ' ᾀσόμενος Βοιώτιον. « Ἐπὶ μόσχῳ. Recte unus e schol. : Ὅτι ὁ νικήσας ἆθλον ἐλάμβανε μόσχον. Altera interpr., qua pro viri nomine μόσχος accipitur, falsa est et inepta. Quemadmodum poetæ dithyrambici tauro, sic qui cithara canebant, κιθαρῳδοὶ, vitulo certabant. Verba sunt Bentleji in Dissert. Phal. de orig. tragœdiæ p. 170. » BRUNCK.]

[Μοσχοσίταρον, ἡ τήλη, in Glossis iatricis Mss. græcobarb. Glossæ aliæ ex cod. Reg. 848 : Βουκέριν ἤτοι ἡ τύλη, οἱ δὲ μοσχοσίταρον. Μοσχοσιτάρου ἄλευρον ap. Myrepsum s. 3, 92, Fœnum Græcum interpretatur Fuchsius, quod, inquit, ejus granis et semine vituli ac boves pascantur. DUCANG. V. id. in Append. p. 136.]

Μοσχοσφρᾱγιστής, ὁ, Vitulorum s. Vitularum signator : μοσχοσφραγισταὶ ap. Porphyr. De abst. 4, [7] Ministri qui designabant victimas sigillo appresso. VV. LL. [Diod. 1, 70 : Τοῦ βασιλέως (Ægyptiorum) ἱεροσκοπησαμένου μόσχῳ. Quod ad μοσχοσφραγιστὰς, moremque ab Herodoto 2, 38 descriptum refert Wessel., comparatque præter l. Porph. scripta de hac scientia, μοσχοσφραγιστικὰ dicta, ut recte correxerit Marsham. Can. chronol. p. 242, ap. Clem. Strom. 6, p. 758, pro μοσχοσφαγ.]

[Μοσχόταυρος, ὁ, voc. fictum, ut videtur. Inc. Levit. 4, 3, sec. Coisl. et Lips. Scribendum μόσχον ἐκ ταύρων aut τῶν ταύρων. SCHLEUSN. Lex.]

[Μοσχοτομέα, ἡ, in inscr. Phoc. ap. Bœckh. vol. 1, p. 849, n. 1732, 28 : Χωρίων πλατάνου καὶ μοσχοτομεῶν· 33 : Ἐν πλατάνῳ καὶ μοσχοτομέαις, loci s. agri nomen videtur, ubi surculi cæderentur.]

[Μοσχοτόμος, ὁ, Victimarius, Gl.]

[Μοσχοτρόφος, ὁ, Vitulos nutriens. Hesych. v. Τιθηνός. WAKEF.]

[Μοσχοφάγος, ὁ, ἡ, Vitulos devorans. Schol. Aristoph. Ran. 357 : Ταυροφάγου) μοσχοφάγου.]

[Μοσχύνω, quod ponitur in Etym. M. p. 591, 49 : Μοσχύνεται, τρέφεται, recte HSt. in Μοσχεῖον corrigit μοσχεύεται, quæ terminationes etiam alibi sunt confusæ. Hoc enim etiam Pollux interpretatur ἀνατρέφειν.]

[Μοσχώνιος, ὁ, Moschonius, n. viri, in inscr. Att. ap. Bœckh. vol. 1, n. 353, p. 419, II, 7.]

[Μότα. V. Ἄμωτα.]

Μοτάριον, τὸ, dimin. forma pro μοτὸς, μοτὸν, Linamentum concerptum, quod vulneri inditur. Ap. Æginet., de palpebris insubulatis et inustis : Μοταρίοις

A καὶ κολλουρίοις ἁπαλοῖς τὴν ἀπούλωσιν ποιεῖσθαι προσήκει. Apud Eund. alibi : Εἰ δὲ ὁ ὀδοὺς βεβρωμένος εἴη, λεπτῷ μ. πρῶτον δεῖ τὸ βρῶμα αὐτοῦ ἀποσφηνεῖν, ἵνα μὴ θραύηται ὑπὸ τοῦ ὀργάνου σφιγγόμενος, ubi μοτάριον etiam reddi potest Linamentum quod inditur in modum penicilli vulnerarii. [Eust. Opusc. p. 163, 83 : Τὸ φαρμάττον μοτάριον. Annotavit etiam Suidas.]

[Μοτέω.] Μοτῆσαι, Hesychio κακοπαθῆσαι. [Pro Μογῆσαι. HEMST.]

[Μοτή, ἡ. V. Μοτόν.]

[Μοτιηνοὶ, χωρίον Ἰβηρίας, ἄποικον Ῥωμαίων. Πολύβιος τρίτῳ (?). Φλέγων δὲ Μουτιηνὸν αὐτήν φησι. Τὸ ἐθνικὸν Μοτιηνὸς, Steph. Byz. De quo n. v. Schweigh. ad fr. hist. 33, vol. 5, p. 64. Stephano vel Hermolao obversatum esse l. Polybii de Mutina Galliæ cis Padum 3, 40, 8 : Συνδιώξαντες εἰς Μοτίνην, ἀποικίαν ὑπάρχουσαν Ῥωμαίων, recte animadvertit Berkel. Ea Μουτίνη dicitur Straboni.]

[Μοτογένειος, ὁ.] Μοττογένειον Hesych. exp. σπανοπώγωνα, ut sit Cujus mentum raris est vestitum pilis,
B et fere depile. Sunt qui unico τ scribant μοτογένειον. [V. Μοτρογένειος.]

[Μοτὸν s. Μότον, s.] Μοτὸς, ὁ, Linamentum s. Linteum carptum, quod vulneribus inditur : cujus quinque differentiæ ab auctore τῆς Εἰσαγωγῆς recensentur, στρεπτὸς, ξυστὸς, τιλτὸς, ἐλλυχνιωτὸς, πριαπισκωτὸς, Tortile, rasile, concerptum, ex ellychnio factum, pudendoque simile : nominibus his partim a formis ac figuris quibus effinguntur, partim a materia ex qua constant, inditis : στρεπτὸν, Tortile, a forma nomen habet : ξυστὸν et τιλτὸν, Rasile concerptumque, ab ipsa linteolorum materia : hoc quidem, concerpta, illud vero, derasa : quare etiam aliquando simpliciter ξύσμα vel τίλμα ὀθονίων, Rasura aut Vulsura linteolorum, appellatur : ἐλλυχνιωτὸν vero dictum est, non quod ad lychni s. funiculi lucernarum similitudinem contorqueretur, sed quod ex ellychnio fieret (quod ex Galeno apparet, Meth. med. 13 : Ἔξωθεν δ' ἀρκεῖ μοτὸς ἤτοι ξηρὸς ἢ ἐξ οἴνου, καὶ μᾶλλον ὁ ἐκ τῶν μαλακῶν ἐλλυχνίων) : πριαπισκωτὸν autem a pudendi humani simili-
C tudine. Verum præter hæc quinque linamentorum nomina, alia etiam ap. veteres leguntur, ut ap. Celsum λημνίσκος, quod ille In longitudinem implicitum linamentum interpr., et aliquando Linamentum involutum et oblongum : et apud Aetium σφηνίσκος, quod Linamentum significat ad cunei parvi similitudinem intortum, vel quod cunei modo ea, quæ conjunguntur et adhærescunt, separet. Hæc inter alia ex Gorr. Heraclides ap. Galen. K. τόπ. 3, dixit etiam μακρὸν μοτὸν, forsan quem Celsus λημνίσκον. Galen. Ad Glauc. : Καὶ διὰ τοῦ πυουλκοῦ τοῖς κόλποις ἐνιέντα, ἔπειτα μοτῷ τιλτῷ βύειν τὸ στόμα. Paul. Ægin. : Σφηνίσκοις ἢ μοτοῖς πλείοσι χωρίσωμεν ἀπ' ἀλλήλων· sed perperam ap. eum pluribus in ll. scribitur per ω in penult. [His Foes. in Œc. Hipp. addit : « Μοτοὺς vulgo vocari τὰς ὀθόνας τιλτὰς, hoc est, Concerpta linteorum fila, aut concerpta linamenta, quibus ad hæmorrhagiam utuntur Chirurgi, scribit Galen. Comm. 2 in lib. Κατ' ἰητρ. p. 688, 4. Μοτὸς κασσιτέρινος κοῖλος, Penicillus stanneus cavus, aut cannula stannea, usurpatur Hippo-
D crati p. 477, 10, ad educendum pus aquosum et viscosum e thorace. Qui eadem in re etiam ibidem p. 483, 2, μοτὸς κασσιτέρινος simpliciter dicitur, ut et μοτὸς κασσιτέρινος στερεὸς, Solidus penicillus stanneus, ad cavi differentiam, ibid. » Μοτοὶ memorantur etiam a Polluce 4, 182.] Dicitur etiam Μοτόν : ut habetur in Lex. meo vet. μοτὸν, τὸ εἰς ἀναπλήρωσιν σαρκὸς τιθέμενον. Ap. Hesych. autem paroxytonως, μότα, τὰ πληροῦντα τὴν κοίλην τῶν τραυμάτων ῥάκη : itidemque ap. schol. Hom. : Μότα, τὰ ἐπιτιθέμενα τοῖς κοίλοις τραύμασιν ὀθόνια πρὸς ἀναπλήρωσιν τῆς σαρκός. Apud Eust. etiam μότον scribitur. Ejusd. cum μοτὸς et μοτὸν signif. est Μοτή, ἡ, ut tradunt VV. LL. citantia ex Quinto Sm. [4, 212], Ἐφύπερθε μοτάων, Penicillorum vulnerariorum.

[Μοτοφαγία. V. Μοττοφαγία.]

[Μοτοφύλαξ, ακος, ὁ, ap. Paul. Ægin. 6, Custos linamenti vulnerarii. Unde Μοτοφυλάκιον φάρμακον, ap. eund. 6, 62, de unguento ejusmodi. SCHNEIDER. Μοτοφύλαξ etiam ap. Oribas. p. 7 Mai. L. DIND.]

Μοτόω, Linamentum vulnerarium indo : τὸ τίλμα ἐντίθημι τῷ ἕλκει, s. τραύματι. Paul. Ægin. : Ἔπειτα μοτώσαντες ξηροῖς, οἰνελαίῳ βραχὲν σπληνίον ἐπιβαλόντες ἐπιδήσομεν. Hesychio μοτῶσαι est πληρῶσαι. Citaturque ex Apsyrto, Μοτοῦν τοῖς τίλμασι. Item, Penicillo vulnerario indito curo : unde μοτώσει ap. Hesych. et Suid., ἰάσεται δι' ὀθονίων. [HSt. in Ind. :] Μοττοῖ, Hesychio τιτρώσκει, ταράττει, Vulnerat, Turbat. [Leg. μοτοῖ, ut est ap. Phot. « Respexit Hesych. ad Hos. 6, 1 : Αὐτὸς πατάξει καὶ μοτώσει ἡμᾶς. Cyrill. Alex. In Num. p. 379 : Μὴ μέχρι παντὸς μηδὲ ἀπέραντόν τινα ὀργὴν τοῖς πλημμελοῦσιν ἐπάγοντος, ἀλλὰ μοττοῦντος κατὰ τὸ πλῆξαι, σώζοντός τε καὶ ὑγιάζοντος. » Suicer. Memorat μοτῶσαι etiam Pollux 4, 182. Pass. Theod. Stud. p. 509, D : Μὴ μοτωθῆναι τραυματιζόμενον.]

Μοτρογένειος, Raram habens barbam, Hesych. : μοτογένειος, VV. LL.

Μοττίας, Hesychio ᾧ στρέφουσι τῶν ῥυτήρων τὸν ἄξονα.

[Μοττογένειος. V. Μοτογένειος.]

Μοττοφαγία, ἡ, Sacrificium, quod Salamine, urbe Cypri, peragi solet, Hesych. : Suid. unico τ scriptum, eodem modo explicans.

[Μοττόω. V. Μοτόω.]

Μόττυες, Hesychio οἱ ἔκλυτοι καὶ παρειμένοι, Exoluti et languidi.

Μοττωνῆσαι, Hesychio τῇ πτέρνῃ τύψαι, Calce verberare. [Terminatione simile est Λεγωνῆσαι, quod v. L. Dindorf.]

[Μοτύη, ἡ, Motya. Πόλις Σικελίας, ἀπὸ Μοτύης γυναικὸς, μηνυσάσης Ἡρακλεῖ τοὺς ἐλάσαντας τοὺς αὐτοῦ βοῦς. Ἑκαταῖος Εὐρώπῃ. Φίλιστος δὲ φρούριον αὐτήν φησι παραθαλάττιον. Τὸ ἐθνικὸν Μοτυαῖος, Steph. Byz. Μοτύην memorat Thuc. 6, 2, Diodor. 13, 54; 14, 47, 48. Qui gentili Μοτυαῖος utitur 14, 52, sed ibidem et 13, 63; 14, 48, forma Μοτυηνός. ῠ]

[Μοτύλαι, Σικελίας φρούριον, περὶ τὴν Μοτύην, Φίλιστος Σικελικῶν πέμπτῳ. Τὸ ἐθνικὸν Μοτυλαῖος, Steph. Byz.]

[Μότυλος, ὁ, Motylus, n. viri ap. Steph. Byz. v. Σαμυλία.]

[Μότυον, τὸ, Motyon, castellum Agrigentinorum, memorat Diodor. 11, 91.]

[Μοτὼ, genus casiæ, ap. Arrian. Peripl. m. Erythr. p. 8, ubi v. Stuck. L. Dind.]

[Μότωμα, τὸ, unde μοτώματος ξυστροφὴ, Linamentum contortum aut Linamenti in orbem convolutio, in hæmorrhagiæ sistendæ consilio ap. Hippocr. p. 1194, F, ex eorum genere quos μοτοὺς στρεπτοὺς vocant. Foes.]

[Μότωσις, εως, ἡ, Linamentorum usus aut per linamenta curatio, ap. Hippocr. p. 806, B : Πάσης μοτώσιος ἀπέχεσθαι χρή. Aquila Jes. 1, 6.]

[Μοῦα. V. Μοῦσα.]

[Μοὺθ, cognomen Isidis, significans Matrem. Plut. De Is. et Os. p. 374, B : Ἡ δ' Ἶσις ἔστιν ὅτε καὶ Μοὺθ, καὶ πάλιν Ἀθυρὶ καὶ Μεθυὲρ προσαγορεύεται· σημαίνουσι δὲ τῷ μὲν πρώτῳ τῶν ὀνομάτων μητέρα. Nempe *Mau* et *Maut* Matrem designat, quod Græci extulerunt μούθ. Observatu vero haud indignum, quod idem Plut. scriptum reliquit p. 368, C, Ægyptios Lunam, i. e., Isidem, appellasse Matrem mundi : quod eam mihi suspicionem suggessit, fieri posse ut Plut. cognomen hocce Isidis Μοὺθ in mente habuerit. Nam *Mau-Tho* recte dici potest Mater mundi. Plura v. in Panth. l. 4, 5, § 3. Jablonsk. Μοὺθ, παῖς Κρόνου ἀπὸ Ῥέας. Θάνατον δὲ τοῦτον καὶ Πλούτωνα Φοίνικες ὀνομάζουσι, Sanchoniatho Hebr. מות *Mavet*, Mors. Angl.]

[Μουΐα. V. Μυῖα.]

Μουκηρόβας, Hesychio καρυοκατάκτης. Pro quo ap. Athen. μουκηρόβατος. Is enim 2, [p. 53, B] Pamphilus, inquit, ἐν Γλώσσαις dicit Μουκηρόβατον a Laconibus vocari τὸν καρυοκατάκτην, h. e. ἀμυγδαλοκατάκτην [Corrige Μουκηροβάταν et ap. Hesych. Μουκηροβάτας. Schweigh. Malim Μουκηροβάκταν, a Laconico βάγνυμι, i. e. Ϝάγνυμι. V. Hesych. s. v. Βαγός. Dobr. Adv. vol. 2, p. 297] : nam μουκήρους a Laconibus nominari τὰ ἀμύγδαλα, ut sit Qui super nuces aut amygdalas gradiens, eas frangit : nisi de Instrumento etiam dicatur, quo super eas volutato confringantur. [V. Μύκηρος.]

[Μούκηρος. V. Μουκηρόβας.]

A [Μουκίζω.] Μουκίζει, [Hesychio est μέμφεται τοῖς χείλεσι.

[Μούκισσος, πόλις Καππαδοκίας δευτέρας. Καπίτων Ἰσαυρικῶν ἕκτῳ, Steph. Byz. V. Μώκισσος.]

[Μουκτυριάω.] Μουκτυριᾷ, Hesychio σκαρδαμύττει. [Per η scribendum videtur cum Is. Vossio.]

[Μούλιος, ὁ, Mulius, n. viri ap. Arcad. p. 41, 29. Exx. sunt ap. Hom. Il. Λ, 739, Π, 696, Υ, 472, Od. Σ, 422. Theognost. Can. p. 58, 23.]

[Μούμαστος, ὡς Βούβαστος, πόλις Καρίας. Ἀλέξανδρος δευτέρῳ Καρικῶν. Ὁ πολίτης Μουμαστίτης, Steph. Byz.]

[Μουναδὸν, Μουνὰξ, Μουνὰς, etc. V. Μον—]

[Μούνατος, ὁ, Munatus, grammaticus, citatus in schol. Theocr. 2, 100, aliisque ll. ap. Warton. in Notit. schol. Theocr.]

[Μούνιος. V. Μονιός. Ubi tamen add. qui grammatici sententiam tuetur Arcad. p. 40, 2 : Καὶ τὸ μονιὸς ὀξύνεται ὡς κύριον καὶ τρισύλλαβον (scribendum videtur τρισύλλαβον, verbis ὡς κύριον καὶ positis ante præcedens τρισύλλαβον, et ad n. Κλονίος relatis, ut animadvertit B Gœttling. De accent. p. 174)· εἰ δὲ τὸ υ πλεονάσῃ, προπαροξύνεται· μούνιος γάρ.]

[Μούνιτος, ὁ, Munitus, f. Demophontis et Laodices, ap. Lycophr. 498, Parthen. c. 16, 3, quod nomen male scribi Μούνυχος ap. Plut. Thes. c. 34, animadvertit jam Meziriacus. Ionicam hanc formam dicit Notit vulgaris Μόνιτος (quam memorat etiam Zonar. p. 1367) Eustath. Il. p. 264, 28.]

[Μούνιχος. V. Μούνυχος.]

[Μουνογένεια et ceteras formas Ion. Μουν— v. in Μον—]

[Μουνονυχὶ, Una nocte. Epigr. Anth. Plan. 92, 14 : Μουνονυχὶ πεντήκοντα ξυνελέξατο κούραις. ῠῑ.]

Μουνῠχία, ἡ, Munychia : portus Atheniensium munitissimus, in quo Dianæ Munychiæ fanum erat, supplicum asylum. [Hæc ex Steph. Byz., qui addit dictum esse ἀπὸ Μουνύχου. Photius : Μουνυχία, τόπος τοῦ Πειραιῶς, ἀπὸ Μουνυχίας Ἀθηνᾶς, ἥτις ἐπωνομάσθη ἀπὸ Μουνύχου τοῦ Παντευκλέους. Pro quo Παντακλέους in gl. ejusd., ubi rex dicitur Munychus, et ex Hellanici se- C cundo Atthidis hæc repetuntur sec. Harpocrationem. Quæ forma præstat. Ἀθηνᾶς autem fortasse librarii potius quam grammatici error est pro Ἀρτέμιδος, de qua v. infra. Suidas v. Ἔμβαρός εἰμι, p. 1212, B : Οὗ (Piraei) τὰ ἄκρα Μούνυχος κατασχὼν Μουνυχίας Ἀρτέμιδος ἱερὸν ἱδρύσατο. Strabo 9, p. 395 : Λόφος ἐστὶν ἡ Μουνυχία χερρονησίζων καὶ κοῖλος ... ὑποπίπτουσι δ' αὐτῷ λιμένες τρεῖς κτλ. Alia Ruhnk. ad Tim. p. 183. Memorat Herodot. 8, 76, Thuc. 2, 13, ceterique historici et alii passim. V. E. Curtii De portubus Athen. commentatio, Hal. 1842, p. 10—29.] Unde ap. [Xen. H. Gr. 2, 4, 11 : Πρὸς τὸ ἱερὸν τῆς Μουνυχίας Ἀρτέμιδος·] Pollucem : Ἔφερον εἰς Μουνυχίας Ἀρτέμιδος, sub. ἱερὸν, Ferebant in Munychiæ Dianæ templum. [Callim. Dian. 259 : Πότνια Μουνυχίη. Orph. Arg. 1074 : Θύσθλα φέρουσι Μουνυχίῃ. Inscr. Cyzic. ap. Bœckh. vol. 2, p. 915, n. 3657, 12 : Ἀρτέμιδος Μουνυχίας, ut Strabo 14, p. 639, memorat Πύγελα πολίχνιον (Ioniæ) ἱερὸν ἔχον Ἀρτέμιδος Μουνυχίας. De Hecate Orph. Arg. 933 : Μουνυχίης Ἑκάτης.] Et Demosth. [p. 262, 18] : Οὐχ D ἐν Μουνυχίᾳ ἐκαθέζετο, Non ad Munychiæ asylum confugiebat, et ad Dianæ aram sedebat. || Incola ejus loci Μουνύχιος dicitur, et fem. genere Μουνυχιὰς, teste Steph. Byz.; qui et Localia adverbia hæc affert Μουνυχιάθεν [Μουνυχίαθεν], Μουνυχίαζε, Μουνυχιάσι [Μουνυχίασι, οὗ τὴν εἰς τόπον σχέσιν Θουκυδίδης η' (c. 92, 5)· Τῶν Μουνυχίασι τεταγμένων ἄρχων. Idem adv. in inscr. ap. Bœckh. *Urkunden* xi, p. 414, 33 et alibi, ut p. 291, 72; 336, 17, ubi Μουνυχίασιν ante consonam, ut loco primo ante vocalem. Ibid. p. 325, 21, est Μουνυχίαθε ante consonam. || Alias formas fingunt grammatici. Schol. Callim. Dian. 259 : Μουνύχιόν ἐστι μέρος τοῦ Πειραιῶς. Ulpian. ad Demosth. p. 73, C : Μουνύχιον, τόπος περὶ τὸν Πειραιᾶ· et ib. : Ἐκλήθη δὲ Μουνύχιον. Schol. Eur. Hipp. 760 : Μουνύχιος δὲ λιμὴν Ἀττικῆς ... Ἐν τῷ Μουνυχίῳ λιμένι τῆς Ἀττικῆς. || Scripturam per ι, quæ in inscrr. ap. Bœckh. locis modo citt. (v. p. 64, 325) cum scriptura per υ alternat, etiam libri interdum ostendunt, ut Pausaniæ 1, 1, 4, ubi Μουνιχίας affertur ex libro uno, sed est fortasse in pluribus, quum ab editoribus quidem vel hoc neglectum sit quod in iisdem verbis Μουνιχίᾳ pro Μουνυχίᾳ præbet Aldina in quibus servat Μουνυχίας, sicut vicissim in uno illo libro Μουνυχίᾳ esse videtur qui Μουνιχίας, ut his quidem testibus non tantum tribuendum putaverim, quorum fide formam per ι in meam Pausaniæ editionem reciperem. Sic Suidæ liber unus semel Μουνιχίᾳ in Μουνυχιών, in ceteris servens υ. Conf. etiam Μούνυχος. L. Dind.]

Μουνυχιών, ῶνος, ὁ, dicitur Mensis in quo sacra fiebant Dianæ Munychiæ, mensium Atticorum decimus, ut tradit Harpocr., et ex eo [Photius s.] Suidas. Meminit ejus [Aristoph. Av. 1046: Καλοῦμαι Πειθέταιρον ὕβρεως ἐς τὸν Μουνυχιῶνα μῆνα, cum aliis passim,] Plut. in fine Phocionis, et in Demetrio p. 1650 [c. 26. Procul. V. Marini c. 36: Μουνυχιῶνος ιζ', κατὰ δὲ Ῥωμαίους ἀπριλίου ιζ'. Ulpianus ad Demosthenis p. 282, 24, quod ponit: Μουνυχιῶνος ἕνῃ καὶ νέᾳ) Ἰανουαρίου τριακοστῇ, error est confundentis varia in variis æris annorum initia, ut pluribus ostendit Mountenejus in annot. ad schol. in ed. Dobsoni vol. 6, p. 350. L. Dind.]

[Μούνυχος, ὁ, Munychus, a quo dicta Μουνυχία, quod v. Eur. Hipp. 760: Μουνύχου δ' ἀκταῖσιν ἐκδήσαντο πλεκτὰς πεισμάτων ἀρχάς. Alius in inscr. Att. ap. Bœckh. vol. 1, p. 404, n. 302, 11, ubi ΠΟΓΝΥΧΟΣ. Conf. Μουνυχιών. Qui ap. Plut. Thes. c. 34, memoratur Μούνυχος f. Demophontis et Laodices, Μούνιτος dicitur ab Lycophr. 498 et Parthenio Erot. c. 16. Ap. Antonin. Lib. c. 14 autem qui sæpius dicitur Μούνιχος f. Dryantis, sic an Μούνυχος, quod suspicabatur Bast. ad Gregor. p. 292, dicatur nihil interesse docent quæ in Μουνυχία dicta sunt. L. Dind.]

[Μουνώψ. V. Μονώψ.]

[Μουργίσκη, ἡ, Murgisce, castellum Thraciæ. Æschines p. 65, 23, ubi alii Μυργ- vel Μυρτ-.]

[Μούρης, ητος, ὁ. Herodian. Cram. Anecd. vol. 3, p. 233, 4: Κούρης Κούρητος πόθεν; Ὁ κανὼν, τὰ εἰς ης τῇ ου διφθόγγῳ παραληγόμενα διὰ τοῦ τος κλίνεται, οἷον μούρης, μούρητος, Κούρης, Κούρητος. Conf. Chœrobosc. vol. 1, p. 143, 15. Fortasse item est nomen proprium. L. Dindorf.]

[Μούρινα. V. Μύρινα.]

[Μοῦρχορ, μυχός· οἱ αὐτοὶ, Hesychius. « Leg. forte Μοῦχορ, vel potius Μοῦχορ i. e. Μύχορ, Laconice pro μυχός. Οἱ αὐτοὶ, cum Laconica sive Dorica vox sit, alio loco posita videtur, ubi mentio Laconum præcessit. » Albert.]

[Μούρρινος. V. Μύρρινος.]

[Μοῦρσα, πόλις Παιονίας, κτίσμα Ἀδριανοῦ. Τὸ ἐθνικὸν Μουρσαῖος, ὡς Παρθένιος Φωκαεύς. Λέγεται καὶ Μούρσιον, Steph. Byz.]

[Μούρταρ, πῖλος, Hesych. « I. e. Mortarium, quod et Pila Plinio dicitur. » Soping. « Leg. Μοῦταρ, Mitra. » Is. Voss. Conf. Casaub. ad Athen. p. 352 (387).]

[Μούρτιβοι, θυσίαι, Hesych. « Videtur leg. Μοῦτιρ, βουθυσία. » Is. Voss. Qui tamen hoc non recte referre videtur ad voc. a βοῦς factum.]

[Μουρυχίδης. V. Μορυχίδης.]

Μοῦσα, ἡ, Musa, Dea cantus. Novem autem earum dearum recensentur, et dux earum Apollo. Hom. Il. Α, [604]: Μουσάων θ', αἳ ἄειδον ἀμειβόμεναι ὀπὶ καλῇ· Od. Ω, [60]: Μοῦσαι δ' ἐννέα πᾶσαι, ἀμειβόμεναι ὀπὶ καλῇ, θρήνεον. Hesiod. Theog. [965], ἡδυέπειαι Μοῦσαι. [Nomina v. ib. 76.] Et μοῦσα ἀρχεσίμολπος, ap. Athen. 5, [p. 180, E] ex Stesichoro. Lucian. [De sacrif. c. 5] loquens de poetis: Παρακαλέσαντες τὰς μούσας συνῳδοὺς ἐν ἀρχῇ τῶν ἐπῶν, ὑφ' ὧν δὴ ἔνθεοι γενόμενοι, ὡς τὸ εἰκὸς, ᾄδουσι· quod in omnium poetarum exordiis videre est. [Hom. Il. Β, 761: Τίς τ' ἂρ τῶν ὄχ' ἄριστος ἔην, σύ μοι ἔννεπε Μοῦσα. Ib. 484: Ἔσπετε νῦν μοι, Μοῦσαι Ὀλύμπια δώματ' ἔχουσαι· ὑμεῖς γὰρ θεαί ἐστε πάρεστέ τε, ἴστε τε πάντα· ἡμεῖς δὲ κλέος οἷον ἀκούομεν οὐδέ τι ἴδμεν, οἵτινες ἡγεμόνες Δαναῶν καὶ κοίρανοι ἦσαν. Et similiter alibi.] Non tam vero cantus, quam etiam bonarum literarum præsides eæd. credebantur: item et humanitatis. Plut. [Mor. p. 504, D]: Σκόπει τὴν Λυσίου πειθὼ καὶ χάριν· κἀκεῖνον γὰρ ἐγώ φημι ἰοπλοκάμων μοισᾶν εὖ λαχεῖν. Idem in Coriol. [c. 1]: Οὐδὲν γὰρ ἄλλο μουσῶν εὐμενείας ἀπολαύουσιν ἄνθρωποι τοσοῦτον, ὅσον ἐξημερῶσαι τὴν φύσιν ὑπὸ λόγου καὶ παιδείας. Antiphan.
A ap. Athen. 1, [p. 3, B]: Ἀεὶ δὲ πρὸς μούσαισι καὶ λόγοις πάρει. Ap. Eund. 3: Οὓς ἐδίδαξαν ἀριστερὰ γράμματα μοῦσαι. Ap. Eund. 4: Σὺ Κυνικὲ, ὁ μηδέποτε ταῖς χάρισιν ἀλλ' οὐδὲ ταῖς μούσαις θύσας, ubi inhumanitas ei exprobratur. Contra ap. Plut. Rom. [c. 15] de Sextio Sylla Carthaginensi: Οὔτε μουσῶν οὔτε χαρίτων ἐπιδεὴς ἀνὴρ, i. e. οὐκ ἄμουσος. [Hujusmodi locis rectius scribitur Μοῦσα. Euripides ap. Stob. App. Fl. p. 36: Ὅστις νέος ὢν μουσῶν ἀμελεῖ, quæ Sophoclis, cui minus convenire videntur, putabat Gaisf. Figuratius ap. Poll. 7, 117: Βιαία ἡ ἐν τῷ Σοφοκλέους Δαιδάλῳ Τεκτόναρχος Μοῦσα. Hoc autem similibusve modis frequentant inprimis Eurip. et Plato.] De numero autem Musarum et quæ cuique tribuantur, vide Plut. Symp. 9, 14. [Et de variis earum nominibus præter grammat. Cram. infra citatum Buttmann. in Comment. de mythologia earum, Mythologi vol. 1, p. 273—294, cujus conjecturas de origine nominis Μῶσα (quam primitivam videri formam animadvertit etiam Müller. Dor. vol. 2, p. 528) vel Μοῦσα v. ib. p. 290. L. D.] Ha-
B rum nominibus [a grammaticis] inscripti sunt novem Herodoti libri. [De simili grammaticorum lusu Phot. Bibl. p. 20, 9: Τοὺς μὲν λόγους αὐτοῦ (Æschinis) τινες Χάριτας ὠνόμασαν διά τε τὸ χαρίεν τοῦ λόγου καὶ τὸν ἀριθμὸν τῶν Χαρίτων, Μούσας δὲ τὰς ἐπιστολὰς διὰ τὸν ἀριθμὸν τῶν ἐννέα Μουσῶν. Hodie quæ ei tribuuntur duodecim commentitias esse nemo ignorat. L. D.] Ab Eustath. [Il. p. 9, 35] traditur μούσας allegorice dici τὴν κατὰ νοῦν γνῶσιν: Suidæ autem μοῦσα simpliciter est γνῶσις, qui a μῶ derivat, significante ζητῶ, quoniam est ἁπάσης παιδείας αἰτία. [Hesychio τέχνη, ut μουσικοὶ, quod v., τεχνῖται. V. infra in signif. Cantus. || « De nymphis Nic. Damasc. p. 116: Ὃς πλαζόμενος περί τινα λίμνην, ἥτις ἀπ' αὐτῆς Τορρηβία ἐκλήθη, φθογγῆς Νυμφῶν ἀκούσας, ἃς καὶ Μούσας Λυδοὶ καλοῦσι, καὶ μουσικὴν ἐδιδάχθη, κτλ. » Angl.] || Μοῦσα aliquando accipitur pro ipso Cantu, Eust. [Il. p. 11, 18], qui inde μουσουργὸν dici scribit τὸν μελοποιόν. [Æsch. Suppl. 695: Εὔφημον μοῦσαν· Eum. 308: Μοῦσαν στυγεράν. Soph. Tr. 643: Καναχὰν θείας
C ἀντίλυρον μούσας. Et sæpissime Eurip.] Plut. Symp. 1, [5, p. 622, C]: Τὸν κύκλωπα μούσαις εὐφώνοις ἰᾶσθαί φησι τὸν ἔρωτα Φιλόξενος. [Thes. c. 16: Φωνὴν ἐχούσῃ πόλει καὶ μοῦσαν.] Herodian. 4, [6, 4]: Πάσης τε γὰρ μούσης ὄργανα πανταχοῦ διακείμενα ποικίλον ἦχον εἰργάζετο, Omnifaria musica instrumenta. Id. 5, [2, 9]: Ὀρχηστῶν τε θέαις, καὶ πάσης μούσης κινήσεώς τε εὐρύθμου ὑποκριταῖς σχολάζων. Eust. μοῦσαν vocari scribit γένος λόγου θηλύστολον, καὶ στοχαζόμενον τὰ πλείω ὡραϊσμοῦ καὶ ἡδονῆς καὶ φαιδρότητος καὶ κάλλους: cui opp. τὸν Ἑρμῆν, i. e. τὸν δραστήριον λόγον, τὸν κατὰ τὴν πρακτικὴν τὴν ἐμβριθῆ καὶ οἷον ἀνδρώδη θεωρούμενον: quique est γενναῖος, nec quicquam habet θηλύφωνον. Hesych. quum μούσας dixisset esse ᾠδὰς ἐρωτικὰς, addit, quosdam exponere etiam αἰνίγματα et τέχνας. [Lucian. Demosth. enc. c. 47: Τὰ μὲν δέεσθαι, τὰ δ' ἀπειλεῖν, ἁπαλήν τε μοῦσαν τῇ στερρᾷ κεραννύειν, Partim precari, partim minari, et blanditiis terrores miscere. Koenig.] De etymo dixi paulo ante ex Suida, quod et Eust. sequitur: Μούσας sc. dictas esse a μάω. Similiter et
D Plato Crat. [p. 406, A] τὰς μούσας τε καὶ ὅλην τὴν μουσικὴν a verbo Μῶσθαι dictas videri scribit: cognominatas sc. ἀπὸ τῆς ζητήσεώς τε καὶ φιλοσοφίας: accipiens illud μῶσθαι pro ζητεῖν, sicut et μαίεσθαι supra. [In Ind.:] Μωσοί, Hesychio ζητεῖ, quod et μῶται. [V. Μάω.] Plut. autem in l. Π. φιλαδελφ. [p. 480, F] ait μούσας vocatas quasi ὁμοῦ δι' εὔνοιαν ἀεὶ καὶ φιλαδελφίαν οὔσας: sicut et alii quasi ὁμοιούσας dictas volunt, quod uno nexu omnes disciplinæ teneantur, atque fiat ἐγκυκλοπαιδεία: Euseb. vero παρὰ τὸ μυεῖν, significante διδάσκειν et παιδεύειν. [Ceteræ formæ sunt:] Μοῖσα Æolice pro Μοῦσα dicitur, teste Eust. [Sic Pindarus ceterique Lyrici et Bucolici, qui multis modis Musam vel Musas et epithetis ornarunt et variis adhibuerunt loquendi generibus, de quibus rectius exponitur in vocc. unde ducuntur. || Forma Dor. est Μῶσα, ap. Alcmanem ab Etym. M. in Μοῦσα et aliis cit.: Μῶσ' ἄγε Μῶσα λίγεια· et in fr. ejusd. ap. Eust. Od. p. 1549, 59: Τὰν Μῶσαν καταύσεις, aliisque ap. Welcker. fr. IV sq., et sæpe ap. Bucolicos. Conf. Chœrob. vol. 1, p. 331, 33.

Laconica Μῶα vel Μῶά, de qua HSt. :] Μωὰ, Hesychio ᾠδή ποιά. [Aristoph. Lys. 1297 : Ἐκλιπῶα Μῶα. De omnibus vero formis ipsisque Musis Epim. Homer. in Crameri An. vol. 1, p. 277, 29 : Μοῦσα (Il. B, 761). Ἀπὸ μιᾶς αἱ πᾶσαι λέγονται· Μνασέας δέ φησιν ὅτι αἱ πᾶσαι τρεῖς εἰσίν· Μοῦσα, Θεὰ, Ὑμνώ· ἐν μὲν οὖν Ἰλιάδι μεμνῆσθαι τῆς Θεᾶς, Μῆνιν ἄειδε Θεά· ἐν δὲ Ὀδυσσείᾳ τῆς Μούσας (sic), Ἄνδρα μοι ἔννεπε Μοῦσα, ἐν δὲ τῇ Παλαμηδείᾳ τῆς Ὑμνοῦς ... Ἐκ τοῦ μοῦσα καὶ μοισῶ ῥῆμα παρὰ Συρακουσίοις· Ῥηγῖνοι δὲ λέγουσι μοῦσα, Αἰολεῖς μοῖσα, ὧν ἐστι Πίνδαρος, Ἀττικοὶ δὲ καὶ Ἴωνες καὶ Συρακούσιοι μοῦσα, Λάκωνες μῶσα, καὶ οἱ μεταγενέστεροι Λάκωνες ἄνευ τοῦ σ μῶα, καὶ ἡ γενικὴ τῶν πληθυντικῶν μωσάων (μωσᾶν Ahrens. De dial. vol. 1, p. 110, 6) παρὰ Λάκωσι, παρὰ δὲ Σαπφοῖ μοισάων, τὸ Ἰωνικὸν μουσέων, τὸ Βοιωτικὸν μουσάων (μωσάων Ahrens. l. c.), τὸ Ῥηγῖνον μοισᾶν. Τὸ μοῦσα δὲ παρὰ τὸ μῶ κτλ. In quibus præter alia notandum verbum aliunde non cognitum μοισῶ, nisi est ipsum μουσόω, ceterum non omnia sana esse ostendit quod duplex tribuitur Rheginis forma, quæ utraque aliorum potius est quam illorum, qui singulari quadam usi videntur nunc obscurata. Singularis est etiam ap. Priscian. 1, 7, p. 40 Krehl. : « Adeo autem cognatio est huic literæ, id est *s*, cum aspiratione, quod pro eo in quibusdam dictionibus solebant Bœoti (—*is* vel *es* libri meliores) *h* ponere, *muha* pro *musa* dicentes. » Quem Oropios sic loquentes Bœotis annumerasse suspicatur Ahrens. p. 174. Denique addenda hæc Clementis Protr. p. 27 : Τὰς δὲ Μούσας, ἃς Ἄλκανδρος Διὸς καὶ Μνημοσύνης γενεαλογεῖ καὶ οἱ λοιποὶ ποιηταὶ καὶ συγγραφεῖς ἐκθειάζουσι καὶ σέβουσιν, ἤδη δὲ καὶ ὅλαι πόλεις μουσεῖα τεμενίζουσιν αὐταῖς, Μούσας οὔσας θεραπαινίδας ταύτας ἐώνηται Μεγακλὼ ἡ θυγάτηρ Μάκαρος. Ὁ δὲ Μάκαρ Λεσβίων μὲν ἐβασίλευε, διεφέρετο δὲ ἀεὶ πρὸς τὴν γυναῖκα, ἠγανάκτει δὲ ἡ Μεγακλὼ ὑπὲρ τῆς μητρὸς ... καὶ Μούσας θεραπαινίδας τοσαύτας τὸν ἀριθμὸν ὠνεῖται καὶ καλεῖ Μύσας κατὰ τὴν διάλεκτον τὴν Αἰολέων ... Καὶ αἱ μὲν Μοῦσαι τοιαίδε· ἡ δὲ ἱστορία παρὰ Μυρσίλῳ τῷ Λεσβίῳ. Quam dialectum Æolicam aliis ignotam cum Lactantii Instit. 1, 6, 7 : « Consilium non βουλὴν sed βυλὴν appellabant Æolico genere sermonis, » (si modo ita scripsit, quod dubium reddunt Hieronymus et Isidorus, a Bünemanno citati) commento ad explicandum nomen Sibyllæ excogitato composuit Maittair. De dial. p. 155, B. L. Dind.]

[Μοῦσα, ἡ, uti describitur ab Allatio in Dissert. de recentiorum Græcorum templis p. 149, est Tesserula ex spongia eaque densissima et prelo compressa, ut obstruantur foramina facta, cujus ex una parte brachiolum sericeo ligamine eminet, quo digitis comprehenditur, utriusque usus est in abstergenda patina, ne quid in ea ex micis illis sacræ hostiæ remaneat. Vox formata a (?) μάω, μῶ, quod i. est ac μάσσω, Exsicco, Detergo. Demetrius Gemistus Ms. de Sacra patriarchæ liturgia : Ὁ δὲ ἱερεὺς λαβὼν τὴν μοῦσαν συλλέγει τὰς ἐν τῷ ἁγίῳ δίσκῳ μερίδας, et alii Byzantini. Ducang. Quibus addere licet Euch† p. 89 et Goar. p. 151, 626.]

[Μοῦσα, ἡ, Musa, conjux Phraatis iv, de qua v. Rochett. *Journ. des Sav.* 1836 (qui numerus intercidit supra in Μαύης), p. 261-4. De regina Bithyniæ Musa v. Eckhel. D. N. vol. 2, p. 446. Aliæ mulieres cognomines sunt in inscrr. Stratonic. ap. Bœckh. vol. 2, p. 492, n. 2731; Paria p. 912, n. 3653; Olynthia ib. p. 993, n. 2007, d. L. Dind.]

[Μουσαγέτης. V. Μουσηγέτης.]

[Μουσαῖον, τὸ, Opus musivum. Theophanes a. 27 Copronymi : Εἰκόνας τοῦ μικροῦ σεκρέτου διὰ μουσαίου οὔσας ἔξεσεν. Vetus inscr. Tunetana ap. Spon. Misc. erud. ant. s. 2, 8 : « Cameram superposuit, et opere museo exornavit. » Ducang.]

[Μουσαῖος, α, ον, Ad Musas pertinens, Musicus. Anon. ap. Cramer. Anecd. vol. 3, p. 215, 27 : Μέτρια μὲν ταῦτα ... ἀλλ' οὔτι μουσαίῳ γε μέτρια ἀνδρὶ συμβάλλειν καὶ ἐξ ὀνύχων μόνων εἰδέναι τὸν λέοντα. || Forma Dor. Pind. Nem. 8, 47 : Λίθον Μοισαῖον· Isthm. 5, 2 : Μοισαίων μελέων· 7, 62 : Μοισαῖον ἅρμα. L. Dindorf.]

[Μουσαῖος, ὁ, Musæus, n. viri, cujus notissimum ex. est poeta, de quo v. Fabric. B. Gr. vol. 1, p. 119.

A Alii sunt in inscrr. ap. Bœckh. vol. 1, p. 331, n. 193, 20; p. 406, n. 304, 12; Megar. p. 572, n. 1099; Spart. p. 629, n. 1258, 12; ap. Polyb. 21, 13, 1 etc., ubi legatus Antiochi memoratur, et alibi. L. Dindorf.]

Μούσαξ, Hesychio ὁ ὑπὸ τοῦ βοᾶν [βοάγου] τρεφόμενος, Rabula. [« Μούσαξ ore Laconico erat qui forma vulgari dici potuit μύθαξ. » Valck. Adon. p. 280, A. Scriptura codicis βοάγου, quam Musurus jam correxerat βοαγοῦ, quod voc. v. vol. 2, p. 343, A, ostendit i. esse q. μόθαξ, quod v. supra. L. Dind.]

Μουσαπολετὴρ, ῆρος, ὁ, Cantus et modulorum musicorum deperditor : Virg., Non tu in triviis, indocte, solebas Stridenti miserum stipula deperdere carmen? Apud Athen. 10, [p. 455, A] : Μὴ σοφοῖς κλύειν Μουσαπολετὴρ, [Μουσοπόλε θὴρ,] κηρόχυτον μείλιγμ' ἱείς.

[Μουσάριον, τὸ, Collyrii nomen, Alex. Trall. 2, p. 129. || Opus musivum. Jo. Malal. p. 302, 9 : Ἐπεκόσμησεν ἐν Ἀντιοχείᾳ τῇ μεγάλῃ τὸ λεγόμενον Μουσεῖον, καὶ τὸ ἐν αὐτῷ Νυμφαῖον, γράψας ἐν αὐτῷ διὰ μουσαρίου τὸν Ὠκεανόν· 360, 12 : Ἐπέγραψεν ἐν αὐτῇ (τῇ βασιλικῇ)

B διὰ χρυσέου μουσαρίου ταῦτα. L. Dind.]

[Μουσάριον, ἡ, Musarium, n. mulieris, ap. Lucian. Dial. mer. 7, Aristænet. Epist. 1, 24, Etym. M. p. 782, 45.]

[Μούσαρον, τὸ, Ars musivaria. Eustachius Vita S. Eutychii Patr. Cpol. n. 53 : Νεώτερός τις τὴν τοῦ μουσάρου τέχνην ἐπιστάμενος. Ducang. Nisi legendum μουσαρίου.]

[Μουσᾶς, ᾶ, ὁ, Musa, cogn. Antonii, medici, quem memorant scriptores Latini in Lexx. Lat. citati. « Μουσᾶ τροχίσκος, Pastillus apud veteres celebris, cujus descriptio habetur ap. Paul. Æg. 7, 12 (p. 274, 1). Gorræus.]

Μουσεῖα, τὰ, Festum in honorem Musarum. Pollux, περὶ ἑορτῶν παρωνύμων ἐκ τῶν τιμωμένων θεῶν loquens [1, 37] : Μουσῶν, Μουσεῖα· Ἑρμοῦ, Ἕρμαια· Διὸς, Διάσια καὶ Πάνδια. [Pollux fortasse respexit ad Æschin. p. 2, 21 : Περὶ Μουσείων ἐν τοῖς διδασκαλείοις καὶ περὶ Ἑρμαίων ἐν ταῖς παλαίστραις. Pausan. 9, 31, 3 : Ἑορτὴν ἐνταῦθα οἱ Θεσπιεῖς καὶ ἀγῶνα ἄγουσι Μουσεῖα.

C Inscr. ap. Bœckh. vol. 2, n. 3067, p. 655, 20 : Ἐν Θεσπιαῖς τοῖς Μουσείοις. Conf. Bœot. vol. 1, p. 769, n. 1586, 4. Sing. Athen. 14, p. 629, A : Περὶ τοῦ ἐν Ἑλικῶνι Μουσείου. Eundem de festo ut properispom. ponere videtur Theognost. Can. p. 129, 32.]

[Μουσειεύς. V. Μούσειον.]

Μουσεῖον, τὸ, Museum, Locus musis et studiis dicatus; vel, ut Philostr. V. Ap. [epist. 34] scribit, Locus ubi Musæ colebantur, et responsa ab eis reddebantur. [Plato Phædr. p. 278, B : Εἰς τὸ Νυμφῶν νᾶμά τε καὶ μουσεῖον.] Plut. in l. qui Περὶ πολυπραγμοσύνης inscribitur [p. 521, D] : Τὰ μουσεῖα πορρωτάτω τῶν πόλεων ἱδρύσαντο, καὶ τὴν νύκτα προσεῖπον εὐφρόνην· μέγα πρὸς εὕρεσιν τῶν ζητουμένων καὶ σκέψιν ἡγούμενοι τὴν ἡσυχίαν· Symp. 9 [init.] : Λόγους τοὺς Ἀθήνησιν ἐν τοῖς μ. γενομένους. Plin. 16, 32 : Stagiris in museo populum albam prociduam atque detruncatam, restitutam fuisse. [Μουσεῖον Alexandriæ Ægypti describit Strabo 17, p. 793 sq., Tarentinum memorat Polyb. 8, 27, 11; 29, 1. « Pythag. ap. Iambl. V. Pyth. p. 34,

D Crotoniatis auctor est ut exstruant μουσεῖον. » Valck. Ejusmodi museum exstitit Antiochiæ. Chron. Alex. a. 36 Theodosii jun. : Εἰς τὸ λεγόμενον μουσεῖον στήλην χαλκῆν ἔστησεν αὐτῇ. Zacharias scholast. De opif. mundi p. 481 : Καί μου τῆς δεξιᾶς λαβόμενος ἀπάγει παρὰ τὸ τέμενος τῶν Μουσῶν, ἔνθα ποιηταὶ καὶ ῥήτορες καὶ τῶν γραμματιστῶν οἱ παῖδες φοιτῶντες ποιοῦνται τὰς ἐπιδείξεις. V. Suidam in Ἀπολλώνιον, et Epiphan. Hæresi 32, 3. Ejusdem nominis Castrum in Macedonia memorat Procop. Ædif. 4, 4. Ducang.] Apud Athen. vero [5, p. 187, D] Comicus quidam Athenas vocat τῆς Ἑλλάδος μουσεῖον· at Pindarus Ἑλλάδος Ἑλλάδα· Pythius, ἑστίαν καὶ πρυτανεῖον τῶν Ἑλλήνων. Item ap. Aristoph. Ran. [93], μουσεῖα χελιδόνων, Musea hirundinum, in quibus garriunt. [Ex Eur. Alcum. ap. schol.: Πολὺς δ' ἀνεῖρπε κισσὸς, εὐφυὴς κλάδος, χελιδόνων μουσεῖον. Id. Hel. 1108 : Σὲ τὰν ἐναυλείοις ὑπὸ δενδροκόμοις μουσεῖα καὶ θάκους ἐνίζουσαν ... ἀηδόνα. Ib. 169 : Παρθένοι, χθονὸς κόραι, Σειρῆνες, εἴθ' ἐμοῖς γόοις μόλοιτ' ἔχουσαι τὸν Λίβυν λωτὸν ἢ σύριγγας, αἰλίνοις κακοῖς τοῖς ἐμοῖσι σύνοχα δάκρυα ... μουσεῖά τε θρηνήμασι ξυνῳδὰ πέμψειε Φερσέφασσα φόνια, Cantus intelligebat Brodæus. Philostr. jun. p. 866 : Ὁ δὲ τῶν ἀηδόνων χορὸς καὶ τὰ τῶν ἄλλων ὀρνέων μουσεῖα σαφῶς ἡμῖν τὰ τοῦ Σοφοκλέους ἐπὶ γλῶτταν ἄγει, Πυκνόπτεροι δ' εἴσω κατ' αὐτὸν εὐστομοῦσ' ἀηδόνες. Ubi Jacobsius contulit Philostr. V. Ap. 7, 11, p. 287 : Τούτοις (cicadis) μὲν ἀνεῖται τὰ αὐτῶν μουσεῖα, ἡμῖν δὲ οὐδὲ γρύξαι συγγνώμη. Plato Phædr. p. 267, C : Τὰ Πώλου πῶς φράσομεν αὖ μουσεῖα λόγων; Aristot. Rhet. 3, 3, inter ψυχρὰ Alcidamantis: Οὐχὶ μουσεῖον, ἀλλὰ τὸ τῆς φύσεως παραλαβὼν μουσεῖον. « Longinus περιπατοῦν Μουσεῖον, Eunap. p. 13, 17. » Valck.] Μουσεῖον est etiam Civitas quædam ap. Pausan. Att. p. 18 [c. 26, 1. Immo Athenarum dicit Museum, de quo 25, 8 : Ἔστι δὲ ἐντὸς τοῦ περιβόλου τοῦ ἀρχαίου τὸ Μουσεῖον, ἀπαντικρὺ τῆς ἀκροπόλεως λόφος, ἔνθα Μουσαῖον ᾄδειν καὶ ἀποθανόντα γήρᾳ ταφῆναι λέγουσιν.] At μούσειον (scribitur enim proparoxytonws), Steph. Byz. dicit esse locum περὶ Ὄλυμπον τὸν ἐν Μακεδονίᾳ, citans Polyb. l. 37, cujus gentile s. τοπικὸν nomen est Μουσειεύς, ut Σιγειεύς. [« Cujus Musei nulla quidem ap. alium auctorem diserta mentio superest: attamen ex eis quæ Paus. prodidit 9, 30, collatis cum Strab. 9, p. 410, intelligitur fuisse haud longe ab Olympo, qua is in Macedoniam se demittit, Orphei monumentum, Musarum amici, aliaque loca Musis sacrata, ejusdem nominis cum illis, quæ in Helicone, Bœotiæ monte, celebrata erant. » Schweigh. ad Polyb. 37, 1. Nisi forte huc pertinet Μουσεῖον Macedoniæ a Procopio supra cit. memoratum. || In anon. Exposit. totius mundi p. 18 : Ἀγῶνος γενομένου τῶν Αἰγυπτίων καὶ Ἑλλήνων τίς αὐτῶν τὸ μουσεῖον λάβῃ δεινότεροι καὶ τελειότεροι εὑρημένοι οἱ Αἰγύπτιοι καὶ ἐνίκησαν, καὶ τὸ μουσεῖον πρὸς αὐτοὺς κέχριται· et ib. paullo post : Οὐδαμοῦ τῆς γῆς ἢ οἰκοδομὴ ἢ διάθεσις τοῦ ναοῦ ἢ θρησκείας εὑρίσκεται, πάντοθεν δὲ τὸ μουσεῖον αὐτῇ ἀνακάμπτει, Principatum vertit Gothofredus, s. Præmium primasque et potiores partes, annot. p. 22. L. D. || Μουσεῖον, Μουσίον, τὸ, Musivum, de qua v. multa diximus in Gloss. med. Lat. Lex. Ms. ex cod. Colbert. 2199 : Μουσίων, τὸ τῶν ψηφίδων. Synod. 7 OEcum. Act. 4 : Εἰκόνες ... διὰ μουσείων· Act. 5 : Εἰκονικὴν διαζωγράφησιν εἴτε ἐν σανίσιν εἴτε διὰ μουσείων ἐν τοίχοις. Codin. Orig. Cpol. n. 151 : Διὰ μουσίων ἐκαλλώπισαν αὐτό. Mox : Τὸ μουσεῖον ἐκεῖνο. Ducang. Μουσίον Jo. Malal. 1, 221 : Ἐπληρώθη ἡ χαλκῆ τοῦ παλατίου Κπόλεως, κοσμηθεῖσα διαφόροις μαρμάροις καὶ μουσίῳ. Elberl. Hippolyt. Hom. in Theoph. p. 261 Fabr. : Τί δὲ τοῦ τῶν ἄστρων μουσίου ἀξιαγαστότερον ἔργον; citat Boiss. Formæ Μωσίον exx. ex scriptoribus græcobarbaris attulit Ducang. ib. p. 964. V. etiam Μουσαῖον.]

Μουσεῖος, ὁ, ἡ, Musicus, i. q. μουσικός. Epigr. [Anth. Pal. 9, 372, 6], μ. κέλαδος, Sonus s. Cantus musicus. [Eur. Bacch. 408 : Πιερία μούσειος ἕδρα.]

[Μουσέρως, ωτος, ὁ, Museros, n. viri, in inscr. Bœot. ap. Bœckh. vol. 1, p. 769, n. 1586, 8. L. Dind.]

[Μουσηγετέω, Theod. Prodr. in Notitt. Ms. 8, p. 132. Elberling.] Μουσηγετῶν, Musis citharæ pulsu præiens.

Μουσηγέτης, [s. Μουσαγέτης,] ὁ, Musarum ductor, epith. Apollinis, Paus. Att. p. 2 [c. 2, 4]. Plut. Symp. 9 [p. 745, A]: Τοὺς ἰατροὺς Ἀσκληπιὸν [ἔχοντας] ἴσμεν ἡγεμόνα, καὶ Ἀπόλλωνι παιᾶνι χρωμένους πάντα, μουσηγέτῃ μηθέν. [Pindarus ap. Hephæst. p. 42 : Ὁ Μουσαγέτας με καλεῖ χορεῦσαι. Lucian. De hist. conscr. c. 16. Nicet. Eugen. vol. 2, p. 8. Producto α dixit Pindarus, correpto Orph. H. 33, 6 : Μουσαγέτα, χοροποιέ.]

[Μουσήλιον, τό. Aetius 10, 59 : Δορκαδιάδος βοτάνης τῆς μουσηλίου καλουμένης. Ducang. App. Gl. p. 136.]

[Μουσήλιος, ὁ, Muselius, n. eunuchi, in epigr. Anth. Pal. 9, 790, 1 ; 800, 1.]

[Μουσιάτωρ, ορος, ὁ, Musivarius, Musivi artifex, ψηφοθέτης, S. Basilio Homil. in Divites. Ducang.]

[Μουσίδδω, forma Laconica verbi μυθίζω, Loquor. Hesychius : Μουσίδδει, λαλεῖ, ὁμιλεῖ. Μουσιαδδεῖ cod., quod μουσιάδδει scribendum putabat Schow.]

Μουσίζω, Cantu contendo, VV. LL. [Medio Eur. Cycl. 489 : Ἄχαριν κέλαδον μουσιζόμενος. Activo et forma Dor. Theocr. 8, 38 : Ὁμοῖον μουσίσδει Δάφνις

A ταῖσιν ἀηδονίσιν· 11, 81 : Οὕτω τοι Πολύφαμος ἐποίμαινεν τὸν ἔρωτα μουσίσδων.]

[Μουσικανὸς, ὁ, Musicanus, regulus Indiæ, ap. Diod. 17, 102, Strab. 15, p. 694, 701.]

[Μουσίκευμα, τὸ, Cantus. Const. Manass. Chron. 4797 : Λιγυρὸν μουσίκευμα. Boiss.]

Μουσικεύομαι, Musica ratione tempero cantica et modulor, i. q. μουσουργέω, Musicus sum et musicorum modulorum peritus. Exemplum ex Athen. 12, [p. 510, D] habes ap. Bud. p. 1084. [Pollucem 14, 17, improbare monet Lobeck. ad Phryn. p. 764.]

[Μουσικοπρεπῶς, Ut musicum decet. Theodor. Stud. p. 618, ρκγ', 3 : Αὐτὸς δ' ᾄδοις μοι μουσικοπρεπῶς πάλιν. L. Dind.]

Μουσικὸς, ἡ, ὸν, Musicus : μ. ὄργανα, Demetr. Phal. [§ 69], a quo opp. μουσικὰ et δύσφωνα. Et μ. ὀστέον, Tibia ad musicos modulos apta, Plut. Symp. [p. 150, F], de asino : Παχύτατος καὶ ἀμουσότατος ὢν τἄλλα, λεπτότατον καὶ μουσικώτατον ὀστέον παρέχεται, ubi etiam reddi posset, Valde sonorum, canorum. [Aristoph.
B Av. 1332 : Σὺ δὲ τὰ πτερὰ ... διάθες ... τά τε μουσίχ' ὁμοῦ τά τε μαντικὰ καὶ τὰ θαλάττια.] Et μ. ἀκούσματα, in Axiocho [p. 371, D] : Θέατρα ποιητῶν, καὶ κύκλιοι χοροὶ, καὶ μ. ἀκούσματα, Musici concentus. Aristoph. Pl. [1163]: Μουσικοὶ ἀγῶνες καὶ γυμνικοί. Plut. Fab. [c. 4] : Θέας δὲ μ. καὶ θυμελικὰς ἄξειν. [Plato Leg. 8, p. 828, C.] Et μουσικὸς aliquis dicitur Qui canit, Canorus; Canendi peritus, Artis cantandi [et latiori signif. Musicæ (ut ap. Hesychium : Μουσικὸς, ψάλτης, τεχνίτης), qua non solum musicam quæ proprie dicitur, quæque ad eam proxime pertinet poesin, sed totam interdum ἐγκύκλιον παιδείαν comprehendi, ut ap. Hesychium : Μουσικὴν, πᾶσαν τέχνην οἱ Ἀττικοὶ, et Photium : Μουσικὴν καὶ τὴν μαντείαν οἱ παλαιοὶ καὶ τὴν ποιητικήν. Λέγεται δὲ καὶ τὸ εὐπαίδευτον καὶ ἐπιδέξιον μουσικόν, pluribus exx. ostendit Locella ad Xen. Eph. p. 125] peritus : cui opp. ἄμουσος. [Eur. fr. Stheneb. ap. Plut. Mor. p. 622, C : Μουσικὸν δ' ἔρως διδάσκει, κἂν ἄμουσος ᾖ τὸ πρίν. Plat. Soph. p. 253, B. Id. Leg. 7, p. 802, B : Ποιητικοὺς καὶ μουσικοὺς ἄνδρας· Reip.
C 10, p. 620, A : Κύκνον καὶ ἄλλα ζῷα μουσικά· Phædr. p. 237, A : Διὰ γένος μουσικὸν τὸ Λιγύων.] Plut. [Mor. p. 549, F] : Περὶ μουσικῶν ἀμούσους καὶ πολεμικῶν ἀστρατεύτους διαλέγεσθαι. [Xen. Cyrop. 1, 6, 38 : Οἱ μουσικοὶ ἄλλα μέλη πειρῶνται ποιεῖν.] Athen. 4, [p. 176, E] : Ἀλεξανδρέων μουσικώτεροι ἄλλοι γενέσθαι οὐχ ἱστόρηνται. Plut. Lyc. [c. 21] de adolescentibus Spartanis : Μουσικωτάτους ἅμα καὶ πολεμικωτάτους ἀποφαίνουσιν αὐτούς. Aristoph. Vesp. [1244] : Ἀνὴρ σοφὸς καὶ μουσικὸς, Vir sapiens et musicus, doctus. [Eq. 191 : Ἡ δημαγωγία γὰρ οὐ πρὸς μουσικοῦ ἔτ' ἐστὶν ἀνδρὸς οὐδὲ χρηστοῦ τοὺς τρόπους, ἀλλ' εἰς ἀμαθῆ καὶ βδελυρόν. Id. in fr. ap. Phot. s. Suid. in Τρύχνον cit.: Ἤδη γάρ εἰμι μουσικώτερος τρύχνου.] Aristot. Eth. 10, 4 : Ὁ μουσικὸς τῇ ἀκοῇ ἐνεργεῖ περὶ τὰ μέλη. Item aliquis dicitur μουσικώτατος κατά, περί τι. Athen. 4, [p. 183, D] : Μουσικώτατος δ' ὢν κατὰ χεῖρα δίχα πλήκτρου ἔψαλλεν, Quum manu scitissime ac elegantissime musicos modulos exprimere posset. Eod. l., aliquanto ante [p. 179, F] : Περὶ αὐλοὺς εἰσὶ μουσικώτατοι. Potest etiam accipi pro φιλόμουσος,
D Musices amans; ita Athen. 8, [p. 361, F] videtur Adrianum Imper. dicere μουσικώτατον βασιλέα, qui fanum fortunæ Romanorum statuerat, in quo Parilibus ἐξάκουστος ἐγένετο κατὰ πᾶσαν τὴν πόλιν αὐλῶν βόμβος καὶ κυμβάλων ἦχος, ἔτι τε τυμπάνων τύπος μετὰ ᾠδῆς ἅμα γινόμενος. At Isocr. μουσικὴν πόλιν dicit potius Urbem literarum amantem, Ep. ad Præf. Mitylenæorum : Αἰσχρὸν γὰρ τὴν μὲν πόλιν ὑμῶν ὑπὸ πάντων ὁμολογεῖσθαι μουσικωτάτην εἶναι, ... τὸν δὲ προέχοντα τῶν νῦν ὄντων περὶ τὴν ἱστορίαν, τῆς παιδείας ταύτης, φεύγειν ἐκ τῆς τοιαύτης πόλεως. [Cum inf. Eur. Hipp. 989 : Οἱ γὰρ ἐν σοφοῖς φαῦλοι παρ' ὄχλῳ μουσικώτεροι λέγειν.] Et τὰ μουσικά, Musica, Musici moduli. Xen. Cyrop. 1, [6, 38] : Σφόδρα μὲν καὶ ἐν τοῖς μ. τὰ νέα καὶ ἀνθηρὰ εὐδοκιμεῖ. [Plat. Reip. 3, p. 403, C. Polyb. 9, 20, 7 : Καὶ γὰρ ἄτοπον τοὺς μὲν ὀρχηστικῆς ἢ τοὺς αὐλητικῆς ἐφιεμένους ἐπιδέχεσθαι τήν τε περὶ τοὺς ῥυθμοὺς καὶ τὰ μουσικὰ προκατασκευήν. || Latiori signif. Concinnus, Scitus, Politus. Philemo ap. Plut. Mor. p. 35, D : Ἥδιον οὐδὲν οὐδὲ μουσικώτερόν ἐσθ' ἢ δύνασθαι λοιδορούμενον φέρειν.

Plato Leg. 5, p. 729, A : Ἡ τῶν νέων οὐσία, τῶν δ' ἀναγκαίων μὴ ἐνδεὴς, αὕτη πασῶν μουσικωτάτη τε καὶ ἀρίστη. Ut infra μουσικῶς, de cibis Dioxippus ap. Athen. 3, p. 100, E : Οἵων δ' ἐπιθυμεῖ βρωμάτων, ὡς μουσικῶν, ἤνυστρα, μήτρας, χόλικας. Plut. Mor. p. 127, B : Τιμόθεον εἰπεῖν τῇ προτεραίᾳ δεδειπνηκότα ἐν Ἀκαδημίᾳ παρὰ Πλάτωνι, Μουσικὸν καὶ λιτὸν δεῖπνον, ὡς οἱ παρὰ Πλάτωνι δειπνήσαντες καὶ εἰσαύριον ἡδέως γίνονται. Damasc. Vita Isid. ap. Phot. Bibl. p. 338, 16 : Τροφὴν μέσην καὶ μουσικήν. Et de inventore mattyæ Macho ap. Athen. 14, p. 664, B : Μουσικωτάτου τινός (inventum). Quæ partim citavit Valck.] At Μουσικὴ, sub. τέχνη, ἐπιστήμη, Musica, Musica ars, Scientia modulorum concinnorum, cantandi. [Herodot. 3, 131 : Ἀργεῖοι ἤκουον μουσικὴν εἶναι Ἑλλήνων πρῶτοι· 6, 129 : Οἱ μνηστῆρες ἔριν εἶχον ἀμφὶ μουσικῇ.] Plut. in l. qui Περὶ εὐθυμίας [p. 474, A] inscribitur : Ἐν μουσικῇ βαρεῖς φθόγγοι καὶ ὀξεῖς, ἐν δὲ γραμματικῇ φωνήεντα καὶ ἄφωνα γράμματα. Athen. 14, [p. 627, A] : Τὸ δ' ἀρχαῖον ἡ μ. ἐπ' ἀνδρείαν προτροπὴ ἦν. Eod. l. [p. 624, A] ex Theophr. : Νόσους ἰᾶται μουσική· sicut ap. Plut. Symp. 7, [p. 704, F] : Μουσικῇ πολλὰ κηλεῖται τῶν ἀλόγων, ὥσπερ ἔλαφοι σύριγξι· Alex. [c. 7] : Τοῖς περὶ μουσικὴν καὶ τὰ ἐγκύκλια παιδευταῖς. Xen. Reip. Lac. [2, 1] de pueris et adolescentibus Spartanis : Εὐθὺς δὲ πέμπουσιν εἰς διδασκάλων, μαθησομένους καὶ γράμματα καὶ μουσικὴν, καὶ τὰ ἐν παλαίστρᾳ· sicut Aristot. Polit. 8, [3] dicit quatuor præcipue esse, quæ docere soleant juniores, γράμματα, καὶ γυμναστικὴν, καὶ μουσικὴν, καὶ ἐνίους τὴν γραφικήν. [Soph. ap. Stob. App. vol. 4, p. 34 : Χωρῶμεν ἤδη, παῖδες, εἰς τὰ τῶν σοφῶν διδασκαλεῖα, μουσικῆς παιδεύματα. Eurip. ap. Stob. Fl. vol. 3, p. 264 : Ἠπιστάμην ἂν μουσικὴν παρεὶς πονεῖν. Aristoph. Ran. 1493 : Χαρίεν οὖν μὴ Σωκράτει παρακαθήμενον λαλεῖν ἀποβαλόντα μουσικὴν τά τε μέγιστα παραλιπόντα τῆς τρυγῳδικῆς τέχνης.] Item ἡ παλαιὰ καὶ νέα μ., de qua tum ap. Athen. multa, tum ap. Plut. in l. qui Περὶ μουσικῆς inscribitur. At in hoc l. Luciani [De saltat. c. 16] : Ἐν Δήλῳ δέ γε οὐδὲ αἱ θυσίαι ἄνευ ὀρχήσεως, ἀλλὰ σὺν ταύτῃ καὶ μετὰ μουσικῆς ἐγίνοντο, accipitur potius pro Musicis modulis et ipso Cantu, sicut μοῦσα supra. Qua signif. μουσικὴν ἀναβάλλομαι, ex Aphthon. affertur. [Pind. fr. ap. Aristid. vol. 2, p. 295 et Plut. (ap. Bœckh. fr. 8) : Τὸν Κάδμον ἀκοῦσαι μουσικὰν ὀρθὰν ἐπιδεικνυμένου (Apollinis).] Bud. post prolixos ex Plat. et Aristot. ll. de μοῦσα et μουσικὴ citt. p. 1084, 1085, summam antedictorum colligens, Ex quibus verbis, inquit, intelligimus, musicæ appellatione priscos humanitatem literarum significasse, in qua ingenuos homines docebant otium conterere, animumque recreare; recentiores vero ad numerorum modulationem hoc vocab. transtulisse : quia musica, velut ludus, animi a curis vexati est requies. Ex quo factum est ut μουσικὴ non solum τὴν παιδείαν, sed etiam τὴν παιδιὰν significet, ut ex eod. l. Aristot. planum fit perlegentibus. [Pind. Ol. 1, 15 : Ἀγλαΐζεται δὲ καὶ μουσικᾶς ἐν ἀώτῳ οἷα παίζομεν φίλαν ἄνδρες ἀμφὶ θαμά.] Plato Leg. [Reip.] 2, [p. 376, E] : Ἔστι δέ που παιδεία ἡ μὲν ἐπὶ σώμασι, γυμναστική, ἐπὶ δὲ ψυχῇ, μουσική· ubi mox sequitur, Μουσικὴν δὲ εἰπὼν, τίθης λόγους, ἢ οὔ; Ἔγωγε, inquit alter. [Aristoph. Eq. 188 : Ἀλλ', ὠγάθ', οὐδὲ μουσικὴν ἐπίσταμαι πλὴν γραμμάτων, καὶ ταῦτα μέντοι κακὰ κακῶς.] At μουσικὴ ἐν ἀσπίδι ex [Ps.-] Eur. [Suppl. 906], Dexteritas, Concinnitas in clypeo. [|| Μουσικὸς, nempe οἶκος, sic dictum Triclinium a Theophilo Imp. ædificatum διὰ τὴν τῶν μαρμάρων συγκοπὴν, ut scribit Continuator Theophanis 3, 43; unde colligitur musivum etiam referri ad opus tessellatum. Ducang.]

|| Μουσικῶς, Musice, Secundum modulos musicos, Musicis modulis. [Plat. Alc. 1 p. 108, D : M. μοι δοκεῖ (γίγνεσθαι τὸ κατὰ μουσικὴν ὀρθῶς γιγνόμενον).] Plut. De orac. Pyth. [p. 405, A] : M. κινοῦντι νοῦν ἄμουσον, ἢ γραμματικῶς τὸν ἀγράμματον. [Ope musicæ, lyræ, ap. schol. Eur. Phœn. 115. Boiss.] Item Concinne, Scite, Tanta cum concinnitate quanta in musicis modulis cernitur, Eleganter. [Plato Prot. p. 333, A : Οὗτοι οἱ λόγοι ἀμφότεροι οὐ πάνυ μ. λέγονται· οὐ γὰρ συνᾴδουσιν οὐδὲ συναρμόττουσιν ἀλλήλοις· Reip. 3, p. 403, A : Ὁ ὀρθὸς ἔρως πέφυκε ... σωφρόνως τε καὶ μ. ἐρᾶν· Leg. 7, p.

A 816, C : Ὡς ὀρθῶς ἅμα καὶ μ. ὠνόμασε.] Isocr. In Soph. [p. 294, D] : Τοῖς ὀνόμασιν εὐρύθμως καὶ μ. εἰπεῖν. Idem in Epist. ad l. Ias. [p. 419, B] : Εἰπεῖν δὲ περὶ τῶν προτεθέντων ἐπιχαρίτως καὶ μ. καὶ διαπεπονημένως οὐκέτι τῆς ἡμετέρας ἡλικίας ἔργον ἐστί. Item ex Aristot. Rhet. 2, [22] : Οἱ ποιηταί φασι τοὺς ἀπαιδεύτους, παρ' ὄχλῳ μουσικώτερον [μουσικωτέρως Bekkerus ex libris : sed verum est μουσικωτέρους, quod est in aliis, quum respiciatur l. Eur. Hipp. supra cit.] λέγειν, Dicere elegantius. Sed coquus quidam ap. [Nicomachum] Athen. 7, [p. 291, A] dicit μ. σκευάσαι τοὖψον, Scite et eleganter. [Euphron ib. 1, p. 7, F : Ἅλας δοὺς μουσικῶς. Valck. Alia v. ap. Locellam l. c. p. 126.] Et μουσικώτατα, Doctissime, ex Aristoph. [Ran. 873 : Ὅπως ἂν εὔξωμαι πρὸ τῶν σοφισμάτων ἀγῶνα κρῖναι τόνδε μουσικώτατα.]

Μουσίκτης, ὁ, ap. Hesych. i. q. μουσικὸς, ψάλτης. [Conf. Valck. Adoniaz. p. 280, Ep. ad Rœv. p. 34, qui rectius scripsit μουσίκτας.]

[Μουσικῶς. V. Μουσικός.]

B [Μούσιον, τὸ, Musivum. V. Μουσεῖον.]

[Μουσιόω, Musivo adorno. Codinus Orig. Cpol. n. 144 : Εἶθ' οὕτως ἐμουσίωσαν καὶ ὀρθομαρμάρωσαν αὐτόν. Adde n. 147. || Μουσίωμα, τὸ, Μουσίωσις, εως, ἡ, Opus musivum. Idem Codin. n. 150 : Ἐν τῷ καιρῷ τοῦ μουσιώματος. Gregor. Naz. : Πάσης ἱστουργικῆς ψηφῖδος. Schol. : Ψηφῖδος, ὡς οἶμαι, μουσιώσεως, ἃς ἐν τοῖς ἐσθήμασι τέχνη ἐκαλλώπισε. Ducang.]

[Μοῦσις, ιδος, ἡ, Musis, n. mulieris, in inscr. Att. ap. Bœckh. vol. 1, p. 509, n. 726. L. Dind.]

[Μουσίωμα, Μουσίωσις. V. Μουσιόω.]

[Μούσμονες, οἱ, genus arietum in Corsica. Strabo 5, p. 225 : Γίνονται δ' ἐνταῦθα (in Corsica) οἱ τρίχα φύοντες αἴγειαν ἀντ' ἐρέας κριοὶ, καλούμενοι δὲ μούσμονες, ὧν ταῖς δοραῖς θωρακίζονται. In Epitome μούσμωνες. Servius ad Virg. Georg. 3, 446 : « Musimonem dicit ducem gregis, quem ita et Varro commemorat, » ubi al. rectius, ut videtur, Musmonem. Conf. tamen Schneider. ad Varron. 2, 2, 12, p. 411. L. Dind.]

[Μουσόδομος, ὁ, ἡ.] Μουσοδρόμοις πέτραις, Quas Musæ

C percurrunt, Epigr. [Onestæ Anth. Pal. 9, 250, 4 : Πέτροι μουσοδόμοις τείχεσιν αὐτόμολοι, de mœnibus Thebarum, ad quæ exstruenda lapides cantu excitati concurrerant.]

[Μουσοδόνημα, τὸ, Cantus quem Musæ movent s. inspirant. Eupolis Προσπαλτίοις ap. Priscian. 18, 25, 225 : Τί κατακρώξεθέ μου τὰ μουσοδονήματα; Elberl.]

[Μουσοεργός. V. Μουσουργός.]

[Μουσοκερατίδης, ὁ.] Μουσοκερατίδας Hesych. dictos scribit τοὺς τὰ μουσικὰ ἢ μελικὰ μέλη ᾄδοντας : fuisse autem ea carmina θρηνώδη.

[Μουσοκλῆς, έους, ὁ, Musocles, n. viri, in Ms. ap. Pasin. Codd. Taurin. vol. 1, p. 151, B; 152, A. L. Dindorf.]

[Μουσοκόλαξ, ἄκος, ὁ, Musicus s. Musarum adulator. Dionys. A. R. 7, 9 : Εἰς τὰ διδασκαλεῖα τῶν ὀρχηστῶν καὶ αὐλητῶν καὶ παραπλησίων τούτοις μουσοκολάκων. « Joann. Chumnus Epist. 2. » Boiss.]

[Μουσοληπτέομαι, A Musis corripior, inspiror. Aristid. ap. Phot. Bibl. p. 411, 16.]

D Μουσόληπτος, ὁ, ἡ, A musis afflatus, ὑπὸ μουσῶν ἔνθεος, ut Lucian. supra. Plut. [Mor. p. 452, B] : Οὐ γὰρ μόνον ἐν ποιήμασιν ὁ μ. καὶ κατάσχετος τὸν τεχνίτην ἀποδείκνυσι γελοῖον. [Eust. Il. p. 11, 10. Agathias p. 4, A, ψυχαί. Pollux 1, 19.]

Μουσομανέω, Insano Musarum aut musices amore flagro, A Musis afflatus sum. Athen. 4, [p. 183, E] de quodam Alexandro : Οὕτως ἐποίησε πάντας Ῥωμαίους μουσομανεῖν, ὡς τοὺς πολλοὺς καὶ ἀπομνημονεύειν αὐτοῦ τὰ κρούσματα. [Ps.-Lucian. Ner. c. 6. Pollux 4, 52.]

Μουσομανὴς, ὁ, ἡ, Cantu insaniens, A Musis afflatus; nam est quædam et ἀπὸ μουσῶν κατοχή τε καὶ μανία, λαβοῦσα τὴν ψυχὴν καὶ ἐκβακχεύουσα κατά τε ᾠδὰς καὶ κατὰ τὴν ἄλλην ποίησιν, ut Plato Phædro. In Epigr. [Theætet. schol. Anth. Pal. 10, 16, 4], μ. τέττιξ. [Soph. ap. Plut. Mor. p. 1093, D : Μουσομανεῖ δ' (cetera corrupta sunt).]

Μουσομανία, ἡ, Furor musicus, ἡ ἀπὸ μουσῶν μανία, ut Plato supra loquitur; Insana canendi cupiditas.

Plut. Symp. 7 [p. 706, B] : Φιλομούσοις καὶ φιλαύλοις μ. [Suidas cum ex. anonymi.]

Μουσόμαντις, ὁ, a schol. Aristoph. et Suida exp. κομπώδης, Jactabundus, ap. Aristoph. Av. [276] : Τίς ποθ' [ποτ' ἔσθ'] ὁ μουσόμαντις ἄτοπος ὄρνις ὀρειβάτης; quia tales ut plurimum sunt poetæ. Fortassis tamen et ad cantum et ad auguria ineptam avem intelligit. [Initium versus ex Æschyli Edonis petitum docet schol.]

[Μουσομήτωρ, ορος, ἡ, Mater Musarum. Æsch. Pr. 461 : Μνήμην θ' ἁπάντων μουσομήτορ' ἐργάνην. Mnemosyne vel Mneme enim mater habebatur Musarum.]

Μουσοπάταγος, ὁ, Recitator clamosus, Personare omnia faciens. Cic. Ad Q. Fr. 2, 9 : Non mehercule quisquam μουσοπάταγος libentius sua recentia poemata legit quam ego te audio quacunque de re, publica, privata, rustica, urbana. Sunt qui interpr. Versificator obstreperus. Hæc Bud. In quibusdam tamen exempll. legitur μουσοπάτακτος, quasi Musarum virga tactus, μουσόληπτος.

[Μουσοπάτακτος. V. Μουσοπάταγος.]

[Μουσόπνευστος, ὁ, ἡ, A Musis inspiratus. Greg. Naz. vol. 2, p. 250, A : Μὴ καὶ σὺ μουσόπνευστος ἡμῖν ἀθρόως;]

Μουσοποιέω, Carmina compono, Decanto, In modulos redigo. Ex Aristoph. Nub. [334] : Ταύτας μουσοποιοῦσι, De his carmina componunt, Has canunt.

Μουσοποιὸς, ὁ, ἡ, Qui carmina scribit. Præsertim vero Qui lyrica carmina componit : quasi sc. hæc magis ceteris sint musica. Unde sic ab Herodoto [2, 135] dicitur Sappho. [Eur. Tro. 1189 : Τί καί ποτε γράψειεν ἄν σε μουσοποιὸς ἐν τάφῳ; Hipp. 1428 : Ἀεὶ δὲ μουσοποιὸς ἐς σὲ παρθένων ἔσται μέριμνα. De Hipponacte Theocr. Epigr. 21, 1. Conf. 20, 3. De Pindaro Eust. Opusc. p. 58, 40; 59, 26.]

Μουσοπόλος, ὁ, ἡ, Qui circa musas versatur, Musarum famulus, i. e. Poeta [ut interpr. Hesych.], Poeticus. Μ. γράμμα, Epigr. [Leonidæ Alex. Anth. Pal. 9, 356, 2, ubi nunc : Μουσοπόλου γράμμα Λεωνίδεω.] Et μ. χερσὶ, in iisd. [Marci Argent. Anth. Pal. 9, 270, 4. Στέφανος μ. Meleag. ib. 12, 257, 6. Sappho ap. Maxim. Tyr. 24, 9, p. 481 : Οὐ γὰρ θέμις ἐν μουσοπόλων οἰκίᾳ θρῆνον εἶναι. Eur. Alc. 447 : Πολλά σε μουσοπόλοι μέλψουσι· et adjective Phœn. 1500 : Τίνα μουσοπόλον στοναχάν; Boethus Anth. Pal. 9, 248, 4 : Κατὰ τραγικῶν τέθμια μουσοπόλων.]

[Μουσοπρόσωπος, ὁ, ἡ, Qui facie est musica. Philodem. Anth. Pal. 9, 570, 1 : Ξανθὼ ... μουσοπρόσωπε.]

[Μοῦσος, ὁ, Musus, statuarius, ap. Pausan. 5, 24, 1.]

[Μουσόστικτος, ὁ, ἡ, Musivo interstinctus vel pictus. Anon. Combefis. in Porphyrog. n. 24 : Μουσοστίκτων εἰκόνων ἐντέχνων, τῶν ἐκ χρωμάτων, ὑλῶν καὶ μορφῶν τὸ διάφορον ἐν τοῖς προπυλαίοις τοῦ βασιλικοῦ κοίτωνος ἐδείματο. Ducang.]

[Μουσόστολος, ὁ, ἡ, Musicus. Anon. ap. Bernard. ad Pallad. De febr. p. 149 : Φρεσὶν μουσοστόλοις. L. D.]

[Μουσοτόκος, ὁ, ἡ, Musæ parens. Jo. Gazæ Tab. M. 1, 132. Cramer.]

[Μουσοτραφὴς, ὁ, ἡ, A Musa nutritus. Eust. Il. p. 124, 25; 845, 27.]

Μουσουργέω, Musica ratione tempero et modulor. Gregor., de cicadis : Τὰ ἐπὶ τῶν κλάδων ᾄσματά τε καὶ τερετίσματα μουσουργοῦντες, Bud. [Philostr. Imag. 3, 6. Pollux 4, 57. Vita Jo. Damasc. vol. 1, p. vii, D : Ἐξ ὧν ἐμουσούργησαν θείων μελισμάτων. L. Dind.]

[Μουσούργημα, τὸ, i. fere q. μουσουργία. Jo. Damasc. Ep. ad Theoph. de imagg. p. 144. Boiss.]

[Μουσουργητὴς, ὁ, i. q. μουσουργός. Andreas Cret. Hom. de public. c. 6, Fabric. B. Gr. vol. 11, p. 88 ed. Harl. : Τὸν μουσουργητὴν Δαβίδ. Male ap. Fabr. μουσουργέτην. Cit. Boiss. et Cramer.]

[Μουσουργία, ἡ, Musica. Lucian. Vit. auct. c. 3 : Μουσουργίῃ καὶ γεωμετρίῃ ἐνασκήσεαι. Iambi post præfat. eclog. Constantin. De legat. : Τανῦν δὲ τούτους (τοὺς λόγους) ... Κωνσταντῖνος ... ἀγείρας ἐμμελεῖ μουσουργίᾳ προὔθηκε πᾶσι. Acta SS. April. vol. 3, p. xx, E : Ἀρρήτῳ μουσουργίᾳ ταύτην (cœlestem Sion) καταγλαΐσας. Jo. Diac. Alleg. in Hesiodi Theog. p. 498 : Τί δὲ ἡ Τιμοθέου μουσουργία ἡ ἔντεχνος; L. Dind.]

[Μουσουργικὸς, ἡ, ὸν, Jo. Damasc. Ep. ad Theoph. de imagg. p. 113. Boiss. Pollux 4, 57. || « Μουσουργικαὶ ψηφίδες in Synodica Orientalium ad Theophilum Imp. p. 113. » Ducang.]

Μουσουργὸς, ὁ, ἡ, Cantor, Cantrix, Qui musica ratione temperat cantica et modulatur, Bud. p. 817, et 1084, ex Strab. et [Theopompo ap.] Athen. [12, p. 531, B. Ὁ αὐλητὴς Hesychio. Ψάλτρια Suidæ.] Plut. [Mor. p. 760, C] : Πέμψον μοι τὴν μουσουργὸν δέκα τάλαντα λαβών. Xen. Cyrop. 4, [6, 11] : Μουσουργοὺς δὲ δύο τὰς κρατίστας. [Et ib. 5, 1, 1; 5, 5, 39.] Athen. 4, [p. 129, A] : Αὐλητρίδες καὶ μ., καὶ σαμβυκίστριαί τινες Ῥόδιαι. [Eust. Il. p. 11, 19, γυνή. De accentu acuto Apollon. De pron. p. 38, C. || Forma Μουσοεργὸς Hippocr. p. 236, 29.]

[Μουσόφθαρτος, ὁ, ἡ, A Musis perditus. Lycophr. 832 : Καὶ τὸν θεᾷ κλαυσθέντα Γαύαντος τάφον Σχοινῖδι μουσόφθαρτον Ἀρέντα, quod tamen refertur ad Adonin ipsum, non ad sepulcrum.]

[Μουσοφιλὴς, ὁ, ἡ, Musis amicus. Philodem. Anth. Pal. 11, 44, 2 : Μ. ἕταρος.]

[Μουσοφίλητος, ὁ, ἡ, i. q. præcedens. Corinna ap. schol. SG. Hom. Il. B, 498 : Θέσπια ... μουσοφίλητε.]

[Μουσοχαρὴς, ὁ, ἡ, Musis gaudens. Quint. Mæcius Anth. Pal. 9, 411, 2 : Μουσοχαρεῖ βιότῳ.]

Μουσόω, Numeris modulisque musicis exorno et venustius reddo. Et ex Philostr. [Her. p. 713] μεμούσωται [ἔτι καὶ νῦν τῆς Αυρνησσοῦ τὰ περὶ τὴν θάλατταν ὑπὸ τῆς ᾠδῆς τῶν πετρῶν], Sonitum edit, edidit, Concentu resonat. Phrasis quoque μεμουσωμένη dicitur Concinna et elegans, Ad musicos modulos concinnitate proxime accedens, Plut. Pericle [c. 5] : Ἐπαινεῖ δὲ τὸ Κίμωνος ἐμμελὲς καὶ ὑγρὸν καὶ μεμουσωμένον ἐν ταῖς περιφοραῖς· sicut supra μουσικῶς λέγειν, ex Isocr. At vero aliquis μεμουσωμένος dicitur Qui literis humanioribus eruditus est. Plut. [Mor. p. 1121, F] : Ὑπόληψιν ἐμποιεῖν καὶ δόξαν ἀνθρώποις ἀγραμμάτοις, ἅτε πολυγράμματος αὐτὸς ὢν καὶ μεμουσωμένος· nisi velis Musis initiatus. Suid. ex Aristoph. Lys. [1127] μεμούσωμαι pro πεπαίδευμαι, ἤσκημαι : item, Μήτε μὴν μουσωθῆναι παιάνων καὶ ὕπνων ἐπιστήμονα σοφίαν, pro παρὰ μουσῶν διδαχθῆναι. [Philo p. 700, D, μεμουσῶσθαι τὴν ψυχήν. Valck. Eust. Opusc. p. 350, 91 : Σοὶ δ' οὐκ οἶδ' ὅπως ὑπᾴσω οὕτω μεμουσωμένῳ. Ælian. N. A. 16, 3 : Ὄρνεον μουσωθὲν ἀνθρώπου φωνὴν, Doctum imitari vocem humanam. Dionys. H. vol. 6, p. 1078, 2 : Μέλη καὶ κρούματα διὰ ᾠδῆς καὶ ὀργάνου μουσωθέντα.]

[Μουσόω, Opere musivo orno. Jo. Malal. p. 223, 4 : Κοσμήσας τὸ τετράπυλον κίοσι καὶ μαρμάροις ἀνοικοδομήσας καὶ μουσώσας. L. Dind.]

[Μουστάκιον, Μοῦσταξ. V. Μοῦστον.]

[Μουστῆν, ἑπτὰ μορίων (cod. ζ' μ^ρ^ων) Hesychii gl. obscura.]

Μοῦστον, τὸ, recentiores Græci a Latinis mutuatum usurparunt pro suo γλεῦκος. [Theophanes Chronogr. p. 44, D : Ὑδρεία (l. ὑδρία) πεπληρωμένη ὕδατος μετεβλήθη εἰς οἶνον βράζοντα μοῦστον. L. D. Μοῦστος, γλεῦκος, νέος οἶνος, in Corona pretiosa. Manuel Moschop. in Lexico Philostrati : Γλεῦκος ... ὁ κοινῶς λεγόμενος μοῦστος. Diophanes Geopon. l. 9, (20) : Γλεύκους, τουτέστι τοῦ καλουμένου μούστου. Cod. Ms. Bibl. Reg. : Διὰ σίτου καὶ οἴνου μούστου, et ib. infra. Agapius Geopon. c. 67 : Ὁ μοῦστος. Ex Ducang. Gloss.] Sic Athen. 14, [p. 647, D, ex Chrysippo Tyaneo] : Μουστάκια ἐξ οἰνομέλιτος, Mustacea liba ex œnomelite. De mustaceis libis vide Caton. R. R. c. 128 [121. || Meletius Crameri An. vol. 3, p. 76, 25 : Αἱ δὲ τρίχες αἱ ἐπάνω τοῦ χείλους ἀπὸ τοῦ μυκτῆρος γινόμεναι μύσταξ καλοῦνται ἢ μέσταξ ἀπὸ τοῦ μεστοῦσθαι τριχῶν. Οἱ δὲ ἰδιῶται μούστακα λέγουσιν ἢ μουστάκιον. L. Dind.]

[Μούσχανον, τὸ (τὸν) βλαστὸν, Hesychius ante Μουσοπόλος. Alludit ad μόσχος.]

[Μουσῳδὸς, ὁ, Cantans. Manetho 5, 143 : Πολύκοινον ἔτευξεν ἑταίρην, μουσῳδὸν, σοβαρήν.]

[Μούσων, ωνος, ὁ.] Μούσωνες, Hesychio οἱ κορυφαῖοι τῶν μαγείρων, et οἱ τεχνῖται. [Τεχνῆται codex. Prior interpretatio quidem pertinet ad Μαίσων, quod v.]

[Μουσωνία, ἡ, Musonia, n. mulieris, in inscr. Att. ap. Bœckh. vol. 1, p. 499, n. 619. L. Dind.]

[Μουσώνιος, ὁ, Musonius, n. viri, in inscrr. Att. ap. Bœckh. vol. 1, p. 377, n. 272, 21; 381, n. 275, 25.

Stoici philosophi, temporibus Neronis, de quo v. Suidas cum annot. intt. Idem v. de alio, qui Joviano imp. vixit.]

[Μούσωσις, εως, ἡ, Exornatio per opus musivum. Jo. Malal. p. 232, 20 : Κτίσας τετράπυλα φιλοκαλήσας αὐτὰ μουσώσει καὶ μαρμάροις· 339, 7 : Καλλωπίσας διαγραφαῖς καὶ μαρμάροις διαφόροις καὶ μουσώσει. ELBERL.]

[Μουσωτὴς, ὁ, Musivarius, ap. Eustach. in Vita S. Eutychii Patr. Cpol. n. 53. DUCANG.]

[Μούτλιον, τὸ, Feretrum. Martyrium S. Febroniæ Ms. : Οἱ δὲ ἐπίσκοποι λαβόντες τὸ ἅγιον λείψανον ἐν μουτλίῳ χρυσῷ ἐπορεύοντο χαίροντες. DUCANG.]

[Μοῦτλον, τὸ, Mutulus (trabs ex pariete prominens), ap. Eustrat. in Aristot. Ethic. l. 10 (4, fol. 170, A), sed errat quod *Triglyptos* exponat, inquit Meursius. DUCANG.]

Μοχθέω, Laboro. [Eur. Med. 1104 : Ἔτι δ' ἐκ τούτων εἴτ' ἐπὶ φλαύροις εἴτ' ἐπὶ χρηστοῖς μοχθοῦσι τόδ' ἐστὶν ἄδηλον· fr. Palamedis ap. Stob. Fl. 91, 24, 4 : Χρημάτων ὕπερ μοχθοῦσιν. Aristoph. Pl. 556 : Εἰ φεισάμενος καὶ μοχθήσας καταλείψει μηδὲ ταφῆναι. Cum accus. 282 : Οἱ πολλὰ μοχθήσαντες δεῦρ' ἤλθομεν.] Thuc. 2, [39] : Εἰ ῥᾳθυμίᾳ μᾶλλον ἢ πόνων μελέτῃ ... ἐθέλοιμεν κινδυνεύειν, περιγίγνεται ἡμῖν τοῖς τε μέλλουσιν ἀλγεινοῖς μὴ προκάμνειν, καὶ ἐς αὐτὰ ἐλθοῦσι, μὴ ἀτολμοτέρους τῶν ἀεὶ μοχθούντων φαίνεσθαι, Si ignavia magis quam laborum exercitatione periclitari nobis placeret, ita sunt res nostræ constitutæ ut nobis ante tristium rerum eventum nequaquam laborandum sit, et postquam evenerint, non minus strenuis videri liceat quam illis, quos perpetuus labor exercet. [Xen. Anab. 6, 6, 31 : Πολλὰ περὶ τὴν στρατιὰν ἐμοχθησάτην.] Et cum accus. pro Efficio s. Effectum do, Aristoph. [Pl. 517] : Ταῦτα ... οἱ θεράποντες μοχθήσουσι. [Ib. 525 : Σκάπτειν τἄλλα τε μοχθεῖν.] Item et Eur. [Hipp. 301 et alibi], μοχθεῖν πόνον, Exantlare laborem. [Hec. 815 : Τί τἄλλα μὲν μαθήματα μοχθοῦμεν; Andr. 134 : Τί μόχθον οὐδὲν οὖσα μοχθεῖς; Soph. Trach. 1047 : Ὦ πολλὰ δὴ καὶ θερμὰ κοὐ λόγῳ κακὰ καὶ χειρὶ καὶ νώτοισι μοχθήσας ἐγώ. Xen. OEc. 18, 2 : Ἵνα μὴ μοχθῶσι περιττὸν πόνον.] Interdum significat potius Laboribus et ærumnis s. molestiis premor. [Hom. Il. K, 106 : Ἀλλά μιν οἴω κήδεσι μοχθήσειν καὶ πλείοσι.] Eur. ap. Athen. 13, [p. 561, C] ad Cupidinem : Ἢ μὴ δίδασκε τὰ καλὰ φαίνεσθαι καλὰ, Ἢ τοῖς ἐρῶσιν, ὧν σὺ δημιουργὸς εἶ, Μοχθοῦσι μόχθους εὐτυχῶς συνεκπόνει. Quibus addi potest quod e Xen. affertur [Comm. 2, 1, 17] : Ἄλλα πάντα μοχθήσουσι, Alia omnia incommoda patientur. Similiter et Hesych. μόχθει exp. κακοπάθει. [Soph. OEd. C. 351 : Πολλοῖσι δ' ὄμβροις ἡλίου τε καύμασι μοχθοῦσα τλήμων. Eadem constr. Eur. Ion. 134 : Εὐφάμοις δὲ πόνοις μοχθῶν οὐκ ἀποκάμνω. || Ap. Eur. Phœn. 1549 : Οὐδ' ἄλοχος, ἃ πόδα σὸν τυφλόπουν θεραπεύμασιν αἰὲν ἐμόχθει, i. e. q. ἐθεράπευε. Et non dissimili genere loquendi Herc. F. 281 : Ἐγὼ φιλῶ μὲν τέκνα· πῶς γὰρ οὐ φιλῶ, ἅτικτον, ἀμόχθησα;]

Μοχθήεις, εσσα, εν, Laboriosus, Ærumnosus, ἐπίπονος, schol. Nicandri Al. 616.

Μόχθημα, τὸ, Labor, Ærumna, κόπος, κακοπάθεια. Æsch. Prom. [463.] Et Soph. OEd. C. [1616] : Τὰ πάντα λύει τοὔτ' ἔπος μοχθήματα. [Eur. Ion. 1129 : Σκηνὰς ἀνίστη τεκτόνων μοχθήμασι· Hel. 735 : Πολλὰ μὲν παρ' ἀσπίδα μοχθήματ' ἐξέπλησας· Suppl. 1187 : Ἀντὶ τῶν σῶν καὶ πόλεως μοχθημάτων πρῶτον λάβ' ὅρκον.]

Μοχθηρία, ἡ, Malitia, Improbitas. Dem. De male gesta legat. [p. 399, 17] : Κρατῆσαι καὶ περιγενέσθαι δεῖ τοὺς τὰ βέλτιστα λέγοντας τῶν ἢ δι' ἄγνοιαν ἢ διὰ μοχθηρίαν ἐναντία λεγόντων, Dicendi facultate iis prævalere, qui in medium allatis pugnantia ex diametro vel imprudentia ipsi lapsi vel ducti improbitate tuentur. Accipitur etiam pro Vitio [cui Scelus add. Gl.], ut et κακία, et modo virtuti in genere opponitur, modo certæ alicui virtutis speciei. Aristot. Eth. 5, 1 : Ὁμοίως δὲ καὶ κατὰ τὰς ἄλλας ἀρετὰς ἢ μοχθηρίας· 9, 4 : Φευκτέον τὴν μοχθηρίαν διατεταμένως, καὶ πειρατέον ἐπιεικῆ εἶναι. Rursum 5, 2 : Περὶ μὲν τἄλλα πάντα ἀδικήματα γίνεται ἡ ἐπαναφορὰ ἐπί τινα μ. ἀεί. Ex ejusd. Rhet. 3, [c. 1, 2] ἀκροατοῦ μοχθηρία affertur pro Vitium naturæ quæ mala consuetudine deterior facta est ac sinit se a vero abduci. Et κατὰ μοχθηρίαν ζῆν, ex Eod., pro Ex vitio vivere. Ap. Aristoph. autem [Pl. 159] :

A Ὀνόματι περιπέττουσι τὴν μοχθηρίαν, Suid. exp. ἀργυρίου ἐπιθυμίαν, αἴτησιν : ubi ad reddendam vim vocabuli, posses melius reddere, Improbam cupiditatem. [Ran. 421 : Κἄστιν τὰ πρῶτα τῆς ἐκεῖ μοχθηρίας· Lys. 1168 : Τί δῆτα ... μάχεσθε κοὐ παύεσθε τῆς μοχθηρίας; Plato Leg. 5, p. 734, D : Τοῦ τῆς μοχθηρίας ἐχομένου βίου. Et alibi.] Item ap. Plut. [Mor. p. 693, D] : Μὴ ῥύπου μηδὲ μοχθηρίας ὀδωδὸς ἔκπωμα, pro Malum odorem edens. [Similiter Strabo 5, p. 225 : Τῇ δ' ἀρετῇ τῶν τόπων ἀντιτάσσεταί τις καὶ μοχθηρία· νοσερὰ γὰρ ἡ νῆσος (Corsica) τοῦ θέρους καὶ μάλιστα ἐν τοῖς εὐκαρποῦσι χωρίοις. De aliis rebus Plato Gorg. p. 505, A : Μετὰ μοχθηρίας σώματος ζῆν· Reip. 10, p. 609, E : Ὑπὸ τῆς τῶν σίτων μοχθηρίας σῶμα ἀπόλλυσθαι.]

Μοχθηρὸς, ὁ, ἡ, Laboriosus, [Ærumnosus, Improbus, add. Gl.] ἐπίπονος, Hesych. Verum sunt qui dicant barytonως scr. esse πόνηρος et μόχθηρος, quum ἐπὶ τῶν ἐπιπόνων καὶ ὑπομενετικῶν capitur : quos Eust. [Il. p. 341, 14] tamen reprehendit, ex Herodiano tradens ejusmodi παρώνυμα in ρὸς semper acui, ut καμα-
B τηρὸς a κάματος, ὀλισθηρὸς ab ὄλισθος, et alia similia. [Arcad. p. 71, 16 : Ἰστέον δὲ ὅτι τὸ πόνηρος καὶ μόχθηρος ἀεὶ οἱ Ἀττικοὶ ἀντὶ τοῦ ὀξύνειν προπαροξύνουσιν, ὅταν τὸ ἐπίμονον (ἐπίπονον) καὶ ἐπίμοχθον σημαίνῃ. Eadem Ammon. p. 95. Sed p. 116—7 Tryphonem dicit solam probasse prosodiam μοχθηρὸς, et apud Atticos μόχθηρος, quippe qui non propter significationis discrimen sed peculiari iis more, quem aliis exemplis comprobatum memorat Eustath. l. c., in vocc. quibusdam accentum gravem pro acuto ponerent.] Item Ærumnosus, Calamitosus, κακοδαίμων, Hesych. exp. Sic accipi potest hic Antiphontis l., qui a Suida citatur : Κἀγὼ μὲν ὁ μοχθηρὸς, ὅντινα ἐχρῆν τεθνηκέναι, ζῶ τοῖς ἐχθροῖς κατάγελως· nec enim usurpatur ibi ἐπὶ κακοῦ ἀνδρὸς καὶ εἰσαγομένου εἰς δικαστήριον ἵνα κατηγορηθῇ, ἀλλ' ἐπὶ πατρὸς δίκην λαχόντος ὑπὲρ ἀπεσφαγμένου παιδὸς, ut idem Suid. annotat. Aristoph. Pl. [391] : Τὸν Πλοῦτον, ὦ μόχθηρε σὺ, ἔχω, O ærumnose et miser. [Eadem formula Ach. 165, Ran. 1175, Callim. Epigr. 31, 6, Plat. Phædr. p. 268, E.] At Laboriosus
C homo dicitur qui assiduus et patiens est in subeundis laboribus. [Æsch. Sept. 257 : Ὦ Ζεῦ, γυναικῶν οἷον ὤπασας γένος. — Μοχθηρὸν, ὥσπερ ἄνδρες, ὧν ἁλῷ πόλις· Cho. 752 : Καὶ πολλὰ καὶ μοχθήρ' ἀνωφέλητ' ἐμοὶ τλάσῃ. Soph. Ph. 254 : Ὦ πόλλ' ἐγὼ μόχθηρος. Xen. Cyrop. 5, 1, 12 : Εἰσὶ μοχθηροί (amantes)· διόπερ καὶ εὔχονται ἀεὶ, ὡς ἄθλιοι ὄντες, ἀποθανεῖν. || « Asinus. Nomocanon Cotel. n. 112 : Οἱ ἱερεῖς οἱ ἐπιδιδοῦσιν τοὺς κύνας αὐτῶν καὶ τὸν μοχθηρὸν καὶ ἕτερον ζῶον. Ubi Int. Asinum vertit, felici conjectura ex Hesychio, qui ἀγονομόχθον, ἡμίονον interpretatur. Quippe κακοπαθεῖν dicuntur asini. » DUCANG.] Item ex Soph. [El. 599] affertur μ. βίος pro Vita ærumnosa. [Herodot. 7, 46 : Μοχθηρῆς ἐούσης τῆς ζόης.] || Homo etiam aliquis μ. dicitur pro Teter, ut Gellius 18, 4 : Stolidos autem vocari non tam stultos et excordes, quam tetros et molestos et illepidos, quos Græci μοχθηροὺς καὶ φορτικοὺς dicerent. [Paullo aliter Ephræm Syr. vol. 3, p. 453, F : Πρὸς μισοῦντας μὲν μ. (εἰμι), ἀλλ' οὐ κακὸν αἰνιττόμενος, Gravis, Asper.] || Μοχθηρὸς, sicut et πονηρὸς, frequenter
D accipitur pro Malus, Improbus, κακὸς, ut Hesych. et Suid. quoque exp. Aristoph. [Eq. 1012 : Ἀντ' ἀγαθῶν καὶ γενναίων μοχθηροτάτους ἀπέδειξας·] Pl. [1003] : Τοὺς τρόπους τις οὐ μοχθηρὸς ἦν. [Eq. 1304 : Ἄνδρα μοχθηρὸν πολίτην· Lys. 576 : Ἐκ τῆς πόλεως ἐπὶ κλίνης ἐκραβδίζειν τοὺς μοχθηρούς. (Sic enim scrib. esse pro ἐπικλινεῖς, quod contra prosodiam peccat, dudum ostenderat Schneider. Ind. ad Scriptt. rei rust. p. 362. Unde intelligitur etiam in l. Callimachi in Ἐπικλινὴς citato verum esse non ἐστὶ, sed δέ legitimamque horum compositorum ap. antiquiores prosodiam ῐ etiam huic esse restituendam supra vol. 3, p. 1639, D.) Thuc. 8, 73 : Ὑπέρβολον μοχθηρὸν ἄνθρωπον. Xen. OEc. 6, 16 : Μοχθηροὺς ὄντας τὰς ψυχάς· Apol. 29 : Ὡς μοχθηρὸς οὗτος, ὃς οὐκ ἔοικεν εἰδέναι κτλ. Cyrop. 5, 7, 13 : Τὰ μοχθηρὰ ἀνθρώπια. Plato Gorg. p. 511, A : Μοχθηρῷ ὄντι τὴν ψυχήν. Et alibi sæpe.] Plut. Symp. 7 [p. 709, E] : Τούς γε μοχθηροὺς, ὅσῳ μᾶλλον ἐπιλαμβάνονται καὶ συμπλέκονται, καθάπερ βάτους, ἀναιρεῖν. Ab Aristot. dicitur aliquis esse etiam μοχθηρὸς περί τι, Qui vitio

aliquo laborat : Rhet. 1, [c. 10, 2] : Περὶ δὲ τοῦτο, ὃ μοχθηροὶ τυγχάνουσιν ὄντες, καὶ ἄδικοι· ut est ὁ ἀνελεύθερος, περὶ χρήματα, et ὁ ἀκόλαστος, περὶ τὰς τοῦ σώματος ἡδονάς. [Eur. fr. Melanipp. ap. Stob. Ecl. vol. 1, p. 232 : Οὐκ ἔστι πράττοντάς τι μοχθηρὸν λαθεῖν· fr. Phœnicis ap. eund. Fl. 71, 1 : Μοχθηρόν ἐστιν ἀνδρὶ πρεσβύτῃ τέκνα (νέα). Plato Gorg. p. 504, A : Τάξεως ἄρα καὶ κόσμου τυχοῦσα οἰκία χρηστὴ ἂν εἴη, ἀταξίας δὲ μοχθηρά· Ep. 7, p. 330, C : Δίαιταν διαιτωμένῳ μοχθηρὰν πρὸς ὑγίειαν· Men. p. 91, D : Μοχθηρότερα ἀποδιδόντες ἢ παρέλαβον τὰ ἱμάτιά τε καὶ ὑποδήματα.] Et μ. ἔθη, Mali mores s. Pravæ consuetudines. Lycurg. ap. Suid. : Μοχθηρῶν δὲ ἐξηγητὴν ἐθῶν καὶ νομοθέτην γενόμενον ἀτιμώρητον ἀφεῖναι. [Polyb. 1, 81, 10. Id. 4, 76, 1, μ. πρᾶγμα· 7, 13, 4, μηδὲν ποιεῖν μ. 30, 7, 8, μηδὲν αὐτῷ συνειδὼς μ. Schweigh.] Item μοχθηρὸς χυμὸς ap. Galen. Ad Glauc. 1, Succus malus et vitiosus. [Πνεῦμα Diod. 19, 98. Χρόα Aristot. H. A. 9, 16.] Res quoque μοχθηραὶ γενέσθαι dicuntur, quum pejus se habere incipiunt, vel quum in pejus s. in deterius vergunt. Plut. De orac. Pyth. [p. 403, D], loquens de quodam tyranno, cui exitium oraculo prædicebatur : Ἐπέσχεν ὀλίγον χρόνον· εἶτα τῶν πραγμάτων παντάπασι μοχθηρῶν γενομένων ἐξέπεσε. Item ut dicuntur res malæ, quæ in suo genere parvi vel nullius pretii sunt aut viles, ita ap. Aristot. De poet. [c. 22] : Δίφρον μοχθηρὸν καταθεὶς μικράν τε τράπεζαν, pro Homerico illo [Od. Υ, 259], Δίφρον ἀεικέλιον καταθεὶς ὀλίγην τε τράπεζαν. Quibus addi potest δέρμα μοχθηροῦ βοὸς, ap. Suid. ex Aristoph. [Eq. 316] pro κακοῦ, ἰσχνοῦ, λεπτοβύρσου. [Μοχθηρὰς ἐλπίδας ἔχων ὑπὲρ τοῦ μέλλοντος, Polyb. 5, 38, 8. Aliter Aristoph. Thesm. 781 : Τουτὶ τὸ ῥῶ μοχθηρόν.]

|| Μοχθηρῶς, Male. [Plato Gorg. p. 504, E : Σώματι μ. διακειμένῳ· 505, A : Ζῆν μ.] Et in compar. Μοχθηροτέρως ἔχειν, Pejus se habere, Deterius se habere, Plato De rep. 1, [p. 343, E] : Τά γε οἰκεῖα δι' ἀμέλειαν μ. ἔχειν. [Strabo 8, p. 365 : Πολιτευόμενοι μ. « Eurip. Epist. 5, p. 502 : Τὸ σῶμα οὐ μ. διατεθέντες. » Seager. Μοχθηρότερον Xen. H. Gr. 1, 4, 13 : Ἐπιβουλευθεὶς ὑπὸ τῶν ἔλαττον ἐκείνου δυναμένων μοχθηρότερόν τε λεγόντων καὶ πρὸς τὸ αὑτῶν ἴδιον κέρδος πολιτευόντων. Superl. Eryx. p. 406 : Μοχθηρότατα διακείμενοι.]

[Μοχθηροτέρως. V. Μοχθηρῶς.]

[Μοχθηροτροπία, ἡ, Pravi mores. Const. Manass. Amat. 5, 11, 45. Boiss.]

[Μοχθηρόω, unde pass. Μοχθηρόομαι, Molestus sum. Aq. Job. 6, 25.]

[Μοχθηρῶς. V. Μοχθηρός.]

[Μοχθητέον, Laborandum. Soph. ap. Stob. App. p. 34 : Μοχθητέον ὡς ἂν μὴ ... δοκῶμεν. Eur. Herc. F. 1251 : Εἰ μέτρῳ μοχθητέον.]

Μοχθίζω, Laboro, Afflictus sum. Hom. Il. B, [723] : Ἕλκεϊ μοχθίζοντα, i. e. κάμνοντα, πονοῦντα. Et μοχθίζοντες, κακοπαθοῦντες, Hesych. [Archiloch. in Cram. Anecd. vol. 1, p. 441, 22 : Φθειρσὶ μοχθίζοντα. Pind. ap. Athen. 13, p. 601, D · Ἡ περὶ χρήμασι μοχθίζει βιαίως. Theognis 164 : Εἰσὶν δ' οἳ βουλῇ τ' ἀγαθῇ καὶ δαίμονι δειλῷ μοχθίζουσι. Theocr. 1, 38 et 7, 48 : Ἐτώσια μοχθίζοντι. Moschus 4, 44 : Μόχθων τοὺς... μοχθίζει· 70 : Ἀτρύτοισιν ἄλγεσι μοχθίζουσαν. Apoll. Rh. 4, 192 : Ναυτιλίην ἔτλημεν ὀϊζύϊ μοχθίζοντες· 1652 : Δίψῃ τε καὶ ἄλγεσι μοχθίζοντες. Orph. Arg. 1069. Eudocia ap. Bandin. Bibl. Med. vol. 1, p. 234, 110 : Καὶ χθόνα μοχθίζουσαν ἐγὼν ὑπὸ δαίμονος εἶδον. L. Dind.]

Μοχθισμὸς, ὁ, Labor, VV. LL.

Μοχθονικῇ, quod in VV. LL. exp. Laboriose, sine auctore et exemplo, suspectum est. [Nihili est.]

Μόχθος, ὁ, Labor, Molestia, Ærumna; est enim Ærumna Festo, Labor onerosus : Ciceroni, Ægritudo laboriosa. [Hesiod. Sc. 306 : Ἀμφὶ δ' ἀέθλοις δῆριν ἔχον καὶ μόχθον. Pind. Ol. 11, 97 : Ἔπορε μόχθῳ βραχύ τι τερπνόν· Pyth. 2, 30 : Ἐξαίρετον ἕλε μόχθον· 9, 32 : Μόχθου καθύπερθε νεᾶνις ἦτορ ἔχουσα· Isthm. 4, 64 : Οὔτοι τετύφλωται μακρὸς μόχθος ἀνδρῶν. Et alibi sæpe utroque numero, pariterque Tragici, quorum vix unum alterumque locum repetere refert, ut Eur. Med. 1261, ubi cum genitivo pers. : Μάταν μόχθος ἔρρει τέκνων, μάταν ἄρα γένος φίλιον ἔτεκες, ut alibi sæpe cum genitivis rei, velut θήρας Hipp. 51, et aliter Phœn. 695, ποδῶν. Xen. Conv. 2, 4 : Ἐλευθερίων μό-
A χθων· 8, 40 : Σῶμα ἱκανὸν μόχθους ὑποφέρειν.] Frequenter copulatur cum πόνος aut κόπος. Paul. Ad Thess. 1, 2 : Μνημονεύετε τὸν κόπον ἡμῶν καὶ τὸν μόχθον, Laborem nostrum ac ærumnam. Philo V. M. 1 : Οὐκ ἔσται πόνος ἢ μόχθος ἐν Ἑβραίοις, Turn., Nulla vel ærumna vel calamitas Hebræos attigerit. Synes. Ep. 57 : Τὸ γὰρ ὠθισμῷ καὶ μόχθῳ καὶ μόλις ποιεῖν τοῦτό ἐστιν ὃ δαπανᾷ τὸν χρόνον, καὶ τὴν ψυχὴν ἐμβαπτίζει μερίμναις πραγμάτων. Erasm. in Paul. l. c. annotat, μόχθον esse Laborem cum difficultate conjunctum, quasi dicas Conatum aut Molitionem : et ideo vet. Interpr. vertisse Fatigationes. In Græcis autem vocibus πόνος et μόχθος jucundiorem esse affinitatem soni. A Suida exp. κόπος, quod tamen minus est, ubi ex Piside citat, Οὐκ εἶχε μόχθον εἰς τὸν Εὐφράτου πόρον. Hesychio est πόνος et κακοπάθεια. [De opere artis Antip. Sid. Anth. Plan. 178, 2 : Ἀπελλείου μόχθον ὅρα γραφίδος. || Cognomen Apionis grammatici, etiam simpliciter interdum dicti Μόχθος. V. Suidas v. Ἀπίων cum annot. interpretum. L. Dind.]

B Μοχλεία, ἡ, Motio, Obfirmatio, quæ vecte fit. Pro Motione quæ vecte fit, accipitur ap. Medicos, quibus μοχλεία est [sec. auct. Definitt. medic. p. 403, 14] μεταγωγὴ ὀστοῦ ἢ ὀστῶν ἐκ τοῦ παρὰ φύσιν τόπου εἰς τὸν κατὰ φύσιν, Ossis aut Ossium a loco, qui præter naturam sit, ad naturalem perductio : inde μοχλεία dicta, quod organorum quorundam vectibus circumactorum ope perficeretur, ut discimus ex libro Oribasii de Machinamentis [p. 120, 122, 123, 124, 129, 136, 137, 138, 141, 144, 150 ed. Mai. De aliis rebus Plotin. vol. 2, p. 1035, 5 : Φύσις ἔτρεψέ τε καὶ ἐμόρφωσε τὴν ὕλην οὐκ ὠθοῦσα, οὐδὲ ταῖς πολυθρυλήτοις μοχλείαις χρωμένη, δοῦσα δὲ τὸν λόγον.] Sed perperam plerumque scriptum legitur Μοχλία, quum scribendum sit μοχλεία a μοχλεύω, ut λατρεία a λατρεύω, δουλεία a δουλεύω, et similia.

[Μόχλευσις, εως, ἡ, i. q. μοχλεία. Hippocr. p. 761, G : Ἐκ κατατάσιος καὶ μοχλεύσιος· 773, C : Ὄνου περιαγωγὴ καὶ μ. 775, C, etc. Aret. p. 117, 15 : Ἐς μόχλευσιν τῆς ῥίζης τοῦ κακοῦ, Ad exstirpationem.]

C Μοχλευτὴς, ὁ, Motor, Qui vectibus et phalangis aliquid promovet, Vectiarius, Palangarius : quorum illo Vitruv. utitur, hoc Nonius infra in Μοχλός. Aristoph. καινῶν μοχλευτὴν vocat Rerum novarum molitorem s. machinatorem, νεωτεριστήν : Nub. [1397] : Σὸν ἔργον, ὦ καινῶν [ἐπῶν] κινητὰ καὶ μοχλευτὰ, Πειθώ τινα ζητεῖν, ὅπως δόξεις λέγειν δίκαια. Pro Motor, ut Martialis loquitur, accipitur ib. [568] : Γῆς τε καὶ ἁλμυρᾶς θαλάσσης ἄγριον μοχλευτὴν, de Neptuno, qui et σεισίχθων et ἐλελίχθων, necnon ἐννοσίγαιος synonymως ab aliis poetis nominatur, a movenda s. concutienda terra.

[Μοχλευτικὸς, ἡ, ὸν, Vecte promovens. Oribas. p. 120 ed. Mai. : Τοὺς μοχλευτικοὺς τρόπους· 141 : Νῦν πρὸς τὴν καταγωγὴν δύο μοχλευτικὰ ἐνεργήματα παραλαμβάνεται· 144 : Δύο μοχλευτικὰ ἐνεργήματα. Schol. Eur. Phœn. 1155 : Ἐργαλεῖον μοχλευτικόν. L. Dind.]

Μοχλεύω, Vecte moveo, s. promoveo, ut Cæsar : unde ap. Hesych. Μοχλεύει, κινεῖ, sicut et ὀχλεύει ab eo exp. [Plut. Demetr. c. 40. Eur. Cycl. 240 : Πέτρους
D μοχλεύειν. (Plato com. in Matthæi Med. p. 361 : Μοχλεύω τὰς πέτρας.) Herc. F. 999 : Ὁ δ' ὡς ἐπ' αὐτοῖς δὴ Κυκλωπείοισιν ὢν σκάπτει, μοχλεύει θύρετρα. Aristophon ap. Athen. 6, p. 238, C : Θύρας μοχλεύειν σεισμός (εἰμι). Herodot. 2, 175 : Τῶν τις τὴν στεγὴν μοχλευόντων. De medicis, ut in Μοχλεία, Hippocr. p. 773, B : Τουτέοισι χρὴ ἅμα τῇ κατατάσει μοχλεύειν· C : Ὥσπερ εἰ λίθον τις ἢ ξύλον μοχλεύοι ἰσχυρῶς. Oribas. Maji p. 53 : Μοχλεύσαντες καὶ κυρτώσαντες τῷ διπυρήνῳ τὸ δέρμα· 150 : Τῇ σπάθῃ κατ' ἐξελκυσμὸν μοχλευομένης ἔξω καὶ προβιβαζομένης τῆς τοῦ μηροῦ κεφαλῆς. Et figuratius Aret. p. 115, 9 : Ἢν ξυνεχὲς τοῖσι αὐτέοισι μοχλεύηται ἡ νοῦσος.] || Vectibus s. Pessulis obfirmo. Metaph. vero Chrysost. De officio Episc. : Ἀδελφὸς ὑπὸ ἀδελφοῦ βοηθούμενος, ὡς πόλις ὀχυρὰ καὶ ὡς μεμοχλευμένη βασιλεία. Qua in signif. etiam Μοχλόω dicitur, ut βαλανόω quoque. Aristoph. [ap. Polluc. 10, 25], Μόχλωσον τὴν θύραν, Pessulum obde ostio, ut Plaut. loquitur; Occlude fores pessulo, ut Idem; s. Vecte obfirma. || Μοχλεύσασθαι, Moliri, Machinari, ducta metaph. a vectiariis

s. palangariis : ut Cic. : Quæ molitio, quæ ferramenta, qui vectes, quæ machinæ, qui ministri tanti muneris fuerunt? Joseph. A. J. [5, 1, 16] : Ὄμνυσιν ἕξειν τε φίλους καὶ συμμάχους, καὶ μηδὲν μοχλεύσεσθαι κατ' αὐτῶν ἄδικον. Ead. signif. supra μοχλευτής.

[Μοχλέω, i. q. μοχλεύω. Hom. Il. M, 259 : Στήλας τε προβλῆτας ἐμόχλεον.]

[Μοχλικὸς, ἡ, ὸν, Ad vectem pertinens : τὸ Μοχλικὸν (βιβλίον) Hippocratis, Liber de molitione et repositione luxatorum.]

Μοχλίον, τὸ, et Μοχλίσκος, ὁ, Parvus vectis, Parva phalanga. [Prius ex Comicis, alterum ex Aristophane, utrumque de vecte τοιχωρύχων, ponit Pollux 7, 125; 10, 147. Μοχλίον Lucian. Somn. c. 13. De medicorum vecte Hippocr. p. 868, D : Ἡ ἐμβολὴ τοῖσι μοχλίσκοισιν.]

[Μοχλίσκος. V. Μοχλίον.]

[Μοχλόλιθος, ὁ, Saxum instar pessuli objectum. Schol. Hom. Od. I, 240 : Θυρεὸν μέγαν) τὸν μοχλόλιθον ἢ τὸν ἐν τῇ διαβάσει σκέποντα καὶ ἀσφαλίζοντα. Wakef.]

Μοχλὸς, ὁ, Vectis, i. q. ὀχλεὺς, ejusdemque originis, ut et Eustathio [Od. p. 1358, 64, et al.] videtur : sc. ab ὀχλέω, s. ὀχλεύω, aut ὀχλίζω : quoniam sc. eo aliquid κινεῖν καὶ ὠθεῖν solemus. Nisi potius ex μοχλὸς hæc facta sunt, adempta prima vocabuli litera; nam et verbum ὀχλεύω ab ὄχλος non libenter derivo. [Μοχλὸς et ὄχλος cognata credidit etiam Etym. M. p. 592, 11; 645, 35.] Hom. Od. E, [261] : Μοχλοῖσιν δ' ἄρα τήν γε κατείρυσεν εἰς ἅλα δῖαν, Vectibus s. Phalangis : ut Cæsar, Phalangis subjectis ad turrim hostium admovent. Sunt autem hæ phalangæ, fustes teretes quibus moli alicui subjectis eam μετώλιζον s. μετεκίνουν. Palangæ etiam vocantur. Nonius, Palangæ dicuntur fustes teretes qui navibus subjiciuntur, quum attrahuntur ad pelagus, vel quum ad litora subducuntur : unde etiam nunc Palangarios dicunt, qui aliquid oneris fustibus transvehunt. Orpheus has palangas navibus subjici solitas, δουρατέας φάλαγγας appellat in Ὀχλίζω, adeo ut idem sint interdum μοχλὸς et φάλαγξ. At Od. I, [332, etc.] μοχλὸς dicitur Fustis ille quo Ulysses præusto et præacuto oculum Polyphemo eruit. Telum Virg. appella Æt, n. 3, Et telo lumen terebramus acuto, quod ibid. Ulysses dicit se ἐκ τοῦ ῥοπάλου Polyphemi, quod magnitudine sua æquabat ἱστὸν εἰκοσόρου φορτίδος, præcidisse, unius ὀργυιᾶς s. ulnæ longitudine : ... Οἱ μὲν μοχλὸν ἑλόντες ἐλάϊνον, ὀξὺν ἐπ' ἄκρῳ, Ὀφθαλμῷ ἐνέρεισαν. [De eodem Eur. Cycl. 633. De vecte quo fores effringuntur et structa subvertuntur, Eur. Phœn. 1132 : Γίγας ὅλην πόλιν μοχλοῖσιν ἐξανασπάσας βάθρων· Or. 1474 : Θύρετρα καὶ σταθμοὺς μοχλοῖσιν ἐκβαλόντες· Bacch. 348 : Θάκους τοῦδ', ἵν' οἰωνοσκοπεῖ, μοχλοῖς τριαίνου· 1104 : Ῥίζας ἀνεσπάρασσον ἀσιδήροις μοχλοῖς, quo significat ferreas plerumque habuisse cuspides. Aristoph. Pac. 307 : Πρὶν μοχλοῖς καὶ μηχαναῖσιν εἰς τὸ φῶς ἀνελκύσαι τὴν θεῶν πασῶν μεγίστην. Præterea Gl. : Μοχλὸς βάδης, Prelum, de quo diximus in Βάδης. Μοχλὸς λιθουργοῦ, Vectis; Μοχλὸς ληνοῦ, Pertica; Μοχλὸς σιδηροῦς, Vectis; Μοχλοῦ ὄγκινος, Repagulum; Μοχλοὶ, Ridicæ, Gl.] || Μοχλὸς dicitur præterea Vectis quo fores obfirmantur, Eust., qui p. 1944 ait, Μοχλὸς, οὐ μόνον μηχανῆς ξύλον τι, ἀλλὰ καὶ θύρας ὀχεὺς, ὁ καὶ ἐπιβλής· qua signif. ipsum Lat. vocabulum ap. Ovid. me legere memini. Pessulus etiam dicitur. Plautus, Occlude fores ambobus pessulis. Et, Foribus obdit pessulum. [Ita Gl. Æsch. Cho. 878 : Πύλας μοχλοῖς χαλᾶτε. Eur. Andr. 952 : Εὖ φυλάσσετε κλήθροισι καὶ μοχλοῖσι δωμάτων πύλας· Or. 1551 : Οὐκέτ' ἂν φθάνοιτε κλῇθρα συμπεραίνοντες μοχλοῖς· 1571 : Μοχλοῖς ἄραρε κλῇθρα.] Lucian. [Timon. c. 13] . Κατακεκλεῖσθαι λέγων πρὸς αὐτῶν ὑπὸ μοχλοῖς καὶ κλεισὶ καὶ σημείων ἐπιβολαῖς. Plut. p. 1031 meæ ed. [Mor. p. 597, D] : Κελευσθεὶς ἀνοῖξαι, τὸν μοχλὸν ἀφεῖλε, καὶ μικρὸν ἐνέδωκε τὴν θύραν· quod iisd. fere verbis in Pelopida, p. 517 meæ ed. [c. 11], refert, eand. historiam commemorans. Thuc. 4, p. 157 [c. 111] : Αἱ κατὰ τὴν ἀγορὰν πύλαι τοῦ μ. διακοπέντος ἀνεῴγοντο. Aliud ex Eod. attuli exemplum supra in Βάλανος. Aristoph. Vesp. [112] dixit etiam, Τοῦτον οὖν φυλάττομεν Μοχλοῖσιν ἐγκλείσαντες ὡς ἂν μὴ 'ξίῃ, pro Claustris : sicut Hesychio quoque μοχλοὶ sunt κλεῖθρα. [Lys. 487 : Ὅ,τι βουλόμεναι τὴν πόλιν ἡμῶν ἀπεκλείσατε τοῖσι μοχλοῖσιν· 264 : Μοχλοῖς δὲ καὶ κλήθροισι τὰ προ-

A πύλαια πακτοῦν. Theocr. 20, 28 : Ἁ θύρα εἴχετο μοχλῷ. Xen. Anab. 7, 1, 12 : Συγκλείσων τὰς πύλας καὶ τὸν μοχλὸν ἐμβαλῶν· et ib. 15. Polyb. 7, 16, 5 : Οὗτοι μὲν ἔξωθεν προσπεσόντες πειρῶνται διακόπτειν τοὺς στροφεῖς καὶ τὸ ζύγωμα τῶν πυλῶν, αὐτοὶ δὲ τὸν μοχλὸν ἔνδοθεν καὶ τὰς βαλανάγρας· 18, 2 : Διέκοπτον τοὺς μοχλούς· et alibi cum verbo eodem. Cetera quæ huc pertinent v. in Βάλανος p. 70-3, (ubi in l. Aristot. p. 70, C, βάλανον dici non σφηκίσκον, sed glandem scipionis, pluribus alibi exponemus).] Soph. vero quodam in l. τὸν φύλακα appellavit μοχλὸν, teste Athen. 3, [p. 99, D], ubi verba ejus subjungit, Θάρσει· μέγας σοι τοῦδ' ἐγὼ φόβου μοχλός. [Similiter Lycophr. 527 : Καίπερ πρὸ πύργων τὸν Καναστραῖον μέγαν ἐγχώριον γίγαντα δυσμενῶν μοχλὸν ἔχοντα. Schol., ἀσφάλειαν κατὰ τῶν δυσμενῶν. || Pluralem μοχλὰ memorat Moschop. ap. Bast. Ep. crit. p. 117 : Ὁ μοχλὸς, τὰ μοχλὰ, ὁ κύκλος, τὰ κύκλα. || De forma Μοχλὸς Phryn. Epit. p. 308 : Μοχλὸν μὴ λέγε διὰ τοῦ κ· ἀδόκιμον γάρ· ἀλλὰ διὰ τοῦ χ. Zonaras (s. grammat. in Matthæi Lectt. Mosq. vol. 2, p. 86) : Τὸν δὲ

B μοχλὸν ἐν τῷ χ καὶ Ἀττικοὶ καὶ Δωριεῖς καὶ Ἴωνες, πλὴν Ἀνακρέοντος, οὗτος δὲ μόνος σχεδὸν τὸ (τῷ) κ. Ζηνόδοτος δὲ καὶ οὐ μοκλὸν ἐν οὔρησι δίζησι βαλὼν ἥσυχος καθεύδει. Ubi legendum κοῦ μοκλὸν ἐν θύρησι διξῆσιν βαλὼν, ut scripsit Bergk. Poet. Lyr. p. 684. Sic Gl. in Βάδης cit. : Βαδίσμοχλος. De accentu acuto Arcad. p. 54, 1. L. Dindorf.]

[Μοχλόω. V. Μοχλεύω.]

[Μοχοὶ, ἔντος, Πάφιοι, Hesychius. Ad μυχοῖ adv. referunt interpretes, ut scrib. sit ἐντός.]

[Μοχωναί. V. Μολωναί. Mochona, urbs filiorum Juda, 2 Esdr. 11, 28.]

[Μοψεάτης. V. Μόψου ἑστία.]

[Μόψιον, τὸ, Mopsium. Πόλις τῆς Πελασγιώτιδος χώρας Θεσσαλίας. Στράβων θ' (p. 441, 443). Τὸ ἐθνικὸν Μόψιος, Steph. Byz. Ap. Strab. sic : Μόψιον δ' ὠνόμασται οὐκ ἀπὸ Μόψου τοῦ Μαντοῦς τῆς Τειρεσίου, ἀλλ' ἀπὸ τοῦ Λαπίθου τοῦ συμπλεύσαντος τοῖς Ἀργοναύταις· ἄλλος δ' ἐστὶ Μόψος, ἀφ' οὗ ἡ Ἀττικὴ Μοψοπία. Ubi Μόψοπος repositum contra libros.]

C [Μοψόπειος, ὁ, ἡ, Mopsopius. Lycophr. 1340 : Τὰς Μοψοπείους γύας. V. Μοψοπία.]

[Μοψοπία, ἡ, Mopsopia, Atticæ n. antiquius. Steph. Byz. in Μόψιον : Ἄλλος δὲ ἔστι Μόψος, ἀφ' οὗ ἡ Ἀττικὴ Μοψοπία. In quo n. idem : Μοψοπία ἡ Ἀττική, ἀπὸ Μόψοπος, Καλλίμαχος. Ἄρρητος ἡ Μόψοψ (ut pluribus disputat Chœrob. vol. 2, p. 486, 21. Μόψοπος genit. est etiam ap. Lycophr. 733). Ὁ πολίτης Μοψόπειος διὰ διφθόγγου καὶ διὰ τοῦ ι. (Paulus Sil. Anth. Plan. 118, 8 : Ἁ χειρῶν νίκα Μοψοπίοις μίμνε παρ' ἐνναέταις. Boiss.) Καὶ Μοψοπιεύς. Ἡρακλείδης δ' ὁ Ποντικὸς ἐν πρώτῳ (λέχῃ addit cod. Vrat., unde πρώτῃ Λέσχῃ Meinek. Anal. Alex. p. 381) Μοψοπίτης φησὶ, καὶ ἔδει Μοψοπιώτης. Ἴσως δὲ καθ' ὕφεσιν τοῦ ω. Τὸ θηλυκὸν Μοψοπίς. Strabo 9, p. 397 : Ἀττικὴν δὲ ἀπὸ Μοψόπου φασίν· quibuscum conf. verba ejusdem in Μόψιον posita. Μοψοπίαν ἢ Ἄτακτα librum quendam suum inscripserat Euphorio Chalcidensis, ὅτι, inquit Suidas in Εὐφορίων, ἡ Ἀττικὴ τὸ πρὶν Μοψοπία ἐκαλεῖτο ἀπὸ τῆς Ὠκεανοῦ θυγατρὸς Μοψοπίας καὶ ὁ λόγος τοῦ ποιήμα-

D τος ἀποτείνεται εἰς τὴν Ἀττικήν.]

[Μόψος, χηλὶς ἡ ἐν τοῖς ἱματίοις. Κύπριοι, Hesych.]

[Μόψος, ὁ, Mopsus, f. Ampyci, ap. Hesiod. Sc. 181, Pind. Pyth. 4, 191, Apoll. Rh. 1, 65 etc., Lycophr. 881, Orph. Arg. 126, 940. F. Apollinis et Mantus, Strab. 9, p. 443 et alibi, a quo dicta Μόψου ἑστία, quod v. De accentu v. Arcad. p. 85, 9.]

[Μόψου ἑστία, ἡ, Mopsuestia. Πόλις Κιλικίας ἐπὶ τῷ Πυράμῳ ποταμῷ ἀπὸ Μόψου τοῦ μάντεως. Ὁ πολίτης Μοψεάτης κατὰ παραγωγὴν μιᾶς τῶν λέξεων, ἀφ' οὗ ὁ γραμματικὸς Ἡρακλείδης ὁ Μοψεάτης, Steph. Byz. Μόψου ἑστίαν a Mopso conditam memorat Strabo 14, p. 676, Hierocl. Synecd. p. 705, et qui Μόμψου ἑστίαν dicit Constant. Them. p. 6, D. Gentile Μομψουεστινῶν, quod -ηνῶν scribendum, habet Max. Conf. vol. 2, p. 91, A. Μοψουεστίτης Constantin. Cærim p. 503, 19 : Μοψουεστίτας. De formis Μάμψου ἑστία et similibus v. Wesseling. ad Antonin. p. 580. L. Dind.]

[Μόψου κρῆναι, αἱ, Mopsucrenæ, oppidum Ciliciæ vel Cappadociæ, de quo Chilmead. ad Jo. Malalam p.

600 ed. Bonn., cujus errorem, non diversum a Μόψου ἑστίᾳ putantis, notavit Wesseling. ad Antonin. p. 580. Μουψουκρίᾳ pro Μάμψου κρήναις male illatum Theophani Chron. p. 39, A. L. Dind.]

[Μῦ, duodecima alphabeti litera, ut dictum in M. Cujus de nomine HSt. in Μύζω :] At vero Etym. inepte et imperite literam μυ inde nomen accepisse ait, quod hujus pronuntiatio μυγμὸν quendam habeat : quum contra illa litera μυ huic μυγμὸς, s. potius verbo μύζω, ex quo est μυγμὸς, originem dederit. Nec vero his de μυ ineptiis contentus, similes, sed majores, de litera νυ affert : sc. literam νυ nomine hoc donatam fuisse, quoniam νυγμόν τινα ἔχει ἡ τούτου ἐκφώνησις. Scilicet vero ut idem etymum literæ ν, quod et literæ μ, dari posset, vox ista νυγμὸς ad signif. τοῦ μυγμὸς pertrahenda fuit : quum alioqui nihil in signif. commune inter se habeant. Sed et hoc sciendum est, antequam dicendi de litera μῦ finem faciam, eam a Democrito vocatam Μῶ, Eust. ex Rhet. Lex. [V. M, p. 476, A. Hipponax ap. Sext. Emp. Adv. gramm. 1, 13, p. 275 : Μηδέ μοι μῦ λαλεῖν Λεβεδίην ἰσχάδ' ἐκ Καμανδωδοῦ. Fabricius : « Quod dixit μῦ λαλεῖν, imitati Latini scriptores dixerunt *facere mu*. Ita Lucilius, Ennius, Plautus, Apuleius. » Varro L. L. 7, p. 377 : « Mussare dictum, quod muti non amplius quam μῦ dicunt, » addito loco Ennii, in quo est μῦ facere. De quibus v. Lexx. Latina v. *Mu*. Ceterum μὺ potius scribendum sec. Arcad. p. 181, 23 : Πᾶν μονοσύλλαβον ἐπίρρημα ὀξύνεται, ... μὺ τὸ θρηνητικόν. Quod non diversum videtur ab Hipponacteo estque ap. Aristoph. Eq. 10 : Μὺ μῦ μὺ μῦ μὺ μῦ μὺ μῦ, ubi schol. Thesm. 231 : Μῦ μῦ. — Τί μύζεις; Quod item scribendum erit μὺ μὺ, modo producto υ modo correpto, ut in ὕ in Pluto, sive μὺ μὺ scribitur sive μυμύ. Nam qui μῦ ponit Theognost. Can. p. 155, 29, literam dicit, non adverbium, ut Jo. Alex. Τον. παραγγ. p. 7, 19. V. autem HSt. in Μυτακισμός.]

Μυάγρα, ἡ, quæ Muscipula Varroni [et Gl.]. Decipulum Apuleius vocat, sed hoc vocab. latius patet : illud autem significat peculiariter Instrumentum quo mures capiuntur. [Tullius Gem. Anth. Pal. 9, 410, 1 : Σμίνθος ... οὐδὲ μυάγρης δειλός. Pollux 7, 41, 114; 10, 155. Glossæ græcobarb. ap. Ducang. v. Μούγια : Τὸ ἀναρριπτόμενον τῆς μυάγρας ξύλον.]

[Μύαγρον, τὸ, Muscipulum, Gl.]

Μύαγρος, ὁ, ἡ, Qui mures venatur s. captat, i. q. μυοθήρας [Hesychio], Serpentum species. Nicand. Ther. [490] : Οὓς ἔλοπας, λίβυάς τε, πολυστεφέας τε μυάγρους φράζονται. Ubi schol., μυάγρους δὲ, inquit, τοὺς μυόθηρας, οἳ καλοῦνται καὶ ὀροφίαι· ubi bis scribitur μυόθηρας quasi a μυόθηρ. || Est et Herbæ nomen. Diosc. 4, 117 : Μύαγρος, οἱ δὲ μελάμπυρον, πόα φρυγανώδης, δίπηχυς. Unde Plin. 27, 12 : Myagrus herba ferulacea est, tripedanea.

[Μυαγροφαγέω, Myagrum herbam comedo. Photius ap. Fabric. B. Gr. vol. 11, p. 32 ed. Harl. Cramer.]

[Μυαῖον. V. Μύδιον.]

[Μυάκανθα, ης, ἡ, i. q. μυάκανθος. « Μυακάνθης καρπὸς ap. Nonnum De curat. morb. c. 184 exponitur Corrudæ semen. || In Lex. Ms. Reg. cod. 1843, μυακάνθιον ἀσπάραγος esse dicitur. » Ducang.]

[Μυακάνθιον. V. Μυάκανθα.]

Μυάκανθος, ὁ, [Asparagus, Gl.] Myacanthus, a Theophr. H. Pl. 6, 4, numeratur inter suffrutices, qui præter spinam folium habent, ut phleos, ononis, tribulus : diciturque hic μυάκανθος folium habere admodum σαρκῶδες. Plin. lib. 19, cap. 8, sylvestrem asparagum, corrudam dictum, a Græcis orminum aut myacanthon vocari scribit.

[Μυάκιον. V. Μύαξ, Μύδιον.]

[Μυαλός. V. Μυελός.]

[Μύαν. V. Μυονία.]

Μύαξ, ακος, ὁ, Mytulus. Μύακες s. μύες dicuntur esse Conchæ sponte naturæ in arenosis provenientes, ut pectines. De his multa Plin. 32, 9, ubi Græca voce Myacas appellat. Diosc. μύακα vocare solet ipsam Concham s. Testam ostrei istius : ut l. 1 : Ἀπόψα μύακι τὸ ἐπιπλέον ἔλαιον, Concha tollito innatans oleum. Et rursum, Εἰς μύακας τὴν λιπαρίαν αναλαμβάνουσι. [Xenocr. p. 12, 13, ubi v. Coraes p. 137 sq. || « Μύαξ,

A Μυάκιον, Concha ædis sacræ. Est enim μύαξ genus ostreæ, quam κοίλην κόγχην Græci vocavere. Glossæ ad S. Athanas. Mss. : Ὄστρεον, μυάκιον θαλάσσης. Erotianus : Χηραμίδα, τὴν κοίλην κόγχην, ἣν μύακα καλοῦμεν. Adde Galenum in Lex. Hippocr. in Σκαφίδα. Typicum Ms. monasterii Deiparæ τῆς κεχαριτωμένης c. 5 : Διὰ τί καὶ ψαλμῳδία χρήσεται τῇ κατὰ δύναμιν ἑαυτῆς ἐν τῷ δοθησομένῳ αὐτῇ κελλίῳ, ἤγουν τῇ ὄπισθεν τοῦ μύακος τῆς τραπέζης τῶν μοναζουσῶν ἐχομένως τοῦ περιβόλου αὐτῶν· c. 66 : Ἐν τῷ μύακι μία (κανδήλα) ἔμπροσθεν τῆς κεχαριτωμένης θεοτόκου. Jo. Phocas Descr. T. S. n. 6 : Περὶ τὸ μυάκιον τοῦ ναοῦ τετράγωνος ἐπίκειται λίθος· 14 : Ἐν τῷ μύακι τοῦ βήματος· et similiter 29, 24 : Ναὸς, οὗ ἐν τῷ μύακι εἰκὼν τῆς θεοτόκου ἱστόρηται. Codin. Descr. S. Sophiæ : Προσέταξεν ὁ μηχανικὸς ἵνα γένηται ὁ μύαξ μονοκάλαμος. Gl. : Μυάκιον, Ligula, Aulux (sic). V. Μύδιον. » Ducang. In Ms. ap. Pasin. Codd Taurin. vol. 1, p. 178, A : Βαλὼν ἔλαιον ἐν μυάκῃ θέρμαινε, scribendum μύακι. L. Dind.]

[Μύαρ, ὁ, Myar, mensis Cappadocum septimus, i
B q. Persis *Mihr*, respondens Rom. 10 Jun. — 9 Quintilis; v. Ideler. Chronolog. vol. 2, p. 442-3. L. Dind.]

[Μυάριον, τὸ, Navicula. Eust. Opusc. p. 294, 39 : Βραχὺ ἐκεῖσε τὰ γόνατα κάμψαντες ... εἶτα κατὰ τιμὴν μυαρίου κελευσθέντες ἐπιβῆναι (μὴ γὰρ οὐ τοιοῦτον ἐκεῖνο τὸ ἱππαρίδιον;), πεισθέντες τῷ ἐπιτάξαντι καὶ ἀνατεθέντες εἰς ἐκεῖνο ἠγόμεθα, ἔνθα τὸ ναύσταθμον μετὰ καὶ γωρυτοῦ καὶ φαρέτρας, ἅπερ ἡ σελλὶς ἔτυχε φέρουσα. Apparet Eustathium equum, quo vectus esset, macrum fortasse et pusillum, conferre cum Navicula. V. Μύδιον. L. D.]

[Μυάω.] Μυᾶν est τὸ τὰ χείλη πρὸς ἄλληλα συνάγειν, Contrahere labia : quod et μύλλειν dicitur. Ita Suid. [ex schol. Arist.], subjungens hunc l. Aristoph. [Lys. 126] : Τί μου [μοι libri Aristophanis : μου ed. Mediol. Suidæ] μυᾶτε κἀνανεύετε; Τί χρὼς τέτραπται; τί δάκρυον κατείβετε; Sed addit quosdam exponere τοὺς ὀφθαλμοὺς συνάγετε δυσαρεστοῦσαι, σκαρδαμύσσεσθε : alios μύλλετε, μυκτηρίζετε. Supra μοιμυᾶν [s. μοιμυλλᾶν] et μοιμύλλειν habuimus pro istis μυᾶν et μύλλειν, ex Hesychio et Polluce. Verum et pass. μυᾶται pro σκαρδαμύττεται af-
C ferunt Hesych. et Suid. [Ubi recte μυᾶτε, σκαρδαμύττετε Kusterus, ut est ap. Photium, ut gl. referatur ad l. Aristoph., cujus schol. item σκαρδαμύττετε. Ceterum μοιμυᾶτε scribendum videri ap. Aristoph., etsi ap. Polluc. 2, 90 : Τὸ δὲ συνάγειν τὰ χείλη μοιμύλλειν ἡ κωμῳδία καὶ μοιμυᾶν φησι, illud ipsum μοιμυᾶν ex codd. in μοιμυλλᾶν mutatum est, dixi jam in Μοιμυάω. Nam et μοιμυλλᾶν (quod comparandum foret cum forma infra notanda Μυλλάω) satis est probabile librariorum esse errorem, et verbum μυᾶν hoc uno ex loco duxisse grammaticos, cui vix erit qui μοιμυλλᾶτε intulerit. L. Dind.]

Μυγαλῆ, et Μυγαλέη, ἡ, [Mus araneus, Gl.] Diosc. 7, 9 : Τοῖς ὑπὸ μυγαλῆς δηχθεῖσι, A mure araneo morsis. 8, 7 : Καὶ ἡ αὐτὴ δὲ ἡ δακοῦσα μυγαλῆ ἀναπτυσσομένη καὶ ἐπιτιθεμένη, τῆς ἰδίας πληγῆς ἀντιφάρμακόν ἐστι. Nicander Ther. [816] : Τυφλήν τε σμερδνήν τε βροτοῖς ἐπὶ λοιγὸν ἄγουσαν Μυγαλέην. Plin. quoque [H. N. 8, 58] venenatos esse araneos mures tradit, afferens remedia, quibus morsus eorum sanentur. Dicitur au-
D tem μυγαλῆ, quoniam ἐκ μυὸς καὶ γαλῆς γίνεται, ut Amyntas ap. schol. Nicandri scribit, ap. quem circumflectitur, ap. Diosc. autem acuitur, sicut et apud Athen. [7, p. 300, A, in versu Anaxandridis, sed melioribus libris μυγάλη vel μυγαλῆ præbentibus. Herodoti quoque plerique μυγαλᾶς, unus μυγαλᾶς, Flor. optimus μυγάλας.] Apud Plut. autem reperitur etiam μυγάλη paroxytonως. [(Mor. p. 670, B, est μυγαλῆν.) Strabo 17, p. 813 : Μυγάλην δὲ Ἀθριβῖται τιμῶσιν. Alterum accentum, qui est etiam apud Aristot. H. A. 8, 24, Suidam et scriptorem Timarionis *Notices* vol. 9, p. 203, præfert Bast. Ep. cr. p. 169.]

[Μύγαλος, ὁ, Mygalus, n. viri in inscr. Iasensi ap. Bœckh. vol. 2, p. 460, n. 2671, 3, ubi Μυγάλου, si recte lectum. L. Dind.]

[Μυγδὰν, lapidis cujusdam nomen, Ps.-Plut. De fluviis 24, 2. Boiss.]

[Μυγδονία, ἡ, Mygdonia. Μοῖρα Μακεδονίας, καὶ ἑτέρα Φρυγίας τῆς μεγάλης, ἀπὸ Μύγδονος. Τινὲς δὲ Μαιδοὺς αὐτοὺς φασι. Τὸ κτητικὸν Μυγδονικὸς καὶ θηλυκῶς καὶ οὐδετέρως. Λέγεται καὶ Μυγδόνιος καὶ Μυγδονία. Ἐλέγετο καὶ Μυχθονία, Steph. Byz. Μυγδονία de terra Polyb. 5, 51, 1. Μυγδονίου αὐλοῦ Moschus 2, 98. Μύγδονες et Μυγδονία sunt ap. Strab. 7, p. 295; 11, p. 527; 12, p. 564, 575, 576, et Μυγδονίς, ίδος, ἡ, de terra, ib. p. 576. Quam etiam Μυγδονίας πεδίον more illarum regionum dici perhibet 12, p. 550; 13, p. 588. Mygdonia Macedoniæ memoratur ab Herodoto 7, 123, Thuc. 1, 58; 2, 99, 100. Μυγδονιώτης gent. est ap. Ephipp. Athen. 8, p. 347, A.]

[Μυγδόνιος, ὁ, Mygdonius, fl. Mesopotamiæ, juxta Nisibin. Julian. Or. 1, p. 27, B; 2, p. 62, B, C.]

[Μύγδων, ονος, ὁ, Mygdon, rex Phrygiæ, Hom. Il. Γ, 186, Eur. Rhes. 539, Apollod. 2, 5, 9, 6, Pausan. 10, 27, 1. Gentile a Μυγδονία, quod v. Id oxytonon facit Chœrob. vol. 1, p. 289, 15. Arcad. p. 11, 6 : Ὀξύνεται δὲ (τῶν εἰς δων δισυλλάβων) τὰ διὰ τοῦ ο μόνου κλινόμενα, οἷον Μυγδὼν, Σαρδών. Atque sic scriptum apud Eur. et nonnullis in libris Pausaniæ etiam n. viri. Conf. Βαιὼν, Μαιὼν, Παιών.]

[Μύγης, γέροντος ἀδυναμία, Senis imbecillitas, Phot. et Suid. Μυγὴ Zonaras p. 1377 inter fem., Μύδης Hesych., utrique suis locis.]

[Μυγιάριος, ὁ, Mugiarius, Apicularius. Ap. Codin. Orig. Cpol. n. 88 fit mentio cujusdam Theodori Protospatharii cognomento Μυγιαρίου. Ubi cod. ed. μυάρχην habet, codd. alii Μυιάρχην. Ducang. De μυῖα signif. Apis dicto v. in ipso. Μυγ autem est forma græcobarbara pro Μυ-, de qua plura Ducang.]

[Μύγις. V. Μόγις.]

[Μύγισοι, οἱ, Mygisi. Πόλις Καρίας. Ἑκαταῖος δ' γενεαλογιῶν. Τὸ ἐθνικὸν Μυγίσιος καὶ Μυγισία Ἀθηνᾶ καὶ Μυγισαῖς, Steph. Byz.]

[Μύγμα, τὸ, Efflatus per nares cum sonitu. Jo. Chrys. In Act. Ap. serm. 38, vol. 4, p. 825, 6 : Ὁ δὲ εὐθέως βήξας, ἀπὸ μύγματος τὸ θηρίον ἐκεῖνο τῇ ῥύμῃ τοῦ πνεύματος ἐξέωσεν ἀπὸ τῶν ῥινῶν. Seager. V. Μυγμὴ in Μυγμός.] Μύγματα, Hesychio et [Photio s.] Suidæ καταξέσματα : quomodo ex Eur. affertur μύγματα ὀνύχων pro Lacerationes : forsan per apoc. positum pro ἀμύγματα. [Quod v. Comparandus Tzetzes Exeg. Il. p. 122, 15, qui Μυγμὴ, ἡ, ponit : Ἐμοὶ δὲ δοκεῖ (ὁ ἀμύμων) ἀμύγμων τις εἶναι, ὁ μὴ διδοὺς μυγμὴν ἤτοι ξεσμὴν καὶ αἰτίαν ἀφορμῆς καὶ ἐπιλήψεως ἐπὶ τῇ τέχνῃ. V. Μυγμός.]

[Μυγμή. V. Μύγμα, Μυγμός.]

Μυγμὸς, ὁ, de piscibus usurpatur ab Aristot., veluti quum H. A. 9, [c. 37 med.] dicit de siluro : Γινώσκεται γὰρ ὑπὸ τῶν ἁλιέων οὗ ἂν τύχῃ ᾠοφυλακῶν· ἐρύκων γὰρ τὰ ἰχθύδια ἄττει, καὶ ἦχον ποιεῖ καὶ μυγμόν. Alioqui, sequendo id, quod de propria τοῦ μύζειν signif. dicetur, est proprie Sonus, qui labiis occlusis ex naribus emittitur : qualis est gementium : unde exp. etiam στεναγμός. Potest etiam reddi Mussatio, Mussitatio : ut μύζειν, Mussare, Mussitare. [Diodor. 18, 17 : Ὁμοῦ δ' ἦν κατὰ τὰς ἐν τοῖς ἀγῶσι συμπλοκὰς μυγμὸς καὶ βοὴ καὶ παρακελευσμός· 92 : Ὁ κύων οὔτε κλαγγὴν οὔτε μυγμὸν προέμενος. Demetr. Phal. 57 : Ἀντὶ μυγμῶν καὶ στεναγμῶν.] A Suida muris quoque sonus esse dicitur; sed quod olim ap. Suid. reposui ex nuda conjectura, sc. μυ pro μυὸς, id nunc ex veteris etiam codicis auctoritate possum reponere : ut sc. legamus ap. eum, Μυγμὸς, ὁ στεναγμὸς, καὶ ὁ τοῦ μῦ ἦχος : non autem, ὁ τοῦ μυός : quem tamen errorem sequuntur VV. LL. [Μυγμὸς Eumenidum ap. Æsch. Eum. 117 sq., quas μύζειν dicit poeta.] In quibus est etiam Μυγμὴ, quo dicitur significari Sonus narium irrisioni plerumque dicatus, et Reprehensio. Unde Eum qui citra reprehensionis morsum agit, vocari ἀμύμονα, detracto γ. [V. Μύγμα.] Affert quidem et Bud. μυγμὸς ex Hesych. expositum χλευασμὸς, sed ap. eum non reperio.

[Μυδάζομαι.] Μυδάζεσθαι, Aversari, Abhorrere ab. Nicand. Al. [482] : Αὐτὰρ ὁ ναυσιόεις ἐμυδάξατο δαῖτα. Id enim schol. exp. ἀπεστρέφετο, παρῃτήσατο, ἀπεμυκτήρισε. [Pro ἐμυσάξατο positum dicit alius, quod verum.]

[Μυδαίνω.] Μυδαίνειν Hesych. exponit στάζειν et σήπειν, Stillare, Putrefacere : ut proprie sit Nimio madore et uligine putrefacere. [Lycophr. 1008 : Ἔνθα μυδαίνει ποτοῖς Ὠκίναρος γῆν. « Apud Apoll. Rh. 3, 1041, significat Fluidum reddo, quod fit si incalescat succus concretus : Ἦρι δὲ μυδήνας τόδε φάρμακον. »

A Brunck. Sic ib. 1247 : Ἰήσων φάρμακα μυδήνας ἠμὲν σάκος ἀμφεπάλυνεν ἠδὲ δόρυ. Lex. rhet. Bekk. An. p. 280, 25 : Μυδαίνεται, διαχεῖται καὶ καθυγραίνεται.]

Μῠδᾰλέος, α, ον, significans Humidus, Uvidus, Madidus. [Mephiticus, Putidus, Gl. Hom. Il. Λ, 54 : Κατὰ δ' ὑψόθεν ἧκεν ἐέρσας αἵματι μυδαλέας.] Hesiod. Op. [554] de imbre : Χρῶτά τε μυδαλέον θείῃ, κατὰ δ' εἵματα δεύσῃ. Id. [Sc. 270, et iisdem verbis Soph. El. 167] : Δάκρυσι μυδαλέη, Lachrymis madens. [Apoll. Rh. 2, 1106 : Οὐδ' ἄρα μυδαλέοι υἷηες Φρίξοιο φέρονθ' ὑπὸ κύμασιν αὔτως. Nicand. Th. 722 : Ἐν δέ τε χαυλὸς φύρματι μυδαλέος. Et similiter in fr. ap. Ælian. N. A. 16, 28 : Οὔτε τι θηρῶν αὐτοὶ κάμνουσιν μυδαλέαισι τυπαῖς, de ictibus bestiarum venenatarum. Antipat. Sid. Anth. Pal. 6, 109, 6 : Ἰξῷ μυδαλέον δόνακα. Hymn. in Isid. ap. Ross. Inscrr. fasc. 2, p. 4, 27 : Χθόνα μυδαλέαν.] Significat etiam Nimio madore vitiatus, Putris ex nimia uligine, Madore putris. Apoll. Arg. 2, [191] : Καὶ δ' ἐπὶ μυδαλέην ὀδμὴν χέον. [229 : Μυδαλέον τε καὶ οὐ τλητὸν μένος ὀδμῆς. V. etiam Hesych. et qui ex Archilocho
B pro διάβροχον positum affert Photius s. Suidas.] Sic Gregor. : Τύμβος ἀεὶ πλήρης μυδαλέων νεκύων.

[Μῠδᾰλόεις, εσσα, εν, i. q. præcedens. Strato Anth. Pal. 12, 226, 1 : Πάννυχα μυδαλόεντα πεφυρμένος ὄμματα κλαυθμῷ. Nisi μυδαλόεντι scripserat. L. Dind.]

Μῠδάω, Nimio humore et uligine vitior, Nimis uvidus putresco : h. e. Præ nimio humore s. madore putresco. [Puteo, Gl. Soph. OEd. T. 1278 : Φόνου μυδῶσας σταγόνας· Ant. 410 : Μυδῶν τε σῶμα γυμνώσαντες εὖ· 1008 : Ἐπὶ σποδῷ μυδῶσα κηκὶς μηρίων ἐτήκετο. Hedylus Anth. Pal. 5, 199, 3 : Μύροις ἔτι πάντα μυδῶντα. Polyb. 6, 25, 7 : Ὑπὸ τῶν ὄμβρων ἀποδερματούμενοι καὶ μυδῶντες (οἱ θυρεοί).] Philo De mundo : Λίθων οἱ κραταιότατοι ἆρ' οὐ μυδῶσι καὶ σήπονται; Nonne humore putrifico affecti putrescunt tandem? Et apud poetam [Apoll. Rh. 4, 1531], Μυδόωσα δ' ἀπὸ χροὸς ἔρρεε λάχνη, Putrifica uligine vitiata. Apud Theophr. quoque μυδᾶν quidam reponunt pro μαδᾶν, quum alibi, tum C. Pl. 5, c. ult. [« Μυδᾶν pro μαδᾶν sumunt nonnulli, ut quum nimio humore capilli defluunt, et
C glabrum quiddam evadit. Μυδῆσαι, βραχῆναι, παραρρυῆναι, σαπῆναι, Humore diffluere et putrescere, exp. Hesych. et μυδῶντες, διυγραίνοντες, σηπόμενοι. Μυδῶσα σὰρξ dicitur Hippocrati Caro in ulceribus nimia uligine marcescens, et nimio humore liquescens, fluxa et hebes, quæ ex redundante humore contracta est, p. 874, A, et p. 909, D. Et rursus ib. F, de membrana cerebrum ambiente : Ὡς μὴ ἐπὶ πουλὺν χρόνον ὑγρὰ ἐοῦσα μυδήῃ τε καὶ ἐξαίρηται, Ne, si diutius madescat, nimis uvida marcescat, tum intumescat; ubi etiam διαμυδᾶν usurpatur p. 912, G. Pag. 590, 33 : Ὅκως τὰ ἕλκεα μὴ μυδήσῃ, Ne ulcera nimio humore vitientur. » Foes. OEc. Hipp. Ruhnk. ad Timæum p. 184 : « Μυδᾶν, δίυγρον εἶναι καὶ σήπεσθαι. Cod. μυδιᾶν. Quæ forma quum nullo usu recepta videntur, ex Photio (ap. quem tamen μυδιᾶν editum) et Suida μυδᾶν reposuimus. Μαδᾶν et μυδᾶν cognata verba sunt nec differunt prima signif. Usus tamen μαδᾶν in hanc partem flexit ut semper de pilorum defluvio dicatur. Μυδᾶν patet latius, et tam in meliorem partem pro Madefieri quam in pejo-
D rem pro Putrescere et fœtere usurpatur. Ludunt in his vv. permutandis librarii. In Aristoph. Pl. 266 vetus criticus διττογραφίαν notavit. Nicand. Th. 308 : Φόνῳ μυδόωντες ἀναπρίουσιν ὀδόντας. De putredine quæ fœtorem emittit præter Soph. supra cit. Dio Chr. Or. 5, p. 86, C : Νεκρὸν σαπρὸν ἤδη καὶ μυδῶντα. Lucian. D. mort. 14, 5 : Τὸν νεκρὸν μυδῶντα ἤδη καὶ ἐξῳδηκότα. Alciphr. Ep. 3, 22, et al. » Nicand. Th. 423 : Οἷον ὅτε πλαδόωντα περὶ σκύλα καὶ δέρη ἵππων γναπτόμενοι μυδόωσιν ὑπ' ἀρβήλοισι λάδαργοι. Schol. ὄζουσι. Paul. Sil. in Therm. Pyth. 34 : Ὀδμὴ μυδῶσα δυσπνοοῦσα. Pollux 7, 162 : Λεπρᾶν δὲ κεράμιον ὀξηρὸν ἀντὶ τοῦ μυδᾶν Ἀριστοφάνης λέγει.]

[Μύδης. V. Μύγης.]

Μύδησις, εως, ἡ, pro μάδησις. Est autem μύδησις Quum aliquid nimio humore vitiatur, Quum nimio madore vitiatum decidit : ut ap. Diosc. 1, 6, de nardo : Ποιοῦσι καὶ πρὸς τὰς ἐν ὀφθαλμοῖς μυδήσεις τῶν βλεφάρων, στύφουσαι καὶ δασύνουσαι τὰς βλεφαρίδας· ut alibi quoque ap. eum legi tradit Bud., Χρήσιμον πρὸς μυδῶντα βλέφαρα· quidam tamen hic μαδήσεις scrib. censent. A Gorr. μύδησιν esse dicit Vitium omnium partium commune, quæ putrescentes humore aliquo madent et defluunt : adeo ut τῆς μυδήσεως nomen iis competat quæ putrefacta liquescunt et stillant. Quanquam vero omnibus partibus, ut habetur ἐν τῇ Εἰσαγωγῇ [p. 386, 21], communis sit ἡ μύδησις, in oculis tamen ante omnia usurpari, eorumque præsertim palpebris, quæ adipe tumentes humorem assidue remittunt : velut ap. Diosc. in l. paulo ante cit. : Πρὸς τὰς ἐν ὀφθαλμοῖς μυδήσεις τῶν βλεφάρων, Ad superfluo humore redundantes palpebras. [Aret. p. 121, 37 : Ἐπὴν ἐς μύδησιν ἢ καὶ κάθαρσιν τοῦ ἰητροῦ εὐτόλμως ἀκεομένου ἐς ὠτειλὴν ξυμβῇ τὸ τρῶμα, Ad putrefactionem. Ubi est var. σῆψιν.]

Μύδιον nonnulli, alii ἡμερίδα vocant τὴν δρῦν τὴν τὰς γλυκείας βαλάνους φέρουσαν, Theophr. H. Pl. 3, 9 [8, 2 ed. Schneid., ubi libri οἱ δὲ τὸ μύδιον, vitio scripturæ pro οἱ δ' ἐτυμόδρυν, quod restituit Dalecampius. || Instrumentum chirurgicum. Paul. Ægin. 6, 8, p. 129, 4 : Βλεφαροκατόχῳ, μυδίῳ· 78, p. 205, 30 : B Μυδίῳ ἢ σταφυλάγρᾳ· 87, p. 208, 16, pro quo μηδείῳ ib. 8. || « Mittilus marinus, ostreæ species, quæ Græcis μύαξ dicitur. Glossæ iatricæ Mss. Neophyti mon. : Μύαξ, τὸ θαλάσσιον μύδιον. Symeon mag. De piscibus Ms. : Μυάκια, ὀστρακώδη εἰσὶ ζῷα θαλάττια. Ad marg. scriptum τὰ κοινῶς λεγόμενα μύδια. V. Ὀμύδιον.» Ducang. || Naviculæ species, eadem quæ supra μυάριον. Ap. Diodor. Exc. Vat. p. 88 ed. Mai. : Οἱ Ῥόδιοι διαβεβοημένην ἔχοντες τὴν ἐν τοῖς ναυτικοῖς ἀγῶσιν ὑπεροχὴν ὑπὸ μυαίων καὶ εὐαγωδίων παντελῶς μικρῶν παραδόξως συγκυκλούμενοι πανταχόθεν εἰς δυσχρηστίαν ἐνέπιπτον τὴν μεγίστην, scribendum putavi μυδίων καὶ ἀκατίων παντελῶς μικρῶν. Quorum alterum quidem in Add. meæ ed. vol. 2, part. 2, p. x confirmavi locis ipsius Diodori et Dionis Chrys., qui iisdem verbis dixerunt μικρὰ παντελῶς ἀκάτια : quanquam hoc præstet an παρώνων, nonnisi qui iterum codicem inspexerit judicare poterit; μύδιον vero male Scaliger ceterique editores Festi v. *Myoparon* (in Exc. Pauli Diac. p. 100 Lind., 147 Müller.) permutasse videntur cum C voc. ab ipsis invento, quum verba Pauli : « Myoparo, genus navigii ex duobus dissimilibus formatum : nam et midion et paron per se sunt, » ita corrigerent ut *myon* scriberent quod mihi *mydion* scribendum videtur, ut sit i. q. supra μυάριον dictum notavimus ab Eustathio : quam formam Diodoro tribuere non modo propter mutationem minus lenem sed etiam propter ipsam, Byzantinæ fortasse potius quam Diodoreæ ætatis, dubitavi. Μύδιον autem formatur a μῦς, ut ἰχθύδιον ab ἰχθύς. Ceterum μύδιον non addita signif. inter proparoxytona ponit Arcad. p. 120, 13, et Theognost. Can. p. 121, 24 : Μῦς μυὸς μυΐδιον, καὶ ἐν συγκοπῇ τοῦ ι μύδιον· τοῦ γὰρ υ καὶ ι εἰς τὴν υι δίφθογγον συναιρεθῆναι μὴ δυναμένοις (-νων vel -νου) διὰ τὸ μηδέποτε τὴν οι (υι) δίφθογγον ἐπὶ τέλους λέξεως μήτε (μηδὲ) μετὰ συμφώνου εὑρίσκεσθαι, ὡς εἴρηται, ἐξέπεσεν τὸ ι καὶ ἔμεινεν μόνον τὸ υ. L. Dind.]

[Μυδόεις, εσσα, εν, i. q. μυδαλέος. Nicander Th. 362 : Μυδόεν τεκμήρατο νύγμα. ῠ]

Μύδος, Hesychio ἄφωνος, Mutus. [Pro Μυνδός.] D

[Μύδος, ὁ, Virus, Virosus humor. Nicander Al. 248 : Ἰῷ σηπόμενον δὲ μύδῳ ἐκρήγνυται ἔρφος. Schneid.]

[Μύδουσα, ἡ, Anchusa, ap. Interpol. Diosc. c. 605 (4, 23). Ducang.]

Μυδρίασις, εως, ἡ, Oculi vitium est quo pupilla effunditur et dilatatur, aciesque ejus hebescit, ut tradit Celsus 6, 6. Meminit et Paul. Ægin. 3, 22, scribens et ipse μυδρίασιν nominari πάθος id quando ἡ κόρη τῷ μὲν χρώματι μηδὲν ἀλλοιοτέρα φαίνεται, πλατυτέρα δὲ πολλῷ τοῦ κατὰ φύσιν, καὶ ποτὲ μὲν ὁλοσχερῶς ἐμποδίζει τοῦ ὁρᾶν, ποτὲ δὲ ἐπιπολὺ, καὶ τὰ ὁρώμενα αὐτοῖς πάντα δοκεῖ μακρότερα εἶναι. [Eadem fere apud auctorem Isagoges p. 387, 11. Conf. Hesych. Forma Ion. Aret. p. 34, 50 : Ξυνάγεται ἐς μικρὸν ἡ κούρη, εὖτε φθίσιν ἣν ἠδὲ (sic) μυδρίησιν ἐγὼ κικλήσκω. « Μυδρίησιν ab Aretæo solo eundem affectum ac φθίσιν oculi dictum invenio : ceteri πλατυκορίην et μυδρίησιν easdem esse dicunt. V. Aet. 134. Latitudo pupillarum μυδρίασις vocatur Cœl. Aurel. Chron. 2, 1, p. 344 : M. λέγεται ὅταν ἡ κόρη κτλ., φθίσις δὲ λέγεται κτλ. Galen. vol. 4, p. 387, 11.» Maittair. Sed fortasse transponenda ap. Aret. verba ἣν ... κικλήσκω post πλατυκορίην, quod præcesserat. L. Dind.]

Μυδροκτῠπέω, Candentem ferri massam malleo tundo. Æsch. Prom. p. 27 [366] : Κορυφαῖς δ' ἐν ἄκραις ἥμενος μυδροκτυπεῖ Ἥφαιστος.

Μυδροκτύπος, ὁ, dicitur [Hesychio] ὁ χαλκεὺς, Faber ferrarius, ut qui candentem ferri massam malleo tundat. [Eur. Herc. F. 992 : Ὡς ἐντὸς ἔστη παῖς λυγροῦ τοξεύματος, μυδροκτύπον μίμημ', ὑπὲρ κάρα βαλὼν ξύλον καθῆκε παιδὸς ἐς ξανθὸν κάρα.]

Μύδρος, ὁ, Hesychio ἀργὸς σίδηρος et κραταιὸς λίθος : addenti, poni etiam ἐπὶ τοῦ ἀναισθήτου. His demum expositionibus subjungit usitatissimam, σίδηρος πεπυρωμένος, Ferrum ignitum : ut ab Æschyli quoque schol. [Prom. 366] exp. σίδηρος πεπυρακτωμένος. Alii interpr. generalius Globus candens, Massa candefacta s. ignita. [Æschyl. ap. Athen. 7, p. 303, C : Κἀπιχαλκεύειν μύδρους. Soph. Ant. 264 : Μύδρους αἴρειν χεροῖν. Callim. Dian. 49 : Κύκλωπας ἐπ' ἄκμοσιν Ἡφαίστοιο ἑσταότας περὶ μύδρον. Nicand. Al. 50 : Σβεννὺς αἰθαλόεντα μύδρον. Schol. πεπυρακτωμένον σίδηρον.] Strabo 6, p. 113 : Ἀνεῳγμένων τούτων τῶν στομάτων δι' ὧν τὸ πῦρ ἀναφυσᾶται, καὶ μύδροι καὶ ὕδατα ἐκπίπτει. [Et ib. p. 274 init.] Pro eo Aristot. [De mundo c. 4, 25] dicit μύδροι διάπυροι, innuens μύδρον simpliciter etiam de Massa ferri aut lapidis dici; de Ætna, Lipara et Æoli insulis : Αἳ δὴ καὶ ῥέουσι πολλάκις ποταμῶν δίκην, καὶ μύδρους ἀναῤῥιπτοῦσι διαπύρους. Sic ap. Diog. L. 2, p. 53 [§ 8] Anaxagoras ἀσεβείας κρίνεται διότι τὸν ἥλιον μύδρον ἔλεγε διάπυρον : unde quidam [Diog. ib. 15] in Epigr. : Ἠέλιον πυρόεντα μύδρον ποτὲ φάσκεν ὑπάρχειν, Καὶ διὰ τοῦτο θανεῖν μέλλεν Ἀναξαγόρας. Id Suidas exp. πύρινον λίθον, Lapidem ignitum : malim ego Massam ignitam s. candentem : quum et Eurip. Anaxagoræ discipulus in Phaethonte solem vocet χρυσέαν βῶλον, Auream glebam : h. e. Massam glebæ auri modo fulgentem. [Critias ap. Sext. Adv. phys. p. 564, 35 : Ὅθεν τε λαμπρὸς ἀστέρος στείχει μύδρος. « Hippocr. p. 692, 54 : Ἐπειδὰν δὲ ἀποψύγεται τὸ οὖρον, ἐμβάλλειν μύδρους διαπύρους ἐς τὸ οὖρον. De aere p. 298, 22 : Διάπυρος δὲ καὶ μύδρος γενόμενος ἐν ὅλῳ τῷ σώματι τὴν θερμασίην ἐνειργάσατο. » Foes. De saxo in mare projecto schol. Soph. Antig. 264 : Μύδρους αἴροντες ἐπαρῶνται μένειν τὰ ὅρκια, ἕως αὐτοὶ φανῶσι, καὶ ῥίπτουσιν αὐτοὺς εἰς θάλασσαν, ὅπως ἂν αἰώνια τὰ ὅρκια ὑπάρχῃ, ὡς καὶ Καλλίμαχος· Φωκαίων μέχρις κε μένῃ μέγας εἰν ἁλὶ μύδρος, de quo conf. Herodot. 1, 165. De aliis Orph. Arg. 894 : Πρόσθε γὰρ Αἰήταο δόμων ... ἕρκος φρουρεῖται πύργοισι καὶ εὐξέστοισι μύδροισιν. De auri massa Lycophr. 272 : Πακτώλιον τηλαυγῆ μύδρον. Μύδρος, κύκλος παχὺς ἄξυστος, Gl.]

[Μυδρὼν, ῶνος, ὁ. Codin. Orig. n. 22 : Ἔκτισε δὲ καὶ τοὺς μυδρῶνας, καὶ τοὺς ἀγωγοὺς ἔφερεν ἀπὸ Βουλγαρίας. V. conjecturas Lambecii seu potius Holstenii ad h. l. Ducang.]

[Μύδω. Schol. Callim. Dian. 49 : Μύδρον, σίδηρον πεπυρακτωμένον, παρὰ τὸ μύρεσθαι καὶ διαρρεῖν. Ernest. p. 268 : « Immo μύδεσθαι, ut habet Ms. Reg., quod est proprie Humescere, h. l. Liquescere. Hinc etiam corrigendum Etym. M., in quo totidem verbis explicatur μυδρός. »]

Μυδὼν, Caro fungosa in ulcere fistuloso, in quo callosæ oræ sunt, sinus vero mucosi, ex Polluce [4, 191].

[Μύδων, ωνος, ὁ, Mydon, f. Atymnii, Hom. Il. E, 580. Pæon, Il. Φ, 209. Ap. Suidam, qui suo loco ponit Μύδωνος καὶ Μυδῶνος, ὄνομα κύριον, v. Ἀρχέλαος pro Μίδων est var. Μύδων, quod nomen ponit Diog. 2, 16. ῠ L. Dind.]

[Μύειος, Soricinus, Gl. Grammat. in Cram. Anecd. vol. 2, p. 286, 5 : Μῦς μύειος. L. Dind.]

[Μυεχφορίτης, ὁ, Myecphorites, nomus Ægypti, ap. Herodot. 2, 166.]

[Μυελαυξὴς, ὁ, ἡ.] Apud Hesych. compos. Μυελαύξῃ τροφῇ, τῇ τὸν μυελὸν τρεφούσῃ. [Μυελαύξει (-αυξεῖ) codex.]

[Μυέλη, ἡ, Myele, loci nomen, ut videtur, ap. Theodor. Stud. p. 437, B : Τοῖς μονάζουσι Μυέλης· 438, A : Κεκοίμηται ἱερῶς ἐν μοναστηρίῳ τῆς Μυέλης. L. Dind.]

[Μυέλινος, η, ον, Tener instar medullæ. Dioscorides Anth. Pal. 12, 37, 2 : Πυγὴν Σωσάρχοιο διέπλασεν Ἀμφιπολίτεω μυελίνην παίζων ὁ βροτολοιγὸς Ἔρως, Ζῆνα θέλων ἐρεθίξαι, ὁθούνεκα τῶν Γανυμήδου μηρῶν οἱ τούτου πουλὺ μελιχρότεροι. V. Μυελόεις. Mollior anseris medullula, ap. Catull. 25, 2, confert Jacobs.]

[Μυελὶς pro πυελὶς libri nonnulli Suidæ v. Κύτταρος.]

Μυελόεις, εσσα, εν, Medullæ plenus, Medullosus. Hom. Od. I, [293] : Σάρκας τε καὶ ὀστέα μυελόεντα. [Improprie Tener instar medullæ. Matro ap. Athen. 2, p. 64, C : Σόγκους δ' οὐκ ἂν ἐγὼ μυθήσομαι οὐδ' ὀνομήνω, μυελόεν βλάστημα· 4, p. 135, A : Ἀσπάραγόν τε καὶ ὄστρεα μυελόεντα. Nicand. Al. 59 : Μυελόεντα ποτὸν ὄρνιθος στρουθοῖο κατοικάδος· schol. : Τὸν ὡς μυελὸν γενόμενον ἐκ τῆς ἑψήσεως. Conf. Μυέλινος, Μυελός.

[Μυελόθεν, Medullitus, Gl.]

[Μυελὸν, τό. V. Μυελός.]

[Μυελοποιὸς, ὁ, ἡ, Qui medullam facit. Schol. Hom. Od. B, 290 : Ἄλευρα μ., θρεπτικά. Boiss.]

Μυελὸς, ὁ, Medulla : τῶν ὀστῶν τὸ λευκὸν πλήρωμα. Hom. Il. X, [501] : Ἑοῦ ἐπὶ γούνασι πατρὸς Μυελὸν οἶον ἔδωκε [ἔδεσκε] καὶ οἰῶν πίονα δημόν· Υ, [482] : Μυελὸς αὖτε Σφονδυλίων ἔκπαλτο. [Æsch. Ag. 77 : Ὁ νεαρὸς μυελὸς στέρνων ἐντὸς ἀνάσσων. Nicand. Th. 101 : Μυελοῖο νεοσφαγέος ἐλάφοιο. Tim. Locr. p. 100, B : Ὀστέα μυελῶν περιφράγματα. Theolog. ar. p. 45 fin. : Ἐγκεφάλων καὶ μυελῶν. Alexander De inv. crucis p. 22, B : Φλὸξ ἐκ βάθους τῶν σπλάγχνων καὶ μυελῶν αὐτοῦ ἀναφθεῖσα.] At μυελὸν λευκὸν Soph. et Tragici vocitarunt τὸν ἐγκέφαλον, Cerebrum : quod turpe putaretur nominare τὸν ἐγκέφαλον, ut Eurip. indicat [Tro. 1176] : Ἔνθεν ἐκγελᾷ Ὀστέων ῥαγέντων φόνος, ἵν' αἰσχρὰ μὴ λέγω. Locus [sec. Apollod. ap. Athen. 2, p. 65, F] Sophoclis est in Trach., de Hercule qui Licham correptum in mare projicit : Κόμης δὲ λευκὸν μυελὸν ἐκραίνει μέσου Κρατὸς διασπαρέντος, αἵματός θ' ὁμοῦ. Hom. vero Od. B, [290] : ἄλφιτα μυελὸν ἀνδρῶν appellat, quoniam vires corpori addunt, ut ὁ μυελὸς τοῖς ὀστοῖς. [Conf. Υ, 108.] Apud Medicos [quorum exx. v. in vocc. adjunctis, et alios, velut Plat. Tim. p. 74, A, D] hæ ponuntur differentiæ τοῦ μυελοῦ : est μυελὸς ἐγκεφαλίτης, Medulla cerebralis : h. e. ipsum Cerebrum : et μυελὸς ῥαχίτης, Medulla spinalis, per rachin totam descendens : item νωτιαῖος, διαυχένιος, et ψοΐτης. [Plura v. ap. Aristot. De partt. an. 2, 6, H. A. 3, 20. Improprie Alexis ap. Athen. 3, p. 117, D : Εἶτ' εἰς λοπάδιον ὑποπάσας ἡδύσματα, ἐνθεὶς τὸ τέμαχος, λευκὸν οἶνον ἐπιχέας, ἐπεσκέδασα τοὔλαιον· εἶθ' ἕψων ποιῶ μυελόν. Philoxenus ib. 14, p. 643, A : Λευκὸς μυελὸς γλυκερός ... τῷ δ' ὄνομ' ἧς ἄμυλος. V. Μυελόεις. || De arborum medulla, quæ etiam μήτρα et καρδία, Theophr. H. Pl. 1, 2, 6 : Μήτρα δὲ τὸ μεταξὺ τοῦ ξύλου, τρίτον ἀπὸ τοῦ φλοιοῦ, οἷον ἐν τοῖς ὀστοῖς μυελός· καλοῦσι δέ τινες τοῦτο καρδίαν, οἱ δὲ μυελόν. Crinagor. Anth. Pal. 6, 232, 2 : Ξανθοὶ μυελοὶ ἐκ στροβίλων. Similiter μέλιτος μυελὸς ἐπὶ τῶν ἄγαν ἡδέων dici annotant Suidas et parœmiographi. Unde figurate Theocr. 28, 18 : Νάσω Τρινακρίας μυελὸν, de Syracusis. Improprie etiam Eurip. Hipp. 255 : Χρῆν γὰρ μετρίας εἰς ἀλλήλους φιλίας θνητοὺς ἀνακίρνασθαι καὶ μὴ πρὸς ἄκρον μυελὸν ψυχᾶς. Similiter Sophron ap. Etym. M. p. 718, 2 : Πρὶν αὐτὰν τὰν νόσον εἰς τὸν μυελὸν σκιρωθῆναι. « Heliod. Æth. 3, 7 : Ἄχρις ἐπ' ὀστέα καὶ μυελοὺς εἰσδύεσθαι, i. e. usque ad interiora. Lucian. Tim. c. 8 : Οἱ δὲ ὀστᾶ γυμνώσαντες ἀκριβῶς καὶ περιτραγόντες, καὶ, εἴτις μυελὸς ἦν ἐκμυζήσαντες, ᾤχοντο αὖον αὐτὸν καὶ τὰς ῥίζας ὑποτετμημένον ἀπολιπόντες, Quum parasiti omnia ejus bona consumsissent, ipso ad pauperiem redacto. » Koenig. Aliter Clem. Al. p. 982, 20 : Ἵνα ᾖ τὸ ὀστοῦν ἡ λογικὴ καὶ οὐρανία ψυχὴ μὴ κενὴ, ἀλλὰ μυελοῦ γέμουσα πνευματικοῦ. Valck. || De forma per α Phryn. Epit. p. 309 : Ὁ πύελος διὰ τοῦ ε καὶ μυελὸς ῥητέον. Cujus exx. ex scriptoribus græco-barbaris annotavit Ducang., neutrius omnia, ut videtur, generis, cujus testimonium de forma per ε ex Gregor. Naz. Apol. p. 26, ubi τὸ μυελὸν, annotavit Hœschel. ad Phryn. De accentu oxytono Arcad. p. 55, 5. Primam produxerunt Epici, non tamen constanter, nunquam Attici.]

[Μυελοτρεφὴς, ὁ, ἡ, Medulla nutritus. Timotheus ap. Etym. M. p. 630, 42, ubi μυελοτεφὴς comparatur cum διοτρεφὴς, quod μυελοτρεφὴς scripsit Sylburg.]

Μυελόω, affertur pro Medulla impleo. [Ps. 65, 14 : Ὁλοκαυτώματα μεμυελωμένα, ubi Theodoretus et Suid. (et gramm. Crameri An. vol. 4, p. 461, 4, Chœrob. vol. 3, p. 153, 20) legunt μεμυαλωμένα (qua de forma dictum in Μυελός). Quod exp. εὐτραφῆ καὶ πίονα. Ap. Hesych. Μεμυλωμένα, quod ex literarum serie scrib. μεμυαλωμένα. Ex Schleusner. Lex. V. T.]

Μυελώδης, ὁ, ἡ, Medullosus s. Medullaceus : h. e. Medullæ speciem gerens, Ad medullæ naturam accedens : ut μυελώδης ὑγρότης, Humor medullæ speciem gerens. [Ap. Aristot. H. A. 3, 8.]

Μυέω, a verbo infra posito μύω, sequendo Eustath., ut paulo post docebo. Est autem Μυῶ, Doctrina instituo, præsertimque ea quæ ad res sacras s. divinas pertinet. [Imbuo, Initio, Gl. in Μεμυημένος et Μεμύηται.] Quidam interpr. ex Euseb. Præp. ev. 2, Honesta bonaque doctrina instituo : unde dicta sit Musa. Sed hæc vocabuli Musa deductio nimium remota est. In VV. LL. redditur et generali verbo Doceo; sed multo rectius interpr. Lexx. Græco-Lat., quæ omnium prima fuerunt, Instruo in sacris, Initio. Proprie enim μυῶ est Doceo sacra, s. quæ ad sacra vel ad deos pertinent, s. deorum cultum. [Eust. Opusc. p. 142, 1 : Μυεῖν ἐκεῖνοι (οἱ παλαιοὶ) ἔθεσαν οὐ τὸ ἁπλῶς διδάσκειν, ἀλλὰ τὸ ἐν ἀπορρήτῳ παραδιδόναι ἃ θεῷ οἰκεῖα καὶ τοῖς κατ' αὐτὸν ἐνθεάζουσι κτλ.] Plut. [Mor. p. 607, B], de Eumolpo : Ὃς ἐκ Θρᾴκης μεταστὰς ἐμύησε καὶ μυεῖ τοὺς Ἕλληνας. Hinc pass. Μυοῦμαι, Initior sacris, Instituor doctrina quæ ad res sacras pertinet. Aristoph. Ran. [456] : Ὅσοι μεμυήμεθα. [Pac. 278 : Εἴ τις ὑμῶν ἐν Σαμοθρᾴκῃ τυγχάνει μεμυημένος· 375 : Δεῖ γάρ μυηθῆναί με πρὶν τεθνηκέναι. Herodot. 8, 65 : Αὐτέων ὁ βουλόμενος μυεῖται.] Lucian. Scytha [c. 8] : Καὶ ἐμυήθη μόνος βαρβάρων Ἀνάχαρσις, δημοποίητος γενόμενος, Sacris initiatus est. Sæpe autem cum accus., ut, Ὄργια μεμύηται, Herodot. [2, 51.] Aristoph. Pl. [846] : Μῶν οὐκ ἐμυήθης ἐν αὐτῷ τὰ μεγάλα; Sic τὰ μεγάλα μεμυημένος, item τὰ σμικρὰ, ap. Plat. Gorgia [p. 497, C]. Diog. L. in Antisthene [6, 4] : Ὅτι οἱ τὰ Ὀρφικὰ μυούμενοι, πολλῶν ἀγαθῶν ἐν ᾅδου μετίσχουσι. Usi sunt et theologiæ Christianæ doctores. Greg. Naz. : Τὴν ἐκεῖσε μυηθῆτε φωταγωγίαν. [Plura exx., et quidem ejusdem constr., attulit Suicer., velut Dionysii Areop. Cœl. hier. 4, 4, p. 49 : Τὸ θεῖον τῆς Ἰησοῦ φιλανθρωπίας μυστήριον ἄγγελοι πρῶτον ἐμυήθησαν.] Damascen. autem dixit, Ἐκ τῆς θείας μεμυημένος γραφῆς, pro A sacris literis hoc edoctus. Neque enim Budæo assentior, dicenti μεμυημένος per se et sine adjectione positum significare Eum qui doctus est in sacris literis; deinde hunc Damasceni l. afferenti in exemplum : Τούτου τοῦ οὐρανοῦ τὴν φύσιν ὁ θεῖος Βασίλειος λεπτήν φησιν ὡσεὶ καπνὸν, ἐκ τῆς θείας μεμυημένος γραφῆς. [De baptizando Sozom. H. E. 1, 3, p. 11, A : Τοῖς μεμυημένοις. Suicer. Theophan. Chron. p. 51, D : Ἐκέλευσε μυηθέντα χειροτονηθῆναι τὸν Ἀμβρόσιον ἐπίσκοπον, qui ib. dicitur ἀβάπτιστος fuisse. L. D.] Latius autem extenditur hujus verbi signif., et a sacris ad alia transfertur. Plut. Εἰ πρεσβ. πολιτ. [p. 795, E] : Τὰ μὲν πρῶτα μανθάνων ἔτι πολιτεύεσθαι καὶ μυούμενος. Quin etiam μυεῖσθαι τὰ ἐρωτικὰ dixit Plato Symp. [p. 210, A] : Ταῦτα μὲν οὖν τὰ ἐρωτικὰ, ὦ Σώκρατες, ἴσως κἂν σὺ μυηθείης· τὰ δὲ τέλεα καὶ ἐποπτικὰ οὐκ οἶδ' εἰ οἷός τ' ἂν εἴης. [Ach. Tat. 5, 26, p. 128, 29 : Πρὸς ἄνδρα λαλῶ μεμυημένον. Cum genitivo Heliodor. Æth. 1, 17 : Ἐρυθριᾷν τὸ μειράκιον ἄρτι τῶν Ἀφροδίτης μυούμενον· cui Zachar. Mytil. Bign. Bibl. vol. 11, p. 332, A, μυεῖσθαι τῶν τῆς φιλοσοφίας ὀργίων, et grammat. ante Ammonium Valck. p. 48 : Παρθένος ἡ μήπω μυηθεῖσα ἀνδρὸς, comparavit Lobeck. Aglaoph. p. 651, 1355. Cum duplici accus. epigr. Anth. Pal. 9, 162, 3 : Ἀλλά μ' ἀνὴρ ἐμύησ' Ἑλικωνίδα, Musicam fecit, de graphide. Infinitivo jungit Philipp. Thessal. Anth. Pal. 7, 387, 1 : Ἥρως Πρωτεσίλαε, σὺ γὰρ πρώτην ἐμύησας Ἴλιον Ἑλλαδικοῦ θυμὸν ἰδεῖν δόρατος.] || Μυῶ ex μύω factum est : quoniam τοῖς μύσταις necesse est μύειν τὸ στόμα καὶ μὴ ἐκφαίνειν ἃ μεμύηνται, inquit Eust.

Μυζάω, i. q. μύζω s. μυζέω, Sugo. [Musso, Mussito, add. Gl.] Utitur autem hoc verbo μυζᾷν Eust., ubi vocab. ἀπομύζουρις [μύζουρις] exp., ut videbis infra.

[Μυζέω. V. Μύζω.]

[Μυζήτης, ὁ, genus Insecti, sic dicti, quod fruges

corrodat et sugat, a μυζέω aut a μύζω, Sonum emitto, Strideo, ut sit grylii nomen a stridore inditum. V. Michaelis Suppl. p. 865. Symm. Ps. 77, 46. Schleusn. Lex.]

[Μυζοβάλανον, τὸ, *nom égyptien d'un arbre dont le fruit ressemble au gland.* Καὶ δύο δένδρα παραπλήσια κυπαρίσσοις· κύκλῳ δὲ αὐτῶν ἦν δένδρα παρόμοια, τὰ κατ' Αἰγυπτίους λεγόμενα μυζοβάλανα· καὶ ὁ καρπὸς αὐτῶν ἴσος βαλάνοις, Ps.-Callisthenes Ms. Berger de Xivrey.]

Μύζουρις, ιδος, ἡ, Quæ caudam, i. e. penem, sugit, Fellatrix, Eust. p. 1821, loquens de οὐρὰ significante Penem: Ὅθεν καὶ γυνὴ Μύζουρις, ἡ αἰσχροποιὸς, παρὰ τὸ μυζᾶν οὐρὰν, ὅ ἐστι θηλάζειν.

[Μύζω. HSt. in K, ubi agit de vocc. ab litera Μῦ ductis:] Quinetiam verbum Μύζειν hinc originem habere sciendum est. Est enim μύζειν, Clausis labris quendam ex naribus sonum emittere, qualis est gementium. Exp. autem et Musso, Mussito. [Æsch. Eum. 117: Μύζοιτ' ἄν· 189.] Aristoph. Thesm. [231]: Τί μύζεις; πάντα πεποίηται καλῶς. [Ap. Hippocr. sæpe de murmure aut stridore interno quem viscera edunt, et de ventris strepitu ac rugitu, p. 1142, H: Ὁκότε ἄσιτος εἴη, ἔμυσεν αὐτοῦ ἐν τῇ γαστρὶ ἰσχυρῶς· 1143, A: Ὁκότε νεωστὶ βεβρωκὼς εἴη, αὐτὸν τοῦτον τὸν χρόνον ἥκιστα ἔμυζε. Pag. 534, 35: Μύζει πρὸς τὰ σπλάγχνα, de ventris rugitu et sono quodam lubentius intellexerim (quam cum Cornario de sugendo), quod etiam ibidem βρέμειν, στρέφειν et βορβορύζειν, περὶ τῆς κοιλίας dicatur. Sic rursus p. 551, 4, de strepitu et rugitu qui circum viscera editur in morbo regio: Πρὸς τὴν καρδίην καὶ τὰ σπλάγχνα μύζει, Ad os ventriculi et viscera strepitus et rugitus editur. Ubi rursus etiam Exsugitur dixit Corn. et exemplaria manuscripta μυζέει pro μύζει legunt. Ac rursus p. 559, 22: Καὶ ὁκόταν ἐπὶ τούτοισι στῇ, μύζει καὶ ἔμετον ἄγει, Strepitum edit et vomitionem ciet. Sic etiam p. 480, 49: Τὰ σπλάγχνα μύζει, Viscera rugitum edunt. Et v. 51: Καὶ ὅταν τι φάγῃ, ἐπὶ τοῖσι σπλάγχνοισι μύζει, In visceribus rugitum edit. Rursus p. 484, 25: Τὰ σπλάγχνα μύζει. Quæ phrasis repetitur p. 487, 2; p. 58, 22. Pro quo p. 490, 51, τὰ σπλάγχνα ἀμύσσεται scribitur, Viscera lancinantur. Foes. Œc. Hipp. Aret. p. 4, 39: Στενάζουσι μύζοντες βύθιον.] Sic Bud. ap. Plut. [Pomp. c. 60] de Cæsare Rubiconem transeunte: Μύσας τῷ λογισμῷ, Secum mussans inter reputandum facinus. Affert et ex Basil.: Ἔνεγκε μύσας. [Hæc vero pertinent ad Μύω, quod v.] Idem testatur Gazam reddere Mutire et Stridere, ap. Aristot.: ex quo affertur, Μύζει καὶ τριγμὸν ἀφίησι, H. A. 4, [9]. Item μύζων καὶ στένων, de delphino, 8, [2 ante med. Gloss.: Μυζῶ, Mussito, Musso; Μύζων, Mussitabundus. Schol. Aristoph. Eq. 10, Thesm. 238: Ὅτι τὸ μύζειν παρῆκται ἀπὸ τοῦ μῦ πολλοῖς ἄλλοις ὁμοίως· μύζειν δέ ἐστι τοῖς μυκτῆρσι ποιὸν ἦχον ἀποτελεῖν.] Est porro et Μύζω, Sugo: pro quo dicitur etiam Μυζέω Xen. Anab. 4, [5, 27]: Ἔδει, ὁπότε τις διψῴη, λαβόντα εἰς τὸ στόμα μύζειν τοὺς καλάμους. Altero autem usus est Plut. [immo Suidas v. Δημοσθένης p. 924, E, quem cum Plutarcho confuderat Lex. Septemv.] de Demosthene loquens, Φάρμακον ἔχων ὑπὸ τῇ σφραγῖδι, μυζήσας ἀπέθανε. [Suidas: Μυζεῖ καὶ μύζει, θηλάζει, λείχει.] Invenitur etiam partic. Μυζῶντες ap. Suid., quod exp. ἐκπιέζοντες. Horum autem composita, necnon alia huc pertinentia verba, in serie alphabetica ponenda erunt. [Iterum HSt.:] Ubi de verbo Μύζω egi, non dixi de ea signif. qua ponitur pro Sugo, quam sequitur Μυζάω: ideoque hic iterum de verbo illo disseram, sed ita ut hanc duntaxat significationem alibi consulto prætermissam, simulque illa, quæ ipsam sequuntur, explicem. Μύζω, Sugo. Xen. Anab. 4: Ἔδει δὲ, εἴ τις διψῴη, λαβόντα εἰς τὸ στόμα μύζειν τοὺς καλάμους. Sed est et alia lectio, sc. μυζεῖν, a themate Μυζέω: quam habet Suidas: qui alioqui non solum μυζεῖ, sed μύζει quoque exp. θηλάζει, λείχει. Affertque et istum locum, Ὁ δὲ Δημοσθένης, φάρμακον ἔχων ὑπὸ τῇ σφραγῖδι, μυζήσας ἀπέθανε. [Aquila, Symm. Job. 20, 16, μυζήσεται. Reliqui μυζήσει. || I. q. μυκτηρίζω, ut ap. Hesychium: Μύζοντος, μυκτηριζομένου, Eust. Opusc. p. 38, 28: Οὓς ἀεὶ ἐξουθενῶ καὶ μύζων γελῶ μυκτῆρος λόγῳ, οἷα χρυσοῦ μόλιβδον ἀμειβομένους. Et in locis similibus p. 65, 16, ubi μύζων βαρὺ, et 221,

A 44: Τονθορύζοντας καὶ μύζοντας, et 261, 6: Βρυχᾶται, βριμᾶται, μύζει, σφύζει, quibus esse videtur Spiritum per nares edere vel ducere.]

Μύζων, Mugo, Piscis de genere mugilum, ap. Aristot. H. A. 5. Ita VV. LL. Locus est ejus libri c. 11. Sed pro isto μύζων scrib. μύξων, Muco. [Conf. Μύκων.]

Μύημα, τὸ, q. d. Initiamentum: ab ea signif. verbi Initiare, qua dicitur Initiare sacris. Item, Quod docetur is qui sacris initiatur. Arethas: Τὸ ὑπερούσιον καὶ ἀπρόσιτον τῇ ἀνθρωπίνῃ φύσει μύημα. [Confus. c. μνῆμα, Kiessl. ad Iambl. V. P. p. 38.]

[Μύηνον ὄρος ab Μυήνου nomine sic dictum, Plut. De fluv. 8, 3. || Μύηνος, ὁ, nomen viri, ibid. Boiss.]

[Μύης, ητος, ὁ, Myes. Steph. Byz.: Μύης Μύητος, ὡς Φάγρης Φάγρητος, πόλις Ἰωνική. Ἑκαταῖος Ἀσίᾳ. Τὸ ἐθνικὸν Μυήσιος, ὡς Φαγρήσιος. A quo diversum videtur quod ponit Arcad. p. 25, 7: Τὰ εἰς ης δισύλλαβα κύρια ἔχοντα υ ἐν τῇ παραληγούσῃ περισπᾶται, Μυῆς, Θυῆς, Κυῆς, restituendum fortasse ap. Iambl. V. Pyth. p. 528 Kiessl., ubi Posidoniata Μύης memoratur.]

B Μύησις, εως, ἡ, [ἐπὶ μυστηρίων] Initiatio [Gl., quæ add. Imbutio]: μυσταγωγία, μυσταγωγὴ [μυστικὴ intt.] γνῶσις, Hesych.; aliis κατήχησις. [Velut Suidæ, qui addit μάθησις et ἐπιστήμη, et male ducit a μύω, quum sit a μυέω. « Dionys. Areop. Cœl. hier. 2, p. 22: Ἱεροπρεπῶς ἄκουε τῶν ἱερῶς λεγομένων, ἔνθεος ἐνθέων, ἐν μυήσει γινόμενος. De institutione catechetica, quæ baptismum præcedit, Constitt. Apost. l. 7: Περὶ τῆς ... κατὰ Χριστὸν μυήσεως. De baptismo Sozom. H. E. 1, 3, p. 11, A: Ἀμυήτοις μύησιν κατὰ τὸν νόμον τῆς ἐκκλησίας. » Suicer. Iambl. V. P. 154. Schol. Aristoph. Ran. 158. V. Προμύησις. Hemst. Alexand. De inv. crucis p. 1, B: Τῆς ἐγκυκλίου παιδεύσεως ἐν μυήσει γεγόναμεν.]

[Μυητής, ὁ, Initiator. Theod. Prodr. in Notitt. Mss. vol. 6, p. 531: Ἁγνὸς δ' αὖθ' ἑτέρωθε δάκρυ σταλάξασι μυητής, de Christo crucifixo. Elberl.]

Μύθα, Cypriis φωνὴ, Vox, Hesych.

Μῦθαρ, τὸ, Hesychio μῦσος, Scelus, et quod abominatur. [Legendum μῦθος, Sermo. Unde verbum Μυθαρεύομαι, Fabulor. Dius ap. Stob. Fl. vol. 2, p. 499: C Ἀγάλλευ μειράκιον· εὐδαίμονα μὲν γὰρ οὐκ ἔχω ὅπως τὺ φατίζω ναμερτέως μυθαρευόμενος. Ita Gaisf. ex utroque codice pro μυθευόμενος. Theodor. Stud. p. 279, A: Οὕτω ψευδοεποῦσι μυθαρευόμενοι. L. Dind.]

[Μυθαρεύομαι. V. Μῦθαρ.]

Μυθάριον, τὸ, Fabella, [Fabula add. Gl.] Plut. [Mor. p. 14, E]: Τὰ Αἰσώπεια μυθάρια καὶ τὰς ποιητικὰς ὑποθέσεις. [Cleomed. 2, p. 89, 16. Hemst. Julian. Or. 7, p. 208, C. Jacobs. Strabo 13, p. 616.]

[Μύθαρχος, ὁ.] Μύθαρχοι, Factionum duces: οἱ προεστῶτες τῶν στάσεων, Hesych. [Conf. Μυθιήτης s. Μυθίτης.]

Μυθέομαι, [cujus pers. sec. μυθέαι pro μυθέεαι est Hom. Od. B, 202, et μυθεῖαι Θ, 180,] Fabulor, Dico, i. q. μυθολογεύω. Hom. Od. M, [450]: Τί τοι τάδε μυθολογεύω; Ἤδη γάρ τοι χθιζὸς ἐμυθεόμην ἐνὶ οἴκῳ Σοί τε καὶ ἰφθίμῃ ἀλόχῳ· Il. Λ, [201]: Ζεύς με πατὴρ προέηκε τεῒν τάδε μυθήσασθαι. Item ὀνείδεα μυθήσασθαι et μυθήσασθαι κερτομίας, Probra et convitia dicere, Υ, [246]: Ἔστι γὰρ ἀμφοτέροισιν ὀνείδεα μυθήσασθαι· et [202]: Σάφα οἶδα καὶ αὐτὸς Ἠμὲν κερτομίας ἠδ' αἴσυλα μυθήσα- D σθαι. [Et similiter alibi.] Aliquando significat potius Effari, Narrare. [Il. Γ, 235: Καί τοὔνομα μυθησαίμην.] Od. [I, 16: Νῦν δ' ὄνομα πρῶτον μυθήσομαι·] Λ, [327]: Πάσας δ' οὐκ ἂν ἐγὼ μυθήσομαι οὐδ' ὀνομήνω Ὅσσας ἡρώων ἀλόχους ἴδον ἠδὲ θύγατρας· [Τ, 500: Τίη δὲ σὺ τὰς μυθήσεαι, i. q. 497 dixerat καταλέξω·] Ψ, [264]: Τί τ' ἄρ αὖ με μάλ' ὀτρυνέουσα κελεύεις Εἰπέμεν; αὐτὰρ ἐγὼ μυθήσομαι, οὐδ' ἐπικεύσω. [M, 223: Σκύλλην δ' οὐκέτ' ἐμυθεόμην. De deo vaticinante Od. Θ, 79: Ὣς γάρ οἱ χρείων μυθήσατο Φοῖβος Ἀπόλλων, ὅθ' ὑπέρβη λάϊνον οὐδὸν χρησόμενος. Pind. Pyth. 4, 298: Καί κε μυθήσαιθ' ὁποίαν εὗρε παγὰν ἐπέων. Æsch. Suppl. 227: Ἄπιστα μυθεῖσθε. Soph. Aj. 865: Τὰ δ' ἄλλ' ἐν Ἅδου τοῖς κάτω μυθήσομαι· 1162: Ἀνδρὸς ματαίου φλαῦρ' ἔπη μυθουμένου. Theocrit. 2, 154: Ταῦτά μοι ἃ ξεῖνα μυθήσατο.] Interdum Confabulor, Colloquor: qua signif. ipsum etiam Fabulor accipitur. Apoll. [Rh. 1, 457]: Ἀμοιβαδὶς ἀλλήλοισι μυθεῦντ', Inter se fabulabantur. [Seq. infinitivo i. q. Suadeo s. Jubeo, Æsch. Prom. 667: Τέλος δ' ἐναργὴς βάξις ἦλθεν Ἰνάχῳ σαφῶς ἐπισκήπτουσα καὶ μυθουμένη ἔξω δόμων τε καὶ πάτρας ἐμέ. Perictyone Stob. Fl. vol. 3, p. 185 : Μετὰ δὲ τούτους μυθέομαι τοὺς θεοὺς γονέας τιμᾶν καὶ σέβειν. || « Πάντα Ζεὺς μυθέεται, Democr. ap. Clem. Al. Str. 5, p. 709, De omnibus deliberat, Omnia consilio administrat : male verti puto ; sic μῦθοι, Consilia, Il. A, 545. » Hemst. De imperf. frequentativo, cujus non recte præsens fingit, HSt. :] Μυθέσκομαι, i. q. μυθέομαι. Il. Σ, [289] : Πρὶν μὲν γὰρ Πριάμοιο πόλιν μέροπες ἄνθρωποι Πάντες μυθέσκοντο πολύχρυσον, Dictitabant, Prædicabant. [Act. Μυθέω, quod ponit Arcad. p. 156, 19 : Τὰ μέντοι μυθῶ καὶ ἀπειθῶ περισπῶνται, ὅτι μῦθος καὶ ἀπείθεια (al. ἀπειθής), ap. Democritum Stob. Fl. 98, 61 : Ψεύδεα περὶ τοῦ μετὰ τὴν τελευτὴν μυθέοντες φόβου, in μυθοπλαστέοντες ex 120, 20, mutandum monuit Valck. ad Hippol. v. 191, Græcum esse negans μυθέω. Photius s. Suidas : Μυθήσας, εἰπών. Ps.-Eurip. Iph. A. 790 : Μυθεῦσαι τάδ' ἐς ἀλλήλας. Quod ille haud dubie dixit pro μυθοῦσαι, quum metrum non ferret μυθεύουσαι.]

Μύθευμα, τὸ, Narratio fabulosa, Fabula, i. q. μῦθος s. μυθολόγημα. [Manetho 4, 447 : Ἔν τ' ἀρεταλογίῃ μυθεύματα ποικίλ' ἔχοντας. Aristot. Poet. c. 24 : Ἔξω τοῦ μυθεύματος, i. q. μῦθος.] Plut. [Mor. p. 28, D] : Ἐν ποιητικῇ λέξει καὶ μ. περικεχυμένοις πολλὰ διαφεύγει τὸν νέον ὠφέλιμα καὶ χρήσιμα. [Mario c. 11.]

Μυθεύω, Fabulose narro, fingo. [Eur. Herc. F. 77 : Ἐγὼ δὲ διαφέρω λόγοισι μυθεύουσα· Ion. 196 : Ὃς ἐμαῖσι μυθεύεται παρὰ πήναις ἀσπιστὰς Ἰόλαος· 265 : Ὡς μεμύθευται βροτοῖς. Aristot. De partt. an. 1, 1 med. : Τὰ μυθευόμενα λιθοῦσθαι. Strabo 1, p. 43 : Ἀπὸ τῶν ἀμπώτεων ἡ Χάρυβδις αὐτῷ μεμύθευται.] Lucian. [Halc. c. 1] : Μεμύθευται λόγος παλαιός. Ex Eod. [script. Philopatr. c. 1] in VV. LL., Ἐμυθεύθη ἐπ' ἐμοὶ, Ob [De] me fabulatum est. Eustathio μυθεύεσθαι est τὸ ψευδῶς λέγειν. [Μυθεύεται, Fabulat, Gl. Μυθετευόμενον vitiose ap. Petrum Patric. in Maji Nova Coll. vol. 2, p. 597, a Cramero cit.]

[Μυθέω. V. Μυθέομαι.]

[Μυθηγορέω, Fabulas loquor, Fabulor. Proculus Proleg. Hesiodi p. 5 ed. Gaisf. : Τὰ δ' ἐντεῦθεν μεμυθηγόρηται καὶ ἀλληγορικώτερον λέλεκται· et iisdem verbis simia Proculi Tzetzes p. 13, ubi al. μεμυθολόγηται. L. Dindorf.]

[Μύθημα, τὸ, Loquela. Theodor. Prodr. in Notitt. Mss. vol. 7, p. 257, 77 : Σειρῆνος ἡδὺ μύθημα. Elberl.]

Μυθητὴρ, ῆρος, ὁ, i. q. μυθητής : nam μυθητῆρες, στασιασταὶ, Hesych. [V. Μυθητής.]

Μυθητὴς, ὁ, Orator, Susurro, VV. LL. Eust. p. 1901, exponens Homeri illud [Od. Φ, 71], Μύθου ἐπισχεσίην, dicit veteres gramm. μῦθον exposuisse ibi στάσιν : Ἐπεὶ καὶ Ἀνακρέων τοὺς ἐν Σάμῳ θέλων εἰπεῖν στασιαστὰς, Μυθηταὶ δ' ἐν νήσῳ, φησὶ, διέπουσιν ἱερὸν ἄστυ, i. e. στασιασταὶ ἐπίῤῥητοι : exp. tamen etiam, ἐν μύθοις καὶ μόνοις ἔχοντες τὸ σεμνόν : vel ἀγορηταὶ βλαβεροὶ, Oratores perniciosi. [V. Μυθητὴρ, Μυθιήτης s. Μυθίτης.]

[Μυθίαμβος, ὁ, Mythum continens iambus. Tzetz. Hist. 13, 258 : Βαβρίας ἐν μυθιάμβοις τοῖς χωλοῖς. Suidas in Βαβρίας.]

[Μυθίδιον, τὸ, Fabella. Lucian. Philops. c. 2. Athanas. vol. 1, p. 410, D : Τῶν ἐν τῷ γελοίῳ συγγράμματι μυθιδίων.]

[Μυθίζω s.] Μυθίζομαι, i. q. μυθέομαι, Dico, Loquor. [Activo Manetho 1, 238 : Ἑζόμενοι ζώουσιν ὀνείρατα μυθίζοντες.] Μυθίζεσθαι accipitur etiam pro Effari, Enuntiare, ut et μυθεῖσθαι. Orph. Arg. 189 : Τῷ καὶ μαντοσύνην ἔπορε καὶ θέσφατον ὀμφὴν Φοῖβος, ἵν' ἀνθρώποισιν ἀρηρότα μυθίζοιτο· ubi etiam potest reddi Vaticinaretur, Prædiceret, ut infra ὑπομυθεῖσθαι. [Perictyone Stob. Fl. vol. 3, p. 184 : Ψεύδεα κατὰ πάντων μυθίζεται πρὸς τοῦτον, ubi liber optimus μυσίζεται. || Voco. Nonnus Jo. c. 14, 65 : Κοίρανον ὑμείων τε διδάσκαλον· εἰμὶ γὰρ ἄμφω, ὡς ἐμὲ μυθίζεσθε. || Forma Dor. activi Theocr. 10, 58 : Τὸν δὲ τεὸν ἔρωτα μυθίσδεν τᾷ ματρί· quam 20, 11 : Τοιάδε μυθίζοισα, restituit Wintertonus. || Forma Lacon. Aristoph. Lys. 94 : Μύσιδδέ τοι ὅ τι λῇς ποθ' ἀμέ· 1076 : Τί δεῖ ποθ' ὑμμὲ πολλὰ μυσίδδειν ἔπη ; 981 : Θέλω τι μυσίξαι νέον. Formam Μουσίδδω v. supra. L. Dind.]

A [Μυθίης, Μυθιήτης. V. Μυθίτης.]

Μυθικὸς, ή, ὸν, Fabularis, ut Suet. dicit Fabularis historia, infra in Μυθιστορία. [Plato Phædr. p. 265, C : Μυθικόν τινα ὕμνον.] Athen. 13, [p. 572, F] : Ὡς ἱστορεῖ Κλεάνθης ἐν τοῖς Μυθικοῖς. Plut. [Mor. p. 628, B] : Νεάνθη τὸν Κυζικηνὸν ἔφη λέγειν ἐν τοῖς κατὰ πόλιν Μυθικοῖς. Quintil. 5, 11, de exemplis quæ ex poeticis fabulis ducuntur : Αἶνον Græci vocant et Αἰσωποποίητον, et, ut dixi, λόγους μυθικούς : nostrorum quidam, non sane recepto in usum nomine, apologationem. [Dionys. A. R. 1, 2 : Ἡ Ἀσσυρίων ἀρχὴ, παλαιά τις οὖσα καὶ εἰς τοὺς μυθικοὺς ἀναγομένη χρόνους. De quibus v. annot. Hudsoni.]

[Μυθικῶς, adv. Aristot. Metaphys. 11, p. 254, 9 : Τὰ δὲ λοιπὰ μ. ἤδη προσῆκται πρὸς τὴν πειθὼ τῶν πολλῶν· De cœlo 2, 18. Μυθικωτέρως, schol. Lycophr. 18, 276. « Μυθικώτερον, Tzetz. Hist. 2, 824. (Theodor. Stud. p. 530, B : Ἔοικας τὸ τοῦ Ταντάλου παθεῖν, εἰ καὶ μυθικώτερον τὸ ἐπίφθεγμα. L. D.) Μυθικωτάτως, ibid. 671. » Elberl.]

B Μυθιστορία, ἡ, Historia fabularis : ut Suet. in Tib. : Maxime tamen curavit historiæ fabularis notitiam usque ad ineptias atque derisum. Ælius Spart. in suis Historiis [Macrin. c. 1 (qui in edd. Capitolini)] citat aliquando μυθιστορίας. Bud.

Μυθίτης, ὁ, pro μυθητής. In Lex. meo vet. quum annotatum esset μῦθος ab Hom. semel tantummodo accipi pro στάσις, citatusque l. quem infra ponam, additur, Καὶ Ἀνακρέων, μυθίτας τοὺς στασιαστάς. Apud Etym. autem perperam scribitur μυθίας, ubi hæc verba habentur : Καὶ Ἀνακρέων ἐν τῷ δευτέρῳ τῶν μελῶν Μυθίας τοὺς στασιαστὰς ἐπὶ τῶν ἁλιέων λέγει. [Theognost. Can. p. 169, 12, inter nomina in της ponit : Μυθίτης, σημαίνει δὲ τὸν στασιαστήν. HSt. in Ind. : Μυθίης, Homo seditiosus et turbulentus. Scribit enim Etym. μῦθον ab Homero dici etiam τὴν στάσιν, ut : Μύθου ποιήσασθαι ἐπίσχεσιν· inde ap. Anacreontem μυθίας de piscatoribus dici pro στασιαστάς. Sed scrib. potius μυθίτας, ut habet Lex. meum vet., s. μυθητὰς, ut Eust. [ad Od. Φ, 71, ubi ipsa servavit verba Ana-
C creontis, quæ respicit Etym., et μυθηταὶ exhibet cum schol. Μυθιήτας vero Anacreontem dixisse τοὺς στασιώτας perhibet Apollon. Lex. Hom. p. 464=558, quam formam diserte testantur et cum πολιήτης comparant Apollon. Bekk. An. p. 524, 5, Steph. Byz. in Αἴγιναι, et Etym. Gud. p. 84, 3, sed metrum admittere non videtur in fr. Anacr. ap. Bergk. Poet. Lyr. p. 669, nisi numeris Ionicis restitutis cum Buttmanno ad schol. Od. (qui tamen mire μυθιήτης, quod prima brevi opus esse putaret, a μόθος ducebat, quam etymologiam refellunt vel Hesychii glossæ supra citatæ μύθαρχος et μυθητήρ) ad hunc modum : Μυθιῆται δ' ἀνὰ νῆσον, ὦ Μεγίστη, διέπουσιν ἱρὸν ἄστυ. Qua ratione optime conciliari videntur scripturæ schol. et Eustathii (qui mutasse et omisisse videtur quæ in antiquioribus scholiis corrupta inveniret, neque intelligeret aut emendare posset vel minus necessaria duceret) μυθηταὶ δ' ἀννήσῳ μεγίστη (sic enim Aldina, non μεγίστῃ) et μυθηταὶ δ' ἐν νήσῳ, sine illo μεγίστη. Ita vero duæ tantum formæ fuerint, μυθητὴς et μυθιήτης. L. D.]

D [Μυθογραφέω, Mythos s. Fabulas scribo. Strabo 3, p. 157 : Τὰ περὶ τὴν Ὀδυσσέως πλάνην μυθογραφήσαντος. « Julian. Or. 7, p. 216, D. » Jacobs.]

[Μυθογραφία, ἡ, Mythorum scriptio, Fabularis historia. Strabo 1, p. 43; 8, p. 341. « Julian. Or. 7, p. 205, B; 216, B. » Jacobs.]

Μυθογράφος, ὁ, Fabularum scriptor, Plut. [Thes. c. 13. Polyb. 4, 40, 2.]

[Μυθοειδῶς pro μυθωδῶς, Proclus In Plat. Remp. p. 152, 16. Boiss.]

[Μυθόλατρις, ὁ, Verbi, i. e. Christi cultor. Greg. Naz.]

[Μυθολέσχης, ὁ, Fabularum narrator, Fabulator. Eust. Il. p. 679, 11. Wakef.]

Μυθολογεύω, Fabulor. Sed ap. Hom. simpliciter pro Loquor, Dico, sicut olim Fabulor, Od. M, [450] : Τί τοι τάδε μυθολογεύω; Et mox, Ἐχθρὸν δέ μοί ἐστιν Αὖτις ἀριζήλως εἰρημένα μυθολογεύειν. Plaut., Quid fabulabor ? quid negabo, aut fatebor ? Idem, Ut apud te falsa fabuler. Et post Homerum Phocyl. [63] : Μέτρῳ μὲν φαγέειν, πιεῖν, καὶ μυθολογεύειν, Fabulandi [« Fabulari » HSt. Ms. Vind.]: nam et pro Loqui accipitur a Plauto. [Archestratus Athenæi 7, p. 278, B. « Theophyl. Simoc. Hist. p. 12, C. » Boiss.]

Μυθολογέω, [Fabulor, Gl. Hippocr. p. 820, C : Μυθολογοῦσί τινες ὅτι κτλ.] Fabulas vel Fabulam narro. [Xen. Conv. 8, 28 : Ἐπιθυμῶ δέ σοι καὶ μυθολογῆσαι ὡς οὐ μόνον ἄνθρωποι, ἀλλὰ καὶ θεοὶ κτλ. Plato Reip. 2, p. 379, A : Μυθολογεῖν τοὺς ποιητάς· 392, B : Ἄδειν τε καὶ μυθολογεῖν· Phæd. p. 61, E : Μυθολογεῖν περὶ τῆς ἀποδημίας τῆς ἐκεῖ, ubi est, Disserere, Confabulari. Gorg. p. 493, D : Ἂν καὶ πολλὰ τοιαῦτα μυθολογῶ.] Isocr. Archid. [p. 120, C] : Ὁ γὰρ παρὼν καιρὸς οὐκ ἐᾷ μυθολογεῖν. Item Fabulose narro. Aristot. H. A. 9, [1] de chlorione ave : Ὃν ἔνιοι μυθολογοῦσι γενέσθαι ἐκ πυρκαϊᾶς. [Polit. 2, 12 : Μυθολογοῦσι γὰρ αὐτοὺς οὕτω τάξασθαι τὴν ταφήν· 5, 10 : Οἱ μυθολογοῦντες· Rhetor. 2, 21.] Et cum accus. Isocr. [p. 24, C]: Τοὺς ἀγῶνας καὶ τοὺς πολέμους τῶν ἡμιθέων ἐμυθολόγησε. Et Plato [Reip. 2, p. 359, D], Ἄλλα τε ἃ δὴ μυθολογοῦσι, Cic., Ut ferunt fabulæ. [Pro Narro simpliciter Nymphodor. apud Athen. 6, p. 265, D. Hemst.] Pass. Μυθολογέομαι, Fabulose narror. Plato Leg. [Reip.] 2, [p. 378, C] : Γιγαντομαχίας μυθολογητέον αὐτοῖς καὶ ποικιλτέον. Et paulo post, Ἃ πρῶτα ἀκούουσιν, ὅτι κάλλιστα μεμυθολογημένα πρὸς ἀρετὴν ἀκούειν. [Reip. 9, p. 588, C : Οἷαι μυθολογοῦνται παλαιαὶ γενέσθαι φύσεις.] Dem. [p. 1391, 21]: Οὔπω μεμυθολόγηται, οὐδ' εἰς τὴν ἡρωϊκὴν ἐπανῆκται τάξιν, Poetarum fabulis celebrata sunt aut decantata. [Aristot. H. A. 6, 29 : Περὶ δὲ τῆς ζωῆς μυθολογεῖται μὲν ὡς ὂν μακρόβιον, οὐ φαίνεται δ' οὔτε τῶν μυθολογουμένων οὐδὲν σαφές· 9, 18 : Ὁ δ' ἀστερίας μυθολογεῖται μὲν γενέσθαι ἐκ δούλων.] Μυθολογέομαι active quoque capitur pro μυθολογέω, Theophr. [Theophyl.] Ep. 34 : Μυθολογήσομαί [Διαμυθ.] σοι μῦθον οὐκ ἄσεμνον, Fabulam tibi referam s. narrabo : quam ibi subjicit.

Μυθολόγημα, τὸ, Narratio fabulosa, Res quæ fabulose narratur. De cujusmodi narrationum genere Plato De rep. [Leg.] 2, [p. 663, E, Phædr. p. 229, C. Plut. Thes. c. 14; Lucian. Philops. c. 37. « Dio Chrys. Or. 32, p. 682, 5. » Boiss.]

[Μυθολογητέον. V. Μυθολογέω.]

Μυθολογία, ἡ, [Fabellatio, Gl.] Narratio fabularum, Fabulosa narratio. [Plato Critiæ p. 110, A : Μυθολογία ἀναζήτησίς τε τῶν παλαιῶν· Polit. p. 304, C : Διὰ μυθολογίας, ἀλλὰ μὴ διὰ διδαχῆς· Reip. 3, p. 394, B : Ὅτι τῆς ποιήσεώς τε καὶ μυθολογίας ἡ μὲν διὰ μιμήσεως ὅλη ἐστίν· Hipp. maj. p. 298, A : Οἱ λόγοι καὶ αἱ μυθολογίαι. De sermone Leg. 6, p. 752, A : Κατὰ τὴν παροῦσαν ἡμῖν τὰ νῦν μυθολογίαν. Pollux 2, 121.]

Μυθολογικὸς, ἡ, ὸν, Ad fabularum narrationem pertinens, Qui valet comminiscendis fabulis, ut Æsopus, Bud. ex Plat. [Phæd. p. 61, B. Pollux 4, 52.]

Μυθολόγος, ὁ, ἡ, Fabularum narrator. Plato Leg. [2, p. 664, D], ᾠδὰς μ., Cantilenas fabulosas, In quibus fabulæ narrantur. [Fabulator, Gerro, Glaris, Gl. Manetho 4, 445 : Μυθολόγους τεύχει καὶ αἰσχεορήμονας ἄνδρας. Plato Reip. 2, p. 392, D : Ὑπὸ μυθολόγων ἢ ποιητῶν.]

[Μυθόομαι, i. q. μυθέομαι. Æsch. Ag. 1368 : Σάφ' εἰδότας χρὴ τῶνδε μυθοῦσθαι πέρι· τὸ γὰρ τοπάζειν τοῦ σάφ' εἰδέναι δίχα. Μυθεῖσθαι Schneiderus, recte ut videtur.]

Μυθοπλαστέω, Fabellas fingo, Fabulose fingo. Unde μυθοπλαστούμενον, In fabulis fictum, Fabulis traditum. [Philo J. p. 468, A. Hemst. Zachar. Mityl. Dial. p. 187 med.; Tzetz. ad Hesiod. p. 14 med. Gaisf. Boiss. V. Μυθέομαι. Pass. etiam Tzetz. Hist. 10, 41.]

Μυθοπλάστης, ὁ, Fabularum fictor, Qui fabellas fingit. [Lycophr. 764 : Τὸν μυθοπλάστην ἐξυλακτήσει γόον. « Philo De conf. ling. § 3, p. 405. » Boiss. Hermias In Plat. Phædr. p. 92.]

Μυθοπλαστία, ἡ, Fabulosum figmentum. [Athanas. vol. 1, p. 186, 258, 301, 370 ed. Comm. Kall. Maxim. Conf. vol. 2, p. 62, D; Jo. Dam. vol. 1, p. 67, C. L. Dind.]

[Μυθοπλόκος, ὁ, Qui fabulas nectit, texit. Sappho ap. Maxim. Tyr. 8, p. 94 (24, 9, p. 480). Aster. Homil. p. 315. Boiss. Theodos. Expugn. Cret. 5, 35.]

[Μυθοποιέω, Fabulas facio, fingo. Diod. 1, 92 : Μυ-

A θοποιῆσαι τὰ καθ' Ἅδου· 4, 35 : Μυθοποιῆσαι τὸ πραχθέν. Pass. Justin. M. Apol. 1, p. 75, B.]

[Μυθοποίημα, τὸ, Fabula, Commentum. Plut. Mor. p. 17, A. « Ælian. N. A. 7, 29. » Hemst.]

[Μυθοποίησις, εως, ἡ, Fabularum fictio Sext. Emp. Adv. math. 9, 192.]

Μυθοποιΐα, ἡ, Fabularum fictio, Figmentum fabulosum, ut μυθολογία dicitur pro μυθολόγημα. Plut. [Mor. p. 348, A] : Ἀλλ' ὅτι μὲν ἡ ποιητικὴ περὶ μυθοποιΐαν ἐστὶ, καὶ Πλάτων εἴρηκε. Qui Plato De rep. 2, dicit etiam μῦθον ποιεῖν et μύθους ποιεῖν : ibid. μύθους πλάττειν et μύθους συντιθέναι ψευδεῖς : item λογοποιεῖν : ad cujus formam dici possit μυθοποιεῖν. Cujus tamen nullum affertur exemplum. [Diod. 1, 96 : Τὴν τῶν ἐν ᾅδου μυθοποιΐαν· 3, 65 : Διονυσίῳ τῷ συνταξαμένῳ τὰς παλαιὰς μυθοποιΐας.]

Μυθοποιὸς, ὁ, i. q. μυθολόγος. Plato [Reip. 2, p. 377, B. Lucian. Herm. c. 73.]

Μῦθος, ὁ, Verbum. Hom. Il. I, [443] : Μύθων τε ῥητῆρ' ἔμεναι, πρηκτῆρά τε ἔργων, Oratorem verborum,
B factoremque rerum, ut Cic. interpr. Il. A, [552] et Θ, [209] : Ποῖον τὸν μῦθον ἔειπας; Od. E, [183] : Οἷον δὴ τὸν μῦθον ἐπεφράσθης ἀγορεῦσαι. Alicubi commodius redditur Dictum, Id quod dicitur aut dictum fuit, ubi retineri tamen interdum potest Verbum. Il. T, [242] : Αὐτίκ' ἔπειθ' ἅμα μῦθος ἔην, τετέλεστο δὲ ἔργον· Virg., Vix ea fatus erat. Est etiam ubi potius plurali numero interpretari debemus, Verba, Dicta, Ea quæ dicuntur vel dicta fuerunt, etiam Oratio. Od. T, [502] : Ἀλλ' ἔχε σιγῇ μῦθον. Ib. [O, 444] : Ἀλλ' ἔχετ' ἐν φρεσὶ μῦθον· A, [361] : Παιδὸς γὰρ μῦθον πεπνυμένον ἔνθετο θυμῷ· Il. Θ, [29] : Μῦθον ἀγασσάμενοι· μάλα γὰρ κρατερῶς ἀγόρευσεν· E, [493] : Δάκε δὲ φρένας Ἕκτορι μῦθος· Od. Θ, [185] : Θυμοδακὴς γὰρ μῦθος· ἐπώτρυνε [—ας] δέ με εἰπών· et [272] : Θυμαλγέα μῦθον ἄκουσε· Λ, [560] : Ἀλλ' ἄγε δεῦρο, ἄναξ, ἵν' ἔπος καὶ μῦθον ἀκούσῃς ἡμέτερον, Quæ dicere vobis volumus. Item τέλος μύθῳ ἐπιθεῖναι, Dictis vel Orationi finem imponere, Dicendi finem facere : ut etiam κολοφῶνα ἐπιτιθέναι τῷ λόγῳ. Il. T, [107] : Ψευστήσεις οὐδ' αὖτε τέλος μύθῳ
C ἐπιθήσεις. At μῦθον τελεῖν, Efficere quæ dicta fuerunt, Effectum dare id quod dictum erat, Od. Δ, [776] : Ἀλλ' ἄγε σιγῇ τοῖον ἀναστάντες τελέωμεν μῦθον. [Æsch. Prom. 505 : Βραχεῖ δὲ μύθῳ πάντα συλλήβδην μάθε· 642 : Σαφεῖ δὲ μύθῳ πᾶν ὅπερ προσχρῄζετε πεύσεσθε· 648 : Παρηγόρουν λείοισι μύθοις· 686 : Μηδέ μ' οἰκτίσας ξύνθαλπε μύθοις ψεύδεσιν· Pers. 698 : Μήτι μακιστῆρα μῦθον, ἀλλὰ σύντομον. Et similiter alibi. De narratione Pers. 713 : Πάντα γὰρ, Δαρεῖ', ἀκούσει μῦθον ἐν βραχεῖ λόγῳ· Cho. 166 : Νέου δὲ μύθου τοῦδε κοινωνήσατε, etc. Et similiter ceteri Tragici. Aristoph. Vesp. 725 : Ἦπου σοφὸς ἦν ὅστις ἔφασκεν, πρὶν ἂν ἀμφοῖν μῦθον ἀκούσῃς, οὐκ ἂν δικάσαις.] Dicitur etiam κεκάσθαι μύθοις, Qui facundia pollet, dicendo valet, Od. H, [157] : Καὶ μύθοισι κέκαστο, παλαιά τε πολλά τε εἰδώς. In hoc autem l. Od. A, [358] : Μῦθος δ' ἄνδρεσσι μελήσει, μῦθος non accipitur simpliciter pro λόγος, sed pro λόγος δημηγορικὸς, Oratio, Verba quæ in publico fiunt : quo modo accipi potest et in quibusdam ll. ex supra citatis. Denique μῦθος et μῦθοι sicut et λόγος ac λόγοι pro
D variis ll. varie potest reddi; et quidem sæpe Colloquium. [Velut Od. Δ, 214 : Μῦθοι δὲ καὶ ἠῶθέν περ ἔσονται Τηλεμάχῳ καὶ ἐμοὶ, διαειπέμεν ἀλλήλοισιν. « Ἐγὼ οὐ πάντα περὶ τοὺς ἐμεωυτοῦ μύθους, Pythag. apud Diog. L. 8, 50. Fabulas Interpres male. » Hemst.] || In prosa autem aliam signif. habet; ponitur enim pro Fabula. Eoque magis mirari debemus hunc Plat. l. in Timæo [p. 29, D] : Ὥστε περὶ τούτων τὸν εἰκότα μῦθον ἀποδεχομένους, πρέπει μηδὲν ἔτι πέρα ζητεῖν· Cic., Ut si probabilia dicentur, nil ultra requiratis. Eo magis inquam et hunc l., et si qui sunt huic similes, mirari interimque observare diligenter debemus; nam et ex l. Leg. 6, [p. 771, C : Κατὰ σχολὴν οὐκ ἂν πολὺς ἐπιδείξειε μῦθος,] ejusd. Plat. affertur itidem pro λόγος. [Sic ib. 773, C : Κατὰ παντὸς εἷς ἔστω μῦθος γάμου, et alibi sæpe.] Quod autem attinet ad hoc loquendi genus, Οὐκ ἐμὸς ὁ μῦθος, vel οὐκ ἐμὸς ὁ μῦθος οὗτος, frequens in prosa esse fateor illud quidem, sed minime mirum nobis debere videri dico, quod ibi usurpetur tanquam ex poeta sumptum. Nec dubito quin ad hoc

A loquendi genus, tanquam proverbiale, respexerit Horat. Sat. 2, 2: Nec meus hic sermo est. Plato Symp. [p. 177, A]: Οὐ γὰρ ἐμὸς ὁ μῦθος, ἀλλὰ Φαίδρου τοῦδε, ὃν μέλλω λέγειν· Φαῖδρος γὰρ ἑκάστοτε πρός με ἀγανακτῶν λέγει. Itidem Plut. Symp. 4, [p. 661, A] dixit, Οὐκ ἐμὸς ὁ μῦθος, ἀλλ' οὑτοσὶ Φίλων ἑκάστοτε λέγει πρὸς ἡμᾶς ὅτι κτλ. Et 8, [p. 718, A]: Καὶ οὐκ ἐμὸς ὁ μῦθος, εἶπεν· ἀλλ' Αἰγύπτιοι τόν τε Ἆπιν οὕτως λοχεύεσθαί φασιν. Usus est et Lucian. aliquoties, atque alii. [Aliter Æsch. Eum. 581: Ὑμῶν ὁ μῦθος· εἰσάγω δὲ τὴν δίκην· ὁ γὰρ διώκων πρότερος λέγων κτλ. Ut autem sæpe λόγος et ἔργον, sic μῦθος et ἔργον contraria Æsch. Prom. 1080: Καὶ μὴν ἔργῳ κοὐκέτι μύθῳ χθὼν σεσάλευται. Distinguuntur vero μῦθος et λόγος, ubi μῦθος est Fabula, ut ap. Plat. Gorg. p. 523, A: Ἄκουε μάλα καλοῦ λόγου, ὃν σὺ μὲν ἡγήσει μῦθον, ἐγὼ δὲ λόγον· Prot. p. 324, D: Τούτου πέρι οὐκέτι μῦθόν σοι ἐρῶ, ἀλλὰ λόγον.] || Fabula, [Fabella, Gl.] i. e. Quæ passim dicuntur. Ex Apollonio [1, 648], μύθους Αἰθαλίδεω, Quæ vulgo de Æthalide dicuntur. Latini dicunt In fabula esse, Fabulam fieri, B esse, eum de quo omnes passim loquuntur. Referri huc potest quod ex Greg. Naz. affertur, Τὸ τοῦ μύθου, pro Ut est in proverbio, Ut ferunt, Ut habet omnium sermone tritum proverbium. [Æsch. Cho. 314: Τριγέρων μῦθος τάδε φωνεῖ· fr. Myrmid. ap. schol. Arist. Av. 808: Μύθων τῶν Λιβυστικῶν λόγος. Ps.-Eur. Iph. A. 72: Ὡς ὁ μῦθος ἀνθρώπων ἔχει. Theocr. 15, 107: Τὸ μὲν ἀθανάταν ἀπὸ θνατᾶς, ἀνθρώπων ὡς μῦθος, ἐποίησας Βερενίκαν. Plato Epin. p. 975, A: Ὡς ὁ μῦθός ἐστι.] || Fabula, i. e. λόγος ψευδής, εἰκονίζων ἀλήθειαν, ut ab Aphthonio in Progymn. definitur: qui tria ejus genera facit, λογικὸν, de homine: ἠθικὸν, i. e. τὸ τῶν ἀλόγων ἦθος ἀπομιμούμενον: et μικτὸν, quod ex utrisque mistum est. [Pind. Ol. 1, 29: Δεδαιδαλμένοι ψεύδεσι ποικίλοις μῦθοι· Nem. 7, 23: Σοφία παράγοισα μύθοις· 8, 33: Αἱμύλων μύθων. Eur. Hipp. 1288: Ψευδέσι μύθοις ἀλόχου πεισθείς· et locis similibus, qui initio citati sunt. De fabula Æsopea Aristoph. Pac. 731: Ἐν τοῖσιν Αἰσώπου λόγοις ἐξηυρέθη μόνος πετεινῶν εἰς θεοὺς ἀφιγμένος. — Ἄπιστον εἶπας μῦθον, ὅπως κάκοσμον C ζῷον ἦλθεν ἐς θεούς. Id. Lys. 781: Μῦθον βούλομαι λέξαι τιν' ὑμῖν, ὅν ποτ' ἤκουσ' αὐτὸς ἔτι παῖς ὤν· et ib. 806. Pl. 177: Φιλέψιος δ' οὐχ ἕνεκα σοῦ μύθους λέγει; Vesp. 566: Οἱ δὲ λέγουσιν μύθους ἡμῖν, οἱ δ' Αἰσώπου τι γελοῖον· et ib. 1179. Plat. Phæd. p. 60, C: Μῦθον ἂν συνθεῖναι (Æsopum)· Alc. 1 p. 122, E: Κατὰ τὸν Αἰσώπου μῦθον.] Plut. in l. Utrum Athenienses bello an sapientia præcelluerint [p. 348, B]: Ὁ δὲ μῦθος εἶναι βούλεται λόγος ψευδής, ἐοικὼς ἀληθινῷ. Plato De rep. 2, p. 26 [377, A]: Πρῶτον τοῖς παιδίοις μύθους λέγομεν· τοῦτο δέ που, ὡς τὸ ὅλον εἰπεῖν, ψεῦδος· ἔνι δὲ καὶ ἀληθῆ. Idem ibid. dicit μύθους πλάττειν, ποιεῖν, μ. ψευδεῖς συντιθέναι. [Aristot. H. A. 6, 31: Ὁ λεχθεὶς μῦθος περὶ τοῦ ἐκβάλλειν τὰς ὑστέρας τίκτοντα (τὸν λέοντα) ληρώδης ἐστί. L. D. Clem. Al. p. 8, 24: Μῦθον ταῦτα ὑπολαμβάνεις. VALCK.] Est autem id scriptionis genus poetis usitatius quam oratoribus, ut tum Aphthon. testatur, tum Aristot. Poet. [c. 6], ubi etiam dicit μῦθον esse ἀρχὴν καὶ οἷον ψυχὴν τῆς τραγῳδίας. [Conf. ib. 8.] Ab oratore autem μ. καιρίως λαμβανόμενος, εὔχαρίς ἐστιν, inquit Demetr. D Phal. Itidem Lucian. [De hist. conscr. c. 60] ait, Καὶ μὴν καὶ μῦθος εἴ τις παρεμπέσοι, λεκτέος μὲν, οὐ πιστωτέος. Plut. [Mor. p. 996, C]: Ἀνηγμένος ἐστὶ μῦθος εἰς τὴν παλιγγενεσίαν. Lucian. [Macrob. c. 10]: Ἐξηγηταὶ μύθων, ut Cic., Explicatio fabularum. Et μύθων ἀλληγορίαι, cujusmodi conscriptæ sunt a Charace et Palæphato, Eust. [Aristot. H. A. 6, 35: Λέγεται δέ τις περὶ τοῦ τόκου λόγος πρὸς μῦθον συνάπτων· φασὶ γὰρ πάντας τοὺς λύκους ἐν δώδεχ' ἡμέραις τοῦ ἐνιαυτοῦ τίκτειν. Τούτου δὲ τὴν αἰτίαν ἐν μύθῳ λέγουσιν, ὅτι ἐν τοσαύταις ἡμέραις τὴν Λητὼ παρεκόμισαν κτλ. Metaphys. 11, p. 254, 6: Παραδέδοται ἐν μύθου σχήματι ὅτι θεοί τέ εἰσιν οὗτοι κτλ. De μύθοις quos dicit Theopompus ap. Strab. 1, p. 74 (coll. eod. 10, p. 458) distinguendis a μύθοις quos ibidem dicit πεπλασμένοις, quorum hæ sunt fabulæ mendaces, illæ veteres narrationes, vera falsis miscentes et ad fabulæ speciem componentes, v. Wyttenb. Philomath. l. 3, p. 301, Creuzer. præf. ad Ephori fr. ed. Marx. p. 8.] Et Plut. [Mor. p. 19, E] ait, Μύθων, οὓς ταῖς πάλαι μὲν ὑπονοίαις, ἀλληγορίαις δὲ νῦν λεγομέναις παραβιαζόμενοι καὶ διαστρέφοντες ἔνιοι. Philostr. Epist. 19: Τὰ δῶρα μύθους ἐποίησαν, de poetis loquens. Imo et integra poetarum scripta μῦθοι dicuntur, ut et Latinis Fabula. Et ap. Athen. 5, [p. 207, D, ex Moschione], Ὁ περὶ τὴν Ἰλιάδα μῦθος, Fabulamentum de bello Trojano: inscriptum in pavimento quodam. [Μῦθος repræsentatus est ap. Viscont. *Mus. Pio-Cl.* vol. 5, p. 30.] || Syracusis erat etiam Hortus quidam qui μῦθος appellabatur, διὰ τὸ μὴ ἂν ῥαδίως ἐξ ἀκοῆς πιστεύεσθαι τοιοῦτος εἶναι, ἀλλὰ μυθικῶς πεπλάσθαι, Eust. De quo Athen. 12, [p. 542, A]. || Consilium. Hom. Il. A, [545]: Ἥρη μὴ δὴ πάντας ἐμοὺς ἐπιέλπεο μύθους εἰδήσειν, Resciturам omnia mea consilia. || Seditio, Factio, στάσις. Sic [male] exposuerunt vett. quidam gramm. Od. Φ, [71]: Οὐδέ τιν' ἄλλην Μύθου ποιήσασθαι ἐπισχεσίην ἐδύνασθε. [Sic interpr. etiam Hesych. Conf. Μυθέομαι. || Rumor, Fama. Soph. Aj. 226: Ἀγγελίαν, τὰν ὁ μέγας μῦθος ἀέξει· conf. ib. 189. Tr. 67: Οἶδα, μύθοις εἴ τι πιστεῦσαι χρεών. || « Diog. L. 5, 35: Γεγόνασι δὲ Ἀριστοτέλεις ὀκτώ... πέμπτος ὁ ἐπικληθεὶς Μῦθος, Αἰσχίνου τοῦ Σωκρατικοῦ γνώριμος. » VALCK.]

[Μυθοσκοπέω, ap. Theodor. Balsam. in Cotel. Mon. vol. 3, p. 477, A: Οἱ τὰ ῥηθέντα μυθοσκοποῦντες καὶ ἀναπλάττοντες, Int. vertit, Qui prædicta fabulantur atque confingunt. L. DIND.]

Μυθοτόκος, ὁ, ἡ, Verba pariens. Nonn. [Jo. c. 16, 15], μ. κραδίη, Cor verborum fœcundum.

[Μυθουργέω, i. q. μυθοποιέω. Schol. Lycophr. 17.]

[Μυθούργημα, τὸ, i. q. μυθοποίημα. Schol. Lycophr. 17.]

[Μυθουργία, ἡ, i. q. μυθοποιία. Schol. in Fæhs. Syllog. p. 30. ANGL. Tzetz. Hist. 11, 625 (et 8, 520). Poetaster anon. ap. schol. Oppian. Hal. 1, 619; conf. nott. ad Nicet. Eugen. 1, 77. BOISS.]

[Μυθύδριον, τὸ, Fabella. Tzetz. schol. ad Hesiod. Op. 566. L. D. Id. Hist. 4, 434; 5, 763. ELBERL.]

Μυθώδης, ὁ, ἡ, Fabulosus [Gl. Thuc. 1, 21: Τὸ πολλὰ ὑπὸ χρόνου αὐτῶν ἀπίστως ἐπὶ τὸ μυθῶδες ἐκνενικηκότα· 22: Ἐς μὲν ἀκρόασιν ἴσως τὸ μὴ μ. αὐτῶν ἀτερπέστερον φανεῖται. Plato Reip. 7, p. 522, A: Ὅσοι μυθώδεις τῶν λόγων καὶ ὅσοι ἀληθινώτεροι ἦσαν.] Isocr. [p. 24, B]: Τῶν λόγων ζητεῖν τοὺς μυθωδεστάτους, Sermones quærere fabulosissimos, Fabulis simillimos. [Eodem gradu Polyb. 34, 11, 20.] Idem in Panath. [initio]: Γράφειν τῶν λόγων οὐ τοὺς μυθώδεις οὐδὲ τοὺς τερατείας καὶ ψευδολογίας μεστούς. Plut. De sol. anim. [p. 984, F]: Ἐκ δὲ τούτου καὶ τὰ περὶ Κοίρανον ὄντα μυθώδη πίστιν ἔσχε. Et τὸ μ., Fabulositas, ut Plin. loquitur. Plut. De aud. poem. [p. 15, F]: Ἐξυβρίζει καὶ ὁλομανεῖ τὸ μυθῶδες τῆς ποιητικῆς καὶ θεατρικόν· De deo Socr. [p. 589, F]: Ἀλλ' ἔστιν ὅπη ψαύει τῆς ἀληθείας καὶ τὸ μ., ubi reddere etiam possis Fabulositas, Narratio fabulosa. [Μυθώδης ἄγαν ὁ λόγος, Palæph. c. 17. VALCK. Adv. Μυθωδῶς, Diodor. 4, 6: Τὸ αἰδοῖον τῶν ἀνθρώπων τοὺς παλαιοὺς μ. βουλομένους ὀνομάζειν. Justin. M. Cohort. p. 8, E.]

[Μυθωδικὸς, ή, όν. Eust. in Dionys. P. 62: Οὐκ ἄνευ γνώσεως μυθωδικῆς, Sine scientia mythica s. mythorum. WAKEF.]

[Μυθῳδὸς pro μυθωδῶς male libri quidam Diodori 4, 6.]

[Μυθωδῶς. V. Μυθώδης.]

Μυῖα, ἡ, Musca. [Muscula, add. Gl.] Hom. Il. Δ, [131]: Ἡ δὲ τόσον μὲν ἔεργεν, ἀπὸ χροὸς ὡς ὅτε μήτηρ Παιδὸς ἐέργει μυῖαν, ὅθ' ἡδέϊ λέξεται ὕπνῳ· B, [469]: Ἠΰτε μυιάων ἀδινάων ἔθνεα πολλά. Sed et alibi in comparationibus ἀπὸ τῶν μυιῶν sumptis. [Π, 641: Οἱ δ' αἰεὶ περὶ νεκρὸν ὁμίλεον, ὡς ὅτι μυῖαι σταθμῷ ἔνι βρομέωσι περιγλαγέας κατὰ πέλλας ὥρῃ ἐν εἰαρινῇ. Simonides Stob. 105, 9: Ὠκεῖα γὰρ οὐδὲ τανυπτερύγου μυίας ἁ μετάστασις. Aristoph. Vesp. 596: Αὐτὸς δὲ Κλέων ὁ κεκραξιδάμας μόνον ἡμᾶς οὐ περιτρώγει, ἀλλὰ φυλάττει διὰ χειρὸς ἔχων καὶ τὰς μυίας ἀπαμύνει· ubi Bergler. confert Eq. 60: Βυρσίνην ἔχων δειπνοῦντος ἑστὼς ἀποσοβεῖ τοὺς ῥήτορας. Quarum ad importunitatem refertur etiam hoc Aristophontis ap. Athen. 6, p. 238, E: Δειπνεῖν ἄκλητος μυῖα. Xenoph. Comm. 3, 11, 5: Πότερον τῇ τύχῃ ἐπιτρέπεις, ἐάν τίς σοι φίλος ὥσπερ μυῖα προσπτῆται; Aristot. Polit. 7, 1: Δεδιότα μὲν τὰς παραπετομένας μυίας. Ceterum multa de muscis Aristot. in H. A. et al.] Est et proverb. Ἐλέφαντα ἐκ μυίας ποιεῖς, Elephantum ex musca facis : pro Res exiguas verbis attollis atque amplificas. Hoc Lucian. libellum suum claudit, qui inscribitur Μυίας Ἐγκώμιον, Muscæ encomium : Πολλὰ δ' ἔτι ἔχων εἰπεῖν, καταπαύσω τὸν λόγον, μὴ καὶ δόξω, κατὰ τὴν παροιμίαν, ἐλέφαντα ἐκ μυίας ποιεῖν. [V. Ἐλέφας. Prov. Μυίας δάκρυον v. ap. Suidam cum annot. intt.] Affertur autem ex eod. Luciano [ib. c. 12] μυῖαι στρατιώτιδες pro Muscæ aliis grandiores, similes fucis. Hoc certe constat, apes interdum μυιῶν appellatione comprehendi. Item χαλκαῖ μυῖαι dictæ αἱ συννεμόμεναι τοῖς κανθάροις, quia χαλκίζουσι τῇ χροιᾷ. Sed et Lusus quidam puerilis dictus fuit χαλκῆ μυῖα, in quo sc. pueri clausis oculis protensisque manibus obambulabant donec aliquem prehenderent, Hesych. [et Phot.] At Eust. paulo latius explicat, p. 1243. Item Μυιίνδα, seu Μυίνδα, Lusus ille, qui et μυῖα χαλκῆ, secundum quosdam. Ut tamen eum Pollux [9, 110, 113, 122, 123] describit, aliquid differt : ut autem Hesych., in eo tantum similis est, quod itidem in hoc καταμύουσιν. Vide utrumque. [Victor. Var. Lectt. 15, c. 16.] Ceterum quum ap. Polluc. habeant vulg. edd. Μυίνδα sine diphthongo quidem, sed et sine apicibus illis qui dialyseωs indices esse solent, scripseritne μυίνδα [quod non est græcum] an μυΐνδα incertum est. Vult porro Eust. a v. μύω deduci hoc nomen μυῖα, at Etym. a μυών, quod quidem sit a μύω. Scriptum est tamen μυιών ap. eum. [V. Βασιλίνδα. || Apis, Eust. Il. p. 194, 51. Wakef. || Photius : Μῦα, καὶ γράφεται καὶ λέγεται ἄνευ τοῦ ι, καὶ δισυλλάβως παρὰ τῶν Ἀττικῶν. Quod μύα scribendum foret. Arcad. p. 97, 23, inter properispomena in υῖα. HSt. in Ind. :] Μουῖαι, Vermes qui carnibus innascuntur, Hesych. [Laconice pro μυῖαι. || Μυῖαι, Sagittæ minusculæ. Leo Tact. 19, 53 : Τοξοβαλίστραι ... ἐκπέμπουσαι σαγίτας μικρὰς τὰς λεγομένας μυίας. Ita editum, ac legendum censet Rigaltius pro μύας, quod pungunt quasi muscarum aculei, indeque sit illis nomen : quod certe admodum verosimile videtur, ut et inde *Muschettas* appellata tela quæ validiori balista emittebantur, unde nostrum *Mousquet,* ut pluribus docemus in Gloss. Med. Lat. in *Muschetta.* Ducang.]

[Μυῖα, ἡ, Myia, n. mulieris. Tres ejus nominis poetrias recenset Suidas. Alias memorat Lucian. Musæ enc. c. 11, Iamblich. V. Pyth. fin.]

Μυίαγρος, ὁ, idem sonat q. μυιοθήρας : sed nomen est cujusdam dei Eleorum ap. Plin. 10, 28; scribit enim Eleos invocare μυίαγρον deum, muscarum multitudine pestilentiam afferente, quæ protinus intereunt qua litatum est illi die. [Idem 29, 6, 34 : « Nullum animal minus docile existimatur minorisve intellectus : eo mirabilius est, Olympiæ sacro certamine nubes earum immolato tauro deo quem Myioden vocant, extra territorium id abire. » Conferendus etiam Juppiter Ἀπόμυιος ab Eleis cultus sec. Pausan. 5, 14, 2. V. Casaub. ad Athen. 1, p. 4, F. Idem Pausan. 8, 26, 7, Μυιάγρῳ ἥρωι Halipherenses Arcadiæ in festo Minervæ προθύειν scribit, ad avertendas muscas.]

Μυιάκυνα, Hesychio ἀναιδῆ, Impudentem : quam et κυνάμυιαν.

[Μυιάρχης. V. Μυγιάριος.]

[Μυΐδιον, τὸ, Musculus. Marc. Anton. 7, 3, p. 207. V. Μύδιον.]

[Μυιΐδιον, dimin, Schneider. sine testimonio.]

[Μυϊκὸς, ή, όν, Muscarius, Gl.]

[Μυιίνδα s. Μυΐνδα. V. Μυῖα.]

[Μύϊνος, Muscinus, Gl. Etym. M. p. 790, 4. Lex. Montef. Bibl. Coisl. p. 476 : Φαῖον, χρῶμα σύνθετον ἐκ μέλανος καὶ λευκοῦ, ἤγουν μύϊνον. Wakef. Conf. Chœrob. vol. 1, p. 579, 7. || « Μύϊνον, Murina s. Pellis muris Pontici. Lex. Ms. ex cod. Reg. 1708 : Μύϊνον, ποντικόχρωον (sic). Dorotheus Doctr. 5, p. 782 : Βλέπω τινὰ σχήματι ἐπισκόπου φοροῦντα ὡς μύϊνον, εἰσερχόμενον εἰς τὸ ἱερατεῖον ... V. Gloss. med. Lat. in *Mus.* » Ducang.]

[Μυϊνδίζομαι. V. Μυντίζομαι.]

[Μυιοειδὴς, ὁ, ἡ, ut μυιοειδῆ ὁρᾶν, oculi vitium, Casii Probl. 19. Schneid. Suppl. Lex.]

Μυιοθήρας, ὁ, q. d. Muscarum venator, Qui capit muscas. [Hesychius et Suidas in Μυίαγρος.]

Μυιοκέφαλον, τὸ, species est τῆς προπτώσεως : sic A autem dicitur parva adhuc et incipiens, et capiti muscæ similis, unde et nomen habet. Nam quum ulcera, quæ erosa vel rupta cornea tunica accidunt, profunda evaserint, portio uveæ excidit, quodque prolapsum est nigrum aut cæruleum apparet : in circuitu vero circa fundum ejus partis quæ procidit, labra erosæ ruptæve corneæ candida apparent, eoque magis si quod prolapsum est induruerit, et corneæ tunicæ labra callum contraxerint. Ceterum prolabente uvea, pupilla omnino divellitur, adeo ut vel nullo modo appareat, vel alio prorsus situ et figura. Et his quidem notis τὸ μυιοκέφαλον ἀπὸ τῆς φλυκταίνης distinguitur. [Paul. Æg. 3, 22. V. Μυοκέφαλον.]

[Μυιοσοβέω.] Μυιοσοβεῖν, Abigere muscas : quod quadrabit etiam in eos qui tenere amant quempiam, ut minimo etiam illius incommodo offendantur, atque ita conveniet cum illo Homerico, Ὡς ὅτε μήτηρ κτλ., quæ habes in Μυῖα.

Μυιοσόβη, ἡ, q. d. Muscarum abactorium, Id quo abiguntur muscæ, Lat. Muscarium, Pollux [10, 94, B ex Menandro in Μυιοσόβης cit. Ammian. Anth. Pal. 11, 156, 2 : Καὶ διὰ τοῦτο τρέφεις, φίλτατε, μυιοσόβην, de barba. Ælian. N. A. 15, 14.]

Μυιοσόβης, ὁ, Muscarum abactor. Et hodie vulgo dicuntur μυιοσόβαι, inquit Erasm., i. e. Muscarum abactores, qui frivolis officiis cuipiam observiunt : quod a Persarum deliciis natum indicat Athen., qui in conviviis μυιοσόβας adhibebant : quod nunc apud Italos plebeium est. [Ap. Athen. 11, p. 484, D, citatur versus Menandri ex Philadelphis : Πέρσαι δ' ἔχοντες μυιοσόβας ἑστήκεσαν, qui ad μυιοσόβη recte relatus est a Polluce in Μυιοσόβη citato.]

[Μυιοσόβιον, τὸ, Muscarium, Gl.]

[Μυιοσόβος, ὁ, ἡ, Muscas abigens. Paul. Sil. Anth. Pal. 9, 764, 8 : Δμῶας μυιοσόβου ῥύομαι ἀτμενίας.]

[Μυιοχάδον, Muscerda, Gl. Leg. Μυόχοδον, quod v.]

[Μυΐσκη, ἡ, vel Μυΐσκος, ὁ. Estque inde dimin. Μυΐσκη, Myisca. Diphilus medicus ap. Athen. 3, p. 90, D : Αἱ δὲ μυΐσκαι, τῶν μυῶν οὖσαι μικρότεραι, γλυκεῖαί τε καὶ εὔχυλοί εἰσι. Nam ibi pro vulgato αἱ δὲ μύες C καὶ scriptum oportuisse αἱ δὲ μυΐσκαι, collato Plin. 32, 9, 31, recte observarunt docti viri. Similiter ap. Xenocr. De cibis ex aquatilibus c. 26, ubi vulgo μύες καὶ στρογγυλότεραι μέν εἰσι μυῶν, satis apparet, μυΐσκαι dedisse auctorem. In fragmento Marcelli Sidetæ v. 38 ed. Schneid., masculina forma πετρηγενέες τε μυΐσκοι legitur, ubi suspicari liceret pariter μυΐσκαι leg., nisi ap. Plin. etiam Myiscus reperiretur, 32, 11, 53. (V. de his formis etiam Coraes ad Xenocr. p. 141.) Memoratur vero etiam Μῦς τὸ κῆτος, ut quidem e Mss. restituerunt Camus et Schneider. ap. Aristot. H. A. 3, 10 sub fin., aliis c. 12, i. e. Mus de classe cetaceorum, quem Musculum marinum Plin. vocat. Schweigh. Conf. Μυστίκητος.]

[Μυΐσκος, ὁ, Myiscus, dux Antiochi M. Polyb. 5, 82, 13. Monitor Ulixis ap. Ptolem. Hephæst. Photii Bibl. p. 147, 24. Puer ap. Meleagrum Anth. Pal. 12, 256, 9, etc. ῠ]

[Μυΐστρου cujusdam mentio fit in inscr. Iasensi ap. Bœckh. vol. 2, p. 460, n. 2671, A. L. Dind.]

D [Μυΐτις, ἡ, Diosc. Notha 2, 169, inter nomina caucalidis. Boiss.]

[Μυϊτὸν, Telum minus Ægyptiis. Paul. Æg. 6, 88 : Τὰ μὲν (βέλη) εἰσι μεγάλα ἄχρι τριῶν τὸ μῆκος δακτύλων, τὰ δὲ μικρὰ ὅσον δακτύλου, ἃ δὴ καὶ μυϊτὰ καλοῦνται κατ' Αἰγυπτίους. Ita cod. Ms. At editus habet ἃ δὴ καὶ μικτὰ καλοῦσι κατ' Αἴγυπτον. Ducang.]

[Μυϊώδης, ὁ, ἡ, Myiodes, Muscarum deus. V. Μυίαγρος.]

[Μυίων. V. Μυών.]

[Μυκὰ, ἡ.] Apud Hesych. reperio etiam Μύκα, expositum Μύκησις, Mugitus, Boatus : Dorice forsan pro μυκὴ [quod v.] positum. [Et in plur. ap. eund.]

[Μυκάλη, ἡ, Mycale. Πόλις Καρίας. Ἡρόδοτος α (148 etc.). Τὸ ἐθνικὸν Μυκαλήσιος, ὡς Ἰθακήσιος. Τρύφων δὲ Μυκαλεύς φησιν ἐν Παρωνύμοις. Λέγεται καὶ θηλυκῶς Μυκαλησὶς, ὡς Σώστρατος ὁ Φαναγορίτης. Δίδυμος δ' ὄρος τὴν Μυκάλην φησίν. Ἐκλήθη δὲ, ἐπεὶ αἱ λοιπαὶ Γοργόνες ἐπὶ τόκῳ μυκώμεναι τὴν κεφαλὴν Μεδούσης ἀνεκαλοῦντο. Οἱ δὲ Μυχάλην αὐτήν φασιν, ἐπεὶ ἐν μυχῷ κεῖται τῆς

Καρικῆς ἁλός. Ἔστιν οὖν ἡ Μυκάλη καὶ πόλις καὶ ὄρος, Steph. Byz. Montem memorat Hom. Il. B, 869, Simonid. epigr. ap. Bœckh. C. I. vol. 1, p. 556, n. 1051, 8, Thuc. 8, 79, Strabo 13, p. 621 etc. et alii. Hinc Μυκαλεὺς, έως, ὁ, cogn. Jovis in Caria, ap. Eustath. Il. p. 266, 32, ubi tamen male : Ἔστι δὲ καὶ ἑτέρα Μυκαλησσὸς Καρικὴ, ἔνθα Μυκαλέως Διὸς λαμπρὸν ἱερὸν, errore non librarii, sed Eustathii, confundentis Mycalen et Mycalessum, quas ipse mox distinguit. ῠᾰ]

[Μῠκᾰλησσὸς, ὁ, Mycalessus. Πόλις μεσογεία Βοιωτίας. Θουκυδίδης ζ (29, 30). Ἐκλήθη δὲ ὅτι ἡ βοῦς ἐνταῦθα ἐμυκήσατο ἡ τὸν Κάδμον καὶ τὸν σὺν αὐτῷ στρατὸν ἀγαγοῦσα εἰς Θήβας. Ἔστι καὶ ἄλλη Καρίας, ὡς Ἔφορος τρίτῳ. Τὸ ἐθνικὸν Μυκαλήσσιος καὶ Μυκαλησσία. Ἔστι καὶ ὄρος Μυκαλησσὸς ἐναντίον Σάμου. Καὶ Μυκαλησσὶς τὸ θηλυκὸν, Steph. Byz. Primus urbem memorat Hom. Il. B, 498, H. Apoll. 224, post hunc Thuc. 7, 29, Pausan. 1, 23, 3 et alii. Et qui formam per ττ annotat Strabo 9, p. 404 : Καὶ ὁ Μυκαλησσὸς δὲ κώμη τῆς Ταναγρικῆς... Καλοῦσι δὲ Βοιωτικῶς Μυκαληττόν. Fem. est ap. Callim. Del. 50 : Ἦχί σε νύμφαι γείτονες Ἀγκαίου Μυκαλησσίδες ἐξείνισσαν. L. Dindorf.]

Μυκαρὶς, Hesychio νυκτερὶς, Vespertilio.

[Μῡκάω s.] Μυκάομαι, Mugio [Gl.]: boum proprium [Hom. Od. K, 413 : Ἀδινὸν μυκώμεναι (πόριες). Et cum eod. nomine Eur. Bacch. 738. Δαμάλαι Theocr. 4, 12. Ταῦροι Plat. Reip. 3, p. 396, B]: sed tribuitur camelis quoque et asinis, necnon aliis etiam tam inanimis quam animatis quæ mugitum boatumque quendam reddunt. [De Hercule Eur. Herc. F. 870 : Δεινὰ μυκᾶται δὲ Κῆρας ἀνακαλῶν τὰς Ταρτάρου, ubi cum tauro comparatur.] Aristoph. Ran. [562] : Ἔβλεψεν εἰς ἐμὲ δριμὺ κἀμυκᾶτό γε. [Vesp. 1488 : Οἷον μυκτὴρ μυκᾶται, item de homine. Theocr. 22, 75 : Ἦ ῥ' Ἄμυκος καὶ κόχλον ἑλὼν μυκάσατο κοῖλον· 26, 20 : Μάτηρ μὲν κεφαλὰν μυκήσατο παιδὸς ἑλοῖσα, ὅσσον περ τοκάδος τελέθει μύκημα λεαίνης. Ubi μυκάσατο scribendum, ut ap. Moschum 2, 97 : Αὐτὰρ ὁ μειλίχιον μυκάσατο.] Plut. [Mor. p. 587, A] : Τὸν δὲ μυκᾶσθαι καὶ ἀφιέναι φωνάς τινας ἀνάρθρους. Rursum Aristoph. Nub. [292] : Βροντῆς μυκησαμένης. [De fluviis vel mari Oppian. Cyn. 4, 166 : Γάγγαο ῥόος μυκᾶται βρύχημα πελώριον. Hymn. in Isid. ap. Ross. Inscrr. fasc. 2, p. 5, IV, 15 : Σπερχόμενος βαρὺ πόντος ἐνὶ σπήλυγξι βαθείαις μυκᾶτ' ἐξ ἀδύτων. « Philostr. p. 162 : Μυκησαμένης τῆς θαλάττης. » Valck. De terræ hiatu Plato Reip. 10, p. 615, E : Οἰομένους ἤδη ἀναβήσεσθαι οὐκ ἐδέχετο τὸ στόμιον, ἀλλ' ἐμυκᾶτο. Aristot. Meteorol. 2, 8 : Ὥστε ἐνίοτε δοκεῖν, ὥσπερ λέγουσιν οἱ τερατολογοῦντες, μυκᾶσθαι τὴν γῆν.] Activæ etiam vocis usus aliquis esse videtur [præs. ap. Dioscor. Anth. Pal. 6, 220, 11 : Οὗ (τυμπάνου) βαρὺ μυκήσαντος. Sed ap. Hesych. pro Μυκῶν, ἠχήσας, scrib. μυκών], quum crebro Hom. usurpet aor. 2 act. ἔμυκον : ut Il. Θ, [393] : Αὐτόμαται δὲ πύλαι μύκον οὐρανοῦ· M, [460] : Μέγα δ' ἀμφὶ πύλαι μύκον· Υ, [260] : Μέγα δ' ἀμφὶ σάκος μύκε δουρὸς ἀκωκῇ [ἀκωκῆ]. Utitur Idem et præt. μέμυκα, Φ, [237] : Μεμυκὼς ἠΰτε ταῦρος. [Conf. Σ, 580. Æsch. Suppl. 352.] Od. M, [395] : Κρέα δ' ἀμφ' ὀβελοῖς ἐμεμύκει Ὀπταλέα τε καὶ ὠμά. Quibus subjungit, Βοῶν δ' ὡς γίνετο φωνή· indicans proprie μυκᾶν s. μυκᾶσθαι esse bovis vocem reddere, quod est Boare, Mugire : atque adeo ὠνοματοπεποίηται hoc verbum παρὰ τὸ λέγειν μῦ, ut μηκᾶσθαι παρὰ τὸ μὴ λέγειν, βληχᾶσθαι παρὰ τὸ βλῆ λέγειν : proculdubio Latino etiam vocabulo Mugire facto ex sono quem bos edit, et Balare ex eo quem ovis. [De forma frequent. Epim. Hom. Cram. An. vol. 1, p. 309, 27 : Οἷον μυκῶ μυκᾷς, ἔμυκον, μύκεσκε.]

[Μυκέρινα, ἡ, Mycerina, ὄνομα πόλεως, inter proparoxytona in ινα ponit Theognost. Can. p. 100, 33. Hesychius : Μυκερίνα, ἡ Μέμφις. Δίδυμος τὴν Σαΐν. Ταύτης γὰρ λέγει Ἡρόδοτος βασιλεῦσαι Μυκερῖνον. L. Dind.]

[Μυκερῖνος, ὁ, Mycerinus, f. Cheopis, rex Ægypti. Herodot. 2, 129 sq.]

Μῡκὴ, ἡ, est Mugitus, Boatus [ita leg. videtur in Gl. : Μύκη, Boletus] : ex schol. Apoll. Arg. 4. [Iterum HSt. :] Dicitur et Μυκὴ pro μύκημα s. μύκησις, ut μηκὴ et βληχή. [Arcad. p. 106, 12 : Τὸ δὲ μυκὴ ὀξύνεται, σημαῖνον φωνὴν λέοντος.] Apoll. Arg. 4, [1285] : Μυκαὶ σηκοῖς ἔνι φαντάζωνται, i. e. μυκήσεις δοκῶσι γίνεσθαι ἐν

A τοῖς ναοῖς, schol. Ubi nota hoc verbale Μύκησις. [V. Μύκα.]

Μύκη, ἡ, Hippocrati i. valet q. μύσις, teste Galeno. At Suidæ μύκη est θήκη, Theca, Conditorium, Repositorium. In VV. LL. redditur Theca gladii, Vagina ensis. Affertur et pro μύκης, Fungus, ex Epicharmo, ap. Athen. 2, [p. 61, B] : Οἷον αἱ μύκαι ἄρ' ἐπεσκληκότες πνιξεῖσθε. Aliud exemplum ex Theophr. habes in Μύκης, quod Fungum lucernæ significat. [Ap. Epich. leg. αἱ, ut μύκαι sit a μύκης, de Theophrasto v. in Μύκης.]

Μύκημα, τὸ, Μύκησις, εως, ἡ, Μυκηθμὸς, ὁ, Mugitus, [Vagitus huic add. Gl. in Μυκηθμός,] Boatus. Hom. Od. M, [265] : Μυκηθμοῦ δ' ἤκουσα βοῶν αὐλιζομενάων, Οἰῶν τε βληχήν. Et Il. Σ, [575] : Μυκηθμῷ δ' ἀπὸ κόπρου ἐπεσσεύοντο νομόνδε. [Æsch. fr. Niob. ap. Strab. 12, p. 580 : Μυκηθμοῖσι καὶ βρυχήμασι μήλων. Theocr. 20, 98, Arat. 1118, Apoll. Rh. 3, 1297; 4, 969. Polyb. 12, 25, 20. De terra Apoll. Rh. 3, 864 : Μυκηθμῷ δ' ὑπένερθεν ἐρεμνὴ σείετο γαῖα. Altera forma

B Æsch. Pr. 1061 : Βροντῆς μύκημ' ἀτέραμνον. Eur. Bacch. 690 : Μυκήματα βοῶν. Callim. Del. 310, Apoll. Rh. 1, 1269. Manetho 5, 162 : Ἄλλῳ δ' ἐκ στομάτων κελαδεῖ μυκήματα σάλπιγξ.] Plut. De solert. anim. [p. 972, D] : Μόσχου μυκήματι τὸ βρύχημα ποιοῦντες ὅμοιον. [Theocr. 26, 21 : Μύκημα λεαίνης. Nonnus Jo. c. 12, 119 : Ὅτι σχεδὸν ἄγγελος αὐτῷ οὐρανίης ὀάριζε σοφῷ μυκήματι φωνῆς. Joann. Laur. De ostentis p. 120 : Εἰ βροντήσῃ, σεισμὸν μετὰ μυκήματος προσδοκητέον. Μύκησις v. in Μυκή.]

[Μυκήμων, ονος, ὁ, ἡ, Mugiens. Hymnus in Isidem ap. Ross. Inscrr. fasc. 2, p. 5, 42 : Μᾶνιν ἐρεισαμένα μυκάμωνος (sic) ἄχρις ἐπ' εὐνὰς Ἀΐδος ἠπείλησα μελαμφαρῶν τε βερέθρων. Ubi respicitur terræ motuum μύκημα, quod v. L. Dind.]

[Μῠκῆναι, αἱ, Mycenæ. Πόλις Πελοποννήσου. Ὅμηρος (Il. B, 569) · Οἳ δὲ Μυκήνας εἶχον. (Δ, 376 : Εἰσῆλθε Μυκήνας.) Ἀπὸ Μυκηνέως τοῦ Σπάρτωνος τοῦ Φορωνέως ἀδελφοῦ ἢ ἀπὸ μύκητος τοῦ ξίφους (quam etym. ponit etiam Chœrob. in Μύκης cit. et schol. Nicand. Al. 101,

C qui addit etiam alteram ἀπὸ ἡρωΐδος Νύμφης Μυκήνης ap. Hom. Od. B, 120), ὃ ἐφόρει Περσεὺς, οὗ πεσόντος κατὰ κέλευσιν Ἑρμοῦ τὴν πόλιν ἔκτισεν. Ἢ ἀπὸ τοῦ μυκήσασθαι τὴν Ἰὼ, βοῦν ἐκεῖ γενομένην. Ὁ πολίτης Μυκηναῖος, καὶ θηλυκὸν Μυκηνὶς, καὶ Μυκηνεὺς, Steph. Byz. Singulari numero Hom. Il. H, 180, Λ, 46 : Πολυχρύσοιο Μυκήνης · Od. B, 120, etc. Eur. Iph. T. 846, Ps.-Eur. Iph. A. 265, Theocr. 25, 171. Plurali præter Hom. supra cit. Pind. Pyth. 4, 49, Soph. El. 9, Ph. 325, Eurip., Thuc. 1, 10, Polyb. 16, 16, 4, et geographi. Gentilia Μυκηναῖος, α, ον, sunt ap. Hom. Il. O, 638, 643, Pind. fr. ap. schol. Pyth. 4, 206, Soph. El. 161, Euripidem sæpe, Bionem 15, 13, Herodot. 7, 202, Thuc. 1, 9, et alios. Μυκηνὶς, ίδος, ἡ, ap. Eur. Or. 1246 : Μυκηνίδες ὦ φίλαι · 1470 : Μυκηνίδ' ἀρβύλην· Phœn. 862 : Ἀλκὴν Μυκηνίδα. || Adv. Μυκήνηθεν, Mycenis, Hom. Il. I, 44. Μυκήναζε, Mycenas, ponit Moschop. ad Hesiod. Op. 552. L. Dind.]

[Μυκῆναι, mons ap. Plut. De fluv. 18, 4, 6. Boiss.]

[Μυκηνεὺς, έως, ὁ, Myceneus, f. Spartonis. Pausan.

D 2, 16, 4. Conf. Μυκῆναι.]

[Μυκηνίς. V. Μυκῆναι.]

[Μύκηνος, ὁ, Mycenus. Theognost. Can. p. 68, 7 : Τὰ διὰ τοῦ ηνος ἀπὸ γενικῆς εἰς εὐθεῖαν παρωνύμως παραχθέντα ἢ ἀπὸ τῶν εἰς η γραφομένων, οἷον ... Μυκήνη Μύκηνος, Κυλλήνη Κύλληνος. L. Dind.]

Μύκηρος, Hesychio ἀμυγδάλη, Amygdala; item κάρυον, Nux, pro quo supra μούκηρος. [Μυκήρους, τὰ μαλακὰ κάρυα Λάκωνας, Τηνίους δὲ τὰ γλυκέα κάρυα, vocare tradit Seleucus ap. Athen. 2, p. 52, E. Pro quo 53, B, μουκήρους, ubi nonnisi Lacones memorantur, quorum propria fortasse fuit forma per ου, quam v. supra.]

Μύκης, ητος, vel ου [v. Choerob. vol. 1, p. 139, 23, Herodian. Cram. Anecd. vol. 3, p. 230 sq.], ὁ, Fungus [Gl.] : φυτὸν αὐτόματον, ut tuber, non in terra solum sed et in arboribus nascens. Duo τῶν μυκήτων genera sunt : quidam enim sunt ἀβλαβεῖς et βρώσιμοι, Innoxii et edules, ut βολῖται καὶ ἀμανῖται, Boleti et amanitæ : quidam φθαρτικοὶ, Noxii, utpote quorum esus strangulet. Unde Ephippus comicus ap. Athen.

2, [p. 61, B] : Ἵν', ὥσπερ οἱ μύκητες, ἀποπνίξαιμί σε. [Locum Antiphanis ib. C citatum : Ὄπτα μύκητας πρινίνους δύο, addit Chœrob. Qui corruptus exstat ap. Herodianum.] Et Epicharm. : Οἷον αἱ μύκαι [οἷον αἱ μύκαις] ἄρ' ἐπεσκληκότες πνιξεῖσθε. Et Diphilus : Καὶ ἔνια αὐτῶν ὅμοια τοῖς μύκαις, πνιγώδη εἶναι. [Et Aristias : Μύκαισι δ' ὠρέχθει τὸ λάϊνον πέδον. Nicand. ap. Athen. 9, p. 372, F : Ἐν δὲ μύκην.] Nicander τοὺς μύκητας s. τοὺς μύκας, Al. [521] vocat ζύμωμα κακὸν χθονός· Horat. cibum ancipitem : ap. quem elegantissimum locum habes de fungorum esu in Sermonibus. Plura si requiras, vide ap. Diosc. 4, 83, Galen. De aliment. facult. 2, 69; item Plin. 22, 23. [Strato Anth. Pal. 12, 204, 3 : Τίς κάλυκας συνέκρινε βάτῳ, τίς σῦκα μύκησιν;] || Porro et alia μύκητος nomine dicuntur quæ similitudinem aliquam cum eo habent. Theophr. enim μύκητα a quibusdam nominari scribit τὸν ἧλον ὃν φύει ἡ ἐλαία, ab aliis dictum λοπάδα, H. Pl. 4, 6. Unde Plin. 17, 24 : Olea præter vermiculationem clavum etiam patitur, sive fungum placet dici vel patellam : hæc est solis exustio. || Item μύκης s. μύκη [v. infra] dicitur τὸ περὶ τὴν τοῦ λύχνου θρυαλλίδα ἐφιστάμενον, s. τὸ περὶ τὴν θρυαλλίδα ἀνάστημα σπογγοειδές, Fungus ellychnii. Hujusmodi fungi si in ellychniis existant, pluviæ præsagium est. Aristoph. Vesp. [262] : Ὕδωρ ἀναγκαίως ἔχει τὸν θεὸν ποιῆσαι. Ἔπεισι γοῦν τοῖσιν λύχνοις οὑτοιὶ μύκητες. Φιλεῖ δ' ὅταν ᾖ τουτί, ποιεῖν ὑετὸν μάλιστα. Sic in Epigr. quidam [Agathias Anth. Pal. 5, 263, 1] : Μήποτε λύχνε μύκητα φέροις, μηδ' ὄμβρον ἐγείροις. Et Theophr. [fr. 6 De signis c. 3, 5] : Ἐὰν χειμῶνος ὄντος μύκαι μέλαιναι (τῷ λύχνῳ) ἐπιγένωνται, χειμῶνα σημαίνει. [Vitiosam hanc formam recte judicare videtur Lobeck. ad Phryn. p. 201. Sed quum parum probabilis correctio sit μέλανες, nisi quis terminationem μύκαι librarium fefellisse putet, videndum ne μέλαιναι repetitum sit ex illo quod vetus int. latinus ap. Schneider. vol. 5, p. 170, additum habuisse videtur μέλαιναι φλόγες : de quo tamen amplius quærendum erit.] Quin et Arat. [976] : Ἢ λύχνοιο μύκητες ἐγείρονται περὶ μύξαν Νύκτα κατὰ σκοτίην. [Callimach. ap. Chœrob. l. c.] Indeque Virgil. [G. 4, 392] : Nec nocturna quidem carpentes pensa puellæ Nescivere hyemem, testa quum ardente viderent Scintillare oleum et putres concrescere fungos. Nam, ut Servius ibi ex Plin. annotat, quum aer humidus esse cœperit, favilla quæ cum fumo solet egredi, prohibita aeris crassitate, in lucernis residet, et quasdam velut fungorum imitatur imagines. Et ipse Plin. l. 18, c. ult. : Ab his terreni ignes proxime significant : pallidi namque murmurantesque tempestatum nuntii sentiuntur : pluviæ etiam in lucernis fungi. || Μύκης Hesychio est etiam τοῦ ξίφους ὁ κατὰ τὴν λαβὴν κρατητὴς καλούμενος : scholiastæ Nicandri [Al. 101] τὸ ἄκρον τοῦ ξίφους τὸ κατακλεῖον τὴν θήκην, Illud quod in ima capuli parte fungi simile vaginam tegebat : unde ap. Herodot. [3, 64] : Ὁ μύκης τοῦ κολεοῦ τοῦ ξίφεος ἀποπίπτει. [V. Steph. Byz. in Μυκῆναι cit. Ps.-Plut. De fluv. p. 63. Hemst. Chœrob. l. initio cit.] Hesychio est præterea πῖλος et δερμάτινον ὑπηρέσιον. Ad pilei significationem allusit et Plautus in Trinumo dicens, Pol hic quidem Fungino genere est, capite se totum tegit. || Denique Hesychio μύκης est τὸ ἀνδρεῖον μόριον, Membrum virile : fungi enim simillimus penis. [Archilochus ap. Chœrob. et corrupte ap. Herodian. l. c. : Ἀλλ' ἀπερρώγασι μύκεω τένοντες. || « Μύκητες vocantur in partibus ulceratis Excrescentiæ quædam ex humorum crassitie enatæ, velut tuberosæ quædam eminentiæ, quas in palpebris, pudendis et reliquis exulceratis partibus oriri et μύκητας vulgo dici scribit Galen. Comm. 3, in lib. 3 Epid. p. 426, 31. Idem l. 1, De loc. aff. p. 249, 26, in fracturis capitis meninge affecta, τοὺς μύκητας enasci scribit, et sedis affectæ notam indicare. Sic ἐμυκώθη Galen. apud Hippocr. (Lex. p. 466) ex plurimorum opinione, τὸ ἐπιφύσεις ἔσχε πλαδαράς, ὥσπερ καὶ οἱ μύκητες exponit, h. e. Eminentias adnatas habent flaccidas et humoris plenas, ad instar fungorum. Ut a μύκη aut μύκης μυκῶμαι deductum videatur. Hinc quoque τὸ μυκῶδες ἕλκος apud Erotian. pro μυκονοειδὲς leg. antea diximus, quod μυξῶδες exponit, Mucoso humore madens et flaccescens ad instar fun-

A gorum. Eoque pertinere videtur quod scribitur p. 478, 31, in pulmonis ulcere fervido : Ἐμφαίνεται σκληρὰ οἷον μύκης ἀφ' ἕλκεος, Apparent dura quædam ab ulcere, velut fungus. » Foes. OEc. Hipp. Ap. Hippocr. alii ἐμυλώθη, quod v. ὕ]

[Μύκησις. V. Μύκημα.]

Μυκητάτη, ἡ, quod Hesych. exp. μωροτάτη, Fatuissima, a μύκης videtur derivatum : quoniam fungi sua natura sine condimentis sunt fatui et insipidi. Sane Plautus, Adeon' me fuisse fungum ut illi crederem? pro Insipidum, Stupidum, ἀναίσθητον.

[Μῡκητής, ὁ, Mugiens. Theocr. 8, 6 : Μυκητᾶν βοῶν. Epith. Neptuni, ap. Cornut. De nat. d. c. 22, p. 193 : Ὑπό τινων δὲ καὶ μυκητὰς εἴρηται, τῆς θαλάσσης τινὰ τοιοῦτον ἦχον ἀποτελούσης, ubi cod. μυκῆτες εἴρηνται, Gal. autem conjicit μυκητίας, coll. Aristot. in illo cit.]

[Μυκητίας, ὁ.] Μυκητίαι σεισμοί, Terræmotus qui cum mugitu quatiunt terram. Aristot. De mundo [c. 4] : Γίνονται καὶ μυκητίαι σεισμοὶ σείοντες τὴν γῆν μετὰ βρόμου. [Σεισμός, ὁ ἠχοποιός, Suidæ. Μυκητίας ταῦρος, B Const. Manass. Amat. 1, 16. Boiss. ῐᾱ]

[Μυκητικός, ἡ, όν, Mugiendi vim habens, instar boum, Mugiens. Dionys. Areop. p. 12, C : Μυκητικῆς ὑμνολογίας, de mugitu boum. L. D. Cornutus De nat. d. c. 22, p. 194 : Βίαιόν τι καὶ μυκητικόν.]

[Μυκήτινος, η, ον, Funginus. Lucian. Ver. H. 1, 16 · Ἀσπίσι μυκητίναις. Al. —νοις.]

Μυκητός, affertur pro Mugibilis : sed sine exemplo.

[Μῡκήτωρ, ορος, ὁ, Mugiens. Nonn. Dion. 3, 235; 22, 134. Wakef.]

[Μύκλα, ἡ, s. Μύκλος, ὁ.] Μύκλαι, s. Μύκλοι, Hesychio αἱ ἐπὶ τῶν ὄνων γραμμαὶ μέλαιναι τοῖς τραχήλοις καὶ ποσὶν ἐγγινόμεναι, Nigræ lineæ quæ in asinorum collis et pedibus sunt. Etym. μύκλον esse dicit τὴν ἐν τῷ τραχήλῳ τῶν ὄνων ὑποδίπλωσιν : ut sint Rugæ et plicæ in asinorum collis, quibus nimirum pellis rugatur et veluti duplicatur : unde ap. Callimach. : Ἔστιν μοι Μάγνης ἐννεάμυκλος ὄνος. [Suidas : Μύκλος, ὁ τράχηλος.] || Μύκλοι Hesychio sunt etiam οἱ λάγνοι, οἱ ὀχευταί, Libidinosi et lascivi homines, Salaces : ut C Lycophronis quoque schol. annotat procos Penelopæ a poeta μύκλους vocari διὰ τὸ ἀδδηφάγον καὶ κατωφερές, a Myclo quodam tibicine qui fuerit κατωφερὴς εἰς γυναῖκας, ideoque taxatus ab Archilocho ἐπὶ τῇ μαχλότητι. Locus in quem ista annotat, hic est, de Ulysse [771] : Ὄψεται δὲ πᾶν Μέλαθρον ἄρδην ἐκ βάθρων ἀνάστατον Μύκλοις γυναικόκλωψι. [Ib. 816 : Τὸν ἐργάτην μύκλον.]

[Μυκληρός, ὁ.] Μυκληρόν, Hesychio συνεχές, ἀχανές.]

[Μύκλος. V. Μύκλα.]

[Μύκλος, ὁ, Myclus, Neapolitanus, scriptor ap. schol. Apoll. Rh. 4, 1405.]

[Μύκοι, οἱ, Myci. Ἔθνος, περὶ οὗ Ἑκαταῖος ἐν Ἀσίᾳ, Ἐκ Μυκῶν εἰς Ἀράξην ποταμόν, Steph. Byz. Scribendum, ut ap. Herodot. 3, 93; 7, 68, Μύκων, quem accentum etiam gramm. in Cram. Anecd. vol. 1, p. 223, 16 : Μύκος, ὄνομα ἔθνους· σεσημείωται τὸ φακὸς ὀξυνόμενον, et Theognost. p. 591, 13, agnoscere videntur. L. Dindorf.]

[Μυκολατρεύειν. Anon. in Collectan. Cpol. ap. Lambec. p. 95 : Ἔνθα ὁ ποταμὸς ὁ Κύτλου, Ἀέτιος ὁ ἀπὸ D λύκου μυκολατρευόμενος. Quum hic describantur statuæ variæ, putabam legendum ἀετὸς, ut fuerit Aquila ad quam Mugientis quodammodo et allatrantis specie lupus effictus erat in Amastriano, ut vox fuerit partim græca partim latina. Ducang. Videtur potius μυκο ex λύκου repetitum, et legendum λατρευόμενος.]

[Μυκόνιον, τόπος Suidæ et Zonaræ.]

[Μύκονος, ἡ, Myconus. Μία τῶν Κυκλάδων, ἀπὸ Μυκόνου τοῦ Αἰνίου τοῦ Καρυστοῦ καὶ Ῥυοῦς τῆς Ζάρηκος (ἀπὸ Μ. τοῦ Ἀνίου τοῦ τῆς Ῥοιοῦς καὶ Ζάρηκος τοῦ Καρύστου Wessel. ad Diod. 5, 62, cum Galeo ad Parthen. c. 1). Θουκυδίδης γ' (29) καὶ Στράβων ι' (p. 487)· Μύκονος δ' ἐστὶν ἐφ' (ὑφ' recte Strabo) ᾗ μυθεύονται κεῖσθαι τῶν γιγάντων τοὺς ὑγιεινοτάτους ὑφ' Ἡρακλέους καταλυθέντας, ἀφ' ὧν ἡ παροιμία Πάντα ὑπὸ μίαν Μύκονον, ἐπὶ τῶν ὑπὸ μίαν γραφὴν (ἐπιγραφὴν alii libri Strabonis) ἀγαγόντων τὰ διῃρημένα τῇ φύσει. Καὶ τοὺς φαλακροὺς δέ τινε, Μυκονίους καλοῦσιν ἀπὸ τοῦ τὸ πάθος τοῦτο ἐπιχωριάζειν τῇ νήσῳ. Ὁ νησιώτης Μυκόνιος, Steph. Byz. De prov. illo v. Hemst. ad Lucian D. mort. 1, 3. Aliud est Muχόνιος γείτων ap. Photium s. Suidam et parœmiogrr. κατὰ τῶν διαβεβλημένων ἐπὶ γλισχρότητι καὶ σμικροπρεπείᾳ παρὰ τὴν σμικρότητα τῆς νήσου τῆς Μυκόνου καὶ εὐτέλειαν. Myconios ob insulæ sterilis et pusillæ tristitiam pauperculos sordidosque habitos tradit etiam Athen. 1, p. 7, F. Conf. etiam Hesych. Insulam memorant Æsch. Pers. 885, ubi libri mire variant in forma nominis, Eur. Tro. 89, Herodot. 6, 118, Thuc. l. c., et al. De accentu Μύκονος v. Theognost. Can. p. 68, 13. ῠ L. Dind.]

Μῦκος, μιαρὸς, Impurus, Scelestus, ap. Hesych. [V. Μυκός.]

Μυκὸς, Hesychio ἄφωνος, Mutus. Ei expositioni addit, ὡς εἴ τις εἴποι μυσαττόμενος. Præterea, quosdam hoc nomine intelligere τὸν κακοήθη καὶ σκολιὸν ἄνθρωπον, Hominem malignum et perversum : quosdam τὸν ἀλαζόνα, Arrogantem et insolentem, Superbum. [Hæc et præcedens gl. alludunt ad μύσος et derivata.]

[Μυκόω. V. Μύκης.]

Μυκτήρ. Nomen Μυκτὴρ, de quo nunc agendum est, a verbo μύζω derivatur, si Eustathio credimus : quod μύζω exp. τὴν φωνὴν τοῦ μῦ στοιχείου ἐκφωνῶ, item μεμυκόσι χείλεσι ποιὸν ἦχον διὰ τῆς ῥινὸς ἀποτελῶ. Etym. autem vult esse dictum a μύξω (pro quo minime dubito quin reponi debeat illud ipsum μύζω), vel παρὰ τὸ τὴν μύξαν δι' αὐτοῦ ἐξιέναι : aut etiam ἀπὸ τοῦ μύξας τινὰς ἐφ' ἑαυτοῦ ἔχειν, i. e. πόρους. Verum ut hic μυκτὴρ deducitur a μύξα, ita vicissim μύξα deducitur a μυκτὴρ, in iis quæ ibi proxime sequuntur. Dicitur enim μύξα esse appellata παρὰ τὸ ἀπὸ τοῦ μυκτῆρος ἐκκρίνεσθαι. Ego de μυκτὴρ et μύξα, nec non de μύττω, quoniam eodem pertinent, uno eodemque loco agere volui, lectori interim, ex iis quæ de illis dicam, ferendum de ordine judicium relinquens.

Μυκτὴρ, ῆρος, ὁ, Naris [Gl. : Μυκτῆρες, Nares; Μυκτὴρ, Nasus. Aristoph. Vesp. 1488 : Οἷον μυκτὴρ μυκᾶται. Nicand. Al. 441 : Μυκτὴρ στρεβλός. Lucian. Anth. Pal. 11, 405, 5 : Ὢ μεγάλου μυκτῆρος. Plato Tim. p. 66, D; 79, C. Hippocr. p. 70, E : Μυκτὴρ ἐπὶ τουτέοισι ῥηγνύμενος, de hæmorrhagia. V. Μυκτηρίζω.] Galen. Ad Glauc. 1 : Καὶ γὰρ εἴτ' ἐξ ἀριστεροῦ μυκτῆρος εἴτ' ἐκ δεξιοῦ ῥυήσεται τὸ αἷμα, χαλεπὸν μὲν οὐδὲν ἐκ τῶν εἰρημένων προγινώσκειν. Idem, Τοὺς μυκτῆρας ἐπιλαμβάνειν, Nares obstruere. Apud Aristot. H. A. 1, [11] : Τοῖς μυκτῆρσιν ἀναπνεῦσαι. [Singul. ib. 9 etc.] A quibusdam μυκτὴρ exp. etiam Meatus odorandi, quoniam nare odoramur s. olfacimus : unde Nare sagaci esse, metaphorice etiam dicitur. Huc pertinet μυκτῆρες ὀσφραντήριοι, ap. schol. [immo ipsum] Aristoph. [Ran. 893.] Xen. Symp. [5, 6] : Εἴπερ γε τοῦ ὀσφραίνεσθαι ἕνεκεν ἐποίησαν ἡμῖν ῥῖνας οἱ θεοί· οἱ μὲν γάρ σοὶ μυκτῆρες εἰς γῆν ὁρῶσιν, οἱ δὲ ἐμοὶ ἀναπέπτανται, ὥστε τὰς πάντοθεν ὀσμὰς προσδέχεσθαι. Apud Eund. [De re eq. 1, 10] μυκτῆρες sunt et equorum : quos μυκτῆρας dicit illos εὐρύνειν μᾶλλον, quum irascuntur. [Et canum Cyn. 5, 11. Equorum etiam ap. Eur. Alc. 493. (Γλῶσση διαψαίρουσα μυκτήρων τόπους (πόρους) id. ap. Etym. M. v. Διαψαίρουσα, incertum de quibus.) Boum ap. Soph. in fr. Colchid. ap. schol. Pind. Pyth. 4, 398 : Φλέγει δὲ μυκτήρ. Scarabæi ap. Aristoph. Pac. 158 : Ποῖ παρακλίνεις τοὺς μυκτῆρας πρὸς τὰς λαύρας; De bestiis item Nicand. Th. 144.] || Μυκτὴρ, Nasus : Ἔστι γὰρ ὁ μυκτὴρ διχότομος, In duas partes divisus est nasus. Plut. Symp. 2, 1 [p. 603, C] : Εἰς δὲ δυσωδίαν μυκτῆρος ἢ στόματος ἄχθονται σκωπτόμενοι. Nisi enim pro Naso acciperet, μυκτήρων potius dicturus fuisse videtur. [Antiatt. Bekk. p. 108, 19 : Μυκτῆρα· οἱ μὲν ἀξιοῦσιν οὕτως ὅλην τὴν ῥῖνα λέγεσθαι, οἱ δὲ ταύτην μὲν ῥῖνα, μυκτῆρας δὲ τὰ ἑκατέρωθεν τρήματα.] Greg. Naz. : Μυκτὴρ ὕβριν πνέων καὶ περιφρόνησιν. Plerumque certe per metaphoram usurpatur, quam sequitur verbum μυκτηρίζω. Talis autem inest et nomini Nasus, (quem Plin. tradit novos mores subdolæ irrisioni dicasse,) veluti quum legimus ap. Martial., Nasutus sis usque licet, sis denique nasus. Hinc Naso suspendere, et Suspendere naso adunco, ap. Horat., μυκτηρίζειν. Lucian. Ad dicentem Prometh. [c. 1] : Ὅρα μή τις εἰρωνείαν φῇ καὶ μυκτῆρα οἷον τὸν Ἀττικὸν προσεῖναι τῷ ἐπαίνῳ. Quamvis autem Lucian. hic εἰρωνείαν et μυκτῆρα conjungat, legimus tamen ap. Polluc. [2, 78] non εἰρωνείαν, sed
A ipsum εἴρωνα vocatum a quibusdam fuisse μυκτῆρα. Ejus verba sunt, Καὶ τὸν εἴρωνά τινες μυκτῆρα καλοῦσι. [HSt. De dial. Att. p. 245, b, etc. Valck. Epigr. Anth. Pal. 9, 188, 5 : Σωκρατικῷ Σάμιον κεράσας μυκτῆρι φρόνημα. De Socrate etiam Timo ap. Diogen. L. 2, 19 : Μυκτὴρ ... εἰρωνευτής.] Interdum vero μυκτὴρ talem usum metaphoricum habere videtur, qualem Gallice habet vox ei significatione respondens, veluti quum dicimus, *Il y a du nez;* vel contra, *Cela n'a point de nez.* Talem certe aut parum dissimilem vocis μυκτὴρ usum ap. Plut. observare me memini. [Ambigue Eust. Opusc. p. 38, 28 : Οὓς ἀεὶ ἐξουθενῶ καὶ μύζων γελῶ μυκτῆρος λόγῳ. Sed de re p. 288, 96 : Ἔπασχε μὲν τηνικαῦτα μυκτῆρα ἐκ τῶν γυναικῶν· et 300, 9 : Μυκτὴρ οὗτος.] || Μυκτὴρ, Proboscis elephantis. Aristot. De partt. anim. 2, [16] : Διόπερ ἀναπνέουσιν ἄραντες ἄνω τὸν μυκτῆρα, ἄν ποτε ποιῶνται δι' ὑγροῦ τὴν πορείαν· καθάπερ γὰρ εἴπομεν, μυκτήρ ἐστιν ἡ προβοσκὶς τοῖς ἐλέφασι. [De lucernæ ellychniis Aristoph. Eccl. 5 : Τροχῷ γὰρ ἐλαθεὶς κεραμικῆς ῥύμης ἄπο μυκτῆρσι λαμπρὰς ἡλίου
B τιμὰς ἔχεις. Quod cum μύξα sic dicto comparat Jens. Lectt. Lucian. p. 43.] || De nominis μυκτὴρ derivatione dixi et in Ἀπομύττω.

[Μυκτηριάζω, Sannor. Dosith. Gloss. ap. Valck. Opusc. vol. 1, p. 239. Boiss.]

[Μυκτηριασμὸς, ὁ, Desannatio, Subsannatio, Gl.]

[Μυκτηριαστὴς, ὁ, Sannator, Gl.]

Μυκτηρίζω, [Sannor, Desanno, Gl.] Naso suspendo, Subsanno, Irrideo. Passiva voce usus est Paulus Ad Gal. 6, [7] : Θεὸς οὐ μυκτηρίζεται. Hinc verbale Μυκτηρισμὸς, ὁ, Subsannatio, Irrisio. Pollux [2, 78] Lysiam verbo μυκτηρίζειν pro μυσάττεσθαι usum esse testatur, ἀπὸ τοῦ τῷ μυκτῆρι ἐνδείκνυσθαι τὸ δυσχεραίνειν. Sed vulgatæ Pollucis editt. ita scriptum habent eum locum : Μυκτηρίζειν δὲ, Λυσίας, καὶ τὸ μυσάττεσθαι, ἀπὸ τοῦ τῷ μυκτῆρι ἐνδείκνυσθαι τὸ δυσχεραίνειν. Ubi perperam posita est puncti nota post nomen Λυσίας : quum nulla omnino interpunctione ibi sit opus : utpote Polluce volente exponere non verbum μυσάττεσθαι (quod ab hoc loco plane alienum est), sed μυκτηρίζειν
C per illud μυσάττεσθαι, et relinquente subaudiendum verbum εἶπε : perinde ac si dixisset, Μυκτηρίζειν δὲ Λύσιας εἶπε καὶ τὸ μυσάττεσθαι. Subjungit autem, unde s. quo respiciens, hanc verbi μυσάττεσθαι signif. verbo μυκτηρίζειν tribuerit : ἀπὸ τοῦ, inquit, τῷ μυκτῆρι ἐνδείκνυσθαι τὸ δυσχεραίνειν. At non animadversum quod de punctuli nota supervacanea dico, quendam alioqui doctissimum virum in errorem impulit, ut putarit a a Polluce tradi de verbo μυσάττεσθαι, quod de μυκτηρίζειν ab eo traditur. [Sueton. Tib. c. 4 : « Hominibus τὰ τοιαῦτα σκώπτειν καὶ μυκτηρίζειν εἰωθόσιν. » Menolog. Gr. vol. 1, p. 41 : Ἐμυκτήρισαν τὰ εἴδωλα εἰπόντες ὅτι οἱ θεοὶ τῶν ἐθνῶν δαιμόνιά εἰσι. Ephræm Syr. vol. 3, p. 239, B : Οἱ δὲ μυκτηρίσαντες τὸν δίκαιον ἄφνω ἐξανάλωτοι γεγόνασιν. Theodulus in Maji Nova Coll. vol. 3, part. 3, p. 192 : Τοὺς διὰ τὴν συμφορὰν ἐλέους ἀξίους μυκτηρίζειν. Medio Apollinar. Metaphr. 2, p. 4 : Ὑψιμέδων θεὸς οὐρανόθεν δ' ἐγελοίασε τούσδε ἐξαθερίζων τ' αὖ μυκτηρίσατ' ἀφραδέοντας. V. Hesychii gl. in Μύζω cit. L. D. || Apud Hippocr. de hæmorrhagia, ut μυ-
D κτὴρ, quod v., sumi videtur et pro Sanguinem naribus effundere, p. 1240, D : Ἀποστραφεῖσα ἐμυκτήρισεν· μυκτηρίσασα διηλλάγη, Aversa sanguinem ex naribus effudit, quo ex naribus effuso, permutata est. Foes.]

[Μυκτήρισμα, τὸ, i. q. μυκτηρισμός. Hesych. in Ἀποσκώμματα. Hemst.]

[Μυκτηρισμὸς, ὁ, i. q. μυκτηριασμός. V. Μυκτηρίζω. Anon. II. τρόπων in Walzii Rhett. vol. 8, qui inter species εἰρωνείας retulerat p. 724, 13, ib. 19 describit sic : M. ἐστὶ λόγος διασυρτικὸς μετὰ τῆς τῶν ῥινῶν μύσεως, ὡς ὅταν ἐπὶ κακῷ ἁλόντα τινὰ ὀνειδίζοντες εἴπωμεν, Καλὸν ἔργον ἐποίησας καὶ φρονίμου ἀνδρὸς, ἐπιπνέοντες καὶ πνεῦμα διὰ τῶν ῥινῶν. Conf. Trypho ib. 759, 6 : M. ἐστὶ τὸ μετὰ ποιᾶς κινήσεως καὶ συναγωγῆς τῶν μυκτήρων γινόμενον. Quibus addit exx. de quibus v. in Ἐπιμυκτηρίζω et Ἐπιμύζω. Eust. Opusc. p. 111, 47 : Τὴν ἐπὶ τῷ σωτῆρι Χριστῷ κλίσιν γονάτων ἐκείνην τὴν ἐν μυκτηρισμῷ· 224, 31 : Ἀκούειν ὡς ἐν μ. καταψαλλόμενόν σου τὸ κτλ. Theodor. Stud. p. 44, B : Τοὺς τῶν φυλάκων καταγέλωτας καὶ μυκτηρισμούς. L. Dind.]

[Μυκτηριστής, ὁ, Sannator, Gl. Athen. 4, p. 182, A: Μυκτηρισταὶ ἀλλήλους τωθάζοντες· 5, p. 187, C. Hemst.]

[Μυκτηριστικὸς, ἡ, ὸν, Sannans. Eust. Il. p. 117, 16 (?). Seager.]

Μυκτηρόθεν, Ex naribus, Epigr. [Palladæ Anth. Pal. 10, 75, 1: Ἠέρα λεπταλέον μυκτηρόθεν ἀμπνείοντες.]

[Μυκτηρόκομπος, ὁ, ἡ, Æsch. Sept. 464, μ. πνεῦμα, Spiritus, qui per nares emissus, sonum jactabundum edit, ut exp. Blomf. Constant. Manass. Chron. 5887, φρυάγματα. Boiss. Const. ib. 3683, ἵπποις.]

[Μυκώδης, ὁ, ἡ. V. Μύκης.]

[Μυκώκαρις ἀπὸ τοῦ μυκᾶσθαι οὕτως εἴρηται, Hesych. De quibus v. conjecturas Is. Vossii.]

Μύχων, ωνος, ὁ, Hesych. σωρὸς, θημὼν, Acervus, Cumulus. [V. Μύχων.] Polluci vero [2, 86] est Pars auris, sc. τὸ κατὰ τὴν ῥίζαν ὑπὸ τὸν λοβόν. Dicitur esse et Piscis, Gazæ dictus Muco, ap. Aristot. H. A. 6. Sed perperam proculdubio; nam μύξων pro eo legitur, c. 17: itidemque reponendum pro μύζων, 5, 11.

[Μύκων, ωνος, ὁ, Myco, pædotriba Samius, Pausan. 6, 2, 9, ubi est var. Μήκων, quod v. supra.]

[Μυλαβρὶς, Μυλαγρίς. V. Μυλαχρίς.]

[Μυλαὶ, αἱ, Mylæ. Πόλις Σικελίας. Ἑκαταῖος Εὐρώπῃ. Ὁ πολίτης Μυλαΐτης, ὡς τῶν Θηβῶν Θηβαΐτης ... Εἰσὶ γὰρ οἵ οὕτω λέγουσι. Καὶ τὸ θηλυκὸν Μυλαΐτις. Εἰσὶ δὲ Μυλαὶ καὶ Θετταλίας, ἧς τὸ ἐθνικὸν Μυλαῖος, Steph. B. Μύλας ap. Strab. 6, p. 266, ut ap. Theophr. H. Pl. 8, 2, 8, Μυλαῖς 272, Thuc. 3, 90, rursus Μύλας Diod. 14, 87; 19, 65, Exc. p. 499, 2. Gent. Μυλαῖος ap. Polyb. 1, 9, 7, ubi τὸ Μυλαῖον πεδίον, et 23, 2: Τὴν Μυλασίτην χώραν, quod Μυλαΐτιν scrib. viderunt intt. Μυλαῖος ὁ ἀπὸ τόπου ponit etiam Suidas. Μυλαῖον πεδίον ἀπὸ τοῦ Μυλαίου τόπου Zonaras p. 1378.]

[Μυλαϊκὸς, ἡ, ὸν, unde Athen. 3, p. 78, A: Οἶδα δὲ καὶ ἄλλα σύκων ὀνόματα λεγόμενα ... μυλαϊκὰ, ἀσκαλώνια. Mylaicæ, Int. L. Dind.]

[Μυλαῖος, ὁ, ἡ, Molaris. Antipater Thessal. Anth. Pal. 9, 418, 1: Ἴσχετε χεῖρα μυλαῖον, ἀλετρίδες.]

[Μυλαΐτης. V. Μυλαί.]

[Μυλάκινος, Ruscinius, Gl., vitiose, ut videtur.]

Μυλαχρὶς, ίδος, ἡ, significavit etiam τὴν ἐπιγονατίδα Hipponacti, teste Polluce [2, 189], vulgo Patellam. Ab Eodem tribuitur tum hoc μυλαχρὶς, tum Μυληθρὶς (ita enim in vulg. editt., sed reponendum suspicor Μυλωθρὶς), etiam cuidam insecto, magnitudine cicadæ, colore exalbido, quod farina vescitur in moletrinis. Diosc. σίλφην appellat: pro quo habemus τίφην ap. Polluc. [7, 19], mendose. Ab Hesych. vocatur etiam σίλφη μαλακὴ, ut a Plin. Blatta mollis. [Et τρωξαλλὶς et ἀκρὶς σιτοφάγος. Eidem μυλακρίδες sunt ὄνοι ἀλετρεῖς ἢ τὸ ἄκρον τῆς μύλης.] Atque apud illum scribitur etiam Μυλαβρὶς, item hæc suspecta, Μυλακρίδαι, et Βολακρίαι, ap. Polluc. autem [7, 180] et Μυλαγρὶς, cum γ. [Alex. Ætol. ap. Parthen. Erot. 14, 3: Μυλακρίδα λᾶαν. (Quem l. addere licet fem. λᾶας ex. in Λᾶας cit.) Photius: Μυλαβρίδες, σίλφαι αἱ μαλακαὶ, ἔλλευκοι, ἢ τρωξαλλίδες καὶ ἀετρίδες. Πλάτων Λάκωσι. Recte Dobræus Advers. vol. 1, p. 602, ἀλετρίδες, quo referendum etiam Hesychii ἀλετρεῖς, quod nihili. L. D. Μυλαβρίδα hodie a doctis Mylabridem cichorii vocari auctor est Walckenaer. *Sur les ins. nuisibles à la vigne* p. 64. Hase.]

[Μύλαχρον, τὸ, Molucrum. V. Μύλη.]

[Μύλαχρος. V. Μύλη.]

Μυλάντειοι, Hesychio θεοὶ ἐπιμύλιοι, Dii molarum præsides. [V. Μυλαντία.]

[Μυλαντία, ἡ, Mylantia. Ἄκρα ἐν Καμίρῳ τῆς Ῥόδου. Μυλάντιοι θεοὶ ἐπιμύλιοι, ἀπὸ Μύλαντος ἀμφότερα τοῦ καὶ πρώτου εὑρόντος ἐν τῷ βίῳ τὴν τοῦ μύλου χρῆσιν, Steph. Byz. Hesychius: Μυλὰς (l. Μύλας), εἷς τῶν Τελχίνων, ὃς τὰ ἐν Καμείρῳ ἱερὰ Μυλαντείων ἱδρύσατο. V. Μυλάντειοι, quod restituendum etiam Stephano.]

Μύλαξ, ἄκος, ὁ, Molaris lapis, qui et μυλίας, necnon μυλίτης, ut infra dicetur est. Exp. tamen simpliciter Lapis rotundus ab Eust. ap. Hom. Il. M, [161]: Κόρυθες δ' ἀμφ' αὖον ἄϋτευν Βαλλόμεναι μυλάκεσσι, καὶ ἀσπίδες ὀμφαλόεσσαι· ubi ille, μύλακες, inquit, λίθοι μυλοειδεῖς, quod est στρογγύλοι: fortasse autem et μυλίαι iid. ap. veteres. Oppian. Cyn. 3, [137]: Οὐδὲ βολὰς βελέων τε θοὰς μυλάκων τε θαμειάς. Hesych. et

A Suid. Μύλακες exp. μυλώδεις λίθοι: accipientes, opinor, μυλώδεις non pro μυλῖται s. μυλίαι, de quibus infra dicetur, sed potius pro μυλοειδεῖς, ut ad formam tantum referatur, quæ sc. rotunda est, sicut Eust. exp. στρογγύλοι. [Antipater Thess. Anth. Pal. 9, 418, 6: Κοῖλα βάρη μυλάκων. Antiphil. ib. 546, 3: Πῦρ ἐκ μυλάκων βεβιημένον. ῠ]

[Μῦλαξ, ακος, ὁ, unde Μύλακες, ἔθνος Ἠπειρωτικόν. Λυκόφρων (1021)· Κρᾶθις δὲ γείτων ἠδὲ Μυλάκων ὅροι, Steph. Byz.]

Μυλὰς, [Photio s.] Suidæ πόρνη. Sed scribendum potius μυλλάς. [Quod v.]

[Μύλας, αντος, ὁ, Mylas. V. Μυλαντία, Μύλασα.]

[Μύλασα, ων, τὰ, Mylasa. Πόλις Καρίας, ἀπὸ Μυλάσου τοῦ Χρυσάορος ... Λέγεται καὶ Μύλας, ὡς Αἰσχύλος ἐν Καρσὶν ἢ Εὐρώπῃ. Τὸ ἐθνικὸν Μυλασεύς. Οὕτω γὰρ ἀναγράφουσι πολλοὶ, ὡς Μένανδρος Καταψευδομένοις, Steph. Byz. Quum urbis tum gentilis exx. sunt ap. Herodot. 1, 171; 5, 37, 121, Strab. 14, p. 658 sqq. et Polybium, cujus ll. v. ap. Schweigh., qui vi-
B tiosam per duplex σ scripturam notavit ad 22, 27, 4, et alibi. Nam Μυλασεὺς est in numis ap. Mionnet. *Descr.* vol. 3, p. 355, etc., et in inscrr. ap. Bœckh. vol. 1, p. 438, n. 379, 6, et alibi. L. D. Μυλασέων inscr. ap. Franz. El. epigr. gr. p. 188, n. 73, a, 10. Μυλασεῦσιν ib. a, 3. Hase. ῠᾰ]

[Μυλάσασθαι τὸ σῶμα, ἢ τὴν κεφαλὴν σμήξασθαι. Κύπριοι, Hesych.]

[Μύλασος, ὁ, Mylasus. V. Μύλασα.]

[Μυλασσῖται, οἱ, i. q. Μυλιεῖς, quod v. in Μυλιεύς.]

[Μυλάων. V. Μυλόεις.]

[Μυλεργάτης, ὁ, Molam exercens. Philipp. Anth. Pal. 7, 394, 1: Μυλεργάτας ἀνήρ με χὴν ζωᾶς χρόνοις ... εἶχε δινητὸν πέτρον, de lapide molari. ᾰ]

[Μυλεὺς, έως, ὁ, epith. Jovis, Lycophr. 435: Ὃν (Sthenelum fulmine percussum) Γογγυλάτης εἷλε Βουλαῖος μυλεὺς, ἀγηλάτῳ μάστιγι συνθραύσας κάρα. Quæ Jovis epitheta explicare tentantes scholiastæ quum in primo tum in postremo falsi videntur, quod inepte admodum ἀρτοδότην ἀπὸ τῆς μύλης vel δι' οὗ οἱ ἄνθρωποι
C τὰς μύλας καὶ τοὺς ὀδόντας κινοῦσιν interpretantur. Jovem Lapidem comparabat Bachmann.]

Μύλη, ἡ, Mola [Gl.], ut quæ mola asinaria dicitur, s. trusatilis, aut frumentaria, oleariave. Hom. Od. H, [104]: Αἱ μὲν ἀλετρεύουσι μύλης ἔπι μήλοπα καρπόν· Υ, [106]: Φήμην δ' ἐξ οἴκοιο γυνὴ προέηκεν ἀλετρὶς Πλησίον, ἔνθ' ἄρα οἱ μύλαι εἵατο ποιμένι λαῶν. Quibus subjungit, Τῇσι δὲ δώδεκα πᾶσαι ἐπεῤῥώοντο γυναῖκες, Ἄλφιτα τεύχουσαι καὶ ἀλείατα, μυελὸν ἀνδρῶν. [Ib. 111: Ἦ ῥα μύλην στήσασα. Cantilena ap. Plut. Mor. p. 157, E: Ἄλει, μύλα, ἄλει. Soph. ap. eund. Mor. p. 417, F; Apoll. Rh. 1, 1077.] Pro eo autem, quod Lat. dicunt Molam versare, legimus ap. Polluc. [7, 180] non solum στρέφειν τὴν μύλην, quod magis ad verbum respondet, sed et περιάγειν, περιφέρειν, περιελαύνειν. || Μύλη interdum peculiariter pro Inferiore parte [s. lapide] molæ, ut superior ὄνος, Hesych. [V. Μύλος.] || Μύλη, pro Mola salsa affertur ex Aristoph. Vesp. [648]: Πρὸς ταῦτα μύλην ἀγαθὴν ὥρα ζητεῖν σοι καὶ νεόκοπτον. [Quod sequitur ἥτις δυνατὴ τὸν ἐμὸν θυμὸν κατερεῖξαι, non
D Molam salsam, sed Molam dici ostendit.] || Mola. Est Os latum et rotundum toti genu supra positum. Ob figuræ similitudinem sic dictum est: siquidem, ut mola pistrinensis, et rotundum est et ab anteriore parte lateribusque asperum. [Hippocr. p. 411, 13: Ἄνωθεν δὲ τοῦ ἐνηρμοσμένου ἡ μύλη ἐπίκειται, ἢ ἀποκωλύει ἐς τὸ ἄρθρον ἀναπεπταμένον ἐσβῆναι τὴν ὑγρότητα· 743, F. Aristot. H. A. 1, 15; Pausan. 1, 35, 5. Nominis rationem exponit Meletius Cram. An. vol. 3, p. 128, 28.] A quibusdam et Patella et Rotula Latine vocatur. Gorr. Hippocr. ἐπιμυλίδα etiam vocavit, Hipponax μυλακρίδα. Dicitur autem et ἐπιγονατίς. || Mola, Caro informis et inutilis in muliebri utero concepta. Ea interdum rudimentum cujusdam formæ obtinet, sed inchoatum duntaxat. Cute vel membranis obducitur, intus venis abundat compluribus, sine ossibus, sine intestinis, sine visceribus. Fit a semine imperfecto atque infœcundo, ut cui calor desit quantum adesse expedit ad fœtus conformationem, non tamen plane frigido humidoque. Siqui-

dem ex eo nihil omnino effici potest : quo fit ut mulier sola citra viri congressum molam non gignat, quoniam ejus semen frigidius atque humidius sit : sed semen viri præterea accedere oportet, naturali tamen frigidius, atque ob id infœcundum, nec eo usque progredi valens ut hominis formam effigiet : id enim vegeti caloris nativi spiritusque opus est. Sed non sic gallinæ : solæ namque sine coitu ova ὑπηνέμια, i. e. subventanea, concipiunt, quæ plane muliebri molæ respondent. Hæc Gorr. In VV. LL. ex Aetio annotatur μύλην esse Tumorem uteri induratum, aliquando ex præcedenti inflammatione, aliquando ex ulcere loci cui caro accrevit : a motus autem difficultate et gravitate, τῆς μύλης nomen accepisse. Subjungitur et ex Paulo Ægin. 3 : Καὶ ἡ μύλη σκιῤῥώδης ἐστὶν ὄγκος, ποτὲ μὲν κατὰ τὸ στόμιον τῆς μήτρας, ποτὲ δὲ καὶ καθ' ὅλην αὐτὴν προφαινόμενος, ἀφῇ λιθώδης· quod et graviditatis suspicionem afferre ait. [V. Hippocr. p. 618, 42; 665, 18; 684, 8. Aristot. De gen. anim. 4, 7, H. A. 9, 7. Eust. Opusc. p. 100, 82 : Εἰ δ' ἄρα ποτὲ καὶ τέχη, μύλην ἀποτικτούσης.] Vide et infra in Μυλόω quæ protuli ex Erotiano. [Μυήλα Hesychio est σάρξ τις ἐπαίρουσα τὴν γαστέρα, quod μύλη scrib. esse viderunt intt. Festus : « Molucrum non solum quo molæ vertuntur dicitur, id quod Græci μύλικρον appellant, sed etiam Tumor ventris, qui etiam virginibus solet evenire. »] || Ibid. μύλη annotatur ex Galeno pro quadam Herba, cui radix parvo bulbo similis, visque contrahendi vulvas. Ex Aetio autem μύλη pro Sylvestris lapathi radice. || Molaris dens. Galen. Κατὰ τόπ. 5 : Πρὸς βεβρωμένην μύλην. Item, Μύλην ἀπόνως ἆραι. Itidem in plur. μύλαι, Molares, ap. Eund. in libro De oss., et l. 9 De usu partium. [In Ind. :] Μύλαι Suid. non specialiter tantum exp. οἱ ἔνδον ὀδόντες, utpote qui soleant λεπτύνειν τὴν τροφήν, sed generaliter etiam ὀδόντες, Dentes, in hoc hemistichio, Μύλας λεόντων. [Hesychio σιαγόνες. Eust. Opusc. p. 128, 24 : Ὡς ἂν μὴ τὸ πλῆρες τοῦ ταμιείου ταχὺ γένηται ὑπόκενον μηδὲ τὰ ἀναγκαῖα μύλαις ὀδόντων ἀλήθεσθαι παραβάλλωνται · 138, 48 : Τῶν δὲ θηρῶν τὰς μύλας συντρίψει.] Vocantur etiam Μύλοι ab Aristot. H. A. 2 et a Rufo [p. 27 ed. Cl.]. Iid. vero et Μυλῖται ac Μύλακροι appellantur. [Mœris p. 111 : Γομφίους Ἀττικοί, μύλους Ἕλληνες. Artemidor. 1, 31, p. 47 : Οἱ μύλοι, οὓς γομφίους ἔνιοι καλοῦσιν· et ibid. Item Suidas in Μύλοι. Hesychius : Μύλακροι, γομφίοι ὀδόντες.] Item Μυλόδοντες, teste Eust. [Od. p. 1885, 27. Syntipas Fab. 16. Boiss.]

[Μυληθρὶς, vitium scripturæ pro μυλωθρὶς, quod v.]

Μυλήκορον, τὸ, q. d. Scopa molaria. Quidam vero interpr. et Scopa farinaria. [Festus t. 2, p. 99 ed. Lindem. : « Molucrum et quo molæ verruntur, quod Græci μυλήκορον dicunt. » Hase.] Pollux 6, [94] : Σάρον γὰρ ὡς ἐπιτοπολὺ τὸ ἐν τῇ ἅλῳ ἐκάλουν, ὡς τὸ ἐν τοῖς ἀλφίτοις, μυλήκορον. [Id. 7, 19, 22 ; 10, 29, 112.]

[Μύλης, ητος, ὁ, Myles, f. Lelegis, Pausan. 3, 1, 1 ; molæ inventor, 3, 20, 2 ; 4, 1, 1.]

[Μυλητίδαι, οἱ, Myletidæ. Thuc. 6, 5 : Καὶ Ἱμέρα ἀπὸ Ζάγκλης ᾠκίσθη ὑπὸ Εὐκλείδου καὶ Σίμου καὶ Σάκωνος, καὶ Χαλκιδῆς μὲν οἱ πλεῖστοι ἦλθον ἐς τὴν ἀποικίαν, ξυνῴκισαν δὲ αὐτοῖς καὶ ἐκ Συρακουσῶν φυγάδες, στάσει νικηθέντες οἱ Μυλητίδαι καλούμενοι.]

Μυλήφατος, ὁ, ἡ, ut μ. ἄλφιτον Homero [Od. B, 355], Farina quæ fracta et contusa est mola, Bud. : μυλήφατον Plut. in Quæst. Rom. [p. 289, A] vocari ab eo tradit metaphorice quasi φονευόμενον ἐν τῷ ἀλέτῳ καὶ φθειρόμενον. [Apoll. Rh. 1, 1073 : Οὐδ' ἐπὶ δηρὸν ἐξ ἀχέων ἔργοιο μυληφάτου ἐμνώοντο. Lycophr. 578 : Μυληφάτου χιλοῖο. Theognost. Can. p. 96, 30.]

[Μυλιαῖος, ὁ, Molaris. Oribas. Mai. p. 168, fin. : Μεταξὺ τῶν μυλιαίων ὀδόντων. L. D. Dionys. ap. Euseb. Hist. eccl. p. 237, B : Προσαρασσομένην τοῖς μ. λίθοις. Hase.]

[Μυλιανὸς quidam memoratur ab Theodoro Stud. p. 307, B. L. Dind.]

[Μυλίας V. Μυλίτης.]

Μυλιάω, exponitur Dentes concutio præ frigore. Item Frendeo dentibus, Strido dentibus. Hesiod. [Op. 528] : Λυγρὸν μυλιόωντες. Dico autem ab hac nominis μύλη signif., intelligens tamen in hoc verbo appellationem quorundam dentium omnibus generaliter tri-

A bui. [Nota hanc lectionem λυγρὸν μυλιόωντες genuinam non esse : frigus enim ferarum æque ac hominum dentes collidere nemo unquam tradidit : Proclus autem æque ac Etymologus tradunt Cratetem (pro quo corrupte apud Proclum legitur Isocrates) legisse μαλκιόωντες. Etymologici (s. Suidæ) verba sunt : Μυλιόωντες. Ἡσίοδος τὰ χείλη κινοῦντες, ἀπὸ τῆς ψυχρότητος, ἢ συνάγοντες, ἢ τὰς μύλας συγκρούοντες. Κράτης δὲ γράφει μαλκιόωντες. Ἔστι δὲ τὸ διὰ ψῦχος μὴ ἔχειν εὐκινήτῳ δυνάμει χρήσασθαι. Brunck. Recte judicasse grammaticos vel prosodia ostendit. Apud nos in Μαλκέω casu omissa est hujus l. mentio.]

[Μυλιεὺς, έως, ὁ, Myliensis. Tzetzes Hist. 7, 838 : Καὶ νίκην ἀπειργάσατο πρῶτον κατὰ Σολύμων τῶν Μυλιῶν, Μυλασσιτῶν, καθὼς φασιν οἱ ἄλλοι. Et in schol. Cram. Anecd. vol. 3, p. 370, 14 : Τῶν Μυλιῶν) Οὐχ ὅτι ἀλληγοροῦσιν τοῦτο, ἀλλὰ Σολύμους μέν φασι τοὺς Μυλιᾶς. L. Dind.]

Μυλικὴ, ἡ, Medicamentum dentium dolores sedans, inditum in dentem, vel oblitum. Sic autem dictum
B est a dentibus molaribus. Ita Gorr., sed nullum exemplum afferens. Invenitur tamen et ap. Galen. : Μυλικὴ αὐθωρὸν παύουσα.

[Μυλικὸς, ή, όν, Molaris, Molendinarius, Gl.] Μυλικὸς λίθος, Molaris lapis. [Georg. Sync. p. 159, C : Λίθῳ μυλικῷ πληγεὶς τὸ κρανίον. V. Μυλίσκος. L. D.] Sed intellige non de illo genere lapidis quod ad conficiendas molas est aptum, sed de Mola ipsa, Marc. 9, [42]. At vero Matth. [18, 6] et Luc. [17, 2], idem dictum commemorantes, habent μύλος ὀνικὸς, quod sonat Mola asinaria. Quibus verbis in illo Marci l. vetus Interpres est usus. [De dente molari, Alex. Trall. 3, p. 214. Gregor. Naz. ap. Bandin. Bibl. Med. p. 222, A : Ὦ κάνθων μυλικέ. Μυλικὸν ἐργαστήριον vel plurali sæpius in Ms. ap. Pasin. Codd. Taurin. vol. 1, p. 324, A; 325, B; 328, A. L. Dind.]

[Μύλινος, η, ον, Ex lapide molari factus. Inscr. Smyrn. ap. Bœckh. vol. 2, p. 784, n. 3371, 4 : Σορῷ ἔσω μυλίνῃ. L. Dind.]

[Μύλινος, ὁ, Mylinus, gigas Cretensis. Diodor. 5,
C 71.]

[Μύλιον, ξύλινόν τι ἐργαλεῖον καὶ σκεῦος, Hesychius.]

[Μύλιος. V. Μυλίτης.]

[Μύλισιν (?), ἔθνος Φρυγίας. Ἑκαταῖος Ἀσίᾳ, Steph. Byz.]

[Μυλίσκος, ὁ. Μυλίσκοι λίθοι, Lapides molares. Leo in Tact. c. 19, 7 : Καὶ εἰς τὸ μέσον τῆς πολεμίας νηὸς ἀκοντίσουσιν ἢ λίθους μυλίσκους. Ducang. Μυλικοὺς recte in Meursii Opp. vol. 6, p. 827.]

Μυλίτης λίθος, seu Μυλίας, ὁ, Molaris lapis, Id lapidis genus ex quo fiunt molæ. Galen. Therap. 14 : Ὀνομάζουσι δὲ τὸν μ. λίθον, ἐξ οὗ τὰς μύλας, ἐφ' ὧν ἀλοῦσι, κατασκευάζουσι. Idem Galen. ad Hippocr. λίθον μέλανα exp. μυλίτην. Apud Herodianum autem 3, [1, 14] Polit. pro μυλίτου λίθου habet Milesio lapide, legens sc. non μιλήτου λίθου, ut quidam annot., sed Μιλησίου : neque enim Milesius lapis dici potest μίλητος λίθος. [Gl. : Μυλίτης, Molaris; Μυλίτης λίθος, Silex. Jo. Malal. p. 281, 1 : Στρώσας διὰ μυλίτου λίθου.] At vero Μυλίας ap. Strab. [10, p. 488] pro eod. : Καὶ πετρώδης καὶ
D μυλίου λίθου εὐποροῦσα. [Id. 6, p. 269. Plat. Hipp. maj. p. 292, D : Εἴ μοι παρεκάθησο λίθος, καὶ οὗτος μυλίας.] Affertur autem et μυλίῳ λίθῳ ex Procop. De Justiniani ædif. [p. 39, C] : Τὸν πεπονθότα πύργον ἀνῳκοδομήσατο μυλίῳ λίθῳ καὶ φύσει σκληρῷ· qui l. si mendose scriptus non est, erit etiam Μύλιος i. q. μυλίας, s. μυλίτης. [Μύλιος inter trisyllaba in ιος quæ υ habent in prima ponit Arcad. p. 41, 19, non addita signif. Gl. : Μύλιοι, Molares. V. Λιθομυλία. Procopio reddendum videtur μυλίᾳ, ut p. 84, D, μυλίας. Λίθου μυλίου est p. 43, D, μυλίτου 38, B, et Hist. p. 347, C, μυλίτην. L. D.] Vide Μυλικὸς λίθος supra. || Item μυλῖται ὀδόντες, Molares dentes : qui et μύλαι. [Meletius Cram. An. vol. 3, p. 82, 26 : Τοὺς μυλίτας τῶν ὀδόντων · 81, 27. L. D. Legg. Rotharis p. 56, 13 Zachar. : Ἐάν τις ὀδόντα μυλίτην ἐκβάλῃ. Hase.] Vide Μύλη.

[Μύλιττα, ἡ, Mylitta, Venus apud Assyrios. Herodot. 1, 131 : Καλέουσι δὲ Ἀσσύριοι τὴν Ἀφροδίτην Μύλιττα, quæ repetuntur ib. 199. Hesychius : Μύλητταν, τὴν Οὐρανίαν. Ἀσσύριοι. « Lucina ab Hebr. מולדת

Moledeth vel מולדתא *Moladthà*, Genitrix. » Vitringa.] A

[Μυλλαίνω, i. q. μυκτηρίζω. Hesych. : Ἐμυάλλαχεν, ἐμυκτήρισεν. Ἐμύλλανεν Hemst. Quod verbum est ap. Photium s. Suidam in Σιλλαίνει, et in ead. gl. Μυλλίζω, ead. signif.]

[Μύλλᾶς, ὁ, Myllas, n. pr., ut videtur, ap. Arcad. p. 21, 27, in cod. Havn. positum inter nomina in λλας.]

Μυλλὰς, ἄδος, ἡ, Scortum, Meretrix : παρὰ τὸ μύλλειν. [V. Μυλάς.]

[Μυλλάω, Distorqueor, Contorqueor. Hesychius : Μεμύλληκε, διέστραπται, συνέστραπται.]

[Μυλλέας s. Μυλλίας, ὁ, n. viri. Priori forma Berœæus quidam appellatur ap. Arrian. Ind. 18, 6. Altera Pythagoreus ap. Ælian. V. H. 4, 17, ubi v. Scheffer. et Kuhn.]

[Μυλλίζω. V. Μυλλαίνω.]

[Μύλλον, τὸ, Labrum. Pollux 2, 90 : Καὶ γὰρ τὰ χείλη μύλλα προσαγορεύουσι.]

[Μύλλος.] Μύλλον, Hesychio i. q. χυλλὸν, h. e. χαμπύλον, σχολιὸν, στρεβλὸν, Curvum, Tortuosum. Dicit esse etiam Piscis speciem : et proverbio dici de Eo qui surditatem simulat, quum tamen audiat : fuisse vero et comœdiarum scriptorem hoc nomine. Eust. inter hæc discrimen facit : paroxytonως quidem enim dici Μύλλον comœdiarum illum scriptorem, qui miniatarum personarum usum repererit [Arcad. p. 53, 15 : Μύλλος, ποιητὴς κωμικός. Memoratur etiam ab Suida v. Ἐπίχαρμος. Ab eo ductum prov. Μύλλος ἀκούει vel πάντ' ἀκούει, ἐπὶ τῶν (πάντα) ἀκουόντων καὶ κωφότητα προσποιουμένων, quod μὴ ἀκούειν ὑποκρίνοιτο, tradunt parœmiogrr. Hesychius vero eandem memorans cum Photio parœmiam, distinguit ab hoc Myllo, quem post illam recenset. Ceterum Μύλος male omnes præter Eust., Arcad. et Hesychium] : oxytonως vero μυλλὸν vocari τὸν διεστραμμένον τὴν ὄψιν, Eum qui oculis est distortis, Strabonem. [Polemo Physiogn. 1, p. 252 : Στόμα μυλλὸν, ubi Adamantius κοῖλον. Wakef.] Ap. Athen. 14, [p. 647, A] μυλλοὶ sunt etiam Placentarum species. Ibi enim tradit ex Heraclide Syracusio Περὶ θεσμῶν, Syracusis τοῖς παντελείοις τῶν Θεσμοφορίων ex sesamo et melle confici ἐφήβαια γυναικεῖα, quæ per C universam Siciliam vocari μυλλοὺς, et circumferri deabus, sc. Cereri et Proserpinæ : ut sint Placentæ, quæ pubem s. pectinem muliebrem imagine repræsentarent. Ap. Galenum vero De alim. 3 : Εἰ τὸ τάριχον εἴη τῶν Ποντικῶν ἐκείνων, ἃ καλοῦσι μύλλους· proculdubio de Piscis genere, quod μύλλος nominatur. Oppianus, ut tradunt nonnulli, hunc μύλλον Platacum appellat, quum majusculus est : Gnotidion, quum pusillus : a Græcis vulgo Mylocopion vocatur, Molgus. Ita illi. Sane Athen. 3, [p. 118, C, D] ex Dorione refert quos pisces nonnulli μύλλους vocant, ab aliis appellari πλατιστακοὺς, ab aliis γνωτίδια, utpote qui iidem sint. [Pollux 6, 48.] || At Μύλλη, Hesychio λεῖα. [Eidemque : Μυμεῖ, λεῖα.]

[Μυλλόφυλλον, τὸ, Millefolium, ap. Interpol. Diosc. c. 692. Ducang.]

[Μύλλω.] Μύλλει Hesychio est πλησιάζει : ut et Eust. [Od. p. 1885, 22] scribit Theocritum μύλλειν usurpasse ἐπὶ μίξεως οὐ σεμνῆς, forsitan παρὰ τὴν μύλην : Id. 4, [58] : Εἴπ' ἄγε μοι, Κορύδων, τὸ γερόντιον, ἦ ῥ' D ἔτι μύλλει Τήναν τὰν κυάνοφρυν ἐρωτίδα, τᾶς ποτ' ἐράσθη ; ut sane Horat. dicit Alienas permolere uxores pro Inire. [Et est in Gl. : Μύλλω, Molo.] || Μύλλειν, Ore aliquid significare et veluti innuere. Eustathio enim [Od. p. 1798, 43] auctore μύλλομεν τῷ στόματι, ἐννεύομεν δὲ τῇ κεφαλῇ. [Id. Opusc. p. 250, 32 : Ὀφθαλμοῖς ἐννεύοντες καὶ μύλλοντες.] Suid. μύλλειν esse dicit τὸ τὰ χείλη πρὸς ἄλληλα συνάγειν, Contrahere s. Comprimere labia : quod et μοιμύλλειν, nec non μυᾶν et μοιμυᾶν [μοιμυλλᾶν, quæ v.].

Μυλοειδὴς, ὁ, ἡ, Molæ formam habens s. figuram, Rotundus. [Hom. Il. H, 270 : Μυλοειδέϊ πέτρῳ. Batrachom. 212. Et ap. Hesychium. || Adv. Μυλοειδῶς, Theodoret. Therap. p. 58.]

[Μυλόεις, εσσα, εν, Molaris, Lapideus. Nicander Th. 91 : Ψήχεο δ' ἐν στέρνῳ προβαλὼν μυλόεντι θυείης. Schol.: Τῷ λιθίνῳ, τῷ μυλοειδεῖ.]

[Μυλόεις, ποταμὸς Ἀρκαδίας, Hesychius. Μυλάων, οντος, Pausaniæ 8, 36, 1 ; 38, 9.]

[Μυλοεργὴς, ὁ, ἡ, Mola fractus, Molitus. Nicander Al. 550 : Μυλοεργέϊ μίσγων ὀρόβοιο παλήματι. Τῷ ὑπὸ μύλης (vel μύλου) κατεργασθέντι, schol.]

Μυλόκλαστος, ὁ, ἡ, Mola fractus : Hesych. μυλήφατον ap. Hom. exp. μυλόκλαστον.

[Μυλοκόπιον, τὸ, piscis i. q. μυλοκόπος, quod v.]

Μυλοκόπος, ὁ, Molitor, VV. LL. [Moliarius, Gl. || Piscis. Schol. Oppian. Hal. 1, 130 : Ἐν δὲ μύλοι τρίγλης τε ῥοδόχροα φῦλα νέμονται) μυλοκόπια, μυλοκόποι. Ducang.]

Μυλοκόρος, ὁ, Qui molam everrit s. curat. Idem fere μυλωρὸς dicitur.

[Μυλοπολίτης. V. Μύλων.]

[Μυλόρωτος, Lotus. Glossæ Mss. : Λωτὸς, τὸ γλυκυχάλαμον, ἡ βοτάνη εὐοδεστάτη [sic], ἣν ἔνιοι μυλόρωτον κικλήσκουσι. Ducang. Sed leg. μυρόλωτος, quod v. Id. App. p. 137.]

Μύλος, ὁ, i. q. μύλη, Mola [Gl., et Μύλος ἐλαῶν, Trapetum], in prima sc. hujus nominis signif. : ut in hoc proverbiali versu [108, p. 584 Schott.], Ὀψὲ θεῶν ἀλέουσι μύλοι, ἀλέουσι δὲ λεπτά· ad quem [præter Orac. Sib. 8, 14 : Ὀψὲ θεοῦ μῦλοι ἀλέουσι τὸ λεπτὸν ἄλευρον,] respexit Plut. De S. N. V. [p. 549, E] : Ὥστε οὐχ ὁρῶ τί χρήσιμον ἔνεστι τοῖς ὀψὲ δὴ τούτοις ἀλεῖν λεγομένοις μύλοις τῶν θεῶν· et De vit. ære al. [p. 830, D] : Ἀπὸ τοῦ μύλου καὶ τῆς μάκτρας. [V. schol. Nicandri in Μυλοεργὴς cit. et Μυλαντία.] Utitur et Strabo [4, p. 188] hoc nomine de Tholosano auro loquens. Habes et ap. Matth. ac Lucam, ut dixi in Μυλικός. [Mœris p. 262 : Μύλος ἡ τράπεζα τοῦ μύλου. Ὄνος τὸ ἄνω τοῦ μύλου. (Photius : Μύλη, τὸ κάτω τοῦ μύλου· τὸ γὰρ ἄνω ὄνος λέγεται. Et addito loco Procopii, in quo μύλη, Suidas.) Idem p. 256 : Μύλη Ἀττικοὶ, μύλος Ἕλληνες. Schol. Xen. Anab. 1, 5, 5 : Ὄνους ἀλέτας, οὓς ἡμεῖς μύλους, οἱ δὲ Ἀττικοὶ μύλας. Thomas p. 620 : Μύλη, οὐ μύλος.] Bud. ap. Athen. μύλοι vertit etiam Pistrina. [Sic Eust. Opusc. p. 358, 73 : Ἐν τουτῳ (τῷ χωρίῳ) μυλοι τρεῖς δι' ὅλου τοῦ χρόνου (i. e. ἐνιαυτοῦ) ἐνεργοῦντες ἑστᾶσι, τοῦ κινοῦντος αὐτοὺς ὕδατος διὰ πλῆθος ἀρκοῦντος ἐπιρροῆς. Οἱ δὲ .... ἑνὸς εὐποροῦντες μύλου, καὶ τούτου χειμερίου, ἐτόλμησαν τὸ τοὺς τρεῖς μύλους κινοῦν ὕδωρ μετοχετεῦσαι, καὶ πρὸς τὸν ἴδιον μεταγαγεῖν μύλωνα. Ἀφάντου μύλου signif. obscœna Tzetz. Hist. 6, 799, pro quo in schol. ap. Cramer. Anecd. vol. 3, p. 369, 7, μύλωνος· et 10, 425.] || Μύλοι pro Dentibus molaribus, vide in Μύλη pro Dente molari. || Affertur μύλος et pro γρόνθος, ex Lycophr. [233 : Στερρῷ τυπέντα κλεῖδας εὐάρχου μύλῳ. Schol. λίθῳ. Et de lapide Lucill. Anth. Pal. 11, 253, 2 : Ἐκ ποίων σε μύλου κόψατο λατομιῶν ; 246, 2 : Ποίων τὸ σκάφος ἐστὶ μύλων ; || « Morbi species (mulierum eadem atque μύλη), quæ describitur ap. Moschion. De morb. mul. c. 135. » Ducang. Conf. Μυλόω. || Piscis. V. Μυλοκόπος. Μυλὸς pro μύλος male scriptum ap. Theognost. Can. p. 61, 18.]

Μυλόσαρξ, κος, ἡ, i. q. μύλη supra, Mola, i. e. Caro informis et inutilis in muliebri utero concepta : ἣν αἱ κυοφοροῦσαι ἀντ' ἐμβρύων φέρουσιν, Hesych.

[Μυλοστασία, ἡ, Molendinum. Constantini Porphyrog. Nov. de fundis Armeniacis : Εἰ δὲ καὶ βελτιώσεις πεποιήκασιν ἐν αὐτοῖς, εἰ μὲν χρειώδεις αὐταί εἰσιν, οἷον ἀμπελώνων καταφυτεύσεις, μυλοστασίαι, ἀχυρῶνες. Ducang. App. Gl. p. 137. Forma neutr. μυλοστάσια Nov. Nic. Phocæ ad calc. Leon. Diac. p. 319, 16 ed. Bonn. Hase.]

[Μυλοστομὶς, ίδος, ἡ, Epiphan. vol. 1, p. 262, B, Dentes molares vertit Int.]

[Μυλοστράκιον, τὸ, Styrax. Gl. Mss. botanicæ ex cod. Reg. 2690 : Στύρακα λέγεται τὸ μυλοστράκιον. Ducang. App. Gl. p. 137.]

[Μυλοτόπιον, τὸ, Pistrina. Ms. ap. Pasin. Codd. Taurin. vol. 1, p. 322, B, μγ' : Ἐκδοτήριον ἐπὶ μυλοτοπίῳ τῷ εἰς τὸν Βελεστίνον διακειμένῳ· 350, B. L. D.]

[Μυλουργὸς, ὁ, Silicarius, Gl.]

[Μυλοχαράκτης, ὁ. Ms. Tacticus de urbe obsessa ap. Ducang. Gl. v. Καλαφάτης, p. 549, A : Οἷον ἁρματοποιοὺς, ... ῥάπτας, μυλοχαράκτας, ἀστρονόμους.]

Μυλόω, Induro. A cujus pass. Μυλοῦμαι est ἐμυλώθη ap. Hippocr. [p. 607, 6], quod Galen. et Erot. exp. ἐτυλώθη, ἐσκληρύνθη : quia, addit Erot., μύλον Medici vocant τὸν ἐν τῇ ὑστέρᾳ γινόμενον σκίῤῥον. [Ubi alii ἐμυχώθη, quod v.]

[Μυλώδης, ὁ, ἡ, i. q. μυλοειδής, Molaris. V. Μύλαξ.]

[Μυλωθρέω, ἀπὸ τοῦ μύλωθρος, οἱ δὲ ἰδιῶται μυλωνᾶν, Suidas in Πυθέας. Hemst.]

Μυλωθρικὸς, ἡ, ὸν, a μυλωθρὸς, Ad pistrinum pertinens s. molendinum, Moletrinarius, Molendinarius: μ. σκεύη, Plut. [Mor. p. 159, D. Μυλωθρικὸν ponit Suidas.]

[Μυλωθρίς. V. Μυλωθρός.]

[Μύλωθρον, τὸ, Mola. Photio ὅπου ἄλφιτα ἀλεῖται.]

Μυλωθρὸς, ὁ, ἡ, Qui pistrinum possidet, et in eo opus facit, ὁ μύλωνα κεκτημένος καὶ ἐργαζόμενος Suidæ. Exp. et Molitor. Ap. Athen. 4, [p. 168, A: Μεταπεμφθῆναί τινα τῶν μυλωθρῶν,] Bud. exp. etiam Pistor: pro qua interpr. facere mihi videtur l. ex Thuc. citandus in Μύλων, ubi dicit, Σιτοποιοὺς ἐκ τῶν μυλώνων. [Diog. L. 9, 59: Ἔρρε, μυλωθρὲ κακέ. Schol. Aristoph. Pac. 258: Ἀλετρὶς ἡ μυλωθρὸς παρὰ Καλλιμάχῳ. Suidas in Πυθέας, ubi liber unus addit post μυλωθροῦ, quod μυλάθρου scribit, τοῦ μυλωνᾶ ἔχοντος καὶ ἐργαζομένου, h. e. μυλῶνα ἔχοντος.] Pollux autem [7, 19 coll. 180] habet Μύλοθρος cum ο in secunda etiam syllaba, item Μυλωρὸς, quæ exponit ὁ τῆς ἐργασίας προεστηκώς: sed alibi μυλωθρὸς cum ω ap. Eund., quam veram esse lectionem constat. [Recte HSt. improbat μυλορὸς, sed μυλωρὸς inter τὰ παρὰ τὸ ὁρῶ συγκείμενα ὀξύτονα διὰ τοῦ ω μεγάλου γραφόμενα ponit Theognost. Can. p. 72, 4. Et Nicolaus in Walz. Rhett. vol. 1, p. 266, 22: Ὦ μυλωρέ. L. D.] Item μυλωθρὸς adjective, quum dicitur μυλωθρὸς ᾠδὴ, quæ et ἐπιμύλιος supra. [Aphthonii Fab. 13.] Fem. Μυλωθρὶς, et Μυλακρὶς, Molitrix, Pistrix. [Jo. Chrys. t. 5, p. 616, C ed. Par. alt.: Ἵνα με μυλωθρίδα καὶ ἀρτοποιὸν ποιήσῃς. Hase. Μυλωθρὶς titulus est fabulæ Eubuli ap. Athen. 11, p. 494, E. Schweigh.]

Μύλων, ωνος, ὁ, vel Μυλὼν, ῶνος, ὁ, Locus in quo est s. versatur mola, Pistrinum. [Pistrina add. Gl.] Herodot.: Τοῦτον μύλων ἔμνησε τῆς ἀταξίας. [Quis iambicum versiculum in Herodoto quæret? Desumtus est ex fabella Æsopica, quam vide in Corayana editione p. 170, fab. 258. Boiss. Fefellerat HStephanum Lex. Septemv. Eur. Cycl. 240: Εἰς μυλῶνα καταβαλεῖν.] Thuc. 6, p. 205 [c. 22]: Καὶ σιτοποιοὺς ἐκ τῶν μυλώνων πρὸς μέρος ἠναγκασμένους ἐμμίσθους. Aristot. Rhet. 3, [10]: Κηφισόδοτος τὰς τριήρεις ἐκάλει μύλωνας ποικίλους. Locus erat, in quo torquebantur servi, Pollux [3, 78]: ut et ex variis Luciani præcipue ll. discimus: in quorum uno, Tim. [c. 23], de vili mancipio loquens, dicit: Καὶ τὸν μυλῶνα ὥσπερ τὸ ἀνάκτορον προσκυνῶν. Sunt autem qui existiment ab eod. Polluce [1, 80] hanc ob causam censeri hoc nomen οὐκ εὔφημον, ubi scribit: Σιτοποιϊκὸς οἶκος, ἵνα μὴ μυλῶνα, ὡς οὐκ εὔφημον, ὀνομάζωμεν. [Athen. 4, p. 168, B. Suidas quod ponit Μύλωνος, ὄνομα κύριον, ipsius vel librarii error videtur, de quo v. intt. || Accentus μύλων, qui adversatur Arcadii μυλὼν ponentis p. 12, 25, et Theognosti Can. p. 36, 2, præcepto, est in Gl. et ap. Eust. Opusc. p. 275, 6: Ἵππους ὁποίους τοὺς πλείους μύλωσιν ἂν καταδέχοιντο· 358, 79, μύλωνα.]

[Μύλων, πόλις Αἰγύπτου. Ἑκαταῖος. Ὁ πολίτης Μυλοπολίτης, Steph. Byz. Caricam quandam urbem dicere videtur Macho ap. Athen. 8, p. 337, C: Ὁ κρουματοποιὸς Δωρίων ποτ' εἰς Μύλων' ἐλθὼν κατάλυσιν οὐδαμοῦ μισθωσίμην δυνάμενος εὑρεῖν, ubi libri optimi μυλῶνα vel μυλῶν', quum Ζηνοποσειδῶνος in sequentibus mentio fiat in Caria culti. Bœckhius C. I. vol. 2, p. 1107, ad n. 2700, conjecit Μύλασσ', ego ἐλθὼν ποτ' εἰς [Μύλασα κατάλυσιν. L. Dind.]

[Μυλωνάρχης, ὁ, Molæ dominus. Schol. Aristoph. Eq. 253.]

[Μυλωνικὸς, ἡ, ὸν, Molaris. Ev. Marcion. ap. Thil. t. 1, p. 456, 3: Λίθος μ. περίκειται περὶ τὸν τράχηλον αὐτοῦ. Hase.]

[Μυλώνιον, τὸ, Molarium, Gl. «Pistrinum. Sozom. H. E. 8, 6: Ξυρῆσαι τὴν κεφαλὴν καὶ μυλωνίῳ ἐμβαλεῖν.» Kuster.]

[Μυλώνισσα, ἡ, Molitrix. Glossæ græcobarb.: Ἀλετρὶς, μυλωθρὶς, μυλώνισσα. Ducang.]

[Μυλωρός. V. Μυλωθρός.]

[Μυλώτατος.] Μυλώτατον, Hesychio προσηνές.

Μῦμα, τὸ, Epænetus in Opsartytico dicit fieri ex quavis victima et ave: oportere autem carnes teneras
A in minutula frustula concidere, visceraque et intestinum et sanguinem contusa condire aceto, caseo asso, laserpitio, cumino, thymo viridi et sicco, thymbris, coriandro viridi et arido, gethyo, cæpa purgata et tosta, papavere, uva passa, melle et Punicæ acidæ granis. Auctor Athen. 14, [p. 663, E]. Simile quid supra μίμαρκις, sed paucioribus constans condimentis. [Hesychio θριδάκων τρῖμμα καὶ ὑπόχυμά τι. «Conf. Höfer. *Hist. de la chimie* t. 1, p. 206.» Hase.]

Μύμαρ, Hesych. αἶσχος, ψόγος, φόβος [Dedecus, Reprehensio, Metus; nisi φόβος delendum, ut ex ψόγος natum. Ceterum hæc et sequentia alludunt ad μῶμαρ.]

[Μυμαρίζω.] Μυμαρίζει, Hesychio γελοιάζει [Cavillatur].

Μυμόω, affertur pro Reprehendo. Et Μυμὼν pro Reprehensibilis, sed sine ullo testimonio.

[Μυνακωθεὶς, Μυοναίων τὸν σκυτοτόμον, ἀφ' οὗ καὶ τὸ ὑποδύσασθαι, Hesychius. Ἀπὸ Μυνάκου τοῦ σκυτοτόμου, ἀφ' οὗ καὶ μυνακοῦσθαι, Sopingius ex Polluce 7, 89: Μυνάκια ἀπὸ Μυνάκου. Cujus libri recte duplici ν, ut
B Athen. 8, p. 351, A, ubi accentus non recte collocatur in ultima Μυνναχοῦ.]

[Μυναρὸς, σιωπηλὸς, Hesychius.]

[Μύνδονες, οἱ, Myndones. Ἔθνος Λιβύης. Ἔφορος κη'· Μύνδονες ὑπερευγνωμότατοι δοκοῦσιν εἶναι πλουσιώτατοι τὸν βίον, Steph. Byz. Μύνδωνες codd. Vratisl. || «Μύνδων, viri nomen ap. Plut. De fluv. 12, 1.» Boiss.]

[Μύνδιος. V. Μύνδος.]

Μυνδὸς, ὁ, Hesychio [et Arcadio p. 48, 11, inter oxytona ponenti] ἄφωνος, Mutus: qui alibi [vitiose] Μύδος. [Steph. Byz. in Βάλδος: Τὰ εἰς δος δισύλλαβα ἔχοντα πρὸ τῆς δ ἄφωνον βαρύνεται... Τὸ λορδὸς, μυνδὸς ὡς ἄφωνον (ἄμφω cod. Vrat., quomodo delendum ὡς) ὀξύνεται, ἀφ' οὗ Μυνδότεροι νεπόδων, παρὰ Καλλιμάχῳ. Ex Sophocle citat et cum ἔλλοψ, quod male sic interpretantur grammatici, quum hoc quidem perinde ut ἐλλὸς ad celeres piscium motus referatur, comparat Etym. M. Vocc. diversæ signif. conjunxit Lycophro 1375: Ἔλλοπος μυνδοῦ δίκην.] Item ἔνθεος, Divino numine afflatus. Est hoc nomine et urbs Asiæ: cujus
C civis s. incola Μύνδιος dicitur. Steph. Byz. Cariæ urbem esse tradit [et quidem duplicem, quarum una dicatur παλαιὰ Μύνδος. Idem memorat Apollonium et Zenonem grammaticos Myndios. Conf. Strab. 13, p. 611; 14, p. 657, 658. Gentile Μύνδιος est etiam ap. Herodot. 5, 33, Polyb. 16, 12, 1; 15, 4, et qui Minervam Μυνδίαν memorat Lycophr. 950, 1261. Ap. Theocr. 2, 29, ubi memoratur Μύνδιος Δέλφις, qui ὁ Μύνδιος dicitur 96, schol.: Μύνδιος ἀπὸ τόπου. Μύνδος γὰρ Ἀρκαδίας, ἔνθεν ἦν ὁ νεανίας. Οἱ δὲ Καρίας φασὶ τὴν Μύνδον. Ceterum urbs ubique accentu paroxytono scribitur.]

[Μύνδων. V. Μύνδονες.]

[Μύνη, ἡ.] Inde Μύνην dici τὴν πρόφασιν, quasi μονὴν, Æolice mutato ο in υ, παρὰ τὸ μένειν καὶ ἐπέχειν. Eo μύνη Hom. utitur Od. Φ, 111, in oratione Ulyssis ad procos: Ἀλλ' ἄγε μὴ μύνῃσι παρέλκετε, μηδέ τι τόξου Δηρὸν ἀποτρωπᾶσθε τανυστύος, Ne prætextibus multis rem protrahite: ubi schol. quoque exp. προφάσεσι. Alii tamen et pro μύσιν accipiunt, ut sit μύσεσι τῶν
D ὀμμάτων ἢ τοῦ στόματος. Sed altera expositio magis consentanea. [Chœrob. p. 328, 23: Μύνη, ἡ προτροπὴ καὶ ἡ πρόφασις, unde corrigendus Arcad. p. 112, 15: Μύνη ἡ τροπή. Conf. id. p. 193, 27. Ad hunc l. respiciens, ut videtur, Eust. Opusc. p. 307, 27: Εὖ γὰρ ἴστε πάντως ὡς οὐ μίαν πληγὴν θεὸς ἐντήκειν οἶδε τοῖς ἀνεπιστρόφως κακοτρόποις, ... ἀλλὰ πολλὰ βέλη παρ' αὐτῷ ἡ μυνικὴ φαρέτρα κρύπτει. ῦ L. Dind.]

[Μυνηνίας, ὁ, Mynenias, n. viri, si recte lectum, in numo Cymes Æol. ap. Mionnet. *Suppl.* vol. 6, p. 8, n. 43.]

[Μύνης, ητος, ὁ, Mynes, conjux Briseidis, Hom. Il. B, 692. A quo Μύνητος πόλις ib. Τ, 296, dicitur Lyrnessus Adramyttene. Conf. Strab. 14, p. 584 seqq. Ap. Apollod. 3, 14, 5, 2, pro Μήνητος vel Μήνυτος fort. scrib. Μύνητος, etsi is alius est, quippe Spartanus. Genitivi formam Μύνου ex Sophoclis Captivis annotat Chœrob. vol. 1, p. 140, 5. Conf. idem p. 43, 31, Eust. Il. p. 1017, 10. De accentu Arcad. p. 24, 20. L. D.]

[Μυνικός. V. Μύνη.]

[Μύνιος, ὁ, Mynius, n. viri, si recte legitur, in numo Mileti ap. Mionnet. *Descr.* vol. 3, p. 166, n. 765.]

[Μυνίσκος, ὁ, Myniscus, Chalcidensis, histrio tragicus, memoratur ap. Athen. 8, p. 344, E, ex loco Platonis comici, in quo exagitatus sit tanquam ὀψοφάγος: Ὀδὶ μὲν Ἀναγυράσιος ὀρφώς ἐστί σοι θ' οὔθ' (vel οὔθ') ὡς φίλος Μύννικος ἔσοθ' ὁ Χαλκιδεύς. Ita libri duo optimi. Ceteri τοῦθ' (vel ταῦθ') ὡς, et Μυννίσκος (pessimi Μυνίσκος) ἔσοιθ'. Quæ quomodocunque corrigantur, nihil certe conferunt ad confirmandam in verbis Athenæi scripturam eorundem pessimorum librorum Μυνίσκος, ubi meliores Μυννίσκος: nam de optimi scriptura non constat. Atque etiam τοῦθ' vel ταῦθ' ὡς, et quæ ex illis ductæ sunt conjecturæ nihilo melius videntur excogitatæ quam ἔσοιθ' pro ἔσοθ'. Itaque Μύννιχος potius, quod v., scribendum videri posset, nisi Μυνίσκος commendaretur rursus quum Plutarchi testimonio Mor. p. 348, F, Μηνίσκους (sic libri omnes) commemorantis inter actores tragicos, tum Aristotelis Art. poet. c. 26, cujus libri variant inter Μυνίσκος et Μυννίσκος, Vitæque Æschyli: Ἐχρήσατο δὲ καὶ ὑποκριτῇ, πρῶτον μὲν Κελάνδρῳ, ἔπειτα δὲ δεύτερον αὐτῷ προσῆψε Μιωνίσκον τὸν Χαλκιδέα, qui etsi per ætatem non potest haberi pro eodem, haud dubie tamen gentis fuit ejusdem, commendatque scripturam Μυνίσκος etiam ap. Athen. et Platonem, ita tamen ut scribatur Μυννίσκος, quod confirmatur etiam seqq. nominibus. L. Dindorf.]

[Μύνναχος, Μυνναχόω. V. Μυναχ—.]

[Μύννιος, ὁ, Mynnius, n. viri, ut videtur, de quo v. Brœndsted. *Reisen in Griechenland* vol. 2, p. 309. L. D.]

[Μυννίσκος. V. Μυνίσκος.]

[Μύννιχος, ὁ, Mynnichus, n. pr. viri in inscr. Att. ap. Bœckh. vol. 1, p. 310, n. 174. V. Μυνίσκος. L. D.]

[Μυννίων, ωνος, ὁ, Mynnio, n. viri, in inscr. Att. ap. Ross. *Kunstblatt* 1836, n. 39, ubi Μυννιον. Idem tamen fuisse videtur in numo ap. Beger. Thes. Brandenb. vol. 3, p. 52, qui ΑΙΝΙΑΝΩΝ ΜΥΜΜΙΩΝ (vel ΜΥΜΜΗΩΝ, ut Mionnet. *Suppl.* vol. 3, p. 278, n. 117) inscriptus dicitur ab illo, et in simillimo ap. Brœndsted. *Reisen in Griechenl.* vol. 2, p. 208, in quo ab una parte supersunt literæ ΙΩΝ, ab altera ΜΥΝΝΙ, ut videtur, quod Μυννίου esse putabat Brœndsted. p. 309. L. D.]

Μύνομαι, Prætexo, Prætendo. Scribit enim Eust. [Od. p. 1901, 51] Alcæum μύνεσθαι dicere τὸ προφασίζεσθαι, hoc ex eo subjungens exemplum, Οὐδέ τι μυνάμενος ἄλλο νόημα. [De activo Cocchius ad Chirurg. p. 122: « Adnotatio marg.: Σκαρδαμύττειν ἐστὶ τὸ πυκνῶς μύνειν καὶ ἀναβλέπειν τοῖς ὄμμασιν. Verba fere sunt Hesychii, nisi quod ille habet καταμύειν pro μύνειν, quod mendosum esse non videtur, i. valens ac μύειν, litera ν interjecta, ut in similibus usitatum est. V. Hesych. v. Μύνῃσι. » Scribendum potius videtur μύειν.]

[Μυντίζομαι.] Μυντιζόμενος, Hesych. μυωπάζων, παραχαμμύων. [Leg. Μυϊνδιζόμενος, a μυΐνδα, quod vide.]

[Μύνω. V. Μύνομαι.]

[Μύξα, ἡ.] De Μύξα et de Μύττω nunc dicam, sicut me dicturum sum pollicitus, quoniam sc. eodem quo et μυκτήρ, quod ad signif. attinet, pertinent. Nam ab illo μυκτὴρ derivata etiam esse, minime credere possim; potiusque Eustathio assentirer, a μύζω deducenti. Afferam tamen et tertiam quandam derivationem (ubi de compositis a μύττω agam) nominum μύξα et μυκτήρ, quæ magis utraque illarum mihi placet. Μύξα igitur est Humor ex naribus fluens, Mucus, [Mucca add. Gl.] Mucor. Hesiod. [Sc. 267]: Τῆς ἐκ μὲν ῥινῶν μύξαι ῥέον. Pollux [2, 78] τὸ ῥεῦμα τῆς ῥινὸς, Naris s. Nasi, esse μύξαν Hippocrati, κόρυζαν autem Atticis, tradit. Μύξα, inquit Gorr., dicitur ab Hippocr. Humor pituitosus, lentus et albus. Is in partibus exanguibus, ossibus et cartilaginibus, colligi consuevit, quum ad eam imbecillitatem pervenerint, ut alimentum suum nequeant concoquere. Aliquanto post, Quamvis autem humor ille, qui μύξα vocatur, ejusdem plane generis sit cum eo quem βλένναν ipse etiam Hippocr. [p. 468, 8] appellare consuevit, differunt tamen, quod μύξα dicatur ille proprie, qui est in articulis, aut in spatiis internis continetur: βλέννα vero, qui ex cerebro per

A palatum et nares descendit: quamvis Galen. De usu partium 8, quam antiqui βλένναν et κόρυζαν dixerunt, ab junioribus μύξαν vocari, scripto prodiderit. Hæc ille. [Eust. Opusc. p. 115, 51: Μύξη κατάρρυτος. Quemadmodum autem κόρυζα dicitur de fastu, sic μύξα ap. anon. in Maji Coll. Vatic. vol. 2, p. xxxv, 10: Καὶ οὐχ ἀνθρωπίνως εἰς αὐτὴν (Cpolin) εἰσεκώμασαν Γάλλοι τε, βαβαὶ τῆς μύξης, καὶ Ἰταλῶν μοῖρα. Quo loco confirmatur Salmasii de sententia proverb. Βαβαὶ μύξος opinio, de qua v. Βαβαί. L. D.] Μύξα est etiam Humor ille et velut mucus qui in ostreis et testudinibus visitur: unde μύξα κοχλιῶν ap. Galen. [Hippocr. p. 411, 26. Ap. eund. Aph. 9, l. 6, μύξαι et mucores supervenientes femoris caput leve et lubricum reddentes in causa sunt ut sua cavitate excidat. Et Aph. 45, l. 5, ubi cotyledones et uteri acetabula μύξης h. e. lentoris aut mucoris plena sunt, abortionis primis mensibus periculum est. Μύξα κοπρώδης Stercoraceus mucus dicitur p. 112, F. Μύξα etiam dicitur Gal. Comm. ad Aphor. 59, l. 6, χυμὸς φλεγματώδης. Foes. De pisci-

B bus Aristot. H. A. 8, 2; 9, 32.] Μύξα, inquit Eust. [Il. p. 440, 27, coll. 310, 22], οὐ μόνον περίττωμα τὸ ζωϊκὸν, ἀλλὰ καί τις ἑτεροία, ἡ παρὰ τῷ Ὀππιανῷ γλαγόεσσα. Usurpatur μύξα et de Lucernæ ellychnio: unde λύχνος dictus est δίμυξος, vel πολύμυξος: ut supra et infra docui. [Arat. 976: Ἢ λύχνοιο μύκητες ἀγείρωνται περὶ μύξαν· 1040: Πυριλαμπέος ἐγγύθι μύξης. Εἴκοσι μύξαις πλούσιον λύχνον Callim. Ep. 59. Valck. Τὴν μύξαν τοῦ λύχνου memorant etiam Hesych. et Photius in Μύκης.] At plur. Μύξαι de naribus ap. Soph. dictum invenitur. [In fr. Aload. ap. Ælian. N. A. 7, 39: Ἄρασα μύξας (ἔλαφος), in versu tamen non integro, quem respicit Pollux 2, 72, 80. Ex Aristophane citat Photius. Ῥῖνες interpretatur Hesychius. Hipponax ap. Cramer. Anecd. vol. 3, p. 308, in annot.: Τὴν ῥῖνα καὶ τὴν μύξαν ἐξαράξασα, nisi quis hic Mucorem dici putet. || Forma μύξη, quæ esse putatur ap. Hesych. in Μύζης, ἀπόπληκτος, est ap. Aret. p. 45, 29, ubi scribendum videtur μύξα, ut ap. Hippocr. L. Dindorf.]

Μύξα, τὰ, Prunorum species Galeno et Dioscoridi

C incognita; Actuario, Psello et Aetio frequens, ad compescendas febres, leniendas pectoris asperitates, sedandas tusses et urinæ difficultates, quas bilis aut æstus excitarit. Ejus arboris ligno cortex dicitur esse albus, ramus virens, folio rotundo, amplo, fructus in racemo dulcis et candido lentore plenus, quum interiore nucleo quasi olivæ siccatur. Ex eo lentore mucoso videtur illi nomen inditum fuisse; sed per diminutionem appellatur etiam Μυξάριον. Vulgo Sebesten dici videtur. Hæc Gorr. In VV. LL. annotatur μύξα et μυξάρια ap. recentiores Græcos medicos esse minora prunis damascenis, nucleo intus triangulari; afferturque Paulo Ægin. 7: Μύξα, δένδρου καρπός ἐστι, μικρότερος μὲν τῶν κοκκυμήλων, δυνάμει δὲ παραπλήσιος.

Μυξάζω, quod exp. κορυζῶ, i. e. Muco abundo, Nares muco plenas habeo, pertinet ad prius μύξα. [Schol. Platon. Reip. 1, p. 397: Κορυζῶντα) μωραίνοντα, μυξάζοντα. Bast. Ep. crit. append. p. 23: « Ultimæ voci in cod. vetusto Paris. 1807 superscriptum est μυξῶντα, a μυξάω, quam formam alibi non reperi.

D Sed in lingua Græca locum habuisse nullus dubito, si quidem substantivum a lexicographis commemoratum μυξητὴρ recte habet. »]

[Μυξάριον, τὸ, Pusillum pituitæ, muci. Marc. Anton. Ad se ips. 4, 48: Ἐχθὲς μὲν μ., αὔριον δὲ τάριχος ἢ τέφρα. Id. ib. 6, 13: Συνουσία ... μυξαρίου ἔκκρισις. Hase. || V. Μύξα, τὰ, et Μυξῖνος.]

[Μυξάω. V. Μυξάζω.]

[Μυξητὴρ, ῆρος, ὁ.] Μυξωτῆρες, vel Μυξητῆρες etiam vocantur Nares: utraque enim scriptura ap. Galenum extat; sed illa prior multo certior est, quum ap. Pollucem quoque, Diosc., nec non Herodotum extet. Τῆς δὲ ῥινὸς μέρη, inquit Pollux [2, 79], τὰ μὲν κοιλώματα, θαλάμαι, μυκτῆρες, μυξωτῆρες, ὀχετεύματα. Ap. Herodot. [2, 86]: Διὰ τῶν μυξωτήρων, Per nares. Diosc. [1, 64]: Κατὰ μυξωτήρων διαχριόμενον. [Oribas. p. 10, 38, 100 ed. Mai.] Galen. autem non illam solum scripturam per η habet, sed et alteram. Nam legitur quidem ap. eum, Διὰ μυξητήρων αἱμορραγίας ἐπάγων· item, Ὑγρῶν πολλὴ καταφορὰ διὰ μυξητήρων· sed alibi μυξωτήρων ejus exempll. habent. [Id. vol. 14, p. 702, 16 : Μυκτῆρες ἢ μυξωτῆρες καλοῦνται δι' ὧν ἀναπνεῖ τε καὶ ὀσφραίνεται τὰ ζῶα. Id. ib. p. 570, 7 : Τοὺς μυξωτῆρας. Sext. Empir. p. 33, 25 : Ἐν τοῖς μυξωτῆρσι καὶ ἐν τοῖς γεύσεως τόποις. Hase.] At sing. μυξωτὴρ exemplum non affertur; neque tamen dubitari de illo potest. [Hippocr. p. 468, 8 : Κατὰ τὸν μυξωτῆρα.]

Μυξῖνος, ὁ, atque Μυξάριον, τὸ, duo piscium nomina, nisi potius de eod. pisce dici existimanda sunt: sc. de Minuto mugile, s. Capitone, ut quidam tradunt. Nonnulli vero Μυξάριον, quod ap. Marcum Aurelium nomen piscis est, de Saperda s. Ichthyocolla dici volunt. [« Imo vero ap. Marc. Aurel. 4, 48 (ubi v. Gatak.) et 6, 13, voc. Μυξάριον dimin. est vocabuli μύξα, et nil aliud nisi Mucum significat. Diminutivis per contemtum uti consuevisse Stoicos satis constat.» Schweigh. Piscis speciem putavit etiam Ducang., qui addit gl. Lex. Ms. Reg. cod. 1843 : Μυοχάδες, τὰ μυξάρια. Idem in App. p. 137 : « Jo. Carpathi episc. Ms.: Εὐκαίρισε δέ τινι τῶν ἀδελφῶν μυξάρια ξηρὰ, καὶ ποιήσας ἀθηρᾶν, ἔβαλεν αὐτὰ κάτω, ubi schol. ἀθέρα, ἄλευρον ἐψημένον. Constantinus a secretis Ms. c. 82 : Μετὰ ῥοδέας καὶ σάχουρος ἢ λαβὼν μυξάρια etc. Infra : Ἡ πόσις τροχίσκος εἰς μετὰ χυλοῦ μυξαρίων ἢ ψυχροῦ ὕδατος. Mox : Δεῖ δὲ πίνειν τὸ γλυκὺ ἀμυγδαλέας μεθ' ὕδατος τῶν μυξαρίων. Passim ap. hunc scriptorem. V. Ruellium 1, cap. 110, et alibi.» Sed recte Wessel. ad Diod. 1, 34, ubi ex glossemate illatum est in libros nonnullos, monet esse genus bellarii. V. Μυωξία.] Μυξίνου autem meminit Athen. et post eum Eust. [Il. p. 950, 7, 9] et quidem ex ipso. Sed perperam in VV. LL. scriptum est Μύξυνος. Apud Athen. 7, [p. 306, E, F] non procul ab eo loco ubi mentio fit μυξίνου (sed μύξινος [in deterioribus libris] ap. eum scriptum est, non μυξῖνος, ut ap. Eust. [et in epitome]), habetur etiam [ex Aristot. H. A. 9, 6] Μύξος, de Pisce. Est tamen aliud ap. Suid., quem vide.

[Μύξον, τό. V. Μύξα.]

[Μυξοποιὸς, ὁ, ἡ, Mucosus. Hippocr. p. 1222, C : Πολλῶν λευκῶν μυξοποιῶν. Aret. p. 55, 39 : Μυξοποιὰ οὐρέουσιν. Rufus De part. corp. hum. p. 7 ed. Clinch.]

[Μύξος, ὁ. Suidas : Μύξος, ὁ λαγόγηρως παρ' ἡμῖν, ἐπῳδή. Ἀλέκτωρ πίνει καὶ οὐκ οὐρεῖ· μύξος οὐ πίνει καὶ οὐρεῖ. Λέγεται δὲ εἰς δυσουρίαν ὄνου. V. etiam Μύξα, Μυξῖνος. Ponit non addita signif. etiam Theognost. Can. p. 69, 16. || Meletius Cram. An. vol. 3, p. 72, 26 : Μυκτῆρες, ἀπὸ τοῦ μύξους τινὰς ἔχειν ἐφ' ἑαυτοὺς (ὑφ' ἑαυτῶν al. liber), τουτέστι πόρους. L. Dind.]

[Μύξος, ὁ, Myxus, n. viri. V. Βαβαί, Μύξα.]

[Μυξώδης, ὁ, ἡ. HSt. in Μύξα :] Quod vero attinet ad cetera vocabula quæ ex nomine μύξα sunt derivata, ea duorum sunt generum. Quædam enim ad μύξα pertinent, habens signif. cui primum locum dedi; quædam vero pertinere dicenda sunt ad μύξα, quod metaph. de Lucerna usurpatur. Ad prius illud μύξα referendum est nomen Μυξώδης, ὁ, ἡ, quo significatur interdum Mucosus, i. e. Muco abundans; interdum Muco similis. [Nicand. Al. 381 : Ἄλλοτε νηδυίων θολερὴν μυξώδεα χεύει (δαίτην).] Galen.: Τοῦτο δὲ μαλακὴν ποιεῖ καὶ μυξώδη τοῦ χόνδρου τὴν σύστασιν. Idem [Aristot.] De partt. anim. 2, [9] : Ἔνεστι δὲ ἐν τοῖς ζωοτόκοις πολλὰ τῶν ὀστῶν χονδρώδη, ἐν ὅσοις διαφέρει μαλακὸν εἶναι καὶ μυξῶδες τὸ στερεὸν, διὰ τὴν περικειμένην σάρκα. [H. A. 3, 5, ὑγρότης· 10, γλισχρότης. (Schol. Oppiani Hal. 1, 217 : Γλίσχρου, μυξώδους. Leg. μυξώδους.) Pollux 4, 180 : Μυξῶδες ὑγρόν.] In omnibus articulis, inquit Gorr., mucosum quendam humorem videre licet, ut inde et motio promptior et articulus injuriis minus esset obnoxius : quod quæ sicca sunt, abrumpi in motionibus facile soleant. Eamque ob causam vertebrarum vincula μυξώδη Hippocr. De artic. [p. 817, G] appellavit. [Μυξώδης σὰρξ, Mucosa caro, sæpe dicitur l. De arte, et μυξώδεα πτύελα p. 179, D, κοιλίη p. 140, E, et μυξώδεα alvi recrementa p. 190, G. Foes.] At μυξώδης significans Muco similis, ap. Diosc. extat. [In Ind. :] Μιξώδης, Mucosus, VV. LL. perperam pro μυξώδης. [Leo phil. Consp. med. p. 209, 20 Ermerins. : Φλέγμα μυξῶδες. Hippiatr. p. 160, 23 : Κολλύριον ὅπερ τὸ μ. ἐκβάλλει. Hase. Impropie, Stultus. Hesychius : Βλεκέμυξος, βλακώδης, μυξώ-

A δης. Schol. Hermog. Π. ἰδεῶν p. 408, 33 : Βάταλος λέγεται ὁ μυξώδης.]

Μύξων, ωνος, ὁ, piscis quidam ex genere τῶν κεστρέων, Mugilum, qui et χελὼν nominatur, ut est ap. Aristot. H. A. 6, 17. Attamen 5, 11, inter eos discrimen facit; perperam enim ibi scriptum μύζων pro μύξων, ut Gaza quoque testatur, qui Muconem Latine appellat: recte; dicitur enim παρὰ τὴν μύξαν, quoniam τροφῇ χρῆται τῇ ἀπ' αὐτοῦ γινομένῃ μύξῃ, ut Athen. 7, [p. 307, A] refert ex Aristot. Idem Athen. [p. 306, F] locum posteriorem Aristot. ex l. 5 citans, habet μύξος pro μύξων : quem ex Hicesio μύξινον appellat, nisi potius μυξῖνον scrib., ut habet Eust. [Plin. Hist. nat. 32, 25, 1 : « Bacchi, quem quidam Myxona vocant; » conf. ib. 9, 28, 1 et 35, 46, 3. Hase. || Mucosus, Gl.]

[Μυξωτήρ. V. Μυξητήρ.]

[Μυοβατραχομαχία, ἡ, Murium et ranarum pugna. Suidas v. Ὅμηρος, Triclin. ad Soph. Antig. 101, Chœrob. in Bekk. Anecd. p. 1185, 7, ubi Βατραχομαχία Gaisf. p. 115, 11. V. Βατραχομυομαχία, quocum con-
B funditur ap. Thomam p. 25, v. Ἀκεστής.]

[Μυόβρωτος, ὁ, ἡ, A muribus corrosus. Basil. Imp. Prochir. p. 106, 3 Zachar. : Ἐὰν μ. γένηται τὸ δοθέν. Hase.]

[Μυογάλη, ἡ, Mus araneus. Diosc. 2, 73. Conf. Μυγαλῆ.]

[Μυογαλίδιον, τὸ, Mus araneus, μυογάλη, Epiphan. Hær. 35, 8 (vol. 1, p. 476, A). Ducang. App. Gl. p. 137.]

Μυογγώδης σὰρξ τῆς γλώσσης, ex Aristot. Probl. [3, 31] affertur pro Caro linguæ mollis ac instar spongiæ. Scrib. igitur σπογγώδης.

Μυοδόχος, ὁ, ἡ, Mures recipiens. || At μυόδοχον, Suidæ οὐδενὸς ἄξιον, citanti ex Menandro, ὁ μυόδοχος γέρων. In qua signif. ab Hesychio scribitur Μυόχοδος. [In Ind. :] Scriptum reperitur et Μυοδόκος, pro eod., Ionice. [Nicander Th. 795 : Γρώνησιν μυοδόκοις.]

Μυοδρέπανον, εἶδος λίθου εὐτελοῦς, Hesych.

[Μυοειδὴς, ὁ, ἡ, i. q. μυώδης, Muri similis. Meletius De nat. hom. Cram. Anecd. vol. 3, p. 59, 20 :
C Τινὲς δὲ λέγουσιν (τοὺς μύας λέγεσθαι) ὅτι μυοειδεῖς εἰσι καὶ εἰς λεπτὰ ἀποτελευτῶσιν, ὡς ἐμφέρειαν ἔχειν πρὸς τὴν οὐρὰν τοῦ ζώου τοὺς μύας. Quibus recte in libro uno additur ἔστι δὲ ἄλογον. Nihil enim cum caudis certe murium commune habet appellatio musculorum. L. Dindorf.]

Μυοθήρας, ὁ, Murium venator. Eust. [Od. p. 1448, 62] : Ὀροφίας, ὁ ἐν ταῖς οἰκίαις μυοθήρας ὄφις. Utitur hoc eod. μυοθήρας Aristot. H. A. 9, [6. || Muscipulum, Gl.]

[Μυοθηρέω, Mures venor. Strabo 3, p. 165.]

Μυόθης, ὄφις, Serpens qui mures venatur. Vide Μύαγρος.

[Μυοκέφαλον, τὸ, vitium oculorum, Alex. Trall. 2, p. 132, 138, 142, 151, 157. V. Μυιοκέφαλον.]

[Μυόκοπρος, ὁ.] Μυοκόπρος, Muris stercus, Muscerda : μυόχοδον. VV. LL. [Μυοχόου legitur apud Galen. vol. 14, p. 413, 14. Hase.]

Μυοκτόνον, τὸ, dicitur Aconitum. Plin. 27, 3, de aconito, quod Cammoron et Thelyphonon nominari annotarat: Nec defuere qui μυοκτόνον appellare mal-
D lent, quoniam procul et ex longinquo odore mures necat. Nicander quoque [Al. 36] μυοκτόνον vocari scribit ob eandem rationem, et πορδαλιαγχές. Ab eod. Nicandro Polion quoque dicitur μυοκτόνον, idque ἰδίως, quia, ut schol. annotat, nemo alius præter eum ita appellavit, nec mures etiam necat, Al. [305] : Ἆσαι δὴ πολίοιο μυοκτόνου ἄρσενος [ἄργεος] ἄνθην.

Μυοκτόνος, ὁ, ἡ, Mures occidens. [Muricidus, Gl. Batrach. 158 : Στήσομεν εὐθύμως τὸ μυοκτόνον ὧδε τρόπαιον. Tzetz. Hist. 5, 522 : Γαλῆν τῶν μυοκτόνων. L. D. Γλαὺξ μ. Bœttiger. Amalth. vol. 3, p. 260. Hase.]

[Μυολόγος, ὁ, pro Μοιολγος, Muraria, Gl., restituit Kuhn. ad Ælian. V. H. 14, 4, p. 721, probante et cum πουλολόγος, Auceps, conferente Bast. ad Gregor. p. 869. Μυολοιγὸς minus probabiliter Koen. p. 18.]

[Μυομαχια, ἡ, Murium pugna. Plut. Ages. c. 15.]

[Μύον, Asparagus, ap. Interpol. Diosc. c. 340 (2, 151, ubi μῦον). Ducang.]

[Μυονια, ἡ, Μyonia. Πόλις Φωκίδος. Παυσανίας ι (38, 8). Οἱ πολῖται Μύονες. Θουκυδίδης Μυονέας αὐτούς φησι, Steph. Byz. « Infra eadem hæc urbs Μύων dicitur, cives Μύωνες, unde apparet quo judicio hæc consarcinata sint. » Holsten. Thuc. 3, 101 : Τοὺς ὁμόρους αὐτοῖς Μυονέας· ταύτῃ γὰρ δυσεσϐολώτατος ἡ Λοκρίς. Pausaniæ libri plerique Μυωνία, unus, sed bonus, Μυονία. Iidem gentile, quod Μυωνεῖς scribit Aldina, mutant in μυίαν ἐς, 6, 19, 4 autem exhibent : Ἐπίγραμμα δὲ ἐπὶ τοῖς ὅπλοις, ἀκροθίνιον τῷ Διὶ ὑπὸ Μυάνων (Aldina cum libro uno Paris. Μυόνων) τεθῆναι· οἵτινες δὲ οὗτοι ἦσαν, οὐ κατὰ τὰ αὐτὰ παρίστατο ἅπασιν εἰκάζειν. Ἐμὲ δὲ ἐσῆλθεν ἀνάμνησις ὡς Θουκυδίδης ποιήσειεν ἐν τοῖς λόγοις Λοκρῶν τῶν πρὸς τῇ Φωκίδι καὶ ἄλλας πόλεις, ἐν δὲ αὐταῖς εἶναι καὶ Μυονέας· οἱ Μυονέες οὖν οἱ ἐπὶ τῇ ἀσπίδι κατά γε ἡμετέραν γνώμην ἄνθρωποι μέν εἰσιν οἱ αὐτοὶ καὶ Μυονεῖς οἱ ἐν τῇ Λοκρίδι ἠπείρῳ.]

[Μυόννησος, ἡ, Myonnesus. Πόλις μεταξὺ Τέω καὶ Λεϐέδου. Ἑκαταῖος Ἀσίᾳ. Ἀρτεμίδωρος δὲ χωρίον αὐτήν φησιν. Ὁ νησιώτης Μυονήσιος, Steph. Byz. Cujus cod. Vratisl. recte Μυόννησος, ut poscit ordo literarum. Strabo 13, p. 618 : Καλοῦνται δ' Ἑκατόννησοι συνθέτως, ὡς Πελοπόννησος, κατὰ ἔθος τι τοῦ ν γράμματος πλεονάζοντος ἐν τοῖς τοιούτοις, ὡς Μυόννησος ... λέγεται. (Cui obloquentem Berkelium recte confutat Duker. ad Thuc. 3, 32, cujus libri optimi item προσσχὼν Μυοννήσῳ τῇ Τηίων, nihil probari monens frequenti librariorum ν in his ponentium pro νν lapsu, *Myonnesus* autem esse etiam ap. Livium et Plinium.) Memorat ib. p. 643 et 9, p. 435, ubi de alia agit, Thessaliæ vicina insula. Μυόνησος et Μυονήσιοι sunt etiam ap. Photium s. Suidam v. Κωρυκαῖος, ap. Suidam quidem duplici ν. Simplici rursus Μυόνησος inter nomina πόλεων ap. Theognost. Can. p. 73, 10.]

Μυοπάρων, ωνος, ἡ [ὁ], Myoparo, genus navigii [εἶδος πλοίου Suidæ] ex duobus dissimilibus formatum : nam et midion et paron per se sunt. Ita Festus Pomp. Quod ad paronem attinet, meminit ejus schol. Aristoph. [Pac. 143], scribens Κέρκουρον dici a Corcyra insula, in qua fieri soleret : Πάρωνα a Paro itidem. At Midii nulla mentio ap. ipsum nisi eo l., nec ap. alios : quare mendosum esse dico : nihil tamen habeo quod pro eo reponam, quum nihil nec ap. Latinos nec Græcos quod reponi queat, inveniam. [Mydion scribendum videri dixi in Μύδιον. L. D.] Bayfii conjectura est esse Navigii genus compositum ex navigio, quod Myunte, et navigio, quod in Paro fieri soleret. Utut sit, Velocis navigii genus fuisse constat, et ideo a piratis usitati. Plut. Lucullo [c. 2], de ipso Lucullo festinanter in Ægyptum proficisci jusso : Ἐξέπλευσε τρισὶν Ἑλληνικαῖς μυοπάρωσι, καὶ δικρότοις ἴσαις Ῥοδιακαῖς. [Ἑλληνικοῖς recte Coraes, ut c. 13 : Ληστρικὸν μυοπάρωνα.] Appian. in Mithrid. [c. 92] de piratis : Μυοπάρωσι πρῶτον καὶ ἡμιλίαις, εἶτα δικρότοις καὶ τριήρεσι κατὰ μέρη περιπλέοντες. Lat. masc. Myoparonem dicunt. Salust. 3 [ap. Nonium p. 534, 20] : Forte in navigando cohors una grandi faselo vecta a ceteris deerravit, marique placido a duobus prædonum myoparonibus circumventa. Cic. De rep. 3, [12] : Quo scelere impulsus mare haberet infestum uno myoparone. Idem Verr. 7 : Hic te prætore Heracleo archipirata cum quatuor myoparonibus parvis ad arbitrium suum navigavit. Et Verr. 5 : An quod in portu Syracusano piraticus myoparo navigavit.

[Μυόπτερον, τὸ, herba quæ Dioscoridi dicitur θλάσπι, Latinis Scandulacium, ap. ejus Interpol. c. 373 (2, 185). Ducang.]

[Μυόρτοχος, Muris auricula, ap. Interpol. Diosc. c. 400 (2, 214). Ducang.]

Μῦος, τὸ, affertur pro Scelus, quod potius μῦσος.

[Μυὸς ὅρμος, ὁ, Myoshormus, portus sinus Arabii. Agatharch. De mari Rubro p. 34 Huds., Arrian. Peripl. m. Erythr. p. 1, 11, Strabo 2, p. 118; 16, p. 769, 781, 782; 17, p. 815.]

[Μυόσκατον, Stercus murinum. Orneosophium c. 27, p. 199 : Μυόσκατον εἰς ὑδρομέλι τρίψας. Perperam scribitur μυοσχόδα in Glossis iatricis Mss. ex cod. Reg. 1261, ubi exponitur κοπρία Ποντικοῦ. Est autem ποντικὸς Mus. Ducang. Qui non recte improbat formam μυοσχοδα, quæ vera potius est habenda, nisi quod μυόχοδα scribendum videtur, quod v. infra ipseque annotavit Ducangius.]

A [Μυοσώτη, Μυοσωτίς. V. Μυόσωτον.]

Μυόσωτον, τὸ, Auricula muris : πόα ἐμφερὴς μυὸς ὠσὶ, ut Hesych. tradit. Ead. dicitur et Μυοσωτὶς, ίδος, ἡ, et divisa voce μυὸς ὦτα : alio nomine Alsine. Diosc. 2, 214 : Μυὸς ὦτα, οἱ δὲ μυοσωτίδα καλοῦσι. Et sub fin. capitis : Τινὲς δὲ καὶ τὴν ἑλξίνην μυοσωτίδα καλοῦσι, ubi Ruell. legit ἀλσίνην : quæ lectio comprobatur ex 4, 87 : Ἀλσίνη, οἱ δὲ μυὸς ὦτα, ἀπὸ τοῦ ἔχειν φυλλα ὅμοια μυὸς ὠτίοις. A Plin. tamen prior lectio agnosci videtur et probari, qui 27, 2, ait, Alsine, quam Myosoton appellant, nascitur in lucis : unde et Alsine dicta est. Incipit a media hyeme, arescit æstate media : quum prorepit, musculorum aures imitatur foliis. Sed aliam docebimus esse quæ justius vocetur Myosotis : hæc eadem erat quæ Helxine, nisi minor minusque hirsuta esset. Videtur igitur ponere discrimen inter μυόσωτον et μυοσωτίδα, ac μυόσωτον vocare Alsinen, μυοσωτίδα vero Helxinen. Notandum porro ap. Diosc. divisa voce scribi μυὸς ὠτίδα : quam scripturam minus probo, ac rectius una voce μυοσωτίδα dici existimo, B ut ap. Plin. etiam scribitur : nam ὠτὶς pro Auricula usurpatum nondum reperi. Apud Paul. Ægin. habetur etiam μυοσώτη, l. 7, [40, p. 248, 10] : Μυοσώτη εἴρηται ἀλσίνη. In Ἀλσίνη tamen non μυοσώτην vocat, sed μυὸς ὦτα, cum Diosc. [Μυοσωτὶς aut μυὸς ὦτα Bentl. ad Horat. Carm. 1, 9, 1.]

[Μυότρωτος, ὁ, ἡ. Diosc. 1, 68 : Πρὸς τὰ νευρότρωτα καὶ μυότρωτα συμφέρει, Sauciatis nervis musculisque confert, Int.]

[Μυουρία. V. Μύουρος.]

[Μυουρίζω.] Μυουρίζειν, In acutum desinere, In extremitate compressum esse in angustum etc., ut dicetur mox in Μύουρος. Itemque μυουρίζων σφυγμὸς, qui et μύουρος, vide supra. Usus est hoc verbo Dionys. Per. p. 66 ed. patris mei [405] : Εἰδομένη πλατάνοιο μυουρίζοντι πετήλῳ, ubi Eust. exp. κατὰ μυὸς οὐρὰν στενουμένῳ καὶ λεπτυνομένῳ κατὰ τὸν ἄκρον μόσχον. [Recte libri nonnulli πλατάνου, ut scribendum sit μειουρίζοντι, quam veram esse scripturam pluribus dicetur in Μύουρος. Nicomach. Arithm. 2, p. 124 : C Μυουριζομένων εἰς ὀξεῖαν κορυφήν. Oribas. p. 24 ed. Mai. : Ἡ ἀναστολὴ μεμυουρισμένη κατὰ τὸ βάθος. L. D. Strabo part. 1, p. 153, 20 ed. Cor. : Τὰ ἄκρα μυουρίζειν τὰ τοῦ μήκους ἑκατέρωθεν. Hase.]

[Μύουρον, Sampsychum apud Armenios, Diosc. Notha p. 454 (3, 41). Boiss. Planta μύουρος memoratur ap. Alex. Trall. 10, p. 573; 11, p. 648.]

Μύουρος, ὁ, ἡ, In acutum desinens, Cujus extremitas in acutum desinit, estque angusta, aut velut compressa et coarctata : μύουρον σχῆμα, Strabo. Et μ. στόμα ap. Aristot. De partt. anim. 3, [1; 4, 13], Os in acutum compressum, in arctum se colligens, Gaza. || M. στίχος, vide post Μύουρος σφυγμός. || M. σφυγμὸς, qui et Μυουρίζων, a verbo μυουρίζω, Decurtatus, Mutilus, Decrescens pulsus : est pulsus systematicus decrescens. Esse quidem systematicum palam est : si quidem in pluribus pulsationibus magnitudine imparibus inæqualis est. Decrescit autem quod in eo secundus primo, tertius secundo, quartus tertio, quintus quarto minor evadat, et sic deinceps plurimi. Sic D dictus est a figuris quæ in acutum desinunt, Galen. : vel quod similitudinem referat caudæ muris, vel παρὰ τὸ μειοῦσθαι δίκην οὐρᾶς : unde etiam Μείουρος per diphthongum a quibusdam scribitur. Est autem pulsus μυούρου, Decrescentis, duplex differentia. Nam vel non cessat decrescere atque minui donec omnino aboleatur et desinat prorsus moveri, qui ἐκλείπων μύουρος appellatur, vel cessat decrescere et minui : qui etiam duas habet differentias. Alius enim, in qua desiit parvitate, hanc perpetuo servat, alius vero rursus augescit : quem μύουρον παλινδρομοῦντα vocant : et redit ad aliquam magnitudinem, eamque vel priori parem, vel majorem, vel etiam minorem. Ac nonnulli quidem qua ante proportione sunt imminuti, ead. rursus augentur, alii vero majoribus vel minoribus accessionibus utuntur. Pulsus omnis μύουρος provenit ab imbecillitate facultatis pulsificæ, quæ tanta est ut ei oneri sint admoti arteriæ digiti. Verum ea imbecillitas in eo qui μύουρος ἐκλείπων dicitur, maxima est ; neque enim se recipit et recolligit postea in eo qui in qua desiit parvitate hanc servat : minor vero ubi magnitudinem recuperat. Ceterum aliæ etiam a prædictis pulsus differentiæ μύουροι a Medicis appellantur. Una est, quum in unica pulsatione et diversis arteriæ partibus talis inæqualitas apparet, ut parte superiori arteriæ magnus, inferiori vero, juxta ægri pollicem, parvus pulsus sentiatur : et hic μύουρος in uno pulsu dicitur. Altera vero est quum in uno pulsu diversisque arteriæ partibus inæqualitas sentitur, pulsu circa duos medici digitos medios magno, circa extremos vero minore apparente : hic ab Archigene μύουρος ἐπινενευκὼς s. περινενευκὼς dictus est, quo nomine voluit indicare eam quæ in diastole est, brevitatem cum utriusque extremi quadam convenientia. Neque enim omnino interciditur, sed veluti reflexis utrimque partibus in breve contrahitur magnitudine : estque μύουρος secundum utrumque extremum. Hæc Gorr., ap. quem scribitur non μύουρος, sed μυοῦρος : verum quin μύουρος scriptura sit et usitatior et rectior, minime dubium esse potest. || M. στίχος, Mutilus versus s. curtus, Versus postremo pede claudicans, utpote cui dest unum tempus ut plena sit quantitas. Unde Μυουρία, Vitium hoc claudicationis versus, Eust. p. 900. Sed affertur ab eo et scriptura hæc, Μειουρία : quæ sane mihi multo magis probatur : sicut et μείουρος magis quam μύουρος : ut sc. μείουρος vocetur quasi Cui imminuta et decurtata sit cauda. Extat vero quum ap. alios, tum ap. Athen. hæc scriptura, 14, [p. 632, E] ubi μειούρους esse dicit τοὺς ἐπὶ τῆς ἐκβολῆς τὴν χωλότητα ἔχοντας· qualis est hic, Τρῶες δ' ἐῤῥίγησαν, ὅπως ἴδον αἰόλον ὄφιν. Sic autem pro σφυγμὸς μύουρος [ap. Galen. De diff. puls. 1, 11], scribitur etiam Μείουρος, ut dictum fuit supra. Aristot. autem vocavit et periodos μειούρους, Rhet. 3, [9], quæ in extremo sunt velut mutilæ et imminutæ. [Idem Poet. c. 26 (27) : Ὥστ' ἐὰν μὲν ἕνα μῦθον ποιῶσιν, ἀνάγκη ἢ βραχέα δεικνύμενον μύουρον φαίνεσθαι ἢ ἀκολουθοῦντα τῷ τοῦ μέτρου μήκει ὑδαρῆ.] Quinetiam ἐν τῷ μειούρῳ τῆς οὐρᾶς dixit Apsyrtus in Geop., quod exp., In mutilata parte caudæ. [Synes. p. 287, B : Ὁ μείουρος κύων. Wakef. Scripturam μείουρος tuetur Nicand. Th. 287 : Μήκει μὲν ποδὸς ἴχνος ἰσάζεται, αὐτὰρ ἐπ' εὖρος τέτριπται μείουρος ἀπὸ φλογέοιο καρήνου· quod pro μύουρος hic quidem metri indicio restitutum a Bentlejo probavit Schneiderus p. 230, qui quod primam corripi putat v. 225 : Πᾶς δέ τοι ὀξυκάρηνος ἰδεῖν ἔχις, ἄλλοτε μῆκος μάσσων, ἄλλοτε παῦρος, ἀκιδνότερος δὲ κατ' εὖρος νηδύος· ἡ δὲ μύουρος ὑφ' ὁλκαίῃ τετάνυσται, ibi quoque expellenda hæc forma sic ut scribatur ἢ μείουρος. Non magis enim Nicandro concedi potest μύουρος sive longa prima sive brevi quam Dionysio μυουρίζω. Quæ recentiorum sunt commenta, ut Eustathii loco modo citato aut Meletii in Μυοειδὴς memorati. Mirabilis enim comparatio non modo versuum in fine brevem pro longa syllaba habentium aut periodorum decurtatarum pulsuumve imminutorum, sed vel turrium acutarum cum caudis murinis, ut in l. Pausaniæ in Μείουρος citato, ubi olim recte μείουρος, nunc male μύουρος, quod eximendum etiam Apollod. Poliorc. p. 36, A : Ὡσανεὶ μύουρον τὸ σχῆμα γενέσθαι· 37, A : Κάμαξ μακρὸς μύουρος, μίουρον Philoni Belop. p. 83, B : Τὸ πρὸς τοὺς πολεμίους καθῆκον τοιχόκρανον δεῖ μίουρον διπλοῦν κατασκευάζειν. L. Dind.]

[Μύουρος, ἡ, herba. V. Μύουρον.]

[Μυοῦς, οῦντος, Myus. Πόλις Ἰωνίας, ὡς Φίλων καὶ Ἀπολλόδωρος ἐν α' χρονικῶν. Στράβων ιδ' (p. 579). Τὸ περὶ Μαγνησίαν καὶ Μυοῦντα. Τὸ ἐθνικὸν Μυούσιος, Steph. Byz. Qui conf. etiam in Σαρνοῦς. Memorat ex Pherecyde Strabo etiam 14, p. 632, iterumque 636. Et ubi a Cydrelo f. Codri conditam dicit p. 633. Μυούσιοι ib. p. 648, 651. Μυοῦντα in Marm. Pario ap. Bœckh. vol. 2, p. 296, 43, ap. Diod. 11, 57, et ap. eundem 19, 93, de cognomine Syriæ, ubi Scylacis p. 40, a quo Μυοῦς Ciliciæ memoratur, immemor fuit Wesseling. L. Dind.]

Μυοφόνος, ὁ, ἡ, i. q. μυοκτόνος [Mures occidens]. Et μυοφόνον dicitur itidem Aconitum : ut ex Hesych. discimus, ap. quem perperam scribitur μυόφωνον et ἀκόντιον. Scribitur tamen μυόφωνον et ap. Theophr. H. Pl. 6, 2, [9] : Τὰ δ' οἷον ἐκνευρόκαυλα τυγχάνει, καθάπερ μάραθρον, μυόφωνον. Unde Plin. 21, 9 : Inter hæc nervosi cauliculi quibusdam, ut marathro, hippomarathro, myophono. Gaza ibi Muricidam interpr. [Ib. 6, 1, 4 : Τὸ καλούμενον ὑπό τινων μυοφόνον. L. D. Hippiatr. p. 225, 9 : Ἐὰν μυοφόνου ἵππος βοσκηθῇ. Hase.]

[Μυόφορβος, ὁ, ἡ, Muribus vescens. Var. script. Batrachom. 115, μυόφορβος θὴρ, de fele.]

[Μυοχάδες, τὰ μυξάρια, Lex. Ms. cod. Reg. 1843. Ducang.]

[Μυοχάνη exponitur Galeno in Exeg. (p. 528) epithetum esse τῆς χασκούσης, h. e. hiantis mulieris. Quod si μυριοχαύνη (μυριοχάνη cod. Dorv., μυιοχάνη Ald.) scribatur, indicari τὴν ἐπὶ μυρίοις χαυνουμένην, quemadmodum certe scribitur p. 1009, G : Ἡ μυριοχαύνη. Quibus ex verbis satis apparet antiquam lectionem μυοχάνη fuisse, ut etiam in dictione Στρυμάργου ap. Galen. (p. 570) scribitur : Εἰρῆσθαι γὰρ ἐπίθετα παρὰ τῷ Ἱπποκράτει καὶ ἄλλα πολλὰ κατὰ τὸν αὐτὸν τρόπον, καθάπερ μυοχάνη, σαράπους, γρυπαλώπηξ. Μηριοχάνη autem scriptum ap. Erotian. (p. 246, ubi ὄνομα γυναικὸς dicitur). Foes. OEcon. Hipp.]

Μυόχοδον, τὸ, Muscerda, Stercus muris, ex μῦς et κέχοδα præt. med. verbi χέζω. Utitur hoc vocabulo Hippocr. Π. γυναικ. 1. Et Diosc. 2, 98, ubi περὶ ἀποπάτου agit : Προστιθέμενα δὲ παιδίοις τὰ μ. κοιλίαν πρὸς ἔκκρισιν ἐρεθίζει. Plin. Fimum murinum appellat, 29, 6 : Præterea, ut Varro noster tradit, murinum fimum, quod item Muscerdas appellat. Apud Theophr. autem H. Pl. 5, 5 [4, 5 Schn.] : Ἐντίκτει γὰρ καὶ τοῖς δένδροις ὁ κεράστης καλούμενος, ὅταν τιτράνῃ καὶ κοιλάνῃ περιστραφεὶς, ὥσπερ οἱ μ., sunt qui corrigant μυοδόκοι. [Galen. vol. 14, p. 349, 1 : Μυόχοδα καὶ κόπρους τράγου. Id. ibid. p. 329, 10; 395, 4; 503, 7. Μυοχόδων Theoph. Nonn. t. 1, p. 48, 7. Hase. Alex. Trall. l. 1. Ducang. V. Μυόσκατον et Μυσκέλεθοα.]

Μυόχοδος, ὁ, ὁ μηδενὸς ἄξιος, Hesych., pro quo habetur ap. Suid. μυόδοχος. Sed rectius videtur ap. Hes. scribi, ut μυόχοδος sit Qui rejicitur instar fimi murini. [Photius s. Suidas : Μυόχοδον, οὐδενὸς ἄξιον. Μένανδρος Ῥαπιζομένῃ· « Ὁ μυόχοδος γέρων λεληθέναι σφόδρ' οἰόμενος. »]

[Μυόχορτον, μυρτόσπληνον, Alsine, ap. Interpol. Diosc. p. 669 (2, 214, ubi μυόρτοχον). Ducang.]

[Μυόω, Hippocr. p. 283, 46 : Σπλῆνας αἰεὶ μεγάλους εἶναι καὶ μεμυωμένους, quod Coraes vertit, *La rate très volumineuse et dure,* afferens ex Hesych., Μεμυωμένων, μεμυκότων, πεπυκνωμένων, συνεσφιγμένων. L. D. Hippiatr. p. 54, 14, : Στῆθος σαοκῶδες, μεμυωμένον. Hase.]

[Μύρα, ας, ἡ, s. ων, τὰ, Myra. Πόλις Λυκίας ἀπὸ μύρων ἢ ἀπὸ Μύρωνος ἢ ἀπὸ Μύρου ποταμοῦ παραρρέοντος. Ἄμεινον δὲ τὸ πρῶτον. Λέγεται καὶ θηλυκὸν καὶ οὐδέτερον. Τὸ ἐθνικὸν Μυρεὺς, Steph. Byz. Μύρα est ap. Strab. 14, p. 665, 666. (It. Or. Sibyll. 4, 109 : Ὦ Λυκίης Μύρα καλὰ, ex emendatione certa C. Alexandri vol. 1, p. 172. Hase.) Μυρεὺς etiam in Ψύρα memorat Steph. Byz., estque ap. Philoxenum Anth. Pal. 9, 319, 1, et Suidam, cujus libri variant inter Μύρας et Μύρων. « Μυραῖος est ap. Michael. Archimandr. Allatii p. 167 : Ἐν τῇ Μυραίων μητροπόλει. Sed fors. leg. Μυρέων. » Boiss. Μυραῖοι etiam Plato ap. Diog. L. 8, 81 : Λέγονται γὰρ οἱ ἄνδρες οὗτοι Μυραῖοι εἶναι. Hase.]

Μύραινα, s. Σμύραινα, ἡ, Muræna, [Lampetra, Lombricus, Gl. Æsch. Cho. 994 : Μύραινά γ' εἴτ' ἔχιδν' ἔφυ. Aristoph. Ran. 475 : Ταρτησία μύραινα, quas in pretio fuisse ex Polluce 6, 63, et Photio constat v. Ταρτησία μύραινα.] Aristot. H. A. 5, 10 : Διαφέρει δὲ ὁ σμύρος καὶ ἡ σμύραινα· ἡ μὲν γὰρ σμύραινα διαφόρως ποικίλον καὶ ἀσθενέστερον· ὁ δὲ σμύρος ὁμόχρους καὶ ἰσχυρὸς, καὶ ὀδόντας ἔχει καὶ ἔσωθεν καὶ ἔξωθεν. Unde Plin. 9, 23, de muræna : Aristoteles myrum vocat marem, qui generat; discrimen esse quod muræna varia et infirma sit, myrus unicolor et robustus, dentesque extra os habet. Idem μύρος dicitur etiam μύραινος : scribit enim Hesych. μύραινον dici τὴν μύραιναν ἀρσενικῶς : sed quosdam eum nominare μύρον. [Theognost. Can. p. 66, 31, ubi non recte pro n. proprio haberi videtur. Photius s.] Suid. μύραιναν dici tradit et ἐπὶ καταφεροῦς, de libidinosa et prona in venerem [ἀπὸ τοῦ ζώου], hoc afferens exemplum, Ὦ προδότι καὶ παράγουτε καὶ μύραινα σύ. [Μύραινα ἐπὶ τοῦ κακοῦ ἐλέγετο, ὡς ἔχιδνα, Hesychius. Photius ponit etiam : Μύραιναι, δῆμος Πανδιονίδος, quod ad Μυρρινοῦς spectare animadvertit jam Dobr. Adv. vol. 1, p. 602. υ producit Nicand. Th. 823 : Μυραίνης δ' ἔκπαγλον. L. D. || « Σμύραινα, idem Piscis qui alias μύραινα, Muræna; et videtur ista nominis forma veteribus Atticis magis propria fuisse. Athen. 7, p. 304, C, ibique Animadv., et p. 312, B, seqq. » Schweigh.]

[Μύραινος. V. Μύραινα.]

[Μυράκανθος, App. Diosc. p. 452 (3, 21) de eryngio : Οἱ δὲ μυράκανθον.]

[Μυράκοπον, τό. HSt. in Ἄκοπος :] Miscentur et unguenta quædam ad solam odoris suavitatem et Μυράκοπα appellantur : ejusdem tamen cum acopis generis et facultatis et nihilo illis præstantiora, præter odoris gratiam. De iis et Paul. Ægin. l. 7. [De Myracopi compositione Theoph. Nonn. t. 1, p. 184, 8. Hase.]

[Μῠράλειπτρον, s. Μυράλιπτρον, τὸ, Vas unguentarium. Etym. M. p. 354, 7 : Εἶθ' αἱ λοιπαὶ ἀκολούθως ἐφεξῆς φέρουσαι χρυσίου λεκανίδας, σμήγματα, φορεῖα, κτένας, κοίτας, ἀλαβάστρους, σανδάλια, θήκας, μυράλιπτρα. Rectius Suidas μυράλειπτρα. « Eustath. Il. p. 1337, 46, qui locum e Lexico Pausaniæ se descripsisse testatur, habet μύρα, νίτρα, sed lectio Suidæ magis placet. » Kuster.]

[Μυραλοιφέω.] Μυραλοιφεῖν, Unguentis se illinere : μύροις ἀλείφεσθαι : ap. Polluc. [6, 105, et 7, 177. Synes. p. 83, C : Μυράλοιφῆσαι αὐτήν. Clem. Al. Pædag. 2, p. 210 : Διαφέρει δὲ ὅλως τὸ μυραλοιφεῖν τοῦ μύρῳ χρίεσθαι · τὸ μὲν γὰρ θηλυδριῶδες, τὸ δὲ χρίεσθαι τῷ μύρῳ καὶ λυσιτελεῖ ἔσθ' ὅτε. Eustath. Il. p. 974, 56 : Καὶ ὅτι φασὶν οἱ αὐτοὶ τὴν μὲν Ἥραν σώφρονα εἶναι μυραλοιφουμένην τὰ καίρια. Unde corrigendum quod est 60 μυραλειφεῖσθαι. Quod vitium est etiam in altero loco Pollucis.]

[Μυραλοιφή. V. Μυραλοιφία.]

Μυραλοιφία, ἡ, Unguentorum illitus. Plut. Quæst. symp. 4 [p. 662, A] : Ἀλείπτην ἐπαινοῦντα μυραλοιφίαν. [Pollux 6, 105; 7, 177. Achilles Tatius 2, 38, schol. Ven. Aristoph. Pac. 862, Append. Stob. Fl. vol. 4, p. 26. Const. Manass. Chron. 6629.] Ap. Polluc. [7, 177] Μυραλοιφὴ pro eodem. [Nicetas Annal. 10, 9, μυραλοιφαῖς.]

[Μυραππίδιον, τό. Diophanes in Geopon. 10, 76, 11 : Τὰ δὲ μυραππίδια καλῶς ἐμφυλλίζεται εἰς μῆλα, ὡς ἐκ τῆς πείρας μεμάθηκα. « Nomen ab unguenti odore habent, quem referebant suapte natura, non arte. Plin. 15, 15 : Pira nomen habent ab odore, myrapia, laurea, nardina; ubi Harduinus Gallice *Poires parfums* dici ait. Sunt et mala myrhapia ap. Cels. 4, 19, forte insita myrapiis, ut hic myrapia inseruntur malis. » Niclas. Ap. Colum. 12, 10, legitur Myrappia. Qui scribunt Myrrapia, a myrrhæ odore sic dicta volunt. V. *Classical Journal* 31, 113. Angl.]

[Μυράττομαι vox nihili ap. Anast. Sin. Hodeg. p. 22, 6 : Λίαν μυραττομένου καὶ καθυβρίζοντος. Leg. μυσαττομένου. Hase.]

[Μυράφιον, τὸ, dimin. a μύρον, ut μυρίδιον, quod v. Arrian. Epict. 4, 9, 7 : Κἄν που μυραφίου ἐπιτύχῃς, μακάριος εἶναι δοκεῖς.]

[Μυργέται, ἔθνος Σκυθικόν. Ἑκαταῖος Εὐρώπῃ. Ἐν τισι τῶν Ἡρωδιανοῦ γράφεται Λυργετῶν κακῶς, Steph. Byz.]

[Μύργμα, τὸ, ψῆγμα, Ramentum, Hesychius.]

[Μυρετικός. V. Μυρεψικός.]

[Μυρεψέω, Unguentariam artem exerceo. Æsop. Fab. 122. Cramer. || Tanquam unguentum excoquo. Greg. Nyss. t. 1, p. 675, D. Id. ib. p. 624, A : Τὸν καθαρὸν καὶ εὐώδη μυρεψῶν βίον · et 676, A, μυρεψούσης. Passiv. id. ib. p. 513, C; 732, D et 604, A : Τὴν διὰ τῶν ἀρετῶν μυρεψουμένην εὐωδίαν, Purum odorem qui per virtutes conficitur. Hase.]

[Μυρέψημα, τὸ, Unguenti coctio. Eust. Opusc. p. 270, 88 : Οὐ μόνον ἐξ ἀνθέων γλυκέων καὶ λοιπῆς χρησιμότητος ἑαυτῇ συγκροτεῖν τὸ μυρέψημα τοῦ γλυκάσματος, ἀλλά που καὶ ἐκ μὴ τοιούτων.]

[Μυρέψης, ὁ, i. q. μυρεψός. Evagr. Hist. eccl. p. 288, B : Οὐδὲ οἷαν μ. ἐργάσαιτο. Hase.]

A [Μυρεψητήριον, τὸ, Vas unguentarium. Aq. Job. 41, 22.]

[Μυρεψία, ἡ, Unguentorum coctio. Aristot. De insomn. c. 2 : Μαρτυρεῖ δὲ τοῖς εἰρημένοις καὶ τὰ περὶ τοὺς οἴνους καὶ τὴν μυρεψίαν συμβαίνοντα.]

Μυρεψικὸς, ἡ, ὸν, Qui est τῶν μυρεψῶν : ut μυρεψικὴ τέχνη, Ars coquendi conficiendique unguenta. [Aristot. Eth. Nic. 6, 13; Athen. 13, p. 611, F.] Philo De V. M. 3 : Χρίσματος εὐωδεστάτου λαβὼν ὃ μυρεψικῇ τέχνῃ κατειργάσθη. Item μυρεψικὰ φάρμακα, Medicamina unguentariorum. Plut. Sympos. 4 [p. 661, C] : Μυρεψικοῖς φαρμάκοις τρέπεται τάχιστα τὸ ἀωδέστατον ἔλαιον · ut sunt aromata. [Μυρεψικὰ absolute Species odoratæ, quæ Aromata vocamus, Myrepso De antidotis c. 66. Μυρεψικὰ ἐργαστήρια ap. Matthæum Blastarem Lit. K, c. 22. Ducang.] Sic μυρεψικὸς κάλαμος, ap. Hippocr. [p. 273, 28, et Polyb. 5, 45, 10. Etym. M. p. 458, 36 : Θύον, ὅπερ ἐστὶν εἶδος πόας μυρεψικῆς. Exod. 30, 25 : Καὶ ποιήσεις αὐτὸ ἔλαιον χρίσμα ἅγιον, μύρον μυρεψικὸν τέχνῃ μυρεψοῦ · 35 : Καὶ ποιήσουσιν ἐν αὐτῷ θυμίαμα
B μυρεψικὸν ἔργον μυρεψοῦ μεμιγμένον. Cant. 8, 2 : Ποτιῶ σε ἀπὸ οἴνου τοῦ μυρεψικοῦ, Potabo te vino unguento condito. Græcis vinum illud alias μυρίνης οἶνος dicebatur, quod v. infra. L. D. Philostr. Epist. p. 25, 16 Boissonad. : Τῶν Ἰνδῶν τῶν μ. Anon. De inv. cap. Joann. Bapt. Actt. SS. Jun. t. 4, p. 738, 26 : Ὑπὲρ πάντα τὰ μυρεψικὰ ἀρώματα. Ed. perperam, μυρετικά. Hase.]

[Μυρέψιον, τὸ, Pigmentum, Unguentum. Symm. Jes. 57, 9 : Μυρέψια. || « Schol. ad Can. 76 Synodi Trullanæ : Ζήτει τὴν διόρθωσιν τῶν ἐν τοῖς μυρεψίοις τῆς μεγάλης ἐκκλησίας τελουμένων. » Ducang. Hippiatr. p. 137, 19 : Περὶ τὰ μυρέψια ἀναπατεῖν, Circa seplasiariorum officinas ambulare. Hase.]

Μυρεψὸς, ὁ, Unguentorum coctor, Qui unguenta coquit s. conficit, Unguentarius [Gl., quæ add. Pigmentarius, Magmamatarius (sic)], μυροποιός. [Theophr. H. Pl. 4, 2, 6, C. Pl. 6, 14, 11.] Athen. 1, [p. 18, C] : Ηὔξηται δὲ καὶ ἡ τῶν ὀψοποιῶν περιεργία καὶ ἡ τῶν μυρεψῶν. [Fem. μυρεψὸς, Reg. 1, 8, 13 : Καὶ τὰς θυγα-
C τέρας ὑμῶν λήψεται εἰς μυρεψούς. Poll. 7, 177 : Μυρεψός · Κριτίας γὰρ οὕτως ὠνόμασε. Hesych. : Μυρεψὸς, ὁ τὰ μύρα καὶ τὰ θυμιάματα σκευάζων. || Cognomen Nicolai, de quo v. Fabric. B. Gr. vol. 6, p. 241. Alia Byzantinorum exempla annotavit Ducang.]

[Μυρέω. V. Μύρομαι.]

[Μυρήεις, εσσα, εν.] Μυρῆεν, Hesychio λυπρὸν, θρηνῶδες, Molestum, Flebile. [V. Ἁλιμυρήεις.]

Μῠρηρὸς, ὁ, Unguentarius, ut μυρηρὰ ἄγγη, Vasa unguentaria, Vasa recondendis unguentis, ap. Polluc. 10, c. 26 [§ 119] ex Aristoph. Δαιταλεῦσιν. Ibidem μυρηρὰ λήκυθος, Lecythus seu ampulla unguentaria : ex eadem fabula, Τῆς μυρηρᾶς ληκύθου πρὶν καταχέειν· quam μυρηρὰν λήκυθον putat et μυροφόρον dici posse, utpote aptam ferendis unguentis. [Verba Pollucis sunt : Εἴρηται δ' ὑπ' αὐτοῦ ἐν Δ. καὶ ἄγγη μυρηρά. Λέγοιτο δ' ἂν καὶ λήκυθος μυρηρά. Σὺ δ' ἂν εἴποις καὶ μυροφόρον. Ubi pro μυρηρὰ cod. Falckenburg. et alius μυροφορικὰ, pro μυροφόρον idem μυροφορεῖν, quod μυροφορεῖον scrib. putabat Jungerm., quocum σμηματοφορεῖον contulit
D Hemst., qui priora sic posse transponi monuit, ἐν Δ. καὶ λήκυθος μυρηρὰ, λέγοιτο δ' ἂν καὶ ἄγγη μυρηρὰ vel μυροφορικά. Idem 6, 105 : Τὰ δὲ ἀγγεῖα τῶν μύρων, λήκυθος μυρηρὰ, καὶ ἀλάβαστρον. Æschylus ap. Athen. 1, p. 17, C : Χωρὶς μυρηρῶν τευχέων πνέουσ' ἐμοί. L. D. Conf. Letronn. *Journ. des Sav.* 1833, p. 478, 9. Hase.]

[Μυρι. in lapidibus compend. script. pro Μυρινούσιος. Franz. El. epigr. gr. p. 368. Hase.]

[Μῡριᾰγωγέω, Decem millia veho. Pollux 4, 165 : Μυριοφόρος, ὡς Θουκυδίδης, ὡς δὲ Δείναρχος, μυριαγωγοῦσα.]

[Μυριαγωγὸς, ὁ, ἡ.] Μυριαγωγὸς ναῦς, Navis quæ decem millia hominum vehere queat, quæ et μυριοφόρος. [Non homines significari, sed modios aut alius generis mensuras decies mille, iterum dicetur in Μυριοφόρος.] Sic μυριαγωγὸς ὁλκὰς, ap. Chrysost. [Strabo 3, p. 151 : Τὸ βάθος μέγα, ὥστε μυριαγωγοῖς ἀναπλεῖσθαι. Philo vol. 1, p. 333, 17 : Μυριάγωγα (sic) σκάφη βρίθοντα φόρτῳ. Pollux 1, 82 : Μυριοφόρος ναῦς, τὸ δὲ μυριαγωγὸς εὐτελές.]

[Μυριαδικός, ή, όν, Decies millesimus. OEcum. In Apoc. p. 243, 22 Cramer. : Διὰ τοῦ μ. ἀριθμοῦ. Hase.]

[Μυριαδισμός, ὁ, Computatio per myriades. Georg. Sync. p. 34, D : Τὸν τῶν ἐτῶν μυριαδισμὸν ἀλληγορησάντων· 35, C : Ὅτι μὴ δεδύνηται τὸν μυριαδισμὸν τῶν Χαλδαϊκῶν ἐτῶν, ἤτοι τῶν ρκδ', εἰς ἡμέρας νοῆσαι. L. D.]

[Μυριάεθλος, ὁ, ἡ, Qui innumera iniit certamina s. præmia reportavit. Orac. ap. Dion. Chr. Or. 31, vol. 1, p. 618 : Κεῖθ' ὑμῖν ὁ πρὶν μυριάεθλος ἀνήρ. || Forma Μυρίαθλος Theodor. Stud. p. 371, A : Οὐχ ὁ Πέτρος οὐδ' ὁ Παῦλος ὁ μυρίαθλος· 533, C : Ἰὼβ τὸν μυρίαθλον. L. D. Neutr. substantive Const. Acrop. Vita Jo. Damasc. Actt. SS. Maii t. 2, p. 750, 15 et 758, 63 : Οὐχ ὅτι πρὸς πένταθλον, ἀλλ' εἰς μυρίαθλον ἀποδυσάμενος. Interpr. : Ad decies millecuplum certamen. Hase.]

Μυριάκις, Decies millies, Gall. *Dix mille fois*. Aristoph. Nub. [738] : Ἀκήκοας μυριάκις ἃ 'γὼ βούλομαι. [Ran. 63. Athen. 4, p. 138, D.] Dem. Pro cor. dicit etiam μυριάκις μυρίους. [Et Plato Leg. 3, p. 677, D. Μυριάκις μυριοστῶν ἀριθμῶν Archimed. Arenar. p. 520, 349, et μυριάκις μυριοστᾶς περιόδου p. 521, 366. L. D. Galen. vol. 4, p. 355, 11 : Ἐν μυρίοις μυριάκις ἀνθρώποις. Id. ibid. p. 18, 3 : Ὡς εἴρηται μ. ἤδη καὶ πρόσθεν. Hase.]

Μυριάμφορος, ὁ, ἡ, Decies mille amphorarum capax : vel Decies mille amphoras æquans. Suidas exp. μυρίων ἀμφορέων ἄξιον in hoc l. Aristoph. Pac. [521] : Ὦ πότνια βοτρυόδωρε, ... Πόθεν ἂν λάβοιμι ῥῆμα μυριάμφορον, Ὅτῳ προσείπω σε; Malim, Tam amplum quam vas est decies mille amphorarum capax, nimirum ampullas et sesquipedalia verba, si parva licet componere magnis.

[Μυριανδρέομαι, Ab innumeris habitor. Constant. Manass. Chron. 2068 : Πόλιν τὴν περικαλλῆ τὴν μυριανδρουμένην, de Hierosolymis. Boiss.]

[Μυριανδρία, ἡ, Decem millia virorum. Constant. Manass. Chron. 1058 : Οἱ δὲ φυγόντες Αἴγυπτον Ἰσμαηλῖται τότε ἑξήκοντα τὸν ἀριθμὸν ἦσαν μυριανδρίαι.]

Μυρίανδρος πόλις, ἡ, Urbs in qua decem virorum millia sunt, Decem virorum millibus instructa. Plato Ep. 7 [p. 337, C] : Μυριάνδρῳ πόλει πεντήκοντα ἱκανοὶ τοιοῦτοι. [Isocr. p. 286, E, aliique.] At Lucian. Nigr. [c. 18], θέατρον μυρίανδρον, pro Capax decem millium. [Et sic quoque Galen. vol. 19, p. 312, 3. Hegesias ap. Agatharch. De rubro m. p. 17, 32 Huds. : Ἐκ μυριάνδρου πόλεως ἐξῆλθον. Philo vol. 1, p. 81, 49 : Ἐν πλήθει μ. ἐρημῶ. Hase. Pollux 4, 165.]

[Μυρίανδρος, ἡ, Myriandrus. Πόλις Συρίας πρὸς τῇ Φοινίκῃ. Ξενοφῶν ἐν α' Ἀναβάσεως (c. 4, 6). Τὸ ἐθνικὸν Μυριανδρικὸς κόλπος (Herodot. 4, 38), Steph. Byz. Memorat urbem etiam Strabo 14, p. 676, Scylax p. 40, Arrian. Exp. 2, 6, 3, Agathem. Geogr. 1, 4, p. 9.]

[Μυρίανθος, ἡ κόπρος τοῦ ἀνθρώπου, in Glossis iatricis Mss. ex cod. Reg. 190. Myrepsus Ms. s. 17, c. 32 : Ἔχε μυρίανθον, ὅ ἐστιν ἄμφοδος (ἄφοδος) ἀνθρωπίνη, ξηρὰν οὖσαν, ἔμβαλε αὐτὴν εἰς χύτραν κενήν· v. ibi Fuchsium. Ducang.]

[Μυριάνθρωπος, ὁ, ἡ, Qui est innumerorum hominum. Gregor. Nyss. vol. 2, p. 1026, C : Καταπυκνωθέντες ὁ μυριάνθρωπος δῆμος. Valet idem quod μυρίανδρος. Hasius ad Leon. Diac. p. 247, B. Id. Greg. N. vol. 3, p. 594, C. Boiss. Jo. Anagn. De exc. Thessalon. p. 100, 33 : Τὸν μ. ἐκεῖνον στρατόν. Hase.]

[Μυριάομαι. V. Μύρομαι.]

[Μυριαρίθμητος, ὁ, ἡ, i. q. μυριάριθμος. Phrantzes 1, c. 33. Boiss.]

[Μυριάριθμος, ὁ, ἡ, Decem millium numerum explens, improprie Innumerabilis. Nic. Hydrunt. ap. Bast. Spec. nov. ed. Aristæn. p. 8. Const. Manass. Chron. 909 : Στρατὸν μυριάριθμον. Boiss. Ephræm. Cæs. p. 30, 1149 ; Theodor. Metoch. Misc. p. 291.]

Μυριάρχης, ου, ὁ, sive Μυρίαρχος, ὁ, Qui decem virum millibus præest, Decem millium præfectus. [Herodot. 7, 81 : Χιλιάρχας τε καὶ μυριάρχας.] Xen. Cyrop. 6, [3, 20] : Τούτους δ' οἱ μυριάρχαι [hic quoque μυρίαρχοι esse scribendum persuadet sequens 21 μυρίαρχοι] ἔταττον εἰς ἑκατὸν πανταχῇ τὴν μυριοστὴν [μυριοστὺν] ἑκάστην. [Eademque forma (quam præter Etym. M. p. 729, 3, ponit etiam Pollux 4, 165) 3, 3, 11 ; 8, 4, 29.] Et 8, [1, 14] : Μυρίαρχοι δὲ χιλιάρχων ἐπιμέλονται.

A [Andr. Cret. p. 236. Kall. Polyæn. procemii initio. Wakef.]

Μυριάς, άδος, ἡ, Decies millenarius numerus, Decem millium numerus, Decem millia. [Æsch. Pers. 927 : Πάνυ γὰρ φῶτες μυριὰς ἀνδρῶν ἐξέφθινται. Ubi tamen improprie dicitur de innumeris, ut ap. Eur. Phœn. 830 : Μυριάδας ἀγαθῶν· Hel. 693 : Μυριάδας Δαναῶν· Bacch. 745 : Μυριάσι χειρῶν.] Sic δύο μυριάδες, Viginti millia : τρεῖς μυριάδες, Triginta millia : τέσσαρες μυριάδες, Quadraginta millia : πέντε μυριάδες, Quinquaginta millia : itidemque in sequentibus numeris. Et δέκα μυριάδες, Centum millia : εἴκοσι μυριάδες, Ducenta millia. Et μυριάδες διακόσιαι, Vicies centena millia, etc. [Herodot. 7, 60 : Τοῦ στρατοῦ τὸ πλῆθος ἐφάνη ἑβδομήκοντα καὶ ἑκατὸν μυριάδες. Et alibi apud quosvis. Est enim usitatus Græcis modus computandi per myriades numeros ultra decem millia. Omisso μεδίμνων Herodot. 3, 91 : Πρὸς δύο καὶ δέκα μυριάσι καταμετρέουσι, quod alii de hominibus intellexerunt. Polyb. 5, 1, 11 : Σίτου προσθεῖναι μυριάδα, et alibi. Intellecto δραχμῶν
B Aristoph. Eq. 829 : Ἀλλά σε κλέπτονθ' αἱρήσω 'γὼ τρεῖς μυριάδας, et alibi. Adjective Eur. Rhes. 913 : Μυριάδας πόλεις, indeque fortasse Leo Diac. 4, 1, p. 34, B, iisdem verbis. Ap. Dionem Chr. Or. 32, vol. 1, p. 663, librorum scripturæ : Μυριάσιν ἀνθρώποις ἀπείροις ἐναντίον βλέψαι, substitutum est ἀνθρώπων. Locutiones hyperbolicæ sunt μυριάδες ἀναρίθμητοι ap. Aristoph. Vesp. 1010, Plat. Leg. 7, p. 804, E, Dion. Chr. Or. 62, vol. 2, p. 321, et alios, μυρίαι μυριάδες ap. Dion. Cass. 62, 14 (nisi hic quidem proprie dicitur) : Πλοῦτον πολὺν ἐκέκτητο, ὥστε καὶ εἰς μυρίας μυριάδας ἀριθμεῖσθαι, Ephræm. Syr. vol. 3, p. 143, D, aliosque ap. Hasium ad Leon. p. 247. || Forma novitia Theophanes Anon. p. 339, D : Μαυίας παρακολουθῶν ἐν ἄλλαις ὀκτὼ ἥμισυ μυριάδας. De accentu genit. μυριαδῶν, de quo Hasius l. c., Chœroboscus vol. 2, p. 458, 29 : Ἔστι γὰρ χιλιάδες καὶ μυριάδες, καὶ παρ' ἡμῖν μὲν χιλιάδων καὶ μυριάδων λέγεται βαρυτόνως ἡ γενικὴ τῶν πληθυντικῶν, παρὰ δὲ τοῖς Ἀθηναίοις χιλιαδῶν καὶ μυριαδῶν περισπωμένως. L. Dind.]

C [Μυριαφόρος scriptura vitiosa pro μυριοφόρος, q. v.]

[Μυριαχόθεν, Ex innumeris locis. Const. Manass. Chron. 4727 : Στρατεύσιμον συνηθροικὼς ἰσχὺν μυριαχόθεν. Eust. Opusc. p. 213, 9 : Χρηματίζων τοῖς μ. πρέσβεσι.]

[Μυριαχοῦ, Infinitis locis, Sexcenties. Eust. Il. p. 47, 29; 76, 19; 111, 22. Jo. Veccus in Allatii Græcia Orthod. vol. 2, p. 406, A; 414, C; 440, B.]

[Μυριαχῶς, Innumeris modis. Nicetas Chon. p. 256, B : Λαοδικεῖς μυριαχῶς ἐκάκωσεν.]

[Μύριγμα, τό, in Lexico Ms. cod. Reg. 1843, οἱ κήρυκες οἱ θαλάσσιοι ἢ τὸ ἔριον τὸ μαλακόν, Murices. Duc. Lexicon Ms. Neophyti, ἡ κρόκη τῶν κηρύκων καὶ τῶν πιννῶν καὶ τὸ ἐξεσμένον καὶ μαλακὸν ἔριον, Trama, Subtemen muricis ac tenuis lana. Lexicon aliud botanicum ex cod. Reg. 3118 : Μύριγμα, ὥς τινες λέγουσιν, ἡ θαλασσία πίννα. Id. App. p. 138.]

Μυρίδιον, τό, quo Aristoph. [ἐν Ταγηνισταῖς ap. Polluc. 10, 119] ὑπεκορίσατο τὸ μύρον : quasi Unguentulum diceres.

D Μυριέλικτος, ὁ, ἡ, Mille voluminibus tortus s. sinuatus. Eunap. ap. Suidam : Ὁ βαρὺς καὶ μ. ἐκεῖνος ὄφις, i. e. πολυέλικτος, ὁ πολλαῖς ἑλίξεσι στρεφόμενος. Immensis orbibus angues dicit Virg., et, Sinuantes immensa volumine terga. [Anon. De mart. Constant. Actt. SS. Aug. t. 2, p. 446, 53 : Τὴν μυριέλικτον ἐκείνην πληθὺν, Ex infinita hominum congerie conglomeratam. Hase.]

[Μυριετής.] Μυριέτης, ὁ, Qui decies mille, s. infinitorum, annorum est : μ. βίος, Vita longæva, annosa. [Aristot. De generat. anim. 2, 6. Antiphil. Anth. Pal. 9, 242, 5; Æsch. Prom. 94, et epigr. Anth. Pal. App. n. 149, Plat. Epin. p. 987, E, χρόνος.]

Μυρίζω, Unguentis imbuo s. inungo. Strato in Epigr. [Anth. Pal. 11, 19, 3] : Καὶ στεφάνοις κεφαλὰς πυκασώμεθα, καὶ μυρίσωμεν Αὐτούς. [Anon. 5, 91, 2 : Πέμπω σοὶ μύρον ἡδὺ, μύρῳ παρέχων χάριν, οὐ σοί· αὐτὴ γὰρ μυρίσαι καὶ τὸ μύρον δύνασαι.] At Aristoph. Plut. [529] : Μύροισιν μυρίσαι στακτοῖς, ὁπόταν νύμφην ἀγάγησθον. [Id. Lys. 938 : Βούλει μυρίσω σε. Epiphan. vol. 2, p. 45, D : Μύρον ἐκκενωθὲν ἀπὸ ἄγγους εἰς ἄγγος πάντα τὰ ἄγγη μυρίζει. Ubi de odore dicitur, ut intransitive ap. Tzetz. ad Hesiod. Sc. 7 : Ἥστινος ἐκ τῆς κεφαλῆς τοιοῦτον ἔπνει ἢ ἀπήνθητο καὶ ἐμύριζεν ὁποῖόν ἐστι τὸ ἆσθμα τῆς Ἀφροδίτης.] Pass. voce [Aristoph. Eccles. 1117 : Ἥτις μεμύρισμαι τὴν κεφαλὴν μυρώμασιν, sec. Athen. 15, p. 691, B, pro quo vulgo μεμύρωμαι.] Plut. Symp. 6 [p. 693, B], γυναῖκες φυκούμεναι καὶ μυριζόμεναι, Fucantes se et unguentis illinentes. [Idem Mor. p. 142, A : Ἡ φοβουμένη γελάσαι πρὸς τὸν ἄνδρα καὶ πρᾶξαί τι, ἵνα μὴ φανῇ θρασεῖα καὶ ἀκόλαστος, οὐδὲν διαφέρει τῆς, ἵνα μὴ δοκῇ μυρίζεσθαι τὴν κεφαλὴν, μηδ' ἀλειφομένης.] Sic μεμυρισμένος ap. Athen. 8 [13, p. 565, C], Unguentis delibutus, unctus [Unguentatus, Gl.] : itemque ap. Herodot. [1, 195 : Μεμυρισμένοι πᾶν τὸ σῶμα. Athen. 15, p. 691, B : Τὸ δὲ χρίσασθαι τῷ τοιούτῳ ἀλείμματι μυρίσασθαι εἴρηκεν Ἀλκαῖος ἐν Παλαίστραις (—ᾳ) διὰ τούτων· Μυρίσασα συγκατέκλεισεν ἀνθ' αὐτῆς λάθρᾳ. Sic enim Dalecampius pro μυρίσας. Μυρίσασθαι Alcæo tribuit etiam Eust. Il. p. 1295, 20, sed quod ne locum quidem habere videtur ap. Alcæum, qui non de ea quæ se, sed aliam unxisset mulierem, loquatur. Alexis ib. E : Οὐ γὰρ ἐμυρίζετ' ἐξ ἀλαβάστου, πρᾶγμά τι γινόμενον ἀεί. Eubulus ap. Polluc. 10, 120 : Καὶ τῇ σπαθίδι τὸν πώγωνά μου καὶ τὴν ὑπήνην μύρισον. Clem. Alex. Pæd. 2, 8 : Μυρίζονται οἱ νεκροί. Artemid. 1, 75. Pollux 7, 177, μυρίσαι· 6, 105 : Μυρίσασθαι καὶ μυρίσαι. Menander ap. Athen. 4, p. 172, C : Μυρισάμενος καὶ στεφανωσάμενος. Cum accusativo anon. poeta ap. Tzetz. schol. in Hermog. Walz. Rhett. vol. 3, p. 651, annot. 10 : Καὶ πίσσαν ἐφθὴν ἣν θύραι μυρίζονται. Forma Σμυρίζω est ap. Archilochum Athenæi 15, p. 688, C : Ἐσμυρισμένας κόμας, et Hesychium : Ἐσμυριχμέναι (sic), μεμυρισμέναι. Et μυριχμένας etiam Athenæi cod. Laur.]

[Μυρίθεος, ὁ, ἡ, Qui est unguentum dei. Anon. H. in Virgin. 13.]

[Μυρίκαι, αἱ, χωρίον ἱερὸν Ἀφροδίτης ἐν Κύπρῳ, Hesychius. Codex Μυρίηαι.]

[Μυρικαῖος, ὁ, nomen Apollinis, schol. Nicandri Th. 613. Wakef.]

Μυρικᾶς, Hesych. ἄφωνος, ἐν ἑαυτῷ ἔχων ὃ μέλλει πράττειν, Tacitus secum retinens quod facturus est. [Conf. Μύρκος.]

Μυρίκη, ἡ, Myrica, [Viburna, Genista, add. Gl.] : arbor de qua Diosc. 1, 117, et Plin. 13, 21; 24, 9. Sed videtur Plin. fruticem facere, posteriore loco scribens, Myricen, quam et Tamaricem vocat Lenæus, similem scopis Amerinis dicit : prædicante et Virgilio Humiles myricas in Bucol. Priore loco dixerat myricen ferre et Italiam, quam alios Tamaricem vocare, Achaiam autem Bryan sylvestrem. Cujus posterioris nominis ratio peti potest ex Diosc., qui dicit τὴν μυρίκην ferre καρπὸν ὥσπερ ἄνθος βρυῶδες κατὰ τὴν σύστασιν. [Hesychius : Μυρίκη, εἶδος δένδρου, ὀνομασθὲν ἀπὸ τοῦ μύρεσθαι τὴν εἰς αὐτὸ μεταβαλοῦσαν κατὰ τοὺς μύθους Κινύρου θυγατέρα. Hom. Il. Κ, 466 : Θῆκεν ἀνὰ μυρίκην· 467 : Μυρίκης ἐριθηλέας ὄζους· Φ, 18 : Δόρυ κεκλιμένον μυρίκῃσιν· 350 : Καίοντο πτελέαι τε καὶ ἰτέαι ἠδὲ μυρῖκαι. Theocr. 1, 13; 5, 101. Nicand. Th. 613, ubi multa schol. Locos Theophrasti H. Pl. 1, 9, 3, et alios annotavit Schneider. in Ind. L. D. « Ἐκ μυρίκης πεποιημένη θύρη est ap. Herodot. 2, 96. Ἐκ μυρίκης τε καὶ πυροῦ, E myrica (e fructu puto arboris) conficitur mel artificiale, 7, 31. » Schweigh. Galen. vol. 14, p. 504, 11 : Μυρίκης ἄνθος καὶ ὁ καρπὸς καὶ τὰ φύλλα. De fluminibus a statuariis inque pictura vett. myrica coronatis Dio Chrys. vol. 1, p. 167, 6 Reisk. : Οἷον τοὺς ποταμοὺς κατακειμένους ... γένειον πολὺ καθεικότας, μυρίκην ἢ καλάμην ἐστεφανωμένους. Hase. Anon. ap. Suid. v. Ἀχανὲς πέλαγος. Philostr. Imag. p. 775. De accentu Arcad. p. 107, 9. Prima semper corripitur, altera, ut loci supra citati testantur, anceps est. Conf. Μυρίκινος.]

[Μυρίκη, ἡ, Myrice. Νῆσος ἐν τῇ Ἐρυθρᾷ θαλάσσῃ. Μαρκιανὸς ἐν περίπλῳ αὐτῆς, Steph. Byz.]

[Μυρικίνεος, α, ον, i. q. sequens. Leonidas Anth. Pal. 6, 298, 5, θάμνος.]

Μυρίκινος, η, ον, Myricinus, Ex myrica confectus. Hesych. [Hom. Il. Z, 39 : Ὄζῳ μυρικίνῳ. Schol. Nicand. Th. 613 : Μυρικίνῳ ξύλῳ. L. D. Hippiatr. p. 81, 5 et

A 18; 82, 2 : Πόρπακας μυρικίνους. Ib. p. 84, 29 : Ἀντιπόρπους μ. Hase. ὕϊ]

[Μυρικιὼν, ὁ sive ἡ, Myricion, oppidum Galatiæ. Hierocl. Synecd. p. 698. Hase.]

[Μυρίκλητος, ὁ, ἡ, Qui unguentum vocatur. Joann. Geometra Hymn. 5 in Virginem v. 11. Boiss.]

[Μυρίκοσμος, ὁ, ἡ, Qui est unguentum mundi. Jo. Geom. H. 5 in Virg. 11. Boiss.]

[Μυρικοῦς, πόλις καταντικρὺ Τενέδου καὶ Λέσβου τῆς Τροίας. Ἑκαταῖος· Ἐς Μυρικόεντα τῆς Τρωικῆς. Οἱ πολῖται Μυρικούσιοι, Steph. Byz.]

Μυρικώδης, ὁ, ἡ, Myricæ similis, Ad myricam proxime accedens : ut Gaza quoque μυρικῶδες φύλλον interpr. Folium tamaricis s. myricæ.

[Μύριλλα, ἡ, Myrilla, n. mulieris. Bentlei. Ep. ad Mill. p. 88 : « Eustath. Od. p. 1457, 23, accurate disputans de Homericis illis ἱππήλατα Πηλεὺς et Ἑρμείας ἀκάκητα ... ex omni memoria duo duntaxat memorat masculina Græca in α, eaque minime a se lecta, sed Eudæmonis fide Pelusiotæ, ejus, opinor, cujus librum B De orthographia Steph. Byz. et Suid. et Etym. scriptor citant : Παράγει δὲ ἐκεῖνος καὶ Ἰλλυρικὸν ὄνομα ἐν ἐπιγράμματι τὸ, Πατὴρ δέ μ' ἔφυσε Κόπαινα, ἤτοι ὁ Κοπαίνης, καὶ Συρακούσιον τὸ ὁ Μύριλλα, οὗ μεμνῆσθαι λέγει τὸν Σώφρονα, ἱστορῶν καὶ ὅτι τοῦ Συρακουσίου τούτου κύριον Δημόκοπος ἦν ἀρχιτέκτων· ἐπεὶ δὲ τελεσιουργήσας τὸ θέατρον μύρον τοῖς ἑαυτοῦ πολίταις διένειμε, Μύριλλα ἐπεκλήθη ... Quod si verum est illud de Democopo, vulgi joco cognomen suum adeptus esse videatur, quia fortassis ea tempestate Syracusis scorto cuipiam non ignobili nomen fuerit Myrilla. Nam mulieris id quidem nomen esse proprium certiores nos facit poeta nescio quis inter Lyricos H. Stephani (Anacreont. 62, 10, 14) : Στρατόκλεις, φίλος Κυθήρης, Στρατόκλεις, φίλος Μυρίλλης, ἴδε τὴν φίλην γυναῖκα, κομάει, τέθηλε, λάμπει. Ῥόδον ἀνθέων ἀνάσσει, ῥόδον ἐν κόραις Μύριλλα. Quod ad Κόπαινα attinet, etsi non facile fidem habeam, viderit de eo verbo epigrammatis author; qui fortasse, quum barbarum Illyrium βαρβαρίζοντα induxerit, bene moratum carmen fecisse videatur. » Memorat Μύριλλα C inter nomina in ιλλα Theognost. Can. p. 100, 29. Et tanquam femininum Herodianus qui dicitur in Crameri Anecd. vol. 4, p. 334, 8 : Οὐ μὴν οὐδὲ τὸ α τελικὸν παραδεξόμεθα διὰ τὰ θηλυκὰ ἐπώνυμα τότε Κόπεννα καὶ Μύριλλα ἢ τὰ ποιητικῶς μεταπλασθέντα νεφεληγερέτα Ζεὺς, ἱππότα Νέστωρ. Qui recte judicasse Bentlejum ostendit de Μύριλλα, non de Κόπαινα, quod significare videtur item muliebre fuisse nomen. Ceterum diminut. Μυριλλίδιον, ἡ, de illa Myrilla est ap. eund. Theodorum, qui Anacreontica supra citata habet *Notices des Mss*. vol. 8, p. 126, ibid. p. 122 : Τῆς τε Μυριλλιδίου. L. Dindorf.]

[Μύρῖνα, ἡ, Myrina. Πόλις ἐν Λήμνῳ. Ἑκαταῖος Εὐρώπῃ. Ἔστι καὶ τῆς Αἰολίδος ἄλλη, ἀπὸ Μυρίνης ἀμφότεραι ἢ ἀπὸ Μυρίνου. Τὸ ἐθνικὸν Μυριναῖος. Μυριναία δὲ ἐπὶ τῆς χώρας καὶ οὐδετέρως Μυριναῖον, Steph. Byz. De Æolica Strabo 13, p. 623 : Τῇ Μυρίνῃ ἀπὸ τῆς ἐν τῷ Τρωικῷ πεδίῳ κειμένης ὑπὸ τῇ Βατιείᾳ (Ἀμαζόνος τὸ ὄνομα τεθεῖσθαι)· Τὴν ἤτοι ἄνδρες Βατίειαν κικλήσκουσιν, ἀθάνατοι δέ τε σῆμα πολυσκάρθμοιο Μυρίνης. Quæ sunt verba D Hom. Il. Β, 814. Eandem memorat quum alibi tum 12, p. 622, ubi etiam adj. Μυριναῖος. Et Herodot. 1, 149, Xen. H. Gr. 3, 1, 6, Scylax p. 37, Polyb. 18, 27, 4, et cum aliis Agathias initio historiæ. Μύριναν Amazonem, a qua dicta sec. nonnullos urbs Æolidis, memorant præter Strab. supra cit et Hesychium Diod. 3, 54, 55 (qui etiam Africæ urbem cognominem ab ea conditam perhibet), Tzetz. ad Lycophr. 243, qui urbem nominat. Filia Crethei, conjux Thoantis, a qua dicta sit urbs Lemni ab Apoll. Rh. 1, 604 et 634, Etym. M. in Μυρίννα, et Steph. B. supra memorata, Μυρίνη vocatur ab schol. Μυρίνη ap. schol. Oppiani Hal. 3, 403 dicitur etiam f. Thiantis, quæ alibi Σμύρνα. Et Amazon ap. Dionys. Chalcid. Cram. Anecd. vol. 4, p. 271, 10 : Μυρίνην τὴν Ἀμαζονίδα. Gent. urbis Lemniæ Μυριναῖος est ap. Herodot. 6, 140. || Forma Æol. urbis Æolicæ est in inscr. Orchom. ap. Bœckh. vol. 1, p. 763, n. 1583, 18, 20. || Μύρινα Lemni memoratur in inscrr. Att. ib. p. 297, n. 168, b; vol. 2, n. 2155, p. 178, 16 seq. Ceterum vitiosam esse scripturam per νν, quum ι natura producatur, præter inscrr. supra citatas ostendit etiam Μυρειναῖος in Sard. ap. Bœckh. vol. 2, p. 810, n. 3450, 4. L. Dind.]

Μυρίνη, Hesychio μυρσίνη, Myrtus. Itidem accipiunt in hoc l. Pollucis 6, [108] : Καὶ μυρίνην δέ τινες ἐπὶ δεξιὰ περιφέροντες καὶ ἔκπωμα καὶ λύραν, ᾄδειν ἠξίουν. Similiter et ap. Athen. simplici reperio, 13 : Τὸν δὲ στέφανον αὐτοῖς δίδοσθαι μυρίνην. Et 2 : Οὐδὲν ἐσιτεῖτο ἢ μυρίνης ὀλίγον. [Semper scribendum μυρρίνη.]

[Μυρίνη. V. Μύρινα.]

Μυρίνης, ὁ, οἶνος, Polluci 6, [17 : Ἦν δέ τις καὶ μυρίνης οἶνος] ὁ μύρῳ κεκραμένος, [οἱ δὲ τὸν γλυκὺν οὕτως οἴονται κεκλῆσθαι,] Vinum unguento mistum s. conditum : pro quo ap. Ælian. V. H. [12, 31] : Μύρῳ γὰρ οἶνον μιγνύντες οὕτως ἔπινον, καὶ ὑπερηγάζοντο τὴν τοιαύτην κρᾶσιν, καὶ ἐκαλεῖτο ὁ οἶνος μυρινίτης. Μέμνηται δὲ αὐτοῦ Φιλιππίδης ὁ τῆς κωμῳδίας ποιητής. (Sed malim μυρίτης pro isto μυρινίτης, si quidem sit a μύρον : nam μυρινίτης est potius a μυρίνη, et significat Myrto conditus.) [Veram scripturam esse μυρίνης ostendunt loci Athen. 1, p. 32, B : Μυρίνης δὲ οἶνος κεῖται παρὰ Ποσειδίππῳ, Διψηρὸς ἄτοπος ὁ μυρίνης ὁ τίμιος· Diphili ap. eund. 4, p. 132, D : Χαριεῖ πολὺ μᾶλλον ἢ μυρίνην προσεγχέας.] Unde et ap. Juvenal. 6, [303], Quum perfusa mero spumant unguenta Falerno. Addit Pollux l. c. esse qui μυρίνην οἶνον vocari dicant τὸν γλυκὺν οἶνον, vinum dulce : ut Hesych. quoque μυρίνην non solum πόσιν ἣ ἐπεχεῖτο μύρον, sed etiam ποτὸν ἐσκευασμένον. Atque adeo videtur vinum fuisse non sua natura dulce, sed arte confectum vel vinum vel alia potio, cui aut unguenta aut alia dulcia mixta essent. Sane vinum nativum non fuisse ex Gellio patet, qui 10, 23, quum dixisset mulieribus Romæ et in Latio interdictum fuisse usu vini, subjungit, ferri bibere solitas loram, passum, murinam, et quæ id genus optant potu dulcia. Necnon Plaut. in Pseud. [2, 4, 50] dicit, Quod si opus est ut dulce promat indidem, ecquid habet? rogas? Murinam, passum, defrutum, mellinam. Et alibi [ap. Plin. H. N. 14, 13] : Mittebant vinum pulchrum, murinam : quanquam is locus non usque adeo evidens est ut superiores. Præterea quum Hesych. duplici ρ μυῤῥίνην scribat, dicatque quosdam ita vocare οἶνον μυῤῥίνην, videtur et tertiam expositionem indicare, nimirum μυῤῥίνην οἶνον aut μυῤῥίνην πόσιν dici παρὰ τὴν μύῤῥαν, a myrrha : ut sit vinum myrrha conditum : quod alioqui et μυῤῥίτης s. σμυρνίτης οἶνος nominatur. [Imo sic μυρρινίτης dicendus esset, non μυρρίνης, ut ostendunt Salm. in Solin. p. 501, et G. J. Voss. Etym. L. L. Angl.] Nec vana ea conjectura, quum Plinii 14, 13, auctoritate nitatur, qui ejus cum superiore mentionem facit : Laudatissima apud priscos vina erant myrrhæ odore condita, ut apparet in Plauti fabula, quæ Persa inscribitur [in qua locus hodie non reperitur. Angl.], intelligens nimirum quam Plautus Murrhinam vocabat (sic enim proculdubio legebat, non Murinam), eam esse μυῤῥίνην πόσιν, Vinum s. potionem myrrhæ odore conditam. Sed statim subjungit et alteram expositionem, cujus auctor esset Dorsenius [Dossenus] et approbator Scævola, Lælius, Atteius Capito. Quanquam (inquit) in ea et calamum addi jubet; ideo quidam aromatite delectatos maxime credunt : his verbis declarans, murinam alios intelligere vini aliusve potionis genus calamo saccarifero aut aliis aromatis dulcibus conditum. Utut sit, si myrrhæ odore conditum intelligamus, cum Hesychio scribemus potius μυῤῥίνην, Murrhinam, vel masculino genere accipientes pro μυῤῥίνην οἶνον, vel feminino pro μυῤῥίνην πόσιν : ut ap. Plin. quoque [37, 2; 33 sub fin. proœm.], Murrhina vasa : ap. Javolen. in Pand., Murrhea vasa : Propert. [3, 8, 22], Murrheus onyx.

[Μυρίνινος, Myrteus. Esth. 2, 12, cod. Alex., ubi al. μύρινος, vel, quod unum verum, σμύρνινος.]

[Μυρῖνος, ὁ, Myrinus, poeta in Anthologia, de quo v. Jacobs. vol. 13, p. 919, qui nomen Myrini annotavit ex Martial. 12, 29, ubi secunda corripitur. Sed Græci nominis, cujus alia exx. sunt ap. Caylus *Recueil* vol. 2, t. 72, Bœckh. C. I. vol. 2, p. 165; n. 2130, 28; 167, n. 2131, 5; 467, n. 2687, secundam produci ostendere videtur scriptura Μυρεῖνος ib.]

A Μύρινος, Myrinus : piscis ap. Aristot. H. A. l. 8, [19, p. 602, 1. Codd. μαρῖνος, quod v. supra, et prætulit Schneider.]

[Μυρινοῦττα. V. Μυρρινοῦττα.]

[Μυριόβλαστος, ὁ, ἡ, Qui infinitis modis germinat. Laudat. S. Pantaleonis p. 14, 1, στάχυς. Boiss.]

[Μυριόβοιος, ὁ, Qui innumeros habet boves. Erycius Anth. Pal. 9, 237, 6, αὐλια.]

[Μυριόβολος, ὁ, ἡ, Navigii species. Theophanes Chronogr. p. 316, A (et Symeon Logotheta in Chronico Ms.) : Πᾶσαν ναῦν, δρομώνων τε καὶ τριηρῶν καὶ σκαφῶν, μυριοβόλων καὶ ἁλιάδων. Ubi Miscella p. 625 : Omnes naves, dromones videlicet, trieres etc. et scaphas chimeras et lintres. Codex alius Theophanis præfert μυριαγώγων. Ducang. Μυριοβόλων, nisi verum est μυριαγώγων, ex μυριοφόρων corruptum videri potest. V. Μυριάγωγος.]

[Μυριογένεσις. V. Μοιρογένεσις.]

[Μυριόγλωσσος, ὁ, ἡ, Qui est innumerabilium linguarum. Invect. in iconomach. in Scriptt. post Theo-
B phan. p. 232, C : Μ. ἔθνη. Hase.]

[Μυριόγνωμος, ὁ, ἡ, Qui infinitæ est sententiarum multitudinis. Theodor. Stud. p. 84, A : Ὁ τοῦ ψεύδους μῦθος, ἅτε πολυσχιδὴς καὶ μυριόγνωμος ὤν. L. Dind.]

[Μυριόγραφος, ὁ, ἡ, Qui innumerabiliter scribitur. Jo. Geometra H. 4, 29. Boiss.]

[Μυριόδοξος, ὁ, ἡ, Qui infinitæ gloriæ est. Manetho 4, 175 : Ἐν νίκαις ἱερῇσι στέμματα μυριόδοξα. Theodor. Stud. p. 518, C : Μυριόδοξος παράδοσις.]

Μυριόδους, οντος, ὁ, ἡ, Infinitos dentes habens; μυριόδους ἐλέφας, Epigr. [Philippi Thess. Anth. Pal. 9, 285, 2. Angl. Clem. Const. apost. p. 37, 27 : Τὸν μ. πρίονα. Hase.]

[Μυριόεις, εσσα, εν, i. q. μύριος. Orac. Sibyll. 1, 224 : Ὕδατα μυριόεντα φάνη· 11, 2 : Ἔθνεα μυριόεντα.]

[Μυριόκαρπος, ὁ, ἡ, Qui fructus fert innumeros. Soph. OEd. C. 676 : Τὰν ἄβατον θεοῦ φυλλάδα μυριόκαρπον ἀνάλιον. « Intelligam laurum, quam πάγκαρπον appellat OEd. T. 83, ut hic μυριόκαρπον. Conf. 16 : Χῶρος δ' ὅδ' ἱερὸς ... βρύων δάφνης, ἐλαίας, ἀμπέλου. » Elmsl.
C Quo ipso ex loco intelligitur non unam dici laurum, sed variarum nemus arborum.]

[Μυριόκεντρος, ὁ, ἡ, Qui innumeros habet aculeos. Const. Manass. Chron. 3249 : Σκορπίε μυριόκεντρε. Boiss. Jo. Gaza Tab. M. 2, 17. Cramer.]

[Μυριοκέφαλος, ὁ, ἡ, Qui est innumeris capitibus. Jo. Climac. Scal. Parad. p. 253, A : Τὸν παρόντα μυριοκέφαλον δαίμονα φιλαργυρίας. Hasius ad Leon. Diac. p. 247, D. Const. Manass. Chron. 5594, ὕδρα. Boiss.]

[Μυριόκρᾶνος, ὁ, ἡ, i. q. μυριοκέφαλος. Eur. Herc. F. 419, κύνα Λέρνας.]

[Μυριόκυκλος, ὁ, ἡ, Innumeris circulis revolvens. Jo. Gaza Tab. M. 1, 192. Cramer.]

[Μυριοκύμων, ονος, ὁ, ἡ, Qui innumeras habet undas. Const. Manass. Chron. 3742 : Μυριοκύμων κλύδων. ῡ]

[Μυριόλβος, ὁ, ἡ, Qui infinitis fruitur divitiis. Eust. Opusc. p. 135, 64 : Ἀπομερίσεται τοῦ παρ' αὐτῷ πλούτου καὶ σοί, καὶ μυριόλβον ἀποκαταστήσει σε.]

Μυριόλεκτος, ὁ, ἡ, Qui ab infinitis dicitur : πολυθρύλλητος Polluci [6, 206] ex Xen. Hell. 5, p. 324
D [c. 2, 25] : Καὶ τούτων ἡμεῖς οὐδὲν λέγομεν ὅτι οὐ καὶ ἐν τῷ τῶν Ὀλυνθίων δήμῳ μυριόλεκτόν ἐστι· sic enim leg. Ex Dionys. Areop. Epist. [8, p. 459 med. Boiss.] affertur pro Millies dictum, Infinitis vicibus dictum. [Aristæn. 2, 20; Longin. fr. 8, p. 200 W. Boiss.]

[Μυριολεξία, ἡ, ap. Gemistum Pleth. in Walz. Rhett. vol. 6, p. 588, 5 : Ὁ τῶν ὀνομάτων γὰρ ἑλληνισμὸς νεωτερικόν ἐστιν, ὧν ἡ σαφήνεια ἐκ μυριολεξιῶν καὶ σαφηνισμοῦ γίνεται, Schefferus interpretabatur Quæ a multitudine usurpatur, ut μυριόλεκτον sit i. q. πολυθρύλητον. Cod. Paris. μυρίων λέξεων.]

[Μυριομαθής, ὁ, ἡ, Qui infinitæ est eruditionis. Constant. Manass. Chron. 5275 : Ὁ μυριομαθέστατος ἐν φιλοσόφοις Λέων.]

[Μυριομακαριότης, ητος, ἡ, Infinita felicitas. Jo. Chrys. In Ep. ad Rom. serm. 5, vol. 3, p. 35, 26 : Ἡ μ., ἣν οὐ λόγος παραστῆσαι δύναται. Seager.]

[Μυριομακάριστος, ὁ, ἡ, Infinite beatus. Nilus Epist. 256, p. 246, B : Μυριομακάριστοι μὲν ὑπάρχομεν, ὅταν ... Hasius ad Leon. Diac. p. 247, B.]

[Μυριόμματος, ὁ, ἡ, Innumeros s. Permultos habens oculos. Schneider. sine testim.]

[Μυριόμορφον, τὸ, Achillea, Diosc. Notha p. 464 (4, 36). Boiss.]

[Μυριόμορφος, ὁ, ἡ, Qui innumeras habet s. induit formas. Ἀπόλλων H. in Apoll. Anth. Pal. 9, 525, 13. Ἶσις epigr. Anth. Plan. 264, 1.]

[Μυριόμοχθος, ὁ, ἡ, Qui infinitorum est laborum Epigr. Anth. Plan. 91, 1, de Hercule.]

[Μυριόναυς, ὁ, ἡ, Infinitis navibus instructus. Epigr. [Philippi Anth. Pal. 7, 237, 4]: Μυριόναυν ἄρη, Martem s. Bellum cui sunt infinitæ naves.

[Μυριόνεκρος, ὁ, ἡ.] Μυριόνεκροι μάχαι, ap. Plut. initio Alex., Pugnæ in quibus decem millia cecidere. [Const. Manass. Chron. 4020 : Τάφον μυριόνεκρον.]

[Μυριονικηφόρος, ὁ, ἡ, i. q. sequens. Constant. Manass. Chron. 2145 : Ἄνδρα στρατηγικώτατον, μυριονικηφόρον· 1550.]

[Μυριόνῑκος, ὁ, ἡ, Qui innumeras reportavit victorias. Constant. Manass. Chron. 3187 : Ἐκεῖθεν μυριόνικος ἀνέζευζε στρατάρχης.]

[Μυριόνους, ὁ, ἡ, Qui infinitæ est sapientiæ. Naucratius in Combefis. Auct. Bibl. Patr. vol. 2, p. 855: Κεκοίμηται ὁ μυριόνους τῇ θεοσκόπῳ κυβερνήσει, de Theodoro Studita. L. Dind.]

[Μυριονταδικὸς, ἡ, ὸν, Ad numerum decem millium pertinens. Theon ad Ptolem. p. 23.]

Μυριοντάκις, pro μυριάκις : nam Hesych. exp. illud per hoc, tanquam, ut opinor, suo tempore usitatius.

[Μυριονταπλάσιος, Decies mille modis plus, Infinite multiplicatus, pro quo μυριοπλάσιος Attici. Ap. Epiphan. vol. 1, p. 739, C: Κἂν τε μυριανταπλάσιον ἐπάνω εἴη ὄνομα ἔχον· 815, B : Ὁ γὰρ θεὸς ἐπέκεινα μυριανταπλάσιον παρὰ τὴν ψυχὴν, καὶ ἔτι περιττότερον, ἐστὶν ἀκατάληπτος. Quod esse perperam, quum aliæ voces ostendunt μυριοντάκις, μυριοντάρχης, tum forma adverbii ab ipso Epiphanio usurpati vol. 2, p. 12, A : Μυριονταπλασίως περὶ (l. παρὰ) τὸν ἡμέτερον νοῦν δεδόξασται· et in eodem 51, C : Ἀπείρως καὶ μυριονταπλασίως. Accedit Georg. V. Chrysost. vol. 8, p. 196, 2 : Ὄντως μυριονταπλασίονα ἀποτίσει σοι αὐτά. Hasius ad Leon. Diac. p. 247, C.]

[Μυριόνταρχος, ὁ, i. q. μυριάρχης. Æsch. Pers. 306: Χρυσεὺς Μάταλλος μυριόνταρχος θανών· et cum genitivo 995. Quo altero loco quum metro adversetur μυριόνταρχος, μυριοταγὸν conjecit G. Dindorfius, alii alia.]

[Μυριόξιφος, ὁ, ἡ, In quo innumeri districti sunt gladii. Theod. Diac. De exp. Cretæ 1, 6 : Μυριοξίφῳ μάχῃ. Id. ib. 2, 116 : Μυριοξίφου μάχης. Hase.]

[Μυριοπᾰθὴς, ὁ, ἡ, Innumerabilibus passionibus obnoxius. Basil. M. vol. 2, p. 237, A : Οὕτως ἀσυμφώνως πάλιν μυριοπαθεῖς ἡμᾶς ποιήσας. Hasius ad Leon. Diac. p. 247, D. Joann. Siceliota ap. Bekker. in Indice Anecd.]

[Μυριόπᾰλαι, Jamdudum, Ante longissimum tempus. Eust. Il. p. 725, 40, ex Comico : Τρίπαλαι καὶ δεκάπαλαι καὶ μυριόπαλαι.]

[Μυριόπατρις, ιδος, ὁ, ἡ, Eust. Il. p. 301 (?).]

[Μυριοπλασιάζω, Per decem millia multiplico. Pachom. in Mingarelli Catal. codd. Nan. p. 277. L. D.]

[Μυριοπλάσιος, α, ον.] Μυριοπλάσιοι, Infinitis partibus plures. Aristot. Eth. 7, 6, in fine : Μυριοπλάσια γὰρ ἂν κακὰ ποιήσειεν ἄνθρωπος κακὸς θηρίου, Mala infinitis partibus plura intulerit homo improbus quam fera. Sunt et qui exp. Mille partibus plura, Millies plura. Utitur eod. modo Xen. [OEc. 8, 22]: Ἴσμεν ὅτι μυριοπλάσια ἡμῶν ἔχει ἡ πᾶσα πόλις. Item in sing. μυριοπλάσιος, Infinite multiplicatus, VV. LL. sed absque exemplo. [Psalm. 67, 18 : Τὸ ἅρμα τοῦ θεοῦ μυριοπλάσιον. Eust. Opusc. p. 129, 19: Καὶ ἅμα ἐξαντλοῦμεν, ἅμα ἐπεισρέει τὰ κρείττονα, καὶ αὐτὰ εἰς μυριοπλάσιον. Ephræm Syr. vol. 1, p. 194, D : Μυριοπλάσιον νικωμένη. L. Dind.]

[Μυριοπλασίως, Infinite, Infinitis partibus. Jo. Chrys. Serm. 12, vol. 5, p. 62, 34 : Ἤδει ὅτι ὀφθαλμοὶ Κυρίου μ. ἡλίου φωτεινότεροι. Seager. Sir. 23, 26. Clem. Alex. Pæd. p. 229, 28. Eust. Opusc. p. 359, 28 : Τὸν καρπὸν ἀποδιδοῦσα μ.]

[Μυριοπλασίων, ονος, ὁ, ἡ, Infinitis modis multiplicatus. Jo. Chrys. In Genes. hom. 40, vol. 1, p. 326. Seager. Ejusd. Or. 11 in Acta Apost. vol. 4, p. 674, 29 : Μυριοπλασίων ἡ τοῦ θεοῦ χάρις, addit Hasius ad Leon. p. 247, D. Proprie, Decies millies multiplicatus, Archimedes Arenar. p. 519, 268 : Ἁ διάμετρος τοῦ κόσμου τᾶς διαμέτρου τᾶς γᾶς ἐλάττων (l. ἐλάσσων) ἐστὶν ἢ μυριοπλασίων, et ibid. infra. L. D. Cleomed. Circ. doctr. p. 98, 11 ed. Bak. : Ὁ Ποσειδώνιος ὑποθέμενος μυριοπλασίονα εἶναι τὸν ἡλιακὸν κύκλον τοῦ τῆς γῆς κύκλου. Id. ib. p. 4, 7; 71, 12; 99, 1. Hase.]

[Μυριοπλασίως. V. Μυριοπλάσιος.]

[Μυριόπλαστος, ὁ, ἡ, Varius, Variegatus, legitur, si lectio certa, in orat. Joanni Chrys. ascripta vol. 7, p. 305, 19 : Τὰς μυριοπλάστους ταύτας ἐν αὐτῷ βασιλείας. Sed vereor ne id vocabulum atque adeo totus locus corrupta sint. Hasius ad Leon. Diac. p. 247, D. Fort. μυριοπλασίους.]

[Μυριόπλεθρος, ὁ, ἡ, Qui decies mille jugerum est. Diod. Exc. Phot. p. 523, 80 : Ἐν δὲ ταῖς τῶν ἀγρῶν ἐπιμελείαις τοσοῦτον διήνεγκεν (Masinissa) ὡς ἑκάστῳ τῶν υἱῶν ἀπολιπεῖν ἀγρὸν μυριόπλεθρον, κεκοσμημένον πάσαις ταῖς κατασκευαῖς. Pro quibus Polyb. 37, 3, 8: Πρῶτος καὶ μόνος ὑπέδειξε διότι δύναται πάντας ἐκφέρειν τοὺς ἡμέρους καρποὺς (ἡ Νομαδία) οὐδ' ὁποίας ἧττον, ἑκάστῳ τῶν καρπῶν ἐν διαστάσει μυριοπληθεῖς ἀγροὺς κατασκευάσας παμφόρους. Apud quem Diodorum legisse videri παίδων pro καρπῶν et μυριοπλέθρους annotavit Wessel., quod mirum est fugisse interpretes Polybii, probavit Viscont. *Iconogr. gr.* vol. 3, p. 289. L. Dind.]

[Μυριοπλήθεια, ἡ, Infinita multitudo. Eust. Opusc. p. 346, 85 : Ἀντὶ τῆς πάλαι μυριοπληθείας ἄρτι τὴν μονάδα προΐσχεται.]

Μυριοπληθὴς, ὁ, ἡ, Infinitus numero, μυρίος τὸ πλῆθος. Eur. [Iph. A. 571], μυριοπληθὴς κόσμος, quod exp. Varius et multiplex ornatus, s. cultus. [Anaxandrides ap. Athen. 4, p. 131, B: Ἄνδρας μυριοπληθεῖς. V. Μυριόπλεθρος.]

[Μυριόπλοκος, ὁ, ἡ, Infinite perplexus. Theodor. Stud. p. 165, C: Ὁρμαθὸν μυριόπλοκον πολυθεΐας. L. D.]

Μυριόπους, οδος, ὁ, ἡ, Decem millia pedum habens, vel Infinitos pedes habens, aut permultos. A Nicandri schol. [Ther. 812] ὁ ἴουλος dicitur μυριόπους σκώληξ : a Latinorum nonnullis Millepeda. [Tzetz. Hist. 13, 561 : Ἰουλός ἐστι μὲν ἰχθὺς καὶ σκώληξ μυριόπους. L. D. Theophr. C. Pl. 6, 2 : Τὸ τρίγωνον τὸ ποδιαῖον καὶ τὰ μυριόπουν.]

[Μυριοπραγότερον καὶ Μυριοπρατότερον, Suidas, quorum prius videtur esse nihili, alterum Sæpissime venditum significare.]

[Μυριοπρόσωπος, ὁ, ἡ, Qui innumeras habet facies s. species. « Μυριοπρόσωπον εἶδος, Variegata species, vidi ap. Joannem monachum De pœnitentia p. 106, D, ad calem libri De pœnitentia ab Jo. Morino Paris. 1651 editi. » Hasius ad Leon. Diac. p. 247, D.]

[Μυριόπτερος, ὁ, ἡ, Qui innumeras habet alas. Constantin. Manass. Chron. 3761 : Ἀκρίδα μυριόπτερον.]

Μυρίος, α, ον, [perraro ὁ, ἡ, ut ap. Crinagoram Anth. Plan. 40, 4 : Εἰς ἑτάρων μυρίον εὐφροσύνην, ubi olim μυρίω,] Infinitus, Innumerus, Immensus. Hom. Od. O, [451] : Ὁ δ' ὑμῖν μυρίον ὦνον ἄλφοι· Il. [Φ, 320] : Καδδέ μιν αὐτὸν Εἰλύσω ψαμάθοισιν, ἅλις χέραδος περιχεύας, μυρίον. [Sic ἄχος v. 282. V. infra in plur.] Apud Lucian. [De m. Peregr. c. 32], μυρίον πλῆθος, Infinita s. Immensa multitudo. Bud. ait tam significare μυριάδα quam Magnam et velut Innumeram multitudinem. [Pind. Nem. 10, 45 : Χαλκὸν μυρίον· Isthm. 4, 31 : Μυρίον χρόνον· 3, 19 : Μυρία κέλευθος. Soph. Phil. 1168, ἄχθος· OEd. C. 397 : Βαιοῦ κοὐχὶ μυρίου χρόνου. Et sæpissime Eurip. Arat. 47 : Δράκων μυρίος· 760 : Μυρίον ὄνειαρ. Theocr. 8, 50 : Βάθος ὕλας μυρίον· 16, 22 : Μυρίος χρυσός· Ep. 19, 2 : Τὸ μυρίον κλέος. Dionys. Per. 166 : Πόντοιο τὸ μυρίον ὕδωρ. Pollux 2, 116 : Ἐπὶ μυρίαν ἀκοὴν περισχιζόμενος φθόγγος.] Et μυρίῳ cum comparativo ap. Plat. pro In infinitum, ut Bud. vertit in hoc ejus l., De rep. 7, [p. 520, C]: Συνεθιζόμενοι γὰρ μυρίῳ βέλτιον ὄψεσθε τῶν ἐκεῖ καὶ γνώσεσθε ἕκαστα· [et similiter Tim. p. 33, B, etc.] Leg. 10, p. 327 [894, D]: Μυρίῳ γὰρ ἀνάγκη φάναι διαφέρειν. Ubi tamen puto μυρίῳ διαφέρειν aptius reddi Infinitis partibus differre, quam In infinitum differre. [Inter μυρίον, quod est Theæt. p. 166, D, et μυρίῳ διαφέρειν variat scriptura ib. 6, p. 773, A.] Sed dicitur μυρίος et pro Summus, Extremus, Maximus, Ingens. Herodot. [2, 148], de labyrintho loquens: Θῶϋμα μυρίον. [Et 2, 136, ὄψιν μυρίην, Rerum spectandarum infinitam varietatem. Ap. eund. 6, 67, est μυρίη κακότης et μυρίη εὐδαιμονίη, Infinita calamitas, et Infinita felicitas. Schweigh.] Plato Apol. [p. 23, C], ἐν πενίᾳ εἰμί· Epist. [7, p. 351, E]: Σικελίαν πένθει περιβαλὼν μυρίῳ. Bud. autem ap. Plut. [Rom. c. 28], Ἐν μυρίῳ πένθει vertit In permagno luctu. Dixerat autem et Hom. [Il. Σ, 88], μυρίον πένθος. [Plato Epist. 7, p. 343, A: Μυρίος λόγος· Epinom. p. 975, E: Βοήθεια μυρία· Leg. 3, p. 677, E: Μυρίαν φοβερὰν ἐρημίαν· Phileb. p. 13, A, διαφορότητα.] Apud Lucianum [Jov. trag. c. 33] legimus et σπουδὴν μυρίαν: Ὑπέρμεγα, ὦ Ζεῦ, κακὸν, καὶ μυρίας σπουδῆς δεόμενον. || Μυρίοι, Infiniti, Innumeri, Innumerabiles. Hom. Il. B, [468]: Μυρίοι, ὅσσα τε φύλλα καὶ ἄνθεα γίνεται ὥρῃ. [Pind. Isthm. 6, 11: Μυρίων ἑτάρων.] Et alibi, μυρία ἔδνα, item μυρία κήδεα: cui simile est μυρία ἄλγεα, A, [2] de Achillis ira: Ἣ μυρί' Ἀχαιοῖς ἄλγε' ἔθηκε, ubi tamen quidam exp. etiam θρήνων ἄξια, derivantes a verbo μύρεσθαι, ac strenue, meo quidem judicio, nugantes: quum μυρία non solum nominibus his, ἄλγεα, κήδεα, aliisque hujusmodi jungat Hom., sed et aliis quibuslibet, et quidem illis etiam, quæ rei jucundæ, non molestæ, significationem habent: veluti quum dicit ὀνείατα μυρία, et μυρία ἐσθλὰ, atque alia. [Pind. Nem. 3, 40: Μυριᾶν ἀρετᾶν. Conf. l. ejusdem quem emendavi in Ἐπιλάμπω. Æsch. Prom. 512: Μυρίαις πημοναῖς δύαις τε· 542: Μυρίοις μόχθοις. Eodemque modo sæpius ceteri Tragici, Aristoph., aliique poetæ et scriptores cujusvis generis. Adverbialiter Antiphil. Anth. Pal. 9, 73, 5: Θαμβῶ σε τὸ μυρίον· Marc. Arg. 7, 374, 2: Ὃν παρὰ κῦμα ἔκλαυσεν μήτηρ μυρία Λυσιδίκη, et similiter alibi. Ephræm Syr. vol. 3, p. 222, E: Μυρία ἁμαρτωλός. Const. Manass. Amat. 7, 48: Κἂν εἰς μυρία χάμης.] Alicubi addit adverbium μάλα, quod augendi vim habet: Od. P, [422]: Ἦσαν δὲ δμῶες μάλα μυρίοι. Sic ὕες μάλα μυρίαι. [V. Μάλα.] In prosa itidem μυρίοι, Infiniti, Innumeri. Itidemque μυρία, Infinita, Innumera. Dem. Pro cor.: Μυρία τοίνυν ἕτερ' εἰπεῖν ἔχων περὶ αὐτοῦ, καταλείπω, ubi pro Innumera alia, dicere etiam possis Sexcenta alia. Terent. in Phorm. [4, 3, 63]: Sexcentas perinde potius scribito jam mihi dicas. Ubi hæc scribit Donat.: Perspicere hinc licet consuetudinem utriusque sermonis; nam Apollodorus μυρίας dixit pro Multis. Et ut apud Græcos μύρια, ita apud nos Sexcenta dicere pro Multis, usitatum est. Cic.: Sexcenta possum decreta proferre. Hæc ille. Sed et Mille interdum dicunt Lat. pro Multis. Ceterum μύρια, non μυρία, scriptum habent in illo Donati l. vulg. edd.: ac certe, ut plane conveniat sermo Græcus cum Latino, rationi consentaneum esse videtur ut quemadmodum Sexcenta, qui certus est numerus, ponitur pro incerto numero (nam Sexcenta sonat Quamplurima, aut etiam Infinita, Innumera); sic et vocem Græcam a signif. numeri certi, i. e. decem millium, ad signif. numeri incerti transferri dicamus: tunc autem μύρια ac μύριοι scrib. fuerit. Solet tamen in ll. illis, ubi de magno numero dicitur eoque incerto, scribi μυρία et μυρίοι. Ne autem respondeam hoc μυρίοι manasse a μύριοι, significante certum numerum, vetat sing. num. μυρίος: quum μύριοι singularem itidem non habeat. Sed quid si dicat aliquis illum paroxytonum singularem μυρίος ab hoc ipso μύριοι proparoxytono sumptum esse? Ego certe ei non valde refragabor. Ceterum dicitur et μυρία ὅσα vacante ὅσα, quum ab aliis, tum a Luciano. [V. Ὅσος. Alia formula Herodot. 3, 74: Ὑπισχνεύμενοι τὰ πάντα οἱ μυρία δώσειν. Procop. Vand. 1, 4, p. 184, D: Ἐλπάρει μύρια πάντα ὑποσχόμενος. Scrib. μυρία. Arat. 113: Αὐτὴ πότνια λαῶν μυρία πάντα παρεῖχε. Nicand. Th. 109.] At de πολλάκις μυρίοι dicam in proxime sequente tmematio. [De accentus discrimine v. in fine.]

|| Μύριοι et Μύριαι et Μύρια, proparoxytone, Decies mille, Decem millia. Μυρία μὲν, inquit Eust. [Il. p. 907, 8], τὰ ἁπλῶς πολλὰ, μύρια δὲ τὰ ἐν δέκα χιλιάσι· idem vero et ceteri gramm. testantur in plerisque

A tamen auctorum ll. a librariis non observatum. [Æsch. Pers. 982: Τὸν σὸν πιστὸν πάντ' ὀφθαλμὸν μύρια μύρια πεμπαστὰν Βατανώχου παῖδ' Ἄλπιστον. « Verte Qui exercitum per myriades recensuerat: præerat nempe copiarum recensioni ab Herodoto memoratæ 7, 60, quæ κατὰ μυριάδας fiebat, decem millibus hominum septo quodam inclusis, dein aliis decem millibus, et sic deinceps. » Blomf.] Herodot., Ἐν μυρίοισι ἔτεσι, In decies mille annis, In decem millibus annorum. Et μύρια τάλαντα, ap. Eund. Lucian. [Hermotim. c. 5]: Οὐδ' ἂν μύριοι Ἀλέξανδροι προσβάλωσιν. Cum genit., ut μύριοι Λακεδαιμονίων, sicut χίλιοι Λακεδαιμονίων. Et præcedente alio numero, Πεντακισχίλια καὶ μύρια. Sic, Ἑξακισχίλιαι καὶ μύριαι ἵπποι. Item, Μύριαι ἐπὶ μυρίαις πόλεις, ap. Plat. [Leg. 3, p. 676, B, Theæt. p. 155, C]: ita enim rectius quam μυρίαι. [Dionys. A. rh. 7, 4, p. 273, 5: Θεάματα καὶ ἀκροάματα μυρία ἐπὶ μυρίοις προέθεσαν.] Dem. autem Pro cor. dicit, Μυριάκις μυρίους. Ejusd. autem formæ videtur esse ap. Plat. [Theæt. p. 175, A, Leg. 7, p. 810, D, etc.], Πολλάκις
B μύριοι· ita enim scribere malo: sicut et in illo Dem. l. non dubito quin μυρίους sit a nominativo proparoxytono μύριοι. [Aristoph. Ran. 90: Μειρακύλλια τραγῳδίας ποιοῦντα πλεῖν ἢ μύρια.] Hoc tamen fateor, præterquam quod differentiam hanc, quam accentus affert, librariorum incuria confudit, non paucos etiam locos esse, quibus utraque convenire scriptura possit: ex quibus est ille Luciani l., quem paulo ante protuli: malo tamen proparoxytone, ut etiam legitur in Aldina edit.; nam huic certo numero et tamen hyperbolico, Decies mille Alexandri, pro quo Latini dicerent potius Sexcenti Alexandri, ut patet ex iis quæ habes in fine proxime præcedentis tmematii, videtur energia major inesse s. emphasis, quam si diceretur Innumeri Alexandri, s. Infiniti Alexandri. Ceterum quamvis hac in signif. μύριοι legatur, uti dixi, non sing. μύριος, significare tamen μύριον πλῆθος tam Myriadem quam Magnam et velut innumeram multitudinem, scribit Bud. Eadem autem fuerit ratio hujus nominis aliis hujusmodi adjectivis juncti. [Sing.
C proprie Æsch. Pers. 302: Μυρίας ἵππου βραβεύς· Herodot. 1, 27: Ἵππον μυρίην· Xen. Anab. 1, 7, 10: Ἀσπὶς μυρία· ut irrita sit disputatio Planudii in Bachm. Anecd. vol. 2, p. 55, 11, de singulari definiti numeri nullo, ut opinatur. Μύριοι in specie dicuntur Græci decies mille, qui Cyri minoris expeditioni adversus Artaxerxem fratrem interfuerunt, ap. Xen. in Anabasi et alios. Tum senatus Arcadum, de quo præter scriptores ab Harpocrat. memoratos Xen. H. Gr. 7, 1, 38, ubi v. Schneider., et Diod. 15, 59, ubi v. Wessel. || De mensura mire Epim. Hom. Cram. Anecd. vol. 1, p. 270, 17 sive Etym. M. p. 595, 6: Μυρία ἀντὶ τοῦ πολλὰ, ἀορίστως, τὸ μυ βραχύ· ἐπὶ μὲν γὰρ τοῦ ἄλλου τοῦ σημαίνοντος ὡρισμένον πλῆθος ἐκτεταμένον ἐστιν· ἀπὸ γὰρ τοῦ μυ γίνεται τοῦ στοιχείου ὅπερ μακρόν ἐστι· τοῦτο δὲ συστέλλεται τὸ σημαῖνον τὸ ἀόριστον πλῆθος. Quibus Draco p. 65, 22 addit: Οὕτως μέν τινες σημειοῦνται· ἐμοὶ δὲ ἄλλως δοκεῖ· ἀντὶ (ἀεί?) γὰρ παρὰ ποιηταῖς τὸ ἀόριστον ἐκτείνεται. Post quæ ponit exx. Homeri et Theocriti, pergitque: Πάντα δὲ ταῦτα τὸ ἀόρι-
D στον καὶ οὐ τὸ ὡρισμένον σημαίνουσιν· ἡ παρατήρησις τοίνυν ἀπερίεργος· τινὲς δὲ καὶ τὸ ὡρισμένον παροξύνουσι πρὸς διαστολὴν, Ἡρωδιανὸς δὲ ἑκάτερα ὀξυτονεῖσθαι παρασημειοῦται, ὅπερ δοκιμώτερον. Ubi sive παροξυτονεῖσθαι sive προπαροξυτονεῖσθαι scribitur pro ὀξυτονεῖσθαι, quod absonum est, neutrum convenit cum veri quidem Herodiani Π. μον. λ. p. 19, 33, verbis: Πολλὰ γάρ ἐστι (τὰ) εἰς ος λήγοντα καθαρῷ τῷ ι παραληγόμενα καὶ παροξυνόμενα, ὡς τὸ πλησίος, ἀντίος, νυμφίος ἐπὶ διαφόρου σημαινομένου, μυρίος καὶ τοῦτο ὁμοίως. Quibuscum conf. Theognost. Can., ubi de proparoxytonis in ιος trisyllabis agens dicit p. 58, 9: Μύριος ἡ τῶν δέκα χιλιάδων ἀπαρίθμησις· ἐπὶ γὰρ τοῦ ἀορίστου παροξύνεται ὁμοίως καὶ τὸ νυμφίος καὶ νόμιος· et Arcad. p. 41, 21, apud quem tamen male bis μυρίος scriptum. Pro παροξύνουσι autem an scribendum sit προπαροξύνουσι incertum est. Suidas: Μυρία, πολλὰ, ἀναρίθμητα· μύρια δὲ ὁ ἀριθμός. L. Dind.]

[|| Adv. Μυρίως, Innumeris modis. Maximus Conf vol. 2, p. 101, C: Κἂν εἰ μυρίως καλῆται καὶ ὀνομάζηται. L. D. Epiphan. t. 1, p 375, B: Κἄν τε μ. κατὰ λεπτὸν ἀποθμηθείη. Hase. Alex. Trall. 5, p. 254. Tzetz. Hist. 13, 522 : Ἐπιτρέχειν πρὸς αὐτὸ πλέον ἐμοῦ μυρίως. Elberl.]

[Μυριόστᾰχυς, ὁ, ἡ, Mille spicas fundens. Georg. Pisid. Opif. p. 48, C : Τὸν ὥσπερ ἐν τάφῳ φθαρέντα κόκκον μυριόσταχυν φέρει.]

Μυριοστημόριον, τὸ, Decies millena pars, VV. LL. ex Aristide. [Aristot. De sensu c. 6.]

[Μυριόστολος, ὁ, ἡ, Qui est innumerorum navigiorum. Const. Manass. Chron. 1229 : Στόλος μυριόστολος αὐτῶν συνεκροτεῖτο· et cum eodem nomine 2906.]

[Μυριόστομος, ὁ, ἡ, Innumeris oribus præditus, ap. Georg. Pisid. Opif. p. 46, A : Πυκνὴν φάλαγγα, μυριόστομον ξίφος. « Theod. Prodr. p. 181, δόρυ. » Elberl.]

Μυριοστὸς, ἡ, ὸν, Decies millesimus : Τὰ μυριοστὸν ἔτος γεγραμμένα, Plato Leg. p. 43 [2, p. 656, E], Picta ante annum decies millesimum, Ante annorum decem millia, Bud.; qui etiam affert ex Aristot. [Rhetor. 2, 8, 10] εἰς μυριοστὸν ἔτος, exponens πρὸ μυρίων χρόνων. VV. LL. exp. Ad annos denos millenos. Item, Anno decies millesimo ab hoc tempore. Ibid. μυριοστὸς dicitur accipi et pro Ex decem millibus unus. [Xen. Cyrop. 2, 3, 6. Μυριάκις μυριοστὸς est ap. Archimed. Aren. p. 520, 350; 521, 367.] Μυριοστὴ, q. d. Decies millesima, pro Decies millenarius numerus decem millium, Bud. p. 1084. [Ubi affert locum Xen. in quo μυριοστὴν exhibet pro μυριοστὺν, quæ vera scriptura est. Μυριοστὴ vero est ap. Aristoph. Thesm. 555 : Οὐδέπω τὴν μυριοστὴν μοῖραν ὧν ποιοῦμεν· Lys. 355 : Μέρος οὔπω τὸ μυριοστόν. L. D. Iamblich. In Arithm. Nicom. p. 17, B : Μέχρις ἑκατοστοῦ, καὶ χιλιοστοῦ, καὶ μυριοστοῦ. Jo. Chrys. t. 1, p. 546, D ed. Paris. alt. : Τὸ ἑκατοστὸν ἢ τὸ μ. Id. ib. p. 257, B : Οὐδὲ μ. μέρος. Hase.]

[|| Μυριοστῶς, adv. Theodor. Stud. p. 348, D : Κἂν μ. γράφοιτο. L. Dind.]

[Μυριόστροφος, ὁ, ἡ, Qui innumeris modis vertitur s. versatur. Eust. Opusc. p. 216, 86 : Αἴτιον τῆς τοιαύτης δοκήσεως τὸ ποικίλον τοῦ βίου καὶ πολυειδὲς καὶ μυριόστροφον.]

[Μυριοστὺς, ύος, ἡ, Decem millia, i. q. μυριάς. Xen. Cyrop. 6, 3, 20. « Poetaster ante Wernsdorfii Philen p. 26. » Boiss.]

[Μυριοστῶς. V. Μυριοστός.]

[Μυριοσχῐδὴς, ὁ, ἡ, Infinitis modis scissus. Eust. Opusc. p. 225, 96 : Διὰ τὴν ἐν αὐτοῖς ἀπειρίαν καὶ τὸ ἐντεῦθεν μυριοσχιδές.]

[Μυριοτευχὴς, ὁ, ἡ.] Μυριότευχοι affertur ex Eur. [Iph. T. 141] pro Multi armati. [Verba sunt : Ὦ παῖ τοῦ τᾶς Τροίας πύργους ἐλθόντος κλεινᾷ σὺν κώπᾳ χιλιοναύτᾳ μυριοτευχεῖ τῶν Ἀτρειδᾶν τῶν κλεινῶν.]

Μυριότης, ητος, ἡ, Infinitas, Infinita multitudo, Infinitus numerus. Phocylides [162], de api : Σμήνεσι μυριότητα [μυριότρητα] κατ' ἄνθεα κηροδομέουσα, Infinitas ex cera struens cellulas in alvearibus. [Μυριότης vero est Sap. Sal. 12, 22 : Ἐχθροὺς ἡμῶν ἐν μυριότητι μαστιγοῖς.]

[Μυριότῑμος, ὁ, ἡ, Qui infiniti pretii est. Jo. Damasc. vol. 2, p. 855, E : Τὸ τῶν ἀρετῶν μυριότιμον σύνθημα. Cyrill. Lex. ap. Schleusner. Lex. V. T. : Μυριότιμον, πολύτιμον. L. Dind.]

[Μυριότοκος, ὁ, ἡ, Qui infinitas affert usuras. Eust. Opusc. p. 148, 25 : Ἦν ὅρος αὐτῷ πλούτου τὸ δανείζειν Θεῷ, οὗ μυριότοκος ἡ ἀνταπόδοσις.]

[Μυριότρητος, ὁ, ἡ, Qui innumera habet foramina. V. Μυριότης.]

[Μυριότροπος, ὁ, ἡ, Qui est multis atque adeo infinitis modis, adj. Gregorio Nysseno familiare, vol. 1, p. 460, B : Πῶς μυριότροπός ἐστι κατὰ τῆς σῆς πόλεως ἡ τοῦ ἀντικειμένου στρατηγία· 910, D : Ἐν ταῖς μυριοτρόποις τῶν ἄστρων ἐπιπλοκαῖς. Adv. Μυριοτρόπως ap. eund. vol. 2, p. 43, A, et 69, C. Hasius ad Leon. Diac. p. 248, A.]

[Μυριοτρόφος, ὁ, ἡ, Innumeros alens. Georg. Pis. Opif. 1779 : Ἄρτοι δὲ πηγάζουσι μ. Hase.]

[Μυριόφθαλμος, ὁ, ἡ, Qui innumeros habet oculos. Eust. Od. p. 1504, 54.]

[Μυριόφιλος, ὁ, ἡ, Qui innumeros habet amicos. Themist. Or. 22, p. 270, A : Οὐκ ἄρα πολύφιλος οὐδὲ μυριόφιλος ἔσται ὁ τῆς ἐκλογῆς ἐπιστήμων.]

A [Μυριοφόρος. V. Μυριόφορτος.]

Μυριόφορτος, ὁ, ἡ, Cujus onus s. pondus est infinitum : μ. ναῦς, ex Epigr. [Automedontis Anth. Pal. 10, 23, 5], de Navi oneraria, q. d. Infinita ferens onera. [Constant. Manass. Chron. 4887 : Τὴν ναῦν τὴν μυριόφορτον αὐτόφορτον βρωθῆναι. Ap. Liban. vol. 1, p. 456, 11 : Ὁλκάδι μυριοφόρῳ, olim μυριοφόρτῳ.] Invenitur alioqui etiam Μυριοφόρος ναῦς ap. Philon. De mundo [vol. 2, p. 514, 13] dictum de Navi oneraria et prægrandi, Bud. [Thuc. 7, 25 : Ναῦν μυριοφόρον πύργους τε ξυλίνους ἔχουσαν καὶ παραφράγματα. Schol., μεγάλην, δυναμένην δέξασθαι μύριον (potius μυρίον) φόρτον. Ctesias Photii p. 45, 26 : Ὁ λεγόμενος Ἰνδικὸς κάλαμος ... τὸ ὕψος ὅσον μυριοφόρου νεὼς ἱστός. Joseph. in Gretseri Opp. vol. 2, p. 86, D : Διὰ σοῦ (de cruce loquitur) γὰρ λαμβάνοντες ὁδηγίαν ξύλῳ μικρῷ μυριοφόρους ὁλκὰς (l. ὁλκάδας) εὐθύνουσι καὶ πρὸς λιμένα καθορμίζουσι. Comment. in Psalm. ap. Pasin. Codd. Taurin. vol. 1, p. 265, b, C : Μυριοφόροις ὁλκάσι καὶ φορτίσιν. Quibus exx. alia Aristidis, Themistii, Heliodori aliorumque addi possunt, B partim ab Lobeckio ad Phryn. p. 662 indicata. Ceterum vix opus est moneri non magis quam in μυριαγωγὸς, quod v., et μυριαγωγέω, decem millia hominum dici, sed modiorum aut aliarum mensurarum cogitandam esse myriadas, ut in Πεντεμυριομέδιμνος ὁλκὰς ap. Tzetz. Hist. 2, 108. L. D.] In VV. LL. exp. etiam, tanquam ad verbum, Navis decem millium sarcinarum. [In Ind. :] Μυριαφόρος scriptum alicubi pro μυριοφόρος : quod rectius. [Apud Polluc. 4, 165, ex cod. correctum et se ipso 1, 82.]

Μυριόφυλλον, τὸ, herba quæ Millefolium Plinio. Dicitur et Supercilium Veneris. Caulis est tener, singularisque, radice una, foliis fœniculi, lævibus, plurimis, unde et nomen accepit. Præterea subrubicundus, et quasi arte expolitus. Gorr.

Μυριόφυλλος, ὁ, ἡ, Mille folia habens. Possit autem significare et Infinita folia habens.

[Μυριόφυλος, ὁ, ἡ, Qui innumera habet genera. Oppian. Hal. 1, 626. Wakef.]

[Μυριόφωνος, ὁ, ἡ.] Μυριόφωνος δῆμος, ex Epigr. C [Anth. Plan. 362, 2] affertur sine expositione. Ambiguum significet Infinitas voces edens; an Infinitis linguis loquens.

[Μυριοχαύνη. V. Μυοχάνη.]

[Μυριόχειρ, ος, ὁ, ἡ, Qui innumeras habet manus. Eust. Opusc. p. 211, 73 : Χερσὶν ὀλίγαις πρὸς μυριόχειρας ἀρτύειν τὴν ἔφοδον.]

[Μυριόχροος, s. Μυριόχρους, ὁ, ἡ, Qui innumeros habet colores. Const. Manass. Chron. 134 : Ὡς ἄνθη μυριόχροα τὰ τῶν ἀστέρων σέλα. Μυριόχρους, Planud. Ovid. Met. 10, 261; 11, 589. Boiss.]

[Μυρίπνοος s. Μυρίπνους. V. Μυρόπνους.]

[Μῦρις. V. Μοῖρις. Huc referenda videtur gl. Suidæ illata, Μύρις, ὄνομα κύριον.]

Μυρὶς, ίδος, ἡ, pro Unguentario vase, s. Unguentaria ampulla, poni videtur. a Polluce 7, [177] synonymως ponente ἀλάβαστρον, μυρίδα, μυρηρὰν λήκυθον. [V. etiam Μυρρίς.]

[Μυρίσκος, ὁ, Myriscus, n. viri, in inscr. Att. ap. Bœckh. vol. 1, p. 384, n. 276, 25; alius in Anap. vol. D 2, p. 165, n. 2130, 37. ῠ L. Dindorf.]

Μύρισμα, τὸ, et Μῠρισμὸς, ὁ, Unguentorum illitus, μυραλοιφία. Athen. [12, p. 547, F] : Εἰς τὸν μυρισμὸν καὶ τοὺς στεφάνους ἱκανὸν τὸ ἐκλεγόμενον ἀργύριον. [Judith. 16, 8 : Ἠλείψατο τὸ πρόσωπον αὐτῆς ἐν μυρισμῷ.] Prius μυρίσματα, ap. Polluc. 7, [177] una cum μυρίσαι, μύρῳ χρίσασθαι, μύρου ὄζειν : et videtur potius significare Unguenta quibus ungimur, ut μυρώματα, quod vide infra. [Ephræm Syr. vol. 3, p. 387, F : Τῶν προσκαίρων καὶ ῥυπαρῶν μυρισμάτων. Theodor. Stud. p. 405, B : Μυρίσματα ἀθανασίας. Figuratius Eust. Opusc. p. 295, 23 : Οἴνου μηδὲ μύρισμα εὐτυχήσαντες. Quod μηδὲ ὀσφραίνεσθαι dixit Xen. Anab. L. Dind. A. Cornelius Myrismus n. pr. in lap. ap. Ott. Jahn. Spec. epigr. p. 136. Hase.]

[Μυρισμός. V. Μύρισμα.]

Μυριστικὸς, ἡ, ὸν, quoque affertur, pro Odorus : quum potius sonet Aptus πρὸς τὸ μυρίσαι.

[Μυρίτης οἶνος, quod ponit gl. Suidæ illata, ex μυρίνης, quod v. supra, aut ex μυρτίτης vel μυρσινίτης, quod v. infra, natum, ut Μυρονήτης et Μυρονίτης, quæ ponit Zonaras p. 1374. Cui tertiam addit p. 1375, eodem referendam : Μυρινίτης, ὁ ἐκ τῆς μυρίνης· τινὲς τὸ μυρρίνη διὰ δύο ρρ γράφουσι.]

[Μυρῖτις. Cælia Antiochis Muritis, n. pr. feminæ in lap. ap. Ott. Jahn. Spec. epigr. p. 42, 156. At in alio apographo pro M. legitur, Myrtili. Ib. p. 94. Hase.]

[Μύριχος, ὁ, Myrichus, n. viri Bœotii in inscr. Orchom. ap. Bœckh. p. 761, n. 1579, 1. Itaque pro Μύρριχος scribendum videri posset ap. Polyb. 23, 2, 15, ubi Bœotus hujus nominis memoratur, nisi Μοίριχος præstare quis putet, quod in Μύρριχος corruptum notabimus in ipso. L. Dind.]

Μυριώνυμος, ὁ, ἡ, Infinita nomina habens. Ex Plut. [Mor. p. 372, E] affertur pro epitheto Isidis. [« Isis myrionyma » in Grut. Thes. p. LXXXIII, 7. Schneid. Inscr. Nub. ap. Letronn. *Rech. pour serv. à l'hist. de l'Ég.* p. 481 : Τῆς κυρίας μυριωνύμου Ἴσιδος. Alia ib. p. 465 : Τὴν μ. Εἶσιν (sic). Hase.]

[Μυριωπὸς, ὁ, ἡ, Qui innumeros habet oculos. De Argo Æsch. Pr. 570 : Τὸν μυριωπὸν εἰσορῶσα βούταν.]

[Μυρίως. V. Μυρίος.]

[Μύρκανος, ὁ, Myrcal (ut latine nomen Punicum exprimendum putabat Schweigh.), ap. Polyb. 7, 9, 1.]

[Μύρκινος, ἡ, Myrcinus. Τόπος καὶ πόλις κτισθεῖσα παρὰ τῷ Στρυμόνι ποταμῷ. Τὸ ἐθνικὸν Μυρκίνιος καὶ Μυρκινία. Παρθένιος δὲ Μυρκιννίαν (?) αὐτήν φησι, Steph. Byz. Μύρκινος ap. Herodot. 5, 11, 23, 24, Thuc. 4, 107, Strab. epit. l. 7, p. 331, Tzetz. Hist. 9, 219 sq. L. D. Appian. B. Civ. 4, 105 : Μουρκίνου. De situ ejus conf. Tafel. De viæ Egn. parte or. p. 10. Hase. Adj. Μυρκίνιος, α, ap. Thuc. 5, 6, 10.]

Μύρκος, ὁ, Syracusiis ὁ καθόλου μὴ δυνάμενος λαλεῖν, Qui prorsus loqui non potest, ἐννεὸς, ἄφωνος, Mutus. Hesych. [V. Μυριχᾶς.]

[Μύρλεια, ἡ, Myrlea. Πόλις Βιθυνίας ἡ νῦν λεγομένη Ἀπάμεια ἀπὸ Μύρλου τοῦ Κολοφωνίων ἡγεμόνος. Νικομήδης δὲ ὁ ἐπιφανής, Προυσίου δὲ υἱός, ἀπὸ τῆς μητρὸς Ἀπάμας Ἀπάμειαν ὠνόμασεν· οἱ δὲ ἀπὸ Μυρλείας Ἀμαζόνος. Ὁ πολίτης Μυρλεανὸς, ὡς Ἀσκληπιάδης Μυρλεανὸς ἀναγράφεται. Στράβων δὲ Μυρλεᾶτιν καλεῖ (12, p. 551) τὴν χώραν. Ἴσως ἀπὸ τούτου Μυρλεάτης ἐστὶ καὶ Μυρλεανὸς κόλπος, Steph. Byz. Μύρλεια et Μυρλεανοὶ ap. Strab. 12, p. 551, 563 et 575. Illud ap. Scylac. p. 35, Μυρλεανὸς ap. Theognost. Can. p. 67, 2. Μύρλεια et Μυρλειανὸς ponit Steph. Byz. in Ἀλεξάνδρεια.]

[Μύρλος. V. Μύρλεια.]

Μυρμηδὼν, ονος, ἡ, Hesychio ξυνοικία τῶν μυρμήκων, Formicarum contubernium : h. e. Multitudo formicarum una domicilium et sedes habentium : quæ et μυρμηκιά. [Μυρμηδὼν ponit etiam Herodian. Π. μον. λ. p. 9, 17.] Doriensibus autem μυρμηδόνας esse ait τοὺς μύρμηκας, Formicas. [Μυρμηδόνες, Formicæ, Gl.] Inde et Æginetæ dicti fuerunt Μυρμιδόνες, quoniam formicarum modo terram eruentes locis petrosis inspergebant ut colere ea possent, necnon in foveis habitabant lateribus parcentes, ut Strabo docet l. 8, [p. 375] ubi rejicit fabulam quæ Μυρμιδόνας ex eo nominatos vult, quoniam olim peste sublato populo, Æaci precibus formicæ in homines mutatæ sint. [V. schol. Pind. Nem. 3, 21 : Μυρμιδόνες ἵνα πρότεροι ᾤκησαν. Steph. Byz. : Μυρμιδονία, χώρα τῶν Μυρμιδόνων· οὕτω γὰρ ἡ Αἴγινα ἐκλήθη. || Strabo 9, p. 433 : Μυρμιδόνας δ' εἰκὸς καλεῖσθαι πάντας τοὺς ὑπὸ τῷ Ἀχιλλεῖ καὶ τῷ Πατρόκλῳ, οἳ συνηκολούθησαν ἐξ Αἰγίνης φεύγοντι τῷ Πηλεῖ. Hos memorant Hom. Il. A, 180 etc., Hesiod. Sc. 380, 474, post eos Tragici, quorum Æschylus fabulam nomine eorum inscripserat, aliique poetæ.]

Μυρμηκάνθρωποι, οἱ, fabulæ nomen a Pherecrate conscriptæ, ap. Athen. 6, [p. 229, A,] et Suidam et alios. [De homine pusillo Eust. Opusc. p. 194, 49 : Ἕτεροι μυρμηκιὰν ἀγαθῶν προσειπόντες τὸν στῦλον τοῦτον, ὡς εἰς μυρμηκάνθρωπον ταπεινώσουσι τὸν ἐν αὐτῇ μέγαν ἄνθρωπον (styliten). Nicetas Chon. p. 281, D : Καὶ ἦν βομβύλιο ἀτεχνῶς εἴτε κώνωψ ... ἡ μυρμηκάνθρωπος μελάγχροος τὸ τῆς γῆς μέγιστον ἄχθος διακυβερνῶν ἐλέφαντα.]

[Μηρμήκειον, Μυρμηκεῖον. V. Μυρμήκιον.]

[Μυρμήκειος adj. ponit Schneider. sine testim.]

[Μυρμηκίας s. Μυρμηκιά. V. Μυρμήκιον.]

A Μυρμηκίας λίθος, Myrmecias lapis, memoratur a Plinio 30, 7, nigras habens eminentias similes verrucis : quæ verrucæ nominantur μυρμηκίαι aut μυρμήκια. [Μυρμηκίας, Verrucosus, Gl. ῐᾰ]

Μυρμηκίασις, εως, ἡ, πάθος illud dicitur, quum nimirum aliquis istas verrucas [de quibus in Μύρμηξ] patitur. Aliis Verrucarum formicarum instar eruptio, ap. Aetium. [Formicatio, Gl. « Torpor, Hesych. v. Νάρκη. » Wakef. Schol. Vict. Aristoph. Vesp. 713.]

[Μυρμηκιασμὸς, ὁ, i. q. μυρμηκίασις. Galen. l. 3 Περὶ εὐπορίστων p. 450, 36. Struv. Confess. S. Cyprian. Actt. SS. Sept. t. 7, p. 223, 1 : Μυρμηκιασμῶν συστάσεις καὶ ἀνατάσεις. Hase.]

Μυρμηκιάω, Infestor myrmeciis, Infestor verrucis quæ μυρμηκίαι nominantur. [Levit. 22, 22 : Μυρμηκιῶντα. Hesych. in Μυρμηκιῶν. « Scriptt. rei accip. p. 153 ; Melamp. p. 485. » Wakef.]

[Μυρμηκίδης, ὁ, Myrmecides, sculptor Atheniensis vel Milesius ap. Galen. vol. 1, p. 9, Athen. 11, p. 782, B, Plut. Mor. p. 1083, D, Julian. Or. 3, p. 112, A,
B gramm. Cram. Anecd. vol. 4, p. 248, 12, et alios ap. Bœckh. C. I. vol. 1, p. 872 sq. ῐ]

[Μυρμηκίζω.] Apud Aetium 12, 41, Μυρμηκίζειν dicitur significare Ita affici ut si formicas repentes sentias : quomodo μυρμηκιᾷν quoque et μυρμηκίασις significare possint Sentire reptationes vel morsus quasi formicarum. Eæ videntur esse Plinii Formicationes, 28, 7 : Capilli mulierum si crementur, cinis formicationes corporum sistit. Et 30, 8 : Verendorum formicationibus verrucisque medetur arietini pulmonis inassati sanies. At μυρμηκίζων σφυγμὸς, dicitur Pulsus inæqualis in una pulsatione et diversis partibus arteriæ, formicarum motui similis : omnium is pulsuum minimus est, et quum motus multos amiserit, in unum eumque prorsus parvum desinit : unde et nomen quidam inditum volunt, quod perinde parvus sit ac formica : aliis ex eo nominatum volentibus quod eod. quo formica motu agatur, sicut et δορκαδίζων et σκωληκίζων a motionis specie appellantur : quidam utramque ob causam sic nuncupatum censent. [Ju-
C stin. Mart. p. 212, D. Galen. vol. 19, p. 539, 1. Id. ib. p. 412, 11 : Μυρμηκίζων σφυγμός ἐστιν ὁ μικρὸς, κενὸς, πυκνὸς, ἀμυδρὸς κτλ. Theophil. De puls. p. 47, 2 Ermerins. : Οὕτως τὸν σκωληκίζοντα ὁ μυρμηκίζων διαδέχεται. Hase. Eust. Opusc. p. 146, 72, postquam de formicis loquutus esset : Συλλέξας ἐκεῖθεν πλουτοποιόν τι καλὸν, διαδίδου τοῖς χρῄζουσιν, οὐ μυρμηκίζων τὰ εἰς ὁδὸν, ἀλλὰ ταχὺς τρέχων κτλ., Formicarum instar reptans.]

Μυρμήκιον, τὸ, Phalangii genus, de quo sic Plin. 29, 4 : Myrmecion, formicæ similis capite, alvo nigra, guttis albis distinguentibus : vesparum dolore torquet. Id a Nicandro dicitur Μυρμήκειον, Ther. 747 : Μυρμήκειον, ὃ δὴ μύρμηξιν ἔϊκται. Sostratus, ut schol. annotat, vocat et μυρμήκειον et μύρμηκα Ἡρακλεωτικόν : ab aliis appellatur Μυρμηκοειδὲς, a formicæ similitudine : utpote quod μύρμηξιν ἔϊκται, Formicis simile sit. [De accentu v. in Μυρμήκιον n. pr. Hesych. : Σίφων, εἶδος θηρίου μυρμηκοειδές. Μυρμηκοειδῆ ὁρᾷν, Casii Probl. 19. Conf. Μυιοειδής. || Adv. Eustath. Opusc. p. 194, 53 :
D Συνάγοντα μυρμηκοειδῶς.] Alioqui Μυρμήκια dicuntur etiam Verrucæ quædam. Celsus 5, c. ult., de acrochordone et thymio locutus : Myrmecia autem vocantur humiliora thymio, durioraque, quæ radices altius exigunt, majoremque dolorem movent, infra lata, super autem tenuia : minus sanguinis mittunt, magnitudine vix unquam lupini modum excedunt. Nascuntur ea quoque aut in palmis aut in inferioribus partibus pedum. Et mox, Myrmecia latissimis radicibus inhærent, ideoque ne excidi quidem sine exulceratione magna possunt. A Græcis medicis vocatur Μυρμηκίαι : ut quum ab Aetio et Polluce [4, 195], tum a Paulo Ægin. 4, 15, ubi de myrmecia et acrochordone simul tractans, Ἑκάτερον, inquit, τούτων ἐπανάστασίς ἐστι τοῦ δέρματος μικρὰ, τυλώδης, περιφερὴς κατὰ τὸ πλεῖστον· ἀλλ' ἡ μὲν μυρμηκία, πλατεῖαν ἔχει τὴν βάσιν, καὶ πρὸς τὰς ἀποψύξεις (γράφεται et ἀποσφίγξεις), ὁμοίαν αἴσθησιν ἐμποιεῖ δήγμασι μυρμήκων· ἡ δὲ ἀκροχορδὼν, στενὴν ἔχει τὴν βάσιν ὡς δοκεῖν ἐκκρέμασθαι ἄκρῳ χορδῆς ὁμοιουμένη. Nonnulli Sessilem formicam appellant.

Μυρμηκεῖαι, Verucæ, Gl. Sed eadem Μυρμηκιά, Verruca, Verrucula. Falso accentu ap. Paul. Æg. 4, 15, Oribas. p. 41, (1) ed. Mai. : Περὶ ἀκροχορδόνων καὶ μυρμηκίων, pro —ιῶν. V. id. p. 43 sq. Μυρμηκὰν pro —ιὰν in Ms. ap. Wolf. Anecd. vol. 3, p. 2. || Ut κυψέλη dicitur de auris quum cavitate tum sordibus, ita μυρμηκιὰ de vitio aurium sordibus obturatarum dici videtur in epit. Orph. Lith. 460 : Ἤδη δέ τιν' ἀνδρῶν οὔασι δηθύνοντα καθήρας (lapis ophites) ὤπασεν αἶψα καὶ δὴ καὶ λεπτῆς ἐριήκοον ἔμμεν ἀοιδῆς) Καὶ μυρμηκίαν καθαίρει οὕτως ὥστε καὶ λεπτὰς ὁμιλίας τὸν φοροῦντα τοῦτον ἀκούειν. L. D.] Denique παρὰ τοὺς μύρμηκας dicta Μυρμηκιά, ἡ, i. significans q. ἡ μυρμηδὼν, Contubernium s. Agmen formicarum : unde proverb. Μυρμηκιὰ ἀγαθῶν, pro Ingenti bonorum multitudine ceu formicarum. [V. l. Eust. in Μυρμηκάνθρωπος cit. Id. p. 326, 18 : Μυρμηκιὰ λόγων σοφῶν. « Eumathius in Ismene p. 403 : Μυρμηκιὰν τῶν τραγῳδημάτων ἀναστομοῖς, Ingentem rerum tristium copiam me narrare compellis. » Koenig. V. parœmiogrr. cum annot. intt.] Alioqui μυρμηκιὰ dicitur etiam Sedes et domicilium formicarum. [Aristot. H. A. 4, 8, p. 534, 23, ubi μυρμηκίας, Theophr. fr. 6 De signis 1, 22, ubi μυρμηκιᾶς.] Plut. [Mor. p. 601, C] : Ἡμεῖς ὥσπερ μύρμηκες ἢ μέλιτται μυρμηκιᾶς μιᾶς ἢ κυψέλης ἐκπεσόντες. [Ad μύρμηκας χρυσωρύχους alludens Eust. Opusc. p. 146, 69 : Δοκῶ ἐνταῦθα ὑποφωνοῦντος ἀκούειν κἀμοὶ τοῦ πανσόφου Σολομῶντος, Ἴθι πρὸς τὸν τοιοῦτον μύρμηκα, ὦ ὀκνηρὲ, καὶ τὸν ἐκεῖσε Φιλόθεον ἱστορήσας καὶ τὴν ἐν ἐκείνῳ χρυσῖτιν μυρμηκιὰν, μετάλλευε πλοῦτον θεῷ φίλον.] Et ap. Hesych. proverb. Ὁ πτύσας εἰς μυρμηκιὰν οἰδεῖ τὰ χείλη ὡς ὁ Δεινόλοχος. [Photius : Μυρμηκίας· τοὺς εἰς μυρμηκίαν λαλήσαντας ἑλκοῦσθαι τὴν γλῶττάν φασι.] Eod. Hesych. auctore μυρμηκιὰ ponitur ἐπὶ διδασκαλείου καὶ συμφοιτήσεως : quoniam in scholam puerorum agmen veluti formicarum confluit. [Incerta scriptura et sententia ap. Pherecratem Plut. Mor. p. 1142, A : Οὗτος ἅπαντας οὓς λέγω παρελήλυθεν ἄγων ἐκτραπέλους μυρμηκίας, de Timotheo Milesio, qui secundum Nicomachum Harmon. 2, p. 35, hoc ipso usum loco Pherecratis, chordam undecimam vel duodecimam prioribus adjecerat. Ἀτραπιτοὺς pro ἐκτραπέλους Jacobs. Anth. vol. 9, p. 451 et in Wolfii Anal. vol. 2, p. 378, comparatis quæ v. in Μύρμηξ n. pr. Quod etiam ἀτραποὺς, ut in locis in Μύρμηξ citatis, scribi posset, si παρελήλυθ' εἰσάγων scriberetur versus initio, quorum verborum incerta est scriptura. Neutrum autem capiendum foret de agmine formicarum, sed de tumulo, ut ap. Ælian. N. A. 6, 43 : Μυρμήκων ἐν γεωρυχίᾳ ποικίλας τε ἀτραποὺς καὶ ἑλιγμοὺς καὶ περιόδους etc., quæ v., et, ut videtur, ib. 50 : Ὁ δὲ ὁρᾷ ἐξ ἀτραποῦ τινὸς ἑτέρας νεκρὸν μύρμηκα μύρμηκας ἄλλους κομίζοντας εἰς οἶκον ἑτέρων. || Cestus, hic Hispus, Gl. Cesti signif. dictum μύρμηξ v. infra. In accentu variatur inter μυρμηκιὰ et μυρμηκία.]

[Μυρμήκιον, τὸ, Myrmecium. Πολίχνιον τῆς Ταυρικῆς. Στράβων ἑνδεκάτῃ (p. 494, et 7, p. 310). Ἡρωδιανὸς διὰ διφθόγγου γράφει καὶ προπερισπᾷ. (Contra Theognost. Can. p. 129, 12 : Μυρμήκειον, πόλις· τὸ γὰρ ἕτερον προπερισπᾶται.) Τὸ ἐθνικὸν ἐὰν μὲν διὰ διφθόγγου, Μυρμηκειεὺς, εἰ δὲ διὰ τοῦ ι, Μυρμήκιος. Ἀρτεμίδωρος δὲ Μυρμηκίαν αὐτήν φησι, Steph. Byz. Μυρμήκειον ap. Scylacem p. 29, ubi Μυρμηκὸν cod. Scylacis ap. Miller. Geograph. p. 217. Qui memoravit etiam l. Leonis Diac. 9, 6 : Ἀρριανὸς γάρ φησιν ἐν τῷ Περίπλῳ Σκύθην Ἀχιλλέα πεφηνέναι ἐκ τῆς Μυρμηκιῶνος καλουμένης πολίχνης, παρὰ τὴν Μαιῶτιν λίμνην κειμένης. Quæ non reperiri ap. Arrianum annotavit Hasius. Sed in fr. Peripli P. Eux. p. 4, quod pleraque ex illo duxisse annotavit Vossius, est : Ἀπὸ δὲ Πορθμίου χωρίου, ἤτοι τοῦ στόματος τῆς Μαιώτιδος λίμνης, εἰς πολίχνιον Μυρμηκίονα λεγόμενον στάδια ξ'. Ἀπὸ δὲ τοῦ Μυρμηκίονος μέχρι εἰς Παντικάπαιον κτλ. Quod bis scribendum Μυρμηκιών. L. Dind.]

Μυρμηκίτης λίθος, Gemma innatam repentis formicæ effigiem habens, ut κανθαρίας scarabæorum, auctore Plin. 37, 11. [ῑ]

[Μυρμηκιών. V. Μυρμήκιον, Μύρμηξ n. pr.]

[Μυρμηκόβιος, ὁ, ἡ, Qui formicæ vitam vivit. Eust. Il. p. 77, 3 : Διὰ τὸ τῆς διαίτης, ὡς εἰπεῖν, μυρμηκόβιον.]

[Μυρμηκοειδὴς, Μυρμηκοειδῶς. V. Μυρμήκιον.]

Μυρμηκολέων, οντος, ὁ, Leo formicarius : parvum animalculum formicis insidians. [Job. 4, 11 : Μυρμηκολέων ὤλετο παρὰ τὸ μὴ ἔχειν βορὰν, σκύμνοι δὲ λεόντων ἔλιπον ἀλλήλους. Ubi alii rectius intelligunt Leones qui dicti sunt etiam Μύρμηκες, quod v. « Conf. Bochart. Hieroz. part. 2, p. 813, et Tychsen. ad Physiologum Syrum. Poupart. *Mém. de l'acad. roy.* 1704, p. 235. » Schleusner. Lex. V. T. Ex loco Jobi repetit Eust. Opusc. p. 146, 62; 194, 50, 52; 349, 7. L. D. Eundem l. Jobi allegorice interpretantur Nil. Epist. 189; Eulog. ap. Phot. Bibl. p. 542, 16; German. CPol. In cruc. p. 254, A Grets.; Athanas. patr. Rescript. ap. Bandur. Imp. Or. t. 2, p. 673, 41 ed. Venet. Hase.]

Μυρμηκώδης, ὁ, ἡ, Formicinus, Qualis formicarum est, Formicis proprius. Plut. Π. φιλοπλ. [p. 525, E] : Καὶ ταῦτα πρὸς τὴν μυρμηκώδη λέγω φιλοπλουτίαν· Π. ἀοργ. [p. 458, C] : Τὸ δ' ἐμφῦναι καὶ δακεῖν, μυρμηκώδες καὶ μυῶδες, Formicarum et murium est, Formicas et mures decet. [Suidas v. Σέρφος.]

[Μυρμηκώεις, εσσα, εν, Verrucosus. Marcell. Sid. 97 : Μυρμηκώεντα κάρηνα.]

Μύρμηξ, ηκος, ὁ, a μύρμος derivatur, idem cum eo significans, h. e. Formica [Gl. Eadem : Μύρμηκες, Bombites. Primus memorat Hesiod. ap. schol. Apoll. Rh. 1, 156, Pind. Nem. 3, 21, Æsch. Prom. 453 : Ὥστ' ἀήσυροι μύρμηκες, aliique poetæ, tum Aristot., Theophr. et al. Improprie Æschrio ap. Walz. Rhett. vol. 3, p. 651, annot. 10 : Ναῦται θαλάσσης ἐστρέφοντο μύρμηκες]. Pro eo Dorice Μύρμαξ dicitur. [Theognost. Can. p. 40, 20.] Theocr. 9, [31] : Τέττιξ μὲν τέττιγι φίλος, μύρμακι δὲ μύρμαξ· 15, [45] : Μύρμακες ἀνάριθμοι καὶ ἄμετροι· 17, [107] : Μυρμάκων ἅτε πλοῦτος ἀεὶ κέχυται μογεόντων. [Aliud genus memorat Herodot. 3, 102 : Ἐν τῇ ἐρημίῃ ταύτῃ (Indiæ) καὶ τῇ ψάμμῳ γίνονται μύρμηκες, μεγάθεα ἔχοντες κυνῶν μὲν ἐλάσσονα, ἀλωπέκων δὲ μέζονα, et pluribus deinceps, quæ obversata videntur Dioni Chr. Or. 35, p. 73. De iisdem Strabo 2, p. 70 et alibi. Recentiorum opiniones v. ap. intt. Herodoti. || Genus leonum. Strabo 16, p. 774 : Πληθύει δ' ἡ χώρα (ora Arabiæ) λέουσι τοῖς καλουμένοις μύρμηξι· ἀπεστραμμένα δ' ἔχουσι τὰ αἰδοῖα καὶ χρυσοειδεῖς (εἰσι) τὴν χρόαν, ψιλότεροι δὲ τῶν κατὰ τὴν Ἀραβίαν. Agatharch. De Rubro mari p. 49 Huds.] At μύρμηκας γυιοτόρους quidam [Christod. Ecphr. 226] dixisse fertur τοὺς πυκτικοὺς ἱμάντας [quomodo interpretatur Hesychius], Cæstus pugilum, quoniam artus perforant ac mordicant formicarum modo. [Μύρμηξ πυκτῶν, Cestus, Gl. Pollux 3, 150 : Μύρμηκες δὲ τὰ ὅπλα (pugilum). Hesych. v. Ἱμάς. || Scopulus, ut μύρμος, quod v. Lycophr. 878 : Θῖνες οἵ τε Ταυχείρων πέλας μύρμηκες. Schol. ὕφαλοι vel παραθαλάσσιοι πέτραι. V. Μύρμηξ n. pr.]

[Μύρμηξ, κος, ὁ, Myrmex, scopulus (de quo signif. v. in substant.) inter Sciathum et Magnesiam Thessaliæ. Herodot. 7, 183. (Myrmeces scopuli in sinu Smyrnæo memorantur Plin. N. H. 5, 29, 119.) Insula Cyrenaicæ adjacens, Ptolem. 4, 4. Locus Samothraciæ, ut videtur, ap. Nonn. Dion. 13, 397 : Ἀγχίαλον Μύρμηκα. Μύρμηξ καλουμένη κώμη memoratur Eustathio Opusc. p. 146, 60, 64. || Pater Melites, a qua dictus demus Att. Melite, sec. Hesiod. ap. Harpocrat. s. Photium v. Μελίτη. Alius Atheniensis, Aristoph. Ran. 1506, et rursus alius ap. eund. Thesm. 100 : Μύρμηκος ἀτραποὺς ἢ τί διαμινύρεται. Ubi schol. : Ὡς λεπτὰ καὶ ἀγκύλα ἀνακρουομένου μέλη τοῦ Ἀγάθωνος· τοιαῦται γάρ αἱ τῶν μυρμήκων ὁδοὶ, Photius vero : Μύρμηκος ἀτραπὸς, ἐν Θεσμ. Ἀρ. ἀντιφωνεῖ ἤ τι τοιοῦτο διὰ τὴν βραχύτητα. Ἔστιν Ἀθήνησι Μύρμηκος ἀτραπὸς ἐν Σκαμβωνιδῶν ἀπὸ Μύρμηκος τοῦ Μελανίππου τοῦ Κύκλωπος τοῦ Ζευξίππου, similibusque verbis Hesychius. (Qui ponit etiam : Μυρμήκων ὁδοὶ, Ἀθήνησι τόπος, καὶ αἱ μονόκωλοι τρίβοι, ἀπὸ τῆς τοῦ ζῴου ὁμοιότητος κατὰ τὴν ὁδὸν γινομένου.) Ad quam viam allusisse quidem Aristophanem credibile est, sed quum non appareat quomodo hoc referri ad musicam possit, recte alii prætulerunt interpretationem schol., commendatam etiam loco Pherecratis in Μυρμήκιον citato. Alius Μύρμηξ est in inscr. ap. Bœckh. vol. 1, p. 397, n. 287, 10. Et fortasse vol. 2, p. 156, n. 2115, ubi Μυρμ., quod Μυρμηκίωνι esse putavit Kœhlerus, sed potuit fortasse, si longius nomen desideratur, esse etiam Μυρμηκίδῃ.]

[Μυρμιδόνες, Μυρμιδονία. V. Μυρμηδών.]

[Μυρμιδονεὺς, ὁ, Myrmidoneus, n. pr. in inscr. Paria ap. Thiersch. *Abhandl. der philos. Classe der Bayer. Ak. der Wiss.* vol. 1, 1835, p. 601, 1. HASE.]

[Μυρμιδὼν, όνος, ὁ, Myrmido, f. Jovis. Apoll. Rh. 1, 55, Apollod. 1, 7, 5, Orph. Arg. 132. Atheniensis præfectus Ptolemæi, ap. Diod. 19, 62.]

[Μυρμισσὸς, πόλις περὶ Λάμψακον, ὡς Πολέμων. Τὸ ἐθνικὸν Μυρμίσσιος, Steph. Byz. Supra Μερμησσὸς, ut conjicit Berkelius.]

Μύρμος, ὁ, Formica. Hesychio enim μῦρμοι sunt μύρμηκες. [Etym. M. p. 534, 33 : Ὡς παρὰ τὸ ἱερὸς γίνεται ἱέραξ, καὶ μύρμος μύρμαξ, οὕτω καὶ κόχλος κόχλαξ. Lycophr. 176 : Μύρμων τὸν ἐξάπεζον ἀνδρώσας στρατόν. ‖ Scopulus marinus, ut supra μύρμηξ. Lycophr. 890 : Δείξαντι πλωτὴν οἶμον, ἣ διὰ στενῶν μύρμων ἐνήσει Τῖφυς ἄθραυστον σκάφος. Schol. πετρῶν θαλασσίων.]

Μύρμος, Hesychio φόβος. [Pro μόρμος.]

[Μυρμοτέττιξ, ιγος, ὁ. Tzetz. Hist. 11, 137 : Μυρμοτεττίγων μῦθος, i. e. ὁ τῶν μυρμήκων καὶ τῶν τεττίγων. Aphthon. Progymn. p. 18. ELBERL.]

[Μυρμύρω.] Μυρμύρων s. μορμύρων, Hesychio ταράσσων, Turbans. Sed poni ait etiam ἐπὶ ποταμῶν ἐχόντων ῥεύματα. [Pro μορμύρων, quod v.]

[Μυρνίον, Mitra, Gl.]

Μυροβάλανος, ἡ, Myrobalanus : Glans unguentaria; alio nomine dicta βάλανος μυρεψική, s. ἡ τῶν μυρεψῶν βάλανος. Ita enim Aetius l. 10, c. 11 : Ἡ τῶν μυρεψῶν βάλανος, ἣν μυροβάλανον καλοῦσι. [Aret. p. 107, 26.] Archigenes ap. Galen. τῶν Κατὰ τόπους l. 5, Αἰγυπτίαν βάλανον nominare dicitur. Plinius et ipse myrobalanum nominat [12, 21 : «Ex ea fiebat unguentum quoddam odoratum, quo capilli ungebantur.» Eodem id nomine vocatur et legitur in titulo Epigr. 14, 57 Martialis, qui sic explicat : Quod nec Virgilius, nec carmine dixit Homerus, Hoc ex unguento constat, et ex balano. Cels. 4, 9, Græcis literis scribit. Diosc. 4, 160 : Βάλανος μυρεψικὴ καρπός ἐστι δένδρου μυρίκῃ ἐοικότος, ὅμοιος τῷ λεγομένῳ Ποντικῷ καρύῳ · 2, 148 : Φοῖνιξ ἐν Αἰγύπτῳ γίνεται, τρυγᾶται δὲ μεσοπωρούσης τῆς κατὰ τὴν ὀπώραν ἀκμῆς, παρεμφέρων τῇ Ἀραβικῇ μυροβαλάνῳ. Infimæ ætatis Græci τὸν φοινικοβάλανον vocarunt βάλανον μυρεψικήν. Alex. Trall. 8, 8 : Φοινικοβάλανος δὲ, ὃν καὶ μυροβάλανον ὀνομάζουσι, εἰ μὴ δι' ὀξυκράτου πίνεται, αὐτίκα ἐμέτῳ ἀναβάλλεται. Sed cur sic vocarit Trall., imaginari nequit Bod. ad Theophr. p. 97, quippe quod palmæ glandique unguentariæ facultas dissimilis sit. Dioscor. tamen l. c. phœnicobalanum maturam palmam vocat, quum immaturam et adhuc viridem comparet myrobalano. Conf. Salm. in Solin. p. 930. Myrobalanum tam Græci quam Latini auctores antiquiores feminino genere proferunt, quum ἀπὸ τῆς βαλάνου feminini generis nomine vox hæc conflata sit; posteriores vero et barbari, grammaticorum præceptis non satis instructi, bonosque auctores neque observantes neque morantes, ad hunc usque diem masculinum genus myrobalani vocabulo tribuunt, notante Bod. ad Theophr. p. 300. ANGL. Galen. vol. 14, p. 228, 4 : Ἡ μ. τὸν σπλῆνα ὤνησεν. Id. tamen ib. p. 760, 10 : Τὰ μυροβάλανα · et Hippiatr. p. 140, 26 : Μ. ἀποπιεσθέντι. HASE. Oribas. p. 69, 12, 5 Mai. : Τῷ μυροβαλάνῳ. L. DIND.] Apud Aristot. De plant. l. 2, c. ult., μυροβάλανοι arbores quædam sunt, de quibus eum vide. [Non intelligit auctor hic vulgatam myrobalanum, quæ in prunorum, neutiquam glandium, aut palmulorum classem referri debet, sed glandem unguentariam, notante eod. Bodæo ibid. p. 299. Sprengel. H. R. H. p, 218 : «Nicolaus Myrepsicus 1, 24, μυροβαλάνους ἔμπλετζ Phyllanthum Emblicam, cum Actuario Meth. med. 5, 8, vocat.» ANGL.]

[Μυροβαφὴς, ὁ, ἡ, Unguento delibutus. Clem. Alex. Pædag. 2, p. 235, 22 : Τόν τε μυροβαφῆ ἐκεῖνον κροκωτόν. Schol. in marg. Reg. et Bodl. : Μυροβαφῆ τοῦτον λέγει, διὰ τὸ ἐκ κρόκου μολύνεσθαι, ἔστι δὲ λεπτόν τε καὶ ἀρεοστήμονον ὕφασμα. Pro ἀρεοστήμονον leg. ἀραιόστημον. ANGL.]

[Μυροβλῦσία, ἡ, Unguenti emanatio. Philes p. 236 Wernsd. BOISS.]

[Μυροβλυτέω, Odorem unguenti spargo. Eust. Opusc. p. 167, 61 : Οὐκοῦν σοι ἀντεδόθη μυροβλυτεῖν μετὰ θανά-
A τον · 64 : Ἐντεθησαύρισαι μὲν τάφῳ, ἀλλ' ὅμως αἱματόρρυτα χεύματα μυροβλυτεῖς.]

[Μυροβλύτης, ὁ, Sanctus cujus reliquiæ odoriferum unguentum miraculose exudant. Horum seriem contexuit, laudatis auctorum locis, Ducang. Gloss. Lat. v. Manna. ANGL. «Μυροβλύτης μάρτυρ, Sanctus Demetrius, ap. Nicetam in Andronico 1, 7, qui Μυρορόης Δημήτριος appellatur a Jo. Stauracio Chartophylace Thessalonicensi Orat. in eund. S. Demetrium. V. Synaxaria in S. Myrope 2 Decemb. et in S. Mirace 2 ejusd. mensis, in S. Floro 18 Aug.» DUCANG. Gloss. Gr. Euthymius ap. Tafel. De Thessalon. p. 395, 3, 4 : Ὁ ἐν μάρτυσι μυροβλύτης. «Nessel. Codd. Theol. p. 366.» BAST. Βάρβαρον dicitur in Bachm. Anecd. vol. 2, p. 377, 6. Frequens est etiam apud Eustath. in Opusculis. Qui utitur etiam forma Μυρόβλυτος, ὁ, ἡ, p. 166, 13 : Ποταμοὶ ἅμα τε αἱματόρρυτοι καί γε μυρόβλυτοι · 26 : Τὰς μυροβλύτους ἀπλέτους διεχχύσεις · 170, 52 : Τοὺς μυροβλύτους πρὸς θεοῦ τὸ τοιοῦτον μεγαλεῖον αὐτοὺς ἐξαιτήσασθαι. L. D. Femin. ap. Jo. Anagn. De exc. Thess.
B c. 16 : Τῆς ὁσίας καὶ μυροβλύτιδος Θεοδώρας. HASE.]

[Μυροβόστρῦχος, ὁ, ἡ, Qui capillis est unctis. Meleager Anth. Pal. 5, 147, 5 : Μυροβοστρύχου Ἡλιοδώρας.]

[Μυροβρεχὴς, ὁ, ἡ, Unguento madens. Sueton. Aug. c. 86 : «Μυροβρεχεῖς cincinnos.» Maccab. 3, 4, 6 : Κόνει τὴν μυροβρεχῆ πεφυρμέναι κόμην.]

[Μυρόβροχος, ὁ, ἡ, i. q. præcedens. Pallad. De Brachm. 52.]

[Μυροδοτέω, Liquorem edo, qualem solent sanctorum cadavera (v. Μύρον). Theophanes a. 26 Copronymi de S. Euphemia : Μὴ φέρων ὁρᾶν μυροδοτοῦσαν αὐτὴν ἐπὶ παντὸς τοῦ λαοῦ. Μυροδοτοῦσα εἰκὼν in Vita Ms. S. Theodori Syceotæ. DUCANG. V. Μύρον.]

[Μυροδότης, ὁ, Qui oleum dat s. ministrat, inter officiales ecclesiæ Cpolitanæ recensetur in cod. Allatiano ap. Goarum, ejusque functio ita describitur : Ὁ μυροδότης, ἵνα ὑποκρατῶν τὸ ἅγιον μύρον, καὶ ὅπου τὸ ὁρίζει ὁ ἀρχιερεὺς τὸ δοῦναι μύρον. DUCANG.]

[Μυρόδοτος λάρναξ, Liquorem (ut sancti, de quo v. in Μύρον) edens, de S. Demetrii sepulcro, ap. Jo. Ana-
C gnosten Excid. Thessalonic. c. 16. DUCANG. V. Μύρον.]

[Μυροδόχος, ὁ, ἡ, Qui unguentum recipit, continet. Euthym. Zigab. in Matth. Lectt. Mosq. 1, p. 10. BOISS. Jo. Anagn. De exc. Thessal. c. 16 : Τῆς μ. τιμίας λάρνακος. HASE. Athanas. vol. 2, p. 387.]

[Μυρόεις, εσσα, εν, Unguento unctus. Erycius Anth. Pal. 6, 234, 5 : Μυρόεντα βόστρυχον. Manetho 4, 305 : Μοιχευταὶ μυρόεντες. Epim. Hom. Cram. Anecd. vol. 1, p. 121, 12.]

Μυροθήκη, ἡ, Unguentorum apotheca s. repositorium : vel etiam Unguenti conditorium : ut alabastrum, Vas unguentarium. [Pseudochrys. t. 6, p. 682, A ed. Par. alt. : Ἄκροις τοῖς δακτύλοις ἐφαψάμενοι τῆς μ. ἐκείνης. Vita Sebastianæ Actt. SS. Junii t. 6, p. 70, 13 : Μυροθηκῶν ἄγγος. HASE. Etym. M. p. 55, 33 : Ἀλάβαστρον ... σκεῦός τι ἐξ ὑελοῦ ἢ μυροθήκη.]

Μυροθήκιον, τὸ, itidem Unguentorum apotheca. Cic. Epist. ad Att. 2, 1 : Meus autem liber totum Isocratis μυροθήκιον atque omnes ejus discipulorum arculas, ac nonnihil etiam Aristotelica pigmenta consumpsit.

D [Μυροκομίστρια. V. Μυροφόρος.]

[Μυρόλωτος, ὁ, Lotus. Lexicon Cyrilli Ms. et Glossæ ex cod. Reg. 1608 : Λωτὸς, τὸ γλυκυκάλαμον, ἡ (ἣ) βοτάνη εὐοδεστάτη (εὐωδ.), ἣν ἔνιοι Μυρόλωτον κικλίσκουσι (κικλήσκ.). DUCANG. Eadem Photius s. Suidas, schol. Luciani et Zonar. p. 1324, ubi cod. A μυράλωτον. Μυρόλυτρον vitiose Cyrillus Schowii Suppl. Hesychii p. 513. V. Μυλόρωτος.]

Μύρομαι, Fleo, Ploro, Lamentor : ut Hesych. quoque μυρομένη exp. ὀδυρομένη. Hom. Od. Τ, [119] : Οἴκῳ ἐν ἀλλοτρίῳ γοόωντά τε μυρόμενόν τε ἧσθαι · Il. Σ, [234] : Φίλοι δ' ἀμφέσταν ἑταῖροι μυρόμενοι · Τ, [213] : Ἀμφὶ δ' ἑταῖροι μύρονται. [Theocr. 16, 31 : Ὄφρα καὶ εἰν Ἀΐδαο κεκρυμμένος ἐσθλὸς ἀκούσῃς μηδ' ἀκλεὴς μύρηαι ἐπὶ ψυχρῷ Ἀχέροντος. Bion 1, 68 : Μηκέτ' ἐνὶ δρυμοῖσι τὸν ἀνέρα μύρεο, Κύπρι. Mosch. 3, 90 : Οὐ τόσον Ἀλκαίῳ πέρι μύρατο Λέσβος ἐραννὰ, οὐδὲ τόσον τὸν ἀοιδὸν ἐμύρατο Τήιον ἄστυ. Apoll. Rh. 3, 657 : Νύμφη πόσιν μύρεται. Et cum accus. rei 4, 605 : Κοῦραι Ἡλιάδες μύρονται κινυρὸν μέλεαι γόον.] || Significat etiam Fluo. Apoll. Arg. 2, [371] de Thermodonte fluvio : Θεμισκύρειον ἐπ' ἄκρην Μύρεται, εὐρείης διαειμένος ἠπείροιο· ubi schol. exp. ἐκρεῖ, Effluit. [Lycophr. 982 : Ῥείθροισιν ὠκὺς ἔνθα μύρεται Σίνις.] Apud Hesych. reperio etiam μύροντο pro ἐβρέχοντο. Etym. et activi Μύρω meminit, exponens ῥέω, Fluo, Stillo. Eust. innuit μύρω esse χέω, Fundo : indeque esse μορμύρω, et ἁλιμυρήεις, necnon μύρον inde dici τὸ πρῶτον ἐκχυθὲν δάκρυον ἀπὸ Μύῤῥας τῆς τοῦ Θείαντος. Sane μύροντο exp. ἐχέοντο, Fundebantur quasi et liquescebant lacrymis. Possit igitur huc referri μῦρον quod pro θρῆνον accipiunt in hoc l. Hesiodi, Sc. 132, de jaculis Martis : Πρόσθεν μὲν θάνατόν τ' εἶχον καὶ δάκρυσι μῦρον, dicique potius id μῦρον esse aor. 2 pro ἔμυρον : ut sensus sit, In anteriore sui parte mortem habebant, et lacrymis fluebant, pro Mortem et lacrymas afferebant ei quem tetigissent : alioqui cum δάκρυσι subaudiendum foret ἐπὶ, σὺν, aut ἅμα, si μῦρον esset nomen accusativi casus. [Conf. Apoll. Rh. 4, 666 : Αἵματί οἱ θάλαμοί τε καὶ ἕρκεα πάντα δόμοιο μύρεσθαι δόκεον.] Μυρεῖν, Hesychio ὕδωρ ῥεῖν : item ἠχεῖν : necnon κλαίειν, θρηνεῖν, ὀλοφύρεσθαι. Sed scrib. potius μύρειν. [Æque vitiosa forma schol. Hom. Il. A, 1, p. 2, 8 : Μυρία, τινὲς θρηνητικὰ παρὰ τὸ μυριᾶσθαι, καὶ ἐπίθετον αὐτὸ τῶν ἀλγέων ἤκουσαν, ἐφ' οἷς μυριᾶσθαι καὶ τὸ κλαῦσαι. Nam μύρεσθαι Eust. ῡ]

Μύρον, τὸ, Unguentum, [Murra, add. Gl. Æsch. fr. Amymon. ap. Athen. 15, p. 690, C : Τὰς σὰς βακχάρεις τε καὶ μύρα. Soph. fr. Conv. ap. Athen. 1, p. 17, D : Κατάγνυται τὸ τεῦχος οὐ μύρου πνέον. Eur. Or. 1112 : Ἐνόπτρων καὶ μύρων ἐπιστάτας. Aristoph. Lys. 47 : Τὰ μύρα, et alibi utroque numero. Locutionum μύρῳ ἀλείφεσθαι et χρίεσθαι exx. plura v. in illis vv.] Athen. 1, [p. 18, E] : Μύροις ἀλειφομένους. Et 5 : Λουομένους τῷ μύρῳ. Sic ap. Eund. 2, [p. 48, C] Ephippus, Λούομαι μύροις ψακαστοῖς. Et 12, [p. 548, C] Anaxilas : Ξανθοῖς τε μύροις χρῶτα λιπαίνων. Idem 2, [p. 46, A] dicit, Συγχρίεσθαι τὴν κεφαλὴν μύρῳ· ut 3, [p. 101, C] ap. Eund. Archestratus jubet σταχτοῖσι μύροις ἀγαθοῖς χαίτην θεραπεύειν. Unde alibi ap. Eund. χαίτης ἀμπεχόνη μύρων ἔμπνοος. Idem 12, [p. 553, A] : Τοὺς πόδας ἐναλείφειν μύροις. Et l. 5, [p. 195, C] : Ἐκ χρυσῶν καλπίδων μύροις ῥαίνειν, Unguentis aspergere : unde ap. Eund. 12 : Ῥάσματα μύρων ἔπιπτεν ἐπὶ τὴν γῆν. Ap. Plut. vero [c. 22] Artoxerxes, Λαβὼν ἕνα τῶν ἀνθινῶν στεφάνων, καὶ βάψας εἰς μύρον τὸ πολυτελέστατον, ἔπεμψε τῷ Ἀνταλκίδᾳ. Et ap. Ælian. V. H. 12, [31] Græci μύρον οἴνῳ μιγνύντες, οὕτως ἔπινον, καὶ ὑπερηναγκάζοντο [ὑπερηγάζοντο] τὴν τοιαύτην κρᾶσιν, id vinum nominantes οἶνον μυρίνην. Unde et Juvenal. Sat. 6, [303] : Quum perfusa mero spumant unguenta Falerno. [V. Athen. 2, p. 66, D. Cibis additum v. ap. Plut. Cæs. c. 17 : Παραθέντος ἀσπάραγον καὶ μύρον ἀντ' ἐλαίου καταχέαντος. Unde prov. μύρον ἐπὶ φακῇ, de quo conf. Strattis et al. ap. Athen. 4, p. 160, B, C, sive Aristot. De sensu c. 5 med.] Sunt autem varia μύρων genera : ut σταχτὰ et ψακαστὰ μύρα, ap. Ephipp. et Archestr. [ll. citt.]; quibus opponuntur τὰ παχέα ap. Athen. 12 [immo 2, p. 46, A] et ξανθὰ μύρα, ap. Anaxilam [l. cit.] : a materia præcipua ex qua fiunt, dicta ἀμαράκινα, ἑρπύλλινα, ἴρινα, κιναμώμινα, κρίνινα, κρόκινα, μήλινα, νάρδινα (quæ Galeno Ad Glauc. sunt μύρα τὰ διὰ ναρδοστάχυος σκευαζόμενα), ῥόδινα [de quibus v. Foes. Œcon. Hipp., qui modo μύρον dicit modo ἔλαιον], σισύμβρινα, [λιβανώτινα, Athen. 15, p. 689, B ; λευκόϊνα ib. D; τήλινα, 5, p. 195, D; 15, p. 689, D; φοινίκινα, 12, p. 553, D. Conf. 2, p. 46, A ; 10, p. 439, B]; a loco Αἰγύπτια [Athen. 2, p. 66, D; 15, p. 689, B, et Hippocr., de quo v. Foes., Βαβυλώνια ap. eund. 15, p. 692, C. Παναθηναϊκὰ ib. p. 688, F], Χία [Χῖα], ap. Athen. [15, p. 688, F.] V. Dioscor. 1, [52. Athen. 15, p. 688, C : Τῷ δὲ τοῦ μύρου ὀνόματι πρῶτος Ἀρχίλοχος κέχρηται, λέγων· Οὐκ ἂν μύροισι γραῦς ἐοῦσ' ἠλείφετο, καὶ ἀλλαχοῦ δ' ἔφη, Ἐσμυρισμένας (Ἐσμυρισμένη Wakef. Silv. crit. 4, p. 43) κόμας καὶ στῆθος, ὡς ἂν καὶ γέρων ἠράσσατο· μύρρα γὰρ ἡ σμύρνα παρ' Αἰολεῦσι, ἐπειδὴ τὰ πολλὰ τῶν μύρων διὰ σμύρνης ἐσκευάζετο, καὶ ἥ γε στακτὴ καλουμένη διὰ μόνης ταύτης. « Vocis μῦρον, quæ omne Unguenti genus Græcis significat, melius originem explicat philologus,

A quam grammatici vulgo faciunt, qui a Myrrha, nota e fabulis poetarum, ridicule id verbum explicant » (v. Etym. M. p. 595, 29, Eustath. Il. p. 1168, 31, nempe ab eadem, quæ Græcis alias σμύρνα, de qua v. Apollod. 3, 14, 4, et Hygin. Fab. 58), « vel παρὰ τὸ μύρεσθαι, Gemere, ineptissime. Athenæi vero sententiam non sunt interpretes assecuti, quia male ista ceperunt, Μύρρα γὰρ ... Athenæus hoc voluit, μῦρον dictum quasi μύρρον, ab Æolica voce μύρρα, quæ Myrrham significat. Nam quia, inquit, pleraque unguenta mixta myrrha componuntur, quædam etiam sola myrrha constant, ut stacte; usus obtinuit, ut ἀπὸ τῆς μύρρας omnia unguenta μῦρα nominarentur. Hæc mens auctoris; cui equidem assentior, neque dubito, μῦρον vocem, Homero et primis Græcorum incognitam, tunc primum Græciæ innotuisse, quando Asiaticorum unguentorum primam notitiam habere cœperunt. Μῦρον igitur est mor Hebræorum, i. e. myrrha, ut recte censet Noster. » Casaub. « Abrupta vero in ipso illo initio, μύρρα γὰρ etc. atque, ut equidem B vereor, defecta est Athenæi oratio. Casauboni utique interpretationi, quæ alioquin perquam probabilis nobis videtur, vix constat ratio, nisi in ipso initio, ante verba μύρρα γὰρ, intercidisse statuas verba quædam in hanc sententiam, ὠνόμασται δὲ τὸ μύρον ἀπὸ τῆς μύρρας, cum quibus cohæreant ista ἐπειδὴ τὰ πολλὰ etc., ita quidem, ut hæc (μύρρα γὰρ ἡ σμύρνα παρ' Αἰολεῦσι) in parenthesi posita intelligantur. Nunc quum desint prædicta verba, contraria plane ratione locum istum Salm. in Solin. p. 499, interpretatus est, quasi Æolensium voc. μύρρα a Græcis μύρον derivatum Athen. statuisset. ‹ Hinc et μύρραν, inquit, Æoles vocarunt quæ ceteris Græcis σμύρνα, quia μύρρον geminata litera canina dicebant, quod Græci μύρον. Eam literam multum amarunt Æoles. Quod igitur complura unguenta non sine myrrha fierent, et ipsa per se pretiosum esset unguentum, propterea μύρραν Æoles vocarunt, quæ ceteris Græcis σμύρνα. Athen., Μύρρα μὲν ἡ σμύρνα παρ' Αἰολεῦσι, etc. Nobis, potior videtur Casauboni interpretatio, sed ita, ut nonnulla C in eam, quam diximus, sententiam suppleantur. » Schweigh. Notandus præterea usus voc. de homine ap. Marc. Argent. Anth. Pal. 5, 113, 3 : Ἡ δὲ πάρος σε καλεῦσα μύρον καὶ τερπνὸν Ἄδωνιν Μηνοφίλα νῦν σοῦ τοὔνομα πυνθάνεται. || De loco ubi venduntur unguenta, Aristoph. Eq. 1375 : Τὰ μειράκια ταυτὶ λέγω τἀν τῷ μύρῳ. Ubi monuit schol., ut de plurali schol. Eur. Med. 68. Polyzelus ap. schol. Arist. Pl. 550 : Ἐν τῷ μύρῳ παρ' Ἀθηναίων μακαρίζεται. || De usu eccles. Ducang. : « Μύρον, i. q. ἔλαιον, de quo suo loco, vel sacrum chrisma. Anthologium ult. Octob. p. 44, v. δοξολογία μεγάλη καὶ ἀπόλυσις : Δίδοται καὶ ἅγιον μύρον ἐκ τοῦ ἁγίου. Cedren. a. 23 Constantii : Πρῶτον ἐπενόησε τὸ μύρον ἐν τῇ ἐκκλησίᾳ ἐπὶ παντὸς τοῦ λαοῦ ἁγιάζεσθαι. Et alii. || Liquor e sanctorum cadaveribus promanans quem alii Manna vocant. Vita Ms. S. Dalmati archimandritæ : Καὶ τρισόσιον αὐτοῦ λείψανον μύρον ἀνέβλυσεν ἐκ τοῦ ἱεροῦ αὐτοῦ τύμβου εὐωδίαν πνέοντα τοῦ ἁγίου πνεύματος. Aliique Byzantini. » De accentu Herodian. Π. μον. λ. p. 38, 31, ubi male μῦρον, ut sæpius ap. D alios. || Formam novitiam Μύρος memorat Coraes ad Heliodor. vol. 2, p. 132.]

Μυροπισσόκηρος, ὁ, compositi medicamenti genus (Soranus) ap. Galen. τῶν Κατὰ τόπ. 1, titulo πρὸς τοὺς παρ' ἡλικίαν φαλακρουμένους, in pharmaco quodam symbolicωs scripto. Existimat autem Gal. μυροπισσοκήρου dictum pro πίσσης καὶ κηροῦ τετηκότων μύρῳ τινὶ τῶν πρὸς τὰ τοιαῦτα δοκούντων ἁρμόττειν, Picis et ceræ liquatorum unguento aliquo quod ad ejusmodi convenire videatur : qualia sunt, γλεύκινον, δάφνινον, σχίνινον, σησάμινον, κέδρινον. [Glossæ botan. Colberteæ Mss. : Μυροπισσόκηρι, πίσσα μετὰ κηροῦ. Ducang.]

[Μυρόπνοος, s.] Μυρόπνους, ὁ, ἡ, Unguentum s. unguenta spirans. [Meleager] in Epigr. l. 5 [Anth. Pal. 12, 95, 1] : Ἥ τε μυρόπνους Πειθώ. [Marc. Arg. ibid. 5, 16, 3 : Μυρόπνοος ᾤχετ' Ἀρίστη.] Pro quo reperitur etiam Μυρίπνους ap. Plut. Probl. Hellen. [p. 295, A], ex Archyta Amphissensi : Τὴν βοτρυοστέφανον μυρίπνουν μακύναν ἐρανήν [Μάκυναν ἐραννήν. Macedon. Anth. Pal. 11, 27, 1 : Συρρέντου... μυρίπνοε... κονίη. Philo ap.

Galen. vol. 13, p. 608; Michael Nicetas ap. Tafel. De **A** Thessalon. p. 386, B.]

[Μυρόπνους, ὁ, Myropnus, n. viri fictum, ap. Lucian. Fugit. c. 32.]

Μυροποιὸς, ὁ, ἡ, Qui unguenta conficit : ut μυροποιοὺς τεσσαράκοντα repertos scribit Athen 13, [p. 608, A : Ποτηματοποιοὺς ἑπτακαίδεκα, οἰνοηθητὰς ἑβδομήκοντα, μυροποιοὺς τεσσαράκοντα,] inter impedimenta Darii. [Anacreon ap. Polluc. 7, 177.]

Μυροπόλος, ὁ, Qui circa unguenta versatur, Unguentarius. [Etym. M. p. 595, 31 : Μυροπόλος· εἰ μὲν ὁ τὰ μύρα πωλῶν, τὸ πω μέγα, εἰ δὲ ὁ περὶ τὰ μύρα ἀναστρεφόμενος, μικρόν· 37, 50 : Τὰ παρὰ τὸ πολῶ μὴ μετὰ προθέσεως συντεθέντα, πρὸ μιᾶς ἔχει τὸν τόνον, οἷον ὀνειροπόλος, θυηπόλος, μυροπόλος, αἰπόλος· πρόσκειται μὴ μετὰ προθέσεως, διὰ τὸ πρόσπολος, ἀμφίπολος.]

Μυροπωλεῖον, s. Μυροπώλιον, τὸ, Locus ubi unguenta venduntur, officina unguentaria [Seplatarium, Gl.] : Myropolion Plauto etiam [Epid. 2, 2, 25, Amph. 4, 1, 3]. Prius, ap. Aristoph. legitur [immo schol. Eq. 1375, cui tamen ex cod. Ven. restituendum μυροπώλιον, pariterque Alciphr. 3, 24], posterius ap. Suidam, **B** [Demosth. p. 786, 7; 911, 13, Lysiam p. 754, 5, Clem. Al. Pæd. p. 297, 5.]

[Μυροπωλέω.] Μυροπωλεῖν, Unguenta vendere : Aristoph. ap. Polluc. [7, 177. Athen. 15, p. 687, A : Σόλων διὰ τῶν νόμων κεκώλυκε τοὺς ἄνδρας μυροπωλεῖν. L. D. Artemid. Onir. 4, 27 : Ἐπαύσατο μυροπωλῶν. Hase.]

Μυροπώλης, ὁ, Unguentorum venditor, Unguentarius, [Unguentarius, Seplatiarius, Gl. Lysias ap.] Athen. 13, [p. 612, E : Ἑρμαίου τοῦ μυροπώλου, et] Αὐτὸν δὲ ἀντὶ καπήλου μυροπώλην ἀπέδειξεν. [Erat ergo μυροπώλου, Apothecarii, ut nos usurpamus, jam tum quoque dignitas amplior, quam καπήλου, cauponis vinarii et tabernarii, notante Reisk. Ind. Lysiæ. Athen. 12, p. 552, F : Δεινίαν τὸν μυροπώλην. Xenoph. Conv. 2, 4. Pollux 7, 177; Hesych. v. Ῥωποπῶλαι. L. D. Galen. vol. 14, p. 24, 12; 51, 16; 53, 7. Id. ib. p. 30, 14 : Οὐδεὶς γοῦν ἐστὶ τῶν μυροπωλῶν· et p. 10, 9 : Τοὺς ἐν Ῥώμῃ μ. Hase. Mire Tzetz. in Cram. Anecd. vol. **C** 3, p. 363, 28 : Ἡ τρεῖς μυροπώλας ἐργαστηριακὰς οἰκήσεις.]

[Μυροπώλιον. V. Μυροπωλεῖον.]

[Μυρόπωλις, ιδος, ἡ, Unguentaria.] Μυροπώλιδες Aristoph. [Eccl. 841] : Κρατῆρας ἐγκιρνᾶσιν αἱ μυροπώλιδες, Unguentorum venditrices, Unguentariæ. [Asclepiad. Anth. Pal. 5, 181, 10 : Νῦν δὲ πρὸς Αἴσχραν τὴν μυρόπωλιν ἰών. Μυρόπωλις, porticus Megalopolis Arcadiæ est ap. Pausan. 8, 30, 7.]

[Μυρόροδον, τό. Ctesias Ind. c. 28, p. 49, 33 : Ὅτι ἐστὶ δένδρα ἐν Ἰνδοῖς ὑψηλὰ ὥσπερ κέδρος ἢ κυπάριττος, τὰ δὲ φύλλα ὥσπερ φοῖνιξ, ὀλίγον πλατύτερα, καὶ μασχαλίδας οὐκ ἔχει· ἀνθεῖ δὲ ὥσπερ ἡ ἄρσην δάφνη, καρπὸν δ' οὐκ ἔχει· ὀνομάζεται δὲ Ἰνδιστὶ μὲν Κάρπιον, Ἑλληνιστὶ δὲ Μυροῤῥόδα· ἔστι δὲ σπάνια· ῥέουσι δὲ ἐξ αὐτῶν ἐλαίου σταγόνες, οὓς ἐρίῳ ἀναψῶντες ἀπὸ τοῦ δένδρου, ἀποπιέζουσιν εἰς ἀλαβάστρους λιθίνους· ἔστι δὲ τὸ μὲν χρῶμα ἀτρέμας ὑπέρυθρον καὶ ὑπόπαχυ, ὄζει δὲ πάντων ἥδιστον.]

[Μυρόῤῥαντος, ὁ, ἡ, Unguento conspersus. Meleager Anth. Pal. 5, 198, 2 : Ὦ τὸ μυρόῤῥαντον Τιμαρίου **D** πρόθυρον.]

[Μυροῤῥοᾶς, ὁ, Unguentum stillans. Eust Opusc. p. 172, 46 : Τοῖς μυροῤῥοαῖς. Jo. Stauracius in Fabric. Bibl. Gr. vol. 10, p. 219. Boiss. V. Μυροβλύτης.]

Μύρος, ὁ, Myrus s. Murus : piscis qui et σμύρος dicitur [Hesychio, apud quem μῦρος scriptum. V. autem Μύραινα].

[Μύρος, i. q. μύρον, quod v.]

[Μύρος, ὁ, Myrus, fl. V. Μύρα. Archon Att. ol. 70, 1, ap. Dionys. A. R. 5, 50, ubi tamen Σμύρου pro Μύρου cod. Vat., quod certe Σμύρνου dicendum foret, si hujus ipsius nominis satis certa esset fides neque aliud quoddam hic latere videretur. Alioqui, ut Μύῤῥα eadem est quæ Σμύρνα, etiam Μύῤῥος videri posset dictus qui alibi Σμύρνος.]

[Μυροσταγής, ὁ, ἡ, Unguentis madens. Fragm. ap. Suid. v. Ἀναδούμενος : Μυροσταγὲς ἔχων ἀεὶ τὸ μέτωπον καὶ τοὺς βοστρύχους. Hoc fr. extat etiam ap. eund. v. Ἀβρὸς, ubi, pro μυροσταγὲς, est ἀβροσταγὲς, sed illud, quod præfert Kuster., melius legitur; præcesserant enim in sententiæ initio verba hæc, ὁ τρυφερὸς ἐκεῖνος καὶ ἀβρός. Angl.]

[Μυροστάφυλον, τὸ, Unguentaria vitis. Paxamus in Geopon. 4, 9, περὶ μυροσταφύλου. ἄϋ]

[Μυροφεγγής, ὁ, ἡ, Unguentis lucens, splendens. Meleager Anth. Pal. 12, 83, 3 : Σύγκωμον δὲ Πόθοισι φέρων Κύπριδος μυροφεγγὲς φανίον, ἄκρον ἐμοῖς ὄμμασι πῦρ ἔβαλον, Facem quæ unguentis alitur, interpr. Jacobsius. Ludit poeta, ut in præcedenti epigr., similitudine nominis Phanii, unguentis delibutæ amicæ, et vocabuli φανίον, Facula.]

[Μυροφορεῖον, Μυροφορέω, Μυροφορικός. V. Μυρηρός.]

[Μυροφόρος, ὁ, ἡ. Μυροφόροι vocantur tres Mariæ (seu potius una Maria et una Salome) quæ coemtis aromatibus ad sepulcrum Christi accessere, ut eum ungerent. Pentecostarium : Μυροφόροι ἐκλήθησαν διότι τοῦ πάσχα ἐνισταμένου διὰ τὴν παρασκευὴν, ὅτι μεγάλη ἦν ἡ ἡμέρα τοῦ σαββάτου ἐκείνου, ἐπεὶ ἔσπευδον καὶ θάψαι τὸ σῶμα τοῦ Κυρίου Ἰωσὴφ καὶ Νικόδημος, οἳ κατὰ τὸ Ἰουδαϊκὸν ἔθος μύροις αὐτὸ ἤλειψαν, ... μαθήτριαι μύρα πολυτελῆ ὠνησάμεναι νυκτὸς παρεγένοντο. Ibidem sequentes recensentur μυροφόροι, Maria Magdalena, Salome, Joanna mulier Chuzæ, Maria et Martha, sorores Lazari, Maria Cleophæ, et aliæ plures. Conf. Luc. 24, 1. Chrysostomi Homil. 115, vol. 5, scripta est εἰς τὰς μυροφόρους γυναῖκας. Theophanes Homil. 3, p. 15 : Τὸ πρὸς τὴν μυροφόρον ῥηθὲν, Οὔπω γὰρ ἀναβέβηκα πρὸς τὸν πατέρα μου, τὴν σωματικὴν ἐδήλου ἀνάβασιν. Id. Homil. 31, p. 232 : Αἱ μυροφόροι εὐαγγελίστριαι καὶ κήρυκες τῆς ἐγέρσεως. Dominica tertia post Pascha vocatur ἡ κυριακὴ τῶν μυροφόρων. Vocantur alias ἀρωματοφόροι et ἀλαβαστροφόροι. Ap. Theophanem Homil. 31, p. 230, vocantur Μυροκομίστριαι, Unguenta portantes : Αὗται δὲ εἰσὶν αἱ περὶ τὴν Μαγδαληνὴν Μαρίαν μυροκομίστριαι. Suicer. Alia Ducang. V. Xiphilin. ap. Pasin. Codd. Taurin. vol. 1, p. 146, A. Epiphan. mon. De deipara c. 21, German. Hom. in Mariæ dormit. p. 113, addit Boiss. Etym. M. p. 459, 18 : Κλίνεται δὲ ἡ θύννος, ὡς ἡ παρθένος, καὶ αἱ θύννοι, ὡς αἱ μυροφόροι. L. D. Hesych. ap. Phot. Bibl. p. 498, 30 : Εὗρον αἱ μ. ὅπερ διὰ τῆς Εὔας ἀπώλεσαν. De μυροφόρῳ, i. e. Vase unguentario, Creuzer. *Ein alt-athen. Gef.* p. 21. Hase. V. etiam Μυρηρός.]

[Μυροχεύμων, ονος, ὁ, ἡ, Unguentum fundens. Eust. Opusc. p. 181, 4 : Ἡ μυροχεύμων χάρις.]

[Μυρόχριστος, ὁ, ἡ, Unguentis unctus. Eurip. Cycl. 501.]

[Μυροχυσία, ἡ, Unguenti fusio. Eust. Opusc. p. 171, 67 : Τῷ τῆς μυροχυσίας πολλῷ.]

[Μυρόχροος, ὁ, ἡ. Philodem. Anth. Pal. 9, 570, 1 : Ξανθὼ χηρόπλαστε, μυρόχροε, μουσοπρόσωπε ... ψηλόν μοι χερσὶ δροσιναῖς μύρον. « Pro μυρόχροε, Cujus cutis unguentis uncta est, Brunckius μυρόπνοε suspicabatur. Codicis lectionem haud facile mutaverim : μυρόχρους i. q. ἡδύχρους : nam, quodcunque suave et jucundum est, μύρον vocatur. » Jacobs. Vir doctus, qui Philodemi opus De musica e Voluminibus Herculanensibus edidit, in Prolegg. p. 5, 6, corrigit μυρόῤῥοε, quod probat Bast. Epist. crit. p. 76. Angl.]

Μυρόω, Unguentis inungo, s. Ungo. [Athen. 1, p. 9, E, ex Chrysippo : Οὐδὲ στεφανουμένους οὐδὲ μυρουμένους. Pollux 7, 177, μυρώσασθαι. Eust. Il. p. 974, 59 : Καὶ ὅτι καὶ τὰ στήθη ἐμύρουν οἱ τότε... λέγουσι δὲ καὶ ὅτι μυρίζω μὲν οὐχ ἔλεγον οἱ πάλαι (quorum tamen exx. v. supra), μυρῶ δὲ μυρώσω. Id. Opusc. p. 132, 25 : Ὅπως χρὴ διοικονομεῖσθαι τὴν ἐπαφὴν τοῦ μυροῦσθαι. Etym. M. p. 698, 53 : Ἔστι δὲ καὶ ῥῆμα παρ' Αἰολεῦσιν, οἷον, Χαῖρε καὶ πῶ, ὅπερ λέγεται ἐν ἑτέρῳ, σύμπωθι· τρίτης συζυγίας ἐστὶν, ὡς μυρῶ, διδῶ.] Ab eodem verbo μεμυρωμένος, ut μεμυρισμένος, Unguentis delibutus, Unguentatus, ut Jul. Capitol. loquitur. [Aristoph. Eccl. 1117 : Ἥτις μεμύρωμαι τὴν κεφαλὴν μυρώμασιν ἀγαθοῖσιν. Ubi μεμύρισμαι Athen., ut in illo diximus.]

Μύῤῥα, ας, ἡ, Myrrha, s. Murrha : ap. Hippocr. Æolico idiomate pro σμύρνα, ut annotavit Galen. ἐν ταῖς γλώσσαις. [P. 528 : Μύῤῥαν, Αἰολεῦσι (vel αἰολιστὶ) τὴν σμύρναν, δὶς τὸ ρ γράφεται. Athen. 15, p. 688, C : Μύῤῥα γὰρ ἡ σμύρνα παρ' Αἰολεῦσιν, ἐπειδὴ τὰ πολλὰ τῶν μύρων διὰ σμύρνης ἐσκευάζετο καὶ ἥ γε στακτὴ καλουμένη διὰ μόνης ταύτης. Antiatt. Bekk. p. 108, 22 : Μύρραν τὴν σμύρναν, Σαπφὼ δευτέρῳ. « Ap. Hippocr. tamen σμύρναν fere semper scriptum reperias. » Foes. OEcon.] Μύῤῥα, et μυῤῥὶς, vocatur etiam herba quædam cicutæ caulibus et foliis simillima, (unde herbariis et officinis Cicutaria dicitur,) radicem habens modice oblongam, teneram, rotundam, odoratam, cibo non insuavem. Diosc. 4, 116; Plin. 24, 16. [Sprengelio H. R. H. p. 166, post Linnæum est Scandix odorata : conf. Columm. Ecphras. 1, 33, p. 112. Angl.] Quin et τὸ γεράνιον a quibusdam μυῤῥὶς vocatur, ut est in ejusd. Diosc. append. [3, 121, et Plin. 26, 68.] Item Μυῤῥίτης λίθος hinc dicitur, myrrhæ colorem habens faciemque minimæ gemmæ, unguenti odorem, attrita etiam nardi, Plin. 37, 10. [Priscianus Periegesi p. 393 : Myrrhitenque, bonum nardi quum reddat odorem. Angl. A Græco Μύρρα repeti solet etiam Murrha et Murrhina vasa ap. scriptores Latinos, de quibus v. Lexx. Lat. et præter alios Müller. Archæol. p. 427. Græci per ο dicunt Μόρρινος, ut Arrian. Peripl. m. Erythr. p. 145 Blanc. : Λιθείας ὑαλῆς πλείονα γένη καὶ ἄλλης μορρίνης τῆς γινομένης ἐν Διοσπόλει, ubi μυρρινῆς (sic) Hudsonus p. 4, vel per ου, ut ib. p. 169 (28) : Ὀνυχίνη λιθεία καὶ μουρρίνη. Itaque ap. Pausan. 8, 18, 5 : Ὕαλος μέν γε καὶ κρύσταλλος καὶ μόρρια καὶ ὅσα ἐστὶν ἀνθρώποις ἄλλα λίθου ποιούμενα, inutilis est et inanis conjectura per ου vel adeo per υ scribentium, etsi forma non satis tuta est. V. Salmas. Exerc. p. 143 sq. et locis pluribus in indice annotatis.]

[Μύρρα, ἡ, Myrrha, f. Cinyræ, mater Adonidis. Lucian. Salt. c. 58. Infra Σμύρνα. Filia Thiantis ap. schol. et Eust. Il. Τ, 6. Μύρρας ἄστυ de Byblo Phœnices Lycophr. 829.]

[Μυρρι. in lapidibus compend. script. pro Μυρρινούσιος. Franz. Elem. ep. gr. p. 358. Hase.]

[Μυρρινάκανθος, Ruscus, Gl.]

[Μυρρῑνάω.] Μυῤῥινῶν, ab Aristoph. schol. [Vesp. 857], necnon a Suida, exp. ἀρχῆς ἐπιθυμῶν, quoniam μυῤῥίναις ἐστεφανοῦντο οἱ ἄρχοντες. [Pollux 10, 69 : Τῷ ὀνόματι (τραπεζοφόρος) ῥηθέντι ἐπὶ τοῦ τὴν τράπεζαν φέροντος, ᾗ ἐπῆσαν τοῖς ἄρχουσιν αἱ μυρρίναι. Ubi Hesychii gl. : Μυρρινῶν, ὃ δηλοῖ ἐπί τινα ἀρχὴν παρασκευαζόμενον· οὕτως δὲ ἔοικεν ἐσχηματίσθαι διὰ τὸ τοὺς ἄρχοντας ταῖς μυρρίναις στέφεσθαι, contulit Hemst.]

Μυῤῥίνη, s. Μυρσίνη, ἡ, Myrtus, [Myrta, Murta add. Gl.] Prius Atticum est. Pherecr. ap. Athen. 6, [p. 269, B] : Ὑπὸ μυῤῥίναισι κἀνεμώναις κεχυμέναι. Plato De rep. 2, [p. 372, B] : Κατακλινέντες ἐπὶ στιβάδων ἐστρωμένων μίλακί τε καὶ μυῤῥίναις. [Aristoph. Pac. 1154 : Μυρρίνας τ' αἴτησον ἐξ Αἰσχινάδου τῶν καρπίμων. Ubi schol. : Τῆς μυρρίνης ἡ μὲν στεφανωτὶς, ἡ δὲ κάρπιμος, ὥς φησι Θεόφραστος (H. Pl. 5, 8, 3). Idem de sacrificaturo Thesm. 37 : Ἐξέρχεται θεράπων τις αὐτοῦ πῦρ ἔχων καὶ μυρρίνας· προθυσόμενος (addendum videtur δ') ἔοικε τῆς ποιήσεως· Vesp. 860 : Ἀλλ' ὡς τάχιστα πῦρ τις ἐξενεγκάτω καὶ μυρρίνας καὶ τὸν λιβανωτὸν ἔνδοθεν, ὅπως ἂν εὐξώμεσθα πρῶτα τοῖς θεοῖς, ubi schol. annotat quæ HSt. posuit in Μυρρινάω. Av. 43 : Κανοῦν δ' ἔχοντε καὶ χύτραν καὶ μυρρίνας πλανώμεθα ζητοῦντε τόπον ἀπράγμονα. Ubi schol., τὰ πρὸς θυσίαν κομίζουσιν.] Et in conviviis pueri κλῶνα δάφνης ἢ μυῤῥίνης λαμβάνοντες ᾖδον. Unde apud Aristoph. Nub. [1364] quidam jubetur μυῤῥίνην λαβὼν τῶν Αἰσχύλου λέξαι τι. [Hesych. : Μυρρίνης κλάδος ἢ δάφνης. Παρὰ πότον μυρρίνης (f. —νην) ἦν σύνηθες διδόναι τοῖς κατακειμένοις ἐκ διαδοχῆς ὑπὲρ τοῦ ᾆσαι, ἀντὶ τοῦ βαρβίτου. Archiloch. ap. Ammon. v. Ῥόδον cit. : Ἔχουσα θαλλὸν μυρσίνης ἐτέρπετο ῥοδῆς τε καλὸν ἄνθος. « Dicitur autem μυρρίνη non solum Myrtus arbor, sed et Bacca myrti, quæ alias τὸ μύρτον. Sic Antiphanes ap. Athen. 3, p. 75, C : Πρώτιστα δὲ τῶν μυρρινῶν ἐπὶ τὴν τράπεζαν βούλομαι. Rursus Athen. 2, p. 44, D : Οὐδὲν ἐσιτεῖτο ἢ μυρρίνης ὀλίγον. » Schweigh. || De foro, ubi venduntur, Aristoph. Thesm. 448 : Στεφανηπλοκοῦσα ... ἐν ταῖς μυρρίναις.] Posterius μυρσίνη communis linguæ est, utiturque eo [præter Archilochum modo citatum Pind. Isthm. 7, 67 : Μυρσίνας στέφανον. Eur. Alc. 170 : Πτόρθων ἀποσχίζουσα μυρσίνης φόβην· 762 : Στέφει δὲ κρᾶτα μυρσίνης κλάδοις· Herodotus,] Galenus, Plutarchus, alii : ac nominatim Plut. in Problem. Rom. [p. 268, D] dicens, Οἴκοι [Ὅθεν] μυρσίνας οὐκ εἰσφέρουσι. [|| Μυρσίνη ἀγρία, Ruscum; Μυρσίνη ἱερὰ, Claro, Gl.] Apud Hesych. vero paroxytonως scriptum μυῤῥίνων, quod significare ait ἐπί τινα ἀρχὴν παρασκευαζομένων : ita autem videri id ἐσχηματίσθαι, quoniam οἱ ἄρχοντες ταῖς μυῤῥίναις ἐστέφοντο. [V. Μυρρινάω, quod verbum dicit Hesychius. L. D. Fragm. Myrsil. ed. Westerm. p. 165, 17 : Στέφανον μυρρίνης. Galen. vol. 14, p. 23, 16, de cytiso : Εἰς ὕψος ἀνῆκον ὅσον αἱ μ. Id. vol. 6, p. 592, 1 : Περὶ τοῦ τῶν μ. καρποῦ. Quam hodie Græci Μυρσίνην vocant, ea herbariis nostris est Myrtus communis. Hase. ῐ]

[Μυρρίνη, ἡ, Myrrhine, n. mulieris, ap. Aristoph. in Lysistrata. F. Calliæ, Thuc. 6, 95. Aliarum mulierum ap. Timoclem Athen. 13, p. 567, F; 593, A, schol. Aristoph. Nub. 109, Pl. 149, et ubi uxorem Pisistrati memorat, Eq. 449. Μυρσίνη, a qua dicta sit μυρσίνη, memoratur Geopon. 11, 6, 1. ῐ]

[Μυρρίνης. V. Μυρίνης.]

[Μυρρινίδιον, ἡ, Myrrhinidium, diminut. nominis Μυρρίνη, ap. Aristoph. Lys. 872, pro quo Μύρριον, propter versum, ut videtur, 906 : Φιλεῖς ; τί οὖν οὐ κατεκλίνης, ὦ Μύρριον; Quod Brunckio ductum videbatur a primitivo μύρρα, mire. Ravennas cum aliis Μυρρίνιον, quod Μυρρινίδιον scribendum putabat Dobræus, deleto ὦ.]

[Μύρρῑνον, τὸ, Aristoph. Eq. 964 : Ψωλὸν γενέσθαι δεῖ σε μέχρι τοῦ μυρρίνου, « Nudandum tibi est veretrum usque ad myrtum, s. pilos, i. e. a summo usque ad imum. Nam μύρρινον hic accipitur pro Pilis quibus inferior pars nervi obsita est. » Brunck.]

[Μύρρινος, ὁ.] Apud Theophr. legitur et Μύῤῥινος, H. Pl. 1, 5 : Ὁ δὲ μύῤῥινος μὴ ἀνακαθαιρόμενος ἐκθαμνοῦται, Myrtus si non repurgetur, in fruticem abit : ut Hesych. quoque scribit τὴν μυῤῥίνην mascul. genere dictam fuisse μύῤῥινον : ap. quem legitur et μύῤῥινον στέφανον περιέθεντο. [De utroque genere ap. Theophrast. v. Schneider. in indice. Adjective Callim. Dian. 202 : Μύρσινος ὄζος. L. D. Hippiatr. p. 166, 21 : Μυρσίνου ἐλαίου. Hase.]

[Μυρρῑνοῦς, οῦντος, ὁ, Myrrhinus. Δῆμος τῆς Πανδιονίδος φυλῆς. Ὁ δημότης Μυρρινούσιος. Τὸ τοπικὰ Μυρρινουντόθεν, Μυρρινοῦντάδε, Μυρρινουντίσι (–δι cod. Vrat., h. e. Μυρρινοῦντι). Διονύσιος δὲ ὁ Τρύφωνος Μυρρινοῦντά φησιν. Ὁ δημότης ἐκ Μυρρινούττης διὰ δύο ττ, Steph. Byz. Qui conf. etiam in Ἁγνοῦς. Μυρρινοῦς memoratur Straboni 9, p. 399. Ἐν Μυρρινοῦντι Alciphr. 1, 36. Ἀπὸ τῶν μυρρινῶν οἱ Μυρρινούσιοι dicit Eust. ad Dionys. 451, schol. Arist. Pl. 586. De scriptura Μυρρινούσιος et Μυρινούσιος, ἐκ Μυρρινούττης et Μυριννούττης, v. Bœckh. C. I. vol. 1, p. 403, n. 297, qui suspicatur Μυρρινοῦντα fuisse Pandionidis, Μυρρινοῦτταν Ægeidis, cujus inter demos memoratur p. 157, n. 115, 37. Scripturam per ρ simplex memoraverat fortasse etiam Steph. Byz., cujus liber Vratisl. Μυρινοῦς, nisi Μυρρινοῦτταν scripserat pro Μυρρινοῦντα. Conf. Μύραινα. L. D.]

Μυῤῥινὼν, ῶνος, ὁ, Myrtetum, Locus myrtis consitus, Aristoph. [Ran. 156. Hierocles ap. Stob. Floril. 67, vol. 3, p. 14 : Ψαλιστοὶ μυρρινῶνες, Tonsilia s. Fornicata myrteta. Hase. Philostr. Imag. p. 810.]

[Μύρριον. V. Μυρρινίδιον.]

[Μυρρὶς, ίδος, ἡ, i. q. μύρρα, quod v. in fine, genus herbæ. Diosc. 4, 116 : Μυρρὶς, οἱ δὲ μύρραν, οἱ δὲ κονίλην καλοῦσι. Ap. Theophr. C. Pl. 7, 9, 3, est μύριδος cum var. μύρτιδος. Ubi v. Schneider.]

[Μύρριχος, ὁ, in proverb. Coisl. 336 : Μύρριχον τὸν σκυτέα, scrib. aut Μύριχος, quod v., aut, quod probabilius, Μοίριχος.]

[Μύρσα, ἡ, Mursa, quæ aliis Μοῦρσα, oppidum Pannoniæ, ap. Julian. Or. 1, p. 48, B.]

[Μυρσεών. V. Μυρτέων.]

[Μυρσίλος, ὁ, Myrsilus, i. q. Candaules. Herodot. 1, 7 : Κανδαύλης, τὸν οἱ Ἕλληνες Μυρσίλον ὀνομάζουσι, τύραννος Σαρδίων. V. Μύρσος. Tyrannus Lesbi, ap. Alcæum Strab. 13, p. 617, Athen. 10, p. 430, C. Historicus ap. Strab. 1, p. 60; 13, p. 610, Athen. 13, p. 610, A, qui Μυρτίλος dicitur ap. schol. Apoll. Rh. 1, 615, Plut. Mor. p. 984, E, librarii errore, ut videtur. Myrsilum dicit etiam Plin. N. H. 3, 7, 13; 4, 12, 22, pro quo Myrtilus eodem vitio Arnob. Adv. gent. 3, 37, ubi v. Orell.; 4, 25. L. Dind.]

[Μυρσινᾶτος οἶνος, ap. Alex. Trall. |7, p. 124, i. q. μυρσινίτης.] A

Μυρσινέλαιον, τὸ, Oleum myrteum, Plinio : quod et Μυρσίνιον ἔλαιον dicitur, utpote Confectum ex foliis myrti teneris omphacino oleo infervefactis. Ambo ap. Diosc. 1, 49. Pallad. Myrtinum oleum vocat, describens in Januario, tit. 18. [Galen. vol. 14, p. 417, 17; 502, 16; 503, 2; 580, 16; 581, 2. Hase.]

[Μυρσινεὼν, ῶνος, ὁ, Myrtetum, Aq. Symm. Zach. 1, 8.]

[Μυρσίνη. V. Μυῤῥίνη.]

[Μυρσίνιος. V. Μυρσινέλαιον.]

Μυρσινίτης οἶνος, Vinum myrto conditum, ramis sc. foliisque et baccis myrti in mustum conjectis : de quo Diosc. 5, 37, Colum. 12, 38, Pallad. in Januario tit. 19; et in Febr. tit. 31. De myrteo vino Cato R. R. c. 125. Idem Attice Μυῤῥινίτης dicitur παρὰ τὴν μυῤῥίνην. [Ælian. V. H. 12, 31.] Vocatur etiam μυρτίτης οἶνος, παρὰ τὴν μύρτον, de quo supra. Apud Athen. 1, [p. 32, B] reperio et Μυῤῥίνης οἶνος pro μυῤῥινίτης s. μυρσινίτης. Ita enim ibi : Μυρτίτης autem s. Μυῤῥίνης οἶνος, B extat ap. Posidippum, dicentem, Διψηρὸς, ἄτοπος, ὁ μυῤῥίνης ὁ τίμιος. Potius tamen παρὰ τὴν μυῤῥίνην dicendum foret μυῤῥινίτης quam μυῤῥίνης, ut supra docui. Latini Murrinam dicunt. Festus, Murrina, genus potionis quæ Græce dicitur Nectar : hanc mulieres vocabant Murriolam, quidam Murratum vinum. Quidam id dici putant ex uvæ genere murrinæ nomine. Vide et Μυρίνης. At Myrsinites gemma, s. μυρσινίτης λίθος, ap. Plin., myrti odorem habet, colorem melleum, 37, 10.

Μυρσινοειδὴς, ὁ, ἡ, Myrto similis. [Hom. H. Merc. 81, ὄζους. Oribas. p. 22 ed. Mai. : Μυρσινοειδῆ περιαίρεσιν.] Adv. Μυρσινοειδῶς, Ad similitudinem folii myrti. Galen. 13 : Ἀεὶ δὲ κελεύουσι μ. ἐκτέμνειν τοῦ σώματος. [Oribas. p. 5, 21, 22, 38, 39, 48 ed. Mai. L. D. Hippiatr. p. 60, 28 : Ἐκκόπτοντας μ. ὅσον ἐξαρκεῖ. Hase.]

[Μυρσινόκοκκον, τὸ, Myrti fructus. Anon. botan. Ms. : Μύρτα, τὰ μυρσινόκοκκα. Ducang. Lexicon Ms. Neophyti : Τὰ μυρσινόκοκκα, τὰ αὐτὰ καὶ μύρτα λέγεται. Id. App. p. 138. Anon. De cibis p. 257, 7 ed. C Ermerins. : Τὰ μυρσιόκοκκα (sic). Hase. Schol. Philostr. Her. p. 375. Boiss. : Μύρτων, τῶν μυρσινοκόκκων.]

[Μύρσινος. V. Μύῤῥινος.]

[Μυρσῖνος, ἡ, Myrsinus, urbs Elidis, sec. Hom. Il. B, 616, unde citant Strabo 8, p. 341, et Steph. Byz., qui postea Μυρτούντιον dictam tradunt, unde sit gent. Μυρτούσιος, quod præter Steph. memorat etiam Eust. Hesychius : Μύρσινος καὶ Μύρσιον πόλεις.]

[Μυρσινὼν, ῶνος, ὁ, i. q. μυρσινεών. Jud. 1, 35.]

[Μύρσιον. V. Μύρσινος.]

[Μυρσῖτις, ίτιδος, ἡ, nonnulli scribendum putarunt Geopon. 5, 2, 10 : Πασῶν δὲ τῶν ἀμπέλων ἡ καλουμένη μερσίτης καλλίων, conferentes οἶνον μυῤῥίνην et μυρσινίτην vel μυρίτην, quod ipsum Μυρτῖτιν scribi necessarium esset, si hujusmodi hic vitis diceretur.]

Μύρσος, ὁ, Hesychio κόφινος ὦτα ἔχων, qui et ἄῤῥιχος, Corbis auritus, Cophinus auriculas habens.

[Μύρσος, ὁ, Myrsus, pater Candaulis (qui græce Μυρσίλος), Herodot. 1, 7. F. Gygis ap. eund. 3, 122; 5, 121. Arcad. p. 76, 3.]

[Μύρσων, ωνος, ὁ, Myrso, n. viri ap. Bionem 6, 1; D 15, 4. Chœrosc. p. 76, 26.]

[Μυρταῖος. V. Ἀμυρταῖος.]

[Μυρτάλη, ἡ, Myrtale, n. mulieris, in epigr. Anth. Pal. App. 224, 3. Aliæ ap. Aristænet. 2, 16, Plut. Mor. p. 401, A, Longum Past. p. 56, Herodian. Π. μον. λέξ. p. 39, 3, et alibi. L. D. Et in inscr. ap. Gutberl. De inscr. Smyrn. p. 133, et ap. Lucian. Dial. meretr. 14. Hase. ἄ]

[Μυρταλὶς, ἡ ὀξυμυῤῥίνη, ὡς Λάκωνες, Hesych.]

[Μύρτανον, Δημοσθένης ὑπὲρ Κτησιφῶντος (p. 234, 13). Φρούριον ἦν ἐν Θράκῃ, ὡς Μαρσύας ὁ πρεσβύτερος ἐν ζ' Μακεδονικῶν καὶ Ἀναξιμένης ἐν Φιλιππικῷ, Steph. Byz. Liber unus μυρτώνιον, alius μύρτανον. Μυρτόνιον ex hoc l. Photius. Libri Demosthenis μύρτιον, et nonnulli de melioribus μυρτῆνον vel μυρτηνόν.]

[Μυρταρὼ, οῦς, ἡ, Myrtaro, n. mulieris, in inscr. Anaph. ap. Bœckh. vol. 2, p. 1097, n. 2482, 9 : Μυρταροῦς Μυρταροῦς. L. Dind.]

[Μυρτὰς, άδος, ἡ. V. Μυρτίδανον. || Pirus sativa. Nicander Th. 513 : Μέσον δ' ὡς ἀχράδα καρπὸν μυρτάδος ἐξ ὄχνης ἐπιόψεαι ἢ σύ γε Βάκχης. Schol. : Ἡ ἄπιος εἰς πολλὰ διαιρεῖται· καὶ γὰρ Βάκχη λέγεται καὶ μυρτάς.]

[Μυρτὰς, άδος, ἡ, Myrtas, n. mulieris, in epigr. Anth. Pal. 7, 329, 1.]

[Μυρτεὼν, Μυρσεὼν, ῶνος, ὁ, Myrtetum, Gl. Ubi μυρσινεὼν fortasse scribendum pro μυρσεών.]

Μυρτία, et Μυρτὶς, παρὰ τὴν μύρτον dicuntur, i. significantia q. ipsum μύρτος, Myrtus, teste Hesychio. Alioqui μυρτίδες i. sunt q. μύρτα, Myrti baccæ. Athen. 14, [p. 651, D] ex Polyb., de loto : Ὁ καρπὸς τὰς ἀρχὰς ὅμοιός ἐστι καὶ τῇ χρόᾳ καὶ τῷ μεγέθει ταῖς λευκαῖς μυρτίσι ταῖς τετελειωμέναις. [Sic et Diphilus ap. Athen. 2, p. 52, F : Τρωγάλια, μυρτίδες, πλακοῦς, ἀμύγδαλα. Schweigh. V. Μυρτίς.] Plin. vero fructum loti dicit nasci in ramis densum myrti modo, 13, 17. || Cogn. Veneris. Plut. Mor. p. 268, D : Τὴν οὖν μυρσίνην ὡς ἱερὰν Ἀφροδίτῃ ἀφοσιοῦνται· καὶ γὰρ ἣν νῦν Μουρκίαν Ἀφροδίτην καλοῦσι, Μυρτίαν τὸ παλαιὸν, ὡς ἔοικεν, ὠνόμαζον.]

[Μυρτία, ἡ, Myrtia, n. mulieris. Aristoph. Vesp. 1396. V. etiam Μυρτίλα.]

Μυρτίδανον, τὸ, derivatur παρὰ τὴν μύρτον. Diosc. 1, 157 [156] dicit τὸ μυρτίδανον λεγόμενον esse ἐπίφυσιν ἀνώμαλον, καὶ ὀχθώδη, καὶ ὁμόχρουν περὶ τὸ τῆς μυρσίνης πρέμνον, teste Galeno etiam Lex. Hippocr. [p. 528.] Apud eund. tamen Galen. pro isto μυρτίδανον scriptum Μυρτὰς, ap. Paul. Ægin. Μυρτίς. Ille enim Simpl. medic. 8, τὴν τῷ στελέχει καὶ τοῖς κλάδοις τῆς μυῤῥίνης ἐπίφυσιν ὀχθώδη a nonnullis μυρτάδα nominari tradit. Hic vero, Ἡ δὲ μυρτὶς, ἡ ἐν τῷ στελέχει καὶ τοῖς κλάδοις τῆς μυῤῥίνης ὀχθώδης ἐπίφυσις. Interpr. Oribasii Myrtidanum habet, Collect. Medic. 11 : in Euporistis ad Eunap. 2, Myrtada. Aetius silet. Veruntamen μυρτίδανον non perperam esse scriptum, ex eo apparet, quod Galen. Lex. Hippocr. annotet Diosc. quidem Anazarbensem lib. 1 Περὶ ὕλης, μυρτίδανον appellare ἐπίφυσιν ἀνώμαλον καὶ ὀχθώδη περὶ τὸ τῆς μυρσίνης πρέμνον, alios vero complures τὸ πέπερι : Hippocr. τὸν καρπὸν ἐκ τοῦ πεπέρεως, qui et ipse ab aliis πέπερι nuncupetur. Verba Hippocratis sunt hæc, De morb. mul. 2 [p. 672, 15] : Τὸ Ἰνδικὸν, ὃ καλέουσιν οἱ Πέρσαι πέπερι· καὶ ἐν τουτέῳ ἔνι στρογγύλον, ὃ καλοῦσι μυρτίδανον· ut sit Rotundum quippiam myrti forma in pipere s. Indico proveniens; nam et simpl. στρογγύλον appellat eod. lib., ante locum cit. : Ἰνδικοῦ φαρμάκου τοῦ τῶν ὀφθαλμῶν, ὃ καλεῖται πέπερι, καὶ τοῦ στρογγύλου, ἑκάστου τρία. Plin. vero longe aliter. Ita enim is 14, 16, de vinis factitiis : Myrtiten Cato quemadmodum fieri docuerit, mox paulo indicabimus. Græci et alio modo. Ramis teneris cum suis foliis in albo musto decoctis, tusis, libram in tribus musti congiis defervere faciunt, donec duo supersint. Quod ita sylvestris myrti baccis confectum est, Myrtidanum vocant. Itemque 23, cap. ult. : Myrtidanum diximus quomodo fieret. Necnon 15, 29 : Succorum natura præcipuam admirationem in myrto habet, quando ex una omnium olei vinique bina genera fiunt : item myrtidanum, ut diximus : constanter myrtidanum accipiens pro Vino ex sylvestris myrti baccis et musto albo. [Galen. vol. 19, p. 106, 5 : Φυτὸν εἶναί φησι (Dioscorides junior) ἐν Ἰνδίᾳ παραπλήσιον τῷ τοῦ πεπέρεως, οὗ ὁ καρπὸς ὀνομάζεται μ. ὅτι μύρτῳ ἔοικεν. Hase. Μυρτίδανον vero etiam pro planta sumi satis testatur quod scribitur ap. Hippocr. p. 603, 38 : Μυρτιδάνου κλωνία δύο ἢ τρία. Foes. OEcon.]

[Μυρτίλα, ἡ, Myrtila, n. mulieris. Μυρτίλαν τὴν προφῆτιδα memorat Zenob. 2, 84, ubi Plut. Prov. 9, τὴν προφῆτιν Μυρτίλα, « sed postrema pars per notam in Ms. concepta quasi Myrtian aut Μυρτίδα dictaret, » Gronov., Μυρτία apographum sec. Wyttenb. Μυρτίλην quandam memorat Menander fr. Ἀῤῥηφ. ap. Steph. Byz. in Δωδώνη sub finem, nisi scrib. Μυρτάλην. L. D.]

[Μυρτίλος, ὁ, Myrtilus, f. Jovis vel Mercurii, auriga OEnomai. Soph. El. 508, Eur. Or. 991, 1548, Apoll. Rh. 1, 755. Athen. ap. Thuc. 5, 19, 24. L. D. Lucian. De salt. c. 47. M. scriptum in fictili ap. Cramer *Über den Styl der gr. Thongef.* p. 176 Hase. Mediæ comœdiæ poeta, de quo v. Meinek. Com. vol. 1, p. 100.

Thessalus quidam inter convivas ap. Athen., aα quem v. Schweigh. ad p. 1, C, vol. 1, p. 12. V. Μυρσίλος. De accentu Theognost. Can. p. 62, 8.]

[Μυρτίλωψ, ζῷόν τι, Hesych.]

Μυρτίνη, ἡ, ut tradit schol. Nicandri [Al. 88], est εἶδος ἀπίου, necnon εἶδος ἐλαίας [quomodo interpr. etiam Hesych.], et id quidem βραχὺν ἔχον καρπὸν, ac fortassis myrti baccis assimilem. [V. Μυρτίς. Gl. : Μυρτίνη, Murtus. Apud Nicandrum autem producitur ι.]

[Μύρτιον, ἡ, Myrtium, n. meretricis ap. Polyb. 14, 10, 3, Lucian. D. mort. 27, 7. || Τό. V. Μύρτανον. || Mons Epidauriæ, ap. Pausan. 2, 26, 4, sed ubi codd. Μύργιον vel Μύργειον.]

[Μυρτιπνόη, ἡ, Myrtipnoe, n. mulieris, ap. Theodor. Prodr. Rhod. p. 53 sq.]

[Μυρτὶς, ίδος, ἡ, i. q. μυρτίδανον, quod v. || Bacca myrti. V. Μυρτία. Polyb. 12, 2, 3 : Ταῖς λευκαῖς μυρτίσι ταῖς τετελειωμέναις. Pollux 6, 79 : Ἦν δὲ τρωγάλια, μυρτίδες, κάρυα. Geopon. 7, 20, 1 : Μυρτίδας ὀλίγας ὡρίμους συλλέξας ξήρανον καὶ κόψον· 11, 8 : Περὶ διαμονῆς μυρτίδων. Ap. Nicand. Al. 355 : Ἢ ἀπὸ μυρτίνης ὁτὲ μυρτίδας οἰνάδι βάλλων, baccæ μυρτίνης, quod v. Conf. Μυρρίς.]

[Μυρτὶς, ίδος, ἡ, Myrtis, poetria ap. Antip. Thess. Anth. Pal. 9, 26, 7, ubi tamen accus. Μύρτιν a paroxytono Μύρτις. V. etiam Μυρτίλα. || Forma Bœot. Μουρτὶς ap. Corinnam in fr. ap. Apollon. De pron. p. 65, A, restitui jubet quod in eodem est φοῦσα pro φῦσα et alia.]

[Μύρτις, ὁ, Myrtis, Argivus, ap. Demosth. p. 324, 10, Polyb. 17, 14, 3; Athen. 6, p. 254, D. Alius in inscr. Att. ap. Bœckh. vol. 1, p. 920, n. 973, b.]

Μυρτίτης οἶνος, ὁ, Vinum myrto conditum, myrti nimirum baccis nigris contusis, ut prolixius docet Diosc. 5, 36 : ubi eum a Myrsinite diversum facit. [Alex. Trall. 7, p. 123.] Est et τιθύμαλλος quidam μυρτίτης s. μυρσινίτης, ex eo nominatus quod τὰ φύλλα ὅμοια ἔχει μυρσίνῃ, teste Diosc. 4, 165, ubi etiam addit, eum in feminino tithymalli sexu censeri. Sic Theophr. H. Pl. 9, 12, scribit τὸν μυρτίτην καλούμενον τιθύμαλλον τὸ φύλλον ἔχειν καθάπερ ὁ μύῤῥινος πλὴν ἀκανθῶδες ἐπ' ἄκρου. Unde Plin. 26, 8 : Alterum genus tithymali Myrsiniten vocant, alii Caryiten, foliis myrti acutis et pungentibus, sed mollioribus. [Schol. Nicandri Ther. 617, ubi μυρτίτην pro μυρίνην ex cod. restituit Schneider.] Meminit idem Plin. et τοῦ μυρτίτου οἴνου, 14, 16. [Artemid. Onirocr. p. 93, 10 : Μυρτίτην καὶ πάντα τὸν ἐσκευασμένον οἶνον. Hase.]

[Μυρτίων, ὁ, Myrtion, n. patris Drosillæ in Nicetæ Eugen. Narr. am. 7, 134 Boisson. et Le Bas *Bibl. de l'École des chartes* 1841, p. 424, 1. Hase.]

[Μυρτομιγὴς, ὁ, ἡ, Myrto mixtus. Geopon. 4, 4 : Ἡ μυρτομιγὴς σταφυλὴ ... γίνεται ἐὰν εἰς μυρσίνην κλήματα ἀμπέλων ἐγκεντρίσῃς.]

[Μύρτον, ἡ, Myrtum, n. mulieris, in inscr. Aphrodis. ap. Bœckh. vol. 2, p. 529, n. 2817, 2 : Αὐρ. Ἀμμίαν Δημέου τοῦ Χρησίμου Μύρτου, et ib. 32 : Ἣν ἡ Μύρτον διετάξατο. Ap. schol. Aristoph. Thesm. 289 vero : Τὴν θυγατέρα χοῖρον) Ὡς τῆς θυγατρὸς αὐτοῦ κατ' ἐπίκλησιν οὕτω καλουμένης, οἷον βοίδιον ἢ χρυσίον ἢ μύρτον, rectius scriptum videtur Μύρτιον, quod v. Ceterum etiam Βοίδιον et Χρυσίον sunt nomina mulierum, atque hinc fortasse supplendum schol. ad v. 1183. L. Dindorf.]

Μύρτον, τὸ, neutr., Fructus myrti dicitur, h. e. Bacca myrti, et præsertim plurali numero. [Archiloch. ap. Etym. M. v. Ἐκ Ῥώμης, p. 324, 14 : Διὲξ τὸ μύρτον, ἀντὶ τοῦ διὰ τὸ μύρτον· σημαίνει δὲ τὴν μυρσίνην. Ubi, nisi forte signif. obscœna dicitur, intelligitur non bacca, sed ramus, ut est ap. Arcadium p. 123, 22 : Μύρτον, ἡ μυρσίνη. De bacca vero Aristoph. Av. 62 : Εὕδει καταφαγὼν μύρτα καὶ σερφούς τινας· 160, 1100.] Plato De rep. 2, [p. 372, C] loquens de bellariis suorum civium : Καὶ μύρτα καὶ φηγοὺς σποδιοῦσι πρὸς τὸ πῦρ. [De esu baccarum myrti conf. Wesseling. Observ. p. 51. Add. autem Plat. Epist. 13, p. 361, B.] Sic Diosc. 1, 156 : Ὁ ἐκ τῶν χλωρῶν μύρτων ἐκθλιβέντων χυλός. Et 5, 37, de vino myrsinite : Τὰ φύλλα σὺν τοῖς μύρτοις κόπτειν. Sic et cap. præc. : Μύρτα μέλανα παρακμάζοντα κόπτειν, καὶ ἐκθλίβειν τὸν χυλόν. Ab hujus baccæ similitudine μύρτον dicitur Caruncula illa subsultans in media muliebris pudendi rima, alio nomine dicta κλειτορίς. [Aristoph. Lys. 1004 : Ταὶ γὰρ γυναῖκες οὐδὲ τῶ μύρτω σιγῆν ἐῶντι.] Cujus extremitates et veluti labia quæ utrinque sunt, τὰ ἑκατέρωθεν σαρκώδη, vocantur Μυρτοχειλίδες, necnon κρημνοὶ et πτερυγώματα, ut tradit Pollux l. 1 [2, 174]. Ruf. Ephes. [p. 32, 52] scribit τὸ ἐν μέσῳ μυῶδες σαρκίον nominari μύρτον s. νύμφην : at τὰ ἑκατέρωθεν πτερυγώματα appellari μυρτόχειλα. [Photius et Suidas : Μύρτον, τὸ σχῆμα (σχίσμα intt. Hesychii) τοῦ γυναικείου αἰδοίου, οὗ τὸ μεταξὺ κλειτορὶς, τὸ δὲ χεῖλος ὑποδορὶς, τὸ δὲ σύμπτωμα μυρτοχείλη (sic pro —λίς).]

Μυρτοπέτᾰλον, τὸ, τὸ πολυγόνατον a quibusdam auctore Plinio 27, 12, appellatur, forsan quod sit myrti folio. [Apul. c. 18 et Diosc. Notha c. 586. Ducang.]

Μύρτος, ἡ, Myrtus : idem ac μυῤῥίνη. Alcæus [ap. Athen. 15, p. 695, B] : Ἐν μύρτου κλαδὶ τὸ ξίφος φορήσω. [Quo respicit Aristoph. Lys. 632. Pind. Isthm. 3, 83 : Λευκωθεὶς κάρα μύρτοις. Simonid. ap. Apostol. Prov. 15, 97 : Πετάλοισι μύρτων. Aristoph. Ran. 329 : Περὶ κρατὶ σῷ βρύοντα στέφανον μύρτων. Theocr. Ep. 4, 7 : Ἀέναον δὲ ῥεῖθρον τηλεθάει δάφναις καὶ μύρτοισι. || Bacca myrti. Geopon. 11, 8 : Τὰς μύρτους ... ἕξεις ἐπὶ πλείονα χρόνον τεθηλυίας. Ἄλλοι δὲ μετὰ τῶν θαλλῶν αὐτὰς συντιθέασιν.]

[Μύρτος, τὸ κύριον ponit Arcad. p. 79, 12. Adjectivum quoddam μυρτὸς quidam restituendum putarunt Hesychio v. Μορτὸς, ubi v. Perger.]

[Μυρτόσπληνος, Myrsitis. Diosc. Notha p. 450. Μυρτόσπληνον, p. 468. Boiss.]

[Μυρτούντιον. Μυρτούσιος. V. Μύρσινος. || Μεταξὺ Λευκάδος καὶ τοῦ Ἀμβρακικοῦ κόλπου λιμνοθάλαττά ἐστι Μυρτούντιον λεγομένη, Strabo 10, p. 459.]

[Μύρτουσσα, ἡ, Myrtussa. Ὄρος Λιβύης. Ὁ οἰκήτωρ Μυρτουσσαῖος καὶ Μυρτούσσιος, Steph. Byz. Callim. Apoll. 90. V. Μυρτώσιον.]

[Μυρτοχειλὶς, Μυρτόχειλον. V. Μύρτον.]

[Μυρτὼ, οῦς, ἡ, Myrto, n. mulieris. V. Μυρτῷος. Amazon ap. schol. Apoll. Rh. 1, 752. Socratis altera conjux, ap. Athen. 13, p. 556, D, et alios, de quibus Luzac. Lectt. Att. p. 8 sq. Aliæ mulieres cognomines sunt ap. Theocr. 7, 97, Metrodor. in Anth. Pal. 14, 118, 1, Plut. Aristid. c. 20.]

[Μυρτώεσσα, ἡ, Myrtoessa, Arcadiæ, ap. Pausan. 8, 31, 4.]

[Μύρτων, ωνος, ὁ, Myrto, n. viri in inscr. ap. Bœckh. *Urkunden* p. 245. Alius ap. Polyb. 32, 21, 9 sq. Appellativum ap. Lucian. Lexiph. c. 12 : Τὸν μύρτωνα καὶ σχινοπρώκταν νεανίσκον. Schol. : Τοὺς μαλακοὺς καὶ αἰσχροὺς οὕτως ἐκωμῴδουν· οὗτοι γὰρ σχῖνον καὶ μύρτα ἐλάμβανον τοῦ μὴ προχείρως ἐνασχημονεῖν.]

[Μυρτῷος, α, ον, Myrtous. Unde mare Myrtoum, de quo Pausan. 8, 14, 12 : Οὐκ ἂν οὖν τό γε πέλαγος τὸ Μυρτῷον ἀπὸ Μυρτίλου τοῦ Ἑρμοῦ φαίνοιτο κεκλημένον ἀρχόμενόν τε ἀπὸ Εὐβοίας καὶ παρ' Ἑλένην ἔρημον νῆσον καθῆκον ἐς τὸ Αἰγαῖον· ἀλλά μοι δοκοῦσιν Εὐβοέων οἱ τὰ ἀρχαῖα μνημονεύοντες εἰκότα εἰρηκέναι λέγοντες ἀπὸ γυναικὸς Μυρτοῦς τῷ πελάγει γεγονέναι τὸ ὄνομα τῷ Μυρτῴῳ. Memorat Strabo 2, p. 124 : Τὸ Μυρτῷον, ὃ μεταξὺ τῆς Κρήτης ἐστὶ καὶ τῆς Ἀργείας καὶ τῆς Ἀττικῆς, ὅσον χιλίων καὶ διακοσίων σταδίων, et alibi cum aliis geographis.]

[Μυρτώσιον αἶπος, i. q. Μύρτουσσα. Apoll. Rh. 2, 505. Τόπος ἢ ἄκρα περὶ Κυρήνην, schol.]

[Μῠρὼ, οῦς, ἡ, Myro, n. mulieris, ap. Marc. Arg. Anth. Pal. 7, 364, 1. L. Dind. M. scriptum in fictili ap. Kramer. *Über den Styl der gr. Thongef.* p. 61. Hase. V. Μοιρώ.]

Μυρῳδέω, affertur pro Lugubre cano, at Μυρῳδία pro Unguentorum odor : utrumque sine testimonio. [Hesych. : Μυρωδεῖ, θρηνεῖ. At verborum ordo postulat Μυρᾴδει, quod Hesych. alicubi sic corrupte scriptum repererat. In cod. Ven. revera exhibetur Μυραιδεῖ, i. e. μυρᾴδει. « Servata est antiqua archetypi scriptura, pro qua, serie permittente, reponendum Μυρᾴδει, uti et Is. Voss. divinavit. » Schow. Male ergo eund. Voss. castigavit Coraes ad Heliod. vol. 2, p. 169 : Σημείωσαι δὲ καὶ τὸ Μύρεσθαι, παρ' ὃ ἡ συνήθεια ἐσχημάτισε σύνθετον τὸ Μυρολογῶ, τῷ ἰδίως ἐπὶ τῆς ἐπὶ τοῖς ἀποιχομένοις θρηνῳδίας τετάχθαι, διαφέρον τοῦ Οἰκτρολογῶ καὶ Ἐλεεινολογῶ· ἡ δὲ σύνθεσις ἀνάλογός ἐστ· τῷ Μυρῳδῶ, ὅπερ ἀγνοήσας τῶν τις κριτικῶν (Is. Voss.) κακῶς τὸ παρ' Ἡσυχίῳ Μυρῳδεῖ εἰς τὸ Μυρᾴδει μεταβάλλειν ὥρμησεν. Angl.]

[Μυρώδης, ὁ, ἡ, Unguento similis. Schol. Lucian. Lexiph. c. 8 : Ἐντρίμματος μυρώδους.]

[Μυρωδία, ἡ, Odor, ὀδμή, in Corona pretiosa. Nicetas in Isaacio 1, 9 : Οἷόν τι τῶν ἐκ τοῦ γένους ὀσφράδιον. Cod. alius μυροδία (pro μυρωδία). Ducang.]

Μύρωμα, τὸ, Id quo inungimur, Unguentum. Aristoph. Eccles. [1116] : Μακαριωτάτη ἐγὼ ἥτις μεμύρωμαι τὴν κεφαλὴν μυρώμασιν ἀγαθοῖς. [Athen. 15, p. 691, B : Μυρώμασιν μέντοι, οὐ μυρίσμασιν ἔλεγεν Ἀριστοφ. ἐν Ἐκκλησ. Eust. Il. p. 1295, 20 : Καὶ ὡς μυρίσασθαι μὲν Ἀλκαῖος λέγει, τὸ δ' ὄνομα μύρωμα, καὶ οὐ μύρισμα. Pollux 6, 105 ; 7, 177.]

[Μύρων, ωνος, ὁ, Myro, n. viri. Herodian. Epim. p. 71. Angl. Notissimum ejus ex. est statuarius Athen. ap. Pausan. et alios. Alium virum Atticum memorat Plut. Solon. c. 12. Historicum Prienensem Athen. 6, p. 271, F, Pausan. 4, 6, 1, idemque tyrannum Sicyonis 2, 8, 1 ; 6, 19, 1, cum Aristot. Reip. 5, 10. Avum Clisthenis Herodot. 6, 26. Τοῦ ἁγίου Μύρωνος mentio fit in Ms. ap. Bandin. Bibl. Med. vol. 1, p. 133, A, de quo v. Lambec. Bibl. Cæs. vol. 8, p. 261, Pashley *Travels in Creta* vol. 1, p. 234. || Μύρωνος νῆσος, νῆσος τοῦ Ἀραβικοῦ κόλπου. Τὸ ἐθνικὸν Μυρωνονησίτης ἢ Μυρωνονησαῖος, Steph. Byz. ὔ L. Dind.]

[Μυρωνεία, κρήνη ἐν τῇ Ἀττικῇ, Hesychius. Non videtur cogitari posse de Μαρωνείᾳ Atticæ loco supra memorato. Accentus tamen in secunda ponendus.]

[Μυρωνῐᾱνός, ὁ, Myronianus, historicus, ap. Diog. L. 1, 115, etc.]

[Μυρωνίδης, ὁ, Myronides, avus Clisthenis. Herodot. 6, 126. Dux Athen. ap. Aristoph. Lys. 802, Eccl. 303, Thuc. 1, 105; 4, 95. Pallenensis ap. Bœckh. *Urkunden* p. 245. Alius ap. Demosth. p. 742, 25.]

[Μυρωνονησαῖος, Μυρωνονησίτης. V. Μύρων.]

Μύρωσις, εως, ἡ, Unguenti illitio, Unctio. Hippocr. Coac. Progn. : Κακὸν δὲ ἐπὶ ἰκτέρῳ μύρωσις. [Immo μώρωσις, quod v.]

[Μυρωτέας, ὁ, Myroteas, n. viri in numo Cymes ap. Mionnet. *Suppl.* vol. 6, p. 8, vix recte lectum.]

[Μυρωτικός, ἡ, όν. Mazaris in Anecd. meis vol. 3, p. 151, 3 : Ὦ μυρωτικὲ σύντεχνε (i. fortasse q. μεμυρωμένε). Boiss.]

Μῦς, υὸς, ὁ, Mus. [Surix add. Gl.] Aristoph. Vesp. [206], μῦς ὀροφίας. In nom. et accus. plur. dicitur non solum μύες et μύας, s. μῦες [μύες] et μῦας [μύας], sed etiam μῦς : ut ap. schol. Aristoph. in illum l., μῦς ὀροφίαι. Plut. [Mor. p. 537, A] : Οἱ δὲ Περσῶν μάγοι τοὺς μῦς ἀπεκτίννυσαν. Sed dicitur etiam μύες ac μύας : ut μύες οἱ κατοικίδιοι, quod affertur ex Diosc. Eust. habet μύες pro Musculis, ubi scribit a μύσω fut. verbi μύω deduci μύες et μυῶνες, οἱ κατὰ σῶμα, item μῦς τὸ ζωΰφιον. At in poematio de Pugna Ran. et Murium, μυῶν legitur priore alicubi producta, alicubi correpta. [Correpta quidem sæpe, nusquam vero producta, nisi 143 : Λόγος δ' εἰς οὔατα μυῶν | εἰσελθὼν, ubi παντων præbuit codex, quod verum, quum υ genitivi non rectius producatur quam dativi, etsi mirabilis de hac mensura contentio fuit inter grammaticos, sec. Chœrob. Bekk. Anecd. p. 1185 (vel vol. 1, p. 117, 4 Gaisf.) : Ταῦτα δὲ (τὰ εἰς υς τὰ ἔχοντα τὸ υ ἐκτεταμένον) συστέλλει τὸ υ ἐν τῇ δοτικῇ τῶν πληθυντικῶν. Καὶ λέγει ὁ Ἡρωδιανὸς χωρὶς τοῦ μῦς μυὸς μυσί· τοῦτο γὰρ φυλάττει τὸ υ, φησὶν, ἐκτεταμένον ἐν τῇ δοτικῇ τῶν πληθυντικῶν. Λαμβάνονται δὲ αὐτοῦ τινες, ὧν ἐστι καὶ Ὦρος ὁ γραμματικὸς, λέγοντες μηδαμοῦ εὑρίσκεσθαι τὸ μυσὶν ἔχον τὸ υ ἐκτεταμένον, ἀλλ' οὔτε δὲ φύσει συνεσταλμένον. Εὑρίσκομεν δὲ αὐτὸ, φημὶ δὴ τὸ μυσὶν, ἔχον τὸ υ ἐκτεταμένον καὶ συνεσταλμένον ἐν τῇ μυοβατραχομαχίᾳ. Quod non magis verum. Nam corripitur 172, 173, 177. Rectius igitur Chœrob. vol. 1, p. 62, 25 : Τὰ εἰς υς μονοσύλλαβα περισπῶνται καὶ διὰ καθαροῦ τοῦ ος κλίνονται καὶ συστέλλουσι τὸ υ ἐν τῇ γενικῇ καὶ ἐν ταῖς ἑξῆς πτώσεσιν, οἷον μῦς μυὸς κτλ. Præter nominat. et accusat. producitur vocativus, ut ap. Lucill. Anth. Pal. 11, 391, 2 : Φίλτατε μῦ. || Photius aliique parœ-

A miogrr. : Μῦς λευκὸς, οἱ κατοικίδιοι μύες ἄγαν πρὸς τὴν ὀξείαν κεκίνηνται, μάλιστα οἱ λευκοί· οὗτοι δέ εἰσι θήλεις· ἐπὶ τῶν ἀκρατῶν περὶ τὰ ἀφροδίσια ἡ παροιμία εἴρηται. Philemo ap. Ælian. N. A. 12, 10 : Μῦς λευκὸς, ὅταν αὐτήν τις, ἀλλ' αἰσχύνομαι λέγειν, κέκραγε τηλικοῦτον εὐθὺς ἢ κατάρατος, ὥστ' οὐκ ἔστι πολλάκις λαθεῖν. Plura Ælian. ipse. Idem Photius, Hesychius, Suidas cum paroemiogrr. memorant prov. Μῦς πίττης γεύεται vel ἄρτι πίττης γευόμενος, ἐπὶ τῶν πρώην μὲν τολμηρῶν, ἀθρόως δὲ δειλῶν ἀναφανέντων, quod explicant partim de mure pice implicito, partim de Olympionica quodam Μῦς dicto, Pisam, ut videtur, confundentes cum πίσσῃ. Illam certe interpretationem redarguit Theocr. 14, 51 : Νῦν δέ ποθ', ὡς μῦς, φαντὶ, Θυώνιχε, γεύμεθα πίσσας.] || Quos Aristot. appellat μῦας [μύας] ἀρουραίους, Gaza interpr. Sorices. [Sic Gl. eodemque modo interpr. μῦς ποντικός. Et μῦς ἀγροικικὸς, Bufo.] Ab Eod. alicubi μῦς redditur Mitulus ex testa intectis. [Recte vero μῦς, Mitulus s. Musculus redditur; valet enim i. q. ὁ μυτίλος s. μύτλος, et μύαξ. V. Gesner. De aqua-
B til. p. 275. Schweigh. Æschyl. fr. Glauci Pont. ap. Athen. 3, p. 87, A : Κόγχοι μύες κὤστρεια. Diphilus ib. p. 91, D. Geopon. 20, 7, 1. Hesychius : Μύες, ὀστρέου τι εἶδος καὶ οἱ κατοικίδιοι καὶ ἐνάλιοι. Conf. etiam Μυστίκητος.] Et alicubi generaliter Mus terrestris et aquatilis : alicubi vero, ubi scribitur Ἐμὺς vel Ὠμὺς, interpr. peculiariter, Mus aquatilis, Testudo lutaria. [|| Μῦς cognominatus est Apollonius medicus. De quo cognomine Dehequius ap. Miller. *Journ. des Sav. Oct.* 1839, p. 606 : *Le même qu'Apollonius Citieus fut surnommé* Mus, *l'homme-muscle, à cause de son talent pour la dissection et de ses connaissances anatomiques. Erotianus mentionne plusieurs de ses ouvrages, entre autres celui* Περὶ ἄρθρων : Ὁ δὲ Κιτιεὺς Ἀπολλώνιος ἐν τῷ περὶ ἄρθρων· σιγμοειδῆ ἐγκοπὴν κτλ. *Malgré ces mots de* ἄρθρων *et* ἐγκοπὴν *qui devaient mettre sur la voie, on lit p.* 301, *t.* 4 *de la trad. fr. de Strabon, par la Porte du Theil, Coray etc. : Apollonius Mus ; c'est-à-dire Souris.* Μῦς Car est ap. Herodot. 8, 133, Pausan. 9, 23, 6. Cælator ap. eund. 1, 28, 2, Athen. 11,
C p. 782, B. Μυὸς ἱματιοπώλου mentio fit in pap. Ægypt. ap. Mai. Class. auct. vol. 4, p. 445, 8. Pugil est ap. Zenob. 5, 46. Alii alibi. Conf. Diodor. 20, 26.]

Μῦς, Musculus [Gl. Et, Μῦς βραχίονος ἤτοι χειρὸς, Lacertus, Torus. Theocr. 22, 48 : Ἐν δὲ μύες στερεοῖσι βραχίοσιν ἄκρον ὑπ' ὦμον ἕστασαν.] Est motus voluntarii instrumentum, prima simplicique carne et fibris constans. Propria enim musculorum substantia his duobus, carne et fibris, constituitur, Galen. Art. Med. Sunt autem fibræ positu simplices, et secundum longitudinem utplurimum exporrectæ. Idem vero initio Comm. 1 in lib. De fract. ait corpus proprium musculi esse fibras a nervis et ligamentis prodeuntes, quas caro simplex cingit. Ob id Hippocr. eod. l. musculos Carnem appellavit. Quæ vero ad musculos vasa perveniunt, velut rivi quidam sunt, qui non eorum substantiam complent, sed eis alimentum subministrant, ut nutriantur et vivant. Tres igitur tantum proprie musculi partes sunt simplices, nervus, ligamentum, a quibus membrana musculos ambiens ori-
D tur, et caro simplex, ambobus in villos divisis undique circumdata. Compositæ vero et totius musculi maximæ partes sunt, caput, quod et Principium appellant, in quod nervus et ligamentum inseri solent, venter carnosus magis et musculum præcipue circumscribens, et finis, ex quo tendo et ἀπονεύρωσις oritur, atque in partes movendas inseritur. Nec tamen facile est tres istas partes in quibusdam musculis discernere, ut sphinctere et intercostalibus. Est autem musculus instrumentum motus voluntarii, qui in eo perficitur a nervo in ejus caput inserto, et in varias fibras diducto sparsoque per universum musculi corpus. Et paulo post, Ceterum dictus est musculus, vel quod excoriatum murem forma imitetur, vel quod pisci, quod mihi videtur probabilius, quem Musculum appellant, similis sit. Dicitur alio nomine a Latinis Lacertus, a quo Lacertosus musculosum significat. Hæc Gorr. [Miras quasdam etymologias ponit Meletius in Cram. Anecd. vol. 3, p. 59, 17. Frequens est voc. apud medicos.]

[Μύσαγμα, τὸ, Macula, Labes, Sordes. Æsch. Suppl. 995 : Τό τ' εἰπεῖν εὐπετὲς μύσαγμά πως. Euseb. V. Const. 3, 26, p. 593, 18 : Ταύτῃ γὰρ μόνως τὸ σπουδασθὲν εἰς ἔργον ἄξειν ἐνόμιζον, εἰ διὰ τούτων τῶν ἐναγῶν μυσαγμάτων τὸ σωτήριον ἄντρον καταχρύψειαν. ἄ]

[Μυσάδιος. V. Μυσία.]

Μυσάζω, a μῦσος [μύσος] derivatum, Polluo scelere, siquidem Hesych. μυσάσει affert pro μιανεῖ. [Aq. 1 Sam. 25, 26, μυσάζειν sec. cod. Reg. ac Theodoretum. Schleusn. Lex.]

[Μύσαιον, s. Μυσαῖον, τὸ, ἱερὸν Δήμητρος Μυσίας, quod dedicaverit Μύσιος Argivus, memorat Pausan. 7, 27, 9.]

[Μυσακτέον, Abominandum. Oribas. p. 183 ed. Mai. L. Dindorf.]

[Μυσάλμης. V. Μυστάλμης.]

Μυσαρία, ἡ, Detestabilitas, Abominanda fœditas, Bud. ex Aretha. [OEc. et Arethas In Apocal. p. 326, 7 Cramer. : Διὰ πορνείας μυσαρίαν. Hase.]

[Μυσαρόγλωσσος. V. Μιαρόγλωσσος.]

[Μυσαροκοπρώνυμος. V. Μυσαρώνυμος.]

[Μῠσᾰροποιία, ἡ, Flagitiorum s. Scelerum perpetratio. Euseb. H. E. p. 120. Kall.]

Μῠσᾰρὸς, ἀ, ὸν, [Scelestus, Sceleratus, Gl.] παρὰ τὸ μῦσος [μύσος. Eur. Med. 1393 : Μυσαρὰ καὶ παιδολέτωρ· Iph. T. 383 : Μυσαρὸν ὡς ἡγουμένη· 1224 : Ὡς φόνῳ φόνον μυσαρὸν ἐκνίψω, et alibi tam de rebus quam de hominibus. Aristoph. Lys. 340 : Ὡς πυρὶ χρὴ τὰς μυσαρὰς γυναῖκας ἀνθρακεύειν. Theocr. 2, 20. Herodot. 2, 37 : Μήτε φθεὶρ μήτε ἄλλο μυσαρὸν μηδέν. « Theoph. Ad Autol. 3, 4. » Routh. De forma per ε v. Etym. M. p. 535, 32. Est ap. Maneth. 4, 269, et in Palladii Hist. p. 935, A, cod. Voss. ap. Hemst. ad Thomam p. 862. Inter utramque formam variant libri Geopon. 2, 21, 6, ut ap. Joannem Malalam in ll. in indice a me citatis. || Adv. Μυσαρῶς, «Euseb. H. E. p. 392.» Kall. Zosim. Hist. p. 283, 17 : Τοῖς μ. πραττομένοις. Hase. Justinian. ap. Bandin. Bibl. Med. vol. 1, p. 174 fin. : Τοῖς ἁγίοις πατράσιν ἐναντία μυσαρῶς ἐξέθετο. L. D.]

[Μυσαρὸς, ὁ, Stellio. Lex. Ms. Cyrilli : Ἀσκαλαβώτης, ζωΰφιον τὸ καλούμενον μυσαρὸς ἢ καὶ ὁ ποντικὸς ἢ νυμφίτζα. Ducang.]

[Μυσαρότης, ητος, ἡ, i. q. μυσαρία. Photius ap. Wolf. Anecd. Gr. vol. 1, p. 133 : Λείπει δὲ μαθητὰς τῆς αὐτοῦ μυσαρότητος καὶ ἀποστασίας. Kall. Id. Phot. Epist. p. 48, 30 : Τὴν προτέραν διαπτυσάμεναι μ. Vita Bacchi jun. p. 67, 8 : Τὴν μ. τοῦ παρανόμου ἀνδρὸς μὴ φέρουσα. Hase.]

[Μῡσάρχης, ὁ, Detestabilium consiliorum auctor. Maccab. 2, 5, 24. Theodor. Stud. p. 405, A : Ἴσθι, μυσάρχα, ἡλίκον σοι τὸ κατὰ Χριστοῦ ἀποτέλεσμα. L. Dind.]

[Μυσαρώνῠμος, ὁ, ἡ, Qui scelerati est nominis. Const. Manass. Chron. 4382, de Copronymo (quem 4318 Μυσαροκοπρώνυμον dixerat). Boiss.]

[Μυσαρωπὸς, ὁ, ἡ, Qui detestabili est aspectu. Manetho 4, 316 : Ἀπόφωλα βίου μυσαρωπὰ γένεθλα.]

[Μυσαρῶς. V. Μυσαρός.]

Μῠσάττομαι, [Abhorreo, Gl.] Abominor, Aversor ut detestandum et scelestum; βδελύττομαι, ἀποστρέφομαι, Hesych. [Eur. Med. 1149 : Παίδων μυσαχθεῖσ' εἰσόδους. Hippocr. p. 477, 25 : Μυσάττεται τὸ σίαλον. Ubi notanda forma per duplex τ, qua etiam Iones usi videntur, ut inauditum fuerit duplex in hoc v. σ.] Utitur hoc verbo Lucian. [Prom. c. 4] : Οἱ δέ τινες ὡς ἐπὶ τέρατι ἐμυσάττοντο, Abominabantur et aversabantur ut prodigium. Idem [D. deor. 23, 1] cum accus. : Μυσάττεται τὰς σφαγάς. [Xen. Cyrop. 1, 3, 5 : Σὲ μυσαττόμενον ταῦτα τὰ βρώματα. « Anth. Pal. 3, 6, 2. » Boiss. Ælian. Hist. an. 16, 36, de elephantis : Μισοῦντες τὰς ὗς καὶ μυσαττόμενοι. Eratosth. Catast. 8 : Τῆς ὠμότητος αὐτὸν μυσαχθείς. Hase.]

[Μυσαχθέω, Tzetz. Lyc. 1113 (?). Kall.]

Μῠσαχθὴς, et Μυσαχνὸς, ὁ, ἡ, indidem dicitur Abominandus, Sceleratus, Impurus. Quorum utrumque ap. Hesych. legitur : μυσαχθὲς, synonymum habens μυσαρόν : μυσαχνὸν autem, expositum μεμολυσμένον. [Μυσαχθὴς, Nicander Th. 361 : Πᾶσα γὰρ αὐαλέη ῥινὸς περὶ σάρκα μυσαχθής. Philipp. Thessal. Anth. Pal. 9, 253, 1 : Ἐν Θήβαις Κάδμου κλεινὸς γάμος, ἀλλὰ μυσαχθὴς Οἰδίποδος.] Itidemque μυσαχνὴ affert pro μισητὴ, A ἀκάθαρτος, Odio prosequenda et execranda, Impura. Apud Eust. [Il. p. 575, 33] paroxytonως μυσάχνη, quod esse dicit σκῶμμα πόρνης : alibi tamen [p. 846, 19] exponens μυσαρὰ, derivansque ex μεμύσαχα præterito verbi μυσάττω. Notandum vero, ut et μυσαχνὴ et μυσάχνη scribitur, intelligiturque de Femina detestandæ et sceleratæ libidinis, ita et μισητὴ et μισήτη dici de Femina libidinis extremo odio prosequendæ. [Eodem referenda Hesychii gl. : Μοσχρὸν, μυσαρὸν, μυσαχθές. Quod Μυσαχρὸν scribebat Vossius.]

[Μυσαχνός. V. Μυσαχθής.]

[Μυσεράρχης, ὁ, Scelestus princeps vel auctor. Eulogius in Maji Nova Coll. Vat. vol. 7, p. 177 : Ἐπὶ τῶν ἀποστόλων Σίμωνα τὸν μάγον ἀναστήσας μυσεράρχην πρῶτον τῶν τοῦ κόσμου αἱρέσεων. Quod si recte ita scribitur, etiam quod supra retulimus μισιεραρχία, scribendum μυσεραρχία. L. Dind.]

[Μυσερός. V. Μυσαρός.]

[Μυσὴ, ἡ.] Μύσον, Mysi τὴν ἀξίνην, Securim, Hesych. [Μυσὴν Lydi nuncuparunt Fagum arborem, unde B Mysos nomen traxisse volunt. V. Strabo 12, p. 572, scribens, Xanthum Lydum et Menecratem Elaitam hanc rationem nominis Mysorum reddidisse, ὅτι τὴν ὀξύην οὕτως, Μυσὴν sive Μυσὸν, ὀνομάζουσιν οἱ Λυδοί. Ex Strabone sua hausit Steph. Byz. v. Μυσία, Λυδοὶ δὲ τὴν ὀξύην Μυσήν φασι. Docet etiam Eustath. ad Dionys. Per. v. 322, Μυσὴν vel Μυσὸν, utrumque enim dicitur, τὴν ὀξύην significare, κατὰ τὴν γλῶσσαν τῶν Λυδῶν. Inde emendari potest Hesychius, apud quem legimus, Μύσον, τὴν ἀξίνην. Μυσοί. Pro Μύσον reponendum Μυσὸν sive Μυσὴν, et, pro ἀξίνην, vel ὀξύην, vel, quod idem est, ὀξύνην (ut est in ed. Alberti). Neque dubitandum est, quin Μυσοὶ mutari debeat in Λυδοί. Error librarii in permutando nomine Lydorum et Mysorum hinc natus videtur, quoniam præcesserat Μυσοὶ, ἔθνος βαρβαρικόν. Jablonsk.]

Μυσημιέκτον, τὸ, Hesych. τοῦ ἡμιέκτου τὸ ἥμισυ· reprehendens eos qui dicebant esse νομισμάτιον μικρόν.

[Μυσητὸς, ὁ. Μυσητὸν, Detestabile, Gl.]

[Μῡσία, ἡ, Mysia. Steph. Byz. : Μυσία, χώρα καὶ C πόλις (huic et Etym. M. in Μῦς, deceptis fortasse loco Sophoclis ap. Strab. 8, p. 356 : Ἀσία μὲν ἡ σύμπασα κλῄζεται, ξένε, πόλις δὲ Μυσῶν Μυσίᾳ προσήγορος, etsi Constantinus quoque Them. p. 8, C, de Europæa scribit, Μυσὴ, Θρᾴκης δ' ἐστὶν αὕτη τὸ πολίχνιον. Nihil enim huc pertinet Μυσία urbs Parthiæ ap. Ptolem. 6, 5). Λέγονται καὶ Μυσοὶ καὶ Μύσιοι καὶ Μυσάδιος αἰολικῶς. (Conf. Ahrens. De dialectis vol. 1, p. 157, qui tueri conatur μουσάδιος ap. Herodian. Π. μον. λέξ. p. 18, 8, quod Μυσάδιος scribebat Lobeck. Paralip. p. 77.) Eur. fr. Telephi ap. Aristot. Rhet. 3, 2 : Ἀποβὰς ἐς Μυσίαν. Herodot. 7, 42, et alibi, aliique historici. Plur. Μυσίων, quod scrib. Μυσιῶν, ap. Athanas. vol. 1, p. 155, D. Gent. Μυσοὶ est ap. Hom. Il. B, 858, ubi Asiani, N, 5, ubi Europæi memorantur, quos Mœsos vocarunt Romani (quibus de utrisque agit etiam Strabo 7, p. 295, 303, et alibi), Æsch. Pers. 52, ceterosque Tragicos, quorum Sophocles quidem fabulam inscripserat Μυσοὶ, Herodot. 7, 20, et alios historicos. Adj. ap. Pind. Isthm. 7, 49 : Μύσιον πεδίον. Æsch. Pers. 322 : D Σεισάμης θ' ὁ Μύσιος· 1054 : Κάπιβῶ τὸ Μύσιον. Soph. Aj. 720 : Μυσίων ἀπὸ κρηνῶν. Eur. fr. Licymn. ap. Steph. Byz. v. Τευθρανία cit. : Σχῆμα Μυσίας χθονός. Aristoph. Ach. 439 : Πιλίδιον τὸ Μύσιον. Μυσὸς pro Μύσιος Euphorio ap. Strab. 12, p. 566 : Μυσοῖο παρ' ὕδασιν Ἀσκανίοιο. Callim. Dian. 117 : Μυσῷ ἐν Οὐλύμπῳ. Possess. Μυσιακὸς, ἡ, ὸν, ap. Strab. 12, p. 564. Fem. Μυσὶς, ἴδος, ap. Apoll. Rh. 1, 1349; 2, 766, Dionys. Per. 805. Ceterum gens fuit contemta apud Græcos, quo refertur quod est ap. Plat. Gorg. p. 521, C : Εἴ σοι Μυσόν γε ἥδιον καλεῖν. Et provv. πρὸς ἐσχάτην Μυσῶν vel ἐπὶ τὸν ἔσχατον Μυσῶν πλεῖν, Μυσῶν ἔσχατος, ap. Plat. Theæt. p. 209, B, de quo v. schol., parœmiogrr. et schol. Vat. Eur. Rhes. 250, et Μυσῶν λείαν ap. Harpocrat. et parœmiogrr., ubi v. annot. intt. et Hasii ad Leon. Diac. p. 193, B, et Leo ipse 7, 2, et Ms. ap. Hasium p. 257, A. || Forma Μοισὸς, quo Romani utuntur de Europæis, Straboni 7, p. 295, 303, ex conjectura Tyrwhitti illata est a Tzschuckio, quam recte repudiavit Bernhardy ad Dionys. P. v. 300.]

[Μυσία, ἡ, cogn. Cereris. Pausan. 2, 18, 3 : Ἔστιν (in agro Argivo) χωρίον Μυσία καὶ Δήμητρος Μυσίας ἱερὸν, ἀπὸ ἀνδρὸς Μυσίου τὸ ὄνομα. Conf. de iisdem id. 7, 27, 9, et ubi Μυσίος scriptum 2, 35, 4. Cornutus post verba in Μυσιάω posita : Πιθανὸν γὰρ ἐντεῦθεν (a v. μυσιᾶν) ὠνομάσθαι τὰ μυστήρια· ὅθεν καὶ Μυσία παρά τισι λέγεται (codd. ἡ Δημήτηρ λέγεται), ἢ ἀπὸ τοῦ μώσεως δεῖσθαι τὰ δυσξύμβλητόν τι ἔχοντα. Hesychii gll. : Ἀμφιμυσίων, Δημήτρια ζῶα, et Ἀμφιμυσίων, ἡ Δημήτηρ, confert interpres. Ubi an lateat verbum Δημητριάζω in medio relinquo. Pro μώσεως autem scribendum videtur μύσεως, etsi illud a verbo μῶμαι ductum videri potest. L. Dind.]

[Μυσιάω.] Μυσιᾶν, Hesychio ἀναπνεῖν, Respirare, vel συνουσιάζοντα πνευστιᾶν, Anhelare in coitu. Aliis est εὐτροφιᾶν. Eidem Hes. μυσιῶν est σιλλαίνων. [Cornut. De nat. deor. c. 28, p. 213 : Μυσιᾶν γάρ ἐστι τὸ κορεῖσθαι (al. κεχορῆσθαι), Saturari.]

Μυσικαρφὶ quidam legunt ap. Cratinum in Ὥραις, accipientes pro μεμυκότως καὶ ξηρῶς. Alii μυσίκαρφι. Suntque qui sic nominatum aliquem existiment, μηδὲν ἀφ' ἑαυτοῦ γλαφυρὸν σκώπτοντα, ἀλλ' ἐπιγελῶντα ἡδέως : nomen enim esse Μυσίκαρφον, cujus meminerit Apollophanes comicus. Hesych. [Quibus in fine additur : Ὡς τινὲς δὲ τὸν ἀρχίμαγον, quæ ignoti nominis hominem spectare videntur. Photius : Μυσικάρφης, ὄνομα Μυσικάρφους, οὗ μνημονεύει Ἀπολλοφάνης ἐν Κρησίν. Ἀρίσταρχος δὲ ἐπ' ὀνόματος τινὰ ἀηδῶς ἐπιγλῶτταν· οἱ δὲ ἀνέγνωσαν μυσικάρφει, ὡς ἀκονιτὶ, τὸ μ. καὶ ξ. μὴ ἐκ φανεροῦ γελᾶν. Κρατῖνος Ὥραις. Quarum gll. facile altera ex altera emendatur.]

[Μύσιν, τὸ χάλκανθον, in Glossis iatricis Mss. ex cod. Reg. 190, Misy. Ducang. Hippiatr. p. 228, 5. Misy esse *Sulfate de fer ou de cuivre* existimat Hœfer. *Hist. de la chimie* t. 1, p. 110 (3). Hase.]

[Μύσιος, ὁ, Mysius, fl. Æolidis, ap. Strab. 13, p. 616, qui Æschyli ex Myrmidonum prologo versum citat : Ἰὼ Κάϊκε Μύσιαί τ' ἐπιρροαί. V. etiam Μυσία.]

Μύσις, εως, ἡ, Occlusio, Compressio, Obstructio. Μύσις τῶν πόρων, Occlusio, Obstructio (ut μύοντες πόροι ex Aristotele afferetur pro Obstructis poris, s. Occlusis, vel Clausis). Greg. Naz. De homine : Συμπτώσεως γὰρ τῶν πόρων καὶ μύσεως ἐν ταῖς λυπηραῖς διαθέσεσι περὶ ἅπαν γενομένης τὸ σῶμα, πρὸς τὰς ἐν τῷ βάθει κοιλότητας συνωθεῖται πᾶν τὸ πρὸς τὴν διαπνοὴν κωλυόμενον. Apud Diosc. autem μύσις τῆς ὑστέρας quidam interpr. Contractio vulvæ : Ποιεῖ πρός τε ὑστέρας μύσεις καὶ διαστροφάς. [Aret. p. 51, 9 : Ἦν τὸ στόμιον τῆς ὑστέρης ἀνῇ ἐκ τῆς πρόσθεν μύσιος. Μύσις ῥινῶν v. in Μυκτηρισμός. Theodor. Stud. p. 429, D : Μύσις τοῦ διανοητικοῦ. L. D. Clem. Al. Pæd. 1, 6, 39 : Μ. γίνεται τοῦ πόρου. Figurate de oculo animi Origen. t. 1, p. 722, C : Τῇ ἐγέρσει τοῦ κρείττονος ὀφθαλμοῦ καὶ τῇ μ. τῶν ὄψεων τῆς αἰσθήσεως. Hase.]

[Μυσκέλενδρον, τό.] Μυσκέλεθρα, Stercora muris, Muscerdæ : quæ et μυόχοδα. Apud Hesych. et Polluc. [5, 31, nunc ex codd. correctum] Μυσκέλεδρα. [Mœris p. 264 : Μυσκέλενδρον, Ἀττικοί, μυόχοδον Ἕλληνες. Photius : Μυσικέλενδρον, τὸ τοῦ μυὸς ἀποπάτημα, μυόχοδον.]

[Μύσκελλος, ὁ, Myscellus, conditor Crotonis, ap. Diod. Exc. Vat. p. 9, Scymn. Orb. descr. 324, Strab. 6, p. 262 etc. Formam Μύσκελλος tuentur versus oraculi ap. Diodorum et alios. Sed ne Μύσκελος quidem, quod interdum apparet in libris, ut Suidæ et schol. Arist. Nub. 370, nec versu excluditur ap. Scymnum : Μύσκελλος Ἀχαιὸς ἦν ἀποικίσαι δοκεῖ, temere esse damnandum ostendit Ovid. Metam. 15, 20 : « Nam fuit Argolico generatus Alemone quidam Myscelus, illius diis acceptissimus ævi. » Estque Μύσκελος in inscr. Halicarn. ap. Bœckh. vol. 2, p. 1107, n. 2656, b, col. 3, quum vicissim Μύσκελλος testetur Arcad. p. 54, 13. Utraque forma defenditur etiam analogia aliorum nominum in ελος et ελλος. L. Dind.]

Μύσκλοι, Hesych. οἱ σκολιοὶ, et οἱ πυθμένες τῶν ξηρῶν σύκων. [Conf. Μυχλός.]

Μύσκος, Musculus, Parvus mus, dimin. a μῦς, VV. LL. [Fort. leg. Μυΐσκος, ut volebat Schneiderus, etsi μύσκος non addita signif. ponit Arcad. p. 50, 15.]

Μύσκος, Hesychio μίασμα, κῆδος. [Μίασμα refertur ad μύσος.]

A [Μύσκων, ωνος, ὁ, Myscon, dux Syracusanorum ap. Thuc. 8, 85. Athen. ap. Xen. H. Gr. 1, 1, 29.]

[Μύσμης, ὁ, Mysmes, n. viri in numo Erythræo Ion. ap. Mionnet. *Descr.* vol. 3, p. 129, 501, si recte lectum.]

Μυσὸς, ἡ, ὸν, Detestandus, Abominandus, Detestabilis, Abominabilis, Impurus. Hesychio enim μυσὰ sunt μυσαρὰ, μιαρὰ, μεμιασμένα.

Μῦσος [Μύσος], ους, τὸ, Scelus, [Monstrum, add. Gl.] μίασμα. Budæo Scelus et facinus detestandum. [Æsch. Cho. 651 : Αἱμάτων παλαιτέρων τίνειν μύσος· 967 : Ὅταν ἀφ' ἑστίας μύσος πᾶν ἐλάσῃ· et alibi. Soph. OEd. T. 138 : Αὐτὸς αὑτοῦ τοῦτ' ἀποσκεδῶ μύσος. Eur. Andr. 335 : Μιαιφόνον μὲν οὐκέτ' ἂν φύγοι μύσος· Herc. F. 1155 : Τεκνοκτόνον μύσος ἐς ὄμμαθ' ἥξει φιλτάτων ξένων ἐμῶν· Iph. T. 1229 : Φεύγετ', ἐξίστασθε, μή τῳ προσπέσῃ μύσος τόδε. Et cum genit. pers. Iph. T. 1168 : Ἦ τὸ τῶν ξένων μύσος, vel rei, Herc. F. 1219 : Ὡς μὴ μύσος με σῶν βάλῃ προσφθεγμάτων. Hippocr. p. 303, 39 : Εἴτε καὶ πρότερον ἔχομεν μύσος.] Theodorit. Hist. Eccl. 3, pro B Sacrificio dæmonico sæpe utitur, teste Eod., quia apud Deum eo nihil sceleratius et detestabilius. [Signif. obscœna schol. Luciani Jov. trag. c. 8 : Καὶ αὐτὸς Ἄττις τοιοῦτος ἐπαμφοτέρῳ τῷ μύσει ἐξεταζόμενος.] Porro quod ad originem vocabuli μῦσος attinet, Eust. ipsum derivat παρὰ τὸ μῦσαι, ut sit πρὸς ὃ μύομεν, Ad quod oculos claudimus : videre ipsum non sustinentes, sed nauseantes.

[Μυσός. V. Μυσία.]

[Μυσόω, Polluo. Reliqui 1 Sam. 25, 33. Schleusn.]

Μύσπαλα, Hesychio μυάγρα, παγὶς, Muscipula. [Similis ejusd. gl. Μυσταπάγη, παγὶς μυῶν.]

[Μυσπαλοίματα, τὰ κατάλοιπα τῶν ἀλουμένων, Hesychii gl. suspecta. Alludit ad πασπάλη, unde πασπαλήματα fortasse scribendum.]

[Μυσπολέω.] Μυσπολεῖ, Hesychio ὡς μῦς περιπολεῖ, μυὸς τρόπον ἀναστρέφεται, ex Aristoph. Vesp. [140] : Καὶ μυσπολεῖ τις ὅστις καταδεδυκώς, Et aliquis ibi veluti mus oberrat ac scrutatur, quisquis tandem sit qui subintravit. [Eodem refertur ab intt. ejusd. gl. : Μύσπαν, μύξαν, οἱ δὲ τὸ μυὸς τρόπον ἀναστρέφειν.] C

[Μύσσω. V. Μύττω.]

[Μυσσωτεύματα (male scriptum per ο), ἀρτύματα, et Μυσσότριβον, ἀλετρίβανον, quæ ponit Hesychius, pertinent ad μυττωτὸς, quod per σ scriptum v. infra.]

[Μυσσωτὸν, πάθος περὶ τὴν ὄψιν, Hesychii gl. suspecta. Nam cod. per ο, ordo autem literarum poscit simplex σ. Idem : Μυσσωτὰ, γελοῖα.]

[Μύστα, ἡ, Mysta, n. mulieris Laodicenæ in inscr. ap. Bœckh. vol. 2, p. 1044, n. 2322, b[25]. Alius in Attica vol. 1, p. 509, n. 727. Seleuci junioris concubina ap. Athen. 13, p. 578, A. L. Dind.]

Μυστᾰγωγέω, Initio sacris, Mysteria doceo, s. Sacra. [Ut μυσταγωγὸς infra pro ξεναγωγὸς, ita μυσταγωγεῖν posuit pro ξεναγωγεῖν Strabo 17, p. 812. Hemst.] Greg. Naz., de transfiguratione Christi loquens : Ἀλλὰ ἐπὶ τοῦ ὄρους ἀστράπτει, καὶ ἡλίου φωτοειδέστερος γίνεται, μυσταγωγῶν τὸ μέλλον, Mystice docens futura, Bud. Sic in isto loco : Οὕτω καὶ Πέρσαι τὴν εἰς τὰ κάτω κάθοδον καὶ πάλιν ἔξοδον μυσταγωγοῦντες D τελοῦσι τὸν μύστην, partic. μυσταγωγοῦντες reddit Mystice docentes. [Amor μυσταγωγεῖν dicitur ap. Alciphr. 1, 19. Schæf. || Baptizo. Palladius Vita Chrysostomi p. 41 : Ὡς δὲ παρήδρευε μυσταγωγηθεὶς τὴν τοῦ λουτροῦ παλιγγενεσίαν ἀμφὶ τὰ τρία ἔτη. Sozomenus H. E. 8, 21 : Ἐπιθεμένων αὐτοῖς ἔτι μυσταγωγοῦσι στρατιωτῶν. V. H. Vales. ib. 18. Ducang. Alia constructione Theodor. Stud. p. 606, μϛ', 3 : Χριστὸν γὰρ ἔνδον μυσταγωγεῖσθαι νόει. « Μυσταγωγεῖσθαι, Imbui doctrina sacramentorum aut participem illorum fieri. Theodoret. Cur. l. 5 : Καὶ τὰς γυναῖκας τελεῖσθαι καὶ μυσταγωγεῖσθαι. » Casaub. Exercitt. p. 395 ed. Francof. Rarius usurpatum perfectum μεμυσταγωγήκασι est ap. Cyrill. Alex. vol. 1, part. 1, p. 58, E.]

[Μυσταγώγημα, τὸ, i. q. μυσταγωγία. Improprie Doctrina. Eumath. 4, p. 134 : Αὗται δὲ δοῦλαι κατὰ τὴν γραφὴν καὶ τὸ σὸν μ. Proprie Theodor. Stud. p. 472, B : Τελειωθέντος τῷ θείῳ μυσταγωγήματι.]

Μυσταγωγητὸς, ἡ, ὸν, Ad sacra mysteria jam introductus, Initiatus.

Μυσταγωγία, ἡ, Officium ejus qui μυσταγωγὸς vocatur, Actio illa initiandi sacris. Unde redditur etiam Initiatio in sacris. Quidam vero interpr. Initia, ex Cic. De legibus: quum tamen voci μυστήρια potius convenire hæc interpr. videatur. Greg. Naz.: Τὰ τῆς μυσταγωγίας ῥήματα. [|| Sacrum missæ officium, quod, inquit Goarus, ad Dei recondita secreta percipienda mentem sublevat, etc. Unde ἱερὰ, θεία μ. ap. scriptt. eccles. ab Ducangio citatos. Theodor. Stud. p. 230, E: Ἡμεῖς τοῦ ἁγιωτάτου πατριάρχου μνημονεύομεν ἐν τῇ μυσταγωγίᾳ. Idem p. 246, C: Καὶ αὐτὸ τὸ θεῖον ἐξύβρισαν ταῖς στεφανικαῖς μυσταγωγίαις. « Ap. Chrysost. t. 1, p. 652, μυσταγωγία est ipsa Eucharistiæ institutio, ἡ ἐκ τῶν οὐρανῶν κατενεχθεῖσα μ. » Casaub. l. c.] A

[Μυσταγωγικὸς, ἡ, ὀν, Qui ad initiationem pertinet. Cyrill. Hieros. p. 227. Kall.]

Μυσταγωγὸς, ὁ, ἡ, Initiator [Gl.]: sicut μύστης, Qui initiatur, Initiatus, sacris sc. Ab Hesych. exp. ἱερεὺς ὁ τοὺς μύστας ἄγων. Greg. Naz.: Ὁ μύστης ἐν ἀπορίᾳ, ὁ μυσταγωγὸς ἐγγύθεν, παρεξηγούμενος τὴν ἀλήθειαν, Initiatus et initiator, quasi Discipulus et præceptor. Ex Eod. affertur, Πονηροὶ πονηρῶν δαιμόνων καὶ πλάσται B καὶ μυσταγωγοὶ καὶ μῦσται [μύσται]. || Μυσταγωγὸς, est etiam Is qui hospites ad ea quæ visenda sunt ducere solet: si fidem adhibemus Ciceroni, s. potius Ciceronianis exempll Legimus enim Oratione in Verr. 4, [59]: Itaque judices, ii qui hospites ad ea quæ visenda sunt ducere solent, et unumquidque ostendere, (quos illi Mystagogos vocant,) conversam jam habent demonstrationem suam. Nam ut ante demonstrabant quid ubique esset, item nunc, quid undique ablatum sit, ostendunt. Loquitur autem hic de Syracusis; ideoque Syracusanis peculiare fuisse hoc vocab. in ista signif., existimare quispiam possit. Sed tamen μυσταγωγὸς in signif. τοῦ ξεναγωγὸς accipi, donec alio testimonio probatum mihi fuerit, exemplarium hoc in l. fidem suspectam habere non desinam. [Conf. Μυσταγωγέω. Improprie etiam Menand. ap. Plut. Mor. p. 474, B: Ἅπαντι δαίμων ἀνδρὶ συμπαραστατεῖ εὐθὺς γενομένῳ, μυσταγωγὸς τοῦ βίου ἀγαθός. Schol. Pindari p. 3 Bœckh.: Παρὰ τοῦ ἡμετέρου σοφιστοῦ ἤτοι μυσταγωγοῦ κυροῦ Δημητρίου τοῦ Τρικλινίου. C Conf. etiam Hasius *Notices des Mss.* vol. 9, p. 209.]

[Μυσταθεία. Voc. hoc, in cujus explicatione intt. dissentiunt, ac est haud dubie corruptum (Hesych.: Μυστάδης, εἶδός τι καὶ φατριὰ μάντεων, ubi v. intt.), legitur Sap. 12, 6, sec. cod. Vat. Vulg. Syr. et Arabs vel legerunt μυστήριά σου vel verbum μυσταθεία sic sunt interpretati. Cod. Alex. αἵματος ἐκ μέσου μύστας θιάσου. Complut. μύστας θείας σου. Schleusn.]

[Μυστάκιον, τὸ, i. q. μύσταξ, Rictus. Moschop. Π. σχεδ. p. 140 fin. Boiss.]

[Μυστάκων, ωνος, ὁ, Mystacon, cogn. Joannis cujusdam, ab τῷ τῆς ὑπερῴας χελύνης καταχόμῳ inditum, ap. Theophylact. Hist. Mauric. p. 19, etc. L. Dind.]

[Μυσταλίδης, ὁ, Mystalides, n. viri, ap. Lysiam Athen. 12, p. 551, F.]

Μυστάλμης, ὁ, Avarus, quasi victitans ex divisione salsamentorum. Sic in VV. LL. Quisquis autem sit hujus expos. auctor, videtur a μυστίλλειν et ἅλμη deduxisse, sed nescio quo exemplo ἅλμην pro Salsamentis accipiens. [In Ind.:] Μυσάλμαι, Hesych. πολὺ D πεινῶντες καὶ ἐσθίοντες. Eust. [Od. p. 1507, 2; 1828, 14] μυσάλμην scommatice dici tradit ἐκ τοῦ μυστιλᾶσθαι ἅλμην, quod sit ἐκ τῶν εὐτελεστάτων ζῆν. Unde rectius μυστάλμης scriberetur, ut infra.

[Μύσταξ, ἄκος, ὁ, Rictus, Tittex, Infranares, Gl. V. Βύσταξ, Μάσταξ et Μύτταξ. Ubi sunt exx. correpti α, quibus addi potest Strattidis in Etym. M. p. 803, 48. Antiatt. Bekk. p. 108, 28: Μύσταχα, βραχέως. Εὔβουλος Τιτθῇ, quid sibi velit non apparet, quum nemo certe producere secundam potuisse videatur.]

[Μυστάρχης, ὁ, Qui mystis præest. Inscr. Cyzic. ap. Bœckh. vol. 2, p. 918, n. 3662, 3; Hadrianop. ib. p. 980, n. 3803, 10. Pro quo Μυστηριάρχης in Cyzic. p. 933, n. 3666, 6.]

[Μυσταρχικῶς, Mystice. Heliod. Carm. de chrysop. 55, 59.]

[Μυστέα, παιδιά τις ἐπιτελουμένη καταλύοντα τοὺς ἄρχοντας, Hesychii gl. obscura.]

[Μυστὴ, Bargus, Gl.]

[Μυστηρεύομαι, Arcana communico cum alio. Nicetas Chon. p. 322, A: Ἐσκέπτετο δὲ πλέον μετὰ τῶν συνήθων καὶ οἷς τὰ κρυφιώδη τῶν βουλευμάτων προσανετίθει. Cod. græcob. μετὰ τῶν ὧν εἶχε συνήθειαν μυστηρεύεσθαι.]

[Μυστηριάζω, Initio, Gl. Photius ap. Wolf. Anecd. Gr. vol. 1, p. 137. Kall. Frequentat etiam Eustath. in Opusc., ut p. 91, 29: Μυστηριάζονται, et alibi. Ejusdem Il. p. 1009, 63; 1014, 10, indicavit Valck.]

Μυστηριακὸς, ἡ, ὀν, ap. schol. Aristoph. [Pl. 27], ubi Bud. esse ait Arcanus, Secreta tegens. [Eust. Il. p. 1014, 11: Νόημα μυστηριακόν. Schol. Aristoph. Ran. 346: Τὸ μυστηριακὸν πῦρ· Plut. 27, μυστηριακώτατον, de homine. || « Secretarius. Synaxarium Maximi Cythær. 15 Jan.: Τοὺς ἀσηκρήτας, ἤγουν τοὺς μυστηριακούς. » Ducang.]

[Μυστηριάρχης, ὁ, Mysteriorum princeps. Sophron De hæresibus ap. Fabric. B. Gr. vol. 7, p. 485: Δίδυμος καὶ Εὐάγριος οἱ τῆς Ὠριγενειανῆς τερθρείας μυστηριάρχαι παμμίαροι. « Ind. scriptt. in Concil. Lateran. ap. Fabr. B. Gr. vol. 11, p. 146. » Cramer. V. Μυστάρχης.]

[Μυστηριασμὸς, ὁ, Initiatio, Gl. Eust. Od. p. 1854, 46, Opusc. p. 230, 49.]

[Μυστηρὶς, ίδος, ἡ.] Μυστηρίδες, ex Epigr. [Damaget. Anth. Pal. 7, 9, 5] μυστηρίδες τελεταί· quæ etiam pro μυστηριώδεις accipi existimantur.

[Μυστηρικὸς, ἡ, ὀν, i. q. μυστηριακός. Aristoph. Ach. 747: Ἠσεῖτε φωνὰν χοιρίων μυστηρικῶν. Athanas. vol. 2, p. 175, E: Μυστηρικὸν λόγον.]

Μυστήριον, τὸ, Mysterium, servando vocem Græcam, una litera excepta. Redditur etiam Arcanum ad aliqua sacra pertinens. [Arcanum Sacrum, Initiamentum, Secretum, Gl. Et Μυστήρια Διονύσου, Orgia.] In VV. LL. male redditur simpliciter Arcanum: si quidem prima et propria ejus signif. spectetur. Sed additur, Mysterium sub quo arcani aliquid latet, quodque non perficitur nisi occulta aliqua sacrorum ratione, Res arcana occultaque, quamque nefas est vulgo efferre, Res arcana et paucis cognita, neque communicanda nisi initiatis. Quæ postrema interpr. paulo ceteris tolerabilior videtur, præsertimque secunda: quum aliqua res arcana occultaque esse possit, et ejusmodi quam nefas sit vulgo communicare, nihil minus tamen quam Mysterii nomine appellanda. Quidam interpr. Initium, ea sc. signif. a qua est verbum Initiare, quum dicitur Initiare sacris et Initiatus sacris; sed pluraliter potius dici Initia, ideoque hanc vocem interpretationi pluralis aptiorem esse existimo. Sed ne Cic. quidem voce Mysterium uti dubitavit. [Soph. ap. Hesych. v. Σεμνὰ cit.: Σεμνὰ τῆς σῆς παρθένου μυστήρια. Eur. Hipp. 25: Σεμνῶν ἐς ὄψιν καὶ τέλη μυστηρίων· Suppl. 173: Δήμητρος ἐς μυστήρια· 470: Σεμνὰ στεμμάτων μυστήρια· Rhes. 943: Μυστηρίων τῶν ἀπορρήτων φανάς. Aristoph. Ran. 887: Δήμητερ, εἶναί με τῶν σῶν ἄξιον μυστηρίων· Pl. 1014: Μυστηρίοις τοῖς μεγάλοις. Herodot. 2, 51: Τὰ ἐν τοῖσι ἐν Σαμοθρηΐκῃ μυστηρίοισι δεδήλωται.] Herodian. 8, [7, 8]: Καὶ νῦν φυλάσσοντες τὸν στρατιωτικὸν ὅρκον, ὅς ἐστι τῆς Ῥωμαίων ἀρχῆς σεμνὸν μυστήριον, Servato etiam militari jurejurando, quod est unum Romani principatus mysterium sanctissimum, Polit. Idem vero alibi μυστήρια non Initia simpliciter, sed cum adjectione Initia Cereris interpr., 3, [8, 17]: Εἴδομεν δὲ ἐπ' αὐτοῦ καὶ θέας τινῶν παντοδαπῶν θεαμάτων ἐν πᾶσι θεάτροις ὁμοῦ, ἱερουργίας τε καὶ παννυχίδας ἐπιτελεσθείσας εἰς μυστηρίων ζῆλον. Nam hæc postrema verba vertit, Pervigilia ad formam Cereris initiorum. Quidam annotant fuisse mysteria duplicia apud Eleusinem, magna, Cereri sacra, parva, Proserpinæ, qua de re lege schol. Aristoph. Plut. De exilio [p. 604, D]: Μυστηρίοις ἐν Ἐλευσῖνι διατρίβειν. Pausan. lexicogr. ap. Eust. quædam Cereris mysteria, quæ τὰ μικρὰ dicebantur, vocata fuisse τὰ ἐν Ἄγροις dicit, quod ibi celebrarentur. Sed generalius usurpari hæc vox solet sine adjectione: sic tamen, ut alicubi subaudiri debeat. [Xen. H. Gr. 1, 4, 14: Ἠσεβηκότος ἐς τὰ μυστήρια. Plat. Men. p. 76, E.] Thuc. 6, p. 206 [c. 28]: Καὶ τὰ μυστήρια ἅμα ὡς ποιῆται ἐν οἰκίαις ἐφ' ὕβρει. Paulo post autem τὰ μυστικὰ dicit.

[« Μυστήρια Dionysius Siculus per jocum appellabat Murium latibula, ὅτι τοὺς μῦς τηρεῖ, ap. Athen. 3, p. 98, D. » Schweigh.] || Μυστήριον ap. Paulum Apost. τὸ ἀπόῤῥητον καὶ θαυμαστὸν καὶ ἀγνοούμενον, inquit Chrys. Redditur alicubi Sacramentum a vet. Interpr., ubi potius reddi debet Arcanum, Mysterium : ut Ad Ephes. 1, [9] : Γνωρίσας ἡμῖν τὸ μυστήριον τοῦ θελήματος αὐτοῦ, Patefacto nobis mysterio voluntatis suæ, s. arcano. At vet. Interpr., Ut notum faceret nobis sacramentum voluntatis suæ. [De fide Christiana Theophan. Chronogr. p. 7, B : Διαγελᾶσθαι τὸ καθ' ἡμᾶς μυστήριον παρασκευάζων.] Sic 5, [32] : Τὸ μυστήριον τοῦτο μέγα ἐστὶν, Idem perperam vertit Sacramentum. Alibi contra recte reddit Mysterium. Μυστήρια tamen et pro Sacramentis a Græcis Theologis alicubi usurpari sciendum est. [Signiff. hujus generis recensuit Suicerus et paucioribus Ducangius. Sunt autem A. a. Incarnatio Christi. b. Spiritualis Christi cum ecclesia conjunctio. c. Doctrina evangelica. B. a. omnia sacramenta. b. Baptismus. c. Sacra cœna. Quarum testimonia v. ap. Suicer. et Casaub. Exercitt. p. 395 sq. ed. Francof. || « Μυστήριον dicta ædes Cpoli, ὅτι καθάπερ τὰ ἄντρα συνεπηχῶν ἀβλαβῆ τὴν ἠχὼ διαπέμπει πρὸς τοὺς ἀκούοντας. V. Leonem grammat. p. 455, Chron. Ms. Georgii Hamart. in Theophilo, Continuat. Theophan. 3, 42, et nostram Cpolin Christ. » Ducang. || Μυστήριον παντὸς μεταλλικοῦ λίθου ἐστὶν πυρίτης, Glossæ chemicæ ap. Bernard. ad Pallad. De febr. p. 134. || Μυστήριον, antidoti nomen. V. Τετραφάρμακος. Quo tussi medeatur, sec. Alexandrum Trall. 5, p. 248. Nihil huc pertinet quod Aret. p. 132, 47, dicit τοὐμὸν (φάρμακον) τὸ μυστήριον, Arcanum meum medicamentum.]

[Μυστηριοφύλαξ, ἄκος, ὁ, Mysteriorum custos. Theodor. Stud. p. 313, D : Ἄσπασαι τοὺς μυστηριοφύλακας. L. Dind.]

Μυστηριώδης, ὁ, ἡ, [Arcanus, Gl.] Cui subest mysterium, Qui fit cum aliquo mysterio, Mysticus. Plut. De loquacitate : Καὶ τὸ ἅγιον καὶ τὸ μυστηριῶδες τῆς σιωπῆς. Ubi potius substantivi μυστήριον locum obtinet. [Id. Mor. p. 10, F; 996, B. || Adv. Μυστηριωδῶς, Eust. Il. p. 1112, 8. « Anna Comn. p. 391. » Elberl. Theoph. Ad Autol. 2, 36; Iren. 14, p. 33. Kall.]

[Μυστηριωδία, ἡ, Ratio mystica s. obscura. Schol. Luciani Lexiph. c. 7 : Ἀῤῥητοποιοὺς διασύρων εἶπε τοὺς τελεστὰς διὰ τὴν μ. αὐτῶν.]

[Μυστηριωδῶς. V. Μυστηριώδης.]

[Μυστηριῶτις, ιδος, ἡ.] Μυστηριώτιδες σπονδαὶ, ap. Polluc. 1, titulo De mysteriis et iis qui initiantur [36]. Forsitan sunt Libationes quæ fiunt quum aliquis mysteriis initiatur. [Ulpian. ad Demosth. p. 363, B. Æschin. II. τῆς παραπρ. p. 45, 38 : Τοῖς σπονδοφόροις τοῖς τὰς μυστηριώτιδας σπονδὰς ἀπαγγέλλουσι· et p. 46, 25. Τὰς μυστηριώτιδας ἄγειν τελετὰς, Alciphr. 1, 39, p. 240, ubi vide Bergler. Τῆς Ἀττικῆς αἱ μετοπωριναί τε καὶ μυστηριώτιδες (ὧραι), Philostr. p. 191, 31. Origen. In Cels. p. 121, 5; Aristid. vol. 1, p. 452, C. Athen. p. 234, F : Ἐκ τοῦ γένους τῶν κηρύκων τῶν τῆς Μυστηριώτιδος. Hemst. Tzetz. Hist. 9, 138, βουλή. Elberl.]

Μύστης, ὁ, Qui initiatur sacris, s. initiatus est. [Pater sacratus, Gl.] Diciturque aliquis esse μύστης ejus dei, cujus sacris initiatur, s. initiatus est. Redditur etiam Sacra discens, Mysteriorum peritus. Hesych. exp. ὁ τῶν μυστηρίων μεταλαβών. [Eur. Herc. F. 613 : Τὰ μυστῶν ὄργι' ηὐτύχησ' ἰδών· fr. Cret. ap. Porphyr. Abst. 4, 19 : Διὸς Ἰδαίου μύστης γενόμην. Aristoph. Ran. 336 : Ὁσίοις μύσταις· 370 : Μύσταισι χοροῖς. Xen. H. Gr. 2, 4, 20.] Plut. Alcib. [c. 19] : Τοὺς δ' ἄλλους ἑταίρους παρεῖναι καὶ μυεῖσθαι, μύστας προσαγορευομένους, ubi vides μύστας, ipso teste, esse τοὺς μυουμένους. Apud Eund. in ejusd. Vita [c. 34] : Ἱερεῖς δὲ καὶ μύστας καὶ μυσταγωγοὺς ἀναλαβών. Usi sunt vocabulo Mysta et Latini quidam scriptt. [Heraclit. Alleg. Hom. p. 453 : Ἀνὴρ ἔμφρων καὶ σοφίας οὐρανίου μύστης. Valck. De dracone Artemid. 4, 67 : Ἱερὸς ὁ δράκων καὶ μύστης καὶ πᾶσι μυστηρίοις παρὼν ἦν (hoc ex sequenti ἦν natum videtur). Improprie Pompejus Anth. Pal. 7, 219, 6 : Μύστην λύχνον ἀπειπαμένη.] || Μύστης, non solum Discipulus et Conscius mysteriorum, sed etiam μυσταγωγὸς ap. Dionys Areop. Atque adeo hanc signif. tanquam priorem Bud. huic nomini μύστης tribuit; at ego contra priorem illam esse existimo. [|| Bacchi μύστου dicti templum inter Argos et Tegeam memorat Pausan. 8, 54, 5. De Apolline μύστῃ Artemid. 2 fin. : Οὐδὲν οὖν θαυμαστὸν τὸν Δαλδιαῖον Ἀπόλλωνα, ὃν μύστην καλοῦμεν ἡμεῖς πατρῴῳ ὀνόματι, ταῦτά με προτρέψασθαι. Hercules μύστης est ap. Lycophr. 1328, ubi v. schol. || Μύστης ὄρνεον, Parra, Gl.]

[Μύστης, ου, ὁ, Mystes, n. viri, in inscr. Teja ap. Bœckh. vol. 2, p. 648, n. 3064, 12, si recte ibi legitur τοῦ Μύστου πύργου, quod paullo aliter scriptum in apographis.]

[Μυστία, ἡ, Mystia. Πόλις Σαυνιτῶν. Φίλιστος ια'. Οἱ οἰκήτορες Μυστιανοὶ, ὡς τῆς Ὠστίας Ὠστιανοὶ, Steph.]

Μυστίκητος, Piscis in ore non dentes habens, sed pilos suillis similes, ut tradit Aristot. H. A. 3, 12. Gaza Musculum vocat. [Falsa est lectio pro μῦς τι κῆτος. Vide ad Eclog. phys. p. 36. Schneider.]

Μυστικὸς, ἡ, ὸν, Mysticus, Cui subest mysterium, ut reddidi μυστηριώδης. [Arcana, Gl. Æschyl. ap. schol. Soph. OEd. C. 1049 : Τοὖδε μυστικοῦ τέλους. Herodot. 8, 65 : Τὸν μυστικὸν ἴακχον. « Heraclit. Alleg. Hom. p. 479 : Τὴν μυστικὴν αὐτοῦ σοφίαν. Callixenus ap. Athen. 5, p. 202, D : Στέφανος μυστικὸς χρυσοῦς. Athen. 11, p. 496, B : Ἐπιλέγοντες ῥῆσίν τινα μυστικήν. » Valck.] Apud Polluc. [1, 36], μυστικαὶ ἡμέραι. [Aristoph. Ach. 764 : Χοίρους μυστικάς. Orph. Lith. 721.] Greg. Naz. : Καὶ ἅμα μυστικός τις καὶ ἀπόῤῥητος οὗτος ὁ λόγος. [Μυστικοὶ, Qui scientiam occultant et alios celant, Strabo 17, p. 806. Hemst.] Item compar. gradus ap. Lucian. De saltat. [c. 59] : Τὰ γὰρ Αἰγυπτίων μυστικώτερα ὄντα εἴσεται μὲν, συμβολικώτερον δὲ ἐπιδείξεται. [Superl. Aristoph. Ran. 315 : Αὔρα μυστικωτάτη.] Et τὰ μυστικὰ, quæ et μυστήρια. Thuc. [6, 60. Μυστικὸς ὕμνος, i. q. χερουβικὸς et τὸ τρισάγιον. Euchologium p. 292, ubi de ordinatione presbyteri : Τὸν χερουβικὸν ὕμνον. Ubi codd. alii p. 295, 296, τὸν μ. ὕμνον. || Μυστικὸς, Mysticus, recensetur inter officiales Palatii Cp. a Codino De off. 2, 30. De ejus functione ita 5, 41 : Ἡ τοῦ μυστικοῦ ὑπηρεσία νοεῖται καὶ ἀπ' αὐτοῦ τοῦ ὀνόματος. Constantin. Adm. imp. c. 51 : Ὁ μυστικὸς καὶ ὁ τῶν δεήσεων. Anon. Combefis. in Lecapeno n. 18 : Ἰωάννην μυστικὸν καὶ παραδυναστεύοντα πατρίκιον καὶ ἀνθύπατον. Leo grammat. in Leone philosopho p. 480, et Symeon Logotheta n. 7 : Ἀντ' αὐτοῦ ἐχειροτονήθη Νικόλαος ὁ πατριάρχης μυστικὸς τοῦ βασιλέως. Nov. Alexii Comn. l. 2 Juris Græcorom. : Κατὰ τὴν ἡμέραν μεγαλεπιφανεστάτου μυστικοῦ. Nov. Man. Comn. ap. Balsam. ad Can. 35 Conc. Trull. : Εἰδήσεως ἀκριβεστάτης διδομένης περὶ τούτου παρὰ τοῦ τηνικαῦτα ἀρχιερέως τῷ κατὰ τὴν ἡμέραν μυστικῷ. Et præter alios Scylitzes p. 599, Georg. Acropolit. Chron. c. 40, Niceph. Greg. 8, p. 136, Pachym. 8, 20. Achmes Onir. c. 14, p. 17 : Μυστικὸς ἔσται τῷ Φαραῷ καὶ πρῶτος τῶν ἀποκρύφων μυστηρίων αὐτοῦ· 49, p. 37 : Τὸν φίλον αὐτοῦ τὸν μυστικόν· 106, p. 74 : Εἰς τὸν πρωτεύοντα αὐτοῦ μυστικὸν δοῦλον. Ducang. || Astutus, Ingeniosus. Georg. ante Joann. Malalam p. 21, 12 : Ἦν γὰρ πολεμιστὴς καὶ μυστικός· 219, 6 : Ἦν δὲ εὐπρεπὴς πάνυ καὶ μυστική.] || Μυστικῶς, Mystice, Cum mysterio. Greg. Naz. : Ὥσπερ ἔστιν ἃ τῶν Ἑβραϊκῶν τυπικῶς μὲν παρ' ἐκείνοις τελούμενα, μ. δὲ ἡμῖν ἀποκαθιστάμενα. [Theodor. Stud. p. 609, ξε', 2 : Τοὺς ἀγγέλους σὺ μυστικῶς διαγράφεις. L. D. Eust. Il. p. 382, 9 : Ἀνεκφάντως καὶ οἷον μυστικῶς λεχθέν. Valck. Pollux 8, 123. Μυστικωτέρως, Jo. Diac. in Bandini Anecd. p. 206. Cic. Ep. ad Att. 6, 4.]

[Μυστικὸς, ὁ, Mysticus, n. viri, in mon. ap. Prideaux Marm. Oxon. p. 26, n. xxx, 23 : ΑΙΝΕΙΑΣ ΜΥΣΤΙΚΟΝ. Et in al. ap. Bœckh. vol. 1, p. 370, n. 268, 29 : Μυστικὸς Ἑσπέρου. L. Dind.]

[Μυστικῶς. V. Μυστικός.]

[Μυστιλάομαι, Μυστίλη. V. Μιστ—.]

[Μυστίλου cujusdam mentio fit in inscr. Æginet. ap. Bœckh. vol. 2, p. 1016, n. 2140, a[12] : Μάρκου Αὐρηλίου Μυστίλου. Simile est nomen Μυστυλος, de quo agemus in Add. L. Dind.]

[Μύστιξ, ἅμα τῷ σκότει, Hesychius.]

[Μυστιπολεία, ἡ, Sacrorum cura. Eudocia Ms. ap. Bandin. Bibl. Med. vol. 1, p. 232, 299 : Καὶ θυρεῶνας ἔχεν σεπτῆς ἅμα μυστιπολείης. L. Dind.]

[Μυστιπόλευτος, ὁ, ἡ, A mystis celebratus. Orph. H. 76, 7, τελεταί.]

Μυστιπολεύω, quod ex Nonno [Jo. c. 2, 23: Ὄργια μυστιπόλευε] affertur pro Celebro. [Orph. H. 41, 6: Εἴτε καὶ ἐν Φρυγίῃ σὺν μητέρι μυστιπολεύεις. Musæus 142: Μυστιπόλευε γαμήλια θεσμὰ θεαίνης.]

Μυστιπόλος, sive [vitiose] Μυστοπόλος, ὁ, ἡ, quasi μυστικὰ πολῶν, s. περὶ τὰ μυστικὰ πολούμενος, i. e. ἀναστρεφόμενος: ut a Suida exp. ὁ περὶ τὰ μυστήρια ἀναστρεφόμενος: (sed perperam ap. eum scriptum est μυστηπόλος cum η:) unde de Sacrifico s. Sacerdote dictum invenitur. Nonnunquam vero pro Mystico usurpatur: in qua signif. ex Nonno affertur [Jo. c. 7, 50, ἑορτή]. Sed et μυστιπόλος ἠριγένεια ex Eod. [Jo. c. 5, 68] pro Die sacro s. festo. Ex Epigr. μυστοπόλος Apollo: item [Christodor. Ecphr. 115], μυστοπόλῳ φόρμιγγι. [Epigr. Anth. Pal. App. 239, 5: Τελετῆς μυστιπόλος τελέθων· ib. 161, 6: Ἤμασι μυστιπόλοις. Eudocia Ms. ap. Bandin. Bibl. Med. vol. 1, p. 233, 2: Ὅσσοις δὴ Χριστοῦ πολυυμνήτοιο μέμηλε πίστις μυστιπόλος, aliique multi recentiorum. « Μυστηπόλος scriptum 2 Concil. Nicæn. t. 3, p. 642. » Cramer.]

Μύστις, ιδος, ἡ, Quæ initiatur sacris, s. initiata est. Quidam μύστιδες ap. Greg. Naz. interpr. Consciæ mysterii. Ab Eod. μύστις poni ἀντὶ τῆς μυσταγωγοῦ, testatur Bud., hunc ejus l. afferens: Καὶ κοινωνοὺς ποιεῖται τῆς εὐφροσύνης, ἃς καὶ οἰκονομίας μύστιδας ἐπεποίητο· de supernis virtutibus et potestatibus. Affert et ex Sapientiæ 8, [4]: Μύστις γάρ ἐστι τῆς τοῦ Θεοῦ ἐπιστήμης, pro Initiatrix, vel Dux et interpres. At μύστις μολπή, Epigr. [Christodor. Ecphr. 113], Mysticum carmen.

[Μύστις, ιδος, ἡ, Mystis, n. navis, ap. Bœckh. *Urkunden* p. 89. N. mulieris ap. Nonn. Dion. 9, 98, 99, 111. Aliarum alibi. Antiphanis Philemonisque fabulæ fuerunt sic inscriptæ.]

[Μυστίχη, ἡ, inter nomina hyperdisyllaba memorat Theognost. Can. p. 118, 16, non addita signif.]

[Μυστιχίδης, ὁ, Mystichides, archon Att. Ol. 98, 3, ap. Diod. 15, 2.]

[Μύστλον. V. Μύστρον.]

[Μυστογράφος, ὁ, Mysteriorum scriptor. Ms. ap. Bandin. Bibl. Med. vol. 1, p. 117, A: Λουκᾶς ὁ Χριστοῦ φέρτατος μυστογράφος. Vertere licet etiam Secretarium, ut vertit Ducang. ap. Jo. Euchait. Metrop. p. 50: Μυστογράφος χθὲς εὐγενὴς νεανίας καὶ σήμερον πάρεστιν ἐξάκτωρ νέος. L. Dind.]

Μυστοδόκος, ὁ, ἡ, sed a μύστης potius deductum. Nam μυστοδόκος dicitur οἶκος ab Aristoph. Nub. [303], Domus quæ mystas recipit. Loquitur de Eleusine.

[Μυστοδότης, ὁ, i. q. μυσταγωγός. Dionys. H. in Musam ad calc. Arati p. 49, 7: Σοφὲ μυστοδότα, Λατοῦς γόνε. Kall.]

Μυστοφόρος, ὁ, ἡ, quod exp. Ferens mysteria, secundum hanc expos. vel pro μυστικοφόρος vel pro μυστηριοφόρος dictum videri queat.

[Μύστρα, ἡ, a μύω ductum, non addita signif. memorat Theognost. Can. p. 108, 4; 18, 18. L. Dind.]

[Μυστριοπώλης, ὁ.] Μυστριοπῶλαι, Qui mystra vendunt, [Nicophont.] ap. Athen. 3, [p. 126, E] et Eust.

Μυστρίον, τὸ, diminut. a μύστρον [Ligula, Gl. Schol. Aristoph. Pl. 627, ubi minus recte quam ap. Eust. Il. p. 1368, 51, Od. p. 1476, 63, μύστρια scriptum. « Panis excavatus ad hauriendum pulmentum sive jus. Eust. l. in Μύστρον cit.: Ψωμοὶ εἰσι κοῖλοι, οἷον μύστρα κατ' Αἴλιον Διονύσιον, τουτέστι μυστρία εἰπεῖν ἰδιωτικῶς. » Ducang. Qui scriptoris græcobarbari ex. addidit. ‖ Instrumentum architectonicum ap. Jo. Diac. ad Hesiodi Sc. 366: Ἀπὸ τοῦ τύκω, ἀφ' οὗ καὶ τυκίον (quod v.) τὸ μυστρίον. ‖ Genus mensuræ, ut μύστρον, ap. Didym. Alex. De mensuris lign. et lapid. § 20: Μύστρια, ἃ δὴ λίστρια ὀνομάζουσιν, quod v. supra.]

Μύστρον, τὸ, Eustathio i. q. μυστίλη, Panis excavatus ad hauriendum pulmentum s. jus: ut et ap. Athen. 3, [p. 126, A], Εἰσενεχθέντος [Κομισθέντος] χόνδρου, Ulpianus dicit, δότε μυστίλην· οὐ γὰρ ἂν εἴποιμι μύστρον. Sed videtur μύστρον esse potius Cochlear: nam et ipsum ex ligno, stannove aut argento excavatum hauriendo vel juri vel pulmento servit. Quo modo accipi non incommode potest in hoc l. Nicandri, qui ib. citatur, Ἠρέμα δ' ἐγχλιάον κοίλοις ἐκδαίνεο [ἐξαίνυσο] μύστροις· quod sic ibi exp., πράως χλιαρὸν γενόμενον κοίλοις προσφέρου τοῖς μύστροις· ut sit, Cavis hauri cochlearibus. Itidemque Hippolochus in Epistola quadam de quodam epulo Macedonico dicit, Ἑκάστῳ τῶν δειπνούντων δοθέντων μύστρων χρυσῶν. [Athen. p. 129, C.] Pollux tamen diversum videtur facere a cochleari: nam 6, 12 [§ 87] quum μυστίλην esse dixisset ψωμὸν κοῖλον ad hauriendum pulmentum vel jus, et τὸ χοχλιάριον vocari posse μυστιλάριον, subjungit, meminisse se in Epistola Alexandri ad matrem, inter alia vasa reperisse etiam τὸν μύστρον: nulla facta mentione idem esse vel cum μυστίλῃ vel cum χοχλιάριον. Ubi nota etiam ὁ μύστρος, ut et ap. Eust. quodam in l. [Il. p. 1368, 51] scriptum est. [Μύστρος, Lingula, Gl. Et Μύστρον, Legulam.] Sane et inter mensuras μύστρον quam χοχλιάριον capacius est. In Hippiatricis enim mensuris τὸ μύστρον dicitur continere duo cochlearia: et χοχλιάριον esse μύστρου τὸ ἥμισυ. Ibid. dicitur μύστρον esse Quarta cyathi pars, dimidiata unciæ. In eod. libello De mensuris et ponderibus τὸ μέγα μύστρον dicitur esse Cotylæ pars decima octava, pendere drachmas tres, scripula tria: at τὸ μικρὸν, Cotylæ pars vigesimaquarta, pendere drachmas duas, sed τὸ δικαιότατον μύστρον habere scripula octo. [V. Μυστρίον. Ceterum Μύστρον ex Μύστλον ortum fingit Etym. M. in v., cujus ad gl. conf. Koen. ad Gregor. p. 559, qui in cod. Leid. etiam Μύστριον scriptum tradit pro μύστρον.]

[Μύστρος, ὁ. Orneosophium p. 220: Χλωροσαύρας ζώσας ἤτοι μύστρους. Ducang. non addita signif.]

Μύσφονον, Hesychio παγίς, Muscipula: παρὰ τὸ τοῖς μυσὶ φόνον ἐπιφέρειν, Quod exitium afferat muribus.

Μύσχαι, Hesychio αἱ ἀμυχαί, Laniatus unguium. [Non minus obscura ejusd. gl.: Μύσχης, εὖρος, ὡς Ἀμφίλοχος.]

Μύσχλης, Hesychio μύλος, Mola.

Μύσχον, Hesychio τὸ ἀνδρεῖον καὶ γυναικεῖον μόριον.

[Μυσώδης, ὁ, ἡ, i. q. μυσαρός, Plut. Timol. c. 5.]

[Μύσων, ωνος, ὁ, Myson, unus ex septem sapientibus. Plato Protag. p. 343, A; Diod. Exc. Vat. p. 17; Diog. L. 1, 106, ubi est oraculum, in quo υ corripitur.]

[Μυσωτόν. V. Μυττωτόν.]

[Μυταχίζω. HSt. in K:] Ceterum quod ad hoc postremum verbum attinet, scribo primam ejus syllabam litera υ: quamvis in eo, quem protuli, Diomedis loco non μυταχισμοὶ, sed μηταχισμοὶ scriptum esse, et ap. Eund. legi itidem Metacismi, pariterque ap. Capellam, minime ignorem. Sequor enim potius scripturam, quæ apud omnes reperitur, sc. Μυ, quum de hac litera agitur. Sic in versu, qui complectitur argumentum libri M Iliadis: Μῦ δὲ μάχη πρὸς τεῖχος, ὁ δ' ἔχθορε φαίδιμος Ἕκτωρ. Interjiciuntur autem supervacaneæ alioqui literæ in μυταχισμὸς ad vitandam cacophoniam. Sed et hoc addendum de vocula Μυ, eam ap. Aristoph. inveniri initio Equitum, usum etiam alium habentem, sc. pro flebili sono positam. Ibi enim quidam ξυναυλίαν κλαίοντες, hunc sonum edunt, Μὺ μῦ, μὺ μῦ, et ita deinceps per totum iambicum versum: ubique μὺ in priore loco scripto, at μῦ in posteriore: hoc sc. producto, illo correpto, ad efficiendum ex binis iambum. [V. Μῦ, Μυττάζω.]

[Μυταχισμός. V. Μυταχίζω.]

Μύτης, Hesychio est ὁ ἐνεὸς καὶ ὁ μὴ λαλῶν, Mutus, Qui non loquitur. Item ὁ πρὸς τὰ ἀφροδίσια ἐκλελυμένος, Exolutus et ineptus ad res venereas. [Conf. Μυχλός.] Dicit esse etiam Piscem feminam quæ sine mare non pascatur. [V. Μύτις, quod nunc restitutum.]

[Μυτιλήνη, ἡ, Mytilene. Πόλις ἐν Λέσβῳ μεγίστη· Ἑκαταῖος Εὐρώπῃ· ἀπὸ Μυτιλήνης τῆς Μάκαρος θυγατρὸς ἢ Πέλοπος. Οἱ δὲ ὅτι Μυτίλης ἦν ὁ οἰκιστής, οἱ δὲ ἀπὸ Μύτωνος τοῦ Ποσειδῶνος καὶ Μυτιλήνης· ὅθεν Μυτωνίδα καλεῖ τὴν Λέσβον Καλλίμαχος ἐν τετάρτῳ. Παρθένιος δὲ Μυτωνίδας (—δου cod. Vratisl.) τὰς Λεσβικάς (Λεσβίας Meinek. Anal. Alex. p. 288, nisi præstat Λεσβίδας, quum adj. sit Λεσβιακός, ut supra diximus p. 208, C (ubi casu omissa est Pherecydis Λεσβιακῶν mentio), non Λεσβικός). Λέγονται καὶ Μύτωνες καὶ Μυτωναῖοι καὶ Μυτιληναῖοι, Steph. Byz. Μυτιλήνη et Μυτιληναῖος sunt ap. Strab. aliosque geographos, historicos et alios quosvis, ut Herodot. 2, 135, 178; 5, 94, item in nummis et inscrr., quibus refellitur frequens in libris scriptum Μιτυλήνη, quæ quidem esse perhibetur in marm. Pario ap. Bœckh. vol. 2, p. 296, 51. Dor. Μυτιλᾶνα correpto α Antipater Sid. Anth. Pal. 7, 81, 3: Πιττακὸν ἁ Μυτιλᾶνα, Βίαντα δὲ δῖα Πριήνη.]

[Μύτιλος. V. Μίτυλον, Μιτύλος. Μυττιλὸς male scriptum ap. Herodian. Π. μον. λ. p. 21, 2.]

Μύτις, ιδος, ἡ, dicitur ὁ μυκτὴρ, Nasus, peculiariter ἐπὶ θαλασσίων τινῶν, auctore Eust. [Il. p. 440, 26; 723, 8; 950, 2], quemadmodum et Aristot., quum dixisset sepiam ἐν τῇ μύτιδι habere τὸν θορὸν, Semen genitale: hanc μύτιν paulo post μυκτῆρα appellat: addens etiam, τὴν ῥίνα non absurde vocari posse Μύτιον. [De proboscide elephanti Herodian. Epim. p. 113: Προβοσκὶς, ἡ τοῦ ἐλέφαντος μύτης (μύτις), ubi v. Boiss. Μίτυς male scriptum in cod. græcobarb. Nicetæ Chon. p. 254, 28; 761, 22 ed. Bonn. L. D.] Idem H. A. 4, 1, scribit nullum τῶν μαλακίων habere σπλάγχνον, sed quam vocant μύτιν, καὶ ἐπὶ ταύτῃ θόλον. Et mox, Τὴν μύτιν κεῖσθαι ὑπὸ τὸ στόμα, καὶ διὰ ταύτης τείνειν τὸν στόμαχον· ᾗ δ' εἰς τὸ ἔντερον ἀνατείνει, κάτωθεν εἶναι τὸν θόλον· ac κατὰ τοῦτον ὑμένα ἀφιέναι τόν τε θόλον καὶ τὸ περίττωμα. Galen. in Lex. Hippocr. [p. 528] annotat μύτιν vocari τὸ ἐν τῷ σηπίας στόματι μέλαν, Atramentum quod in ore sepiæ est: verum et piscem quendam hoc vocabulo ab Hippocr. denotari. Apud Hesych. reperio Μυττὶς, gemino τ, et oxytonως, quod itidem esse dicit τὸ μέλαν τῆς σηπίας, ὅπερ ἐν τῷ στόματι ἔχουσα ἐκκρίνει, Atramentum sepiæ, quod in ore habet et excernit in metu: id etiam θόλος nominatur. [In μύστιν depravatum erat ap. Plut. Mor. p. 978, A.]

[Μυτισέρατα, Mytiserata. Φρούριον Σικελίας. Φίλιστος ι'. Τὸ ἐθνικὸν Μυτισερατῖνος, ὁ αὐτὸς, Steph. Byz. V. sequens nomen.]

[Μυτίστρατον, τὸ, Mytistratum. Πολίχνιον περὶ Καρχηδόνα. Πολύβιος α' (24, 11). Τὸ ἐθνικὸν Μυτιστράτιος, ὡς Στρατὸς Στράτιος, Steph. Byz. Apud Polybium duplici ττ scribi nec Carthaginis sed Carthaginiensium in Sicilia ditionis dici animadverterunt interpretes, eodemque referendum esse etiam Μυτισέρατα et Μυτισερατῖνος, quæ per τ sunt scribenda. Alio vitio ap. Antig. Car. c. 154 Κυστιτράτῳ et Κυστιτραῖον.]

Μύτλος, ὁ, pro Mytilus dicit Athen. 3, [p. 85, E]: Τὴν τελλίναν λεγομένην ἴσως δηλοῖ, ἣν Ῥωμαῖοι μύτλον ὀνομάζουσι.

[Μυττάζω.] Μυττάξασα, Hesychio est στενάξασα, Gemens, Ingemiscens: afferenti et Μυττηκάζειν pro στένειν. [Et Μυτικίζειν, κολάζειν. Quæ omnia ad Μυταχίζω, quod v., referri videntur.]

[Μυττάλυτα, μεγάλου, Hesychii gl. obscura et fort. vitiosa.]

[Μύτταξ, ακος, Fungus.] Μύττακες, Siculis μύκαι, Fungi: Ionibus πώγωνες, quæ et Μύστακες. Hesych.

[Μύττηξ, ὄρνις ποιὸς, Hesychius.]

[Μυττιλανὸς, ἀπόπληκτος, Hesychius. Similes ejusdem gll.: Μύζη, ἀπόπληκτος, et Μυττὸς, ἐνεός. Conjecturam quandam protulit Meinek. Com. vol. 4, p. 625.]

[Μυττίς. V. Μύτις.]

[Μύττονος, ὁ, Myttonus, Afer, Polyb. 29, 22, 4.]

Μυττὸς, Hesychio ἐνεὸς, Mutus.

Μυττὸς, Hesychio τὸ γυναικεῖον μόριον. [Conf. Salmas. Plin. Exerc. p. 219, b, G.]

Μύττω, vel Μύσσω potius; nam μύσσω prius esse quam μύττω, nemo, ut opinor, negarit: et ita μύττω ex μύσσω factum esse ut πράττω ex πράσσω, ut μαλάττω ex μαλάσσω, ut ταράττω ex ταράσσω, atque ut alia prope infinita σσ in ττ Attice mutarunt. Est autem μύσσω, s. μύττω, Mungo [Gl.], Emungo, Mucum nasi extraho. [Method. p. 424, si sana lectio, et p. 437. Kall.] Sed rarus est simplicis usus, atque adeo nullum ejus exemplum affertur. [Hesychius: Μύσσει, χάρφεται.]

Μυττωτεύω, est Contero, Acribus condimentis condio. Ita enim schol. Aristoph. Vesp. [63], ubi Comicus dicit, Αὖθις τὸν αὐτὸν ἄνδρα μυττωτεύσομεν, hoc μυττωτεύσομεν exp. συγκόψωμεν, nec non δριμύσωμεν et ἐκπικρανοῦμεν: quoniam (inquiens) μυττωτὸν proprie est τὸ ἐκ σκορόδου καὶ τυροῦ καὶ ὄξους τρίμμα: ut sit, Alliati modo conteremus, s. acrem reddemus.

A Μυττωτὸν, τὸ, Hesych. auctore proprie dicitur ὑπότριμμα διὰ σκορόδων adhibitis et aliis condimentis. [« Ap. Hippocr. Galen. in Exeg. (p. 528) exponere ex Dioscor. mente ὑπότριμμα σκορόδων ἢ κρομμύου, Pulmentum ex intrito allio et cepa, diximus nostris in l. 2 Epid. commentt. Eum enim locum a Galeno subindicari existimamus, ut et Erot., qui (p. 246) μυττωτὸν ap. Hippocr. Atticis dici scribit ὑπότριμμά τι μετὰ σκορόδου γινόμενον. Idem addit ap. Eupolin amylum dici, et quibusdam placentam ex olere confectam, aliis etiam ζῦθον significare. Se tamen iis assentiri qui μυττωτὸν esse velint τὸ διὰ σκορόδου τρίμμα. Ductum autem esse nomen παρὰ τὸ μυσάττεσθαι τὴν δυσωδίαν, ὡς εἶναι μυσσωτόν. Ex quo ap. Hippocr. p. 423, 44, pro μυσεωτῷ, μυσωτῷ aut μυττωτῷ legendum indubitata est confessio. » Foes. OEcon. Hipp. Add. Aret. p. 60, 9.] Aristoph. schol. et ipse scribit esse ὑπότριμμα διὰ σκορόδου [et qui καὶ τυροῦ addit Psellus De morborum nominibus ap. Ducang.]: confici autem ex allio, porro, caseo, ovo, oleo, aceto: sc. in Eq.

B [771], ubi Comicus dicit, Ἐπὶ ταυτησὶ κατακνησθείην ἐν μυττωτῷ μετὰ τυροῦ. Denominari παρὰ τὸ μυσάττεσθαι, quoniam odor ejus sit μυσαρὸς, quasi μυσωτόν: atque adeo a Callimacho vocari Μυσωτὸν, hoc hemistichio, Ἣν ἐτρίψαντο μυσωτόν. Diosc. quoque 2, [182] de allio, μυττωτὸν vocari auctor est τὸ ἐκ σκορόδου καὶ τῆς μελαίνης ἐλαίας γινόμενον τρίμμα, Intritum ex allio et nigra oliva, Alliatum. Theophr. masc. genere μυττωτὸν dicit, H. Pl. l. 9 [immo 7, 4, 11], cap. de alliis: Σκόροδον Κύπριον καλούμενον οὐχ ἕψουσιν, ἀλλὰ πρὸς τοὺς μυττωτοὺς χρῶνται· pro quo Plin. habet Ruris pulmentaria, 9, 6, de Cyprio allio itidem loquens. [Μυττωτὸς, Intritum, Gl. Pollux 6, 70: Ὁ μυττωτὸς τρῖμμα ἐκ σκορόδων δριμύ. Hippocr. p. 689, 14: Ἕως ἂν πάχος γένηται ὡς μυττωτός· 1056, E: Ἢν δὲ ἐμέῃ καὶ μὴ πίῃ μυττωτὸν δριμύν. « Ap. Athen. 7, p. 282, C, optimus piscis ἐν μυττωτῷ. Hipponax ib. p. 304, B: Θύνναν τε καὶ μυττωτὸν πᾶσας. » Valck. Μυττωτὸς, ὁ τρυγίας τοῦ οἴνου, Fæx vini, Lexicon Ms. Neophyti. Ducang. App. Gl. p. 138.]

C [Μύτων, Μυτωναῖος, Μυτωνίς. V. Μυτιλήνη. Memorat n. Μύτων, ωνος, etiam Chœrobosc. vol. 1, p. 73, 31, et addito ὁ Μιτυληναῖος p. 78, 20.]

Μυχαίτατος, et Μυχοίτατος, η, ον, Penitissimus, Intimus, pro μυχώτατος. Hoc ap. Hom. [Od. Φ, 146: Παρὰ κρητῆρα ἷζε μυχοίτατος], illud ap. Aristot. extat, De mundo [c. 3], ubi scribit: Τοῦ Πόντου τὸ μυχαίτατον, Μαιῶτις καλεῖται. [Eust. Opusc. p. 206, 83: Οὐ μόνον ἐφορῶν τὰ ἐξεπιπολῆς, ἀλλὰ καὶ τῶν μυχαιτάτων γινόμενος. Quod Photius ponit Μυχέστατον, ἐσώτατον, scrib. videtur μυχαίτατον, eodemque modo μυχώτατον ap. schol. Apoll. Rh. 2, 397. Neque erat quod de formā μυχαίτατος in prosa dubitaret Buttmann. Gramm. vol. 1, p. 278, quæ est etiam ap. Steph. Byz. v. Ἄλωρος et Clem. Al. Strom. 7, p. 840. Compar. μυχαίτερος ponitur ab Herodiano Epimer. p. 166.]

[Μυχάλη. V. Μυκάλη.]

[Μυχάλμη, ἡ, Fundus maris, βυθὸς θαλάσσης Photio.]

Μύχατος, η, ον, poetice, idem quod μύχιος, ut, Ἐκ μυχάτων σπλάγχνων, Epigr. [Juliani Æg. Anth. Plan.

D 88, 4], Ex imis visceribus s. intimis. Apoll. Arg. 1, [170]: Μυχάτῃ ἐνέκρυψε καλιῇ, In intima domus parte, In penetralibus domus. [Et alibi sæpe utroque genere.] Sic, Μυχάτους προλελοιπότες οἴκους, Phocyl. [152.] Legimus et ap. Oppian. Cyneg. 3, [350]: Οὐδ' ὕπνον μυχάτοισιν ἔχει παρὰ τέρμασι πέτρης. [Callim. Dian. 68: Δώματος ἐκ μυχάτοιο. Alex. Ætol. ap. Parthen. 14, 3, 20: Φρειάτος ἐκ μυχάτου. Epigr. Anth. Pal. 9, 632, 1: Μυχάτων γυάλων, aliique recentiores poetæ. Veteres non usi videntur hac forma. Nam Eur. Hel. 190, ubi Canterus intulerat, imperiti hominis additamentum μύχαλα delendum vidit G. Dindorfius. L. Dind.]

Μυχὴ, pro μυχὸς, ut legimus ap. Suid. μυχαὶ Herodoto esse καταδύσεις et τὰ ἔνδον. [Sed Μυχοὶ leg. ap. Suid., sicut legitur in Glossario Herodoteo, quæ glossa pertinet ad Herodot. 2, 11. Schweigh.]

[Μυχηβόρος. V. Νυχηβόρος.]

[Μυχθίζω.] Μυχθίζουσι, Hesychio μυκτηρίζουσι, χλευάζουσι, Irrident, Derident. Sic Suid. quoque μυχθίζεις

affert pro χλευάζεις, μυκτηρίζεις, cum hoc ex Epigr.
[Meleagri Anth. Pal. 5, 179, 4] exemplo : Καὶ σιμὰ σεσηρὼς Μυχθίζεις· τάχα που σαρδόνιον γελάσεις. [Polyb.
15, 26, 8 : Μυχθίζοντες καὶ διαψιθυρίζοντες.] || Suspiro,
Ingemisco : unde ap. Æsch. [Prom. 742] esse dicitur
ἀναμυχθίζειν. [Theocr. 20, 13 : Χείλεσι μυχθίζοισα.]

Μυχθισμὸς, ὁ, Hesychio est στεναγμὸς, Gemitus,
Suspirium. Meminit Eust. quoque verbi μυχθίζειν in
hac signif., derivans παρὰ τὸν μυχμὸν s. μυγμὸν, quem
esse dicit τὸν ἐκ τοῦ διὰ τῶν μυκτήρων ἄσθματος ἦχον,
Sonitum quem reddunt per nares ii qui anhelant et
respirant. [Eur. Rhes. 789 : Κλύω δ' ἐπάρας κρᾶτα
μυχθισμὸν νεκρῶν. V. Μυχθώδης.]

[Μυχθονία. V. Μυγδονιά.]

[Μυχθώδης, ὁ, ἡ. Τὰ μυχθώδεα ἐξαναφέροντα πνεύματα
dicuntur Suspiriosæ spirationes, quæ foras educun-
tur, et μετὰ μυχθισμοῦ ἔξω ἀναφερόμενα πνεύματα, Hippocr. p. 203, A ; 206, B. Foes. OEc.]

[Μυχιαῖος. V. Μύχιος.]

Μύχιος, ὁ, ἡ et α, ον, vel Μυχιαῖος, Qui est ἐν μυχῷ,
venit s. erumpit ἐκ τοῦ μυχοῦ. Redditur Intimus, Abs-
trusus. [Æsch. Pers. 878 : Μυχία τε Προποντίς. Epigr.
Anth. Pal. App. 355, 3 : Μυχίοιο Ἀϊδέω.] Aristot. De
mundo [c. 4] : Πνεῦμα εἰς μυχίους σύριγγας γῆς πα-
ρεξωσθὲν, Spiritus qui in abstrusos quosdam terræ
atque cæcos meatus se insinuarit. Ex Apollonio Arg.
2, [742], Πνοιῇσιν μυχίῃσι, Flatibus occultis. [Μύχιόν
τι ὑποχρώζων, Lucian. D. mort. 6, 4. Τὰ μύχια τῆς σοφίας, Heraclit. Alleg. Hom. p. 411. Valck.] At μυχιαῖος minus est usitatum : cujus exemplum in VV. LL.
affertur, Μυχιαῖος στεναγμὸς, qui dicitur esse ὁ ἐκ βάθους ἀναπεμπόμενος. Additurque, καὶ ἅπαν τοιοῦτον, μυ-
χιαῖον ἑπομένως λέγοιτο· sed hæc absque auctoris nomine.

Μυχλὸς, Hesychio Homo otiosus : item Libidinosus,
Salax, Incontinens, λάγνος, ὀχευτὴς, ἀκρατής. Phocen-
ses ita nominare et ὄνους τοὺς ἐπὶ ὀχείαν πεμπομένους,
Asinos admissarios : qui et κήλωνες. Pro superiore
μυχλὸς dicitur et μάχλος. [Hesychius præterea interpretatur σκολιός.]

Μυχμὸς, ὁ, Hesychio est ἰδίωμα ἤχου : aliis Sonitus
qui per nares redditur : qui et μυγμός. Vide et Μυ-
χθίζω. [Hom. Od. Ω, 416 : Μυχμῷ τε στοναχῇ τε.]

[Μυχόθεν, Ex angulo. Æsch. Ag. 96 : Πελάνῳ μυχόθεν
βασιλείῳ· Cho. 33 : Φόβος ἀμβόαμα μυχόθεν ἔλακε.]

[Μυχοὶ Sopingius legendum conjecit ap. Hesych.:
Μοχοὶ, ἐντὸς, Πάφιοι, quod etiam Valckenario ap.
Koen. ad Gregor. p. 368 pro μυχῷ positum vide-
batur.]

[Μυχοίτατος. V. Μυχαίτατος.]

[Μυχόνους, ὁ, ἡ, Qui mente est occulta. Photio κρυ-
ψίνους.]

[Μυχόπεδον, τὸ, Photio γῆς βάθος, ᾅδης.]

Μυχοπόντιον, τὸ, Specus, ubi recessus cavus et vorago ponti est, qualis fere ἡ ποντοχάρυβδις. Ammian.
Marc. 22, [14] : Ultra hæc loca Acherusium specus
est, quod accolæ μυχοπόντιον appellant. De quo Jul.
Polyhistor, c. 55, de ora Pontica : Proximus inde
Acherusius specus : quem foraminis cæci profundo
adusque inferna ajunt patere. Est tamen et Italiæ
quædam palus Acherusia, prope Puteolos et Cumas :
qua fama est Acherontis ad undas Pandi iter, cæcas
stagnante voragine fauces, et horrendos aperiente
telluris hiatus, Val. Flacc. Argon. 4.

[Μυχορήμων, ονος, ὁ, ἡ, Photio βαθύγλωσσος, δεινὰ
λέγων, Profunde loquens. Ceterum scribendum est
μυχορρήμων.]

Μυχὸς inter derivata a nomine Νὺξ ponendum fuisset, si verum est quod Etym. tradit, fieri ex νυχὸς genitivo illius nominis νὺξ, vertendo unam literam ἀμετάβολον in aliam, i. e. ν in μ : ut μυχὸς sit ὁ ἐνδότατος
καὶ σκοτεινὸς τόπος. Est autem hic gen. νυχὸς regularis
quidem, i. e. quem regularis analogia poscit; sed in-
usitatus tamen, quique locum suum cesserit alii, sc.
νυκτός. Neque tamen, si cui etymum illud, quod ad
cetera attinet, admitti posse videatur, illius inusitati
gen. causa rejici debet, quum et alia quædam derivata
videamus non declinationem eam s. declinationis terminationem quæ usitata est, sed illam quam analogia
posceret, sequi. Verum si nunc quoque divinandi
A libertatem concedere mihi auderem, a μῦς potius deductum esse μυχὸς dicerem; atque ut jocosa divinatio illa esset, adderem μυχὸς dici quasi μυὸς οἶκος, mutata tenui in aspiratam. Multas quidem certe ab Etym.
derivationes afferri dico, non jocante itidem, sed
serio loquente, quæ multo minus non solum veræ,
sed etiam verisimiles esse possunt. Μυχὸς, ὁ, Pene-
trale, [Conclave, add. Gl. Et plur. Latebræ,] Intimus
locus, s. Intima pars, Recessus. Apud Hom. [Od. Γ,
402, etc.] μυχὸς δόμου, Locus domus s. Pars domus
quæ est ἐνδοτάτω, ut docet Eust. Apud eund. poetam
[Od. Γ, 236], nec non ap. Eur. Med., μυχὸς ἄντρου,
Recessus antri s. speluncæ : cui Ovid. itidem Reces
sum tribuit. [Et μ. κλισίης Hom. Il. I, 663; σπείους
Od. E, 226. Et alibi θαλάμου, μεγάρου. Hesiod. Th.
119 : Μυχῷ χθονὸς εὐρυοδείης. Ib. 1014 : Οἳ δ' ἤτοι μάλα
τῆλε μυχῷ νήσων ἱεράων πᾶσιν Τυρσηνοῖσιν ἄνασσον. Pind.
Pyth. 6, 12 : Ἐς μυχοὺς ἁλός. Æsch. Prom. 134 : Ἄντρων μυχόν· 453 : Ἄντρων ἐν μυχοῖς· 433 : Κελαινὸς
Ἄϊδος μυχὸς γᾶς· 838 : Πόντιος μυχός· Cho. 801 : Ἔσωθε
B δωμάτων πλουτογαθῆ μυχόν· 954 : Μέγαν ἔχων μυχὸν
χθονός· Eum. 39 : Ἕρπω πρὸς πολυστεφῆ μυχόν· 179 :
Μαντικῶν μυχῶν. Soph. Tr. 686 : Τὸ φάρμακον τοῦτ' ἐν
μυχοῖς σώζειν ἐμέ· Aj. 571 : Ἡ κακὴ σὴ διὰ μυχῶν βλέ-
πουσ' ἀεὶ ψυχή· Ant. 1293 : Ὁρᾶν πάρεστιν· οὐ γὰρ
ἐν μυχοῖς ἔτι. Eur. Herc. F. 400 : Ἁλὸς μυχούς· 607 :
Ἐξ ἀνηλίων μυχῶν ᾅδου κόρης· Hel. 424 : Ἐν ἄντρου
μυχοῖς· 617 : Ἄστρων βεβηκυῖαν μυχούς· 820 : Οἴκων
ἐν μυχοῖς· 866 : Αἰθέρος μυχῶν· et similiter alibi ap.
ipsum aliosque poetas.] Convenitque optime quod de
propria nominis μυχὸς signif. traditur, cum epithetis
quæ Antro dari solent a poetis : vocantibus sc. Abdi-
tum, item Cæcum, nec non Obscurum : ut alia hujusmodi omittam. [Addito —δε Hom. Od. X, 270 : Ἀνε-
χώρησαν μεγάροιο μυχόνδε.] Communis autem est hujus
nominis usus solutæ orationi cum carmine, ut, Ὁ
μυχὸς τοῦ λιμένος, Thuc. [7, 52]; sed ante illum μυχοὺς
λιμένος Hom. [Il. Φ, 23] dixerat. Et, Πάντας τῆς γῆς
τοὺς μυχοὺς, Aristid. Et μυχὸς τῆς Ἑλλάδος, Plut. [Mor.
p. 864, F : Ἀπωτάτω κατῴκουν ὡς Σπαρτιᾶται τῆς Ἑλ-
C λάδος ἐν μυχῷ.] Apud Lucian. autem [Jov. trag. c. 48]:
Ἐν μυχῷ τοῦ σκάφους, In ima navigii parte, In imo
navigii, In fundo, sicut μυχὸν τῆς σαγήνης Idem dixit
[Tim. c. 22] : Ὁ θύνος ἐκ μυχοῦ τῆς σαγήνης διέφυγε.
Idem dicitur et κύτος. [Improprie Theocr. 29, 3 : Τὰ
φρενῶν ἐρέω κέατ' ἐν μυχῷ.] || Sinus : μυχὸς Ἀδριατικὸς,
Sinus Adriaticus, ap. Polyb. et Strab., qui passim ita
utitur. [Herodot. 2, 11 : Ἐκ μυχοῦ διεκπλῶσαι ἐς τὴν
εὐρέην θάλασσαν, et ib. plur.] Sed et aliam nominis
Sinus signif. habere potest μυχὸς, veluti si ap. Lucian.
[Plutarchum] Ἑλλάδος ἐν μυχῷ vertas In sinu Græciæ.
[Pind. Nem. 6, 27 : Μυχῷ Ἑλλάδος· Ol. 3, 28 : Ἀρκαδίας ἀπὸ πολυγνάμπτων μυχῶν· Pyth. 8, 83 : Μυχῷ
ἐν Μαραθῶνος· 10, 3 : Ὁ Παρνάσιος μυχός. Id. 5, 68 :
Μυχὸν μαντήιον· 6, 49 : Ἐν μυχοῖσι Πιερίδων· Nem.
10, 42 : Κορίνθου ἐν μυχοῖς. Eur. Andr. 1265 : Παλαιᾶς
χοιράδος κοῖλον μυχὸν Σηπιάδος· Tro. 84 : Κοῖλον Εὐβοίας μυχόν· Iph. A. 660 : Αὐλίδος μυχοῖς· Cycl. 291 :
Γῆς ἐν Ἑλλάδος μυχοῖς. Callim. Del. 161 : Κόων νῆσον
ἵκετο, Χαλκιόπης ἱερὸν μυχὸν ἡρωίνης. Xen. Anab. 4, 1,
D 7 : Ἐν τοῖς ἀγκεσί τε καὶ μυχοῖς τῶν ὀρέων. « Poetice μυχοὶ πόλεως dicuntur Horrea civitatis, ap. Xenophanem
Athenæi 10, p. 414, C; et Penus, ubi de domo hominis privati agitur, ut ap. Phœnicem ib. 8, p. 360, A. »
Schweigh. Μυχὰ plur. Callim. Del. 142 : Σείονται
μυχὰ πάντα. Dionys. Per. 117 : Ὅθι τείνεται ἐς μυχὰ
γαίης· 128 : Χελιδονίων μυχὰ νήσων, et alibi.]

[Μυχὸς, ὁ, Mychus, Phocidis, ap. Strab. 9, p. 409 :
Τὸν ὕστατον λιμένα τῆς Φωκίδος, ὃν καλοῦσιν ἀπὸ τοῦ συμβεβηκότος Μυχόν. Quod pluribus explicat ex situ ejus
in seqq. et p. 423.]

[Μυχότροπος vitium scripturæ pro μοιχότροπος, ap.
Aristoph. Thesm. 392.]

[Μύχουρος, ὁ, ἡ, Angulorum custos. Lycophr. 373 :
Ὀφέλτα καὶ μύχουρε χοιράδων Ζάραξ. Ὁ φυλάττων τοὺς
μυχοὺς schol.]

[Μυχώδης, ὁ, ἡ, Latebrosus, Gl. Eur. Ion. 494 :
Μυχώδεσι Μάκραις.]

Μύχων, Dorica lingua esse dicitur Palearum acervus, pro quo ap. Hesych. μύκων. [Ex Gregor. Cor. p.

362, τοὺς σωροὺς τῶν ἀχύρων μύχωνας λέγουσι, ubi al. μύλωνας, nunc ἀχυρμίας. Tam Hesychii quam Gregorii glossam petitam esse ex Theocr. 7, 157 : Δράγματα καὶ μάκωνας ἐν ἀμφοτέρῃσιν ἔχοισα, ubi schol. ex cod. Flor. supplendus : Μήκωνας τοὺς σωρούς (φησι) ἢ τοὺς δημῶνας, animadvertit Koenius. In ceteris enim omissum μήκωνας, quod suppleverat jam Ruhnk. ap. Koen. l. c. p. 362.]

Μύω, ex iis esse verbis videtur, quorum origo minime quærenda est, vel quod aliunde facta non sint, vel quod unde facta sint, vix sciri queat. Sed quod ad verbum istud aliaque ejusmodi attinet, illud potius quam hoc persuasum habeo. Verum ex hoc μύω factum existimatur μυέω, unde est nomen μύστης, ex hoc ipso autem alia. Quidam tamen ex illo ipso μύω voluerunt esse μύστης, ut aliquanto post docebo : ubi et de aliis a μύω derivatis disseram. Μύω, Conniveo, Nicto, Oculos claudo. Dicitur autem μύω sine adjectione, vel μύω τοὺς ὀφθαλμοὺς s. τὰ ὄμματα, i. e. Oculos. Interdumque ipsi etiam ὀφθαλμοὶ s. ipsa ὄμματα dicuntur μύειν. [Hom. Il. Ω, 637 : Οὐ γάρ πω μύσαν ὄσσε. Eur. Med. 1183 : Ἐξ ἀναύδου καὶ μύσαντος ὄμματος.] Apud Aristoph. Vesp. [988], Μύσας παράϊξον, Oculis clausis. Sic Lucian. [Epist. Saturn. c. 35] dixit, sed præsentis temporis participio utens, Εἰ μύοντες οἱ πένητες βαδίζοιεν, Si pauperes clausis oculis incederent. Vel, Oculos claudentes. [Soph. ap. Dionys. De comp. vv. p. 66 Upt. : Μύω τε καὶ δέδορκα· Ant. 421 : Μύσαντες δ' εἴχομεν θείαν νόσον. Leonidas Stob. Fl. 120, 9, 4 : Κὴκ μεμυκότων ὁδεύεται, A cæcis. Addito dativo Lycophr. 987 : Γλήναις ἀγάλματα τοῖς ἀναιμάκτοις μύσει. Improprie Palladas Anth. Pal. 10, 55, 6 : Οὐδ' ἀκολάστου οὔσης μοι γαμετῆς χρή με μύσαντα φέρειν· ib. 47, 1 : Ἔσθιε, πῖνε, μύσας ἐπὶ πένθεσιν.] Quamvis autem ap. primarios auctores μύειν sine accusativi adjectione positum inveniatur, existimo tamen primum ejus usum cum adjectione accusativi fuisse, sed brevitatis gratia subaudiendum relinqui consuevisse. Illo autem modo, i. e. cum accus., usus est Alex. Aphr. Probl. 1 : Τὸν ἕτερον τῶν ὀφθαλμῶν μύομεν, Alterum oculum claudimus, vel, comprimimus, ut quidam interpr. Apud Eund. [ib. 105], Μύουσι τοὺς ὀφθαλμοὺς οἱ ἄνθρωποι, Polit. reddit, Connivent oculis homines. Ubi tamen verbo Connivent contentus esse poterat. Sic in Epigr. [Anth. Pal. 7, 221, 2] : Ἔμυσας ξανθούς. [Erycius ib. 9, 558, 6 : Ὕπνος ἔμυσε κόρας.] Metaphorice in Lucæ Vita : Πρὸς δὲ τὴν ἀληθινὴν διδασκαλίαν τά τε τῆς καρδίας ἔβυον ὦτα καὶ τὰ τῆς διανοίας ἔμυον ὄμματα. || Μύειν labris quoque tribuitur, et ori. Dicitur enim μύω τὰ χείλη, et μύω τὸ στόμα. (Greg. Naz. vero dixit etiam aliquem μύειν τὰς αἰσθήσεις, De Theol. 1, [p. 4] : Οἷον μύσαντα τὰς αἰσθήσεις, ἔξω σαρκὸς καὶ κόσμου γενόμενον, ἑαυτῷ προσλαλοῦντα καὶ τῷ Θεῷ, ζῆν ὑπὲρ τὰ ὁρώμενα, ubi passive etiam reddi possit, Sensibus occlusis.) [Theodor. Stud. p. 574, D : Οἱ μύοντες τὰς αἰσθήσεις.] Sed et ipsa χείλη dicuntur μύειν, et ipsum στόμα quoque. Afferturque ex Epigr. [Antiphili Anth. Pal. 7, 630, 3] : Χεῖλος ἔμυσε, pro Os se clausit. Sic μύσαντα στόματα ex Plat. Phædro [p. 251, D] (ubi metaphorice στόματα ponitur) : Τὰ τῶν διεξόδων στόματα, ᾗ τὸ πτερὸν ὁρμᾷ, συναυαινόμενα καὶ μύσαντα, ἀποκλείει τὴν βλαστὴν τοῦ πτεροῦ, Clausa, Astricta. Ex Aristot. autem Probl. præt. partic. Μεμυκὼς cum dat. στόματι : sc. Μεμυκὼς τῷ στόματι, pro Qui est ore compresso. [Satyrius Thyillus Anth. Pal. 10, 5, 4 : Τρηχὺς σῖγα μέμυκε πόρος.] At vero μύειν et συμμύειν s. χάσκειν opposita inveniuntur. Aristot. : Χάσκουσι καὶ συμμύουσι, Dehiscunt ore et comprimuntur, Bud. [Ap. Athen. 3, p. 93, F, de ostreis κεχήνασι et μύουσι opposita. Valck.] Sic et de vulnere cujus labra non hiant, ex isto Galeni loco affert : Μύει μὲν οὖν στυφόμενόν τε καὶ ψυχόμενον, ἐπιδέσει τε συναγόμενον καὶ βρόχῳ διαλαμβανόμενον. [Aret. p. 63, 41 : Ἡ ὑστέρη μύει τὸ στόμα· 98, 11 : Μύωσιν αἱ φλέβες· 15, 18 : Μεμύκη τὰ ῥαγέντα· 35, 36 : Μέμυκε τὰ χείλεα.] Apud Diosc. præt. μεμυκότα dictum itidem περὶ τῶν ἑλκῶν, reddit Occlusa. [Marcell. Sidet. 90 : Μαζοὶ δ' ἀλγεινοῖο μεμυκότες ἔκ γε τόκοιο χριόμενοι σαύροιο χολῇ γάλα χυμαίνουσι.] Latini autem et Coire vulnera hac signif. usurpant. Dicuntur denique et rosæ μύειν,

A quæ sunt adhuc ἐν κάλυξι. Non solum μύει τὰ ἕλκη, inquit Eust., sed etiam χείλη et ὄμματα : et ῥόδα τὰ ἔτι ἐν κάλυξι, et quæcunque sunt hujusmodi. Verum videtur potius debuisse dicere μύειν non solum ὄμματα et χείλη, sed etiam ἕλκη et ῥόδα : quoniam rationi consentaneum est ut prius de oculis et labris quam de aliis dictum esse existimemus. Idem certe alibi hoc verbum μύειν dici ἐπὶ βλεφάρων et χειλέων, et de quibusdam aliis, tradit. [Geopon. 11, 18, 8 : Ῥόδα μεμυκότα. Ib. 2, 14, 6 : Τὴν γῆν τότε μεμυκυῖαν καὶ ὥσπερ φρίσσουσαν· 4, 12, 10 : Τὰ κλήματα, πρὶν ἄρξασθαι βλαστάνειν, ἔτι δὲ μεμυκότα ἐγκεντρίσομεν· 10, 75, 15 : Χρὴ τὰ ἐνθέματα ἔτι μεμυκέναι.] Dicuntur denique μύειν et πόροι ap. Aristot. Meteor. 4 : Μύοντες πόροι, Clausi, Obstructi. In VV. LL. affertur etiam μύσας ἐπὶ πένθεσι ex Epigr. [Palladæ supra cit.], quod redditur, Omissis luctibus. [Improprie Soph. Trach. 1008 : Ἀνατέτροφας ὅ,τι καὶ μύσῃ. Schol., ὅ,τι ἂν τῶν ὀδυνῶν παύσῃ, τοῦτο διήγειρας.] Ex Iisd. affertur præt. Μέμυκε pro Obmutuit, ore sc. compresso. Ex Hesiodo autem pro
B Contrahitur, Constringitur, Clauditur, Mugit, Strepitat. [Op. 506 : Μέμυκε δὲ γαῖα καὶ ὕλη. Quibus non solum veram, sed etiam falsam Mugiendi interpretationem præter scholiastas adhibet Etym. M. Tzetzes autem (ad 502) opportune confert Orphicum : Πάχνη δ' ὑπὸ γαῖα μέμυκε, de terra constricta. Heraclit. Alleg. Hom. p. 462 : Ἐπειδὰν ἐκ τῶν χειμερίων παγετῶν ἡ στερίφη καὶ μεμυκυῖα (terra) πηγὰς... ἐκφήνῃ, annotat Valck.] Rursum ex Epigr. [Pauli Sil. Anth. Pal. 10, 15, 1] : Μεμυκότα κόλπον ἀνοίγει (quod rosis convenit, sequendo id quod de illis dictum paulo ante fuit). Item [ex epigr. Isidori Æg. ib. 7, 293, 6] μεμυκότες ἄνεμοι [ἆηται], Silentes venti, q. d. Qui sunt ore occluso s. compresso. [« Materia, ex qua Veneris imago conflata, συνθήκη μεμυκότος ἐλέφαντος, Philostr. Icon. 2, p. 810, 9. » Hemst. || Præsentis prima producitur ap. Callim. Dian. 95 : Νεβρούς τε καὶ οὐ μύοντα λαγωόν· Nicand. fr. 2, 56 : Σὺν καὶ κρόκος εἴαρι μύων, pariterque ap. omnes secunda perfecti. Futuri prima corripitur ap. Lycophr. l. c., aoristi ap. Hom. et alios supra
C citatos, producitur ap. recentiores, quorum exx. supra memoratis add. Antip. Sid. Anth. Pal. 7, 498, 7 : Κάτθανεν ἐκ νιφάδων μύσας ὁ πρεσβύς.]

Μυώδης, ὁ, ἡ, Ad murem pertinens. Plut. μυῶδες appellavit Quod mures decet, sicut μυρμηκῶδες, Quod decet formicas, p. 815 meæ ed. [Mor. p. 458, C] : Τὸ δ' ἐμφῦναι καὶ δακεῖν, μυρμηκῶδες καὶ μυῶδες. || Μυώδης ap. Galenum a μῦς, significante Musculum, est Musculosus. Quod exp. etiam Torosus, Lacertosus. Item μ. πλάτυσμα, Musculosa extensio, s. Musculus latus. Est substantia tenuis et membranosa, faciem prope totam et totum collum tegens atque movens. Huic originem dat membrana quædam nervosa toti nostræ cuti subnata, hic ut in fronte et capitis parte aliqua carnosior effecta. Prodit autem ab aurium radice, occipite, spinis omnibus cervicis, spina omoplata, acromio, clavi, et sterno : totusque tenuissimus in faciei partes prope omnes fibris a tam diversa origine variis inseritur, easque ob id in omnem prope partem movet. Nullus ab hoc musculo detinetur articulus, quoniam nec in articulum etiam inseritur, ve-
D rum buccas et cutim quibus coalescit, solas movet : hic in iis, qui spasmo corripiendi sunt, primus omnium intenditur, et qui κυνικοί, Canini, vocantur spasmi, hujus præcipue musculi affectio sunt. Gorr. [Plut. Mor. p. 733, B : Φλεγμονὰς ἀκαρτερήτους ἐνειλούμενα τοῖς μυώδεσι παρεῖχεν. Arrian. Venat. 6, 2 : Τὸ γενναῖον καὶ μυῶδες τοῦ σώματος. Pollux 5, 70, μηροί. Diodor. 5, 139 : Ὀρειβατεῖν εἰωθότες εὔτονοι καὶ μυώδεις γίνονται. Timæi Lex. p. 169 : Κοῖλα, τὰ ὑπὸ τοὺς ταρσοὺς τῶν ὀφθαλμῶν μυώδη σαρκία.]

Μυών, ῶνος, ὁ, est itidem a μῦς significante Musculum [Gl.] : habetque formam περιεκτικοῦ, ut ita vocetur Pars qua præcipue habet musculos. Exp. et νευρώδης τόπος. Item Pulpa brachiorum et coxarum, necnon Sura. In hoc certe loco Homeri, Il. Π, [315], Ἔφθη ὀρεξάμενος πρυμνὸν σκέλος, ἔνθα πάχιστος Μυὼν ἀνθρώπου πέλεται, ab Eust. exp. γαστροκνημία : ap. quem vide plura, p. 1061. [Theocr. 25, 149 : Ὁ δέ οἱ περὶ νεῦρα τανυσθεὶς μυὼν ἐξ ὑπάτοιο βραχίονος ὀρθὸς ἀνέστη. Apoll. Rh. 4, 1520 : Μέσσην χερχίδα καὶ μυῶνα. In Ind. :] Μυιὼν, Hesychio ὁ μῦς τῆς χειρὸς, s. τοῦ βραχίονος : qui rectius μυὼν, sine diphth.

[Μύων, πόλις Λοκρῶν ἐν τῇ ἠπείρῳ. Οἱ πολῖται Μύωνες, ὡς Θουκυδίδης γ' (101). Λέγονται καὶ Μυωνεῖς, Steph. Byz. V. Μυονία.]

[Μύων, ωνος, ὁ, Myon, n. viri, in inscr. Aphrodis. ap. Bœckh. vol. 2, p. 513, 514, n. 2771, 2772.]

[Μυωνία, ἡ.] Μυωνίαν ab Epicrate dictam fuisse Mulierem libidinis portentosæ, de notissima muris salacitate, qui μῦς dicitur, refert ex Æliani Var. Hist. [immo N. A. 12, 10] Cæl. Rhodig. 14, 8. [Μυωνία autem i. esse q. μυωξία et μυωπία ostendit quod Æl. ponit ὅλη μυωνία. Et quum μυωξία sit uno in libro, incerta hujus nominis fides videtur.]

[Μυωνίδης, ὁ, Myonides, n. viri, in inscr. Branchid. ap. Bœckh. vol. 2, p. 555, n. 2859, 5. ῐ]

[Μυωξάριον, Μυωξία. V. Μυωπία.]

Μυωξὸς, ὁ, [Μύοξος, ὁ εἰς τὰ δένδρα μῦς, Glis, Bufo; Μύοξος, ὁ ὑπὸ τὴν γῆν τυφλὸς, Talpa, Gl. Leg. μυωξός.] Epiphanio auctore in Ancorato, animal est sexto quoque mense moriens et reviviscens. [Glis, Gl.] Idem In Originem, Hær. 64 : Physici, inquit, ajunt τὸν μυωξὸν in latibulo se continere, et multam uno partu edere prolem, usque ad quinque fœtus et amplius. Si in latibulum inciderit vipera, nec omnes devorare queat, comedere unum aut alterum donec satietur : reliquis effodere oculos, cibumque eis præbere, et ita eos cæcos alere donec unumquemque eorum devorare velit. Si forte accidat ut aliquis in hos incidat imprudens, eosque in cibum capiat, exitio eos ipsis esse, utpote viperæ veneno enutritos. Meminit hujus animalis Galenus quoque De aliment. facult. l. 3, scribens, Τῶν ἀρουραίων μυῶν καὶ τῶν καλουμένων ἐλείων ἐν μέσῳ εἶναι τὸν μυωξὸν καλούμενον, h. e. τὸν μυωξὸν esse mediæ naturæ inter mures arvenses et mures palustres. Sunt qui existiment esse Alpinum murem Plinii, 10, 65 : quique vulgo in Alpibus appellatur Marmota. [Oppian. Cyn. 2, 574, 585.]

Μύωπα, ap. Hippocr., si qua vulgatis Lexx. fides, et ἔξουρα, Conniventia, In arctum desinentia, τὰ εἰς στενὸν συνηγμένα, εἰς στενὸν τελευτῶντα : quæ ἔπακρα etiam vocat. Hoc, inquam, significat μύωπα ap. Hippocr., si qua fides vulg. Lexicis, quæ hoc annotatum habent in Μύωψ, et quidem non nominato hujus expositionis auctore. Sed ut in aliis infinitis ll., ita hic quoque illis fides deroganda est, utpote aperte mentientibus, et errorem, qui parvus ac levis est ap. Galen., augentibus : nam quum ap. eum ubi ἔξουρα exponit [Lex. Hipp. p. 470], legatur μύοπα, sed manifestum sit reponi debere μύουρα (ita enim scribit, Ἔξουρα, εἰς στενὸν συνηγμένα, ἃ δὴ καὶ μύοπα ὀνομάζουσιν), aliquis ex vulg. Lexicorum consarcinatoribus errorem augens, et vestigia veræ lectionis non malitia ille quidem, sed inscitia occultans, pro μύοπα reposuit μύωπα, et quo jure qua injuria in locum illum intrusit, in quo vocabuli μύωψ signiff. exponuntur, ac ceteris velut insigne aliquod corollarium, hanc falsissimam adjecit. Quod autem hic factum esse vides, idem et in aliis propemodum infinitis ll. factum esse scito, licet vix in decimo quoque a me hac de re admonearis, utpote cui aliis potius tempus impendendum sit. Sed de his quamvis rarius commonefactus, mirari non debebis, si pleræque voces in hoc opere non extent, quæ in Lexx. illa ante hoc edita intrusæ et tanquam obtorto collo pertractæ fuerunt. [Errorem HSt. ipse repetiit in Ἔξουρα, tacito correxerat Gorræus in Ἔξουρα, nisi quod μείουρα debebat, ut Foes.]

Μυωπάζω, quo utitur Aristot. in l. quem in Μύωψ afferam. Est autem μυωπάζω nihil aliud quam Sum μύωψ, i. e. Lusciosus. Sed latius etiam extenditur verbi μυωπάζω signif. Nam eo usum esse Dionys. Areop. pro Cæcutio, Oculos aperire non possum, testatur Bud., alicubi vero et pro συμμύω, Conniveo. Pro Cæcutio autem a Paulo quoque usurpari testatur. Sed Paulum pro Petro dixisse arbitror; neque enim ap Paulum extare puto : ap. Petrum autem legitur 2 Ep. 1, [9] : Ὧ γὰρ μὴ πάρεστι ταῦτα, τυφλός ἐστι, A μυωπάζων, λήθην λαβὼν τοῦ καθαρισμοῦ τῶν πάλαι αὐτοῦ ἁμαρτιῶν. Ubi μυωπάζων, sequendo Bud., (si hic est locus de quo loqui voluit,) reddemus Cæcutiens. Sed quum præcedat τυφλὸς, nullo convenire modo hæc interpr. potest. Vetus Interpr. vertit Manu tentans; Erasm., Manu viam tentans. Novissima autem Interpr. habet, Nihil procul cernens. Ego hanc ceteris longe præfero, quippe quæ nulla ratione niti videantur : (estque aperte deceptus Erasmus in eo, quod ἀπὸ τῶν μυῶν, i. e. A muribus, μύωπα dici existimavit :) si tamen et mihi sententiam meam proferre liceat, μυωπάζων dixerim potius esse Oculos claudens, aut Connivens, ut a Dionysio Areop. accipi dictum est. Tunc autem nequaquam μυωπάζων sub nomine τυφλὸς omnino inclusum erit : quum peculiare quoddam cæcitatis sit genus, eorum qui oculos suos claudunt, s. connivent. Quæ tamen a me obiter dicta, aliis diligentius expendenda relinquo. [Theodor. Stud. p. 366, B : Οἷόν τινι λήμῃ τῇ τῆς σαρκὸς προσπαθείᾳ μυωπάζων· 577. Eust. Opusc. p. 118, 60. L. D. Epiphan. Adv. B Hær. p. 502, E. Hemst. Hesychius : Μυωπάζων, ὀφθαλμιῶν.] Invenitur porro et quinquesyll. Μυωπιάζω : nam ap. Suid. legitur ἐμυωπίασε : quod exp. ἄκροις τοῖς ὀφθαλμοῖς προσέσχε. Sed suspectum tamen redditur illud ἐμυωπίασε, iis quæ sequuntur : sc. Μυωπάζω γὰρ τὸ καμμύω : nisi hic μυωπιάζω reponendum esse dicamus.

[Μυώπη, ῥάμνος, Hesychius.]

Μυωπία, ἡ, est appellatio Vitii illius oculorum s. visus, quo qui laborant, μύωπες appellantur, de qua voce mox dicam in Μύωψ. Vocatur etiam Μυωπίασις, extatque hoc posterius nomen ap. Definitionum medicarum auctorem : Μυωπίασίς ἐστι διάθεσις ἐκ γενετῆς, δι' ἣν τὰ μὲν πλησία ὁρῶμεν, τὰ δὲ πόρρωθεν, ἢ ἐπὶ βραχὺ, ἢ οὐδὲ ὅλως. Pro Μύωψ autem quidam Medici Μυωπία [immo Μυωπίας, quomodo se scriptum voluisse testatur iis quæ dixit in Μύωψ sub finem] dicunt, de eo sc. qui vitio illo laborat : Μυωπίαι dicuntur, inquit Paul. Ægin. 3, 22, ἐκ γενετῆς τὰ μὲν ἐγγὺς βλέποντες, τὰ δὲ ἐξ ἀποστάσεως οὐχ ὁρῶντες. [Pollux 2, 61 : Ὀφθαλμὸς C μυωπίας.] Sed nomen illud μυωπία habet alioqui et aliam signif.; ponitur enim pro Muris s. Murium cavernula. In qua signif. ο in ω mutatum esse, dicere, ut opinor, necesse fuerit; neque enim dubito quin ex μῦς et ὀπὴ factum fuerit. Quam mutationem ut minime mirer faciunt alia quædam composita, in quibus reperitur. Utitur autem nomine illo in hac signif. Aristot. H. A. 6 [prope fin.] : Μυωπίας ὗες ἀνορύττουσι. Utitur post illum Ælianus [V. H. 2, 11], de muribus : Καὶ μελλούσης τῆς οἰκίας ἀπολισθαίνειν, ἀπολείπουσι τὰς μυωπίας αὐτῶν. [Eust. Opusc. p. 354, 38. Τρῶγλαι interpr. Hesychius.] Sed dicitur etiam Μυωξία ea signif., teste [Photio s.] Suida : qui postquam μυωξία exposuit ὑβριστικὸς λόγος, addit, significare item τοὺς τῶν μυῶν χηραμούς. Apud Hesych. est scriptum Μυοξία, per ο : sed hanc scripturam series alphabetica refellit, postulans ω. Refellit et dimin. Μυωξάρια, quod ibi subjungitur : et de quo, sicut et de illo altero, ad ipsum te remitto. [Interpretatur εἰσὶ δὲ (μυωξία) καί τινα εἴδη, ὡς σῦκα βιβρωσκόμενα, D μυωξάρια. Quam interpretationem ad μυξάρια, quod esse genus bellariorum in ipso diximus, referri animadvertit Junius.] Illius quidem signif., qua pro μυωπία usurpatur, non meminit : quod meam suspicionem auget, ne nimirum Suidas memoria lapsus μυωξία pro μυωπία acceperit. [Idem Hesychius : Μυξίαι, οἱ τῶν μυῶν χηραμοί. Gregor. Naz. Epist. 7, p. 771, A, citavit Jacobs. ad l. Æliani in Μυωνία citatum.]

[Μυωπιάζω. V. Μυωπάζω.]

[Μυωπίασις. V. Μυωπία.]

Μυωπίζω, Calcari urgeo, s. Calcaribus. Xen. [Eq. 10, 1] : Μυωπίζειν τε καὶ μαστιγοῦν τὸν ἵππον. Alibi [ib. 2] μυωπίζειν καὶ παίειν. Apud Eund. [ib. 4, 5, Hipparch. 1, 16] legitur et pass. vox itidem de equo qui calcari urgetur. [Immo utrobique sequenti signif.] Alioqui Μυωπίζεσθαι est item OEstro agitari. Particip. autem μυωπιζόμενος aliud etiam ap. Hesych. et Suid. significat, tanquam eam nominis μύωψ signif. sequens, quam et μυωπάζω sequitur. [Clem. Al. p. 105, 6 : Μυωπίζει τοὺς γνωρίμους. Schol. ὑποκινεῖ. Juppiter ἔρωτι μυωπίζεται ἐπὶ τῇ γυναικὶ Ἥρᾳ, Eust. Il. p. 431, 27. Valck. Μυωπισθεὶς, Aristæn. 2, 18. Boiss.]

[Μυωπός. V. Μύωψ.]

[Μυῶτις.] Apud Aetium [pro Μυοσῶτις] habetur etiam Μυῶτις, ubi Interpr. Auricula muris, scribens Myosotis.

Μυωτὸς χιτὼν, Murina tunica. Pollux 7, c. 13 [§ 60] de Vestium generibus, scribit τὸν μυωτὸν fuisse Armeniis peculiarem χιτῶνα, eumque vel ἐκ μυῶν τῶν παρ' αὐτοῖς συνυφασμένον, vel μύας ἔχοντα ἐμπεποικιλμένους, h. e., vel Contextum ex murium qui apud ipsos reperiuntur pellibus, vel Murium effigiebus variegatum. [Hesychius et Photius : Μυωτὸς, χιτῶνος εἶδος.] At μυωταὶ σάρκες, Musculosæ carnes, [Clearchus] ap. Athen. 9, [p. 399, B] : quomodo et Alex. Aphrod. Probl. l. 2, τὸν θώρακα dicit esse μυωτὸν, Musculosum, Musculis constantem : nam μύες vocantur etiam Musculi.

Μύωψ, ωπος, ὁ, ἡ, si quidem spectemus etymum, s. potius ipsam compositionem, sonat μύων ὦπα, s. ὦπας, Qui claudit oculos, Qui connivet; sed certum quoddam oculorum vitium hoc vocabulo significari sciendum est. Gellius 4, 2, μύωπα Latine Lusciosum appellari tradit. Lusciosi, inquit Nonius, s. potius Festus, ad lucernam non vident : et μύωπες, minus videntes, vocantur a Græcis. Fulgentius [p. 562], Lusciosos, inquit, dicunt, qui interdiu parum vident : Græce μύωπες dicuntur. [Luscitus, Mopsicus, Gl. Et Μύωψ τοῖς ὄμμασιν, Pætus.] Νυκτάλωπες igitur et μύωπες, inquit Bud., iidem esse putantur, et pro iisd. a nonnullis accipiuntur : h. e. pro iis qui interdiu propter visus hebetem vim contueri nequeunt, nec nisi clausis oculis : a conniventibus oculis μύωπες nomen habentes : νυκτάλωπες a nocturnis quasique noctuinis oculis. Alii νυκτάλωπας distinguunt ἀπὸ τῶν μυώπων, eod. ad utrumque significatum etymo subserviente : ut sint μύωπες, Qui jam inde a principio ortus sui, nisi admota oculis contueri nequeunt : cujusmodi multos videmus, qui res intuendas, oculis prope contingunt, et limis etiam semiclusisque oculis aspiciunt. Aristot. Probl. s. 31, [16] : Διὰ τί οἱ μύωπες συνάγοντες τὰ βλέφαρα ὁρῶσιν; Cur μύωπες contractis palpebris vident? Quibus subjungit, quinam μυωπάζειν dicantur : Οἱ ἐκ γενετῆς τὰ μὲν ἐγγὺς βλέποντες, τὰ δὲ ἐξ ἀποστάσεως οὐχ ὁρῶντες· ἐναντία δὲ πάσχουσιν οἱ γηρῶντες τοῖς μυωπάζουσιν· τὰ γὰρ ἐγγὺς μὴ ὁρῶντες, τὰ πόῤῥωθεν βλέπουσι· i. e. Μύωπες autem dicuntur, qui ab ortu primo proxima quidem vident, remota vero non vident. At senibus vitium huic contrarium accidit, siquidem senes admota non videntes, longe reducta vident. Meminit horum et Alex. Aphr. Probl. 1, 74 : Διὰ τί πολλὰ τὰ πόῤῥωθεν καὶ μεγάλα οὐχ ὁρῶντες, τὰ πλησίον καὶ μικρὰ ὁρῶμεν; Quibus subjungit, tales μύωπας appellari παρὰ τὸ μυώπης ὁρᾷν, ut quidem in Ald. edit. scriptum est : pro quo μυώπης quidam reposuerunt μυῶπες : quod et in VV. LL. habetur exponiturque μυῶπες ὁρᾷν, Connivendo videre. Sed reponendum est παρὰ τὸ μύοντας ὁρᾷν, veteri etiam exemplari assentiente. Quod si exactius etymologiam tradere voluisset, non dubium est quin dicendum fuisset παρὰ τὸ μύειν ὦπα s. ὦπας : quod etymum a me allatum fuit. Ceterum quæ ex Nonio allata fuerunt, Myopas, minus videntes, vocari a Græcis, ad alteram hujus nominis scripturam Μείωψ pertinent. Sed quum hæc habeat ει, non jam Myopes cum υ, sed Miopes scribi necesse fuerit. Non dubium est enim quin hæc verba, Minus videntes, ad exprimendum vocis Græce etymum addita sint, perinde ac si dictum esset, Quasi minus videntes. Apud Festum tamen (pro quo nominatus fuit Nonius) verba illa, Minus videntes, non invenio; sed ista duntaxat, Lusciosi, qui ad lucernam non vident : et μειώπες vocantur a Græcis. A Bud. tamen locus ille sub Nonii nomine et cum verbis illis affertur. Verum sive Festus ea scripserit, sive non, aut etiam Nonius, tanta eorum verborum auctoritas esse non potest, ut hanc scripturam μείωψ confirment. Memini alioqui me in aliis quibusdam vocibus eandem omnino scripturæ diversitatem invenisse : ex quibus est μύουρος : scribitur enim et μείουρος : sic μυουρίζειν et μειουρίζειν, ut suo

A dictum loco fuit. Dixit autem Xen. Μυωπὸς pro μύωψ, gen. fem., ubi de canibus hæc scribit [Cyn. 3, 3] : Αἱ δὲ μυωποὶ καὶ χαροποὶ χείρω τὰ ὄμματα ἔχουσι. [Unde Pollux 5, 62.] Dicitur etiam Μυωπίας, ut paulo ante docui, ubi de vitio ipso μυωπία appellato verba faciebam. [V. Μυωπία.] At vero Μύωψ, ωπος, ὁ, a quo est verbum μυωπίζω, Insecti genus est, quod bobus potissimum esse infestum traditur. A Gaza et Asilus (ex Virg.) et Tabanus redditur. [Vespa, Asilio, Petuosus, add. Gl., nisi postrema interpretatio pertinet ad præcedens μύωψ. Æsch. Prom. 676 : Ὀξυστόμῳ μύωπι χρισθεῖσα· Suppl. 307 : Βοηλάτην μύωπα. V. Suid. et l. Callim. infra cit.] Auctor Geopon. [17, 7] : Ὅτι ἔκφρονας τοὺς βοῦς οἱ μύωπες κεντοῦντες ποιοῦσιν, ἴσμεν. A Suida et Hesychio dicitur esse Musca quædam ἐρεθίζουσα τὰς βοῦς : (observa autem dici ab utroque τὰς βοῦς potius quam τοὺς βοῦς :) sed additur ab Hesych., καὶ πᾶν ζῶον ἐλαύνουσα· οἶστρος μόνον βοῦν. Ut autem OEstrum metaphorice quoque usurpatur, sic et μύωψ. Ponitur et pro Calcari quo urgentur equi. Xen. [Eq. 8, 5] : Ὅταν δὲ μέλλῃ πηδᾷν, παισάτω αὐτὸν τῷ μύωπι. [Plat. Apol.
B p. 30, E : Ἵππῳ δεομένῳ ἐγείρεσθαι ὑπὸ μύωπός τινος. V. l. Asclepiadis infra cit. Pollux 1, 216. Idem ib. 210 : Τῷ δὲ ἀθύμῳ ἵππῳ οὐδὲν φαῦλον καὶ ἐμβαλεῖν τῷ μύωπι.] Quidam exp. etiam Flagellum. [Figurate Stimulus. Achill. Tat. 7, 3, p. 153, 27 : Τῷ λόγῳ τὴν ψυχὴν ὥσπερ ὑπὸ μύωπος καταχθείς. « Iterum c. 4, p. 154, 19 : Ὁ δὲ ὡς ἅπαξ ἐνέβαλέ μοι τὸν μύωπα. Phalæc. Anth. Pal. 6, 165, rhombum quo baccharum animus commovetur et stimulatur, Βασσαρικοῦ θιάσοιο μύωπα appellat. De calumniatorum artificiis agens Lucian. Calumn. § 15 : Ὁ δὲ ἀκούσας εὐθὺς μύωπι διὰ τοῦ ὠτὸς τυπεὶς διακέκαυται, ὡς τὸ εἰκός. » Jacobs. Lucian. Amor. c. 2 : Ὑγρός τις ἐνοικεῖ τοῖς ὄμμασιν μύωψ, ὃς ἅπαν κάλλος εἰς αὐτὸν ἁρπάζων, ἐπ' οὐδενὶ κόρῳ παύεται. Koenig.] Sed et de Minimo digito dici, qui alio nomine ὠτίτης appellatur, annotant VV. LL. [Nicol. Smyrn. in Schneideri Ecl. phys. vol. 2, p. 477, 7 : Συστελλομένου τοῦ πρώτου καὶ μικροῦ δακτύλου τοῦ μύωπος καλουμένου, et in seqq. || « Μύωψ planta ap. Plut. De fluv. 22, 5. »
C Boiss. || Primam corripuerunt præter Callim. ap. schol. Hom. Od. X, 299 : Βουσόον, ὅντε μύωπα βοῶν καλέουσιν ἀμορβοί, Asclepiades Anth. Pal. 5, 203, 1 : Τὸν ἱππαστῆρα μύωπα, et Phalæcus supra cit., Tryphiodor. 361. Produxit Nicand. Th. 417 : Σπέρχεται ἐκ μύωπος ἀήθεα δέγμενος ὁρμήν· 736 : Ψῆνας μύωπάς τε.]

[Μῶ. V. Μάω.]

[Μῶ, Aqua. V. Μῶυ.]

[Μῶ, i. q. Μῦ. V. Μ et Μῦ.]

[Μῶά. V. Μοῦσα.]

[Μωάβην χωρίον Θηβῶν memorat Tzetz. ad Lycophr. v. 7.]

[Μῶβα, μοῖρα τῆς Ἀραβίας. Οὐράνιος ἐν Ἀραβικῶν δευτέρῳ. Οἱ οἰκοῦντες Μωβηνοί. Καὶ θηλυκῶς Μωβηνή. Ἔοικε δ' ἐνδεῖν τὸ α· ἦν γὰρ Μωάβα. Καὶ τὸ ἐθνικὸν Μωαβίτης. Τὸ θηλυκὸν Μωαβῖτις, Steph. Byz. Μωαβίτας et Μωαβῖτιν est ap. Ephræm. Syr. vol. 3, p. 199, A, et alios qui citantur ab interpretibus. Qui monent etiam urbem regionemque appellari ab Eusebio Μωάβ.]

Μῶδα, Hesychio ἄλφιτα σίτου, Farina frumenti.
D [Idem : Μώρτα, σῖτος.]

Μωδεῖ, Hesychio λαλεῖ, ᾄδει, Loquitur, Canit.

[Μῶδιξ. V. Σμῶδιξ.]

Μώδιον [Μόδιον], Hesychio Species sportulæ, σπυρίδος.

Μωδύει, Hesychio θάλπει, ἐκλύει, μωραίνει.

Μώδυξ, Hesychio ἀπαίδευτος, Indoctus, Ineruditus [V. Μῶλυξ.]

[Μωθὼ, κώμη Ἀραβίας, ἐν ᾗ ἔθανεν Ἀντίγονος ὁ Μακεδὼν ὑπὸ Ῥαβίλου τοῦ βασιλέως τῶν Ἀραβίων (sic), ὡς Οὐράνιος ἐν ε', ὅ ἐστι τῇ Ἀράβων φωνῇ τόπος θανάτου. Οἱ κωμῆται Μωθηνοὶ κατὰ τὸν ἐγχώριον τύπον, Steph. Byz.]

Μωκάω, Irrideo, Deludo : cujus partic. [μωκῶν, καταγελῶν, ap. Cyrill. Ms. Brem., et] fem. μωκῶσαν ap. Suid. extat, afferentem et pass. [med.] μωκωμένης pro χλευαζομένης. [Zonar. p. 1383 : Μωκῶ, τὸ λοιδορῶ.] Sed crebrior passivæ [med.] quam activæ vocis usus. Alciphr. [Ep. 1, 33] : Καὶ τὸ μὲν πρῶτον κιχλίζουσα μετ' ἐκείνης καὶ μωκωμένη, τὴν δυσμένειαν ἐνεδείκνυτο. [Eust. Opusc. p. 48, 86 : Μωκᾶσθαι κωμῳδικῶς· 156,

15; et futuro 331, 70. || « Passivo Jer. 51, 18, ἔργα μεμωκημένα, Opera risu digna. Sir. 34, 20, προσφορὰ μεμωκημένη, Oblatio risu digna, h. e. quæ Deo non placet, quam Deus abominatur. V. Μώκημα. Vulg. *maculata*. Legit μεμωμημένη. » SCHLEUSN. Lex.] A

[Μωκεύω. V. Μωπεύω.]

[Μώκημα, τὸ, Irrisio, Delusio, Sir. 31, 18, sec. cod. Vat., ubi μωκήματα sunt sacrificia, quæ quia ex injuste partis opibus offeruntur, sunt risu digna; h. e. Deo displicent. V. Μωκάω. Compl. habet δωρήματα, quod est merum interpretamentum. Alex. μωμήματα. SCHLEUSN. Lex.]

[Μωκία, ἡ, Derisio. Ælian. V. H. 3, 19. Nicetas Chon. p. 78, D : Εἰς μωκίαν καὶ γέλωτα. Eust. Opusc. p. 64, 15.]

Μωκίζω, pro ἐμπαίζω, Illudo, affert Suidas. [Vita S. Nili jun. p. 2 ed. Rom. 1664. Boiss.]

[Μωκίον, τὸ, Sarabarum, vestis genus, chlamys, pallium. Al. Dan. 3, 21, ubi Drusius bene conjicit βράκτα. Schol. ap. Flam. Nobil., τινὲς σαράβαρα εἰρήκασι τὰ μὲν παρὰ τῶν πολλῶν λεγόμενα μώκια. SCHLEUSN. Lex.] B

[Μώκιος, ὁ, Mocius, n. proprium sec. Suidam.]

[Μωκισσὸς, Mocissus, Cappadociæ urbs, postea Justinianopolis dicta, in Ms. ap. Pasin. Codd. Taurin. vol. 1, p. 211, C. Gent. Μωκισσηνὸς in Ms. ap. Lambec. Bibl. Cæs. vol. 8, p. 866 fin. Μωκισσέων ex Reiskii conjectura illatum Polyb. 25, 4, 9. De forma per ου Steph. Byz. : Μούκισσος (hoc accentu), πόλις Καππαδοκίας δευτέρας. Καπίτων Ἰσαυρικῶν ἕκτῳ. Conf. de utraque Wesseling. ad Hierocl. p. 701. L. DIND.]

Μῶκος, ὁ, Hesychio et Suidæ μωρὸς, χλευαστὴς, σκώπτης, Fatuus, Irrisor, Derisor. [Ex adjuncto Adulator. Sir. 33, 6 : Ὡς φίλος μῶκος. Soping. ad Hesych. v. Μῶκος conjicit legendum φιλόμωκος. SCHLEUSN.] In Lex. meo vet. et ap. Etym. scriptum oxytonως, Μωκὸς, itidemque expositum. [« Commode vir doctus ad Hesych. e Cyrilli et Philoxeni Glossis annotavit, vocab. istud non modo de persona, sed et de re dici; monuitque, priori notione Μωκὸς, acute, scribendum videri, posteriori vero Μῶκος, penacute. (Conf. Lobeck. Paralip. p. 345.) Occurrit autem voc. μῶκος altera hac notione, Sannam, Jocum, Risum sonans, ap. Athen. 5, p. 187, A, in illo versu ad imitationem Homerici Il. H, 324, composito : Τοῖς δ' ὁ κόλαξ πάμπρωτος ὑφαίνειν ἤρχετο μῶκον. » SCHWEIGH. Μῶκος, hæc Sanna, Subsannator, Gl. Schol. Epict. Enchir. 22. Boiss. Aristot. H. A. 1, 9; Antig. Caryst. c. 125.] C

Μῶλαξ, Vini genus. Quidam esse dicunt τὸ ἐν τοῖς ὁρκίοις σπενδόμενον, Quod in fœderibus libatur. Hesych. [Μώλαξ, εἶδος οἴνου· οἱ δὲ, τὸ ἐν τοῖς ὁρκίοις σπενδόμενον ἀπὸ τοῦ μώλου, ὥς τινες. Λυδοὶ, τὸν οἶνον. Suspicor pro ἀπὸ τοῦ μώλου legendum esse ἀπὸ Τμώλου. Videtur Hes. postremis his verbis indicare, Μώλακα Lydis dici vinum a Tmolo nobili monte Phrygiæ Magnæ in confiniis Lydiæ. Vitruvius 8, 3, inter vina generosa memorat quoque Lydiam Meliton, vel Moliton, uti in quibusdam codicibus reperitur. Plinius 14, c. 7: « Nec Tmoliti per se gratia, uti vino. » Unde Philander in Vitruv. p. 327 conjicit, Meliton sive Moliton forte a Tmolo monte fuisse petitum; quod etiam ex loco Hesychii, ex mea emendatione, adstrui potest. Forsitan vero ipse Tmolus, qui et antiquis Timolus dicebatur, Lydis Montem vini significavit, etc. JABLONSK. Patrocinium qualecumque quærere ex eo potuisset, quod in multis veterum libris pro Tmolus scribatur Molus, eodem modo, ut Marus pro Tmarus, observante Burmanno ad Virg. Georg. 1, 56. TEWATER.] D

[Μώλεια, ων, τὰ, festum apud Arcades. Schol. Apoll. Rh. 1, 164 : Καὶ ἄγεται μωλεία ἑορτὴ παρ' Ἀρκάσιν, ἐπειδὴ Λυκοῦργος λοχήσας κατὰ τὴν μάχην εἷλεν Ἐρευθαλίωνα· μῶλος δὲ ἡ μάχη. Μώλεια rectius, ut videtur, Paris. Eadem ἀνεῖλεν. Hesychii gl. Μωλύχιον (ordo literarum postulat μωλίχιον), ἔνθα Λυκοῦργος τὸν Κορυνήτην ἀνεῖλε τόπος, confert Schrevelius.]

[Μωλέω.] Μωλεῖ, quod Hesych. exp. μάχεται, Pugnat, Manus conserit : afferens et med. μωλήσεται pro μαχήσεται, Pugnabit : sed addens etiam πικρανθήσεται, Exacerbabitur.

[Μωλίσκος V. Μῶλος.]

Μῶλος, ὁ, Hesychio πόλεμος, μάχη, θόρυβος, Bellum, Pugna, Tumultus : pro quo supra μόλος et μόθος. Hom. Il. H, [147] : Κατὰ μῶλον Ἄρηος· Od. Σ, [232] : Ξείνου γε καὶ Ἴρου μῶλος ἐτύχθη Μνηστήρων ἰότητι· Il. P, [397] : Περὶ δ' αὐτοῦ μῶλος ὀρώρει ἄγριος. Σ, [134] : Μήπω καταδύσεο μῶλον Ἄρηος· B, [401] : Εὐχόμενος θάνατόν γε φυγεῖν καὶ μῶλον Ἄρηος. [Hesiod. Sc. 257 : Ὅμαδον καὶ μῶλον ἔθύνεον. Archiloch. ap. Plut. Thes. c. 5 : Εὖτ' ἂν δὴ μῶλον Ἄρης συνάγῃ. Apoll. Rh. 4, 415.] Ceterum sunt qui μῶλος hoc derivatum velint παρὰ τὸ μολεῖν, utpote in quo oporteat festinanter ire : alii παρὰ τὸ μολύνειν, quoniam manus in eo polluuntur sanguine. || Rursum μῶλος esse dicitur Ædificium quoddam in fluctibus extructum ad usum nautarum, Portus manufactus, Epigr. [Anth. Pal. 9, 670, in lemmate. Plura Byzantinorum exx., in quibus partim per ου vel ο scribitur, annotavit Ducang., idemque diminitivi Μωλίσκος.] Exp. etiam Pondus, Lapillus qui ponitur in lapidibus conjungendis : sed hæc ἀμαρτύρως. [Moles, Gl.]

[Μῶλος, ὁ, Molus, f. Martis, Apollod. 1, 7, 7, 3. F. Deucalionis, id. 3, 3, 1, 1.]

Μῶλυ, Moly, [Secta, Gl.] : herba de qua Diosc. 3, 54. Plin. 25, 4 : Laudatissima herbarum est Homero, quam vocari a diis putat Moly, et inventionem ejus Mercurio assignat, contraque summa veneficia demonstrat. Nasci eam hodie circa Pheneum et in Cyllene Arcadiæ tradunt, specie illa Homerica, radice rotunda nigraque, magnitudine cæpæ, folio scillæ : effodi autem difficulter. [Hæc ex Theophrasto H. Pl. 9, 15, 7.] Græci auctores florem ejus luteum pinxere, quum Homerus candidum scripserit. Locus Homeri est Od. K, [305] ubi Ulysses dicit sibi contra Circes veneficia a Mercurio datum pharmacum ex terra effossum, declarata simul ejus natura, subjungens : Ῥίζῃ μὲν μέλαν ἔσκε, γάλακτι δὲ εἴκελον ἄνθος. Μῶλυ δέ μιν καλέουσι θεοί· χαλεπὸν δέ τ' ὀρύσσειν Ἀνδράσι γε θνητοῖσι. [Producta secunda Lycophr. 679 : Ἀλλά νιν βλάβης μώλυ σαώσει ῥίζα, ubi est var. μῶλος et ἡ μῶλυς ponitur ab schol. « V. Olympiodor. In Alcib. 1, sect. 27, ibique annot. » CREUZER. Philostr. Her. p. 665 : Λόγου τε καὶ σπουδῆς· τουτὶ γὰρ ἡγεῖσθαι προσήκει τὸ μῶλυ. Ubi Boiss. : « Mercurium videbis Ulyssi Moly tradentem in opere musivo apud Guattanum *Monim. ined. febr.* 1788, tab. 1. Homericum Moly illustrarunt Gyraldus dial. 14, Trillerus in dissertatione peculiari. V. et Clark. ad l. Hom. »]

[Μώλυγερ, τὰ ἄνοζα ξύλα, Hesych. Vox Laconica : Μώλυϝερ, pro μώλυες, ut videtur. ALBERT.]

Μώλυζα, ἡ, ex Psello medico affertur pro Caput allii. Galen. in Lex. Hippocr. [p. 530] esse dicit σκόροδον ἁπλῆν τὴν κεφαλὴν ἔχον καὶ μὴ διαλυομένην εἰς ἄγλιθας, Allium quod simplex caput habet nec in nucleos dividitur. Quosdam eo nomine accipere τὸ μῶλυ. [V. Μάλυζα. « Usurpatur hæc dictio Hippocrati, ut p. 583, 8; 584, 16; 625, 3; 630, 25, etc., licet quibusdam in locis μόλυζα pro μώλυζα vitiose scribatur. » FOES.]

Μωλύνω sive Μωλύω, a μῶλυς s. μῶλυξ, significat Hebeto, Remissiorem facio : ut Etym. quoque μωλύνειν exp. ἀμβλύνειν καὶ χωλύειν : et μωλύειν, πραΰνειν καὶ καταστέλλειν. Galen. quoque μωλυόμενα in Lex. Hippocr. [p. 530] affert pro κατὰ βραχὺ ἀπομαραινόμενα, Paulatim emarcescentia. [Schol. Hom. Od. K, 305 : Μῶλυ, βοτάνης εἶδος παρὰ τὸ μωλύειν ὅ ἐστιν ἀφανίζειν τὰ φάρμακα. Hesychius : Μωλύεται, γηράσκει. Μεμωλυσμένη, παρειμένη. Hippocr. p. 675, 41 : Ἢν μὴ ταχὺ ὑγιανθῇ (τὸ ἕλκος), ἀλλὰ μωλυνθῇ. « Sic de tuberculis ad aures evanescentibus et sensim disparentibus Hipp. p. 1208, A, πάντα ἐμωλύνθη· p. 1012, C, de parotidibus, ταῦτα ἐμωλύνθη legit Galen. Comm. 2 in l. 6 Epid. p. 1170, G, pro κατεμωλύθη. Ib. p. 1236, B, ἀπεμωλύθη, et 946, H : Παρὰ τὰ ὦτα οἰδήματα μωλυόμενα. Quo referri debere existimamus Galen. in Exeg. l. c. Ib. p. 1136, F : Καὶ τοῦτο ἐμωλύνθη, et p. 1139, A, ubi μωλύσει κακὰ, μωλυόμενα κακὰ cum Cornario legimus. Rursus p. 1121, H : Ἡ θέρμη ἐμωλύνθη, et 1226, F; 1229, G. Epid. 6, 2, 35, κινηθὲν ἐμωλύνθη, Ubi motus mas est conquiescit. Conf. Καταμωλύνω. » FOES. OEcon. Poeta De herbis 101, 138. Phrynichus Bekkeri p.

52, 7, μωλῦον κρέας exp. τὸ ἠρέμα διαχεόμενον καὶ μὴ συνεστώς.]

[Μώλυξ. V. Μῶλυς.]

[Μωλυρὸς, ά, όν.] Μωλυρὸν, Hesychio νωθρὸν, βαρὺ, Pigrum, Ignavum, Grave.

Μῶλυς s. Μώλυξ, Indoctus, Ineruditus. Ambo ap. Hesych., afferentem nimirum μῶλυς pro ἀμαθὴς, et notantem μώλυκα a Zacynthiis dici τὸν ἀπαίδευτον. Addit Idem, Sophoclem in Phædra μῶλυν dicere τὴν παρειμένην, Exolutam viribus. Item exp. βραδὺς, νωθρὸς, Tardus, Segnis, Ignavus, ut ap. Nicandr. Ther. [32], de angue : Τῆμος ὅτ' αὐαλέων φολίδων ἀπεδύσσατο γῆρας Μῶλυς ἐπιστείχων, Incedens tardus et segnis. Itidem igitur et a Soph. μῶλυν dici volunt, Qui tardus et hebes sit ingenio. Exp. et Hebes, Remissus, Languidus, Imbecillus : unde compar. μωλύτερον, Etym. ἀμβλύτερον, ἀσθενέστερον. [Ἀμβλύτερον etiam Hesychio. Schol. Nicandri l. c. : Μῶλυς δὲ βραδὺς καὶ νωθὴς ἢ μογερός· ἢ νωχελὴς καὶ ἁπαλὸς, ὁ γεγηρακὼς ὄφις καὶ μόλις βαίνων· ἢ καὶ ὁ ταχὺς καὶ μολῶν· ἄμεινον δὲ τὸ πρῶτον. Μωλύτερον Photio ἀμβλύτερον καὶ ἀπαθέστερον (ἀνανθέστερον) καὶ ἦχον οὐκ ἔχον. Lex. rhet. Bekk. An. p. 280, 14 : Μωλύτερον τὸ ἀμβλύτερον καὶ ἀνοητέστερον (ἀνανθέστερον Ruhnk. Hist. Or. p. 161) καὶ ἄνθος οὐκ ἔχον. Epist. Socr. Allatii 28, p. 67 : Μὴ θαυμάζειν δὲ, εἰ καί πως ἀναγνοὺς μωλύτερον καὶ φαυλότερον ποιεῖ φαίνεσθαι τὸν λόγον.]

[Μῶλυς, Λίβυσσα πόλις. Ἑκαταῖος Περιηγήσει Λιβύης. Τὸ ἐθνικὸν Μωλύτης τῷ τύπῳ τῶν Λιβυσσῶν πόλεων καὶ Μωλυάτης, Steph. Byz.]

[Μωλύτης, ὁ. Timon ap. Diog. L. 7, 170 : Τίς δ' οὗτος κτίλος ὣς ἐπιπωλεῖται στίχας ἀνδρῶν, μωλύτης, ἐπέων φίλος, Ἄσσιος, ὅλμος ἄτολμος; Est i. q. μῶλυξ.]

[Μωλυτικὸς, ή, όν, unde Μωλυτικὴ, Hesychio φοβερά. Quod ex μορμολυκτικὴ, voc. nondum aliunde cognito, depravatum videri potest. L. Dind.]

[Μωλυτὸς restitutum ap. Maneth. 4, 254 : Ἔν τε παραιλυσίεσσι μέλη μωλυτὰ καθέψει, Remissa, Hebetata.]

[Μωλύω. V. Μωλύνω.]

[Μωλωπικὸς, ή, όν, Vibicosus. Galen.]

[Μωλωπίζω, unde μεμωλωπισμένος, Plenus vibicibus, Plut. Mor. p. 126, C. « Theod. Prodr. Rhod. p. 110; Herodian. Epimer. p. 88. » Boiss. Μωλωπίζομαι et ἐμωλωπίσθην, Chœrobosc. Περὶ τοῦ ἐφελκυστικοῦ ν. Hemst. Apud Aquilam Cant. 5, 8, pro Ἐτραυμάτισάν με exhibentem ἐμωλώπησάν με, scribendum ἐμωλώπισαν. L. Dind.]

[Μωλωπισμὸς ὁ, i. q. μώλωψ. Const. Manass. Chron. 1350 : Μωλωπισμοὺς ἐμφαίνοντα τοῖς στήθεσι μυρίους.]

Μώλωψ, ωπος, ὁ, Vibex [Gl. et Vicucia], Verberum in cute vestigium, Cutis ex verberum incussione sugillata : ὁ ἐκ τῆς πληγῆς αἱματώδης τόπος. [Hyperides ap. Polluc. 3, 79 : Μωλώπων ἔτι νῦν τὸ δέρμα μεστὸν ἔχει.] Plut. S. N. V. [p. 565, B] : Οὐλαὶ καὶ μώλωπες ἐπὶ τῶν παθῶν ἑκάστου τοῖς μὲν μᾶλλον ἐμμένουσι, τοῖς δὲ ἧσσον. Apud Eund. in Symp. 2, [p. 634, C] quidam ex verberone insolentiore quærit πῶς ἐκ τῶν λευκῶν καὶ μὴ λευκῶν ἱμάντων φοινικοῖ γίνονται μώλωπες. Idem De aud. [p. 46, D] : Ἐν σκληρᾷ σαρκὶ καὶ τυλώδει μώλωπα μὴ λαμβάνοντος. Apud Athen. 13, [p. 580, A] : Μαστιγίας μώλωπας ὑψηλοὺς ἔχων. Apud Aristot. vero in Probl. [9, 1] : Μώλωπας κωλύει τὰ [νεόδαρτα] δέρματα προστιθέμενα· sed recens præcipue excoriatorum pecorum pelles calidas corpori verberato admotas vibices prohibere ajunt. [Alia Schleusner. Lex. V. T. De hominibus flagellatis Daphitas ap. Strab. 14, p. 647 : Πορφύρεοι μώλωπες, Servi flagellorum vibicibus terga signata habentes, ut pluribus exposuit Jacobs. Anth. vol. 8, p. 106 : qui monet etiam πορφυρέους dici ambigue, tam propter vibicum quam purpuræ regiæ, quum sibi arrogassent, colorem.]

[Μῶμαι. V. Μάω.]

[Μωμαίνω. V. Μωμηλός.]

[Μώμαξ. V. Βῶμαξ.]

[Μωμάομαι. V. Μωμέομαι.]

[Μῶμαρ. V. Μῶμος.]

[Μώμεμφις, εως, ἡ, Momemphis. Πόλις Αἰγύπτου. Ἡρόδοτος β' (163). Κλίνεται Μωμέμφεως, ὡς Ἀρίσταρχος. (Conf. Μέμφις.) Καὶ Μωμεμφίτης νομὸς, Steph. Byz. Μωμεμφις et Μωμεμφίτης νομὸς ap. Strab. 17, p. 803.]

Μωμέομαι, vel Μωμάομαι, Vitupero, Reprehendo, Derideo. Hom. Il. Γ, [412] : Τρωαὶ δέ μ' ὀπίσσω Πᾶσαι μωμήσονται. [Simonid. Carm. de mul. 113 : Τὴν ἣν δ' ἕκαστος αἰνέσει μεμνημένος γυναῖκα, τὴν δὲ τοὐτέρου μωμήσεται. Theognis 169 : Ὃν δὲ θεοὶ τιμῶσιν, ὁ καὶ μωμεύμενος αἰνεῖ. Æsch. Ag. 277 : Παιδὸς νέας ὣς κάρτ' ἐμωμήσω φρένας. Theocr. 9, 24 : Κορύναν αὐτοφυᾶ, τὰν οὐδ' ἂν ἴσως μωμάσατο τέκτων· 10, 19 : Μωμᾶσθαί μ' ἄρχῃ τύ· 20, 18 : Φέρω δ' ὑποκάρδιον ὀργὰν, ὅττι με τὸν χαρίεντα κακὰ μωμήσαθ' ἑταίρα. Apoll. Rh. 3, 794 : Καί κεν με... ἀεικέα μωμήσονται.] Lucian. Quom. hist. scr. [c. 33] : Καὶ ὃ οὐδεὶς ἂν, ἀλλ' οὐδ' ὁ μῶμος, μωμήσασθαι δύναιτο. Possunt autem hæc vel a μωμέομαι vel a μωμάομαι deduci. Illius usus est in hoc proverbiali dicto, Πολλὰ μωμεῖσθαι ῥᾷόν ἐστιν ἢ μιμεῖσθαι. Quod dictum alioqui et per aoristum infinitivi exprimitur, hoc modo, Πολλὰ μωμήσασθαι ῥᾷόν ἐστιν ἢ μιμήσασθαι. Sed olim hoc potius modo efferebatur, Μωμήσεταί τις μᾶλλον ἢ μιμήσεται· quæ verba senarium versum efficiunt. Manavit autem hoc proverbiale dictum ex Theognide fortasse, ap. quem extant hi versus [369] : Μωμεῦνται δέ με πολλοὶ ὁμῶς κακοὶ ἠδὲ καὶ ἐσθλοί· Μιμεῖσθαι δ' οὐδεὶς τῶν ἀσόφων δύναται. Qui etiam locus aperte illud μωμέομαι primæ conjugationis comprobat, quum sit μωμεῦνται pro μωμέονται, non pro μωμάονται. Verum affertur etiam μωμᾷ ex Aristoph. Av. [171] : Νὴ τὸν Διόνυσον, εὖ γε μωμᾷ ταυτάγι, ubi μωμᾷ exp. ψέγεις. [|| Passivo, Αἰσχρὰ καὶ μεμωμημένη ἡδονὴ, Cyrill. Contra Julian. p. 187, E. Hemst. Theodor. Stud. p. 224, D : Πρὸς τὸ μὴ μωμεῖσθαί σου τὴν ἄληπτον ὁσιότητα· 499, B : Ἵνα μὴ μωμηθῇ ἡ διακονία, ex Cor. 2, 6, 3. || Activum Μωμέω habet Procul. ad Hesiod. Op. 754 : Μωμεῖν τὰ ἱερά· et Moschop. 753. L. Dind.]

[Μωμεπιρρίπτης, ὁ, Qui vituperando incessit, probra jactat. Tzetz. Exeg. Il. p. 21, 24.]

Μωμεύω, Carpo, Reprehendo, i. q. μωμάομαι s. μωμέομαι. Hom. Od. Z, [273] : Τῶν ἀλεείνω φῆμιν ἀδευκέα μή τις ὀπίσσω μωμεύῃ. Sic Hesiod. Op. [754] : Μωμεύειν ἀΐδηλα, Clam carpere et reprehendere.

[Μωμέω. V. Μωμέομαι.]

[Μωμηλός. « Dicunt μιμηλὸς, ή, όν, et μιμητὸς, ή, όν. Vide Schæf. ad Long. p. 382. In Herodiani Epimer. Ms. legitur : Μῶμος, ὁ ψόγος, μωμαίνω, τὸ ψέγω, μωμηλὸν (sic) τὸ μεμπτόν. Μωμηλὸς facile emendari posset μωμητὸς, sed videndum an non extet vox μωμηλός. Similes sunt ὑψηλὸς, τρυφηλὸς, σιγηλὸς, σιωπηλός. V. Herodian. Epimer. p. 172 (=88). His adde ῥιγηλός. Mœris notat pp. 27, 343, Atticos dixisse αἰσχυντηλὸς et σιγηλὸς, κοινῶς αἰσχυντηρὸς, σιγηρός. Plato habet ἀπατηλός. Adde χαμηλὸς a χαμαὶ, γυμνηλὸς, Inops. » Bast.]

Μώμημα, τὸ, Reprehensio, Irrisio, Sanna; s. potius, Dictum ipsum quo aliquem reprehendimus s. irridemus, q. d. Reprehensorium dictum, Irrisorium. In VV. LL. μωμήματα exp. Segmenta, Ramenta, et additur, ψέγματα : quasi vero ψέγματα, quo Hesych. exp. illud μωμήματα, i. significet q. ψήγματα : ac non sit a ψέγω, sicut ψεκτὰ, quod idem lexicogr. exp. μωμητά. [Vituperium. Sir. 34, 20. Legitur et Sir. 31, 18, sec. Alex., ubi, si lectio sana est, μώμημα notabit Sacrificium vituperio dignum s. Deo displicens. Sed leg. μώκημα, quod v. Schleusn. Lex.]

[Μώμησις, εως, ἡ, Vituperatio. Schol. Ven. Hom. Il. B, 199 : Ἐροῦμεν ὅτι ἡ μώμησις ἄλογος.]

[Μωμητέος, α, ον, Vituperandus. Theod. Prodr. in Notitt. Mss. vol. 8, p. 93, 3 : Οὐδὲ σὺ μωμητέος ἂν εἴης. Elberling. Μωμητέον ex Hippocrate annotavit Erotian. p. 250. Tzetz. schol. Hermog. in Crameri Anecd. vol. 4, p. 53, 22; Eust. Od. p. 1435, 31.]

Μωμητὴς, ὁ, Vituperator, Reprehensor, Irrisor; qui alioqui dicitur potius μῶμος.

[Μωμητικός, ή, όν, i. q. μωμητής. Philodem. De ira 1, p. 60. Passov. Georg. Pachym. Mich. Pal. 4, p. 188, D : Μωμητικοὶ καὶ μεμψίμοιροι.]

Μωμητὸς, ή, όν, Vituperabilis, Vituperatione s. Reprehensione dignus. [Æsch. Sept. 508 : Οὔτε θυμὸν οὔθ' ὅπλων σχέσιν μωμητός. « Deuteron. 32, 5 : Ἡμάρτοσαν οὐκ αὐτῷ τέκνα μωμητά. Gloss. Hesych. et Cyrill., ψεκτὰ, μεμπτὰ, κατεγνωσμένα. » Schleusner. Lex. Jo. Veccus in tom. Cyprii Or. 1, p. 226, A : Τέκνα μωμητὰ τῆς τοῦ θεοῦ ἐκκλησίας. L. Dind.]

[Μώμιον. Anon. medicus Ms. ex cod. Reg. 2686, fol. 436 : Περὶ μωμίου. Τί ἐστι μώμιον καὶ πόθεν γίνεται καὶ ποῖόν ἐστι κρεῖττον, τὸ λεῖον ἢ τὸ σκληρότερον καὶ ποῦ ἐνεργεία (—εργεῖ) καὶ πῶς ποτίζεται, περὶ τούτου οὐχ εὑρίσκομέν τινα τῶν ἀρχαίων ἐξηγητῶν Ἑλλήνων μνημονεύσαντα, ἀλλὰ μόνους τοὺς Πέρσας, καὶ ἐξ αὐτῶν μετέλαβον οἱ τῶν Σύρων ἰατροί. Λέγουσιν ὅτι ἀπὸ σπηλαιωδῶν πετρῶν ἱδρώτων γίνεται τῶν εἰς Περσίας. Εὑρίσκεται δὲ πολλὰ καὶ εἰς τινὰς τόπους Ῥωμαϊκοὺς, ἀλλ' οὐχ ὡς ἐκεῖνο μέλαν οὔτε τὴν πεῖραν ἔχουσιν αὐτοῦ ὥσπερ οἱ Πέρσαι. Ducang. App. Gl. p. 138.]

Μωμίσκος, ὁ, de Ea dentium molarium parte quæ gingivæ proxima est. Cam. ex Polluce [2, 93]. In utraque maxilla æquales et similes s. oppositos dentes numerari oportet: ut supra et infra, quatuor τομεῖς et duos caninos. Sed μύλαι sunt latiores, quas duplices vocat Plin.: Harum igitur et partibus nomina Græci indiderunt; qua enim gingivæ proximi sunt, μωμίσκον dixerunt: qua cibus manditur, τράπεζαν: qua concavi sunt, ὁλμίσκον. [Vera scriptura est βωμίσκος, quod v.]

[Μώμορος, ὁ, nomen viri ap. Plut. De fluv. 6, 4. Boiss.]

[Μῶμος.] Nomen Μῶμος (de quo nunc verba faciam, simulque de iis quæ ab eo derivata sunt,) quam originem habeat, nondum apud ullum ex Græcis lexicographis aut scholiastis legi, quod quidem meminerim. Sunt autem et scriptura et significatione valde affinia μῶμος et μῶχος : adeo ut vel eandem ambo originem habere, vel unum ex altero factum esse, verisimile judicari possit. Quod si unum ex altero factum esse dicatur, utrum illud sit, non minus dubium fuerit: siquidem hoc tantum constat, multo majorem ap. Græcos scriptt. esse usum hujus nominis μῶμος et derivatorum, quam nominis μῶχος et eorum quæ inde deducta sunt. Jam vero et hoc controversum esse possit, utri μῶμος prior locus dari debeat, sc. an illi quod est nomen appellativum, an contra, ei quod est proprium; ego appellativum potius priore loco constituendum esse censui. — Μῶμος, ὁ, Dedecus, Probrum, Infamia, Ignominia, Vituperatio, Reprehensio. Hom. Od. B, [86] : Τηλέμαχ' ὑψαγόρη, μένος ἄσχετε, ποῖον ἔειπες, Ἡμέας αἰσχύνων; ἐθέλεις [-λοις] δέ κε μῶμον ἀνάψαι. [Pind. Ol. 6, 74 : Μῶμος ἐξ ἄλλων κρέμαται· Pyth. 1, 82 : Μείων μῶμος. Simonid. Carm. de mul. 84 : Κείνῃ γὰρ οἴῃ μῶμος οὐ προσιζάνει· 105 : Εὐροῦσα μῶμον ἐς μάχην κορύσσεται. Soph. fr. Thyest. ap. Stob. Fl. 29, 1 : Οὐ γάρ ἐσθ' ὅπως σπουδῆς δικαίας μῶμος ἅπτεταί (l. ἅπτηται) ποτε. Callim. Apoll. 112 : Ὁ δὲ μῶμος, ἵν' ὁ φθόρος, ἔνθα νέοιτο.] Ab Hesych. μῶμος exp. ψόγος, itidemque brevium scholl. auctor μῶμον illo in loco exp. ψόγον. Sed vocab. Μῶμαρ ab eod. lexicographo dicitur esse μέμψις, et ὄνειδος, item αἶσχος. Quod postremum vocab. αἶχος optime convenit cum partic. αἰσχύνων, quod in illo Hom. loco eadem de re dicitur de qua et μῶμος. Usurpari autem a Lycophr. [1134 : Μορφῆς ἔχοντες σίφλον ἢ μῶμαρ γένους] nomen istud μῶμαρ, tradit Eust. [Il. p. 154, 45.] Verum hic silentio prætereundem non est quod de voce Momar ap. Festum legimus : Siculos sc. Momar vocare Stultum. Ad μῶμος autem ut redeam, (unde esse factum μῶμαρ constat, quemadmodum μῆχαρ ex μῆχος,) poeticum potius est quam oratorium; atque adeo ubi solutæ orationis scriptores eo utuntur, de homine potius quam de re ab illis dici existimo, (de qua signif. mox disseram,) sic tamen ut de re quoque usurpatum alicubi inveniatur : veluti in isto Plut. loco [Mor. p. 820, A] : Λέγοντες ἐν ἑαυτοῖς χρυσὸν ἔχειν, ἀδιάφθορον καὶ ἀκήρατον καὶ ἄχραντον ὑπὸ φθόνου καὶ μώμου τιμήν. [Cum genit. rei Ephræm Syr. vol. 3, p. 198, F : Διὰ τῆς μετανοίας ἐπείσθη ὁ θεὸς ἀφανίσαι μῶμον μοιχείας καὶ φόνου. « Θεῖναι τοῖς εὐσεβέσι μῶμον, Quæst. et Resp. ad orthod. p. 448, C. » Hemst.] || Μῶμος, Latine itidem Momus [Gl.], deus quidam reliquorum omnium deorum irrisor et reprehensor. Lucian. Hermot. [c. 20] : Ὁ γοῦν Μῶμος, ἀκήκοας, οἶμαι, ἅ τινα ᾐτιάσατο τοῦ Ἡφαίστου· Quom. hist. scrib. [c. 33] : Καὶ ὁ οὐδεὶς ἄν, ἀλλ' οὐδ' ὁ Μῶμος, μωμήσασθαι δύναιτο. Cui plane simile est istud Platonis dictum, De rep. 6, p. 77 [487, A] : Οὐδ' ἂν ὁ Μῶμος, ἔφη, τόν γε τοιοῦτον μέμψαιτο. Ab Eod. variis in ll. hujus dei fit mentio. [Callim. ap. Diog. L. 2, 111 : Αὐτὸς ὁ Μῶμος ἔγραφεν ἐν τοίχοις.] De eo disserit et Erasm. Prov. Momo satisfacere : quo te remitto. [Noctis filium dicit Hesiod. Th. 214.] In Epigr. [Philippi Anth. Pal. 11, 321, 1] mentio fit et cujusdam μώμου στυγίου, ubi grammatici dicuntur esse Μώμου στυγίου τέκνα, σῆτες ἀπάντων, Τελχῖνες βίβλων, Ζηνοδότου σκύλακες. Dicitur porro μῶμος et Quicunque deum illum imitatur, eodemque modo facta hominum, quo ille deorum, irridet : (nisi forte μῶμος de homine dictum prius quam de illo deo fuit :) ut ap. Aristot. legimus junctum cum nomine εἴρων, Μώμου καὶ εἴρωνος σημεῖον, quo in loco redditur Derisor. [Lucian. D. deor. 20, 2 : Ἐγὼ μὲν, εἰ καὶ τὸν Μῶμον αὐτὸν ἐπιστήσειας ἡμῖν δικαστὴν, θαρροῦσα βαδιοῦμαι πρὸς τὴν ἐπίδειξιν. Sunt verba Veneris. Koenig. Sophoclis fabula fuit Μῶμος, satyrica, ut præter nomen ostendunt fragmenta. Μωμὸς, quod ponit Theognost. Can. p. 63, 20, scribendum βωμός.]

[Μωμοσκοπέω. V. Μωμοσκόπος.]

Μωμοσκόπος, ὁ, ἡ, Qui reprehensoris animo observat s. considerat; itidemque verb. Μωμοσκοπέω, Reprehensoris animo considero, Bud. ap. Greg. Nyss. De homine, vel potius in Præfatione, ita scribentem : Ἡμεῖς δ' ἂν εἰκότως ὑπεύθυνοι δόξαιμεν τοῖς μωμοσκοποῦσιν, ὡς οὐ χωρήσαντες ἐν τῷ μικροφυεῖ τῆς καρδίας ἡμῶν τοῦ καθηγητοῦ τὴν σοφίαν. [Maxim. Conf. vol. 2, p. 127, A : Διερευνᾶσθαι καὶ μωμοσκοπεῖν. Eust. Opusc. p. 194, 44 : Οἱ μωμοσκοπεῖν βουλόμενοι.] Affert vero et pass vocem ex Chrysost. Comm. in Ep. ad Rom. : Διὸ χρὴ πανταχόθεν μωμοσκοπεῖσθαι τὸ σῶμα τὸ ἡμέτερον· quæ scribuntur ab eo, ubi enarrat hæc Pauli verba, Παραστῆσαι τὰ σώματα ὑμῶν θυσίαν ζῶσαν τῷ Θεῷ. [Theodor. Stud. p. 422, D : Φιλαγνείαν ἐπὶ τούτῳ μηδαμῶς μωμοσκοπηθεῖσαν πρὸς τινοσοῦν τῶν ἀνθρώπων.] In VV. LL. habetur duntaxat nomen illud μωμοσκόπος, quod exp. Curiose observans reprehendenda. [Philo vol. 1, p. 320, 12 : Ἄτοπον γὰρ ἱερέων μὲν πρόνοιαν ἔχειν ὡς ὁλόκληροι τὰ σώματα καὶ παντελεῖς ἔσονται τῶν τε καταθυομένων ζώων ὡς οὐδὲν οὐδεμιᾷ τοπαράπαν, ἀλλ' οὐδὲ τῇ βραχυτάτῃ χρήσηται λώβῃ, καὶ τίνας δεῖ καὶ ὅσους ἐπ' αὐτὸ τοῦτο χειροτονεῖν τὸ ἔργον, οὓς ἔνιοι μωμοσκόπους ὀνομάζουσιν, ἵνα ἄμωμα καὶ ἀσινῆ προσάγηται τῷ βωμῷ τὰ ἱερεῖα. « Ex loco Philonis ut ex aliis plurimis variorum auctorum emendandus Cyrillus Al. Hom. Pasch. 4 : Ζητῆσαι ὅποι προσήκει τῶν ἱερείων τοὺς βωμοσκόπους, ἱερατικῶν φημὶ καταλόγων ἐσμοὺς καὶ Λευιτικὰ συστήματα, et legendum μωμοσκόπους. Idem Cyr. Comm. in Malach. 2, 9 : Μωμοσκοπεῖν τοῦ νόμου τὰ ἱερεῖα προστάττοντος καὶ ἀπόβλητον μὲν ποιεῖσθαι τὰ ἔμπηρα, καθιεροῦν δὲ τὰ ἄμωμα. Clem. Al. Strom. 4, p. 521, B : Ἦσαν δὲ κἂν ταῖς τῶν θυσιῶν προσαγωγαῖς παρὰ τῷ νόμῳ οἱ τῶν ἱερείων μωμοσκόποι. » Ex Cotel. annot. ad Mon. Eccl. vol. 2, p. 519, C; 520, A. Tzetzes Hist. 9, 966 : Τοῦτο δὲ βουβαλόπαπάς τις σύρειν οὐκ ἀνῆκε, πρὸς ὃν τὸ ἐπιστόλιον ἔγραφη μωμοσκόπον. Οὗτος ὁ βουβαλόπαπας μωμοσκοπεῖν τοιάδε, ἃ ὠφελείας ἕνεκεν ἐγράφησαν τῶν νέων κτλ. L. Dind.]

Μωμφαὶ, Hesychio μέμψεις : quæ potius μομφαὶ, per ο.

Μῶν, Num [Gl.], Nunquid, An, Utrum, ἆρα. [Æsch. Ag. 1203 : Μῶν καὶ θεός περ ἱμέρῳ πεπληγμένος;] Aristoph. Nub. [315] : Μῶν ἡρῷναί τινες, [εἰσιν]; Num heroinæ aliquæ sunt? Suntne heroinæ aliquæ? Respondet Socrates, Ἥκιστα, Minime. Idem [Pl. 881] : Μῶν καὶ σὺ καταγελᾷς; An et tu derides? Sic Sophocles [Aj. 781] : Οἴμοι τί φῄς; μῶν ὀλώλαμεν; Num periimus? Et Lucian. [Tim. c. 57] : Μῶν παρακέκρουσμαί σε; Nunquid te decepi? Sequente μὴ vel οὐ significat Nonne? ἆρα οὐ; Utrum non? Annon? [Æsch. Suppl. 417 : Μῶν οὐ δοκεῖ δεῖν φροντίδος σωτηρίου; Soph. OEd. C. 1729 : Μῶν οὐχ ὁρᾷς;] Euripid. : Μῶν οὐ πέποιθας; Annon credis? Plato Epist. : Τί χρὴ ποιεῖν ἐμέ; μῶν οὐχ ὅπερ ἐποίουν; Annon quod feci? Idem De rep. 1, [p. 351, E] : Ἐὰν ἐνὶ ἐγγένηται ἀδικία, μῶν μὴ ἀπολεῖ τὴν αὑτῆς δύναμιν; Nonne perdet? Sic Aristoph. [Pac. 280] : Μῶν οὐκ ἂν φέρεις; [Quemadmodum autem cum μὴ componitur μῶν, quod ex μὴ et οὖν est compositum, ut præter Etym. M. multis contra Tryphonem disputat Apollon. De conjunct. p. 494, 26—496, 10, sic etiam cum οὖν. Æsch. Cho. 177 :

Μῶν οὖν Ὀρέστου χρύβδα δῶρον ἢ τόδε; Plato Soph. p. 250, D. Rariora sunt præmissum ἀλλὰ ap. Plat. Reip. 5, p. 454, A : Ἀλλὰ μῶν καὶ πρὸς ἡμᾶς τοῦτο τείνει; et additum τι Polit. p. 259, B : Μῶν τι πρὸς ἀρχὴν διοίσετον; et ib. E, quanquam etiam sua vi hic prææditum pronomen credere licet.]

Μωνιή, Hesychio ὀλιγωρία, Neglectus. At Μωνιὸν, Eid. μάταιον, ἀχρεῖον, Inane, Inutile. [Conf. Ἀνεμώλιος.]

[Μώνυξ, Μώνυχος. V. Μονῶνυξ.]

[Μωπεύω.] Μωπεύειν, Hesychio [immo Suidæ] μέμφεσθαι, Conqueri, Incusare. [Μωκεύειν recte Zonaras p. 1383. Conf. Καταμωκεύω.]

Μωραίνω, Stulte ago, me gero, Stultus sum, Desipio, Ineptio, Deliro, Moror, utendo verbo Suetoniano, s. potius Neroniano, ap. Sueton. in loco quem proferam in Μωρός. Apud Senecam autem legitur etiam Fatuari. [Gl.] Eur. Med. [614] : Καὶ ταῦτα μὴ θέλουσα, μωρανεῖς, γύναι· Λήξασα δ' ὀργῆς, κερδανεῖς ἀμείνονα. [Andr. 674 : Γυναῖκα μωραίνουσαν ἐν δόμοις ἔχων, ubi dicitur de impudica et libidinosa, ut infra μωρία et μῶρος. Suidas v. Ἀνόητα : Μωραίνειν γὰρ τὸ ἀφροδισιάζειν ἔλεγον.] Lucian. [D. mort. 2, 1] : Καὶ σὺ μωραίνεις, ὦ Πλοῦτων, ὁμόψηφος ὢν τοῖς τούτων στεναγμοῖς. [Xen. Comm. 1, 1, 11 : Τοὺς φροντίζοντας τὰ τοιαῦτα μωραίνοντας ἀπεδείκνυεν. Eust. Opusc. p. 104, 30 : Ἐμὲ μωραίνειν ἀξιοῦντες.] Interdum μωραίνω accusativo jungitur; idque duobus modis. Alicubi enim pro μωρολογεῖν, alicubi pro μωρὸν ποιεῖν usurpatur. Pro μωρολογεῖν, in hoc Euripideo versu [Autol. fr. 3] : Οὐδεὶς σιδήρου ταῦτα μωραίνει πέλας· quod Euripidis dictum aliquot locis a Plut. affertur. Alterius autem usus exemplum ap. Paulum extat, 1 Ad Cor. 1, [20] : Οὐχὶ ἐμώρανεν ὁ Θεὸς τὴν σοφίαν τοῦ κόσμου τούτου; ubi vet. Interpres ἐμώρανεν vertit Stultam fecit, quidam vero Infatuavit. [Theodor. Stud. p. 609, ξζ', 3 : Πάσας ἀπρὶξ μωρὰνας αἱρέσεις. Aliter Æsch. Pers. 719 : Πεζὸς ἢ ναύτης δὲ πεῖραν τήνδ' ἐμώρανεν τάλας; Ubi dicitur intransitive, ut ap. Aret. p. 29, 14, μωραίνειν τὰ πάντα.] Apud Eundem legimus et ἐμωράνθησαν, a pass. them. Μωραίνομαι : Ep. ad Rom. 1, [22] : Φάσκοντες εἶναι σοφοὶ, ἐμωράνθησαν, Quum se profiterentur esse sapientes, stulti facti sunt, Ad stultitiam redacti sunt. [Theodor. Stud. p. 472, E : Μηδὲ μωρανθείημεν ἐξ ἀπροσεξίας.] ‖ Præt. Μεμωραμμένος, Redditus fatuus, stultus, stupidus, stolidus. Aristot. H. A. 9, [2] : Τῶν δ' αἰγῶν ὅταν τις λάβηται τὸ ἄκρον τοῦ ἠρύγγου (ἔστι δὲ οἷον θρὶξ), αἱ ἄλλαι ἑστᾶσιν οἷον μεμωραμμέναι βλέπουσαι εἰς ἐκείνην. Quem locum Bud. affert, postquam dixit μωραίνομαι esse Stupesco, Stolidus fio. At in VV. LL. scriptum est perperam μεμωραμένος unico μ : nec satis apte expositum Stupidus, perinde ac si nomen esset, non partic. passivum. [Theodor. Stud. p. 342, A : Ἀσυνέτῳ καρδίᾳ καὶ μεμωραμένῃ σοφίᾳ.] At vero Μεμωρωμένον ap. Hippocr. aliter exp. : nimirum, Quod μώρωσιν inducit menti; item, τὸ ἀναίσθητον : i. e. Quod sensu caret. Quid autem sit μώρωσις, non multo post explicabitur. Vide et locum Galeni de hac voce, in Lex. vocc. med. p. 415. ‖ Μωραίνεσθαι pro Infatuari, i. e. Fatuum s. Insipidum reddi. Matth. 5, [13] : Ἐὰν δὲ τὸ ἅλας μωρανθῇ, ἐν τίνι ἁλισθήσεται; ubi vet. Interpr. vertit, Si sal evanuerit, in quo salietur? Alii autem reddunt, Si sal infatuatus fuerit. Redditur etiam, Si desipuerit, insipidus factus fuerit. Illud certe verbum Infatuatus significatione convenit : si modo ap. Martial. Betas fatuas exponere possumus Insipidas. Marcus pro μωρανθῇ habet ἄναλον γένηται. Sequitur autem hoc μωραίνεσθαι eam nominis μωρὸς signif., qua pro Fatuo s. Insipido usurpari a Diosc. paulo post docebo. [Μεμωρημέναι λεπτουργίαι, Clem. Al. Pæd. 2, p. 234, 4. Hemst.]

[Μωραλλαδοῦς. V. Τηθαλλαδοῦς.]

[Μώρανσις, εως, ἡ, Stultitia. Schol. Æsch. Sept. 762 (741 Sch.) : Παράνοια) μώρανσις.]

[Μωρεύω, i. q. μωραίνω. Jes. 44, 25 : Τὴν βουλὴν αὐτῶν μωραίνων, cod. Alex. μωρεύων καὶ ἱστῶν. Schleusn. Lex.]

[Μωρηνή, ἡ, Morene. Strab. 12, p. 574 : Μέρος Μωρηνῆς· Μυσία δ' ἐστὶ καὶ αὕτη, καθάπερ ἡ Ἀβρεττηνή.]

Μωρία pro Moro arbore, affertur ex Plut. Themist. [c. 19, pro μορία.]

A Μωρία, ἡ, Stultitia, Fatuitas. [Vecordia, Socordia, et plur. Ineptiæ, Gl. Æsch. Ag. 1670 : Ἴσθι μοι δώσων ἄποινα τῆσδε μωρίας χάριν. Soph. Aj. 745 : Ταῦτ' ἐστὶ τἄπη μωρίας πολλῆς πλέα· Ant. 470 : Σχεδόν τι μώρῳ μωρίαν ὀφλισκάνω. Aristoph. Nub. 818 : Τῆς μωρίας· Eccl. 787.] Eur. Med. [1227] : Τούτους μεγίστην μωρίαν ὀφλισκάνειν. [Hipp. 644 : Τὸ γὰρ κακοῦργον μᾶλλον ἐντίκτει Κύπρις ἐν ταῖς σοφαῖσιν· ἡ δ' ἀμήχανος γυνὴ γνώμῃ βραχείᾳ μωρίαν ἀφῃρέθη. Schol., μωρίαν τὴν πορνείαν, ὅθεν καὶ σινάμωρος ὁ πόρνος. Vide Μῶρος.] Demosth. Philipp. 3 [p. 124, 25] : Ἀλλ' εἰς τοῦτο ἀφῖχθε μωρίας, ἢ παρανοίας, ἢ οὐκ ἔχω τί λέγω. Apud Herodot. [1, 146] : Μωρίη πολλὴ λέγειν (est autem μωρίη Ionice pro μωρία), ad verbum, Stultitia est dicere. Sed Græcum illud genus loquendi melius Gallico interpretabimur. Omnino enim tale est apud nos, *C'est une folie de dire cela.* [Thuc. 4, 64 : Μωρίᾳ φιλονεικῶν· 5, 41 : Τοῖς Λακεδαιμονίοις πρῶτον ἐδόκει μωρία εἶναι ταῦτα. Plato Leg. 7, p. 818, D : Πολλὴ μωρία τοῦ διανοήματος, et similiter alibi.]

B [Μώριαι, ἵπποι καὶ βοῦς, ὑπὸ Ἀρκάδων, Hesych.]

Μωριεῖς, οἱ τῶν Ἰνδῶν βασιλεῖς, Hesychius. « Videtur id nomen pluribus Indiæ regibus, in aliqua regione imperantibus, commune fuisse. Sic Mœris ille, de quo Curtius 9, 8. » Reland. « Aliter Steph. B., qui ita vocatam gentem Indicam refert. (Μωριεῖς, ἔθνος Ἰνδικὸν, ἐν ξυλίνοις οἰκοῦντες οἴκοις, ὡς Εὐφορίων.) » Albert. Cum Hesychii gl., quam Megastheni deberi suspicatur, sequentia confert Theod. Benfey in *Gœtting. Anz.* 1839, n. 98, 99, p. 975 : « *Mit Chandragupta beginnt die Dynastie von Magadha, welche die der Mauryâs im Sanskrit, im Pali die der Móryâs genannt wird, und Chandragupta selbst heisst in einer jetzt entzifferten und etwa aus dem vierten Jahrhundert nach Chr. herrührenden Inschrift* (*Journ. of the As. Soc. of Beng.* 1838 *Apr. p.* 341) *Chandragupta Maurya.* »]

[Μωρικὸς, ἡ, ὸν, Stultus. Theodor. Stud. p. 338, A : Μήτι πάθοιμι μωρικόν. L. Dind.]

Μώριον, dicitur esse tertium Mandragoræ genus,
C et ita vocari quod μωροὺς reddat eos qui comederint. Hesych. μώριον Herbam quandam esse ait, qua utuntur ad philtra.

[Μωρίων. V. Μῶρος.]

[Μωρίων, ωνος, ὁ, Morio, n. viri, in inscr. Att. ap. Bœckh. vol. 1, p. 468, n. 478, 5.]

[Μωρόθεος, ὁ, ἡ, Orac. Sibyll. 14, 321, de paganis.]

[Μωροκακοήθης, ὁ, ἡ, Qui ingenio pravo eoque stulto est, ὁ κακοῦργός τε καὶ εὐπαράγωγος, Procop. Hist. Arcan. p. 38 (vol. 3, p. 56, 14). Boiss.]

[Μωρόκακος, ὁ, Stulte malitiosus. Procul. Paraphr. Ptol. p. 223. Schneid.]

[Μωροκλέπτης, ὁ, Stultus fur. Fabula Æsopi August. 41. « Zenob. Prov. 4, 98, et Hesych. in Λυδὸς τὴν θύραν. » Hemst.]

Μωρολογέω, Stulta loquor, s. Inepta, aut Insulsa, Insulse blatero, s. Inepte, Stulta deblatero. [Scurror, Gl.] Plut. [Mor. p. 175, C] : Μωρολογεῖς, ὦ Διονύσιε. Quidam ap. Athen. 6, [p. 270, E] : Τέτλαθι δὴ πενίη καὶ ἀνάσχεο μωρολογούντων. Archestr. ap. Eund.
D 4, [p. 163, D] cum accus. : Ὁπόσοι τάδε μωρολογοῦσι.

[Μωρολόγημα, τὸ, i. q. sequens. Epicur. ap. Plut. Mor. p. 1087, A.]

Μωρολογία, ἡ, Stultiloquium, Plauto [et Gl.]. Quidam usi sunt et nomine Stultiloquentia. Redditur etiam Stultus sermo, s. Fatuus, Ineptus, item Ineptiæ. [Plut. Mor. p. 504, B.] Utitur Paulus Ep. ad Ephes. 5, [4] ubi redditur Stultiloquium. [Μωρολογία καὶ ἀδολεσχία, Antigon. Ἱστ. Π. Σ. c. 126. Hemst. Ex Aristot. H. A. 1, 11. Etym. in Εὐτραπελία.]

Μωρολογος, ὁ, ἡ, Morologus, cum Plauto; Stultiloquus, Qui stulta s. inepta loquitur, aut etiam loqui solet, Qui insulse blaterat. Aristot. [Physiogn. p. 148, 10] : Ὅσοι δὲ ἐκ τῶν πλευρῶν περίογκοί εἰσιν, οἷον πεφυσημένοι, λάλοι καὶ μωρολόγοι. Plautus autem in Pseudolo composito pro simplici usus est, dicens [Pseud. 5, 1, 20], Sermonibus morologis uti : i. e. λόγοις μωροῖς χρῆσθαι. [Manetho 4, 446. « Hesych. in Κτύλος (?). » Hemst. Mœris p. 384, v. Φλήναφος.]

Μῶρον, τὸ, Morum. [Aret. p. 87, 49 : Χυλῷ μώρων·

51.] Invenitur tamen et aliter scriptum Μόρον, et quidem in pluribus etiam locis. [Et recte id quidem. Vide Athen. 2, p. 51, B seqq. Schweigh.] Apud Hesych. legitur μόρα, quod exp. συκάμινα. Sed hanc scripturam refellit, et μῶρα [ex cod.] reponendum esse ostendit alphabetica series, quum vocab. illud inter Μώνυχα et Μωραίνει positum sit. [Niclas ad Geopon. 5, 44, 5 : Ἔνιοι δὲ τοῖς μώροις, τουτέστι τοῖς καρποῖς τῆς βάτου, πεπανθεῖσι παρατρίβουσι σχοινίον) « Μῶρα, non Mori tantum, sed Rubi etiam fructum ab optimis utriusque linguæ auctoribus dici pluribus exx. demonstrarunt Casaub. ad Athen. l. c., Bod. ad Theophr. p. 269 sq., Keuchen. ad Samon., alii. Plin. 17, 10, 11 : *Moris spinarum*. Scribitur μόρα et μῶρα. Primam sæpius corripiunt poetæ Græci : Latini tamen semper producunt.»] Itidem vero voce comp. et Συκόμωρον et Συκόμορον invenitur. Dicitur etiam Μωρόσυκον vel Μορόσυκον. Et arbor Μωρόσυκος, sive Μορόσυκος : sicut συκόμωρος vel συκόμορος. Celsus 3, 18 : Sed quum Græci Morum Sycaminum appellant, mori nulla lacryma est : sic vero significatur lacryma arboris in Ægypto nascentis, quam ibi Morosycon appellant. Sed alia exempll. habent Sycomoron. Hic autem non tacebo quantam in vett. exempll. N. T. varietatem scripturæ repererim, in hujus arboris nomine, Luc. [19, 4.] Ibi enim quædam συκομωραίαν vel συκομωρέαν per ω, quædam συκομοραίαν vel συκομορέαν habebant. (Loquor autem de iis exempll., ex quorum collatione editum fuit a patre meo Testamentum illud Novum, grandibus literis.) Ego certe, sive per ω sive per ο scribamus, ε malo quam αι. Sed μῶρον itidemque derivata inde per ω scrib. esse, Plinii auctoritate probari posse videtur : quippe qui sapientissimam arborum vocans morum, ad nomen, tanquam per antiphrasin, et ex adverso (ut alicubi ipse loquitur) impositum, respexisse dici fortasse queat. Ceterum quum Diosc. 1, 182, Sycomorum nonnullis eandem esse scribat quæ et Sycaminus dicitur : Sycaminum tamen exponit Morum : quæ etiam Galeni sententia est 2 De alimentis, cap. de Sycaminis. Atque adeo paulo post singulari capite de Sycomoris disputat, quas inter ficum arborem et morum medias collocat : indeque nomen ipsis arbitratur esse positum : non autem, ut Diosc. scribit, διὰ τὸ ἄτονον τῆς γεύσεως, i. e. Propter inefficacem gustum : quasi Fatuam ficum dixeris. Hæc autem quæ ab auctore novissimæ Interpretationis Testamenti Novi annotantur hic de appellatione hujus arboris, nimirum ita esse dictam quasi Fatuam ficum : illi per ω scripturæ patrocinantur. Subjungit vero ista : Eandem ipsam arborem (quam etiam, veluti non admodum frequentem, Galenus in Alexandria se vidisse scribit), dictionibus inversis Celsus Morosycon appellat. Quare quum certo ap. Galen., scriptorem tum doctissimum, tum diligentissimum, constet sycaminum diversam esse a sycomoro, Erasmi sententiam non recipio : ut qui perperam annotasse videatur eandem esse quam συκομωραίαν infra c. 19 appellat Lucas. Propius enim vero est, quum diversis nominibus utatur Evangelista, diversas quoque arbores notari : et hac quidem voce συκάμινος Morum significari (quam opinionem vetus etiam Interpres secutus est), συκόμωρον vero vel συκομωρέαν, eam quæ inter ficum et morum media est, quocunque tandem a Latinis nomine appelletur : quanquam Plinio Ficus Ægyptia sit.

[Μωρονήπιος, ὁ, Stultus et puerilis, Pueri instar stultus. Const. Manass. Chron. 3984 : Παιδαρίων μωρονηπίων.]

[Μωροποιέω. Gl. : Ἀφοσίωσις, αὐτὸ τὸ μωροποιῆσαι, Conniventia, ubi esse videtur Stulta facere. Medio Polyb. Exc. Vat. p. 430 : Ὅτι πάσης κακίας ὡσανεὶ ἐργαλεῖόν ἐστιν ἡ φιλαργυρία. Προστίθημι ἔτι παρ' ἐμαυτοῦ τοιοῦτον (τοσοῦτον) μὴ καὶ μωροποιεῖσθαι συμβαίνει τὴν φιλαργυρίαν· τίς γὰρ οὐκ ἂν ἐπισημήναιτο τὴν ἄνοιαν ἀμφοτέρων (τῶν) βασιλέων; Nisi legendum τῇ φιλαργυρίᾳ. « Stultitiam simulo, fingo, in Apophthegm. Patr. in Ammona n. 9. Galli dicunt *Faire le fou*. » Ducang.]

[Μωροποιὸς, ὁ, ἡ, Stultum reddens. Hesychius : Ἠλεὸς, ὁ μωροποιὸς, μάταιος, ἄφρων, ἠλίθιος, quod transitive interpretatur HSt. in Ἠλεὸς, ut sit Infatuans, quemadmodum ab nobis quoque reddi debuisse videtur simile Ματαιοποιὸς supra p. 612, C, in eadem caussa positum. Ceterum Hesychii gl. repetitur a Victorio ad Aristoph. Eq. 198, Act. Mon. vol. 1, 3, p. 373.]

[Μωροπόνηρος, ὁ, ἡ, Stultus et malus, Stulte malitiosus. Polemo Physiogn. p. 294 : Γίνονται δὲ καὶ μωροπόνηροι, ἔχοντες μικτὰ σημεῖα μωρίας καὶ πονηρίας· κατὰ τοῦτ' οὖν εἰσι μωροπόνηροι.]

[Μωρὸς.] Quæ traditur vocabuli Μωρὸς, quo Stultus significatur, etymologia, videri stulta itidem posset (ut certe multas habet Etym. quæ hoc nomine dignæ judicari possint), nisi Eustathii quoque [Il. p. 247, 37, Od. p. 1447, 56; 1749, 30] testimonio confirmaretur. Is enim de hujus vocis accentu loquens, vult μωρὸς dictum esse quasi μήορος, s. potius inde factum esse; ideoque magis rationi consentaneum videri, ut μῶρος, propter crasin, quam patitur, scribatur, circumflexa priore syllaba, quam μωρὸς oxytone. Meminitque hujus derivationis tanquam minime controversæ, duobus in locis. Etym. itidem, quum scribit μωρὸς dictum esse παρὰ τὸ μὴ ὁρᾶν, ad illud μήορος respicit : sed addit, τὸ συμφέρον. Præceditque apud eum hanc deductionem alia, secundum quam μωρὸς a nomine ὤρα, significante φροντίδα, originem habere dicendum fuerit, præfixa sc. particula μὴ, deinde facta syncope : ut sonet μωρὸς perinde ac si diceretur ὁ μηδὲν φροντίζων. Neutra certe etymologia mihi satis placet : si tamen alterutram eligere oporteat, illam qua μῶρος quasi μήορος dictus traditur, longe prætulerim.

Μωρὸς, vel Μῶρος, [α, ον, et ὁ, ἡ, quamquam hoc multo rarius, ut Eur. Med. 61 : Ὦ μῶρος, εἰ χρὴ δεσπότας εἰπεῖν τόδε. Altera forma Xen. Cyrop. 7, 3, 10,] Attice, Stultus, Fatuus, [Ineptus, Brucus add. Gl. Simonid. ap. Diog. L. 1, 90 : Μωροῦ φωτὸς ἅδε βουλά. Æschylus. fr. ap. Ælian. N. A. 12, 8 : Δέδοικα μῶρον κάρτα πυραύστου μόρον. Soph. El. 890 : Ὡς τὸ λοιπὸν ἢ φρονοῦσαν ἢ μώραν λέγῃς· 1326 : Ὦ πλεῖστα μῶροι καὶ φρενῶν τητώμενοι. Et alibi.] Aristoph. Nub. [398] : Καὶ πῶς, ὦ μῶρε σὺ, καὶ κρονίων ὄζων, καὶ βεκκεσέληνε. Apud Eund. Ran. [910] : Μώρους λαβὼν παρὰ Φρυνίχῳ τραφέντας. Sic vero et ap. Soph. atque Eur. μῶρος pleraque exempll. habent προπερισπωμένως. Unde etiam confirmatur quod de Attica illa scriptura modo dictum fuit. Sed argumentum, quo nititur Eust. [l. in fine cit.] ad asserendam hanc scripturam, non satis firmum est. Cur enim μῶρος tanquam ex μήορος per crasin factum esse dicemus, ideoque magis consentaneam rationi hanc Atticam scripturam esse quam alteram censebimus, quum Atticos ὁμοῖος itidem pro ὅμοιος, et ἑτοῖμος pro ἕτοιμος, nec non ἐρῆμος pro ἔρημος, dicere ubi nulla ejusmodi ratio afferri potest, sciamus? Ap. Matth. 25, [2] virgines μωραὶ opp. ταῖς φρονίμοις, ubi μωραὶ redditur Fatuæ. Ceterum aliquid etiam dicitur esse μωρὸν, s. μῶρον, ut legimus ap. Eur. [Bacch. 369], Μῶρα γὰρ μῶρος λέγει· vel, μωρὰ et μωρὸς, ut alii codd. habent : apud Soph. Aj. p. 35 meæ edit. [594] : Μῶρά μοι δοκεῖς φρονεῖν. Sunt autem ipsius Ajacis ad Tecmessam verba. [OEd. T. 433 : Μῶρα φωνήσοντα. Et alibi sæpius de rebus, itemque Eur., ut Heracl. 682 : Μῶρον ἔπος, et τὸ μῶρον, Stultitia, Hipp. 966 : Ἀλλ' ὡς τὸ μῶρον ἀνδράσιν μὲν οὐκ ἔνι, γυναιξὶ δ' ἐμπέφυκεν· οἶδ' ἐγὼ νέους οὐδὲν γυναικῶν ὄντας ἀσφαλεστέρους, ὅταν ταράξῃ Κύπρις ἡβῶσαν φρένα, ubi, ut sæpe, dicitur de rebus Venereis. Ὦ μῶρε compellatio blande increpantis, ap. Xen. Comm. 1, 3, 13, Plat. Leg. 9, p. 857, D.] Μωρότερος gradu compar. in proverbio Μωρότερος Μορύχου, Stultior Morycho. [Superl. Xen. Anab. 3, 2, 22 : Τοῦτο μωρότατον πεποιήκασιν.] Ceterum ut hic Morychus inter μωροὺς celebratus fuit, sic et aliquot alii : sc. Μελιτίδης, et Κόροιβος, et Μαργίτης, et Μαμμάκουθος, et Σάννας, et Ἀμφιετίδης, et Πολύωρος. Quibus addi potest et Βουταλίων ex schol. Aristoph. et ex Suida. Sed unum ex istis nominibus propriis, nimirum Μαμμάκουθος [s. rectius Μαμμάκυθος], appellativum aliquando esse existimatur, et de quolibet Stulto s. fatuo dici. Afferturque in exemplum hic Aristoph. l., Ran. [989] : Τέως δ' ἀβελτερώτεροι κεχηνότες μαμμάκουθοι καὶ Μελιτίδαι κάθηντο. [Ubi vide schol. et Athen. 8, p. 355, A; 13, p. 571, B, ibique Animadv. Schweigh.] Sed quod de nomine Μαμμάκουθος, idem et de nomine Μελιτίδης dicendum fuerit, hunc quidem Aristoph. locum sequendo, sc. de quolibet Stulto itidem usurpari. Nec vero dubium esse debet quin et reliquorum unumquodque eundem usum habere queat; sed nominatim de nom. Σάννας et de nom. Κόροιβος id testatur Eust. [Od. p. 1669, 45], sc. his nominibus quemlibet μωρὸν appellari : scribens, Ἐκεῖθεν (sc. ex veteribus) τὸν μωρὸν οἴδαμεν σάνναν καλεῖσθαι, ὡς ἀπὸ κυρίου ὀνόματος· καὶ παράγεται Κρατῖνος κωμῳδῶν τοιοῦτον, τὸν Θεοδοτίδην Σάνναν. Quibus subjungit, Ἐξ ἐκείνων δὲ καὶ Κόροιβόν τινα ἀποσκώπτομεν· μαθόντες τινὰ Κόροιβον εὐήθη Μυγδόνα, Φρύγα τὸ γένος, ὕστατον τῶν ἐπικούρων ἀφικόμενον τῷ Πριάμῳ δι' εὐήθειαν. Observa autem, quod ad nomen Sannas attinet, hinc esse sumptam a Latinis vocem Sanna, Sannio; sed et verbum Subsannare, ex illo nomine Sanna sumptum, quidam usurparunt. Probus tamenAnniones a Sanna significante Os distortum cum vultu, dictos existimavit : Nonius a Saniis. Sed suspicor reponendum esse Sannis. Ceterum et hanc ipsam vocem μῶρος in Latino sermone usurpatam habemus, mutatis duntaxat literis Græcis in Latinas una cum terminatione. Legimus enim ap. Plaut. Trinumo [3, 2, 43]: Ita est amor, balista ut jacitur, nihil sic celere est, neque volat, Atque is mores hominum moros et morosos efficit. Hic enim Moros nemo (ut opinor) aliter accipiendum dixerit quam pro μωρούς. Apud Eund. extat comp. Morologus, ut docui in Μωρολόγος. Jam vero et verbum Morari prima longa, ab hoc μωρὸς deductum, aut certe a verbo μωραίνειν, quod ex isto nomine factum est. Utitur autem illo Morari Nero ap. Sueton. [c. 33]: Certe omnibus rerum verborumque contumeliis mortuum insectatus est, modo stultitiæ, modo sævitiæ arguens. Nam et morari eum inter homines desiisse producta prima syllaba jocabatur, multaque decreta ut insipientis atque deliri pro irritis habuit. Hic non dubium est quin verbo Morari significationem Græci μωραίνειν dare voluerit, de quo dictum supra est. At nomen Morio, quod et ipsum hinc ortum est, longe præcedentibus usitatius est, sed apud minus veteres Latinæ linguæ auctores. Neque enim prisco sæculo tales homines, quales sunt ii qui Moriones appellati postea fuerunt, tanto honore digni putabantur, ut unusquisque principum s. magnatum aliquos etiam eorum in comitatu suo atque adeo in deliciis haberet. Bud. dimin. esse existimavit hoc nomen Morio, et factum ex Græco μωρίων : ita enim scribit : Μωρὸς Græce Stultus dicitur, unde dimin. Μωρίων, quo etiam Latini utuntur. Sed donec aliquod usus nominis μωρίων exemplum apud idoneum auctorem invenero, an verum sit quod Bud. scribit, dubitabo. [Improprie ap. Hippocr. p. 232, 25 : Μωρὰ νεῦρα καὶ σκληρὰ γινόμενα ὑπὸ τοῦ πτύρου, Nervi hebetes et duri. Foes. Œcon. Conf. Μωρόω, Μώρωσις.] || Μωρὸς, Cujus gustus est fatuus, s. insipidus. Diosc. 4 : Ῥίζαι γευσαμένῳ μωραὶ, ubi quidam interpr. Radices gustu fatuo; quidam, Radices sapore insipido. [Photius : Μυρὸν (Μῶρον) οἱ Ἀττικοὶ περισπῶσι· καλοῦσι δὲ οὕτως καὶ τὸ ἀμβλὺ βρῶμα καὶ ἄναλον, ὥστε (ὡς τὸ Meinek. Com. vol. 4, p. 658, nisi in τε nomen poetæ latet, ut Τηλεκλείδης) μήτε (Μήθ') ἅλμυρὸν εἶναι μήτε μωρὸν ἐς τὸ πᾶν.] || Μῶρος, nomen propr., Epigr. [Luciani Anth. Pal. 11, 432, 1, ubi nunc recte μῶρος. Accentum adjectivi, qui in libris modo in priori ponitur modo in altera, grammatici Atticos in illa ponere consentiunt, ut Suidas : Μῶρος παρὰ Ἀττικοῖς προπερισπᾶται· Arcad. p. 69, 13 : Μωρὸς καὶ μῶρος ἀττικῶς. Eust. Il. p. 245, 37 : Μήορος μῶρος παρ' Ἀττικοῖς, ὁ παρὰ τοῖς ὕστερον ὀξυτόνως μωρός· Od. p. 1447, 56 : Τὸ δὲ μωρός πάλαι ποτὲ ὀρθῶς εἶχε τοῦ προπερισπᾶσθαι (quibus addit exx. hujus accentus) ... ὕστερον δὲ συνεξέδραμε τῷ πυλωρός θυρωρός καὶ τοῖς ὁμοίοις, quæ repetit p. 1749, 39. Μωρὸς vero scriptum in Etym. M. p. 593, 12. Photius : Μωρός· ἔνιοι τὴν πρόσκαιρον εὐήθειαν προπερισπωμένως, τὴν δὲ κακίαν ὀξυτόνως· οἱ δὲ ἁπλῶς προπερισπῶσι· σύγκειται δὲ κατὰ στέρησιν τῆς ὥρας.]

|| Μωρῶς, Stulte Fatue. [Inepte, Absurde, Gl.]

A Pollux [5, 121] hoc adv. λίαν εὐτελὲς esse ait, postquam εὐήθως, ἀνοήτως, aliaque ad eand. signif. pertinentia attulit. [Xen. Anab. 7, 6, 21 : Οὐκ αἰσχύνει οὕτω μωρῶς ἐξαπατώμενος;]

Μωρόσοφος, Stulte sapiens, Fatue salsus, Insulse sapiens; Ex stulto et sapiente concretus; Inter stultum et sapientem anceps : quæ interprr. sunt Budæi, afferentis hoc vocab. ex Luciano [Alex. c. 40]. Sed addit, videri ab Eodem accipi pro Eo qui sapienter desipit, h. e. qui se dissimulat, et stultum simulat. Addit autem et verbum Μωροσοφεῖν (nescio an a se fictum, an ex aliquo scriptore Græco depromptum), quod vertit Stulte sapere. Equidem et nomine Μωροσοφία posse nos haud minus quam illo μωρόσοφος uti dubium esse non potest. Erit autem μωροσοφία, Stulta sapientia.

Μωρόσυχον, Μωρόσυκος, vide in Μῶρον.

Μωρότης, ητος, ἡ, Stultitia, Fatuitas; sed usitatius est μωρία.

[Μωροφιλόσοφος, ὁ, ἡ, Qui stulte philosophatur. B Anastasii Contempl. Anagog. Med. fragm. in Wolfii Casaubonianis p. 78.]

[Μωρόφρων, ονος, ὁ, ἡ, Stulta cogitans. Manetho 4, 283. Schleusn.]

[Μωρόω, Fatuum reddo. Galen. ap. Hippocr. p. 74, E; 147, H, τὰ μεμωρωμένα exponit τὰ μώρωσιν ἐμποιοῦντα τῇ διανοίᾳ. Eoque respicere videtur quod μεμωρωμένα τὰ ἀναίσθητα exponit Galen. in Exeg. (p. 522). Hipp. p. 562, 43 : Ἐμωρώθη ἡ καρδία, Cor hebescit. Foes. Œcon.]

[Μωρῶς. V. Μωρός.]

Μώρωσις, εως, ἡ, Stultitia, Fatuitas, Stoliditas. Sed Medicorum potius quam aliorum est hoc vocab., de vitio memoriæ et mentis. Nam (ut quidam annotant), si solius memoriæ jactura sit, jam ληθαργικὴ dicitur : si mentis solum, τυφωνία : si utriusque, μώρωσις. Vide Vocabulorum medicorum Lex. a me editum, p. 415. Est μώρωσις, inquit Gorr., Deficiens s. Infirma motio facultatis ratiocinatricis. Ad eam quidem facultatem proprie pertinet fatuitas : non tamen reliquæ princi- C pis facultatis actiones integræ sunt, sed pariter imperfectæ; nam et parum apte imaginantur, nec probe meminisse solent fatui, quippe qui cerebrum non habere vulgo dicantur. Atque ita rem se habere declarat Paulus Ægin. 3, 11, scribens dici μώρωσιν, quum et ratio et memoria male fuerint affecta, et ab iisdem causis eam fieri, a quibus et memoriam et rationem lædi contingit. Similiter et Aetius ex Rufo et Galeno scribit μώρωσιν esse, quando una cum memoria etiam ratio periit. Quibus quidem auctoribus ἡ μώρωσις non est simplex affectus, sed rationis primum, deinde vero et memoriæ. In causa habetur vel minus idonea decensque cerebri conformatio, vel frigida intemperies, aut frigidus aliquis et pituitosus humor in cerebro collectus, vel medicamenta quæ foris imposita caput modice refrigerant. Neque enim μωρώσεως causa tam vehemens magnaque est quam τῆς ἀνοίας, quæ ejusdem facultatis abolitionem privationemque significat. Eo enim discrimine ἄνοια et μώρωσις distinguuntur. Jam vero differt ἡ ἄνοια ἀπὸ τῆς D παραφροσύνης, quod, ut scribit Galen., illa quidem abolitio sit, hæc vero functionis ratiocinatricis aut imaginatricis etiam depravatio : quodque, ut ait Aetius, ἡ μώρωσις ἀκόλουθα λέγει καὶ πράττει : delirium autem (quod et λῆρος et παραφροσύνη vocatur), non servata rerum consequentia alium alii sermonem implicet, qui nihil ad rem faciat : et delirium quidem ut plurimum senibus, μώρωσις autem et pueris et adolescentibus et reliquis ætatibus a morbo accidat. [Hippocr. p. 69, G : Κακὴ καὶ ἡ ἐπὶ ἰκτέρῳ μώρωσις. Aret. p. 30, 34 : Ἐς ἀναισθησίην καὶ μώρωσιν ἡ γνώμη ῥέπει.]

Μωρωσὸς, Qui mente prorsus est alienatus, ὁ τὴν διάνοιαν παντελῶς πεπληγὼς, Hesych. [Lat. Morosus, ut videtur.]

[Μὼς, τὸ ἔθνος, inter nomina in ως monosyllaba ponit Theognost. Can. p. 135, 21. L. Dind.]

[Μωσηλὲ, Deus marinus, si credimus Jo. Tzetzæ, qui id, nescio unde haustum, memoriæ prodidit Hist. 9, hist. 259 : Τὸ Μωσηλὲ δηλοῖ ταῖς γοναῖς Αἰγυπτίων Ποσειδῶ θεὸν θαλάσσιον καὶ θεὸν τῶν ὑδάτων. Vocarunt igitur Ægyptii Neptunum, Deum maris, sermone patrio Μωσηλε. Ubi observabis, primum Neptunum maris præsidem in Ægypto cultum non invenisse, qua de re consuli postest nostrum Panth. l. 5, c. 3, § 2, et c. 4, § 3. Deinde Μωσηλὲ esse nom. ab homine rerum Ægyptiacarum ignaro confictum, compositum quippe ex voc. Ægyptiaco et Hebræo. *Mo* enim, ut aliquoties jam monui, non vero μώς, in compositis vocibus, Aquam significat; ηλ vero vox est Hebr. אל, Deum designans. Ægyptius θεὸν τῶν ὑδάτων vel θεὸν θαλάσσιον dixisset *Monouph* aut *Menouph*. Sed Μωσηλὲ Ægypt. vere monstrum aliquod vocis fuisse censeri debet. JABLONSK.]

[Μωσῆς. V. Μωυσῆς.]

[Μώτ· τοῦτό τινές φασιν ἰλύν· οἱ δὲ ὑδατώδους μίξεως σῆψιν, Sanchoniatho. Bochart Canaan 2, 2, confert Phœnicium מוד *Mod*, Materia, e qua omnia sunt facta. Hartmann. (*Linguistiche Einleitung* p. 5) comparavit Hebr. מוט *Mot*, Vacillatio. DAHLER.]

[Μώτης, ὁ, Motes, n. viri, si recte lectum in numo Att. ap. Mionnet. *Suppl.* vol. 3, p. 559, n. 163. Vitiosum etiam videtur hoc Arcadii p. 17, 25: Τὰ εἰς ω ν συγκριτικὰ καὶ ὑποκοριστικὰ βαρύνεται, Ἀτρείων, Κρονίων, μωτίων, Ἡφαιστίων. Quod Μωρίων fortasse scribendum. L. DIND.]

[Μῶϋ, τὸ ὕδωρ παρ' Αἰγυπτίοις· ἐξ οὗ καὶ Μωϋσῆς, Suid. et Phavorin., apud quem tamen μῶν legitur.

A Eadem quæ Suidas tradunt Clemens Alex. Str. 1, p. 343, C, aliique. Sed Josephus Arch. 2, 9, 6, habet Μῶ, Philo De Mose vol. 2, p. 83, 21, Μῶς. V. omnino interpr. Hesychii in v. Μῶϋ, et Jablonsk. Opusc. vol. 1, p. 152—158. STURZ. Zonaras p. 1382: Μῶς, τὸ ὕδωρ παρ' Αἰγυπτίοις, καὶ Μῶυ.]

[Μωῦς, ἡ γῆ Λύδιοι (sic), Hesychius ante Μῶυ.]

[Μωυσῆς, έως, ὁ, Moyses, legum lator Judæorum, ap. Diod. 1, 94, Exc. p. 525, 543, ubi libri variant inter additum et omissum υ, ut ap. alios multos qui inde N. T., Diodoro et Strabone ejus mentionem fecerunt. Genit. poet. Μωσῆος est ap. Nonnum Jo. c. 7, 82 et 86. Adj. Μωσαϊκός, ή, όν, Mosaicus, ap. Diodorum Photii vel potius Photium ipsum p. 525, 73. « Psell. In Orac. p. 93, 4, 20. » BOISS.]

[Μῶφι, Mophi, mons Ægypti. Herodot. 2, 28: Οὐνόματα δὲ εἶναι τοῖσι οὔρεσι τῷ μὲν Κρῶφι, τῷ δὲ Μῶφι. Libri nonnulli Χρωφὶ et Μωφί. Diversum ab hoc videtur quod ponit Zonaras p. 1381: Μῶφις, Μώφιδος, ὄνομα κύριον.]

B Μώχεται, Hesych. φθονεῖ [Invidet].

[Μῶχος, ὁ, Mochus, Sidonius, bello Trojano antiquior, de quo nomineque ejus interdum in Μόσχου vel Μώσχου corrupto v. Fabric. ad Sext. Emp. p. 621.]

Μώψ, Hesychio Qui puros quidem oculos habet, non tamen acutum cernit. Talis fere μύωψ. [Quod verum. Conf. autem Νώψ.]

N, nota decimætertiæ literæ apud Græcos, quam vocant νῦ [Plato Crat. p. 414, C, etc.]: ea ἀντιστοιχεῖ in Dorica dialecto τῷ λ, veluti quum ἦνθον dicunt pro ἦλθον, et φίντατος pro φίλτατος. In compositione transit interdum in λ, interdum in γ, interdum in μ: ut quum dicitur παλίλλογος, παλιγκάπηλος, παλίμπρατος. In fine assumitur interdum κατ' ἐφελκυσμὸν [Dionys. De comp. vv. p. 43, 3: Ὁ ἐποίησε ἀντὶ τοῦ ἐποίησεν λέγων χωρὶς τοῦ νῦ καὶ ἔγραψε ἀντὶ τοῦ ἔγραψεν ... μετασκευάζει τὰς λέξεις], sequente vocali aliqua aut diphthongo: ut λέγουσιν pro λέγουσι, ὕπερθεν pro ὕπερθε, et sic in similibus. [Apud poetas etiam ante consonantem, ut syllabam brevem, cui additur, producat. Quanquam etiam præter has necessitates tam apud illos quam in prosa non modo in fine versuum aut periodorum, sed etiam in mediis utrisque apponitur quum in libris sæpissime, tum frequenter etiam in lapidibus, ut Theræo ap. Bœckh. vol. 2, p. 1085, n. 2465, b: Εἵσατο τήνδ' Ἑκάτην πολυώνυμον Ἀρτεμίδωρος, φωσφόρον ἣν τιμῶσιν ὅσοι χώραν κατέχουσιν. Μνημόσυνον Θήρας πόλεως παριοῦσιν ἔτευξεν βάθρα τάδ', ἔστησέν τε μέλαν (μέγαν) λίθον Ἀρτεμίδωρος· Aphrodisiensi ib. p. 1114, n. 2811, b, 37: Ἔστιν δὲ καὶ πολείτης. Recentium grammaticorum, ut Planudio, longiores de ν etiam in prosa ante consonas ponendi disputationes ap. Bekker. An. p. 1400 sq., Bachm. An. vol. 2, p. 57-8, repetere omitto, quum non majorem habeant auctoritatem quam codices, id est fere nullam. || Sæpe etiam interponitur, maxime ap. Byzantinos, ante literas δ, σ, τ, ut in κίνστερνα pro *cisterna,* Κηφινσὸς et Ἀμινσὸς pro Κηφισὸς et Ἀμισὸς et aliis. V. Reisk. ad Constantin. vol. 2, p. 225. Item additur accusativis in α, ut θυγατέραν, τρίχαν, χεῖραν. V. Jacobs. ad Ælian. N. A. p. 627, Dobr. Add. ad Aristoph. Pl. 64. Vicissim temere omittitur ν finale ab librariis, recentioris, ut videtur, ætatis consuetudinem sequutis, sic ut absurdæ appareant formæ πλείω, μείζω, Μενέλεω, pro Μενέλεων, etc. V. quæ diximus v. Ἐγχρίμπτω, vol. 3, p. 140, D, et infra in Νεώς, ad Xenoph. H. Gr. 2, 2, 116, Reisk. l. modo citato p. 624, qui animadvertit etiam neglectam sæpe ab librariis esse notam circumflexo similem, quæ ν literam exprimeret, cum illo autem recentioris ævi more omittendi ν finalis comparat Romanorum consuetudinem abjiciendi ν vocabulorum Græcorum in ων.] Est etiam numeralis nota, denotans nimirum quinquaginta, hoc modo, ν' [itaque etiam de Christianorum Pentecoste, ut in Ms. ap. Lambec. Bibl. Cæs. vol. 7, p. 560, B: Εἰς τὴν μεσοπεντηκοστὴν, εἰς τὴν ν', et alibi]: præfixum autem acuti accentus apice significat Quinquaginta millia, hoc modo, ͵ν. [De forma literæ antiqua quum ex monumentis satis constat, tum ex testimonio Strabonis 17, p. 785. Ceteras præter alios descripsit Montefalc. in Palæogr.

A V. Ind. || N ap. Byzantinos pro lat. *h* positum exx. aliquot confirmavit Ducang., ut Νερέδιτας pro Hereditas etc., conjecitque ortum esse errorem ex græca aspiratione per H expressa et confusa cum lat. N, quod dicere debebat potius sic, scribas græcos literarum latinarum imperitos H habuisse pro N. Idem de compendiis quibus litera N adhibetur: « 1. N. Νόμισμα, Solidus aureus. NN. Νομίσματα, Solidi aurei. Passim in Basil. 31, 4; 54, 18; 56, 5, 7, in Novellis Constantini Porph. 196, 224, 225, 228, ap. Continuat. Theophanis l. 1 etc. 2. N pro Νουμηνία, Νεομηνία, Kalendæ, ap. schol. Harmenopuli 1, 15, 8. 3. Observat F. Morellus ad l. 2 Constantini de Them. c. 8 Græcos ταχυγράφους Indictionem declarare per N majusculum et apice insignitum.» || In libris scriptis sæpissime confunditur cum υ, interdum etiam cum β, λ, μ, λι.]

[Νᾶα. V. Νάϊος.]

[Νάαρδα, πόλις Συρίας πρὸς τῷ Εὐφράτῃ, ὡς Ἀρριανὸς Παρθικῶν ια'. Τὸ ἐθνικὸν Ναρδανὸς τῷ ἐγχωρίῳ τύπῳ, Steph. Byz. Ναρδηνὸς cod. Vratisl., quod ex conjeB ctura restituerat Berkel. Nihil tribuendum videtur numo Ligorii Ναρδαίων inscripto sec. Holsten. «Νάαρδα etiam dicitur Ptolem. 5, 18 et Mesopotamiæ adscribitur, Νεερδὰ et Νεαρδὰ Josepho A. J. 18, 12. Videntur Orientales facillime permutasse literas α et ε. Syriæ nomen hic ap. nostrum tam late patet, ut etiam Assyriam, Babyloniam et Mesopotamiam complectatur.» Berkel. L. Dind.]

[Ναρχίδα genit. nominis Ναρχίδας in numo Dyrrhachii Illyr. ap. Mionnet. *Suppl.* vol. 3, p. 331, 133, suspectum videtur.]

[Νάβαζος, ὁ, Nabazus, n. viri, in inscr. Olbiensi ap. Bœckh. vol. 2, p. 999, n. 2060, 7. L. Dind.]

[Ναβαισατρεῦ, vox Triballo tributa ab Aristoph. Av. 1615, cujus signif. ipse exponit 1616, ubi ἐπαινοῦντος esse dicit. Conf. autem Βαβακατρεῦ.]

[Ναβαρζάνης, ους, ὁ, Nabarzanes, Persa. Arrian Exp. 3, 21, 2; 23, 9; Diod. 17, 74.]

[Νᾰβᾰταῖοι, ἔθνος τῶν εὐδαιμόνων Ἀράβων, ἀπὸ Ναβάτου τινός. Ναβάτης δέ ἐστιν ἀραβιστὶ ὁ ἐκ μοιχείας γενόμεC νος. Ἀπὸ οὖν τοῦ Ναβάτης Ναβαταῖος καὶ Ναβατηνὴ ἡ χώρα καὶ Ναβατηνὸς ὄνομα κύριον, Steph. Byz. Ναβαταῖοι et Ναβαταία de regione frequens est quum ap. Strab. l. 16 et 17, ceterosque geographos, ut Dionys. Per. 955, tum Diod. 2, 48; 3, 43, etc. Forma Ναβατηνὸς est ap. Joseph. A. J. 1, 12, 4. Plura de gente v. ap. Quatremère *Mémoire sur les Nabatéens, Paris*, 1835, Miot. ad Diodor. vol. 6, p. 439. L. Dind.]

[Ναβιανοί, οἱ, Nabiani, gens prope Mæotin. Strabo 11, p. 506.]

[Νάβις, ιδος, ὁ, Nabis, tyrannus Lacedæmoniorum, ap. Polyb. aliosque rerum Rom. scriptores.]

[Νάβλα. V. Ναῦλον.]

[Ναβλιστής. V. Ναύλας.]

[Ναβλιστοκτῦπεὺς, έως, ὁ, Qui nabla pulsat, Nablæ pulsator. Manetho 4, 185 : Ναβλιστοκτυπέας τε χοροῖς.]

[Νάβλον, Νάβλος. V. Ναῦλον.]

[Ναβουριανὸς, ὁ, Naburianus, Chaldæus, ap. Strab. 16, p. 739.]

[Ναβουχοδονόσορ, ορος, ὁ, Nabuchodonosor, rex Assyriæ, in V. T., et fragm. Berosi ap. Josephum, Eusebium et Georg. Sync., ubi modo Ναβουχοδονόσορ vel Ναβουχοδονόσωρ, et genit. Ναβουχοδονόσορος, modo Ναβουχοδονόσορος nominat., ap. Euseb. in Chron. (v. Mai. p. 20 ed. Rom. Coll. Vat. vol. 8) et Sync. p. 220, C, aliquoties etiam Ναβουκοδρόσορος, ut Ναβοκοδρόσορος ap. Strab. 15, p. 687. Ναβυχοδονόσορ in Ms. ap. Pasin. Codd. Taurin. vol. 1, p. 163, B. Adj. Ναβουχοδονοσορικὸς, ή, όν, ap. Theodor. Stud. p. 325, B : Ναβουχοδονοσορικῷ δόγματι. L. Dind.]

[Νάβρισσα. V. Νέβρισσα.]

[Ναβωμὸς, ὁ, Nabomus, βαρβαρικὸν ὄνομα, ap. Jubam sec. Herodian. Π. μον. λέξ. p. 13, 30.]

[Ναγδήμων (nisi forte scribendum Ναγδηνῶν) quorundam mentio fit in inscr. Thyatirena imperatoria ap. Bœckh. vol. 2, p. 828, n. 3488, 6 : Τειμηθέντα τῇ τοῦ ἀνδριάντος ἀναστάσει ὑπὸ Ἀρηνῶν καὶ Ναγδήμων ἐπὶ τῷ ἐκδικῆσαι καὶ ἀποκαταστῆσαι τὰ τῶν κωμῶν, quarum illi fuisse videntur κωμῆται. L. Dind.]

[Νᾰγεὺς, έως, ὁ, Tudicula, nisi fallit scriptura ap. Tzetz. ad Hesiod. Op. 421 : Ὕπερον) λάκτην (λάκτιν), ναγέα, τριβέα ἢ κόπανον. L. Dind.]

[Ναγίδος, πόλις μεταξὺ Κιλικίας καὶ Παμφυλίας. Ἑκαταῖος Ἀσίᾳ· « Μετὰ δὲ Ναγίδος πόλις ἀπὸ τοῦ Νάγιδος κυβερνήτου, καὶ νῆσος Ναγιδοῦσα. Ναγίδος δ' ἐκλήθη διὰ τὸ Νάγιν αὐτὴν κτίσαι. » Ὁ πολίτης Ναγιδεὺς, Steph. Byz. Scribendum Νάγιδος, ut ap. Strab. 14, p. 670, 682. Numi inscripti Ναγιδ. Ναγιδέων. Ναγιδικὸν sunt ap. Mionnet. *Descr.* vol. 3, p. 595 sq. L. Dind.]

Νάγμα, τὸ, affertur pro Vellus : quod et νάκος : forsan i. est q. σάγμα aut πίλημα, a νάσσω. [Joseph. B. J. 1, 21, 7 : Τὸ πρὸ αὐτῶν πᾶν κύκλῳ νάγμα τοῖς ἀποβαίνουσι πλατὺς περίπατος, ubi vertitur Planities. V. Νάσσω, et quæ contulit Wessel. ad Herodot. 7, 36.]

Ναειδαμῶς, contrarium τῷ οὐδαμῶς, Hesych. [Ναιδαμῶς Sopingius. Fictum autem videtur a Comico quopiam.]

[Νάειρα, ἡ, Naira, Cleopatræ famula, ap. Galen. vol. 13, p. 940, et alios, quod n. in Νάηρα corruptum ap. Zenob. 5, 24, in Τάειρα ap. Tzetz. Hist. 6, 282, 289, qui Syriacum dicit et Columbam interpretatur, aliter ap. Plut. Anton. c. 60, ubi v. Coraes.]

[Νάεϊς, ὁ, n. viri, esse videtur in inscr. Sarmat. ap. Bœckh. vol. 2, p. 1000, n. 2096, h. L. Dind.]

Ναελεῖς, Thessalis πρόσφατοι : qui aliis νεαλεῖς. Hesych. [Quod νεαλεῖς vix credibile Thessalos in ναελεῖς mutasse, qui librarii error videtur.]

Νάερρα, Hesychio auctore δέσποινα. [Conf. Ναίτειρα.]

[Ναετὴρ, Ναέτης. V. Ναιέτης.]

[Ναέτις, ἡ, triadis nomen, ap. Phot. Bibl. p. 143, 42, ubi Bekker. ex cod. νάστιν pro ναέτιν. L. Dind.]

[Ναετὸς, ὁ, Habitaculum, a ναιετᾶν, Habitare, Græcis. Saracenica Sylburgii p. 33 : Αἱ γυναῖκες ὑμῶν ναετὸς ὑμῶν, εἰσέλθετε εἰς ναετοὺς ὑμῶν, ὅθεν βούλεσθε. Ubi Palatinum cod. νεατὸς præferre monet idem Sylb. Ducang.]

Ναέτωρ, Hesychio ῥέων, πολύρρους, q. d. Fluxor, a νάω, significante ῥέω, στάζω.

[Ναζαρηνὸς, ἀπὸ Ναζαρὲτ τῆς Γαλιλαίας, Suidas, idemque in Ναζωραῖος, ὁ ἀπὸ Ναζαρέτ. Utrumque nomen est ap. eos qui historiam Christi tradiderunt, et Ναζαρηνὸς quidem e. gr. Marci 14, 67, pro quo Ναζωραῖος Matth. 2, 23; 26, 71, quod v. etiam in Ναζηραῖος. Ναζώρεων ὄρος ponit Zonaras p. 1387.]

[Ναζάριος, ὁ, Nazarius, n. viri, in Ms. ap. Bandin. Bibl. Med. vol. 1, p. 130, B, et in inscr. ap. Majum Nov. Coll. Vat. vol. 5, p. 53. L. Dind.]

[Ναζηραῖος, ὁ καλόγηρος, in Epimerismis Mss. Herodiani (p. 164). Sic porro appellati monachi, quod instar Nazaræorum, de quorum secta et instituto agitur Numer. c. 6, vitam strictiorem amplectantur. Suidas : Ναζηραῖος, ὁ θεῷ κεχωρισμένος καὶ ἀφιερωμένος (βαπτιστὴς, ἱερεὺς addit Hesychius), ὁ μοναχός. Lex. Ms. Cyrilli : Ναζιραῖος, μοναχὸς, ἡγιασμένος καὶ ἀφ. τῷ θεῷ. Infra : Ναζωραῖος, ἅγιος ἑρμηνεύεται. Ναζωρικὸν σχῆμα in Vita Ms. S. Stephani jun. Gregor. Naz. Or. habita in Concilio Cpol. : Χαίρετε Ναζηραίων χοροστασίαι, ψαλμῳδιῶν ἁρμονίαι, aliique plurimi scriptt. eccles. et Byzantini. Ducang. (Conf. Hasius in *Notices* vol. 9, p. 262.) Observat porro Epiphanius Hæresi 29, n. 1 et 6, Christianos primitus Ναζωραίους appellatos, interdum etiam ac exiguo tempore Ἰεσσαίους, antequam Χριστιανοὶ appellari cœpissent. Ubi v. Petav. (p. 50). Id. Append. p. 139. V. id. Epiphan. Ancor. vol. 2, p. 18, C, Jo. Damasc. vol. 1, p. 82, D, cum annot. Lequieni. L. Dind.]

[Ναζιανζὸς, ἡ, Nazianzus, opp. Cappadociæ, cujus gent. Ναζιανζηνὸς, ή, όν, ut Gregorius. V. Cellar. Geogr. ant. 3, 8, 115. Scripturam Ναδιανδὸς memorat Philostorg. H. E. 8, 11, p. 524, 42.]

[Νάζις, ἐθνικὸν, Suidas.]

[Νάης. V. Ναίης.]

[Νάθμος s. Ναθμός.] Νάθμους Hesych. exp. τὰς χοιράδας : addens, poni etiam ἐπὶ τῶν στημόνων. [V. Νάθυμος.]

Νάθραξ pro νάρθηξ dici, auctor Hesych., forsan transpositione et mutatione Dorica, ut θίδραξ pro θρίδαξ.

Νάθυμος, dicitur esse Saxum latens in mari; et Herba marina, ut alga : sed ἀμαρτύρως. Hesych. νάθμος.

[Ναθὼ, Natho, nomus Ægyptius. Herodot. 2, 165.]

Ναὶ, Næ, Ita, Etiam [ita Gl.] : adverbium affirmantis et concedentis, ut οὐ negantis. Matth. 5, [37] : Ἔστω δὲ ὁ λόγος ὑμῶν Ναὶ, ναί· Οὔ, οὔ· monens in congressibus et colloquiis ad interrogata respondendum simpliciter per Ita et Non : nullo adhibito juramento : quemadmodum et ap. Ceb. Theb. roganti, Πότερον καὶ αἱ δόξαι; respondetur simpliciter Ναὶ, Næ, Etiam, Ita, vel etiam Utique, Imo. [Simonid. Anth. Pal. 13, 11, 2 : Οὐ Ῥόδιος γένος ἦν; Ναὶ, πρὶν φυγεῖν γε πατρίδα. Æsch. Pers. 738 : Τοῦτ' ἐτήτυμον; Ναί. Eodemque modo sæpius ceteri Tragici, Xenophon, Plato et alii quivis. Post ναὶ additur etiam verbum, ut ναὶ γράφω, quod cum μᾶλλον τάχιον comparat Apollon. De constr. 3, 21. Ναὶ, sequente ἀλλὰ, occupantis argumentum adversarii, est ap. Diod. 13, 26 : Ναὶ, ἀλλά τινες τῶν Ἑλλήνων ἀπέσφαξαν τοὺς αἰχμαλώτους· et ib. 31. Apoll. De pron. p. 3, A.] Apud Aristoph. Nub. [1468] geminatum legitur. Ibi enim Phidippidi interroganti : Ἀλλ' οὐκ ἂν ἀδικήσαιμι τοὺς διδασκάλους; respondet Strepsiades, Ναὶ, ναὶ, Ita, ita : s. Imo, imo. Et in Epigr. : Ναὶ ναὶ φίλος. [Callim. Cer. 64 : Ναὶ ναὶ, πρὸς τεύχεο δῶμα. Theocr. 4, 54.] Rursum ap. Aristoph. Nub. [783] addito jurejurando, ubi Socrati quærenti, Οὐκ ἂν διδαξαίμην σ' ἔτι; respondet Strepsiades, Ναὶ τῶν θεῶν, Utique per deos, Imo per deos. [Aristoph. Pac. 1113 : Ναὶ πρὸς τῶν γονάτων. Et sæpe Eur., ut Phœn. 1665 : Ναὶ πρός σε τῆσδε μητρὸς Ἰοκάστης.] Sic ap. Xen. [Hier. 1, 16] quidam respondet ναὶ μὰ Δία, Ita sane per Jovem. Et ap. Aristoph. rursum [Vesp. 1438] : Ναὶ τὰν κόραν. [Quod dicitur etiam omisso nomine deæ. Hesychius : Ναὶ τὰν, οὕτως οἱ ἀρχαῖοι θεῶν ὀνόματα μὴ προστιθέντες. Photius : Ναὶ τὰν, οὕτως ὤμνυον. Eadem constructione Eur. Bacch. 534 : Ἔτι ναὶ τὰν βοτρυώδη Διονύσου χάριν οἴνας ἔτι σοι τοῦ Βρομίου μελήσει. Ceterum formulæ Ναὶ μὰ Δία et ceteræ frequentes sunt inde ab Theognidis 1041 : Ναὶ μὰ Δί', εἴτις τῶνδε καὶ ἐγκεκαλυμμένος εὕδει, Eur. Cycl. 555 etc., apud quosvis, inprimis in sermone familiari ap. Comicos, Xenoph. et Platonem.] In indirecta etiam affirmatione ponitur, pro Utique, Sane. [Theodor. Stud. p. 279, B : Περὶ δὲ τῶν ἄλλων πεύσεων ... εἰ χρὴ κοινωνεῖν, ἀπεκρίθην ὅτι ναὶ οἰκονομίας χάριν.] Gregor. : Ὡς εἶναι κενὰς ναὶ πάσας. [Theodor. Stud. p. 247, C : Εἰ γὰρ ἐκείνου, κἀκείνων· εἰ δὲ ἐκείνου οὒ, ὅτε βούλεται· οὐ βούλοιτο δὲ τυχὸν οὐδένα φυλάττειν, αὐτῶν δὲ ναί· δύο ταῦτα. Sed ap. Hippocr. p. 1168, F : Εὐρῦναι, στενυγρῶσαι, τὰ μὲν ναὶ, τὰ δὲ μὴ, delenda videtur particula, in seqq. locis similibus semper omissa. L. D.] Huic adde [hoc Apollonii Rh. 4, 1073 : Ναὶ φίλος, εἰδ' ἄγε μοι πολυκηδέα ῥύεο παρθενικήν· et] Homericum illud Il. A, [286] : Ναὶ δὴ ταῦτά γε πάντα, γέρων, κατὰ μοῖραν ἔειπας, Equidem, Sane, Utique. [Apoll. Rh. 3 467 : Ναὶ δὴ τοῦτό γε... πέλοιτο.] Verum et hic juramentum additum reperitur : ut [235] : Ναὶ μὰ τόδε σκῆπτρον, τὸ μὲν οὔποτε φύλλα καὶ ὄζους φύσει. [Pind. Nem. 11, 24 : Ναὶ μὰ γὰρ ὅρκον.] Sic Athen. 9, [p. 370, B] ex Ananio : Καί σε πολλὸν ἀνθρώπων Ἐγὼ φιλέω μάλιστα, ναὶ μὰ τὴν κράμβην, Utique per rhaphanum. Et Epicharm. ibid., Ναὶ μὰ τὰν κράμβαν. Et ap. Suid., Ναὶ ναὶ μὰ μήκωνος χλόην· quem esse dicit ὅρκον ἐπὶ χλευασμῷ. Apud Eund., Ναὶ μὰ τὸ ῥικνὸν σῦφαρ ἐμόν. Idem Suid. dici tradit interdum ναὶ μὰ τὸν, et ναὶ μὰ τὰς, omisso accus. θεὸν et θεάς. [Ælian. N. A. 3, 19 : Βάσκανον δὲ τὸ ζῷον ἡ φώκη, ναὶ μὰ τόν. Et ib. 4, 29.] Quod vero attinet ad illud jurisjurandi genus, ναὶ μὰ τόδε σκῆπτρον, et similia, solitos fuisse antiquos οὐ προπετῶς κατὰ τῶν θεῶν ὀμνύειν, ἀλλὰ κατὰ τῶν προστυγχανόντων. [Notabile hoc Nicetæ Eug. 1, 126 : Στιλπνὴ κόμη, ναὶ καὶ χλιδῶσα καὶ διευθετισμένη. Mire ap. Theodor. Stud. p. 457, B : Εἰ δὲ ὅτι ἑάλω ἐκεῖνος, ναὶ καὶ φεῦ τῆς ἥττης, ubi Int. Utique et deploranda clades. Sed leg. videtur οὐαί. || Aliæ formulæ sunt ναὶ δὴ καὶ, ap. Phot. Lex. præf. p. 2, 8 : Συνελέγησαν τῶν λέξεων ... ὅσαι ... ἀττικίζουσι ..., ναὶ δὴ καὶ τῆς καθ' ἡμᾶς θεοσοφίας ὅσαι δέονται σαφηνείας· 3, 1 : Ναὶ δὴ καὶ ὁ λίαν σεμνὸς λόγος ... φιλεῖ κτλ. Ναὶ μὲν ap. Apoll. Rh. 2, 151 : Ναὶ μὲν ἀκήδεστον γαίῃ ἔνι τόνγε λιπόντες· 4, 818 : Ναὶ μὲν ἐφημοσύνῃσιν ἐμαῖς Ἥφαιστον ὀΐω. Ναὶ μὲν δὴ ap. Meleagrum Anth. Pal. 7, 421, 11 : Ναὶ μὲν δὴ Μελέαγρον ὁμώνυμον Οἰνέος υἱῷ σύμβολα σημαίνει ταῦτα συοκτασίης. Ναὶ μὴν ap. Theocr. 27, 25 : Γάμοι πλήθουσιν ἀνίας. — Οὐκ ὀδύναν, οὐκ ἄλγος ἔχει γάμος, ἀλλὰ χορείαν. — Ναὶ μάν φασι γυναῖκας ἑοὺς τρομέειν παρακοίτας. De Ναὶ μὴν καὶ HSt. dixit in Μήν. Est idem ap. Arat. 449 : Ναὶ μὴν καὶ προκύων Διδύμοις ὕπο καλὰ φαείνει, et alios. Utrumque frequens est ap. Nicandrum. Ναὶ ubi ap. Tragicos ponitur extra versum, ab librariis additum videtur, quippe vel in libris omissum ex parte, ut Eur. Iph. T. 730, Andr. 242, 586. Est enim usitatum scholiastis supplementum, ut Med. 1366, Phœn. 423, 599. || Ναὶ, ut alias particulas nonnullas, interdum duplici in codd. scribi accentu gravi annotat Bast. ad Greg. p. 933. L. Dind.]

[Ναΐα, ἡ, Naja, fons Teuthrones Laconiæ, ap. Pausan. 3, 25, 4.]

[Ναΐᾰκὸς, ἡ, ὸν, Qui ad Naidem pertinet. Philodem. Anth. Pal. 10, 21, 8 : Σῶζέ με, Κύπρι, Ναϊακοὺς ἤδη, δεσπότι, πρὸς λιμένας. Ναϊκακοὺς codex. «Scripsi una litera deleta Ναϊακοὺς, Fac ut salvus ad Naidem redeat. Naidem Philodemo amatam fuisse constat ex ejus epigr. n. 107.» Jacobs.]

[Ναΐὰς, άδος, ἡ, Najas.] Ναϊάδες, Naiades : Nymphæ fluviales et fontanæ. [De forma Ion., quam non recte ad Νήιον, montem Ithacæ, refert, HSt. in Νήιον :] Inde et Νηϊάδες νύμφαι, ab eod., secundum Cratetem : alii autem exp. τὰς διατριβούσας περὶ τὰ νάματα. Fortassis etiam Νηΐτιδες νύμφαι inde appellantur. Hom. Od. N, [104] : Ἱρὸν νυμφάων αἳ νηΐτιδες καλέονται. [Ubi al. Νηϊάδες. Pausan. 8, 4, 2 : Δρυάδας γὰρ δὴ καὶ Ἐπιμηλιάδας, τὰς δὲ αὐτῶν (Nympharum) ἐκάλουν Ναΐδας, καὶ Ὁμήρῳ γε ἐν τοῖς ἔπεσι Ναΐδων Νυμφῶν μάλιστά ἐστι μνήμη. Qui forma Ion. dicit Il. Z, 22 : Νηὶς Ἀβαρβαρέη· Ξ, 444 : Νύμφη Νηὶς ἀμύμων· et Υ, 384. Strabo 10, p. 468 : Διονύσου δὲ (comites) Ναΐδες καὶ Νύμφαι. Pind. Pyth. 9, 16 : Ναῒς Κρείοισα· fr. ap. Pausan. 3, 25, 2 : Ὁ Ναΐδος ἀκοίτας Σειληνός. Eur. Hel. 187 : Νύμφα τις οἷα Ναΐς. Theocr. 8, 93 : Νύμφαν Ναΐδα. Xen. Ven. 1, 4, Conv. 5, 7; Conon. Narr. c. 2, p. 131, 18.]

[Ναιβιανὸς, ὁ, Nævianus, cogn. viri in numo Mysio ap. Mionnet. *Suppl.* vol. 5, p. 367, 535.]

[Ναιδαμῶς. V. Ναειδαμῶς.]

Ναΐδιον, τὸ, Sacellum, Ædicula. [Polyb. 6, 53, 4 : Ξύλινα ναΐδια περιτιθέντες (imaginibus majorum). Strabo 8, p. 379 : Ἡ κορυφὴ ναΐδιον ἔχει Ἀφροδίτης.]

Ναιετάω, i. q. ναίω, Habito, Incolor : de cujus formatione lege quæ mox dicentur in Ναιέτης. Ex Hom. [Il. P, 172 : Ὅσσοι Λυκίην ναιετάουσι· B, 539 : Ἥδ' οἳ Στύρα ναιετάασκον·] Od. [I, 21 : Ναιετάω δ' Ἰθάκην·] O, [384] : Ἧι ἐνὶ ναιετάασκε. [Apoll. Rh. 1, 68; 2, 997.] Il. Γ, [387] : Λακεδαίμονι ναιεταώσῃ, pro ἐν Λακεδαίμονι. [Od. Z, 153 : Βροτῶν, τοὶ ἐπὶ χθονὶ ναιετάουσιν. Pind. Ol. 6, 78 : Ὑπὸ Κυλλάνας ὅροις ναιετάοντες· Pyth. 4, 180 : Ἀμφὶ Παγγαίου θεμέθλοις ναιετάοντες· Nem. 4, 85 : Ἀμφ' Ἀχέροντι ναιετάων. Improprie epigr. Anth. Pal. 7, 673, 2 : Εἰ γένος εὐσεβέων ζώει μετὰ τέρμα βίοιο, ναιετάον κατὰ θεσμὸν ἀνὰ στόμα φωτὸς ἑκάστου.] || Passiva etiam signif. ex Il. Z, [415] : Πόλιν Κιλίκων εὖ ναιετάουσαν, ubi scribitur etiam ναιετάωσαν, tanquam ex dialecto Dorica : itidemque alibi ναιεταώσας. [Constans hæc est plurimorum librorum scriptura in locis Homeri, excepto Hymn. 17, 6 : Ἄντρῳ ναιετάουσα. Eadem confirmatur testimonio Etym. M. p. 598, 54, et schol. Il. Γ, 387, et ubi Aristarchus ναιετόωσα scripsisse dicitur, Z, 415. Cum hoc autem forma convenit ναιετάασκον (non ναιετάεσκον, de quo vitio præter alios dixit Lobeck. ad Phryn. p. 683), quum rursus cum ναιετάει Hesiod. Th. 775 et ναιετάουσι ap. Hom. et Hesiodum conveniat masc. ναιετάοντες ap. Hom. et Hes., ut appareat anomaliam quandam usu receptam fuisse.] De hac autem signif. dicam in Ναίομαι. [Il. Δ, 45 : Αἳ γὰρ ὑπ' ἠελίῳ ναιετάουσι πόληες· Z, 370 : Δόμους εὖ ναιετάοντας· Od. A, 404 : Μὴ γὰρ ὅγ' ἔλθοι ἀνὴρ, ὅστις σ' ἀέκοντα βίηφι κτήματ' ἀπορραίσει, Ἰθάκης ἔτι ναιεταώσης· I, 23 : Ἀμφὶ δὲ νῆσοι πολλαὶ ναιετάουσι.]

Ναιέτης, ὁ, Habitator, Incola : pro quo potius dicitur Ναέτης. [Simonid. ap. Diog. L. 1, 90 : Λίνδου ναέταν Κλεόβουλον. Epigr. Anth. Pal. 9, 535, 2 : Κισσῷ μὲν Διόνυσος ἀγάλλεται, ... οἱ ναέται ξείνοις, ἡ δὲ πόλις ναέταις. Ephippus comicus ap. Athen. 8, p. 346, F : Ναέται χώρας. Fem. Archias Anth. Pal. 6, 207, 10 : Ναυκράτιδος ναέται, de mulieribus.] Videtur, inquit Eust. [Od. p. 1486 seq.], verbi ναιετάειν thema προϋποκείμενον esse non barytonum Ναίω, sed Ναιῶ, ex quo, sicut Αἰνῶ, αἰνέσω, αἰνέτης, et αἰνετὸς, ita sit ναιέσω, ναιέτης (qui et aliter dicitur ναέτης), unde verbum ναιετῶ. (Hoc autem nomen ναέτης occasionem nobis præbet cogitandi, posse ναίω et νάω dici, ex quo sc. sit illud ναέτης, sicut κλαίω et κλάω, item καίω et κάω.) Quibus subjungit etiam, ideo fortasse in usum non receptum fuisse νάω pro οἰκῶ, quoniam communis fuisset illi scriptura cum νάω significante ῥέω : seu, ut vulgo recentiores gramm. loquuntur, ne coincideret cum νάω significante ῥέω. Ejus verba sunt : Ἴσως δὲ ἀχρηστίαν ἐκύρωσε τοῦ νάω τὸ οἰκῶ, ἡ κοίνωσις τοῦ νάω τὸ ῥέω. Sed ne his quidem contentus, addit hæc, quæ mihi parum probantur : Quinetiam dixerit aliquis originem ista habere a verbo thematico monosyllabo Νῶ, νήσω, quod est σωρεύω : quia etiam οἱ ναίοντές που, sunt σεσωρευμένοι : itidemque πηγῆς ὕδωρ ἄθρουν σωρευθὲν, οὕτω νάει ἀπόῤῥυτον· ἢ καὶ ἄλλως, στατὸν μὲν, ἀένναον δέ. Ex his autem multa ac varia deducta esse addit, sc. ὁ ναὸς, quia in eo πολλοὶ συσσωρεύονται : et ναῦς, s. νηῦς, quam σωρὸς ἐγκείμενος βαρύνει : item νᾶμα, et αἱ νηΐδες, atque alia. Hæc quoque Eust., in quibus illi non itidem assentior, potiusque miror certa hic ab eo cum incertis misceri ; nam νᾶμα esse a νάω, controversia caret : quod de reliquis itidem dici non potest. Ceterum pro ναέτης legitur etiam Ναετὴρ, in Epigr. [Anth. Pal. 9, 465, 3 : Αἰσχύνων Καλυδῶνα καὶ Οἰνέα καὶ ναετῆρας, et Antipatri Thess. 7, 409, 9 : Καὶ ναετὴρ Κολοφῶνος. Agathias ib. 9, 155, 5; Dionys. Per. 455.]

[Ναίης, ητος, ὁ, inter nomina disyllaba in ης barytona ponitur ap. Arcad. p. 23, 8, Chœrob. vol. 1, p. 45, 18; 142 sq. In Νάης corruptum videtur ap. Cram. Anecd. vol. 3, p. 241, 25. L. Dind.]

Ναιθροὶ, Hesychio νεβροὶ, οἱ νέοι ἔλαφοι, Hinnuli cervorum.

Ναικισσορεύοντας, Hesych. dici scribit pro ἐπίτηδες διασύροντας καὶ ἐξευτελίζοντας, Data opera carpentes et elevantes aliquid. Alios dicere νεκισσήρεις [Ναικισσήρεις] dici ἐπὶ τοῦ ἐμφαίνοντος ὁμολογεῖν καὶ μὴ ὁμολογοῦντος, esseque vocem hanc τῶν κατεψευσμένων. [Photius : Ναικισήρεις, καὶ παρὰ Φερεκράτει καὶ Ἑρμίππῳ· τοὐναντίον δὲ σημαίνει τῷ ἀληθεύειν. Valcken. Callim. p. 21 conjectura ναίχι hic quærentis vel Hesychii, cujus rationem non habuit, glossa refelli videtur.]

Ναίμας, Hesych. teste ὁμολόγησις est significans δὴ, Sane, Utique. Doricum forsan est pro ναὶ μὰν s. ναὶ μὴν, quod ab Eod. exp. ὄντως δὴ, a Suida ναὶ ὄντως. [Gl. in cod. sic scripta : Ναίμας, ὁμολόγησις· δηλοῖ δὲ ἄρνησιν νὴ, nihil nisi iterat proximam : Ναὶ μὰ ἀντὶ τοῦ μὴ, νή.]

[Ναιοπολος. V. Νειοπόλος.]

[Ναιὸς, οἶκος, ναός. Καὶ νεὼς, Hesychii gl. suspecta, et fortasse petita a grammatico, qui etymologiæ voc. ναὸς caussa, quod a verbo ναίω ducunt etymologi, finxisset.]

[Νάϊος. V. Νήϊος. || Lex. rhet. Bekk. An. p. 283, 13 : Ναίου Διός· ὁ ναὸς τοῦ Διὸς, ὃς ἐν Δήλῳ, Ναίου Διὸς καλεῖται. Quod si grammaticus ab ναὸς duxit, conferenda foret forma Προναία, quam contra disputationes eorum, qui unam Minervam Πρόνοιαν cognitam veteribus opinati verissimam scripturam Προναία vel invitis libris abolendam autumaverant, tuetur inscr. in Mus. Rhen. noviss. vol. 2, p. 114. Sed vix credibile est hoc Delii Jovis epitheton alius esse originis quam Dodonæi, de quo id. Lex. rh. ib. 22 : Νάϊος Ζεύς· ὄνομα ἱεροῦ τοῦ ἐν Δωδώνῃ. Πέριρος (Περιήρης) γὰρ ὁ Ἰκάστου (Ἰοκάστου) παῖς τοῦ Αἰόλου ναυαγήσας διεσώθη ἐπὶ τῆς πρύμνης καὶ ἱδρύσατο ἐν Δωδώνῃ Διὸς ναΐου ἱερόν. Cujus gl. rationem non habuerunt qui nuper disputarunt de Stephani Byz. verbis in Δωδώνη dicentis : Τὸν δὲ Δωδωναῖον (Jovem) ἔλεγον καὶ ναῖον. De quibus Valck. ad schol. Hom. Il. Π, 233, Opusc. vol. 2, p. 129 : « Is. Vossius recte pro ναῖον posuerat Νάϊον, memor, opinor, eorum, quæ in scholiis suis in Homerum legerat : Ὁ δὲ Δωδωναῖος καὶ Νάϊος· ὑδρηλὰ γὰρ τὰ ἐκεῖ χωρία. Hinc nonnulli Hesychium emendandum suspicabantur : Δωδωνεὺς Ζεύς· ὁ αὐτὸς καὶ δῖος, Δωδωνεὺς, aut, si quis ita malit, Δωδωναῖος Ζεύς· ὁ καὶ Νάϊος. » Idem quæ addit de Montefalconii (Bibl. Coisl. p. 284) sententia Ναῖος, ut Zenodoteum in loco Hom. commentum Φηγώναιος s. Φηγωναῖος, interpretati, tanquam utrumque a verbo ναίω sit ducendum, omittimus. His autem testimoniis accessit aliud ex oraculo ap. Demosth. p. 531, 18 : Πέμπειν τῷ Διὶ τῷ Ναίῳ τρεῖς βοῦς, ut Buttmannus ex loco Stephani Byz. emendavit librorum meliorum scripturam τῷ ἀρωτρεῖς, ἀροτρὶς, ἀροτρεῖς sive τῷ ναρω τρεῖς. Quem eundem ad Jovem referuntur ludi in inscr. Prien. ap. Bœckh. vol. 2, p. 578, n. 2908 : Ὁ δῆμος Φίλιον Θρασυβούλου, νικήσαντα παῖδας παγκράτιον Νᾶα τὰ ἐν Δωδώνῃ. L. Dind.]

Ναῖρον, τὸ, Nærum : a Theophr. H. Pl. 9, 7, [3] numeratur inter ea, quibus utuntur εἰς τὰ ἀρώματα, s. quæ παραμιγνύουσιν εἰς τὰ μύρα, odoramenta s. aromata, quæ immiscent unguentis. At Ναῖρας Hesych. affert pro νευριστικῆς. [Μάρον vel νῆριν, quod v., interpretes.]

[Ναΐς. V. Ναϊάς. || Meretrix, de qua v. Athen. 13, p. 586, F; 587, F; 592, C, Harpocr. s. Suid. cum annot. intt. V. etiam Νηΐς.]

[Ναισιελία, ἡ ἀποπληξία, καὶ ἡ ἐμβροντησία· τινὲς δὲ Ναισήματα, Hesychii gl. obscura.]

[Ναϊσκάριον, τὸ, Ædicula, Sacellum, Sacrarium, Gl. Schol. Æschinis p. 721, ad p. 35, 8 Reisk. : Περὶ Μουσείων ἐν τοῖς διδασκαλείοις καὶ περὶ Ἑρμαίων ἐν ταῖς παλαίστραις) Θέλει δὲ εἰπεῖν ὅτι ἀγαλμάτια ἦν, ὥσπερ καὶ ναισκάρια, ἐν τῷ ἐνδοτέρῳ οἴκῳ τῶν διδασκαλείων καὶ τῶν παλαιστρῶν, Μουσῶν καὶ Ἑρμῶν καὶ Ἡρακλέους. Male Reiskius, mendosissimo usus libro, κλινισκάρια. L. D.]

[Ναΐσκος, ὁ, i. q. præcedens. Strabo 14, p. 637; Joseph. A. J. 8, 8, 4. « Ναΐσκους Græci vocabant Loculos in quibus deorum statuas collocabant, quos Nostri *Nidulos* seu *Niches* dicunt. Hero in Automatis (p. 246, C) : Ἐν μέσῳ τοῦ ναΐσκου ζῴδιον Διονύσου ἐφέστηκεν. (Et ib. D; p. 247, A, B, Spirit. p. 191, B.) Ap. Fr. Richardum in Scuto fidei part. 1, p. 54 : Ναΐσκε ἐν τοῖς ἱεροῖς. Vita Ms. S. Abercii episcopi Hierapolitani : Ἐξέλθετε ἐκ τῶν νεανίσκων τούτων δαιμόνια πονηρά. Occurrit ibi pluries. » Ducang. Legendum ναΐσκων.]

[Ναϊσσὸς, πόλις Θράκης, κτίσμα καὶ πατρὶς Κωνσταντίνου τοῦ βασιλέως. Τὸ ἐθνικὸν Ναϊσιτανός. Καὶ ἔοικεν ἀπὸ τοῦ Ναΐσος (sic) Ναϊσίτης καὶ κατὰ παραγωγὴν ἐπιχωρίως Ναϊσιτανὸς, Steph. Byz. Ναισσιτανὸς cod. Vratisl. Inter utramque scripturam per simplex et, quod frequentius, duplex σ, variatur etiam ap. Byzantinos, qui sæpe urbem memorant. *Nessus* male in Gothofredi Expos. totius mundi p. 36. Quodsi Arcadius p. 75, 18 : Τὸ μέντοι ναῖσος βαρύνεται, hanc diceret urbem, ubique scribendum foret Ναῖσος. Sed Zonaræ p. 1384 Ναῖσος est fluvius. L. Dind.]

A Ναίτειρα, ἡ, Hesychio οἰκοδέσποινα, Dominafamilias. [Conf. Νάερρα.]

Ναίχι, Suidæ ἐπίῤῥημα συγκαταθέσεως, adv. affirmantis. Hesych. Atticum esse dicit pro ναὶ, Næ, Ita, Etiam, Utique : sicut οὐχὶ pro οὐ quoque dici scimus. [Soph. Œd. T. 684 : Ἀμφοῖν ἀπ' αὐτοῖν; Ναίχι. Callim. Epigr. 29, 5 : Λυσανία, σὺ γε ναίχι καλὸς καλός· 55, 3 : Ναίχι πρὸς Εὐχαίτεω Γανυμήδεος, οὐράνιε Ζεῦ. In prosa Plat. Hipparch. p. 232, B. Ap. Arcad. p. 183, 11 : Τὰ εἰς ι λήγοντα ὀξύνεται, ... τὸ δὲ ναίχι ὀξύνεται, scribendum παροξύνεται, ut est ap. Apollon. De advv. p. 573, 5, Chœrob. vol. 2, p. 427, 24. Ναιχι Scytha ap. Aristoph. Thesm. 1183, 1184 : Ναιχὶ ναί· 1196, 1218 : Ναὶ ναιχί· quod et ipsum videtur scribendum ναίχι. Conf. autem Νήχι, item Μήχι. L. Dind.]

Ναίω, Habito, Incolo. Est autem poetis duntaxat usitatum ναίω, pro quo dicit οἰκῶ soluta oratio. Et quemadmodum Latinum Habito non unum constructionis habet genus, sic et ναίω apud Græcos. Dicunt enim ναίω πόλιν, κατὰ πόλιν, ἐν πόλει, s. πόλει : qua-
B rum constructionum exempla ex Hom. et Hesiodo proferam. Il. B, [615] : Οἳ δ' ἄρα Βουπράσιόν τε καὶ Ἤλιδα δῖαν ἔναιον· et [511] : Οἳ δ' Ἀσπληδόνα ναῖον, ἠδ' Ὀρχομενὸν Μινύειον. [Figurate cum accus. pers. Pind. fr. ap. Athen. 13, p. 601, D : Ἐν δ' ἄρα καὶ Τενέδῳ Πειθὼ τε ναίει καὶ Χάρις υἱὸν Ἀγησίλα.] Item cum accus. δώματα, οἰκία. Hesiod. Op. [8] : Ζεὺς ὑψιβρεμέτης, ὃς ὑπέρτατα δώματα ναίει. Hom. Od. Δ, [811] : Ἐπεὶ μάλα πολλὸν ἀπόπροθι δώματα ναίεις· ubi tamen supervacaneus videtur vel potius est accus., ut docebo paulo post, quum agam de constr. hujus verbi cum adverbio. At cum accus. οἰκία, ut Il. [Od. Υ, 811] : Σάμῃ δ' ἐνὶ οἰκία ναίων, ubi itidem otiosus videri possit accus. : quum οἰκία ναίων ἐνὶ Σάμῃ nihil aliud sit quam ναίων ἐνὶ Σάμῃ, s. ναίων Σάμην. [Eodem autem modo positum frequens est ap. Atticos ceterosque poetas.] Ap. Eund. cum præp. κατὰ, Il. B, [130] : Οἳ ναίουσι κατὰ πτόλιν. Exemplum autem constructionis cum præp. ἐν habente suum dat., est ap. Hesiod. Op. [168] : Καὶ τοὶ μὲν ναίουσιν ἀκηδέα θυμὸν
C ἔχοντες Ἐν μακάρων νήσοισι. [Pind. Ol. 13, 6 : Ἐν τᾷ ναίει Εὐνομία.] At cum dat. absque præp. Il. B, [412] et alibi, Αἰθέρι ναίων. [Eur. Med. 396 : Ἑκάτην μυχοῖς ναίουσαν ἑστίας ἐμῆς. Cum παρὰ et dat. pers. Il. N, 176 : Ναῖε δὲ πὰρ Πριάμῳ. Præp. ἐπὶ jungit Eur. Med. 436 : Ἐπὶ δὲ ξένα ναίεις χθονί. Et κατὰ Heracl. 10 : Ἐπεὶ κατ' οὐρανὸν ναίει.] || Interdum etiam, et quidem sæpe, cum adverbio, ut ἐγγύθι ναίειν, Hesiod. [Op. 286] : cui opp. ἀπόπροθι ναίειν [Op. Δ, 811]. Sed additur et gen. adverbio ἐγγύθι ap. Hesiod. Od. [341] : Τὸν δὲ μάλιστα καλεῖν ὅστις σέθεν ἐγγύθι ναίει. Item, Τὴν δὲ μάλιστα γαμεῖν ἥτις σέθεν ἐγγύθι ναίει. Apud Hom. autem cum ἀπόπροθι sine adjectione genitivi, sed cum accus. δώματα : quem tamen supervacaneum esse dicere possumus, quum nihil ad signif. addat : Od. E, [80] : Οὐδ' ἔ τις ἀπόπροθι δώματα ναίει· Δ, [811] : Ἐπεὶ μάλα πολλὸν ἀπόπροθι δώματα ναίεις. Ab Eod. dicitur πολὺ pro ἀπόπροθι, sed cum præp. ἀπὸ habente suum genit. : O, [96] : Ἐπεὶ οὐ πολὺ ναῖεν ἀπ' αὐτοῦ. Ceterum sciendum est particip. ναίων apte reddi nomine Incola :
D ut αἰθέρι ναίων, ap. Hom., Cœli incola, ubi et composito vocabulo uti potes, eoque poetico, sc. Cœlicola. [Imperf. frequentat. Hesiod. fr. ap. schol. Pind. Pyth. 9, 6 : Πηνειοῦ παρ' ὕδωρ καλὴ ναίεσκε Κυρήνη.] || Ναίειν passiva etiam in signif. pro ναίεσθαι, Habitari, vide in proxime sequente tmematio, cum pass. voce Ναίομαι. Sic autem et ναιετάειν pro ναιετάεσθαι usurpari, suo docui loco. || Ναίομαι pass. voce et signif. Habitor, Incolor. Hom. Il. Γ, [400] : Ἦ πῇ με προτέρω πολίων εὖ ναιομενάων ἄξεις; ubi εὖ ναιόμεναι πόλεις dicuntur Urbes quæ bene habitantur, i. e. quæ magnam incolarum frequentiam habent. Aut, ut alii volunt, Quæ bene habitantur, i. e. commode, propter opulentiam. Unde et quidam interpr. Opulentæ s. Locupletes. Sic etiam εὖ ναιόμενον πτολίεθρον, Il. A, [164] ubi et Εὐναιόμενον scribitur conjunctim; sed hæc scriptura minime mihi probatur. Eust. in Od. Δ, [96] : Καὶ ἀπώλεσα οἶκον Εὖ μάλα ναιετάοντα, annotat ναιετάοντα poni de more pro οἰκούμενον : usitatius autem esse εὖ ναιομένην πόλιν, idque laudem habere civitatis εὐνομουμέ-

νης καὶ εὐδαίμονος : sicut ἐΰκτίμενον πτολίεθρον laudem habet πόλεως εὐτειχίστου. Atque in hac pass. signif. utitur idem poeta aliquoties verbis activæ vocis ναίειν et ναιετάειν. Il. B, [626] : Νήσων αἳ ναίουσι πέρην ἁλός. [Soph. Aj. 597 : Ὦ κλεινὰ Σαλαμὶς, σὺ μέν που ναίεις ἁλίπλακτος εὐδαίμων. Addito dat. pers. Theocr. 16, 88 : Ἄστεα δὲ προτέροισι πάλιν ναίοιτο πολίταις. Apoll. Rh. 1, 794 : Ἐπεὶ οὐ μὲν ὑπ' ἀνδράσι ναίεται ἄστυ· 1, 852 : Ὄφρα κεν αὖτις ναίηται μετόπισθεν ἀκήρατος ἀνδράσι Λῆμνος.] Vide Ναιετάω. At vero ap. Nicandr. accus. ναιομένην exp. a schol. πατουμένην, et ὁδευομένην, necnon ἠροτριωμένην, in Al. [514] : Ἠὲ σὺ γυρώσαιο καθαλμέα βώλακα γαίης ναιομένην. [|| Aor. hujus formæ annotavit Hesychius : Ναιήσαντο, ᾤκησαν. Dionys. Per. 349 : Αὐτόθι ναιήσαντο. Ubi olim male νηήσαντο, quod non offendit Ruhnkenium Ep. crit. p. 262. Ceterum verbum ναίω Siculis tribuit grammat. Bekk. Anecd. p. 1096.]

[Νάκασος scribendum conjecerunt intt. ap. Steph. Byz. pro Νάρκασος (quod ordini literarum, qui fert Νάκρασος, adversatur), δῆμος καὶ πόλις Καρίας. Ἀπολλόδωρος ι' Καρικῶν. Ὁ δημότης καὶ πολίτης Ναρκασεύς. Nihil enim tribuendum numo Ligorii, Ναρκασέων inscripto, quem memorat Holstenius, qui Νάκρασα Lydiæ ap. Ptolem. 5, 2, dici putabat. Ἱερέα Διὸς Ναράσου memorat inscr. Stratonic. ap. Bœckh. vol. 2, p. 486, n. 2720, 5, quod Νακράσου scribendum conjecit Bœckh. Pertinet huc etiam quod est in inscr., quæ eodem loco ubi olim Nacrasa Lydiæ reperta dicitur, ap. Bœckh. ib. p. 847, n. 3522 : Ἡ Μακεδόνων Νακρασειτῶν βουλὴ καὶ ὁ δῆμος. L. Dind.]

[Νάκανθον. Aetius l. 1 ex cod. Reg. : Ναόκανθον, οἱ δὲ νάκανθον ὀνομάζουσιν, Ἰνδικόν ἐστιν ἄρωμα. Ducang. App. Gl. p. 139.]

Νάκη, ἡ, [Pellis lanata, Gl.] et Νάκος, τὸ, Vellus, Pellis cum suo villo : κώδιον, δέρμα μετὰ τριχῶν. [Festus v. Nacæ : « Quidam ajunt, quod omnia fere opera ex lana Nacæ dicantur a Græcis. »] Hom. [Od. Ξ, 530] : Ἂν δὲ νάκην ἕλετ' αἰγὸς ἐϋτρεφέος μεγάλοιο. [Lycophr. 1310 : Κλέψοντας νάκην. Pausan. 4, 11, 3 : Περιεβέβληντο αἰγῶν νάκας καὶ προβάτων. Pind. Pyth. 4, 58 : Τὸ πάγχρυσον νάκος κριοῦ.] Theocr. 5, [2] : Φεύγετε τὸν Λάκωνα· τὸ μεῦ [τό μευ] νάκος ἐχθὲς ἔκλεψεν. Ubi Zenodotus exp. κώδιον, schol. δέρμα αἰγός : quemadmodum et Etym. vult νάκην dici τὸ αἴγειον δέρμα, Caprinam pellem : κωδίαν et κώδιον τὸ προβάτειον, Pellem ovinam : reprehendens eam ob rem Simonidem qui dixerit τὸ ἐν Κόλχοις νάκος, Colchicum vellus arietis. Veruntamen et Herodot. [2, 42] pro Vellere s. Pelle arietis usurpasse νάκος comperitur, et Lucian. [De dea Syr. c. 55] pro Pelle ovis : Joseph. pro quacumque Pelle villosa. [Pollux 7, 68 : Ἡ δὲ κατωνάκη ἐξ ἐρίου μὲν ἦν ἐσθὴς παχεῖα, νάκος δ' αὐτῇ κατὰ τὴν πέζαν προσέρραπτον.] Affert idem Etym. et mascul. Νάκης, ὁ : sed non exponit : tantum dicit, femininum νάκη fieri ex neutro νάκος, ut βλάβη ex βλάβος, σκέπη ex σκέπος : masculinum νάκης ex fem. νάκη, ut λέσχης ex λέσχη, ἀράχνης ex ἀράχνη.

[Νάκης. V. Νάκη.]

[Νακοδαίμων. V. Νακοδέψης.]

[Νακοδέψης, ὁ, Coriarius, Cerdo. Athen. 3, p. 352, B : Πρὸς νακοδέψην γεγενημένον, ἐπεὶ ἐλοιδορεῖτό τι αὐτῷ καὶ Κακόδαιμον ἔφη, Νακόδαιμον, ἔφη. Apud Hippocr. p. 346, 22, pro σκυτοδέψαι liber ap. Mack. vol. 2, p. 19, νακοδέψαι.]

[Νακόκλεψ, ὁ, Fur pellis vel corii. Theognost. Can. p. 97, 30. De accentu conf. Lobeck. Paralip. p. 292. L. Dindorf.]

[Νακολία, πόλις Φρυγίας. Στράβων ιβ' (p. 576, ubi libri Νακόλεια vel Νακολία). Καὶ ἔστιν οὐδέτερον. (Itaque retrahendus accentus.) Ἀπὸ Νακόλης νύμφης. Καὶ ὥσπερ ἀπὸ τοῦ νύμφης νύμφαι καὶ Ἥρας Ἧραι, οὕτω Νακόλας Νακόλαι. Τὸ ἐθνικὸν Νακολεύς. Εἰ δ' ἔστι Νακόλεια διὰ διφθόγγου, παρὰ τὸν Νάκολον τὸν Δασκύλου παῖδα. Τὸ ἐθνικὸν Νακολεὺς, ὡς τὸ Σέλευκος Σελευκεὺς, Steph. Byz. Scripturam per ει ostendit inscr. ap. Bœckh. vol. 2, p. 869, n. 3568, ubi Πακαλειας. Νακωλεία male scriptum in Crameri Anecd. Paris. vol. 2, p. 63, 21. Libri Suidæ, ap. quem, ut ap. Zonaram p. 1385, nihilo melius Νακώλεια, partim post Νάκην ponunt, partim post Νακοτίλται. Alia utriusque scripturæ exx. v. ap. Wessel. ad Hierocl. p. 678, ubi Νακολία, quod vitiosum videtur. L. Dind.]

[Νάκολον, τὸ ἀκάθαρτον, Immundum, Hesychio.]

[Νακόνη. V. Νακιώνη.]

[Νάκος. V. Νάκη.]

[Νακοτάπης, ητος, ὁ, Νακοταπητον, τὸ, Tapes villosus. Constant. Porph. Basil. c. 53=76 : Λαβοῦσα μέτρα τοῦ ἔνδον τούτου χωρήματος ἡ γυνὴ εἰργάσατο καὶ ἀπέστειλε νακοτάπητας. Theophanes et Cedrenus a. 17 Heraclii : Ὁλοσηρικά τε ἱμάτια νακοτάπητά τε καὶ τάπητας ἀπὸ βελόνης. Symeon Logotheta in Leone Armen. n. 10 et auctor incertus post Theoph. p. 434 : Λαβόντες ... νακοτάπητα ἀνώτερα. Ducang.]

[Νακοτιλτέω.] Νακοτιλτεῖν, Vellera vellere s. tondere : unde partic. νακοτιλτοῦντα ap. Polluc. [7, 28] ex Archippo.

Νακοτίλτης, ὁ, Is qui villosas pelles vellit, Qui vellera vellit : ap. Polluc. [7, 28] ex Philemone. Meminit ejus et Hesych., νακοτῖλται afferens pro οἱ κείροντες τὰ πρόβατα, Tonsores ovium. [Eust. Od. p. 1771, 48. Psellus ap. Ducang. : Κουρεῖς· οἱ τῶν προβάτων δὲ νακοτίλται καλοῦνται. Quam interpretationem ponit etiam Suidas.] Apud Eundem extat et Νακότιλτος, ex Cratini Dionysalexandro : Νακότιλτος ὡσπερεὶ κωδάριον ἐφαινόμην· quod videtur esse Velleris in modum vulsus.

[Νάκρασα, Νάκρασος. V. Νάκασος.]

[Νακρία. V. Νουκρία.]

[Νακτὸς, ἡ, όν. Νακτὴ, Farsa; Νακτὸν, τὸ πεπιλωμένον, Densum, Pressum, Gl. Huc autem emendato accentu referendum Νάκτα, Hesychio significans τοὺς πίλους καὶ τὰ ἐμπίλια. V. Ἐμπίλιον.]

Νάκυρον, ac Νακύριον, apud Hesych. reperio exposita itidem δέρμα, Pellis.

[Νακιώνη, ὡς Ἠλώνη, πόλις Σικελίας. Τὸ ἐθνικὸν Νακωναῖος. Φίλιστος ς' Σικελικῶν, Steph. Byz., apud quem male scriptum bis per ο, si quid tribuendum comparationi nominis Ἠλώνη.]

[Νάλιφος, ὁ, Naliphus, fl. Arcadiæ. Pausan. 8, 38, 9, ubi al. Νάφιλος.]

Νᾶμα, τὸ, Fluentum, Scaturigo, Latex [Unda, Lympha, huic add. Gl.] : Omne id quod alicunde fluit, sive aqua sit sive alius liquor : ut ab Hesych. quoque generaliter exp. χεῦμα, ῥεῦμα, προβολή : unde in Epigr. de vino quoque et melle dicitur : et Philostr. Epist. 10 dicit, Τὰς ἀπυρήνους ῥόας οἰνοχοεῖν νᾶμα πότιμον. [Aristoph. Eccl. 14 : Βακχίου τε νάματος. Soph. Tr. 919 : Δακρύων ῥήξασα θερμὰ νάματα. Eur. Herc. F. 625 : Νάματ' ὄσσων. Improprie id. Med. 1187 : Θαυμαστὸν ἵει νᾶμα παμφάγου πυρός.] Utplurimum tamen de aquæ scaturiginibus et laticibus dicitur : ut τόποι νάματα ἔχοντες, Loca quæ scaturigines et latices habent, Loca rigua. [Æschyl. Prom. 805 : Οἰκοῦσιν ἀμφὶ νᾶμα Πλούτωνος πόρου· fr. ap. script. De Nilo, C : Αἴγυπτος ἁγνοῦ νάματος πληρουμένη. Soph. Ant. 1130 : Κασταλίας τε νᾶμα. Eodemque modo cum ceteris poetis sæpius Eurip. Id. Cycl. 96 : Νᾶμα ποτάμιον, ut Diod. 2, 36.] Sic ap. Athen. 2 : Ἀπεξηράνθη τὸ νᾶμα. Et ap. Plut. De def. orac. [p. 412, B] : Ναμάτων θερμῶν ἐκλείψεις. [Xen. Ven. 5, 34 : Τὰ νάματα καὶ τὰ ῥεῖθρα.] Ap. Plat. Leg. [8, p. 844, B] : Νάματα τὰ ἐκ Διὸς ἰόντα, Scaturigines ab Jove proficiscentes, pro Aquæ pluviæ. [Philostr. Gymnast. p. 2, 19 : Τὸ τοῦ φλέγματος καὶ τῆς χολῆς ἐπαντλεῖ νᾶμα.] Ap. Eund. in Tim. [p. 75, E] metaph. νᾶμα τῶν λόγων, Fluxus verborum. [De fistula Hesychius : Ἡ ξύλινος ὀχετός. || « Ita Græci vocant Vinum quod in sacrosancto Missæ sacrificio affertur, sanguinis ex divino latere velut latice erumpentis symbolum, inquit Goarus. Liturgia S. Chrysostomi : Ὁ διάκονος ἐγχέει ἐν τῷ ἁγίῳ ποτηρίῳ ἐκ τοῦ νάματος καὶ ὕδατος, aliique scriptt. eccles. » Ducang. || Νᾶμα ταύρου θυγατέρος, τὸ μέλι, in Lex. botanico Ms. Reg. Id. App. p. 139. Νᾶμα Dor. pro νῆμα v. in illo.]

[Ναματάριον, τὸ, ἡ χειρόνιπτρον ap. Fr. Richardum in Clypeo fidei part. 1, p. 260, Aquamanile. Ducang.]

[Ναματιαῖος, α, ον.] Ναματιαῖον ὕδωρ dicitur Aqua quam fluenta fundunt, h. e. Latices et scaturigines s. rivuli. Theophr. H. Pl. 4, 3 : Τῷ ποταμῷ μὲν οὐκ ἀρδευομένη, ναματιαίοις δ' ὕδασιν· εἰσὶ γὰρ κρῆναι πολλαί· ubi nota κρήνας, Fontes, vocari νάματα, et aperte distingui a fluviis s. fluminibus. [Æschines p. 43, 15: Ὑδάτων ναματιαίων. Seager. Diod. 2, 38, et similiter alibi. Dionys. Hal. Epit. 12, 3, p. 467. « Philo J. p. 1114, D. » Hemst. Id. De vita cont. § 4, p. 477. Boiss.]

|| Ναματίδιος, Pseudo-Diog. in Notitt. Mss. vol. 10, p. 255: Πόμα δὲ, ὕδωρ ναματίδιον. Boiss. Hic quoque scrib. ναματιαῖον, ut ex cod. ap. Alciphr. 3, 13. V. Bast. ad Gregor. p. 704.]

[Ναμάτιον, τὸ, dimin. a νᾶμα, Scaturigo. Theophr. fr. De igni 3, 29: Ἐκ μικρῶν συνιόντων ὥσπερ ναματίων. Phylarchus ap. Athen. 13, p. 73, C: Ναμάτιόν τι ψυχρὸν ὕδωρ προϊέμενον. Photius: Ῥειτὰ, ἐν Ἐλευσῖνι δύο ναμάτια φερόμενα ἐκ μιᾶς πηγῆς.]

[Ναματώδης, ὁ, ἡ.] Ναματώδης χώρα, ap. Aristot., Regio cui scaturiginum et fontium copia est. Gaza generaliter vertit Locus aquosus: pro quo malim Riguus. [Theophr. C. Pl. 3, 6, 3.]

[Ναμερτής. V. Νημερτής.]

[Ναμέρτης, ου, ὁ, Namertes, n. Laconis. Plut. Mor. p. 230, A.]

[Ναμνῆται vel Ναμνῖται, οἱ, Namnetæ, gens Gallica, ap. Strab. 4, p. 190, 198.]

[Νάνα, ἡ.] Νάνας Hesych. dici scribit τὰς ῥυτὰς, ἀπὸ τοῦ νάειν. [Scribendum videtur Ναΐδας.]

[Νάνα et Ναναία, ἡ, quorum hoc est Maccab. 2, 1, 13: Εἰς τὴν Περσίδα γενόμενος ὁ ἡγεμὼν καὶ ἡ... δύναμις, κατεκόπησαν ἐν τῷ τῆς Ναναίας ἱερῷ, παραλογισμῷ χρησαμένων τῶν περὶ τὴν Ναναίαν ἱερέων, et in seqq., utrumque in numis Indiæ vel Bactrianæ, Rochettus *Journ. des Sav.* 1836, p. 268, post alios conjicit i. esse numen q. Ἀναῖτις diceretur apud Persas et Armenios, non diversum a Venere. L. Dind.]

[Νάναρος, ὁ, Nanarus, n. viri, ap. Plut. Mor. p. 1095, D: Ὥσπερ Σαρδαναπάλλῳ γράφων ἢ Ναναρῳ τῷ σατραπεύσαντι Βαβυλῶνος. Ita nunc scriptum ex libris melioribus. Ceteri Ναράτῳ. L. Dind.]

[Νάνας, ὁ, Nanas, f. Teutamidis, sec. Xanthum ap. Dionys. A. R. 1, 28.]

[Νανίας, Νανικός. V. Νεανίας, Νεανικός.]

[Νανίον, τὸ, Pupus, Gl.]

Νάνιον, τὸ, Hesychio est ἀμνίον, σφάγιον, Victima. [Series, si sanum esset, posceret duplex ν.]

[Νανὶς, ίδος, ἡ, Nanis, f. Crœsi, ap. Parthen. Erot. c. 22. L. Dind.]

[Νανίσκος, ὁ, Naniscus, n. viri in numis Samiis ap. Mionnet. *Descr.* vol. 3, p. 281, 144, *Suppl.* vol. 6, p. 408, n. 145.]

[Νάννα. V. Νάννη.]

[Νανναζω, Ludificor: unde νανναζον, Hesychio παιζόμενον.]

[Νάνναχος, ὁ, Nannacus, rex Phrygiæ antiquus, ap. Suidam et parœmiogrr. Ἄνναχος Stephano Byz. in Ἰκόνιον. Conf. Buttmann. Mythol. vol. 1, p. 178.]

Ναννάριον, τὸ, Hesych. scribit vocatum fuisse quoddam genus ἀσώτων: sed rectius eo nomine intelligi τὸν τρυφερὸν καὶ καλόν: forsan est Latinorum Nepos, quod significat prodigum et luxui deditum: παρὰ τὴν νάννην. [Quum ap. Photium sit Ναναρισταὶ, γένος τι ἄσωτον, ap. Hesychium Ναννάριον, muliebre nomen, cum subst. Ναναρισταὶ confusum videtur. V. Νανναρίς.]

[Ναννάριον, ἡ, Nannarium, n. mulieris, diminut. nominis Νάννιον, ap. Menandrum Athenæi 13, p. 587, D. ἄ]

Νανναρὶς, Hesychio est κίναιδος, Cinæda. [V. Ναννάριον.]

[Ναννέω.] Νανvεῖ, Hesychio ἵπταται, Volat: afferenti itidem Νανvῆσαι pro ἵπτασθαι. Gemino autem ν scribendum esse docet series alphabetica.

Νάννη, ἡ, Hesychio est μητρὸς ἀδελφὴ, Soror matris: quæ et νάννα: necnon μάμμη, si bene memini. Νάνναν, Idem esse dicit Matris vel Patris fratrem: alios sororem horum sic nominatam velle: quæ et νάννη.

[Νάννιον, ἡ, Nannium, n. mulieris Samiæ ap. Asclepiadem Anth. Pal. 5, 207, 1. Aliarum in inscrr. Smyrn. ap. Bœckh. vol. 2, p. 742 n. 3217; 743, n. 3222. Meretricum Atticarum duarum ap. Athen. 13, p. 558, 567, 576, 587. L. Dind.]

[Νάννος, τὸ σκεῦος, Bardatus, Gl.]

[Ναννὼ, οῦς, ἡ, Nanno, Mimnermi poetæ amica, ap. Hermesianactem Athen. 13, p. 597 seq., Posidipp. Anth. Pal. 12, 168, 1. Ejus nomine carmen inscripserat Mimnermus, sæpe citatum ab Strabone, Jo. Stobæo et aliis.]

[Νανοβαλαμύρου nominis suspecti, quod ex duobus conflatum videtur, ex. est in inscr. Anap. ap. Bœckh. vol. 2, p. 1008, 10. L. Dind.]

Νανοκάκα, Hesychio διὰ ῥινῶν λαλοῦσα, Per nares loquens. [Series poscere videtur duplex ν.]

[Νᾶνος.] Νάνος, ὁ, Nanus, Pumilio. [Humilio, Pumilis, Stilpo, huic add. Gl.] Apud Gellium 18 [19], 13: Corn. Fronto parva nimis statura homines pumiliones appellare mavult quam nanos: Apollinaris Græcum verbum esse ait: νάνους enim Græcos vocare brevi atque humili corpore homines, paulum supra terram extantes; [idque ita dixerunt, adhibita quadam ratione etymologiæ cum sententia vocabuli competente, et si memoria, inquit, mihi non labat, scriptum hoc est in comœdia Aristophanis cui nomen est ἀκαλές (Κώκαλος Salmas.). Lycophr. 1244: Σὺν δέ σφι μίξει φίλιος... στρατὸν.. νᾶνος. Ubi schol. interpr. μικρὸς, Tzetzes vero: Ὁ Ὀδυσσεὺς παρὰ Τυρρηνοῖς Νᾶνος καλεῖται, δηλοῦντος τοῦ ὀνόματος τὸν πλανήτην· ἐγὼ δὲ εὗρον ὅτι ὁ Ὀδυσσεὺς πρότερον Νᾶνος ἐκαλεῖτο, ὕστερον δὲ ἐκλήθη Ὀδυσσεύς.] Aristot. [H. A. 5, 24] nanos esse dicit qui trunco corporis longiore sunt, sustentaculo autem ejusdem breviore. Dicit igitur, Νάνα εἰσὶ τὰ παιδία πάντα· προϊοῦσι δὲ αὔξεται τὰ κάτωθεν. Et rursum, Νέοις οὖσι τὰ μὲν ἄνω μεγάλα, τὸ δὲ κάτω μικρόν· διὸ καὶ ἑρπύζουσι, De partt. anim. 4, 10. [Neoclidis et Theophrasti testimonia addunt Photius s. Suidas.] || Rursum νάνος est ἄρτος πλακουντώδης διὰ τυροῦ καὶ ἐλαίου κατασκευαζόμενος, ut refert Athen. 14, [p. 646, C. Νάνος scriptum semel etiam in Gl., ibidemque νανὸς et νᾶνος, quorum unum verum esse νᾶνος ostendit locus Aristoph. in Νανοφυής citatus, quum accentum in priori positum confirmet Arcad. p. 63, 13: Τὸ δὲ πλάνος βαρύνεται καὶ τὸ νάνος ὁ μικρός. Scrib. νᾶνος. Miram etymol. ponit gramm. Cram. An. vol. 3, p. 394, 2, ubi interpretatur πίθηξ. L. Dind.]

[Νάνος, ὁ, Nanus, regulus regionis Massiliensium, ap. Aristot. Athen. 13, p. 576, A.]

[Νανούδιον, τὸ, diminut. a νᾶνος. Schol. Clement. Al. Pæd. 3, 4: Μελιταῖον κυνίδιον μικρὸν, ὃ νανούδιον καλοῦσι κατὰ στέρησιν τοῦ ἄνω ἰέναι· ἔστι γὰρ ὑποκοριστικὸν τοῦ νᾶνος· νᾶνον δὲ τὸν μικρόν φασιν ἄνθρωπον.]

Νανοφυὴς, ὁ, ἡ, Qui natura pumilus est, Pumilio. [Aristoph. Pac. 787.]

[Ναντὶ, Papaver erraticum, et Papaver sativum, apud Ægyptios, Dioscor. Noth. 4, 65.]

[Ναντουᾶται, οἱ, Nantuatæ, gens Alpina. Strab. 4, p. 204.]

Νανώδης, ὁ, ἡ, dicitur i. q. νᾶνος. Lucian. Quom. hist. scr. [c. 23]: Τοῦ Ῥοδίων κολοσσοῦ τὴν κεφαλὴν νανώδει σώματι ἐπιτίθεσθαι. Idem De saltat. [c. 75]: Μήτε ὑψηλὸς ἄγαν ἔστω καὶ πέρα τοῦ μετρίου ἐπιμήκης, μήτε ταπεινὸς καὶ νανώδης τὴν φύσιν. Aristot. vero νανῶδες, ut νάνον, esse vult οὗ τὸ ἄνω μὲν μέγα, τὸ δὲ φέρον τὸ βάρος καὶ πεζεῦον, μικρόν· ideoque πάντα τὰ ζῶα τἄλλα παρὰ τὸν ἄνθρωπον εἶναι νανώδη· quoniam homo progressu ætatis αὔξεται τὰ κάτωθεν, non itidem cetera animantia, De partt. anim. 4, 10. [Id. De longæv. c. 6: Νανωδέστερον τοῦ θήλεος τὸ ἄρρεν.]

[Νάξανδρος in numo ins. Co ap. Mionnet. *Suppl.* vol. 6, p. 571, 64, scribendum Ἀνάξανδρος, quod v.]

[Νάξειον, τὸ ὄρος, inter nomina in ειον recenset Theognost. Can. p. 129, 12. L. Dind.]

[Ναξία, πόλις Καρίας. Ἀλέξανδρος ἐν α' περὶ Καρίας. Τὸ ἐθνικὸν Ναξιεὺς τῷ τύπῳ τῆς χώρας καὶ Ναξιάτης, Steph. Byz. || N. pr. mulieris esse videtur in inscr. Att. ap. Bœckh. vol. 1, p. 548, n. 1024. Vid. etiam Νάξος.]

[Ναξιακός. V. Νάξος.]

[Ναξιάτης, Ναξιεύς. V. Ναξία.]

[Ναξικλῆς, έως, ὁ, Naxicles, n. viri in numo Abydeno, quem ab Sestinio petiit Mionnet. *Suppl.* vol. 5, p. 499, 19. Legendum videtur Ἀναξικλῆς. L. Dind.]

[Ναξικός, Νάξιος. V. Νάξος.]

Ναξιουργής, ὁ, ἡ, Naxio opere factus : ut Ναξιουργὴς κάνθαρος ap. Aristoph. [Pac. 143 : Ναξιουργὴς κάνθαρος. De accentu Arcad. p. 27, 23] : a Naxo insula, cujus incolæ Νάξιοι. [Steph. Byz. : Νάξος, νῆσος τῶν Κυκλάδων, ἡ διάσημος, ἀπὸ τοῦ Νάξου Καρῶν ἡγεμόνος. Ἄλλοι δὲ ἀπὸ Νάξου τοῦ Ἐνδυμίωνος. Εὐφορίων παρὰ τὸ νάξαι, ὅ φασι θῦσαί τινες... Ἔστι καὶ πόλις Σικελίας (de qua testimonia scriptorum inde ab Thucydide collegit Cluver. Sic. ant. p. 90 seqq.) καὶ ἄλλοι τόποι Νάξοι. Τὸ ἐθνικὰ Νάξιοι, ἀφ' οὗ καὶ Ναξία λίθος ἡ Κρητικὴ ἀκόνη. (V. infra.) Λέγεται καὶ θηλυκὸν Ναξιὰς ἀπὸ τοῦ Νάξιος. Quibus add. possess. Ναξικός, ή, όν, vel potius Ναξιακός, ap. Parthen. Erot. c. 9, 19, ubi Ἀνδρίσκος ἐν τοῖς Ναξιακοῖς, et ap. Eratosth. Catast. c. 2 et 30, ubi Aglaosthenes ἐν τοῖς Ναξικοῖς et Ναξιακοῖς citatur, quorum locorum prior ex altero corrigendus. Eust. Od. p. 1885, 51 : Ὁ τὰ Ναξιακὰ γράψας Φιλήτας εἴτε Καλλῖνος. Nomen insulæ et gent. Νάξιος, α, ον, frequentia sunt quum apud ceteros tum ap. geographos et historicos. Poetarum post Homerum, qui antiquo nomine Δίη utitur Od. Λ, 325, primus memorat Hom. H. Apoll. 44 : Νάξος τ' ἠδὲ Πάρος, et in H. Bacch. ap. Diod. 3, 66, deinde ceteri poetæ, quorum Callimachus ap. schol. Apoll. Rh. 4, 426 sive Etym. M. v. Δία, utrumque nomen conjungit. Ap. Byzantinos Ναξία, ut ap. Constant. Cærim. vol. 1, p. 678, 18 : Ἕως Ναξίας, ἀπὸ Ναξίας, et in Ms. ap. Pasin. Codd. Taurin. vol. 1, p. 211, D. Sed Suidas quod ponit, Ναξία, πόλις, non insulam, sed urbem Ναξίαν, de qua supra, spectat, etsi ap. Zonaram p. 1386 est Νάξος καὶ Ναξία νῆσος.] Et Ναξία λίθος dicebatur ἡ ἀκόνη, Cos, quod præstantes Naxus ferret. [Ναξίαν ἀκόναν præter Steph. Byz. supra cit. memorat Pind. Isthm. 5, 70 : Φαίης κέ νιν ἀνδράσιν ἀεθληταῖσιν ἔμμεν Ναξίαν πέτραις ἐν ἄλλαις χαλκοδάμαντ' ἀκόναν. Ubi schol. : Νομίζονται διαφορώταται τῶν ἄλλων ἀκονῶν αἱ κατὰ τὴν ἐν Κρήτῃ Νάξον, ut Photius s. Suidas : Ναξία λίθος, ἡ Κρητικὴ ἀκόνη· Νάξος γὰρ πόλις Κρήτης, et, ut videtur, Hesychius : Ναξία λίθος, ἡ ἀκόνη, ἀπὸ Νάξου πόλεως. Schol. ad Dosiad. Ar. 1, 4 : Μαύλιες δ' αἱ μάχαιραι πέτρης Ναξίας θοούμεναι· ἔστι Νάξος Θρᾴκης (sic) νῆσος φέρουσα ἀκόνας. Conf. Lobeck. Paralip. p. 238. Dioscor. Parab. 2, 61 : Ναξίας τοῦ πρὸς αὐτὴν ἀκονηθέντος σιδήρου τὸ ἀπότριμμα. Ceterum non Stephani, sed vix epitomatoris videntur quæ verbis ejus supra citt. in fine sunt appensa : Ἡ δὲ Κρητικὴ ἀκόνη ἐὰν διὰ τοῦ ι γράφεται, ἡ διακρίνουσα καὶ φανεροῦσα σημαίνει. Creticam vero urbem Naxum non vidi alibi memoratam, sed Ναξίαν ἀκόνην quum ap. Diosc. 5, 168, tum ap. Ducang. qui ponit : « Ναξίας (Νεξίας male ap. Bernard. post Pallad. De febr. p. 135) in Glossis chymicis Mss. ῥίνισμά ἐστι καὶ (ἐστιν ap. Bernard.) κουρέων ἀκόνημα. » Quæ de Naxio, quomodo sec. Plinium vocantur « cotes in Cypro ins. genitæ », sunt ap. illum, v. in Lexx. Lat. L. Dind.]

[Ναξίτης, ὁ, n. demoticum, ut videtur, in inscr. Syria ap. Bœckh. vol. 2, n. 2347, c. 1, p. 277 : Κυρσίλος Ἀκρύπτου Ναξίτης. L. Dindorf.]

[Νάξος. V. Ναξιουργής.]

[Ναοδομία, ἡ, Templi ædificatio. Nicet. Annal. 8, 3.]

[Ναόθετος, ὁ, ἡ, in anon. Hymn. in Virg. 14, Templi ædificatrix, Int.]

[Νάοκλος, ὁ, Naoclus, Codri f. Pausan. 7, 3, 6.]

[Ναοκόρος. V. Νεωκόρος.]

Ναοποιέω, Templum ædifico, Greg. Naz. [Orat. 37, p. 610, 44; p. 712, utroque loco addito πνεῦμα, respiciens, ut Suicerus monet, Ad Cor. 1, 3, 16 : Οὐκ οἴδατε ὅτι ναὸς θεοῦ ἐστε καὶ τὸ πνεῦμα τοῦ θεοῦ οἰκεῖ ἐν ὑμῖν; V. etiam Νεωποιέω.]

Ναοποιός, ὁ, Cui templi vel extruendi vel reficiendi cura commissa, Sacrarum ædium procurator, ut Cic. loquitur : quod officium ædilitatis pars est. Aristot. Rhet. 1, [14] : Παρελογίσατο τρία ἡμιωβέλια ἱερὰ τοὺς ναοποιούς. [Forma Ναποός (sic) inscr. Paria ap. Bœckh. vol. 2, p. 349, n. 2396, 2, bis. Conf. etiam Νεωποιός. L. Dind.]

[Ναοπόλος, ὁ, Æditus. Alcæus Strabonis 9, p. 467.]

Ναός, ὁ, Templum, Ædes sacra, [Pulvinar, Farum (Fanum); Ναοί, Donaria, Gl.] : παρὰ τὸ ἐνναίειν ἐν αὐτῷ τὸν Θεόν. Unde et Domus Dei vocatur in sacris literis. Athen. 5 : Ναὸς ἐπίχρυσος, οὗ περίμετρος πηχῶν τετταράκοντα. [Exx. usus vulgaris ex Hom. ceterisque post eum quibusvis addi inutile est, sed monere sufficit ap. poetas pluralem sæpe poni de uno, ut Eur. Ion. 97 : Στείχετε ναούς, etc. De ædiculis parvis et portabilibus Herodot. 2, 63 : Τὸ ἄγαλμα ἐὸν ἐν νηῷ μικρῷ ξυλίνῳ κατακεχρυσωμένῳ, et mox : Ἅμαξαν ἄγουσαν τὸν νηόν. Diodor. 1, 15 : Κατασκευάσαι δὲ καὶ τῶν ἄλλων θεῶν τῶν προειρημένων ναοὺς χρυσοῦς. Ubi recte Wessel. : « Tametsi magnæ olim opes Ægyptiorum, putem hos ναοὺς χρυσοῦς parvas fuisse ædiculas, sicuti 1, 97; 20, 14, et Artemid. 4, 33. » Conf. Letronn. *Recueil* vol. 1, p. 306. || De signif. ναοῦ ap. Byzantinos, apud quos ναὸς dicitur quicquid extra βῆμα est, v. Ducang. Improprie Theodoret. in Cotel. Monum. vol. 1, p. 49, B : Ἀπαθὴς μὲν ὁ θεὸς λόγος καὶ ἄτρεπτος, παθητὸς δὲ ὁ ναός. Ubi Cotel. p. 721, B : « Ναός, i. e. Corpus Christi ejusque humana natura juxta celebrem loquendi morem Patrum, ex Joh. 11, 19, 21. » || « Templum dei vocantur fideles; iidem vocantur Templum Sp. sancti. Corinth. 1, 3, 16, 17, ναὸς θεοῦ appellantur fideles, ubi Theodoretus, ναοὺς θεοῦ προσηγόρευσε τοὺς ἔνοικον ἔχοντας τὴν τοῦ πνεύματος χάριν. » Hæc et alia Suicer. V. Ναοφόρος. || Forma Æol. Ναῦος (non, ut ap. Apollon. Bekk. An. p. 559, 31, grammat. in Cram. Anecd. vol. 3, p. 237, 9, ναυός) est in inscr. Cumæa ap. Bœckh. vol. 2, n. 3524, p. 849, 16 : Τᾶς τῶ ναύω κατειρώσιος· et ib. 5, ναῦ(ον). L. D.] Ionice Νηός, frequens ap. poetas [et quidem non Atticos, velut Homerum ceterosque Epicos, item ap. Herodotum, de quo v. Schweigh.]

[Ναος, ὁ, Naus, Eumolpi posterus, ap. Pausan. 8, 14, 12; 15, 1. Accentus in priori ponendus videtur, non in altera, ut fit in libris.]

[Ναουργέω, Templum ædifico. Eust. Antioch. Hom. ap. Theod. Dial. 1, p. 67. Cramer.]

[Ναοφόρος, ὁ, ap. Ignat. Epist. 11, p. 242, i. q. θεοφόρος vel χριστοφόρος, Qui Christum Templum dei in pectore gestat. V. Ναός.]

Ναοφύλαξ, ακος, ὁ, Templi custos, Cui templi et rerum sacrarum custodia tradita est : Æditius [Gl.]. Aristot. Polit. 6, [8] : Ἱεροποιοὺς καὶ ναοφύλακας καὶ ταμίας τῶν ἱερῶν χρημάτων. [Eur. Iph. T. 1284. Gubernator navis, Soph. fr. Ach. Conv. ap. Polluc. 10, 13. Conf. Νεωφύλαξ.]

[Ναπαῖος, α, ον, In convalli situs. Soph. OEd. T. 1026 : Ναπαίαις ἐν Κιθαιρῶνος πτυχαῖς. Eur. Herc. F. 958 : Ἰσθμοῦ ναπαίας πλάκας. Nicand. Th. 884 : Στρόμβοισι ναπαίοις. Ælian. N. A. 6, 42 : Θεὸν ναπαῖον. Schol. Aristoph. Nub. 144 : Ἐν Λέσβῳ δὲ γονναπαίου Ἀπόλλωνος, ut emendandum annotavit Valck., ubi Ναπαίου etiam Lobeck. Aglaoph. p. 257, ex Macrob. Sat. 1, 17 : « Idemque deus ἀρνοκόμης colitur, et apud Lesbios ναπαῖος, et multa sunt cognomina per diversas civitates ad dei pastoris officium tendentia. » Conf. tamen Νάπη n. pr.]

[Ναπαῖος, Napæus. V. Νάπη. N. viri, ap. Alciphr. Ep. 3, 20.]

[Νάπαρις, ὁ, Naparis, fl. Scythiæ. Herodot. 4, 48.]

[Νάπας. V. Νάφθα.]

[Ναπάται, πόλις Λιβύης πρὸς τῇ Αἰθιοπίᾳ. Τὸ ἐθνικὸν ἔδει Ναπατίτης· ἔστι δὲ Ναπαταῖος, ὡς Ἀλέξανδρος ἐν α' Αἰγυπτιακῶν, Steph. Byz. Ubi Ναπασίτης cod. Vrat. Sed pro Ναπάται scribendum Νάπατα, ut ap. Strab. 17, p. 820 : Λαμβάνει καὶ τὰ Νάπατα, et Ptolem. 4, 7 : Νάπατα, et 8, Africæ tab. 3 : Τὰ Νάπατα, Plin. N. H. 6, 29, 181 : « Diripuit et Napata. »]

[Ναπάτης. V. Νάπις.]

[Νάπεια, ἡ, s. Νάπειον, τό. V. Νᾶπυ.]

Νάπη, ἡ, et Νάπος, τὸ, Saltus, [Convallis, Nemus, Gl.] Clivus montis aut promontorii sylvosus et leniter cavus : ut his verbis indicat Apoll. Arg. 2, [735] : Κατακέκλιται ἠπειρόνδε Κοίλη ὕπαιθα νάπη. [Soph. OEd. T. 1398 : Κεκρυμμένη νάπη. Et utroque numero sæpius Euripides. Hippocr. p. 1277, 41 : Νάπῃσι κοιλησιν. Herodot. 4, 157 : Νάπαι κάλλισται.] Verum et Hom. τὰς νάπας collocat post τοὺς πρώονας ἄκρους, Cacumina celsa : et Aristoph. [Av. 740, et post ὄρη Thesm. 998] post τὰς κορυφάς. Sic enim ille, Il. Θ, [558] : Ἔκ τ' ἔφανον πᾶσαι σκοπιαὶ καὶ πρώονες ἄκροι Καὶ νάπαι. Hic vero [Av. 740] : Νάπαισί τε κορυφαῖσί τε. [Pind. Pyth. 6, 9 : Ἐν Ἀπολλωνίᾳ νάπᾳ· Isthm. 3, 12 : Κοίλᾳ λέοντος ἐν νάπᾳ. Altera forma Pyth. 5, 38 : Ἐν κοιλόπεδον νάπος θεοῦ· Isthm. 7, 63 : Ἴσθμιον ἂν νάπος. Soph. OEd. C. 157 : Νάπει ποιάεντι· Tr. 436 : Αἰταῖον νάπος. Et sæpe Eurip. aliique poetæ.] Epitheticῶς Plut. in Numa [c. 15] dicit νάπας σκιεράς. Eurip. [Andr. 283] : Νάπος ὑλόκομον· et [Iph. A. 1283] : Νιφοβόλον νάπος· ap. Xen. ἀδιάβατον νάπος : Hell. 5, [4, 44] : Ἐπὶ νάπει ἀδιαβάτῳ ἐγίγνοντο. [Qui alibi tum hac tum altera utitur forma νάπη, ut Plato Leg. 6, p. 761, B.] Sunt qui νάπας s. νάπη interpretari malint Valles nemorosas : Hieron. eo nomine intelligi scribit Loca nemorosa, In Ezech. 36, [6. || Obscœnam signif. ponit Hesych. : Νάπος, γυναικὸς αἰδοῖον.]

[Νάπη, ἡ, Nape. Πόλις Λέσβου. Ἑλλάνικος ἐν β' Λεσβιακῶν. Ὁ πολίτης Ναπαῖος, καὶ Ἀπόλλων Ναπαῖος. Εἰσὶ καὶ Ναπαῖος Ἠπείρου. Ἔστι καὶ μέρος ὄρους Νάπη καὶ Ναπαῖος τὸ ἐκ τόπου, Steph. Byz. Strabo 9, p. 426 : Βῆσσαν ἐν τοῖς δυσὶ γραπτέον σ· ἀπὸ γὰρ τοῦ δρυμώδους ὠνόμασται ὁμωνύμως, ὥσπερ καὶ Νάπη ἐν τῷ Μηθύμνης πεδίῳ, ἣν Ἑλλάνικος ἀγνοῶν Λάπην ὀνομάζει. Holsten. ad Steph. : « Mirum quod hic in testimonium de Nape adducitur a Stephano Hellanicus, quum is erroris insimuletur a Strabone quod Lapen hanc urbem appellaverit. Unde suspicor non testem de Nape adductum fuisse a Stephano Hellanicum, sed occasione hujus erroris nominatum. Quod appareret si Stephanum haberemus integrum. » Quæ ratio aliquanto probabilior opinione Berkelii, Strabonem vitioso codice esse deceptum. Ad hanc autem urbem gl. Suidæ illata in libris deterioribus : Νάπη, πόλις Λέσβου· ὅθεν Ἀπόλλων Ναπαῖος, refert dei cogn., quod in Ναπαῖος pro appellativo habitum a Macrobio diximus. Addit autem : Εἰσὶ δὲ καὶ Ναπαῖοι Ἠπειρῶται. || N. mulieris Lesbiæ in Longi Pastoralibus, ut p. 9 ed. Schæf. etc. Alius ap. Statyll. Flaccum Anth. Pal. 5, 5, 2. V. etiam Νάπις. ᾰ L. Dind.]

[Νάπης. V. Νάπις.]

[Ναπητῖνος. V. Ναπιτῖνος.]

[Νάπις, κώμη Σκυθίας. Ὁ οἰκήτωρ Ναπάτης ἢ Ναπίτης τῆς κώμης καὶ Ναπῖται ἐθνικὸν, Steph. Byz. Νάπις, πόλις Σκυθίας memoratur etiam in gl. Suidæ libris deterioribus illata. Gent. Ναπάτης est ap. Orph. Arg. 753 : Φιλύρας Ναπάτας τε. ᾰᾰ || Νάπης Scytha et Νάπαι ab eo dicta gens memoratur Diod. 2, 43, ubi v. Wesseling.]

[Ναπιτῖνος κόλπος, ap. Strab. 6, p. 255 : Ἔστι δ' αὐτὸς ὁ ἰσθμὸς ἑκατὸν καὶ ἑξήκοντα στάδιοι, μεταξὺ δυοῖν κόλποιν τοῦ τε Ἱππωνιάτου, ὃν Ἀντίοχος Ναπιτῖνον εἴρηκε, καὶ τοῦ Σκυλλητικοῦ. Per *e* inscr. ap. Orell. Inscrr. vol. 1, p. 93, 150 : NAPETINEI. Itaque præstat quod est ap. Dionys. A. R. 1, 35, Ναπητῖνον. L. Dind.]

[Νάποινος. V. Νήποινος.]

[Νάπος. V. Νάπη.]

[Ναπτάλιος. V. Νάφθα.]

Νᾶπυ, υος, τὸ, i. q. σίνηπι, et quidem apud Atticos, teste Phrynicho [Ecl. p. 288 : Σίναπι οὐ λεκτέον, νάπυ δὲ, ὅτι Ἀττικὸν καὶ δόκιμον], necnon Ulpiano ap. Athen. 9, [p. 366, D] ubi etiam addit, neminem Atticorum unquam dixisse σίνηπι, dici autem quasi νάφυ, quoniam ἐστέρηται φύσεως. [Locus est : Σίνηπι δ' ὠνόμασε Νίκανδρος ὁ Κολοφώνιος ἐν μὲν Θηριακοῖς, οὕτως· Ἠ μὴν καὶ σικύην χαλκήρεα, ἠὲ σίναπυ. Ἐν δὲ τοῖς Γεωργικοῖς· Σπέρματά τ' ἐνδάκνοντα σινήπυος. Καὶ πάλιν· Κάρδαμον, ἄρρινόν τε, μελάμφυλλόν τε σίνηπυ. Κράτης δ' ἐν τοῖς Περὶ τῆς Ἀττικῆς λέξεως, Ἀριστοφάνη παριστᾷ λέγοντα· Καὶ βλέπε σίναπυ, καὶ τὰ πρόσωπ' ἀνέσπασε· καθά φησι Σέλευκος ἐν τοῖς Περὶ Ἑλληνισμοῦ. Ἔστι δ' ὁ στίχος ἐξ Ἱππέων (631), καὶ ἔχει οὕτως· Κἄβλεψε νᾶπυ. Οὐδεὶς δ' Ἀττικῶν σίναπυ ἔφη. Ἔχει δὲ ἑκάτερον λόγον· νάπυ μὲν γὰρ, οἷον νάφυ, ὅτι ἐστέρηται φύσεως· ἀφυὲς γὰρ καὶ μικρὸν, ὥσπερ καὶ ἡ ἀφύη. Σίναπυ δὲ, ὅτι σίνεται τοὺς ὦπας ἐν τῇ ὀδμῇ, ὡς καὶ τὸ κρόμμυον, ὅτι τὰς κόρας μύομεν. Ξέναρχος δὲ ὁ κωμῳδιοποιὸς ἐν Σκύθαις ἔφη· Τουτὶ τὸ κακὸν οὐκ ἔστ' ἔτι κακόν. Τὸ θυγάτριόν τέ μου σεσινάπηκεν διὰ τῆς ξένης.] Porro celebratur νάπυ Κύπρου ap. Athen. 1, [p. 28, D, in versibus, qui ibi Antiphani tribuuntur, per epitomatoris, ut videtur, errorem, quum ducti videantur ex Eubuli Glauco, ut patet ex Polluce 6, 67] et a Theophr. [H. Pl. 7, 12] νάπυ inter ἐπίσπορα numeratur, teste Eod. 2, [p. 70, A. Memorat Th. etiam ib. 7, 5, 5.] A Nicandro Alexiph. [430] vocatur Νάπεια : Ἐν δέ τε νάπειαν ῥαφανόν θ' ἅλις. [Pro νάπειαν Schneiderus e libris νάπειον Alexis ap. Athen. 4, p. 170, A, et Polluc. 6, 66 : Μάραθον, ἄνηθον, νᾶπυ, καυλὸν, σίλφιον. Genit. Theophr. H. Pl. 1, 19 : Καρδάμου, νάπυος. Lucian. Asin. c. 47 : Νάπυϊ ἐπικεχυμένους. Angl. Νᾶπυ Συριακὸν, Αἰγύπτιον est ap. Antyllum Matthæi Med. p. 300. De accentu barytono Arcad. p. 118, 25, Chœrob. vol. 1, p. 375, 29.]

[Ναπώδης, ὁ, ἡ, Saltuosus. Eust. Il. p. 277, 32. Wakef. Steph. Byz. v. Βῆσσα. Cramer.]

[Νάρ. Dioscor. Noth. 1, 1 : Αἰγύπτιοι νὰρ (vocant iridem).]

[Νὰρ, ὁ, Nar, fl. Italiæ. Strabo 5, p. 227 : Νάρνα, δι' ἧς ῥεῖ ὁ Νὰρ ποταμὸς, συμβάλλων τῷ Τίβερι μικρὸν ὑπὲρ Ὀκρίκλων· et ib. p. 235.]

[Ναράγαρα vel Νάργαρα, ων, τὰ, Naragara, opp. Africæ. Polyb. 15, 5, 14, ubi de scriptura nominis v. Schweigh. et intt. Antonini Itin. p. 41.]

[Νάρασος. V. Νάκασος.]

[Ναρὰτ, βούφθαλμος, ap. Afros, App. Diosc. 3, 156, Flos, qui et Βαλσαμένη (quod v. supra) audiebat, a colore igneo. Arab. *Nar*, Syr. *Nur*, Ignis. Bochart Canaan 2, 15.]

[Ναραύας, α, ὁ, Narauas, Pœnus, ap. Polyb. 1, 78, 1; 82, 13; 84, 4; 86, 1.]

[Ναρβὶς, Ἰλλυρίας πόλις, Steph. Byz. post Ναρβών.

[Ναρβὼν, ῶνος, Narbo. Ἐμπόριον καὶ πόλις Κελτική. Στράβων δ' (p. 178 etc.). Μαρκιανὸς δὲ Ναρβωνησίαν αὐτήν φησι. Τὸ ἐθνικὸν Ναρβωνίτης, ὡς Ἀσκαλωνίτης. Ἔστι καὶ λίμνη, ὡς Ἀσκαλωνῖτις ... Ἑκαταῖος καὶ Ναρβαίους αὐτούς φησι, Steph. Byz. Νάρβων fl. Galliæ est ap. Polybium 3, 37, 8; 38, 2, et eund. ap. Athen. 8, p. 332, A. Ναρβὼν de urbe ap. eund. 34, 6, 3, Diodor. 5, 38, Ptolem. 2, 10, 11, ubi etiam adj. Ναρβωνησία, Narbonensis, ut ap. Tzetz. ad Lycophr. 1305, et ubi Dionis Cassii utitur testimonio, 516. Ναρβωνῖτις Strab. 4, p. 177, et alibi.]

[Ναρδεργάτης, ὁ, Qui nardum facit. Psellus In Cantic. Cant. 1, 12.]

Ναρδίζω, Nardo similis sum, Nardum imitor s. refero, velut odore aut alia similitudine.

Νάρδῖνος, η, ον, Nardinus, Ex nardo confectus. Athen. 10, [p. 439, B] : Ἤλειφε κιναμωμίνῳ καὶ ναρδίνῳ ἐλαίῳ. [Menand. ap. Athen. 15, p. 691, B : Μύρον νάρδινον. Valck. Et Theophr. fr. De odor. 4, 28. Polyb. 31, 4, 2. Νάρδινον κολλούριον, Alex. Trall. 2, p. 47; μύρον, id. 1, p. 9.] Plin. [13, 1, 21, 3; 15, 15] præter Nardinum unguentum commemorat etiam Nardinas coronas valde laudatas : necnon Nardina pira.

[Νάρδιον, τὸ, in Euchol. p. 630 : Καὶ ἐμβάλλεται παρὰ τοῦ πρωτοπαπᾶ τὸ ἐν τῷ ἀλαβάστρῳ μύρον εἰς τὸ ἀγγεῖον, ἔνθα ἔνι τὸ νάρδιον. Ubi Goarus : Νάρδος aut νάρδιον in Euchologio patriarchico Ms. ἀγγεῖόν ἐστιν ὅπερ οὐχ ἁγιάζεται, ἀλλὰ τηρεῖται εἰς ἰατρικὴν χρείαν, quo scilicet solent uti medici, tametsi, inquit, haud inficias ierim ipsam unguenti materiam nondum consecratam νάρδιον, consecratam autem μύρον ibi vocari : in quam sententiam facile ego concesserim. Ἀγγεῖον τοῦ νάρδου appellatur p. 632. Rursum p. 642 ex Euchologio Allatiano : Δευτέραν ὥραν τῆς ἡμέρας ἔρχονται οἱ τοῦ ἔργου ἐπιμεληταὶ ἐκφορεῖν τὸν νάρδον χλιαρὸν ὄντα, καὶ ἐμβάλλειν αὐτὸν ἐν τῇ σκάφῃ. Ducang.]

Ναρδίτης οἶνος, Vinum nardi odore conditum, Vinum nardi odorem recipiens. Ap. Diosc. 5, 67, est οἶνος διὰ Συριακῆς νάρδου καὶ Κελτικῆς, et cap. seq., οἶνος δι' ἀγρίας νάρδου. Fem. Ναρδῖτις vocari solet Nardus montana, multo inferior Cretica, Celtica, et Indica.

[Ναρδολίπης, ὁ, ἡ, Nardo unctus. Ναρδολιπεῖς πλοκάμους, Myrinus Anth. Pal. 6, 254, 4.]

[Νάρδον, τὸ, i. q. νάρδος, ἡ, ap. Theophr. fr. 4 De odor. 12 : Ἡ ἶρις καὶ τὸ νάρδον· pro quo 28, τὸ ἴρινον καὶ τὸ νάρδινον. Pollux 6, 104 : Νάρδον Βαβυλωνιακὸν, ὡς Ἄλεξις καὶ Αἰγύπτιον τὸ μέλαν. V. Νιορίς.]

Νάρδος, ἡ, Nardus, [Hoc Siler, Gl.] Frutex duorum generum, Indicus et Syriacus. [Nomen, judice Anderson, ex India petitum est, ubi vocabula a syilaba *nar* incipientia odorem suavem designant. Rosenmüller. *Bibl. Naturgeschichte* 1, p. 167. Dahler.] Est et alia νάρδος, ὀζανῖτις vocata quod virulentum exspiret odorem. Dicitur alia Σαμφαριτική, a regione in qua oritur, pumilo frutice, grandi spica, odore hircino : quod aliqui ψευδόναρδον esse suspicati sunt. Est apud antiquos celeberrima et Κελτικὴ νάρδος, sic dicta quod in Liguriæ alpibus nascatur. Est et Nardus montana, quæ ab aliquibus θυλακῖτις, a Galeno πηρῖτις etiam nominatur. Denique νάρδος ἀγρία a quibusdam dicitur τὸ ἄσαρον, ut est ap. Diosc. [Qui vid. de variis nardi generibus 1, 6 seqq., et qui θυλακόεσσαν appellat Nicand. Alex. 403.] Hæc inter alia Gorr. [Νάρδος Nardinum unguentum significat ap. Galen. l. 1 Κατὰ τόπ. (p. 160, 43, 44, 53) ex veterum phrasi : sic enim de nardino unguento tanquam de nardo scribit Diosc., ἔστι δὲ χριστὴ ἡ λεπτή, et Horat., Nardi parvus onyx, et Nardo vina merebere. Tibullus etiam, « Jam dudum Syrio madefactus tempora nardo. » Eandem quoque locutionem usurpat Galen. l. 3, p. 187, 47 : Ὠφελεῖ δὲ καὶ ἀρίστη νάρδος. Est eidem νάρδος ἁπλῆ Nardeum oleum sine ullis spissamentis ac odoramentis præparatum p. 190, 49, quemadmodum et λιτὴ dicitur Dioscoridi. Foes. OEc. Hipp. Sic præter alios Aret. p. 130, 6 : Ἐν νάρδῳ τῷ μύρῳ· 132, 15 : Νάρδος τὸ μύρον. De accentu Arcad. p. 48, 9.]

Ναρδόσταχυς, υος, ἡ, Spica nardi : ut ap. Galen. Ad Glauc. : Μύρα τὰ διὰ ναρδοστάχυος γενόμενα, Unguenta quæ fiunt ex spica nardi, quæ et νάρδου στάχυς solute nominatur. [Georg. Lecapen. in Matth. Lectt. Mosq. p. 51. Boiss. Schol. Nicand. Th. 605. Wakef. African. Cest. c. 17, p. 294, B. Alia v. in Matthæi Med. p. 394. L. Dind.]

[Ναρδοφόρος, ὁ, Nardum ferens. Diosc. 2, 10.]

[Ναρέω, Custodio. Hesychius : Ναρεῖ, τηρεῖ.] Νάρειν, Hesych. κύειν, κρύπτειν ζητεῖν, κυΐσκειν, [κυΐσκεσθαι], ἀμέλγεσθαι, quæ signiff. valde diversæ sunt. [Albert. : « Scr. Ναρεῖν. Supra Ἀναρεῖν, ἀμέλγεσθαι, κυΐσκεσθαι. Præcesserat Ἀναροῦσα, κύουσα. Item Ἐναρεῖν, κυΐσκεσθαι, διαλέγεσθαι. Et Ἰνάρει, μαστεύει, ut h. l. etiam ζητεῖ exponitur. Ad κρύπτειν confer quod Latini dicunt aliquid *condere*, i. e. κρύπτειν et τηρεῖν. » Idem Hesych. : Νάρα (—ω postulat ordo), συνίημι.]

[Νάρη. V. Ναρόν.]

[Ναρθάκιον, τὸ, Narthacium, mons Phthiotidis. Xen. H. Gr. 4, 3, 8, 9, Ag. 2, 4, 5. Oppidum Phthiotidis. Ptolem. 3, 13.]

[Ναρθηκία. V. Νάρθηξ.]

[Ναρθηκιάω.] Apud Hesych. reperio et partic. Ναρθακιῶντες, expositum νάρθηξι πλήσσοντες.

[Ναρθηκίζω, Ferulam adhibeo, quæ medicis dicitur νάρθηξ. Schol. Aristoph. Ach. 1176 : Τὸν νάρθηκα τῶν ἰατρῶν τὸν ναρθηκίζοντα τὸ σφυρόν. Oribas. p. 83 Mai. : Πρὸς κράτημα ναρθήκων ἐπὶ τῶν ναρθηκιζομένων καταγμάτων.]

[Ναρθήκινος, ὁ, Ex ferula factus. Aristot. De audib. p. 803, 41 : Συμβαίνει δὲ καὶ τὰ ναρθήκινα τῶν ὀργάνων τὰς φωνὰς ἔχειν ἁπαλωτέρας.]

Ναρθήκιον, τὸ, Narthecium. [Diosc. Notha p. 448. Boiss.] Græci quidam medici libros a se editos Νάρθηκας et Ναρθήκια inscripsere, Ferulas et Fererulas : forsan quod iis ceu ferulis niterentur ipsi vel alii. Galen. τῶν Κατὰ γένη l. 5 : Ὁ μὲν Ἥρας ἓν βιβλίον ἐποιήσατο τῆς τῶν φαρμάκων συνθέσεως, ἐπιγραφόμενον Νάρθηκα· itemque Cratippi Νάρθηκα citat idem Galen. τῶν Κατὰ τόπους l. 6; [Heræ id. vol. 13, p. 770;] Sorani Νάρθηκα Aetius 8, 44.

[Ναρθηκὶς, ἴδος, ἡ, Narthecis. Νησίδιον ἐγγὺς Σάμου, ἐν δεξιᾷ τοῖς προσπλέουσι πρὸς τὴν πόλιν. Τὸ ἐθνικὸν Ναρθηκουσαῖος ἢ Ναρθηκούσιος, Steph. Byz. Strabo 14, p. 637.]

[Ναρθήκισμα. V. Ναρθηκισμός.]

[Ναρθηκισμὸς, ὁ, Verberatio per bacillos. Galen. Method. 14, 16; Diosc. Parab. p. 240. Ap. Apollod. Poliorc. p. 25, A : Οὐθὲν δὲ ἧσσον, ἵνα μὴ περικλασθῇ τῷ βάρει ἡ σύνθεσις τῶν ξύλων, δυσὶ καὶ τρισὶν ἀρτήμασιν αἱρέσθω· μένει γὰρ καὶ δίχα τοῦ ναρθηκίσματος καὶ τῆς προσηλώσεως, Int. vertit Absque ferularum circumpositione.]

[Ναρθηκοειδὴς, ut ap. Diosc. 3, 95, s.] Ναρθηκώδης, ὁ, ἡ, Ferulaceus, Ferulæ similis, Ad ferulæ naturam proxime accedens. [Theophr. H. Pl. 1, 6, 10, etc.; Geopon. 5, 8, 2.]

Ναρθηκοπλήρωτος, ὁ, ἡ, Quo ferula impleta est, ap. Hesych. ex Æsch. Prom. [109], ut videtur : Ναρθηκοπλήρωτον δὲ θηρῶμαι πυρὸς πηγήν· quod ipse exp. ἐν νάρθηκι θησαυρισθεῖσαν, In ferula reconditam. [Schol. παρόσον τῷ νάρθηκι ἐχρῶντο πρὸς τὰς ἐκζωπυρήσεις τοῦ πυρὸς, ὅθεν καὶ τῷ Διονύσῳ ᾠκείωσαν αὐτόν. Conf. Hesiod. Th. 565.]

[Ναρθηκοφανὴς, ὁ, ἡ, Ferulaceus, Ferulæ similis. Archigenes Oribasii p. 158 Matth.]

[Ναρθηκοφορέω, Ferulam gesto. Olympiodor. in *Journal des Sav.* 1835, Mart. 1835, p. 140, n. 3. Boiss.]

Ναρθηκοφόρος, ὁ, ἡ, Ferulam s. Bacillum gestans. Plut. Adversus Colot. init. : Ἄνδρα οὐ ναρθηκοφόρον, ἀλλ' ἐμμανέστατον ὀργιαστὴν Πλάτωνος. [Xen. Cyrop. 2, 3, 18, 20. Versus proverbialis ap. Plat. Phæd. p. 69, C (quo respicere videtur Poll. 10, 177), Anth. Pal. 10, 106 : Ἐπὶ τῶν ψευδῆ δόξαν ἐχόντων· Πολλοί τοι ναρθηκοφόροι, παῦροι δέ τε βάκχοι. Bacchus ναρθ. est ap. Orph. H. 41, 1. Conf. Νάρθηξ de ferulis bacchantium dictum.]

[Ναρθηκώδης. V. Ναρθηκοειδής.]

Νάρθηξ, ηκος, ὁ, [ἡ, in var. script. ap. Ælian. N. A. 12, 44,] Ferula, Bacillus. [Νάρθηκος τὸ ἐντὸς, Illum; Νάρθηξ ἰατρικὸς, Melleus, add. Gl.] Xen. Cyrop. 2, [3, 17] : Εἰς δὲ τὰς δεξιὰς νάρθηκας παχεῖς τοῖς ἡμίσεσιν ἔδωκε. Plut. Symp. 6 [7, p. 714, F] : Τὸν νάρθηκα τοῖς μεθύουσιν ἐνεχείρησε, κουφότατον βέλος· de Baccho. [De ferulis bacchantium frequens est in Eur. Bacch. 113, etc. Schol. Eur. Or. 1481 : Σημείωσαι καὶ τὸ θύρσος πῶς ἐκλήθη νάρθηξ. Θύρσος μὲν γὰρ τῷ φυτῷ τῷ ἁπαλῷ ὄνομα ... ὕστερον δὲ ἐκλήθησαν νάρθηκες, ὅτι ἐχρήσαντο αὐτοῖς οἱ τῶν παίδων ἀλεῖπται καὶ παιδοδιδάσκαλοι πρὸς τὸ πλήττειν τοὺς νέους· quibus inanem addit etymologiam ἀπὸ τοῦ νεαροὺς θήγειν, et Etym. M.] Hesiod. [Th. 565, Op. 52] : Ἐν κοίλῳ νάρθηκι. Et νάρθηκες ἐλεφάντινοι, Ferulæ eburneæ. Dicitur esse et medicum instrumentum ex ferula, teste Luciano et Etym. [Immo ap. Lucian. Adv. indoct. c. 29 ἐλεφάντινοι ν. sunt Eburneæ medicamentorum capsulæ. Schweigh. V. Ναρθήκιον. Similiter ap. Plut. Alex. c. 8 : Τὴν Ἰλιάδα ἔλαβεν (Alexander) Ἀριστοτέλους διορθώσαντος, ἣν ἐκ τοῦ νάρθηκος καλοῦσιν, de qua Plinius N. H. 7, 29, 108 : « Alexander inter spolia Darii unguentorum scrinio reperto, varios ejus usus amicis demonstrantibus, Immo hercule, inquit, librorum Homeri custodiæ detur.] Proprie vero νάρθηξ arbor quædam est, de qua Theophrast. 6, 2 [aliisque ll., quos indicat Schneider. in Indice], et inde Plin. 13, 22 : Ferula calidis nascitur locis, atque trans maria, geniculatis nodata scapis. Duo ejus genera : νάρθηκα Græci vocant assurgentem in altitudinem : ναρθηκίαν vero semper humilem. Ubi nota illud Ναρθηκία, cujus et Theophr. meminit l. ante cit. [6, 1, 4; 2, 7.] Gaza Ferulaginem appellat. [Nicand. Th. 595 : Χλοεροῦ νάρθηκος ἀπὸ μέσον ἦτρον ὀλόψας. || « Νάρθηξ, Ferula, ecclesiæ vestibulum, porticus quæ ædis sacræ portis obversatur, sic dicta non παρὰ τὸ νέρθεν ἢ κατωτέρω τοῦ ἄμβωνος κεῖσθαι, ut est in Gloss. Mss., seu ut est ap. auct. Etymologici, παρὰ τὸ νέρθεν εἶναι τοῦ ναοῦ, sed quod Ferulæ speciem præferat, quum in latitudinem ad ipsius ædis faciem diducatur. Unde νάρθηξ extra ædem fuit, non intra, εἰ καθολικὰς ἐκκλησίας spectemus, i. e. eas quæ viris et mulieribus universim patent, vel potius in quibus sacerdotes et clerici, uti vocamus, sæculares sacra officia peragunt. (Eudemus in Lex. Ms. : Πρόδομος, νάρθηξ. Ducang. App. Gl. p. 139.) Nicetas Paphlago in Vita Ignatii patr. Cpol. : Τὸν θεόργιστον Βάρδαν παράλαβε καὶ πρὸ τοῦ νάρθηκος ἔξω κατάκοψον μεληδόν. Vita Ms. S. Pauli Latrensis : Ἐθάπτετο μὲν οὖν τὸ ... σῶμα ἐν χρῷ τοῦ ναοῦ· νάρθηκα τὸν τόπον καλεῖν εἰώθαμεν. Utitur hac formula ἐν χρῷ hac notione Pachymeres in Hist., ubi Possinus. In monachorum vero ecclesiis aliter se res habet. Eæ enim in tres duntaxat partes dividuntur, in βῆμα s. sacrarium, suis cancellis disparatum; in ναὸν in quo monachi consistunt, suis pariter cancellis divisum a reliqua æde, quam νάρθηκα appellant, quod iis νάρθηκος vicem præstet, licet non sit revera νάρθηξ, ut qui intra ipsam ædem exstet illiusque septa: in qua tamen νάρθηκος figuram retinet, quum excepto bemate potiorem ædis partem obtineat ναὸς seu Monachorum chorus, reliqua, ut dixi, in angustum contracta, et in latitudinem diducta, eaque sæcularibus permissa, tanquam eo instar pœnitentium accedentibus, quum iis intra ναὸν consistere non liceat: νάρθηκα enim iis potissimum addictum mox dicemus. Atque eam ferme etiam monasticarum formam semper fuisse apud nos seu Latinos, facile concedat quisquis attentius veteres ejusmodi monasticas ædes consideraverit, in quibus monachorum chorum, quem *capsum* ecclesiæ vocabant, ut quidam volunt, potiorem ædis partem occupare animadvertet, reliqua sæcularibus seu κοσμικοῖς patente. Quicquid igitur in iis monachorum ecclesiis extra narthecem est, ἐξωνάρθηξ et ξώστης corrupte, ædis scilicet vestibulum, ubi in ecclesiis catholicis νάρθηξ collocari solet, in cujus discrimen interiorem narthecem ἐσωνάρθηκα vocant, de quo ita Paracleticum: Ὁ δὲ ἱερεὺς μετὰ τὸ θυμιᾶσαι ἔξωθεν τοῦ νάρθηκος τὰς ἁγίας εἰκόνας ... ἵσταται ἔμπροσθεν τῶν βασιλικῶν πυλῶν κεκλεισμένων οὐσῶν. Quippe portæ regiæ eæ sunt quibus a narthece in ναὸν aditus patet. Alio loco: Καὶ μετὰ τὴν ἐκφώνησιν ψάλλομεν ... λιτανεύοντες ἐν τῷ νάρθηκι· μετὰ δὲ τὰς συνήθεις εὐχὰς εἰσερχόμεθα ἐν τῷ ναῷ ψάλλοντες. In Pentecostario: Ἐξερχόμεθα ἅπαντες ἐν τῷ νάρθηκι διὰ τοῦ βορείου μέρους. Rursum: Θυμιᾷ ὁ ἱερεὺς ἐν τῷ νάρθηκι ἅπαντας. In narthece consistere sæculares indicat præterea Typicum S. Sabæ c. 5: Παραγγέλλειν τοῖς ἐν τῷ νάρθηκι ἱσταμένοις ἀδελφοῖς, ἵνα μὴ ἐῶσι τοὺς ἐρχομένους εὐχῆς χάριν ποιῆσαι μοναχοὺς εἴτε κοσμικοὺς εἰσέρχεσθαι ἐν τῷ ναῷ, ἀλλ' ὀφείλουσιν ἐν τῷ νάρθηκι προσκαρτερεῖν. Nomocanon Cotel. n. 4: Τὰς γυναῖκας προστάσσομεν ἐν τῷ νάρθηκι ἐξομολογεῖσθαι, aliique scriptt. eccles. || Ἄρτηξ pro νάρθηξ et Ἐξωάρτηξ pro ἐξωνάρθηξ semper habet Typicum Ms. monasterii τῆς Κεχαριτωμένης. C. 38: Τὴν μεσονύκτιον ἀκολουθίαν ἐν τῷ ἄρτηκι τῆς ἐκκλησίας παραγενόμεναι ἐκτελέσετε. Adde c. 40, 66, 73. Ita Ἐξοάρτης c. 33, 36, 73, 80. || Ferula, Baculus monachicus, Pachymeres l. 11, c. 1, de Athanasio patr. Cpol. exauthorato: Ξύλῳ ἐπερειδόμενος νάρθηκι ὑπήντα ἐκείνοις. Ubi legendum videtur ξυλίνῳ. || Ferula, seu sceptrum Imperatoris sic appellatum, uti describitur in tabella IV et V ex his quæ initio hujusce operis delineantur, et de quo pluribus agimus in Disertat. de Imperat. Cpolit. nummis. || Ferula, seu baculus in modum ferulæ desinens, quo invicem luctantes sese exercebant milites. Leo Tact. c. 7, 1, 18, ex Onosandro c. 10, ubi de exercitatione militum: Διαμερίσας δὲ τὸ στράτευμα πρὸς ἄλληλους ἀσιδήρῳ μάχῃ συμβαλλέτωσαν ... ἀντὶ σπαθίων βεργία ἢ νάρθηκας ἢ καλάμους ἀντὶ κονταρίων ἀναδιδούς. DUCANG. Gl.]

[Νάρκα. V. Νάρκη.]

[Ναρκαῖος, ὁ, Narcæus, f. Bacchi, Pausan. 5, 16, 7, ubi etiam Minervam memorat Ναρκαίαν.]

[Νάρκασος. V. Νάκασος.]

Νάρκαφθον, ου, τὸ, Narcaphthum, odoramenti genus suffitibus admisceri solitum: ut est ap. Dioscor. 1, 22 [Νάσκαφθον, οἱ δὲ νάρκαφθον, καὶ τοῦτο ἐκ τῆς Ἰνδικῆς κομίζεται. Ἔστι δὲ φλοιῶδες, συκαμίνου λεπίσματι ἐοικὸς, θυμιώμενον διὰ τὴν εὐωδίαν, καὶ μιγνύμενον τοῖς σκευαστοῖς θυμιάμασι, ὠφελοῦν καὶ μήτραν ἐστεγνωμένην ὑποθυμιασθέν]. Pro eo ap. Paul. Ægin. νάσκαφθον, necnon λάκαφθον, 7, 22. Idem esse putatur νάρτη ap. Theophr. H. Pl. 9, 7, et sericatum [serichatum] ap. Plin. 12, 21; id enim ex Arabia advehi ait, et in unguenta addi ab aliquibus. [« Paulus Ægineta in compositione cyphi 7, 22, corticem piceæ aut alterius arboris inquit, scribiturque λάκαφθον, ἔστι δὲ φλοιὸς πίτυος ἢ τινὸς δένδρου. Ex quibus, si modo loco citato λάκαφθον legatur, ἀντὶ τοῦ νάρκαφθον, quale sit aroma veteribus non constitisse constat. Hoc tantum, corticem fuisse, concludi potest. Doctiores tegname narcaphthum putant, quorum nec damno, nec probo opinionem: igni injectum non insuavem emittit halitum. Ceterum tegname non aliud sonare videtur, quam thymiama, Latine suffimentum. Hujus enim corticis et frequentissimus in suffitu usus. Nihil miri, si novum sibi ex usu vindicarit nomen, quod est thy-

A miama (pro quo posteri corrupte tegname dixerunt). Narcaphthi non meminit Plin., nisi quis velit esse sarichatum, quod non describit.» Bodæus ad Theophr. p. 1035. « Myristica moschata: Cæsalpinus 2, 49, credit Dioscor. νάσκαφθον esse corticem externum hujus fructus.» Sprengel. H. R. H. p. 192. Νάρκ., forsan Νάσκαφθος, cortex externus nucis Moschatæ, Angl. *mace.*» Stackhous. l. c. Glossæ Iatr. MSS. ex cod. Reg. 190 et 1843 ap. Ducang.: Νάσκαφτον (νάσκαφθον)· εἶδος ἀρώματος Ἰνδικοῦ. ANGL. In Indice HSt.:] Νάρτη, ης, ἡ, Narta, a Theophr. H. Pl. 9, 7, numeratur inter ea, quibus εἰς τὰ ἀρώματα χρῶνται, s. quæ παραμίσγουσιν [παραμιγνύουσιν] εἰς τὰ μύρα. Putatur esse τὸ νάρκαφθον Dioscoridis. [« Quid sit Νάρτη ignoro: nec Plinius ejus meminit 13, 2, ubi locum hunc exscribere videtur. Sarichatum quid sit, ignoro. Puto scripsisse Theophrast. νάρκαφθον. Hoc in aromatibus et suffumigiis locum habuit. Proximeque ad vulgatam lectionem accedit.» Bodæus ad Theophr. p. 1032. « Νάρτη forsan præparatio diversa νάρδου.» Stackhous. ad Theophr.
B Gloss. p. 470. ANGL.]

Ναρκάω, [Ναρκῶ, Torpesco, Torpeo, Gl.] Torpedine afficior s. affectus sum, Obtorpesco, etiam Torpeo, veluti quum scribit Aristot. περὶ τῆς νάρκης, i. e. de torpedine, pisce [H. A. 9, 37]: Φανερά ἐστι καὶ τοὺς ἀνθρώπους ποιοῦσα ναρκᾷν. [Plato Menon. p. 80, B: Ἀληθῶς γὰρ ἔγωγε καὶ τὴν ψυχὴν καὶ τὸ σῶμα ναρκῶ, et sæpius in seqq.] Ap. Athen. ναρκᾷν et ἀκινητίζειν copulantur, de eodem pisce, 7, [p. 314, C]: Θηρεύει δ' εἰς τροφὴν ἑαυτῆς τὰ ἰχθύδια, προσαπτομένη, καὶ ναρκᾷν καὶ ἀκινητίζειν ποιοῦσα. Sicut autem copulantur hic ναρκᾷν et ἀκινητίζειν, sic ναρκῆσαι et γενέσθαι δυσκίνητος, ap. Plut. observavi, De prud. anim.: Ναρκῆσαι καὶ γενέσθαι βαρεῖα καὶ δυσκίνητος. [Τὸ νεναρκηκὸς ὑπὸ ἀκινησίας, script. vet. ap. Suid. in Ἀκινησία. HEMST.] Greg. Naz. autem dixit νοῦν ἀνεκλάλητον esse κίνημα ναρκώντων. Alex. Aphr. [Probl. præf. p. 248, 16] dicit quosdam ναρκᾷν τοὺς ὀδόντας, ad stridorem limæ. [Eadem constr. Diod. 17, 103: Ἐνάρκα τὸ σῶμα. Marc. Antonin. 7, 69: Τοῦτο ἔχει ἥ τε λειότης τοῦ ἤθους τὸ πᾶσαν ἡμέραν
C ὡς τελευταίαν διεξάγειν, καὶ μήτε σφύζειν μήτε ναρκᾷν. V. Gataker. VALCK.] Aliter autem antea dictum est νάρκην esse etiam peculiariter in certa quadam parte, veluti in ore et dentibus; hoc enim αἱμωδία vocatur. Sciendum est vero ap. Hom. Il. Θ, 328: Νάρκησε δὲ χεὶρ (vel χεῖρ', ut ap. Athen. scriptum est) ἐπὶ καρπῷ, brevium scholl. auctorem exponere ἐλύθη. [Theocr. 27, 50: Ναρκῶ, καὶ τὸν Πᾶνα.] || Ναρκᾷν alium etiam usum habet ap. Synes.: Ἐπιστολὴν δὲ ἐξ εὐθείας πρὸς αὐτὸν ἐπιθεῖναι, καίτοι προθυμηθεὶς, ἐνάρκησα, Non sustinui, Rep nte desii, Bud.

Ναρκέω, etiam habetur in VV. LL. quod redditur Negligo, Torpesco, Obstupefacio, Facio torpere; sed nullum hujus ναρκέω exemplum affertur. [Torpeo, Gl.] Adde quod verisimile est, sicubi reperiatur, non aliud quam ναρκάω significare. [Petitum videtur ex Bionis 1, 10: Ὑπ' ὀφρύσι δ' ὄμματα ναρκεῖ, ubi ναρκῇ restitutum ex libris. Vel ex Galeno vol. 3, p. 83: Τὰ δ' αὖ ψύχοντα καὶ ναρκοῦντα ψυχρά. Ubi scrib. ναρκῶντα. Quanquam ap. Eustath. Opusc. p. 333, 38:
D Λέγειν ναρκεῖς, non videtur mutandum. L. DIND.]

[Νάρκη.] Quum a nomine Νάρκη traditur derivatum verbum Ναρκάω, illud νάρκη de Piscis potius quam de Morbi appellatione intelligendum est: ut ex iis, quæ illo dicam, patebit. Ideoque de νάρκη, pro Piscis significatu, verba primum faciam. Quod autem ad etymum attinet, nihil de illo usquam reperio: si autem divinationem meam (aliter enim nominare non possum) in medium proferre mihi licet, ex particula νη et verbo ἀρκεῖν originem habere dico. Quam tamen etymologiam melius ei nomini νάρκη quod Morbo tribuitur, quam ei quod Pisci datur, convenire non immerito quis dixerit; sed, si nomini Piscis prior locus concedatur, illum ab effectu hanc appellationem nactum esse, responderi poterit. — Νάρκη, ἡ, Torpedo [Gl.], piscis. Aristot. H. A. 9, 37 init.: Ἥ τε νάρκη ναρκᾷν ποιοῦσα ὧν ἂν κρατήσειν μέλλῃ ἰχθύων, τῷ τρόπῳ ὃν ἔχει ἐν στόματι λαμβάνουσα, τρέφεται τούτοις· Gaza, Torpedo pisces, quos appetit, afficit ea ipsa, quam suo in corpore continet, facultate torpendi; atque ita retardos præ stupore capit, et vescitur. (Illud autem τρόπῳ merito hic suspectum fuerit.) Paucis interjectis subjungit Aristot. : Ἡ δὲ νάρκη φανερά ἐστι καὶ τοὺς ἀνθρώπους ποιοῦσα ναρκᾷν. His addendum est quod ap. Plut. legimus [Mor. p. 978, C] : Τῆς δὲ νάρκης ἴστε δή που τὴν δύναμιν, οὐ μόνον τοὺς θιγόντας αὐτῆς ἐκπηγνύουσαν, ἀλλὰ καὶ διὰ τῆς σαγήνης βαρύτητα ναρκώδη ταῖς χερσὶ τῶν ἀντιλαμβανομένων ἐμποιοῦσαν. Cum his porro convenit quod ab aliis scribitur, hunc piscem torporem illum etiam διὰ μηρίνθου et διὰ ξύλων transmittere. Alex. Aphr. Probl. 1 [præfat. p. 249, 4] : Ἡ θαλασσία νάρκη διὰ τῆς μηρίνθου τὸ σῶμα ναρκοῖ, Torpedo marina torporem per funiculum corpori inducit : ubi animadvertendum est, adjici θαλασσία. Eust. [Od. p. 1173, 45] : Λέγεται δὲ, φασὶν, ἡ νάρκη τὸ ζῶον τὴν ἀπ' αὐτῆς δύναμιν καὶ διὰ ξύλων διαπέμπεσθαι, ποιοῦσα ναρκᾷν τοὺς ἐν χερσὶν αὐτὴν ἔχοντας. Tale est quod Plin. de hoc pisce scribit, 32, 1 : Quin et sine hoc exemplo per se satis esset ex eodem mari torpedo : etiam procul et ex longinquo, vel si hasta virgave attingatur, quamvis prævalidos lacertos torpescere, quamlibet ad cursum veloces alligari pedes. Legimus ap. Eund. 9, 42 : Novit torpedo vim suam, ipsa non torpens : mersaque in limo se occultat, piscium qui securi supernatantes obtorpuere, corripiens. Quæ ad verbum prope ex Aristot. transtulit, scribente in eodem, unde et præcedentia protuli, loco : Καταχρύπτεται δὲ εἰς τὴν ἄμμον καὶ πηλόν· λαμβάνει δὲ τὰ ἐπινέοντα ὅσα ἂν ναρκήσῃ ἐπιφερόμενα τῶν ἰχθύων. Ceterum ut νάρκη θαλαττία dicitur ab Alex. Aphr. [l. c. et Galeno vol. 7, p. 520. Hemst.] cum adjectione, sic quoque ap. Plat. eandem adjectionem habemus, in Menone [p. 80, A] : Καὶ δοκεῖς μοι παντελῶς, εἰ δεῖ τι καὶ σκῶψαι, ὁμοιότατος εἶναι τό, τε εἶδος καὶ τἆλλα, ταύτῃ τῇ πλατείᾳ νάρκῃ τῇ θαλαττίᾳ· καὶ γὰρ αὕτη τὸν ἀεὶ πλησιάζοντα καὶ ἁπτόμενον ναρκᾷν ποιεῖ· καὶ σὺ δοκεῖς μοι νῦν ἐμὲ τοιοῦτόν τι πεποιηκέναι ναρκᾷν.

|| Dicitur etiam Νάρκα [Gl.], sicut τόλμα [Phrynich. Bekk. p. 66, 24 : Τόλμη καὶ τόλμα, πρύμνη καὶ πρύμνα· νάρκη δὲ διὰ τοῦ η], ut tradit Eustath. [l. c.], aliorum tamen testimonio nitens, hunc l. Menandri afferentium : Ὑπελήλυθέ τε μου νάρκα τις ὅλον τὸ δέρμα. Sed hoc in versu minime piscis est nomen : cujus versus testimonium ex Athen. deprompsisse illum puto. [Recte existimavit Stephanus : vide Athen. 7, p. 314, B, ubi monuit, unum ex veteribus Menandrum νάρκαν, Torporem, non νάρκην dixisse. Paulo post vero idem Athen. eandem vocabuli formam, τὴν νάρκαν, ex recentiore auctore affert, nempe ex Diphili Laodicensis Comment. in Nicandri Ther. Schweigh. Marc. Antonin. 10, 9 : Πτοία, νάρκα. Valck. Conf. Lobeck. Phryn. p. 331.] Sed Alex. Trall. hanc eandem terminationem huic nomini dedisse sciendum est. Apud Oppian. autem habemus νάρκα in accusandi casu, Cyneg. 3, [55] : Δεξιτερὴν ὑπὸ χεῖρα φέρειν αἴθωνα λέοντα Νάρκα θοὴν, τῇ πάντα λύει ἀπὸ γούνατα θηρῶν. Existimo autem esse talem metaplasmum in hoc accus. νάρκα, qualis in quibusdam aliis vocabulis apud poetas spectatur. || Νάρκη est etiam Torpor [Gl.]. Redditur etiam Stupor. Aristoph. Vesp. [713] : Τί ποθ', ὥσπερ νάρκη, μου κατὰ τῆς χειρὸς καταχεῖται; Piscis νάρκη dicitur et ipse νάρκην inducere, ut in præcedentibus videre est : sunt alioqui et aliæ ejus causæ. Νάρκη vel Νάρκωσις, inquit Gorr., Torpor, s. Stupor : est sensus motusque diminutus nervosarum partium. Symptoma est tactus non exquisiti in partibus sensu præditis, sed debilis, cum motu pariter debili et languido. Galen. initio l. 2 De symptom. causis, inter depravati motus symptomata recensuit, quæ naturæ et morbo communia existunt, h. e. quæ citra naturæ operam fieri non possunt. Est enim stupor ex morbo et facultate mistum symptoma, ita ut morbus quidem urgeat, sed facultas aliqua ex parte reluctetur. Quo fit ut quibus membrum aliquod stupidum est, ii quicquid tetigerint, obscuro et hebeti sensu percipiant, neque perfecte et sine dolore moveri possint. Si namque morbus virtutem prorsus superet, nullo modo corpus vel partem ejus stupore correptam sustinere poterit; sin virtus vincat, nulla in re laborabit : at si veluti pugna quædam sit movebitur quidem membrum, sed ægre : atque si jubeas, ut quum læsum membrum extendunt, ipsum extensum servent, nequeunt : siquidem propter sustinentis virtutis imbecillitatem, naturali pondere deorsum decidit. Ut autem in motu, sic et in sensu media dubiaque affectio est, eo non prorsus extincto, sed admodum obscuro et hebeti. Ex quo patet stuporem ab apoplexia et paralysi differre, in quibus propter causarum magnitudinem sensus motusque in totum abolentur, quum in stupore aliqua tantum ex parte minuantur. Paulo post, Sunt autem torporis plures causæ : ac in primis quidem refrigeratio ab intemperie aut frigidis medicamentis inducta, durities ac crassities immodica ab alimento multo, crasso, lento, aut frigore violento et astringente, etc. Aliquanto post, Præter eas autem alia causa est, contactus sc. torpedinis marinæ, quæ non tam earum causarum aliqua quam occulta quadam et indicibili proprietate stuporem tangentibus inducit : a quo effectu νάρκη pariter a Græcis ut et Torpedo a Latinis dicta est. Est autem torpor, interdum totius corporis, h. e. τῶν κώλων : interdum vero certæ cujusdam partis, ut qui in ore et dentibus fit : quem peculiari nomine αἱμωδίαν nuncupant. [Νάρκη ἢ νάρκωσις sæpe usurpatur Hippocrati, ut Epid. 6, 1, 5, νάρκη μηροῦ τοῦ κατ' ἰξὺν, et νάρκη ἐν τοῖσι σκέλεσι, p. 654, 36, et νάρκη μετρίη ὀδύνης λυτικὴ p. 427, 11. Νάρκωσις γνώμης, p. 425, 19, κοιλίης Epid. 6, 3, 1, Ventriculi imbecillitas in coquendis cibis (Galen. : Νάρκωσιν δ' ἀκούσωμεν τὴν περὶ τὸ πέπτειν τὰς τροφὰς ἀρρωστίαν τῆς γαστρός). Sunt et ναρκώσιες membrorum Stupores et torpedines, Epid. 6, 6, 13, i. q. νάρκαι. Νάρκαι καὶ ἀναισθησίαι p. 193, F, quemadmodum ναρκώσιες καὶ ψύξιες ib. H, et νάρκη χειρῶν p. 144, A. Ex Foes. Œcon. Aret. p. 31, 18 : Γνώμης νάρκωσις ἠδὲ τοῦ νοῦ· 111, 41.] || Νάρκη dictum est a quibusdam Centaurium magnum, ut habetur ap. Diosc. [3, 8.] Quoniam vero Centaurium a quibusdam dicta est Gentiana, quidam ipsam etiam Gentianam νάρκην vocarunt, ut Idem [3, 3] scribit. Gorr. [De accentu Arcad. p. 106, 25.]

[Νάρκημα. V. Νάρκησις.]

Νάρκησις, εως, ἡ, Torpefactio, Torpor [Gl.], Stupor. Galen. : Φάρμακα μετριώτερα μὲν εἰς τὴν ἐν τῷ παραυτίκα νάρκησιν, ἀκινδυνότερα δὲ εἰς τὸ μέλλον. Affertur etiam Νάρκημα pro eodem.

Ναρκίον, τὸ, Hesych. exp. ἀσκόν. [Supra Λαρκίον. Conf. Νάρναξ.]

Ναρκίσσῐνος, ὁ, ἡ, adj., ut ναρκίσσινον ἔλαιον, Narcissinum oleum, Ex narcissi flore, ex Diosc. [Conf. 1, 63. Cratinus ap. Athen. 15, p. 676, F : Ναρκισσίνους ὀλίσβους.]

Ναρκισσίτης, ὁ, lapis, cujus meminit Dionys. Per. p. 143 ed. paternæ [1031] : Αἱ μὲν ἐπ' αὐτὰς Πέτρας, αἳ φύουσιν ἀφεγγέα ναρκισσίτην, ubi Eust., Πέτραι Μηδικαὶ, inquit, τὸν ναρκισσίτην φύουσι λίθον, ὃν καὶ ἀφεγγέα καλεῖ, ὡς ναρκίσσῳ τῷ φυτῷ ἐοικότα τὴν χρόαν, et διαυγάζοντα. Plin. de gemmis variis loquens, 37, 11, Narcissiten venis ederæ distinctam esse ait. [ῑ]

[Νάρκισσον, τὸ, i. q. νάρκισσος. Eust. Il. p. 87, 25 : Νάρκισσόν τε γὰρ ἐκ τοῦ ναρκᾷν παρηχεῖται καὶ τοῦ ναρκᾷν Ἐρινύες τοῖς κακούργοις παραίτιοι. « Νάρτζης καὶ φόγχαρ τὸ νάρκισσον in Lexico Ms. Reg. cod. 1843. » Duc.]

Νάρκισσος, ὁ, ἡ, (a verbo ναρκᾷν, s. a nomine νάρκη, si Eustathio credimus,) [ἄνθος, Narcissus, Gl.] Flos qui ab aliis dicitur λείριον, ut annotant VV. LL. ex Theophr. H. Pl. 6, [8 et 9. De duobus, ut putat, narcissi generibus v. Schneider. Ind. Theophr.] Legimus autem et ap. Diosc. 4, 161 : Νάρκισσος· ἔνιοι καὶ τοῦτο, ὥσπερ τὸ κρίνον, λείριον ἐκάλεσαν. Ejus descriptionem partim ex eod. Diosc., partim ex aliis istam Gorr. affert : Planta est cui folia porro similia, tenuia, multo minora et angustiora, caulis vacuus et sine foliis, supra dodrantem attollitur. Flos albus, intus croceus, in quibusdam purpureus. Radix intus alba, rotunda, bulbosa : semen, velut in tunica, nigrum, longum. Fem. genere ap. Theocr. 1, [132] : Νῦν ἴα μὲν φορέοιτε βάτοι, φορέοιτε δ' ἄκανθαι, Ἁ δὲ καλὰ νάρκισσος ἐπ' ἀρκεύθοισι κομάσαι. Ubi schol. annotat hic quidem feminini generis esse nomen νάρκισσος, ap. Aristoph. autem masculini. [Ὑδατίνη νάρκισσος epigr. Anth. Pal. Append. 120, 3.] Sic certe et ap. Diosc.

masc. generis est. Νάρκισσος est Ἐριννύσι στεφάνωμα, inquit Eust. [Il. p. 87, 25]; νάρκισσος enim ex verbo ναρκᾷν παρηχεῖται, itidemque Erinnyes maleficis sunt τοῦ ναρκᾷν παραίτιοι. Hoc autem quod dicit esse Ἐριννύσι στεφάνωμα, ex Soph. sumit, OEd. Col. p. 294 meæ ed. [684]; illi enim μεγάλαι θεαὶ sunt Erinnyes. Vide et ipsum schol., qui et quendam Euphorionis locum affert, ubi masculini itidem generis est, sicut et in illo ipso Soph. loco. [Et Hom. H. Cer. 8 : Νάρκισσόν θ', ὃν φῦσε γαῖα Διὸς βουλῇσι· 428 : Νάρκισσόν θ', ὃν ἔφυσε ... εὐρεῖα χθών. Narcissum coronis adhibitum v. etiam apud Chæremonem Athen. 15, p. 679, F. Moschus 2, 65 : Νάρκισσον εὔπνοον.] Commodior ex verbo νάρκη videtur esse deductio, (manente alioqui eadem deductionis causa,) quam et ipse Eust. alibi [Il. p. 1173, 49] affert, ut opinor. || Νάρκισσος est etiam pueri nomen mutati in florem, qui Narcissus itidem appellatur. Is quum esset formosissimus, vultus sui imagine in fonte conspecta, suiipsius amore captus est, eoque tandem contabuit : Jamque rogum, canit Ovid. Metam. 3, [508] quassasque faces feretrumque parabant; Nusquam corpus erat; croceum pro corpore florem Inveniunt, medium foliis cingentibus albis. Serv. in Virg. Ecl. 2, [47] : Tibi candida Nais Pallentes violas et summa papavera carpens, Narcissum et florem jungit bene olentis anethi : Sane Papaver, inquit, Narcissus, Anethus, pulcerrimi pueri fuerunt; qui in flores suorum nominum versi sunt : quos ei offerendo, quasi admonet ne quid etiam tale ex amore unquam patiatur. Lucillius equidem hoc, quod de pulcro Narcisso narratur, in quendam deformem non sine lepidissimo joco detorsit, Epigr. [Anth. Pal. 11, 76] : Ῥύγχος ἔχων τοιοῦτον, Ὀλυμπικὲ, μήτ' ἐπὶ κρήνην Ἔλθῃς, μήτ' ἐνόρῃ πρός τι διαυγὲς ὕδωρ. Καὶ σὺ γὰρ, ὡς Νάρκισσος, ἰδὼν τὸ πρόσωπον ἐναργὲς, Τεθνήξῃ, μισῶν σαυτὸν ἕως θανάτου. Repono autem ἐνόρῃ pro ἐν ὄρει : ut ὅρῃ ap. Theocr. legimus pro ὅρα. Quod autem ad etymum attinet nominis νάρκισσος, quod de Flore dicitur, (hoc enim omiseram,) legimus et ap. Plut. Symp. 3, 1 [p. 647, B] : Καὶ τὸν νάρκισσον (ὠνόμασαν οἱ παλαιοὶ) ὡς ἀμβλύνοντα τὰ νεῦρα, καὶ βαρύτητας ἐμποιοῦντα ναρκώδεις. Quibus subjungit, Sophoclem ideo ipsum appellasse ἀρχαῖον μεγάλων θεῶν στεφάνωμα, i. e. τῶν χθονίων. Ubi observandum etiam est illum non μεγάλαιν θεαῖν, sed μεγάλων θεῶν legisse. [Pausan. 9, 31, 7. Herois Eretriensis n. est ap. Strab. 9, p. 404. Laconis ap. Lucian. D. mort. 18, 1, Charid. c. 24. Episcopi ap. Socr. H. E. 2, 9 etc. De accentu Arcad. p. 77, 11.]

[Ναρκοειδής, Ναρκοειδῶς. V. Ναρκώδης.]

Νάρκος etiam habent VV. LL., quam vocem de torpedine pisce dici, sicut νάρκην, annotant; sed absque ullo testimonio.

[Ναρκότης, ητος, ἡ, Torpor. Ducas Hist. Byz. 4, p. 8, A : Μεθ' ὅσης ναρκότητος.]

Ναρκόω, non est Torpeo, Torpesco, Torpefio (sicut ναρκάω), sed Torpefacio, Torpore afficio. [Hesychius : Ναρκῶσαι, εἰς νάρκην ἀγαγεῖν.] Alex. Aphr. : Ναρκοῦντα τὴν αἰσθητικὴν δύναμιν. [Id. Probl. 1, præf. p. 249, 4 : Διὰ μηρίνθου τὸ σῶμα ναρκοῖ (ἡ νάρκη).] Sic apud Galenum idem verbum itidem cum accus. αἴσθησιν legitur, pro Obstupefacere, ut quidem Bud. vertit in hoc ejus loco : Οἷον τὸ τοῦ Φίλωνος χαρωτικὸν, οὐδενὸς ἧττον ὀδύνας πραῦναι τὴν αἴσθησιν. Paulus Ægin. : Τὸ δὲ ὑδατῶδες ψυχρὸν παχύνει καὶ συνίστησι καὶ ψιλοῖ καὶ νεκροῖ καὶ ναρκοῖ. [Est ναρκοῦν Torpefacere, Stupefacere, pro Sedare ac Tollere, ap. Hippocr. p. 427, 11, de frigida, ὀδύνην ναρκοῖ, quod aph. 25, l. 5 ὀδύνην λύει dicitur. Erotian. autem ἀντὶ τοῦ μειοῖ positum esse scribit, ἐπειδὴ ἡ νάρκη θλῖψις αἰσθήσεώς ἐστιν. Foes. OEcon. Hippocr. p. 425, 9 : Παραπληγικοῖσιν ἢ ναρκωμένοισιν· 427, 15 : Ὀδύνην ναρκοῖ.]

Ναρκώδης, ὁ, ἡ, Cui torpor s. stupor inest, Torpidus s. Stupidus : ut v. ὀδύνη. [Ναρκώδεις exponuntur Erotiano ap. Hippocr. οἱ ἀπεσκληρωμένοι καὶ ἀναισθητοῦντες, Indurati et sensus expertes, h. e. Torpescentes et stupidi. Quod videtur ex p. 79, E, sumtum, etsi alias sæpe usurpatur Hipp., ut p. 145, G; 203, E : Ναρκώδεες ἐκλύσιες, Exsolutiones cum torporis sensu, p. 206, F, et κοιλίη ναρκώδης p. 163, C. Foes. OEcon.

A Plut. Mor. p. 647, B; 658, F, et al. || Adv. Ναρκωδέως, forma Ion. Hippocr. p. 77, G : Τὰ ν. ἐν τούτοισιν ἐκλυόμενα δύσκολα· 656, 50 : Περιψύχονται ν.]

Νάρκωσις, εως, ἡ, Torpefactio, Torpefaciendi vis. [V. Νάρκη.]

Ναρκωτικὸς, ἡ, ὸν, Torpefaciendi vim habens, s. Torporem inducendi, aut Obstupefaciendi : unde ναρκωτικὰ φάρμακα, quæ Gorr. vertit Stupefacientia medicamenta : addens, esse medicamenta frigida, doloris sensum adimentia. Quum enim, inquit, plures sint stuporis causæ, quas ante exposuimus, attamen medici in medicamentorum usu ad movendum stuporem sola frigida usurpant, quæ calorem nativum spiritumque (quibus duobus omnia vitæ munia peraguntur), vel extinguendo vel repellendo, partem cui fuerint admota, sensu privant. Nam sine spiritu animal nihil omnino sentire potest. Id autem non omnia frigida præstare possunt, sed ea modo quæ quarto excessu ejusmodi sunt, vel ut minimum tertii refrigerantium ordinis medium superant, ut mandragoræ
B radix, alterci semen, et papaveris succus. Itaque quam sit periculosus eorum usus, nemo non intelligit, ut quæ partem cui admoventur, nisi diligenter medicus provideat, mortificent. Aliquanto post, Hac nimirum persuasione Galenus, tametsi omnium maxime, ut scribit, ab usu graviter sopientium abhorrens, aliquando tamen ea et colicis exhibuit (sunt autem hæc omnium valentissima, vimque stupefactoriam prædominantem habent, quum in aliis aromata et odorata atque urinam cientia semina plurima contineantur), et iis qui vel oculorum vel aurium vel aliarum partium vehementissimo dolore cruciabantur, quumque æger ex tenui destillatione, vigiliis et vehementi tussi urgeretur, facile noxam eorum, si quis semel esset usus, spatio emendatum iri ratus. Plura apud eum videnda tibi relinquo. [Eust. Od. p. 1493, 5 : Ναρκωτικῶν τινων ἢ θελκτηρίων φαρμάκων. Valck.]

[Νάρμαλις, πόλις Πισιδίας, ὡς Κάβαλις. Οἱ πολῖται Ναρμαλεῖς, ὡς Καβαλεῖς, ὥς Ἔφορός φησι, Steph. Byz.]

Νάρναξ, Hesychio κιβωτός : quæ et Λάρναξ. [Conf.
C Ναρκίον.]

[Ναρνία, πόλις Σαυνιτῶν, ἀπὸ τοῦ παραρρέοντος ποταμοῦ Νάρνου, ὡς Διονύσιος ιη' Ῥωμαϊκῆς ἀρχαιολογίας. Τὸ ἐθνικὸν Ναρνιάτης, ὡς Καυλωνιάτης, Steph. Byz. Ap. Strab. 5, p. 227, Νάρνα, ap. Plut. Flamin. c. 1, Νάρνεια.]

[Νάρνος, Nar, Gl. obscure.]

Ναρὸν, Hesychio σάρον, κόρημα, Scopæ. Exp. etiam πλησμονὴν, et ὑγρόν. Item Ναροὺς affert pro φύλακας. At Νάρη, Eidem est ἡ ἄφρων καὶ μωρά. [Similis vox annexa videtur ejusdem glossæ Νάρθηξ, στοανάρης, ἡ ἥβη, ubi στοὰ intt.]

[Νᾶρὸς, ἁ, ὸν, Udus, Humidus. Orion et minus plene Etym. M. : Ναρὸν, τὸ ὑγρὸν, παρὰ τὸ νῶ ῥῆμα· δηλοῖ τὸ ῥέω. Ὁ μέλλων νάσω. Γίνεται ναρός. Καὶ τὸ οὐδέτερον, ναρόν. Σοφοκλῆς Τρωΐλῳ, Πρὸς ναρὰ δὲ κρηναῖα χωροῦμεν ποτά. Οὕτω Φιλόξενος ἐν τῷ περὶ μονοσυλλάβων ῥημάτων· καὶ ἴσως ἡ συνήθεια (de qua conf. Lobeck. ad Phryn. p. 42, Pashley *Travels in Crete* vol. 1, p. 35) τρέψασα τὸ α εἰς ε, λέγει νερόν. Photius : Ναρᾶς
D τε Δίρκης, ῥευστικῆς, Αἰσχύλος. Unde corrigenda Hesychii gl. Ναιρᾶς, νευριστικῆς. Schol. Hom. Il. Σ, 38 : Ναρὸν, τὸ ῥευστικόν. Herodian. Π. μον. λ. p. 35, 25, ναρὸς ponit inter oxytona in ᾱρος. V. autem Ναρὸν et quæ ejusdem sunt stirpis Νηρεὺς et Νηρηΐς, quorum prius una cum ναρὸν a verbo νάω duci monet Eust. Od. p. 1625, 54. De forma Νηρὸς HSt. :] Νηρὸς pro νεαρὸς dici Phrynich. [p. 42] indicat, quum annotat nequaquam dicendum νηρὸν ὕδωρ, sed πρόσφατον. Suid. et Etym. ex Lycophr. [896] afferunt ἐν χθονὸς νηροῖς [νειροῖς, quod v.] μυχοῖς, pro κοίλοις, καθύγροις, Cavis, Humidis. At νηρὸς ἰχθὺς quod ap. eund. Suid. legitur, forsan reddi queat Natator. Hesych. νηρὸν exp. ταπεινὸν, Humile. [Non addita signif. ponit Theognostus Can. p. 69, 31. Theod. Stud. p. 600, B : Στρέφου, θεώρει, νηρὸν ἄλλο περ νέμων.]

[Ναρσῆς, οῦ, Narses, n. viri, cujus de accentu et flexione Chœrob. vol. 1, p. 46, 33. Viros hujus nominis v. ap. Gibbonem et Byzantinarum rerum scriptores, ut Procopium.]

Νάρταλος, dicitur esse genus Vasis ap. Aristoph. [ap. schol. Aristoph. Vesp. 674, in ed. Ald.; nunc ὁ κάρταλος.] A

[Νάρτη. V. Νάρκαφθον.]

[Ναρυκίδας, ὁ, Narycidas, Phigalensis. Pausan. 6, 6, 1.]

[Νᾶρυξ, υκος, Naryx. Πόλις Λοκρίδος θηλυκῶς λεγομένη. Τινὲς δὲ Νάρυκον τὴν πόλιν φασίν ... Ὁ πολίτης Ναρύκιος καὶ Ναρυκία καὶ οὐδετέρως. Λέγεται καὶ Ναρύκη καὶ Ναρυκαῖος θηλυκῶς καὶ οὐδετέρως, Steph. Byz. Ap. Diod. 14, 82 libri Ἄρυκας pro Νάρυκα, ut videtur, et 16, 38, Ἀρύκαν, et Ἀρυκαίων pro Ναρυκαίων, ut videtur. Strabo 9, p. 325. Ναρύκειον ἄστυ Lycophr. 1148. De accentu properisp. Chœrob. vol. 1, p. 80, 26.]

Νάρφη, Hesych. σκευαστὸς ἄρτος, qui et Μασητρίς.

[Νάρω. V. Ναρέω.]

[Νάρων, ονος, ὁ, Naron, fl., ὃς διαχωρίζει τοὺς Ἰλλυριοὺς καὶ Λιβυρνούς, sec. schol. Nicand. Th. 607, ubi secundam metri causa corripi monet Chœrob. vol. 1, p. 79, 32; 288, 2, Theognost. Can. p. 36, 15. Memorat etiam Strabo 7, p. 315, 317, et qui genit. Νάρωνος ponit Suidas. ᾰ]

[Νᾶς. V. Ναῦς.]

[Νασάμων, ωνος, ὁ, Nasamo, rex eponymus gentis Nasamonum. Apoll. Rh. 4, 1496, et qui accentum gravem hujus nominis diserte testatur, Eust. ad Dionys. v. 209, et Steph. Byz.: Νασαμῶνες, ἔθνος ἐν Λιβύῃ, ὡς Καλλίμαχος (ut in fr. ap. schol. Apoll. Rh. 4, 1322), καὶ Νασαμωνὶς ἀπὸ Νασαμῶνός τινος. Male igitur gentile accentu gravi scribitur in libris nonnullis Herodoti 4, 172. Recte Νασαμῶνας in Herodoti omnibus 2, 32, Diodori 3, 49, Strabonis et aliorum. ᾰᾱ]

[Νασηνοί, οἱ, hæretici, quorum meminit VI Synodus act. 11. Ducang.]

[Νάσιβις. V. Νίσιβις.]

[Νᾶσικᾶς, ᾶ et οῦ, ὁ, Nasica, cogn. Rom. ap. Polyb. 29, 6, 2; 32, 13, 7, ubi genit. Νασικᾶ, Strab. 7, p. 315.]

[Νάσκαφθον. V. Νάρκαφθον.]

Νασμὸς, ὁ, idem ac νᾶμα, Fluentum vel Fluor, Scaturigo, Rivulus, Latex: Hesychio ῥεῦμα, ἀπόρροια. Eurip. Hec. [154]: Φοινισσομένην αἵματι παρθένον ἐκ χρυσοφόρου δειρῆς νασμῷ μελαναυγεῖ, Fluore atro sanguinis, Scaturigine s. Rivo atro sanguinis. [Hipp. 225: Τί κρηναίων νασμῶν ἔρασαι; 653: Ἁγὼ ῥυτοῖς νασμοῖσιν ἐξομόρξομαι.] C

Νασμώδης, ὁ, ἡ, idem ac ναματώδης, Scaturiginibus et rivis riguus: ut γῆ νασμώδης apud agricolas dicitur Scaturiginibus rigua: δίυγρος Hesychio

[Νάσσα, Nassa, Gl.]

[Νασσάλων, ωνος, ὁ, ὄνομα πόλεως, inter hyperdisyllaba in λων ponit Theognost. Can. p. 36, 6. Ad Νασάμων referendum opinabatur Bernhardy ad Suidam. L. Dind.]

[Νασσὴν inter oxytona in σὴν recenset Arcad. p. 8, 25.]

[Νάσσω, Farcio, Gl.] Νάσσει, Hesychio ὁμαλίζει, θλίβει, Æquat ac complanat, Premit. Inde ap. Aristoph. [Nub. 1203] ἀμφορεῖς νενασμένοι [νενησμένοι], Amphoræ ad summum usque plenæ et pressæ. [Nempe Νάσσω vel Νάττω significat Farcio, Confercio, Stipo, Comprimo, Dense impleo. Epictet. fragm. ap. Stob. Serm. c. 120 (p. 770 Upt., fr. 94 Schw.): Νάττω τουτονὶ τὸν θύλακον, εἶτα κενῶ, Impleo saccum hunc, nempe ventrem meum, deinde rursus evacuo. Hippolochus ap. Athen. 4, p. 130, B: Ἔναττον οἱ παῖδες ἐς τὰς σπυρίδας, Inferciebant pueri (cibos) in sportulas. Schweigh. Hom. Od. Φ, 122: Ἀμφὶ δὲ γαῖαν ἔναξε.] Νάξαι, Hesychio σάξαι, βύσαι: afferenti et νάξει pro ἐρίσει, λιθάσει. [Nicander Th. 952: Καὶ τὰ μὲν ἐν στύπεϊ προβαλὼν πολυχανδέος ὅλμου νάξαι. Quod conferendum foret cum ναγεύς. Sed cod. μάξαι, probante Bentlejo.] D || Verum ut redeam ad verbum νάσσω, facit id fut. non solum νάσω, sed etiam νάσσω. [Immo νάξω. Fut. autem νάσω est a v. νάσσω quatenus idem valet ac νάω, ναίω, Habito. Conf. Etym. M. p. 581, 44; 587, 4. Schweigh.] Unde pass. νέναχτο, quod Suid. exp. ἐπεπλήρωτο, in hoc l. Josephi [B. J. 1, 17, 6]: Συνεκπίπτει δὲ τοῖς πολεμίοις εἴσω, καὶ πᾶσα οἰκία ὁπλιτῶν νένακτο, τὰ τέγη δ' ἦν τῶν μαινομένων κατάπλεα, Armatis referta erat et veluti densata. [V. Hesych. vv. Ἐπινάξαι, Ἔναξεν, Νενασμένας. Kuster.]

[Νάσσων, ὄνομα κύριον, quod α producat, memorat Etym. M. p. 158, 15, nisi forte scribendum Μάσσων, quod v.]

[Ναστῆρας, οἰκήτορας, καὶ ναατῆρας, ap. Zonar. p. 1384, ex ναετῆρας corruptum. V. tamen Νάστης.]

Νάστης, ὁ, Hesychio οἰκητής, Habitator [Immo οἰκιστής, Coloniæ deductor. Etym. M. v. Μετανάστης], et nom. propr. [ducis Carum, Hom. Il. B, 867, ubi var. Ναύστης deteriorum apographorum memorat Eust., 870, 871. Cujus nominis forma Dor. videri potest Νάστας, quo Cauloniates appellatur ap. Iambl. V. Pyth. fin.]

[Νάστις. V. Ναέτις.]

Ναστίσκος, ὁ, Parvus ναστὸς, ap. Athen. 6, [p. 269, D] ex Pherecrate: Ἀμητίσκων καὶ ναστίσκων πολυτύρων.

Ναστοκόπος, ὁ, Incisor τοῦ ναστοῦ. [Pollux 6, 75, ex Platone comico.]

B Ναστὸς, ἡ, ὸν, Dense plenus ac veluti pressus, Confertus: [Hesychio] πυκνὸς, πλήρης, μεστὸς, μὴ ἔχων ὑπόκουφόν τι: opp. τῷ χαῦνος καὶ μανὸς καὶ ὑπόκοιλος. [Hippocr. p. 273, 34, maris et feminæ corpora inter se opponens: Τὸ γὰρ ἄρρεν ναστόν ἐστι, τὸ δὲ θῆλυ ἀραιὸν καὶ χαῦνον. Ναστὸς ἀντὶ πλήρους ab Archigene ponitur, et Plenum significat, ut scribit Galen. l. 4 De dignosc. puls. p. 79, 36. Foes. OEcon. Ap. Antyllum p. 120: Σάρκα πυκνὴν καὶ ἀναστὴν, Matthæus scrib. conjecit ναστήν. Theodor. Prodr. Rhod. p. 225 fin.: Πίλοις κατεσκέπαστο ναστοῖς παχέσι.] Ita igitur ap. Diosc. [1, 114] ναστὸς κάλαμος, sagittis conficiendis aptus. Et apud Philonem ὁ κόσμος est πλήρης καὶ ναστὸς, καὶ τῶν ὄντων βαρύτατος, Plenus et densus, Bud. interpr. [Joseph. B. J. 1, 21, 7; 5, 4, 3, πύργος. Cum genit. id. ibid. 6, 9, 4: Ναστὴν ὁ πόλεμος τὴν πόλιν ἀνδρῶν ἐκυκλώσατο. Jacobs.] Ναστὸς dicebatur etiam ἄρτος τις s. πλακοῦς ex melle, uvis passis, aliisque condimentis: densior constipatiorque is erat, nec quicquam inanitatis vel spongiosæ laxitatis habebat: sed in eo pasta et condimenta erant νενασμένα. Aristoph. Pl. [1142]: Ἧκεν γὰρ ἄν σοι ναστὸς εὖ πεπεμμένος. [Av. 567: Ἢν δ' Ἡρακλέει θύῃσι, λάρῳ ναστοὺς θύειν μελιτοῦντας. Schol.: Ναστὸς, μέγας πλακουντώδης ἄρτος. Ὁ δὲ Ἀσκληπιάδης φησὶν εὐτελῆ πλακοῦντα. Μελιτούττας δὲ μέλιτι δεδευμένας· τὸ δὲ πλῆρες ναστοὺς καὶ μελιτούττας· λείπει γὰρ ὁ καὶ σύνδεσμος. Pro quibus Rav. et Ven., Τὸ δὲ μελιτοῦττα ἀρσενικῶς· ἔστι δὲ ἐπίθετον τῶν ναστῶν. Quomodo μελιτῶντας scribendum fuisset.] Athenæo ναστὸς est non solum [14, p. 646, E] εἶδος πλακοῦντος ἔχων ἔνδον καρυκείας, sed etiam [3, p. 111, C] ἄρτος ζυμίτης μέγας. Lycophr. quoque Panem simpliciter ναστὸν vocare dicitur. Sed sæpius de Placenta illa, de qua hæc Nicostratus [l. c.]: Ναστὸς τὸ μέγεθος τηλικοῦτος, δέσποτα, Λευκός· τὸ γὰρ πάχος ὑπερέκυπτε τοῦ κανοῦ. Ὀσμὴ δὲ, τοὐπίβλημ' ἐπεὶ περιῃρέθη, Ἐβάδιζ' ἄνω, καὶ μέλιτι συμμεμιγμένη, Ἀτμίς τις εἰς τὰς ῥῖνας· ἔτι γὰρ θερμὸς ἦν. [Metagenes ap. Athen. 6, p. 269, F: Κῦμα ναστῶν καὶ κρεῶν. Diphil. 10, p. 421, E. Lycophr. 640: Πρὶν ἂν κρατήσῃ ναστόν. Pollux 6, 72, 78. Neutro gen. Hesychius: Ναστὰ, ῥαστὰ (ῥᾶστα mire Albertus), Ῥόδιοι, καὶ Ἀττικοὶ ἄρτους καὶ ἱερὰ πέμματα. V. idem in Ναστός.]

[Ναστὸς, πόλις Θρᾴκης. Γράφεται καὶ Νεστός. Ἀπολλόδωρος δευτέρᾳ Περιηγήσει (sic), Steph. Byz., ap. quem male scriptum Νάστος, si recte scribitur Νεστός.]

[Ναστότης, ητος, ἡ, Densitas. Simplic. ad Aristot. Phys. 1, 18.]

[Ναστοφάγέω.] Ναστοφαγεῖν, Comedere ναστοὺς, Pollux [6, 75. Hesychius (post Ναυστολίαν): Ναστοφαγοῦσι, πλακουντοφαγοῦσι. Photius in Ναστός.]

Ναστοφάγος, ὁ, Comestor τοῦ ναστοῦ s. τῶν ναστῶν. [Pollux 6, 75. Orac. ap. Pausan. 8, 42, 6.]

[Ναστώδης, ὁ, ἡ, i. q. ναστός. Theodor. Metoch. p. 116: Ναστῶδες καὶ συμπεπιλημένον τοῖς ῥήμασιν. Cramer.]

[Ναταλία, ἡ, Natalia, n. mulieris Nicomediensis, ap. Lambec. Bibl. Cæs. vol. 8, p. 454, B. L. Dind.]

[Νατάλιος, ὁ, Natalis, n. viri, ap. Euseb. H. E. 5, 28, p. 253, 10 seqq. et alios scriptt. ecclesiasticos.]

[Νατίσων, ωνος, ὁ, Natiso, fl. prope Aquilejam. Strab. 5, p. 214.] A

[Νάττω. V. Νάσσω.]

Ναυᾱγέω, [Naufragor, Gl.] Naufragium facio, ut Cic.; pro quo alii et Naufragium patior: ut ἀναιρεῖσθαι τοὺς ναυαγήσαντας, Naufragos legere, Naufragorum corpora ad sepulturam conquirere, Naufragos servare, Bud. Dem. [p. 933, 11]: Ναυαγῆσαι ἔφη τὸ πλοῖον παραπλέον ἐκ Παντικαπαίου· ναυαγήσαντος δὲ τοῦ πλοίου ἀπολωλέναι τὰ χρήματα. [Improprie Æschyl. fr. Arg. ap. Athen. 1, p. 17, D: Περὶ δ' ἐμῷ κάρᾳ (ὁ οὐράνη) πληγεῖσ' ἐναυάγησεν. De curribus, ut infra ναυάγιον Ps.-Demosth. p. 1410, 10: Ὡς ἐν τοῖς ἱππικοῖς ἀγῶσιν ἡδίστην θέαν παρέχεται τὰ ναυαγοῦντα. Posidipp. Anth. Pal. 5, 269, 5: Χὼ μὲν ἐναυάγει γαίης ἔπι.] || Interdum cum accus. construitur in metaph. signif., et tunc non incommode reddi potest Jacturam facio; vel, Naufragio amitto. Greg. Naz.: Ἐν ὀλίγῳ ναυαγήσας τὴν σωτηρίαν. Idem: Μηδὲ φορτισθῶμεν πλέον ἢ δυνάμεθα φέρειν, ἵνα μὴ αὐτάνδρῳ τῇ νηῒ βαπτισθῶμεν, καὶ τὸ χάρισμα ναυαγήσωμεν, Ne baptismum obruamus peccatorum pondere, Bud. [Sine accus. Ἐν οἷς ἐναυάγησαν οἱ πρόσθεν ἰατροὶ, Galen. vol. 10, p. 307, E. Hemst. De forma Ion. HSt.:] Ναυηγέω, Naufragium facio, pro ναυαγέω: quod tamen et ap. Polyb. habetur p. 191 [6, 44, 7]: Πολλάκις διαφυγόντες τὰ μέγιστα πελάγη καὶ τοὺς ἐπιφανεστάτους χειμῶνας, ἐν τοῖς λιμέσι καὶ πρὸς τῇ γῇ ναυηγοῦσι, In portu terramque radentes impingunt naufragiumque faciunt. [Herodot. 7, 236.]

[Ναυαγησμὸς, ὁ, Naufragium. Herodian. Epimer. p. 180: Ναυαγῶ ναυαγήσω, ναυαγησμός.]

Ναυαγία, ἡ, et Ναυάγιον, τὸ, Naufragium [Gl. Pind. Isthm. 1, 36: Ἐρειδόμενον ναυαγίαις. Eur. Hel. 1070: Οἵπερ ἔφυγον ἐκ ναυαγίας.] Dem. [p. 293, 5]: Εἶτα χειμῶνι χρησάμενον, καὶ πονησάντων αὐτῷ τῶν σκευῶν ἢ καὶ συντριβέντων ὅλως, τῆς ναυαγίας αἰτιῷτο. Plut. [Mor. p. 864, C], de Herodoto: Διηγούμενος συμπεσοῦσαν ναυαγίαν ταῖς βασιλικαῖς ναυσί. Lucian. [Ver. H. 2, 35]: Ναυαγίᾳ χρησάμενος, Naufragium passus, Qui naufragium fecerat. Synes. Ep. 4: Φέρειν δεῖ τιμὴν ἐντάφιον τὸν ἐκ ναυαγίου νεκρὸν, Cadaver mortuum ex naufragio. Lucian. [Hermot. c. 86]: Οἱ ἐκ τῶν ναυαγίων ἀποσωθέντες, Ex naufragio servati; vel potius Ex iis quæ naufragio facto peribant, peritura erant. Et metaph. Lucian. Saltat. [c. 39] de Deucalione: Καὶ τὴν μεγάλην ἐπὶ τούτου τοῦ βίου ναυαγίαν. Et ap. Plut. [Mor. p. 517, F]: Ναυάγια οἴκων, ἐκπτώσεις ἡγεμόνων. Latini quoque metaph. utuntur vocabulo Naufragium; nam Cic. dicit Naufragia et bonorum direptiones, Naufragium fortunarum, Naufragia rei familiaris. [De signif. discrimine inter utramque formam præter Ammonium p. 97 Thomas p. 622: Ναυαγία ἡ συντριβὴ τῆς νεὼς (cujus signif. addit ex. Luciani), ναυάγια δὲ πληθυντικῶς ἐπὶ οὐδετέρου τὰ ἐξ αὐτῆς ὑπὸ τῆς θαλάττης ἐκβρασθέντα (cujus signif. addit ex. Aristidis). Εὕρηται δὲ καὶ ναυάγιον ὁ τῶν νεῶν κίνδυνος. Cujus signif. exx. ab HSt. citatis alia, velut Strab. 4, p. 183: Πλέοντα ναυαγίῳ περιπεσεῖν, aliorumque recentiorum addit post Valcken. Anim. ad Ammon. p. 159 Lobeck. ad Phryn. p. 519; nam veteres ab hac confusione abstinuerunt.] || Sed ναυάγιον frequentius accipitur pro Fragmento navis, aut iis quæ facto naufragio reperiuntur et colliguntur, ut sunt Tabulæ ex naufragio, ap. Cic. [Æsch. Pers. 420: Θάλασσα ναυαγίων πλήθουσα. Et sæpius Eurip.] Thuc. [7, 23]: Τὰ ναυάγια ἀνελκύσαντες τῶν Συρακουσίων. Apud Eundem pluribus in ll., Τά τε ναυάγια καὶ τοὺς νεκροὺς ἀνείλοντο. Sic et ap. Xen. Hell. 1, [7, 29]: Ἀναιρεῖσθαι τὰ ναυάγια. Thuc. 1, [50]: Πρὸς τὰ ναυάγια καὶ τοὺς νεκροὺς ἐτράποντο, Ad navium submersarum et fractarum reliquias. Et 4, [14]: Νεκροὺς ἀπέδοσαν, καὶ ναυαγίων ἐκράτησαν. Ap. Longin.: Τὸν ἐπὶ τοῦ ναυαγίου δέχ' ἡμέρας ἄσιτον, Super tabula ex naufragio. [Id. c. 10, 7.] Plut. [Pomp. c. 23]: Ἐπὶ λεπτοῦ ναυαγίου διαφερόμενος. Metaphorice in hac quoque signif. capitur, ap. Plut. [Mor. p. 803, A]: Δημάδης τὰ ναυάγια λέγων πολιτεύεσθαι· itidemque ap. Soph. El. [729] de iis qui in cursu equestri conciderant, Πᾶν δ' ἐπίμπλατο Ναυαγίων Κρισαῖον ἱππικῶν πέδον. [Et ib. 1444.] Chœrilus ap. Athen. 11, [p. 464, B]: Χερσὶν ἄνολβον ἔχω κύλικος τρύφος ἀμφὶς ἐαγὸς, Ἀνδρῶν δαιτυμόνων ναυάγιον, οἷά τε πολλὰ Πνεῦμα Διωνύσοιο πρὸς ὕβριος ἔκβαλεν ἀκτάς· de poculis fractis, et hinc inde disjectis veluti naufragio. In eadem τοῦ ναυαγίου signif. Cic. videtur Lat. vocab. accepisse, quum dixit, Naufragium reip. colligere, ac salutem communem reficere. [Pollux 9, 32: Κακίζων τελώνην εἴποις ἂν ... ναυάγιον. De forma Ion. HSt.:] Ναυηγίη, et Ναυήγιον, Naufragium: poetice pro ναυαγία et ναυάγιον. Sicut vero ναυάγιον accipitur pro Fragmento aliquo, quod ex naufragio colligitur, ita et ναυήγιον. [Herodot. 7, 190, 192; 8, 8. Alterum 8, 12, 18, etc.]

[Ναυάγιον. V. Ναυαγία.]

[Ναυαγιοφόρος, ὁ, Naufragia ferens. Pseudo-Chrys. Serm. 28, vol. 7, p. 327, 28: Ὦ φθόνε, πλοῖον πισσοειδὲς, ταρτάρινον, ναυαγιοφόρον. Seager.]

Ναυᾱγὸς, ὁ, [ἡ, ex Brunckii conject. ap. Xenocrit. Anth. Pal. 7, 291, 2: Ναυηγοῦ φθιμένης εἰν ἁλί, ubi cod. ναυηγέ], Naufragus, [Navifragus, add. Gl. Eur. Hel. 408, etc.] Xen. Hell. 1, [7, 4]: Οὐχ ἀνείλοντο τοὺς ναυαγούς· paulo post [§ 5], Ἀναίρεσιν τῶν ναυαγῶν. B Greg. Naz.: Ναυαγοί τε τλήμονες. [Et de forma Ion. HSt.:] Ναυηγὸς, Ion. pro ναυαγὸς, Naufragus; vel potius Navifragus, ut poetico poeticum reddas. In Epigr., ναυηγὸς ναῦς, et [Anth. Pal. 9, 105, 2] ναυηγοὶ ἄνεμοι, ut dixit Ovid. Fretum navifragum; Statius, Saxum navifragum. In Epigr. ναυηγὸς μόρος, Naufragum fatum, quum sc. aliquis naufragio facto perit. [Dioscor. Anth. Pal. 7, 76, 6: Καλυφθεὶς κύμασι ναυηγὸν σχέτλιος ἔσχε τάφον.] || In prosa autem ναυηγὸς est Navium ductor, Classis præfectus, ut ex Suida patet: Ναυηγὸς, ὁ τῆς νεὼς ἀρχηγός· τοῦτο δὲ κοινῶς· ἡ δὲ ποίησις καὶ τὸν ναυαγήσαντα οὕτω γράφει. [Glossa inepta ex libris deterioribus illata.] || Euphorion Helladii Chrestom. p. 14 [532, 20] affert [immo ipse utitur] hoc vocab. pro ὁ τὴν ναῦν ἄγων.

Ναύαιθος, ὁ, [Nauæthus,] In quo naves arserunt: ita dicitur fluvius quidam Italiæ, ab incensis in eo navibus nomen sortitus. Etym. [Lycophr. 921, ubi v. schol. Euphorion ap. Steph. Byz. v. Ἀσκανία. Theocriti 4, 24, libri plerique Νήαιθον, Vat. unus Ναύαιθον. C V. Νέαιθος.]

Ναυαρχέω, Navibus præsum, Navarchum ago, Navarchi munere fungor. Xen. Hell. 2, [1, 6]: Οὐ γὰρ νόμος αὐτοῖς δὶς τὸν αὐτὸν ναυαρχεῖν. [Ib. 4, 28, Anab. 5, 1, 3.] Construitur cum dat., ut annotat Suid. [et grammat. Bekk. Anecd. p. 158, 25, addito ex. Dionis Cassii.] Item cum gen., Isocr.: Τῶν πλοίων, ὧν ἐναυάρχει Λαομέδων.

[Ναυάρχης. V. Ναύαρχος.]

Ναυαρχία, ἡ, Præfectura navium s. classis. Exemplum ex Thuc. habes in Ναύαρχος. Aristot. Polit. 7, c. ult.: Ναυαρχίαι καὶ ἱππαρχίαι καὶ ταξιαρχίαι· et his specialiores, Τριηραρχίαι καὶ λοχαγίαι καὶ φυλαρχίαι. [Xen. H. Gr. 1, 5, 1: Τῆς ναυαρχίας παρεληλυθυίας· 2, 1, 6: Λύσανδρον εὖ φερόμενον κατὰ τὴν προτέραν ναυαρχίαν. || Classis. Lycophr. 733: Κραίνων ἁπάσης Μόψοπος ναυαρχίας. Theodor. Prodr. Rhod. p. 2: Λησταρχικῆς ναυαρχίας· 210 fin.: Τῆς τοῦ Βρυάξου μυρίας ναυαρχίας· et ib. p. 225.]

Ναυαρχὶς, ίδος, ἡ, Navis qua classis præfectus vehitur: quam sunt qui Prætoriam navem interpretentur. D Plut. [Mor. p. 779, A]: Τὴν Θεμιστοκλέους ναυαρχίδα κυβερνήσει προπολεμοῦσαν τῆς Ἑλλάδος. Idem Alcib. [c. 27]: Ταχὺ δὲ σημεῖον ἄρας ἀπὸ τῆς ν. φίλιον, ὥρμησεν εὐθὺς ἐπὶ τοὺς κρατοῦντας τῶν Πελοποννησίων. Prætoriam vero navem, inquit Bayf., Græci ναυαρχίδα vocant, nostri vulgo Capitaneam. Diod. Sic. 20, [7]: Καὶ πρῶτος ὥρμησεν ἐπὶ τὴν ναυαρχίδα [τριήρη. Id. 11, 27: Τῇ ναυαρχίδι τῶν Περσῶν.] Idem auctor aliquando στρατηγίδα vocat: ut eod. l., Παραγγείλας τοῖς κυβερνήταις ἀκολουθεῖν τῇ στρατηγίδι νηΐ. [Polyb. 1, 51, 1, etc.]

[Ναυαρχίτης, ὁ.] Ναυαρχῖται, Classium duces, VV. LL.

Ναύαρχος, ὁ, Navium præfectus, [Navicularius, Nauticus, Gl.] ὁ τῶν νηῶν ἄρχων, Hesych.: Cic. quoque Navarchum dicit. Thuc. 8, [20]: Ναύαρχος αὐτοῖς ἐκ Λακεδαίμονος Ἀστύοχος ἐπῆλθεν, ᾧπερ ἐγίγνετο ἤδη πᾶσα ἡ ναυαρχία. Aristot. Polit. 2: Τῷ περὶ τοὺς ναυάρχους νόμῳ. [Frequens est etiam ap. Xenoph. aliosque historicos.] Rursum Thuc. 4, p. 125 [c. 11]: Ναύαρχος δὲ αὐτῶν ἐπέπλει, Navium s. Classis præfectus: cui subsunt τριήραρχοι et κυβερνῆται, ut in ead. pag. videre est. Demetrii autem adulatores Ptolemæum per contemptum vocabant ναύαρχον, sicut Seleucum ἐλεφαντάρχην, Lysimachum γαζοφύλακα, Agathoclem νησιάρχην: nec enim eos regio nomine dignabantur. [Recte Wessel. ad Diod. 20, 88: «N. classis est imperator, quare Arrian. de Onesicrito, qui navis gubernator se scriptione sua classi imposuerat, ναύαρχον ἑαυτὸν γράψας κυβερνήτην ὄντα, l. 6, 2. Discrimen ita Philo Jud. p. 728, A, exsequitur: Ναύαρχος δ' ἐπιβατικοῦ καὶ πληρωμάτων (πρῶτος) καὶ πάλιν φορτίδων καὶ ὁλκάδων ναύκληρος, κυβερνήτης δὲ πλωτήρων. Et Plut. Mor. p. 807, A.» Æsch. Cho. 722: Ἡ νῦν ἐπὶ ναυάρχῳ σώματι κεῖσαι. Soph. Aj. 1232: Οὔτε στρατηγοὺς οὔτε ναυάρχους. De singularum navium præfectis Polyb. 1, 21, 4: Ὁ ἐπὶ τῆς ναυτικῆς δυνάμεως τεταγμένος τοῖς Ῥωμαίοις Γνάϊος Κορνήλιος συντάξας τοῖς ναυάρχοις πλεῖν ἐπὶ τὸν πορθμόν. || Formam Ναυάρχης ap. Appian. Pun. c. 98, ubi ναυαρχῶν scribebatur, ex libris correxit Schweigh. Sed est ap. Jo. Laurent. De magistr. p. 50: Οἱ καλούμενοι κλασσικοὶ οἷον ναυάρχαι. L. Dind.]

[Ναυάτης, ὁ, Nauta, et Ναυάτης, n. pr. V. Ναυβάτης.]

[Ναυατιανοί, οἱ, Navatiani, hæretici, de quibus v. in Νουατιανοί, quæ vera scriptura est, quum altera aut librariorum videatur aut recentiorum scriptorum, nomen latinum ad græci speciem deflectentium. Est Ναυατιανοὶ ap. Theod. Stud. p. 258, B; 285, C, et Suidam ex Sozom. H. E. 8, 1. Ναυαταῖοι ap. Epiphan. vol. 2, p. 18, D. Et adj. Ναυατιανικός, ή, όν, ap. Theod. p. 510, D. L. Dind.]

[Ναυβατέω, Navem conscendi, Nave vehor. Philo vol. 2, p. 465, 36: Καὶ γὰρ ἐκεῖνος ἐξετέθη πρὸς τῶν Ἀργοναυτῶν οὐκ ἀδικῶν, ἀλλ' ὅτι μόνος πλήρωμα καὶ ἕρμα καθ' αὑτὸν ὢν ἐναυβάρει. Recte Mangejus: «Ms. Med. ἐναυβάτει, et forsan sic melius.» Inscr. Ephes. ap. Bœckh. vol. 2, p. 601, n. 2955, 8: Ναυβατούντων Λυκιδ., ubi tamen dubia est signif., propria sit an, quod vix credibile, muneris cujusdam. L. Dind.]

Ναυβάτης, ὁ, Qui navem conscendit, nave vehitur, Vector. [Præter Euripidem Æsch. Pers. 1011: Ἰάνων ναυβατᾶν· et adjective 375: Ναυβάτης ἀνήρ· 987: Ναυβάτας στρατός· 404: Ναυβάτας ὁπλισμούς. Soph. Phil. 270 et Lycophr. 120: Ναυβάτῃ στόλῳ.] Soph. Aj. [348]: Ἰὼ φίλοι ναυβάται, μόνοι ἐμῶν φίλων, Socii navales, Amici qui navem mecum conscendistis, et vecti mecum fuistis. Ap. Suid.: Πεζοὺς δὲ ἀντὶ ναυβατῶν πορευομένους, ubi ναυβάτης exp. non solum ἐπιβάτης, sed et ναύτης. [Sic ap. Herodot. 1, 143, ναυβάται sunt Qui mare exercent. Schweigh. Thuc. 8, 44.] Apud Hesych. scribitur etiam Ναυάτης, quod exp. νεὼς ἐπιβάτης. Citaturque itidem in VV. LL. ex Lycophr. [827]: Τὴν δὲ ναυάται Κρόκαισι ταρχύσουσιν. Item ap. Polluc. [1, 95], ἐπιβάτης, πλωτήρ, ναυάτης· quod magis tragicum esse ait. Quæ scriptura mendo carere videtur; ut ita dicatur ναυάτης pro ναύτης, sicut Navita pro Nauta. [Vide quæ ab intt. Hesychii monita sunt. Schweigh. Non minus vitiosum esse quam frequens in libris Εὔοια pro Εὔβοια monui ad Xen. H. Gr. 3, 2, 6, notaveratque jam Brunck. ad Soph. Phil. argum. v. 4, ut inanis sit defensio hujus formæ et cum latino *Navita* comparatio, quæ ab nonnullis instituta est.]

[Ναυβάτης, ου, ὁ, Naubates, n. viri, quod pro Ναυάτης restituendum Xen. H. Gr. 3, 2, 6, in inscr. Att. ap. Bœckh. vol. 1, p. 486, n. 538, 7. L. Dind.]

[Ναυβόλειος. V. Ναύβολος.]

[Ναυβολεῖς, οἱ, Nauboles, oppidulum Phocidis. Pausan. 10, 33, 12.]

[Ναυβολίδης, ὁ, Naubolides, patron. a Ναύβολος. Hesiod. ap. schol. Soph. Trach. 263, Apoll. Rh. 1, 134. Phæax quidam ap. Hom. Od. Θ, 116. ῐ]

[Ναύβολος, ὁ, Naubolus, f. Ornyti, pater Iphiti. Hom. Il. B, 518, Apoll. Rh. 1, 208, Orph. Arg. 144, Apollod. 1, 9, 16, 8. F. Lerni, pater Clytonei, Apoll. Rh. 1, 135. Adj. Ναυβόλειος, ap. Lycophr. 1067: Ναυβολείων ἐγγόνων.]

[Ναύδετον, τό, Rudens. Eur. Tro. 811: Ναύδετ' ἀνήψατο πρυμνᾶν.]

[Ναυηγέτης, ὁ, Navis ductor. Lycophr. 873: Ὃν
A (σηκὸν) ἔδειμε πεντήκοντα σὺν ναυηγέταις, de Argonautis.]

[Ναυηγέω, Ναυηγία, Ναυήγιον, Ναυηγός. V. Ναυαγ—.]

[Ναυῆς, ὁ, Naues, n. pr. patris Jesu cujusdam, Num. 32, 28 et al., unde Ναυίδης, ὁ, patronymicum, Filius Naue, ap. Theodor. Stud. p. 598, B: Μωσῆς μὲν ἄρχων, Ναυίδης δὲ συνθέων, de Jesu Naue. L. D.]

[Ναυκέλια, Navicellæ, in l. 17, 5, 1, D. de Instruct. vel Instrum. Leg. Leo in Tactic. c. 5, § 9: Εἰ δὲ πρὸς ποταμοὺς ἢ λίμνας καὶ ναυκέλια ἤγουν πλοῖα μικρὰ etc. Mauric. Strateg. 12, 21. V. Reines. Inscr. p. 203. (Qui in inscr. Neapolit: Οἱ πολῖται Σέλευκον ... λαυκελαρχήσαντα κτλ. restituit ναυκελαρχήσαντα, Præfectum rei nauticæ.) Ναῦκλαι ead. notione Mauric. l. c.: Εἰ μὲν γεφυρῶσαι χρεία, τουτέστι ποντογέφυραν ποιῆσαι, δέον ἀπὸ τῆς ἰδίας ὄχθης ἄρξασθαι τὰ ἐπὶ τούτων σκεύη, τουτέστι ναύκλας μεγάλας· 9, 1: Γεφύρας, ὥς ἐστιν ἔθος τὰς πολλὰς γίνεσθαι ἢ διὰ ναυκλῶν κτλ., ubi Leo μονοξύλων. Ducang.]

[Ναύκιοι, οἱ, Naucii, gens, ap. Suidam.]

B [Ναυκλάριοι. V. Ναύκλαροι.]

Ναύκλαροι [quod nihili], sive Ναύκραροι, sive [quod item nihili] Ναύκαροι, οἱ, Athenis dicebantur olim οἱ κατὰ δήμους ἄρχοντες, quos Pollux [8, 108] ναυκλήρους quoque appellatos dicit. Hesych.: Ναύκλαροι, δήμαρχοι ὑπηρέται, duodecim ex qualibet tribu, qui ἀφ' ἑκάστης χώρας τὰς εἰσφορὰς ἐξέλεγον, postmodum δήμαρχοι vocati. Facitque Hesych. discrimen inter ναυκλήρους et ναυκλάρους: itidemque Ammonius inter ναυκλήρους et ναυκράρους distinguit, ac ναυκράρους esse dicit τοὺς τὰ δημόσια εἰσπραττομένους κτήματα. [Οἱ ἐκμισθοῦντες τὰ δημόσια Photio. Lex. rhet. Bekk. An. p. 283, 20: Ναύκραροι, οἱ τὰς ναῦς παρασκευάζοντες καὶ τριηραρχοῦντες καὶ τῷ πολεμάρχῳ ὑποτεταγμένοι. Quibus similia v. ap. Poll. in Ναυκραρία cit.] Aristoph. quoque schol. δημάρχους appellatos fuisse scribit eos qui prius ναύκλαροι vocabantur, sive ii, ναύκλαροι sc., a Solone constituti, sive etiam ante Solonem: qui τὰς ὑπογραφὰς ἐποιοῦντο τῶν ἐν ἑκάστῳ δήμῳ χρεῶν, καὶ παρ' οἷς τὰ ληξιαρχικὰ γραμματεῖα ἦν· συνῆγόν τε τοὺς δήμους ὅτε δέοι,
C καὶ ψῆφον αὐτοῖς ἐπεδίδοσαν, καὶ ἐνεχυρίαζον [ἠνεχ.], καὶ τὴν πομπὴν τῶν Παναθηναίων ἐκόσμουν. Aristot. quoque in Rep. Athen. eosd. fuisse δημάρχους et ναυκλάρους, ac mutato tantum nomine δημάρχους in ναυκράρων locum a Clisthene constitutos fuisse auctor est, ita de Clisthene loquens: Κατέστησε καὶ δημάρχους τὴν αὐτὴν ἔχοντας ἐπιμέλειαν τοῖς πρότερον ναυκλάροις, καὶ τοὺς δήμους ἀντὶ τῶν ναυκλαρίων ἐποίησεν. Sic enim verba ejus emendo ex Harpocr. [ap. quem scriptum δημίους ἀντὶ τῶν ναυκράρων ἐποίησαν, ad quæ Bekkerus: Δημαίους A, i. e. δημάρχους. Sed totum hoc δημίους ἐποίησαν male abundat, nisi cum Dobræo p. 588 legas δήμους ἀντὶ ναυκραριῶν ποιήσαντες], et schol. Aristoph. [Nub. 37] ac Polluce. Pro ναυκλάροις autem et ναυκλαρίοις, ut ap. Aristoph. schol. scribitur, ap. Harpocr. habetur ναυκράροις et ναυκραριῶν. [Item ap. Photium, qui eadem fere ponit quæ Harpocr., et ναυκράρια (leg. videtur —ραρίας, ut initio dixerat, etsi ναυκράριον est infra) cum συμμορίαις comparat. V. Bœckh. OEcon. Athen. vol. 2, p. 87. Et Hesychio quidem ordo lite-
D rarum vindicat ναύκλαροι, quod ap. schol. Aristoph. nunc in ναύκραροι constanter mutatum.] Ceterum fuisse ναυκράρων nomen antiquum et ante Clisthenis tempora, ex Herodoto quoque discimus, qui 5, [71] de Clisthene et Isagora loquens ait: Οἱ πρυτάνιες τῶν ναυκράρων, οἵπερ ἔνεμον τότε τὰς Ἀθήνας· cujus l. meminit et Harpocr., dicens ναυκράρους ibi prisco nomine ab eo vocari τοὺς ἄρχοντας. Ab his sive ναυκλάροις sive ναυκράροις, sive ναυκάροις, paragocica forma Ναυκλάριοι, sive Ναυκράριοι, sive Ναυκάριοι, Athenis dicebantur οἱ δῆμοι, ut tum ex Aristot. l. c. cognoscitur, tum ex iis quæ in Ναύκληρος ex Polluce ascribam.

[Ναυκλείδας s. Ναυκλείδης, ὁ, Nauclides, Platæensis, ap. Thuc. 2, 2, Demosth. p. 1378, 23. Spartanus ap. Xen. H. Gr. 2, 4, 36, Athen. 12, p. 550, D. F. Polybiadis, Ælian. V. H. 14, 7.]

Ναυκληρέω, Nauclerus s. Navicularius sum. Construitur interdum cum accus., interdum cum gen., diciturque de Eo qui nauclerus est, et possidet navem, ejusque dominus est. [Aristoph. Av. 598 : Γαῦλον κτῶμαι καὶ ναυκληρῶ. Xen. Reip. Lac. 7, 1 : Ὁ μὲν ναυκληρεῖ, ὁ δὲ ἐμπορεύεται.] Dem. [p. 929, 14] : Ἐρασικλῆς μαρτυρεῖ κυβερνᾷν τὴν ναῦν, ἣν Ὑβλήσιος ἐναυκλήρει. Sic et alibi. Plut. [Pomp. c. 73] : Εἶδεν εὐμεγέθη φορτηγὸν ἀνάγεσθαι μέλλουσαν, ἧς ἐναυκλήρει Ῥωμαῖος ἀνήρ. Hesych. ναυκληροῦμεν exp. ναυτιλλόμεθα [Navigamus. Improprie Æsch. Sept. 652 : Ναυκληρεῖν πόλιν. Soph. Ant. 994 : Δι' ὀρθῆς τήνδε ναυκληρεῖς πόλιν. Isæus p. 58, 13 : Ἐναυκλήρει συνοικίαν ἐν Πειραιεῖ αὐτοῦ. Ib. l. 21 hoc dicitur ἐπιμελεῖσθαι τῆς σ. Valck. || Photius : Ναυκληρεῖν, καὶ τὸ οἰκίας δεσπόζειν. Cujus signif. testem Alexin citat Antiatt. Bekk. p. 109, 19. V. Ναύκληρος.]

[Ναυκλήρημα, τὸ, Navigatio. Tzetz. Hist. 9, 61 : Μηδ' εἴκειν ναυκληρήμασι (τὴν θάλασσαν) μηδὲ ταῖς εἰρεσίαις.]

Ναυκληρία, ἡ, Naucleriacum vitæ genus, quo sc. aliquis navem possidens vectoribusque eam locans quæstum facit. [Navigatio, Soph. fr. Achæorum conv. ap. Polluc. 10, 133 : Νυκτέρου ναυκληρίας. Eur. Hel. 1519 : Τίς δέ νιν ναυκληρία ἐκ τῆσδ' ἀπῆρε χθονός; 1589 : Δόλιος ἡ ναυκληρία· Alc. 110 : Οὐδὲ ναυκληρίαν στείλας. Xen. Comm. 1, 6, 8 : Γεωργίαν ἢ ναυκληρίαν· Hipparch. 9, 2. Plato Leg. 1, p. 643, E : Εἴς τε καπηλείας καὶ ναυκληρίας.] Aristot. Pol. 1, [c. 7 ante med.] περὶ ἐμπορίας loquens, quam præcipuam τῆς μεταβλητικῆς speciem constituit : Ταύτης μέρη τρία, ναυκληρία, φορτηγία, παράστασις· quorum summum genus ἡ χρηματιστική. [Plut. Mor. p. 834, F : Ἐπέθετο ναυκληρίᾳ. De navi ipsa accipere licet ap. eund. Mor. p. 87, A : Τῆς ναυκληρίας αὐτῷ συντριβείσης. De classe Lycophr. 586 : Οὐ ναυκληρίας λαῶν ἄνακτες, quanquam etiam Expeditionem vertere licet, ut est ap. schol. ἐκστρατείας.]

Ναυκληρικὸς, ἡ, ὸν, Ad navicularium s. nauclerum pertinens, Nauclerius, ut Plaut. [Asin. 1, 1, 54], Nauclerio ornatu. Alibi [Mil. 4, 4, 41] Naucleriacus dicit, Venias huc ornatu naucleriaco. Athen. 5, [p. 207, C] : Ἡ δὲ ναυκληρικὴ δίαιτα, κλινῶν ἦν πεντεκαίδεκα, Nauclerium conclave. Et τὰ ναυκληρικὰ, Plato Leg. 8, [p. 842, D] Nauclerium vitæ genus. [Item τὰ ναυκληρικὰ ap. Androtionem in schol. Aristoph. Av. 1540, de reditibus ναυκραρικοῖς, ut conjiciebat Bœckh. OEc. Athen. vol. 1, p. 189.] Item ναυκληρικὸς dicitur pro ναύκληρος, ut στρατιωτικὸς interdum pro στρατιώτης : vel Qui nauclerium vitæ genus sequitur. Plut. [Mor. p. 787, A] : Λάμπις ὁ ν. ἐρωτηθεὶς πῶς ἐκτήσατο τὸν πλοῦτον; Aliquando post dicit, Λάμπων ὁ ναύκληρος· incertum an de eodem. [Arrian. Peripl. m. Erythr. p. 12=154 : Ναυκληρικῶν ἀνθρώπων. Lucian. D. mer. 2, 2.]

Ναυκλήριον, τὸ, Navigium, q. d. Naucleriaca possessio. Dem. p. 289 [690, ult.] : Μέγιστα ναυκλήρια κέκτηται τῶν Ἑλλήνων, καὶ κατεσκεύακε τὴν πόλιν αὐτοῖς καὶ τὸ ἐμπόριον. Sic Plut. Apophth. Lacon. p. 205 [234, F] : Τὸν μακαρίζοντα Λάμπον [Λάμπιν] τὸν Αἰγινήτην διότι ἐδόκει πλουσιώτερος εἶναι, ναυκλήρια πολλὰ ἔχων, Multa navigia, quæ vectoribus elocabat, quibus negotiabatur : quem ναυκληρικὸν paulo ante vocat. [Eur. Rhes. 233 : Μόλοι δὲ ναυκλήρια, pro ναυστάθμους.]

Ναύκληρος, ὁ, ἡ, Qui navem possidet, Navis dominus, Nauclerus, Plauto, Navicularius [Gl.], Naviculator, Ciceroni. [Photio ὁ τῆς νεὼς κύριος, καὶ ὁ ἐπιπλέων αὐτῇ ἐπὶ τῷ τὰ ναῦλα λαβεῖν. Æsch. Suppl. 183 : Ξὺν φρονοῦντι δ' ἥκετε πιστῷ γέροντι τῷδε ναυκλήρῳ πατρί. Soph. Phil. 128 : Ναυκλήρου τρόπον μορφὴν δολώσας· 547 : Πλέων, ὡς ναύκληρος, οὐ πολλῷ στόλῳ. Eur. Hipp. 1224 : Ναυκλήρου χερός. Aristoph. Av. 596 : Ὥστ' ἀπολεῖται τῶν ναυκλήρων οὐδείς. Herodot. 1, 5 : Τῷ ναυκλήρῳ τῆς νεός. Frequens est etiam ap. Xenoph. et Platonem.] Plut. Polit. præc. [p. 807, B] : Ναύτας μὲν ἐκλέγεται κυβερνήτης, καὶ κυβερνήτην ναύκληρος. Athen. 5, [p. 209, A] : Τῶν δὲ κατὰ ναῦν ἀδικημάτων δικαστήριον καθειστήκει, ναύκληρος κυβερνήτης, καὶ πρωρεύς· unde patet discrimen esse inter ναύκληρον et κυβερνήτην : est tamen hic ναύκληρος in nave non otiosus. Plut. [Mor. p. 664, C] : Ἄκρα τῶν ἱστίων οἱ ναύκληροι καταδιφθεροῦσι. Aristot. Rhet. 2, [4, 2] : Ὅμοιος ναυκλήρῳ, ἰσχυρῷ μὲν, ὑποκώφῳ δέ. Comicus quidam ap. Athen. 13, [p. 558, C] de Phryne meretrice, quam Charybdin vocat : Τόν τε ναύκληρον λαβοῦσα καταπέπωκ' αὐτῷ
A σκάφει. Ammonio ναύκληροι sunt non solum οἱ ναῦς κεκτημένοι, sed etiam ita vocatos scribit τοὺς μισθωτοὺς τῶν συνοικιῶν : ubi potius scr. μισθωτὰς, Locatores. [Alterum est etiam ap. Thomam p. 623 : Ἐλέγοντο δὲ ὁμοίως ναύκαροι (vel ναύκραροι) καὶ οἱ μισθωτοί.] Hesychio est ὁ συνοικίας προεστὼς, σταθμοῦχος : ut sit ναύκληρος, Qui ita hospitibus domum suam quasi locat, ut navicularius vectoribus. [Lex. rhet. Bekk. An. p. 282, 10 : Ναύκληρος σημαίνει μὲν καὶ τὸν τῆς νεὼς κύριον, σημαίνει δὲ τὸν ἐπιπλέοντα αὐτῇ ἐφ' ᾧ τὰ ναῦλα λαμβάνειν, σημαίνει δὲ καὶ τὸν τὰ ἐνοίκια τῆς οἰκίας ἐκλέγοντα.] Hyperides vero ναύκληρον usurpavit ἐπὶ τοῦ μεμισθωμένου ἐπὶ τῷ τὰ ἐνοίκια ἐκλέγειν, seu οἰκίας, aut συνοικίας : ut annotat Harpocr., quem Hesych. ναύκλαρον, alii ναύκραρον appellant. Metaphorice autem paterfamilias dicebatur ναύκληρος. Pollux 1, [75] : Ὁ δεσπότης τῆς οἰκίας, στεγανόμος παρὰ δὲ τοῖς Δωριεῦσι καὶ Αἰολεῦσιν ἑστιοπάμμων ὀνομάζεται· ἔνιοι δ' αὐτὸν καὶ ναύκληρον ἐκάλεσαν. [Conf. 10, 20.] Forsan tamen et hic ναύκληρος, idem qui paulo ante Am-
B monio et Hesych. [Conf. de hac signif. Ναυκληρέω.] Ναύκληροι Athenis dicebantur etiam οἱ δήμαρχοι. Pollux 8, [108] περὶ δημάρχων loquens : Οὗτοι οἱ κατὰ δήμους ἄρχοντες, ἐκαλοῦντο τέως ναύκληροι, ὅτε καὶ οἱ δῆμοι ναυκάριοι· nisi forte ibi scr. ναύκαροι, ναύκλαροι, ναύκραροι : nam inter ναυκάρους et ναυκλήρους Ammonius distinguit, et Hesych. inter ναυκλάρους ac ναυκλήρους. Agnoscit tamen et Harpocr. ναύκληρος in hac signif. usurpatum ab Hyperide. || Adjective pro Nauticus; nam ναύκληρον πλάτην, Hesych. [ap. Soph. fr. Naupl.] exp. τὴν ναυτικήν.

[Ναύκληρος, ὁ, Nauclerus, n. viri in inscr. Cypariss. ap. Leak. *Travels in the Morea* vol. 3, p. 30. L. Dind.]

Ναυκληρώσιμος, ὁ, ἡ, Qui a nauclero elocatur, specialiter eo qui σταθμοῦχος appellatur : unde ναυκληρώσιμοι στέγαι ap. Hesych., τὰ πανδοκεῖα, Tabernæ, Deversoria : quæ et ἐμπορεῖα nonnullis, ut ἐμπορικὸς οἶκος, Stesichoro : potest tamen et navis dici ναυκληρώσιμος στέγη : quippe quæ et ipsa a nauclero locetur vectoribus.

C [Ναυκλῆς, έους, ὁ, Naucles, Spart. ap. Xen. H. Gr. 7, 1, 41. Athen. in inscr. Att. ap. Bœckh. vol. 1, p. 307, n. 172, col. III, 8. Genit. Ναυκλεῖος in Att. ib. p. 524, n. 864, 2; 529, n. 908, 2.]

[Ναῦκλος, ὁ, Nauclus, f. Codri, ap. Strab. 13, p 633. Conf. Νάοκλος. Alius in inscr. Att. ap. Bœckh. vol. 1, p. 532, n. 921, 7.]

[Ναυκραρία.] Ναυκαρία, ἡ, a nomine ναύκαροι vocabatur Duodecima pars tribus. Pollux 8, [111] περὶ δημάρχων, post verba illa quæ in Ναύκληρος ex eo citavi, tum de hoc ναυκαρία, tum de ναύκαροι ait : Ναυκαρία δ' ἦν τέως φυλῆς δυοκαιδέκατον μέρος· καὶ δυώδεκα ναυκάριοι ἦσαν, τέσσαρες κατὰ τριττὴν ἑκάστην· τὰς δ' εἰσφορὰς τὰς κατὰ δήμους διεχειροτόνουν οὗτοι, καὶ τὰ ἐξ αὐτῶν ἀναλώματα· ναυκαρία δὲ ἑκάστη δύο ἱππέας παρεῖχε καὶ ναῦν μίαν· ἀφ' ἧς ἴσως ὠνόμασται.

[Ναυκράριον, τό.] A nom. ναύκραροι dicuntur etiam Ναυκράρια, οἱ τόποι ἐν οἷς ἐνέκειντο [ἀνέκειντο] τὰ κτήματα, Ammon., Loca illa ubi reponebantur quæ a ναυκράροις per singulas ναυκραρίας exacta erant. [Ναυκα-
D ρεῖα et ναυκαρία male ap. Thomam p. 623. Quanquam diphthongus fortasse præstat. Alterum hujus voc. ex. ap. Photium sustulimus in Ναύκληρος.] At Ναυκραρικὰ vide in Ναυκρατητικά.

[Ναυκράριος, Ναύκραρος. V. Ναύκλαροι.]

Ναυκρᾰτέω, Navibus obtineo, supero s. superior sum. Pass. Ναυκρατέομαι, Navibus s. Navali præsidio inferior sum, Classe vincor, superor. Xen. Hell. 6, [2, 8] : Κατὰ θάλασσαν δὲ οὐδὲν εἰσήγετο αὐτοῖς, διὰ τὸ ναυκρατεῖσθαι, Eo quod inferiores essent navalibus copiis, Bud.

Ναυκράτης, ὁ, Qui classis præsidio tenet aliquem locum, aut etiam occupat, Qui navium auxilio dominatur alicui loco vel aliquibus. Ex Herodoto [5, 36] : Ναυκράτεες τῆς θαλάσσης, Classe mare occupantes. || Ναυκράτης a quibusdam dicta fuit etiam ἡ ἐχενηΐς, Eust. [Od. p. 1490, 19] a retinendis et remorandis navibus, s. eorum cursu. [Georg. Pisid. Hexaem. 987.] || Nom. propr. [Sicyonii ap. Thuc. 4, 119, Athen. ap. Æschin. p. 6, 24, Ephesii in numo Ephes. ap. Mionnet. *Suppl.* vol. 6, p. 114, 220. Aliorum ap. Anacr. Anth. Pal. 6, 137, 2, Phot. Bibl. p. 120, 32. Conf. Ruhken. Hist. crit. or. p. 84.]

[Ναυκρατητικός. V. Ναύκρατις.]

[Ναυκρατία, ἡ, Victoria navalis. Dio Cass. 49, 7; 51, 21; 53, 27. Photius : Ναυκρατίαν Ἀνδοκίδης Συμβουλευτικῷ.]

[Ναυκράτιος, ὁ, Naucratius, n. viri ap. Suidam.]

Ναύκρατις, ιος, s. εως, ἡ, Ægypti oppidum est [ap. Herodot. 2, 97, etc., Strab. 17, p. 801 sq.], unde ostium quidam Naucraticum nominant : cujus gentile nomen Ναυκρατίτης : apud Athen. sæpe, οἱ ἐμοὶ Ναυκρατῖται· erat enim ejus patria Naucratis. Et ap. [Strab. 17, p. 808, Callim. Epigr. 40, 2, et] Plin. 5, 9, Naucrates nomos, sive Præfectura Naucratitis. [Ναυκρατίτης στέφανος quis sit multis disputat Athen. 15, p. 675, F. Conf. Hesych. Fem. Ναυκρατῖτις memorat Steph. Byz. Adj. Ναυκρατιτικὸς, ἡ, ὸν, ap. Demosth.] Pro Ναυκρατίτης dicitur etiam Ναυκρατιώτης, forsan a Ναυκράτιον aut Ναυκρατία, Steph. B. Ab hoc Ναύκρατις Harpocr. existimat esse Ναυκρατητικὰ [Ναυκρατιτικὰ], quod ap. Dem. legitur In Timocr., μή ποτε βέλτιον φέρεται ἐπὶ τοῖς Ἀττικιανοῖς Ναυκρατητικὰ [Ναυκρατιτικὰ], ut sit ἀπὸ Ναυκρατικοῦ πλοίου vel Ναυκρατιτῶν ἐμπλεόντων : quia Ναύκρατις olim erat emporium Ægypti. Si vero, inquit, Ναυκραρικὰ scribatur, fuerint τὰ τῶν ἀρχόντων, eo quod ναύκραροι olim dicerentur οἱ ἄρχοντες, ut ex Herodoto 5, [71] manifestum est. [Locus ab Harpocr. allatus est p. 703, 15 : Ἐμήνυσεν Εὐκτήμων ἔχειν Ἀρχέβιον καὶ Λυσιθείδην, τριηραρχήσαντας, χρήματα Ναυκρατιτικά. || N. navis Atticæ Ναύκρατις est ap. Bœckh. *Urkunden* p. 89.]

[Ναυκρατιτικὸς, Ναυκρατῖτις. V. Ναύκρατις.]

[Ναυκρατοῦσα, ἡ, Naucratusa, n. navis Atticæ, ap. Bœckh. *Urkunden* p. 89.]

Ναυκράτωρ, ορος, ὁ, Qui classe obtinet, qui navalibus copiis tenet locum aliquem, ut idem sit cum ναυκράτης. Hesychio ναυκράτορες sunt οἱ τῶν νεῶν ἡγούμενοι, forsan qui supra ναύαρχοι. [Sic Soph. Ph. 1072 : Ὁ δ' ἐστὶν ἡμῶν ναυκράτωρ ὁ παῖς. Priori signif. Herodot. 6, 9; Thuc. 5, 97, 109.]

[Ναυκύδης, ου, ὁ, Naucydes, n. viri in inscr. Att. ap. Bœckh. vol. 1, p. 366, n. 265, 18. Restituendum fortasse in Thessalonic. vol. 2, p. 990, n. 1967, b, ubi Ναουγιάδου. Frater Polycleti Argivi ap. Pausan. 2, 17, 5, etc. ῡ]

Ναύλας, sive Νάβλας, ὁ, frequentiori in usu est quam ναῦλον. Pollux 4, [61] : Καὶ ναύλας μνημονεύει Φιλήμων, Ἔδει παρεῖναι Παρμένων αὐλητρίδ' ἢ Ναύλαν τιν'· sic enim in ipsius cod. reponendum ex Athen. 4, [p. 175, D] ubi per β scribitur νάβλαν. Ap. eund. Athen. ibid. [B] : Κρεῖττον τὸ ὑδραυλικὸν τοῦτο ὄργανον τοῦ καλουμένου νάβλα, ubi observa gen. Doricum : quo utitur et Sopater, Οὔτε τοῦ Σιδωνίου νάβλα Λαρυγγόφωνος ἐκκεχόρδωται τύπος. Ib. : Νάβλας ἐν ἄρθροις γραμμάτων, οὐκ εὐμελὴς Ὦ λωτὸς ἐν πλευροῖσιν ἄψυχος παγεὶς Ἔμπνουν ἀνίει μοῦσαν. [Strabo 10, p. 471.] || Ap. Hesych. oxytonωs scribitur ναβλὰς, ab eoque exp. non solum εἶδος ὀργάνου μουσικοῦ δυσήχου, sed etiam κιθαριστής : ut ναβλὰς dicatur etiam Is qui nablam pulsat : qui Ναβλιστὴς quoque ab Euphorione appellatur, apud Athen. 4, [p. 182, E] : Οἱ νῦν καλούμενοι ναβλισταὶ καὶ πανδουρισταὶ καὶ σαμβυκισταὶ καινῷ μὲν οὐδενὶ χρῶνται ὀργάνῳ. Instrumentum autem illud musicum ab Ovid. vocatur Nablium, forma dimin., De arte amandi 3, [327] : Disce etiam duplici genialia nablia palma Vertere : conveniunt dulcibus illa modis. [Ναύλη, Œcum. Collect. p. 470. Routh. V. sequens voc.]

[Ναῦλλον s. Ναῦλλος. V. Ναῦλον.]

Ναῦλον, τὸ, Naulum, [Navis vectura, Vectura, add. Gl.] Merces quæ a vectore pro navigatione persolvitur. [Orph. Arg. 1137 : Ἀνθρώπων, οἷσιν ἀποφθιμένοις ἄνεσις ναύλοιο τέτυκται.] Aristipp. ap. Plut. [Mor. p. 439, E] : Οὐκοῦν παραπόλλυμι τὸ ναῦλον εἰ πανταχοῦ εἰμί· ad quendam qui eum ubique esse dicebat. Hesych. ναῦλα exp. ἐφόδια, Viatica. Idem lexicographus [locum Aristoph. mox citandum, ut videtur, respiciens] ναῦλον esse dicit τὸ ἐς τὸ στόμα τῶν νεκρῶν ἐμβαλλόμενον νομισμάτιον : nam solebat eis dari obolus (μισθὸς τῷ πορθμεῖ), ut habes in Μελιτοῦττα, quem

A portitori Charonti pro vectura persolverent. [Xen. Anab. 5, 1, 12 : Ναῦλον ξυνθέσθαι. Demosth. p. 1192, 3 : Τὸ ναῦλον τῶν ξύλων παρασχεῖν. || Merces. Demosth. p. 882, 12 : Ἡμᾶς τὸ ναῦλον σφετερίσασθαι.] Pro ναῦλον masc. gen. dicitur etiam Ναῦλος, imo Callistratus ap. Aristoph. schol. annotat Atticos non solere dicere τὸ ναῦλον. Aristoph. Ran. [270] : Ἔκβαιν', ἀπόδος τὸν ναῦλον. Aristoph. schol. post ea quæ ex Callistrato annotarat, addit, Καὶ ὅτι παρὰ τοῖς νεωτέροις καὶ Ἡ ναῦλος ἡμῖν τῆς νεὼς ὀφείλεται· scribitur enim ἡ, nescio an per errorem an de industria. Ap. Suid. vero ita, ἀρσενικῶς ὁ ναῦλος, Καὶ ναῦλος ἡμῖν τῆς νεὼς ὀφείλεται. || Ναῦλος dicitur etiam Quod persolvitur ei ad quem devertimus, Quod mercedis loco datur ei qui domum suam nos recepit. Pollux 1, [75] : Καὶ τὸν ὑπὲρ τῆς καταγωγῆς μισθὸν, ναῦλον, ὥσπερ ἐνοίκιον· παρὰ δὲ ἐνίοις καὶ στεγανόμιον. Similiter vero ναύκληρος dicitur ὁ σταθμοῦχος, s. ὁ στεγανόμος et δεσπότης τῆς οἰκίας. Pro ναῦλον autem s. ναῦλος scribitur etiam Ναῦλλον et Ναῦλλος duplici λ, Aristoph. schol. [Ran. 272.] || Ναῦλος, s.

B Ναῦλον, est etiam nomen instrumenti cujusdam musici. Plut. Symp. 2, 4 [p. 638, C, ubi nunc αὐλὸν ex libris] : Καὶ τὸν ναῦλον ἡρμόσθαι λέγουσι, καὶ κρούματα αὐλήματα καλοῦσιν, ἀπὸ τῆς λύρας λαμβάνοντες τὰς προσηγορίας. Neutrius gen. hæc exempla esse possunt. Soph. [ap. Plut. Mor. p. 394, B] : Οὐ ναῦλα κωκυτοῖσιν, οὐ λύρα φίλα. Apud Joseph. in instrumento templi, Ναῦλα καὶ κινύραι ἐξ ἠλέκτρου· attamen VV. LL. hæc duo ponunt in nom. Ναῦλα, ἡ, ut ναῦλον et ναῦλα dicatur sicut νάβλον et νάβλα, de eodem organo. Hesych. : Νάβλα, εἶδος ὀργάνου μουσικοῦ, ἢ ψαλτήριον (diversum tamen a psalterio esse conjicitur, ex Cic. De arusp. resp. et ex Quint.), ἢ κιθάρα : itidemque Suidæ νάβλα est εἶδος ὀργάνου μουσικοῦ. [In cod. Reg. 2407 initio Enarrationum Nicephori Xanthopuli hi iambi præponuntur : Ψαλτήριον πέφυκα τῶν θείων λόγων, τοῦτο δὲ ναῦλον καλεῖται παρ' ἑτέροις. Ducang. App. Gl. p. 139.] Et rursum ap. Hesych., Καὶ ναῦλον, τὸ αὐτὸ ὄργανον.

[Ναῦλος. V. Ναῦλον.]

C [Ναυλοχάω. V. Ναυλοχέω.]

Ναυλοχέω, In statione maneo, Stationem navium insideo. Apud Suid. : Ὁ δὲ ναῦς προσέταξεν ἐν τοῖς ἀγκῶσι ναυλοχεῖν λανθάνοντας· ἐπειδὰν δὲ αἴσθωνται, ζευγνύειν αὐτὸν τὴν γέφυραν. Hesych. ναυλοχεῖ exp. ἐν τῇ νηὶ κατατέτακται. Ubi videtur ναυλοχεῖν deducere a λόχος, quo significatur σύνταγμα quoddam militare : ut ναυλοχεῖν sit In navi per λόχους dispositum esse. Sed Pollux [1, 122] aliter videtur accipere hoc ναυλοχῶ, sc. pro Classe insidias struo, Nave aliquem locum insidens, adversarium observo; ait enim, Τὸ δὲ φυλάττειν τινάς, ἐφορμεῖν καὶ ναυλοχεῖν· ubi etiam reddere posses, In statione navium manens observo et insidior. Et id colligitur etiam ex l., quem ex Suida citavi, qui paulo post ναυλοχῶ exp. τὸ τὰς ναῦς ἐνεδρεύω. [Herodot. 7, 189 : Ναυλοχέοντες τῆς Εὐβοίης ἐν Χαλκίδι.] Sic accipitur et ap. Thuc. 7, p. 235 [c. 4] : Εἴκοσι ναῦς, αἷς εἴρητο περί τε Λοκροὺς καὶ Ῥήγιον καὶ τὴν προσβολὴν τῆς Σικελίας ναυλοχεῖν αὐτάς· ubi nota casum accus. quocum construitur. Apud Hesych. habetur etiam

D ναυλοχώντων, quasi a Ναυλοχάω, quod exp. ὑποδεχομένων τὰς ναῦς : dubium an pro Excipere ibi accipiat, eo modo, quo hostem in insidiis aut etiam irruentem excipere aliquis dicitur; an vero pro Excipere, h. e. In stationem recipere. Suid. ναυλοχῶ exp. τὰς ναῦς ἀναπαύω καθιστῶν. [Ps.-Eur. Iph. A. 249. Med. Dionys. A. R. 1, 44 : Ἔνθα ὁ στόλος αὐτῷ ἐναυλοχεῖτο. Ap. Nicet. Annal. 3, 1, p. 50, D : Ὑπὸ λιμένων δυοῖν, ὧν ὁ μὲν τοὺς ἐξ Ἀσίας ναυλοχεῖ καταίροντας, transitive Excipit.]

[Ναυλοχία, ἡ, Navium statio. Lex. rhet. Bekk. An. p. 282, 25 : Ναυλοχίας, τὰς καθορμίσεις τῶν νεῶν, ὅπου ἔστιν ὑφορμίσασθαι. Appian. Mithr. c. 92. || Navigatio, Expeditio. Schol. Lycophr. 194 : Στένοντος ἄταν καὶ κενὴν ναυκληρίαν) ναυλοχίας.]

[Ναυλόχιον, τὸ, i. q. ναύλοχον s. ναύλοχος. Aristoph. fr. Babylon. ap. Photium et Polluc. 9, 28. Lex. Herod. p. 176.]

[Ναύλοχον. V. Ναύλοχος.]

Ναύλοχος, ὁ, ἡ, Cui naves insidere possunt, h. e.

Navium stationi accommodus : ut λιμένες ναύλοχοι, i. e. ἐν οἷς ἐστὶ λοχῆσαι, ut Homeri quoque verbis confirmatur, quæ mox afferam. Addit Eustath. et alias duas etymologias : unam a λέχος; sc. ἐν οἷς εὐνάζονται νῆες : alteram ab ὀχεῖσθαι, pleonasmo literæ λ : ut λιμένες ναύλοχοι sint, ἐν οἷς ὀχοῦνται αἱ νῆες, secundum illud Homericum, Καὶ λιμένες νηῶν ὀχοί. Sed prius etymon simplicius est et ex Hom. confirmatur, qui Od. Δ, [846] ait : Λιμένες δ' ἔνι ναύλοχοι αὐτῇ Ἀμφίδυμοι, τῇ τόν γε μένον λοχόωντες Ἀχαιοί· Κ, [141] : Ἔνθα δ' ἐπ' ἀκτῆς νηῒ κατηγαγόμεσθα σιωπῇ Ναύλοχον ἐς λιμένα. Et ναύλοχοι περιπτυχαί, Eur. Hec. [1015], i. e. τὰ ναύσταθμα. Et Soph. Aj. [460] : Ναυλόχους λιπὼν ἕδρας, i. e. τὸν ναύσταθμον, ἔνθα αἱ νῆες ἵστανται κατὰ λόχον, i. e. κατὰ τάξιν, schol., etymon simul exprimens. Idem Soph. dixit etiam ναύλοχα λουτρὰ, Lavacra maritima, s. navium stationi finitima, παραθαλάττια, ut schol. exponit, in Tr. [633] : Ὦ ναύλοχα καὶ πετραῖα θερμὰ λουτρά. Intelligit autem ibi λουτρὰ τὰ Ἡράκλεια, de quibus et Athen. [Lycophr. 290 : Ναυλόχων σταθμῶν· 768 : Ναύλοχον Ῥείθρου σκέπας.] Item ap. Polluc. 1, [100] ναυλοῦχοι λιμένες, fortasse pro ναύλοχοι, quod ap. Hom. habetur. [Philo vol. 1, p. 517, 21 : Τοῖς ἀληθείας ναυλοχωτάτοις ὑποδρόμοις καὶ λιμέσιν ἐνορμίσασθαι ἐπειγόμενοι.] Suid. ναύλοχος videtur etiam substantive capere pro Statione navium : Ναύλοχος, εὔδιον, ἐν ᾧ αἱ νῆες λοχῶσιν ἢ ἀναπαύονται, ubi fortasse scr. εὔδιος, ut sit adjectivum, et subaudiatur λιμήν. Nam ναύλοχον potius neutro gen. dicitur pro ναύλοχος λιμὴν, s. ναύλοχος ἕδρα aut ναύλοχος περιπτυχὴ, Statio navium, Locus quem naves insident, Navale. Plut. De solert. anim. [p. 984, B] : Προφανέντα δελφῖνα πρώραθεν ὥσπερ ἐκκαλεῖσθαι καθηγούμενον εἰς τὰ ναύλοχα. Naulochum ap. Plin. 4, 3, est etiam nomen oppidi cujusdam Locrorum. Idem in fine l. 5, meminit Naulochi promontorii, et 4, 12, Naulochi insulæ, et c. 11, oppidi Tetranaulochi. [Plut. Them. c. 9.]

[Ναύλοχος, ὁ, Naulochus, urbs Thraciæ, ap. Strab. 7, p. 319. Portus Siciliæ, Appian. B. C. 5, 116, 121.]

Ναυλόω, Naulo loco. Plut. [Mor. p. 707, C] : Οἱ τὰ πλοῖα ναυλοῦντες, ὅ, τι ἂν φέρῃ τις ἐμβάλλεσθαι παρέχουσι. Ita ναυλοῦν πλοῖον dicitur nauclerus, quum vectorem navi vehendum suscipit persoluto naulo. [Med. Conduco, Polyb. 31, 20, 11 : Ναῦν ἐναυλώσατο. « Athen. 12, p. 521, A : Ἰδιόστολον ἐναυλώσατο πλοῖον. » Valck.]

[Ναῦμα, πόα τις, παρὰ Πέρσαις, ἣν τινες πολύγονον, Hesych.]

Ναυμᾰχέω, Prælio navali confligo, Naumachiam committo, ut Suet. loquitur. [Herodot. 7, 143, etc.] Xenoph. Hell. 1, [1, 9] : Ὅτι ἀνάγκη εἴη καὶ ναυμαχεῖν καὶ πεζομαχεῖν καὶ τειχομαχεῖν. Thuc. 3, [54] : Καὶ γὰρ ἠπειρῶται ὄντες ἐναυμαχήσαμεν ἐπ' Ἀρτεμισίῳ. Construitur etiam cum dat. personæ, vel cum præp. πρὸς suum regente casum. Thuc. 1, [112] : Φοίνιξι καὶ Κυπρίοις καὶ Κίλιξιν ἐναυμάχησαν καὶ ἐπεζομάχησαν ἅμα. [Polyb. 14, 9, 7 : Ναυμαχεῖν τοῖς ὑπεναντίοις.] Idem 2, [83] : Περὶ τὰς αὐτὰς ἡμέρας τῆς ἐν Στράτῳ μάχης ναυμαχῆσαι πρὸς Φορμίωνα. Xen. H. Gr. 2, 1, 9; Plato Polit. p. 298, D.] Usurpatur etiam simpliciter pro μάχομαι, Pugno. Aristoph. Vesp. [477] : Κακοῖς τοσούτοις ναυμαχεῖν ὁσημέραι, Cum tot malis depugnare. [Ubi tamen dicitur improprie.]

[Ναυμάχημα, τὸ, Pugna navalis, vel ut Int. interpretatur, Pugna cum mari, ap. Eumath. p. 254 : Ἐμοὶ δ' οὐκέτι σθένος ἀντέχειν πρὸς τοσοῦτον ὄγκον θαλάσσης καὶ βιαιότατα πνεύματα καὶ πνευμάτων ἀντίπνοιαν· ἅλις μοι τῶν ναυμαχημάτων. Cit. Boiss.]

Ναυμάχης, ὁ, et Ναυμάχος, ὁ, ἡ, Ex navi dimicans, Navale prælium committens : ut ναυμάχος ἀνὴρ, Suid. [De hoc accentu Athen. 4, p. 154, F : Ὁπότε τὸ μάχη συντιθέμενον τὸ τέλος εἰς ος τρέπει ..., τηνικαῦτα προπαρυξύνεται· ὁπότε δὲ παροξύνεται, τὸ μάχεσθαι ῥῆμα περιέχει, ὡς ἐν τῷ πυγμάχος, ναυμάχος. Eust. Il. p. 1021, 39 : Τὸ ναύμαχα ὡς τὸ θαύματα προπαροξυτόνως ... Καὶ ναυμάχος μὲν ἀνὴρ παροξυτόνως, ὡς παμφάγος, καθ' ὁμοιότητα τοῦ μονομάχος ..., ναύμαχον δὲ δόρυ παρὰ τὴν μάχην. Sed ap. Crinag. Anth. Pal. 7, 741, 2, Κυνέγειρον ναύμαχον scribitur proparoxytono accentu, nec memini alterum videre in libris. Nam ap. Suidam illud Ναυμάχος ἀνὴρ πρὸ μιᾶς τονοῦται deest optimis.] Sed ναυ-A μάχης ex Chrys. affertur pro Classe decertans. At Ναύμαχος proparoxytonως, Quo dimicatur ex navibus, Navali prælio aptus. Hom. Il. Ο, [389] : Μακροῖσι ξυστοῖσι τά ῥά σφ' ἐπὶ νηυσὶν ἔκειτο Ναύμαχα κολλήεντα κατὰ στόμα εἱμένα χαλκῷ, i. e. πρὸς ναυμαχίαν ἐπιτήδεια. Ib. [677] : Νώμα δὲ ξυστὸν μέγα ναύμαχον ἐν παλάμῃσι, Κολλητὸν βλήτροισι. Itidemque ap. Herodot [7, 89] ναύμαχα δόρατα, quæ Homerus hic ναύμαχα ξυστὰ appellat, Hastæ ad navale prælium accommodæ, Spicula nautica, VV. LL. [Cum eodem voc Dio Chr. Or. 11, vol. 1, p. 353. Antipater Sid. Anth Pal. 7, 2, 6 : Τὰν Αἴαντος ναύμαχον βίαν.]

Ναυμαχησείω, verbum desiderativum ab ναυμαχέω, Navale certamen inire gestio, Navali prælio concurrere cupio, πρὸς ναυμαχίαν ἑτοίμως ἔχω, ἐρῶ τοῦ ναυμαχῆσαι, ἐπιθυμίαν ἔχω ναυμαχίας, Suidas [s. Phot.]. Thuc. 8, p. 287 [c. 79] : Προῄσθοντο γὰρ αὐτοὺς ἐκ τῆς Μιλήτου ναυμαχησείοντας.

[Ναυμαχητέον, Navibus pugnandum est. Aristot. Rhet. 1, 15. Philo Belop. p. 104, B, C. L. Dind.]

B Ναυμαχία, ἡ, Certamen s. Prælium navale, Pugna navalis. [Navale bellum, Gl.] Naumachiam nonnulli etiam inter Latinos dixerunt, ut Plin. et Velleius. Et Suet., Naumachiam committere. [Herodot. 7, 142 : Ναυμαχίην παρασκευασαμένους· 8, 49 : Ναυμαχίην ποιέεσθαι· 96 : Ἡ ναυμαχίη διελέλυτο. Xen. H. Gr. 1, 1, 28 : Ὅσας ναυμαχίας νενικήκατε· 6, 2 : Ναυμαχίᾳ νενικηκώς. Et similiter sæpius Plato aliique.] Thuc. 1 : Μιᾷ τε νίκῃ ναυμαχίας κατὰ τὸ εἰκὸς ἁλίσκονται. Et 2 : Ἀνάγκη ἂν εἴη τὴν ν. πεζομαχίαν καθίστασθαι. Idem 1 : Ν. τινὰ βραχεῖαν ἐποιήσαντο. Plut. De Herod. : Ναυμαχίαις αὐτόθι κρατοῦντας τοὺς Ἕλληνας. Dem. Phil. 3 [p. 120, 17] : Καὶ οὔτε ναυμαχίας οὔτε πεζῆς μάχης οὐδεμιᾶς ἡττᾶτο, ubi opp. ναυμαχίαν et πεζὴν μάχην : sicut Pro cor., ναυμαχίας et πεζὰς στρατείας. [Id. p. 1230, 15 : Τῇ ναυμαχίᾳ τῇ πρὸς Ἀλέξανδρον ἐνικήθητε.] Aristot. Poet. [23, 3] : Ὅτε ἡ ἐν Σαλαμῖνι ἐγίνετο ναυμαχία. Rursum Thuc. [1, 32] dicit, Ναυμαχίαν ἀπεωσάμεθα τοὺς Κορινθίους, pro κατὰ ναυμαχίαν, Prælio navali.

[Ναυμαχικὸς, ἡ, ὸν, Ad pugnam navalem pertinens. C Diodor. Exc. Vat. p. 68 : Πεζικάς τε καὶ ναυμαχικὰς συνάγει δυνάμεις. L. D. Hesych. in Ναύμαχα. Wakef.]

Ναυμάχιον, τὸ, dicitur Mulcta quam persolvit is qui prælio navali non interfuit, Mulcta quæ exigitur ab eo qui a pugna navali abfuit, τὸ ὄφλημα τοῦ μὴ ναυμαχῆσαι, Suid. [Qui Ἀναυμάχιον ponere debebat, si ipsius, non alius est culpa.]

[Ναυμάχιος, ὁ, Naumachius, n. viri, cujus nomine inscripti carminis fragm. citat Stob. Fl. 68, 5, etc.]

[Ναυμάχος s. Ναύμαχος. V. Ναυμάχης.]

[Ναυμέδων, οντος, ὁ, Neptuni navium domini cogn. ap. Lycophr. 157.]

[Ναύξεινος, ὁ, Nauxinus, n. viri, in inscr. Delph. ap. Bœckh. vol. 1, p. 831, n. 1707, 9.]

[Ναῦος. V. Ναός.]

[Ναυόω. V. Ναύω.]

[Ναύπακτος, ἡ, Naupactus. Πόλις Αἰτωλίας, ἀπὸ ναυπηγίας τῶν Ἡρακλειδῶν, ὡς Ἔφορος καὶ Στράβων (9, p. 426 sq. et Apollod. 2, 7, 2, 8). Ὁ πολίτης Ναυπάκτιος καὶ Ναυπακτία, Steph. Byz. Gen. fem. ap. Thuc. 2, D 91 : Τὴν Ναύπακτον, Strab. 9, p. 426, Pausan. 4, 25, 1 sq. Ap. Diod. 12, 60, quod est τὸν Ναύπακτον, librarii error videtur. De accentu proparoxyt. Arcad. p. 83, 14. || Adj. Ναυπακτία est ap. Æsch. Suppl. 262, Polyb. 5, 95, 11, et alibi; et Ναυπάκτιος ib. 12. Carmen epicum τὰ Ναυπάκτια ἔπη citatur ap. Pausan. 10, 38, 11, Herodian. Π. μον. λ. p. 15, 24, ubi Ναυπακτικὰ, ut ap. Apollod. 3, 10, 3, et sæpe in schol. Apoll. Rh.]

[Ναύπακτος, ὁ, Naupactus, n. viri, in inscr. Att. ap. Bœckh. vol. 1, n. 171, p. 102, 28.]

[Ναυπηγεῖον. V. Ναυπήγιον.]

Ναυπηγέω, Naves fabricor. [Aristoph. Pl. 513; Plato Alcib. 1 p. 107, C; Polyb. 1, 36, 8, qui alibi utitur forma media.] In pass. signif. ap. Xenoph. Hell. 1, [3, 12] : Ὅπως ἄλλαι ναυπηγηθείησαν. Plut. [Mor. p. 321, D] : Ὁλκὰς ἢ τριήρης ναυπηγεῖται μὲν ὑπὸ πληγῶν καὶ βίας πολλῆς, σφύραις καὶ ἥλοις ἀρασσομένη καὶ γομφώμασι καὶ πρίοσι καὶ πελέκεσι. Activa quoque significatione ναυπηγεῖσθαι dicitur pro ναυπηγεῖν, et cum accus. construitur. [Aristoph. Eq. 916 : Οὐκ ἐφέξεις ναυπηγούμενος. Herodot. 1, 27; 2, 96; 6, 46; Xen. H. Gr. 1, 1, 17, et alibi.] Æschin. [p. 58, 10] : Τάφρους ἐξεργάζεσθαι, ἢ τριήρεις ναυπηγεῖσθαι. Polyb. [1, 20, 10] : Ναυπηγεῖσθαι σκάφη. Arrian. [Exp. 7, 16, 1] : Ναυπηγεῖσθαι ναῦς μακράς· itidemque Isocr. in Evag. [p. 198, C] : Τριήρεις ἐναυπηγήσατο, Triremes fabricandas curavit, Bud. p. 762, ubi et alia exempla affert. [Diodor. 1, 55 : Μακρὰ σκάφη ναυπηγησάμενος· 4, 41. Polyb. 1, 20, 9.]

[Ναυπηγὴς, ὁ, ἡ, Naves fabricans. Manetho 4, 324 : Ναυπηγέσι τέχναις.]

Ναυπηγήσιμος, ὁ, ἡ [et η, ον, Plat. Leg. 4, p. 705, C : Ναυπηγησίμης ὕλης], Navibus fabricandis aptus, Compingendis navibus accommodus : v. ὕλη, Theophrast. H. Pl. l. 4, 6 [5, 5 et 7, 1], Materia fabricandis navibus idonea, qua χρῶνται πρὸς τὰς τριήρεις, ut ib. loquitur. [Herodot. 5, 23.] Ex Livio interpretari possumus Navalis materia : qui ait, Ære præterea, ferroque et linteis et sparto et navali alia materia ad classem ædificandam. Thuc. p. 156 [4, 108], et 7, p. 240 [c. 25], ξύλα ναυπηγήσιμα· quo utitur et Xen. Hell. 5, [2, 16, Plato Leg. 4, p. 706, B]. Et ναυπηγήσιμος πόλις, VV. LL. Commoda ad naves ædificandas.

[Ναυπήγησις, εως, ἡ, i. q. ναυπηγία. Hesych. v. Ξυλοδωνίη.]

Ναυπηγία, ἡ, Navium compactio s. fabricatio. Thuc. 4, p. 156 [c. 108] : Ναυπηγίαν τριήρων παρεσκευάζετο, Ad compingendas triremes se accingebat. 8, p. 265 [c. 3] : Τὴν πρόσταξιν ταῖς πόλεσιν ἑκατὸν νεῶν τῆς ναυπηγίας ἐποιοῦντο. Et paulo post, Παρεσκευάζοντο τὴν ναυπηγίαν, ξύλα ξυμπορισάμενοι. [Eur. Cycl. 459, Herodot. 1, 27, Plato Leg. 7, p. 803, A, et alii.]

Ναυπηγικὸς, ἡ, ὸν, Ad navium fabricationem s. fabros pertinens. At ναυπηγικὴ, sc. τέχνη, Ars fabricandi naves. [Aristot. Eth. Nic. 1, 1 : Ναυπηγικῆς δὲ πλοῖον. Dionys. De comp. vv. p. 40; Lucian. D. mort. 10, 9. Τὸ ναυπηγικὸν, Ars navium fabricandarum, Plut. Mor. p. 571, E.]

Ναυπήγιον, τὸ, Locus ubi naves compinguntur; Officina in qua naves fabricantur. Aristoph. [Av. 1157] : Ἐν ναυπηγίῳ. [Diodoro 19, 58 : Ναυπήγια ἀπέδειξε τρία, restitui ex libris pro ναυπηγεῖα.]

Ναυπηγὸς, ὁ, Qui naves compingit, Navium fabricator [ut vertit Liutprandus Hist. 5, 6, p. 463, D. Faber navalis, Gl.], Naupagus s. Naupegus; nam et his quidam ex Latinis usi sunt, Chalcidius et Jul. Firmicus. Thuc. 1, [13] : Ἀμεινοκλῆς Κορίνθιος ναυπηγός. [Xen. Reip. Ath. 1, 2; Plato Reip. 1, p. 333, C, et alibi. De accentu v. Arcad. p. 88, 2; 90, 2.]

[Ναυπλία, ἡ, Nauplia. Πόλις Ἄργους. Στράβων η′ (p. 368). Ἀπὸ τοῦ ταῖς ναυσὶ προσπλεῖσθαι. Οἱ οἰκοῦντες Ναυπλιεῖς, ὡς Στράβων (l. c. p. 374) καὶ Ναυπλία, Steph. Byz. Eur. Or. 242; Herodot. 6, 76; Xenoph. H. Gr. 4, 7, 6; Pausan. 2, 38, 2, ap. quem etiam gentile Ναυπλιεῖς 4, 35, 2, etc. || Adj. Ναύπλιος, α, ον, est ap. Eur. Or. 369 : Ναυπλίας χθονός· El. 453 : Λιμέσι Ναυπλίοισι. Ναυπλίειος Or. 54 : Λιμένα Ναυπλίειον.]

[Ναυπλιάδης, ὁ, Naupliades, patron. a Ναύπλιος, ap. Apoll. Rh. 1, 136. « Ovid. Metam. 13, 39. » Boiss. ῐᾰ]

[Ναύπλιος, ὁ, inter merces Azaniæ memoratus ap. Arrian. Peripl. m. Erythr. p. 11=152 : Ναύπλιος ὀλίγος, obscuræ est signif. et suspectæ scripturæ. L. D.]

[Ναύπλιος, ὁ, Nauplius, f. Neptuni et Amymones, ap. Eur. Hel. 767, aliosque poetas, Apollod. 2, 1, 13, 1, et alibi.]

[Ναύπορος, ὁ, ἡ, Navigabilis. Æsch. Eum. 10 : Κέλσας ἐπ' ἀκτὰς ναυπόρους τὰς Παλλάδος. Apoll. Rh. 4, 1546 : Λίμνης στόμα ναύπορον. Eur. Tro. 877 : Ναυπόρῳ πλάτῃ, Navigante, quod Ναυπόρος scrib., ut infra ναυσιπόρος.]

[Ναύπορτον, τὸ, Nauportum, opp. Pannoniæ, ap. Strab. 7, 207; 7, p. 314.]

[Ναύπους, οδος, ὁ, ἡ, unde ναύποδες Photio οἱ νησιῶται, quod scrib. videtur ναυσίποδες, ut infra.]

[Ναύπρηστις, ἡ, Quæ naves incendit. Etym. M. p. 598, 43 : Αἱ γὰρ (l. δὲ) γυναῖκες (quæ in Nauætho fl. Italiæ Græcorum Troja redeuntium naves incenderunt) ναυπρήστιδες.]

[Ναῦρα ἢ Ναυρὸν ὄγκος, Hesychius. Confert Alber-
A tus Hellad. Phot. Bibl. p. 530, 38 : Καὶ τὸ ναῦρος. Αὖρος γάρ ἐστιν οἷον ὁ κατὰ νοῦν ἐλαφρός. Ubi nunc καῦρος restitutum ex cod.]

[Ναυρίζειν, καταμωκᾶσθαι, Cavillari, Hesychius.]

Ναῦς, αὸς, ἡ, Navis. Sunt autem et alii genitivi, sc. νεὼς et νηός : ex quibus ναὸ linguæ communi, νεὼς Atticæ, νηὸς Ionicæ ascribitur. [Accusativum mirabilem νεὼ fingit Euthymius ap. Tafel. De Thessalon. p. 395, 10 : Νεὼ πολλάκις ἠλέησα τὸν κυβερνήτην ἀποβαλοῦσαν.] Quorum genitivorum meminit Eustath. in Hom. Od. M, [148] : Ἡμῖν δ' αὖ κατόπισθε νεὼς κυανοπρώροιο, ubi etiam testatur majorem exemplarium partem et hic et aliis in ll. habere νεὸς per ο. Sic igitur fuerint quatuor genitivi, Ναὸς, et Νεὸς, et Νεὼς, et Νηός : de quibus dicam et infra. Ceterum quod ad nominativum attinet, annotant quidam ap. Hom. ubique esse Νηῦς, et ab eo dat. plur. νηυσὶ, et tamen uti compositis Ναυσικάα, et ναυσίθοος, necnon ναυσίκλυτος, atque aliis. Quod autem illi de his aliisque hujusmodi compp. dicunt, idem et de
B dat. [et genit. plur.] ναῦφιν [de quo HSt. in Ind. : « Ναῦφιν, poetice pro νεῶν, teste Hesych. Il. B, [794] : Ὁππότε ναῦφιν ἀφορμηθεῖεν, i. e. ἀπὸ τῶν νεῶν· Od. Ξ, [498] : Παρὰ ναῦφιν ἐποτρύνειε νέεσθαι, i. e. παρὰ τῶν νεῶν, A navibus »] dici posse existimo, atque adeo majori etiam cum ratione; magis enim mirum videri possit cur non νηῦφιν cum η itidem dicat. Quod porro de nomin. νηῦς tradunt, eum ubique ap. Hom. legi, non autem ναῦς, id si nequaquam affirmare ausim : sed aut nunquam, aut rarissime eo uti, hoc vero et ipse pronuntiare non dubitarim. Illud addo, parum mihi placere, quod dicunt gramm. ναῦς habere etiam gen. Ion. νηὸς, quum et ipse nomin. νηῦς, a quo regulariter inclinatur νηὸς, passim inveniatur. Hom. Od. M, [166] : Τόφρα δὲ καρπαλίμως ἐξίκετο νηῦς εὐεργὴς Νῆσον Σειρήνοιϊν· Δ, [356] : Γλαφυρὴ νηῦς· et [Il. Υ, 247] : Νηῦς ἑκατόνζυγος, et alibi. Sic νηὸς, et νηΐ, et νῆα. [Νηῦν Apoll. Rh. 1, 1358.] In plur. νῆες, νηῶν, νηυσὶ, νῆας, ap. Eund. variis in ll. Sed et νέας alicubi, ut νέας ἀμφιελίσσας, Od. Ξ, [258]. Sic gen. sing. νεὸς,
C de quo supra. [Accus. νέα instar syllabæ longæ est Od. I, 283 : Νέα μέν μοι κατέαξε Ποσειδάων ἐνοσίχθων. In Ind. :] Νέες, Ionice a ναῦς, Il. B, [509] : Πεντήκοντα νέες. [Dat. hujus formæ νευσὶ memoratur ap. schol. Il. K, 109 : Ὅτι γὰρ σύνθετόν ἐστι (τὸ ναυσικλυτός) δῆλον ἐκ τοῦ μένειν τὸ α τῆς ναυσί δοτικῆς· κατ' ἰδίαν γὰρ παρὰ τῷ ποιητῇ ἢ διὰ τοῦ η λέγεται ἢ διὰ τοῦ ε. Quæ forma quum ponatur etiam ab Etym. M. p. 605, 26 : Χρῆται οὖν ὁ ποιητὴς ταύταις ταῖς φωναῖς, νηυσὶ, νευσὶ, νέεσσιν, νήεσσιν· οἱ Αἰολεῖς νάεσσι (Pind. Pyth. 4, 56), Buttmanno Lexilog. vol. 2, p. 253, ab emendatoribus expulsa videtur ex nostris exemplaribus. Est eadem in fr. Naupacticorum ap. Herodian. Π. μον. λ. p. 15, 25, nisi librarii hic est error. Νεῦς ἡ ναῦς ponit Arcad. p. 126, 2, memoratque etiam gramm. Epim. Hom. Cram. An. vol. 1, p. 292, 8; 298, 7, Chœrob. vol. 1, p. 209, 16; 210, 17; vol. 2, p. 428, 12; vol. 3, p. 70, 16, et Photius : Ναῦς Ἀττικοί· Ἴωνες δὲ νεύς (sic) ἢ νηύς· καὶ τὰς πλαγίους Ἴωνες νεώς ἢ νηός νηί, νηίτην δὲ πληθυντικήν (postrema corrupta videntur et manca). Ap.
D Herodotum nominativum singularis per η, ceteros utriusque numeri casus per ε scribendos videri, disputat Schweigh. in Lex. v. Νηῦς.] In soluta autem oratione quum apud alios, tum ap. Thucyd., in nomin. sing. ναῦς, in gen. νεὼς, in dat. νηΐ, in accus. ναῦν. In plur. autem nomin. νῆες, in gen. νεῶν, in dat. ναυσὶ, in accus. ναῦς. Ita enim ille 2 : Καὶ ναῦς τε νηΐ προσέπιπτε· 8 : Ἀφικομένης τῆς νεώς. Dat. autem νηΐ in l. quem modo protuli, ναῦς τε νηΐ κτλ. Accus. ναῦν, l. 2 : Κατὰ μίαν ναῦν τεταγμένοι. Exempla autem declinationis hujus nominis in plur., hæc sunt : in nominativo quidem νῆες, 7 : Αἱ πρὸ τοῦ στόματος νῆες ναυμαχοῦσαι. Ead. pag. : Ὅπως αὐτοῖς αἱ νῆες ἐντὸς ὁρμοῖεν. Et 2 : Καὶ αἱ νῆες ἐν ὀλίγῳ ἤδη οὖσαι. Genit. autem νεῶν. 8 : Καὶ τῶν νεῶν αἱ ἄριστα πλέουσαι. Dat. ναυσὶ, ut, Ἐπιτυγχάνει τρισὶ ναυσὶ τῶν Χίων. Accus. ναῦς, 2 : Ἀλλὰ ξυμπεσεῖσθαι πρὸς ἀλλήλας τὰς ναῦς. Et 8 : Κατακαῦσαι τὰς ναῦς. Quinetiam alicubi in una eademque periodo νῆες quidem in nomin., ναῦς autem in accus. dicit. Ex Thucyd. autem libentius quam ex

alio scriptore exempla protuli, quod ceteris antiquior sit (Herodotum excipio), eumque illi velut exemplar in hujusmodi præsertim rebus sibi proposuerint. [Usitatæ in prosa Atticorum formæ sunt ναῦς, νεὼς, νηὶ, ναῦν, νῆες, νεῶν, ναυσὶ, ναῦς. Nominativi pl. formam ναῦς improbant Atticistæ, ut Phrynich. Ecl. p. 170: Αἱ νῆες ἐρεῖς, οὐχ αἱ ναῦς· σόλοικον γάρ. Ἥμαρτε γὰρ Φαβωρῖνος, Πολέμων καὶ Σύλλας, αἱ ναῦς εἰπόντες. Τὰς νῆας οὐκ ἐρεῖς, ἀλλὰ τὰς ναῦς. Λολλιανὸς δ' ὁ σοφιστὴς ἀκούσας παρά τινος ὅτι οὐ χρὴ αἱ ναῦς λέγειν, ἀλλὰ αἱ νῆες, ᾠήθη δεῖν λέγειν καὶ τὴν αἰτιατικὴν ὁμοίως τὰς νῆας. Οὐκ ἔχει δὲ οὕτως· ἀλλ' ἐπὶ μὲν τῆς εὐθείας δισυλλάβως, ἐπὶ δὲ τῆς αἰτιατικῆς μονοσυλλάβως. Ubi Lobeckius præter aliorum grammaticorum locos indicavit recentiorum exx., apud quos libris inter utramque formam, ut sæpe ap. Diodorum, variantibus, dubium est utra librariis imputanda sit. De accusativo idem: «Τὰς νῆας Homeri et Tragicorum exemplo sæpius Polybius 5, 2; 13, 4; 14, 2 et 11, Nicetas Ann. 2, 7, p. 36, D; 3, 1, p. 51, D, Anna Comn. 4, p. 108, C; 14, p. 425, A, et ex Thuc. 1, 48, eandem formam affert Suidas: quo loco et ceteris omnibus ναῦς legitur, facile ut appareat, his recentiorum grammaticorum testimoniis quid pretii statuendum sit.» Formam Dor. Νᾶς memorant Jo. Alex. Τον. παραγγ. p. 7, 35: Θηλυκὰ ναῦς καὶ νᾶς, Steph. Byz. v. Κατάνη: Ἡ ναῦς, ἣν Δωριεῖς χωρὶς τοῦ υ νᾶν φασιν. Conf. Koen. ad Gregor. p. 315, et Ἑλένας, si recte ita scriptum apud Æschylum.] || Ναῦς ab Eust. uno quidem in l. deducitur a verbo νῶ, τὸ σωρεύω, ut docebo in Νάω, Habito; in altero autem idem deducit a νέω, νήσω, quod est κολυμβῶ: in quo etymo melius mihi sentire videtur, et potius assentientem me sibi habet. Sed hoc addo, sequendo hanc etymologiam, prius esse νηῦς quam ναῦς: quum longe aptius a νέω, cujus fut. νήσω, derivetur νηῦς quam ναῦς. Hoc quoque sciendum est, scriptum esse νῶ ap. Eustath., pro quo repono νέω. [V. Eust. Il. p. 87, 5; 741, 60, Od. p. 1486, 4.]

Ναῦσθλον, Naulum, i. q. ναῦλον, Hesych.

Ναυσθλόω, Naulo loco, ut ναυλόω, Naulo vehendum suscipio. In VV. LL. ναυσθλώσων ex Eur. [Suppl. 1037] affertur pro Laturus, Gestaturus. [Tro. 164: Ἤπου δή με τάλαιναν ναυσθλώσουσιν πατρῴας ἀπὸ γᾶς;] Hesych. ναυσθλοῦν exp. ναυτολογεῖν, et ναυσθλωσάμενος, ναυτολογήσας. [Med. transitive Eur. Iph. T. 1487: Ἴτ', ὦ πνοαὶ, ναυσθλοῦσθε τὸν Ἀγαμέμνονος παῖδ' εἰς Ἀθήνας. Ναυσθλοῦτε Canterus. Contra active Tro. 672: Ναυσθλοῦμαι δ' ἐγὼ πρὸς Ἑλλάδα· Hel. 1210: Ποῦ βαρβάροισι πελάγεσιν ναυσθλούμενον; Lycophr. 967: Δαρδανείων ἐκ τόπων ναυσθλούμενον· 1257: Δαρδανείων ἐκ τόπων ναυσθλώσεται.] Ab Aristoph. vero ναυσθλώσασθαι dicitur vector qui persoluto naulo navem conscendit, Pac. [126]: Πτηνὸς πορεύσει πῶλος, οὐ ναυσθλώσομαι, i. e., inquit schol., οὐ νηὸς ἐπιβήσομαι: addens, Κυρίως δὲ, τὸ ναῦς μισθώσασθαι· innuensque ναυσθλώσασασθαι accipi pro Naulo conducere navem, vecturam. [Passivo Lycophr. 1415: Γῆ δὲ ναυσθλωθήσεται, Navigabitur.] Hesych. ναυσθλώσουσι exp. ἀποκομίσουσι: ut ναυσθλοῦν dicatur etiam Naulo accepto aveho, et deinde generaliter pro Aveho, Deporto.

Ναυσία, ἡ, Nausea. Ion. pro ναυτία. [Simonid. Carm. de mul. 54: Τὸν δ' ἄνδρα τὸν παρόντα ναυσίῃ διδοῖ. V. Ναυσίωσις.] Ab hoc autem ναυσία non dubium est quin Latina vox originem duxerit.

Ναυσίασις, εως, ἡ, i. q. ναυτίησις [ναυτίασις]. Ab Hesych. exp. βδελυγμός.

[Ναυσιασμὸς, ὁ, Nausea. Jo. Chrys. Hom. 122, vol. 6, p. 975, 13. Seager. V. Ναυτιασμός.]

Ναυσιάω, Nauseo [Nausio, Gl.], pro ναυτιάω. [Mœris p. 269: Ναυτιᾶν Ἀττικοὶ, ναυσιᾶν Ἕλληνες. V. autem Ναυτιάω.]

[Ναυσιβάτης, ὁ, i. q. ναυβάτης. Manetho 1, 323; 4, 397. Hesych. v. Βαρυδάνην. ᾰ]

Ναυσίβῐος, ὁ, ἡ, Qui in navibus s. ex navibus vivit, Alciphr. [1, 12, ubi est n. pr. viri.]

[Ναυσιγένης, ους, ὁ, Nausigenes, archon Att. ol. 103, 1. Diod. 15, 71.]

[Ναυσίδρομος, ὁ, ἡ, Navibus cursum præbens. Orph. H. 73, 10, οὖρος.]

[Ναυσιθόη, ἡ, Nausithoe, Nereis, Apollod. 1, 2, 7.]

[Ναυσίθοος, ὁ, Nausithous, f. Neptuni, rex Phæacum. Hom. Od. Z, 7; H, 56, 62, Apoll. Rh. 4, 539, etc. F. Ulixis, Hesiod. Th. 1016. Alius Plut. Thes. c. 17. Unde corrigendi Iamblich. V. Pyth. extr. et Theognost. Can. p. 96, 19, qui ναυσίθεος ponit, non addens quid sit. L. Dind.]

[Ναυσικάα, ἡ, Nausicaa, f. Alcinoi, regis Phæacum. Hom. Od. Z, aliique poetæ et fabularum scriptores. Forma contr. Ναυσικᾶ, memorata ab Etym. M. p. 24, 48, est ap. Pausan. 5, 19, 9, Ναυσικᾶν, ubi quum libri pauci ad Ναυσικάαν aberrarint, non dubitavi 1, 22, 6, ubi Ναυσικάᾳ est non sine varietate, restituere Ναυσικᾷ. L. Dind.]

[Ναυσίκλεια, ἡ, Nausiclia. Dionys. Byz. de Bosp. Thr. p. 21 Hudson.: «Post Potamion succedit Nausiclia; apud quam dicunt Chalcedonios bello navali superasse adversarios contra se navigantes.» N. mulieris ap. Heliod. Æthiop. 6, 8, p. 236, etc. L. Dind.]

[Ναυσικλείδης, ὁ, Nausiclides, n. viri ap. Athen. 2, p. 62, D.]

[Ναυσικλειτός.] Ναυσίκλειτος, η, ον, Navibus s. Re navali inclytus, Clarus rebus navalibus. Hom. Od. Z, [22]: Κούρῃ ναυσικλείτοιο [—κλειτοῖο] Δύμαντος. [H. Apoll. 31: Ναυσικλείτη τ' Εὔβοια· 219: Ναυσικλείτης τ' Εὐβοίας. V. de accentu in Ναυσικλυτός.]

[Ναυσικλῆς, έους, ὁ, Nausicles, Atheniensis ap. Demosth. p. 264, 22, etc. Æschin. p. 30, 28; 52, 41, et in inscr. ap. Bœckh. *Urkunden* p. 245. Alius in Heliod. Æthiop.]

[Ναυσικλυτός.] Ναυσίκλῠτος, η, ον, et ὁ, ἡ, pro ναυσίκλειτος. Hom. Od. O, [415]: Φοίνικες ναυσίκλυτοι ἄνδρες, i. e. κατὰ τὰς ναῦς ἔνδοξοι. [Et alibi. Pind. Nem. 5, 9, ναυσικλυτάν. Sed in fr. Isthm. 4, 1, ναυσικλυτὸς Αἴγινα. Oppian. Hal. 3, 208. Accentum ναυσικλυτὸς præcipiunt schol. Hom. Il. K, 109, Od. A, 30, H, 39, Eustath. Od. p. 1566, 63. V. Buttm. Lexil. vol. 2, p. 252 sq.]

[Ναυσικράτης, ους, ὁ, Nausicrates, n. viri Carystii ap. Demosth. p. 927, 17. Alius p. 986, 24; 988, 1. Conf. Ruhnk. Hist. cr. or. p. 84. Histrionis ap. Æschin. p. 14, 9. Poetæ comici ap. Suidam et Athenæum. Aliorum in inscrr. Att. ap. Bœckh. vol. 1, p. 143, n. 105, 9; n. 572b, p. 915; Corcyr. vol. 2, n. 1862, p. 28. Aristot. Rhet. 3, 15. ᾰ]

[Ναυσικρίτη, ἡ, Nausicrite, n. mulieris, in inscr. Att. ap. Bœckh. vol. 1, p. 527, n. 893. ῐ]

[Ναυσικύδης, ου vel ους (de qua duplici forma Photius: Ναυσικύδου· καὶ σὺν τῷ σ, καὶ τὰ ἄλλα τὰ ὅμοια διττῶς· Ἀριστοφάνης [l. infra citato]), ὁ, Nausicydes, n. viri, ap. Aristoph. Eccl. 426, Xenoph. Comm. 2, 7, 6, Plat. Gorg. p. 487, C. ῡ]

[Ναυσίλοχος, ὁ, Nausilochus, n. viri, in numo Apolloniæ ap. Mionnet. *Descr.* vol. 2, p. 30, n. 25.]

[Ναυσιμάχη, ἡ, Nausimache, n. muliebre fictum ap. Aristoph. Thesm. 804.]

[Ναυσιμάχιον, τὸ, Nausimachium. Dionys. Byz. De Bosp. Thr. p. 21 Hudson.: «Prope Lycadium promontorium est Nausimachium, locus altera pugna navali illustris.» Conf. Ναυσίκλεια. L. Dind.]

[Ναυσίμᾰχος, ὁ, Nausimachus, n. viri Athen. ap. Demosth. p. 984 sq. Alius in inscr. Att. ap. Bœckh. vol. 1, p. 343, n. 213, 21. In numo Acarn. ap. Mionnet. *Descr.* vol. 2, p. 79, n. 7.]

[Ναυσιμέδων, οντος, ὁ, Nausimedon, f. Nauplii, Apollod. 2, 1, 5, 14.]

[Ναυσιμένης, ους, ὁ, Nausimenes, Athen. ap. Isæum p. 69, 27.]

[Ναυσινίκη, ἡ, Nausinice, n. mulieris, in fr. Philemonis ap. Steph. Byz. v. Ἀθῆναι et Suid. v. Ἀθηναίας, alius in inscr. Att. ap. Bœckh. vol. 1, p. 500, n. 636, ubi ..υσινικη. F. Adimanti ap. Plut. Mor. p. 871, A.]

[Ναυσίνῑκος, ὁ, Nausinicus, archon Att. ol. 100, 3, ap. Demosth. p. 606 fin., 1367, 6, Diod. 15, 25. Alius ap. Bœckh. *Urkunden* p. 98. Et ap. Alexin Athen. 6, p. 237, B.]

[Ναυσίνοος, ὁ, Nausinous, f. Ulixis, ap. Hesiod. Th. 1017.]

[Ναυσιόεις, εσσα, εν, Nauseans, pro ναυτιόεις ex codd. restitutum Nicand. Al. 83: Αὐτὰρ ὁ θυμῷ ναυσιόεις ὀλοοῖσιν ὑποτρύει καμάτοισι· et est ib. 482 : Ναυσιόεις ἁλίην ἐμυδάξατο δαῖτα.]

[Ναυσίον, voc. nihili, ap. Tzetz. Exeg. Il. p. 87, 5 : Τῶν ναυσίων πλεόντων, ubi ναυσὶ Schæfer. Ind. ad Plutarch. vol. 6, p. 548, v. Τέλος. L. Dind.]

Ναυσιπέδη, ἡ, q. d. Navium pedica, Quod navibus pedicæ loco injicitur, Funis aut Catena, qua navis in litore religatur. Lucian. Lexiph. [c. 15] : Ἕκτοράς τινας ἀμφιστόμους καὶ ἰσχάδας σιδηρᾶς ἀφεὶς καὶ ναυσιπέδας, ἀναχαιτίζοι τοῦ δρόμου τὸ ῥόθιον, ubi etiam de Anchora intelligi potest.

[Ναυσιπέρατος, ὁ, ἡ, Navigabilis. Aristot. Meteor. 1, 13; Dionys. A. R. 3, 44. Pollux 3, 103. Ion. Ναυπέρητος ap. Herodot. 1, 189, 193; 5, 52.]

[Ναυσίπλοος, ὁ, ἡ, Navibus vectus. Const. Manass. Chron. 3907 : Ναυάρχους ναυσιπλόους· 4000 : Στρατὸν ναυσίπλοον. Boiss.]

[Ναυσίπομπος, ὁ, ἡ, Naves vehens. Eur. Phœn. 1712, αὔρα.]

Ναυσίπορος, ὁ, ἡ, q. d. Navibus pervius, meabilis, Navigabilis : ut v. ποταμὸς, ὁ ὑπὸ νεῶν περαιούμενος. [Xen. Anab. 2, 2, 3 : Τίγρης ναυσίπορος.] Herodian. 6, [7, 15] : Οἱ θέρους μὲν ναυσίπορον ἔχουσι τὸ ῥεῖθρον διὰ βάθος τε καὶ πλάτος, Æstate navigabiles. [Pollux 3, 103.] At Ναυσιπόρος, q. d. Navigradus (ea forma qua dicitur Pontigradus), Navi permeans. [Eur. Rhes. 48 : Ναυσιπόρος στρατιά.] Exp. et active, Naves s. Navem aliquo permeare faciens, s. trajicere : ut ναυσιπόρους πλάτας, [Ps.-] Eur. [Iph. A. 172.]

[Ναυσίπους, οδος, ὁ, ἡ.] Ναυσίποδες dicuntur Homines insulares, quia in mari navibus ceu pedibus utuntur. Eust. [Od. p. 1515, 27] : Ναυσίποδες, οἱ νησιῶται παρὰ τοῖς παλαιοῖς, ὡς ναυσὶ χρώμενοι πρὸς τὸ διὰ θαλάσσης ὁδεύειν ὅσα καὶ ποσί. [Eodem modo int. Hesychius. V. Ναύπους.]

[Ναυσίσταθμος, ὁ, s. Ναύσταθμον, τὸ, Cyrenaicæ ap. Strab. 17, p. 838.]

[Ναυσίστονος, ὁ, ἡ, Classi gemitum afferens. Pind. Pyth. 1, 72, ὕβριν.]

[Ναυσιστράτη, ἡ, Nausistrate, n. mulieris, in fr. Philemonis ap. Steph. Byz. in Ἀθῆναι. Λυσιστράτας male, ut videtur, Suidas in Ἀθηναίας. ᾰ]

[Ναυσίστρατος, ὁ, Nausistratus, n. viri, in inscrr. Att. ap. Bœckh. vol. 1, p. 314, n. 183, 9; 515, n. 781, 1. L. Dindorf.]

[Ναυσιφάνης, ους, ὁ, Nausiphanes, n. viri Teji ap. Diog. L. 9, 69. Inter Ναυσιφ. et Λυσιφάνης variatur ap. eund. 10, 13, 14, si idem dicitur utroque loco. ᾰ]

[Ναυσίφιλος, ὁ, Nausiphilus, Athen. ap. Demosth. p. 1367, 5.]

[Ναυσιφόρητος, ὁ, ἡ, Qui navi fertur. Pind. Pyth. 1, 33.]

[Ναυσιχάρης, ους, ὁ, Nausichares, n. viri, in inscr. Att. ap. Bœckh. vol. 1, p. 915, n. 572, B. ᾰ L. Dind.]

[Ναυσίωσις, εως, ἡ.] Ναυτιώσιες [ναυσιώσιες] dicuntur ab Hippocr. [p. 759, H], Effusiones sanguinis, quas etiam ἐχυμώσεις appellat, translato vocab. ab iis qui in nausea sanguinem vomunt, Gorr. ex Lex. Hippocr. Gal. [p. 530, vel vol. 12, p. 202, ubi addit ναυσίαν τὴν ναυτίαν vocare Iones.]

[Ναυσοίκητος, ὁ, Ab navibus occupatus, schol. Oppiani Hal. 5, 461, interpretatur quod poeta dixit ναύλοχον ὅρμον.]

[Ναῦσος, ὁ, Ignis, sec. Davidis Armen. Exposit. in Porphyrii et Aristotelis scripta log. cod. Monac. 399, fol. 178, 2, ap. Krabinger. ad Synes. Calv. encom. p. 156 : Βάναυσοί εἰσι τέχναι, ὅσαι παρὰ τὸν ναῦσον βαίνουσι· ναῦσος δέ ἐστι τὸ πῦρ κτλ. L. Dind.]

Ναύσταθμος, ὁ, Navium statio : pro quo Soph. dicit ναυλόχους ἕδρας. Lucian. [De sacrif. c. 3] : Ὑπὲρ τοῦ ναυστάθμου καθίσας ἑαυτὸν, Supra stationem navium. Strabo 14, [p. 656] : Ὧν τὸν ἕτερον κλειστὸν τριηρικὸν καὶ ναύσταθμον ναυσὶν εἴκοσι· ubi τριηρικὸν vocat Navale ad triremes recipiendas : unde intelligere potes ναύσταθμον esse majorum navium capacem, τριηρικὸν autem longarum. [Polyb. 5, 19, 6, ubi libri variant inter τὸ et τόν. Plutarch. Aristid. c. 22 : Τὸν ν. ἐμπρῆσαι· Alcib. c. 25 : Προδιδόντα τοῖς πολεμίοις τὸν ν. Anton. c. 63. Theophanes Chronogr. p. 18, C : Οὗ δή φασι τὸν ναύσταθμον ἐσχηκέναι τοὺς ἐπὶ Τροίαν στρα-

A τεύσαντας Ἕλληνας. Nisi leg. τό.] || Portus cujusdam nomen in Sicilia, Plin. 3, 8. Et in VV. LL. Africæ promontorium et castrum. || N. dicitur etiam ὁ ναυτικὸς στρατὸς, Navales copiæ, Suid. : respicit autem ad l. quendam Aristoph. [Ach. 95], in quo pro ναύφρακτος quædam exemplaria habent ναύσταθμος. [Plutarch. Lys. c. 5.] Ναύσταθμον etiam reperitur, item pro Statio navium. [Navaculum, Gl. Eurip. Rhes. 136 : Πυρὰ κατ' ἀντίπρωρα ναυστάθμων δαίεται· 242 : Ναύσταθμα βὰς κατιδεῖν· 602.] Apud Thucydidem [3, 6] : Ναύσταθμον δὲ μᾶλλον ἦν αὐτοῖς ἡ Μαλέα, Statio navium erat eis Malea. Plut. [Pomp. c. 24] : Ναύσταθμα πειρατικά.

[Ναυστῆρες, οἱ οἴχεται. Ναυστῆρα, μεγάλην φοβεράν, Hesych. Quorum prius quidem referendum videtur ad v. Ναύω, ut scribendum sit ἱκέται.]

[Ναύστης. V. Νάστης.]

Ναυστολέω, Navi veho s. duco, Navi deduco. Exempla ex Eur. [Or. 741 : Δάμαρτα τὴν κακίστην ναυστολῶν,] et Alciphr. [2, 4 fin. : Ἵνα σε ταῖς ἐμαῖς χερσὶν ἀκύμονα ναυστολήσω πλέουσα], et Athenæo [lib. 11 :
B Ἐσχάραν, ἀφ' ἧς τὴν κύλικα ναυστολοῦσιν] habes ap. Bud. p. 871, 872. [Leonid. Tar. Anth. Pal. 7, 67, 6 : Χῶ φθιμένους ναυστολέων ὀβολός.] Et metaphorice ap. [Pind. Nem. 6, 33 : Ἴδια ναυστολέοντες ἐπικώμια·] Athen. 14, [p. 614, A] ex Euripide : Οἰκοῦσι δ' οἴκους, καὶ τὰ ναυστολούμενα Ἔσω δόμων σώζουσι, Quæ importantur. [Eur. Tro. 1048 : Πρὸς πρύμνας νεῶν τήνδ' ἐκκομίζειν, ἔνθα ναυστολήσεται.] || Classe peragro, Navi permeo, Soph. ap. Athen. 11, [p. 482, E] : Ἵπποισιν ἢ κύμβαισι ναυστολεῖς χθόνα. Accipitur etiam pro Navigo, ut ap. Cic. Tusc. 3, pro his Euripidis in Theseo [ap. Galen. De dogm. Hipp. et Plat. 4, 7] : Καὶ μὴ μακρὰν δὴ διὰ πόνων ἐναυστόλουν, Nec tam ærumnoso navigassem salo. [Sophocl. Phil. 245 : Ἐξ Ἰλίου ναυστολῶ. Eurip. Tro. 77 : Ὅταν πρὸς οἴκους ναυστολῶσ' ἀπ' Ἰλίου.] Item, Navi peto, Classe contendo [Med. 682 : Σὺ δ' ὡς τί χρῄζων τήνδε ναυστολεῖς χθόνα; Hipp. 36]; et interdum simpliciter pro Proficiscor. Lucian. [Lexiph. c. 2] : Ναυστολεῖν ἐς τὸ βαλανεῖον. [Diodor. 4,
C 13 : Τὸ τηλικοῦτον πέλαγος ἐπ' αὐτῷ ναυστοληθείς.] || Rego et Guberno veluti navem, VV. LL. ex Eur. [Suppl. 474] : Ναυστολήσεις τὴν πόλιν, Gubernabis civitatem. Quibus ex Aristoph. [Av. 1229] addunt ναυστολῶ τὼ πτέρυγε, de remigio alarum.

[Ναυστόλημα, τὸ, i. q. sequens. Eur. Suppl. 209 : Πόντου τε ναυστολήματα. || Classis. Chrysobulla Jo. Alex. Comn. ap. Pasin. Codd. Taurin. vol. 1, p. 224, b, A : Ἔνθα τὸ θεόδωστον (—δοτον) ναυστόλημα τῆς βασιλείας μου καὶ ἡ τῶν Τραπεζούντων (—ουντίων) καραπόβλια ἐντύχωσι τοῖς κατέργοις καὶ καραποβλοίμοις τῶν τοιούτων Βενετίκων. L. Dind.]

[Ναυστόλησις, εως, ἡ, Navigatio. Const. Manass. Chron. 1454, 4026. Boiss.]

Ναυστολία, ἡ, Navigatio, Profectio quæ navi fit : πλοῦς Hesychio et Suidæ. [Eur. Andr. 795 : Κλεινὰν ἐπὶ ναυστολίαν.]

[Ναύστολος, ὁ, Navigans. Æsch. Sept. 858 : Ναύστολον θεωρίδα. Photius : Ναμστολοῦν, ναύστολον.]

[Ναύστρατος, ὁ, Naustratus, n. viri, in inscr. Att.
D ap. Bœckh. vol. 1, n. 291, p. 400. L. Dind.]

[Ναύστροφος, ὁ, Naustrophus, n. viri, Herodot. 3, 60.]

[Ναύσων, ωνος, ὁ, Nauso, n. viri Athen. ap. Aristoph. Eq. 1309, Hesych. et Prov. App. 4, 1, in inscr. Att. ap. Bœckh. vol. 1, p. 132, n. 93, 47, et n. 214, p. 345, 8.]

[Ναύτακα, ων, τὰ, Nautaca, urbs Sogdianæ, Arrian. Exp. 3, 28, 9; 4, 18, 1.]

[Ναυταρίδιον, τὸ, diminut. a ναύτης, ap. Greg. Naz. vol. 2, p. 14, A : Δύστηνα ναυταρίδια.]

[Ναυτεία, ἡ, i. q. τὸ ναυτικὸν, Res nautica, in inscr. Rosett. v. 17 ap. Letronn. *Recueil* vol. 1, p. 281. L. D.]

[Ναυτέλης, ους, ὁ, Nauteles, n. viri, ap. Censorin. De die nat. c. 18.]

[Ναυτεπιβάτης, ὁ, Qui navi servit, ut suum naulum lucretur. Voc. valde dubium. Schneid.]

[Ναυτεὺς, έως, ὁ, Nauteus, Phæax, Hom. Od. Θ, 112.]

Ναύτης, ὁ, Nauta, pro quo poetæ, tragici præsertim, ναυάτης dicunt, ut Latini Navita [Gl.] pro Nauta. Hom. Il. Τ, [375]: Ὅταν ἐκ πόντοιο σέλας ναύτῃσι φανείῃ Αἰθομένοιο πυρός. [Et sæpissime ap. hunc aliosque poetas.] Plut. Pol. præc. [p. 807, B]: Ναύτας μὲν ἐκλέγεται κυβερνήτης, καὶ κυβερνήτην ναύκληρος. Xen. Hell. 1, [1, 16]: Ναύτας ὁπλίσας. [Et alibi sæpe.] Metaphorice autem συμποσίου ναῦται dicuntur, sicut κυλίκων ἐρέται, de compotoribus. Dionys. Chalcus ap. Athen. 10, [p. 443, D]: Κἄν τινες ἦγον [οἶνον] ἄγοντες ἐν εἰρεσίᾳ Διονύσου Συμποσίου ναῦται καὶ κυλίκων ἐρέται. || In Epigr. ναύτης δρόμος adjective de Itinere navali, s. cursu, ut ita dicam, navali.

Ναυτία, ἡ, Nausea [Gl.], proprie ea qua navigantes in mari corripiuntur. Ναυτία, inquit Gorr., Nausea: est depravatus motus facultatis expultricis, quo nititur per os excernere, quæ ventriculo sunt molesta. Pertinet vero ad ventriculum, nec eum quidem totum, sed partem ejus superiorem, quemadmodum et vomitio. Non est autem aliud nausea quam inanis quidam conatus vomendi. Plura vide ap. Gorr. [Aretæus p. 1, 16: Ναυτία τὰ πολλὰ μὲν ἐπὶ σιτίοις, οὐχ ἥκιστα δὲ καὶ ἐπ' ἀσιτίῃσι· 12, 33: Ξὺν ναυτίῃ. Aristot. De partt. an. 3, 3: Ἐν τοῖς ἐμέτοις καὶ ναυτίαις.] Plut. De loquacitate [p. 504, B]: Τῆς νόσου βαρύτερος, τῆς ναυτίας ἀηδέστερος. Idem alibi: Ταχὺ πλησμονὴν καὶ ναυτίαν τὸ πρᾶγμα παρέξει. Diosc. 3, [74] de fœniculo: Ἐν πυρετοῖς τε ναυτίας καὶ καῦσιν στομάχου παραιτεῖται· unde Plin. 20, 23, itidem de fœniculo: Nauseam ex aqua tritum sedat. || Quamvis vero nausea proprie ventriculi sit, attamen per metaph. de venis etiam sanguinem fundentibus Hippocr. in l. Περὶ ἀγμῶν, dixit ναυσίωσιν [quod v.] et ναυτίαν, quum illæ veluti nauseabundæ sanguinem expuunt, et quodammodo vomunt: quod vitium Idem paulo ante in venis ἐκχύμωσιν appellarat, Galen. Comm. 2 εἰς τὸ Περὶ ἀγμῶν. Gorr. [V. Ναυσίωσις.]

[Ναυτιασμός, ὁ, Nausea. Hesychius in Ψανισμός. Const. Manass. Chron. 6460: Ἐπήγαγον ναυτιασμούς, ἐμέτους, σκοτοδίνας. Improprie 6406: Καὶ τοὺς αὐτῆς ναυτιασμοὺς ἀπὸ ψυχῆς ἐστύγει. Theodor. Stud. p. 301, B: Τὸν τῆς πολυλογίας ναυτιασμόν. L. Dind.]

Ναυτιάω, Nauseo [Gl. Aristoph. Thesm. 882: Οὐκ ἔσθ' ὅπως οὐ ναυτιᾷς ἔτ', ὦ ξένε. Plato Leg. 1, p. 639, B, Theæt. p. 191, A.] Lucian. Lexiph. [c. 16]: Ἐγὼ γοῦν ἤδη μεθύω σοι καὶ ναυτιῶ. Plut. Polit. præc. [p. 801, A]: Οἱ ναυτιῶντες ἁλμυρίδας διώκουσι. Metaph. quoque accipitur pro Respuo, quasi nauseans, Respuo quasi nauseabundus. Plut. Pol. præc. [?] Et Dem. Phal. [§ 15]: Οἵ τε ἀκούοντες ναυτιῶσι, διὰ τὸ ἀπίθανον. [Plato Leg. 1, p. 639, C: Κἂν δειλὸς ὢν ἐν τοῖς δεινοῖς ὑπὸ μέθης τοῦ φόβου ναυτιᾷ. Ap. Phrynich. Ecl. p. 194: Ἠναυτίασα τοῦτο ἀκούσας τοὔνομα, male ediderat Nunnes. pro ἐναυτίασα, quod etiam Tzetzæ Exeg. Il. p. 127, 21: Νὴ τοὺς χερουβὶμ τοὺς σεραφικούς, ἐνηντίασα, restitutum voluisse videtur Schæferus, qui hunc l. annotaverat. Ναυτιχᾶν pro ναυτιᾶν male scribebatur ap. Aristid. vol. 2, p. 365, 5. Obscuræ sunt Photii gll.: Ναυσίουσα, ναυσιῶσα· οὕτως λέγει καὶ πλέουσα. Ναυττιᾶν, ἐν τοῖς δυσὶ ταῦ λέγουσιν, quum nihili videantur et ναυσίουσα pro ναυσιῶσα et ναυττιᾶν pro ναυτιᾶν.]

Ναυτίησις, εως, ἡ, ipsa Actio nauseandi, Nausea.

Ναυτικός, ἡ, όν, Nauticus, [Navalis, Classicus, Gl. Æsch. Pers. 383: Ναυτικὸν λεών. Et similiter alibi cum ceteris Tragicis.] Aristot. Polit. 5, [5] ναυτικὸς ὄχλος, Pubes nautica, Sil. Et v. σπερμολογία, Plut. Alcib. [c. 36.] Item v. χρήματα, Quæstus nauticus. Dem. [p. 893, 24]: Μέτρα δ' ἔχων, τούτοις πειρῶμαι ναυτικοῖς ἐργάζεσθαι, Pecunia autem non grandi, quam habeo, quæstum facere cœpi fœnore nautico occupata, Bud. [Conf. p. 816, 26; 1212, 3. Ναυτικαὶ συγγραφαὶ p. 932, 3; τόκοι 1288, 11. De ναυτικῇ συγγραφῇ v. Lex. rhet. Bekk. An. p. 283, 9. De ναυτικῷ ἐπιτρίτῳ s. ἐπιπέμπτῳ Bœckh. OEcon. Ath. vol. 2, p. 150 sq. De rebus Æsch. Ag. 661: Ναυτικῶν ἐρειπίων. Suppl. 441: Στρέβλαισι ναυτικαῖσι. Soph. Aj. 3: Ἐπὶ σκηναῖς ναυτικαῖς· 1278: Εἰς ναυτικὰ σκάφη.] Et v. ἀπόβασις, in VV. LL., Descensus ex navi. Et ἡ ναυτική, sc. τέχνη, vel ἐμπειρία, Rei nauticæ peritia. [Herodot. 8, 1: Ἄπειροι τῆς ναυτικῆς ἐόντες. Xen. Reip. Ath. 1, 19: Τὰ ὀνόματα τὰ ἐν τῇ ναυτικῇ.] Item τὸ ναυτικόν, Res nautica, Copiæ navales, Classis. [Navale,

A Gl. Aristoph. Eq. 1063: Περὶ τοῦ ναυτικοῦ.] Pro Res nautica accipitur in Thuc. 1, [142]: Πλέον γὰρ ἡμεῖς ἔχομεν τοῦ κατὰ γῆν ἐκ τοῦ ναυτικοῦ ἐμπειρίας, Ex re nautica s. navali. Sed frequentius capitur pro Copiis navalibus s. Classe. Thuc. 2, [80]: Οὐ περιμείνας τὸ ἀπὸ Κορίνθου ναυτικόν, Non expectata Corinthia classe. Ib. [13]: Τὸ ν., ᾗπερ ἰσχύουσιν, ἐξαρτύεσθαι, Classem parare, qua re plurimum pollent. Et [93]: Οὔτε ναυτικὸν ἦν προφυλάσσον ἐν αὐτῷ οὐδέν. Et de Corcyra, 1, [44]: Μὴ προέσθαι τοῖς Κορινθίοις ναυτικὸν ἔχουσαν τοσοῦτον. Eod. l., Ἀφ' ὧν τὸ ναυτικὸν τρέφουσι· 8, p. 272 [c. 30]: Ἐπὶ τῇ Μιλήτῳ τῷ ναυτικῷ ἐφορμεῖν· 3, [16]: Κινοῦντες τὸ ἐπὶ Λέσβῳ ν., Revocata, quæ ad Lesbum erat, classe. Similiter Xen. Hell. 1, [1, 23]: Τὸ ν., ὃ ἠθροίκει ἀπὸ τῶν συμμάχων. Et Aristot. Polit. 6, [7]: Τέτταρα δὲ τὰ χρήσιμα πρὸς πόλεμον, ἱππικόν, ὁπλιτικόν, ψιλόν, ναυτικόν. Plut. vero τὸ ναυτικὸν et τὸ στρατιωτικὸν in quodam l. dicit ipsos Nautas et ipsos Milites. [Eumath. p. 257: Κατεδυσώπει τὸ ναυτικόν.] Ead. signif. in plur. τὰ ναυτικά, Thuc. 1, [15]: Τὰ μὲν ν. τῶν Ἑλ-
B λήνων τοιαῦτα ἦν, Hujusmodi erant Græcorum copiæ navales, s. Græcorum classis. Ibid. [13]: Ναυτικά τε ἐξηρτύετο ἡ Ἑλλάς, Classem parabat, ut supra τὸ ν. ἐξαρτύεσθαι. 4, p. 146 [c. 75]: Τούς τε Πελοποννησίους ὠφέλουν ἐς τὰ ν. [Xen. H. Gr. 1, 6, 4: Ἄρτι ξυνιέντων τὰ ναυτικά· 5: Ἐμπειρότερος περὶ τὰ ναυτικά· et alibi similiter. Ὁ ναυτικὸς στρατὸς Herodot. 7, 99, etc.] || Qui exercitatus est in re nautica, Peritus rei nauticæ. Thuc. 1, [18]: Καὶ ἀνασκευασάμενοι, ἐς τὰς ναῦς ἐμβάντες, ναυτικοὶ ἐγένοντο, Rei navalis periti evaserunt. Et ib. [93]: Καὶ αὐτοὺς ναυτικοὺς γεγενημένους, μέγα προφέρειν ἐς τὸ κτήσασθαι δύναμιν. [Plato Leg. 4, p. 706, C: Ἀντὶ πεζῶν ... μονίμων ναυτικοὺς γενομένους. Polyb. 4, 41, 3: Καλοῦσι δ' αὐτοὺς οἱ ναυτικοὶ Στήθη.] Sic Athen. 7, [p. 296, C] de Glauco ex Mnasea: Ναυτικὸν δὲ αὐτὸν καὶ κολυμβητὴν ἀγαθὸν γενόμενον, πόντιον καλεῖσθαι. Item v. πολύπους, Aristot. H. A. 9 [immo 4, 1], Polypi genus alio nomine ναυτίλος nuncupatum, et πομπίλος, vel quod navigantes imitetur, vel quod navium cursum comitetur.

C Ναυτικῶς, More nautarum. Apud Suid. Zeno dicitur cum grandi pecunia in Græciam venisse, eamque δανεῖσαι ναυτικῶς: qui et a Plut. dicitur nauticum fecisse quæstum antequam ad philosophiam se contulisset.

[Ναυτίλαρχος, ὁ, Gubernator. Theod. Prodr. Rhod. 1, p. 50. Boiss.]

Ναυτιλία, ἡ, Navigatio [Gl.], vocab. tam poetis quam prosæ scriptoribus usitatum. Hesiod. Op. [616]: Εἰ δέ σε ναυτιλίης δυσπεμφέλου ἵμερος αἱρεῖ. [Hom. Od. Θ, 253, Pind. Pyth. 4, 70, et plur. Isthm. 3, 75.] Herodot. [1, 1]: Ναυτιλίῃσι μακρῇσι ἐπικέσθαι, Longis navigationibus. Apud Eund. [ib. 163]: Ναυτιλίῃσι χρῶνται, Valla vertit Navicularíam exercent. [Id. 4, 145: Τῶν Τυνδαριδέων ἡ ν. ἐν τῇ Ἀργοῖ. Schweigh. Xen. Comm. 4, 2, 32. Plato Leg. 4, p. 709, B: Περί τε ναυτιλίαν καὶ κυβερνητικήν· et alibi. Aristot. Polit. 3, 4: Ἡ σωτηρία τῆς ν. 6, 6: Πλοῖα τὰ πρὸς ν. καλῶς ἔχοντα. Strabo 3, p. 143; Plut. Mor. p. 743, F.] Plut. Quæst. Rom.: Ναυτιλίης φανείσης καὶ κομιδῆς κατὰ θάλατταν, ubi si-
D gnificat potius Opportunum navigationi tempus. Et Lucian. De luctu [c. 10] μισθὸν ναυτιλίας vocat Naulum s. Mercedem pro vectura s. trajectu. [Pollux 1, 98. De navigio ipso Leonidas Tar. Anth. Pal. 7, 295, 4: Οὐχὶ πολυσκάλμου πλώτορα ναυτιλίης.]

[Ναυτιλικός, ἡ, όν, Nauticus. Germanus in Cotel. Mon. vol. 2, p. 471, C: Ἐνδιδοῦσα τὸν πόδα κατὰ νόμους ναυτιλικούς. L. Dind.]

Ναυτίλλομαι, Navigo [Gl.], cui fortassis aliquis inter hæc primum dare locum malit, et duo præcedentia inde derivare. Hom. Od. Ξ, [246]: Αἴγυπτον δέ με θυμὸς ἀνώγει ναυτίλλεσθαι· Δ, [672]: Ὡς ἂν ἐπισμυγερῶς ναυτίλλεται εἵνεκα πατρός. [Soph. Ant. 717: Σέλμασιν ναυτίλλεται. Eur. fr. Philoct. ap. Stob. Fl. 59, 18: Ἐν γῇ δ' ὁ φόρτος καὶ πάλιν ναυτίλλεται.] Utitur hoc verbo et Lucian. [De hist. conscr. c. 62] de turri in Pharo ædificata, ex qua noctu suspendebatur lucerna: Ὡς πυρσεύοιτο ἀπ' αὐτοῦ τοῖς ναυτιλλομένοις. [Et Herodot. 1, 163: Ναυτίλλοντο πεντηκοντέροισι· 2, 5: Αἴγυπτος, ἐς τὴν Ἕλληνες ναυτίλλονται· 178; 3, 6. Schw. Plato

A Reip. 8, p. 551, C: Πονηρὰν τὴν ναυτιλίαν αὐτοὺς ναυτίλλεσθαι. De nautilo pisce Aristot. H. A. 9, 37: Ἵνα κενῷ ναυτίλληται. Porphyr. Ep. ad Aneb. p. 6, 34: Ἐπὶ πλοῖον ναυτιλλόμενον· fort. πλοίου. Improprie Philostr. Imag. p. 776: Μαιάνδρους πολλοὺς ἑλίττει... ἀγαθοὺς ναυτίλλεσθαι τοῖς ὄρνισι τοῖς ὑγροῖς. Theophyl. Quæst. phys. p. 15, 1: Ὁπηνίκα δὲ (ὁ νοῦς) πρὸς τὴν τῆς θαλάττης δημιουργίαν ναυτίλλεται. Ap. Hesychium pro Ναυτιᾶσθαι, πλέειν, Albertus et Pierson. ad Mœr. p. 269, ναυτίλλεσθαι.]

Ναυτίλος, ὁ, ἡ, i. q. ναυτικὸς, Nauticus, q. d. Navigatorius, Suidæ ναύτης. [Æsch. Prom. 466: Ναυτίλων ὀχήματα. Frequens est etiam ap. ceteros Tragicos aliosque poetas. Herodot. 2, 43; Aret. p. 75, 25.] Eur. ap. Aristoph. Ran. [1207] de Ægypto, s. Danao: Ξὺν παισὶ πεντήκοντα ναυτίλῳ πλάτῃ Ἄργος κατασχών. Idem ναυσιπόρους πλάτας alibi dicit. [Iisdem verbis Soph. Phil. 220. Adjective sic etiam Æsch. Ag. 1442: Ναυτίλων δὲ σελμάτων ἰσοτριβής. Ubi ναυτικῶν Casaubonus. « Sic Nausicrates comicus ap. Athen. 7, p. 296, A: Τοῦ ναυτίλοισι πολλάκις ἤδη φανέντος, de Glauco deo marino
B loquens. » Schweigh.] || Ναυτίλος dicitur etiam Polypi species quædam, Athen. 7, [p. 317, F] ex Aristot. H. A., quamvis idem Aristot. ap. Eund. dicat, non esse polypum, sed similem polypo κατὰ πλεκτάνας: de quo tum alia multa ab ipso Athen. referuntur, tum in eleganti Callimachi Epigr. [5, 3] hæc habentur verba: Ναυτίλον, ὃς πελάγεσσιν ἐπέπλεον· εἰ μὲν ἀῆται, Τείνας ὠκείων λαῖφος ἀπὸ προτόνων· Εἰ δὲ γαληναίη, λιπαρὴ θεὸς, οὖλος ἐρέσσων Ποσσί. De hoc lege Plin. 9, 29. [Item Hesych.] Vide et quæ de nauplio pisce in seq. cap. refert. [De accentu Arcad. p. 55, 20.]

[Ναυτιλοφθόρος, ὁ, Nautas perdens. Lycophr. 650: Ναυτιλοφθόρους σκοπάς.]

[Ναύτῑμος, ὁ, Nautimus, n. viri, in inscr. Olbiopol. ap. Bœckh. vol. 2, p. 133, n. 2069, 2, ubi Ναυτείμου· 2071, 2. L. Dind.]

[Ναυτιόεις. V. Ναυσιόεις.]

[Ναυτὶς, ίδος, ἡ, i. q. ναύτρια. Pollux 7, 190: Θεό-
C πομπος δὲ γυναῖκας ναυτίδας. Photius ναυτίδας γυναῖκας ὡς ναύτας.]

Ναυτιώδης, ὁ, ἡ, Nauseosus. Plut. De virt. mor. [p. 442, F]: Ἔμετοι καὶ διατροπαὶ ναυτιώδεις· Symp. 4, [p. 669, A]: Βαρεῖς τῇ γεύσει προσπίπτουσι καὶ ναυτιώδεις. [Pyrrh. c. 13, ἅλυς. Aret. p. 128, 14: Ναυτιώδεϊ ὑγρῷ. Gregor. Nyss. vol. 2, p. 44, A.]

[Ναυτίωσις. V. Ναυσίωσις.]

[Ναυτοδίκης, ὁ.] Ναυτοδίκαι Hesychio sunt οἱ ἐπὶ τοῦ ἐμπορίου δικασταὶ, ἐφ' ὧν καὶ αἱ τῆς ξενίας ἐκρίνοντο δίκαι: proprie igitur sunt Judices nauticis litigiis cognoscendis deputati, s. ἐμπορικῶν δικῶν judices: sed frequentius in posteriori signif. ναυτοδίκαι dicuntur οἱ τὰς ξενίας δίκας εἰσάγοντες, Pollux [8, 126], prioris nullam faciens mentionem. Et sic accipitur in hoc l. Carteri [Crateri], quem Harpocr. ex libro 4 Psephismatωn citat: Ἐὰν δέ τις ἐξ ἀμφοῖν ξένοιν γεγονὼς φρατρίζῃ, διώκειν τῷ βουλομένῳ Ἀθηναίων οἷς δίκαι εἰσί, λαγχάνειν δὲ τῇ ἔνῃ καὶ νέᾳ πρὸς τοὺς ναυτοδίκας. [Lucian. D. mer. 2, 2. Lysiæ locum p. 593 addit
D Schneider. ad Xen. Vectig. 3, 3, ubi pluribus de hoc magistratu disputavit, de quo Suidas s. Lex. rhet. Bekk. An. p. 283, 3: Ναυτοδίκαι, ἄρχοντές τινές εἰσι τοῖς ναυκλήροις δικάζοντες καὶ τοῖς περὶ τὸ ἐμπόρειον ἐργάταις.]

[Ναυτολογέω, Nautas colligo. Antiphil. Anth. Pal. 9, 415, 2: Ἠνίκα δημοτέρην Κύπριν ἐναυτολόγει. V. Ναυσθλόω.]

[Ναυτολόγος, ὁ, Qui nautas colligit. Strabo 8, p. 375: Τοὺς ὑπὸ Ἀγαμέμνονος πεμφθέντας ναυτολόγους. Const. Apost. p. 263, ubi ναυστ. Wakef.]

[Ναυτοπαίδιον, τὸ, Nautæ infans vel puer. Hippocr. p. 1009, H.]

[Ναύτρια, ἡ.] Ναύτρειαι, Mulieres nauticam exercentes. Pollux 7, [139]: Ναῦται, καὶ αἱ παρ' Ἀριστοφάνει ναύτρειαι, καὶ πάνθ' ὅσα ἐκ νεῶν ὑπηρετικὰ εἴδη τεχνῶν. Scribitur autem ναύτρειαι per ει in penult., sicut ap. Eund. alibi μισθώτρειαι. Sed videtur potius scr. ναύτριαι: habent enim hæc duo ναύτης et ναύτρια verbalium quorundam formam.

[Ναυφάγος, ὁ, ἡ, Naves devorans, perdens. Lycophr. 1095: Ναυφάγοι φρυκτωρίαι.]

[Ναυφάντη, ἡ, Nauphante, n. navis, Aristoph. Eq. 1309.]

[Ναύφαρκτος. V. Ναύφρακτος.]

Ναυφθορία, ἡ, Naufragium. [Statyll. Flacc. Anth. Pal. 7, 290, 4; Tull. Gem. ib. 73, 2. « Manetho 1, 324; 3, 255. » Wakef.]

[Ναύφθορος, ὁ, ἡ, Naufragus, Qui navem perdidit. Eur. Hel. 1382: Ἀντὶ ναυφθόρου στολῆς· 1539: Ναυφθόροις ἠσθημένοι πέπλοισιν.]

Ναύφρακτος, ὁ, ἡ, Navibus septus, circumseptus, armatus et munitus. [Æsch. Pers. 950: Ἰάνων ναύφρακτος Ἄρης· 1027: Ναύφρακτον ὅμιλον.] Ναύφρακτον στράτευμα, Eur. [Iph. A. 1259], Navales copiæ, Nauticus exercitus. Sic Aristoph. Eq. [567]: Οἵτινες πεζαῖς μάχαισιν ἔν τε ναυφράκτῳ στρατῷ Πανταχοῦ νικῶντες αἰεί· i. e., τῷ συμπεφραγμένῳ καὶ συντεταγμένῳ ναυτικῷ. Ab Eod. ναύφρακτος usurpatur etiam pro ναύφρακτος στρατὸς, s. ναυτικὸς, ut schol. annotat, Ach. [95]: Πρὸς τῶν θεῶν, ἄνθρωπε, ναύφρακτον βλέπεις, ubi addit, scribi etiam ναύσταθμον, quod et Suid. habet. Ναύφρακτος Hesych. exp. ναύσταθμος, λιμήν. [Photius: Ναύφαρκτον βλέπειν, et Ναύφρακτον καὶ ναύφαρκτον τὴν ναυτικὴν δύναμιν καλοῦσιν, qui etiam formam φάρκτεσθαι pro φράττεσθαι annotavit. Quibus de formis Aristophani semel iterumque restituendis v. G. Dindorf. ad l. Ach.]

[Ναυφυλᾰκέω, Naves custodio. Eust. Od. p. 1562, 36: Νεωρεῖν φασι τὸ ναυφυλακεῖν.]

[Ναυφύλαξ, ᾰκος, ὁ, Navis s. Navium custos. Aristoph. fr. Lemn. ap. Polluc. 7, 139. Suidas v. Ναυτοδίκαι, qui cum Photio ἄρχοντάς τινας ἐπὶ τῆς τῶν νέων φυλακῆς dicit, ut Lex. rhet. Bekk. An. p. 283, 5. Ulpian. Dig. 4, 9, 1: « Sunt quidam in navibus, qui custodiæ gratia navibus præponuntur, ut ναυφύλακες et diætarii. » Conf. Hagenbuch. ap. Orell. Inscrr. vol. 1, p. 541 seq. L. Dind.]

[Ναυχὴν inter nomina in ην una cum αὐχὴν ponit Arcad. p. 8, 15.]

Ναύω, Fluo, Mano. Hesych. enim ναύει exp. ῥεῖ, βλύζει. Idem affert ναύειν pro ἱκετεύειν, Supplicare, [παρὰ τὸ ἐπὶ τὴν ἑστίαν καταφεύγειν τοὺς ἱκέτας. Et Ναύω, λίσσομαι, ἱκετεύω. Photius: Ναύειν, ἱκετεύειν, ἐπεὶ ἐν τοῖς ναοῖς ἦσαν· ἢ παρὰ τὴν ἑστίαν παρὰ τὸ ἐναῦσαι. Hesychius: Ναοῖ, ἱκετεύει, ubi series alph. poscit Ναυοῖ. Conf. etiam Ἐναύω, Ναυστῆρες.]

[Ναυών, i. q. νεὼν s. νεώριον, Hesychius. Conf. Koen. ad Greg. p. 225.]

Νάφθα, ἡ [et τὸ, ut monet Eust. Il. p. 700, 56], Naphtha. Dioscoridi 1, 102 [101] est Βαβυλωνίου ἀσφάλτου περιήθημα, τῷ χρώματι λευκόν· δύναμιν ἔχον ἁρπακτικὴν πυρὸς, ὥστε καὶ ἐκ διαστήματος ἁρπάζειν τοῦτο. Sic Plin. 2, 105, locutus de maltha, s. flagranti limo: Similis est naturæ naphtha: ita appellatur circa Babyloniam et in Austagenis Parthiæ profluens bituminis liquidi modo. Huic magna cognatio ignium, transiliuntque protinus in eam undecunque visam. Ita ferunt a Medea pellicem crematam, postquam sacrificatura ad aras accesserat, corona igne rapta. Et Plut. Alex. [c. 35] scribit, Alexandrum, quum Babyloniam obiret, cum admiratione spectasse τό τε χάσμα τοῦ πυρὸς ἐν Ἐκβατάνοις, ὥσπερ ἐκ πηγῆς συνεχῶς ἀναφερομένου, καὶ τὸ ῥεῦμα τοῦ νάφθα λιμνάζοντος διὰ πλῆθος· ubi præter alia et ipse addit, ferri hoc esse τὸ τῆς Μηδείας φάρμακον, ᾧ τὸν τραγῳδούμενον στέφανον καὶ τὸν πέπλον ἔχρισεν. [Procop. Gotth. 4, p. 594, C: Ἀγγεῖα θείου τε καὶ ἀσφάλτου ἐμπλησάμενοι καὶ φαρμάκου, ὅπερ Μῆδοι μὲν νάφθαν καλοῦσιν, Ἕλληνες δὲ Μηδείας ἔλαιον.] Vide et Strab. 16, [p. 738, 743, Epit. p. 445,] ubi itidem dicit ἡ τοῦ νάφθα πηγὴ, ut Plut. τὸ ῥεῦμα τοῦ νάφθα. Suidas τριγενὲς esse dicit: dici enim ἡ νάφθα, ὁ νάφθας, et τὸ νάφθα: esse autem Medicum voc., a Græcis vocari Μηδείας ἔλαιον. Hesych. exp. θεάφιον, θεῖον, Sulphur. [Hodie Persis vocatur etiamnum نفت *Naft*: v. Hammer. Philo Belop. p. 90, B: Ναπτάλιος, ἡ ἐν Βαβυλῶνι γίνεται, ubi cod. Berol. ap. Schneider in Lex. ναπάλιος. Angl.]

Ναφρὸν, Hesych. λινοῦν ῥάμμα, Lineum filum.

[Νάφυ. V. Νάπυ.]

[Νάχα, nomen vel nominis reliquiæ suspectæ in inscr. Tegeat. ap. Bœckh. vol. 1, p. 699, n. 1513, 42.]

[Ναχαδὸν, σαθρὸν, ὁμοίως καὶ Ναχειλὲς, τὸ αὐτὸ σημαίνει, Hesychius. Ναχειλὲς quidem ex Νωχελὲς corruptum videtur.]

Νάω, significat etiam Fluo, Mano, Scaturio. Greg. Naz. [p. 703, B. Hemst.]: Πηγαὶ διαυγέστερον νάουσι. Ex Aristoph. autem [Ran. 146], νῶν [ἀείνων] σκῶρ, pro Stercus innatans. [Hom. Il. Φ, 197 : Πᾶσαι κρῆναι καὶ φρείατα μακρὰ νάουσι· Od. Z, 292 : Ἐν δὲ κρήνη νάει. Callim. Dian. 224 : Τάων Μαιναλίη νᾶεν φόνῳ ἀκρώρεια. Apoll. Rh. 1, 1146 : Ὕδατι νᾶεν Δίνδυμον· 3, 224: Νᾶεν ἀλοιφῇ· 4, 1300 : Καλὰ νάοντος Πακτωλοῖο. Pass. Nicand. ap. Athen. 15, p. 684, B : Ἄσπορα ναομένοισι τόποις ἀνεθρέψατο χειμὼν κάλλεα. Ita Casaub. pro νεομένοισι πότοις. Hinc Νάουσα fontium nomen ap. Græcos hodiernos. V. Ross. *Reisen* vol. 1, p. 45, 120. Primam, quam produxerunt recentiores, corripuit Hom. Nam Od. I, 222 : Νᾶον δ' ὀρῷ ἄγγεα πάντα, Aristarchus sec. schol. legebat ναῖον, quod retulit etiam Apoll. Lex. Hom. p. 468, v. Ναῖον, qui interpr. ἀντὶ τοῦ νεανικῶς, quod Struvius in Suppl. Schneid. scribebat νέον (vel potius νάον) ἰακῶς. De α correpto v. Heraclid. ap. Eust. ad h. l.]

Νάω thema, cujus ante [in Ναιέτης] facta fuit mentio, licet inusitatum, [ut male Zenodotus Il. N, 172 : Ναῖε δὲ Πήδαιον, scripserit ὃς νάε Πήδαιον. Nec Pindari in fr. ap. Clem. Al. Strom. 4, p. 640, certum verumque est νάουσαι, pro quo ναίουσαι Theodoretus,] quædam tamen tempora usitata habet; sed pro Habitare, in pass. voce potius, aut media. Invenitur enim aor. Νάσθην, item Νασσάμην, abjecto incremento pro ἐνάσθην et ἐνασσάμην, Habitavi. Hom. Il. Ξ, [119] : Ἀλλ' ὁ μὲν αὐτόθι μεῖνε, πατὴρ δ' ἐμὸς Ἄργεϊ νάσθη, πλαγχθείς. Hesiod. [Op. 637] : Νάσσατο δ' ἄγχ' Ἑλικῶνος. Sed et infin. νάσσεσθαι ap. Apoll. Arg. 2, [747]: Νάσσεσθαι ἔμελλον. [Active 1, 1350 : Τρηχῖνος δὴ γάρ ῥα κατ' αὐτόθι νάσσατο παῖδας. Id. 4, 275 : Μυρία δ' ἄστη νάσσατο, i. e. κατῴκισε.] At vero activus aor. Νάσσα, itidem pro ἔνασσα, significat potius Habitare feci, Sedes habitandas dedi. Hom. Od. Δ, [174] : Καί κεν οἱ Ἄργεϊ νάσσα πόλιν καὶ δώματ' ἔδωκα [ἔτευξα], ubi Eust. exp. κατῴκισα. Item νάσσατο in VV. LL. pro Transtulit in alias sedes. Eust. certe νάσασθαι quoque dici ἐπὶ μετοικίας tradit, ut vidisti et in Ἀπενασσάμην.

[Νάω, i. q. νέω, quod v.]

[Ναώριον. V. Νεώριον.]

[Νέα. V. Νέος.]

[Νεάγγελτος, ὁ, ἡ, Nuper nuntiatus, Novus. Æsch. Cho. 736 : Τὴν νεάγγελτον φάτιν.]

[Νεαγενής. V. Νεογενής.]

Νεάζω, άσω, Juvenesco [Gl.]. Pollux [2, 20] : Καὶ εἰς μειρακίων ἡλικίαν ἐξαλλάττειν, ἀκμάζειν, σφριγᾷν, νεάζειν, νεανιεύεσθαι, Juvenilem ætatem agere, Adolescere. Epigr. [Lucillii Anth. Pal. 11, 256, 4] in Anum : Ὡς ὁ παλαιὸς Ἐλπίζεις Πελίας ἑψομένη νεάσαι. Philo V. M. 3 : Μὴ χρόνου μήκει μαραινόμενον, ἀλλ' ἐφ' ὅσον ἐγχρονίζει, καινούμενον καὶ νεάζον, Quanto magis inveterascit, renovatur ac juvenescit. Gregor.: Ὧν τὰ σώματα χρόνῳ κέκμηκεν, αἱ δὲ ψυχαὶ θεῷ νεάζουσι. Item τὸ νεάζον ap. Soph. [Tr. 144] pro ἡ νέα ἡλικία, schol. Item, Juventutem transigo, consumo. Herodian. 3, [14, 4] : Ἂν νεάζοιεν ἐν στρατιωτικῷ βίῳ καὶ σώφρονι, Si militari vitæ ac sobriæ juvenes insenescerent, Polit. Item, Juvenis sum, robustus et vegetus. Hesych. νεάζων exp. μειρακιευόμενος [Menander ap. Stob. Fl. 82, 13 : Ὡς ἡδὺ πρᾷος καὶ νεάζων τῷ τρόπῳ πατήρ] : et νεάζομεν, ἀφικνούμεθα, ἢ νεωστὶ ἥκομεν. Item Juveniliter ago, sapio : ut νεάζουσα φρήν, Eust. [Improprie Æsch. Ag. 765 : Φιλεῖ δὲ τίκτειν ὕβρις μὲν παλαιὰ νεάζουσαν ὕβριν· Suppl. 104 : Ὕβριν οἵα νεάζει πυθμήν. « Ælian. apud Suid. in Ἀπίκιος. » Hemst. Νεάζεσθαι, Recentari, Gl. Duplicem signif. annotant Hesych. et Photius : Νεάζομεν, ἀφικνούμεθα ἢ νεωστὶ ἥκομεν. Νεάζων, μειρακιευόμενος. Photius : Νεάζομεν, μειρακιευόμεθα, καὶ ἐπὶ τοῦ νεωστὶ ἥκομεν. Ejusdem Hesychii gl., Νεάσεται, νέος λόγος πορεύσεται, an ad hoc verbum pertineat incertum videtur.]

[Νέαι. V. Νέα in Νέος.]

A [Νέαιθος, ὁ, Neæthus, fl. Italiæ, qui supra Ναύαιθος, ap. Strab. 6, p. 262. Ap. Suidam et Zonaram in Ναίεθος corruptum notarunt interpretes.]

[Νεαίνω. V. Νέασις.]

[Νεαῖος, α, ον, V. Νέαι sub Νέα in Νέος. || N. pr. viri Athen. in inscr. Att. ap. Bœckh. vol. 1, p. 292, n. 165, 57, et *Urkunden* p. 245.]

[Νέαιρα.] At Νείαρα sive Νέαιρα, quorum utrumque habetur in Lex. meo vet., τὸ ἔσχατον μέρος τῆς κοιλίας, ut ibid. exp. Pollux 2, [209] : Καλεῖται κῶλον καὶ κάτω κοιλία, ἣν νειαίρην Ὅμηρος καλεῖ· itidemque Bacchius ap. Erot. [p. 256] νείαραν exp. τὸ κῶλον, quod quidam vocant τὴν κάτω κοιλίαν, Erot. autem γαστέρα : sed major pars in eo consentit, νείαιραν esse Imum ventrem, qui et λαγὼν, a λήγω, ut Etym. tradit. Quamvis vero hi lexicogrr. νείαιραν simpliciter exp. Imum ventrem, ap. Hom. tamen et alios poetas solet adjunctum habere γαστὴρ, Il. E, [539] : Νειαίρῃ δ' ἐν γαστρὶ διὰ ζωστῆρος ἔλασσεν· et [616] : Νειαίρῃ δ' ἐν γαστρὶ πάγη δολιχόσκιον ἔγχος· itidemque Π, [465] :
B Τὸν βάλε νείαιραν κατὰ γαστέρα. [Arat. 205, 575. Omisso γαστὴρ Callim. ap. Stob. Fl. 81, 8 : Νειαίρην εἰς ἀχάριστον ἔδυ. Nicand. Al. 270 : Νείαιρην σάρκα. « Hippocr. p. 564, 29 : Τὴν νείαιραν προσχέσθω· 215, H : Βάρος ἐν νειαίρῃ. Sæpissime vero τὴν νειαίραν aut νειαίρην γαστέρα ponit Περὶ γυναικ. φύσ. et Περὶ γυν. Sic etiam ἡ κοιλίη ἡ νειαίρη, et γαστὴρ dicitur p. 609, 51, et Aret. Acut. 1, 2, et 10. » Foes.] Duplex vero etymon traditur a grammaticis, cujus et Eust. [Il. p. 580, 21; 587, 37] meminit, Νείαιρα γαστὴρ, οὐ μόνον δι' ἧς τὰ σιτία νέονται, ὅ ἐστι πορεύονται, ἀλλὰ καὶ ἡ ἐσχάτη· ὅθεν καὶ ἡ γυναικεία ὑστέρα μετείληπται. Alibi vero [Od. p. 1717, 35] annotat, sicut Νέαιρα nomen proprium est a νέα, i. e. νεαρὰ, sic et νέαιραν γαστέρα posse ἀστείως indidem derivari, διὰ τὸ ἐνδελεχῶς νεάζειν αὐτὴν εἰς ὄρεξιν. [Nymphæ Hom. Od. M, 133. Nereidis ap. Sophocl. ab schol. Apoll. Rh. 3, 242 cit. Alias cognomines mulieres memorant Apollodorus et Pausanias. Contra meretricem Neæram oratio anonymi exstat inter Demosthenicas. De qua conf. Athen.
C 13, p. 587 etc. Hesychius annotat non solum Νέαιρα, Ὠκεανοῦ θυγάτηρ, sed etiam : Νεαιρηΐσιν ἵπποις, τοῖς ἀπὸ Νεαίρας. Καὶ Σιμωνίδης, Νέαιραν γνάθον. Νέαιρα δὲ χωρία ἐν Λήμνῳ, quacum interpretes conferunt gl. Νέα vel potius Νέαι, de qua v. in Νέος.]

[Νεαίρετος, ὁ, ἡ, Recens captus. Æsch. Agam. 1063 : Θηρὸς ὡς νεαιρέτου· 1065 : Πόλιν νεαίρετον· fr. ap. Eust. Od. p. 1625, 44 : Βούβαλιν νεαίρετον. Conf. Bœckh. C. I. vol. 1, p. 345, n. 214, 16.]

[Νέαιχμος, ὁ, Neæchmus, n. viri, arch. Att. ol. 115, 1, ap. Dionys. Hal. vol. 5, p. 650, 2.]

Νεακόνητος, ὁ, ἡ, Recens acutus. Schol. Soph. El. [1394], item et Hesych. [Apud quem non hoc est, sed Νεακὲς, νεωστὶ ἠκονημένον, de quo v. in Νεηκής. Conf. Νεοκόνητος.]

[Νεαλδής, έος, ὁ, ἡ, Qui de novo incrementum capit, Qui novum incrementum capere incipit, Nuper auctus, Qui recens excrevit, Novellus, Nuper natus. « Oppian. Hal. 1, 692. » Wakef.]

[Νεάλεστος, ὁ, ἡ, Recens molitus. Schol. Nic. Alex.
D 412 : Ἄλευρα κριθῶν νεάλεστα. Wakef. ἄ]

Νεάλης, ὁ, ἡ, Hesychio νεωστὶ ἁλούσης, Recens captæ, quæ et νεάλωτος dicitur. Affert enim Idem ipse νεάλωτοι pro νεωστὶ εἰλημμένοι. [Ex Herodoto 9, 120, ut videtur, ubi nunc ex aliis libris νεοάλωτοι. Apud Hesych. autem scribendum νεαλοῦς aut νεαλεῖς et ἁλούσας. Ceterum hæc signif. grammaticorum est inventum hoc v. a verbo ἁλίσκεσθαι repetentium, ut Phrynichi Bekk. An. p. 52, 20; Antiattic. p. 109, 13; Lex rhet. p. 282, 27.]

Νεαλὴς, ὁ, ἡ, idem plerumque cum νεαρός. [Recens; Νεαλὲς, Præsultum, Gl.] Ammonius tamen discrimen inter hæc duo statuit, ac νεαλὲς esse vult τὸ νεωστὶ ἑαλωκὸς, Quod nuper captum est, ut piscis : vel τὸ νεωστὶ ἁλὶ πεπασμένον, Nuper sale conspersum. [Galen. vol. 13, p. 458, F : Ὁ νεαλὴς τυρὸς, τουτέστιν ὁ νεωστὶ τοὺς ἅλας προσειληφώς. Hemst. Quo alludere videtur Plut. Mor. p. 669, F : Διὸ καὶ προλαμβάνουσι τῆς ἄλλης τροφῆς τὰ δριμέα καὶ τὰ ἁλμυρὰ καὶ ὅλως ὅσα μάλιστα τῶν ἁλῶν μετέσχηκε· γίγνεται γὰρ et quæ se-

quuntur ab HSt. posita.] Idem et ap. Eust. [Od. p. A
1827, 62] habetur : exempla tamen ostendunt nihil plerumque aut certe parum inter hæc esse discriminis ; sicut enim Gregor. copulavit νεαροὶ et πρόθυμοι, sic et Plut. Symp. 4, [l. c.] de acribus et salsis : Γίνεται γὰρ φίλτρα ταῦτα τῇ ὀρέξει πρὸς τὰ ἄλλα ὄψα, καὶ δελεασθεῖσα διὰ τούτων ἐπ' ἐκεῖνα πρόσεισι νεαλὴς καὶ πρόθυμος, Recens : eo modo, quo Ovid. Recentes equos dixit viribus adhuc integris nec lassatos cursu : itidemque v. στρατιώτης, Miles recens et integer, qui necdum depugnarit. Integer atque intactus, Livio. [Xen. Cyrop. 8, 6, 17, ἵππους. Plato Polit. p. 265, B : Νεαλέστεροι ὄντες ῥᾷον αὐτὴν (τὴν ὁδὸν) πορευσόμεθα.] Appian. : Καὶ τοῖς πονουμένοις ἑτέρους νεαλεῖς ἐπιπέμπειν. [Conf. B. C. 1, 58.] Polyb. : Τοὺς πολεμίους ἀκεραίους ὄντας καὶ νεαλεῖς. [Et cum ἀκμαῖοι 3, 73, 5.] Sic Plut. Antonio [c. 39] : Τέλος δὲ ἐντυχόντες πᾶσι (τῶν πολεμίων) ὥσπερ ἀηττήτοις καὶ νεαλέσι , προσβάλλουσι πανταχόθεν, Recentibus, Integris, Nondum fessis. Est tamen ubi opp. τῷ τεταριχευμένῳ, ut ap. Dem. [p. 788, 22], teste Bud. Similiter et Lucian. [Necyom. c. B
15] de mortuis : Τοὺς μὲν, παλαιοὺς καὶ εὐρωτιῶντας, καὶ ὥς φησιν Ὅμηρος, ἀμενηνοὺς, τοὺς δὲ, νεαλεῖς καὶ συνεστηκότας, καὶ μάλιστα τοὺς Αἰγυπτίων αὐτοὺς, διὰ τὸ πολυαρκὲς τῆς ταριχείας, Nuper salsos, Bud. Veruntamen non tam opponitur τῷ τεταριχευμένος quam τῷ παλαιός : atque adeo νεαρὸς in simili loquendi genere eod. modo usurpatur. Diosc. 2, [79] de caseo : Ὁ δὲ νεαλὴς, εὐτροφώτερος ἐσθιόμενος· ὁ δὲ παλαιότερος, κοιλίας σταλτικός· et initio capitis, Τυρὸς νεαρὸς δίχα ἁλῶν ἐσθιόμενος, τρόφιμος· ubi annota νεαρὸν quoque opponi τῷ ἁλιπάστῳ. Plin. 28, 9, itidem de caseis : Stomacho utiles qui non sunt salsi, i. e. recentes ; veteres alvum sistunt. Et νεαλεῖ πάτῳ ap. Nicandr. [Ther. 933], Recenti, νεαρῷ. [Ib. 869 : Νεαλεῖς τ' ὀρόβακχοι.] Item v. μόσχος [Al. 358], Novella vitula, in Μόσχος : schol. exp. νεαρά. [364 : Νεαλὲς γάλα · 471 : Νεαλῆς γόνος.] Possunt igitur νεαρὸς et νεαλὴς esse tam παραγωγικὰ duntaxat esse [« omittendum » HSt. Ms. Vind.] quam composita. [De grammaticorum etymologia ab v. ἁλίσκεσθαι v. in præcedenti Νεάλης. Non C
minus inepta est etym. ab ἅλς. Quod ostendit etiam α ab veteribus productum, correptum ab Nicandro, qui multa habet hujus generis singularia. De altera mensura Phrynichus Bekkeri p. 52, 20 : Ἀριστοφάνης τὸ νεαλὲς ... supplendus ex Photio : Νεαλής· ἐκτείνεται τὸ α. Ἀριστοφάνης Λημνίαις· Ἕως νεαλής ἐστιν αὐτὴν τὴν ἀκμήν· Μένανδρος. Sophocli OEd. C. 475 pro νεαρᾶς et Euripidi pro νεολαία, quod v., restituit G. Dindorfius.]

[Νεάλωτος. V. Νεοάλωτος.]

[Νέᾱμα, τὸ, Ager novalis. Nomocanon Cotel. Monum. vol. 1, p. 153, B : Ἀπὸ δὲ νεάματος μοῖραν οὐκ ἔχει. L. Dind.]

[Νεᾱμελγὴς, ὁ, ἡ, Recens mulctus. Paul. Ægin. 4, p. 131, 39, γάλακτι. Hemst. Pro quo Νεήμελκτος, η, ον, Nicand. Al. 310 : Γάλακτος νεημέλκτῃ ἐνὶ πέλλῃ. Et Νεάμελκτος ap. schol. Ther. 605.]

Νεὰν, ᾶνος, ὁ, i. q. νέαξ : quod Eust. [Il. p. 335, 15] ita a νέος derivari scribit ut μεγιστὰν a μέγιστος : cujus tamen nullum affert exemplum. Meminit hujus νεὰν Suid. quoque, itidemque ex νέος derivari annotat, D
sicut Ἀλκμὰν ex ἄλκιμος, facta syncope. [Item Apollon. in Bekk. An. p. 570, 11.]

[Νεάνδρεια, ἡ, Neandria. Πόλις Τρῳάδος ἐν Ἑλλησπόντῳ, ὡς Χάραξ. Ἔν τισι δὲ Λέανδρος γράφεται διὰ τοῦ λ κακῶς. Λέγεται καὶ Νεάνδριον οὐδετέρως, ὡς Θεόπομπος· ὁ πολίτης Νεανδρεὺς, ὡς Στράβων, Steph. Byz. Cui Νεάνδρειον pro Νεάνδριον et Λεάνδρεια pro Λέανδρος ex Suida restituit Holsten. Ap. Strabon. autem Νεανδρία est 15, p. 603, 604, et Νεανδριεῖς p. 606 bis, quod Holst. restituebat etiam Antigono Car. c. 187 : Κατά τινας τόπους τῆς Λέσβου καὶ περὶ τῶν Νεανδρίδων, reposito Νεανδριέων, quorum neutrum fert sententia, quæ περὶ τὴν Νεανδρίδα postulat. Est autem forma Νεανδρεῖς etiam ap. Xen. H. Gr. 3, 1, 16. Νεανδρὶς, ίδος, ἡ, de regione Strab. 10, p. 472. Νεάνδρου πόλις est Cedreno, quod in Νέαν Ἄνδρου depravatum ap. Jo. Malalam p. 99, 10, 20.]

[Νέανδρος, ὁ, ἡ, Juvenilis, Strenuus. Lycophr. 1345 : Ἀλκῇ νέανδρος. Conf. Barker. Ep. crit. ad Boissonad. p. 222. Nom. propr., Neander, ap. Etym. M. p. 559, 17. Co insulæ rex memoratur Diodor. 5, 81.]

Νεανεία, ἡ, Juvenilis audaciæ facinus, i. q. νεανίευμα. Philo V. M. 1 [vol. 2, p. 128, 27] : Ἐνεανιεύσατο νεανείαν ἀνδρὶ καλῷ κἀγαθῷ προσήκουσαν, Juvenilis audaciæ memorabile facinus viroque dignum forti edidit. [Id. vol. 1, p. 258, 38 : Ἐπινεανιεύεται καλὴν καὶ ὁσίαν νεανείαν. Sed vol. 2, p. 306, 37, νεανιείαν pro νεανίαν ex libris repositum.] Ceterum quamvis hoc nomen νεανεία a Νεανεύομαι formatum videri possit, suspectum tamen mihi est hoc verbum, existimanti potius dici νεανεία pro νεανιεία. [Herodian. Epimer. p. 265 : Νεανείας, ἀλαζονείας, τραυματείας, γοητείας, φυγαδείας, καὶ τὰ ὅμοια. Ἐπὶ μὲν ἀρσενικοῦ ἰῶτα, καὶ ἔστιν ἡ εὐθεῖα ὁ νεανίας, ἐπὶ δὲ θηλυκοῦ δίφθογγον, καὶ ἔστιν ἡ εὐθεῖα ἡ νεανεία τῆς νεανείας, τῆς ἀλαζονείας καὶ τὰ λοιπά. Zonaras s. Suidas : Νεανεία, ἡ ἔπαρσις. Philoni tamen restituendum ubique Νεανιεία. L. Dind.]

Νεανεύω, quod Erasmus habet in suis Chiliadibus, ut mox in Νεανίζειν videbis, sine auctore tamen et exemplo, commodius a νεὰν deducetur : significabit autem hoc νεανεύομαι (sic enim malo quam νεανεύω cum Erasmo) idem cum νεανιεύομαι, Juvenis sum, fio : Juvenili quadam audacia dico, facio.

[Νεανθὴς, ὁ, ἡ, Novum florem ferens, Novus, Recens. Nicand. Al. 622 : Βλαστεῖα νεανθέα. Figur. Epigr. Anth. Pal. App. 111, 9, αἶνος.]

[Νεάνθης, ους, ὁ, Neanthes, n. viri, in inscr. Att. ap. Bœckh. vol. 1, p. 393, n. 284, 38. Historicus Cyzicenus, de quo v. Harles. ad Fabric. B. Gr. vol. 2, p. 311 ; 6, p. 134. Hesychius : Νεάνθης, Ὀρέστης.]

[Νέανθος, ὁ, Neanthus, f. Pittaci, ap. Lucian. Adv. indoct. c. 12, 13.]

Νεανίας, ὁ, Adolescens, Juvenis : ut νέος infra. [Pind. Ol. 7, 4 : Νεανίᾳ γαμβρῷ · Nem. 3, 5 : Κώμων τέκτονες νεανίαι. Et sæpe Tragici aliique quivis.] Herodian. 3, [11, 1] de Antonino : Ἐμβριθῆ καὶ θρασὺν νεανίαν, Ferocem audacemque juvenem. Pythag. νεανίαν vocat quem alii ἄνδρα, ut videbis in Νεηνίης. ‖ Νεανίαν etiam pro Audaci et pro Strenui spiritus homine acrique dicunt. Dem. [p. 329, 23] : Ἐν τίσιν οὖν σὺ νεανίας, καὶ πηνίκα λαμπρός ; Bud. p. 934. Sic Xen. Cyrop. [2, 2, 2] : Νεανίας ἀνήρ. [Et Eur. Andr. 604, et alibi.] Et quoniam juvenes feroces et protervi utplurimum sunt, hinc fit ut interdum usurpetur pro Ferox et protervus, Juvenili protervia et ferocia præditus. [Eur. Suppl. 580 : Γνώσει σὺ πάσχων · νῦν δ' ἔτ' εἶ νεανίας. Xen. Cyrop. 1, 3, 6 : Εὐωχοῦ, ἵνα νεανίας οἴκαδε ἀπέλθῃς. Plato Soph. p. 239, D.] Aristoph. Vesp. [1332] : Ἦ μὴν σὺ δώσεις αὔριον τούτων δίκην Ἡμῖν ἅπασι, κεἰ σφόδρ' εἶ νεανίας. ‖ Accipitur etiam adjective pro νεανικὸς, Juvenilis : Eur. [Alc. 682] νεανίας λόγους dixit Sermones juveniles et audaces, τολμηρούς. [Hel. 209 : Νεανίαν πόνον. Νεανίαις ὤμοισι ib. 1578. Θώρακα καὶ βραχίονα Herc. F. 1095. Ὅσῳ μείζους εἰσὶ καὶ νεανίαι τὰς ὄψεις, Lysias p. 183, 11. Valck. ᾱῐᾱ ‖ Formam trisyllabam Νᾶνίας Aristophani Vesp. 1069 : Πολ- | λῶν κικίννους νανιῶν καὶ | σχῆμα κεὐρυπρωκτίαν, restituit G. Dindorfius, et νᾶνικὸς 1067 : Ῥώμην | νανικὴν σχεῖν, ὡς ἐγὼ τοὐμὸν νομίζω. Conf. Νῆνις in Νεᾶνις et Νῆ in Νέα sub Νέος memoranda. L. Dindorf.]

Νεανίευμα, τὸ, Juvenilis audaciæ facinus, Egregium strenuumque factum, Juvenile et audax facinus ; etiam Juvenilis jactantia ; dicitur enim aliquis tam dictis quam factis νεανιεύεσθαι. [Plato Reip. 3, p. 390, A : Ὅσα ἄλλα τις ἐν λόγῳ ἢ ἐν ποιήσει εἴρηκε νεανιεύματα ἰδιωτῶν εἰς ἄρχοντας. Lucian. Hermot. c. 33 ; Themist. p. 358, B. Pollux 3, 120 ; 6, 181. « Niceph. Chumnus Epist. 20. » Boiss.]

[Νεανιεύω, s.] Νεανιεύομαι, Juvenesco, Juveniles annos ingredior ; i. q. νεάζω : sic enim Pollux 2, [20] : Ἡβᾷν καὶ ἡβάσκειν καὶ εἰς μειρακίων ἡλικίαν ἐξαλλάττειν, ἀκμάζειν, σφριγᾷν, νεάζειν, νεανιεύεσθαι. Ξενοφῶν δὲ καὶ νεανιτεύεσθαι [νεανισκεύεσθαι, quod v., restituit HSt. App. De lingua Att. 16, 3, et ita cod.] ἔφη. [Νεανιευόμενος, Adolescentior, Gl.] ‖ Aristoph. autem νεανιεύομαι usurpavit pro τολμῶ, ut idem Pollux ibid. annotat. Sed significat potius Juvenili quadam animi ferocia audeo, Juvenili animi robore suscipio, Juvenile facinus edo, νέου ἔργα ποιῶ, ut fesvcn. et Suidas exp., interdum in bonam partem. Philo V. M. 1 : Αἱ μὲν κόραι νεανιεύονται, μηδὲν ὀκνοῦσαι τῶν πρακτέων, Juvenilem virtutem præstant. Idem eodem l. dicit νεανιεύεσθαι νεανείαν, Juvenilis audaciæ facinus edere. Eodem l. : Καὶ τῆς ὑπούσης δυνάμεως ἐστὶν ὅτε πλέον ἐνεανιεύετο, Quædam supra vires interdum audebat. Plut. Symp. sept. sap. [p. 162, B]: Τοιαῦτα νεανιεύουσι [νεανιεύονται], Juvenili quadam audacia ejusmodi facinora edunt : de delphinibus qui Arionem vexerant. Quibus addi potest quod Bud. p. 934, ex Dem. Or. in Mid. [p. 536, 26] affert, Οὐδ' ἐνεανιεύσατο τοιοῦτον οὐδὲν, pro Nec strenua liberalitate in remp. usus est : i. e., non se obtulit χορηγήσοντα, ut ego feci. Interdum in malam partem pro Juvenili ferocia et temeritate aut petulantia audeo, vel ago, Temere et confidenter aliquid audeo. Dem. [p. 520, 27] : Δύο ταῦτα ὥσπερεὶ κεφάλαια ἐφ' ἅπασι τοῖς ἑαυτῷ νεανιευομένοις ἐπέθηκε, Hæc duo facinora flagitiosis audacibusque factis addidit; ubi passive capitur. Aliud exemplum ex Gregor. habes ap. Bud. p. 934 : Τί δ' οὐκ ἀκούων οἷς οὗτοι νεανιεύονται, Petulanter agunt. Item, Juvenili quadam ferocia jacto, jactantia dico, Gloriabundus dico. Exempla ex Dem. habes ap. Bud. l. c. [Isocr. p. 398, C : Τῶν νεανιευομένων εἰς τοὺς πολίτας.] Et in pass. ap. Plut. [Mario c. 29]: Μακρὰ χαίρειν φράσας τοῖς ἐν τῇ βουλῇ νεανιευθεῖσι, Valere jubens ea quæ præclare et strenue in senatu dixerat, Bud. ibid. Horatius dicit Juvenari versibus pro Juveniliter exultare, exprimere volens, ut existimo, Græcum verbum νεανιεύεσθαι, quod simili constr. usurpatur a Gregor. Vide Νεανίζειν. Apud Hesych. activa etiam terminatio est Νεανιεύων, pro μειρακιευόμενος. [Apud Dionys. Hal. Epitome 18, 3, est Νεανιόομαι : Καί τι καὶ νεανιούμενος περὶ τῆς ἑαυτοῦ ῥώμης. Schneidero autem leg. videtur νεανιευόμενος. Angl.]

Νεανίζω, ejusdem cum præcedentibus et significationis et originis est. Juvenari, inquit Erasm. Chiliad., dixit Horat. tum nove, tum proverbialiter, in Arte poetica. Græci item νεάζειν, νεανίζειν, νεανιεύειν, consimili modo usurpant pro eo quod est, Juvenum more, jactantius, inconsideratius, inconsultius agere, aut si quid aliud ei ætati peculiare videtur. Quod quo longius traducatur, hoc fuerit venustius : ut si quis orationem floridam phaleratamque dicat νεανίζειν. Verba Horatii sunt : Sylvis deducti caveant, me judice, Fauni Ne, velut innati triviis, aut pene forenses, Aut nimium teneris juvenentur versibus unquam, Aut immunda crepent ignominiosaque dicta. [Plut. Flamin. c. 20 : Νεανίζοντι τῷ πάθει, i. e. νεανικῷ. Pollux 4, 136 : Ὁ δὲ πάρουλος, τἄλλα ἐοικὼς τῷ πρὸ αὐτοῦ (τῷ οὔλῳ), μᾶλλον νεανίζει.

Νεανικός, ή, όν, Juvenilis, [Juvenalis add. Gl.] ut v. φρόνημα, Juvenilis et strenuus animus. Dem. [p. 37, 10] : Ἔστι δ' οὐδέποτ' οἶμαι μέγα καὶ ν. φρόνημα λαβεῖν μικρὰ καὶ φαῦλα πράττοντας. [Et similiter p. 557, 25 : Οὐ λαμπρὸν οὐδὲ νεανικόν.] Athen. 10, [p. 448, A] ex Comico quodam : Δρᾷ τι καὶ νεανικὸν Καὶ θερμόν. [Νεανικὸν βούλευμα Eurip. fr. Antiop. ap. Plat. Gorg. p. 485, E.] Metaphorice enim ut plurimum capitur pro Strenuus, Animosus, Virilis, etiam Audax ; nam talis juvenilis esse animus consuevit. Herodian. 6, [8, 8] : Ὅτι μηδὲν ἀνδρεῖον μηδὲ νεανικὸν παρέχοιτο εἰς Γερμανοὺς ἐλθών, Nullum adhuc forte virileve facinus. Synes. Epist. 47 : Ἀλλ' οὗτός ἐστι νεανικώτερος ἐκείνου τἀνδρός. Aristoph. Vesp. [1205] : Ἐγῷδα τοίνυν τό γε νεανικώτατον, Fortissimum facinus. Et Plut. De educ. puer. [p. 5, B] : Ἤδη δέ τινες καὶ τῶν νεανικωτέρων ἅπτονται κακῶν, Audaciora attingunt mala. Item ex Plat. [Reip. 6, p. 491, E], v. φύσις, Acre et elatum ingenium. Addi his potest, quod Aristot. in Physiogn. de leone dicit, στῆθος νεανικὸν καὶ βάσιν νεανικήν· est enim id animal generosum et virili animositate præditum. Ex Plat. vero Epist. [3, p. 318, B], νεανικὸς κολοφὼν, Finis gloriosissimus. [Alc. 1 p. 104, A : Νεανικωτάτου γένους ἐν τῇ σεαυτοῦ πόλει· Reip. 6, p. 503, C : Νεάνικοί τε καὶ μεγαλοπρεπεῖς τὰς διανοίας· 2, p. 363, D : Τούτων νεανικώτερα τἀγαθά.] Interdum pro Validus, Robustus, Vehemens; nam et talis esse juvenilis ætas solet : ut v. ἐπιθυμία ap. Aristot. Eth. 7, 4; sicut ibid.

A λύπη ἰσχυρά. Et v. κίνησις, et ap. Theophr. [C. Pl. 1, 17, 2], v. φορά. [Id. H. Pl. 5, 1, 11 : Τοῦ δένδρου τὰ πρὸς βορρᾶν πυκνότερα καὶ νεανικώτερα· C. Pl. 3, 14, 6 : Κλῆμα δυνατὸν καὶ νεανικόν· fr. De igni 3, 17 : Πάγου καὶ χειμῶνος ὄντος νεανικοῦ.] Rursum ex Aristot., v. βροντή· et ex Ejusd. H. A., v. πόρος, Validus meatus : et ex Eur. [Hipp. 1204], v. φόβος, Vehemens metus. In quorum locorum quibusdam redditur etiam Magnus, Permagnus : sicut et ap. Synes. Ep. 125 : Καὶ περιαγγελθῇ ν. τις συστᾶσα περὶ ἐμὲ δύναμις, Magna manus. Ubi etiam reddere posses Valida. [Hippocr. p. 79, B : Τῶν αἱμορραγιῶν αἱ νεανικαὶ κάκισται. Et νεανικαὶ περιψύξιες p. 170, B ; v. πνιγμὸς p. 175, A.] Item v. κρέας de Portione carnis magna et quæ vel juvenem exatiet, schol. accipit ap. Aristoph. Pl. [1137] : Δοίης καταφαγεῖν καὶ κρέας νεανικόν· quidam tamen ibi accipiunt pro Carne robusti et validi animalis. Pro Magnus accipi potest et in hoc l. Alexidis ap. Athen. 4, [p. 170, C] : Ὑποτίθει εἰς λοπάδα νεανικήν, In magnam et quasi strenuam patellam. Et in compar. νεανικώτερα, Aliquid
B juvenilis levitatis s. temeritatis habentia. Lucian. [Conviv. c. 3] : Νεανικώτερα ἡμᾶς ἀξιοῖς ἐκφέρειν ταῦτα πρὸς τοὺς πολλούς. [Plato Ep. 4, p. 320, D : Εἰ καὶ νεανικώτερόν ἐστιν εἰπεῖν. || De forma Νανικὸς v. in Νεανίας.]

|| Νεανικῶς, Juveniliter; Valide, Strenue : qua signif. ap. Ovid. legitur, Jecit ab obliquo nitidum juveniliter aurum. [Proprie Xenoph. Eph. 5, 1, p. 88 : Ἐστείλαμεν ἑαυτοὺς νεανικῶς.] Aristoph. Vesp. [1362] : Ἵν' αὐτὸν τωθάσω νεανικῶς, Strenue. Et [1307] : Κάτυπτε δή με νεανικῶς, Fortiter, ἰσχυρῶς, γενναίως. [Pac. 898 : Ὑπαλειψαμένους νεανικῶς. Hippocr. p. 68, A ; 131, B : Τὰ ἐν φρενιτικοῖς νεανικῶς τρομώδεα. Plato Theæt. p. 168, C : Πάνυ γὰρ ν. τῷ ἀνδρὶ βεβοήθηκας. Et aliter Ep. 7, p. 347, D : Πάνυ νεανικῶς ἐπώλει τὴν οὐσίαν αὐτοῦ πᾶσαν.] Plut. vero Symp. 4 [p. 660, D] dicit ἡμᾶς εἱστία νεανικῶς, pro Opipare s. Laute. [Comparat. Νεανικώτερον ap. Plotin. vol. 1, p. 388, 3. L. D.]

[Νεανικότης, ητος, ἡ, Juvenilitas. Ed. sexta Ps. 9, 1. Schleusn. Lex. V. T. Epiphan. vol. 1, p. 610, D.]

C [Νεανικῶς. V. Νεανικός.]

[Νεανιότης, ητος, ἡ, Juvenilitas. Philo Carpas. in Cant. Cantic. p. 20. Boiss. Symmach. Theod. sec. Catenam PP. GG. t. 3, p. 578, Psalm. 126, 4.]

Νεᾶνις, ιδος, ἡ, Juvencula, Adolescentula, Puella juvenilis ætatis. [Pind. Pyth. 9, 32 : Μόχθου καθύπερθε νεᾶνις ἦτορ ἔχουσα. Soph. Ant. 784 : Ὃς ἐν μαλακαῖς παρειαῖς νεάνιδος ἐννυχεύεις. Aristoph. Thesm. 1030.] Eur. Med. [1150] : Πόσις δὲ σὸς Ὀργάς τ' ἀφῄρει καὶ χόλον νεάνιδος· de filia Creontis nova nupta Iasonis. [Adjective Ion. 477 : Τέκνων οἷς ἂν καρποφόροι λάμπωσιν ἐν θαλάμοις πατρίοισι νεάνιδες ἧβαι. Accusativi forma νεάνιδα Æsch. Prom. 706 : Τήνδε τὴν νεάνιδα. Pseud-Eur. Iph. A. 433 : Προτελίζουσι τὴν νεάνιδα. Forma νεᾶνιν Cycl. 179 : Ἐπειδὴ τὴν νεᾶνιν εἵλετε. || N. navis ap. Bœckh. *Urkunden* p. 89. De forma per η HSt. :] Porro pro νεᾶνις et νεανίας et νεανίσκος Ionice dicitur Νεῆνις, et Νεηνίης et Νεηνίσκος. Hom. Od. H, [20] : Παρθενικῇ εἰκυῖα νεήνιδι· Il. Σ, [418] : Χρύσειαι, ζωῇσι νεήνισιν εἰοικυῖαι, Juvenculis s. Puellis juvenilis ætatis.
D [Apoll. Rh. 1, 843. || Formam Νῆνις ex fr. Anacreontis ap. Athen. 13, p. 599, C : Νήνι ποικιλοσαμβάλῳ, affert Etym. Havn. ap. Bloch. ad Etym. M. p. 966.] Idem Hom. utitur etiam τῷ νεηνίης, idque cum ἀνὴρ conjungit, pro Juvenis, Od. K, [278] : Νεηνίῃ ἀνδρὶ ἐοικὼς Πρῶτον ὑπηνήτῃ, τοῦπερ χαριεστάτη ἥβη· Ξ, [524] : Τοὶ δὲ παρ' αὐτοῖς Ἄνδρες κοιμήσαντο νεηνίαι. [Item Herodotus, ap. quem genit. νεηνίεω est 3, 53 ; 7, 99.] Ceterum Pythagoras νεανίαν vocat, quem alii ἄνδρα, i. e. Virum, Qui virilis et constantis ætatis est : Juvenem autem s. Adolescentem, νεηνίσκον vocat, forma dimin., ut docet Diog. L. in Pythag. p. 408 [8, 10] his verbis : Διαιρεῖται δὲ τὸν τοῦ ἀνθρώπου βίον οὕτως· παῖς, εἴκοσι ἔτεα· νεηνίσκος, εἴκοσι· νεηνίης, εἴκοσι· γέρων, εἴκοσιν· αἱ δὲ ἡλικίαι πρὸς τὰς ὥρας ὧδε σύμμετροι· παῖς, ἔαρ· νεηνίσκος, θέρος· νεηνίης, φθινόπωρον· γέρων, χειμών· ἔστι δὲ αὐτῷ ὁ μὲν νεηνίσκος, μειράκιον· ὁ δὲ νεηνίης, ἀνήρ· quod tamen discrimen ab aliis non observatur. [Conf. Append. Stob. Flor. vol. 4, p. 5 Gaisf., Diodor. Exc. Vat. p. 32. Ammon.

v. Γέρων p. 36 : Μειράκιον, εἶτα Μεῖραξ, εἶτα Νεανίσκος, εἶτα Νεανίας· eodemque modo Eran. Philo p. 165.] Hippocr. Aphor. sect. 3, art. 29 : Τοῖσι δὲ νεηνίσκοισι αἵματος πτύσιες, φθίσιες, πυρετοὶ ὀξέες, ἐπιληψίαι. Unde Celsus 2, 1 : Adolescentia morbis acutis, item comitialibus tabique maxime objecta est; fereque juvenes sunt qui sanguinem expuunt. Ubi Hipp. quos νεηνίσκους vocavit, ibid. ἡβάσκοντας appellat : uno gradu τὰ παιδία præcedentes, at duobus gradibus τοὺς πρεσβύτας sequentes. [Νεανίσκου ætatem κατὰ τὴν πέμπτην ἑβδομάδα περιγράφεσθαι vel durare μέχρι πέντε καὶ τριάκοντα ἐτῶν dicit Galen. vol. 9, p. 126, 200. Zonar. p. 1388 : N. ἀπὸ ἐτῶν κγ' ἕως ἐτῶν λδ' ἢ μα'. Forma Νεηνίσκος autem est apud Herodot. 3, 53; 4, 149.]

[Νεανισκάριον, τὸ, Adolescentulus. Arrian. Diss. Epict. 2, 16; Nicet. Chon. p. 268, B.]

Νεανίσκευμα, τὸ, VV. LL. exp. Superbia, Incontinentia : quale quid et νεανίευμα significat.

Νεανισκεύω, Juvenesco, Pubesco, Juvenilem ætatem ago. Eupolis ap. Suid. : Γυναῖκ' ἔχοντα μάλα καλήν τε κἀγαθήν. Αὕτη νεανισκεύοντος ἐπεθύμησέ μου. Hoc tamen νεανισκεύειν idem Suid. annotat ἰδίως ab eo poeta ἐσχηματίσθαι : quippe pro quo frequentius dicatur νεανισκεύεσθαι tum ab Eod., tum ab Amphide et Posidippo. [Non hoc dicit Suidas, cujus gl. est etiam ap. Photium, sed quod singulari hujus verbi forma usus sit Eupolis in Δήμοις, quum alibi νεανισκεύεσθαι dixisset. Quod prodit quum ipse versus tum quod ap. Photium est νεανικοῦντος, quod ex νεανίσκου ὄντος per crasin in νεανισκοῦντος contracto depravatum conjecit Raspius.] Utitur eo et Xen. Cyrop. 1, p. 4 [2, 15] : Οἳ δ' ἂν παιδευθῶσι παρὰ τοῖς δημοσίοις διδασκάλοις, ἔξεστιν αὐτοῖς ἐν τοῖς ἐφήβοις νεανισκεύεσθαι, Juvenilem ætatem transigere s. adolescere inter ephebos. [Unde citat Pollux 2, 20.] Videtur etiam accipi in posteriori signif. verbi νεανιεύομαι. [Plut. Mor. p. 12, B : Τὰ τῶν ἤδη νεανισκευομένων ἀδικήματα.]

Νεανίσκος, ὁ, Juvenis, Adolescens, [Adolescentulus add. Gl.] i. q. νέος et νεανίας. Aristot. Polit. 5 : Δύο νεανίσκων στασιασάντων. A Plut. opp. νεανίσκοι et πρεσβύτεροι, sicut infra νέοι et πρεσβύτεροι. Ab Polluce [2, 4] νεανίσκος collocatur in quarta ætatum hebdomade, quæ sc. a 21 anno ætatis incipiens, 28 terminatur. Vide et Νεηνίης. [Xen. Anab. 7, 2, 18 : Ἐγὼ δ' ἐξετράφην ὀρφανὸς παρὰ Μηδόκῳ τῷ νῦν βασιλεῖ· ἐπεὶ δὲ νεανίσκος ἐγενόμην κτλ. Similiterque sæpius ap. Plat. vicinæ ponuntur ætates pueri et νεανίσκου, ut Reip. 3, p. 413, E : Ἔν τε παισὶ καὶ νεανίσκοις καὶ ἐν ἀνδράσι· Conv. p. 211, D : Τοὺς καλοὺς παῖδάς τε καὶ νεανίσκους. De servo Lucian. Alex. c. 53 : Τοῦ ἐμοῦ νεανίσκου.]

[Νεανισκύδριον, τὸ, Adolescentulus. Theognost. Can. p. 126, 28. L. Dind.]

Νεανιτεύομαι, ejusd. signif. cum νεανιεύομαι, ut Pollux paulo ante in Νεανιεύομαι docet, citans auctorem Xen., ap. quem tamen quum νεανισκεύομαι in ea signif. reperiam, hoc νεανιτεύομαι suspectum habeo : quod alioqui a νεὰν vel a νεανίας derivari potest. In VV. LL. ponitur etiam Νεανόομαι, Juvenesco, Pubesco. [Utrumque nihili est.]

[Νέανσις. V. Νέασις.]

Νέαξ, αχος, ὁ, Juvenis, Adolescens, Qui juvenilem ætatem agit. Pollux 2, [11] : Νεανίσκος, νεανίας· ὁ δὲ νέαξ, εἰ γὰρ τῶν εἰρημένων ἐστὶν, ἀλλὰ κωμικώτερον ἂν εἴη. [Ex Nicophonte comico citant Photius et Antiatt. Bekk. p. 109, 9. Memorat. Herodian. Cram. An. vol. 3, p. 284, 1. Conf. etiam Νεκυώτατον.]

Νεαοιδὸς, ὁ, ἡ, Recens s. Novus poeta, Epigr. [Leonidæ Anth. Pal. 7, 13, 1, νεαοιδὸν μέλισσαν. Scribendum autem νεάοιδος. Apollon. De constr. p. 330 15 : Συνθετόν φαμεν ἐξ ὀξυτόνου εἰς βαρεῖαν τάσιν μετεληλυθὸς, ἐπὶ τῶν εἰς ος πάνσοφος. Conf. Λυράοιδος in Λυρῳδός. L. Dindorf.]

[Νέαον, ἀγκυροβόλιον, Hesychii gl. suspecta.]

[Νεάπολις, εως, et divise Νέα πόλις, Νέας πόλεως, Νέᾳ πόλει, Νέαν πόλιν (conf. Apollon. De pronom. p. 76, B, De advv. p. 587, 23 : quæ formæ ita differunt ut divisa fere antiquiores, velut Herodotus et Thuc. infra cit., illa pariter atque conjuncta utantur recentiores, ut Strabo : conf. Lobeck. ad Phryn. p. 605), ἡ, Neapolis. Πόλις Ἰταλίας διάσημος ... Ὁ πολίτης Νεα-
A πολίτης. Ἔστι καὶ ἄλλη Λιβύης καὶ ἄλλαι, Steph. Byz. Libycam memorat Thucyd. 7, 50, Dionys. Per. 205. Ægyptiam Herodot. 2, 91. Pallenes 7, 123. Alias Strabo et intt. Stephani Byz. Gent. Νεαπολίτης est ap. Lycophr. 736, Polybium, Strabonem, in Tab. Heracl. 1, 139, inscr. Delia ap. Bœckh. vol. 2, p. 243, n. 2299, 2. Νεοπολίτης de Italica in numo ap. Avellinium Mus. Rhen. novi 1, 3, p. 347, et de alia in inscr. Att. ap. Bœckh. vol. 1, p. 205, n. 143, 1. || Formam Ceam memorant Epim. Hom. Cram. An. vol. 1, p. 442, 3 : Τὸ Νεαπολίτης Νυοπολίτης (λέγουσι Κεῖοι). ᾱῑ L. Dindorf.]

[Νεάπολις, ιδος, ὁ, Neapolis, n. viri, ap. Hippocr. p. 1162, C : Ὁ Νεάπολις πληγείς. Sed p. 1217, G, ubi eadem, rectius, ut videtur, Νεόπολις. L. Dind.]

[Νεαρδής, ὁ, ἡ. V. Νεοαρδής.]

[Νεᾰρίππη, ἡ, Nearippe, n. mulieris, in inscr. ap. Bœckh. vol. 1, p. 246, n. 155, 11.]

Νεαρμοσία, ἡ, voc. fictum ab schol. Lycophr. 49, in cod. Vindob. 2, ap. Bachm. p. 18, b, ad explican-
B dum Proserpinæ nomen Λέπτυνις, quod significare videtur Mutationem vivi in novam mortui conditionem.]

[Νεαροηχής, ὁ, ἡ, Juvenile sonans. Philostr. V. Soph. 2, 79, p. 579, 16.]

[Νεαροποιέω, Recentem facio. Plut. Mor. p. 702, C : Τοὺς ἐπιπολῆς πλησιάζων ὁ ἀὴρ νεαροποιεῖ. Oribas. p. 16 ed. Mai. : Τοῖς ὄνυξιν ἀναξάναντες νεαροποιήσομεν τὸ ἕλκος. Et pass. p. 189.]

[Νεαροπρεπής, ὁ, ἡ, Recentioribus conveniens. Aristid. Rhet. vol. 2, p. 527. Angl. Olymp. In Phileb. p. 249, cum nota; Procl. In Plat. Crat. 2. Boiss. Et in Alcib. 1 c. 15. Creuzer.]

Νεᾰρὸς, ά, ὸν, Novus, Recens [Gl.], i. q. νεοχμός. Plut. Symp. 2, [p. 635, B], περὶ τῆς ὀπώρας loquens : Τῷ κενοῦσθαι τὸ σῶμα νεαρὰς ὀρέξεις ἀεὶ παρασκευάζουσαν, Novos appetitus afferentem. Fortasse autem reddi etiam possit, Renovantem appetitum. Et στέαρ νεαρὸν ap. Diosc. 2, quod paulo post πρόσφατον vocat, i. e. Recens. [Ὄστρεα νεαρὰ Athen. 1, p. 7, D. Hemst.] Ab
C Eod. νεαρὸν opp. salso, ut paulo ante in Νεαλής vidisti. [Hesiod. fr. ap. schol. Pind. Nem. 2, 1 : Ἐν νεαροῖς ὕμνοις. Pind. Nem. 8, 20 : Νεαρὰ ἐξευρόντα.] Soph. Ant. [157] : Κρέων ὁ Μενοικέως, νεοχμὸς Νεαραῖσι [Κρ. ὁ Μ. νεοχμοῖσι G. Dind.] θεῶν ἐπὶ συντυχίαις Χωρεῖ, i. e. τῇ προσφάτῳ παρὰ θεῶν αὐτῷ δεδομένῃ ἐπιτυχίᾳ. Et Epigr. [Antipatri Anth. Pal. 7, 713, 5], νεαρῶν ἀοιδῶν. Plut. [Mor. p. 146, B] : Εἰ νῦν ἐπὶ προσφάτοις οὕτω καὶ νεαροῖς (πράγμασι) λόγοι ψευδεῖς συντεθέντες ἔχουσι πίστιν, In re recenti adeo et nova. [Diog. L. 1, 112 : Δημήτριος διελέγχειν πειρᾶται τὴν ἐπιστολὴν ὡς νεαρὰν καὶ μὴ τῇ Κρητικῇ φωνῇ γεγραμμένην. Hemst.] Et νεαρὸν ὕδωρ, Aqua recens : cui Eust. [Od. p. 1827, 64] inesse aliquid dicit ex verbo ἀρύω, ut νεαρὸν ibi sit Recens haustum. Et Ammon. inter νεαλὲς et νεαρὸν distinguens, ait itidem νεαρὸν esse τὸ νεωστὶ κομισθὲν ὕδωρ : quoniam ἔγκειται τῇ λέξει τὸ ἀρύειν : sicut in πρόσφατον κρέας, τὸ φάσαι i. e. φονεῦσαι. [Hippocr. p. 44, 40, νεαρὰ ὀδύνη. Aret. p. 134, 39, τροφή.] Dicitur etiam Recens, ut νεοχμὸς paulo ante, Qui integris adhuc viribus est,
D necdum lassatus : Greg. Naz., Νεαροὶ καὶ πρόθυμοι. Sic Herodian. 3, [7, 12] : Τοῦ Λαίτου ἐπιφανέντος σὺν νεαρῷ τῷ στρατῷ. [Ἐάν τι νεαρὸν γένηται, Si perjurus interierit, Polemo ap. Macrob. 5, 19. Hemst. || Νεαραὶ, αἱ, Novellæ. Id nominis suis novis Constitutionibus indidit Justinianus, quod, ut censet Cujacius, novissime promulgatæ sint post Codicem Justiniani repetitæ lectionis. Unde sæpissime a Græcis interpretibus appellantur νεαραὶ μετὰ τὸν κώδικα, et ab ipso Justiniano in Nov. 66 et in Constitut. de Novo codice faciendo : pariter Theodosii, Valentiniani, Marciani, Leonis, Majoriani, Severi Constitutiones, non alia ratione appellatæ sunt quam quod post Codicem Theodosii, et aliæ quædam Leonis Philosophi, Nicephori, Michaelis, Romani, Alexii, quod post Βασιλικῶν libros promulgatæ essent. De Justinianeis Agathias l. 5 : Ἔν τινι τῶν οἰκείων νόμων, οὓς δὴ Νεαροὺς ἐπονομάζομεν. Harmenop. 1, 1, 9 : Ὁ αὐτὸς καὶ Νεαρὰς ἐν ἰδιάζοντι βιβλίῳ συνέταξεν· εἰσὶ δὲ Νεαραὶ, αἱ παρὰ τῶν κατὰ νόμους βασιλέων νέαι διατάξεις πρὸς τὰς ἀνακυπτούσας ὑποθέσεις γινόμεναι.

Adde n. 10 Theophan. an. ejusd. Augusti 2 : Ἀνενέωσεν ὁ βασιλεὺς πάντας τοὺς παλαιοὺς νόμους ποιήσας μονόβιβλον, καὶ καλέσας αὐτὸ Νεαρὰς διατάξεις, etc. Ducang.] A
|| Juvenis, Juvenilis : ut νέος. Hom. Il. B, [289] : Ἢ παῖδες νεαροὶ χῆραί τε γυναῖκες, ubi de minore ætate dicitur : nec male reddideris Teneri [quæ una vera interpretatio est], sicut Cic. νέος interpr., aut etiam Recentes, sicut Horatio Recentes homines dicuntur recens nati, et Columellæ Pullus asininus a partu recens. [Simias ap. Hephæst. p. 43 : Νεαρὲ χόρε. Pind. Pyth. 10, 25 : Νεαρὸν υἱόν. Æsch. Ag. 76 : Ὁ νεαρὸς μυελός· 359 : Μήτε μέγαν μήτ' οὖν νεαρῶν τινα· 1504 : Τέλεον νεαροῖς ἐπιθύσας. Et similiter sæpius Eurip. Nicand. Th. 138 : Νεαρῇ κεχαρημένος ἥβῃ. Xen. Cyrop. 1, 4, 3 : Ἐμφαίνεται τὸ νεαρὸν αὐτοῖς.] Itidemque Xen. Cyn. [9, 10] de cervorum hinnulis : Τὰ γὰρ σώματα αὐτῶν διὰ τὸ ἔτι νεαρὰ εἶναι, τῷ πόνῳ οὐ δύνανται ἀντέχειν. [Nicand. Ther. 577 : Νεαροῖο λαγωοῦ.] Et Diocles ap. Athen. 7, [p. 320, D] ait, Τῶν νεαρῶν ἰχθύων ξηροτέρας εἶναι τὰς σάρκας. Item Puerilis, in vituperio : Παίδων νεαρώτεροι, Pueris pueriliores, i. e. stolidiores. B
Apud Suid. : Παίδων νεαρώτεροι οἱ λέγοντες μὴ ἐφορᾷν τὰ τῇδε τὸ θεῖον. Et Aristot. Eth. 1, 3 : Διαφέρει δ' οὐδὲν νέος τὴν ἡλικίαν, ἢ τὸ ἦθος νεαρός. [Πελαργῶν εἷς ὁ μάλιστα νεαρὸς, Ælian. N. A. 8, 32. Hemst. Dionys. De comp. vv. c. 23, p. 185, 7 : Οἱ σχηματισμοὶ οἱ πολὺ τὸ νεαρὸν ἔχοντες, Figuræ multum juvenilis redundantiæ et lasciviæ habentes, quales sunt antitheses, paromoioses, parisoses. V. Μειρακιῶδες, et conf. Dionys. Jud. Demosth. c. 4, p. 963. Plutarchus Præc. pol. p. 802, E, λόγον νεαρὸν καὶ θεατρικὸν designat ita : Ὥσπερ πανηγυρίζοντος καὶ στεφανηπλοκοῦντος ἐξ ἁπαλῶν καὶ ἀνθηρῶν ὀνομάτων. Notatur ea orationis elegantia et mollities, quæ non studium, sed levitatem quandam et vanitatem prodit, delicias et condimenta quærentem. Itaque contrarium vitium ponit τὴν περιέργειαν σοφιστικὴν, Molestam accurationem, qua veluti verba appenduntur, periodi ad normam et circinum exiguntur. Id. in Vita Cat. min. c. 5 : Ὁ λόγος νεαρὸν μὲν οὐδὲν οὐδὲ κομψὸν εἶχεν, ἀλλ' ἦν ὄρθιος καὶ περιπληθὴς καὶ τραχύς. Photius etiam Cod. 65 Theophylacto Simocattæ, metaphoris et allegoriæ ultra modum indul- C
genti, tribuit ψυχρολογίαν καὶ νεανικὴν ἀπειροκαλίαν, Frigiditatem et juvenilem quendam ornandi et comandi pruritum. Suidas : Νεανιεύματα, κομπάσματα, κενὰ τολμήματα, et, Νεανίας, τολμηρός. Unde et τὸ νεανικὸν subinde vehementiæ et roboris notionem habet. Sic Dionysio Jud. Lys. c. 19, Lysias dicitur esse περὶ τὰ πάθη μαλακώτερος, καὶ οὔτε αὐξήσεις οὔτε δεινώσεις, οὐθ' ὅσα τούτοις ἐστὶ παραπλήσια, νεανικῶς πάνυ καὶ ἐρρωμένως κατασκευάσαι δυνατός. Ibi male interpres latinus : Novo plane modo, et valide quidem. Eodem etiam sensu νεανιεύεσθαι dicuntur, quod Horatius expressit Juvenari Art. Poet. 246. V. quæ de hoc verbo notavit Wernsdorf. ad Himerii Ecl. 17, p. 255, et conf. Hesych. in Νεανιεύεται. Ernest. Lex. rhet.]

|| Νεαρῶς, Juveniliter, More juvenum. Exp. Juveniliter in Luciano [De hist. conscr. c. 50] : Καὶ πᾶσι τούτοις μέτρον ἐπέσθω, μηδ' ἐς κόρον, μηδ' ἀπειροκάλως, μηδὲ ν., ἀλλὰ ῥᾳδίως ἀπολυέσθω. Et in laude ap. Isocr. Panath. [p. 280, C] de adolescentibus : Ἐμὲ μὲν ἐπήνε- D
σαν ὡς διειλεγμένον τε νεαρώτερον [νεαρωτέρως] ἢ προσεδόκησαν, ἠγωνισμένον τε καλῶς, Juvenili magis robore atque ingenio quam expectassent.

[Νεαροφόρος, ἡ, Recentaria, Gl.]

[Νέαρχος, Plut. Mor. p. 395, B, ex ναύαρχος corruptum animadvertit Wyttenbach. Ap. Ducam vero Hist. Byz. 23, p. 77, C : Τὸν νέαρχον Ὀθμάνιον, est Novus imperator.]

[Νέαρχος, ὁ, Nearchus, n. viri, cujus notissimum est ex. dux Alexandri M. ap. Arrian. Exp. 7, 5, 9, etc., Strab. multis ll. Alii sunt in inscr. Att. ap. Bœckh. vol. 1, p. 345, n. 214, 9, ap. Demosth. p. 283, 7, Cretensis ap. Diodor. 19, 69, Eleates ap. eund. Exc. p. 557, 558, Diog. L. 9, 26.]

[Νεαρωδὸς, ὁ, in inscr. Thesp. ap. Bœckh. vol. 1, p. 767, n. 1585, 17, i. est fortasse q. νεαοιδὸς, ita quidem ut νεαρὸς non ad ipsum, sed ad carmina referatur. L. Dindorf.]

[Νεαρῶς, Νεαρωτέρως. V. Νεαρός.]

[Νεάσιμος. Gl. : Νεάσιμον, Novale.]

Νέασις, ἡ, Novatio, Renovatio, ut Renovatio agri. Sic scribendum quidam existimant ap. Theophr. C. Pl. 3, 15 : Οὐδὲ τὰ χεδροπὰ συμβάλλειν εἰς τὰς νέας, ἐὰν μήτε σφόδρα πρώϊον, ὅπως μὴ κωλύσωσι τὴν θερινὴν νέασιν. Sed habent ibi vulg. edd. νέανσιν, a nom. Νέανσις : quod si mendosum non est, erit a verbo νεαίνω, quod idem significabit cum νεάω et νεόω : quia vero bis ibi utitur verbo νεᾷν, emendatio ista rationi magis consentanea videtur. || In Pandectis Gr. accipitur etiam pro Novali s. Agro renovato, ut in Νεατὸς videbis. [Νέασις, Novalis, Novalis terra, Gl.]

[Νεασμὸς, ὁ, Novatio. Geopon. 2, 23, 6; 3, 3, 10.]

[Νεασπάτωτος, ὁ, ἡ, Cui solea nuper est suppacta. Strattis ap. Athen. 14, p. 622, A : Νεασπάτωτον δ', ἥν τι νεοκάττυτον ᾖ, (dicunt Thebani). Νεοσπάτωτον Casaubonus. Quod non esse necessarium animadvertit Schweigh. ἅ]

[Νεατίς, Vervactum, Gl.]

Νεᾶτὸς, ἡ, ὸν, Novatus, Renovatus, Novalis [Gl.] : v. γῆ, Tellus renovata. Novalis, inquit Paul. Jurecons. in c. 30 tit. de Verb. Signif., est terra proscissa, quæ anno cessat, quam Græci νεατὴν vocant. Pandectæ Græci appellant νέασιν : nam ita habent, Νεατὴ γῆ ἐστὶν ἡ προτμηθεῖσα ἢ ἐπὶ ἐνιαυτὸν ἀργήσασα, ἣν οἱ Γραικοὶ νέασιν καλοῦσι. || Νεατὸς, Novatio, ipsa Actio renovandi agrum. Xen. [OEc. 7, 20] : Καὶ γὰρ νεατὸς καὶ σπόρος καὶ φυτεία καὶ νομὴ, ὑπαίθρια ταῦτα πάντα ἔργα ἐστί· solet tamen potius quum oxytonως scribitur νεατὸς, significare Tempus renovandi agrum : quum autem proparoxytonως dicitur Νέατος, accipi pro ipso Novali, ut Bud. annotat, vel etiam pro ipsa Renovatione telluris : sicut ἀροτὸς Tempus arationis, ἄροτος autem ipsam Arationem denotat : quibus similia sunt ἀμητὸς et ἄμητος, τρυγητὸς et τρύγητος, et alia quædam. [Accentum νέατος, qui obtinebat ap. Xenoph., correxi ex Photio v. Νεᾶν, confirmaruntque codd.] || Alias Νέατος, [η, ον,] capitur etiam pro Novissimus, i. e. Ultimus. [Solon ap. Stob. Fl. 9, 25, 10 : Ἐκ νεάτου πυθμένος ἐς κορυφήν.] Soph. Aj. [1185] : Τίς ἄρα νέατος; ἐς πότε λήξει πολυπλάγκτων ἐτέων ἀριθμὸς, τὰν ἄπαυστον αἰὲν ἐμοὶ δορυσσόντων μόχθων ἄταν ἐπάγων; i. e. ἔσχατος. [Ant. 627 : Παίδων τῶν σῶν νέατον γέννημα· 807 : Τὰν νεάταν ὁδόν· 808 : Νέατον φέγγος ἀελίου. Eurip. Tro. 201 : Νέατον τεκέων σώματα λεύσσω νέατον.] Itidem Hom. Il. I, [295] : Πᾶσαι δ' ἐγγὺς ἁλὸς νέαται Πύλου ἠμαθόεντος, quidam exp. ἔσχαται, ὡς ὁμοροῦσαι τῇ Πύλῳ : nonnulli vero, κατοικοῦνται ἄγχι τῆς κατὰ Πύλον θαλάσσης, qui sync. esse volunt, et factum ex præt. pass. νεναίαται, i. e. οἰκοῦνται, teste Eust. [Conf. A, 712. Frequens est etiam ap. recentiores poetas.] Item ap. Musicos νέατοι φθόγγοι, Sonitus quos ultima s. ima chorda reddit, quæ νεάτη dicitur ad differentiam τῆς ὑπάτης et μέσης. [Plat. Reip. 4, p. 443, D : Ὥσπερ ὅρους τρεῖς ἁρμονίας ἀτεχνῶς, νεάτης τε καὶ ὑπάτης καὶ μέσης. Photius : Νεάτην· οὐχὶ νήτην λέγουσιν· καὶ παρανεάτην καὶ τρισνέατον· Κρατῖνος Νόμοις.] Ex quo νεάτη per contract. fit Νήτη, ἡ, itidem de Novissima s. Ultima Imave chorda : quod et Soph. schol. [l. c.] annotavit, his verbis, Καὶ νεάτη, ἡ ἐσχάτη· ἀφ' οὗ νήτη κατὰ κρᾶσιν, ἡ τελευταία χορδὴ τῆς μουσικῆς. Utroque horum vocabulorum, sc. et νεάτη et νήτη, utitur Plut. De musica [p. 1139, D] : Τὴν μὲν νεάτην τῆς μέσης τῷ τρίτῳ μέρει τῷ αὐτῆς ὑπερέχουσαν, τὴν δὲ ὑπάτην ὑπὸ τῆς παραμέσης ὑπερεχομένην ὁμοίως· paulo ante, Τὸν νέατον φθόγγον πρὸς τὸν ὕπατον ἐκ διπλασίου λόγου ἡρμοσμένον, τὴν διὰ πασῶν συμφωνίαν ἀποτελεῖν. Ibid. dicit, Διάστημα ἀπὸ ὑπάτης μέσων ἐπὶ νήτην διεζευγμένων. Ibid. dicit νήτην συνημμένου. Quæ vero tum ab Eod. ibid., tum ab Aristot. l. 19 Probl. vocatur Παρανήτη, videtur esse Penultima, s. imæ i. e. τῇ νήτῃ proxima : Latini quoque Paraneten dicunt, ut et Neten ; nec tam pro chordis quam sonis quos pulsatæ reddunt. Vitruv. 5, 4, enumerans sonos stantes : Proslambanomenos, hypate hypatων, hypate mesων ; mese, nete synemmenων, paramese, nete diezeugmenων, nete hyperbolæων. Ibid. vocabula mobilium sonorum recensens, Parhypate hypatων, lichanos hypatων, parhypate mesων, lichanos mesων, trite synemmenων, paranete synemmenων, trite diezeugmenων, paranete diezeugmenων, trite hyperbolæwn, paranete hyperbolæwn. [Aristid. Quint. p. 11, A : Αὗται δὲ καὶ παρανῆται καλοῦνται διὰ τὸ πρὸ τῆς νήτης κεῖσθαι· ἐπὶ δὲ ταύταις ἡ νήτη, τουτέστιν ἐσχάτη· νέατον γὰρ ἐκάλουν τὸ ἔσχατον οἱ παλαιοί.] Ceterum sicut νήτη pro νεάτη, ita dicitur Νῆτος etiam pro νέατος, Hesych., qui νῆτος exp. non solum ἔσχατος, sed etiam πολύς, σεσωρευμένος : pro quo postremo scribendum Νητός. [De forma poetica Νείατος v. in Νεῖος.]

[Νεαύξητος. V. Νεοαύξητος.]

Νεάω, [Novello, Gl.] Novo, Renovo, i. q. νεόω, plerumque de agro dicitur. Hesiod. Op. [460] : Θέρεος δὲ νεωμένη οὔ σ' ἀπατήσει. Et in activa voce et signif. ap. Theophr. C. Pl. 3, 25, de cura novalium : Ἡ δὲ κατεργασία ἐν τῷ νεᾶν κατ' ἀμφοτέρας τὰς ὥρας καὶ θέρους καὶ χειμῶνος· paulo post, Καὶ ὅταν μετὰ τοὺς πρώτους ἀρότους νεάσωσι, πάλιν τοῦ ἦρος μεταβάλλουσιν, ὅπως τὴν ἀναφυομένην πόαν ἀπολέσωσιν· εἶτα θέρει ἀροῦσι. Quid autem sit νεᾶν, vide in Νεατός. [Aristoph. Nub. 1117 : Πρῶτα μὲν γὰρ ἢν νεᾶν βούλησθ' ἐν ὥρᾳ τοὺς ἀγρούς. Photius : Νεᾶν, οὐ νεοῦν τὴν γῆν, addito exemplo Eupolidis. Hesychius præter præs. et aor. ponit etiam perf. Νεναμένην (sic), ἠροτριωμένην, et formam Νειάω, ut videtur, quod v.]

[Νέβελ s. Νεβέλ, vox Hebr. נבל *Nebel*, Urceus figulinus, quam LXX Græcis literis expresserunt Sam. 1, 1, 24, Hos. 3, 2, νέβελ οἴνου. Etym. Gud. : Νεβέλ· οἴνου μέτρον, ξεστῶν ρν, ὅμοιον ὑγροῦ τρία σάτα.]

[Νέβεστα, πεταλώματα τῶν ἱερῶν, καὶ τῶν Σικελῶν, Hesych. « Νεβλεστὰ postulat ordo pro νεφελεστά. Vide an pro Lepistis. Pro Σικελῶν recte leg. σκευῶν. » Is. Voss. « Pro καὶ τῶν Σικελῶν lego ὑπὸ τῶν Σικελῶν. » Kuster. Codex περιτάλματα.]

[Νεβλάραι, περαίνειν, Hesychius. Photius : Νεβλάρετοι, περαίνει. Ἄσημος φωνὴ ἐπὶ τοῦ περαίνειν. Ἀριστοφάνης Δαιταλεῦσιν. Νεβλαραι, τὸ περαίνειν Dobræus Advers. vol. 1, p. 603.]

[Νέβραξ.] Νέβρακες, Hesych. οἱ ἄρρενες νεοττοὶ τῶν ἀλεκτρυόνων.

Νέβρειος, α, ον, Qui ex hinnulo est. Plut. Symp. 4 [immo Symp. sap. p. 150, E] : Προέμενοι τὰ νέβρεια ὀστᾶ, χρώμενοι τοῖς ὀνείοις, βέλτιον ἠχεῖν λέγουσι, Relictis hinnuleis ossibus. Sic νεβρείων αὐλῶν, Epigr. [Antipatri Anth. Plan. 305, 1], Tibiarum confectarum ex ossibus hinnulorum. [Callim. Dian. 244 : Νέβρεια ὀστέα.]

[Νεβρῆ, ἡ, Pellis hinnulea. Orph. Arg. 447 : Νεβρῆν παρδαλέην· et proprie in fr. ap. Macrob. Sat. 1, 18, 7 : Ὕπερθε νεβρῆς.]

[Νεβρίας, ὁ.] Νεβρίας γαλεὸς, Mustelus nebrias, Aristot. H. A. 6, [9. Hesychius : Λάδας, ἔλαφος, νεβρίας. Quod suspectum. Ἔλαφος νεβρίας sine interpunctione scribit Lobeck. Patholog. p. 54, et interpretatur Hinnulum qui dicitur ἐλαφίνης.]

[Νεβρίδας, ὁ, Nebridas, Spartanus in inscr. Spart. ap. Bœckh. vol. 1, p. 636, n. 1279, 7.]

[Νεβρίδιον, τὸ, Pellicula hinnulea. Artemid. 4, 72.]

Νεβριδόπεπλος, ὁ, ἡ, Bacchus in Epigr. dicitur quod peplum s. vestem gestaret ex hinnuleis pellibus. [H. in Bacch. Anth. Pal. 9, 524, 14.]

[Νεβριδόστολος, ὁ, ἡ, Qui veste utitur hinnulea, epith. Bacchi, Orph. H. 51, 10, ubi inepte scribitur νεβριδοστόλος.]

Νεβρίζω, Pellem hinnuleam gesto, ut bacchantes. Demosth. [p. 313, 16] : Τὴν μὲν νύκτα νεβρίζων καὶ κρατηρίζων καὶ καθαίρων τοὺς τελουμένους. [Alii autem sec. Harpocrationem interpretabantur ἐπὶ τοῦ νεβροὺς διασπᾶν κατά τινα ἄρρητον λόγον. V. etiam Νεβρισμός.]

Νεβρὶς, ίδος, ἡ, Hinnuli pellis, Exuvium hinnuleum : quod Bacchus et bacchantes gestare solebant. [Frequens est ap. Eur., ut Bacch. 24 etc. et alios quosvis.] Plut. Symp. [p. 672, A] : Νεβρίδα χρυσόπαστον ἐνημμένος· ut et ap. Stat., Aspersæ nebrides vario auro. [Secundam, quæ corripitur ap. Eur. et alios poetas in Anthologia, produxit Dionys. Per. 703, 946, 1155.]

[Νεβρὶς, ίδος, ἡ, Nebris, n. servæ, ap. Lucian. D. mer. 10.]

[Νεβρίσκος, ὁ, Nebriscus, n. viri, in numo Dyrrhachii ap. Mionnet. *Suppl.* vol. 3, p. 338, 193.]

[Νεβρισμὸς, ὁ Gestatio pellis hinnuleæ, de qua in

A Νεβρίζω, ap. Harpocrat. in hoc verbo : Ἔστι δὲ ὁ ν. καὶ παρὰ Ἀριγνώτῃ ἐν τῷ περὶ τελετῶν.]

[Νέβρισσα, ἡ, Nebrissa, urbs Hispaniæ, ap. Strab. 3, p. 143, cum var. Νάβρισσα. Sed Νέβρισσα etiam Ptolem. 2, 4.]

Νεβρίτης λίθος, ὁ, Nebritis gemma, Libero patri sacra : nomen sortita a nebridum ejus similitudine, teste Plin. 37, 10. [Orph. Lith. 742, 748.]

[Νεβρόγονος, ὁ, ἡ, Hinnulo natus, Hinnuleus. Plut. Mor. p. 150, E : Νεβρόγονος κνήμη.]

[Νεβροκτόνος, ὁ, ἡ, Hinnulum s. Hinnulos interficiens. Schol. Callim. H. in Dian. 190. Wakef.]

Νεβρὸς, ὁ, [ἡ, Eur. Bacch. 867 : Νεβρὸς ἐμπαίζουσα λείμακος ἡδοναῖς· fr. Polyid. ap. Plut. Mor. p. 1104, D : Θανούσης κῶλα ποικίλης νεβροῦ· et bis apud ipsum Sertor. c. 11, τὴν νεβρόν], Hinnulus, [Nefrendes, Dama, add. Gl.] Pullus cervi : sic dictus παρὰ τὸ νεωστὶ εἰς βορὰν ἐληλυθέναι, si grammaticis credimus. Hom. Il. Θ, [248] : Νεβρὸν ἔχοντ' ὀνύχεσσι, τέκος ἐλάφοιο ταχείης. [Et sic sæpe, etiam ap. ceteros poetas.

B Herodot. 7, 75 : Πέδιλα νεβρῶν.] Xen. Cyn. [9, 3] : Ἅμα δὲ τῇ ἡμέρᾳ ὄψεται ἀγούσας τοὺς νεβροὺς πρὸς τὸν τόπον οὗ ἂν μέλλῃ ἑκάστη τὸν ἑαυτῆς εὐνάσειν, κατακλινούσας τε καὶ γάλα διδούσας· et [8] : Οἱ νέοι τῶν νεβρῶν.

[Νέβρος, ὁ, Nebrus, n. viri in Epistolis Hippocr. p. 1271, 32, et alius in inscr. Att. Fourmonti ap. Bœckh. vol. 1, p. 400, n. 292, 7. L. Dind.]

[Νεβροστολίζω, Pelle hinnulea vestio, ap. poetam De virib. herb. 80 : Δικτάμνου γὰρ ἐπὴν αὖον δέμας ἐν παλάμαισι τρίψας ἀλφιτοειδὲς ἐνιστάξῃς Διόνυσον ... καὶ νεβροστολίσῃς, jam Lobeckius ad Phryn. p. 624 dirimendum videri animadvertit, confirmante codice, qui νεβρωστολίσῃς, h. e. νεβρῷ στολίσῃς. L. Dind.]

[Νεβροτόκος, ὁ, ἡ, Hinnulum vel Hinnulos pariens. Nicander Ther. 142 : Νεβροτόκοι καὶ ζόρκες. Schol., ἤγουν αὐτοὶ οἱ ἔλαφοι καὶ αἱ δορκάδες.]

[Νεβροφανὴς, ὁ, ἡ, Hinnuli vel Cervi speciem habens. Nonn. Dion. 5, 363 : Νεβροφανῆ ἐδαιτρεύσαντο (ἄρκτοι).]

C Νεβροφόνος, ὁ, Hinnulorum occisor. Apud Aristot. H. A. l. 9, [32] νεβροφόνος ἀετός· quam Plin. Hinnulariam aquilam vocare dicitur. [Anton. Lib. c. 20.]

[Νεβροφόνος, ὁ, Nebrophonus, f. Iasonis, ap. Apollod. 1, 9, 17, 2.]

Νεβροχάρης, ὁ, ἡ, Hinnulis gaudens : Apollinis epith. in Epigr. [Anth. Pal. 9, 525, 14, ubi est Νευροχαρής.]

[Νεβροχίτων, ωνος, ὁ, ἡ, Hinnuli pelle vestitus. Simias ap. Hephæst. p. 43 : Νεαρὲ χόρε νεβροχίτων. Nonn. Dion. 26, 28. ῐ]

[Νεβρόω, Hinnulum facio. Nonn. Dion. 10, 60 : Κεφαλὴν φάσματι νεβρωθεῖσαν.]

Νεβρώδης, ὁ, ἡ. In Epigr. [Anth. Pal. 9, 524, 14] Bacchus νεβρώδης vocari dicitur, quod bacchantes hinnulorum pellibus uterentur.

[Νέγλα s. Νίγλα, ἡ. Pollux 6, 87 : Ἐμοὶ δὲ καὶ τὴν καλουμένην νέγλαν μυστίλην ἥδιον καλεῖν ἢ νίγλαν. Λίγλαν vel λέγλαν, h. e. Ligulam s. Legulam, Salmasius. Ita vero delendum videtur ἢ νίγλαν, ex dittographia

D natum.]

[Νέγλα, πολίχνιον Ἀραβίας. Γλαῦκος β' Ἀραβικῆς ἀρχαιολογίας. Τὸ ἐθνικὸν Νέγλιος ἢ Νεγλίτης τῷ ἔθει τῆς χώρας, Steph. Byz. Ptolemæo Νέκλα, Straboni 16, p. 782, Νέγρανα.]

[Νέδη, ἡ, Nede. Ποταμὸς Ἀρκαδίας, ἀπὸ νύμφης Νέδης. Εὐφορίων δὲ Νεδέην (Νεδαίην Meinek.) αὐτήν φησι. Τὸ κτητικὸν Νεδεήσιος, Steph. Byz. Νέδην nympham fluviumque memorat Callim. Jov. 33, 38. Utramque Νέδαν vocat Pausan. l. 4 et alibi. Νέδη vero ponit Theognostus Can. p. 109, 5. L. Dind.]

[Νεδία, ἡ.] Νεδίας, Hesychio τὰς αἰθυίας, Mergos.

[Νεδούσιος. V. Νέδων.]

[Νέδων, ωνος et οντος, ὁ, Nedon. Πόλις (ποταμὸς Suidas) καὶ τόπος τῆς Λακωνικῆς. Τὸ τοπικὸν Νεδούσιος καὶ Νεδουσία ἡ Ἀθηνᾶ. Κλίνεται δὲ Νέδοντος, Steph. Byz. Formam Νέδωνος memorant Bekk. Anecd. p. 1393, et habet Strabo 8, p. 353, 360, idemque Minervam Νεδουσίαν p. 360. Ap. Lycophr. 374, Νέδων, ab schol. refertur inter ὄρη Εὐβοίας.]

[Νεὲλ, Ægyptiorum sermone patrio vocabatur Rhinocorura s. Rhinocolura, si fides Epiphanio Hær. 66, c. 83, p. 703, scribenti, Ῥινοκόρουρα γὰρ ἑρμηνεύεται Νεέλ· καὶ οὕτω φύσει οἱ ἐπιχώριοι αὐτὴν καλοῦσιν, ἀπὸ δὲ τῆς Ἑβραΐδος ἑρμηνεύεται, κλῆροι. Videntur οἱ ἐπιχώριοι distingui ab Hebræis, atque adeo intelligi Ægyptii. Petavius in Animadv. p. 270 monet Epiphanium in nomine Νεὲλ ante oculos habuisse Hebr. נחל, quum Alex. עד־נחל מצרים Jes. 27, 12, vertissent ἕως Ῥινοκορούρων. Verba Epiphanii non neglexit Ikenius, ut ostenderet non significari Nilum, sed exiguum flumen sive torrentem ad Rhinocoluram, in Mare mediterraneum labens. Scripserat Millius diss. de Nilo et Euphrate Terræ Sanctæ terminis, insertam Diss. Misc. p. 183—220. De Nilo aliter judicabat Ikenius t. 2 Diss. p. 95—138. Causam deinde suam tutatus est Millius in Disputatione exegetica, a. 1746 ed. Respondit Ikenius in Symbolis literariis t. 3, p. 222—225, 388—519. Opposuit ei Millius a. 1749, Dissertationem exegeticam secundam de Nilo Terræ S. termino. De re eadem disceptarunt Müllerus Sat. Obs. c. 9, et Michaelis in Suppl. L. H. p. 1626—1628. Nemo eorum præteriit testimonium Epiphanii. Omnes fere Νεὲλ ex נחל illustrandum censuere. Attamen Michaelis not. ad Abulfedæ Descr. Æg. p. 68, 69, ita scribit: « Si quis de nomine antiquo et Ægyptio (Neel aut Nechel) urbis certi quid docuerit, quod forte e linguæ Copt. monumentis antiquioribus fieri possit, non ingratum geographiæ et historiæ studiosis facturum putem. » Tewater.]

[Νεέκδορος, ὁ, ἡ, Recens decoriatus. Tzetz. Hist. 9, 71: Βύρσαις βοῶν γὰρ ἔστρωσε τοὺς λόφους νεεκδόροις. L. Dind.]

[Νεηγενής. V. Νεογενής.]

[Νεηθαλής. V. Νεοθαλής.]

Νεήκης, ὁ, ἡ, ut νεήκες ξίφος, Ensis quem aliquis nuper s. recens exacuit. Hesych.: Νεηκέσσι, νεωστὶ ἠκονημένοις, ὀξέσι. Ubi observa νεηκέσσι, non νεήκεσσι, tanquam a νεηκής. Habet tamen idem Hesych. εὔηκες, non εὐηκὲς, aut εὐῆκες. Sed fuerit τὸ νεηκὴς simile sequentibus compositis τανηκὴς, et τανυηκὴς, quæ ita scripta sunt ap. eund. Hes. [Gl. Hes. petita ex Hom. Il. N, 391 vel Π, 484: Πελέκεσσι νεήκεσι. Etym. M. p. 534, 35: Κόχλος κόχλαξ, μύρμος μύρμαξ, νέος νέαξ, ὡς παρὰ Καλλιμάχῳ, Καὶ τῶν νεήκων εὐθὺς οἱ τομώτατοι. Cujus errorem notarunt Bentl. et Ruhnk. Ep. crit. p. 154. Νεηκῶν autem scrib. animadvertit Ernestus. De accentu horum compositorum barytono, non, ut jam veterum quidam voluerant, oxytono, disseruit Spitzner. ad Il. H, 77.] Dicitur signif. eadem et νεηκονὴς, quod vide infra. [In Ind.:] Νεακὴς, Recens acutus, Dorice pro νεηκής. [Hesychius: Νεακὲς, νεωστὶ ἠκονημένον.]

Νεηκονὴς, ὁ, ἡ, Recens vel Nuper exacutus, i. e. redditus acutus. Hesych.: Νεηκονές· ἠκονημένον νεωστί. Pro eodem dicitur νεήκης, quod habes paulo ante. [Soph. Aj. 820: Σιδηροβρῶτι θηγάνῃ νεηκονής.]

Νεηκόρος, pro νεωκόρος, Æditus, affertur ex Epigr. [Anth. Pal. 9, 290, 7, ubi nunc νεωκόρῳ.]

[Νεηλαίη. V. Νεολαία.]

Νεηλάτης, ὁ, Remex: ὁ ἐλαύνων τὴν ναῦν [τὸ πλοῖον], Hesych.

Νεήλᾰτος, ὁ, ἡ, Recens malleo ductus, Recens cusus: νεοτευχής, Hesych. || Demosth. vero in Or. pro Ctesiph. [p. 314, 1] νεήλατα per ellipsin dicit pro νεήλατα ἄλφιτα, h. e. τὰ νεωστὶ ἀληλεσμένα, Recens molitas farinas, teste Harpocr.; qui etiam subjungit, has farinas melle imbutas et subactas, injectis simul uvis passis et ciceribus viridibus, sacra peragentibus distribui solitas fuisse: easque a quibusdam ἀμβροσίαν vocatas fuisse, a quibusdam μακαρίαν. Verba oratoris hæc sunt: Μισθὸν λαμβάνων τούτων στρεπτοὺς καὶ νεήλατα. [Pollux 6, 77.]

[Νεηλεχὴς, ὁ, ἡ, Recens nuptus. Theod. Prodr. Amar. p. 458: Χαῖρε γάμος τε λέχος τε νεηλεχέων αἰζηῶν. Elberl.]

[Νεηλῐφὴς, ὁ, ἡ.] Νεηλιφεῖς οἰκίαι, Domus recens illitæ. Aristot. Probl. [11, 7.]

Νέηλυς, υδος, ὁ, ἡ, Qui nuper admodum advenit, Qui recens advenit: ὁ νεωστὶ ἐληλυθὼς, Etym. He-

A sych. vero νεήλυδος exp. νεωστὶ κατοιχομένης, νεωστὶ τετελευτηκυίας, Ejus quæ nuper admodum s. recens decessit. [Novitius, Convena, Gl. Herodot. 1, 118: Τὸν παῖδα τὸν νεήλυδα. Plato Leg. 9, p. 879, D: Εἴτε πάλαι ἐνοικοῦντος εἴτε νεήλυδος ἀφιγμένου. « Olympiod. apud Phot. p. 110, 8; Gregor. Naz. p. 327, D; 328, B, D. » Hemst. Accus. νέηλυν est ap. Himer. Ecl. p. xiv, C, et alios. L. Dind.]

[Νεήμελκτος. V. Νεαμελγής.]

[Νεηνίης, Νεῆνις, Νεηνίσκος. V. Νεᾶνις.]

[Νεήτομος. V. Νεότομος.]

[Νέητον. V. Νῆτον.]

[Νεήφᾰτος, ὁ, ἡ, Recens dictus. Hom. H. Merc. 443: Θαυμασίην γὰρ τήνδε νεήφατον ὄσσαν ἀκούω.]

[Νεί. V. Νή.]

[Νείαιρα. V. Νέαιρα.]

Νειαρὸς, i. q. νείατος, VV. LL. Potest tamen accipi et pro νεαρός. [V. Λοιμή.]

[Νειάτιος. V. Νείατος in Νεῖος.]

[Νείατος. V. Νεῖος.]

B [Νειάω pro νεάω, quod v., in Hesychii gl. Νειχῆσαι (νειῆσαι), ἀρόσαι, latere conjecit Jensius.]

[Νειχείω. V. Νειχέω.]

Νειχέσσιος, Hesychio πολέμιος, Inimicus, Adversarius.

Νειχεστὴρ, ῆρος, ὁ, Objurgator, Convitiator, Obtrectator. Hesiod. Op. [714]: Μηδὲ κακῶν ἕταρον, μηδ' ἐσθλῶν νεικεστῆρα [ubi al. Νεικητῆρα].

Νεικέω, vel Νεικείω, Rixor, Altercor. [Hesychius interpretatur etiam ὑμνεῖν, ᾄδειν, de qua interpretatione v. Albert.] Sed frequentius pro Objurgo, Increpo, Incesso convitiis, probris. Hom. Il. A, [521]: Ἡ δὲ καὶ αὔτως μ' αἰεὶ ἐν ἀθανάτοισι θεοῖσι Νεικεῖ, Convitiis me incessit, Mihi convitiatur, non Mecum contendit, ut habet vulg. interpr. ad verbum. B, [224]: Ἀγαμέμνονα νείκεε μύθῳ· et [243]: Ὡς φάτο νεικείων Ἀγαμέμνονα ποιμένα λαῶν· A, [579]: Ὄφρα μὴ αὖτε Νεικείῃσι πατήρ. Sed plerisque in ll. cum adjectione, in quibus reddi potest simpliciter Insector, Incesso: B, [277]: Νεικείειν βασιλῆας ὀνειδείοις ἐπέεσσι, Insectari reges verbis contumeliosis, vel Incessere. Γ, [38]: Τὸν δ' Ἕκτωρ νείκεσσεν ἰδὼν αἰσχροῖς ἐπέεσσι, Insectatus est probrosa

C oratione, aut etiam Objurgavit, Increpavit. Hesiod. autem [Op. 330] post νεικείῃ addidit χαλεποῖσι καθαπτόμενος ἐπέεσσι. [Herodot. 8, 125: Ἐνείκεε τὸν Θεμιστοκλῆα· et absolute 9, 55. Imperf. Hom. Od. Λ, 512: Νέστωρ τ' ἀντίθεος καὶ ἐγὼ νεικέσκομεν οἴω, al. νεικάσκομεν vel νικάσκομεν, quod v. in Νικάω. Eadem forma imperf. per ει, Il. B, 221: Τῷ γὰρ νεικείεσκε· Δ, 241: Τοὺς μάλα νεικείεσκε χολωτοῖσιν ἐπέεσσιν. Etymologiam cum ea, quam ex Plut. memorat HSt. in Νεῖκος, comparandam comminiscitur Terentianus v. 448: « Νεικεῖν scribimus ... νὴ et εἴκειν namque junctis conditum est vocabulum. » L. Dind.]

[Νείκη, ἡ, Rixa. Æsch. Ag. 1378: Νείκης παλαιᾶς, ubi libri νίκης. Epigr. ap. Pausan. 5, 2, 5: Σισυφίαν δὲ μολεῖν χθόν' ἐκώλυεν ἀνέρα νείκη ἀμφὶ Μολιονιδᾶν. Etym. M. p. 276, 3: Νείκη, ἡ φιλονεικία, ἐκ τοῦ νεῖκος, et omissis postremis Ms. ap. Pasin. Codd. Taurin. vol. 1, p. 262, B. Dæmonem fingit Timon Phlias. 2: Νείκης ἀνδροφόνοιο κασιγνήτη.]

D [Νεικητήρ. V. Νεικεστήρ.]

[Νεικία, ἡ, i. q. νεῖκος. Ephræm Syr. vol. 3, p. 302, F: Πάλιν γὰρ τὴν κατ' ἀλλήλων νεικίαν ἐπιχειρήσαντες οἱ ἀλλόφυλοι, συναλλαγεῖν (sic) αὐτοὺς εἰς εἰρήνην ἠθέλησεν. Neque enim scribendum videtur φιλονεικία. Hesychii vero gl. Νεικέα, φιλονεικία, ἔχθρα, an huc pertineat incertum. L. Dindorf.]

[Νεικλάω, Νεικλητὴρ, Νεῖκλον. V. Νίκλον.]

Νεῖκος, ους, τὸ, Rixa, Jurgium, Altercatio, Contentio. Hom. Od. Θ, [75]: Νεῖκος Ὀδυσσῆος καὶ Πηλείδεω Ἀχιλῆος· quale autem fuerit hoc νεῖκος, exponens, subjungit, Ὥς ποτε δηρίσαντο θεῶν ἐν δαιτὶ θαλείῃ Ἐκπάγλοις ἐπέεσσιν. Et νεῖκος dicitur ἀμφί τινι, Il. Ω, [107]: Ἐννῆμαρ δὴ νεῖκος ἐν ἀθανάτοισιν ὄρωρεν Ἕκτορος ἀμφὶ νέκυι καὶ Ἀχιλλῆϊ πτολιπόρθῳ. Quod autem hic νεῖκος ὄρωρεν, alibi νεῖκος ἐφῆπται. [Et ἵστατο Il. N, 333.] Et in act. signif. [Il. P, 544] νεῖκος ἐγείρειν, ut Lat. Contentionem excitare, Rixari: cui opp. ap. Eund. [Il. Ξ, 205, Eur. Hipp. 1442] νεῖκος λύειν. [Νεῖκος νεικεῖν Il. Υ, 251. Callim. ap. Ammon. v. Αἶνος cit.;

Ἔν ποτε Τμώλῳ δάφνην ἐλαίῃ νεῖκος οἱ πάλαι Λυδοὶ λέγουσι θέσθαι. Antonin. Lib. 11, p. 70 : Ἡ δὲ νεῖκος ἐνέβαλεν εἰς τὰ ἔργα.] Apud Hesiod. vero [Theog. 87] et νεῖκος καταπαύειν, pro eod. [Παύειν Od. Ω, 543. Νεῖκος κρεσσόνων ἀποθέσθαι, Pind. Ol. 11, 41. Nem. 6, 52 : Βαρύ σφι νεῖκος ἔμπαξε. Æsch. Sept. 940 : Πικρὸς λυτὴρ νεικέων. Et alibi sæpe. Soph. Ant. 793 : Νεῖκος ἀνδρῶν ξύναιμον ἔχεις ταράξας. Eur. Med. 1140 : Σὲ καὶ πόσιν σὸν νεῖκος ἐσπεῖσθαι τὸ πρίν· Hel. 1236 : Μεθίημι νεῖκος τὸ σόν· 1681 : Τὰ μὲν πάρος νείκη μεθήσω· Heracl. 981 : Σ' ἔχειν νεῖκος πρὸς ἄνδρα τοῦτον· 986 : Ἐγὼ δὲ νεῖκος οὐχ ἑκὼν τόδ' ἠράμην.] Qui poeta utitur et de Contentione litigantium, s. lite. Copulantur autem ab Hom. alicubi [Il. B, 376], νείκεα et ἔριδες. Idem Δ, [37] νεῖκος dicit γίνεσθαι ἔρισμα : Μὴ τοῦτό γε νεῖκος ὀπίσσω Σοὶ καὶ ἐμοὶ μέγ' ἔρισμα μετ' ἀμφοτέροισι γένηται. Hesiod. autem [Op. 33] νείκεα et δῆριν conjunxit. Jungit Hom. νεῖκος et cum gen. ἔριδος, item [Od. Σ, 264, Pind. Isthm. 6, 36,] cum gen. πολέμοιο, vocans ita periphrastice τὸν πόλεμον, Bellum. [Νεῖκος φυλόπιδος Il. Υ, 140.] Sed et sine adjectione pro Bello usurpat alicubi : Il. Γ, [87] : Μῦθον Ἀλεξάνδροιο, τοῦ εἵνεκα νεῖκος ὄρωρε. [Utrumque conjungit Aristoph. Vesp. 867 : Ὅτι γενναίως ἐκ τοῦ πολέμου καὶ τοῦ νείκους ξυνέβητον.] || Νεῖκος aliquem et in prosa usum habet, cui frequentius alioqui est φιλονεικία. Usi sunt quum alii, tum Dem., pro Rixa itidem, Contentione. Xen. autem dixit νεῖκος, ἢ πόλεμος [Cyn. 1, 17] : Πρὸς τοὺς βαρβάρους τῇ Ἑλλάδι νεῖκος ἢ πόλεμος. [Herodot. 6, 66 : Ἐόντων περὶ αὐτέων νεικέων· 68 : Ἔφη ἐν τοῖσι νείκεσι· 8, 87 : Εἰ καί τι νεῖκος πρὸς αὐτὸν ἐγεγόνεε· 3, 62 : Οὐδέ τι ἐξ ἐκείνου νεῖκός τοι ἔσται ἢ μέγα ἢ σμικρόν· 7, 158 : Ὅτε μοι πρὸς Καρχηδονίους νεῖκος συνῆπτο· 6, 42 : Οὐδὲν ἐγένετο ἐς νεῖκος φέρον Ἴωσι· 7, 225 : Ἐντεῦθεν ἤδη ἑτεροιοῦτο τὸ νεῖκος. Schweigh.] || Νεῖκος duplicem habet ap. Etym. derivationem : quarum una prorsus mihi ridicula videtur, altera non item : et tamen in VV. LL. illa annotata fuit, at hæc nequaquam. Ridiculam esse dico hanc, παρὰ τὸ τοῖς νέοις ἐοικέναι : quia τοῖς νεαροῖς ἁρμόζει. At eam, qua dicitur ab εἴκω derivari, præfixa negativa s. privativa particula, non omnino vero absimilem esse existimo : quam et ipse alibi ex sola divinatione protuli, antequam eam ap. Etym. legissem. Ejus autem occasionem mihi præbuerat Plut. Symp. derivans νίκη itidem ab hoc verbo, ut sc. dicta sit παρὰ τὸ μὴ εἶκον, seu, ut legere malim, εἴκειν. Quum enim istam derivationem ibi legissem, huic nomini νεῖκος multo aptior futura mihi visa est.

[Νειλαγάθια, ων, τὰ, Nili quidam fructus. Cosmas Indicopl. p. 149, D, ubi Νειλαγαθία scriptum.]

[Νειλαιεύς, έως, ὁ, Niliacus. Leonidas Alex. Anth. Pal. 9, 353, 4 : Δῶρον ὁ Νειλαιεὺς πέμπει ἀοιδοπόλος.]

[Νειλαῖος, α, ον.] Νειλαίη μοῦσα in Epigr. [Leonidæ Alex. Anth. Pal. 6, 321, 2 : Θύει σοι τόδε γράμμα γενεθλιακαῖσιν ἐν ὥραις, Καῖσαρ, Νειλαίη Μοῦσα Λεωνίδεω, i. e. Alexandrinus poeta Leonidas. Athen. 7, p. 312, A : Νειλαῖοι δέ εἰσιν ἰχθύες (ubi Νειλῷοι Ms. Ep.). V. Νειλούπολις. Usurparunt etiam Latini.]

[Νειλάμβων, ωνος, ὁ, Nilambo, n. viri, ap. Isidor. Ep. p. 2, A.]

[Νειλαρᾶς, ᾶ, ὁ, Nilaras, n. viri ap. Athanas. vol. 1, p. 190, B, ubi olim Νειλᾶς. L. Dind.]

[Νειλάσιος, ὁ, Nilasius, a quo dictus Nilus sec. nonnullos ap. Eustath. ad Dionys. v. 222.]

[Νειλείδης. V. Νειλεύς.]

[Νείλειος, α, ον, Nileus, a Νειλεὺς formatum. V. Tzetz. in Νείλιος cit.]

[Νειλεύς, έως, ὁ, Nileus, f. Codri, de quo v. etiam in forma Νηλεύς. Altera fuisse videtur in marm. Pario ap. Bœckh. vol. 2, p. 296, 42, ubi Νε..ευς. Genitivi forma Νειλέω est ap. Callim. a Diog. L. 1, 29 cit. : Τῷ μεδεῦντι Νειλέω δήμου, de Apolline Milesio. Sed scribendum Νείλεω, ut ap. Theocr. 28, 3 : Πόλιν ἐς Νείλεω ἀγλαάν. Plut. Mor. p. 253, F : Τοὺς Νείλεω παῖδας. Dat. Νείλεῳ τῷ Κόδρου ap. Herodot. 9, 97 (quanquam ap. eund. 5, 65 libri consentiunt in scriptura per η Νηλεῖδαι). Qui est a forma Νείλεως ap. gramm. Crameri An. vol. 2, p. 296, 20 : Τὰ εἰς ευς ὡς ἐπὶ τὸ πλεῖστον οὐ θέλουσι τῇ ει διφθόγγῳ παραλήγεσθαι ... πρόσκειται ὡς ἐπὶ

A τὸ πλεῖστον διὰ τὸ Νειλεύς· τοῦτο γὰρ διὰ τῆς ει διφθόγγου γράφεται, οὐχ ἐπὶ τοῦ Νηλέως τοῦ πατρὸς τοῦ Νέστορος· ἐκεῖνο γὰρ διὰ τοῦ η γράφεται, ἀλλ' ἐπὶ τοῦ λεγομένου Ἀττικῶς, οἷον ὁ Νείλεως τοῦ Νείλεω· 298, 21 : Τὰ ἀπὸ τῶν εις ὡς Ἀττικὰ (—κῶν?) διὰ τοῦ ειδης γινόμενα διὰ τῆς ει διφθόγγου γράφεται, οἷον ὁ Νείλεως τοῦ Νείλεω, Νειλείδης ὁ υἱὸς τοῦ Νειλέως κτλ. Etym. M. p. 602, 23 : Νείλεως ... ἡ Νηλέως γενικὴ ἀπὸ τῆς Νηλεὺς εὐθείας μετάγεται εἰς εὐθεῖαν καὶ προπαροξύνεται, οἷον Νείλεως κτλ. Alius Νειλεὺς memoratur ap. Galen. vol. 13, p. 580, Alex. Trall. 7, p. 353, de quo v. Foes. OEcon. Hipp. L. D. Diod. 1, 19 : Τελευταίας δὲ τυχεῖν αὐτὸν (τὸν Νεῖλον) ἧς νῦν ἔχει προσηγορίας ἀπὸ τοῦ βασιλεύσαντος Νειλέως· 63 : Ἐν ταῖς ἱεραῖς ἀναγραφαῖς οὐδὲν αὐτῶν ἔργον παντελὲς οὐδὲ πρᾶξις ἱστορίας ἀξία παραδέδοται, πλὴν ἑνὸς Νειλέως· ἀφ' οὗ συμβαίνει τὸν ποταμὸν ὠνομάσθαι Νεῖλον τὸ πρὸ τοῦ καλούμενον Αἴγυπτον· οὗτος δὲ πλείστας εὐκαίρους διώρυγας κατασκευάσας, καὶ πολλὰ περὶ τὴν εὐχρηστίαν τοῦ Νείλου φιλοτιμηθείς, αἴτιος κατέστη τῷ ποταμῷ ταύτης τῆς προσηγορίας. Scribitur non modo Νειλεὺς, sed et Νηλεύς : v.
B Tzetz. in Νειλῷος cit. Sed Νηλεὺς est fortasse Dorica forma pro Νειλεύς : nam idem Tzetzes ad Lycophr. 119, de etymologia vocis Νεῖλος loquens, habet hæc : Τὰ ει δίφθογγα οἱ Δωριεῖς εἰς η τρέπουσιν, οἷον πλείων πλήων, μείων μήων. Conf. Etym. M. v. Νειλέως, p. 602, 23, Tzetz. in Νείλιος cit. Angl.]

[Νειλιἄκὸς, ἁ, ὸν, Niliacus. Horapollinis Hieroglyphicorum codex Morelli Νειλιακοῦ pro Ὡραπόλλωνος Νειλώου. Usurparunt etiam Latini.]

[Νείλεως. V. Νειλεύς.]

[Νείλιος, α, ον, Niliacus. Eust. Od. p. 1500, 5 : Τοπικὰ δὲ παράγωγα Νείλου, ὅτι οὐ μόνον Νείλιος καὶ Νειλῷος, ἀλλὰ καὶ Νειλώτης, κτλ. Tzetzes Hist. 10, 991 : Νειλώους δ' εἶπον ῥύακας ἐπιστολῶν νῦν λόγους, Νειλώων, Νειλωίων δὲ γράφειν ῥευμάτων δέον, καὶ σὺν αὐτοῖς Νειλίων δὲ διὰ γραφῆς ἰῶτα, ὡς ἐκβληθέντος ἐν αὐτοῖς τοῦ ω τῶν Νειλωίων. Νειλείων τοῦ Νηλέως δὲ, καὶ διφθόγγῳ Νειλέως, ὡς ἐκ Νηλεὺς καὶ τοῦ Νειλεὺς διφθογγογράφει γράφων. Id. in Cram. An. vol. 3, p. 362, 1 : Νεῖλος, Νείλιον δίφθογγον καὶ ι. Νήλειον η καὶ δίφθογγον.]

C [Νειλογενής, ὁ, ἡ, Nilo natus. Leonidas Alex. Anth. Pal. 9, 355, 2 : Τοῦτ' ἀπὸ Νειλογενοῦς δέξο Λεωνίδεω, i. e. Alexandrini. Macrob. Saturn. 1, 16 : « Argutus Niligena, et gentis accola numerorum potentis. » || « Νιλογενὴς in epigr. *Journ. des Sav.* a. 1831, m. Julio p. 409. » Boiss.]

[Νειλόεις, όεσσα, όεν, ap. Zonaram p. 1392 : Νειλόεν νᾶμα· τὸ τοῦ Νείλου, ubi cod. A. Νειλῷεν. « An pro Νειλῷον, quod malim pro Νειλόεν, (quanquam sic etiam Phavor.) donec reperiatur locus » Tittmann.]

[Νειλοθερής, ὁ, ἡ. Æschyl. Suppl. 71 : Τὰν ἁπαλὰν Νειλοθερῆ παρειάν. Schol., τὴν ἐν τῷ Νείλῳ θερισθεῖσαν, ὅ ἐστι, βλαστήσασαν ἐν Αἰγύπτῳ· ἀπὸ τῶν σταχύων δὲ ἡ μεταφορά. Male : nam dicitur potius, ut εἱληθερής, ut sit Ægyptio sole tostus. Εἱλοθερῆ vel Νειλοθαλῆ, quæ conjecerunt interpretes, quum nihilo testatiora sint vocabula, supervacanea videntur.]

[Νειλομέτριον, τό. Heliodorus Æth. 9, 22, p. 443 (qui totum Strabonis 7, p. 817, locum descripsisse videtur) : Οἱ δὲ τήν τε φρεατίαν τὸ Νειλομέτριον ἐδείκνυσαν,
D τῷ κατὰ τὴν Μέμφιν παραπλήσιον. Fuit puteus quidam in Nili ripa e saxo quadrato constructus, in quo et maxima et minima et mediocria Nili incrementa adnotabantur : nam putei aqua cum Nilo pariter crescebat et decrescebat. Erant in putei pariete notæ quædam insculptæ incrementorum, et perfectorum et aliorum. Hæc itaque observantes Ægyptii incrementa cognoscebant. Vide Tabulam Bembinam, cujus segmentum secundum auspicatur figura, in qua Nilometrium exhibetur. Conf. Jablonskius Panth. Æg. 4, 1, p. 173. Tewater.]

[Νειλόξενος, ὁ, Niloxenus, n. viri, ap. Arrian. Exp. 3, 28, 7. Conf. Rochett. *Journal des Sav.* 1836, p. 129. Alius, Ægyptius, ap. Plut. Mor. p. 146, E.]

[Νειλοπολίτης, ὁ, gentile ab Νειλούπολις, εως, ἡ, Nilopolis, quæ memoratur ap. Ptol. 4, 5, Athanas. vol. 1, p. 187, E, Euseb. H. E. 6, 42, p. 308, 18 : Τῆς Νείλου καλουμένης ἐπίσκοπος πόλεως. Steph. B. : Νεῖλος, πόλις Αἰγύπτου· Ἑκαταῖος περιηγήσει αὐτῆς, καὶ ἱερὸν Νείλου ποταμοῦ. Τὸ ἐθνικὸν τῆς πόλεως Νειλοπολίτης. Εἰ δὲ ἡ πόλις μόνη κέκληται, ὀφείλει ἕπεσθαι τῷ κτητικῷ τοῦ A ποταμοῦ Νειλαῖος κτλ. Recte Berkelius Νείλου πόλις s. Νειλούπολις.]

[Νειλοπτολεμαῖον, τὸ, ap. Arrian. Peripl. m. Erythr. p. 149 Blanc. : Ἀπὸ δὲ τοῦ Μοσύλλου παραπλεύσαντι μετὰ δύο δρόμους τὸ λεγόμενον Νειλοπτολεμαίου. Νειλοπτολέμαιον vel Νεῖλον Πτολεμαίου Letronn. *Journ. des Sav.* 1829, p. 118. L. Dind.]

[Νειλόρρῦτος et poet. Νειλόρυτος, ὁ, ἡ, q. d. Nilifluus, ap. Leonidam Alex. Anth. Pal. 9, 350, 2 : Νειλορύτου δῶρον ἀπὸ προβολῆς, de promontorio, quod Nilus alluit.]

Νεῖλος, ὁ, Nilus, Ægypti fluvius. [Quem Αἴγυπτον vocat Hom., primus appellat Hesiod. Th. 338, post eum Pind. Pyth. 4, 56, et alibi, Solon ap. Plut. Solon. c. 26, Tragici, geographi et historici. Nomen lingua Æthiopum significare Fluvium, adeoque etiam aliis convenire quibusvis fluminibus, post Ludolfum Lex. Æthiop. p. 267, notavit Niebuhr. Opusc. vol. 1, p. 409, ut inanes sint Græcorum etymologiæ ab νέα ἰλὺς ducentium, velut schol. Dionysii Per. 228, Tzetz. ad B Lycophr. 119, et Etym. M. coll. Heliodor. Æth. 9, 22, p. 444. || Herodian. Π. μον. λεξ. p. 14, 10 : Νεῖλος· οὐδὲν εἰς ος λῆγον δισύλλαβον βαρύτονον τῇ ει διφθόγγῳ παραλήγεται, ἀλλὰ μόνον τὸ Νεῖλος· Νόϊλός (l. Νέϊλός) τε γὰρ λέγεται κατὰ διάλεκτον. Mirabilem quandam etymologicam rationem quum per ει scribatur, apposuit gramm. Crameri An. vol. 2, p. 326, 13, aliam inanem etymologiam fragm. Lex. Gr. p. 351, 194. L. D.] || Pind. Isthm. 5, 22 : Μυρίαι δ' ἔργων καλῶν τέτμηνθ' ἑκατόμπεδοι ἐν σχερῷ κέλευθοι καὶ πέραν Νείλοιο παγᾶν, καὶ δι' Ὑπερβορέους. Phasis et Nilus apud veteres poetas sunt extremi navigandi fines. Pindarus ipse Isthm. 2, 42 : Ἀλλ' ἐπέρα ποτὶ μὲν Φᾶσιν θερείαις, ἐν δὲ χειμῶνι πλέων Νείλου πρὸς ἀκτάς. Ita terrarum fines aliquando fuisse declaratos, constat quoque ex Herodot. 4, 45 : Οὐδ' ἔχω συμβαλέσθαι, ἐπ' ὅτευ μιῇ ἐούσῃ γῇ, οὐνόματα τριφάσια κέεται, ἐπωνυμίας ἔχοντα γυναικῶν, καὶ οὐρίσματα αὐτῇ Νεῖλός τε ὁ Αἰγύπτιος ποταμὸς ἐτέθη, καὶ Φᾶσ.ς ὁ Κόλχος· οἱ δὲ Τάναϊν ποταμὸν, τὸν Μαιήτην καὶ Πορθμήια τὰ Κιμμέρια λέγουσι. Eur. Andr. C 651 : Ἣν χρῆν σ' ἐλαύνειν τὴν (ὁδὸν) ὑπὲρ Νείλου ῥοὰς ὑπέρ τε Φᾶσιν. Angl. Lucian. Dipsad. c. 4 : Οὐδ' ἂν σβέσειάς ποτε τὸ δίψος, οὐδ' ἢν τὸν Νεῖλον αὐτὸν ἢ τὸν Ἴστρον ὅλον ἐκπιεῖν παράσχῃς. Koenig. || Ap. Strab. 16, p. 774, vox Nilus peculiari sensu dicitur de fluviatili regione quadam in Arabia : Ἐν δὲ τῇ μεσογαίᾳ ποταμία τις Ἴσιδος λεγομένη, καὶ ἄλλη τις Νεῖλος, ἄμφω καὶ λίβανον καὶ σμύρναν παραπεφυκότα ἔχουσαι.]

[Νεῖλος, ὁ, Nilus, parasitus, ap. Timoclem Athen. 6, p. 240, E. Alios recensent Allatius in Diatribe de Nilis et Fabricius in B. Gr.]

[Νειλοσκοπεῖον, τὸ, i. q. Νειλομέτριον. Diod. 1, 36 : Διὰ δὲ τὴν ἀγωνίαν τὴν ἐκ τῆς ἀναβάσεως τοῦ ποταμοῦ γινομένην, κατεσκεύασται Νειλοσκοπεῖον ὑπὸ τῶν βασιλέων ἐν τῇ Μέμφει· ἐν τούτῳ δὲ τὴν ἀνάβασιν ἀκριβῶς ἐκμετροῦντες οἱ τὴν τούτου διοίκησιν ἔχοντες, ἐξαποστέλλουσιν εἰς τὰς πόλεις ἐπιστολὰς, διασαφοῦντες πόσους πήχεις ἢ δακτύλους ἀναβέβηκεν ὁ ποταμὸς, καὶ πότε τὴν ἀρχὴν πεποίηται τῆς ἐλαττώσεως. Cod. Vat. Νειλοσκόπιον.]

[Νειλοτροφεὺς, έως, ὁ, Nili alumnus. Theodorus D Bals. Carmine ante Photii Nomocan. Athanasium vocat πόλον νότιον Νειλοτροφῆ. Boiss.]

[Νειλούπολις. V. Νειλοπολίτης.]

[Νειλὼ, οῦς, ἡ, Nilo, f. Pieri et Pimpleidis Musa fluvialis, ap. Epicharmum ab Tzetza ad Hesiodi Op. p. 23 Gaisf. et in Cramer. Anecd. vol. 4, p. 425, 5 citatum. L. Dindorf.]

[Νειλώειος, ὁ, Niliacus. Hesych. : Τυφλῖνος, ἰχθὺς Νειλώειος. Nisi leg. Νειλῷος vel Νειλώιος, quod v. in Νείλιος.]

[Νειλωὶς, ίδος, ἡ, Niliaca.] Νειλωΐδες πυραμίδες, Niloticæ pyramides, in Epigr. [Anth. Pal. 9, 710, 3.]

[Νειλῷος, α, ον, Niliacus.] Νειλῷα ταρίχη, Niliaca salsamenta, ap. Lucian. [Navig. c. 3. Νειλῷα, festi dies ap. Heliodorum 9, 9, p. 423, quos Nili restagnationis tempore comissando, piscando, navigando hilares consumebant Ægyptii. Diodor. 1, 36 : Οἱ δ' ὄχλοι πάντα τὸν τῆς πληρώσεως χρόνον ἀπολελυμένοι τῶν ἔργων, εἰς ἄνεσιν τρέπονται, συνεχῶς ἑστιώμενοι, καὶ πάντων τῶν πρὸς ἡδονὴν ἀνηκόντων ἀνεμποδίστως ἀπολαύοντες. Conf. Ælian. N. A. 10, 43, et Liban. Or. pro templis ap. Vales. ad Euseb. Vit. Const. 4, 25. Alia hujus formæ exx. sunt ap. Athen. 7, p. 312, A, in Horapollinis Hierogl. inscr., Plut. De Isid. et Osir. c. 5, et alios his recentiores. Ap. Tzetzen in Νείλιος citatum Νειλῷος scribendum videtur pro Νειλῶος.]

[Νειλώτης, ὁ, Nili incola. Athen. 7, p. 309, A : Οἱ δὲ Νειλῶται κορακῖνοι, ὅτι γλυκεῖς καὶ εὔσαρκοι, ἔτι δὲ ἡδεῖς, οἱ πεπειραμένοι ἴσασιν. Huc respexit Eustath. p. 1500, 5. Fem. Νειλῶτις, ιδος, ἡ. Oraculum ap. Euseb. Præp. ev. 9, p. 242 : Οἱ τὸ καλὸν πίνοντες ὕδωρ Νειλώτιδος αἴης. Æsch. Prom. 838 : Οὗτός σ' ὁδώσει τὴν τρίγωνον ἐς χθόνα Νειλῶτιν. Et Latini.]

Νειόθεν, et Νειόθι, Eust. dici annotat pro νειατόθεν et νειατόθι; ut νείατος pro νειότατος per sync. dicitur : addens tamen, εἰ μή τι ἄρα προϋπάρχει αὐτοῦ τὸ νεῖον, ἐξ οὗ παρῆκται τὸ νείατον ὁμοίως τῷ τρίτατον. Est autem Νειόθεν, Ex imo, Ex imo fundo, loco. Hom. Il. K, [10] : Ὣς πυκίν' ἐν στήθεσσιν ἀνεστονάχιζ' Ἀγαμέμνων Νειόθεν ἐκ κραδίης. Apoll. Arg. 1, [1196] : Χαλκοβαρεῖ ῥοπάλῳ δαπέδοιο τινάξας Νειόθεν ἀμφοτέρῃσι περὶ στύπος ἔλλαβε χερσὶν Ἠνορέῃ πίσυνος, ubi ante δαπέδοιο subaudiendum ἐκ, ut in loco Homerico : ut sit Ex imo solo, soli fundo. [Aratus 233 : Νειόθεν Ἀνδρομέδης. Et alibi etiam sine casu.] Utitur eo et Lucian. [De m. Peregr. c. 7] : Τὸ μὲν πρῶτον ἐπὶ πολὺ ἐγέλα, καὶ δῆλος ἦν νειόθεν αὐτὸ δρῶν, Non ex summis labris, sed ex imo pectore, Bud. Videtur autem allusisse ad Homericum illud, Νειόθεν ἐκ κραδίης, quod jam citavi.

Νειόθι, In imo, In imo fundo, In ima parte. Hom. Il. Φ, [317] : Τά που μάλα νειόθι λίμνης Κείσεθ' ὑπ' ἰλύος κεκαλυμμένα. Hesiod. Theog. [567], de dolo Promethei : Δάκεν δ' ἄρα νειόθι θυμὸν Ζῆν ὑψιβρεμέτην, ἐχόλωσε δέ μιν φίλον ἦτορ. Apollon. [Rh. 1, 63], Νειόθι γαίης, et [990], Νειόθι πέτρης, ubi simpliciter etiam reddi potest Sub. [Aratus 89 : Νειόθι σπείρης. Et alibi modo cum genit. modo absolute. Eliso ι Nicand. Al. 520 : Νειόθ' ὑφισταμένην.]

[Νειοκόρος. V. Νεωκόρος.]

Νειοποιέω, Novale facio, Terram s. Agrum renovo, quod Theophr. divisa voce νειὸν ποιεῖν dicit. Xen. OEc. [11, 16] : Ἤν τε μὴ φυτεύοντες τυγχάνωσιν, ἤν τε νειοποιοῦντες, ἤν τε σπείροντες, ἤν τε καρπὸν προσκομίζοντες.

[Νειοπόλος, ap. anon. Hymn. in Virg. 14, de quo l. vide in Νεοπλάστην, est epith. Mariæ, quod Novum cœlum vertit Int., ut sit a νέος et πόλος. Sed ita νειόπολον scribendum foret, quum νειοπόλος ducatur a πολεῖν. L. Dind.]

Νεῖος, α, ον, Novus, Novellus, Recens, Ionice pro νέος, Galen. Lex. Hippocr., qui νεῖον exp. τὸ νέον. Νεῖον, Nuper, Ionice pro νέον. Apollon. [Rh. 1, 125] : Νεῖον ἀπ' Ἀρκαδίης Λυγκήϊον Ἄργος ἀμείψας, i. e. νεωστὶ, schol. Unde Νειότατος, superl., Novissimus, Infimus, Imus, sicut Hesych. νειότατον exp. κατώτατον. Ex quo per sync. fit Νείατος, [η, ον] sicut Νέατος ex νεώτατος, de quibus duobus infra. Utitur hoc νείατος in ea signif. Hom. Il. Θ, [478] : Οὐδ' εἴ κε τὰ νείατα πείραθ' ἵκηαι Γαίης καὶ πόντοιο· Z, [295] de peplo : Ἔκειτο δὲ νείατος ἄλλων· E, [857] : Ἐπέρεισε δὲ Παλλὰς Ἀθήνη Νείατον ἐς κενεῶνα, ὅθι ζωννύσκετο μίτρην· itidemque Nicand. [Al. 120, 190] νείατα dixit τὰ ἔσχατα. [Eur. Rhes. 794 : Νειάτην πλευράν. Apoll. Rh. 3, 763 : Κεφαλῆς ὑπὸ νείατον ἰνίον ἄχρις. || Forma Νειάτιος, α, ον, ut dicitur ὑστάτιος, Manetho 6, 738 : Νειατίην ἐλάων περὶ νύσσαν.]

Νεῖος, Navalis : siquidem νεῖα sunt Ligna fabricandis navibus apta, navalia, ut Liv. Navalis materia. At de νείοις vide Hesych., qui exp. νηχίοις, dicitque inter alia eo significari Fundum navis. [Mœris p. 270 : Νεῖα, τὰ εἰς παρασκευὴν πλοίου ξύλα. Νήια, quod v., confert Pierson. Theognost. Can. p. 121, 18 : Νεῖον, δηλοῖ δὲ τῆς νηὸς τὸ πυθμενοειδὲς ξύλον. L. Dind.]

Νειὸς, ἡ, Novale, Novalis ager, Ager renovatus, i. q. νέα et νεὸς, unde etiam fit, Ionice inserto ι, et νεατὴ, quod vide. Hom. [Il. K, 353 : Νειοῖο βαθείης· Σ, 541 : Νειὸν μαλακὴν τρίπολον·] Od. E, [127] : Ἰασίωνι μίγη φιλότητι καὶ εὐνῇ Νειῷ ἐνὶ τριπόλῳ, de Cerere frugum et agrorum præside. De qua et Hesiod. Theog.

[971] : Ἰασίῳ ἥρωϊ μιγεῖσ' ἐρατῇ φιλότητι Νειῷ ἐνὶ τριπόλῳ. Eustathio est ἡ ἄρτι ἀνανεουμένη γῆ, Ager novatus, Cic. : Hesychio ἡ νεωστὶ μεταβεβλημένη, i. e. ἠροτριωμένη γῆ. Utitur hoc vocabulo [præter alios poetas] et Theophr. C. Pl. 4, 9, de leguminibus : Αἴτιον τοῦ θᾶττον ἐκτελοῦν καὶ μὴ χαρπίζεσθαι τὴν γῆν, ἀλλὰ νειὸν ποιεῖν. Ex Ejusd. H. Pl. 8, [7] : Μὴ ποιεῖν νειὸν καρπὸν, Novalibus ineptum esse, VV. LL. ex Gaza. Ab Hesiodo dicitur ἀλεξιάρη, Op. [461] : Νειὸν δὲ σπείρειν ἔτι κουφίζουσαν ἄρουραν. Νειὸς ἀλεξιάρη, παίδων εὐκηλήτειρα· paulo ante dicit νεωμένη ἄρουρα. [Dionys. A. R. 10, 17 : Σχίζουσι τὴν νειὸν βοϊδίοις.]

Νειοτομεὺς, έως, ὁ, in Epigr. [Agathiæ Anth. Pal. 6, 41, 1, νειοτομῆα], q. d. Novalicida, h. e. Qui novale aratro scindit, proscindit, findit. Sic enim et Latini poetæ.

[Νειόφατος, ὁ, ἡ.] Νειόφατον, Hesychio νεόκρατον.

Νεῖραι, Hesychio κατώταται, Infimæ : aliis κοιλίας τὰ κατώτατα, Infimæ ventris partes. Hoc ipsum mox ὀξύνει : afferens nimirum νειρὴ pro κοιλία ἐσχάτη, Extremus s. Imus venter [Æschyl. Ag. 1479 : Ἐκ τοῦ γὰρ ἔρως αἱματολοιχὸς νείρει τρέφεται, Casaub. et al. νείρῃ vel νείρᾳ] : item νειρὸν pro ἔσχατον, Extremum s. Imum : addens etiam σφοδρὸν, Vehemens.

[Νειρεὺς, ὁ κόχλος, ponit Zonaras p. 1389.]

[Νεῖρις. V. Νῆρις.]

[Νειρίτης. V. Νηρίτης.]

[Νειρὸς s. Νεῖρος. V. Νεῖραι.]

[Νεῖσσος. V. Νῖσος.]

Νείσσομαι s. Νίσσομαι, i. q. νέομαι : ac inde derivatum, ut Eust. præter alios tradit, annotans νείσσομαι per ει antiquiorem esse scripturam. [Quæ tamen adversatur præcepto Chœrob. in Cram. An. vol. 2, p. 255, 12 : Οὐδέποτε πρὸ τῶν δύο σσ ει δίφθογγος εὑρίσκεται.] Accipitur etiam pro Eo, Vado, Proficiscor, ut et νέομαι. Hom. Il. [M, 119 : Ἐκ πεδίου νίσσοντο·] O, [577] : Νισσόμενον πόλεμόνδε βάλε στῆθος. [Od. Δ, 701 : Οἴκαδε νισσόμενον· Il. Σ, 566 : Τῇ νίσσοντο φορῆες. Hesiod. Op. 235 : Οὐδ' ἐπὶ νηῶν νίσσονται.] Apoll. Arg. 2, [199] : Τρέμε δ' ἅψεα νισσομένοιο. [Pind. Ol. 3, 10 : Ἀπὸ Πίσας νίσσοντ' ἐπ' ἀνθρώπους ἀοιδαί· 36 : Ἐς ἑορτὰν νίσσεται· Nem. 5, 37 : Αἰγᾶθεν ποτὶ Ἴσθμὸν νίσσεται. Eur. Phœn. 1234 : Ἀργείαν χθόνα νίσσεσθε· Cycl. 43 : Πᾶ μοι νίσσει σκοπέλους· Hel. 1482 : Οἰωνοὶ νίσσονται.] In fut. scribitur uno σ, teste Eust., ut Il. Ψ, [76] : Οὐ γὰρ ἔτ' αὖτις Νίσομαι ἐξ Ἀΐδαο, ἐπήν με πυρὸς λελάχητε, Non amplius redibo. Annotant tamen VV. LL. promiscue uno σ reperiri etiam in aliis temporibus. Scripturam vero, cujus Eust. l. c. meminit, sequitur et meus Hom. Ms. [Nihil obstare quominus pro præsenti hic habeatur νίσσομαι, futuri fere significatione posito, ut sæpe fit in verbis Eundi notionem habentibus, animadvertit Buttm. Gramm. vol. 1, p. 384, nec prorsus spernendum esse monuit var. cod. Harl. et Mosc. νείομαι. Sic Hesych. ab HSt. in Νέω cit. Νεῦμαι interpretatur ἥξω et ἐπανήξω. Quod Hesychius ponit : Νείσαντο, ἐπορεύοντο, convenit ordini literarum si sequentes spectantur glossæ : quanquam præcedit Νείσεται.]

[Νειτῆτις, ιδος, ἡ, Nitetis, f. Apriis regis Ægypti. Athen. 13, p. 560, D. Ap. Herodot. 3, 1, Νίτητις.]

[Νείφω. V. Νίφω.]

Νεκὰς, άδος, ἡ, Demortuorum cadaverum acervus, νεκρῶν σωρὸς, ut Xen. loquitur. Hom. Il. E, [886] : Δηρὸν αὐτοῦ πήματ' ἔπασχεν ἐν αἰνῇσι νεκάδεσσι. Lucian. [script. Philopatr. c. 10] : Ἐκ νεκάδων ἐξήνεγκε, Extulit ex mortuis. Annotat Hesych., quum νεκάδες proprie significet τὰς τῶν νεκρῶν τάξεις, reprehendi Callimachum, qui simpliciter pro τάξεις usurparit. Locum ejus poetæ ap. ipsum vide. [Similiter Suidas et Etym. M. Comparat Lobeck. Patholog. p. 446, 17, quod secundum schol. Ven. Il. Σ, 540, νεκρὸς pro νέος accipiebant nonnulli in Homerico νεκροὶ κατατεθνηῶτες. Vulgari signif. Cometas Anth. Pal. 15, 40, 43 : Ἄναξ νεκάδων Ἀϊδωνεύς. Mazaris in Boiss. Anecd. vol. 3, p. 149, 3 : Τοῦ ὡς ἐκ νεκάδων φθεγγομένου υἱοῦ. L. Dind.]

[Νεκεῖα vel Νέκιαι in l. 2 Coiranidis Ms. dicitur esse herba ἀναβαίνουσα τὰ φύλλα ὑπὲρ πήχους α'· ἃ καίουσιν ἐν τοῖς λύχνοις ἀντὶ λύχνου, etc. Ducang.]

[Νεκράγγελος, ὁ, ἡ, Mortui nuntius. Lucian. De m.

A Peregr. c. 41 : Φασὶ δὲ πάσαις σχεδὸν ταῖς ἐνδόξοις πόλεσιν ἐπιστολὰς διαπέμψαι αὐτὸν, διαθήκας τινὰς καὶ παραινέσεις καὶ νόμους· καί τινας ἐπὶ τούτῳ πρεσβευτὰς τῶν ἑταίρων ἐχειροτόνησε, νεκραγγέλους καὶ νερτεροδρόμους προσαγορεύσας.]

Νεκρᾰγωγέω, Mortuos duco. Lucian. [Char. c. 2], de Mercurio : Σὲ δεήσει τὴν Πλούτωνος ἀρχὴν ζημιοῦν, μὴ νεκραγωγοῦντα χρόνου πολλοῦ. Idem dicitur ψυχαγωγεῖν et ψυχὰς κατάγειν, et νεκροπομπός : quod vide.

[Νεκραγωγὸς, ὁ, Mortuorum ductor. Timarion *Notices* vol. 9, p. 217 : Οἱ νεκραγωγοὶ πλησιάσαντες. Const. Manass. Amat. 4, 5 : Νεκραγωγὸς Χάρων. L. Dind.]

[Νεκρακαδημία, ἡ, Mortuorum Academia. Lucian. Ver. Hist. 2, 23.]

[Νεκρεγερσία, ἡ, Mortuorum exsuscitatio. Pseudo-Chrys. Serm. 27, vol. 7, p. 322, 21. Seager.]

[Νεκρέγερσις, εως, ἡ, Mortuorum expergefactio, et Νεκρεγέρτης, ὁ, Mortuorum expergefactor. Christ. Pat. 238 (Greg. Naz. vol. 2, p. 258) : Οὐ νεκρεγέρτου νεκρέγερσιν κατίδοις.]

B [Νεκρία, ἡ, in pap. Æg. ap. Peyron. Papyri fasc. 1, p. 24, 20 : Τῶν τούτων ἀδελφῶν τῶν τὰς λειτουργίας ἐν ταῖς νεκρίαις παρεχομένων, Peyron. p. 77 interpretabatur Rem mortuariam, quæ versaretur in cadavere fasciis obvolvendo ornandoque etc. « *Cette conjecture est détruite par un papyrus du musée royal égyptien* (*du regne de Philométor*), *où je lis* ... καὶ παρακομισάντων [τὸν νεκρὸν] εἰς τὰς κατὰ Μέμφιν νεκρίας· *ce qui est rendu, dans un autre papyrus relatif à la même affaire, par les mots*, καὶ ἄγουσιν αὐτὸν εἰς τὴν νεκρίαν· *d'où l'on voit que* νεκρία *ou* νεκρίαι *désigne bien réellement le* lieu des sépultures, *la* nécropolis *dans chaque ville.* » Letronn. *Journ. des Sav.* 1828, p. 103. L. D.]

Νεκρικὸς, ή, όν [ὁ, ἡ, ap. Theodor. Prodr. Rhod. p. 45 fin. : Νεκρικοὺς εὐτυχίας], Mortualis, [Feralis add. Gl.] vel idem cum νεκρώδης. Lucian. [De salt. c. 75] : Σκελετῶδες τοῦτο καὶ νεκρικόν. [Id. D. deor. 1, 24 : Νεκρικὰ συνδιαπράττει· D. mer. 1 : Τὰ χείλη πελιδνὰ καὶ νεκρικά. Νεκρικοὶ διάλογοι inscribuntur ejusdem Dialogi mortuorum.] Et νεκρικὰ φυτὰ, Eustath.

C [Il. p. 652, 30] τὰ τῶν νεκρῶν προσήκοντα μνήμασι. Item τὰ νεκρικὰ, Res mortuorum.

[Νεκρικῶς, Instar mortui. Lucian. Peregr. c. 33, v. τὴν χροιὰν ἔχων· Philops. c. 32 : Στειλάμενοι νεκρικῶς ἐσθῆτι μελαίνῃ.]

[Νεκρῖμαῖος, α, ον, Morticinus. Pseudo-Chrys. Serm. 27, vol. 7, p. 323, 24 : Οὐδέν ἐστιν εὑρεῖν, εἰ μὴ κρέα μόνα, καὶ ταῦτα νεκριμαῖα, τῶν ζῴων τελευτησάντων τῇ ἐκλείψει τῶν τροφῶν. Seager. Aq. Deuter. 14, 8. Ælian. N. A. 6, 2. Hesychius v. Κενέβρεια.]

[Νεκροβᾰρὴς, ὁ, ἡ, Mortuis gravis, de cymba Charontis, Crinag. Anth. Plan. 273, 8, ἄκατος.]

[Νεκροβάσταξ, ἄγος, ὁ, ἡ, Qui mortuos fert. Chœrob. vol. 1, p. 303, 33; 304, 2, 14; Etym. M. p. 270, 30. Acui velle videtur Arcad. p. 18, 24.]

Νεκροβόρος, ὁ, ἡ, Mortuos devorans. Gregor., de malo sacerdote : Νεκροβόρος, δολόμητις, ἀτάσθαλος. [Theodoret. vol. 1, p. 124 (190 Schulz. : Τῶν πτηνῶν ἀκάθαρτα εἶναί φησι τὰ ἁρπακτικὰ καὶ νεκροβόρα). Wak.]

Νεκροδέγμων, ονος, ὁ, ἡ, Mortuos recipiens : ita di-

D citur Orcus ab Æschylo [Pr. 153], quod manes defunctorum excipiat. [Const. Man. Amat. 4, 6 : Πρὶν ἂν αὐτὸ νεκραγωγὸς μεταπορθμεύσῃ Χάρων παντοδεχὲς εἰς φρούριον ἕτερον νεκροδέγμου. Recte Boiss. νεκροδέγμον.]

[Νεκροδερκὴς, ὁ, ἡ, Mortuus videns. Manetho 4, 555 : Ψυχῇ δερκόμενοι νεκροδερκῆ, νερτερόμορφα.]

Νεκροδόκος, ὁ, ἡ, i. q. νεκροδέγμων, ut v. κλιντὴρ [ap. Antiphil. Anth. Pal. 7, 634, 1], Clina s. Lectus mortuum efferendum recipiens.

[Νεκροδότης, ὁ, Uspinio, Gl. Pertinere videtur ad Νεκροθάπτης, quod v.]

[Νεκροδοχεῖον, τὸ, Mortuorum receptaculum. Lucian. Char. c. 22 : Ἐκεῖνα πάντα (pyramides et sim.) νεκροδοχεῖα ... εἰσι.]

[Νεκροδόχος, ὁ, ἡ, Mortuos recipiens. Eust. Od. p. 1903, 63 : Τὸν νεκροδόχον (τάφον).]

[Νεκροδρομία, ἡ, Mortuorum cursus. Ephræm Syr. vol. 3, p. 472, A : Σήμερον ἐτολμήθη χριστοκτονία καὶ ἐπετράπη νεκροδρομία. Mortuorum vincula soluta, Int. recte ad sententiam. L. Dind.]

[Νεκροειδής, ὁ, ἡ, Mortui speciem habens. Jo. Chrys. In Ps. 100, vol. 1, p. 928, 11. SEAGER.]

[Νεκρόζωος, ὁ, ἡ, Mortuus vivens, i. e. neque mortuus neque vivus. Nicet. Eugen. 3, 355 : Πνέοντα νεκρόζωον. BOISS.]

[Νεκροθάπτης, ὁ, Vispillo, Libitinarius, Sandapelo, Bispellio, Gl. « Schol. Aristoph. Nub. 843. » BOISS. Schol. Tzetz. Hist. Cram. An. vol. 3, p. 375, 6. Digest. 14, 3, 5, 8.]

[Νεκροθήκη, ἡ, Sepulcrum. Eur. fr. Cret. ap. Porph. De abst. 4, 19 : Νεκροθήκης οὐ χριμπτόμενος.]

[Νεκροκαύστης, ὁ, Rogarius, Bustuarius, Ustor, Gl.]

[Νεκροκομέω, Mortuum s. Mortuos orno. « Eust. Il. p. 1080, 51 : Νεκροκομίσαι τὸν υἱὸν, νεκροκομῆσαι scripsisse crediderim. » Lobeck. ad Phryn. p. 625.]

[Νεκροκόμος, ὁ, Pollinctor. Greg. Naz. Epigr. 138, Murator. Anecd. p. 139.]

[Νεκροκορίνθια, ων, τά.] Νεκροκορίνθιοι, Corinthiorum defuncti. Sic in historia vocabantur Vasa fictilia, quæ Corintho eversa Romam implevere, quod ex reclusis sepulcris eam excerpsissent prædam. Cæl. Rhod. 11, 60. [Immo Νεκροκορίνθια, ap. Strab. 8, p. 382 : Νεκροκορινθίων ἐπλήρωσαν τὴν Ῥώμην· οὕτω γὰρ ἐκάλουν τὰ ἐκ τῶν τάφων ληφθέντα (τορεύματα Κορίνθια) καὶ μάλιστα τὰ ὀστράκινα.]

Νεκρόκοσμος, ὁ, Qui defunctos ornat, defunctorum funera exornat, Plut. [Mor. p. 994, E. Νεκροκόμοις scribendum videri animadvertit jam Passovius. Idem vitium notavimus in Γυναικονόμοι.]

[Νεκρολατρεία, ἡ, Defunctorum cultus. Cyrill. Alex. In c. 40 Esaiæ p. 515 : Ν. τοῦτο καὶ ἕτερον οὐδέν. SUICER.]

Νεκρομαντεία, ἡ, Vaticinatio ejusmodi, Hesych. [in Νεκυομαντία, ubi male per ι. Clem. Hom. 1, 3 : Τὴν λεγομένην νεκρομαντείαν. Epit. νεκυομαντείαν.]

Νεκρομαντεῖον, τὸ, Vaticinium evocatis mortuis, Responsum, quod inferorum umbræ evocatæ de futuris reddunt. Et Locus ubi reddunt. Hesych. Utitur eo et Cic. Tusc. 1, [16] : Inde Homeri tota Νεκυία, inde ea, quæ meus amicus Appius νεκρομαντεῖα faciebat : inde in vicinia nostra Averni lacus, unde animæ excitantur obscura umbra, aperto ostio alti Acherontis, falso sanguine imagines mortuorum. [Var. script. Diodor. 4, 22. Hesych. in Νεκύωρον.]

[Νεκρόμαντις, εως, ὁ, i. q. νεκυόμαντις. Lycophr. 682 : Νεκρόμαντιν πέμπελον, de Tiresia.]

[Νεκρονώμης, ὁ, Pollinctor. Manetho 4, 192 : Νεκροτάφους, κλαυστῆρας ἀποφθιμένων, νεκρονώμας.]

Νεκροπέρνας, ὁ, Defuncti s. Defunctorum venditor, Qui defuncti cadaver vendit. Sic a Lycophr. [276] vocatur Achilles, qui Hectorem mortuum magno auri pondere Trojanis vendiderit : a πέρνημι.

[Νεκροποιέω, Interimo. Iren. fr. 13. KALL. Asterius ap. Phot. Bibl. p. 500, 38.]

[Νεκροποιὸς, ὁ, ἡ, Qui interimit. Eust. Il. E, 872 ; schol. Aristoph. Pl. 263; Etym. M.; Euseb. Hist. Eccles. p. 306. « Nic. Chumnus in Anecd. meis vol. 5, p. 317, 1. » BOISS.]

[Νεκρόπολις, εως, ἡ, Alexandriæ fuit προάστειον, ἐν ᾧ κῆποί τε πολλοὶ, καὶ ταφαὶ, καὶ καταγωγαὶ πρὸς τὰς ταριχείας τῶν νεκρῶν ἐπιτήδειαι, teste Strabone 17, p. 795, 799.]

[Νεκροπόλος. V. Νεκροπώλης.]

Νεκροπομπὸς, ὁ, Dux manium, s. potius, Qui demortuorum animas Plutoni transmittit, epith. Mercurii, qui manibus ad inferos ducendis præest. Lucian. [D. deor. 24, 1] : Δεῖ με καὶ τότε τῷ Πλούτωνι ψυχαγωγεῖν καὶ νεκροπομπὸν εἶναι, Animas defunctorum transmittere. Idem Mercurius et ψυχοπομπὸς dicitur, qui ap. Hom. Od. Ω, [100], ψυχὰς μνηστήρων κατάγει, virgula sua evocatas, et sequi se jussas. [Eur. Alc. 443.]

[Νεκροπορθμεὺς, έως, ὁ, Mortuorum trajector. Philes in Thorlacii Opusc. vol. 3, p. 68.]

[Νεκροπράτης, ὁ, Mortuorum venditor. Christophorus in meis ad Eunap. Notis p. 280, 70. BOISS. ᾶ]

[Νεκροπρεπὴς, ὁ, ἡ, Mortuis conveniens, similis. Christ. Pat. 2151 (Greg. Naz. vol. 2, p. 290, B) : Νεκροπρεπὲς μνῆμα· 2165, ibid. C : Νεκροπρεποῦς τρόπου.]

[Νεκροπώλης, ὁ, Mortuorum venditor. Paraphr.

A Lycophr. v. 276 : Ὁ νεκροπέρνας καὶ νεκροπόλος. Νεκροπώλης Bachm. L. DIND.]

[Νεκρορύκτης, ὁ, Mortuorum q. d. effossor. Phlegon Mirab. c. 1 med.]

Νεκρὸς, ὰ, ὸν, Mortuus, Defunctus. Hom. Od. Λ, [474] : Ἔνθα τε νεκροὶ Ἀφραδέες ναίουσι, Mortui, Manes. Plut. : Ὥσπερ νεκρὸς ἔκειτο. Alibi dicit θῆκαι καὶ μνήματα νεκρῶν. Lucian. : Ἐπὶ νεκρῷ δακρῦσαι. Rursum Plut. Coriolano [c. 35] : Τῇ πατρίδι μὴ προσμίξαι δυνάμενος πρινὴ νεκρὰν ὑπερβῆναι τὴν τεκοῦσαν. Idem in Symp. 5 [p. 685, B], de sale : Τῶν σωμάτων τὰ νεκρὰ διατηροῦν ἄσηπτα. Et in compar. gradu jocose, Epigr. [Lucilii Anth. Pal. 11, 135, 2] : Μηκέτι, Μάρκε, τὸ παιδίον, ἀλλ' ἐμὲ κόπτου Τὸν πολὺ τοῦ παρὰ σοῦ νεκρότερον τεκνίου, Multo magis mortuum nato tuo. Quibus adde ex Polyb. [2, 34, 12] : Πολλοὺς νεκροὺς ἐποίησαν, Magnam stragem ediderunt. Aliquando dicitur potius Mortui cadaver, Corpus mortuum ; itidemque νεκροί : quomodo et præcedentium ll. quidam accipi possunt. Hom. Od. M, [13] : Ἐπεὶ νεκρός τ' ἐκάη καὶ τεύχεα νε-
B κροῦ· et alibi passim. [Pind. Ol. 6, 15 : Ἑπτὰ πυρᾶν νεκρῶν τελεσθέντων· Pyth. 3, 43 : Παῖδ' ἐκ νεκροῦ ἅρπασε. Herodot. 5, 92 : Νεκρῷ ἐούσῃ Μελίσσῃ ἐμίγη. (Ubi νεκρὸς non est gen. fem., ut sit Mortua, sed masc. Cadaver. Fem. enim νεκρὰ potius dicitur, ut Orph. Lith. 409 : Τίς ἔτ' ἐλπωρὴ παρὰ νεκρῆς ; Aliorum nonnullorum ll., ut Pausan. 4, 26, 3 : Συγγενέσθαι νεκρᾷ τῇ μητρὶ, collegit Hœger. Act. Mon. vol. 3, 4, p. 497.) Et sic apud omnes.] Itidemque in prosa, frequenter tam ap. Thuc. quam Xen. [H. Gr. 2, 4, 19] : Τοὺς νεκροὺς ὑποσπόνδους ἀπέδοσαν. Xen. [H. Gr. 3, 5, 23] : Τοὺς νεκροὺς ὑποσπόνδους ἀναιρεῖσθαι· et [4, 4, 13] : Τοὺς νεκροὺς ὑποσπόνδους ἀπήγοντο· et [7, 5, 26] : Τοὺς νεκροὺς ὑποσπόνδους ἀπέλαβον. Thuc. : Ξυγκομίσαντες τοὺς ἑαυτῶν νεκρούς. Xen. [H. Gr. 4, 4, 12] : Σωροὺς νεκρῶν. Thuc. : Νεκρῶν ἐκράτησαν. Idem, Νεκροὺς ἐσκύλευσε. Idem, Ἐνέπλησε φόνου καὶ νεκρῶν. Plut. : Λύτρα τοῦ νεκροῦ. Interdum additur gen., ut ap. [Æsch. Sept. 1013 : Πολυνείκους νεκρόν· Ag. 659 : Νεκροῖς ἀνδρῶν Ἀχαιῶν. Eur. Hec. 671 : Νεκρὸν τόνδε Πολυξένης. Herodot. 2,
C 89, 90; Plat. Gorg. p. 524, C,] Xen. Cyrop. 7, [3, 4?] : Νεκρὸς τοῦ Ἀβραδάτου. Pausan. Att. [41, 1] : Κομίσαι τὸν νεκρὸν τῆς Ἀλκμήνης. Idem, Ὅσιον ἀνθρώπου νεκρὸν κρύψαι. Quo usi sunt modo aliqui ex Latinis nomine Defunctus : ut Plin. quum dixit, Quam tandem portionem ejus defunctus obtineat? Sed et neutro gen. ap. Plut. Amat. Narr. [p. 773, D] : Τῶν θυγατέρων τὰ νεκρά. [Τὸ νεκρὸν, Cadaver, Gl. Conf. quæ de hoc usu dixit Lobeck. ad Phryn. p. 376.] At supra habes ex Eud., νεκρὰ σώματα. [Ap. Plat. vero Leg. 12, p. 959, B : Εἴδωλα εἶναι τὰ τῶν νεκρῶν σώματα. Aliæ locutiones sunt ap. Aristoph. Ran. 760 : Πρᾶγμα κεκίνηται μέγα ἐν τοῖς νεκροῖσι· Philetærum Athen. 7, p. 280, D : Οὐδ' ἐν νεκροῖσι πέττεται γαμήλιος. Lycophr. 1372 : Ἐν νεκροῖς στρωφωμένη. Superl. Eudocia ap. Bandin. Bibl. Med. vol. 1, p. 237, 277 : Ἰσχὺν νεκροτάτην. « Compar. νεκρῶν νεκρότερα idola, Clemens Hom. 10, § 9, et 11, § 14. Antonin. 2, § 12, p. 49, de rebus, εὔφθαρτα καὶ νεκρά· et 12, § 33, νεκρὰ καὶ καπνός. » VALCK. De bestiis Pind. fr. ap. Zenob. 5, 59 : Νεκρὸν ἵππον. De
D mari mortuo Orph. Arg. 1080 : Νεκρήν τε θάλασσαν Pausan. 5, 7, 4 et 5.]

Νεκροστολέω, Mortuos Plutoni mando [vel potius Duco mortuos. Lucian. Char. c. 24 : Ἥξω δέ σοι καὶ αὐτὸς μετ' ὀλίγον νεκροστολῶν, de Mercurio Charoni adducenti mortuos.]

Νεκροστόλος, ὁ, ἡ, Elator funerum, Pollinctor, Libitinarius, Bud. ex OEcum. [In c. 5 Actor. p. 28 : Ἀπὸ τῆς ἐκφορᾶς τῶν νεκρῶν Ἀνανίου καὶ τῆς γυναικὸς αὐτοῦ διὰ τῶν αὐτῶν νεκροστόλων. SUICER. Artemid. 4, 58, p. 369.]

Νεκροσυλία, ἡ, Mortuorum spoliatio, exspoliatio, Quum defuncti exuuntur. Qua de re vide in Συλάω. [Plato Reip. 5, p. 469, E.]

Νεκρόσυλος, ὁ, dici posset Defunctorum spoliator, Qui mortuorum cadavera vestimentis armisve suis exuit et spoliat. [Em. Isæus p. 73, 26. VALCK.]

[Νεκροτάγος, ὁ, Dux mortuorum, de Plutone, Lycophr. 1398.]

[Νεκροταφέω, Mortuum s. Mortuos sepelio. Tzetz.

Hist. 154 : Δελφὶν, ἐλέφας ... νεκροταφοῦσι τὰ αὐτῶν ὁμογενῆ θανόντα.]

[Νεκροτάφιον, Indumentum mortui. Nicet. Chon. ap. Fabric. B. Gr. vol. 6, p. 405 : Τῶν νεκροταφίων οὐμενοῦν οὐδ' ὅλως ἀπέσχοντο· Annal. p. 144 : Νεκροταφίοις εἰληθείς.]

Νεκροτάφος, ὁ, sonat quidem Mortuorum sepultor, sed ita ut aliud nihil sit quam simplex ταφεὺς, Sepultor : quum sepeliri non dicantur alii quam νεκροὶ, Mortui. Utitur eo Hesych. [et Lex. rh. Bekk. An. p. 308, 1] ad exponendum nomen ταφεῖς : sed ibi νεκρόταφοι legitur, non νεκροτάφοι. [Manetho 4, 192.]

[Νεκρότης, ητος, ἡ, Status mortui. Jo. Chrys. In Ep. ad Rom. serm. 2, vol. 3, p. 84, 7. Seager. Ephr. Syr. vol. 3, p. 210, F : Οὐχ ἐναντιοῦται τῷ γάμῳ ἡ βία καὶ ἡ νέκρωσις τῆς φύσεως, ἐπειδὴ τὴν νεκρότητα τῆς πορνείας καταργεῖ. Et ib. p. 211, A. L. Dind. Gregor. Naz. Or. 19, p. 371, D.]

[Νεκροτοκέω, Fœtum mortuum pario. Cæsar. Dial. 2, 102 : Νεκροτοκοῦσαι ὀλοφύρονται. Suicer.]

[Νεκροφάγέω, Mortuos voro, Mortuis vescor. Strabo 17, p. 827.]

[Νεκροφάγος, ὁ, ἡ, Mortuos vorans, Mortuis vescens. Dio Cass. 47, 40 extr.]

[Νεκροφανῶς, Mortui instar. Athanas. vol. 2, p. 421, D : Τάφῳ ν. συγκλεισθήσομαι.]

[Νεκροφόνος, ὁ, ἡ, Qui mortuos occidit. Greg. Naz. Epigr. 197.]

[Νεκροφορεῖον, τὸ, Sandapila, Gl.]

[Νεκροφορέω, Mortuum s. Mortuos fero. Philo vol. 2, p. 540, 27 : Στέλλομαι ὁ κακοδαίμων ἐγὼ, τρόπον τινὰ νεκροφορῶν ἐμαυτὸν ὥσπερ εἰς ἠρίον.]

Νεκροφόρος, ὁ, ἡ, Qui defunctos effert et humat, Pollux [7, 195. Barginna, Pollinctor, Vespillo, Gl. Polyb. 35, 6, 2; Theodoret. vol. 4, p. 50; Eust. Il. p. 927, 40, et schol. Il. N, 195.]

[Νεκρόφρων, ονος, ὁ, ἡ, Mortua s. Mortalia cogitans. Christ. Pat. 2160 (Greg. Naz. vol. 2, p. 290, C) : Νεκροφρόνων φρόνημα.]

[Νεκροφύλαξ, ἄκος, ὁ, ἡ, Mortuorum custos. Eudocia p. 215. Schleusn.]

[Νεκροχειροτόνητος, ὁ, ἡ, A mortuis electus. Anon. De rebus eccles. Armen. p. 275, ubi de Juliano et Julianitis, qui sub Justiniano Imp. et Cabade Persarum rege vixere : Καὶ ἐπειδὴ οὐκ ἦσαν (πλείους) τριῶν ἐπισκόπων οἱ Ἰουλιανῖται ἐν τῷ ἀποθνήσκειν τὸν Ἰουλιανὸν, διελογίσαντο οἱ δύο ἕτεροι αὐτοῦ, ὅτι κατὰ τὸν κανόνα τῶν ἁγίων πατέρων ἀδύνατόν ἐστιν ἄνευ τριῶν ἐπισκόπων χειροτονεῖν ἐπίσκοπον, πρὶν ἢ τεθῆναι αὐτὸν ἐν τάφῳ, ἐπέθηκαν τὴν χεῖρα αὐτοῦ καὶ τὰς χεῖρας αὐτῶν, χειροτονήσαντες ἐπίσκοπον, ὅθεν νεκροχειροτόνητοι ὠνομάσθησαν· καὶ μέχρι τοῦ νῦν ἐν τιμῇ ἔχουσιν ἑαυτοῖς τὴν δεξιὰν Ἰουλιανῖται. Ducang. V. Timotheum presb. De Hæreticis n. 14 ed. Cotel. et Liberat. Diac. c. 20. Id. in App. p. 139.]

[Νεκρόχρως, ωτος, ὁ, ἡ, Qui mortui colorem habet. Etym. M. p. 340, 10.]

Νεκρόω, Morte macto, Eneco, Mortifico, ut Theologi loquuntur. Ad Coloss. 3, [5] : Νεκρώσατε τὰ μέλη ὑμῶν τὰ ἐπὶ τῆς γῆς. [Cum genit. Ephræm Syr. vol. 3, p. 255, F : Ὁ Ἰουλιανὸς νεκρώσας ἑαυτῶν (l. —τὸν) τῶν κοσμικῶν πραγμάτων.] Et Νεκρόομαι, Enecor. Philo De mundo : Ἀκίνητον ἐαθὲν ὑφ' ἡσυχίας νεκροῦται, Quiete enecatur : de aqua. A Paulo νενεκρωμένος Abraham dicitur viribus effœtus et quasi emortuus, Ad Rom. 4, [19] : Οὐ κατενόησε τὸ ἑαυτοῦ σῶμα ἤδη νενεκρωμένον. Et Hebr. 11, [12] de eod. : Ἀφ' ἑνὸς ἐγεννήθησαν, καὶ ταῦτα νενεκρωμένου, Eoque jam emortuo. [Epigr. Anth. Pal. App. 313, 5 : Νεκρωθεὶς τὴν ψυχὴν ἀπέδωκεν ἐς ἀέρα. Cum dat. Ephræm Syr. vol. 3, p. 549, C : Νεκρωθῆναι τῷ κόσμῳ. Cum præp. Epim. Hom. Cram. An. vol. 1, p. 254, 12 : Ἐθάμβησαν, οὐκ ἐνεκρώθησαν ἐπὶ τῇ μορφῇ. Improprie « Acetum οἶνος νενεκρωμένος Suid. in Ἀλίβας. » Hemst.]

Νεκρώδης, ὁ, ἡ, Mortuo similis, Cadaverosus. [Lucian. Epist. Sat. 28 : Ὠχρὸς ὢν, πολὺ τὸ νεκρῶδες ἐπιφαίνων. Aret. p. 24, 25 : Οὐδὲν γὰρ ἴσχουσι νεκρῶδες. Et p. 33, 36, σκέλος· 78, 14, ἔντερον· et p. 37, 4, νεκρώδεες τὰ πάντα· 81, 17, ἅπαντα.]

[Νέκρωμα, τὸ, ap. Psellum De op. dæm. p. 38 : Τὸ
A δέ γε νέκρωμα Ἅδη καὶ Περσεφόνη κατέθυον, significare puto reliquum victimæ cadaver.]

[Νεκρὼν, ῶνος, ὁ, Sepulcrum. Palladas Anth. Pal. 7, 610, 4.]

[Νεκρώσιμος, ὁ, ἡ, Mortiferus vertitur ap. Ephræm. Syr. vol. 3, p. 477, E : Ἐρώτησις· Τί δηλοῦσιν οἱ δερμάτινοι χιτῶνες, οὓς ὁ θεὸς τὸν Ἀδὰμ καὶ τὴν Εὔαν ἐνέδυσε ; Ἀνάκρισις· Τὰ δέρματα νεκρωθέντων ἀλόγων εἰσί· νεκρώσιμον οὖν σύμβολον τοῦτο περιέθηκε. L. D. Νεκρώσιμον nempe τροπάριον, seu νεκρώσιμος κανὼν, Canon pro mortuis decantari solitus. Horologium : Τέλος τῶν εἰς τοὺς κεκοιμωμένους ψαλλομένων τροπαρίων. Triodium in Feria 6 τῆς ἀπόκρεω : Τὸν κανόνα τοῦ ἤχου τὸν νεκρώσιμον ... Erant plura ejusmodi Troparia, confecta a S. Joanne Damasceno : Τὰ νεκρώσιμα Ἰωάννου τοῦ Δημασκηνοῦ· etc. Ducang., qui etiam exemplum hujusmodi νεκρωσίμου apposuit. « Ἀκολουθία Eucholog. p. 209. Τὸ νεκρώσιμον, Canticum die passionis cantatum. Typic. Sabæ p. 7. » Suicer.]

Νέκρωσις, εως, ἡ, Mortificatio [Gl.], ut Theologi
B loquuntur. 2 Ad Cor. 4, [10] : Πάντοτε τὴν ν. τοῦ Κυρίου Ἰησοῦ ἐν τῷ σώματι περιφέροντες, Mortificationem Domini Jesu, vel quasi Destinationem ad cædem. Ubi significatur Conditio illa quotidianis mortibus obnoxia, qualis etiam fuit Christi ad tempus, et summa imbecillitas. Ambrosius vertit Mortem ; sed tolerabilius fuisset Cædem. Ad Rom. 4, [19] post l. in Νεκρόομαι jam citatum : Καὶ τὴν ν. τῆς ὑστέρας Σάῤῥας, Vulvam emortuam, et cujus vitalis ad concipiendum calor extinctus erat. Et ap. Galen. νέκρωσις γίνεσθαι dicitur, ubi membrum aliquod emoritur. Et in quodam senario ap. Suid. : Νεκροὺς ὁρῶν, νέκρωσιν ἕξεις πραγμάτων, Mortuos videns emorietur et languescet ardor peragendi quod institueras. Quod intelligitur de visione, quæ fit somnis. Vide Erasm. in Adagiis. [Νέκρωσις τῆς ψυχῆς, de qua Matth. 8, 22. De hac mortificatione Chrysost. Hom. 18 in Epist. ad Ephes. p. 852 et Isid. Pel. ep. 5, 179, p. 608 : Νέκρωσιν χρὴ νοεῖν ψυχῆς τὴν κακοπραγίαν, οὐ τὸν εἰς τὸ μὴ εἶναι ἀφανισμόν. Suicer. Proprie Aret. p. 23, 48 : Ψύξις καὶ
C νέκρωσις.]

[Νεκρωτικὸς, ἡ, ὸν, Mortificus. Pseudo-Chrys. Serm. 22, vol. 7, p. 301, 30. Seager. Jo. Diac. Alleg. ad Hesiod. Theog. p. 449 : Δαφοινῆς τινος διαγωγῆς καὶ νεκρωτικῆς τῶν τοῦ σώματος σκιρτημάτων. Theodor. Stud. p. 172, A : Τῇ ν. τῶν παθῶν ἐνεργείᾳ. L. Dind.]

[Νεκταίρω. V. Νεκταρόω.]

[Νεκτάναβις, ιδος, ὁ, Nectanabis, rex Ægypti ap. Plut. Agesil. c. 37 sqq., Mor. p. 214, F, Diod. 15, 42. Genit. Νεκτανέβιος ap. Theopompum Photii Bibl. p. 120, 34. Νεκτανεβῶς, ω, f. Tacho regis Ægypti. Diod. 15, 92, 93, etc.]

Νέκτἄρ, αρος, τὸ, vide Ἀμβροσία. Festus Pomp. scribit νέκταρ Græcis esse Id potionis genus quod Latini Murrinam vocant : dulcem et ipsam. Quidam dicunt fuisse Vini genus in Lydiæ Olympo ex favis permixtis et floribus odoratis concinnatum, ut tradit Athen. l. 2, [p. 38, F : Τὸ καλούμενον νέκταρ κατασκευάζειν τινὰς περὶ τὸν Λυδίας Ὄλυμπον οἶνον καὶ κηρία συγκιρνάντας εἰς αὐτὰ καὶ τὰ τῶν ἀνθῶν εὐώδη. Οἶδα δ'
D ὅτι Ἀναξανδρίδης τὸ νέκταρ οὐ ποτὸν ἀλλὰ τροφὴν εἶναι λέγει θεῶν· Τὸ νέκταρ ἐσθίω πάνυ μάττων διαπίνω τ' ἀμβροσίαν. Καὶ Ἀλκμὰν δέ φησι, Τὸ νέκταρ ἔδμεναι αὐτούς. Καὶ Σαπφὼ δέ φησιν, Ἀμβροσίας μὲν κρατὴρ ἐκέκρατο, Ἑρμᾶς δ' ἑλὼν ἔρπιν θεοῖς ὠνοχόησεν. Ὁ δ' Ὅμηρος θεῶν πῶμα τὸ νέκταρ οἶδεν. Il. Δ, 3 : Ἥβη νέκταρ ἐῳνοχόει· Od. E, 93 : Κέρασσε δὲ νέκταρ ἐρυθρόν· 199 : Ἀμβροσίην δμωαὶ καὶ νέκταρ ἔθηκαν· quæ conjungit etiam I, 359, Hesiod. Th. 640, 642, 796, et Pind. Ol. 1, 62, Pyth. 9, 65, Aristoph. Ach. 197. Hom. Il. T, 38 : Πατρόκλῳ (mortuo) δ' αὖτ' ἀμβροσίην καὶ νέκταρ ἐρυθρὸν στάξε κατὰ ῥινῶν, ἵνα οἱ χρὼς ἔμπεδος εἴη. Dioscor. Anth. Pal. 7, 31, 6 : Προχοαὶ νέκταρος ἀμβροσίου. Alcæus ib. 7, 1, 3 : Νέκταρι δ' εἰνάλιαι Νηρηΐδες ἐχρίσαντο. « De vino excellente ap. Athen. 1, p. 29, F (et Callim. Anth. Pal. 13, 9, 2. De vino Nicand. Al. 40, etc.). Vinum sic dictum Ath. p. 32, B. De pisce 7, p. 305, E : Τὸ γάρ ἐστι νέκταρος ἄνθος. » Valck. De melle Eur. Bacch. 144 : Ῥεῖ δὲ μελισσᾶν νέκταρι· Apollonid. Anth. Pal. 6, 239, 6. Μελιχροῦ νέκταρος·

Antiphilus ib. 9, 404, 8 : Αἰθερίου πτηναὶ νέκταρος ἐργάτιδες. Improprie Pind. Ol. 7, 7 : Νέκταρ χυτὸν πέμπων, de poesi. Antip. Sid. Anth. Pal. 7, 29, 4 : Ὦ σὺ μελίσδων ἀνεκρούου νέκταρ ἐναρμόνιον· Meleager ib. 4, 1, 35 : Ἀνακρείοντα, τὸ γλυκὺ κεῖνο μέλισμα νέκταρος. Anon. ap. Bandin. Bibl. Med. vol. 1, p. 106, A, 10 : Τῆς ἡδονῆς τὸ νέκταρ ὀψὲ γοῦν φύγε.]

Νεκτάρας, Hesych. μάστιξ, Flagrum : sed suspectum.

Νεκτάρεος, α, ον, Nectareus, Nectaris modo suavis et odorus. [Pind. Isthm. 5, 35 : Νεκταρέαις σπονδαῖσιν. Marc. Argentar. Anth. Pal. 6, 248, 2 : Κασιγνήτη νεκταρέης κύλικος. Antiphan. 9, 409, 2, Βρόμιος· et alibi.] Lucian. [Hermot. c. 60] dicit νεκτάρεον πόμα pro ipso Nectare. Item, Nectaris suavitatem et odorem referens, ideoque divinus : ut Hesych. quoque exp. ἡδὺς, εὐώδης, θεῖος. Hom. Il. Γ, 385 : Νεκταρέου ἑανοῦ· Σ, 25 : Νεκταρέῳ χιτῶνι. [Pind. ap. Dionys. De comp. vv. p. 308 Schæf. : Φυτὰ νεκτάρεα. Dioscor. Anth. Pal. 5, 56, 2 : Νεκταρέου στόματος. Apoll. Rh. 3, 832 : Ἀλοιφῇ νεκταρέῃ φαιδρύνετ' ἐπὶ χρόα· 1009 : Νεκτάρεον μείδησε.]

[Νεκτάριον. HSt. in Νεκτάρεος :] Item Νεκτάριον poni pro ἡδὺ καὶ εὐῶδες, auctor Suidas. Diosc. 5, 66, scribit τὸ ἑλένιον a nonnullis vocari νεκτάριον. Indeque Νεκταρίτην οἶνον dici τὸν ἐκ τοῦ ἑλενίου σκευαζόμενον. Sic Plin. 14, 16 : Invenitur et nectarites ex herba quam alii Helenion, alii Medicam, alii Symphyton, alii Idæam et Orestion, alii Nectaream vocant.

[Νεκτάριος, ὁ, Nectarius, n. viri, cujus exx. v. ap. Fabric. in Bibl. Gr.]

[Νεκταρίτης. V. Νεκτάριον.]

Νεκταροστἄγὴς, ὁ, ἡ, Qui ex nectare destillavit, h. e. Dulcis et suavis odoratusque. [Eubulus ap.] Athen. 1, [p. 28, F] : Χῖον οἶνον λαβὼν Ἢ Λέσβιον γέροντα νεκταροσταγῆ. Et rursum [p. 30, C] : Ἥδεσθαι ἀνθοσμίᾳ καὶ πέπονι νεκταροσταγεῖ.

[Νεκταρόχῡμος, ὁ, ἡ, Qui succum habet nectaris. Const. Manass. Chron. 190, ὀπώρα.]

[Νεκταρόω.] Νεκταροῦσιν Hesych. affert pro ἐλαφρίζουσιν : et Νεκτάρθη pro ἐθυμώθη : sed suspecta sunt.

[Νεκταρώδης, ὁ, ἡ, Nectari similis. Nicet. Eugen. 4, 123 : Γλεῦκος ἡδὺ νεκταρῶδες. Boiss. Geopon. 5, 2, 10.]

[Νεκύα. V. Νεκυία.]

[Νεκυάμβἄτος, ὁ, ἡ, A mortuis conscensus. Pausan. 10, 28, 2 : Νέα νεκυάμβατον.]

[Νεκυὰς, άδος, ἡ, i. q. νεκὰς, fictum, ut videtur, ab Hesychio in Νεκάδεσσι.]

Νεκύδαλος, ὁ, Necydalus : insectum ex bombylio nascens. Aristot. H. A. 5, 19, scribit esse Vermem quendam magnum qui habeat veluti cornua et differat a ceteris : Ἐκ τούτου μεταβαλόντος γίνεσθαι κάμπην, ἔπειτα βομβύλιον· ἐκ δὲ τούτου τὸν νεκύδαλον [νεκύδαλλον libri nonnulli et Athen. 8, p. 352, F, et Νεκυδάλαος cod. Hesychii]· ἐκ δὲ τούτου τὰ βομβύκια. Plin. 11, 22, de bombycibus : Et alia horum origo ex grandiore vermiculo, gemina protendente sui generis cornua. Hi Erucæ sunt. Fit deinde quod vocatur Bombylius : ex eo Necydalus, ex hoc in sex mensibus Bombyx. [Clemens Al. Pæd. 2, p. 234 : Βομβύλιον, οἱ δὲ νεκύδαλον αὐτὸ καλοῦσιν. Νεκυδαλλὸς scriptum in Basilii schol. in Gregor. ap. Boisson. ad Herodiani Epim. p. 227.]

Νεκυηγὸς, ὁ, ἡ, Mortuorum s. Manium ductor, Qui mortuos traducit, Charontis epith. in Epigr. [Archiæ Anth. Pal. 7, 68, 1], ut et νεκυοστόλος.

[Νεκυηδὸν, Mortuorum s. Cadaverum modo. Euphorion ap. Herodian. Π. μον. λέξ. p. 46, 14 : Πάντα δέ οἱ νεκυηδὸν ἐλευκαίνοντο πρόσωπα. Codex corrupte νεκυνα. Cramer. Schol. Dionys. Bekk. An. p. 941, 29 : Ὅμως ἔστι καὶ τὸ νεκυδὸν ἀπὸ τῆς νέκυος. Corrigendum νεκυηδὸν ex alio cod. ap. Cram. An. vol. 4, p. 330, 18. L. D.]

[Νεκυηπόλος, ὁ, Pollinctor. Manetho 1, 330.]

Νεκυία, ἡ, Tractatus de manibus, πραγματεία λέγουσα τὰ κατὰ νέκυας, Eust. [Od. p. 1670, 23; 1950, 63], dicens scribi et Νεκύα, sine ι [ut ipse scribit loco priori]. Sic inscribitur ultimus liber Odysseæ, in quo Mercurius procorum cæsorum animas ad Orcum deducit. [Immo undecimus, in quo manes evocantur ab Ulixe. Diod. 4, 39.] Plut. Symp. 9 [p. 740, E] : Παυσαμένων [—νου] τῶν Ὁμηρικῶν ὅσας ἐν νεκυίᾳ κατωνόμακεν. Synes. : Ἐν δυοῖν νεκύαιν, In duorum mortuorum catalogo. [Lucian. Nigrin. c. 30 : Ἑτέρου δράματος ἥπτετο τῶν ἀμφὶ τὴν νεκυίαν τε καὶ διαθήκας καλινδουμένων.] || Herodian. usurpavit pro Evocatione mortuorum, qua futura ex eis evocatis sciscitantes rescimus, 4, [12, 8] : Μάγων τοὺς ἀρίστους ζητήσαντα, νεκύᾳ τε χρησάμενον, μαθεῖν περὶ τοῦ τέλους τοῦ βίου, Evocatis manibus de vitæ fine sciscitatum. [Νέκυια scribendum putabat Lobeck. ad Phryn. p. 494.]

[Νεκυϊσμὸς, ὁ, i. q. νεκυομαντεία. Manetho 4, 213.]

[Νεκυολόγος, ὁ, Qui cadavera vel manes colligit. Theodor. Prodr. in *Notices* vol. 7, p. 257, 5 : Ὁ νεκυολόγος Αἰακός. L. Dind.]

Νεκυομαντεία, ἡ, [Inferorum consultatio, Defixio, Gl., in quibus semel male scriptum νεκυομαντία, ut ap. Hes.] Vaticinatio quæ fit evocatis mortuis, Hesych. [Luciani libellus sic inscriptus exstat vol. 1. Odysseæ librum undecimum ita inscribi annotat Eustath. Od. p. 1670, 23.]

Νεκυομαντεῖον, τὸ, Oraculum ejusmodi. Eust. ex Herodoto : Ἀχέρων ποταμὸς ἐν Θεσπρωτίᾳ ἔνθα καὶ νεκυομαντεῖον, Oraculum, ubi manes evocati responsa sciscitantibus de futuris dant : pro quo Herodotus 5, [92, 7] Ionice dicit Νεκυομαντήϊον. [Plut. Cimon. c. 6 : Κατέφυγε πρὸς τὸ νεκυομαντεῖον εἰς Ἡράκλειαν. Diod. 4, 22. Gramm. Bekk. An. p. 414, 2. In νεκυομάντιον et νεκυμάντιον corruptum erat ap. Pausan. 9, 30, 6.]

[Νεκυομαντικὸς, ή, ὸν, Ad mortuorum evocationem pertinens. Eust. Od. p. 1615, 4 : Αἱ νεκυομαντικαὶ ψυχαγωγίαι. L. Dind.]

Νεκυόμαντις, εως, ὁ, Qui mortuos evocans et sciscitans futura vaticinatur, ὁ ἐρωτῶν τὸν νεκρὸν, Suid. [Strabo 16, p. 762; Theodoret. Gr. aff. serm. 10.]

[Νεκυοπομπὸς, ὁ, ἡ, Qui cadavera s. mortuos trajicit. Jo. Malalas p. 121, 8, schol. Hom. Od. p. 5 ed. Buttm., λίμνη. Male ap. schol. νεοποντὸν, ap. Malal. νεκυόπομπος. L. Dind.]

Νεκύορον, Hesychio νεκυομαντεῖον [νεκρομ. Leg. Νεκύωρον, ut Salmasius, s. Νεκυώριον. Schneid.].

Νεκυοσσόος, ὁ, ἡ, Mortuos servans, liberans : v. Χριστὸς, Nonn. [Jo. c. 12, 79.] Et [c. 5, 95], v. ὥρη, de Die resuscitationis mortuorum. [Iterum HSt. :] Νεκυοσσόος, Mortuorum servator, Christi epith. ap. Nonnum : nam is suos σώζει ex morte æterna. Nisi forte νεκυοσσόον eum dicat pro Suscitatore mortuorum : quia sc. in hoc mundo versans, quosdam mortuos in vitam suscitavit, in extremo autem judicio omnes suscitabit : νεκυοσσόος ὥρη certe ab eo dicitur Tempus quo mortui suscitabantur. [|| Νεκυσσόυς, Nonn. Dion. 44, 202, Περσεφόνεια. Wakef.]

Νεκυοστόλος, ὁ, ἡ, Qui mortuos transmittit, Charontis epith. ap. Lucian. Et Epigr. [Antiphili Byz. Anth. Pal. 7, 634, 5], v. πορθμεὺς, Portitor mortuorum. [Nonn. Jo. c. 19, 199 : N. Ἰωσήφ. Manetho 4, 405 : Εἰς ἀΐδην πέμψει νεκυοστόλος αἶσα· 6, 530 : Ὅσοι φῦσαν, νεκυοστόλοι ἐξεγένοντο.]

[Νεκυοφάγος, ὁ, ἡ, Mortuos vorans s. Qui mortuis vescitur. Epiphan. vol. 1, p. 1091, C : Τῶν νεκυοφάγων.]

[Νέκυρ. V. Νέκυς.]

Νέκυς, υος, ὁ, [ἡ, Nicarchus Anth. Pal. 11, 96, 2 : Ὡς ἐμὲ κίχλαι αἱ νέκυες ξηροῖς ἤκαχον ὀσταρίοις,] Mortuus, i. q. νεκρός. Et νέκυες, Defuncti, Defunctorum manes. Hom. Od. K, [521] : Γουνοῦσθαι νεκύων ἀμενηνὰ κάρηνα· et alibi sæpe. Λ, [490] : Νεκύεσσι καταφθιμένοισιν ἀνάσσειν. Interdum νέκυς et νέκυες de defunctorum cadaveribus, ut et νεκρὸς ac νεκροί. Il. Σ, [173] : Ἀμυνόμενοι νέκυος πέρι τεθνειῶτος. Et νέκυας φορέειν, Od. X, [437], quod supra νεκροὺς ἀπάγειν et ἀναιρεῖσθαι. Additur et gen., ut in Νεκρὸς, Apoll. [Rh. 2, 857] : Ἀβαντιάδαο νέκυν κτερέϊζεν ὅμιλος. Epigr. : Σὸς δὲ νέκυς, Tuum cadaver. Herodot. [2, 121, 3] : Τοῦ φωρὸς τὸν νέκυν. [Soph. Ant. 26 : Πολυνείκους νέκυν. Notandum etiam hoc Homeri Il. K, 343 : Ἤ τινα συλήσειεν νεκύων κατατεθνηώτων· et 387, et H, 409, ubi Soph. Ant. 515, ὁ κατθανὼν νέκυς (et ib. 26 : Τὸν ἀθλίως θανόντα Πολυνείκους νέκυν), Eur. Phœn. 1295, νέκυν ὀλόμενον, Suppl. 45, φθιμένων νεκύων, conferunt intt.] Utitur et Herodian. [4, 8, 12] pro Cadavere. [Dat. bisyllabus νέκυι est Hom. Il. Π, 526 : Αὐτός τ' ἀμφὶ νέκυι κατατεθνηῶτι μάχωμαι· et alibi. Nominativi et accusativi sing. altera constanter producitur ap. Hom. Il. Σ, 180 : Αἴ κέν τι νέκυς ἠσχυμμένος ἔλθῃ· Χ, 386 : Κεῖται πὰρ νήεσσι νέκυς ἄκλαυτος· Δ, 492 : Νέκυν ἑτέρωσ' ἐρύοντα, etc. pariterque accusativi plur. νέκυς, quippe contracti ex νέκυας, Od. Ω, 417 : Ἐκ δὲ νέκυς οἴκων φόρεον, quæ forma est etiam ap. Eur. fr. Antig. ap. Stob. Fl. 125, 6 : Τίς δ' ἀτιμάζων νέκυς, et similis forma dat. νέκυσσι ap. Marcell. Anth. Pal. App. 50, 27 : Ἀμφὶ νέκυσσι. Nominat. plur. νέκῦς memorat Arcad. p. 196, 18. Corripuit Eur. Phœn. 1745 : Νέκυς ἄθαπτος οἴχεται· Suppl. 70 : Νέκυν ἀμφιβαλεῖν· Or. 1585 : Δάμαρτος νέκυν, ὅπως χώσω τάφῳ· Alcæus Anth. Pal. 7, 1, 4 : Καὶ νέκυν ἀκταίῃ θῆκαν ὑπὸ σπιλάδι· Apoll. Rh. 4, 480, ubi al. νεκρόν. Bion 1, 71 : Καλὸς νέκυς. Nicand. Th. 405 : Ὑπὲρ νέκυν. || Formam Lacon. annotavit Hesychius : Νέκυρ, νεκρός. Λάκωνες.]

Νεκύσια, τὰ, Funeralia, festum in Bithynia, quo εὐωχούμενοι τρὶς ἐκάλουν τὰς τῶν ἐπὶ ξένης ἀποθανόντων ψυχάς, Eust. [Od. p. 1615, 2. Ceterum non Bithynis proprium festum νεκύσια memorat Eust., sed quod in νεκυσίοις apud Bithynos fieret exponit. Artemid. 4, 81 : Τὰ ἐν νεκυσίοις καὶ περιδείπνοις. Pollux 3, 102. υ produci conjicit Lobeck. Patholog. p. 424.]

[Νεκύσιος, ὁ, Necysius, Cretensium mensis undecimus, respondens Rom. d. 24 Quintilis — 22 Sextilis, in Hemerolog. Flor. ap. Ideler. Chronol. vol. 1, p. 426. L. Dind.]

[Νεκυσσόος. V. Νεκυοσσόος.]

[Νεκυώριον s. Νεκύωρον. V. Νεκύορον.]

[Νεκυώτατον, προσφατώτατον, Recentissimum, Hesychio. Conferunt intt. gl. Νέκες, νέοι, quod ad Νέακες spectare videtur.]

[Νεκῶ s. Νεκώς. V. Νεχαώ.]

[Νελαΐδας, ὁ, Nelaidas, Eleus, ap. Pausan. 6, 16, 8. Quod quum Græcum non sit, scripsi Νεολαΐδας. L. Dindorf.]

[Νέμαυσος, ἡ, Nemausus. Steph. Byz. : Πόλις Γαλλίας, ἀπὸ Νεμαύσου Ἡρακλείδου, ὡς Παρθένιος. Τὸ ἐθνικὸν Νεμαύσιος ἢ Νεμαυσῖνος διὰ τὴν χώραν. Strabo 4, p. 178, etc.]

[Νέμεα, ων, τὰ, et ἡ.] Νέμεα, Hesychio σύνδενδροι τόποι, Loca arboribus densa, Loca sylvosa : qualia sunt Nemora ap. Latinos. Alioqui Νέμεα dicebantur etiam Ludi quidam solemnes in honorem Jovis [trieterici et singulis Olympiadibus bis celebrati : v. Wessel. ad Diod. 19, 64. Pind. Ol. 13, 33 : Νέμεά τ' οὐκ... ἀντιξοεῖ. Aristot. Metaph. 4, p. 102, 26, Strab. 8, p. 377.] Quibus qui vicissent, vocabantur Νεμεονίκαι [Νεμεονῖκαι], ut tradit schol. Pind. [Nem. 7, 118. Boiss. Νεμεο de illo voc. relictum videtur in inscr. Spart. ap. Bœckh. vol. 1, p. 626, n. 1252, 12.] Dicta porro τὰ Νέμεα παρὰ τὴν Νεμέαν, a Nemea, loco Eliaci s. Argivi agri [Sæpissime ap. Pind., tum ap. Soph. Tr. 1092, Xenoph. H. Gr. 4, 2, 14, ubi v. Schneid., Thuc. 3, 96, Strab. 8, p. 377, Pausan. 2, 15, 2, etc., et præter alios schol. Pind. Nem. init. p. 425, qui ab Jovis filia Νεμέᾳ dictum tradit. Conf. autem Νεμιδία. Fluvium cognominem memorat Strabo 8, p. 382 : Ποταμὸς Νεμέα· Diod. 14, 33 : Παρὰ τὸν Νεμέαν ποταμόν· Liv. 33, 15, 1] : cujus incolæ appellantur [Νέμεοι, ut ap. Theocr. 25, 169 : Διὸς Νεμέοιο· 280 : Νεμέου θηρός· Tzetzen Anteh. 104 : Νεμέοιο λέοντος, et] Νεμεαῖοι, et Νεμεῆται, auctore Steph. Byz., ap. quem itidem Νεμεαῖος Ζεὺς, et Νεμεήτης Ζεὺς, coli ibi solitus. [Νεμεάτης, de victore Nemeorum, Pausan. 6, 13, 8 : Ἐς ἅπαντας ὑπομνήματα τοὺς Νεμεάτας. Itaque Νεμεήτης, ut infra Νεμειήτης, forma poetica videtur.] Item Νεμεαῖος λέων, Nemeæus leo : ab Hercule interfectus. [Ἀγῶνα τὸν Νεμεαῖον Diod. 11, 65, ubi libri Νεμαῖον, schol. Pind. Nem. 7, 120. Pind. ipse Nem. 2, 4 : Νεμεαίου Διός· 8, 16 : Νεμεαῖον ἄγαλμα. Nicand. Th. 649; Strabo 8, p. 377. Addit autem Steph. Byz.: Οἱ πολῖται τῆς Λοκρίδος πόλεως Νέμειοι καὶ Νεμεῆθεν ἐπίρρημα. Quod scribendum Νεμέηθεν, ut in fr. Callimachi ap. Plut. Mor. p. 677, B : Ζήλῳ τῶν Νεμέηθε. Aliud adv. est Νεμέασι ap. Clem. Al. Protr. p. 29. De illa autem Locrica Nemea, de qua dubitabat Coraes in Νεμιδία cit., Holstenius monuit esse Διὸς Νεμείου ἱερὸν in Certamine Hom. et Hesiodi p. 250, 19, vel τὸ Λοκρικὸν Νέμειον ap. Plut. Mor. p. 162, D, ignarus Proculi ad Hesiod. p. 8, Νέμεον dicentis.] Inde et Νεμεάδες πύλαι Argis, sic dictæ διὰ τὸ πρὸς τῇ Νεμέᾳ τετράφθαι, Hesych. [qui addit alios male τὰς ἐν Τίρυνθι interpretari.] Idem tamen huic νεμεάδες et alias tribuit exposs., nimirum ὄρη ἀνειμένα, λειμῶνες, βλαστοὶ, ἀπόγονοι, ἰχθύες. [Pind. Nem. 3, 2 : Ἐν ἱερομηνίᾳ Νεμεάδι. De ludicro ipso ap. schol. Nem. 7 init. N. meretricis ap. Athen. 13, p. 587, B : Καὶ Νεμεάδος δὲ τῆς αὐλητρίδος Ὑπερίδης μνημονεύει ἐν τῷ κατὰ Πατροκλέους· περὶ ἧς ἄξιον θαυμάζειν πῶς περιεῖδον Ἀθηναῖοι οὕτω προσαγορευομένην τὴν πόρνην πανηγύρεως ἐνδοξοτάτης ὀνόματι κεχρημένην· κεκώλυτο γὰρ τὰ τοιαῦτα τίθεσθαι ὀνόματα οὐ μόνον ταῖς ἑταιρούσαις, ἀλλὰ καὶ ταῖς ἄλλαις δούλαις, ὥς φησι Πολέμων ἐν τοῖς περὶ ἀκροπόλεως. Similia Harpocratio, et ex parte Photius s. Suidas, apud quos Νεμέας scriptum, ut in Prov. App. 4, 5 : Νεμέας αὐλητρίδος ἐπὶ τῆς καλῶς αὐλούσης, antiquo errore. Ceterum Ἰσθμιάδος meretricis nomen ap. Philetærum ab Ath. ib. E, citatum confert Preller. ad Polem. p. 38. Idem nomen ap. Athen. 12, p. 534, D, pro Νεμέα restituebat Valck. || N. navis Atticæ ap. Bœckh. *Urkunden* p. 89. L. D.] Ad Νεμέαν ut redeam, vocatur eadem et Νεμεία poet., Ion. inserto ι, propter versum. [Hesiod. Th. 329, 331.] Unde Νεμειαῖος λέων ap. Hesiod. Theog. 327. [Quintus 6, 208. Wakef. Νεμειήτης ap. Maximum Καταρχ. 102, 346. Quod pro Ἑλειήτης restituendum conjeci in illo : sed videtur illud ἐλειήτης ad ipsum hujus voc. exemplum formatum.] Ex Epigr. vero affertur et Νέμειος χλαῖνα [ap. Tull. Gem. Anth. Plan. 103, 1] pro Spolio quod Hercules gestabat Nemeæo leoni detractum. [Eurip. Herc. F. 153 : Τὸν Νέμειον θῆρα. Thuc. 3, 96 : Διὸς τοῦ Νεμείου. Pausan. 2, 15, 2; 2, 20, 3; 4, 27, 6.] Itidem Νέμεια pro Νέμεα dicitur. [Pind. Nem. 5, 5 : Νίκη Νεμείοις παγκρατίου στέφανον. Inscr. Aphrodis. ap. Bœckh. vol. 2, n. 2810, b, p. 1112. Herodian. Cram. An. vol. 3, p. 296, 5.] Pausan. Att. : Πένταθλον Νεμείων ἀνῃρημένον νίκην. [Et 2, 15, 3. « Adj. Νεμεακὸς, ἡ, ὸν, est ap. schol. Pind. Nem. 1, 7, et ad titulum odæ; 6, 21. » Boiss.]

[Νεμεαῖος, Νεμεακὸς, Νεμεὰς, Νεμέασι, Νεμεάτης, Νεμέηθε s. Νεμέηθεν, Νεμεήτης. V. Νέμεα.]

Νεμέθω, Pasco, i. q. νέμω, unde et derivatum est. Hinc pass. νεμέθοντο [Hom. Il. Λ, 634 : Δοιαὶ δὲ πελειάδες χρύσειαι νεμέθοντο], quod Hesych. itidem exp. ἐνέμοντο, ἀπὸ τῆς νεμήσεως. [Probl. arithm. Anth. Pal. 14, 4, 6 : Ἀμφὶ δ' ἄρ' Ἤλιδα δῖαν ... νεμέθονται.] Nicand. Ther. 429 : Τοῖά μιν ἰὸς Ὀξὺς ἀεὶ νεμέθων ἐπιβόσκεται, Depascens. [In ἐμέθω depravatum v. in Ἐννεμέθω. L. Dind.]

[Νέμεια, Νεμεία, Νεμειαῖος, Νεμειήτης, Νέμειον, Νέμειος. V. Νέμεα.]

[Νεμεονίκης, Νέμεος. V. Νέμεα.]

Νεμεσάω, et Νεμεσάομαι, Indignor, Irascor, Succenseo; Merito indignor s. Justa de causa, Merito succenseo; nam Eust. vult accipi non simpliciter pro μέμφομαι, sed pro μέμφομαι δικαίως : quam signif. et verbo νεμεσίζομαι tribuit, ut infra docebo. Hom. Od. Ζ, [286] : Καὶ δ' ἄλλῃ νεμεσῶ ἥτις τοιαῦτά γε ῥέζοι. Sic Il. Ψ, [494] : Καὶ δ' ἄλλῳ νεμεσᾶτον ὅτις τοιαῦτά γε ῥέζοι. Et Od. Φ, [147] : Ἀτασθαλίαι δέ οἱ οἴῳ Ἐχθραὶ ἔσαν, πᾶσιν δὲ νεμέσσα μνηστήρεσσι. [Hesiod. Op. 301 : Τῷ δὲ θεοὶ νεμεσῶσι καὶ ἀνέρες, ὅς κεν ἀεργὸς ζώῃ. Pind. Isthm. 1, 3 : Μή μοι κρανκὰ νεμεσάσαι Δᾶλος.] Dicitur etiam νεμεσῶ σοι τοῦτο ποιοῦντι, Il. Δ, [413] : Οὐ γὰρ ἐγὼ νεμεσῶ Ἀγαμέμνονι ποιμένι λαῶν Ὀτρύνοντι μάχεσθαι ἐϋκνήμιδας Ἀχαιούς· ubi commode resolvi posse existimo partic. ὀτρύνοντι in διὰ τὸ ὀτρύνειν : ut perinde sit ac si dictum esset, οὐ νεμεσῶ Ἀγαμέμνονι διὰ τὸ ὀτρύνειν, vel ὅτι ὀτρύνει, quo in l. observa etiam, manifestum esse νεμεσῶ simplicius accipi pro μέμφομαι, non pro μέμφομαι δικαίως. In pass. [med.] autem voce, ut Il. Ρ, [93] : Μή τις μοὶ Δαναῶν νεμεσήσεται ὅς κεν ἴδηται. Et Od. Α, [228] : Νεμεσσήσαιτό κεν ἀνὴρ Αἴσχεα πόλλ' ὁρόων, ὅστις πινυτός γε μετέλθοι. [Aoristi forma passiva Il. Β, 223 : Νεμέσσηθέν τ' ἐνὶ θυμῷ· Ω, 53 : Μὴ νεμεσσηθῶμέν οἱ ἡμεῖς· Od. Α, 119, et alibi sæpe.] Alicubi vero adjungit περὶ κηρὶ, vel ἐνὶ θυμῷ. Dicitur præterea νεμεσῶ τοῦτο, s. νεμεσῶμαι : Od. Ψ,

[213] : Αὐτὰρ μὴ νῦν μοι τόδε χώεο, μηδὲ νεμέσσα, Οὕνεκά σ' οὐ τοπρῶτον ἐπεὶ ἴδον, ὧδ' ἀγάπησα· Ξ, [284] : Διὸς δ' ὠπίζετο μῆνιν Ξεινίου, ὅστε μάλιστα νεμεσσᾶται κακὰ ἔργα, ubi Eust. ait κακὰ ἔργα esse pro ἐπὶ κακοῖς ἔργοις, s. διὰ τὰ κακὰ ἔργα : et hoc quidem modo esse defectum præpositionis, illo autem, esse antiptosin. Hesiod. [Op. 754] : Θεός τοι καὶ τὰ νεμεσσᾷ. Interdum etiam cum infin. : Hom. Od. A, [119] : Νεμεσσήθη δ' ἐνὶ θυμῷ Ξεῖνον δηθὰ θύρῃσιν ἐφεστάμεν, ubi Bud. ait νεμεσᾶσθαι esse Indignum censere. Sed mihi non minus placuerit Reprehensione dignum censere. Jungunt vero itidem Latini suum Indignor infinitivo, sed raro. Usus est ead. constr. et aliis in ll., quorum ex numero est hic, Od. Δ, [195] : Νεμεσσῶμαί γε μὲν οὐδὲν Κλαίειν ὅς κε θάνῃσι βροτῶν καὶ πότμον ἐπίσπῃ. ‖ Aliquando autem νεμεσῶ ap. eund. poetam Indignationem s. Reprehensionem formido, νέμεσιν εὐλαβοῦμαι : aut etiam simplicius Formido, Timeo. Vide Eust. [Il. p. 1013, 60, ad Il. O, 211 et 227, νεμεσσηθεὶς ὑποείξω vel ὑπόειξεν.] ‖ Νεμεσῶ in prosa etiam legitur ; et quidem interdum pro Succenseo, interdum pro Invideo, Invidens succenseo. Sed quantum meminisse possum, de Deo dicitur frequentius quam de hominibus. Plato Minoe [p. 319, A] : Νεμεσᾷ γὰρ ὁ θεὸς ὅταν τις ψέγῃ τὸν ἑαυτῷ ὅμοιον, ἢ ἐπαινῇ τὸν ἑαυτῷ ἐναντίως ἔχοντα· ubi exp. Succenset deus, item Offenditur deus. [Leg. 11, p. 927, A.] Plut. [Mor. p. 780, F] : Νεμεσᾷ γὰρ ὁ θεὸς τοῖς ἀπομιμουμένοις βροντὰς καὶ κεραυνοὺς καὶ ἀκτινοβολίας. Lucian. de Deo itidem, et quidem cum gen. rei, addito ad dat. personæ, p. 214 [Amor. c. 25] : Ἐπεὶ τῶν μειζόνων ἀγαθῶν ἡμῖν ὁ βάσκανος δαίμων ἐνεμέσησε. Sed Idem eadem cum constructione usus est et de hominibus, quum alibi, tum p. 134 [Scyth. c. 9] : Καὶ πρὸς χαρίτων, μὴ νεμεσήσητέ μοι τῆς εἰκόνος, εἰ βασιλικῷ ἀνδρὶ ἐμαυτὸν εἴκασα. [Cum accus. rei Aristot. Rhet. 2, 6 : Ἃ γάρ τις αὐτὸς ποιεῖ, ταῦτα λέγεται τοῖς πέλας οὐ νεμεσᾶν, ὥστε ἃ μὴ ποιεῖ, δῆλον ὅτι νεμεσᾷ.] Animadvertendum est autem his in ll., τὸ νεμεσᾶν esse eorum, qui indignantur illi, qui modum aliqua in re non tenet, nec suo se modulo metitur, aut etiam qui invident ei aliquid, quod ille sibi arrogat. In illo certe priore Luciani l. aperte accipitur pro Invidere, cujus signif. meminit et Aristot., sed ita ut distinguat a φθονεῖν. Scribit enim Rhet. 2, [9] : Εἰ γάρ ἐστι τὸ νεμεσᾶν λυπεῖσθαι ἐπὶ τῷ φαινομένῳ ἀναξίως εὐπραγεῖν, πρῶτον μὲν δῆλον ὅτι οὐχ οἷόν τε ἐπὶ πᾶσιν ἀγαθοῖς νεμεσᾶν, ἀλλ' ἐπὶ πλούτῳ καὶ δυνάμει, Si enim νεμεσᾶν est Dolore affici ob fortunam prosperam ejus, qui ea indignus esse videtur, primum quidem etc. Ibid. [initio] : Ἀντίκειται δὲ τῷ ἐλεεῖν, μάλιστα μὲν ὃ καλοῦσι νεμεσᾶν. Et paulo post, Δεῖ γὰρ καὶ ἐπὶ μὲν τοῖς ἀναξίως πράττουσι κακῶς, συνάχθεσθαι καὶ ἐλεεῖν· τοῖς δὲ εὖ, νεμεσᾶν· ἄδικον γὰρ τὸ παρὰ τὴν ἀξίαν γιγνόμενον· διὸ καὶ τοῖς θεοῖς ἀποδίδομεν τὸ νεμεσᾶν· quæ postrema verba Aristotelis faciunt pro illo usu hujus verbi, quem frequentiorem esse dixi in soluta oratione. Ceterum discrimen esse inter νεμεσᾶν et φθονεῖν testatur et Cic. in Ep. ad Att. 5, [19] : Ut libet ; sed plane gaudeo : quoniam τὸ νεμεσᾶν interest τοῦ φθονεῖν. [Pass. schol. Theocr. 2, 66 : Ἵνα μὴ νεμεσηθῶσιν ὑπ' αὐτῆς, a Diana virgines nupturæ. Hemst.]

Νεμέσεια, τὰ, Festum quoddam deæ, quæ dicitur Nemesis, quo parentabatur defunctis, Harpocr. ex quo sumpsit Suidas, sed ap. Harpocr. est Νεμέσεια, ap. [Photium et] Suidam est Νεμεσία, quam scripturam, ut mendosam, rejiciendam censeo. [Per ι male etiam in Lex. rhet. Bekk. Anecd. p. 282, 32, et in libris nonnullis Demosth. p. 1031, 13, unde gl. petita.]

[Νεμεσεῖον, τὸ, Templum Nemesis. Theognost. Can. p. 129, 20. L. Dind.]

Νεμεσήμων, ονος, ὁ, ἡ, ut v. μῦθος, Nonn. Jo. [c. 4, 218], Indignabunda oratio. Exponunt tamen VV. LL. Expostulans, Mordax. Et [c. 18, 110], v. φωνὴ, Vox objurgatrix. Et v. θυμὸς, Querulus animus. Et ἀλιτροσύνη v., Peccatum imputandum et vindicandum, Nonn. [c. 15, 93. Paullus Sil. Descr. S. Soph. 195.]

[Νεμεσηνὸς, ὁ, Nemesenus, n. viri, ap. Scythin. Anth. Pal. 12, 232, 3.]

[Νεμεσητέος, α, ον, Indignandus. Theodor. Hyrtac. Epist. 51, in *Notices* vol. 6, p. 16 : Εἴην ἂν νεμεσητέος. Νεμεσητέον Gennadius in Anecd. meis t. 5, p. 146, 5 : Ἆρα ν. ἂν εἴη σοι τῆς περὶ λόγους φιλοτιμίας. Boiss.]

[Νεμεσητὴς, ὁ, Qui indignatur, Vindex. Eust. Il. Λ, 648.]

Νεμεσητικὸς, ἡ, ὸν, Ad indignationem propensus, Qui facile indignatur et levi de causa. Sed ap. Aristot. quum alibi [ut Rhet. 2, 9 : Ὅλως οἱ ἀξιοῦντες αὑτοὶ αὑτοὺς ὧν ἑτέρους μὴ ἀξιοῦσι, νεμεσητικοὶ τούτοις καὶ τούτων· et ibid. paullo ante], tum Eth. 2, [7] intelligitur de Eo qui est propensus ad indignationem cum quadam invidentia, s. invidia, aut cum quodam invidentiæ genere : sc. quum invidemus res secundas iis, qui indigni sunt illis. Ὁ μὲν γὰρ νεμεσητικὸς, inquit, λυπεῖται ἐπὶ τοῖς ἀναξίως εὖ πράττουσιν· at φθονερὸς ὑπερβάλλων τοῦτον, ἐπὶ πᾶσι λυπεῖται. Vide Suid. ‖ Apud Eund. νεμεσητικὸν exp. μεμπτόν : sed repono νεμεσητόν.

Νεμεσητὸς, ἡ, ὸν, Indignatione prosequendus, Ob quem s. De quo indignari debemus, Reprehendendus, Reprehensione dignus. [Reverendus, Hom. Il. Λ, 649 : Αἰδοῖος, νεμεσητός.] Item νεμεσητὸν neutr. Res indigna [Hom. Il. Γ, 410 : Νεμεσσητὸν δέ κεν εἴη. Tyrtæus ap. Lycurg. p. 212 : Νεμεσητὸν ἰδεῖν] : et οὐ νεμεσητὸν exp. Non indignum putandum est. [Soph. Ph. 1193 : Οὔτοι νεμεσητὸν ἀλύοντα χειμερίῳ λύπᾳ καὶ παράνουν θροεῖν. Callim. Del. 16 : Ἀλλά οἱ οὐ νεμεσητὸν ἐνὶ πρώτῃσι λέγεσθαι. Antipat. Sid. Anth. Pal. 9, 238, 5 : Οὐδ' Ἥρῃ νεμεσητὸν ἐχεύατο χαλκὸν Ὀνάτας. Plato Leg. 12, p. 943, E : Ψεῦδος δὲ αἰδοῖ καὶ δίκῃ νεμεσητὸν κατὰ φύσιν· Euthyd. p. 282, B : Οὐδὲ νεμεσητὸν ἕνεκα τούτου ὑπηρετεῖν. Aristot. Rhet. 2, 9 : Ἐὰν οὖν ἀγαθὸς ὢν μὴ τοῦ ἁρμόττοντος τυγχάνῃ.] Sed in Hom. [Il. I, 519] : Πρὶν δ' οὔτι νεμεσσητὸν κεχολῶσθαι, Bud. vertit, Non fuit reprehendendum. Vertit etiam Reprehensione dignus, subjungens ex Plut. [Pomp. c. 38] : Ἐνταῦθα πάθος νεμεσητὸν ὑπὸ φιλοτιμίας ἔπαθε. [Heraclit. A. H. p. 451 : Νεμεσηταὶ γὰρ αἱ πολέμων ἐπ' ἀμφότερα ῥοπαί. Valck.] ‖ Ab Eod. [Ages. c. 22], πρᾶγμα νεμεσητὸν vocari tradit Rem a Nemesi et Fortuna invidente immissam. ‖ Νεμεσητὸς signif. etiam activa pro νεμεσητὴς, ap. Hom. [Il. Λ, 649.] Vide Eust. [Theocr. 1, 101 : Κύπρι βαρεῖα, Κύπρι νεμεσσατὰ, qui locus ad eand. signif. referendus videri possit, schol. explicat ἀξία μέμψεως, ap. Hom. autem quomodo vertendum sit supra diximus. ‖ Adv. Νεμεσητῶς ap. Theodor. Metoch. Misc. p. 123.]

[Νεμεσῖανὸς, ὁ, Nemesianus, cogn. viri, in inscr. Bœot. ap. Bœckh. vol. 1, n. 1586, 22, 32. Notus est Nemesianus poeta.]

Νεμεσίζω, et frequentius Νεμεσίζομαι, i. q. νεμεσῶ, de quo dictum paulo ante fuit, Indignor, etc. Eust. postquam dixit νεμεσῶ et νεμεσίζομαι ut plurimum accipi pro δικαίως μέμφομαι, affert hunc versum Homeri [Il. E, 872] : Ζεῦ πάτερ, οὐ νεμεσίζῃ ὁρῶν τάδε καρτερὰ ἔργα; [Θ, 407 : Ἥρῃ δ' οὔτι τόσον νεμεσίζομαι. Id. B, 239 : Νῦν δ' ἄλλῳ δήμῳ νεμεσίζομαι·] item hunc [Od. A, 228] : Νεμεσίσαιτό κεν ἀνὴρ Αἴσχεα πόλλ' ὁρόων. Sed in hoc l. [ib. 263] : Ἐπεί ῥα θεοὺς νεμεσίζετο αἰὲν ἐόντας, sumi ait pro δεδιέναι καὶ δι' ἐπιστροφῆς ἔχειν. [Tzetz. Exeg. Il. p. 8, 2 : Τοὺς δὲ Αἰγύπτιον αὐτὸν εἰρηκότας οὐ νεμεσίζομαι.] Latini Deum vereri dicunt, item Revereri. Ceterum in illo Hom. l., ubi νεμεσίσαιτο legit Eust., scribitur νεμεσσήσαιτο a νεμεσῶμαι : quam lectionem et ipse supra secutus sum. Ac certe ipsum quoque Eust. ita scriptum reliquisse crediderim : utut sit, scr. saltem fuerit νεμεσσίσαιτο [νεμεσσίσσαιτο] geminato σ. [Cum inf. Il. B, 296 : Οὐ νεμεσίζομ' Ἀχαιοὺς ἀσχαλάαν. Et significatione Pudendi P, 254 : Νεμεσιζέσθω δ' ἐνὶ θυμῷ Πάτροκλον Τρῳῇσι κυσὶν μέλπηθρα γενέσθαι· Od. B, 138 : Ὑμέτερος δ' εἰ μὲν θυμὸς νεμεσίζεται αὐτῶν.] ‖ Ab act. voce est νεμεσίζει ap. [Phot. et] Suid., quod exp. μέμφεται.

[Νεμέσιον, τὸ, Ocimastrum, ap. Interpol. Diosc. c. 610 (4, 28). Ducang.]

[Νεμέσιος, ὁ, Nemesius, n. viri. Episcopi Emeseni, cujus superest liber De natura hominis. Forma per σσ de alio in Ms. ap. Bandin. Bibl. Med. vol. 1, p. 221, LXIII : Ὄμμα δίκης μύθων τε, Νεμέσσιε, ὃς τοπάροιθε. L. Dind.]

Νέμεσις, εως, ἡ, Indignatio, etiam Indignatio cum quadam invidentia, invidia, aut Invidia quædam indignabunda. [Ultrix, Gl.] Nec enim aliud interpretationis genus aptius excogitare potui. Hom. Il. Γ, [156] : Οὐ νέμεσις Τρῶας καὶ εὐκνήμιδας Ἀχαιοὺς Τοιῇδ' ἀμφὶ γυναικὶ πολὺν χρόνον ἄλγεα πάσχειν. Quo in l. οὐ νέμεσις non videtur simpliciter significare Indignationem, sed dici de iis, qui ita indignantur et succensent, ut simul invideant cuipiam aliquid, tanquam majus quam ut eo sit dignus : ut perinde sit ac si dicerent hi senes, Non est quod quisquam indignetur et ægre ferat Græcos ob talem mulierem diuturnis conflictari malis, illique tantum honoris invideat, tanquam indignæ. Nec tamen quum hæc dico, ignoro Quintil. [8, 4] de Homericis istis loquentem, ita scripsisse : Non putant indignum Trojani principes Grajos Trojanosque propter Helenæ speciem tot mala tantoque temporis spatio sustinere. Sed hæc minime repugnant illi meæ interpretationi : sicut nec iste Propertii versus, in quo plane ad illum Homeri l. allusisse eum existimo : Digna quidem facies pro qua vel obiret Achilles. Nam qui dicit, Non est quod quisquam indignetur et ægre ferat etc., is certe dicit non indignum esse id fieri. [Ξ, 80 : Οὐ γάρ τις νέμεσις φυγέειν κακόν· Od. Α, 350 : Τούτῳ δ' οὐ νέμεσις Δαναῶν κακὸν οἶτον ἀείδειν· Υ, 330 : Τόφρ' οὔτις νέμεσις μενέμεν τ' ἦν ἰσχέμεναί τε μνηστῆρας.] Fateor alioqui νέμεσιν ap. hunc poetam sæpius habere solam Indignationis signif., s. Reprehensionis, aut Justæ reprehensionis, i. e. δικαίας μέμψεως, ut exp. Eust. quum alibi, tum in Il. Ζ, [335] : Οὔτι ἐγὼ Τρώων τόσσον χόλῳ οὐδὲ νεμέσσει Ἥμην ἐν θαλάμῳ. Idem vero in Ν, [122] : Ἀλλ' ἐν φρεσὶ θέσθε ἕκαστος Αἰδῶ καὶ νέμεσιν, annotat αἰδῶ esse in nobis ipsis, at νέμεσιν esse ab aliis, πρὸς οὓς τὴν αἰδῶ ἔχομεν. [Ζ, 351 : Ὃς ἤδη νέμεσίν τε καὶ αἴσχεα πόλλ' ἀνθρώπων· Od. Β, 136 : Νέμεσις δέ μοι ἐξ ἀνθρώπων ἔσσεται· Χ, 40 : Οὔτε τιν' ἀνθρώπων νέμεσιν κατόπισθεν ἔσεσθαι. Æsch. Sept. 235 : Τίς τάδε νέμεσις στυγεῖ; Soph. El. 1467 : Εἰ δ' ἔπεστι νέμεσις, οὐ λέγω· Ph. 518 : Τὰν θεῶν νέμεσιν ἐκφυγών· 602 : Θεῶν βία καὶ νέμεσις· OEd. C. 1753 : Πενθεῖν οὐ χρή· νέμεσις γάρ. Eur. Or. 1362 : Θεῶν νέμεσις.] Vide plura ap. eum de signif., quam nomen hoc ap. Hom. habet. Idem a fut. νεμεσίσω fieri ipsum tradit, abjecto ω. Dicitur autem Νέμεσσις metri causa pro Νέμεσις, sicut νεμεσσάω, et νεμεσσίζομαι pro νεμεσάω et νεμεσίζομαι. || In soluta oratione Indignatio quæ concipitur ob res prosperas alicujus, seu felicitatem qua indignus est, ac plerumque diis tribuitur. Plut. Antonio [c. 44], de eo loquens : Πρὸς ταῦτα τὰς χεῖρας ἀνατείνας, ἐπεύξατο τοῖς θεοῖς, εἴ τις ἄρα νέμεσις τὰς πρόσθεν εὐτυχίας αὐτοῦ μέτεισιν, εἰς αὐτὸν ἐλθεῖν, τῷ δὲ ἄλλῳ στρατῷ σωτηρίαν διδόναι καὶ νίκην. Idem vero alibi pro νέμεσις τὰς πρόσθεν εὐτυχίας μετιοῦσα, dixit ἡ τῶν εὐτυχημάτων νέμεσις, ita scribens [Mor. p. 198, D] : Τὴν τῶν εὐτυχημάτων ν. εἰς τὸν οἶκον ἀπερεισαμένης τῆς τύχης, ubi Bud. interpret. Invidiam fatalem. Aristot. certe consentanee iis, quæ de verbo νεμεσῶ tradit, de quibus supra, νέμεσιν esse dicit λύπην ἐπὶ τῷ φαινομένῳ ἀναξίως εὐπραγεῖν, Rhet. 2, [9]. Sic autem et Plut. De virt. mor. [p. 451, E] : Καὶ ἡ ν. ἐπὶ τοὺς παρ' ἀξίαν εὐτυχοῦντας· scio tamen hæc verba ἐπὶ τοὺς etc. ab aliis jungi cum seqq. Idem Aristot. Eth. 2, 7, νέμεσιν medium inter φθόνον et ἐπιχαιρεκακίαν tenere locum dicit : ubi v. plura. Ceterum non solum est νέμεσις adversus felicitatem eorum, qui indigni ea sunt aut esse videntur, sed et adversus eos, qui aliquod scelus commiserunt : unde Bud. vertit Indignatio ob sceleratum facinus vel insolens, in Synes. : Ἐῶ τὰ κατὰ τὸν ἑταῖρον Διοσκουρίδην, ὅτι μετρίως ἐπράχθη, καὶ οὐχ ὡς ἂν κινῆσαι Θεοῦ τε καὶ ἀνθρώπων νέμεσιν. Denique redditur etiam Ultio divina, quæ sc. consequitur illam eorum indignationem, estque ejus affectum. Lucillius certe plurali etiam usus est Epigr. p. 130 : Πλὴν μεγάλαι νεμέσεις. || Sed plerumque Νέμεσις est nomen certæ deæ, quæ, præ ceteris omnibus diis ac deabus, curæ habet insolentiam hominum reprimere, et de injuriosis pœnas sumere : ἡ θεῶν μάλιστα, inquit Pausan. [1, 33, 2], ἀνθρώποις ὑβρισταῖς ἐστὶν ἀπαραίτητος. Ead. esse hæc putatur, quæ et Ἀδράστεια : atque adeo alicubi ἀδράστεια velut epith. ejus poni existimatur. Aristot. autem, aut quicunque est auctor libelli De mundo [c. 7], putavit νέμεσιν non aliud esse quam τὸν θεὸν, sumptumque esse hoc nomen ἀπὸ τῆς ἑκάστῳ διανεμήσεως. Vide Ἀδράστεια supra, vide item Erasm. in his Proverbialibus verbis, Adrastia Nemesis, ubi quum alia, tum Antimachi proferuntur versus, in quibus Νέμεσις vocatur μεγάλη θεός. [Hesiod. Op. 198 : Ἀθανάτων μετὰ φῦλον ἴτην προλιπόντ' ἀνθρώπους Αἰδὼς καὶ Νέμεσις· Th. 223 : Τίκτε δὲ καὶ Νέμεσιν Νὺξ ὀλοή. Et sæpe Pind. aliique poetæ, ut Soph. El. 792 : Ἄκουε, Νέμεσι τοῦ θανόντος ἀρτίως. Lex. rhet. Bekk. An. p. 209, 11 : Ἀγαθὴ τύχη, ἡ Νέμεσις καὶ ἡ Θέμις. Plur. Eunap. p. 64 : Παρῆλθε μὲν εἰς τὸ τῶν Νεμέσεων ἱερόν. « De Nemesibus v. Dorvill. ad Charit. p. 401, 577. Loca plurima congesserunt Taylor. præf. Comm. ad Leg. Decemv. p. 9-12, et Barlowius Expl. inscr. Gr. p. 45. Strato Anth. Pal. 12, 193, 1 : Οὐδὲ Σμυρναῖαι Νεμέσεις ὅτι σοί τι λέγουσιν, Ἀρτεμίδωρε, νοεῖς, ubi conf. Jacobs. Automedon ib. 11, 326, 4 : Καὶ κάλλους εἰσί τινες Νεμέσεις. Adde Chandleri Iter c. 18. » Boiss. « Duas Nemeses conjunctum cultum et numen habuisse apud Græcos in Ionia et Asia, præsertim Smyrnæ, docuerunt Dorv. l. c., qui etiam hunc Eunapii locum et Junii errorem notavit vertentis Eumenidum, laudans etiam Vales. Emend. 2, 17, et Burmann. ibid., laudantem Prideaux ad Marm. Ox. p. 149. Nummi exstant haud pauci Smyrnæorum, aliorumque illius Asiæ civitatum, insigniti duabus Nemesibus : v. Eckhel. D. N. vol. 6, p. 514, Rasch. Lex. Num. vol. 5, p. 1183-5. » Wyttenb. Memoratur etiam in inscrr. Halicarn. ap. Bœckh. vol. 2, p. 456, n. 2662, 2663. V. inprimis Pausan. 7, 5, 2, 3.]

[Νεμεσίων, ωνος, ὁ, Nemesio, n. viri, ap. Suidam, Damascii verba repetentem, item ap. schol. Ven. Hom. Il. Κ, 398.]

[Νεμεσοῦς, οῦτος, ὁ, Nemesus, n. viri, in Charta Borg. 4, 22.]

[Νεμέσσιος. V. Νεμέσιος.]

[Νεμετής. V. Νεμητής.]

[Νεμέτωρ, ορος, ὁ, Ζεύς, Ultor, Vindex, ap. Æsch. Sept. 485.]

Νέμησις, εως, ἡ, [Pabulatio, Gl.] Distributio : ut νεμήσεις ὑποκριτῶν ap. [Hesych., Phot. et] Suid., quas esse dicit veluti διαιρέσεις : scribit enim τοῖς ποιηταῖς τρεῖς ὑποκριτὰς νεμηθῆναι κλήρῳ, ὑποκρινουμένους τὰ δράματα, Tres histriones sorte tributos fuisse qui fabulam agerent. Eorum qui vicisset, postmodum assumi solitum fuisse ἄκριτον. [Hesychius ponit etiam : Νεμήσεις θέας· Ἀθηναῖοι τὰς ἐν τῷ θεάτρῳ καθέδρας ψηφίσματι νενεμημένας προεδρίας ἱερεῦσιν.] Sic μέρησις [νέμησις] οὐσίας ap. Polluc. [8, 135] pro διακλήρωσις, διαίρεσις, Distributio et partitio. [Lex. rhet. Bekk. An. p. 310, 19 : Πρόκλησιν νεμήσεως ἐπί τινων ἢ κληρονομίας. Isæus p. 76, 22 : Διαφορᾶς τινος αὐτοῖς γενομένης ἐν τῇ νεμήσει τοῦ χωρίου, ubi olim νεμέσει. De ulceribus, ut infra νέμεσθαι, Aret. p. 89, 20 : Ἐς τὴν ἐπίσχεσιν τῆς νεμήσιος. V. Νομή.]

[Νεμητής, ὁ.] Νεμηταὶ, Polluci [8, 136] Iidem qui μερισταὶ, s. μερῖται, et μοιρολόχαι, Partitores, s. Particulones. Nonio enim auctore Particulones dicti sunt cohæredes, quod partes patrimonii sumant. [Αἰσυμνῆται ... οἱ νεμηταὶ, ὅ ἐστι, βραβευταὶ, Suid. Hemst. Ap. Synes. De regno p. 30, C : Ἐκεῖνος μὲν ὁ πλουτῶν ὁπωσοῦν, ἐωνημένος δὲ τὴν ἀρχὴν οὐκ ἂν εἰδείη ὁποῖος ἂν γένοιτο νεμετὴς τοῦ δικαίου, accentus monstrat formam νεμητής.]

[Νεμητὸς, ὁ, Distributus. In inscr. Orchom. ap. Bœckh. vol. 1, p. 764, n. 1584, 37 : Οἵδε ἐνίκων τὸν νεμητὸν ἀγῶνα τῶν Ὁμολωίων, ambigua est signif. L. D.]

[Νεμιδία, ἡ, Nemidia, cogn. Dianæ, ap. Strab. 8, p. 342, ubi de oppidulo Eleo Τευθέα agens addit : Ὅπου τὸ τῆς Νεμιδίας (al. Νεμυδίας) Ἀρτέμιδος ἱερόν. « Οὐκ ἔρρωται ὁ τύπος τοῦ ὀνόματος. Εἰ πιστὸς ὁ Βυζάντιος Στέφανος (λ. Νεμέα) Νεμέαν φάσκων χώραν τῆς Ἠλείας γεγονέναι, γραπτέον Νεμεαίας, τῆς ἐν Νεμέᾳ δηλονότι Ἀρτέμιδος. Ἀλλ' ὁ μὲν Στέφανος τοῦτο παρατίθεται τοῦ Στράβωνος τὸ χωρίον μαρτύριον τῆς Ἠλειακῆς Νεμέας· ὁ δὲ Στράβων ἣν ἐν τοῖς ἑξῆς τίθησιν Ἀργολικὴν Νεμέαν οἶδε μόνον· τῆς δ' ἐν τῇ Ἠλείᾳ οὔτ' ἐνθάδε οὔτ' ἀλλαχοῦ μνημονεύει, ὥσπερ

A οὐδὲ τῆς παρὰ τῷ αὐτῷ Στεφάνῳ καὶ παρὰ τῷ Σουίδᾳ (λ. Νέμειος) Λοκρικῆς Νεμέας. Γραπτέον τοίνυν Νεμαίας παρὰ τὸ νέμος, ὥσπερ παρὰ τὸ συνώνυμον ὕλη ὑλαῖος ... Συγκέχυται δὲ τὸ Νεμαία τῷ Νεμιδία παραπλησίᾳ στοιχείων ἐναλλάξει, καθάπερ τὸ γνήσιον ἀκαριαῖος τῷ νενοθευμένῳ ἀκαρίδιος κτλ. » Coraes, qui diversa comparat. Rectius Lobeck. ad Phryn. p. 557 Νεμεαίας.]

Νέμος, ους, τὸ, Hesychio σύνδενδρος τόπος καὶ νομὴν ἐχων, νάπος, h. e. Locus arboribus densus et pascuus. Latini itidem Nemus dicunt. Hom. Il. Λ, [480, Alcæus Anth. Pal. 7, 55, 1] : Ἐν νέμεϊ σκιερῷ, In nemore umbroso s. opaco. Sic νέμος ἐπάκτιον ap. Soph. [Aj. 413], quod Suid. cum schol. exp. ἐπάκτιον ἄλσος, Litoralis lucus. [Plur. Nicand. Th. 393, 660 et alibi. Strabo 5, p. 239 : Τὸ δ' Ἀρτεμίσιον, ὃ καλοῦσι Νέμος, ἐκ τοῦ ἐν ἀριστερᾷ μέρους τῆς ὁδοῦ τοῖς ἐξ Ἀρικίας ἀναβαίνουσιν εἰς τὸ τῆς Ἀρικίνης ἱερόν.] || Νέμος Hesychio est etiam τὸ γυναικεῖον αἰδοῖον et τὸ τοῦ ὀφθαλμοῦ κοῖλον.

Νέμω, f. νεμῶ, pr. νενέμηκα : sed usitatior est aor. 1, ἔνειμα, Tribuo, Distribuo. Hom. Il. Γ, [274] : Αὐτὰρ B ἔπειτα Κήρυκες Τρώων καὶ Ἀχαιῶν νεῖμαν ἀρίστοις· Od. Κ, [357] : Νέμε δὲ χρύσεια κύπελλα. [Il. I, 217 : Κρέα νεῖμεν Ἀχιλλεύς. Herodot. 3, 16 : Θεῷ οὐ δίκαιον εἶναι λέγουσι νέμειν νεκρὸν ἀνθρώπου · 39 : Τριχῇ δασάμενος τὴν πόλιν τοῖσι ἀδελφεοῖσι ἔνειμε. Ib. 3, 114 : Τρίτον μέρος νείμαντες τῶν σκύλων τοῖς Ἀθηναίοις. Et similiter ap. alios quosvis. Pass. Xen. Anab. 7, 3, 21 : Τρίποδες κρεῶν μεστοὶ νενεμημένων. Plat. Leg. 8, p. 849, C : Πυρῶν ἢ κριθῶν εἰς ἄλφιτα νεμηθέντων.] Sed et νέμειν μοίρας Idem dixit. [Od. Θ, 470. Id. Ζ, 188 : Ζεὺς δ' αὐτὸς νέμει ὄλβον. Pind. Pyth. 5, 64 : Νόσων ἀκέσματ' ἄνδρεσσι καὶ γυναιξὶ νέμει · 5, 55 : Ὄλβος τὰ καὶ τὰ νέμων · Isthm. 4, 58 : Ζεὺς τά τε καὶ τὰ νέμει. Soph. Tr. 1022 : Τοιαῦτα νέμει Ζεύς.] Alicubi etiam Dare exp. ap. Eund. Soph. [Aj. 1351] : Τοῖς φίλοις τιμὰς νέμειν, Tribuere, Deferre honorem; ubi exp. et ἀποδοῦναι. [Plat. Leg. 3, p. 696, A : Πενίᾳ καὶ πλούτῳ οὐδ' ἡντινοῦν τιμὴν νέμετε. Pausan. 4, 24, 3 : Τελευτήσαντι ἔνεμον ἀπὸ ἐκείνου τιμάς.] Apud Eund. [265], νέμειν αἵρεσιν, Optionem dare. [Æsch. Prom. 229 : Δαίμοσιν νέμει γέρα · 292 : Οὐκ ἔστιν ὅτῳ μείζονα μοῖραν νείμαιμ' ἢ C σοί. Et similiter alibi sæpe. Soph. Tr. 57 : Εἰ πατρὸς νέμοι τιν' ὥραν τοῦ καλῶς πράσσειν δοκεῖν. Et similiter 398 : Ἦ καὶ τὸ πιστὸν τῆς ἀληθείας νέμεις · 1238 : Ἀνὴρ ὅδ', ὡς ἔοικεν, οὐ νεμεῖν ἐμοὶ φθίνοντι μοῖραν · Aj. 513 : Ὅσον κακὸν κείνῳ τε κἀμοὶ τοῦθ', ὅταν θάνῃς, νεμεῖς. Et seq. inf. 1201 : Ἐκεῖνος οὔτε στεφάνων οὔτε βαθειᾶν κυλίκων νεῖμεν ἐμοὶ τέρψιν ὁμιλεῖν οὔτε γλυκὺν αὐλῶν ὄτοβον οὔτ' ἐννυχίαν τέρψιν ἰαύειν. Eur. Hipp. 745 : Ἵνα ναύταις οὐκέθ' ὁδὸν νέμει (Neptunus). Herodot. 6, 11 et 109 : Θεῶν τὰ ἴσα νεμόντων.] Bud. postquam νέμω exposuit Tribuo, Distribuo, affert ex Aristot. Eth. [Nic.] 5, [9] : Κἀκεῖ καὶ μέλι καὶ οἶνον καὶ καῦσιν καὶ τομὴν εἰδέναι ῥᾴδιον, ἀλλὰ πῶς δεῖ νεῖμαι πρὸς ὑγείαν, καὶ τίνι, καὶ πότε, τοσοῦτον ἔργον ὅσον ἰατρὸν εἶναι. Et pass. l. c. : Ἀλλ' οὐ ταῦτά ἐστι τὰ δίκαια, ἀλλ' ἢ κατὰ συμβεβηκός · ἀλλά πως πραττόμενα καί πως νεμόμενα, δίκαια · ubi tamen δίκαια νεμόμενα vertit Jura reddita. [Herodot. 9, 7 : Τὸ μὲν ἀπ' ἡμέων οὕτω ἀκίβδηλον ἐὸν νέμεται ἐπὶ τοὺς Ἕλληνας.] Subjungit autem, Νέμω, Tribuo, i. e., Sum D studiosus alicujus rei, Honorem habeo, et Magni pendo. Sed exemplum affert, quod hanc expositionullo videtur modo admittere : ex Aristot. Probl. s. 18 : Ὅτι ἐν οἷς οἴεται ἕκαστος κρατιστεύειν, ταῦτα προαιρεῖται · ὃ δ' αἱρεῖται, ἐπὶ τοῦτ' ἐπείξεται, νέμων τὸ πλεῖστον ἡμέρας αὐτῷ. Nam hic νέμων apte verteris Tribuens, Impendens : hoc modo, Tribuens ei optimam diei partem, Impendens ei. At quomodo illud alterum expositionis genus, Sum studiosus, Honorem habeo, etc. accommodare huic loco possis? Ego igitur contra existimo in hoc l. aptius retineri verbum Tribuo; at in quibusdam aliis posse nos interpretari vel Tribuo, vel Locum do, s. Locum relinquo. Thuc. 3, [48] : Ὑμεῖς δὲ, γνόντες ἀμείνω τάδε εἶναι, καὶ μηδὲ οἴκτῳ πλέον νείμαντες, μήτ' ἐπιεικείᾳ, οἷς οὐδὲ ἐγὼ ἐῶ προσάγεσθαι. [Eur. Hec. 868 : Ἐπεὶ δὲ ταρβεῖς τῷ τ' ὄχλῳ πλέον νέμεις · Hel. 917 : Συγγόνῳ πλέον νέμειν · Suppl. 380 : Τὸ δ' ἧσσον ἀδικίᾳ νέμεις · et addito μέρος 241 : Νέμοντες τῷ φθόνῳ πλεῖον μέρος. Isocr. p. 29, D : Αἱ μοναρχίαι πλεῖστον μὲν νέμουσι τῷ βελτίστῳ. Quod dicitur etiam addito μέρος, ut ap. Plat. Gorg. p. 484, E, Alc. 2 p. 146, A.] Herodian. 3, [2, 1] : Ὁ δὲ Σεβῆρος ὡς ἔνι μάλιστα σὺν τῇ στρατιᾷ ἠπείγετο, μηδὲν ῥαθυμίᾳ μηδ' ἀναπαύλῃ νέμων, Nullum desidiæ locum dans, relinquens, aut, Nihil loci. Sed et quod dixit Terent. : Nihil loci est segnitiæ neque socordiæ, reddi posse existimo, οὐδὲν ῥαθυμίᾳ μηδ' ἀναπαύλῃ δεῖ νέμειν. [Νέμω προστάτην, Patronum deligo, habeo. Isocr. p. 170, B : Τοὺς μετοίκους τοιούτους εἶναι νομίζομεν οἵουσπερ ἂν τοὺς προστάτας νέμωσιν. Pollux 8, 35 : Ἀπροστασίου δίκη κατὰ τῶν οὐ νεμόντων προστάτην μετοίκων. V. Suid. in Νέμειν προστάτην, ἀντὶ τοῦ ἔχειν πρ. cum annot. Toupii. Agatharch. ap. Athen. 6, p. 272, D : Ἡγεμόνα νέμοντας τὸν ἴδιον δεσπότην. Strabo 11, p. 526 : Τὰς γυναῖκάς φασιν ἐν καλῷ τίθεσθαι ὅτι πλείστους νέμειν ἄνδρας. Polyb. 6, 47, 8 : Τῶν ἀθλητῶν τοὺς μὴ νενεμημένους, Non receptos in album. Idem 10, 29, 5 : Τάξιν οὐκ ἔνεμον, Servabant.] || At Νέμομαι, Tribuor, Distribuor, Dividor. [Cum duplici nomine Plato Leg. 6, p. 760, B : Δώδεκα ἡ χώρα πᾶσα ἴσα μόρια νενέμηται · Tim. p. 53, D, Parm. p. 144, D.] Interdum vero et Divido, Partior : qua tamen in signif. aor. med. νείμασθαι usitatiorem esse puto. Plutarch. [Mor. p. 197, C] : Ἀλλὰ καὶ τοὺς σοφοὺς, εἶπεν, ὑμᾶς ὁρῶμεν ἀνίσοις μέτροις τὰς κτήσεις νενεμημένας πρὸς ἀλλήλους ἔχοντας. Et ap. Herodian. [4, 3, 18] misera mater dicit, Καὶ πῶς ἡ ἀθλία ἐγὼ εἰς ἑκάτερον ὑμῶν νεμηθείην, ἢ τμηθείην; At signif. activa, ex Liban. : Ἀπολλόδωρος οὖν νέμεται πρὸς τὸν ἀδελφὸν τὴν πατρῴαν οὐσίαν. Affertur vero et νείμασθαι τὰ πατρῷα sine auctoris nomine, pro Partiri patris hæreditatem. Atque ita Herodian. 4, [3, 10] : Ἔδοξεν αὐτοῖς νείμασθαι τὴν ἀρχήν. [Kuster. De verb. med. p. 62 : « Νέμεσθαι notat Inter se dividere vel partiri, ut ap. Demosth. Olymp. p. 1176, 18 : Ἐνειμάμεθα τὸ ἴσον ἑκάτερος τῆς φανερᾶς οὐσίας · et Herodian. l. c. Æschin. Ctesiph. fin. : Ὥσπερ ἐκ τῶν ἐράνων τὰ περιόντα νειμάμενοι. Demosth. Mid. p. 579 fin. : Ἐμὲ οἴεσθ' ὑμῖν εἰσοίσειν, ὑμῖν δὲ νεμεῖσθαι. Hinc satis apparet falli HSteph. qui tradit νείμασθαι in medio interdum active poni pro Dividere, Partiri, quasi nulla inter ea esset differentia. Atqui ὁ νέμων aliis aliquid distribuit, nulla ad ipsum portione redeunte : at ὁ νεμόμενος ipse portionem ex distributione vel partitione accipit. Hinc νέμεσθαι interdum verti potest, Ex distributione portionem accipere. Demosth. Steph. p. 1124, 20 : Ἃ δὲ τῶν πατρῴων ἐνειμάμην ἐγὼ, ταῦτα λογίζεται, Quæ ex patrimonii partitione accepi. Olynth. 3 fin. : Καὶ ταῦτα, ἃ νῦν ὑμεῖς νέμεσθε, i. e. ὧν νῦν ὑμεῖς μέρος λαμβάνετε. » Plato Leg. 5, p. 739, E : Νειμάσθων πρῶτον γῆν τε καὶ οἰκίας · 745, D : Νείμασθαι τοὺς ἄνδρας δώδεκα μέρη. Photius : Νέμεσθαι, ὡς τὸ πολὺ τὸ λαμβάνειν πρόσοδον παρὰ Θουκυδίδῃ.] || Νέμω interdum aptius redditur Attribuo : et Νέμομαι, Attribuor. || Νέμω σοι χάριν redditur ap. Soph. [Aj. 1371], Confero in te beneficium : itemque νέμειν αἰτίαν τινὶ in malam partem, Culpam conferre in aliquem. [Soph. Aj. 28 : Τήνδ' οὖν ἐκείνῳ πᾶς τις αἰτίαν νέμει.] Apud Eur. autem [Iph. A. 499], σοὶ νέμω τοὐμὸν μέρος, Tibi meas transcribo partes. [Similiter Æsch. Eum. 624 : Φράζειν Ὀρέστῃ τῷδε τὸν πατρὸς φόνον πράξαντα μητρὸς μηδαμοῦ τιμὰς νέμειν. || Significat etiam νέμω, Concedo, Committo : ut ap. Soph. El. 177 : Ὦ τὸν χόλον νέμουσα, Cui (deo) concedens, committens tuam iram; nempe, Tu ne nimis indulgeas iræ, vindictam deo committe. Schw.]

|| Νέμω, et frequentius Νέμομαι, Possideo [Gl.], aut etiam Habeo, sed proprie Possideo quod aliquis mecum partitus est, quod mihi obtigit partitione facta : si respiciamus ad νέμειν s. νέμεσθαι, quod Partiri significat : ut ex hoc velut sequatur illud. [Pind. Isthm. 1, 67 : Ἔνδον νέμει πλοῦτον.] Soph. [Aj. 1015] : Ὡς τὰ σὰ Κράτη θανόντος καὶ δόμους νέμοιμι σούς, ubi exp. ἔχοιμι. [Ib. 201 : Τᾶν πυρφόρων ἀστραπᾶν κράτη νέμων. Hom. Il. Υ, 8 : Νύμφαι ἄλσεα καλὰ νέμονται · Od. Λ, 185 : Τηλέμαχος τεμένη νέμεται · Υ, 336 : Ὄφρα σὺ μὲν χαίρων πατρώια πάντα νέμηαι. Pind. Ol. 9, 29 : Χαρίτων νέμομαι κᾶπον · Pyth. 4, 150 : Ἀγροὺς νέμεαι. Æsch. Prom. 412 : Ὁπόσοι Ἀσίας ἕδος νέμονται · 422 : Οἳ πόλισμα Καυκάσου πέλας νέμονται. Eur. Rhes. 475 : Εἰ πόλιν νεμοίμην ὡς τὸ πρίν ποτ' ἀσφαλῆ, et alibi. « Χώρη, τὴν οἱ Νομάδες νέμουσι, Herodot. 4, 191. Οἱ περὶ τὴν Τριτω-

νίδα λίμνην νέμοντες, 4, 188. Pass. 7, 158 : Τάδε πάντα ὑπὸ βαρβάροισι νέμεται. Med. γῆ τὴν νέμονται Σκύθαι, 4, 11. Πόλις αἳ τὸν Ἄθων νέμονται, 7, 22. Πόλις αἱ τὴν Παλλήνην νεμόμεναι, 7, 123. Διαβάντι τὸν ποταμὸν Νομάδες ἤδη Σκύθαι νέμονται, 4, 19. Μεταξὺ νέμονται οἱ γεωργοὶ Σκύθαι, 4, 14. Καὶ τἄλλα νεμομένη, Etiam reliqua participans, 4, 165. Ἐξαίρετα πολλὰ ἐνέμοντο, 5, 45. Μέταλλα τὰ νέμονται Πίερες, 7, 112. Τῷ ἐκ βασιλῆος ἐδόθη πόλις μεγάλη νέμεσθαι, 8, 136. » Schweigh. Lex.] Thuc. 1, [100] : Διενεχθέντας περὶ τῶν ἐν τῇ ἀντιπέρας Θρᾴκῃ ἐμπορίων καὶ τοῦ μετάλλου ἃ ἐνέμοντο. In aliis autem plerisque ll. non solum Possidere reddi potest, sed et Incolere [1, 2], Τὰ αὐτῶν νεμομένους ἑκάστους, Sua possidentes, incolentes. Id. 1 : Ὑμεῖς μὲν γὰρ ἀπό τε οἰκουμένων τῶν πόλεων, καὶ ἐπὶ τῷ τὸ λοιπὸν νέμεσθαι, ἐπειδὴ ἐδείσατε κτλ., ubi manifeste ponitur pro Incolere, Habitare. Utitur autem hac in signif. et Hom. Il. B, [496] : Οἵ θ' Ὑρίην ἐνέμοντο. Plut. autem et activæ voci significationem hanc dedit, scribens in Æmilio [c. 5], Μίαν ἑστίαν νέμοντες μετὰ παίδων καὶ γυναικῶν. In hoc autem Thuc. l., ubi habetur vox activa, 5, p. 179 [c. 42], Μηδετέρους οἰκεῖν τὸ χωρίον, ἀλλὰ κοινῇ νέμειν, schol. κοινῇ νέμειν exp. κοινὴν νομὴν ἔχειν ἐν αὐτῷ. [Pind. Ol. 2, 13 : Ἕδος Ὀλύμπου νέμων ἀέθλων τε κορυφὰν πόρον τ' Ἀλφεοῦ, de Jove. Æsch. Eum. 919 : Πόλιν τὰν Ζεὺς Ἄρης τε ... νέμει · 1017. Soph. OEd. C. 879. Referendus huc etiam Hesiod. Op. 119 : Καρπὸν δ' ἔφερε ζείδωρος ἄρουρα ... οἱ δ' ἐθελημοὶ ἥσυχοι ἔργ' ἐνέμοντο · 229 : Οὐδέ ποτ' ἰθυδίκῃσι μετ' ἀνδράσι λιμὸς ὀπηδεῖ οὐδ' ἄτη · θαλίης δὲ μεμηλότα ἔργα νέμονται.] Et Νέμομαι passiva signif. ap. Eund. 1 in præf. [c. 5, 3] : Καὶ μέχρι τοῦδε πολλὰ τῆς Ἑλλάδος τῷ παλαιῷ τρόπῳ νέμεται · de quo l. dicam et infra. Bud. νέμομαι his tribus verbis simul exp. Fruor, Possideo, Victito : et citat Aristot., addens, in Pandectis Græcis νέμεσθαι esse Possidere, et νομή, Possessio. Affertque e Xen. [Cyrop. 8, 6, 4, ubi nunc aliter] νέμω τὸ χωρίον, Utor agro propascuo : quam signif. convenire existimo Thucydidis loco, quem modo protuli : præsertim quum ut Xen. [ib. 3, 2, 20] pro eod. dicit νομαῖς χρῆσθαι, ita schol. Thuc. ibi exponat νομὴν ἔχειν ἐν αὐτῷ, ut modo retuli. Apud Thuc. in præf. [c. 2], Νεμόμενοι τὰ αὐτῶν ἕκαστοι, redditur Colentes suos quique agros. [Victitandi signif. Pind. Ol. 2, 73 : Ἄδακρυν νέμονται αἰῶνα · Nem. 10, 56 : Ἀμέραν, τὸν παρὰ Διὶ νέμονται · Pyth. 11, 55 : Εἴ τις ἄκρον ἑλὼν ἀσυχᾷ τε νεμόμενος.] || Sed νέμειν habet et aliam Colendi signif., veluti quum dicitur νέμειν τὸ ἴσον, pro Æquitatem colere. In illo quoque Thuc. l., quem modo protuli, Πολλὰ τῆς Ἑλλάδος τῷ παλαιῷ τρόπῳ ἐνέμετο, crediderim ἐνέμετο eam signif. Colendi habere, quam habet cum accus. Morem s. Mores; atque ita debere hoc l. reddi, In multis Græciæ locis mores antiqui coluntur. [Pass. de re etiam Eur. Tro. 1088 : Ἱππόβοτον Ἄργος, ἵνα τε τείχη Κυκλώπια νέμονται. || Guberno, Rego. Pind. Ol. 11, 13 : Νέμει ἀτρέκεια πόλιν · 13, 26 : Τόνδε λαὸν ἀβλαβῆ νέμων. Æsch. Prom. 524 : Ὁ πάντα νέμων Ζεύς · Ag. 802 : Οὐδ' εὖ πραπίδων οἴακα νέμων. Soph. OEd. T. 579 : Ἄρχεις δ' ἐκείνῃ ταὐτὰ γῆς ἴσον νέμων. Herodot. 1, 59 : Ἐπὶ τοῖσι κατεστεῶσι ἔνεμε τὴν πόλιν · et alibi. Cum dat. Pind. Pyth. 3, 70 : Ὃς Συρακόσσαισι νέμει. De hac autem signif. HSt. agit sub finem. || Improprie Pind. Ol. 3, 38 : Θαητὸν ἀγῶνα νέμειν · Nem. 6, 15 : Ἴχνεσιν ἐν Πραξιδάμαντος πόδα νέμων. Æsch. Ag. 75 : Ἡμεῖς δ' ἀτίτᾳ σαρκὶ παλαιᾷ τῆς τότ' ἀρωγῆς ὑπολειφθέντες μίμνομεν, ἰσχὺν ἰσόπαιδα νέμοντες ἐπὶ σκήπτροις · Sept. 590 : Ἀσπίδ' εὔκυκλον νέμων.] || Ut autem inest huic νέμω altera etiam signif. verbi Colo, sic altera etiam verbi Habeo, vel potius una ex reliquis verbi Habeo significationibus ; nam dicitur a Soph. [El. 150], Νέμω σε θεόν, Habeo te deum, loco dei. Sic [597], Νέμω σε δεσπότιν, pro Heræ loco te habeo. [Trach. 483 : Ἥμαρτον, εἴ τι τήνδ' ἁμαρτίαν νέμεις · Aj. 1331 : Ἐπεὶ φίλον σ' ἐγὼ μέγιστον Ἀργείων νέμω · OEd. T. 1080 : Ἐγὼ δ' ἐμαυτὸν παῖδα τῆς τύχης νέμων.] Delectari autem Soph. frequenti usu verbi νέμω, eoque vario, docui in meis in illum Annotationibus, p. 5. [Cum duplici accus. aliter Soph. Ph. 393 : Γᾶ, ἃ τὸν μέγαν Πακτωλὸν εὔχρυσον νέμεις, Reddis.] || Pasco [Gl.], ut dicitur Pascere pecus, Bud. p. 731, ex Luciano. [Hom. Od. I, 233 :

A Ἕως ἐπῆλθε νέμων. Eur. Rhes. 551 : Ἤδη δὲ νέμουσι κατ' Ἴδαν ποίμνια. Et transitive Cycl. 28 : Παῖδες νέμουσι μῆλα.] Item Νέμομαι, Depascor, [Pascor, Pabulor, Gl.] ut pecus depascitur. [Hom. Od. I, 449 : Νέμεαι τέρεν' ἄνθεα ποίης · Il. E, 777 : Τοῖσιν δ' ἀμβροσίην Σιμόεις ἀνέτειλε νέμεσθαι · O, 639 : Ἐν εἰαμενῇ ἕλεος μεγάλοιο νέμονται μυρίαι (βόες). Pind. Nem. 3, 78 : Κολοιοὶ ταπεινὰ νέμονται. Soph. Ph. 707 : Οὐ γᾶς σπόρον, οὐκ ἄλλων αἴρων τῶν νεμόμεσθα. Eur. Cycl. 49 : Οὐ τάδε νεμεῖ · El. 1164 : Λέαιν' ὀργάδων δρύοχα νεμομένα · Bacch. 735 : Νεμομέναις χλόην μόσχοις. Herodot. 8, 115, 46, et alii quivis.] Diosc. [3, 74] de elaphobosco : Ταύτην φασὶ τὴν πόαν τοὺς ἐλάφους νεμηθείσας ἀντέχειν τοῖς τῶν ἑρπετῶν δήγμασιν. Pro quibus Plin. : Fama est hoc pabulo cervos resistere serpentibus. Et de dictamno ap. eund. Diosc. [3, 34], item Aristot. et Theophr. [H. Pl. 9, 16, 1, qui φαγούσας] : Νεμηθείσας τὴν πόαν ἐκβάλλειν τὰ τοξεύματα. De qua Plin. : Quam quum gustassent, sagittas excidere dicunt ex corpore. [De loco qui depascitur Xen. Anab. 4, 6, 17 : Τὸ ὄρος νέ-
B μεται αἰξὶ καὶ βουσί.] || Νέμεσθαι dicitur et ulcus serpens, Bud. [Sic Herodot. 3, 133 : Τὸ φῦμα ἐνέμετο πρόσω, Grassabatur ulterius. Schweigh. Aret. p. 7, 38 : Ἢν ἔξω ἐς τὸ στόμα νέμηται · et ib. : Ἢν ἐς τὸν θώρηκα νέμηται · 47, 49 : Τῆς κακεξίης μέσφι στόματος νεμομένης. Diodoro 17, 103, Σηπεδὼν νεμομένη ταχέως ἐπέτρεχε restitui pro γενομένη.] Sed addo, inveniri dictum et de igni, sicut ap. Latinos Ignis quoque depasci dicitur : Hom. Il. B, [780] : Ὡσεί τε πυρὶ χθὼν πᾶσα νέμοιτο. Hic tamen quum passive accipiatur νέμοιτο, alio utendum est verbo, sc. Absumi, aut alio hujusmodi ; vel mutata constructionis forma dicendum, Tanquam si ignis totam regionem depasceretur. [Ψ, 177 : Ἐν δὲ πυρὸς μένος ἧκε σιδήρεον, ὄφρα νέμοιτο. Plut. Alex. c. 18 : Πυρὶ νέμεσθαι πολλῷ τὴν φάλαγγα. Herodot. 5, 101 : Ἀπολαμφθέντες πάντοθεν, ὥστε τὰ περιέσχατα νεμομένου τοῦ πυρός. Conf. Virg. Æn. 2, 684 : « Lambere flamma comas et circum tempora pasci. » Referre huc licet Herodot. 6, 33 : Πυρὶ καὶ ταύτας νείμαντες.] || Administro, Gero : Οἱ
C σύγκλητον βουλὴν νέμοντες, pro Senatu, Herodian. [2, 6, 3. || Singularem signif. ter ponit Hesychius : Νέμει, ἀναγινώσκει. Νέμεις, ἀναγινώσκεις. Νέμω, ἀναγινώσκω. De qua in simplici et compositis ἀνανέμω et ἀπονέμω agit et simplici Sophoclis exemplum citat schol. Pind. Isthm. 2, 68. Idem Hesych. Νεῖμον interpr. ὀρχῆσαι, Salta, et Νέμει, χειρονομεῖ. HSt. in Ind. :] Νείμω, Ionice et poetice pro νέμω, ex Nicandri Alex. Νεμέω, inusitatum thema, a quo νέμω sua tempora mutuatur. Inde aor. 1 med. νεμήσασθαι, quod [Phot. s.] Suid. exp. διαμερίσασθαι, Distribuere, Dispertiri. [Clearchus ap. Athen. 12, p. 541, E : Τὰ δὲ λοιπὰ χρέα νεμησάμενοι, ubi v. Schweigh. Strong. Eadem forma aor. Nicet. Annal. 18, 2, p. 357, A ; 19, 2, p. 366, D. In passivo variatur in νεμεθῆναι et νεμηθῆναι, ut ap. Demosth. p. 956, 12, et in Orat. c. Neær. p. 1380, ult., quos II. indicavit Buttmannus.]

[Νεμωσσός, ἡ, Nemossus, urbs Galliæ. Strabo 4, p. 191.]

[Νενασμένως, ἐπιεικῶς, Satis, Hesych.]

D [Νενεία, Basil. Grammat. p. 50, fin. Boiss.]

[Νενηφότως, Sobrie. Gregor. in Anecd. meis vol. 5, p. 456 med. Boiss. Thomas p. 625 : Νενηφότως καὶ ἐγρηγορότως.]

[Νενιαστής. V. Νινητός.]

Νενίηλος, ὁ, Cæcus, τυφλὸς Hesychio : item ἀπόπληκτος, ἀνόητος, Attonitus, Demens, Vecors, ut et a schol. Callim. H. in Jov. 63 : Ὃς μάλα μὴ νενίηλος, exp. ματαιόφρων. [V. Νενός, Νινητός.]

Νεννάζει, Hesych. κακολογεῖ, Maledictis incessit : quod et δεννάζει.

Νεννός, ὁ, Stultus, Fatuus, εὐήθης, Hesych. [Νενὸς recte est ap. Hesych., quanquam adversus ordinem literarum.]

Νέννος, ὁ, Patruus, vel Avunculus. Scribit enim Eust. p. 971, [26] θεῖον esse πατρὸς ἢ μητρὸς ἀδελφόν, quem et νέννον dici. Pollux [3, 16, 22] pro Avunculo accipit, scribens matris fratrem vocari μητράδελφον, μήτρωα, vel νέννον. Paulo ante tamen Idem dixerat, Matris patrem, s. Avum maternum, ab Eurip. nominari μητρώαν, a poetis etiam νέννον, 3, c. 1, tit. περὶ προγόνων. [Ap. Hesych. Νεννὸς (sic), ἀδελφός. Ejusd. glossas Νάννη et Γέννας conferunt intt.]

[Νενοθευμένως, q. d. Adulterate, Adulterino quodam modo. Man. Palæol. in Notitt. Mss. vol. 8, p. 359: Πάντων τούτων τὴν ἱστορίαν καί τινας ἄλλας τῶν ἐν τῇ θείᾳ γραφῇ ἴσασι μὲν, νενοθευμένως δ' οὖν ὅμως. Elberl.]

[Νενομισμένως, More consueto s. usitato. Callistr. Stat. p. 897 : Ἐπεφύκει οὐ νενομισμένως ἡ θρίξ.]

[Νενὸς, εὐήθης, Stultus, sec. Hesychium. Quocum conf. Νενίηλος.]

Νέξας, Hesych. τὰ στρώματα, Stramenta, Stragula.

Νεοαλδὴς, ὁ, ἡ, Nuper auctus, s. Qui recens excrevit, Hesych. [Ita sec. Apollon. Lex. Hom. p. 474 nonnulli Hom. Il. Φ, 346, pro νεοαρδέα.]

[Νεοάλωτος, ὁ, ἡ, Nuper captus. Herodot. 9, 120, ἰχθύες. V. Νεάλωτος.]

Νεοαρδὴς, ὁ, ἡ, Nuper irrigatus. Hom. Il. Φ, [346]: Ὡς δ' ὅτ' ὀπωρινὸς βορέης νεοαρδέ' ἀλωὴν Αἶψ' ἂν ξηράνῃ. Videtur autem et hoc comp. esse potius ab ἀρδῶ circumflexo. [Conf. Νεοαλδής. Memorat etiam Chœrob. vol. 1, p. 55, 18. Formam Νεαρδὴς ponunt Etym. M. p. 292, 8; 608, 4; Epim. Hom. Cram. An. vol. 1, p. 339, 3; 368, 12.]

[Νεοαυξής. V. Νεοαύξητος.]

[Νεοαύξητος, ὁ, ἡ, Nuper auctus. Apollon. Lex. Hom. p. 474. Forma Νεαύξητος schol. Oppiani Hal. 1, 692. Forma Νεοαυξὴς ap. Hesych. in Νεοθρότοις, νεοαυξέσιν. L. Dindorf.]

[Νεοβάπτιστος, ὁ, ἡ, Nuper baptizatus. Theophyl. In 1 Tim. 3, 6.]

[Νεόβδαλτος, ὁ, ἡ.] Νεόβδαλτον γάλα, Lac recenter mulctum. [Nicander Th. 606, Al. 484. « Paul. Ægin. p. 20, 49. » Hemst.]

[Νεοβλαστὴς, ὁ, ἡ, Novissime in lucem editus. Oppian. Hal. 1, 735 : Τέκνα νεοβλαστῆ. Pollux 1, 231, δένδρον. Wakef. V. Νεοπλάστην.]

Νεόβλαστος, ὁ, ἡ, Qui novissime germinavit. [Theophr. H. Pl. 1, 8, 5. « Theophyl. Simoc. Epist. 61, Quæst. physic. p. 16, 20. » Boiss. Hesych. v. Νεοθηλές.]

[Νεόβλῠτος, ὁ, ἡ, Recens emissus. Philes Anim. 66, 51, p. 230 : Καθάπερ ἁπλοῦν καὶ νεόβλυτον γάλα.]

Νεόβορος, ὁ, ἡ, Recens adesus aut esus, νεωστὶ βεβρωμένος, Hesych.

[Νεοβούλη, ἡ, Neobule, f. Lycambis, ap. Archiloch. in fr. a Plut. Mor. p. 386, D, cit. (quo referri etiam Νεοβουλίαν ap. Hesych. in Ἐργάτις animadvertit Hemsterh., qui Νεοβούλειαν), et alia ap. Horat. Carm. 3, 12, 5.]

[Νεόβουλος, ὁ, Recens senator. Synes. Epist. 38, p. 180, A : Τὴν πατρῴαν βῶλον ὑποτελῆ τῇ συγκλήτῳ διαδεξάμενος, ἐπειδὴ γέγονεν ἡγεμὼν, ἀξιοῦται συντελεῖν, ὥσπερ οἱ νεόβουλοι.]

[Νεόβροχος, ὁ, ἡ.] Νεόβροχοι, Recens irrigati, Hesychio ἔγχυοι.

Νεοβρὼς, ῶτος, ὁ, ἡ, Modo pastus, Qui non ita dudum cibum sumpsit, VV. LL. ex Hippocr. [De affect. c. 16.]

[Νεόβρωτος. V. Νεώβορτος.]

[Νεογάλαξ, ακτος, ὁ, ἡ, Qui nuper lactare incepit. Chœrobosc. vol. 1, p. 367, 19 : Ὁ ἀρτιγάλαξ, ὁ νεογάλαξ.]

[Νεογᾰμὴς, ὁ, ἡ, i. q. sequens, nisi fallit scriptura ap. Photium : Νεογαμὴς, ὁ νεωστὶ γήμας.]

[Νεόγαμβρος, ὁ, Nuperus gener. Nicet. Chon. p. 330, D : Οἱ νεόνυμφοι γαμβροὶ τοῦ βασιλέως. Cod. barbarogr. οἱ δύο νεόγαμβροι.]

Νεόγᾰμος, ὁ, ἡ, i. q. ἀρτίγαμος, [Nova nupta, Gl. Eadem : Νεογαμητὴ, Nova nupta. Æsch. Ag. 1179 : Νεογάμου νύμφης. Eur. Med. 325 : Τῆς νεογάμου κόρης· 1348 : Λέκτρων νεογάμων. Herodot. 1, 36 : Νεόγαμός ἐστι (filius), et de nova nupta 37, 61. Xen. Cyrop. 3, 1, 36 : Ὁ δὲ ἐτύγχανε νεόγαμος ὤν.]

Νεογενὴς, ὁ, ἡ, Nuper natus [Æsch. Cho. 530 : Νεογενὲς δάκος. Antiphanes ap. Athen. 10, p. 449, B : Νεογενοῦς ποίμνης], ap. Plat. Theæt. [p. 160, E], νεογενοῦς παιδίου· i. q. ἀρτιγενὴς, ἀρτίγονος, νεογιλὴς, νεογνός. [Galen. vol. 6, p. 50, C; vol. 8, p. 588, F. Hemst. Sic alibi ap. Platonem. Et ap. eund. Soph. p. 259, D :

A Ἄρτι τῶν ὄντων τινὸς ἐφαπτομένου δῆλος νεογενὴς ὢν (ἔλεγχος). Pollux 1, 231, δένδρον.] Et Νεηγενὴς, poet. [Hom. Od. Δ, 336. Antipater Anth. Pal. 7, 210, 1 : Νεηγενέων τέκνων.] Et Νεαγενὴς, Nuper genitus, [Ps.-] Eur. [Iph. A. 1623.]

[Νεογένης, ους, ὁ, Neogenes, n. viri, ap. Diodor. 15, 30.]

[Νεογενία, ἡ, Amphil. p. 340. Kall.]

[Νεογέννητος, ὁ, ἡ, Recens natus. Photius s. Suidas v. Νεογιλλόν. « Schol. Lucian. Halcyon. c. 3. » Boiss.]

[Νεογιλαῖος. V. Νεογιλής.]

Νεογιλὴς, ὁ, ἡ, Recens natus, Recens ortus, νεογέννητος : ut v. βρέφος, Infans modo natus. Citat Pollux [2, 8] ex Isæo, non tamen probans, sed ei νεόγονον, licet Ion. præferens. Et Νεογιλὸς, ὁ, ἡ [immo ἡ, ὸν, et ap. Hom. infra cit. et Arcad. p. 54, 15 : Καὶ τὸ νεογιλλὸς (sic, cum libris nonnullis Suidæ, Photii et aliorum : conf. Lobeck. Patholog. p. 118) ἔχει θηλυκόν], pro eod., ὁ νεωστὶ γινόμενος. Eust. enim dictum vult quasi νεογινὸς, unde ν in λ mutato, ut in multis, factum
B sit νεογιλός. Hom. Od. M, [86] : Φωνὴ μὲν ὅση σκύλακος νεογιλῆς. [Theocr. 17, 58 : Καί σε Κόως ἀτίταλλε βρέφος νεογιλὸν ἐόντα (et cum eod. voc. Plut. Mor. p. 355, B, Synes. p. 102, C.). Orph. Lith. 373 : Νεογιλοῦ παιδός. Opp. Cyn. 1, 199 : Εἰσόκε μὲν νεογιλὸν ὑπὸ στομάτεσσιν ὀδόντα καὶ γλαγερὸν φορέουσι δέμας. Lucian. Halc. c. 3 : Ἐπείτοι μικρὸς πάνυ καὶ νεογιλὸς ὁ τοῦ βίου χρόνος πρὸς τὸν πάντα αἰῶνα.] Hinc deriv. Νεογιλαῖος, α, ον, pro eodem. Pollux tamen [l. c.] hoc νεογιλαῖος, sicut et νεογιλὴς, ab Isæo usurpatum, rejicit. [« Pollux hunc in modum est refingendus : Τὸ δὲ νεογιλὲς ἢ νεογιλὸν, εἰ καὶ Ἰσαῖος εἴρηκεν ἐν τῷ κατὰ Ἀριστάρχου, οὐ δόκιμον. Νεογιλαῖος per me licet exulatum abeat e Græca lingua. » Hemst. ad l. Luciani, assentiente Piers. ad Mœr. p. 309.]

[Νεογιλός. V. Νεογιλής.]

[Νεογλᾰγὴς, ὁ, ἡ, Nuper lactans. Maximus Καταρχ. 517 : Νεογλαγέας περὶ πώλους. Nonn. Dion. 48, 764 : Νεογλαγέες σέο μαζοί.]

Νεόγληνος, ὁ, ἡ, Novas habens pupillas, i. e. Qui visum recens recuperavit.

C [Νεογλῠφὴς, ὁ, ἡ, Recens edolatus. Tryphiod. 332 : Νεογλυφέων ἐπὶ μηρῶν (equi Trojani).]

Νεογνὸς, ὁ, [ἡ, ὸν, Parvulus, Gl.] Recens natus, Recens ortus, q. d. νεογινός : inde enim per syncopen factum esse tradit Eust. [Hom. H. Cer. 141 : Παῖδα νεογνόν· Merc. 406 : Ὧδε νεογνὸς ἐὼν καὶ νήπιος. Æsch. Ag. 1163. Eur. Ion. 31 : Βρέφος νεογνὸν, et alibi sæpe. Lycophr. 503 : Νεογνὸν σκύμνον. Schol. Hom. Od. M, 86 : Νεογιλῆς) νεογνῆς. Ionicum perhibet Pollux 2, 8 : Ἄμεινον δ' αὐτοῦ (τοῦ νεογιλές) τὸ παρ' Ἡροδότῳ νεογνὸν (2, 2 : Παιδία δύο νεογνά), ἀλλὰ καὶ τοῦτο Ἰωνικόν. Cui νεογιλὸν perperam inferebat Piers. ad Mœr. p. 309. Eodem autem Thomæ in Νεόγονος citandi admonitio spectare videtur.] Plut. [Mor. p. 149, D] : Τῇ δὲ φωνῇ καθάπερ τὰ νεογνὰ παιδάρια κλαυθμυριζόμενον, Voce autem quemadmodum pusiones nuper geniti vagientem. Idem in Hellen. : Ἡ γὰρ ἑβδόμη σφαλερὰ τοῖς νεογνοῖς. Xen. [OEc. 7, 21 : Τῶν νεογνῶν τέκνων· 24 : Τὰ νεογνὰ βρέφη·] Cyn. [5, 14 : Τὰ λίαν νεογνά· 10, 23] : Νεογνοὺς τῶν νεβρῶν τοῦ ἦρος θηρᾶν· ταύτην γὰρ τὴν ὥραν γίγνον-
D ται. [Aristot. De partt. anim. 3, 4 : Δῆλον ἐν τοῖς νεογνοῖς.]

[Νεογόμφωτος, ὁ, ἡ, Nuper compactus. Nicet. Chon. p. 253, D : Νῆα νεογόμφωτον.]

Νεόγονος, ὁ, ἡ, i. q. νεογνὸς, Recens a partu, Recenti partu editus, Recens natus, Herodot. [ap. quem 2, 2, νεογνά. Eur. Ion. 1001 : Τούτῳ δίδωσι Παλλὰς ὄντι νεογόνῳ· 1431 : Παιδὶ νεογόνῳ· Cycl. 205 : Νεόγονα βλαστήματα. « Theophyl. Epist. 32 : Τὰ νεόγονα τῶν ἀμπέλων. » Boiss. Male ap. Thomam p. 625 : Νεογόνον (sic), οὐ νεογνόν.]

[Νεόγραπτος, ὁ, Nuper pictus. Theocr. 18, 3 : Νεογράπτῳ θαλάμῳ.]

[Νεόγρᾰφος, ὁ, ἡ, Nuper scriptus. Meleager Anth. Pal. 4, 1, 55 : Ἔρνεα πολλὰ νεόγραφα.]

Νεόγυιος, ὁ, ἡ, Juvenilia membra habens : v. φῶτας, Juvenes, Cam. ex Pindaro [Nem. 924. Idem fr. ap. Athen. 13, p. 601, E, ἥβαν.]

Νεογύνης, ὁ, Qui nuper uxorem duxit, νεόγαμος, Pollux [3, 48] ex Amypsia [Amipsia].

[Νεοδάκρυτος, ὁ, ἡ, Qui nuper lacrimavit. Hesych. v. Νεοστάλυγες. Wakef.] A

[Νεοδάμαστος, ὁ, ἡ, Nuper domitus, mortuus, i. q. νεόδμητος. Schol. Lycophr. 65. De nova nupta dictum v. in Νεόδμητος. ἅ]

Νεοδαμώδης, ὁ, i. e. ὁ νεωστὶ δημοποίητος γεγενημένος, Qui recens in popularium numerum ascitus est. Sic ap. Lacedæmones dicebantur qui ex Εἱλώτων numero libertate donati essent, Hesych. Thuc. 7, [58]: Λακεδαιμόνιοι μὲν ἡγεμόνα Σπαρτιάτην παρεχόμενοι, Νεοδαμώδεις δὲ τοὺς ἄλλους καὶ Εἵλωτας. Δύναται δὲ τὸ Νεοδαμῶδες ἐλεύθερον ἤδη εἶναι. [5, 34: Οἱ Λακεδαιμόνιοι ἐψηφίσαντο τοὺς μὲν μετὰ Βρασίδου Εἵλωτας μαχεσαμένους ἐλευθέρους εἶναι καὶ οἰκεῖν ὅπου ἂν βούλωνται· καὶ ὕστερον οὐ πολλῷ αὐτοὺς μετὰ τῶν Νεοδαμώδων ἐς Λέπρεον κατέστησαν. Et ib. 67, pluribusque ll. Xen. in H. Gr., ubi distinguuntur a περιοίκοις 1, 3, 15: Τῶν περιοίκων τινὲς καὶ τῶν Νεοδαμώδων οὐ πολλοί· pariterque ab his et Εἵλωσι 3, 3, 6: Συνειδέναι καὶ Εἵλωσι καὶ Νεοδαμώδεσι καὶ τοῖς ὑπομείοσι καὶ τοῖς περιοίκοις· et alibi. Polluci 3, 83: Τοὺς μέντοι εἰς ἐλευθερίαν τῶν Εἱλώτων ἀφιεμένους οἱ Λακεδαιμόνιοι Νεοδαμώδεις καλοῦσιν, et Hesychio: Νεοδαμώδεις, οἱ κατὰ δόσιν ἐλεύθεροι ἀπὸ τῆς εἱλωτείας, adversantur non tam loci Thuc., ut putabat Morus in Ind. ad Xen. H. Gr. (qui non Helotas manumissos ac Νεοδαμώδεις, sed nonnisi Helotes ab illis distinguit etiam 5, 34, ubi τοὺς μετὰ Βρασίδου Εἵλωτας μαχεσαμένους ab Lacedæmoniis conjunctos cum illis memorat), quam hic Myronis ap. Athen. 6, p. 271, F: Πολλάκις ἠλευθέρωσαν Λακεδαιμόνιοι δούλους, καὶ οὓς μὲν ἀφέτας ἐκάλεσαν, οὓς δὲ ἀδεσπότους, οὓς δὲ ἐρυκτῆρας ... ἄλλους δὲ Νεοδαμώδεις, ἑτέρους ὄντας τῶν Εἱλώτων, qui vix adjecisset verba postrema, si Νεοδαμώδεις fuissent iidem atque Εἵλωτες manumissi. Emendandus autem ap. Xenoph. accentus νεοδαμωδῶν et scrib. νεοδαμώδων. Ceterum conf. Δαμώδης, quod v. in Δαμώσεις.] B

[Νεοδάρτης, ἔδεσμά τι ἀβυρταχῶδες, Hesychio. V. Ἀβυρτάκη et Ἀβυρτακώδης.]

Νεόδαρτος, ὁ, ἡ, Recens excoriatus. At δέρμα νεόδαρτον, Hom. Od. Δ, [437], X, [363], Pellis recens detracta. Sic et Aristot. Probl. [9, 1. Xen. Anab. 4, 5, 14. « Pausan. 10, 13, 2 et Dio Cass. 50, 12 med.: Νεοδάρτοις βύρσαις. Apollodor. 3, 2, 1, 5: Βύρσας ὑπέστρωσε νεοδάρτας (sic). » Hemst.] C

Νεόδερος βύρσα, non νεόδορος, ex Theophr. [H. Pl. 9, 5, 3, ubi nunc recte νεόδορος] affertur pro Corio bovis recente, i. e. recens detracto.

[Νεοδηγήτρια, ἡ. V. Ὁδηγήτρια.]

[Νεοδίδακτος, ὁ, ἡ, Nuper commissus. Lucian. Timon. c. 46: Νεοδιδάκτων διθυράμβων. ἵ]

[Νεοδμής, ῆτος, ὁ, ἡ, Nuper domitus. Hom. H. Apoll. 231: Νεοδμὴς πῶλος.] Νεοδμῆτες γάμοι, ex Eur. [Med. 1366] affertur pro Nuper celebratæ nuptiæ, παρὰ τὸ νεωστὶ ἐν αὐτοῖς δεδμῆσθαι τὴν νύμφην.

[Νεόδμητος, η, ον, et ὁ, ἡ.] Νεόδμητος κόρη, ἡ νεοδάμαστος [Photio s. Suidæ], Recens domita et subacta a sponso puella, Nova nupta. [Eur. Med. 623. Quintus 3, 405: Νεοδμήτων τε γυναικῶν. || Recens structus. Hesychius: Νεοδμήτην, νεωτέραν ἢ δαμασθεῖσαν ἢ οἰκοδομηθεῖσαν. Pind. Isthm. 3, 80: Νεόδματα στεφανώματα βωμῶν. « Νεοδμήτῳ ἐπὶ τύμβῳ, inscr. ap. Maff. A. G. Q. S. ep. 11, p. 55 (Anth. Pal. Append. 120, 1). » Hemst. || Recens interfectus. Eur. Rhes. 887: Τὸν νεόκμητον νεκρόν. Liber Havn. et alii νεόδμητον, ut Lycophr. 65: Πρὸς νεόδμητον νέκυν.] D

[Νεοδόμητος, ὁ, ἡ, Recens structus. Appian. Mithr. c. 40: Ὑγροτέρου καὶ ἀσθενεστέρου ἔτι ὄντος ἅτε νεοδομήτου, unde idem restitutum ib. 37 pro νεοκοδομήτοις.]

[Νεόδοξος, ὁ, ἡ, Nuper celeber. Tzetzes in Cramer. Anecd. vol. 4, p. 40, 21. L. Dind.]

Νεόδορος, ὁ, ἡ, ejusd. formationis [cujus est δορὰ], Recens excoriatus, νεόδαρτος. [Joseph. B. J. 3, 1, 10. Wakef. V. Νεόδερος.]

[Νεοδουπής, ὁ, ἡ, Qui nuper occubuit. Nicander ap. Athen. 15, p. 684, C: Παρθενικαῖς νεοδουπέσιν.]

[Νεοδρεπής, ὁ, ἡ, Recens decerptus. Ælian. N. A. 4, 10, κλάδοι. Aret. p. 75, 13.]

Νεόδρεπτος, ὁ, ἡ, Recens s. Nuper admodum decerptus. [Æsch. Suppl. 324: Νεοδρέπτους κλάδους. Theocr. 26, 8: Νεοδρέπτων ἐπὶ βωμῶν. Nicander Th. 863: Νεοδρέπτους ὀροδάμνους. « Planudes Ovid. Met. 14, 645. » Boiss. Greg. Naz. vol. 1, p. 170, A. Valck.]

[Νεόδροπος, ὁ, ἡ, i. q. præcedens. Æsch. Suppl. 354: Κλάδοισι νεοδρόποις.]

[Νεοεία. V. Νεοίη.]

Νεοειδής, ὁ, ἡ, Qui juvenis videtur, quum vetulus sit: cui synonymum est σκληρὸς, oppositum προφερής. Vide Pollucem [2, 10].

Νεοεργής, ὁ, ἡ, Recens elaboratus s. factus: νεωστὶ εἰργασμένος, Hesych. [et Phot.] Νεοργής, Recens factus: νεωστὶ εἰργασμένος, Hesych.

[Νεόζευκτος, ὁ, ἡ, i. q. νεόζυγος s. νεοζύξ. Epigr. Anth. Pal. 9, 514, 1: Ἐς γάμον ἔζευξέν με νεοζεύκτοιο Προκίλλης. Boiss.]

[Νεοζυγής, ὁ, ἡ, Recens junctus. Nonn. Dion. 48, 237: Τερπόμενος φιλότητι νεοζυγέων ὑμεναίων. Ita Rhodom. pro νεοζυγίων. || Nuper jugo submissus, ap. schol. Æsch. Pr. 1008: Ὡς νεοζυγὴς πῶλος. Tryphiod. 155: Πῶλος, νεοζυγέεσσιν ἀγαλλόμενος φαλάροισιν.]

Νεόζυγος, ὁ, ἡ, Recens conjugatus s. copulatus. De Recens nupta, s. Nova nupta, ap. Eur. [Med. 804.]

[Νεόζυμος, ὁ, ἡ, Nuper fermentatus. Schol. Lycophr. 997. Angl.]

Νεόζυξ, υγος, ἡ, Recens nupta. Apollon. [Rh. 4, 1191. Eur. fr. Æoli ap. Galen. vol. 5, p. 152: Νεόζυγα πῶλον.]

[Νεοηλής, ὁ, ἡ, Recens molitus. Nicander Al. 411: Ἦια κριθάων νεοηλέα.]

[Νεοῆλιξ, ἶκος, ὁ, ἡ, Juvenilis. Orph. H. 86, 7: Νεοήλικας ἀκμάς.]

[Νεοθάλαμος, καπνὸς, Hesychii gl. suspecta, de qua v. conjecturas intt.]

[Νεοθαλής. V. Νεοθηλής.]

Νεοθάνης, ὁ, ἡ, Recens mortuus, Nuper mortuus. [Ex Suida, cui νεοθνής, quod v., restituendum videtur. Ex Agathia p. 66, ἀνθρώπου νεοθανοῦς citat Toup.]

[Νεόθαπτος, ὁ, ἡ, Nuper sepultus. Schol. Lycophr. 1097: Νεωστὶ ἐσκαμμένον, νεόθαπτον. L. Dind.]

[Νεόθεν, Nuper. Soph. OEd. C. 1447: Νέα τάδε νεόθεν ἦλθέ μοι. || I. q. νειόθεν, Sursum. Nicand. Al. 211: Ξηρὰ δ' ἀναπτύει, νεόθεν δ' ἐκρήγνυται οὖλα· 410: Κέρσας εὐήκει νεόθεν ξυρῷ.]

[Νεοθεύς, ὁ, Neotheus, n. viri, ap. Pausan. 5, 17, 10. Μενεσθεὺς scribendum conjeci in illo. L. Dind.]

Νεοθηγής, ὁ, ἡ, Recens acutus: v. ξίφος, Ensis quem quis recens exacuit. [Apoll. Rh. 3, 1388: Ἅρπην νεοθηγέα.]

[Νεόθηκτος, ὁ, ἡ, i. q. præcedens. Vocabulis νεόθηκτον καὶ νεοκάθαρτον Suidas exponit Νεόσμηκτον (χάλαμον Anthol. Pal. 6, 227, 2).]

Νεοθηλής, ὁ, ἡ, Nuper virens, Qui noviter viruit, pullulavit. Hom. Il. Ξ, [347]: Χθὼν δῖα φύεν νεοθηλέα ποίην. [H. Merc. 82: Νεοθηλέος ὕλης. H. in Matr. 13: Παῖδες δ' εὐφροσύνῃ νεοθηλέϊ κυδιόωσιν.] Hesiod. [Th. 576], v. στεφάνους. [Nicand. Th. 94: Καρπὸν νεοθηλέα.] Improprie vero dicitur in Epigr. [Philippi Anth. Pal. 9, 274, 3], νεοθηλεῖ μόσχῳ, pro Vitulo recens orto s. genito, VV. LL. [Anacreon ap. Ælian. N. A. 7, 39: Νεβρὸν νεοθηλέα. Oppian. Cyn. 1, 437: Νεοθηλέϊ μαζῷ.] Et v. παρθενικαί, ap. Dionys. P. [843, ubi tamen jungendum cum seq. νεβροί] pro Virginibus adolescentulis. [Galen. vol. 4, p. 167: Ἐπὶ τῶν νεοθηλῶν ἐρίφων.] Dicitur et Νεοθαλής pro eod. a θάλλω. Et ap. Eur. [Iph. A. 188]: Αἰσχύνᾳ νεοθαλεῖ, Pudore recens oborto. [Pind. Nem. 9, 48: Νεοθαλὴς νικαφορία. Meleag. Anth. Pal. 4, 1, 53: Νεοθαλῆ ἕρπυλλον. Cujus formæ penultima producitur, quippe Doricæ pro νεοθηλής. Ubi autem non est Dorica, ut ap. Theognost. Can. p. 136, 2: Τὰ νεοθαλῆ τῶν δένδρων, corripitur. Forma Νεηθαλής Eur. Ion. 112: Ὦ νεηθαλές.]

[Νεόθηλος, ὁ, ἡ, ap. Æschyl. Eum. 428: Νεοθήλου βοτοῦ, Abresch. scrib. conjecit νεοθηλοῦς.]

[Νεοθήξ, ῆγος, ὁ, ἡ, Recens acutus. Archestr. ap. Athen. 7, p. 306, B: Νεοθῆγι μαχαίρᾳ. Andronicus Anth. Pal. 7, 181, 2: Νεοθῆγι σιδάρῳ. Dorice Sappho ibid. 480, 3: Νεοθᾶγι σιδάρῳ.]

[Νεοθήρευτος, ὁ, ἡ, Nuper captus in venatione. Zenob. 2, 14, ἰχθύς.]

Νεοθλῖϐὴς, ὁ, ἡ, Recens expressus, ap. Heraclid. [Heraclit. Alleg. Hom. p. 456 : Τοῦ νεοθλιϐοῦς γλεύκους. Aristo Anth. Pal. 7, 457, 3 : Λαθριδίη Βάκχοιο νεοθλιϐὲς ἦλθ' ἀπὸ λιγνοῦ πῶμα.] A

[Νεόθλιπτος, i. q. præcedens. Diosc. 5, 41, στέμφυλα. Eust. Opusc. p. 304, 96 : Ῥοφοῦσι χανδὸν τὸ νεόθλιπτον.]

Νεοθνὴς, ῆτος, ὁ, ἡ, Recens mortuus s. interemptus. Plato Leg. [9, p. 865, D. Photius et, cui pro νεοθανὴς recte quamvis contra ordinem alphab. restituere videtur Ruhnk. ad Tim. p. 185, Suidas.]

Νεόθρεπτος, ὁ, ἡ, Nuper altus, Recens nutritus; Recens compactus, coagulatus, qua signif. νεόθρεπτος τυρὸς ex Epigr. affertur. Nam θρέψαι interdum significat πῆξαι, teste Hesychio quoque. [Apoll. Rh. 3, 1400 : Ἔρνεα νεόθρεπτα.]

[Νεόθριξ, ῐχος, ὁ, ἡ, Recens hirsutus. Nonn. Dion. 3, 413 : Νεότριχος παρειῆς. Wakef.]

Νεοθρότοις, Hesych. νεοαυξέσι, νεωστὶ ὁρμῶσιν ἢ αὐξανομένοις. [Gl. corrupta, de qua nihil certi afferunt interpretes. Nec videtur cogitandum esse de νέορτος.] B

Νεόθυτος, ὁ, ἡ, Nuper sacrificatus, Recens immolatus.

Νεοίη, ἡ, Juventus, Juvenilis ætas. Hom. Il. Ψ, [604] : Οὔ τι παρήορος οὐδ' ἀεσίφρων Ἦσθα πάρος· νῦν αὖτε νόον νίκησε νεοίη· ubi de Stultitia juvenili dicitur, sicut νεότης paulo post in l. ex Isocr. citato. [Hesych. ponit etiam plur. : Νέοιαι, ἀφροσύναι, quod rectius scribitur νεοῖαι. Atque etiam sing. νεοία potius quam Ion. νεοίη ponere debebat HSt., quam formam ut paroxytonon ponit Theognost. Can. p. 103, 12.] Eust. hoc νεοίη videtur accipere adjective, derivans a νεοῖος ut ἀλλοίη ab ἀλλοῖος : exponensque νηπιέη, ἡ νεωτερικὴ κατάστασις, s. νεωτερικὸς νοῦς, ἡ νεάζουσα φρήν. [Schol. præter alia : Νεοίη, ὡς ὁμοίη· οἱ μέντοι μετ' αὐτὸν ὡς ἐπὶ πλεῖστον νεοείαν λέγουσι.]

[Νεοικοδόμητος, ὁ, ἡ, Recens ædificatus. Schneid. sine testim. Petitum fortasse ex l. Appiani in Νεοδόμητος cit.]

Νέοικος, ὁ, ἡ, ap. Epicharmum : et Νεοχάτοικος, ap. Eupolim, Pollux [9, 26] idem esse vult quod νεαπολίτης ap. Plat. : vide Νεοπολίτης. [Pind. Ol. 5, 8, ἕδραν.] C

[Νεοίνια, τὰ, Hesychio, apud quem accommodate ad ordinem literarum scriptum Νεοηνία, ἑορτὴ Διονύσου, nisi leg. Θεοίνια, τὰ κατὰ δήμους Διονύσια, quod est ap. Harpocr. Schneider. Hæc νεοίνια in vase Neapolitano picta putabat Finatius Mus. Borbon. vol. 6, tab. 57, p. 3. L. Dind.]

[Νεοκάθαρτος, ὁ, ἡ, Nuper purgatus. Suidæ v. Νεόσμηκτον libri deteriores.]

[Νεοκαθίδρῡτος, ὁ, ἡ, Nuper fundatus. Hesychius : Νεόκτιστον, νεοκαθίδρυτον.]

[Νεοκαισάρεια, ἡ, Neocæsarea. Ποντικὴ πόλις. Τὸ ἐθνικὸν Νεοκαισαρεὺς, ὡς Φλέγων ιε' Ὀλυμπιάδι. Οἱ αὐτοὶ καὶ Ἀδριανοπολῖται. Ἔστι καὶ Βιθυνίας, Steph. Byz. Priorem memorant Ptolem. 5, 6, et scriptores ecclesiastici. Νεοκαισαρείτης gent. est in Exc. ex Basilio ap. Bandin. Bibl. Med. vol. 1, p. 98, B, quum Νεοκαισαρεὺς sit ap. illum vol. 3, p. 302, D, etc. ἄ L. Dind.]

[Νεοκατάγρᾰφος, ὁ, ἡ, Nuper conscriptus, Tiro. Appian. Mithr. c. 78 : Νεοκατάγραφοί τε καὶ ἔτι ἀγύμναστοι.] D

[Νεοκατασκεύαστος, ὁ, ἡ, Recens fabricatus. Jo. Chrys. In Ep. ad Philipp. serm. 10, vol. 4, p. 60, 34 : Τὰ γὰρ ἐκτετριμμένα τῶν ἱματίων μᾶλλον ἀνίησι τὸ σῶμα· τὰ δὲ νεοκατασκεύαστα, κἂν ἀράχνης ᾖ λεπτότερα, οὐχ ὁμοίως. Seager. Scholl. Aristoph. Vesp. 646, Apoll. Rh. 1, 775, Soph. Trach. 1277.]

Νεοκατάστᾰτος, ὁ, ἡ, Nuper constitutus, fundatus : v. πόλις, Pollux [9, 18]. N. ἄνθρωποι, Thuc. 3, [93] Novi coloni, Qui recens in aliqua sede collocati fuerunt. [Dio Chr. Or. 30, vol. 1, p. 556 : Μέχρι μὲν οὖν ἔτυχε νεοκατάστατος ὢν ὁ βίος. Hemst.]

Νεοκατάχριστος, ὁ, ἡ, Recens inunctus s. illitus. [Dioscor. 4, 43, στεγῶν.]

[Νεοκατήχητος, ὁ, ἡ, Recens initiatus, institutus, Neophytus. Jo. Chrys. In 1 Ep. ad Thess. serm. 1, vol. 4, p. 161. Seager. Clem. Al. p. 805, 32. Hemst. Theophylact. ad Thessalon. 1, 1, 1, p. 680. Suicer.]

Νεοκάτοικος. V. Νέοικος [et Νεοπολίτης].

[Νεοκάττῡτος, ὁ, ἡ, Denuo consutus, refectus, sartus. Strattis ap. Athen. 14, p. 622, A.]

Νεόκαυστος, ὁ, ἡ, Recens ustus s. combustus, Recens crematus. Aristot. Probl. 12, 2 : Ὁ συμβαίνειν καὶ περὶ τὴν νεόκαυστον ὕλην. Ubi quædam exempll. antiqua habent νεόκαυτον, sicut et ap. Theophr. scribitur.

Νεόκαυτος, ὁ, ἡ, Recens ustus s. crematus, Nuper combustus. Theophr. C. Pl. 6, [17, 7] : Ἐὰν ὕλη τις ᾖ νεόκαυτος. Supra scribitur etiam νεόκαυστος. [Ὁρκισάτωσαν αὐτοὺς οἱ ἐξετασταὶ ἐπὶ Μητρῴου ἱεροῖς νεοκαύτοις, Marmor. Oxon. p. 11.]

[Νεοκένωτος, ὁ, ἡ, Nuper evacuatus. African. Cest. p. 300, A med. : Εἰς κεράμιον ἐλαιηνὸν (—ρὸν) νεωκένωτον (sic) βάλλε. L. Dind.]

Νεοκηδὴς, ὁ, ἡ, Recentem mœrorem habens. Ap. Hesiod. Theog. [98], v. θυμὸς, exp. Animus recenti dolore saucius. [Νεωστὶ πενθήσαντι Hesychio.]

[Νεοκίνησις, εως, ἡ, Novarum rerum motio. Etym. M. et Hesych. in Νεόχμωσις. Wakef.]

[Νεοκλᾰδὴς, ὁ, ἡ, Qui novum s. recentem habet ramum s. ramos recentes. Chœrob. vol. 1, p. 55, 15, qui formam Νεόκλαδος memorat ibid. 14.]

[Νεοκλείδης, ου, ὁ, Neoclides, patron. a Νεοκλῆς, quod v. Athen. ap. Aristoph. Eccl. 255, 398, Plut. 665, 716, 747. Alii sunt in inscrr.]

[Νεοκληρονόμος, ὁ, Nuperus heres. Greg. Naz. Epigr. 188.]

[Νεοκλῆς, έους, ὁ, Neocles, pater Themistoclis, ap. Herodot. 7, 143, Diod. Exc. Vat. p. 39. Pater Epicuri ap. Diog. L. 10, 1, Strab. 14, p. 638. Unde de utroque Menand. Anth. Pal. 7, 72, 1 : Χαῖρε Νεοκλείδα δίδυμον γένος. Alii in inscrr.]

Νεόκλωστος, ὁ, ἡ, Recens nendo ductus, digitis tortus inter nendum, Modo fuso versato ductus. [Theocr. 24, 44 : Νεοκλώστου τελαμῶνος.]

[Νεοκμής. V. Νεόκμητος.]

Νεόκμητος, ὁ, ἡ, Recens laboratus, elaboratus, Recens fabricatus, [Phot.,] Suid., Hesych. Pro Recens s. Nuper mortuus, citatur ex Eur. [V. Νεόδμητος.] Apud Nicandr. autem [Th. 498] νεόκμητα exp. schol. νεοθαλῆ, ἢ νεωστὶ τμηθέντα, quæ exposs. procul recedunt a prima signif., ac præsertim illa prior. || Νεοκμὴς etiam dicitur pro Recens fabricatus, factus. Nicander Ther. [707] : Ἐν κεράμῳ νεοκμῆτι καμινόθεν. [Eandem formam loco priori restituebat Bentl., ut conjungerentur φόνῳ νεοκμῆτι.]

[Νεοκόνητος, ὁ, ἡ, ap. Soph. El. 1394 : Νεοκόνητον αἷμα χειροῖν ἔχων (ubi libri male νεακόνητος, νεοκόνητος autem præfixum schol. in ed. Rom. præter mentem scholiastæ, qui, ut supra dictum, ab ἀκονᾶν duxit), significat Sanguinem cædis recentis s. nuper perpetratæ.]

[Νεόκοπος, ὁ, ἡ.] Νεόκοπον κάρδοπον, Eupolis dixit τὴν νεωστὶ κεκομμένην, Alveum s. Mactram recenti cæsura et excavatione factam, auctore Polluce [7, 22 et 10, 102], qui et νεόκοπον μύλην affert ex Aristoph. Vesp. [648] : Πρὸς ταῦτα μύλην ἀγαθὴν ὥρα ζητεῖν σοι καὶ νεόκοπον [immo νεόκοπτον].

[Νεόκοπτος. V. Νεόκοπος.]

[Νεοκόρος. V. Νεωκόρος.]

[Νεόκοσμος, ὁ, ἡ, Qui est novi mundi, epith. Mariæ, ap. anon. H. in Virg. 14. Orac. Sib. 11, 240 : Ἡ νεόκοσμος χθών.]

[Νεόκοτος, ὁ, Recens. Æsch. Sept. 803 : Τί δ' ἔστι πρᾶγος νεόκοτον πόλει παρόν; Pers. 257 : Κακὰ νεόκοτα.]

[Νεοκουρίτης, ὁ, Novitius, Recens attonsus. Eucholog. ex ed. Veneta : Ὁ ἱερεὺς σφραγίσας τὴν κεφαλὴν τοῦ νεοκουρίτου ἀδελφοῦ τρίς. Ducang.]

Νεοκρὰς, ᾶτος, ὁ, ἡ, i. q. νεόκρατος. [Proprie Plato ap. Athen. 15, p. 665, B : Νεοκρᾶτά τις ποιείτω, de vino. Et Eratosth. ib. 11, p. 482, B : Τὸν νεοκρᾶτα βάπτοντες τῷ κυμϐίῳ. Æsch. ap. Etym. M. v. Κρήνη cit. : Νεοκρᾶτας σπονδάς· Cho. 344 : Νεοκρᾶτα φίλον. Schol. τὸν νεωστὶ συγκραθέντα ἡμῖν. Memorant etiam alii lexicographi. De accentu acuto v. Chœrob. vol. 1, p. 49, 8; 141, 18; 350, 22.]

Νεόκρᾱτος, ὁ, ἡ, Qui recens mixtus, dilutus, temperatus fuit : ὁ νεωστὶ κεκραμένος : ut νεόκρατος οἶνος, qui et νεοκρὰς, Pollux [6, 24. Plut. Mor. p. 677, B :

Καὶ γὰρ ἡμᾶς, ὅταν τοῖς θεοῖς ἀποσπένδειν μέλλωμεν, νεόκρατα ποιεῖν. Hesychius et similibus verbis Photius : Νεόκρατοί τινες κρατῆρες ἐλέγοντο, ὧν ἡ χρῆσις διττὴ καθειστήκει, ἔν τε γὰρ τοῖς περιδείπνοις καὶ ἐν ταῖς ἑστιάσεσιν ἤγουν σπονδαῖς. Conf. Νειόφατος.]

[Νεόκρητες, οἱ, Neocretes, sec. Schweigh. tirones Cretenses, Cretenses recens conducti, ap. Polyb. 5, 3, 1 ; 65, 7 ; 79, 10, ubi semper male scriptum Νεοκρῆτες.]

[Νεόκρῐτος, ὁ, Neocritus, Pythagoreus Athen. ap. Iambl. V. Pyth. fin.]

[Νεόκτητος, ὁ, ἡ, Nuper comparatus, acquisitus. Appian. Mithrid. c. 16, Ἀσίαν. Dio Cass. 49, 44 : Ἀρμενίας τῆς νεοκτήτου.]

Νεόκτιστος, ὁ, ἡ [et η, ον, Pind. Nem. 9, 2 : Νεοκτίσταν εἰς Αἴτναν], Recens conditus. [Pind. Pyth. 4, 206 : Νεόκτιστον λίθων βωμοῖο θέναρ. Herodot. 5, 24 : Τὴν νεόκτιστον ἐν Θρηίκῃ πόλιν.] Thuc. 3, [100] : Πόλεως τότε νεοκτίστου οὔσης. [Pollux 9, 18. « Dionys. A. R. 2, 3 et 21. » Hemst. Cic. Ad Att. 6, 2, 3. Lucian. Adv. ind. c. 24. « Gregor. Naz. Or. 10, p. 169 : Νεόκτιστος ψυχὴ, ἣν τὸ πνεῦμα δι' ὕδατος ἀνεμόρφωσεν. » Suic.]

[Νεόκτῐτος, ὁ, ἡ, forma poet. pro νεόκτιστος. Nonn. Dion. 18, 294 : Νεόκτιτον ἄστυ.]

[Νεόκτονος, ὁ, ἡ, Nuper occisus. Pind. Nem. 8, 30 : Ἀχιλεῖ νεοκτόνῳ.]

[Νεόκτῠπος, ὁ, ἡ. Greg. Naz. Epigr. 1 Muratorii, v. βροντῇ, Recens strepens tonitru.]

[Νεοκωμῖται, οἱ, ap. Strab. 5, p. 213, cives urbis Comi a Cajo Cæsare aliisque additi.]

[Νεολᾴδας. V. Νεολαΐδας.]

Νεολαία, ἡ, i. q. νεότης in posteriori signif., i. e. Juvenum multitudo, Juventus, [Juventas, Gl.] Pubes, τὸ τῶν νεανίσκων πλῆθος, Pollux [2, 11. Æsch. Pers. 668 : Νεολαία γὰρ ἤδη κατὰ πᾶσ' ὄλωλεν· Suppl. 686 : Εὐμενὴς δ' ὁ Λύκειος ἔστω πάσᾳ νεολαίᾳ. V. l. Aristoph. sub finem cit.] Herodian. 4, [9, 7] : Πᾶσαν τὴν νεολαίαν ἔς τι πεδίον κελεύει συνελθεῖν, Universam juventutem. 3, [4, 2] : Πολύ τι πλῆθος καὶ σχεδὸν πᾶσα ἡ ν. τῶν Ἀντιοχέων. [Heliod. Æth. 7, 16 : Πλήθει νεολαίας εὐοπλούσης.] Itidemque de Virginum juvencularum multitudine ap. Theocr. 18, [24] : Τετράκις ἑξήκοντα κόραι, θῆλυς νεολαία. Item νεολαία [χεὶρ] γυναικῶν, Eur. [Alc. 103. Quod quum ita dici nequeat metroque adversetur, νεαλὴς scribendum cum G. Dindorfio. Neque ap. Theophylact. Sim. Epist. 62, p. 69 : Ἡ ἄλως ταῖς νεολαίαις ἐφάμιλλος αὔλαξιν, sententiæ commodum est voc., quod in Νειλῴαις recte mutare videtur Boiss.] Νεηλαίη, Hesychio νεότης πᾶσα. [Νεελαία, Ignat. Epist. 9, p. 196, perperam pro νεολαία. Struv. Formam pentesyllabam νεολαΐα annotare voluisse videtur Photius : Νεολαΐαν, τὴν νεότητα τετρασυλλάβως οἱ Ἀττικοί. Βαβυλωνίοις· Ὦ Ζεῦ τὸ χρῆμα τῆς νεολαίας ὡς καλόν.]

[Νεολαΐδας, ὁ, Neolaidas, Arcas, ap. Pausan. 6, 1, 3. Ptolemæi majoris legatus, Polyb. 33, 5, 4. || Forma contr. Νεολᾴδας ap. Antiphil. Anth. Pal. 6, 109. Conf. autem Νελαΐδας.]

[Νεολαμπὴς, ὁ, ἡ, Nova luce lucens. Manetho 4, 510 : Νεολαμπέα μήνην.]

[Νεόλᾱος, ὁ, Neolaus, Molonis frater, ap. Polyb. 5, 53, 11 ; 54, 5. Alia ejusdem nominis forma est Νεόλᾱς, α, in inscr. Spart. ap. Bœckh. vol. 1, p. 639, n. 1292, 2. L. Dind.]

Νεόλεκτος, ὁ, ἡ [vel η, ον, ut ap. Petr. Sic. Hist. Manich. p. 2 : Ἀρχιποίμην τῆς νεολέκτης ἱερᾶς καὶ τιμίας τοῦ κυρίου ποίμνης. L. D.], Nuper collectus, delectus. [Tiro, Gl. Suidas : N., ὁ νεωστὶ ἠθροισμένος λαός. Hesychio ὁ νεοστράτευτος. Theodor. Stud. p. 331, B : Θαδδαίου τοῦ νεολέκτου μάρτυρος. L. Dind.]

[Νεολεξία, ἡ, Tirocinium, Gl.]

[Νεολέως, ὁ, ἔφηβος, Puber, Photio, qui eodem modo interpr. Νέορτος. Comparandum, si vera est scriptura, cum νεολαία. Sed accentus etiam in secunda ponendus foret, si omnino græcum esset vocabulum.]

[Νεόληπτος, ὁ, ἡ, Nuper captus. Appian. Civ. 2, 48, Γαλατία.]

Νεολιγὸν, Hesychio νεογνὸν, quod supra [recte] νεογιλόν.

[Νεολχέω, Νεολχία. V. Νεωλχ—.]

[Νεόλουτος, ὁ, ἡ.] Νεόλλουτος, Recens lotus. Hom.

A Hymno [in Merc. 241. Forma vulgari Hippocr. p. 264, 16. L. Dind.]

[Νεολώφητος, ὁ, ἡ, Nuper levatus.] Νεολώφητοι, Hesychio νεωστὶ λελωφηκυῖαι τῆς μανίας. [Photius : Νεολώφητος, νεωστὶ λελωφηκυῖα.]

[Νεομάλακτος, ὁ, ἡ, Recens emollitus. Schol. Theocr. 4, 34 : Νεομάλακτον καὶ νεοφύρατον ψωμίον. Hemst. ἅ]

[Νεομάχος, ὁ, ap. Jo. Malal. 1, p. 267. Chilmead. conjicit ναυμάχος vel νηομάχος. Elberling. In quibus omnibus accentus ponendus esset in secunda, ut diximus in Ναυμάχος. Nam quæ alterius exempla affert Lobeckius ad Soph. Aj. p. 229 ex Nonni Dion. 36, 446, 461, non sunt in edd. vett., quæ recte ναύμαχα.]

[Νεομήδης, ου, ους, ὁ, Neomedes, Parius, ap. Bœckh. vol. 2, p. 246, n. 2310, ubi genit. Νεομήδου, p. 344, n. 2376, 2, ubi genit. Νεομήδους. L. Dind.]

Νεόμην, ηνος, ὁ, ἡ, dicitur σελήνη, Quum nova est. Arat. 469 : Ἀστέρας ἀνθρώποις ἐπιδείκνυται οὐρανίη νὺξ, Οὐδέ τις ἀδρανέων φέρεται νεόμηνι σελήνῃ, i. e., inquit schol., τῇ νεωστὶ καὶ πρῶτον ἐκ συνήθους φαινομένῃ : nam
B luna existente nova clariores sunt stellæ, quippe quas lunæ lumen infirmum adhuc obscurare nequeat. Sed et aliter eo in l. legitur, sc. διχόμηνι, a nom. Διχόμην : dicitur autem διχόμην luna, quum mensem in duas partes secat. Secat autem in duas partes, quum plena est, circa decimum quintum mensis lunaris diem. Quam scripturam agnovit Cic., quippe qui ita verterit, Quum neque caligans detergit sidera nubes, Nec pleno stellas superaret lumine luna. Et Fest., qui ita, Nec scindunt medium Phœbeia lumina mensem. Utriusque scripturæ meminit schol.

Νεομηνία, ἡ, Nova luna [Gl.], Novus mensis, Prima dies mensis, Calendæ. [Νεομηνίαι, Calendæ, Gl. Ἡ πρώτη τῆς σελήνης ἡμέρα Hesychio.] Significatur hoc nomine et Nova luna et Novus mensis, s. Iniens mensis : quia olim menses lunæ cursum sequebantur. Herodot. : Ἀνὰ πάσας νεομηνίας, Singulis calendis. [Cosmas Topogr. Christ. p. 189, A : Νεομηνία σεληνίου· 177, B.] Plut. in l. Περὶ τοῦ μὴ δεῖν δανείζεσθαι, init. : Οὐδὲ ἀναμνήσει τῶν καλανδῶν καὶ τῆς ν., ἣν ἱερωτάτην ἡμερῶν οὖσαν, ἀποφράδα ποιοῦσιν οἱ δανεισταὶ καὶ στύγιον. Sole-
C bant enim eam diem execrari debitores, quod tunc menstrua usura, ut Cic. vocat, exigeretur, quod et ex Aristoph. Nub. [1133] patet, ubi Strepsiades ait, Πέμπτη, τετρὰς, τρίτη, μετὰ ταύτην δευτέρα· Εἶθ' ἣν ἐγὼ μάλιστα πασῶν ἡμερῶν Δέδοικα καὶ πέφρικα καὶ βδελύττομαι, Εὐθὺς μετὰ ταύτην ἔσθ' ἔνη καὶ νέα· nam ἔνη καὶ νέα eadem est cum νουμηνία, ut supra quoque in Μὴν dictum est. Et fœnerator Alphius ap. Horat. Omnem relegit idibus pecuniam, Quærit calendis ponere. Calendis enim et exigebatur et collocabatur, ut ex Ejusd. Sat. 1, 6, cognoscimus : Qui, nisi quum tristes misero venere calendæ, Mercedem aut numos unde unde extricat, amaras Porrecto jugulo historias, captivus ut, audit. [Phrynich. Ecl. p. 148 : Νεομηνία μὴ λέγε, Ἰώνων γὰρ, ἀλλὰ νουμηνία. « Phryn. App. p. 52 : Νουμηνία· οὕτω λέγουσιν οἱ Ἀττικοὶ, τὸ δὲ νεομηνία ἀτιμάζουσιν. Idem Thomas p. 626. Νεομηνία non contractis primoribus syllabis perrarum est etiam in vulgari Græcitate. Joseph. A. J. 6, 11, p. 341, Dionys. A.
D rh. 4, 2, p. 249 (Ὁ γάμος ἔοικε πανηγύρει τινὶ καὶ νεομηνίᾳ καὶ δημοτελεῖ ἑορτῇ τῆς πόλεως), Galen. Theriac. 1, 9, p. 961, B ; Alciphr. 3, 61 (Σχυθίδος οἶμαι ἢ Κολχίδος ἐν νεομηνίᾳ ἐωνημένης). Phot. Bibl. 114, p. 292 ; Geopon. 9, 16, p. 607 ; 14, 36, p. 922, idque cod. Guelf. 1, 7, p. 30, et pluribus locis affert. Sed hi omnes quos nominavi scriptores etiam νουμηνία et plerique longe sæpius usurpant. » Lobeck. Ptolem. Math. comp. vol. 1, p. 374, 375 ; Jo. Laur. De mens. p. 98. Alia exx. v. paullo ante. Conf. autem Νουμηνία.]

[Νεομήνιος, ὁ, Neomenius, n. viri, in numo Thracio, ap. Mionnet. *Descr.* vol. 1, p. 389, 167, quum ib. 163 sit Νουμηνίου, quod v. Alius in inscr. Astypal. ap. Bœckh. vol. 2, p. 109, 9, n. 2491, c.]

[Νεόμηρις, ἡ, Neomeris, Nereis, ap. Apollod. 1, 2, 7, ubi Νημερτὴς recte suspicatus videtur Galeus.]

[Νεομορφοτύπωτος, ὁ, ἡ, Qui novam formam exprimit. Manetho 4, 305 : Μοιχευταὶ μυρόεντες ἀεὶ, νεομορφοτύπωτοι.]

[Νεομόσχευτος, ὁ, ἡ, Nuper insertus. Const. Manass. Chron. 2293 : Κλάδον νεομόσχευτον· 5430 : Νεομόσχευτον ἀρτίφυτον δενδρίον. Boiss.]

[Νεόμυστος, ὁ, ἡ, Nuper initiatus. Orph. H. 42, 10, τελεταί.]

[Νεομφὸς, ἡ, ὸν, Recens. Anon. Definitt. ap. Fabric. B. Gr. vol. 13, p. 548 : Ἐν τῷ νοΐ νεομφὴ ἔμφασις. Cramer.]

[Νέον. V. Νέος.]

[Νεόνεκρος, ὁ, ἡ, Recens sive Modo mortuus. Timario in Notitt. Mss. vol. 9, p. 205 : Οἱ κατιόντες εἰς ᾅδου νεόνεκροι ἀποσώζουσί τι μικρὸν ἐρυθήματος, et ibid. in seqq. Boiss.]

[Νέον τεῖχος, πόλις τῆς Αἰολίδος, ὡς Χωλὸν τεῖχος. Τὸ ἐθνικὸν Νεοτειχίτης, ὡς Χωλοτειχίτης, καὶ Νεοτειχεὺς, ὡς Ἡρόδοτος ἐν Ὁμήρου βίῳ (9, 10), Steph. Byz. Memorat Herodot. 1, 149, Strabo 13, p. 621. Locum Thraciæ cognominem Xenoph. Anab. 7, 5, 8.]

Νεόνυμφος, ὁ, ἡ, γυνὴ, Nova nupta [Gl.], ἡ νέα νύμφη, ut Festus : Novam nuptam, νέαν νύμφην. [Lucian. Asin. c. 34. Schol. Aristoph. Ran. 519. « Sostratus ap. Stob. Fl. 64, 33. » Hemst. N. γυνὴ, Greg. Naz. Or. 40, p. 672, D, 3. Boiss. « Ὁ, Sponsus, necdum nuptiali benedictione donatus, in Euchologio Goari p. 380 et ap. Codin. Off. 22, 1. Testam. Ms. Salomonis : Ἡ ἐργασία μού ἐστι τὸ τοὺς νεονύμφους ἐπιβουλεύειν μὴ συμμιγῆναι· et Abrahami patr. : Νεονύμφους ὀψικευομένους. » Ducang.]

[Νεόξαντος, ὁ, ἡ, Nuper carptus. Hippocr. p. 261, 17 : Εἰρία νεόξαντα.]

Νεόξεστος, ὁ, ἡ, Nuper politus, affertur ex Tryphiodoro [255].

Νεοπαγὴς, ὁ, ἡ, i. q. νεοπηγὴς et ἀρτιπαγὴς, Recens compactus et coagmentatus, constructus. [Plut. Mor. p. 602, D, ἰλύς. Galen. vol. 5, p. 15, σάρξ. Sozom. H. E. 3, 2, πόλις. Νεωστὶ πεπηγμένον Hesychio.]

[Νεοπαθὴς, ὁ, ἡ, Recens passus. Æsch. Eum. 512 : Ταῦτά τις τάχ' ἂν πατὴρ ἢ τεκοῦσα νεοπαθὴς οἶκτον οἰκτίσαιτο. Hesychii gl. v. in Νεοπευθής.]

[Νεοπάτητος, ὁ, ἡ, Nuper calcatus. Const. Manass. Chron. 6163 : Οἶνος νεοπάτητος. Boiss.]

Νεοπάτραι, Hesych. υἱοὶ ἢ θυγατέρες, Filii aut Filiæ.

Νεοπειθὴς, ὁ, ἡ, Qui recens parere cœpit. In VV. LL. Recens persuasus, ex Nonno [Jo. c. 6, 152], ut sit pro νεόπειστος.

[Νεοπένης, ητος, ὁ, ἡ, Qui nuper pauper factus est. Phrynichus Bekkeri p. 52, 18 : Νεόπλουτος, τὸ δὲ νεοπένης σπάνιον.]

Νεοπενθὴς, ὁ, ἡ, Qui in recenti luctu est, Qui recens luget. [Hom. Od. Λ, 39 : Παρθενικαί τ' ἀταλαὶ νεοπενθέα θυμὸν ἔχουσαι. Nonnus Jo. c. 11, 119. Epigr. Anth. Pal. App. 215, 1.]

[Νεοπέπειρος, ὁ, ἡ, Qui nuper maturuit. Photio ὁ ἄρτι πεπανθείς.]

[Νεόπεπτος, ὁ, ἡ, Nuper coctus. Aretæus p. 101, 13 : Νεοπέπτων ἄρτων.]

[Νεοπευθὴς, ὁ, ἡ, Nuper compertus. Photius : Νεοπεφθῆ, ἀρτιμαθῆ. Hesychius : Νεοπαθῆ, τὰ οὐ πρότερον ἱστορημένα, ἀλλ' ἀρτιμαθῆ. Recte Albertus ap. utrumque νεοπευθῆ.]

Νεοπηγὴς, ὁ, ἡ, Recens compactus s. coagmentatus. In Epigr. [Cyri Anth. Pal. 9, 808, 1] : Νεοπηγέος ἔνδοθι Ῥώμης, Romæ recens coagmentatæ, s. Recens constructæ et ædificatæ. Nisi malis Recens fundatæ, fixæ et stabilitæ. [Orac. ap. Euseb. Præp. ev. 4, p. 146, D : Ἀρνῶν νεοπηγέα γυῖα. L. Dind.]

[Νεοπήγνυτος, ὁ, ἡ, i. q. νεοπηγής. Lex. S. Germ. cod. Paris. 345, fol. 125 r. margo : Νεοπαγὴς, νεοπήγνυτος, et Νεοπαγεῖς, νεοπήγνυτοι.]

[Νεοπηθὴς (—εὶς cod.), αἰχμάλωτος, Hesychii gl. obscura.]

Νεόπηκτος, ὁ, ἡ, Recens compactus et coagmentatus, ut νεοπαγὴς et νεοπηγής. [Hippocr. p. 673, 23 : Νεοπήκτου κεραμῖδος. Schneid. Heliodor. Æth. 6, 11 : Νεοπήκτους θαλάμους. Hemst. Michael Syncell. Laudatione Dionysii Ar. p. 368, 2. Boiss.] Recens coagulatus. Hom. [Batr. 38] : Οὐ τυρὸς νεόπηκτος. Redditur et simpliciter Recens.

[Νεόπιστος, ὁ, ἡ, Recens fidelibus ascriptus. Euseb. H. E. 5, 16, p. 229. Kall.]

A [Νεοπλάστην ap. anon. H. in Virg. 14 : Νειοπόλον, νεόκοσμον, ναόθετον, νεοπλάστην, Int. vertit Novam creaturam, quasi sit femin. a Νεόπλαστος, quod est ap. Nilum Photii Bibl. p. 514, 10 : Νεόπλαστον σκεῦος, Vas recens formatum s. novum. Sed videtur illic active potius dictum a Νεοπλάστης duci, quod genere fem. ponatur, ut paullo post ψυχολέτην, nisi quis hæc per ι scribenda putet. Forma Νεοπλαστὴς, ὁ, ἡ, ap. Oribas. p. 64 ed. Mai. : Νεοπλαστεῖ σαρκὶ, analogiæ adversa et in νεοδλαστεῖ mutanda est. L. Dind.]

Νεοπλεκὴς, ὁ, ἡ, Recens textus s. plexus, Nuper nexus s. contextus. [Nicander Al. 96, κάλαθος.]

[Νεόπλεκτος, ὁ, ἡ, i. q. præcedens. Nicander ap. Athen. 15, p. 683, D.]

[Νεοπλουτοπόνηρος, ὁ, ἡ, Recens dives improbus. Cratinus ap. Steph. Byz. in Δούλων πόλις.]

Νεόπλουτος, ὁ, ἡ, Cui recentes sunt divitiæ, Qui non ita pridem dives factus est. Lucian. De hist. conscr. [c. 20] : Οἰκέτῃ νεοπλούτου ἄρτι τοῦ δεσπότου κληρονομήσαντι. Plut. Symp. 2 [p. 634, C] : Τὸν ἀπελεύθερον

B τοῦ βασιλέως νεόπλουτον ὄντα· 7 [p. 708, C] : Φορτικὸν κομιδῇ καὶ νεόπλουτον. Ceterum esse νεόπλουτον, Aristot. dicit esse velut ἀπαιδευσίαν πλούτου, Rhet. 2, [16] : Διαφέρει τοῖς νεωστὶ κεκτημένοις καὶ τοῖς πάλαι τὰ ἤθη, τῷ ἅπαντα μᾶλλον καὶ φαυλότερα τὰ κακὰ ἔχειν τοὺς ν., ὥσπερ γὰρ ἀπαιδευσία πλούτου ἐστὶ τὸ νεόπλουτον εἶναι. At Aristoph. Vesp. [1309], Νεοπλούτῳ τρυγὶ, Fæci nuper locupletatæ. [Plut. Dion. c. 4; Lucian. Timon. c. 7, Tox. c. 12.]

[Νεοπλυνὴς, ὁ, ἡ, Nuper lotus. Soph. fr. Plyntr. ap. Polluc. 7, 45 : Πέπλους τε νῆσαι νεοπλυνεῖς τ' ἐπενδύτας. Ipse Poll. 1, 25 : Ὑπὸ νεοπλυνεῖ ἐσθῆτι. Phrynich. Bekk. p. 52, 19 : Νεοπλυνῆ χλαῖναν, νεοπλυνὲς ἱμάτιον. « Planud. Ms. Compar. Veris et Hyemis. » Boiss.]

Νεόπλυτος, sive Νεόπλυντος, ὁ, ἡ, Recens lotus, Nuper ablutus. Illo utitur Herodot. [2, 37, et Hom. Od. Z, 64 : Νεόπλυτα εἵματα. Anacr. ap. Athen. 12, p. 533, F; Orph. Lith. 702.]

[Νεόπνευστος, ὁ, ἡ, Qui denuo respirat. Nonn. Dion. 25, 549 : Νεοπνεύστοιο νεκροῦ.]

C [Νεοποιέω, Instauro, Juvenem reddo. Argum. Eur. Med. : Τὰς Διονύσου τροφοὺς μετὰ τῶν ἀνδρῶν αὐτῶν ἀνεψήσασα ἐνεοποίησε. || Novo. Pollux 1, 221 : Φυτουργοὶ, νεοῦντες, ἢ νεάζοντες, ἢ νεοποιοῦντες.]

[Νεοποίητος, ὁ, ἡ, Recens factus, Hesych. Wakef. Pollux 9, 18. Cum καινοποίητος confunditur ap. Suidam v. Ἀπ' ἀκροφυσίων.]

[Νεοποίκιλος, et Νεοποίκιλτος, ὁ, ἡ, Nuper ornatus. Schol. Pind. Ol. 3, 8, in expl. νεοσίγαλος.]

[Νεόποχος, ὁ, ἡ, Nuper tonsus. Soph. OEd. C. 475 : Οἰὸς νεοπόκῳ μαλλῷ.]

[Νεόπολις, ιδος, ὁ, Neopolis. V. Νεάπολις, ὁ.]

[Νεοπολίτης, ὁ.] Νεοπολῖται, Polluci [3, 56] ap. Platonem esse videntur οἱ δημοποιητοὶ, qui sc. ἐκ δόγματος κοινοῦ πολιτείας ἔτυχον, Qui publico suffragio jus civitatis adepti sunt : ut sint Novi cives, Nuper in civitatem assumpti. Ita verum erit, quod l. 9, [26] scribit, quem Plato νεαπολίτην (sic enim [male] ibi) appellat, eund. esse cum eo, qui ab Epicharmo νέοικος, ab Eupolide νεοκάτοικος nominatur; Νέοικος enim sonat Qui

D recens ædes alicubi habere incipit. Νεοκάτοικος, Qui recens alicubi habitare cœpit. Attamen νεαπολίτης eo loco aliter accipit. Scribit enim, Magnæ urbis civem dici posse μεγαλοπολίτην : Parvæ, μικροπολίτην : et Novæ, νεαπολίτην, secundum Platonem : νέοικον, secundum Epicharmum : νεοκάτοικον, secundum Eupolin. Sicque νέοικος et νεοκάτοικος foret, In nova urbe domum habens, Novæ urbis habitator. [Νεοπολίτης, Diod. 14, 7 : Τὴν δ' ἄλλην χώραν ἐμέρισεν ἐπ' ἴσης ξένῳ τε καὶ πολίτῃ, συμπεριλαβὼν τῷ τῶν πολιτῶν ὀνόματι τοὺς ἠλευθερωμένους δούλους, οὓς ἐκάλει νεοπολίτας. Athen. 4, p. 138, A : Πλάτων οὕτως ἑστιᾷ τοὺς ἑαυτοῦ νεοπολίτας. || Neapolitanus. V. Νεάπολις.]

[Νεοπολῖτις, ιδος, ἡ, Nova civis. Appian. Civ. 1, 75.]

[Νεοπότιστος, ὁ, ἡ, Nuper irrigatus. Hesych. : Νεοαρδέα, νεοπότιστα.]

[Νεόποτος, ὁ, ἡ, Qui nuper bibit. Hippocr. p. 395, 24 : Μήτε νεορρόφητον μήτε νεόποτον λούεσθαι.]

[Νεόπους, οδος, ὁ, unde Νεόποδες, οἱ, Novi palmites, Geopon. 4, 3, 6; 5, 8, 2.]

[Νεοπραγέω, Novas res molior. Herodian. Epimer. p. 63 : Καινοτομῶ τὸ νεοπραγῶ. Boiss.]

Νεοπρεπὴς, ὁ, ἡ, Juvenes decens, Juvenilis : de re aliqua. Item homo νεοπρεπὴς dicitur itidem, Juvenilis, Non maturus, Bud. ap. Plut. Gracchis p. 1512 meæ ed. [Ti. Gracch. c. 2] de Caio : Τοῖς μὲν ἄλλοις παραβαλεῖν, σώφρων καὶ αὐστηρός· τῇ δὲ πρὸς τὸν ἀδελφὸν διαφορᾷ, νεοπρεπὴς καὶ περίεργος, Exultans et redundans, in oratione sc. [Immo in victu, ut facile apparet ex præcedentibus : Οὕτω δὲ καὶ περὶ τὴν δίαιταν καὶ τράπεζαν εὐτελὴς καὶ ἀφελὴς ὁ Τιβέριος· ὁ δὲ Γάϊος, τοῖς μὲν ἄλλοις κτλ.] Et νεοπρεπὴς λόγος, Plato Leg. 10, p. 325 [892, D], Oratio juvenilis et non senescens s. canescens. Bud. Ex eod. Plat. Leg. [l. c.] νεοπρεπὴς affertur pro Juvenili decore insignis. [Plut. Mor. p. 785, F : Κατασκευὰς οἰκοδομημάτων νεοπρεπεῖς.]

Νεόπριστος, ὁ, ἡ, Recens serra dissectus, Qui non ita pridem serra sectus est. Hom. Od. Θ, [404] : Κολεὸν δὲ νεοπρίστου ἐλέφαντος.

[Νεοπτοίητος, ὁ, ἡ, Nuper excitatus. Gaza Tab. M. 2, 167 : Λαμπάδα παιφάσσουσα νεοπτοίητον ὀπωπαῖς. Cramer.]

[Νεοπτόλεμος, ὁ, Neoptolemus, f. Achillis et Deidameæ, etiam Pyrrhus dictus, Hom. Il. T, 327, Od. Λ, 506, etc., Pindarus et Tragici aliique poetæ et mythologi. Pausan. 10, 26, 4 : Τοῦ δὲ Ἀχιλλέως τῷ παιδὶ Ὅμηρος μὲν Νεοπτόλεμον ὄνομα ἐν ἁπάσῃ οἱ τίθεται τῇ ποιήσει, τὰ δὲ Κύπρια ἔπη φησὶν ὑπὸ Λυκομήδους μὲν Πύῤῥον, Νεοπτόλεμον δὲ ὄνομα ὑπὸ Φοίνικος αὐτῷ τεθῆναι, ὅτι ἡλικίᾳ ἔτι νέος πολεμεῖν ἤρξατο. Alii ap. Demosth. p. 264, 25 ; 583, 14, Diod. 18, 29, Arrian. Exp. 2, 27, Strab. 7, p. 306, 307, grammaticus ap. Athen. 10, p. 454, F et alibi, de quo Fabric. in B. Gr. Hinc adj. Νεοπτολέμειος, ὁ, ἡ, ap. Pausan. 4, 17, 4 : Ἡ Νεοπτολέμειος καλουμένη τίσις, quam pluribus explicat in seqq. L. Dind.]

[Νεόπτολις, ὁ, ἡ, Qui recentis est urbis. Æsch. Eum. 687 : Πόλιν νεόπτολιν, Urbem recentem.]

[Νεόπτορθος s. Νεοπτορθὴς, ὁ, ἡ, Qui novum s. recens habet germen. Chœrob. vol. 1, p. 51, 19 : Τὸ νεόπτορθος νεοπτορθὴς νεοπτορθοῦς· 150, 26, et addita signif., σημαίνει δὲ τὸν ἔχοντα νέον κλάδον p. 55, 13.]

[Νεόπτραι, υἱοὶ ἢ θυγατέρες, Hesychius. Idem Νεσθώπραι, υἱῶν καὶ θυγατέρων. Νεοπάτραι Pergerus.]

[Νεοπῠρίητος, ὁ, ἡ, Nuper fomentatus. Hippocr. p. 264, 17 ; 565, 15, 49 ; 686, 17.]

[Νεοργής. V. Νεοεργής.]

[Νεορρᾰγὴς, ὁ, ἡ, Recens ruptus. Aret. p. 62, 31 : Κἢν μὲν ἡ φλὲψ ν. ἔῃ.]

Νεόῤῥαντος, ὁ, ἡ, Recens aspersus. Soph. Aj. [30, 828] : Σὺν νεοῤῥάντῳ ξίφει, Cum gladio recenti cruore asperso. [Δάκρυα Aristid. vol. 2, p. 395, D. Hemst.] Hesych.

[Νεορρᾰφὴς, ὁ, ἡ, Recens sutus. Longus p. 119, 17 : Πήραν νεορραφῆ.]

[Νεορρόφητος, ὁ, ἡ, Quid nuper sorbitionem sumsit. Hippocr. p. 395, 24 : Μήτε νεορρόφητον μήτε νεόποτον λούεσθαι.]

Νεόῤῥῠτος, ὁ, ἡ, Qui recens effluxit. [Phot. et] Suid. νεοῤῥύτοις affert pro νεωστὶ ῥέουσι. [Æsch. Ag. 1351 : Ἐμοὶ δ' ὅπως τάχιστά γ' ἐμπεσεῖν δοκεῖ καὶ πρᾶγμ' ἐλέγχειν ξὺν νεοῤῥύτῳ ξίφει. Quod hic quidem ducendum foret ab ῥύομαι, ut esset Recens tractus, υ producto. Νεορράντῳ Blomf. Soph. El. 894 : Νεορρύτους πηγὰς γάλακτος. Nonn. Dion. 45, 301 : Νεόρρυτον θηλήν. Meleager Anth. Pal. 9, 363, 15 : Νεόρρυτα κάλλεα χηροῦ.]

Νέορτος, ὁ, ἡ, Recens excitatus s. exsuscitatus. Soph. OEd. C. [1507] : Τί δ' ἐστὶν, ὦ παῖ Λαΐου, νέορτον αὖ ; Quid novi excitatum est? Schol. exp. νέον. [De puella Trach. 894 : Ἁ νέορτος ἅδε νύμφα· fr. ap. Plut. Comp. Lyc. et Numæ c. 3. Ἔφηβος interpr. Photius.]

[Νεόρυκτος, ὁ, ἡ, Recens effossus. Lycophr. 1097 : Νεοσκαφὲς στέγος. Schol. νεόρρυκτος. Scrib. νεόρυκτος vel potius —ον. L. Dind.]

Νέος, α, ον, Novus : opp. τῷ παλαιός. Hom. Il. Z, [462] : Ὥς ποτέ τις ἐρέει, σοὶ δ' αὖ νέον ἔσσεται ἄλγος, Novus dolor : Horat. dicit Spes novas donare. [Æsch. Prom. 95 : Ὁ νέος ταγὸς μακάρων· Sept. 740 : Ὦ πόνοι δόμων νέοι παλαιοῖσι συμμιγεῖς κακοῖς. Et similiter ap. alios quosvis.] Philo De mundo : Ἔστι δὲ οὔτε νέον τὸ λεγόμενον οὔθ' ἡμέτερον ῥῆμα, ἀλλὰ παλαιῶν καὶ σοφῶν ἀνδρῶν. [Aristoph. Pl. 960 : Ἐπὶ τὴν οἰκίαν ἀφίγμεθ' ὄντως τοῦ νέου τούτου θεοῦ ;] Plut. [Mor. p. 269, D] : Τὴν δὲ πρώτην (σελήνην) φασὶ νόννας, τῷ δικαιοτάτῳ τῶν ὀνομάτων νουμηνίαν οὖσαν· καὶ γὰρ αὐτοὶ τὸν νέον καὶ καινὸν, ὥσπερ ἡμεῖς, προσαγορεύουσι· innuens Nonas a Novus derivari. Xen. Cyrop. 1, [6, 38] : Ἐν τοῖς μουσικοῖς τὰ νέα καὶ ἀνθηρὰ εὐδοκιμεῖ. Thuc. 5, p. 182 [c. 50] : Ἐδόκει τι νέον ἔσεσθαι. Et νέος καρπὸς, Novus fructus : vide Ἐνιαύσιος. Et νέου ἔτους apud Herodotum, Ineunte anno novo. [Νέον ἔτος, Calendæ Septembres, ap. Græcos, a quibus initium sumebat Indictio Cpolitana, ut contra Januariæ ap. Latinos. Typicum c. 11 : Εἰς τὴν πρώτην (mensis Sept.) ἀρχὴ τῆς ἰνδίκτου ἤτοι τοῦ νέου ἔτους. Et al. Ducang.] At νέος μαθητὴς, ap. Aristot. Eth. 1, 3, reddas potius Novitius. Compar. quoque gradus frequenti in usu est, qui pro ipso positivo sæpius ponitur. Lucian. De saltat. [c. 7] : Οὐ νεώτερον τὸ τῆς ὀρχήσεως ἐπιτήδευμα τοῦτό ἐστιν, οὐδὲ χθὲς καὶ πρώην ἀρξάμενον. Thuc. 1, [132] : Ἠξίωσαν νεώτερόν τι ποιεῖν εἰς αὐτὸν, Novi quidpiam in eum statuere. Eod. l. longe post, Μηδὲν νεώτερον ποιεῖν περὶ τῶν ἀνδρῶν. Philo V. M. 1 : Μή τι καὶ νεώτερον ἐργάζεσθαι βιασθῶ, Ne quid in te novum admittere cogar. Id. 6 : Ἐπὶ ξυνωμοσίᾳ ἅμα νεωτέρων πραγμάτων καὶ δήμου καταλύσεως γεγενῆσθαι. Sic Isocr. Areop. [p. 151, E] : Νεωτέρων πραγμάτων ἐπιθυμεῖν· itidemque Xen. Hell. 5, [2, 9] : Νεωτέρων τινὲς ἐπιθυμοῦντες πραγμάτων. Qua signif. Cic. in Catil. dixit Rebus studere novis. [Xen. Ag. 7, 2 : Τίς δ' ἂν ἡγούμενος μειονεκτεῖν νεώτερόν τι ἐπεχείρησε ποιεῖν, εἰδὼς τὸν βασιλέα νομίμως καὶ τὸ κρατεῖσθαι φέροντα ;] Item Dem. ad Phil. Ep. [p. 157, 1] : Πυνθανόμενοι κατὰ τὴν ἀγορὰν εἴ τι λέγεται νεώτερον. Et Philipp. 4 [p. 151, 10] : Ἦν προσαγγελθῇ τι νεώτερον. Aliquando commodius redditur Novellus. Hom. Il. Φ, [38] : Ὀξέϊ χαλκῷ τάμνε νέους ὅρπηκας· Od. Z, [163] : Φοίνικος νέον ἔρνος ἀνερχόμενον, Novellam palmam, Teneram, Cic. interpr. p. 144 mei Lex. Cic. Hesiod. [Th. 988] : Νέον ἄνθος. Theophr. [H. Pl. 1, 7, 1] : Ἐν τῷ Λυκείῳ ἡ πλάτανος ἔτι νέα οὖσα περὶ τρεῖς καὶ τριάκοντα πήχεις ῥίζας ἀφῆκεν. Unde Plin. : Theophrastus scribit Athenis in Lyceo, quum etiam nunc platanus novella esset, radices trium et triginta cubitorum egisse. Idem Theophr. τὰ παρενιαυτοφόρα et οὐχ ἐπετειοφόρα, definiens [C. Pl. 1, 20, 3] : Ὅσα μὴ ἐκ τῶν νέων, ἀλλ' ἐκ τῶν ἕνων φέρει τοὺς καρποὺς, Non ex novellis sive novis germinibus, sed anniculis. Huc pertinet quod Virgilius dicit, Fronde nova viret. [Chron. Pasch. p. 4, 9 : Ὁ νενομοθετημένος μὴν τῶν νέων· 14 : Διὰ τὸ τὰ νέα ἔν τισι τόποις προλαμβάνειν, quod p. 5, 10, dicitur τὰ νέα σπέρματα.] Interdum et Juvenes in hoc genere loquendi redditur : ut paulo post dicetur. Ex Aristot. H. A. 6, affertur etiam τὸ νέον pro Novale : quod et νεὸς et νειός. Similiter et Hesych. νέα exp. νεώματα. Apud Theophrast. vero reperitur etiam ὁ νέος, itidem pro Novali, ubi subaudiri potest ἀγρὸς, ut in Νεὸς dicetur. Est ubi νέος significet Recens : Il. P, [36] : Χήρωσας δὲ γυναῖκα μυχῷ θαλάμοιο νέοιο, Recentis thalami. [Aristoph. Pac. 916 : Οἴνου νέου. Plato Tim. p. 21, B : Ἅτε νέα κατ' ἐκεῖνον τὸν χρόνον ὄντα τὰ Σόλωνος.] Dem. Pro cor. : Ὅτε ἦ νέα καὶ γνώριμα πᾶσι τὰ πράγματα. Et in compar. ap. Thuc. 8, p. 292 [c. 92] : Οὐδενὸς γεγενημένου ἀπ' αὐτοῦ νεωτέρου, sc. φόνου. Cædem recentem Virg. dicit. [Eur. Med. 62 : Ὡς οὐδὲν οἶδε τῶν νεωτέρων κακῶν· Suppl. 1032 : Βαίνει πέλας ἐς νεωτέρους λόγους· Or. 1327 : Τί δὲ νεώτερον λέγεις ; Bacch. 214 : Τί ποτ' ἐρεῖ νεώτερον ; Rhes. 590 : Δράσαντε μηδὲν πολεμίους νεώτερον. « Νεώτερόν τι ποιέειν, Novi quidquam moliri, Herodot. 5, 19 ; 5, 35. Ὅκως τι νεώτερον πρήσσουσι περὶ πρήγματα τὰ σὰ, 5, 106 ; 6, 2. Νεώτερα βουλεύειν περὶ σέο, 1, 200. Νεώτερα ἔπρησσε πρήγματα, 5, 106. Νεωτέρων ἔργων ἐπιθυμητὴς, 7, 6. Ἦν τι καταλαμβάνῃ νεώτερον τὸν στρατὸν, 8, 21. » Schweigh. Lex.] || Juvenis, Juvenculus, Adolescens, ut Cic. interpr. p. 6 mei Lex. Cic. [Aristoph. Nub. 1059 : Τὴν γλῶτταν, ἣν δὴ μὲν οὔ φησι χρῆναι τοὺς νέους ἀσκεῖν· et alii quivis.] Aristot. Eth. 1, 3 : Διαφέρει δ' οὐθὲν νέος τὴν ἡλικίαν ἢ τὸ ἦθος νεαρός. Plut. Polit. præc. [p. 804, B] :

Νέος ὢν περὶ πραγμάτων τολμᾷς λέγειν τηλικούτων; Juvenis quum sis. Rursus Aristot. Rhet. 3, [c. 2, 3] : Δεῖ σκοπεῖν ὡς νέῳ φοινικὶς, οὕτω γέροντι τί πρέπει. Idem Rhet. 3 : Εἰσὶ γὰρ οἱ μὲν νέοι, ἀνδρεῖοι· οἱ δὲ πρεσβύτεροι, δειλοί. Et paulo ante, Τῶν νέων καὶ τῶν πρεσβυτέρων τὰ ἤθη τοιαῦτα. Et de minori adhuc ætate ap. Xen. [Cyrop. 1, 6, 34] ὁ ἄγαν νέος, Valde adolescens, et Dem., κομιδῇ νέων. Plato, Νέων ὄντων τῶν παίδων, In tenera ætate. Idem [Leg. 10, p. 887, D] dicit, Ἐκ νέων παίδων, A puero, A teneris annis, A tenera ætate. [Aristot. Eth. Nic. 2, 1 : Οὕτως εὐθὺς ἐκ νέων ἐθίζεσθαι· et ubi l. Platonis respicit ib. 2. Qui ἐκ νέων sic dixit Gorg. p. 483, E, et alibi, itemque ἐκ νέου ib. p. 510, D, etc.] Et Plato [Leg. 2, p. 653, D], τὸ νέον ἅπαν, ipsi etiam Infantes, Cic. interpr. p. 127 mei Lex. Cic. [De ætate Soph. OEd. C. 1229 : Εὖτ' ἂν τὸ νέον παρῇ. Eur. Ion. 545 : Μωρίᾳ τοῦ νέου· Herc. F. 75 : Τῷ νέῳ ἐσφαλμένοι.] Sic Hom. quoque usus est. Il. B, [789] : Πάντες ὁμηγερέες ἠμὲν νέοι ἠδὲ γέροντες. Et Od. Θ, [58] : Πολλοὶ δ' ἄρ ἔσαν νέοι ἠδὲ παλαιοὶ, Juvenes et senes : quæ duo sæpe ab eod. poeta opponuntur, sicut et ab Isocr. Paneg. [p. 79, D] : Τίς γὰρ οὕτως ἢ νέος ἢ παλαιὸς ῥᾴθυμός ἐστιν, ὅστις οὐ μετασχεῖν βουλήσεται ταύτης τῆς στρατιᾶς. [De bestiis Xen. Cyn. 9, 8 : Οἱ νέοι τῶν νεβρῶν.] Frequens etiam νέος ἀνὴρ, [νέοι ἄνθρωποι] et νέα γυνή. Od. Γ, [24] : Αἰδὼς δ' αὖ νέον ἄνδρα γεραίτερον ἐξερέεσθαι· Il. B, [232] : Ἠὲ γυναῖκα νέην, ἵνα μίσγεαι ἐν φιλότητι, Uxorem juvenculam. [Od. Λ, 447 : Νύμφην νέην. Pind. Pyth. 10, 59 : Νέαισιν παρθένοισι· 11, 25 : Νέαις ἀλόχοις. Et apud alios quosvis.] Xen. Rep. Lac. [1, 7] : Εἴ γε συμβαίη γεραιῷ νέαν ἔχειν. Plut. Lyc. [c. 15] : Ἀνδρὶ πρεσβυτέρῳ νέας γυναικός. Aristoph. Ran. [1193] : Γραῦν ἔγημεν αὐτὸς ὢν νέος. Aristot. Polit. 7, [16] : Ὁ τῶν νέων συνδυασμὸς φαῦλος πρὸς τεκνοποιίαν. Ibid. : Τὸ νέους συζευγνύναι καὶ νέας. Ibid. : Ἐν τοῖς τόκοις αἱ νέαι πονοῦσί τι μᾶλλον.

|| Νέα absolute aliquando ponitur sine substantivo, quod tamen pro loco subaudiendum venit : ut in ἕνη καὶ νέα subaudiri potest, μηνὸς ἡμέρα, Vetus et nova mensis dies, i. e. ultima : quoniam ejus pars altera ad priorem mensem, altera ad sequentem pertinebat olim, ut in Μὴν ex Plut. annotavi. Et ap. Plat. [Leg. 8, p. 849, B] : Τῇ νέᾳ μηνὸς, sub. ἡμέρᾳ, Primo mensis die, i. e. τῇ νουμηνίᾳ. Item in VV. LL. [ex Herodoto 1, 60 ; 5, 116] : Αὖτις ἐκ νέης, Denuo. [Plat. Reip. 3, p. 409, A : Ἡ (ψυχὴ) οὐκ ἐγχωρεῖ ἐκ νέας ἐν πονηραῖς ψυχαῖς τεθράφθαι.] Item νέα, Novale, Novalis ager, Qui alternis annis seritur : quod et plur. num. νέα dici videtur, quum Hesych. νέα exponat νεώματα, Novalia. Theophr. C. Pl. 3, 25 : Οὐδὲ τὰ χεδροπὰ συμβάλλειν εἰς τὰς νέας· paulo post, Ἀγαθὴν δὲ οἴονται τὴν χιόνα ταῖς χειμεριναῖς νέαις, καὶ οὐχὶ τὴν πάχνην εἶναι· subaudiri autem hic potest ἄρουρα. Interdum subauditur ἡλικία. Synes. Ep. 68 : Ἀρετὴν ἐκ νέας ἀσκεῖ, Ab ineunte ætate, A puero. || Νέα alias est etiam nomen proprium loci cujusdam in Lemno, Hesych.; et cujusdam arcis in Mysia, Suid. Item Νέαι, insula quædam prope Lemnum, Suid. : quæ ead. cum Νέα Hesychii esse videtur. Plin. [2, 87, 89 ; 96, 97] Neæ insulæ, et Neæ oppidi meminit. [Steph. Byz. : Νέαι, νῆσος πλησίον Λήμνου, ἐν ᾗ Φιλοκτήτης κατά τινας ἐδήχθη ὑπὸ ὕδρου. Ἐκλήθη δὲ ἀπὸ τοῦ προσνήξασθαι Ἡρακλέα. Τὸ ἐθνικὸν Νεαῖος. Ἔστι καὶ Νέα κώμη καὶ φρούριον Μυσίας. Τὸ ἐθνικὸν τὸ αὐτό. Memorat Dosiad. Anth. Pal. 15, 25, 25 : Ἀμφὶ Νέαις Θρηικίαις. Antig. Car. c. 9 : Ἐν ταῖς τῶν Λημνίων νήσοις ταῖς καλουμέναις Νέαις. Νέαν κώμην memorat Strabo 13, p. 603. || Formam fem. νέα contractam Νῆ memorat Herodian. Π. μον. λέξ. p. 7, 9 : Καὶ ἡ νέα νῆ εἰρημένον ἐν Σαμίων ὅροις (sic)· Τῇ δὲ νῇ Πυθογειτονίων τις τὸν φυρτὸν ἐλάμβανε· καὶ παρὰ Ἀριστοφάνει ἐν δινσιλλωνι (sic)· Καὶ ἐπιθυμήσειε νέος νῆς ἀμφιπόλοιο. Conf. Eust. Il. p. 374, 41 ; 729, 26.]

[|| Νέος, Novus vel Junior. Solent Græci vulgo hanc appellationem tribuere viris aliquam existimationem seu ob vitæ sanctitatem vel ob præclare gesta ac alia denique de caussa consecutis, viris aliis pariter celebribus eodemque quo ii donati nomine ætate et tempore posterioribus. V. gr. νέους appellant S. Stephanum qui sub Copronymo martyrium subiit, ad discrimen S. Stephani Proto-Martyris, et similiter alios multos. Ita perinde Imperatores aliquot νέοι dicti, ut ab aliis ejusdem nominis distinguerentur, ut Theodosius junior, Valentinianus junior, Basilius porphyrogenitus junior, etc. Neque tamen id peculiare fuit recentioribus Græcis : nam ap. Eudociam in Ionia Ms. Arrianus ὁ ἐπικληθεὶς νέος Ξενοφῶν dicitur. Veteres Augustos aut reges vel principes deorum aut dearum affectasse nomina cum additione vocis νέος notum ex Eust. Il. p. 776 et aliis scriptoribus et numismatis ap. Cuperum Num. ant. expl. p. 285, ubi ex Vellejo Pat. 2, 12, νέος verti debere Novus colligit : « Quum ante novum se Liberum appellari jussisset, » etc. Quod de Antonio observat etiam Eust., et sane ita observari debet in ejusmodi deorum ac dearum vel magnorum virorum affectatis nominibus, ac proinde in nomine Constantini M., quod subinde sibi imposuere Augusti. At alii, qui quod ætate duntaxat et tempore posteriores essent, νέοι dicti sunt, juniores recte fuisse dicuntur. Ex Ducang. Gl. Sic νέος Ἀθάμας in inscr. Teja ap. Bœckh. vol. 2, p. 673, n. 3083, 5, et aliis νέα Δημήτηρ, Πηνελόπη. Et Ptolemæus Auletes, cogn. νέος Διόνυσος. Conf. Letronn. *Recueil* vol. 1, p. 251 sq., Eckhel. Add. D. N. p. 38, B, Viscont. *Iconogr. gr.* vol. 3, p. 319 sq. Addit autem Ducang. ad Chron. Pasch. p. 603, νέος in talibus Junior, ubi postponitur, Novus, ubi præponitur, reddendum videri. De νεώτερος similiter posito v. Letronn. ib. p. 102.]

|| Νέον, Nuper, Recens. Hom. Od. T, [400] : Παῖδα νέον γεγαῶτα κιχήσατο θυγατέρος ἧς, i. e. νεογνὸν s. νεογενῆ, Nuper natum. Υ, [191] : Τίς δὴ ὅδε ξεῖνος νέον εἰλήλουθε, συβῶτα; Θ, [289] : Ἡ δὲ νέον παρὰ πατρὸς ἐρισθενέος Κρονίωνος Ἐρχομένη κατ' ἄρ ἕζετο, Recens, Modo. Il. Ω, [475] : Νέον δ' ἀπέληγεν ἐδωδῆς Ἔσθων καὶ πίνων, ἔτι τε [καὶ] παρέκειτο τράπεζα. In quibus de breviori præteriti temporis spatio dicitur, sicut et ἄρτι : ac cum præs. cohæret, significans Paulo ante, Nunc primum. Sic et Apoll. Arg. 2, [494] : Ῥέζον ἐπ' ἐσχαρόφιν νέον ἤματος ἀνομένοιο, Quum primum dies illuxisset, s. ὑπὸ τὴν πρωΐαν αὔξησιν τῆς ἡμέρας λαμβανούσης. At Hesiod. Op. [567] dicit, Ἔαρος νέον ἱσταμένοιο, quod Lat. Novo s. Ineunte vere. [Cum ἀεὶ Hom. Il. B, 88 : Μελισσάων ἀδινάων πέτρης ἐκ γλαφυρῆς αἰεὶ νέον ἐρχομενάων, Quæ semper novæ prodeant. Γ, 394 : Χοροῖο νέον λήγοντα, Modo cessantem. Δ, 332 : Νέον συνορινόμεναι φάλαγγες· M, 336 : Τεῦκρον νέον κλισίηθεν ἰόντα· H, 64 : Ζεφύροιο ὀρνυμένοιο νέον· 421 : Ἠέλιος μὲν ἔπειτα νέον προσέβαλλεν ἀρούρας, et similiter alibi sæpe. Æsch. Prom. 35 : Ἅπας δὲ τραχὺς, ὅστις ἂν νέον κρατῇ· 389 : Τῷ νέον θακοῦντι παγκρατεῖς ἕδρας· 954 : Νέον νέοι κρατεῖτε· Ag. 1625 : Τοὺς ἥκοντας ἐκ μάχης νέον. Soph. OEd. C. 1775 : Ὃς νέον ἔρρει· El. 1070 : Νέον τ' ἀπ' οἴκων ἀνδρὸς ἐξωρμημένου. Addito articulo Herodot. 9, 26 : Ὅσαι ἤδη ἔξοδοι κοιναὶ ἐγένοντο Πελοποννησίοισι καὶ τὸ παλαιὸν καὶ τὸ νέον. Νέος improprie, ut infra Νεότης, in malam partem, Temerarius. Hesychius aliique lexicogrr. : Νέος ἐστὶ καὶ ὀξὺς, ἀμαθὴς, προπετής, ex Plat. Gorg. p. 463, E, ut idem dicit Reip. 2, p. 378, A : Πρὸς ἄφρονάς τε καὶ νέους.]

|| In compar. Νεώτερος, Junior. [Juvenis, Gl.] Hom. Il. O, [569] : Οὔ τις σεῖο νεώτερος ἄλλος Ἀχαιῶν· Ψ, [587] : Πολλὸν γὰρ ἔγωγε νεώτερός εἰμι σεῖο· Ω, [433] : Πειρᾷ ἐμεῖο, γεραιὲ, νεωτέρου· οὐδέ με πείσεις· Od. Σ, [31] : Πῶς δ' ἂν σὺ νεωτέρῳ ἀνδρὶ μάχοιο. [Æsch. Cho. 171 : Πῶς οὖν παλαιὰ παρὰ νεωτέρας μάθω; Eum. 161 : Τοιαῦτα δρῶσιν οἱ νεώτεροι θεοί. Et ceteri Tragici.] Sic et in prosa. [Thuc. 5, 50 : Ξὺν ὅπλοις τῶν νεωτέρων φυλακὴν εἶχον.] Plato [Parmen. p. 155, A] : Ἄρχεσθαι πρεσβύτερον ὑπὸ νεωτέρου, Minori parere majorem, Cic. interpr. [Soph. Tr. 551 : Μὴ πόσις μὲν Ἡρακλῆς ἐμὸς καλῆται, τῆς νεωτέρας δ' ἀνήρ.] Aristot. Polit. 7, [16] : Γαμίσκεσθαι τὰς νεωτέρας. Ibid. : Τὰ γὰρ τῶν πρεσβυτέρων ἔκγονα, καθάπερ καὶ τὰ τῶν νεωτέρων, ἀτελῆ. Synes. : Παραχωρεῖν τοῦ προκατάρξασθαι τῷ νεωτέρῳ θεῷ, Cedere in pugna juniori deo. Similiter et Cic. p. 34 mei Lex. Cic. νέοις θεοῖς [in Plat. Tim. p. 42, D] vertit Junioribus diis. Et ap. Athen. aliquoties [11, p. 469, C; 14, p. 661, E], Κρατῖνος ὁ νεώτερος. Item 2, [p. 69, D], Μαρσύας ὁ νεώτερος. Ab Hom. additur dat. γενεῇ : ut Latini Minor natu, sine adjectione Minor, quod dicunt Græci ὁ νεώτερος. Il. Φ, [439] : Ἄρχε, σὺ γὰρ γενεῆφι

νεώτερος· itidemque in superl., H, [153] : Γενεῇ δὲ νεώτατος ἔσκον ἁπάντων· Ξ, [112] : Γενεῆφι νεώτατός εἰμι μεθ' ὑμῖν. [Eur. Hec. 13 : Νεώτατός τ' ἦν Πριαμιδῶν· et 1132. Et alii quivis.] Et sine γενεῇ, Υ, [409] : Οὕνεκά οἱ μετὰ πᾶσι νεώτατος ἔσκε γόνοιο. Et Xen. [Comm. 1, 2, 36] : Νεώτεροι τριάκοντα ἐτῶν, Juniores annis triginta. [De neutro HSt. : « At in VV. LL. Νεώτερον, τὸ, Novitas, Insolentia, Juventus. »] Plantæ quoque νέαι quum dicuntur, reddere possumus Juvenes, sicut in Theophr. [H. Pl. 1, 10, 1] : Τοῦ δὲ κιττοῦ ἀνάπαλιν, νέου μὲν ὄντος, ἐγγωνιώτερα· πρεσβυτέρου δὲ, περιφερέστερα· Plin. vertit, Huic (populo nigræ) folia in juventa circinatæ rotunditatis sunt, vetustiora in angulos exeunt : ex contrario hederæ angulosa rotundantur. [Iterum HSt. :] Compar. est Νεώτερος, Novior, Recentior, Junior. Quorum exempla habes in utroque vocabuli Νέος tmetate. Sed addenda hæc illis: Νεώτερα πρήσσειν πράγματα, ex Herodoto [5, 19], Res novas moliri. Et Νεώτερα βουλεύειν περὶ σέο, Aliquid novi machinari : itidemque in Phalar. Ep., νεώτερα φρονεῖν. Et adv. Νεωτέρως, Nove : ut v. λέγειν ap. Plat. Leg. 10, [p. 907, D], Nova quadam ratione dicere, VV. LL. Accipitur etiam pro Recentiorum more. Superl. Νεώτατος, præter signiff. in Νέος positas habet etiam quandam peculiarem, ut sc. ponatur pro Ultimus. Sic Hesych. νεωτάτη exp. ἐσχάτη, et τῇ ἐπιγενομένῃ, τῇ ἐχομένῃ. Lat. quoque Novissimus usurpant pro Ultimus, ut Cicero : Qui ne in novissimis quidem histrionibus erat, ad primos pervenit; Cæsar : Novissimus venit. [Νεώτατα, adv. Thuc. 1, 7.]

Νεὸς, ἡ, Novalis, Novale, Ager proscissus et novæ relictus sementi : solet is alternis tantum annis conseri, et ante sementem jactam aratro proscindi : idem cum νέα, νειὸς, νεατὴ, et νέωμα. Xen. [OEc. 16, 10] : Τοῦτο γὰρ οἶσθα, ὅτι τῷ σπόρῳ νεὸν δεῖ ὑπεργάζεσθαι· et [12] : Εἰ μέλλει ἀγαθὴ ἡ νεὸς ἔσεσθαι, ὕλης τε καθαρὰν εἶναι δεῖ καὶ ὀπτὴν πρὸς τὸν ἥλιον. Apud Theophr. aliquoties reperitur νέος, paroxytonως, idque cum articulo masculino, ubi subaudiri potest ἀγρὸς, aut tale quid, C. Pl. 4, 9 [8, 3 Schn.] : Ταχὺ δὲ ἐκκαρπίζεται τὰ ἐδάφη, καθάπερ ὁ ἐρέβινθος· διὸ καὶ μόνον οὐ ποιεῖ νέον [νεὸν Schn. Ib. 1 Urbinas νειον sine accentu] · 5, 19 : Τμητικωτέρα δοκεῖ ἡ πάχνη τῆς χιόνος εἶναι· διὸ καὶ τοὺς [immo τὰς] νέους [νεοὺς Urbinas] οἴονταί τινες βελτίους ταύτην ποιεῖν· supra vero in Νέα dicitur ἡ πάχνη οὐκ ἀγαθὴ εἶναι ταῖς χειμεριναῖς νέαις [immo νέοις].

[Νεοσίγαλος, ὁ, ἡ, Novus et splendidus. Pind. Ol. 3, 8 : Νεοσίγαλον τρόπον. Schol. νεοποίκιλος. ῐᾰ]

[Νεοσκαφὴς, ὁ, ἡ, Recens effossus. Lycophr. 1097 : Ὃν νεοσκαφὲς κρύψει ποτ' ἐν κλήροισι Μηθύμνης στέγος. Schol. Eur. Phœn. 1658. Kall.]

[Νεοσκύλευτος, ὁ, ἡ, Nuper detractus. Dioscor. Anth. Pal. 7, 430, 1 : Τίς τὰ νεοσκύλευτα ποτὶ δρυῒ τᾶδε καθᾶψεν ἔντεα; ῠ]

Νεόσμηκτος, ὁ, ἡ, Recens extersus, νεωστὶ ἐσμηγμένος, Hesych. [Hom. Il. N, 342 : Θωρήκων νεοσμήκτων. Crinagoras Anth. Pal. 6, 227, 2 : Νεόσμηκτον κάλαμον. Callim. ap. Eust. Il. p. 1289, 54 et schol. in Plat. Lysin p. 319 : Πέντε νεοσμήκτους ἀστριας, ubi per ι scriptum. « Id. p. 659, 26, et Polyæn. 2, 3, 8, ὅπλα. » Hemst. Plut. Æmil. Paul. c. 32, χαλκῷ. Constant. Cærim. p. 4, 22, κάτοπτρον.]

[Νεοσπαδής. V. Νεοσπάς.]

Νεοσπάρακτος, ὁ, ἡ, Recens dilaniatus, discerptus et divulsus. [Schol. Aristoph. Eq. 345, pro eo quod est apud poetam ὠμοσπάρακτον. ᾰ Valck.]

Νεοσπὰς, άδος, ἡ [immo ὁ, ἡ], Nuper evulsa, ut virga recens ex arbore evulsa. [Soph. ap. Athen. 13, p. 587, A : Θαλλὸν χιμαίρᾳ προσφέρων νεοσπάδα, Oleæ ramum afferens capræ recens avulsum. Schweigh. Id. Ant. 1201 : Νεοσπάσι θαλλοῖς.] Pisides ap. Suid. : Ταύτην δὲ τὴν φάλαγγα τὴν νεοσπάδα. Ubi Suidas exp. τὴν νεωστὶ ἀποσπασθεῖσαν. Sed ap. eum in Σπαδὼν perperam legitur νεωσπάδα pro νεοσπάδα. In VV. LL. habetur et Νεοσπαδὴς, Nuper fasciis puerilibus involutus; sed sine auctore et exemplo. [Ex Hesychio : Νεοσπαδῆ, νεωστὶ τὰ σπάδη περικείμενον, ἅ ἐστι σπάργανα. Photio, qui v. τὰ σπ. περιχ., Nuper fasciis involutus. De gladio Æsch. Eum. 42 : Νεοσπαδὲς ξίφος. « Schol. Aristoph. Pl. 383 (?). » Kall.]

A [Νεόσπειστος, ὁ, ἡ, Nuper libatus. Nonni Dion. 19, 175 : Νεοσπείστου νέον οἶνον ὀπώρης, Falkenburgius conjecit pro νεοσπίστου.]

[Νεόσπορος, ὁ, ἡ, Recens satus. Æsch. Eum. 659 : Τροφοὶ δὲ κύματος νεοσπόρου.]

[Νεοσσεία s.] Νεοττεία, ἡ, i. q. Nidus, Cunabula. Aristot. H. A. 6, 1 : Τίκτουσι δὲ τὰ μὲν ἄλλα ἐν νεοττείαις, τὰ δὲ μὴ πτητικὰ, οὐχ ἐν νεοττείαις, οἷον αἵ τε πέρδικες καὶ οἱ ὄρτυγες, ἀλλ' ἐν τῇ γῇ ἐπηλυγαζόμενα ὕλην· paulo post, de epope : Οὐ ποιεῖται νεοττείαν τῶν καθ' ἑαυτὸν νεοττευόντων, ubi νεοττείαν ποιεῖσθαι dicit quod ibid. νεοττεύειν. Lucian. [Halc. c. 2] de alcyone : Ἐπὶ γὰρ δὴ τούτου νεοττείᾳ καὶ τὰς ἀλκυονίδας προσαγορευομένας ἡμέρας ὁ κόσμος ἄγει. Ubi potius accipitur pro νεόττευσις, i. e. Nidulatio : adeo ut et Actionem nidi construendi significet hæc vox, et ipsum opus effectum, i. e. Nidum. [Suidas : Νεοττεία, ἡ ἐκλέπισις. Formas Νοσσ— v. suis locis.]

[Νεόσσευσις s.] Νεόττευσις, εως, ἡ, Nidificatio, Nidulatio. Aristot. H. A. 7 [immo 6], 1 : Ταῦτα μὲν οὖν B ὑπηνέμους ποιεῖται τὰς νεοττεύσεις, ubi νεοττεύσεις ποιεῖν dicit quod ibid. νεοττείας ποιεῖν, Nidulos facere, Construere cunabula.

[Νεοσσεύω s.] Νεοττεύω, Nidulor, Nidifico, Cunabula facio. Athen. 2, [p. 65, A] ex Alexandro Myndio, de turdo : Ἦν καὶ συναγελαστικὴν εἶναι, καὶ νεοττεύειν, ὡς καὶ τὰς χελιδόνας. Aristot. H. A. 7, 1, de cuculo : Ἐν οἰκίᾳ νεοττεύει καὶ ἐν πέτραις. Ibid. legitur, Ἐπὶ τῆς γῆς νεοττεύει. [Aristoph. Av. 699 : Ἐνεόττευσεν γένος ἡμέτερον. Lucian. Ver. H. 1, 31, Deor. conc. c. 8. Forma per σσ Basil. M. vol. 1, p. 105, B.]

Νεοσσία, ἡ, Nidus [Gl.], Pullorum cubile, ἡ καλιὰ τῶν στρουθίων, Suid. Scribitur et Νεοσσιὰ, oxytonως [ut in Gl.], quod et de Apum alveari dicitur, quas Xen. quoque νεοσσοὺς appellavit, ut habetur in VV. LL. [Herodot. 3, 111 : Φορέειν τὰς ὄρνιθας ἐς νεοσσίας, et ib. ἀγχοῦ τῶν νεοσσιέων.] Joseph. in Macc. [4, 14, 19] : Μέλισσαι περὶ τῆς κηρογονίας ἀπομύνονται τοὺς προσιόντας, καὶ καθάπερ σιδήρῳ, τῷ κέντρῳ πλήσσουσι τοὺς προσιόντας τῇ νεοσσιᾷ αὐτῶν, καὶ ἐπαμύνονται ἕως θανά- C του· ubi νεοσσιὰν vocavit Alveare in quo teneram suam sobolem fovent veluti volucres suos pullos in nidis : sunt tamen qui νεοσσιὰν hic acceperint pro ipsa Apum pullitie.

[Νεοσσιὰ s.] Νεοττία, s. Νεοττιὰ, ἡ, Nidus [Gl.], Pullorum cubile s. cunabula, i. q. νεοσσία s. νεοσσιά. Xen. Hell. 7, [5, 10] : Προσιὸν τὸ στράτευμα ἔλαβεν ἂν τὴν πόλιν ὥσπερ νεοττιὰν παντάπασιν ἔρημον τῶν ἀμυνουμένων. [Plato Reip. 8, p. 548, A; Aristot. H. A. 5, 8.] Plut. Probl. Rom. : Οὐδὲ γὰρ νεοττιᾷ γυπὸς ἐντυχεῖν ῥᾳδίως ἐστί. Animadverte autem [rectius] oxytonως scribi ap. Xen., paroxytonως ap. Plut., sicut et in l. Aristot. habes in Ἐκκολάπτω. [Aristoph. Av. 641.]

[Νεόσσιον s.] Νεόττιον, τὸ, Pullulus, h. e. Pullus tenellus et recens, Aristot. H. A. [4, 9; 5, 8;] 9. Exemplum cum Lat. interpr. habes in Ἐκκολάπτω. [V. Aristoph. Av. 767. Hesychius : Νεόττιον· οἱ Ἀττικοὶ τοῦ ᾠοῦ τὴν λέκυθον. (Diphili ex. v. in Νεοττός.) Καὶ ὁ ὑφ' ἡμῶν νεοττός.]

[Νεοσσὶς s.] Νεοττὶς, ίδος, ἡ, Pullastra, Gallina ju- D venca. Aristot. [H. A. 6, 2] : Τῶν ἀλεκτορίδων αἱ νεοττίδες πλείω τίκτουσιν ἢ αἱ πρεσβύτεραι· ἐλάττω δὲ τῷ μεγέθει τὰ ἐκ τῶν νεωτέρων. Unde Plin. : Ex gallinis juvencæ plura pariunt quam veteres, sed minora. Pullastram vero Varro dicit 3, 9 : Ea, quæ subjicias, potius ex pullastris quam ex vetulis. Rursum Aristot. H. A. 6, [2] : Νεοττίδες ἀλεκτορίδων καὶ χηνῶν, Pullastræ et anseres juvenci. [Memorat etiam Hesychius. N. comœdiarum Anaxilæ, Antiphanis, Eubuli, ductum, ut videtur, a nomine meretricis sic vocatæ. De accentu acuto v. Arcad. p. 35, 13.]

[Νεοσσοκομέω, s. Νεοττοκομέω, Pullos alo, curo. Cyrill. In Esai. 31, p. 439 : Νεοττοκομοῦσιν ἐν τοῖς ὄρεσι πτηνά.]

[Νεοσσοκόμος s. Νεοττοκόμος, ὁ, ἡ, Pullos nutriens. Antipater Anth. Pal. 7, 210, 3, χαλιῆς.]

[Νεοσσοποιέω s. Νεοττοποιέω, Nidulor, Gl. Longin. c. 44, 7. Æsop. Fab. 2, p. 122 ed. Genev. 1628. Seager. Philes De anim. propr. 23, 12, p. 78. Struv. Epiphan. Physiolog. (Antverp. 1588) c. 10. Boiss.]

Νεοσσοποιία, ἡ, Nidulatio, Diosc. Cunabula, ut Plin. Cic. De orat. : Volucres videmus procreationis suæ atque utilitatis causa effingere et construere nidos. Hæc Bud. Videtur tamen potius hoc vocabulo significari Pullorum procreatio.

Νεοσσὸς, ὁ, Pullus, [Pullulus, Nidus add. Gl.] Recens a partu avicula; sic enim exprimi potest etymon, a νέος. Hom. Il. I, [323] : Ὡς δ' ὄρνις ἀπτῆσι νεοσσοῖσι προφέρῃσι Μάσταχ', ἐπεί κε λάβῃσι· B, [311] : Ἔνθα δ' ἔσαν στρουθοῖο νεοσσοὶ, νήπια τέκνα, ubi Cic. vertit Pulli, p. 65 mei Lex. Cic., sicut et supra in quodam l. in Ἐκκολάπτω citato, pro eo, quod Varro dicit Pullus, in Geopon. habetur νεόττια. Ad priorem Homeri l. alludens Plut. De aud. [p. 48, A] dicit, Ὥσπερ ἀπτῆνες νεοσσοὶ ἀεὶ πρὸς τὸ ἀλλότριον κεχηνότες στόμα. Id. Probl. Rom. [p. 273, E], de avibus autumnalibus : Οἱ μὲν, ἀσθενεῖς καὶ νοσώδεις, οἱ δὲ, νεοσσοὶ καὶ ἀτελεῖς. Athen. 14 : Νομάδα παχεῖαν ἕψε καὶ νεοσσοὺς τῶν ἤδη κοκκυζόντων. Sunt qui compositum hoc vocab. dicant παρὰ τὸ νεωστὶ ὄσσεσθαι, i. e. βλέπειν, vel σεύεσθαι, i. e. κινεῖσθαι. [Æsch. Sept. 503 : Εἷρξει νεοσσῶν ὡς δράκοντα δύσχιμον. Soph. Ant. 425 : Ὄρνιθος ὀξὺν φθόγγον, ὡς ὅταν κενῆς εὐνῆς νεοσσῶν ὀρφανὸν βλέψῃ λέχος.] || Affertur et νεοσσὸς e Xen. [OEc. 7, 34] pro Apicula, sicut [Aristot. H. A. 9, 40,] Joseph. apibus itidem νεοσσιὰν tribuit : quam apum fœturam, quum formata est, Plin. vocari tradit Nymphas. Pullos et hic interpretari poterimus, sicut iisd. a Colum. pullities tribuitur, 9, 11 : Quum primo vere in eo vase nata est pullities, novus rex eligitur. [De equo Æsch. Ag. 825 : Ἵππου νεοσσός. De hominibus Æsch. Cho. 256 : Πατρὸς νεοσσοὺς τούσδε· et ib. 501, et sæpe ap. Eurip.] || Νεοττὸς, ὁ, Attice pro νεοσσὸς [Plato Leg. 6, p. 776, A, Aristot. H. A. 6, 3], Lucian. [D. mort. 6, 4] : Καθάπερ ἐξ ᾠοῦ νεοττὸς ἀτελὴς ὑποκρώζων. Aristoph. Av. [835] : Ἄρεος νεοττὸς, Martis pullus : de gallinaceo, ave Martia : quibus subjungit Pisthetærus [Euelp.], Ὦ νεοττὲ δέσποτα. Annotat ibi schol. gallinaceos quosdam vocari νεοσσοὺς, sicut quosdam Μηδικούς : nisi forte pulcri pueri nomen sit, ad quod alludat. Per jocum femina etiam aliqua aut masculus νεοσσὸς dicitur quum teneræ s. virentis adhuc ætatis est, sicut μόσχος et πῶλος ab Eur. Epicrates ap. Athen. 13, [p. 570, C] de Laide, quam aquilæ comparat : Αὕτη γὰρ ὁππότ' ἦν νεοττὸς καὶ νέα, Ὑπὸ τῶν στατήρων ἦν ἀπηγριωμένη. [In Ind. :] Νεοττὸς dicitur etiam ἡ τοῦ ᾠοῦ λέκιθος, s. τὸ πυῤῥὸν, Vitellus ovi, Luteum ovi. Cujus signif. exx. habes ex Menandro et Chrysippo ap. Suidam [s. Photium : Ν., ἡ τοῦ ᾠοῦ λέκιθος καὶ τὸ πυρρόν. Μένανδρος Ἀνδρίᾳ· Καὶ τεττάρων ᾠῶν μετὰ τοῦτο, φιλτάτη, τὸν νεοττόν. Ubi tamen metrum postulat νοττὸν aut νεοττίον, quæ proposuit Meinek., quum τὸ νεοττὸν conjecisset Bentl., quæ forma fide caret] ; necnon hoc : Videbat quidam in somnis ova ex suo lecto suspensa esse ; deque eo viso vatem consulebat : jubet is eo loco fodere : inventurum enim thesaurum : quumque hic doliolum invenisset in quo aurum et argentum erat, et tantum argenti quiddam vati attulisset, respondit is, Τοῦ νεοττοῦ οὐδέν μοι δίδως, Nil mihi das ex vitello : aurum eo nomine significans. Itidem dimin. Νεόττιον usurpat Diphilus, dicens, Ὠῶν δ' ἐν αὐτῇ διέτρεχεν νεόττια.

Νεοσσοτροφεῖον, τὸ, Locus ubi pulli aluntur, Aviarium. Utitur eo vocab. Colum. 8, 15 : Neossotrophii cura similis, sed major impensa est; nam clausæ pascuntur anates, querquædulæ, boscides, phalerides, similesque volucres, quæ stagna et paludes rimantur. Et sub fin. capitis : Antiquissimum est, quum quis νεοσσοτροφεῖον construere volet, ut prædictarum avium circa paludes, in quibus plerumque fœtant, ova colligat, et cohortalibus gallinis subjiciat; sic enim exclusi educatique pulli deponunt ingenia sylvestria, clausique vivariis haud dubitanter progenerant.

[Νεοσσοτροφέω s.] Νεοττοτροφέω, Pullos alo. Et metaph. dicitur aliquis νεοττοτροφεῖσθαι pro A pueritia educari veluti pullus, Veluti pullus ali et nutriri. Aristoph. Nub. [999] : Μνησικακῆσαι τὴν ἡλικίαν ἐξ ἧς ἐνεοττοτροφήθης. [Philo vol. 2, p. 200, 35. Schol. Hom. Od. N, 106. Wakef. Geopon. 14, 1, 7.]

[Νεοσσοτροφία s. Νεοττοτροφία, ἡ, Pullorum nutritus. Marc. Anton. 9, 9. Altera forma inc. Job. 39, 16; Geopon. 14, 9; 7, 15.]

[Νεοσσοτρόφος s. Νεοττοτρόφος, ὁ, Qui pullos alit. Const. Manass. Chron. 4973, ὄρνις. Boiss.]

[Νεόσσυτος, ὁ, ἡ, Nuper exortus, Recens.] Νεόσυτα, νεωστὶ ὁρμῶντα, νεαρὰ, Hesych.

Νεοστάθὴς, ὁ, ἡ, Recens constitutus, institutus, i. q. νεοκατάστατος : v. δῆμος, Recens institutus populus, VV. LL. [ex Plut. Mor. p. 321, D.]

[Νεοστάλυξ, υγος, ὁ, ἡ.] Νεοστάλυγες, Hesychio νεοδάκρυτοι, [item κεκλαυθμυρισμένοι παῖδες προσφάτως, Qui nuper lacrimarunt].

[Νεοστασία, ἡ, Hesychio ἑτεροίωσις, νεωτερισμὸς, ἔκπληξις. Quæ gl. spectat Apoll. Rh. 3, 76 : Κύπριν δὲ νεοστασίη λάβε μύθων· ubi schol. ἀντὶ τοῦ, ἐν ἐπιστάσει ἐγένετο νέων μύθων. Reddere possis, At Venus insolentiam mirata est horum verborum. Brunck. Sed νεοστασίη, ex νέος et ἵστημι compositum, etsi probum voc. est, tamen non convenit huic loco. Aliud multo certius multoque venustius idem suppeditat Hesychius : Ἀνεοστασίη, θάμβος· quod simul visum, simul probatum est. Ἀνεοστασίη ex ἄνεος et ἵστημι tribuitur iis qui re subita ac nova attoniti, loqui non possunt. Hesych. νεοστασίη explicans ἔκπληξις non tam ad νεοστασίη quam ad ἀνεοστασίη vel ἐνεοστασίη respexit. Ruhnk. Ep. crit. p. 212.]

[Νεόστατος, ὁ, ἡ, Qui nuper constitit. Lex. SG. cod. Paris. 345 fol. 125 r. margo : Νεοπαγεῖς, νεόστατοι νεωστὶ ...σταθέντες, στερεωθέντες. « Const. Porphyrog. p. 91. » Boiss.]

[Νεόστεπτος, ὁ, ἡ, i. q. sequens. Oppian. Hal. 1, 198 : Θαλλοῖσι νεοστέπτοισι.]

Νεοστεφὴς, ὁ, ἡ, Recens coronatus : νεοστεφέος, Hesych. νεοκράτου. [Quod ad pocula pertinere videtur νεόκρατα.]

[Νεοστράτευτος, ὁ, ἡ, Qui nuper militare cœpit. Gl. Νεοστράτευτοι, Tirones. Appian. Civ. 2, 74 : Ν. καὶ ἀπειροπολέμων. Hesych. in Νεόλεκτος. ἅ]

Νεόστροφος, ὁ, ἡ, Nuper tortus; ideoque Novus Itidem Hesych. νεόστροφον exp. νεωστὶ ἐστραμμένον καὶ καινόν. Hom. Il. O, 469 : Νευρὴν δ' ἐξέῤῥηξε νεόστροφον.

Νεοσύλλεκτος, ὁ, ἡ, Recens collectus. [Νεοσύλλεκτοι, Tirones, Gl. Dionys. A. R. 8, 13, στρατιά· 11, 23. Joseph. B. J. 1, 17, 1, v. ἐκ Συρίας σπεῖραι. Leo Ms. ap Pasin. Codd. Taurin. vol. 1, p. 429, A, ἀγέλης.]

[Νεοσύλλογος, ὁ, ἡ, i. q. præcedens. Polyb. 1, 61, 4; 3, 70, 11; 108, 6. « Polyæn. 3, 11, 8, δύναμις.» Hemst. Diodor. Exc. Vat. p. 103. Cramer.]

[Νεοσύνθετος, ὁ, ἡ, Nuper compositus. Νεοσύνθετον ἄστρον in epigr. ante Dionysii Areop. librum De hierarch. cœl. Boiss.]

Νεοσύστατος, ὁ, ἡ, Nuper concretus, Qui nuper coaluit. In VV. LL. annotatur dici Nuper concreta, Quæ nuper coaluerunt : et subjungitur ex Galen. Κ. τόπ. 5, de lichenibus : Συγκρίνοντες ἀπὸ τῶν κεχρονισμένων τὰ νεοσύστατα, Discernentes recentes ab inveteratis, pro τὰ νέως συστάντα. Ibid. νεοσύστατοι, Qui recens professi erant sectam Pharisæorum, ex Josepho [B. J. 2, 8, 9].

Νεοσφάγὴς, ὁ, ἡ, Nuper jugulatus, Recens mactatus, Non ita pridem occisus. Soph. dicit etiam [Aj. 546] : Νεοσφαγῆ που τόνδε προσλεύσσων φόνον, pro Recens editam cædem. [De homine 898 : Ἀρτίως νεοσφαγὴς κεῖται. Eur. Hec. 894 : Τῆς νεοσφαγοῦς Πολυξένης· Tro. 1132. Nicander Th. 101 : Νεοσφαγέος ἐλάφοιο. Plut. Camill. c. 31 : Νεοσφαγῆ κεφαλήν. « Ταῦρος νεοσφαγὴς, Paul. Ægin. 5, p. 173, 21. Liban. vol. 4, p. 739.» Hemst. Aret. p. 122, 23, ἀνθρώπου. Id. p. 117, 38, κρέα.]

Νεόσφακτος, ὁ, ἡ, ejusd. signif. et originis [cujus νεοσφαγὴς] est. Et dicitur νεόσφακτον etiam αἷμα [ap. Aristot. H. A. 7, 1], pro Sanguis recens jugulatæ pecudis, recens occisi s. mactati animalis. [Etym. M.]

[Νεοσφὰξ, ἄγος, ὁ, ἡ, i. q. νεοσφαγής. Nicander ap. Athen. 3, p. 126, B : Ἐρίφοιο νεοσφάγος. Schweigh.]

[Νεοσχιδὴς, ὁ, ἡ, Nuper scissus. Nonn. Dion. 25, 307 : Ὄρος νεοσχιδές.]

[Νεοτάφὴς, ὁ, ἡ, Nuper sepultus vel sepulcrum factus. Schol. Lycophr. 1097 : Νεοσκαφὲς στέγος) νεοταφές. L. Dind.]

Νεοτελής, ὁ, ἡ, Recens absolutus, νεωστὶ τετελειωμένος, Hesych. [et Phot. Nuper initiatus, Plato Phædr. p. 250, E; Lucian. D. mer. 11, 2. « Himer. apud Phot. p. 607, 5 (372, 23 Bekk.): Ψυχαὶ νεοτελεῖς καὶ ἀκήρατοι. » Hemst. Et idem ib. p. 368, 29 : Ἦθος νεοτελές τε καὶ βέβηλον.]

[Νεοτέλης, ους, ὁ, Neoteles, grammaticus ap. schol. Hom. Il. Θ, 325, 328, Ω, 110.]

[Νεοτερπής, ὁ, ἡ, Recens et jucundus. Oppian. Hal. 3, 352 : Νεοτερπέα φορβήν· Cyn. 2, 584 : Γλυκερῆς νεοτερπὲς ἐδητύος ἐμνήσαντο.]

[Νεοτευκτικὸς, ἡ, όν. « Νεοτευκτικὰ, Titulus libri qui Orpheo tribuitur, ab Eudocia p. 318. » Schleusn. Ap. Eudociam Νεοτευτικὰ, ap. Suidam Νευοτευκτικὰ, quod Νεωτευκτικὰ scrib. conjiciebant Hemst. et alii.]

Νεότευκτος et Νεοτευχής, ὁ, ἡ, Nuper fabricatus, Recens factus s. paratus, νεοκατασκεύαστος. Hom. Il. Ε, [194] : Δίφροι καλοὶ, πρωτοπαγεῖς, νεοτευχέες. [Theocr. 1, 28 : Κισσύβιον νεοτευχές. Tryphiod. 676 : Νεοτευχέα κόσμον. Hom. Il. Φ, 592 : Κνημὶς νεοτεύκτου κασσιτέροιο. « Ap. Proclum De fide : Νεότευκτος καὶ καινὴ βλασφημία. » Suicer.]

[Νεοτευχής. V. Νεότευκτος.]

Νεότης, ητος, ἡ, Juventus, i. e. Ætas juvenilis, Adolescentia : sicut νέος Cic. vertit Adolescens. [Hom. Od. Ξ, 86 : Οἷσιν ἄρα Ζεὺς ἐκ νεότητος ἔδωκε καὶ ἐς γῆρας τολυπεύειν· Ψ, 445 : Ἄμφω γὰρ ἀτέμβονται νεότητος. Pind. Nem. 9, 44 : Πόνων... οἱ σὺν νεότατι γένωνται. Eur. Herc. F. 637 : Ἁ νεότας μοι φίλον. Et alii quivis. Plurali Metrodor. Anth. Pal. 9, 360, 7 : Αἱ νεότητες ῥωμαλέαι. Nicostrat. ap. Stob. Fl. vol. 3, p. 89 : Αὗται (αἱ πρεσβύτιδες) ἱκαναὶ τὰς νεότητας μακαρίζειν.] Aristot. Rhet. 2, [c. 13, 4] : Ἡλικίαι δέ εἰσι, νεότης καὶ ἀκμὴ καὶ γῆρας. Thuc. 6, p. 204 [c. 18] : Νομίσατε νεότητα μὲν καὶ γῆρας ἄνευ ἀλλήλων μηδὲν δύνασθαι. Sic Plut. An seni capess. resp. [p. 789, E] : Πειθαρχικὸν γὰρ ἡ νεότης, ἡγεμονικὸν δὲ τὸ γῆρας. Athen. 4, [p. 168, C] : Ἐν τῇ νεότητι τὰ τοῦ γήρως ἐφόδια προκαταναλίσκοντες· quibus in Il. νεότης et γῆρας sibi opp., sicut supra γηραιοὶ et νέοι. Similiter et a Xen. Cyrop. 8, [7, 6] opp. νεότης τῷ γήρᾳ, cujus verba habes p. 133 mei Lex. Cic., ubi a Cic. νεότης redditur Adolescentia, γῆρας Senectus. [Et a Plat. Reip. 1, p. 329, D.] Item Plato Apol. [p. 26, E] : Ἀτεχνῶς τὴν γραφὴν ταύτην ὕβρει τινὶ καὶ ἀκολασίᾳ καὶ ν. γράψασθαι· in malam partem. [Leg. 4, p. 716, A : Ἅμα νεότητι καὶ ἀνοίᾳ. De bestiis Xen. Eq. 3, 2.] Sæpe νεότης dicuntur ipsi Juvenes s. Adolescentes, Juvenum multitudo, νέων πλῆθος, Thuc. schol. Sic Plaut., Nemo juventute ex omni Attica; Cic., Juventutem laboribus erudiunt : quo modo et Pubes capitur : ut Agrestis pubes, ap. Virg.; Omnis Italiæ pubes, Cic.; Pubes Albana, Liv. [Pind. Isthm. 7, 68 : Ἐν Ἐπιδαύρῳ νεότας.] Apud Xen. [Thuc.] 2, [20] de Atheniensibus, Ἀκμάζοντάς τε νεότητι πολλῇ· paulo ante, N. πολλὴ οὖσα ἐν τῇ Πελοποννήσῳ. Philo V. M. 1 : Τὴν ἐκ τῶν πόλεων ν. ἀναστήσας, Excita ex urbibus juventute. Et Pericles ap. Aristot. Rhet. l. 2 [immo 1, 7] ait, Τὴν ν. τὴν ἀπολομένην ἐν τῷ πολέμῳ, οὕτως ἠφανίσθαι ἐκ τῆς πόλεως ὥσπερ εἴ τις τὸ ἔαρ ἐκ τοῦ ἐνιαυτοῦ ἐξέλῃ. Sic et Gallice dicitur *La jeunesse*, Juventus, pro Juvenibus.

Νεοτήσιος, ὁ, ἡ, Juvenilis. Phocyl. [201], νεοτήσιος ὥρα, Juvenilis forma s. pulcritudo. [Callistr. Stat. p. 897 : Αἱ παρειαὶ αὐτῷ εἰς ἄνθος ἐρευθόμεναι νεοτήσιον ὡραΐζοντο. Id. p. 903, 14 : Τὸ μαλθακὸν καὶ νεοτήσιον. Antiphon apud Stob. Flor. 68, 37, fine, τὸ νεοτήσιον σκίρτημα. Hemst. Clem. Al. p. 940 : Σκιρτήματι νεοτησίῳ.]

[Νεοτίμη, ἡ, Neotime, et forma Dor. Νευτίμα ap. Persen Anth. Pal. 7, 730, 3 : Νευτίμας. ῑ]

Νεότμητος, ὁ, ἡ, Nuper sectus, Recens incisus s. cæsus. Exp. etiam Recens tritus, et affertur ex Luciano [Adv. ind. c. 6] : Νεότμητοι κρηπῖδες. [Apoll. Rh. 3, 857 : Σαρκὶ νεοτμήτῳ. Theocr. 7, 134 : Νεοτμάτοισι γεγαθότες οἰναρέοισι. Plato Tim. p. 80, D.]

[Νεοτόκος, ἡ, Puerpera, Gl. Eur. Bacch. 701 : Ὅσαις νεοτόκοις μαστὸς ἦν σπαργῶν ἔτι. Dionys. A. R. 1, 79 : Νεοτόκους σπαργῶσα τοὺς μαστούς. Plut. Alex. c. 33. « Conon apud Phot. p. 235, 8 : Νεοτόκος λύκος. Schol. Pind. Nem. 1, 74. » Hemst. Aret. p. 103, 39 : Γυναικὸς νεοτόκου. Passive Recens partus, id. p. 124, 56 :

A Ἦν νεότοκον τὸ πάθος ᾖ· 234, 25 : Ἔτι νεοτόκῳ τῷ πάθεϊ.]

[Νεότομος, ὁ, ἡ, Recens sectus. Æsch. Cho. 22 : Ὄνυχος ἄλοκι νεοτόμῳ. Soph. Ant. 1283 : Νεοτόμοισι πλήγμασι. Eur. Bacch. 1169 : Ἕλικα νεότομον. || Forma Νεήτομος Erycius Anth. Pal. 6, 234, 1, Γάλλος.]

Νεοτρεφής, ὁ, ἡ, Nuper s. Recens nutritus, Epigr. [Christodor. Ecphr. 278, ἴουλοι. Eur. Heracl. 93 : Νεοτρεφεῖς κόρους.]

Νεοτρῖβής, ὁ, ἡ, Nuper s. Recens tritus. Phocyl. [155] : Πυροῖο νεοτριβὲς ἄχθος ἔχουσι, Recens tritura excussum.

[Νεότριπτος, ὁ, ἡ, i. q. νεοτριβής. Nicand. Al. 297 : Νεοτρίπτῳ ὑπὸ γλεύκει.]

[Νεότροφος, ὁ, ἡ, Nuper nutritus, Recens natus. Æsch. Ag. 724, τέκνον.]

Νεότρωτος, ὁ, ἡ, Recens s. Nuper vulneratus, Etym. [Hesychius in Νεούτατος.] Affertur et νεότρωτα [τὰ νεότρωτα τῶν ἑλκῶν, Dioscor. 4, 115, 10. Hemst.] pro Recentia vulnera, quum potius significet Recens vulnerata. [De hominibus Athen. 2, p. 41, D. Schol. Hom.
B Il. N, 539. Wakef. Basilius Hom. 1 in Psalmos p. 125, de libro Psalmorum : Τά τε παλαιὰ τραύματα τῶν ψυχῶν ἐξιᾶται καὶ τῷ νεοτρώτῳ ταχεῖαν ἐπάγει τὴν ἐπανόρθωσιν. Suicer.]

[Νεοττάκιον, etc. V. Νεοσσ—.]

[Νεότῡρος, ὁ, Recens caseus. Alex. Trall. 2, p. 726. Struv.]

[Νεουλκία. V. Νεωλκία.]

[Νεουργέω, Renovo, Instauro. Theodoret. In Rom. 12, 2, p. 95 : Νεουργεῖν τὸν λογισμόν· Ad Cor. 1, 12, 13, p. 181 : Ὑφ' ἑνὸς ἅπαντες ἐνεουργήθησαν πνεύματος· In Tit. 3, 5, p. 514 : Ἀνακτίσας ἡμᾶς καὶ νεουργήσας. Suicer. Epigr. Anth. Pal. App. 357, 4 : Ὁ Ῥωμανοῦ παῖς ... κρεῖττον νεουργεῖ τῆς πάλαι θεωρίας. Acta SS. Martii vol. 2, p. 703, C : Τὸ νεουργηθὲν οὐρανομίμητον μοναστήριον. L. Dind.]

[Νεούργημα, τό. Theophyl. Bulg. vol. 3, p. 505 (?).]

[Νεουργής, ὁ, ἡ, Nuper factus, Novus. Julian. Or. 2, p. 71, C : Ἔρυμά τι νεουργές. Alciphr. Ep. 3, 57.
C « Theodor. Prodr. Carmen in Andronicum Comn. v. 162. » Boiss. Formam solutam Νεοεργής v. supra.]

[Νεουργία, ἡ, Renovatio, Instauratio. Jo. Chrys. In Ps. 101, vol. 1, p. 935. Seager. Photius Bibl. p. 33, 42, ex Theophylacto : Εἰς νεουργίαν τοῦ τῶν ὑδάτων ὁλκοῦ.]

Νεουργὸς, ὁ, ἡ, Navium fabricator, i. q. ναυπηγός : sed φιλοτιμότερον esse hoc vocab. Pollux [1, 85] annotat. || Alias significat Nuper factus, [Photio s. Suidæ] νεωστὶ εἰργασμένος, a νέος. [Plato Reip. 6, p. 495, E : Νεουργὸν ἱμάτιον. Plut. Mor. p. 374, E : Οὐδὲ τοὔλαιον, ἂν ᾖ νεουργόν· Liban. vol. 1, p. 307, 14 : Τὰ παλαιὰ ὡς νεουργὰ φερόμενοι· Themist. Or. 2, p. 40, A : Σφραγῖδα πάνυ λαμπράν τε καὶ νεουργόν· 4, p. 60, A : Μετοικίζειν ἐκ παλαιοῦ σκήνους ἐκτετηκότος εἰς ἀρτιπαγές τε καὶ νεουργὸν, confert Ruhnk. ad Tim. p. 185. Plut. Æmil. Paulo c. 18 : Νεουργοῖς φοινικίσιν. Pollux 1, 25 : Ὑπὸ νεουργῷ στολῇ προσιέναι θεοῖς. || Nuper cultus. Theophr. C. Pl. 3, 13, 3 : Διὰ τὸ νεουργόν τε εἶναι τὴν γῆν καὶ ἀκάρπωτον.]

D [Νεουρέω.] Νεουρεῖν, Secundo vento uti : ut quidam interpr. in hoc dicto Diogenis ad quendam sibi convitium dicentem [ap. Diog. L. 6, 56] ἐπὶ τῷ παραχαράξαι τὸ νόμισμα : Καὶ γὰρ ἐνεούρουν θᾶττον, νῦν δ' οὔ. Interpr. et Erasm. vertunt, Tunc mingebam citius; ac si esset παρὰ τὸ οὐρεῖν. Locus est p. 219; sed mendo non carere videtur. [Perperam pro νεουργεῖν. Schn.

Νεούτατος, ὁ, Recens vulneratus s. ictus, vide Ἄουτος. [Hom. Il. N, 539, Σ, 536; Hesiod. Sc. 157, 253.]

[Νεουχοῦμαι, νεοποιοῦμαι, Lex. Ms. Havn. ap. Osann., qui νεουργοῦμαι suspicatur.]

[Νεοφανής, ὁ, ἡ, Nuper ortus, Recens. Theodorus Stud. p. 547, C : Οἱ νεοφανεῖς δράκοντες· et p. 399, E. L. D. Phot. Adv. Manich. in Wolfii Anecd. Gr. 1, p. 1, 56, 121. Eust. Od. p. 1572, 22; Theophyl. In Marc. 8, p. 230. || Adv. Νεοφανῶς, Jo. Climac. Scala p. 232. Boiss.]

[Νεοφάντης, ὁ, Qui nuper initiatus est. Orph. H. 3, 9 : Μύστῃ νεοφάντῃ.]

[Νεοφανῶς. V. Νεοφανής.]

[Νεόφᾰτος, ὁ, ἡ, Nuper mortuus. Hesychius : Νεόφατος, νεωστὶ τεθνηκώς. || Nuper dictus s. i. q. πρόσφατος, Recens, et forma poetica Νεήφατος. Hom. H. Merc. 442 : Θαυμασίην γὰρ τήνδε νεήφατον ὄσσαν ἀκούω.]

[Νεοφεγγής, ὁ, ἡ, Nova luce splendens. Manetho 2, 489, μήνη.]

[Νεόφθαρτος, ὁ, ἡ, Qui nuper interiit. Cyrilli Lex., ad Hesych. v. Νεόφθιτος.]

[Νεοφθίμενος, η, ον, i. q. νεόφθιτος. Nonn. Dion. 25, 274 : Νεοφθιμένων δ' ἐπὶ πότμῳ πᾶσα πόλις δεδόνητο· 26, 46 : Μετὰ σῆμα νεοφθιμένοιο τοκῆος.]

Νεόφθῐτος, ὁ, ἡ, Qui recens interiit : νεόφθιτον, νεωστὶ τελευτῆσαν, νεωστὶ φθαρέν [Photio et Suidæ]. Hesychio νεόφθιτος κόρη est non solum ἡ νεωστὶ τελευτήσασα, sed etiam ἡ ἄρτι φθαρεῖσα : quod inter alia significat, Recens vitiata.

Νεοφθόητος, ὁ, ἡ, affertur pro Nuper corruptus; sed ἀμαρτύρως.

[Νεόφοιτος, ὁ, ἡ, Qui nuper accessit, prodiit. Coluth. 383 : Χρυσέην δ' ἔρρηξε καλύπτρην Κασσάνδρη, νεόφοιτον ἐπ' ἀκροπόληος ἰδοῦσα. Tryphiod. 365 : Κασσάνδρη νεόφοιτος, nunc ex cod. θεόφοιτος. Pass. ap. anon. Anth. Pal. 7, 699, 1 : Ἰκάρου ὦ νεόφοιτον ἐς ἠέρα πωτηθέντος Ἰκαρίη πικρῆς τύμβε κακοδρομίης, Nuper visitatus.]

[Νεόφονος, ὁ, ἡ, Nuper occisus. Eur. El. 1172 : Μητρὸς νεοφόνοις ἐν αἵμασι.]

[Νέοφρων, ονος, ὁ, Neophron. Suidas : Νέοφρων ἢ Νεοφῶν, Σικυώνιος τραγικός. De quo v. Elmsl. ad Eur. Med. p. 68, neque erat quod Νεοφῶν adderet Suidas, librarii errore deceptus. || F. Timandræ ap. Antonin. Lib. c. 5.]

[Νεοφυής. V. Νεόφυτος.]

[Νεοφυΐα, ἡ, Recens natus. Clem. Alex. Pæd. p. 189 (221) : Ἡ τῶν πτερῶν νεοφυΐα νεαρᾶς ἐσθῆτος δίκην ἐξανθεῖ βαφήν τινα πτερῶν. Kall.]

[Νεοφύρατος, ὁ, ἡ, Recens subactus. Schol. Theocr. 4, 34 : Μᾶζα, τὸ νεομάλακτον καὶ νεοφύρατον ψωμίον. Tzetzes in Cram. An. vol. 3, p. 366, 25. ῦᾶ]

[Νεοφυτεία, ἡ, Pastina, Gl.]

[Νεοφυτεῖον, τὸ, Novelletum, Gl.]

[Νεόφυτον, Novellum, Novelletum; Νεόφυτος, Novellus, Novella, Gl. Vinea ex novellis vitibus confecta. Occurrit in l. 28 Basil. t. 10, c. 6, et ap. Mich. Psell. in Synopsi Leg. 1265, 1268, ex l. 6 Dig. de impens. in res dotal. Ducang.]

Νεόφυτος, ὁ, ἡ, Nuper sive Recens natus, genitus. Pollux [1, 231] abjectam vocem esse ait, qua tamen usus sit Aristophanes : pro qua dicitur νεογενής, ἀρτιγενής, ἀρτίγονος, et ἀρτιφυής. [Νεόφυτον δένδρον, Planta novella, ap. Jo. Chrysost. Hom. 61, t. 5 ed. Paris. p. 813. Suicer. Jesai. 5, 7 : Νεόφυτον ἠγαπημένον. Job. 14, 9 : Ὥσπερ νεόφυτον. Ps. 143, 13. Plur. Ps. 127, 4 : Ὡς νεόφυτα ἐλαιῶν. Schleusn. Lex. Hesych. in Νεοθηλές.] Ita VV. LL.; quæ tamen an et hæc quatuor synonyma ex Polluce afferant, dubium est; nam ea mihi ap. illum quæsita, sed non inventa sunt. [Leguntur l. c.] Est certe ibi notanda et vox Ἀρτιφυής, itidem pro Nuper natus. Habent vero, ubi de hac voce agunt, sequendo ordinem alphabeticum, etiam ἀρτιφυὴς βλάστησις pro Nuper erumpens germinatio. Sed et nomen Νεοφυὴς in iisd. legitur, tanquam illam nominis νεόφυτος signif. habens.

|| Νεόφυτος, metaph. de Eo qui recens ad fidem Christianam accessit. Utitur hac voce Paul. 1 Ad Tim. 3, [6] ubi vult episcopum inter alia esse μὴ νεόφυτον. Ubi vet. Interpr. Græcam vocem retinuit : Erasmus autem interpr. Novitium. A quo etiam dicitur νεόφυτος esse Nuper natus aut insitus. Atque ita vocatum esse a Paulo Recens baptizatum, quod a baptismo censeantur Christiani. Sed si reddatur Nuper insitus, plantatus, dabitur verbo φύεσθαι nova signif. Quum tamen κατάφυτος itidem dicatur pro Consitus, sequi potius illos debemus, qui νεοφύτους vocari dixerunt Novitios in religione, quasi novellas plantas (etiamsi gen. neutro Νεόφυτον in VV. LL. extet pro Novella planta) [Et in Gl. Νεώφυτος (sic), Novellus] : Chrysostomo νεόφυτος et νεοκατήχητος. [|| N. is dicitur, qui, etsi Christianus sit, tamen statim episcopus creatur, etiamsi reliquos ordines nunquam administravit. Ita Can. 10 Conc. Sardic. Osius episc. dicit : Καὶ τοῦτο ἀναγκαῖον

A εἶναι νομίζω, ἵνα μετὰ πάσης ἀκριβείας καὶ ἐπιμελείας ἐξετάζοιτο, ὥστε ἐάν τις πλούσιος ἢ σχολαστικὸς ἀπὸ τῆς ἀγορᾶς ἀξιοῖτο ἐπίσκοπος γίνεσθαι, μὴ πρότερον καθίστασθαι, ἐὰν μὴ καὶ ἀναγνώστου καὶ διακόνου καὶ πρεσβυτέρου ὑπηρεσίαν ἐκτελέσῃ· οὕτω γὰρ ἂν εἰκότως νεόφυτος νομισθείη. Balsamon p. 866 : N. λέγεται ὁ ἀπὸ πλουσίου ἢ σχολάζοντος εἰς ἐπισκοπικὸν ἀξίωμα προβιβαζόμενος. || N. πίστις, Religio s. Fides recens plantata. Chrysost. Hom. 12, t. 5 ed. Paris. p. 172 : Ὅτε νεόφυτος ἦν ἡ πίστις, ὅτε ἁπαλὴ ὑπῆρχεν, ἐπιμελείας ἠξιοῦτο πάντοθεν. Id. Hom. 61, ib. p. 813, Petrus τὴν πίστιν νεόφυτον οὖσαν ἔμενε παγῆναι καλῶς ἐν ταῖς τῶν ἀκουόντων ψυχαῖς. Suicer.]

[Νεόφυτος, ὁ, Neophytus, n. pr. ap. Suidam et Fabric. in Bibl. Gr.]

[Νεοφῶν. V. Νέοφρων.]

[Νεοφώτιστος, ὁ, ἡ, Recens baptizatus. « Cyrill. Hier. p. 227; Euseb. H. E. p. 157, 206. » Kall. Jo. Chrys. In Act. Apost. serm. 24, vol. 4, p. 751, 14. Seager. Id. Hom. 71, t. 6 : Νεοφωτίστους λέγω οὐχὶ τοὺς πρὸ δύο B καὶ τριῶν οὐδὲ πρὸ δέκα ἡμερῶν φωτισθέντας μόνον, ἀλλὰ καὶ τοὺς πρὸ ἐνιαυτοῦ καὶ τοὺς πρὸ πλείονος χρόνου. Suic. Philo Carpas. In Cant. Cantic. p. 160; Basil. Ms. in Greg. Naz. p. 89 codicis 573. Boiss.]

[Νεόχαβις, ὁ, Neochabis, ap. Athen. 10, p. 418, E.]

[Νεοχάλκευτος, ὁ, ἡ, Nuper cusus. Nicet. Chon. p. 259, A : Βέλη νεοχάλκευτα.]

Νεοχάρακτος, ὁ, ἡ, [Rudis, Gl.], Nuper insculptus, impressus, νεωστὶ κεχαραγμένος. Soph. init. Aj. : Πάλαι κυνηγετοῦντα, καὶ μετρούμενον Ἴχνη τὰ κείνου νεοχάραχθ', ὅπως ἴδῃς Εἴτ' ἔνδον εἴτ' οὐκ ἔνδον. Eleganter autem dicit νεοχάρακτα, quoniam ὁπόταν νεωστὶ αἱ ἀποχαράξεις τῶν ζώων γένωνται, μᾶλλον ἐπακολουθοῦσιν οἱ κυνηγέται, πρὶν ὑπὸ τοῦ ἀνέμου ἀφανισθῇ ἡ ὀδμή. [ᾰ]

[Νεοχειροτόνητος, ὁ, ἡ, Qui nuper electus s. creatus est. Constant. Cærim. p. 114, C, bis, βασιλεύς. L. D.]

[Νεόχερσος. V. Νεώχερμος.]

Νεοχμέω, sive Νεοχμόω, Innovo, Res novas molior, Novis rebus studeo. Prioris verbi νεοχμέω hoc ap. Suid. exemplum [Joannis Antiocheni ap. Suidam v. C Θεοδόσιος p. 1862, C] habetur : Μὴ παρόντων ἐς τὰς ἀρχὰς ἀνδρῶν τῶν διέπειν ταύτας δυναμένων, πολλὰ νεοχμεῖσθαι ἐν τοῖς πολιτικοῖς. [Procop. Anecd. p. 86, D : Τῶν πρός τε Ἰουστινιανοῦ καὶ Θεοδώρας νεοχμηθέντων και ταῦτά ἐστιν.] Sed frequentiori in usu est Νεοχμόω. Aristot. De mundo [7, 1] : Εἷς δὲ ὢν ὁ θεὸς, πολυώνυμός ἐστι, κατονομαζόμενος τοῖς πάθεσι πᾶσιν ἅπερ αὐτὸς νεοχμοῖ, Quæ nova ipse edit et designat. Bud. ibi vertit, Ab iis utique suis omnibus effectibus denominatus, quorum specimen ipse edere solet · qualia sunt, Ζὴν Ἀστραπαῖος, Βρονταῖος, Αἴθριος, Κεραύνιος, Ὑέτιος, Ἐπικάρπιος, et hujusmodi alia. Sed in malam plerumque partem capitur pro νεωτερίσαι, νεωτεροποιῆσαι, Res novas moliri, νεωστὶ κινῆσαί τι, ut exp. is qui de Dialectis scripsit, annotans Ionicum esse verbum [Gregor. Cor. p. 544]; ac certe ap. Herodotum non infrequens est. [4, 201; 5, 19.] Similiter et Suidas νεοχμῶσαι exp. νεωτερίσαι, καινόν τι ἐργάσασθαι, hoc addens exemplum : Ἀσχόλους τε γὰρ αὐτοὺς ὄντας διὰ τὸν πόλεμον, μηδὲν νεοχμῶσαι. Item [ex Procopii H. A. D c. 6], Ὁ δὲ φυλάσσειν τῶν καθεστώτων οὐδὲν ἠξίου, πάντα δὲ νεοχμοῦν ἐσαεὶ ἤθελε, i. e. καινοτομεῖν, νεώτερα ἐργάζεσθαι, Innovare, Novas aliquas res moliri. Utitur hoc verbo et Theodorit. H. E. 2 : Πολλὰ δὲ τοιαῦτα πολλαχοῦ γῆς ἐνεόχμωσαν, κρατῦναι πειρώμενοι τὴν ἀσέβειαν. Et in pass. ap. Hesych. νεοχμούμενοι, μετακοσμούμενοι, νεωτεριζόμενοι. [Dionys. A. R. 5, 74 : Οἱ καιροὶ πολλὰ νεοχμοῦντες. « Pass. Sext. Emp. p. 296, 16 : Τοὺς νόμους νεοχμοῦσθαι. » Hemst. Clemens Al. Pæd. 2, p. 234 : Εἰς τρίτην μεταμόρφωσιν νεοχμοῦται βομβύλιον.]

[Νεόχμησις. V. Νεόχμωσις.]

Νεοχμία, ἡ, Novatio, Rerum novarum molitio, pro quo Ionice dicitur νεοχμίη, Hesychio κίνησις πρόσφατος.

Νεοχμίζω, i. q. νεοχμῶ : unde Hesych. νεοχμιζομένου, καινουργουμένου. [Apud Photium vitiose νεκνιζομένου.]

Νεοχμὸς, ὁ, Novus. [Æsch. Prom. 150 : Νεοχμοῖς δὲ δὴ νόμοις Ζεὺς ἀθέτως κρατύνει· Pers. 693 : Τί δ' ἐστι Πέρσαις νεοχμὸν ἐμβριθὲς κακόν; Soph. Ph. 751 : Τί δ' ἐστιν οὕτω νεοχμὸν ἐξαίφνης; Eur. Iph. T. 1162 : Τί φροιμιάζει νεοχμόν; Tr. 260 : Τί νεοχμὸν ἀπ' ἐμέθεν ἐλάβετε; 231 : Νεοχμῶν μύθων ταμίας· et cum κακὸν Hipp. 866, Bacch. 216. Ion. ap. Sext. Emp. p. 294, 2 : Εὖτ' Ἄρης νεοχμὸς ἐμπέσῃ στρατῷ, citat Hemst.] Aristoph. [Thesm. 701], Τέρας νεοχμὸν, Portentum novum et invisum. Lucian. [Lexiph. c. 1] : Γράμμα ἐστὶ τητινόν τι τῶν ἐμῶν νεοχμὸν, Novum vel Recens, aut ἀρτιγραφὲς, ut ibid. appellat. Νεοχμόν τι ποιοῦμαι [ποιῶ Herodot. 9, 99, 104], Aliquid novarum rerum molior, Aliquid innovo : ut supra νεώτερα πράττειν πράγματα, in malam partem. Eur. autem [Suppl. 1057] μέσως dicit, Εἴς τι πρᾶγμα νεοχμὸν ἐσκευάσμεθα, Ad rem novam parati sumus. [Dio Cass. 38, 3 : Ἐπιεικὴς καὶ οὐδενὶ νεοχμῷ ἀρεσκόμενος.] || Recens. Soph. Ant. [156] : Κρέων ὁ Μενοικέως, νεοχμὸς νεαραῖσι [M. νεοχμοῖσι G. D.] θεῶν ἐπὶ συντυχίαις χωρεῖ, i. e. νεωστὶ κατασταθεὶς εἰς τὴν ἀρχὴν καὶ τυραννίδα, s. ὁ νεωστὶ καινὸς βασιλεὺς τῆς χώρας γενόμενος, Qui nuper ad regni administrationem venit, Novus rex. Sicut vero Ovidius Equos recentes dicit eos qui nondum delassati sunt, sed integris adhuc viribus, ita νεοχμὸν Hesych. exp. non solum νέον, νεωστὶ εἰργασμένον, πρόσφατον, sed etiam ἄπονον, ἄκοπον : et Suidæ itidem νέος est νέαν καὶ ἀκαταπόνητον δύναμιν ἔχων. Item ὁ νεοχμὸς, ut quidem tradunt VV. LL., subst. Novitas, Innovatio, pro quo diceretur potius τὸ νεοχμὸν substantive. Reperitur etiam Νεωχμὸς per ω in penult. : ut ap. Erotian. Lex. Hippocr. [p. 262] : Νεωχμὸν, νεώτατον, ὡς καὶ Ἀλκμὰν ἐν α' Μελῶν. Et ap. Hesych. νεωχμοτάτην (ita enim repono pro νεωχμάτην), νεωτάτην. [Verum νεοχμὸν scribitur ap. Hipp. p. 651, 36 : Δεῖ δε νεοχμὸν ποιέειν τὸ φάρμακον, Medicamentum renovare, h e. recentissimum adhibere medicamentum. Sed νεωχμὸν legisse videtur Erotian. Foes.] A νεοχμὸς est Νεοχμῶς, Nove, Recenter, Phrynich. Epit. [p. 2 Lob. : Εἴ τις αἵρεσιν προθείη ποτέρως ἂν ἐθέλοιεν διαλέγεσθαι, ἀρχαίως καὶ ἀκριβῶς ἢ νεοχμῶς καὶ ἀμελῶς. « Quam dictionem usurpat Hippocr. p. 598, 12 : Οὐδὲ κλύζεσθαι νεοχμῶς, Neque recenter lavare, aut aliquid innovando, aut recenti motu facto. Vult enim humidiores mulieres nullo recenti motu agitandas esse aut attingendas, neque lavatione aliquid innovandum, ne in perniciem ruant. » Foes.]

[Νεοχμόω. V. Νεοχμέω.]

[Νεοχμῶς. V. Νεοχμός.]

Νεόχμωσις, εως, ἡ, Novatio, Rei novæ designatio. Aristot. De mundo [c. 5] : Τούτου καὶ αἱ παράδοξοι νεοχμώσεις ἀποτελοῦνται, ubi exp. Ex hoc miracula rerum existunt. [Aret. p. 91, 53, τῶν ἐπιπλασμάτων· 100, 40, τῆς δυνάμιος.] Item, Molitio rerum novarum, Studium rerum novandarum : sicut et Hesych. νεόχμωσιν exp. νεοκίνησιν, μετακίνησιν. [Eandem interpr. νεοκίνησιν ponit Etym. M. p. 600, 48, ubi cod. Paris. Νεόχμησιν.]

[Νεόχνοος, ὁ, ἡ, i. q. ἄρτι γενειάσκων, Nuper barbatus. Greg. Naz. Epigr. 165.]

[Νεόχριστος, ὁ, ἡ, Nuper illitus. Diodor. Exc. p. 542, 92 : Οἶκον νεόχριστον. Appian. Civ. 1, 74, οἴκημα.]

[Νεόχυτος, ὁ, ἡ, Nuper fusus. Poeta ap. Dionys. De comp. vv. p. 218 Schæf. : Νεόχυτα μέλεα, ut ex libris correctum quod scribebatur νεόλυτα.]

[Νεόχωρος, ὁ, Neochorus, n. viri, ap. Plut. Lys. c. 29.]

Νεόω, Novo [Gl.], Innovo, Renovo. Aristoph. Nub. [1117] : Ἢν νεοῦν [νεᾶν] βούλησθ' ἐν ὥρᾳ τοὺς ἀγροὺς, Agros renovare aratro, ut Ovid., qui dicit etiam Renovatus ager pro Novale, et νεοῦν pro Novale facere. Gregor. : Ἐνεώσαμεν ἑαυτοῖς θεῖα νεώματα. [V. Νέωμα.] Ejusd. signif. est νεάω. [Proprie Æsch. Suppl. 534 : Νέωσον εὔφρον' αἶνον. Hesychius : Νεουμένη, δευτερουμένη.]

[Νέπετος, πόλις Ἰταλίας. Διονύσιος ιγ' Ῥωμαϊκῆς ἀρχαιολογίας. Τὸ ἐθνικὸν Νεπεσῖνος. Ἡ τροπὴ δὲ τοῦ τ εἰς σ ἰδιάζουσα καὶ σεσημείωται, Steph. Byz. Νέπιτα ap. Strab. 5, p. 226. Νέπετα ap. Ptolem. 3, 1. Ap. Oribas. p. 67 Mai. : Τὰ τῆς Ἰταλίας (ὕδατα) τὰ νεπίσινα, scribendum Νεπεσῖνα. L. Dind.]

[Νέπη, ἡ, Nepe. Priscian. 7, 2, 7 : « In femininis etiam Alcæus Νέπη pro Νέπης posuit et Theopompus Χάρη pro Χάρης. »]

[Νέπιτα. V. Νέπετος. || Hesychius : Νέπιτα, ἡ καλαμίνθη, Romanis *Nepeta.*]

[Νεπουνὶς, ίδος, ἡ, Nepunis, cogn. Hippolytes Amazonis ap. Lycophr. 1332, ubi schol. annotat etiam ceteras ab illa vocatas esse Νεπουνίδας.]

Νέπους, οδος, ὁ, Pedibus carens, Cui pedes nulli sunt, i. q. ἄπους : quale est genus τῶν ἑρπετῶν καὶ νηκτῶν : ut φῶκαι νέποδες ap. Hom. [l. infra cit.] Et Epigr. [Pauli Sil. Anth. Pal. 11, 60, 7] : Ὀστέα δ' αὖ νεπόδων, Piscium; nam piscibus pedes non sunt, verum pinnæ potius et cirri, quæ brachiorum vicem gerunt. [Theognost. Can. p. 94, 22 : Νέπους ὁ ἐστερημένος ποδῶν. Alia exx. v. infra.] Hesych. vero νέποδες exp. νηξίποδες, Qui natando gradiuntur, quemadmodum et schol. Homeri νέποδες φῶκαι exp. non solum ἄποδες, verum etiam αἱ διὰ τοῦ νήχεσθαι τὴν πορείαν ποιούμεναι. Tunc autem derivatum fuerit a νέω idem significante cum νήχομαι, No, Nato. Verum νέποδες ἁλοσύδνης φῶκαι nonnulli exponunt, teste Eust. [Od. p. 1502, 35], θαλάσσης τέκνα : eo quod νέπους dicatur κατά τινα γλῶσσαν ὁ ἀπόγονος : quemadmodum Lascaris quoque in Epigr. quodam dixit, Καίσαρι καὶ νέποσι, Cæsari et nepotibus. [Et Theocr. 17, 25 : Ἀθάνατοι δὲ καλεῦνται ἑοὶ νέποδες γεγαῶτες. Callim. in fr. ap. schol. Pind. Isthm. 2, 9 : Ὁ Κεῖος Ὑλλίχου νέπους.] Sed hæc expos. parum consentanea videtur : Eustathioque potius sic dici videntur, quod sint quoddam veluti κτῆμα θαλάσσης. Verba Homeri exstant Od. Δ, [404] : Ἀμφὶ δέ μιν φῶκαι νέποδες καλῆς ἁλοσύδνης Ἀθρόαι εὕδουσιν, πολιῆς ἁλὸς ἐξαναδῦσαι. [Ex hoc loco ductum videtur quod H. Apoll. 78 : Φῶκαί τε μέλαιναι οἰκία ποιήσονται ἀκηδέα, χήτεϊ λαῶν, libri nonnulli exhibent οἰκία ποιήσονται ἕκαστά τε φῦλα νεπούδων. De piscibus Callim. ap. Steph. Byz. in Βάλδος et Etym. v. Μάταιος : Πουλὺ θαλασσαίων μυνδότεροι νεπόδων. Nicand. Al. 468, 485; Apoll. Rh. 4, 1745.]

[Νέπω primitivum verbi ἐννέπω fingunt grammatici, ut Theognost. Can. p. 137, 22 : Νέπω, τὸ ἐννέπω.]

[Νέπως, ωτος, ὁ, Nepos, mons ap. Chœrob. vol. 1, p. 65, 18, ubi ὄνομα ὄρους esse dicitur, quod addita nominis etymologia repetit Zonaras p. 1389. Alioqui notum est nomen Rom. Nepotis.]

[Νεράντζιον. V. Μῆλον, p. 985 seq.]

[Νέρβας, ὁ, Nerva, imp. Rom. ap. Suidam, Dion. Chr. vol. 2, p. 202, et alios.]

[Νερβίνιος, ὁ, Nervinius, n. Rom. in inscrr. Spartanis ap. Bœckh. vol. 1, n. 1241, p. 618, 26; 1249, p. 623, 11.]

[Νεργόβριγες, οἱ, Nergobriges, gens Hispaniæ, ap. Appian. Hispan. c. 48, sed ubi Νερτόβριγες scribendum, quod v. Idem vitium redit c. 50, ubi Νεργόβριγα de urbe.]

Νέρθε, et Νέρθεν, Subter, Infra : quod et ἔνερθε. Hom. [Il. H, 212 : Νέρθε δὲ ποσσὶν ἤιε·] Od. Υ, [352] : Κεφαλή τε πρόσωπά τε, νέρθε τε γοῦνα. [Soph. Œd. T. 416 : Νέρθε κἀπὶ γῆς ἄνω. Eur. Iph. A. 1251 : Τὰ νέρθε δ' οὐδέν.] Apoll. [Rh. 1, 155] : Νέρθε κατὰ χθονὸς, Infra sub terra. [Altera forma Hom. Il. Λ, 535 : Αἵματι δ' ἄξων νέρθεν ἅπας πεπάλακτο.] Sic Phocyl. [68] : Χθὼν νέρθεν ἐοῦσα. [C. gen. Hom. Il. Ξ, 204 : Κρόνον εὐρύοπα Ζεὺς γαίης νέρθε καθεῖσε· Od. Λ, 302 : Νέρθεν γῆς τιμὴν πρὸς Ζηνὸς ἔχοντες. Et sæpe Tragici, quibus est etiam Ex inferis, quemadmodum etiam Hesych. interpr. κάτωθεν, ὑποκάτωθεν, ut Eur. Alc. 1139 : Πῶς τήνδ' ἔπεμψας νέρθεν ἐς φάος τόδε; Herc. F. 621 : Νέρθεν ἄσμενος φυγών. In prosa Aret. p. 113, 25 : Νέρθεν ἑλκύσαι αἷμα. Galen. vol. 2, p. 3 : Τὰ τῆς γῆς νέρθεν. « Heraclit. Alleg. H. p. 454 : Ἵνα μηδὲ τῶν νέρθεν ἀμύητος ᾖ· et p. 496. » Valck.] Inde Νερθέριος, Infernus : ut νερθέριος κευθμὼν ex Epigr. de Latibulo inferorum. [Immo νερτέριος, quo v. infra.] Est inde et compar. Νέρτερος, α, ον et ὁ, ἡ, Inferior : κατώτερος Suidæ : qui per apoc. pro ἐνέρτερος dici tradit. [Illa signif. Aristoph. Lys. 773 : Τὰ δ' ὑπέρτερα νέρτερα θήσει Ζεύς.] Hesych. habet non solum νέρτεροι, sed et Νερτέριοι, ita dici scribens τοὺς Τιτᾶνας, διὰ τὸ κατατεταρταρῶσθαι, Quod ad ima Tartara detrusi sint : item τοὺς χθονίους νεκροὺς, Manes inferos, s. Mortuos qui sub terra sunt. [Julian. Æg. Anth. Pal. 7, 601, 2 : Χεῖμα τὸ νερτερίων. Eudocia ap. Bandin. Bibl. Med. vol. 1, p. 236, 213 : Ἐκ δέ γε νερτερίων δολομήχανα πάντα διδάξας. Manetho 6, 168 : Ποιναὶ νερτέριαι. Epigr. Anth. Pal. App. 153, 2 : Γαίη νερτερίη· ib. 9, 459, 3 : Νερτέριον κευθμῶνα. Orpheus Arg. 1369 : Νερτερίων βερέθρων.] Itidemque νέρτερος Eid. est et κατώτερος et νεκρὸς ὑπὸ γῆν, καταχθόνιος. Sic Eur. [Or. 620], νέρτεροι θεοὶ, Infernales dii, Dii qui apud inferos estis. [Item ap. Æsch. Pers. 622, Soph. Ant. 602, ut OEd. C. 1548, ἡ νερτέρα θεός. De mortuis Æsch. Pers. 618 : Χοαῖσι ταῖσδε νερτέρων ὕμνους ἐπευφημεῖτε· Cho. 15 : Χοὰς φερούσας νερτέροις μειλίγμασι (μειλίγματα Stanl.). Soph. OEd. C. 1661 : Τὸ νερτέρων βάθρον, et sæpius Eurip. et Lycophron. De aliis rebus quæ ad inferos pertinent, Æsch. Ag. 1618 : Νερτέρα κώπη. Soph. OEd. C. 1576 : Νερτέρας νεκρῶν πλάκας. Eur. Alc. 48 : Νερτέραν ὑπὸ χθόνα· Herc. F. 335 : Νερτέρᾳ χθονί· Alc. 481 : Νερτέρᾳ κώπᾳ· El. 748 : Νερτέρα βροντή. Altera feminini forma Eur. Phœn. 1020 : Νερτέρου τ' Ἐχίδνας. Orph. H. 2, 10 : Φάος ἐκπέμπεις ὑπὸ νέρτερα· 56, 2 : Ὃς ψυχὰς θνητῶν κατάγεις ὑπὸ νέρτερα γαίης· Lith. 502 : Ὑπὸ νέρτερα νηδύος ἀνδρῶν δυομένη. In prosa Tim. Locr. p. 104, D : Δυσδαίμοσι νερτέροις. Plut. enim Mor. p. 1008, A, poetas respicit.] Item inde est superl. Νέρτατος, Infimus, Imus. Hesych. νέρτατα exp. ἔσχατα, Ultima.

[Νερία. V. Νέριος.]

[Νέριον, τὸ, Nerion, prom. Hispaniæ, ap. Strab. 3, p. 137, 153.]

[Νέριος, ὁ, Nerius, n. viri in inscr. Ephes. ap. Bœckh. vol. 2, p. 621, n. 3017, 4, ubi Νιριου scriptum, sed Νερίου scripsit Bœckh., ut de muliere ib. est Νερίας.]

[Νερκόβρικα. V. Νερτόβριξ.]

[Νεροκάρδαμον, τὸ, Aqua s. succus nasturtii. Glossæ iatricæ mss. ex cod. Reg. 190 : Σίον, τὸ νεροκάρδαμον. Occurrit ap. Myrepsum in sect. de Drosatis c. 52. Ducang.]

[Νερὸν, τὸ, Aqua. Glossæ græcobarb. ὕδωρ ἀθροιστὸν καὶ συλλεκτὸν, νερὸν σωρευμένον καὶ συναγόμενον. Videtur formata vox ex ναρὸν, quæ ὑγρὸν, Humidum, sonat, ut est ap. Etym. in Ναρόν. Apophth. Patr. in Jo. Colobo n. 7, καυκάλιον τοῦ νεροῦ. Constant. Porph. Adm. Imp. c. 9 : Βράσμα νεροῦ. Anon. De locis Hierosol. c. 15 : Ὅπου ἔχωσεν ἡ Σαλώμη τὸ νερόν. Orneosoph. p. 247 : Ὀρέγεται τὸ νερὸν πολλά· 250 : Λείωσον μετὰ τοῦ νεροῦ ἀγριοσταφίδα. Occurrit passim. De vocis origine v. Salmas. ad Hist. Aug. p. 311 et ad Solin. p. 1298. Ducang.]

[Νεροσέλινον, τὸ, Apium aquaticum, apud Myrepsum sect. de Drosatis n. 52. Neophytus in Gloss. iatric. mss. Σίον τὸ ἐν ὕδασι τὸ νεροσέλινον. Ducang.]

[Νερουανήων, ludorum in honorem Nervæ Imp. institutorum, mentio fit in inscr. Trœzen. ap. Bœckh. vol. 1, p. 591, n. 1186, 6. Pro quo Νερουανιδείων in Spart. n. 1424, p. 678. L. Dind.]

[Νερούιοι, οἱ, Nervii, gens Gallica, ap. Strab. 4, p. 194, Plut. Cæs. c. 20, ubi per β.]

[Νεροφόρον, τὸ, pars balnei in qua lavari solent qui eo contendunt, Labrum. Theophanes a. 8 Anastasii : Ὀλύμπιος δέ τις Ἀρειανὸς ἐν τῷ Ἑλενιανῶν βαλανείῳ δεινῶς βλασφημήσας, ἐλεεινῶς ἐν τῇ νεροφόρῳ τέθνηκεν. Martyrium S. Patricii episcopi Prusæ n. 7, ubi de Thermis urbis : Ὁ ὅσιος Πατρίκιος εἰσελθὼν ἐν τῷ ζέματι ὡς εἰς νεροφόρον ἐνήχετο. Ducang.]

[Νεροχύτης, ὁ, eadem, ut videtur, notione. Gl. Basilic. : Χρηστήρια, οἱ νεβοχύται. Locus luxatus, qui emendari potest ex Harmenopulo 2, 4, 92 et 96, ubi χριστήρια. Legendum igitur Χριστήρια, οἱ νεροχύται, Locus in quem aqua effunditur. Ducang.]

[Νέρτατος, Νερτέριος, Νέρτερος. V. Νέρθε.]

[Νερτεροδρόμος, ὁ, ἡ, Inferorum cursor. Lucian. De m. Peregr. c. 41 : Νεκραγγέλους καὶ νερτεροδρόμους.]

[Νερτερομάντις, εως, ὁ. Theod. Prodr. Ep. 31.]

[Νερτερόμορφος, ὁ, ἡ, Qui inferorum figuram habet. Manetho 4, 555 : Νεκροδερκῆ νερτερόμορφα.]

[Νερτόβριξ, ιγος, ἡ, Nertobrix, urbs Hispaniæ, et Νερτόβριγες, οἱ, Nertobriges, gens Hisp., de quibus v. Schweigh. ad Appian. Hisp. c. 48 et geographos ab eo citatos. Idem urbem Hispaniæ Νερκόβρικα (codex Ἐρκόβρικα) ap. Polyb. 35, 2, 2, scribendam conjecit Νερτόβρικα.]

Νέρτος, ὁ, ἱέραξ, avium species ap. Aristoph. Av. [303, ubi v. schol.], teste Hesychio etiam.

A [Νέρυτος, ὁ, Nerytus, n. pr. inter hyperdisyllaba in υτος ponit Theognost. Can. p. 75, 32. L. Dind.]

[Νέρων, ωνος, ὁ, Nero, n. Rom. viri; unde adject. Νερωνιανὸς, ἡ, ὸν, Neronianus, ap. Arrian. Epict. 4, 5, 18, χαρακτὴρ, et Plut. Galb. c. 17. De lapide Νερωνιανῷ, genere smaragdi, v. Salmas. Plin. Ex. p. 142, a, B; 777, b, E.]

[Νερωνιὰς, άδος, ἡ, Neronias, urbs Ciliciæ, ap. Morell. Bibl. Ms. p. 228. L. Dind.]

[Νέσιβις. V. Νίσιβις.]

[Νέσσος, ὁ, Nessus, Centaurus, ap. Archilochum ab schol. Apoll. Rh. 1, 1212 cit., Soph. Trach. 558, 1141, et Apollod. 2, 7, 4, et alios. Fl., Thetyos et Oceani f., ap. Hesiod. Theog. 341, in Abderitide sec. Theophr. H. Pl. 3, 1, 5, memoratus etiam ap. Iambl. V. Pyth. c. 28, p. 282 K., ubi Diogenis L. 8, 11, consensum annotavit Kuster. Memoratur Νέσσος, ποταμὸς, etiam ab Hesychio. Aliis, ut infra dicetur, est Νέστος. Anaxarchi Abderitæ magister, Chius, ap. Diog. L. 9, 58, de quo v. Hemst. ad Lucian. Contempl. c. 1.]

B [Νέσσων, ωνος, ὁ, Nesson, f. Thessali, ap. Strab. 9, p. 444 (a quo Thessalia dicta Νεσσωνὶς sec. eund. ib., qui etiam memorat λίμνην Νεσσωνίδα Thessaliæ p. 430, 440, 441, 444, quod ap. schol. Pind. Pyth. 3, 59, male scriptum Νεσωνίς). Νέσσων, πόλις Θεσσαλίας. Διονύσιος τρίτῳ Γιγαντίδος. Τὸ ἐθνικὸν Νεσσωνίτης τῷ κοινῷ τύπῳ, Steph. Byz.]

[Νεσσώρης non addita signif. inter nomina in ωρης ponit Theognost. Can. p. 45, 32. Μεσσώρης Lobeck. Patholog. p. 282, collato quod ex Hesychio supra retulimus μεσσόρης, et μεσσήρης scribebat Soping.]

[Νεσταῖοι, οἱ, Nestæi, gens Illyrica, ap. Apollon. Rh. 4, 1215, ubi Scylacis gentem Illyricam facientis, et Eratosthenis ab Illyriis distinguentis testimonia v. ap. schol.]

[Νεστάνη, ἡ, Nestane, locus Arcadiæ, ap. Pausan. 8, 7, 4. V. Νοστία.]

[Νεστεάδουσα, ἡ, Lacæna ap. Iamblich. V. Pythag. p. 534, ubi alii libri Νιστεαδ— vel Νισθεαδ.]

C [Νεστίς. V. Νέστος.]

[Νεστόρειος, Νεστόρεος. V. Νέστωρ.]

[Νεστοριᾶνοί, οἱ, Nestoriani, hæretici, Sectatores Nestoris, ap. Theodor. Stud. p. 258, C, Chron. Pasch. p. 599, ubi v. Ducang. Comparativo Eust. in Maji Nova Coll. Vat. vol. 7, p. 285, A : Οὐ μόνον ἔστιν Νεστορίου νεστοριανότερον. L. Dind.]

[Νεστορίδης, ὁ, Filius Nestoris, patron. a Νέστωρ, Hom. Il. Z, 33 et alibi sæpe, Tryphiod. 169. ῐ]

[Νεστορὶς, ίδος, ἡ, genus poculi ap. Athen. 11, c. 76 sq.]

[Νεστορίων, ωνος, ὁ, Nestorio, n. viri, in inscr. Delia ap. Bœckh. vol. 2, p. 231, n. 2277, a, ubi sic suppletum quod in lapide est Νεσ......ος. L. Dind.]

[Νέστος, πόλις καὶ ποταμὸς Ἰλλυρίας. Τὸ ἐθνικὸν Νέστιος, ὡς Ἀρτεμίδωρος β' Γεωγραφουμένων. Καὶ Νεστὶς ἡ χώρα, Steph. Byz. Accentum barytonon Νέστος testatur Arcad. p. 79, 20. Νεστὶς Apoll. Rh. 4, 337. Gentile Νέστιοι ap. Pausan. 1, 10, 2. Fluvium memorant Herodot. 7, 109, 126, Thuc. 2, 96, Aristot. H. A. 8,

D 28, Meteorol. 2, 13, Pausan. 6, 5, 4, Strab. 7, p. 323, 331. Conf. Schurzfleisch. ad Diod. vol. 2, p. 643, 2. Adj. Νεσταῖος vel Νεσσαῖος Jacobsius restituendum putabat Antiphilo Byzantio Anth. Pal. 9, 242, 1, ubi νησαίοιο πόρου mentio fit. V. autem Νέσσος.]

[Νέστωρ, ορος, ὁ, Nestor, rex Pyliorum ap. Hom. Il. B, 591 etc., ceterosque poetas et alios. Adj. Νεστόρειος, α, ον, Nestoreus, ap. Pind. Pyth. 6, 32, Eur. fr. ap. Athen. 15, p. 665, A. Et Νεστόρεος Hom. Il. B, 54, Θ, 113, 192. Alii sunt Athenienses in numis ap. Mionnet. *Descr.* vol. 2, p. 125, 151, in inscr. Att. ap. Bœckh. vol. 1, p. 314, n. 182, 2, et *Mus. Pio-Cl.* vol. 2, p. 19. Cropius ap. Polyb. 27, 4, 14. Poeta Larandensis ap. Steph. Byz. v. Ὑστάσπαι et Suidam. Grammaticus ap. Athen. 9, p. 403, C. Philosophus Stoicus ap. Strab. 14, p. 674, Lucian. Macrob. c. 21, Academicus ap. Strab. ib. p. 675. Alius ap. Morell. Bibl. Ms. p. 231. V. etiam Νεστοριανοί.]

[Νέτωπον, unguenti cujusdam odorati ac sumtuosi ex multis aromatibus mixtura, qualia erant mulierçularum Romanarum unguenta, spicatum, foliatum, Comagenum et Susinum. Id etiam Νετώπιον dicitur. Hesych: Νέτωπον ἢ νετώπιον, μύρον συντιθέμενον ἐκ πολλῶν μιγμάτων, οἱ δὲ μετώπια. Pro quo forte μετώπιον legendum, ut idem sit quod μετώπιον antea nobis dictum. Hujus autem unguenti creberrima est apud Hippocr. mentio in tota muliebrium morborum tractatione, idque sæpe ad uteros velut et alia odorata adhibetur, velut p. 265, 44, 49; 266, 54; 564, 17; 565, 52; 568, 40; 574, 38, 42; 582, 34; 584, 20; 605, 47; 611, 30; 625, 4; 646, 25; 659, 36; 660, 13. Etiam p. 1157, B, et p. 1227, B, νέτωπον ad surditatem curandam in aures infunditur, quomodo etiam amaracinum, aut nardinum optimum oleum, aut laureum, aut irinum etiam et cyprinum, aut quæ sua tenuitate et calore crassos glutinososque humores dissecant et dissipant, in gravitate auditus in aures instillare convenit. Quam ad rem μετώπιον etiam adhiberi lib. De locc. in hom. antea adscripsimus. Ac videtur esse νέτωπον quod νίωπον Erotiano vocatur et exponitur apud Hipp. τὸ ἐκ καρύων πικρῶν ἔλαιον, Oleum ex nucibus amaris. Neque enim νίωπον apud Hipp. legitur, apparetque vitiatam esse lectionem, et pro νίωπον, νέτωπον aut μετώπιον legendum. Sic vero a nonnullis diligenter confici scribit: nucum amararum chœnices Atticæ quattuor franguntur, et earum nucleus bene exsiccatus in pilam conjicitur et contunditur. Nomen habet olei amygdalarum amararum. Sic μετώπιον frequenter pro oleo amygdalino sumi antea diximus, ut et pro unguento Ægyptio. Foes.]

Νεῦμα, τὸ, Nutus [Cinnus add. Gl.]: ut νεύματι χρῆσθαι, Thuc. [1, 134], Nutu uti, Nutu significare: de quo l. dicam in Νέω. [Xen. Anab. 5, 8, 20: Νεύματος μόνου ἕνεκα χαλεπαίνει πρῳρεὺς τοῖς ἐν πρῴρᾳ. Improprie, ut Photius Νεύματα explicat, βουλήματα, Æsch. Suppl. 373: Μονοψήφοισι νεύμασιν σέθεν. Nonnus Jo. c. 6, 159: Τοῦτο γὰρ αἰγλήεντος ἐμοῦ πέλε νεῦμα τοκῆος· c. 13, 116: Καὶ οἱ Χριστὸς ἔλεξε δαήμονι νεύματα πέμπων. Antipat. Sid. Anth. Pal. 7, 2, 5: Νεῦμα Κρονίδαο. Epigr. Anth. Plan. 358, 4: Νεύματι κοιρανίης. Paul. Sil. Anth. Pal. 7, 563, 3: Νεύμασιν ἀφθόγγοις. Meleager 12, 68, 7: Ὄμμασι νεῦμα δίυγρον ὁοίη. Besant. Rhod. Ovum 15, 27, 7, ποδῶν. « Polyb. 5, 26, 13, τὸ τοῦ βασιλέως. Id. 22, 21, 9, ἀπὸ νεύματος προστάττειν τινί, Nutu aliquem jubere. » Schweigh. Lex. Pausan. 10, 31, 8: Ἔστι δὲ καὶ ἡ Πενθεσίλεια ὁρῶσα ἐς τὸν Πάριν· τοῦ προσώπου δὲ ἔοικε τῷ νεύματι ὑπερορᾶν τε αὐτὸν καὶ ἐν οὐδενὸς τίθεσθαι λόγῳ. De annuente Philostr. Her. p. 172 Boiss.: Ἀετός τε εὐξαμένῳ ἀφίκετο, φέρων ἐκ Διὸς τῷ μὲν παιδὶ ὄνομα, ταῖς δὲ εὐχαῖς νεῦμα. Schol. συγκατάθεσιν. || De plaga cœli Dionys. Per. 517: Εὐρώπης δ' αἱ μὲν λαιῆς ὑπὸ νεύματι χειρὸς ῥώονθ' ἑξείης. Jo. Laurent. De ost. p. 168: Ἀπὸ τοῦ πρὸς λίβα νεύματος.]

[Νευμηνία. V. Νουμηνία.]

[Νευμήνιος. V. Νουμήνιος.]

Νευρὰ, ἡ, Nervus, peculiariter ille quo arcus intenditur. Hom. Il. Δ, [125]: Λίγξε βιὸς, νευρὴ δὲ μέγ' ἴαχεν, ἆλτο δ' ὀϊστός· sicut ap. Virg., Nervo stridente sagitta Hyrtacidæ juvenis volucres diverberat auras. Il. Θ, [324]: Φαρέτρης ἐξείλετο πικρὸν ὀϊστὸν, Θῆκε δ' ἐπὶ νευρῇ· pro quo Δ, [118]: Ἐπὶ νευρῇ κατεκόσμει πικρὸν ὀϊστόν. Sic Virg. Æn. 10: Nervoque aptare sagittas. Od. Φ, [96]: Ἐώλπει νευρὴν ἐντανύσειν, Nervum intensurum se: ut Ovid., Equino nervo intentus arcus. Il. Λ, [476]: Ὅν τ' ἔβαλ' ἀνὴρ Ἰῷ ἀπὸ νευρῆς. Ubi ἀπὸ νευρῆς dicit quod alibi ἀπὸ νευρῆφι: Φ, [113]: Ἤ ὅγε δουρὶ βαλὼν ἢ ἀπὸ νευρῆφιν ὀϊστῷ· Θ, [309]: Τεῦκρος δ' ἄλλον ὀϊστὸν ἀπὸ νευρῆφιν ἴαλλεν· Ο, [313]: Ἀπὸ νευρῆφι δ' ὀϊστοὶ θρῷσκον, ut Virg., Erumpunt nervo pulsante sagittæ. Ib. [469]: Ὅ, τέ μοι βίον ἔκβαλε χειρὸς, Νευρὴν δ' ἐξέρρηξε νεόστροφον. [Pind. Isthm. 5, 32: Βαρυφθόγγοιο νευρᾶς. Soph. Phil. 1005, Eur. Rhes. 33: Ζεύγνυτε κερόδετα τόξα νευραῖς· Bacch. 784: Τόξων χερὶ ψάλλουσι νευράς.] Sic accipitur etiam in prosa. [Xen. Anab. 4, 2, 28: Εἷλκον τὰς νευρὰς πρὸς τὸ κάτω τοῦ τόξου· 5, 2, 12: Τοὺς τοξότας ἐπιβεβλῆσθαι ἐπὶ ταῖς νευραῖς, ὡς ὁπόταν σημήνῃ τοξεύειν δεήσον.] Aristot. [H. A. 5, 2]: Τὸ δ' αἰδοῖον ἔχει ὁ κάμηλος νευρῶδες οὕτως ὥστε καὶ νευρὰν ἐκ τούτου ποιεῖσθαι τοῖς τόξοις. Unde Plin., Camelino genitali arcus intendere Orientis populis

A fidissimum. In hac signif. usurpari νεῦρον quoque, infra dicetur. Lucian. [Nigrin. c. 36]: Οὐ μὴν πάντες εὔστοχα τοξεύουσιν, ἀλλ' οἱ μὲν αὐτῶν σφόδρα τὰς νευρὰς ἐπιτείνοντες, εὐτονώτερον τοῦ δέοντος ἀφιᾶσι. || Sicut vero prædictum νεῦρον de Musicorum quoque instrumentorum nervis dicitur, ita et hoc νευρά. Alex. Aphr. Probl. 2: Ἐπὶ κιθάρας ἡ μὲν παχυτέρα νευρὰ ἄλλον φθόγγον ἀποτελεῖ. [Pollux 4, 62. De utriusque formæ permutatione v. in Νεῦρον.]

[Νεῦρα φοίνικος, Prophetis, Abrotonum, ap. Interpol. Dioscoridis c. 434 (3, 26). Ducang.]

Νευρὰς, άδος, ἡ, est et ipsa quidem [ut νευρὶς] herba, sed diversi generis. Plin. 25, 10: Auxiliatur eis Phrynion in vino pota: aliqui Neurada appellant, alii Poterion: floribus parvis, radicibus multis, nervosis, bene olentibus. Idem 27, 12: Poterion, alii vocant Phrynion, vel Neurada, large fruticat. Et mox, Radices habet duas aut tres, binum cubitorum in altitudine, nervosas, candidas, firmas. Diosc. 3, 17: Ποτήριον· Ἴωνες δὲ νευράδα καλοῦσι· θάμνος ἐστὶ μέγας.
B Et mox, Ῥίζαι δὲ ὕπεισι πήχεων δύο ἢ τριῶν, ἰσχυραὶ, νευρώδεις· quibus verbis nominis rationem reddere videtur. [Νευρὰς, Paronychia, Diosc. Notha p. 465 (4, 54). Boiss.]

[Νευρειή, ἡ, i. q. νευρὰ, ap. Theocr. 25, 213: Δὴ τότε τόξον ἑλὼν, στρεπτῇ ἐπέλασσα κορώνῃ νευρειήν.]

[Νευρένδετος, ὁ, ἡ, Qui chordis tentus est. Manetho 5, 163: Κιθάρη νευρένδετος.]

[Νεύρης. V. Εὔρης.]

Νευρία, ἡ, Funis ex nervis tortus, Bud. ex Judic. [16, 7, 8. Ubi nunc ex codd. νευρά. Latinum *Nervia* confert Lobeck. Paralip. p. 365.]

Νευρικὸς, ἡ, ὸν, Nervorum vitio laborans, Bud. ex Diosc. Utitur hac voce et Vitruv. 8, 3, de aquis calidis: Per potiones quum in corpus ineunt, et per venas permanando nervos attingunt et artus, eos durant inflando. Igitur nervi inflatione turgentes, ex longitudine contrahuntur, et ita aut neuricos aut podagricos efficiunt homines. [Antyllus p. 229 Matth.: Ἀγαθοὶ δὲ καὶ (οἱ παραθαλάττιοι τόποι) νευρικοῖς καὶ ἀρθρι-
C τικοῖς. L. D. || Νευρικὸν, Thoraconactus, vestimentum coactile, quo utebantur milites vice thoracis, nostris *Gambeso*, de qua voce, ut et de ejusmodi veste militari, plura congessimus in Gloss. med. Lat. Illud porro sic describitur a schol. Thuc. (4, 34): Πῖλος τὸ ἐξ ἐρίου πηκτὸν ἔνδυμα, ὥσπερ θωράκιόν τι ὑπὸ τὰ στήθη, ὃ ἐνδυόμεθα. Leo 6, 36 et Constant. Porph. Tact. p. 5: Στολὰς δὲ εἶχον οἱ τοιοῦτοι ψιλοὶ στερεὰς (ἰσχυρὰς) καὶ πηκτὰς ἀντὶ κλιβανίων καὶ λωρικίων. Νευρικὰ vero dicta videntur quod ex nervis, bovinis forte, confecta essent. V. Ph. Pigafetta ad Leonis Tact. c. 5, 4: Νευρικὰ τὰ ἀπὸ κεντούκλου... καὶ αὐτὰ ἀντὶ λωρικίων τοῖς μὴ ἔχουσι σιδηρᾶ. Idem c. 6, 8: Στηθάρια ἢ σιδηρᾶ ἢ ἀπὸ κεντούκλων οἷον νευρικά. Rursum 19, 13: Οἱ δὲ μὴ ἔχοντες λωρίκια ἢ κλιβάνια, πάντως φορείτωσαν τὰ λεγόμενα νευρικὰ, ἅπερ ἀπὸ διπλῶν κεντούκλων γίνεται, ut Constantin. Tact. p. 11, Mauric. Strateg. 2, 2. Theophan. a. 17 Heraclii: Φορῶν τὰ καταφρακταρικὰ οὐκ ἐβλάπτετο. Ubi codd. alii habent κατάφρακτα νευρικά. Ducang.]

Νεύρινος, η, ον, Nerveus [Plat. Polit. p. 279, E: Τὰ
D μὲν νεύρινα (περικαλύμματα) φυτῶν ἐκ γῆς. V. Νεῦρον item de fibris plantarum dictum]: ut νευρίνη χορδὴ, Chorda nervea, Fidicula. [Diodor. 1, 16: Λύραν νευρίνην. Strabo 3, p. 154: Σπάνιοι ἀλυσιδωτοῖς χρῶνται καὶ τριλοφίαις, οἱ δ' ἄλλοι νευρίνοις κράνεσιν.]

Νευρίον, τὸ, Fidicula, Chordula, Epigr. [Agathiæ Anth. Pal. 11, 352, 11: Τὰ νευρία πάντα τέτυκται ἐξ ὄιος χολάδων. || Nervulus, ap. Galen. vol. 4, p. 83: Εἶδον γοῦν ποτὲ κατὰ τῆς ἔνδον φλεβὸς τῆς ἐν ἀγκῶνι νευρίον ἐπικείμενον ἔν τινος ἀνατομῇ πιθήκου· 84: Τὰ τοῦ δέρματος νευρία σμικρὰ τὰ ἐπιπολῆς. L. Dindorf.]

Νευρὶς, ίδος, ἡ, i. q. νεῦρον, ut quidem in VV. LL. habetur. || Νευρὶς est etiam nomen Herbæ vel potius Fruticis surculosi. Plin. 21, 31, de strychni specie tertia: Hoc est venenum, quod innocentissimi auctores simpliciter Dorycnion appellavere, ab eo quod cuspides in præliis tingerentur illo passim nascente. Qui parcius spectarant, Manicon cognominavere: qui nequiter occultabant, Erythron aut Neurida: ut nonnulli Perisson, ne cavendi quidem cura curiosius dicendum. Rursum Νευρὶς [ap. Herodot. 4, 51] est regio quædam Sarmatarum : cujus incolæ dicuntur Νευροὶ et Νευρῖται, ut Suid. [et Eust. ad Dion. l. infra cit.] tradit, ap. quem hoc [Dionysii Per. 310] hemistichium habetur, Νευροί θ' Ἱππόποδές τε. Idem et ap. Steph. Byz. Neurorum Scythiæ populorum meminit et Plin. 4, 12, [et Herodot. 4, 17, 18, 105]. Eid. vero Plinio Neuris insula est, l. 6 in fine : In Propontide ante Cyzicum Elaphonnesus : unde Cyzicenum marmor : eadem Neuris et Proconnesus dicta. [Accentum acutum Νευρὶς testatur Arcad. p. 69, 26.]

A

[Νευρὶς, ίδος, Neuris, n. mulieris, ap. Alciphr. Ep. 3, 67. Scribendum videtur Νεβρὶς, quod v. L. D.]

[Νευρῖται, οἱ. V. Νευρίς.]

Νευρίτης, ὁ, sive Νευρῖτις, ιδος, ἡ, Neurites, lapidis nomen ap. Orph. Περὶ λίθων, circa fin. [742] : Βακχικὰ νευρίταο Δῶρα λίθου. Et mox [748, ubi nunc νευρίτης], Ὀδυνήφατος ἔσσεται [αὐτῷ] νευρῖτις.

[Νευρίτης. V. Νευρίς.]

[Νευριώδης, Nervosus, Gl. Scrib. νευρώδης.]

B

Νευροβάτης, ὁ, Qui nervis s. funibus nerveis inambulat. Jul. Firm. : Funambuli, neurobatæ. [Quærunt viri eruditi qui intelligantur Neurobatæ ap. Vopiscum in Carino et Firmicum l. 7 Matth. Salmasius Neurobatas esse existimat qui supra nervos et fidiculos incedunt seu fila tenuissima, βαδίζουσιν ἐπὶ σχοινίων λεπτῶν, ut loquitur Galen. in Exhort. ad artes, ita ut iis vix apparentibus quasi in ventis ferri videantur, contra quam σχοινοβάται seu Funambuli, qui super funes crassiores inambulant. Sed aliter sentire liceat de Neurobatis, qui, aut fallor, non alii sunt ab iis, qui nervis vix revera apparentibus, in aerem machinis quibusdam tolluntur : ac etiam transverse aguntur, ut in ludis nostris hodiernis, quos vulgo *opera* appellamus, fieri cernimus. Id omnino indicant verba Vopisci, quo loco ait Carinum ludos Romanos novis ornasse spectaculis : « nam et neurobaten, inquit, qui velut in ventis cothurnatus ferretur, exhibuit », ubi Neurobates Mercurii instar cothurnatus per aerem volitare indicatur. Ducang. App. Gl. p. 140. Etym. Gud. p. 345, 52. Boiss. ᾰ]

C

[Νευροβατικὸς, ἡ, ὸν, Funambulatorius. Ἡ νευροβατικὴ, Niceph. Blemm. Log. p. 20. Boiss.]

Νευρόβατος, Nervis se movens, VV. LL. [Fictum videtur ex νευροβάτης vel ex loco Gellii in Νευρόσπαστος citando, ubi νευρόβατα Ald.]

Νευροειδὴς, ὁ, ἡ, Nervo similis. Neuroides, herbæ nomen. Plin. 20, 8 : Beta sylvestris, quam Limonion vocant, alii Neuroides. Diosc. 4, 16 : Λειμώνιον, οἱ δὲ νευροειδές.

[Νευρόθλαστος, ὁ, ἡ, Cui nervus contusus est. Galen. vol. 13, p. 712 : Τοὺς τεθλασμένους τὰ νεῦρα καθάπερ ἐκεῖνος ἐτέθλαστο, νευροτρώτους ἐφθάκασι καλεῖν, οὐ νευροθλάστους.]

[Νευροί. V. Νευρίς.]

Νευρόκαυλος, ὁ, ἡ, Cui nervosus cauliculus est. [Theophr. H. Pl. 6, 1, 4, ubi libri optimi Ἐννευρόκαυλος.]

[Νευροκοίλιος, ap. Hippocr. p. 410, 10 : Καὶ τὸ μὲν σῶμα πᾶν ἔμπλεον νεύρων, περὶ δὲ τὸ πρόσωπον καὶ τὴν κεφαλὴν οὐκ ἔστι νεῦρα, ἀλλὰ ἶνες παρόμοιαι νεύροις μεταξὺ τοῦ τε ὀστέου καὶ τῆς σαρκὸς, λεπτότεραι καὶ στερεώτεραι, αἱ δὲ νευροκοίλιοι. Εὐρυκοίλιοι Struv. ap. Schneid. Suppl. Lex., quod voc. ubi reperitur in Εὐρύκοιλος mutandum videtur secundum ea quæ suis locis de utroque diximus.]

D

Νευροκοπέω, [Subnervo, Gl.] Nervos incido. Construitur cum accus. personæ. Josuæ c. 7 [11, 9] : Τοὺς ἵππους αὐτῶν ἐνευροκόπησαν. [Τοὺς ἐλέφαντας Polyb. 31, 12, 11.] Et metaph. ap. Hermog., Νευροκοποῦσί μου τὴν ψυχὴν, Animi mei nervos incidunt, h. e. Animum meum enervant. Sic Cic., Incidere nervos virtutis, Incidere nervos populi Romani. [Strabo 16, p. 772. Diodor. 3, 25 : Νευροκοπεῖ τὴν δεξιὰν ἰγνύν· et ibid. paullo post : Τὸ νευροκοπηθὲν ζῶον. « Hermias p. 222, 12. » Valck. Galen. vol. 4, p. 83 : Ἐνευροκόπησάς με τὸν ταλαίπωρον. Cyrill. Al. vol. 1, part. 1, p. 412, D. L. Dindorf.]

Νευρολάλος, ὁ, ἡ, Per nervos loquens : de modulatis nervis, ut Ovid. appellat. In Epigr. [Tullii Sab. Anth. Pal. 9, 410, 3], νευρολάλος χορδή.

Νευρομήτρα, ἡ, Nervorum matrix, s. mater : νευρομῆτραι et ψόαι s. ψύαι dicuntur duo maximi musculi in interna lumborum regione siti, qui et ἀλώπεκες. Athen. 9, [p. 399, B] ex Clearcho : Σάρκες μυῶται καθ' ἑκάτερον μέρος, ἃς οἱ μὲν ψύας, οἱ δὲ ἀλώπεκας, οἱ δὲ νευρομήτρας καλοῦσι. Pollux 2, [185] : Οἱ δὲ ἔνδοθεν κατὰ τὴν ὀσφὺν μύες καλοῦνται ψόαι καὶ νευρομῆτραι καὶ ἀλώπεκες· ὁ δὲ Κλέαρχος τοὺς ἔξωθεν κατὰ τῆς ῥάχεως μῦς οὕτως ὀνομάζει. Esse autem musculos veluti matres nervorum, supra quoque videre est in Μῦς. Apud Hesych. vero ex his duobus Pollucis et Athenæi ll. pro ψυχὴν reponendum videtur ψύαν : ap. illum enim ita legitur, Νευρομήτρα, μέρος τι τοῦ σώματος· οἱ δὲ ψυχήν. [« Recte, ut ex Suida patet in Ψόαι. » HSt. Ms. Vind.] Sed Camerario scr. videtur Νεφρομῆτραι, quoniam ibi renes insunt, et his pulpis teguntur, quam scripturam alibi non reperi. Iidem musculi a Rufo Ephes. vocantur Νευρομήτορες : sic enim ait [p. 40 Cl.] : Οἱ δὲ μύες οἱ ἔνδοθεν τῆς ὀσφύος, ψόαι, οἵπερ καὶ μόνοι τῆς ἄλλης ῥάχεως τῇ ὀσφύϊ παραπεφύκασιν· ἄλλοι δὲ νευρομήτορας καλοῦσιν, ἄλλοι δὲ ἀλώπεκας. Et mox, Κλείταρχος δὲ τοὺς ἔξω κατὰ τῆς ῥάχεως μύας, ψόας, καὶ νευρομήτοράς φησι καλεῖσθαι, οὐκ ὀρθῶς. [Κλέαρχος et νεφρομήτρας esse scribendum pluribus disputat Casaub. ad l. Athenæi, in quo μυωταὶ recte HSt. in Ψόα.]

[Νευρομήτωρ, ορος, ὁ. V. Νευρομήτρα.]

Νεῦρον, τὸ, Nervus. Est pars simplex, spermatica, exsanguis, sensu tantum aut etiam motu prædita. Ut enim arteria et vena, sic nervus inter prima et simplicissima humani corporis elementa censetur l. 1 De elementis, et inter partes similares numeratur. Hæc inter alia Gorr. Quibus addit : Ceterum non omittendum est, quod scribitur a Galeno initio l. 15 De usu partium, disserente de pudendi substantia, νεῦρον tribus modis dici, uno quidem proprie, Genus illud totum quod a cerebro et spinali medulla est : altero, Id quod a musculis oritur, et τένων, h. e. Tendo, ab Hippocr. dicitur; tertio autem, quod Hippocr. σύνδεσμον, i. e. Ligamentum, Medici vero post eum νεῦρον συνδετικὸν, i. e. Nervum colligantem, nuncuparunt. Quod autem ad etymon hujus nominis attinet, addit Idem : Dictum est Græcis νεῦρον a v. νεύειν, quod Nutare et Flectere significat, ut scribit Galen. init. libri De motu musculorum. Hæc ille. At verba Galeni sunt hæc : Νεῦρον δὲ καὶ τόνος ἐξ ἐγκεφάλου ἢ νωτιαίου φύεται· κέκληται δ' ἀπ' αὐτῶν τῶν ἐνεργειῶν δυοῖν ὀνόμασιν ἓν ὄργανον, ὅτι νεύειν καὶ τείνειν πέφυκεν. [Νεῦρον pars est in corpore similaris, spermatica et exsanguis, sensationis et motionis organum. Idque proprie nervis attribuitur, qui ex cerebro et spinali medulla ortum habent, quos τόνους Hippocr. (ut scribit Galen. et postea docemus) vocat, Galenus τὰ προαιρετικὰ νεῦρα. Τῶν νεύρων autem significatio late apud medicos extenditur, et nervosa corpora, hoc est, exsanguia, alba, et cavitatis expertia, tum etiam quæ cum nervis similitudine quadam substantiæ communicant, complectitur. Quod scribit Galen. his verbis Comment. 1 in lib. 6 Epid. p. 443, 33 : Τρία γάρ ἐστι γένη σωμάτων ὁμοιομερῶν ἐν τοῖς ζώοις, ἄναιμά τε καὶ ἀκοίλια φαινόμενα· τὰ μὲν ἐξ ὀστῶν, τὰ δ' ἐξ ἐγκεφάλου καὶ νωτιαίου, τὰ δὲ ἐκ μυῶν φυόμενα. Ὀνομάζεται δὲ ὑπὸ μὲν Ἱπποκράτους τοὐπίπαν τὸ μὲν πρῶτον αὐτῶν εἰρημένων σύνδεσμος, τὸ δὲ δεύτερον, νεῦρόν τε καὶ τόνος, τὸ δὲ τρίτον τένων. Ἔνιοι δὲ νεῦρα πάντα καλέσαντες δι' ἣν εἶπον ὁμοιότητα, τὸ μὲν πρῶτον αὐτῶν γένος, συνδετικὸν εἶναί φασι, τὸ δὲ δεύτερον, αἰσθητικόν τε καὶ προαιρετικὸν, τὸ δὲ τρίτον ἀπονεύρωσιν ὀνομάζουσιν. Atque idem Gal. exsanguia et alba corpora, ubi plurimum tum distendi, tum in se contrahi videntur, velut uterus et vesica, nervosa dici contendit. Qua ratione et colis in hominum pudendis naturam, et uterum nervosum esse volunt. Quod etiam lib. 15 De usu partt. in humano pudendo affirmat Galenus quod propter eam quam cum nervis habet substantiæ similitudinem, nervosum esse constat. Neque ab simili notione nervos vocavit in corde Aristoteles, quæ nervosa corpuscula dicuntur Herophilo, hoc est, membranosas extremitates in osculis cordis, ut scribit Galen. cap. 6 lib. 1 De plac. Hippocr. et

Plat., ubi eadem etiam de triplici nervosorum corporum genere scribit. Idem quoque de triplici nervorum differentia scribitur ab auctore Definitt. med. p. 392, 49. At vero simplici τῶν νεύρων nomine plerumque ligamenta et copulas intelligit Hippocr., quod etiam antea ex Galeno scriptis testati sumus. Sic p. 776, B, scribitur, Ἐξήρτηται μέντοι καὶ τούτων τῶν νεύρων κατὰ τὴν κοινὴν ξύμφυσιν τῶν ὀστέων. Significat namque excedentem cubiti partem, hoc est, gibbum, connexum esse ligamentis, quæ articulationem illam continent, ea parte qua ossa, hoc est cubitus et radius, communem habent conjunctionem. Ac rursus ibidem : Πλεῖον δὲ μέρος ἔχει τῆς ἐξαρτήσεως τῶν νεύρων ἐν τῷ βραχίονι τὸ λεπτὸν ὀστέον ἤπερ τὸ παχύ. Quibus certe verbis ligamenta illa adeo lata ut crassæ membranæ esse videantur ossibus circumjectæ, intelligit, quæ ex inferiore brachii extremitate exorta, cubiti et radii capitibus innectuntur, ita tamen ut majorem cubiti partem occupent. Ubi etiam scribit Galenus : Τοὺς συνδέσμους νῦν ὠνόμασε νεῦρα, καὶ ἐπὶ παντὶ καλῶν οὕτως αὐτούς. Rursusque : Ταύτην ἔφην τὴν ῥῆσιν ἐνδείκνυσθαι νεῦρα καλεῖσθαι πρὸς αὐτοῦ τοὺς ὅλης τῆς διαρθρώσεως συνδέσμους. Hanc orationem dixi indicare Nervos ab eo vocari totius articulationis ligamenta. Rursus etiam p. 810, B : Καὶ ἀπ' ἐκείνων νεύρων ἀποβλάστησις. Quod de nervosis, validis et crassis ligamentis intelligitur, quæ cartilagini (quæ spinæ adnata est) induntur. Νεύρων ἀποβλαστήσεις συνδετικὰς vocat Galenus. Libro etiam De locis in homine etsi νεῦρα Nervos eximie denotant, pro Ligamentis tamen sæpe sumuntur, ut p. 409, 54, quum scribitur, Τὰ δὲ νεῦρα ξηρά τέ ἐστι καὶ ἀκοίλια· καὶ πρὸς τῷ ὀστέῳ πεφύκασιν· καὶ τρέφονται δὲ τὸ πλεῖστον ἀπὸ τοῦ ὀστέου. Et rursus ibidem 410, 5 : Τὰ δὲ νεῦρα πιέζουσι τὰ ἄρθρα, παρατεταμένα τέ ἐστι παρ' ὅλον τὸ σῶμα· ἰσχύουσι δὲ μάλιστα ἐν ἐκείνοισι τοῦ σώματος, καὶ ἀεὶ παχύτατά ἐστι, ἐν οἷσι τοῦ σώματος αἱ σάρκες ἐλάχισταί εἰσι. Καὶ τὸ μὲν σῶμα πᾶν ἔμπλεον νεύρων. Et p. 6, 33 : Ἔτι δὲ πρὸς τούτοισι καὶ φλέβες πολλαὶ, καὶ νεῦρα, οὐκ ἐν τῇ σαρκὶ μετέωρα, ἀλλὰ πρὸς τοῖς ὀστέοισι προστεταμένα, σύνδεσμός ἐστι τῶν ἄρθρων. Quibus in locis quid aliud per τὰ νεῦρα quam Ligamenta ipsa intelligas? Nam ut recte scribit Galen. Comm. 3 in lib. De fract. p. 776, B : Ἀλλὰ καὶ χωρὶς ἐκείνων (τῶν συνδέσμων) πρόδηλον οὐδὲν τῶν κυρίως ὀνομαζομένων νεύρων εἰς ὀστοῦν ἀναφέρεσθαι. Τῶν γὰρ συνδέσμων ἴδιον τοῦτο, καὶ δι' αὐτοὺς, καὶ τῶν τενόντων, ὅτι κεκρασμένην ἔχουσι τὴν οὐσίαν ἐκ συνδέσμων καὶ νεύρων. Libro quoque Περὶ σαρκῶν vulgo inscripto p. 251, 36, νεῦρα pro Ligamentis ponuntur, ut et ibidem p. 249, 23, νεῦρα στερεά. Et p. 344, 15, quum scribit in hominis conformatione partem seminis crassiorem et solidam non consumi ab igne in alimentum propter soliditatem, sed robur acquirere, et desinente humiditate consistere, et in ossa ac nervos transire. In Prorrhet. 2, p. 100, B, τὰ νεῦρα τὰ συνέχοντα, Nervi continentes articulos, et simpliciter νεῦρα pro Ligamentis et nervis ponuntur : Τὰ δὲ τρώματα τὰ ἐν τοῖσι ἄρθροισι, μεγάλα μὲν ὄντα, καὶ τελέως ἀποκόπτοντα τὰ νεῦρα τὰ συνέχοντα, εὔδηλον ὅτι χωλοὺς ἀποδείξει. Rursusque, Εἰ δὲ ἐνδοιαστὸν εἴη ἀμφὶ τῶν νεύρων, ὅπως ἔχοι. Iterumque, Οἷσι δ' ἂν καὶ νεῦρον δοκέει ἐκπεσεῖσθαι, ἀσφαλεστέρως τὰ περὶ τῆς χωλώσιος ᾗ προλέγειν, ἄλλως τε καὶ ἢν τῶν κάτωθεν νεύρων ᾖ τὸ ἐκλυόμενον. Ac rursus, Γνώσῃ δὲ τοῖσι νεῦρον μέλλον ἐκπίπτειν. Quæ quum de articulorum vulneribus dicantur, nervos pro ligamentis accipi manifestum est, et a Celso verti, ut nostris eum in locum Annotatt. aperuimus. Quemadmodum et alias Celso Nervi ligamenta Hippocratea locutione nominantur, nempe cap. 11 lib. 8 : Maxilla vero et vertebra omnesque articuli quum validis nervis comprehendantur, excidunt, aut vi expulsi, aut aliquo casu nervis vel ruptis vel infirmatis. Sic quoque p. 199, G, scribitur eadem fere in re : Θνήσκουσι δὲ καὶ εἰ ἐς τὰ ἐντὸς νεῦρα, ἤν τέ τι τῶν λεπτῶν τιτρωθῶσι, ἤν τε τῶν παχέων, ἢν ἐπικάρσιος ἡ πληγὴ γένηται καὶ μεγάλη. Nervos enim crassos ligamenta intelligere præstat, quemadmodum etiam paulo antea ibidem p. 199, E : Νεῦρα ὅσα παχέα τιτρώσκεται, ὡς ἐπιτοπολὺ χωλοῦνται, καὶ λοξὰ τιτρωσκόμενα. Μάλιστα καὶ τῶν μυῶν αἱ κεφαλαὶ, μάλιστα τῶν ἐν μηροῖσι. Νεῦρα A enim παχέα hic Ligamenta et tendones accipi manifestum est : etsi Cornarius in superiore sententia per λεπτὰ et παχέα, Tenuia et crassa intestina, intellexit. In Mochlico etiam νεῦρα sæpius pro Ligamentis accipiuntur, ut p. 866, D, E, F, in articulorum luxationibus, velut etiam disertis verbis lib. De art. p. 784, F : Πλεῖστον δὲ διαφέρει καὶ τῶν νεύρων ὁ σύνδεσμος, τοῖσι μὲν ἐπιδόσιας ἔχων, τοῖσι δὲ ξυντεταμένος ἐών. Et rursus ibidem : Καὶ γὰρ ἡ ὑγρότης τοῖσιν ἀνθρώποισι γίνεται ἡ ἐκ τῶν ἄρθρων, διὰ τῶν νεύρων τὴν ἀπάρτισιν, ἢν χαλαρά τε ἔῃ φύσει, καὶ τὰς ἐπιτάσιας εὐφόρως φέρει. Ex eadem vero cognatione νεῦρον ναρκῶδες, hoc est Nervus torpidus, ligamentum dicitur in Mochlico p. 842, F : Καὶ τὸ ναρκῶδες νεῦρον ὃ ἐκ τῆς διαφύσιος τῶν τοῦ πήχεος ὀστέων ἐκ μέσων ἐκπέφυκε καὶ περαίνεται. His enim verbis ligamentum illud crassum, densum, validum et membranosum intelligere videtur, quod ex brachii fine inferiore exortum, cubitum cum radio, totam dearticulationem circumvestiens, connectit, majore tamen parte cubiti posteriorem partem com- B plectitur, ut scribitur lib. De fract. et nostris eum in locum Annotatt. aperuimus. Eadem quoque notione ibidem p. 866, D, scribitur, Καὶ τὰ ναρκώδεα πάντα, ὡς τάχιστα ἄριστα, τὴν φλεγμονὴν παρέντα. His enim verbis ligamenta mihi accipi videntur, quæ in articulorum emotionibus aut perversionibus, suborta inflammatione, magnum facessunt negotium. Ναρκώδεα autem dicuntur, quod ligamentorum natura sensu careat, et dura sit aut solida, quomodo ναρκώδεις exponuntur Erotiano οἱ ἀπεσκληρυμμένοι καὶ ἀναισθητοῦντες, Indurati et minime sentientes, ut antea adscripsimus. Est et νεῦρον ἔναιμον, Nervus sanguineus, apud Hippocrat. p. 425, 48 : Τοῦ δέρματος τὸ ἔξω, ὅτι συνεχές τε ἑαυτῷ καὶ νεύρῳ ἐναίμῳ. Ubi Nervus sanguineus intelligi videtur panniculus carnosus, qui ab extremitatibus vasorum per subjectam carnem dispersorum oritur, et cutem constituit, adeoque illi continuus est, ut ab ea non nisi ægre separari possit, efficitque ut cutis ipsa mediam quodammodo inter nervum carnemque substantiam sortita sit. Est enim veluti sanguine præ- C ditus nervus, qui sit inter carnem nervumque quiddam plane medium, et ex iis ambobus secum mixtis conflatum, neque durum aut penitus exsangue, ut nervus, neque molle et sanguine abundans, ut caro. Ideoque cutis extremorum media, calidi, frigidi, humidi et sicci, ambientis frigiditatem et caliditatem ex æquo percipit, ab iisque promte alteratur, frequentius tamen calidum ad voluptatem experitur, ut illic scribit Hippocrates. Hanc etiam vocem apud Hippocr. agnoscit Erotianus in Prooemio. Idemque νεύρου ἐναίμου exponens, ἀντὶ τοῦ τῆς φλεβὸς positum scribit. Nisi si quis apud Erotianum vitium subesse existimet, et νεύρῳ ἐναίμῳ, et τῇ φλεβὶ legendum existimet, ut ei quem adduximus loco quadret. Neque enim alias me apud Hippocr. legere memini. Neque vero insolens videri cuiquam debet νεῦρα φλέβας dici antiquis, quum φλέβας κοίλας, venas et arterias, ad differentiam τῶν φλεβῶν στερεῶν, h. e. nervorum, ab iisdem vocari satis constet. (De qua gl. v. HSt. paullo post.) Foes. De nervis Hom. Il. Π, 316 : Ἔγχεος D αἰχμῇ νεῦρα διεσχίσθη. Manetho 6, 615 : Δειναῖς νεύρων νούσοισι. Plato Phæd. p. 80, D : Ὀστᾶ τε καὶ νεῦρα, et similiter alibi cum aliis quibusvis.] Plut. [Mor. p. 652, D], inter incommoda quæ vinolentis accidunt, Ἐντάσις τῶν περὶ τοῖς ἄκροις νεύρων καὶ ἀπονάρκωσις. Athen. 1, [p. 24, C] de aqua marina : Μάλιστα τοῖς νεύροις ἐστὶ πρόσφορος. Lucian. [D. mort. 1, 3] : Νεῦρα ἔντονα ἢ ὦμοι καρτεροί. Item ap. Rufum Ephes. [p. 43 et 65 Cl.], νεῦρα πρακτικὰ, αἰσθητικὰ, προαιρετικὰ, συνδετικά. Et νεῦρα ἔχειν dicitur, Qui nervorum robore pollet, s. robustus est et viribus pollet. Accipitur etiam metaphorice pro Robur, Vires [Gl.] : ut Dem. νεῦρα πολέμου vocavit τὰ χρήματα, sicut Cic. vectigalia Nervos reip., et itidem, Nervos belli, pecuniam infinitam. [Demosth. p. 432, 10 : Οὐδέν ἐστ' ὄφελος πόλεως ἥτις μὴ νεῦρα ἐπὶ τοὺς ἀδικοῦντας ἔχει.] Sic Æschin. [p. 77, 26] : Ὑποτέτμηται τὰ ν. τῶν πραγμάτων. Et Plato [Reip. 3, p. 411, B, ubi : Ἕως ἂν ἐκτέμῃ (τὸν θυμὸν) ὥσπερ νεῦρα ἐκ τῆς ψυχῆς,] ap. Plut. De virt. mor. νεῦρα τῆς ψυχῆς appellavit τὸν θυμὸν, ὡς ἐπιτεινόμενόν τε πικρίᾳ, καὶ πραότητι χαλώμενον· cujus rei meminit idem Plut. Περὶ ὀργ. [Aristoph. Ran. 862 : Τάπη, τὰ μέλη, τὰ νεῦρα τῆς τραγῳδίας.] || Νεῦρα dicuntur etiam Nervi extracti, et qui chordarum usum præstant. Hesiod. Op. [542] : Δέρματα συῤῥάπτειν νεύρῳ βοός, Nervo bovino consuere : itidemque Hom. Il. Δ, [122] de Pandaro arcum tendente : Ἕλκε δ' ὁμοῦ γλυφίδας τε λαβὼν καὶ νεῦρα βόεια. Νευρὴν μὲν μαζῷ πέλασεν, τόξῳ δὲ σίδηρον· ubi νευρὰν et νεῦρον pro eod. usurpavit : sic Ovid., Equino nervo intentus arcus. At paulo post de Menelao vulnerato, Ὡς δ' εἶδεν νεῦρόν τε καὶ ὄγκους ἐκτὸς ἐόντας, esse νεῦρον dicitur, ἐν ᾧ δέδεται τὸ σιδήριον τοῦ βέλους πρὸς τὸν κάλαμον. [Xen. Anab. 3, 4, 17 : Εὑρίσκετο καὶ νεῦρα πολλὰ ἐν ταῖς κώμαις. « Νεῦρα εἰργασμένα, Nervi præparati, ap. Polyb. 4, 56, 3. » Schweigh. Lex.] || A Latinis Nervi dicuntur Fides [Gl.] etiam s. Chordæ in instrumentis musicis, quæ tensæ sonum edunt : Quintil., Lyra intenta nervis. Utuntur vero et Ovid. ac Propert. atque adeo Cic. At Zeno vocat νεῦρα λόγου καὶ ἀριθμοῦ μετασχόντα καὶ τάξεως : nam ap. Plut. De virt. mor. [p. 443, A] cum suis discipulis in theatrum ingrediens quodam citharœdo citharam pulsante, ait, Ἴωμεν ὅπως καταμάθωμεν οἷαν ἔντερα καὶ νεῦρα καὶ ξύλα καὶ ὀστᾶ, λόγου καὶ ἀριθμοῦ μετασχόντα καὶ τάξεως, ἐμμέλειαν καὶ φωνὴν ἀφίησι. || Ab Aristoph. Avib. [?] penis quoque νεῦρον vocatur : sicut et Nervus ab Juvenali de eod. usurpatur. [Οὐδέν σ' ὀνήσει βόλβος, ἂν μὴ νεῦρ' ἔχῃς, Athen. 2, p. 64, B, ubi lusus ex ambiguo. Hemst.] || Hippocr. autem νεῦρον ἔναιμον vocat τὴν φλέβα, Erotian. [p. 260.] Pertinet huc, quod ap. Ruf. Ephes. [p. 64] legimus : Τὰς δὲ ἀρτηρίας τὸ ἀρχαιότατον φλέβας ὠνόμαζον· ἔλεγον δὲ καὶ ἀορτὰς καὶ πνευματικὰ ἀγγεῖα καὶ σήραγγας καὶ κενώματα καὶ ν. [V. de glossa Erotiani Foesium paullo ante. De fibris plantarum (conf. Νεύρινος) Plato Polit. p. 280, C: Ὁπόσα φυτῶν νεῦρα κατὰ λόγον εἴπωμεν. || De formarum νεῦρον et νευρὰ permutatione Lobeck. Patholog. p. 14 : « Νεῦρά ἐστι σύνδεσμος ὀστῶν ἀφ' ὧν καὶ αἱ νευραὶ κέκληνται, Pollux 2, 234. Nam posterioris quidam ætatis poetæ chordas νεῦρα vocant, sed adjuncto epitheto βόεια, Quint. 11, 112, Nonn. 14, 260; 24, 312; 29, 71. Semel tamen hoc omisso legitur in Anth. 9, 584, nec usitate Achill. Tat. 3, 66, νεῦρον τόξου dixit et Appian. Mithr. 107, chordas machinarum, quas Polyb. 4, 56, aliquanto rectius νεῦρα εἰργασμένα nominat. In contrariam vero partem aberravit Callimachus nervos, quibus artus continentur, νευρὰς dicere ausus : nam in Il. 8, 328, νευρὴ arcus nervum, ut schol. sensit, significare videtur, non manus. » Incertum ad utram formam spectet Hesychii gl. corrupta Ναινεύρη, νὴ τὸν Ἄρη. Ἀττικοὶ δὲ ποδοκάκη, ut ab Latinis Nervus dicitur de compedibus. V. Salmas. De modo usur. p. 812 sq.]

[Νευρόνοσος, ὁ, ἡ, Qui nervis ægrotat. Manetho 4, 501 : Νευρονόσους, ποδαγρούς.]

[Νευροπαχής, ὁ, ἡ, Nervi instar crassus. Hippocr. p. 278, 49 : Ἀπὸ γὰρ τῶν πλείστων καὶ εἰλικρινεστάτων μερῶν τρεφομένη, ὀλίγαιμός τε οὖσα καὶ κοίλη καὶ νευρόπαχος (ἡ περὶ τοὺς ὄρχιας φλέψ). Ubi νευροπαχὴς scribendum animadvertit Lobeck. ad Phryn. p. 535.]

[Νευροπλεχής, ὁ, ἡ, Ex nervis plexus. Philippus Thess. Anth. Pal. 6, 107, 5 : Νευροπλεχεῖς τε κνωδάλων ἐπισφύρους ὠκεῖς ποδίστρας.]

Νευροῤῥαφέω, Nervis consuo. Plato Euthyd. [p. 294, B] : Ἦ καὶ νευροῤῥαφεῖν δυνατόν ἐστι; ubi respondet alter, Καὶ μὰ Δία καττύειν. Xen. Cyrop. 8, [2, 5] : Ἔστι δ' ἔνθα ὑπόδημα ὁ μὲν νευροῤῥαφῶν μόνον τρέφεται, ὁ δὲ σχίζων· de sutore calceario. Scribitur tamen ibi unico ρ, sicut et ap. Polluc. [7, 81], a quo hic ipse Xen. l. citatur. Sicut et Νευροραφικὸς ap. Eund. [7, 154], Ad ejusmodi sutorem pertinens.

Νευροῤῥάφος, ὁ, Qui nervis consuit, ut ap. Hesiodum [Op. 542], δέρματα συῤῥάπτειν νεύρῳ βοός· unde discimus nervos bovinos antiquis usum præstitisse funiculorum s. chordarum. Νευροῤῥάφοι a Plat. De rep. 4, [p. 421, A] inter artifices viliores numerantur : ap. Themistium in Sophista [p. 263, B], οἱ νευροῤῥάφοι καὶ βαλανεῖς καὶ σκυτοτόμοι. [Eosdem conjungit Aristoph. Eq. 739. Schol. Plat. ad l. citatum p. 402 : Νευρορράφους εἶπε Λυκοῦργος τοὺς τὰ νεῦρα ῥάπτοντας ταῖς
A λύραις.] Νευρόραφος, Nervis consutus, VV. LL. Sed frequentior [et verior] est altera scriptura.

Νευρὸς, perperam alicubi ap. Aristot. pro νεβρός.

[Νευροσιδηροῦς, ᾶ, οῦν, Nervos habens ferreos. Jo. Chrys. In Esaiæ c. 8, vol. 1, p. 1083, 6 : Ἔγνων ὅτι σκληρὸς εἶ, ν. ὁ τράχηλός σου. Seager.]

Νευροσπαδής, ὁ, ἡ, Nervo tractus. Apud Soph. Philoct. [290], νευροσπαδὴς ἄτρακτος, Sagitta nervo intento emissa : Ὅ μοι βάλοι νευροσπαδὴς ἄτρακτος [Const. Manass. Amat. 7, 12. Boiss.]

[Νευρόσπασμα, τό, i. q. νευρόσπαστον. Photius et Etym. M. s. Timæus Lex. p. 140 : Θαύματα, νευροσπάσματα.]

[Νευροσπαστέω.] Νευροσπαστέομαι, Nervis fidiculisque trahor, attrahor. Athen. 9, [p. 391, A] docens quomodo αἱ ὠτίδες capiantur : Ἐν γοῦν τῇ θήρᾳ αὐτῶν ὁ ἐπιτηδειότατος ὀρχεῖται στὰς κατὰ πρόσωπον αὐτῶν, καὶ τὰ ζῷα βλέποντα εἰς τὸν ὀρχούμενον, νευροσπαστεῖται, Fidiculis extentis trahuntur s. implicantur : loquitur vero ibi περὶ τῶν νευροτενῶν παγίδων, ut in Epigr. vocari
B hos laqueos mox dicetur. Sed perperam legitur in vulg. edd. Athen. νευρωστατεῖται. [Marc. Antonin. 7, 3 : Σιγιλλάρια νευροσπαστούμενα. Clem. Al. Strom. 4, p. 598 : Δεῖ γὰρ κύριον εἶναι τὸν κριτὴν τῆς ἑαυτοῦ γνώμης, μὴ νευροσπαστούμενον ἀψύχων δίκην ὀργάνων, et omisso ὀργάνων 2, p. 434. Euseb. Præp. ev. 6, p. 245, A : Δίκην ἀψύχων κινεῖσθαι ἡμᾶς, τῇδε καὶ τῇδε ὑπό τινος ἔξωθεν δυνάμεως νευροσπαστουμένους. Act. Diod. Exc. p. 606, 67 : Ἐπετήδευσε δὲ καὶ νευροσπαστεῖν. Porphyr. ap. Stob. Ecl. vol. 2, p. 380 : Ἡ φαντασία σύρει ἡμᾶς καὶ νευροσπαστεῖ πρὸς αὐτήν.]

[Νευροσπάστης, ὁ. V. Νευρόσπαστος.]

[Νευροσπαστία, ἡ, Nervorum motio. Marc. Anton. 6, 28 : Θάνατος ἀνάπαυλα αἰσθητικῆς ἀντιτυπίας καὶ ὁρμητικῆς νευροσπαστίας· 7, 29 : Ἐξάλειψον τὴν φαντασίαν, στῆσον τὴν νευροσπαστίαν.]

[Νευροσπαστικὸς, ἡ, όν.] Νευροσπαστικὸν, Pars animæ ὑπηρετικὴ, cujus ἡγεμονική ἐστι τὸ ὁρμητικὸν καὶ ὀρεκτικὸν, Alex. p. 143. Bud. [De arte neurospasta (quod v.) exhibentium Eust. Il. p. 457, 38 : Τέχνη δὲ πάντως
C οὐ σπουδαία ἡ νευροσπαστική.]

Νευρόσπαστος, ὁ, ἡ, [Nervosus, Gl.] Nervis tractus, Qui nervorum tractu movetur, sed alienorum : ut Horat. Sat. 2, 7, [82] : Tu mihi qui imperitas, aliis servis miser, atque Duceris ut nervis alienis mobile lignum : quo loco respexit ad ea, quæ νευρόσπαστα ἀγάλματα a Græcis appellantur. Erant autem ea, Parva quædam animalium simulacra, quorum vel singula vel universa membra certis nervis aut fiduculis in hanc vel illam partem cum quadam venustate et convenientia, sua sponte movebantur : quæ etiam αὐτόματα et αὐτοκίνητα dicuntur a Græcis, quod sua sponte moveantur. Qui hujusmodi simulacra vulgo ostentabant, dicebantur Νευροσπᾶσται [–σπάσται], ut intelligere licet ex Aristot. De mundo [c. 6] : Καὶ οἱ νευροσπᾶσται μίαν μήρινθον ἐπισπασάμενοι, ποιοῦσι καὶ αὐχένα κινεῖσθαι καὶ χεῖρα τοῦ ζώου, καὶ ὦμον καὶ ὀφθαλμὸν, ἔστι δ' ὅτε πάντα τὰ μέρη, μετά τινος εὐρυθμίας. Unde Apul. De mundo : Etiam illi qui in ligneolis hominum figuris gestus movent, quando filum membri, quod
D agitare solent, traxerint, torquebitur cervix, nutabit caput, oculi vibrabunt, manus ad ministerium præsto erunt, nec invenuste totus videbitur vivere. [De iisdem Athen. 1, p. 19, E : Ἀθηναῖοι Ποθεινῷ τῷ νευροσπάστῃ τὴν σκηνὴν ἔδωκαν, ἐφ' ἧς ἐνεθουσίων οἱ περὶ Εὐριπίδην. Ita Coraes pro νευροσπάστῳ.] De hujusmodi simulacris Herodot. 2, [48] : Ἀντὶ δὲ φαλλῶν ἄλλα σφι ἐστὶ ἐξευρημένα ὅσον τε πηχυαῖα ἀγάλματα νευρόσπαστα, τὰ περιφορέουσι κατὰ κώμας γυναῖκες, Pro phallis autem alia sunt eis inventa cubitalia simulacra nervis tractis sua sponte mobilia, quæ circumferunt per vicos mulieres. De his et Lucian. [De dea Syr. c. 16] : Φαλλοὺς Ἕλληνες τῷ Διονύσῳ ἐγείρουσιν, ἐπὶ τῶν καὶ τοιόνδε τι φορέουσι, ἄνδρας μικροὺς ἐκ ξύλου πεποιημένους, μεγάλα αἰδοῖα ἔχοντας· καλέεται δὲ τάδε νευρόσπαστα. Vide et Bud. p. 890, ubi νευροσπάστας esse dicit Circulatorum et præstigiatorum genus, qui imaguncularum motus et lusiunculas fidiculis moliuntur, ita ut saltare et osculari invicem sigilla ipsa et amplecti se videantur. Fiebant etiam aliæ icunculæ hydraulica ratione, quæ

A coacto spiritu pressionibus aquarum voces edebant: Merulas vocat Vitruv: item Engibata ab eo dicta, quæ motum incessumque ementiebantur. [Xen. Conv. 4, 55: Τὰ ἐμὰ νευρόσπαστα. Gellius N. A. 14, 1, 23: « Ut plane homines ludicra et ridenda quædam νευρόσπαστα esse videantur. » Synes. p. 98, B: Ὄργανα νευρόσπαστα. V. Cœl. Rhodig. Lectt. Antiq. 7, 16, Gataker. ad Marc. Anton. 7, 3.] || Νευρόσπαστος, est et Fruticis nomen. Plin. 24, 14: Cynosbaton, alii Cynospaston, alii Neurospaston vocant: folium habet vestigio hominis simile: fert et uvam nigram, in cujus acino nervum habet: unde Neurospastos dicitur.

Νευροστάτης, ὁ, Qui nervis intentis aliquid erigit. Ponitur a Polluce 7, tit. Περὶ ποιητικῶν τεχνῶν [154], non tamen exponitur. [Νευροσπάσται Kuhnius.]

[Νευροσύμφορος, ὁ, ἡ, Qui nervos afficit. Ps.-Chrysost. vol. 7, p. 498, 8: Ὀργὴν νευροσύμφορον τίκτει ἡ πορνεία καὶ μοιχεία.]

Νευροτενής, ὁ, ἡ, Nervis intentus s. contentus: νευ-
B ροτενεῖς παγίδας, Epigr. [Antipatri Anth. Pal. 6, 109, 2], Laqueos nervis extentatos.

[Νευροτομέω, Nervos disseco. Antyllus Oribasii p. 286 ed. Matth.: Τοῖς τόνοις οἷον νευροτομεῖσθαι.]

[Νευροτόμος, ὁ, ἡ, Nervos secans. Manetho 5, 221: Μοῖραν νευροτόμῳ ἐσφιγμένου ἄκρα σιδήρου.]

[Νευρότονον, τὸ, genus vinculi in machina quadam, de qua Hero Belop. p. 127, B, ubi dicit: Ἐκάλουν δὲ τὰ μὲν συνέχοντα τοὺς ἀγκῶνας νευρότονον, ἔνιοι δὲ ἐνάτονον, ἔνιοι δὲ ἡμιτόνιον. L. Dindorf.]

Νευρότρωτος, ὁ, ἡ, Qui vulneratos s. saucios nervos habet. [Galen. vol. 13, p. 344 seq. « Phot. Bibl. p. 175, 20. » Wakef.]

[Νευροχάρης, ὁ, ἡ, Chordis gaudens. Hymnus in Apoll. Anth. Pal. 9, 525, 14: Νευροχαρῆ, de Apolline.]

[Νευροχονδρώδης, ὁ, ἡ, q. d. Nervocartilagineus. Galen. vol. 4, p. 157: Ὁ περιφύεται γὰρ ἐπὶ τούτων τῶν ζῴων, οὐδὲ χόνδρος ἔτι ἀκριβῶς ἐστιν, ἀλλὰ νευροχονδρῶδες σῶμα. L. D. Theophil. De corp. fabr. 1, 21. Boiss.]

Νευρόω, Nervos adhibeo alicui, Nervos affero, i. e.
C Confirmo, Roboro, ap. Damasc. p. 89, 90, teste Bud. [Philo vol. 2, p. 48, 12: Τοῦ πάθους ἰσχὺν ἐπιδιδόντος, ὃ καὶ τοὺς ἀσθενεστάτους εἴωθε νευροῦν.] Sic Philo V. M. 1: Νευρωθέντες οὖν ταῖς παραινέσεσιν ἐκεῖνοι, His illi vocibus confirmati. [Alciphr. 3, 49. Ephræm Syr. vol. 3, p. 300, C: Τῇ τῶν μελλόντων ἐλπίδι νευρούμενος. || Signif. obscœna, de qua v. in Νεῦρον, Aristoph. Lys. 1078: Νενεύρωται μὲν ἥδε συμφορά.]

[Νευρώδη ὄρη, τὰ, Siciliæ, ap. Strab. 6, p. 274.]

Νευρώδης, ὁ, ἡ, Nervosus: v. ῥίζαι, Radices nervosæ, ut Plin. interpr. paulo ante in Νευράς. Et αἰδοῖον νευρῶδες dicitur paulo supra in Νευρά. [Plato Tim. p. 75, B: Νευρώδη κεφαλήν. Aristot. H. A. 3, 5: N. φλέψ. Aret. p. 52, 44: Ὀχετοὶ νευρώδεες· 64, 46, ὄχῆες. Diodor. 2, 56: Παραπλησίως τοῖς νευρώδεσι τόποις. Galen. vol. 13, p. 712: Κατὰ τὸ πλάσμα νευρῶδές τι σῶμα παραπλήσιον ὑμένι παχεῖ προὔκυψεν. Pollux 2, 70, (χιτὼν ὀφθαλμοῦ) v.] Νευρῶδες, inquit Gorr., Nervosum: est corpus spermaticum et exangue, ad nervi naturam similitudinemve accedens. Tria ejus genera Ga-
D lenus esse dicit initio libri 15 De usu partium, et Comm. 1 in l. 6 τῶν Ἐπιδημιῶν: unum, eorum qui proprie Nervi appellantur, et prodeunt ex cerebro aut spinali medulla: secundum, eorum qui a musculis oriuntur, et τένοντες ab Hippocr. appellantur, ab aliis autem ἀπονευρώσεις: si quidem nervosæ partes musculorum Tendines vocantur: tertium vero eorum quæ συνδέσμους Hippocr. vocavit, recentiores autem medici νευρὰ συνδετικά, Nervos colligantes. At vero præter hæc genera, sedes etiam, uterus, vesica, et pudendum, Nervosa dicuntur, quum tamen nullo trium generum componantur, sed quod nervosorum corporum similitudinem gerant: si quidem latissime distenduntur, contraque in brevissimum spatium contrahuntur: quod nulli membro aut pingui accidit. Itaque partes illas nervosas ex quadam similitudine dicimus, ut et reliqua omnia alba et exangui materia prædita, quoniam plurimum extendi rursumque in se ipsa retrahi et subsidere videntur, ut eo Comment. Galen. annotavit. Galen. ap. Athen. 1, [p. 26, C] de vino Falerno quod vigesimum excessit annum: Κεφαλαλγικὸς καὶ τοῦ νευρώδους καθάπτεται, [Afficit, Tentat systema nervosum. Herodot. p. 68 ed. Matth.: Οἱ κεκακωμένοι τὸ νευρῶδες. Antyllus p. 74: Τοῖς ἐν πυρετοῖς καὶ χωρὶς πυρετοῦ τὸ νευρῶδες πεπονθόσιν· 119: Κακοὶ τὸ νευρῶδες. Rufus p. 225 Matth.: Καὶ ἐπὶ τραυμάτων ἀξιολόγων καὶ ἐπὶ νευρωδῶν. L. D. || Hercules νευρώδης Dicæarcho apud Clem. Al. in Protr. p. 26, 30. Hemst.]

Νευρώεις, εσσα, εν, Nervosus, Validus: Hesych. νευρῶεν, δυνάμενον, ἐνισχύον. Dicitur autem νευρώεις ut κηώεις, κητώεις, ὠτώεις.

[Νεὺς, ὁ, Neus, n. fluvii, ap. Chœrob. vol. 2, p. 209, 7; 3, p. 70, 7: Νεὺς ὄνομα ποταμοῦ. Conf. Etym. M. p. 189, 41. Herodian. Π. μ. λέξ. p. 6, 7: Τὸ Νεὺς ἐπὶ ποταμοῦ κείμενον, ὥς φησι Φιλέας, ἀπεξενωμένον ἐστί. Idem Arcadio p. 126, 1, restituendum, ut animadvertit etiam Lobeck. Paralip. p. 92.]

[Νεῦς. V. Ναῦς.]

[Νευσίον, τὸ, in Glossis botanicis ex cod. Reg. 2690 κενταύριον, Centaurium. Ducang. App. Gl. p. 140.]

Νεῦσις, εως, ἡ, Natatio, πλεῦσις, Hesych. [Aristot. H. A. 5, 6: Τὴν νεῦσιν ἡ μὲν ἐπὶ τὸ ὄπισθεν, ἡ δὲ ἐπὶ τὸ στόμα ποιεῖται· De partt. an. 1, 1: Διαφέρει πτῆσις καὶ νεῦσις.] || At Νεῦσις ab altero νεύω, Nutus, i. e. Devergentia: ut Cic., In terram feruntur omnia nutu suo pondera. Et alibi, Suopte nutu et suopte pondere in terram feruntur. Plut. [Mor. p. 1122, C]: Ῥοπῆς ἐν τῷ ἡγεμονικῷ καὶ νεύσεως γενομένης. [Et p. 882, F. Id. De S. N. V. p. 566, A: Γένεσιν ἣν οὕτως ὠνομάσθαι νεῦσιν ἐπὶ γῆν οὖσαν, ubi v. Wyttenb. p. 118.] Alex. Aphr. Probl. 1: Πρὸς γῆν τὴν νεῦσιν ἔχειν, In terram suo pondere et nutu ferri. [Tim. Locr. p. 100, D: Τᾷ ἐς τὸ μέσον καὶ ἀπὸ τῶ μέσω νεύσει. Plotin. vol. 1, p. 107, 13: Αἰσχρὰν ψυχὴν λέγοντες μίξει καὶ κράσει καὶ νεύσει τῇ πρὸς σῶμα καὶ ὕλην ὀρθῶς ἂν λέγοιμεν. De nutu significantis aliquid Theod. Prodr. Rhod. p. 54: Νεύσει δὲ χειρὸς συγκαλεῖ με καὶ λέγει.] Item ap. Greg. Naz.: Πρὸς Θεὸν νεύσει, Inclinatione ad Deum.

Νευστάζω, Nuto. Hom. Il. Υ, [162]: Αἰνείας δὲ πρῶτον ἀπειλήσας ἐβεβήκει Νευστάζων κόρυθι βριαρῇ· Od. Ζ, [153]: Νευστάζων κεφαλῇ· δὴ γὰρ κακὸν ὄσσετο θυμός· ut Plaut., Capite nutat; non placet quod reperit. Ubi de concussione s. quassatione capitis dicitur. || Exp. etiam in VV. LL. Nutu admoneo: ut et verbum Lat. ap. Plaut., Nutat ne loquar. Item, Me isti non nutasse credis? Quo referri potest, quod Pollux [2, 50] ex Homero [Od. M, 194] citat, Ὀφρύσι νευστάζειν, i. e. ὀφρυάζειν, νεύειν, de oculorum nutu: de quo dicitur et Nictare: ut Plaut., Neque illa ulli homini nutet, nictet, annuat. [Theocr. 25, 260: Νευστάζων κεφαλῇ. Bion 3, 3: Τὸν Ἔρωτα καλᾶς ἐκ χειρὸς ἄγοισα, ἐς χθόνα νευστάζοντα. Cum dat. Oppian. Cyn. 2, 466: Αὐτίκ' ἄρ' αἴη νευστάζων.]

[Νευστέον. V. Νέω, Nato, sub Νεύω.]

Νευστήρ, ῆρος, ὁ, Natator, κολυμβητής, Hesych. Sed ibi perperam νευτήρ.

Νευστικὸς, ή, όν, Natatilis [Gl.], Qui nare potest: cui opp. πορευστικός. [Plato Soph. p. 220, A: Νευστικοῦ ζῴου· 221, E: Νευστικοῦ μέρους· et ib.: Τὰ νευστικὰ τῶν ἐνύδρων. Aristot. H. A. 1, 1: Τὰ νευστικά· et 8, 3. Philostr. Imag. p. 774: Ἱππόκαμποι νευστικοί.] || Deorsum vergere aptus et gravis, Libramentum habens. Philo [De mundo]: Τὸ μὲν δὴ πυρῶδες συνέλκον γῆν, ὑπὸ τοῦ περὶ αὐτὴν νευστικοῦ βρίθειν ἀναγκάζεται, A terreno degravante deorsum vergere cogitur, Bud.

Νευστὸς, ή, όν, Natatilis, Natans, ut νευσταὶ ἐλαῖαι, quæ infra νηκτρίδες. Lucian. Lexiph. [13]: Ἐλαίας χαμαιπετεῖς· φυλάττω δ' αὐτὰς ὑπὸ σφραγῖσι θριπηδεστάταις, καὶ ἄλλας ἐλαίας νευστάς. [V. Κολυμβὰς et Νηκτρίς.]

[Νευτίμα. V. Νεοτίμη.]

[Νεύω. V. Νέω.]

Νεύω, a quo vet. verbum Lat. Nuo [Nuto, Innuo, add. Gl.]: cujus composita in usu manserunt, quum alia, tum Innuo et Annuo, pro Nutu utor, Nutum do: ut quidam exp. Apud Cic. Annuere aliquem pro Nutu significare. Item, Significare aliquid et annuere. Hom. Od. Π, [283]: Νεύσω μέν τοι ἐγὼ κεφαλῇ. [Et H. Merc. 516: Ἀλλ' εἴ μοι τλαίης γε θεῶν μέγαν ὅρκον ὀμόσσαι ἢ κεφαλῇ νεύσας ἢ ἐπὶ Στυγὸς ὄβριμον ὕδωρ· Il. I, 223 : Νεῦσ' Αἴας Φοίνικι· Od. P, 330 : Νεῦσ' ἐπὶ οἷ καλέσας· H. Bacch. 9 : Οἱ δὲ ἰδόντες νεῦσαν ἐς ἀλλήλους. Plato Phæd. p. 117, A : Ἔνευσε τῷ παιδὶ πλησίον ἑστῶτι. Et significatione Jubendi Hom. H. Merc. 395 : Νεῦσεν δὲ Κρονίδης, ἐπεπείθετο δ' ἀγλαὸς Ἑρμῆς· ῥηϊδίως γὰρ ἔπειθε Διὸς νόος. Eur. Hec. 545 : Λογάσι δ' Ἀργείων στρατοῦ νεανίαις ἔνευσε παρθένον λαβεῖν. Apoll. Rh. 3, 441 : Ἐπεὶ μεσσηγὺς ἔτ' αὐτόθι νεῦσε λιπέσθαι αὐτοκασιγνήτοις. Antiphilus Anth. Pal. 9, 306, 8 : Ἀλλὰ Σαβίνῳ καινοτέρην πῆξαι Παλλὰς ἔνευσε τρόπιν.] Sæpius autem utitur composito ἐπινεύω, ut in eo docui. [Quo referendus etiam Pind. Isthm. 7, 45 : Τοὶ δ' ἐπὶ γλεφάροις νεῦσαν. Alexis ap. Stob. Fl. 27, 3 : Ὅρκος βέβαιός ἐστιν, ἣν νεύσω μόνον.] Itidem vero solutæ orationis scriptores compositis utuntur potius. Thuc. certe 1, [134] per periphrasin dixit νεύματι ἀφανεῖ χρησαμένου, pro ἀφανῶς νεύσαντος, schol. [Aristoph. Pac. 883 : Ἐκεινοσὶ νεύει ... ἄγειν παρ' αὐτὸν ἀντιβολῶν. De saltatoribus et histrionibus Pollux 4, 95, 113. Hesychius : Νενευκότι, βλέψαντι, et Νεῦσον, βλέψον.] || Annuo, i. e. Promitto. [Hom. Il. Θ, 246 : Νεῦσε δέ (Ζεὺς) οἱ λαὸν σόον ἔμμεναι. Pind. Ol. 7, 67 : Θεῶν δ' ὅρκον μὴ παρφάμεν, ἀλλὰ Κρόνου σὺν παιδὶ νεῦσαι, ... ἐξοπίσω γέρας ἔσσεσθαι.] Apoll. Arg. 2, [949] : Νεῦσε δ' ὅγ' αὐτῇ δωσέμεναι. At Epigr. ἔνευσε cum infin. quidem, sed pro Monuit nutu, ubi tamen exp. itidem Annuit, et Submonuit. [V. supra.] Sic Plaut., Venturum annuo. Virg. autem cum accus., Cœli quibus annuis arcem. [Sine infinitivo significatione Annuendi Pind. Pyth. 1, 71 : Νεῦσον, Κρονίων. Soph. Ph. 484 : Νεῦσον, πείσθητι. Cum accusat. Hom. H. Cer. 445 : Νεῦσε δέ οἱ κούρην ἔτεος περιτελλομένοιο τὴν τριτάτην μὲν μοῖραν ὑπὸ ζόφον ἠερόεντα, τὰς δὲ δύω παρὰ μητρὶ καὶ ἄλλοις ἀθανάτοισιν· et ib. 463 : Νεῦσε δέ σοι κούρην κτλ. Soph. OEd. C. 248 : Ἴτε νεύσατε τὰν ἀδόκητον χάριν. Eur. Alc. 978 : Καὶ γὰρ Ζεὺς ὅ, τι νεύσῃ, σὺν σοὶ τοῦτο τελευτᾷ. V. autem l. ex Hom. H. Merc. supra cit.] || Nuto [Hom. Il. Γ, 337 : Δεινὸν δὲ λόφος καθύπερθεν ἔνευεν. Et similiter Z, 470 : Λόφον ἱππιοχαίτην, δεινὸν ἀπ' ἀκροτάτης κόρυθος νεύοντα. Et N, 133 : Ἱππόκομοι κόρυθες λαμπροῖσι φάλοισι νευόντων. Herodot. 2, 40 : Νεῦον τὸ αἰδοῖον. Aret. p. 34, 2 : Τὰ μὲν μέλεα τὰ ἐντὸς ἑλκέων νεύει κρυπτὰ καὶ ἀφανέα], Vergo, Propendeo, Inclino. [Plato Leg. 12, p. 945, D : Οὐχ εἰς ταὐτὸν ἔτι νεύουσαι.] Theophr. H. Pl. [4, 9, 1] : Ὁ δὲ τρίβολος αὐτὸς ἐν τῷ ὕδατι νεύει εἰς βυθόν. [De Polybio Schweigh. : « Ν. εἰς δύσεις, 1, 42, 6; πρὸς μεσημβρίαν et sim. 1, 42, 4; 73, 5; 9, 5, 5. Ἐπὶ τὰ πεδία 1, 15, 8; ἐπὶ τὴν θάλατταν 3, 39, 2. Ἔξω νεύειν, Foras spectare, 1, 26, 12. Τὸ τέταρτον μέρος νεῦσον πρὸς τὴν γῆν, A parte terræ stans, non altum versus, 1, 27, 4. »] Philo de brutis animalibus dicit νένευκε πρὸς χέρσον, Prona spectant terram, ut locutus est Ovid. : et contra τὰς ὄψεις hominis Deum ἀνορθῶσαι, ἵνα τὸν οὐρανὸν καταθεᾶται. Ita enim ille [De mundo 3, p. 605, 36] : Τῶν μὲν γὰρ ἄλλων τὰς ὄψεις περιήγαγε κάτω κύψας· διὸ νένευκε πρὸς χέρσον· ἀνθρώπου δὲ ἔμπαλιν ἀνώρθωσεν, ἵνα τὸν οὐρανὸν καταθεᾶται· Siquidem quum aliorum animalium facies ita circumegisset, deorsum ut vergentes in humum procumberent, versa ille vice humanam faciem rectam voluit esse, ut cœlum suspiceret, Bud. Quomodo autem hoc memorabile dictum ex Ovidii quoque ore prodierit, docere non pigebit : ita igitur ille circa principium suæ Metamorph. canit : Pronaque quum spectent animalia cetera terras, Os homini sublime dedit, cœlumque tueri Jussit, et erectos ad sidera tollere vultus. Quum autem in illo Philonis l. πρὸς χέρσον nihil aliud sit quam πρὸς γῆν, πρὸς τὴν γῆν, sciendum est tamen νεύειν πρὸς s. εἰς τὴν γῆν, sæpe dici potius de illis qui præ pudore aut mœstitia defixos in terram oculos habent, s. terram intuentur, ut vertit Polit. in Herodiano 4, [3, 16] : Οἱ μὲν ἄλλοι πάντες σκυθρωποῖς προσώποις ἐς γῆν ἔνευσαν. Necnon in 1, [6, 10] : Οἱ μὲν ἄλλοι συνεστάλησάν τε εἰς τὴν ψυχὴν, καὶ σκυθρωπαῖς ταῖς ὄψεσιν εἰς γῆν ἔνευσαν. [Ps.-Eur. Iph. A. 1581 : Ἐμοὶ δέ τ' ἄλγος οὐ μικρὸν εἰσῄει φρενὶ, κἄστην νενευκώς. Aliter Aristoph. Vesp. 1110, de judicibus Atticis, νεύοντες ἐς τὴν γῆν. Theocr. 22, 90 : Πολὺς δ' ἐπέκειτο νενευκὼς ἐς γαῖαν· 203 : Ὁ δ' εἰς χθόνα κεῖτο νενευκὼς Λυγκεύς.] A poetis autem pro ἐς τὴν γῆν dicitur etiam ἐπὶ χθονὸς

A
cum hoc verbo. Apoll. Arg. 2, [683] : Στὰν δὲ κάτω νεύσαντες ἐπὶ χθονός. Hesiod. autem usus est adverbio ἔραζε illud ipsum significante [Op. 471] : Στάχυες νεύοιεν ἔραζε. Ceterum ead. constr. dixit Aratus [58] : Νεύοντι δὲ πάμπαν ἔοικεν Ἄκρην εἰς Ἑλίκης οὐρήν· ubi itidem illam Propendendi signif. habet, quam supra in νεύειν εἰς τὴν γῆν : unde Cic. ita reddidit, Obtutum in cauda majoris figere dicas. Cum illo autem adverbio κάτω frequens est et [ap. alios poetas, ut Eur. El. 839 : Τοῦ δὲ νεύοντος κάτω, et] in prosa : utunturque ita quum alii, tum Lucian. [Hermot. c. 77] : Καὶ παραδεδράμηκέ σε ὁ βίος ὁ τοσοῦτος ἐν ἀκηδίᾳ καὶ καμάτῳ καὶ ἀγρυπνίαις κάτω νενευκότα. [Pollux 1, 197, κάτω νεύων ἵππος.] Dicitur vero et νεύειν ἐπὶ τὸ κάτω ab Alex. Aphr. Probl. [Improprie Orph. H. 64, 7 : Εἰς δὲ πόθον νεῦσον Κύπριδος. L. D. Εἴ γε νένευκας ἐπὶ τὴν χάριν, Phalar. Ep. 78, p. 59. Πρὸς γαστέρα νενευκὼς, Athen. 14, p. 659, A. Hemst. Aliter Dioscor. Anth. Pal. 6, 220, 6 : Εἰς δὲ κάταντες ἄντρον ἔδυ, νεύσας βαιὸν ἄπωθεν ὁδοῦ.] Denique invenitur et cum dat. in Epigr. [Anth. Pal.
B
7, 142, 3 : Τύμβος Ἀχιλλῆος ... αἰγιαλῷ δὲ νένευκεν, ἵνα στοναχῇσι θαλάσσης κυδαίνοιτο πάϊς τῆς ἁλίας Θέτιδος. Aliter Agathias ib. 9, 155, 4 : Δαρδανικοῖς γὰρ σκήπτροις Αἰνεαδῶν πᾶσα νένευκε πόλις. Nonnus Jo. c. 11, 22 : Ὡς κλύεν ἀγγελίην ὅτι Λάζαρος ἄϊδι νεύων κέκλιτο.] Ceterum quamvis νεύω in ista Vergendi s. Propendendi signif. frequens sit, atque adeo multo frequentius quam in ea cui primum locum dedi, non putavi tamen dubitandum, quin prius significarit Nuo, ut antiquo utar verbo, quam Vergo, etc. Argumento autem mihi fuerunt quum alia, tum vox Lat. Nuto : quam quum a verbo Nuo esse constet, accepta forma frequentativa, sumi itidem pro Vergo, Deorsum vergo, Propendeo, non ignoratur. || Νεύειν cum accus. etiam pro Inclino, Demitto : cujus usus exempla hæc Bud. affert ex Aristot. Περὶ ἀναπνοῆς [c. 6 non longe a fine] : Ἡ γὰρ νεύουσι τὰς κεφαλὰς, ἐνταῦθα ἡ καρδία τὸ ὀξὺ ἔχει. [Hom. Od. Σ, 237 : Οὕτω νυν μνηστῆρες νεύοιεν κεφαλὰς. Soph. Ant. 270 : Πάντας ἐς πέδον κάρα νεῦσαι· et ib. 441. Hesychius : Νεῦσον, κλῖνον.] Item ex alio,
C
quem non nominat, Τοὺς ὀφθαλμοὺς κάτω νεύων, Oculos demittens, Aciem præ pudore deflectens. || Νεύειν, Vertere se, Cam. in Theocr. 7, [109] : Εἰ δ' ἄλλως νεύσαις, κατὰ μὲν χρόα πάντ' ὀνύχεσσι Δακνόμενος κνάσαιο, Si alio te verteris. Idem interpr. Tendere in Polyb. 1, [4, 1] : Ἡ τύχη πάντα νεύειν ἠνάγκαζε πρὸς ἕνα καὶ τὸν αὐτὸν σκοπὸν, Tendere ad unum finem. || Νεύειν pro Pertinere, Spectare, Bud. affert ex Aristot. De mundo [c. 7] : Τά τε περὶ τὰς μοίρας εἰς τοῦτό πως νεύει, Quæ de Parcis dicuntur, huc pertinent, huc spectant. Affertur vero et pro Spectare in alio genere loquendi, cui non possit itidem adhiberi verbum Pertinere, ex Alex. Aphr. : Ἐκεῖσε νεύει καὶ ἐστραμμένος ἐστὶ, Eo spectat et conversus est. [Antiphilus Anth. Plan. 136, 4 : Ἴν' ἤθεα δισσὰ χαράξῃ, ὧν τὸ μὲν εἰς ὀργὰν νεῦε, τὸ δ' εἰς ἔλεον. Manetho 4, 43 : Οἷς τέκνα καὶ ὀλβίστη παράκοιτις εἰς ἀρετὴν νεύουσα πολὺ κλέος οἴσετ' ἐς οἴκους. « Μηδαμοῦ (l. μηδαμοῖ) νεύειν, In neutram partem propendere, In æquilibrio esse, Polyb. 6, 10, 7. Πρὸς ἕνα σκοπὸν νεύειν, 1, 4, 1. Πρὸς τοῦτο τὸ μέρος ὅλοι
D
καὶ πάντες ἐνενεύκεισαν, 9, 5, 5. » Schweigh. Lex. || Figuratam signif. annotat Hesychius : Νενευκέναι, τεθνηκέναι. Idem : Νεύει, ἐπανέρχεται ἢ μᾶλλον φεύγει, quæ non recte HSt. in Νέω ad Νεύω, quod fingit, retulit.] || At Νεύειν pro Natare, vide post Νέω.

Νεφέλη, ἡ, Nubes, [Nubila, add. Gl.] Hom. Il. E, [522] : Ἀλλ' ἔμενον νεφέλῃσιν ἐοικότες, ἅς τε Κρονίων Νηνεμίης ἔστησεν ἐπ' ἀκροπόλοισιν ὄρεσσιν Ἀτρέμας· B, [146] : Εὖρός τε νότος τε Ὤρορ' ἐπαΐξας πατρὸς Διὸς ἐκ νεφελάων. Aristoph. in comœdia illa quam Νεφέλας inscripsit, Νεφέλας vocat παρθένους ὀμβροφόρους : de quibus [370], Ποῦ γάρ πώποτ' ἄνευ νεφελῶν ὕοντ' ἤδη τεθέασαι; et [265] : Λαμπρός τ' αἰθὴρ σεμναί τε θεαὶ νεφέλαι βροντησικέραυνοι. Postea Socrates, quum dixisset eas βροντᾶν κυλινδομένας, subjungit [376] : Ὅταν ἐμπλησθῶσ' ὕδατος πολλοῦ κἀναγκασθῶσι φέρεσθαι, Κᾆτα κρημνάμεναι πλήρεις ὄμβρου δι' ἀνάγκην, εἶτα βαρεῖαι Εἰς ἀλλήλας ἐμπίπτουσαι, ῥήγνυνται καὶ παταγοῦσι· quod mox repetit. [Unam Νεφέλην fingit Pind. Ol. 10, 3 : Ὑδάτων ὀμβρίων παίδων Νεφέλας. Idem Pyth. 6, 11 :

Χειμέριος ὄμβρος, ἐριβρόμου νεφέλας στρατός.] Apud Hom. dicitur etiam aliquis νεφέλῃ καλύπτεσθαι, sicut et νέφεϊ, infra in Νέφος. Od. Θ, [562]: Ἠέρι καὶ νεφέλῃ κεκαλυμμέναι. At Il. Ο, [308]: Εἱμένος ὤμοιϊν νεφέλην· Υ, [150]: Ἀμφὶ δ' ἄρ ἄρρηκτον νεφέλην ὤμοισιν ἕσαντο· Ρ, [551]: Πορφυρέῃ νεφέλῃ πυκάσασα ἑαυτήν· Υ, [417]: Νεφέλη δέ μιν ἀμφεκάλυψε κυανέη. Philostr. Epist. 56: Οὐ πρέπει δ' οὐδὲ ἡλίῳ τοῦ προσώπου νεφέλην προβάλλεσθαι. Plut. [Mor. p. 777, E]: Ὁ Ἰξίων διώκων τὴν Ἥραν ὤλισθεν εἰς τὴν νεφέλην· quam Junonem, Servius quoque Ixioni nubem in suam formam conversam obtulisse scribit. Sunt etiam qui νεφέλην interpr. Nebulam [Gl.]: licet hæc magis proprie esse ὀμίχλη existimetur. Virg. certe imitans ista Homeri νέφεϊ καλύπτεσθαι et νεφέλην ἕσσασθαι, utroque vocabulo est usus: quippe qui non tantum dixit Æn. 1: Nube cava spectantur amicti, sed etiam, Obscuro gradientes aere sepsit, Et multo nebulæ circum dea fudit amictu. Itemque Ovid., Nebula velatus. || Νεφέλη, ut νέφος infra, tribuitur etiam fronti s. supercilio contracto et mœsto. Hom. Il. Σ, [22]: Τὸν δ' ἄχεος νεφέλη ἐκάλυψε μέλαινα, i. e. ἡ ἐκ λύπης συνοχὴ καὶ πύκνωσις, Eust. Latinum quoque vocab. simili metaphora usurpari, in Νέφος dicam. Similiter et ap. Soph. Ant. [528] de Ismena plorante: Νεφέλη δ' ὀφρύων ὕπερ, αἱματόεν ῥέθος αἰσχύνει, τέγγουσ' εὐῶπα παρειάν, i. e. ἡ στυγνότης ἡ ὑπεράνω τῶν ὀφρύων: ubi et in dat. legitur νεφέλῃ, teste schol.: est autem metaphora a nubibus, quibus obductum cœlum στυγνὴν καὶ ὀμιχλώδη τὴν ἡμέραν ποιεῖ. || Nubes, Nubecula: ap. Hippocr. id dicitur, Quod in urinis pendet eodem modo quo nubes in aere. Galen. ἐναιώρημα appellat Comm. 2 εἰς τὸ Προγνωστικόν, scribens νεφέλην et ἐναιώρημα idem esse, aut νεφέλην speciem esse τοῦ ἐναιωρήματος: legitur enim ap. Hippocr. ἐναιώρημα duplex, γονοειδὲς et νεφελοειδὲς s. ἐπινέφελον: quorum illud, crassius, candidius, compactius et rotundius est: hoc vero, minus candidum, rarius, magisque diffusum. Ut enim aer nubilosus dicitur non qui atris nubibus condensatus est et caliginosus, sed qui serenus purusque nubes aliquot per eum sparsas habet, sic οὖρον νεφελοειδὲς s. ἐναιώρημα ἐπινέφελον appellare Hippocr. videtur quod nec colore est album, nec etiam plane nigrum, sed horum medium, ut docet Galen. Comm. 1 εἰς τὸ γ' τῶν Ἐπιδημιῶν. Ceterum id omne crudum esse et a flatuoso spiritu in altum efferri, Galenus docuit. Gorr. [Galen. Comment. 1 in lib. 3 Epid. p. 1059, D: Τὸ τῆς νεφέλης ὄνομα κατὰ μεταφορὰν ἀπὸ τοῦ περιέχοντος ἡμᾶς ἐπὶ τῶν οὔρων εἰώθασιν οἱ ἰατροὶ λέγειν, εἴθ' Ἱπποκράτους πρώτου τὴν προσηγορίαν τήνδε κατά τινος ἰδέας ἐναιωρημάτων ἢ οὔρων, εἴτε καὶ ἄλλου τινὸς αὐτοῖς θεμένου. Ὥσπερ οὖν ἐν τῷ περιέχοντι ποτὲ μὲν ζοφώδης γίνεται κατάστασις, πεπυκνωμένου νεφέλαις μελαίναις αὐτοῦ, ποτὲ δὲ ἀκριβὴς καὶ ἀνέφελος φαίνεται, καὶ διεσπασμέναι τινὲς ὁρῶνται κατ' αὐτὸ νεφέλαι, καὶ λέγεται τηνικαῦτα τὸ περιέχον ἐπινέφελον, ἐν ᾧ καιρῷ κατὰ τὴν χρόαν τῶν νεφελῶν οὔτε μέλαιναν ἀκριβῶς οὔτε λαμπρὰν ὁρῶμεν, ἀλλ' ἐν τῷ μεταξὺ τούτων· οὕτω μοι δοκεῖ καὶ οὖρον καὶ ἐναιώρημα καλεῖν ἐπινέφελον ὁ Ἱπποκράτης, ὃ μήτε λευκόν ἐστι τὴν χρόαν, μήτ' ἤδη μέλαν ἀκριβῶς, ἀλλ' ἐν τῷ μεταξύ. In urinarum contentis proprie νεφέλαι vocantur quæ per summam urinam innatant, ut et ἐναιωρήματα quæ per eam mediam suspensa sunt sublimamenta, et ὑποστάσεις quæ in fundo subsident. Sic scripsit Galen. Comm. 2 in Progn. p. 140, 25: Πολλάκις οὖν, ὡς ἔφην, ἐφίσταταί τι τοῖς οὔροις ἄνωθεν, ὅπερ ἐγὼ νεφέλην ἰδίως ὀνομάζειν εἴωθα. Νεφέλαι autem in urinis quales probandæ sint, et quales damnandæ, describuntur Hippocrati p. 40, 41, 53, et p. 210, G. Νεφέλαι Erotiano ap. Hippocr. non solum in urinis spectantur, sed exponuntur τὰ ἐφιστάμενα (non, ut habent exemplaria omnia, τὰ ὑφιστάμενα) τοῖς διαχωρήμασιν ὑπολίπαρα, ὁτὲ μὲν ὠχρά, ὁτὲ δὲ ξανθά, ἤ πως ἄλλως κεχρωσμένα. Μεταφορικῶς ἀπὸ τῶν ἐν οὐρανῷ νεφελῶν κινηθείς. Etsi ista Erotiani opinio, qua nubes et sublimamenta in dejectionibus apud Hippocratem spectari contendit, non parum mihi insolens videtur, nec adhuc quonam probe quadrare possit a me, ut ingenue fatear, satis animadversum, quod tamen de ὑποστάσει disertissimis verbis est ab Hippocrate expressum, ut scribimus postea, et multis

A exemplis contestatum ponimus. Ex Foes. OEc. Hipp.] || Νεφέλη tropice de morte dictum affertur ex Soph. Tr. [833: Κενταύρου φονία ν.] Sic infra Hom. θανάτοιο νέφος usurpat. [Et νεφέλη supra. De somno Pind. Pyth. 1, 7: Κελαινῶπιν νεφέλαν. Figurate etiam id. Isthm. 6, 27: Ἐν ταύτᾳ νεφέλᾳ. Et Nem. 9, 38: Φόνου νεφέλαν.] || Νεφέλαι dicuntur etiam Laquei quibus aves tanquam illa Homerica νεφέλῃ ἀμφικαλύπτονται: sicut et νέφη infra a vetustis grammaticis accipi annotabo: pro quo usu Eust. [Od. p. 1928, 34] ex Aristoph. citat, Μὰ νεφέλας, μὰ παγίδας· qui l. ita habetur Av. [194]: Μὰ γῆν, μὰ παγίδας, μὰ νεφέλας, μὰ δίκτυα. [Νεφέλας τρῦχος et παγίδας conjungit etiam Antipat. Sid. Anth. Pal. 6, 109, 1.] Sic accipitur et ap. Athen. 1, [p. 25, D]: Οὐδὲ τὸν ἀέρα δ' ἥρωες τοῖς ὄρνισιν εἴων ἐλεύθερον, παγίδας καὶ νεφέλας ἐπὶ ταῖς κίχλαις καὶ πελειάσιν ἱστάντες. Et sing. num. in Epigr. [Satyr. Thyilli Anth. Pal. 6, 11, 2: Ὀρνίθων] λεπτόμιτον νεφέλην. [Νεφέλη ὀρνέων, Retes augurales, Gl. || « Νεφέλη Græcia hodiernis dicitur tertium ex tribus velis, quo sacra

B dona teguntur in sacra Liturgia, discus nempe in quo ea reponuntur; et calix in quo vinum s. sanguis Christi, quod aliis ἀὴρ nuncupatur et in Liturgia Chrysostomi, ubi quosdam codices loco istius vocis Νεφέλη præferre monet Goarus p. 121, ubi ratio nominis exponitur: Νεφέλη φωτεινὴ ἐπεσκίασεν αὐτούς. || Νεφέλη in gloss. chymicis mss. ἐστὶν αἰθάλη θείου. || Νεφέλη μέλαινα, in iisd. glossis ἐστὶν αἰθάλη καὶ χρυσόλιθος. || Νεφέλη, vitium oculi in accipitre. Demetrius Cpol. l. 1 Hieracosophii c. 48: Τὰς ἐπὶ πολλοῖς γενομένας αὐτοῖς ἐν ὀφθαλμοῖς ἱεράκων παρεμποδίσεις εἰς τὸ ὁρᾶν οἱ μὲν νεφέλας καλοῦσιν, οἱ δὲ λευκώματα. (Νεφέλαι, Nubeculæ, in vitiis oculi annumerantur Hippocr. p. 102, G, et inter cicatrices reponuntur ex pupillæ ulceribus natas. Foes. OEcon.) || Νεφέλη, Hesychio φάρη, ἱμάτια. Gregor. Naz. Or. 11, ἐσθῆτος περιρρεούσης καὶ διαφανοῦς πολυτέλεια. V. Gloss. med. Lat. in *Nebula.* » Ducang.] || Nomen proprium matris Helles et Phrixi, Eust. [Il. p. 667, 5, Apollod. 1, 9, 1, schol. Æsch. Pers. 70. Locus prope montem Pelion, ap. Palæphat. 1, 5 et 11.]

C Νεφεληγερέτης, ὁ, Nubes excitans s. cogens. Apud Hom. frequens est vocativus [immo forma Æol.] νεφεληγερέτα pro nomin. νεφεληγερέτης: et Jovis epith., ut quum alibi, tum Il. Α, [511]: Τὴν δὲ οὔτι προσέφη νεφεληγερέτα Ζεύς· de quo Od. Ε, [309]: Οἵοισιν νεφέεσσι περιστέφει οὐρανὸν εὐρὺν Ζεύς· paulo ante tamen de Neptuno quoque dicit, Σύναγεν νεφέλας, ἐτάραξε δὲ πόντον· ut mox, Σὺν δὲ νεφέεσσι κάλυψεν Γαῖαν ὁμοῦ καὶ πόντον· adeo ut et ipse νεφεληγερέτης dici posse videatur: veruntamen poeta Jovi peculiariter id epith. tribuit. Empedocles vero ap. Plut. [Mor. p. 683, E] ἀέρα vocat νεφεληγερέτην.

[Νεφεληγερής, ὁ, ἡ, i. q. præcedens. Quintus 4, 80: Ῥιπὴ ἀπειρεσίη νεφεληγερέος Ζεφύροιο.]

[Νεφεληδόν, Instar nubis s. nubium. Nonn. Jo. c. 3, 135: Ὁμοζήλῳ δὲ μενοινῇ συμμιγέες νεφεληδὸν ὅλοι σπεύδουσι πολῖται· Dion. 15, 1: Νεφεληδὸν ἐπέρρεον αἴθοπες Ἰνδοί. Wakef.]

[Νεφελίζω, Nubilo. Schol. Hom. Il. Ο, 153: Φασὶ δὲ οἱ φυσικοὶ τὰ η' σταδίους ὑπερέχοντα τὴν γῆν νεφελίζεσθαι.]

D Νεφέλιον, τό, Nubecula [Gl. Proprie Aristot. Meteor. 2, 8: Νεφέλιον λεπτὸν φαίνεται. Theophrast. fr. 6, 1, 11: Ἐὰν δύνῃ εἰς νεφέλιον (ὁ ἥλιος)· 3, 6: Ἐὰν νεφέλιον φαίνηται. Plut. Mor. p. 889, D: Ξενοφάνης τοὺς ἐπὶ τῶν πλοίων φαινομένους οἷον ἀστέρας νεφέλια εἶναι κατὰ τὴν ποιὰν κίνησιν παραλάμποντα. Hesychius v. Κνηκίς, νεφέλιον λεπτόν.] Est in nigro oculi exulceratio superficiaria ab humoris distillatione facta: caligine (ἀχλὺν dicunt) profundior, minor et candidior. Gorr. In Definitt. med. νεφέλιον esse dicitur ἀχλὺς ἢ ἕλκωσις ἐπιπόλαιος ἐπὶ τοῦ μέλανος. Paulus Ægin., inquiunt VV. LL., albugines et cicatrices ita distinguit, ut has in superficie consistere dicat, et non solum οὐλὰς, sed et νεφέλια appellari: illas vero, λευκώματα dictas, altius progressas cicatrices esse. [Paulus 3, 22: Τὰς ἐπιπολῆς μὲν γινομένας ἐν τοῖς ὀφθαλμοῖς οὐλὰς οἱ μὲν αὐτὸ δὴ μόνον οὐλάς, οἱ δὲ νεφέλιον καλοῦσι. At Isagoges auctori p. 386, 51, νεφέλιον ἐστὶν ἕλκος ἐπιπόλαιον καὶ μικρῷ μεῖζον ἀργέμου καὶ λευκόν. Aetio c. 25, l. 3 Tetrab.

2 sic ἀπὸ τῆς ἀχλύος distinguitur ac definitur : Νεφέλιον καλεῖται τὸ ἐπὶ τοῦ μέλανος βαθύτερον τῆς ἀχλύος ἕλκος καὶ μικρότερον, τῇ δὲ χρόᾳ λευκότερον. Foes. OEc. Hipp.] || Νεφέλια dicuntur etiam τὰ ἐπιφαινόμενα τοῖς ὄνυξι, Quæ in unguium superficie nubecularum speciem repræsentant, in quarum radice ἀνατολὴ vocatur τὸ λευκὸν, alba illa quasi lunula. [Pollux 2, 146.] || In urinis νεφέλιον etiam dicitur, quod νεφέλη supra. Alex. Aphr. Probl. 2, 20 : Ποιεῖ τὸ νεφέλιον κατὰ μέσον τῶν οὔρων ἱστάμενον. [Νεφέλια μέλανα ap. Hippocr. p. 213, G; 214, G, Nubeculæ nigræ. Foes.]

Νεφελογενὴς, ὁ, ἡ, Nube genitus, Nubigena : quod epith. est Centaurorum, item Phrixi et Helles : quorum illi ex nube qua Ixion deceptus est, hi ex Nephele nati fuerunt : utriusque νεφέλης mentio facta est in Νεφέλη.

Νεφελοειδὴς, ὁ, ἡ, Nubis speciem habens, Nubilus. Νεφελοειδὲς οὖρον vide in Νεφέλη. [Plut. Mor. p. 892, E : Κύκλος νεφελοειδής· et 893, E. Chœrob. vol. 1, p. 360, 29 : Σημαίνει τὸ νεφελοειδὲς τὸ περὶ τὸν ἥλιον καὶ τὴν σελήνην. Contracte Νεφελώδης, Nubilosus, Gl. Manetho 4, 22 : Νεφελώδεος Οὐλύμποιο. Polyæn. 4, 6, 13 : Νεφελώδης κόνις. Pollux 1, 113. « Orion. Theb. Etym. p. 6; Planud. Ovid. Met. 2, 226. » Boiss. Jo. Laur. De ostentis c. 27, p. 102.]

B [Νεφελόθεν, Ex nubibus. Jo. Anagnost. Excis. Thessalon. p. 368 : Ὕδωρ νεφελόθεν ῥαγέν. L. Dind.]

[Νεφελοκένταυρος, ὁ, unde Νεφελοκένταυροι, genus Centaurorum, quod fingit Lucian. Ver. H. 1, 16, 17, 28.]

Νεφελοκοκκυγία, ἡ, urbs avium ap. Aristoph. Av. [819, 821 etc.] παρὰ τὰς νεφέλας καὶ τὸν κόκκυγα. [Unde Νεφελοκκυγιεὺς gent. ib. 878 etc. Utrumque annotavit Steph. Byz.]

[Νεφελοστασία, ἡ, Locus ubi retia tensa stant, schol. Aristoph. (?) Angl. Neutro gen. Eust. Od. p. 1928, 37 : Ἰστέον δὲ ὡς ἔγνωσται μέχρι καὶ νῦν ἡ τῶν θηρατικῶν νεφελῶν χρῆσις, παρ' οἷς καὶ νεφελοστάσια ὁ τόπος τῆς τοιαύτης διὰ δικτύων θήρας λέγεται.]

[Νεφελοσύστατος, ὁ, ἡ, Ex nubibus compositus. Athanas. vol. 2, p. 388, E : Νεφελοσύστατον σχῆμα.]

C [Νεφελοφόρος, ὁ, ἡ, Nubes ferens. Jo. Laur. De magistr. Rom. 3, 32, p. 208 : Δανούβιον δὲ τὸν νεφελοφόρον ἐκεῖνοι (Thraces) καλοῦσι πατρίως.]

[Νεφελόω, i. q. νεφελίζω. Eust. Il. p. 127, 21 : Ὁ γὰρ Ὄλυμπος ὁ εἰς οὐρανὸν λαμβανόμενος οὐ νίφεται, ὅτι μηδὲ νεφελοῦται.]

[Νεφελώδης. V. Νεφελοειδής.]

[Νεφελωτὸς, ἡ, ὸν, Nubilus. Lucian. Ver. H. 1, 19 : Τὸ δὲ τεῖχος ἦν διπλοῦν, νεφελωτόν.]

[Νεφέρα, Centaurium magnum, ap. Interpol. Diosc. c. 413 (3, 6, ubi οὐνεφέρα). Ducang.]

[Νέφερις, ἡ, Nepheris, urbs regionis Carthaginiensium ap. Strab. 17, p. 834.]

[Νεφέρσωφρις, ὁ, Nephersophris, viri n. ap. Suidam v. Εὔγραμμος.]

[Νεφθαλῖται, ἔθνος κρατῆσαν τῆς ἕω, ὡς Ἰώσηπος. Καὶ θηλυκῶς Νεφθαλῖτις, Steph. Byz.]

D [Νέφθης s. Νέφθυς, ἡ, Nepthys, uxor Typhonis, cujus meminere Plut. De Is. et Os. p. 355, F; 366, B, Jul. Firmicus Maternus De errore profan. relig. post init., et Epiphanius 3 Adv. Hær. p. 1093 fin. Plutarchus nomen hoc exponit τελευτὴν, Finem, et τελευταίην, Ultimam. Quare conjeci aliquando, licere nomen hoc interpretari Æg. *nephthos*, i. e., terminalem. Nephthyos namque nomine symbolico Ægyptii intelligebant terminum Ægypti, qui ad mare Rubrum spectabat, aut Arabiam Ægypt. Plura ea de re dixi in Panth. Æg. l. 5, 3, § 1, 5. Jablonsk. In Plut. pro Νέφθης reposuit Squire Νέφθυς ex collatione aliorum scriptorum, sed fide codd. MSS. Wyttenbach. p. 459 et deinceps. Pro τελευταίην recte forte legi τελευτὴν, ut in loco altero, monuit Squire p. 96. Nephthyn significasse « limitanea Ægyptum inter et Asiam deserta in Sirbonidis vicinia, ubi paulatim arenæ versus montem Casium ita eriguntur, ut Nilo, nisi supra modum exundante, mergi nequeant, » e Plut. patere scribit Michaelis part. 1 Spic. Geogr. Hebr. exteræ p. 268, 9. Tewater. Veram scripturam Νέφθυς testatur etiam inscr. Att. ap. Bœckh. vol. 1, n. 523, p. 482, 4 : Νέφθυϊ καὶ Ὀσίριδι ἀλεκτρυόνα. L. Dind.]

A [Νεφίον, τὸ, Nubecula, Gl.]

[Νεφοδιώκτης, ὁ, Tempestarius, de quibus in Gloss. med. Lat. in hac voce. Synod. in Trullo c. 61 : Καὶ οἱ τύχην καὶ εἱμαρμένην καὶ γενεαλογίαν φωνοῦντες καὶ οἱ λεγόμενοι νεφοδιῶκται. V. ibi Balsamonem. Ducang. Quæst. et resp. ad orthodox. 31, p. 453, C.]

[Νεφοδρομέω, Per nubes curro. Theod. Diac. Acroas. 3, 183 : Νεφοδρομῶν ἔπληττε τοὺς Κρῆτας τότε, de asino funda in hostes conjecto. Boiss.]

[Νεφοειδής. V. Νεφώδης.]

[Νεφόθεν, Ex nubibus. Const. Manass. Chron. 5436 : Χαλαζῶν πετρώματα νεφόθεν δισκευθέντα. Boiss.]

[Νεφομαντεία, ἡ, seu διὰ νεφῶν μαντικὴ, tum primum a nescio qua muliere Anthusa vocata inventa, et nota sub Leone M., ut auctor est Damascius ap. Photium p. 1041, nescio an alia ab ea quam ἀεροσκοπίαν vocant liber apocryphus Enoch et schol. Hom. Il. A, ἀερομαντεῖαν Niceph. Greg. ad Synes. De insomniis p. 112. Ducang. Apud Phot. p. 340, 31, est Νεφοποίητον εἴδωλον, Simulacrum ex nubibus factum. Νεφομαντεία finxisse videtur Duc.]

[Νεφομήκης, ὁ, ἡ, Cujus altitudo ad nubes usque accedit. Cæsarius p. 623 : Νεφομήκεις πύργοι. Koenig.]

[Νεφοποίητος, ὁ, ἡ. V. Νεφομαντεία.]

Νέφος, ους, τὸ, Nubes [Gl.], Nebula. Aristot. De mundo [c. 4] : Νέφος δέ ἐστι πάχος ἀτμῶδες συνεστραμμένον, γόνιμον ὕδατος. Unde Apul. De mundo : Aer actus in nubem, nubilum densat, et ea crassitudo aquarum fœtu gravidatur. Et paulo ante, Γίνονται δὲ ἀπὸ μὲν ταύτης (τῆς νοτερᾶς καὶ ἀτμώδους ἀναθυμιάσεως) ὁμίχλαι καὶ δρόσοι καὶ πάχνης ἰδέαι, νέφη τε καὶ ὄμβροι καὶ χιόνες καὶ χάλαζαι. Unde idem Apul. ibid., Et ex hac quidem nebulæ, rores, pruinæ, nubila, imbres, nix atque grando generatur. Hom. Il. M, [157] : Ἄνεμος ζαὴς νέφεα σκιόεντα δονήσας. Umbrosas itidem nubes Val. Flaccus dicit. Et Hesiod. Op. [551] : Πυκνὰ Θρηϊκίου βορέου νέφεα κλονέοντος. Il. E, [525] : Οἵ τε νέφεα σκιόεντα Πνοιῇσι λιγυρῇσι διασκιδνᾶσιν ἀέντες· Od. E, [293] et I, [68] : Σὺν δὲ νεφέεσσι κάλυψε Γαῖαν ὁμοῦ καὶ πόντον· Il. Ξ, [343] : Τοῖόν τοι ἐγὼ νέφος ἀμφικαλύψω· Σ, [205] : Ἀμφὶ δέ οἱ κεφαλῇ νέφος ἔστεφε δῖα θεάων. Sic Virg. Æn. 1, de Ænea et Achate : Nube cava amicti. Il. O, [668] : Τοῖσι δ' ἀπ' ὀφθαλμῶν νέφος ἀχλύος ὦσεν Ἀθήνη· contra ap. Ovid., Objicere nubem oculis. Et νέφος ὄμβριον ἀποσεισάμεναι, Aristoph. Nub. [288], Discutientes aquosas nubes, ut Ovid. loquitur. At ap. Aratum [416] : Κυμαίνοντι νέφει πεπιεσμένον, Cic. vertit, Obscura caligine tectum. [Frequens est etiam ap. Tragicos, ut Æsch. Suppl. 780 : Νέφεσσι γειτονῶν Διός. Soph. Aj. 1148 : Σμικρὸν νέφους ἐκπνεύσας μέγας χειμών· fr. Polyx. ap. schol. Apoll. Rh. 2, 1121 : Ἀπ' αἰθέρος δὲ κἀπὸ λυγαίου νέφους, ubi σκότους Paris. Eur. Heracl. 855 : Ἔκρυψεν ἅρμα λυγαίῳ νέφει. Aristoph. Av. 349 : Νέφος αἰθέριον. Plat. Tim. p. 49, C : Νέφος καὶ ὁμίχλην· Epin. p. 987, C : Νεφῶν καὶ ὑδάτων. Demosth. p. 291, 13 : Τὸν κίνδυνον παρελθεῖν ὥσπερ νέφος.] || Item metaph. Hom. Il. P, [243] : Πολέμοιο νέφος περὶ πάντα καλύπτει Ἕκτωρ. [Aristoph. Pac. 1090. De Amphiarao ipso Pind. Nem. 10, 9 : Πολέμοιο νέφος.] Sic Statius, Pulveream bellorum nubem, et Armorum nubem; et ante eum Virgilius, Belli nubes. Hom. Il. Π, [350] : Θανάτου δὲ μέλαν νέφος ἀμφεκάλυψεν. Sicut Statius, Mortis opaca Nube gravis vultus. [Antipater Thess. Anth. Pal. 7, 367, 2 : Ὦ μετιόντι νύμφην ὀφθαλμοὺς ἀμβλὺ κατέσχε νέφος. Eur. Herc. F. 1215 : Οὐδεὶς σκότος γὰρ ὧδ' ἔχει μέλαν νέφος, ὅστις κακῶν σῶν συμφορὰν κρύψειεν ἄν. Soph. OEd. T. 1313 : Σκότου νέφος. Pind. Ol. 7, 45 : Ἐπιβαίνει λάθας νέφος. Eur. Med. 107 : Δῆλον δ' ἀρχῆς ἐξαιρόμενον νέφος οἰμωγῆς ὡς τάχ' ἀνάψει μείζονι θυμῷ· Herc. F. 1140 : Στεναγμῶν γάρ με περιβάλλει νέφος. Paul. Sil. Anth. Pal. 7, 604, 4 : Οἱ δὲ γόων πικρὸν ἔχουσι νέφος.] Item νέφος ὀφρύων. Eurip. Hipp. [173] de Phædra animo valde turbata : Στυγνὸν δ' ὀφρύων νέφος αὐξάνεται. Sic Cic. [Pison. 37], Frontis tuæ nubeculam pertimescerem; Horat. Ad Loll. [Ep. 1, 18, 94] : Deme supercilio nubem; Claudianus De raptu Proserpinæ : Sublime caput mœstissima nubes Asperat, et diræ riget inclementia formæ. Unde συννεφής. [Theod. Prodr. Rhod. p. 177 : Τῷ νέφει τῷ τῆς μέθης ὡς οἷα νεκρὸς ἐνσχεθείς· 257 :

Ἐλεύθερον φῶς ὀψὲ νῦν δεδορκέναι, τοῦ δουλικοῦ τιθέντος (l. τεθέντος) ἐκποδὼν νέφους. « Τὸ ν. ἐπισκοτεῖ αὐτοῖς, Nubes calamitate prægnans incumbit in eos, Polyb. 9, 37, 10; 40, 3, 3. » Schweigh. Lex.] || Dicitur etiam νέφος πεζῶν de Ingenti et conferta multitudine, Il. Δ, [274] : Τὼ δὲ κορυσσέσθην, ἅμα δὲ νέφος εἵπετο πεζῶν. [Π, 66 : Κυάνεον Τρώων νέφος.] Ψ, [133] : Πρόσθε μὲν ἱππῆες, μετὰ δὲ νέφος εἵπετο πεζῶν, μυρίοι. Sic Liv., Peditum equitumque nubes jactat et consternit maria suis classibus; Virg., Nimbum peditum dicit et Nubem cygnorum. Et sine gen., ap. Eur. Phœn. [1321] : Ἣν (πόλιν) πέριξ ἔχει νέφος τοιοῦτον, Tanta hostium nubes. [Et ib. 258 : Νέφος ἀσπίδων πυκνόν. Et Hec. 908 : Ἑλλάνων νέφος. Hom. Il. P, 755 : Ψαρῶν νέφος ἠὲ κολοιῶν. Pind. fr. ap. schol. Ol. 2, 16 : Ἕσπετο δ' ἀενάου πλούτου νέφος. Aristoph. Av. 295 : Ὦναξ Ἄπολλον, τοῦ νέφους· 378 : Στρουθῶν νέφος. Herodot. 8, 109 : Νέφος τοσοῦτο ἀνθρώπων.] Ead. metaphora Ad Hebr. 11, [1] : Τοσοῦτον ἔχοντες περικείμενον ἡμῖν νέφος μαρτύρων. || Νέφη dicuntur etiam λίνα θηρατικὰ, si Hesychio credimus. Sic accipiunt quidam locum illum Od. X, [304] de avibus : Ταὶ μέν τ' ἐν πεδίῳ νέφεα πτώσσουσαι ἵενται· et gramm. veteres, teste Eust., ibi δικτύων εἶδος intellexerunt, sicut et νεφέλας ap. Aristoph., ut supra dictum : ipse tamen Eust. annotat, posse etiam accipi τὸν νεφῶν τόπον. Ceterum quod ad etymon attinet, sunt qui compositum esse dicant ex νε particula privativa, et φάος : alii a νείφειν, τὸ βρέχειν : si tamen compositum esse dicendum est, prius etymon rationi et vero magis consentaneum est, ac comprobatum etiam a Plut. De primo frig. [p. 948, E, ubi κνέφας codd. Pariss.] : Καὶ νέφος ὁ συμπεσὼν καὶ πυκνωθεὶς ἀὴρ, ἀπόφασις φωτὸς κέκληται, i. e. Νέφος, glomeratus et densatus aer, tanquam lucis negatione dicitur.

Νεφόω, Nubes cogo, Nubibus coactis obscuro, Obnubilo. Et pass. Νεφούμενος, Nubibus obductus, Basil. in Hexaem. [vol. 1, p. 29, B.] Et Chrysost. Ad Ephes. 4 : Ὅταν ὁ ἥλιος τὸ νεφωθὲν τοῦ ἀέρος καὶ πυκνωθὲν μὴ ἀρκέσῃ διασκεδάσαι. [Porph. A. N. c. 27, p. 25 : Ἀρχὰς τὰς νεφουμένων τόπων. Wakef. Manetho 4, 518 : Πηρώσει ψυχῆς νενεφωμένα βουλεύοντας. « Clem. Al. Strom. 6, p. 753, 18 : Ὁ πέριξ ἀὴρ ἐνεφοῦτο. » Hemst.]

[Νεφρίδιος, α, ον.] Νεφρίδιος δημὸς, Pinguedo quæ circa renes est. [Νεφρίδιον, τὸ, Renum adeps. Hippocr. p. 661, 38 : Νεφρίδιον καὶ ἄλευρον. Νεφριαῖος ap. Diosc. 2, 87, ubi νεφριαῖον στέαρ, suspectum Schneidero in Suppl., ut ex νεφρίδιος ortum, quum Lobeckio ad Phryn. p. 557 ex contrario νεφρίδιος in νεφριαῖος mutandum videatur.]

[Νεφρικὸς, ή, ὸν, Qui est renum. Demetrius Pepagom. De podagra c. 23 : Νεφρικὴν τέμνε φλέβα. Boiss.]

[Νέφριον, τὸ, Elaphoboscum, Diosc. Notha p. 455 (3, 73). Boiss.]

Νεφρίτης σπόνδυλος, ap. Polluc. [2, 179] Vertebra quæ prope renes est : quam primam esse dicit vertebrarum lumbi.

Νεφριτικὸς, ή, ὸν, dicitur qui eo vitio [quod νεφρῖτις dicitur] laborat. Latinis etiam Nephriticus. [Renosus, Rienosus, Renitiosus, Gl. Geopon. 12, 12, 6 : Ἰᾶται νεφριτικούς· et ib. 22, 2. Alex. Trall. 8, p. 147. Per η νεφρητικῶν vitiose ap. Philagrium Matthæi p. 61.]

Νεφρῖτις, ιδος, ἡ, sc. νόσος ἢ διάθεσις, Morbus s. Affectus renum, i. e. quo renes infestari solent, Renum dolor. [Renium valetudo, Gl. Νεφρῖτις omnem Renum affectum significat sive is similaris sit, sive organicus, sive communis, eoque renes ipsi tententur. Auctori Definitt. med. p. 398, 39, Νεφρῖτίς ἐστι φλεγμονὴ νεφρῶν μετ' ἀλγήματος σφοδροῦ, ποτὲ δὲ καὶ δυσουρίας καὶ ἰνωδῶν ἀποκρίσεων, ἢ ψαμμωδῶν, μετὰ αἵματος ὀλίγου. Sic νεφρίτιδες aph. 31 l. 3 calculi et renum obstructiones sumuntur et exponuntur Galeno, etsi quibusdam renum ulcera et inflammationes obaudiantur et renum vitia ac renum dolores ex eo aph. vertit Collut. 2, 1. Neque secus νεφρῖτις pro Renum calculo peculiariter accipi videtur aph. 11 l. 6, etsi alia renum vitia, ut ulcera et inflammationes, obstructiones ac dolores intelligi possunt, non aliter quam per τὰ νεφριτικὰ renum affectus, nempe inflammatio, abscessus, ulcera, calculi, obstructiones intelliguntur aph. 6 l. 6, et aph. 4, s. 8, l. 6 Epid. Νεφρῖτιδα φθίσιν ex purulentis renibus contingere scribit Hipp. p. 640, 21. Foes.] Thuc. [7, 15] : Διὰ νόσον νεφρῖτιν παραμένειν ἀδύνατος. [Pollux 2, 166, 220; 4, 187.]

Νεφροειδὴς, ὁ, ἡ, Renum speciem gerens, Renibus similis. [Aristot. H. A. 2, c. 17 med., καρδία· 6, 22 : Τὸ ἔμβρυον ἔχειν ἄλλα νεφροειδῆ περὶ τοὺς νεφροὺς, ὥστε δοκεῖν τέτταρας εἶναι νεφρούς. Forma Νεφρώδης id. De partt. an. 3, 7 : N. ὁ σπλήν ἐστι.]

[Νεφρομήτρα, ἡ.] Νεφρομῆτραι, Renum matrices : de quo vide Νευρομήτρα.

Νεφρὸς, ὁ, Ren [Gl. Aristoph. Lys. 962 : Ποῖος δ' ἂν νεφρὸς ἀντίσχοι; ubi dicitur de Testiculis, de qua signif. Eust. Il. p. 1231, 41, et Festus : « Nefrendes ... Sunt qui nefrendes testiculos dici putent, quos Lanuvini appellant Nebrundines, Græci νεφροὺς, Prænestini Nefrones. » Id. Ran. 475 : Τὼ νεφρὼ δέ σου αὐτοῖσιν ἐντέροισιν ἡματωμένω διασπάσονται Γοργόνες Τιθράσιαι· 1280 : Ὑπὸ τῶν κόπων γὰρ τὼ νεφρὼ βουβωνιῶ. Plato Tim. p. 91, A : Ὑπὸ τοὺς νεφρούς.] Athenæus l. 2 : Ἀδικεῖ νεφροὺς καὶ κύστιν. [« Deus dicitur νεφρῶν μάρτυς, h. e. Animi cogitationum et moliminum testis : conf. Ps. 7, 10, Jerem. 20, 12. Suidas ex Theodoreto In Ps. 7, 9 : Νεφροὶ, οἱ λογισμοὶ, ἐπειδὴ τὰς ὑπογαστρίους ὀρέξεις οἱ νεφροὶ διεγείρουσιν, καὶ ἐντεῦθεν κινοῦνται τῆς ἐπιθυμίας οἱ λογισμοί. » Schleusn. Lex.]

[Νεφρώδης. V. Νεφροειδής.]

[Νεφύδριον, τὸ, Nubecula, ap. Cedrenum in Juliano : Νεφύδριόν ἐστι, παρέρχεται. Ducang. Theophanes Chron. p. 41, A; Psellus ap. Tafel. De Thessalon. p. 366, 12. L. Dindorf.]

[Νέφω ad explicandum perf. νένοφα fingit Eust. Il. p. 127, 31. V. Νείφω.]

Νεφώδης, ὁ, ἡ, Nubilus, Nubibus obductus, i. q. ἐπινεφὴς, ἐπινέφελος. Aristot. [Probl. 26, 20] : Διὰ τί ὁ νότος ὅταν μὲν ἐλάττων ᾖ, αἴθριός ἐστιν· ὅταν δὲ μέγας, νεφώδης. Vide Ἐπινεφής. [Id. De aud. p. 800, 14 : Τῶν δὲ φωνῶν τυφλαὶ μέν εἰσι καὶ νεφώδεις ὅσαι τυγχάνουσιν αὐτοῦ καταπεπνιγμέναι, Obscuræ et quasi nubilæ. L. D. Strabo 3, p. 145 : Φαίνεταί τις νεφώδους ὄψις χίονος (aqua e naribus balænæ ejaculata) τοῖς πόρρωθεν ἀφορῶσι. Pollux 1, 113. || Forma Νεφοειδὴς Paul. Sil. Anth. Pal. 9, 396, 1 : Λίνου νεφοειδέϊ κόλπῳ, de retibus, quæ νεφέλαι dicuntur. « Mich. Syncell. Laud. Dionysii Ar. p. 376 med. » Boiss.]

[Νεφὼθ, Crocodili nomen Ægyptiorum lingua. Epiphan. De vitis prophet. c. 8, (p. 139, B). Dahler. Pro quo Μενεφὼθ in Chron. Pasch. p. 293, 7, ut in ipso h. voc. annotatum, ap. Dorotheum Μανεφὼθ, in cod. Leid. vero ap. Hamaker. Comment. in lib. De vita et morte prophet. p. 97, μὲν ἐφὼθ, ut ego fere conjeceram ad Chron. P. Animadvertit autem Hamakerus « verum videri ἐφὼθ, non quod hæc vox *crocodilum* notet, hujus enim nomen esse ⲙⲥⲁϩ apud Ægyptios, sed quod ⲉⲫⲁⲓⲧ sit vere Copticum et significet *pisces loricatos* vel *testudinis* genus Nilotici (Niloticæ), quem (quam) Arabes ترسة appellent. » L. Dind.]

Νέφωσις, εως, ἡ, Nubium coactio, Nubila s. Nubes coactæ. Philo V. M. 1 : Ταῖς θεριναῖς τροπαῖς πλημμύρων ὁ ποταμὸς προαναλίσκει τὰς νεφώσεις, Nubila absumit. Eod. l. aliquanto ante, Νέφωσιν μεταβάλλει εἰς αἰθρίαν, Nubilum in sudum convertit. [Id. vol. 1, p. 27, 43 : Αἰθρίαις, νεφώσεσι. Schol. Nicand. Th. 166 : Κυρίως δὲ (ἅλων) ἡ περὶ τὸν ἥλιον καὶ τὴν σελήνην γινομένη πολλάκις νέφωσις. Hemst. Improprie Eustath. Il. p. 144, 38 : Ὀφρύων νέφωσιν, τὴν σκυθρωπότητα. Valck. Heliodor. Æth. 9, 9, p. 362 · Δίχα νεφώσεων καὶ ὑετῶν. Schneid. Συννέφεια exp. Photius.]

[Νεχαὼ s. Νεχαὼς, Necho, n. pr. regis aut forte regum plurium Ægypti, adjectum communi ipsorum nomini Pharao, Reg. 2, 23, 29; Chron. 2, 35, 20; Jer. 46, 2, alibi. Hebr. scribitur נכו, Græce Νεκὼς et Νεκὼ ab Herodoto 2, 158, 159; 4, 42, Νεχαὼ in Josephi Ant. 10, 5, 6, et ap. interpretes Alex., Νεχαὼς in Josephi B. J. 5, 9, 4. Nomen esse origine Hebraicum opinantur Leusdenius, Simonis, alii. Male. Rectius habetur Ægyptiacum. Vid. Michaelis ad Jerem. l. cit. et Suppl. ad L. H. p. 1639, monens, Alexandrinos linguæ rerumque Ægyptiarum peritiores sapienter sua in interpretatione retinuisse Νεχαώ. Notationem nominis nescire me fateor. Conjecturis valde incertis equidem nolo indulgere. Fieri tamen potest ut ex rebus ab isto rege gestis, quas Herodotus narrat et Vignolius Chronol. 2, p. 133—148 docte illustrat, lux clarior aliis affulgeat. JABLONSK.]

[Νέχιδρα, τὰ χλωρὰ ὄσπρία in Glossis iatricis Neophyti, Legumina viridia. DUCANG. Pro χίδρα. L. D.]

[Νεχεψὼς, ὁ, Nechepsos, rex, citatur ab Galeno vol. 13, p. 258.]

[Νεχραῖοι, οἱ, Nechræi, gens Indica, ap. Lucian. Fugit. c. 6.]

Νέω, Eo, Redeo, [Venio], i. q. νοστῶ, teste Eust. Itidemque Suidas, Νέω, inquit, τὸ κολυμβῶ καὶ τὸ πορεύομαι. Activæ signif. nulla reperi exempla. [Offert vero Sophron mimographus ap. Athen. 3, p. 86, A : Μελαινίδες νησοῦντι ἐμὶν (Dorice pro νήσουσί μοι) ἐκ τοῦ μικροῦ λιμένος, Melænides (conchæ) venient mihi ex minore portu. SCHWEIGH.] Sed pass. [med.] Νέομαι apud poetas non infrequens est. Hom. Il. B, [236] : Οἴκαδε περ σὺν νηυσὶ νεώμεθα· [M, 32 : Ποταμοὺς δ' ἔτρεψε νέεσθαι κὰρ ῥόον·] Φ, [598] : Ἡσύχιον δ' ἄρα μιν πολέμου ἔκπεμπε νέεσθαι· Od. O, [88] : Βούλομαι ἤδη Νεῖσθαι ἐφ' ἡμέτερα, Redire ad nostra. [Δ, 633 : Ὁππότε Τηλέμαχος νεῖτ' ἐκ Πύλου.] Ξ, [152] : Οὐκ αὔτως μυθήσομαι, ἀλλὰ σὺν ὅρκῳ Ὡς νεῖται Ὀδυσεύς· Υ, [156] : Οὐ γὰρ δὴ [δὴν] μνηστῆρες ἀπέσσονται μεγάροιο, Ἀλλὰ μάλ' ἦρι νέονται· Il. Ξ, [335] : Οὐκ ἂν ἔγωγε τεὸν πρὸς δῶμα νεοίμην. [Conjunct. Il. A, 32 : Σαώτερος ὥς κε νέηαι.] In quibus posterioribus ll. futuri significationem habere observandum est, sicut εἶμι. [Sic Il. Σ, 101 : Ἐπεὶ οὐ νέομαι γε φίλην ἐς πατρίδα γαῖαν· Od. Λ, 114 : Ὀψὲ κακῶς νεῖαι. Et alibi. Significatione Abeundi vel simpliciter Eundi, Hom. Il. B, 84 : Βουλῆς ἐξ ἦρχε νέεσθαι· Σ, 240 : Ἠέλιον Ἥρη πέμψεν ἐπ' Ὠκεανοῖο ῥοὰς ἀέκοντα νέεσθαι· Υ, 6 : Κέλευσε Διὸς πρὸς δῶμα νέεσθαι. Pind. Nem. 2, 12 : Ἔστι δ' ἐοικὸς ὀρειᾶν Πελειάδων μὴ τηλόθεν Ὠαρίωνα νεῖσθαι· 7, 20 : Ἀφνεὸς πενιχρός τε θάνατον παρὰ θαμὰ νέονται, et alii, ut Theocr. 25, 207 : Κέρας ὑγρὸν ἑλὼν νεόμην. Significatione Veniendi Soph. Ant. 33 : Δεῦρο νεῖσθαι ταῦτα προκηρύξοντα. Callim. Dian. 148 : Εἴ τι φέρουσα νεῖαι πῖον ἔδεσμα.] Galen. Lex. Hipp. νεόμενον exp. et νηχόμενον et παραγινόμενον, ἀπὸ τοῦ νεῖσθαι, ambo l. 1 τῶν Γυναικ. : sed unum ἐπὶ τοῦ χωρίου, alterum ἐπὶ τοῦ ἐμβρύου. [In prosa præterea est ap. Xen. Cyrop. 4, 1, 11 : Οἱ κράτιστοι τῶν πολεμίων, οὗτοι ἐφ' ἵππων νέονται, ubi plerique ἔσονται. De navigantibus Orph. Arg. 359 : Καὶ τότε δὴ λίγυν οὖρον ἐπιπροέηκε νέεσθαι Ἥρη· 760 : Ὑπ' εἰρεσίῃ δὲ νέεσθαι· 1195 : Ἐπιπλώοντα νέεσθαι.] Facta contractione pro eod. dicitur Νεῦμαι, quod Hesych. exp. etiam ἥξω et ἐπανήξω. [Hom. Il. Σ, 136 : Ἠῶθεν γὰρ νεῦμαι ἅμ' ἠελίῳ ἀνιόντι. Theocr. 18, 56 : Νεύμεθα κἄμμες ἐς ὄρθρον. Apoll. Rh. 2, 1153 : Νεύμεθ' ἐς Ὀρχομενόν. Particip. Antip. Thess. Anth. Pal. 9, 96, 2 : Ὅτ' ἦν ἤδη νεύμενος εἰς ἀΐδην. Cum dat. Iresione ap. Herodot. V. Hom. c. 33 : Νεῦμαί σοι, νεῦμαι ἐνιαύσιος, ὥστε χελιδών.]

Νέω [vel Νάω sec. Photium : Νῶντος, σωρεύοντος, et Zonaram p. 1414 : Νῶ τὸ σωρεύω, et Eust. infra cit. Conf. sequens Νέω], Glomero, Acervo, Cumulo. Metaphora esse videtur ab iis sumpta, qui fila colo deducta super fuso glomerant : unde Suidas : Νῆσαι, σωρεῦσαι, καὶ Νήσουσι, σωρεύσουσι. [Prius fortasse ex l. Soph. in seq. Νέω cit.] Eust. p. 1448 : Νητὸς δὲ χρυσὸς, ὁ σεσωρευμένος εἰς πλῆθος, παρὰ τὸ νῶ, νήσω, ἐξ οὗ καὶ τὸ ἐπενήνεον. Ceterum reperiuntur tempora non tantum ab hoc νέω, sed etiam ab alio verbo Νήω, quod ejusd. signif. est, sc. In cumulos aggero, Cumulo. Plut. Cæs. [Bruto c. 20] de cadavere Cæsaris : Ἀπὸ τῶν ἐργαστηρίων τὰ βάθρα καὶ τὰς τραπέζας ἀνασπῶντες καὶ συγκομίζοντες εἰς ταὐτὸ, παμμεγέθη πυρὰν ἔνησαν, Ingentem rogum congesserunt, struxerunt. [Aristoph. Lys. 269 : Μίαν πυρὰν νήσαντες, et 373.] Xenoph. [Anab. 5, 4, 27] : Εὕρισκον θησαυροὺς ἐν ταῖς οἰκίαις ἄρτων νενημένων. [Unde fortasse Hesychius : Νενημένων, συγκειμένων.] At νενησμένοι cum σ legitur ap. Aristoph. Nub. [1203] : Ἀμφορῆς νενησμένοι· i. e. σεσωρευμένοι. [Conf. Ἐπινέω.]

Νέω, Neo, Filum ex colo duco s. torqueo, i. q. κλώθω et νήθω, quod hinc derivatur. Atticum autem esse testatur Pollux 7, [32] : Οἱ Ἀττικοὶ τὸ νήθειν, νεῖν λέγουσι. Hesiod. [Op. 775] : Νεῖ νήματ' ἀερσιπότητος ἀράχνης. [Soph. fr. Nausic. ap. Poll. 7, 45 : Πέπλους τε νῆσαι νεοπλυνεῖς τ' ἐπενδύτας, quod huc retulit Jungerm., etsi νεοπλυνὴς ostendit referri potius ad præcedens Νέω. Formam Æol. imperf. ἔννη pro ἔνει Etym. M. p. 344, 1, in verbis infra citandis, annotasse videtur ex fragm. poetæ vel poetriæ ap. Hephæst. p. 81, 10, cujus de vera scriptura dixi in Μόγις, p. 1129, A. Partic. aor. pass. Plato Polit. p. 282, E : Τὰ νηθέντα.] Item νήσαντο pro ἔνησαν, quod vide in Καταχλῶθες. Pollux quamvis agnoscat νεῖν, tamen in 3 plur. præs. indic. habet νῶσι, non νοῦσι, ut videre est in Ἐπίνητρον. [Hanc formam Νάω, quam memorat Hesychius : Νῶντα, νήθοντα, ῥέοντα, et Photius : Νώμενος, ὁ νηθόμενος, agnoscit Etym. M. p. 344, 1 : Ἔννη· ἔστι νῶ, σημαίνει τὸ νήθω, ὁ παρατατικὸς, καὶ ἐπὶ πρώτης συζυγίας καὶ ἐπὶ δευτέρας· ἂν γάρ ἐστι νώμενος καὶ κλώμενος, δηλονότι ἐστὶ δευτέρας· τοῦ νῶ ὁ παρατατικὸς ἔνων ἔνη· ἔνη, καὶ πλεονασμῷ τοῦ ν ἔννη· οὕτως Ἡρωδιανὸς, et usurpat Pollux præter l. ab HSt. citatum 7, 32 : Ἐφ' οὗ νήθουσιν ἢ νῶσιν (ubi νοῦσιν Sylburgio poscere videbatur quod addit οἱ Ἀττικοὶ γὰρ τὸ νήθειν νεῖν λέγουσιν)· 10, 125 : Καὶ ὄνον, ἐφ' οὗ νῶσιν, Ælian. N. A. 7, 12 : Ταῖς χερσὶ νῶσι λίνον (quæ verba sic scripta citari a Zonara Lex. p. 1414 s. Favorino p. 1320, 32, utriusque fugit editores), ubi olim νήθουσι, Meinek. Com. vol. 2, p. 556, alienam esse ab Atticis, nihilque tribuendum putabat Eustathio Od. p. 1571, 35, τῇ χειρὶ νῶσαι μαλθακωτάτην κρόκην exhibenti in versu Eupolidis, ubi νῆθε schol., ipse autem scripsit νῆσαι, neglecta probabili Buttmanni Gr. v. Νέω p. 248 sententia, qui contractionem per ου ita in hoc verbo evitatam conjecit, ut νῶν, νώμενος, νῶσι, non νούμενος et νοῦσι dicerent qui non, ut Iones, formis solutis νέουσι etc. uterentur. Atticorum autem esse formam Νεῖν potius quam νήθειν, ut est ap. Hesych. Ἔνει, Ἀττικοὶ, ἔνηθεν, pluribus dicetur in Νήθω.]

Νέω, ήσω [immo νεύσομαι et νευσοῦμαι, ut est ap. Hesychium : Νευσόμεθα, νηξόμεθα, et Xen. Anab. 4, 3, 12 : Ἐκδύντες ὡς νευσούμενοι, ubi al. σπευσόμενοι et πευσόμενοι, quod ad alteram formam ducit νευσόμενοι. Hinc autem HSt. non recte finxit præsens] Νεύω, εύσω, Nato, No, i. q. νέω, a quo et originem traxit. Unde aor. 1 νεῦσαι, Natare. Et gerund. νευστέον, Natandum. Plato De rep. 5, [p. 453, D] : Οὐκοῦν καὶ ἡμῖν νευστέον, καὶ πειρατέον σώζεσθαι ἐκ τοῦ λόγου· cui l. similis est, quem ex Luciano in Νέω citabo. Possent tamen hæc alicui videri derivanda a νέω, cujus fut. esset νεύσω, sicut πλεύσω, fut. verbi πλέω. || Hesych. νεύει exp. etiam φεύγει : quod erit pro ἐκνεύει. Et in pass. ap. Eund., νευσόμεθα, νηξόμεθα. || Νέω, No, Nato [Gl.]. Apud Eust. [Od. E, 442] : Ποταμοῦ κατὰ στόμα ἷξε νέων. [Od. E, 344 : Χείρεσσι νέων. Pind. fr. ap. Athen. 11, p. 782, D : Πάντες ἴσα νέομεν ψευδῆ πρὸς ἀκτάν. Epicharm. ap. eund. 3, p. 91, C : Νεῖν μὲν οὐκ ἴσαντι. Aristoph. Eq. 321 : Ἔνεον ἐν ταῖς ἐμβάσιν.] Thuc. 7, p. 242 [c. 30] : Οὔτε ἐπισταμένους νεῖν. [Et iisdem verbis Herodot. 8, 89. Dionys. A. R. 5, 24 : Οὐδὲν τῶν ὅπλων ἐν τῷ νεῖν ἀποβαλών.] Lucian. [Hermot. c. 65] : Οὐκοῦν πειρῶ διεκδῦναι· σὺν θεῷ γὰρ οἶσθα νεῖν. Arrian. [Ind. 24, 5] : Τοῦ νεῖν δαημονέστατοι. Plato [Gorg. p. 511, C : Ἡ τοῦ νεῖν ἐπιστήμη·] De rep. [5, p. 453, D] : Ὅμως γε νεῖ οὐδὲν ἧττον. [Ib. 7, p. 529, C : Ἐξ ὑπτίας νέων· Leg. 3, p. 689, D : Ἂν καὶ τὸ λεγόμενον μήτε γράμματα μήτε νεῖν ἐπίστωνται. Hesychius : Νεῖν οὐκ οἶδε, κολυμβᾶν οὐκ οἶδε. Idem Νεῖ interpretatur πλέει.] Utitur hoc verbo Hom. quoque Il. Φ, [11] de Trojanis ab Achille in Scamandrum compulsis : Ἔννεον ἔνθα καὶ ἔνθα ἑλισσόμενοι κατὰ δίνας, i. e. ἐνήχοντο, Nabant s. Natabant : est autem duplicatum ν metri gratia. [Unde retulit Etym. M. p. 344, 6. Conferendum autem Ἔννη in Νέω, Neo.] Ceterum hoc νέω formare fut. in ήσω, testatur Eustath., et confirmat derivatum v. νήχομαι. Et νεόμενον ap. Galen. Lex. Hippocr. τὸ νηχόμενον. [Fluendi significatione Aret. p. 106, 42 : Ἢν μὲν ἑτέρωθί πῃ φλεγμονὴ συστῇ, οὐ χάρτα γίγνεται ὀξέη· νέει γὰρ ἡ τοῦ αἵματος ἐπιρροή. Quod Influit vertit Int. Sed leg. νέη cum cod. Harlei. Ceterum de usu hujus v. Mœris p. 267 : Νεῖν καὶ νήχεσθαι Ἀττικοὶ, κολυμβᾶν Ἕλληνες, quæ repetit Thomas p. 624. Imperat. est ap. Lucian. Lexiph. c. 15 : A Σὺ μὲν πλεῖ καὶ νεῖ καὶ θεῖ.]

[Νεώδορτος, vox nihili.] Νεώδορτον, Hesychio teste pro νεόδρωτον dicitur.

[Νεωδηγήτρια, vitium scripturæ pro νεοδηγήτρια, de quo in Ὁδηγήτρια.]

[Νεωκορείτης, ὁ. Πούπλιος Ἀντώνιος Μάξιμος Νεωκορείτης quidam memoratur in inscr. Thebana ap. Bœckh. vol. 1, p. 767, n. 1585, 7, 8, ubi tamen Νεοκ. per ο.]

Νεωκορέω, Sum æditus, Templi verrendi purgandique curam habeo. [Æditor, Gl. Plato Reip. 9, p. 574, D : Οὐ πρῶτον μὲν οἰκίας τινὸς ἐφάψεται τοίχου ἤ τινος ὀψὲ νύκτωρ τοῦ ἱματίου, μετὰ δὲ ταῦτα ἱερόν τι νεωκορήσει Quæ verba citari ab Suida s. Photio in Ἱερόν τι v., qui explicant ἱερατεύσει, fugit non solum Kusterum, qui ἱεροσυλήσει restituebat ex iisdem in Νεωκορήσει, sed etiam Valckenarium ad Eur. Phœn. v. 534, de similibus agentem euphemismis. « Lucian. Amor. c. 48 : Μεθ' ἁγνῆς διανοίας νεωκοροῦμεν. Cornutus De N. D. c. 28, p. 207 : Vesta ὑπὸ παρθένων νεωκορεῖται. » B Valck. Synes. p. 178, A : Κοτυτοῖ καὶ τοῖς ἄλλοις Ἀττικοῖς κονισάλοις νεωκορεῖ.]

[Νεωκορία, ἡ, Munus æditui. Manetho 4, 441. Epigr. Anth. Pal. App. 256, 6.]

Νεωκόρος, ὁ, ἡ [ut apud Pausaniam 2, 10, 4 : Γυνή τε νεωκόρος, Suidam in Θαλαμηπόλος, et infra, etiam in forma νειοκόρος. Neutro genere Manetho 4, 215 : Τεύχει μεροπήια ἔργα, δοῦλα θεῶν ἱερῶν τε νεωκόρα λυσσομανούντων], Cui templi verrendi expurgandique et exornandi cura commissa est, Æditus [Gl.], schol. Aristoph. [Nub. 44. Paullo latius quam ut ad verrendi templi curam restringenda sit, patere significationem verbi κορεῖν in νεωκόρος et σιοκόρος vel θεοκόρος monet Locella ap. Eckhel. D. N. vol. 4, p. 289. Ipse autem Eckhelius ita fere de hoc v. disputat : « N. est is ad quem purgandi a sordibus templi cura pertinet, unde Hesychius : N. ὁ τὸν ναὸν κοσμῶν· κορεῖν γὰρ τὸ σαίρειν ἔλεγον. Philo vol. 2, p. 236, 30 : Τοσαύτας προσόδων ἀφορμὰς χαρισάμενος τοῖς ἱερεῦσιν οὐδὲ τὸν ἐν τῇ δευτέρᾳ τάξει κατωλιγώρησεν· εἰσὶ δὲ νεωκόροι· τούτων C οἱ μὲν ἐπὶ θύραις ἵδρυνται παρ' αὐταῖς ταῖς εἰσόδοις πυλωροί, οἱ δ' εἴσω κατὰ τὸ πρόναον ὑπὲρ τοῦ μή τινα ὧν οὐ θέμις ἑκόντα ἢ καὶ ἄκοντα ἐπιβῆναι, οἱ δ' ἐν κύκλῳ περινοστοῦσιν, ἐν μέρει διακληρωσάμενοι νύκτα καὶ ἡμέραν, ἡμεροφύλακες καὶ νυκτοφύλακες. Ἕτεροι δὲ τὰς στοὰς καὶ τὰ ἐν ὑπαίθρῳ κοροῦντος τὸν φορυτὸν ἐκκομίζουσιν, ἐπιμελούμενοι καθαρότητος. Ex quibus apparet primæva hujus ministerii vilitas, sed quo subinde servis relicto retentum tamen nomen, quod et innuit Suidas : Νεωκόρος ὁ τὸν νεὼν κοσμῶν καὶ εὐτρεπίζων, ἀλλ' οὐχ ὁ σαίρων. Serius enim Neocori dicti fuere sacer magistratus, cui illustria templorum sacrorumque rituum ministeria sunt demandata. Xen. (Anab. 5, 3, 6) Ephesi pecuniam κατέλιπε παρὰ Μεγαβύζῳ τῷ τῆς Ἀρτέμιδος νεωκόρῳ. Unde intelligitur primum muneris hujus vetustas, deinde neocororum fidei solitos fuisse credi thesauros, ac vel ideo hos fuisse viros conspicuæ famæ et nominis et sacri magistratus rationem habuisse, quod confirmat Plato Leg. 6, p. 759, B, tria magistratuum genera constituens : Πόλεως ἀστυ- D νόμους, ἀγορᾶς ἀγορανόμους, ἱερῶν νεωκόρους, ἱερέας τε καὶ ἱερείας... (Et 12, p. 953, A : Ἱερέας τε καὶ νεωκόρους.) Fuisse in nonnullis urbibus Neocororum quoddam collegium, atque hos inter aliquem, qui dignitate alios præibat, docet lapis Farnesius ap. Grut. p. 314, 1, in quo M. Aurelius Asclepiades dicitur ὁ πρεσβύτατος τῶν νεωκόρων τοῦ μεγάλου Σαράπιδος. Quod idem testatur etiam Firmicus Maternus (De error. prof. rel. p. m. 432) : « Hujus (Sarapidis) simulacrum Neocororum turba custodit. » Ab his ergo testimoniis erudimur, neocoratus, vilis olim ministerii, sensim crevisse dignitatem auctoritatemque et veri sacerdotii instar fuisse, cujus erat procurare templorum nitorem ac substructiones, tueri privilegia et jura, custodire donaria et quæ ibi velut communi asylo fuere deposita, pecunias, thesauros, testamenta etc., quibus deinde sub Imperatoribus accesserit procuratio sacrificiorum ludorumque. Secundum Theodoretum (3, 6 et 14) neocororum fuit templum ingressuros aqua lustrali purificandi causa aspergere, atque idem beneficium præstare carnibus ad Cæsaris mensam destinatis. Nequaquam adeo mirum archontes, prytanes, strategos aliosque magistratus eponymos neocoratus etiam honorem adfectasse eumque testimonio marmorum numorumque reliquis suis titulis adjecisse.... Comparent in illis neocori tam viri quam feminæ : nam hæc dignitas, ut causæ postulabant, tam fuit cum utroque sexu communis quam sacerdotia, quibus et præfuisse feminas in vulgus notum. (« Ad neocoros ludorum certaminumque cura, tanquam præcipua officii pars, spectavit, docente Reinesio Synt. inscrr. p. 313, et al. Apud Christianos νεωκόρου munus primum clericatus gradum fuisse, docet Murator. Anecd. 1, p. 34. » Bernard. ad Thomam p. 405.) A personis neocoris ad populos civitatesque neocoras si transeamus, apparet ex syllabo numorum, si quattuor Europæ, tres Syriæ late sumptæ populos demas, reliquos omnes populos urbesque neocoras esse Asiæ minoris, qua regione, ut aliorsum constat, nulla alia magis vano titulorum apparatu delectabatur. Scribitur in numis νεωκορων, quum gentile ponitur, at νεωκορου, quum urbis nomen enunciatur. Singulare in numis Ægarum Ciliciæ Αιγεαιων νεωκορου, subaudi πόλεως, quomodo, sed expressis verbis, in marmore Sponii legitur (*Voyage* 3, p. 98) : Η λαμπροτατη δις νεωκορος Περινθιων πολις. Potest etiam subaudiri δήμου sec. aliud marmor ib. p. 130 : Νεωκορος Σμυρναιων δημος. Is omnibus fere Cyzicenorum numis habetur Νεοκορων adversus communem morem et orthographiæ legem, quem modum nonnunquam imitati quoque sunt Pergameni, nemo, quod norim, in numis, alius, etsi Hesychius quoque scripserit νεοκορος. In legendis numeris additis, quum hos litera tantum ἀρχαιουσα indicat, cautione opus. Β vel Γ νεωκορων molesta non sunt, quum hæc semper *iterum* vel *tertium* indicent : verum Δ significare potest vel δις vel τετρακις : utriusque habemus exemplum in numis Perinthi et Ephesi. Ceterum in solis Ephesi numis Δ potest significare *quartum*, quia sola hæc urbs quartum neocora fuit. Qui eundem honorem aliis urbibus sunt impertiti, aut decepti sunt ipsi, ut Harduinus, aut Δ interpretati sunt τετρακις pro δις. Numi ante Neronem neocoratum non produnt. Sub Claudio Gothico neocoratus mentio cum ipsis Græcarum urbium numis desinit. Tamen, quod mirum, adhuc Fl. Leonis I ætate Sardiani se dixere Δις νεοκορους, teste marmore quod citavi in moneta Sardium.... Primum personæ singulæ, deinde civitates neocoræ fuerant eorum numinum quæ sibi fuere domestica et tutelaria aut quorum honori intra mœnia sua ædes sacras erexere. Personas singulas certorum numinum neocoras frequenter memorant marmora. Urbis numinis sui neocoræ insigne habemus exemplum in sacris literis, Ephesiorum scriba Act. Ap. 19, 35, his verbis concitatum populum compescente : Ἄνδρες Ἐφέσιοι, τίς γάρ ἐστιν ἄνθρωπος, ὃς οὐ γινώσκει τὴν Ἐφεσίων πόλιν νεωκόρον οὖσαν τῆς μεγάλης θεᾶς Ἀρτέμιδος καὶ τοῦ διοπετοῦς. Ac privati quidem hujus domesticorum numinum neocoratus bina habemus exempla in numis Imperatorum ætate percussis : Εφεσιων δις νεωκορων και της Αρτεμιδος, nimirum Ephesiæ suæ. Μαγνητων νεωκορων της Αρτεμιδος, nempe Leucophryenes suæ. Et juvat observare secundum hanc Græcorum phrasin Josephum bis (B. J. 5, 9) Judæos dei sui neocoros dicere : Οὓς ὁ θεὸς ἑαυτῷ νεωκόρους ἦγεν· iterum quum narrasset eos dei sui beneficio Babylone in patriam reversos, addit : Προυπέμφθησαν γοῦν ὑπ' αὐτοῦ, καὶ πάλιν τὸν αὐτῶν σύμμαχον ἐνεωκόρουν. Privati hi Græcorum neocoratus vilescere sensim cœpere inductis novis, quos suasit servitium et assentandi libido. Etenim Græci Asiatici nihil omisere officiorum quibus possent populi Rom. præpotentis sibi gratiam promereri... Et si Romæ imperantibus constituerant templa, neocoris etiam opus fuit et ne minus in eos viderentur officiosi, si uni tantum alterive templi curam et quæ ibi peragenda fuere sacrificia ac pro salute vota demandassent, placuit totum populum aut civitatem dicere neocoram et communis in principem obsequii facere participem. Jam vero numi aliquot certum præbent testimonium inscriptum neocoratum non ad privatum urbis numen, sed principes Romanos pertinuisse. In numis Smyrnensium non raro legas Σμυρναιων γ νεωκορων των σεβαστων, atque idem confirmat marmor Oxoniense, in quo Smyrna ter dicitur γ νεωκορος των σεβαστων. In numo Trallianorum Lydiæ Τραλλιανων νεωκορων των σεβαστων eodem sensu. Sunt qui existiment neocoratus omnes numis inscriptos, nisi quum diserte alterius dei nomen exprimunt, ut de Epheso et Magnesia diximus, ad Imperatores pertinere, etsi Augusti nomen non addatur, et indicare in imperantis cujuspiam honorem ibi erectum templum et vota statis temporibus concipi solita. Istud non adfirmavero, etsi hoc aliæ causæ in nonnullis faciant verisimile... Ceterum ut lubenter permisero neocoratus imperatorios fuisse a senatu petendos, sic dubium non videtur, urbes suomet arbitrio potuisse se dicere numinum suorum neocoras... Restant explicandi neocoratus iterati. Vidimus enim supra v. g. Ephesum sub Claudio dici simpliciter neocoram, sub Hadriano bis, sub Caracalla ter, sub Elagabalo quater neocoram. Sed neque istud pro recepto plurium Imperatorum cultu, quem infra exponemus, difficultatem pariat. Verum illud explicare permolestum, quo pacto urbs, quæ se jam v. g. tertium neocoram professa est, serius se potuerit profiteri bis neocoram atque deinceps inter secundum et tertium neocoratum variare... Sententia omnium maxime verisimilis est illa, quæ collectos per varia imperia neocoratus enunciat... Certum etiam plures urbibus, quæ eminuere, concessos neocoratus. Sic Ephesii imperante Claudio simpliciter scripsere νεωκορων, inde ab Hadriano δις νεωκορων, inde a Caracalla τρις νεωκορων, inde ab Elagabalo τετραχις νεωκορων. Dubio iterum vacat, si neocoratus primus observandi cujuspiam principis gratia fuit constitutus, sequentes ad alterius principis honorem spectasse... Certum denique urbes nonnullas quæ se ter vel quater neocoras et quidem nonnunquam cum ostentatione dixere, subinde detraxisse de numero et sese bis tantum vel ter neocoras professas.... Nimirum, ut in numis Imperatorum tam Latinis quam Græcis omissus tribuniciæ potestatis numerus non semper indicat trib. potestatem primam, sic neque omissus neocoratus numerus necessario indicabit neocoratum simplicem... Atque jam Vaillantius docuit, quando in Ephesiorum moneta legatur τρις νεωκορων, intelligendos tum tres Augustorum neocoratus, quando τετραχις, tum conjunctum una intelligendum neocoratum της Αρτεμιδος. Quibus in urbibus certe constet variatum transitumque a γ' ad β, solæ sunt Sardes et Nicomedia, quæ utique causas suas privatas, cur sic variarent, habere poterant. Quid si nonnunquam neocoratum unum suppressissent, sive quod hic majores sumptus exigeret, quam ferre civitas posset, sive quod senesceret memoria alicujus beneficii, cujus causa Augusti alicujus neocoratum ambivere, sive verso subinde in imperatorem odio, cujus fuere neocori?... Denique et meminisse velim hanc neocoratuum perversionem tum demum in numis observari, quando jam veteres leges atque instituta sus deque verti et civitates jura, quæ olim senatus Romanus impertiri consuevit, ab suo arbitrio petere cœperunt, tempora intelligo inde ab Severo currentia, quam quidem in similibus causis ætatis suæ licentiam jam etiam indicavit Dio Cass. 54, 23. Atqui si quis perturbatum neocoratuum calculum impensius mirabitur, is velim perpendat, ea ætate ipsam etiam tribuniciæ potestatis et consulatuum rationem in ipsis numis Latinis non raro claudicare... Quæ quidem rite expensa tantum mihi habere roboris videntur, ut possint in re desperata, nisi nova quædam solidaque argumenta suppetias veniant, a molesta inquisitione absterrere. » Qui in ampliori hac disputatione non habuit rationem eorum quæ Ducangius v. Νεωκόρος hariolatus est de urbium Græcarum neocoratu, nihilque ad rem expediendam conferunt.] In Epigr. vero et Nauta purgandæ navis curam habens, νεωκόρος vocari dicitur, ex Attico genit. νεώς, παρὰ τὴν ναῦν. [Hoc e Lexico Septemv. repetit HSt., quod videndum ne deceptum fuerit Automedontis Anth. Pal. 11, 324, 5, versu ἀκνίσσου βωμοῖο νεωκόρος, ubi usitata significatione dicitur. || Forma poet. Νειοκόρος, Pancrates Anth. Pal. 6, 356, 2 : Σῆς, Ἄρτεμι, νειοκόρου. In Ind.:] Ex Ionico vero νηὸς comp. Νηοκόρος, idem cum Attico νεωκόρος significans, h. e. Ædituus, Templi purgator, Epigr. [Philippi Anth. Pal. 9, 22, 2 : Λητωίδι κούρῃ στῆσαν νηοκόροι θῦμα χαριζόμενοι. Forma Ναοκόρος est ap. Hesychium.]

A

[Νεωκόρος, ὁ, Neocorus, n. viri in inscr. Delph. ap. Bœckh. vol. 1, p. 828, n. 1703, 12. De Νεωκόροις apud Delios v. Athen. 4, p. 173, A.]

Νεωλκέω, [Remulco, Gl.] Navem traho, attraho, et subduco. Polyb. 1, p. 8 [c. 29, 3] : Ποιησάμενοι δὲ τὴν ἀπόβασιν ἐνταῦθα καὶ νεωλκήσαντες, ἔτι δὲ τάφρῳ καὶ χάρακι περιλαβόντες τὰς ναῦς, ἐγίνοντο πρὸς τὸ πολιορκεῖν αὐτήν. Lucian. [Char. c. 23] : Ὡς δέκα ὅλων ἐτῶν μηδὲ νεωλκῆσαι μηδὲ διαψύξαι τὸ σκαφίδιον. [Theophr. H. Pl. 5, 7, 2 : Ἐπὰν νεωλκῶσι. Cum accus. Diodor. 20, 47 : Νεωλκήσας τὰ σκάφη.] Et in pass. ap. Eund. [Herc. c. 8] : Νενεωλκημένον ἀκάτιον κατασπάσας· itidemque ap.
B Athen. [8, p. 350, B] et Diog. L., νενεωλκημένα πλοῖα, Navigia in terram subducta. [Diod. 1, 73 bis.] Item ap. Polluc. [7, 191], νεωλκημένη, sine augmento, ἡ οὐκ ἔτι πλέουσα, ἀνειλκυσμένη, διαψυχομένη, sc. ναῦς, ubi cognoscitur νεωλκεῖσθαι dici naves, quum per helciarios subjectis pulvinis et phalangibus ex aqua in terram subducuntur ac exterguntur, ne a salsedine ligna putrefiant. [De forma vitiosa per ο v. in Νεωλκία.]

Νεωλκία, ἡ, Navium tractio, attractio; duobus enim modis accipi potest, vel pro illa helciariorum, qua in portum et ex portu in terram subducitur aut deducitur; vel pro ea tractione, quæ fit cessante vento. Sunt qui interpr. Subductio, ex Cæs. B. G. 5. Theophr. [H. Pl. 5, 7, 2] : Τὴν δὲ τρόπιν ποιοῦσι, τριήρεσι μὲν, δρυΐνην, ἵνα ἀντέχῃ πρὸς τὰς νεωλκίας, ubi de helciariorum attractione intelligitur. [De forma vitiosa per ο HSt. :] Νεολκία, ἡ, Navis tractio. In VV. LL. exp. Navale, perperam; id enim νεόλκιον dicitur. Νεολκέω, Navem traho, attraho, subduco [Gl.]. Apud Athen. 8, [p. 350, B] Stratonicus rogatus a quodam, Τίνα τῶν
C πλοίων ἀσφαλέστατά ἐστι, τὰ μακρὰ ἢ στρογγύλα, respondit Τὰ νενεολκημένα, Quæ in navale s. portum subducta sunt. Pro his tamen νεολκία et νεολκέω, scribitur etiam νεωλκία, νεωλκέω, quæ scriptura magis placet. Affertur tamen νεολκέω, ex Polyb. quoque [Falso]. Sic scribitur et ap. Alciphr. Ep. 1 : Τὸ πρώην νεολκηθὲν σκαφείδιον σπουδῇ κατεσύραμεν. [Nihilo melior forma Νεουλκία est in schol. Par. ad Apoll. Rh. 2, 843, ubi vet. νεολκία.]

Νεώλκιον, τὸ, Navale, Locus in quem subducuntur naves : νεών, νεώσοικος. [V. Hesych. v. Ἐφόρμῳ. Kuster.] Pro quo ap. Hesych. in Νεών, scribitur Νεόλκιον. [De quo HSt. suo loco :] Νεόλκιον, Navale, Locus in quem naves subducuntur : per hoc Hesych. exp. νεών.

Νεωλκός, ὁ, Qui naves in stationem s. portum attrahit, s. potius Qui ex portu navem extrahit et super phalangibus statuit. Pollux [10, 148] : Νεωλκοῦ δὲ σκεύη, φάλαγγες, φαλάγγια, ὁλκοί. [Id. 7, 190.] Helciarii a Martiale appellantur Qui naves in portum attrahunt et ex portu in aridam, pulvinos supponentes, rursumque
D ab terra in mare moliuntur : qui Helciarii ab ἕλκειν dicuntur, perinde ut νεωλκοί.

Νέωμα, τὸ, Novale, [Novalis, Gl.] Veruactum, Ager novatus s. renovatus. Gregor. De Theolog. : Ἐνεώσαμεν ἑαυτοῖς θεῖα νεώματα, ὥστε μὴ σπείρειν ἐπ' ἀκάνθαις. Idem dicitur νέατος, s. νεατή, s. νεός, s. νειός. Rursum Gregor. : Νεώσαντες ἑαυτοῖς νεώματα, καὶ σπείροντες εἰς δικαιοσύνην.

Νεών, ῶνος, ὁ, Navale, i. q. νεώριον : significaturque hoc vocabulo non tam Statio navium, quam Locus et domicilium quo subducuntur : quemadmodum et Hesych. νεῶνας exp. νεῶν οἴκους, νεόλκια. [Photius : Νεῶνας τοὺς νεῶν οἴκους οἱ Ἴωνες. Νεὼν oxytonon, ut περιεχτικὸν, memorat Arcad. p. 18, 1.] Vide Νεωρέω. In VV. LL. exp. etiam Novale, quod et νειὸς dicitur. [Errore typogr. pro Navale.]

[Νέων, πόλις Φωχίδος. Ἡρόδοτος ὀγδόῃ (32, 33). Τὸ ἐθνικὸν Νεώνιος, ὡς Ἐλεὼν Ἐλεώνιος· καὶ Νεωνία καὶ Νεωναῖος, Steph. Byz. Harpocr. : Νεῶσι Δημοσθένης κατ' Αἰσχίνου (p. 387, 9)· πόλις ἐστὶν ἐν τῇ Φωκίδι· ἣν Ἡρόδοτος μὲν ἐν η' (l. c.) Νεῶνα ὀνομάζει, Ἀνδροτίων δ' ἐν ς' Ἀτθίδος

Νεῶνας. Ap. Pausan. 10, 2, 4, et 32, 9, libri Νέωνα vel Νεῶνα, sed ib. 3, 2, omnes Νεώνας s. Νεῶνας vel Νεωνὰς, vel sine accentu. Quod quum locis ab Harpocratione citatis confirmetur, non est cur Pausaniæ eripiatur. Accentus autem, in quo variant etiam libri Strabonis 9, p. 439, in ultima ponendus videtur, ut diserte præcipit Steph. Byz. in Αἴσων, ubi tamen male Νέων. Apud Photium quod est in codice Νεώσει, scribendum potius Νεῶσι, ut est ap. Suidam et Harpocr., quam Νέωσι. L. Dind.]

[Νέων, ωνος, ὁ, Neo, Laco, ap. Xen. Anab. 5, 6, 36 sqq. Messenius, ap. Demosth. p. 324, 12. Alii in numo Milesio ap. Mionnet. *Descr.* vol. 3, p. 164, n. 740, inscr. Theb. ap. Bœckh. vol. 1, p. 797, n. 1652, 4, et ap. Polybium et Plutarchum. L. Dind.]

[Νεωναν quendam memorat inscr. Metropolis Lydiæ ap. Bœckh. vol. 2, p. 625, n. 3034.]

Νεώνητος, ὁ, ἡ, Nuper emptus, Recens emptus, Novitius [Gl.]: ut νεώνητος δοῦλος habes supra in Κατάχυσμα. [Aristoph. Pl. 769, Eq. 2.]

[Νεωνία, οὕτω τις τῶν ἐλαῶν ὠνομάζετο, Hesych.]

[Νεωποιέω.] Νεωποιῆσαι, Templum ædificare, s. Templi ædificationi aut refectioni præesse: Polluci [1, 11] νεὼν οἰκοδομῆσαι, ἐγεῖραι, ἀναστήσασθαι, ποιήσασθαι, ἐργάσασθαι. [Inscr. Trall. ap. Bœckh. vol. 2, p. 588, n. 2930, 16, ubi νεοποιήσαντα, Ephesia p. 601, n. 2956, 5, ubi ἐνεοποίησεν, p. 612, n. 2982, ubi ἐνεοποίησαν, et ib. n. 2985, ubi νεωποησ. Inter ο et ω variant apographa p. 613, n. 2987, 8. V. Νεωποιός. L. Dind.]

[Νεωποίης. V. Νεωποιός.]

[Νεωποίης, ὁ, Neopœes. V. Νεωποιός.]

Νεωποιὸς, ὁ, Qui naves fabricatur, i. q. ναυπηγὸς et νεουργὴς [« νεουργός » HSt. Ms. Vind.]: vocab. a recentioribus φιλοτιμότερον usurpatum, sicut et νεουργὴς [-γὸς], teste Polluce [1, 84. Quod de recentioribus dicit HSt., error est decepti deteriorum librorum additamento νεώτεροι: Pollux enim nonnisi dixerat φιλοτιμότερον pro ναυπηγὸς dici νεωποιός. Idem 1, 12, ponit νεωποιὸς a νεὼς, Templum, ductum aitque φιλοτιμούμενον sic dicere. Muneris nomen est in inscr. Halic. ap. Bœckh. vol. 2, p. 453, n. 2656, 1: Ἐπὶ νεωποιοῦ Χαρμύλου ... ἔδοξε τῇ βουλῇ· Iasensi p. 460, n. 2671, 25, ubi νεωποῖαι, et alia p. 462, n. 2673, a, 4: Ἐπιμεληθῆναι δὲ τῆς ἀναγραφῆς τὸν νεωποίην· et 463, n. 2675, a, 4: Τὸν δὲ νεωποίην τὸν ἐνεστῶτα ἀναγράψαι τὰ δεδογμένα ἐν τῇ παραστάδι τῇ πρὸ τοῦ ἀρχείου· et n. 2676, p. 464, 12, et ib. 2677, 8, et Aphrodis. p. 502, n. 2749, 10, ubi νεωποιῶν, p. 519, n. 2785, ubi νεοποιὸν, p. 527, n. 2811, 15, ubi ἀρχινεωποιὸν νεωποιὸν τῆς ἐπιφανεστάτης θεοῦ Ἀφροδείτης, p. 533, n. 2824, 17, ubi νεωποιοὶ, p. 537, n. 2826, 16, ubi νεοπ.υῶν, p. 548, n. 2848, ubi νεοπο., et Magnesiæ ad Mæandrum p. 583, n. 2917, 6, ubi νεοποιῶ, Ephesia p. 613, n. 2987, 7, ubi νεοποιὸν, et Smyrn. p. 781, n. 3358, ubi est n. pr.: Νεοποίης Ἀμφικράτου, ἐτῶν ν, ἥρως. L. Dind.]

Νεωπὸς, ὁ, Qui juvenili facie est, Juvenis, Hesych. [Νεπ.ς ἀντὶ τοῦ νεοβλέπουσινέας codex. Quod Νεωποὺς, νεοβλέπους (—βλέπτους) ἢ νέας scripsit Musurus, recte, ut videtur, etsi, quum litera extrita α fuisse videatur, etiam Νεῶπας locum habet.]

Νεωρέω, Naves custodio. Eust. p. 1562: Λέγεται δὲ τὸ ἐπίστιον (Ionice ab ἱστία pro ἑστία) καὶ νεώριον καὶ νεῶν περιεκτικῶς, καὶ νεῶν οἶκοι· καλοῦνται δὲ καὶ οἱ αἰγιαλοὶ νεῶνες καὶ νεῶν οἶκοι. Αἴλιος δὲ Διονύσιος λέγει ὅτι Ἴωνες μὲν νεῶνάς φασιν, Ἀττικοὶ δὲ νεωσοίκους καὶ νεώρια· οἱ δ' αὐτοὶ καὶ νεωρεῖν φασὶ τὸ ναυφυλακεῖν· est igitur νεωρεῖν vox Attica. [Νεωρεῖν Photio νεωφυλακεῖν, quod νεοφυλακεῖν scriptum ap. Hesychium.]

Νεωρὴς, ὁ, ἡ, scholiastæ Soph. νεωστὶ ἠρτημένος, in Electra [901]: Ὁρῶ νεωρῆ βόστρυχον τετμημένον. [Rectius vertitur Recens. Id. OEd. C. 730: Ὀμμάτων εἰληφότας φόβον νεωρῆ τῆς ἐμῆς ἐπεισόδου. Eur. fr. Thes. ap. Plut. Mor. p. 112, D: Μή μοι νεωρὲς προσπεσὸν μᾶλλον δάκοι, sec. conj. Musgravii. Philetas Stobæi Fl. 104, 11: Ἄλλο νεωρὲς πῆμα. Ceterum scribendum Νεώρης, ut et ap. Theognost. Can. p. 45, 32, scriptum et ab Arcad. p. 117, 18, scribendum præcipitur. V. autem Νέωρος.]

Νεώριον, τὸ, Navale, Locus in quo naves custodiuntur. [Νεόρια, Navalia, Gl.] Accipitur tam pro Statione navium, quam pro Loco in quem subducuntur. Synonymum est νεώσοικος, νεώλκιον, νεών: vide Νεωρέω. [Eur. Hel. 1530: Ὡς δ' ἤλθομεν σῶν περίβολον νεωρίων. Thuc. 2, 93: Ἐκ Νισαίας τοῦ νεωρίου αὐτῶν· 3, 74: Μὴ ὁ δῆμος τοῦ νεωρίου κρατήσειεν.] Xen. Hell. 6, [5, 32]: Γυθίῳ δὲ, ἔνθα τὰ νεώρια τοῖς Λακεδαιμονίοις ἦν, καὶ προσέβαλον τρεῖς ἡμέρας. [Anab. 7, 1, 27: Τριήρεις τὰς μὲν ἐν θαλάττῃ, τὰς δ' ἐν τοῖς νεωρίοις. Plato Critiæ p. 115, C: Τοὺς λιμένας καὶ τὰ νεώρια.] Synes. Evoptio: Καὶ νῦν ὁλόκληρος ἐσμὲν στόλος ἐν νεωρίῳ μικρῷ. Item, ἐμπρῆσαι νεώρια, Incendere loca illa custodiendis navibus ædificata. Aristoph. Ach. [918] de thryallide: Αὕτη γὰρ ἐμπρήσειεν ἂν τὸ νεώριον, i. e. τὸν τόπον τὸν περιέχοντα τὰ πλοῖα ἡνίκα ἂν ἑλκυσθῶσι. Itidemque ap. Dem. [p. 271, 8]: Ἐπαγγειλάμενος Φιλίππῳ τὰ ν. ἐμπρήσειν τὰ ὑμέτερα. Apud Æschin. reperio etiam νεωρίων ἀρχή [p. 57, 26]: Ἦρχον δὲ τὴν τῶν ἀποδεκτῶν καὶ νεωρίων ἀρχὴν, καὶ σκευοθήκην ᾠκοδόμουν. Sed eo in l. præcedens vox ἀποδεκτῶν me monet, ut scr. existimem νεωρῶν, a νεωρός: est enim Νεωρὸς Hesych. νεωριοφύλαξ, Cui navale custodiendum committitur: ut νεωροὺς ibi vocet Quibus navalis ædificandi et navium sarciendarum cura incumbebat, sicut aliis ἡ τῆς σκευοθήκης οἰκοδόμησις, Armamentarii publici ædificatio. [Recte Dobræus καὶ νεώριον καὶ σκευοθήκην, deleto ἀρχήν.] Annotat Harpocr. [et Phot.] videri νεώρια dici τὸν τόπον ἅπαντα εἰς ὃν ἀνέλκονται αἱ τριήρεις, καὶ πάλιν ἐξ αὐτοῦ καθέλκονται, idque ὑποσημαίνειν Lycurgum et Andocidem. [De νεωρίοις quæ eadem sæpe signif. dicuntur singulari νεώριον, modo ut sint i. q. νεώσοικοι, ut ap. Polyb. 36, 3, 9, τὸ τῆς ἑκκαιδεκήρους, modo ut omnem complectantur locum apparatui nautico servando vel ædificando destinatum, v. Bœckh. *Urkunden* p. 64-66. || Forma Ναώριον est in inscr. Corcyræa ap. Bœckh. vol. 2, p. 13, n. 1838, b, 9, 11. Ναωροὶ pro Ναυροι in inscr. Messania restituendum conjecit Ahrens. De dial. vol. 2, p. 13.]

[Νεωριοφύλαξ, ἄκος, ὁ, Navalis custos. V. Νεώριον.]

[Νεωρίσιος λιμὴν, sic dictus quibusdam scriptoribus portus Juliani Imp. in urbe Cpoli, quem alii nude νεώριον vocant. Theophanes a. 3 Leontii: Τοῦ Λεοντίου ἐν Κπόλει τὸν νεωρίσιον λιμένα ἐκκαθαίροντος· ubi *Neoresium* Paul. Diac., et Anastas. Antiq. Cpol.: Βοὸς χαλκοῦ θέαμα, ὅπερ μετὰ μίμησιν ἐν τῷ νεωρισίῳ λιμένι κατετυπώθη. V. Theophan. p. 323 et nostram Cpolin Christ. 2, p. 60. Ita porro Byzantii solebant voces inflectere. Nam ap. eund. Theophan. Προκλιανίσιος λιμὴν a. 4 Pogonati, Νικομηδειάσιος κόλπος, Nicomediæ portus, a. 7, ubi codd. alii habent Νικομηδείσιον et Νικομήδιον. Ducang.]

[Νεωρὸς, ὁ, i. q. νεωριοφύλαξ. V. Νεώριον.]

[Νέωρος, ὁ, ἡ, i. q. νεωρὴς, Recens. Photius: Νέωρον, νέον. Νεωρὸν male ap. Hesychium. Nam νέωρος scribendum dicit etiam Arcad. p. 72, 14, ubi distinguit hoc νέωρος ab oxytonis in ωρος, ut θεωρός.]

[Νεώρυκτος, ὁ, ἡ, i. q. sequens. Schol. Nicandri Th. 940; Theod. Prodr. in Notitt. Mss. vol. 8, p. 233. Boiss.]

Νεωρῠχὴς, ὁ, ἡ, Recens fossus, Nicander [Th. 940: Νεωρυχέος γλυκυσίδης].

Νεὼς, ὼ, ὁ, Attice dicitur pro ναὸς, ut λεὼς pro λαός. [Aristoph. Pl. 733: Ἐκ τοῦ νεώ· 741: Εἰς τὸν νεών.] Athen. 14: Ἀθύρου ὄντος τότε τοῦ νεώ. Xen. Hell. 6, [5, 9]: Εἰς τὸν τῆς Ἀρτέμιδος νεὼν καταφυγόντες· et [4, 7]: Οἱ νεὼ [νεῴ] πάντες αὐτόματοι ἀνεῴγοντο. [Eandem formam Lycurgo p. 153, 25, restituit Piers. ad Mœr. p. 265. Accus. plur. Æsch. Pers. 810: Πιμπράναι νεώς. Aristoph. Av. 613. Peculiarem signif. annotat Lex. rhet. Bekk. An. p. 283, 15: Νεὼς, ὁ Ἀθήνησι παρθενών. || Accus. sing. νεὼ pro νεὼν agnoscit Herodian. Philet. p. 439: Τὸν ἥρω, τὸν Μίνω, τὸν Ἀπόλλω, τὸν Ποσειδῶ ἄνευ τοῦ ν οἱ Ἀττικοί· τὸν λαγὼν καὶ τὸν νεὼν, τὸν νεὼ καὶ τὸν λαγὼ ἄνευ τοῦ ν ἢ σὺν τῷ ν. Exempla Aristidis vol. 1, p. 240, Luciani Alex. c. 13, Xenoph. Eph. 5, 4, p. 94, 14, Achillis Tat. 5, p. 104, 15; 8, p. 169, 4, codd. var. 3, p. 63, 25, citavit Koen. ad Greg. p. 164, et librorum quorundam Diodori 16, 58, Vaticani Dionys. A. R. 4, 26, Schæfer. p. 165. Quæ quum omnia jam sint ex libris melioribus correcta, νεὼ non minus quam λεὼ in libris deterioribus Dionys. A. R. 1, 88, aut Μενέλεω in nonnullis Dionis Chr. Or. 11, vol. 1, p. 326, 361, imperitiæ librariorum tribuendum erit, sæpissime omittendo ν finali peccantium, ut diximus initio hujus literæ. Ceterum Atticam formam νεὼν usurpavit etiam Marcellus Anth. Pal. App. 51, 44, ut λεὼς recentiores quidam Epici, quos veterum Epicorum leges migrare constat. L. Dind.]

Νέως, Nuper: pro quo dicitur potius Νεωστὶ, more Attico, Suid., sicut μεγαλωστὶ pro μεγάλως. Redditur vero non tam Nuper, Recens, quam A paucis diebus, Non ita diu, Paulo ante. [Novissime, Gl. Soph. El. 1049: Πάλαι δέδοκται ταῦτα κοὐ νεωστί μοι. Eur. Med. 366: Τοῖς νεωστὶ νυμφίοις· Hipp. 343: Ἡμεῖς οὐ νεωστὶ δυστυχεῖς· El. 653: Πότερα πάλαι τεκοῦσαν ἢ νεωστὶ δή; Herodot. 2, 49: Ν. ἐσαγμένα· 6, 40: Ν. ἐληλύθεε. Thuc. 4, 108: Ἀθηναίων νεωστὶ πεπληγμένων.] Xen. Cyrop. 3, [3, 36]: Οὓς νεωστὶ συμμάχους ἔχομεν. Aristot. Rhet. 2 [c. 18]: Διαφέρει δὲ τοῖς νεωστὶ κεκτημένοις καὶ τοῖς πάλαι τὰ ἤθη. Eod. l. aliquanto ante [c. 15]: Μᾶλλον λυποῦσιν οἱ νεωστὶ πλουτοῦντες τῶν πάλαι, ubi νεωστὶ et πάλαι sibi opp., sicut νέος et παλαιός. [Ceterum multo latius quam ad paucos dies patere significationem hujus adverbii quum alii ostendunt loci tum hic Platonis Gorg. p. 503, C: Περικλέα τουτονὶ τὸν ν. τετελευτηκότα, plus quam viginti annis ante exstinctum. || De tempore futuro Achmes Onir. c. 50, p. 38: Ἐὰν δέ ἐστι βασιλεὺς ὁ τοῦτο ἰδὼν, δογματίζει γλυκὺ δόγμα νεωστὶ ἐπὶ τῷ λαῷ αὐτοῦ· c. 96, p. 66: Ἐάν τις ἴδῃ ὅτι δύο ἔσχε χαυλοὺς, γυναῖκα νεωστὶ καὶ τέξει· conf. c. 125, p. 85.]

Νέωσις, εως, ἡ, Novatio, Renovatio. Gaza νεώσεις et γυρείας dixit quod Cic. De senect. Repastinationes.

Νεώσοικος, ὁ, Navium domus, Navale. Frequentius plur. num. dicitur νεώσοικοι, νεώρια, νεῶνες, et divisim quoque νεῶν οἶκοι, ut patet ex iis quæ in Νεωρέω ex Eust. et Ælio Dionysio ascripsi. [Divise Pausan. 1, 29, 16: Ἐν Πειραιεῖ νεὼς εἰσιν οἶκοι. Et plur. Hesychius: Νεῶν οἴκους, τὰ νεώρια.] Hesychio νεώσοικοι sunt τὰ νεώρια, ἔνθα ἡ ναῦς χειμῶνος εἰσφέρεται: Suidæ, οἰκήματα παρὰ τῇ θαλάσσῃ οἰκοδομούμενα εἰς ὑποδοχὴν νεῶν, ὅτε μὴ θαλαττεύοιεν. Sunt igitur Domicilia in litoribus aut portibus, in eum finem ædificata, ut naves eo recipiantur et subducantur, quum non navigatur. [Herodot. 3, 45: Τὰς γυναῖκας ἐς τοὺς νεωσοίκους συνειλήσας. Xen. H. Gr. 4, 4, 12: Ἐπὶ τὰ τέγη τῶν νεωσοίκων ἀναβάντες. Plato Critiæ p. 116, B: Ἀπειργάζοντο νεωσοίκους κοίλους διπλοῦς ἐντός.] Thuc. 7, [25]: Οὔτε ναῦς ἐν τοῖς νεωσοίκοις ἄλλας ὁμοίας ταῖσδε ὑπελίπετε. Utitur et Lucian. [Anach. c. 20.] Et Dem. [p. 329, 4]: Ποῖαι τριήρεις; ποῖα βέλη, ποῖοι νεώσοικοι, τίς ἐπισκευὴ τειχῶν; ποῖον ἱππικόν; Bayf. videtur νεωσοίκους distinguere a νεωρίοις, et νεωσοίκους vocare etiam Singularum aut Binarum navium capacia domicilia, ut quum dicit in magnificentissimo Venetorum navali, quod Arsenale vocant, esse νεωσοίκους circiter sexaginta, i. e. Navium tecta, in quibus triremes reliquæque naves longæ ædificantur a fabris navalibus, quibus ibi perpetuo stipendia de publico procedunt. Esse autem νεωσοίκους capaces singulos triremis unius, uniusque biremis, et fabrorum navalium qui eas commode vel ἐκ δρυόχων ædificent vel conquassatas reficiant. Itaque exactius loquendo ἐν νεωρίῳ s. νεῶνι, i. e. In navali, erunt νεώσοικοι s. νεῶν οἶκοι, Domicilia unius alteriusve navis, sicut οἶκοι in domo aliqua ampla dicuntur domicilia singulorum aut etiam plurium. [V. quæ diximus in Νεώριον.]

[Νεώσσω.] Νεώσσει, Hesychio καινίζει, Innovat. Unde νεωχμός. [Immo hoc est a νέος et scribendum νεοχμός.]

[Νεωστί. V. Νέως.]

Νέωτα, cum præp. εἰς, ut εἰς νέωτα, In annum novum, i. e. venturum: pro quo Virg. dicit In annum venientem; Liv., Anno insequenti. [Philemo fr. Hypobolim. ap. Stob. Fl. 57, 8, et alios: Ἀεὶ γεωργὸς εἰς νέωτα πλούσιος. Monosyllabum est ap. Theocr. 15, 143: Ἵλαθι νῦν, φίλ' Ἄδωνι, καὶ ἐς νέωτ' εὐθυμήσαις. Aret. p. 134, 52: Καὶ αὖθις ἐς νέωτα. Xen. Cyrop. 7, 2, 13, etc.] Theophr. H. Pl. 7, 12: Ἴδιον τοῦτο τοῦ βολβοῦ λέγεται, τὸ μὴ ἀπὸ πάντων βλαστάνειν ἅμα τῶν σπερμάτων, ἀλλὰ τὸ μὲν αὐτοετὲς, τὸ δὲ εἰς νέωτα, ubi observa, opponi sibi αὐτοετὲς, Eodem anno, et ἐς νέωτα, Anno sequenti. Sic 9, [12]: Τὰ δὲ νῦν, τὰ δ' εἰς νέωτα, Alia hoc anno, alia insequenti. Id. 3, 21: Τῶν βλαστῶν, ἐν οἷς ἄρχεται γονεύειν τὸν εἰς νέωτα καρπόν. Et alibi ἡ εἰς νέωτα κάχρυς, Hordeum anno insequenti proventurum. Aristot. Œc. [2, 6]: Ἐς νέωτα ἀποδώσειν. Apud Suid., Ὧδε τὰ καθ' ἑαυτὸν διετίθει ὡς πολεμήσων εἰς νέωτα. Item, Ἀνάζευξιν παρηγγέλλετο ὡς ἐς νέωτα παρεσομένων αὖθις ἐν τοῖς ὅπλοις, Anno insequenti, s. εἰς τοὐπιὸν, ut ipse Suid. et Hesych. exp. [Ita legendum pro νεότητα ap. Gregor. Nyss. vol. 3, p. 131, C: Τὸ νῦν κάλλος καὶ εἰς νεότητα ἔδειξε. L. Dindorf.]

[Νεωτάτη, ἡ, n. navis Atticæ, ap. Bœckh. *Urkunden* p. 89.]

Νεωτερίζω, et καινοτομέω: quorum duorum postremorum exempla habes ap. Bud. p. 846. Thuc. 1, [58] Μὴ σφῶν πέρι νεωτερίζειν, i. e. νεώτερα ποιεῖν. Ib. [97] Πρὸς τοὺς σφετέρους ξυμμάχους νεωτερίζοντες, Adversus socios suos rebus novis studentes. Xen. Hell. 2, [1, 5] Ὅπως οἱ ναῦται λάβωσι μισθὸν, καὶ μὴ νεωτερίσωσι. [Plato Reip. 8, p. 565, B: Κἂν μὴ ἐπιθυμῶσι νεωτερίζειν· Leg. 7, p. 798, C: Τοὺς παῖδας τοὺς ἐν ταῖς παιδιαῖς νεωτερίζοντας· 12, p. 952, E: Φυλάττοντας μὴ νεωτερίζῃ τίς τι· Ep. 7, p. 347, C: Σὲ δὲ νεωτερίζειν μηδέν πω τῶν περὶ ἐκεῖνον.] Dem. [p. 160, 10]: Ἂν ἐκεῖνός τι νεωτερίζῃ, Si quid rerum novarum moliatur, s. κινῇ τι τῶν καθεστηκότων. [Id. p. 664, 9: Ἂν νεωτερίζῃ τι καὶ κινῇ πρὸς ὑμᾶς.] Herodian. 1, [13, 13]: Δεδιὼς τοῦ δήμου κίνησιν, μή τι καὶ περὶ αὐτοῦ νεωτερίσειεν, Ne quid fortasse populus contra se quoque novi moliretur. Philo V. M. 3: Ὑπὲρ τοῦ μὴ δοκεῖν ἰδίᾳ γνώμῃ νεωτερίζειν, Ne sua privatim sententia rebus novis studere videretur. Sicut vero Thuc. dicit νεώτερόν τι ποιεῖν εἴς τινα, sic etiam 2, [3]: Εἰς οὐδένα οὐδὲν ἐνεωτέριζον, Nihil in quenquam admittebant. [Conf. 4, 51. Lysias p. 678: Εἴπερ τι νεωτερίζειν ἐβούλετο εἰς τὸ ὑμέτερον πλῆθος.] Interdum usurpatur pro Innovo, Immuto. Thuc. 2: Ὤμοσαν μηδὲν νεωτερίζειν περὶ τὴν ξυμμαχίαν, Innovare, Mutare. [Et 1, 58; 8, 73. Plato Reip. 4, p. 424, B: Τὸ μὴ νεωτερίζειν περὶ γυμναστικήν τε καὶ μουσικήν.] Id. 1, [115]: Ἄνδρες ἰδιῶται νεωτερίσαι βουλόμενοι τὴν πολιτείαν, Innovare remp., Res novas in rep. moliri: sicut Lucian. [Prometh. c. 12]: Νεωτερίσαι τὰ περὶ τοὺς ἀνθρώπους, et paulo ante, Τὰ περὶ τοὺς ἀνθρώπους καινουργῆσαι, Res novas inter homines moliri, Innovare et immutare res humanas. Et Thuc. 3, [66]: Βεβαιότεροι ἂν ἡμῖν ἦσαν μηδὲν νεωτεριεῖν. Rursum 1, [102]: Μή τι ὑπὸ τῶν ἐν Ἰθώμῃ πεισθέντες νεωτερίσωσι. [Isocr. Antid. p. 449, 28: Ἀεί τι νεωτερίζοντες ἐν τοῖς συμμάχοις.] Anni quoque tempus mutatum hominem εἰς ἀσθένειαν νεωτερίζειν dicitur, quum mutatione illa novos morbos invehit. Thuc. 7, p. 263 [c. 87]: Καὶ αἱ νύκτες ἐπιγιγνόμεναι τοὐναντίον μετοπωριναὶ καὶ ψυχραὶ, τῇ μεταβολῇ εἰς ἀσθένειαν ἐνωτέριζον. Cujus imitatione Philo V. M. 1, dixit, Νεωτερίσαντος ὡς οὔπω πρότερον τοῦ ἀέρος, Aere suo more insolescente ut nunquam antea, Turn. [Conf. Νεωτέρισμα. Pass. Hippocr. p. 220, B: Ἄλλου δέ τινος μὴ νεωτερισθέντος, Dum ne quid aliud innovetur, aut aliud quid novi contingat. Foes.] || Νεωτερίζειν dicitur etiam sequi vel loqui τὰ τῶν νέων: ut Plutus Aristophanis [ap. gramm. in Proleg. scholl. Aristoph. 5, l. 28] νεωτερίζει κατὰ τὸ πλάσμα, i. e. τὰ τῆς νέας κωμῳδίας ἔχει. Bud. Aliquando Juniorum mores imitor [Juvenor, Juvento, Gl.]: ut νεωτέρισον ap. Hesych. ἀνάστηθι πρεσβυτέρῳ: id enim bene morati faciebant juvenes. [Ephræm Syr. vol. 1, p. 271, E: Τοὺς πρεσβύτας νεωτερίζειν, Juvenescere. Forma Νεωτερέω, quæ erat ap. Plut. Mor. p. 327, C, nunc in νεωτερίζουσι mutata est. Ap. Achmetem Onir. c. 12, p. 13: Ἐὰν δὲ βασιλεὺς τοῦτο ἴδῃ, αἵρεσιν νεωτερήσεται τοῦ λαοῦ, item scribendum videtur νεωτερίσεται.]

Νεωτερικὸς, ἡ, ὸν, Juvenilis, [Juvenalis add. Gl.]: item Stultus: quod juvenilis ætas stultis affectibus sæpe ducatur. VV. LL. [Polyb. 10, 24, 7, νεωτερικοὶ ζῆλοι, Studia juvenilia; νεωτερικὴ ἀγωγή, ib. Schweigh. Lex. Theodor. Stud. p. 442, B: Φεῦγε παίγνια καὶ γελοιάσματα νεωτερικά. De ætate Chœrob. vol. 1, p. 360, 25: Τὸ ἄλως πταῖσμα νεωτερικόν ἐστι. In bonam partem dictum ponit Photius: Νεωτερικὸν, νεανικόν· λέγουσι δὲ τὸν ἀνδρικόν. || « Seditiosi, Qui res novas moliuntur, ap. Harmenop. 6, 7, 9, 10. » Ducang. Leges

Cypriorum Mss. : Οἱ λεγόμενοι νεωτερικοὶ καὶ θορύβους ἐν τῷ δήμῳ ποιοῦντες. Id. App. p. 141. || Νεωτερικῶς, Juveniliter. Plut. Dione c. 4. « Suid. v. Ὡρικῶς (s. schol. Aristoph. Pl. 963), Lex. anon. in meis ad Eunap. notis p. 298. » Boiss.]

[Νεωτέρισις, εως, ἡ, Rerum novarum studium. Nicetas Chon. p. 375, A : Σόλων ὑποτυφομένην ὁρῶν τὴν Πεισιστράτειον νεωτέρισιν. L. Dind.]

[Νεωτέρισμα, τὸ, Mutatio. Philo J. apud Euseb. Præp. ev. p. 379, D : Οὐ κρυμὸν, οὐ θάλπος, οὐχ ὅσα ἀέρος νεωτερίσματα προφασιζόμενοι. Hemst. V. l. ejusdem in Νεωτερίζω cit. Memorat etiam Pollux 6, 181.]

Νεωτερισμὸς et Νεωτεριστὴς, ὁ. Est autem νεωτερισμὸς, Rerum novarum studium, Innovatio. [Demosth. p. 215, 26 : Δούλων ἀπελευθερώσεις ἐπὶ νεωτερισμῷ. Cicero Ad Att. 14, 5 : « Sed velim scire quid adventus Octavii, num qui concursus ad eum, num quæ νεωτερισμοῦ suspicio. »] Exemplum ex Plut. Galba [c. 12, 23, 29] habes ap. Bud. p. 846. [Theophanes Chronogr. p. 5, C : Νεωτερισμοῦ γεγονότος ἐν Γαλλίαις ὑπὸ Ἀμάνδου καὶ Αἰλιανοῦ. « Athanasius petente Eusebio ut Arianos reciperet, respondit μὴ δεκτοὺς εἶναι τοὺς ἐπὶ νεωτερισμῷ τῆς ἀληθείας αἵρεσιν, Sozom. 2, 18, p. 468. » Suicer. fil. Suppl. Thes.] Exp. etiam Insolentia. Philo V. M. 2 : Ἃ νεωτερισμῷ τύχης κατασκήπτει, Quæ fortunæ insolentia invexerit. Idem eod. aliquanto post, Οἳ (κίνδυνοι) κατὰ τὸν τῶν στοιχείων νεωτερισμὸν τοῖς πανταχοῦ πᾶσιν ἐπετειχίσθησαν, Ex elementorum insolentia, Turn. [Lucian. Zeux. c. 1, Plut. Theseo c. 32, Lysandro c. 24, Mor. p. 815, B, etc. Pollux 4, 38.] Νεωτεριστὴς autem idem est cum νεωτεροποιὸς, Rerum novarum studiosus, cupidus, Qui res novas molitur. [Factiosus, Gl.] Plut. Phocione p. 246 [c. 16] : Νεωτερισταὶ καὶ πολυπράγμονες. [Id. Cimone c. 17, Artox. c. 6. Dionys. A. R. 5, 75 : Τοὺς ταρακτικοὺς καὶ νεωτεριστάς. Pollux 3, 66. N. περὶ τὸ θεῖον, de impio, 1, 21, et 4, 36, ῥήτωρ.]

[Νεωτεριστικὸς, ἡ, ὸν, Innovans, Novarum rerum Sectator. Νεωτεριστικὸς ῥήτωρ, Pollux 4, 36.]

Νεωτεροποιέω, Res novas molior, Innovo, ut ap. Galenum accipitur. [Τῆς σελήνης νεωτεροποιούσης καὶ μεταβαλλούσης τὰ περὶ τὴν γῆν, Galen. vol. 8, p. 501, C. Hemst.] Citatur vero et pro Commoveo ex Aphor. Hippocr. [p. 1245, B] : Μὴ νεωτεροποιεῖν τὰ κεκριμένα. [Quod etiam repetitur p. 48, 34. Sic p. 997, A, νεωτεροποιεῖσθαι dicitur Innovari : Ὅταν μή τι νεωτεροποιηθῇ ἐν τῷ ἄνω εἴδει. Foes. OEc. Dionys. A. R. 6, 75 : Ἐπὶ τὸ τολμᾶν καὶ νεωτεροποιεῖν ὁρμήσαντες.]

Νεωτεροποιΐα, ἡ, Studium rerum novarum. [Dionys. Hal. vol. 6, p. 957, 14 : Ἡ ν. καὶ τὸ τολμηρόν.] Thuc. 1, [102] : Δείσαντες τῶν Ἀθηναίων τὸ τολμηρὸν καὶ τὴν ν., Rerum novandarum studium. Philo V. M. 3 : Αἱ ἀπροσδόκητοι ν. καινοὺς νόμους εἰς ἀνακοπὴν ἁμαρτημάτων ἐπιζητοῦσι, Rerum necopinata insolentia, Turn. [Joseph. B. J. 2, 3, 1; 6, 6, 2; 7, 4, 2. Pollux 4, 38.]

Νεωτεροποιὸς, ὁ, ab illo genere loquendi, νεώτερα πράσσειν πράγματα, Qui res novas molitur, rebus novis studet, Novarum rerum studiosus. Thuc. 1, [70] : Οἱ μέν γε, νεωτεροποιοὶ, καὶ ἐπινοῆσαι ὀξεῖς καὶ ἐπιτελέσαι ἔργῳ, ὃ ἂν γνῶσι, i. e. οἱ νεωτέρων πραγμάτων ἐφιέμενοι, schol. [Τὸ νεωτεροποιὸν Πύθωνος, Ælian. V. H. 14, 48. Hemst. Νεωτεροποιὸν, τὸ, quicquid in oratione et verbis *nove fictum* est, vitiose quidem, quoniam perspicuitati contrarium est, et affectationem arguit. Phot. Bibl. cod. 66. Ernest. Lex. rhet. Eulog. ap. eund. Phot. p. 545, 2 : Τὸν δὲ Κορνήλιον θείᾳ ἐμπνεύσει τὸ φίλαρχον καὶ νεωτεροποιὸν ἀνάξιον τοῦ τηλικούτου ἀξιώματος διορῶντα, εἰς πρεσβυτέρους χειροτονήσαντα μετατάξαι. Aristot. Pol. 2, 7 : Φαῦλον τὸ πολλοὺς ἐκ πλουσίων γίνεσθαι πένητας· ἔργον γὰρ μὴ νεωτεροποιοὺς εἶναι τοὺς τοιούτους. Iamblich. De myst. p. 155, 41 : Φύσει γὰρ Ἕλληνές εἰσι νεωτεροποιοί. De rebelli dictum ponunt Photius s. Suidas, qui interpretantur ἀντάρτης, τύραννος, ἐπιθέτης. L. Dindorf.]

[Νεώτερος, ὁ, Neoterus, n. viri, in inscr. numi Nysæ Cariæ ap. Mionnet. *Suppl.* vol. 6, p. 517, n. 394.]

[Νεωτέρως. V. Νέος.]

Νέωτος, ὁ, Novatio s. Renovatio agrorum ; at νεωτὸς, Tempus renovandi agros ; nam annotat Bud. νέωτος dici ut ἄροτος, τρύγητος, ἄμητος : νεωτὸς autem ut ἀμητὸς, τρυγητὸς, πυραμητός : quorum illa actionem, hæc tempus actionis istius denotant. In Comm. autem scribit Νέατος et Νεατὸς, a νεάω. [Quod verum.]

[Νεωφυλάκέω, Naves custodio Hesych., et Photius v. Νεωρεῖν.]

Νεωφύλαξ, ακος, ὁ, ἡ, Custos templi, Æditiuus [Gl. De signif. Custodis navium v. Hagenbuch. in Orelli Inscrr. vol. 1, p. 526, 527, 530, 541. L. Dind.]

Νεώχερμος, Terra recens culta, Hesych. [Leg. Νεόχερσος. Angl.]

[Νεωχμός. V. Νεοχμός.]

Νὴ, privandi particula in compositis Νητρεκὴς et Νήχυτος, quæ vide. Νὴ, intendendi particula, ibid. || Est etiam particula concedentis affirmantisque, et quidem cum juramento : subjungitur enim ei accus. vel Dei in genere, vel dei alicujus specialis, interdum et alius rei : redditurque vel Ita per, vel Utique per, Sane per : vel etiam Ita profecto per : quemadmodum et ναί : ut νὴ τὼ θεὼ, ap. Phrynich. [Ecl. p. 193, de qua formula v. in Θεὸς vol. 4, p. 308, D, seq.], Næ per gemellos : νὴ τοὺς θεοὺς, ap. [Xen. Comm. 2, 7, 11,] Plat. [Reip. 7, p. 531, A. Νὴ θεοὺς ap. Hippocr. Epist. p. 1279, 36] ; νὴ τὴν Ἥραν, Xen. [Comm. 1, 5, 5, Plat. Phædr. p. 230, A. Νὴ τὸν Ποσειδῶ Aristoph. Nub. 83.] Νὴ τὸν ἄγνωστον ἐν Ἀθήναις, [Ps.-] Lucian. [Philopatr. c. 9. Dei nomine omisso in Gl. : Νὴ τὸν, ἐπὶ ὅρκου, Per. Hesychius, Photius, Suidas : Νὴ τὴν, μὰ τήν. Phot. et Suid. : Νὴ τὸν καὶ ναὶ μὰ τὸν, κατωμοτικὰ ταῦτα, et iisdem fere verbis Eust. Od. p. 1450, 42. V. l. Philonis vol. 2, p. 271, 16, in Μὰ p. 478, C. Cum aliis vocc., ap. Alciphr. 2, 2 : Νὴ τὰ μυστήρια, νὴ τὴν τούτων τῶν κακῶν ἀπαλλαγὴν, ὡς ... ἄρτι ἀπέφυγμαι, ubi notanda etiam part. ὡς. Et in jurejurando Socratis νὴ τὸν κύνα ap. Plat. Reip. 3, p. 399, E.] Sed frequentissimum νὴ Δία [vel Δὶ, de quo v. in Ζεύς] : ac interdum quidem directe ad interrogationem : ut ap. Xen. Cyrop. [1, 3, 6] quærenti Cyro, Ἦ καὶ δίδως μοι, ὦ πάππε, ταῦτα ; respondet Astyages avus, Νὴ Δία ἐγώ σοι, ὦ παῖ, Ita per Jovem. Et ap. Ceb. Theb. [c. 14] : Πότερον οὖν καὶ ὧδε εἰσπορεύονται ; Νὴ Δία καὶ ὧδε. Similiter ap. Xen. quoque roganti, Οὐκ οἶσθ' ὅτι ; respondetur, Νὴ Δία. Interdum post responsionem, sequente καὶ, ad asseverationem rei adhuc gravioris : velut ap. Plat. Apol. Socr. [p. 35, C] : Μὴ ἀξιοῦτέ με τοιαῦτα δεῖν πρὸς ὑμᾶς πράττειν ; Μάλιστα πάντως· νὴ Δία μέντοι καὶ ἀσεβείας φεύγοντα ὑπὸ Μελίτου [Μελήτου], Quinimmo et reum, s. Et quidem reum etiam impietatis factum a Melito. Interdum indirecte ponitur, nulla præcedente interrogatione, pro Utique, Equidem, Profecto. Demosth. [p. 93, 23] : Οὐδὲν αὐτοὺς ἀπολωλέναι κωλύσει· νὴ Δία· κακοδαιμονοῦσι γὰρ, καὶ ὑπερβάλλουσιν ἀνοίᾳ, Nihil sane per Jovem. Idem, Ἀλλ' ὅμως ἐρεῖ, καὶ νὴ Δία εἰκότως γε, Veruntamen dicturus est, et quidem merito : vel Et merito utique. [Referendus huc etiam Xen. Comm. 2, 7, 3 : Ὅτι νὴ Δί', ἔφη, ὁ μὲν δούλους τρέφει, ἐγὼ δὲ ἐλευθέρους, ubi præcesserat Τί ποτ' ἐστὶν ὅ, τι κτλ.] Νὴ Δία sequente ἀλλὰ est ἀνθυποφορικὸν, significans At, Atenim. Demosth. [p. 428, 12] : Νὴ Δί' ἀλλ' ὅπως ἔτυχε ταῦτα τὰ γράμματα ἕστηκε, Atenim istæ literæ obscuro quodam loco temereque positæ sunt. [Sic id. p. 266, 8 : Νὴ Δί' ἀλλ' ἀδίκως ἦρξα, et alibi. Eodem modo positum ναὶ v. in illo. Præposito ἀλλὰ Xen. Comm. 1, 2, 9 : Ἀλλὰ νὴ Δία ὁ κατήγορος ἔφη, ὑπερορᾶν ἐποίει τῶν καθεστώτων νομίμων τοὺς συνόντας· H. Gr. 7, 3, 10 : Ἀλλὰ νὴ Δία, εἴποι ἄν τις, ἑκὼν ἦλθε κτλ. Demosth. p. 755, 3 : Ἀλλὰ νὴ Δία ταῦτα μόνον τοιοῦτοι γεγόνασιν, et alibi.] Necnon posito γὰρ pro ἀλλά. Idem Demosth. De male obita legat. [p. 432, 23] : Νὴ Δί', οἱ νέοι γὰρ ἡμῶν δι' ἐκεῖνον ἔσονται τὸν ἀγῶνα βελτίους, Atenim juvenes nostri ob illud judicium illamque animadversionem, ad frugem morum meliorem redigentur. Isæus : Ἴσως γὰρ νὴ Δία πάρεργον καὶ φαῦλον, At fortasse nihil ad rem pertinebat et aspernandum erat. Plura vide ap. Bud. p. 897, 898. Servit ironicis etiam responsionibus, ut Credo, Nempe, Scilicet apud Latinos. Demosth. In Leptinem [p. 468, 25, ubi paullo aliter quam HSt. cum Lex. Septemv.] : Ἣν δὲ τοῦτό τις ἐρωτᾷ, τί πρὸς θεῶν ἐροῦμεν ; ὅτι νὴ Δία ἦσάν τινες τῶν εὑρημένων τὴν ἀτέλειαν ἀνάξιοι ; Quod si quis nos roget, quid tandem per deos immortales respondebimus? quod nonnulli, credo, qui immunitatem civitatis beneficio consecuti fuerant, indigni erant eo beneficio? [Inter plurima autem hujus usus exx. quum ap. Demosth. tum apud alios unum est illius p. 981, 1, cum articulo νὴ τὸν Δία, ubi non dubium delendum esse τὸν cum libro uno, male interpositum a nonnullis etiam p. 740, 7.] Interdum pro Atque adeo ponitur, præcedente καί. Lucian. De luctu [c. 13] : Εἶθ' ἡ μήτηρ, καὶ, νὴ Δί', ὁ πατὴρ φωνὰς ἀλλοκότους ἀφίησι. [Xen. H. Gr. 1, 7, 21 : Κατὰ τοῦτο τὸ ψήφισμα κελεύω κρίνεσθαι τοὺς στρατηγοὺς καὶ νὴ Δία, ἂν ὑμῖν γε δοκῇ, πρῶτον Περικλέα. Sed inprimis frequens hic usus est apud recentiores, maxime post part. ἢ, ut ap. Musonium Stob. Fl. vol. 1, p. 196 : Τοὺς ἀγενείους ἢ νὴ Δία τοὺς ἄρτι γενειήσαντας (id. p. 197 : Τί γὰρ δὴ καί εἰσιν αἱ τρίχες ἀνθρώποις βάρος; εἰ μὴ νὴ Δία καὶ τοῖς ὀρνέοις τὰ πτερὰ φαίη τις κτλ.), vel ἢ καὶ, quarum cum νὴ Δία conjunctarum exx. Polybii plurima v. ap. Schweigh. in Lex., alia ap. Coraen ad Heliod. p. 73.] Aristoph. et imperativum adhibuit [Av. 661] : Νὴ Δία πιθοῦ. Et [Ran. 164], Νὴ Δία καὶ σύ γε ὑγίαινε. Ubi recte ad verbum interpretaberis Per Jovem. [Νὴ τὸν Δία id. Pluto 202 et alibi cum aliis quibusvis. Sequitur autem in loco Aristoph. post formulam jurandi part. ἀλλὰ (ut in formulis per μὰ, quod v. p. 478, A, B) : Πλὴν ἓν μόνον δέδοικα, ... ὅπως ἐγὼ τὴν δύναμιν, ἥν ὑμεῖς φατε ἔχειν με, ταύτης δεσπότης γενήσομαι. Νὴ τὸν Δί' · ἀλλὰ καὶ λέγουσι πάντες ὡς δειλότατόν ἐσθ' ὁ πλοῦτος. || Tragicorum unus particula usus videtur Soph. fr. Lacæn. ap. Strab. 8, p. 364 : Νὴ τὼ Λαπέρσα, νὴ τὸν Εὐρώταν τρίτον, νὴ τοὺς ἐν Ἄργει καὶ κατὰ Σπάρτην θεούς. || Forma Bœot. Νεὶ est in sermone Bœoti ap. Aristoph. Ach. 867 : Νεὶ τὸν Ἰόλαον, a Brunckio ex cod., qui νεῖ, restituta pro νή. || Ab librariis νὴ interdum cum μὰ confusum notavit idem Brunckius ad Eccl. 1085, ubi solœcum esse animadvertit in sententia negativa positum. Sæpe etiam permutatur cum ναὶ, ut ap. Meleagrum Anth. Pal. 5, 141, 1; 154, 1.]

[Νῆ. V. Νέα in Νέος.]

Νήαιθος, ὁ, fluvius Crotoniensis, a navibus incensis sic dictus. Supra ναύαιθος ex Etym. Neæthus, Plin. [N. H. 3, 11, 15. Theocr. 4, 24 : Καὶ ποτὶ τὸν Νήαιθον, ubi liber unus Ναύαιθον. Conf. etiam Νέαιθος, quam formam etiam Theognosto p. 59, 5, pro Τενέαιθος restituit Lobeck. Patholog. p. 363.]

[Νηάριον, τὸ, Navicula. Theodor. Stud. p. 199, E : Τοῦτό σοι, ὦ θειότατε πάτερ, ἐν εἴδει ὑπομνήσεως ἐπιφθέγξομαι, ὅτι μεῖζον κατὰ πολὺ καὶ ὑπερβάλλον τὸ πλοῖον τῆς σῆς τελειότητος πρὸς τὸ ἐμὸν νηάριον. L. Dind.]

[Νηὰς, άδος, ἡ, animal, de quo Ælian. N. A. 17, 27 : Εὐφορίων... λέγει τὴν Σάμον ἐν τοῖς παλαιτάτοις τοῦ χρόνου ἐρήμην (φανῆναι addit Apostol. 11, 12) γενέσθαι τε ἐν αὐτῇ θηρία μεγέθει μὲν μέγιστα, ἄγρια δὲ καὶ προσπελάσαι τῳ δεινά. Καλεῖσθαι δὲ μὴν νηάδας, ἅπερ οὖν καὶ μόνη τῇ βοῇ ῥηγνύναι τὴν γῆν· παροιμίαν οὖν ἐν τῇ Σάμῳ διαρρεῖν τὴν λέγουσαν, μεῖζον βοᾷ τῶν νηάδων. Heraclid. Polit. 10, p. 211 : Σάμον ... λέγεται κατέχειν πλῆθος θηρίων μεγάλην φωνὴν ἀφιέντων· ἐκαλοῦντο δὲ τὰ θηρία νηίδες. Photius in Νῆις : Καὶ ἐν Σάμῳ δὲ θηρία γενέσθαι, ὧν φθεγγομένων ῥήγνυσθαι τὴν γῆν· ἐκαλοῦντο δὲ νηία ωσεῦται αν (Εὐταίων libri meliores Suidæ). Νηίδες ὡς Εὐγαίων Dobræus in Indice Photii v. Εὐγαίων. Καλεῖσθαι δὲ μηνιάδας Apostol. l. c. mendoso usus codice Æliani, cui an relinquenda sit forma νηάδας dubium, hoc non dubium videtur, Photii cum Heraclide consensum alteram ut veriorem commendare, nisi quis malit νηάδας, fere ut Dobræus Adv. vol. 1, p. 603, qui νηιάδας. Ap. Nonnum Dion. 12, 377, Ὑδρηλὴν ἐδίωκεν ἀνείμονα Νηίδα κούρην scripsit Græfius quod scribebatur νηάδα vel νῃάδα.]

Νηγάτεος, α, ον, quasi νεήγατος, significat νεωστὶ γενόμενος, teste Eust., h. e. Recens factus. Hom. Il. B, [43] : Ἔνδυνε χιτῶνα Καλὸν, νηγάτεον. [Ξ, 185 : Κρηδέμνῳ καλῷ, νηγατέῳ· H. Apoll. 122 : Σπάρξαν δ' ἐν φάρεϊ λευκῷ, λεπτῷ, νηγατέῳ. Apoll. Rh. 4, 188 : Τῷ δ' ἐπὶ φᾶρος κάββαλε νηγάτεον. Ap. eund. 1, 775 : Βῆ δ' ἴμεναι προτὶ ἄστυ φαεινῷ ἀστέρι ἶσος, ὅν ῥά τε νηγατέῃσιν ἐεργόμεναι καλύβῃσι νύμφαι θηήσαντο δόμων ὕπερ ἀντέλλοντα· Schol. interpretatur ταῖς διὰ τῶν ἱματίων κατεσκευασμέ-

A ναις, ἃς καλοῦσι παστοὺς, νηγατέαις δὲ ταῖς νεοκατασκευάστοις vel νεωστὶ κατεσκευασμέναις. Etymologiam supra positam probans Buttmannus Lexil. vol. 1, p. 204, metri caussa transpositas literas opinabatur. Quæ omnia adeo mirabilia videntur, ut intentatam relinquere præstet etymologiam, quam Hesychius diversam ab superiori instituit, quum explicat etiam εὖ νενησμένον. Quas Photius s. Suidas præter καινὸν addunt explicationes λεπτὸν, ἁπαλὸν, λευκὸν, εὐφυές, inanes esse recte monet Buttm. ά]

Νήγρετος, ὁ, ἡ, somnus Homero dicitur, q. d. Inexcitabilis, Ex quo excitari non queas. [Od. N, 80. Absolute ib. 74 : Ἵνα νήγρετον εὕδοι. Moschus 3, 111; Addæus Anth. Pal. 7, 305, 3. || N. fontis fictum ap. Lucian. V. H. 2, 33.]

Νηδύϊα, τὰ, dicuntur τὰ ἐντόσθια, s. τὰ κατὰ νηδὺν, Interanea. Hom. Il. P, [524] : Ἐν δέ οἱ ἔγχος Νηδυίοισι μάλ' ὀξὺ κραδαινόμενον λύε γυῖα. Apoll. Arg. 2, [113] : Νηδυίων ἄψαυστος ὑπὸ ζώνην θόρε χαλκός. [Nicand. Al. 381. Puncta diæresis, dudum sublata in edd. Homeri,
B tollenda animadvertit etiam Lobeck. ad Phryn. p. 494. Eust. p. 1117, 7, utrum scripserit : Νηδύϊα ἃ τρισυλλάβως ἕτεροι νήδυα γράφουσι, an νήδυια, nihil refert quærere, quum linguæ adversari videatur νήδυα sine iota, etiamsi ferret versus.]

[Νηδυιόφιν, Ex utero. Moschus 3, 78 : Μηδέν σε χερειότερον φρεσὶν ἦσιν στέργειν ἢ εἴπερ μοι ὑπὲκ νηδυιόφιν ἦλθες.]

[Νηδύμιος, α, ον, i. q. sequens. Oppian. Hal. 3, 412 : Οἱ δ' ἐφέπονται πνοιῇ νηδυμίῃ δεδονημένοι.]

Νήδυμος, pro ἥδυμος ab Homero dicitur, per pleonasmum literæ ν, Il. B, [2] : Δία δ' οὐκ ἔχε νήδυμος ὕπνος. Ubi tamen fuerunt qui scriberent, ἔχεν ἥδυμος ὕπνος· sed Eust. hanc scripturam non probat, quod in aliis ll. νήδ. semper reperiatur; atque adeo ap. Homeri posteros tantum putat illud ἥδυμος in usu esse. [Antiquam et veram formam esse ἥδυμος disputat Buttmannus Lexil. vol. 1, p. 179—183.] Il. Π, [454] : Θάνατόν τε φέρειν καὶ νήδυμον ὕπνον· Ψ, [62] : (Ὕπνος) λύων μελεδήματα θυμοῦ Νήδυμος ἀμφιχυθείς.
C Sunt tamen qui non hinc derivatum velint, sed a νη particula intensiva, et δύνω, ut per νήδυμος ὕπνος intelligatur Profundus et altus sopor. In Epigr. [Anth. Plan. 217, 2] est etiam νήδυμος Ὀρφεὺς, νήδυμον ὕδωρ ap. Nonn. Ubi secundum primam etym. significat Suavis, Jucundus, Dulcis. [Similiter Hom. H. Pan. 16 : Δονάκων ὕπο μοῦσαν ἀθύρων νήδυμον.]

[Νήδυμος, ὁ, Nedymus, n. viri, in inscr. Spart. Fourmonti ap. Bœckh. vol. 1, p. 615, n. 1239, II, 5; p. 798, n. 1656, 4. L. Dind.]

[Νηδυοῦσα δίψα ab dictione νηδὺς translata mihi videtur Hippocrati p. 146, C, quum scribit, Κεφαλῆς ἄλγημα μέτριον μετὰ δίψης νηδυούσης. Sic enim scribendum existimo, quum exemplaria omnia νηδιούσης legant, ut νηδυοῦσα δίψα intelligatur Sitis intensa, vehemens, inexhausta, et quæ expleri nequeat, ac velut alte et in viscerum penetralibus concepta, quasi νήδυμος, aut ἐν τῇ νηδύϊ οὖσα. Νήδυμον namque τὸ βαθὺ, ἔσχατον, δυσέκδυτον καὶ ἄδυμον Hesychio significat. Νηδύϊα etiam quum τὰ ἔντερα καὶ ἐντόσθια, ὅ ἐστι τὰ
D κατὰ νηδὺν σπλάγχνα, dicantur, non erit prorsus a ratione alienum eam sitim intelligi, quæ in ventriculo atque imis viscerum penetralibus sedem habeat, ideoque alte infixa sit, nec facile sedari possit, sed vehemens sit, neque vulgaris. Qua forte ratione [non peculiarem] ibi dixit Calvus. Cornarius vero quid per cibum capientem sitim intellexerit mihi satis non est perspectum. Ac certe istam lectionem in eo mihi secutus videtur, quod νηδὺς dicatur ἡ τὸν σῖτον δεχομένη, Ventriculus cibum suscipiens. Inter autem eas partes quæ sitim excitant ejusque sunt conceptacula, ventriculus non parum juris habet, ut ex Galeno adscripsimus nostris in eum Coac. Prænot. locum Annotatt., etsi non parum quoque suspectam istam lectionem habuimus. Foes. Pro νηδίουσα, quod nihili proinde ut νηδυοῦσα, Opsopœus et alii μὴ ἰδίουσιν.]

[Νηδυπόρος, ὁ, ἡ, Qui ventre incedit. Eudocia ap. Bandin. Bibl. Med. vol. 1, p. 233, 14 : Εἰσέτι νηπίαχος δ' ἔτ' ἐὼν μάθον ὄργια θηρὸς νηδυπόροιο δράκοντος. L. D.]

Νηδύπους, Hesychio ἀνυπόδετος, Discalceatus. [Νηλίπους scribendum ostendit Photius: Νηνίποδες, ἀνυπόδητοι.]

Νηδὺς, ύος, ἡ, Venter. [Herodot. 2, 87: Ἐξελόντες τὴν νηδὺν, et ibid.] Hippocr. De aere, aquis et locc. [p. 292, 19]: Αἵτε κοιλίαι ὑγρόταται πασέων κοιλιῶν αἱ κάτω· οὐ γὰρ οἷόν τε νηδὺν ἀναξηραίνεσθαι ἐν τοιαύτῃ χώρῃ καὶ φύσει. Idem: Ἔχει δὲ τὸ σῶμα οὐ μίαν νηδὺν, ἀλλὰ πλείους, ἃς ἴσασιν οἷσι τουτέων ἐμέλησεν· additque, Ὅσα γὰρ τῶν μελέων ἔχει σάρκα περιφερέα, ἣν μῦν καλέουσι, πάντα νηδὺν ἔχει· intelligens νηδύος nomine Omne concavum in modum ventris conceptaculum quo humor alendis partibus idoneus continetur. [Νηδὺς Ventrem aut Ventriculum significat apud Hippocrat., præcipue tamen inferiorem ventrem, τὴν κάτω κοιλίαν. P. 396, 13, de febre ardente: Καὶ τὰ περὶ τὴν νηδὺν δακνόμενος ἀλγέει. Ubi Galenus δῆξιν ἐπὶ γαστρὸς καὶ κατὰ τὴν γαστέρα exponit. Rursus p. 581, 48: Ἢν ἄνεμος ἐγγένηται τῇ νηδύϊ καὶ πόνος. Et p. 252, 3, 8: Καὶ γὰρ αἱ φλέβες αἱ ἐκ τῆς νηδύος καὶ τῶν ἐντέρων. Rursusque, Τὸ δὲ λεπτότατον αἱ φλέβες ἕλκουσιν ἐκ τῆς νηδύος καὶ τῶν ἐντέρων τῶν ἄνωθεν τῆς νήστεος. Et p. 268, 27: Πίνει γὰρ ἄνθρωπος τὸ μὲν πολλὸν ἐς νηδύν. At p. 6, 17: Ἔστι δὲ ταῦτα, ἃ πρός τε τὰ ὀστέα τέτραπται καὶ τὴν νηδὺν, et quod deinceps sequitur, Ἔχει δὲ τὸ σῶμα οὐ μίαν, ἀλλὰ πλείους. Δύο μὲν γὰρ αἱ τὸν σῖτον δεχόμεναί τε καὶ ἀφιεῖσαι· ἄλλαι δὲ τουτέων πλείους, ἃς ἴσασιν οἷσι τουτέων ἐμέλησεν· ὅσα γὰρ τῶν μελέων ἔχει σάρκα περιφερέα, ἣν μῦν καλέουσι, πάντα νηδὺν ἔχει. Et p. 7, 36, Τὰ ξύμπαντα ἐν τῇ νηδύϊ νοσεῦντα tum ventrem inferiorem tum etiam ventriculum indicat, et omnem cavitatem internam, tam eam quæ est in similaribus corporis partibus quam quæ est in organicis omneque spatium internum aut conceptaculum quod ventris in modum humorem aliquem continet. Ac rursus p. 284, 51: Ὁκόσων δὲ μαλθακαὶ αἱ νηδύες καὶ ὑγραί εἰσι. Foes. Hom. Il. N, 290: Ἢ στέρνων ἢ νηδύος ἀντιάσειεν. Hesiod. Th. 890 et 899: Ἑὴν ἐσκάτθετο νηδύν. De bestia Apoll. Rh. 2, 819.] Sed plerumque νηδὺς vocatur ἡ τὸν σῖτον δεχομένη. Hom. Od. I, [296]: Αὐτὰρ ἐπεὶ Κύκλωψ μεγάλην ἐμπλήσατο νηδύν. Sic [Euripides] ap. Athen. 10, [p. 413, C]: Γνάθου τε δοῦλος, νηδύος θ' ἡσσημένος. [Æsch. Cho. 757: Νέα δὲ νηδὺς αὐτάρκης τέκνων. Soph. OEd. C. 1263: Τὰ τῆς ταλαίνης νηδύος θρεπτήρια. Eur. Cycl. 244 et alibi. Callim. Dian. 60: Ἔτι οἱ πάρα νηδὺς ἐκείνη, de Hercule.] || Significat etiam Uterus. Hom. Il. Ω, [496]: Ἐννέα καὶ δέκα μέν μοι ἰῆς ἐκ νηδύος ἦσαν. Sic Hesiod. Theog. [460]: Ὅστις ἕκαστος Νηδύος ἐξ ἱερῆς μητρὸς πρὸς γούναθ' ἵκοιτο. [Sæpe sic ap. Tragicos, ut Æsch. Eum. 665: Οὐδ' ἐν σκότοισι νηδύος τεθραμμένη. Eur. Hipp. 165.] At Jurisconsulti Græci Alveum fluminis νηδὺν s. κοίτην interpretari dicuntur. [Νηδὺς ποταμοῦ, Alvus (sic), Uterus, Gl. De ferula Nicand. Al. 272: Νάρθηκος νεάτην ἐξαίνυσο νηδύν. De υ correpto, poetica, ut opinatur, licentia, præter Arcad. p. 92, 10, Chœrob. vol. 1, p. 359, 1: Ἰστέον ὅτι τὸ νηδὺς κατὰ ποιητικὴν ἐξουσίαν συστέλλει τὸ υ, ὡς παρὰ Καλλιμάχῳ (Dian. l. supra cit.)· Ἔτι οἱ πάρα νηδὺς ἐκείνου, καὶ παρ' Εὐριπίδῃ ἐν Ἀνδρομάχῃ (356), Καὶ νηδὺν ἐξαμβλοῦμεν ὡς αὐτὴ λέγεις. Ὑπονοοῦσι δέ τινες ὅτι αὗται μόναι εἰσὶν αἱ δύο χρήσεις εὐθείας καὶ αἰτιατικῆς αἱ ἔχουσαι τὸ υ συνεσταλμένον. Εὑρίσκομεν δὲ καὶ τὴν χρῆσιν πλατεῖαν πάνυ καὶ ἐν τῇ εὐθείᾳ καὶ ἐν τῇ αἰτιατικῇ διφορουμένου τοῦ διχρόνου, τουτέστι καὶ ἐκτεταμένου τοῦ υ καὶ συνεσταλμένου· ἡ δὲ κλίσις τοῦ νηδὺς ὡς ἀπὸ τῆς εὐθείας τῆς ἐχούσης τὸ υ ἐκτεταμένον ἐγένετο διὰ καθαροῦ τοῦ ος, οἷον νηδύος κτλ. Aliud correpti in casu disyllabo υ exemplum est Eur. Cycl. 574, ubi νηδύν. Producti ap. Alcæum Messen. Anth. Pal. 9, 519, 2: Νηδὺν ἀνδρομέων πλησάμενος κυλίκων· Orph. Lith. 274: Ὁππότε δὴ πῦρ νηδὺν ἀμφιέσῃσιν ἐνιπλείοιο λέβητος· Nicandr. Al. 416: Νηδὺν, οἷά τε πολλὰ κτλ. Ap. eund. Ther. 467 est rarior dat. plur. νηδύσιν. Accus. sing. νηδύα ap. Quintum 1, 616; 4, 259.]

[Νήεξις, ἐν Καππαδοκίᾳ γενόμενος μῦς, ὃν Σκιούρόν τινες λέγουσιν, Hesychius. Νίαξις sec. ordinem literarum Is. Vossius.]

[Νηέομαι, i. q. νέομαι, Eo, Venio. Oppian. Hal. 2, 216: Λαβροτάτου στόματος νηήσεται ἄχρις ἐδωδῇ. Wakef.]

[Νηέρη, νόσος, Hesychii gl. obscura.]

Νηέω sive Νηνέω, i. q. νέω [quod v.] s. νήω, ac inde
A derivatum. Hom. Il. [Ψ, 169: Περὶ δὲ δρατὰ σώματα νήει·] Ω, [276]: Ἐκ θαλάμου δὲ φέροντες ἐϋξέστου ἐπ' ἀπήνης Νήεον Ἑκτορέης κεφαλῆς ἀπερείσι' ἄποινα, i. e., συνῆγον, ἐσώρευον. [Apoll. Rh. 1, 403: Νήεον αὐτόθι βωμόν.] Item πῦρ νηῆσαι, Ignem struere, congestis lignis, ut Plut. supra dicit πυρὰν νῆσαι. Od. O, [321]: Πῦρ τ' εὖ νηῆσαι, διά τε ξύλα δανὰ κεάσσαι, i. e. ἐκ σπινθήρων σωρεῦσαι, καὶ οὕτως ἄναμμα πυρὸς διὰ ξύλων ποιήσασθαι, Eust., annotans quosdam scribere εὐνῆσαι: quod tamen versus mensura non fert. [Il. I, 358: Νηήσας εὖ νῆας· Od. T, 64: Νήησαν ξύλα πολλά. Apoll. Rh. 3, 1034: Πυρκαϊὴν εὖ νηήσας· 1208: Νήησεν σχίζας.] Item voce med. signif. act., νηήσασθαι, pro νηῆσαι, idque cum gen. rei. Il. I, [137]: Νῆα ἅλις χρυσοῦ καὶ χαλκοῦ νηησάσθω εἰσελθὼν, sc. Troja expugnata, i. e. σωρευσάτω, Acervis auri ærisque congestis impleat. [Ib. 279, νηήσασθαι in iisdem verbis. Apoll. Rh. 1, 364: Ἀπὸ δ' εἵματ' ἐπήτριμα νηήσαντο.] Verbi autem Νηνέω hoc exemplum extat, Il. Ψ, [139] in funere Patrocli: Κάτθεσαν, αἶψα δέ οἱ μενοεικέα νήνεον ὕλην,
B i. e. ἐσώρευον, In acervum congerebant. [Et ib. 163. Al. νήεον.] In Odyss. ἐπὶ ἄρτων quoque νήνεον dici Eust. annotat. [Formam contractam νηῶ ponit Herodian. Π. μον. λ. p. 43, 26, et Hesychius in Ἐνήει et Νήει, ἐσώρευεν. Herodoto νηῆσαι et περινηῆσαι pro νῆσαι et περινῆσαι restitutum ex libris optimis 1, 50; 2, 107.]

[Νήησις, εως, ἡ, Coacervatio. Schol. Apoll. Rh. 1, 403: Νήεον) ᾠκοδόμουν, κατεσκεύαζον, ἀπὸ τῆς τῶν λίθων συνθέσεως, ἥ ἐστι νήησις.]

[Νηθὶς, ίδος, ἡ, Quæ net. Schol. Ven. Hom. Il. Z, 491: Τὸ ξύλον εἰς ὅπερ εἱλοῦσι τὸ ἔριον αἱ νηθίδες.]

Νήθω, ήσω, Neo, [Necto add. Gl.] i. q. νέω [quod v.], ex eoque derivatum. Epigr. [Nicarchi Anth. Pal. 11, 110, 6]: Ἡ δ' ἀράχνη νήθουσ' αὐτὸν ἀπεκρέμασεν. [Rarum esse hujus formæ usum apud Atticos antiquiores, animadvertisse grammaticos Photii ostendit monitum: Νήθειν, οὐ μόνον νεῖν τὴν κρόκην φασὶν, quod omissis verbis τὴν κρ. φ. est ap. Antiatt. p. 109, 23, et Pollucis 7, 32: Οἱ Ἀττικοὶ τὸ νήθειν νεῖν λέγουσιν. Ac nihil tri-
C buendum esse locis Cratini et Eupolidis, quibus illatum erat νήθω, ipsæ docent librorum varietates, de quibus v. Meinek. Com. vol. 2, p. 556. Temere vero alienam ab usu Atticorum perhiberi demonstrat ex. Platonis Polit. p. 289, C, (qui τὰ νηθέντα dixit ib. p. 282, E): Περὶ τὸ νήθειν τε καὶ ξαίνειν, nisi fallit consensus librorum, sicut infra νήχειν illatum notabimus pro νεῖν, cujus eandem fere rationem esse animadvertit Lobeck. ad Phryn. p. 151.] Et voce pass. signif. activa νήσαντο: quod vide in Κατακλῶθες. [In l. Hom. Od. H, 198: Ἅσσα οἱ αἶσα κατακλῶθές τε βαρεῖαι γεινομένῳ νήσαντο. Perf. pass. partic. νενησμένος est ap. Nicet. Chon. p. 85, B, Hesych. et Suid. v. Κεκλωσμένου et Νηγάτεον, Didym. ad Hom. Il. B, 43.]

[Νηιὰς, άδος, ἡ, forma Ion. pro Ναϊάς, quod v. Apoll. Rh. 1, 626: Νηιὰς Οἰνοίη νύμφη· 4, 543: Νηιάδα Μελίτην· 711: Νηιάδες πρόπολοι· 813. Orph. Lith. 679: Νύμφαις ἐνὶ Νηιάδεσσι.]

[Νηιδέστερος. V. Νῆις.]

[Νηιεύς. V. Νήιον.]

D [Νηὶθ, ἡ, Neith. Ægyptii isto nomine deam appellabant, summa religione Sai, in Ægypto inferiori, cultam, quam Plato et, qui eum sequuntur, Græci alii semper Minervam interpretantur. Testantur hoc Plato in Timæo, p. 21, B, Arnobius 4, p. 137, Hesych. (Νηίθη, Ἀθηνᾶ παρ' Αἰγυπτίοις, quod Νηὶθ, ἡ Ἀθηνᾶ scrib. vidit Is. Vossius), Eratosthenes et alii, quorum loca adduxi in Panth. Æg. l. 1, 3, § 2. Multa quoque occurrunt in historia Ægypti nomina propria, virorum et feminarum, quæ numinis illius vestigia præ se ferunt luculenta et ex illo composita fuere. Quin et in ipsa Græcia temporibus antiquissimis Neitham honoribus divinis mactatam fuisse, ex veterum monumentis satis certo colligitur. Multa eam in rem disserui in Diss. de Neitha, inserta Miscellaneis Lips. Nov. vol. 6, p. 447 et seqq., atque in Panth. Æg. l. 1, c. 3. Ibid. plura de numinis hujus vera significatione et cultu, quo eam Ægyptii dignati sunt, poterunt legi. Obtuli quoque plures nominis Νηὶθ interpretationes, quæ vel aliis, vel etiam mihi venere in mentem. Mihi videtur nom. hoc deduci a verbo *Nei*, quod Decernere significat. Hinc formatur *Neit*, vel *Néith*, quo designatur Decernens, ex cujus nempe decreto pendent omnia quæ sunt et fiunt. V. Panth. l. c., et præfat. quam Panthei parti tertiæ præmisi, ubi quædam in prima parte dicta correxi. Jablonsk. Aliam interpretationem, ut sit *ancienne*, proponentem Sancto-Crucium refellit Sacyus ad ejus *Recherches sur les mystères du paganisme,* vol. 1, p. 27.]

Νήϊον, τὸ, Nicander pro Remo usurpavit, Ther. [814]: Νήϊά θ' ὡς σπέρχονται ὑπὸ πτερὰ θηρὶ κιούσῃ, i. e. κῶπαι, schol. || Mons Ithacæ, νηῶν δεκτικὸς, Hom. Od. A, [186]: Ἐν λιμένι ῥείθρῳ ὑπὸ Νηΐῳ ὑλήεντι. [Strabo 10, p. 454: Ὅταν τε οὕτω φῇ (Hom. Od. Γ, 81), Ἡμεῖς ἐξ Ἰθάκης ὑπὸ Νηΐου (vel ὑπονείου) εἰλήλουθμεν, ἄδηλον εἴτε τὸ αὐτὸ τῷ Νηρίτῳ λέγει τὸ Νήιον εἴτε ἕτερον ἢ ὄρος ἢ χωρίον.] Ab eodem est gentile nom. Νηϊεὺς, Qui ex Neio est. [Ap. Steph. Byz., qui ita scribit: Νήιον, ὄρος Ἰθάκης, ἀφ' οὗ κατὰ Κράτητα αἱ Νηιάδες· οἱ δὲ τὰς διατριβούσας ἐπὶ (περὶ) τὰ νάματα... Αἱ δὲ Νηιάδες ἀπὸ τοῦ Νήιος ἢ ἀπὸ τοῦ Νηιεύς.]

Νήϊος, α, ον et ὁ, ἡ, Navalis. Et νήϊον, sc. ξύλον, Lignum navale, Navalis materia. Hom. Il. Γ, [62]: Ὅς ῥά τε τέχνῃ Νήϊον ἐκτάμνῃσι, i. e., ξύλον πρὸς νηῶν κατασκευὴν ἐπιτήδειον. [Ubi referre licet ad δόρυ, etsi absolute dicitur etiam N, 391, Π, 484. Cum δόρυ vero conjungitur O, 410, P, 744, Od. I, 384, 498.] Hesiod. vero dixit [Op. 806]: Νήϊά τε ξύλα. Et Apollon. νήϊα δοῦρα pro eod., quæ Thuc. et prosæ scriptores ναυπηγήσιμα, Arg. 2, [80]: Ὡς δ' ὅτε νήϊα δοῦρα θοοῖς ἀντίξοα γόμφοις Ἀνέρες ὑλουργοὶ ἐπιβλήδην ἐλάοντες Θείνωσιν σφύρῃσιν· et [1, 1089]: Νηΐου ἀφλάστοιο. Et Νηΐου ὁλκαίοιο, 1, [1314] ubi schol. annotat significari Partem navis quæ subter aquas trahitur. Item νηΐα [aut νηίη aut ναΐα dicendum] τέχνη, Ars nautica. Soph. Aj [355]: Ἰὼ γένος ναΐας ἀρωγὸν τέχνας, ubi Dorice dixit ναΐας pro νηΐας, a nom. Νάϊος. [Æsch. Pers. 279, 336: Ναΐοισιν ἐμβολαῖς· Suppl. 2: Στόλον ἡμέτερον ναΐον· 719: Ἄνδρες νήιοι, quod νάϊοι scribendum animadvertit G. Dindorfius. Eur. Rhes. 458: Τὸ ναΐον Ἀργόθεν δόρυ· Med. 1122: Ναΐαν ἀπήνην· Iph. T. 410: Ναΐον ὄχημα· 892: Ναΐοισιν δρασμοῖς. Νήιον, Navia, Gl. In inscr. ap. Lebas. *Inscr.* 5, p. 222, 4, ipse exhibuit: Καὶ ναΐον τελέσαι, ὥστε θύειν τῷ Ποσειδᾶνι ἵππον Αυδιακὸν, vertitque, *Qu'un impôt sur les navires sera levé pour sacrifier* etc. Virletus autem ib. p. 216, 4, νηιον.]

[Νηΐς, ΐδος, ἡ, i. q. Ναΐς, quod v. || Neis, f. Zethi, conjux Endymionis, ap. Apollod. 1, 7, 6, vel sec. schol. Eur. Phœn. 1103, Amphionis. Forma est Ionica vulgaris Ναΐς; quo nomine alia, Glauci ex Neptuno mater, memoratur ap. Athen. 7, p. 296, C.]

[Νῆϊς. HSt. in Ἴσημι:] Referri huc posse videtur etiam, quod ap. Hesych. est Νῆϊς, ιδος, ὁ, ἡ, Inscius, Imperitus: per privationem τοῦ εἴσαι, i. e. γνῶναι. [Hom. Il. H, 198: Ἐπεὶ οὐδ' ἐμὲ νήϊδά γ' οὕτως ἔλπομαι· Od. Θ, 179: Ἐγὼ δ' οὐ νῆϊς ἀέθλων· H. Merc. 487: Ὃς δέ κεν αὐτὴν νῆϊς ἐὼν τὸ πρῶτον ἐπιζαφελῶς ἐρεείνῃ· H. Cer. 256: Νήϊδες ἄνθρωποι. Apoll. Rh. 2, 417: Νῆϊς ἐὼν ἑτάροις ἅμα νήισιν. Alia exx. v. ap. Hemst. ad Callim. fr. 111.] Unde est et compar. νηϊδέστεροι ap. eund. Hesych. || Νῆϊς, eidem Hes. est etiam δειλὸς, Timidus; ἀσθενὴς, Suidæ. [Accusativi forma νήϊδα præter Hom. utitur Apoll. Rh. 3, 32, altera νῆϊν 3, 130.]

[Νῆϊς, ιδος, ὁ, Neis, f. Zethi. V. Νήϊστος. Schol. Hom. Od. T, 518, qui Zethi et Aedonis prolem perhibet Itylum et Neidem, utrum Νηῒς scripserit, ut nunc legitur, an Νῆϊς, et filium an filiam, de qua v. in Νηΐς, dicat incertum est.]

[Νήϊστος, η, ον.] Νήϊστα, Hesychio ἔσχατα, κατώτατα, Extrema, Ima. [Idem: Νήισι ταῖς πύλαις ταῖς πρώταις καὶ τελευταίαις. Quod Νηΐσταις potius quam cum interpretibus Νηΐταις scribendum animadvertit Unger. Theb. Parad. vol. 1, p. 311 sq. (quanquam quum in cod. sit Νήϊϊ, non Νήισι, et gl. ponatur inter Νηῒθ et Νήιον, σ literam fide carere apparet) idque restituendum esse Eur. Phœn. 1104, unde gl. petita: Προσῆγε Νηΐταις πύλαις. Nam etsi ap. Æsch. quoque Sept. 460, libri exhibent: Πύλαισι Νηΐτῃσι vel Νηΐτισι, Pausaniæ tamen librorum loco infra cit. et 9, 25, 1
A et 3, inter Νηΐτας, νῆσας vel νήσας et Νηιτῶν, νηιστῶν, νηιτῶν, νηιέτων, νηιετῶν, νηίτεων, νηίδων variantium librorumque Statii Theb. 8, 354: « Eteoclea mittunt Neitæ », qui *Neiste,* et *Neistæ* vel *Neiræ,* testimonium cum Hesychii glossis conjunctum ita evertere videtur scripturam sine litera σ, ut neque Νήιται neque Bœotica, quam quis fingat, forma Νήϊτται, defendi possit. Rationem nominis duplicem proponit Pausan. 9, 8, 4: Τὰς δὲ Νηΐστας ὀνομασθῆναί φασιν ἐπὶ τῷδε· ἐν ταῖς χορδαῖς νήτην καλοῦσιν ἐξ αὐτῶν· ταύτην οὖν τὴν χορδὴν Ἀμφίονα ἐπὶ ταῖς πύλαις ταύταις ἀνευρεῖν λέγουσιν· ἤδη δὲ ἤκουσα καὶ ὡς Ζήθου τοῦ ἀδελφοῦ τοῦ Ἀμφίονος τῷ παιδὶ ὄνομα Νῆϊς γένοιτο· ἀπὸ τούτου δὲ τοῦ Νήϊδος τὰς πύλας κληθῆναι ταύτας. L. Dind.]

[Νηΐτης. V. Νηιτός.]

[Νηΐτις. V. Ναΐάς.]

Νηϊτικὸς, ἡ, ὸν, Nauticus: v. νόμος, Nautica consuetudo, VV. LL. [V. Νηιτός.]

Νηϊτὸς, Navalis, VV. LL. [Quod ex νηΐτης fictum.] Reperitur etiam Νηΐτης, itidem pro Navalis, Nauticus.
B Thuc. [2, 24]: Νηΐτῃ στρατῷ ἐπιπλεῖν, Classe, s. Classiario exercitu; dixit enim νηΐτην στρατὸν, quod supra appellavit τὸ ναυτικόν. [Id. 3, 85. Νηΐτην στόλον Apoll. Rh. 4, 239. Eumath. p. 254: Κατὰ τὸν νηΐτην νόμον· et p. 257.]

Νηκερδὴς, ὁ, ἡ, Non lucrosus, quæstuosus, Inutilis. I. q. ἀκερδὴς, sed poeticum; nam particula νη ap. poetas sæpe privativa est, sicut α tam ap. eos quam ap. ceteros scriptt. Sic νηκερδὲς ἔπος ap. Hom. [Od. Ξ, 509] exp. ἀνωφελὲς et ἀσύμφορον. [Apoll. Rh. 2, 482, οἶτον.] || Sed v. βουλὴν [Il. P, 469] veteres gramm. intellexisse ἀσύνετον, respicientes ad alteram nominis κέρδος significationem, antea dictum fuit, nimirum in Κέρδος.

Νήκερως, ωτος, et Νήκερος, ὁ, ἡ, Cornua non habens, i. q. ἄκερος s. ἀκέρατος in prosa. Hesiod. Op. [527]: Καὶ τότε δὴ κεραοὶ καὶ νήκεροι ὑληκοῖται Λυγρὸν μυλιόωντες ἀνὰ δρία βησσήεντα φεύγουσι. [Unde retulit Hesychius.]

[Νηκηδὴς, Securus. Anonymus ap. Platon. Symp.
C p. 197, C, e correctione G. Dindorfii, quem v. in Præf. ad Symp. a se editum. Boiss.]

Νήκεστος, ὁ, ἡ, pro ἀνήκεστος, ap. poetas interdum, ut ap. Hesiod. [Op. 281], Νήκεστον ἀάσθη, quod adverbialiter ponitur pro ἀνηκέστως, Insanabiliter. [Unde retulit Hesychius.]

[Νηκούια, πόλις Ὀμβρίκων. Διονύσιος ιζ' Ῥωμαϊκῆς ἀρχαιολογίας. Τὸ ἐθνικὸν Νηκουιάτης, Steph. Byz.]

Νηκουστέω, etiam pro ἀνηκουστέω [Non audio, Non obsequor,] dicunt poetæ, ut Hom. Il. Υ, 13: Οὐδ' ἐνοσίχθων Νηκούστησε θεᾶς.

[Νήκουστος, ὁ, ἡ, Inauditus. Arat. 173: Οὐδέ τοι αὔτως νήκουστοι Ὑάδες.]

Νηκτὴς, ὁ, Natator, Epigr. [Est l. in Νηκτὸς positus ex Anthol. Νήκτης autem hoc accentu est ap. Polluc. 1, 97.]

Νηκτικὸς, ή, όν, Natatilis [Natatitius, Gl.], ut quidam exp., i. e. Qui nare potest. Basil. [vol. 1, p. 63, B]: Πᾶν νηκτικὸν κἂν ἐπιφανείᾳ τοῦ ὕδατος ἐπινήχηται. [Adv. Νηκτικῶς, Philo De eleph. 118.]

D Νηκτὸς, ἡ, ὸν, Natans, Natatilis. Plut. De solert. anim. [p. 976, C]: Οὐδὲν γὰρ οὕτως εὐχείρωτον ἀνθρώπῳ νηκτὸν, Ex genere eorum quæ natant, i. e. piscium. Gregor. [Or. 34, p. 553, C]: Σκέψαι μοι καὶ νηκτὴν φύσιν τῶν ὑδάτων διολισθαίνουσαν. [Theodor. Prodr. Rhod. p. 90: Νηκτῶν, πτερωτῶν, θηρίων, κτηνῶν γένη. Fem. Anth. Pal. 9, 115, 4: Παρὰ τύμβον Αἴαντος (ἀσπίδα) νηκτὴν ὥρμισεν.]

Νηκτρὶς, ίδος, ἡ, Natatrix: νηκτρίδες ἐλαῖαι, Olivæ conditaneæ, ita dictæ quod τῇ ἅλμῃ, i. e. Muriæ, qua condiuntur, innatent: quæ et κολυμβάδες Athenæo et Dioscoridi, et Plinio itidem Colymbades: alio nomine ἁλμάδες. Sed ap. Polluc. [6, 45] perperam scribitur Νυκτρίδες in quibusdam exempll. In Lexiph. Luciani [c. 13] vocantur νευσταί. [Conf. Bentl. ad fr. Callim. 50, p. 433.]

[Νήκτωρ, ορος, ὁ, Natator. Manetho 4, 397: Ἐν ὕδασι νήκτορας ἄνδρας.]

Νηλεγὴς, Νηλεγές, item adv. Νηλεγέως: vide ap Hesych., cujus expositiones quædam horum verborum depravatæ esse videntur, utpote inter se non consentientes. [Sunt οἰκτρὸν, ἀθρήνητον, et masculini φροντιστὴς, θρηνητὴς, et adverbii Νηλεγέως, ἀνοίκτως, et substantivi Νηλέγῳ, θρήνῳ ἢ δεινῷ. Quarum ultimam pertinere ad νηλέϊ, in ceteris autem ἄνοικτον pro οἰκτρὸν, ἄφροντιστος pro φροντιστὴς (et ἀθρήνητος pro θρηνητὴς) restituendum animadverterunt intt.]

Νηλεὴς, ὁ, ἡ, Immisericors, Crudelis : νηλεὲς ἦτορ, Hom. [Il. I, 497], Hesiod. [Th. 456, 765.] Et poet. more passim ν. χαλκῷ, ut Lat. Immite ferrum, s. Crudele. || Vocatur vero et νηλεὴς θυμὸς ab Hom. [Il. T, 229, ubi νηλέᾶ θυμὸν, quod rectius ab Arcad. p. 196, 20, refertur ad formam Νηλὴς, quod v.] ὁ ἀπαθὴς vel δυσπαθής. Cic. autem [Tusc. 3, 27] vertit Firmum animum, ut videbis in Cic. Lex. [Νηλεὲς ἦμαρ, Il. Λ, 484, aliisque ll. plurimis. De homine Il. Π, 33, 204. Νηλεεῖ νόῳ Pind. in fr. ap. Priscian. De metris com. p. 24. Soph. Ant. 1197 : Ἔνθ' ἔκειτο νηλεὲς κυνοσπάρακτον σῶμα Πολυνείκους ἔτι. Apoll. Rh. 4, 389 : Μάλα γὰρ μέγαν ἤλιτες ὅρκον νηλεές.] Νηλεῶς, Crudeliter. [Æsch. Cho. 251 : Τῆς τυθείσης νηλεῶς ὁμοσπόρου. Conf. etiam Ἀνηλεῶς. De ceteris formis HSt. :] || Νηλειὴς, pro νηλεὴς, metri causa. [Hesiod. Th. 770 : Κύων ... νηλειής. Hom. H. Ven. 245 : Γῆρας νηλειές. Apoll. Rh. 4, 476 : Νηλειὴς Ἐρινύς· 1503 : Νηλειὴς πότμος.] Νηλειῶς, Crudeliter : quod versui hexametro commodius est quam νηλεῶς. [Apoll. Rh. 1, 610 : Νηλειῶς δέδμητο· 1214, ἔπεφνεν· 2, 626; 4, 986.] Νηλὴς, i. q. νηλεὴς, Immisericors, Hesych. et Suid. [Hom. Il. I, 632 : Νηλὴς, de homine, ut ap. Pind. Pyth. 11, 22, γυνά· et Æsch. Prom. 42 : Ἀεὶ νηλὴς σύ. Eur. Cycl. 369, Apoll. Rh. 1, 1438. De rebus Hom. Il. K, 443 : Νηλέϊ δεσμῷ, ut θυμῷ Od. I, 287, etc., ὕπνῳ M, 372 (et Hesiod. Th. 316), χαλκῷ Il. Γ, 292, et alibi. Pind. Pyth. 1, 95, νόον. Soph. OEd. T. 180 : Νηλέα δὲ γένεθλα ... κεῖται ἀνοίκτως. Apoll. Rh. 4, 588, φόνον.]

Νηλεία, ex Theophr. [H. Pl. 1, 8 (5, 2), ubi nunc μηλέα ex Plinio] affertur pro Unedo, κόμαρος.

[Νηλείδης. V. Νηλεύς.]

[Νηλειὴς, Νηλειῶς. V. Νηλεής.]

[Νηλεόθυμος, ὁ, ἡ, Qui sævi est animi. Apollin. Metaphr. p. 183.]

Νηλεόποινος, ὁ, ἡ, Crudelis in sumendo supplicio. [Hesiod. Th. 217 : Κῆρας ἐγείνατο νηλεοποίνους.]

[Νηλεὺς, έως, ὁ, Neleus, f. Neptuni et Tyrus, sec. Hom. Od. Λ, 254, Apollod. 1, 9, 8, 2, et al., ap. Hesiod. in fr. ap. Steph. Byz. v. Γερηνία, Isocr. p. 110, D, Pausan. 2, 2, 2, etc. F. Codri, qui etiam Νειλεὺς, quod v., ap. Callim. Dian. 226. Ap. Pausan. 7, 2, 1 et 6, alii Νειλεύς. Scepsius quidam, f. Corisci, ap. Strab. 13, p. 608, Athen. 1, p. 3, B, Diog. L. 5, 52. Fl. Eubœæ, ap. Strab. 10, p. 449. || Patron. a primo Neleo Νηλείδης est ap. Hom. Il. Ψ, 652, Herodot. 5, 65, ab secundo ap. Apoll. Rh. 1, 959, Νειλείδης (de quo v. in Νειλεύς) ap. Parthen. Erot. c. 13, 14 (et ibid. 14, 3, in versibus Alexandri Ætoli Νειληιάδης et Νειλιάδης). Et forma poet. Νηληιάδης a primo Νηλεὺς de Nestore ap. Hom. Il. Θ, 100; K, 87, etc., Hesiodum in fr. ap. Eust. Od. p. 1796, 41. Adj. Νηλήιος, ὁ, ἡ, Il. B, 20 : Νηληίῳ υἷι· Λ, 597 : Νηλήιαι ἵπποι, et 682 : Πύλον Νηλήιον· Ψ, 349 : Νέστωρ Νηλήιος· Apoll. Rh. 1, 156. Et patron. fem. Νηληὶς, ίδος, ap. Apoll. Rh. 1, 120 : Πηρὼ Νηληίς. Νηλεὺς, Νήλειον ponït Tzetzes in Cram. An. vol. 3, p. 362, 1.]

Νήλευστος, ὁ, ἡ, affertur pro ἀόρατος, Invisibilis. [Theocr. Fistula Anth. Pal. 15, 21, 20 : Κούρᾳ Καλλιόπᾳ νηλεύστῳ.]

[Νηλεῶς. V. Νηλεής.]

[Νηληιάδης, Νηλήιος, Νηληίς. V. Νηλεύς.]

[Νηληὶς, ίδος, ἡ, Neleis, ap. Plut. Mor. p. 254, A : Οὔσης ἑορτῆς Ἀρτέμιδι καὶ θυσίας παρὰ Μιλησίοις, ἣν Νηληίδα προσαγορεύουσιν. V. autem Νηλεύς. L. Dind.]

[Νηλής. V. Νηλεής.]

[Νηλία, ἡ, Nelia, urbs Magnesiæ Thessaliæ, ap. Strab. 9, p. 436.]

[Νηλίπεζος, Νήλιπος s. Νηλίπους, οδος, ὁ, ἡ.] Νηλίπεζοι, et Νήλιποι, Discalceati, Nudis incedentes pedibus, ἀνυπόδετοι, Hesych. Dicitur et Νηλίπους itidem pro ἀνυπόδετος, Discalceatus : ut ap. Suid. : Κατ' ἀγρίαν Ὕλην ἄσιτος νηλίπους τ' ἀλωμένη [ex Sophocle OEd. C. 349. Altera forma Apoll. Rh. 3, 646 : Νήλιπος, οἰέανος. Lycophr. 635 : Ἄχλαινον ἀμπρεύσουσι νήλιποι (male nonnulli νήλιπον) βίον.]

Νηλῖτὴς, ὁ, ἡ, Peccati et culpæ expers : ἀναμάρτητος : ex νη privativo et ἀλίτομαι : ut Hesych. quoque νηλιτέες et νηλιτεῖς exp. ἀναμάρτητοι, ἀναίτιοι. Hom. Od. Π, [317,] T, [488 etc.] : Αἵτε σ' ἀτιμάζουσι καὶ αἳ νηλιτεῖς εἰσί· contrario sensu accepit pro λίαν ἁμαρτωλοὶ, Nimium delinquentes, Improbæ, Scelestæ. [Sic ap. Apoll. Rh. 4, 703 : Θυηπολίην, οἵῃ τ' ἀπολυμαίνονται νηλιτεῖς ἱκέται, ὅτ' ἐφέστιοι ἀντιόωσιν, ut correxit Hœlzlinus librorum scripturam νηληεῖς vel νηλειεῖς. Atque hanc interpr. Aristarcho probatam refert schol.] Reperiri tradunt et fem. Νηλίτιδες, itidem vel pro ἀναμάρτητοι, vel pro λίαν ἁμαρτωλοί. Id Suid. derivat ex barytono νηλίτης. [Hanc scripturam agnoscunt Eust. Od. p. 1874 et lemma schol. Od. T, 498. Ponit etiam Hesychius. Alii Νηλήτεις scribebant, de quo v. Etym. M. in v. Conf. Lobeck. Patholog. p. 377.]

[Νηλιποκαιβλεπέλαιος. V. Ἀνηλιποκαιβλεπέλαιος.]

[Νηλιτόποινος, ὁ, ἡ, quod Orph. Arg. 1362 : Κίρκης ἐννεσίῃσιν ἀπορρύψεσθαι ἔμελλον ἀράς τ' Αἰήτεω καὶ ἠλιτόποινον Ἐρινὺν, restituit Ruhnk. Ep. crit. p. 92, eadem putavit capiendum esse significatione quam in Νηλιτὴς notavimus, Punientes scelestos et maleficos.]

Νηλῖφὴς, ὁ, ἡ, i. q. ἀνηλιφὴς, Non unctus, Non illitus.

[Νῆλος δὲ καὶ δῆλος ὁ φανερὸς διὰ τοῦ η, scribendum præcipit Herodian. Epim. p. 175. « Hesychius : Νηλὸς, ἔριον, ubi scrib. videtur Νῆλος. » Boiss. Additur ap. Hes. : Ἄμεινον λῆνος, quod v.]

[Νῆλος, ὁ, forma Dor. pro Νεῖλος sec. Etym. cod. Havn. p. 978.]

[Νηλῦπος, ὁ, ἡ, Ægrimonia carens. Jo. Laurent. De magistr. Rom. 1, 42, p. 72 : Τὴν γὰρ νε συλλαβὴν στερητικῷ τρόπῳ λαμβάνουσι Ῥωμαῖοι, ὥσπερ Ἕλληνες νήλυπος, νήχυτος, νήγρετος, νήδυμος. Si recte habet scriptura. Conf. Νήλωπος. L. Dind.]

[Νηλὼ, οῦς, ἡ, Nelo, f. Danai, ap. Apollod. 2, 1, 5, 5.]

Νήλωπος, Veste carens : ex νη privativo et λῶπος.

Νῆμα, τὸ, Quod nendo ex colo deductum est, Filum, Stamen. [Netum, Gl.] Exemplum habes in Νέω. Epigr. [Lucillii Anth. Pal. 11, 106, 6] : Νήματι τῆς ἀράχνης, Stamini araneæ. [Hesiod. Op. 775 : Νεῖ νήματ' ἀερσιπότητος ἀράχνης. Hom. Il. Δ, 134 : (Τάλαρον) νήματος ἀσκητοῖο βεβυσμένον. Eur. Or. 1433 : Νήματα δ' ἵετο πέδῳ. Apoll. Rh. 3, 255 : Νήματα καὶ κλωστῆρα. Epigr. in Mus. Rhen. novo 1, 1, p. 167, n. 2, 6 : Ἀλύτοις ὑπὸ νήμασι Μοιρῶν. Editum est ὑπονήμασι. Plato Polit. p. 282, E : Τὸ στερεὸν νῆμα γενόμενον. || « Vestis. Νήματα βλατία, ap. Nicetam Chon. Nomocanon Cotel. n. 500 : Εἴ τις τὸν πλησίον αὐτοῦ φακιόλιον ἤτε μανδύλιον ἤτε νῆμα ἢ ἕτερον τοῦ βίου ἀποκλέψει, etc. » Ducang.] Philo V. M. 3 : Πέταλα γὰρ εἰς λεπτὰς τρίχας κατατμηθέντα, πᾶσι τοῖς νήμασι συνυφαίνετο. Et σηρικὰ νήματα, Chrysost., Stamina s. Telæ sericæ. Sic et Hom. Od. B, [98 etc.] : Μή μοι μεταμώλια νήματ' ὄληται, ajunt poni pro στήμονες, ὑφάσματα. || Exp. etiam Latex, νᾶμα : et ab Hesych. ὕδωρ. Vicissim forma Dor. νᾶμα pro νῆμα est in var. scripturæ ap. Theocr. 24, 74. Conf. 15, 27.]

Νηματώδης, ὁ, ἡ, Aptus duci instar fili, Ad nendum aptus. [Plut. Mor. p. 434, A : Μηρύματα λίθων μαλακὰ νηματώδη, ex poeta. Hemst.]

[Νημέρτεια, vel Dorice et Attice Ναμέρτεια, ἡ, Veritas. Soph. Tr. 173 : Καὶ τῶνδε ναμέρτεια συμβαίνει χρόνου τοῦ νῦν παρόντος. Photius : Ναμεργία, ἀλήθεια.]

[Νημερτέως. V. Νημερτής.]

Νημερτὴς, ὁ, ἡ, Verus, q. d. In quo dicendo non erratur, ut Gall. *Sans faute*, et in quibusdam locis *Sans faillir*, pro Vere. Hom. Il. A, 514 : Νημερτὲς μὲν δή μοι ὑπόσχεο, καὶ κατάνευσον. Ubi Eust. tradit νημερτὲς esse τὸ μὴ ἡμαρτημένον διὰ τὸ ψεύδεσθαι, ἀλλ' ἀληθές. Od. Γ, [101 : Τῶν νῦν μοι μνῆσαι καί μοι νημερτὲς ἔνισπε, et alibi in eadem formula. Et [19 :] Λίσσεσθαι δέ μιν αὐτὸν, ὅπως νημερτέα εἴπῃ. [Od. A, 86 : Νύμφῃ ἐϋπλοκάμῳ εἴπῃ νημερτέα βουλήν· et E, 30. Γ, 204 : Μάλα τοῦτο ἔπος νημερτὲς ἔειπες· Φ, 205 : Ἐπειδὴ τῶν γε νόον νημερτέ' ἀνέγνω. Apoll. Rh. 4, 810 : Νημερτέα μῦθον· 1184, βάξιν. De homine Hom. Od. Δ, 349 : Γέρων ἅλιος νημερτής. Hesiod. Th. 235 : Οὕνεκα νημερτής τε καὶ ἤπιος. Lycophr. 223 : Πρὸς τὰ λῷστα νημερτέστατε. Æsch. Pers. 246 : Τάχ' εἴσει πάντα νημερτῆ λόγον, ubi ναμερτῆ restituit Porson., quæ usitata Tragicis forma fuisse videtur. V. Ναμέρτεια.] Ponitur νημερτὲς adv. etiam pro Vere : ut et hic accipiunt quidam. [Apoll. Rh. 1, 1023 : Οὐδ' ὑπὸ νυκτὶ Δολίονες ἂψ ἀνιόντας ἥρωας νημερτὲς ἐπήισαν. Schol. ἀληθῶς. 2, 959 : Σφᾶς αὐτοὺς νημερτὲς ἐπέφραδον ἀντιάσαντες· 4, 14 : Νημερτὲς ὀΐσσατο, et ib. 555, 1565.] Et Νημερτέως adv., Vere, ut Hom. Od. E, [98] : Νημερτέως τὸν μῦθον ἐνισπήσω. [T, 269 : Νημερτέως γάρ τοι μυθήσομαι, et alibi. « Νημερτῶς, Planudes Boeth. p. 39, 15. » Boiss. Forma Dor. Dius Stob. Fl. vol. 2, p. 499 : Ναμερτέως μυθαρευόμενος. Quod Valckenarius restituebat eidem ibid. p. 497, ubi ναμερτὲς est adverbialiter positum.]

[Νημερτὴς, οῦς, ἡ, Nemertes, Nereis, Hom. Il. Σ, 46, Hesiod. Th. 262. In Νεόμηρις corruptum ap. Apollod. 1, 2, 7. Dæmonem hujus nominis finxit Empedocles v. 27 Karsten.]

[Νηνεμέω, A ventis non agitor. Νηνεμεῖν legitur apud Hippocr. p. 698, 18, et de imo ventre dicitur in fluore muliebri rubro, significatque a flatu aut ventis quietum esse : Καὶ γαστὴρ ἡ νειαίρη ἐπαίρεται καὶ λεπτύνεται καὶ νηνεμεῖ, Tranquillus est. Verum suspecta non parum est mihi lectio illa. Calvus enim ἐμέει legit. Cornarius vero impotentem esse ventrem dixit, ut mihi νηπέλει pro νηνεμεῖ legisse videatur, quod exponitur a Galeno in Exeg. ἀδυνατεῖ. Foes. Strabo 7, p. 307 : Τῶν πεδίων νηνεμούντων τότε.] Et Νηνεμούμενον, Quod a ventis non amplius agitatur, Tranquillum, Hesych.

Νηνεμία, ἡ, Ventos non habens serenitas. [Herodot. 7, 188 : Ἐξ αἰθρίης τε καὶ νηνεμίης.] Et quemadmodum γαλήνη proprie de Maris tranquillitate dicitur, sic νηνεμία de Serenitate aeris. [Utrumque conjungit Hom. Od. E, 392; M, 169 : Ἄνεμος μὲν ἐπαύσατο ἠδὲ γαλήνη ἔπλετο νηνεμίη. Plato Theæt. p. 153, C : Νηνεμίας τε καὶ γαλήνας. Cum genit. Conv. p. 197, C, in versu : Νηνεμίαν ἀνέμων.] Annotatur autem Atticos νηνεμίας absolute pro νηνεμίας οὔσης dicere. [Hom. Il. E, 523 : Νεφέλῃσιν ἐοικότες, ἅς τε Κρονίων νηνεμίης ἔστησεν ἐπ' ἀκροπόλοισιν ὄρεσσιν. Pro quo Arat. 1033, Apoll. Rh. 3, 970 : Νηνεμίῃ. Plato Phæd. p. 77, E : Ὅταν τύχῃ τις μὴ ἐν νηνεμίᾳ, ἀλλ' ἐν μεγάλῳ τινὶ πνεύματι ἀποθνήσκων. « Schol. Theocr. 22, 32. » Boiss.]

Νήνεμος, ὁ, ἡ, Ventos non habens. Item Serenus [Gl.], Tranquillus, et i. q. ἀνήνεμος : item et εὔπνους, Hesych. Hom. Il. Θ, [552] νήνεμος αἰθὴρ, i. e. χωρὶς ἀνέμου. [Αἰθὴρ item Aristoph. Thesm. 43, αἴθρη 779. Apoll. Rh. 2, 162 : Νήνεμος ἀκτή· 661, νύκτα.] Compos. ex νὴ privativo et ἄνεμος, s. poet. ἤνεμος. [Æsch. Ag. 566 : Εὖτε πόντος ἐν μεσημβριναῖς κοίταις ἀκύμων νηνέμοις εὕδοι πεσών· 738 : Νηνέμου γαλάνας. Eur. Iph. T. 1412 : Εἰ μὴ γὰρ οἶδμα νήνεμον γενήσεται· Hel. 1456 : Ὅταν αὔραις πέλαγος νήνεμον ᾖ· et improprie Hec. 533 : Νήνεμον δ' ἔστησ' ὄχλον. Aret. p. 118, 8 : Αἰώρη νήνεμος. Pollux 1, 100, ὅρμος et λιμήν. Comparativo νηνεμώτερος Aristot. De divinat. in somn. c. 2, Niceph. Blemm. Epit. phys. p. 163. L. Dind.]

[Νηνέω. V. Νηέω.]

[Νηνίατον, τὸ, cantilenæ genus. Pollux 4, 79 : Τὸ δὲ νηνίατον ἔστι μὲν Φρύγιον, Ἱππῶναξ δ' αὐτοῦ μνημονεύει. Non multum differt Νινήατος, quod v. Angl.]

[Νῆνις. V. Νεᾶνις, Νῖνις.]

[Νηνυρίζω.] Νηνυρίζοντα, Hesych. θρηνοῦντα, λαλοῦντα : pro quo supra μινυρίζοντα. [Quod verum.]

Νηξίπους, οδος, ὁ, ἡ, Natatu quasi pedibus incedens. Dicuntur νηξίποδες pisces, qui et νέποδες. [Hesychius aliique gramm. in Νέποδες.]

Νῆξις, εως, ἡ, Natatio, Natatus [Gl.]. Plut. [Mor. p. 163, A] : Χαίρει δὲ καὶ νήξεσι παιδίων καὶ κολύμβοις ἁμιλλᾶται. Usus est hoc verbali et Hom., quippe qui dicit [Batrach. 67], Νήξει τερπόμενος, Natatu gaudens. [Et 148 : Νήξεις τὰς βατράχων μιμούμενος.]

[Νηοβάτης, ὁ, i. q. ναυβάτης, Nauta. Leonidas Anth. Pal. 7, 668, 3.]

[Νηοπέδη, ἡ, Ancora. Greg. Naz. vol. 2, p. 59, 226 : Ἴσχειν νηοπέδῃσι ταχὺν πλόον.]

Νηοπόλος, ὁ, ἡ, Qui in templo versatur : Ædituus itidem vel sacerdos. Ap. Hesiod. Theog. [991] Venus Phaethontem juvenem rapuit, Καί μιν ζαθέοις ἐνὶ νηοῖς Νηοπόλον νύχιον ποιήσατο, δαίμονα δῖον· ubi videtur significare velle Dæmonem qui noctu in templo versetur et incubantibus visa offerat. [Manetho 4, 427; Nonn. Jo. c. 18, 183. Wakef. Anth. Pal. 1, 16, 2. Boiss. Schol. Lycophr. v. 183, p. 464.]

Νηοπορέω, Navibus permeo, Navigo. Epigr. [Anth. Pal. 7, 675, 2 : Ἄτρομος ἐκ τύμβου λύε πείσματα ναυηγοῖο· χἡμῶν ὀλλυμένων ἄλλος ἐνηοπόρει.]

[Νηός. V. Ναός.]

Νηοσσόος, sive Νηοσόος, ὁ, ἡ, Navium servator, epith. Dianæ et Apollinis, ex Apoll. [Rh. 1, 570; 2, 927.]

Νηοῦχος, ὁ, Navis tutator et custos : φύλαξ πλοίου, Hesych.

[Νηοφθόρος, ὁ, ἡ, Navem s. Naves perdens. Nonn. Dion. 39, 122 : Νηοφθόρα θύρσα. Wakef.]

[Νηοφόρος, ὁ, ἡ, Navem s. Naves ferens. Theætet. Anth. Pal. 10, 16, 8 : Φιλοζεφύροιο γαλήνης νηοφόροις νώτοις.]

[Νηοφυλακεῖον, τὸ, sine interpretatione ponit Suidas. Est Custodia navium.]

[Νήοχος, ὁ, ἡ, Navem s. Naves tenens, gubernans. Crinagor. Anth. Pal. 7, 636, 4, πηδάλια.]

[Νηπᾰθὴς, ὁ, ἡ, i. q. νηπενθὴς, quod v. Oppian. Cyn. 2, 417 : Οἳ λήθης μὲν ἄφυσσαν ὑπὸ στόμα νηπαθὲς ὕδωρ.]

[Νήπαυστος, ὁ, ἡ, Indesinens. Lycophr. 972 : Νήπαυστον αἰάζουσα.]

[Νηπεδᾰνὸς, ὴ, ὸν, i. q. ἠπεδανὸς, Infirmus. Oppian. Cyn. 3, 409 : Ἀλκῆς τε κρατερῆς ὑπὸ νηπεδανοῖς μελέεσσιν.]

[Νήπεια. V. Νηπήιον.]

Νηπεκτὴς, ὁ, ἡ, Impexus; nam Hesych. νηπεκτέας exp. ἀκτενίστους. [Formam Νήπεκτος Valck. et Brunck. restituerunt Bioni 1, 21 : Ἁ δ' Ἀφροδίτα λυσαμένα πλοκαμῖδας ἀνὰ δρυμὼς ἀλάληται πενθαλέα νήπλεκτος.]

[Νηπελέω.] Νηπέλει, Galen. Lex. Hippocr. [p. 530] ἀδυνατεῖ. [Leg. νηπελεῖ. Conf. Ἀνηπελίη. V. autem Νηνεμέω.]

Νηπενθὴς, ὁ, ἡ, Luctu et mœrore carens, etiam Tristitia carens. In Epigr. vero quum dicitur νηπενθὴς Ἀπόλλων, exponere possumus Serenus, Lætus : quum enim sol serenus est, minime videtur tristis, sed lætus. Exponunt alii Hilaris, et luctu mœroreque privans. Verum νηπενθὴς in ea signif. usurpatum, videtur dici de rebus potius inanimatis; nam φάρμακον aut λοετρὸν νηπενθὲς dicitur Quo luctus tollitur, Quod omnem tristitiam animo eximit, atque adeo quod exhilarat : non tam significans τὸ ἐστερημένον πένθους, quam τὸ στερίσκον πένθους, i. e. ἄλυπον, inquit Eust. Hom. Od. Δ, [221] de Helena maritum suum et Telemachum hospitem in convivio exhilarare volente : Εἰς οἶνον βάλε φάρμακον, ἔνθεν ἔπινον, Νηπενθές τ', ἄχολόν τε, κακῶν ἐπίληθον ἁπάντων· quo alludit Lucian. De saltat. [c. 79] : Ὥσπερ τι φάρμακον ληθεδανὸν, καὶ κατὰ τὸν ποιητὴν νηπενθὲς καὶ ἄχολον πιών. Respicit eodem Julian. Epist. quadam, cujus initium Οὐκ ἀδακρυτὶ [37, p. 412, D] dicens, Ἀνδρὸς εἴπω σοφοῦ μῦθον εἴτε δὴ λόγον ἀληθῆ, ᾧ δὴ καὶ μόνῳ χρησάμενος, ὥσπερ φαρμάκῳ νηπενθεῖ, λύσιν ἂν εὕροις τοῦ πάθους, οὐκ ἐλάττω τῆς κύλικος, ἣν ἡ Λάκαινα τῷ Τηλεμάχῳ πρὸς τὸ ἴσον τῆς χρείας ὀρέξασθαι πιστεύεται. Itidem Theophyl. Ep. 25. Meminit hujus l. Theophr. quoque H. Pl. 9, 15, ubi probat loca quædam esse φαρμακώδη, ut Tyrrheniam, agrum Latinum, et Ægyptum, in qua multa bona, multa etiam noxia terram producere : Ἐν οἷς δὴ, inquit, καὶ τὸ νηπενθὲς ἐκεῖνό φησιν εἶναι καὶ ἄχολον, ὥστε λήθην ποιεῖν καὶ ἀπάθειαν κακῶν. Unde et Plin. 25, 2 : Herbas certe Ægyptias a regis uxore traditas suæ Helenæ plurimas narrat Hom., ac nobile illud nepenthes, oblivionem tristitiæ veniamque afferens, et ab Helena utique omnibus mortalibus propinandum. Itidemque 21, 21, de Helenio : Attribuunt et hilaritatis effectum eidem potæ in vino, eumque quem habuerit nepenthes illud prædicatum ab Homero, quo tristitia omnis aboleatur. Galenus quoque herbam esse tradit, cujus succus vino immistus tristitiam discutit. Sunt qui hanc herbam eandem cum buglossa esse velint; sed probabilior eorum est opinio, qui Helenium esse putant, ipsius Helenæ nomine prædicatum : quod et νεκτάριον appellari scribit Diosc., unde νεκταρίτης οἶνος, Vinum ex nectario s. Helenio paratum. At nonnulli per νηπενθὲς illud Helenæ jucundum narrationem malunt intelligere, qua mœrorem discussit. Ap. eund. Hom. νηπενθὲς λοετρὸν, Quod tristitiam et dolorem animo simul ac corpori aufert, ut sunt θερμὰ λουτρὰ, grata corpori. || Νηπενθέως, Sine luctu. Plut. [Protagoras ap. Plut. Mor. p. 118, E] : N. ἀνέτλη, Citra luctum sustinuit.

[Νηπευθὴς, ὁ, ἡ. Orac. ap. Macrob. Saturn. 1, 18 : Ὄργια νηπευθέα, Orgia infanda. V. Νηπενθής.]

Νηπήϊον, quod Hesych. exp. ἀτιμώρητον, ἀνεκδίκητον, ἀνέκτιτον, minime huc pertinet, ac mendi suspicione non caret. In VV. LL. habetur νηπήϊος, traditurque significare i. q. νήποινος. Ap. Apollon. autem [1, 1116] legimus quoddam πεδίον Νηπήϊον Ἀδρηστείης, de quo consule schol. [Qui dicit : Πεδίον Νηπείας ἐστὶ περὶ Κύζικον. Μνημονεύει δὲ αὐτοῦ καὶ Καλλίμαχος ἐν Ἑκάλῃ, Νηπείης ἦτ' ἄργος (ἠδ' Ἄργου Paris., Bentl. ἦτ' ἀγρὸς) ἀοίδιμος Ἀδρήστεια. Τὴν δὲ Νήπειαν Διονύσιος ὁ Μιλήσιος πεδίον τῆς Μυσίας φησὶν εἶναι. Ὁ γὰρ βασιλεὺς Μυσῶν θυγατέρα Ἰάσου ἔγημεν Ὄλυμπος Νήπειαν ὄνομα, καὶ κατῴκησεν ἐν τῷ πεδίῳ τούτῳ, ὃ νῦν καλεῖται Νηπείας πεδίον. Ἀπολλόδωρος δέ φησι Νηπείας πεδίον ἐν Φρυγίᾳ.]

[Νηπιάα. V. Νηπιέη.]

Νηπιάζω, [Puerasco, Gl.] vel pass. Νηπιάζομαι, Pueriliter s. Stulte me gero, Stulte ago. Hippocr. Epist. [p. 1281, 52] : Ἐγὼ ἕνα γελῶ τὸν ἄνθρωπον, ἀνοίης μὲν γέμοντα, κενὸν δὲ πρηγμάτων ὀρθῶν, πάσαισιν ἐπιβολαῖσι νηπιάζοντα. Leguntur præterea inter sententias τῶν σοφῶν ista, Διαφέρει δὲ τοῦ νηπίου καθ' ἡλικίαν οὐδὲν ὁ ἐν ταῖς φρεσὶ νηπιάζων. Hesych. νηπιάζεται exp. μωραίνεται. [Athanas. vol. 2, p. 421, F : Ταῦτά με γεννηθῆναι καὶ νηπιάσαι. Ephræm Syr. vol. 3, p. 339, C : Ἀμύνεσθε τοὺς ἀπαιδευτοῦντας καὶ νηπιάζοντας ἀδελφούς· 350, A : Τῆς νηπιαζούσης ἡλικίας. L. Dind.]

[Νηπιαία, ἡ, Pueritia. Gl., fortasse pro νηπιέα. V. Νηπιέη.]

[Νηπίασις, εως, ἡ, Infantia. Andreas Cret. p. 10.]

[Νηπιαχεύω.] Ex Νηπιάχειν est verbum Νηπιαχεύειν, cujus participio utitur Hom. : quod Hesych. exp., τὰ τοῖς νηπίοις ἁρμόζοντα πράττων, item παιδαριευόμενος et νηπιευόμενος. Non dubium est autem quin sumptum sit istud partic. ex Il. X, 503 : Αὐτὰρ ὅθ' ὕπνος ἕλοι, παύσαιτό τε νηπιαχεύων, Εὕδεσκ' ἐν λέκτροισιν, ἐν ἀγκαλίδεσσι τιθήνης. Ubi Eust. signif. hujus participii non docet, sed confirmat tantum quod dixi de deductione a verbo altero νηπιάχω : scribit enim νηπιάχων esse πρωτότυπον hujus νηπιαχεύων. Brevium scholl. auctor exp. νήπια φρονῶν, et νηπιευόμενος. Ego dixerim potius νηπιαχεύων esse Pueriliter lusitans s. lasciviens. Sub hoc autem verbo poterit comprehendi risus ille, quo pueruli suis velut adblandiuntur, simul etiam quasdam velut exultationis voces edendo. Vulgaris ad verbum interpretatio habet Vagiens : perperam, mea quidem sententia.

Νηπίαχος, η, ον et ὁ, ἡ, i. significat q. νήπιος in prima signif., [Puerilis, Gl.] sed poetis peculiare est, ut ap. Hom. Il. Z, [408] legimus παῖδα νηπίαχον, et B, [338] παισὶ νηπιάχοις. [Apoll. Rh. 1, 1212; 2, 510 etc. Bion 3, 2, aliique poetæ epici. Fem. orac. ap. Phlegont. Mirab. c. 10, 5 : Νηπίαχαί θ' ὅσα θηλύτεραι φαίνουσι γυναῖκες, nisi, quum ib. 26 sit : Ὅσσαι νηπίαχοι, alter versus ex altero est corrigendus. Nam etiam in epigr. Anth. Pal. App. 260, 6, est νηπίαχον κούρην.] Ap. Phocyl. [139], νηπιάχοις ἁπαλοῖς. Diciturque ἐκ νηπιάχου in Epigr. ea signif. qua ἐκ νηπίου infra. Sed perperam, meo quidem judicio, imaginatur Eust. verbum ἰάχω sub hoc vocab. νηπίαχος latere, quum dicere ex νήπιος esse factum, et habere adjectionem quandam παραγωγικὴν, rationi consentaneum esse videatur. [Aret. p. 75, 31 : Νηπιάχων μύθων. Theod. Metoch. Misc. p. 198 med. : Βίον νηπιάχοις προσήκοντα.]

[Νηπιάχω.] Νηπιάχειν, quod schol. exp. νηπιάζειν, in isto Apollonii versu, Arg. 4, [868] : Χωσαμένη Ἀχι-

A λῆος ἀγαυοῦ νηπιάχοντος. [Moschus 4, 22 : Ἔτι νηπιάχοντας (νεοσσούς).]

[Νηπιαχώδης, ὁ, ἡ, Infantilis, Gl.]

[Νηπιάχως. V. Νηπίαχος.]

Νηπιέη, ἡ, Infantia. Interdum vero Stultitia, qualis est Infantis, quæ et νηπιότης. Hom. Il. I, 486 : Πολλάκι μοι κατέδευσας ἐπὶ στήθεσσι χιτῶνα, Οἴνου ἀποβλύζων, ἐν νηπιέῃ ἀλεγεινῇ, ubi νηπιέῃ vel τὴν παιδικὴν ἡλικίαν vel τὴν ἀνατροφὴν posse significare existimat Eustath. κατ' ἔλλειψιν : subjungens paulo post, illud ἀλεγεινῇ indicare τὴν δυσχέρειαν τῆς παιδικῆς ἀνατροφῆς. Aitque ex νήπιος factum esse νηπίειος possessivum, cujus fem. νηπιείη : deinde ablato ι, νηπιέη. Alicubi autem cum νηπιέη subaudit subst. φρὴν, ubi sc. Stultitiam significat. Invenitur et dat. plur. Νηπιέῃσι apud eundem poetam, Il. Y, [411] : Δὴ τότε νηπιέῃσι ποδῶν ἀρετὴν ἀναφαίνων. [Manetho 6, 109 : Νηπιέης ἀλεγεινῆς. Adjective Quintus 3, 475, ubi imitatur l. Homeri supra citatum : Καί μευ νηπιέῃσιν ὑπ' ἐννεσίῃσι διήνας στήθεά τ' ἠδὲ χιτῶνας.] In VV. LL. legitur etiam Νηπίεος, quod exp. Stolidus, absque ullo testimonio. Invenitur porro et νηπιάας accus. plur. a nom. sing. Νηπιάα : ap. eund. poetam, Od. A, [297] : Οὐδέ τι (nisi potius leg. οὐ δ' ἔτι) σὲ χρὴ Νηπιάας ὀχέειν. Ubi Eust. νηπιάας ὀχέειν exp. νηπιοφροσύνας φέρειν. Idem in illum Il. I locum quem paulo ante protuli, scribit non idem esse νηπιέη et νηπιάα : nam νηπιάα quidem significare ἀφροσύνην, at νηπιέη, τὴν βρέφους ἡλικίαν. Sed perperam hoc annotat, quum νηπιέη quoque ap. Hom. aliquot locis ἀφροσύνην significare constet, atque adeo ipsemet alibi id fateatur.

[Νηπιεύομαι. V. Νηπιαχεύω.]

[Νηπιόβουλος, ὁ, ἡ, Qui puerilia s. stulta capit consilia. Const. Manass. Chron. 6176 : Νηπιοβούλους παῖδας. Boiss.]

[Νηπιοδύναμος, ὁ, ἡ, Qui vires habet infantis. Const. Manass. Chron. 6471 : Παισὶ νηπιοδυνάμοις. Boiss. ῠᾰ]

[Νηπιόεις, εσσα, εν, i. q. νήπιος. Orac. Sibyll. 2, 300 : Τέκν' ὑπομάζια δακρυόεντα, al. νηπιόεντα. Struv. Ms. ap. Bekker. Anecd. p. 1089, C : Νηπιόεντι νόῳ. L. D. V. Μυριόεις.]

[Νηπιόθεν, A teneris, Ab infantia. Joann. monach. in Anecd. meis vol. 4, p. 258, 9; Nicet. Paphlag. in Martyrum Triade ed. Combef. p. 3, 9. Boiss. Anna Comn. p. 193, 333, 376, 390. Ἐκ νηπιόθεν, Jo. Malal. 1, p. 149. Elberling.]

Νηπιοκτόνος, ὁ, ἡ, (ut βρεφοκτόνος,) Infanticida, Infantum interfector. Sapient. [11, 18] : Νηπιοκτόνου διατάγματος.

[Νηπιοπρεπὴς, ὁ, ἡ, Infantem decens. Amphiloch. p. 12. Kall. Cyrill. Al. vol. 1, part. 1, p. 240, B; 2, p. 7, A. L. Dind.]

Νήπιος, unum est ex eorum numero quæ prætermissa fuerunt : quod ubi ponenda essent, dubium foret. Nam si verum est ex particula νη et verbo εἰπεῖν s. ἔπος esse factum, in verbo Ἔπω, aut certe post Ἔπος, quod ex illo ἔπω originem habet, collocandum fuerat; sin ex ἤπιος, inter illa, quæ ab hoc derivata sunt, poni debuerat. Denique et post Βίος, tanquam inde deductum, locum obtinere potuisset : si νήπιος quasi νήβιος dictum esse credibile foret. Potuissent denique illi et alii loci assignari, prout aliquam ex aliis etymologiis quæ afferuntur, sequi placuisset. Sed in iis, quas addit Etym., multo etiam magis semetipsum νήπιον ostendit. Quid Eustathius? Dubitare se dicit num νηπύτιος ex νήπιος per sync. factum fuerit. Ego ex omnibus etymis illud potissimum probo cui primum locum dedi : quod sequendo, plane conveniet νήπιος cum Latino vocabulo Infans, et significatione et etymo. — Νήπιος, α, ον [et ὁ, ἡ, Lycophr. 638 : Νηπίους γονὰς, ubi nonnulli male γόνους], Infans, [Parvulus add. Gl.] uti dixi; si enim sequamur illud etymum cui primum locum tribui, non solum significatione, sed etymo quoque hoc Latinum Infans cum Græco illo νήπιος convenire dicemus. Verum etiamsi alia potius etymologia nobis placeat, hoc tamen constat, νήπιος interdum hanc significationem habere. [Conf. Letronn. *Journ. des Sav.* 1842, p. 677.] Quam comprobant et qui ap. Hom. Il. B, [136] νήπια τέκνα (dictum alioqui περὶ τῶν στρουθοῦ νεοσσῶν), exp. τὰ ἐν βρεφικῇ ἡλικίᾳ ὄντα: licet βρεφικὴ ἡλικία valde ἀκύρως brutis tribui videatur. Apud eundem poetam [Il. E, 480 et Z, 366 etc.] legimus νήπιος υἱὸς et νήπιος πάϊς, itidem de Infante, vel certe Puerulo. Sic vero et in soluta oratione usurpatur. Plut. [Mor. p. 337, D]: Ὃν οὐδὲν νηπίου διαφέροντα, μόνον δὲ σπαργανώσας πορφύρᾳ Μελέαγρος. Et quemadmodum πάϊς νήπιος ap. Hom., sic παῖς νήπιος apud [Atticos poetas, ut Eur. Androm. 755 etc., et] solutæ orationis scriptores invenitur: nec non παῖς κομιδῇ νήπιος. Apud Lucian. vero legimus etiam [Halc. c. 5]: Τὰ νήπια παντελῶς βρέφη, τὰ πεμπταῖα ἐκ γενετῆς. (Ex quo habebis et νήπιος sine adjectione positum, in voce Νηπιότης.) [Βρέφος νήπιον Eur. Ion. 1399.] Sed illud quoque sciendum est, dici interdum τὰ νήπια, neutro genere, non addito subst. illo βρέφη, vel quoquam alio. Plut. Symp. 3 [p. 658, E]: Διὸ τὰ μὲν νήπια παντάπασιν αἱ τίτθαι δεικνύναι πρὸς τὴν σελήνην φυλάττονται. Sic autem et sing. τὸ νήπιον pro Infante s. ipsa Infantia ex Greg. Naz. affertur. [Eur. Iph. A. 1244: Αἴσθημά τι κἂν νηπίοις γε τῶν κακῶν ἐγγίγνεται. Axioch. p. 366, D: Τὸ νήπιον κλάει· 365, C: Νηπίου δίκην· 367, A: Νηπίων φόβητρα.] Quin etiam dicitur ab Aristot., Ἐκ νηπίου (sicut ἐκ βρέφους et ἐκ παιδὸς), pro Ab infante, infantia, incunabulis. Affertur et ἀπὸ νηπίου, sed absque exemplo. [Νήπια dicuntur Hippocrati pueri a conceptu in utero ubi membrorum discretionem habent, ad quartum mensem usque non completum, ut aph. 1 lib. 4, quæ et παιδία etiam eidem nominantur generaliori nomine. Interdum etiam νήπιον vocatur ejectitius fœtus Hippocrati a primo mense ad secundum, aut tertium mensem, ut summum. Interdum etiam qui non multo post conceptionem dejicitur, et admodum parvus est fœtus, velut ægr. 10 lib. 3 Epid. quum scribit, Γυναῖκα ἐξ ἀποφθορῆς νηπίου τῇ α' πῦρ ἔλαβεν. Nam neque in altera quæ sequitur et fœtum quinque mensium abortione dejecit, τὸ νήπιον addidit. Verum scriptum est, Ἑτέρην ἐξ ἀποφθορῆς περὶ πεντάμηνον, Οἰκέτεω γυναῖκα, πῦρ ἔλαβεν. Quam significationem etiam indicat Galen. Comment. 2 in lib. 3 Epid. (p. 415, 30, H. 1078, F) his verbis: Πρόσκειται δὲ τῷ ἐξ ἀποφθορᾶς τὸ νηπίου, δηλοῦντος ὡς οἶμαι τῇ προσθήκῃ ταύτῃ, μικρὸν εἶναι τὸ ἀμβληθέν. Ὀνομάζουσι γὰρ οἱ ἄνθρωποι νήπια, παιδία τὰ μετὰ τὴν ἀποκύησιν οὐ πολλοῦ χρόνου. Κατὰ μεταφορὰν οὖν εἰκός ἐστι τὸν Ἱπποκράτην τὰ πάνυ μικρὰ τῶν κυουμένων παιδίων οὕτως ὠνομακέναι. Καὶ γὰρ καὶ μάλιστα διαφθείρεται ταῦτα. Rursus ibidem p. 416, 23: Καὶ χρὴ νήπιον τὸ ἔμβρυον, ἔφην, ἀκούειν ἑνὸς ἢ δυοῖν μηνῶν, ἢ τὸ μακρότατον τριῶν. At nonnullis νήπια non solum de fœtu aut conceptu dicuntur, verum etiam de editis in lucem pueris qui adhuc fari nesciunt, qua notatione Infantes etiam Latinis ut Græcis νήπια vocantur, a νὴ privante et εἰπεῖν. Alii etiam eo nomine pueros donant, qui quartum, quintum et sextum annum attigerunt. Alii quoque ad annos pubertatis νήπια Hippocrati dici volunt, aph. 4 lib. 6 Epid. sect. 1, quum scribit, Αἱ τῶν νηπίων ἐκλάμψιες ἅμα ἥβῃ ἐστὶν οἷσι μεταβολὰς ἴσχουσι. Quod etiam in Comment. significat Galen. ex interpretum Hippocratis sententia et his Zeuxidis verbis: Νήπια λέγει ὁ Ἱπποκράτης τὰ μέχρι ἥβης. Rursusque, Ὁ δ' αὐτὸς οὗτος Ζεῦξις νήπιά φησιν εἰρῆσθαι πάντα τὰ παιδία, καθότι καὶ Ἡρόφιλος ὠνόμασεν αὐτὰ οὕτως. Καὶ γὰρ περὶ τούτου γράφει τόνδε τὸν τρόπον διὰ ταύτης τῆς λέξεως· Φαίνεται νήπια λέγων ὁ Ἱπποκράτης τὰ ἕως ἥβης, καὶ οὐχὶ τὰ νεογνὰ μέχρι τῶν πέντε ἢ ἓξ ἐτῶν, ὡς νῦν οἱ πλεῖστοι λέγουσιν. Ἦρχει δὲ καὶ ὁ Ἡρόφιλος τὰ τηλικαῦτα λέγων νήπια, δι' ὧν φησι· Τοῖς νηπίοις οὐ γίνεται σπέρμα, οὔτε γάλα, καταμήνια, κύημα, φαλακρότης. In quibus tamen Herophili verbis (ut interim moneam) pudendum inest mendum in nostris codicibus. Nam σπέρματα μεγάλα, pro σπέρμα, οὔτε γάλα, vitiose legitur, ut etiam nostra interpretatione assecuti sumus. At vero νήπια recens nati infantes intelliguntur Hippocrati aph. 15 sect. 1 lib. 6 Epid., ut satis patet: Νηπίοισι βηχίον σὺν γαστρὸς ταραχῇ καὶ πυρετῷ συνεχεῖ. Foes.] || Dicitur autem et de brutis hoc voc.; nam ut habuisti ex Hom. νήπια τέκνα de Passerculis s. potius de Pullis passerum dictum, sic ap. Plut. De S. N. V. [p. 562, B] legimus, Ἄρκτων μὲν γὰρ ἔτι νήπια καὶ λύκων τέκνα καὶ πιθήκων εὐθὺς ἐμφαίνει τὸ συγ-

A γενὲς ἦθος. Affertur porro ex Theophr. H. Pl. 8, [1, 7, ubi v. Schneider.] hoc vocab., de plantis dictum, quæ adhuc parvulæ et teneræ sunt: nominatimque de frumentis. Vide Νηπίη. || Νήπιος interdum non ad ætatem refertur, ut in præcedentibus ll., sed ad animum, ut ita dicam. Usurpatur enim de eo qui est animo infantis præditus s. mente infantis (accipiendo hoc nomen latius), i. e. Qui non plus sapit quam infans. Unde redditur Imprudens, nec non Stultus, Amens. Hom. Il. [B, 38: Νήπιος, οὐδὲ τὰ ᾔδη· H, 401: Γνωτὸν δὲ καὶ ὃς μάλα νήπιός ἐστιν·] P, [32]: Ῥεχθὲν δέ τε νήπιος ἔγνω· quod dictum proverbiale est. [Hesiod. Op. 216: Παθὼν δέ τε νήπιος ἔγνω.] Ap. Eund. Od. I, [273] et N, [237]: Νήπιος εἰς, ὦ ξεῖν', ἢ τηλόθεν εἰλήλουθας. Est certe in hac significatione frequentissimum apud hunc poetam: qui etiam sæpe ipsum adhibet ἀναφωνήματι s. ἐπιφωνήματι, Exclamationi adversus eum qui recto consilio usus non fuerit, s. recto consilio parere noluerit, ac recta monentibus dicto audiens esse, aut qui non intellexerit, quid facto opus
B fuerit; atque ita rebus suis male consuluerit. Alicubi etiam προαναφωνήματι potius quam ἀναφωνήματι servit. Alicubi irridentis est quodammodo, alicubi contra est commiserantis. Soletque ipsius sententiæ principio adhiberi. Exempla autem lectio ipsius Homeri tibi subministrabit: quorum alioqui magnum afferre numerum possem. Hoc tantum addo, eum alicubi adjicere hæc verba, ἐνὶ φρεσὶ, ad illud vocab. [Hesiod. Op. 40: Νήπιοι, οὐδὲ ἴσασιν ὅσῳ πλέον ἥμισυ παντός· 395: Νήπιε Πέρση. Pind. Pyth. 3, 82; Æsch. Prom. 443; Soph. El. 145; Aristoph. Pac. 1063. Addito μέγα Hesiod. Op. 130: Ἐτρέφετ' ἀτάλλων μέγα νήπιος· 284: Μέγα νήπιε Πέρση. Hom. Il. Π, 46: Λισσόμενος μέγα νήπιος· Od. I, 44: Τοὶ δὲ μέγα νήπιοι οὐκ ἐπίθοντο.] Interdum etiam dicitur aliquid esse νήπιον pro Stultum: ut [Pind. fr. ap. schol. Aristoph. Nub. 223: Νήπια βάζεις·] Μηδὲν εἴπῃς νήπιον, Aristoph. Nub. [105.] Affertur vero et νήπιον ἦθος, ex Hermog.; item νήπια εἰδὼς, ex Apollonio [1, 508. Id. 3, 134: Ἄντρῳ ἐν Ἰδαίῳ ἔτι νήπια κουρίζοντι. Eur. Med. 891: Ἀντιτείνειν νήπι' ἀντὶ
C νηπίων· fr. Auges ap. Stob. Fl. 78, 4: Νηπίοις ἀθύρμασι. Absolute fr. Hypsipyles ap. Plut. Mor. p. 93, D: Τὸ νήπιον ἄπληστον ἔχων.]

|| Fem. Νηπίη interdum quidem dicitur de Muliere stulta, ut νήπιος de Homine stulto, veluti ap. Hom. Il. X, [445]: Νηπίη, οὐδ' ἐνόησεν κτλ. [Eur. fr. Stheneb. ap. Stob. Fl. 68 15: Πολλοὺς ... γυνὴ κατήσχυν' ἐν δόμοισι νηπία.] Interdum cum substantivi adjectione invenitur: Λ, [560]: Οἱ δέ τε παῖδες Τύπτουσι ῥοπάλοισι, βίη δέ τι (vel δ' ἔτι, aut δέ τε) νηπίη αὐτῶν, ubi βίην νηπίην vocat Vires infirmas s. perexiguas, utpote infantum s. puerulorum. Supra autem νήπιον de Teneris plantis usurpari dictum fuit.

Νηπιότης, ητος, ἡ, Infantia [Gl. Plato Leg. 7, p. 808, E: Παιδίας καὶ νηπιότητος χάριν. Ephræm Syr. vol. 3, p. 339, C: Καταρτίζειν τὴν τῶν ἀδελφῶν νηπιότητα πρὸς τὸ συμφέρον· p. 346, D. Gregor. Nyss. vol. 2, p. 29, A; Theophan. Chron. p. 29, A. L. Dind.], Stultitia. Lucian. autem addidit gen. φρενῶν in hac posteriori signif. (sicut ἐνὶ φρεσὶ νήπιον alicubi ab Hom. dici tra-
D didi), ita scribens in Halcyone [c. 3]: Συχνὰ μὲν τῶν ἐφικτῶν ἡμῖν ἀνέφικτα φαίνεται, δι' ἀπειρίαν· συχνὰ δὲ καὶ διὰ νηπιότητα φρενῶν. Quibus subjungit, Τῷ ὄντι γὰρ νήπιος ἔοικεν εἶναι πᾶς ἄνθρωπος, καὶ ὁ πάνυ γέρων· ἐπείτοι μικρὸς πάνυ καὶ νεόγιλος ὁ τοῦ βίου χρόνος πρὸς τὸν πάντα αἰῶνα.

[Νηπιοφανής, ὁ, ἡ, Qui infantis speciem habet, eaque apparet. Timotheus Hieros. Or. de Simeone t. 13 Bibl. Patr. p. 844, de Simeone Christum in ulnas recipiente: Τῆς τοῦ σώματος φυλακῆς παρεκάλεσεν ἀνεθῆναι δουλικῷ στόματι πρὸς τὸν νηπιοφανῆ πάντων δεσπότην κράζων. Et p. seq.: Ὁ Σιμεὼν τὸν νηπιοφανῆ κύριον ἐν ταῖς ἑαυτοῦ ἀγκάλαις κατέχων. Suicer. Andr. Cret. p. 113.]

Νηπιοφροσύνη, ἡ, Stultitia, Imprudentia, qualis est infantis: vide Νηπιάα.

Νηπιόφρων, ονος, ὁ, ἡ, Qui est animo s. mente infantis præditus, puerili est mente, non plus sapit quam infans s. puerulus. [Strabo 1, p. 37. Amphiloch. p. 12. Kall. Ephræm Syr. vol. 3, p. 538, B. L. Dindorf.]

[Νήπισχος, vox nihili.] Hesych. Νήπισχοι (si modo ita scripsit) accipit pro νήπιοι. Nam exp. per hoc ipsum νήπιοι, additque, ἀνόητοι, et μάταιοι, et νεογνοί. [L. Νηπίαχοι.]

[Νηπιώδης, ὁ, ἡ, Qui infanti similis est. Ephræm Syr. vol. 3, p. 326, D : Τὸ βρέφος οὐκ εἰς τὴν νηπιώδη ἡλικίαν ἕστηκεν πάντοτε· et ib. E. Comparativo νηπιωδέστερος Gregor. Nyss. vol. 2, p. 86, C; 97, D. L. Dind. Max. Planud. Ovid. Met. 10, 182. Boiss. Amphiloch. p. 12, 22; Cyrill. Alex. p. 24. Kall. || Adv. Ms. ap. Pasin. Codd. Taurin. vol. 1, p. 479, B fin. : Νηπιωδῶς μὴ ἐπερειδώμεθα. Niceph. Cpol. in Vita Jo. Damasc. vol. 1, p. xxxii, B. L. Dind.]

[Νήπλεκτος, ὁ, ἡ, Non plexus. V. Νήπεκτος.]

Νήποινος, ὁ, ἡ, Impunis, Impunitus, De quo pœnæ sumptæ non sunt, Qui pœnas non luit. In Hom. Od. [A, 380], Νήποινοι ὄλοισθε, pro ἀτιμώρητοι, ἀνεκδίκητοι, ἀνέκτιτοι. [Ap. Hesychium corruptum in Νηπήιον.] Et Νήποινον adverbialiter, sicut et Lat. vox Impune pro Impunito. Od. Σ, [297] : Ἀλλότριον βίοτον νήποινον ἔδοντες· A, [377] : Ἀνδρὸς ἑνὸς βίοτον νήποινον ὀλέσσαι. [Cum genit., ut sit Expers, Pind. Pyth. 9, 60 : Χθονὸς αἶσαν δωρήσεται οὔτε παγκάρπων φυτῶν νήποινον οὔτ' ἀγνῶτα θηρῶν.] Item Νήποινα, et Νηποινεὶ, sive Νηποινὶ, itidem pro Impune, Impunito. Bud. e Xen. Hierone p. 530 meæ ed. [c. 3, 3] : Μόνους γοῦν τοὺς μοιχοὺς νομίζουσι πολλαὶ τῶν πόλεων νηποινὰ ἀποκτείνειν. Sed quidam codd. ibi habent νηποινεί : quidam etiam Νηποινῆ : sicut et ap. Polluc. 8, [70] : Νηποινῆ τεθνάναι. Rursum Bud. ex Dem. [p. 1374] : Ἐὰν δ' εἰσίωσιν εἰς τὰ ἱερὰ καὶ παρανομῶσι, νηποινεὶ πάσχειν ὑπὸ τοῦ βουλομένου ὅ,τι ἂν πάσχῃ, πλὴν θανάτου. Similem legem de mœchis extare scribit in Or. c. Neær. p. 237. [Conf. Dem. p. 639, 6.] Apud Hesych. vero habetur et Νηποινὶ, quod itidem exp. ἄνευ τιμωρίας. At ego id Νηποινὶ et Νηποινεὶ ceteris duobus anteferendum crediderim. [Inter utrumque variant etiam libri Dem. et Xen. Hier. l. c., Plat. Leg. 9, p. 874, C. Νηποινεὶ est in inscr. Amphipol. ap. Bœckh. vol. 2, p. 63, n. 2008, 9 : Νηποινεὶ τεθνάναι. Νηποινὶ producto ι in orac. ap. Ammian. 29, 1, 33 : Οὐ μὰν νηποινί γε σὸν ἔσσεται αἷμα. L. D. In Ind. :] Νάποινος, Hesychio μάταιος, Inanis. Significat tamen potius Impunis, Impunitus : Dorice pro νήποινος.

[Νήπους, pro νέπους, οδος, ὁ, unde Νήποδες, ἰχθύες, ap. Hesych., vitiosum videtur.]

[Νήπτης, ὁ, Sobrius. Polyb. 10, 3, 1; 27, 10, 3. « Diod. Exc. p. 578, 58; 597, 21. » Hemst. Onosander c. 1, p. 7. Boiss.]

Νηπτικὸς, ἡ, ὸν, Qui sobrius esse solet, ὁ νήφειν εἰωθώς. Plut. [Mor. p. 709, B] : Ὁ δ' ἀσυμφύλους καὶ ἀσυναρμόστους ἐπάγων, οἷον νηπτικῷ πολυπότας, καὶ λιτῷ ὑπὲρ δίαιταν καὶ ἀκολάστους καὶ πολυτελεῖς, ἢ νέῳ πάλιν ποτικῷ καὶ φιλοπαίγμονι πρεσβύτας σκυθρωπούς. VV. LL. exp. etiam Sobrietatem faciens. [Hesychius : Νηπτικωτάτην, νήφειν ποιοῦσαν.]

[Νηπῦθὴς, ὁ, ἡ.] Νηπυθὲς, Hesychio ἄπευστον, Inauditum. [V. Νηπευθής.]

[Νήπυστος, ὁ, ἡ, Infandus. Nonn. Dion. 11, 199 : Πότμον ἐμὸν νήπυστον.]

[Νηπῦτία, ἡ, Infantia. Apoll. Rh. 4, 791 : Ἀλλά σε γὰρ δὴ ἐξέτι νηπυτίης αὐτὴ τρέφον.]

[Νηπυτιεύομαι, i. q. νηπιαχεύω. Lucillius Anth. Pal. 11, 140, 4 : Ἀνάκεινται (grammatici) νηπυτιευόμενοι Νέστορι καὶ Πριάμῳ.]

Νηπύτιος, α, ον, habet eam potius nominis νήπιος significationem qua ponitur pro Stulto, s. Fatuo : unde factum est ut quidam ex particula privativa νη et nomine πινυτὸς factum existimarint, aut etiam ex ipso verbo πεπνύσθαι. Quæ posterior derivatio minus commoda est, quod ad formationem attinet, quum alioqui perinde sit ab utro deducatur. Hom. Il. Φ, [441] : Νηπύτι', ὡς ἄνοον κραδίην ἔχες· Υ, duobus in locis [200, 431] : Πηλείδη, μὴ δή μ' ἐπέεσσί γε, νηπύτιον ὥς, Ἔλπεο δειδίξεσθαι. Eod. l. legimus, Ἐπέεσσι νηπυτίοισι. [Apoll. Rh. 2, 735 : Ἶσον ἐπεὶ κείνοις με τεῷ ἐπαείραο μαζῷ νηπυτίην. (De ætate 4, 791 : Ἀλλά σε γὰρ δὴ ἐξέτι νηπυτίης αὐτὴ τρέφον.) Orph. Lith. 6.] Ap. Aristoph. [Nub. 868] νηπύτιος et τρίβων opponuntur : Νηπύτιος γὰρ ἔστ' ἔτι, Καὶ τῶν κρεμαθρῶν οὐ τρίβων τῶν ἐνθάδε. Ubi schol. ait esse pro νήπιος : addens, Socratem ἐπεκτείνειν hoc nomen, ἵνα καταπλήξῃ τὸν νεώτερον νῦν εἰσελθόντα. Quod autem dicit hic enarrator illum ἐπεκτείνειν, i. e. χρῆσθαι ἐπεκτάσει (ita enim hic exponendum puto), videtur facere ut idem de νηπύτιος dici possit ex ejus sententia, quod de νηπίαχος dixi : sc. esse ex νήπιος, et habere adjectionem παραγωγικήν : nisi quis aptiore quopiam nomine hanc adjectionem appellare possit.

[Νήραβος, πόλις Συρίας. Νικόλαος τετάρτῳ. Τὸ ἐθνικὸν Νηράβιος, Steph. Byz.]

[Νηρεῒς, Salacia, Gl. V. Νηρεύς.]

Νηρεὺς, έως, ὁ, Nereus : deus marinus [ap. Hom H. Apoll. 19, Hesiodum in Theog., Pindarum aliosqu poetas et mythologos, cujus de nominis origine diximus in Ναρός.] Cujus filiæ Νηρεΐδες, poetice Νηρηΐδες, et per contr. Νηρῇδες. [Forma Νηρηΐδες ap. Hom. Il. Σ, 38 etc., Pind. Pyth. 11, 2, Nem. 5, 7, Tragicos aliosque poetas et prosæ scriptores. Νηρεΐδες ap. Pind. Nem. 4, 65; 5, 7, Isthm. 5, 5, Mosch. 2, 114. Eust. Od. p. 1954, 4 : Ἰστέον ὅτι κοινῶς μὲν Νηρηΐδες πᾶσαι αἱ τοῦ Νηρέως θυγατέρες, παραδέδοται δὲ ἄλλως ὅτι ἐν ὑπομνήματι Βακχυλίδου τοῦ λυρικοῦ διαφορὰ Νηρεΐδων φέρεται καὶ Νηρέως θυγατέρων οὕτως· εἰσὶν οἵ φασι διαφέρειν τὰς Νηρεΐδας τῶν τοῦ Νηρέως θυγατέρων, καὶ τὰς μὲν ἐκ Δωρίδος γνησίας αὐτοῦ θυγατέρας νομίζεσθαι, τὰς δὲ ἐξ ἄλλων κοινότερον Νηρεΐδας καλεῖσθαι· πιθανὸν οὖν τὰς μὲν ἐκ μιᾶς τῆς Δωρίδος γνησιωτέρας τῶν ἄλλων οὔσας Νηρέως θυγατέρας λέγεσθαι, Νηρεΐδας δὲ τὰς συνεισάκτους. Καὶ ὅρα ἐν τούτους τὸ Νηρεΐδας κοινὸν ὂν ἢ καὶ Ἀττικόν· τὸ γὰρ Νηρηΐδας ἰωνικώτερον ἐκ τῆς Νηρῆος Ἰώνων γενικῆς. Qui non recte Atticam aut vulgarem dicit formam Νηρεῒς, quæ aliena est ab utraque dialecto, etsi apparet interdum in libris, ut nonnullis Pausaniæ 2, 1, 8, ubi ex Parisino exhibuit Bekkerus, qui alteram servat cum ceteris 5, 19, 8, et apud recentiores, ipsorum haud dubie culpa, ut Charitonem 1, 1 initio et scholiastas quosdam. Utrique enim dialecto propriam esse formam Νηρηῒς præter exx. patronymici ostendunt etiam exx. n. proprii in Νηρηῒς citanda. Itaque ap. Anaxandridem, cujus fabula Νηρηΐδες citatur ab Athen. 11, p. 482, C, ne ferri quidem posset Νηρεΐδες, quod præstare putabat Meinek. Com. vol. 3, p. 174. Eodem errore grammatici quidam Æschyli citant Νηρεΐδες, nisi librorum culpa est : neque Atticis illam formam tribuerat Dorvill. Van. p. 376, quo utitur Valcken. ad schol. Phœn. 219. Ceterum Νηρέως θυγατέρας dicit etiam Pausan. 3, 26, 7. Forma Νηρῇδες Æsch. fr. Ὅπλων κρ. ap. schol. Aristoph. Ach. 883 : Πεντήκοντα Νηρῄδων χορῶν. Soph. OEd. C. 719, Eur. Andr. 1267, et sing. 46. V. Apollon. De pronom. p. 111, C, et ubi Νηρηῒς Νηρῇς scribendum, Theognost. Can. p. 4, 6. Pro quo Νηρηίνη, Oppian. Hal. 1, 386.] Ap. Athen. [8, p. 343, B, ex Euphrone comico] et Νήρεια τέκνα vocantur Pisces, quasi Proles Nerei : Μεστὴν ζέουσαν λοπάδα Νηρείων τέκνων. [Alludit autem poeta ad Nereum coquum Chium, quem memorat 9, p. 379, de quo v. Meinek. Hist. Com. p. 372. Alius Νηρεὺς memoratur in inscr. Att. ap. Bœckh. vol. 1, p. 329, n. 192, 26, et alii alibi. L. Dind.]

[Νηρηίνη, Νηρήιος. V. Νηρεύς.]

[Νηρηῒς, ΐδος, ἡ, Nereis. V. Νηρεύς. F. Pyrrhi, conjux Gelonis, ap. Polyb. 7, 4, 5, Pausan. 6, 12, 3. Conf Viscont. *Iconogr. gr.* vol. 2, p. 22, R.-Rochett. Mus. Rhen. novi vol. 4, p. 65 sq. Νηρηῒς navis Atticæ ap. Bœckh. *Urkunden* p. 89. L. Dind.]

[Νηριάδειον. V. Νῆρις.]

Νήριθμος, i. q. ἀνήριθμος, Innumerabilis, Innumerus. [Lycophr. 415 : Νήριθμος ἑσμός. Theocr. 25, 57 : Κτῆσιν ἐποψόμενος, ἣ οἱ νήριθμος ἐπ' ἀγρῶν. Nonn. Dion. argum. l. 13 : Στρατιὴν νήριθμον. L. Dind.]

[Νηρίκιος. V. Νήρικος.]

[Νήρῐκος, ἡ, Nericus, urbs Acarnaniæ, ap. Thuc. 3, 7, ἣν Ὅμηρός (Od. Ω, 377) φησιν ἀκτὴν Ἠπείροιο, ἥτις ἐστὶν Ἀκαρνανία. Λούπερκος δὲ ταύτην Νήριτός φησιν ἢ Νήριτον, ὡς τὸ ὄρος. Ὁ πολίτης Νηρίκιος καὶ Νηρικίαι (—ρίκιαι). Καὶ τὸ κτητικὸν τοῦ ὄρους Νηρίτιος, Steph. Byz. Νηρίκιος est ap. Dion. Per. 495. Qui autem Νήρικον et Νήριτον non distinguerent, de iis Strabo 10, p. 454 : Ὁ μέντοι ἀντὶ Νηρίτου γράφων Νήρικον ἢ ἀνάπαλιν παραπαίει τελέως· τὸ μὲν γὰρ εἰνοσίφυλλον καλεῖ ὁ ποιητής, τὸ δὲ εὐκτίμενον πτολίεθρον, καὶ τὸ μὲν ἐν Ἰθάκῃ, τὸ δ' ἀκτὴν Ἠπείροιο.]

[Νήριον, τὸ, quod describit Dioscor. 4, 82, Albertus conjicit dici fortasse etiam in Hesychii gl. Νηρέα, μαράθου θάμνος. Νήριον sine interpretatione ponit Suidas.]

Νηρὶς, ίδος, ἡ, Cavum saxum. Hesych. enim νηρίδας dici scribit τὰς κοίλας πέτρας.

[Νηρὶς, ίδος, ἡ, locus Argolidis, ap. Pausan. 2, 38, 6. Steph. Byz. : Νηρὶς, πόλις Μεσσήνης. Νικόλαος τετάρτῳ.]

[Νήρισος, quod inter nomina in ισος hyperdisyllaba barytona memorat Theognost. Can. p. 73, 15, utrum recte ita scribatur an Μήρισος sit scribendum et confirmandæ hujus nominis scripturæ per σ et barytonæ adhibendum incertum videtur. L. Dind.]

Νήριστος, ὁ, ἡ, De quo contentio non est, non concertatur, ἀνέριστος καὶ ἀναντίῤῥητος. Unde exempto σ, sicut in γνωτὸς, fit Νήριτος, Eust. [Il. p. 725, 18], Multus, Innumerus, Immensus. Potest reddi etiam, Cum quo contendi et comparari nihil potest (Eust. enim alicubi ἐρίζειν dicit esse συγκρίνεσθαι, παραβάλλεσθαι et ἐξισοῦσθαι), Cum quo nullus contendat, πρὸς ὃν οὐδεὶς φιλονεικήσειε. Hesiod. Op. [50]: Καὶ πᾶσα βοᾷ τότε νήριτος ὕλη. Apoll. Arg. 3, [1288]: Νήριτα ταύρων Ἴχνια μαστεύων. Et 4, [158]: Περί τ' ἀμφί τε νήριτος ὀδμὴ Φαρμάκου ὕπνον ἔβαλλε. [Ad hoc adj. Arnaldus referendas conjecit Hesychii gll. : Νηρίπη, σεμνὴ, Νηρίται, μεγάλοι, quarum corrigendarum, prout vel ad singularem vel ad pluralem et genus aut masc. aut fem. referuntur, diversam inire licet rationem.]

Νηρίτης, ου, ὁ, Nerites : concha quædam natatilis, quam Naticem interpretatus est Gaza ap. Aristot. De partib. anim. 4, [4]. Meminit et Ælian. [14, 28.] Necnon Plin. 9, 33, de conchis : Navigant ex his neritæ, præbentesque concavam sibi partem, et alteram auræ opponentes, per summa æquorum velificant. [Πεδὰ νηριτᾶν (παῖδα νήριτον ed. Rom.) est in fr. Ibyci ap. schol. Pind. Nem. 1, 1, ex quo tamen ἀναρίτης affert Athen. 3, p. 86, B. Nicand. ap. eund. ib. p. 92, D, Oppian. Hal. 1, 315 : Νηρῖται. De scriptura Νηρεῖται v. Schneider. ad Aristot. H. A. 4, 4, p. 212, Etym. M. p. 604, 42.]

[Νηρίτης, ὁ, Nerites, f. Nerei, ap. Ælian. N. A. 14, 28.]

[Νηριτόμυθος, ὁ, ἡ, Valde disertus vel loquax. Hesych. : N., ὑπὸ τῷ γήρᾳ πεπτωκὼς, ᾧ (ἡ cod.) οὐκ ἄν τις ἐρίσειε πρὸς μύθους. V. Νηριτόφυλλος.]

Νήριτον, τὸ, mons est Ithacæ, Eust. [Il. B, 632, p. 307, 12. Conf. Od. I, 22, N, 351, et Strabo atque Steph. Byz. in Νήριχος citatus, qui etiam gent. Νηρίτιος memorat. Ap. Lycophr. 769 : Νηρίτου πρηῶνας· 794 : Νηρίτων δρομῶν πέλας, pro Νηριτίων.]

Νήριτος, Hesychio est etiam ὁ νηρίτης : q. e. κογχύλιον κοχλιῶδες, ποικίλον. V. autem Νήριστος.]

[Νήριτος, ἡ, Neritus. V. Νήριτον. || Ὁ, f. Pterelai, ap. Hom. Od. P, 207.]

[Νηριτοτρόφος, ὁ, ἡ, Conchas quæ νηρῖται dicuntur alens, ex Æsch. Persis, ubi non legitur, citat Athen. 3, p. 86, B : A. δ' ἐν Πέρσαις τινὰς νήσους νηριτοτρόφους εἴρηκεν.]

[Νηριτόφυλλος, ὁ, ἡ.] Νηριτόφυλλον, Hesychio πολύφυλλον, Multa habens folia. [V. Νηριτόμυθος.]

[Νηροασσὸς, sec. Strab. 12, p. 537, locus Cappadociæ qui olim Νῶρα.]

[Νηρὸς, i. q. νεαρὸς, Recens. V. Ναρός. Exx. Xenocr. De aquat. 45, p. 9, ubi nunc νεαροὶ, et Diphili ap. Athen. 2, p. 61, D, ubi νήρου (sic) male scriptum pro νίτρου, Hesychiique gl. Νέρας, νέος, annotavit Lobeck. ad Phryn. l. c. Idem Hes. : Νηρὸν, τὸ ταπεινὸν, de qua gl. v. interpretes.]

[Νῆρος, ὁ, Periodus annorum sexcentorum. Georg. Syncellus p. 17, B : Ὁ μὲν Βήρωσσος διὰ σάρων καὶ νήρων καὶ σώσσων ἀνεγράψατο, ὧν ὁ μὲν σάρος τρισχιλίων καὶ ἑξακοσίων ἐτῶν χρόνον σημαίνει, ὁ δὲ νῆρος ἐτῶν ἑξακοσίων, ὁ δὲ σῶσσος ἑξήκοντα. Idem p. 16, B : Λέγω δὲ περὶ μυριάδων ἐτῶν διὰ σάρων καὶ νήρων καὶ σώσσων καλεγομένων. Conf. p. 32, B; 38, C. L. Dind.]

[Νῆς, τὸ ἔνης, ὅπερ ἐστὶν εἰς τρίτην· Δωριεῖς δὲ νῆς

A λέγουσι, Hesychius. Quæ forma addenda nostris in Ἔννος vol. 3, p. 1118 sq. (ubi notandum etiam p. 1121, A, non recte sollicitari formam Ἑνάενος, quippe pap. Ægypt. testimonio confirmatam, ut pluribus suo loco dicemus).]

[Νησαία, ἡ. V. Νίσαια. || Νησαίη, Nereis, ap. Hom. Il. Σ, 40, Hesiod. Th. 249. Νησαία ap. Lycophr. 399.]

Νησαίη λίθος, quibusdam Sardia gemma, aliis Smaragdus, Hesych.

[Νησαῖον πεδίον, ἀφ' οὗ παρὰ Μήδοις οἱ Νησαῖοι ἵπποι, Steph. Byz. Pro Νισαῖον, quod v., ut ap. Hesych. in Νησαίας ἵππους.]

[Νησαῖος, α, ον, Insularis. Steph. Byz. v. Νῆσος : Ὁ ταύτην οἰκῶν... καὶ νησαῖος, ὡς χερσαῖος. Eur. Ion. 1583 : Κυκλάδας ἐποικήσουσι νησαίας πόλεις· Tro. 188 : Νησαίαν χώραν. Ps.-Eur. Iph. A. 203 : Νησαίων ὀρέων. Arat. 982 : Νησαῖοι ὄρνιθες. « Λόφος νησαῖος Nonnus Dion. 2, 456. » Boiss.]

[Νήσειος, quod ponit Theognost. Can. p. 56, 32 : Τὰ δια τοῦ σιος ἅπαντα, πλὴν τῶν μετουσιαστικῶν καὶ τῶν B δηλούντων μέρος σωματικὸν, διὰ τοῦ ι γράφονται... εἶπον μὴ σημαίνοντα μέρος σωματικὸν ἢ μετουσίαν, διὰ τὸ νήσειος χάρα χρύσειος στρατὸς, διὰ τῆς ει διφθόγγου γραφόμενα, incertum ex quo depravatum sit adjectivo, quum ὕειος (sic) sit in Etym. M. p. 80, 42. L. Dind.]

[Νησεύομαι, Insula sum. Etym. M. p. 25, 48 : Τὸ Δέλτα τῆς νησευομένης Αἰγύπτου ἐστὶ κεφαλή.]

[Νησιάζω, Insula sum. Strabo 1, p. 59 : Τὸν Πειραιᾶ νησιάζοντα πρότερον. Pro quo νησίζουσαι male plerique ibid. fin., ut 5, p. 212, quum νησιάζειν recte sit p. 232. « Τὰ μὲν νησιάζειν, τὰ δὲ ἠπειροῦσθαι, Philo J. p. 568, A. » Hemst. Medio schol. Eur. Phœn. 6 : Τὴν Τύρον, νησιάζεται γάρ.]

[Νησιαρχέω, Νησιάρχης. V. Νησίαρχος.]

Νησίαρχος sive Νησιάρχης, ὁ, Insulæ præfectus, Qui insulæ alicui vel insulis præest. Plut. [Mor. p. 823, D], de adulatoribus Demetrii : Τὸν μὲν Σέλευκον, ἐλεφαντάρχην προσηγόρευον· τὸν δὲ Λυσίμαχον, γαζοφύλακα· τὸν δὲ Πτολεμαῖον, ναύαρχον, τὸν δὲ Ἀγαθοκλέα, νησιάρχην [νησίαρχον Theod. Metoch. Misc. p. 786, ubi hæc C repetuntur]. Antiph. ap. Athen. 8, [p. 343, A] : Τί οὖν ὄφελος τῶν νησιαρχῶν ἐστί; Νησίαρχος autem ex Dione [58, 5] citatur. [Verbum Νησιαρχέω, Insulæ s. Insulis præfectus sum, in inscr. Cyzic. ap. Bœckh. vol. 2, p. 913, n. 3655, 6 : Ἀπολλοδώρου νησιαρχοῦντος. L. Dind.]

[Νησιὰς, άδος, ἡ, Insula. Dionys. Per. 570 : Ἄγχι δὲ νησιάδων ἕτερος πόρος, ubi nihil impedit restitui formam νησὶς, quod v.]

[Νησίγδα, ἐν νυκτὶ ἀποδιδόασι μάσημά τι ποιὸν, Hesychii gl. obscura, ad quam v. annot. intt.]

Νησίδιον et Νησύδριον, Parva insula, dimin. ex diminutivo. Thuc. 8, p. 267 [c. 11] : Ταῖς δὲ λοιπαῖς πρὸς τὸ νησίδιον ὁρμίζονται. [Strabo 2, p. 129; 3, p. 138; et 9, p. 435, ubi al. νησίον. Plut. Oth. c. 10.] Isocr. Ad Phil. [p. 111, D] : Ἐν μικροῖς πολιχνίοις καὶ νησυδρίοις τὰς ἀρχὰς κατασχόντας. [Id. p. 247, A. Xen. H. Gr. 6, 1, 4.]

Νησίον, τὸ, Parva insula, simpliciter Insula : unde derivari possunt νησίαρχος et νησιώτης. Suid. [ex Steph. D Byz.] habet νησίον· καὶ νησιώτης, ὁ ἀπὸ νήσου. [Heliod. Æth. 1, 7. Wakef. Anon. Peripl. P. Eux. p. 9, 9 : Νησίου μικροτάτου, ubi cod. male νήσου. Scylax p. 50 Huds.; Strabo 2, p. 125; 3, p. 152, 160; 7, p. 319. Theod. Prodr. ap. Lambec. Bibl. Cæs. vol. 5, p. 480, B. L. Dind.]

Νησὶς, ίδος [ῑδος, Lycophr. 599 : Φερώνυμον νησῖδα· Scymn. Orb. descr. 254 : Νησῖδες ἑπτὰ τῆς Σικελίας οὐ πρόσω· 578 : Κεῖνται δὲ καὶ νησῖδες αὐτῆς πλησίον. Dionys. P. 479 : Τῆς πρόσθε δύω νησῖδες ἔασι. (V. Νησιάς.) Eademque mensura Quint. Mæc. Anth. Pal. 6, 89, 1 : Ἀκταίης νησῖδος ἁλιξάντοισι... χοιράσι. Antiphilus ib. 9, 413, 2 : Οἷά τε βαιὴ νησὶς, ἀλλ' ὁμαλή. Itaque ι circumflectendum etiam in prosa, ut factum jam ap. Herodot. 8, 76, 95, ab Schæfero, Polyb. 16, 2, 8; 6, 1. Νησίδος male præcipit Draco p. 47, 20, qui νησὶς (sic) ι producere dixerat p. 23, 14; 45, 17, et Max. Planud. Bachm. Anecd. vol. 2, p. 19, 8. Memorat etiam Arcad. p. 34, 23], ἡ, Parva Insula, i. q. νησίον. Plut. Alex. p. 228 [c. 60] : Ἀπὸ τῆς νησῖδος ἄρας προσφέρεσθαι ταῖς ἀντιπέρας ὄχθαις. [Anton. c. 19.] Pausan. Att.: Ἀπεῤῥώγασι δ' ἀπ' αὐτῆς νησίδες. [Dio Chrys. Or. 12, p. 372. Boiss.]

Νῆσις, ἡ, ipsa Nendi actio, et fili ductio. Plato [Reip. 10, p. 620, E] : Αὖθις ἐπὶ τὴν Ἄτροπον ἄγειν νῆσιν. Hesych. exp. non solum κλῶσις, sed etiam σώρευσις, Accumulatio : quod posterius ad Νέω pertinet. [V. locos Hipp. infra citandos.] || Affertur etiam ex Hippocr. Π. τόπων [p. 416, 39], de morbo quodam : Ἐπὴν πολλὰς ἡ νῆσις ἔχῃ, ἰατέον· ubi videndum an non scribi debeat νῆστις. [Id. ib. 34 : Ὁπόταν διὰ τοῦ οἰσοφάγου εἰς τὴν κοιλίην ῥεύσῃ, νῆσις γίγνεται κάτω. Utrobique autem vertendum Cumulatio.]

[Νῆσις, ιδος, ἡ, Nesis, sec. Suidam ὄνομα πόλεως καὶ ὄνομα θεᾶς.]

[Νησίσφυρα ἄκρα Ægypti memoratur ap. Strabon. 17, p. 799.]

[Νησίτης, ὁ, Insularis. Steph. Byz.: Νῆσος, ἡ ἐν θαλάσσῃ πόλις. Ὁ ταύτην οἰκῶν νησίτης, ὡς Κάνωβος Κανωβίτης. Idem v. Σίκινος ponit νῆσος νησίτης. Fem. Νησῖτις, ιδος, ἡ, Insularis. Dor. Antipat. Sid. Anth. Pal. 7, 2, 3 : Νασῖτις Ἴου σπιλάς.]

Νησιώτης, ὁ, Insularius, [Insulanus, Gl.] Ex insula oriundus, Insulæ incola. [Pind. Pyth. 9, 57 : Λαὸν νασιώταν· et 10, 47 : Νασιώταις. Soph. fr. Captiv. ap. Steph. Byz. in Εὐρώπη.] Thuc. 5, p. 194 [c. 97] : Ἄλλως τε καὶ νησιῶται ναυτοκρατόρων, καὶ ἀσθενέστεροι ἑτέρων ὄντες. Plut. De sol. anim. [p. 975, C] : Ἡμῖν τοῖς ἐνάλοις καὶ νησιώταις. Eodem l. [p. 965, C] : Τοὺς νησιώτας καὶ παραλίους. [Τὸ κοινὸν νησιωτῶν, de insulanis in Cycladibus, memorat inscr. ap. Lebas *Inscr.* fasc. 5, p. 128, qui v. p. 129. Adjective Eur. Rhes. 701 : Ἢ νησιώτην σποράδα κέκτηται βίον· Heracl. 84. Νησιώτης λίθος est ap. Eumath. p. 13, de marmore. Cum genit. Eustath. ad Dionys. v. 520 : Ὁ νησιώτης αὐτῆς Μακριεὺς λέγεται. || Apollo νασιώτας est in inscr. Delph. ap. Bœckh. vol. 1, p. 780, n. 1607, 4, 6.] Fem. gen. est Νησιῶτις, Insularia. [Æsch. Pers. 390 : Νησιώτιδος πέτρας. Soph. Tr. 658 : Νασιῶτιν ἑστίαν ἀμείψας. Pollux 9, 17, πόλιν.] Plut. [Mor. p. 602, E] : Οὐ καθαρὰν παρεῖχον οὐδὲ ἀκύμονα τὴν νησιῶτιν ἡσυχίαν. [Utrumque male a νησίον ducit Steph. Byz. v. Νῆσος.]

[Νησιώτης, ὁ, Nesiotes, nomen citharœdi in inscr. Athenis reperta ap. Ross. *Kunstblatt* 1840, n. 17, p. 65 ; artificis, quod incorruptum servavit codex Bamberg. Plin. N. H. 34, 19, 49, ubi alii nonnulli *nestotes,* vulgo *Nestoeles.* Veram scripturam esse Nesiotes ex inscr. Athenis reperta, in qua est Κριτιος και Νησιωτης εποιησατην, demonstravit Rossius in libello Athenis 1839 edito « *Kritios, Nesiotes, Kresilas et autres artistes grecs* » s. in *Kunstblatt* 1840, n. 11, animadvertitque corrigendos ex ea esse locos Luciani Philops. c. 18 : Τὰ Κριτίου τοῦ (l. καὶ) Νησιώτου πλάσματα· Rhet. præc. c. 9 : Τῶν ἀμφὶ Κράτητα (l. Κρίτιον) καὶ Νησιώτην, qui fefellerant quum alios tum Müllerum De Phidia p. 41, ubi quartum de hoc Nesiote addidit l. Plut. Mor. p. 802, A. Quibuscum concidit etiam Toupii ad Longin. 3, 2, per se mirabilis de Νησιώτῃ ap. Callimachum ab Athen. 2, p. 70, B, memoratum opinio. Ad idem nomen referenda videtur alia inscr. Attica, primum edita *Kunstblatt* 1836, n. 16, in qua νεσοτης artifex memoratur, litera ι vel lapicidæ errore vel dialecti quadam varietate, ut conjicit Rossius, omissa. Nominis Νησιώτης exempla sunt etiam in inscr. Halicarn. ap. Bœckh. vol. 2, p. 449, n. 2655, 15, 8 et 11 ; Cephallen. vol. 2, p. 988, n. 1930 e. L. D.]

Νησιωτικός, ἡ, όν, ab eod. νησιώτης, itidem Insularius, s. Insularis [Gl.]. Athen. 12 : Παντοδαπὰς ἐλαίας καὶ τυρὸν νησιωτικόν· 9, [p. 407, B] : Καθ' ὃν χρόνον θαλασσοκρατοῦντες οἱ Ἀθηναῖοι ἀνῆγον εἰς ἄστυ τὰς νησιωτικὰς δίκας. Sic Plin., Insularem morbum in urbem invexit. Et νησιωτικὸς δόμος, ex Eur. [Andr. 1262. Id. Hel 148 : Ὄνομα νησιωτικὸν Σαλαμῖνα. Aristoph. Av. 1442 : Κλητήρ εἰμι νησιωτικός. Menander ap. Athen. 4, p. 132, D : Τὰ νησιωτικὰ ταυτὶ ξενύδρια. Lycophr. 1181 : Νησιωτικὸς στόνυξ. Diodor. 5, 2 : Ταύτην τὴν βίβλον ἐπιγράφοντες νησιωτικὴν ἀκολούθως τῇ γραφῇ περὶ πρώτης τῆς Σικελίας ἐροῦμεν. Conf. Phot. Bibl. p. 16, 6. Memorat etiam Steph. Byz. in Νῆσος.]

[Νησιῶτις. V. Νησιώτης.]

A [Νησοειδής, ὁ, ἡ, Insulæ similis. Strabo 3, p. 139 extr.]

[Νησοκλῆς, έους, ὁ, Nesocles, n. viri ap. Harpocr. in Ἐπιδιατίθεσθαι, Lysiæ citantem ὑπὲρ Νησοκλέους orationem.]

[Νησομαχία, ἡ, Pugna insularis. Lucian. V. H. 1, 42.]

[Νησοποιέω, Insulam facio. OEnomaus ap. Euseb. Præp. ev. 5, 26, p. 220, B : Τὴν πόλιν νησοποιεῖν. Ptolem. Geogr. 4, 8 : Ἐντεῦθεν νησοποιεῖται ἡ Μερόη χώρα.]

Νῆσορ, Hesychio νεοττὸς, Pullus. [Rectius, ut videtur, Νῆσσορ.]

Νῆσος, ἡ [v. Herodian. Π. μον. λ. p. 11, 15, et qui masc. genus tangere videtur Tzetz. in Cram. An. vol. 3, p. 371, 22, cujus exx. vel ap. recentissimos, ut Niceph. Blemm. Geogr. initio, ἐνίους ἔχουσα νήσους, nullius fere sunt fidei], Insula : a νῶ, i. e. κολυμβῶ, dicta, quia mari, a quo cingitur, innatare videtur et in eo velut fluitare : Plin., Quædam insulæ semper fluitant. Aristot. De mundo [c. 3] : Τὴν μὲν οὖν οἰκουμένην ὁ πολὺς λόγος εἴς τε νήσους καὶ ἠπείρους διεῖλεν, B ἀγνοῶν ὅτι καὶ ἡ σύμπασα, μία νῆσός ἐστιν ὑπὸ τῆς Ἀτλαντικῆς καλουμένης θαλάσσης περιῤῥεομένη. (Unde Apul. De mundo : Plerique terrarum orbem ita diviserunt, partem ejus insulas esse, partem vero, continentem vocari : nescii hanc terrenam immensitatem Atlantici maris ambitu coerceri, insulamque hanc unam esse cum insulis suis omnibus.) Et paulo post, Μεγάλαι νῆσοι μεγάλοις τισὶ περικλυζόμεναι πελάγεσι. Hom. Od. Δ, [354] de Pharo : Νῆσος ἔπειτά τίς ἐστι πολυκλύστῳ ἐνὶ πόντῳ· et [844] de Asteride insula : Ἔστι δέ τις νῆσος μέσσῃ ἁλὶ πετρήεσσα. Hesiod. [Op. 169] : Ἐν μακάρων νήσοισι παρ' Ὠκεανὸν βαθυδίνην. Plin. Insulas fortunatas vocat. Xen. Hell. [6, 1, 4] : Οὐ νήσους, ἀλλ' ἤπειρον καρπούμενος. Thuc. 2, [102] : Μέγας ὢν ὁ ποταμὸς προσχοῖ ἀεὶ, καὶ εἰσὶ τῶν νήσων, αἳ ἠπείρωνται· ut Plin., Abstulit insulas mari, junxitque terris. Plut. De orac. : Ἐκ βυθοῦ νῆσον ἀναδῦναι, ut Plin., Insulæ sponte enatæ, quæ repente in aliquo mari emergunt, ut ea quæ Automate vocatur. [Διὰ νήσων, de itinere non per apertum mare, sed medias per insulas, Xen. C H. Gr. 4, 8, 7 : Ἔπλευσε διὰ νήσων εἰς Μῆλον· Diod. 20, 37, pro quo quum διὰ τῶν νήσων sit in nonnullis 100, 111, etiam 13, 47 : Τὸν πλοῦν ἐπὶ τῶν νήσων ἐποιήσατο, delendus videtur articulus, ut ap. Xen. H. Gr. 6, 2, 12 : Ἐπὶ νήσων πλεύσας, et Plut. Demetr. c. 53 : Πάσαις ἀναχθεὶς ταῖς ναυσὶν ἐπὶ νήσων ἀπήντησε, ubi miræ sunt edd. conjecturæ. || Cum nomine insulæ ubi conjungitur, modo præponitur modo postponitur, sive adest articulus sive abest. Diod. 4, 77 : Τῆς Κρήτης νήσου· 82 : Τὴν Σαρδὼ νῆσον· 5, 10 : Ἐν μόνῃ τῇ νήσῳ Μήλῳ· 12, 58 : Ἐκάθηραν τὴν νῆσον Δῆλον, ubi nomen omittunt nonnulli, quod abesse non potest. Pausan. 1, 13, 5 : Πρὸς τῇ νήσῳ Σφακτηρίᾳ· 15, 4 : Ἐν τῇ Σφακτηρίᾳ νήσῳ. Mire vero in Ms. ap. Pasin. Codd. Taurin. vol. 1, p. 202, A, fin., 211, A, fin. : Ἐπαρχία νήσου Κυκλάδων. || De peninsula, ut ap. Soph. OEd. C. 696 : Τᾷ μεγάλᾳ Δωρίδι νάσῳ Πέλοπος, Constantin. Them. 2, 6, de Peloponneso ; Eurip. Phœn. 204 : Φοινίσσας ἀπὸ νάσου. V. Holsten. ap. Wessel. ad Antonin. p. 522.] D || Νῆσος et Περίνησσον, Vestis purpurea in orbem fimbriata, quam undique purpura ambit, veluti mare insulam : cujusmodi quid est et ἔγκυκλον, et Lat. Prætexta, inde dicta quod ei purpura circum texeretur. Pollux 7, [52] : Τὰ δὲ περίνησσα, ὑπόκροσσόν ἐστι περίβλημα, ἔχον τὰ νήματα ἐξηρτημένα, ἢ πορφυρᾷ κύκλῳ τὰ τέλη τοῦ ὑφάσματος· περιέρχεται νήσου σχῆμα ποιοῦσα τῇ περιῤῥοῇ τοῦ χρώματος· quam, inquit, Anaxilas νῆσον appellasse videtur : nisi forte aliud ὑφάσματος genus intellexit, ubi ait, Καὶ πῶς γυνὴ ὥσπερ θάλασσαν νῆσον ἀμφιέννυται ; Apud Hesych. uno σ scribitur, sed accentu in penult. περινῆσον, ἱμάτιον ἔχον πορφύραν κύκλῳ. Περινήσσαια ap. Eund. de eod. vestium genere, περιβόλαια, οἷς ἐν κύκλῳ πορφύρα παράκειται. At περίλευκα dicuntur Quæ candida ambit fimbria. [Genit. νησάων est ap. Callim. Del. 66 : Ἡ δ' ἐπὶ νησάων ἑτέρη σκοπὸς εὑρειάων. || Scripturam per duplex σ memorat Herodian. Cram. An. vol. 3, p. 249, 30 : Ἔτι ἁμαρτάνουσιν οἱ γράφοντες νῆσσος διὰ δύο σσ, ὡς θάλασσα καὶ μέλισσα, μόνα γὰρ ταῦτα, διότι μεταβάλλονται κτλ. Atque sic interdum scribitur in libris, ut Dionysii Per. 435

et Arati 982, ubi omnes νησσαῖοι, ut Lycophronis unus 399 Νησσαίας, atque etiam in lapide ap. Bœckh. vol. 2, p. 752, n. 3268. L. Dind.]

[Νῆσος, ἡ, Nesus, πόλις Ἰβηρική, sec. Steph. Byz. ‖ Dionys. A. R. 1, 49 : Ἐν Ὀρχομενῷ τε τῷ Ἀρκαδικῷ καὶ τῇ Νήσῳ λεγομένῃ καίπερ οὔσῃ μεσόχθονι.]

[Νησοφύλαξ, ἄκος, ὁ, Insulæ custos. Diod. 3, 39.]

[Νησόω, Insulam facio. Appian. ap. Suid. v. Ἥομεν : Δύσμαχοι δ' αὐτῶν ἦσαν αἱ πόλεις, ἀπὸ τῆς ἀμπώτεως ἐφ' ἡμέραν ἠπειρούμεναί τε καὶ νησούμεναι.]

Νῆσσα, sive Νῆττα, ἡ, Anas [Gl.] : ἀπὸ τοῦ νεῖν, sicut Varro Latinum Anas a nando dictum scribit : contra tamen Athen. 9, [p. 395, E] : Τῆς νήττης καὶ κολυμβάδος, ἀφ' ὧν καὶ τὸ νήχεσθαι καὶ κολυμβᾶν. Id. l. 4, [p. 128, D] : Ὄρνεις τε καὶ νῆσσαι, προσέτι δὲ καὶ φᾶτται καὶ χήν. [Aristoph. Av. 566 : Νήττῃ πυροὺς καθαγίζειν· 1148, Pac. 1004. « Νῆτται in deliciis ap. Athen. 2, p. 65, C-E. » Valck. Forma νῆσσα Arat. 918, 970, Aret. p. 123, 23. Dorica Νᾶσσα Aristoph. Ach. 875.]

[Νῆσσα, ἡ, Nessa, n. mulieris, ap. Suidam in ipso et Harpocrat., ipsumque in Δυσαύλης, sec. libros deteriores. Νῖσα alii ap. Harpocrat.]

Νησσάριον, et Νήττιον, τὸ, Anaticula, ut Plaut. et Cic. vocant. Nicostr. ap. Athen. 2, [p. 65, D] : Καὶ νήττια, Ὁπόσα σὺ βούλει, καὶ κίχλας. [Νηττάριον, quod ex Menandro affert schol. Dionys. Bekk. An. p. 857, 16 : Τούτους γὰρ ἢ ταύτας (τοὺς κόρους ἢ τὰς κόρας) ὑποθωπεύοντες τοιούτοις κεχρήμεθα ὀνόμασιν, ὡς παρὰ Μ. νηττάριον, Aristophani Plut. 1011 : Νηττάριον ἂν καὶ φάττιον ὑπεκορίζετο, restituit Bentlejus, quum in libris plerisque νιτάριον scriptum sit vel νιττάριον, quod νησσάριον scribendum putaverat Faber. De utraque autem forma male per simplex σ scripta Ducang : « Νησίον, Anas, νῆσσα, ap. Myrepsum De antid. c. 291. Νησσάριον, Anas, νῆσσα, in Lexico Gr. Ms. Reg. in Epimerism. Herodiani et ap. Moschop. Anon. Ms. De avibus : Νησάριον, πετεινὸν ποτάμιον καὶ λιμναῖον. » Idem : « Νίσσος, Anas, νῆσσα. Nicolaus Myrepsus 1, 185 in cod. Ms. : Αἵματος ξηροῦ νίσσου ἄρρενος ἀνὰ οὐγγ. α'. »]

[Νησσοειδής, ὁ, ἡ, Anati similis. Eust. Od. p. 1451, 64 : Νησσοειδὲς ἐκεῖνο (τὸ λεγόμενον γλαυκίον) νήσσης μικρότερον.]

[Νησσοκτόνος s. Νηττοκτόνος, ὁ, ἡ, Qui anates interficit. Philes Anim. propr. 14, 6, p. 58, 6 : Νηττοκτόνος κίρκος.]

[Νησσοτροφεῖον, τὸ, Locus in quo anates aluntur. Varro R. R. 3, 11, 1 : « Qui volunt greges anatium habere ac constituere νησσοτροφεῖον. » Columella 8, 15, 1 : « Nessotrophii cura similis. »]

[Νησσοφόνος, s.] Νηττοφόνος, ὁ, Anates occidens : v. ἀετός, Aquila anataria. Aristot. H. A. 9, 32 : Ἕτερον δὲ γένος ἀετοῦ ἐστὶν ὁ πλάγκος καλεῖται, ἐπικαλεῖται δὲ ν. καὶ μορφνός· οὗ καὶ Ὅμηρος μέμνηται. Unde Plin. 10, 3 : Morphnos, quam Homerus et Percnon vocat, aliqui et Plancum et Anatariam.

[Νησσοφύλαξ, ἄκος, ὁ, Anatarius, Gl.]

Νηστεία, ἡ, Jejunium [Gl.]. Exp. etiam Jejunitas, ex Cic., in VV. LL. Additurque ex Aristot. Probl. sect. 12, quæst. 7, Νηστείας ὄζειν pro Jejunam graveolentiam olere. Sed Martialem inter ea, quæ pessime olere solent, enumerasse jejunia sabbatariorum, i. e. Judæorum die septimo ab omni opere feriantium : quasi quæ jejunent ceteræ nationes, gravem animam non exhalent. Idemque alibi ab eo per Os leonis intelligi : quoniam, ut inquit Plin., Animæ leonis virus grave. Comicus quidam ap. Athen. 7, [p. 308, A] : Κεστρεὺς ἂν εἴην ἕνεκα νηστείας ἄκρας. Apud Eund. νηστείαν ἄγειν legitur, non uno in loco. Apud Plut. νηστείαν φέρειν, ubi de senibus dicit [Symp. p. 686, F], Ῥᾷστα νηστείαν φέρουσι. [Eadem phrasi Hippocr. Aphor. 1, 13. Orph. H. 40, 4 : Νηστείαν κατέπαυσας Ἐλευσῖνος γυάλοισιν.] Apud Eund. extat plur. νηστεῖαι [Mor. p. 417, C] : Ὠμοφαγίαι καὶ διασπασμοὶ, νηστεῖαί τε καὶ κοπετοί. [Dicebatur etiam Νηστεία Festus quidam dies ap. Athenienses, sc. medius dies Thesmophoriorum; vide Athen. 7, p. 307, F. Schweigh. Alciphr. 3, 39. Aliam Tarentinorum memorat Ælian. V. H. 5, 20. De νηστείᾳ locos scriptorum ecclesiasticorum v. ap. Suicer. : « Νηστεῖαι et νηστεῖαι ἅγιαι dictæ Græcis κατ' ἐξοχὴν Dies quadragesimæ. Hinc ap. Scy-
A litzem in Constantino Porphyrog. Πέμπτη ἑβδομὰς τῶν ἁγίων νηστειῶν, quæ Latinis quarta est. Nam Græci Jejunium quadragesimæ auspicantur die Lunæ post Dominicam τῆς ἀποκρέου seu quinquagesimæ, aliter ac Latini, qui hanc Mercurii die incipiunt, quæ iisdem Græcis πρώτη τῶν ἁγίων νηστειῶν appellatur. At Latinis prima quadragesimæ hebdomas ea est quæ hanc subsequitur. Pallad. in Vita Chrysostomi p. 82 : Οἱ τῷ Ἰωάννῃ συνόντες ἐπίσκοποι ἰσάριθμοι τῆς ἁγίας νηστείας προσῆλθον τῷ βασιλεῖ. Leo Grammat. p. 498 : Ἦν δὲ τῶν νηστειῶν ἑβδομὰς πέμπτη. Aliæ præterea sunt ap. Græcos Νηστεῖαι s. Jejunia, quæ recensentur a Balsamone in Responso 53 et in Epist. de Jejuniis n. 3 etc. » Ducang.]

[Νήστειρα, ἡ, Jejuna. Nicander Al. 130 : Νηστείρης Δηοῦς μορόεν ποτόν· Ther. 862 : Μούνη γὰρ νήστειρα βροτῶν ἀπὸ κῆρας ἐρύκει. Hesych. et Photius.]

[Νηστευτής, ὁ, Jejunator. Jo. Chrys. Hom. 126, vol. 5, p. 821, 18. Seager.]

Νηστεύω, Jejunus maneo, Jejuno [Gl.], Cibum non
B capio. [Aristoph. Thesm. 949 : Παύσων νηστεύει· 984 : Νηστεύομεν δὲ πάντως· Av. 1519 : Ὥσπερεὶ Θεσμοφορίοις νηστεύομεν.] Plut. [Mor. p. 626, F] : Νηστεύσαντας, ἀργότερον ἐσθίειν ἢ προφαγόντας. Empedocl. ap. Plut. [Mor. p. 464, B] metaphorice usus est cum gen. : Νηστεῦσαι κακότητος. [Cornutus N. D. c. 28, p. 210 : Νηστεύουσιν εἰς τιμὴν τῆς Δήμητρος. Valck.]

[Νήστης, ὁ, ὁ τὸν στήμονα, Staminarius, Gl. Et νήστης, ὁ κλώστης, memorat etiam Ps.-Herodian. in Cram. An. vol. 3, p. 248, 20, male nonnullos animadvertens dicere νήστης εἰμὶ pro νῆστίς εἰμι. De qua forma Phrynichus Epit. p. 326 : Νήστης βάρβαρον, τὸ δ' ἀρχαῖον νῆστις διὰ τοῦ ι, et Mœris p. 270 : Νῆστις Ἀττικοὶ, νήστης Ἕλληνες. Quod verius videtur, nisi fallunt gramm. cod. Paris. Bekk. An. p. 1402 sive Etym. Gud. p. 408, 40, vel Orio p. 187, 29, Simonidem hac forma usum perhibentes : Νήστης· οὕτως εἴρηκε Σιμωνίδης, παρὰ τὸ ἔδω, καὶ ὡς παρὰ τὸ ψεύδω, οὗ παθητικὸν ψεύδομαι, ψεύστης, οὕτω καὶ παρὰ τὸ ἔδω τὸ ἐσθίω, οὗ ὁ μέλλων ἔσω ἔστης, καὶ μετὰ τοῦ στερητικοῦ νε νεέστης, οὗ
C παρώνυμον νήστης. Οὕτως Ἡρωδιανὸς ἐν ἐπιμερισμοῖς. Matro ap. Athen. 4, p. 134, F : Νήστης ἀλλοτρίων εὖ εἰδὼς δειπνοσυνάων. Suidas v. Σῦκον : Ἰσχάδες νήσταις διδόμεναι. Daniel 6, 18, sec. cod. Chis. : Ηὐλίσθη νήστης. Apollon. Hist. Mirab. c. 51 : Ὅτε νήστης ὑπῆρχεν.]

Νηστικός, ή, όν, Pertinens ad eos qui nent, Nendi peritus. Νηστική, ἡ, Ars nendi, s. Nendi peritia. Plato Pol. [p. 282, A] : Καὶ μὴν ξανθική γε καὶ ν. καὶ πάντα αὖ τὰ περὶ τὴν ποίησιν τῆς ἐσθῆτος, μία τίς ἐστι τέχνη τῶν ὑπὸ πάντων λεγομένων ἡ ταλασιουργική. [Pollux 7, 209. Orig. C. Cels. 4, p. 560, E.]

Νήστιμος, ὁ, ἡ, adj. ut νήστιμος ἡμέρα, Synes. [p. 172, C], Dies qua quis jejunus manet, Dies jejunii. [Ms. ap. Lambec. Bibl. Cæs. vol. 5, p. 470, C : Ἐν ταῖς νηστίμοις τῶν ἡμερῶν. L. Dind.]

[Νῆστις.] Nomen Νῆστις, de quo nunc agendum est, minus quam præcedens [νήπιος] controversam habet etymologiam. Afferuntur enim duæ duntaxat, quod sciam, et quidem inter se consentientes : nimirum ex particula νη privativa (ut in νήπιος, sequendo ejus
D etymum quod primum omnium allatum fuit,) et verbo σιτεῖσθαι, s. nomine σιτία : ut νῆστις appellatum sit quasi νήσιτις. Sed controversum hoc non immerito fortasse fuerit, an prima et propria signif. de Homine, an de Intestino, quod Latini Jejunum itidem appellant, dictum fuerit.

Νῆστις, εως, [ιδος vel ιος. Nunnes. ad Phryn. p. 326 : « Inflectitur νήστιδος, ut observat Moschop. in Sched. HSt. νήστεως inflectit, sine auctore tamen. » Lobeck. : « Etym. M. : Νῆστις, κλίνεται νήστιος, quod non de masc. genere, ut Abreschio visum Anim. ad Æsch. p. 264, sed de antiqua declinatione Hom. locis citatis intelligi debet. Ὁ et ἡ νῆστις Æsch. Ag. l. infra cit., Anaxandr. Athen. 6, p. 242, F, Aristot. H. A. 9, 4, Plut. Cat. maj. c. 23. Νήστιδι Hippocr. De nat. mul. 80, p. 717, D, αἱ νήστιδες Æsch. Ag. 193, 1621, οἱ νήστιδες Aristoph. fr. Gerytad. ap. Athen. 7, p. 307, E. Phryn. Bekk. An. p. 52, 27 : Νῆστις καὶ τὸ πληθυντικὸν νήστιδες καὶ νήστις (l. νήστεις). Sic ἄνδρας νήστεις Polyb. 9, 22 (?), Dionys. Hal. Rhet. 9, 16, Poll. 7, 50... Contra in Hippocratis libris dat. νήστει Ionicus suo fungitur munere De nat. mul. c. 91, p. 719, C; 106, p. 726, F, De morb. mul. 1, 33, p. 739, C, etc.» Aret. p. 125, 31 : Ἔμετοι οἱ νήστιες· 132, 32 : Νήστεσι ἐμέτοισι, quod νήστισι potius scribendum. Est autem forma in ις Ionica et aliena ab usu Atticorum], ὁ, ἡ, Jejunus, Qui est jejuno ventre, Qui cibum non cepit. Hom. Il. T, [156] : Μηδ' οὕτως ἀγαθός περ ἐὼν, θεοείκελ' Ἀχιλλεῦ, Νήστιας ὄτρυνε προτὶ Ἴλιον υἷας Ἀχαιῶν Τρωσὶ μαχησομένους. Legitur et νήστιες, Od. Σ, [369] : Ἵνα πειρησαίμεθα ἔργου Νήστιες ἄχρι μάλα κνέφαος. Affertur et νῆστις βορᾶς [ex Eur. Iph. T. 973], sed absque auctoris nomine. [Æsch. Prom. 575 : Πλανᾷ τε νῆστιν ἀνὰ τὰν παραλίαν ψάμμον· Ag. 331 : Τοὺς δ' αὖτε... πόνος νήστεις πρὸς ἀρίστοισιν ... τάσσει. Transitive, Inediam afferens, Æsch. Prom. 601 : Σκιρτημάτων νήστισιν αἰκίαις· Ag. 193 : Πνοαὶ δ' ἀπὸ Στρυμόνος μολοῦσαι κακόσχολοι, νήστιδες, δύσορμοι· 1017 : Νῆστιν ὤλεσεν νόσον· 1621 : Αἵ νήστιδες δύαι· Cho. 259 : Τοὺς δ' ἀπωρφανισμένους νήστις πιέζει λιμός.] || Jejunum intestinum. [Melet. in Cram. An. vol. 3, p. 105, 20, 23; 106, 6, 7.] Est intestinum ordine a ventriculo secundum, illic incipiens ubi primum, quod ἔκφυσις appellatur, in anfractus gyrosque convolvi cœperit. Sic dictum est quod semper inane sit, et ne minimum quidem cibi in se contineat. Hæc Gorr. In VV. LL. annotatur, esse Intestinum pyloro annexum, Jejunum dictum quoniam minus implicitum, nunquam quod accipit continet, sed ad inferiora protinus transmittit : et a Latinis Hilam s. Hiram appellari. [Aristoph. fr. Tagenist. ap. Athen. 3, p. 96, C : Ἢ νῆστιν ἢ δέλφακος ὀπωρινῆς ἠτριαίαν· Thesmoph. ib. p. 104, E : Ἢ νῆστις ὀπτᾶτ' ἢ γαλεός. Eubulus ib. p. 100, E : Ἡπάτια, νῆστις, quæ conjungit etiam Aristophon ap. Polluc. 9, 70.] || Piscis ex eorum genere, qui κεστρεῖς appellantur. Vide Athen. [7, p. 307, D; 308, A, ubi Ulpianus interrogatus διὰ τί νῆστις μόνος τῶν ἰχθύων ὁ κεστρεὺς καλεῖται, respondet ὅτι οὐδὲν δέλεαρ ἐσθίει ἔμψυχον, καὶ ἀνελκυσθεὶς δὲ οὐ δελεάζεται οὔτε σαρκὶ οὔτ' ἄλλῳ τινὶ ἐμψύχῳ, ὡς Ἀριστοτέλης (H. A. 8, 2) ἱστορεῖ κτλ. Pollux 6, 50], item verbale Νηστεία. [|| Jejunium, Gl. Quæ interpr. convenit potius subst. νηστεία.] || Dea quædam apud Siculos, Eust. [Il. p. 1180, 14 : Καὶ Σικελικὴ δέ τις, φασὶ, θεὸς Νῆστις ἐλέγετο. Photius : Νήστης (sic), Σικελικὴ θεός· Ἄλεξις. Dæmonem facit etiam Empedocl. 57 Karsten. : Τέσσαρα τῶν πάντων ῥιζώματα πρῶτον ἄκουε, Ζεὺς ἀργὴς Ἥρη τε φερέσβιος ἠδ' Ἀϊδωνεὺς Νῆστις δακρυόεσσά τ' ἐπικρούνωμα βρότειον· 212 : Ἡ δὲ χθὼν ἐπίηρος ἐν εὐτύκτοις χοάνοισι τὰς δύο τῶν ὀκτὼ μοιρῶν λάχε Νήστιδος Αἴγλης, de qua conjecturas interpretum v. ap. ipsos.]

[Νηστοποσία, ἡ, et Νηστοποτέω, ap. Herodotum Oribasii p. 69, 70 Matth., de potione jejuni.]

[Νηστὸς, Netus. Exod. 31, 4 : Τὸ κόκκινον τὸ νηστὸν sec. cod. Basil., quæ verba non exstant in Hebræo, et e sententia Montfauconii haud dubie obelo notata fuerunt in Hexaplis. Schleusn. Lex. Repetuntur ex hoc l. ap. Cosmam Indicopl. p. 180, D. L. Dind.]

[Νησύδριον. V. Νησίδιον.]

[Νησὼ, οῦς, ἡ, Neso, Nereis, ap. Hesiod. Th. 261. Ap. Lycophr. 1465, mater Sibyllæ.]

[Νησώπη, ἡ, Nesope, νῆσος Λέσβου, ἡ τὸν Σίγριον λιμένα ποιοῦσα. Τὸ ἐθνικὸν Νησωπαῖος, Steph. Byz.]

[Νησώτης. V. Νησιώτης.]

Νήτεα, Hesych. ἀνήνυτα.

[Νήτη, Nete. V. Νέατος.]

Νήτην, Frustra, μάτην. Hesych. [Leg. νὴ τὴν, μὰ τήν.]

[Νητικὸς, ή, όν, Textorius. Unde Νητικὴ, ἡ, Ars textoria. Orig. C. Cels. p. 214. Wakef. Photius : Νητικὴν, ἄνευ τοῦ σ, τὴν περὶ τὸ νήθειν τέχνην.]

[Νήτιον, τὸ, Netium, urbs Apuliæ, ap. Strab. 6, p. 282, ubi v. annot.]

[Νήτιτος, Impunis. Inscr. Triop. Herodis Att. 1, 33 : Μή οἱ νήτιτα γένηται. Boiss.]

[Νητοειδὴς, ὁ, ἡ, Chordæ νήτῃ, quod v. in Νέατος, similis. V. Aristid. Quint. in Μεσοειδὴς cit. Nicomach. Harm. p. 10, 9 : Τόνος νητοειδέστερος. L. Dind.]

[Νῆτον, τὸ, Netum, urbs Siciliæ, de qua ita fere Cluver. Sic. Ant. p. 357 : « Inter Motycam et Acras Νέητον πόλις, Neetum oppidum, vulgo nunc *Noto*, unde tertia nunc insulæ pars vulgo *Val di Noto*. Ap.

A Ptolem. (3, 4) vitiatum legitur Νέκτον. In Diodori Exc. 23 (p. 502, 47) Νεαιτίνων corrigendum Νεήτου (vel potius Νεητίνων). Idem dictum fuisse Νῆτον apparet ex Silii 14, 268 : Et Netum et Mytice; unde etiam ap. Cic. Verr. 5, oppidani quater perscripti sunt Netini, et ap. Plin. 3, 8.» Ad hoc oppidum etiam Νεατίνην et Νεατίνους, quæ sunt in var. script. Diod. 20, 32, referenda videri posse animadvertit Wesseling.]

[Νῆτος, contr. e Νέατος, quod v.]

Νητὸς, ὁ, Accumulatus, Acervatus, In cumulum s. acervum congestus. Hom. Od. B, [338] : Θάλαμον κατεβήσατο πατρὸς Εὐρὺν, ὅθι νητὸς χρυσὸς καὶ χαλκὸς ἔκειτο, i. e. σεσωρευμένος εἰς πλῆθος, ut Eust. exp., s. σεσωρευμένος, πολὺς, ut Hesych., in cujus tamen codice νῆτος scribitur, et confunditur cum νῆτος pro νέατος. [Conf. Νῆττος. Νητὸς non addita significatione memorat etiam Theognost. Can. p. 74, 16.]

Νητὸς, Ex colo ductus, Instar fili ductus, tortus, textus.

B [Νῆτος, vox formata, ut videtur, ex Lat. Netus et Nere. Vita S. Theophanis Confess. n. 12 : Ἦν δὲ αὐτῷ τὸ διαρκοῦν εἰς κοίτην ψιάθιον εὐτελὲς καὶ τρίχινον ἐπικάλυμμα καὶ πρὸς κεφαλὴν αὐτοῦ λίθος. Οὐκ ἐκαυχήσατο νῆτος ἁπαλότητος εἰς περιβολὴν αὐτοῦ, οὐ κναφεὺς ἐπὶ ἐσθῆτι αὐτοῦ ἐμόχθησεν. V. Gloss. Med. Lat. in Netorium. Ducang.]

Νητρεκὴς, ὁ, ἡ, i. q. ἀτρεκὴς, Verus. Videndum est autem an dici possit νητρεκὴς sonare quasi νηατρεκὴς, particula νη augendi vim habente, sicut et in aliis quibusdam composs. : ex quibus est νήχυτος. Hoc enim nomine νήχυτος declaratur δαψίλεια κύματος, a Dionys. Per., ubi κόλπος νήχυτος ab eo vocatur. (Estque obiter animadvertendus hic voculæ νη usus. Alioqui enim plerumque non Intendendi, sed Privandi vim habet, ut videmus in Νηλεὴς, in Νηκερδὴς, in Νήκεστος, in Νήριθμος, aliisque quamplurimis.) Videndum est, inquam, an νητρεκὴς dicendum sit sonare quasi νηατρεκὴς, an potius eadem illi quæ et præcedenti ἀτρεκὴς etymologia tribuenda sit : de qua disseram in Νητρεκῶς.

C || Νητρεκῶς, Vere, Certo. Lycophr. init. : Λέξω τὰ πάντα νητρεκῶς ἅ μ' ἱστορεῖς. Ubi Tzetzes, postquam νητρεκῶς exposuit ἀληθῶς, subjungit, derivari a νη privativa particula, et τρέω quod significat φοβοῦμαι : quoniam qui vera loquuntur, non verentur reprehensionem, sicut ii qui mentiuntur. Hoc autem etymum non dubium est quin itidem præcedenti Ἀτρεκὴς convenire possit, quantum ad derivationem a v. τρέω attinet : ut sc. ἀτρεκὴς sit ex α priv. et verbo τρέω : sicut νητρεκὴς est ex partic. νη, privandi vim habente, et verbo τρέω. Quod etymum lubentius dederim nomini ἀτρεκὴς, quam reliqua quæ allata ante fuerunt; sed ratio etymi, quæ hic affertur, magis mihi placet quam quæ allata fuit. Addendum autem hoc esset, ut ἀτρεκὴς, sequendo illud etymum, dicatur quasi ἀτρεής : sic νητρεκὴς quasi νητρεής. Ac profecto inveniuntur et alia composs. idem significantia, quorum unum α privativum, alterum particulam νη habet. At νητρεκὴς dici quasi νηατρεκὴς, parum verisimile est.

D [Νητρεχίη, ἡ, Veritas. Planudes Boeth. p. 26, v. 13. Boiss.]

[Νητρεκῶς. V. Νητρεκής.]

Νῆτρον, τὸ, Suidæ τὸ κλωστήριον.

[Νῆττα etc. V. Νῆσσα etc.]

[Νῆττος.] Νῆττον, Hesychio πλῆρες, μεστὸν, Plenum, Refertum. [Νητὸν interpretes, quod v. supra.]

[Νηττοκτόνος etc. V. Νησσοκτόνος etc.]

[Νηῦς. V. Ναῦς.]

Νήϋτμος, ὁ, ἡ, Halitus et spiritus expers : ex νη privativo et ἀϋτμή. Hesiod. Theog. [795] : Κεῖται νήϋτμος τετελεσμένον εἰς ἐνιαυτόν.

Νηφαίνω i. q. νήφω, s. potius Sobrium esse facio : quod tamen usitatum non esse tradit Eust. [Il. p. 1306, 52], sed ab eo derivari Νηφαντὸς, ut ὀσφραντὸς ab ὀσφραίνω : et ex Athen. citat, Νηφαντὸν καὶ ἄοινον· ubi νηφαντὸν dici videtur eo sensu quo νηφάλιον. [V. Νηφαντικός.]

[Νηφάλεος, α, ον, Sobrius, Gl. Eadem vitiose : Νηφάλαιος, ὁ ἀπέχων οἴνου, Abstemis, Sobrius. Et : Νηφαλαίοις, Sobriis, ut ap. Ephræm. Syr. vol. 1, p. 221, C, νηφαλαίους. Superl. νηφαλεωτάτη ap. schol. Hom. Il. Ψ, 398. V. etiam Coraes ad Heliodor. p. 347. Formam νηφαλέος una cum altera νηφάλιος usurpat Agathias, cujus locos v. in indice ed. Bonn. « Moschop. Π. σχεδ. p. 172. » Boiss. De accentu paroxytono v. Arcad. p. 38, 26, Theognost. Can. p. 51, 9. Conf. etiam Herodian. Π. μον. λ. p. 3, 10, 16; 4, 3. || Adv. Νηφαλέως, Aret. p. 32, 10 : Ξυντελέσαι δόμον v. « Nilus Narrat. p. 31 : Καθαρῷ τῷ νῷ τὸ θεῖον θρησκεύουσι νηφαλαίως. Scr. νηφαλέως. » Boiss. ad Herodian. Epim. p. 91.]

[Νηφαλεότης, ητος, ἡ, Sobrietas, Gl. Per αι male scriptum ap. Ephræm. Syr. vol. 1, p. 94, F. Vid. Νηφαλέος. L. Dind.]

[Νηφαλεόω, Sobrium reddo. Theodor. Stud. p. 252, B : Χαρίζου μοι τὴν εἰσαεὶ ὑπόμνησιν, νηφαλεοῦσάν με τὸν νυστάζοντα, Quæ me dormitantem expergefaciat, Int. V. Νηφαλέωσις. L. Dind.]

Νηφαλεύω, Sobria sacra celebro. Pollux 6, [26] : Νήφειν, νηφαλίως ἔχειν, νηφαντικὸν εἶναι· τὸ γὰρ νηφαλεύειν [codd. νηφαλιεύειν], τὸ νηφάλια θύειν ἔλεγον, ὅπερ ἐστὶ τὸ χρῆσθαι θυσίαις ἀοίνοις, ὧν τὰς ἐναντίας θυσίας οἰνοσπόνδους ὠνόμαζον.

[Νηφαλέως. V. Νηφαλέος.]

[Νηφαλέωσις, εως, ἡ, Sobrietas, affert Apollonius Archibii in Etym. Gud. v. Νήφω, p. 409, 58 : Νήφειν εἴρηται κατὰ τὴν τοῦ ὕδατος προφορὰν καὶ νηφαλέωσιν.]

[Νηφαλιεύς, έως, ὁ, i. q. νηφάλιος. Epith. Apollinis, Anth. Pal. 9, 525, 14 : Νηπενθέα, νηφαλιῆα. Ubi Planud. male νηφαλεόντε (sic).]

[Νηφαλιεύω. V. Νηφαλεύω.]

Νηφαλίζω, idem q. νηφαλιεύω, Sobriis sacris expio. A cujus pass. est νηφαλισμένον, ap. Hesych. ὕδατι, οὐχ οἴνῳ ἡγνισμένον : sed reponendum videtur νενηφαλισμένον.

[Νηφάλιμος, ὁ, i. q. νηφάλιος. Orac. ap. Phlegont. Mirab. 10, 62 : Νηφαλίμων ἀρνῶν τε ταμὼν χθονίοις τάδε ῥέξον.]

Νηφάλιος, ὁ, ἡ, et α, ον, Sobrius : interdum etiam Vigilans, Prudens, Attentus : sicut et Lat. Sobrius, et Νήφων paulo post. Chrys. De sacerd. [vol. 1, p. 465, E] : Νηφάλιον εἶναι δεῖ τὸν ἱερέα καὶ διορατικόν. [Et iisdem fere verbis Theophylact. In Timoth. 1, 3, 2, p. 763. Idem In 3, 11, p. 767, Mulieres oportet esse νηφαλίους. Theodoretus In Timoth. 1, 3, 2, p. 475 : Νηφάλιον, διεγηγερμένον καὶ προσκοπεῖν τὸ πρακτέον δυνάμενον. Id. In Tit. 2, 2, p. 511 : Πρεσβύτας νηφαλίους εἶναι, ἐγρηγορέναι καὶ νήφειν ἀεί. Suicer. Ephræm Syr. vol. 1, p. 100, F.] Plut. II. ἀδολεσχ. [p. 504, A] : Οὕτω τι βαθὺ καὶ μυστηριῶδες ἡ σιγὴ καὶ νηφάλιον· Symp. sept. sap. [p. 156, D] : Αἱ μοῦσαι, καθάπερ κρατῆρα νηφάλιον, ἐν μέσῳ προθέμεναι τὸν λόγον, Craterem sobrium. Propert. autem Sobria pocula de dilutis dicit : At ipse bibebam Sobria supposita pocula victor aqua. Et νηφάλιος θυσία, s. νηφάλια ἱερά, i. e. ἄοινα, quibus vinum non adhibebatur, sed litabatur aqua melle diluta, s. μελικράτῳ, i. e. aqua mulsa : Porphyrio ὑδρόσπονδα : quibus opponuntur τὰ οἰνόσπονδα : hæc Athenis fiebant Mnemosynæ, Auroræ, Soli, Lunæ, Nymphis, Veneri, et Uraniæ. [Æsch. Eum. 107 : Νηφάλια μειλίγματα. Apoll. Rh. 4, 712 : Ἡ δ' εἴσω πελάνους μειλικτρά τε νηφαλίῃσι καῖεν ἐπ' εὐχωλῇσι παρέστιος. Νηφάλια θύειν Pollux 6, 26, interpretatur v. νηφαλιεύειν.] Proverbialiter autem dicitur de Convivio abstemio, aut Vehementer frugali sobrioque, ut Erasm. ex Suida tradit. Plut. [Mor. p. 132, E] : Αὐτῷ τῷ Διονύσῳ πολλάκις νηφάλια θύομεν, ἐθιζόμενοι καλῶς μὴ ζητεῖν ἀεὶ τὸν ἄκρατον. Aliud exemplum ex Eodem vide in Μελίσπονδος. Item νηφάλια ξύλα, q. d. Ligna sobria, i. e. quæ cremabantur in sacrificiis νηφαλίοις, s. ἀοίνοις : ut thymus. Νηφάλια ξύλα, inquit Suid., τὰ μήτ' ἀμπέλινα, μήτε σύκινα, μήτε μύρσινα· ἐκεῖνα γὰρ οἰνόσπονδα λέγεται ὡς καιόμενα ὅτε μὴ ὕδωρ, ἀλλὰ οἶνος σπένδεται. Pro μύρσινα Hesych. habet συκάμινα : sed perperam apud eum scribitur οἰνίσποι pro οἰνόσπονδα. [Schol. Soph. OEd. C. 100 : Νηφάλιαι καλοῦνται αἱ σπονδαὶ αὐτῶν (Eumenidum, quibus aqua, non vinum libaretur). Πολέμων δὲ καὶ ἄλλοις τισὶ θεοῖς νηφαλίους φησὶ θυσίας γίνεσθαι, γράφων οὕτως· Ἀθηναῖοι... νηφάλια μὲν ἱερὰ θύουσι Μνημοσύνῃ, Μούσαις, Ἠοῖ,

A Ἡλίῳ, Σελήνῃ, Νύμφαις, Ἀφροδίτῃ Οὐρανίᾳ. Φιλόχορος δὲ καὶ περί τινων ἄλλων θυσιῶν τὸν αὐτὸν τρόπον δρωμένων φησίν ... Διονύσῳ τε καὶ ταῖς Ἐρεχθέως θυγατράσι, καὶ οὐ μόνον θυσίας νηφαλίους, ἀλλὰ καὶ ξύλα τινὰ ἐφ' ὧν ἔκαιον. Κράτης μὲν οὖν ὁ Ἀθηναῖος τὰ μὴ ἀμπέλινα τῶν ξύλων πάντα νηφάλιά φησι προσαγορεύεσθαι. Ὁ δὲ Φιλόχορος ἀκριβέστερόν φησι τὰ μήτε ἀμπέλινα μήτε σύκινα, ἀλλὰ τὰ ἀπὸ τῶν θύμων νηφάλια καλεῖσθαι κτλ. Similiter autem in fr. Callim. ap. schol. Soph. OEd. C. 489 : Νηφάλιαι καὶ τῇσιν ἀεὶ μελιηδέας ὄμπας λήτειραι καίειν ἔλλαχον Ἡσυχίδες, Hemst. legebat νηφαλίας. Eodem spectare videntur νηφάλια ξύλα ap. schol. Ven. Hom. Il. A, 420.] || Adv. Νηφαλίως, Sobrie, ut νηφαλίως ἔχειν, ap. Polluc. [6, 26], quod vide in Νηφαλεύω. [Conf. autem Νηφαλέως.]

Νηφαλιότης, ητος, ἡ, Sobrietas. [Gregorius Naz. Or. 45 init. : Θαυμάζω τῆς νηφαλιότητος. L. Dind.]

Νηφαλισμός, ὁ, Suidæ ἡ προσοχή.

[Νηφαλίων, ωνος, ὁ, Nephalio, f. Minois, ap. Apollod. 2, 5, 9, 3; 3, 1, 2, 6.]

B [Νηφαλίως. V. Νηφάλιος.]

[Νήφαλος, ὁ, ἡ, i. q. νηφάλιος. Orac. ap. Phlegont. Mirab. 10, 22 : Τρὶς τόσα νήφαλα πάντα· 60 : Νήφαλα ῥέξας.]

[Νηφαντικός, ή, όν. HSt. in Νηφαίνω :] Ap. eund. Athen. reperio etiam Νηφαντικός, et quidem cum ἄοινος itidem conjunctum (sed nescio an sit illud de quo Eustath. loquitur), l. 10 : Τήνδε τῆς φρονήσεως νηφαντικὴν καὶ ἄοινον, αὐστηροῦ τινος καὶ ὑγιεινοῦ ὕδατος, ubi νηφαντικὸς active potius capitur pro Non inebrians, sed sobrium manere faciens. [Platonis ista verba sunt, e Philebo p. 61, C, citata ab Athen. 10, p. 423, B. Eademque ipsa verba respiciens Eustath. ad Il. Ψ, pro νηφαντικὸν, sive memoriæ lapsu, sive suo arbitratu, νηφαντὸν scripsit. Schweigh.] Pollux tamen [6, 26] paulo ante in Νηφαλεύω dicit νηφαντικὸν εἶναι, ut νηφαλίως ἔχειν, et νήφειν, pro Sobrium esse, Sobrietatis studiosum esse [Porphyr. A. N. c. 19 : Τὸ ζῷον (apis) νηφαντικόν. Wakef. Olymp. In Phileb. p. 282 med. Boiss.]

C [Νηφαντός. V. Νηφαντικός.]

[Νηφόντως, Vigilanter. Jo. Chrys. In Ep. ad Hebr. serm. 27, vol. 4, p. 569, 9. Seager. Jo. Climac. p. 12, 419, 437. Boiss. Sobrie. Ephræm Syr. vol. 3, p. 255, D : Τὸ μὴ συνεχῶς προσεύχεσθαι καὶ v. 350, A; vol. 1, p. 272, E, Gretser. Op. vol. 2, p. 143, C. L. Dind.]

[Νῆφος, ὁ, Nephus, f. Herculis, ap. Apollod. 2, 7, 8.]

Νήφω, [ψω, ap. Liban. vol. 1, p. 596, 21 : Ὅπως νήψουσιν,] Sobrius sum, [Vigilo, Sobrio, Gl. et Νήφει, Niviet. Soph. OEd. C. 100 : Οὐ γὰρ ἄν ποτε πρώταισιν ὑμῖν ἀντέκυρσ' ὁδοιπορῶν νήφων ἀοίνοις. Aristoph. Lys. 1228 : Νήφοντες οὐχ ὑγιαίνομεν.] Epigr. [Luciani Anth. Pal. 11, 429, 1] : Ἐν πᾶσι μεθύουσιν Ἀκίνδυνος ἤθελε νήφειν, Sobrius et siccus esse. Plut. Ad præf. indoct. [p. 781, D] : Μόνος ἐφώδευε τὰ ὅπλα καὶ τὰ τείχη, νήφειν λέγων καὶ ἀγρυπνεῖν ὅπως ἐξῇ τοῖς ἄλλοις μεθύειν καὶ καθεύδειν, de Epaminonda. Idem De loquac. : Τὸ ἐν τῇ καρδίᾳ τοῦ νήφοντος, ἐπὶ τῆς γλώττης ἐστὶ τοῦ μεθύοντος. [Longin. De subl. c. 34, 4.] Ap. Eund. aliquot in Il. [ut Mor. p. 15, E], Μαινόμενον θεὸν ἑτέρῳ θεῷ νήφοντι

D κολαζόμενον σωφρονίζειν, ex Plat. [Leg. 6, p. 773, D], ἐπὶ τοῦ μιγνυμένου πρὸς ὕδωρ ἀκράτου : ibi enim, ut habet etiam Longin., νήφοντα θεὸν τὸ ὕδωρ λέγει, κόλασιν δὲ, τὴν κρᾶσιν. Ab Aristot. quoque μεθύων et νήφων opponuntur non semel, sicut et ab Isocr. [p. 161, C] et ab Athen. νήφων ac μεθυσκόμενος. [Theognis 478 : Οὔτε τι γὰρ νήφω οὔτε λίην μεθύω. Plat. Leg. 1, p. 640, D : Οὐκοῦν νήφοντά τε καὶ σοφὸν ἄρχοντα μεθυόντων δεῖ καθιστάναι, et alibi. Improprie Xen. Conv. 8, 21 : Οὐδὲ γὰρ ὁ παῖς τῷ ἀνδρὶ ὥσπερ γυνὴ κοινωνεῖ τῶν ἐν τοῖς ἀφροδισίοις εὐφροσυνῶν, ἀλλὰ νήφων μεθύοντα ὑπὸ τῆς ἀφροδίτης θεᾶται.] Et ap. Dem. [p. 538, 17] : Ἐπ' ἐχθροῦ νήφοντος ἕωθεν, ὕβρει καὶ οὐκ οἴνῳ τοῦτο ποιοῦντος. Est vero ubi νήφειν dicitur de eo qui est Vigilans, et Providus, ac se caute gerit. Lubenter autem utor nomine Vigilans, quod Cic. id cum Sobrius junxerit, et Plut. itidem νήφων cum ἀγρυπνῶν. Epicharm. ap. Lucian. [Hermot. c. 47] et alios, Νῆφε [Νᾶφε] καὶ μέμνασο [μέμνασ'] ἀπιστεῖν. Plut. Polit. præc. [p. 800, B] : Ἀγρυπνῶν καὶ νήφων καὶ πεφροντικώς· Symp. 4 : Ὅπως νήφων καὶ περισέχων [προσέχων] ἑαυτῷ τὸν λόγον δέχηται, Sobrius et sibi attentus. De fort. Alex. l. 1 [p. 334, C] : Νήφοντι καὶ πεπνυμένῳ τῷ λογισμῷ πάντα πράττοντος. Herodian. 2, [15, 1] : Ἀνὴρ προμηθής τε καὶ νήφων, Providus ac sobrius. 3, [6, 14] : Ὑπὸ γενναίῳ καὶ νήφοντι ἀνδρὶ στρατηγουμένων. Sic Homo sobrius, Cor sobrium, Mens sobria. [Νήφειν dicitur scriptor, vel orator, qui sobrius est in dicendo aut scribendo, præceptorumque et sui ipsius ubique memor. Ita Longin. 34, 4, ubi in Hyperide ait multa inesse ἀμεγέθη καὶ νήφοντος. Contrarius est ὁ ἔνθεος, Spiritu plenus, cum vi et furore quodam affectus loquens. Conf. cap. 16, 4, ubi ἐν βακχεύμασι νήφειν, h. e. in commotione animi vehementissima tamen sobrium esse. Ernest. Lex. rh.]

[Νήφων, ονος, ὁ, Sobrius. Hesychius : Νήφονες, νήφοντες. Theognis 482 : Μυθεῖται δ' ἀπάλαμνα, τὰ νήφοσι γίγνεται αἰσχρά· 627 : Αἰσχρόν τοι μεθύοντα παρ' ἀνδράσι νήφοσιν εἶναι.]

[Νήφων, οντος vel ωνος, ὁ, Nephon, n. viri, in inscr. Att. ap. Bœckh. vol. 1, p. 911, n. 305, B, ubi supersunt literæ Νηφοντο. Hierothei hieromonachi dialogum inter Lucam et Nephonem memorat Bandin. Bibl. Med. vol. 1, p. 262, B, ubi est : Τόν τε Λουκᾶν καὶ τὸν Νήφωνα. L. Dind.]

[Νηχαλέος, α, ον, Natatorius. Xenocr. De alim. ex aquat. c. 1 : Ἡ νηχαλέα φύσις.]

[Νηχεῖον, τὸ, Natabulum, Gl.]

[Νηχι, ναὶ, μὴν, Hesychius, ap. quem Νηχιναι, μὴν scriptum, quod correxerunt intt. Videtur autem νηχὶ nihil nisi ναίχι.]

Νηχοτάλαντοι, Loca et urbes circa mare, VV. LL. Aliter autem accipitur ap. Plut. [Mor. p. 349, D] : Ὅλαι μὲν πόλεις αὐτῶν εἰσὶ καὶ νῆσοι καὶ νηχοτάλαντοι, καὶ δήμων ἀποικισμοὶ μυρίανδροι. [Ναοὶ χιλιοτάλαντοι Bryanus.]

Νήχῠτος, ὁ, ἡ, Late fluens, Fluidus. [Callim. ap. Suid. in v. et Εὐρὼς cit. : Τὰ μὴ πύσε νήχυτος εὐρώς.] Apoll. Arg. 3, [530] : Φάρμαχ' ὅσ' ἤπειρός τε φύει καὶ νήχυτον ὕδωρ, schol. πολύχυτον, Multum fusum, Longeque lateque et multas in partes fusum, quoniam sc. νη non στέρησιν tantum notat, verum etiam ἐπίτασιν. [Id. 4, 1367 : Ῥίμφα δὲ σεισάμενος γυίων ἄπο νήχυτον ἅλμην. Dionys. P. 126 : Ἑλίσσεται εἰν ἁλὶ κόλπος νήχυτος. Philetas ap. Etym. M. p. 602, 41 : Νήχυτον ὕδωρ. Nicand. Th. 33 : Νήχυτος ὄρπηξ· Al. 600 : Νήχυτον ἱδρῶ. Orac. ap. Porphyr. Vit. Plotini p. LXXV, 10 : Ἐς ἠόνα νηχύτου ἀκτῆς. L. Dind.]

Νήχω, ήξω, Nato, i. q. νέω, unde et derivatum est. Hom. Od. Η, [280] : Ἀλλ' ἀναχασσάμενος νῆχον πάλιν, ἕως ἐπῆλθον Ἐς ποταμὸν, Retrorsum natabam. Ε, [375] : Αὐτὸς δὲ πρηνὴς ἁλὶ κάππεσε χεῖρε πετάσσας, Νηχέμεναι μεμαώς. [Ib. 399 : Νῆχε. Apoll. Rh. 4, 915 : Νῆχε δὲ πορφυρέοιο δι' οἴδματος.] Hesiod. Sc. [317] : Οἳ ῥά γε πολλοὶ Νῆχον ἐπ' ἄκρον ὕδωρ. [Nicand. Al. 168, 603, aliique Epici recentiores. Apud Pausan. 10, 20, 7, νεῖν libri meliores pro νήχειν. Alia activi exx. v. in Ἐννήχομαι, Προσνήχω.] Sed frequentiori in usu est vox pass. : significatione tamen activa. Od. Ξ, [352] : Χερσὶ διήρεσα ἀμφοτέρῃσι Νηχόμενος· Ψ, [233] : Ὡς δ' ὅταν ἀσπασίως γῆ νηχομένοισι φανείῃ. [Hesiod. Sc. 211 (ut Mosch. 2, 47) : Νηχομένοις ἴκελοι. Sophocli quæ tribuit Eust. Il. p. 1389, 8 : Χρυσώπιδες ἐλλοὶ νήχοντο, petiit ab Athen. 7, p. 277, D : Ὁ τὴν Τιτανομαχίαν ποιήσας ... εἴρηκεν, Ἐν δ' αὐτῇ πλωτοὶ χρυσώπιδες ἰχθύες ἐλλοὶ νήχοντες παίζουσι. Ἔχαιρε δὲ Σοφοκλῆς τῷ ἐπικῷ κύκλῳ, ὡς καὶ ὅλα δράματα ποιῆσαι κατακολουθῶν τῇ ἐν τούτῳ μυθοποιΐᾳ, qui Sophoclis mentionem fecerat paullo ante, non hæc quæ Eust. illi tribuens verba, sed vocabuli ἐλλὸς aliud ex eo exemplum afferens. Itaque Mœridis in Νέω citati observatio : Νεῖν καὶ νήχεσθαι Ἀττικοὶ, κολυμβᾶν Ἕλληνες, quum nondum sit confirmata exemplo veterum Atticorum, non injuria suspecta fuit Lobeckio ad Buttm. Gr. v. Νέω, qui τὸ νήχεσθαι scribendum suspicatur.] In prosa quoque usitatum. Plut. de Socr. dæmonio, Τῶν νηχομένων ἐν θαλάττῃ. Idem [Mor. p. 979, C] : Κατὰ ἄνεμον καὶ ῥοῦν νήχεσθαι, Secundo flumine natare. [Ib. p. 1063, B.] Athen. 7, [p. 311, A] ex Alcæo : Μετέωρον νήχεσθαι. [Secundus Anth. Pal. 9, 36, 2 : Ὁλκὰς ... τοσάκις χαροποῖς κύμασι νηξαμένη, eademque constructione Philippus ib. 6, 247, 3; anon. 12, 156, 8. Callim. ap. Suidam vv. Γεργέριμον et Φθινόπωρον : Εἰν ἁλὶ νήχεσθαι.] Item νηχόμενα dicuntur Natatilia, Pisces. In Epigr. lib. 2 [Leonidas Anth. Pal. 11, 199, 4] : Τῇ ῥινὶ δὲ προσθεὶς Ἄγκιστρον, σύρει πάντα τὰ νηχόμενα, Greges piscium natantium. [Fut. νηχήσονται Orac. Sib. 2, 209 : Οὐ ζῷα νηκτὰ θάλασσαν ὅλως ἔτι νηχήσονται. L. Dind.]

Νῆψις, εως, ἡ, Sobrietas. [Strabo 7, p. 304 : Ἀσκήσει καὶ νήψει. Porphyr. Ep. ad Aneb. p. 5, 2 : Ὅτι δὲ ἔκστασις τῆς διανοίας αἰτία ἐστὶ τῆς μαντικῆς καὶ ἡ ἐν τοῖς νοσήμασι συμπίπτουσα μανία ἢ παρατροπὴ ἢ νῆψις. Int., Vigiliæ nimiæ, qui ibid. 5, Μεταξὺ νήψεως καὶ ἐκστάσεως rectius vertit Sobrietatem, de qua usurpat etiam Ephræm Syr. vol. 1, p. 237, F; 333, D; vol. 3, p. 479, D; 523, D. L. Dind. « Hesych. : Νήψεως, νουνεχείας. Νίψεως Is. Voss. et cod. Marc. Hæc gl., quæ inter additamenta a librario ingesta numerari potest, pertinet ad Chrysost. Hom. C. Anom. t. 6, p. 425, a Suic. Thes. v. Νηφάλιος laudatam : Ἐπὶ τῶν πλεόντων, κἂν ἅπαντες καθεύδωσιν, ὁ δὲ κυβερνήτης ἐγρηγορὼς ᾖ μόνος, οὐδείς ἐστι κίνδυνος, τῆς νήψεως τῆς ἐκείνου καὶ τῆς τέχνης ἀντὶ πάντων ἀρκούσης τῷ πλοίῳ. » Barker. Ep. crit. ad Boiss. p. 260 sq. Cyrillus Ms. ap. Piers. ad Mœr. p. 61 : Ἀκηδία ἐστὶν ἀπροσεξία τῆς ψυχῆς· ἥτις φιλεῖ γίνεσθαι τοῖς νήψεως ἀμελοῦσι διὰ τὸ εἰς φροντίδα τῶν ὑλικῶν καταγίνεσθαι.]

[Νήω verbum non recte HSt. fingit in Νέω, quæ una vera forma est.]

[Νηώτης, ὁ, inter στρατιώτης et ταξιώτης positum ab Theognosto Can. p. 44, 26, i. est fortasse quod ναύτης. L. Dind.]

Νία, Suidæ τὰ σχοινία, Funes. [Ex σχοινία decurtatum putabat Kuster., ex νήια depravatum Hemst.]

[Νίβα. V. Νίψ.]

[Νίβαρος, ὁ, Nibarus, mons Armeniæ, ap. Strab. 11, p. 527, 531.]

[Νιβὰς, άδος, ἡ.] Νιβάδες, Hesychio αἱ τοὺς λόφους ἔχουσαι αἶγες. [Ex κρημνιβάδες Ruhnken. Ep. cr. p. 134, ex ὑψιβάδες truncatum conjecit Lobeck. ad Phryn. p. 685.]

[Νίβας, Nibas. Ælian. N. A. 15, 20 : Θεσσαλονίκῃ τῇ Μακεδονίτιδι χῶρός ἐστι γειτνιῶν καὶ καλεῖται Νίβας· οὐκοῦν οἱ ἐνταῦθα ἀλεκτρυόνες ᾠδῆς τῆς συμφυοῦς ἀμοιροῦσι καὶ σιωπῶσι πάντα πάντῃ. Καὶ διαρρεῖ λόγος παροιμιώδης ἐπὶ τῶν ἀδυνάτων, ὃς λέγει, Τότε ἂν ἔχοιτε τόδε τι, ὅταν Νίβας κοκκύσῃ.]

Νιβατισμὸς, ὁ, genus saltationis barbaricæ. Hesych. [Athen. 14, p. 629, D, Phrygiam saltationem dicit, si, quod suspicatur Schweigh., Φρύγιος νιβατισμὸς jungenda sunt. In prioribus edd. legebatur νικατισμὸς, et jungebatur cum sequenti Θρᾴκιος. Angl. V. Νοβακκίζειν.]

[Νίβις, ἡ, Nibis, πόλις Αἰγύπτου. Φλέγων ρμ' Ὀλυμπιάδι. Τὸ ἐθνικὸν Νιβίτης, ὡς Μεμφίτης, Steph. Byz.]

[Νίβομαι, Lavor, forma novitia pro νίπτομαι, ut χρύβω, θρύβω. Nomocanon Cotel. Monum. vol. 1, p. 151, B : Ὁ νηστεύων εἰς τὸ κοινωνῆσαι καὶ νιβόμενος εἰσέλθῃ ὕδωρ ἐν τῷ στόματι αὐτοῦ, μὴ ἀποστραφῇ τῆς κοινωνίας. Ubi particula ante εἰσέλθῃ excidisse videtur. L. Dind.]

[Νίγειρ, ὁ, Niger, Nigris, fl. Æthiopiæ, ap. Ptolem. 4, 6. Infra Νίγρης.]

[Νίγλα. V. Νέγλα. || Νίγλα, τρόπαια, παρὰ Πέρσαις, Hesychius. « Pers. نكل *Niclon*, Omne quo quis repellitur, aut coercetur; atque ita τροπαῖον a τρέπειν dicitur. » Reland.]

[Νιγλᾰρεύω. V. Νίγλαρος.]

[Νίγλαρος, ὁ, tibiæ genus, et modus in tibiarum cantu. Pollux 4, 82 : Νίγλαρος δὲ μικρός τις αὐλίσκος, Αἰγύπτιος, μοναυλίᾳ πρόσφορος· 83 : Μέλη δὲ αὐλημάτων, κρούματα, συρίγματα, τερετισμοὶ, τερετίσματα, νίγλαροι.] Νίγλαροι Hesychio sunt τερετίσματα, περίεργα κρούματα, afferenti item Νιγλαρεύων pro τερετίζων. Similiter Suidas exponit. At scholiastæ in Aristoph. Ach. [555] : Αὐλῶν, κελευστῶν, νιγλάρων, συριγμάτων, νίγλαρος est τρῆμα, et μέλος μουσικὸν παρακελευστικόν. [Photius : Νίγλαροι, τερετίσματα, καὶ περίεργα κρούματα. Νιγλάρους, τερετισμούς. Νιγλαρεύων, τερετίζων, καὶ ὁ Νίγλαρος, κρουματικῆς διαλέκτου ὄνομα. Εὔπολις

Δήμοις, Τοιαῦτα μέντοι νιγλαρεύων κρούματα. Plut. De mus. p. 1142, A: Ἡ δὲ Μουσικὴ λέγει ταῦτα (ap. Pherecratem)· Ἐξαρμονίους ὑπερβολαίους τ' ἀνοσίους καὶ νιγλάρους, ὥσπερ τε τὰς ῥαφάνους ὅλην καμπῶν με κατεμέστωσε. V. Γίγγλαρος. Barker. *Class. Journ.* 31, 112. Angl.]

[Νίγρητες, et Νιγρῖται, οἱ, gens Africæ ad cognominem fluvium, dicta ἀπὸ Νίγρητος ποταμοῦ, ap. Dionys. Per. 215, unde memorat Steph. Byz., et Strab. 17, p. 826, 828.]

[Νιδάριον, τὸ πρὸς κεφαλῆς προσείλημα, apud Persas, Suid. v. Ἐγκεκορδυλημένος. Κιδάριον conjicit Kuster.]

Νίδες, a Siculis dicuntur τὰ αἰδοῖα ἢ τὰ ὀρχείδια [ὀρχίδια] παιδίων, Pudenda s. Testiculi puerorum, auctore [Photio s.] Suida. Hesych. habet Νιΐδες, exponens itidem παίδων αἰδοῖα. [Conf. Lobeck. Paralipom. p. 83 seq.]

[Νίδιον, Νίρις, Flos rhododaphnes. Glossæ iatricæ Mss. ex cod. Reg. 1047: Νίδιον ἐστιν ῥοδοδάφνης ἄνθος· λέγεται καὶ νίρις. Ducang.]

B [Νῖδος, ὁ, inter τὰ εἰς δος ἀρσενικὰ, φύσει μακρᾷ παραληγόμενα et βαρυνόμενα ponit Arcad. p. 48, 2.]

Νίζω, pro νίπτω, lingua Tarentinorum, ut docet Eust., ex Æolico νίσσω. Hom. Il. H, [425]: Ὕδατι νίζοντες ἀπὸ βρότον αἱματόεντα· sed hic per tmesim dictum est, pro ἀπονίζοντες, Abluentes. [Λ, 830: Ἀπ' αὐτοῦ δ' αἷμα κελαινὸν νίζ' ὕδατι λιαρῷ· Od. Α, 112: Σπόγγοισι τραπέζας νίζον· Τ, 392: Νίζε δ' ἄρ' ἆσσον ἰοῦσα ἄναχθ' ἐόν· et medio Ζ, 224: Αὐτὰρ ὁ ἐκ ποταμοῦ χρόα νίζετο δῖος Ὀδυσσεύς. Epicharm. in Axiocho p. 366, C: Ἁ χεὶρ τὰν χεῖρα νίζει. Eur. Iph. T. 1338: Ὡς φόνον νίζουσα δή. Theocr. 16, 62: Ὕδατι νίζειν θολερὰν ἰοειδέϊ πλίνθον. Medio Mœris p. 201: Τοὺς διὰ φειδωλίαν μήτε λουομένους μήτε νιζομένους. || Effundendi significatione, ut videtur, in verbis vitii suspectis Ionis ap. Athen. 11, p. 463, B: Ὁ δὲ χρυσὸς οἶνον ἔχων χειρῶν νιζέτω εἰς ἔδαφος. Hæc autem antiquioribus, quorum alia exx. sunt in compositis, usitata est forma præsentis, quæ ap. recentiores est νίπτω, nisi quod Homerus etiam forma νίπτω, quam v., usus videtur.

C Hemsterhusii ad Thomam p. 311 errorem, qui deteriorum librorum scriptura: Ἔνιπτεν, οὐχ ἔνιζεν, pro καὶ ἔνιπτε καὶ ἔνιζεν, deceptus fuerat, notavit Buttmann. in Gramm. v. Νίζω. Cetera hujus verbi tempora v. in Νίπτω. || Νίζω, Pungo, Gl., mire. Hoc enim est νύσσω.]

[Νιΐδες. V. Νίδες.]

[Νίκα. V. Νικάω.]

[Νικᾰγόρᾱ, ἡ, Nicagora, conjux Echetimi, Sicyonia, ap. Pausan. 2, 10, 3.]

[Νικᾰγόρᾱς, ου, ὁ, Nicagoras, n. viri in inscr. Coa ap. Ross. Inscrr. fasc. 2, p. 60, n. 175, 7, 20; Theræa ap. Bœckh. vol. 2, p. 371, n. 2450, 6, numis Atticis, Cois et Leucadis, ap. Mionnet. *Descr.* vol. 3, p. 409, 83, 85; *Suppl.* vol. 3, p. 463, 67; 561, 175; 6, p. 571, 61. Aliorum, ut Messenii ap. Polyb. 5, 37 seq. et Plut. Cleom. c. 35; Rhodii ap. Polyb. 28, 2, 1; 14, 15, Atheniensis ap. Plut. Themist. c. 10; et plurium in Anthologia, ut ap. Hermocr. Planud. 1, 11, 3, Asclepiadem Pal. 12, 135, 2; ap. schol. Apoll. Rh.

D 4, 269; Philostr. V. S. 2, 27 etc., Athen. 7, p. 289, B, C. L. Dind.]

[Νικάδας, ὁ, Nicadas, n. viri, in numo Smyrnæo ap. Mionnet. *Descr.* vol. 3, p. 196, 992, ut Νεικάδα cujusdam mentio fit in inscr. Cnidia ap. Bœckh. vol. 2, p. 448, n. 2653, 3. L. Dind.]

[Νικαεύς. V. Νίκαια.]

[Νικαηνός. V. Νίκαια.]

[Νίκαθρον. V. Νίκατρον in Νικητήριον.]

[Νικαία, ἡ, i. q. Νίκη, ap. Nonnum Dion. 37, 623: Παλλάδι νικαίῃ. Photius s. Suidas: Νικαίην, νίκην.]

[Νίκαια, ἡ, Nicæa, nympha, f. Sangarii fl. ap. Memnonem Photii Bibl. p. 233, 40. Alia ap. Nonnum Dion. l. 15 et 16; f. Antipatri, conjux Lysimachi, ap. Strab. 12, p. 565. Alia mulier in inscr. ap. Bœckh. vol. 2, p. 1049, n. 2322, b. || N. pluribus urbibus commune. Steph. Byz.: Νίκαια, πόλις Βιθυνίας, Βοττιαίων ἄποικος. Ἐκαλεῖτο δὲ πρότερον Ἀγκώρη, εἶτα Ἀντιγόνεια, ὕστερον δὲ ἀπὸ τῆς Λυσιμάχου γυναικὸς Νίκαια ἐκλήθη. Δευτέρα τῶν Ἐπικνημιδίων Λοκρῶν. Τρίτη ἐν Ἰλλυρίδι.

A Τετάρτη ἐν Ἰνδοῖς. Πέμπτη ἐν Κύρνῳ τῇ νήσῳ. Ἕκτη ἐν Λεύκτροις τῆς Βοιωτίας. Ἑβδόμη Κελτικῆς, Μασσαλιωτῶν ἄποικος. Ὀγδόη Θρᾴκης. Εἰσὶ δὲ καὶ ἄλλαι αἱ περὶ Θερμοπύλας καὶ Θρᾷκας. Λέγεται δὲ προπαροξυτόνως. Εἰ δ' ἔστι Νικαῖος, τὸ θηλυκὸν Νικαία· ὁ πολίτης Νικαιεὺς καὶ Νικαεὺς διχῶς. De singulis plura v. ap. intt. ceterosque geographos. Νίκαιαν Thessaliæ memorant Demosth. p. 71, 11; 153, 13, Æschin. p. 45, 33; 73, 27, Polyb. 10, 42, 4, Strabo 9, p. 426, idemque 4, p. 180 et Polyb. 33, 4, 2, Νίκαιαν Liguriæ. Corsicæ Diod. 5, 13. Gentilis Νικαηνὸς, ἡ, ὸν, exemplum est in inscr. ap. Bœckh. vol. 2, p. 963, n. 3763, 3, ubi Νεικαηνή. Inter formas Νικαεὺς et Νικαιεὺς vero variatur etiam in inscrr., ut ap. Bœckh. vol. 1, p. 771, n. 1590, 31; 2, p. 126, n. 2059, 4; p. 956, n. 3745; et ubi Νεικαεὺς vol. 1, p. 695, n. 1501. || Adv. Νικαίαζε, Nicæam, Georg. Pachym. Mich. Pal. 3, p. 151, E, Andron. Pal. p. 128, C. Νικαίαθεν, Nicæa, Andron. Pal. 1, p. 34, B, pro quo male Νικαίηθεν Mich. Pal. 1, p. 38, C. Νικαίαθι, Nicææ, Mich. Pal. 4, p. 198, C. L. Dindorf.]

[Νικαιεύς. V. Νίκαια.]

[Νικαίνετος, ὁ, Nicænetus, poeta Abderites vel Samius, ap. Athen. 13, p. 590, B; 15, p. 673, B.]

[Νικαῖον, τὸ, Templum Victoriæ. Dio Cass. 45, 17.]

[Νικαῖος, α, ον. V. Νίκαια. || Νικαῖος, ὁ, Nicæus, n. viri, ap. Theognost. Can. p. 53, 10, cujus exx. sunt in inscrr. ap. Lebas. *Inscr.* fasc. 5, p. 172, n. 243, 2, Bœckh. vol. 1, p. 358, n. 245, 2; vol. 2, p. 354, n. 2416, 5, 11. L. Dind.]

[Νικάϊος, ὁ, n. patronym. in inscr. Bœot. ap. Bœckh. vol. 1, p. 761, n. 1578, 8: Ἀντιγένεις Νικάϊος, si recte ita legitur. V. Bœckh. ad n. 1574. L. Dind.]

[Νικανδᾶς, ὁ, Nicandas, sutor, ap. Plut. fragm. 3, ed. Wytt. vol. 5, p. 719, ap. Euseb. Præp. ev. 11, 36, p. 563.]

[Νικάνδρα, ἡ, Nicandra, sacerdos Dodonæa, ap. Herodot. 2, 55.]

[Νικανδρίδας, ὁ, Nicandridas, Spartanus in inscr. Spart. ap. Bœckh. vol. 1, p. 618, n. 1241, 27. ῐᾱ]

[Νίκανδρος, ὁ, Nicander, f. Charilai, regis Spartæ, ap. Herodot. 8, 131, Pausan. 2, 36, 4, etc. Laco, ap. Xen. Anab. 5, 1, 15. Alii alibi, quorum notissimus est Colophonius poeta, cujus carmina nonnulla supersunt.]

[Νικάνωρ, ορος, ὁ, Nicanor, dux Chaonum, ap. Thuc. 2, 80. Alius ap. Dinarch. p. 57, 2; 70, 2. Plures memorantur ap. Polybium, Diodorum, Arrianum, itemque in numis et inscriptt. (Samius, scriptor de fluviis. Plut. De fluv. 17, 2. Boiss.) Νεικανορα scriptum in inscr. Theræa ap. Ross. Inscrr. fasc. 2, p. 83, n. 203, 2. V. autem Νικήτωρ. ᾰ]

[Νικάρέτη, ἡ, Nicarete, n. mulieris, ut Atticarum ap. Demosth. p. 1320, 3, et 1351, 4, Athen. 13, p. 593, F; 596, E. Aliarum ap. Nicarch. Anth. Pal. 6, 285, 2, et in inscriptt.]

[Νικάρετος, ὁ, Nicaretus, n. viri ap. Philipp. Thessalon. Anth. Pal. 9, 267, 2. Aliorum in inscrr. ap. Bœckh. vol. 1, p. 771, n. 1590, 27; 850, n. 1732, b, 40, etc. ᾰ]

[Νικάριον, τὸ, Parvum Victoriæ signum, Victoriola. Inscr. ap. Burckhardt. *Reisen in Syrien* vol. 1, p. 500 ed. Gesen.: Τὴν θύραν σὺν νικαρίοις καὶ μεγάλῃ νίκῃ. L. D. || Pars postica nomismatum Augustorum, in quibus Νίκη seu Victoria fere semper effingitur. Cedrenus in Theodosio M. p. 322: Ἐν τοῖς νικαρίοις τοῦ νομίσματος ὑποκείμενα Ῥωμαϊκὰ γράμματα κονοβ δηλοῦσι ταῦτα. V. Syntagma de Cpol. Impp. numis. Ducang. || Collyrii genus, Alex. Trall. 2, p. 132. ῐᾱῐ]

[Νικάριον, ἡ, Nicarium, n. mulieris, in inscr. Att. ap. Bœckh. vol. 1, p. 509, n. 728.]

[Νικάριος, ὁ, Nicarius, n. scriptoris, cujus Ἐρωτήσεις καὶ ἀποκρίσεις edidit Berkel. post Epictetum p. 245. Boiss.]

[Νικἄρίστη, ἡ, Nicariste, n. navis Atticæ ap. Bœckh. *Urkunden* p. 89. Mulieris in inscr. Oropia ap. eund. C. I. vol. 1, n. 1570, p. 748, b, 5.]

[Νικἄρίων, ωνος, ὁ, Nicario, nomen viri in inscr. Delph. ap. Bœckh. vol. 1, p. 833, n. 1710, 5, ubi ΔΙΚΑΡΙΟΝΟΣ.]

[Νίκαρος, ὁ, Nicarus, n. viri in inscr. Sicula ap. Maffeum Mus. Veron. p. 329 antepen.]

[Νικαρχίδης, ὁ, Nicarchides, Pydnæus, ap. Arrian. Ind. 18, 5. Forma Νικαρχίδας in inscr. Coa ap. Ross. Inscrr. fasc. 2, p. 59, n. 173, 6. ῐ]

[Νικαρχὶς, ίδος, ἡ, Nicarchis, n. mulieris in inscr. Eresia ap. Bœckh. vol. 2, p. 1029, n. 2211, h. L. D.]

[Νίκαρχος, ὁ, Nicarchus, Athen., ap. Aristoph. Ach. 908. Lysiæ adversus Nicarchum quendam orationem memorat Harpocr. Arcas est ap. Xen. Anab. 2, 5, 33 etc. Alius ap. Polyb. l. 5, 68 etc. Cous in numo ap. Mionnet. *Suppl.* vol. 6, p. 569, 50. Alii in inscrr.]

[Νικάρων, ωνος, ὁ, Nicaron, n. viri in inscr. Spart. Fourmonti ap. Bœckh. vol. 1, p. 622, n. 1247, 6, si recte lectum. L. Dind.]

[Νίκας, ὁ, Nicas, n. viri, in numo Coo ap. Mionnet. *Descr.* vol. 3, p. 406, 56, si recte ita legitur.]

[Νικασία, ἡ, Nicasia, νησίδιον μικρὸν, πλησίον Νάξου. Τὸ ἐθνικὸν Νικάσιος, ὡς Θηράσιος, καὶ θηλυκῶς καὶ οὐδετέρως. Ἔστι καὶ ὄνομα κύριον Νικάσιος, Steph. Byz.]

[Νικᾱσίας, ὁ, Nicasias, n. viri, in inscr. Tegeat. ap. Bœckh. vol. 1, p. 669, n. 1513, 18. V. Νικησίας.]

[Νικάσιος. V. Νικασία. || N. viri in Ms. ap. Morell. Bibl. Ms. p. 233, Athanas. vol. 1, p. 168, D. L. Dind.]

[Νικασίπολις, ιδος, ἡ, Nicasipolis, Thessalonices ex Philippo Amyntæ mater. Pausan. 9, 7, 3, Steph. Byz. v. Θεσσαλονίκη.]

[Νικάσιππος, ὁ, Nicasippus, n. viri, ap. Pind. Isthm. 2, 47. Alius ap. Polyb. 5, 94, 6.]

[Νικᾱσὶς, ίδος, ἡ, Nicasis, n. mulieris, Anth. Pal. 7, 482, 3.]

[Νικᾱσίων, ωνος, ὁ, Nicasion, Atheniensis, in inscr. Att. ap. Bœckh. vol. 1, p. 498, n. 613. Et al. in Sicula ap. Rochett. Mus. Rhen. novi vol. 4, p. 79, annot. 34. L. Dind.]

[Νίκασος, ὁ, Nicasus, Megarensis, Thuc. 4, 119. Secundam produci, ut in Νικασὶς etc., putat Lobeck. Patholog. p. 410.]

[Νίκαστρον, Νίκατρον. V. Νικητήριον.]

[Νικᾱσύλος, ὁ, Nicasylus, Rhodius, ap. Pausan. 6, 14, 1 et 4, ubi unus liber semel per η in secunda, ceteri fere peccant nomine in duo vocabula dividendo. Νικάσυλυλος (sic) errore typogr., ut videtur, ap. Theognost. Can. p. 61, 22. L. Dind.]

[Νῑκᾱσὼ, οῦς, ἡ, Nicaso, n. mulieris, per ει scriptum in inscr. Delph. ap. Bœckh. vol. 1, p. 833, n. 1710, A, B. Conf. Νικησώ.]

[Νικατισμός. V. Νιβατισμός.]

[Νικατόριον, τὸ, Nicatorium, mons Assyriæ, Strab. 16, p. 737.]

[Νικάτορις, ιδος, ἡ, Nicatoris. Πόλις Συρίας πρὸς τῇ Εὐρώπῳ, κτίσμα Σελεύκου τοῦ Νικάτορος. Τὸ ἐθνικὸν Νικατορίτης, Steph. Byz.]

[Νικάτωρ. V. Νικήτωρ.]

[Νικαυγής. V. Νυχαυγής.]

Νικάω, Vinco, Supero, Victor sum [quomodo vertendum sæpe etiam tempore præsenti], Victoria potior. Hom. Il. Γ, [255] : Τῷ δέ κε νικήσαντι γυνὴ καὶ κτήμαθ' ἕποιτο· et [71] : Ὁππότερος δέ κε νικήσῃ, κρείσσων τε γένηται. [Cum accus. personæ Ψ, 680 : Ἐνίκα πάντας Καδμείωνας, et ap. alios quosvis.] Et cum duobus casibus, accus. et dativo : Ψ, [756] : Ὁ γὰρ αὖτε νέους ποσὶ πάντας ἐνίκα. [Υ, 410 : Πόδεσσι δὲ πάντας ἐνίκα. Æsch. Ag. 1423 : Χειρὶ νικήσαντα.] Sed jungitur et accusativo personæ [rei?] : pro cujus constructionis exemplo affertur ex eodem poeta [Il. Δ, 389, E, 807] : Πάντα δ' ἐνίκα, pro ἐν παντὶ ἀγωνίσματι. Sic Epigr. [Anth. Plan. 3] : Ἴσθμια καὶ Πυθοῖ Διοφῶν ὁ Φίλωνος ἐνίκα Ἅλμα, ποδωκείην, δίσκον, ἄκοντα, πάλην. [Eur. Alc. 1030 : Τοῖσι δ' αὖ τὰ μείζονα νικῶσι, πυγμὴν καὶ πάλην.] Itidem vero construitur et in oratione soluta. Thuc. 1, [126] : Ὀλύμπια νενικηκότι· quo dicere modo possis, Qui vicit Olympia. At Pausanias dicit etiam νικᾷν τὴν Ὀλυμπιάδα : 2 Eliac. [6, 10, 2] : Ἐνίκα μὲν δὴ τὴν ἕκτην Ὀλυμπιάδα καὶ ἑξηκοστὴν ὁ Κλεοσθένης· sed et cum altero accus. in Phoc. [10, 3, 1] : Ταύτην τὴν Ὀλυμπιάδα Πολυκλῆς ἐνίκα στάδιον Κυρηναῖος. [Similiter Demosth. p. 1342 ult. : Ὁ πάππος ὁ ἐμὸς Ὀλύμπια νικήσας παῖδας στάδιον.] Idem l. 2 : Περὶ τῆς ναυμαχίας, ἣν ἐνίκησαν. [Plato Phædr. p. 256, B :
A Τῶν τριῶν παλαισμάτων ἓν νενικήκασιν· Leg. 3, p. 692, D : Οὐ νικῶντες καλὰς νενικήκασι μάχας· Ion. p. 530, B : Ὅπως τὰ Παναθήναια νικήσομεν.] Sic Xen., Νικᾷν τοὺς ἀγῶνας· et [Anab. 6, 5, 23] νικᾷν μάχην, μάχας. [Id. Anab. 2, 1, 1 : Οἱ Ἕλληνες ἐκοιμήθησαν οἰόμενοι τὰ πάντα νικᾷν.] Isocr. Panath. [p. 287, A] : Ἀλλὰ διὰ τὸ μάχας ποιησάμενοι πλείστας τῶν ἀνθρώπων κατ' ἐκεῖνον τὸν χρόνον, μηδὲ μίαν ἡττηθῆναι τούτων, ἡγουμένου βασιλέως, ἀλλὰ νενικηκέναι πάσας· ubi observa obiter et ἡττηθῆναι cum eod. accus. [Jo. Malalas p. 486, 17 : Κατὰ κράτος νικήσας τὸν πόλεμον.] Dicitur ead. constructione, νικᾷν τὴν περίοδον : Athen. 10, [p. 415, A] de Herodoro Megarensi : Ἐνίκησε δὲ τὴν περίοδον δεκάκις, Quinque certamina Græciæ obivit et vicit : quod loquendi genus afferam mox et ex Plut. [Pind. Ol. 4, 24 : Νικῶν δρόμον· 13, 29 : Σταδίου νικῶν δρόμον· Nem. 5, 53 : Πύκταν τέ νιν καὶ παγκρατίου φθέγξαι ἑλεῖν Ἐπιδαύρῳ διπλόαν νικῶντ' ἀρετάν· Isthm. 3, 43 : Ἅρμα καρύξαισα νικᾷν. V. etiam infra in forma Νίκημι. || Conjungitur etiam cum genitivo, omisso ἀγῶνι vel ἀγῶνα,
B ut infra omisso δίκῃ, ubi de judicio dicitur. Argum. Æsch. Pers. : Ἐπὶ Μένωνος τραγῳδῶν Αἰσχύλος ἐνίκα Φινεῖ, quocum conf. ἐνίκα παίδων, ἀνδρῶν in titulis, de quibus Dorvill. ad Charit. 1, 5, p. 235. Pro quo schol. Eur. Orest. 1686 : Νικήσας ἐπὶ δράματι.] Sed et cum duplici accus., rei sc. et personæ, ap. Dinarch. C. Dem. [p. 99=54 R.] : Τιμοθέῳ τὴν ἐν Κερκύρᾳ ναυμαχίαν νικήσαντι τοὺς Λακεδαιμονίους. [Isocr. p. 171, A. Eur. Tro. 650 : Ἤδειν δ' ἅμ' ἐμὲ χρῆν νικᾷν πόσιν· 719 : Τοιαῦτα νικήσειε τῶν αὐτοῦ πέρι· fr. ap. Stob. Fl. 9, 15 : Τὸ νικᾷν τἄνδιχ' ὡς καλὸν γέρας. Plato Leg. 1, p. 634, B : Νικῶντας ἃ δεῖ νικᾷν· 12, p. 964, C : Τοῦ πᾶσαν ἀρετὴν νενικηκότος.] Sic etiam νικᾷν μάχην, et νικᾷν νίκην ap. Plut., adjecto personæ accus. [Hom. Od. Λ, 545 : Εἵνεκα νίκης, τήν μιν ἐγὼ νίκησα δικαζόμενος. Pausan. 10, 10, 4, cit. ab Schæf. ad Gregor. p. 239, ubi erraverat Koen. Addito insuper dativo id. Pausan. 9, 22, 3 : Ταινίᾳ τὴν κεφαλὴν ἡ Κόριννα ἀναδουμένη τῆς νίκης εἵνεκα, ἣν Πίνδαρον ᾄσματι ἐνίκησεν ἐν Θήβαις. Sine casu pers. Eur. Suppl. 1060 : Νικῶσα νίκην τίνα;
C Xen. Cyrop. 7, 1, 10 : Περὶ τῆς νίκης τῆς πρόσθεν, ἣν ἐνικήσατε. Plato Reip. 5, p. 465, D : Νίκην νικῶσι ξυμπάσης τῆς πόλεως σωτηρίαν· Leg. 4, p. 715, C.] Dicitur alioqui et νικᾷν μάχῃ τινὰ, item νικᾷν νίκῃ [Hom. Il. Π, 79 : Μάχῃ νικῶντες Ἀχαιούς. Eur. Phœn. 1143 : Ὡς ἐνικῶμεν μάχῃ] : utiturque illo dicendi genere et Thuc. : hoc autem Plato [Ep. 7, p. 333, C], non addito tamen accus. personæ : Ταῦτα τότε ἐνίκησε λεγόμενα, καὶ μάλα ἀτόπῳ τε καὶ αἰσχρᾷ νίκῃ τοῖς τῆς νίκης αἰτίοις· de usu autem quem habet hic verbum νικᾷν, dicam paulo post. Nonnunquam vero νικᾷν dativo jungitur velut instrumentali, ut quum dicitur aliquis νικᾷν ἵππῳ, ξυνωρίδι. Plato Apol. [p. 36, D] : Ἵππῳ, ἢ ξυνωρίδι, ἢ ζεύγει νενίκηκεν Ὀλυμπιάσι. [Hom. Il. Ψ, 669 : Πυγμῇ νικήσαντα· Β, 370 : Ἀγορῇ νικᾷς, γέρον, υἷας Ἀχαιῶν.] Cum hujusmodi autem dativo, accusativum etiam habet ap. Plut. [Mor. p. 811, D] : Οὐ μόνον περίοδον νενικηκὼς, ἀλλὰ καὶ πολλοὺς ἀγῶνας, οὐ παγκρατίῳ μόνον, ἀλλὰ καὶ πυγμῇ καὶ δολιχῷ. [Ps.-Demosth. p. 1356, 6 : Ὅτε ἐνίκα τὰ Πύθια τῷ τεθρίππῳ.
D Cum accus. pers. Eur. Tro. 1209 : Οὐχ ἵπποισι νικήσαντά σε οὐδ' ἥλικας τόξοισιν. Xen. Ag. 9, 7 : Ἅρματι νικήσας τοὺς ἰδιώτας. || Addita præpos. Plato Conv. p. 213, E : Νικῶντα ἐν λόγοις πάντας ἀνθρώπους. Diod. 14, 29 : Ἐπιθεμένων δ' αὐταῖς τῶν ἐγχωρίων, τούτους μὲν ἐν τῇ μάχῃ νικήσαντες πολλοὺς ἀνεῖλον. || Conjungitur etiam cum accus. loci, ubi victoria reportata est. Monum. agon. Att. ap. Bœckh. vol. 1, p. 361, n. 247, 12 : Νεικήσας Νέαν πόλιν δὶς Εὐσέβεια... Ζμύρναν κοινὸν Ἀσίας... Ἔφεσον. Conf. quæ diximus in Ἔμπη, vol. 3, p. 873, B. || Aliter conjungitur cum accus. πολὺ, ut sit Insignem victoriam reportare, ap. Thuc. 7, 34 : Οἵ τε γὰρ Κορίνθιοι ἡγήσαντο κρατεῖν, εἰ μὴ πολὺ ἐκρατοῦντο, οἵ τ' Ἀθηναῖοι ἐνόμιζον ἡσσᾶσθαι, ὅτι οὐ πολὺ ἐνίκων· Xen. Hipparch. 8, 11 : Ἐγὼ δέ φημι χρῆναι... ὅταν μὲν κρατήσειν οἰόμενος ἄγῃ, μὴ φείδεσθαι τῆς δυνάμεως, ὅσην ἂν ἔχῃ. Τὸ γὰρ πολὺ νικᾷν οὐδενὶ πώποτε μεταμέλειαν παρέσχεν· Hier. 2, 16 : Χαλεπὸν δὲ εὑρεῖν ὅπου οὐχὶ καὶ ἐπιψεύδονται, πλέονας φάσκοντες ἀπεκτονέναι ἢ ὅσοι ἂν τῷ ὄντι ἀποθάνωσιν· οὕτω καλόν τι αὐτοῖς

δοκεῖ εἶναι τὸ πολὺ νικᾶν. (Conf. Æsch. Cho. 1052 : Τίνες σε δόξαι, φίλτατ' ἀνθρώπων πατρὶ, στροβοῦσιν; ἴσχε, μὴ φόβου νικῶ πολύ. Sic enim Porsonus pro φοβοῦ νικῶν.)]

|| Et pass. Νικῶμαι, Vincor; Succumbo, Cedo. Hom. Il. Ψ, [663] : Αὐτὰρ ὁ νικηθεὶς δέπας οἴσεται ἀμφικύπελλον. [Et sic ap. alios quosvis.] Et cum dat. νικηθεὶς μάχῃ, Thuc. 2. Et νικᾶσθαι τῇ ἡδονῇ, ex Alex. Aphr., Superari a voluptate, Succumbere voluptati et cedere. [Soph. El. 1272. Æsch. Ag. 290, 912, ὕπνῳ· 342, κέρδεσιν· 583, λόγοισιν. Eur. Med. 1077 : Νικῶμαι κακοῖς. « Vita Soph. p. 2, 41, χαρᾷ. » Hemst.] Dicitur etiam νικῶμαι τοῦτο, pro κατὰ, εἰς τοῦτο. [Exc. Phrynichi Bekk. An. p. 25, 30 : Ὅταν τις παίζων ἀστραγάλοις ... νικήσῃ, εἶτ' αὖθις νικᾶται ἃ ἐνίκησεν. Xen. H. Gr. 4, 5, 2 : Ἐκείνῳ τῷ ἔτει ἔστιν ἃ τῶν ἄθλων δὶς ἕκαστος ἐνικήθη. Jo. Malalas p. 168, 13 : Ἐνικήθησαν τὸν πόλεμον οἱ Ῥουστοῦλοι ὑπὸ τοῦ Αἰνείου.] Et νικῶμαί σου τοῦτο. Item νικῶμαί σου, sine ullo accus. Affertur enim ex Aristoph. Nub. [1087] : Τί δῆτ' ἐρεῖς, ἢν τοῦτο νικηθῇς ἐμοῦ; Et ex Soph. Aj. [330] : Φίλων γὰρ οἱ τοιοίδε νικῶνται φίλοι, pro Superantur ab amicis, i. e. Superari se sinunt, et illis cedunt. Sed aliam etiam lectionem [λόγοις pro φίλοι] aliumque simul sensum ostendent tibi meæ in hunc poetam Annotationes. Id. ib. [1353] : Κρατεῖς τοι τῶν φίλων νικώμενος. [Pind. Nem. 9, 5 : Ἐνθ' ἀναπεπταμέναι ξείνων νενίκανται θύραι. Eur. Tro. 23 : Νικῶμαι γὰρ Ἀργείας θεοῦ Ἥρας Ἀθάνας τε· Med. 315 : Κρεισσόνων νικώμενοι.] Quinetiam cum gen. rei, ex Eur. [Iph. A. 1357] : Ἐνικώμην κεκραγμοῦ, pro Vincebar clamore. [Æsch. Suppl. 1005 : Ἱμέρου νικώμενος. Eur. Heracl. 233 : Τὴν εὐγένειαν τῆς τύχης νικωμένην· Cycl. 454 : Βακχίου νικώμενος· Dict. fr. ap. Stob. Fl. 93, 6, et 94, 3 : Χρημάτων νικωμένῳ.] Apud Thuc. legimus cum præp. ὑπὸ, 2, [51] : Ὑπὸ τοῦ πολλοῦ κακοῦ νικώμενοι, Quum magnitudine mali vincerentur, Quum magnitudini mali succumberent. Ibid., Ὑπὸ τοῦ κακοῦ νικώμενοι. At Paulus alio sensu dixit in fine c. 12 Epist. ad Rom. : Μὴ νικῶ ὑπὸ τοῦ κακοῦ. [Thuc. 1, 76 : Ὑπὸ τῶν μεγίστων νικηθέντες, τιμῆς καὶ δέους καὶ ὠφελείας. Soph. fr. ap. Stob. Fl. 28, 1, 4 : Πρὸς τοῦ παρόντος ἱμέρου νικωμένη. Eur. fr. Antiop. ap. Stob. Fl. 30, 9 : Τὰ πολλὰ πρὸς φίλων νικώμενοι. De sententia, ut paullo post ap. HSt., Thuc. 2, 87 : Οὐδὲ δίκαιον τῆς γνώμης τὸ μὴ κατὰ κράτος νικηθὲν ... ἀμβλύνεσθαι. || Medium νικᾶσθαι est in inscrr. Olbiopolit. ap. Bœckh. vol. 2, p. 131, n. 2061, 8 : Ὑπὸ πάντα νεικωμένης εἱμαρμένης ἐπιστάσης ἀφηρπάγη καὶ τῶν γονέων καὶ τῆς πατρίδος ἀνηλεῶς· et iisdem verbis n. 2062, 6.]

|| Νικᾷν, interdum Vincere judicio : quem usum Bud. affert p. 96 ex Dem. Ubi etiam, Οἱ νικῶντες [τὰς] γνώμας περὶ τούτων, ex Plat. Gorgia [p. 456, A]. Quibus addo, sicut aliquis dicitur νικᾷν γνώμην, quo utitur et Aristoph. [Vesp. 594, Herodot. 1, 61 (ubi tamen al. γνώμῃ), Thucyd. 3, 36], pro Vincere, i. e. Obtinere : sic etiam hoc verbum illi tribui : dicitur enim et ipsa γνώμη νικᾷν, et quidem a Thuc. quoque : 2, [12] : Ἦν γὰρ Περικλέους γνώμη πρότερον νενικηκυῖα. [Plato Reip. 3, p. 397, D : Ἐὰν ἡ ἐμὴ νικᾷ. Unde ἡ νικῶσα intell. γνώμη. Xenoph. Anab. 6, 1, 18 : Τὸν ἔμπροσθεν χρόνον ἐκ τῆς νικώσης ἔπραττον πάντα οἱ στρατηγοί· 2, 12 : Τούτους ἐκ τῆς νικώσης ὅ,τι δοκοίη τοῦτο ποιεῖν. Eumath. p. 9 : Οὐκ οἶδ' ᾧ τὴν νικῶσαν ἀποχαρίσῃ. Νικᾶν δίκην Eur. El. 955 : Μή μοι τὸ πρῶτον βῆμ' ἐὰν δράμῃ καλῶς, νικᾶν δοκείτω τὴν δίκην. Pro quo νικήσας τῇ δίκῃ in inscr. Delia ap. Bœckh. vol. 2, n. 2266, p. 220, 9. Et cum genitivo, omisso δίκη, ap. Demosth. p. 1059, 16 : Ὡς ἐνίκησε τοῦ κλήρου τοῦ Ἁγνίου ἡ Εὐβουλίδου θυγάτηρ, et 23, et 21, ἐνίκησε τοῦ κλήρου τοὺς ἀμφισβητοῦντας.] Tale ap. Dem. [p. 55, 6] : Νικῴη δ' ὅ, τι πᾶσιν ὑμῖν μέλλει συνοίσειν. Et quod habes supra ex Plat., Ταῦτα τότε ἐνίκησε λεγόμενα. [Xen. H. Gr. 6, 5, 6 : Συνιέναι πᾶν τὸ Ἀρκαδικὸν καὶ ὅ,τι νικῴη τοῦτο κύριον εἶναι τῶν πόλεων· 7, 1, 28 : Ταῦτα ἐν τοῖς συμμάχοις ἐνίκησεν. Plato Gorg. p. 487, C : Ἐνίκα ἐν ὑμῖν τοιάδε τις δόξα.] Existimo autem hujus loquendi generis occasionem præbuisse Homerum, quum dixit Od. K, [46] : Βουλὴ δὲ κακὴ νίκησεν ἑταίρων. [Eur. Med. 912 : Ἔγνως δὲ τὴν νικῶσαν ἀλλὰ τῷ χρόνῳ βουλήν.] Sic Liv. sæpe, Hæc vicit sententia : unde ἡ νικῶσα γνώμη

A non dubitarim reddere Victrix sententia. Legitur ap. eund. poetam non semel [Il. A, 576, etc. Soph. fr. Eriphyl. ap. Stob. Fl. 43, 7 : Νικᾷ δ' ἐν πόλει τὰ χείρονα,] Ἐπεὶ τὰ χερείονα νικᾷ. [Et Il. Ψ, 604 : Νῦν αὖτε νόον νίκησε νεοίη. Æsch. Ag. 120 etc. : Τὸ δ' εὖ νικάτω· Cho. 683 : Εἴτ' οὖν κομίζειν δόξα νικήσει φίλων· Eum. 432 : Ὅρκοις τὰ μὴ δίκαια μὴ νικᾶν λέγω. Soph. El. 253 : Εἰ δὲ μὴ καλῶς λέγω, σὺ νίκα. Soph. OEd. C. 1296 : Οὔτε νικήσας λόγῳ· Ant. 274 : Ἦν δ' ὁ μῦθος... καὶ ταῦτ' ἐνίκα. Eur. Or. 944 : Νικᾷ δ' ἐκεῖνος ὁ κακὸς ἐν πλήθει λέγων· Iph. T. 1472 : Νικᾶν ἰσήρεις ὅστις ἂν ψήφους λάβῃ.] Apud Thuc. vero [2, 54] ἐνίκησε sine nominativo etiam, sed cum infin., quod imitatus Plut. dixit in Pompeio [c. 77], Ὡς δ' οὖν ἐνίκα φεύγειν εἰς τὴν Αἴγυπτον, ubi vertit Bayf., Ut igitur decretum est, fugiendum esse in Ægyptum. Sed non satis vim hujus verbi exprimit interpr. ista; exprimetur autem reddendo, At ubi vicit hæc sententia. Hoc sensu Gallice dicitur, *J'ay gangné ce point*, et *On a gangné ce point* : quum verbum illud *Gangner* sit νικᾷν in quibusdam B etiam aliis loquendi generibus. [Soph. Ant. 233 : Πολλὰς γὰρ ἔσχον φροντίδων ἐπιστάσεις... τέλος γε μέντοι δεῦρ' ἐνίκησεν μολεῖν σοί. Thuc. 2, 54 : Ἐγένετο μὲν οὖν ἔρις τοῖς ἀνθρώποις μὴ λοιμὸν ὠνομάσθαι ἐν τῷ ἔπει ὑπὸ τῶν παλαιῶν, ἀλλὰ λιμὸν, ἐνίκησε δὲ ἐπὶ τοῦ παρόντος εἰκότως λοιμὸν εἰρῆσθαι. Plat. Polit. p. 303, B : Ἐν δημοκρατίᾳ νικᾷ ζῆν. Referenda huc etiam hæc Æsch. Ag. 574 : Ἡμῖν δὲ τοῖς λοιποῖσιν Ἀργείων στρατοῦ νικᾷ τὸ κέρδος, πῆμα δ' οὐκ ἀντιρρέπει. Et Soph. Aj. 1357 : Νικᾷ γὰρ ἀρετή με τῆς ἔχθρας πολύ. || Notanda etiam constr. ap. Soph. Phil. 1052 : Νικᾶν γε μέντοι πανταχοῦ χρῄζων ἔφυν πλὴν εἰς σέ. Et OEd. C. 880 : Τοῖς τοι δικαίοις χὼ βραχὺς νικᾷ μέγαν. Et fr. Epigon. ap. Stob. Fl. 38, 27 : Φιλεῖ γὰρ ἡ δύσκλεια τοῖς φθονουμένοις νικᾶν ἐπ' αἰσχροῖς ἢ 'πὶ τοῖς καλοῖς πλέον. Et ap. Plat. Leg. 7, p. 801, A : Νικᾷ γὰρ πάσαισι ταῖς ψήφοις οὗτος ὁ νόμος· 8, p. 839, A : Ἐὰν καὶ περὶ τὰς ἄλλας (ξυμμίξεις) νικήσῃ δικαίως. || Vincere, de rebus, improprie, Æsch. Eum. 88 : Μὴ φόβος σε νικάτω φρένας· 133 : Μή σε νικάτω πόνος. Soph. Aj. 1334 : Μηδ' ἡ βία σε μηδαμῶς C νικησάτω τοσόνδε μισεῖν ὥστε κτλ. Ant. 795 : Νικᾷ δ' ἐναργὴς βλεφάρων ἵμερος εὐλέκτρου νύμφας. Eur. fr. Antiop. ap. Plut. Mor. p. 790, A, et alios : Σοφὸν γὰρ ἓν βούλευμα τὰς πολλὰς χέρας νικᾷ· Andr. 637 : Πολλάκις δέ τοι ξηρὰ βαθεῖαν γῆν ἐνίκησε σπορά. Soph. OEd. C. 1225 : Μὴ φῦναι τὸν ἅπαντα νικᾷ λόγον, τὸ δ', ἐπεὶ φανῇ, βῆναι κεῖθεν ὅθενπερ ἥκει, πολὺ δεύτερον, ὡς τάχιστα. Eur. Iph. A. 1249 : Ἓν συντεμοῦσα πάντα νικήσω λόγον. Et inverso modo id. Hipp. 399 : Τὴν ἄνοιαν εὖ φέρειν τῷ σωφρονεῖν νικῶσα· 1304 : Γνώμῃ δὲ νικᾶν τὴν Κύπριν πειρωμένη· Iph. T. 485 : Οὔτοι νομίζω σοφὸν ὃς ἂν μέλλων θανεῖν οἴκτῳ τὸ δεῖμα τοὐλέθρου νικᾶν θέλῃ.] || Dicitur præterea aliquis alium νικᾷν aliqua in re, pro Præstantior esse, Antecellere, qua in signif. frequentissima sunt ap. Latinos item verba Vinco et Supero; quo pertinent νικᾷν μύθοις, κάλλει, ap. Hom. [Il. Σ, 252 : Ἀλλ' ὁ μὲν ἂρ μύθοισιν, ὁ δ' ἔγχεϊ πολλὸν ἐνίκα· Ψ, 742 : Κάλλει ἐνίκα πᾶσαν ἐπ' αἶαν· Od. Γ, 121 : Μάλα πολλὸν ἐνίκα δῖος Ὀδυσσεὺς παντοίοισι δόλοισι. Addito accus. pers. Eur. Herc. F. 342 : D Ἀρετῇ σε νικῶ· Hec. 659 : Ἑκάβη ἡ πάντα νικῶσ' ἄνδρα καὶ θῆλυν σπορὰν κακοῖσιν. Addito genitivo pers. Const. Manass. Am. 9, 63 : Κἂν Ἀχιλλέος καλλονῇ νικᾷ καὶ Ὑακίνθου. || Sæpe etiam cum participio conjungitur, ut ap. Xen. Ag. 9, 7 : Εἰ νικῴη τὴν μὲν πατρίδα καὶ τοὺς ἑταίρους εὐεργετῶν, τοὺς δὲ ἀντιπάλους τιμωρούμενος, et alibi ap. hunc et alios. || « Νίκα acclamatio populorum imperatoribus fieri solita, qua iis victorias apprecarentur. Theophanes a. 5 Justiniani : Τούτῳ τῷ ἔτει γέγονεν τοῦ λεγομένου Νίκα ἡ ἀνταρσία. In Synodi acclamatione sub Mena act. 4 : Νίκα ἡ πίστις τοῦ βασιλέως, » etc. Ducang. Conf. inprimis Procop. vol. 1, p. 121; 3, p. 411 edd. Bonn. || Forma Æolica præs. Νίκημι Theocr. 7, 40 : Οὔτε τὸν ἐσθλὸν Σικελίδαν νίκημι... οὔτε Φιλητᾶν. Antip. Thess. Anth. Pal. 7, 743, 7 : Ἴδ' ὡς νίκημι δικαίως παισὶν καὶ γλώσσῃ σώφρονι Ταντάλίδα. Sec. pers. νίκης Phalæc. ib. 13, 5, 6, cujus loci de scriptura v. in Ἔμπη, vol. 3, p. 873, B, quanquam hic etiam Dor. νικῆς locum habet; tertia imperf. ap. Theocrit. 6, 45 : Νίκη μὰν οὐδ' ἄλλος· Pind. Nem. 5,

5 : Διαγγέλλοισ' ὅτι Πυθέας νίκη Νεμείοις παγκρατίου στεφάνους, ubi libri νικῇ. || Futuri forma Dorica νικαξῶ est ap. Theocr. 21, 32, (νικασεῖν 5, 28; 8, 7, 10). || Imperf. νίκασκον est in var. script. Hom. Od. Λ, 512 : Νέστωρ τ' ἀντίθεος καὶ ἐγὼ νικάσκομεν οἴω, ubi al. νεικέσκομεν. Tertia plur. ἐνικῶσαν τὰ Χαριτείσια in inscr. Orchom. ap. Bœckh. vol. 1, p. 763, n. 1583, 4. De optativi præs. tertia sing. contr. νικῷ, ap. Xenophan. Athen. 10, p. 414, C, Plat. Leg. 2, p. 658, C, v. Apollon. De constr. p. 212, 10. L. DIND.]

[Νικάω, Vannio, Ventilo. Hesychius : Νικᾷ, κρατεῖ, λικμᾷ. Idem Νίκειν, λικμᾶν, κρατεῖν. Et Νίκλον, τὸ λίκνον. Quemadmodum autem λίκνον etiam λεῖκνον scribi diximus in illo, ita alteram formam per diphthongum scriptam exhibet Hecychius in gl. : Νεῖκλον, τὸ λίκνον. Unde eidem pro Νεηκλᾶ, λικνᾶ, et Νεκητὴρ, λικμητὴρ, Μεγαρεῖς, eandem restituunt interpretes.]

[Νικέας. V. Νικίας.]

[Νικεος, quod esse videtur in inscr. Arg. ap. Bœckh. vol. 1, p. 578, n. 1120, 5, ubi κατὰ τὰν Νικεος, suspectum est et incertum ab qua nominativi forma ducatur. V. tamen Νίκης.]

[Νικεπωνυμούμενος, η, ον, A victoria cognominatus. Anon. in Notitt. Mss. vol. 8, part. 2, p. 251 seq., πόλις. BOISS.]

[Νικέρως, ωτος, ὁ, Niceros, Spartanus, in inscr. Spart. ap. Bœckh. vol. 1, p. 636, n. 1279, 19, 21, ubi semel per ει, ut in Attica ib. p. 329, n. 192, 15. L. DIND.]

[Νίκεστρον. V. Νικητήριον.]

Νίκη, ἡ, quod est Victoria, [Palma, Laurea, Antegerio, Gl.] dubitari potest an sit a verbo νικῶ, an contra; sicut et de aliis dubitatur : sed ut βοὴ post βοᾷν posueram, sic et Νίκη post Νικᾷν interim posui. Hom. Il. H, [312] : Κεχαρηότα νίκῃ· N, [609,] O, [539] : Ἔλπετο νίκην. Et ἀφείλετο νίκην, Π, [689]. Aliquoties vero dicit μάχης ἑτεραλκέα νίκην. [Pind. Ol. 8, 66 : Νίκαν τριακοστὰν ἑλών· Isthm. 2, 13 : Ἀείδω Ἰσθμίαν ἵπποισι νίκαν· 6, 22 : Φέρει νίκαν παγκρατίου· 5, 57 : Ἄραντο νίκας ἀπὸ παγκρατίου τρεῖς. Soph. Ant. 133 : Βαλβίδων ἐπ' ἄκρων ἤδη νίκην ὁρμῶντ' ἀλαλάξαι.] Xen. Cyrop. 4, [1, 15] : Πολλοὺς δὲ νίκης τυχόντας, ἑτέρας ἐφιεμένους, καὶ τὴν πρόσθεν ἀποβαλεῖν. [Cum genit. Plato Leg. 1, p. 638, A : Νίκην τε καὶ ἧτταν λέγοντες μάχης· 641, A : Νίκη πολέμου, pro quo p. 647, B : Τὴν ἐν τῷ πολέμῳ νίκην· 641, C : Πολλοὶ ὑβριστότεροι διὰ πολέμων νίκας γενόμενοι· 8, p. 840, C : Τῆς τῶν ἡδονῶν νίκης ἐγκρατεῖς ὄντας.] Plut. νίκη vult dici παρὰ τὸ μὴ εἴκειν, ut docui in Νεῖκος, at Eust. [Il. p. 662, 39] παρὰ τὸ ἐνὶ εἴκειν : ap. quem [Il. p. 879, 64; 1244, 26], sicut et ap. Pausan. [1, 42, 4], vide de Νίκη Ἀθηνᾶ, quæ et Νίκη sine adjectione. [Soph. Ph. 134 : Νίκη τ' Ἀθηνᾶ Πολιάς. Eur. Ion. 457 : Σὲ ... Ἀθάναν ἱκετεύω· ὦ πότνα Νίκα. De qua Bœckh. Œcon. Athen. vol. 2, p. 294 sqq. De substantivo præterea notandæ sunt locutiones ἐπὶ νίκῃ, ap. Æsch. Cho. 870 : Εἴη δ' ἐπὶ νίκῃ· Eum. 1009 : Τὸ δὲ κερδαλέον πέμπειν πόλεως ἐπὶ νίκῃ. Aristoph. Lys. 1293 : Εὐαὶ ὡς ἐπὶ νίκῃ. Eur. Suppl. 596 : Ταῦτα γὰρ νίκην δίδωσι· Rhes. 995 : Τάχα δ' ἂν νίκην δοίη δαίμων· El. 675 : Νίκην δὸς ἡμῖν. Plurali Eurip. ap. Plut. Niciæ c. 17 : Συρηκοσίους ὀκτὼ νίκας ἐκράτησαν. Aristoph. Eq. 535 : Διὰ τὰς προτέρας νίκας. Et alii. Cum genit. Xen. Comm. 3, 4, 5 : Τὴν τῶν πολεμικῶν νίκην ... τὴν τῶν χορικῶν. « Ἡ νίκη τῶν Ῥωμαίων ἡ πρὸς Ἀντίοχον, Polyb. 22, 1, 1. Sed videtur ea phrasis epitomatoris esse, non Polybii.» SCHWEIGH. Lex. || Merces, Lucrum. Nomocanon Cotel. n. 85 (Mon. vol. 1, p. 83, B) : Οἱ ἱερεῖς οἱ ζητοῦντες νίκην ἐνταφιασμοῦ ὡς Ἰούδας κριθήσονται. DUCANG.]

[Νίκη, ἡ, Nice, dea Victoria, Stygis et Pallantis f., ap. Hesiod. Th. 384, Apollod. 1, 2, 4, sæpe etiam ap. alios poetas, ubi victoriam faciunt deam, ut Pind. Nem. 5, 42 : Νίκας ἐν ἀγκώνεσσι· Isthm. 2, 26 : Χρυσέας ἐν γούνασιν Νίκας· Soph. Ant. 148 : Ἁ μεγαλώνυμος ἦλθε Νίκα τᾷ πολυαρμάτῳ ἀντιχαρεῖσα Θήβᾳ, et sæpius in Anthologia. Menander ap. schol. Aristid. p. 301 ed. Lips. et in Bekk. An. p. 368, 8 : Ἡ δ' εὐπάτειρα φιλόγελώς τε παρθένος Νίκη μεθ' ἡμῶν εὐμενὴς ἕποιτ' ἀεί. De Νίκη ἐπτερωμένη v. Aristophon ap. Athen.

A 13, p. 563, Tzetz. Cram. Anecd. vol. 3, p. 366, 5. Ἱερεὺς θεᾶς Νίκης est in inscr. Aphrodis. ap. Bœckh. vol. 2, p. 526, n. 2810, 3. Imagines ejus memorantur quum apud alios (ut Pausaniam, cujus v. Ind. v. Victoria, schol. Aristoph. Ran. 720), tum in inscrr. ap. Bœckh. vol. 1, p. 704, n. 1519; vol. 2, p. 133, n. 2069; 134, n. 2072; 348, n. 2388, 6; 586, n. 2925. Νίκας ἐμπεποικιλμένας in tænia memorat Plut. Timol. c. 8. Figuram Νίκης Hero in Mathem. vett. p. 247, B. N. mulieris est ap. Steph. Byz. in Θεσσαλονίκη, in Actis SS. Martii vol. 3, p. 699, D, in inscr. ap. Bœckh. vol. 1, p. 506, n. 690; 603, n. 1228, et aliis. Naves Atticæ, ap. Bœckh. *Urkunden* p. 89. Thespias ap. Apollod. 2, 7, 8, 4.]

[Νικήδιον, ἡ, Nicedion, nomen meretricis, ap. Plut. Mor. p. 1097, C, scribendum videtur Νικίδιον.]

[Νικήεις, εσσα, εν, Victor. Meleager Anth. Pal. 7, 428, 5 : Ἦ ῥά γε νικάεντα μάχα σκαπτοῦχον ἄνακτα κρύπτεις;]

Νίκημα, τὸ, Victoria : sed dicitur νίκημα a νικάω
B ea forma qua dixeris Superamentum a Supero. [Diod. 4, 33 : Καθ' ὃν καιρὸν δικαστὴς γενόμενος τῷ πατρὶ πρὸς Ἡρακλέα περὶ τοῦ μισθοῦ τὸ νίκημα ἀπέδωκεν Ἡρακλεῖ· 65 : Ἐπέτρεπον κρῖναι περὶ τῶν ἀμφισβητουμένων Ἐριφύλην· τῆς δὲ τὸ ν. περιθείσης Ἀδράστῳ· 11, 74 : Οἱ Ἀθηναῖοι ταῖς ἰδίαις ἀνδραγαθίαις νίκημα περιπεποιημένοι· 18, 72 : Ὡς πάντως καθ' ἑαυτοὺς ἐσομένου τοῦ νικήματος (quam formulam habet Polyb. 1, 87, 10 et alibi)· 20, 52 : Ὑποστρέφων ἀπὸ τοῦ νικήματος. Dionys. A. R. 3, 27 : Ἐπὶ ν. κοινῷ γεγηθώς· 32 : Ἀμφίλογον καταλιπόντες τὸ ν. et alibi. Polyb. Exc. Vat. p. 444 : Ἔκστασις πολέμου δικαία δοκοῦσα εἶναι τὰ νικήματα ποιεῖ μείζω.] Plut. in Lyc. [c. 22] : Τρεψάμενοι δὲ καὶ νικήσαντες ἐδίωκον, ὅσον ἐμβεβαιώσασθαι τὸ νίκημα τῇ φυγῇ τῶν πολεμίων· De Herod. [p. 858, D] : Ἀμφοτέροις ἐπίδικον εἶναι τὸ νίκημά φησιν. Cebes Theb. [p. 86 ed. Cor.] : Ὡς καλὸν τὸ νίκημα λέγεις. Multo frequentius est νίκη.]

[Νίκημι. V. Νικάω.]

[Νικηνὸς, ὁ, Nicenus, n. viri in numo Dyrrhachii ap. Mionnet. *Suppl.* vol. 3, p. 350, 291, si recte lectum.]

C [Νικήρατος, ὁ, Niceratus, n. pluribus viris Atticis commune, de quibus v. Bœckh. *Urkunden* p. 246-7. Ita scribendum videtur pro Νικήρωτος ap. Zonaram p. 1401. L. DIND.]

[Νίκης, ὁ, cogn. viri esse videtur in inscr. Assi reperta, ap. Bœckh. vol. 2, p. 871, n. 3573, ubi Κλ. Νείκη(ς). Ib. vol. 1, p. 656, n. 1341, 7, quod est Αὐρ. Φοῖβος Νεικα, non integrum est fortasse.]

[Νικησαρέτη, ἡ, Nicesarete, n. mulieris Atticæ in inscr. Att. ap. Bœckh. vol. 1, p. 505, n. 682. Alius in Amorg. ap. Ross. Inscrr. fasc. 2, p. 32, n. 126, 2. L. DIND.]

[Νικησίας, ὁ, Nicesias, Atheniensis, in inscr. Att. ap. Bœckh. vol. 1, p. 341, n. 206, 22, ubi Νικησίας, et 27, ubi Νικησίου, ut in alia *Annali dell' Instituto* 1829, p. 158, 38. Alius ap. Athen. 6, p. 249, D, E; 251, C. V. Νικασίας. ῑᾱ L. DIND.]

[Νικησίλη, ἡ, Nicesile, n. mulieris, in inscr. Tenia ap. Ross. Inscrr. fasc. 2, p. 15, n. 102, 12, 13. L. DIND.]

D [Νικησώ, οῦς, ἡ, Niceso, n. mulieris Pergamenæ, in inscr. Att. ap. Bœckh. vol. 1, p. 526, n. 882, 1. Navis Att. ap. eund. *Urkunden* p. 89. Forma Dor. Νεικασώ in Delphica vol. 1, p. 833, n. 1710, A, 5; B, 1, ubi genit. forma Dor. Νεικασῶς.]

[Νικήτας, ὁ, Nicetas.] Suidas habet etiam proprium nomen Νικήτας, quod esse Doricum ait; ac in eo mutari accentum, sicut et in Φιλήτας, ad differentiam adjectivorum νικητής et φιλητής. [Indocti grammatici annotationem omittunt libri meliores : nam verus accentus est Φιλητᾶς, ut locum non habeat comparatio cum Νικήτας. Plurimos hujus nominis scriptt. recenset Fabricius in Bibl. Gr. V. autem Νικήτης, quæ apud veteres usitata forma est, aut Dor. Νικάτας.]

[Νικητέος, α, ον, Vincendus, Gl. Eur. Bacch. 953 : Οὐ σθένει νικητέον γυναῖκας.]

[Νικητὴρ, ῆρος, ὁ.] Νικατὴρ Dor., pro νικητής. Hesych. autem νικατῆρες exp. οἱ ἀκμαιότατοι ἐν ταῖς τάξεσιν. [V. Νικάτωρ in Νικήτωρ.]

Νικητήριον, τὸ, Victoriæ præmium, Palma : quo utuntur et Latini, ut Juvenal. [3, 68] : Et ceromatico fert niceteria collo. Xen. Cyrop. 8, [3, 33] : Τὸν μὲν οὖν βοῦν ἔλαβε καὶ αὐτὸς τὸ ν. Hell. 6, [2, 28] : Μέγα δὴ νικητήριον ἦν, τὸ πρώτους καὶ ὕδωρ λαβεῖν, καὶ κτλ. Ap. Eund. [H. Gr. 6, 4, 29], itidemque ap. Plut. [et Plat. Leg. 12, p. 943, C] νικητήριον proponitur στέφανος. [Heliod. Æth. 4, 16 : Τήνδε τὴν θυσίαν ἄγει τῷ θεῷ τῷ φήναντι νικητήριόν τε καὶ χαριστήριον, ἅμα δὲ καὶ ἐμβατήριον. Ubi tamen etiam pro adjectivo habere licet, ut paullo ante : Τήνδε νικητήριον ἐπιθύειν τὴν εὐωχίαν.] Idem Xen. Cyrop. 2, [1, 24] : Προεῖπε δὲ νικητήρια καὶ ὅλαις ταῖς τάξεσι καὶ ὅλοις τοῖς λόχοις. [Soph. fr. Salmonei ap. Athen. 11, p. 487, D : Τῷ καλλικοτταβοῦντι νικητήρια τίθημι. Eur. Alc. 1031 : Ὅθεν κομίζω τήνδε νικητήρια λαβών· Tro. 963 : Τὰ δ' οἴκοθεν κεῖν' ἀντὶ νικητηρίων πικρῶς ἐδούλευσα.] Item νικητήρια φέρειν ap. Plat. [Leg. 2, p. 657, E], sicut dicitur ἆθλον φέρειν. [Φέρεσθαι, Phædr. p. 245, A.] Dion [51, 11], de Cleopatra loquens : Ἐπεθύμει ζῶσάν τε συλλαβεῖν καὶ εἰς τὰ νικητήρια ἀναγαγεῖν, Ducere illam in triumphum inter cetera præmia victoriæ. Gaza, Νικητήρια πέμψαι ἀπὸ τῶν Σαβίνων, quod Cic. Triumphare de Sabinis. At νικητήρια ἑστιάσαι [ἑστιᾶσαι] ap. Plut. Phocione [c. 20], Convivium ob victoriam dare, Bud. [Xen. Cyrop. 8, 4, 1 : Θύσας ὁ Κῦρος καὶ νικητήρια ἑστιῶν. Similiter Himer. Or. 5, 4, p. 479 : Ἵν' ἐπηχήσῃ (Ismenias tibicen) τῷ Περσῶν φόνῳ τὰ νικητήρια.] Dicitur etiam Νικητήριος adjective : unde νικητήρια ἆθλα, Plato Leg. [8, p. 832, E, ubi est : Θετέον ἆθλα νικητήρια.] Et νικητήρια φιλήματα, Xen. [Conv. 6, 1 : Ἐκ τούτου οἱ μὲν τὰ νικητήρια φιλήματα ἀπολαμβάνειν τὸν Κριτόβουλον ἐκέλευον], et Athen. [5, p. 188, D, verba Xen. repetens : Προτίθησι νικητήρια φιλήματα τῶν κριτῶν. Sed ap. Platonem et Athen. quidem νικητήρια etiam pro substantivo habere licet, quod qui ap. Xen. fieri vellent, distinxerunt ante et post φιλήματα. « Longin. 36, 4 : Πᾶς αὐτοῖς αἰὼν... φέρων ἀπέδωκε τὰ νικητήρια. » Valck. Triumphus. Jo. Chrysost. in Epist. : Παρὰ τούτοις τὰ νικητήρια τῆς σοφίας ἐστὶ, Palma sapientiæ penes illos est, i. e. inter sapientes eminent. Koenig. || Νικητήριος τοῦ σταυροῦ φωνή, clamor militaris, in hæc verba conceptus : Σταυρὸς νενίκηκε, cujus initium a Constantini M. visione ortum habere videtur. Nam ap. Scylitzem p. 840, νικητικώτατον σύμβολον dicitur. Leo Tact. 12, 69 : Κινοῦντα μὲν πρὸς τὴν συμπλοκὴν τὴν συνήθη Χριστιανῶν νικητήριον τοῦ σταυροῦ φωνὴν ἀνακράζειν δεῖ, coll. ib. 106, Cedreno p. 572, etc. Ducang.]

|| Νίκεστρον pro eod., Hesych.; et Νίκαθρον cum θ : sed malo Νίκατρον cum τ. [Νίκαστρον ap. Photium cum ead. interpr., quam ponit Hesychius, νικητήριον. Alteram formam Hes. interpretatur ἔπαθλον, ἐπινίκιον. De forma νίκαστρον v. Lobeck. Paralip. p. 451.]

Νικητὴς, ὁ, Victor [Gl.]. Apud Polluc. 3, c. ult. est τμημάτιον inscriptum περὶ Νικητοῦ, quod ita inchoat : Ὁ δὲ νικήσας τὰ ἆθλα ἀνείλετο τὸν στέφανον, ἀνείλετο τὴν ῥάβδον τοῦ φοίνικος κτλ. Non est alioqui in frequenti usu hoc verbale, sed dicitur potius pro eo νικηφόρος, ac dubitari etiam possit an ibi ab ipso Polluce scriptum fuerit; nam aut omnes aut plerosque titulos non esse ejus, persuasum habeo. [Eust. Il. p. 118, 42. || Forma Dor. in inscr. Nysæ reperta ap. Pocock. Inscrr. p. 12, s. 613 : Νεικατὴς πάλη. L. Dind.]

[Νικήτης, ὁ, Nicetes, n. viri, ap. Ammian. Anth. Pal. 11, 188, 1. Item in numis Atticis ap. Mionnet. *Descr.* vol. 2, p. 126, n. 155, 156. Rhetoris Smyrnæi ap. Philostr. V. S. 1, 19, etc. Νεικήτης scriptum in inscr. Att. ap. Bœckh. vol. 1, p. 373, n. 269, 10, et in alia ap. Lebas. *Inscrr.* 5, p. 26, n. 154, ubi bis Νεικήτου. Dor. Νικάτας in Naupact. ap. Bœckh. vol. 1, p. 858, n. 1757, a, 3. L. Dind.]

Νικητικὸς, ἡ, ὸν, Vincendi peritus s. Consequendæ victoriæ, Cui sæpe contingit vincere. Quidam interpr., Victoriosus, qua voce usum esse Catonem testatur Gellius. [Xen. Comm. 3, 4, 11 : Παρασκευὴν νικητικήν. Theodor. Stud. p. 217, C : Τοὺς νικητικοὺς ἐπὶ τῇ παρθενίᾳ στεφάνους· et 242, C. Νικητικὸν ὅπλον Gretser. Opp. vol. 2, p. 42, B.] In VV. LL. legitur et νικηκώτατον, pro Artificium consequendi victorias. Sed non dubium est quin reponi debeat νικητικώτατον : atque A adeo ita repono, et dico νικητικώτατον non accipi substantive pro Artificio consequendi victorias, sed potius adjective pro Eo cui maximum artificium et maxime vires insunt ad consequendam victoriam; s. brevius, Quod maxime pollet arte vincendi. [V. Νικητήριος. Polyb. 26, 2, 4 : Ταύτην τὴν ὑπόθεσιν (εἶναι) νικητικωτέραν ἐν τοῖς πολλοῖς. || Adv. Νικητικῶς ap. Eust. Il. ρ. 1006, 28 : Δηλοῖ γὰρ (τὸ ἐν ναυσὶ πεσεῖν) καὶ τὸ νικητικῶς προσβαλεῖν. Constantin. Cærim. p. 183, B : Ὅπως σὺ εὐτυχήσῃς νικητικῶς.]

[Νικήτρια, ἡ, Victrix, Gl.]

[Νίκητρον. V. Νικητήριον.]

[Νικήτωρ, ορος, ὁ, unde forma Dor. Νικάτωρ, cogn. Seleuci, ab librariis sæpe in Νικάνωρ corruptum, ut ap. Hesychium, ad quem v. annot. Alberti, Viscont. *Iconogr. gr.* vol. 2, p. 277. Νικατωρ est in inscr. ap. Orell. Inscrr. vol. 1, p. 192, n. 800. Διὸς Νικάτορος in alia ap. Pocock. Inscrr. ant. p. 4, 18, a. L. D.] Νικάτορες. Victores, VV. LL. [Apud Macedones Nicatores sunt Cohors regia, Liv. 43, 19. Huc referenda videtur B Hesychii gl. Νικατῆρες, ab HSt. in Νικητὴρ posita.]

[Νικηφορέω, Victoriam reporto. Eur. Bacch. 1147 : Τὸν ξυνεργάτην ἄγρας, ᾗ δάκρυα νικηφορεῖ, Pro victoria s. præmio lacrimas reportat.]

[Νικηφόρια, ων, τὰ, Nicephoria, n. festi in inscr. Æginet. ap. Bœckh. vol. 2, n. 2931 b, p. 1012, 41, si recte ita legitur.]

[Νικηφορία, ἡ, Victoriæ reportatio, Victoria. Pind. Ol. 11, 62, et alibi sæpe utroque numero.]

[Νικηφόριον, τὸ, Nicephorion, ap. Diod. Exc. p. 573, 24, et 509, 94, memoratum erat, ut Wessel. monet « lucus prope Pergamum, τὸ Νικηφόριον ἄλσος in Strab. 13, p. 624, ab Eumene consitus multisque deorum fanis refertus, et Nicephorio in primis sive Jovis Νικηφόρου templo, ut recte opinatur Cuper. ad Lactant. Mort. Persec. c. 44, p. 234. Meminit ejus sæpe Polyb. 17, 2, 65, Livius etiam 32, 33, et Appian. Mithr. c. 3. » De urbe cognomine Steph. Byz. : N., οὕτως ἡ Κωνσταντίνα, ἡ περὶ Ἔδεσσαν πόλις, ὡς Οὐράνιος. Τὸ ἐθνικὸν Νικηφόριος, ὡς Βυζάντιος. Ubi Strabonis 16, p. 747, C Ptolemæi 5, 18, et aliorum testimonia annotarunt interpretes.]

[Νικηφορὶς, ίδος, ἡ, Nicephoris, n. mulieris in epigr. in Museo Worslejano vol. 1, tab. 65, Bœckh. C. I. vol. 1, p. 561, n. 1064, 5, ubi per ει scriptum, ut in inscr. Spartana ap. Bœckh. ib. p. 686, n. 1450, 10, ubi Νεικαφορίδος, et in alia ib. vol. 2, p. 47, n. 1947, 3. L. Dind.]

Νικηφόρος, ὁ, ἡ, q. d. Qui victoriam tulit, Victor. [Victoriatus, Victoriosus, Gl. Pind. Ol. 1, 115 : Νικαφόροις· Nem. 3, 64 : Νικαφόρῳ Ἀριστοκλείδᾳ.] Plato in Phil. [p. 27, D : Ὁ ν. οὗτος βίος· Leg. 5, p. 730, D : Ἀναγορευέσθω νικηφόρος ἀρετῇ· 12, p. 953, D : Τῶν νικηφόρων τινὸς ἐπ' ἀρετῇ· Reip. 10, p. 621, D : Ὥσπερ οἱ νικηφόροι περιαγειρόμενοι. Argum. Eur. Heracl. : Χρησμῶν αὐτῷ νικηφόρων γενηθέντων.] Sic ἀθλητὴς νικηφόρος, Plut. Et cum gen. Xen. [Comm. 3, 4, 5] : Εἰκότως ἂν καὶ τούτου (τοῦ ἀγῶνος) νικηφόρος εἴη. Sic et alibi [Conv. 2, 5] cum gen. παγκρατίου. [Et Ag. 9, 7 : Νικηφόρος τῶν καλλίστων καὶ μεγαλοπρεπεστάτων ἀγωνισμάτων. De reD bus Pind. Ol. 2, 5 : Τετραορίας νικαφόρου· 13, 14 : N. ἀγλαΐαν· Pyth. 8, 27 : N. ἀέθλοις· Nem. 1, 7, ἔργμασιν· Isthm. 1, 22, στεφάνων. Æsch. Eum. 477 : Καὶ μὴ τυχοῦσαι πράγματος νικηφόρου· 777 : Πάλαισμα σωτήριόν τε καὶ δορὸς νικηφόρου· Cho. 148 : Δίκῃ νικηφόρῳ. Soph. Trach. 186 : Φανέντα σὺν κράτει νικηφόρῳ. Et similiter sæpe Eur. Omisso ὕμνος in Gretseri Opp. vol. 2, p. 146, B : Ἀδούσας τὸν νικηφόρον.] || Triumphans, Polit. et Bud. ap. Herodian. 3, [10, 2] : Νικηφόρος ὑπὸ τοῦ τῶν Ῥωμαίων δήμου μετὰ μεγάλης εὐφημίας τε καὶ θρησκείας ὑπεδέχθη.

[Νικηφόρος, ὁ, Nicephorus, n. viri, in numo Rhodio ap. Mionnet. *Descr.* vol. 3, p. 415, n. 133. Pitanes ap. eund. *Suppl.* vol. 5, p. 489, n. 1235. Aliorum plurimorum quum in inscrr. tum ap. Fabric. in B. Gr. || Et n. navis, ap. Bœckh. *Urkunden* p. 89.]

[Νικιάα, ἡ, forma Æolica pro Νικιαία, n. patronymico ab Νικίας, Theocr. 28, 9 : Νικιάας εἰς ἀλόχω χέρρας, i. e. Νικίου, ex vestigiis librorum restituta ab Ahrensio De dial. vol. 1, p. 275.]

[Νικιάδης, ὁ, Niciades, Atheniensis, ap. Thuc. 4, A
118. Alii ap. Demosth. p. 1305, 1, Andocid. p. 2, 41, et in inscr. Att. ap. Bœckh. vol. 1, p. 298, n. 169, 35. Patronym. ab Νικίας in Paria ib. vol. 2, p. 348, n. 2388, 15. ῑᾰ]

[Νικιάς, άδος, ἡ, Nicias, n. mulieris, ap. Philetam Sam. Anth. Pal. 6, 210, 2. ῑᾰ]

[Νικίας, ου, et α (ut in inscrr. Spart. Fourmonti ap. Bœckh. vol. 1, p. 617, n. 1240, 27; 671, n. 1391; 780, n. 1607, 6), ὁ, Nicias, n. pluribus viris Atticis commune, de quibus Bœckh. *Urkunden* p. 246–7. Alia ejus exx. sunt in numis et inscrr., in quibus prima sæpe scripta per diphthongum. Gortynium memorat Thuc. 2, 85. Alium Theocr. 11, 2. Coum Strabo 14, p. 658. Alios Pausanias, Plutarchus, Polybius. (Νικίας ὁ Μαλλώτης scriptor ap. Plut. De fluv. 20, 4. Boiss.) Forma Νικέας est in inscr. Att. ap. Bœckh. vol. 1, p. 190, n. 139, 3; p. 192, n. 140, 3, etc.; Ægiensi n. 1542, p. 711, 8, et ap. Jo. Malalam p. 446, 5. Νεικείας scriptum videtur initio pentametri in inscr. Thebana ap. Bœckh. vol. 1, p. 797, n. 1653, 4. Νικιέης initio hexa- B
metri ibid. vol. 2, p. 348, n. 2388, 2. ῑᾰ L. Dind.]

[Νικίδης, ὁ, Nicides, n. viri Attici ap. Demosth. p. 991, 14, ubi genit. Νικίδου. Λυσίας κατὰ Νικίδου citatur ab Harpocrat. p. 96, 23, v. Θετταλὸς, ut mirum sit relictum esse Νικιδίου ib. p. 88, 28, v. Εὔθυναι, quum Νικίδου sit vel in cod. uno.]

[Νικίδιον, ἡ, Nicidion, meretrix, ap. Diog. L. 10, 7. V. Νικήδιον.]

[Νικίδιος, ὁ, n. nihili, v. in Νικίδης.]

[Νικίειος, ὁ, ἡ, Ad Niciam pertinens. Plut. Alcib. c. 14: Νικίου δὲ λύσαντος τὸν πόλεμον οἱ πλεῖστοι τὴν εἰρήνην Νικίειον ὠνόμαζον.]

[Νικίον, ἡ, Nicium, n. meretricis, ap. Athen. 4, p. 157, A–C, ubi Νίκιον scriptum. Inscr. Spart. ap. Bœckh. vol. 1, p. 685, n. 1447: Ἁ πόλις Κλαυδίαν Νεικίον, θυγατέρα κτλ.]

[Νικίου κώμη Αἰγύπτου. Ἀρισταγόρας Αἰγυπτιακῶν δευτέρῳ. (Et Strabo 17, p. 799.) Ὁ οἰκήτωρ Νικιώτης, ὥς φησιν Ὧρος Ἐθνικῶν πρώτῳ, Steph. Byz. Itaque ap. Athanas. vol. 1, p. 187, E: Ἡρακλείδης ἐν Νικίους, C
scribendum videtur Νικίου, ut est ap. Ptolem. 4, 4. Νικιώτης quidam memoratur ap. Eustath. mon. in Maji Coll. Vat. vol. 7, p. 277, B: Γράφει (Severus) πρὸς τὸν Νικιώτην ἐν τοῖς Συνοδικοῖς αὐτοῦ, et ibid. p. 280, A. L. Dind.]

[Νικίππη, ἡ, Nicippe, f. Thespii, Apollod. 2, 7, 8, 6. F. Pelopis ap. eund. 2, 4, 5, 8. F. Paseæ ap. Pausan. 8, 9. Sacerdos Thessala ap. Callim. Cer. 43. Alia mulier ap. Alciphr. 1, 37.]

[Νικιππία, ἡ, Nicippia, n. muliebre in inscr. Spart. ap. Bœckh. vol. 1, p. 685, n. 1447, B, 4: Κλαυδίας Νεικιππίας. Exspectes Νεικιππίδος.]

[Νικιππίδας, ὁ, Nicippidas, n. viri in inscr. Spart. ap. Bœckh. vol. 1, p. 623, n. 1249, 4; 627, n. 1254, 10. ῐᾰ]

[Νικιππὶς, ίδος, ἡ, Nicippis, n. mulieris ap. Philipp. Anth. Pal. 7, 186, 1.]

[Νίκιππος, ὁ, Nicippus, n. viri, Atheniensis ap. Demosth. p. 1212, 3. Messenius ap. Polyb. 4, 31, 2. Alius ap. Diog. L. 5, 53. Co insulæ tyranni ap. Ælian. V. D
H. 1, 29. Alii in inscrr.]

[Νῖκις, ιδος, ὁ, Nicis, n. viri ap. anon. Anth. Pal 7, 298, 6, si recte ita legitur pro Νικία, et Leonid. Alex. 6, 326, 2. Aliorum in inscrr. Hermion. ap. Bœckh. vol. 1, p. 595, n. 1197, 1; 597, n. 1210, 2, Delph. p. 829, n. 1705, 16.]

[Νικιτος, ὁ, n. viri in numo Cii Bithyniæ ap. Mionnet. *Descr.* vol. 2, p. 491, n. 438, male haud dubie lectum. Μίλητος est n. 437.]

[Νικιώτης. V. Νικίου κώμη.]

[Νικοβούλη, ἡ, Nicobule, n. mulieris ap. Athen. 10, p. 434, C. Alius in inscr. ap. Bœckh. vol. 2, p. 1078, n. 2414, k. L. Dind.]

[Νικόβουλος, ὁ, Nicobulus, n. viri, ap. Aristoph. Eq. 615: Τί δ' ἄλλο γ' εἰ μὴ Νικόβουλος ἐγενόμην, ubi ludit inter n. proprium et appellativum, quod sit Victor in senatu. Aliorum in inscrr. ap. Bœckh. *Urkunden* p. 247, C. I. vol. 1, p. 310, n. 174; Ægiensi p. 711, n. 1542, 9, Demosth. p. 966 seq.]

[Νικογένης, ους, ὁ, Nicogenes, n. viri in numo Att. ap. Mionnet. *Suppl.* vol. 3, p. 556, n. 148. Al. ap. Lebas. *Inscr.* fasc. 5, p. 140, n. 199.]

[Νικοδάμας, αντος, ὁ, Nicodamas, n. viri ap. Athen. 9, p. 393, F. ᾰᾱ]

[Νικόδημος, ὁ, Nicodemus, n. viri in numo Attico ap. Mionnet. *Descr.* vol. 2, p. 120, 91. Aliorum ap. Demosth. p. 549, 23, Æschin. p. 24, 30, Isæum p. 16, Harpocrat. v. Προσεποιήσαντο, Dionys. A. R. 8, 83, ubi archontem Att. ol. 74, 2, memorat. (Hippocr. Epidem. 3, sect. 3, 17, 10. Boiss.) Forma Dor. Νικόδαμος in inscr. Calymn. ap. Ross. Inscrr. fasc. 2, p. 63, n. 179, 1, et al.]

[Νικοδίκη, ἡ, Nicodice, n. mulieris, ap. Aristoph. Lys. 321. ῐ]

[Νικόδῐκος, ὁ, Nicodicus, n. viri, ap. Simonid. Anth. Pal. 7, 302, 2. Al. ap. Suidam v. Εὐριπίδης.]

[Νικόδρομος, ὁ, Nicodromus, f. Herculis et Thespiadis Nices ap. Apollod. 2, 7, 8, 4. Ægineta ap. Herodot. 6, 88. Atheniensis in inscr. Att. ap. Bœckh. vol. 1, p. 510, n. 746. Citharœdus ap. Diogen. L. 6, 89. Alii alibi.]

[Νικόδωρος, ὁ, Nicodorus, archon Att. ol. 116, 3, in inscr. Att. ap. Bœckh. vol. 1, p. 143, n. 105, 1, ap. Theophr. C. Pl. 1, 19, 5, Diod. 19, 66. Alii in inscr. Calaur. *Annali* 1829, p. 158, 38, ap. Ælian. V. H. 2, 23.]

[Νικόθεος, ὁ, Nicotheus, n. viri ap. Porphyr. Vita Plotini 16, p. LXVI, 4.]

[Νικοθέων, n. viri ap. Machon. Athenæi 8, 41, v. 66. Sed ibi varians lectio et melior Νικοκρέων. Boiss.]

[Νικοθόη, ἡ, Nicothoe, Harpyia, ap. Apollod. 1, 9, 21, 7.]

[Νικοκλέα, ἡ, Nicoclea, n. mulieris, in inscr. Hermion. ap. Bœckh. vol. 1, p. 596, n. 1207, si recte lectum.]

[Νικοκλῆς, έους, ὁ, Nicocles, n. viri, cujus antiquissimum ex. est ap. Pind. Isthm. 7, 62, notissimum Cypri tyrannus ap. Isocr. et alios. Alii sunt in inscrr. ap. Bœckh. *Urkunden* p. 247. Archon Att. ol. 119, 3, ap. Diod. 20, 106, et alii ap. Polybium, Pausan. et alios. Genitivi forma Νικοκλεῖος in inscr. Bœot. ap. Bœckh. vol. 1, p. 776, n. 1593, 6.]

[Νικοκράτης, ους, ὁ, Nicocrates, n. viri, in numis Tarenti ap. Mionnet. *Descr.* vol. 1, p. 138, 374; Thessaliæ vol. 2, p. 4, 27. Archon Att. ol. 111, 4, ap. Diod. 17, 29. Alius Athen. in inscr. ap. Bœckh. vol. 1, p. 157, n. 115. Alii alibi. ᾰ]

[Νικοκρέων, οντος, ὁ, Nicocreon, Salaminis Cypri regulus ap. Diod. 19, 59, Plut. Alex. c. 29, Diog. L. 9, 10, Macrob. Sat. 1, 20. Vitiose Νιθάφων libri Arriani Ind. 18, 8. V. Νικοθέων.]

[Νικολάδας, ὁ, Nicoladas, Corinthius, ap. Simonid. Anth. Pal. 13, 19, 2. Forma soluta Νικολαΐδας, α, Nicolaidas, Tarentinus ap. Pausan. 6, 10, 5. Alius in inscr. Gortyn. ap. Bœckh. vol. 1, p. 707, n. 1534, 7. Conf. etiam Macho ap. Athen. 9, p. 346, B.]

[Νικολαῖται, οἱ, Nicolaitæ, hæretici. Isidor. Orig. 8, 5, 1: « Dicti a Nicolao, diacono ecclesiæ Hierosolymorum, qui propter pulchritudinem relinquens uxorem dixerat, ut qui vellet ea uteretur, versa est in stuprum talis consuetudo, ut invicem conjugia commutarentur. Quos Joannes in Apocalypsi improbat dicens (2, 6): Τοῦτο ἔχεις, ὅτι μισεῖς τὰ ἔργα τῶν Νικολαϊτῶν. » Conf. Joann. Damasc. vol. 1, p. 81, C, Epiphan. vol. 2, p. 18, C.]

[Νικόλᾱος, ὁ, Nicolaus, n. viri, Spartani ap. Herodot. 7, 137, ubi forma contr. Νικόλαν. Genit. forma Ion. Νικόλεω ib. 134. Priorem memorat etiam Thuc. 2, 67. Alii sunt ap. Polybium, Strabonem, Plutarchum, plurimi vero inferioribus seculis, de quibus Fabric. in B. Gr. et al. || « Placentæ species, de quo in Gloss. med. Lat. in v. Panis Nicolaus. (Ita placentas appellavit Augustus a Nicolao Damasceno sibi exhibitas, ut est ap. Phot. Bibl. (cod. 189, p. 146, 10.) Pallad. Hist. Laus. c. 47: Καὶ Νικολάους παμμεγέθεις ἄρτους δέκα καθαροὺς καὶ θερμακούς.) Glossæ iatricæ ex cod. Reg. 1047: Νικόλαοι, φοίνικες. Eust. Od. p. 1834, 30: Εἰ δεῖ τι καὶ ὑποπαῖξαι, καὶ τοὺς Νικολάους τὰ μελίπηκτα ἔκ τινος ὁμωνύμου ἀνδρὸς εὑρόντος παραλαλοῦσί τινες, ἀπὸ τοῦ Ναυκρατίτου σοφιστοῦ ἔχοντες ἀφορμήν.» Ducang. Qui pariter atque Eust. confundit palmulas sic dictas cum placentis. Athen. enim 14, p. 652, A, de palmulis : Περὶ τῶν Νικολάων φοινίκων τοσοῦτον ὑμῖν εἰπεῖν ἔχω τῶν ἀπὸ τῆς Συρίας καταγομένων, ὅτι ταύτης τῆς προσηγορίας ἠξιώθησαν ὑπὸ τοῦ Σεβαστοῦ αὐτοκράτορος σφόδρα χαίροντος τῷ βρώματι, Νικολάου τοῦ Δαμασκηνοῦ ἑταίρου ὄντος αὐτοῦ καὶ πέμποντος φοίνικας συνεχῶς. Cujus intt. de palmulis Nicolais contulerunt Plin. N. H. 13, 14, 9, Plut. Symp. 8, 4, de placentulis Suid. v. Νικόλαος Δαμασκηνός. Isid. Orig. 17, 7, 1 : « Alii (dactyli) Thebaici, qui et Nicolai. » Addit autem Ducang. in App. p. 141 : « Vocis etymon ab Arabica, quæ palmam et dactylum significat, arcessit Lemoine Var. Sacr. t. 2, p. 86. » Quæ inania esse apparet.]

[Νικολέα, ἡ, Nicolea, n. mulieris Atticæ in inscr. Att. ap. Bœckh. vol. 1, p. 246, n. 155, 24.]

[Νικόλεως. V. Νικόλαος.]

[Νικόλοχος, ὁ, Nicolochus, Spartanus, ap. Xen. H. Gr. 5, 1, 6; 4, 65. Alius in numo Ephesio ap. Mionnet. *Descr.* vol. 3, p. 86, 88. Rhodius ap. Diog. L. 9, 115.]

[Νικομάχας, ὁ, Victor pugnæ. Soph. fr. ap. schol. Aristoph. Nub. 1162 : Ζεὺς νόστον ἄγοι τὸν νικομάχαν καὶ παυσανίαν κατ' Ἀτρειδᾶν. ἄα]

[Νικομάχειος. V. Νικόμαχος.]

[Νικομάχη, ἡ, Nicomache, n. mulieris, in inscr. Coa ap. Ross. Inscrr. fasc. 2, p. 63, n. 178, l. Aliarum in aliis et ap. Rufin. Anth. Pal. 5, 71, 1.]

[Νικομαχίδης, ὁ, Nicomachides, Athen. ap. Xen. Comm. 3, 4, Lysiam p. 184. ᾶῖ]

[Νικομαχικὸς, ἡ, όν. V. Νικόμαχος.]

[Νικομαχὶς, ίδος, ἡ, Nicomachis, n. mulieris, in gemma ap. Viscont. *Iconogr. gr.* vol. 1, p. 312. L. D.]

[Νικόμαχος, ὁ, Nicomachus, f. Machaonis, ap. Pausan. 4, 3, 10; 30, 3. Alii Athenienses ap. Pind. Isthm. 2, 22, et ap. Aristoph. Ran. 1506. Phocensis ap. Thuc. 4, 89. OEtæus ap. Xenoph. Anab. 4, 6, 20. Alii in numis et inscrr. De scriptoribus hujus nominis Fabric. in Bibl. Gr. « Adj. Νικομάχειος, in titulo operis Aristotelici, Ἠθικὰ Νικομάχεια, et Νικομαχικὸς, ἡ, ὸν, ap. Stob., qui citat Aristotelis τὰ Νικομαχικὰ Ecl. 2, c. 7, t. 2, p. 74. » Boiss. Νικομάχια, eodem vitio quod in Εὐδήμια pro Εὐδήμεια notavimus, schol. Aristot. p. 9, 24, 25; 25, 40, 41. Utrumque recte scriptum ap. Simplicium ib. Femin. τὴν Νικομάχειον ap. Iambl. In Nicom. p. 4, D.]

[Νικομένης, ους, ὁ, Nicomenes, n. viri Attici in inscrr. Atticis ap. Bœckh. *Urkunden* p. 248, et C. I. vol. 1, p. 314, n. 183, 12. Item ap. Lysiam p. 131 fin., schol. Æschin. p. 16 ed. Turic.]

[Νικομήδεια, ἡ, Nicomedia. Πόλις Βιθυνίας, ἀπὸ Νικομήδους (quod v.) τοῦ Ζήλα παιδός.... Ὁ πολίτης Νικομηδεὺς, καὶ τὸ κτητικὸν Νικομήδειος καὶ θηλυκῶς καὶ οὐδετέρως, Steph. Byz. Strabo 12, p. 543, 563, 587. Gentilis Νικομηδεὺς in inscrr. et ap. Herodian. 3, 2, 17 et 18, fem. Νικομήδισσα ex. est in inscr. Eleusinia ap. Bœckh. vol. 1, p. 525, n. 875, et in alia vol. 2, p. 970, n. 3784.]

[Νικομήδειον, τὸ, ἐμπόριον Βιθυνίας. Ἀρριανὸς ε' Βιθυνιακῶν. Τὸ ἐθνικὸν Νικομηδεύς· δύναται καὶ Νικομηδειεύς, Steph. Byz.]

[Νικομηδείσιος. V. Νεωρίσιος.]

[Νικομήδης, ους (vel ου, ut in inscr. Delia ap. Bœckh. vol. 2, p. 234, n. 2279), ὁ, Nicomedes, f. Cleombroti regis Spart. Thuc. 1, 107. Pater Aristomenis ap. Pausan. 4, 14, 8. Alius ap. eund. 1, 29, 15. Item in numo Lydio ap. Mionnet. *Suppl.* vol. 7, p. 462, 668. Coi ap. Polyb. 10, 29. Regum nonnullorum Bithyniæ ap. Strab. 12, p. 562; 13, p. 646, et al. Hinc Νικομήδους πόλις de Nicomedia ap. Liban. vol. 3, p. 337, 4, et omisso πόλις ap. Tzetzen schol. Hesiod. p. 13 Gaisf.]

Νικομηδὶς, Nicomedis, Onerariæ navis genus a loco denominatum, ut tradit Bayfius.

[Νικονόη, ἡ, Niconoe, n. mulieris ap. Hedylum Anth. Pal. 6, 292, 3, Nicarch. 11, 71, 1.]

[Νικοπάτρα, ἡ, Nicopatra, n. mulieris in inscr. Attica ap. Bœckh. vol. 1, p. 495, n. 590.]

[Νικοποιέω, Victoriam facio, Vinco. Esdr. 3, 8, in Ald. : Τοῦ νικοποιεῖν ἐπὶ τοῦ θεοῦ, alii τοῦ ἐπινικᾶν, alii verbum omittunt. Ephræm Syr. vol. 3, p. 372, D.]

A [Νικοποιὸς, ὁ, ἡ, Victoriam afferens, Victor, Victrix. Euseb. V. C. 1, 41 : Τοῦ νικοποιοῦ σταυροῦ. Boiss. Niceph. Call. H. E. vol. 1, p. 21, B : Τὸ νικοποιὸν ὅπλον. L. D. Aquila Ps. 4, 1 : Τῷ νικοποιῷ ἐν ψαλμοῖς. Constantin. Cærim. p. 215, D : Νικοποιόν σε ποιήσει πάντοτε· Νικοποιὸς ἧς πάντοτε.]

[Νικόπολις, εως, ἡ, Nicopolis. Πόλις Ἠπείρου, ὡς Μαρκιανός. Ἔστι καὶ Βιθυνίας. Ἔστι καὶ ἄλλη τῆς μικρᾶς Ἀρμενίας. Ὁ πολίτης Νικοπολίτης, ὡς Παυσανίας δεκάτῳ (8, 3), Steph. Byz. Præter quas Strabo, qui etiam illas memorat, quartam refert Ægypti 17, p. 795, 800. Prima memoratur sæpe etiam in inscrr., ut ap. Bœckh. vol. 1, p. 564, n. 1068, 7, etc. Νικούπολις, cujusmodi formas barbaras notavit Tzetzes in Crameri An. vol. 3, p. 361, 16, et nos in Ἑλενούπολις, ap. Joann. Malal. p. 267, 15, et Pasin. Codd. Taurin. vol. 1, p. 210, B. N. mulieris in ep. Anth. Pal. 7, 340, 1, et in inscr. vasis ap. Welcker. Mus. Rhen. novi 1, 2, p. 332, s. Viscont. *Mus. Pio-Cl.* vol. 2, p. 62, aliisque ap. Bœckh. C. I. vol. 2, p. 612, n. 2986, ut nulla esse
B possit dubitatio etiam muliebre fuisse hoc nomen, ut Νικασίπολις, quod virile est in inscr. ap. Bœckh. vol. 2, p. 53, n. 1967, 4, ubi genit. Νικοπόλεως, ut p. 990, n. 1957, g, et p. 991, n. 1994, d, ubi Νεικοπόλι, ut Νικοπόλιος vol. 1, p. 586, n. 1154. L. Dind.]

Νῖκος, ους, τὸ, pro Victoria, reperiri testatur Eust. [Il. p. 668, 35 : Εὕρηται δὲ καὶ ἡ ἑτέρα νίκη νῖκος λεγομένη. Etym. M. p. 606, 22 : Τὸ νῖκος ... παρὰ τὸ εἰς ἕνα ἥκειν. Terentianus Maur. 444 : « Scribimus siquando νῖκος, ἰῶτα solum sufficit, nulla præcedens origo quia subesse monstrat E. » Orph. Arg. 585 : Ὁ γὰρ κλυτὸν ἤρατο νῖκος. Manetho 1, 358 : Κτήσεις δ' ἀγαθῶν καὶ νῖκος ὀπάζει. Epigr. Anth. Plan. 5, 381, 5 : Νῖκος εὑρεῖν καὶ πάλιν. Esdr. 3, 9 : Οὗ ὁ λόγος αὐτοῦ σοφώτερος, αὐτῷ δοθήσεται τὸ νῖκος. De ceteris S. S. locis Schleusner. in Lex. N. T. : « Matth. 12, 20 : Κάλαμον συντετριμμένον οὐ κατεάξει καὶ λίνον τυφόμενον οὐ σβέσει, ἕως ἂν ἐκβάλῃ εἰς νῖκος τὴν κρίσιν. Cor. 1, 15, 57 : Τῷ διδόντι ὑμῖν τὸ νῖκος. Ib. 55 : Ποῦ σου, ᾅδη, τὸ νῖκος; Conf. Alex. Ps. 13, 14. Εἰς νῖκος, In æternum, In perpetuum, ex
C usu loquendi Alexandrinorum intt. qui hebraicum לָנֶצַח In perpetuum, Semper, εἰς κρίσιν reddiderunt, sine dubio quia נֶצַח non solum Perpetuitatem, sed etiam Victoriam (conf. Alex. 1 Chron. 29, 11, Thren. 3, 18) notat. V. 2 Sam. 2, 26 : Μὴ εἰς νῖκος καταφάγεται ἡ ῥομφαία. Job. 36, 7, Thren. 5, 20, ubi εἰς νῖκος et εἰς μακρότητα ἡμερῶν tanquam synonyma invicem permutantur. Amos (1, 11 et) 8, 7. Cor. 1, 15, 54 : Κατεπόθη ὁ θάνατος εἰς νῖκος, Mors in perpetuum sublata est. » Addendi his locis Aq. Ps. 48, 8, ubi εἰς νῖκος, ut Ps. 12, 1, ubi al. τέλος, et Symm. Ps. 4, 1, ubi εἰς τὸ νῖκος, tum Ezech. 3, 8 : Τὸ νῖκός σου κατισχύσω κατέναντι τοῦ νίκους αὐτῶν· 9 : Κραταιότερον πέτρας δέδωκα τὸ νῖκός σου· Maccab. 2, 10, 38 : Τὸ νῖκος αὐτοῖς διδόντι. Ephræm Syr. vol. 3, p. 534, F : Χαίροις τὸ νῖκος τὸ βασιλέως τε καὶ θεοῦ μου. Formam Laconicam Νῖκορ, διαφθορὰ, qui annotasse putabatur Hesychius, ad Νεῖκος, διαφορὰ referendus videtur.]

[Νικοσθένης, ους, ὁ, Nicosthenes, n. viri, in inscr.
D Astypal. ap. Ross. Inscrr. fasc. 2, p. 51, n. 161, ubi forma genit. Νικοσθένευς. L. Dind.]

[Νικοστράτειος, ὁ, βότρυς, genus uvarum, ap. Athen. 14, p. 654, A. Unde corrigendus videtur Hesychius : Νικόστρατος, εἶδος ἀμπέλου.]

[Νικοστράτη, ἡ, Nicostrate, n. mulieris ap. Philem. Stob. Fl. 74, 20, in inscr. Att. ap. Bœckh. vol. 1, p. 460, n. 444. Evandri mater ap. Strab. 5, p. 230. Iophontis ex Sophocle mater sec. Vitam Sophoclis. Meretrix ap. Archedicum Athen. 11, p. 467, E. Aliæ alibi. (Plut. Amat. narr. c. 4 fin. Boiss.) Νικοστράτα in inscrr. Dor. ap. Bœckh. vol. 1, p. 714, n. 1550, et alibi.]

[Νικοστρατία, ἡ, genus uvæ, ap. Polluc. 6, 82. V. Νικοστράτειος.]

[Νικοστρατὶς, ίδος, ἡ, Nicostratis, meretrix, ap. Athen. 13, p. 586, B.]

[Νικόστρᾰτος, ὁ, Nicostratus, n. viri, frequens in numis Cois et inscrr. Atticis aliisque, item ap. scriptores, ut sufficiat memorare paucos de multis, quorum f. Menelai ap. schol. Soph. El. 539, in fr. Hesiodi. Athenienses quidam sunt in inscrr. ap. Bœckh. *Urkunden* p. 248, ap. Aristoph. Vesp. 81, 83, Thuc. 3, 75 etc., Xen. H. Gr. 2, 4, 6, Platon. Apolog. p. 33, E, Demosth. p. 544, 15, et alibi, Pausaniam, Athenæum et alios.]

[Νικοσύνθετος, ὁ, ἡ, Ex victoriis compositus. Theodos. Diac. Acr. 1, 266 : Μὴ φθόνει τὸν οἰκέτην κροτοῦντα τὰς σὰς νικοσυνθέτους μάχας. Boiss.]

[Νικοτέλεια, ἡ, Nicotelea, mater Aristomenis, ap. Pausan. 4, 14, 7, et Rhianum ab Steph. Byz. v. Δώτιον cit.]

[Νικοτέλης, ους, ὁ, Nicoteles, n. viri, in inscr. Teja ap. Bœckh. vol. 2, p. 661, n. 3068, A, 2; archontis Att. ap. Diod. 14, 97. Alii ap. Callim. Ep. 20, 2, et alibi. Genitivi forma in ους quum sit in inscr. supra cit. et n. 1260, 28, Νεικοτέλου est ap. Lebas. *Inscr.* fasc. 5, p. 232, n. 289.]

[Νικότῖμος, ὁ, Nicotimus, n. viri in inscr. Aphrodis. ap. Bœckh. vol. 2, p. 510, n. 2767, 10, 13, ubi modo ι secundum modo utrumque ι per ει scriptum, ut in alia ib. p. 529, n. 2814. L. Dind.]

[Νικουργία, ἡ, Acta Jun. Bacchi p. 62. Boiss.]

[Νικοφάνης, ους, ὁ, Nicophanes, n. viri Attici in inscr. Att. ap. Bœckh. vol. 1, p. 262, n. 160, 7, Dinarch. p. 43, 16. Megalopolitani ap. Polyb. 2, 48, 4. Pictoris ap. Athen. 13, p. 567, B. ᾰ]

[Νικόφημος, ὁ, Nicophemus, n. viri Attici, archontis ol. 104, 4, ap. Demosth. p. 1132, 27, et alios. Aliorum ap. Bœckh. *Urkunden* p. 248, ap. Xen. H. Gr. 4, 8, 8, et sæpe in Anthol.]

[Νικόφρων, ονος, ὁ, Nicophron, n. viri, in inscr. Coa ap. Ross. Inscrr. fasc. 2, p. 60, n. 175, 1. Cum Νικοφῶν confudit Suidas in h. n. et in Ἀράχνη, ut Νεόφρων et Νεοφῶν.]

[Νικοφῶν, ῶντος, ὁ, Nicophon, n. viri, in numis Rhodiis ap. Mionnet. *Descr.* vol. 3, p. 421, 202, 203, in inscr. Att. ap. Bœckh. vol. 1, p. 510, n. 746, 2, Philem. ap. Stob. Fl. 108, 7, Athen. 1, p. 3, C, Antip. Sid. Anth. Pal. 6, 256, 6. Veteris poeta comœdiæ ap. Herodian. Π. μον. λ. 19, 28, Pollucem et alios.]

[Νικοχάρης, ους, ὁ, Nicochares, n. viri Attici ap. Bœckh. *Urkunden* p. 248. Item veteris comœdiæ poetæ. Genit. Νικοχάρητος ap. Eudociam p. 311.]

[Νικοχαρίτη, ἡ, Nicocharite, n. mulieris, ap. Aristænet. Ep. 2, 14, p. 169.]

[Νικύλας, ὁ, Nicylas, n. inscr. Att. ap. Bœckh. vol. 1, p. 358, n. 245, 23. ῠᾱ]

[Νίκυλλα, ἡ, Nicylla, n. mulieris, ap. Lucillium Anth. Pal. 11, 68, 1.]

[Νίκυλλος, ὁ, Nicyllus, n. viri in numo Dyrrhachii Illyrici ap. Mionnet. *Descr.* vol. 2, p. 40, 117.]

[Νικυρὶς, ὄνομα τόπου sec. Suidam.]

[Νικύρτας, Hesychio δουλέκδουλος. Unde confirmatur hoc nomen in fr. Hipponactis ap. schol. Lycophr. 424, p. 597. L. Dind.]

[Νῑκὼ, οῦς, ἡ, Nico, n. mulieris, in inscr. ap. Bœckh. vol. 1, p. 246, n. 155, 54, et alia in Mus. Rhen. novo 1, 2, p. 290. Aliarum ap. Athen. 5, p. 220, F, Callim. Ep. 70, 1, et alibi in Anthol.]

[Νίκων, ωνος, ὁ, Nicon, n. viri Attici in inscrr. Att. quum alibi tum ap. Bœckh. *Urkunden* p. 248, quod interdum Νείκων, ut C. I. vol. 1, p. 157, n. 115, 30 etc. Archontem ol. 100, 2, memorat Diod. 15, 24, Thebanum Thuc. 7, 19, alios alii.]

[Νικωνία, ἡ, Niconia. Πόλις ἐν τῷ Πόντῳ πρὸς ταῖς ἐκβολαῖς τοῦ Ἴστρου. Στράβων ζ′ (p. 306). Τὸ ἐθνικὸν Νικωνιάτης, ὡς Ῥιθυμνιάτης, Steph. Byz. Ptolemæo 3, 10, Νικώνιον.]

[Νικωνίδας, ὁ, Niconidas, Thessalus Larisæus ap. Thuc. 4, 78, ubi vulgo Νικονίδας.]

[Νικώνιον. V. Νικωνία.]

[Νικώνῦμος, ὁ, Niconymus, n. viri, in numo Thuriatarum Messeniæ, ap. Mionnet. *Descr.* vol. 2, p. 215, 41. Alius in inscr. ap. Bœckh. vol. 1, p. 597, n. 1207, 10. Ap. Niceph. Greg. Hist. Byz. 5, 5, p. 87, B, in oraculo quod Pausaniæ cuidam tribuit cod. Barberin. ap. Possin. ad Pachym. vol. 1, p. 683 ed. Bonn. : Ἀνακαινισθήσεται (urbs Trallium) παρὰ δυνατοῦ νικωνύμου, est adj., Cui a victoria nomen.]

[Νίκωρ, τὸ, inter nomina neutra in ωρ ex σώτῳ (Σώφρονι τῷ) μιμογράφῳ citat Herodian. Π. μον. λέξ. p. 32, 24.]

[Νικῶσα, ἡ, Nicosa, n. navis Atticæ ap. Bœckh. *Urkunden* p. 89.]

[Νικωφέλης, ὁ, Nicopheles, tibicen, ap. Polluc. 4, 77, ubi male scriptum —φελῆ.]

[Νίκωχις, πόλις, Zonaras p. 1401. Liber unus Νίκωλις.]

Νίμμα, τὸ, Aqua qua manus ablutæ sunt : νίμματα, λουτρὰ, πλύματα, Hesych. [Κάθαρμα interpretatur Zonar. p. 1402. Phryn. Ecl. p. 193 : Νίμμα ὁ πολὺς λέγει, ἡμεῖς ἀπόνιπτρον λέγομεν. Quæ repetit Thomas p. 100, ubi exx. Aetii et Nonni Theophanis annotarunt intt. « Νίμα, Aqua lavandis manibus. V. Typicon S. Sabæ. » Ducang. Doroth. Doctr. 1 : Μετὰ δὲ τὸ νίψασθαι τὸν ἅγιον Βασίλειον λαμβάνει καὶ αὐτὸς τὸ ἅγιον νίμα. Id. App. p. 141. Quod νίμμα scribendum.]

[Νιμμὸς, ὁ, Lotio. Moschop. Π. σχεδ. p. 172, Zonar. p. 1401, ἡ κάθαρσις.]

Νὶν, apud poetas [Atticos et Doricos] significat αὐτὸν, αὐτὴν, αὐτὸ, Ipsum, Ipsam, Ipsum : ut μιν. Eurip. Or. [1633] : Ἐγώ νιν ἐξέσωσα, Ego ipsam servavi. Et rursum [1665] : Ὅς νιν φονεῦσαι μητέρ᾽ ἐξηνάγκασα, Qui ipsum occidere matrem coegi. Ibid. [1659] : Πυλάδῃ δ᾽ ἀδελφῆς λέκτρον, ᾧ ποτ᾽ ᾔνεσας, Δός· ὁ δ᾽ ἐπιών νιν βίοτος εὐδαίμων μενεῖ· schol. non ad Pyladem tantum, sed et ad sororem sponsam referri νιν posse existimat, et exponi αὐτούς : ut Soph. quoque pro αὐτὰ usurpasse dicitur. [El. 436, 624. Pro αὐτοὺς OEd. T. 868. Pro αὐτὰς 1329. Seager. Pro αὐτὸ Pind. Pyth. 4, 242 et alibi. Qui ubi νὶν, ubi μὶν dixerit disceptavit Bœckh. ad Ol. 9, 82, sed ut in librorum perpetua fere inter utrumque fluctuatione nihil certi constitutum habeamus. Pro eodem αὐτὸ Æsch. Cho. 542 : Κρίνω δέ τοι νιν (τοὔνειρον). Pro αὐτοὺς Suppl. 729 : Μὴ τρέσητέ νιν. Et sic ceteri Tragici. ῐ]

[Νιναία, ἡ, Ninæa. Πόλις Οἰνώτρων ἐν τῇ μεσογαίᾳ. Ἑκαταῖος Εὐρώπῃ. Τὸ ἐθνικὸν Ναιαῖος ἢ Νιναιεὺς, Steph. Byz.]

[Νινάριον. V. Νινίον.]

[Νινευίτης, Νινευιτικός. V. Νίνος.]

[Νινηλός. V. Νινητός.]

Νινητὸς, Hesychio ἀνόητος, Stultus, Vecors ; pro quo Νενίηλος etiam et Νινιαστὴς dici tradit. [Νινηλὸς et Νενιαστὴς Hemst.]

[Νινία, ἡ, Ninia, oppidum Dalmaticum ap. Strab. 7, p. 315.]

[Νινιαστής. V. Νινητός.]

[Νινίον, τὸ, Pupa. Gloss. Lat.-gr. : Popus, Νιννίον. (In iisdem etiam Νανίον, Pupus.) Zonaras in Theophilo : Τὸ δὲ παρακεκομμένον ἐκεῖνο ἀνθρωπάριον τὰ θεῖα θεασάμενον ἐκτυπώματα, τί ταῦτα ἤρετο τὴν βασίλισσαν ; Ἡ δὲ ἀφελῶς πως πρὸς ἐκεῖνο εἶπε, Ταῦτα τὰ καλά μου νινία. Continuator Theophanis l. 3, n. 5 : Συνηρίθμει δὲ καὶ τὴν τῶν σεπτῶν εἰκόνων προσκύνησιν, οὕτω δὴ ἀταλὰ φρονοῦσα καὶ λέγουσα, ὡς νινία πολλὰ εἴη αὐτῇ κατὰ τὸ κιβώτιον. Adde n. 6 et Symeon. Logoth. in Theophilo n. 7. Theophanes Cerameus Hom. 20, rem eandem enarrans, ἡ δὲ ἁπλοϊκῶς οὕτω καὶ παιδικῶς, ταῦτά εἰσι τὰ καλά μου παιδία, φησίν. Hinc emendandus videtur Anon. de tuenda urbe obsessa Ms. : Λέγεται γὰρ καὶ τὴν μεγάλην Καισάρειαν διὰ τῶν ὑπονόμων ληφθῆναι· τῶν γὰρ Περσῶν χρονίᾳ πολιορκίᾳ περὶ αὐτὴν ἐκτριβέντων, καὶ ἤδη ἀναζευγνύντων, νυνάριον διὰ τῶν ὑπονόμων ἀπὸ τῆς πόλεως πρὸς τοὺς Πέρσας εἰσέφρησαν. Ubi legendum indubie νινάριον aut νινιάριον, Pumilio, ut qui ad Cuniculos subeundos maxime esset idoneus. Ducang. Qui omittere debebat conjecturam νινιάριον. V. autem Νόννιον.]

[Νίννα, ἡ, in inscr. Thessalonic. ap. Bœckh. vol. 2, p. 991, n. 1994, g : Λούκιος Στρατονείκῃ τῇ μητρὶ καὶ Κλεοπάτρᾳ τῇ νίννῃ ο′ ἔτους, Bœckh. interpr. Aviam vel, quod minus probabile, Socrum, comparato Ital. *nonna* de Avia et *nonno* de Avo, de quibus Ducang. Gloss. Lat. v. *Nonnus* et *Nunus*. L. Dind.]

[Νιννίον. V. Νινίον.]

Νίννον, Hesych. vocari ait τὸν καβάλλην ἵππον. [V. annot. Alberti.]

[Νινόη, ἡ, Ninoe. Ἡ ἐν Καρίᾳ Ἀφροδισιὰς, κτισθεῖσα ὑπὸ τῶν Πελασγῶν (καὶ addit Hœck. *Kreta* vol. 2, p. 8)

Λελέγων. Καὶ ἐκλήθη Λελέγων πόλις, εἶτα ἐκλήθη Μεγαλόπολις, εἶτα ἀπὸ Νίνου Νινόη. Τὸ ἐθνικὸν Νινοήτης, Steph. Byz.]

[Νίνος, Helenium. Galenus De theriaca ad Pisonem (vol. 13, p. 943) : Ἐπὶ τοῦ Ἑλενίου μὲν ὑπὸ τῶν Ἑλλήνων, ὑπὸ δὲ τῶν ἐπιχωρίων Νίκου ἢ Νίνου καλουμένου. Ducang. App. Gl. p. 141.]

[Νίνος, ἡ, Ninus. Πόλις Ἀσσυρίων, ἣν ἔκτισε Νῖνος Σεμιράμιδος ἀνὴρ ἐν τῇ Ἀτουρίᾳ. Οἱ πολῖται Νίνιοι. Στράβων ιϛ′ (p. 735 seqq.), Steph. Byz. Memorat urbem Ninum præter Herodotum 1, 103 etc., Aristot. H. A. 8, 19, Pausan. 8, 33, 2, Diodor. 2, 3, ubi quod est in epigr. Sardanapalli : Καὶ γὰρ ἐγὼ σπόδος εἰμὶ Νίνου μεγάλης βασιλεύσας, refellit accentum Νῖνος ap. Plat. Leg. 3, p. 685, C, Arcad. p. 63, 21, et alibi in libris obvium. Gent. Νινευΐτης est ap. Ephræm. Syr. vol. 3, p. 187, B, Eulog. Photii Bibl. p. 544, 4. Νινίων πύλας memorat Herodot. 3, 155. Adj. Νινευητικός, ἡ, όν, quod per ιτ scribendum, ap. Ephræm. ib. p. 472, E. || Νίνος n. mulieris est ap. Demosth. p. 995, 10. || Ὁ n. viri, in inscr. Anaph. Bœckh. vol. 2, p. 1097, n. 2482, i. Regis Assyriorum, conditoris urbis Nini, ap. Diodor. l. c. et in seqq., Strabonem 2, p. 84 etc., et Georg. ante Joann. Malalam p. 18 seqq. ed. Bonn. L. Dind.]

[Νινύας, ὁ, Ninyas, f. Nini et Semiramidis, ap. Diod. 2, 21. Νιννύας et Νινίας libri Zonaræ p. 1401.]

[Νίνων, ωνος, ὁ, Nino, n. Crotoniatæ ap. Iambl. V. Pyth. 258, p. 506.]

[Νιόβη, ἡ, Niobe, f. Tantali, ap. Homerum ceterosque poetas et mythologos. F. Phoronei, ap. Plat. Tim. p. 22, B, Apollod. 2, 1, 1, 5, Pausan. 2, 22, 5. Hinc Νιοβίδης, ὁ, et Νιοβίς, ίδος, ἡ, de filiis et filiabus Niobes ap. scholl. Eur. Phœn. 159 et Hom. Il. Ω, 604, Arcad. p. 29, 15. Et Νίοβος, ὁ, Niobus, fictum ab Aristophane qui fabulam scripserat Δράματα ἢ Νίοβος, quod cum Ἀφρόδιτος contulit G. Dindorfius ad fragm. illius. L. D.]

[Νιορίς, Nardus silvestris. Glossæ botanicæ Mss. ex cod. Reg. 2690 : Νιορὶς τὸ ἄσαρ καὶ νάρδον ἄγριον. Duc. App. Gl. p. 141. V. Νίρις.]

Νιπτήρ, ῆρος, ὁ, Malluvium, Vas lavandis manibus: sicut Pelluvium, Pelvis, Pollubrum, in quo pedes abluuntur. Joann. 13, [5]: Βάλλει ὕδωρ εἰς τὸν νιπτῆρα. [Recentiorum exx. nonnulla v. ap. Suicer. in Λουτὴρ et Νιπτήρ. || Ita appellatur Græcis Lotio pedum, quæ fit feria quinta hebdomadæ majoris. Describitur in Euchologio p. 745 : Ἀκολουθία τοῦ θείου καὶ ἱεροῦ νιπτῆρος. Laudatur præterea Theophili archiepiscopi Alexandrini λόγος εἰς τὸ μυστικὸν δεῖπνον καὶ εἰς νιπτῆρα τῇ ἁγίᾳ καὶ μεγάλῃ πέμπτῃ. In Typico Ms. monasterii τῆς Κεχαριτωμένης c. 72 inscribitur περὶ τοῦ μέλλοντος γίνεσθαι νιπτῆρος τῇ ἁγίᾳ καὶ μεγάλῃ πέμπτῃ. In Homericis Centonibus Eudociæ habetur etiam caput περὶ νιπτῆρος. Adde Codin. Off. 12, 1. Ducang.]

Νίπτρον, τὸ, Aqua lavandis manibus aut etiam pedibus. Pollux 10, [78]: Ποδονιπτήρ, ὁ λέβης· τὸ δὲ ἀπ' αὐτοῦ ὕδωρ, νίπτρον, πλυντήριον, ἢ ποδόνιπτρον· 7, [40]: Τὸ τῶν ποδῶν νίπτρον, νίπτρα μὲν Αἰσχύλος, Ἀριστοφάνης δὲ ἀπόνιπτρον. [Ex Æschyli Sisypho id. 10, 77 affert: Καὶ νίπτρα δὴ χρὴ θεοφόρων ποδῶν φέρειν.] Athen. 9, [p. 490, C, e Philoxeno]: Ἔπειτα δὲ παῖδες νίπτρ' ἔδοσαν κατὰ χειρῶν, σμήγμασιν ἰρινομίκτοις χειροθαλπὲς ὕδωρ ἐπεγχέοντες. [Νίπτρα fabulam inscripserat Sophocles. Eur. Hel. 1384 : Χρόνια νίπτρα ποταμίας δρόσου · Ion. 1174 : Χεροῖν νίπτρα. Meleag. Anth. Pal. 12, 68, 6: Αἱροῦμαι δ' ἣν μοῦνον ὁ παῖς ἀνιὼν ἐς Ὄλυμπον ἐκ γῆς νίπτρα ποδῶν δάκρυα ταμὰ λάβῃ. || Νίπτρα dicuntur ap. Aristot. Poet. c. 16, 24, Odysseæ libri 19 extrema, ubi Euryclea lavat Ulixem. || « Νίπτρον Græcis est Pelvis, Pelluvium : in Euchologio vero sumitur pro Tersorio seu linteo madido quo quid abstergitur, p. 833 : Καὶ σπόγγους τεσσάρεις καὶ νίπτρον λευκόν· 437 : Καὶ μετὰ τοῦ νίπτρου ταύτην (τράπεζαν) καὶ τοὺς κίονας κατασμήχοντες. » Ducang.]

Νίπτω, ψω, Lavo [Gl.]. Hom. Od. Τ, [505]: Ἐπεὶ νίψεν τε καὶ ἤλειψεν λίπ' ἐλαίῳ· et [376]: Τῶ σε πόδας νίψω, pro νίψω σου τοὺς πόδας. 1 Tim. 5, [10]: Πόδας ἔνιψεν. [Hom. Il. Κ, 575 : Ἐπεί σφιν κῦμα ἱδρῶ πολλὸν νίψεν ἀπὸ χρωτός· Π, 229 : Νίψ' ὕδατος καλῇσι ῥοῇσι. Et sæpe Eur., ut Iph. T. 1230 : Ἣν νίψω φόνον τῶνδε· et cum dat. 255 : Βοῦς ἤλθομεν νίψοντες ἐναλίᾳ δρόσῳ·
A 1191 : Ἁγνοῖς καθαρμοῖς πρῶτά νιν νίψαι θέλω· Andr. 284.] Frequentiori in usu est vox med. Νίπτομαι pro act. νίπτω, Lavo. Hom. Od. Β, [261]: Νιψάμενος χεῖρας πολιῆς ἁλὸς ηὔχετ' Ἀθήνῃ· Ο, [137]: Ὑπὲρ ἀργυρέοιο λέβητος Νίψασθαι. Sic Athen. 4 : Νιψάμενοι τὰς χεῖρας ἐστεφανούμεθα. Ita et λούσασθαι dicitur. Sed hoc νίψασθαι peculiariter de manuum lotione; idque ante cibum, ut vides in Ἀπονίπτομαι. [Eur. Bacch. 766 : Νίψαντο δ' αἷμα. Apoll. Rh. 4, 541 : Νιψόμενος φόνον. Alex. Ætol. ap. Parthen. 14, 3 : Κρήναις καὶ ποταμοῖς νίψετ' ἀεικὲς ἔπος. Præsentis hujus formæ ex. Homericum unum est Od. Σ, 179 : Χρῶτ' ἀπονίπτεσθαι. V. Νίζω. Cui de antiquioribus accedit ex. Alexidis, nisi fallit Antiatt. Bekk. p. 98, 17, qui illius citat fabulam Ὀδυσσέα ἀπονιπτόμενον. Plura sunt recentiorum, ut Mœridis p. 414: Τὸ ὕδωρ ᾧ νιπτόμεθα· Ephræm. Syr. vol. 3, p. 423, B, ubi νίπτει, ib. p. 368, E, ubi νίπτεται, 1, p. 326, C, ubi νίπτεσθαι, et al. Epictet. 1, 19, 4 : Οὐ νίπτω αὐτοῦ τοὺς πόδας· et Eumath. p. 16 : Τὰς χεῖρας ἐνίπτετο, annotavit Lobeck. ad Buttm. Gr. V. etiam Ἀπονίπτω et
B Διανίπτω. Perf. pass. ap. Theocr. 15, 32 : Ὁποῖα θεοῖς ἐδόκει, τοιαῦτα νένιμμαι.] || At quod ex Nicandro [Th. 347] affertur, Δὴ γάρ ῥα πυρὸς ληΐστορ' ἔνιπτον, pro ἐλοιδοροῦντο, διεβάλλοντο, ad Ἐνίπτω pertinet, de quo supra.

[Νιρεύς, έως, ὁ, Nireus, f. Charopi et Aglajæ, homo admodum formosus, de quo Hom. Il. Β, 671. Lucian. Tim. c. 23, D. mort. 9, 4 : Ἐκεῖνος Κόδρου εὐγενέστερος, καὶ Νιρέως καλλίων ... λέγεται εἶναι. Koenig.]

[Νῖρις, ὁ, Niris. Tzetz. schol. Hist. ap. Cramer. An. vol. 3, p. 373, 30 : Εὐρώτας, ὅνπερ τανῦν καλοῦσι Νῖριν. « Sic A. Alibi Νήριν. γήριν B. » Cramer.]

[Νίρις, Nardus montana. Neophytus in glossis iatricis Mss. : Ὀρεινὴ νάρδος ὑπό τινων λέγεται θυλακίτης, ὑπό τινων δὲ νίρις, φύλλον καὶ καυλὸν ἔχουσα ὅμοιον ἠρύγγι. V. Νίδιον. Ducang. V. Νιορίς. Hinc autem videndum an explicari possit quod est ap. medicum anon. in Matthæi Lectt. Mosq. vol. 1, p. 51 : Νιριγέροντος ἢ ἀνδράχνης. L. Dind.]

Νίρνος s. Νίρμος, Achæis est φθεὶρ, Pediculus. He-
C sych. [Idem : Κάρνος, φθεὶρ.]

Νίρον, Hesych. affert pro μέγα, Magnum.

[Νῖρος, ὁ, Nirus, n. viri, in epigr. Anth. Pal. App. vol. 3, p. 967, 396, 5.]

[Νῖσα, ἡ, Nisa, oppidum Bœotiæ, ap. Hom. Il. Β, 508, cujus de situ v. Strab. 9, p. 415. Nomen antiquius urbis quæ postea Megara, Pausan. 1, 39, 5. Ceterum v. Νῆσσα.]

[Νισαία, ἡ, Nisæa. Ἐπίνειον Μεγαρίδος καὶ αὐτὴ (vel αὐτὴ) ἡ Μεγαρὶς ἀπὸ Νίσου τοῦ Πανδίονος, Steph. Byz. addito loco Hellanici. Herodot. 1, 59, Thuc. 1, 114 etc., aliique.]

[Νισαία, ἡ, Nisæa, Margianes Asiæ memoratur a Ptolem. 6, 10. V. Νησαία.]

[Νισαῖον πεδίον. V. Νισαῖος.]

[Νισαῖος, α, ον, Nisæus, gent. ab Νίσαια Megaridis, ap. Theocr. 12, 27. Item gent. ab regione Mediæ quæ vocabatur Νίσαιον πεδίον, ap. Herodot. 7, 40, de qua v. intt. illius et Suidæ in Νίσαιον. Sic enim ap. illos variat accentus nominis ut Νίσαιον scribatur et Νισαῖος,
D quomodo est etiam ap. Nicetam Chon. p. 122, D: Ἵππον Νισαῖον, quos memorat Herodot. iterum 3, 106, Strabo 11, p. 525, 530. De scriptura vitiosa per υ v. Coraes ad Heliod. 9, 19. Vide etiam Νησαῖον πεδίον.]

[Νισαῖος, ὁ, Nisæus, n. viri ap. Andocid. p. 7, 21. Aliorum in numis Erythrarum et Magnesiæ ap. Mionnet. *Suppl.* vol. 6, p. 219, 937; 233, 1005. Dionysii tyranni majoris f. ap. Ælian. V. H. 2, 41, sed quem alii Νυσαῖον vocant.]

[Νισᾶν, ὁ, Nisan, mensis Judæorum. Hesychius : Νισᾶν, ὁ Ἀρτεμίσιος μήν. Joseph. A. J. 1, 3, 3 : Τὸν Νισᾶν, ὅς ἐστι Ξανθικός. De quo dissensu conf. Wessel. Probab. p. 259, Petav. ad Epiphan. vol. 2, p. 139, Ideler. Chronol. vol. 1, p. 509 sq. Νισὰν scriptum Nehem. 2, 1, Esther 3, 1. Νεισαν in Hemerologio ap. Ideler. l. c. p. 440. V. autem Ξανθικός.]

[Νίσης, ου, ὁ, Nises, inter τὰ εἰς ης βαρύτονα ἀρσενικὰ ἰσοσυλλάβως κλινόμενα refert gramm. in Cram. An. vol. 3, p. 241, 29. L. Dind.]

[Νίσιβις, ιδος (ut ap. Phot. Bibl. p. 25, 38) vel ιος (ut

ap. Strab. 11, p. 522, et Joann. Malal. infra citandum, A et in Ms. ap. Morell. Bibl. Ms. p. 228) vel εως (κλίνεται Νισίβεως [ut ap. Jo. Malal. p. 336, 22], Zonaras p. 1402), ἡ, Nisibis. Πόλις ἐν τῇ Περαίᾳ τῇ πρὸς τῷ Τίγρητι ποταμῷ. Φίλων ἐν Φοινικικοῖς Νάσιβίς φησι διὰ τοῦ α. Οὐράνιος δὲ διὰ τοῦ ε Νέσιβις. Σημαίνει δὲ, ὥς φησι Φίλων, νάσιβις τὰς στήλας, ὡς δὲ Οὐράνιος, νέσιβις, φησὶ, σημαίνει τῇ Φοινίκων φωνῇ λίθοι συγχείμενοι καὶ συμφορητοί. Στράβων δὲ ιϛ' (p. 736, 747) διὰ τοῦ ι. Τὸ ἐθνικὸν Νισιβηνὸς, καὶ ἔδει Νισιβίτης, ἀλλ' ὁ τύπος Αἰγύπτιος καὶ Λιβύης κτλ., Steph. Byz. Præter quas formas tertia vel quarta frequens est in libris Νήσιβις, quod nihili. Νιζτίβιος genit. mira constructione ap. Malal. p. 336, 4, 11. Gent. Νισιβηνὸς in Νισιβῖνος corruptum ap. Theophan. Chron. p. 16, C. Νισιβηνὸς recte ap. Phot. Bibl. p. 26, 40 seq. et alibi.]

[Νῖσος, ὁ, Nisus, f. Pandionis, ap. Pind. Pyth. 9, 94, Nem. 5, 46, Æsch. Cho. 619, Soph. fr. Ægei ap. Strab. 9, p. 392, Hellanicum ab Steph. Byz. in Νισαία citatum, Apollod. 3, 15, 5, 5 et al. Eur. Herc. F. 954, de Megaris: Τὴν Νίσου πόλιν. Thuc. 4, 118 quod dicit B ἀπὸ τῶν πυλῶν τῶν παρὰ τοῦ Νίσου (libri plures Νισαίου), ita vocare videtur Νίσου λόφον quem dicit Pind. locis citt. Alium Nisum Dulichio ortum memorat Hom. Od. Σ, 127. Alcetæ regis Epiri filium Diod. 19, 89. Νίσσον, quem memorat Quint. 3, 231, probabile est Νῖσον esse scribendum. Neque alio referendum nomen Νείσου sculptoris in gemma in *Cabinet d'Orléans* vol. 2, tab. 23.]

[Νίσσομαι. V. Νείσσομαι.]

[Νίστις, ὁ, Nistis, n. viri, in numo Phrygio, ap. Mionnet. *Suppl.* vol. 7, p. 603, 528, si recte lectum.]

[Νίσυρις, Spondylium, ap. Interpol. Diosc. c. 495 (3, 80). Ducang.]

[Νίσυρον, τὸ, Nisyrum, ap. Apollod. 1, 6, 2, 4: Πολυβώτης διὰ τῆς θαλάσσης διωχθεὶς ὑπὸ τοῦ Ποσειδῶνος ἧκεν εἰς Κῶ· Ποσειδῶν δὲ τῆς νήσου μέρος ἀπορρήξας ἐπέρριψεν αὐτῷ τὸ λεγόμενον Νίσυρον.]

[Νίσυρος, ἡ, Nisyrus. Μία τῶν Κυκλάδων. (Hom. Il. B, 676:) Οἵ τ' ἄρα Νίσυρόν τ' εἶχον ... Ὁ οἰκήτωρ Νισύριος καὶ Νισυριακὸς, Steph. Byz. Strabo 10, p. 488 etc. C Νισύριος in inscr. Nisyria ap. Ross. Inscrr. fasc. 2, p. 54, n. 166, 2, ubi Νισιριοι fertur esse in lapide, quum 18 sit Νισυρίους. Item ap. Diod. 14, 38, Strab. 10, p. 489. Fem. Νισυρὶς restitui loco in Ἔγκυκλος vol. 3, p. 113, B, citato. ῖυ L. Dind.]

[Νιτάριος sive Νίταρος, ὁ, Nitarus, n. viri fictum ab schol. Aristoph. Pl. 1012 ad explicandum n. Νιτάριον, quod νηττάριον scribendum erat.]

[Νιτέρειον, ἀκρωτήριον, Zonaræ p. 1402 et Suidæ. Conf. Νυττέρειος.]

[Νίτητις, ἡ, Nitetis, Apriæ regis Ægypti f., ap. Herodot. 3, 1. V. Νειτῆτις.]

[Νιτιάτης χύριον, ἡ τοῦ Νιτιάτου μονὴ, Zonaras p. 1401.]

[Νιτιόβριγες, οἱ, Nitiobriges, gens Gallica, ap. Strab. 4, p. 190.]

[Νιτρίαι, τόπος Αἰγύπτου. Στράβων ιζ' (p. 803). Τὸ ἐθνικὸν Νιτρίτης καὶ Νιτριώτης. Ἔστι καὶ νομὸς Νιτριώτης, Steph. Byz. Quæ nonnihil depravata in libris correxerunt intt., animadverteruntque non locum dicere Strabonem, sed Nitri fodinas s. Nitrarias. Νιτρίαν D Ægypti memorat Athanas. vol. 1, p. 841, C.]

[Νιτρίας, ὁ, Nitrias, χύριον sec. Moschopulum Π. σχεδ. p. 172. L. Dind.]

[Νιτρικὴ, ἡ, Reditus ex nitro, in pap. Ægypt. in Ἔκληψις citata.]

[Νιτρίτης, ὁ, et Νιτρῖτις, ιδος, ἡ, γῆ, Nitrosus, Nitrosa, ponit Schneider. sine testimonio. Νιτρίτης quidem et Νιτριώτης v. in Νιτρίαι.]

Νίτρον, τὸ, Nitrum [Gl.], Succus concretus sali finitimus; isque vel nativus, vel facticius: nativi tam id, quod effoditur, quam id, quod in speluncis colligitur, Ἀφρόνιτρον dicitur, quod molle sit ac spumæ simile. Quod extra terram reperitur sua sponte ex ea efflorescens, Ἁλμιράγα appellant. Facticii vero varia sunt genera, de quibus præter alios Gorræum consule. [In Glossis chymicis Mss. ἐστὶ θεῖον λευκὸν ποιοῦν χαλκὸν ἀσκίαστον· τὸ αὐτὸ ἀφρόνιτρον καὶ ῥυτίνη (sic) γῆ. Duc. Σαπώνιον interpr. Moschop. Π. σχεδ. p. 172, cui ἢ εἶδος ἰατρικὸν addit Zonaras p. 1402. Pro quo σαπῶν cod. Hesychii in gll. a Musuro deletis. De nitro quum aliis locis multis agat Galenus, quos videre licet in indice, tum vol. 13, p. 265. Genera ejus distinguere studuit Beckmann. *Beitr. zur Geschichte der Erfindungen* vol. 5, p. 517 sqq. Νίτρον ἐρυθρὸν memorat Hippocr. p. 573, 37, 44; 631, 29. De loco ubi venit ap. Hesychium: Ταχτονίτου (τὰχ τοῦ νίτρου Piers. ad Mœr. p. 352), τὰ τῶν μαγείρων ξηρὰ ἀρτύματα, διὰ τὸ ἔνθα καὶ τὸ νίτρον πωλεῖσθαι. Anaxippo ap. Athen. 4, p. 169, B, ubi libri Τὰχ τοῦ λήτρου vel χήτρου, utrum νίτρου restituendum sit, ut opinabatur Meinek. Com. vol. 4, p. 466, an λίτρου, incertum videtur. || De duplici forma νίτρον (Æolica secundum Phrynichum Epit. p. 305), et Attica λίτρον diximus in Λίτρον. Νίτρον est ap. Tim. Locr. p. 99, C, aliosque inde ab Hippocrate (qui tamen ipse, perinde ut Herodotus, λίτρον dixisse videtur) et Aristotele (cui et ipsi, ut Theophrasto, reddenda forma λίτρον), recentioresque multos, quorum nonnullos memorat Lobeck. ad Phryn. l. c.]

[Νιτροπηγικὸς, ἡ, ὸν, ap. Alex. Trall. 11, p. 630, ἁλῶν νιτροπηγικῶν vertitur Salis ex nitri fontibus. Struv.]

[Νιτροποιὸς, ὁ, ἡ, Nitrum faciens. Schol. Aristoph. Ran. 725, γῆ.]

[Νιτρόω, Nitro inficio. Synes. p. 182, D: Εἴ τις ἱματίοις αἴσθησις ἦν, τί ἂν οἴῃ πάσχειν αὐτὰ, λακτιζόμενα καὶ νιτρούμενα;]

Νιτρώδης, ὁ, ἡ, Nitrosus, Nitri naturam imitans: item Nitri saporem referens. [Theophr. C. Pl. 2, 5, 1, fr. 4, 65; Paulus Sil. Therm. Pyth. 74, 113; Galen. vol. 2, p. 358; Synes. De febr. p. 10, ὕδατα.]

[Νίτρωμα, τό. Ῥύπους τὸ ἀπόπλυμα, νίτρωμα κεφαλῆς, Squama, Gl. Hesychius: Χαλέρυπον, τὸ ῥύμμα τὸ ἀπὸ τοῦ νίτρου γενόμενον, ὅ τινες νίτρωμα λέγουσι.]

[Νίτωκρις, ἡ, Nitocris, n. reginæ, in Eratosth. Catal. regum Thebæorum Ægypti. Est vero nom. illud compositum ex *Neith* Minerva, et *Ahri*, σώζειν. Et sic interpretatur Eratosth. Ἀθηνᾶν νικηφόρον. V. Chronol. Vignolii vol. 2, p. 755. Jablonsk. Reginam Ægypt. memorat Herodot. 2, 100, Babylonis 1, 185–7.]

[Νιφάντης, ὁ, Niphantes, n. antiquum Caucasi. Plutarch. De fluv. 5, 3. Boiss. V. Νιφάτης.]

[Νιφαργὴς, ὁ, ἡ, i. q. sequens. Orph. Arg. 667: Ἐν νιφαργέσιν ὕλαις.]

Νίφαργος, ὁ, ἡ, Nive candens, Albens ex nive qua obrutus est: νιφάδι λελευκασμένος, Hesych. In VV. LL. exp. Candidus instar nivis. [V. Νιφαργής.]

Νιφὰς, άδος, ἡ, Nix acervatim s. confertim et cum vehementi impetu decidens, Imber nivalis. Hom. Il. [O, 170: Ὅταν ἐκ νεφέων πτῆται νιφάς·] T, [357]: Ὡς δ' ὅτε ταρφειαὶ νιφάδες Διὸς ἐκποτέονται· M, [156]: Νιφάδες δ' ὣς πίπτον ἔραζε· Γ, [222]: Ὄπα τε μεγάλην ἐκ στήθεος ἵει Καὶ ἔπεα νιφάδεσσιν ἐοικότα χειμερίῃσι, sc. διὰ τὸ τάχος τῶν νοημάτων, διὰ τὸ πυκνὸν, διὰ τὸ τῆς σαφηνείας διάλευκον, καὶ μὴν καὶ διὰ τὸ φρίκης γέμον, Eust. [Æsch. Prom. 992: Λευκοπτέρῳ νιφάδι.] Et Epigr. [Apollonidis Anth. Pal. 9, 244, 2], χιόνεαι νιφάδες, Nivales imbres, ἀπόρροιαι χιόνος. Hom. vero dixit etiam νιφάδες χιόνος, Il. M, [278]: Ὥστε νιφάδες χιόνος πίπτουσι θαμειαί. [Pind. Ol. 7, 34: Χρυσέαις νιφάδεσσι πόλιν βρέχε. De pluvia Lycophr. 876: Οὐδ' ὀμβρία σμήχουσα δηναιὸν νιφάς.] Et metaph. Chrys. De sacerd.: Τῶν βελῶν τὰς νιφάδας, Sagittas confertim instar nivis decidentes. [Pind. Ol. 11, 53: Νώνυμνος βρέχετο πολλᾷ νιφάδι, de obscuro et silentio oppresso. Isthm. 3, 35: Τραχεῖα νιφὰς πολέμοιο. Æsch. Sept. 213: Νιφάδος ὅτ' ὀλοᾶς νιφομένας βρόμος ἐν πύλαις· fr. Prometh. Sol. ap. Strab. 4, p. 183: Νιφάδι γογγύλων πέτρων. Eur. Andr. 1129: Πυκνῇ δὲ νιφάδι (πέτρων) πάντοθεν σποδούμενος. Theodoret. t. 4, p. 690: Πολεμικῶν βελῶν καὶ δοράτων νιφάδας. Νιφάδες πειρασμῶν OEcumen. In 2 Cor. 12, p. 568 et Chrysost. Or. 1 de laud. Pauli. Κινδύνων id. Πρὸς τοὺς σκανδ. c. 20 (et Nilus Ep. p. 321. Boiss.), λίθων t. 5, p. 974, φροντίδων Hom. 81 in Matth. p. 509, κολάσεων t. 6, p. 69, κακῶν t. 5, p. 202, γραμμάτων epist. 47, et al. contulit Suicer.] Pro νιφάδα autem Hesiod. [Opusc. 533] per apocopen dixit Νίφα, teste Suida: Ἀλευόμενοι νίφα λευκὴν, Nivem s. Nivalem imbrem. [Hoc rectius refertur ad nominat. Νὶψ, quod v.] Νιφὰς dicitur etiam τὸ μικρότατον, quod et ψακὰς, ut schol. Aristoph. tradit in Pac. [121] : Ἔνδον δ' ἀργυρίου μηδὲ ψακὰς ἦν πάνυ πάμπαν. In VV. LL. dicitur esse Minuti nummismatis genus, ex his verbis non bene intellectis. [Adjective Nivosa, ap. Soph. OEd. C. 1060: Πέτρας νιφάδος.] || Gutta; nam νιφάδες Suidæ sunt σταγόνες. Hesychio autem νιφάδες sunt non solum σταγόνες, ψεκάδες, sed et ἕλκη, τραύματα.

Νιφάτης, ὁ, Mons Armeniæ, ut Suid. scribit, afferens hunc versum [Pisandri, ut constat ex Steph. Byz.] : Ταύρου πρυμνώρειαν εὐσκόπελόν τε Νιφάτην. Meminit et Plut. Alex. p. 223 [c. 31. Item Strabo 11, p. 522 etc.]. Plinio quoque Niphates mons non incognitus. [Addit autem Steph. Byz. : Οὕτω γὰρ Ἀρκάδιος· ἔοικε δὲ παρὰ τὸ νείφειν, ἀλλ' ὀνομαστικῶς διὰ τοῦ ι γράφεται. ῐᾰ]

Νῐφετοβλήτης, Nivosus, Nivibus tectus, ex Epigr. Sed scrib. potius foret νιφετοβλητής, aut νιφετοβλής, ῆτος. [Fictum videtur ex l. in Νιφοβλής citato.]

Νῐφετός, ὁ, i. q. νιφάς. [Nimbus, Gl.] Aristot. De mundo [c. 4] loquens de generatione τῆς χιόνος, Nivis: Σφόδρα δ' αὕτη (ἡ σύμπηξις τοῦ ἐνόντος τοῖς νέφεσιν ὑγροῦ) καὶ ἀθρόα καταφερομένη, νιφετὸς ὠνόμασται. Unde Apul. De mundo : Hæc victis nubibus crebrior ad terram venit : eam tempestatem nos Ningorem vocamus. Hom. [Il. K, 7 : Ἠὲ χάλαζαν ἢ νιφετόν·] Od. Δ, [566] : Οὐ νιφετὸς, οὔτ' ἂρ χειμὼν πολὺς, οὔτε ποτ' ὄμβρος, i. e. τῆς χιόνος καταφορὰ, χιὼν λεπτὴ, ut Hesych. exp.; ἡ κατάλεπτος καταφερομένη χιὼν, Suid. [Pind. ap. Dionys. De vi Dem. c. 7, p. 973, 7 : Νιφετοῦ σθένος. Herodot. 4, 50 : Ὕεται ἡ γῆ αὕτη τοῦ χειμῶνος πάμπαν ὀλίγῳ, νιφετῷ δὲ πάντα χρέεται· 8, 98 : Οὔτε ν. οὔτ' ὄμβρος. Dionys. A. R. 10, 2 : Νιφετὸς ἐξ οὐρανοῦ κατέσκηψεν εἰς γῆν πολὺς, οὐ χιόνα καταφέρων, ἀλλὰ σαρκῶν θραύσματα ἐλάττω τε καὶ μείζω. De pluvia Nonnus Dion. 6, 267 : Καὶ ξυνοῖς ῥοθίοισιν ὀρεσσιχύτου νιφετοῖο θῆρες ἐναυτίλλοντο σὺν ἰχθύσιν· 324 : Τοσσατίου γὰρ τάρβος ἔχω νιφετοῖο· 359 : Οὐκ ἀλέγω νιφετοῖο μεμηνότος· 8, 260 : Κατέρρεεν ὑέτιος Ζεὺς ἀφνειῇ ῥαθάμιγγι γυναιμανέος νιφετοῖο, et alibi. « Improprie Jo. Chrysost. De virg. c. 71 : Εἰ τὰ δοκοῦντα εἶναι ζηλωτὰ τοσούτων γέμει κακῶν καὶ τοσοῦτον τῇ ψυχῇ καὶ τῷ σώματι τὸν νιφετὸν ἐπάγει τῶν νοσημάτων. » Suicer. De oratore dictum ponit Pollux 6, 147 : Πηγάς τινας ἀφιεὶς, ὄμβρος, νιφετὸς, ποταμός. De accentu acuto Arcad. p. 81, 15.]

[Νῐφετώδης, ὁ, ἡ, Nivosus. Aristot. Meteor. 2, 6; Polyb. 3, 72, 3; Plut. Crasso c. 10; Joseph. A. J. 3, 6, 4. « Psellus Laude cimicis p. 108, 1. » Boiss.]

Νῐφοβλής, ῆτος, ὁ, ἡ, In quem nives jactatæ decidunt, Nivibus obrutus : νιφοβλῆτες [ἀεὶ κρυμώδεες] Ἄλπεις, Epigr. [Philippi Anth. Pal. 9, 561, 3.]

[Νιφόβλητος, ὁ, ἡ, i. q. præcedens. Active Oppian. Cyn. 1, 428 : Νιφοβλήτοιο μένος πολυχειμέρου ὥρης· pass. 3, 314 : Ταύροιο νιφοβλήτους ὑπὲρ ἄκρας. Wakef. In Νεφόβλητος corruptum erat ap. Nonn. Dion. 2, 432.]

[Νῐφοβολία, ἡ, Nivis casus. Eust. Il. p. 905, 3 : Τὴν ἄνωθεν ἐν χειμῶνι μάλιστα κατασκήπτουσαν νιφοβολίαν.]

Νῐφόβολος, ὁ, ἡ, i. q. νιφοβλής : ut νιφόβολον πεδίον [ὄρος], Plut. in Sertor. [c. 17.] Et ap. Aristoph. Av. [952] : Νιφόβολα πεδία πολύσπορα· ubi tamen paroxytonωs νιφοβόλα scribitur etiam ap. schol. bis terque : licet ita dicta scribat παρὰ τὸ βάλλεσθαι ὑπὸ νιφετοῦ. [Ib. 1385, ubi est var. νεφοβ. male probata Brunckio. Eur. Phœn. 214 : Ὑπὸ δειράσι νιφοβόλοις Παρνασσοῦ· Iph. A. 1284 : Νιφόβολον Φρυγῶν νάπος. « Strabo 7, p. 317; 8, p. 379, ὄρη. » Hemst. Hesychius : Νιφόβολον, ὑψηλόν.]

Νῐφόεις, εσσα, εν, Nivosus, Nivalis [Gl.], Ninguidus. Hom. Il. N, [754] : Ὄρεϊ νιφόεντι ἐοικώς· Od. T, [338] : Κρήτης ὄρεα νιφόεντα· Il. Σ, [615] : Ἡ δ' ἴρηξ ὣς ἆλτο κατ' Οὐλύμπου νιφόεντος. Hesiod. Theog. [117] : Ἕδος ἀσφαλὲς αἰεὶ Ἀθανάτων, οἳ ἔχουσι κάρη νιφόεντος Ὀλύμπου· ex quibus duobus ll. patet quomodo accipiendum sit ἀγάννιφος Ὄλυμπος : de quo et Aristoph. Nub. [270] : Ἐπ' Ὀλύμπου κορυφαῖς ἱεραῖς χιονοβλήτοισι. Ibid. Aristoph. dicit σκόπελον νιφόεντα. [Pind. Pyth. 1, 20 : Νιφόεσσ' Αἴτνα. Soph. OEd. T. 473, Παρνασσοῦ. Antiphilus Anth. Pal. 6, 252, 6 : Τοίην χὼ νιφόεις κρυμὸς ὀπωροφορεῖ.] Item, Niveus; nam νιφόεσσα Ἑλένη ap. Ionem Comicum [Tragicum, in fabula Φρουροῖς, ap.

A Hesychium, ap. Photium vero omisso scriptoris nomine : Νιφόεσσα σελήνη, quod vitiosum videtur], ut Niveus Adonis ap. Propert., ob candorem corporis niveum. Nicand. Alex. [252] : Ὀπῷ νιφόεντι κράδης· est enim lac ficulnum niveum colore. Ther. [881] : Σὺν καί που νιφόεν σκύλλης κάρα, i. e., λευκὸν, οἷός ἐστιν ὁ νιφετὸς, schol., addens tamen, vel ὑγρὸν, vel ψυχρὸν, sicut et alibi [291] νιφόεντα κεράατα hæmorrhoi serpentis exp. ψυχρὰ, quia omnes serpentes sunt ψυχροί.

Νῐφόκτῠπος, ὁ, ἡ, Nivis casu resonans, i. q. νιφόβολος. Apud Athen. 10, [p. 455, A] de Pane : Σὲ, τὸν βόλοις νιφοκτύποις δυσχείμερον Ναίονθ' ἕδος· quod mox repetitur.

Νῐφοστιβής, ὁ, ἡ, Nive calcatus, In quo nives calcantur, Nivosus. Soph. Aj. [670] : Νιφοστιβεῖς χειμῶνες ἐκχωροῦσιν εὐκάρπῳ θέρει.

[Νιφοψυχής, ὁ, ἡ, Nivatus, Gl.]

Νίφω, Ningo [Gl.]. Hom. Il. M, [280] : Ἤματι χειμερίῳ, ὅτε τ' ὤρετο μητίετα Ζεὺς νιφέμεν. Sic Xen. Cyneg. [8, 1] : Ὅταν νίφῃ ὁ θεός. [Pausan. 8, 53, 10 :

B Νείφειν τὸν θεόν. Pind. Isthm. 6, 5 : Χρυσῷ νίφοντα.] Metagenes ap. Athen. 6, [p. 269, E] : Νιφέτω μὲν ἀλφίτοις, Ψακαζέτω δ' ἀρτοισιν, ὑέτω δ' ἔτνει. [Absolute Aristoph. Ach. 1141 : Νίφει· Vesp. 773 : Ἐὰν δὲ νίφῃ. « Babrius Fab. 45 : Ἔνειφεν ὁ Ζεύς. Ibi ego correxi ἔνιφεν. » Boiss.] At Νίφομαι, Nive conspergor. [Aristoph. Ach. 1075 : Τηρεῖν νιφόμενον τὰς εἰσβολάς. Herodot. 4, 31 : Τὰ κατύπερθε αἰεὶ νίφεται.] Xen. Hell. 2, [4, 2] : Οἱ δὲ νιφόμενοι ἀπῆλθον ἐς τὸ ἄστυ. Plut. Symp. 3, [p. 648, D] : Οἱ ὀρεινοὶ καὶ πνευματώδεις καὶ νιφόμενοι τόποι, Obtecti nivibus, Nivosi, Ninguidi. [Diodor. 5, 25 : Χιόνι πολλῇ νίφεται (Gallia). Pausan. 8, 16, 2 : Τοῦ ἔτους τὸ πολὺ νειφομένου τοῦ ὄρους. De nive ipsa ap. Æsch. Sept. 213 in Νιφὰς citatum. Improprie Antip. Thess. Anth. Pal. 6, 198, 6 : Ὡς αὖτις πολιῷ γήραϊ νιφόμενον.] || Madefacio, Irrigo : βρέχω. Pro quo scribitur et Νείφω, sicut εἴλλω et ἴλλω, et alia διφορούμενα. Suidas tamen in hac signif. per diphthongum scribi debere annotat. [Schol. Ven. Hom. Il. A, 420 : Τὸ νείφω σημαίνει τὸ βρέχω,

C ὅπερ γράφεται διὰ τῆς ει διφθόγγου, ἐξ οὗ νέφος καὶ νεφρός· νίφω τὸ χιονίζω διὰ τοῦ ι, ἐξ οὗ τὸ ἀγάννιφον.] Philo V. M. 3 : Τῆς γὰρ χώρας οὐχ ὑετῷ, καθάπερ αἱ ἄλλαι, νιφομένης, Quum terra illa non irrigetur imbribus. [Photius : Νίψαι (Νῖψαι), μακρὰ ἡ πρώτη συλλαβὴ, ὁπότε ἐπὶ νιφετοῦ τάττεται, καὶ ἔνιψεν καὶ ἐνίφθη ἡ γῆ. Qui aoristus est ap. Hippocr. p. 106, A, ubi κατανιφθεῖσαι. Fut. νίψω, in versu ap. Plut. Mor. p. 949, B : Εἰ δὲ νότος βορέην προκαλέσσεται, αὐτίκα νίψει. De perf. νένοφα v. in Συννίφω. Photius : Νένοφεν, νενέφωται (cod. νενήφωται). Hesychius : Νένοφαι (νένοφε Schow.), νενόφωται. ῑ]

[Νίψ, νιβὸς, ἡ.] Apud Hesychium reperio etiam Νίβα, χιόνα, κρήνην, a nom. Νίψ. [« Νίβα in Lexico Nicodemi χιόνα· καλεῖται δὲ οὕτω καὶ κρήνη ἐν Θράκῃ. » Ducang. App. Gl. p. 141. Eadem Photius. V. autem Νιφάς.]

[Νίψ, ἴβος, ἡ, Nips, ὄνομα κρήνης, sec. Chœroboscum vol. 1, p. 88, 1, 24. Pro quo κνίσσης Arcad. p. 126, 20. Sed illud tuetur Etym. M. p. 568, 16, et Ni-

D codemus modo cit. Memorat νίψ etiam Theognost. p. 135, 30. L. Dind.]

[Νίψα, ἡ, Nipsa, πόλις Θράκης. Ὁ πολίτης Νιψαῖος. Ἡρόδοτος δ' (93), Steph. Byz.]

[Νίψιμον, τὸ, pro νίψις. Catalog. offic. eccles. Cpol. Allatianus, ubi de protonotario : Καὶ ἐν τῷ καιρῷ τῆς ὑψώσεως δίδοται νίψιμον τῷ ἀρχιερεῖ. Ducang. Qui conf. etiam in App. p. 141.]

[Νίψις, εως, ἡ, Lotio. Plut. Pompej. c. 73, ποδῶν.]

[Νίψος inter nomina in ψος ponit Theognost. Can. p. 77, 2.]

[Νιώνιος, ὁ, n. patronymici forma Bœotica in inscr. Bœot. ap. Bœckh. vol. 1, p. 757, n. 1574, 21, ubi Fιδήμων Νιώνιος, pro Εἰδήμων Νεώνειος. L. Dindorf.]

Νόα, Laconibus πηγή, Fons, teste Hesychio.

[Νόαι, αἱ, Noæ. Τὸ ἐθνικὸν Νοαῖος· ὁ τύπος γὰρ οὐκ ἀήθης αὐτοῖς· ἔστι δὲ πόλις Σικελίας. Ἀπολλόδωρος δευτέρῳ Χρονικῶν, Steph. Byz. V. annot. ad Diod. 11, 88, 91.]

[Νοαίρου cujusdam mentio fit ap. Burckhardt. *Reisen in Syrien* vol. 1, p. 150.]

[Νόαρ, τὸ, inter neutra disyllaba in αρ memorat Theognost. Can. p. 80, 3. L. Dindorf.]

Νοαρέως, Hesych. affert pro νουνεχόντως, Sapienter. [Νοερῶς Albertus.]

[Νόαρος, ὁ, Noarus, fl. Illyrici, ap. Strab. 4, p. 207; 7, p. 314, 318.]

[Νοβακχίζειν, τὸ ὀρχούμενον τοῖς δακτύλοις ἐπιψοφεῖν. Σεισμὸς Νιόβη, Photius. Ubi Nioben Tragici, quales scripserunt Æschylus et Sophocles, dici animadverterunt interpretes. Ceterum non magis græcum videtur voc. quam Νιβατισμός.]

[Νόβιος, ὁ, Novius, n. Rom. viri, in inscr. Messen. ap. Bœckh. vol. 1, p. 640, n. 1297, 6.]

[Νοβῶρα inter nomina in ωρα ponit Theognostus Can. p. 107, 26.]

[Νοέμβριος, ὁ, November, mensis Rom., cujus nomen ita conformatum a Græcis frequens est maxime ap. Byzantinos, quorum exx. plurima omittimus. Rarum est quod exhibet inscr. Daulid. ap. Bœckh. vol. 1, p. 850, n. 1732, a, 5 : Καλ. νουενβρίων. Formas Byzant. Νοέμβρης, Νοέβρης, annotavit Ducang.]

[Νοερητόκος, ὁ, ἡ, νοῦς, Mentium parens mens, de de Deo, Synes. Hymn. 2, 167, p. 322, A.]

[Νοερηφόρος, ὁ, ἡ, ὁρμή, Impetus animi ad intellectualia, Synes. Hymn. 1, 121, p. 315, D.]

Νοερὸς, ὰ, ὸν, q. d. Mentalis, Intellectualis. [Intelligens, Gl. Plat. Alc. 1 p. 133, C : Ἔχομεν εἰπεῖν ὅ,τι ἐστὶ τῆς ψυχῆς νοερώτερον (al. θειότερον) ἢ τοῦτο περὶ ὃ τὸ εἰδέναι καὶ φρονεῖν ἐστιν ; Tim. Locr. p. 99, E : Τὸ μὲν λογικόν ἐστι καὶ νοερόν. Nicand. Al. 556 : Νοεραὶ γὰρ ἀπὸ φρένες ἀμβλύνονται. Ap. Procul. H. Ven. 3, 5, « νοερὸς γάμος is est qui non inter corpora, sed intelligentias contrahitur, neque sensibus, sed mente percipitur. Hac ratione τὰ νοερὰ et τὰ ἀπόρρητα copulantur ap. Proculum Theol. Plat. 8, p. 17 et passim.» Jacobs. Sic H. 4, 4, νοερὰ βέλεμνα.] Νοεραὶ φύσεις et δυνάμεις, ap. Dionys. Areop. et Greg. Naz., Naturæ intellectuales, quæ sc. sunt intelligentiæ abstractæ : ut Angeli. [V. Νόες in Νόος.] Hæc Bud., qui etiam docet νοερὰ et αἰσθητὰ a Dionys. Areop. opponi. [Νοερὸς contrarium τῷ ἀσυνέτῳ Sext. Emp. p. 434, 19. Hemst.] Ab Hesych. annotatur distinctio inter νοερὸν et νοητὸν, sed mendosus est ejus locus. Vide Νοητός. [Mire cum νόημα conjungit Niceph. Callist. H. E. vol. 1, p. 8, B : Ἵν' ᾖ σοι μὲν καὶ ὁ νοῦς... ἀθόλωτος, βρύων νοερὰ καὶ θεῖα νοήματα. Νοηρὸς scriptum in cod. Medic. Æneæ Tact. c. 28, p. 86, quo ducit etiam Africani, quam Casaub. memorat, scriptura.]

|| Νοερῶς, q. d. Intellectualiter, Bud. ex Gennadio : Ὁ θεὸς ζῇ νοερῶς, καὶ ἔστι νοῦς ἀτελεύτητος. [Eustath. in Maji Nova Coll. Vat. vol. 7, p. 284, A : Τὴν μίαν σάρκα τὴν ἐψυχωμένην νοερῶς· et Severus ib. p. 287, A ; 290, A. Theod. Stud. p. 134, D. L. Dind. Psellus scholl. in Orac. Chald. p. 106.]

[Νοερότης, ητος, ἡ, Quum quid intelligi tantum et mente concipi potest, nec sub sensus cadit. Schneid. sine testim.]

[Νοερῶς. V. Νοερός.]

Νοέω, Mente agito, In animo verso, Cogito. Hom. Il. A, 542 : Οὐδέ τί πώ μοι Πρόφρων τέτληκας εἰπεῖν ἔπος ὅ,ττι νοήσεις· quæ verba sunt Junonis ad Jovem. Is autem paulo post respondens dicit, Ὃν δ' ἂν ἐγὼν ἀπάνευθε θεῶν ἐθέλοιμι νοῆσαι, sub. μῦθον. Et νόον νοεῖν ap. Eund., Il. I, [105] : Οὐ γάρ τις νόον ἄλλος ἀμείνονα τοῦδε νοήσει Οἷον ἐγὼ νοέω. Et νοεῖν φρεσὶ, ap. Eund. Il. X, 235, et θυμῷ Od. Σ, [228], item [Od. E, 188] : Νοέω καὶ φράσσομαι. [Od. Δ, 148 : Οὕτω νῦν καὶ ἐγὼ νοέω, γύναι, ὡς σὺ ἐΐσκεις.] Redditur autem In animum induco a Bud. in Il. Θ, [408] : Αἰεὶ γάρ μοι ἔωθεν ἐνικλᾷν ὅ,ττι νοήσω : nam exp. Semper enim mihi solet obsistere et refragari, ubi quid in animum induxi. Alicubi redditur etiam In animo habeo. [X, 235 : Νῦν δ' ἔτι καὶ μᾶλλον νοέω φρεσὶ τιμήσασθαι· Ω, 560 : Νοέω δὲ καὶ αὐτὸς Ἕκτορά τοι λῦσαι. Pind. Nem. 10, 86 : Πάντων δὲ νοεῖς ἀποδάσσασθαι ἴσον. Soph. Ant. 44 : Ἦ γὰρ νοεῖς θάπτειν σφε ; et alibi.] Item Animadverto : quo verbo possumus interpretari in Od. [Υ, 367], ubi jungitur participio : Ἐπεὶ νοέω κακὸν ὔμμιν ἐρχόμενον. [Il. Δ, 200 : Τὸν δ' ἐνόησεν ἑσταότα. Et alibi. V. infra in signif. Cernendi. Eur. Phœn. 1407 : Καί πως νοήσας.] Alibi commodius, Intelligo [Gl. Od. Φ, 257 : Νοέεις δὲ καὶ αὐτός.] Hesiod. Op. [89] : Αὐτὰρ ὁ δεξάμενος ὅτε δὴ κακὸν εἶχ' ἐνόησε. [Ib. 291 : Οὗτος μὲν πανάριστος ὃς αὐτὸς πάντα νοήσῃ. Soph. OEd. C. 1034 : Νοεῖς τι τούτων ἢ μάτην σοι δοκεῖ λελέχθαι ; Xen. H. Gr. 5, 4, 31 : Ὕστερον ἢ αὐτὸς νοήσας ἢ διδαχθεὶς ὑπό του εἶπεν ἐλθών.] Sic autem interpr. et Cic. ap. Epicurum ; nam hæc ejus verba, Οὐ γὰρ ἔγωγε δύναμαι νοῆσαι τἀγαθὸν, ἀφαιρῶν μὲν τὰς διὰ χυλῶν ἡδονὰς, κτλ., quæ habes p. 52 mei Cic. Lex., ita reddit : Nec enim habeo quod intelligam bonum illud, detrahens eas voluptates quæ sapore percipiuntur. Idem ap. Plat. [Tim. p. 30, D], Τῷ γὰρ τῶν νοουμένων καλλίστῳ vertit, Quod enim pulcerrimum in rerum natura intelligi potest. A Bud. redditur Mente concipio, in Gregor. l. : Οὐ φθάνω τὸ ἓν νοῆσαι, καὶ τοῖς τρισὶ περιλάμπομαι. Possit autem exponi itidem Mente concipere, aut certe Intelligere, et in Herodiano [4, 7, 2] : Πλὴν νοῆσαι τὸ κρινόμενον εὐθὺς ἦν. At vero quum dicit [2, 9, 2] : Νοῆσαί τε ὀξὺς, καὶ τὸ νοηθὲν ἐπιτελέσαι ταχὺς, est νοῆσαι potius Excogitare. [Eur. Rhes. 625 : Τρίβων γὰρ εἶ τὰ κομψὰ καὶ νοεῖν σοφός.] || Aliquam Cogitandi signif. habet et quum dicitur ἐσθλά σοι νοῶ, ut sit ad verbum Bona tibi cogito, pro quo dicitur potius Latine, Bene tibi consultum cupio. Hesiod. Op. [284] : Σοὶ δ' ἐγὼ ἐσθλὰ νοέων ἐρέω μέγα νήπιε Πέρση. Ut vicissim dicitur κακὸν νοεῖν τινι, quo utitur Xen. [Hier. 1, 15], et illuc quidem pertinet verbum εὐνοεῖν, huc autem verb. δυσνοεῖν. [Comm. 2, 2, 9 : Οὐδὲν κακὸν νοοῦσα λέγει. Similiter Eur. Rhes. 101 : Τάδε δοκεῖ, τάδε μεταθέμενος νόει. Herodot. 8, 3 : Ὀρθὰ νοεῦντες. Referri huc possunt etiam ll. ejusd. 7, 168 : Ἐπεὶ δὲ ἔδει βοηθέειν, ἄλλα νοεῦντες ἐπλήρωσαν νέας ἑξήκοντα· 8, 22 : Θεμιστοκλέης ταῦτα ἔγραψε ἐπ' ἀμφότερα νοέων, ἵνα ἢ... ποιήσῃ κτλ.] || Prudens sum, Sapio [Gl.], sicut et νοῦν ἔχω hanc signif. interdum habere docebo infra. Hom. Il. A, [577] : Μητρὶ δ' ἐγὼ παράφημι, καὶ αὐτῇ περ νοεούσῃ Πατρὶ φίλῳ ἐπίηρα φέρειν Διΐ, At matri suadeo, quamvis sapiat et ipsa, ut patri caro Jovi gratificetur [Conf. Ψ, 305 : Μυθεῖτ' εἰς ἀγαθὰ φρονέων νοέοντι καὶ αὐτῷ· Od. Π, 136 : Γιγνώσκω, φρονέω τάγε δὴ νοέοντι κελεύεις] : nisi quis accusativum hic subaudiat cum νοεούσῃ, sc. τόδε, aut quempiam hujusmodi. Sic Phocyl. [84] : Οὐ γὰρ δὴ νόεουσ' οἱ μηδέποτ' ἐσθλὰ μαθόντες. Hinc etiam νοήμων pro Eo qui sapit, prudens est. || Video, Cerno. Hom. Il. Γ, [30] : Τὸν δ' ὡς οὖν ἐνόησεν Ἀλέξανδρος θεοειδὴς Ἐν προμάχοισι φανέντα· quum pro eod. dixisset paulo ante ὀφθαλμοῖσιν ἰδών. Sic [21], Τὸν δ' ὡς οὖν ἐνόησεν ἀρηΐφιλος Μενέλαος· quibus tamen in ll. redditur etiam Animadvertere. Alicubi addit et dat. ὀφθαλμοῖσιν, sicut et νοῆσαι cum ἰδεῖν nonnullis in ll. copulat. [K, 550 : Οὔπω τοίους ἵππους ἴδον οὐδ' ἐνόησα· et alibi sæpe, ut Λ, 599 : Τὸν δὲ ἰδὼν ἐνόησε δῖος Ἀχιλλεύς. Conf. Od. Π, 160 : Οὐδ' ἄρα Τηλέμαχος ἴδεν ἀντίον οὐδ' ἐνόησεν. Xen. Anab. 3, 4, 44 : Ὡς ἐνόησαν αὐτῶν τὴν πορείαν ἐπὶ τὸ ἄκρον. Cum genit. participii, ut alia ejusmodi verba, jungitur ap. Quintum 1, 785 : Ἐπεὶ Πριάμοιο νόησαν ἀγγελίην προϊέντος.] || Dicunt etiam verba s. orationem alicujus τοῦτο νοεῖν, pro τοῦτον τὸν νοῦν ἔχειν, quam signif. nominis νοῦς expono infra, i. e. Hunc sensum habere, Hanc esse ejus sententiam, Hoc significare, Hoc sibi velle. Νόον γὰρ λόγου, inquit Eust., φαμὲν, καθότι καὶ νοεῖν αὐτὸν λέγομεν· ὡς τὸ, Πυθοίμεθ' ἂν τὸν χρησμὸν ὑμῶν ὅ,τι νοεῖ· i. e., ποταπὴν ἔννοιαν κρύπτει. Quod exemplum unde afferat, non addit : affert autem ex Aristoph. Pl. [55], ubi schol. similem verbi hujus usum ex Platone affert. [Medio, cujus aliud ex. v. in forma contracta, Hom. Il. K, 501 : Ἐπεὶ οὐ μάστιγα φαεινὴν ποικίλου ἐκ δίφροιο νοήσατο χερσὶν ἑλέσθαι. Soph. OEd. T. 1487 : Καὶ σφὼ δακρύω... νοούμενος τὰ λοιπὰ τοῦ πικροῦ βίου οἷον βιῶναι σφὼ πρὸς ἀνθρώπων χρεών. In Ind. :] Ἐνένωτο, per syncop. pro ἐνενόητο [vitiose] ap. Hesych. Ἐνένωτο, et Ἐνενώκασι, ap. Herodot. [1, 77] leguntur Ionica contractione pro ἐνενόητο et ἐνενοήκασι : ut ἐνένωτο στρατεύειν. Itidem Idem [7, 206] dicit, Ἐνενῶντο τοιαῦτα ποιήσειν, Ad talia patranda animati erant, s. Animus eis erat talia facere : pro ἐνενόηντο, q. e. præt. plusquamp. pass. a them. activo νοέω. Ἐνώσατο, quod Hesych. exp. διενοήθη, Ion. contractione factum ex ἐνοήσατο. [Apoll. Rh. 4, 1409 :

Νώσατο δ' Ὀρφεὺς θεῖα τέρα. Theocr. 25, 263: Τὸν μὲν παραφρονέοντα νωσάμενος. Νωσάμενος, νοήσας, γνοὺς, παρὰ Καλλιμάχῳ, Suidas. Idem cum aliis annotavit Νενώμεθα, διανενοήμεθα. Νενωμένος, i. q. ἐννοήσας, Mente agitans, ap. Herodot. 9, 53, ubi vide interprr., qui et ex aliis auctoribus νένωται et νωσάμενος citant, quæ alii ad verbum inusitatum Νόω (Νοόω, Eust. Il. p. 70, 24) referunt, alii rectius, ut videtur, ad v. Νοέω, ut νενωμένος, νένωται et νωσάμενος per crasin sic formata sint e νενοημένος, νενόηται, νοησάμενος. Schweigh. Imperativum νῶ Soph. El. 882: Ἀλλ' οὐχ ὕβρει λέγω τάδ', ἀλλ' ἐκεῖνον ὡς παρόντα νῶ, ubi libri νῶν vel νῶιν, pauci νόει, restituit G. Dindorfius. Νῶσαι, εἰς νοῦν λαβεῖν Suidas. Etym. M. p. 601, 20: Νένωται... ὡς παρὰ Σοφοκλεῖ οἷον Ἑλένης γάμῳ νένωται, καὶ παρ' Ἀνακρέοντι ἡ μετοχὴ, Ὁ δ' ὑψηλὰ νενωμένος, καὶ ὁ Ἄθλιος (Ἀέθλιος) ἐν τοῖς Σαμίων ὅροις (Ὥροις), Ἀλλὰ λέξασθαι νένωνται. Καὶ πάλιν ὡς χρυσόονται χρυσοῦνται, οὕτω καὶ νόονται νοῦνται. Δημόκριτος, Φῆνι θεα (sic) νοῦνται. Περὶ πχθῶν.]

[Νοῆ inter feminina in οη ponit Theognost. p. 108, 11. L. Dindorf.]

Νόημα, τὸ, Quod mens agitat, agitavit, cogitat, cogitavit, Cogitatum, Cogitatio; Consilium. [Intellectus, Intellectio, Sensus, Clausula, Gl.] Hom. Od. Η, [36]: Τῶν νέες ὠκεῖαι ὡσεὶ πτερὸν ἠὲ νόημα. [Hesiod. Sc. 222: Ὁ δ' ὥστε νόημ' ἐποτᾶτο.] Β, [363]: Τίπτε δέ τοι, φίλε τέκνον, ἐνὶ φρεσὶ τοῦτο νόημα ἔπλετο; quod hemistichium in aliis etiam extat hujus poematis ll.: sicut et hoc in aliquot, Τοιοῦτον ἐνὶ στήθεσσι νόημα. Et Il. Ρ, [409]: Ἡ οἱ ἀπαγγέλλεσκε Διὸς μεγάλοιο νόημα. [Aristoph. Nub. 704: Ταχὺς δ', ὅταν εἰς ἄπορον πέσῃς, ἐπ' ἄλλο πήδα νόημα φρενός· Eq. 1203: Τὸ μὲν νόημα τῆς θεοῦ.] Sæpe etiam in plur. νοήματα: Σ, [328]: Ἀλλ' οὐ Ζεὺς ἄνδρεσσι νοήματα πάντα τελευτᾷ· ubi τελευτᾷν νοήματα est quod alibi [Κ, 104] dicit νοήματα ἐκτελεῖν, a Latinis autem dicitur Cogitata perficere. [Od. Β, 121: Τάων οὔτις ὁμοῖα νοήματα Πηνελοπείῃ ᾔδη.] Legimus vero et νοήμασι κερδαλέοισι ap. Eund. [Od. Θ, 548], ubi exponere possumus Consiliis, s. potius Consilio, ut sit plur. pro sing. [Pind. Ol. 7, 72: Σοφώτατα νοήματα παραδεξαμένους παῖδας. Plat. Polit. p. 260, D: Τἀλλότρια νοήματα παραδεχόμενον. Aristoph. Nub. 743: Κἂν ἀπορῇς τι τῶν νοημάτων.] Dicitur νόημα et quod Latine Inventum substantive; nam ἐφεύρημα Suid. exp. Est certe ubi νόημα redditur etiam Ingenium; sed et pro Mens positum censetur quum alibi, tum in Hesiodo Op. [128]: Χρυσέῳ οὔτε φυὴν ἐναλίγκιον, οὔτε νόημα. [Hom. Od. Σ, 215: Οὐκέτι τοι φρένες ἔμπεδοι οὐδὲ νόημα. Hesiod. Th. 656: Ἴσμεν ὅ τοι πέρι μὲν πραπίδες πέρι δ' ἐστὶ νόημα. Plato Conv. p. 197, E: Ὠδῆς, ἣν ᾄδει (Ἔρως) θέλγων πάντων θεῶν τε καὶ ἀνθρώπων νόημα.] || Νόημα in soluta oratione a Bud. redditur Sensum animi, s. Sensum, sine adjectione. [Cogitatio, ap. Plat. Parm. p. 132, B: Μὴ τῶν εἰδῶν τούτων ἕκαστον ᾖ νόημα· et ib.: Νόημα οὐδενός· C: Ὃ ἐπὶ πᾶσιν ἐκεῖνο τὸ νόημα ἐπὸν νοεῖ· et plurali sæpius ib. Xen. Comm. 4, 3, 13: Θᾶττον νοήματος ἀναμαρτήτως ὑπηρετοῦντα (παρέχων τὸν κόσμον).] Item Notio: τὰ πρῶτα νοήματα, Themist. p. 93, Primæ notiones. Affert autem et ex Ammonio, Αἱ ψυχαὶ αἱ ἡμέτεραι γυμναὶ μὲν οὖσαι τῶν σωμάτων, ἠδύναντο δι' αὐτῶν τῶν νοημάτων σημαίνειν ἀλλήλαις τὰ πράγματα· ἐπειδὴ δὲ σώμασι συνδέδενται, καὶ δίκην νέφους περικαλύπτουσιν αὐτῶν τὸ νοερὸν, ἐδεήθησαν τῶν ὀνομάτων δι' ὧν σημαίνουσιν ἀλλήλαις τὰ πράγματα. Sed in hoc Ammonii l. Sensa potius quam Notiones interpretari debemus. Hac voce νόημα Omnem intellectum posse intelligi testatur Fabius, ut mox docebo. Est certe νοήματα frequens ap. Rhetores pro Sententiis, et iis etiam quæ alio nomine appellant ἐνθυμήματα. Dionys. H. de Isocrate, Περιόδῳ τε καὶ κύκλῳ περιλαμβάνειν τὰ νοήματα πειρᾶται. Idem de Lysia loquens [De Lysia jud. c. 6, p. 464, 12]: Τίς δ' ἐστὶν ἥν φημι ἀρετήν; ἡ συστρέφουσα τὰ νοήματα καὶ στρογγύλως ἐκφέρουσα οἰκεία πάνυ καὶ ἀναγκαία τοῖς δικανικοῖς λόγοις. Idem ead. de hoc ipso tradens [De Isocr. jud. c. 11, p. 556, 10, 12]: Ἐν δὲ τῷ συστρέφειν τὰ νοήματα, καὶ στρογγύλως ἐκφέρειν, ὡς πρὸς ἀληθινοὺς ἀγῶνας ἐπιτήδειον Λυσίαν ἀποδέχομαι. [Id. De vi Demosth. c. 9, p. 977, 6.] Quos ll. eo etiam lubentius protuli, quod faciant ad exposi-

A tionem hujus loci Juvenalis, Sat. 6: Non habeat matrona, tibi quæ juncta recumbit, Dicendi genus, aut curtum sermone rotato Torqueat enthymema. Nec enim dubito quin Juvenalis ita locutus sit ad Græcum illud loquendi genus respiciens, et Torquere enthymema sermone rotato, sit συστρέφειν καὶ στρογγύλως ἐκφέρειν. Sic porro νοήματα usurpavit et Plut. in Vita Homeri. Fabius autem 8, 5, postquam scripsit, ἐνθύμημα esse Omne quod mente concipimus, quod certe et voci νόημα convenire potest, si ejus derivationem consideremus, proprie tamen dici Eam sententiam quæ sit ex contrariis, propterea quod eminere videtur inter ceteras, etc., non multis interjectis subjungit: Est et quod appellatur a nobis (quidam autem codd. habent, A novis) νόημα, qua voce Omnis intellectus accipi potest; sed hoc nomine donarunt Ea quæ non dicunt, verum intelligi volunt: ut in eum, quem sæpius a ludo redemerat soror, agentem cum ea talionis quod ei pollicem dormienti recidisset, Eras dignus ut haberes integram manum: sic enim auditur, ut de-

B pugnares. [Xen. Ven. 13, 6: Ψέγουσι δὲ καὶ ἄλλοι πολλοὶ τοὺς νῦν σοφιστὰς, ὅτι ἐν τοῖς ὀνόμασι σοφίζονται καὶ οὐκ ἐν τοῖς νοήμασι. « Notat Sensum scripturæ, et opponitur τῷ γράμματι. Severianus Orat. 5 de creatione dicit, quando deo membra humana adscribantur, νοήματα ταῦτα εἶναι μᾶλλον ἢ ῥήματα, Ad sensum potius respiciendum esse quam ad verba. Theophanes Hom. 4, p. 23, dicit μετάγειν τὸ γράμμα ἐπὶ τὸ νόημα, Literam ad sensum in ea latentem transferre. Idem Hom. 5, p. 29, ἱστορίαν et νοήματα opponit: Προτρέπει ἡμᾶς ὁ λόγος ἐπαναγαγεῖν τὴν ἱστορίαν ἐπὶ τὸ βάθος τῶν νοημάτων. V. Βάθος. » Suicer.] || Apud Aristoph. Vesp. [1055] τὰ νοήματα schol. exp. τὰ ἐπινοήματα τῶν δραμάτων. [Confusum cum ὄνομα ap. Dionys. H. vol. 5, p. 46, 1, et Basil. M. vol. 1, p. 51, C, annotant Schæf. et Valck.]

[Νοηματίζω, voc. ambiguæ signif. ap. Eust. Od. p. 1545, 7: Τὸ δὲ Ὀδυσσῆ' ἀσπαστὸν φίλον ἂν φανείη τοῖς νοηματίζουσι σχεδιακῶς. Ἐξὸν γὰρ Ὀδυσσεῖ γράψαι διὰ διφθόγγου συνείληπται ὅμως κτλ. Wakef.]

C [Νοηματικὸς, ἡ, ὸν, Intelligens, Ingeniosus. Hesychius: Δράστης, πράττειν δυνάμενος ἢ ν. κατ' ἐπιβουλήν. || Adv. ap. Epiphan. vol. 2, p. 24, D: Οὐκ οἴδασιν ὅτι ὁ υἱὸς νοηματικῶς λέγει, Altiori quodam sensu, Int. L. D.]

[Νόημι. V. Νοέω.]

Νοήμων, ονος, ὁ, ἡ, poetis tantum [ut Hom. Od. Β, 282: Ἐπεὶ οὔτι νοήμονες οὐδὲ δίκαιοι· Ν, 209: Οὐκ ἄρα πάντα νοήμονες οὐδὲ δίκαιοι ἦσαν,] usitatum pro [Intelligens, Gl.] Mentis compos, Prudens. [Immo vero habet etiam Herodot. 3, 34, pro quo alibi φρενήρης. Schweigh. Lucian. Philops. c. 34, Νοήμονες (philosophi).]

[Νοήμων, ονος, ὁ, Noemon, n. viri, de quo Dionys. Thr. Bekk. An. p. 635, 20, Lycii ap. Hom. Il. Ε, 678; Pylii, ut videtur, Ψ, 612; Ithacensis Od. Β, 386 etc. Aliorum ap. Athen. 1, p. 20, A, in inscrr. Spart. ap. Bœckh. vol. 1, p. 668, n. 1379, 12, Attica p. 908, n. 196, b, 15.]

[Νόης, ὁ, Noes, fl. Thraciæ, ap. Herodot. 4, 49. N. canis ap. Xen. Ven. 7, 5.]

D Νόησις, εως, ἡ, [Intellectio, Gl.] Cogitatio, Actio ipsa cogitandi, agitandi mente quidpiam. Cic. vertit Intelligentia in Plat. Timæo [p. 28, A], Τὸ μὲν δὴ, νοήσει, μετὰ λόγου περιληπτὸν, Quorum alterum intelligentia cum ratione comprehenditur. [Ib. p. 52, A: Τοῦτο ὃ δὴ νόησις εἴληχεν ἐπισκοπεῖν· Reip. 7, p. 534, A: Ξυναμφότερα δ' ἐκεῖνα (ἐπιστήμην καὶ διάνοιαν) νόησιν (ἀρέσκει καλεῖν)· 524, B: Λογισμόν τε καὶ νόησιν ψυχὴ παρακαλοῦσα. Definitt. p. 414, A: Νόησις ἀρχὴ ἐπιστήμης.] Plut. [Mor. p. 961, C]: Ὥσπερ ἀμέλει καὶ τὰ περὶ τὰς νοήσεις, ἃς ἐναποκειμένας μὲν, ἐννοίας καλοῦσι, κινουμένας δὲ, διανοήσεις. Id. [ib. p. 1120, A]: Διδασκαλίας, προλήψεις, νοήσεις, ὁρμὰς, συγκαταθέσεις, τοπαράπαν οὐδ' εἶναι λέγοντες. Sunt porro qui Pollucem reprehendant, quod νόησιν dixerit esse σκληρότερον, quasi Platonem ipsum voce hac uti ignorarit; sed ipsimet ignorant qua in signif. Pollux [5, 120] σκληρότερον appellarit hoc vocabulum: nam de hac non intellexisse, apparet tum ex eo, quod ibi agitur de οἴησις, ὑπόληψις, ὑπόνοια, et similibus, tum etiam ex eo, quod non solum dicit esse σκληρότερον, sed addit καὶ ἀμφίβολον, A respiciens sc. ad alterum hoc significatum, quod ap. Platonem ac Plutarchum habere ostendi. [|| Mens, Animus. Plat. Epist. 1, p. 310, A: Ἀγαθῶν ἀνδρῶν ὁμοφράδμων νόησις.]

[Νοητέον, Intelligendum. (Ps.-)Eurip. ap. Clem. Alex. p. 45 ed. Par.: Θεὸν δὲ ποῖον, εἰπέ μοι, νοητέον; Τὸν πάνθ' ὁρῶντα, χαὐτὸν οὐχ ὁρώμενον. Justinus Mart. Philemoni tribuit. Seager. Pollux 10, 177: Ἦπου ν. ὡς σκεῦος ἦν τι ἀγορανομικόν. Schol. Eur. Phœn. 281: Τὸ παῖδες ἀντὶ τοῦ ἀπόγονος μόνον νοητέον· 1270, aliique plurimi recentiorum.]

[Νοητιανοί. V. Νόητος.]

Νοητικὸς, ή, ὸν, Intelligendi facultate s. vi præditus. Ex Aristot. De gen. anim. 2, [3] νοητικὴ ψυχὴ, q. d. Intellectualis anima. Et τὸ νοητικὸν, Vis intelligendi, s. Facultas. [Theolog. arithm. p. 4.]

Νοητὸς, ή, ὸν, q. d. Intelligibilis [Gl.], s. potius Mente perceptibilis, Qui intelligentia comprehenditur, Sub intelligentiam cadens, loquendo etiam Ciceroniane; nam in Plat. Timæo [p. 37, A], Τῶν νοητῶν B ἀεὶ ὄντων, Cic. vertit Sempiternarum rerum et sub intelligentiam cadentium. In alio autem ejus l. [ib. p. 30, C; 31, A; 39, E,] νοητὰ ζῶα reddit, Animantes eos qui ratione intelliguntur, ut videbis p. 16 et 24 mei Cic. Lex. Plut. in Erot. p. 1362 meæ ed. [p. 765, A]: Ὡς δὲ γεωμέτραι παισὶν οὔπω δυναμένοις ἐφ' ἑαυτῶν τὰ νοητὰ μυηθῆναι τῆς ἀσωμάτου καὶ ἀπαθοῦς οὐσίας εἴδη, πλάττοντες ἁπτὰ καὶ ὁρατὰ μιμήματα σφαιρῶν καὶ κύβων καὶ δωδεκαέδρων προτείνουσιν· ubi ἁπτὰ et ὁρατὰ opp. τοῖς νοητοῖς. [Plat. Reip. 6, p. 509, D: Τὸ μὲν νοητοῦ γένους τε καὶ τόπου, τὸ δ' αὖ ὁρατοῦ. Agathias Anth. Pal. 11, 354, 5: Ἐν δὲ νοητοῖς τακτέον ἢ ληπτοῖς;] Sic autem et generaliter αἰσθητὰ apud Philosophos opponi videmus τοῖς νοητοῖς: et nominatim ap. ipsum Plut. quum alibi, tum in Platt. Quæst. Idem De primo frigido [p. 948, C]: Ἀλλ' ἐπὶ τὰς νοητὰς ἀναφέροντες ἀρχὰς τὰ αἰσθητὰ, Sed quum res sub sensum subjectas ad principia, quæ intelligentia comprehenderentur, referrent, Turn. Symp. 8 [p. 718, D]: Τὸ τὰ αἰσθητὰ ποιεῖν ἐναργέστερα τῶν νοητῶν. [Greg. Nyss. t. 1, p. 555: Νοητὸν C λέγομεν τὸ ὑπερπῖπτον τὴν αἰσθητικὴν κατανόησιν. Angeli vocantur νοηταὶ ἀκρότητες a Dionys. Areop. c. 1 De mystica theolog. n. 1, p. 710. Ad quæ Pachymeres p. 728: Ν. ἀ. τὰς οὐρανίας καὶ νοερὰς οὐσίας καλεῖ, τὰς περὶ θεὸν οὔσας. Chrysost. Hom. 88, t. 5: Νοητὴ χάρις καὶ πίστει μόνῃ θεωρουμένη. Sic νοητὰ et δρώμενα opponit Cyrill. Al. l. 1 De adorat. p. 4. Christus vocatur λίθος νοητὸς, non αἰσθητός. Chrysost. t. 1, p. 699: Ἡμεῖς τὸν λίθον ἐκεῖνον μεταχειρισώμεθα, ἀκρογωνιαῖον λέγω, τὸν νοητόν. Et al. Suicer.] Sic autem νοερὰ quoque opponi τοῖς αἰσθητοῖς a Dionysio Areop. ex Bud. annotavi supra: quum tamen alioqui νοερὰ distinguantur ἀπὸ τῶν νοητῶν, significetque νοερὸν actionem potius, sicut νοητὸν passionem: quam distinctionem aperte declarat Synes., Ep. 154 [p. 292, C]: Τῶν δὲ κατὰ νοῦν ἐπιβολῶν μόνοι δέχονται τὰς ἐκλάμψεις, οἷς ὑγιαίνουσι τὸ νοερὸν ὄμμα φῶς ἀνάπτει συγγενὲς ὁ Θεὸς, ὃς τοῖς τε νοεροῖς, τοῦ νοεῖν, καὶ τοῖς νοητοῖς αἴτιος τοῦ νοεῖσθαι. [Schol. Eur. Phœn. 682: Μὴ νοήσαντες ... ἐτάραξαν τὸ νοητὸν, Sensum s. sententiam. Active, Mente s. ratione præ- D ditus. Orac. ap. Jo. Laurent. De mens. p. 6 ed. Rœther.: Βροτὸν ὄντα νοητόν. De qua signif. v. Wyttenb. ad Plat. Phæd. p. 204 et Philomath. l. 3, p. 94 sq. L. Dindorf.]

|| Νοητῶς, q. d. Intelligibiliter, Ita ut intelligentia comprehendatur, Ita ut mente percipiatur, percipi possit. [Procop. 3 Reg. 8. Wakef. Prov. 23, 1. Theodor. Stud. p. 234, B. Ms. ap. Pasin. Codd. Taur. vol. 1, p. 306, C, et præter alios recentiorum Plotin. vol. 2, p. 884, 8.]

[Νόητος, ὁ, Noetus, cogn. Nervini cujusdam in inscrr. Spart. ap. Bœckh. vol. 1, p. 618, n. 1241, 26; 623, n. 1249, 4. N. Smyrnensis, a quo Νοητιανοὶ, οἱ, Noetiani, hæretici, de quibus v. Jo. Damasc. vol. 1, p. 89, cum annot. Lequieni. L. Dind.]

[Νοητῶς. V. Νοητός.]

[Νοθᾱγενὴς, ὁ, ἡ, Spurius. Eur. Andr. 912: Τέκνῳ νοθαγενεῖ· 942, Ion. 592.]

[Νοθαγέννης. V. Νοθογέννητος.]

A [Νόθαρχος, ὁ, Notharchus, n. viri Attici in inscr. Att. ap. Bœckh. vol. 1, n. 165, p. 292, 23. Alius ap. Demosth. p. 853, ult.]

Νοθεία, ἡ, sic fit a νόθος [potius a νοθεύω], ut apud nos a nomine *Bastard*, quod Nothum significat, fit *Bastardise*, veluti si a Spurius diceretur Spuritas. Sic ap. Plut. initio Vitæ Themistoclis, ἐνέχεσθαι νοθείᾳ, ubi scribit, de Hercule loquens: Ἐπεὶ κἀκεῖνος οὐκ ἦν γνήσιος ἐν θεοῖς, ἀλλ' ἐνείχετο νοθείᾳ, διὰ τὴν μητέρα θνητὴν οὖσαν· quod nihil aliud est quam νόθος ἦν πρὸς μητρὸς, ut paulo ante de ipso Themistocle locutus erat. [Georg. Pachym. Mich. Pal. 1, p. 14, A: Ἐκ νοθείας σκότιος παῖς. L. Dind.]

[Νόθειος, α, ον.] Νόθεια sive Νοθεῖα, gen. neutr. plur. num., Ad nothos pertinentia bona, Pars bonorum paternorum quæ lege Atheniensium nothis dari poterat: nimirum usque ad mille drachmas, ut Harpocr. tradit: qui etiam νοθεῖα χρήματα ex Aristoph. [Av. 1656] affert. At vero Pollux [3, 21] verba eadem ex Eod. afferens, habet νοθία, sed librarii errore, ut ve- B risimile est. Harpocr. habet νοθεῖα. Suidas vero in eo aperte labitur, quod νοθεία fem. gen. sing. num. cum isto νοθεῖα plur. num. gen. neutri confundit. Postquam enim dixit vocem νοθεία significare ἡ λαθραία γέννα, et πορνεία, subjungit, Καὶ τὰ τοῖς νόθοις ἐκ τῶν πατρῴων διδόμενα, οὕτω καλεῖται. [Accentus νοθεῖον est etiam ap. Etym. M. p. 616, 9, ubi hinc ducitur ὀθνεῖος, et in Lex. rhet. Bekk. An. p. 282, 18.]

Νόθευσις, εως, ἡ, Adulteratio, etc., sequendo signiff. verbo datas. Νόθευσις τῶν θείων γραφῶν, Suid. in Νοθεύειν. [Psellus Synops. Leg. 466: Ἡ γὰρ μοιχεία νόθευσις καὶ παραχάραξίς τις. L. Dind.]

[Νοθευτὴς, ὁ, Adulterator. Procul. Paraphr. Ptol. 3, 18, p. 224. Struv.]

Νοθεύω, (q. d. Nothum reddo s. Spurium,) Adulterinum reddo, Adultero, Corrumpo, Vitio. [Sollicito, Gl.] Synes. Ep. 143: Δεῖ δέ σε, εἴπερ αὐτῇ τῇ φιλοσοφίᾳ γνησίως προσελήλυθας, ἀφίστασθαι κοινωνίας τῆς πρὸς τοὺς ἀποτρόφους αὐτῆς, καὶ νοθεύοντας τῇ μεταποιήσει τὸ ὑπέρσεμνον αὐτῆς. Verbum hoc νοθεύω redditur etiam Alieno, C Abalieno, Decipio, Adulor. Quæ interprett. sumptæ sunt ex istis Hesych. exposs., ἀπαλλοτριῶ, ἀπατῶ, κολακεύω. Suidas quoque [s. Phot.] duas illas priores habet. [Theophylact. Epist. 3: Γῆρας ἀδικεῖς καὶ νεότητα· τὸ μὲν γὰρ ἐπαγγελλομένη διέψευσαι, τὸ δὲ κεκτημένη ἐνόθευσας· cui Boiss. comparat Ep. 34, p. 52: Ὁ δὲ κολοιὸς τὴν οἰκείαν δεδιὼς ἀμορφίαν τὴν τῆς φύσεως δημιουργίαν ἐνόθευσεν· Hist. 1, 6: Μετά τινα δὲ βραχεῖαν χρόνου ῥοπὴν ἡ τῆς εἰρήνης εὐεξία νοθεύεται· 7 extr.: Ἵνα μὴ τὸν σκοπὸν τῆς ἱστορίας νοθεύσωμεν. « Singularis locutio est Basilii Seleuc. Or. 6, p. 37: Ἵνα μή τις νοθεύῃ τὸν φόβον, ταῖς τοῦ χειμῶνος ὥραις τὸν κατακλυσμὸν λογισάμενος. Hic τὸν φόβον νοθεύειν est eluvioni assignando causam naturalem, non divinum numen, rem sua natura formidabilem minus formidabilem facere. Sic ap. eund. Or. 2 in Adamum serpens, quum Evam abducit a timore supplicii, dicitur νοθεύειν τὴν τιμωρίαν, Adulterare pœnam, i. e. Pœnæ gravitatem elevare. Et Orat. de vocatione apostolorum: Opulentos non elegit ministros, ἵνα μὴ νοθεύσῃ τὸ θαῦμα, Ne D rem tum admirandam adulteraret s. rei tam admirandæ gratiam detereret. Eodem fere modo Chrysostomus t. 6, p. 486: Μὴ νοθεύσῃς τὴν ἀρετὴν, μὴ περιφύγῃς τὸν κόπον. » Suicer.] || Νοθεύομαι, non solum est Adulteror, Corrumpor, (unde Νενοθευμένος, ap. Basil., Adulteratus,) sed etiam Pro adulterino habeor, s. Pro notho, aut spurio, vel supposititio, veluti quum dicitur alicujus scriptoris liber νοθεύεσθαι. Sic in Vita Thuc. [§ 65]: Λέγουσι δέ τινες τὴν ὀγδόην ἱστορίαν νοθεύεσθαι, καὶ μὴ εἶναι Θουκυδίδου. Et in isto loco, Σοφοκλέους φέρεται δράματα ρλ', τούτων δὲ νοθεύεται ζ'. Et in Anthol. [Pal. 9, 358] legimus quoddam epigramma cum hoc titulo, Εἰς τὸν Φαίδωνα, διάλογον Πλάτωνος νοθευόμενον ὑπὸ Παναιτίου. In ipso autem epigrammate hæc verba ipsi dialogo affinguntur, Ἀλλὰ νόθον μ' ἐτέλεσσε Παναίτιος. Sic et versus νόθοι dicuntur, qui non sunt ejus cui vulgo tribui solent. [Steph. Byz. v. Ἴλιον: Τὸ Ἴλιον αἰπὺ νοθεύει Ἀρίσταρχος. Schol. Soph. Ant. 45: Δίδυμός φησιν ὑπὸ τῶν ὑπομνηματιστῶν τὸν ἑξῆς στίχον νενοθεῦσθαι· et præs. Aj. 841.]

[Νοθήλη, ἡ, inter τὰ διὰ τοῦ ηλη ὑπὲρ τρεῖς συλλαβὰς βαρύτονα διὰ τοῦ η γραφόμενα recenset Theognost. Can. p. 111, 7. Ἀνθήλη Lobeck. Patholog. p. 110. L. Dind.]

[Νόθιππος, ὁ, Nothippus, poeta tragicus ap. Hermippum Athen. 8, p. 344, C, D.]

[Νοθογέννης, ὁ, ἡ, i. q. seq., quod v.]

Νοθογέννητος, ὁ, ἡ, Qui genitus est nothus s. spurius, ita genitus est ut sit nothus, Hesych. [Ap. eund. et Suidam v. Ψήληκες, ab Hemst. citatos : Τῶν ἀλεκτρυόνων οἱ νοθογένναι, pro quo νοθαγένναι codd. Suidæ. Forma νοθογέννητος in Ms. ap. Lambec. Bibl. Cæs. vol. 8, p. 230, (4). L. Dind.]

Νοθοκαλλοσύνη, ἡ, Notha pulcritudo et adulterina, non nativa. Epigr. [Marcelli Anth. Pal. 11, 370, 2] : Τὴν νοθοκαλλοσύνην φυκεῖ χριομένην. [ῠ]

[Νοθοκράτης, ὁ, Nothocrates, Cretensis, ap. Polyb. 28, 13, 1. ᾰ]

Νόθος, ubinam ponendum esset, difficile erat statuere, quum etymum, quod Suidas et Eustath. afferunt, valde diversum sit ab eo quod Etym. affert. Volunt enim illi duo gramm., quos priores nominavi, νόθος esse factum ex particula νο habente vim privandi, et nomine θεῖος. Nam Suidas tradit νόθον dici ex particula νο privativa, tanquam ἐστερημένον τοῦ θείου, quod sc. τὸ γνήσιον sit quiddam θεῖον. Itidemque Eustath. ex aliorum sententia, scribit nomen νόθος esse παρὰ τὴν νο στέρησιν et τὸ θεῖον : ut ita dicatur quasi τοῦ θειοτέρου ἐστερημένος, i. e. τῆς ἐξ ἐννόμου γάμου γεννήσεως. At vero Etym. ab ὀνῶ, quod est μέμφομαι et βλάπτω, fieri ait ὄνοτος, et abjiciendo ο, vertendoque τ in θ, dici νόθος. — Νόθος, ὁ, et alicubi ἡ, [et η, ον : v. infra,] Nothus, Spurius [Gl.], Non legitimus. Quintil. 3, 6 : Νόθον, qui non sit legitimus, Græci vocant : Latinum rei nomen (ut Cato quoque in Oratione quadam testatus est) non habemus, ideoque utimur peregrino. Frequens est ap. Hom. hoc vocab., addito nomine υἱός. Il. N, [694] : Ἤτοι ὁ μὲν νόθος υἱὸς Ὀϊλῆος θείοιο. Itidemque B, [727] : Ἀλλὰ Μέδων κόσμησεν, Ὀϊλῆος νόθος υἱός. Sic Π, [738] : Κεβριόνην νόθον υἱὸν ἀγακλῆος Πριάμοιο. Item Δ, [499] : Ἀλλ' υἱὸν Πριάμοιο νόθον βάλε Δημοκόωντα. Annotat autem in hunc locum auctor brevium scholl. νόθον esse τὸν οὐ γνήσιον, ἀλλ' ἐκ παλλακίδος ὄντα. Itidemque in illum locum Il. B, qui modo allatus fuit, annotat, νόθον esse τὸν μὴ ἐκ νομίμης γυναικὸς γεννηθέντα, ἀλλ' ἐκ παλλακίδος. Alicubi tamen et νόθος dicit, sine adjectione nominis υἱός : sicut Il. Θ, [284] legimus, Καί σε νόθον περ ἐόντα, κομίσσατο ᾧ ἐνὶ οἴκῳ. [Soph. Aj. 1013 : Τὸν ἐκ δορὸς γεγῶτα πολεμίου νόθον. Et alii quivis. Eur. Hipp. 962 : Τὸ δὴ νόθον τοῖς γνησίοισι πολέμιον πεφυκέναι. Herodot. 8, 103 : Νόθοι τινὲς παῖδές οἱ συνέποντο] Huic voci νόθος opp. γνήσιος : ut legimus ap. Plut. Artox. [c. 30] : Τῶν μὲν γνησίων, et, Τῶν δὲ νόθων. Sic in ista Lege quæ Athenis fuisse fertur, Γνησίας μὲν οὔσης θυγατρὸς, νόθου δὲ υἱοῦ, μὴ κληρονομεῖν τὸν νόθον τὰ πατρῷα. Vide schol. Aristoph. Vesp. [583, ex Suida v. Ἐπίκληρος.] Sic ap. Isocr. Nicocle [p. 35, C] : Οὐδ' ᾠήθην δεῖν τοὺς μὲν ἐκ ταπεινοτέρας ποιήσασθαι τῶν παίδων, τοὺς δ' ἐκ σεμνοτέρας· οὐδὲ τοὺς μὲν, νόθους αὐτῶν, τοὺς δὲ, γνησίους καταλιπεῖν, ἀλλὰ πάντας ἔχειν τὴν αὐτὴν φύσιν. Ubi accus. φύσιν significans Naturam, in memoriam mihi revocat appellationem Gallicam, quam quidam filio γνησίῳ, alii contra νόθῳ tribuunt, quum dicunt, *Fils naturel*. Sciendum est porro dici interdum cum adjectione, νόθος πρὸς πατρὸς, vel νόθος πρὸς μητρός : quod posterius legitur ap. Plut. in principio Vitæ Themistoclis : quod quidam interpretantur Matre non legitima natus; quidam, Materno genere nothus. || Νόθος metaph. etiam usurpatur. Νόθον Græci appellant, inquit Bud. Annott. pr. in Pand., quicquid non legitimum esse volunt, nec verum : ut νόθον Atticismum dicunt non verum schema Atticum, sed adulterinum spuriumque : contra, γνήσιον Atticismum dicunt, veram, germanam, legitimamque Atticorum elegantiam significantes. Idem, Spuria cogitatio, inquit, νόθος λογισμὸς dicitur Philop. in 1 Postt. Anal. : Διόπερ καὶ ἡ ὕλη τῷ ἑαυτῆς λόγῳ ἄγνωστος, ὡς ἀνείδεος, νόθῳ δὴ λογισμῷ ληπτὴ, ὡς ὁ Πλάτων φησί. In marg. autem habetur alia interpretatio, sc. Notha ratiocinatio. Scribit etiam Themist. : Πλατωνικὸν ἂν εἴη περὶ

A τῆς ὕλης ὅτι νόθῳ λογισμῷ ληπτή· νόθος γὰρ ἀκριβῶς ἐνέργεια καὶ τοῦ νοῦ καὶ τῆς αἰσθήσεως, ἡ μὴ κατ' ἐπέρεισιν εἴδους. [V. Λογισμός.] Ubi obiter observa etiam νόθος genere fem. usurpatum. Dicitur porro νόθος metaphorice et de aliis plerisque rebus : ut versus νόθοι, qui et νοθευόμενοι : item liber νόθος, ut videbis in v. Νοθεύεσθαι. [Alia usus figurati exx. sunt quum infra tum in Anth., ut ap. Dioscorid. Pal. 7, 430, 6 : Σπάρτα χῦδος ἔλαμψε νόθον· Archiam 6, 207, 3 : Νόθον κεύθουσαν ἄημα ῥιπίδα.] Ex Aristide [vol. 1, p. 223] affertur cum gen. Νόθοι τῆς ἀρχῆς. || Νόθος a Suida exp. etiam ξένος. Idem scribit νόθα dici metaphorice καὶ τὰ ἁπλῶς ξένα. || Fem. Νόθη, Spuria [Hom. Il. N, 173 : Κούρην δὲ Πριάμοιο νόθην ἔχε. Demosth. p. 1067, 13 : Νόθῳ μηδὲ νόθῃ. Isæus p. 42, 12; 147, 10. Pausan. 9, 26, 3 : Λέγεται δὲ καὶ ὡς νόθη Λαΐου θυγάτηρ εἴη. Improprie Plat. Leg. 5, p. 741, A : Νόθῃ παιδείᾳ πεπαιδευμένους. (Reip. vero 9, p. 587, B : Δυοῖν νόθοιν ἡδοναῖν.) Callim. ap. schol. Aristoph. Nub. 332 : Νόθοι δ' ἤνθησαν ἀοιδαί. Ubi Suidas νόθαι.] Sed ex Epigr. [Antiphili Anth. Pal.
B 9, 86, 3] afferunt VV. LL. νόθην σάρκα ὀστρέου, Alienam carnem ostrei : cui sc. non assueverat mus. [De costis Aret. p. 19, 14 : Ὑπὸ τῇσι νόθῃσι (πλευρῇσι)· 42, 5 : Ὑπὸ τὰς νόθας. Pollux 2, 165, 181.]

|| Νόθως, Illegitime, Spurie, Adulterine, etiam Ficte. Hesych. exp. ψευδῶς.

[Νόθων, ωνος, ὁ, Nothon, pater Æschinis Eretriensis, ap. Herodot. 6, 100.]

[Νόθως. V. Νόθος.]

Νοΐδιον, τὸ, ut βοΐδιον, non νούδιον, diminutive a νοῦς dici tradit Phrynichus [Ecl. p. 86]. Utitur Aristoph. Eq. [100] : Ἦν γὰρ μεθυσθῶ, πάντα ταυτὶ καταπάσω Βουλευματίων καὶ γνωμιδίων καὶ νοϊδίων· ubi schol. exp. διανοημάτων, ut sit Cogitatiuncularum. [Νοΐδιον Aristophani restitutum ex Suida. Νοΐδιον autem est etiam ap. Philostr. V. S. 2, 10, p. 586 : Ἐγὼ ὑπογράψω τοὺς χαρακτῆρας οὐ κομματίων ἀπομνημονεύων ἢ νοϊδίων ἢ κώλων ἢ ῥυθμῶν.]

[Νοϊκός, ἡ, όν, Mentalis. Valentin. ap. Epiphan. Hær. 31, 6. Routh.]

C [Νόϊλος. V. Νεῖλος.]

[Νοκτίς, quod inter oxytona in τις quæ ψιλὸν ante τις habeant ponit Arcad. p. 35, 7, corruptum videtur.]

Νομάδειος, s. Νομαδεῖος, Pascuus : ut νομάδεια δάση, Pand., s. νομαδεῖα, Pascuæ sylvæ, Bud.

[Νομάδες, οἱ. V. Νομάς.]

[Νομάδην adv. ponit schol. Hom. Il. Γ, 212 : Τὰ ἀπὸ ὀνομάτων εἰς ος γινόμενα ἐπιρρήματα διὰ τοῦ α ἐκφέρεται οἷον νόμος νομάδην, σπόρος σποράδην, τρόχος τροχάδην. ᾰ L. Dindorf.]

[Νομαδία, ἡ, ap. Arrian. Peripl. m. Erythr. p. 12 : Τὰ δὲ ἐπάνω κατὰ κώμας καὶ νομαδίας οἰκεῖται πονηροῖς ἀνθρώποις διφώνοις, Int. vertit Pascua.]

[Νομαδία, ἡ, Numidia, regio Africæ, Polyb. 37, 3, 7.]

[Νομαδιαῖος, α, ον, i. q. sequens. Arrian. Peripl. m. Erythr. p. 12 : Ἡμέρων ἀνθρώπων καὶ νομαδιαίων ἀνθρώπων. Eust. Il. p. 41, 22 : Νομαδιαίας ἀγέλης. Ms. ap. Pasin. Codd. Taurin. vol. 1, p. 350, B : Γῆς ὀρεινῆς καὶ πεδινῆς νομαδιαίας.]

D Νομαδικός, ή, όν, [Pascuus, Pabularis, Gl.] ut v. ζῶα, ap. Aristot., Animalia quæ necesse habent pabulari, Bud. ex Gaza. In VV. LL. νομαδικὸς exp. etiam Pascuis vivens. At v. βίος, [Aristot. Polit. 1, 8,] Synes., Pastoritia vita. [Proleg. ad Dion. Chrysost. in cod. Flor. : Γραὸς Ἀρκαδικῆς μὲν τὴν οἴκησιν, νομαδικῆς δὲ τὸν βίον. Schol. Hom. Il. X, 126 : Οἱ παλαιοὶ νομαδικῷ ἐχρῶντο τῷ βίῳ. Polyb. 8, 31, 7 : Νομαδικὴν ἔχων διασκευήν. || Adv. Νομαδικῶς, Strabo 2, p. 75 pr.; 11, p. 513; 17, p. 787, 828, 839.]

[Νομαδικός, ή, όν, Numidicus. Lucian. De merc. cond. c. 17 : Νομαδικοῦ ἢ Φασιανοῦ ὄρνιθος. Plut. Lucull. c. 1 : Μέτελλος ὁ Νομαδικὸς ἐπικληθείς. Photius Bibl. p. 16. 10.]

[Νομαδικῶς. V. Νομαδικός.]

Νομαδίτης, ὁ, ut v. βίος, qui videtur i. q. νομαδικὸς βίος, quod habuisti modo ex Synesio : Suidas tamen exp. ὁ ἰδιώτης βίος, nullum exemplum afferens. [Synesium p. 300, B : Οἱ πάντα πανταχοῦ νικῶντες νῦν ὑπὸ δυστήνου καὶ Νομαδίτου γένους κινδυνεύουσι ταῖς Ἕλλησι

Λίβυας προσαποβαλεῖν, Lobeck. Paralip. p. 265, scripsisse putabat νομαδικοῦ.]

[Νομαδόστοιχος, ὁ, ἡ.] Νομαδόστοιχοι, Qui a pascuis veniunt ordine incedentes : ἀπὸ τῶν νομῶν κατὰ στοῖχον ἐρχόμενοι, Hesych. [Ἀπὸ τῶν νόμων κατὰ στοιχὸν ὀρχούμενοι, Phot.] Atque ita fuerit tanquam a νομαί, potius quam a νομάς.

[Νομάζω, Pascor, Dego. Nicander Th. 950 : Ὁ δ' ἐν ποταμοῖσι πολυστείοισι νομάζων. Med. id. Al. 345 : Ὁππότε θῆρα νομαζόμενοι δατέονται.]

[Νομαία, ἡ, Nomæa, n. mulieris, ap. Theocr. 27, 40.]

Νόμαιον, τὸ, Lex, Mos. Præsertim vero plur. Νόμαια, Mores, Ritus, Instituta. Utitur autem frequenter hoc nomine Herodot., ut [1, 135] : Ξεινικὰ δὲ νόμαια Πέρσαι προσίενται· 3, [80] : Νόμαιά τε κινεῖ πάτρια. [Ἄλλο τι νόμαιον, 2, 49; Ἑλληνικοῖσι νομαίοισι χρᾶσθαι, 2, 91, et alios ejusdem locos addit Schweigh. Accentum νόμαιον testatur gramm. in Cram. An. vol. 2, p. 309, 30, et Theognost. ib. p. 127, 7, ubi νόμαιον τὸ μονογενὲς memorat. Cyrillus vel Philop. Περὶ τῶν διαφ. τον. : « Νόμαιον, τὸ, Legitimum, antepenac. Νομαῖον, τὸ, Pascuale, penult. circumfl. »]

Νομαῖος, α, ον, a νομή, Degens in pascuis, Qui pascitur cum reliquo armento : νομαία βοῦς et νομὰς ab Eust. pro eod. ponuntur : de quo in Νομὰς mox dicetur. Et χίμαρος νομαία, Epigr. [Theodoridæ Anth. Pal. 6, 157, 3], ἡ ἐκ τῆς νομῆς Suidæ, aut Veniens ab armento, s. Ducta ab armento : ut Ovid., Ductus ab armento taurus detrectat aratrum. [Callim. ap. Suid. v. Ἐλελεῦ: Θεῷ δ' ἀλάλαγμα νομαῖον δοῦναι. Nicand. Th. 67 : Ἑρπύλλοιο νομαίου. De accentu v. in Νόμαιον.]

Νομάνδρια, ἡ, affertur pro Cœtus virorum pastoritius. [Ex Cic. Ad Att. 5, 11, ut videtur : « Brundisio quæ tibi epistolæ redditæ sunt sine mea, tum videlicet datæ, quum ego me non belle haberem. Nam illam νομανδρίαν excusationem ne acceperis. » Ubi est var. νομανανδρίαν, Schneiderus μονανδρίαν, alii alia tentarunt.]

[Νομαντία, ἡ, Numantia. Πόλις Ἰβηρίας. Ἰόβας ἐν δευτέρῳ Ῥωμαϊκῆς ἀρχαιολογίας. Τὸ ἐθνικὸν Νουμαντῖνος λέγεται διὰ τῆς ου, Steph. Byz. Νομαντινοὶ male ap. Strab. 3, p. 162, Νομαντῖνοι rectius 6, p. 287. Νομαντία l. priori.]

[Νομαρείτης, ὁ. Indiculus apostolorum ex bibl. Reg. editus a Cotelerio (et ab Ducangio ipso ad Chron. Pasch. p. 437, ed. Bonn. vol. 2, p. 142) de S. Bartholomæo : Νομαρείτης ἤτοι λαχάνια φυτεύων. Ubi cod. alius πωμαρίτης, quæ lectio priori videtur præferenda. Ducang. in Gl. et App. p. 210, ubi priorem sequitur scripturam et vertit Olitorem.]

Νομάριον, τὸ, Hesychio auctore est σκεῦος τραγικόν.

Νομάρχης, ὁ, Præfecturæ imperium obtinens, Rector præfecturæ. [Οἱ κατὰ τέλη τῆς χώρας ἄρχοντες παρ' Αἰγυπτίοις interpr. Suidas. Hesychio ὁ νομῶν ἄρχων.] Aristot. OEcon. 2, [32] : Εὐαίσης Σύρος, Αἰγύπτου σατραπεύων, ἀφίστασθαι μελλόντων τῶν νομαρχῶν αὐτοῦ αἰσθόμενος, καλέσας αὐτοὺς εἰς τὰ βασίλεια, ἐκρέμα ἅπαντας. [De Ægyptiacis Herodot. 2, 177; (4, 66 de Scythicis;) Diodor. 1, 54, 95, Strabo 17, p. 798 ex emend. Leopardi 7, 17.]

Νομαρχία, ἡ, Dignitas ejus, qui præfecturæ imperium obtinet, ipsa Præfectura. [Diodor. 19, 85 : Τοὺς ἁλόντας στρατιώτας ἀποστείλας εἰς Αἴγυπτον προσέταξεν εἰς τὰς ναυαρχίας διελεῖν. Νομαρχίας Wessel.]

Νομὰς, άδος, ὁ, ἡ, q. d. Pascualis, derivando a nomine Pascua : quum alioqui legamus ap. Festum, Pascales oves, quæ passim pascuntur, In pascuis degens cum reliquo armento : pro quo dicitur una voce Armentarius, ut βοῦς νομάς, Ruell. vertit ap. Dioscor., Marcellus autem In pascuis et armento agens. [Soph. Trach. 271 : Ἵππους νομάδας· fr. Aload. ap. Ælian. N. A. 7, 39 : Νομὰς ἔλαφος. Eur. fr. Polyidi ap. schol. Hermogenis ἁλιαίετον. Ap. Sophocl. OEd. T. 1350 : Ὄλοιθ' ὅστις ἦν ὃς ἀγρίας πέδας νομάδ' ἐπιποδίας ἔλαβέ με, de OEdipo in montibus exposito. Id. OEd. C. 687 : Οὐδ' ἄυπνοι κρῆναι μινύθουσι Κηφισοῦ νομάδες ῥεέθρων. Schol. αἱ ἐπινεμόμεναι ὥσπερ καὶ καταρρέουσαι τὴν γῆν τοῦ Ἰλισσοῦ πηγαί. Hesychius et Photius : Νομάδες, βοσκόμεναι ἀγέλαι. Hesychius etiam Νομάδες ἡμέραι, αἱ

A φθίνοντος τοῦ μηνός.] Exp. et Gregalis : νομάδες περιστεραί. [Apud Athen. 14, p. 654, C; 663, E, νομάδας ὄρνεις alii Numidicas gallinas intelligunt, alii Altiles, quales in cortibus nostris aluntur. Schweigh.] || Νομάδες, Nomades, Scythiæ populi. Plin. 5, 3 : Numidæ vero νομάδες (a Græcis appellati) a permutandis pabulis : mapalia sua, h. e. domus, circumferentes. Itidem Solinus de his, Gens quæ plaustris invecta pabula passim sequitur. [Pind. ap. Aristoph. Av. 941 : Νομάδεσσιν ἐν Σκύθαις. Æsch. Prom. 711 : Σκύθας νομάδας. Eryxiæ p. 400, B : Ἐν Σκύθαις τοῖς νομάσιν.] Item νομάδες Αἰθίοπες ap. Herodot. [1, 125]; necnon quidam Σαγάρτιοι [7, 85], quos esse dicit ἔθνος Περσικὸν τῇ φωνῇ. [Et Libyes 4, 187. Pind. Pyth. 9, 127 : Ἱππευτᾶν νομάδων. Æsch. Suppl. 284 : Ἰνδοὺς νομάδας. Eur. Cycl. 120 : Νομάδες· ἀκούει δ' οὐδὲν οὐδεὶς οὐδενός. Xen. H. Gr. 4, 1, 25; Aristot. Polit. 1, 8, etc. Alios memorat Strabo.]

[Νόμας, α, ὁ, Numa, rex Romæ, quum ap. alios rerum Rom. scriptores tum ap. Plut. in Vita ejus, B cujus codd. variant inter ο et ου, omnes autem consentire videntur in accentu perispomeno, quem sane frequentem in libris rejicit Dionys. A. R. 2, 58 : Νόμαν (ita *ubique* cod. Vat., quum Νομᾶς sit in edd.)· χρὴ δὲ τὴν δευτέραν συλλαβὴν ἐκτείνοντας βαρυτονεῖν· ubi βαρυτονεῖν i. q. περισπᾶν putantis Sylburgii et post hunc Schneideri errorem notavi in Βαρυτονέω. Nec minus falsa altera Sylburgii opinio, alioqui dicta hæc fore de pronuntiatione Latina, non Græca. Confirmatur autem utriusque scripturæ Νόμας et Νούμας accentus barytonus etiam aliis libris bonis, velut Dionis Chrys. vol. 1, p. 522, 523; 2, p. 249, 437, ubi nunc male Νουμᾶς, ut interdum scribitur Νερβᾶς pro Νέρβας. Ceterum scriptura per ο est etiam in libris Luciani Ver. H. 2, 17, Zosimi 4, 36, et ap. Suidam. L. D.]

[Νόμβα, ἡ, πόλις τῆς Ἰουδαίας. Ἰώσηπος ἕκτῳ τῆς Ἰουδαϊκῆς ἀρχαιολογίας (c. 12, 1 et 4, ubi codd. in vocali variant, omnes μ omittunt). Τὸ ἐθνικὸν Νομβαῖος, Steph. Byz.]

[Νομέας, ὁ, i. q. νομεὺς, Pastor. Greg. Naz. Carm. 4, C 218 : Οὐχ ὄϊς εἰτ' ὀΐων προφερέστατος, ἐξ ὀΐων δὲ ποιμὴν, νῦν δὲ πατὴρ καὶ νομέων νομέας, et in iisdem versibus Anth. Pal. 8, 17.]

[Νομεισφορὰ, ἡ, Legum rogatio. Tzetz. Hist. 11, 129. Elberling.]

[Νόμευμα, τὸ, Grex. Æsch. Ag. 1416 : Μήλων φλεόντων εὐπόκοις νομεύμασιν.]

Νομεὺς, έως, ὁ, Pastor. [Pecuarius, Opilio, Gl.] Hom. Od. Δ, [413] : Λέξεται ἐν μέσσῃσι, νομεὺς ὣς πώεσι μήλων· Π, [27] : Οὐ μὲν γάρ τι θάμ' ἀγρὸν ἐπέρχεαι οὐδὲ νομῆας. Et ἄνδρες νομῆες pro eod. quum alibi, tum Il. Ρ, [65. Soph. OEd. T. 1118 : Ὡς νομεὺς ἀνήρ.] In prosa quoque usitatissimum est νομεὺς pro Pastore. Xen. Cyrop. 8, [2, 14] : Ὡς λέγοι παραπλήσια ἔργα εἶναι νομέως ἀγαθοῦ καὶ βασιλέως ἀγαθοῦ. Apud Eund. initio libri primi ejusd. operis, habes nominativum plur. νομεῖς, et accus. plur. νομέας, necnon dat. νομεῦσι. Aristot. Polit. 6, [4] : Ὅπου νομεῖς εἰσὶ καὶ ζῶσιν ἀπὸ βοσκημάτων. [Sæpius id. in H. A., ut 3, 20.] || Et metaph. de episcopo, in Hist. Eccl., sicut et ποιμήν. [Hesychio βασιλεῖς, ἡγεμόνες.] || Νομεὺς a prima signif. D verbi νέμω, Tributor, Dator, Largitor. Synes. Ep. [p. 170, A] : Μόνον ὁ Θεὸς ἀγαθῶν εἴη νομεύς. Ibid. : Εὔχομαι τὸν γενόμενον νομέα τοῦ βίου, γενέσθαι καὶ τοῦ νεμηθέντος προστάτην. || Distributor, Bud. in Plat. Minoe p. 191 [317, A] : Τίς δὲ χρουμάτων ἐπὶ τὰ μέλη ἀγαθὸς νομεύς; [Ib. p. 317, D : Ὁ γεωργὸς ἄρα νομεὺς ἀγαθὸς τούτων (τῶν σπερμάτων); 321, B : Ἐπεὶ ὅτι γε ἀγαθὸς ἦν καὶ νόμιμος ... νομεὺς ἀγαθὸς (Minos), τοῦτο μέγιστον σημεῖον κτλ. Leg. 11, p. 931, D : Οὐκ ἂν ποτε δίκαιοι νομεῖς εἶεν ἀγαθῶν. Hesychio ὁ μεριζόμενος ἢ μέρος ληψόμενος.] || Νομεὺς ab alia rursum τοῦ νέμω signif., pro Possessor, in Pand. || At vero νομεῖς s. νομέες, pro Navium costis ap. Herodot.; nam Hesych. exp. ἐγκοίλια, quod ita Plin. ap. Theophr. interpr. Affertur autem pro hac signif. ex Herodoto [1, 194], Νομέας ἰτέης ταμόμενοι. [Id. 2, 96.] Hesych. exp. etiam ξύλα περιφερῆ. [Et σχοῖνοι ἁρμένων.] Sed quomodo a νέμω possint esse hæ signiff., viderint grammatici. [In Ind. :] Νομῆες, Pastores, Ionice pro νομεῖς.

Νομευτικὸς, ή, όν, Pastoralis, [Plato Polit. p. 267, D : Νομευτικὴν ἐπιστήμην· D : Τῶν νομευτικῶν τεχνῶν. Ælian. N. A. 9, 31 : Ποιμένα μοι νόει νομευτικὸν ἀγαθόν· ubi νομευτικὴν Schneider., ut 54 : Οἱ νομευτικὴν δεινοί. Id. 14, 16 : Ἐκ τῶν λόφων τῶν ὑπεράκρων, οὓς ἐπιπλὰς οἵ τε νομευτικοὶ φιλοῦσιν ὀνομάζειν καὶ ποιητῶν παῖδες.]

Νομεύω, Pasco, ut dicitur Pascere oves. Hom. Od. I, [336] : Καλλίτριχα μῆλα νομεύων· et [217] : Ἀλλ' ἐνόμευε νομὸν κάτα πίονα μῆλα. [H. Merc. 492 : Ἡμεῖς δ' αὖτ' ὄρεός τε καὶ ἱπποβότου πεδίοιο βουσὶ νόμους ἑκάεργε νομεύσομεν ἀγραύλοισιν. Et sæpe ap. Bucolicos. Plato Polit. p. 265, D : Ὅτι ἀγέλην νομεύει· 271, E : Καθάπερ νῦν ἄνθρωποι ἄλλα γένη νομεύουσι. Pass. p. 295, E : Ὁπόσαι ἀγέλαι νομεύονται.] Exp. et Pascor, Pabulor. [I. q. νωμάω, Rego. Nonn. Dion. 7, 110 : Ἔρως αἰῶνα νομεύων· 37, 216 : Καὶ τεὸν ἔνθα καὶ ἔνθα ταχυδρόμον ἅρμα νομεύων ἔσσο κυβερνήτῃ πανομοίιος. Christod. Ecphr. 352 : Καὶ Σύριος σελάγιζε σαοφροσύνῃ Φερεκύδης ἱστάμενος· σοφίης δὲ θεουδέα κέντρα νομεύων οὐρανὸν ἐσκοπίαζε.]

Νομὴ, ἡ, Distributio : [Hesychio] i. q. νέμησις : s. Partitio, Divisio. [Herodot. 2, 52 : Θεοὺς προσουνόμασαν σφέας ἀπὸ τοῦ τοιούτου ὅτι κόσμῳ θέντες τὰ πάντα πρήγματα καὶ πάσας νομὰς εἶχον. Plato Leg. 5, p. 736, C : Νομῆς πέρι· 737, E : Ἀμυνοῦντες τῇ νομῇ· 8, p. 848, B : Τὴν τῆς ὁμοιότητος ἰσότητα ἡ νομὴ πᾶσιν ἀποδιδότω τὴν αὐτήν· C : Κύριος ἔστω τῆς νομῆς δοῦλος τε καὶ ἐλευθέρος· Protag. p. 321, C.] Aristot. Polit. 5, [4] : Δύω [δύο] ἀδελφῶν περὶ τῆς τῶν πατρῴων νομῆς διενεχθέντων· ubi quam νομὴν πατρῴων vocat, Pollux [8, 135] appellat νέμησιν οὐσίας πατρῴας, Paternorum bonorum distributionem s. partitionem. [Demosth. p. 948, 10 : Ἐν τῇ νομῇ (bonorum paternorum).] Et Plut. Lycurgo [c. 23] : Νομὴ [Διανομὴ] τῶν ἱππέων κατ' οὐλαμοὺς, Equitum distributio s. divisio in ulamos. Item Herodian. dicit χρημάτων νομὰς, Pecuniæ distributiones, 8, [7, 19] : Νομὰς χρημάτων μεγαλοφρόνως αὐτοῖς ἐπαγγείλας. Ubi νομαὶ χρημάτων sunt quod Latini vocant Donativum et Congiarium. [Æschin. p. 38, 10 : Διεφθαρκὼς νομῇ χρημάτων τὸν δῆμον.] Dicit Idem et simpliciter νομὰς, sine genit. χρημάτων, pro eod., 7, [6, 8] : Τοῖς δὲ στρατιώταις ὑπέσχετο ἐπίδοσιν χρημάτων ὅσην οὐδεὶς πρότερον, τῷ τε δήμῳ νομὰς ἐπήγγειλε, Militibus donativum et populo congiarium. 6, [8, 16] : Νομάς τε καὶ δόσεις μεγίστας ὑπέσχετο· 3, [10, 3] : Νομὰς μεγαλόφρονας ἐπιδούς· 5, [5, 15] : Δοὺς τὰς συνήθεις τῷ δήμῳ νομάς. Rursum 3, [8, 8] : Τῷ δήμῳ προύθηκεν ἐπὶ ταῖς νίκαις μεγίστας νομάς. Item Synes. Epist. 18 : Χρυσίον ὡς ὑμᾶς νομὴν στρατιώταις κομίζοντα, Ferentem ad vos aurum quod distribuatur militibus donativum. Ex Pand. vero affertur pro Possessio : forsan ea quæ sorte alicui tributa est. [N. χρονία, Usurpatio, Ususfructus, add. Gl.] || Νομαὶ dici feruntur etiam Præfecturæ provinciarum, Regiunculæ Plinio : quæ et νομοὶ, ut docebo infra. || Νομὴ significat etiam Pastus. [Pastio, Pascua, add. Gl. et Νομὴ θρεμμάτων, Pabulum. Βοσκὴ, τροφὴ Hesychio. Soph. OEd. T. 761 : Ἀγρούς σφε πέμψαι κἀπὶ ποιμνίων νομάς. Herodot. 1, 78 : Τὰς νομὰς νέμεσθαι· et ib. 110. Plato Critiæ p. 111, C : Νομὴν βοσκήμασιν ἀμήχανον ἔφερε· 114, E : Νομὴ τοῖς ἄλλοις ζῴοις παρῆν ἄδην· Leg. 3, p. 679, A : Νομῆς οὐκ ἦν σπάνις· Phædr. p. 248, B : Ἡ προσήκουσα ψυχῆς τῷ ἀρίστῳ νομὴ ἐκ τοῦ ἐκεῖ λειμῶνος τυγχάνει οὖσα· Tim. p. 80, E : Ὃ καλοῦμεν αἷμα, νομὴν σαρκῶν καὶ ξύμπαντος τοῦ σώματος. Aret. p. 68, 32 : Ποίην ἐς νομὴν μαστεύει.] Hom. Batrach. [59] : Ἀμφίβιον γὰρ ἔδωκε νομὴν βατράχοισι Κρονίων. Xen. [Cyrop. 6, 1, 24] : Ἐξάγειν πρὸς νομὰς [al. εἰς προνομὰς], Pastum s. Pabulatum educere. Plut. [Mor. p. 830, E] : Ἀποφυγὴ δ' οὐκ ἔστιν ἐπὶ τὰς νομὰς ἐκείνας καὶ τοὺς λειμῶνας. Item νομὴν ποιοῦνται affertur pro Pascuntur. Significat etiam ipsam Actionem pascendi s. depascendi : ut νομὴ πυρὸς in incendio. Polyb. 1, [48, 5] : Τῆς τοῦ πνεύματος βίας φυσώσης, τὴν νομὴν τοῦ πυρὸς ἐνεργὸν συνέβαινε γίνεσθαι καὶ πρακτικήν· vorat enim et depascitur ignis obvia quæque ubi invaluerit. [Plut. Alex. c. 35.] Item ap. Medicos νομαὶ dicuntur ulcerum, pro τὰ νεμόμενα τῶν ἑλκῶν, Ulcera depascentia carnem, s. Quæ pascendo serpunt. Diosc., Πρὸς νομὰς τὰς ἐν αἰδοίοις. Sic Plut. [Mor. p. 165, E] : Νομαὶ σαρκὸς θηριώδεις. Plin.

A etiam dicit, Nomas sistit, omniaque quæ serpunt. [De quibus agitur ap. Hippocr. p. 98, A ; 879, F, Paulum l. 4, et Aetium Tetrab. 4, 2, 49. || Νομαὶ etiam Distributio et fasciarum involutio in deligandi ratione dicitur, eoque nomine sæpe utitur Hippocr. pro Fasciarum ab initio ad finem usque involutione, ut scribit Galen. Comm. 2 in l. Κατ' ἰητρεῖον (p. 678, 3 ; H. 743, C) : Τί δὲ καλεῖ νομὴν ἐχρῆν παρ' αὐτῷ μεμαθηκέναι, πολλάκις κεχρημένῳ τῷ ὀνόματι τῷ τῶν ἐπιδέσμων ἀπὸ τοῦ πέρατος ἄχρι τῆς ἀρχῆς φορᾶς. Ἐπὶ γοῦν τῶν καταγμάτων ἐκέλευσε τὴν μὲν ἀρχὴν τῶν ἐπιδέσμων ἀμφοτέρων ἐπ' αὐτοῦ τοῦ κατάγματος τιθέναι· τοὐντεῦθεν δὲ τοῦ μὲν προτέρου τὴν νομὴν ἄνω ποιεῖσθαι, τοῦ δὲ δευτέρου κάτω μὲν πρότερον, εἶτ' αὖθις ἄνω, νομὴν ὀνομάζων τὴν οἷον ὁδοιπορίαν τῶν ἐπιδέσμων, ἣν ἀπ' ἀρχῆς μέχρι τέλους ποιοῦνται περιελιττόμενοι τῷ σώματι τοῦ κάμνοντος· ἀνάλογον μὲν οὖν κἀπὶ τοῦ ῥάμματος ἡ νομὴ σημαίνει. Foes. OEc. Hipp. Oribas. p. 96 Mai. : Ἡ νομὴ τῆς ἐπιδέσεως γίνεται τῆς μὲν κάτω πρὸς τὰ ἄνω, τῆς δὲ ἄνω πρὸς τὰ κάτω· 114 bis, 116, 117. || Hesychius interpretatur
B etiam ποινὴ et μερὶς ὕδατος, ad quæ v. annot. intt. L. D.]

[Νόμημα, τό.] Νομήματα, Hesychio δικαιώματα. [Νόμιμα, τὰ δ. Zeibichius, quanquam gl. inter Νομὴ et Νομίζειν positæ locus grammatici subesse errorem persuadet.]

[Νομήτωρ, ορος, ὁ, Numitor, rex Albæ, ap. Plut. Rom. c. 3, Anth. Pal. 3, 19 inscr.]

[Νόμια ὄρη, τὰ, ap. Pausan. 8, 38, 11 : Τῆς Λυκοσούρας δέ ἐστιν ἐν δεξιᾷ Νόμια ὄρη καλούμενα, καὶ Πανός τε ἱερὸν ἐν αὐτοῖς ἐστι Νομίου ... Κληθῆναι δὲ τὰ ὄρη Νόμια προχειρότατον μέν ἐστιν εἰκάζειν ἐπὶ τοῦ Πανὸς ταῖς νομαῖς, αὐτοὶ δὲ οἱ Ἀρκάδες νύμφης εἶναί φασιν ὄνομα. Quam memorat etiam 10, 31, 9.]

[Νομιάδας, α, ὁ, Nomiadas, Megarensis, in inscrr. ap. Bœckh. vol. 1, p. 558, 559, n. 1053, 2 ; 1054, 2 ; 1056, 6.]

Νομίζω, Lege sancio, Moribus instituo, Bud. ex Plat. Minoe [p. 315, D] : Πολλὴ γὰρ εὐρυχωρία τῆς ἀποδείξεως, ὡς οὔτε ἡμεῖς ἡμῖν αὐτοῖς ἀεὶ κατὰ τὰ αὐτὰ νομίζομεν, οὔτε ἀλλήλοις οἱ ἄνθρωποι· quæ ita vertit : Latus
C est enim campus demonstrationis, quod neque nos eadem semper de iisdem nobisque constanter, neque ceteri mortales eadem inter se instituunt et sanciunt. [Eur. Bacch. 430 : Τὸ πλῆθος ὅ τι τὸ φαυλότερον ἐνόμισε χρῆταί τε, τόδε τοι λέγοιμ' ἄν.] Et ap. Herodian. [6, 1, 9] : Ὡς νομίζουσι Ῥωμαῖοι, vertit Ut Romanis mos est. Quam interpretationem habet et Polit. Idem Bud. hæc Pausaniæ [1, 34, 2] : Θεὸν δὲ Ἀμφιάραον πρώτοις Ὠρωπίοις κατέστη νομίζειν, vertit, Amphiaraum colere primi Oropii instituerunt, Oropiorum est institutum et exemplum. [Xen. Conv. 8, 35 : Θεὰν οὐ τὴν Ἀναίδειαν, ἀλλὰ τὴν Αἰδῶ νομίζουσι. Plato Conv. p. 202, D : Ὅτι καὶ σὺ Ἔρωτα οὐ θεὸν νομίζεις. Simplici accusativo Herodot. 4, 59 : Τούτους (deos) πάντες οἱ Σκύθαι νενομίκασι. Xen. Comm. 1, 1, 1 : Οὓς ἡ πόλις νομίζει θεοὺς οὐ νομίζων. Plato Leg. 10, p. 885, C : Οἱ μὲν τὸ παράπαν θεοὺς οὐδαμῶς νομίζουσιν· Menex. p. 237, D : Ὃ (ζῷον) δίκην καὶ θεοὺς μόνον νομίζει. Æsch. Pers. 498 : Θεοὺς δέ τις τὸ πρὶν νομίζων οὐδαμοῦ. Et alii quivis. Cum nomine dei Pausan. 3, 14, 5 : Διὰ τὸ ἱερὸν τὸ ἐν Ἑρμιόνῃ
D κατέστη καὶ τούτοις χθονίαν νομίζειν Δήμητρα· 9, 31, 2 : Λαμψακηνοὶ καὶ ἐς πλέον (Priapum) ἢ θεοὺς τοὺς ἄλλους νομίζουσι. Cum inf. Plato Leg. 10, p. 886, A : Ὅτι πάντες νομίζουσιν εἶναι θεούς. Et cum eod. Eur. Hec. 326 : Ἡμεῖς δ' εἰ κακῶς νομίζομεν τιμᾶν τὸν ἐσθλόν· Hel. 1065 : Ἀλλ' οὐ νομίζειν φήσομεν καθ' Ἑλλάδα χέρσῳ καλύπτειν τοὺς θανόντας ἐναλίους.] Usi sunt hoc verbo in ista signif. antiquiores etiam scriptores, Herodotus et Thuc. : ut quum scribit Herodot. [4, 172] : Γυναῖκας δὲ νομίζοντες πολλὰς ἔχειν ἕκαστος, In more habentes. Vel Soliti. [Alia exx. v. ap. Schweigh.] Thuc. 1, [77] : Οὔτε τούτοις χρῆται, οὔθ' οἷς ἡ ἄλλη Ἑλλὰς νομίζει. [2, 38 : Ἀγῶσι καὶ θυσίαις διετησίοις νομίζοντες. Herodot. 4, 117 : Φωνῇ νομίζουσι Σκυθικῇ· et ubi de sacris 2, 50 : Νομίζουσι Αἰγύπτιοι οὐδ' ἥρωσι οὐδέν· 4, 63 : Ὑσὶ οὗτοι οὐδὲν νομίζουσι. Æsch. Cho. 1003 : Ἀργυροστερῆ βίον νομίζων.] Lucian. autem [Vitt. auct. c. 17] dixit etiam, Καὶ νόμους νομίζω τοὺς ἐμούς· ubi exponi potest Usurpo, sicut et alibi. [Herodot. 1, 173 : Ἓν τόδε ἴδιον νενομίκασι· 2, 64 : Τῷ Ἄρεϊ ταύτην τὴν ὁρτὴν νε-

νομίκασι· 51 : Ταῦτα Ἕλληνες ἀπ' Αἰγυπτίων νενομίκασι, pro quo est μεμαθήκασι paulo post ib. 92 : Ταῦτα νομίζουσι Αἰγύπτιοι· 5, 97 : Οὔτε ἀσπίδα οὔτε δόρυ νομίζουσι· 1, 142 : Γλῶσσαν οὐ τὴν αὐτὴν νενομίκασι· 4, 183 ; 2, 42 : Φωνὴν μεταξὺ ἀμφοτέρων νομίζοντες. Schweigh.] Apud Aristoph. autem Nub. [143] : Νομίσαι δέ σε ταῦτα χρὴ μυστήρια, Usurpare, In usum recipere. [Pind. Isthm. 2, 38 : Ἱπποτροφίας νομίζων ἐν Πανελλάνων νόμῳ. Idem ib. 4, 1 : Σέο γ' ἕκατι καὶ μεγασθενῆ νόμισαν χρυσὸν ἄνθρωποι περιώσιον ἄλλων.] Non minus usitata, vel potius usitatior pass. vox ; dicitur enim aliquid νομίζεσθαι pro Moris esse, In more positum esse, Solemne esse. [Usitari, Gl.] Herodot. : Ταῦτα μέν σφι νενόμισται. Plut. [Mor. p. 1112, F] : Νενόμισται δέ πως ἡ τοιαύτη τῶν ὀνομάτων ὁμιλία. Aristoph. Nub. [962] : Σωφροσύνη νενόμιστο. [Æsch. Eum. 32 : Ἴτων πάλῳ λαχόντες, ὡς νομίζεται· 423 : Ὅπου τὸ χαίρειν μηδαμοῦ νομίζεται· Ag. 1046 : Ἔχεις παρ' ἡμῶν οἷά περ νομίζεται. Soph. El. 627 : Ἐντάφια οἷα τοῖς κάτω νομίζεται, et al. Ap. Eur. Iph. A. 33, Κἂν μὴ σὺ θέλῃς, τὰ θεῶν οὕτω νενόμισται Stob. Fl. 105, 6, quum βουλόμεν' ἔσται sit in libris. Herodot. 3, 38 : Οὕτω μέν νυν ταῦτα νενόμιστα.· 6, 138 : Νενόμισται ἀνὰ τὴν Ἑλλάδα τὰ σχέτλια ἔργα πάντα Λήμνια καλέεσθαι. Theodor. Prodr. Rhod. p. 105 : Οὕτω νομισθὲν καὶ θεοῖς καὶ τῷ πατρί.] Sæpe autem cum infin., ut Nub. [497] : Γυμνοὺς εἰσιέναι νομίζεται. Synes. : Οὐ γὰρ οἶμαι, νομίζεται νυμφευτρίαις βαδίζειν ἐπ' ἐκφοράν. Interdum vero ὡς νομίζεται, subaudito infin. Aristoph. Pl. [625] : Ἄγειν τὸν Πλοῦτον, ὡς νομίζεται. [V. supra. Eur. Alc. 99 : Πυλῶν πάροιθε δ' οὐχ ὁρῶ πηγαῖον, ὡς νομίζεται, χέρνιβ', ἐπὶ φθιτῶν πύλαις· 609 etc. Herodot. 1, 140 : Ἐχέτω ὡς καὶ ἀρχὴν ἐνομίσθη.] In partic. quoque τὸ νομιζόμενον dicitur Quod in more est positum, usu est receptum. Interdum vero Quod lege sancitum est. Bud. ex Plat. Minoe [p. 313, B], ubi tamen legitur non sing., sed plur. νομιζόμενα. Et νομιζόμεναι λύσεις, Bud. ex Aristot., Decentes et legitimæ ritualesque expiationes. Sic autem ap. Aristoph. Pl. [1185], Τὰ νομιζόμενα σὺ τούτων λαμβάνεις, redditur Decentem et legitimam ac ritualem portionem. [Herodot. 1, 35 : Τὰ νομιζόμενα ἐποίησε· 49. Thuc. 6, 32 : Εὐχὰς τὰς νομιζομένας. Et sæpe ap. Xenoph. et alios. Eur. Bacch. 71 : Τὰ νομισθέντα γὰρ ἀεὶ Διόνυσον ὑμνήσω.] Item αἱ νενομισμέναι ἱερουργίαι, Legitima justaque sacrificia. Atque ut Justa Latinis aliquando sine adjectione, veluti quum dicitur Justa mortuis facere, sic τὰ νομιζόμενα. Vide Bud. p. 97. [Cum dat. Xen. Cyrop. 4, 5, 14 : Τὰ τοῖς θεοῖς νομιζόμενα ἐπὶ τοῖς τοιούτοις ἀγαθοῖς ἐξαιρεῖσθαι ἐκέλευε.] Ceterum ut νομιζόμενον vides alicubi exponi Legitimum, ita et νομίζεται redditur interdum Legitimum est : quam signif. et Bud. annotat, sed exemplum non addens : at VV. LL. afferunt pro hac signif. ex Luciano [De luctu c. 10] : Ἐξετάσαντες ὁποῖον τὸ νόμισμα νομίζεται· sed aliter etiam posse ibi exponi videtur. [De numis usurpandis, ut infra νομιστεύω, positum conjungitur etiam cum dativo. Georg. Lecapen. in Matth. Lectt. Mosq. vol. 1, p. 71 : Νομίζω καὶ τὸ νομισματι (νομίσμασι Planudius De constr. verbb. p. 384) χρῶμαι, ὡς καὶ Ἀριστοφάνης, Βυζάντιοι σιδήρῳ νομίζουσι, quæ temere ab nonnullis ad Aristoph. Nub. 249 (vel adeo ad Platonis ab scholiasta citati locum) referri, quum Ἀριστοφάνης pro Ἀριστείδης (vol. 2, p. 145, ubi sequitur etiam Καρχηδόνιοι σκύτεσιν) positum sit vel ab librariis vel a grammaticis ipsis, animadverti jam ad Xenoph. Anab. append. p. 31.] || Existimo, Puto, [Opinor, Reor, Duco, huic add. Gl.] Sentio. [Æsch. Cho. 101 : Κοινὸν γὰρ ἔχθος ἐν δόμοις νομίζομεν. Æsch. Pers. 169 : Ὄμμα γὰρ δόμων νομίζω δεσπότου παρουσίαν. Soph. El. 1317 : Ὥστε μηκέτ' ἂν τέρας νομίζειν αὐτό. Plato Phædr. p. 257, D : Νομίζοντα λέγειν ἃ ἔλεγεν· 258, C : Ταὐτὰ ταῦτα περὶ αὐτοῦ νομίζουσι· Min. p. 316, D : Ταὐτὰ περὶ τῶν αὐτῶν νομίζουσιν· 320, B : Ἐποίει ἄλλα παρ' ἃ ἐνόμιζεν· Soph. p. 265, D : Ταύτῃ καὶ αὐτὸς νενόμικα. Thuc. 4, 81 : Τῶν μὲν πείρᾳ αἰσθομένων, τῶν δὲ ἀκοῇ νομισάντων.] Dem. : Νομίζω πάντας εἰδέναι. Xen. [Comm. 1, 3, 1] : Περιέργους καὶ ματαίους ἐνόμιζεν εἶναι. Id. [ib. 6, 3] : Νόμιζε κακοδαιμονίας διδάσκαλος εἶναι. [Cum nominat. et inf. Xen. H. Gr. 3, 4, 11 : Νομίζων ἱκανὸς εἶναι.] Tale est autem ap. Isocr. Ad Phil. : Σαφῶς εἰδέναι νομίζω. A Interdum cum accus., subaudiendo infin., ut in hoc Antiphanis versu, Τοῦτ' ἐν ἀσφαλεῖ νόμιζε τῶν ὑπαρχόντων μόνον. [Plato Leg. 3, p. 679, C : Τὰ λεγόμενα ἀληθῆ νομίζοντες. Xen. Cyrop. 1, 6, 11 : Ὅ, τι δ' ἂν πρὸς τοῖς εἰρημένοις λαμβάνῃ τις, ταῦτα καὶ τιμὴν νομιοῦσι κτλ. Et ap. alios quosvis.] Sed et cum accus. simpliciter, e Xen. affertur. [Comm. 1, 6, 9 : Ἐγὼ διατελῶ ταῦτα νομίζων. Ap. eund. Anab. 6, 6, 24 cum nominat. partic. : Νόμιζε, ἐὰν ἐμὲ νῦν ἀποκτείνῃς, ἄνδρα ἀγαθὸν ἀποκτείνων.] Itidem pass. Νομίζεσθαι, Existimari, Putari. Interdum vero et pro Existimatum esse, h. e. Existimatione et clara opinione præditum. Vide Bud. p. 97, ex Plat. [Eur. Alc. 528 : Χωρὶς τό τ' εἶναι καὶ τὸ μὴ νομίζεται. || De re futura cum aoristi inf. conjuncti exx. Thuc. 2, 3 : Ἐνόμισαν ἐπιθέμενοι ῥᾳδίως κρατῆσαι (ubi κρατήσειν posuit Æneas Tact. c. 2, p. 17)· 3, 24 : Νομίζοντες ἥκιστα σφᾶς ταύτην αὐτοὺς ὑποτοπῆσαι τραπέσθαι, et alia aliorum (quibus add. Soph. Aj. 1082 : Ὅπου δ' ὑβρίζειν δρᾶν θ' ἃ βούλεται παρῇ, ταύτην νόμιζε τὴν πόλιν χρόνῳ ποτὲ ἐξ οὐρίων δραμοῦσαν ἐς βυθὸν πεσεῖν) annota-
B vit Lobeck. ad Phryn. p. 752. Idemque ib. p. 753 locum Iamblichi V. Pyth. 5, 26, p. 60 : Νομίζοντες περὶ τῶν καλῶν καὶ τῶν δικαίων ἐν τούτῳ τῷ τόπῳ ποιεῖσθαι τὴν ζήτησιν, ἐν ᾧ κατεσκεύασεν ὁ πάντων τούτων ποιησάμενος τὴν ἐπιμέλειαν, ubi est i. q. δεῖν ποιεῖσθαι, quemadmodum poni interdum constat ejusmodi verba, ut οἴεσθαι, ἡγεῖσθαι, etc. || Mediæ orationi absolute interpositum est ap. Jo. Malalam p. 110, 1 : Ἀρκεῖ δέ μοι, νομίζω, καὶ τοῦτο πρὸς δόξαν, nisi leg. ἀρκεῖν. || Cum part. ὡς Plato Leg. 9, p. 879, C : Τὸν προέχοντα εἴκοσιν ἡλικίας ἔτεσιν ἄρρενα ἢ θῆλυν νομίζων ὡς πατέρα ἢ μητέρα διευλαβείσθω. Schol. Aristoph. Ach. 297 : Τινὲς τὸ ἀνασχήσομαι ὡς ἔκφυλον νομίζουσιν. || Medium annotasse videri potest Hesychius : Νομιζόμεθα, νόμιμα οἰόμεθα. Nisi leg. Νομίζομεν. L. Dind.]

Νομικὸς, ή, όν, Legalis, Ad legem pertinens : νομικὴ στάσις, ap. Hermog. [Νομικὴ λέξις, Verbum forense, cujus potestas legibus et consuetudine nititur, ut Græcum πομπεύειν pro κατηγορεῖν. Hermog. Π. δεινότ. p. 4. Conf. Gregor. ad hunc l. cap. 2. Tales sunt
C apud Latinos Formulæ, quas Brissonius exposuit. Unde et νομικοὶ ἀγῶνες sunt Orationes forenses, δικανικοί, a quibus differunt οἱ λογικοί, Declamationes, quæ non in forum et in judicia veniunt. V. Philostr. Soph. 1, p. 522. Νομικὸς καὶ ἐπιστολιμαῖος καὶ ἐξηγητικὸς τρόπος τῆς φωνῆς a scholiaste Aphthon. ap. Ald. tom. 2, dicitur medius inter vehementem et sedatum eloquendi modus, quem ita definit : Φυσικώτατα πνεῖ τὸ πνεῦμα ἐπὶ τούτου καὶ οὔτε ἄγαν ὑπερπηδᾷ, ἵνα ἀποτελέσῃ τὸ σύντονον, οὔτε ἠρέμα βαδίζει, ἵνα ἀποτελέσῃ τὸ ἀνειμένον, ἀλλὰ μέσῃ τινὶ χρῆται ὁδῷ· νομικὸς μέν ἐστι, καθ' ὃν τρόπον τοὺς νόμους ἀναγινώσκομεν. ... Νομικὸν etiam κεφάλαιον in doctrina de statibus et controversiarum generibus appellatur, ubi argumentum demonstrationis ex lege et scripto hauritur. De eo genere vid. Apsin. Art. rhet. p. 705. Hermog. Π. στάσ. p. 100 Ald. tom. 2, νομικὴν στάσιν dicit, quæ versatur περὶ ῥητὰ, h. e. νόμους, διαθήκας, ψηφίσματα κτλ. Conf. voc. Ποιότης. Ernest. Lex. rhet.] Sic dicitur v. ζήτημα, et μάχαι v. a Paulo Ad Titum 3, [9]. || Apud Aristot. [Eth. 5,
D 10] δίκαιον νομικὸν reddi Jus legitimum testatur Bud., quod alibi eum vocare νόμιμον. Idem certe pro νομικὸν dicit τὸ κατὰ νόμον, sc. Eth. 8, [15] ubi scribit, Καθάπερ τὸ δίκαιόν ἐστι διττὸν, τὸ μὲν ἄγραφον, τὸ δὲ κατὰ νόμον. [Lexicon Ms. ex cod. Reg. 1708 : Νομικὸς ὁ τῷ νόμῳ ἀκολουθῶν. Ducang. Plato Leg. 1, p. 625, A : Ἐπειδὴ ἐν τοιούτοις ἤθεσι τέθραφθε νομικοῖς. Aristot. Eth. 8, 15 : Ἔοικε τῆς κατὰ τὸ χρήσιμον φιλίας ἡ μὲν ἠθικὴ, ἡ δὲ νομικὴ εἶναι.] || Legis peritus s. Legum, Jurisconsultus. [Jurisperitus, Tabellio, his add. Gl. Photius : Νομικὸν, τὸν ἐπιστήμονα τῶν νόμων· Ἄλεξις Γαλατείᾳ. Agathias Anth. Pal. 11, 382, 19 : Τὸν νομικὸν δὲ κάλει. Strabo 12, p. 539 : Ἐξηγητὴς τῶν νόμων, καθάπερ οἱ παρὰ Ῥωμαίοις νομικοί. Arrian. Epict. 2, 13 : Οὐδὲ νομικόν τινα παρέλαβε πώποτε τὸν ἐροῦντα αὐτῷ καὶ ἐξηγησόμενον τὰ νόμιμα.] Plutarch. Quæst. Rom. [p. 271, E] : Ὥσπερ οἱ νομικοὶ Γάϊον Σήϊον καὶ Λούκιον Τίτιον, καὶ οἱ φιλόσοφοι Δίωνα καὶ Θέωνα παραλαμβάνουσιν. [Id. Sull. c. 36.] Habetur et apud Evangelistas aliquoties de Peritis legis Mosaicæ. Plato

[Min. p. 317, E, bis] superlativo etiam gradu usus est, a quo νομικώτατος [Jurisperitus, Gl.] appellatur Qui maxime legem novit, Bud. Ab Eodem [et Gl.] νομικὸς exp. et Leguleius. [Byzantinorum exx. plura annotarunt Ducang. et Albert. Gloss. p. 230. De re Theodor. Prodr. in Synopsi evangel. ap. Ducang. : Ὁ τῶν νομικῶν ἐντολῶν πασῶν φύλαξ.] || Νομικὴ, sub. τέχνη, aut ἐπιστήμη, Legum ars, scientia, Jurisprudentia. [|| « Νομικὸς, Notarius, Tabellio, σημειογράφος, ὑπογραφεύς. Gloss. Lat.-Gr.: Tabellio, ἀγοραῖος, νομικός. Glossæ Basilic. et Suidas : Ταβελλίων, ὁ τὰ τῆς πόλεως συγγράφων συμβόλαια, ὁ παρὰ τοῖς πολλοῖς νομικὸς λεγόμενος. Novella 120 Justiniani : Νομικὸς ὑπουργῶν τοῖς κτλ. aliique Byzantini. Cur vero ita appellati Tabelliones indicat Casaub. ad Sueton. Neron. c. 33. || Νομικὸς inter officia ecclesiastica octavæ pentadis recensetur a Codino c. 1, 39, post Primicerium Lectorum et ante Protocanonarcham ... Quid si is sit qui νομικὸς τῆς ἐκκλησίας ap. Jo. Moschum in Limon. c. 193 : Ἤγαγε τὸν νομικὸν τῆς ἁγιωτάτης ἐκκλησίας, Tabellio ecclesiæ? » Ducang. in Gl. et App. || Aristid. Quint. De musica 1, p. 30 : Τρόποι μελοποιίας γένει τρεῖς, διθυραμβικὸς, νομικὸς, τραγικὸς κτλ., et in seqq.]

Νομικῶς, Legaliter, Ex legum præscripto, Ut consentaneum est legisprudentiæ. Utitur Plut. [Mor. p. 533, B : Ἵνα φιλικῶς ἀπολάβω καὶ μὴ νομικῶς ἀπαιτήσω. Aristot. Polit. 8, 7 : Νῦν δὲ ν. διέλωμεν. Psell. Synops. Leg. 386 : Φυλαττομένων νομικῶς νομίμοις διαδόχοις. Schol. Eur. Hec. 323.]

[Νομιμάριος, ὁ, Legis doctor, peritus. Ducas Hist. c. 13 : Ἕνα τῶν αὐτοῦ κριτῶν καὶ νομιμαρίων, ὃν αὐτοὶ καλοῦσι κάδιν. Ducang.]

Νόμιμος, ὁ, ἡ [et η, ον], Legitimus, [Juridica sententia add. Gl.] Æquus, Justus, Bud. Opponitur a Xen. τὸ νόμιμον τῷ ἀνόμῳ, Cyrop. 1, [3, 17]. Νόμιμα κηδεύματα, Plut. Περὶ φιλ. Sic νόμιμοι γάμοι, quidam ap. Athen. Et νόμιμος ἐκκλησία ap. Athenienses, quæ stato tempore recurrebat. Νόμιμος ἐκκλησία, inquit Bud., Legitima concio, fixa et stata, quæ ter in mense habebatur; at σύγκλητος, Convocata et indicta, quæ repente nova quadam de causa fiebat. [V. Ἐκκλησία. Νόμιμος ἀγωγὴ, Jus ordinarium, Gl.] Et δημοθοινία νόμιμος, ex Aristot. De mundo [c. 6]. Et νομίμη ἡλικίη, in Epigr. [Agathiæ Anth. Pal. 7, 574, 4.] Item νόμιμόν ἐστι, Legitimum est, Legibus et æquitati consentaneum, Legum æquitati consentaneum. Xen. [Comm. 1, 2, 49]: Τὸν ἀμαθέστερον ὑπὸ σοφωτέρου νόμιμόν ἐστι δεδέσθαι. [Νόμιμον πολιτικὸν, Jus civile, Gl.] Et τὰ νόμιμα ποιεῖν [Cyrop. 1, 2, 15], Facere quæ sunt præscriptis legum consentanea. Item δίκη νομιμωτέρα, ex Thuc., Judicium æquius. Ex Isocr. autem Ad Nic. affertur νόμιμος πόλις, pro Legum observans civitas. [Altera fem. forma Cornelius Longus Anth. Pal. 6, 191, 4 : Φαιστῶν τὴν νομίμην θυσίην. Ubi cod. Pal. νομίην, μ posito super ι. Eur. Phœn. 345 : Ἐγὼ δ' οὔτε σοὶ πυρὸς ἀνῆψα φῶς νόμιμον ἐν γάμοις· 538 : Τὸ γὰρ ἴσον νόμιμον ἀνθρώποις ἔφυ· 815 : Οὐ γὰρ ὃ μὴ καλὸν οὔποτ' ἔφυ καλὸν οὐδ' οἱ μὴ νόμιμόν ποτε παῖδες ματρὶ λόχευμα. Aristoph. Thesm. 676 : Ὅσια καὶ νόμιμα μηδομένους ποιεῖν ὅ τι καλῶς ἔχει· Av. 1450 : Οὕτω καὶ σ' ἐγὼ βούλομαι τρέψαι πρὸς ἔργον νόμιμον. Comparativo Plat. Hipp. maj. p. 284, E : Τὸ ὠφελιμώτερον τοῦ ἀνωφελεστέρου νομιμώτερον ἡγοῦνται πᾶσιν ἀνθρώποις· 285, A, bis. Superl. Thuc. 7, 68 : Νομιμώτατον εἶναι.] || Νόμιμον, τὸ, Lex, Institutum. Et plur. τὰ νόμιμα, Leges, Instituta, Jura. [Pind. ap. Artemid. 4, 2 : Ἄλλα δὲ ἄλλοις νόμιμα, σφέτερα δὲ κεῖται ἑκάστοις. Æsch. Sept. 334 : Ὠμοδρόπων νομίμων προπάροιθεν. Soph. El. 1096 : Ἃ δὲ μέγιστ' ἔβλαστε νόμιμα. Eur. Suppl. 19 : Νόμιμ' ἀτίζοντες θεῶν· 311 : Νόμιμά τε πάσης συγχέαντες Ἑλλάδος· Hel. 1277 : Ἐν εὐσεβεῖ γοῦν νόμιμα μὴ κλέπτειν νεκρῶν.] Νόμιμα τὰ Χαλκιδικὰ, Thuc. [6, 5. Ib. 4 : Ν. Δωρικὰ ἐτέθη αὐτοῖς.] Et τὰ κοινὰ τῶν Ἑλλήνων ν. [Thuc. 4, 97 : Παραβαίνοντες τὰ νόμιμα τῶν Ἑλλήνων], et τὰ καθεστῶτα ν., item τὰ ἀκίνητα ν. Ex Plat. [Ep. 7, p. 327, B] τὰ τυραννικὰ ν., Tyrannicæ leges. [Soph. Ant. 455 : Ἄγραπτα κἀσφαλῆ θεῶν νόμιμα δύνασθαι θνητὸν ὄνθ' ὑπερδραμεῖν.] Apud Dem. [p. 643, 18], ἄγραφα ν. quidam interpr. ἔθη, Mores, Consuetudines. Plato Leg. 7, [p. 793, A], inquit Bud., ἄγραφα ν. appellari a quibus-

A
dam ait Jus non scriptum, οὓς πατρίους νόμους ἐπονομάζουσι, Quas patrias leges cognomento vocitant. [Phædr. p. 265, A : Τῶν εἰωθότων νομίμων · Theæt. p. 172, A : Οἷα ἂν ἑκάστη πόλις οἰηθεῖσα θῆται νόμιμα ἑαυτῇ· Reip. 6, p. 484, D : Τὰ ἐνθάδε νόμιμα καλῶν τε πέρι καὶ δικαίων τίθεσθαι· Leg. 1, p. 688, A : Πάντα πολέμου χάριν τὰ νόμιμα τιθέναι.] Τὰ πρὸς τοὺς πολεμίους ν., Xen. [Cyrop. 1, 6, 34], Jura adversus hostes servanda. [Comm. 4, 6, 4 : Ὁ τὰ περὶ τοὺς θεοὺς νόμιμα εἰδώς. Herodot. 2, 79 : Τοῖσι ἄλλα τε ἐπάξιά ἐστι νόμιμα καὶ δὴ καὶ ἄεισμα ἕν ἐστι. Thuc. 3, 58 : Οὓς ἀποθανόντας ὑπὸ Μήδων καὶ ταφέντας ἐν τῇ ἡμετέρᾳ ἐτιμῶμεν κατὰ ἔτος ἕκαστον δημοσίᾳ ἐσθήμασί τε καὶ τοῖς ἄλλοις νομίμοις.] Apud Eund. νόμιμον in sing. Cyrop. 8, p. 141 [c. 8, 8], de Persis : Νόμιμον γὰρ δὴ ἦν αὐτοῖς, μήτε πτύειν, μήτε ἀπομύττεσθαι, ubi Philelph. vertit, Lex erat. At paulo post [§ 9], Καὶ μὴν πρόσθεν μὲν ἦν αὐτοῖς μονοσιτεῖν νόμιμον, vertit, Legitimum erat; ita enim legitur in iis, quæ meam præcedunt, editionibus. At ego puto νόμιμον potius vocari utrobique non ipsum νόμον, sed
B
quod νόμος ἐκέλευσεν, Quod lege cautum est. Nisi quis malit, Quod patriis moribus est receptum, s. institutis. Pro quo tamen dicitur potius νενομισμένον. [Eur. Hel. 1270 : Τί δὴ τόδ' Ἑλλὰς νόμιμον ἐκ τίνος σέβει; Apud Athanas. vol. 1, p. 31, D : Διὰ τοῦτο γοῦν καὶ νόμοι μὲν ἀνθρώποις τὰ καλὰ μὲν πράττειν, τὴν δὲ κακίαν ἀποστρέφεσθαι· τοῖς δὲ ἀλόγοις ἀλόγιστα τὰ κακὰ καὶ ἄκριτα μένει, ἅτε δὴ τῆς λογικότητος καὶ τῆς κατὰ λόγον διανοίας ἐκτὸς τυγχάνουσιν, legendum νόμιμον. (Add. etiam hoc l. λογικότητος recte defendi in indice ed. Benedict., de quo secus judicat Lobeck. in Λογιότης cit., quod voc. hic minus aptum.)]

|| Νομίμως, Legitime [Gl.], Ut legibus consentaneum est, s. æquitati legum. [Thuc. 2, 74; Xen. Cyrop. 5, 4, 15; 8, 1, 1, Ag. 7, 2, 4; Plato Conv. p. 182, A. « Athen. 1, p. 20, E : Νομίμως ὀρχήσασθαι. » Hemst. « Timoth. 2, 2, 5, dicit Apostolus : Ἐὰν δὲ καὶ ἀθλῇ τις, οὐ στεφανοῦται, ἐὰν μὴ νομίμως ἀθλήσῃ. Νομίμως, i. e. πάντα τὸν τῆς ἀθλήσεως νόμον φυλάττων, inquit Chrysostomus Hom. 4 in hanc Epist. Theophylactus ad eun-
C
dem l. p. 809 : Ἐὰν μὴ τοὺς περὶ βρωμάτων καὶ πομάτων καὶ σωφροσύνης ἀθλητικοὺς νόμους φυλάξῃ. Galen. ad Hippocr. Aphor. 18 : Φυλάττονται δὲ αὐτὸ μάλιστα καὶ οἱ γυμνασταὶ καὶ οἵ γε νομίμως ἀθλοῦντες. » Suicer. Comparativo Plato Soph. p. 246, D : Ὑποτιθέμενοι νομιμώτερον αὐτοὺς ἢ νῦν ἐθέλοντας ἂν ἀποκρίνασθαι. Xen. Comm. 3, 5, 20.]

Νόμιος, α, ον, Pastoralis : ut [νόμιοι δόνακες in epigr. (Antipatri Sid. 48, Anth. Plan. 305, 6) in Pind. ap. Eust. Opusc. p. 58, 60, 87;] νόμιον μέλος, Pastorale carmen : ποιμενικὸν, παρὰ τοὺς νομέας, inquit schol. in Apoll. Arg. 1, [577] de pastore oves reducente : Ὁ δέ τ' εἶσι πάρος σύριγγι λιγείῃ Καλὰ μελιζόμενος νόμιον μέλος. Sic Gregor. [p. 703, D] : Νόμιον ἐμπνέουσι μέλος. [Longus 4, p. 111 Vill. : Ἐνέπνευσε τὸ νόμιον.] Athen. 14, [p. 619, C] νόμιον μέλος certum quoddam carmen pastorale fuisse ait, ab Eriphanide Menalcæ amasia compositum : Suid. generaliter τὸ ἐν τῇ νομῇ ᾀδόμενον, Quod inter pascendum cantatur. Item νομία κορύνα affertur [ex Macedonio Anth. Pal. 6, 73, 3] pro Clava
D
pastoralis. [Manetho 5, 161 : Νομίη σύριγγι. Νομία θεὰ, Pales, Gl. Hom. H. Pan. 19, 5 : Πᾶν' ἀνακεκλόμεναι, νόμιον θεόν. Mucius Scæv. Anth. Pal. 9, 270, 4; Orph. H. 10, 1. V. Νόμια ὄρη. De nymphis Orph. H. 50, 11. Θιάσου v. 55, 4.] Apollo autem Νόμιος dictus putatur non tam ut Pastoralis, quam ut Justus et secundum leges judicans : Apoll. Arg. 4, [1218] : Νομίοιο καθ' ἱερὸν Ἀπόλλωνος. [Callim. Ap. 47, Theocr. 25, 21, Olympiod. Vit. Plat. p. 563.] Sane Hesych. et Suid. νόμιον afferunt pro δίκαιον, Justum. [De hoc cognomine Pind. Pyth. 9, 67 : Θήσονταί τε νιν ἀθάνατον Ζῆνα καὶ ἁγνὸν Ἀπόλλων' ... ὀπάονα μήλων, Ἀγρέα καὶ Νόμιον, τοῖς δ' Ἀρισταῖον καλεῖν. Apoll. Rh. 2, 506 : Ἔνθα δ' Ἀρισταῖον Φοίβῳ τέκεν, ὃν καλέουσιν Ἀγρέα καὶ Νόμιον πολυλήιοι Αἱμονιῆες. Diod. 4, 81 : Τὰς νύμφας δὲ τῷ παιδὶ τρεῖς ὀνομασίας προσάψαι· καλεῖν γὰρ αὐτὸν Νόμιον, Ἀρισταῖον, Ἀγρέα. V. Νόμιος n. pr. Duplicem interpr. ponit schol. Apoll., ὅτι νεμούσῃ ἐμίγη, et veriorem ὅτι τὴν κατὰ τοὺς ἀγροὺς θεραπείαν τοῖς νομεῦσιν εἰσηγήσατο. Cic. N. D. 3, 23 : « Quartus (Apollinum) in Arcadia,

quem Arcades Νόμιον appellant, quod ab eo se leges ferunt accepisse. » Serv. ad Virg. Georg. 3, 2 : « Apollinem qui Nomius vocatur vel ἀπὸ τῆς νομῆς, i. e. a pascuis, vel ἀπὸ τῶν νόμων, i. e. a lege chordarum. » Macrob. Sat. 1, 17 : « Νόμιον Ἀπόλλωνα cognominaverunt non ex officio pastorali, sed quia sol pascit omnia quæ terra progenerat. » HSt. quam posuit, aptior est epitheto Jovis ap. Archytam Stob. Fl. vol. 2, p. 170 : Διὸ καὶ Νόμιος καὶ Νεμήιος Ζεὺς καλέεται καὶ νομεὺς ὁ διανέμων τὰς τροφὰς τοῖς ὄϊεσιν, ubi cod. A Νομήιος pro Νόμιος, quo dittographiæ speciem accipiunt illa καὶ Νεμήιος, quod epith. nihil certe commune habet cum verbo νέμω. Est autem Νόμιος etiam Mercurii epith. ap. Aristoph. Thesm. 977 : Ἑρμῆν τε νόμιον ἄντομαι καὶ Πᾶνα καὶ Νύμφας φίλας ἐπιγελάσαι προθύμως.]

[Νόμιος, ὁ, Nomius, n. viri, Attici in inscr. Att. ap. Bœckh. vol. 1, p. 296, n. 167, 6. Alius ap. Alciphr. 3, 25. Νόμιον f. Apollinis et Cyrenes memorat Justin. 13, 7, de quo conf. præcedens Νόμιος.]

[Νομίουρος, ὁ, ὁ τὴν νομὴν φυλάττων, Pascui custos. Inter proparoxytona refert Arcad. p. 73, 1.]

Νόμῐσις, εως, ἡ, ipsa Actio τοῦ νομίσαι. Thuc. 5, p. 195 [c. 105] : Ἔξω τῆς εἰς τὸ θεῖον νομίσεως, Extra justa diis fieri solita : ut ap. Aristot. τὰ νενομισμένα ποιεῖν πρὸς τοὺς θεούς, pro Justa diis facere, Debitum cultum et religionem diis præstare. [Pollux 5, 126.]

Νόμισμα, τὸ, Mos receptus, q. d. τὸ νενομισμένον ἔθος. [Solidum (Solitum), Gl.] Sed et ἔθος sine adjectione illud ipsum sonat, itidemque Mos. Accipi autem pro ἔθος tradit schol. Aristoph. [Nub. 248 : Ποίους θεοὺς ὀμεῖ σύ; Πρῶτον γὰρ θεοὶ ἡμῖν νόμισμ' οὐκ ἔστι], exemplum tamen nullum afferens. [Æsch. Sept. 269 : Ἑλληνικὸν νόμισμα θυστάδος βοῆς. Eur. Iph. T. 1471 : Καὶ νόμισμ' ἐς ταὐτό γε (ἔσται τόδε Markland.) νικᾶν ἰσήρεις ὅστις ἂν ψήφους λάβῃ.] Sed est etiam Quod lege sancitum est, ut νόμισμα βασιλέως : quod in VV. LL. affertur ex 2 Esdr. [8, 35] pro Edictum regis. || Accipitur potius pro Eo quod et Latini Numisma vocarunt, appellantes tamen frequentius Numum. Redditur et Moneta. [Pecunia his add. Gl. Soph. Ant. 296 : Οὐδὲν ἀνθρώποισιν οἷον ἄργυρος κακὸν νόμισμ' ἔβλαστε. Eur. Cycl. 160 : Πρὸς τῷδε μέντοι καὶ νόμισμα δώσομεν. Aristoph. Ran. 720 : Ἔς τε τἀρχαῖον νόμισμα καὶ τὸ καινὸν χρυσίον. Plato Reip. 2, p. 371, B : Νόμισμα ξύμβολον τῆς ἀλλαγῆς ἕνεκα γενήσεται ἐκ τούτου· Soph. p. 234, A : Πάνυ σμικροῦ νομίσματος ἀποδίδοται. (Conf. l. Athen., de quo dixi in Μικρὸς p. 1056, D.) Leg. 8, p. 849, E : Ἀλλάττεσθαι νόμισμά τε χρημάτων καὶ χρήματα νομίσματος. Interdum librarii singulari substituerunt pluralem : v. Boiss. ad Philostr. Her. p. 522.] Aristot. Polit. 1, [c. 6] : Ἐξ ἀνάγκης ἡ τοῦ νομίσματος ἐπορίσθη χρῆσις. Idem Eth. 4, 1 : Χρήματα δὲ λέγομεν πάντα, ὅσω ἡ ἀξία νομίσματι μετρεῖται. [Demosth. p. 766, 4 : Τοὺς νόμους νόμισμα τῆς πόλεως εἶναι.] Ut autem hic dicit μετρεῖται, ita et μέτρον alibi, de eod. loquens [9, 3] : Καὶ μᾶλλον ἢ τοῖς τὸ νόμισμα κιβδηλεύουσιν. Et κόπτειν νόμισμα, item παρακόπτειν, Plut. [Mor. p. 332, C.] Et in plur. νομίσματα. Herodian. lib. 2, [15, 9] : Νομίσματά τε αὐτοῦ κοπῆναι ἐπέτρεψε. Idem l. 1, [9, 17] : Καὶ νομίσματα ἐκόμισαν ἐκτετυπωμένα τὴν ἐκείνου εἰκόνα. Et v. ξενικά, Plut. De def. orac. [p. 421, A.] Cur autem hanc appellationem numus habeat, docet Aristot. Eth. 5, 5, ita scribens : Οἷον δ' ὑπάλλαγμα τῆς χρείας τὸ νόμισμα γέγονε κατὰ συνθήκην, καὶ διὰ τοῦτο τοὔνομα ἔχει νόμισμα, ὅτι οὐ φύσει, ἀλλὰ νόμῳ ἐστί, καὶ ἐφ' ἡμῖν μεταβάλλειν καὶ ποιῆσαι ἄχρηστον. [Conf. Eckhel. proleg. ad Doctr. num. vol. 1, p. 11.] Quod autem in hujus nominis derivatione facit Aristot., idem et in aliis facere consuevit : ut sc. non proximam derivationem et immediatam, ut ita loquar, sed remotiorem afferat ; est enim νόμισμα a νόμος quidem, sed non immediate ; nam a νόμος fit νομίζω, cujus pass. νομίζομαι : ab hujus autem præt. prima persona νενόμισμαι formatur νόμισμα. || Νόμισμα metaph. Lucian. [Lexiph. c. 20] : Καὶ τὸ καθεστηκὸς νόμισμα τῆς φωνῆς παρακόπτοι. [Latiori signif. Aristoph. Thesm. 348 : Κεἴ τις κάπηλος ἢ καπηλὶς τοῦ χοὸς ἢ τῶν κοτυλῶν τὸ νόμισμα διαλυμαίνεται, Receptam mensuram. Valck. || Epiphan. De mens. et pond. : Νόμισμα, λίτραι ρκε'· νόμισμα ἄλλων γραμμάτων. Ducang. App. Gl. p. 142.]

A [Νομισματικός, ή, όν, Monetalis, Gl. Eust. Opusc. p. 153, 1 : Δόσεις νομισματικάς.]

[Νομισμάτιον, τὸ, Numulus. Pollux 9, 72 : Εἴη δ' ἂν καὶ κόλλυβον λεπτόν τι νομισμάτιον· et ib. 92. Schol. Aristoph. Vesp. 213 ; Hesych. v. Τρικόλλυβον, Photius v. Κίκκαβος.]

Νομισματοπώλης, ὁ, q. d. Numismatis s. Numismatum venditor aut Monetæ. [Pollux 7, 170.]

[Νομισμᾰτοπωλικός, ή, όν.] Νομισματοπωλική, q. d. Ars vendendi numisma, Pollux [7, 170] ex Plat. [Soph. p. 223, C], de trapezita loquens. [Idem Poll. iterum 9, 51, ubi addit νομισματοπωλικὸν πρᾶγμα.]

Νομιστέον, Existimandum. [Plato Soph. p. 230, D : Τὸν ἀνέλεγκτον ν. τὰ μέγιστα ἀκάθαρτον ὄντα· Polit. p. 293, A. Athen. 11, p. 490, B; Ep. Jerem. 5, 35, 38, 53. Plur. Plato Reip. 10, p. 608, B : Νομιστέα ἅπερ εἰρήκαμεν περὶ ποιήσεως.]

Νομιστεύω, Legitime administro. Sumpta est autem hæc interpretatio ex Suida, qui νομιστευομένων exp. νομίμως διοικουμένων : addens et duo exempla, quæ
B ibi vide. Certe posteriori isti, Χαλκοῦ τοῦ ἐν Ἀλεξανδρείᾳ νομιστευομένου τάλαντα τετρακισχίλια, non videtur ullo pacto convenire ; sed potius νομιστευομένου esse quod Lucian. diceret νομιζομένου, si quidem uti vellet hac voce ita, ut est usus De luctu [c. 10] : Οὐ πρότερον ἐξετάσαντες ὁποῖον τὸ νόμισμα νομίζεται, καὶ εἰ διαχωρεῖ παρὰ τοῖς κάτω, καὶ εἰ δύναται παρ' ἐκείνοις Ἀττικὸς ἢ Μακεδονικὸς ἢ Αἰγιναῖος ὀβολός. Sed nec in priore exemplo puto νομιστευομένων satis apte exponi ἐπιφανῶς νομιστευομένων. [« Νομιστευόμενος χαλκὸς est Numus legitimus, νόμιμος et usu receptus. Angl. *Current money*. Etym. M. v. Ὀβελίσκος : Πρὸ τούτου γὰρ ὀβελίσκοις τραχέσιν ἐνομίστευον. » Toup. Sext. Emp. Adv. gramm. 1, 10, 178, p. 255, 5 : Ἄλλο τι καινὸν (νόμισμα) χαράσσων ἑαυτῷ καὶ τούτῳ νομιστεύεσθαι θέλων· ubi v. Fabric. Hemst. Ap. Sextum notandus dat., nisi τοῦτο scribendum, ut supra cum verbo νομίζω conjunctus. Polyb. 18, 17, 7 : Τῆς δωροδοκίας ἐπιπολαζούσης... καὶ τοῦ χαρακτῆρος τούτου νομιστευομένου παρὰ τοῖς Αἰτωλοῖς.]

[Νομιστὶ, Secundum opinionem. Galen. vol. 3, p. 3 :
C Νόμῳ γὰρ χροιὴ, νόμῳ πικρὸν, νόμῳ γλυκὺ ὁ Δημόκριτός φησιν ... Τὸ γὰρ δὴ νόμῳ ταὐτὸ βούλεται τῷ οἷον νομιστὶ καὶ πρὸς ἡμᾶς, οὐ κατ' αὐτὴν τῶν πραγμάτων τὴν φύσιν. V. Νομιστός. L. D. Legitime. Marc. Anton. 7, 31, p. 235 : Ἐκεῖνος μέν φησιν, ὅτι Πάντα νομιστί·... ἀρκεῖ δὲ μεμνῆσθαι ὅτι τὰ πάντα ν. ἔχει.]

[Νομιστὸς, ή, όν, Opinabilis. Sext. Emp. Pyrrh. 3, 24, 232, p. 186 : Οὐδὲ ὁ θάνατος τῶν φύσει δεινῶν εἶναι νομίζοιτο ἄν, ὥσπερ οὐδὲ τὸ ζῆν τῶν φύσει καλῶν· οὐδὲ τῶν προειρημένων τι ἔστι φύσει τοῖον ἢ τοῖον· νομιστὰ δὲ πάντα καὶ πρός τι. Liber Vratisl. ap. Fabric. νομιστεὶ, de quo tacet Bekkerus, qui codicem iterum excussit. Id scribendum foret νομιστὶ, ut ap. Galenum quem in illo citavi. L. Dind.]

[Νομίων, ονος, ὁ, Nomion, n. viri. Hom. Il. B, 871. Pater Anthei, Antonin. Lib. c. 5. Alius in inscr. ap. Lebas. *Inscrr.* fasc. 5, p. 207, sec. conj. editoris valde incertam. ῐ]

[Νομοαίολος, ὁ, ἡ, Varias modulationes admittens. Telestes ap. Athen. 14, p. 617, B.]

D [Νομογρᾰφέω, Leges scribo. Diod. 16, 70 : Εὐθὺς νομογραφεῖν ἤρξατο. Inscr. Dymæ ap. Bœckh. vol. 1, p. 712, n. 1543, 18.]

[Νομογραφία, ἡ, Legum scriptio. Strabo 6, p. 260 : Τῆς τῶν Λοκρῶν νομογραφίας μνησθεὶς Ἔφορος, ἣν Ζάλευκος συνέταξεν. Inscr. Teja ap. Bœckh. vol. 2, p. 633, n. 3046, 17.]

Νομογράφος, ὁ, ἡ, q. d. Legis scriptor, s. Legum, pro Legislator : sic et νόμον s. νόμους γράφειν extra compositionem dicitur. V. Suidam in Νομογράφοι. [Polyb. 13, 1, 2. Inscr. in Νομογραφία cit., et aliæ ib. vol. 1, n. 1193, p. 594, 23 ; n. 1331, 2, p. 652.] || At νομογράφος pro Eo qui certos modos certamque modulationem præscribit, affertur ex Plat. Phædro [p. 278, E] : Οὐκοῦν αὖ τὸν μὴ ἔχοντα τιμιώτερα, ὧν συνέθηκεν ἢ ἔγραψεν, ἄνω καὶ κάτω στρέφων ἐν χρόνῳ πρὸς ἄλληλα κολλῶν τε καὶ ἀφαιρῶν, ἐν δίκῃ ποιητὴν ἢ λόγων συγγραφέα ἢ νομογράφον προσερεῖς; Fuerit autem hoc compositum quum id significat, ab ea nominis νόμος signif, de qua postremo loco dico. [Diod. 12, 25.]

[Νομοδείκτης, ὁ, i. q. sequens. Plut. Ti. Graccho c. 9, de Mucio Scævola.] A

Νομοδιδάκτης, ὁ, pro seq. in VV. LL., Legem docens. [Plut. Cat. maj. c. 20.]

Νομοδιδάσκαλος, ὁ, Legis doctor [Gl.]. Vocab. est in N. T. usitatum, ab ea sc. signif. nominis νόμος, qua ponitur pro Lege Dei tradita per Mosen, aut etiam pro Mosis et aliorum Prophetarum scriptis: qua etiam in signif. utitur Paul. Ad Rom. 3, 19. Luc. 5, [17]: Καὶ ἦσαν καθήμενοι Φαρισαῖοι καὶ νομοδιδάσκαλοι.

[Νομοδίφης, ὁ. Νομοδίφας (sic), Legiscrepa, Gl. I]

[Νομοδοσία, ἡ, Legum latio. Eust. Opusc. p. 27, 87: Πεισθέντας τοῖς ἁγίοις ἀποστόλοις καὶ πρό γε αὐτῶν τῇ ἁγίᾳ παλαιᾷ νομοδοσίᾳ, de V. T.]

[Νομοδοτέω, Leges do, fero. Eust. Opusc. p. 68, 20: Ὡς νῦν ἐγὼ αὐτὸς ἐνώπιον ὑμῶν κατάρχομαι νομοδοτεῖν.]

[Νομοδότης, ὁ, Legislator. Symmach. Ps. 75, 13. Eust. Opusc. p. 19, 10. « Andr. Cret. p. 253. » Kall. Νομοδότης recensetur a Codino Offic. c. 1, ubi infra eod. cap. νομικὸς videtur appellari, tametsi an non alius a νομικῷ de quo supra, si quidem νομοδότης idem sit cum νουμοδότῃ. Matthæus monachus De offic. eccl. Cpol.: Ὅρα τὸν λαμπρὸν ῥήτορα... τὸν νομοδότην τε ὁμοῦ. Sed νουμοδότης vocatur in codd. Regg. in quinta pentade: Ὁ νουμοδότης διδοὺς τὰ νούμια τοῖς κληρικοῖς καὶ τοῖς πένησι, i. q. in monasteriis eleemosynarius. Ducang. Forma per ω Eudocia ap. Bandin. Bibl. Med. vol. 1, p. 229, 16: Αἰθερίων νομοδῶτα. L. Dind.]

[Νομοδόχος, ὁ, ἡ, Qui leges recipit. Method. p. 418; Andr. Cret. p. 77, 133. Kall.]

[Νομοδώτης. V. Νομοδότης.]

Νομοθεσία, ἡ, pro νομοθέτημα, aliam tamen formationem habens, sc. a θέσις. [Juris dictio, Legislatio, Promulgatio, Gl. Νόμου θέσις Suidæ. Plato Leg. 3, p. 683, B: Τῇ τῆς νομοθεσίας σκέψει· et plurali 4, p. 707, D, et alibi utroque numero.] Aristot. Rhet. 1, [c. 4, 5]: Οὐκ ἐλάχιστον δὲ περὶ νομοθεσίας ἐπαΐειν, De legumlatione, ferendis legibus. Et plur. νομοθεσίαι ap. Eund. [ib. 1, 1. Id. Eth. 6, 8. « Ἐπισκεψάμενος τὰς ἁπάντων νομοθεσίας, Diod. Sic. 12, 11. Ib. c. 13, 17, 20, etc. Galen. vol. 8, p. 692, A. » Hemst. Maccab. 2, 6, 23: Τὰς ἁγίας καὶ θεοκτίστους νομοθεσίας. « Liber Psalmorum vocatur νομοθεσία ap. Athanas. Or. c. Gent t. 1, p. 29: Ἡ φησιν ἡ θεία νομοθεσία. Decalogus appellatur eodem nomine Damasc. Orth. fid. 1, 5, p. 15: Φησὶ γὰρ ὁ κύριος ἐν τῇ τῆς νομοθεσίας ἀρχῇ. » Suicer.]

[Νομοθέσμως, Legaliter, Legitime. Alex. Prov. 31, 26; 29, 28: Τὸ στόμα ἀνοίγει σοφῶς καὶ ν., q. d. κατὰ θεσμὸν τοῦ νόμου. Schleusn. Lex.]

Νομοθετέω, Legem fero, sancio, Leges impono. [Promulgo, Sancio legem, Constituo, Gl.] Interdum quidem νομοθετεῖν sine ulla adjectione, interdum vero νομοθετεῖν τινι, κατά τινος: nonnunquam et νομοθετεῖν νόμον (ac tum pro simplici τιθέναι accipitur, ut docebo in Νόμος), sed et νομοθετῶ τοῦτο. Quarum constructionum hæc sunt exempla. [Plato Leg. 4, p. 708, C: Τῷ κατοικίζοντι καὶ νομοθετοῦντι.] Aristot. Eth. 10: Διόπερ οἴονταί τινες τοὺς νομοθετοῦντας δεῖν μὲν παρακαλεῖν ἐπὶ τὴν ἀρετήν. [Plat. Leg. 2, p. 662, C: Τοὺς νομοθετήσαντας ὑμῖν θεούς.] Plut. Ad præf. indoctum [p. 779, D]: D Φήσας χαλεπὸν εἶναι Κυρηναίοις νομοθετεῖν οὕτως εὐτυχοῦσιν. Isocr. [p. 16, C]: Νομοθετεῖν ταῖς μοναρχίαις. [Cum accus. pers. Jo. Malalas p. 72, 6: Ἐνομοθέτει Ἀθηναίους πρῶτος ὀνόματι Δράκων· 194, 7: Ἐνομοθέτησεν ὁ Ἀλέξανδρος τὴν χώραν αὐτῶν.] Aristot. Pol. 3, [c. 9]: Καὶ γὰρ γελοῖος ἂν εἴη νομοθετεῖν τις πειρώμενος κατ' αὐτῶν, ubi quidam interpr. Legi eos subjicere. At νομοθετεῖν νόμον, s. νόμους, Dem. et Æschin. Alicubi vero dicitur etiam νόμος νομοθετεῖν, quod tunc est simpliciter Jubere, Sancire. Sic autem et cum aliis accusativis quam νόμον, jungitur: ut mox docebo. Interdum et cum infin.: Isocr. Busir. [p. 226, D]: Ὅστις καὶ τῶν ζώων τῶν παρ' ἡμῖν καταφρονουμένων ἔστιν ἃ σέβεσθαι καὶ τιμᾶν ἐνομοθέτησε. || Νομοθετῶ τοῦτο, Lege jubeo hoc, Lege hoc sancio. Interdum vero generalius pro Jubeo, intelligendo tamen Jubeo legislatoris more. Unde et Sancio redditur commode alicubi. Nonnunquam aptius est Præscribo. Gregor.: Ἐκ παρθένου γεννᾶται, παρθενίαν νομοθετῶν. Alex. Aphr.: Ἡ τύχη τι σημαινόμενον ἴδιον εἰσάγουσί τε καὶ νομοθετοῦσι. Theophyl.: Καὶ πράττουσι καὶ φθέγγονται ὅσα νομοθετοῦσιν οἱ Ἔρωτες. Idem, Ὅρους νομοθέτει τῇ λύπῃ. Quinetiam affertur ex Gregorio, Νομοθετεῖ τὸ αὐτεξούσιον, pro Lege refrænat liberum arbitrium. [« Videtur nobis νομοθετεῖν ἡδονὰς Max. Tyr. 1, § 4. » Valck. Medio Plato Theæt. p. 178, A: Ὅταν νομοθετώμεθα· 177, E, et 179, A: Νομοθετουμένη πόλις· Reip. 3, p. 398, B: Ἐν ἐκείνοις τοῖς τύποις οἷς κατ' ἀρχὰς ἐνομοθετησάμεθα· Leg. 8, p. 828, A: Τάξασθαι καὶ νομοθετήσασθαι ἑορτάς. Cum dat. pers. Leg. 9, p. 853, C: Νομοθετούμενοι τοῖς ἥρωσιν. Dionys. A. R. 10, 56: Τούτους τοὺς ἄνδρας... νομοθετήσεσθαι.] || Pass. Νομοθετεῖσθαι, Lege [sanciri, et perf. νενομοθετῆσθαι] sancitum esse, cautum esse. Dicitur autem νομοθετεῖσθαί τι vel νενομοθετῆσθαι, aut sine τι, sequente infin. Athen. 9: Νομοθετηθῆναι διὰ τὴν σπάνιν ἀπέχεσθαι αὐτοὺς τῶν ζώων. Aristot. Pol. 6, [c. 4]: Ἦν δὲ νενομοθετημένον μηδὲ πωλεῖν ἐξεῖναι· pro quo dicere poterat brevius, νόμος ἦν. Et νενομοθέτηται οὕτω σφι, VV. LL., Ita legibus comparatum est. Item ex B Ep. ad Hebr. 8, [6]: Ἥτις (διαθήκη) ἐπὶ κρείττοσιν ἐπαγγελίαις νενομοθέτηται, Quod (testamentum) præstantioribus promissis sancitum est. Item νομοθετῆσθαι [νενομοθετῆσθαι] pro Legi subjici et pro Legem accipere, ex Plat. Leg. [2, p. 656, D.] Sic autem Ad Hebr. 7, [11]: Ὁ λαὸς γὰρ ἐπ' αὐτῇ (τῇ ἱερωσύνῃ) νενομοθέτητο, redditur a vet. Interpr. Populus sub ipso legem accepit. [De legibus Diod. 16, 82: Τοὺς περὶ τῶν δημοσίων νενομοθετημένους.]

Νομοθέτημα, τὸ, Quod legislator jussit, sanxit, Sanctio legis, Edictum. [Plato Leg. 11, p. 913, C: Οὐδαμῇ ἀγεννοῦς ἀνδρὸς νομοθέτημα· 12, p. 957, A: Ἐπιεικῶν ἀνδρῶν νομοθετήματα, et alibi utroque numero. Aristot. Polit. 5, 8. « Νομοθετήματα τῆς φύσιος ὀνόματα dicuntur Hippocrati p. 1, 22, hoc est, Nomina naturæ decreta aut instituta: Τὰ δὲ εἴδεα, οὐ νομοθετήματα, ἀλλὰ βλαστήματα. » Foes. Diod. Exc. p. 549, 76.] Plut. Lycurgo [c. 13]: Τὰ μὲν οὖν τοιαῦτα ν. ῥήτρας ὠνόμασεν. [Niceph. Chumnus Ep. 16. Boiss.]

Νομοθέτης, ὁ, Legislator, Legumlator. Sonat tamen C proprie q. d. Legis positor s. Legum. [Promulgator, Legum pater; Νομοθέται, Jura dictantes, Gl.] Sicut autem dicunt Græci νόμον τιθέναι s. τίθεσθαι, ita quosdam ex Latinis dixisse Legem ponere, doceo in Νόμος. Nec tamen licuerit itidem dicere Legis positor. Invenitur etiam Legis sanctor, constitutor. Aristot. Polit. 2, [9]: Λέγεται δὲ ὡς δεῖ τὸν νομοθέτην πρὸς δύο βλέποντα τιθέναι τοὺς νόμους. Ibid. [10]: Ἐγένετο δὲ καὶ Φιλόλαος ὁ Κορίνθιος νομοθέτης Θηβαίοις. Plut. Περὶ πολυπρ. [p. 519, B]: Εὖ δὲ καὶ ὁ τῶν Θουρίων νομοθέτης. [Frequens est etiam ap. Platonem, cujus in libris etiam confunditur cum ὀνοματοθέτης, quod v. || Apud Athenienses qui fuerunt νομοθέται, magistratus legibus rogandis et abrogandis, et memorantur ap. Demosth. p. 706, 22, ib. p. 708 fin. dicuntur fuisse numero mille et unus, ap. Andocid. p. 11, 30 quingenti: quod suspectum fuit nonnullis.]

Νομοθέτησις, εως, ἡ, Legislatio, Sanctio. Exp. etiam Jus ferendarum legum. Plato [Leg. 9, p. 876, D] addidit et gen. νόμων, sicut sc. dicitur νομοθετεῖν νόμους. [Cum νουθέτησις confus. ib. 3, p. 701, B.]

[Νομοθετητέον, Legem s. Leges ferendum. Plato Leg. 5, p. 747, D. Adj. Reip. 5, p. 459, E: Οὐκοῦν ἑορταί τινες νομοθετητέαι. Aristot. Polit. 3, 13.]

[Νομοθετητός, Hesych. Wakef.]

Νομοθετικός, ἡ, όν, Pertinens ad legislatorem. Et νομοθετική, sub. τέχνη, Ars ferendarum legum, s. Scientia. [Plato Gorg. p. 464, C: Τῇ νομοθετικῇ· et alibi. (Addito τέχνη Crat. p. 437, E.) Aristot. Eth. 6, 8, Polit. 7, 2.] || Legum ferendarum peritus, Bud. ex Aristot. Eth. 10, [9]: Μάλιστα δ' ἂν τοῦτο δύνασθαι δόξειεν ἐκ τῶν εἰρημένων νομοθετικὸς γενόμενος· et rursus ibid. [Plato Leg. 2, p. 657, A: Νομοθετικὸν καὶ πολιτικὸν ὑπερβαλλόντως. De rege Pollux 1, 41. Theod. Metoch. Misc. p. 707: Τῆς νομοθετικῆς ἐπιμελείας. || Adv. Νομοθετικῶς, In modum legislatoris. « Jo. Chrys. In Ep. 1 ad Cor. serm. 36, vol. 3, p. 485, 37. » Seager. Theodor. Stud. p. 374, A. Pollux 4, 26.]

[Νομοθήκη, ἡ, Legumlatio. Timo sill. ep. 35: Εἰκαίης νομοθήκης.]

Νομοΐστωρ, ορος, ὁ, Legis peritus. Ab Hesych. et Suida νομοΐστορες exp. νομομαθεῖς. Puto autem hic νόμος accipi ut in νομοδιδάσκαλος, quod vide. [Cyrill. Al. In c. 43 Jesaiæ p. 577: Οἱ πρὸς ἱερουργίαν ἐξειλεγμένοι σοφοί τε καὶ νομοΐστορες. Suicer.]

[Νομοκανὼν, όνος, ὁ, Liber ex canonibus seu conciliorum decretis et legibus civilibus contextus. (Anastasius episcopus Cæsareæ Palæstinæ De jejunio Deiparæ: Ἕτερον δέ ἐστι τὸ τοιοῦτον συνοδικὸν παρὰ τὸ λεγόμενον νομοκάνονον, ὡς τοῦ μὲν πάσας ὁμοῦ τὰς ἁγίας συνόδους καὶ τοὺς θείους κανόνας καὶ τοὺς πολιτικοὺς νόμους κατέχοντος, τοῦ δὲ μόνας τὰς τρεῖς συνόδους. Ducang. App. p. 142.) Primus autem Justinianus quicquid insigne est in ecclesiasticis sanctionibus, quarum vindicem atque custodem non semel ipse se appellat, sua voluit auctoritate stabilitum, declaratum ac pœnis vindicatum. Inde factum est ut ecclesiarum Orientis episcopi eas sibi regularum collectiones concinnare cœperint, quas Νομοκανόνια s. Νομοκανόνας vocant, quorum primus auctor fuit Joannes scholasticus, qui Eutychio Cpol. patriarcha in exilium pulso suffectus est a Justiniano, qui Nomoc. exstat in Bibl. Vat. Deinde Photius patr. Cp. νομοκανόνα scripsit... Mich. Pselli extat opusculum περὶ τῶν ἐν τῷ νομοκανόνῳ in cod. Reg. 1837, fol. 31. Balsamon ad can. 2 Trullan. scribit sua ætate complura extitisse νομοκάνονα (sic semper et alibi appellat), Photianum vero duntaxat legendum suadet: Παρεγγυῶμαι πᾶσι τοῖς μέλλουσιν ἀναγινώσκειν τὸ νομοκάνονον μὴ προσχεῖν τοῖς παλαιοτέροις βιβλίοις τῶν νομοκανόνων, ἀλλὰ ἀναγινώσκειν τὸ παρὰ τοῦ Φωτίου ποιηθέν. Alexius Aristenus Ms.: Νομοκάνονον σὺν θεῷ ἑρμηνευθὲν παρὰ Ἀλεξίου Ἀριστηνοῦ. || Νομοκανόνας etiam appellabant Libros Pœnitentiales, ut Joannis Jejunatoris, pro quo Νομοκάνονον ap. Niconem in Pandecte Ms. 1, 8, fol. 20, et ap. alios (ut in Ms. ap. Bandin. Bibl. Med. vol. 1, p. 81, B). Ex Ducang. Gloss.]

[Νομολατρεία, ἡ, Legis servitus, Ἰουδαϊκή, Mich. Syncell. Laudat. Dionysii Ar. p. 368, 7. Boiss.]

[Νομομάθεια, ἡ, Legis cognitio. Cyrill. Al. l. 2 In Jo. c. 1, p. 149: Νομομαθείας ὑπόληψιν ἠμφιεσμένοι γυμνήν· l. 3, p. 251: Πολὺ λίαν τῆς ἀκριβοῦς νομομαθείας ἐξῳκισμένοι· p. 481, de Pharisæis: Νομομαθείᾳ καὶ ἐπιστήμῃ τῶν ἱερῶν.]

[Νομομαθέω, Legem disco, edoceor. Chronic. Paschal. t. 1, p. 350, 3: Ὅθεν καὶ οἱ τοῦ Χριστοῦ μαθηταὶ νομομαθήσαντες ἔλεγον. Coraes.]

Νομομαθὴς, ὁ, ἡ, [Juris peritus, Gl.] Legis peritus. Chrysost. [Comm. in Ephes. 3, serm. 6, vol. 3, p. 791, 16. Seager.]: Παῦλος ὁ μέγας καὶ ὀνομαστὸς, ὁ ν. Et sic sæpe Paulum appellat, quia legem didicerat sub Gamaliele. Bud. Sic autem accipitur νόμος in hoc comp., ut in Νομοδιδάσκαλος. [Cyrill. Al. In c. 61 Jesaiæ p. 861: Γεγόνασι κατὰ καιροὺς παρὰ Ἰουδαίοις ἄνδρες ἅγιοι καὶ νομομαθεῖς. Suicer. Vita S. Sylvestri p. 293 Combef.; Georg. Lapitha Poem. mor. 1010; Psell. Syn. legg. 62. Boiss. Pseudo-Orig. C. Marc. 2, 60 Wetst.; Athanas. vol. 2, p. 45, C; Cyrill. Al. vol. 1, p. 3, A.]

[Νομομαχέω script. var. ap. Philostr. V. Soph. p. 527, orta ex verbis ναυμαχῶν et νομοθετῶν in unum confusis.]

[Νομοποιέω.] Hesych. νομοθετεῖ exp. itidem νομοποιεῖ, a verbo Νομοποιέω [Legem s. Leges facio].

Νομοποιὸς, q. d. Legis factor, s. Legum, pro Legislator. Sic autem et νόμων δημιουργὸς legitur. Nullum tamen in VV. LL. affertur hujus νομοποιὸς exemplum. [Vocem reperire licet in Diog. L. 2, 104, sed pro eo Qui nomos musicos facit. Hemst.]

Νομὸς, ὁ, i. q. νομὴ, Pascuum, Pascua. Hom. Il. B, [475]: Τοὺς δ' ὥστ' αἰπόλια πλατέ' αἰγῶν αἰπόλοι ἄνδρες Ῥεῖα διακρινέωσιν, ἐπεί κε νομῷ μιγέωσι, Quum mixti fuerint in pascuis. [Σ, 575: Ἐπεσσεύοντο νομόνδε· Od. I, 438: Νομόνδ' ἐξέσσυτο μῆλα· ib. 217: Ἐνόμευε νομὸν κάτα πίονα μῆλα· H. Merc. 198: Ἐκ μαλακοῦ λειμῶνος, ἀπὸ γλυκεροῖο νομοῖο. Cum genit. loci Od. K, 159: Ποταμόνδε κατήιεν ἐκ νομοῦ ὕλης. Nicand. Th. 827: Προλιποῦσαν ἁλὸς νομόν. Et rei, Arat. 1029: Οὐδ' ἂν ἔτι ποιήσαιντο νομὸν κηροῖο μέλισσαι. Eur. Cycl. 61: Ποιηροὺς λιποῦσα νομούς.] Sed existimo reddi etiam posse In pastu; idque ex Virg.; nam quum dixisset Hom.

A Il. Z, [511] de equo, Ῥιμφὰ ἑ γοῦνα φέρει μετά τ' ἤθεα καὶ νομὸν ἵππων, is comparationem illam inde sumens, sic versum eum exprimit: Aut ille in pastus armentaque tendit equarum: copulavit autem duo illa Græca vocabula. Et [Eur. fr. Polyidi ap. schol. Hermog. p. 416: Ἐκλιπὼν ἤθη τε καὶ νομὸν βίου δεῦρ' ἔπτατο·] Aristot. De mundo [c. 6 med.]: Εἰς τὰ σφέτερα ἤθη καὶ νομοὺς ἐξερπύσει, ad illum ipsum Homeri l. respiciens fortasse. Et νομὸν ἔχειν, Aristoph. [Av. 239], Pastum habere. [Ib. 1287: Ἐπέτονθ' ἕωθεν ὥσπερ ἡμεῖς ἐπὶ νομόν.] Interdum vero redditur Pabulum, Præda. Hesiod. Op. [524]: Οὐ γάρ οἱ ἠέλιος δείκνυ νομὸν ὁρμηθῆναι. || Stabulatio, Sedes, quas aliquis incolit, Bud., afferens ex Herodoto [5, 92]: Καὶ ἄνθρωποι νομὸν ἐν θαλάσσῃ ἕξουσι, καὶ ἰχθύες τὸν πρότερον ἄνθρωποι. [Ib. 102: Οἱ Πέρσαι οἱ ἐντὸς Ἅλυος ποταμοῦ νομοὺς ἔχοντες. Sic de regione Pind. Ol. 7, 34: Τῷ μὲν ὁ χρυσοκόμας ναῶν πλόον εἶπε Λερναίας ἀπ' ἀκτᾶς εὐθὺν ἐς ἀμφιθάλασσον νομὸν, de ins. Rhodo. Idem ap. Plut. Mor. p. 602, F: Ἐὰν δὲ νομὸν Κρήτας περιδαῖον. Sed quod idem ap. eund. B p. 365, A, dicit: Δενδρέων δὲ νομὸν Διόνυσος αὐξάνοι, etiam ad seq. signif. referre licet. Eur. Rhes. 477: Τὰ δ' ἀμφί τ' Ἄργος καὶ νομὸν τὸν Ἑλλάδος οὐχ ὧδε πορθεῖν ῥᾴδια.] || Copia, πλῆθος, ut exp. ap. Hom. Il. Υ, [249]: Ἐπέων δὲ πολὺς νομὸς ἔνθα καὶ ἔνθα. Existimat tamen Bud. posse etiam accipi pro Distributio, s. potius Retributio: quia sequitur, Ὁπποῖόν κ' εἴπῃσθα ἔπος, τοῖόν κ' ἐπακούσαις. Idem in Hesiod. Op. [401]: Ἀχρεῖος δ' ἔσται ἐπέων νομὸς, exp. Verbis tantum pasceris. || Præfectura. Plin. 5, 9, de Ægypto loquens: Dividitur in præfecturas oppidorum, quas Nomos vocant, Ombiten, Phatniten, Apollopoliten, etc. Aristot. OEcon. 2, [33]: Διαπλέοντος αὐτοῦ τὸν νομὸν, οὗ ἐστὶ θεὸς ὁ κροκόδειλος. Philo: Οἱ μὲν ἀπὸ τῶν πλησιοχώρων καὶ τῶν καθ' Αἴγυπτον νομῶν. Herodot. 3, [90; 9, 113, 116] in Persia etiam constituit νομούς. [In Babylonia id. 1, 192, Scythia 4, 62, 66. « Ἀμυκλαῖος νομὸς, Nicol. Damasc. p. 445, 23. » Hemst.] Eustathius Libycorum etiam νομῶν meminit, quem vide. [Eustathium Il. p. 1256, 47, Od. p. 1625, 7, non alios quam Ægyptios C dicere, ut Il. p. 156, 43, ostendit quod altero loco inter Libycos recenset Thebaicum et Diospoliten. Νομὸς, Pagus, Gl. « Tota Ægyptus in plures olim divisa erat præfecturas, quæ omnes certis diis consecratæ erant, illas autem Præfecturas Ægyptii patrio sermone appellabant νομούς. Strabo 17, p. 541: Ἡ δὲ χώρα τὴν μὲν πρώτην διαίρεσιν εἰς νομοὺς ἔσχε, δέκα μὲν ἡ Θηβαΐς, δέκα δ' ἡ ἐν τῷ Δέλτα, ἑκκαίδεκα δ' ἡ μεταξύ. Ὥς δέ τινες, τοσοῦτοι ἦσαν οἱ σύμπαντες νομοὶ, ὅσαι αἱ ἐν τῷ λαβυρίνθῳ αὐλαί. Αὗται δ' ἐλάττους τῶν τριάκοντα. (Ib. fin.: Πάλιν δ' οἱ νομοὶ τομὰς ἄλλας ἔσχον· εἰς γὰρ τοπαρχίας οἱ πλεῖστοι διῄρηντο, καὶ αὗται δ' εἰς ἄλλας τομὰς, ἐλάχισται δ' αἱ ἄρουραι μερίδες. De ἀρούραις Horapollo 1, 5: Ἔστι δὲ μέτρον γῆς ἡ ἄρουρα, πηχῶν ἑκατόν.) P. 558 Strabo ait fuisse in Labyrintho aulas 27. Totidem ergo docere vult fuisse primitus in Ægypto præfecturas. Sed numerus horum Nomorum in Ægypto non semper fuit idem. Initio fuit utique exilior et exiguus magis. Præfecturæ illo tempore ambitum habebant longe majorem, pluresque continebant D urbes, ita ut Jes. 19, 2, Præfectura haud immerito ממלכה, Regnum, vocari potuerit. V. Campegii Vitringæ Obss. t. 1, p. 555. Postea limites Præfecturarum vehementer contracti sensimque imminuti fuerunt, ut in plures tota regio dividi posset. Ptolemæus certe suo tempore in Geographia Ægypti quinquaginta circiter Nomos enumeravit. Et verosimile mihi videtur illam Ægypti per certos Nomos divisionem tempore Romanorum re ipsa desiisse, nihilque nisi memoriam illorum superfuisse. Ptolemæus igitur et ante eum Strabo, quando de Nomis loquuntur, antiquam Ægypti geographiam videntur sequi, non illam Ægypti in certas suas definitasque provincias divisionem, quæ illo, quo scribebant, tempore obtinebat. Hinc est quod Græci, seculo quarto et quinto æræ vulgatæ nostræ Christianæ, etiam in Ægypto viventes, Nomos Ægypti limitibus admodum angustis includant et qui pristinæ Ægypti in Nomos vel Præfecturas divisioni minime congruant. Cyrill. Alex., qui ineunte seculo quinto floruit et in Ægypto scripsit, ad locum Jes. paullo ante allatum hæc commentatur : Νομὸς δὲ λέγεται παρὰ τοῖς τὴν Αἰγυπτίων οἰκοῦσι χώραν ἑκάστη πόλις καὶ αἱ περιοικίδες αὐτῆς, καὶ αἱ ὑπ' αὐτῇ κῶμαι, καὶ τέτριπται παρ' αὐτοῖς ἡ τοιάδε φωνή. Hoc nonnihil antiquior Epiphanius ita scribit, in Hæresi 24, § 1 : Νομὸν γὰρ οἱ Αἰγύπτιοί φασι τὴν ἑκάστης πόλεως περιοικίδα, ἤτοι περίχωρον· et paucis interjectis : Ὅπου γὰρ ἐν τῷ ἁγίῳ προφήτῃ Ἡσαΐᾳ εὕροις γεγραμμένον περὶ νομῶν πόλεως Αἰγυπτιακῶν, οἷον Τάνεως, ἢ Μέμφεως, ἢ νομοῦ τῆς Βουβάστου, Αἰγυπτιακῶς τὴν περίχωρον τῆς τυχούσης πόλεως σημαίνει. Sic et Eustath. in Dionys. Per. v. 251, νομοὺς, uti scribere oportet, interpretatur ἐνορίας, Id quod urbi finitimum vel intra ejus fines situm est, et in Hom. Il. A, p. 156 : Νομὸς... ὁ κατὰ Αἰγυπτίους ἐν ἐνορίαις (credo suppleri debere πόλεως) τόπος. Jam de vocis hujus vera atque genuina significatione dispiciamus. Multi ex Græcis, quos inter est Diodorus 1, 73, Proclus In Tim. Plat. p. 30 (οὕτω δὲ ἐκάλουν Αἰγύπτιοι τὰς διαιρέσεις τὰς κατὰ τὰ μεγάλα τῆς Αἰγύπτου μέρη), Eustath. in Il. l. c., et multo plures alii, more ipsis valde familiari et hanc νομοῦ vocem ex fontibus linguæ Græcæ derivatam esse censent. Neque aliter Casaub., cujus hæc sunt verba, in notis ad Strab. p. 218 (1135) : Quidam putant hanc νομοῦ vocem esse Ægyptiacam, quos falli et omnes sciunt, qui aliquid Græce sciunt, et Diodorus diserte admonet. (Casaubono assentitur Wesseling. ad Diod. 1, 73. Nec dissentire videtur Berkelius ad Steph. Byz. v. Ἀθάρραβις. Tewater.) Cui judicio opponimus judicium HStephani, qui ad Diodorum scribit : « Ego νομὸν Græcam esse vocem, vix mihi persuasero. » Et testimonio Diodori, aliud opponit ejusdem Diod., de Sesoosi ita scribentis (1, 54) : Τὴν χώραν ἅπασαν εἰς ἓξ καὶ τριάκοντα μέρη διελὼν, ἃ καλοῦσιν Αἰγύπτιοι νομούς. HStephani causam non prorsus improbavit etiam S. Bochartus Geogr. S. P. 1, 4, c. 24, quem vide. Et profecto res facile extra omne dubitationis periculum collocari potest. Esse vocem νομὸς vere Ægyptiacam 1. ex eo satis constat, quod Græci scriptores non pauci id haud inviti et conceptis verbis testentur. Ipse Diodorus, quod modo observabamus, qui aliquando (1, 73) νομὸν augurabatur esse originis Græcæ, alio loco fatetur, vocem istam non Græcis, sed Ægyptiis deberi. V. plura ap. Bochart. l. c. Plinius, loquens de Ægypto et Ægyptiis 5, 9, ait : Dividitur in præfecturas, quas Nomos vocant. Sic et c. 13. Hieronymus pariter, quem in hujusmodi rebus impense exercitatum fuisse norunt omnes, Comment. in Esaiam, l. 4, c. 12 (Opp. t. 3) col. 115 : Et diversæ regiones Ægypti, quas νομοὺς (ita scribe) Ægyptii vocant. Et l. 8, col. 181 : In territorio Heliopolitano, quod Ægyptii νομὸν (ita et hic scribe) vocant. 2. Fatente ipso Casaub., si ex Græco deducta sit νομὸς, proprie significat Locum pascuis aptum et pascuorum divitem. Id vero de omnibus Ægypti regionibus, quæ νομοὶ dicuntur, prædicari haudquaquam posse, recte beneque urget Bochart. 3. Græci vocem νομοῦ, in illo, quem nunc illustravimus, sensu tantum adhibent, quando de Ægyptiorum regione sermo est : in Græcia, in Asia, in Italia, νομοὺς non agnoscunt. An non eo ipso satis clare innuunt, voc. νομὸς Ægypto esse propriam, et sermoni patrio incolarum hujus regionis deberi? Equidem non ignoro, Herodotum 3, 90, satrapias Persarum vocare νομοὺς, et Maccab. 1, c. 10, 30, mentionem fieri τῶν τριῶν νομῶν τῆς Σαμαρείτιδος, quæ loca diligentiam Bocharti non effugerunt. In eod. l. 1 Maccab. c. 11, 57, legimus, Antiochum juniorem Jonathanem principem Judæorum præfectum constituisse ἐπὶ τῶν τεσσάρων νομῶν, quomodo utrobique in illo libro legendum esse, ex superioribus conficitur. Simili modo Herodot. 3, 127, ait, Εἶχε δὲ νομὸν τόν τε Φρύγιον, καὶ Λύδιον, καὶ Ἰωνικόν. Verum exempla hujusmodi adeo rara sunt, ut vel hinc colligere liceat, auctores istos voce hac abuti, quemadmodum videas, scriptores vocem Satrapiæ, quæ omnium consensu Persica est, ejusdemque cum νομῷ fere significationis, nonnunquam usurpare, quando de regionibus aliis loquuntur.» Jablonsk. Qui præterea citavit l. Eusebii Præp. ev. 3, p. 57 : Μέρος τι τῆς Αἰγύπτου, ὃ καλοῦσι νομὸν, et conjecturas addidit de voc. Æg. unde ortum

A sit νομὸς, quas omisimus. Hesychius in Νομάρχης : Νομοὺς λέγουσι τὰ μεγάλα χωρία. Photius s. Suidas in Νόμος : Ἀττικοὶ δὲ τὰ διανενεμημένα μέρη τῆς γῆς, ὡς καὶ ἐν Αἰγύπτῳ. « Perraro ea vox prostat in numis Ægyptiacis. Invenit tamen Belley in duobus æreis Trajani et Antonini Pii. V. Comment. Acad. Inscrr. Paris. t. 28, p. 529. Numi isti sunt maximi moduli, sed spuriæ antiquitatis. Servabantur quondam in Museo Numario Pellerinii, qui vero ipse de legitima antiquitate dubitasse videtur. Melioris notæ est numus Hadriani, in quo ϹΑΙΤΗϹ ΝΟΜΟϹ, primum vulgatus a Zoega l. l. p. 105. In lapidibus literatis non memini me voc. νομὸς uspiam legere. » Tewater.]

Νόμος, ὁ, Lex. [Voc. Homero ignotum, ut animadvertit jam Cosmas Topogr. Christ. p. 343, A, et quem ad Hesychium memorat Albertus Joseph. C. Apion. 2, 15, p. 481, usurpavit Hesiod. Op. 274 : Τόνδε γὰρ ἀνθρώποισι νόμον διέταξε Κρονίων, ἰχθύσι μὲν καὶ θηρσὶ... ἔσθειν ἀλλήλους, ἐπεὶ οὐ δίκη ἐστὶν ἐν αὐτοῖς· ἀνθρώποισι δ' ἔδωκε δίκην· 386 : Οὗτός τοι πέλεται πεδίων B νόμος· Th. 66 : Μέλπονται πάντων τε νόμους, quod schol. interpr. τὰς πολιτείας, τὰς διατριβὰς, τὰς νεμέσεις (νεμήσεις), τὰ διαιτήματα. Et ib. 417 : Ἔρδων ἱερὰ καλὰ κατὰ νόμον. Theognis 54 : Οὔτε δίκας ᾔδεσαν οὔτε νόμους. Pind. ap. Herodot. 3, 38 et al. (v. Albert. ad Hesych. vol. 2, p. 687) : Νόμος πάντων βασιλεύς· et alibi. Cui simile Herodoti 7, 104 : Ἔπεστι γάρ σφι (Spartanis) δεσπότης νόμος. Et Platonis Prot. p. 337, D : Ὁ νόμος τύραννος ὢν τῶν ἀνθρώπων πολλὰ παρὰ τὴν φύσιν βιάζεται. Qui Conv. p. 186, C, dicit : Οἱ πόλεως βασιλῆς νόμοι.] Νόμος dictus est ἀπὸ τοῦ νέμειν, i. e. a Tribuendo : quod sc. unicuique suum tribuat : quæ derivatio præterquam quod pulcre procedit, rationi etiam est consentanea. [Cic. De leg. 1, 19 : « Legem doctissimi viri Græco putant nomine a suum cuique tribuendo appellatam. »] Sed et testibus confirmari potest, quum aliis, tum Platone, et Plut. : cujus hæc sunt verba, Symp. 2, [p. 644, C] : Οἱ νόμοι τῆς ἴσα νεμούσης εἰς τὸ κοινὸν ἀρχῆς ἐπώνυμοι γεγόνασι. Sic porro νόμον definit Aristot., ut etiam refert Athen. [11, p. 508, A], Νόμος C ἐστὶ λόγος ὡρισμένος καθ' ὁμολογίαν κοινὴν πόλεως, μηνύων πῶς δεῖ πράττειν ἕκαστα. Apud Eund. est νόμος ἄγραφος, et v. γεγραμμένος. Schol. autem Thuc. [2, 37] dicit νόμους ἀγράφους esse τὰ ἔθη : at ipse Aristot. Polit. 7, [c. 2], νόμους distinguens ἀπὸ τῶν ἐθῶν, dicit, Τὰ μὲν νόμοις κατειλημμένα, τὰ δὲ ἔθεσι. [Plato Crat. p. 384, D : Νόμῳ καὶ ἔθει.] Idem appellat νόμον ἴδιον, et v. κοινὸν, scribens Rhet. 1, [c. 10, 2] : Νόμος δ' ἐστὶν ὁ μὲν ἴδιος, ὁ δὲ κοινός· λέγω δὲ ἴδιον μὲν, καθ' ὃν γεγραμμένον πολιτεύονται· κοινὸν δὲ, ὅσα ἄγραφα παρὰ πᾶσιν ὁμολογεῖσθαι δοκεῖ. Dicitur autem νόμος aliquid κελεύειν, Jubere; et contra ἀπαγορεύειν, Vetare. Cic. tamen hæc aliter etiam interpr., eod. alioqui sensu : nam ap. Æschin., Κελεύοντος τοῦ νόμου ἐν τῇ ἐκκλησίᾳ στεφανοῦν, vertit, Quum lex esset eos in concione donari debere (corona). Ac vicissim, νόμου ἀπαγορεύοντος, μηδένα, Quum lex esset ne quis. Et νόμοι καθεστῶτες, s. νόμοι κείμενοι [quæ verba v.], Leges latæ, positæ : si quidem Horatium sequi volumus, dicentem, Leges ponere. Cato autem dixit, Majores nostri ita in legibus posuerunt, D furem duplici condemnari. Est tamen Positæ leges, magis ad verbum, οἱ τεθέντες νόμοι : sicut Ponere leges, τιθέναι νόμους s. τίθεσθαι. [Soph. El. 580 : Τιθεῖσα τόνδε τὸν νόμον βροτοῖς. Isocr. p. 264, E : Τοὺς νόμους οὓς Λυκοῦργος ἔθηκε.] Aristot. Pol. 2, [6] : Ἐτίθει δὲ νόμον περὶ τῶν εὑρισκόντων τι τῇ πόλει συμφέρον. Æschin. [p. 76, 11] : Εἰ ἐπὶ μὲν τοὺς πορθμέας τοὺς εἰς Σαλαμῖνα πορθμεύοντας νόμον ἔθεσθε ὑμεῖς. [Sic dicitur νόμων θέσις, quod v. in Θέσις.] Hinc autem est comp. Νομοθέτης, q. d. Legis positor s. Legum : pro quo tamen dicitur Latine Legislator. A quo νομοθέτης est verbum Νομοθετῶ : in quo licet includatur accus. νόμον, s. plur. νόμους, dicitur tamen interdum et νόμον νομοθετεῖν, s. νόμους : ut docui in illo verbo. Tunc autem νομοθετεῖν est pro simplici τιθέναι s. τίθεσθαι. [« Θεῖναι νόμον Attici prope de eo solo dicunt qui νόμον ἔγραψε, medium θέσθαι νόμον de populo rogatam legem jubente. Moschopulus Π. σχεδ. p. 10 : Θεῖναι λέγουσι τὸν νομοθέτην τὸν νόμον· θέσθαι δὲ τὸν δῆμον ἤγουν δέξασθαι καὶ κυρῶσαι. Sic ap. Dem. p. 734, 8, activum est de ipso Solone. Medium ubique habes eo sensu quem posui, in Atticis certe. (Plura utriusque exx. v. ap. Kuster. De verbis med. p. 133-4.) Quare mireris glossam Harpocrationis et aliorum hanc : Θέσθαι ἀντὶ τοῦ προσέσθαι καὶ κυρῶσαι· Δημοσθένης ἐν τῷ περὶ τῶν ἀτελειῶν. (Ἐν μέντοι τῷ κατὰ Στεφάνου (p. 1136, 11) φησὶν «ἑαυτῷ νόμους θέμενον» μήποτε ἀντὶ τοῦ θέντα.) Puto notatu dignum duxerant grammatici quod formula in Leptinea occurrit de judicibus quos orator alloquitur, uti p. 485 : Οὐδὲ γὰρ ἂν ὑμεῖς ποτε ἐπείσθητε θέσθαι τὸν νόμον. Quem l. fortasse spectarunt illi. Sed primum jam vidimus θέσθαι νόμον pro κυροῦν solenne esse judicibus : deinde ... omnes judices quasi personam civitatis sustinent.» Wolf. prol. ad Demosth. Lept. p. 127. Critias ap. Sext. Emp. p. 562 : Κἄπειτά μοι δοκοῦσιν ἄνθρωποι νόμους θέσθαι κολαστάς. Plato Reip. 1, p. 338, E : Τίθεται δὲ τοὺς νόμους ἑκάστη ἡ ἀρχὴ πρὸς τὸ αὑτῇ ξυμφέρον, δημοκρατία μὲν δημοκρατικούς, τυραννὶς δὲ τυραννικοὺς καὶ αἱ ἄλλαι οὕτω· θέμεναι δὲ ἀπέφηναν τοῦτο δίκαιον εἶναι κτλ. Leg. 3, p. 684, A : Βασιλεῖαι τρεῖς βασιλευομέναις πόλεσι τριτταῖς ὤμοσαν ἀλλήλαις ἑκάτεραι κατὰ νόμους οὓς ἔθεντο ... οἱ μὲν μὴ βιαιοτέραν τὴν ἀρχὴν ποιήσεσθαι κτλ.] Dicitur præterea νόμον γράφειν, εἰσφέρειν. [Item ὁρίζειν, quæ verba v. Et νόμων εἰσφορά, quod v.] Legimus etiam νόμους εἰπεν ap. Plat. Timæo [p. 41, E], Νόμους τε τοὺς εἱμαρμένους εἶπεν αὐταῖς· quod Cic. vertit, Commonstravit leges fatales ac necessarias. Legitur tamen et ap. Latinos Legem dicere alicui, sed non temere Cic. hic ab eo loquendi genere abstinuit. [Thuc. 2, 97 : Κατεστήσαντο τοὐναντίον τῆς Περσῶν βασιλείας τὸν νόμον.] At εἰσηγεῖσθαι νόμον dicitur potius Qui suasor est ferendi legem. Item νόμος ἐστὶ sequente infin., sicut Latinis Lex est, sequente itidem infin., aut particula Ut : quorum loquendi generum exempla paulo ante habuisti ex Cic. [Æsch. Cho. 150 : Ὑμᾶς δὲ κωκυτοῖς ἐπανθίζειν νόμος. Thuc. 2, 97 : Νόμον ὄντα καὶ τοῖς ἄλλοις Θρᾳξὶ λαμβάνειν κτλ.] Aristot. Polit. 2, [c. 5] : Ἐν Λοκροῖς νόμος ἐστὶ μὴ πωλεῖν. Et l. 5 : Νόμου γὰρ ὄντος, διὰ πέντε ἐτῶν στρατηγεῖν. [Æsch. Cho. 91 : Ὡς νόμος βροτοῖς ἐστι.] Dicunt etiam χρῆσθαι τοῖς Σόλωνος νόμοις, quo utitur Aristot. Rhet. 2, [c. 24, 2], ut Latini, Uti Solonis legibus. [Isocr. p. 264, E, et alii. Demosth. p. 794, 14 : Ὃν ἂν αὐτὸς ἕκαστος νόμον τῇ φύσει κατὰ πάντων ἔχῃ, τούτου τυγχάνειν παρ' ἑκάστου.] At vero λύειν νόμον est Abrogare s. Antiquare legem. Xen. vero dixit etiam διασπᾶν νόμους, Cyrop. 8, p. 135 [c. 5, 25] : Ἦν τις ἐπιστρατεύηται ἢ χώρᾳ Περσίδι, ἢ Περσῶν νόμους διασπᾶν πειρᾶται, βοηθήσειν παντὶ σθένει. [Soph. Ant. 287 : Καὶ γῆν ἐκείνων καὶ νόμους διασκεδῶν. Aliæ phrases sunt παραβαίνειν, ὑπερβαίνειν νόμον s. νόμους, de quibus v. in illis verbis. Hic addidisse sufficit locutionem τυγχάνειν νόμου s. νόμων, cujus præter l. Dem. paullo ante cit. exx. sunt ap. eund. p. 1081, 15 : Ἡμεῖς ταῖς ἀληθείας πιστεύοντες εἰσεληλύθαμεν καὶ ἀγαπῶντες ἄν τις ἡμᾶς ἐᾷ τῶν νόμων τυγχάνειν· 1089, 12 : Τοῖς ἀγαπῶσιν ἐάν τις ἡμᾶς τῶν νόμων ἐᾷ τυγχάνειν.] Cum præpositionibus autem dicitur ἐκ τοῦ νόμου s. ἐκ τῶν νόμων [Thuc. 4, 133 : Ἄλλην ἱέρειαν ἐκ τοῦ νόμου τοῦ προκειμένου κατεστήσαντο], itidemque κατὰ τὸν νόμον s. κατὰ τοὺς νόμους, pro Ex legis s. legum præscripto, Ut lex jubet, leges jubent. [Æsch. Suppl. 390 : Κατὰ νόμους τοὺς οἴκοθεν. Herodot. 1, 35 : Κατὰ νόμους τοὺς ἐπιχωρίους. Xen. H. Gr. 1, 7, 5 : Οὐ γὰρ προὐτέθη σφίσι λόγος κατὰ τὸν νόμον, et alibi cum aliis quibusvis.] Alicubi vero commode redditur et adverbio Legitime. Xenoph. Hell. 2, [3, 54] : Παραδίδομεν ὑμῖν, ἔφη, Θηραμένην τουτονὶ κατακεκριμένον κατὰ τὸν νόμον. Plutarch. Symp. 7 [p. 704, C] : Τοῦ μὲν ἀγῶνος ἦρξε [immo εἶρξε] κατὰ τὸν νόμον. [Pind. Ol. 8, 78 : Κὰν νόμον. Herodot. 1, 61 : Ἐμίσγετό οἱ οὐ κατὰ νόμον.] Usurpatur vero interdum et dat. νόμῳ eadem in significat. [Æsch. Suppl. 388 : Νόμῳ πόλεως φάσκοντες ἐγγύτατα γένους εἶναι. Soph. El. 579 : (Χρῆν αὐτὸν θανεῖν) ποίῳ νόμῳ; 1043 : Τούτοις ἐγὼ ζῆν τοῖς νόμοις οὐ βούλομαι. Demosth. p. 665, 27 : Ὅσοιπερ νόμοις οἰκεῖν βούλονται τὴν αὑτῶν ὄντες ἐλεύθεροι. Addita præp. Thuc. 5, 49 : Τὴν δίκην ἣν ἐν τῷ Ὀλυμπιακῷ νόμῳ Ἠλεῖοι κατεδικάσαντο αὐτῶν. Et in locutione, quæ etiam ad seq. signif. referri potest, ἐν νόμῳ ποιεῖσθαι ap. Herodot. 1, 131 : Πέρσας οἶδα νόμοισι τοιοισίδε χρεομένους, ἀγάλματα μὲν καὶ νηοὺς καὶ βωμοὺς

A οὐκ ἐν νόμῳ ποιευμένους ἱδρύεσθαι. Demosth. p. 1160, 22 : Πρὸς τὸν βασιλέα μὴ λαγχάνειν· οὐδὲ γὰρ ἐν τῷ νόμῳ ἔστι σοι.] His autem opp. παρὰ τὸν νόμον, Contra legem, præscriptum legis, Contra quam lex jubet, Non legitime. [Æsch. Eum. 172 : Παρὰ νόμον θεῶν. Xen. H. Gr. 1, 7, 14 : Οὐ προθήσειν τὴν διαψήφισιν παρὰ τοὺς νόμους.] Plut. Apophth. [p. 185, D] : Ἔφη μήτ' ἂν ἐκεῖνον γενέσθαι ποιητὴν ἀγαθόν, ᾄδοντα παρὰ μέλος, μήτ' αὐτὸν ἄρχοντα χρηστόν, δικάζοντα παρὰ τὸν νόμον. [Alia ejusd. signif. locutione Soph. El. 1506 : Ὅστις πέρα πράσσειν γε τῶν νόμων θέλει. Improprie Pind. Nem. 3, 53 : Ἀσκληπιόν, τὸν φαρμάκων δίδαξε μαλακόχειρα νόμον.] || De νόμος in sacris Literis vide in Νομοδιδάσκαλος. Annotatur vero et pro Ordinatione, ap. Paulum. [V. Suicer. Thes. p. 418, 11, et de universo usu in S. S. et ap. scriptt. eccles. præter Suicerum Schleusner. Lexx. V. et N. T.]

|| Νόμος, Consuetudo, Mos. Ac certe vocem hanc Latinam ex Græca illa factam suspicor, abscissa priore syllaba : qualem apocopen et in aliis quibusdam vo-
B cibus Latinis ex Græco sermone oriundis, animadvertisse mihi videor. Vel Ritus. [Herodot. 1, 90 : Εἰ ἀχαρίστοισι νόμος εἶναι τοῖσι Ἑλληνικοῖσι θεοῖσι· 4, 39 : Λήγει δὲ αὕτη (ἡ ἀκτή), οὐ λήγουσα εἰ μὴ νόμῳ, ἐς τὸν κόλπον τὸν Ἀράβιον, cui contrarium est φύσει.] Oppian. Cyn. 3, [151] : Οὐ γάρ τοι θήρεσσι νόμος, Non est consuetudo feris, Non solent feræ. Xen. [Cyrop. 1, 4, 29] : Νόμος γὰρ ἐστι φιλεῖν. [Plato Phædr. p. 250, E : Τετράποδος νόμον βαίνειν ἐπιχειρεῖ καὶ παιδοσπορεῖν. Ubi est var. νόμῳ, quod posuit etiam Plut. Mor. p. 751, D, ubi hunc l. exprimit.] Herodian. 4, [2, 2] : Τὸ μὲν σῶμα τελευτήσαντος πολυτελεῖ κηδείᾳ καταθάπτουσιν, ἀνθρώπων νόμῳ, ubi Polit. vertit Ritu. Idem 5, [5, 20] : Ἀνεζωσμένοι οἱ μὲν χιτῶνας ποδήρεις καὶ χειριδωτοὺς νόμῳ Φοινίκων. Idem vero dixit [2, 13, 8] κυκλώσασθαι αὐτοὺς πολεμίῳ νόμῳ, Polit. More hostium. [Demosth. p. 41, ult., sed ubi al. πολέμῳ. Æsch. Ag. 594 : Γυναικείῳ νόμῳ, ὀλολυγμὸν ἔλασκον· Suppl. 220 : Ἑρμῆς ὅδ' ἄλλος τοῖσιν Ἑλλήνων νόμοις.] Apud Philon. tamen πολέμου νόμῳ λαβὼν αἰχμαλώτους aptius redditur Jure belli. At de ἐν χειρῶν νόμῳ,
C quod huc pertinere videri possit, dicendum erit in Χείρ. His addendum est νόμου χάριν, quo utitur Lucillius [Anth. Pal. 11, 206, 2; 141, 7] pro Consuetudinis causa. [Notanda dictio familiaris Νόμου χάριν, Dicis causa (Gl.), Ad speciem : proprie Quia ita lex jubet, aut ita fert consuetudo. Athen. p. 142(?), 149 (?), ibique Casaub. Sic Philemon junior, comicus, ap. eund. 7, p. 292, A : Οὐθὲν ἡδέως ποιεῖ γὰρ οὗτος, ἀλλ' ὅσον νόμου χάριν. Schweigh.] || Νόμοι Sophocli in Aj. [549] sunt Mores : Αὐτὸν ἐν νόμοις πατρὸς ... πωλοδαμνεῖν· nisi quis malit reddere Institutum vitæ.

|| Νόμος, Cantilena, Carmen, aut potius Carminis certa quædam modulatio, Modi musici. [Hom. H. Ap. 20 : Νόμος ἀοιδῆς. Pind. Pyth. 12, 29 : Κεφαλᾶν πολλᾶν νόμον, de νόμῳ πολυκεφάλῳ, quod voc. v. Nem. 5, 25 : Ἁγεῖτο παντοίων νόμων. Æsch. Prom. 577 : Κηρόπλαστος ὀτοβεῖ δόναξ ὑπνοδόταν νόμον· Sept. 954 : Ἐπηλάλαξαν ἀραὶ τὸν ὀξὺν νόμον· Ag. 1142 : Θροεῖς τὸν ὀξὺν νόμον· et alibi.] Ἡδὺς νόμος Aristoph. [Pac. 1160.] Et Τερπάνδρου νόμος, item Μαρσύου νόμος, et Ὀλύμπου
D νόμος, de quibus lege Pollucem l. 4 in tit. Περὶ ἁρμονιῶν αὐλητικῶν, μελῶν, καὶ νόμων Ὀλύμπου, καὶ λοιπῶν [§ 65 seqq. Xen. Anab. 5, 4, 17 : Ἐχόρευον νόμῳ τινὶ ᾄδοντες.] Plut. Symp. 7, [p. 704, F] : Ἵπποις δὲ μιγνυμέναις ἐπαυλεῖται νόμος, ὃς ἱππόθορον ὀνομάζουσιν. Idem in suo De Musica opusculo [p. 1133, B], putat nomini νόμος datam fuisse hanc signif. ob certam modulationis legem, cui carmina astricta esse solebant. Ejus verba hæc sunt : Οὐ γὰρ ἐξῆν τὸ παλαιὸν οὕτω ποιεῖσθαι τὰς κιθαρῳδίας ὡς νῦν, οὐδὲ μεταφέρειν τὰς ἁρμονίας καὶ τοὺς ῥυθμούς· ἐν γὰρ τοῖς νόμοις ἑκάστῳ διετήρουν τὴν οἰκείαν τάσιν· διὸ καὶ ταύτην τὴν ἐπωνυμίαν εἶχον. Nec his contentus, subjungit, fuisse ideo νόμους appellatos, ἐπειδὴ οὐκ ἐξῆν παραβῆναι καθ' ἕκαστον νενομισμένον εἶδος τῆς τάσεως· τὰ γὰρ πρὸς τοὺς θεοὺς κτλ. At vero Aristot. Probl. segm. 19, quæst. 28, quærens cur νόμοι vocentur, οὓς ᾄδουσιν, id inde esse dicit, quod antequam literas scirent, cantarent leges, ne eas oblivioni traderent; eumque morem apud Agathyrsos mansisse : quibus subjungit, Καὶ τῶν ὑστέρων οὖν ᾠδῶν τὰς πρώτας

τὸ αὐτὸ ἐκάλεσαν ὅπερ τὰς πρώτας· ubi observa νόμους ab eo exponi ᾠδάς. Ceterum ad confirmationem eorum quæ dicit Aristot. de antiquo isto more, facit quod legitur ap. Athen. l. 14, [p. 619, B]: Ἥδοντο δὲ Ἀθήνησι καὶ Χαρώνδου νόμοι παρ' οἶνον· ubi quidam ineptissime νόμοι interpr. Cantilenæ. Ego tamen Plutarchi potius sententiam de hujus appellationis origine sequor, ac sequendam puto. Habes autem et aliam hujus appellationis originem ap. Suid. in Νόμοι κιθαρῳδικοὶ, ex eod. Aristot. Sed hoc sciendum est, νόμον alicubi exponi Cantilenam s. Carmen, alicubi vero accipi pro Certis carminis modulis, et pro Certa modulatione quæ versatur in vocis flexione, intentioneque et remissione. A Suida certe exp. ὁ κιθαρῳδικὸς τρόπος τῆς μελῳδίας ἁρμονίαν ἔχων τακτὴν, καὶ ῥυθμὸν ὡρισμένον. Plura vide ibid. Dixerat autem aliquanto ante, νόμους vocari μουσικοὺς τρόπους, καθ' οὕς τινας ᾄδομεν. Habes aliquoties hanc vocem ap. Aristot. De poet. [c. 1, 2. Et Probl. 19, 15 et 37, quibus Ptolem. Harmon. 2, 6, de variis νόμοις s. ἁρμονίαις addit Schneider. in Lex. Thuc. 5, 69: Λακεδαιμόνιοι μετὰ τῶν πολεμικῶν νόμων τὴν παρακέλευσιν ἐποιοῦντο. Plato Crat. p. 417, E: Τοῦ τῆς Ἀθηναίας νόμου προαύλιον· Leg. 3, p. 700, B: Νόμους τε αὐτὸ τοῦτο τοὔνομα ἐκάλουν, ᾠδὴν ὥς τινα ἑτέραν· ἐπέλεγον δὲ κιθαρῳδικούς· 4, p. 722, D: Κιθαρῳδικῆς ᾠδῆς λεγομένων νόμων Προοίμια· 7, p. 799, E. De duplicibus νόμοις, αὐλητικοῖς et κιθαρῳδικοῖς, v. Spanhem. ad Callim. Del. 304, Pollux 4, 66, 84. De νόμῳ Πυθικῷ Strabo 9, p. 421, Pollux 4, 84; qui ib. 66, 77, commemorat νόμον Ἀθηνᾶς, Ἀπόλλωνος, Διὸς, et alios quum illic tum alibi.] || Νόμοι sunt etiam peculiariter οἱ εἰς θεοὺς ὕμνοι, si quidem scholiastæ Aristoph. credimus in Eq. [9]: Ξυναυλίαν πενθήσομεν Οὐλύμπου νόμον. Sed hujus expositionis aliud testimonium desidero, vel potius hujus signif. aliquod exemplum. [V. Polluc. initio hujus signif. citatum. Callim. Del. 304: Νόμον Λυκίοιο γέροντος, de Olene Lycio hymnographo. Ubi Spanhem. confert Plut. De musica p. 1133, D, de Olympo juniori dicentem: Λέγεται ποιῆσαι νόμον αὐλητικὸν εἰς Ἀπόλλωνα τὸν καλούμενον πολυκέφαλον, et de antiquiori: Πεποιηκότος εἰς τοὺς θεοὺς τοὺς νόμους. Idem ex eod. p. 1141, B, ubi ὁ τοῦ Ἄρεως νόμος, et 1143, C, ubi ὁ τῆς Ἀθηνᾶς νόμος (ut ap. Plat. supra cit. et Polluc.) memoratur, refelli animadvertit si qui νόμον Apollinis peculiarem putarint, de quo Proculus Chrest. ap. Phot. Bibl. p. 320, 33: Ὁ μέντοι νόμος γράφεται εἰς Ἀπόλλωνα, ἔχει δὲ καὶ τὴν ἐπωνυμίαν ἀπ' αὐτοῦ (Νόμιμος [recte intt. Νόμιος] γὰρ ὁ Ἀπόλλων ἐπεκλήθη), ὅτι τῶν ἀρχαίων χοροὺς ἱστάντων καὶ πρὸς αὐλὸν ἢ λύραν ᾀδόντων τὸν νόμον Χρυσόθεμις Κρὴς πρῶτος, στολῇ χρησάμενος ἐκπρεπεῖ καὶ κιθάραν ἀναλαβὼν εἰς μίμησιν τοῦ Ἀπόλλωνος μόνος ᾖσε νόμον κτλ. Ubi plura intt. || Nummus. Photius et Suidas: Δωριεῖς δὲ ἐπὶ νομίσματος χρῶνται τῇ λέξει, καὶ Ῥωμαῖοι παραστρέψαντες νοῦμμον λέγουσαν. In inscr. Prien. ap. Bœckh. vol. 2, n. 2905, p. 573, 8, quod est ονων σεστερτιων, Bœckh. νόμων potius quam νούμων et νούμμων legendum animadvertit. Tab. Heracl. 1, 75, p. 216: Κατεδικασθεν παρ μεν ταν ελαιαν δεκα νομως αργυριω παρ το φυτον ϝεκαστον. Scholiastæ Gregorii Naz. ap. Montefalc. Diar. Ital. p. 214 et Suidæ v. Τάλαντον sive schol. Hom. Il. E, 576 pro μνῶν restituit Porsonus, additque metrum hanc formam postulare in locis Epicharmi ap. Polluc. 9, 79, 80, ubi νοῦμμος cum vitio metri ferendum putaverat Bentlej. Phalar. p. 415. Antiattic. Bekk. p. 109, 24: Νόμους τὸ νόμισμα, οὓς οἱ Ἰταλικοὶ νούμους καλοῦσιν. L. Dindorf.]

[Νόμος, ὁ, Nomus, n. viri, ap. Damascium, de quo v. intt. Suidæ v. Νόμος καὶ Ἰανουάριος.]

[Νομοστάθμη, ἡ, Legum trutina s. regula. Theodor. Prodr. *Notices* vol. 6, p. 561: Τὴν νομοστάθμην διάνοιαν. L. Dindorf.]

[Νομοτρῐβὴς, ὁ, ἡ, Jurisperitus. Nicet. Annal. 8, 2, p. 133, B: Κρίσεσιν ἐφίστα δικαστικαῖς, ὧν ὀψὲ καὶ νομοτριβεῖς ἄνδρες ἐφίκοιντο ἄν.]

[Νομοφυλακεῖον. V. Νομοφυλάκιον.]

[Νομοφῠλᾰκέω, Leges custodio, observo, Legum custos sum s. νομοφύλαξ. Liban. vol. 4, p. 801, 28: Τὰ τῶν νομοφυλακούντων. Jobius Phot. Bibl. cod. 222, p. 189, 5: Νομοθετῶν δὲ δῆλον ὅτι καὶ τὴν κρίσιν τοῖς τε νομοφυλακοῦσι καὶ τοῖς τὸ παράνομον προελομένοις αὐτὸς ἀδίκαστον τὸ προνόμιον ἔχει διανέμειν. Fragm. Pythag. p. 729 ed. Gal.: Νομοφυλακέν. Theod. Metoch. Misc. p. 706 fin.: Οὐ μόνον νομοθετήσας τοῖς τῆς Ῥώμης πολίταις, ἀλλὰ καὶ νομοφυλακήσας.]

Νομοφυλακία, ἡ, Legum custodia, Officium s. Munus eorum qui νομοφύλακες vocabantur. [Plato Leg. 12, p. 961, A.] Aristot. Polit. 6, [8]. Bud. latius interpr. in suis Annott. in Pand., quum ita scribit: Quod si aliquando unus et alter in hanc causam incubuerint eorum ad quos Galliæ νομοφυλακία delata est, i. e. legum morumque regimen et tutela, et qui, etc.

[Νομοφυλακικὸς, ἡ, ὸν, Qui legem servat. Hierocl. Pythag. p. 114, 117. Wakef.]

Νομοφυλάκιον, τὸ, vel Νομοφυλακεῖον, et quidem rectius, Locus ubi νομοφύλακες judicabant. Et νομοφυλακείου θύρα, Janua qua rei educebantur ad supplicium, Suid. Vide plura ap. Polluc. 8, [102], ubi νομοφυλακίου scribitur: et Νομοφύκες, quod aperte mendosum est pro νομοφύλακες, annotatum tamen in VV. LL. tanquam mendi non suspectum. [Hesychius: Χαρώνιον, θύρα μία τοῦ νομοφυλακίου.]

[Νομοφυλακὶς, ίδος, ἡ, Legis s. Legum custos. Philo vol. 1, p. 584, 43: Τὴν νομοφυλακίδα ἱερὰν κιβωτόν.]

[Νομοφυλακτέω, Theod. Prodr. in Notitt. Mss. vol. 6, p. 527. Boiss. Ubi pro νομοφυλακτοῦντα scrib. videtur —φυλακοῦντα. Æque singularis est forma in inscr. Philadelph. Lydiæ ap. Bœckh. vol. 2, p. 800, n. 3419, 10: Πανηγυριαρχήσαντα, νομοφυλάξαντα, pro νομοφυλακήσαντα, tanquam a verbo νομοφυλάσσω s. —λάττω. L. Dindorf.]

Νομοφύλαξ, ᾰκος, ὁ, ἡ, q. d. Legis custos vel Legum. Sed invenitur potius plur. numero νομοφύλακες, et exp. Legum custodes, præsides. Cic. De leg. 3, [20]: Legum custodiam nullam habemus: itaque hæ leges sunt, quas apparitores nostri volunt: a librariis petimus: publicis literis consignatam memoriam publicam nullam habemus. Græci hoc diligentius, apud quos νομοφύλακες creantur: nec ii solum literas (nam id quidem et apud majores nostros erat), sed etiam facta hominum observabant, ad legesque revocabant. Hæc detur cura censoribus, etc. De officio eorum qui νομοφύλακες vocabantur, legimus et ap. [Ciceronem] Colum. 12, 3 [ex OEcon. Xenoph. 9, 14]: Quod etiam in bene moratis civitatibus semper est observatum; quarum primoribus atque optimatibus non satis visum est bonas leges habere, nisi custodes earum diligentissimos cives creassent, quos Græci νομοφύλακας appellant. Horum erat officium, eos, qui legibus parerent, laudibus prosequi, nec minus honoribus: eos autem, qui non parerent, pœna mulctare: quod nunc sc. faciunt magistratus, assidua jurisdictione vim legum custodientes. De iis Bud. quoque hæc scribit in Annott. priorib. in Pand.: Aristoteles autem Polit. 4, [14] auctor est, inquit, in quibusdam rebuspublicis προβούλους et νομοφύλακας institutos fuisse qui eas rogationes, quæ ad populum ferendæ essent, præjudicio quodam disceptarent examinarentque: nequando forte populus contrarium quippiam legibus, aut quod ex rep. non esset, sciscere jubereque posset. [Conf. 6, 8 fin.] Hi autem νομοφύλακες Athenis, ut ap. Suid. legimus, fasciolis albis pro redimiculis uti solebant in spectaculis, ex regione sedentes novem magistratuum qui reip. gubernacula tenebant: cogentes magistratus omnia recte atque ordine et ex præscripto legum agere. In concionibus vero cum προέδροις considere soliti, intercessuri si quis rogationem promulgationemve quampiam ferret aut contra instituta patria, aut quæ ex rep. ex dignitateve ejus futura non videretur. Vide Polluc. [8, 94], Harpocr. et Suid. Aristot. Polit. 3, [16] ad νομοφύλακας addit καὶ ὑπηρέτας τοῖς νόμοις. Hi a Dem. K. Τιμοκρ. [p. 726, 8, ubi schol.: Ἕνδεκα λέγει ἀντὶ τοῦ τῶν δεσμοφυλάκων] vocantur οἱ ἕνδεκα, ut et schol. admonet. Meminit et Pollux 8, [102] ubi agit περὶ τῶν ἕνδεκα. Plato Epist. [8, p. 356, D] vult νομοφύλακας esse trigintaquinque, scribens, Πολέμου δὲ καὶ εἰρήνης ἄρχοντας νομοφύλακας ποιήσασθαι ἀριθμὸν τριάκοντα καὶ πέντε. Ceterum νομοφύλακας non intelligo cur quidam Legum præsides interpretari maluerint quam Legum custodes, ad verbum, (Bud. autem hæc duo junxit,) quum ex Ciceronis et Columellæ ll. hanc ad verbum interpr. illis non displicuisse cognoscamus. [Xen. OEc. 9, 15, post verba supra citt. : Νομίσαι οὖν ἐκέλευον τὴν γυναῖκα καὶ αὐτὴν νομοφύλακα τῶν ἐν τῇ οἰκίᾳ εἶναι. Sæpissime νομοφύλακες memorantur a Platone in Legg., ubi etiam cum genit. νόμων 2, p. 671, D : Τούτων τῶν νόμων εἶναι νομοφύλακας τοὺς ἀθορύβους καὶ νήφοντας στρατηγούς. « Νομοφύλαξ recensetur inter aulæ Cpolitanæ officiales in codd. Reg. 5 et 80, qui forte id muneris obiit quod ap. Athenienses magistratus eadem nomenclatura. Balsamon de Chartophylace p. 457 : Ὁ χαρτοφύλαξ ἐπισκοπικῶν δικαίων φροντιστὴς ἀξιόμαχος· οὕτω γὰρ καὶ νομοφύλαξ καλεῖται· aliique multi Byzantini. » Ducang.]

[Νομοφυλάσσω s. Νομοφυλάττω. V. Νομοφυλακτέω.]

Νομώδης, ὁ, ἡ, Depascens. [Theoph. Nonn. c. 195 : Εἰ δὲ νομῶδές ἐστι τὸ ἕλκος· 207 : Νομώδη εὑρίσκεται.] Alex. Aphr. Probl. [1, 92] : Χειρώνειον ἕλκος καὶ νομῶδες, i. q. νεμόμενον.

Νομῳδὸς, ὁ, ἡ, ex Strabone pro Legum interpres. [12, p. 539 : Χρῶνται δὲ οἱ Μαζακηνοὶ τοῖς Χαρώνδα νόμοις, αἱρούμενοι καὶ νομῳδὸν, ὅς ἐστιν αὐτοῖς ἐξηγητὴς τῶν νόμων, καθάπερ οἱ παρὰ Ῥωμαίοις νομικοί.]

[Νομώνης, ὁ, Qui pascua redemit. Inscr. Orchomenia ap. Bœckh. vol. 1, p. 741, n. 1569, a, 43 : Τὸν ταμίαν κὴ τὸν νομώναν.]

[Νόναι, Νόνναι, Nonæ. Suidas : Νόνναι τοῦ μηνὸς αἱ εὐθὺς μετὰ τὰς καλάνδας. Glossæ mss. Reg. cod. 1708 et 2062 : Νόνναι αἱ ἡμέραι ἢ καὶ ἀρχαὶ τῶν μηνῶν. Moschopulus : Νόναι, παρὰ Ῥωμαίοις πληθυντικῶς αἱ μετὰ τὰς καλάνδας ἐννέα ἡμέραι. Νόνναι cum duplici ν scribitur etiam ap. Euseb. H. E. l. 8 : Πρὸ τεσσάρων νοννῶν Ἀπριλλίων, et Theodor. Lect. eccl. 1. Add. Cedren. in Julio p. 168, et Jo. Tzetz. Chil. 3, 876. Ducang. Legitur etiam ap. rerum Rom. scriptores, ut Dionys. A. R. et Plut. Per ω Ammianus Anth. Pal. 11, 180, 1 : Εἰδοὺς οὐ κρίνει Πολέμων, νώναις κατακρίνει.]

[Νονὶς, ίδος, ἡ, i. q. νόννα, Domina, Sanctimonialis. Nam sanctimoniales olim ut hodie Dominas appellabant. Pallad. Laus. de virgine Romana c. 87 : Εἶπον τῇ παρθένῳ ὅτι μονάζων τις ἀναγκαίως σοι θέλει συντυχεῖν, δεδώκει δὲ αὐτῷ ἀπόκρισιν ἡ νονὶς, ὅτι ἐκ πολλῶν ἐτῶν οὐδενὶ συντετύχηκεν. Ducang.]

[Νόννα, ἡ, Domina. Xiphilin. in Domitiano : Πολλάκις δὲ καὶ τοὺς ἀγῶνας νύκτωρ ἐποίει καὶ ἔστιν ὅτε καὶ νόννας καὶ γυναῖκας συνέβαλε. Theodor. Prodr. Carm. in Greg. Naz. : Νόννης ὁ παῖς ἔκειτο λοίσθια πνέων. Et carm. sequenti : Νόννα, τί ῥα βλεφάρων θαλερὸν διὰ δάκρυα εἴβεις; Et in alio carm. de eodem Gregorio : Βυζαντιὰς διέδεξο τὸν νόννης τόκον κτλ. Ducang. V. etiam Νόννος.]

[Νόννα, ἡ, Nonna, n. mulieris, ap. Theod. Stud. p. 526, E, Bandin. Bibl. Med. vol. 1, p. 209, B. L. D.]

[Νόννειος, ὁ, n. viri in inscr. ap. Lebas. *Inscr.* fasc. 5, p. 181 : ΚΟΙΝΤΟϹ ΝΟΝΝΕΙϹ ΧΡΗϹϹΤΕ ΧΑΙΡϹ. « *Le copiste aura probablement lu* ΝΟΝΝЄΙϹ, *au lieu de* ΝΟΝΝΕΙΟ[Ϲ], *mot qui lui-même est l'altération de* ΝΟΝΙΟϹ. » Lebas.]

[Νόννος, Νόννα, Nonnus et Nonna. Hoc nomine apud scriptores medii ævi frequentissime designantur Monachi, et Monachæ. Loca horum scriptorum perquam liberali manu nobis subministrant Vossius De vitiis Lat. serm. 2, 13, Du-Fresne in Glossario, ut alios taceam. Voces has originis esse Ægyptiacas, eruditorum permulti sibi persuaserunt. Vossii ibid. 1, 6, hæc sunt verba : Est autem vox Ægypt. Hi enim Monachos Nonnos, Monachas Nonnas vocant, ut traditum quoque Cæl. Rhodigino in Antiq. Lect. 5, 12. Ger. Falkenburgius in Epist. ad Jo. Sambucum, præmissa Nonni Dionysiacis ab ipso editis, p. v, ait : Neque silentio prætereundum existimavi, quod olim Ægyptii viros et virgines, pietate et vitæ sanctimonia insignes, Nonnos et Nonnas appellaverint. Et ex eo Nonno Panopolitano, auctori Dionysiacôn, nomen adhæsisse, ibid. vir ille doctus suspicatur. G. J. Vossius l. c. et Schrœerus De imperio Babylonis, Nonnum explicant נון, Filium, tanquam vox illa Hebr. Ægyptiis quoque usitata fuerit; per filios vero Monachos, Abbati tanquam patri suo obedientes, per filias vero, virgines sacras innui autumant. Verum explicationi huic id omnino repugnat, quod Nonni,
A non filiorum, sed patrum, et Nonnæ, non filiarum, verum matrum loco haberentur et colerentur. In regula Benedicti, qui obiit a. 542, ap. Voss. et Du-Fresn. hæc leguntur : « Priores juniores suos Fratres nominent : juniores autem, priores suos Nonnos vocent, quod intelligitur Paterna reverentia. » Unde Synodus Aquisgranensis, habita a. 816, voluit, Ut, qui præponuntur, Nonni vocentur, h. e., Paterna reverentia. Et Papias ap. Du-Fresn. : Nonnos vocamus majores, ob reverentiam, nam intelligitur Paterna reverentia. Addit Du-Fresnius sub finem articuli : Italis etiamnum *Nonno*, Avus dicitur, pater patris, ut avia, *la Nonna*. Voc. Ægypt. quidam putant. ..... Exprimit vox hæc, quod versu illo canitur, quem ex veteri fabula Rom. Du-Fresnius adducit, *Nonne devint, et le siècle laissa.* Et sane, Nonnus idem videtur esse, quod sanctus et castus. Ita Hieron., qui primus ea voce usus est, Epist. 22 ad Eustoch. § 6 : Quia maritorum expertæ dominatum, viduitatis præferunt libertatem, Castæ vocantur, et Nonnæ. Idem Epist.
B 47 : Quæ in adulationem tui, sanctum Nonnumque coram te vocat. Arnobius junior In Ps. 105 : Si ille, qui sanctus vocatur et Nonnus, sic agit; ego quis et quotus sum, ut non agam? Et In Ps. 140 : Adulantes nobis invicem, in præsenti positi, sanctos nos vocamus et Nonnos. Jablonsk.]

[Νόννος, ὁ, Nonnus, n. viri, cujus notissimum ex. est poeta Dionysiacorum. Alios v. ap. Fabric. in B. Græca.]

[Νόννοσος, ὁ, Nonnosus, n. viri ap. Phot. Bibl. cod. 3.]

Νοοβλαβὴς, ὁ, ἡ, Mente læsus, Cui læsa est mens, Læsam mentem habens. I. e. Qui non est sanæ mentis, sana mente, Mente captus. Eadem forma dicitur, qua φρενοβλαβὴς, sed non perinde est usitatum. [Nonn. Jo. c. 12, 160 : Νοοβλαβέας ἄνδρας. Wakef.]

[Νοογάστωρ, ορος, ὁ, (Qui mente ventrem alit, voc. fictum ad exemplum voc. χειρογάστωρ) ἐστὶν, ὃς λογισμῷ συγγράμματα συντάττων, ἐξηγήσεις καὶ στίχους καὶ ποιήματα, τρέφει αὐτὸν ἐκ τούτων, Tzetz. Hist. 10, 774.
C Elberling.]

[Νοοειδὴς, ὁ, ἡ, Intellectualis. Plotin. Enn. 5, 1, 3, p. 484, D : Καλὴ καὶ ἡ νοῦ ὕλη, νοοειδὴς οὖσα καὶ ἁπλῆ· et 5, 3, 8, p. 504 fin. : Θεοειδῆ καὶ νοοειδῆ γίγνεσθαι. Creuzer. Eustrat. In Aristot. Eth. Nic. p. 1, b, 52. L. Dindorf.]

[Νοόπλαγκτος, ὁ, ἡ, et Νοοπλανὴς, ὁ, ἡ, Demens. Nonn. Dion. 4, 197 : Νοοπλανέεσσι μεληδόσιν· (29, 69 : Νοοπλανέων κτεάνων· 31, 130 : Νοοπλανὲς ἴχνος· 45, 68 : Νοοπλανέος Διονύσου·) Jo. c. 3, 1 : Νοοπλανέων Φαρισαίων. Νοόπλαγκτος, id. Dion. 9, 255 : Νοοπλάγκτοιο νύμφης. Wakef.]

[Νοόπληκτος et Νοοπλὴξ, ῆγος, ὁ, ἡ, Mentem percussus, Amens. Paul. Sil. Anth. Pal. 6, 71, 2 : Σοὶ τὰ νοοπλήκτου κλαστὰ κύπελλα μέθης. Tryphiod. 275 : Νοοπλήγεσσιν ἀτασθαλίησι δαμέντες.]

[Νοοποιὸς, ὁ, ἡ, q. d. Mentem faciens, Intellectualis. Plotin. Enn. 6, 8, 18, p. 753, C : Τῆς τοιαύτης δυνάμεως τῆς νοοποιοῦ. L. Dind.]

Νόος, pro quo in soluta oratione dicitur Νοῦς, ὁ,
D per contr., Mens, Animus [Gl.]. Redditur vero et aliis nominibus Latinis, prout huic vel illi loquendi generi adhibetur, ut ex seqq. patebit. Gen. νόος et νοῦ, dat. νῷ, et aliquando νοΐ, accus. νοῦν. Hom. [Il. K, 226 : Μοῦνος δ' εἴπερ τε νοήσῃ, ἀλλά τέ οἱ βράσσων τε νόος, λεπτὴ δέ τε μῆτις· Λ, 813 : Νόος γε μὲν ἔμπεδος ἦεν· Ο, 129 : Νόος δ' ἀπόλωλε καὶ αἰδώς·] Od. Ω, [473] : Εἰπέ μοι εἰρομένῃ τί νύ τοι νόος ἔνδοθι κεύθει, Quid tibi mens intus tegat, vel animus. Σ, [282] : Νόος δέ οἱ ἄλλα μενοίνα. Et νόος ἐναίσιμος, ἀπηνὴς, πολυκερδὴς ap. Eund. [Et contra Od. N, 229 : Μή μοί τι κακῷ νόῳ ἀντιβολήσαις.] Item ἀτάρβητος, Il. Γ, [63] : Ὥς τοι ἐνὶ στήθεσσιν ἀτάρβητος νόος ἐστί. [Pind. Pyth. 10, 68 : Πειρῶντι δὲ καὶ χρυσὸς ἐν βασάνῳ πρέπει καὶ νόος ὀρθός· Ol. 2, 101 : Αὐδάσομαι ἐνόρκιον λόγον ἀλαθεῖ νόῳ· Pyth. 5, 44 : Ἑκόντι πρέπει νόῳ τὸν εὐεργέταν ὑπαντιάσαι, et similiter alibi. Ib. 1, 95 : Τὸν ταύρῳ χαλκέῳ καυτῆρα νηλέα νόον. Ut veteres Epici jungunt φυὴν et νόημα, ita Theocr. 22, 160 : Κόραι μυρίαι οὔτε φυῆς ἐπιδευέες οὔτε νόοιο.] Alicubi autem Sententia [Gl.]. Il. B, [192] : Οὐ γάρ πω σάφα οἶσθ'

οἶος νόος Ἀτρείδαο, Tibi non est comperta sententia Agamemnonis. Quam signif. Mens itidem habet interdum. [Δ, 309: Τόνδε νόον καὶ θυμὸν ἐνὶ στήθεσσιν ἔχοντες· et similiter alibi. V. HSt. in fine.] Est etiam ubi νοῦς redditur Cogitatio, ap. eund. poetam. Sic et a Græcis exp. ἔννοια s. νόημα, qui addunt τὸ μέρος τῆς ψυχῆς ἐξ οὗ τὸ νόημα, poni ἀντὶ τοῦ νοήματος. At vero in Il. A, [132]: Μηδ' οὕτως ἀγαθός περ ἐὼν, θεοείκελ' Ἀχιλλεῦ, Κλέπτε νόῳ, quidam [male] νόῳ interpretantur Solertia et Astutia. [Comparandæ potius formulæ κεύθειν, κρύπτειν νόῳ ap. Hom. et alios. Quibus similes sunt Pind. Pyth. 1, 40: Ἐθελήσαις ταῦτα νόῳ τιθέμεν· Isthm. 1, 40: Ὁ πονήσαις δὲ νόῳ καὶ προμάθειαν φέρει.] Horat. non dubitavit νόον Mores interpretari initio Od., quum hunc versum, qui habetur initio illius, Πολλῶν δ' ἀνθρώπων ἴδεν ἄστεα καὶ νόον ἔγνω, reddidit, Qui mores hominum multorum vidit et urbes. Aliam autem hujus nominis eo in l. expositionem vide ap. Eust. [Aliter cum genit. Dionys. Per. 715: Ἀλλά με Μουσάων φορέει νόος.] Invenitur porro νοῦς et ap. Hom., Od. K, 240: Αὐτὰρ νοῦς ἦν ἔμπεδος ὡς τοπάρος περ. [Et ap. Hesiodum ab Nicolao Dam. p. 445 Val., 239 Cor. cit.: Νοῦν δ' Ἀμυθαονίδαις. Semel etiam ap. Pind. Nem. 3, 5: Νοῦν ἔχοντ' ἀνδρῶν φίλον. Tragicorum unus Æschylus extra carmina melica semel usus est forma soluta Cho. 742: Ἦ δὴ κλύων ἐκεῖνος εὐφρανεῖ νόον. In melicis Soph. Ph. 1209: Φονᾷ νόος ἤδη.] Originem porro habere νοῦς, vel potius νόος, ex quo νοῦς, a verbo νέομαι, quod est πορεύομαι, tradiderunt quidam grammatici.

|| Νοῦς in prosa dicitur, non autem νόος, atque ibi quoque redditur utplurimum quidem et proprie, Mens; sed interdum etiam nomine Cogitatio, Sententia, atque aliis, ut exempla declarabunt. Esse autem proprie νοῦς, quod Lat. dicitur Mens, testatur Plut. Quæst. Rom. [56, p. 278, C], quum scribit Carmentam appellatam quasi νοῦ ἐστερημένην: intelligens sc. Carmentam sonare Carentem mente. In meo Lex. Cic. videbis νοῦν a Cic. reddi Mens, alibi Animus, alicubi Intelligentia: et νοῦν ἔχον, Intelligens, oppositum nomini ἀνόητον, quod exp. Non intelligens. Vulgo autem redditur etiam Intellectus, quum ap. alios philosophos, tum ap. Aristot. Poni autem ab eo διάνοιαν et νοῦν pro eod., i. e. pro Intellectu, testatur Bud. p. 118. A quo Aristotele νοῦς dicitur etiam ἄρχειν τῆς ὀρέξεως, Pol. 1, [c. 3 med.] ubi scribit, Ἡ μὲν γὰρ ψυχὴ τοῦ σώματος ἄρχει δεσποτικὴν ἀρχὴν, ὁ δὲ νοῦς, τῆς ὀρέξεως, πολιτικὴν καὶ βασιλικήν. Quid autem sit νοῦς, ap. Eundem habes De anima l. 1, p. 116 [c. 2], ex Anaxagora. Habet autem et Bud. de hoc nomine philosophica multa p. 116, 117, 118. [Conf. Pollux 2, 226. Melet. Cram. An. vol. 3, p. 21, 25: Ἑκάστη τῶν δυνάμεων διὰ τοῦ νοὸς ἐνεργεῖται, ὅτι πᾶσα ἐνέργεια διανοίας ἐστὶν ἀποτέλεσμα, αἱ δὲ ἐνέργειαι δυνάμεις εἰσὶ τοῦ νοὸς, ὁ δὲ νοῦς ἡγεμονικόν ἐστι τῆς ψυχῆς etc., quæ v. Tzetz. Hist. 10, 543: Νόες καὶ νοῦς ἐπὶ θεοῦ κυρίως καὶ ἀγγέλων, ἐπὶ δ' ἀνθρώπων οὐδαμῶς κυρίως νοῦν τις λέγει· ἐχέφρων καὶ ἀγχίνους δέ φαμεν ἐπὶ ἀνθρώπων, τὸ νουνεχὴς δὲ λέγομεν καταχρηστικωτέρως. Νοῦς γὰρ ἀνθρώποις οὐδαμῶς, κἂν ἑτέρως καὶ Πλάτων. Νοῦς (νοῦ 7, 494) δὲ ὀλίγοις μέτεστι, λέγω σοι, τῶν ἀνθρώπων. Ἀπέδειξα γὰρ ὄπισθεν καὶ τοῦτο σαφεστάτως. Ἀντὶ τοῦ λέγειν λογισμὸν νοῦν δέ φαμεν πολλάκις. Λογισμός ἐστιν ἡ παλαίστρα τοῦ λόγου. Ὁ νοῦς δὲ λεπτὸς καὶ νοεῖ πρὸ τοῦ λόγου. V. id. 7, 494. Hic autem addimus primum celebre Epicharmi Νοῦς ὁρῇ καὶ νοῦς ἀκούει, τἄλλα κωφὰ καὶ τυφλὰ, ap. Plut. Mor. p. 961, A, et alios, quod pluribus explicat Valck. ad Phœn. 1427. Tum Menandri sive Euripidis in illius monostichis dictum, Ὁ νοῦς γὰρ ἡμῶν ἐστιν ἐν ἑκάστῳ θεός. Et qui νοῦν εἶναι ἕκαστον dicit Aristot. Eth. 9, 8; 10, 7. Et cogn. Anaxagoræ νοῦς, de quo v. intt. Diog. L. 2, 6.] Sed a philosophis ad ceteros scriptores veniendum, ap. quos redditur Mens, Cogitatio, Sententia: interdum Voluntas, Consilium. Aristoph. [Ran. 534] νοῦν et φρένας copulavit, itidemque Dem. [p. 332, 20]: Μάλιστα μὲν καὶ τούτοις βελτίω τινὰ νοῦν καὶ φρένας ἐνθείητε. [Soph. Ant. 1090: Καὶ γνῷ τρέφειν τὸν νοῦν ἀμείνω τῶν φρενῶν ἢ νῦν φέρει. (Insolentius Xenophanes ap. Simplic. In Aristot. Phys. f. 6: Ἀλλ' ἀπάνευθε πόνοιο νόου φρενὶ πάντα κραδαίνει, de quo conf. Karsten. p. 37.)

Æsch. Prom. 392: Σῶζε τὸν παρόντα νοῦν. Soph. El. 1024: Ἄσκει τοιαύτη νοῦν δι' αἰῶνος μένειν.]

|| Jungitur autem hoc nomen quum aliis verbis, tum verbo ἔχω, idque variis modis. Dicitur enim ἐν νῷ ἔχω sequente infin. pro διανοοῦμαι: adeo ut Thuc. utroque in ead. signif. usus sit, ut ap. Plat. De rep. 1, [p. 344, D]: Ταῦτα εἰπὼν Θρασύμαχος ἐν νῷ εἶχεν ἀπιέναι, In animo habebat discedere, In animo illi erat, Cogitabat. Et in Euthydemo [p. 274, A]: Τοσόνδε μοι εἴπετον, εἰ ἐν νῷ ἔχετον ἐπιδεικνύναι ταύτην τὴν σοφίαν. Sic autem et plerisque aliis loquitur locis. [Alia signif. Euthyphr. p. 2, B: Μέλητον· ἔστι δὲ τῶν δήμων Πιτθεὺς, εἴ τιν' ἐν νῷ ἔχεις Πιτθέα Μέλητον, Si recordaris, ut paullo post sine præp., quæ hic quoque recte abest ab libris plurimis.] Ita et Plut., Ἐν νῷ δ' ἔχων ἐπιθέσθαι τούτοις. [Herodoti exx. 1, 10, etc. v. ap. Schweigh.] Sed ap. eund. Plat. et sine infin., ut in Symp. [p. 215, A]: Οὗτος, φάναι τὸν Σωκράτη, τί ἐν νῷ ἔχεις; ἐπὶ τὰ γελοιότερά με ἐπαινέσεις; ἢ τί ποιήσεις; ubi tamen dixerim videri posse subaudiendum infin. ποιεῖν, aut alium hujusmodi. [Thuc. 5, 45: Οὐδὲν ἀληθὲς ἐν νῷ ἔχουσιν. Xen. Anab. 3, 3, 2: Λέξατε τί ἐν νῷ ἔχετε· Cyrop. 6, 1, 3: Τί ἐν νῷ ἔχεις ὑπὲρ τῆς διαλύσεως τοῦ στρατεύματος, ubi al. addunt ποιεῖν, ut ap. Herodot. 1, 109: Τί σοι ἐν νόῳ ἐστὶ ποιέειν; Κατὰ νοῦν ἔχειν v. infra in Κατὰ νοῦν. Inversa formula Damocharis Anth. Pal. 7, 206, 5: Καὶ σὺ μὲν ἐν πέρδιξιν ἔχεις νόον, cui Terent. Eunuch. 4, 7, 46: « Jamdudum animus est in patinis, » contulit Toup.] Affertur etiam ἐν νῷ μοι γέγονεν, sequente infin. ex Plat. pro In mentem mihi venit, ex Epist. 7, [p. 342, A. Herodot. 9, 46: Ἡμῖν ἐν νόῳ ἐγένετο εἶπαι ταῦτα. Sine præp. Plato Reip. 6, p. 490, A: Εἰ νῷ ἔχεις, Si memoria tenes. V. supra.] At junctum accus. νοῦν verbum ἔχειν, varia loquendi genera efficit. Dicitur enim τοῦτον ἔχω τὸν νοῦν, i. e. ad verbum, Hanc mentem habeo: pro quo dicitur potius Hac sum mente, In ea sum sententia, Hæc est mea sententia. Interdum dicitur τοῦτον ἔχω τὸν νοῦν περὶ τούτων, Hæc est mea de istis sententia, Ita de his sentio. Et νοῦν ἔχω τὸν αὐτὸν, ex Aristoph. [Pl. 993], Eadem sum mente, Sum eodem animo, Sum ejusdem animi. Ex Eod. [Pac. 104], Τίνα νοῦν ἔχων; Quid animi habens? Qua mente? Quo consilio? [Soph. Ant. 1229: Ὦ τλῆμον, οἷον ἔργον εἴργασαι· τίνα νοῦν ἔσχες;] Sed de re aliqua dicitur, τίνα νοῦν ἔχει, alia etiam significatione, ut docebo infra. [Cum præp. εἰς schol. Aristoph. Thesm. 403: Τῷ κατέαγεν ἡ χύτρα;) Ἀντὶ τοῦ εἰς τίνα τὸν νοῦν ἐχούσης σου κατέαγεν ἡ χύτρα;] Sæpe vero dicitur νοῦν ἔχω πρὸς τούτῳ, πρὸς τοῦτο, pro Habeo mentem ad hoc: pro quo dicitur Habeo mentem intentam huic rei, Adhibeo mentem huic rei s. adjicio, Animum ad hanc rem attendo s. adverto. Xen. [H. Gr. 7, 2, 5]: Τὸν νοῦν εἶχε πρὸς τούτοις. [Plato Protag. p. 324, A: Πρὸς τούτῳ τὸν νοῦν ἔχων.] Synes.: Πρός τινι μηχανῇ νοῦν ἔχοντι. Idem, Πρὸς ταῖς συμφοραῖς τὸν νοῦν ἔχειν. At Thuc. cum accus. potius νοῦν ἔχειν πρός τι: atque ita loquitur quum alibi, tum l. 7, [c. 19 extr.] et 8, p. 239, 266. [Plato Gorg. p. 504, D: Πρὸς τοῦτο ἀεὶ τὸν νοῦν ἔχων. L. D. Heliodor. 1, 10: Πρὸς ἑταίραις τὸν νοῦν ἔχειν καὶ μέθαις. HEMST. Soph. Tr. 272: Ἄλλοσ' αὐτὸν ὄμμα, θατέρᾳ δὲ νοῦν ἔχοντα. Eur. Or. 1181: Καὶ σὺ δεῦρο νοῦν ἔχε· Phœn. 360: Τὸν νοῦν ἐκεῖσ' ἔχει.] Huc autem pertinet προσέχειν τὸν νοῦν, de quo vide in Προσέχω. [Cum infinitivo, In mente habeo, Vita Symeonis Act. SS. Maji vol. 5, p. 342, F: Ἰουλιανὸς νοῦν ἔσχεν ἀπὸ τοῦ χρυσίου λαβεῖν. L. D.] Ultimum est νοῦν ἔχω sine adjectione pro Mente sum præditus, Sum mentis compos. Interdum vero Prudens sum, Sum cordatus. [Eur. Iph. A. 1139: Ὁ νοῦς ὅδ' αὐτὸς νοῦν ἔχων οὐ τυγχάνει. Xen. Comm. 3, 12, 7: Τί οὐκ ἄν τις νοῦν ἔχων ὑπομείνειεν;] Dem. [p. 312, 16]: Οὔτ' εἴ τις πενίαν προπηλακίζει, νοῦν ἔχειν ἡγοῦμαι. [Frequens est etiam ap. Plat., de quo v. Ast.] Plut. De cohib. irac. [p. 457, E] loquens de philosophis, Οὕς φασι νοῦν οὐκ ἔχειν [immo, Οὕς φασι χολὴν οὐκ ἔχειν οἱ νοῦν ἔχοντες]. Οἱ νοῦν ἔχοντες, Qui prudentes sunt, Qui aliqua prudentia præditi sunt, Qui sapiunt. Apud Eundem in Apophth. [p. 185, C]: Ὀψὲ μὲν ἀμφότεροι, ἀλλὰ νοῦν ἐσχήκαμεν, Tandem sapere cœpimus. Dicitur autem et per compositionem νουνεχόντως ac νουνεχὴς, de quibus suo loco. [Cum infinit. Soph. El. 1013: Νοῦν σχὲς...

εἰκαθεῖν. Pro quo 1465 dicit : Τῷ γὰρ χρόνῳ νοῦν ἔσχον ὥστε συμφέρειν τοῖς κρείσσοσιν. Eadem constr. Aj. 1264 : Εἴθ' ὑμὶν ἀμφοῖν νοῦς γένοιτο σωφρονεῖν.] Sed additur etiam νοῦν ἔχει sequente infin., pro Prudentis est hominis, Prudentiæ est. Synes. : Νοῦν ἔχει πολὺν οἰκειοπραγεῖν, Magnæ est prudentiæ agere negotia sua. [Soph. Ant. 68 : Τὸ περισσὰ πράσσειν οὐκ ἔχει νοῦν οὐδένα.] At νοῦν ἔχων pro Intelligens vide supra.

[|| Τίθεσθαι νοῦν addito adjectivo i. q. ἔχειν, ap. Æsch. Prom. 164 : Ὁ δ' ἐπικότως ἀεὶ, θέμενος ἄγναμπτον νόον, δάμναται οὐρανίαν γένναν· ubi scol. ap. Athen. 15, p. 695, D : Καί με καλὴ γυνὴ φοροίη καθαρὸν θεμένη νόον, et al. compararunt intt.] Βάλλομαι τοῦτο εἰς νοῦν, vide in Βάλλω [vol. 2, p. 89, A, B], et Ἐμβάλλομαι εἰς νοῦν in Ἐμβάλλω [vol. 3, p. 803, C] : sed hoc addo, quod ad istud posterius attinet, quum dicit Dem. [p. 247, 21] : Ὥστε τῆς τῶν Ἑλλήνων ἀρχῆς ἐπιθυμῆσαι, καὶ τοῦτ' εἰς τὸν νοῦν ἐμβαλέσθαι, simile esse ei, quod Gallice ad verbum dicimus, *Mettre en son esprit*, *Mettre en sa fantasie.* [Ap. Themistocl. Ep. 2, 13 : Ἐν νῷ μάλιστα τὴν ἑαυτοῦ ἀπώλειαν, pro μάλιστα ex cod. Vat. βάλλεται restituendum monuit Dorv. ad Char. p. 605=570. Act. Lucian. De dea Syr. c. 26 : Ὡς ἡ Ἥρη πολλοῖσι τὴν τομὴν ἐπὶ νόον ἔβαλεν, ὅκως μὴ μοῦνος ἐπὶ τῇ ἀνανδρηίῃ (scribe —δρίῃ) λυπέοιτο. Et ap. Herodot. 1, 27 : Αἲ γὰρ τοῦτο θεοὶ ποιήσειαν ἐπὶ νόον νησιώτῃσι· 3, 21 : Θεοῖσι, οἳ οὐκ ἐπὶ νόον τρέπουσι Αἰθιόπου παισὶ γῆν ἄλλην προσκτᾶσθαι. Et 9, 120 : Καὶ αὐτοῦ τοῦ στρατηγοῦ ταύτῃ ὁ νόος ἔφερε.] Εἰς νοῦν ἀναβαίνειν, ead. forma qua mei Galli dicunt *Cela m'est monté en l'entendement*, vel *en l'esprit*, aut *en la fantasie*, vel *Cela m'est monté au cerveau;* his enim omnibus uti solemus. Synes. Ep. 44 : Καὶ μήποτε αὐτῶν ἐπὶ νοῦν ἀναβαίῃ τὸ κάλλιον εἶναι τὸν ἀδικοῦντα δοῦναι τιμωρίαν αὐθαίρετον. At Latini dicerent, Ne unquam illis hoc in mentem veniat, Ne hoc in animum inducant. Huc pertinet, (hoc enim obiter annotabo de verbo Ἀναβαίνειν, utpote supra omissum,) ἐπὶ καρδίαν ἀναβαίνειν ap. Paul. 1 ad Cor. [Act. Ap. 7, 23.] Eodemque referendum, quod legimus ap. Luc. 24, [38] : Διὰ τί διαλογισμοὶ ἀναβαίνουσιν ἐν ταῖς καρδίαις ὑμῶν; est enim pro εἰς τὰς καρδίας. Sic autem Gallice dixeris, *Pourquoy telles pensées nous montent-elles au cueur?* sicut et cum alio verbo, *Pourquoy nous entrent-elles au cueur?* At in illo Pauli ἐπὶ καρδίαν ἀναβαίνειν Hebraico loquendi genere, et aliquantum diverso sensu dicitur ; nam ibi ἐπὶ καρδίαν ἀνθρώπου οὐκ ἀνέβη, sonat Nulli unquam homini in mentem venit cogitare de talibus, qualia sunt ea quæ etc. Vel, Nulla unquam subiit hominis ullius animum cogitatio de rebus hujusmodi, quales sunt etc. Perinde autem esse puto ac si diceret, Ne mente quidem unquam potuit quisquam comprehendere, concipere. Vel, Cogitatione comprehendere, complecti, consequi. Sciendum est porro, hæc verba esse Pauli, non Esaiæ, sicut ea quæ ibi proxime præcedunt. [Aliter ap. Philostr. Her. p. 721 : Πῶς ἂν μεταβάλοιτο καὶ εἰς νοῦν ἔλθοι (Ajax). Aliæ formulæ sunt ap. Theocr. 1, 37 : Ἄλλοκα δ' αὖ ποτὶ τὸν ῥιπτεῖ νόον· ap. Photium Lex. p. 2 : Εἰ γὰρ καὶ πολλοῖς ἄλλοις ἐπὶ νοῦν ἧκεν τὴν ἴσην καὶ ὁμοίαν πραγματείαν ἐνστήσασθαι. Et λαμβάνω ἐν νῷ vel ἐπὶ νοῦν supra p. 67, D ; 68, A, ubi alterius ex. addere licet ex Eust. ad Il. I, 533, ubi εἰς νοῦν schol. 537. Et Herodot. 5, 92 : Νόῳ ἴσχων ὥς οἱ ὑπετίθετο. Notandæ etiam constructiones ap. Theocr. 17, 43 : Ἀστόργου δὲ γυναικὸς ἐπ' ἀλλοτρίῳ νόος αἰεὶ, ubi al. ἀλλοτρίων. Lycophronid. Athen. 15, p. 670, F : Ἐπεί μοι νόος ἄλλᾳ, ἐπὶ τὰν χάρισι φίλαν παῖδα καὶ καλάν. Et ap. Herodot. 8, 97 : Εὖ ἐπιστέατο ὡς ἐκ παντὸς νόου παρεσκεύασται μένων πολεμήσειν.]

|| Κατὰ νοῦν sonat q. d. Secundum mentem, pro Ex animi sententia, quod etiam brevius Ex sententia. Thuc. 4, p. 160 [c. 120] : Εἰ τεθήσεται κατὰ νοῦν τὰ πράγματα, Si ex animi sententia res prospere cedant, Bud. Sic dicitur πρᾶξαι κατὰ νοῦν, Qui rem gessit ex animi sententia : unde et πεπραγμένα κατὰ νοῦν, Plut. De propria laude non odiosa [p. 546, D] : Αἱ τῶν εὐτυχῶς καὶ κατὰ νοῦν πεπραγμένων διηγήσεις. [Aristoph. Eq. 496 : Πράξειας κατὰ νοῦν τὸν ἐμόν. Et cum v. ποιεῖν, ap. Herodot. 1, 117, etc.] Itidem vero cum verbo εἶναι aut γίνεσθαι. Dicitur autem aliquid εἶναι κατὰ νοῦν s. γίνεσθαι, [s. ἔχειν,] quod nobis est ex animi sententia, quod nobis placet, probatur. [Herodot. 7, 150 : Ἢν ἐμοὶ γένηται κατὰ νόον.] Plato De rep. 2, [p. 358, B] : Ἐμοὶ δ' οὔπω κατὰ νοῦν ἡ ἀπόδειξις γέγονε περὶ ἑκατέρου. Idem in Timæo [p. 36, D] : Ἐπεὶ δὲ κατὰ νοῦν τῷ ξυνιστάντι πᾶσα ἡ τῆς ψυχῆς ξύστασις ἐγεγένητο, μετὰ τοῦτο πᾶν τὸ σωματοειδὲς ἐντὸς αὐτῆς ἐτεκταίνετο. I. e., Quum autem animi totam coagmentationem ex sententia confecisset is qui coagmentabat, tunc quicquid corporeum erat, intra eum condebat. Vel (quod tamen minus usitatum esse puto), Quum animi coagmentatio illi fuisset ex sententia. Nisi quis malit, Quum illius animo satisfecisset, vel desiderio. Aut simpliciter, Quum illi placuisset. Cic. tamen hæc verba ita vertit : Animum igitur quum ille procreator mundi Deus ex sua mente et divinitate genuisset, tum denique omne quod erat concretum etc. Ubi nisi dicamus aliam lectionem secutum esse Cic., non video qui hæc ejus interpretatio defendi possit. [Soph. OEd. C. 1768 : Εἰ τάδ' ἔχει κατὰ νοῦν κείνῳ.] Aliter autem accipi κατὰ νοῦν vel potius κατὰ νόον ab Hom., docebo in proxime sequente tmemate. [Contrarium huic est ap. Soph. Ph. 1195 : Οὔτοι νεμεσητὸν ἀλύοντα χειμερίῳ λύπᾳ καὶ παρὰ νοῦν θροεῖν, ubi al. παράνουν. Diversa autem ab superiori signif. illud ponitur in schol. Hom. Il. I, 537 : Ἢ 'λάθετ' ἢ οὐκ ἐνόησεν) τὸ μὲν ἐλάθετο ἑκὼν παρέπεμψεν, τὸ δὲ οὐκ ἐνόησεν οὐδὲ τὴν ἀρχὴν κατὰ νοῦν ἔσχεν, In animum induxit. Κατὰ νοῦν, Mente, Animo, ap. Georg. Sync. p. 128, A : Θαρρεῖν αὐτοὺς παραινέσας τοῖς χείλεσι, κατὰ νοῦν δὲ σφόδρα πονούμενος.]

|| Νοῦς, Sententia, Consilium, ut antea dictum est, quam signif. habet νόος interdum et ap. Hom. Il. I, [104] : Οὐ γάρ τις νόον ἄλλος ἀμείνονα τοῦδε νοήσει Οἷον ἐγὼ νοέω ἠμὲν πάλαι, ἠδ' ἔτι καὶ νῦν. Et duobus interjectis versibus, Οὔτι καθ' ἡμέτερόν γε νόον. [Theocr. 7, 30 : Καί τοι κατ' ἐμὸν νόον ἰσοφαρίσδεν ἔλπομαι· 39 : Οὐ γάρ πω κατ' ἐμὸν νόον οὔτε τὸν ἐσθλὸν Σικελίδαν νίκημι οὔτε Φιλητᾶν ἀείδων.] Ab Eod. νόος interdum [Il. H, 447, K, 226] jungitur cum μῆτις, item [Od. Γ, 128, M, 211, etc.] cum βουλή. Et νόῳ ap. Eund. exp. φρονίμως, Prudenter [Od. Z, 320 : Νόῳ δ' ἐπέβαλλεν ἱμάσθλην] : vide Eust. Ap. Platon. vicissim [Crit. p. 48, C] οὐδενὶ ξὺν νῷ pro Imprudenter, Inconsulte. [Reip. 10, p. 619, B : Ξὺν νῷ ἑλομένῳ. Herodot. 8, 86 : Σὺν νόῳ ποιεόντων οὐδέν· 138 : Ὡς σὺν νόῳ λάβοι τὰ διδόμενα.] Sic supra νοῦν ἔχειν pro Prudentem esse. [Additur etiam σοφὸς, ap. Soph. El. 1016 : Προνοίας οὐδὲν ἀνθρώποις ἔφυ κέρδος λαβεῖν ἄμεινον οὐδὲ νοῦ σοφοῦ.]

|| Νοῦς interdum Sensus [Gl.]. Aristoph. [Ran. 1439] : Νοῦν δ' ἔχει τίνα; Quis est horum verborum sensus ? Quid hæc verba sibi volunt ? [Ib. 47 : Τίς ὁ νοῦς; τί κόθορνος καὶ ῥόπαλον ξυνηλθέτην; Herodot. 7, 162 : Οὗτος δὲ ὁ νόος τοῦ ῥήματος.] Lucian. [Prometh. c. 3] : Καὶ ἴσως οὗτος ὁ νοῦς ἦν τῷ λελεγμένῳ. [Lexiph. c. 1.] Synes. Ep. 103 : Ἀλλὰ σὺ κακῶς ἐξεδέξω τὸν νοῦν τῆς ἐπιστολῆς. [Id. p. 162, B : Συνήκαμεν τὸν νοῦν τῆς ἀπολείψεως τῶν πηδαλίων.] || Apud Eund. exp. Ratio, Causa : veluti ubi dicit, Ἐπεὶ δ' οὖν συνήκαμεν τὸν νοῦν τῆς ἀπολήψεως τῶν πηδαλίων. || In prosa, uti dixi, non solum dat. νῷ, sed interdum et νοΐ : ut quum scribit Gregor. : Καὶ οὐκ ἔχομεν γυμνῷ τῷ νοΐ γυμνοῖς τοῖς πράγμασιν ἐντυγχάνειν. Item, Πῶς ὁ νοῦς ἐν σοὶ μένει, καὶ γεννᾷ λόγον ἐν ἄλλῳ νοΐ. [Hæc forma pariterque genit. νοὸς constanter legitur in N. T. libris et ap. recentiores, inprimis ecclesiasticos. Accusat. νοῦα pro νόα vel νοῦν ap. Theod. Stud. p. 613, 45' : Σφάξατε τὸν Βελίαρ σκότεος μεγαλαυχέα νοῦα. Alterius formæ pluralis, cujus omnino rarior est usus, νοὶ (νοῖ) memoratur ab Etym. M. p. 606, 25, cujus de verbis diximus in Εὔνους p. 2363, C, et cum altera forma ab Chœrob. vol. 1, p. 252, 29 : Ἰστέον ὅτι κακῶς καὶ παρὰ τὴν ἀναλογίαν οἱ φιλόσοφοι χρῶνται λέγοντες τὸν νόα τὴν αἰτιατικὴν τῶν ἑνικῶν καὶ οἱ νόες τὴν εὐθεῖαν τῶν πληθυντικῶν καὶ τοὺς νόας τὴν αἰτιατικὴν τῶν πληθυντικῶν, δέον τὸν νοῦν λέγειν καὶ οἱ νοῖ καὶ τοὺς νοῦς. Quod est ap. Aristoph. in fr. ap. schol. Plat. p. 331 : Τοὺς νοῦς δ' ἀγοραίους ἧττον ἢ 'κεῖνος ποιῶ. Tzetz. Hist. 10, 49 : Ἐμβρόντητοι κυρίως δὲ οἱ νοῦς ἀποβαλόντες, nisi leg. νοῦν. Contra τοὺς νόας Porphyr. ante Iamblichum De myster. p. 2, 19, 22, etsi 20, 24 est νοῦ. Sic ap. Plotin. vol. 2, p. 1300, 4, secundum libros

nonnullos et νόες est et νοῖ. Marcellin. Vit. Thuc. p. xvi, 5, Bekk. : Τῶν λέξεων οἱ νόες πλείονες. Rarus etiam dat. νόοις, ap. Maittair. Misc. p. 94, 36.] Pluralis quoque nominativus νόες, et accus. νόας, invenitur ap. Theologos, Dionys. Areop. [De cœl. hier. 1, p. 4] et Gregor. ; item Synes. in Hymnis, ac Damascenum, atque alios, qui etiam νοερὰς φύσεις ead. signif. dicunt. Damascenus, de Angelis loquens : Νόες δὲ ὄντες, ἐν νοητοῖς καὶ τόποις εἰσί. [Pachym. ad Dionys. l. c. p. 10 : Θείας δυνάμεις νόας λέγει πρὸς ἀντιδιαστολὴν τῶν αἰσθήσει ζώντων ἡμῶν. Et S. Maximus p. 2 : Νόας καλοῦσι καὶ οἱ παρ' Ἕλλησι φιλόσοφοι τὰς νοερὰς ἤτοι ἀγγελικὰς δυνάμεις, ἐπειδὴ τὸ πᾶν νοῦς ἐστιν ἕκαστος αὐτῶν καὶ τὴν οὐσίαν ἅπασαν νοῦν ζῶντα εἰς τὸ εἶδος τὸ ἑαυτῶν οὐσιωμένον ἔχει. Νόες καλοῦνται, πρὸς τὸ εὐφωνότερον τῆς κλίσεως γενομένης. Suicer. Lexicon Ms. Cyrilli : Νόες, ἄγγελοι. Νοῦς τριχῶς λέγεται· νοῦς θεὸς, νοῦς καὶ ὁ ἄγγελος, νοῦς καὶ ὁ ἡ μήτρος (Legendum ὁ ἡμέτερος, ut est apud Zonaram p. 1405). Νοερὰ τάγματα, Intelligentiæ, Angeli, αἱ ἀγγελικαὶ φύσεις, ap. Ephræmium Antiochenum patr. Νοεραὶ δυνάμεις ap. S. Maximum. V. Hœschel. ad Athanas. in Vita S. Anton. p. 132. Ducang. Anonym. in Anecd. meis t. 5, p. 168 fin.; 169, v. 17. Boiss. Acta SS. April. vol. 2, p. 964 : Δευτερίῃ Τίτοιο ψυχὴν ἄνω νόες ἦραν. V. etiam Tzetz. Hist. 10, 543. L. Dind.]

Νοοσφᾰλής, ὁ, ἡ, ut v. ὄμμα in VV. LL., Mente captus oculus, Oculus insaniam præ se ferens. [Nonn. Jo. c. 3, 93, Dion. 7, 277. Wakef.]

[Νοοσύνθετος, ὁ, ἡ, Qui mente compositus est. Epigr. ante Scholia S. Maximi in Dionys. Areopag. Boiss.]

[Νοότης, ητος, ἡ, quod esse videtur Intellectus, ex Damascio annotavit Bekker. Anecd. p. 1403, a.]

[Νοόω. V. Νοέω.]

[Νορβὰ καλή, Νορβή, ἐνταμεῖται, Νορθακινοί, ἀσθενεῖς, Hesychii gll. obscuræ, de quibus v. conjecturas intt.]

[Νορμανόθεν, Ex Normania. Anna Comn. p. 277, A. L. Dind.]

[Νορύειν, γῆν ὀρύττειν· ἔστι δὲ γένος ὀσπρίου, Hesychius verbis obscuris. Similiter Photius : Νορύη, ὄσπριόν τι· Θεόφραστος δὲ συνωνυμίᾳ φησὶ τρύχνον νορύη, τιθύμαλλον. (Et Νορτή, τιθύμαλλον, gl. ex dittographia, ut videtur, nata.) Nullum hodie in Theophrasto νορύης vestigium reperitur, nec adhuc conjicere potui quid in verbis sine dubio vitiosis lateat. Videtur tamen antecedens Hesychii gl. etiam huc pertinere : Νόρρος, ἄνθος μήλινον λωτοῦ· γίνεται δέ τι καὶ δένδρον ἐν παραλίᾳ, ὅπερ ἔνιοι νορειὰν καλοῦσιν. Schneid. ad Theophr. H. Pl. 9, 11, 5 : Συνώνυμοι δὲ καὶ οἱ στρύχνοι καὶ οἱ τιθύμαλλοι. Idem in Ind. v. Νορύη memorat Arcad. p. 103, 28 : Τὰ διὰ τοῦ υη ὑπερδισύλλαβα βαρύνεται, θιγύη, ὀρύη εἶδος ὀσπρίου, λιβύη. A quo diversam videtur ὀρύα, quod v. L. Dind.]

Νοσάζω, Ægrotum reddo, facio, cui opp. ὑγιάζω. Galen. αἴτιον νοσάζον, Causa morbi, quod et νοσῶδες et νοσοποιὸν dicitur : oppositum habens τὸ ὑγιάζον, ut Bud. tradit. Themist. Phys. 5 : Ἐναντίον γὰρ δοκεῖ τὸ ὑγιάζεσθαι τῷ νοσάζεσθαι. [Τὰς νοσαζούσας αἰτίας, Galen. De sect. opt. c. 10; et mox, Αἷμά ἐστι τὸ νοσάζον. Gataker. Aristot. Phys. ausc. 5, 5, p. 229, 3 : Τὸ νοσάζεσθαι (ἐναντίον). Ubi est var. νοσίζεσθαι, quod v.]

Νοσᾰκερός, ά, όν, i. q. νοσηρὸς et νοσερὸς, Morbidus, Morbosus : quod licet Pollux [3, 105] ἐσχάτως comicum esse dicat, reperitur tamen ap. Aristot. Polit. 3, 4, de avaris qui magistratus habent quæstui : Βούλονται συνεχῶς ἄρχειν· οἷον εἰ συνέβαινεν ὑγιαίνειν ἀεὶ τοῖς ἄρχουσι, νοσακεροῖς οὖσι, Valetudinariis s. Valetudini obnoxiis. [Id. De partt. an. 3, 7. Var. script. ap. Aristot. H. A. 7, 1, p. 582, 2. || Adv. Νοσακερῶς, Photio τρυφερωδῶς, μαλακῶς, νοσωδῶς. Quas interpretationes Hesychius apponit adjectivo.]

[Νόσαλα, insula e regione Ichthyophagorum, ap. Arrian. Ind. 31, 1. Conf. Νόσορα.]

[Νόσανσις, εως, ἡ, Morbus. Aristot. Phys. ausc. 5, 5, p. 229, 26 : Ὑγίανσις ἡ εἰς ὑγίειαν, νόσανσις δ' ἡ εἰς νόσον, ubi alii libri νόσωσις, forma neque aliunde cognita et minus commendata proximo ὑγίανσις. Plotin. Enn. 6, 3, 22, p. 1168, 11 : Ὑγίανσις καὶ νόσανσις ταὐτόν. Hermias In Plat. Phædr. p. 66.]

[Νοσαρχία, ἡ, Nosarchia, n. mulieris in inscr. Att. ap. Bœckh. vol. 1, p. 268, n. 370, 1. L. Dind.]

[Νοσερός. V. Νοσηρός.]

[Νοσερότης, ητος, ἡ, Infirmitas, Gl. ex emend. Vulcanii, quum νοθορετης scriptum et post Νοθεύω positum sit. Sed præstare videtur Νωθρότης.]

[Νοσερῶς. V. Νοσηρός.]

[Νόσευμα, τὸ, Morbus. Hippocr. p. 282, 17 : Νοσεύματα αὐτέοισιν ἐπιδημέει πλευρίτιδές τε πολλαὶ αἵ τε ὀξεῖαι νομιζόμεναι νοῦσοι.]

[Νοσεύομαι, Ægroto. Hippocr. p. 255, 24 : Ἐξήλλαξε (τὰ ἔμβρυα) τῆς μητρὸς πρόσθεν κυούσης, ἅτε ἐν τῷ ὀγδόῳ μηνὶ νενοσευμένα. L. Dind.]

Νοσέω, Ægroto, [Langueo, Respuo, add. Gl.] Ægrotus sum, ut Cic. interpr. p. 62 mei Lex. Cic.; Æger sum, Male valeo. Plut. : Παῖδες ἰατρῶν βούλονται μὲν μὴ νοσεῖν τὸν ἄνθρωπον, νοσοῦντα δὲ μὴ ἀγνοεῖν ὅτι νοσεῖ. Idem, Φάρμακα προσάγοντες οὐ νοσοῦσιν, ἀλλ' ἕνεκα τοῦ μὴ νοσῆσαι. Idem [Mor. p. 81, F] : Ἐκ τοῦ σφόδρα νοσεῖν μηδ' ὅτι νοσοῦσιν αἰσθανόμενοι· sic Herodian. 5, [4, 20] : Νοσῶν χαλεπώτατα. Idem in Symp. 8, [p. 731, D] : Ἐκ τούτων νοσοῦμεν οἷς καὶ ζῶμεν. Lucian. [Macrob. c. 22] : Ἀφ' ἵππου κατέπεσε, καὶ ἐκ τούτου νοσήσας ἀπέθανε· De saltat., Νοσῆσαι ὑπὸ λύπης, ubi etiam reddi posset In morbum incidere. Rursum Plut. Pericle [c. 38] : Ἀπέθανεν ἐν τῷ λοιμῷ νοσήσας. Idem [Mor. p. 396, F] : Νοσοῦμεν καὶ τὰ ὦτα καὶ τὰ ὄμματα, sicut Aristot. De partt. 3, [9] νοσῶ τοὺς νεφρούς, Renum morbo s. vitio laboro. [Plato Gorg. p. 495, E : Νοσεῖ που ἄνθρωπος ὀφθαλμούς.] Et in partic. οἱ νοσοῦντες, Ægri, Plut. [Mor. p. 466, C], ex poeta quodam, Δυσάρεστον οἱ νοσοῦντες. Athen. 2 : Παρηγορεῖσθαι τοὺς νοσοῦντας. [Soph. Tr. 784 : Τοῦ μὲν νοσοῦντος, τοῦ δὲ διαπεπραγμένου· 1230 : Νοσοῦντι θυμοῦσθαι κακόν. Herodot. 8, 115, et alii quivis. Et τὸ νοσοῦν pro ἡ νόσος ap. Soph. Ph. 675 : Τὸ γὰρ νοσοῦν ποθεῖ σε ξυμπαραστάτην λαβεῖν. De sanguine corrupto Aristot. H. A. 3, 19 : Νενοσηκότος δ' αἵματος αἱμορροΐς ἥ τ' ἐν ταῖς ῥισὶ καὶ ἡ περὶ τὴν ἕδραν· et ib. paullo post. || Pass. Hippocr. p. 256, 54 : Τὰς τεσσαράκοντα ἡμέρας τὰς νοσουμένας. || Improprie Plato Polit. p. 273, D : Τὰ νοσήσαντα καὶ λυθέντα ἐν τῇ καθ' αὑτὸν προτέρᾳ περιόδῳ. De terra sterili Xen. Reip. Ath. 2, 6 : Οὐ γὰρ ἅμα πᾶσα γῆ νοσεῖ. De arboribus Theophr. C. Pl. 5, 9, 9 : Ἐνίοτε δὲ οὐκ ἀπόλλυται μὲν, εἰς δὲ τὴν καρπογονίαν νοσοῦσιν. De humore 6, 7, 7 : Αἱ δὲ καταμίξεις ὁτὲ μὲν τῶν ἔξω τινῶν μιχθέντων, ὁτὲ δὲ τῶν αὐτοῦ νοσήσαντός τινος καὶ πλεονάσαντος· fr. 20, 50 : Τῶν καρπῶν ἔνιοι νενοσηκότες. Geopon. 5, 37 : Νοσοῦσαν ἄμπελον· 2, 18, 6 : Τὰ οἴνῳ ἐπιρρανθέντα σπέρματα ἔλαττον νοσήσειν. De aqua stagnante Pausan. 7, 2, 11 : Κατὰ τὴν Μυουσίαν χώραν θαλάσσης κόλπος ἐσεῖχεν οὐ μέγας· τοῦτον λίμνην ὁ ποταμὸς ἐποίησεν ὁ Μαίανδρος ἀποτεμόμενος τὸν ἔσπλουν τῇ ἰλύϊ· ὡς δὲ ἐνόσησε τὸ ὕδωρ καὶ οὐκέτι ἦν θάλασσα, οἱ κώνωπες ἄπειρον πλῆθος ἐγίνοντο ἐκ τῆς λίμνης, ut Sylburgius correxit librorum scripturam ἐνόστησε vel ἐνόησε, sic ibid. 19, 7, et in Cram. Anecd. Paris. vol. 2, p. 223, 17, νόστου nonnulli pro νόσου.] Accipitur etiam metaphorice. Dicitur enim et mens νοσεῖν. Hippocrates : Ὁκόσοι πονέοντές τι τοῦ σώματος, τὰ πολλὰ τῶν πόνων οὐκ αἰσθάνονται, τουτέοισιν ἡ γνώμη νοσέει, Celso interprete, Quibus causa doloris, neque sensus ejus est, his mens labat. [Soph. Aj. 625 : Ὅταν νοσοῦντα φρενομόρως ἀκούσῃ· 635 : Κρείσσων ᾅδᾳ κεύθων ἢ νοσῶν μάταν (v. Μάτην).] Alias de leviore quoque animi ægritudine dicitur. Isocr. Symm. [p. 167, A] : Νοσούσαις ψυχαῖς οὐδὲν φάρμακον πλὴν νόσος. [Æsch. Prom. 378 secundum quorundam scriptorum citationes : Ψυχῆς νοσούσης εἰσὶν ἰατροὶ λόγοι.] Diphilus ap. Athen. 6, [p. 254, E] : Νῦν δὲ καὶ καχεξία τις Ὑποδέδυκε τοὺς ὄχλους. Αἱ κρίσεις θ' ἡμῶν νοσοῦσι. Sed et is, qui hæresin aliquam imbibit, νοσεῖν dicitur. Chrysost. In 1 Ad Cor. 15 : Ἄξιον δὲ ἀκοῦσαι τί ἐνταῦθα λέγουσιν οἱ τὰ Μανιχαίων νοσοῦντες. Idem p. 239 : Ταῦτά μοι εἴρηται κατὰ τῶν τὰ τοιαῦτα νοσούντων, Qui errore isto laborant, vel etiam sequuntur. Aliquando νοσεῖν accipitur pro Insano studio flagrare, Bud., qui ex Plat. Phædro [p. 228, E] affert, Ἀπαντήσας δὲ τῷ νοσοῦντι περὶ λόγων ἀκοὴν, ἥσθη ὅτι ἕξοι συγκορυβαντιῶντα. Sic Plut. De laude propr. [p. 546, D] : Τοῖς περὶ δόξαν νοσοῦσι. [Eadem notione etiam cum præp. ἐπὶ construitur ap. Axionicum Athen. 4, p. 175, B : Ἐπὶ τοῖς μέλεσι τοῖς Εὐριπίδου νοσοῦσι.] Νοσεῖν dicitur etiam ἐπὶ τοῦ θορυθεῖσθαι καὶ ταράσσεσθαι, Pollux [8, 152] : ap. Dem. pro Intestinis discordiis laborare, et malis consiliariis uti, magistratibusque corruptis : de civitatibus, p. 99 [240 extr.] : Αἱ δὲ πόλεις ἐνόσουν, τῶν μὲν ἐν τῷ πολιτεύεσθαι καὶ πράττειν δωροδοκούντων καὶ διαφθειρομένων ἐπὶ χρήμασι. Hæc Bud. Sic Dem. [p. 113, 26] : Πυνθάνεσθαι γὰρ αὐτοὺς ὡς νοσοῦσι καὶ στασιάζουσιν ἐν αὐτοῖς· et [p. 123 extr.] : Ἐπειδὰν τούτοις κρατῶν πρὸς νοσοῦντας ἐν αὐτοῖς καὶ τεταραγμένους προσπέσῃ. [Id. p. 22, 7 : Θετταλοῖς στασιάζουσι καὶ τεταραγμένοις. Al. νοσοῦσι καὶ στασιάζουσι.] Plato quoque in Sophista p. 136 [228, A], νόσον et στάσιν idem esse dicit; atque Hesych. quoque νοσοῦν exp. στασιάζειν : qui tamen infinitivus est a verbo Νοσόω. [Leg. videtur στασιάζον, nisi lemma corruptum est. Eur. Herc. F. 34 : Στάσει νοσοῦσαν πόλιν, et ib. 273. Herodot. 5, 28 : Ἡ Μίλητος ἐπὶ δύο γενεὰς ἀνδρῶν νοσήσασα ἐς τὰ μάλιστα στάσι. Plato Reip. 8, p. 556, E : Νοσεῖ τε καὶ αὐτὴ αὑτῇ μάχεται (urbs). Diod. Exc. p. 534, 85 : Ἐνόσει πρὸς ἀπόστασιν τὰ πλήθη.] His addenda sunt et hæc de perturbato et malo urbium aut regionum statu. Thuc. 2, [31] : Ἀκμαζούσης ἔτι τῆς πόλεως καὶ οὔπω νενοσηκυίας, Necdum labefactata. [Xen. Anab. 7, 2, 32 : Ἐπεὶ τὰ Ὀδρυσῶν πράγματα ἐνόσησεν· Vectig. 4, 9 : Ὅταν νοσήσωσι πόλεις ἢ ἀφορίαις καρπῶν ἢ πολέμῳ· Comm. 3, 5, 18 : Ἀνηκέστῳ πονηρίᾳ νοσεῖν Ἀθηναίους.] Dem. [p. 121, 7] : Ὑφ' ὧν ἀπόλωλε καὶ νενόσηκεν ἡ Ἑλλάς, ubi nota eum præponere quod majus et gravius est, postponere quod levius et ordine prius. [Soph. fr. Aload. ap. Sob. Fl. 4, 37 : Ἐνταῦθα μέντοι πάντα τἀνθρώπων νοσεῖ, κακοῖς ὅταν θέλωσιν ἰᾶσθαι κακά· El. 1070 : Ὅτι σφιν τὰ μὲν ἐκ δόμων νοσεῖ. Eur. Iph. T. 680 : Ἐπὶ νοσοῦσι δώμασι· 694 : Νοσοῦντα μέλαθρα· Herc. F. 542 : Νοσησάσης χθονός· Phœn. 867 : Νοσεῖ γὰρ ἥδε γῆ πάλαι· 1097 : Τῷ νοσοῦντι τειχέων· 1171 : Τοῦτο παύσαντες νοσοῦν· Hipp. 465 : Νοσοῦνθ' ὁρῶντας λέκτρα.] Apum quoque alvearia νοσεῖν dicuntur, quum cibus eis deficit : ut ex Plinio cognoscitur, qui hunc Aristot. [H. A. 9, 40] locum, Ἤδη δὲ νοσησαντός τινος σμήνους ἦλθόν τινες ἐπ' ἀλλότριον, καὶ μαχόμεναι νικῶσαι ἐξέφερον τὸ μέλι, ita interpretatur : Quod si defecerit alicujus alvei cibus, impetum in proximas faciunt rapinæ proposito. [Hac autem figurata signif. pariter atque propria conjungitur cum dat. et accusativo, ut ap. Æsch. Prom. 384 : Ἔα με τῇδε τῇ νόσῳ νοσεῖν. Soph. Tr. 544 : Νοσοῦντι κείνῳ πολλὰ τῇδε τῇ νόσῳ· Aj. 207 : Θολερῷ κεῖται χειμῶνι νοσήσας· OEd. C. 766 : Τοῖσιν οἰκείοις κακοῖς νοσοῦντα. Eur. Ion. 755 : Ἀλλ' ἤ τι θεσφάτοισι δεσποτῶν νοσῶ. Accusativi vero præter ipsius subst. νόσος ap. Soph. Ph. 173 : Νοσεῖ μὲν νόσον ἀγρίαν, Eur. Andr. 220, etc. aliosque et vocc. hujusmodi, ut ap. Soph. Phil. 1326 : Σὺ νοσεῖς τόδ' ἄλγος ἐκ θείας τύχης· OEd. T. 1015 : Καὶ ταῦτα τῆς σῆς ἐκ φρενὸς νοσεῖ πόλις, Eur. Hipp. 293 : Εἰ νοσεῖς τι τῶν ἀπορρήτων κακῶν. Andr. 906 : Τοῦτ' αὐτὸ καὶ νοσοῦμεν, Plat. Reip. 3, p. 404, A : Ἐὰν σμικρὰ ἐκβῶσι τῆς τεταγμένης διαίτης, μεγάλα καὶ σφόδρα νοσοῦσιν οὗτοι οἱ ἀσκηταί, ap. veteres ex. non vidi præter Eur. Ion. 620, απαιδίαν νοσεῖν, quod ipsum etsi est ap. schol. Phœn. 28 ἀπαιδίαν νοσούσῃ, Euripidi tamen jam olim restitui ἀπαιδίᾳ. Contra ap. recentiores ingens est numerus exemplorum alterius constructionis. Antisthenes Ulixe extr. : Φθόνον καὶ ἀμαθίαν νοσεῖς, κακῷ ἐναντιωτάτῳ αὐτοῖς. Aret. p. 64 : Τήνδε τὴν πάθην καὶ στόμαχος νοσέει... Ἔντερα, εὖτε τὴν διάρροιαν νοσέει. Choricius in Villois. Anecd. vol. 2, p. 19 : Τὴν πατρικὴν νοσοῦντας κακίαν· 63 : Πᾶς ἀρχικὴν ἐπιθυμίαν νοσῶν· et alii plurimi præter hos et quos supra memoravit HSt.]

Νοσηλεία, ἡ, Ægrotatio in qua necessaria ægro officia præstantur : at Νοσήλεια [immo Νοσήλια, ab νοσηλὸς], τὰ, ipsa illa Officia aut remedia quæ in ejusmodi curatione ægro adhibentur. Suid. : Νοσηλεία, ἀσθένεια· νοσήλεια δὲ, φάρμακα, τὰ θεραπευτικά. Est autem νοσηλεία a νοσηλεύομαι, τὸ νοσῶ οὐκ ἐπαχθῶς, ut idem Suid. exp. Veruntamen active etiam accipitur pro Curatio ægroti qua debita ei officia præstantur, sicut θεραπεία. Et est ab act. νοσηλεύω, quod idem Suid. exp., νοσοῦντα θεραπεύω, ut ap. Plut. Lycurgo p. 14 [c. 10] : Μακρῶν μὲν ὕπνων, θερμῶν δὲ λουτρῶν, πολλῆς δὲ ἡσυχίας καὶ τρόπον τινὰ νοσηλείας καθημερινῆς δεόμενον. Pro Ægrotatione capi potest in hoc ejusd. Plut. l. in libro An seni capess. resp. [p. 788, F] : Ἐκ μακρᾶς οἰκουρίας, ὥσπερ νοσηλείας, ἐξανισταμένου καὶ κινουμένου γέροντος ἐπὶ στρατηγίαν ἢ πραγματείαν, Ex longo morbo s. diuturno. Sic et Soph. Phil. [38] : Θάλπεται Ῥάκη, βαρείας του νοσηλείας πλέα, i. e. νόσου βαρείας πεπληρωμένα, s. νοσοκομίας, vel τῆς ἐκ νόσου ἀκαθαρσίας : tot enim modis schol. exp. [Lysim. apud Joseph. Contra Apion. 1, p. 466, 29 : Νοσηλίᾳ περιπίπτειν. Hemst. Scrib. νοσηλείᾳ.]

Νοσηλεύω, Ægrum curo et ei subservio, officia necessaria præstans : νοσοῦντι ὑπηρετῶ, Hesych. : i. q. νοσοκομέω : sic accipitur et θεραπεύω, quod vide. [Anaxilas ap. Athen. 3, p. 95, B : Συσσίτιον μέλλεις νοσηλεύειν. Valck.] Isocr. Ægin. [p. 389, D] : Ἐνοσήλευον αὐτὸν μετὰ παιδὸς ἑνός· paulo ante, Ἐπειδὴ ἠσθένησε ταύτην τὴν νόσον ἐξ ἧς ἀπέθανεν, οὕτως αὐτὸν ἐθεράπευσα ὡς οὐκ οἶδ' εἴ τις ἄλλος πώποθ' ἕτερον· quem aliquanto post dicit se λειποψυχοῦντα ἀποκομίσαι ἐπὶ τὸ πλοῖον, μετὰ τοῦ θεράποντος τοῦ ἑαυτοῦ, φέροντα ἐπὶ τῶν ὤμων. [Babrias Fab. 13, 8 : Τὸν ἐμὸν τιθηνῶ πατέρα καὶ νοσηλεύω. Boiss. Ps.-Herodot. Vit. Hom. c. 7 : Ἐνοσήλευσεν αὐτὸν ἐκτενέως· et ib. c. 26. Hippocr. De superf. c. 6. Pollux 3, 108; 4, 177.] Sic et Theod. H. E. 5, de uxore Theodosii : Τοὺς κλινοπετεῖς δι' ἑαυτῆς ἐνοσήλευεν, αὐτὴ καὶ χύτρας ἁπτομένη καὶ ζωμοῦ γευσαμένη καὶ τρυβλίον προσφέρουσα. Pass. Νοσηλεύομαι, Æger curor ab eo qui ægrotantibus subservire et necessaria officia præstare solet : ut νοσοκομοῦμαι. Item pro Ægroto. Appianus : Ὁ δὲ Καῖσαρ τινὰς ἡμέρας ἐνοσηλεύσατο· frequens ap. eum scriptorem, Bud. [Ut Civ. 2, 28 : Νοσηλευόμενος περὶ τὴν Ἰταλίαν. Chron. Pasch. p. 304, A : Ἐπὶ πολὺν χρόνον νοσηλευόμενος. L. D. Julian. Or. 6, p. 181, C. Jacobs. In Actis SS. Maji vol. 5, p. 185*, A : Ἰατρίσκος νοσιευόμενον ἦγαν (sic), leg. videtur νοσηλευόμενον ἦγεν. L. D.] Νοσηλεύω idem Bud. ex Celso interpr. Infirmo, et Valetudinarium reddo : citans ejus signif. usum ex Chrysostomi Comment. in Epist. ad Hebr. p. 194.

[Νοσήλιον, τὸ, Medicamentum. Oppian. Hal. 1, 301 : Τυτθὰ βορῆς ὤρεξε νοσήλια. Schol. βρώματα et θεραπευτικὰ τῆς νόσου. Eust. Opusc. p. 122, 27 : Νοσημάτων ψυχῆς τοιοῦτον φύεται νοσήλιον φάρμακον· 304, 35 : Ψῆγμα νοσήλιον, ubi male νοσήλειον, ut νοσηλείων φαρμάκων ap. Joseph. in Walzii Rhett. vol. 3, p. 522 med. Idem vitium notavimus in Νοσηλεία. Formam Νουσήλια Arctino ap. schol. Hom. Il. Λ, 515, restituit Welckerus.]

[Νοσηλός, ὁ, Vitiosus, Gl. Comparat. Hippocr. p. 817, G : Τὸ ὀστέον νοσηλότερον γίνεται.]

Νόσημα, τὸ, Morbus, i. q. νόσος, ut ex Galeni verbis in Νόσος citandis manifestum est. In Definitt. Stoicis, Ἀρρώστημα, ἐστὶ νόσημα μετὰ ἀσθενείας, i. e., interpr. Cic., Ægrotatio, morbus cum imbecillitate. [Soph. Ph. 755 : Δεινόν γε τοὐπίσαγμα τοῦ νοσήματος. Eur. El. 656 : Λόχι' ἐμοῦ νοσήματα. Aristoph. Lys. 1085, etc. Thuc. 2, 51. Et sæpius Plato, ut Leg. 11, p. 925, E : Σωμάτων νοσήματα.] Plut., Τῶν περὶ τὸ σῶμα νοσημάτων. Sic Isocr. Symm. [p. 167, B] : Τῶν περὶ τὸ σῶμα ν. πολλαὶ θεραπεῖαι. Rursum Plut. Symp. 8 [p. 733, A] : Καινὰ καὶ ἀσυνήθη ν. φέρουσι, Morbos novos et insolentes afferunt. Lucian. [De hist. conscr. c. 1] : Ἀβδηρίταις ἐμπεσεῖν τι νόσημα. Isocr. Panath. [p. 288, E] : Ἐπιγενομένου μοι νοσήματος. Xen. Cyrop. [6, 2, 27] : Ὡς μὴ ἐξαπίνης ἄοινοι γενόμενοι νοσήματι περιπίπτωμεν, In morbum aliquem incidamus. De eq. [4, 2] : Ἀρχόμενα πάντα εὐϊατώτερα ἢ ἐπειδὰν ἐνσκιρρωθῇ τε καὶ ἐξαμαρτηθῇ τὰ νοσήματα. Plut. [Mor. p. 73, D] : Σκαμμωνίῳ λῦσαι τὸ ν. τοῦ κάμνοντος· De curiositate [p. 518, D] : Πολλοὺς ἀποθανεῖν ἂν πρότερον ἢ δεῖξαί τι τῶν ἀπορρήτων νοσημάτων ἰατροῖς. Plin. Ægrotationem vertit, pro his Theophrasti, Καὶ τὰ μὲν ν. σχεδὸν ταῦτα, καὶ ἐν τούτοις, dicens, Et ægrotatio quidem fere in iis est : de arborum et seminum morbis. [Theophr. C. Pl. 5, 9 et 10, H. Pl. 4, 14, 1 seq.] Metaph. quoque capitur ut νόσος et νοσέω. [Æsch. Prom. 225 : Ἔνεστι γάρ πως τοῦτο τῇ τυραννίδι νόσημα τοῖς φίλοισι μὴ πεποιθέναι· 686 : Νόσημα γὰρ αἴσχιστον εἶναί φημι συνθέτους λόγους· 977 : Νοσοῖμ' ἂν, εἰ νόσημα τοὺς ἐχθροὺς στυγεῖν. Et sæpius ceteri Tragici. Plato Reip. 8, p. 544, C : Ἔσχατον πόλεως νόσημα, et alibi sæpe.] Plut. Pericle [c. 22] :

Ἔοικε δ' ὥσπερ συγγενικὸν αὐτῷ προστρίψασθαι νόσημα τὴν φιλαργυρίαν· Lycurgo [c. 8] : Τὰ τούτων ἔτι πρεσβύτερα καὶ μείζω ν. πολιτείας, πλοῦτον καὶ πενίαν, ἐξελαύνων· Amore frat. [p. 484, C] : Φθόνους ἐμποιοῦσι καὶ ζηλοτυπίας, αἴσχιστα ν. καὶ κῆρας· De orac. Pyth. [p. 408, B] : Στάσεις οὐκ εἰσίν, οὐδὲ τυραννίδες, οὐδὲ ἄλλα ν. καὶ κακὰ τῆς Ἑλλάδος. Thuc. vero 2, [53] dixit etiam Ἀνομίας τὸ νόσημα. [Plato Gorg. p. 480, B : Τὸ νόσημα τῆς ἀδικίας.] Et Plato Epist. 8, [p. 354, D] : Εἰς τὸ τῶν προγόνων νόσημα ἐμπίπτειν, In majorum vitia incurrere. [Demosth. p. 424, 3 : Νόσημα δεινὸν ἐμπέπτωκεν εἰς τὴν Ἑλλάδα.] Item in Placitis Stoicorum, Νόσημα, οἴησις σφόδρα δοκοῦντος αἱρετοῦ· quod Cic. ita interpr., Animi ægrotatio, opinatio vehemens de re non expetenda tanquam valde expetenda sit, inhærens et penitus insita.

Νοσηματικὸς, ἡ, ὸν, et Νοσηματώδης, ὁ, ἡ, Morbosus, Morbidus, i. q. νοσώδης : quod vide. Plut. [Mor. p. 245, C] : Τῷ σώματι νοσηματικῇ, Corpore valetudini obnoxio, morboso, ut Varro dicit Morbosum pecus, et Morbosum servum Cato; Morbidas apes, Varro : Morbidum corpus, Plin. [Id. ib. p. 561, E. Aristot. H. A. 3, 19 : Τῶν δ' ἄλλων τῶν νοσηματικῶν ἧττον μετέχουσιν αἱ γυναῖκες· De generat. anim. 1, 18 med. : Ἄχρηστον περίττωμα καὶ νοσηματικόν· De respir. c. 17 : Θερμότητος νοσηματικῆς· 20 : Πάθος νοσηματικόν.] Νοσηματώδη dicuntur etiam Accidentia quæ ex ægrotatione manant, Quæ causam habent et originem a morbo. Exempla duo ex Aristot. habes ap. Bud. p. 132. [De generat. an. 1, 19 : Τοῦτο μὲν νοσηματῶδες.] Sic idem Aristot. Eth. 7, 5 : Οἱ δὲ διὰ νόσους (θηριώδεις γίνονται), οἷον τὰς ἐπιληπτικὰς, ἢ μανίας ν. [Adv. Νοσηματικῶς, Theophr. C. Pl. 6, 10, 5 : Ὅσα ἅλμη ν. καταλαμβάνει.]

Νοσημάτιον, τὸ, diminit. a νόσημα, Morbus levior. Aristot. Rhet. 3, [2] de ὑποκορισμῷ loquens : Ὃς ἔλαττον ποιεῖ τὸ κακὸν καὶ τὸ ἀγαθὸν, ex Aristophanis Babyloniis, ἀντὶ δὲ λοιδορίας, λοιδορημάτιον, καὶ νοσημάτιον.

[Νοσηματώδης. V. Νοσηματικός.]

Νοσηματωδῶς, More eorum qui valetudini obnoxii sunt, qui sunt corpore morboso s. morbido : ν. ἔχειν, Aristot. Eth. 7, [5] quod Pollux [3, 105] dicit ἐπινόσως ἔχειν.

[Νοσήμη, ἡ, non addita signif. memorat gramm. Cram. An. vol. 2, p. 388, 7 : Τὰ ἔχοντα πρὸ τοῦ μ τὸ η, εἰ καὶ ὑπὲρ δύο συλλαβὰς, διὰ τὸ νοσήμη, φιλήμη. Theognost. Can. p. 112, 21 : Τὰ εἰς μη ὑπὲρ δύο συλλαβὰς μονογενῆ τὸ η παραλήγεται, οἷον νοσίμη (sic), θελήμη, φιλήμη. Ap. anon. (s. Dionys. Ixeut., illa tamen ex parte tantum præbentem p. 174, III) in Cram. An. Paris. vol. 1, p. 24, 4 : Ἡνίκα ἂν σχοῖεν (οἱ γῦπες) πρὸς τὸν τῶν ᾠῶν τόκον ἐπιτηδείως, κατὰ τὰ θηρία τὰς τίγρεις τὴν αἰδῶ πρὸς τὸν ζέφυρον ἀποστρέψαντες ὑπὸ τῇ πνοῇ γαμοῦνται, καί φασι(ν) ἐντεῦθεν αὐτοῖς ταχείας εἶναι τὰς κατὰ τὴν νοσημὴν ἀντιλήψεις, εἰ καὶ πόρρω που τελευτήσει ἔτι (—σειέ τι) ζῷον, si legendum νοσήμην, est Morbus. L. Dind.]

Νοσηρὸς, ὰ, ὸν, Morbidus, Morbosus, i. q. νοσώδης, νοσηματώδης, νοσηματικὸς, ἐπίνοσος : ac sicut infra νοσώδη χωρία habebimus ex Isocr. et Plut., sic Xen. Cyrop. 1, [6, 16] : Περί τε τῶν νοσηρῶν [nonnulli νοσωδῶν] χωρίων καὶ τῶν ὑγιεινῶν. Pollux 3, [105] : Νοσηρότερον· ὅθεν καὶ νοσηρὸν χωρίον καὶ νοσῶδες· τὸ γὰρ νοσακερὸν, ἐσχάτως κωμικόν. [Conf. id. 5, 109; 9, 25.] Est autem hoc νοσηρὸς a νοσήσω, fut. verbi νοσέω, at Νοσερὸς, ab ipso νοσέω, teste Eust. [Od. p. 1504, 42; 1540, 14] : quod νοσερὸς ejusd. cum νοσηρὸς signif. est. [Morbosus, Languidus, Morbidus, Æger, Gl. Eur. Hipp. 131 : Τειρομέναν νοσερᾷ κοίτᾳ· 180 : Νοσερᾶς δέμνια κοίτης· Or. 1016 : Νοσερὸν κῶλον.] Plut. Lyc. p. 18 [c. 27 extr.] : Ὡς ἠθῶν οὐκ ἀναπλησθήσεται πονηρῶν ἢ σωμάτων νοσερῶν ἔξωθεν ἐπεισιόντων· infra νοσώδη et supra νοσηματικὰ σώματα, quæ Plin. Morbida, Cato et Varro Morbosa. [Aristot. Probl. 10, 2, νοσερὸν αἷμα· 1, 19, θέρος, et al. Dionys. A. R. 7, 14, χωρία.]

Νοσερῶς, More eorum qui valetudini obnoxii sunt et morbidi. Pollux 3, [105] : Καματηρῶς, ἀῤῥώστως, νοσερῶς [cod. Νοσηρῶς], ἐπινόσως· τὸ δὲ νοσωδῶς, οὐκ εὐήκοον. Aristot. Polit. 6, [6] : Τὰ ν. ἔχοντα τῶν σωμάτων

A καὶ τὰ τῶν πλοίων ἐκλελυμένα. [Manetho 4, 52 : Ἢ διὰ φαρμακτοῖο δόλου νοσερῶς τέλος ἕξει.]

[Νοσητήριος, α, ον, Noxius. Hesychius : Κηρέσιον, ὀλέθριον, νοσητήριον.]

[Νοσηφόρος, ὁ, ἡ, Morbum afferens. Marcell. Sid. 58.]

Νοσίζω, Ægrotum facio : ex Gazæ interpretatione, habet Budæus; cui opponi dicit τὸ ὑγιάζω. [Aristot. Probl. 1, 3 : Αἱ ὧραι νοσίζουσι τοὺς ὑγιαίνοντας. Ap. Meletium Cram. An. vol. 3, p. 46, 19 : Ἡ ῥώμη εὐτονία ἐστὶ σώματος καὶ ἰσχὺς δυσαγώνιστος τοῖς νοσάζουσι τὸ σῶμα δυναμένοις, alius cod. νοσίζειν. V. Νοσάζω. L. D.]

Νόσιμος, quod in VV. LL. exp. Ægrotus, mihi equidem suspectum est.

Νοσογνωμονικὴ, ἡ, sub. τέχνη, ἐπιστήμη, Peritia cognoscendorum morborum, Cognitio morborum. A Platone ap. Diog. L. [3, 85] statuuntur τῆς ἰατρικῆς εἴδη πέντε, ἡ μὲν φαρμακευτικὴ, ἡ δὲ χειρουργικὴ, ἡ δὲ διαιτητικὴ, ἡ δὲ ν., ἡ δὲ βοηθητική· quam νοσογνωμονικὴν dicit ἰᾶσθαι τὰς ἀῤῥωστίας διὰ τοῦ γνῶναι τὸ ἀῤῥώ-
B στημα, p. 167, 168.

[Νοσοεργὸς, ὁ, ἡ, Morbum faciens. Poeta De herbis 39, in Fabric. B. Gr. vol. 2, p. 636.]

[Νοσόθυμος, ὁ, ἡ, Qui est indolis morbosæ. Manetho 4, 540 : Βροτῶν γένος νοσόθυμον, ἀεὶ θανάτοιο πάρεδρον.]

Νοσοκομεῖον, τὸ, Locus in quo ægroti curantur, Valetudinarium [Gl.], ut Colum. : Si alter languidior est, in valetudinarium confestim deducat. Utitur hoc vocab. Hieron. Epist. [Cod. Justin. 1, 2, 15; 3, 46, 1. Cocchii Chirurg. p. 42. Ὁ ξενὼν interpr. Suidas s. Moschop. II. σχεδ. p. 92. L. Dind.]

Νοσοκομέω, Ægrotos curo, Ægrotis curandis præsum, ut valetudinarii medici, et ministri etiam qui ægris adsunt et subserviunt. Diog. L. in Bione p. 207 [4, 54] de ipso Bione, qui in morbum inciderat : Ἀπορίᾳ δὲ καὶ τῶν νοσοκομούντων δεινῶς διετίθετο, ἕως Ἀντίγονος αὐτῷ δύο θεράποντας ἀπέστειλε. [Iambl. V. Pyth. c. 30, p. 384 : Νοσοκομήσων αὐτόν. Pollux 4, 177.] Et Νοσοκομοῦμαι, Ægrotus curor ab eo s. ab iis qui ægrotantium curam gerunt, aut etiam ab alio
C quolibet. Synes. Epist. 67 : Καὶ νοσοκομούμενον ἔτι τὸ σῶμα πρὸς τοὺς πόνους ἐκβιασάμενος, γέγονα κατὰ Παλαίβισκαν. Ex quo intelligitur Infirmum adhuc. [Idem est ap. Diod. Exc. p. 613, 62, et Hesychium in Νοσηλεύεσθαι.]

[Νοσοκόμησις, εως, ἡ, i. q. seq. Nicet. Annal. 19, 1, p. 364, C : Ὡς τὰ κεκρατημένα σώματα νοσοκόμησιν ἐτραχηλίων.]

Νοσοκομία, ἡ, Ægrotorum curatio, de iis qui ægris subserviunt, Infirmæ valetudinis cura. Gregor. : Ἰατρικὴν μὲν γὰρ ἡ τοῦ σώματος ἀῤῥωστία καὶ νοσοκομίαν ἀναγκαίαν αὐτῷ πεποιήκασι. [Eust. Opusc. p. 304, 29 : Οἱ πρὸς νοσοκομίαν ἀπονεύοντες. Schol. Soph. Phil. 39. L. Dindorf.]

Νοσοκόμος, ὁ, Qui ægrotos curat, Ægrotis curandis præfectus : ut valetudinarii medici Jurisconsultis. [Pollux 3, 12. Cod. Justin. 1, 2, 42, 9 : Νοσοκόμος ἢ πτωχοτρόφος, et ib. 3, 42, 6. L. D. Greg. Naz. Ep. 47 : Ὃν καὶ γηροκόμον καὶ ν. γινώσκομεν. Strong. Officium monasticum, de quo Iambi Ms. εἰς τὸν νοσοκόμον in
D Bibliotheca Thuana. Ducang.]

Νοσοποιέω, Morbum facio, affero, incutio, In morbum conjicio, injicio. Ceb. Theb. [c. 19, p. 80 Cor.] : Ἐκβάλλειν πάντα τὰ νοσοποιοῦντα, Quæ morbum aliquem facere possint, Omnia morbida s. Omnes morbi causas. Νόσον ποιεῖν divisa voce in ea signif. dicit Plato De rep. 4, cui opp. ὑγίειαν ποιεῖν. [Aristot. Probl. 1, 53. Diod. 12, 12 : Νοσοποιεῖν τὰς ψυχὰς τῶν ἀρίστων. Plut. Mor. p. 918, C : Αἱ τῶν σωμάτων κράσεις αἱ νοσοποιοῦσι.]

Νοσοποιὸς, ὁ, ἡ, Morbum afferens, incutiens, ut Plaut., Lucr. Ad verbum, Morbum faciens, ut Celsus : Interest enim, fatigatio morbum, an sitis, an frigus, an calor, an vigilia, an fames fecerit. N. αἰτία, Alex. Aphr., Caussa morbi, Quæ morbum fecit. [Clem. Al. Strom. 1, p. 369. Hemst.] Et ν. χυμὸς [Alex. Aphr. Probl. 1, 53], Succus qui morbum fecit; Morbidus, ut Lucr., Fit morbidus aer. [Galen. vol. 2, p. 316 : Τοῖς νοσοποιοῖς αἰτίοις. Theod. Stud. p. 278, D : Ἰατρὸν νοσοποιόν. Improprie Dionys. A. R. 8, 90, p. 1733, 10 :

Τοὺς νοσοποιοὺς ἐκ τῆς πόλεως ἐξελεῖν. « Psellus p. 40 fin. edit. meæ. » Boiss. Pollux 5, 110, χωρίον.]

[Νόσορα, ἡ, νῆσος ἐν τῇ Ἐρυθρᾷ θαλάσσῃ. Οὐράνιος (deest numerus) Ἀραβικῶν. Ὁ νησιώτης Νοσορηνὸς, Steph. Byz. V. Νόσαλα.]

Νόσος, ἡ, Morbus. [Languor, Adversa valetudo, Ægritudo, Imbecillitas, Valetudo, add. Gl.] Galen. Meth. med. 2, 3 : Τὴν ἐναντίαν ὑγείᾳ διάθεσιν, ὑφ' ἧς ἐνέργειαν λέγομεν βλάπτεσθαι, νόσημα (s. νόσον, ut in libro De sympt. diff.) μόνον προσαγορεύομεν, εἴτε πολυχρόνιος εἴτ' ὀλιγοχρόνιος, εἴτ' ἐν ἀκαρεῖ χρόνῳ γίγνηται. [Primus forma νόσος (nam Epici semper νοῦσος, quam formam v. infra) utitur Pind. Ol. 8, 85 : Ὀξείας νόσους· Pyth. 3, 46 : Πολυπήμονας ἰᾶσθαι νόσους· 66 : Ἰατῆρα θερμᾶν νόσων· 5, 63 : Βαρειᾶν νόσων ἀκέσματα.] Dem. [p. 1399, 19] : Νόσων ἀπαθεῖς τὰ σώματα, καὶ λυπῶν ἄπειροι τὰς ψυχάς. Xen. Cyrop. 8, [3, 41] : Νόσον φάσκων ἐμπεπτωκέναι τοῖς κτήνεσιν. [Et vicissim Æsch. Prom. 473 et al. : Ἐς νόσον πεσών. Et Soph. Aj. 452 : Ἐμβαλοῦσα λυσσώδη νόσον.] Simili loquendi genere, sed metaphorico, dixit Theodor. H. E. 5 : Τὴν Μαρκίωνος νόσον κώμαις τισὶν ἐπισκῆψαι μαθὼν, Marcionis pestem incubuisse et grassari : de hæresi loquens. Thuc. 7, [77] : Ὁρᾶτε δὴ ὡς διάκειμαι ὑπὸ τῆς νόσου. Herodian. 3, [14, 4] : Ὑπὸ τῆς ἀρθρίτιδος νόσου κάμνων. Synes. Ep. 37 : Νόσῳ χαλεπῇ προσεπάλαισεν, Gravi morbo conflictatus est. [Herodot. 1, 22 : Ἐκ τῆς νούσου ἀνέστη· 25 : Ἐκφυγὼν τὴν νοῦσον.] Aristoph. Nub. [243] : Νόσος μ' ἐπέτριψεν ἱππικὴ, δεινὴ φαγεῖν. Plut. De S. N. V. [p. 548, F] : Ἀψαμένη νόσος καὶ κατανεμηθεῖσα τοῦ σώματος· eod. l. : Νόσου ἄλλος ἄλλον οὐ παύει θεραπευόμενος. Xen. Hellen. l. 5 : Νόσων θεραπείαις. Idem, Νόσου διαλυθείσης, Soluto morbo. Xenoph. [Cyrop. 5, 1, 11], νόσου ἀπαλλαγῆναι. Isocr. [p. 389, C] : Ἠσθένησε ταύτην τὴν νόσον, ἐξ ἧς ἀπέθανε. Herodian. [4, 8, 11] : Νόσῳ διαφθαρεὶς, Morbo absumptus. Ita enim malo quam cum Polit., Morbo interceptus. [Soph. Tr. 235 : Κοὐ νόσῳ βαρύν· 445 : Τῇδε τῇ νόσῳ ληφθέντι· Ant. 732 : Οὐχ ἥδε γὰρ τοιᾷδ' ἐπείληπται νόσῳ; Aj. 271 : Ἡνίκ' ἦν ἐν τῇ νόσῳ· 274 : Ὡς ἔληξε κἀνέπνευσε τῆς νόσου· Phil. 7 : Νόσῳ καταστάζοντα διαβόρῳ πόδα· OEd. T. 962 : Νόσοις ἔφθιτο· Ant. 819 : Οὔτε φθινάσι πληγεῖσα νόσοις. Eur. Heracl. 990 : Ἥρα με κάμνειν τήνδ' ἔθηκε τὴν νόσον. Γενέσθαι ἐξάντη νόσου in versu anonymi in Ἐξάντης citato : sic enim scribendum pro ἐξάντην. De animi morbo s. amentia, ut supra verbum νοσέω, Soph. Aj. 59 : Φοιτῶντ' ἄνδρα μανιάσιν νόσοις. Θήλεια νόσος v. in Θῆλυς.] Et ἱεραὶ νόσοι, ap. Plut., Sacri morbi. Peculiariter autem ἱερὰ νόσος dicitur Epilepsia, de qua in Ἱερά. [Herodot. 3, 33 : Νοῦσον μεγάλην λέγεται ἔχειν, τὴν ἱρὴν ὀνομάζουσί τινες. Et ib. : Τοῦ σώματος νοῦσον μεγάλην νοσέοντος. Et μεγάλη quidem etiam ap. Hippocr. Epid. 6, 6, aph. 9 : Οἱ ὑπὸ τεταρταίου ἁλισκόμενοι ὑπὸ τῆς μεγάλης νόσου οὐχ ἁλίσκονται. Sic enim ibi legit Galen. et scribit : Τὴν ἐπιληψίαν οἱ παλαιοὶ καὶ μεγάλην νόσον ἐκάλουν. Sic p. 1046, B : Ἡ μανίη τοῦ μεγάλου νοσήματος ἐν ἔθει γενομένου λύσις, quod repetitur p. 55, 36. Et ib. B : Τοῦ ν. τοῦ μεγάλου ἐν τάσει γινομένου. Ex Foes. OEcon. Hesychius : Νόσος μεγάλη, ἐπιληψία. Non tamen semper hæc obtinet signif. Nam Callim. Cer. 68 : Μεγάλᾳ δ' ἐστρεύγετο νούσῳ, de Erysichthone famelico. L. D. Νόσος μεγάλη ap. Psellum ms. De morborum nominibus, ἐπιδημία, Morbus sonticus. Ducang. ‖ De sterilitate Xen. Reip. Ath. 2, 6 : Νόσους τῶν καρπῶν, αἳ ἐκ Διός εἰσιν.] ‖ Metaph. accipitur pro Vitium. Eur. Or. [10] : Ἀκόλαστον ἔσχε γλῶσσαν, αἰσχίστην νόσον. [Et alibi sæpissime ap. ipsum ceterosque Tragicos, ut Æsch. Prom. 1068 : Τοὺς προδότας γὰρ μισεῖν ἔμαθον κοὐκ ἔστι νόσος τῆσδ' ἥντιν' ἀπέπτυσα μᾶλλον. Soph. OEd. C. 544 : Δευτέραν ἔπαισας ἐπὶ νόσῳ νόσον.] Lucian. Lexiph. [c. 18] : Ξένη περὶ τὴν φωνὴν νόσῳ ξυνόντα. Eur. [in Antiope] ap. Suid. [s. Antiatt. Bekk. p. 109, 17], νόσον ἔχειν pro φαῦλον ἦθος ἔχειν. [Med. 471 : Ἡ μεγίστη τῶν ἐν ἀνθρώποις νόσων ἀναίδεια.] Et Herodian. 4, [12, 4] : Εἰς ἀνανδρίαν καὶ θήλειαν νόσον διέβαλλεν, de animo effeminato. Quum de malo graviori dicitur, reddi potest Pestis : ut paulo ante in loco Theodoreti, ubi hæresin vocat νόσον. Plato in Sophista [p. 228, A] νόσον et στάσιν idem esse dicit, ut et in Νοσέω supra dictum. [De forma Ion. Νοῦσος,

A quam ab reliquis formis Ionicis separare noluimus, v. infra suo loco.]

Νοσοτροφία, ἡ, Morbi nutritio, quum quis morbum, curando corpore, producit, Longus morbus, Plato De rep. 3, [p. 407, B]. Idem 6, [p. 496, C] : Ἡ δὲ τοῦ σώματος ν., ἀπείργουσα αὐτὸν τῶν πολιτικῶν κατέχει, Bud. [Ælian. V. H. 4, 15.]

[Νοσοτρόφος, ὁ, Ægrotum nutriens. Margo Lex. Ms. SGM. cod. Paris. Reg. 345, fr. 125 verso : Νοσοκόμος, νοσοτρόφος.]

[Νοσοτυφέω, Cum fastu ægroto. Julian. Or. 6, p. 181, B : Τὸ νοσοτυφεῖν καὶ νοσηλεύεσθαι τρυφηλῶς οὑτωσί τινες ἐν καλῷ ποιοῦνται.]

[Νοσόω. V. Νοσέω.]

[Νόσπρασσον, Marrubium nigrum, ap. Interpol. Diosc. c. 523 (3, 107). Ducang.]

Νόσσαξ, ακος, ὁ, Νόσσιον, τὸ, et Νοσσὶς, ίδος, ἡ, diminutive i. q. νοσσὸς, Pullus. Diosc. 2, 53 : Ὁ ζωμὸς τοῦ νόσσακος, Jus ex pullo gallinaceo. Νόσαξ, perperam quidam codd. habent pro νόσσαξ. David Psalmo 83, B [3] : Στρουθίον εὗρεν ἑαυτῷ οἰκίαν, καὶ τρυγὼν νοσσιὰν ἑαυτῇ οὗ θήσει τὰ νόσσια ἑαυτῆς, Et turtur invenit sibi nidum in quo collocet pullos suos. [V. Matth. 24, 37, et ad eum l. Albert. p. 138.]

[Νοσσάριον, τό. V. Νοσσός.]

[Νοσσὰς, άδος, ἡ. Panyasis ap. Athen. 4, p. 172, D : Νοσσάδας ὄρνεις, Pullos avium vel gallinaceos.]

Νοσσεύω, pro νεοσσεύω dicitur, Nidulor, Nidifico. [Jesai. 48, 28 : Περιστεραὶ νοσσεύουσαι.] Pass. Νοσσεύεσθαι dicuntur pulli pro In nidis generari : ut ex Herodoto 1, [159] affertur, Νενοσσευμένα ὀρνίθων γένεα ἐν τῷ νηῷ, pro Genera avium quæ genitæ fuissent in templo. [Sirac. 1, 16 : Θεμέλιον αἰῶνος ἐνόσσευσε, Fundamentum quasi nidum struxit. Herodoto autem restituenda forma Νεοσσεύω, ut idem dicit νεοσσιὴ, quod animadvertit Portus.]

[Νοσσιὰ, ἡ. HSt. in Νόσσαξ :] Nota vero et Νοσσιὰ in præced. l. positum pro νεοσσιὰ, Nidus [Gl.], Domicilium in quo avis pullos suos collocat. Νοσιὰ, perperam in quibusdam codd. pro νοσσιά. [Ut ap. Jo. Da-
C masc. vol. 2, p. 908, A. Duplici σσ frequenter in libris V. T. L. D. Hesych.: Καλιαὶ, νοσσιαὶ ἐκ ξύλων. Hemst. Eust. Opusc. p. 183, 20; 186, 41. Moschop. Π. σχεδ. p. 93. Ammon. p. 145 : Ὁ λέγων νοσσιὰν τῶν τέκνων ἀκυρολογεῖ. Ab librariis illatum erat Pausaniæ 9, 30, 6. Librorum omnium consensu spreto ap. Theophr. C. Pl. 4, 5, 7, in νεοσσιῶν mutarunt editores, pro quo νεοττιῶν illius poscit dialectus.]

[Νοσσίον, τὸ, diminit. a νοσσὸς, quod v. Τὰ μικρότατα τῶν πετεινῶν interpr. Moschop. Π. σχεδ. p. 93. Formam Νοττίον Aristophani Av. 547, ubi νεοττία est pro dactylo, restituit G. Dindorf.]

Νοσσὶς, ίδος, ἡ, metaphorice in Epigr. pro Puella. [Antipater Anth. Pal. 9, 567, 2 : Κοιμωμένη Ἀντιοδημὶς πορφυρέων, Παφίης νοσσὶς, ἐπὶ κροκύδων.]

[Νοσσὶς, ίδος, ἡ, genus calceorum muliebrium. Hesychius : Νοσσίδες, ὑπόδημα γυναικεῖον. Pollux 7, 94 : Γυναικεῖα δὲ (ὑποδήματα) καὶ ... νοσσίδες. Dictæ videntur ab Nosside quadam, ut ἰφικρατίδες ab Iphicrate. L. Dind.]

D [Νοσσὶς, ίδος, ἡ, Nossis, n. mulieris, in inscr. Halicarn. ap. Bœckh. vol. 2, p. 456, n. 2661, b. Poetriæ in Anthol., de qua v. Jacobs. vol. 13, p. 925.]

[Νοσσοποιέω, Nidifico. Jesai. 13, 22 : Νοσσοποιήσουσιν ἐχῖνοι ἐν τοῖς οἴκοις αὐτῶν. Simplici σ male in Cram. An. vol. 4, p. 260, 26, 27, ubi cum accus.]

Νοσσὸς, ὁ, per sync. pro νεοσσὸς, Pullus, dicitur. [Phrynich. Ecl. p. 206 : Νοσσὸς, νοσσίον, ἀμφοῖν λείπει τὸ ε. Διὰ τοῦτο ἀδόκιμα. Λέγε οὖν νεοττὸς, νεοττίον, ἵνα ἀρχαῖος (al. add. Ἀττικὸς) φαίνῃ. Νοσσάριον (al. νεοσσάκιον, quod νοσσάκιον scribendum foret, νοσσάτιον cod. ap. Bachm. An. vol. 2, p. 390, 24) ἐκβλητέον τελέως. Conf. Thom. p. 626. Antiatt. Bekk. p. 109, 22 : Νοσσὸν χωρὶς τοῦ ε, Αἰσχύλος Κήρυξιν. Menandri exemplum formæ disyllabæ ap. Suid. in Νεοττὸς nimis est incertum, ut in Νεοττὸς diximus. Νοσσὸς est Jesai. 60, 8, Levit. 12, 8; 14, 22; 15, 14. Sed cod. Alex. semper νεοσσός. Fragmentum Sapphonis, in quod illata erat forma ab ejus dialecto aliena Νοττὸς, emendavi vol. 3, p. 1967, A. L. Dind.]

[Νόσσος, ὁ, Nossus, n. viri, in inscr. Halicarn. ap. Bœckh. vol. 2, p. 455, n. 2661, a, 1.]

Νοσσοτροφέω, Pullos avium alo, Epigr. [Leonidæ Anth. Pal. 9, 346, 2, ubi cod. νουσοτροφεῖς.]

Νοστέω, Redeo. Hom. Il. Σ, [330]: Οὐδέ με νοστήσαντα Δέξεται ἐν μεγάροισι γέρων ἱππηλάτα Πηλεύς· Ρ, [636]: Καὶ αὐτοὶ Χάρμα φίλοις ἑτάροισι γενοίμεθα νοστήσαντες· Od. Υ, [332]: Τόδε κέρδιον ἦεν Εἰ νόστησ' Ὀδυσεὺς καὶ ὑπότροπος ἵκετο δῶμα. Νῦν δ' ἤδη τόδε δῆλον ὅτ' οὐκέτι νόστιμός ἐστιν· et [329]: Ἐώλπει Νοστῆσαι Ὀδυσῆα πολύφρονα ὅνδε δόμονδε. Plut. [Mor. p. 297, B]: Μήποτε νοστήσαιτε φίλην ἐς πατρίδα γαῖαν· quem versum scribit τοὺς ἀπάγοντας εἰς Κασσιοπαίαν τὸν βοῦν. ἐξ Αἴνου τὰς παρθένους προπεμπούσας solitas fuisse ἐπᾴδειν ἄχρι τῶν ὅρων. [Pind. Nem. 11, 26: Κάλλιον ἂν ἐνόστησε. Aristoph. Av. 1270: Εἰ μηδέποτε νοστήσει πάλιν. Herodot. 1, 73: Νοστήσαντας αὐτοὺς κεινῇσι χερσί· 122: Νοστήσαντα ἐς τοῦ Καμβύσεω τὰ οἰκία· 3, 26: Οὔτε ὀπίσω ἐνόστησαν. Cum accus. Soph. OEd. C. 1386: Μήτε νοστῆσαί ποτε τὸ κοῖλον Ἄργος. Eur. Iph. T. 534: Οὔπω νενόστηκ' οἶκον, et alibi.] || Aliquando capitur pro Eo, Proficiscor, sicut et νέομαι et νείσσομαι, unde ipsum derivarunt quidam. Od. [Δ, 619,] Ο, [119]: Ὅθ' ἑὸς δόμος ἀμφεκάλυψεν Κεῖσέ με νοστήσαντα, Illuc profectum, Quum eo venissem. [Eur. Hel. 474: Λακεδαίμονος γῆς δεῦρο νοστήσασ' ἄπο· et cum accus. 891: Ὅταν γῆν τήνδε νοστήσας τύχῃς. Aristoph. Ach. 29: Ἐγὼ δ' ἀεὶ πρώτιστος εἰς ἐκκλησίαν νοστῶν κάθημαι. V. Νόστος.] || Interdum et Advenio. Plato Epist. 7, [p. 335, C] νοστεῖν de mortuis dixit huc et illuc euntibus ac redeuntibus s. errantibus: Ὑπὸ γῆς νοστῆσαι πορείαν ἄτιμόν τε καὶ ἀθλίαν πάντως πανταχῇ, ubi exp. Sub terra passim turpiter misereque omnino circumferri. [Conf. Περινοστῶ. || Med. Quintus 1, 269: Οὐδ' αὖθις ἑὴν νοστήσατο πάτρην.]

[Νοστία, ἡ, Nostia. Steph. Byz.: Νοστία, κώμη Ἀρκαδίας. Ἔφορος τὸ ἐθνικὸν Ἐστανιανὸς ἔφη, ὥστε κατ' αὐτὸν Ἐστανίαν λέγεσθαι· ἡ αὐτὴ γὰρ τῇ προτέρᾳ, ὡς δῆλον ἐξ ἄλλων. Quum ap. Pausaniam, ut suo loco dictum, sit Νεστάνη, vel sine Suida, ap. quem in gl. Νοστέα ex Stephano illata Νεστανίους et Νεστανίαν, restituere licebat ν omissum, de quo monuerunt intt.]

Νόστιμος, ὁ, ἡ, Rediturus, Qui redire potest. Exemplum habes paulo ante in Νοστέω: ubi νοστῆσαι et οὐκέτι νόστιμον εἶναι sibi opp. Sic Hom. Δ, [806] ad Penelopen, Ἔτι νόστιμός ἐστι Σὸς παῖς, Adhuc filius tibi superest qui redire possit: de Telemacho, qui peregre iverat de patre resciturus ex commilitonibus an adhuc viveret et reditum pararet. Sunt qui interpr. Redux: quod tamen potius de Eo dicitur, qui reductus est s. rediit. Cic., Reducem me esse voluistis: de exilio suo loquens. Terent., Reducem me in patriam facis. Virg., Tibi reduces socios classemque relatam Nuntio. [Τ, 85: Εἰ δ' ὁ μὲν ὡς ἀπόλωλε καὶ οὐκέτι νόστιμός ἐστιν· Υ, 333: Νῦν δ' ἤδη τόδε δῆλον ὅτ' οὐκέτι νόστιμός ἐστιν. Æsch. Ag. 618: Μενέλεων δὲ πεύθομαι, εἰ νόστιμός γε (legendum τε) καὶ σεσωσμένος πάλιν ἥξει ξὺν ὑμῖν. Apoll. Rh. 1, 896: Μνώεο μὴν ἀπεὼν περ ὅμως καὶ νόστιμος ἤδη Ὑψιπύλης.] Dicitur et νόστιμον ἦμαρ, τὸ τῆς οἴκαδε ὑποστροφῆς, Dies reditus, h. e. Dies quo aliquis domum suam revertitur; seu, ut Hesych. exp., τὸ σωτήριον καὶ ἀνακομιστικόν. Od. Θ, [466]: Οἴκαδέ τ' ἐλθέμεναι καὶ νόστιμον ἦμαρ ἰδέσθαι· Α, [168]: Τοῦ δ' ὤλετο νόστιμον ἦμαρ· pro quo Ψ, [68]: Ὤλεσε τηλοῦ νόστον Ἀχαιΐδος, ὤλεσε [ὤλετο] δ' αὐτός. Et Α, [354]: Οὐ γὰρ Ὀδυσσεὺς οἶος ἀπώλετο νόστιμον ἦμαρ Ἐν Τροίῃ, πολλοὶ δὲ καὶ ἄλλοι φῶτες ὄλοντο· et [9]: Αὐτὰρ ὁ τοῖσιν ἀφείλετο νόστιμον ἦμαρ· pro quo Od. Μ, [418] dicit, Θεὸς δ' ἀποαίνυτο νόστον. Et Il. Π, [82]: Ἀπὸ νόστον ἕλωνται· accipiens nimirum νόστον et νόστιμον ἦμαρ pro eod. [Æsch. Pers. 260: Ἀέλπτως νόστιμον βλέπω φάος. Idem ib. 797 et alibi: Νοστίμου σωτηρίας.] Item in Epigr. [Antipatri Sid. Anthol. Pal. 7, 639, 5], νόστιμος εὐπλοΐη. Eur. vero dixit etiam νόστιμον δόμον, de domo in quam quis redit, Alc. [1153]: Ἀλλ' εὐτυχοίης, νόστιμον δ' ἔλθοις δόμον [πόδα], Faxit Deus ut prospera utaris fortuna domumque redeas. [Cum eod. nomine Hec. 939: Ἐπεὶ νόστιμον ναῦς ἐκίνησεν πόδα. Paul. Sil. Anth. Pal. 5, 232, 4: Ἐς Ἱππομένην νόστιμον ἦτορ ἄγω.] || Νόστιμος ex posteriori significa-

A tione substantivi νόστος accipitur etiam pro Suavis, Dulcis, ut et Suidas testatur, quum ait, Ἐκ δὲ τοῦ κατὰ συνήθειαν, νόστου, quod sc. pro Dolcedo usurpatur, καὶ νόστιμον, τὸ ἡδύ. Eustathius p. 214, de Homerico νόστος loquens significante Reditus, Διὰ τὸ ἡδὺ τοῦ τοιούτου νόστου, καὶ νόστιμον ἔδεσμα λέγεται τὸ ἡδύ· p. 1383: Ὅμηρος μὲν ἦμαρ νόστιμον, τὸ τῆς οἴκαδε ὑποστροφῆς λέγει· οἱ δὲ μεθ' Ὅμηρον, καὶ βρῶμά φασι νόστιμον καὶ νόστον δὲ τὴν ἡδύτητα. Occasionem igitur Homeri posteri hujus vocis ita usurpandæ ex ipso Hom. sumpserunt, qui νόστον modo γλυκερὸν vocat, modo μελιηδέα, ut supra quoque dixi. Sic v. σπέρματα ap. Theophr. quæ alibi γλυκέα, quibus opp. τὰ ἄνοστα, ut videre est in l. quem supra citavi ex C. Pl. 4, 14. Ibid.: Νοστιμώτερα ἐκ τῆς αὐτῆς παρὰ τὴν τοῦ ἀέρος κρᾶσιν· οὐ γὰρ πάντως ὅταν πλεῖστος καὶ ἀδρότατος γένηται, καὶ νοστιμώτατος. Ibid.: Δοκεῖ δὲ μεγάλα συμβάλλεσθαι καὶ ἡ σχάλσις πρὸς τὸ νοστιμώτερον ποιεῖν καὶ τὸ ἐγγύτερα θερίζειν, Ad seminis suavitatem, ut Gaza interpr. In quibus tamen ll. νοστιμώτερος et νοστιμώτατος B per ο scribuntur in antep. Sic et ap. Plut. accipitur [Mor. p. 684, C], ubi quæritur quare ficus, quum sit δριμυτάτη arbor, ferat γλυκύτατον fructum: Ὥσπερ γὰρ τὸ ἧπαρ, εἰς ἕνα τόπον τοῦ χολώδους ἀποκριθέντος, αὐτὸ γίνεται γλυκύτατον, οὕτω τὴν συκῆν εἰς τὸ σῦκον ἅπαν τὸ λιπαρὸν καὶ νόστιμον ἀφιεῖσαν, αὐτὴν ἄμοιρον εἶναι γλυκύτητος· unde patet et ipsum accipere νόστιμον pro γλυκύ [Andreas Cret. De vita hum. p. 77: Ἐχῖνοι δὲ καὶ μηκάδες καὶ μέλισσαι, οἱ μὲν ἐνύγρων ὄψων νόστιμον ἡμῖν χαρυκεύουσι πέμμα. Ducang. Eust. ad Dionys. p. 70, 8: Πᾶν εἴ τι νόστιμον τῆς τοῦ Διονυσίου ποιήσεως, εἰς φιλοτήσιον βρῶμα συσκευάζομεν· 71, 10: Ἐκμυζῶν τῆς ἐκείνου ἱστορίας ἅπαν εἴ τι νοστιμον· Opusc. p. 22, 45: Τὸν ξένον ἄρτον ἀποφαινόμεθα νόστιμον καὶ τὸν ἁρπαγιμαῖον οἶνον γλυκύτατον· 86, 26: Νόστιμον ἅλας, et alibi in iisdem. Geopon. 2, 16, 1: Σῖτον ... νοστιμώτατον.] Dicitur etiam νόστιμον in aliqua re, Quod veluti ejus medulla et succus est, s. melior pars et veluti flos: cui plerumque opponuntur sordes et excrementa. Lucian. [De luctu c. 19]: Ἐπὶ τῶν καθαγισμῶν τὸ μὲν νοστιμώ- C τατον τῶν παρεσκευασμένων ὁ καπνὸς παραλαβὼν ἄνω εἰς τὸν οὐρανὸν οἴχεται· τὸ δὲ καταλειπόμενον, ἡ κόνις, ἀχρεῖον. Ubi tamen Erasm., Id quod ex apparatu potissimum ad nos redire debuerat. Diosc. 2: Ὅταν δὲ μαλακὸς γένηται, δεῖ πραέως τὸ ὕδωρ ἐκχεῖν χωρὶς τοῦ κινεῖν, ἵνα μὴ συνεκκλύζηται τὸ νόστιμον, Ne simul quod quæritur utile, effluat, Marcell. Rursum Diosc. 3, 97, de purgatione galbani: Οὕτω γὰρ τὸ νόστιμον ἀποτακήσεται ὡς δι' ἠθμοῦ, τὸ δὲ ξυλῶδες ἐν τῷ ὀθονίῳ μενεῖ, Quod utile est, Marcell. Et 5, 85, de lotura pompholygis: Οὕτω γὰρ τὸ μὲν ἰλυῶδες καὶ ν. αὐτῆς ἀποῤῥυήσεται, τὸ δὲ σκύβαλον πᾶν ἐν τῷ ὀθονίῳ μενεῖ, Quod in ea limosum est et utile, Marcell. non sequens eos qui interpretati sunt Pars dulcior, sapida; ac revera ea interpretatio magis consentanea loco illi videtur. || Νόστιμος, ὥριμος, Hesych. [Quam gl. Spanhemius adhibuit Callim. Cer. 135: Χαῖρε, θεά, καὶ τάνδε σάω πόλιν ... φέρε δ' ἀγρόθι νόστιμα πάντα, ubi Matura recte verterat Int., confertque præter ea quæ sunt ap. HSt. in Νόστος sub finem, Joseph. B. J. 4, 8, 3, 24 ed. Cardwell.: D Τοσαύτην γοῦν ἐν ταῖς ἀρδείαις (τὸ ὕδωρ) ἔχει δύναμιν, ὡς, εἰ καὶ μόνον ἐφάψαιτο τῆς χώρας, νοστιμώτερον εἶναι τῶν μέχρι κόρου χρονιζόντων, Salubrius et magis fœcundans. L. Dindorf.]

[Νόστιμος, ὁ, Nostimus, n. viri in inscr. Cyzic. ap. Caylus *Recueil* vol. 2, tab. 68, B, 10. L. Dind.]

Νόστος, ὁ, Reditus: quod quidam gramm. existimant esse verbale a νέομαι s. νείσσομαι, Redeo: unde alii ipsum verbum deduxerunt, ut dictum est. Hom. Od. Α, [326]: Ἀχαιῶν νόστον ἄειδε, Reditum Græcorum ex bello Trojano. Σ, [241]: Οὐδὲ νέεσθαι Οἴκαδ', ὅπῃ οἱ νόστος, Nec redire domum, quo redire animus ei est. Γ, [142]: Νόστου μιμνήσκεσθαι, Reditus meminisse: pro quo Il. Ι, [434] dicit νόστον μετὰ φρεσὶ βάλλεσθαι, De reditu cogitare. Od. Λ, [109]: Νόστοιο μέδεσθαι· Α, [13]: Νόστου κεχρημένος· pro quo Λ, [349]: Μάλα περ νόστοιο χατίζων· Ο, [69]: Οὔτι σ' ἐγώ γε πολὺν χρόνον ἐνθάδ' ἐρύξω Ἱέμενον νόστοιο· Ψ, [253]: Νόστον ἑταίροισιν διζήμενος ἠδ' ἐμοὶ αὐτῷ· Ι, [102]: Μήπω τις λωτοῖο φαγών, νόστοιο λάθηται, Reditus obliviscatur.

Ψ, [68] de Ulysse : Ὤλεσε τηλοῦ νόστον Ἀχαιΐδος, ὤλεσε [ὤλετο] δ' αὐτὸς, Reditum in Græciam. [Orph. Arg. 144 : Νόστον οἴχοιο, quod non mutandum. Sic 200 : Πλόον Ἀξείνοιο, coll. 85. Schæf. Qui ut genitivum ap. Orpheum temere sollicitari ostenderet, Melet. p. 90 contulit Soph. Phil. 43 : Ἢ 'πὶ φορβῆς νόστον ἐξελήλυθεν, neglexit autem Hom. Od. E, 344 : Ἀτὰρ χείρεσσι νέων ἐπιμαίεο νόστου γαίης Φαιήκων, ubi, ut ap. Soph., est Via, Iter ad, non Reditus, quemadmodum et νοστεῖν supra notavimus significatione Proficiscendi positum et νόστος ponitur ab Eur. Rhes. 427 : Ἀλλ' ἀγχιτέρμων γαῖά μοι, Σκύθης λεὼς, μέλλοντι νόστον τὸν πρὸς Ἴλιον περᾶν ξυνῆψε πόλεμον· Iph. A. 965 : Ἔδωκα τᾶν Ἕλλησιν, εἰ πρὸς Ἴλιον ἐν τῷδ' ἔκαμνε νόστος· 1261 : Οἷς (Græcis) νόστος οὐκ ἔστ' Ἰλίου πύργους ἔπι. Orph. Arg. 51 : Λισσόμενός μ' ἐπίκουρον ἑοῦ νόστοιο γενέσθαι ποντοπόρῳ ξὺν νηὶ πρὸς ἄξενα φῦλ' ἀνθρώπων. De adventu Eur. Heracl. 645 : Πάλαι γὰρ ὠδίνουσα τῶν ἀφιγμένων ψυχὴν ἐτήκου νόστος εἰ γενήσεται.] Ξ, [61] : Ἧ γὰρ τοῦγε κατὰ νόστον ἔδησαν· M, [419]: Κύμασιν ἐμφορέοντο, θεὸς δ' ἀποαίνυτο νόστον, Adimebat eis reditum : de sociis Ulyssis ex navi in pelagus delapsis. Contra, Z, [14] : Νόστον Ὀδυσσῆϊ μεγαλήτορι μητιόωσα· Il. B, [155] : Ἀγαιοῖσιν ὑπέρμορα νόστος ἐτύχθη. Et νόστον ἀποίσεται, [Ps.-] Eur. [Iph. A. 298], Reditum auferet, h. e. Reditum nanciscetur, Redibit. [Æsch. Pers. 8 : Ἀμφὶ δὲ νόστῳ τῷ βασιλείῳ καὶ πολυχρύσου στρατιᾶς· 861 : Νόστοι ἐκ πολέμων. Eodemque numero Soph. Aj. 900, El. 193. Et sæpius ap. Eur. et alios quosvis.] Interdum additur epitheticῶς φίλος, γλυκερός : unde factum est, ut νόστιμος aliquando pro γλυκὺς s. ἡδὺς accipiatur. Od. X, [323] : Τηλοῦ ἐμοὶ νόστοιο τέλος γλυκεροῖο γενέσθαι· Il. Π, [81] : Μὴ δὴ πυρὸς αἰθομένοιο Νῆας ἐνιπρήσωσι, φίλον δ' ἀπὸ νόστον ἕλωνται, Reditum adimant : ut paulo ante, ἀποαίνυτο νόστον. Et Od. Λ, [99] : Νόστον δίζηαι μελιηδέα, φαίδιμ' Ὀδυσσεῦ, Τὸν δέ τοι ἀργαλέον θήσει θεός. [Pind. Pyth. 8, 87 : Νόστος ἔπαλπνος, et alibi γλυκερὸς s. γλυκύς. || Iter, Via. V. supra.] Extant et libri tum poetarum, tum prosæ scriptorum Περὶ Νόστων, ut testatur Suid. Sic ap. Athen. 11, [p. 466, C] : Ἀντικλείδης ὁ Ἀθηναῖος ἐν τῷ ἑκκαιδεκάτῳ Νόστων. Et ap. Hesych., Νόστοις, βίβλοις οὕτω καλουμέναις. [V. de Νόστων scriptoribus Lennep. ad Phalar. p. 49.] || Accipitur alicubi pro Dulcedo, Suavitas. Eust. p. 1383 : Οἱ δὲ μεθ' Ὅμηρον καὶ βρῶμά φασι νόστιμον, καὶ νόστον δὲ τὴν ἡδύτητα, διὰ τὸ ἡδὺ τοῦ Ὁμηρικοῦ νόστου. Præterea Hesychio νόστος est non solum ἡ εἰς τὸν οἶκον ἀνακομιδὴ s. ἐπάνοδος, sed etiam ἡ ἀνάδοσις τῆς γεύσεως. [Γεῦσις, Sapor, Gl.] Et ap. Suid. : Νόστος παρὰ τῇ συνηθείᾳ γλυκασμὸς, ἐπὶ τῶν ἐδεσμάτων, ὡς ἀπὸ τῆς οἴκαδε ἀναστροφῆς καὶ ἀνακομιδῆς, παρὰ τὸ τῆς πατρίδος γλυκύ. Idem tamen huic posteriori νόστος primum locum etiam tribuit : Νόστος, ἡ οἴκαδε ἐπάνοδος, παρὰ τὸ τῆς πατρίδος ἡδύ· sed minus recte. [V. Πολύνοστος.] || Habet et aliam signif. Athen 14, [p. 618, C] ex Tryphone : Ἱμαῖος, ἡ ἐπιμύλιος καλουμένη (ᾠδὴ), ἣν παρὰ τοὺς ἀλέτους ᾖδον· ἴσως ἀπὸ τῆς ἱμαλίδος· ἱμαλὶς δ' ἐστὶ παρὰ Δωριεῦσιν ὁ νόστος, καὶ τὰ ἐπίμετρα τῶν ἀλέτων· quem l. quum citasset Eust. p. 1885, subjungit, Λέγει δὲ νόστον ὁ ῥήτωρ ἐνταῦθα οὐ τὸν Ὁμηρικὸν καὶ συνήθη, ἀλλά τινα δαίμονα ἐπιμύλιον, ἔφορον τῶν ἀλετῶν, ὃς καὶ Εὔνοστος ἐλέγετο· οὗ παρώνυμον τὸ νόστιμον. Idem Eust. p. 1383 : Καὶ νόστον δὲ τὴν ἡδύτητα (subaudi, appellant posteri Homeri), διὰ τὸ ἡδὺ τοῦ Ὁμηρικοῦ νόστου· ὅθεν καὶ εὔνοστος, φαῦλόν φασιν ἀγαλμάτιον παρὰ τοῖς μύλωσιν· ἢ (ὡς ἐν ἑτέρῳ Ῥητορικῷ Λεξικῷ κεῖται,) Εὔνοστος, θεὸς ἐπιμύλιος, δοκοῦσα ἐφορᾶν τὸ μέτρον τῶν ἀλεύρων. Est igitur sive Νόστος sive Εὔνοστος Deus Deave, Dei simulacrum, quod molendinis appositum, farinæ mensuram inspicere ac velut ei præesse credebatur. Idem et Hesych. testatur, ap. quem ita habetur : Εὔνοστος, ἀγαλμάτιον εὐτελὲς ἐν τοῖς μύλωσιν, ὃ δοκεῖ ἐφορᾶν τὸ ἐπίμετρον τῶν ἀλεύρων, ὅπερ λέγεται νόστος.

[Νοστόω, Condio, Edulco. Pseudo-Chrys. Serm. 49, vol. 7, p. 383, 12 : Ἡ μήτηρ ... τὰ λαχανικὰ βρώματα ἀρτύμασι νοστώσασα, καὶ πυρὶ τελειώσασα, ὑπηρέτις τῆς ζωῆς τῶν οἰκείων τέκνων γίνεται. Seager.]

[Νοστὼ, οῦς, ἡ, Nosto, n. mulieris, ap. Joann. Barbuc. Anth. Pal. 7, 555, 5.]

A Νόσφι, sive Νόσφιν, Seorsum, s. Seorsum ab. Hom. Il. B, [233]: Ἥν τ' αὐτὸς ἀπὸ νόσφι κατίσχεαι· Λ, [554]: Ἠῶθεν δ' ἀπὸ νόσφιν ἔβη τετιηκότι θυμῷ, Seorsum ab aliis ibat, h. e. Secedebat. Aut etiam, Procul ab aliis secedebat. Sic ap. Hesych. νόσφιν ἐὼν, pro χωρὶς ὑπάρχων. Il. Ω, [582] : Δμωὰς δ' ἐκκαλέσας λοῦσαι κέλετ' ἀμφί τ' ἀλεῖψαι, Νόσφιν ἀειράσας, ὡς μὴ Πρίαμος ἴδοι υἱὸν, Seorsum. [Il. A, 284 : Ὡς ἐνόησ' Ἀγαμέμνονα νόσφι κιόντα· Od. P, 304 : Ὁ νόσφιν ἰδὼν ἀπομόρξατο δάκρυ.] O, [244]: Νόσφιν ἀπ' ἄλλων, Seorsum ab aliis. A, [541] : Αἰεί τοι φίλον ἐστὶν, ἐμεῦ ἀπὸ νόσφιν ἐόντα Κρυπτάδια φρονέοντα δικαζέμεν, Seorsim a me. Od. K, [486] : Ἀμφ' ἔμ' ὀδυρόμενοι ὅτε που σύ γε νόσφι γένηαι, Te absente. Jungitur et cum gen. pro Sine, ap. Hom. [Od. Ξ, 9] de subulco ædificante stabulum suo gregi : Νόσφιν δεσποίνης καὶ Λαέρταο γέροντος. [Il. B, 347 : Τοί κεν Ἀχαιῶν νόσφιν βουλεύωσι· E, 803 : Ὅτε τ' ἤλυθε νόσφιν Ἀχαιῶν· Z, 443 : Αἴκε κακὸς ὣς νόσφιν ἀλυσκάζω πολέμοιο· Θ, 490 : Νόσφι νεῶν ἀγαγών· I, 348 : Πολλὰ πονήσατο νόσφιν ἐμεῖο· M, 466 : Νόσφι θεῶν· Ξ, 256 : Νόσφι φίλων B πάντων· Σ, 465 : Αἲ γάρ μιν θανάτοιο δυναίμην νόσφιν ἀποκρύψαι. || Procul. Hom. Od. Π, 383 : Ἐπ' ἀγροῦ νόσφι πόληος. Apoll. Rh. 1, 91 : Νόσφιν ἀλευάμενοι κατένασθεν Αἰγίνης. Et post genitivum 322 : Πόληος νόσφι. || Præter. Hom. Il. Υ, 7 : Οὔτε τις οὖν ποταμῶν ἀπέην νόσφ' Ὠκεανοῖο· Od. A, 20 : Θεοὶ δ' ἐλέαιρον ἅπαντες νόσφι Ποσειδάωνος. Theognis 166 : Οὐδεὶς νόσφιν δαίμονος. Apoll. Rh. 1, 197 : Οὔτιν' ὑπέρτερον ἄλλον νόσφιν γ' Ἡρακλῆος, et iisdem modis ceteri recentiores poetæ non Attici : horum enim unus usus est Æsch. Suppl. 239 : Ἀπρόξενοί τε νόσφιν ἡγητῶν μολεῖν ἔτλητ' ἀτρέστως, Sine. Sequente ἢ, ut sit Præterquam, Theocr. 25, 197 : Ἀμφὶ δέ σοι τὰ ἕκαστα λέγοιμί κε τοῦδε πελώρου ὅππως ἐκράανθεν, ... νόσφιν γ' ἢ ὅθεν ἦλθε.] At et Nonno, Νόσφι δόμου, Extra domum. Hesych. νόσφι exp. non solum χωρὶς, ἄνευ, δίχα, ἐκτός : sed etiam λάθρα, μακράν. [Addito ἄτερ Hesiod. Op. 91 : Πρὶν μὲν γὰρ ζώεσκον ἐπὶ χθονὶ φῦλ' ἀνθρώπων νόσφιν ἄτερ τε κακῶν καὶ ἄτερ χαλεποῖο πόνοιο, et ib. 113. Sc. 15 : Ἔνθ' ὅγε δώματ' ἔναιε σὺν αἰδοίῃ παρακοίτι νόσφιν ἄτερ φιλότητος C ἐφιμέρου.]

[Νοσφίδιος, α, ον.] Νοσφίδιον Hesych. exp. κλοπιμαῖον, λαθραῖον, Furtivum, Clandestinum. [Hesiod. ap. schol. Plat. p. 45 = 374 : Νοσφιδίων ἔργων πέρι Κύπριδος. Theognost. Can. p. 58, 19, Arcad. p. 41, 26, sec. codicem Havn.]

Νοσφιδὸν, a νοσφίζομαι Eust. [Il. p. 894, 50] derivari scribit ut διακριδὸν a διακρίνομαι : non tamen exp. : sed videtur accipi pro Clanculum et furtim surripiendo, aut etiam Furtim, Clam.

[Νοσφίζω s. Νοσφίζομαι.] Νοσφίζομαι, Sum seorsum, pro νόσφιν εἰμί. Hom. Od. Ψ, [98]: Τίφθ' οὕτω πατρὸς νοσφίζεαι, οὐδὲ παρ' αὐτὸν Ἑζομένη, μύθοισιν ἀνείρεαι, οὐδὲ μεταλλᾷς; Quid ita a patre te segregas? seu, ut Eust. exp., νόσφι γίνῃ, χωρίζῃ. Sic et Od. A, [73]: Μή μ' ἄκλαυτον, ἄθαπτον ἰὼν ὄπιθεν καταλείπειν, Νοσφισθεὶς, Idem exp., νόσφι γενόμενος, χωρισθεὶς, ὑποχωρήσας. [Theognis 94 : Εἴ τις ἐπαινήσει σε τόσον χρόνον ὅσσον ὁρῴη, νοσφισθεὶς δ' ἄλλῃ γλῶσσαν ἵησι κακήν.] Item Aversor. Sic Il. [B, 81] : Ψεῦδός κεν φαῖμεν, καὶ νοσφιζοίμεθα D μᾶλλον, i. e. Magis aversaremur, Magis ab eo credendo abhorreremus, s. μᾶλλον χωριζοίμεθα τῆς πίστεως τοῦ ὀνείρου, ut in meo Hom. Ms. exp. Sic posset et in præcedenti l. capi. || Destituo, Desero, et quasi Seorsum relinquo. Od. T, [579] : Τῷ κεν ἅμ' ἑσποίμην νοσφισσαμένη τόδε δῶμα. Sic Helena Δ, [263] : Παῖδά τ' ἐμὴν νοσφισσαμένη, θάλαμόν τε πόσιν τε· T, [339] : Ὅτε πρῶτον Κρήτης ὄρεα νιφόεντα Νοσφισάμην, ἐπὶ νηὸς ἰὼν δολιχηρέτμοιο, Reliqui. Quibus addi potest ex Soph. OEd. T. [693] : Εἴ σε νοσφίζομαι· ubi schol., οὐ συγγίνομαί σοι, Te destituo : et εἴ σε ἐκτρέπομαι, vel ἀποκρύπτομαι : exp. etiam, εἰ ἀλλότριόν σε καὶ οὐκ οἰκεῖον νενόμικα. [Aoristi forma passiva Archilochus ap. Origen. Adv. Celsum 2, p. 74 : Ὅρκον δ' ἐνοσφίσθης μέγαν ἅλας τε καὶ τράπεζαν. Apoll. Rh. 1, 187 : Καὶ δ' ἄλλω δύο παῖδε Ποσειδάωνος ἵκοντο, ἤτοι ὁ μὲν πτολίεθρον ἀγαυοῦ Μιλήτοιο νοσφισθεὶς Ἐργῖνος, ὁ δ' Ἰμβρασίης ἕδος Ἥρης, Παρθενίην, Ἀγκαῖος ὑπέρβιος. Media id. 4, 362.] At Νοσφίζω Homero ignotum est : νοσφίζεσθαι autem ab eo usurpari non tam pro νόσφι καὶ χωρὶς γίνεσθαι καὶ ἀφίστασθαι, quam etiam active pro χωρίζειν ac νόσφι καὶ πόῤῥω ποιεῖν, annotat Eustath. In qua posteriori signif. accipi potest ap. Dionys. Per. [684], ubi de Achæis ad Trojam obsidendam proficiscentibus ait, Τούς ποτ' ἀπὸ Ξάνθοιο καὶ Ἰδαίου Σιμόεντος Πνοιαὶ νοσφίσσαντο νότοιό τε καὶ βορέαο. Ubi idem Eust. exp., νόσφι καὶ χωρὶς καὶ μακρὰν ἀπήγαγον καὶ ἀφωρίσαντο, Separarunt s. Sejunxerunt. [Activo sic idem 19 : Ἄλλοι δ' ἠπείροισι διὰ χθόνα νοσφίζουσιν.] || Νοσφίζω et νοσφίζομαι a posteris Homeri usurpatur et in diversa signif., sc. pro Privo, Aliquid alicui clam subtractum in commodum meum verto, ἰδιοποιοῦμαι, σφετερίζομαι, ut Eust. exp. Soph. Phil. [684] : Οὔτ' ἔρξας τιν' οὔτε νοσφίσας, Ἀλλ' ἴσος ἐν ἴσοις ἀνὴρ, i. e. ἀποστερήσας, schol. [Eur. Hel. 640 : Ἐκ δόμων δὲ νοσφίσας ... ἐμοῦ ἐλαύνει θεός· Iph. A. 1286 : Ἴδας ὄρεα, Πρίαμος ὅθι ποτὲ βρέφος ἁπαλὸν ἔβαλε μητρὸς ἀποπρὸ νοσφίσας. Lycophr. 1331 : Θεμισκύρας ἄπο τὴν τοξόδαμνον νοσφίσας Ὀρθωσίαν. Id. 1454 : Πίστιν γὰρ ἡμῶν Λεψιεὺς ἐνόσφισε, ubi genit. videri potest cum verbo jungendus potius quam cum substantivo.] Νοσφίζεσθαι quoque eo modo dicitur [Peculor, Usurpo, Prævaricor; Νοσφίζομαί σε, Prævaricor tibi, Gl.] : unde ap. Hesych., Νοσφιζόμενος, στερῶν, κλέπτων· et ap. Suid., Νοσφιζόμενον, ὑφαιρούμενον, ἰδιοποιούμενον. Xen. Cyrop. 4, [2, 42] : Ὧν οὐκ ἀγνοῶ ὅτι δυνατὸν ἡμῖν κοινῶν αὐτῶν ὄντων τοῖς συγκατειληφόσι, νοσφίσασθαι ὁπόσα ἂν βουλώμεθα, Clam subducta in commodum nostrum convertere, s. Surripere, Suffurari. Sic Act. 5, [2] de Anania : Καὶ ἐνοσφίσατο ἀπὸ τῆς τιμῆς, Intervertit aliquid ex pretio. Et in Epist. ad Titum 2, [10] : Μὴ νοσφιζομένους, ἀλλὰ πίστιν πᾶσαν ἐνδεικνυμένους ἀγαθὴν, Nihil intervertentes, sed omnem bonam fidem ostenpentes. [Pass., ut videtur, ut sit Perdo, Orph. Arg. 1336 : Καὶ τότε παρθενίης νοσφίζετο κούριον ἄνθος αἰνόγαμος Μήδεια δυσαινήτοις ὑμεναίοις. || Cum genitivo act. Æsch. Cho. 620 : Νῖσον ἀθανάτας τριχὸς νοσφίσασα. Soph. Ph. 1427 : Πάριν τόξοισι τοῖς ἐμοῖσι νοσφιεῖς βίου. Eur. Rhes. 56 : Ὅστις μ' εὐτυχοῦντ' ἐνόσφισας θοίνης λέοντα· Alc. 43, Suppl. 539; Lycophr. 894, et sæpius in Anthol. Medio Eur. Suppl. 153 : Ἦπού σφ' ἀδελφὸς χρημάτων νοσφίζεται. Apoll. Rh. 4, 1108 : Λέκτρον δὲ σὺν ἀνέρι πορσαίνουσαν οὔ μιν ἑοῦ πόσιος νοσφίσσομαι.] Citatur pro activa voce ex Apoll. Arg. 2, [793] : Ἐνόσφισάν μ' Ἡρακλῆος, Ab Hercule me separarunt : item sine expositione, ex Eur. [Andr. 1208], Νοσφίσας με ἄπαιδα· ubi videtur accipi pro Deserens, ut παῖδα ἐμὴν νοσφισαμένη paulo ante : id tamen incertum est, quia integer locus non ascribitur. [Cum duplici accus. Pind. Nem. 6, 64 : Δύο μὲν καὶ σ' ἐνόσφισε καὶ Πολυτιμίδαν κλᾶρος προπετὴς ἄνθε' Ὀλυμπιάδος. || Divido, cum genit. Dionys. Per. 25 : Ὅς ῥά τε νοσφίζει Λιβύην Ἀσιήτιδος αἴης.] Itidemque νοσφίζεσθαι χρήματα ap. Plut. aliquot locis [Aristid. c. 4, Lucull. c. 37, al.] pro Intervertere accipi testatur Bud. Et in Fabulis Æsopi, Οὐ χρυσὸν ἐνοσφισάμην, Non interverti s. surripui. 2 Macc. 4, [32] : Νοσφισάμενος χρυσώματα, Aurea vasa furatus. [Ap. Heraclit. Alleg. p. 431, Plato τὸ περὶ τῆς ψυχῆς δόγμα νοσφισάμενος ἀπ' αὐτοῦ (Homero). Eust. Il. p. 1331, 42 : Ἐνοσφίζετό τι τῆς λείας ὁ πολέμαρχος. Athen. 6, p. 234, A : Νοσφισάμενον ἐκ τοῦ Λυσανδρίου χρήματος. Valck.] Pro Aufero accipi potest ap. Apollon. Arg. 4, [181] : Περὶ γὰρ δίεν ὄφρα ἑ μή τις Ἀνδρῶν ἠδὲ θεῶν νοσφίσσεται ἀντιβολήσας· nam schol. exp. ἀφαιρήσεται. Passive etiam usurpari a Chrysost. In 2 Ad Cor. p. 31, annotat Bud. Ab Æschylo quoque νοσφίζεσθαι passive capitur pro Vita privari, vel Dolose necari, Choeph. [489] : Μέμνησο λουτρῶν οἷς ἐνοσφίσθης, πάτερ, Memento balnei quo periisti : ubi et schol. exp. οἷς ἀπέθανες. [Immo νοσφίζω apud eundem est Occido, Perimo, Interficio. Orestes in Choephoris 438 matri mortem minatus ait, Ἔπειτ' ἐγὼ νοσφίσας ὀλοίμαν, Deinde, quum interfecero, moriar. Brunck. Eum. 211 : Γυναικὸς ἥτις ἄνδρα νοσφίσῃ. Quintus 13, 28 : Τῷ νύ μ' ἀκηχεμένην πολυτείρεος ἐκ βιότοιο νοσφίσατ' ἐσσυμένως.]

[Νόσφιν. V. Νόσφι.]

Νοσφισμὸς, ὁ, Clandestina surreptio, Fraudatio. VV. LL. sine exemplo. [Usurpatio, Peculatio, Peculatus, Depeculatio, Illecebræ, Gl. Sic Polyb. 32, 21, 8 : Συνδεδραμηκότων πρὸς αὐτὸν τῶν χειρίστων ... ἀνθρώπων διὰ τὸν ἐκ τῶν ἀλλοτρίων νοσφισμόν. || « Lex. Ms. ex cod. Reg. 1708 (et Moschop. Π. σχεδ. p. 92) : Νοσφισμὸς, χωρισμός. » Ducang. Joseph. B. Jud. 5, 10, 4 : Ἤλγει τὸν ν. τῆς ὠμότητος. Basil. t. 2, p. 729, C : Ν. γάρ ἐστιν ἡ ὁπωσοῦν καὶ ὁθενοῦν ἰδιάζουσα κτῆσις. Hase. Joann. Damasc. vol. 1, p. 678, E : Ἔφη τὸ σεπτὸν καὶ σεβάσμιον στόμα (Christi), Νοσφισμὸς ὑμῖν οὐ γενήσεται, φίλοι.]

[Νοσφιστὴς, οῦ, ὁ, Qui clam surripit, Peculator. Schol. Luciani Jov. Trag. c. 48 : Τῶν δημοσίων νοσφιστήν. Martin.]

Νοσώδης, ὁ, ἡ, Morbosus, Morbidus, [Valetudinarius, Gl.] : cui opp. ὑγιεινὸς ab Aristot. Dicitur vero tam de persona aliqua, quam de re. [Eur. Or. 480 : Στίλβει νοσώδεις ἀστραπάς.] Plut. Apophth. [p. 180, F] : Μακεδόνων τοὺς νοσώδεις καὶ ἀναπήρους· De S. N. V. [p. 562, F] : Ἐὰν ἐκ φαύλου γένηται χρηστὸς, ὥσπερ εὐεκτικὸς ἐκ νοσώδους· Lyc. [c. 16] : Λέγεται γὰρ ἐξίστασθαι τὰ ἐπιληπτικὰ καὶ νοσώδη πρὸς τὸν ἄκρατον ἀποσφακελίζοντα· τὰ δὲ ὑγιεινὰ, μᾶλλον στομοῦσθαι, καὶ κρατύνειν τὴν ἕξιν· De orac. Pyth. [p. 395, D] : Νοσώδη χλωρότητα καὶ φθορὰν ἀχαλλῆ. [« Quod est ap. Athen. 12, p. 551, D : Ὅτι δὲ ἦν ὁ Κινησίας νοσώδης καὶ δεινὸς τἄλλα Λυσίας ὁ ῥήτωρ ... εἴρηκε, non intellexit interpres : id minime significat Valetudinarium eum fuisse, sed Morbosum, eo sensu quo dixit Catullus de Mamurra et Cæsare, Morbosi pariter gemelli utrique. Cinædum eum fuisse innuit Comicus Conc. 329. » Brunck. ad Aristoph. Av. 1378. Frequens hujus vocis usus est ap. Plat., ut Reip. 3, p. 406, A : Ν. γενόμενος· 8, p. 556, E : Σῶμα νοσῶδες· Leg. 5, p. 734, B : Περὶ νοσώδους τε καὶ ὑγιεινοῦ βίου. Et alibi similiter. Pollux 4, 137 : Νοσώδης τὴν χρόαν.] Idem τὸ νοσῶδες quasi dicas Morbositas : de iis qui sunt νοσώδεις, Morbosi. Idem Symp. 4 [p. 662, F] : Κατηγορεῖ δὲ αὐτῶν καὶ ἡ βραχύτης τοῦ βίου τὸ ἐπίκηρον καὶ νοσῶδες, Quam sint exposita et obnoxia morbis. Locus etiam aliquis νοσώδης dicitur pro νοσοποιὸς, Morbidus, ut Morbidus aer Lucretio. Isocr. [p. 388, D] : Τὸ χωρίον ἐπυνθάνετο ν. εἶναι. Sic Plut. : Τὰ νοσώδη χωρία φυλάττεσθαι. [Id. Mor. p. 126, E : Χώρας ἐπιμεμφόμενοι νοσώδεις.] Idem Περὶ πολυπραγμ. [p. 515, C] de Empedocle loquens, Διασφᾶγα [–σφάγα] βαρὺν καὶ ν. κατὰ τῶν πεδίων τὸν νότον ἐμπνέουσαν. Ibid. [B] dicit, Δυσχείμερον οἰκίαν, ἢ νοσώδη [φυγεῖν. Ubi active capere licet, ut ap. Plat. Reip. 4, p. 438, E : Τῶν ὑγιεινῶν καὶ νοσωδῶν (νοσώδων Aristarchus ἀλόγως, ut ait Joannes Alex. Τον. παραγγ. p. 39, 16) ἡ ἐπιστήμη, Theophr. H. Pl. 7, 9, 4 : Ἔνιαι ῥίζαι γλυκεῖαι μὲν, θανάσιμοι δὲ καὶ νοσώδεις. Improprie Eur. Suppl. 423 : Νοσῶδες τοῖς ἀμείνοσιν, Ingratum.]

Νοσωδῶς, More eorum qui morbosi s. morbidi sunt et valetudini obnoxii. Quod adverb. Polluci [3, 105] videtur esse δυσήκοον, ut in Νοσερῶς dictum est. [Photius et Etym. M. in Νοσακερῶς.]

[Νόσωσις. V. Νόσανσις.]

[Νοταπηλιώτης, ὁ, Australis subsolanus. Proculus Paraphr. Ptol. 2, 3, p. 87, 90, 92. Unde adj. Νοταπηλικιωτικὸς, ib. p. 85, 92. Struv.]

[Νοταρικὸν, τὸ, sec. Feuardent. ad Iren. 2, 41, p. 195, D, Methodus inveniendi voces integras in singulis litteris vocabuli. Velut in Ἀδὰμ habes initiales vocum Ἀνατολὴ, Δύσις, Ἄρκτος, Μεσημβρία. Hase.]

Νοτάριος, ὁ, Notarius; a Græcis recentioribus usurpatur pro γραμματεὺς s. ὑπογραφεὺς, ac inter hos a Basilio. [V. Ducang. et Suicer.]

Νοτερὸς, ὰ, ὸν, Humidus : a νοτέω, ut νοσερὸς a νοσέω. [Eur. Ion. 106 : Ὑγραῖς τε πέδον ῥανίσιν νοτερὸν (θήσομεν)· 149 : Νοτερὸν ὕδωρ βάλλων· Iph. T. 1042 : Πόντου νοτερὸν εἶπας ἔκβολον· Alc. 598 : Δέξεται ξεῖνον νοτερῷ βλεφάρῳ· Suppl. 978 : Γόοισιν δ' ὀρθρευομένα δάκρυσι νοτερὸν ἀεὶ πέπλων πρὸς στέρνῳ πτύχα τέγξω. Damochares Anth. Plan. 310, 7 : Ἐξ ἱλαροῖο καὶ ἐκ νοτεροῖο προσώπου. Callim. Ep. 5, 10 : Μηδέ μοι ἐν θαλάμῃσιν ἔθ', ὡς πάρος, τίκτηται νοτερῆς ὤεον ἀλκύονος. Dionys. Per. 252 : Νοτερῇσιν ἐπ' ἠιόνεσσι θαλάσσης.] Thuc. 3, p. 89 [c. 21] : Ὁπότε χειμὼν εἴη νοτερὸς, i. e. δίυγρος καὶ ὑετὸν ἔχων, schol. [Plato Tim. p. 60, C : Τὸ νοτερὸν πᾶν, et alibi. Geopon. 2, 38, 1 : Γῇ ἰλυώδει καὶ νοτερᾷ.] Et Plut. Symp. 6 [p. 696, B] : Μόνον δὲ ὑπὸ τοῦ πυρὸς τὸ νοτερὸν (τοῦ ξύλου τοῦ καιομένου) ἀναλοῦται· τούτῳ γὰρ τρέφεσθαι πέφυκε· pro quo paulo ante, Τρέφεται μὲν γὰρ οὐδενὶ πλὴν ὑγρῷ· idem ergo significant νοτερὸς et ὑγρός. [Macar. Homil. p. 235, 9 : Τόπους διύγρους καὶ ν. Hase.]

Νοτέω, Humeo, Madeo, Humidus Madidusve sum. Nicand. Ther. [254] de symptomatis quæ consequi solent eum qui a vipera ictus est : Ὁ δὲ νοτέων περὶ γυίοις Ψυχρότερος νιφετοῖο βολῆς περιχεύεται ἱδρώς· ubi ab eo νοτέων ἱδρὼς dicitur, qui ab Hom. νότιος, Humidus; schol. exp. ὑγραινόμενος περὶ τοῖς μέλεσι. [Cum eodem nomine Al. 24, 494 : Ὡσείπερ νοτέουσαν ὑπὸ τριπτῆρσιν ἐλαίην. Callim. Ep. 54, 2 : Κῆτι μύροισι νοτεῖ ... Βερενίκα.]

Νοτηρὸς, ἁ, ὸν, Humectus, Bud. ex Gazæ interpretatione. Quod ita a νοτέω derivatur ut νοσηρὸς a νοσῆσαι. [Ex Theophr. H. Pl. 3, 18, 11 : Τὸ δὲ φύλλον (τῆς σμίλακος) κιττῶδες ... κατὰ τὴν μίσχου πρόσφυσιν νοτηρόν. Quod Græcum non esse animadvertit Schneiderus. Nec sententia fert. Cod. Urbinas ἀτηρόν.]

Νοτία, ἡ, Humor, [Uligo, add. Gl.] Humiditas, ὑγρασία, Suid. Unde νοτίῃσι ex Hom. [Il. Θ, 307] pro δρόσοις. De quo vide et infra in Νότιος. [Ὅταν εὐημερίαι γένωνται καὶ νοτίαι, Aristot. H. A. 5, 9. Εὐδία καὶ νοτία ib. 19. Hemst. Epigr. Anth. Pal. 7, 48, 2 : Σάρκες αἰθαλέαισι πυρὸς ῥιπῆσι τροφηλαὶ ληφθεῖσαι νοτίην ὦσαν ἐπαιθόμεναι. Theophr. H. Pl. 7, 14, 1 : Τὴν νοτίαν ἐπιμένειν (ἀδιάντῳ). Geopon. 7, 26.] Suidæ νοτία est etiam ἡ θάλασσα, Mare : quod ὑγρὰ κέλευθα Hom. alicubi appellat. Sed videtur hoc θάλασσα strictius accipere ac intelligere de νοτίῃ θαλάσσῃ, ut Herodot. infra appellat, i. e. Mari australi. [Ap. Aristot. H. A. 5, 19 : Γίνεται (τῶν ἐντόμων) τὰ μὲν ἐκ τῆς δρόσου ... κατὰ φύσιν μὲν ἐν τῷ ἔαρι, πολλάκις δὲ καὶ τοῦ χειμῶνος, ὅταν εὐδία καὶ νοτία γένηται πλείω χρόνον, recte cod. νότια, quod v. in Νότιος. Νοτία, φυκίασις, Ignia, Gl.]

[Νοτιαῖος, Montf. Anal. Gr. p. 485, ubi male legitur νωτιαίω.]

[Νοτιανοσκέμιν, Marrubium nigrum, ap. Interpol. Diosc. c. 523 (3, 107). Ducang.]

Νοτιάω, Humectus s. Humidus sum, Humeo. Aristot. Probl. [21, 12] : Ξηραινόμενος γὰρ ὅλως, κενοῦται, νοτιῶν δὲ, ἐκφύεται.

[Νοτιεύς. V. Νότιον, Notium.]

Νοτίζω, Australes tempestates imitor : νοτίζον θέρος, Æstas australis, i. e. in qua crebræ sunt tempestates australes s. australes nimbi. [Aristot. Probl. 26, 18.] ‖ VV. LL. exp. etiam Australe facio. [Νοτίζων, Austrans, Gl.]

Νοτίζω, Humecto, Madefacio. [Aristoph. Th. 857 : Ὃς ἀντὶ δίας ψακάδος Αἰγύπτου πέδον νοτίζει, quod ὑγραίνει dixerat Eur. initio Helenæ. Nicand. ap. Athen. 2, p. 61, A : Ὑδάτεσσιν ἀειναέσσι νοτίζειν. Strab. 4, p. 195 : Ὕλην μὴ νοτιζομένην. Hemst. Thomas p. 629 : Νοτίζειν τὸ ὕειν φαμέν. Figurate de pluvia Æsch. fr. Danaid. ap. Athen. 13, p. 600, B : Νοτίζοντος γάμου. Antip. Sid. Anth. Pal. 7, 26, 4 : Οἴνῳ ὀστέα τᾶμὰ νοτιζόμενα. Geopon. 7, 15, 11 : Ἐὰν δὲ νοτιζόμενον (τὸ πῶμα τοῦ πίθου) εὑρίσκηται. De humore ipso Plato Tim. p. 74, C : Θερμὴν νοτίδα θέρους μὲν ἀνιδίουσαν καὶ νοτιζομένην ἔξωθεν.] Unde νοτισθείη, Humectetur : νενοτισμένος, Humectatus : et ap. Aristot. νενοτισμένη, de terra humectata s. humecta. Apoll. Arg. 1, [1005] de lignis recens cæsis et in mare conjectis : Ὥς κε νοτισθέντα κρατεροὺς ἀνεχοίατο γόμφους. Diosc. 2, 87 : Κατάχεε εἰς θυΐαν νενοτισμένην σπόγγῳ, Madefactam spongia : et c. seq., Εἰς νενοτισμένην θυΐαν ἀπήθησον. [Meleager Anth. Pal. 12, 92, 5 : Τί μοι νενοτισμένα δάκρυα χεῖτε;] Aliquando νοτίζομαι neutraliter potius redditur Humore madeo. Galen. : Νοτιζόμενος ὁ κάμνων, sc. sudando. [Phot. Epist. p. 193, 40 : Ἐνοτίζετο σῶμα. Basil. t. 1, p. 337, D : Ἱδρῶτι λεπτῷ νοτιζόμενα (πρόσωπα). Hase.] ‖ Neutraliter etiam capitur pro Humeo, s. Humore madeo; affert enim Bud. ex Plut. [Mor. p. 894, D], Ν τίζουσαι [μικραὶ] ῥανίδες, pro Rorantes, Præhumidæ.

[Νοτινὸς, Australis, Gl.]

Νότιον, τὸ, dicitur a quibusdam σίκυος ἄγριος, Cucumis anguinus, ut habetur ap. Diosc. [in Nothis 4, 152.] Gorr.

Νότιον, τὸ, Ioniæ civitas est, Steph. Byz., dicens ejus gentile esse Νοτιεύς. [Conf. idem in Ψύχιον.] Suidas esse dicit χωρίον προκείμενον τῆς Κολοφωνίων πόλεως : quocum facit Thuc. 3, [34] : Ἐς Νότιον τὸ Κολοφωνίων. Meminit et [Herodot. 1, 149,] Xen. Hell. 1, p. 159 [c. 2, 3 etc.; Diodorus 13, 71]. Plinio quoque [H. N. 5, 29, 31; 31, 36] Notium oppidum non incognitum. Gentili utitur Aristot. Pol. 5, [4] : Κολοφώνιοι καὶ Νοτιεῖς. [Νοτιῆς in inscr. Att. ap. Franz. El. epigr. gr. p. 129, n. 52, 17. Hase.]

Νότιος, α, ον, Humidus, Humectus, Uvidus, i. q. νοτερός. Hom. Il. Λ, [810] : Κατὰ δὲ νότιος ῥέεν ἱδρὼς Ὤμων καὶ κεφαλῆς· quod hemistichium habetur et Ψ, [715. Æsch. Prom. 401 : Παρειὰν νοτίοις ἔτεγξα παγαῖς. Eur. Hipp. 149 : Δίναισιν νοτίας ἅλμας· fr. Chrysippi ap. Sext. Emp. Adv. mathem. 6, 17 : Ὑγροβόλους σταγόνας νοτίους. Aristoph. Ran. 1311 : Νοτίαις πτερῶν ῥανίσι· Av. 1398 : Νοτίαν πρὸς ὁδόν. Theocr. 2, 107 : Νοτίαισιν ἐέρσαις. « Τοῦ βρύου νοτιωτέρου ὄντος, Strabo 4, p. 195. » Hemst. Pausan. 7, 27, 2 : Τὸν ἀέρα ἐκ τοῦ ἀδύτου νότιον εἶναι. Valck.] Od. Θ, [55] : Ὑψοῦ δ' ἐν νοτίῳ τήνδ' ὥρμισαν, In humido mari, quod alibi ὑγρὰ κέλευθα appellat : loquitur autem ibi de navi, quam ἁλὸς βένθοσδε ἔρυσσαν. Et Δ, [785] itidem, Ὑψοῦ δ' ἐν νοτίῳ τήνδ' ὥρμισαν, ἐν δ' ἔβαν αὐτοὶ, In altum humidi maris : itidemque præcedit, Νῆα μὲν ἂρ πάμπρωτον ἁλὸς βένθοσδε ἔρυσσαν· loquitur autem ibi de Telemacho nave conscensa peregre ituro μετὰ πατρὸς ἀκουήν. [Hinc Aristid. vol. 1, p. 125 : Οἱ τοῦ αἵματος ῥύακες ἤρκουν ἐν νοτίῳ ταῖς ναυσὶν εἶναι, h. e. πέλαγος αἵματος.]

Νότιος, α, ον, et ὁ, ἡ, Australis, Austrinus. Hippocr. Aphor. [p. 1081, H] : Ἢν μὲν ὁ χειμὼν αὐχμηρὸς καὶ βόρειος γένηται, τὸ δὲ ἔαρ ἐπόμβριον καὶ νότιον, i. e. Celso interpr., Si hyems sicca septentrionales ventos habeat, ver autem austros et pluvias exhibeat. [Ubi scribit Galenus dici τὸ ἔαρ νότιον, οὐχ ὡς οὐδ' ὅλως ἐν αὐτῷ γενομένων τῶν βορείων, ἀλλ' ὡς ὀλιγίστων ἐν ἀρχῇ, καὶ οὕτως ὀλίγων ὥστε τὴν ὅλην κατάστασιν τῆς ὥρας ἐκείνης νότιον εἰπεῖν. Sic τὸ φθινόπωρον νότιον, Australis autumnus, aph. 13 lib. 3; et νότιος χειμὼν, Hiems austrina, aph. 12 lib. ejusdem; et αἱ νότιοι καταστάσιες καὶ βόρειοι, Constitutiones austrinæ et boreales, aph. 17 lib. ejusdem; quæ sæpe Hippocrati τὰ βόρεια καὶ νότια dicuntur. Foes. Tam ad hanc quam ad signif. Humidi referri potest Pind. ap. Dionys. De adm. vi Demosth. c. 7, p. 973, 9 : Νότιον θέρος ὕδατι ζακότῳ διερόν.] Aristot. Polit. 7, [11] : Καὶ περὶ τῶν πνευμάτων οἱ φυσικοὶ τὰ βόρεια τῶν νοτίων ἐπαινοῦντες μᾶλλον. Idem de anguillis [H. A. 8, 2] : Βορείων μὲν ὄντων, πλείους (ζῶσιν ἡμέρας), νοτίων δὲ, ἐλάττους· quæ ita Plin. : Aquilone spirante, pluribus; austro, paucioribus. [H. A. 5, 9 : Ὅταν εὐημερίαι γένωνται καὶ νότια· 8, 12 : Θηρεύοντες ἐπιχειροῦσι τοῖς νοτίοις. V. Νοτία. Theophr. C. Pl. 1, 13, 5 : Ὑπὸ τὸ ἄστρον νότια πνεῖ· 4, 14, 9 : Γίνονται, ἐὰν ᾖ νότια καὶ εὐδιεινά· 10 : Γίνονται τοῖς νοτίοις.] Aratus [238] : Τῶν ὀλίγον κριοῦ νοτιώτεροι ἀστέρες εἰσὶν, Aries flamen ad austri Inclinatior, Cic. [Id. 489 : Ἡ δ' ὀλίγον φέρεται νοτιωτέρη.] Et ap. Herodot. [2, 11; 3, 17], Νοτίη θάλασσα, Mare australe, s. Notium. [Oppian. Hal. 3, 68.] Plin. 3, 5, de mari Ligustico : Ab eo ad Siciliam insulam, Thuscum, quod ex Græcis alii Notium, alii Tyrrhenum, ex nostris plurimi Inferum vocant. [Strabo 15, p. 685 : Θαλάττης τῆς νοτίου.] Et ap. Suid. νότιον κλίμα, i. e. τὸ πρὸς νότον κείμενον. Sic Cic., Cingulus australis, Regio australis; Claudian., Australe latus; Seneca, Polus australis. [Ps.-Eratosth. in Petav. Uranol. p. 260, D : Νότιον (ζώνην).] Iidem Latini dicunt Australis annus, Austrinus dies, Austrinum cœlum, Australes nimbi, Austrini calores, Australes morbi. In plur. τὰ νότια, sub. μέρη, Australe cœli latus. Philo V. M. 1 : Καὶ μάλιστα ἐν Αἰγύπτῳ κειμένη κατὰ τὰ νότια, Ad australem plagam pertinente. Quum vero absolute dicitur Νοτία, subaudiendum venit πνοή. Sic intelligit Eust. hunc l. Homeri, Il. Θ, [307] de papavere : Καρπῷ βριθομένη νοτίῃσί τε εἰαρινῇσι, i. e., inquit, νοτίαις πνοαῖς, vel ὑγρότησι ταῖς ἐκ νότου : et sic accipi etiam βόρειοι, ζεφύρειοι. Sed rectius sentire videntur, qui νοτίῃσιν exp. δρόσοις, s. ψεκάσι : a nom. νοτία, i. e. Humor, Humiditas. [De vento Austro Apoll. Rh. 4, 1538 : Πρήσοντος ἀήτεω ἂμ πέλαγος νοτίοιο, ut supra ἀήτου Λίβυος de Libe dictum notavimus p. 277, A, ubi non magis Λίβυς dicitur pro Λὶψ, quod putabat HSt., quam hic νότιος pro Νότος. Nec νότιος pro νότος dixerat Xenoph. Ven. 8, 1 : Ἐὰν δὲ νότιός τε ᾖ καὶ ἥλιος ἐπιλάμπῃ, cui νότιον restitui, ut antea fuerat βόρειον, et 5, 3 est : Τὰ νότια. L. Dind.]

Νοτὶς, ίδος, ἡ, Humor, Humiditas. Alexis ap. Athen. 9, [p. 383, D] de olla sive testa igni excalfacta : Διάπυρος γὰρ οὖσ' ἔτι, Ἕλξει δι' αὐτῆς νοτίδα. Et mox, Λήψεται διεξόδους Σομφὰς δι' ὧν τὴν ὑγρασίαν ἐκδέξεται· appellans ὑγρασίαν quam antea νοτίδα, sicut Plut. supra νοτερὸν et ὑγρὸν pro iisdem accipit. Eurip. ap. eund. Athen. 13, [p. 600, A] : Ἐρᾷ μὲν ὄμβρου γαῖ', ὅταν ξηρὸν πέδον, Ἄκαρπον αὐχμῷ, νοτίδος ἐνδεῶς ἔχῃ, Humido indiget, i. e. Humida pluvia. [Id. Eur. Phœn. 645 : Καλλιπόταμος ὕδατος ἵνα τε νοτὶς ἐπέρχεται γύας· Bacch. 705 : Ὅθεν δροσώδης ὕδατος ἐκπηδᾷ νοτίς· Hec. 1259 : Ἡνίκ' ἄν σε ποντία νοτὶς κρύψῃ πεσοῦσαν ἐκ καρχησίων· Iph. T. 107 : Ἄντρ' ἃ πόντος νοτίδι διακλύζει μέλας· A. 684 : Ταχεῖα γὰρ νοτὶς διώκει μ' ὀμμάτων ψαύσαντά σου. Apoll. Rh. 4, 663 : Ἁλὸς νοτίδεσσι· 670 : Νοτίδεσσι θαλάσσης. Anyte Anth. Pal. 7, 215, 5 : Πορφυρέα πόντου νοτίς. Bianor ib. 11, 248, 4 : Πεύκης τῇ λιπαρῇ νοτίδι. De pluvia Nicand. Th. 847 : Ὄμβροιο ῥαγέντος πίπτουσα νοτίς. Plato Tim. p. 76, C : Ἡ νοτὶς ὑπὸ τὰς ῥαφὰς ἀνιοῦσα· et alibi. Theophr. C. Pl. 5, 6, 1 : Τὴν ἐκ τῆς γῆς ἕλκει νοτίδα. Plut. Alex. c. 35.] In Geopon. [2, 27, 1 et 2, ubi paullo aliter ex Tarentino] : Προσπνείσθω δὲ ὁ τόπος ἀπὸ μηδεμιᾶς αὔρας ἐχούσης νοτίδα, pro his Varronis : Ad quæ (granaria) nulla aura humida ex propinquis locis aspiret. [Ib. 2, 4, 4 ; 5, 19, 3.] Galen. loquens de febribus : Ἐφ' οἷς αὐτίκα νοτίδες ἀπὸ παντὸς τοῦ σώματος ἢ ἱδρῶτες, Humore madet universum corpus et sudat. Vide et Νότος.

[Νοτισμὸς, ὁ, Humectatio. Phot. cod. 242, p. 342, 11. Struv.]

Νοτιώδης, ὁ, ἡ, Humectus, Uvidus, Alex. Aphrod. [Probl. 2, 13, (χωρία) χθαμαλὰ καὶ νοτιώδεα.] Νοτιώδης πυρετὸς, Humida febris : differentia febris ap. Hippocr. Epidem. 6, [p. 308, 23. Angl.] sumpta a subjecto in quo calor febrilis accenditur. Id autem est humor : cujus quoniam variæ habentur in corpore differentiæ, ideo earum alias ἐξερύθρους, alias ἐξώχρους, alias πελιοὺς appellavit. Has febres Practici Humorales vocant. Gorr. [Hippocrat. ap. Theophil. Protosp. p. 7, 21 Ermerins : Οἱ δὲ (πυρετοὶ) πρὸς τὴν χεῖρα νοτιώδεες. Hase.]

Νοτόθεν, A latere australi, ἀπὸ νότου Suidæ. [Theophrast. fr. 6, 1, 11 : Ἐὰν ῥάβδοι νοτόθεν· 21 : Ἐὰν νοτόθεν ἀστράψῃ, et seq. L. D. Diog. L. 3, 41. Wakef.]

[Νοτολιβικὸς, ἡ, ὸν, Austrum et Africum versus situs. V. Λιβόνοτος. Νοτολιβυκὸς male ap. Procul. Paraphr. Ptol. 1, 21, p. 58 ; 2, 3, p. 86, 92. Struv.]

Νότος, ὁ, Notus, Auster. Gellius 2, 22 : Meridies autem, quoniam certo atque fixo limite est, unum meridionalem ventum habet : is Latine Auster, Græce νότος nominatur, quoniam est nebulosus atque humectus : νοτὶς enim Græce Humor nominatur. [Pravam etymologiam ab νέατος memorat Plut. Mor. p. 1008, A.] Plin. 2, 47 : A meridie Auster, et ab occasu brumali Africus : νότον et λίβα nominant. Aristot. De mundo [c. 4] : Οἱ μὲν ἀπὸ ἀνατολῆς συνεχεῖς, εὖροι καλοῦνται· βορέαι δὲ, οἱ ἀπὸ ἄρκτου· ζέφυροι δὲ, οἱ ἀπὸ δύσεως· νότοι δὲ, οἱ ἀπὸ μεσημβρίας. Rursum Gell. l. c. : Ex his octo ventis, alii quatuor detrahunt ventos, atque id facere se dicunt Homero auctore, qui solos quatuor ventos noverit, Eurum, Austrum, Aquilonem, Favonium. Versus Homeri sunt [Od. E, 295] : Σὺν δ' εὖρός τ' ἔπεσε, ζέφυρός τε νότος τε δυσαὴς, Καὶ βορέης αἰθρηγενέτης, μέγα κῦμα κυλίνδων. Sic [ib. 331] : Ἄλλοτε μέν τε νότος βορέῃ προσβάλεσκε φέρεσθαι, Ἄλλοτε δ' αὖτ' εὖρος ζεφύρῳ εἴξασκε διώκειν. [Tres memorat Hesiod. Th. 380, 870, ubi Astræi et Auroræ filios dicit ἀργέστην Ζέφυρον Βορέην τ' αἰψηροκέλευθον καὶ Νότον, vel secundum eos, qui Ἀργέστην habent pro vento, non pro epitheto Zephyri, quattuor.] Plutarch. Alex. : Εἰ πορευομένοις ἐπιπέσοι νότος. Athen. 1, [p. 26, D] : Ὅταν ὑπὸ τὸν τρυγητὸν νότοι πνεύσωσι. Rursum Plin. l. c. de quatuor ventis, quos quidam euro, austro, aquiloni, et favo-

A nio interjecerunt : Item inter liba et noton compositum ex utroque medium, inter meridiem et hybernum occidentem, libonoton. Nec finis : alii quippe Mesen nomine etiamnum addidere inter boream et cæciam : et inter eurum et notum, euronotum. Et Aristot. De mundo [c. 4] : Τῶν νότων ὁ μὲν ἀπὸ τοῦ ἀφανοῦς πόλου φερόμενος ἀντίπαλος τῷ ἀπαρκτίᾳ, καλεῖται νότος· εὐρόνοτος δὲ, ὁ μεταξὺ εὔρου καὶ νότου· τὸν δὲ ἐπὶ θάτερα, μεταξὺ λιβὸς καὶ νότου, οἱ μὲν λιβόνοτον, οἱ δὲ λιβοφοίνικα καλοῦσι. [Hom. Il. B, 145 : Κύματα πόντου, τὰ μέν τ' εὖρός τε νότος τε ὤρορ' ἐπαΐξας· et similiter 395. Γ, 10 : Εὖτ' ὄρεος κορυφῇσι νότος κατέχευεν ὀμίχλην· Λ, 306 : Ὁπότε νέφεα ζέφυρος στυφελίζῃ ἀργέσταο νότοιο βαθείῃ λαίλαπι τύπτων. Pind. Pyth. 4, 203 : Σὺν νότου αὔραις. Soph. Ant. 335 : Τοῦτο ... καὶ πολιοῦ πέραν πόντου χειμερίῳ νότῳ χωρεῖ· Tr. 113 : Ὥστ' ἀκάμαντος ἢ νότου ἢ βορέα· Aj. 258 : Ἄξας ὀξὺς νότος ὣς λήγει· Ph. 1457 : Πληγαῖσι νότου. Herodot. 2, 25, etc.] || Aliquando νότος dicitur ipsa Australis pars cœli aut regionis urbisve, s. austrum versus sita. Thuc. 3, p. 85 [c. 6] : Περιορ-
B μισάμενοι τὸ πρὸς νότον τῆς πόλεως, Ad australe latus, ut Claudian. [Similiter Hom. Od. N, 111 : Αἱ μὲν πρὸς βορέαο, αἱ δ' αὖ πρὸς νότου, quanquam hic ventum dicit, non plagam cœli. Herodot. 6, 139 : Ἡ Ἀττικὴ πρὸς νότον κέεται πολλὸν τῆς Λήμνου. Quod Æsch. ap. Strab. 9, p. 393 dicit : Αἴγινα δ' αὕτη πρὸς νότου κεῖται πνοὰς, Soph. fr. Ægei ap. Strab. ib. p. 392 dicit : Τῆς δὲ γῆς τὸ πρὸς νότον εἴληχε Πάλλας. Plato Critiæ p. 112, C : Τὰ πρὸς νότου· 118, B : Ὁ τόπος οὗτος πρὸς νότον ἐτέτραπτο.] Ceterum sunt qui νότον esse dictum putent quasi νόσον, alii a νῶ, τὸ βλάπτω, διὰ τὸ βλαπτικὸν τῶν καρπῶν καὶ τῶν σωμάτων. Sed rectius cum Gellio eum ita dictum esse sentiemus διὰ τὸ νοτερόν; est enim is ventus fere semper calidus, nunquam valde frigidus, et magna ex parte humidus, pluviasque continentes ac leves inducens, ut et Hippocr. testatur, et Ovid., Dies australibus humida nimbis. Itidemque ab Eodem Notus Aquaticus, Pluvius, a Virgilio Humidus, a Seneca Madens, a Claudiano Madidus, ab Horatio Udus dicitur. Sed dubitarit aliquis sitne
C huic νότος primus dandus locus, et superiora omnia ab eo derivanda, præsertim quum Plautus dicat Austrati ad ignem sedent, pro νενοτισμένοι, Madefacti pluvia, aut pluvio austro. Interdum tamen et siccus notus est, quem Λευκόνοτον vulgus, Latini Caurum appellant : et Hom. eam ob causam ἀργεστὰν [ἀργέστην] νότον vocavit, quasi Purum et candidum austrum, quod imbribus careat. Id quod etiam indicavit Hippocr. Epidem. 1, describens statum, qui totus austrinus et squalidus fuit. Quum vero alter notus sit lenior et calidior, hic λευκόνοτος vehementior ac frigidior est, nec latet dum spirat, ut inter alia Gorr. tradit ex Galeno. De hoc noto Horat. Od. 1, 7, Albus ut obscuro deterget nubila cœlo Sæpe notus, neque parturit imbres Perpetuos. [Λευκόνοτον memorat Aristot. Meteor. 2, 5, Strabo 17, p. 837, schol. et Eust. Il. A, 306, Φ, 334.] || Νότον Suid. exp. etiam καύσωνα : fortassis διὰ τὸ θερμὸν τοῦ ἀνέμου : nam et a Claudiano itidem Calidus notus vocatur, et ab Ovidio Æstibus spirans.

[Νοτόνδε, Ad Austrum, Aq. Gen. 12, 9 ; Sam. 1,
D 20, 41.]

[Νοττάκιον etc. V. Νοσσ—]

[Νου. in lapidibus n. propr. decurtatum Νουμήνιος vel Νουμέριος. Franz. El. epigr. gr. p. 360. Hase.]

[Νοῦβαι, ἔθνος Λιβύης παρὰ Νείλῳ. Ἀπολλόδωρος β' περὶ γῆς. Λέγονται καὶ Νουβαῖοι, ὡς Σαβαῖοι, καὶ Νούμιδες οἱ αὐτοί, Steph. Byz. Pro Νούμιδες, quod nihili videtur, rectius quam alii, qui Νομάδες, ex Prisco Valesius Νουβάδες. Νούβας memorat Strabo 17, p. 786, 819. L. D. Βασιλίσκος Νουβάδων in inscr. Silc. ap. Letronn. *Journ. des Sav.* 1821, p. 397, et 1825, p. 98 et 103. Τὰ τῆς Νουμιδίας μέταλλα habet Greg. Nyss. t. 1, p. 399, A ; Νουμιδίοις στύλοις id. ib. p. 400, A. Hase.]

Νουβυστικὸς, ἡ, ὸν, et adv. Νουβυστικῶς ap. Aristoph. comicum leguntur, ab eo, ut opinor, ficta joculariter. Exp. autem νουβυστικὸν schol. νοῦ πεπληρωμένον, Mente refertum, in Eccl. [441] : Γυναῖκα δ' εἶναι πρᾶγμ' ἔφη νουβυστικὸν Καὶ χρηματοποιόν. At Νουβυστικῶς legitur Vesp. [1294], ubi quidam compellans χελώνας, Testudines, dicit, Ἰὼ χελῶναι μακάριαι τοῦ δέρματος, Καὶ τρισμακάριαι τοὐπὶ ταῖς πλευραῖς ἐμαῖς, Ὡς εὖ κατηρέψασθε καὶ νουβυστικῶς Κεράμῳ τὸ νῶτον, ὥστε ταῖς πλευραῖς στέγειν· ubi schol. νουβυστικῶς exp. νοῦ πεπληρωμένως, συνετῶς, Prudenter : dicens esse derivatum a nomine νοῦς et verbo βύσαι, τὸ πληρῶσαι : affertque in exemplum, hemistichium istud, Νήματος ἀσκητοῖο βεβυσμένον, ex Hom. Od. Δ, [134] ubi Eust. βεβυσμένος exp. ὁ γέμων καὶ μετὰ ὠθισμοῦ τινος μεστὸς, a verbo Βύω : unde Comicus, (intelligit autem Aristophanem [Pl. 379],) dicit τὸ στόμ' ἐπιβύσας κέρμασιν τῶν ῥητόρων. Addit schol. Aristoph. præterea inveniri in comœdia quæ Ἐκκλησιάζουσαι inscribitur, intelligens, ut opinor, de l. illo quem modo protuli. Apud Suid. perperam scriptum est νουβιστικὸν et νουβιστικῶς, utrumque cum ι in secunda syllaba. Existimo autem, uti dixi, esse fictum a poeta ludente, ideoque ei, qui serio loqui vult, minime eo uti suaserim. [Cratinus Suidæ v. Ξενοφάνης et Diog. L. 8, 37 : Ἔθος ἐστὶν αὐτοῖς, ἄν τιν' ἰδιώτην ποθὲν λάβωσιν εἰσελθόντα ... ταράττειν καὶ κυκᾶν τοῖς ἀντιθέτοις ... τοῖς ἀποπλάνοις, τοῖς μεγέθεσιν νουβυστικῶς.]

[Νουβυστικῶς. V. Νουβυστικός.]

[Νούδεον, ap. Myrepsum sect. de Antidotis n. 91, ubi hanc vocem Apium interpretatur Fuchsius. Duc.]

[Νούδιον, τὸ, Nudium, oppidum Minyarum ap. Herodot. 4, 148.]

Νουθεσία, ἡ, etiam dicitur [Admonitio, Documentatio, Castigatio, Correptio, Gl.] Plut. De virt. mor. : Καὶ γὰρ ἡ ν. καὶ ὁ ψόγος ἐμποιεῖ μετάνοιαν καὶ αἰσχύνην. [Id. Mor. p. 46, D; 59, A, etc. Improbatum Atticistis Euripidi exemit Piersonus, ut in Νουθέτησις dicemus. Aristoph. Ran. 1009 : Δεξιότητος καὶ νουθεσίας (οὕνεκα). Onestes Anth. Pal. 11, 32, 1 : Μούσης νουθεσίην φιλοπαίγμονος. Alciphron Ep. 1, 19 : Τηνάλλως ποιεῖς τὴν πρός με νουθεσίαν. Hippocr. Epist. p. 1284, 30 : Ὁ σὸς ἀδελφὸς νουθεσίη σοι γενέσθω. Pollux 3, 100; 4, 40; 9, 139. L. D. Philo vol. 1, p. 542, 15 : N., ὃ ἑτέρῳ ὀνόματι κάκωσιν μηνύει ὁ ἱερὸς λόγος. Philostr. De gymn. p. 12, 26 Kays. : Ὑπὲρ νουθεσίας γυμναζέσθων. Sopat. In Hermog. ap. Walz. vol. 5, p. 173, 15 : Ἐπὶ νουθεσίᾳ τοῦτο ἐγένετο. Hase.]

Νουθετέω, q. d. Menti indo, impono, pro Moneo [Castigo, Stimulo, add. Gl.] Admoneo, Commoneo, Commonefacio : ut in his Menandri [Euripidis] senariis, pulcram gnomen habentibus [ap. Stob. Flor. 23, 5] : Ἅπαντές ἐσμεν εἰς τὸ νουθετεῖν σοφοὶ, Αὐτοὶ δ' ἁμαρτάνοντες οὐ γινώσκομεν, quos ita Latinis versibus reddidi, Alios monere, si quid errent, novimus, Errata at ipsi nostra non cognoscimus. Non solum autem dicitur νουθετῶ σε [Æsch. Prom. 264 : Νουθετεῖν τοὺς κακῶς πράσσοντας. Soph. El. 595 et al. Aristoph. Vesp. 743 : Νενουθέτηκεν αὑτὸν ἐς τὰ πράγμαθ', οἷς τότ' ἐπεμαίνετο. Xenoph. Cyrop. 8, 2, 15 : Ἐνουθέτει αὐτὸν ὡς διὰ τὸ πολλὰ διδόναι πένης ἔσοιτο], sed et νουθετῶ σε τοῦτο, cum duobus accuss., uno personæ, altero rei. Soph. [Aj. 1156] : Τοιαῦτ' ἄνολβον ἄνδρ' ἐνουθέτει, Hæc eum monebat, His eum monebat, His monitis eum monebat : ut alicubi Ovid. loqui memini. Sic Aristoph. Vesp. [731] : Εἴθ' ὤφελέν μοι κηδεμὼν ἢ ξυγγενὴς Εἶναί τις, ὅστις δὴ τοιαῦτ' ἐνουθέτει. Lucian. [Tim. c. 48] : Τοιγαροῦν ἥκω ταῦτά σε νουθετήσων. Potest autem fortasse alicubi νουθετῶ σε ταῦτα reddi etiam Admoneo te de his. [Gramm. Bachm. An. vol. 2, p. 296, 24 : Νουθετῶ σε νουθεσίαν. Dicitur vero etiam omisso accus. pers. Soph. El. 1025 : Ὡς οὐχὶ συνδράσουσα νουθετεῖς τάδε. Eur. Suppl. 337 : Ὁρῶ δὲ κἀγὼ ταῦθ' ἅπερ με νουθετεῖς.] Νουθετῶ Bud. vertit etiam Reprehendo, Castigo, Increpo, in isto Plat. l. in Phædro [p. 249, D], ubi tamen habetur pass. vox, non activa : Ἐξιστάμενος δὲ τῶν ἀνθρωπίνων σπουδασμάτων καὶ πρὸς τῷ θείῳ γιγνόμενος, νουθετεῖται μὲν ὑπὸ τῶν πολλῶν ὡς παρακινῶν, ἐνθουσιάζων δὲ λέληθε τοὺς πολλούς. Quamvis autem ita interpretandum censuerit Bud., proprie tamen minus esse νουθετεῖν quam ἐπιτιμᾷν, Increpare, ostendunt quum alii ll., tum hic Synesii, Νουθετήσας οὐκ ἔπεισα, ἐπιτιμήσας ἠρέθισα. Idem vero apparet et ex hoc Athenæi loco : Κολάζειν δὲ ἐν δίκῃ δούλους δεῖ, καὶ μὴ νουθετοῦντας ὡς ἐλευθέρους, θρύπτεσθαι ποιεῖν. Sed Plato [Leg. 9, p. 879, D] addidit huic

A verbo et dat. πληγαῖς : cui simile est ap. Aristoph. Vesp. [254], Νουθετεῖν κονδύλοις. Est autem illud νουθετεῖν πληγαῖς ad verbum Commonefacere verberibus. I. e., Verberibus uti loco verborum ad commonefaciendum. [Demosth. p. 798, 19 : Ὁ δῆμος τοὺς ἐνοχλοῦντας ἑαυτὸν νουθετεῖ θορύβοις.] || Νουθετοῦμαι, Moneor, Admoneor, Commonefio. [Soph. OEd. C. 1193 : Νουθετούμενοι φίλων ἐπῳδαῖς. Eur. Med. 29 : Ὡς δὲ πέτρος ... ἀκούει νουθετουμένη φίλων. Aristoph. Vesp. 111.] Isocr. Busir. [p. 222, A] : Ὅτι τοῖς πλείστοις τῶν νουθετουμένων ἔμφυτόν ἐστι μὴ πρὸς τὰς ὠφελείας ἀποβλέπειν. [Diod. 3, 37 : Νενουθετημένοι ταῖς συμφοραῖς. De rebus Eur. fr. Stheneb. ap. schol. Aristoph. Vesp. 111 : Τοιαῦτ' ἀλύει νουθετούμενος ἔρως· Dictyis ap. Stob. Fl. 64, 8 : Κύπρις γὰρ οὐδὲ νουθετουμένη χαλᾷ.] Vide et in Νουθετῶ exemplum ex Plat. Phædro [p. 249, D. Id. Hipp. maj. p. 301, C : Πρὶν ὑπὸ σοῦ ταῦτα νουθετηθῆναι.]

Νουθέτημα, τὸ, Monitum (cujus tamen pluralis usitatior est Monita, ac præsertim dat. Monitis), Monitus, B Monitio, Admonitio. Plut. [Mor. p. 69, D] ex quodam poeta : Ἄγαν δὲ μωραίνοντι νουθετήματα, subaudi, sunt φάρμακον. [Æsch. Pers. 830 : Πινύσκετ' εὐλόγοισι νουθετήμασι. Soph. El. 343 : Τἀμὰ νουθετήματα, pro νουθετήματα ἐμοῦ. Eur. Phœn. 592 : Τῶν μακρῶν ἀπαλλαγεῖσα νουθετημάτων μ' ἔα. Plato Gorg. p. 525, C. L. D. Euseb. Præp. ev. p. 578, D. Id. ib. p. 699, D. Theophyl. Simoc. Hist. p. 254, 16 ed. Bonn. : Κἀγὼ τῶν ν. ἀπάρξομαι. Hase.]

Νουθέτησις, εως, ἡ, idem quod νουθέτημα : sed hoc proprie est potius Id ipsum quod monentes dicimus, s. monendi causa ; at νουθέτησις, Actio ipsa monendi. [Thomas p. 630 : Νουθέτησις, οὐ νουθεσία. Eur. Herc. F. 1256, Πρὸς νουθετήσεις σὰς restituit Pierson. ad Mœrin p. 270, qui et ipse hoc tribuit Atticis, νουθεσία vulgari dialecto. Ex Eupolidis Αὐτολύκῳ citat Antiatt. Bekk. p. 109, 12.] Utitur autem Aristot. Eth. [1, 13. Plato Leg. 3, p. 700, C, et alibi sæpe. Pollux 4, 40.]

[Νουθετήριος, α, ον, i. q. νουθετικός. Phot. Epist. p. 382, 36 : N. λόγους. Hase.]

C [Νουθετησμός. V. Νουθετισμός.]

[Νουθετητέος, α, ον, Monendus. Eur. Ion. 436 : Νουθετητέος δέ μοι Φοῖβος τί πάσχων παρθένους βίᾳ γαμῶν προδίδωσι· Bacch. 1356 : Νουθετητέος σοί τ' ἐστὶ κἀμοὶ μὴ σοφοῖς χαίρειν κακοῖς. Aristot. Polit. 1, 13 : Νουθετητέον γὰρ μᾶλλον τοὺς δούλους ἢ τοὺς παῖδας.]

[Νουθετητὴς, ὁ, Monitor. Philo vol. 2, p. 519, 33; Theophil. Inst. reg. 2, 17, p. 208, C. Hesych. v. Σωφρονιστής.]

[Νουθετητικὸς, ἡ, ὸν, i. q. νουθετικὸς, quocum permutatur in libris Platonis Leg. 5, p. 740, E, Soph. p. 230, A.]

Νουθετία, ἡ, ap. Plat., si Polluci [9, 139, ubi male νουθετεία Kuhnius ex codd.] credimus. [In libris Plat. non reperiri animadverterunt intt. Phrynich. Bekk. p. 21, 20 : Ἀνοητία ὡς νουθετία. V. Νουθετισμὸς et Lobeck. ad Phryn. p. 505.]

Νουθετίζω, i. q. νουθετῶ, Moneo. [Pass. ap. Anast. Sin. Quæst. p. 62, 30 : Ὅταν γὰρ νουθετισθῇ. Hase.]

Νουθετικὸς, ἡ, ὸν, Monitorius, Admonitorius, Pertinens ad admonitionem : D ν. λόγοι Plato Leg. [5, p. 740, E, ubi nunc νουθετητικοὶ, quocum permutatur etiam in ll. Sophoclis in illo citatis], Verba monitoria, quibus aliquem monemus. Utitur et Xen. [Comm. 1, 2, 21] : Ὅταν δὲ τῶν ν. λόγων ἐπιλάθηταί τις, ἐπιλέλησται καὶ ὧν ἡ ψυχὴ πάσχουσα τῆς σωφροσύνης ἐπιθυμεῖ. [Demetr. Phal. § 298; Iambl. V. P. p. 120 Kiessl. Pollux 3, 100; 4, 39. || Adv. Νουθετικῶς, cum νομοθετικῶς confusum ap. Theod. Stud. p. 490, D, iterumque ab eo usurpatum p. 451, C, memorat Pollux 4, 26. L. Dind.]

Νουθετισμὸς, ὁ, i. q. νουθεσία, Monitio : quo verbali usus est Menander, ut discimus ex Polluce [9, 139], qui alioqui hanc vocem improbat. Nam ubi de νουθετῆσαι ac synonymis s. potius eod. pertinentibus verbis egit, subjungit, Τὰ δὲ πράγματα, νουθεσία· καὶ ὡς Πλάτων, νουθετία· quibus addit, Φαῦλος γὰρ ὁ Μενάνδρου νουθετισμός. [Photius : Νουθετίαν καὶ Νουθετησμὸν λέγουσι. Sic enim vitiosum νουθετισμὸν, quod notavit etiam Lobeck. ad Phryn. p. 510, correxit Porson.]

[Νοῦθος. Herodian. Π. μ. λέξ. p. 42, 11 : Νοῦθος κύριον· ψόφος ἐν οὔδει. Ἡσίοδος ἐν τρίτῳ « νοῦθος δὲ ποδῶν ὕπο δοῦπος ὀρώρει. » (Theog. 70 est : Ἐρατὸς δὲ ποδῶν ὕπο δοῦπος ὀρώρει.) De quibus conjecturam non probabilem protulit Lobeck. Patholog. p. 107.]

[Νουκὰ, ὁ ἀστράγαλος, in Lex. Ms. Reg. cod. 1843. Ducang. Qui annotavit etiam νούκουλ ex Glossis Sarac. Mss. cum interpret. τὰ ἀστράγαλα.]

[Νουκερῖνοι, ἔθνος Ἰταλίας. Πολύϐιος τρίτῳ (91, 4). Τὸ πρωτότυπον αὐτῶν Νουκερία, Steph. Byz. Nuceriam Umbriæ memorat Strabo 5, p. 227, Campaniæ p. 247 sq.]

[Νουκλίδας, ὁ, Nuclidas, n. pr. scalptoris monetæ sec. conj. R. Rochett. *Lettres sur les grav. des monnaies gr.* p. 29. Hase.]

[Νουκρία, πόλις Τυρσηνίας. Φίλιστος ια' καὶ νε' (Numerus falsus). Τὸ ἐθνικὸν Νουκρῖνος. Εὕρηται καὶ Ναχρία διὰ τοῦ α, Steph. Byz. Gentilis exx. v. ap. Eckel. D. N. vol. 1, p. 114 sq. s. Mionnet. *Descr.* vol. 1, p. 123 sq. Scriptoribus Græcis usitatam formam esse Νουκερῖνος monuit Locella ad Xenoph. Eph. p. 277, qui urbem dicit Νουκέριον.]

[Νουμαντία. V. Νομαντία.]

[Νουμᾶς, ᾶ, ὁ, Numa, rex Rom. ap. Strab. 5, p. 228, 230, Athen. 1, p. 2, C, et alios rerum Rom. scriptores. Jo. Laurent. De mens. p. 18 sq. Νούμμας (de quo accentu v. in Νόμας) ap. Suid. in Ἀσσάρια ex Cedreno p. 148.]

[Νουμέραρχος, ὁ, Præfectus numeri s. cohortis, voc. græcobarb. omissum a Ducangio. Agathang. Actt. SS. Septembr. p. 327, 25. Id. ib. p. 331, 5 : Στρατοπεδάρχοι (sic) καὶ ν. Edit. utrubique male, νουμέναρχοι. Hase.]

[Νουμεντανός. V. Νώμεντον.]

Νουμηνία, ἡ, pro Νεομηνία dicitur facta contractione. [Nova luna, Initium mensis, Gl.] Plut. Probl. Rom. [p. 270, A] : Ἕλληνες ἐν τῇ ν. τοὺς θεοὺς σεϐόμενοι, τὴν δευτέραν ἥρωσι καὶ δαίμοσιν ἀποδεδώκασι· solebant enim singulis calendis sacra fieri, ut ii eo mense essent propitii : quod supra quoque in Ἔμμηνος et Ἐπιμήνιος videre est. Et paulo ante [p. 269, D] : Τὴν δὲ πρώτην φασὶ νόννας, τῷ δικαιοτάτῳ τῶν ὀνομάτων, νουμηνίαν οὖσαν· καὶ γὰρ αὐτοὶ τὸν νέον καὶ καινὸν, ὥσπερ ἡμεῖς, προσαγορεύουσι· unde apparet diversam mensium rationem fuisse apud Græcos et Latinos, et νουμηνίαν incidere potius in Nonas, quoniam tunc soleat apparere, quum circa calendas adhuc ἐν συνόδῳ cum sole latet : unde et Plutarchus Calendas a Clam aut Celare nominatas existimat. Huc pertinet quod Idem in Rom. [c. 12] dicit, Νουμηνίαι Ῥωμαϊκαὶ πρὸς τὰς Ἑλληνικὰς οὐδὲν ἔχουσιν ὁμολογούμενον. Idem tamen auctor ν. et καλάνδας pro eod. posuit in Galba [c. 22], ubi ait, Ἐπῆλθεν ἡ ν. τοῦ πρώτου μηνὸς, ἣν καλάνδας Ἰανουαρίας καλοῦσι, Nova luna primi mensis, quam Calendas Januarias vocant. [Non novam tantum lunam, sed sæpissime primam mensium diem dici νεομηνίαν s. νουμηνίαν animadverterunt jam Petav. ad Epiphan. vol. 2, p. 188, Letronnius *Recueil* vol. 1, p. 324.] Thuc. dicit etiam ν. κατὰ σελήνην, pro Nova luna, 2, [28] : Τοῦ δ' αὐτοῦ θέρους νουμηνία κατὰ σελήνην· quo tempore solem defecisse scribit, ut Plin. 2, 13 : Solis defectum nonnisi novissima primave fieri luna, (quod vocant Coitum,) lunæ autem, non nisi plena. [Pind. Nem. 4, 35 : Ἴυγγι δ' ἕλκομαι ἦτορ νουμηνίᾳ θιγέμεν. Aristoph. Nub. 1191 : Ἵν' αἱ θέσεις γίγνοιντο τῇ νουμηνίᾳ, et ib. in sqq. Id. Eq. 43 : Οὗτος τῇ προτέρᾳ νουμηνίᾳ ἐπρίατο δοῦλον· Vesp. 96 : Ὥσπερ λιϐανωτὸν ἐπιτιθεὶς νουμηνίᾳ· 171 : Νουμηνία γάρ ἐστιν· Ach. 999 : Ὥστ' ἀλείφεσθαί σ' ἀπ' αὐτῶν κἀμὲ ταῖς νουμηνίαις. Theopompus ap. grammat. Bekk. p. 328, 29 : Καί σε τῇ νουμηνίᾳ ἀγαλματίοις ἀγαλοῦμεν ἀεὶ καὶ δάφνῃ. Xen. Anab. 5, 6, 23 : Ὑπισχνοῦμαι ὑμῖν ἀπὸ νουμηνίας μισθοφορὰν παρέξειν κυζικηνόν· et ib. 31. Thuc. 4, 52 : Τοῦ ἡλίου ἐκλιπές τι ἐγένετο περὶ νουμηνίαν. || Forma Dor. Νευμηνία est in inscr. Teja ap. Bœckh. vol. 2, p. 640, n. 3052, 2. De forma Νεομηνία supra diximus. V. Νουμήνιος. L. Dind.]

[Νουμηνίας, ὁ, Numenias, n. servile ap. Hellad. Photii Bibl. p. 533, 1 : Ἐκάλουν δὲ καὶ ἀπὸ τῆς ἡμέρας ἐν ᾗ ὠνήσαντο τὸν οἰκέτην, ἐξ οὗ καὶ τοὺς Νουμηνίας ὠνόμαζον. V. l. Aristoph. in Νουμηνία cit.]

[Νουμηνιαστὴς, ὁ.] Νουμηνιασταὶ esse videntur Qui νουμηνίᾳ rem divinam faciunt, νουμηνίαν diis sacram celebrant. Apud Athen. 2 [12, p. 551, F] : Συνεστιῶντο [Συνειστ. , μίαν ἡμέραν ταξάμενοι τῶν ἀποφράδων, ἀντὶ νουμηνιαστῶν κακοδαιμονιστὰς σφίσιν αὐτοῖς τοὔνομα θέμενοι, sc. καταγελῶντες τῶν θεῶν καὶ νόμων τῶν ἡμετέρων : nam moris erat νουμηνίᾳ diis sacrificare, et convivia in eorum honorem agitare. [V. Meurs. Græc. fer. v. Νουμηνία.]

[Νουμήνιος, ὁ, n. avis ap. Diog. L. 9, 114 : Συνῆλθεν ἀτταγᾶς καὶ νουμήνιος. De quo proverb. v. intt. Diogenis et Suidæ in Ἀτταγᾶς νουμηνίῳ. Avem memorat etiam Hesychius.]

Νουμήνιοι ἄρτοι, Panes qui tempore novæ lunæ fiebant, et diis in sacrificio offerebantur : iidem, ut puto, quæ supra Herodoto ἐπιμηνίαι μελιτόεσσαι. Lucian. Lexiph. [c. 6] : Ἄρτοι μέν τοι ἦσαν σιφαῖοι, οὐ φαῦλοι, καὶ ἄλλοι νουμήνιοι, ὑπερήμεροι τῆς ἑορτῆς.

[Νουμήνιος, ὁ, Numenius, n. viri, cujus exx. sunt in numo Abydeno ap. Mionnet. *Suppl.* vol. 5, p. 499, n. 20, in inscr. Euboica ap. Lebas. *Inscr.* fasc. 5, p. 228, n. 287, alia ap. Bœckh. vol. 1, p. 774, n. 1591, 3, Olbiop. vol. 2, p. 133, n. 2068, 5, Polyb. 30, 11, 1. Aliorum ap. Fabric. in Bibl. Gr. et apud alios. || Forma Dor. Νευμήνιος in numo Tarentino ap. Mionnet. *Suppl.* vol. 1, p. 280, n. 555, et in inscr. Melia ap. Bœckh. vol. 2, p. 359, n. 2438, 6. V. Νουμηνία.]

[Νουμήτωρ, ορος, ὁ, Numitor, qui supra Νομήτωρ, ap. Strab. 5, p. 229.]

[Νουμίδαι, οἱ, Numidæ, gens Africæ, in inscr. Smyrn. ap. Bœckh. vol. 2, p. 833, n. 3372, 9. Antiquioribus Νομάδες.]

[Νουμμίον, τὸ, Assarium, Gl. Ducang. : « Νουμίον, Nummus, pars tertia quadrantis, talenti vero seu solidi, 18000 : nam in tot νουμμία dividi observat Hesychius. V. Scaligerum et alios de re nummaria. Glossæ Biblicæ Mss. ὀϐολοὶ, νουμία, λεπτά. Cedrenus in Numa : Καὶ ἀσσάρια πρῶτος Ῥωμαίοις ἐχαρίσατο, ἅπερ ἐκ τοῦ ἰδίου ὀνόματος νουμία ἐκάλεσεν. Zonaras ad can. 76 Synodi Trull. : Κόλλυϐος παρ' Ἕλλησι τὸ λεπτὸν νόμισμα, ὃ παρὰ Ῥωμαίοις νοῦμμος καλεῖται. Adde collectionem Historiar Scalig. in Numa et Suidam in Ἀσσάρια (sive Cedrenum p. 148). Apophthegmata Patrum in Lucio : Ὅταν οὖν ἐμμείνω δι' ὅλης ἡμέρας ἐργαζόμενος καὶ εὐχόμενος, ποιῶ πλέον ἢ δεκαὲξ νουμία, aliique Byzantini. De vocis origine v. Salmas. De usuris p. 466. Ducang. V. Νοῦμμος.]

Νοῦμμος, ὁ, Numus : vox non a Latinis solum usurpata, sed Doribus etiam, qui in Sicilia et Italia habitarunt. Aristot. in Tarentinorum Rep. scribit apud eos numisma quoddam vocari νοῦμμον, in quo Tarantis, Neptuni filii, impressam esse imaginem, invehentis equo. Et rursum, Siculum talentum olim valuisse vigintiquatuor numis, postmodum duodecim : numum autem valere tribus obolis. Quin et Epicharm. hoc vocab. usus comperitur, in Χύτραις : Ἀλλ' ὅμως καλαὶ καὶ πῖοι ἄρνες· εὑρήσουσι δέ μοι καὶ νούμμους. Et rursum, Κῆρυξ ἰὼν εὐθὺς πρίω μοι δέκα νούμμων μόσχον καλήν. Hæc Pollux [9, 79, 80, 87. Primo autem l. dicit : Ὁ δὲ νοῦμμος δοκεῖ μὲν εἶναι Ῥωμαίων τοὔνομα τοῦ νομίσματος· ἔστι δὲ Ἑλληνικὸν, καὶ τῶν ἐν Ἰταλίᾳ καὶ Σικελίᾳ Δωριέων. In locis Epicharmi vero scribendum esse νόμος supra diximus. Antiatt. Bekk. p. 109, 24 : Νόμους, τὸ νόμισμα, οὓς οἱ Ἰταλικοὶ νούμους καλοῦσιν. Photius s. Suidas in Νόμος : Ῥωμαῖοι παρατρέψαντες νοῦμμον λέγουσιν. Conf. Mazoch. ad Tab. Heracl. p. 216 sq. Diversa ab hac signif. Plut. Sull. c. 1 : Φέροντες ἐνοίκιον αὐτὸς μὲν τῶν ἄνω δισχιλίους νούμμους, ἐκεῖνος δὲ τῶν ὑποκάτω τρισχιλίους, ὥστε τῆς τύχης αὐτῶν τὸ μεταξὺ χιλίους νούμμους εἶναι, οἳ πεντήκοντα καὶ διακοσίας δραχμὰς Ἀττικὰς δύνανται. Et Zonaras p. 1405 : Νοῦμμος, τὸ νουμμίον.]

[Νουμοδότης. V. Νομοδότης.]

[Νοῦν. Horap. Hierogl. 1, 21 : Νείλου δὲ ἀνάϐασιν σημαίνοντες, ὃν καλοῦσιν αἰγυπτιστὶ νοῦν, ἑρμηνευθὲν δὲ σημαίνει νέον. Ubi varias variorum conjecturas v. ap. Leemans.]

[Νουνέχεια, ἡ, Prudentia. Polyb. 4, 82, 3, ubi alii male νουνεχία. Per ει etiam in schol. Hom. Il. Ω, 799. L, D. Et ap. Menandr. Hist. p. 295, 10 ed. Bonn. : Τῇ τοῦ αὐτοκράτορος ν. Hase. Memorat etiam Zonaras p. 1405. Νῆψις sic interpretatur Hesychius.]

Νουνεχής, ὁ, ἡ, Prudens, Qui sapit, Cordatus. [Sensatus, Intelligens, huic add. Gl. Novella Al. Comn. ap. Zachar. Hist. jur. græcorom. p. 124, 34 : N. ἀνὴρ καὶ ἐπίϐολος, ubi scrib. ἐπήϐολος. Euseb. Præp. ev. p. 494, A. Justin. Mart. p. 83, D. Id. p. 60, A : Ὅσα ἂν ὑπαγορεύσῃ ὁ λόγος μὴ δεῖν αἱρεῖσθαι, ὁ ν. οὐχ αἱρήσεται. Tatian. p. 172, B : Χρὴ τὸν νουνεχῆ συνιέναι ὅτι ... Hase.] A quo superl. νουνεχέστατος, quod a Polyb. poni etiam pro Moderatissimus testatur Bud. [Id. 27, 12, 1. Menander ap. Suid. v. Ἀνεῖτο : Συναποδύσασθαι αὐτῷ καὶ τὸ νουνεχές. || Adv.] Νουνεχῶς, Prudenter, Cordate. Polyb. : N. ἐδόκουν πραγματεύεσθαι πρὸς τοὺς τότε καιρούς. Idem alicubi [2, 13, 1; 5, 88, 2] copulat νουνεχῶς cum πραγματικῶς. [Et cum φρονίμως 1, 83, 3. Diod. Exc. p. 588, 59 : N. ἕκαστα διοικεῖν. Ephræm Syr. vol. 3, p. 245, E : Ῥαπισθεὶς παρὰ δούλου, νουνεχῶς ἀπεκρίθη. V. Νουνεχόντως. L. Dind.]

[Νουνεχία. V. Νουνέχεια.]

Νουνεχόντως, q. d. Habendo mentem, More eorum qui mente præditi sunt. Sæpe ponitur pro Prudenter, Cordate, Considerate. Isocr. Panath. [p. 278, C]: Οὐκ ἀπαιδεύτως, ἀλλὰ ν. Id. Areop. [p. 150, C]: Οὐδὲ γὰρ τὰ περὶ τὰς θεωρίας, ὧν ἕνεκά τις ἦλθεν, ἀσελγῶς οὐδ' ὑπερηφάνως, ἀλλὰ ν. ἐποίουν. [Idemque alibi sæpius. Dionis Cass. et Libanii exx. quædam addidit Lobeck. ad Phryn. p. 604. Ex Isocr. Antid. affert Antiatt. p. 109, 10, ex Menandro Apollon. Bekk. An. p. 587, 15 : Τὸ παρὰ Μενάνδρῳ νουνεχόντως δοκεῖ ἀσύστατον εἶναι, καθότι τῶν τοιούτων ἐπιρρημάτων προϋφέστηκε καὶ πτωτικόν. Τὸ νουνεχῶς ἀναλογώτερον καθέστηκε, καθότι καὶ τὸ νουνεχὴς παράκειται. Καθὸ ουν δοκεῖ ἐπιρρηματικῶς ἐξενηνέχθαι, σεσημειούσθω, ἐπείτοιγε πολλάκις σχήματά τινα ἐκ διεστώτων εἰς ἑνότητα παραλαμβάνεται... Συσταίη ἂν οὖν καὶ παρὰ τὸ νοῦν ἔχων τὸ ν. κατὰ τὸν τοιοῦτον λόγον, οὐ μὴν, ὡς προείπομεν, κατὰ σύστασιν τῶν προκειμένων ἐπιρρημάτων. Quam scripturam agnoscit etiam Joann. Alex. Τον. παρ. p. 39, 23. Sed quum Plato Leg. 3, p. 686, E dixerit ἐχόντως νοῦν, rectius hoc quoque, ut supra Λογονεχόντως, scribitur divisim.] Affertur vero a quibusdam gramm. partic. comp. Νουνέχοντες i. significans q. νοῦν ἔχοντες, Prudentes, ut supra dictum fuit; item verbum Νουνέχω, in VV. LL. : sed horum exemplum desidero. Quinetiam quod eadem in Νοῦς ex Bud. annotant, νουνεχεῖν dici posse unico accentu, nusquam ap. eum reperio. [Hæc omnia disjungenda.]

[Νουνεχὸς, Tzetz. Hist. 3, 264. Elberl. Νουνεχὴς Kiessling.]

[Νουνεχῶς. V. Νουνεχής.]

[Νοῦς. V. Νόος.]

[Νοῦς, ὁ, Nus, fl. Arcadiæ, ap. Pausan. 8, 38, 9. Pamphyliæ s. Ciliciæ ap. Zenob. 4, 51, Photium v. Κέσκος s. Eustath. Od. p. 1392, 19. Ποταμὸς Hesychio.]

Νουσαλέος, α, ον, Morbidus, Morbosus, Valetudinarius, simpliciter Ægrotus, Nonn. [Jo. c. 5, 31; c. 11, 15 et 23.]

Νουσαχθὴς, ὁ, ἡ, Morbo gravatus, Æger, Oppian. [Hal. 1, 298 : Νουσαχθέα φῶτα.]

[Νουσήλιος. V. Νοσήλιος.]

[Νούσημα, τὸ, Ionice pro νόσημα, Hippocr. p. 295, 54.]

[Νουσοκόμος, ὁ, ἡ, forma Ion. pro νοσοκόμος, quod v. Nonn. Jo. c. 5, 21 et 55.]

[Νουσομελὴς, ὁ, ἡ, Æger membris. Manetho 4, 476.]

Νοῦσος, ἡ, Morbus, Ionice pro νόσος. Hom. Od. Λ, [171], δολιχὴ νοῦσος, Longus morbus s. Diuturnus, Aretæo χρόνιον πάθος. Hesiod. [Op. 92] : Νούσων τ' ἀργαλέων αἵ τ' ἀνδράσι γῆρας ἔδωκαν. Hom. Od. Ε, [395]: Ὃς ἐν νούσῳ κεῖται, κρατέρ' ἄλγεα πάσχων, Δηρὸν τηκόμενος· Il. Ν, [667] : Νούσῳ ἐπ' ἀργαλέῃ φθίσθαι, quod supra νόσῳ φθείρεσθαι. Od. Ο, [407] : Πείνη δ' οὔποτε δῆμον ἐσέρχεται, οὐδέ τις ἄλλη Νοῦσος ἐπὶ στυγερὴ πέλεται δειλοῖσι βροτοῖσι· Λ, [200] : Οὔτε τις οὖν μοι νοῦσος ἐπήλυθεν, ἥτε μάλιστα Τηκεδόνι στυγερῇ μελέων ἐξείλετο θυμόν. Et Il. Α, [10] de peste, ut et ap. Thuc. supra νόσος : Νοῦσον ἀνὰ στρατὸν ὦρσε κακήν· ὀλέκοντο δὲ λαοί· Od. Ι, [411] : Νοῦσόν γ' οὔπως ἐστὶ Διὸς μεγάλου ἀλέασθαι, Morbum ab Jove immissum, νόσον λοιμικήν. Frequens ap. Hippocr. et Herodot. [V. Νόσος. Apud Tragicos quum unum sit exemplum Æsch. Suppl. 683 : Νούσων

A ἑσμὸς ἀπ' ἀστῶν, metrumque ferat νόσων, librorum autem auctoritas in talibus sit nulla, νόσων restituit G. Dindorfius.]

Νουσοφόρος, ὁ, ἡ, Morbos afferens, νοσήματα φέρων, ut Plut. loquitur. Extat in Epigr. [Theæteti Schol. Anth. Pal. 6, 27, 8, γῆραϊ.]

[Νουτρία, ἡ, Nutria, urbs Illyrici, ap. Polyb. 2, 11, 13.]

[Νοφ. in lapidibus compend. script. vocis Νομοφύλαξ vel Νομοφύλακες. Franz. El. ep. gr. p. 369. Hase.]

[Νοφθὰν, Marrubium nigrum, ap. Interpol. Diosc. c. 523 (3, 107). Ducang.]

[Νοχαλός. V. Νωχελής.]

[Νοχελὴς, ὁ, ἡ.] Hesychio Νοχελὲς, τὸ, Secundæ : τὸ χωρίον, τὰ δεύτερα. Hippocr. Γυναικ. l. 2, in ἐκϐολίῳ quodam ex galbano : Τοῦτο δύναται διαφθείρειν καὶ ἐκϐάλλειν τὸ νοχελές. Ita quidam, qui tamen rectius per ω scribi posse opinantur. [Quod v.]

[Νοχελὶς, Marrubium nigrum, βαλλωτὴ, ap. Interpol. Diosc. c. 523 (3, 107, ubi νωχ.). Ducang.]

B [Νύ. V. Νῦν.]

[Νῦ. V. Ν.]

[Νύγδην, Punctim. Apollon. De adv. p. 611, 30 : Νύξω, νύγδην.]

Νύγμα, τὸ, Punctus, Punctum : ut Plin. de crabronibus, Ter novenis punctis interfici hominem. Idem, Mustelæ oculis punctu erutis. Scrib. Larg. c. 76, de emplastro viridi Glyconis : Punctus nervorum, musculorum, qui periculosissimi sunt, quos νύγματα Græci dicunt, sine incisione aut divisione sanat. [Punctura, Alex. Trall. 2, p. 43.] Νύγμα, inquit Gorr., Punctio, est solutio continuitatis in carne, incidente aliquo acuto et tenui facta. Vocatur et Νύσις. [Νύγμα ἢ νύσις (νύξις) Punctura dicitur, et solutio continui in carne, ex telo acuto aut tenui, Galeno lib. De constit. artis medicæ p. 36, 31. Foes. Œc. Hipp. Aret. p. 58, 33 : Πόνος τῆς κοιλίης βαρὺς, οἷον νύγμα. Eust. Opusc. p. 178, 14 : Ἔχαιρε τῷ δεσποτικῷ μιμήματι τοῖς κατὰ πλευρὰς νύγμασι.] Hæc ille. Dicitur et de Morsu muris, quem mus intulit. Nicand. Ther. [446] de draconis
C morsu s. ictu : Βληχρὸν γὰρ μυὸς οἷα μυχηϐόρου ἐν χροῒ νύγμα Εἴδεται, αἱμαχθέντος ὑπὸ κραντῆρος ἀραιοῦ· et [363] : Μυδόεν τεκμήρατο νύγμα, Σηπεδόσι φλιδόωσα, ubi schol. annotat scribi etiam δῆγμα. [Conf. id. 271 : Ἀεικέλιον περὶ νύγμα· 298 : Νύγματι δ' ἀρχομένῳ· 730, 916. Plerisque horum ll. est var. νύχμα. Tryphiod. 365 : Μαντιπόλοιο βολῆς ὑπὸ νύγματι· 538 : Μέλισσαι νύγμασι πημαίνουσιν ὁδίτας. L. D. Hippiatr. p. 39, 17 : Γίνεται γὰρ ἐν αὐτῇ φοῖνιξ ἐκ τοῦ ν., Cruentus rubor ab ictu punctim impresso. Georg. Pis. Hexaem. 844 : Τὸ ν. τῆς ὀπῆς. Hase. Usus est vocabulo τὰ νύγματα Epicurus, de voluptate in motu loquens, teste Athen. 12, p. 546, E. Schweigh. Nicet. Eugen. 2, 3, cod. νυσμάτων, alter νυγμάτων. Boiss.]

Νυγματώδης, ὁ, ἡ, Pungens, Fodicans, Lancinans : ν. ὀδύνη, Dolor punctorius, pungenti similis, qui circa membranas potissimum consistit, et ad eas proprie pertinet, ipsius affectus veluti radice eo loco fixa, ubi membrana pungitur, dolore vero circa locum punctum ad magnum spatium circumlatim se fundente. Hic in pleuritide manifestus est, et in hepate etiam
D et renibus, si eorum tunicæ inflammationes patiantur. Gorr. [Aristot. Probl. 27, 3 : Ἡ τῆς καρδίας πήδησις πυκνὴ καὶ νυγματώδης. Archig. apud Galen. vol. 7, p. 415, E. Hemst. Id. Galen. vol. 6, p. 297, 10 : N. ὀδύναι. Id. ib. p. 294, 14 : N. αἴσθησις, Sensus punctionis. Aretæus p. 9, 30 : Πόνοι ν. Theoph. Nonn. t. 1, p. 62, 6 : Ἄλγημα ν. Quid sit ὀδύνη ν. docet Leo phil. Consp. med. p. 165, 7 Ermerins. Hase.]

[Νυγματωδῶς, Punctim, Instar pungentis. Galen. vol. 19, p. 7, 10 : Ἔνια δὲ ν. σφύζει. Hase.]

Νυγμὴ, ἡ, Punctus, [Punctum, Punctio, Gl.] Stimulus; nam ab Hesych. exp. κέντρον. [Plut. Anton. c. 86 : Τὸν βραχίονα τῆς Κλεοπάτρας ὀφθῆναι δύο νυγμὰς ἔχοντα λεπτὰς καὶ ἀμυδράς. Schol. Hesiod. Theog. 127, Theognost. Can. p. 111, 32.]

Νυγμὸς, ὁ, Punctio [Gl.], Punctura, Stimulus, VV. LL. [Ap. Aret. p. 2, 50, ubi cum στεναγμὸς conjungitur, scribendum μυγμὸς, ut vidit jam Petitus. « Galen. vol. 2, p. 61, E; sed corruptum puto. » Hemst. Hic quoque scribendum μυγμῶν. Diodor. 13, 58: Οἱονεὶ νυγμοὺς εἰς τὴν ψυχὴν λαμβάνουσαι. Plut. Philop. c. 9: Ὥσπερ ὑπὸ νυγμῶν καὶ γαργαλισμῶν τῆς αἰσθήσεως συνεπικλώσης τὴν διάνοιαν. L. D. Hellad. ap. Phot. Bibl. p. 535, 14: N. τε καὶ πληγαί. Herm. Trismeg. Iatromath. p. 45, 23: N. τῶν μαστῶν. Hase.]

[Νύγω, quod est ap. Hesychium: Νύγει, τῷ κέντρῳ πλήττει, ex νύσσει vel νύττει depravatum.]

Νυθὸν, Hesychio ἄφωνον, Mutum; at Νυθῶδες, Eidem σκοτεινῶδες, Tenebrosum.

[Νύκτα. V. Νύξ.]

[Νύκταγες, Hæretici sic appellati a somno, quod vigilias noctis respuant, superstitionem esse dicentes, et jura temerari divina, quum nox ad requiem tributa sit. Gratian. et alii. Ducang.]

Νυκταίετος, ὁ, Aquila nocturna, ὄρνις ἱερὸς Ἥρας, ὁ καὶ ἐρωδιὸς, Hesych.

Νυκταλὸς, ὁ, Noctem amans, ὁ νύκτα φιλῶν. Apud Suid. de Diogene Cynico, Οὐδὲ γὰρ ἦν τις νυκταλὸς καὶ ὑπνηλός. Verba sunt Diog. L. p. 296 [6, 77. Perperam pro νυσταλός. V. Rossi Commentt. Laert. p. 98. Schneid.]

[Νυκταλωπάω, i. q. νυστάζω. Eust. Od. p. 1392, 35: Νυκταλωπῶν ὁ νυστάζων. Nisi scribendum νυκταλωπιῶν. L. Dind.]

[Νυκταλώπης, Νυκταλωπία, Νυκταλωπίασις, Νυκταλωπιάω. V. Νυκτάλωψ.]

[Νυκταλωπικὸς, ή, όν, ap. Hippocr. p. 1194, A: Τὰ νυκταλωπικὰ ἱδρύετο, Nocturnæ cæcitudines.]

Νυκτάλωψ, ωπος, ὁ, Cujus oculi noctu cæcutiunt, Lusciosus [Gl.], Qui interdiu videt, sole occidente obscurius, noctu omnino nihil. Vel Qui noctu melius videt, interdiu minus, et, si luna luceat, nihil cernit [ut Paulus 3, 22, et Aetius 2, 3, 46. Foes.]. Galen. Lex. Hippocr. exp. ὁ τῆς νυκτὸς ἀλαός. [Contraria signif.] Hippocr. Prædict. 2 [p. 110, E]: Οἱ τῆς νυκτὸς ὁρῶντες, οὓς δὴ νυκτάλωπας καλέομεν. [Qua notione νυκτάλωπες etiam Aetio agnoscuntur, quum noctu quidem melius, interdiu vero deterius, et si luna luceat, nihil cernant. Hoc tamen rarum esse idem testatur, illud vero plurimis contingere. Foes. V. Coraes ad Hippocr. De aere p. 46.] Auctor Isagoges: Νυκτάλωπας δὲ λέγουσιν, ὅταν ἡμέρας μὲν βλέπουσιν ἀμαυρότερον, δυομένου δὲ ἡλίου λαμπρότερον, νυκτὸς δὲ ἔτι μᾶλλον· ἢ ὑπεναντίως, ἡμέρας μὲν, ὀλίγα, ἑσπέρας δὲ ἢ νυκτὸς μηδ' ὅλως· μύωπας δὲ λέγουσι τοὺς τὰ μὲν σύνεγγυς βλέποντας, τὰ δὲ πόῤῥωθεν μὴ ὁρῶντας. Festus: Luscitiosi sunt qui parum vident propter vitium oculorum, quique plus vesperi vident quam meridie. Similiter Ælius Stillo, inquit Hermol., Luscitiosos esse dixit, qui plus vident vesperi quam meridie. At Varro Disciplinarum 8: Vesperi non vident quos appellant Lusciosos. Nonius: Lusciosi ad lucernam non vident: et μύωπες minus videntes vocantur a Græcis. Plautus: Verbero, ædepol tu quidem cæcus, non lusciosus. Plin. Græcum vocabulum retinet: pro his enim Diosc. 2, 47: Τοῦ δὲ ἥπατος τῆς αἰγὸς ὀπτωμένου ὁ ἀποῤῥέων ἰχὼρ ἐγχριόμενος νυκτάλωψιν ἁρμόζει, ipse ita habet, 8, 50, de capris: Tradunt et noctu non minus cernere quam interdiu: ideo si caprinum jecur vescantur, restitui vespertinam aciem his quos νυκτάλωπας vocant. Unde patet eum νυκτάλωπας accipere Qui interdiu quidem vident, sed noctu vesperive nihil, quos Varro Lusciosos, Nonius [Festus] Luscitiosos appellavit: id quod manifestius fit ex eod. Plin.: quippe qui 28, 11, dicat, Et quoniam noctu æque quoque cernant, sanguine hircino sanari lusciosos putant, νυκτάλωπας a Græcis dictos: capræ vero jecinore in vino austero decocto. Utitur hoc vocabulo etiam 32, 7; similiter et Marcell. Empir. Actuar. quosdam et νυκτάλωπας ἐαρινοὺς vocat, Nuscitiosos vernos, ut Interpr. reddidit l. 2 Περὶ διαγν. παθ. c. 7: Νυκτάλωπας δ' ἐαρινούς φασιν, οἳ ὑπὲρ γῆν μὲν ὄντος τοῦ φωτὸς βλέπουσι, δυομένου δ' ἀμβλυώττουσι· νυκτὸς δ' ἤδη καταλαβούσης, μηδὲν ὁρῶσι· pro quo ἐαρινοὺς fortassis alicui videatur leg. ἑσπερινούς. [Sunt et νυκτάλωπες in tussi lib. 4 Epid. p. 1138, G, ut et lib. 6 Epid., quæ certe loca mihi videtur in Exeg. subindicasse Galenus. Νυκτίλωπες dicuntur Galeno lib. Περὶ τῶν εὐπορίστων p. 477, 40, qui aliis νυκτάλωπες. Cujus appellationis

A originem a vulpe sumtam esse videtur innuere Commentarius Galeno attributus in lib. 6 Epid., quod ea propter spiritus tenuitatem diuturno tempore videat obscurius, quoniam is a radiis solaribus liquetur ac dissipetur: nocte vero melius cernat, quod spiritus factus sit densior. Quodque vulpibus per diem contingit, id illis qui nocturna cæcitudine laborant, per noctem evenire, ut de die quidem videant, nocte vero nihil. Verum aliam nominis notationem secutus videtur Galenus in Exegesi vocum Hippocrat. Foes.] || Ipse etiam morbus νυκτάλωψ dicitur [Pollux 2, 65], item Νυκταλωπία et Νυκταλωπίασις: Popilio Aurelio Nocturna cæcitudo, et Nuscitio. Paul. Ægin. 3, 22: Νυκτάλωπα λέγουσιν, ὅταν συμβῇ τὴν μὲν ἡμέραν βλέπειν, δυομένου δὲ ἡλίου ἀμαυρότερον ὁρᾷν, νυκτὸς δὲ γενομένης οὐδαμῶς ὁρᾷν. Et in Definitt. Galeno ascriptis, Νυκτάλωψ ἐστὶ πάθος καὶ διάθεσις ὀφθαλμῶν δίχα φανερᾶς αἰτίας· συμβαίνει δὲ τοῖς οὕτω διακειμένοις ἡμέρας μὴ ὁρᾷν, νυκτὸς δὲ βλέπειν. At l. 2 Methodi idem Galen. νυκτάλωπα affectum ita dictum ait, ὅτι τῆς νυκτὸς ἀποφαίνει μὴ B βλέποντας. Ulp. Digest. 21, De ædilitio edicto et redhibitione: De myope quæsitum est an sanus esset, et puto eum redhiberi posse. Sed et νυκτάλωπα morbosum esse constat: i. e. ubi homo neque matutino tempore videt neque vespertino: quod genus morbi Græci vocant νυκτάλωπα. Luscitionem eam esse quidam putant, ubi homo lumine adhibito nihil videt. At Festo Luscitio est vitium oculorum, quod clarius vesperi quam meridie cernit. Oribas. ad Eunap. 4, 17, quod πρὸς τοὺς νυκταλωπιῶντας inscribitur: Νυκταλωπίασις δέ ἐστιν, ὅταν τὴν ἡμέραν ἀμέμπτως βλέπωσιν· τῆς δὲ νυκτὸς προσαγούσης, χείρω. Est autem hoc verbale a verbo Νυκταλωπιάω, Luscitiosus sum, Laboro luscitione, s. morbo eo quem Græci vocant νυκτάλωπα. De hoc morbo intellexit Celsus 6: Præter hæc imbecillitas oculorum est, ex qua quidam interdiu satis, noctu nihil cernunt. [Remedia ἐπὶ τῶν νυκταλωπιώντων ap. Galen. vol. 12, p. 802, 13, et Theoph. Nonn. t. 1, p. 230, 4, ubi perperam νυκταλωπιόντων. Hase.] Dicitur idem morbus etiam Νυκταλώπηξ ab Aristot. De gen. C anim. 5, [1]: Τὸ μὲν γὰρ γλαύκωμα γίνεται μᾶλλον τοῖς γλαυκοῖς, οἱ δὲ νυκταλώπεκες τοῖς μελανοφθάλμοις. Dixerat autem paulo ante, Τὰ μὲν γλαυκὰ (ὄμματα) μὴ εἶναι ὀξυωπὰ τῆς ἡμέρας· τὰ δὲ μελανόμματα, τῆς νυκτός· paulo post, Ὁ δ' αὖ νυκταλώπηξ, ὑγρότητος πλεονασμός. Sed sunt qui hanc scripturam suspectam habeant. [Nunc bis νυκτάλωψ.]

[Νυκταυγία, ἡ, Nocturna lux. Theodor. Stud. p. 251, B. L. Dind.]

Νυκτεγερσία, ἡ, Excitatio nocturna, qua sc. aliquis noctu excitatus surgit, ex Eur. Rheso [in Argum.]. Plut. in Vita Homeri, Διομήδους καὶ Ὀδυσσέως ἐκ τῆς νυκτεγερσίας ἀνακομισθέντων, Ab excubiis. [Philo vol. 1, p. 155, 47: Νυκτεγερσίαι πρὸς ἀπλήστους ἐπιθυμίας. Hase. Ap. Hom. Il. K, quæ rhapsodia dicta νυκτεγερσία. V. schol. init. Hinc Acci *Nyctegresia*, sæpe citata ab Nonio Marcello.] Et Strabo 8. [Eust. Op. p. 314, 19. || « Vigiliæ in festis solemnioribus, παννυχίδες. Basilius Seleuciæ episc. Mir. Theol. 2, 10: Εἴ τις φυλάξῃ κατὰ τὴν νυκτεγερσίαν αὐτῆς τῆς ἑορτῆς· 14: Κατ' αὐτὴν D τῆς πανηγύρεως νυκτεγερσίαν· et c. 18. » Ducang.]

Νυκτεγερτέω, Noctu excitor et surgo, Excubias nocturnas ago. Plut. in Cæs. p. 237 [c. 40]: Καὶ τειχομαχοῦντες καὶ νυκτεγερτοῦντες ἐξέκαμνον ὑπὸ γήρως, i. e., inquit Bud., Noctu excubias obeuntes, Excubias agentes. [Nisi hic quoque scribendum est νυκτηγρετοῦντες, ut infra.]

Νυκτελέω, Noctu sacra perago: νυκτελεῖν, ἐν νυκτὶ τελεῖν, Hesych.

Νυκτέλιος, ὁ, dicitur Bacchus, cui noctu sacra fiebant. Plut. [Mor. p. 389, A]: Διόνυσον δὲ καὶ Ζαγρέα καὶ Νυκτέλιον καὶ Ἰσοδαίτην αὐτὸν ὀνομάζουσι. Meminit et Pausan. Att. p. 30 [c. 40, 5]: Διονύσου ναὸς Νυκτελίου. Et Ovid. Met. 4, [15]: Nycteliusque Eleleusque parens et Iacchus et Evan: et De arte am. 1, [567]: Nycteliumque patrem nocturnaque sacra precare. [Hymn. Anth. Pal. 9, 524, 14, et sæpe Nonnus in Dion. ut 7, 349; 9, 114, etc.] Sed et ipsa sacra nocturna dicuntur Νυκτέλια. Plut. Probl. Rom. p. 259 [291, A], de hedera: Καὶ νυκτελίοις, ὧν τὰ πολλὰ διὰ σκότους δρᾶται, πάρεστιν. De quibus Virg. Æn. 4 : Qualis commotis excita sacris Thyas, ubi audito stimulant trieterica Baccho Orgia, nocturnusque vocat clamore Cithæron.

Νυκτέπαρχος, ὁ, Præfectus vigilum, in Pand. [et Chron. Alexandr. a. 8 Leonis M., sed hanc vocem sustulit Justinianus, ut odiosam, Nov. 13, jussitque deinceps appellari Prætorem plebis. Glossæ Basilic.: Νυκτέπαρχος, ὁ πραίτωρ τοῦ δήμου. Ita quippe hic emendandum. Leo Diac. l. 6, (c. 2, p. 95 extr.) : Ἀποκαθίστησι καὶ ὃν καλοῦσι νυκτέπαρχον. Ducang. Georg. Pachym. Mich. Pal. 2, p. 102, B.] De luna etiam dici potest. Bud.

[Νυκτεργᾰσία, ἡ, Nocturna actio. Nicetas Chon. p. 218, B : Τὴν μυσαρὰν ταύτην νυκτεργασίαν. L. Dind.]

Νυκτερία, ἡ, Actio nocturna. Ap. Plat. [Leg. 7, p. 824] pro Venatione nocturna. Bud.

[Νυκτερεία, ἡ, Vigiliæ. Eunap. Proæres. p. 103 Schneid. Wyttenb. p. 273 interpr. Cauponas.]

[Νυκτερείσιος voc. nihili. V. Νυκτερήσιος.]

[Νυκτερέτης, ὁ, Nocturnus remex, de piscatore, Satyrius Anth. Pal. 6, 11, 3 : Ὁ νυκτερέτης θέτο Κλείτωρ.]

[Νυκτέρευμα, τὸ, Stabulum ubi noctu stant pecora. Polyb. 12, 4, 9.]

Νυκτερευτής, ὁ, Qui noctu aliquid agit. Ap. Plat. Leg. 7 fin. [p. 824] accipitur pro Eo qui noctu in agris venatur, aut in flumine, Bud.

Νυκτερευτικὸς, ἡ, ὸν, Aptus ad aliquid noctu agendum : νυκτερευτικαὶ κύνες, Xen. [Comm. 3, 11, 8], Canes nocturnæ venationi aptæ, Bud.

Νυκτερεύω, Noctu aliquid facio. Pollux 1, [71] : Τὸ μὲν νυκτός τι πρᾶξαι, νυκτερεῦσαι. Item Noctem duco s. transigo, Pernocto : Cic. de venatoribus, Pernoctant in nive. Xen. Cyrop. 4, [2, 22] : Εἰ ἡδέως βουλοίμεθα καὶ δειπνῆσαι καὶ νυκτερεῦσαι καὶ βιοτεύειν τὸ ἀποτοῦδε. [H. Gr. 4, 5, 3 : Ἡ μόρα τὰ ἄκρα κατέχουσα ἐνυκτέρευεν· 5, 4, 4 : Μάλα ἡδέως προσεδέχοντο νυκτερεύειν, et sæpius in Anab. Polyb. 16, 37, 2.] Attici autem νυκτερεύειν usurpant pro ἀγρυπνεῖν, Insomnem ducere noctem, Vigilare, Hesych. [Athen. 15, p. 699, E : Οἱ νυκτερευόμενοι τῶν νέων. Hemst. Philo vol. 2, p. 257, 30 : Τειχοφυλακεῖν ἐν ὑπαίθρῳ νυκτερεύοντας. Joseph. Ant. Jud. 6, 11, 10 : Κλαίων ἐνυκτέρευσεν. Hase.]

[Νυκτερήσιος, ὁ, Nocturnus. Aristoph. Thesm. 204 : Γυναικῶν ἔργα νυκτερήσια. Lucian. Alex. c. 53, χρησμός. Apud quos libri plures vel omnes νυκτερείσιος. Sed illud, quod est etiam apud Sextum Emp. p. 515, 3 et 7 ed. Bekk., dicitur ut ἡμερήσιος, utrumque autem ut βροτήσιος et alia.]

[Νυκτερίδα. V. Νυκτερίς.]

Νυκτερίδιος, quod a νυκτερὶς derivatum videtur, aliam tamen signif. habet; nam a Bud. exp. Nocturnus, in Theophr. [C. Pl. 2, 6, 1] : Ὥσπερ καὶ ἐπὶ τῶν ἐκ Διὸς ὑδάτων τὰ νυκτερίδια [νυκτερινὰ] βελτίω καὶ βόρεια.

Νυκτερῖνὸς, ἡ, ὸν, [Nocturnus, Gl.] : ut φυλακὴ νυκτερινὴ, ap. Polluc. [1, 71], Custodia nocturna, Excubiæ. [Aristoph. Vesp. 2; Polyb. 6, 35, 1.] Arrian. [Exp. 4, 13, 8] : Ὡς οὖν περιῆκεν εἰς Ἀντίπατρον ἡ ν. φυλακὴ, Postquam permutatis in orbem vicibus vigiliarum munus ad Antipatrum pervenit. Sic Herodian. [3, 11, 12] : Τὴν ν. φρουρὰν ἐκ περιόδου ἐγκεχειρισμένος, Cui nocturnæ excubiæ in orbem recurrentes cesserant. Xen. Hell. 7, [1, 16] : Ἡνίκα αἱ ν. φυλακαὶ ἤδη ἔληγον. Aristot. Polit. 5, [8] : Μὴ καταλύωσιν, ὥσπερ ν. φυλακὴν, τὴν τῆς πολιτείας τήρησιν. [Aristoph. Eq. 477 : Ξυνόδους τὰς νυκτερινάς· Ach. 1162 : Ν. κακόν.] Plut. Symp. 7, [p. 714, C] : Νυκτ. σύλλογος τῶν ἀρίστων καὶ πολιτικωτάτων ἀνδρῶν· ut ap. Tac., Cœtus nocturni. [Id. Mor. p. 291, F.] Et ν. φάσματα, Spectra nocturna, Terricula et visa nocturna. Nonius : Lemures, larvæ nocturnæ et terrificationes imaginum et bestiarum. Horat. dicit Lemures nocturni; Virg., Manes nocturni. [Νυκτερινοὶ δαίμονες, Lemures, Gl.] Athen. 4 : Τῶν ἐν τοῖς ἀμφόδοις γινομένων ν. φόβων, Terriculamentorum nocturnorum. Cic. dicit Metus nocturnus. Rursum [Thuc. 4, 128 : Ἐν νυκτερινῇ καὶ φοβερᾷ ἀναχωρήσει. Plat. Leg. 10, p. 909, A, ξύλλογος. Polyb. 4, 8, 11, ἐπίθεσις · 6, 34, 7, σύνθημα.] Xenoph. Hell. 5, [4, 10] : Ἐπεὶ ᾔσθετο τὸ ν. κήρυγμα. Id. [Cy-

A rop. 8, 6, 18] : Τῷ ἡμερινῷ ἀγγέλῳ τὸν ν. διαδέχεσθαι. Item ν. ὡρολόγιον, Horologium nocturnum, ut Cic. Horæ nocturnæ; Ovid., Umbræ nocturnæ. Athen. 4, [p. 174, C] : Νυκτερινὸν ποιήσαντα ὡρολόγιον, ἐοικὸς τῷ ὑδραυλικῷ, οἷον κλεψύδραν μεγάλην λίαν. [Philodem. Anth. Pal. 5, 123, 1 : Νυκτερινὴ ... Σελήνη · Strato ib. 12, 250, 1 : Νυκτερινὴν ὥρην.] Et νυκτερινὸς, de lupo noctivago. Oppian. Cyn. 3, [266] : Τὸν μὲν (sc. λύκον) νυκτερινὸν διὰ γαστρὸς ἄφυκτον ἐρωὴν Ἀρνειῶν ἐρίφων τε πολύπλοκον ἁρπακτῆρα. Ibidem hyænam appellat νυκτιπλανῆ et νυκτιπόρον. Et ν. κύνες [Photio s.] Suidæ et Hesychio οἱ λύκοι, Lupi. [V. id. Suidas in Βύας. Aristot. H. A. 8, 3 : Τῶν νυκτερινῶν (ὀρνίθων) ἔνιοι γαμψώνυχές εἰσιν.] Sunt tamen qui esse velint εἶδος ὑποδήματος γυναικείου, ut idem Hesych. annotat. [Cui interpr. Albertus contulit ejusdem gl. Νυμφίδες. Aptius comparantur νυκτιπήδηκες.] At ν. οἶνος, Vinum crassius ac proinde non pellucidum, VV. LL. ap. Plut., sicut Ead. νυκτερινὸς interpr. Obscurus noctis instar, in Symp. 6, 7, ubi quæritur quem colorem intellexerit Hom., quum B dicit αἴθοπα οἶνον, ad quendam qui nolebat διηθεῖσθαι τὸν οἶνον [p. 692, E], Σὺ δ' ἀξιοῖς τοῦ νυκτερινοῦ καὶ μελαναιγίδος ἐμφορεῖσθαι, καὶ ψέγεις τὴν κάθαρσιν· et paulo post, Αἴθοπα καλεῖ, οὐ τὸν ζοφερὸν, ἀλλὰ τὸν διαυγῆ καὶ λαμπρόν. Synonyma igitur facit ibi νυκτερινὸν et ζοφερὸν, opponens eis διαυγῆ et λαμπρὸν, Pellucidum et clarum. [Adverb. Νυκτερινῶς. Epiphan. t. 2, p. 279, A : Ν. τὸ πάσχα ἐποίησεν. Hase.]

[Νυκτέριος, α, ον, i. q. præcedens, sed poeticum. Arat. Phæn. 999 : Νυκτερίη γλαύξ. Quint. Mæcius Anth. Pal. 9, 403, 2 : Ἔργου δ' ἡγέο νυκτερίου. Orph. Hymn. 1, 5 : Ἑκάτην ... νυκτερίην· 48, 3 : Νυκτερίοισι χοροῖσι, et alibi sæpius. Tzetzes utitur etiam Exeg. in Il. p. 56, 14 : Ταῖς σεληνιακαῖς νυκτερίαις ὑγρότησι, nisi hic scripserat νυκτεριναῖς. L. D. In prosa Lucian. De m. Peregr. c. 28 : Τελετήν τινα στήσεσθαι νυκτέριον. Hase.]

[Νυκτερίρεμβος, ὁ, ἡ, Noctivagus. Ptol. Tetrab. p. 161, 2, nisi tamen Νυκτερόρεμβας scribendum. Hase.]

Νυκτερὶς, ίδος, ἡ, Vespertilio. [Noctua, add. Gl.], Animal ex genere τῶν νυκτινόμων, et γαμψωνύχων, lu- C cifugum; nec enim nisi noctu videt. De quo Aristot. [Metaph. p. 36, 2 : Τὰ τῶν νυκτερίδων ὄμματα, et sæpius in H. A.] et Plin. 10, 61. Hom. Od. Ω, [6] : Νυκτερίδες μυχῷ ἄντρου θεσπεσίοιο Τρίζουσαι ποτέονται. Auctor Philomelæ : Strix nocturna sonans et vespertilio stridunt. Od. M, [433] : Τῷ προσφὺς ἐχόμην ὡς νυκτερίς. [Soph. ap. Suid. v. Ἀντάρης. Herodot. 2, 76; 3, 110; 4, 183. « Aristophon ap. Athen. 6, p. 238, D : Καθεύδειν μηδὲ μικρὸν νυκτερίς. Xen. H. Gr. 4, 7, 6 : Ἠναγκάσθησαν οἱ ἱππεῖς ὥσπερ νυκτερίδες πρὸς τοῖς τείχεσιν ὑπὸ ταῖς ἐπάλξεσι προσαραρέναι. » Valck.] Plut. [Mor. p. 567, E] : Καθάπερ μελίττας ἢ νυκτερίδας ἀτεχνῶς ἐχομένας καὶ τετριγυίας ὑπὸ μνήμης καὶ ὀργῆς ὧν ἔπαθον. [Sext. Emp. p. 16, 27 : Νυκτερὶς (vertigine opprimitur contactu) πλατάνου φύλλου. Lucian. Dipsad. c. 3 : Ὑμενόπτερον, οἷα ταῖς ἀκρίσι καὶ τέττιξι καὶ νυκτερίσι τὰ πτερά. Hase.] || Piscis genus, cui inde nomen, quod interdiu quietem agat, noctu grassans satiandi ventris studio, Oppian. Hal. 2, [200] quam ob causam ἡμεροκοίτου quoque nomen invenit. || Νυκτερὶς dicebatur etiam D Chærephon ἑταῖρος Σωκράτους, schol. Aristoph. [Av. 1296, 1564], Suid. [De forma Byzantina Ducang. : « Νυκτερίδα, Vespertilio, νυκτερὶς, in Corona pretiosa. »]

[Νυκτερῖτις, ἡ, prophetis Anagallis ap. Interpolat. Diosc. c. 397 (2, 209). Ducang.]

[Νυκτερίων, ωνος, ὁ, Nycterio, n. fictum ap. Lucian. V. H. 1, 15. Νυκτερίωνος sine interpr. ponit Suidas.]

[Νυκτερόβιος. V. Νυκτίβιος.]

[Νυκτεροειδὴς, ὁ, ἡ, i. q. νυκτοειδής. Sext. Emp. Adv. math. 10, 184 : Χρόνος ἐστὶν ἡμεροειδὲς ἢ ν. φάντασμα· sed conf. 181, ubi νυκτοειδὲς, quod verum.]

[Νυκτερόρεμβος. V. Νυκτερίρεμβος.]

Νύκτερος, ὁ, ἡ, Nocturnus, Noctivagus. Æsch. Prom. [796] : Ἃς οὔθ' ἥλιος προσδέρκεται Ἀκτῖσιν, οὔθ' ἡ νύκτερος μήνη ποτέ· quæ et νυκτίπορος et νυκτιλαμπὴς dicitur. [Sept. 367 : Ἐλπίς ἐστι νύκτερον τέλος μολεῖν· et alibi cum nominibus ἄστρα, ὀνείρατα, φαντάσματα. Soph. Aj. 217 : Μανίᾳ γὰρ ἁλοὺς ... νύκτερος Αἴας ἀπελωβήθη· El. 410 : Ἐκ δείματός του νυκτέρου. Eur. Rhes.

53 : Νυκτέρῳ πλάτῃ· 87 : Νύκτεροι φύλακες· 139 : Νυκτέρους ἐκκλησίας· 765 : Φυλακαῖσι νυκτέροισιν· Hipp. 1388 : Ἅδου νύκτερος ἀνάγκα. Aristoph. Ran. 342 : Νυκτέρου τελετῆς. Arat. Phæn. 1023 : Νύκτερον ἀείδουσα, aliique poetæ.]

[Νυκτεροφεγγής, ὁ, ἡ, Nocte lucens. Manetho 3, 393, Μήνη.]

[Νυκτερόφοιτος, ὁ, ἡ, i. q. νυκτίφοιτος, Noctu ventitans, Nocturnus. Orph. Hymn. 35, 6 : Φιλαγρότι νυκτερόφοιτε.]

[Νυκτερωπὸς, ὁ, ἡ, Nocturnum habens visum. Eur. Herc. F. 111 : Δόκημα νυκτερωπὸν ἐννύχων ὀνείρων. Quem locum imitatur Plut. Mor. p. 1066, C.]

[Νυκτεὺς, έως, ὁ, Nycteus, pater Callistus, ap. Apollod. 3, 8, 2. F. Hyriei, ib. 10, 1, Apollon. Rh. 4, 1090, Strabon. 9, p. 404, Pausan. 2, 6, 1.]

Νυκτηγορέω, Noctu aliquid nuntio, proprie de custodibus. Eur. [Rhes. 89] : Φύλακες νυκτηγοροῦσι. [Passivo Æsch. Sept. 29 : Λέγει μεγίστην προσβολὴν Ἀχαΐδα νυκτηγορεῖσθαι κἀπιβουλεύσειν πόλει. Schol. ἐν νυκτὶ ἀγορεύειν καὶ βουλεύεσθαι.]

[Νυκτηγορία, ἡ, Nocturnus nuncius. Eur. Rhes. 20 : Εἰ μή τιν' ἔχων νυκτηγορίαν. « Liban. vol. 4, p. 141, 15 (ubi est Nocturna oratio). » Hemst.]

Νυκτηγρεσία, ἡ, pro νυκτεγερσία. Festus : Egretus et Adgretus ex Græco sunt ducta a surgendo et proficiscendo : unde et νυκτηγρεσία quasi Noctisurgium. [Excubiæ, Gl. V. Νυκτεγερσία.]

Νυκτηγρετέω, De nocte surgo ad obeundum aliquod negotium. Themist. [Or. 21, p. 260, B] : Νυκτηγρετοῦντές τε καὶ διημερεύοντες ἐν ταῖς δίκαις. [Aristæn. 2, 13. Hemst. Schol. Ven. Hom. Il. Σ, 495.] Dicitur autem νυκτηγρετέω pro νυκτεγερτέω, sicut νυκτηγρεσία pro νυκτεγερσία.

Νυκτήγρετον, τὸ, herbæ nomen. Plin. 21, 12 : Nyctegretum inter pauca miratus est Democritus, coloris ignei, foliis spinæ, nec a terra se attollentem. Præcipuam in Gedrosia narrat erui post æquinoctium vernum radicitus, siccarique ad lunam triginta diebus, ita lucere noctibus : magos Parthorumque reges uti hac herba ad vota suscipienda : eandem vocari χηνόμυχον, quoniam anseres a primo conspectu ejus expavescant : ab aliis νυκτίλωπα, quoniam ex longinquo noctibus fulgeat.

[Νυκτηὶς, ΐδος, ἡ, patron. fem. a Νυκτεὺς, ap. Apollod. 3, 5, 5. Nycteis, conjux Polydori, ibid.]

[Νυκτήμερον, Die ac nocte, Gl. Infra Νυχθήμερον.]

[Νυκτηρεφὴς, ὁ, ἡ, Nocte occultus. Æsch. Ag. 459 : Μένει δ' ἀκοῦσαί τί μου μέριμνα νυκτηρεφές.]

Νυκτίβιος, et Νυκτερόβιος, ὁ, ἡ, Noctu vivens, i. e. Noctu vagans et victum quærens, interdum vero latitans : ut noctuæ et vespertiliones. [Alterum est ap. Aristot. H. A. 1, 1 prope fin. L. D. It. ap. Basil. t. 1, p. 107, B : Τὰ νυκτερόβια γένη τῶν ὀρνίθων. Hase.] Vel, ut Νυκτίβιος ab Hesych. [et Photio] exp., ὁ ἐν νυκτὶ ὡς ἡμέρᾳ διάγων. [Τοιαῦτα δὲ τὰ θηρία καὶ τὰ πλείω τῶν πτηνῶν.]

[Νυκτίβρομος, ὁ, ἡ, Noctu strepens. Eur. Rhes. 552 : Νυκτιβρόμου σύριγγος.]

[Νυκτιγάμος, ὁ, ἡ, Noctu nuptus. Musæus 7 : Ἡροῦς νυκτιγάμοιο.]

[Νυκτίδαι, γένος τι τῶν τὰς λοιμικὰς νόσους ἐκδιωκόντων, Hesych.]

[Νυκτιδιέξοδος, ἡ, Transitus nocturnus. Ptolemæus ap. Fabric. Bibl. Gr. vol. 4, p. 429. V. Κολοβοδιέξοδος.]

[Νυκτιδιέξοδος, ὁ, ἡ, Per noctem transitum habens, Noctu abiens. Gemin. Elem. astr. p. 49, 29 : Ὅσα (ἄστρα) προδύνει μὲν τῆς τοῦ ἡλίου δύσεως, ἐπανατέλλει δὲ μετὰ τὴν τοῦ ἡλίου ἀνατολήν ... ἃ δὴ καλοῦσί τινες νυκτιδιέξοδα. Hase.]

Νυκτιδρόμος, ὁ, ἡ, Noctu currens, Viator nocturnus. Orph. H. [8, 2] : Ταυρόκερως μήνη, νυκτιδρόμε, ἠεροφοῖτι, Ἐννυχία.

[Νυκτικλέπτης, ὁ, Nocturnus fur. Lucillius Anth. Pal. 11, 176, 4 : Ὁ νυκτικλέπτας. Planud. νυκτοκλέπτης.]

Νυκτικόραξ, ἄκος, ὁ, Corvus nocturnus. Epigr. [Nicarchi Anth. Pal. 11, 186, 1] : Νυκτικόραξ ᾄδει θανατηφόρον, ubi sunt qui interpr. Bubo, [Alicus, Nocticorax, add. Gl.] : sed Bubo est potius βύας. Aristot.

A H. A. 8, 3 : Τῶν νυκτερινῶν ἔνιοι γαμψώνυχές εἰσιν, οἷον ν., γλαὺξ, βύας. Ubi Gaza vertit Cicuma. [Memorat id. 2, 5, et alibi. Strabo 17, p. 823; Anton. Lib. c. 15, et præter alios Theognost. Can. p. 95, 28. L. D. Greg. Nyss. t. 3, p. 237, D. Theodoret. Græc. aff. cur. p. 58, 7 Gaisf. : Νυκτερίδες γάρ τοι καὶ ν. Basil. t. 1, p. 107, B : Ν. τῶν νυκτινόμων εἰσίν. Hase. Conf. Νυκτοκόραξ.]

[Νυκτικρυφής, ὁ, ἡ, Nocte conditus. Aristot. Metaph. p. 160, 18 Br. : Οὐ μόνον γὰρ διαμαρτάνουσι τῷ προστιθέναι τοιαῦτα ὧν ἀφαιρουμένων ἔτι ἔσται ἥλιος, ὥσπερ τὸ περὶ γῆν ἰὸν ἢ νυκτικρυφές.]

Νυκτιλαθραιοφάγος, ὁ, Qui noctu clam vorat, nocturnis tenebris occultus vorat. Athen. 4, [p. 162, A] in epigrammate quodam in Philosophos : Νυκτιλαθραιοφάγοι, νυκτιπάται πλάγιοι, Μειρακιεξαπάται. At νυκτιπάται suspectum est.

[Νυκτιλάλος, ὁ, ἡ, Noctu loquens, canens. Antipater Sid. Anth. Pal. 7, 29, 2 : Νυκτιλάλος κιθάρη. α]

Νυκτιλαμπής, ὁ, ἡ, Noctu lucens, epith. lunæ [immo caliginis], in quibusdam versibus [Simonidis Cei] qui
B reperiuntur ap. Dionys. H. [De comp. vv. p. 434 : Νυκτιλαμπεῖ κυανέῳ τε δνόφῳ.] Quod exprimere voluisse videtur Horat. in Carmine sæculari, Rite Latonæ puerum canentes, Rite crescentem face noctilucam. [Dicitur autem hoc ut supra Μελαμφαὴς et infra Νυκτιφαές.]

Νυκτιλόχος, ὁ, ἡ, Qui noctu insidias struit, Latro s. Grassator nocturnus. Apud Aristoph. ponitur et pro ὁ νυκτὶ περιπλανής, si Suidæ credimus. [Suidas respexit l. Aristoph., in quo est Νυκτοπεριπλάνητος, quod libri meliores præbuerunt pro νυκτὶ περιπλανής.] Idem vero [et Photius] νυκτιλόχοι exposuerat λῃσταὶ, sicut et Hesych. νυκτιλόχους, τοὺς νυκτὶ ἐνεδρεύοντας, ἢ λῃστάς. [Nonnus Jo. c. 19, 18 : Νυκτιλόχους φῶτας· ib. 32 : Νυκτιλόχου λῃστοῦ. Eust. Opusc. p. 302, 10 : Τὸ αἴτιον νυκτιλόχος μανία· 313, 55 : Ὡς ἂν εἰδείη ἐκεῖνος ὁ καταιβάτης ὁ νυκτιλόχος. Conf. etiam Theognost. Can. p. 84, 30; 95, 28. L. D. Germ. CPol. De festo crucis p. 249, A : Ἐποφθαλμίζει δέ μου τοῖς ἀγαθοῖς ὁ ν. Hase. Pachymeres in Anecd. meis vol. 5, p. 368, fin. Boiss.]

[Νυκτιλὸς (sic), non dicens quid sit, memorat He-
C rodian. Π. μον. λέξ. p. 21, 3.]

[Νυκτίλωψ. V. Νυκτάλωψ.]

Νυκτίμαντις, εως, ὁ, Vates nocturnus, μάντεως εἶδος, Hesych. [V. Νυκτόμαντις.]

Νυκτιμένη, ἡ, Noctua, VV. LL. Item nomen proprium puellæ in noctuam conversæ. Ovid. Met. 2, [590] : Diro facta volucris Crimine Nyctimene. Et mox, Non audita tibi est patrium temerasse cubile Nyctimenen ? avis illa quidem, sed conscia culpæ Conspectum lucemque fugit, tenebrisque pudorem Celat, et a cunctis expellitur æthere toto. Dicitur autem νυκτιμένη quasi Noctem manens. [Anonymo Metamorph. scriptori pro Νυκτινόμη restituit Heeren. *Bibl. der alten Lit. und Kunst* part. 7 extr. L. Dind.]

[Νυκτίμορφος, ὁ, ἡ, Nocti similis. Eust. Il. p. 622, 35. Wakef.]

[Νύκτιμος, ὁ, Nyctimus, f. Lycaonis, ap. Lycophr. 481, Nonnus Dion. 18, 22; Apollodor. 3, 8, 1, 2; Pausan. 8, 3, 1; 24, 1. || « Antiquum nomen fluvii, qui postea dictus Alpheus. Plut. De fluv. 19, 1. » Boiss.]

D Νυκτίνομος, ὁ, ἡ, Qui noctu pascitur, pascua sectatur. [Aristot. H. A. 9, 17 : Αἰγωλιὸς δ' ἐστὶ νυκτινόμος.] Plut. [Mor. p. 626, D] : Τὰ νυκτίνομα τῶν ζώων. Apud Eund. scribitur etiam νυκτινόμος paroxytonως in ead. signif. : ut [Mor. p. 286, B] : Ἀετοὶ καὶ ἱέρακες, καὶ τὰ νυκτινόμα. [Basil. t. 1, p. 218, D : Ζώοις τοῖς ν. Greg. Nyss. t. 2, p. 299, B : Κατὰ τὰ ν. τῶν ζώων. Hase. || Per o schol. Hom. Od. E, 65 : Σκῶπες ὄρνεα νυκτονόμα κακόφωνα. Wakef.]

Νύκτιος, ὁ, ἡ, Nocturnus, Epigr. [Leonidæ Alex. Anth. Pal. 6, 221, 7 : Θὴρ νύκτιος.]

[Νυκτιπαταιπλάγιος, in epigr. in philosophos Jacobs. Anth. vol. 11, p. 349, interpretatur Qui in tenebris per obliqua incedunt itinera, h. e. in tenebris sectantes et obliquis itineribus turpes libidines, nisi quis improprie velit de morum perversitate tenebris occultata. Divise scriptum exhibuit HSt. in Νυκτιλαθραιοφάγος, contra reliqui carminis rationem, cujus singuli versus ex duobus sunt vocabulis sesquipedalibus compositi.]

[Νυκτιπήδηκες, αἱ, genus calceorum muliebrium. Pollux 7, 94.]

[Νυκτίπλαγκτος, ὁ, ἡ, Noctivagus. Æsch. Ag. 12: Νυκτίπλαγκτον ἔνδροσόν τ' ἔχω εὐνήν· 330 : Τοὺς δ' αὖτε νυκτίπλαγκτος ἐκ μάχης πόνος νήστεις πρὸς ἀρίστοισιν ... τάσσει· Cho. 524 : Ἔκ τ' ὀνειράτων καὶ νυκτιπλάγκτων δειμάτων πεπαλμένη· 751.]

Νυκτιπλᾰνὴς, ὁ, ἡ, Noctivagus, Qui noctu vagatur. Oppian. Cyn. 3, [268] loquens de hyæna : Τὴν δ' αὖ νυκτίπορον καὶ νυκτιπλανῆ τελέθουσαν [Νυκτιπλανῆτιν ἐοῦσαν Schneider.], Οὕνεκά οἱ διὰ νύκτα φάος, σκότος αὖτε μετ' ἠῶ. Virgil. dicit, Currus noctivagus Phœbes.

[Νυκτιπλανῆτις. V. Νυκτιπλανής.]

[Νυκτίπλανος, ὁ, ἡ, Noctivagus. Lucian. Alex. c. 54 : Νυκτιπλάνοις ὀάροις.]

[Νυκτιπλοέω, Nocte navigo. Chrysippus Zenobii 5, 32. V. Νυκτοπλοέω.]

[Νυκτίπλοια, ἡ, Nocturna navigatio. Strabo 16, p. 757.]

[Νυκτιπόλευτος, ὁ, ἡ, i. q. seq. Orph. Hymn. 77, 7.]

Νυκτιπόλος, ὁ, i. q. νυκτιπλανής : unde νυκτιπόλοις ap. Hesych. νυκτὸς ἀναστρεφομένοις καὶ περιϊοῦσι. [Eur. Ion. 718 : Νυκτιπόλοις ἅμα σὺν βάκχαις· 1049 : Ἁ τῶν νυκτιπόλων ἐφόδων ἀνάσσεις· fr. Cretens. ap. Porph. Abst. 4, 19 : Νυκτιπόλου Ζαγρέως. Apoll. Rh. 3, 862 : Βριμὼ νυκτιπόλον· 4, 829, Ἑκάτη, et alibi. Sibylla ap. Lucian. De m. Peregr. c. 29 : N. ἥρωα. L. D. Clem. Al. Protr. § 22 : N., μάγοις, βάκχοις· quæ iterat Euseb. Præp. ev. p. 66, D. Hase.]

[Νυκτιπορέω, Νυκτιπορία. V. Νυκτοπ—.]

Νυκτιπόρος, ὁ, ἡ, Qui noctu iter facit, circumit. [Noctivagus, Gl.] Vide Νυκτιπλανής. [Oppian. Cyn. 1, 441 : Νυκτιπόροιο λυκαίνης.]

[Νυκτιπόρος, ὁ, Nyctiporus, fl. fictus, ap. Lucian. V. H. 2, 33.]

[Νυκτιπραξία, ἡ, Actio nocturna. Schol. Ven. Hom. Il. K, 215 : Σύμβολον τῆς νυκτιπραξίας. Ita Villois. et Bachmann.; Bekkerus nescio quo auctore τῆς ἐν νυκτὶ πράξεως.]

[Νυκτίσεμνος, ὁ, ἡ, Nocturna sanctitate reverendus. Æsch. Eum. 108 : Καὶ νυκτίσεμνα δεῖπν' ἐπ' ἐσχάρᾳ πυρὸς ἔθυον, ubi alii νυκτὶ σεμνά.]

[Νυκτιφᾰὴς, ὁ, ἡ, i. q. seq. Parmenid. ap. Plut. Mor. p. 1116, A : Νυκτιφαὲς περὶ γαῖαν ἀλώμενον ἀλλότριον φῶς. Orph. Hymn. 53, 10 : Ὄργια νυκτιφαῆ τελεταῖς ἁγίαις ἀναφαίνων. « Nonn. Dion. 44, 279 (Νυκτιφαὴς Διόνυσος, ubi νυκτιφανὴς Falkenb., qui non offenderat ib. 218, ubi Νυκτοφαὲς Διόνυσε, quod itidem est corrigendum νυκτιφανὲς, quod v.) » Wakef. OEcum. In Apoc. p. 352, 24 Cramer. : Τῆς νυκτοφαοῦς σελήνης. Hase. Psellus ap. Lambec. Bibl. Cæs. vol. 7, p. 478, B. V. Νυκτιλαμπής. L. Dind.]

Νυκτιφᾰνὴς, ὁ, ἡ, Noctu apparens, Noctu lucens : ut Noctiluca ap. Horat. de luna, paulo ante in Νυκτιλαμπής. [Nonn. Jo. c. 3, 7 : Νυκτιφανῆ Νικόδημον. Wakef. Ib. c. 20, 1 : Νυκτιφανὴς ἀχάρακτος ἑώιος ᾔιεν ἀστήρ. Priori loco cod. Pal. νυκτιφαῆ, supra scripto νυκτιφανῆ. Hermes ap. Stob. Ecl. phys. vol. 1, p. 174 : N. Μήνη. V. Νυκτιφαής.]

[Νυκτίφαντος, ὁ, ἡ, i. q. præcedens. Eur. Hel. 570 : Νυκτίφαντον πρόπολον Ἐνοδίας.]

[Νυκτίφοιτος, ὁ, ἡ, Noctu ventitans, Nocturnus. Æsch. Prom. 658 : Νυκτίφοιτ' ὀνείρατα. Lycophr. 225 : Νυκτίφοιτα δείματα. « Synes. Hymn. 2, 3 : Μετὰ νυκτίφοιτον ὄρφναν. » Boiss. Hesychius v. Στρίγλος.]

[Νυκτιφόρος, ὁ, ἡ, Noctem afferens. Philo vol. 1, p. 335, 37 : Σκοταῖον μὲν γὰρ καὶ δυόμενον καὶ νυκτιφόρον ἀφροσύνη, λαμπρότατον δὲ καὶ περιαυγέστατον καὶ ἀνατέλλον ὡς ἀληθῶς φρόνησις. Wakef.]

[Νυκτιφρούρητος, ὁ, ἡ, Noctu vigilans. Æsch. Pr. 860 : Νυκτιφρουρήτῳ θράσει.]

[Νυκτιχόρευτος, ὁ, ἡ, Nocturnis choreis agitatus. Nonn. Dion. 12, 391 : Λαμπάδα νυκτιχόρευτον· 48, 961 : Ἀρτιτόκῳ δὲ δαίμονι νυκτιχόρευτον ἐκούφισαν Ἀτθίδα πεύκην.]

[Νυκτίχροος, ὁ, ἡ, Noctis colorem habens, Caliginosus. Theod. Prodr. Rhod. p. 81 : Εἴδωλα πολλὰ καὶ φάσεις νυκτιχρόους. Boiss. Nil. Epist. p. 105, 3 : N. δακρύων. Hase.]

[Νυκτοβᾰτία, ἡ, Iter nocturnum. Hippocr. p. 366, 54 : Νυκτοβατίῃσι, ubi cod. ap. Mack. vol. 2, p. 61, νυκτοβαδίῃσι καὶ νυκτοδρομίῃσι.]

[Νυκτόβιος, ὁ, ἡ, Noctu vivens. Procul. Paraphr. Ptol. p. 226. Schneid.]

[Νυκτοβόα, ἡ, i. q. νυκτικόραξ vel Bubo. Hesychius : Στρίγλος... καλεῖται δὲ καὶ νυκτοβόα, οἱ δὲ νυκτοκόρακα. Suspectum fuit Alberto. Conf. quæ dicta sunt in Βαῦς in Addend. ad vol. 2, et Βύας.]

Νυκτογρᾰφέω, Noctu scribo, Lucubro. [Gl.]

Νυκτογραφία, ἡ, Scriptio nocturna, Lucubratio. Plut. Pol. præc. [p. 803, C] de Demosthene : Πρὸς τὸν αἰτίαν ἔχοντα κλέπτειν, χλευάζοντα δὲ αὐτοῦ τὰς νυκτογραφίας, Οἶδα ὅτι σε λυπῶ λύχνον καίων· Symp. 2, [p. 634, A] : Ἂν σκώπτηται τοῦ φιλοσόφου παρόντος εἰς ἀνυποδησίαν ἢ νυκτογραφίαν. De Demosthene [Vit. c. 11] : Ἀγρυπνίαι καὶ ν. [Iterum HSt.:] Νυκτογραφία, ἡ, Scriptio nocturna, Lucubratio, Compositio lucubrata. Bud. ex Plut., Ἀγρυπνίαι καὶ νυκτογραφίαι.

[Νυκτοδεσπότις, ιδος, ἡ, Domina noctis, κόρη, de luna, Theodor. Prodr. In Andron. Comn. v. 248. Boiss.]

[Νυκτοδρομία, ἡ, Cursus nocturnus. V. Νυκτοβατία.]

[Νυκτοδρόμος, ὁ, Noctuago, Gl. Pro Noctivagus. V. Νυκτιδρόμος.]

Νυκτοειδὴς, ὁ, ἡ, Noctis speciem habens : νυκτοειδὲς, Erot. [p. 260] ap. Hippocr. [p. 285, 18] exp. μέλαν, Nigrum. [Iambl. Protr. p. 155. Wakef. Adv. Theod. Stud. p. 331, C : Ἵνα τὰ ζιζάνια φανερὰ γένηται νυκτοειδῶς. || Forma contr. Νυκτώδης, Vita Symeonis Act. SS. Maji vol. 5, p. 314, E : Μετὰ τὰς νυκτώδεις καὶ νυκτὸς ἀξίας φαντασίας ἐκείνας. L. D. Eustath. Od. p. 1951, 37.]

[Νυκτοθήρας, ὁ.] Νυκτοθῆραι, Qui noctu venantur, Venatores nocturni. Xen. Apomnem. 4, [7, 4] de horis nocturnis et signis : Καὶ ταῦτα δὲ ῥᾴδια εἶναι μαθεῖν παρὰ τῶν ν. καὶ κυβερνητῶν καὶ ἄλλων πολλῶν οἷς ἐπιμελὲς ταῦτα εἰδέναι.

Νυκτοκλέπτης, ὁ, Fur nocturnus, Qui noctu furatur, Epigr. : Ὁ νυκτοκλέπτης Αὖλος. [Ubi cod. Vat. rectius νυκτικλέπτης, quod v. Theodor. Prod. Rhod. p. 18 : Τῷ νυκτοκλέπτῃ τὴν βίαν ἐπεκρότουν. L. Dind.]

[Νυκτοκλοπία, ἡ, Furtum nocturnum. Orac. Sibyll. 3, p. 364 : Οὔτε κατ' ἀλλήλων νυκτοκλοπίας τελέθουσιν· 410.]

[Νυκτοκόραξ, ἄκος, ὁ, Bubo, Gl. Hesych. in Στρίγλος. V. Νυκτικόραξ.]

[Νυκτολαμπὶς, ίδος, ἡ, Noctiluca, Gl.]

[Νυκτολοχέω, Noctu insidior. Georg. Pachym. Mich Pal. 1, p. 7, B : Νυκτολοχοῦντες. L. Dind.]

[Νυκτόμαντις, εως, ὁ, Vates nocturnus. Pollux 7, 188. V. Νυκτίμαντις.]

Νυκτομᾰχέω, Noctu pugno, Nocturnum prælium committo. Appian. [Civ. 5, 35] : Ὁ δὲ Λεύκιος, τοῦ λιμοῦ πιέζοντος, ἐνυκτομάχησεν αὖθις ἐκ τῆς πρώτης φυλακῆς ἐς ἕω. [Conf. 108.] Et cum accus. VV. LL. ex Plut. [Camill. c. 36, ubi nunc πρὸς τοὺς K.], si mendo caret l., Ἐνυκτομάχησε τοὺς Κελτοὺς, Noctu adversus Gallos pugnavit. [Crasso c. 29. Aristænet. 1, 10. Cum dat. Theodor. Prodr. Rhod. p. 126, 1 : Καὶ νυκτομαχήσαιμι τοῖς ἐνυπνίοις. L. Dind.]

Νυκτομαχία, ἡ, quod tamen est potius tanquam a νυκτομάχος, Pugna nocturna, quæ noctu conseritur. [Herodot. 1, 74 : Νυκτομαχίην τινὰ ἐποιήσαντο.] Plut. [Mor. p. 722, E] : Τοῦτο μὲν, αἱ ν. καὶ νυκτοπορίαι τῶν μεγάλων στρατοπέδων ἐλέγχουσιν, οὐδὲν ἧττον ἠχωδεστέρας ποιοῦσαι τὰς φωνάς. Citatur ex Thuc. quoque [7, 44] et Philostr. Her. [p. 152, 16.] Sic et Pausan. [10, 18, 4] : Νυκτομαχίᾳ Μολοσσοὺς νικήσαντες. [Figurate Synes. p. 38, 10 : Οὐχ ὥσπερ ἐν ν. περιτευξόμεθα αὐτῷ· et Theoret. Græc. aff. cur. p. 156, 3 Gaisf. : Εἰς πολλὰς καθάπερ ἐν ν. διεκρίθησαν μοίρας. Hase. Memorat etiam Hesychius. Sine interpretatione ponitur in Gl.]

[Νυκτόναρ, τὸ, Insomnium nocturnum. Theod. Stud. p. 602, C : Αὔρα, ῥοῦς, καὶ νυκτόναρ. L. Dind.]

[Νυκτονόμος. V. Νυκτινόμος.]

[Νυκτοπεριπλάνητος, ὁ, ἡ, Noctu vagabundus. Aristoph. Ach. 264 : Φαλῆς... ξύγκωμε νυκτοπεριπλάνητε. ᾰ]

[Νυκτοπλᾰνὴς, ὁ, ἡ, i. q. præcedens. Manetho 1, 311.]

[Νυκτοπλοέω, Noctu navigo. Anna Comn. p. 37, D: A
Νυκτοπλοήσεις.]

[Νυκτοπόλεμος, ὁ, Pugna nocturna. African. Cest. p. 277, ξθ'; 310, B. L. Dind.]

Νυκτοπορεύω, Noctu eo, in VV. LL. habetur, sed sine auctore et sine exemplo. [Est nihili.]

Νυκτοπορέω, Noctu proficiscor, iter facio. Xen. Cyrop. 5, [1, 19]: Καὶ νυκτοπορεῖν καὶ κινδυνεύειν σὺν μοὶ ἐθελήσατε. [Pallad. Hist. Laus. p. 972, B: Ὤχετο διὰ τῆς ἐρήμου νυκτοπορῶν. Pseudochrys. t. 8, p. 730, B ed. Par. alt.: Νυκτοποροῦσα. Vita Procopii Actt. SS. Julii t. 2, p. 559, 16: Νυκτοπορεῖν ἔγνω μᾶλλον. Hase.] Utitur et Strabo p. 230. [Polyb. 5, 6, 6; 16, 37, 4 (ubi est var. νυκτιπ.), Arrian. Ind. 43, 5.]

Νυκτοπορία, ἡ, Iter nocturnum, Profectio nocturna. Plut. Apophth. [p. 180, A], de Alexandro: Ἔφη κρείττονας αὐτὸν ἔχειν ὀψοποιοὺς, πρὸς μὲν ἄριστον, τὴν νυκτοπορίαν· πρὸς δὲ δεῖπνον, τὴν ὀλιγαριστίαν· quod apophthegma habetur et in Vita Alexandri [c. 23] et Præc. san. [p. 127, B.] Aliud exemplum ex Eod. vide in Νυκτομαχία [in quo cod. Par. 2074 νυκτοπορεῖαι. Polyb. 5, 7, 3; 97, 5; 9, 8, 9, quorum ll. secundo est var. νυκτιπ., ut in Νυκτοπορέω. Diodor. 18, 40; African. Cest. p. 279, F; Theod. Stud. p. 479, D. L. Dind.]

[Νυκτοπόρος, ὁ, Noctivagus, Gl.]

[Νυκτοπότιον, τὸ, Poculum nocturnum. Symm. Sam. 1, 26, 11.]

[Νυκτοτριήμερος, ὁ, ἡ, ταφὴ, Sepultura trium dierum totidemque noctium, ap. Athanas. vol. 2, p. 456, A. L. Dindorf.]

[Νυκτοφαής. V. Νυκτιφαής.]

[Νυκτοφαίνουσα, quod est in Gl.: Ἑκάτη νυκτοφαίνουσα, Nocticula (Noctiluca), error videtur librarii pro νυκτοφαὴς vel νυκτοφανής.]

[Νυκτοφᾰνής, ὁ, ἡ, in epigr. Anth. Pal. 9, 806, 2: Κῆπος ἔην ὅδε χῶρος· ἀπὸ σκιερῶν δὲ πετήλων νυκτοφανὴς τελέθων ἔσκεπεν ἠέλιον, de loco arboribus opaco et nocturnis quasi tenebris obducto.]

[Νυκτοφυγῶν, Noctifuga, Gl., ubi νηκτ.]

Νυκτοφῠλᾰκέω, Noctu custodio, Nocturnas excubias agens custodio, Nocturnis excubiis custodio et asservo. Xen. Cyrop. 4, [5, 3]: Τὰ μὲν ἔξω ὑμῖν ἡμεῖς νυκτοφυλακήσομεν. [Andreas Cret. in Gretseri Opp. vol. 2, p. 73, C: Σταυρὸς νυκτοφυλακεῖ τοὺς καθεύδοντας. L. D. Basil. t. 1, p. 485, B: Προσευχὴν νυκτοφυλακοῦσαν. Hase.]

Νυκτοφυλάκησις, εως, ἡ, Custoditio s. Custodia nocturna. Et νυκτοφυλακήσεις, Excubiæ.

[Νυκτοφυλακία, ἡ. Νυκτοφυλακίαι, Excubiæ, Gl.]

[Νυκτοφύλαξ, ἄκος, ὁ, ἡ, Noctianus, Nocte custos, Vigilis, Gl. Nocturnas excubias agens. Xen. Anab. 7, 2, 18; 3, 34; Lucian. De m. Peregr. c. 27. L. D. Philo vol. 2, p. 236, 35: Ἡμεροφύλακες καὶ v. De cohortibus vigilum Alexandriæ id. ib. p. 534, 34; Romæ Joseph. B. Jud. 4, 11, 4. Hase.]

[Νυκτώδης. V. Νυκτοειδής.]

[Νυκτῷον, τὸ, Noctis templum. Lucian. V. H. 2, 33: Εἰσιόντων δ' ἐς τὴν πόλιν, ἐν δεξιᾷ μέν ἐστι τὸ Νυκτῷον· σέβουσι γὰρ θεῶν ταύτην μάλιστα, καὶ τὸν Ἀλεκτρυόνα.]

[Νυκτωπὸς, ὁ, ἡ, Noctu cernens, Nocturnus. Eur. Iph. T. 1278: Ἀπὸ δὲ μαντοσύναν νυκτωπὸν ἐξεῖλεν βροτῶν.]

Νύκτωρ, Noctu [Gl.]. Hesiod. Op. [175]: Οὐδέ ποτ' ἦμαρ Παύσονται καμάτου καὶ ὀϊζύος, οὐδέ τι νύκτωρ Φθειρόμενοι. [Archil. ap. Eust. Od. p. 1889, 2. Soph. Aj. 47: Νύκτωρ ὁρμᾶται· 1056: N. ἐπεστράτευσεν. Eur. Bacch. 469, etc. Frequens est etiam ap. Aristoph., tum in prosa ap. Xenoph., Plat. et alios quosvis.] Plut. Symp. 6, [p. 687, C]: Οἱ νύκτωρ διψῶντες, ἂν ἐπικαταδαρθῶσι, παύονται τοῦ δίψῆν μὴ πιόντες· Ad Colot. [p. 1120, E]: Τὸν ἥλιον ἀμβλυωττόντων καὶ v. βλεπόντων, ubi fortasse reponendum πρὸς τὸν ἥλιον [liber Paris. E πρὸς ἥλιον]. Et ὁ νύκτωρ, Epigr., Nocturnus.

Νυχάσας, Hesychio νεανιευσάμενος: aliis νύξας. [Verba Hes. sunt: Νυχάσας· γράφεται δὲ καὶ νυχάσας, ὅπερ ἐστὶ νεανιευσάμενος· τὸ δὲ νυχάσας νύξας. « Photius (post Νόστον): Νευχάσας, νεανιευσάμενος. Simile quid posteriori loco ponendum hic, ne bis idem scribatur. » Albertus, qui alia addit non probabilia.]

[Νύμβαιον, ap. Pausan. 3, 23, 2: Πλέοντι δ' ἐκ Βοιῶν τὴν ἐπὶ τὴν ἄκραν λίμνη (λιμὴν Puillon Boblaye) ἐστὶν ὀνομαζόμενον Νύμβαιον, Camer. scribendum conjecit Νύμφαιον.]

[Νύμφα. V. Νύμφη.]

Νυμφᾱγενής, ὁ, ἡ, Nymphis natus, satus. [Telestes ap.] Athen. 14, [p. 617, E]: Ἐκ χερῶν βαλεῖν νυμφαγενεῖ χειροκτύπῳ φηρὶ Μαρσύᾳ κλέος. [Schol. Vat. Eur. Rhes. 36: Ἄλλοι δὲ (τὸν Πᾶνά φασιν) Ἀπόλλωνος καὶ Πηνελόπης, ὡς καὶ Εὐφορίων, ὃν ἔθρεψαν νύμφαι, διὸ καὶ νυμφαγενῆ (cod. νυμφαγν....) αὐτόν φησι τραφέντα παρ' ἐκείναις. Euphorio tamen νυμφογενὴς scripserat. L. Dind.]

[Νυμφᾱγέτης, ὁ, epith. Neptuni, Cornut. c. 22, p. 195 s. Eudocia in Villois. Anecd. Gr. vol. 1, p. 343. Wakef.]

[Νυμφᾰγόρᾱς, α, ὁ, Nymphagoras, n. viri, in inscr. Anapæ reperta ap. Bœckh. vol. 2, p. 165, n. 2130, 39, 57. L. Dind.]

Νυμφᾰγωγέω, Sponsam ad sponsum deduco, Sponsam ex paternis ædibus ad sponsum duco. [Dionys. A. R. 11, 41: Τὰς τῶν πολιτῶν θυγατέρας οἱ τύραννοι
B μετὰ μαστίγων νυμφαγωγοῦσιν. Charito 1, 1: Παρῆσαν δὲ καὶ αἱ γυναῖκες αἱ Συρακουσίων ἐπὶ τὴν οἰκίαν νυμφαγωγοῦσαι· et ib. paullo post. 2, 11: Σύ με Διονυσίῳ νυμφαγωγεῖς. De sponso ipso Charito 2, 1: Ἔδοξα ἀπὸ τῶν χωρίων μου τῶν παραθαλαττίων αὐτὴν νυμφαγωγεῖν. Argum. Eurip. Troad.: Ἀγαμέμνων τὴν χρησμῳδὸν ἐνυμφαγώγησεν.] Et Νυμφαγωγεῖσθαι dicitur nova nupta, quam ὁ νυμφαγωγὸς a sponso missus ad sponsam [« sponsum » HSt. Ms. Vind.] deducit, et sponsus ad quem deducitur. Phalar. Teucro [Ep. 139, p. 368]: Φίλτατα γὰρ τὰ χωρία τοῖς νυμφαγωγηθεῖσιν, ἔνθα αὐτὰ πρῶτα δεσμὰ ἀπόθωνται παρθενίας, Nuptis, Nuper nuptis. Plut. vero Solone p. 28 [c. 20] dixit Γάμους νυμφαγωγῶν παρ' ἡλικίαν, pro Connubia coagmentans præter ætatem, i. e. vetulam dans juveni, Nuptias præter naturæ præscripta coagmentans, connubiaque conglutinans, et mulierem anum dans nuptum viro juveni. Ita Bud., partim in Lex., partim in Comm. p. 873, ubi integrum l. habes. [Οὐ δὴ βούλῃ νυμφευθῆναι, ... Eumath. De Ismen. p. 260 Teuch., ubi 3 codd. Monac.
C εἰ βούλει νυμφαγωγηθῆναι. Jacobs. Id. Eumath. p. 226 ed. Gaulm.: Ἐπὶ γοῦν σῇ θυγατρὶ νυμφαγωγουμένῃ πάντα τὰ θύματα τέθυται. L. Dind.]

[Νυμφαγωγία, ἡ, Sponsæ deductio. Appian. Maced. ecl. 9, 1; Polyb. 26, 7, 8; Plut. Mor. p. 329, D. Scott. Jo. Chrys. t. 2, p. 897, E, et t. 5, p. 37, D ed. Paris. alt. Cyrill. Catech. p. 5, B et 1, B: Νυμφαγωγίας λαμπάδες. Hase.]

[Νυμφαγωγικὸς, ἡ, ὸν, Sponsalis. Theod. Stud. p. 465, E: Νυμφαγωγικοῖς διαδήμασιν. L. Dind.]

Νυμφαγωγὸς, ὁ, ἡ, Qui sponsam sponso adducit ex ædibus paternis. [Pronuba, Gl. Eur. Iph. A. 610: Ἐλπίδα δ' ἔχω τιν' ὡς ἐπ' ἐσθλοῖσιν γάμοις πάρειμι νυμφαγωγὸς, de Clytæmnestra. Lycophr. 1025: Τὴν νυμφαγωγὸν ἐκκυνηγετῶν τρόπιν. Schol., τὴν Ἀργὼ τὴν ὡς νύμφην τὴν Μήδειαν ἄγουσαν.] Lucian. [Herodot. c. 5]: Πάροχος δὲ καὶ v. Ἡφαιστίων συμπάρεστι δᾷδα καιομένην ἔχων· paulo post, Ὑπὸ νυμφαγωγῷ βασιλεῖ. Plut. [Mor. p. 329, E]: Μιᾶς νυμφίος, πασῶν δὲ νυμφαγωγὸς ἅμα καὶ πατὴρ καὶ ἁρμοστὴς κατὰ ζυγὰ συνῆπτεν, Unius ipse
D sponsus, omnium vero auspex idem et conciliator, hos cum illis conjugio vinciebat. Bud. Νυμφοστόλος, inquit Idem p. 872, utroque genere dicitur: eodemque vocabulo Nuptiarum instructor exornatorque et exornatrix significatur. Sic etiam ὁ καὶ ἡ νυμφαγωγὸς legitur: quo vocabulo ὁ μετερχόμενος καὶ μνώμενος τὴν νύμφην intelligitur: atque etiam ἡ προμνήστρια, Matrimonii contrahendi amici, interpretes et conglutinatores. Sed proprie dicitur νυμφαγωγὸς, Qui sponsam ex ædibus paternis sponso jam secundas contrahenti nuptias adducebat; nec enim licebat τῷ πρότερον γεγαμηκότι μετελθεῖν τὴν νύμφην: si vero tunc primum ἐγάμει, cum amico quodam ipse sponsus sponsam μετήρχετο, qui amicus παράνυμφος et πάροχος dicebatur, diversus a νυμφαγωγὸς, ut et Hesych. annotavit. Sic et Eust. p. 652, ex veteribus: Νυμφαγωγὸς, ὁ τὴν νύμφην ἄγων ἐκ τῆς πατρικῆς οἰκίας τῷ νυμφίῳ, καὶ μάλιστα ὁ τὴν κατὰ δεύτερον γάμον, καθ' ὃν οὐ θέμις τὸν νυμφίον μετιέναι, ἀλλ' ἀποστέλλεσθαι φίλον, ὃς οὕτω προσονομάζεται. Itidem vero et Pollux 3, [41]: Ὁ δὲ ἄγων

τὴν νύμφην ἐκ τῆς τοῦ πατρὸς οἰκίας, ὁπότε μὴ ὁ νυμφίος μετήει· οὐ νενόμιστο δὲ μετιέναι τοὺς δευτερογαμοῦντας. [Photius : Νυμφαγωγὸν, τὸν παράνυμφον.]

Νυμφαία, ἡ, herbæ nomen. Plin. 25, 7 : Nymphæa nata traditur nympha zelotypia erga Herculem mortua. Quare Heraclion vocant aliqui, alii Rhopalon, a radice clavæ simili : ideoque eos, qui biberint eam, duodecim diebus coitu genituraque privari. Nascitur in aquosis, foliis magnis, in summa aqua, et aliis ex radice prodeuntibus : flore lilio simili. Cetera vide ibid., ubi et aliam ejus speciem prodit. Vide et Theophr. H. Pl. 9, 13, Diosc. 3, 148, et seqq., ubi habet inter alia, Δοκεῖ δὲ ὠνομάσθαι νυμφαία, διὰ τὸ ἔνυδρον φιλεῖν τόπον· unde et vulgo rosa aquatica, s. lilium aquaticum appellatur. || Est et Nymphæa pteris herbæ nomen. Plin. 27, 9, de duobus generibus filicis : Alterum genus Græci Thelypterin vocant : alii Nymphæan pterin. Et Diosc. 4, 187 : Θηλυπτερίς· οἱ δὲ νυμφαίαν πτέριν ὀνομάζουσι.

[Νυμφαία, θηλυκὸν, ἡ νῆσος Καλυψοῦς, παρὰ τῷ Ἀδρίᾳ. Τὸ ἐθνικὸν Νυμφαῖος, ὡς τῆς Αἰαίας Αἰαῖος, Steph. Byz. Apoll. Rh. 4, 574. L. D. Ariadna vocata Νυμφαία in fictili. De Witte *Descr. de v. peints* p. 19, n. 42. Hase.]

[Νυμφαιεύς. V. Νυμφαῖον.]

Νυμφαῖον, τὸ, in agro Apolloniatarum dicta πέτρα quædam πῦρ ἀναδιδοῦσα, ὑφ' ᾗ κρῆναι ῥέουσι χλιαροῦ ἀσφάλτου, Strabo 7, [p. 316. Nymphæum Apolloniæ accurate et eleganter describit Dio Cass. 41, 45. V. etiam Ælian. V. H. 13, 16, Plut. Sull. c. 27. Cedrenus in Valente p. 255 : Καὶ ὁ τότε τῆς πόλεως ἔπαρχος τὴν ἐκ τοῦ γεγονότος τῇ πόλει χαρὰν ἐπιδεικνὺς νυμφαῖον κατασκευασάμενος ἐν τῷ Ταύρῳ τῷ μεγέθει τῆς πόλεως ἄξιον, ἱερομηνίαν ἐπετέλεσεν εὐωχήσας ἅπαντα τὸν λαόν. Idem in Leone 1 August. p. 286 ait Nymphæum id Cpoli deflagrasse : Καὶ τὸ νυμφαῖον, ἐν ᾧπερ οἱ γάμοι ἐγίνοντο. Ap. Anastasium autem Nymphæa loci sunt aquæ salientis ante vestibula templorum concha septi, ut ingredientes in ecclesiam manus lavent. Vel apparatus Nympharum, quem in templorum adytis effinxere, ut inde aquam funderet et ingredientes templum laventur. Anastasius in Hilario Papa : « Nymphæum et triporticum ante oratorium sanctæ crucis, ubi sunt columnæ miræ magnitudinis, locus et conchas striatas cum columnis porphyreticis radiatis foratis, aquam fundentes etc. » Suicer. V. Ducang. Cpol. Christ. 1, p. 87. De Nymphæo Antiochiæ C. O. Müller. Ant. Antioch. p. 40, 59, 69, 71 et 91. Hase.] Apud Eundem [ib. p. 309] Νυμφαῖον, urbis nomen est. Plin. quoque meminit Nymphæi oppidi, Nymphæi montis et promontorii, Nymphæi fluvii, et Nymphææ insulæ. Steph. Byz. autem [ex Strabone citans 7, p. 330] et Harpocr. [ex Æschine p. 78, 15] Νύμφαιον scribunt, quum de urbe dicitur : cujus gentile est Νυμφαιεὺς et Νυμφαΐτης. [Ejusdem nominis prom. Macedoniæ memorat Strabo ibid. p. 330. V. etiam Νύμβαιον. Præterea Νυμφαῖον ὄρος Arcadiæ est apud Hesych. in Νυμφαῖον, glossa corrupta, de qua præter interpretes Toup. Emend. vol. 2, p. 544.] Rursum Νυμφαῖον [Photio s.] Suidæ est Νυμφῶν ἱερὸν, Fanum s. Delubrum Nympharum. [Pro quo ap. Hesychium Νυμφεύων, a Musuro male in Νυμφεῶν mutatum. Longus 1, 5 : Τοῦτο τὸ Νυμφαῖον. Alia plura memorat Strabo, cujus v. Ind. Νυμφαῖον quoddam Atticæ Menand. ap. Harpocrat. v. Φυλή. Quod rectius scribi videtur Νύμφαιον. Nam gramm. Cram. An. vol. 2, p. 309, 30, ubi inter proparoxytona in αιον ponit Νύμφαιον, proprium an appellativum intelligeret, non dixit. L. Dind.]

Νυμφαῖος, α, ον, Qui nympharum est, Ad nymphas pertinens; est enim, ut Steph. B. annotavit, νυμφαῖος κτητικὸν ἀπὸ τῶν νυμφῶν : v. κῆποι, Dem. Phal. [Eur. El. 447 : Νυμφαίας σκοπιάς. Antiphanes ap. Athen. 10, p. 449, C : Λιβάδα Νυμφαίαν δροσώδη. Orac. Anth. Pal. 14, 71, 2 : Νυμφαίου νάματος ἁψάμενος. Tryphiodor. 334 : Νυμφαίῃσιν ἅμα δρυσίν.] || Antiquis autem νυμφαῖοι μύρμηκες dicti fuerunt οἱ πτερωτοὶ, καὶ οἱ ἐν κήποις δὲ σκώληκες, Eust. [Od. p. 1736, 5] : vide infra secundum de vocab. νύμφη tmemation. [Ap. Eust. scribendum νύμφαι, οἱ μύρμηκες, quod vel sqq. ostendunt. Eodem modo peccatum in cod. Photii v. Νύμφαι post Νυμφαγωγόν. L. Dind.]

[Νυμφαῖος, ὁ, Nymphæus, fluvii nomen. V. Νυμφαῖον. N. viri ap. Ælian. V. H. 12, 50. Ζωσίμου τοῦ Νυμφαίου mentio fit in inscr. Megar. ap. Bœckh. vol. 1, p. 560 n. 1059. L. Dindorf.]

[Νυμφαΐτης. V. Νυμφαῖον.]

Νυμφαιών, Nympharum sacrum, templum, VV. LL [V. Νυμφαῖον.]

Νυμφὰς, άδος, ἡ, Quæ nympharum est. Pausan. Att. p. 32 [1, 44, 3] : Πλησίον πυλῶν καλουμένων νυμφάδων. || Civitatis nomen, ut ex eod. Pausania [8, 34, 3] refert Steph. B., cujus gentile est Νυμφάσιος : ut Νυμφασία πηγή. [Pausan. ib. 35, 2.]

[Νύμφας, α, ὁ, Nymphas, n. viri esse videtur in inscr. Spart. Fourmonti ap. Bœckh. vol. 1, p. 616, n. 1240, b, 19, ubi Ευτυχος Νυνφα. L. Dind.]

[Νυμφάσιος. V. Νυμφάς.]

[Νύμφασμα, τὸ, Nuptiæ. Orac. apud Phlegont. Mirab. c. 10, 30 : Ἰστῷ θειοπαγεῖ νυμφάσματα ποικίλα σεμνήν.]

Νυμφεῖα, τὰ, Nuptiæ. Festus : Nuptias dictas esse ait Santra ab eo, quod νυμφεῖα dixerunt Græci antiqui γάμον : inde Novam nuptam, νέαν νύμφην. Dejanira ap. Soph. Trach. [7] : Ἥτις πατρὸς μὲν ἐν δόμοισιν Οἰνέως Ναίουσ' ἐνὶ Πλευρῶνι, νυμφείων ὄκνον Ἄλγιστον ἔσχον, i. e. νυμφευμάτων φόβον, schol. [Ib. 920 : Ὦ λέχη τε καὶ νυμφεῖ' ἐμά.] Idem Soph. Ant. [568] : Ἀλλὰ κτενεῖς νυμφεῖα τοῦ σαυτοῦ τέκνου, dixit pro νύμφην, Sponsam filii tui. [Lycophr. 323 : Σὲ δ' ὠμὰ πρὸς νυμφεῖα ἄξει. || Forma Ion. et poet. Νυμφήϊα, Moschus 2, 155 : Κρήτη δέ σε δέξεται ἤδη, ὅππῃ νυμφήϊα σεῖο ἔσσεται.] At Νυμφεῖον, τὸ, Thalamus sponsi et sponsæ, Thalamus in quem nupta deducitur. Eust. p. 652 : Νυμφεῖον περιεκτικῷ λόγῳ ὁ τόπος ἐν ᾧ οἱ νυμφίοι. [Soph. Ant. 891 : Ὦ τύμβος, ὦ νυμφεῖον· 1205 : Πρὸς λιθόστρωτον κόρης νυμφεῖον ᾅδου. Lycophr. 146 : Νυμφεῖα πεντάγαμβρα δαίσασθαι γάμων· 1387 : Νυμφεῖα πρὸς χηλωτὰ καρβάνων. Schol. πορνεῖα. L. D. Νυμφεῖα Salmas. Ad hist. Aug. p. 267, F, opinatur fuisse apud Græcos recentiores ædes publicas choreis nuptialibus dedicatas. Hase. || Forma Ion. et poet. Νυμφήϊον, Callim. Del. 118 : Πήλιον ὦ Φιλύρης νυμφήϊον.]

[Νυμφεῖος, α, ον et ὁ, ἡ, Nuptialis. Pind. Nem. 5, 30 : Νυμφείας ἐπείρα κεῖνος ἐν λέκτροις Ἀκάστου εὐνᾶς. Simonid. Anth. Pal. 7, 507, 3 : Οὐκ ἐπιδὼν νύμφεια λέχη. Ps.-Eur. Iph. A. 131 : Νυμφείους εἰς ἀγκώνων εὐνὰς ἐκδώσειν. Epigr. Anth. Pal. App. 248, 2 : Νυμφείου θαλάμου· Antonii Thalli ib. 7, 188, 7 : Νυμφεῖος ἀνήπτετο λαμπάδι παστάς. Forma Ion. et poet. Νυμφήϊος. Nonnus Dion. 13, 458 : Θαλασσογόνου Παφίης νυμφήϊον ὕδωρ.]

Νυμφεῖος οἶκος, in quo sunt Nymphæ. Suid.

[Νύμφερος, ὁ, planta, ut videtur, ap. Eugen. in Bandini Bibl. Med. vol. 1, p. 24, A, xx, ubi est accus. νύμφερον, et ab Nymphis sic vocatum dicitur. Incertum itaque nominativus Νύμφερος sit an Νύμφερον. L. Dindorf.]

Νύμφευμα, τὸ, Connubium, γάμος, Soph. [OEd. T. 980 : Σὺ δ' ἐς τὰ μητρὸς μὴ φοβοῦ νυμφεύματα, et] schol. in Νυμφεῖα. [Eur. Tro. 420, ubi Talthybius ad Cassandram : Ἕπου δέ μοι πρὸς ναῦς καλὸν νύμφευμα τῷ στρατηλάτῃ· et sæpissime plurali, ut Phœn. 1204 : Κρέων δ' ἔοικε τῶν ἐμῶν νυμφευμάτων... ἀπολαῦσαι, et alibi. Lycophr. 935 : Στεργοξυνεύνων οὕνεκεν νυμφευμάτων· et ib. 1136.]

Νύμφευσις, εως, ἡ, Elocatio, qua puella nuptui datur. [Cant. Cant. 3, 11. Theod. Stud. p. 487, D : Χριστοῦ ὃς οὐ μίαν νύμφην σοι παρέθετο εἰς ἡμέραν νυμφεύσεως αὐτοῦ διὰ τῆς ἐν ἁγίῳ πνεύματι συναφείας. L. D. Basil. t. 1, p. 751, C. Id. ib. p. 766, C : Ὁ νυμφίος τὴν παρθένον τῇ v. φθείρων. Hase.]

Νυμφευτὴρ, ῆρος, ὁ, ab Oppiano accipitur pro Sponsus s. Maritus, Cyneg. [1, 265 : Ἀράς τ' εὐχόμενοι πολυπήμονι νυμφευτῆρι·] 3, [356] : Τίς ἂν τόδε πιστώσαιτο Θῆρες ὅτι δμηθεῖεν ὑπ' ἠέρι νυμφευτῆρι, Sub vento sponso : de equabus quæ congressu boreæ impletæ fuerant, quarum et Hom. Il. Ψ, meminit.

[Νυμφευτήριον, τὸ, Nuptiæ, Conjugium. Eur. Tro. 252 : Λέκτρων σκότια νυμφευτήρια.]

Νυμφευτὴς, ὁ, i. q. παρανυμφίος, Qui eodem curru cum sponso et sponsa sedens, eos deducit domum sponsi. Pollux 3, [40] : Ὁ δὲ καλούμενος παρανυμφίος, νυμφευτὴς ὀνομάζεται καὶ πάροχος. [Theophyl. Simoc. Hist. p. 52, 13 ed. Bonn. : Ὁ τοῦ βασιλέως ν. HASE. De marito Eur. Ion. 913 : Τῷ ἐμῷ νυμφευτᾷ, ubi libri νυμφέτᾳ, edd. vitioso accentu νυμφεύτᾳ. Plato Polit. p. 268, A.]

Νυμφεύτρια, ἡ, Pronuba, seu, ἡ συμπεμπομένη ὑπὸ τῶν γονέων τῇ νύμφῃ παράνυμφος, Quæ sponsam ex paternis ædibus ad ædes sponsi comitatur, [Photius s.] Suid., Hesych. Vel, Ea quæ adornat nuptias; ait enim Pollux 3, [41] : Ἡ δὲ διοικουμένη τὰ περὶ τὸν γάμον γυνὴ, νυμφεύτρια· ἡ αὐτὴ δὲ καὶ θαλαμεύτρια. [Aristoph. Ach. 1056 : Ἡ νυμφεύτρια δεῖται παρὰ τῆς νύμφης τι σοὶ λέξαι μόνῳ. Pausan. 9, 3, 7 : Γυναῖκα ἐφιστᾶσι νυμφεύτριαν.] Plutarch. Lycurgo p. 15 [c. 15] : Ἐγάμουν δὲ δι' ἁρπαγῆς, οὐ μικρὰς οὐδὲ ἀώρους πρὸς γάμον, ἀλλὰ καὶ ἀκμαζούσας καὶ πεπείρους· τὴν δὲ ἁρπασθεῖσαν ἡ νυμφεύτρια καλουμένη παραλαβοῦσα, τὴν μὲν κεφαλὴν ἐν χρῷ περιέκειρεν, ἱματίῳ δὲ ἀνδρείῳ καὶ ὑποδήμασιν ἐνσκευάσασα, κατέκλινεν ἐπὶ στιβάδα μόνην ἄνευ φωτός. [Figurate Joann. Chrys. t. 1, p. 353, B et t. 11, p. 177, A ed. Par. alt. Id. ib. p. 536, F : Ἰδοὺ νυμφευτρίας φθέγγομαι ῥήματα. HASE. Mœris p. 269 : Νυμφεύτριαν Ἀττικοὶ, παράνυμφον Ἕλληνες.] || Νυμφεύτρια [Photio s.] Suidæ est etiam ἡ νεόγαμος, [vel γαμετὴ πρεσβυτέρα. Thomas p. 633 : Τινὲς δὲ καὶ αὐτὴν τὴν νύμφην νυμφεύτριαν λέγουσιν. Συνέσιος ἐν ἐπιστολῇ (3, p. 160, B)· Οὐ γὰρ οἶμαι νομίζεται νυμφευτρίαις βαδίζειν ἐπ' ἐκφοράν,] et quædam alia [quæ v. in Νύμφη, quo illa pertinere vidit Hemst.]

Νυμφεύω, Nuptum s. Nuptui do, Nuptum s. Nuptui colloco. [Pind. Nem. 3, 54 : Νύμφευσε Νηρέος θύγατρα.] Plut. [Comp. Lyc. et Numæ c. 3] : Νυμφεύει πεπείρας καὶ ὀργώσας παρθένους. Eur. [Alc. 317 : Οὐ γάρ σε μήτηρ οὔτε νυμφεύσει ποτέ·] Iph. A. [885] : Ἀχιλλεῖ νυμφεύουσα παῖδα, Achilli nuptum dans, ut in eadem fab. [687] : Μέλλων Ἀχιλλεῖ θυγατέρ' ἐκδώσειν ἐμήν· adeo ut idem sit νυμφεύειν et ἐκδοῦναι. In ead. fab. [458] : Ἅμ' ἕσπετο Θυγατρὶ νυμφεύουσα. At paulo post [461], Ἅδης νιν, ὡς ἔοικε, νυμφεύσει τάχα, ubi videtur etiam accipi posse pro In uxorem accipiet s. Ducet : sicut ex Eod. [Alc. 414] affertur, Ἀνόνατ' ἐνύμφευσας, pro Stultas contraxisti nuptias, Inauspicato uxorem duxisti. [Med. 625 : Νύμφευε, et ib. 313. Ion. 819 : Λαβὼν δοῦλα λέκτρα, νυμφεύσας λάθρᾳ· El. 1144.] Ex Eod. [sec. Lex. Septemv., etsi hæc non sunt illius], Κύκνῳ Ζεὺς ὁμοιωθεὶς Λήδαν ἐνύμφευσε, ubi posset accipi pro ἐκόρευσε. [Soph. Ant. 654 : Μέθες τὴν παῖδ' ἐν Ἅδου τήνδε νυμφεύειν τινί· 816 : Ἀχέροντι νυμφεύσω. Orph. Hymn. 17, 13 : Δημήτερος ὅς ποτε παῖδα νυμφεύσας.] Et ap. Athen. 13, [p. 568, F] ex Eubulo, Ὅστις λέχη γὰρ σκότια νυμφεύει λάθρᾳ, de mœchis qui furtim in alienos thalamos irrepunt. Pass. Νυμφεύομαι, Nuptui collocor. Eur. [Andr. 403 : Φονεῦσιν Ἕκτορος νυμφεύομαι· Suppl. 455 : Τἀμὰ τέκνα πρὸς βίαν νυμφεύεται· Med. 1336] : Νυμφευθεῖσα παρ' ἀνδρὶ, Viro nupta, VV. LL. [Hesychius : Λυσίζωνος γυνὴ, ἥτις ἐνυμφεύθη. Schol. Apoll. Rh. 4, 1217. HEMST. Improprie Eust. Opusc. p. 178, 90 ; Ψυχὴ νυμφευομένη Θεῷ. Præterea notandæ constructiones ap. Eur. Iph. T. 365 : Ὦ πάτερ, νυμφεύομαι νυμφεύματ' αἰσχρὰ πρὸς σέθεν· Ion. 1371 : Ὅθ' ἡ τεκοῦσά μ' ἐκ κρυφαῖα νυμφευθεῖσ' ἀπημπόλα λάθρᾳ. Et Bacch. 28 : Σεμέλην δὲ νυμφευθεῖσαν ἐκ θνητοῦ τινος ἐς Ζῆν' ἀναφέρειν τὴν ἁμαρτίαν λέχους, ubi de puella vitiata dicitur, non de sponsa. De nuptiis ipsis Oppian. Cyn. 1, 256 : Οἷος ἐν ἀνθρώποισιν ἐνυμφεύθη προπάροιθεν Καδμεῖος γάμος αἰνός.] Item, Nuptui mihi datur, Accipio in uxorem. Areth. Apocal. p. 21 : Τὴν ἐκκλησίαν τῷ οἰκείῳ αἵματι ἐνυμφεύσατο, Sponsam accepit, Bud. interpr.; qui et νυμφευσάμενος τὴν γυναῖκα exp. Qui desponsus est. [Eur. El. 1340 : Πυλάδη, χαίρων ἴθι, νυμφεύου δέμας Ἠλέκτρας. Med. etiam Hipp. 561 : Βροντᾷ γὰρ ἀμφιπύρῳ τοκάδα τὰν Διογόνοιο Βάκχου νυμφευσαμέναν πότμῳ φονίῳ κατεκοίμασε· Tro. 1139 : Ἐς τὸν αὐτὸν θάλαμον, οὗ νυμφεύσεται μήτηρ νεκροῦ τοῦδ' Ἀνδρομάχη. || Νυμφευομένη, cogn. Junonis, de quo Pausan. 9, 2 et 3.]

Νύμφη, sive Νύμφα, ἡ, Sponsa, Nova nupta, [Nurus, Marita, huic add. Gl.] Nupta. Festus, Nuptam a Græco dictam; illi enim Nuptam appellant νύμφην. Vide et Νυμφεῖα. [De sponsis Hom. Il. Σ, 492 : Ἐν τῇ μέν ῥα γάμοι τ' ἔσαν εἰλαπίναι τε· νύμφας δ' ἐκ θαλάμων δαΐδων ὕπο λαμπομενάων ἠγίνεον ἀνὰ ἄστυ. Pind. Ol. 7,

A 14 : Παῖδ' Ἀφροδίτας Ἀελίοιό τε νύμφαν Ῥόδον· Nem. 5, 33 : Εὐθὺς δ' ἀπανάνατο νύμφαν· Pyth. 9, 58. Sappho ap. Hephæst. p. 25, 3 : Χαίροισθα νύμφα, χαιρέτω δ' ὁ γάμβρος. Et ib. 43, 13 : Παρθένε τὰν κεφαλὰν, τὰ δ' ἔνερθε νύμφα. Æsch. Ag. 1179 : Νεογάμου νύμφης δίκην. (Soph.) fr. Philoct. ap. Plut. Mor. p. 789, A : Τίς δ' ἄν σε νύμφη, τίς δὲ παρθένος νέα δέξαιτ' ἄν; Trach. 527 : Τὸ ἀμφινείκητον ὄμμα νύμφας· 857 : Ἃ θοὰν νύμφαν ἄγαγες ἀπ' Οἰχαλίας· 894 : Ἁ νέορτος ἅδε νύμφα. Ant. 797 : Εὐλέκτρου νύμφας· Aj. 894 : Τὴν δουρίληπτον δύσμορον νύμφην· OEd. T. 1407 : Νύμφας, γυναῖκας, μητέρας τε. Iisdemque signiff. sæpissime Eur. aliique poetæ.] Callim. Hymno in Del. [215] : Νύμφα Διὸς βαρύθυμε· de Junone. Eur. Or. [1136] : Νύμφας τ' ἔθηκεν ὀρφανὰς ξηναόρων. Aristoph. Pl. [529] : Μύροισιν μυρίσαι στακτοῖς ὁπόταν νύμφην ἀγάγησθον. [Herodot. 4, 172 : Πρῶτον γαμέοντος νόμος ἐστὶ τὴν νύμφην διὰ πάντων διεξελθεῖν τῶν δαιτυμόνων μισγομένην. Plato Reip. 5, p. 459, E : Ἐν αἷς ξυνάξομεν τάς τε νύμφας καὶ τοὺς νυμφίους.] Xen. Symp. [2, 3] : Αἱ μέν τοι γυναῖκες, ἄλλως τε καὶ ἢν ὅταν νύμφαι τύχωσιν οὖσαι, μύρου μέν τοι καὶ προσδέονται· Hell. 4, [1, 9] : Ποίαν

B πώποτε νύμφην τοσοῦτοι ἱππεῖς καὶ πελτασταὶ καὶ ὁπλῖται προὔπεμψαν. Plut. Quæstt. rerum Gr. [p. 279, D] : Διὰ κηρύκων ἔθος ἦν τὸ μετέρχεσθαι τὰς νύμφας. Et in Quæst. Rom. [p. 271, D] de Bœotis loquens : Καίουσι πρὸ τῆς θύρας τὸν ἄξονα τῆς ἁμάξης· ἐμφαίνοντες, δεῖν τὴν νύμφην ἐμβαίνειν, ὡς ἀνῃρημένου τοῦ ἀπάξοντος. Idem in Præc. connub. [p. 138, D] : Ἐν Βοιωτίᾳ τὴν νύμφην κατακαλύψαντες, ἀσφαραγωνίᾳ στεφανοῦσι. Ibid., paulo ante, Ὁ Σόλων ἐκέλευε τὴν νύμφην τῷ νυμφίῳ συγκατακλίνεσθαι μήλου κυδωνίου κατατραγοῦσαν· quod in Quæstionibus Romanis dicit, Μήλου κυδωνίου ἐντραγοῦσαν εἰς τὸν θάλαμον βαδίζειν. In iisd. [p. 271, E] : Τὴν νύμφην εἰσάγοντες. Et in Lycurgo [c. 15] : Πρὸς τὴν νύμφην φοιτᾶν. || Quum vero νύμφη respectu τῆς πενθερᾶς dicitur, Nurum significat, ut Luc. 12, [53] : Μήτηρ ἐπὶ θυγατρὶ, καὶ θυγάτηρ ἐπὶ μητρί· πενθερὰ ἐπὶ τὴν νύμφην αὐτῆς, καὶ νύμφη ἐπὶ τὴν πενθερὰν αὐτῆς. Et Matth. 10, [35] iisdem verbis. Et ex 1 Reg. 4, [19] : Ἡ νύμφη αὐτοῦ γυνὴ Φινεὲς, Nurus ejus uxor Phi-

C nees. [Epimerismi Mss. Herodiani : Νυὸς ἡ νύμφη. Typicum Ms. monasterii τῆς Κεχαριτωμένης c. 71 : Τὰ μνημόσυνα τῆς περιποθήτου νύμφης τῆς βασιλείας μου. DUCANG. Basil. M. vol. 3, p. 328, E.] || Apud Hom. autem Νύμφα φίλη Eust. annotat esse λέξιν συγγενικήν. Il. Γ, [130] Iris ad Helenam : Δεῦρ' ἴθι νύμφα φίλη, ἵνα θέσκελα ἔργα ἴδηαι, sc. Trojanorum et Græcorum pugnantium. Et Od. Δ, [743] Euryclea ad Penelopen, Νύμφα φίλη· in quorum locorum posteriori redditur Domina, in priore Nympha : fortassis non male; nam et ap. Theocr. 3, [9] pastor suam Amaryllidem vocat νύμφαν, utpote περικαλλῆ καὶ νύμφαις ἐοικυῖαν, schol.; quibus adde quod in VV. LL. habetur, ab Apollonio νύμφας vocari Juvenculas s. Puellas. Nisi in utroque Hom. l. malis exponere Nupta, ut dicatur de Ea quæ ante aliquot etiam annos nupsit, sicut infra ap. eund. Hom. exp. νυμφίος, quod vide. [Ap. Hom. intelligenda Juvencula s. Puella nubilis, quæ primitiva est signif. voc. communis cum hoc Latino stirpis. (Νύμφᾰ autem est forma Æolica : minus recte Suidas : Νύμφα,

D νύμφη, Ἰωνικῶς, ὡς τόλμη, τόλμα : usurpata etiam Bioni 15, 28.) V. HSt. in fine. De sponsis dictum v. supra.] || Sunt autem Νύμφαι, ut idem schol. ibid. annotat, τὰ ἐν γυναικείῳ σχήματι ἐν τοῖς ὄρεσι φαινόμενα δαιμόνια, non tantum vero in montibus, sylvis, et lucis, sed et in pratis, et circa fontes, ac fluenta ejusmodi spectra cernebantur : unde et eis præesse ea numina credebantur, quæ pastores præsertim colere solebant. [Πηγὴ interpretantur Photius s. Suidas, et in Νυμφεύτρια, ἡ θεὰ ἡ ἐπὶ τῶν ὑδάτων.] Hom. Od. P, [211] : Βωμὸς νυμφάων· N, [350] : Πολλὰς ἔρδεσκες νύμφησι τελήεσσας ἑκατόμβας· Il. Υ, [8] : Νυμφάων ταί τ' ἄλσεα καλὰ νέμονται, Καὶ πηγὰς ποταμῶν, καὶ πίσεα ποιήεντα· Od. N, [348] : Ἄντρον Ἱρῶν [Ἱρὸν] νυμφάων ταὶ ναϊάδες καλέονται· P, [240] : Νύμφαι κρηναῖαι, κοῦραι Διός. Hesiod. Theog. [130] : Νυμφέων, αἳ ναίουσιν ἀν' οὔρεα βησσήεντα· quæ alio nomine ὀρεστιάδες : ut Virg., Nymphæ agrestes; Lucr. Sylvestres. Ibid. [187] νύμφας Μελίας memorat. Erant et ἁμαδρυάδες et λειμωνιάδες : quarum illas Hom. ἄλσεα νέμεσθαι, has πίσεα ποιήεντα paulo ante dicit. [Pind. Ol. 12, 21 : Θερμὰ Νυμφᾶν λουτρά. Æsch. Eum. 22 : Σέβω δὲ νύμφας· fr. ap. Orion. p. 26, 5 : Δέσποινα νύμφη δυσχίμων ὀρῶν ἄναξ. Soph. Ph. 725 : Μηλιάδων νυμφῶν· 1454 : Νύμφαι τ' ἔνυδροι λειμωνιάδες· 1470 : Νύμφαις ἁλίαισιν· OEd. T. 1108 : Νυμφᾶν Ἑλικωνίδων· 1128 : Κωρύκιαι Νύμφαι. Et sæpe Eurip. aliique poetæ. Juramentum ναὶ μὰ τὰς νύμφας est ap. Eupolin fr. Bapt. ap. Priscian. De metr. com. p. 1327.] Credebantur esse Nutrices Bacchi, ut testatur et Theophr. ap. Bud. p. 872, quoniam vites aquis, quibus istæ deæ præsunt, uberiores fiunt. Paulo aliter Athen. 11, [p. 465, A] ubi allegorice explicat, Λιμναῖον κληθῆναι τὸν Διόνυσον, ὅτι μιχθὲν τὸ γλεῦκος τῷ ὕδατι, τότε πρῶτον ἐπόθη κεκραμένον· διόπερ ὀνομασθῆναι τὰς πηγὰς νύμφας καὶ τιθήνας τοῦ Διονύσου, ὅτι τὸν οἶνον αὐξάνει τὸ ὕδωρ κιρνάμενον. Sic et in Epigr., itidem de Baccho : Χαίρει κιρνάμενος τρισὶ νύμφαις τέτρατος αὐτὸς, Tribus nymphis, h. e. tribus aquæ partibus. Hinc factum ut quidam νύμφην interpretentur Lympham. Vide Νυμφόληπτος. Lydi autem Νύμφας vocant τὰς Μούσας, [Photius s. Suidas,] schol. Theocr., sic accipi posse dicens ap. ipsum 7, [91] : Πολλὰ μὲν ἄλλα Νύμφαι κἠμὲ δίδαξαν ἀν' ὤρεα βωκολέοντα Ἐσθλά. Sic et Virg. Ecl. 7, [21] : Nymphæ, noster amor, Libethrides, Servius annotat poetam invocare nymphas, quod, secundum Varronem, ipsæ sunt Nymphæ quæ et Musæ : quippe ab eis petit, ut sibi carmen quale suo Codro concedant, qui proxima Phœbi versibus facit. Fontes quoque ipsos, quibus ea numina præerant, νύμφας dictos fuisse, liquet ex Athen. l. c. : et ex Varrone, ap. quem nympha Juturna, fontis nomen inde dicti quia juvaret : quamobrem multi ægroti ex eo aquam petebant. || Hesychio ἡ τοῦ Διὸς μήτηρ, et ἡ ἐν τοῖς ἄστροις αἲξ ἡ Ἀμαλθείη [Ἀμάλθεια], quæ et μοῦσα. [Pro ἡ καὶ Μοῦσα Albertus καὶ ἡ Μοῦσα, ut paullo ante ap. Phot. et Suidam. Iidem interpretationi ἡ τοῦ Διὸς μήτηρ addunt alias duas : Πηνελόπη καὶ ἡ Ἑλένη παρὰ Ἀθηναίοις, quorum verborum ultima ap. Suidam cum ἡ τοῦ Δ. μ. conjunguntur. || Idem Hesychius : Ἄστυ Νυμφέων τὴν Σάμον Ἀνακρέων (ut Sopingius putabat, fortasse in fragm. in ἱρὸν ἄστυ desinente, de quo diximus in Μυθίτης), ἐπεὶ ὕστερον ἔνυδρος ἐγένετο.]

|| Νύμφαι, Formicæ alatæ, οἱ πτερωτοὶ μύρμηκες, Hesych.; quas Eust. [in Νυμφαῖος citatus et correctus] νυμφαίους μύρμηκας appellat. Itidem νύμφαι dicuntur οἱ σκώληκες οἱ πτεροφυοῦντες, οἱ ἐν τοῖς τῶν μελισσῶν κυττάροις, teste eod. Hesychio [et Photio s. Suida] : Eust. vero νυμφαῖοι σκώληκες, οἱ ἐν κήποις. At Aristot. H. A. 5, 19, paulo aliter : Οἱ τῶν μελιττῶν καὶ ἀνθρηνῶν καὶ σφηκῶν (σκώληκες), ὅταν μὲν νέοι σκώληκες ὦσι, τρέφονται μὲν, καὶ κόπρον ἔχοντες φαίνονται· ὅταν δ' ἐκ τῶν σκωλήκων εἰς τὴν διατύπωσιν ἔλθωσι, καλοῦνται μὲν οὖν νύμφαι τότε. [Conf. ib. 23. De generat. anim. 3, 9 : Μετὰ ταῦτα αἱ καλούμεναι νύμφαι γίγνονται.] Plin. 11, 16, quum apum regem dixisset nasci, non vermiculum, sed statim pennigerum, addit : Cetera turba quum formam capere cœpit, Nymphæ vocantur, ut fuci, sirenes, aut cephenes. Pollux [7, 148], περὶ κυττάρων loquens et de apum cellulis : Οἱ δὲ ἐν αὐτοῖς σκώληκες, ἢ σχαδῶνες, ἢ νύμφαι, ἐπειδάνπερ φυῶσι. Dicuntur ergo νύμφαι in apum, crabronum, et fucorum sobole, vermiculi illi, qui jam apum, crabronum, et fucorum formam assumpserunt; vel, ut [Phot. s.] Suid. habet, σκώληκες οἱ ἐν τοῖς τῶν μελιττῶν κυττάροις, ὅταν ἤδη πτεροποιεῖν ἄρξωνται. Addit tamen, quosdam simpliciter accipere τοὺς πτερωτοὺς σκώληκας, Vermiculos alatos, [eamque signif. tribuit Samiis, addito Σάμιοι, quod Σάμιοι HSt. non recte ad secundam ab hac significationem retulit].

|| Νύμφαι dicuntur etiam τῶν ῥόδων αἱ μεμυκυῖαι κάλυκες, Calyces rosarum paululum se aperientes, Hesych., [Phot. s.] Suid. Sed et πάντων τῶν καρπῶν αἱ ἐκφύσεις appellantur νύμφαι, si Suidæ credimus.

|| Νύμφη, Nympha : est Epiphysis cutacea, lata, intra pudendum muliebre, supra alarum commissuram, ad urinarum meatum sita. Gemina autem est, utrimque sc. una : data a natura tum ornamenti causa, (nam quod peni virili præputium est, id νύμφη utero est,) tum etiam ut uterum a pulvere, frigore, et aliis externis injuriis tueatur, ut uva pharyngi propugnaculum est : quæ quum naturæ modum excedit, et deformitatem pudoremque pudendo inducit, extra uterum propendens, ferro resecatur, ut ex Aetio Gorr. tradit. [Conf. Galen. vol. 2, p. 370.] Rufus Eph. [p. 32 Cl.] de pudendo muliebri : Σχίσμα δὲ, ἡ τομὴ τοῦ αἰδοίου· τὸ δὲ μυῶδες ἐν μέσῳ σαρκίον, νύμφη καὶ μύρτον· οἱ δὲ ὑποδερμίδα, οἱ δὲ κλειτορίδα ὀνομάζουσι. Idem habet Pollux [2, 174] : nisi quod post μέσῳ addit σκαῖρον, et pro ὑποδερμὶς habet ἐπίδερις : quod suspectum est. Oribasius ita appellari scribit, quia collo vesicæ subsultet ea caruncula. Suidas Samiorum id vocabuesse tradit. [Non tradit : v. in secunda ante hanc signif.] || In labiis vero νύμφη dicitur τὸ ἐπὶ τῷ κάτω χείλει κοῖλον, Ruf. [p. 26.] Ita et Pollux 2, [90] : Ἡ ἐν τῷ ἄνω χείλει κοιλότης, φίλτρον· ἡ δὲ ἐν τῷ κάτω, τύπος, ἢ νύμφη· quod clarius Hesych. exp., quum esse dicit τὸ μεταξὺ τοῦ γενείου καὶ τοῦ κάτω χείλους ἐν μέσῳ κοῖλον. [Videntur vero et aliæ Cavitates subinde νύμφαι fuisse dictæ. Sic quidem ap. Callixenum Athenæi 5, p. 197, A : Κατὰ μέσον δὲ τῶν ἄντρων νύμφαι ἐλείφθησαν, ἐν αἷς ἔκειντο Δελφικοὶ τρίποδες, videntur dici Cavitates in muro, s. Loculi excavati in pariete ; Gallice *Enfoncemens* aut *Niches*. Schweigh.]

|| Νύμφη, Summa s. Extrema pars vomeris. Pollux 1, [252] : Τὸ δὲ ἄρουν σιδήριον, ὕννις· ἧς τὸ ἄκρον, νύμφη. Itidem et Proclus in l. posteriorem τῶν Ἔργων Hesiodi [425] : Ἔλυμά ἐστι τὸ ἐμβληθὲν εἰς τὸ τὴν ὕννιν κατέχον ξύλον κατὰ τὸ ἄκρον, ὃ καλοῦσι νύμφην. [|| Puppa. Julian. Cæs. p. 332, D : Ἦ γὰρ οὐκ ἔπλαττες ἡμῖν ὥσπερ ἐκεῖνοι (οἱ κοροπλάθαι) τὰς νύμφας θεούς; Schol. Theocr. 2, 110 : Δαγὺς... καλοῦσι δὲ αὐτὸ καὶ νύμφην. Hesychius : Δατὺς (δαγὸς), νύμφη λευκόκηρος. Idem : Κόρη, νύμφη, ἣν ταῖς παρθένοις ἔπεμπον. Gl. : Puppæ, Πλαγγόνες, αἱ τῶν παιδίων νύμφαι.] || Ceterum Νύμφη, quo significatur ἡ νεωστὶ γαμηθεῖσα, s. ἡ νεόγαμος κόρη [ut est ap. Photium s. Suidam], Eust. [Od. p. 1384, 34] derivat a νέον et φαίνεσθαι, quoniam ταπρὶν θαλαμευομένη, νέον φαίνεται, ὅτε τὸ τῆς ἡλικίας ἔαρ αὐτῇ ἐπανθεῖ : quasi νεόμφη, et Æolice νύμφη. Similiter et τὰς νύμφας dictas scribit διὰ τὸ ἀεὶ νέαι [νέας] φαίνεσθαι : affert vero et alias allegoricas etymologias, quas ap. eum tibi videndas relinquo. [Conf. Cornut. De nat. d. c. 22, p. 195.] Vide et Bud. p. 872. [Νύφη scriptum in inscr. Siphnia ap. Bœckh. vol. 2, p. 1080, n. 2423, C, ubi Νυφεων ιερων, eodemque modo Νυφοδωρου in Smyrnensi p. 715, n. 3155, 8. Sic hodie Græci dicunt νύφη pro νύμφη. Νυφάδων pro Νυμφάδων liber Pausaniæ 1, 44, 2. L. Dind.]

[Νύμφη, ἡ, Nymphe, n. mulieris, in inscr. Att. ap. Ross. *Bullettino dell' Inst. di corrisp. archeol.* 1841, p. 56 : Νύμφη Βασιλείδου. L. Dindorf.]

Νυμφηγενέη, Hesychio ἡ νεωστὶ νενυμφευμένη. [Utrumque accusativo ponitur ap. Hesych. pro νύμφην νέην vel νύμφην γε νέην.]

[Νυμφήιον. V. Νυμφεῖον.]

[Νύμφης. V. Νύφης.]

[Νυμφιάω.] Lymphari Græce dicitur Νυμφιᾶν, Furore corripi ob visam nymphæ effigiem, s. speciem ex fonte; vel Corripi velut lymphato furore, ut loquitur Seneca. Verbo Latino utitur Plin. 24, 17, de thalassægle herba : Hac pota lymphari homines, obversantibus miraculis. Græco usus est Aristot. de equabus lymphatis, i. e. in furorem quasi lymphatum s. lymphaticum actis, H. A. 8, 24 : Τό, τε νυμφιᾶν καλούμενον, ἐν ᾧ συμβαίνει κατέχεσθαι, ὅταν αὐλῇ τις· ubi post αὐλῇ τις subaudiri puto τὸν ἱππόθορον λεγόμενον νόμον : de quo suo loco. Sed ibi perperam vulg. edd. habent νυμφίαν. Nonnulli autem λυμφιᾶν reponunt, ut annotatur in VV. LL., quod non probo.

[Νυμφιδιανὸς, ὁ, Nymphidianus, n. pr. sophistæ ap. Eunap. p. 47, 9 et 101, 14. Hase.]

Νυμφίδιος, α, ον, et ὁ, ἡ, Sponsalis : v. θάλαμος, Epigr. [Leonidæ Tar. Anth. Pal. 9, 322, 8, et Apollon. Rh. 1, 1031], Sponsalis thalamus. [Paul. Sil. ib. 9, 770, 2 : Πόμα νυμφίδιον. Antip. Sid. 7, 423, 6 : Νυμφιδίαν ἄλοχον. Eur. Alc. 249 : Νυμφίδιαί τε κοῖται, ubi tamen libri meliores νυμφίδιοι, ut ib. 885 : Νυμφιδίους εὐνάς· Androm. 858 : Νυμφιδίῳ στέγᾳ. Aristoph. Av. 1729 : Νυμφιδίοισι δέχεσθ' ᾠδαῖς. Porro Eur. Med. 1000 : Νυμφιδίων ἕνεκεν λεχέων· Hipp. 1141 : Νυμφιδίων δ' ἀπόλωλε φυγᾷ σᾷ λέκτρων ἅμιλλα κούραις· 769 : A Γεράμνων ἀπὸ νυμφιδίων. Apoll. Rh. 4, 809 : Σέλας v. Νυμφιδία epitheton Veneris Orph. H. 54, 11.]

Νυμφίδιος Σαβῖνος, nomen proprium ap. Plut. Galba [c. 8].

Νυμφικὸς, ή, ὸν, Sponsalis. [Æsch. Cho. 69 : Νυμφικῶν ἑδωλίων. Soph. OEd. T. 1242 : Τὰ νυμφικὰ λέχη· Ant. 1240, τέλη. Eur. Med. 378, δῶμα· 1138, δόμους· El. 1200, εὐνάς· Hel. 1400, ὁμιλίας.] Lucian. [Herodot. c. 5] : Θάλαμός ἐστι περικαλλὴς, καὶ κλίνη νυμφικὴ, καὶ ἡ Ῥωξάνη κάθηται, πάγκαλόν τι χρῆμα παρθένου. Et ap. Polluc. 3, [43], Δᾷδες γαμικαὶ [νυμφικαί], Cerei, quibus prælucebatur nuptis. Item ib. στέφανος νυμφικὸς, στολὴ νυμφικὴ : ut ap. Plut. [Mor. p. 755, A] ἱμάτιον νυμφικὸν περιβάλλεται cuidam adolescenti; et λουτρὰ νυμφικὰ ibid., quæ Athenis ex Callirrhoe fonte, postmodum ἐκ τῆς ἐννεακρούνου afferri solebant. Suidas hæc esse dicit τὰ εἰς γάμους ἐκ τῆς ἀγορᾶς ἀπὸ κρήνης λαμβανόμενα. [Conf. Hesych. et Aristoph. Lys. 378. L. D. Chariton Chær. et Call. 1, 6 : Νυμφικὴν ἐσθῆτα. Achill. Tat. Leuc. et Clitoph. 1, 13 : N. δᾳδουχία. Jo. Chrys. t. 9, B p. 297, B : Κόσμῳ κεκοσμημένος v. Hase.] Et νυμφικαὶ μοῦσαι ap. Plat. Leg. [6, p. 775, B]. Apud Eund. Leg. 7 [6, p. 783, E] τὰ νυμφικὰ, ut, Ἔλθωμεν δ' ἐπὶ τὰ νυμφικὰ, exp. Res sponsales.

Νυμφικῶς, adv. Greg. Naz. De baptism. : N. ἐστολισμένος, Nuptiali veste indutus. [Et sic quoque de Andromeda Ach. Tat. Leuc. et Clit. 3, 7 : N. ἐστολισμένη. Plutarch. ap. Euseb. Pr. ev. t. 1, p. 184, 4 Gaisford. : Καταστεῖλα v. Georg. Pisid. Hexaem. 127 : N. ἐστεμμένος. Jo. Climac. p. 313, 25 : Ὁ ταύτῃ v. ἑνωθείς. Hase. Eust. Il. p. 171, 26. Seager. Ephræm Syr. vol, 3, p. 465, C : Σὺ τὴν κεχαριτωμένην παρθένον ἐκόσμησας, νυμφικῶς ἀναδήσας. Gregor. Nyss. vol. 2, p. 200, A. L. Dindorf.]

[Νυμφιοκλεῶς, ap. Theodor. Stud. p. 618, ρχ', 4 : Ἡ τῇδε μάνδρα καὶ μονὴ σεβασμία ἐπωνυμοῦσα τῆς πανάγνου παρθένου καὶ παρθένους φέρουσα νυμφιοκλέως (sic), Int. vertit Titulisque sponsi virgines claras habet. L. Dindorf.]

Νυμφίον, per ι in penult., in VV. LL. habetur, quod C exp. Thalamus. [Ex Soph. Tr. 7, ubi νυμφείων, nonnulli νυμφίων, quod nihili.]

Νύμφιος, α, ον, accentu in prima, i. q. νυμφικὸς, ut habetur in Lex. meo vet. Et ap. Eur. νυμφίοις παρθένοις, Puellis nubentibus, Iph. A. [741] : Ἃ χρὴ παρεῖναι νυμφίοισι παρθένοις, Nubentibus s. Quæ nuptui dantur. Etymologistæ autem [p. 608, 42] νύμφιος est ὁ νυμφικὸς οἶκος. [Νυμφίοις καὶ παρθένοις ap. Eurip. correxit G. Dindorfius. Νύμφιος οἶκος hoc accentu, ut κτητικὸν, notari tradunt etiam Arcad. p. 41, 22, gramm. Cram. An. vol. 2, p. 284, 23. Conf. etiam de duplici νυμφιος Herodian. Π. μον. λέξ. p. 19, 32. Fem. Pind. Pyth. 3, 16 : Νυμφίαν τράπεζαν. Cognomen Veneris ap. Pausan. 2, 32, 7, ubi νύμφας, quod correxit Bœckhius.] Et in VV. LL. νύμφια, τὰ, Sponsalia. [Pro νυμφεῖα.]

Νυμφίος, ὁ, paroxytonωs, Sponsus. [Nurus, Maritus, add. Gl. Æsch. Sept. 757 : Παράνοια σύναγε νυμφίους φρενώλεις· Danaid. fr. ap. schol. Pind. Pyth. 3, 27, Soph. OEd. T. 1358, et alibi cum Euripide, Ari- D stoph. et aliis.] Alexis ap. Athen. 14, [p. 642, D] : Τοῖς νυμφίοις τὴν νύμφην μετιοῦσι λέγεις. Xen. Cyrop. [4, 6, 5] : Νεκρὸν ἀντὶ νυμφίου ἐκομισάμην. Plut. Alcib. [c. 8] : Τῆς θυγατρὸς Ἱππαρέτης ἐποιήσατο νυμφίον. Herodian. 4, [11, 4] : Δεξιούμενος νυμφίον μὲν τῆς θυγατρὸς, γαμβρὸν δὲ αὐτοῦ, Sponsum filiæ et generum suum. [Frequens est etiam ap. Platonem. Addito ἀνὴρ Pind. Pyth. 9, 122 : Οὕτω δ' ἐδίδου Λίβυς ἁρμόζων κόρᾳ νυμφίον ἄνδρα.] Ab Homero autem νυμφίος dicitur etiam Qui ante annum unum aut plures uxorem duxit. Unde Hesych. : Νυμφίον καὶ νύμφην πάντα τὸν γήμαντα καὶ παιδοποιησάμενον, κἂν πολυχρόνιος ᾖ. Sic accipit Hes. hunc l. Il. Ψ, [223] : Ὡς δὲ πατὴρ οὗ παιδὸς ὀδύρεται ὀστέα καίων Νυμφίου· ubi tamen in meo Hom. Ms. exp. νεονύμφου. Sed manifestior est hic l. Od. H, [65] : Τὸν μὲν ἄκουρον ἐόντα βάλ' ἀργυρότοξος Ἀπόλλων Νυμφίον ἐν μεγάρῳ, μίαν οἴαν παῖδα λιπόντα· ubi νυμφίον θανεῖν dicit τὸν οὐ πολὺ ἐπιβιόντα μετὰ τὸν γάμον, Qui nuptiis non diu supervixit, non tamen τὸν ἐπ' αὐτῷ τῷ νυμφῶνι θανόντα : siquidem filiam ex se natam reliquit. [De usu improprio Suicer. : « De deo Greg. Naz. Or. 20, p. 358 : Μόνος θεὸς τῶν καθαρῶν ψυχῶν ἐστι νυμφίος, καὶ τὰς ἀγρύπνους ἑαυτῷ συνάγει ψυχὰς, ἐὰν μετὰ λαμπρῶν τῶν λαμπάδων καὶ δαψιλοῦς τῆς τοῦ ἐλαίου τροφῆς αὐτῷ ἀπαντήσωσι. Atque hoc ipsum de se testatur deus ap. Hoseam c. 2, 19, 20 : Καὶ μνηστεύσομαί σε ἐμαυτῷ εἰς τὸν αἰῶνα, μνηστεύσομαι ἐν δικαιοσύνῃ καὶ ἐν κρίματι κτλ. De Christo Theophylact. In c. 3 Joh. p. 602 : Οὐδεὶς ἄλλος ἐστὶ νυμφίος, εἰ μὴ μόνος ὁ Χριστὸς, πάντες δὲ οἱ διδάσκοντες νυμφαγωγοί εἰσιν, ὥσπερ οὖν καὶ ὁ πρόδρομος. Οὐδεὶς γὰρ ἄλλος δοτήρ ἐστι τῶν ἀγαθῶν εἰ μὴ ὁ κύριος, οἱ δὲ ἄλλοι πάντες μεσῖται καὶ τῶν παρὰ τοῦ κυρίου δεδομένων ἀγαθῶν διάκονοι. Ammon. in hunc l. p. 108 : Διὰ τοῦ βαπτίσματος νυμφεύεται ὁ Χριστὸς τὴν ἐκκλησίαν ἀναγεννηθεῖσαν· ἡ συζυγία αὕτη πνευματικὴ διὰ τοῦ διδασκαλικοῦ λόγου συνάπτει θεῷ. Παρθένος δ' ἐστὶ καὶ ἁγνὴ ἡ νύμφη διὰ τὴν τῶν δογμάτων ὀρθότητα· ἡ αὐτὴ καὶ γυνή ἐστι τοῦ Χριστοῦ ὡς ἀγαθὰς γεννῶσα πράξεις, οὐκ ἀφ' ἑαυτῆς, ἀλλὰ διὰ τοῦ ἐνσπείροντος ἐν αὐτῇ Χριστοῦ. Ἧς οὐδεὶς τῶν γενητῶν δύναται εἶναι νυμφίος, ἐπείπερ πρωτοτύπως οὐδεὶς αὐτῶν ἐστι δοτὴρ ἀγαθῶν· πᾶσα οὖν λογικὴ φύσις ἀγγέλων τε καὶ ἀνθρώπων νύμφη ἐστί· νυμφίος ἐστὶν ὁ Χριστὸς, καὶ ἡ ἐκκλησία νύμφη, καὶ ὁ νυμφὼν ὁ τόπος τοῦ βαπτίσματος, ἔνθα γίνεται ἡ πνευματικὴ συνάφεια, ἐπειδὴ πάντα φαιδρὰ καὶ χαρᾶς ἀνάμεστα καὶ εὐφροσύνης. Basilius M. c. 8 de Sp. S. p. 159, de Christo : Ὅταν τὴν ἄμωμον ψυχὴν τὴν μὴ ἔχουσαν σπίλον ἢ ῥυτίδα, ὡς ἁγνὴν παρθένου ἑαυτῷ παραστήσηται, νυμφίος προσαγορεύεται. Chrysost. Hom. 18, t. 5, Christus vocatur νυμφίος, ὅτι νύμφην ἡρμόσατο.»]

[Νύμφιος, ὁ, Nymphius, n. viri in inscr. Corcyr. ap. Bœckh. vol. 2, p. 32, n. 1883, 1; Ephesia p. 612, n. 2986, 6; Teja p. 688, n. 3123, 6. Cogn. in Attica vol. 1, p. 393, n. 284, III, 26. Conf. Νύμφις. De fluvio quem ita dicunt Procopius et Theophylactus, Ammianus Nymphæum, v. Vales. ad hunc 18, 9, 2. L. D.]

[Νυμφιοφόρος, ὁ, ἡ, Sponsum ferens. Theodor. Stud. p. 488, E : Αὐτὴ κυρία ὡς νυμφιοφόρος, de quo paullo ante τοῦ νυμφίου Χριστοῦ. L. Dind.]

Νυμφὶς, ίδος, ἡ, Sponsalis. In plur. νυμφίδες, Calceamenta muliebria, quæ sponsæ induuntur : ὑποδήματα γυναικεῖα νυμφικὰ, Hesych. At Νύμφις, ιος, ὁ, nomen proprium [historici] ap. Suid. et Athen. [12, p. 536, A, 539, A, etc. et schol. Apoll. Rh.]

[Νυμφίωσις, εως, ἡ, Desponsatio, nisi fallit scriptura ap. Theod. Stud. p. 488, C : Ἐπεθύμησεν ὑμῶν ὁ βασιλεὺς τοῦ κάλλους τῆς ψυχῆς εἰς νυμφίωσιν. L. Dind.]

[Νυμφόβας, ὁ, Nymphas conscendens, iniens. Achæus in fragm. quod emendavi in Βαβαὶ p. 6, A : Βαβαὶ βαβαὶ, νῦν νυμφόβας γενήσομαι.]

[Νυμφογενὴς, ὁ, ἡ, Nympha natus. Alcæus Anth. Plan. 8, 4 : Νυμφογενὲς Σάτυρε. V. etiam inscr. in Δωτὼ cit.]

[Νυμφογέρων, οντος, ὁ, Sponsus senex. Theodor. Prodr. Amar. p. 438 : Συνήθη μοι τὰ κατὰ τουτονὶ τὸν νυμφογέροντα. Elberling.]

[Νυμφόδοτος, ὁ, Nymphodotus, n. viri, in inscrr. Att. ap. Bœckh. vol. 1, p. 370, n. 268, 12; 374, p. 270, 11; Spart. p. 623, n. 1247, 5. L. D. « Νυμφοδότου τροχίσκος, pastilli species auctore Nymphodoto, adstringendi vi præditi : cujus duæ habentur compositiones, una ap. Paulum 7, 12; altera ap. Aetium 9, 49, de iis quæ inferne dysentericis infunduntur. » Gorræus.]

[Νυμφοδόχος, ὁ, ἡ, Sponsum recipiens. Andr. Cret. p. 126. Kabl.]

[Νυμφοδώρα, ἡ, Nymphodora, n. mulieris, in Ms. ap. Lambec. Bibl. Cæs. vol. 8, p. 508, A. L. Dind.]

[Νυμφόδωρος, ὁ, Nymphodorus, Syracusanus historicus, de quo Ebert. Dissert. Sic. p. 155 sqq. Ita legendum esse pro Μεμψίδωρος s. Μεμψόδωρος, quod retulimus supra p. 767, C, recte animadvertit Preller. ad Polemon. p. 180. Alii viri cognomines sunt Abderita ap. Herodot. 7, 137, Thuc. 2, 29; Clazomenius in numo Clazom. ap. Mionnet. *Suppl.* vol. 6, p. 88, n. 51; Delius in inscr. ap. Bœckh. vol. 1, p. 254, n. 158, 21. Et alii apud alios. L. Dind.]

[Νυμφόκλαυτος, ὁ, ἡ, Sponsis deflendus. Æsch. Ag. 749 : N. Ἐρινύς.]

[Νυμφοκλῆς, έους, ὁ, Nymphocles, n. viri, in inscr. Samia ap. Ross. Inscr. fasc. 2, p. 74, n. 191, B, 5. L. Dind.]

Νυμφοκομέω, Novam nuptam adorno, τὴν νύμφην κοσμῶ, schol. Eur. [Med. 985 : Νερτέροις δ' ἤδη πάρα νυμφοκομήσει. Antiphil. Byz. Anth. Plan. 147, 6 : Ὁ δὲ μναστὴρ νυμφοκομεῖ τὸ γέρας, In matrimonium ducit. || Quod ap. schol. Eur. scriptum νυμφοκοσμῆσαι et νυμφοκοσμήσει, eximendum videtur etiam Constantino Man. Chron. 5667 : Τότε καὶ πόλιν τὴν καλὴν, τὴν πόλιν Ἀντιόχου, τὴν εὐγενῆ, τὴν εὐπρεπῆ, τὴν νυμφοκοσμουμένην Ἰσμαηλῖται φονικοὶ δορίκτητον λαβόντες. L. D.]

Νυμφοκόμος, ἡ, Quæ sponsam adornat, Pronuba, ἡ κοσμοῦσα τὴν νύμφην, νυμφεύτρια, Hesych. [Eur. Iph. A. 1087 : Παρὰ δὲ μητέρι νυμφοκόμον Ἰναχίδαις γάμον. Nonnus Dion. 48, 183 : Νυμφοκόμοιο μάχης, de certamine ante nuptias.]

[Νυμφοκοσμέω. V. Νυμφοκομέω.]

Νυμφόληπτος, ὁ, ἡ, Nympharum spiritu correptus, Lymphatus, ut Varro De L. L. 3 [7, 87] : Apud Pacuvium, Flexamina [Flexanima] tanquam lymphata : dicitur a lympha [lympha a] Nympha, ut apud Græcos Thetis [, apud Ennium Thelis]. In Græcia commota mente quos νυμφολήπτους appellant, ab eo Lymphatos dixerunt nostri. Ubi quidam codd. habent λυμφολήπτους. Festus : Lymphæ dictæ sunt a nymphis : vulgo autem memoriæ proditum est, quicunque speciem quandam ex fonte, i. e. effigiem nymphæ, viderint, furendi non fecisse finem : quos Græci νυμφολήπτους vocant, Latini Lymphatos appellant. Hesychio quoque νυμφόληπτοι sunt οἱ κατεχόμενοι νύμφαις : sunt autem ii, inquit, μάντεις καὶ ἐπιθειαστικοί. Sic Plato in Phæd. [immo Phædro p. 238, D] : Τῷ ὄντι γὰρ θεῖος ἔοικεν ὁ τόπος εἶναι· ὥστε ἐὰν ἄρα πολλάκις νυμφόληπτος προϊόντος τοῦ λόγου γίνωμαι, μὴ θαυμάσῃς· τὰ νῦν γὰρ οὐκέτι πόῤῥω διθυράμβων φθέγγομαι. Alii autem Lymphatos dici existimant Eos qui metu et horrore quodam aquæ afficiuntur, adeo ut se sæpe in eam præcipitent : quos Græci ὑδροφόβους appellant. [Synes. p. 116, C : Ἐοικότες τοῖς νυμφολήπτοις. Id. p. 93, A : Ὥστε ἐοικέναι τοῖς ν. Hase. Inscr. ap. Bœckh. vol. 1, p. 463, n. 456, 1 : Ἀρχέδημος ... ὁ νυμφόληπτος φραδαῖσι Νυμφῶν τἄντρον ἐξηργάξατο. Plut. Aristid. c. 11. Schol. Theocr. 13, 44; Pollux 1, 19.]

Νυμφοληψία, ἡ, Lymphatio : ut Plin., Adversus lymphationes nocturnas. Est autem furor iste, quo corripitur qui effigiem nymphæ s. speciem ex fonte viderit.

Νυμφοπόνος, ἡ, Quæ circa sponsam ornandam occupatur, ἡ περὶ τὴν νύμφην πονουμένη, Hesych. Apud Athen. [8, p. 362, C] est nomen fabulæ Sophronis.

[Νυμφοπρεπής, ὁ, ἡ : unde Νυμφοπρεπεστάτως, Ut puellam s. sponsam quam maxime decet. Psell. In Cantic. Cant. 6, 4. Boiss.]

[Νύμφος, ὁ. Νύμφοι, *classe de jeunes gens.* (Inscript. Sicul. in Mus. Rhen. novo vol. 4, fasc. 1, p. 73 : Ἐπὶ Ἀριστοδάμου τοῦ Σωσιβίου νύμφοι Ἱέρωνος μναμονεύσας ἁγναῖς θεαῖς.) *Dans une inscription sicilienne assez ancienne, j'ai trouvé, après deux noms propres au nominatif, l'apposition ou qualification* νύμφοι. *Je ne crois pas que ce soit fautivement pour* νυμφίοι, *mais un substantif analogue à* νύμφη, *et que je crois devoir appliquer à certains jeunes gens que le roi Hieron II avait admis dans certain gymnase; terme qu'une autre inscription commente et reproduit par* νεανίσκοι Ἱερώνειοι. Raoul-Rochett. Conf. Mem. Instit. Acad. Inscrr. vol. 14, p. 273. Boiss. Letronn. *Journ. d. Sav.* 1827, p. 391.]

Νυμφοστολέω, Nuptam ad sponsum deduco, Sponsam deduco ad sponsum, Orno sponsam. Suid. νυμφοστολῆσαι exp. νύμφην κοσμῆσαι. Unde νυμφοστοληθεῖσα, Nova nupta dicitur, quæ ornata est et ad sponsum ducenda. Strabo 6, p. 114 [259] de Dionysio tyranno Locros improbe vexante : Ἐκπεσὼν ἐκ τῆς Συρακουσίων, ἀνομώτατα πάντων διεχρήσατο· ὅς γε προεγάμει μὲν παρεισιὼν εἰς τὸ δωμάτιον τὰς νυμφοστοληθείσας, Ornatas, in thalamum clam irrumpens, nuptas stuprabat quasi maritus esset, Bud. [Severian. In creat. mundi t. 7, p. 627, 39 : Οὐ τὸν ἄνδρα πρὸς τὴν γυναῖκα νυμφοστολεῖ. It. Achill. Tat. Leuc. et Clit. p. 24, 5 Jacobs. : Νυμφοστολεῖ· Heliod. Æth. 10, 16 : Νυμφοστολῆσαι· Ach. Tat. p. 82, 22 : Νυμφοστολήσω. Id. p. 117, 18 : Νυμφοστολήσουσιν ἡμᾶς. Proverbii loco Philo vol. 1, p. 323, 45 : Νυμφοστολεῖσθαι τὰς γεγηρακυίας καὶ σαπρὰς, τὸ λεγόμενον. Hase. Leo Philos. Anth. Pal. 9, 203, 10 : Νυμφοστολεῖ γὰρ τοὺς ποθοῦντας ἐμφρόνως (liber Achillis Tatii de Leucippe). Eust. Opusc. p. 22, 2.]

[Νυμφοστολία, ἡ, Sponsæ exornatio. Basil. Seleuc. V. Theclæ 1, p. 10.]

[Νυμφοστολίζω, i. q. νυμφοστολέω. Psell. In Cant Cantic. 1, 7. Boiss. Basil. Seleuc. V. Theclæ 1, p. 40. Conf. Lobeck. ad Phryn. p. 625.]

[Νυμφοστολικῶς, q. d. Sponsaliter, Sponsalium caussa. Schol. Eur. Hec. 385 : Ὅτι εἰς Τροίαν ἐφονεύθη ὁ Ἀχιλλεὺς ὑπὸ τοῦ Ἀλεξάνδρου ν. πορευόμενος.]

Νυμφοστόλος, ὁ, ἡ, Qui sponso sponsam adducit, s. conciliat; nam Hesych. et Suid. exp., νυμφαγωγὸς, qui et νυμφευτής : et πάροχος, et παράνυμφος, Qui eodem vehiculo cum sponso sponsam accersente sedet. Sed ita vocatur etiam Auspex nuptiarum, instructorque, et exornator. Gregor. : Ἐγὼ τούτου (τοῦ γάμου) συναρμοστὴς, ἐγὼ νυμφοστόλος, Ego auspex et auctor conjugii : Lucan., Junguntur taciti contentique auspice Bruto. Et in Vita Lucæ νυμφοστόλος dicitur Angelus Gabriel, qui etiam in somnis Josephum monuit, ne metueret παραλαβεῖν Μαριὰμ τὴν μνησθεῖσαν αὐτῷ. [Niceph. Callist. H. E. 1, p. 1, B : Σοὶ τῷ ἐκ θεοῦ ... κυβερνήτῃ, εἴπω δ' ὅτι καὶ ἱερῷ νυμφοστόλῳ. L. D. Euseb. Hist. eccl. p. 383, D. Joseph. Ant. J. 5, 8, 6 : Συνῆν τῷ αὐτοῦ φίλῳ ν. γεγονότι. Nicet. Dav. In Greg. Naz. p. 127, 9 Dronk. : Ὁ τοῦ νοητοῦ νυμφίου ν. Fragm. Nicet. Eugen. ed. a Phil. Lebas *Bibl. de l'Éc. des Chart.* t. 2, 1841, p. 422, 19 : Οὓς οἱ θεοὶ συνῆψαν ὡς νυμφοστόλοι. Hase.] Quum vero fem. gen. dicitur, accipitur pro νυμφοκόμος. [Musæus 10 : Νυμφοστόλον ἄστρον ἐρώτων. Theod. Prodr. Rhod. p. 258 fin. : Κοινὰς δὲ κεκλήρωσθε τὰς νυμφοστόλους. L. Dind.]

[Νυμφοτερεῖς, ἄρχοντές τινες, Hesychii gl. corrupta.]

[Νυμφότιμος, ὁ, ἡ, Sponsos celebrans. Æsch. Ag. 704 : Τὸ ν. μέλος.]

[Νυμφοτόκος, ὁ, ἡ, Sponsum pariens. Andreas Cret. p. 264. Kall. Est epitheton Deiparæ. Gregor. Thaumaturg. p. 29, C. Pseudochrys. t. 2, p. 956, B : Τοῦ χηρεύσαντος κόσμου νυμφοτόκε ἀμίαντε. Hase.]

[Νυμφοτομία, ἡ, Sectio νύμφης, quod v. Aet. l. 16 ap. Phot. Bibl. p. 180, 38.]

[Νυμφοτροφέω, ap. Themist. Or. 34, p. 64=467, 20 : Ἡμεῖς παιδοτροφοῦμεν αὐτῶν τοὺς υἱοὺς καὶ νυμφοτροφοῦμεν τὰς θυγατέρας, Jacobs. corrigebat νυμφοστολοῦμεν.]

[Νυμφοφυλακτήριον, τὸ, Sponsarum receptaculum. Theodor. Stud. p. 487, D : Γνῶθι ὅτι ν. ἐστι τοῦ βασιλέως τῶν οὐρανῶν. L. Dind.]

Νυμφών, ῶνος, ὁ, Conclave s. Thalamus sponsi et sponsæ. Utitur Eustathius supra in Νυμφίος [et in Opusc. p. 178, 78; 234, 42]. Item Matth. 9, [15] et Luc. 5, [34] : Οὐ δύνανται οἱ υἱοὶ τοῦ νυμφῶνος πενθεῖν, Filii thalami, sc. sponsalis. Chrysost. : Αἱ τοῦ νυμφῶνος ἐξεβλήθησαν. [Jo. Chrys. t. 6, p. 159, A ed. Par. alt. Hyperech. p. 32, C. Method. Conv. virg. p. 156, 14 et 204, 13. Heliod. Æth. 7, 8 : Τὸ παρθενεῦον τοῦ ἄστεος καὶ νυμφῶνας ἤδη φανταζόμενον. Figurate Eulog. ap. Phot. Bibl. p. 543, 29 : Εἰς τὸν ν. εἰσάγει φιλοφροσύνης. Hase. Nymphæa, Diosc. Notha 3, 139. Boiss.]

[Νύμφων, ωνος, ὁ, Nymphon, n. viri, in inscr. Sic. ap. Rochett. Mus. Rhen. novi vol. 4, fasc. 1, p. 94. L. Dindorf.]

Νῦν, adverbium temporis, non eo consilio prætermissum fuit in alphabetica serie, quo alia pleraque eorum vocabulorum quæ hactenus adjecta fuerunt (neque enim hujus monosyllabæ particulæ derivationem quæri debere arbitratus sum), sed quod de voce νύξ, quæ hanc sequitur, parata quædam haberem, quæ operis meis traderem : νῦν autem in Indicem rejici posse existimarem. Sed animadverti tandem multo plura de hac vocula dicenda esse quam putassem, eaque aptiorem hic quam illic esse locum habitura. — Νῦν, Nunc : quod ex illo νῦν factum esse, longe manifestissum est : sicut υ mutari in *u* in plerisque aliis vocabulis videmus. Potest alioqui reddi νῦν et aliis modis : sc. In præsentia, vel Hoc tempore. Hom Il. I, [380] : Ὅσσα τέ οἱ νῦν ἐστὶ καὶ εἴ ποθεν ἄλλα γένοιτο· E, [475] : Τῶν νῦν οὔτιν' ἐγὼ ἰδέειν δύναμ', οὐδὲ νοῆσαι· B, [484] : Ἔσπετε νῦν μοι, Μοῦσαι Ὀλύμπια δώματ' ἔχουσαι. Sic cum imper. Od. X, [437] : Ἄρχετε νῦν νέκυας φορέειν. Ap. Eund. πάλαι et νῦν velut opponuntur, Il. I, [105] : Οἷον ἐγὼ νοέω ἠμὲν πάλαι ἠδ' ἔτι καὶ νῦν. [Pind. Isthm. 2, 9 : Οἱ μὲν πάλαι ... νῦν δέ.] Itidem ap. Isocr. Panegyr. [p. 46, A] : Καὶ πάλαι καὶ νῦν καὶ πανταχοῦ καὶ λεγομένας καὶ μνημονευομένας. Alioqui πρότερον interdum illius πάλαι locum quodammodo obtinet (quatenus quidem unum alteri velut opponi dixi :) ut ap. Demosth. Philipp. 1 [p. 42, 5] : Ἂν τοίνυν, ὦ ἄνδρες Ἀθηναῖοι, καὶ ὑμεῖς ἐπὶ τῆς τοιαύτης ἐθελήσητε γενέσθαι γνώμης νῦν, ἐπειδή περ οὐ πρότερον. Sic legimus ap. Eund. ead. Orat. [p. 52, 26] : Οὐκ ἔξιμεν αὐτοὶ μέρει γέ τινι στρατιωτῶν οἰκείων νῦν, εἰ καὶ μὴ πρότερον; Paulo item ante [ib. 7] dixerat, Ταῦτα δὲ ἴσως πρότερον μὲν ἐνῆν ποιεῖν, νῦν δὲ ἐπ' αὐτὴν ἥκει τὴν ἀκμὴν ὥστ' οὐκέτ' ἐγχωρεῖν. Alicubi autem ap. Xen. [H. Gr. 3, 2, 7] τῷ νῦν velut oppositum est τὸ παρελθόν. Ap. Plut. νῦν μὲν, et ὕστερον δὲ legimus, in Fabio [c. 20] : Νῦν μὲν ἔφη τοὺς ἡγεμόνας αἰτιᾶσθαι, ὕστερον δ' ἐκεῖνον. Sed quidam hic νῦν interpr. Primo loco : ὕστερον, Secundo loco. [Hom. Il. A, 27 : Ἢ νῦν δηθύνοντ' ἢ ὕστερον αὖτις ἰόντα.]

|| Νῦν tribus temporibus jungi, præsenti, præterito, futuro, exemplis ex Hom. sumptis ostendit Etym. : Eustath. quoque [Il. p. 164, 20] ex veterum observatione idem tradit : afferens in exemplum significationis temporis præsentis, hunc versum, Ἦ γὰρ ἂν Ἀτρείδη νῦν ὕστατα λωβήσαιο· præteriti, istum, Νῦν ὤλετο πᾶσα κατ' ἄκρης Ἴλιος· futuri hunc, Νῦν δὲ δὴ Αἰνείαο βίη Τρώεσσιν ἀνάξει. Mirum autem videri queat, quod alibi scribit Idem, nimirum quamvis νῦν tribus temporibus jungatur, tamen Atticis Νυνὶ præsenti duntaxat solere jungi. Videturque hoc, sicut quod et de νῦν scribit, ex Heraclidis grammatici sententia tradere. Idem certe et ap. Etym. de Νυνὶ legimus.

|| Νῦν ap. Hom. adjunctas alicubi habet particulas αἶψα et μάλα, ut Il. T, [148] : Νῦν δὲ μνησώμεθα χάρμης Αἶψα μάλ'· οὐ γὰρ χρὴ κτλ. Ubi idem schol. annotat illum auxisse τὴν σπουδὴν, per particulam νῦν : sequentibus autem duabus, αἶψα et μάλα, declarari, illud νῦν non πλατικὸν esse, sed ἀκαριαῖον. Quod autem de νῦν αἶψα tradit, idem et de αὐτίκα νῦν tradi potest. Nisi potius vacare hic νῦν dicamus, quippe quod non itidem præponatur, sed postponatur : et ita quidem ut αὐτίκα sufficere posse videatur.

|| Νῦν, præfixum interdum habet articulum pluralem neutrius generis τά : diciturque Τὰ νῦν, vel potius una voce Τανῦν, pro νῦν, Nunc. Utunturque ita quum alii [ut Soph. Tr. 835 : Ἀέλιον ἕτερον ἢ τανῦν· OEd. T. 53 : Καὶ τανῦν ἴσος γενοῦ· Aj. 78 : Ἐχθρός γε τῷδε τἀνδρὶ καὶ τανῦν ἔτι· OEd. C. 1750 : Δαίμων τανῦν γ' ἐλαύνει], tum vero Aristot., nec non Plato : ut in hoc l., Τοῦγε δοκοῦντος τανῦν ἐμοί. [Divise Soph. OEd. C. 133 : Τὰ δὲ νῦν τιν' ἥκειν λόγος οὐδὲν ἅζοντα.] At perperam in VV. LL. affertur hic l. in exemplum hujus usus istius particulæ : Ἐκ τῶν τότε τὰ νῦν τεκμαιρόμενος. Neque enim potest hic dici τὰ νῦν esse pro νῦν, quum sublato articulo, imperfecta relinquatur oratio. Neque vero si τὰ νῦν simpliciter pro νῦν poni dicitur, vacante articulo (ut cum aliis nonnullis adverbiis vacare comperitur), id de locis omnibus intelligendum est. Verum et in hoc peccatum ibi est, quod τανῦν conjunctim scriptum sit, quum necesse sit scribi τὰ νῦν, subaudiendo ὄντα. Sic et ap. Thuc. τὰ νῦν, Præsentia. [Addito τάδε Herodot. 7, 104 : Ὡς ἐγὼ τυγχάνω τὰ νῦν τάδε ἐστοργὼς ἐκείνους.]

|| Νῦν, interdum non τὰ, sed τὸ ante se habet, post se autem infin. εἶναι, vel partic. ἔχον. Nam dicitur Τὸ νῦν εἶναι, item Τὸ νῦν ἔχον, Attice pro νῦν, Nunc. Sed et aliam scripturam esse sciendum est, qua articulus adverbio jungitur, ita, Τονῦν εἶναι, et Τονῦν ἔχον. Xen. Cyrop. 5, [3, 42] : Σὺ δὲ, Ἀλκεύνα, [ὁ] ἄγων αὐτοὺς ἐπιμελοῦ τονῦν εἶναι πάντων τῶν ὄπισθεν. Verum in aliis exempll. scriptum est τὸ νῦν εἶναι. Legimus et ap. Plat. De rep. 6, [p. 506, D] : Αὐτὸ μὲν τί ποτ' ἐστὶ τὸ μακάριον, ἐάσομεν τὸ νῦν εἶναι· vel τονῦν εἶναι. Sic τονῦν ἔχον, Synes. : Οὐ μὴν ἐξεγένετο πέμπειν τονῦν ἔχον. Interdum autem separantur interjecta particula δέ : diciturque

A τὸ δὲ νῦν ἔχον, et τὸ δὲ νῦν εἶναι. [Absolute Pind. Pyth. 5, 107 : Θεός τε οἱ τὸ νῦν τε πρόφρων τελεῖ δύνασιν, et interposito γε 11, 44 : Ἢ πατρὶ Πυθονίκῳ τό γε νῦν ἢ Θρασυδαίῳ. Ms. ap. Lambec. Bibl. Cæs. vol. 5, p. 113, C : Τὸ νῦν δὲ Γεωργίου.]

|| Νῦν aliter etiam articulo jungitur, siquidem dicitur Ἐν τῷ νῦν, item Ἀπὸ τοῦ νῦν, et Μέχρι τοῦ νῦν. Possumus autem cum ἐν τῷ νῦν subaudire dat. χρόνῳ, sicut cum ἀπὸ τοῦ νῦν et μέχρι τοῦ νῦν subaudimus χρόνου. Ap. Plat. extat Ἐν τῷ νῦν (subaudiendo χρόνῳ), Hoc tempore, In præsentia, Nunc. Illud autem Ἀπὸ τοῦ νῦν, subaudiendo χρόνου, (q. d. Ab hoc tempore,) quidam interpr. Posthac : ut in isto loco 2 Cor. 5, [16] : Ὥστε ἡμεῖς ἀπὸ τοῦ νῦν, οὐδένα οἴδαμεν κατὰ σάρκα· εἰ δὲ καὶ ἐγνώκαμεν κατὰ σάρκα Χριστὸν, ἀλλὰ νῦν οὐκ ἔτι γινώσκομεν. Hoc quidem certe constat, esse omnino quod vulgo dicimus *D'ores en avant*, aut potius conjuncte, *Doresenavant :* vel (sequendo vulgus) *Doresnavant :* qua significatione dicimus etiam *Desormais*. At vero *Des maintenant*, quo quidam interpretantur
B illud ἀπὸ τοῦ νῦν, diversum est. Illud vero tertium loquendi genus, Μέχρι τοῦ νῦν, usisatius est : significans Usque ad hoc tempus. Exemplum invenies in voce Μέχρι. [« Dicitur etiam Μέχρι τῆς νῦν, subaudito nomine ἡμέρας vel ὥρας. » HSt. Ms. Vind.]

|| Νῦν, Nunc, i. e. Hodieque, pro Hoc tempore, Hac tempestate. Thuc. 2, [15] : Καὶ νῦν ἔτι ἀπὸ τοῦ ἀρχαίου πρό τε γαμικῶν καὶ ἐς ἄλλα τῶν ἱερῶν νομίζεται τῷ ὕδατι χρῆσθαι. Sic dicitur οἱ δὲ νῦν, subaudiendo ἄνθρωποι, Qui nunc sunt homines, Homines qui hodie vivunt, Homines hujus seculi. Legitur quum apud alios, tum ap. Athen.

|| Νῦν, pro Tunc, ex Plut. Fabio [c. 23] : Ὡς πάλαι μὲν ἑώρα χαλεπὸν αὐτοῖς, νῦν δὲ ἀδύνατον κρατεῖν ἀπὸ τῶν ὑπαρχόντων Ἰταλίας, Jampridem perspexisse difficile ipsis esse, tum autem impossibile, præsentibus copiis, Italia potiri. Hæc ex VV. LL. Invenitur quidem certe Nunc itidem pro Tunc apud Sueton. [Act. SS. Maji vol. 5, p. 384, D : Τοῦ τῆς κόρης πατρὸς, εἰ μὴ νῦν οἱ γάμοι συντελεσθεῖεν, οὐκ ἀνεκτὰ ποιουμένου. De
C re præterita, ut sit non Nunc, sed Jam, etiam ap. Pausan. 4, 35, 7 : Ἔνθα νῦν ἀποτολμήσαντες οἱ Ἰλλυριοὶ καὶ ἄνδρας πολλοὺς ... ἁρπάζουσιν.]

|| Νῦν habens utrimque τοτὲ, vide in Νυνί.

|| Νῦν δὴ pro νῦν interdum ponitur, ap. Plat. Leg. p. 252 [5, p. 745, D] : Μηχανᾶσθαι δὲ καὶ ἐν τοῖς δίχα τμήμασι τὸ νῦν δὴ λεγόμενον φαυλότητός τε καὶ ἀρετῆς χώρας. Ap. Eund. legimus in Hipp. Min. [p. 365, B] : Νῦν δὴ [al. ἤδη], ὦ Ἱππία, κινδυνεύω μανθάνειν ὃ λέγεις· itidemque in aliis plerisque ejus ll. pro Nunc poni νῦν δὴ constat. Legimus eod. modo ap. Polyb. : Ὑπὲρ ὧν νῦν δὴ ὁ λόγος. Pollux tamen [1, 72] νῦν δὴ i. esse testatur q. ἄρτι : ita scribens, Ἄρτι, ὅ ἐστι πρὸ μικροῦ, καὶ νῦν δὴ, ὅ ἐστι ταυτόν. Idem testatur et Hesych. Atque adeo et hujus signif. ap. eund. Plat. exx. habemus : ut in Politico, Καθάπερ ἐρρέθη νῦν δὴ, Ut modo dictum fuit. Sic alibi, Τοῖς νῦν δὴ ῥηθεῖσιν. Item, Οὐ καὶ ἀνδρίαν νῦν δὴ ἔλεγες εἶναι μετὰ ἐπιστήμης; [Aristoph. Pac. 5 : Ποῦ γὰρ ἣν νῦν δὴ 'φερες;] Meminit vero hujus signif. Eustath. quoque [Il. p. 174,
D 5], sed scribens Νῦνδη [Νύνδη], conjunctim, et unico accentu : ὑφ' ἑνὶ τόνῳ, ut ipse loquitur. Καὶ νῦνδη, inquit, ἀντὶ τοῦ ἀρτίως, ἐν ἑνὶ τόνῳ. [Schol. Od. A, 160 : Ἦν νῦν δὴ Τροίηθεν) Τὸ (νύνδη addit Buttm.) ὡς ἐν μέρει (ἐν μέρος Buttm.) λόγου παροξύνουσιν, ἀντὶ τοῦ ἀρτίως, ὁμοίως τῷ Οὗτος ἀνὴρ νῦν δὴ ξυμβλήμενος (Od. Ω, 260).] Additque, Quod etiam tradunt cum solo præterito construi. [Conf. Etym. M. p. 78, 38. Jo. Alex. p. 29, 14 : Τὸ νῦν δὴ, ὅτε σημαίνει τὸ πρὸ ὀλίγου, quod quum inter barytona in η ponat scribendum νύνδη.] Sed hoc refellunt priores, quos ex Plat. attuli, loci. [Grammaticis qui opposuerunt locos quales Plat. Soph. p. 221, C : Καὶ νῦν δὴ τοῦτον ἰδιώτην θήσομεν, ut ostenderent etiam cum futuro conjungi, non animadverterunt hic locum non habere ex mente illorum νύνδη, sed utramque particulam seorsum poni. Præterito vero etiam præsens addere debebant grammatici.] Ceterum ut vacat δὴ post νῦν, quum accipitur pro νῦν simpliciter, sic Νῦνπερ ex Apollonio affertur pro νῦν, vacante περ. Sic certe et cum aliis

plerisque vocabulis hæc vocula περ vacare comperitur.

|| Νῦν ἄρτι, Nunc jam, primum, demum, VV. LL. ex Plat. [Epist. 2, p. 314, B] : Νῦν ἄρτι σφίσι φασὶ τὰ μὲν τότε ἀπιστότατα δόξαντα εἶναι, νῦν πιστότατα καὶ ἐναργέστατα φαίνεσθαι.

|| Νῦν πρῶτον, ut Lat. Nunc primum. Plato Apol. [p. 17, D] : Νῦν ἐγὼ πρῶτον ἐπὶ δικαστήριον ἀναβέβηκα, ἔτη γεγονὼς πλείω ἑβδομήκοντα.

|| Νῦν κ' εἴη, pro νῦν καιρὸς, Hesych.

|| Νῦν τήμερον, vide in Νυνί.

|| Καὶ νῦν, Nunc quoque. At in VV. LL. redditur Etiam num, Quin etiam, Quin potius; Jam vero, Atqui. Afferturque ex Aristot. Rhet. 1 : Πολλῷ δὲ πλείω δεδόσθαι καὶ νῦν αὐτῇ τῶν οἰκείων θεωρημάτων, ἀληθές ἐστι. Sed aliud exemplum afferendum fuisset.

[|| Νῦν ὅτε pro simplici νῦν positum omisso post νῦν verbo ἐστι, ap. Æsch. Sept. 705 : Νῦν ὅτε σοι παρέστακεν· Suppl. 630 : Νῦν ὅτε καὶ θεοὶ διογενεῖς κλύοιτε. Sic νῦν ὅπᾳ Pind. Ol. 11, 9 : Νῦν ψᾶφον ἑλισσομέναν ὅπᾳ κῦμα κατακλύσσει ῥέον, ὅπα τε κοινὸν λόγον φίλαν τίσομεν ἐς χάριν; Et νῦν ἵνα Hom. Il. Σ, 88 : Νῦν δ' ἵνα καὶ σοὶ πένθος ἐνὶ φρεσὶ μυρίον εἴη παιδὸς ἀποφθιμένοιο.]

|| Νῦν, interdum signif. temporis non habet, sed potius servit orationi quæ est κατὰ θέσιν καὶ ἄρσιν, ut quidam loquuntur : sic vocantes orationem cujusmodi est ista, Si diligentiam adhibuisses, res bene se habuisset; nunc tua negligentia factum est ut nulla spes nobis supersit. Sic Cic. De divin. : Quæ quidem multo plura evenirent, si ad quietem integri iremus; nunc onusti cibo et vino, confusa et perturbata cernimus. Sic legimus ap. Eund. Ep. ad Famil. Ep. 1 penult. : Sed vellem non solum salutis meæ, quemadmodum medici, sed etiam, ut aliptæ, virium et coloris rationem habere voluissent : nunc ut Apelles Veneris caput et summa pectoris politissima arte perfecit, reliquam partem corporis inchoatam reliquit : sic quidam homines etc. Non dubium est certe quin eum locum, quem in ista oratione obtinet Nunc, obtinere potuisset Verum, aut Sed. Sunt autem qui quum istum usum habet Nunc, sicut ap. Græcos νῦν, assumptioni adhiberi dicant. Plerumque certe ita usurpatur Nunc in posteriori orationis parte, ubi prior habet particulam Si. Additurque non raro particula Vero : ut ap. eund. scriptorem, Nam si ita diceres, ... nunc vero fateris. Sic ap. Thuc. 4, p. 161 [c. 126], initio concionis Brasidæ ad milites : Εἰ μὲν μὴ ὑπώπτευον ... οὐκ ἂν ὁμοίως διδαχὴν ἅμα τῇ παρακελεύσει ἐποιούμην· νῦν δὲ πρὸς μὲν κτλ. Ita usus est 1, p. 39 [c. 122] : Ἐνθυμώμεθα δὲ καὶ ὅτι εἰ μὲν ἡμῶν ἑκάστοις πρὸς ἀντιπάλους περὶ γῆς ὅρων διαφοραὶ, οἰστὸν ἂν ἦν· νῦν δὲ πρὸς ξύμπαντάς τε ἡμᾶς Ἀθηναῖοι ἱκανοὶ, καὶ κατὰ πόλιν ἔτι δυνατώτεροι. Sic ap. Isocr. Archid., præcedente εἰ sequitur νῦν, in ipso fere principio [p. 116, B] : Ἐγὼ δὲ, εἰ μέν τις ἄλλος τῶν εἰθισμένων ἐν ὑμῖν ἀγορεύειν, ἀξίως ἦν τῆς πόλεως εἰρηκὼς, ἡσυχίαν ἂν ἦγον· νῦν δὲ ὁρῶν τοὺς μὲν συναγορεύοντας οἷς οἱ πολέμιοι προστάττουσι κτλ. Itidemque ap. Dem. C. Mid. usurpatur Atticum Νυνί : in fine p. 231 et init. p. 232 [556, 19] : Εἰ μὲν τοίνυν, ὦ ἄνδρες Ἀθηναῖοι, σώφρονα καὶ μέτριον πρὸς τἄλλα παρεσχηκὼς αὑτὸν Μειδίας, καὶ μηδένα τῶν ἄλλων πολιτῶν μηδὲν ἠδικηκὼς, εἰς ἐμὲ μόνον ἀσελγὴς οὕτω καὶ βίαιος ἐγεγόνει, πρῶτον μὲν κτλ., paucis autem interjectis [26], Νυνὶ δὲ τοσαῦτά ἐστι δὴ τἄλλα ἃ πολλοὺς ὑμῶν ἠδίκηκε, καὶ τοιαῦτα, ὥστε κτλ. [Herodotus, cui tamen vel invitis libris restituendum νῦν, 7, 229 : Εἰ μέν νυν ἦν ... νυνὶ δὲ τοῦ μὲν αὐτῶν ἀπολομένου ... ἀναγκαίως σφι ἔχειν. Isæus De Cleonymi hered. § 30 : Εἰ μὲν καὶ νῦν οὕτω πρὸς ἀμφοτέρους ἡμᾶς ἔχων ἐτελεύτησεν ... νυνὶ δὲ πᾶν τοὐναντίον εὑρήσετε. Dio Chr. Or. 63, vol. 2, p. 340 : Ἔδει δὲ ἄρα καὶ τὸν Πολυνείκην, εἴπερ καλῶς ἐβουλεύετο, κλήρῳ ... λαχεῖν· νυνὶ δὲ αὐτός τε ἀπέθανε κτλ.] Neque tamen semper particulam εἰ præcedere existimandum est, ut videmus ap. Isocr. in Ep. ad Timotheum, et in aliis aliorum locis. Sciendum est porro ex Hom. manasse istum particulæ νῦν usum; in aliquot enim ejus locis eum observavi : ex quorum numero est iste, Od. A, [219] : Ὡς δὴ ἔγωγ' ὄφελον μάκαρός νύ τευ ἔμμεναι υἱὸς Ἀνέρος, ὃν κτεάτεσσιν ἑοῖς ἐπὶ γῆρας ἔτετμε· Νῦν δ' ὃς ἀποτμότατος γένετο θνητῶν ἀνθρώπων, Τοῦ μ' ἐκ φασὶ γενέσθαι· ἐπεὶ σύ γε τοῦτ' ἐρεείνεις. Cui loco addi potest iste [232] : Μέλλεν μέν ποτε οἶκος ὅδ' ἀφνειὸς καὶ ἀμύμων Ἔμμεναι, ὄφρ' ἔτι κεῖνος ἀνὴρ ἐπιδήμιος ἦεν· Νῦν δ' ἑτέρως ἐβάλοντο [ἐβόλοντο] θεοὶ, κακὰ μητιόωντες, vel βούλοντο θεοί.

|| Attice Νυνὶ dicitur, sicut οὑτοσὶ pro οὗτος, et alia nonnulla itidem ι asciscunt. Utitur eo Demosth.; utitur et Aristoph., ap. quem tamen legitur et νῦν, Pl. [100], Ἄφετόν με νῦν· ἴστον γὰρ ἤδη τἀπ' ἐμοῦ. Sic [820], Καὶ νῦν ὁ δεσπότης μὲν ἔνδον βουθυτεῖ. Et paulo post, Ἀνὴρ πρότερον μὲν ἄθλιος, νῦν δ' εὐτυχής. Itidemque ap. Thuc. νῦν passim legimus. [Est νυνὶ etiam ap. Xenoph. et Plat., ut Gorg. p. 458, D : Οὕτως ὥσπερ νυνί· Phæd. p. 115, C : Ὁ νυνὶ διαλεγόμενος· Crat. p. 421, D : Πρὸς τὴν νυνὶ (φωνήν). Cum art. sic Aristoph. Ran. 1256 : Κάλλιστα μέλη ποιήσαντι τῶν ἔτι νυνί.] Mirum est autem quod ex Eust. et Etym. attuli supra, νυνὶ præsenti duntaxat jungi, quamvis νῦν tribus temporibus jungatur. Mirum, inquam, hoc est, ac fortassis ejusmodi quod minime verum comperiri possit. [Cum perf. Plato Reip. 1, p. 354, C : Νυνὶ γέγονεν. Hipp. min. p. 372, E : Νυνὶ ἐν τῷ παρόντι ὥσπερ κατηβολὴ περιελήλυθε· Theæt. p. 158, C : Ἃ νυνὶ διειλέγμεθα. Cum aor. Conv. p. 193, A : Νυνὶ δὲ διῳκίσθημεν. Aristoph. Nub. 786 : Ἐπεὶ τί νυνὶ πρῶτον ἐδιδάχθης λέγε· 825 : Ὤμοσας νυνὶ Δία. Photius : Νυνί μ' ἔπεισας μᾶλλον νῦν λέγε, non perspiciens ille δεικτικὸν non minus recte referri ad id quod nunc ipsum factum est aut futurum est quam quod fit. V. ll. paullo ante citatos.] Apud Dem. legimus νυνὶ τήμερον, Pro cor. [p. 315, 13] : Ἐδίδασκες γράμματα, ἐγὼ δ' ἐφοίτων· ἐτέλεις, ἐγὼ δ' ἐτελούμην· ἐχόρευες, ἐγὼ δ' ἐχορήγουν· et paucis interjectis, Ἐῶ τἄλλα· ἀλλὰ νυνὶ τήμερον ἐγὼ μὲν ὑπὲρ τοῦ στεφανωθῆναι δοκιμάζομαι. Ubi non dubium est quin νυνὶ τήμερον sonet quod vulgo dicimus, *Pour le jourdhuy :* viderique possit vacare νυνι. Alioqui dicendum fuerit τήμερον addi ad restringendam ipsius adverbii νυνὶ signif. : sicut de νῦν αἶψα dictum fuit : ubi tamen aliud restrictionis genus esse fateor. Apud Aristoph. legimus νυνὶ habens utrimque τοτὲ, Ran. [291] : Τοτὲ μὲν βοῦς, νυνὶ δ' ὀρεὺς, τοτὲ δ' αὖ γυνὴ Ὡραιοτάτη τις, subaudi γίνεται. Ubi νυνὶ reddi debet eadem particula Latina, qua et τοτὲ redditur. Latini dicunt Nunc quidem, Nunc vero : et Modo quidem, Modo vero : item, Interdum quidem, Interdum vero. [Νυνὶν et οὑτωσὶν memorat Theognost. Can. p. 162, 1.] Sed dicitur etiam Νυνδὶ, pro νῦν, teste Eust. p. 45. [Quod restitutum Aristophani Pl. 1033, Eq. 1357.] His addendum est tertium Νυνμενί (pro quo mendose legitur Νυνμένη in VV. LL.). Sed pro Νυνμενὶ scribitur etiam Νῦν μενὶ disjunctim : extatque hæc scriptura ap. Aristoph. Av. [448], ubi schol. ait esse pro νῦν μέν. Quidam tamen νυνμενὶ scribentes conjunctim, pro νῦν simpliciter accipi putarunt. Ut autem Νυνμενὶ, sic scriptum Τοιγαρὶ [Νυνγαρὶ] fuisse, docui in meis Animadvv. in Corinthi Tractatum de dial. Attica p. 50. [Νυνγαρὶ memorat Eustath. Il. p. 45, 3. ι]

|| At partic. Νυ, expletiva, nihil cum νῦν s. νυνὶ commune habet [Est potius nihil aliud quam νῦν, sed ancipitis mensuræ, neque ex νὺ factum νὺν, sed hoc ex illo] : dicam tamen et de illa, ut eadem opera discat lector eam a νῦν adv. discernere. Hoc igitur primum sciendum est, νυν aliud nihil esse quam νυ, sc. κατ' ἐφελκυσμὸν τοῦ ν, ut quidam gramm. loquuntur. Οὕτω καὶ τὸ νυ παραπληρωματικὸν ἀντὶ τοῦ δή, σπανιώτατα μὲν, γίνεται δ' ὅμως ἐφελκυστικὸν ποτὲ τοῦ ν καὶ αὐτό· ut legimus ap. Eust. [Il. p. 52, 22; add. p. 1312, 17], loquentem et de quibusdam aliis particulis quæ itidem asciscunt literam ν : ex quibus est κεν. Nec solum in voce Τοίνυν, inquit, sed ap. Eur. quoque [Hec. 996] : Σῶσόν νυν αὐτὸν, μηδ' ἔρα τοῦ πλησίον. Sciendum est autem, ap. Tragicos potissimum et Comicos in usu hanc particulam esse : præsertimque cum imperativis : ut habuisti in versu modo allato, Σῶσόν νυν. Sic σίγα νυν, Soph. [Aj. 87] : Σίγα νυν ἑστὼς, καὶ μέν' ὡς κυρεῖς ἔχων· quod leg. esse καθ' ὁμαλισμὸν annotat schol. Sic σπεῦδέ νυν, Aristoph. Pl. [414.] Sed ut ap. Tragicos nonnulli loci reperiuntur, in quibus νῦν adverbium temporis sedem παραπληρωματικῆς voculæ νυν

occupat, sic et ap. Aristoph. non paucos locos hujus erroris suspectos habeo: ut in Pl. [790]: Φέρε νῦν, νόμος γάρ ἐστι, τὰ καταχύσματα Ταυτὶ καταχέω σου λαβοῦσα. Sic Pl. [316] pro εἶα νῦν vereor ne εἶά νυν reponendum sit. Ibid. [208] pro Μὴ νῦν μελέτω σοι μηδὲν, ne reponi debeat Μή νυν, κτλ. Quibusdam autem in ll. errorem lex metri patefacit, quum νῦν producatur, at νυν contra corripiatur. [Etiam encliticum ap. Tragicos sæpe, ap. Aristophanem semper produci præter alios ostendit Wordsworth. in Mus. philol. Cantabr. vol. 1, p. 226, exemplis Æsch. Prom. 82: Ἐνταῦθά νυν ὕβριζε· Sept. 242: Μή νυν, ἐὰν θνήσκοντας ἢ τετρωμένους πύθησθε, κωκυτοῖσιν ἁρπαλίζετε, ut recte scripsit Blomfieldus pro μὴ νῦν, et aliis. Apud Comicos correpti υ duo sunt exx. Cratini fr. Ulix. apud Hephæst. p. 47 G.: Σιγάν νυν ἅπας ἔχε σιγάν· et Aristoph. Thesm. 103: Τίνι δαιμόνων ὁ κῶμος λέγε νυν· εὐπίστως δὲ τοὐμὸν δαίμονας ἔχει σεβίσαι, quæ tamen Agathonis tragici sunt, non Comici verba.] Usus est porro et Hom. ista particula, Il. Ψ, [485]: Δεῦρό νυν ἢ τρίποδος περιδώμεθον ἠὲ λέβητος. Ubi Eust. annotat hanc particulam videri posse vocari σύνδεσμον παραπληρωματικόν. [K, 105: Ὅσα πού νυν ἐέλπεται. Pind. Ol. 3, 36: Καί νυν ἐς ταύταν ἑορτὰν ἵλαος νίσσεται· 7, 13: Καὶ νῦν ὑπ' ἀμφοτέρων σὺν Διαγόρᾳ κατέβαν· 11, 81: Ἀρχαῖς δὲ προτέραις ἑπόμενοι καί νυν ἐπωνυμίαν χάριν νίκας ἀγερώχου κελαδησόμεθα· Pyth. 4, 42: Καί νυν ἐν τᾷδ' ἄφθιτον νάσῳ κέχυται· 9, 73; Nem. 6, 8, item post καί. Quod Sophocli Ant. 1140 intulit Triclinius, ubi antistrophicus versus corrigendus erat. Exx. Tragicorum de υ correpto supra citatis ab HStephano alia, quorum nonnulla indicavit Wordsworth. l. c., addi inutile est. Recte autem idem animadvertit distinguenda esse δὴ νῦν cum indicativo, ubi νῦν temporis continet signif. et δή νυν cum imperativo, ubi semper est encliticum. Utriusque exx. v. in Δὴ vol. 2, p. 1049, D. Quod illic diximus νὺν encliticum etiam Platoni restituendum, idem ap. Xenoph. H. Gr. 5, 1, 32: Ἴτε νυν καὶ ἐρωτᾶτε, fecerat jam Dorvill. ad Char. p. 701=629, et faciendum restat ap. alios in prosa, νὺν ponentes post imperativum, velut quos memorat Abresch. ad Xen. Eph. p. 187 Loc. Non est enim cur poeticum putetur νυν encliticum, quod prosæ quoque tribuere videtur schol. ad Eur. Hec. l. ab HSt. citatum (975 Matth.): Τὸ νῦν (scr. νύν) οὐκ ἔστι χρονικὸν ἐνταῦθα, ἀλλὰ συμπερασματικὸν, ἀντὶ τοῦ δὴ λαμβανόμενον, ὥσπερ καὶ τὸ νύ παραπληρωματικόν. Χρῶνται δὲ τῷ νύ μόνοι οἱ ποιηταὶ, τῷ δὲ νῦν (immo νύν) καὶ ποιηταὶ καὶ λογοποιοί. Ἴσθι δὲ ὅτι τὸ μὲν νῦν τὸ χρονικὸν ἀεὶ μακρόν ἐστι καὶ περισπᾶται· διὸ καὶ τὸ νυνὶ ἐκ τούτου γινόμενον μακρόν ἐστι· τὸ δὲ νῦν (immo νύν) ἀντὶ τοῦ δὴ ἀεὶ βραχὺ, καὶ ὀξύνεται μόνον κείμενον, συντεθὲν δὲ ἐγκλίνεται, ὡς κἀνταῦθα. Quocum conf. schol. Aristoph. Pl. 414: Σπεῦδέ νυν) Τοῦτο τὸ νυν καθ' ὁμαλισμὸν ἀναγνωστέον, ἵν' εἴη ἀντὶ τοῦ δή· ἐγκλίνεται γὰρ ἀεὶ καὶ βραχύ ἐστι φωνήεντος ἐπιφερομένου, ὡς τὸ Σίγα νυν ἑστὼς καὶ μέν' ὡς χυρεῖς ἔχων παρὰ Σοφοκλεῖ (l. ab HSt. cit.). Τὸ δέ γε νῦν τὸ περισπώμενον ἐπίρρημά ἐστι χρονικὸν καὶ μακρὸν ἀεὶ εὑρίσκεται· διὸ καὶ περισπᾶται. Qui quæ de mensura dicunt, corrigenda ex iis quæ supra scripsimus. De accentu autem dissenserunt ab recentioribus grammaticis, qui encliticum faciunt sive productum sive correptum, antiquiores, qui nihil de enclisi nec nisi metro cogente circumflexum mutari volunt. Schol. Hom. Il. Γ, 97: Τὸ νῦν περισπαστέον, κἂν παρέλκῃ παρὰ τῷ ποιητῇ, et, ubi ἐγκλίνειν dicendum fuisset, A, 421: Ἀλλὰ σὺ μὲν νῦν νηυσὶ παρήμενος) τὸ νῦν ἀντὶ τοῦ δὴ, διὸ καὶ Τυραννίων ἠξίου ὀξύνειν αὐτὸ, οὐκ εὖ. Contra Eust. Il. p. 792, 14: Ἐν δὲ τῷ Ὅσα πού νυν ἐέλπεται (K, 105) συστέλλεται τὸ νῦν κατὰ τὸν Ἀπίωνα διὰ τὸ μέτρον, ὡς καὶ ἐν τῷ (Ψ, 185 supra ap. HSt.). Ὅθεν καὶ ἔστι νοῆσαι ὡς δίχα τόνου ὀφείλει κεῖσθαι ἡ λέξις κτλ. Schol. Æsch. Ag. 937: Μή νυν) καθ' ὁμαλισμὸν ἀναγνωστέον τὸ νυν καὶ ἄνευ τόνου, ἵνα ᾖ ἀντὶ τοῦ δή· Apoll. Rh. 1, 664: Ἡμετέρη μέν νυν) κατ' ἔγκλισιν τὸ νυν ἀναγνωστέον· οὐ γὰρ δηλοῖ χρόνον, ἀλλ' ἴσον ἐστὶ τῷ δή· ἐκτατέον δὲ διὰ τὸ μέτρον. Charax in Bekk. An. p. 1155: Τὸ νῦν ἐπίρρημα ὂν περισπᾶται, σύνδεσμος δὲ ὢν καὶ συστέλλεται καὶ ἐγκλίνεται. Jo. Alex. p. 31, 10, nonnisi τὸ νῦν χρονικὸν inter circumflexa memorans, nihil dicit de altero

A accentu. Ceterum etiam in prosa Ionica usurpatum Herodoti testantur exx. post μὲν ponentis 1, 18: Τὰ μέν νυν ἐξ ἔτεα τῶν ἕνδεκα· 20: Μιλήσιοι μέν νυν οὕτω λέγουσι γενέσθαι.]

|| Νυ, ut νυν, ap. poetas particula est expletiva. Hom. [Il. A, 28: Μή νύ τοι οὐ χραίσμῃ·] Od. O, [19]: Μή νυ τι... κτῆμα φέρηται, Ne qua res auferatur. [Il. E, 191: Θεός νύ τίς ἐστι κοτήεις.] Hesiod. Op. [205]: Ἔχει νύ σε πολλὸν ἀρείων, Tenet te multo fortior. Iidem poetæ dicunt ὅς νυ pro ὅς γε. Hesych. innuit poni pro δή. [Hom. Il. A, 382: Οἱ δέ νυ λαοὶ θνῆσκον· Π, 622: Θνητὸς δέ νυ καὶ σὺ τέτυξαι. Post δὴ positum v. in illo vol. 2, p. 1042, C. Post ἐπεὶ Hom. Il. A, 416: Ἐπεί νύ τοι αἶσα. Post ἢ Z, 439: Ἤ νυ καὶ αὐτῶν θυμός. Post ἦ ῥα Il. Γ, 158: Ἦ ῥά νύ τοι πολλοί· Δ, 93. Post καὶ Il. Γ, 373, Καί νυ κεν εἴρυσσεν· E, 311. Post οὐ Il. K, 165: Οὔ νυ καὶ ἄλλοι ἔασιν. Post τίς Il. A, 414: Τί νύ σ' ἔτρεφον; Δ, 31: Τί νύ σε Πρίαμος Πριάμοιό τε παῖδες τόσσα κακὰ ῥέζουσιν; Post ὡς Il. B,
B 258: Ὥς νύ περ ὧδε. Sequente τοι Il. Δ, 155: Θάνατόν νύ τοι ὅρκι' ἔταμνον. Et iisdem modis ceteri Epici. In prosa Aretæus p. 66: Ἀτὰρ ἠδὲ τένοντες ἠδέ νυ μύες ξὺν ἐντάσει ἀλγέουσι. L. Dindorf.]

[Νυγαρὶ, Νυνδὶ, Νυνὶ, Νυνὶν, Νυνμενί. V. Νῦν. ι]

Νύννιον, et Νύννιος, dici tradunt ἐπὶ τοῖς παιδίοις τοῖς καταβαυκαλουμένοις, teste Hesych. Forsan est Cantilena illa quo dum pueros in cunis agitant crebro accinunt νυννὶ, ut hodieque. [V. Νινίον.]

Νὺξ, νυκτὸς, ἡ, Nox. Hom. Od. Λ, [182]: Ὀϊζυραὶ δέ οἱ αἰεὶ Φθίνουσιν νύκτες τε καὶ ἤματα δακρυχεούσῃ, Dies noctesque. Il. Ω, [363]: Νύκτα δι' ἀμβροσίην, ὅτε εὕδουσι βροτοὶ ἄλλοι· pro quo K, [276] dicit, Νύκτα δι' ὀρφναίην. Et Od. O, [50]: Νύκτα διὰ δνοφερήν· Il. Θ, [486]: Ἐν δ' ἔπεσ' Ὠκεανοῦ λαμπρὸν φάος ἠελίοιο Ἕλκον νύκτα μέλαιναν ἐπὶ ζείδωρον ἄρουραν. Et [Od. Ξ, 457]: Νὺξ δ' ἄρ ἐπῆλθε κακὴ σκοτομήνιος· pro quo dicit Il. Θ, [488]: Ἐπήλυθε νὺξ ἐρεβεννή. [E, 506: Ἀμφὶ δὲ νύκτα θοῦρος Ἄρης ἐκάλυψε μάχῃ.] Od. Λ, [605]: Ἐρεμνῇ νυκτὶ ἐοικὼς, quam ap. Athen. 12, quidam μελάμπεπλον appellat. [Il. A, 47: Ὁ δ' ἤϊε νυκτὶ ἐοικώς· M, 463:
C Ἕκτωρ νυκτὶ θοῇ ἀτάλαντος ὑπώπια.] Quod Latini dicunt Nocte, s. Noctu, Per noctem, id Græci variis modis. Hesiod. Op. [102]: Νοῦσοι δ' ἀνθρώποισιν ἐφ' ἡμέρῃ ἠδ' ἐπὶ νυκτὶ Αὐτόματοι φοιτῶσι. Arat. [323]: Καθαρῇ ἐπὶ νυκτὶ, Nocte serena, ut vertit Cic. Xen. Symp. [1, 9]: Ὅταν φέγγος τι ἐν νυκτὶ φανῇ. Et sine ἐν ap Hom. Od. O, [34]: Νυκτὶ δ' ὁμῶς πλείειν. [Et sic ap. alios quosvis utroque modo. Rarius plurali, ut Liban. vol. 1, p. 510, 10: Τὰ μὲν ἐν νυξὶ, τὰ δὲ ὑφ' ἡλίῳ.] Alexis ap. Athen. 15, [p. 700, A]: Περιπατεῖν τῆς νυκτός. [Æschyl. Pers. 200: Καὶ ταῦτα μὲν δὴ νυκτὸς εἰσιδεῖν λέγω· Sophocl. Ph. 606: Νυκτὸς ἐξελθὼν μόνος· Aj. 285: Ἄκρας νυκτός.] Et apud Xenoph. Cyrop. 1, p. 8 [H. Gr. 1, 1, 11, al.] Ἐκ νυκτὸς, itidem pro Noctu (sicut ap. Horat., Ut jugulent homines surgunt de nocte latrones), ubi tamen scribitur etiam ἐν νυκτί. Sed lubenter retineo ἐκ νυκτὸς, ut Theogn. [460] de muliere, quam ἀκάτῳ comparat: Πολλάκι δ' ἐκ νυκτῶν ἄλλον ἔχει λιμένα. [Æsch. Cho. 288: Μάταιος ἐκ νυκτῶν φόβος κινεῖ. Eur. Rhes. 13.
D Theætet. Anth. Pal. 7, 444, 2.] Dicunt præterea διὰ νυκτὸς, necnon ἀνὰ νύκτα, aut simpliciter νύκτα. Plato Pol. 1: Ἄλλο σκοπεῖν αὐτοὺς διὰ νυκτὸς καὶ ἡμέρας. Pausan. Att. [32, 4]: Ἀνὰ πᾶσαν νύκτα ἵππων χρεμετιζόντων, Per totam noctem. Hom. autem ἀνὰ νύκτα dixit pro Noctu s. νύκτωρ, Il. Ξ, [80]: Οὐ γάρ τις νέμεσις φυγέειν κακὸν, οὐδ' ἀνὰ νύκτα, Ne noctu quidem. Et sine ἀνὰ ap. Alex. Aphr. Probl. 1, 69: Νύκτα ὁρᾷν, pro νύκτωρ, Noctu. [Eur. Bacch. 187: Οὐ κάμοιμ' ἂν οὔτε νύκτ' οὔθ' ἡμέραν. Cum εἰς Xen. Ven. 11, 4: Εἰς νύκτα· H. Gr. 4, 6, 7: Εἰς τὴν νύκτα ἀπῆλθον· et εἰς τὴν ἐπιοῦσαν v. Anab. 7, 4, 14. Pausan. 9, 5, 1: Οἱ μὲν Ὕαντες ἐς τὴν νύκτα τὴν ἐπερχομένην ἐκδιδράσκουσι. Cum ἐπὶ id. 9, 5, 1: Κλείεσθαι αὐτὸ ἐπὶ νυκτὶ ἑκάστῃ. Cum μετὰ Pind. Nem. 6, 6: Μετὰ νύκτας. Cum ὑπὸ Thuc. 4, 67: Ὑπὸ νύκτα πλεύσαντες. Xen. Ages. 2, 19. Pausan. 9, 5, 13: Ὑπὸ τὴν ἐπιοῦσαν νύκτα.] Dicitur alioqui potius cum ὅλην, et quidem pro Per totam noctem. Xen. Cyrop. 2, [4, 26]: Πολλάκις ὅλην τὴν νύκτα ἄϋπνος πραγματεύῃ. [Amphis] apud Athen. 2, [p. 69, C]: Στρέφοιθ' ὅλην

τὴν νύκτα. Usurpatur et plur. accus. Hom. Il. I, [325] : A Πολλὰς μὲν ἀΰπνους νύκτας ἴαυον· quod Virg., Insomnem ducere noctem. [E, 490 : Σοὶ δὲ χρὴ τάδε πάντα μέλειν νύκτας τε καὶ ἦμαρ, et alibi sæpe. Pind. Pyth. 4, 195 : Νύκτας τε καὶ πόντου κελεύθους. Xen. Conv. 4,54 : Ὅλας καὶ πάσας τὰς νύκτας. L. D. Diphilus ap. Athen. 6, p. 228, A : Ἢ λωποδυτεῖν τὰς νύκτας ἢ τοιχωρυχεῖν. Schweigh.] Plutarch. De laude propria : Τὰς νύκτας ἀγρυπνεῖ. Sicut vero dicitur De die in diem, De nocte in noctem, ita ap. Athen. 11, [p. 473, A] in quodam Epigr. : Ἐξ ἠοῦς εἰς νύκτα καὶ ἐκ νυκτῶν Πασισωκλῆς [πάσι Σωκλῆς] Εἰς ἠοῦν πίνει. Et in Axiocho [p. 368, B] : Βαναύσους πονουμένους ἐκ νυκτὸς εἰς νύκτα, A nocte in noctem, s. A tempore antelucano usque in crepusculum vespertinum. [Eurip. Bacch. 1009 : Ἦμαρ εἰς νύκτα, quod Elmsl. dictum monet ut Herc. F. 505 : Ἐξ ἡμέρας ἐς νύκτα μὴ λυπούμενοι. Synes. Hymn. 3, 446 : Ῥαίνετο δ' εὐνὰ κανθῶν λιβάσιν ὀλοφυρομένων νύκτ' ἐπὶ νύκτα. Xenoph. Anab. 3, 1, 33 : Σχεδὸν μέσαι ἦσαν νύκτες.] Lucian. [Hermot. c. 11] : Ἐς μέσας νύκτας ἀποταθείσης τῆς B συνουσίας. Thuc. 8, p. 295 [c. 21] : Πρωΐτερον μέσων νυκτῶν, Ante mediam noctem. Xen., Μέσων νυκτῶν, Media nocte : et pro eod. [Cyrop. 5, 3, 52], Ἐν μέσῳ νυκτῶν. [Id. 4, 5, 13 : Ἀμφὶ μέσας πως νύκτας. Id. Anab. 1, 7, 1 et] Plut. : Περὶ μέσας νύκτας. At νυκτὸς ἀκμαζούσης, Nocte intempesta : pro quo et νυκτὸς ἀωρίᾳ, et ἀωρίᾳ simpliciter. Et, Νυκτὸς ἤδη πολλῆς προϊούσης, Multa jam nocte. At νυκτὸς ἄκρας vide in Ἀκρόνυχον. || Νὺξ aliquando pro Mortis tenebris capitur. Hom. Il. E, [310] : Ἀμφὶ δὲ ὄσσε κελαινὴ νὺξ ἐκάλυψε· X, [466] : Τὴν δὲ κατ' ὀφθαλμῶν ἐρεβεννὴ νὺξ ἐκάλυψε. Sic Virg., In æternam clauduntur lumina noctem; Catull., Dormienda nox est una perpetua. [Improprie etiam Æsch. Cho. 817 : Νύκτα πρό τ' ὀμμάτων σκότον φέρει. Soph. OEd. C. 1684 : Νῦν δ' ὀλεθρία νὺξ ἐπ' ὄμμασιν βέβηκε. Eur. Alc. 269 : Σκοτία δ' ἐπ' ὄσσοισι νὺξ ἐφέρπει· Herc. F. 1071 : Νὺξ ἔχει βλέφαρα παιδὶ σῷ· Ion. 1466 : Ὅ τε γηγενέτας δόμος οὐκέτι νύκτας δέρκεται. De usu improprio Suicerus : « Nox sumitur pro ignoratione Dei verbique Dei et voluntatis ejus ac impietate, quæ C hanc ignorantiam sequitur, Rom. 13, 12 : Ἡ νὺξ προέκοψε. Theodoretus : Νύκτα καλεῖ τὸν τῆς ἀγνοίας καιρόν. Ita Chrysost. Hom. 56 in Joh. ad hunc l. respiciens : Ὁ Παῦλος νύκτα τὸν παρόντα βίον καλεῖ διὰ τὸ ἐν σκότει εἶναι τοὺς ἐν κακίᾳ διατρίβοντας καὶ ἀπιστίᾳ. Theophylact. p. 132 : Νύκτα καλεῖ τὸν ἐνεστῶτα αἰῶνα διὰ τὸ ἐν σκότει τοὺς πολλοὺς εἶναι καὶ διὰ τὸ συγκεκαλύφθαι τοὺς βίους ἑκάστων. OEcumenius p. 357 : Νύκτα τὸν παρόντα καλεῖ βίον· οὐδὲν γὰρ ὀνειράτων διαφέρει τὰ ἐν αὐτῷ. Eodem modo Thessal. 1, 5, 5 : Οὐκ ἐσμὲν νυκτὸς οὐδὲ σκότους, OEcumenio p. 723, νυκτὸς υἱοὶ sunt ἁμαρτίας υἱοί. 2. Pro tempore post hanc vitam, ubi pœnitentiæ nullus amplius locus. Ita Joh. 9, 4 : Ἔρχεται νὺξ ὅτε οὐδεὶς δύναται ἐργάζεσθαι, interpretatur Chrysost. Hom. 56 in Joh. τουτέστιν ὁ μέλλων καιρὸς, ὅτε ο. δ. ἐ. τουτέστιν ὅτε οὐκέτι πίστις ἔστιν οὔτε πόνοι οὔτε μετάνοια. Item : Νύκτα τὸν μέλλοντα καλεῖ καιρὸν διὰ τὸ τῶν ἁμαρτωλῶν ἀνενέργητον. 3. Pro doctrina V. T. quæ obscura est respectu doctrinæ in N. T. comprehensæ. Ita locum Rom. 13, 12 exponit Cyrillus Alex. l. 3 De adorat. p. 84 : Νύκτα μὲν ὀνομάζειν ἔθος τῇ θείᾳ γραφῇ τὸν D πρὸ τῆς ἐπιδημίας καιρὸν, καθ' ὃν ἔτι τυραννοῦντος τοῦ σατανᾶ κατεκράτει τῶν ἐπὶ τῆς γῆς τῆς ἀγνωσίας ὁ σκότος. 4. Pro Afflictione et calamitate gravissima Theodoret. ad Ps. 3, 6, p. 409 : Νύκτα τὰς συμφορὰς πολλάκις ἡ θεία γραφὴ, ἐπειδὰν ὡς ἐν σκότει διάγειν νομίζουσιν οἱ τοῖς ἄγαν ἀνιαροῖς περιπίπτοντες. » || Nox, f. Chaus, ap. Hesiod. Th. 123, etc. Mater Furiarum ap. Æsch. Eum. 322, etc. Eur. Herc. F. 822, etc. Alibi nox instar deæ invocatur, ut ap. Æsch. Ag. 355 : Ὦ Ζεῦ βασιλεῦ καὶ Νὺξ φιλία· Asclepiadem Anth. Pal. 5, 164, 1 : Νὺξ, σὲ γὰρ οὐκ ἄλλην μαρτύρομαι, quomodo legendum pro ἀλλὴν. L. D. || De forma Νύκτα, ας, ἡ, Ducangius : « Νύκτα, Nox, νὺξ, in Corona pretiosa. Nicetas in Manuele 6, 8 : Ἐπιφανέντων ἐκ τῶν ὄπισθεν νύκτας βαρβάρων τινῶν. Syntipas Ms. : Ἐφ' ὅλαις τεσσαράκοντα νύκταις. Mox : Ὡς ἐτελέσθησαν αἱ ἡμέραι καὶ αἱ νύκται. »]

[Νύξις, εως, ἡ, Punctio, Appulsus. Aret. p. 22, 31 : Ἐξαπίνης ἐκθορνύμενοι ὡς ὑπὸ νύξιος. Plut. Mor. p. 930, F : Τὸν ἀέρα λέγουσιν ... κατὰ νύξιν ἢ ψαῦσιν ἐξηλιοῦσθαι. Sextus Emp. Pyrrhon. 3, 5, p. 141, 38 : Κατὰ ἐπέρεισιν καὶ νύξιν. Eust. Opusc. p. 171, 26 : Πλευρᾶς νύξις.]

[Νυοπολίτης. V. Νεάπολις.]

Νυὸς, ἡ, Nurus [Gl.] : Filii uxor, s. Fratris uxor. [Hesychio νύμφη et νύμφη γεγαμημένη τοῖς τοῦ γήμαντος οἰκείοις.] Hector ap. Hom. Il. Γ, [49] Helenam vocat νυὸν ἀνδρῶν αἰχμητάων· quoniam Græci pro ea ceu pro fratris communis uxore recuperanda pugnabant. Et X, [65] : Ἑλκομένας τε νυοὺς ὀλοῆς ὑπὸ χερσὶν Ἀχαιῶν. [Ω, 166 : Θυγατέρες ἰδὲ νυοί· Od. Γ, 451 : Θυγατέρες τε νυοί τε. Apoll. Rh. 4, 815. Pro Sponsa, ut l. primo Hom. interpretati sunt nonnulli, ap. Theocr. 15, 77 : Ἐνδοῖ πᾶσαι, ὁ τὰν νυὸν εἶπ' ἀποκλᾴξας· 18, 15 : Τεὰ νυὸς ἅδε. L. D. Theodot. ap. Euseb. Pr. ev. t. 2, p. 388, 5 Gaisf. : Γαμβροὺς ἄλλοθεν εἴς γε νυοὺς ἀγέμεν ποτὶ δῶμα. Hase. De puella Meleager Anth. Pal. 12, 53, 5 : Καλὴ νυὲ, σός με κομίζει ἵμερος, ut Brunckius scripsit pro νοὲς ὡς.]

[Νύραξ, πόλις Κελτική. Ἑκαταῖος Εὐρώπῃ. Τὸ ἐθνικὸν Νυράκιος, ὡς παρὰ τὴν Νάρυκα Ναρύκιος, Steph. Byz.]

[Νυρέω, Νυρίζω, Νύρω. V. Νύσσω.]

[Νῦσα, ἡ, Nysa, f. Aristæi, Diod. 3, 70. Nomen plurium urbium et locorum. Νῦσαι, πόλεις πολλαὶ, α' ἐν Ἑλικῶνι, β' ἐν Θρᾴκῃ, γ' ἐν Καρίᾳ, δ' ἐν Ἀραβίᾳ, ε' ἐν Αἰγύπτῳ, ϛ' ἐν Νάξῳ, ζ' ἐν Ἰνδοῖς, η' ἐπὶ τοῦ Καυκάσου ὄρους, θ' ἐν Λιβύῃ, ι' ἐν Εὐβοίᾳ. Τὸ ἐθν.κὸν Νυσεὺς καὶ Νυσαῖς θηλυκόν. (Hoc ap. Strab. 12, p. 579; 13, p. 629, 649. Νυσσεὺς [sic] ap. Theodor. Stud. p. 332, C; 353, A.) Ἀφ' οὗ κτητικὸν Νυσήιος. Λέγεται καὶ Νυσαῖος. Ἐξ αὐτοῦ Νυσαιεὺς τρισύλλαβα καὶ Νυσαεὺς ἄνευ τοῦ ι, Steph. Byz. Nysam præter Herodotum 2, 146 etc. primus memorat Soph. ap. Strab. 15, p. 687 : Τὴν βεβακχιωμένην βροτοῖσι Νῦσαν. Quibus Strabo addit : Ἐκ δὲ τῶν τοιούτων Νυσαίους δή τινας ἔθνος προσωνόμασαν καὶ πόλιν παρ' αὐτοῖς Νῦσαν Διονύσου κτίσμα. Post hunc Eur. Bacch. 556 : Νύσας τᾶς θηροτρόφου· Cycl. 68. Xen. Ven. 11, 1. De variis autem Nysis præter Hesychium, Eust. ad Il. Z, 133, geographos, et qui plures memorat Diodorum, copiose egit Vossius Quæstionum mytholog. vol. 1 sive Epistolarum vol. 4. Conf. etiam Buttmann. Mythologi vol. 1, p. 173. Gentilis Νυσαεων et, quod rarius, Νυσαιων de Nysa Arabiæ exx. v. in numis ap. Mionnet. *Descr.* vol. 3, p. 362 sqq. Νυσαῖοι de Indica Strabo l. c., et de alia Diod. 3, 72, item Nicand. Al. 34, Dionys. Per. 626, 1159. De Nysa Euboica ap. Soph. Ant. 1131, Νυσαίων ὀρέων, ubi scholiastæ errorem Nysam in Parnasso collocantis notavit Vossius p. 81. Νύσιος ap. Hom. H. Cer. 17 : Νύσιον ἀμπεδίον· Soph. Aj. 690 : Νύσια Κνώσι' ὀρχήματα, et ap. schol. de regione : Τῆς γὰρ Νυσίας ἐστὶν ἡ Βερέκυντος. Aristoph. Lys. 1282 : Ἐπὶ δὲ Νύσιον, de Baccho. Orph. H. 45, 2 ; 50, 14 ; 51, 2. Diod. 3, 68 : Πύλας Νυσίας. L. D. Νυσαέων de Nysæis Cariæ in tit. ap. Pocock. Inscr. ant. p. 13, n. 5. Hase. || Forma Νυσήιος est ap. Hom. Il. Z, 133, ubi de monte : Κατ' ἠγάθεον Νυσήιον, unde retulisse videtur Hesychius, qui etiam Νύσιον (quod v.), ὄρος Διονύσου memorat, et pro cogn. Bacchi ap. Aristoph. Ran. 216, Apoll. Rh. 2, 905; 4, 431, 1134. || Forma poet. Νύση est in versu Hom. H. in Bacch. 8, quem citat Diod. 1, 15; 3, 66; 4, 2, quem Herodoro tribuit schol. Apoll. 2, 1211 : Ἔστι δέ τις Νύση, ὕπατον ὄρος, ἀνθέον ὕλῃ.]

[Νυσαῖος, ὁ, Nysæus, f. Bacchi, ap. Athen. 10, p. 435, E. Cogn. Bacchi ap. Diod. 1, 27. F. Dionysii majoris, de quo v. Wessel. ad Diod. 16, 6, p. 86, 37.]

[Νύσμα. V. Νύγμα.]

[Νύσανδρος, ὁ, Nysander, n. viri in numis Thessalicis ap. Mionnet. *Suppl.* vol. 3, p. 264, n. 26. Κοσάνδρου male p. 265, n. 29. Νύσσανδρος ib. p. 265, n. 32 sq., *Descr.* vol. 2, p. 3, n. 13. L. Dind.]

[Νύση. V. Νῦσα.]

[Νυσία, ἡ, Nysia, conjux Candaulis, ap. Ptolem. Hephæst. Phot. Bibl. p. 150, 19, quæ aliis Κλυτία. Νυσσία Tzetzes Mus. Rhen. novi 4, p. 22.]

[Νύσιον, τὸ, Nysium, locus Thraciæ, ap. Diod. 3, 65.]

[Νύσιος. V. Νῦσα.]

[Νῦσις, ὁ, Nysis, fl. ap. Aristot. Meteor. 1, 13 :

Περὶ τὴν Λιβύην οἱ μὲν ἐκ τῶν Αἰθιοπικῶν ὀρῶν (ῥέουσιν) ὅ τε Αἰγὼν καὶ ὁ Νύσις.]

Νῦσος, ὁ, Claudus, Syracusanorum dialecto. Ita enim Nonn. Dionys. 9, [22] : Νῦσος ὅτι γλώσσῃ Συρακοσσίδι χωλὸς ἀκούει.

Νύσσα, ἡ, dicitur ὁ καμπτὴρ, Meta : ἀπὸ τοῦ ἐλθόντας κατ' αὐτὸν, νύσσειν τοὺς ἵππους, quia solent calcaribus incitare equos quum ad metam aspirant, ut citatiore cursu eam assequantur : ut et Gregor. in Natalem Domini dicit, Κέντει τὸν πῶλον περὶ τὴν νύσσαν : sed metaphor. pro σπεῦδε ἐπὶ τὸ προκείμενον, Propera ad prositum tibi scopum. [It. Evagr. Hist. eccl. 1, 11 : Ἐπὶ τὴν ν. τὸν π. ἐκκεντήσωμεν. Galen. vol. 4, p. 282, 10 : Οἷον ν. τινὰ, περὶ ἣν ἐξελίξασα (nervos natura) τῆς μὲν ἐπὶ κάτω φορᾶς αὐτὰ παύσειεν. Hase.] Utitur Hom. vocabulo hoc Il. Ψ aliquoties : ut v. 332 [Ἦ τόγε νύσσα τέτυκτο], 338 [Ἐν νύσσῃ δέ τοι ἵππος ἀριστερὸς ἐγχριμφθήτω· 344 : Εἰ γάρ κ' ἐν νύσσῃ γε παρὲξ ἐλάσῃσθα διώκων], 758 [Τοῖσι δ' ἀπὸ νύσσης τέτατο δρόμος. Apoll. Rh. 3, 1272. Theocr. 24, 117 : Περὶ νύσσαν ἀσφαλέως κάμπτοντα. Epigr. Anth. Planud. 386, 5 : Τὴν νύσσαν δότε. Lycophr. 15 : Πρώτην ἀράξας νύσσαν.]

[Νύσσα, ἡ, Nyssa, soror Mithridatis, ap. Plut. Lucull. c. 18. Nisi scrib. Νῦσα.]

[Νύσσανδρος. V. Νύσανδρος.]

[Νυσσηὶς, ίδος, ἡ, nomen numeri novenarii s. ἐννεάδος. Theolog. arithm. p. 58 : Καὶ νυσσηίταν (αὐτὴν ἐπωνόμαζον) ἀπὸ τοῦ ἐπὶ νύσσαν καὶ ὡσανεὶ τέρμα τι τῆς προσόδου τετάχθαι. Ast. : « Photius p. 465, 43, νυσσηίδα, quod rectius videtur. Paris. νυσσηϊόταν. »]

Νύσσω, sive Νύττω, Pungo, Fodico [Gl.], Punctim cædo', vulnero. Hom. Il. Λ, [252] : Νύξε δέ μιν κατὰ χεῖρα μέσην ἀγκῶνος ἔνερθεν, hasta sc., ubi Hesych. ἐκ χειρὸς ἔτρωσεν. Et aliquanto ante, Μετώπιον ὀξέϊ δουρὶ νύξ'. Sic Il. M, [395] : Ἀλκμάονα δουρὶ τυχήσας νύξ'· O, [278] : Ὁμιλαδὸν αἰὲν ἕποντο Νύσσοντες ξίφεσίν τε καὶ ἔγχεσιν ἀμφιγύοισι. [Λ, 565 : Νύσσοντες ξυστοῖσι μέσον σάκος· N, 147 : Νύσσοντες ξίφεσίν τε καὶ ἔγχεσιν· Π, 704 : Χείρεσσ' ἀσπίδα νύσσων. Apoll. Rh. 3, 1323 : Ὥς τίς τε Πελασγίδι νύσσεν ἀκαίνῃ.] Et in pass. Ξ, [26] : Λάκε δέ σφι περὶ χροὶ χαλκὸς Νυσσομένων ξίφεσίν τε καὶ ἔγχεσιν ἀμφιγύοισι. Epigr. [Agathiæ Anth. Pal. 11, 382, 3] : Νυσσόμενός τε τὸ πλευρὸν ἅτε ξιφέεσσιν ἀμυχθὲν, Cui latus assidue fodicabatur et lancinabatur. Aristoph. Pl. [784] : Νύττουσι γὰρ καὶ φλῶσι τἀντικνήμια. At metaph. Nub. [321] : Γνωμιδίῳ γνώμην νύξασα, Confodiens et refellens. Et Galen. Ad Glauc. 1, dicit τὸ ῥῖγος in febri tertiana esse οἷον νυττομένου τοῦ χρωτὸς, Quasi pungeretur s. stimularetur. In præcedentibus ll. accipitur pro κεντεῖν s. τιτρώσκειν, sicut ap. Hom. Eust. exp. Interdum vero commodius redditur Pello, Impello, Pulso : ut aliquis dicitur νύσσειν quempiam ἀγκῶνι, quum eum cubito leviter impellit admonendi gratia. Od. Ξ, [485] : Καὶ τότ' ἐγὼν Ὀδυσῆα προσηύδων ἐγγὺς ἐόντα, Ἀγκῶνι νύξας. Sic et Bud. in hoc l. Plut. p. 69 [Mor. p. 79, E] : Νύξας Ἴωνα τὸν Χῖον, Ὁρᾷς, φησὶν, οἷον ἡ ἄσκησίς ἐστι, interpr. Cubito digitove admonens. [Theocr. 21, 50 : Εἶθ' ὑπομιμνάσκων τῷ τρώματος ἠρέμ' ἔνυξα, καὶ νύξας ἐχάλαξα. Plato Anth. Plan. 248, 2 : Ἦν νύξῃς, ἐγερεῖς.] Equi etiam inter currendum dicuntur ungulis suis solum νύσσειν, Pulsare, s. Percutere. At Quatere, fortasse significantius est ap. Virg. Æn. 8 : Quadrupedante putrem sonitu quatit ungula campum. Hesiod. Scut. [62] : Χθόνα δ' ἔκτυπον ὠκέες ἵπποι Νύσσοντες χηλῇσι. Pass. partic. νυγεὶς, Percussus, Ictus, Punctus. Hesychio νύσσει est non solum παίει, sed etiam ῥήσσει. [Aor. primo Diog. L. 2, 109 : Νηχόμενον ἐν τῷ Ἀλφειῷ νυχθῆναι καλάμῳ· et ib. 110. Cit. Hemst.] Apud Eund. reperio etiam Νύσσαι, quod exp. ἐκ χειρὸς πατάξαι, Manu ictum inferre, incutere : quod cæsim fit, non punctim : quod si mendosum non est, quum suo, h. e. alphabetico, ordine positum sit, erit a verbo Νύω, a quo derivari potest et Νύρω ac Νυρίζω, idem cum præcedentibus significans ; nam Suid. νύρων exp. νύττων. Apud Hesych. autem perispomenως, Νυρῶν, νύσσων, ξύων : itidemque Νυρεῖ ap. Eund. νύσσει. Et Νυρίζει, νύσσει, ξύει, quod et Suid. habet.

[Νύσταγμα, τὸ, Dormitatio. Job. 33, 15.]

Νυσταγμὸς, ὁ, Dormitatio, ἡ ἐπιγινομένη εκ τοῦ ὕπνου καταφορά. [Hippocr. p. 12, 3 : Χάσμης τε καὶ νυσταγμοῦ καὶ δίψης πλήρεις· 1180, E. Ὕπνος ἑδραῖος, ὀρθῷ νυσταγμός· 403, 35 : Ἢν ἀριστήσωσιν, ὄγκος αὐτοῖσι πολὺς τῆς γαστρὸς, καὶ νυσταγμός. Ps.-Aristot. De plantis 1, 2, p. 816, 38. Psalm. 131, 4; Prov. 6, 4; Sir. 31, 2. Hesychio ὕπνος. L. D. Phot. Epist. p. 55, 19 : Οὐ δώσομεν τοῖς ὀφθαλμοῖς ἡμῶν ὕπνον, οὐδὲ τοῖς βλεφάροις ν., ἕως ἂν ... Clem. Al. Pædag. 2, 81 : Ἄλυες δὲ καὶ ν. καὶ διεκτάσεις καὶ χάσμαι. Hase. Etym. M. p. 196, 52.]

Νυστάζω, ξω, Dormito [Gl.]; proprie Dormito capite nutans, ἐπινεύω κάτω διὰ τὴν ἐπιγινομένην ἐκ τοῦ ὕπνου καταφοράν : nam a νευστάζω derivatum tradunt gramm., exempto ε. [Aristoph. Av. 638 : Ὥστ' οὐχὶ νυστάζειν γ' ἔτι ὥρα 'στὶν ἡμῖν. Hippocr. p. 1215, E : Τῶν νυσταζόντων ὀφθαλμοὶ πλέοντες. Xen. Cyrop. 8, 3, 43 : Οὐδὲ τῶν λαμβανόντων τι νυστάζοντα οὐδένα ἂν ἴδοις ὑφ' ἡδονῆς.] Plato Apol. [p. 31, A] : Ἀχθόμενοι ὥσπερ οἱ νυστάζοντες ἐγειρόμενοι. Metaphorice plerumque capitur, sicut et ὑπτιάζειν, et Lat. Dormitare pro Negligentem esse, nec attendere : De rep. 3, [p. 405, C] : Μηδὲν δεῖσθαι νυστάζοντος δικαστοῦ, Judice dormitante. Leg. 5, [p. 747, B] scientiam numerorum celebrans : Τὸ δὲ μέγιστον, ὅτι τὸν νυστάζοντα καὶ ἀμαθῆ φύσει ἐγείρει, Dormitantem s. Somniculosum. [Ion. p. 532, C : Οὐ προσέχω τὸν νοῦν, ἀλλ' ἀτεχνῶς νυστάζω· 533, A : Ἐπειδὰν μέν τις τὰ τῶν ἄλλων ζωγράφων ἔργα ἐπιδεικνύῃ, νυστάζει τε καὶ ἀπορεῖ· ἐπειδὰν δὲ περὶ Πολυγνώτου ... δέῃ ἀποφήνασθαι γνώμην, ἐγρήγορε κτλ.] Aristot. Rhet. 3, [14] : Τοῦτο δ' ἐστὶν, ὥσπερ ἔφη Πρόδικος, ὅτε νυστάζοιεν οἱ ἀκροαταὶ, παρεμβάλλειν τῆς πεντηκονταδράχμου αὐτοῖς. Quintil. 4, 1, [73] : Est interim prooemii vis etiam non in exordio; nam judices et in narratione nonnunquam et in argumentis ut attendant et ut faveant rogamus : quo Prodicus velut dormitantes eos excitari putabat. Plut. De curiositate [p. 518, A] : Οὔτε νυστάζει, οὔτε ἀσχολεῖται, ἀλλά τε δίζετ' ἰὼν παρά τ' οὔατα βάλλει· Symp. 5, [p. 675, B] : Χρὴ πολυμαθοῦς καὶ οὐ νυστάζοντος ἐν τοῖς Ἑλληνικοῖς πράγμασιν ἀνδρός. Idem ἀπονυστάζειν dicit quod Cic. in quodam suarum Epist. l., Demosthenem sibi videri dormitare. Et Horat., Quandoque bonus dormitat Homerus. Sunt qui νυστάζειν exp. Connivere, ut in Κατανυστάζω dictum est, et in Νυστακτικῶς. [Greg. Naz. Ep. 62 : Φαλακρὸς ὢν κατὰ κριοῦ μὴ νυστάζειν ἀντιπρόσωπος, Obversa fronte congredi. Strong.]

Νυστακτὴς, ὁ, Dormitator, Capite nutante dormitans, dormitare faciens, Caput inter dormiendum quassans et degravans. Aristoph. Vesp. [12] : Κἀμοὶ γὰρ ἀρτίως τις ἐπεστρατεύσατο Μῆδός τις ἐπὶ τὰ βλέφαρα νυστακτὴς ὕπνος. [Alciphr. 3, 46.]

Νυστακτικῶς, More eorum qui nutante capite dormitant, quorum oculi somno connivent. Galen. Lex. Hippocr. [p. 452] : Γλοιάζειν, τὸ ἐπιμύοντας παραδινεῖν τοὺς ὀφθαλμούς· καὶ τὸ γλοιωδῶς, ἀνάλογον, ὡς εἰ καὶ νυστακτικῶς ἔλεγον.

Νυσταλέος, α, ον, Dormitator : ut, Homo dormitator, ap. Plaut. Hesychio ὑπνηλὸς, Somnolentus.

Νυσταλογερόντιον, τὸ, Senex dormitator, Silicernium somnolentum. Ponitur ab Etym. et in Lex. meo vet., sed non exponitur. [Νύσταλον γερόντιον Epim. Hom. Cram. An. vol. 1, p. 299, 33. V. Νυκταλὸς, ubi scrib. videtur νύσταλον.]

[Νυσταλός. V. Νυκταλός.]

Νυσταλωπιάω, Capite nutante dormito ac oculis conniveo : νυκταλωπιᾶν [« νυστα » HSt. Ms. Vind.], νυστάζειν, Dormitare, Hesych. [HSt. in Ind. :] Supra νυκταλωπιᾶν.

[Νύσταξις, εως, ἡ, Dormitatio, Torpor. Hesych. in Νῶκαρ. Wakef.]

[Νυταγόρος, nomen in numo Tejo ap. Mionnet. *Descr.* vol. 3, p. 259, n. 1472, haud dubie scribendum Πνυταγόρας.]

[Νυττέρειος (?) ὄνομα λιμένος, sec. grammaticum Cram. An. vol. 2, p. 292, 23.]

[Νύττω. V. Νύσσω.]

[Νύφης, ὁ, Nyphes, n. pr. in vasis i. q. Νύμφης et Νύμφις, sec. conject. Keilii Anal. epigr. p. 173. De Witte *Cab. Durand* p. 162 n. 428 et *Descr. de vases peints* p. 92 n. 144. Hase.]

Νύχα, Noctu, νύκτωρ, νυκτὶ, Hesych.

[Νυχαῖος, α, ον, i. q. νύχιος, poni videtur ab Theognosto Can. p. 52, 12, ubi inter properispomena in αιος recensetur. L. DIND.]

[Νυχάλιος, α, ον, i. q. præced. Greg. Nyss. t. 2, p. 1038, A: Ἀναστάντα ἐν νυχαλίᾳ, Noctu. HASE.]

[Νυχαυγὴς, ὁ, ἡ, Noctu lucens. Orph. H. 2, 7: Ὑπνοδότειρα, φίλη πάντων, ἐλάσιππε, νυχαυγής· 14: Ἔλθοις εὐμενέουσα, φόβους δ' ἀπόπεμπε νικαυγεῖς, ubi, quod HSt. conjecerat, νυχαυγεῖς confirmavit cod. Par. Ib. 70, 8: Ἄλλοτε μὲν προφανὴς, ποτὲ δὲ σκοτόεσσα, νυχαυγής.]

[Νυχεγρεσία, ἡ, i. q. νυκτεγρεσία. Paul. Sil. Anth. Pal. 5, 264, 4: Ἔργα νυχεγρεσίης.]

Νυχεία, ἡ, Pernoctatio, Pervigilatio, διανυκτέρευσις, Hesych., ap. quem perperam Νυχία. Dicitur autem νυχεία, ut supra νυκτερεία.

[Νυχεία, ἡ, Nychia, nympha, ap. Theocr. 13, 45. In ins. Tapho n. fontis Anth. Pal. 9, 684, 1. Conf. Cram. An. vol. 4, p. 320, 8.]

[Νύχειος, α, ον, i. q. νύχιος, ap. Orph. H. 8, 6: Καταυγάστειρα, νυχεία, ubi sic cod. unus, ceteri νυχία.]

Νύχευμα, τὸ, Lucubratio s. Vigiliæ. Eur. Suppl. [1135]: Ποῦ νυχευμάτων χάρις;

Νυχεύω, Noctu aliquid facio, Noctem transigo, Pernocto. Hesychio νυχεύει non solum est νυκτερεύει, sed etiam κρύπτει. [Eur. Rhes. 520: Ἔνθα χρὴ στρατὸν τὸν σὸν νυχεῦσαι. Cum dat. Nicand. ap. Athen. 15, p. 683, B: Ἑσπέριος νύμφαισιν Ἰαονίδεσσι νυχεύσων, ubi Νύμφαις σὺν Ἰ. scribere licet.]

Νυχηβόρος, ὁ, ἡ, Noctu vorans, supra νυκτιλαθραιοφάγος. Nicand. Ther. [446]: Βληχρὸν γὰρ μυὸς οἷα νυχηβόρου ἐν χροῒ νύγμα Εἴδεται· i. e., τοῦ ἐν νυκτὶ ἐσθίοντος ὃ ἂν εὕρῃ. Sed annotat [scholiastes] scribi etiam μυχηβόρου, i. e. τοῦ ἐν μυχοῖς ἐσθίοντος, Qui in cavernis s. latibulis comedit, a nom. Μυχηβόρος.

[Νυχθημερήσιος, α, ον, i. q. νυχθήμερος. Tzetz. ad Hesiod. Op. 412, p. 225: Τὴν τοῦ οὐρανοῦ νυχθημερησίαν περιστροφήν. L. DIND.]

[Νυχθημερινὸς, ἡ, ὸν, i. q. præced. Cleomed. Circ. doctr. p. 39, 14 Bak.: Θᾶττον τοῦ ν. διαστήματος, Celerius quam diei noctisque spatio. HASE.]

Νυχθήμερον, τὸ, Nox et dies, Noctis dieique spatium, i. e. Dies vigintiquatuor horarum, Justus dies. 2 Cor. 11, [25]: Νυχθήμερον ἐν τῷ βυθῷ πεποίηκα, Noctem ac diem in profundo egi. Alex. Aphr. Probl. 2, [74]: Τὸ ν. μιμεῖται τῶν τεσσάρων ὡρῶν τὴν κρᾶσιν. Procl. in Timæo Platonis, Ἡ ἐν τῷ κέντρῳ θέσις τῆς γῆς ἀνάλογον ποιεῖ τὴν τῶν νυχθημέρων ἐξαλλαγήν. [Tzetz. Exeg. Il. p. 137, 138; Geopon. 5, 8, 8; 12, 19, 18; 9, 23, 6, aliique multi recentiorum. V. Νυκτήμερον.]

[Νυχθήμερος, ὁ, ἡ, Qui noctis et diei unius est. Arrian. Peripl. m. Erythr. p. 151 Blanc., 9 Huds.: Μετὰ δύο δρόμους νυχθημέρους. Tzetz. ad Hesiod. Op. 412, p. 224: Οὐρανὸς εἰς νυχθήμερον διάστημα περιστρέφεται. L. DINDORF.]

[Νυχία. V. Νυχεία.]

Νύχιος, α, ον, et ὁ, ἡ, Nocturnus, i. q. νύκτερος s. νυκτερινός. Hesiod. Op. [521], de virgine: Νυχίη καταλέξεται ἔνδοθεν οἴκου. [Theog. 991: Ζαθέοις ἐνὶ νηοῖς νηοπόλον νύχιον. Æsch. Pers. 952: Νυχίαν πλάκα χερσάμενος· Ag. 588: Ὁ πρῶτος νύχιος ἄγγελος πυρός· Cho. 727.] Soph. Phil. [858]: Ὡ 'νὴρ δ' ἀνόμματος Οὐδ' ἔχων ἀρωγὰν, Ἐκτέταται νύχιος. [OEd. C. 1248: Αἱ δὲ νυχιᾶν ἀπὸ ῥιπᾶν· Ant. 1147: Νυχίων φθεγμάτων ἐπίσκοπε. Eur. Iph. T. 1276: Θεᾶς μῆνιν νυχίους τ' ἐνοπάς· El. 141: Γόους νυχίους· 603: Τῷ συγγένωμαι; νύχιος ἢ καθ' ἡμέραν; Med. 211: Δι' ἅλα νύχιον, cui Rhes. 53 νυκτέρῳ πλάτῃ contulit Elmsl. De mari etiam Andr. 1224: Σύ τ' ὦ κατ' ἄντρα νύχια Νηρέως κόρη. De inferis Hel. 177: Ὑπὸ μέλαθρα νύχια. Fem. forma Rhes. 21: Νυχίαν ἡμᾶς κοίταν πανόπλους κατέχοντας· Hel. 1470: Νυχίαν εὐφροσύναν.] Item νύχια θύεα, Sacra nocturna, ut Virg. Apoll. Arg. 2 [4, 664, 685, 1463. « Macho comicus ap. Athen. 8, p. 341, D, μοῖραν νύχιον dixit, Parcam nigram, s. Quæ in æternam noctem nos rapit. » SCHWEIGH. Aristoph. Av. 698: Οὗτος δὲ χάει πτερόεντι μιγεὶς νυχίῳ κατὰ Τάρταρον εὐρύν. SCHNEID. Porphyr. De antro nymph. p. 11, 1: Τὸ αὐτοφυὲς τὸ τῶν ἄντρων, καὶ ν., καὶ σκοτεινόν. Heliod. Æth. 3, 4: Τὰ κοι-

A ταῖα τοῖς ν. θεοῖς ἐπισπείσαντες. De Junone νυχία Plut. fragm. vol. 10, p. 756 Wytenb., ex Euseb. Pr. ev. t. 1, p. 181, 10. HASE.]

[Νύχιος, ὁ, Nychius, n. viri, ap. Quint. 2, 364.]

[Νυχὶς, ἴδος, ἡ, ut simplex compositi παννυχὶς ponit Etym. M. p. 333, 25; 518, 36. WAKEF.]

[Νύχμα, ὄνειδος (quomodo infra interpretatur νῶχμα). Λυδοὶ, ψωλὸς, Hesychius.]

Νύχος, ους, τὸ, Nox, Tenebræ: nam ab Hesych. exp. non solum νὺξ, sed etiam σκότος. Sed notandum ap. eum scribi oxytonως νυχὸς, ap. Suidam vero [et Phot.] νύχος: quam scripturam secutus sum. [Sextus Emp. Adv. mathem. 1, 243, p. 267: Εἰ ὁ λύχνος εἴρηται ἀπὸ τοῦ λύειν τὸ νύχος, ὀφείλομεν μαθεῖν εἰ καὶ τὸ νύχος ἀπό τινος ἑλληνικοῦ εἴρηται. Maximus Conf. vol. 2, p. 35, C: Τὸ νύχος πάμπαν ἐλαύνων καὶ διαλύων. L. D.]

[Νύψιος, ὁ, Nypsius, Neapolitanus, ap. Diodor. 16, 18 sqq. Ubi semel est var. Νυψίας.]

[Νύω, i. q. Νύσσω, quod v.]

[Νχ compend. scripturæ vocum νομίσματος χαλκοῦ

B in papp. Ægypt. Franz. El. epigr. gr. p. 369. HASE.]

[Νῷ s. Νώ. V. Ἐγώ.]

[Νώβας, ὁ, Nobas, Carthaginiensis in inscr. Bœot. ap. Bœckh. vol. 1, p. 738, n. 1565, 5: Νώβαν Ἀξιούβω Καρχαδόνιον. L. DIND.]

Νώγαλα, Νωγαλεύματα, Νωγαλίσματα, τὰ, a poetis, præsertim comicis, appellata fuerunt Edulia suavia et delicata, non famis sedandæ sed voluptatis percipiendæ gratia elegantius apparata: cujusmodi erant λάχανα κνιστὰ et περικόμματα, et alia hujusmodi περίεργα ἀρτύματα, necnon bellaria exquisitiora. Istius modi edulium genus Græci alio nomine χναύματα s. χναυμάτια, Latini Scitamenta et Lenocinia coquorum appellant. Ararώs ap. Athen. 2, [p. 47, D]: Τὰ κομψὰ μὲν δὴ ταῦτα νωγαλεύματα. Antiphanes ibidem: Βότρυς, ῥόας, φοίνικας, ἕτερα νώγαλα. Ita enim legit Eust. [Il. p. 1163, 25], trisyllabως nimirum, non pentasyllabως νωγαλεύματα, ut Athenæi codd. habent, repugnante lege metri. Tertium νωγαλίσματα, ap. Polluc. extat, 6, c. 9 [§ 62]: ejusque verbo primitivo usus est Anti-

C phanes [Alexis ap. Athen. l. c.], dicens, Θασίοις οἰνάροις [οἰναρίοις] Τῆς ἡμέρας τὸ λοιπὸν ὑποβρέχει μέρος Καὶ νωγαλίζει· solebant enim quum compotationes producebantur, apponere ejusmodi scitamenta: quæ inter potandum comedere, dicitur Νωγαλεύειν et Νωγαλίζειν. Eust. ex Athen. affert et pass. ἐνωγάλισται, sed non exponit, nec integrum locum citat. [Versiculus est Eubuli comici 14, p. 622, F: Ἐνωγάλισται σεμνὸς ἀλλᾶντος τόμος, Abliguritum est insigne lucanicæ segmen. SCHWEIGH.]

[Νωγαλέος, α, ον.] Apud Suidam et Νωγαλέον legitur, sed et ipsum sine expositione: tantum subjungit, ap. Athen. reperiri, ap. quem et verbum νωγαλεύειν, et verbale νωγάλευμα, necnon νώγαλα. [Hæc omittunt libri meliores. Zonaras p. 1412: Νωγαλέον, πυῤῥὸν, λαμπρόν. Et p. 1414: Νωγαλέως, λαμπρῶς. Quod Lobeck. Pathol. p. 100 ex νωγατέος i. e. νηγατέος (sic) corruptum opinabatur.]

[Νωγάλευμα, Νωγαλεύω, Νωγαλίζω, Νωγάλισμα. V. Νώγαλα.]

D [Νώγυος, ὁ, ὄνομα ποταμοῦ, inter nomina in υος ap. Theognost. Can. p. 51, 25. L. DIND.]

[Νῶδαξ, ακος, ὁ, non addita signif. ponit Ps.-Herodian. in Cram. Anecd. vol. 3, p. 284, 10: Ὅσα μέντοι ἔχει τὴν πρὸ τέλους φύσει μακρὰν ἀρσενικὰ ὄντα, καὶ τὸ α θέλει ἔχειν ἐκτεταμένον, ὡς ἔχει τὸ Φαίαξ,... νῶδαξ. Scribendum κνώδαξ. L. DIND.]

Νωδογέρων, οντος, ὁ, Senex et edentulus. [Pollux 2, 16. V. Νωδός.]

Νωδὸς, ὁ, Dentes non habens. [Edentulus, Gl.] Pollux [2, 96] ex Eubulo et Phrynicho. [Est ap. Athen. 11, p. 495, E, versiculus Phœnicis Colophonii, Τρέμων οἷόν περ ἐν βορηΐῳ νωδὸς, Tremens veluti Borea flante edentulus senex. SCHWEIGH. Aristoph. Pl. 266: Πρεσβύτην νωδόν· Ach. 715: Γέρων καὶ νωδός. Theocr. 9, 21, aliique. L. D. Aristotel. Categ. 8, 9 et 17. Conf. etiam Plotin. p. 634, C, in fr. (vol. 2, p. 1162, 1). CREUZER. Clem. Al. Protrept. 11, 115: N. καὶ τυφλοὶ καθάπερ οἱ σπάλακες. Epiphan. t. 1, p. 419, B. Id. ib. p. 1036, A: Φασὶ γὰρ τοὺς λυσσῶντας κύνας ἐνεοὺς κα-

A
λεῖσθαι, διὰ τὸ νωδοὺς ἀποτελεῖσθαι· ubi videtur vertendum, Mutos. Hase. Aristot. Metaph. p. 236, 18 Br.: Δηλοῦται καταφάσει, οἷον τὸ γυμνὸν καὶ νωδὸν καὶ τὸ μέλαν. Isidor. Ep. p. 17, A; Tzetz. Hist. 8, 457. || « Attonitus, Obstupefactus. V. Ruhnk. ad Tim. p. 102, Hemst. ad Thomam p. 636, qui a νὴ et αὐδὴ derivat. Simplic. In Aristot. Categor.: Τὸ νωδὸν, ὅρασιν μὴ ἔχον. » Schneider.]

Νωδυνία, ἡ, i. q. ἀνωδυνία, Nullius doloris sensus, ἀπονία, ἡ τοῦ ἀλγοῦντος ὑπεξαίρεσις, ut Epicurus in Ἀηδονία loquitur. Uno verbo reddere possumus Indolentia: ut Cic., Qui rem expectandam vel voluptate vel indolentia metiuntur. Pro quo Indolentia alicubi dicit Nihil dolere, alicubi Vacuitas doloris. [Pind. Pyth. 3, 6: Τέκτονα νωδυνίας, ubi olim τέκτον' ἀνωδυνίας.] Theocr. [17, 63]: Καδδ' ἄρα πάντων Νωδυνίαν κατέχευε μελῶν, Indolentia perfudit membra cuncta, i. e. Omnium membrorum dolores levavit, Omnia membra dolore levavit. Ovid. dicit, Requie lenire dolorem.

B
Νώδυνος, ὁ, ἡ, Dolore vacans, Nullum dolorem sentiens, i. q. ἀνώδυνος in prima signif.: oppositum præcedenti κατώδυνος. [Pind. Nem. 8, 50: Ἐπαοιδαῖς δ' ἀνὴρ νώδυνον καί τις κάματον θῆκεν.] || Dolorem levans, domans, sedans, ut et ἀνώδυνος. Soph. Phil. [44]: Ἢ φύλλον εἴ τι νώδυνον κάτοιδέ που, ubi schol. exp. παυσώδυνον. Hom. dicit ὀδυνήφατον ῥίζαν. [Hesych. in v.]

[Νωδῶ. Τὰ εἰς δω περισπώμενα πρὸ τέλους ἔχοντα τὸ ο διὰ τοῦ ο μικροῦ γραφόμενα σπάνια, σποδῶ, μοδῶ· τὸ νωδῶ διὰ τοῦ ω μεγάλου· ἔστιν δὲ σύνθετον παρὰ τὸ νω τὸ στερητικὸν ἐπίρρημα καὶ παρὰ τὸ δέον, ὃ δηλοῖ τὸ πρέπον, Theognost. Can. p. 141, 4. L. Dind.]

[Νῶε, ὁ, Noah, f. Lamech, patriarcha in V. T. Correpto ω Orac. Sib. 1, 126, 241. De formis Νώεος et Νῶχος v. Bernard. ad Joseph. A. J. 1, 31, Buttmann. Mythologi vol. 1, p. 173. L. Dind.]

Νωθεία, ἡ, et Ion. Νωθείη, Tarditas, Pigritia, Segnities. [Plato Theæt. p. 195, C: Ὑπὸ νωθείας οὐ δυνάμενος πεισθῆναι· Phædr. p. 235, D: Ὑπὸ νωθείας ἐπιλέλησμαι. Pollux 1, 43, 159, et, ubi al. νωθρεία, 9,
C
137. Hesychius v. Νῶχαρ. L. D. Lucian. Adv. ind. c. 22. Id. V. hist. 2, 18: Ὑπὸ νωθείας ἀπολείπεσθαι. Antonin. Ad seips. 5, 5: Ἐμφιληδοῦντι τῇ v. Themistocl. Epist. 15, 1: Ἄχθομαι τῆς ἐμαυτοῦ v. Hase.]

[Νωθεστέρως. V. Νωθής.]

Νωθής, ὁ, ἡ, Tardus, Segnis, Piger; [Marcidus, Deses, Lentus, Marcens; Νωθὴς ἀπὸ κραιπάλης, Marcidus, Gl.] interdum et Hebes, Stupidus: ut ab Hesych. quoque exp. non solum βραδὺς, sed etiam ἀμβλὺς et ἄλογος: verum metaphorica hæc signif. est, illa propria et etymo conveniens; volunt enim [grammatici, ut Etym., Theognost. Can. p. 94, 21] ei inesse στέρησιν τοῦ θεῖν [s. potius τοῦ ὠθεῖν], ideoque recte tribuitur asino ap. Hom. Il. Λ, [557]: Ὡς δ' ὅτ' ὄνος παρ' ἄρουραν ἰὼν ἐβιήσατο παῖδας Νωθὴς, ᾧ δὴ πολλὰ περὶ ῥόπαλ' ἀμφὶς ἐάγῃ· nam et Lat. Tardus asellus dicitur, et Lente gradiens asellus. [Æsch. Prom. 62: Σοφιστὴς ὢν Διὸς νωθέστερος. (Comparativo etiam Herodot. 3, 53: Κατεφαίνετο εἶναι νωθέστερος. Plato Polit. p. 310, E. Ptolem. Harm. p. 138, A.) Eur. Herc. F. 319: Φυγᾷ
D
νωθὲς πέδαιρε κῶλον. Apoll. Rh. 4, 1506: Δεινὸς ὄφις νωθὴς μὲν ἑκὼν ἀέκοντα χαλέψαι. Arat. 228: Ν. καὶ ἀνάστερος. Nicand. Th. 222: Νωθεῖ ὁλκῷ· 349. Dionys. Per. 124: Δράκων ... νωθής. Hippocr. p. 1283, 6: Μάλα νωθὴς τὸν νόον ὑπάρχεις. Aristot. H. A. 2, 11: Ἡ δὲ κίνησις αὐτοῦ νωθὴς ἰσχυρῶς ἐστι. Theophr. De sensu 45: Νωθῆ τε εἶναι καὶ ἄφρονα (τὰ παιδία)· 74: Τὰς ἀπορροίας νωθεῖς καὶ ταραχώδεις. Anon. Galei p. 94, c. 19: Κίνησις νωθής. Schol. Dionys. Bekk. An. p. 757, 20: Ὁ ἕτερος τόνος νωθὴς καὶ βραδύς. Pollux 1, 43, aliisque locis pluribus cum variis vocabulis.] Sic Lucian. [De luctu c. 16]: Κυφὸς καὶ τὰ γόνατα νωθὴς, Tarda ac lente gradientia habens genua: de sene. [Vitt. auct. c. 27.] In Epigr. [Antipatri Anth. Pal. 9, 417, 3], νωθὲς ὕδωρ, de Aqua lentius fluente. At νωθὴς ὁδὸς, de Longo itinere dicitur, quia lassos et pigros reddit. [|| Adv. Νωθεστέρως, Segnius, Tardius, Theod. Prodr. p. 202: Μὴ πρὸς πενιχρὸν συγκροτοῦντας τὴν μάχην v. πως συγκροτεῖν. Νωθέστατα, Segnissime, Tardissime. Dio Cass. 59, 4.]

[Νωθητὸς, ὁ.] Apud Hesychium reperio et Νωθητὸν, expositum τὸν μηκέτι σκιρτᾶν δυνάμενον.

Νώθουρος, ὁ, ἡ, Ignavam caudam habens, ὁ νωθὴν ἔχων τὴν οὐρὰν ἐν τῷ συγγίνεσθαι: per οὐρὰν accipiendo τὸ κατ' ἄνδρας αἰδοῖον, qui et ἄστυτος vocabatur: est autem vocab. a Comicis fictum. Eust. [Il. p. 862, 41.] Huic opp. Salacem caudam habens, ap. Horat.

[Νωθρεία. V. Νωθρία.]

[Νωθρεπιθέτης, ὁ, Cunctator, Qui segniter aliquid ἐπιχειρεῖ. Aristot. Physiogn. c. 6.]

[Νωθρεύομαι, Langueo, Gl. Eust. Opusc. p. 21, 40: Οὕτως ἡμεῖς νωθρευόμεθα· 210, 8: Νωθρευόμενος κατ' ὀρθὸν λόγον εἰς ἄμυναν· 348, 24: Ὑπὲρ τοὺς ὄνους νωθρεύονται. Eumath. p. 89: Ἐνωθρευόμην τὸ σῶμα. Theodor. Stud. p. 462, E: Ἄλλων διύπνιζε νωθρευομένων. Activo simul et med. Pallad. De febr. p. 80: Νωθρεύει ταύτης (τῆς καρδίας) τὸ ἔμφυτον θερμὸν, τούτου δὲ ἀναθολουμένου καὶ νωθρευομένου ἐξάπτεται ὁ πυρετός. V. Νωθρός. Activum ponit etiam Pollux 1, 159, medium 9, 137.]

Νωθρία, et Νωθροτης, ητος, ἡ, Tarditas, Segnities, Pigritia, ut νωθεία. [Νωθρότης, Veternus, Gl. Aristot. Rhet. 2, 15: Ἐξίσταται δὲ τὰ στάσιμα γένη εἰς ἀβελτερίαν καὶ νωθρότητα, οἷον οἱ ἀπὸ Κίμωνος καὶ Περικλέους καὶ Σωκράτους. Theodor. Stud. p. 601 fin. V. Νωθρός. « Νωθρία Clem. Al. p. 850, 10. » Hemst. Thom. p. 775. « Jo. Chrys. In Judæos 1, vol. 6, p. 319, 33. » Seager. Ptolem. Tetrab. p. 141, 10: Νωθρίας ἢ βλάβας. Hase.] Suid. per diphth. scribit Νωθρεία, quod est verbale verbi Νωθρεύω, significantis Tardus et piger sum. Apud Polluc. [3, 122, et 9, 137] quoque νωθρεία scriptum habetur, qui verbum ejus νωθρεύεσθαι ex Hyperide affert, sed non approbat. [Sic etiam ap. Eust. Opusc. p. 334, 30, eaque vera videtur forma et a verbo νωθρεύομαι repetenda.]

Νωθριάω, exp. Segnis sum, Torpeo. [Diosc. Alexiph. p. 400, C: Πελιοῦσθαί τε καὶ νωθριᾶν.]

Νωθροκάρδιος, ὁ, ἡ, Qui ignavo et segni corde est, Excors, Stupidus, Qui tardo ingenio est, βραδὺς κατὰ λογισμὸν, Hesych. [Pallad. V. Chrys. p. 35. Boiss. Prov. 12, 8, ibique Schleusn. Theod. Stud. De cruce p. 238, C. Georg. Alex. Vita Chrys. t. 8, p. 207, 2: Ν. ὄντες ἐν τῇ πίστει. Hase.]

[Νωθροποιὸς, ὁ, ἡ, Languidum faciens. Eust. Od. p. 1395, 30.]

Νωθρὸς, α, ὸν, [ut in Hesychii gl. Νώθρηξ (l. videtur νωθρὴ) ὁδὸς, μακρὰ ἢ νωθρά,] pro νωθὴς, i. q. Tardus, Segnis, Piger, tam in incessu quam in agendo. [Ægrotus, Infirmus, Languidus, Æger, Gl. Eadem: Νωθρὰ, Malesana. Callim. ap. schol. Apoll. Rh. 1, 1162: Ὁ δ' εἵπετο νωθρὸς ὁδίτης. Nicand. Th. 165: Νωθρὸν ἀπὸ ῥέθεος βάλεν ὕπνον. Cometas Anth. Pal. 9, 597, 1: Νωθρὸς ἐγὼ τελέθεσκον ἀπ' ἰξύος ἐς πόδας ἄκρους. Sosipater ib. 5, 55, 5: Ὄμμασι νωθρὰ βλέπουσα. « Νωθροὶ Torpescentes aut Torpidi dicuntur, quique torpore aut stupore laborant, fereque κωματώδεσι, hoc est, Sopore gravi tentatis, junguntur, p. 75, H; 77, D. Νότοι νωθροὶ, Austri membris tarditatem inducentes; Sensus tardantes vertit Celsus c. 1, l. 2 ex aph. 5 l. 3, Pigros et graves reddentes, qua ratione Plumbeus auster vocatur Horatio. Νωθροὶ σφυγμοὶ, Tardi pulsus et lenti, in lethargicis, p. 137, C. Est et νωθρὴ καταφορὰ, Segnis in somnum delatio aut torpida, p. 1085, G. Αἱ πρὸς χεῖρα νωθραὶ dicuntur p. 206, C, mulieres quæ ad manus contactum torpescunt, eas intelligendo quæ febre lenta conflictantur, et ex magna mensium profluente abundantia tabescunt, exarescunt, et tandem suppuratæ evadunt. Hinc νωθρότης Torporem aut Stuporem indicat, cerebro frigidis, crassis, viscidis et ægre mobilibus humoribus imbuto, ut scribit Galen. Comm. 1 in Prorrh. p. 175, 13, Hipp. p. 68, C; aut ex immoderata cerebri humectatione aut refrigeratione, aut ex utraque, ut idem scribit Comm. 2, p. 191, 28, Hipp. p. 72, F. Ubi etiam quibusdam τὴν δυσκινησίαν τοῦ σώματος, hoc est, Corporis immobilitatem ac stuporem, intelligi per νωθρότητα tradit. Νωθρότης ἐν φρενιτικοῖς, Torpor in phreniticis admodum periculosus est, velut scribitur p. 68, C; 130, D. Sic quoque lib. 3 Epid. phreniticos ἐν νωθρῇ καταφορᾷ periisse scribit. Αἱ ἐκ ῥίγεος νωθρότητες, Torpores rigori succedentes mentis abalienationem suspectam faciunt, p. 70, A. Velut p. 119, E, τὰ νωθρώδεα ῥίγεα κακοήθεα, Rigores cum torpore malignum quiddam denunciant. Νωθρίη etiam idem quod νωθρότης significat p. 79, H et p. 151, G. Ubi quoque νωθρότης exponitur eadem in re p. 171, C, et a Galeno Comm. 3 in Prorrh. p. 214, 11, Hipp. p. 79, H. Νενωθρευμένα οἰδήματα, Torpescentes tumores aut cum torpore, p. 125, E, et νενωθρευμένοι καματώδεες, Sopore cum torpore detenti, p. 118, F, iidem qui νωθροί. Νωθρῶς ἐπανατρέφειν, quod est Lente reficere, ἐν χρόνῳ πλείονι καὶ λεπτῶς, hoc est, Longiori tempore et sensim, exponit Galen. aph. 7 lib. 2, cui διὰ ταχέων καὶ ἁδρῶς, Celeriter et plenius, opponit, quod ὀλίγως ibidem dicitur, Repente, Breviter.» Foes. Plato Theæt. p. 144, B : Νωθροί πως ἀπαντῶσι πρὸς τὰς μαθήσεις. Aristot. H. A. 5, 22 : Ὁ φὼρ ἄκεντρος καὶ νωθρός· 9, 39 : Τῇ κινήσει νωθρόν. « Polyb. 3, 63, 7; ἐν ταῖς ἐπινοίαις, 4, 8, 5; ἡσύχιός τις καὶ ν., 32, 9, 11.» Schweigh. Lex. Basil. M. vol. 3, p. 16, E : Τὰ νωθρότατα τῶν παρ' ἡμῖν ζώων. Pollux 1, 43, aliisque ll. pluribus. || Adv. Νωθρῶς, Segniter, ἐχρῆτο τοῖς ὅλοις πράγμασι, Polyb. 1, 74, 2; ἀνεστράφη, 13; ἀγεννῶς καὶ ν. 3, 90, 6; ἀτόλμως καὶ ν. 4, 60, 2. Hippocr. p. 1244, F. Eumath. p. 89 : N. οὕτω καὶ μαλακῶς τῆς κόρης ἐξέπεσον. Pollux 3, 123. L. D. Jo. Chrys. In Matth. p. 279, D. Moschion De mul. pass. p. 12, 9 : Βραδέως καὶ ν. κινεῖσθαι. Greg. Nyss. t. 1, p. 208, A : Οὐ ν., οὐ κατηναγκασμένως μετιέναι. Hase.]

[Νωθρότης. V. Νωθρία.]

[Νωθρώδης, ὁ, ἡ, i. q. νωθρός. Gregent. Tephr. Disp. p. 165, 3 : Ἐφάμαρτοι καὶ νωθρώδεις. Hase. V. Νωθρός.]

[Νωθρῶς. V. Νωθρός.]

Νωΐτερος, α, ον, Noster, Qui nostrum duorum est. Hom. Il. O, [40] : Σύ θ' ἱερὴ κεφαλὴ καὶ νωΐτερον λέχος αὐτῶν κουρίδιον. [Od. M, 185 : Νωϊτέρην ὄπα.]

Νῶκαρ, τὸ, Hesychio νύσταξις, νωθεία, Dormitatio, Segnities et torpor. Itidem schol. Nicandri esse dicit κάρον, quasi τοῦ νοῦ κάρωσιν, Veternum, Soporem, Somnum profundum, Ther. 189 : Ὑπνηλὸν δ' ἐπὶ νῶκαρ ἄγει βιότοιο τελευτήν. || Ab Hesych. νῶκαρ exp. etiam κακόσχολος ἔννοια. || Suidas cum Etym. adjective etiam exp. ὁ δυσκίνητος : quanquam Etym. substantive potius τὸ δυσκίνητον καὶ οὐδ' ὁπωσοῦν ἐῤῥωμένον, derivans ex privativa particula νω et verbo σκαίρω. [Sine interpret. memorat Theognost. Can. p. 80, 6. L. Dind.]

[Νωκαρώδης, ὁ, ἡ, Torpidus. Diphilus vel Sosippus ap. Athen. 4, p. 133, F : Τὸ νωκαρῶδες καὶ κατημβλυωμένον.]

[Νῶλα, ἡ, Nola, πόλις Αὐσόνων. Ἑκαταῖος Εὐρώπη. Νώλην δ' αὐτὴν Πολύβιος (2, 17, 1) φησί. (Altera forma Diod. Exc. p. 540 bis, ubi Νώλᾳ et Νῶλαν, Strab. 5, (qui genit. utrique communi Νώλης utitur p. 247,) 249. Theognost. Can. p. 110, 26.) Τὸ ἐθνικὸν Νώλιος. Πολύβιος δὲ (3, 91, 5, Diod. 19, 101, etc.) Νωλανοὺς αὐτούς φησι, Steph. Byz. Idem Νωλανὸς memorat in Νῶρα.]

Νωλεμὴς, ὁ, ἡ, Indesinens, Assiduus : quasi νωλεπὴς, sicut Etym. adverbium Νωλεμέως dictum putat quasi νωλεπέως, a νω priv. particula, et λείπω. [Schol. Dionysii Bekk. An. p. 793, 23 : Τὸ δὲ νωλεμέως σημαίνει τὸ ἀδιαλείπτως· πάντως δὲ ἐτυμολογεῖται παρὰ τὸ νω στερητικὸν μόριον καὶ τὸ μέλλω τὸ βραδύνω, ἤτοι νωλεμέως ἀδιαλείπτως, τουτέστι χωρὶς μελλήσεως καὶ βραδυτῆτος. Εὔδηλον ἄρα ἐστὶν ὅτι τὸ νωλεμέως νωμελέως ὤφειλε τῷ ποιητικῷ τρόπῳ, τῇ μεταθέσει τῶν στοιχείων τῇ συνηθείᾳ μάλιστα παραδέδοται τοῦ νωμελέως τῇ ἀχρηστίᾳ καταχρυβέντος.] Est autem Νωλεμέως, Indesinenter, Assidue, ἀδιαλείπτως : ut exp. in Hom. Il. Δ, [427] : Ὣς τότ' ἐπασσύτεραι Δαναῶν κίνυντο φάλαγγες Νωλεμέως πόλεμόνδε. [E, 492 : Νωλεμέως ἐχέμεν· N, 3 : Πόνον τ' ἐχέμεν καὶ ὀϊζὺν νωλεμέως· 780 : Ὁμιλέομεν Δαναοῖσιν ν. Od. Δ, 288 : Χερσὶ πίεζεν ν. I, 435 : Νωλεμέως ἐχόμην· Λ, 412 : Ἑταῖροι ν. κτείνοντο· Υ, 24 : Τῷ δὲ μάλ' ἐν πείσῃ κραδίη μένε ν. Tyrtæus ap. Stob. Fl. 51, 5, 3 : Ἀνὴρ ἐν προμάχοισι μένῃ νωλεμέως· ap. Pausan. 4, 15, 2 : Ἐμάχοντ' ἐννέα καὶ δέκ' ἔτη ν. Apoll. Rh. 3, 346.] Sæpe autem [Il. I, 317, P, 148, 385, et sine αἰεὶ Ξ, 58] Νωλεμὲς ap. Eund. et νωλεμὲς αἰεὶ, quod ἀεὶ est ἐκ παραλλήλου, adverbialiter pro νωλεμέως. [Apoll. Rh. 2, 554 : Δοῦπος νωλεμὲς οὔατ' ἔβαλλε, et alibi. Νωλεμῶς ponit Hesychius.] || Exp. autem et βιαίως in Apoll. Arg. 2, [602] : Νωλεμὲς ἐμπλήξασαι ἐναντίαι, Violento impetu et concursu se collidentes. Et [605], Νωλεμὲς ἐῤῥίζωθεν, Firme radices egerunt. Hesych. quoque νωλεμὲς exp. etiam ἰσχυρὸν, βίαιον, καρτερόν. Sed illud etymon, quod modo protuli, huic signif. minime convenire posse videtur. [Apud Hes. est Νωμαλέως pro νωλεμέως.]

Νῶμα, τὸ, Ionica contractione pro νόημα dicitur : unde ap. Hesych. quoque exp. per νόημα et ἐνθύμημα, Cogitatum. [Empedocles ap. Sext. Adv. mathem. 8, 286, p. 512 : Πάντα γὰρ ἴσθι φρόνησιν ἔχειν καὶ νώματος αἶσαν. L. D.] Idem νώματα esse dicit etiam ἐπὶ τῶν ὑποζυγίων τὰ γνωρίσματα : ab aliis exp. θρέμματα.

Νωμάω, Moveo, Agito, Verso : interdum et Vibro. Hom. Il. Γ, [218] : Σκῆπτρον δ' οὔτ' ὀπίσω οὔτε προπρηνὲς ἐνώμα· E, [594] : Ἄρης δ' ἐν παλάμῃσι πελώριον ἔγχος ἐνώμα· [O, 677 : Νώμα δὲ ξυστὸν μέγα ναύμαχον ἐν παλάμῃσιν. Et similiter alibi. Od. X, 410 : (Ἄλεισον) μετὰ χερσὶν ἐνώμα.] H, [238] : Οἶδ' ἐπὶ δεξιὰ, οἶδ' ἐπ' ἀριστερὰ νωμῆσαι βῶν ἀζαλέην· O, [269] de Hectore, Λαιψηρὰ πόδας καὶ γούνατ' ἐνώμα· pro quo alibi dicit μάρμαιρε πόδεσσιν. Sic K, [359] : Γούνατ' ἐνώμα Φευγέμεναι. [Od. M, 218 : Νηὸς γλαφυρῆς οἰήια νωμᾷς· K, 32 : Αἰεὶ γὰρ πόδα νηὸς ἐνώμων. Ubi vertere licet Gubernare, ut est ap. Pind. Pyth. 1, 86 : Νώμα δικαίῳ πηδαλίῳ στρατόν. Idem proprie Pyth. 4, 18 : Ἀνία ἀντ' ἐρετμῶν δίφρους τε νωμάσοισιν· 8, 49 : Δράκοντ' ἐπ' ἀσπίδος νωμῶντα· Isthm. 1, 15 : Ἀνία χερσὶ νωμάσαντα· fr. ap. Erotian. p. 74 : Νωμῶν τραχὺ ῥόπαλον. Et phrasi figurata Æsch. Sept. 3 : Ἐν πρύμνῃ πόλεως οἴακα νωμῶν· 25 : Νῦν δ' ὡς ὁ μάντις φησὶν ἐν ὠσὶ νωμῶν καὶ φρεσὶν πυρὸς δίχα χρηστηρίους ὄρνιθας ἀψευδεῖ τέχνῃ, de Tiresia cæco. Id. ib. 542 : Σφίγγ' ὠμόσιτον προσμεμηχανημένην γόμφοις ἐνώμα· Pers. 321 : Πολύπονον δόρυ νωμῶν· Cho. 162 : Ἄρης σχέδια νωμῶν βέλη· 285 : Ὁρῶντα λαμπρὸν ἐν σκότῳ νωμῶντ' ὀφρύν· Ag. 781 : Πᾶν δ' ἐπὶ τέρμα νωμᾷ. Soph. OEd. T. 300 : Ὦ πάντα νωμῶν Τειρεσία, διδακτά τε ἄρρητά τ' οὐράνιά τε· 468 : Ὥρα νυν ἀελλάδων ἵππων σθεναρώτερον φυγᾷ πόδα νωμᾶν· fr. ap. Stob. Fl. 63, 6, 11 : Νωμᾷ δ' ἐν οἰωνοῖσι τοὐκείνης πτερόν. Eur. Phœn. 1385 : Λόγχην ἐνώμα στόματι, aliique poetæ similiter. Gubernandi signif. Orph. H. 37, 8 : Νωμᾶτ' Ὠκεανὸν, νωμᾶθ' ἅλα, δένδρεά τ' αὔτως.] Idem Hom. dicit etiam, Αἰὲν ἐνὶ στήθεσσι νόον πολυκερδέα νωμῶν, Od. N, [255]. Et κέρδεα νωμῶν, Υ, 257, pro Animo versans. [Od. Σ, 216 : Ἐνὶ φρεσὶ κέρδε' ἐνώμας. « Similiter νωμῶντες Herodotus dixit pro Observantes, 4, 128, ubi v. Wessel. Locis autem a Wessel. citt. adjici potest Eur. Phœn. 1262=1271 : Μάντεις δὲ μῆλ' ἔσφαζον ἐμπύρους τ' ἀκμὰς ῥήξεις τ' ἐνώμων· ubi ἐνώμων vett. grammatici interpr. παρετήρουν et ἐσκόπουν.» Schweigh. Plato Crat. p. 411, D : Τὸ γὰρ νωμᾶν καὶ τὸ σκοπεῖν ταὐτόν.] Neutraliter etiam exp. Versor : ut Epigr. : Κόραξ ἐνὶ αἰθέρι νωμῶν. || Distribuo, Divido, ut νέμω, ex quo et derivatum est, ut τρωπάω ex τρέπω, στρωφάω ex στρέφω. Il. A, [471] : Νώμησαν δ' ἄρα πᾶσιν ἐπαρξάμενοι δεπάεσσι· ubi Hesych. quoque exp. διεμέρισαν : afferens et νωμᾷς pro διοικεῖς, et νωμῆσαι pro κυβερνῆσαι. [Et similiter alibi. Omisso dat. Od. Υ, 252 : Σπλάγχνα δ' ἄρ' ὀπτήσαντες ἐνώμων. Pind. Nem. 9, 51 : Νωμάτω φιάλαισιν ἀμπέλου παῖδα. || Imperf. freq. Mosch. 4, 108 : Νώμασκεν μακέλην.]

[Νωμεντὸς, πόλις οὐ πόρρω Ῥωμῆς. Τὸ ἐθνικὸν Νωμεντανός. Διονύσιος ἐν δευτέρῳ Ῥωμαϊκῆς ἀρχαιολογίας (c. 53, Νωμεντῷ, sed cod. Vat. Νομεντίᾳ), Steph. Byz. Et Strabo 5, p. 228, 238, qui Νωμέντου πολίχνης dicit 228. Νουμεντανὸς οἶνος ap. Athen. 1, p. 27, B. L. Dind.]

[Νωμεὺς, έως, ὁ, Gubernator, i. q. νομεύς. Greg. Naz. Arc. 1, 34 : Ὥς κεν ὁ μὲν μίμνῃ γενέτης ὅλος, αὐτὰρ ὅ γ' υἱὸς, κοσμοθέτης νωμεύς τε πατρὸς σθένος ἠδὲ νόημα.]

[Νωμήσιμος, voc. suspectum ap. Nicand. Athen. 9, p. 395, C : Οὐδέ φιν ἅρπαι οὐδέ φιν ὀστράκεοι νωμήσιμοι ἐξενέπονται.]

Νώμησις, εως, ἡ, Motus, Agitatio, κίνησις Suidæ. [Plato Crat. p. 411, B : Γονῆς σκέψιν καὶ νώμησιν, in etymologia voc. γνώμη. V. Νωμάω.]

[Νωμητὴς, ὁ, i. q. νωμεύς. Greg. Naz. t. 2, p. 131, C. Boiss.]

[Νωμήτωρ, ορος, ὁ, Distributor. Manetho 6, 357 :

A Κρεῶν νωμήτορας ἄνδρας. || Motor. Nonnus Dion. 12, 20 : Ἠελίῳ... ὅλου νωμήτορι κόσμῳ· 48, 165 : Ταχυστροφάλιγγι πόθου νωμήτορι ταρσῷ.]

[Νῶμις, ὁ, Nomis, n. viri, in numo Nysæ Cariæ ap. Mionnet. *Descr.* vol. 3, p. 363, n. 352.]

[Νωμίστωρ, ὄνομα κύριον, ap. Suidam ex Νομίτωρ corruptum.]

[Νωνακρίνη, λέγεται ἡ Καλλιστώ, Suidas.]

[Νώνακρις, πόλις Ἀρκαδίας. Ῥιανὸς ἐν Ἠλειακῶν πρώτῳ. Τὸ ἐθνικὸν Νωνακρίτης, καὶ κατὰ πλεονασμὸν τοῦ α Νωνακριάτης, ὁ Ἑρμῆς. Λυκόφρων (680) καὶ θηλυκὸν Νωνακριᾶτις. Καὶ Νωνακριεὺς λέγεται παρὰ Ἀριστοφάνει, Steph. Byz. Unde corrigendi videntur Hesychius : Νωναχρεὺς (-ιεὺς poscit ordo literarum)· οἱ μὲν ἀλείπτην Ἀρκαδικὸν ἀποδιδόασιν· ἡ γὰρ Νώνακρις Ἀρκαδίας ἐστὶ τόπος· et Photius : Νωνακρεύς, πύκτης, παγκρατιαστής. Ceterum urbs Arcadiæ memoratur et ab Hesychio ante hanc gl., et ab Herodoto 6, 74. Νώνακρις uxor Lycaonis est ap. Pausan. 8, 17, 6. L. Dind.]

[Νωνᾶς, ὄνομα κύριον, Suidæ.]

B [Νωνεὰ, Anchusa, ap. Interpol. Diosc. c. 605 (4, 23). Ducang.]

[Νῶνος, ὁ, non dicens quid sit inter nomina per ω ponit gramm. Cram. An. vol. 2, p. 308, 6. L. Dind.]

[Νωνυμία, ἡ, ἄκλεια, ἀσάφεια Hesychio, Obscuritas nominis.]

[Νώνυμνα, πόλις Σικελίας. Ὁ πολίτης Νωνυμναῖος, ὡς Φίλιστος, Steph. Byz.]

[Νώνυμνος. V. Νώνυμος.]

Νώνυμος, ὁ, ἡ, pro ἀνώνυμος, Nomine carens, Incelebris, Ignobilis, Obscurus. [Illaudatus, Gl. Hom. Od. N, 239 : Οὐδέ τι λίην οὕτω νώνυμός ἐστιν· Ξ, 182 : Ὅπως ἀπὸ φῦλον ὄληται νώνυμον. Eademque forma Æsch. Pers. 1002 : Βεβᾶσιν οἱ νώνυμοι· Soph. El. 1084. Tullius Laurea Anth. Pal. 7, 17, 8 : Οὐδέ τις ἔσται τῆς λυρικῆς Σαπφοῦς νώνυμος ἠέλιος.] Hom. Il. M, [70] : Νωνύμους ἀπολέσθαι ἀπ' Ἄργεος ἐνθάδ' Ἀχαιούς. In alio autem ejus l. νώνυμον quidam exp. δύσφημον. Invenitur etiam Νώνυμνος : atque adeo in illo Homeri l. Il. M Eust. utriusque scripturæ mentionem facit, volens nimirum legi νωνύμους vel νωνύμνους : scribit enim,
C Νώνυμοι δὲ, εἴτε Νώνυμνοι, οἱ ἐστερημένοι τοῦ ὀνομάζεσθαι ἢ ὑμνεῖσθαι· ὅ ἐστιν οἱ ἀνώνυμοι, ἢ οἱ ἀκλεεῖς. Unde apparet νώνυμνος voluisse deducere ab ὕμνος : sed alii tamen, quibus libentius assentior, putant potius ν interjici metri causa, ut sc. producatur υ. [Eadem varietas in libris Hesiodi Op. 153.] Sic certe et in quodam Arati l. [370] quædam exempll. νώνυμος habent, ubi alia νώνυμνος. [Idem vitium in libris Lycophr. 1126, Orph. Arg. 834, 1160.] Legitur tamen νώνυμοι et ap. Apollon. υ habens longum [2, 982] : Πολέες δὲ πόροι νώνυμοι ἔασι. [Recte nunc νώνυμνοι, ut 4, 1306, quod Æolicum dicit Tzetz. ad Hesiod. Op. 664, ab ὕμνος inepte ducit schol. Lucian. Jov. Trag. c. 6. Pind. Ol. 11, 53 : Πρόσθε γὰρ νώνυμνος. || « Adverb. Νωνύμνως, schol. Pind. Ol. 10 (11), 61. » Boiss.]

[Νωπέω, Percello. Ion ap. Athen. 13, p. 604, B : Ἐνωπήθη τῇ ἐπιρραπίξει. « Hesychius : Ἐνώπηται, τεταπείνωται. Lege νενώπηται. Photius : Νενώπηται, καταπέπληκται καὶ κατεστύγνακεν. » Bentl. Ep. ad Mill. p. 65.]

D [Νὼρ, ὄνομα ἔθνους, sec. Theognost. Can. p. 133, 25. Epim. Hom. Cram. An. vol. 1, p. 440, 14 : Νωρὸς Νὼρ ἔθνος. L. Dind.]

[Νῶρα, ὧν, τὰ, Nora, locus Cappadociæ, ap. Strab. 12, p. 537 : Τὰ Νῶρα, ἃ νῦν καλεῖται Νηροασσός. Diod. 18, 41. Urbs ins. Sardiniæ, ap. Pausan. 10, 17, 5. Cum gentili Νωρανὸς memorat Steph. Byz.]

[Νώραχος, πόλις Παννονίας. Ὁ πολίτης Νωράκιος, ὡς Ἐπαφρόδιτος ἐν τοῖς Ὁμηρικοῖς φησιν, ὅτι γίγνεται ἐν Παννονίᾳ σίδηρος, ὃς ἀκονηθεὶς λαμπρότατός ἐστιν, ἀφ' οὗ καὶ τὸ Νώροπα χαλκόν. Καὶ θηλυκὸν Νωρακία καὶ οὐδέτερον Νωράκιον, Steph. Byz.]

[Νώραξ, ακος, ὁ, Norax, conditor urbis Sardiniæ Νῶρα, ap. Pausan. 10, 17, 5, unde citat Steph. Byz. in Ἐρύθεια.]

Νώρεμνος [Pro quo series alph. postulat Νώρυμνος], Hesych. μέγας, πολὺς, πλατύς : præterea ἀσθενής, et κατώτατος, ἔσχατος. Νωρεῖ, Idem affert pro ἐνεργεῖ.

[Νωρέω. V. Νώρεμνος.]

[Νωρήεια, ἡ, Noreia, urbs Norici, ap. Strab. 5, p. 214.]

[Νωρίκιος. V. Νωρικόν.]

[Νωρικὸν, τὸ, Noricum, regio Germaniæ, ap. Ptolem. 2, 14. Unde Νωρικοὶ, οἱ, Norici, gens ipsa, ap. Polyb. 34, 10, 10, Strab. 5, p. 206, etc. Et adj. Νωρίκιος, α, ον, ap. Dionys. Per. 321 et Eust. ad eum l., qui etiam urbem Phrygiæ Νώρικον a Pisistrato Lacedæmonio conditam memorat ex Ps.-Plut. in Νώρικος cit.]

[Νώρικος, ὁ, vel Νωρικὸν, τὸ, Uter. Eustath. ad Dionys. 321 : Νώρικον οἱ Φρύγες τὸν ἀσκὸν καλοῦσι τῇ σφετέρᾳ διαλέκτῳ, ex Ps.-Plut. De fluv. p. 1156, C.]

Νῶροψ, ὁ, ἡ, ab aliis exp. λαμπρὸς, Splendidus : ab aliis ὀξύφωνος, ἔνηχος, Argutus, Sonorus. Priorem expositionem Plut. [Mor. p. 659, D; 692, F] sequitur, νώροπα exponens διαυγῆ καὶ λαμπρὸν, quoniam quem uno in loco νώροπα χαλκὸν dicit, alibi αἴθοπα χαλκὸν nominat Hom. [Il. B, 578, etc.]

[Νῶσις, εως, ἡ, i. q. νόησις, forma contracta, ut νῶμα, Timon Phlias. 27.]

Νῶσις, Hesychio ῥέμβος, πτωχός.

Νωσίχολος, Hesychio ἀμελής, ῥάθυμος. [Pro Νώχαλος, ut videtur, quod v. infra.]

[Νωστελὶς, Marrubium nigrum, ap. Interpol. Diosc. c. 523 (3, 107). Ducang.]

[Νωτάγωγέω, Bajulo. Athen. 6, p. 258, B : Πάντα ὑποδύεται, ὡς δή τις ὑποστατικὸς νωταγωγῶν τῷ τῆς ψυχῆς ἤθει.]

Νωταγωγὸς, ὁ, ἡ, Dorso vehens, Dossuarius, ut νωτοφόρος. Hippiatr. : Εἴωθε τοῖς ὑποζυγίοις πυρώματα γίγνεσθαι, καὶ μάλιστα τοῖς ν.

[Νωταῖος, α, ον, i. q. νωτιαῖος. Nicander Th. 317 : Θραῦσε δ' ἀκάνθης δεσμὰ πέριξ νωταῖα.]

[Νωτάκμων, ονος, ὁ, ἡ, Qui tergo est firmo. Batrach. 295 : Νωτάκμονες... καρκίνοι.]

Νωτάρης, ὁ, Qui dorso aliquid tollit, onus subit, ὁ ἐπὶ νώτου αἴρων καὶ βαστάζων Suidæ. [Voc. græcobarbarum, de quo conf. Ducang.]

[Νωτεὺς, έως, ὁ.] Νωτεῖς, sicut νωταγωγοὶ, Dossuarii, νωτοφόροι. Hesych. : Νωτεῖς, οἱ ἀχθοφόροι ἡμίονοι ἢ ἕλκοντες ζύγιοι. Pollux 2, [180] : Καὶ νωτεῖς δὲ τούτους (sc. ὄνους, vel ἡμιόνους νωτοφόρους,) ἐκάλουν, ὡς καὶ τοὺς ὑπὸ ζυγῷ, ζυγίους. [Id. 7, 186.]

[Νωτηγὸς, ὁ, i. q. νωτεὺς et νωταγωγός. Arrian. Peripl. m. Erythr. p. 13 Huds. : Ἵπποι καὶ ἡμίονοι νωτηγοί. L. Dind.]

Νωτιαῖος, α, ον, [Tergivus, Gl.] Ad dorsum pertinens : v. ἄκανθα, Aristot. [H. A. 3, 2], Spina dorsi [Eur. El. 841 : Νωτιαῖα δὲ ἔρρηξεν ἄρθρα.] Et v. θρὶξ ap. Suid. ἡ τῶν μεταφρένων. Apud Eust. [et Plat. Tim. p. 77, D] νωτιαία φλὲψ, quæ et κοίλη dicitur, ἐκ δεξιῶν τῆς ῥάχεως ἀπὸ τοῦ ἥπατος ἀνιοῦσα καὶ κατὰ τὸ διάφραγμα χωροῦσα ἐπὶ τὴν καρδίαν, καὶ ἀπ' αὐτῆς ἐπὶ τὸν τράχηλον· de qua Hom. Il. N, [547] : Ἀπὸ δὲ φλέβα πᾶσαν ἔκερσεν Ἥτ' ἀνὰ νῶτα θέουσα διαμπερὲς αὐχέν' ἱκάνει. Et v. μυελὸς [ap. Aristot. l. c., Plat. Tim. p. 74, A], Medulla dorsi s. spinæ in dorso : pro quo et νωτιαῖος absolute dicitur, ut supra in Ἐγκέφαλος docui. [Hero in Mathem. vett. p. 141, A; Hesych. v. Κόλλα.] Alex. Aphr. Probl. 2, 71 : Τὰ αὐτὰ νεῦρα παρ' ἐγκεφάλου καὶ ν. μυελοῦ πέμπεται τοῖς μορίοις. Ubi tamen vulg. edd. habent νωτίου, a nom. Νώτιος : sed νωτιαίου reponendum ex vet. libro. [Ap. Tim. Locr. p. 100, A : Διὰ τῶν νωτίων σπονδύλων, libri vel sic vel νωτείων. Scribendum videtur νωτιαίων. L. Dind.]

[Νωτιδανός. V. Ἐπινωτιδεύς.]

Νωτίζω, Terga do, verto, A tergo relinquo. Pollux 2, [179] de iis quæ a νῶτος derivantur : Καὶ νῶτα δοῦναι, καὶ νωτίσαι, παρὰ τοῖς ποιηταῖς, τὸ κατὰ νώτου τι ἀπολιπεῖν. Suidæ νωτίζω est τὰ νῶτα μεταστρέφω. [Eur. Andr. 1141 : Οἱ δ' ὅπως πελειάδες ἱέρακ' ἰδοῦσαι πρὸς φυγὴν ἐνώτισαν.] Apud Soph. autem OEd. T. [193] : Πέμψον ἀλκὰν... παλίσσυτον δράμημα νωτίσαι πάτρας ἄπουρον, schol. exp. ἀπελάσαι, a metaphora τῶν τὰ νῶτα διδόντων ἐν ταῖς φυγαῖς : sensum ejus l. esse dicens, Πέμψον ἀλκὴν ὥστε παλινόρμητον αὐτὸν γενέσθαι τὰ νῶτα τῇ πόλει δόντα. Sed et Hesych. νωτίζειν exp. διώκειν, τρέπειν, Facere ut adversarius terga fugæ det. Eid. νωτίσαι est τὸ κατὰ νῶτα λαβεῖν καὶ παραμείψασθαι φυγόντα.

Eid. νωτίσασθαι dicitur ὁ μὴ ὑπὸ ζυγὸν, ἀλλὰ τῷ νώτῳ ἀχθοφορῶν ἄνθρωπος, ἵππος, ὄνος, Dorso susceptum ferre. || Ex Eur. Phœn. [657 : Κισσὸς ὃν περιστεφὴς χλοηφόροισιν ἔρνεσιν κατασχίοισιν ὀλβίσας ἐνώτισε] affertur pro σκεπάζειν, Tegere, Operire. [Æschyl. Ag. 286 : Ὑπερτελής τε, πόντον ὥστε νωτίσαι, ἰσχὺς πορευτοῦ λαμπάδος πρὸς ἡδονὴν πεύκη, ubi Per dorsum ire interpr. Blomf., conferens Hom. Il. B, 159 et al., Φεύξονται ἐπ' εὐρέα νῶτα θαλάσσης.]

[Νώτιος. V. Νωτιαῖος.]

[Νώτισμα, τὸ, Quod tergum tegit vel Tergum. Eur. ut putabat Valck. Diatr. p. 194, ap. Plutarchum Stob. Fl. 64, 31 : Εἰ μὲν πρὸς αὐγὰς ἡλίου χρυσωπὸν ἦν νώτισμα θηρὸς, de sphinge, ubi alam intelligebat Porson. ad Phœn. 663.]

[Νωτίχα, ἡ, n. mulieris fuisse videtur in inscr. Bœot. vol. 1, n. 1625, p. 791, 52, ubi penultima litera evanuit.]

[Νωτοβατέω, Dorsum conscendo. Strato Anth. Pal. 12, 238, 3 : Ἀμφαλλὰξ δὲ οἱ αὐτοὶ ἀπόστροφα νωτοβατοῦνται. Antiphilus ib. 7, 175, 2 : Ἤδη καὶ τύμβους νωτοβατοῦσι βόες.]

Νωτόγραπτος, ὁ, ἡ, Cujus dorsum notis aliquibus inscriptum est : v. ἰχθύες, Eust. [Od. p. 1960, 20], οἱ ἔχοντες γραμμάς τινας περὶ τὰ νῶτα. Athen. 7, [p. 286, F] ex Aristot. De hist. anim. : Νωτόγραπτα λέγεται βὼξ, σκολιόγραπτα δὲ κολιάς. [Nisi leg. cum Gesnero Κοιλιόγραπτος, In ventre striatus. Schweigh.]

[Νωτοκοπέω, Dorsum s. Tergum ferio, Decervico. Theodot. Exod. 13, 13.]

[Νῶτον. V. Νῶτος.]

Νωτοπλὴξ, ῆγος, ὁ, ἡ, Cujus dorsum verberibus concisum est, concidi solet, Verbero, Mastigia. Pherecrates ap. Suid.: Καὶ νωτοπλῆγα μὴ ταχέως διακονεῖν, i. e. τὸν εἰς τὰ νῶτα τὰς πληγὰς λαμβάνοντα, μαστιγίαν. Citat Pollux [2, 180] et ex Aristophane. [Accentu barytono bis ap. Photium. V. quæ diximus in Μεθυπλήξ.]

Νῶτος, ὁ, [Atticis Νῶτον, τό. V. annot. ad Athen. 13, p. 580, B. Schweigh. Aristoph. Pac. 747 : Κἀδενδροτόμησε τὸ νῶτον, ubi olim τὰ νῶτα· aliisque locis ap. Piers. ad Mœr. p. 267 : Νῶτα καὶ τὸ νῶτον Ἀττικοὶ, νῶτος καὶ τοὺς νώτους Ἕλληνες, quod de singulari tradit etiam Thomas p. 637. (Inanis est observatio Antiatt. p. 109, 22 : Τὸ νῶτον οὔ φασι δεῖν λέγειν, ἀλλὰ τὰ νῶτα.) Phrynich. Epit. p. 290 : Ὁ νῶτος ἀρσενικῶς λεγόμενος ἁμαρτάνεται, οὐδετέρως δὲ τὸ νῶτον καὶ τὰ νῶτα δοκίμως ἂν λέγοιτο. Ubi masculini interdum ab librariis illati exx. scriptorum non Atticorum, atque etiam Aristot. H. A. 3, 3, p. 512, 17, ubi libri consentire perhibentur in τὸν νῶτον, ut 12, 5, p. 544, 6, quos quidem Bekkerus contulit, annotavit Lobeck. Qui animadvertit etiam Herodian. Philet. p. 435 : Τὸ νῶτον καὶ τὰ νῶτα οὐδετέρως ἐπὶ ἀνθρώπων, ἐπὶ δὲ ἀλόγων τὸν νῶτον ἀρσενικῶς, καὶ Ξενοφῶν περὶ ἱππικῆς (3, 3) τὸν νῶτον τοῦ ἵππου, hoc discrimen ipsum esse commentum. Epim. Hom. Cram. An. vol. 1, p. 340, 16 : Ἤδη δὲ καὶ τὸ ἀρσενικόν· ἱστορεῖται δὲ παρὰ Ξενοφῶντι καὶ Ἐφόρῳ. L. D.] Dorsum, Tergum, [Scapilium add. Gl.] : tam in ceteris animalibus quam homine. Aristot. H. A. 1, [c. 15] ejus partes facit scapulas, spinam, et lumbos : itaque eo auctore νῶτος dicitur Pars tota posterior ab occipite ad extremum coccygem 34 vertebris compacta. Probo quoque Dorsum significat Posteriorem corporis partem, eo quod devexa sit deorsum, inquit Festus. Unde et ea pars a Medicis carinæ navis comparatur. Ita quinque ejus partes erunt, collum, thorax, lumbi, os sacrum, et coccyx. Alii arctius accipiunt, dicentes esse Partem cervici subjectam, et duodecim utplurimum comprehensam vertebris. Vide plura ap. Gorr. [Νῶτον dicitur Rufo Ephesio ἐν τῷ περὶ ἀνθρ. μορ. (p. 51 Cl.) τὸ ἐξόπισθεν ἀπὸ τοῦ αὐχένος μέχρι τοῦ μεταφρένου. Νῶτον ap. Hipp. Scapulas sæpe vertit Celsus, quum tamen dorsum, scapulas, spinam et lumbos complectatur. P. 112, D, quod scribitur ἐς νῶτον ἀφικνέονται, Ad dorsum pertingunt, Ad scapulas tendunt dixit Celsus 8, 2. Rursusque p. 109, B, C : Ἢν ἐς τὸν τράχηλόν τε καὶ ἐς τὸν νῶτον ἡ ὀδύνη καταβαίη, Si dolor in cervices ac scapulas transit, dixit Celsus ib. Et, Εἰ ξυντείνοι ἐκ τῆς κεφαλῆς ἐς τὸν τράχηλόν τε καὶ τὸν νῶτον,

A A capite ad cervices scapulasque. Foes.] Hom. Od. P, [463] : Βάλε δεξιὸν ὦμον Πρυμνότατον κατὰ νῶτον. Xen. Eq. [3, 3] : Πῶς ἐπὶ τὸν νῶτον δέχεται τὸν ἀναβάτην. Plut. [Mor. p. 88, F] : Ἐπὶ τοῦ νώτου φέρων· quo loquendi genere utitur et Herodian. [2, 11, 18, ubi plurali], et ante eos Thuc. [Macho ap.] Athen. 13, [p. 580, B] : Ἀνώμαλον τὸν [τὸ codd. mel.] νῶτον εἶχε παντελῶς. Thuc. 3, [108] : Ἐπιγινόμενοι αὐτοῖς κατὰ νώτου, προσπίπτουσί τε καὶ τρέπουσιν, A tergo. [Herodot. 1, 9 : Ἐπεὰν κατὰ νώτου αὐτῆς γένῃ· 10 : Ὡς κατὰ νώτου ἐγένετο· et cum λαμβάνειν ib. 75. Improprie Theod. Prodr. *Notices* vol. 6, p. 525 med. : Πάντα κατὰ νώτου θέμενος τὰ λοιπά. Alia phrasi Æsch. Suppl. 90 : Πίπτει δ' ἀσφαλὲς οὐδ' ἐπὶ νώτῳ.] Num. plur. genus mutat ; quippe Νῶτα dicitur, ut ζυγὰ a ζυγὸς, et σταθμὰ a σταθμός. [Dicitur autem plurali, quod spina tergum duplex fit. Unde orac. ap. schol. Eur. Phœn. 638 : Βοῦν, τὴν ἥ κεν νώτοισιν ἐπ' ἀμφοτέροισιν ἔχῃσι λευκὸν σῆμ' ἑκάτερθε. L. D.] Il. B, [308] : Δράκων ἐπὶ νῶτα δαφοινὸς, σμερδαλέος. [N, 547 : Φλέβα, ἥτ' ἀνὰ νῶτα θέουσα.]

B Soph. Tr. [1092] : Ὦ νῶτα καὶ στέρν', ὦ φίλοι βραχίονες· pro quibus Accius, O pectora, o terga, o lacertorum thori. [Theocr. 22, 84 : Ἔνθα πολύς σφισι μόχθος ἐπειγομένοισιν ἐτύχθη, ὁππότερος κατὰ νῶτα λάβῃ φάος ἠελίοιο.] Athen. 6, de mulierculis quibusdam quæ κλιμακίδες dicebantur : Ἐπὶ τοῖς νώτοις αὐτῶν τὴν ἀνάβασιν γίγνεσθαι· vide Κλιμακίς. [Soph. fr. Lemn. ap. Etymol. M. p. 26, 16.] Apollon., νῶτα βοὸς, Terga bovis. Athen. 10 : Εἰς τὰ νῶτα καταπίπτουσι. [Hom. Il. Θ, 94 : Πῇ φεύγεις, μετὰ νῶτα βαλὼν κακὸς ὥς.] Item, τὰ νῶτα ἐπιστρέφειν, Lucian. [Apolog. c. 8], Vertere terga, i. e. Fugere. [Non de fugiente Pausan. 10, 29, 6 : Ἐπιστρέφει δὲ αὐτῇ τὰ νῶτα ἡ Κλυμένη, Tergum obvertit. Singulari orac. ap. Herodot. 7, 141 : Ὑποχωρεῖν νῶτον ἐπιστρέψας. Id. 7, 211 : Ὅκως ἐντρέψειαν τὰ νῶτα, ἁλέες φεύγεσκον.] Sic Herodian. 7, [11, 18] : Θεασάμενοι αὐτοὺς ἐπεστραμμένους καὶ τὰ νῶτα δεδωκότας. [Epiphan. vol. 2, p. 39, D. Addito dat. Cinnamus p. 3, C : Νῶτα δόντων αὐτοῖς. Memorat Pollux 1, 165 ; 2, 179. Alia phrasi Phot. Bibl. p. 16, 29 : Εἰς νῶτα ἔτρεψε. Pachym. Mich.

C Pal. 1, p. 6, E : Νῶτα στρέψαντες.] Et Plut. Fab. : Γυμνὰ παρέχοντα τοῖς ἐνεδρεύουσι τὰ νῶτα. [Et δεῖξαι τὰ νῶτα Ῥωμαίοις, Marcell. c. 12.] Latini quoque dicunt Dare terga, et Dare terga cædenda hostibus. Hom. νῶτα dixit etiam τὰ νωτιαῖα μέρη, Portionem ex tergore suis, quæ alicui in mensa apponitur. Od. [Δ, 65 : Νῶτα βοὸς πάρα πίονα θῆκεν·] Ξ, [437] : Νώτοισιν δ' Ὀδυσῆα διηνεκέεσσι γέραιρε. [Sing. Il. I, 207 : Ἐν δ' ἄρα νῶτον ἔθηκ' οἰὸς καὶ πίονος αἰγός· Od. Θ, 475 : Νώτου ἀποπροταμών.] Idem mari νῶτα tribuit. Il. B, [159] : Ἐπ' εὐρέα νῶτα θαλάσσης. [Eur. Iph. T. 1446 : Ἀχύμονα πόντου τίθησι νῶτα· Hel. 129, 774.] Sic Virg. Æn. 1 : Dorsum immane mari summo. In quo loquendi genere ἐπιφάνειαν significat, vel etiam πελάγη, ut vult Hesych. Eod. sensu πεδιάδος νῶτα dici annotat Eust. [Od. p. 1461, 37] a metaphora animalium quæ supina jacent : unde et ὑπτία θάλασσα, et λειμὼν ὕπτιος, et πεδίον ὕπτιον. [Pind. Pyth. 4, 228 : Ἀνὰ βωλακίας δ' ὀρόγυιαν σχίζε νῶτον γᾶς. Ib. 26 : Νώτων ὕπερ γαίας ἐρήμων.] Apud Latinos quoque Claud. dixit, Recurva dorsa campi ;

D Horat., Nemoris prærupti dorsum ; Plin. vero Jun., Editissimo dorso duos dirimit, pro Promontorio. Ex Plut. affertur pro Tumulo. [Pind. Ol. 7, 87 : Ζεῦ νώτοισιν Ἀταβυρίου μεδέων. Eur. Hipp. 127 : Θερμᾶς ἐπὶ νῶτα πέτρας· Iph. T. 46 : Χθονὸς δὲ νῶτα σεισθῆναι σάλῳ· 161 : Γαίας ἐν νώτοις.] Philostr. autem Ep. 52, dixit etiam, Ἦν αὐτῆς ὁ ἔρως τὰ οὐρανοῦ νῶτα ὁρᾷν. [Plato Phædr. p. 247, C : Ἐπὶ τῷ τοῦ οὐρανοῦ νώτῳ.] || Οἱ νῶτοι τῶν τροχῶν, Modioli rotarum, ex 3 Reg. 7, [33. De curru Eur. Tro. 572 : Ποῖ ποτ' ἀπήνης νώτοισι φέρει ; De cœlo id. El. 731 : Τὰ δ' ἕσπερα νῶτ' ἐλαύνει· fr. Andromed. ap. Aristoph. Thesm. 1067 : Ἀστεροειδέα νῶτα διφρεύουσ' αἰθέρος ἱερᾶς. Dionys. Per. 872 : Πεδίον τὸ Ἀλήιον, οὗ κατὰ νῶτα... De serra Leonidas Tar. Anth. Pal. 6, 204, 2 : Θῆρις ὁ δαιδαλόχειρ τᾷ Παλλάδι πῆχυν ἄκαμπῆ καὶ τετανὸν, νώτῳ καμπτόμενον, πριόνα. Conf. Jacobs. vol. 12, p. 360.] At ex 1 Reg. 4, [18] : Ὁ νῶτος αὐτοῦ συνετρίβη, pro Cervices ejus fractæ sunt.

[Νωτοστροφέω, Tergiversor, Gl.]

[Νωτοφορέω, Dorsum præbeo ad bajulandum, Dorso

bajulo. Jo. Chrys. In Ps. 103, vol. 1, p. 946, 28. Seager. Diod. 2, 54 : Αἱ πρὸς νωτοφορίαν ἠσκημέναι ἀνὰ δέκα μεδίμνους νωτοφοροῦσιν· 17, 105 : Τὰ νωτοφορεῖν εἰωθότα. De imponentibus onera in jumenta 3, 45 : Πρὸς τοὺς πολεμίους ἀπὸ τούτων (de camelis loquitur), τὰς δὲ κομιδὰς τῶν φορτίων ἐπὶ τούτων νωτοφοροῦντες ῥᾳδίως ἅπαντα συντελοῦσι.]

[Νωτοφορία, ἡ, Bajulatio. Diod. 2, 54 : Αἱ πρὸς νωτοφορίαν ἠσκημέναι.]

Νωτοφόρος, ὁ, ἡ, Qui dorso onus aliquod susceptum portat, dorso aliquid bajulat, Dossuarius [Gl.], ut Varro, Asellis dossuariis comportant ad mare oleum; ὁ ἐπὶ νώτου φέρων, βαστάζων. [Νωτοφόρον, Jumentum, Gl.] Xen. Cyrop. 6, [2, 34] : Ἔχειν δὲ χρὴ καὶ ἄμην καὶ σμινύην κατὰ ἅμαξαν ἑκάστην, καὶ κατὰ τὸ ν. δὲ ἀξίνην καὶ δρέπανον. Et ν. ἡμίονος, Pollux [2, 140] ex Eodem. [Paral. 2, 2, 2, 11; 34, 13. Mœris p. 57 : Ἀστράβη Ἀττικοὶ, νωτοφόρος ἡμίονος Ἕλληνες. African. Cest. p. 294, A, b, οὐρεύς. Et ib. B, d. « Petr. Mag. Polit. Maii p. 593. » Cramer.]

[Νωτοφύλαξ, ἄκος, ὁ, Qui tergum s. extremum agmen custodit. Chron. Pasch. p. 725, 16 : Ἔμειναν δὲ τῇ παρασκευῇ νωτοφύλακες καβαλλάριοι. Ὀπισθοφύλακας dicunt veteres. L. Dind.]

Νωφαιὸν, Hesychio ἀφανὲς, Obscurum.

[Νῶφρυς, Marrubium nigrum, ap. Interpol. Diosc. c. 523 (3, 107). Ducang.]

Νωχαλὴς, ὁ, ἡ, Hesychio [ap. quem Νωφαλὴ scriptum] νωθρός. Νοχαλὸς, ῥάθυμος, χαῦνος. [V. seqq. vocc. et supra Νωσίχολος. De forma per α autem Νωχελής.]

[Νωχαλίζω. V. Νωχελίζω.]

Νωχέλεια, sive Νωχελία, ἡ, Tarditas, Segnities, [Νωχελία, Segnities, Secordia, Tarditas, Languor, Gl.] βραδύτης, ἀργία, νωθεία, Hesych., ap. quem per ει scribitur. Hom. Il. T, [411] : Οὐδὲ γὰρ ἡμετέρῃ βραδυτῆτί τε νωχελίῃ τε Τρῶες ἀπ' ὤμοιϊν Πατρόκλου τεύχε' ἕλοντο. Ubi Eust. νωχελίαν et βραδυτῆτα scribit ταυτολογεῖσθαι. Ab Hesych. exp. etiam ἀσθένεια, Infirmitas, Invalentia. [Iamblich. V. Pythag. 65, p. 134 : Τοῦ νυκτερινοῦ κάρου καὶ τῆς ἐκλύσεως καὶ τῆς νωχελίας αὐτοὺς ἀπήλλασσε· 114, p. 244 : Ἐξανιστάμενοι τῆς κοίτης νω-
A χελίας πάλιν καὶ κάρου ἀπηλλάσσοντο. Lex. ap. Pasin. Codd. Taurin. vol. 1, p. 263, A, c : Νωχελίαν, ῥᾳθυμίαν, ἔκλυσιν, ἀχρειότητα. L. Dindorf.]

Νωχελείη, Ion. pro νωχέλεια. [Ex Hesychio, cui νωχελίη restituendum videtur.]

[Νωχελεύομαι, Piger, tardus et segnis sum in opere. Aq. Prov. 18, 9; 24, 10; Habac. 2, 10, ubi pro νωχελευομένου rescribendum puto νωχελευόμενος. Schleusn. Lex.]

Νωχελὴς, ὁ, ἡ, Tardus, Segnis, [Vinnicus, add. Gl.] : unde a κέλλω, τὸ ταχέως τρέχω, et νω particula privativa, sicut νη, compositum existimatur. Item Invalidus, Ammon. [p. 99. Eur. Or. 800 : Πλευρὰ νωχελῆ νόσῳ. Arat. 391 : Ἄλλοι νωχελέες καὶ ἀνώνυμοι (ἀστέρες). Nicand. Th. 160 : Ἐν δὲ κελεύθῳ νωχελὲς ἐξ ὁλκοῖο φέρει βάρος. Manetho 2, 167 : Φαίνων νωχελέας τε καὶ ἀδρανέας μάλα ῥέζει, et alibi. « Νοχελὲς videtur significare Secundas morantes aut tardantes apud Hippocr. p. 626, 51, in medicamento quod ἐκβόλιον vocat ex galbano : Τοῦτο δύναται διαφθείρειν καὶ ἐκβάλλειν τὸ νο-
B χελὲς, τὸ χορίον καὶ τὰ δεύτερα. Verum νωχελὲς quidam melius scribi contendunt, ut tardantes aut morantes secundas intelligas. Calvus τὸ νοχελὲς Partum enectum vertit. » Foes. Androcyd. ap. Clem. Al. Strom. 7, p. 850, 15 : Οἶνος καὶ σαρκῶν ἐμφορήσεις σῶμα μὲν ῥωμαλέον ἀπεργάζονται, ψυχὴν δὲ νωχαλεστέραν, de qua forma v. supra. Plut. Mor. p. 893, E : Οἱ Στωικοὶ κεραυνὸν σφοδροτέραν ἔλλαμψιν, πρηστῆρα δὲ νωχελεστέραν ἔλλαμψιν.] At Suidæ est etiam ἄχρηστος, ὁμαλός. [Schol. Dionys. Bekk. Anecd. p. 757, 26 : Ὁ βαρὺς ἅπαξ ν. ὢν (τόνος). Boiss. Gl. : Νωχελέστερον, Aliquosecius.]

[Νωχελία. V. Νωχέλεια.]

Νωχελίζω, Tardo, Moror, βραδύνω, Hesych.; sed ap. eum scribitur Νωχαλίζω, per α in antep.

[Νωχελὶς, ίδος, ἡ, Ballota s. Marrubium nigrum, ap. Interpol. Diosc. 3, 107.]

Νῶχμα, Hesych. ὄνειδος, Probrum. [Supra νύχμα.]

Νὼψ, Hesychio est ἀσθενὴς τῇ ὄψει, Qui visu est imbecilli, pro quo supra μώψ : idem fere ac μύωψ. [Conf. etiam Κνὼψ, ὁ τυφλὸς, ap. Zonaram p. 1213, ubi v. Tittmann., et Νωπέω.]

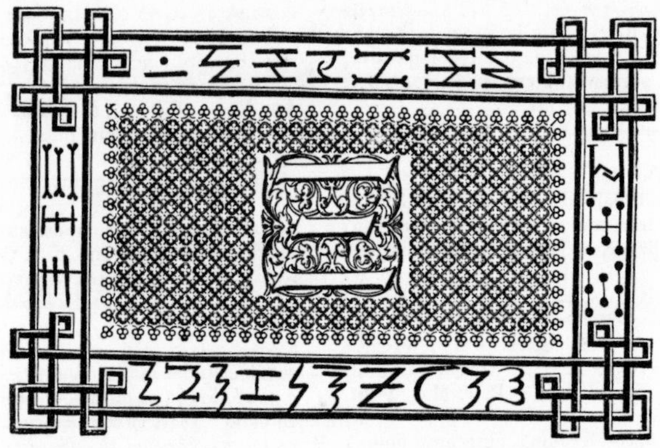

Ξ, nota decimæquartæ apud Græcos literæ, quam vocant ξῦ. Ea affinis est τῷ κ : modo enim in κ mutatur, modo κ in ipsam, ut patet ex ἐκ et ἐξ. Affinis est etiam τῷ σ. Attici enim σ in eam vertunt, ξὺν dicentes pro σύν. [V. paullo post. De ceteris dialectis v. scriptores de dialectis.] Iones vero ea utuntur pro gemino σ, διξὸς et τριξὸς dicentes pro δισσὸς et τρισσός : necnon κριξὸς pro κιρσὸς, ac similia. [Συμφωνίαν dicit Aristot. Metaphys. p. 305, 26 Brand.] Est etiam numeralis nota, significans Sexaginta, hoc modo ξ' : acuti autem accentus apice præfixa, Sexaginta millia denotat, ͵ξ. [De nota tachygraphica ξ vel huic literæ simili, et cum aliis syllabis confusa, v. Bast. ad Gregor. quum alibi tum p. 727, 838, 841, Reisk. ad Constantin. Cærim. p. 478, 628 ed. Bonn. Plura ejus exx. sunt in codd. Xenoph., Anthologiæ Pal. (7, 380, 458), Chron. Pasch. p. 699, 15 (ubi φρουρὸς legendum videtur pro φρουξ), Hesychii Marciano et aliis. L. Dindorf.]

DE VOCABULIS A LITERA Ξ INCIPIENTIBUS, ITIDEMQUE A Σ, QUÆRENDIS NON IN ILLA SED IN HAC LITERA.

Sicut Ξὺν dicunt Attici, quod Σὺν ceteri, qui lingua communi utuntur, ut Thuc. 1, p. 28 meæ ed. [c. 84] : Τῶν τε ξὺν ἐπαίνῳ ἐποτρυνόντων ἡμᾶς ἐπὶ τὰ δεινὰ, et paulo post, Καὶ ξὺν χαλεπότητι σωφρονέστερον· item p. 29 [c. 86] : Ἀλλὰ ξὺν τοῖς θεοῖς ἐπίωμεν ἐπὶ τοὺς ἀδικοῦντας, itidemque ap. Soph. [Phil. 1335] : Ξὺν τοῖσδε τόξοις ξύν τ' ἐμοὶ πέρσας φανῇς, item, Ξὺν θεῷ δ' εἰρήσεται· ita vocabula ex hac præpos. composita quæ in lingua communi a litera σ incipiunt, ea in Attica incipere a ξ, tum grammatici docent, tum Attici scriptores confirmant, et quidem antiquiores præsertim, Soph., Eur., Aristoph. : et ex orationis solutæ scriptoribus, Thucydides, ap. quem magis etiam constanter servatam scripturam illam observasse mihi videor, quam apud quenquam alium, excepto Aristophane. Hoc autem quum ita sit, memineris lector, ubi apud illos invenies Ξυνάγω, aut Ξυναγωνίζομαι, et Ξυναθροίζω, et Ξυνᾴδω, et Ξύμμαχος, quærere in Συνάγω, in Συναγωνίζομαι, in Συναθροίζω, in Συνᾴδω, in Σύμμαχος : idemque in ceteris omnibus facere. Ceterum quamvis ap. Thuc. constantius hanc scripturam per ξ observatam mihi videri dixerim quam ap. ullum alium, fateor tamen ap. illum quoque interdum et alteram haberi; ideoque Aristophanem excepi : sed tamen ne ap. hunc quidem desunt aliqua scripturæ alterius exempla : ex quibus est συγκατεκλινόμην, Nub. [49] : Ταύτην δτ' ἐγάμουν συγκατεκλινόμην ἐγώ. Apud Soph. autem passim confunduntur hæ scripturæ; nam, verbi gratia, in Phil. p. 429 [1366] habes Ξυμμαχή-

A σων, non Συμμαχήσων, et Ξυνώμοσας, non Συνώμοσας, et tamen ib. [1319] legitur Συγγνώμην, non Ξυγγνώμην, et Σύμβουλον, non Ξύμβουλον, ut alia infinita harum scripturarum exempla omittam. Existimo autem hunc alterius scripturæ usum, ejus sc. quæ σ habet, incuriæ librariorum imputandum esse : sicut et in iis scriptt. qui Ionica, in iis item qui Dorica dialecto utuntur, magna in scriptura cernitur inconstantia, quam eorum itidem negligentiæ acceptam ferri debere censeo. [« Poetæ omnes ξ pro σ passim usurparunt, oratores perraro, Isocrates bis tantum, si libri non fallunt. Circa Alexandri M. tempora usus elementi ξ exolevisse videtur. Apud Polybium vix invenitur. » Wass. ad Thuc. 5, 75. Idem dicendum de aliis plerisque recentiorum, apud quos, exceptis iis qui dedita opera veterem dialectum affectarunt, tam raro apparet in libris, quam crebro apud proximos Thucydidi Xenophontem et Platonem. Notandus autem Schneideri præf. Lex. vol. 1, p. 9 error, nonnullis in compositis nunquam opinati ab Atticis usurpatam formam ξυν, ut in ξυνήθης, quod est ap. Soph.
B et alios. L. Dindorf.]

[Ξάδιος. V. Ἐξάδιος.]

[Ξάθροι, οἱ, Xathri, gens Indica. Arrian. Exp. 6, 15, 1.]

Ξαίνω, ανῶ, αγκα, Carmino, Carpo, [Puto his add. Gl. : conf. Ξάντρια] ea quidem certe signif., qua dicitur Carpere lanam, sicut et Carminare lanam. [Hom. Od. X, 423 : Εἰριά τε ξαίνειν.] Lucian. [Fugit. c. 12] : Ἔρια ξαίνειν, ὡς εὐεργὰ εἴη ταῖς γυναιξὶ, ubi etiam docet quis sit τοῦ ξαίνειν usus. [Plato Soph. p. 226, B : Ξαίνειν καὶ κατάγειν, et alibi.] At in istis Cratetis versibus, ap. Plut. [Mor. p. 830, C] cum gen. Attico : Τῶν ἐρίων ξαίνοντα, γυναῖκά τε συγξαίνουσαν, Τὸν λιμὸν φεύγοντας ἐν αἰνῇ δηϊοτῆτι. Testatur autem Pollux [7, 30] Aristophanem dixisse itidem, Ἔξαινε τῶν ἐρίων. Legitur vero ξαίνειν et sine adjectione, pro ξαίνειν ἔρια : ut in his Tragici cujusdam [Sophoclis in Scyriis ap. Plut.
C Mor. p. 34, D] versibus, ubi objurgatur ab Ulysse Achilles apud Scyrum inter puellas sedens, et ξαίνων una cum illis : Σὺ δ' ὦ τὸ λαμπρὸν φῶς ἀποσβεννὺς γένους Ξαίνεις, ἀρίστου πατρὸς Ἑλλήνων γεγώς; [Aristoph. Eccl. 89, 92.] Et tamen ap. Aristot. Polit. 5, 10, ubi de Sardanapalo dicit, Ξαίνοντα μετὰ τῶν γυναικῶν, quidam interpr. Nentem inter mulieres : quidam Inter mulieres pensa dividentem. At ego non video cur ab illa signif., quam huic verbo dedi, et quam primam ac propriam esse constat, discedendum sit in hoc Aristot. l. Certe ut in illo Plut. l., quem modo protuli, dicitur Achilles ξαίνειν ἔρια sedens inter puellas, sic dicit ap. Plautum quidam, Inter ancillas sedere jubeas, lanam carpere. [I. q. τίλλω. Theocr. 2, 54 : Τὰς

χλαίνας το κράσπεδον, ὠ'γὼ νῦν τίλλοισα, schol. ξαίνουσα. A || Figurate Aristoph. Lys. 579: Εἶτα ξαίνειν ἐς χαλαθίσκον κοινὴν εὔνοιαν ἅπαντας. «Ξαίνειν τὴν κόμην, Dio Chrys. ap. Synes. Calv. p. 6.» Boiss.] Et pass. Ξαίνομαι, Carminor, Carpor. Strabo [10, p. 446]: Ἐν δὲ τῇ Καρύστῳ καὶ ἡ λίθος φύεται ἡ ξαινομένη καὶ ὑφαινομένη, Quæ carminatur et texitur. [Perfecti duplex forma est, ἔξαμμαι et ἔξασμαι quarum exx. v. in Ἐξάττω et Ξέω. Ἀνεξασμένων Oribas. p. 195 Mai. Hinc Ξάμμα et Ξάσμα.] At VV. LL. tradunt hoc ipsum ξαίνω accipi etiam pro Texo, sicut et pro Neo, sed exemplum nullum harum signiff. proferunt. Hesych. tamen et Suidas ξαίνει exp. etiam νήθει. [Aristoph. Av. 827: Τίς δαὶ θεὸς πολιοῦχος ἔσται; τῷ ξανοῦμεν τὸν πέπλον; Dionys. Per. 754: Αἰόλα δὲ ξαίνοντες ἐρήμης ἄνθεα γαίης εἵματα τεύχουσιν πολυδαίδαλα. || De exterendis frumentis ap. Æschyl. fr. ab Aristot. H. A. 9, 49 cit.: Ὃς ἦρι μὲν φαίνοντι διαπάλλει πτερὸν κίρκου λεπάργου, νέας δ' ὀπώρας ἡνίκ' ἂν ξανθῇ στάχυς, στικτὴ νιν αὖθις ἀμφινωμήσει πτέρυξ. || «Ap. Apoll. Rh. 4, 1266: Ἤλιθα δ' ὕδωρ ξαινόμενον πολιῇσιν ἐπιτροχάει ψαμάθοισιν, Aqua attenuata, B quum ea quæ carpuntur seu pectuntur tenuentur; itaque est ἄχνη Spuma.» Brunck. Clem. Al. Pæd. 1, 6, p. 122: Οἱ ποταμοὶ ῥόθῳ φερόμενοι τῇ ἐμπεριλήψει τοῦ περικεχυμένου ἀέρος ξαινόμενοι. Valck. De locis qui fluctibus verberantur et tunduntur Antipat. Sid. Anth. Pal. 6, 223, 4: Πολλὰ θαλασσαίῃ ξανθὲν ὑπὸ σπιλάδι· anon. 6, 23, 4: Αὐχμηρῶν ξανθὲν ὑπ' ἠιόνων. Conf. Ἀλίξαντος. Id. Antip. Sid. 7, 464, 5: Ξαίνουσα παρειὰς δάκρυσι.] || At Ξαίνειν εἰς πῦρ, quod proverbialiter dicitur de iis qui inanem operam sumunt, Erasm. reddit Ignem diverberare, alibi autem Ictum impingere in ignem: quam interpr. magis probo, licet quod ad sensum, parum aut nihil inter utramque sit discriminis, quum non dicatur ξαίνειν πῦρ, sed ξαίνειν εἰς πῦρ, tum a Plato [Leg. 6, p. 780, C], tum a Luciano, hoc proverbiali dicto utentibus. [Aristid. vol. 2, p. 230 et Parœmiogrr.] Possimus vero fortasse, et illam Budæi interpr. paulo ante relatam imitantes, reddere Infligere s. Incutere plagas: perinde sc. ac si diceretur ξαίνειν πληγὰς εἰς πῦρ: hunc enim accus. aut alium C hujusmodi subaudiri mihi fit verisimile. [Conf. quæ de H. Stephani interpr. monet Casaub. in Casaubonianis p. 50. Boiss.] || Ἐξήνασα Eur. dixit metaphorice Or. [12] pro προξενήσασα καὶ παρασχομένη, vel pro ἐριουργήσασα, κατασκευάσασα, ut exp. schol. Sic autem ibi Eur.: Ὦ στέμματα ξήνασ' [ξήνασ'] ἐπέκλωσεν θεά. Vide Ἐπικλώθω.

|| Ξαίνω, Cædo, ea signif. qua dicitur Cædere flagris. Inest autem quædam et hic Carpendi signif.; nam velut carpitur flagris corpus ejus qui cæditur. Unde et Discerpo alicubi redditur, item Lacero. Plut. Popl. [c. 6]: Ῥάβδοις ἔξαινον τὰ σώματα. [Dionys. A. R. 2, 29: Τοὺς ἄξια μαστίγων δεδρακότας ἔξαινον· 3, 30: Ἔξαινον τὸ σῶμα μάστιξι· 9, 39, ῥάβδοις. L. D. Philostr. Her. p. 749, 23: Οἰμωγὴ τῆς κόρης διασπωμένου αὐτὴν τοῦ Ἀχιλλέως καὶ μελεϊστὶ ξαίνοντος. Hemst. «Similis est l. V. Ap. 2, 14, p. 65: Οἱ λέοντες διασπῶνται τοὺς σκύμνους καὶ ξαίνουσι τὴν σποράν· 3, 31, p. 122: Στρεβλοῦν τε καὶ ξαίνειν· Icon. 1, 18, p. 790: Ξαίνουσι τὸ θήραμα.» Boiss. ad l. c.] Et ξαίνεσθαι μάστιξι, Greg. D Naz. [Alciphr. Ep. 3, 43: Ξήνας ἡμᾶς ὑστριχίδι. Suid. in Ξαίνειν cum annot. intt.] Apud quem legitur etiam sine adjectione dativi, in Macc. Encom. [Or. 23, p. 400, B. Boiss.]: Οὐ μέλη διασπώμενα, οὐ σάρκες ξαινόμεναι, ubi quidam interpr. Non artus distracti, non carnes laniatæ. Sed dicitur et ξαίνειν πληγὰς pro Infligere, Incutere plagas, Bud. in Dem. [p. 403, 4]: Εἰπούσης τι καὶ δακρυσάσης ἐκείνης, περιῤῥήξας τὸν χιτωνίσκον ὁ οἰκέτης ξαίνει κατὰ τοῦ νώτου πολλάς. [Cinnamus p. 6, B: Πολλὰς αὐτῷ ξαίνει κατὰ τῶν νώτων. L. D. Conf. Thom. p. 359. Anon. ap. Suid. v. Ἀποσπάσας: Ἔξαινε κατ' αὐτοῦ πληγάς. Valck. V. Suid. in Ξαίνειν.]

[Ξάμμα, τὸ, a ξαίνω, ἔξαμμαι, Lana carminata. Hesych. in Πειχός. Hemst.]

[Ξανανθηρὶ, nomen mensis apud Cappadoces, sec. Menolog. ap. HSt. App. Thes. p. 225, E. Ξανθηρὶ in alio ap. Cramer. An. vol. 3, p. 402, 23. Ξανθικὸς in Flor. ap. Ideler. Chronolog. vol. 1, p. 440.]

[Ξανδράμης, ὁ, Xandrames, Gandaridarum regulus, Diodor. 17, 93.]

Ξάνάω, Carminandæ lanæ s. Carpendæ labore fatigor, delassor, lassesco. Exp. etiam generalius, Lanificio lassor, Manus lassor: nam Pollux [7, 30] ξανᾷν esse ait τὸ καμεῖν ἀπὸ τῆς ἐριουργίας τὰς χεῖρας [quibus additur καὶ ξανάσαι, pro quo olim καὶ ξάνησιν (al. ξανάσειν). Quod aut ξάνησις scrib. aut ξανῆσαι, quæ esse videtur dittographia proximi ξανᾶν, ut Pollux quoque locum Soph. respexerit et aoristum posuerit quum hujus tum verbi καμεῖν. Nihili certe est ξανάσαι, nec ξάνησις, si scrib. ξανῆσαι, jam auctorem habebit. L. D.]: itidemque Suid. ξανᾷν esse πονεῖν τοὺς καρποὺς τὰς γυναῖκας τοὺς τῶν χειρῶν διὰ συνεχῆ τῶν ἐρίων ἐργασίαν. Idem, sicut et Hesych., exp. simpliciter κοπιᾷν, Fatigari, Lassescere, Fatiscere; et affert ex Soph. de Hectore decertaturo adversus Græcos, Ἡδὺ ξανῆσαι καὶ προγυμνάσαι χέρα. [Nicander Th. 383: Ξανάᾳ κεχαλασμένα δεσμὰ, i. q. ναρκᾷ.]

Ξάνδαρος, Hesychio Animal simile bovi apud Atlanticum mare. [Γάνδαρος, quod v., comparavit Albertus, Τάρανδος, de quo infra, Bonarus ap. Pearson. Adversar. Hesych. vol. 2, p. 519. L. Dind.]

[Ξανδικός. V. Ξανθικός.]

Ξάνησις, εως, ἡ, Defatigatio s. Lassitudo ex carminatione lanæ. Significare autem et Lanificium, quidam ex Polluce [7, 30] annotant: quod tamen ex ejus verbis colligi nullo modo potest. [De verbis Poll. v. in Ξανάω.]

[Ξανθάριον, ἡ, Xantharium. V. Ξανθώ.]

[Ξάνθεια, ἡ, Xanthia, prope Thessalonicam, memoratur ap. Georg. Pachym. Mich. Pal. 3, p. 149, B, C. L. Dindorf.]

[Ξανθὴ, ἡ, Sycomorus. Gll. iatricæ mss. ex cod. Reg. 1047: Ξανθὸν σπέρμα, μόρα, ἐξ οὗ ἡ συκομορέα ξανθὴ καλεῖται. || Ξανθὴ in gll. chymicis mss. αἰθάλη, ἐστὶ θεῖον καὶ ὕδωρ ἀργύρου. Ducang. V. etiam Ξανθός.]

[Ξάνθη, ἡ, Xanthe, f. Oceani et Tethyos, ap. Hesiod. Th. 356. Quod n. dicere videtur Arcad. p. 106, 3. Trojæ vel Troadis nomen secundum Hesychium et Steph. Byz.]

[Ξάνθης, ὁ, Xanthes, dux Mardorum, ap. Æsch. Pers. 995.]

[Ξανθητρίχα, in gll. botanicis Colbert. Mss. ὁ κρόκος, Crocus. Ducang.]

Ξανθίας est et Piscis ap. Athen. l. 8. [Immo Ἀνθίας.]

Ξανθίας, ὁ, servi nomen a flavis capillis. [Ap. Aristoph. Ach. 242, Av. 656, et inter personas fabulæ in Vespis et Ranis, Eubulum, ut videtur, si ab illo petita Hesychii glossa Ξανθιμίας (Ξανθίας Meineck. Com. vol. 3, p. 234), βόλου ὄνομα, aliosque Comicos ap. Athen. 8, p. 336, E; 12, p. 553, A, Æschin. p. 49, 16. Alii ap. Eupolin in Ταξιάρχαις ap. Polluc. 7, 106, et ap. Plat. Men. p. 94, C. Non enim servile tantum nomen fuisse constat etiam Horatii testimonio Od. 2, 4, 2: «Ne sit ancillæ tibi amor pudori, Xanthia Phoceu.»] Dicti sunt autem et πυῤῥίαι iid. qui ξανθίαι, Eust. [Il. p. 432, 28. ῐᾶ]

[Ξανθίδης, ὁ, Xanthides, n. viri, in inscr. Att. ap. Bœckh. vol. 1, p. 356, n. 237. ῐ L. Dind.]

[Ξανθίδιον, τὸ, n. propr., dimin. a Ξανθίας, Aristoph. Ran. 582.]

Ξανθίζω, Flavum reddo. [Jo. Diac. Alleg. ad Hesiodi Theog. 943, p. 494: Ξανθίζουσι ταύτας (τὰς τρίχας).] Sed ap. Aristoph. Ach. [1047]: Ὀπτᾶτε ταυτὶ, καὶ καλῶς ξανθίζετε, exp. πυῤῥὰ τῇ ὀπτήσει ποιεῖτε, (plura Suid.,) Ita torrete ut reddantur rutila s. fulva. Quidam et Rufa interpr. Et pass. Ξανθίζομαι, Flavus reddor. [Dionys. A. R. 7, 9: Ὥσπερ τὰς παρθένους ξανθιζομένους καὶ βοστρυχιζομένους. Conf. l. Aristoph. in Ἐξανθίζω cit., quod etiam ap. Dionys. illatum in libros. Lex. rhet. Bekk. An. p. 284, 9: Ξανθίζεσθαι τὸ κοσμεῖσθαι τὰς τρίχας Λάκωνες.] Athen. 12: Τήν τε τρίχα τὴν ἐπὶ τῆς κεφαλῆς ξανθιζόμενος. [Schol. ad Dosiad. Ar. 1, 1: Ἔριον, ὃ τοῖς δευσοποιοῖς φαρμάκοις ξανθίζεται.] || Flaveo, Flavus sum: ξανθίζουσα θρὶξ, VV. LL. ex LXX [Lev. 13, 31, 32, 36], Flavens s. Flavus crinis. [Schol. Eurip. Or. 1160. Boiss. Ξαντίζεσθαι, Flavescere, Gl.]

[Ξανθικλῆς, έους, ὁ, Xanthicles, Achæus, ap. Xen. A Anab. 3, 1, 47, etc.]

Ξανθικὸς, ὁ, Aprilis mensis apud Macedones. [Diod. 18, 56, aliique plurimi recentiorum. « Passim S. Anastasius Antiochenus patr. Or. in annunt. Deiparæ p. 856, de mense Hebræis Nisan dicto : Οὕτω γὰρ παρ αὐτοῖς πρῶτος ὀνομάζεται μὴν ὁ παρὰ Ῥωμαίοις ἀπρίλιος, παρὰ δὲ Μακεδόσι ξανθικός· ἑρμηνεύεται δὲ νισὰν ὁ ἀνθῶν· νίσσα γὰρ λέγεται παρ' Ἑβραίοις τὸ ἄνθος· τάχα δὲ καὶ ὁ ξανθικὸς λέγεται τῇ προσθήκῃ προσαγορευθεὶς ξανθικὸς, εἴτε ἀνθικὸς εἴτε ξανθικὸς ἐκ τῆς ἐν τῷ ἀέρι ἐξανθήσεως τοῦτο χρηματίζει. » Ducang. De scriptura per δ Letronn. *Recueil* vol. 1, p. 262 ad inscr. Rosett. 15 : Ξανδικου. « *La prononciation du δ et celle du θ était si voisine l'une de l'autre que l'on confondait souvent ces deux lettres... Les papyrus grecs donnent constamment la même orthographe* Ξανδικοῦ, *qui paraît avoir été la seule usitée en Égypte ; on la trouve aussi dans les inscriptions de Palmyre, et jusque sur les médailles des Arsacides.* » V. *Journal Asiatique* 1831, *mars*, p. 234, Bœckh. C. I. vol. 1, p. 604, n. 1235; n. 2109, b, 2114, B c, 2829, 18. L. D.] Ξανθικὰ, τὰ, Festum eo mense celebrari solitum pro lustratione exercitus, Suid., Hesych. Sed ap. hunc ita leg. puto, Ξανθικὰ, ἑορτὴ Μακεδόνων, ἡ Ξανθικοῦ μηνὸς [ἢ servat Meursius in ἡ' mutatum] ἀγομένη· ἔστι δὲ καθάρσιον τῶν στρατευμάτων.

[Ξανθικὸς, ὁ, Xanthicus, n. viri, ap. Tzetz. Anteh. 80.]

[Ξάνθιοι, οἱ, Xanthii, gens Hyrcaniæ, ap. Strab. 11, p. 511, 515. Lyciæ (v. Ξάνθος) 14, p. 666. Thraciæ 13, p. 590. Secundos memorat Polyb. 26, 7, 3.]

Ξάνθιον, τὸ, Lappa. Planta est pinguibus locis nascens, et ubi lacus exaruerunt, caule cubitali, anguloso, pingui, alas plures fundente, folio atriplicis incisuras habente, odore nasturtii, semine rotundo s. grandiore oliva, spinoso : platani pilula, vestium, quum tangitur, tenaci : φιλάνθρωπος ob id a quibusdam dicta. Nomen habet, quod rufet capillum. Ab Herbariis Lappa minor et Lappa inversa nominatur. Gorr. [Diosc. 4, 138.]

[Ξάνθιον πεδίον, τὸ, Campi juxta Xanthum fl. Lyciæ, C ap. Herodot. 4, 176.]

[Ξάνθιος. V. Ξάνθος.]

[Ξανθίππη, ἡ, Xanthippe, f. Dori, ap. Apollod. 1, 7, 7, 1. Ἀπέκγονος Periandri ap. Simonid. Anth. Pal. 13, 26, 3. Socratis philosophi uxor ap. Plat. Phædon. p. 60, A, Diog. L. 2, 36, et al. Aliæ Anth. Pal. App. n. 262, 1, et alibi in Anthol.]

[Ξανθιππίδης, ὁ, Xanthippides, ap. Plut. Aristid. c. 5 dicitur archon ol. 75, 2, qui ap. Diodor. Ξάνθιππος.]

[Ξάνθιππος, ὁ, Xanthippus, n. viri, ap. Aristoph. Nub. 64. F. Melanis ap. Apollod. 1, 8, 5, 3. Patris Periclis ap. Herodot. 6, 131 etc., Thuc. 1, 111, et al. Archon Att. ol. 75, 2, ap. Diod. 11, 27. Al. in inscrr. ap. Bœckh. vol. 1, p. 356, n. 237; 540, n. 980. Ξάντιππος in Marm. Par. vol. 2, p. 302, 69. Alii ap. Polybium, Pausaniam et alibi.]

[Ξανθὶς, ίδος, ἡ, Xanthis, Thespias, Apollod. 2, 7, 8, 4.]

Ξάνθισμα, τὸ, ipsa Actio reddendi flavum : ut in hoc D Menandri [immo Eur. in Danae ap. Stob. Fl. 64, 5] loco : Ἔρως γὰρ ἀργὸς κἀπὶ τοῖς ἀργοῖς ἔφυ, Φιλεῖ κάτοπτρα καὶ κόμης ξανθίσματα, ubi tamen ego liberius ξανθίσματα reddidi Pictam comam : ita interpretans hosce duos versus, in libello quem edidi Sententiarum quæ ex Græcis Comicis collectæ sunt : Piger amor est, et in pigris innascitur, Speculoque gaudet, gaudet et picta coma. Sed affertur ex Epigr. [Pauli Sil. Anth. Pal. 5, 260, 3 : Ξανθίσμασι χαίτης] et pro Flavo colore, quem quidam putarunt posse vocari Flavorem.

[Ξανθίων, ωνος, ὁ, Xanthio, n. servile, ap. Liban. vol. 4, p. 363, 25, ubi Ξανθίωνας pro Ξανθίας illatum per proximum Καρίωνας. L. Dind.]

[Ξανθοαρχιγένειος, ὁ, Qui flava est lanugine. Jo. Malal. vol. 1, p. 131. Elberling.]

[Ξανθογένειος, ὁ, Qui flava est barba. Tzetz. Posth. 669.]

Ξανθόγεως, ω, ὁ, ἡ, Flavam terram habens s. Fulvam, ut alii interpr. [Lucian. De dea Syr. c. 8.]

[Ξανθοέθειρος, ὁ, ἡ, Qui flavis est capillis. Tzetz. Posth. 381, 657.]

Ξανθόθριξ, τρῖχος, ὁ, ἡ, Pilos habens flavos, Cui flavi crines sunt. Theocr. [18, 1] : Ξανθότριχι πὰρ Μενελάῳ. Pro quo ap. Hom. sæpe ξανθὸς Μενέλαος. [Iterum HSt. :] Ξανθόθριξ, ιχος, Qui est flavo crine, Flavos capillos habens, Qui est flava cæsarie, epith. Menelai ap. Theocr. in versu quem supra protuli. [Cram. An. vol. 3, p. 378, 30.]

[Ξάνθοι, ἔθνος Θρᾴκιον. Ἑκαταῖος Εὐρώπῃ, Steph. Byz. Supra Ξάνθιοι.]

Ξανθοκάρηνος, ὁ, ἡ, Cui flavum est caput, i. e. Cui flavi sunt capitis pili. Invenitur alicubi dictum de Baccho. [H. in Bacch. Anth. Pal. 9, 524, 15. Conf. Bœckh. C. I. vol. 1, p. 54, n. 38. ἅ L. Dind.]

[Ξανθοκάρυα, τὰ, Juglandes flavæ, ap. Myrepsum s. 19, c. 17. Glossæ botanicæ mss. ex cod. Reg. 648 : Βάλανος μυρεψικὸς ἤτοι τὸ χρυσοβάλανον ἢ ξανθηκαίρια λεγόμενα. Ξανθησάριον ap. eund. Myrepsum s. 19, c. 14, ubi ξανθοκάρυον rescribit Meursius, ut est in c. 14. Ducang.]

Ξανθοκόμης, ὁ, ἡ, Flavam comam habens s. cæsariem, sicut ξανθόθριξ et ξανθοκάρηνος. [Pind. Nem. 9, 17 : Ξανθοκομᾶν Δαναῶν. Theocr. 17, 103.] Oppian. Cyn. 3, [24] : Ξανθοκόμαι τελέθουσι, καὶ οὐ τόσον ἀλκήεντες. Non dubitem autem Flavicomus reddere uno verbo, sicut dicitur Auricomus : licet hoc cum substantivo, illud cum adjectivo componi fatear. [Pollux 2, 24; 4, 136.]

Ξανθόκομος, ὁ, ἡ, et Ξανθοκόμης, Qui flava cæsarie est, i. q. ξανθόθριξ, ξανθοκάρηνος. [Oppian. Cyn. 2, 165. Wakef. Ubi ξανθοκόμαι Schneider. ex cod., ut est 3, 24. Idem vitium sublatum ap. Theocr. 17, 103.]

[Ξανθόλευκος, ὁ, ἡ, Ex flavo candidus. V. Ὠχρόλευκος.]

[Ξανθόλοφος, ὁ, ἡ, Qui flavam habet cristam. Etym. M., Suid., Hesych. v. Φοινικόλοφος. Wakef.]

[Ξανθόμματος, ὁ, ἡ, Qui flavis est oculis s. superciliis. Epiphan. monach. De vita Mariæ p. 48, De Deipara c. 6 et c. 15. Boiss. Inc. in Boisson. Anecd. vol. 3, p. 39. Osann.]

[Ξανθόουλος, ὁ, ἡ, Flavus et crispus. Libanius vol. 4, p. 1071, 19 : Τὸ τῆς κόρης (l. κόμης) ξανθόουλον ταῖς παρειαῖς εὐναζόμενον πρὸς τὸ συγγενὲς τοῦ φοινίγματος καί τι καὶ χρυσαυγίζον ἐμίγνυε. Ubi χανθόουλον, quod ξάνθουλον scribebat Jacobs. ad Philostr. p. 348.]

[Ξανθοπλόκος, ὁ, ἡ, Pisid. Opif. p. 420.]

[Ξανθοποιέω, Flavum facio. Constitt. Apost. 1, 3. Kall.]

[Ξανθοπώγων, ωνος, ὁ, Qui flava est barba. Is. Porphyrog. in Allatii Exc. p. 307.]

Ξανθὸς, ἡ, ὸν, Flavus. Exp. et Luteus, Rufus. [Rubeus, Rubrus, Fulvus, Batis (Badius), Burrus, his add. Gl.] Dicitur autem aliquis esse ξανθὸς, vel ejus κόμη esse ξανθή : ut ξανθὸς Μενέλαος [et alii] ap. Hom. [et alios, et ξανθὴ Ἀγαμήδη Il. Λ, 740. Hesiod. Th. 947: Ἀριάδνη. Simonid. Anth. Pal. 7, 507, 4 : Ξανθῆς Φερσεφόνης. Pind. Nem. 5, 54 : Ξανθαῖς Χάρισιν, et Leonid. Tar. 7, 440, 3], et ξανθὴ κόμη, quæ Achilli tribuitur, Il. Α, 197 : Στῆ δ' ὄπιθεν, ξανθῆς δὲ κόμης ἕλε Πηλείωνα· quod epith. interpretantes quidam Latini poetæ vocarunt Achillem flavum. [Χαίτη Ψ, 141, τρίχες Od. Ν, 399. Il. Λ, 680 : Ἵππους ξανθάς· Ι, 407 : Ἵππων ξανθὰ κάρηνα. Pind. fr. ap. Aristid. vol. 2, p. 378 : Ξανθὸς λέων. Soph. El. 705 : Ξανθαῖσι πώλοις.] Sic autem quæ ab Hom. [Il. Ε, 500] appellatur ξανθὴ Δημήτηρ, a Virg. et Tibullo Flava Ceres nuncupatur. Sed et quæ a Medicis Græcis ξανθὴ χολὴ, a Latinis Flava bilis nominatur. [Pind. Ol. 6, 55 : Ξανθαῖς ἀκτῖσιν· 7, 49 : Ξανθὰν νεφέλαν· Pyth. 4, 149 : Βοῶν ξανθὰς ἀγέλας· 225 : Ξανθᾶν γενύων· fr. ap. Strab. 10, p. 469 : Ξανθαῖσι πεύκαις· et in fr. de quo dixi in Add. ad Δάκρυον : Ξανθὰ δάκρη. Simonid. ap. Plut. Mor. p. 41, F : Ξανθὸν μέλι. Æsch. Pers. 617 : Ξανθῆς ἐλαίας καρπός. Aristoph. Ach. 1107 : Καλόν γε καὶ ξανθὸν τὸ τῆς φάττης κρέας. Moschus 2, 68 : Ξανθοῖο κρόκου. Macedon. Anth. Pal. 9, 645, 8 : Ἐκ βοτρύων ξανθὸν ἄμελξε γάνος.] Lucian. [D. mort. 1, 3] : Ὅτι παρ' ἡμῖν οὔτε ἡ ξανθὴ κόμη, οὔτε τὰ χαροπὰ ἢ μέλανα ὄμματα, ἢ ἐρύθημα ἐπὶ τοῦ προσώπου ἔτι ἐστίν. Sic ξανθαὶ κόμαι, [Theognis 828,]

Herodian. [4, 7, 4.] Dicitur autem et comp. voce ξανθοκόμας a poetis ὁ ξανθὴν κόμην s. κόμας ξανθὰς ἔχων, cui composito synonymum est ξανθόθριξ. Item puer ξανθὸς dicitur, et puella ξανθὴ ap. Philostr. [Et ap. Diodor. 5, 28 : Ταῖς κόμαις οὐ μόνον ἐκ φύσεως ξανθοί.] Ceterum quod ξανθὴ κόμη ad pulcritudinem multum facere existimata sit, ideo fuerunt quibus ξανθὸς Μενέλαος libuerit exponere καλός : itidemque ξανθὴ κόμη Πηλείωνος, καλή : sed tamen, uti dixi, quidam Latini poetæ, tanquam interpretantes ad verbum vocem Homericam, Flavum Achillem vocarunt : ad Menelaum autem quod attinet, sicut eum Hom. ξανθὸν, ita Theocr. ξανθότριχα vocavit, 18, 1 : Ἔν ποκ' ἄρα Σπάρτᾳ ξανθότριχι πὰρ Μενελάῳ. [Soph. fr. Tyrus ap. Ælian. N. A. 11, 18 : Πώλου ἥτις θέρος θερισθῇ ξανθὸν αὐχένων ἄπο. Et sæpissime Eur. cum nominibus βόστρυχος, κόμη, πλόκαμος, χαίτη etc. idemque cum nominibus κεφαλὴ et similibus. Comparativo Theocr. 2, 78 : Ξανθοτέρα ἑλιχρύσοιο γενειάς. Plato Reip. 10, p. 617, A. Superlativi ex. est in fr. anonymi, quem Callimachum putavit Ruhnk., ap. Suid. in Φόβη cit. : Φόβησι ξανθοτάταις ἐκόμα.] Ceterum de hoc colore ita Plato in Timæo [p. 68, B] : Λαμπρόν τε ἐρυθρῷ λευκῷ τε μιγνύμενον, ξανθὸν γέγονε. [Id. p. 59, B : Στίλβοντι καὶ ξανθῷ χρώματι. « Τὸ ξανθὸν et τὸ χλωρὸν tanquam synonyma ponuntur fr. 20, 25 et 41, sed 42 τὸ χλωρὸν transit in τὸ ξανθόν. » Schneider. Ind. Theophr.] De etymo autem lege Eust. [Il. p. 82, 30, 38, Od. p. 1745, 59.] || Ξανθὸς non tantum nomine Flavus posse reddi, sed et alias interpretationes alicubi admittere, ex seqq. Plinii ll. apparebit, verba scriptorum Græcorum interpretantis. Quum igitur Aristot. [H. A. 9, 32] de quodam aquilarum genere ita scripsisset, Ἔτι δ' ἄλλο γένος ἐστὶν ἀετῶν, οἱ καλούμενοι γνήσιοι (φασὶ δὲ τούτους μόνους γνησίους εἶναι)· ἔστι δὲ οὗτος χρῶμα ξανθός· pro his Plin. ita, Hoc genus γνήσιον vocatur, velut verum solumque incorruptæ originis, colore subrutilo. Idem dixit merulam ex nigra rufescere, quum Aristot. [H. A. 9, 49] scripsisset, ἀντὶ μέλανος ξανθός. [Quomodo ξανθὸς differat a πυρρὸς et φοινικοῦς, v. ap. Eust. Il. p. 83, 10, qui ἡλιώδης interpretatur.] At hæc Theophrasti [H. Pl. 3, 11, 3] de fraxino, Τὴν δὲ, ταπεινοτέραν, καὶ σκληροτέραν, καὶ ξανθοτέραν, vertit, Fraxinum alteram facere brevem, duriorem, fuscioremque. [Bacchylides ap. Stob. Fl. vol. 3, p. 402 : Ξανθᾷ φλογί. Antip. Sid. Anth. Pal. 12, 97, 1 : Εὐπάλαμος ξανθὸν μὲν ἐρεύθεται ἶσον ἔρωτι μέσφ' ἐπὶ Μηριόνην.] || Ξάνθος, retracto in priorem accentu, ap. Hom. nomen equi a colore : Il. Π, [149] : Τῷ δὲ καὶ Αὐτομέδων ὕπαγε ζυγὸν ὠκέας ἵππους, Ξάνθον καὶ Βαλίον. Itidem vero et alibi hos duos conjungit. || Nomen fluvii Trojani, quod flavos reddat, qui eo se abluunt : ap. eund. poetam. Alio nomine Scamander. [Pind. Ol. 8, 47. Strabo 13, p. 590.] || Ξάνθος, ἡ, est et nomen urbis Lyciæ [ap. Herodot. 4, 176, Diod. 20, 27], item urbis Lesbi; sed illa urbs Lyciæ a fluvio Xantho ita vocata creditur. Alii tamen contra fluvium illum Xanthum ab ea ut ortum, ita et nomen accepisse existimarunt, quæ ita nuncupata sit a Xantho conditore, Ægyptio, vel Cretensi. Vide Steph. B. [qui addit ὁ πολίτης Ξάνθιος, καὶ τοῦ ποταμοῦ τὸ κτητικὸν ὁμοίως. V. Ξάνθιοι], necnon Eust. [Il. p. 369, 22; 634, 14. || N. historici Lydi, cujus fragm. primus collegit Creuzer. Regis Bœotorum, qui male Ξάνθιος aliquoties in schol. Plat. Conv. p. 376, Ξάνθος tum ap. alios de quibus diximus in Μελαινεῖς et Μελάναιγις, tum ap. Strab. 9, p. 393, Pausan. 9, 5, 16, qui etiam Erymanthi f. memorat 8, 24, 1.] || Ξανθή, nomen compositi medicamenti acris et exedentis, Paul. Ægin. [4, 43, utitur ad ulcera, in quibus caro supercrescit, et 53 ad inducendam crustam et sistendum sanguinem ex quavis parte profluentem. Gorræus. || Genus lapidis. Theophr. fr. 2 De lapid. 37 : Ἄλλη δὲ λίθος ἡ καλουμένη ξανθὴ, οὐ ξανθὴ μὲν τὴν χρόαν, ἔκλευκος δὲ μᾶλλον, ὃ καλοῦσι χρῶμα οἱ Δωριεῖς ξανθόν. || « Ξανθὸν φάρμακον in gll. chymicis mss. ἐστὶ σιδηρίτης δι' οὔρου θείου οἰκονομηθὲν καὶ ἡ καδμία. » Ducang.]

[Ξανθότης, ητος, ἡ, Color flavus. Strabo 7, p. 290.]

[Ξανθοτριχέω, Flavis sum capillis. Ξανθοτριχεῖν καὶ λευκοτριχεῖν ποιεῖ (Crathis fl.) τοὺς λουομένους, Strab. 6, p. 263. Hemst. Eust. in Dionys. P. 733.]

A [Ξανθότριχος (vitiosum) est ap. schol. Pind. in Εὐρυδίνης citatum. Boiss.]

[Ξάνθουλος. V. Ξανθόουλος.]

[Ξανθοφαής, Qui est flava luce. Jo. Gazæus Ecphr. 1, 58 : Ἀντολίη ... ξανθοφαὲς μαίωσα φάος νέον.]

[Ξανθοφανής, Sideritis, ap. Interpol. Diosc. c. 615 (4, 33). Ducang.]

[Ξάνθοφρυς, ὁ, ἡ, Qui est flavis superciliis. Jo. Malal. 1, p. 131. Elberl.]

[Ξανθοφυής, ὁ, ἡ, Flavus. Strato Anth. Pal. 12, 10, 2 : Κροτάφων ξανθοφυεῖς ἕλικες. Nonn. Dion. 6, 113 : Ξ. Δηώ· 37, 122 : Ἵππον ξανθοφυῆ· 43, 58 : Ἑλικάων ξ.]

[Ξανθοχίτων, ωνος, ὁ, ἡ, Qui flavum habet corticem. Philipp. Anth. Pal. 6, 102, 1 : Ῥοιὴν ξανθοχίτωνα. Ϊ]

[Ξανθόχλους, ὁ, ἡ, Qui flavo colore floret. Hesychius : Φοινικόχλοις, ξανθόχλοις, fortassse pro -χλόοις.]

[Ξανθοχολικὸς, ἡ, ὸν, adj. ab sequenti ductum. Alex. Trall. 1, p. 95.]

B [Ξανθόχολος, ὁ, ἡ, Qui flava bile laborat. Schol. et Eust. ad Hom. Il. A, 197. Ξανθήχολος anon. ap. Bernard. ad Theoph. Nonn. vol. 1, p. 99.]

[Ξανθόχροος s. Ξανθόχρους, ὁ, ἡ, Qui flavi est coloris. Priori forma Moschus 2, 84 : Δέμας ξανθόχροον. Altera Nonn. Dion. 11, 179 : Ξανθόχροα πηλόν. Wakef. Heliodor. in Fabric. B. Gr. vol. 8, p. 122, 121 : Χρυσάργυρον ξανθόχρουν. L. Dind.]

[Ξανθόχρως, ωτος, ὁ, ἡ, i. q. præcedens. Ξανθόχρωτες τρίγλαι, Nausicr. apud Athen. 7, p. 325, F; 330, B. Hemst.]

[Ξανθόω.] Ξανθοῦσθαι, Fieri ξανθὸν, Flavescere.

[Ξανθύνομαι, i. q. præcedens. Theophr. H. Pl. 3, 15, 6 : Πεπαινόμενος δὲ (ὁ καρπὸς) ξανθύνεται. Ubi olim ξηρὸς vel ξανθὸς γίνεται, illud præbuit Urbinas.]

[Ξανθὼ, οῦς, ἡ, Xantho, n. mulieris, ap. Philodem. Anth. Pal. 5, 4, 5; 9, 570, 1, ubi etiam diminut. Ξανθάριον.]

[Ξανθωπὸς, ὁ, ἡ, Qui flavi est aspectus. Oppian. Cyn. 2, 382 : Τοίην που καὶ Σοῦβος ἔχει ξανθωπὸν ἰδέσθαι

C χροιὴν μαρμαίρων.]

[Ξάνθωσις, εως, ἡ. Glossæ chemicæ post Pallad. De febr. p. 136. Boiss.]

Ξάνιον, τὸ, Instrumentum ad carminandum, κτένιον, Pecten, Hesych., Suid. Itidem vero existimatur legendum ap. Polluc. ξάνιον, non ξένιον, ubi dicit appellari a quibusdam κτένιον : scribens 5, c. 16 [§ 96], Τὸ δὲ ξένιον, ἣν μὲν καὶ αὐτὸ χρυσοῦν, κεφαλὴν κοσμοῦν· ἔνιοι δὲ καὶ αὐτὸ κτένιον εἶναι νομίζουσι. [Conf. 10, 126.] Vide et Hesych. ac [Lex. rhet. Bekk. An. p. 284, 7,] Suid. [Ξάννιον in Lexico Ms. Eudemi κτένιον ὃ φοροῦσιν αἱ γυναῖκες ἐν τοῖς ἀναδέμασιν, ὁ κόσμος γυναικὸς χρυσοῦς ἐπὶ κεφαλῆς. Hesychius et Phavorinus ξάννιον habent. Ducang. Eustath. Il. p. 82, 38. Seager.] || Ξάνιον, Mensa coquinaria, supra quam carnes concidunt. [Pollux 6, 90; 10, 101. Unde corrigendi Photius et Suidas in Ξάνθιον, quod recte ἐπίκοπον interpretatur liber unus Suidæ. L. Dind.]

[Ξάνσις, εως, ἡ, Carptus, Gl.]

[Ξαντεύς. V. Ξάντης.]

D Ξάντης, ὁ, Carminator. Plato [Polit. p. 281, A] : Ἢ τὴν ξαντικὴν τολμήσομεν ὑφαντικὴν, καὶ τὸν ξάντην ὡς ὄντα ὑφάντην καλεῖν. Ap. Polluc. autem [7, 209] legitur nomen plur. Ξαντεῖς post ξαντική : pro quo reponendum videri possit ξᾶνται, aut ξάντης, ex isto Plat. l. : nisi forte et nomin. sing. Ξαντεὺς in usu fuit. [V. Ξάντρια.]

Ξαντικὸς, ἡ, ὸν, Ad carminationem pertinens, et q. d. Carminatorius. At ξαντικὴ pro ξαντικὴ τέχνη, in l. Plat. [Polit. p. 281, A, 282, A, E], quem protuli in Ξάντης, Carminandi ars : ut ὑφαντικὴ, Texendi ars. [Conf. p. 282, B, ubi τὸ ξαντικόν. « Orig. C. Cels. p. 214. » Wakef.]

[Ξάντρια, ἡ, Pucatrix (Putatrix), Gl. De qua interpr. conf. Ξαίνω sub initium. Æschyli fuit fabula Ξάντριαι, quarum argumentum quum aliunde constet Pentheum præbuisse a Bacchis discerptum, ξάντρια a poeta dictum fuisse, ut supra ξαίνειν, colligere licet ex Philostr. Imag. 1, p. 790 : Αἱ δὲ καὶ ξαίνουσι τὸ θήραμα, dicente de Bacchis, quem locum contulit Elmsl.

ad Eur. Bacch. p. 15. Item Platonis comici, quam tamen fabulam alii Ξάντας dicunt.]

Ξάσμα, τὸ, Quod carminatum est. In VV. LL. ex Soph. pro Carminatio; at Pollux [7, 30] Sophoclem quidem eo uti docet, sed qua signif. non addit.

[Ξαῦρος, τόπος Μακεδονίας, ἀπὸ Ξαύρου τινός. Οἱ οἰκοῦντες Ξαύριοι, Steph. Byz.]

[Ξειναγόρα, ion. pro Ξεναγόρα, ἡ. N. mulieris in inscrr. Eleus. ap. Bœckh. vol. 1, p. 444, n. 390, 391.]

[Ξειναγόρας. V. Ξεναγόρας.]

[Ξείνηθεν, Peregre. Oppian. Hal. 4, 153 : Ξείνηθεν ἰδοῦσαι ... νοστήσαντα.]

[Ξεινήιον. V. Ξένιον.]

[Ξεινήιος. V. Ξένιος.]

[Ξεινία, Ξεινιάδας, Ξεινίζω, etc. V. Ξεν—.]

[Ξεινοβάκχη, ἡ, Incensa hospitis amore, de Medea, Lycophro 175.]

[Ξεινοδοκέω, etc. V. Ξενοδ—.]

[Ξεινοσσόος, ὁ, ἡ, Hospites servans. Nonn. Dion. 3, 176 : Μιμηλῆς ἀπέπεμπε βοῆς ξεινοσσόον ἠχώ. Wakef.]

[Ξεινοσύνη, etc. V. Ξενο—.]

[Ξεινοῦσσα, ἡ.] Ξεινοῦσσαι, Hesychio sunt ξενῶνες. [V. Ξενόεις.]

[Ξεινοφάνης, Ξεινοφόων. V. Ξεν—.]

Ξειρὶς, ίδος, ἡ, Hesychio ἀρωματικόν τι φυτόν : pro quo ap. Diosc. [4, 22], Ξυρίς. [Iris fœtidissima Linn. Angl. Photius : Ξειρης (sine acc.), φυτὸν ἀρ. Ἀριστοφάνης. Suidas et Zonaras p. 1417, ξίρις, de quo HSt. :] Ξίρις, herba quædam ap. Theophr. H. Pl. 9, 9. Ap. Diosc. Ξυρὶς, 4, 22; ap. Plin. item Xyris, 21, 20. [Atque ξίρις præcipit Chœrobosc. Cram. An. vol. 2, p. 242, 10. Utramque scripturam agnoscit Etym. Havn. ap. Bloch. ad Etym. p. 980—1, ubi memoratur etiam verbum Ξιρίω, non addita signif. L. Dind.]

Ξελισμὸς ἵππων, Equorum incitatio et procursatio equestris. Ita quidem ex Arriani Exp. Alex., sed perperam : scrib. enim ἐξελιγμός.

[Ξενάγέτης, ὁ, i. q. ξεναγός. Pind. Nem. 7, 43 : Δελφοὶ ξεναγέται.]

Ξενᾰγέω, et Ξενᾰγωγέω, Duco hospitem ad ea quæ visenda sunt. Charon ad Mercurium, ap. Lucian. [Char. c. 1] : Αἰτησάμενος οὖν παρὰ τοῦ Ἅδου, ἐς τὸ φῶς ἀνελήλυθα· καί μοι δοκῶ ἐς δέον ἐντετυχηκέναι σοι· ξεναγήσεις γάρ εὖ οἶδ' ὅτι με ξυμπερινοστῶν, καὶ δείξεις ἕκαστα, ὡς ἂν εἰδὼς ἅπαντα, Deduces me locorum ignarum, quippe peregrinum, Bud. Menippus dicit Mercurio ap. eund. Lucian. [D. mort. 18, 1] : Ποῦ δὲ οἱ καλοὶ ἢ αἱ καλαί εἰσιν, ὦ Ἑρμῆ, ξενάγησόν με νέηλυν ὄντα; Deducito, Bud. Vide et Comm. p. 423. [Alciphr. Ep. 1, 26 : Ξεναγήσαντός μέ τινος τῶν ἀστικῶν ἐπὶ τὰς Μαρτίου θύρας ἀφικόμην· Themist. Or. 9, p. 123, B : Πρὸς τὰς Μούσας αὐτὸν ξεναγεῖ, confert Ruhnk. ad Tim. p. 187. Add. Synes. De regno p. 1, B, Basil. M. vol. 1, p. 66, E.] Ξεναγεῖν Hesych. et Suid. volunt significare etiam ξενοδοχεῖν. [V. Ξεναγός.] Itidemque Bud. affert pass. Ξεναγεῖσθαι pro Hospitio suscipi, ex Gregor. : Ἐπειδὰν οὖν τις ἐπιστῇ τῶν νέων, πρῶτον μὲν ξεναγεῖται παρά τινι τῶν προειληφότων, ἢ φίλων, ἢ συγγενῶν. Idem hunc l. Platonis Phædro [p. 230, C], Ὥστε ἄριστά σοι ἐξενάγηται, vertit, Optime officio hospitis suscipiendi functus es. Sed in hoc Ejusd. l., et quidem qui sumptus est ex eodem Dialogo [ibid.], ξεναγουμένῳ vertit simpliciter Peregrino : Ξεναγουμένῳ γάρ τινι καὶ οὐκ ἐπιχωρίῳ ἔοικας. [Themist. Or. 11, p. 151, D : Ὅπως σοῦ ἐξηγουμένου αἱ μὲν ἔνθεν αἱ δὲ ἔνθεν ἐξαναστᾶσαι ξεναγῶνται ἐπὶ τὸν Βόσπορον. || Peregrinis s. mercenariis copiis præsum. Xen. H. Gr. 4, 3, 15 : Ὧν Ἡριππίδας ἐξενάγει ξενικοῦ· 17 : Ὧν Ἡριππίδας ἐξενάγει· Ages. 2, 10. Demosth. p. 665, 25; 669, 3.] || Ξεναγῶ, Peregrinos instituo moribus patriis. Theodor. H. E. 1 : Ἴβηρας δὲ κατὰ τὸν αὐτὸν χρόνον γυνὴ δορυάλωτος πρὸς τὴν ἀλήθειαν ἐξενάγησεν, Edocuit Christianismon, i. e., ut ibid., ad Christianismon ἐγένετο ποδηγὸς, Bud. At Ξεναγωγεῖν ex Dionysio Areop. affert pro Hospitem suscipere, Hospitio suscipere, s. ὡς ξένον δεξιοῦσθαι. [Hic quoque, ut infra ξεναγία pro ξεναγωγία, scrib. videri posset ξεναγεῖν, nisi ξεναγωγεῖν quoque tueretur Hesychii glossa Ξεναγωγήσας post Ξεναγὸς posita, cui alteram ejusdem Ἐδεξιοῦτο, ἐξεναγώγησεν, contulit Albertus. Conf. Ξεναγωγὸς et Λοχαγωγός.]

A [Ξενάγησις, εως, ἡ, Militia. Appian. B. C. 5, 74 : Πολέμου τε ἀπαλλαγέντες ἐπιχωρίου καὶ ξεναγήσεως υἱῶν.]

[Ξεναγησμὸς, ὁ, i. q. sequens. Moschop. Π. σχεδ. p. 134 med. Boiss.]

Ξεναγία, ἡ, Munus ejus qui est dux militum externorum; sed ita vocatur etiam Certus militum numerus, de quo lege Ælian., item Tractatum de Vocabulis militaribus. [Militum mille viginti quattuor cum aliis dicit Suidas. Hesychius eoque emendatius Lex. rhet. Bekk. An. p. 284, 11 : Ξεναγία, σύνταγμα παρὰ Κρησὶ, καὶ ὁ ἡγεμὼν τούτων ξεναγός. V. etiam Ξεναγωγία. De Militia, ut ξεναγησμὸς, Appian. 6, 44, p. 153 fin. : Τῶν φόρων καὶ τῆς ξεναγίας ἀφεῖσθαι. Quomodo pro ξενίας legendum suspicatur Schweighæuserus 3, 12, p. 69, 82.]

[Ξενᾰγόρᾱς, ὁ, Xenagoras, historicus ap. schol. Apoll. Rh. 1, 624, etc. Rhodius, ap. Ælian. V. H. 12, 26. Forma Ion. Ξειναγόρης, Herodot. 9, 107, ubi Halicarn. quidam memoratur. Alii alibi.]

Ξενᾰγὸς, et Ξενᾰγωγὸς, ὁ, Ductor hospitum, i. e.
B Qui hospitibus s. peregrinis dux viæ est, ad visenda singula urbium loca. A Bud. ξεναγωγοὶ esse dicuntur Qui hospites ad ea quæ visenda sunt ducere solent : quos Perductores appellant Plaut. et Cic. [Hospes s. Qui hospitio excipit, ap. Niceph. Callist. H. E. 7, 18, p. 413, C : Ἐπεὶ οὖν τὸν λόγον ὁ ξεναγὸς διέγνω, ἐφ' οὗ καταλύων ὁ Κώνστας ἐτύγχανεν, et ib. in seqq. L. D.] || Ξεναγὸς, ab ea nominis ξένοι signif., qua dicitur de externis militibus, Ductor s. Dux externorum militum, Qui præest s. imperat externis militibus. Thuc. 2, [75] : Λακεδαιμονίων δὲ οἱ ξ. ἑκάστης πόλεως ξυνεφεστῶτες ἠνάγκαζον ἐς τὸ ἔργον, schol. οἱ τῶν μισθοφόρων ἄρχοντες. Observa autem genit. ἑκάστης πόλεως ita poni quasi præcederet τῶν ξένων, ita nimirum dicendo, οἱ τῶν ἑκάστης πόλεως ξένων ἡγεμόνες : adeo ut recte hic l. ita redditus sit, Lacedæmoniis qui peregrinis singularum civitatum militibus duces erant. Utitur et Xenoph. hoc nomine [Hell. 5, 1, 33] : Διέπεμπε δὲ καὶ ξεναγοὺς ἐπὶ τὰς πόλεις· ibid. [2, 7] : Καὶ ἔπεμπον μὲν αὐτοῖς οἱ Λακεδαιμόνιοι κατὰ κώμην ἑκάστην
C ξεναγόν. [Et alibi. V. Ξεναγία.] Exp. autem Bud. et generalius nomine Dux. [In ξεναγωγὸς corruptum notavit Lobeck. ad Phryn. p. 430. Idem vitium eximendum ex cod. Dioni Chr. vol. 2, p. 352, et fortasse Theophyl. Bulg. vol. 3, p. 634, A.]

[Ξεναγωγέω. V. Ξεναγέω.]

[Ξεναγωγία, ἡ, pro Ξεναγία male scribi ap. Zonaram Lex. v. Ξενία, p. 1416, animadverterunt Angl.]

[Ξεναγωγός. V. Ξεναγός.]

[Ξεναίας, ὁ, Xenæas, Hierapolites, de quo v. Vales. ad Euagr. H. E. 3, 31, p. 362, ubi Ξεναΐας scriptum.]

[Ξεναίνετος, ὁ, Xenænetus, archon. Att. ol. 94, 4, ap. Lysiam p. 590 fin. (Diog. L. 2, 55. Boiss.) Duos hujus nominis memorat Isæus p. 79, 20; 80, 8. Primi nomen in Ἐξαίνετος, quod v., corruptum ap. Diod. Alius ap. Curt. Anecd. Delph. p. 63, n. 15, 2; p. 68, n. 25, 24. L. Dind.]

[Ξεναῖος, ὁ, Xenæus, Spartanus, in inscr. Spart. ap. Bœckh. vol. 1, p. 637, n. 1283, 6.]

D [Ξενάκων, ωνος, ὁ, Xenacon, Spartanus, in inscr. Spart. ap. Bœckh. vol. 1, p. 626, n. 1253, 2.]

[Ξενάκουστος, ὁ, ἡ, Peregrinus s. Novus auditu, Inauditus. Nicetas Andron. Comn. 1, 2, p. 182, C : Μηδεμίαν τῶν ξενακούστων καὶ τῆς ἀνθρωπίνης φύσεως ἀλλοτρίων ὑποστελλόμενον πρᾶξιν. V. Ξενήκουστος. Verbum quod ponit Etym. Havn. ap. Blochium annot. ad M. p. 553, 46 : Ξενηκούσθησαν· ἔστι ξένος, ὃ σημαίνει τὸν θαυμαστὸν, καὶ τὸ ἀκούω, καὶ ἐκ τούτων κατὰ σύνθεσιν γέγονε ξενακούω, ξενακούσω, ξενήκουκα, ξενήκουσα, ξενήκουσμαι, ὁ ἀόριστος παθητικὸς ξενηκούσθην, καὶ τὸ τρίτον τῶν πληθυντικῶν ξενηκούσθησαν, scribendum potius ξενηκουστήθησαν vel ἐξεν., et a ξενηκουστέω repetendum videtur. L. Dind.]

Ξεναλίζω [ξυναλίζω], Suidæ est τὸ συναθροίζω. Proprie est ξένους ἀλίζω, i. e. συναθροίζω καὶ συνάγω.

[Ξενάλιον, τὸ, Donum, Munus. Const. Porph. Adm. imp. c. 7 : Ἀναίζην ἐπιζητοῦσι ξενάλια ἱκανά· 43 : Δοὺς αὐτῷ καὶ πρὸς ἀμφοτέρους ξενάλια τὰ ἁρμόζοντα. Ducang.]

[Ξεναλόγος. V. Ξενολόγος.]

Ξεναπάτη, ἡ, [voc. non græcum,] vel Ξεναπατια, Deceptio hospitis. Affert Bud. hoc ξεναπατία ex Plat. Epist. 7, [p. 350, C] scribens dici eadem forma qua δουλαπατία : at ξεναπάτη [ξεναπάτης] ex Eur. affertur a Polluce [3, 58].

[Ξεναπάτης, ὁ, Hospitum deceptor. Pind. Ol. 11, 35 : Ξεναπάτας βασιλεύς. Eur. Tro. 866, fr. Sthenob. ap. Photium p. 309, et cui deest testimonium Euripidis, Antiatt. Bekkeri p. 109, 30 : Ξεναπάτας, ἰδίως ἐπὶ τῶν ὅταν μὴ τοιοῦτοι πνέωσιν οἱ ἄνεμοι ἐν τοῖς πελάγεσιν ὁποῖοι ἐν τοῖς λιμέσιν.] Ξειναπάτης, Ionice pro ξεναπάτης, Hospitum deceptor s. Peregrinorum deceptor, ap. Eur. [Med. 1392.]

[Ξεναπατία. V. Ξεναπάτη.]

[Ξενάρης, ὁ, Xenares, n. Spartani ap. Thuc. 5, 51, Plut. Cleom. c. 3. V. Ξενάρκης.]

[Ξεναρία, ἡ, Xenaria, n. mulieris Spart. in inscr. Spart. ap. Bœckh. vol. 1, p. 681, n. 1435.]

[Ξενᾰρίστη, ἡ, Xenariste, n. mulieris Atticæ in inscr. Att. ap. Bœckh. vol. 1, p. 246, n. 155, 46.]

[Ξενάρκειος, α, ον, adj. ab n. pr. Ξενάρκης, ap. Pind. 8, 20 : Ξενάρκειον υἱόν.]

[Ξεναρκὴς, ὁ, ἡ, Hospitibus opitulans, Justus in hospites. Pind. Nem. 4, 12 : Δίκᾳ ξεναρκέϊ.]

[Ξενάρκης, ους, ὁ, Xenarces, n. viri, ap. Pind. Pyth. 8, 75. Alius, Spartani, ap. Thuc. 5, 36, ubi olim Ξενάρης, quod v., alii libri Ξενάρας vel Ξεναρίδης. Vid. Ξενάρχης.]

[Ξενάρχης, ου, ὁ, Xenarches, Lacedæm. ap. Pausan. 6, 2, 1 et 2, ubi plerique libri —άργης et —άργει vel —άρχει. Unde scribendum Ξενάρκης et Ξενάρκει, quod v. L. Dind.]

[Ξεναρχίδας, ὁ, Xenarchidas, in inscr. Spart. ap. Bœckh. vol. 1, p. 615, n. 1239, 12, et p. 651, n. 1356.]

[Ξέναρχος, ὁ, Qui hospitibus præest, epitheton Jovis, ex numis allatum a Bröndsted. *Reisen durch Griechenl.* vol. 2, p. 309. Osann.]

[Ξέναρχος, ὁ, Xenarchus, mimographus, ap. Aristot. Poet. c. 1. Mediæ comœdiæ poeta ap. Athen. et alios. Achæorum legatus ap. Polyb. 24, 4, 11. Seleuciensis, Strabonis magister ap. hunc, 14, p. 670. Rhodius quidam ap. Athen. 10, p. 436, F.]

[Ξένας, ὁ, Xenas, n. pr. viri, ut videtur, quod inter barytona in νας ponit Arcad. p. 22, 9.]

[Ξενέα, ἡ, Xenea, n. nymphæ ap. Theocr. 7, 73, et schol. 1, 65, ubi tamen libri rectius Ξενίας.]

[Ξενεδημίδιον. V. Ξενέδημος.]

[Ξενέδημος, ὁ, Xenedemus, nom. viri, ap. Theod. Prodr. *Notices* vol. 6, p. 518, et in Crameri Anecd. vol. 3, p. 204 sqq., ubi semel p. 214, 25 Ξενοδήμου, et p. 206, 25 diminut. Ξενεδημήδιον, quod scribendum —μίδιον. L. Dind.]

[Ξένετος, ὁ, Xenetus, n. Locri soceri Dionysii majoris, ap. Diod. 14, 44, indeque, ut conjicit Wessel., ap. Suidam et Zonaram, nihili videtur et e Ξεναίνετος vel potius Ἐξαίνετος corruptum, quod n. vicissim pro Ξεναίνετος irrepsit ap. Diod. 14, 19. L. Dind.]

Ξενεύω, Peregrinus et ignarus sum, VV. LL.

[Ξενέφυρις, κώμη Λιβύης, πλησίον Ἀλεξανδρείας. Τὸ ἐθνικὸν Ξενεφυρίτης τῷ τύπῳ τῆς χώρας, Steph. Byz.]

[Ξενηδόχος. V. Ξενοδόχος.]

[Ξενήκουστος, ὁ, ἡ, Peregrinus auditu. Herodian. Epimer. p. 3 : Οὐδὲν δὲ τῶν πάνυ καινολέκτων καὶ ξενηκούστων λαμβάνομεν. Boiss. V. Ξενάκουστος.]

Ξενηλᾰσία, ἡ, Peregrinorum expulsio, ejectio. Thucyd. 2, [39] : Τήν τε γὰρ πόλιν κοινὴν παρέχομεν, καὶ οὐκ ἔστιν ὅτε ξενηλασίαις ἀπείργομέν τινα ἢ μαθήματος ἢ θεάματος. [Xen. Reip. Lac. 14, 4.] Plato Leg. 12, [p. 950, B] : Ὀνόμασί τε χαλεποῖς ταῖς λεγομέναις ξ. χρωμένους, καὶ τρόποις αὐθάδεσι καὶ χαλεποῖς. Aristot. Polit. 2, [8 fin.] : Ξενηλασίας πεποίηκε. Sed additur sæpe genit., ut ap. eund. Thuc. [1, 144] : Ἢν καὶ Λακεδαιμόνιοι ξενηλασίας μὴ ποιῶσι μήτε ἡμῶν μήτε τῶν ἡμετέρων ξυμμάχων. [Plato Prot. p. 342, C : Ξενηλασίας ποιούμενοι τῶν λακωνιζόντων.] Sed et rei alicujus ξενηλασία fieri dicebatur : Ξενηλασίαν τεχνῶν ἐποιεῖτο, Plutarch. Lycurgo [c. 9]. Itidemque Ξενηλασίαν παιδευμάτων ἐποιοῦντο, ap. Eund. [Mor. p. 237, A.] Et in Apophth. [p. 226, D] : Πρὸς δὲ τούτοις καὶ ἁπάντων τῶν περισσῶν ξενηλασίαν ἐποιήσατο· διὸ οὔτε ἔμπορος, οὔτε σοφιστὴς,

A οὔτε μάντις ἢ ἀγύρτης, οὔτε τῶν κατασκευασμάτων δημιουργὸς εἰσῄει εἰς τὴν Σπάρτην. Idem [Mor. p. 527, C] : Ἀλλὰ χρυσοχόων καὶ τορευτῶν καὶ μυρεψῶν καὶ μαγείρων καλῆς καὶ σώφρονος γενομένης ξενηλασίας τῶν ἀχρήστων. Quibus in ll. dicitur de rebus quæ non secus expelluntur et rejiciuntur ac peregrini expelli submoverique solent.

Ξενηλᾰτέω, Peregrinos expello, Hospites expello, Expello tanquam peregrinum, Abigo ceu solent abigi peregrini. A Bud. exp. Externos ejicio, Ut alienos abigo, ex Plut. [Mor. p. 727, E] : Τὴν γὰρ ἀηδόνα ταῖς αὐταῖς τραγῳδίαις ἔνοχον οὖσαν οὐκ ἀπείργουσιν, οὐδὲ ξενηλατοῦσιν. Pass. ex Aristoph. [Av. 1012] : Ὥσπερ ἐν Λακεδαίμονι Ξενηλατοῦνται. [Polyb. 9, 29, 4 : Ἐκ πάσης ἐξενηλατοῦντο τῆς Ἑλλάδος. Diod. Exc. p. 543, 9.]

[Ξενήων. Arcad. p. 11, 21 : Τὰ εἰς ηων βαρύνεται, Παιήων, Ξενήων. Scribendum ξυνήων. Non minus monstrosum voc. est ap. Achmet. Onirocr. c 148, p. 115 : Διὰ τὸ ξενήνειν τὴν πόλιν, pro ξένην εἶναι. L. D.]

Ξενία, ἡ, Peregrinitas, [Peregrinatus, Gl.] : οἱ ξε- B νίας διωκόμενοι s. φεύγοντες, Peregrinatis rei : i. e. Qui ob id rei sunt, quod se pro civibus gesserint, juraque civilia usurparint, quum essent peregrini, Bud. Tale est ξενίας [φεύγειν ap. Aristoph. Vesp. 718. Γραφὴν ξενίας Demosth. p. 1481, 18; ξενίας ἁλίσκεσθαι p. 741, 19, γράφεσθαι 1020, 23; ἀγωνίζεσθαι ap. Lysiam p. 483, 6]; ἁλίσκεσθαι ap. Lucian. [Patriæ enc. c. 9.] Polluci [6, 154] ξενίας γραφὴ est κατὰ τῶν παρεγγεγραμμένων : et δωροξενίας quoque, ἂν διαφθείρωσι τοὺς δικάζοντας. || Ξενία, et Ξεινίη Ionice, Hospitii necessitudo, Hospitalis amicitia, Hospitii jus. Sed et una voce Hospitium [Gl.] reddere non dubitarim, idque ex Cic., ut paulo post docebo. [Hom. Od. Ω, 286 : Τῷ κέν σ' εὖ δώροισιν ἀμειψάμενος ἀπέπεμψε καὶ ξενίῃ ἀγαθῇ· 314 : Θυμὸς δ' ἔτι νῶιν ἐώλπει μίξεσθαι ξενίῃ. Pind. Ol. 4, 17 : Χαίροντα ξενίαις πανδόκοις· Pyth. 10, 64 : Ξενίᾳ προσανέϊ· Nem. 10, 49 : Ἐλθόντος ἐπὶ ξεινίαν. Soph. OEd. C. 515 : Μὴ πρὸς ξενίας ἀνοίξῃς τᾶς σᾶς. Eur. Rhes. 842 : Ξενίαν κατῄσχυνε.] Thuc. 8, p. 266 meæ ed. [c. 6] : Ξυνέπρασσε γὰρ αὐτοῖς καὶ Ἀλ- C κιβιάδης, Ἐνδίῳ ἐφορεύοντι πατρικὸς ἐς τὰ μάλιστα ξένος ὤν· ὅθεν καὶ τοὔνομα Λακωνικὸν ἡ οἰκία αὐτῶν κατὰ τὴν ξενίαν ἔσχεν. Plut. [Mor. p. 816, A] : Ἐπεὶ γὰρ ἑλὼν Πραίνεστον ὁ Σύλλας ἔμελλε τοὺς ἄλλους ἅπαντας ἀποσφάττειν, ἕνα δὲ ἐκείνων ἠφίει διὰ τὴν ξενίαν. Herodot. [3, 39] : Ξεινίην [male libri quidam ξεινηίην, quod nihili] τῷ βασιλέϊ συνεθήκατο. [Id. 1, 27.] Et ξεινίην διαλύεσθαι ap. Eund. [4, 154], quod exp., Jus hospitii dissolvere. [7, 116 : Ξεινίην ὁ Πέρσης τοῖσι Ἀκανθίοισι προεῖπε.] Interdum vero copulatur ξενία cum nomine φιλία. [Xen. Ages. 8, 3.] Dem. Pro cor. [p. 320, 11] : Προσεποιοῦ φιλίαν καὶ ξενίαν εἶναί σοι πρὸς αὐτόν. Sic autem et in alio ejusdem orationis l. Possumus autem, ut opinor, ξενία μοι ἐστὶ πρὸς αὐτὸν, reddere ex Cic., Hospitium mihi cum eo est, intercedit; Junctus sum illi hospitio, quod et κοινωνῷ ξενίας αὐτῷ dixit Plut. [Mor. p. 162, C.] Quinetiam ut ἀνανεώσασθαι τὰς παλαιὰς ξενίας dixit Isocr. [p. 49, C], sic Renovare vetus hospitium, Ciceronem dixisse videmus, Pro Deiotaro. Idem nomen Amicitia cum nomine Hospitium copulat, D ut φιλία cum ξενία copulari docui paulo ante. Sciendum est porro sæpe dici de eo, cui est hæc ξενία πρός τινα : unde sicut φιλία et ξενία, sic φίλος et ξένος aliquis esse dicitur : sic tamen ut ξένον esse plus sit quam esse φίλον, et quicunque est ξένος, idem sit etiam φίλος, at non contra : unde quum dicit Demosth. φίλους καὶ ξένους particula καὶ valet i. q. Atque adeo · perinde ac si diceret Non solum φίλους, sed ξένους etiam. Sic vicissim de eo, cui negat ullam prorsus amicitiam aut necessitudinem intercessisse cum alio, dicit, Quomodo illi erat ξένος, ἢ φίλος, ἢ γνώριμος; q. d. Quomodo ξένος, aut saltem φίλος, aut etiam, quod his minus est, γνώριμος? Idem vero de φιλία καὶ ξενία, et ξενία ἢ φιλία sentiendum est. Sed hoc addo, sicut ξένος generalius interdum poni videtur pro Amico, sic et ξενίαν alicubi generalius pro Amicitia positum videri; atque ita exp. Bud. ξεινίην apud Herodot. In illo tamen Thuc. l., quem paulo ante protuli, non lubenter assentior ejus scholiastæ ξενίαν exponenti simpliciter φιλίαν, Amicitiam. [Cum genit. pers. Herodot. 5, 30 : Σκῆψιν ποιεύμενος ξεινίην τὴν Ἱστιαίου. Demosth. p. 242, 20. Notabili formula Plato Crat. p. 429, E : Εἴ τις ἀπαντήσας σοι ἐπὶ ξενίας, λαβόμενος τῆς χειρὸς εἴποι, χαῖρε, ὦ ξένε Ἀθηναῖε. Cum παρὰ Pausan. 10, 26, 7 : Ὅμηρος μέν γε ἐδήλωσεν ἐν Ἰλιάδι Μενελάου καὶ Ὀδυσσέως ξενίαν παρὰ Ἀντήνορι. Plur. Manetho 4, 470 : Ἀμφὶ δὲ κόσμῳ πουλυπλανεῖς ξενίῃσιν ἀχρήια λήματ' ἔχοντας. Andocid. p. 19, 3 : Ξενίαι καὶ φιλότητες. Isocr. p. 49, C : Τὰς παλαιὰς ξ. Polyb. 33, 16, 2 : Τὰς πατρικὰς ἀνανεώσασθαι φιλανθρωπίας καὶ ξενίας. Sed ap. Charit. 5, 1 fin. : Διὰ τοῦτο ἕκαστος ἔσπευδε ξενίας διδόναι, scrib. ξένια, invito Dorvillio.] || Sicut autem ἐπὶ ξένια καλεῖν dici docui pro Hospitio invitare s. Ad hospitium, sic et ἐπὶ ξενίᾳ καλεῖν alicubi legitur in ead. signif. [Ap. Xenoph. Anab. 7, 6, 3, ubi olim scribebatur ξένια, Vect. 3, 4, (et δέχεσθαι præter l. in Ξένιον citatum H. Gr. 6, 4, 20,) Diod. 13, 83, Dionys. A. R. 1, 40, Lucian. V. H. 1, 29, Icaromen. c. 23, Ælian. locis ab Jacobsio ad N. A. 1, 2, p. 2, 7 citatis. Inter ξενίᾳ et ξένια variatur ap. Pausan. 4, 26, 3, Pollucem 8, 138, et alios plerosque. « Bacchylides τοὺς Διοσκούρους καλῶν ἐπὶ ξενίᾳ, Athen. 11, p. 500, A; 10, p. 437, D. Philostrat. p. 124, 6.» Hemst.]; sed ego ll. hosce suspectos habeo, et vel ἐπὶ ξένια, a nominativo sing. ξένιον, vel ἐπὶ ξενίαν reponendum censeo : quod ap. Philon. [vol. 2, p. 76, 25] legitur, alioqui tamen rarum. [Ammian. Anth. Pal. 11, 14, 1 : Ἐχθὲς ἐπὶ ξενίαν κληθείς. Ps.-Demosth. p. 81, 19 : Ἐπὶ ξενίαν αὐτοὺς ἐκαλεῖτε, ubi sunt var. ξενίᾳ et ξενια (sine accentu). Diod. Exc. p. 618, 12 : Παρακαλεῖν ἐπὶ ξενίαν. Joseph. A. J. 5, 2, 8 : Μηδενὸς ἐπὶ ξενίαν ... αὐτὸν παρακαλοῦντος. Lucian. V. H. 2, 36 : Ἐπὶ ξενίαν παρεκάλει ἡμᾶς, ubi tamen meliores libri ξενίᾳ. Marcellin. V. Thucyd. p. VIII, 12 Bekk. : Ἐπὶ ξενίαν καλέσοι. Sic igitur statuendum de his formulis, ἐπὶ ξενίαν minimum habere fidei, apud veteres certe, plus ἐπὶ ξενίᾳ, plurimum ἐπὶ ξένια, quod loci qui τὰ articulum habent adjectum, quales nulli sunt in ceterarum formularum exemplis, omnem prohibeant mutationem, iisque insuper inscriptionum in Ξένιον citandarum accedat auctoritas. || « Hospitium. Ὁ διανείμας φίλοις αὐτοῦ μικρὰς ξενίας, in Basilicis l. 60, 4, 5. Modica hospiola Ulpiano. Hesychius : Ξενία, κατάλυμα ἢ καταγώγιον. Pallad. Hist. Laus. in Chronio : Καὶ εὗρεν κάλλιστον ὕδωρ ἀπέχον εἰς βάθος ὀργυιὰς ἑπτὰ, καὶ ᾠκοδόμησεν ἑαυτῷ ξενίαν μικράν. || Ξενίδιον, τὸ, eadem notione. Idem Palladius in Eulogio : Ἐνεγκὼν οὖν ὄνον ἐκεῖνος ἐπῆρεν αὐτὸν, καὶ ἀπήνεγκεν εἰς τὸ ἴδιον ξενίδιον. Mox : Ὡς ἐπὶ προφάσει δῆθεν εὐποιίας εἰς τὸ ξενίδιόν σου λαβών με.» Ducang.]

[Ξενία, ἡ, Xenia. V. Ξενέα.]

[Ξενιάδης, ου, ὁ, Xeniades, Corinthius ap. Diog. L. 6, 30, 74. Alius ap. Sext. Emp. Pyrrh. 2, 18 etc. || Forma Ξεινιάδας, α, in inscr. Rhodia ap. Bœckh. vol. 2, p. 395, n. 2539. ῐᾰ]

[Ξενίας, ὁ, Xenias, Arcas, ap. Xenoph. Anab. 1, 1, 2 etc. Eleus H. Gr. 3, 2, 27, Pausan. 3, 8, 4, etc. Ponit etiam Suidas. Ita scribendum videtur ap. Iambl. V. Pyth. c. 36, p. 530 Kiessl., ubi Pythagoreus Cauloniata Ξένταις memoratur. || Forma Ξεννίας, ut infra ξέννος, in inscr. Delph. ap. Curt. An. p. 77, n. 43. ῐᾰ L. Dindorf.]

[Ξενίδιον. V. Ξενία.]

Ξενίζω, sive Ξεινίζω, Hospitio excipio, Peregre advenientem hospitio recipio, ξενίας χάριν τινὰ ὑποδέχομαι, ut Suid. exp. Hom. Od. H, [190] : Ξεῖνον ἐνὶ μεγάροις ξεινίσσομεν· Il. Γ, [207] : Τοὺς δὲ [δ'] ἐγὼ ξείνισσα [ἐξείνισσα] καὶ ἐν μεγάροισι φίλησα· Od. Ω, [287] : Πόστον δὴ ἔτος ἐστὶν ὅτε ξείνισσας ἐκεῖνον· T, [194] : Τὸν μὲν ἐγὼ πρὸς δῶματ' ἄγων εὖ ἐξείνισσα. [Soph. El. 96 : Ὃν (Agamemnonem) κατὰ μὲν βάρβαρον αἶαν φοίνιος Ἄρης οὐκ ἐξένισεν. (Conf. Merrick. ad Tryphiod. v. 580 in Ξένιον cit.) Eur. Alc. 822 : Ἔπειτα δῆτά μ' ἐξενίζετε· 1013 : Ἀλλά μ' ἐξένιζες ἐν δόμοις.] Aristoph. Ran. [1480] : Ἵνα ξενίσω σφῶ πρίν γ' ἀποπλεῖν. [Conf. Ach. 127.] Dixerat vero paulo ante, Χωρεῖτε τοίνυν, ὦ Διόνυσ', ἔσω. [Herodot. 1, 105; Xen. Cyrop. 5, 4, 14; Demosth. p. 414, 10.] Interdum cum dat. construitur. [Soph. fr. Tyrus ap. Athen. 3, p. 99, F : Σίτοισι παγχόρτοισιν ἐξενίζομεν. Aristoph. Lys. 1184 : Ὅπως ἂν αἱ γυναῖκες ὑμᾶς ξενίσωμεν ὧν ... εἴχομεν.] Xenoph. Cyrop.
A 5, [3, 2] : Ἐξένισεν ἡμᾶς ἅπαντας πολλοῖς ἀγαθοῖς ὁ Γωβρύας, Multis beneficiis nos hospites affecit, Multis bonis nos quasi excepit. Themist. Ad Nicomed. [p. 301, A] : Ξενίζειν ἐπιχειροῦντος οὐ λίαν κεχαρισμένοις ξενίοις, Xeniis excipere simplicibus et usitatis. In Hippiatr. : Οὐ χρὴ δὲ τὰς κυούσας ποικιλίᾳ τῶν νομῶν καὶ τῶν ὑδάτων ξενίζειν· ἀμβλίσκουσι γὰρ ἐπὶ τοιούτοις ξενισμοῖς, Excipere variis novisque pascuis et aquis. Potes tamen et in alia signif. hic accipere, ea sc., cui postremum locum dabo. [Philostr. Her. p. 665 : Ξενίζων τουτοισὶ τοῖς θάκοις.] Pass. Ξενίζομαι, [Diversor, Dehospitor, Hospitor, Gl.] Hospitio excipior, Hospitalibus muneribus afficior, τὰ ξένια δέχομαι καὶ λαμβάνω. [Herodot. 1, 30 : Ἐξεινίζετο ἐν τοῖσι βασιληίοισι ὑπὸ Κροίσου. Plato Tim. p. 17, B.] Xen. Hell. 3, [1, 24] : Αἰσχρὸν ἐμὲ τεθνηκότα ξενίζεσθαι ὑπὸ σοῦ, ἀλλὰ μὴ ξενίζειν σε. Id. [Cyrop. 3, 1, 43] : Τότε μὲν δὴ ξενισθέντες οἱ στρατιῶται ἐκοιμήθησαν· paulo ante vero dixerat, Κύρῳ μὲν καὶ τῇ στρατιᾷ πάσῃ ξένια ἔπεμπεν. Bud. p. 1095. [Aristoph. Ach. 73 : Ξενιζόμενοι δὲ πρὸς βίαν
B ἐπίνομεν· Lys. 928 : Ἀλλ' ἢ τὸ πέος τόδ' Ἡρακλῆς ξενίζεται, quo de prov. v. schol. Polyb. 31, 25, 3 : Ξενισθεὶς ὑπὸ τοῦ δήμου. Improprie, ut sit Excipior, Theopomp. ap. Athen. 6, p. 308, A : Καὶ στῆτ' ἐφεξῆς, κεστρέων νήστις χορὸς, λαχάνοισιν ὥσπερ χῆνες ἐξενισμένοι.] Alias ξενίζομαι neutraliter quoque redditur Hospitor, Deversor. Act. 10, [6] : Ξενίζεται παρὰ Σίμωνι, Deversatur apud Simonem, Hospitatur, ut Plin. et Seneca. [Ead. constr. Diodor. 14, 30 : Παρὰ τοῖς ἐγχωρίοις λαμπρῶς ἐξενίσθησαν. Rariori constructione Philemo in Comparat. Menandri et Philem. p. 363 : Ὅταν ξενισθῇς ἐν πόλει πρὸς τὸν φίλον. || Latiori signif. Munere afficio, Fab. Æsop. 23, p. 13 Fur. : Λαγωὸν ἁρπάσας ἤνεγκεν εὐθὺς δῶρον τῷ εὐεργέτῃ. Τοῦτο ἀλώπηξ κατιδοῦσα ἐβόα, Μὴ τοῦτον σὺ ξένιζε, ἀλλὰ τὸν πρῶτον. Quanquam hic quoque de aquila quasi devertente dicitur. V. tamen Ξένιον.] || Neutraliter etiam usurpatur pro τὰ ξένα φρονῶ καὶ φθέγγομαι, s. ξένῃ χρῶμαι φωνῇ ἢ ξενικοῖς ἐπιτηδεύμασι. Lucian. [Gallo c. 18] in persona Pythagoræ : Ὅσῳ δ' ἂν ξενίζοιμι, καινότερος ᾤμην αὐτοῖς ἔσε-
C σθαι, Quo magis nova et peregrina instituerem ac inaudita : cui ξενίζειν opp. τὰ συνήθη καὶ ταυτὰ τοῖς πολλοῖς νομίζειν. [Id. De merc. cond. c. 24 : Ἐν τοσούτῳ πλήθει μόνος ξενίζων τῷ τρίβωνι καὶ πονήρως τὴν Ῥωμαίων φωνὴν βαρβαρίζων.] Basil. Meletio : Ἤδειν ὅτι ξενίσοι τὴν ἀκοήν σου τὸ νῦν ἐπιφυὲν ἔγκλημα τῷ Ἀπολλιναρίῳ, Sciebam rem tibi inauditam futuram, Noveram quod hujusmodi criminatio in stuporem te adduceret propter rei novitatem. Chrysost. 1 Ad Cor. 2 [hom. 7, p. 286], καινοτομεῖν τι καὶ ξενίζειν, Rem novam moliri et a consuetudine alienam. Hæc et alia Bud. p. 1095, ubi ξενίζειν dicit opponi τῷ ἐθίζειν. Luciani locus similis est hic [De lapsu in sal. c. 14] : Γελοῖος ἂν ἦν ξενίζων καὶ τοὺς καιροὺς τῶν προσαγορεύσεων ἐναλλάττων· et [De hist. conscr. c. 45] : Ἡ λέξις δὲ ὅμως ἐπὶ γῆς βεβηκέτω, τῷ μὲν κάλλει καὶ τῷ μεγέθει τῶν λεγομένων συνεπαιρομένη, καὶ ὡς ἔνι μάλιστα ὁμοιουμένη, μὴ ξενίζουσα δὲ, μηδ' ὑπὲρ τὸν καιρὸν ἐνθουσιῶσα. Sic infra ξενικῇ φωνῇ χρῆσθαι, ut Quintil. Sonus peregrinus, pro Uti novo et inusitato loquendi genere. [Diodor. 12, 53 : Τῷ
D ξενίζοντι τῆς λέξεως ἐξέπληξε τοὺς Ἀθηναίους (Gorgias Leont.).] Idem Lucian. [ib. c. 34] cum dativo dixit θάνατόν τινα ἐπινοῆσαι τραγικὸν καὶ τῇ τόλμῃ ξενίζοντα, Novæ et inauditæ audaciæ. Similiter Hesych. ξενίζειν exp. non solum ξένῃ χρῆσθαι φωνῇ, ἢ ἤθεσι ξένοις, sed etiam Ξενίζουσαν, νεαράν. [Sic Actor. 27, 20, Epicurei et Stoici philosophi ad Paulum dicunt : Ξενίζοντά τινα εἰσφέρεις εἰς τὰς ἀκοὰς ἡμῶν. Hesychius : Ξενίζουσα, ἀλλόφυλος, ἀήθης, καινή. Athanas. De Conc. Nic. t. 1, p. 267 : Τὸ εὐσεβεῖν ὅσιον παρὰ πᾶσιν ὡμολόγηται, κἂν ξενιζούσαις λέξεσί τις χρήσηται, ἕως μόνον ὁ λέγων εὐσεβὲς ἔχοι τὸ φρόνημα. Suicer. Ita contraria τὸ ξύνηθες et τὸ ξενίζον, quum ap. alios tum ap. Longum p. 123 Vill.] Verum Suidas annotat ξενίζειν quibusdam esse ξένῃ διαλέκτῳ χρῆσθαι [Τὸ ξένως διαλέγεσθαι interpr. etiam Ammon. p. 99, testem afferens Demosth., qui p. 1304, 6 : Διαβεβλήκασί μου τὸν πατέρα ὡς ἐξένιζεν, et ib. 11. Iambl. V. Pyth. c. 34, p. 472 Kiessl. : Τὸ ξενίζειν οὐχ ἐδοκίμαζον] : aliis ἐν τῇ ξένῃ διατρίβειν, ut ξενιτεύειν, Apud exteros degere et peregrinari. Sic Bud. ex Alex. Aphr.

[Probl. 1, 80] ξενίζεσθαι interpr. In alieno et insolito versari: cui opponi dicit ἐθίζεσθαι, p. 12. || Rursum ξενίζω active capitur pro Peregrina quasi novitate turbo, Rei novitate quasi peregrina obstupefacio: quo modo accipi potest Basil. locus ex Bud. Comm. citatus. [Ἐκπλήττω interpr. Thomas p. 639.] Et quod in Lex. suo habet, ὁ δεῖνα τοῖς λόγοις ξενίζει ἡμᾶς, pro ξένα τινὰ πρὸς ἡμᾶς φθέγγεται, Aliena et peregrina objicit nobis s. apponit. Vel, Rei novitate atque insolentia deterreo et alieno. [Polyb. 3, 114, 4: Ξενίζουσαν καὶ καταπληκτικὴν πρόσοψιν.] Sic Geopon. 2, 46: Ξενίζει γὰρ καὶ ταράττει ἡ περὶ τὰ χείρω μεταβολὴ τοὺς μεθισταμένους. [Tit. Bostr. In Luc. c. 7: Καὶ ἕτεροι ἦσαν συνανακείμενοι, οὓς ἐξένισεν ὁ λόγος. Athanas. t. 2, p. 374: Τοῦτο ἡμᾶς οὐκ ὀφείλει ξενίζειν. OEcumen. In 1 Petr. c. 1: Τοῦτο ξενίζει τὴν ἀκοήν. Basil. Hom. ult. in Hexaem.: Μὴ ξενίσῃ σε ἡ φαντασία σου, Ne in admirationem te abducat. Suicer. Ephræm Syr. vol. 3, p. 191, E: Τὸ πρωθύστερον δοκεῖ σε ξενίζειν.] Et in pass. Geopon. 9, 5: Ἵνα μὴ ξενίζηται τὸ μέλλον ἐν αὐτῷ κατατίθεσθαι φυτὸν, Ne ob novitatem abalienetur atque solum aversetur. Et ap. Alex. Aphr. [l. c.]: Τῇ ἀμέτρῳ μεταβολῇ ξενίζεται ἡ φύσις. Idem, Ξενιζόμεθα ὁμοίως ὁρᾷν, Rei novitate turbamur, ut minus cernere ex æquo valeamus. Idem [ib. 63]: Τὰ βρέφη γεννηθέντα παραυτίκα κλαίει, διότι τὴν αἴσθησιν καὶ τὴν φύσιν ξενιζομένην ἔχει, Peregrinam et lucis insolentem, Bud. Sic ap. Polyb. 1, [23, 5]: Ξενιζόμενοι ταῖς τῶν ὀργάνων κατασκευαῖς. [3, 68, 9: Ἐξενίζοντο τῷ τὸ συμβεβηκὸς εἶναι παρὰ τὴν προσδοκίαν.] Et 5: Ξενισθεὶς καὶ διαπορήσας ἐπὶ πολὺν χρόνον διὰ τὸ παράδοξον· quæ duo exempla affert Bud. p. 1096, ubi ξενίζεσθαι interpr. Stupere, et rem ut insolitam inauditamque admirari et peregrinam: annotans, lingua vernacula Peregrinum vocari inusitatum nec opinatum. [Cum διὰ id. etiam 1, 49, 7. Ἐπί τινι 2, 27, 4. Κατά τι 1, 33, 1.] Sed ξενίζεσθαι in ejusmodi ll. potius passive reddendum In admirationem et stuporem adduci ob rei novitatem, ut et 1 Petri 4, [12]: Ἀγαπητοὶ, μὴ ξενίζεσθε τῇ ἐν ὑμῖν πυρώσει πρὸς πειρασμὸν ὑμῖν γινομένῃ, ὡς ξένου ὑμῖν συμβαίνοντος, Ne commoveamini et obstupescatis perinde ut re nova et insolita iis qui peregre in aliquem locum venerunt. [Ib. 4, 4: Ἐν ᾧ ξενίζονται, Id mirantur illi. Chrysost. Hom. 1 in Ep. ad Hebr.: Μὴ ξενισθῇς τὸν λόγον, ἀγαπητέ· Hom. 122, t. 5, p. 806: Ταῦτα λέγω, ἵνα μηδεὶς περὶ ἡμᾶς ἐπιβουλαῖς ξενίζηται. Paulo post: Μηδέποτε ξενίζου θλίψιν. Et alibi similiter. Singularis locutio est ib. p. 315: Ἡμεῖς πρὸς τὰ ὀνόματα τῶν ἐπιστολῶν ξενιζόμεθα, Nobis nomina nova videntur. Et in istis Origenis C. Celsum 7, p. 348: Χρὴ μὴ ξενίζεσθαι ταῖς περὶ τῶν τροφῶν καὶ ἐνδυμάτων τὴν ψυχὴν φροντίσιν, Anima non est distendenda... sollicitudinibus. Suicer. Marc. Antonin. 8, 15; Iambl. In Nicom. p. 47, A. Valck. V. quæ dixi in Ἑστιάω p. 2105, B. Cum præp. πρὸς schol. Hom. Il. Φ, 550: Ξενισθέντες πρὸς τὸ ἐπίθετον. Iambl. V. Pyth. c. 19, p. 200 Kiessl. Ceterum minus hanc formam quam Ξενόω Atticam videri Atticistis in illo dicemus.]

Ξενικὸς sive Ξεινικὸς, ἡ, ὸν [et ὁ, ἡ, Eur. Ion. 721: Ξενικὸν ἐσβολὰν, rarissimo in adjectivo in κος exemplo, sed quo hic uti maluisse videtur poeta quam quod metrum ferebat ξέναν], Peregrinus externus, Qui peregrinorum et exterorum est. [Æsch. Suppl. 618: Ξενικόν τ' ἀστικόν θ' ἅμα. Eur. Tro. 569: Ξενικοῖς ἐπ' ὄχοις πορθμευομένην.] Ξενικῇ τῇ φωνῇ χρῆσθαι, ap. Isæum, Peregrino sermone uti, Barbare loqui. Item ξ. ὄχλος et ξ. ἐπικουρικὸν, de Peregrino milite qui ad auxilium ferendum ex terra peregrina accersitur mercede, qui infra ξένοι. [Herodot. 1, 135: Ξεινικὰ νόμαια· 172: Ἱρῶν ξεινικῶν.] Thuc. 3, [109]: Βουλόμενος ψιλῶσαι τοὺς Ἀμπρακιώτας τε καὶ τὸν μισθοφόρον ὄχλον τὸν ξενικὸν, Multitudinem peregrinorum militum. Id. 8, p. 271 [c. 25]: Καὶ Τισσαφέρνους τι ξενικὸν ἐπικουρικὸν, ubi ξενικὸν dicit pro ξενικῶν μισθοφόρων σύστημα, aut tale quid. Et ξ. μισθοφόροι ap. Suidam. Apud Eund.: Ἄγαλμα ξ. καὶ ἱερουργία οὐκ ἐπιχώριος. Apud Plut. [Mor. p. 150, C]: Ἀφαιροῦσα περιεργίας; ὄψων καὶ μύρα ξενικὰ, Unguenta peregrina. [Σπέρματα Theophr. H. Pl. 8, 8, 1; βοσκήματα 9, 20, 3.] Item ex Plat. Leg. [5, p. 730, A], ξ. ἁμαρτήματα, In peregrinos commissa peccata. Ex Eod. [ib. B] ξ. ὁμιλήματα, Officia in peregrinos. [Crat. p. 401, C: Ξενικὰ ὀνόματα· 417, C: Ξενικὸν τοὔνομα· Leg. 5, p. 742, C: Ξενικὸν νόμισμα, et alibi sæpe similiter. Comparativo Crat. p. 412, B. Æschin. p. 25, 32: Τὰς ξ. ἀρετάς· 35, 30: Ταῖς ξενικαῖς πρεσβείαις· 59, 42: Ξενικῶν στεφάνων, et alibi. Palladas Anth. Pal. 7, 687, 2: Τοῦ ξενικοῦ θανάτου ἐγγύθεν ἐρχόμενος. Diod. 19, 70: Ξενικῆς ἡγεμονίας ἐπιθυμῶν.] At ξ. λόγοι dicuntur vel οἱ ἀλλότριοι καὶ μηδὲν προσήκοντες, vel οἱ ἀπὸ τῶν ξένων πρέσβεων λεγόμενοι, ut exp. ap. Aristoph. Ach. [634]: Παύσας ὑμᾶς ξενικοῖσι λόγοις μὴ λίαν ἐξαπατᾶσθαι. Rursum ap. Suid. est Ξ. ἐμπόριον, ὅπου οἱ ξένοι ἐμπορεύονται, ὥσπερ ἀστυκὸν, ὅπου οἱ ἀστοὶ, Mercatus emporiumque peregrinorum. Et ξενικὸν ἐν Κορίνθῳ ap. Eund. et Harpocr., cujus mentio fit in Dem. Phil. 1, [p. 46, 25; 186, 23, et Aristoph. Plut. 173. Xen. Anab. 1, 2, 1, et plur. Hipparch. 9, 4, Æschin. p. 74, 21. Polyb. 11, 11, 4; 13, 1. Pro quo ξ. στράτευμα et στρατόπεδον ap. Isocr. p. 131, E; 164, B, etc.] Apud Aristot. Polit. 7, [2] ξ. βίος, Vita a reipublicæ negotiis aliena, qualis esse solet hominis peregrini: Ὁ ξ. βίος καὶ τῆς πολιτικῆς κοινωνίας ἀπολελυμένος· cui opponit τὸν διὰ τοῦ συμπολιτεύεσθαι καὶ κοινωνεῖν πόλεως. [Ξ. ὄρνις Aristot. H. A. 9, 16.] Est et quoddam venenum ξενικὸν, cujus meminit Aristot. De aud. mirab. [c. 86, ubi nunc ex aliis libris τοξικὸν, de quo v. Beckmann. « Ξ. πόλεμος, Externum bellum, Polyb. 1, 71, 7. Ξενικαὶ τρυφαὶ 31, 24, 1. Ξενικὴ χεὶρ βαρεῖα 31, 25, 4. » Schweigh. Lex. Lex. rhet. Bekk. An. p. 267, 1: Μέτοικοι τὰ μὲν ξενικὰ τέλη μὴ τελοῦντες. Demosth. p. 1309, 5: Εἰ ξενικὰ ἐτέλει.] Ξενικὸν adverbialiter pro ξενικῶς, More peregrinorum. [Alexis] apud Athen. 10, [p. 431, B]: Δίκαιον τοὺς ξένους Πίνειν ξενικὸν, τοὺς δ' ἐγγενεῖς ἐπιχώριον. Sed videtur subaudiri posse accus. τρόπον. Plato Crat. [p. 407, B] Τῷ α ξενικῶς ἀντὶ τοῦ η χρησάμενος. [Harpocratio: Ἐξένιζε, οὐκ ἀττικῶς διελέγετο, ἀλλὰ ξενικῶς. « Συνειστία ξενικῶς καὶ μαλακῶς, Athen. 12, p. 536, C. » Hemst. Comparativo schol. Vat. Eur. Rhes. 36: Μνασίας (sic) δὲ ξενικώτερον ἀφηγεῖται.] || Interdum redditur potius Hospitalis. Aristot. Eth. 8, 12, ξ. φιλία, Amicitia hospitalis, quæ sc. hospiti cum hospite intercedit. Et ξ. τράπεζα, Hospitalis mensa, ut Cic. dicit Hospitalis sedes, et Liv., Hospitale cubiculum. Mensa qua hospites peregre advenientes recipiuntur: ξενίη τραπέζη Homero. Athen. 4, [p. 143, C]: Κατὰ δὲ τὸν συσσιτικὸν οἶκον πρῶται μὲν κεῖνται δύο τραπέζαι ξενικαὶ καλούμεναι. Æschin. [p. 85, ult.]: Ἔφησθα γὰρ τοὺς τῆς πόλεως ἅλας περὶ πλείονος ποιήσασθαι τῆς ξενικῆς τραπέζης. Ex Plat. [Ep. 5, p. 321, C], ξενικὴν συμβουλὴν συμβουλεύειν, Consilium ut hospitalitas postulat dare. [Leg. 9, p. 879, E: Τὸν ξενικὸν θεὸν εὐλαβούμενοι· Ep. 8, p. 357, A: Εἰ μὴ ξενικαὶ Ἐρινύες ἐκώλυσαν. Quibus ll. omnibus non Hospitalis vertendum, sed Externus vel Peregrinus.]

[Ξενικῶς. V. Ξενικός.]

Ξένιον vel Ξείνιον substantive, aut Ξεινήϊον poetice, τὸ, Hospitale munus s. donum, Quod datur hospiti. [Τὸ δῶρον τὸ πεμπόμενον ξένῳ, Hospitale, Gl.] Sæpe autem et in plur. Ξένια, item Ξενήϊα. [Quam formam annotavit Hesychius: Ξενήιον, φίλον. Hom. Od. I, 356: Ἵνα τοι δῶ ξείνιον. Apoll. Rh. 1, 770: Μαινάλῳ ἔν ποτέ οἱ ξεινήιον ἐγγυάλιξεν.] Hom. Od. Θ, [389]: Ἀλλ' ἄγε, οἱ δῶμεν ξεινήϊον, ὡς ἐπιεικές· et [I, 268]: Ἡμεῖς δ' αὖτε κιχανόμενοι τὰ σὰ γοῦνα Ἱκόμεθ', εἴ τι πόροις ξεινήϊον, ἠὲ καὶ ἄλλως Δώης δωτίνην, ἥτε ξείνων θέμις ἐστίν. Ad quæ respondet Cyclops aliquanto post, Οὖτιν ἐγὼ πύματον ἔδομαι μετὰ οἷς ἑτάροισι, Τοὺς δ' ἄλλους πρόσθεν· τόδε τοι ξεινήϊον ἔσται. Quo ex responso natum est proverbium, Ἡ τοῦ Κύκλωπος δωρεὰ, Cyclopis donum. Animadverte autem, in hoc proverbio ξεινήϊον exponi nomine δωρεὰ, alioqui generaliori. Eo autem usus est Lucian, quum illum ipsum Homeri l. affert, in Κατάπλῳ [c. 14] scribens, Οὐ πάνυ με ἡ τοῦ Κύκλωπος ἐκείνου εὐφραίνει δωρεὰ, τὸ ὑπισχνεῖσθαι ὅτι πύματον ἐγὼ τὸν Οὖτιν κατέδομαι. At Plut. dixit Κυκλώπειον γέρας. Quod autem ibi Hom. dicit ξεινήϊον, id in prosa diceretur ξένιον: quo utitur [Pind. Pyth. 4, 35: Προτυχὸν ξένιον δοῦναι·] Dem. Phal. [§ 130], de eod. loquens Homeri l., Τὸ οὖν, inquit, Οὖτιν ἐγὼ πύματον ἔδομαι, τοὺς δὲ λοιποὺς πρώτους, τὸ τοῦ Κύκλωπος ξένιον, ubi etiam facete hoc Cyclopis dictum appellat ἀστεϊσμόν. [Similiter poetæ interdum vulnera dicunt ξένια. V. Merrick. ad Tryphiod. v. 580.] Synes. Ep. 4 : Καὶ ἥκει τις ἄλλος ἐπ' ἄλλῳ, παῖς ἐπ' ἀνδρὶ, καὶ ἀνὴρ ἐπὶ παιδὶ, φέρων ἀεί τι μοι ξένιον, ὁ μὲν ἠγκιστρωμένον ἰχθύδιον, ὁ δὲ ἄλλος ἄλλο τι. Frequens est et plur., uti dixi, ξένια s. ξείνια, vel ξεινήϊα. Hom. Il. [Λ, 779 : Ξείνιά τ' αὖ παρέθηκεν. Pind. Pyth. 4, 22, δέξατο· 129 : Ξείνια ἁρμόζοντα τεύχων. Il.] Σ, [408] : Ἀλλὰ σὺ μὲν νῦν οἱ παράθες ξεινήϊα καλά· Od. Δ, [33] : Ἦ μὲν δὴ νῶϊ ξεινήϊα πολλὰ φαγόντε Ἄλλων ἀνθρώπων κτλ. Alicubi vero et ξεινήϊα δῶρα dicit idem poeta. Ω, [272] : Καί οἱ δῶρα πόρον ξεινήϊα οἷα ἐῴκει. In soluta autem oratione plur. ξένια. [Et ap. Hom. Od. O, 546 : Ξενίων δέ οἱ οὐ ποθὴ ἔσται. Æsch. Ag. 1590 : Ξένια ... παρέσχε δαῖτα παιδείων κρεῶν. Eur. Cycl. 301 : Ἱκέτας δέχεσθαι ... ξένιά τε δοῦναι· 342 : Ξένιά τε λήψει τοιάδε· et alibi sæpe similiter.] Xen. Hell. 7, [2, 3] : Καὶ μὴν οἱ Λακεδαιμόνιοι ἄλλως τε ἐτίμων αὐτοὺς καὶ βοῦν ξένια ἔπεμψαν. [Conf. Anab. 6, 1, 15. Plato Tim. p. 20, C : Ἀνταποδώσειν τὰ τῶν λόγων ξένια.] Sed alioqui fuisse alia quibus nomen ξενίων tributum sit, et quidem a pictoribus, docet Vitruv. 6, 9, qui postquam scripsit, Præterea dextra ac sinistra domunculæ constituuntur habentes proprias januas, triclinia, et cubicula commoda, uti hospites advenientes non in peristylia, sed in ea hospitalia recipiantur : subjungit, Nam quum fuerunt Græci delicatiores et a fortuna opulentiores, hospitibus advenientibus instruebant triclinia, cubicula, cum penu cellas : primoque die ad cœnam invitabant, postero mittebant pullos, ova, olera, poma, reliquasque res agrestes : ideo pictores ea quæ mittebantur hospitibus, picturis imitantes, ξένια appellarunt. Ita patres familiarum in hospitio non videbantur esse peregre, habentes secretam in his hospitalibus libertatem. Hæc ille. Dem. autem in Or. π. παραπρ. [p. 393, 13, 26] appellavit ξένια, quæ Latini Lautia dixerunt, sc. Dona legatis exteræ gentis dono missa : quam Lat. vocem et Plut. [Mor. p. 275, C] exponens, non dicit simpliciter ξένια, sed τὰ πεμπόμενα τοῖς πρέσβεσι [πρεσβεύουσι] ξένια. [Congiarium, Stena, Gl. Polyb. 25, 6, 6 : Ξένια καὶ παροχὰς τὰς μεγίστας ἐξέθηκεν (ἡ σύγκλητος τοῖς περὶ τὸν Ἄτταλον).] || Ξεινίων τυχὼν ap. Herodot., Hospitio exceptus, Bud. [Id. 6, 35 : Καί σφι ἐπηγγείλατο καταγωγὴν καὶ ξείνια· 7, 29 : Ξείνια προθεῖναι στρατῷ· 7, 135 : Ὅς σφέας, ξείνια προθέμενος, εἱστία.] Affertur autem ex Eod., ἐπὶ ξείνια καλεῖν, pro Ad hospitium invitare, Hospitio invitare. [Sic Herodot. 2, 107, et sæpius alibi (4, 154; 6, 34; 9, 89) : conf. var. lect. ad 5, 18. Schweigh.] Itidem vero et ceteri scriptt. dicunt ἐπὶ ξένια καλεῖν [Æschines p. 33, 22 : Κληθέντων ἡμῶν ἐπὶ ξένια, ubi sunt quidem in libris varietates ἐπὶ ξενίᾳ et ἐπὶ ξενίαν, sed pluralem tuetur p. 49, ult. : Ἐκλήθην ἐπὶ τὰ ξένια μετὰ τῶν συμπρέσβεων. Et sic Diod. 4, 79 : Ἐπὶ τὰ ξένια παρέλαβε τὸν Μίνω. Inscrr. Att. ap. Bœckh. vol. 1, p. 123, n. 84, 17 : Καλέσαι αὐτὸν ἐπὶ ξένια, et ubi ξεν... 4; p. 126, n. 87, 26, et schol. Pind. Nem. 7, 68, qui etiam ξένια, quæ Delphis fiant ἥρωσι, memorat, ut ibidem fuerunt Θεοξένια] : sed in quibusdam ll. legitur et ἐπὶ ξενίᾳ, ut docui in Ξενία. At ἐπὶ ξένια [ξενίᾳ] δέχεσθαι Bud. ait videri positum pro Lautia præbere, ap. Xen. [Anab. 6, 1, 3. « Ξενίοις δεχόμενος τὸν Ἡρακλέα, Diodor. 4, 12 et 21. » Hemst.] || Idem ap. Plut. [Mor. p. 182, B] ὁ ἐπὶ τῶν ξενίων, exp. Qui est ab hospitiis, super hospitia comitatus, qui Marescallus hospitiorum vulgo appellatur, inquit. [Latiori signif. Muneris Fab. Æsop. 406, p. 164 Fur. : Ὅταν ἴδῃς τινὰ βραδύν τε τὴν φύσιν καὶ πρὸς φιλίαν δυσκίνητον, νόησον ὅτι τῶν ἔρωτος ἐκείνου ξενίων οὐδαμῶς οὗτος ἠξίωται· ὅταν δὲ ὀξὺν καὶ θερμὸν τὴν γνώμην, καὶ φλογὸς δίκην ἐπ' ἐρωτικὴν φιλίαν ἄττοντα, νόησον τοῦτον εἶναι ἐκείνου ξένιον τοῦ ἔρωτος, quorum verborum postrema manca videntur et corrupta. V. autem l. in Ξενίζω ex iisdem Fab. Æs. citatum.] || Ξένιον, Lenticulæ species, sed rarior, quum tamen vari lenticulæque ceteræ vulgo notæ sint. Est autem rubicundior et inæqualior, Cels. 6, 5. [Verba Gorræi.] Fortasse vero ex eo, quod non sit frequens nec ita nota ut ceteræ, nomen hoc accepit : quasi præ ceteris quodammodo sit peregrina. Quod tamen ego ex sola conjectura habeo.

A Ξένιος, ὁ, vel Ξείνιος, α, ον, Hospitalis [Gl.], Ad hospitem s. peregrinum pertinens, aut Ad hospites. Fem. ξενία, pro quo ξενίη Ionice ap. Hom., ut ξενίη τράπεζα, Hospitalis mensa, Mensa qua excipiuntur hospites : Od. Ξ, [158] : Ἴστω νῦν Ζεὺς πρῶτα θεῶν, ξενίη τε τράπεζα· qui versus legitur et Od. P, [155] atque Υ, [230. Pind. Isthm. 2, 39, Ol. 3, 42. (Æsch. Ag. 401.) Pyth. 3, 32 : Ξεινίαν κοίταν· Nem. 4, 23 : Ξένιον ἄστυ. || Forma Ξεινήιος Nonnus Jo. c. 4, 29 : Δός μοι διψαλόεντι πιεῖν ξεινήιον ὕδωρ. Suidas in Ξεινήιον, καὶ Ξεινήιος Ζεύς.] || Ξένιος Ζεὺς ap. Eund. itidemque ap. ejus posteros, Hospitalis Jupiter, Jupiter hospitum custos, In cujus tutela sunt hospites, Qui hospitibus præest. Possumus enim hisce omnibus modis circumloqui significationem illius epitheti. Quinetiam, ex Virg., Qui jura dat hospitibus. Cic. Hospitalem vocavit De fin. 3. Hom. Od. Ξ, [389] : Ἀλλὰ Δία Ξένιον δείσας, αὐτόν τ' ἐλεήσας. [Pind. Ol. 8, 21, Nem. 11, 8.] I, [270] : Ζεὺς δ' ἐπιτιμήτωρ ἱκετάων τε ξείνων τε, Ξείνιος, ὃς ξείνοισιν ἅμ' αἰδοίοισιν ὀπηδεῖ. Et alibi dicit,
B Μῆνιν Διὸς Ξενίου. [Pind. Nem. 5, 33 : Ξεινίου πατρός. Et sæpe ap. Æschyl., Xenoph., Plat. aliosque. Ξένιοι θεοὶ memorantur ap. Polluc. 1, 24. Minerva ξενία ap. Pausan. 3, 11, 11. || Pro ξένος positum ap. Herodot. 5, 63 : Ἐξελῶντα Πεισιστρατίδας ἐξ Ἀθηνέων, ὅμως καὶ ξεινίους σφι ἐόντας τὰ μάλιστα, in ξείνους mutandum animadvertit Schæf. ad Gregor. p. 556, ubi idem vitium Etym. M. p. 685, 8 s. Suidæ v. Ποταίνιον exemit Koen.]

[Ξενίος, ὁ, Xenius, n. viri, quod paroxytonum perhibent Etym. M. p. 521, 13, et qui Euphorione, cujus scriptum fuit hoc nomine inscriptum, teste utitur, schol. Hom. Il. E, 39, 683; B, 495. L. Dind.]

[Ξένιππος, ὁ, Xenippus, Atheniensis ap. Demosth. p. 1021, 16.]

[Ξενὶς, ίδος, ἡ, Xenis, n. ancillæ in Orat. c. Neær. p. 1386, 8. Ὁδὸν τὴν Ξενίδα ad Mantineam memorat Polyb. 11, 11, 5.]

[Ξένις, ιδος, ὁ, Xenis, n. viri esse videtur in inscr. Patrensi ap. Bœckh. vol. 1, p. 714, n. 1545. Conf. p. 597, n. 1208, 7.]

C Ξένισις, εως, ἡ, i. q. ξενισμὸς in prima signif. Thuc. 6, p. 213 [c. 46] : Καὶ ἰδίᾳ ξενίσεις ποιούμενοι τῶν τριηριτῶν, schol. φιλοφρονήσεις. [Unde citat Photius et præter alios gramm. Bekk. An. p. 438, 3, et qui τραχὺ dicit Pollux 6, 7.]

Ξένισμα, τὸ, i. q. ξενία. Theod. Prodr. Rhod. p. 109 : Τῶν ξενισμάτων χάριν. Elberl.]

Ξενισμὸς, ὁ, Hospitalitas s. potius Hospitum susceptio. Plut. [Mor. p. 158, C] : Συναναιρεῖται γὰρ αὐτῇ (τῇ οἴκου διαλύσει) πῦρ ἑστιοῦχον, ἑστία, κρατῆρες, ὑποδοχαὶ, ξενισμοὶ, φιλανθρωπότατα καὶ πρῶτα κοινωνήματα πρὸς ἀλλήλους· ubi nota eum discrimen facere inter ὑποδοχὰς, quæ convivarum sunt, et inter ξενισμοὺς, qui sunt hospitum peregre advenientium. Sic Lucian. De saltat. [c. 45] : Τὸν Πάριδος ξ. καὶ τὴν Ἑλένης ἁρπαγήν. Rursum Plut. Demetr. [c. 12] : Γράφει γὰρ δέχεσθαι Δημήτριον ὁσάκις ἂν παραγένηται, τοῖς Δήμητρος καὶ Διονύσου ξενισμοῖς, Ut xeniis deorum exciperetur, Ut deorum lautia ipsi decernerentur. Sic Bud. p. 1096. [Plato Lys. p. 205, C : Τὸν τοῦ Ἡρακλέους ξενισμόν.
D Schol. Pind. Ol. 3, 72 : Ἡ γινομένη θυσία τοῖς Διοσκούροις ξενισμὸς λέγεται. Pollux 6, 7.] || Ξενισμὸς a postrema verbi ξενίζειν signif., Mutatio s. Perturbatio, quæ fit peregrina et insolita rei novitate. [Polyb. 15, 17, 1 : Συγκινεῖ πως ἕκαστον ἡμῶν ὁ ξενισμός. Diod. 3, 33 : Εἰ δέ τις διὰ τὸν ξενισμὸν καὶ τὸ παράδοξον ἀπιστήσει.] Hippiatr. : Οὐ χρὴ δὲ τὰς κυούσας ποικιλίᾳ τῶν νομῶν καὶ τῶν ὑδάτων ξενίζειν· ἀμβλίσκουσι γὰρ ἐπὶ τοῖς τοιούτοις ξενισμοῖς, Pabuli novitate et aquæ potu insuetæ afficiuntur, et abortus pariunt, Bud. Sic Diosc. 2, 182, de alio : Καὶ πρὸς τοὺς ξ. τῶν ὑδάτων ἁρμόζει. Unde Plin. 20, 6 : Allio magna vis, magnæ utilitates contra aquarum et locorum mutationes. [Greg. Nyss. Adv. Eunom. : Φρίττειν ποιεῖ τῷ ξενισμῷ τὸν ἀκούοντα. Id. t. 3, p. 83 : Οὐδένα ἂν ἐκ τοῦ εὐλόγου ξενισμὸν ἐπαγάγοι. Ignat. Ep. ad Ephes. p. 231 : Ἀστὴρ ἐν οὐρανῷ ἔλαμψε... καὶ ξενισμὸν παρεῖχεν ἡ καινότης αὐτοῦ. Suicer.]

[Ξενιστέον, Hospitio excipiendum. Theod. Prodr. Rhod. p. 413 : Ξενιστέον καὶ φιλοφρονητέον οὓς ἄνδρας ὁ ξένιος ἐξέπεμψέ μοι.]

[Ξενιστής, ὁ, Qui hospitio excipit. Theod. Prodr. Rhod. p. 86, 94, 109, 382, 410. Ξενίστρια, p. 382. Elberl. Schol. Pind. ad Pyth. 4, 52. Hemst.]

[Ξενίστρια. V. Ξενιστής.]

Ξενιτεία, ἡ, Peregrinatio, Absentia a patria. Chion Epist. [p. 29 ed. Aurel. Allobr.] : Ἀνακομίζεσθαι παρεκάλεις· ἱκανὸν γὰρ εἶναι πρὸς ἥντινοῦν ἀποδημίαν, πέντε ἐτῶν χρόνον· ἕκτου δὲ τὴν ἐμὴν ξενιτείαν ἄρχεσθαι. Pro Hospitio affertur ex Sapient. 18, [3. Democr. ap. Stob. 40, 6. Hemst. Artemid. 3, 15 : Νόσον ἢ ξενιτείαν· 26 etc. Thomas p. 639, Eran. Ph. p. 166. Ξενητία, perperam pro ξενιτεία, ap. Aristeam De lxx Interpr. p. 310, et ξενητεία in Apophth. Patr. Cotel. Eccl. Mon. vol. 1, p. 699, B.]

Ξενιτεύω, Peregre dego, Peregrinor, [Peregrino huic add. Gl.] In peregrino solo hospitor, Bud. interpr. Extra patriam dego, Vagabundam vitam ago : hæc proferens exempla. Lucian. [Patriæ enc. c. 8] : Μὴ τὴν πατρίδα οἰκεῖν, ἀλλὰ ξενιτεύειν. Strabo 14, [p. 673] : Οὐδ' αὐτοὶ οὗτοι μένουσιν αὐτόθι, ἀλλὰ καὶ τελειοῦνται ἐκδημήσαντες, καὶ τελειωθέντες ξενιτεύουσιν ἡδέως, κατέχονται δὲ ὀλίγοι, Et viri facti, libenter peregre vivunt, pauci autem domi manent. Sic Philo De mundo : Πρὸς τοὺς ἐναντίους τόπους μετανίστασθαι, ὡς τρόπον τινὰ ξενιτεύειν δοκεῖν, Ita ut quodammodo peregre esse more hospitum deversarique videantur. Id. V. M. 3 : Οὐ γὰρ ξενιτεύοντες οἱ ἑτέρωθι οἰκοῦντες ἀδικοῦσι, Non enim peregrini, qui aliis in locis habitant, improbe faciunt. [Id. vol. 2, p. 45, 33 : Ἀλώμενος, ξενιτεύων, θητεύων. Polyb. 12, 28, 6 : Τίμαιος καταβιώσας ἐν ἑνὶ τόπῳ ξενιτεύων.] Dicitur etiam pass. Ξενιτεύομαι pro eod. : vel In alieno solo mercede milito. Isocr. Ad Phil. [p. 410, C] : Ὅσοι τῶν τὰς δυνάμεις ἐχόντων τὰ μὲν τῶν ξενιτευομένων στρατόπεδα μισθοῦνται. [Conf. p. 107, A : Ἀπαλλάξαι τοὺς ξενιτευομένους τῶν κακῶν.] Similiter Suid. ξενιτευομένους exp. μισθοφοροῦντας in hoc l. Antiphanis : Ἐγὼ ξενιτευόμενος ἐστρατευόμην.

[Ξενίων, ωνος, ὁ, Xenio, n. viri ponit Suidas.]

[Ξεννίας. V. Ξενίας.]

[Ξέννος. V. Ξένος.]

[Ξενοβούλη, ἡ, Xenobule, n. mulieris in inscr. Phoc. ap. Bœckh. vol. 1, p. 853, n. 1741.]

[Ξενοδαίκτης, ὁ, Qui hospites necat. Eur. Herc. F. 391 : Κύκνον ξενοδαίκταν.]

[Ξενοδαίτης, ὁ, Qui hospitibus vescitur. Eur. Cycl. 659 : Θηρὸς τοῦ ξενοδαίτα.]

[Ξενόδαμος. V. Ξενόδημος.]

[Ξενόδημος, ὁ, n. viri, musici ap. Athen. 1, p. 15, D, et forma Dor. Ξενόδαμος ap. Plut. Mor. p. 1134, B, C. Eadem f. Menelai, ap. Apollod. 3, 11, 1. Anticyrensis ap. Pausan. 10, 36, 9. Alii alibi.]

[Ξενοδίκη, ἡ, Xenodice, f. Minois, ap. Apollod. 3, 1, 2, 6. Sylei 2, 6, 3, 3. Inter Ξενοδίκη et -δόκη variant libri Pausan. 2, 7, 3, in illo consentiunt 10, 26, 1, ubi cognomines mulieres memorantur.]

[Ξενοδίκης. V. Ξενοδόχος.]

[Ξενόδικος, ὁ, Xenodicus, olympionica ap. Pausan. 6, 14, 12.]

[Ξενοδοκεῖον, Ξενοδόκης, Ξενοδοκία, Ξενοδόκος. V. Ξενοδοχ—.]

[Ξενοδόκη, ἡ, Xenodoce. V. Ξενοδίκη.]

[Ξενόδοκος, ὁ, Xenodocus, n. viri, Delphi in inscr. Delph. ap. Curt. Anecd. p. 82, n. 61, 6, Athen. ap. Æschin. p. 49, 19. Messenii ap. Pausan. 4, 6, 10. Vid. Ξενόδοχος.]

[Ξενοδοχεία, ἡ, Hospitalis exceptio, Hospitium. Cyrill. Alex. p. 515. Kall. Balsamon ad Can. 21 Conc. Nic. p. 547 : Τῷ ὀνόματι τῆς ξενοδοχείας. Scrib. ξενοδοχία, quod v.]

Ξενοδοχεῖον, τὸ, vel Ξενοδοκεῖον, Locus in quem hospites recipiuntur. Quidam interpr. Hospitium. [Hospitalium, Meritorium, Gl.] Potest autem ut ξενοδόχος alicubi Caupo, sic ξενοδοχεῖον reddi Caupona. Ξενοδοχεῖον, τὸ τοὺς ξένους ὑποδεχόμενον, Suid. [Julian. Epist. 49 : Ξενοδοχεῖα καθ' ἑκάστην πόλιν κατάστησον, et al. citant Ducang. in Gl. et App. p. 143, et Suicer. Vita Symeonis Act. SS. Maji vol. 5, p. 344, F : Θεμελίους τῶν οἰκοδομουμένων ξενοδοχείων ἑνὸς ὑποδύς. L. Dind.]

Ξενοδοχέω, Hospites excipio, Hospitio excipio, i. q. ξενίζω, quo veteres scriptores usi sunt. [Eur. Alc. 552, Τολμᾷς ξενοδοχεῖν, cui tamen ξενοδοκεῖν restituendum sec. Mœrin in Ξενοδόχος citandum, ut est ap. Plat. Reip. 4, p. 419. Thomas p. 743. «Timoth. 1, 5, 10 : Εἰ ἐξενοδόχησεν. Metaph. Clemens Al. Protr. p. 54 : Τί οὐχὶ ἀναπεπταμέναις ταῖς ἀκοαῖς καταδεχόμενοι τὸν λόγον ἐν ἁγίαις ταῖς ψυχαῖς, τὸν θεόν ;» Suicer. || Med. ξενοδοχεῖται in schol. Lycophr. 92 : Καὶ δή σε... ξενώσεται, ubi ξενοδοχήσει exspectatur. Passivo Eustath. Il. p. 634, 59.]

[In Ind. :] Ξεινοδοκέω, Hospites s. Peregrinos recipio. Herodotus [6, 127] cum accus. etiam dixit ξεινοδοκέειν ἀνθρώπους, pro Peregrinos homines hospitio excipere, s. Hospitalem esse erga homines peregrinos. [Theætet. Schol. Anth. Pal. 10, 16, 6 : Χελιδὼν ἔκγονα πηλοχύτοις ξεινοδοκεῖ θαλάμοις.] Itemque Ξεινοδόκος, ὁ, ἡ, est Exceptor peregrinorum, Qui peregrinos hospitio recepit, Hospitalis : ut ap. Hom. Od. O, [55] Deus ἀνδρὸς ξεινοδόκου μιμνήσκεται. [Theocr. 16, 27. Cum genitivo Paul. Sil. Anth. Pal. 10, 15, 8 : Ἐπεὶ Θέτιν εὔχομαι εἶναι ἡμετέρου πατρὸς ξεινοδόκον Βρομίου. Nonnus Jo. c. 11, 54 : Ξεινοδόκον Χριστοῖο. Ξεινηδόκος id. ib. 40 : Φίλτατος ἡμείων ξεινηδόκος.] || Ξεινοδοκεῖν Simonides usurpavit etiam pro μαρτυρεῖν, dicens ξεινοδόκησε Τελαμών. [Pindari verba esse, Ξεινοδόκησέ τε δαίμων, constat ex Apollon. Lex. Hom. v. Ξεινοδόκος. Vicissim Simonidis, non Pindari esse verba quæ sequuntur, constat ex eodem. Hesychius : Ξενοδοκοῦμαι, μαρτύρομαι. Ξενοδοκῶν, ξενοδοχῶν, μαρτυρῶν.] Itemque Pindarus Ξεινοδόκον pro ἐπιμάρτυρα, canens, Ξεινοδόκων δ' ἄριστος χρυσὸς ἐν αἰθέρι λάμπων. Ita Etym. [Μάρτυς interpretatur etiam Hesychius.]

[Ξενοδόχη, ἡ, Hospita, Gl.]

[Ξενοδόχημα, τὸ, Hospitium. Nicet. Annal. 20, 4, p. 381, A : Ὕμνησις τῶν αὐτοῦ θεραπόντων καὶ προσφιλὲς ξενοδόχημα.]

Ξενοδοχία, ἡ, Hospitum exceptio, susceptio. Xen. OEc. [9, 10] : Ὅσοις δ' εἰς ἑορτὰς ἢ ξενοδοχίας χρώμεθα. Athen. 14 : Ταῖς ἱπποτροφίαις αὐτῶν καὶ ξ. [Thomas p. 639, ubi ξενοδοκία liber unus. V. autem Ξενοδοχεία. Quod in Gl. ponitur Ξενοδοχία, Hospitor, aris, ad verbi ξενοδοχέω pass. ξενοδοχέομαι referri videtur.]

[Ξενοδοχικὸς, ή, όν, Hospitalis. Schol. Pind. Ol. 3, 68 : Τραπεζῶν ξενοδοχικῶν. Wakef.]

Ξενοδόχος, ὁ, ἡ, vel Ξενοδόκος, at poet. Ξεινοδόκος [quod v. in Ξενοδοχέω], q. d. Hospitum receptor, susceptor, Hospes. [Hospita, Hospitalis, Gl.] Plut. Alex. [c. 51] : Ὁ δὲ Ἀλέξανδρος ἀποστραφεὶς πρὸς ξενοδόχον [Ξενόδοχον] τὸν Καρδιανόν. Hom. Od. Θ, [542] : Ἵν' ὁμῶς τερπώμεθα πάντες, Ξεινοδόκος [—οι] καὶ ξεῖνος. [Il. Γ, 354, etc.] Sic et in l. Hesiodi quem proferam in Ξένος. [Quod in Ξυνοδόκος corruptum apud Hesychium.] Sed ξενοδόχος redditur etiam Caupo. [Ξενοδόχος memorat Pollux 1, 74. Quod apud Mœrin scriptum in cod. : Ξενοδόκω Ἀττικοὶ, ξενοδοκῶ Ἕλληνες, nihili esse apparet, et ξενοδοκῶ —δοχῶ scrib. videtur, ut scripsit Piers. p. 271. Thomas p. 640 : Ξενοδόκος, οὐ ξενοδόχος. Qui ξενοδόχος dicit ipse p. 743, ut Iambl. V. Pyth. p. 113. Cod. Justin. 1, 3, 42, 6. De ξενοδόχοις in monasteriis v. Ducang. || Formam Ξενηδόχος, ut supra Ξεινηδόκος, Grotius restituit Menandro Sent. sing. 402 : Ξένος πεφυκὼς τοὺς ξενηδόχους σέβου. || Formam Ξενοδόκης habet Jo. Laurent. De mag. Rom. 1, 38, p. 68 : Πραίτωρ ὁ λεγόμενος περεγρῖνος, οἱονεὶ ξενοδόκης. Legendum ξενοδίκης. L. Dind.]

[Ξενόδοχος, ὁ, Xenodochus, Cardianus, ap. Plut. Alex. c. 51, nisi scribendum Ξενόδοκος. L. Dind.]

[Ξενόδωρος, ὁ, Xenodorus, n. viri in inscr. Delph. ap. Curtium Anecd. p. 81, n. 55.]

[Ξενοδώτης, ὁ, Qui hospitibus dat. Epith. Bacchi Anth. Pal. 9, 524, 15.]

[Ξενόεις, εσσα, εν, Peregrinis vel hospitibus frequentatus. Eur. Iph. T. 1282 : Πολυάνορι ἐν ξενόεντι θρόνῳ, de sede Pythia Apollinis.]

[Ξενόθηλυς, ἡ, epith. Mariæ, Admiranda mulier. Anon. H. in Virgin. 15.]

[Ξενοθρέπτης, ὁ, ἡ, epith. Mariæ. Anon. H. in Virgin. 15, ubi ξενοθρέπτην, quod gen. feminino, ut alia in eodem, usurpatum videtur potius et activa signif. positum, Quæ inusitatum s. admirabilem educavit partum, quam passiva et a ξενοθρέπτη ducendum.]

[Ξενοθυτέω, Hospites immolo. Strabo 7, p. 298; Eust. in Dionys. Per. 146.] A

[Ξενοίτας, ὁ, Xenœtas, Achæus, ap. Polyb. 5, 45 sq.]

[Ξενοκάδης, ὁ, Xenocades, Pythagoreus, Metapontinus, ap. Iambl. V. Pyth. c. 36, p. 524, nisi fallit scriptura et scribendum Ξενοκλείδας vel similiter. L. Dindorf.]

[Ξενόκλεια, ἡ, Xenoclia, mulier Delphica, ap. Pausan. 10, 13, 8.]

[Ξενοκλείδης, ου, ὁ, Xenoclides, Corinthius, ap. Thuc. 1, 46; pro quo —δαν plerique 3, 114. Atheniensis ap. Demosth. p. 447, 11; 1353, 14 sq. Heræensis ap. Pausan. 6, 3, 11.]

[Ξενοκλῆς, έους, ὁ, Xenocles, n. viri Lindii, ap. Antagoram Rhod. Anth. Pal. 9, 147, 3. Poetæ tragici, f. Carcini, ap. Aristoph. Th. 169, 441, Ran. 86, ubi forma Ξενοκλέης. Spartani ap. Xenoph. H. Gr. 3, 4, 20. Athen. ap. Isæum p. 38, 8. Alii sunt ap. Theocr. Ep. 10, 2, Pausaniam et alios, et in numis et inscrr.]

[Ξενοκοπέω.] Ξενοκοπεῖν Metagenes usurpavit ἐπὶ τοῦ B πληγὰς λαβεῖν, teste Suida. [Ἔλαβον Photius. Ξυνεκόπην Meinek. Com. vol. 2, p. 755.]

[Ξενοκουρίτης, ὁ, Monachus qui in altero monasterio tonsus est s. capillos posuit et in eo stabilitatem vovit. Lucas Patr. Cp. l. 3 Juris Græcorom. p. 222: Ξενοκουρίτην μὴ γίνεσθαι καθηγούμενον. Balsamon ad Can. 21 Concil. Nicæn. p. 547: Ὅπως οἱ ξενοκουρῖται κολάζονται, et al. ap. Ducang.]

[Ξενοκράτεια, ἡ, Xenocratea, n. mulieris, in inscr. Att. ap. Bœckh. vol. 1, p. 533, n. 927, ubi Ξενοκρατεαι Σατυρ... pro —κράτεια, ut videtur, quod est in Ambrys. p. 848, n. 1727. Idem restituendum p. 682, n. 1439, ubi Ξενοκρατ. Nam Ξενοκρατίαν n. 1440 incertæ est fidei. L. Dind.]

[Ξενοκράτειος, α, ον, adj. ab n. Ξενοκράτης. Schol. Aristot. p. 24, 12: Τῶν Ξενοκρατείων (philosophorum). L. Dindorf.]

[Ξενοκρατέομαι, Peregrinorum s. Mercenariorum imperio pareo. Æneæ Tact. c. 12, p. 40: Οὐ γὰρ ἀσφαλὲς ξενοκρατεῖσθαι.] C

[Ξενοκράτης, ους, ὁ, Xenocrates, n. viri, ap. Pind. Pyth. 6, 6, Isthm. 2, 14, et ubi Ξεινοκρ. ib. 36. Alii sunt philosophus, Speusippi successor, quum ap. alios tum ap. Diog. L. 4, 15, cognomines ejus aliquot memorantem. Alii alibi.]

[Ξενοκρατία. V. Ξενοκράτεια.]

[Ξενοκρίτη, ἡ, Xenocrite, mulier Cumana, ap. Plut. Mor. p. 261 sq. ĭ]

[Ξενοκρίτης, ὁ, Judex peregrinorum. Eustath. Il. p. 897, 41.]

[Ξενόκριτος, ὁ, Xenocritus, Locrensis ap. Plut. Mor. p. 1134, B. Thebanus ap. Pausan. 9, 11, 4. Athen. in inscr. ap. Bœckh. vol. 1, p. 502, n. 654. Alii in aliis.]

Ξενοκτονέω, Hospites occido, eadem forma qua dicuntur quum alia, tum ἀνθρωποκτονῶ. [Eur. Hec. 1247. Diod. 4, 18: Ξενοκτονοῦντα τοὺς παρεπιδημοῦντας· 90. Athen. 12, p. 516, B; Lucian. D. deor. 16, 1; 23, 1.]

Ξεινοκτονέω, Hospitem s. Hospites occido, Peregrinum s. Peregrinos interficio. [Herodot. 2, 115.] D

Ξενοκτονία, ἡ, Hospitum occisio. Plut. [Mor. p. 857, A]: Βούσιριν ἀπολύσας τῆς λεγομένης ἀνθρωποθυσίας καὶ ξ. [Ib. p. 271, B; 319, D. Dionys. A. R. 1, 41; Diod. 1, 88. Permutatum cum ξενοφονία ap. Isocr. p. 228, C.]

Ξενοκτόνος, ὁ, ἡ, Hospitum occisor, interfector. [Hospiticida, Gl. Lycophr. 124: Τὰς ξενοκτόνους πάλας.] Æschin. [p. 85, 42]: Ἐξελεγχθεὶς ὑπ' ἐμοῦ, καὶ κληθεὶς ξενοκτόνος. [Eur. Iph. T. 53: Τέχνην τήνδ' ἣν ἔχω ξενοκτόνον· 776. Plut. Mario c. 8; Lucian. D. deor. 16, 2; Sext. Emp. p. 308, 17.]

Ξενοκυσταπάτη, ἡ, affertur pro Alienæ vesicæ error. [Nicand. Anth. Pal. 11, 7, 4: Οὐδεὶς τὴν ἰδίην συνεχῶς, Χαρίδημε, γυναῖκα βινεῖν ἐκ ψυχῆς τερπόμενος δύναται. Οὕτως ἡ φύσις ἐστὶ φιλόκνισος ἀλλοτριόχρως, καὶ ζητεῖ διόλου τὴν ξενοκυσταπάτην. Et vesica placet non sua capta dolo, Grot.]

[Ξενολεκτέω, Peregrine loquor. Epiphan. vol. 1, p. 208, D: Τῶν ὑπὸ τούτου διαφόρως ξενολεκτουμένων.]

[Ξενολεξία, ἡ, Peregrina oratio, vox. Epiphan. vol. 1, p. 311, C; 321, D.]

Ξενολογέω, Externos milites colligo, cogo. Isocr. Ad Phil. [p. 101, D]: Ἐν ἐκείνοις δὲ τοῖς χρόνοις οὐχ ἦν ξενικὸν οὐδέν· ὥστε ἀναγκαζόμενοι ξενολογεῖν ἐκ τῶν πόλεων κτλ. [Demosth. p. 1019, 12. Polyb. 1, 9, 6: Ξενολογήσας δι' αὑτοῦ πλῆθος ἱκανὸν μισθοφόρων· 31, 25, 8, et absolute 32, 1, 5. Diod. 14, 47: Τοὺς ξενολογήσοντας ἀπὸ τῆς Εὐρώπης. Plut. Mor. p. 499, A; 1128, F, Artox. c. 4. Improprie Diod. Exc. p. 600, 71: Τῆς προγεγενημένης χάριτος ξενολογησάσης αὐτῇ τὸν παρὰ τῶν εὖ πεπονθότων ἔλεον.]

[Ξενολόγησις, εως, ἡ, i. q. sequens. Nicetas Is. Aug. 1, 8, p. 246, C: Ὃς οὐκ ὀλίγα τῷ βασιλεῖ ἐχορήγησε χρήματα κατὰ τὴν τότε γενομένην τῶν ὁπλιτῶν ξενολόγησιν. L. Dind.]

Ξενολογία, ἡ, Externorum militum collectio. Aristot. OEc. 2, [c. 40]: Ἀποστέλλειν ἐπὶ ξενολογίαν, Ad milites cogendos mittere. [Diodor. 19, 61.]

Ξενολόγιον, τὸ, affertur pro ξενικὸν, ut sit Externorum militum collectorum manus, exercitus. [Polyb. 29, 8, 6; 31, 25, 1, 5, 7.]

Ξενολόγος, ὁ, Externorum militum collector, Qui cogit externos milites, ὁ ξένους στρατιώτας συλλέγων, Hesych. Suid. Ead. forma qua dicuntur στρατολόγος et ἀργυρολόγος, atque alia. Vocari autem ξένους sine adjectione, Milites externos, docebo infra. [Plut. Dione c. 23. Polyb. 1, 32, 1; 5, 63, 9. Menandri fabula fuit ita inscripta. || Formam Ξεναλόγος, ξένους συλλέγων, ponit Hesychius. Cui, nisi scrib. ξενολόγος, conferendum foret ξενηδόχος.]

Ξενομανέω, Peregrinis rebus et mercibus externis s. exoticis supra modum delector. Plut. [Mor. p. 527, F]: Γυναικὸς ὀφείλων παρελεῖν τὴν πορφύραν καὶ τὸν κόσμον, ἵνα παύσηται τρυφῶσα καὶ ξενομανοῦσα.

Ξενομανία, ἡ, Peregrinarum rerum et mercium externarum amor, Nimium et inconsultum externorum studium, Bud. Non est autem ξενομανία verbale a ξενομανῶ, licet huic illud subjungam; sed ea forma dicitur, qua δοξομανία.

[Ξενόμβροτος, ὁ, Xenombrotus, Cous, ap. Pausan. 6, 14, 12.]

[Ξενομένης, ους, ὁ, Xenomenes, Spartanus, in inscr. Spart. ap. Bœckh. vol. 1, p. 632, n. 1265, 5. Alii in numis Acarn. ap. Mionnet. *Descr.* vol. 2, p. 85, n. 52, *Suppl.* vol. 3, p. 473, n. 139.]

[Ξενομήδης, ου, ὁ, Xenomedes, Chius historicus, ap. Dionys. De Thuc. c. 5, vol. 6, p. 818, 11, schol. Aristoph. Lys. 448, ubi v. annot. Delius quidam in inscr. Delia ap. Bœckh. vol. 2, p. 220, n. 2266, 27.]

[Ξενόμναστος, ὁ, Xenomnastus, n. viri in inscr. Anaphæ reperta ap. Bœckh. vol. 2, p. 380, n. 2478, ubi duplici σ.]

Ξενοπαθέω, Re aliqua tanquam peregrina et nova conturbor. Plut. Philopœm. [c. 12]: Ὥσπερ οἱ πῶλοι τοὺς συνήθεις ἐπιβάτας ποθοῦντες, ἐὰν ἄλλον φέρωσι, πτύρονται, καὶ ξενοπαθοῦσι, Propter insolitam rem conturbantur, Bud. Affert autem et pro Quasi peregrinus conturbor, Deprehensus sum et territus. In VV. Ll. ξενοπαθοῦντες esse dicuntur Qui tacent et stupidi fiunt ad ingressum externorum. Ibid. ξενοπαθοῦμεν redditur Hospites nobis esse videmur. Plutarch. cum δυσανασχετεῖν copulavit in lib. De exilio [p. 607, E], item cum ἀδημονεῖν in alio ejusdem libelli l. [p. 601, C.] Existimo autem esse aut id aut ei simile, quod dicimus *S'effaroucher:* præsertim quum de equis quoque nostrate hoc verbum dicatur, et quidem proprie, sicut in illo primo Plut. l. dicuntur πῶλοι πτύρεσθαι καὶ ξενοπαθεῖν.

[Ξενοπάτρα, ἡ, Xenopatra, f. Hellenis, ap. Hellanicum in schol. Plat. Conv. p. 376.]

[Ξενοπείθεια, ἡ, Xenopithia, n. mulieris Spartanæ ap. Athen. 13, p. 609, B.]

[Ξενοπείθης, ους, s. ου, ὁ, Xenopithes, n. viri, cujus duo exx. sunt ap. Demosth. p. 984 etc. et 986, 24; 991, 13. Alia in inscrr. Att. ap. Bœckh. vol. 1, p. 343, n. 213, 20; Syria vol. 2, p. 277, n. 2347, C, 26, ubi genit. Ξενοπείθου, ap. Aristænet. 1, 17, Phalar. Ep. 83.]

[Ξενοποικιλόπτερος, ὁ, Qui alienis plumis variegatus est. Tzetz. Hist. 2, 843 : Τὸν ξενοποικιλόπτερον τὸν κολοιὸν ἐκεῖνον. Conf. Ξενόπτερος.]

[Ξενοπολίτης, ὁ, Qui est peregrinæ civitatis. Tzetzes in Walzii Rhett. vol. 3, p. 670, 13 : Νόμον ξενοπολίτην.]

Ξενοπρεπής, ὁ, ἡ, Peregrinus, Inusitatus. [Sic accipitur ap. Hippocr. p. 750, E : Τὸ ξενοπρεπὲς οὔπω ξυνιέντες εἰ χρηστὸν, μᾶλλον ἐπαινέουσιν ἢ τὸ ξύνηθες, ὃ ἤδη οἴδασιν ὅτι χρηστόν. Erotian. ex l. l. τὸ ξ. ἐξηλλαγμένον exponit, idemque q. ἀλλόκοτον. Τὸ ξ. etiam p. 26, 45 : Καίτοι ἔνιοι νοσέοντες ἀξιοῦσι τὸ ξ. καὶ τὸ εὔδηλον προκρίνοντες, videtur opponi τῷ εὐδήλῳ. Ex Foes. Œc. Aret. p. 69, 28 : Ξενοπρεπὲς κακόν· 61, 30 : Ἀπόστασις οὐδέν τι τῶν ἄλλων ἑλκέων ξενοπρεπεστέρη. L. D. Dionys. H. De adm. vi Dem. c. 34 : Ὑψηλῆς καὶ ξ. ὀνομασίας. Wakef. || Adverb. Ξενοπρεπῶς, Holobol. in Anecd. meis vol. 5, p. 174 med. Boiss. Anna Comn. p. 355.]

[Ξενοπροσώπως, Sub alia persona. Jo. Antioch. in Cotel. Mon. vol. 1, p. 178, A : Διὰ τῶν αὐτοῦ ὑπηρετῶν ξ. ἐπηρεάζοντι. L. D. Georg. Lapitha Poem. mor. 209. Boiss. Schol. Aristid. vol. 3, p. 430 Lips.]

[Ξενόπτερος, ὁ, ἡ, Qui pennis utitur alienis. Const. Manass. Chron. 5550 : Κολοιὸς ξενόπτερος. Boiss.]

Ξένος, η, ον, et Ξεῖνος, η, ον, ap. [Iones et] poetas [etiam tragicos, vel in trimetris, ut Soph. Œd. C. 1096 : Ὦ ξεῖν' ἀλῆτα. Ap. Æoles Ξέννος : v. interpretes Gregorii Cor. p. 610.], Peregrinus, Hospes. [Alienus, Extrarius, Adventitius addunt Gl.] Hom. Od. P, [501] : Ξεῖνός τις δύστηνος ἀλητεύει κατὰ δῶμα· et [485] : Καί τε θεοὶ ξείνοισιν ἐοικότες ἀλλοδαποῖσι· Od. H, [32] non contentus dixisse ξείνους ἀνθρώπους, addit, mutans numerum, Ὅς κ' ἄλλοθεν ἔλθοι. Hesiodus [Op. 223] ξείνους et ἐνδήμους inter se opponit : in soluta autem oratione opponuntur ξένοι ἀστοῖς, s. πολίταις, ut ap. Cic. Peregrini Civibus. [Pind. Ol. 7, 90 : Ποτ' ἀστῶν καὶ ποτὶ ξείνων.] Thuc. 6, [16] : Τοῖς μὲν ἀστοῖς φθονεῖται φύσει, πρὸς δὲ τοὺς ξένους καὶ αὐτὴ ἰσχὺς φαίνεται. Sic Plut. Alcib. [c. 4], fem. gen. : Ἑταίραις ξέναις καὶ ἀσταῖς συνόντος. Oppositum vero nomini πολῖται [Pind. Isthm. 1, 51 : Πολιατᾶν καὶ ξένων], ap. Herodian. [8, 2, 9] : Οὐ πολιτῶν μόνον, ἀλλὰ ξένων τε καὶ ἐμπόρων. Aristid. in Panath., de hisce duabus appellationibus ita : Καὶ δυοῖν ὄντοιν ὀνομάτοιν, ἑκάτερον κύριόν ἐστι τῇ χώρᾳ διὰ τὸ ἕτερον, εἰκότως· οἵ τε γὰρ ξένοι διὰ τοὺς ἄλλους πολίτας γνησίους ὄντας ἐνέχονται τῷ προσρήματι, οἵ τε πολῖται βεβαιοῦσι τὴν ἐπωνυμίαν τῷ καθαροὶ ξένων εἶναι τοεξαρχῆς· quæ Bud. ita vertit : Et quum duo sint vocabula huic regioni, alterum ab altero nobis merito confirmatur; namque ξένοι, Peregrini, qui dicuntur, hac utique appellatione continentur, propter eos qui πολῖται, Cives, germani sunt : qui utique ipsi eam appellationem eo ratam illis faciunt, quod ipsi jam inde ab initio puri et vacui peregrinorum communione fuerunt. Sic quum apud alios vetustiores, tum ap. Aristot. ξένοι sæpe opponuntur πολίταις. At Lucian. nomini ξένοι juncto cum ἐπήλυδες opposuit αὐθιγενὴς, in Hermotimo [c. 24] : Ὡς ξύμπαντες μὲν ἐπήλυδες καὶ ξένοι εἶεν, αὐθιγενὴς δὲ οὐδείς. Ab Herodiano [5, 7, 4] opp. etiam ξένος et ἀλλότριος, a Synesio ξένοι et γνώριμοι. Quemadmodum autem in illo Luciani l. ξένοι cum ἐπήλυδες copulatur, sic alicubi cum μέτοικοι copulatum occurrit. Isocr. Symm. [p. 163, C] : Μεστὴν δὲ γενομένην τὴν πόλιν ἐμπόρων καὶ ξένων καὶ μετοίκων, ὧν νῦν ἔρημος καθέστηκε, ubi observa et ἐμπόρων, quod in illo etiam Herodiani l. junctum cum ξένων modo vidisti. Sic Thuc. 4, p. 150 [c. 90] : Ὁ δὲ Ἱπποκράτης ἀναστήσας Ἀθηναίους πανδημεὶ αὐτοὺς καὶ τοὺς μετοίκους, καὶ ξένων ὅσοι παρῆσαν. Plut. De exilio [p. 607, A] : Καὶ νὴ Δία τὸν ξένον καὶ τὸν μέτοικον (λοιδόρημα ποιοῦνται). Quamvis autem alicubi ξένος non solum postponatur, ut in illo Thuc. l., sed præponatur etiam, latius tamen patere constat. Cic. certe videtur et ipse Peregrinum et Advenam copulasse tanquam ξένον et ἐπήλυδα, item Peregrinum et Incolam tanquam ξένον et μέτοικον, quum scripsit De offic. l. 1 : Peregrini atque incolæ officium est, nihil præter suum negotium agere, nihil de alieno inquirere, minimeque esse in aliena rep. curiosum. Fem. Ξένη, Peregrina, Hospes, ut in illo Plut. l. ex quo protuli, Ἑταίραις ξέναις καὶ ἀσταῖς. Et in hoc ejusdem in Præc. connub.

A [p. 145, E] : Καὶ τὰ τῆσδε τῆς ξένης σηρικὰ λαβεῖν οὐχ ἔστιν. [Pind. Pyth. 4, 233 : Παμφαρμάκου ξείνας. Æsch. Ag. 950, etc. cum aliis quibusvis, ut Xenoph. Hier. 1, 28 : Ἂν μὴ ξένην γήμῃ. || Epith. Veneris ap. Herodot. 2, 112 : Ἔστι δὲ ἐν τῷ τεμένεϊ τοῦ Πρωτέος ἱρὸν τὸ καλέεται ξείνης Ἀφροδίτης· συμβάλλομαι δὲ τοῦτο τὸ ἱρὸν εἶναι Ἑλένης τῆς Τυνδάρεω, καὶ τὸν λόγον ἀκηκοὼς ὡς διαιτήθη Ἑλένη παρὰ Πρωτέϊ, καὶ δὴ καὶ ὅτι ξείνης Ἀφροδίτης ἐπώνυμόν ἐστι· ὅσα γὰρ ἄλλα Ἀφροδίτης ἱρά ἐστι, οὐδαμῶς ξείνης ἐπικαλέεται. Eandem memorat Lycophr. 832.] || Ξένων appellatione aliquando apud veteres scriptores intelliguntur Externi milites mercenarii; simpliciter Externi milites : quum satis intelligatur, velut ex consequente, Mercenarii. Nisi quis malit Mercenarii milites, quod alioqui nomini Græco non jam ad verbum respondet, sicut exp. simpliciter voce μισθοφόροι ab Harpocr. : qui postquam tradidit ξενιτευομένους vocari τοὺς μισθοφοροῦντας, addit, Ξένοι δὲ, οἱ μισθοφόροι. Sic etiam schol. Thuc. [2, 75], ubi ξεναγοὶ ap. eum exp. οἱ τῶν μισθοφόρων ἄρχοντες. [Conf.
B Thuc. 7, 13. Xenoph. Anab. 1, 1, 10, et alibi sæpe.] Æschin. [p. 74, 22] : Τοὺς μυρίους ξένους ἐκμισθώσας. Dem. Pro cor. : Ἡ γὰρ αὐτοὺς εἰσφέρειν καὶ ξένους τρέφειν ἔφησαν δεῖν· Olynth. [p. 23, 2] : Οἱ δὲ δὴ περὶ αὐτὸν ὄντες ξένοι καὶ πεζαίτεροι. Qui loci suspectum mihi reddunt hunc Ejusd. [Ps. Demosth. p. 153, 21], Οἱ κατὰ τὴν Ἀσίαν σατράπαι καθεστῶτες, ἔναγχος μὲν ξένους μισθοφόρους εἰσπέμψαντες ἐκώλυσαν ἐκπολιορκηθῆναι Πέρινθον· faciunt, inquam, ll. illi, ut suspicer hic vocem μισθοφόροι esse supposititiam, et ex scholio margini annotato in contextum irrepsisse : quod quum aliorum auctorum scriptis, tum etiam Demosthenicis alibi accidisse constat. [Nihil mutandum. Xen. H. Gr. 6, 1, 4 : Μισθοφόρους ἔχω ξένους εἰς ἑξακισχιλίους.] Ceterum ξείνους vocari etiam τοὺς μισθωτοὺς ab Hom. in Od. Ξ, [102] : Βόσκουσι ξεῖνοί τε καὶ αὐτοῦ βώτορες ἄνδρες, testatur Eustath. Lacedæmonii autem ξένους appellabant quos alii Barbaros, Herodot. [9, 11.] || Ξένοι ut reddi potest Externi in ll. proxime citt., sic etiam quum dicitur ξένοι πόλεμοι, quibus opp. ἐμφύλιοι.
C Herodian. [1, 1, 5] : Οὔτε πολέμων ἐμφυλίων τε καὶ ξένων τύχας ποικίλας· 3, [15, 6] opposuit ξένα τρόπαια τοῖς ἐμφυλίοις, scribens, Οὔτε γὰρ ἐμφύλια κατ' ἐχθρῶν, οὔτε ξένα κατὰ βαρβάρων τοσαῦτά τις πρὸ αὐτοῦ ἤγειρε τρόπαια. [Adjective etiam Soph. El. 1141 : Ἐν ξέναισι χερσί. Eur. Suppl. 171 : Ἐλθεῖν δ' ἔτλησαν δεῦρο καὶ ξένον πόδα θεῖναι, Peregre proficisci, Peregrinari. Phœn. 339 : Παιδοποιὸν ἀδονὰν ξένοισιν ἐν δόμοις ἔχειν ξένον τε κῆδος ἀμφέπειν.] At quum dicitur ἡ ξένη subaudito nomine γῆ vel χώρα, Extera potius quam Externa reddiderim : ut Exteræ nationes non semel ap. Cic. Dixit tamen et Externæ gentes Ovidius. Plut. De Socr. dæm. [p. 576, C] : Καὶ γὰρ ὁ Σιμμίας πολὺν χρόνον ἐπὶ τῆς ξένης γεγονώς· De def. orac. [p. 438, A] : Θεοπρόπων γὰρ ἀπὸ ξένης παραγενομένων, Quum quidam ex natione extera ad consulendum oraculum venissent. Vel ita, Quum exteri quidam venissent etc. [Soph. Phil. 135 : Ἐν ξένᾳ ξένον. Xen. Reip. Lac. 14, 4 : Ἁρμόζοντες ἐπὶ ξένης Et alii. Addito subst. Pind. Pyth. 4, 118 : Ξείναν γαῖαν ἄλλων. Soph. El. 1256 :
D Ξένης ἐπὶ χθονός· 1705 : Γᾶς ἐπὶ ξένας, et alibi. L. D. Ξένη, Exilium, Terra peregrina. Ἐν ξένῃ, Philostr. p. 29. Ἐπὶ ξένης, Athanas. vol. 1, p. 562, 599. Περὶ ξένης, id. p. 571. Elberling.] || Ξένον dicitur etiam esse aliquid pro Inusitatum, Inauditum. Nisi et Peregrinum quis eadem metaphora dici posse existimet. [Æsch. Prom. 699 : Ξένους μολεῖσθαι λόγους ἐς ἀκοὰν ἐμάν. Aret. p. 58, 3 : Ἢν δὲ καὶ λάβωσί τι τῶν ξένων. Tim. Locr. p. 104, D : Τιμωρίαι ξέναι. Diod. 3, 15 : Πολλὰ τοιαῦτα ξένα καὶ ταῖς ὄψεσι καὶ ταῖς προσηγορίαις.] Lucian. [Charon. c. 13], de Crœso et Solone loquens : Οὐ φέρει ὁ Λυδὸς τὴν παρρησίαν καὶ τὴν ἀλήθειαν τῶν λόγων, ἀλλὰ ξένον αὐτῷ δοκεῖ τὸ πρᾶγμα, πένης ἄνθρωπος οὐχ ὑποπτήσσων. Sic [1] Petr. 4, 12 : Ἀγαπητοὶ μὴ ξενίζεσθε τῇ ἐν ὑμῖν πυρώσει πρὸς πειρασμὸν ὑμῖν γινομένῃ, ὡς ξένου ὑμῖν συμβαίνοντος· ubi vet. Interpr. ξένον reddidit Novum. Sed Idem Ad Hebr. 13, [9] διδαχαῖς ξέναις vertit Doctrinis peregrinis : Διδαχαῖς ποικίλαις καὶ ξέναις μὴ περιφέρεσθε. Gallice ξένον πρᾶγμα dicimus *Une chose estrange*, vocantes alioqui

hominem ξένον, Peregrinum, potius *Estranger* quam *Estrange*. [Θεωρήματα καλὰ καὶ ξένα, Apollon. Perg. Præf. Conic. p. 8. Hemst. Cum genit. Soph. OEd. T. 219 : Ἀγὼ ξένος μὲν τοῦ λόγου τοῦδ' ἐξερῶ, ξένος δὲ τοῦ πραχθέντος. Gregor. Acind. Allat. Græc. orth. vol. 1, p. 757, 49 : Ὅστις εὐσεβής τε καὶ νείκους ξένος. L. D. Ξένον χρὴ ... τῶν γλαφυρῶν θεαμάτων τυγχάνειν, Theoctist. p. 621, 55, A spectaculis abesse, Interpr. Hemst. Ξενότατος (scr. ξεινότατος) superl. legitur in l. suspecto Hippocr. p. 229, 11 : Τοῦ πνεύματος ὅκως ἡ ῥεῦσις ὡς ξενοτάτη ἔσται προμηθέεσθαι.]

|| Ξένος, Peregrinus hospitio exceptus, Hospes. Hesiod. Op. [181] : Οὐδὲ ξεῖνος ξεινοδόκῳ καὶ ἑταῖρος ἑταίρῳ, Οὐδὲ κασίγνητος φίλος ἔσσεται ὡς τοπάρος περ. Ad quem l. respiciens Ovid. et in duplici significat. nominis Hospes ludens, qualis et nominis ξένος, dixit, Non hospes ab hospite tutus. Hom. Od. O, [74] : Χρὴ ξεῖνον παρεόντα φιλεῖν, ἐθέλοντα δὲ πέμπειν. Itidem in prosa. Plut. Symp. [sept. sap. init.] : Συνήθης μὲν ὢν Περιάνδρῳ διὰ τὴν τέχνην, ξένος δὲ Θάλεω. Idem [ib. p. 157, D] : Καὶ τὸν ἑταῖρον ἡμῶν, Σόλωνος δὲ ξένον Ἐπιμενίδην. Herodian. 1, [16, 3] : Φασὶ γὰρ αὐτοῦ καὶ Κρόνον γενέσθαι ξένον. Sed ab Hom. passim ξένος alicui vel alicujus esse dicitur generalius is peregrinus, quocum nobis intercedit quædam velut hospitalis amicitia. Od. Θ, [208] : Ξεῖνος γάρ μοι ὅδ' ἐστί· τίς ἂν φιλέοντι μάχοιτο; Il. Z, [215] : Ἦ ῥά νύ μοι ξεῖνος πατρώϊός ἐσσι παλαιός· Od. P, [522] : Φησὶ δ' Ὀδυσσῆος ξεῖνος πατρώϊος εἶναι. At O, [196] pro πατρώϊοι ξεῖνοι dicit ξεῖνοι ἐκ πατέρων φιλότητος, scribens, Ξεῖνοι δὲ διαμπερὲς εὐχόμεθ' εἶναι Ἐκ πατέρων φιλότητος. Quinetiam alicubi ξεῖνος copulat cum ἕταρος. In soluta quoque oratione sæpe obvia est hæc nominis ξένος signif. [Herodot. 1, 20 : Ἐόντα Θρασυβούλῳ ξεῖνον ἐς τὰ μάλιστα· 22 : Ξείνους ἀλλήλοισι εἶναι.] Thucyd. 2, [13] : Ὅτι Ἀρχίδαμος μέν οἱ ξένος εἴη, οὐ μέντοι ἐπὶ κακῷ γε τῆς πόλεως γένοιτο. Xen. Hell. 5, [2, 35] : Ξένος τῷ Πέρσῃ ἐπ' οὐδενὶ ἀγαθῷ τῆς Ἑλλάδος γεγενημένος εἴη· 4, [1, 39] : Ξένον σε, ἔφη, ὦ Ἀγησίλαε, ποιοῦμαι· ἐγὼ δέ γε δέχομαι. Sic autem ante illum erat locutus Herodot., Ξεῖνόν τέ σε ποιεῦμαι ἐμὸν, ubi tamen Bud. vertit simpliciter Hospitem. Interdum junguntur φίλοι et ξένοι. [Xen. Comm. 1, 3, 3. Anab. 2, 1, 5 : Ἦν γὰρ φίλος καὶ ξένος Ἀρταίου. Cum genit. etiam 2, 4, 15 : Ἀριαίου τοῦ Μένωνος ξένου· quæ constructio extra hujusmodi locos, ubi substantivi instar est ξένος, rarior.] Dem. Pro cor. [p. 241, 11] : Ἀντὶ γὰρ φίλων καὶ ξένων κτλ. Et [p. 242, 25] : Εἰ μὴ καὶ τοὺς θεριστὰς καὶ τοὺς ἄλλο τι μισθοῦ πράττοντας, φίλους καὶ ξένους δεῖ καλεῖν τῶν μισθωσαμένων. Et tamen idem orator alibi non copulativa, sed disjunctiva particula utens, dixit ξένος ἢ φίλος : in ead. orat. [p. 320, 15] : Ἐκ ποίας ἴσης ἢ δικαίας προφάσεως, Αἰσχίνη, τῷ Γλαυκοθέας τῆς τυμπανιστρίας, ξένος, ἢ φίλος, ἢ γνώριμος ἦν Φίλιππος; ubi observa etiam postponi φίλος contra quam in præcedentibus ejus ll. Dixi autem et in nomine Ξενία de signif. quam in ll. istis habet ξένος. [In Ind. :] Ξείνη, Ionice pro ξένη, Hospita, Peregrina.

|| Ξένος, Qui peregrinum hospitio excipit, Hospes; nam Hospes quoque utramque signif. habere apparet ex verbis Ovidii quæ protuli in principio præcedentis tmematis. Eust. p. 1399 : Ὅτι δὲ καὶ ὁ ποιῶν τὴν ξενίαν καὶ ὁ πάσχων αὐτὴν, ξένοι ἀλλήλοις ἐλέγοντο, δηλοῦσι σαφῶς οἱ παλαιοί· et p. 1413 : Ξένος δὲ, φασὶν, οὐ μόνον ὁ καταγόμενος, ἀλλὰ καὶ ὁ ὑποδεχόμενος αὐτόν. Ubi observa Eust. dicere φασὶ, tanquam exemplum hujus posterioris signif. in promptu non habentem. Rara certe, vel potius rarissima, nisi me memoria fallit, sunt exempla, ac præsertim præ alterius signif. exemplis. Suid. ubi dixit ξένος accipi pro ξενοδόχος, solo Pauli Apostoli loco id confirmat, qui in Epist. ad Rom. [16, 23] legitur : Ἀσπάζεται ὑμᾶς Γάϊος ὁ ξένος μου καὶ τῆς ἐκκλησίας ὅλης· sed hic l. mendose ap. eum legitur. Aperte vero hanc signif. habet et ap. Diodor. S. de Hephæstione ita scribentem [17, 47] : Τὸ μὲν οὖν πρῶτον οὗτος εὐδοκήσας τῷ ξένῳ παρ' ᾧ τὴν ἐπισταθμείαν ἐπεποίητο κεχαρισμένως, τοῦτον ἐπεβάλετο κύριον ἀναγορεῦσαι τῆς πόλεως, Principio igitur Hephæstio benevolentiæ affectu propensus erga hospitem suum, apud quem deversatus commode atque ex animi sui sententia fuerat, instituit regem ipsum civitatis suæ pronuntiare, Bud. [Soph. Tr. 40 : Ἡμεῖς μὲν ἐν Τραχῖνι τῇδ' ἀνάστατοι ξένῳ παρ' ἀνδρὶ ναίομεν, de Ceyce, rege Trachinis. Eur. Rhes. 337 : Ξένος δὲ πρὸς τράπεζαν ἡκέτω ξένων· Phœn. 402 : Φίλοι δὲ πατρὸς καὶ ξένοι σ' οὐκ ὠφέλουν. Et alibi sæpe. L. D. Hac significatione hæc vox accipitur etiam apud Iambl. Vit. Pyth. l. 2, ubi de Creophilo agitur. Kuster.]

|| Ξένως, adv., Peregrine, Peregrinorum more : quod tamen dicitur potius ξενικῶς. [Ammon. De diff. p. 100 : Ξενίζειν καὶ τὸ ξένως διαλέγεσθαι, ubi alii ξενικῶς.] || At vero ap. Plat. Apol. init., Ἀτεχνῶς οὖν ξένως ἔχω τῆς ἐνθάδε λέξεως, quum dixisset, Νῦν ἐγὼ πρῶτον ἐπὶ δικαστήριον ἀναβέβηκα, ἔτη γεγονὼς πλείω ἑβδομήκοντα. Et quia dixerat ξένως ἔχω, subjungit, Ὥσπερ οὖν ἂν εἰ τῷ ὄντι ξένος ἐτύγχανον ὢν, ξυνεγινώσκετε δήπου ἄν μοι κτλ., ubi reddi posse existimo, Peregrinus sum in hoc sermonis genere, hac sermonis forma, Peregrinus fuerim in utendo verbis hic usitatis (sicut Cic. dixit, Neque peregrinum ac hospitem in agendo esse debere); sed malim, inversa orationis structura, reddere, Peregrina mihi vestra ista sermonis forma. Quæ quum dico, non sum immemor loci cujusdam Ciceronis, in quo dixit Aures peregrinari, sed huic minime illud genus loquendi convenire puto. [Eadem verba ex Philostrati Vitis Soph. citat Thomas p. 641. Gregor. Acind. Allat. Gr. orth. vol. 1, p. 757, 52 : Καί που δοκῶ τι μὴ καλῶς εἰρηκέναι καὶ τῶν πατρῴων εὐσεβῶν ξένως ὅρων. L. Dind.]

[Ξένος, ὁ, Xenus, n. viri, in inscr. Samothracia ap. Bœckh. vol. 2, p. 180, n. 2157, 6.]

[Ξενόσπορος, ὁ, ἡ, Ex peregrino semine natus. Georg. Pisid. Bell. Avar. 87 : Τὸ ξενόσπορον τέρας. L. D. Idem Opif. 66; Theodos. Diac. Acroas. 5, 72. Boiss.]

Ξενόστᾰσις, εως, ἡ, q. d. Hospitum statio, Locus in quem recipiuntur hospites, peregrini. Soph. Inacho [ap. Polluc. 9, 50] : Πανδόκος ξενόστασις. [Id. OEd. C. 91.]

[Ξενόστρᾰτος, ὁ, Xenostratus, n. viri, in inscr. Carthæensi ap. Bœckh. vol. 2, p. 283, n. 2353, 7.]

Ξενοσύνη, vel potius Ξεινοσύνη, ἡ, quum poeticum sit vocab., Hospitalis amicitia, Hospitii necessitudo, Hospitii jus. Hom. Od. Φ, [35] : Τῷ δ' Ὀδυσεὺς ξίφος ὀξὺ καὶ ἄλκιμον ἔγχος ἔδωκεν, Ἀρχὴν ξεινοσύνης προσκηδέος. In prosa dicitur ξενία. [ῠ]

[Ξενοτάφιον, τὸ, Cœmeterium peregrinorum. (Suidas, cujus interpretes immemores fuerunt Ducangii, et) Favorinus : Πολυάνδριον, μνῆμα, τάφος, τὸ θρυλλούμενον ξενοτάφιον. Jo. Moschus in Limon. c. 88 : Ὡς ξένον ἔθαψαν αὐτὸν ἐν τῷ ξενοταφίῳ. Ducang.]

[Ξενοτέλης, ους, ὁ, Xenoteles, n. viri, in inscr. Astypal. ap. Bœckh. vol. 2, p. 382, n. 2484, 1.]

[Ξενότῑμος, ὁ, ἡ, Hospites colens. Æsch. Eum. 545 : Ξενοτίμους ἐπιστροφὰς δωμάτων αἰδόμενος.]

[Ξενότιμος, ὁ, Xenotimus, Athen. ap. Thuc. 2, 23. Alius ap. Isocr. p. 369, B; 373, B sq. Alii in inscrr. et numis.]

[Ξενοτόκος, ἡ, Quæ insolenter parit. Anon. Hymn. in Virg. 15, 15, ubi est Ion. Ξεινοτόκος. Boiss.]

[Ξενοτρόπος, ὁ, ἡ, Peregrinus, Novus. Pisid. Opif. p. 422. Angl. Nicetas Andron. Comn. 1, 2, p. 182, C : Διὰ τὸ τοῦ δράματος καινότροπον. Cod. B ξενότροπον. Schol. Oppiani Hal. 1, 379. L. D. || Adv. Ξενοτρόπως, Theodos. Diac. Acroas. 1, 108. Boiss. Theodor. Prodr. *Notices* vol. 6, p. 499. L. Dind.]

Ξενοτροφέω, Externos milites alo, mercede conduco, Stipendiarios habeo; nam et his modis Bud. interpr. ap. Isocr. [p. 168, D.] Thuc. 7, [48] dixit etiam χρήμασι ξενοτροφοῦντας. [Demosth. p. 157, 12, unde citat Pollux 3, 58. Diodor. 1, 67 : Ξενοτροφῶν μεγάλας δυνάμεις. Plut. Mor. p. 214, D. Passivo Æneas Tact. c. 13, p. 41.]

Ξενοτροφία, ἡ, ipsa Actio alendi milites externos, et stipendia illis præbendi. Usus est Hyperides [ap. Polluc. 3, 59].

Ξενοτρόφος, ὁ, ἡ, Externos milites alens; nam in hoc composito et duobus præcedentibus, ξένοι peculiarem illam signif. habet. Exp. tamen VV. LL. generaliter Hospitum nutritor.

[Ξενουργέω, Nova facio. Theod. Prodr. in Notitt.

Mss. vol. 8, part. 2, p. 167: Ὅσους ξενουργήσαντες ἄθλους ἐν βίῳ. Boiss. Pisid. Opif. p. 402, 416.]

[Ξενοφάνης, ὁ, ἡ, Qui peregrinæ est speciei. Jo. Damasc. Ep. ad Theoph. de imag. p. 128. Boiss.]

[Ξενοφάνης, ους, ὁ, Xenophanes, pater Lamachi, Athen. ap. Thuc. 6, 8. Alii in inscr. Att. ap. Bœckh. vol. 1, p. 307, n. 172, 23, ap. Polyb. 7, 9, 1. Colophonius, philosophus et poeta, cujus fragmenta collegit Karsten. Amst. 1830. Alii alibi. « Poet. Ξεινοφάνης, Timon Diogenis L. 9, 18. » Boiss.]

[Ξενοφάντη, ἡ, Xenophante, n. mulieris, in inscr. Att. ap. Bœckh. vol. 1, p. 246, n. 155, 31.]

[Ξενοφάντης, ὁ, Xenophantes, Metapontinus, Pythagoreus, ap. Iambl. V. Pyth. c. 36, p. 524 Kiessl., scribendus videtur Ξενοφάνης, quod nomen aliquoties ita depravatum notavit Karsten. ad Xenophan. p. 32. L. Dind.]

[Ξενοφαντίδας, ὁ, Xenophantidas, Laced. ap. Thuc. 8, 55.]

[Ξενόφαντος, ὁ, Xenophantus, n. viri, ap. Aristoph. Nub. 349, Aristot. Eth. Nic. 7, 8. Rhodius ap. Polyb. 4, 50, 5.]

[Ξενόφιλος, ὁ, Xenophilus, n. viri Attici in inscr. Att. ap. Bœckh. vol. 1, p. 246, n. 155, 28. Statuarii ap. Pausan. 2, 23, 4. Chalcidensis ap. Iambl. V. Pyth. c. 35, p. 490 Kiessl. Cyziceni c. 36, p. 530. || Forma Ion. et poet. Ξεινόφιλος, ap. Simonid. Anth. Pal. App. 79, 3.]

Ξενοφονέω, Occido hospites, Eur. [Iph. T. 1021: Ξενοφονεῖν ἐπήλυδας.]

[Ξενοφονία, ἡ, Hospitum s. Peregrinorum cædes. Isocr. p. 228, C, ubi olim ξενοκτονία. L. Dind.]

Ξενοφόνος, ὁ, ἡ, i. q. ξενοκτόνος, Hospitis occisor. [Eur. Iph. T. 776: Ξενοφόνους τιμάς.] Plato [Ep. 7, p. 336, D]: Ξενοφόνων ἀνδρῶν μισοῦντες τόλμας. [Pollux 3, 58. || Forma Ion. et poet. Ξεινοφόνος. Nonn. Dion. 9, 41: Ξεινοφόνῳ μαχαίρῃ. Wakef.]

[Ξενόφρων, ονος, ὁ, Xenophron, Athen. ap. Demosth. p. 402, 15. Siculus ap. Philostr. V. Soph. 1, 19 init.]

[Ξενοφυής, ὁ, ἡ, Peregrinus. Tzetz. Hist. 8, 579: Ξενοφυῶν θηρίων· 635: Θῆρες ξενοφυεῖς. L. D. Schol. Lycophr. v. 77.]

[Ξενοφῶν, ῶντος, ὁ, Xenophon, n. viri, Corinthii ap. Pind. Ol. 13, 27. Atticorum ap. Thuc. 2, 79, et præter filium Grylli aliorum quorundam ap. Diog. L. 2, 59, Lysiam p. 477 fin., 484, 1, etc. Æginensis ap. Polyb. 17, 1, 4 et Pausaniam, al. in numis et in inscrr. || Forma Ion. et poet. Ξεινοφόων Timon ap. Diog. L. 2, 55. Ξενοφάων ponit Theodos. De grammat. p. 120, 21.]

[Ξενοφωνέω, Inusitata loquor. Schol. Hom. Il. Ψ, 403: Καὶ γὰρ οἱ ἐν πολέμῳ καὶ ὀνόματα αὐτοῖς (equis) εἰώθασι τιθέναι διὰ τὸ μὴ ξενοφωνοῦντας ἵστασθαι. L. D. Jo. Chrys. In Matth. hom. 15, vol. 2, p. 95, 44. Vide et In Ep. ad Hebr. serm. 8, vol. 4, p. 478, 6. Seager. Scriptor ap. Euseb. H. E. p. 146. Boiss. || Ξενοφωνέομαι, Linguam peregrinam sono. Cyrill. Alex. In c. 24 Jesaiæ p. 343: Ταράττονται ξενοφωνούμενα καὶ τῆς μὲν ἀρχαίας ἀπαίροντα πλάνης, μεθορμιζόμενα δὲ πρὸς τὴν τῆς ἀληθείας ἐπίγνωσιν. || Inusitata voce aut oratione percellor. Gregor. Nyss. t. 2, p. 64: Ἐμοῦ δὲ πρὸς τοῦτον ξενοφωνουμένου τὸν λόγον καί τι σαφέστερον ἀξιοῦντος μαθεῖν. Suicer. Theophanes a. 17 Heraclii: Ὁ βασιλεὺς ξενοφωνηθεὶς γράφει πρὸς Σέργιον πατρ. Κπ. etc. Ubi Miscella, Vocis novitate consternatus. Ducang. Ξενοφωνηθεὶς ὁ Ἀσκληπιάδης, Socrat. H. E. 7, p. 374, 34, Turbatus hoc dicto, H. Vales. Euseb. Dem. ev. p. 137, C: Ῥᾳδίως συγκαταθέσθαι τοὺς ἀκούοντας ξενοφωνουμένους καὶ ἄρτι πρῶτον ἐπακούοντας καινῶν ῥημάτων. Hemst.]

Ξενοφωνία, ἡ, Peregrina vox, Peregrinum loquendi genus, et inusitatum. Quidam interpr. Peregrinitas, ex Cic. Improbat autem Pollux [l. in illo cit.] nomen illud ξενόφωνος, at non hoc ξενοφωνία. Sic vero leg. existimo ap. eum, Καὶ ξενοφωνίαν, οὐ τὸν ξενόφωνον. [Walz. Rhett. vol. 8, p. 778, 17: Σχῆμα μέν ἐστι ποιητοῦ ἢ συγγραφέως ἁμάρτημα ἑκούσιον διὰ τέχνην ἢ ξενοφωνίαν.]

Ξενόφωνος, ὁ, ἡ, Peregrina voce utens. [Pollux 2, 113.]

[Ξενοφώντειος, α, ον, Xenophonteus. Dio Chr. Or. 18, vol. 1, p. 483: Λόγων τῶν Ξενοφωντείων. Pollux 1, 112: Τὸ Ξενοφώντειον. L. Dind.]

[Ξενοχάρης, ους, ὁ, Xenochares, n. Athen. in inscr. Att. ap. Bœckh. vol. 1, p. 298, n. 169, 43, Delphi in Delph. ap. Curtium Anecd. p. 52, 53, 54. ᾰ]

[Ξενόχροος, ὁ, ἡ, Qui peregrini est coloris. Nicetas Alex. 1, 7, p. 307, D: Καινός τις καὶ ἔξαλλος πρεσβευτής) ξενόχροος ἀποκρισιάριος cod. B. L. Dind.]

Ξενόω, Hospitio excipio, suscipio. Sed usitatior est pass. Ξενοῦμαι, Hospitio excipior, Hospitor, Deversor. [Soph. Phil. 303: Οὐ γάρ τις ὅρμος ἐστὶν οὐδ' ὅποι πλέων ἐξεμπολήσει κέρδος ἢ ξενώσεται. Eur. Alc. 68: Ξενωθεὶς τοῖσδ' ἐν Ἀδμήτου δόμοις.] Xen. Anab. 7, [8, 8]: Ἐνταῦθα δὲ ξενοῦται Ξενοφῶν παρ' Ἑλλάδι τῇ Γογγύλου μητρί. [Plato Leg. 12, p. 953, C: Παρ' ὅτῳ τις ἂν αὐτῶν τὴν κατάλυσιν ξενωθεὶς ποιήσηται. Joseph. A. J. 5, 2, 8. || Medio Æsch. Suppl. 927: Οὐ γὰρ ξενοῦμαι τοὺς θεῶν συλήτορας. Lycophr. 92: Καὶ δή σε ναύτην ἀχερουσία τρίβος... ξενώσεται, quod scholl. explicant δεξιώσεται. Hesychius fortasse ex hoc l. petitum exp. ὑποδέξεται.]

|| Ξενοῦμαι, Hospitio jungor, conjungor, s. Hospitii necessitudine. [Pind. Pyth. 4, 299: Θήβα ξενωθείς· 5, 31: Ὕδατι Κασταλίας ξενωθείς. Æsch. Cho. 702: Ἤθελον γνωστὸς γενέσθαι καὶ ξενωθῆναι. Eur. fr. Ægei ap. Clem. Al. Strom. 6, p. 742: Πόλει ξενοῦσθαι τῇδε.] Xenoph. [ib. c. 8, 6]: Καὶ ταύτῃ τῇ ἡμέρᾳ ἀφικνεῖται Βίτων καὶ ἅμα Εὐκλείδης χρήματα δώσοντες τῷ στρατεύματι, καὶ ξενοῦνται τῷ Ξενοφῶντι. [H. Gr. 4, 1, 29. Et absolute 34: Τοῖς ἐξενωμένοις πολεμοῦσι. Lysias p. 248, ult.: Βασιλεῦσιν ἐξενωμένος. || Peregrinor. Soph. Trach. 65: Πατρὸς οὕτω δαρὸν ἐξενωμένου. Eur. Hipp. 1088: Οὐκ ἀκούετε πάλαι ξενοῦσθαι τόνδε προὐνέποντά με, Abigi, In exsilium mitti. V. Ἀποξενόω. Sed ap. eund. Ion. 820: Λαβὼν δὲ δούλα λέκτρα, νυμφεύσας λάθρᾳ τὸν παῖδ' ἔφυσεν, ἐξενωμένον δέ τῳ Δελφῶν δίδωσιν ἐκτρέφειν, legendum ἐξενωμένος, quod inter alia proposuit jam Beckius. Ceterum Atticam esse formam ξενόω, vulgarem ξενίζω, qua tamen optimi quique utuntur, animadvertunt Mœris p. 167, Thomas p. 338. Conf. Lobeck. ad Phryn. p. 361. || Privo. Scriptor Timarionis *Notices* vol. 9, p. 198, 8: Ξενωθεὶς πάσης βοηθείας. Ubi Hasius comparat Heliod. Æth. 6, 7: Πατρίδος τε καὶ πόλεως τῶν φιλτάτων ἐξένωσας· Philon. Alleg. p. 58, C: Πατρίδος καὶ τῆς γενεᾶς ταύτης ξενοῦσθαι· Hesych. Presbyt. p. 1011, A: Καρδία ξενωθεῖσα φαντασιῶν· Achmet. Onir. p. 68, c. 99: Ξενωθήσεται καθόλου τῶν ἰδίων. L. D.] Ξεινοῦσθαι, ap. Herodot. pro eod., sicut dicitur ξεῖνος pro ξένος, et alia, libro 6: Πόλιες γὰρ αὗται μάλιστα δὴ τῶν ἡμεῖς ἴδμεν, ἀλλήλῃσι ἐξεινώθησαν, Duæ enim illæ civitates, omnium quas novimus maxime inter se hospitio conjunctæ fuerunt, Bud. [Apoll. Rh. 1, 849: Καὶ δ' αὐτοὺς ξεινοῦσθαι ἐπὶ σφέα δώματ' ἄγεσκον.]

[Ξενύδριον, τὸ, i. q. ξενύλλιον. Menander ap. Athen. 4, p. 132, E: Νησιωτικὰ ταυτὶ ξ., Hospitelli hi insulares. Schweigh.]

[Ξένυλλα, ἡ, Xenylla, n. mulieris ap. Aristoph. Thesm. 633.]

Ξενύλλιον, τὸ, forma dimin., Hospes qui peregre advenit, Peregrinus. Sed sonat q. d. Peregrinellus. Plut. [Mor. p. 240, D]: Καταφθαρεῖ σε, ὦ πάτερ, τὸ ξ., ἐὰν μὴ τάχιον αὐτὸν τῆς οἰκίας ἐκβάλῃς· ubi videtur per contemptum dici.

[Ξένυλλος, ὁ, Xenyllus, n. viri, in inscr. Att. ap. Bœckh. vol. 1, p. 292, n. 165, 61. V. ib. p. 489, n. 545.]

[Ξενὼ, οῦς, ἡ, Xeno, n. mulieris, in inscr. Delph. ap. Curtium Anecd. p. 61, n. 12, Attica ap. Bœckh. vol. 1, p. 540, n. 981. Genit. forma Dor. Ξενῶς in alia p. 664, n. 1365, 18.]

Ξενὼν, ῶνος, ὁ, Hospitium, Deversorium, καταγωγή, καταγώγιον ap. Plat., ut testatur Pollux [3, 58]: quem et sequens locum hunc dedi isti nomini. Postquam enim dixit, Τὸ μέντοι ξένον ὄντα εἰς ἄλλην πόλιν ἐλθεῖν, Ξενοῦσθαι καὶ Ἐπιξενοῦσθαι ἔλεγον, subjungit, Ὅθεν καὶ τὴν καταγωγὴν, Ξενῶνα. Paulo post autem, Καὶ τὸ καταγώγιον, Ξενῶνα Πλάτων. [Iterum HSt.:] Ξενὼν, ῶνος, ὁ, Locus hospitibus peregre advenientibus destinatus, Locus ad quem devertunt hospites, Hospitium, κατάλυμα, Hesych.; qui etiam annotat ξενῶνας a Phrygibus vocari τοὺς ἀνδρῶνας. Athen. 5, [p. 193, C] : Τῶν δὲ ἡρωϊκῶν οἴκων τοὺς μείζονας Ὅμηρος μέγαρα καλεῖ καὶ δώματα καὶ κλισίας, οἱ δὲ νῦν ξενῶνας καὶ ἀνδρῶνας νομίζουσι. Significat ξενὼν præterea νοσοκομεῖον, ut et Suid. testatur his verbis : Ξενῶνος, δόμου ὑποδεχομένου τοὺς ξένους καὶ ἀῤῥωστοῦντας. [Eur. Alc. 543 : Χωρὶς ξενῶνές εἰσιν οἷ σ' ἐσάξομεν· 547 : Τῶνδε δωμάτων ἐξωπίους ξενῶνας οἶξας. Anaxandrid. ap. Athen. 2, p. 48, A : Ἀλλὰ ξενῶνας οἶγε. Plato Tim. p. 20, C : Ἐπειδὴ παρὰ Κριτίαν πρὸς τὸν ξενῶνα ἀφικόμεθα· Leg. 12, p. 953, C. Diod. 13, 20 : Κατὰ τὴν οἰκίαν ξενῶνας ἔχων πλείους πρὸς ταῖς πύλαις ἔταττεν οἰκέτας, οἷς παρηγγελμένον ἦν ἅπαντας τοὺς ξένους καλεῖν ἐπὶ ξένια. Joseph. B. J. 5, 4, 4 : Ξενῶνας ἑκατονταχλίνους. « In Nov. Justiniani 131, c. 10, in Basilicis non semel, ap. Harmenop. l. 3, 3, 5, et scriptt. Byzantinos. V. Synodicon adv. tragœd. Irenæi c. 133. » Ducang. De accentu v. Arcad. p. 14, 14.] At Ξένων est nomen propr. [viri Thebani ap. Thuc. 7, 19, Athen. ap. Demosth. p. 948, 16, in inscr. Att. ap. Bœckh. vol. 1, p. 312, n. 181, 3. Aliorum ap. Dicæarch. p. 25 ed. Buttm., Polybium, Pausan. aliosque, et in inscrr. et numis nonnullis. || Patron. Ξενώνιος, forma Bœot. pro Ξενώνειος, quod ponitur pro genitivo, in inscr. Bœot. ap. Bœckh. vol. 1, p. 778, n. 1601.]

[Ξένως. V. Ξένος.]

[Ξένωσις, εως, ἡ, i. q. ξενισμός. Eur. Herc. F. 965 : Τίς ὁ τρόπος ξενώσεως τῆσδε;]

Ξερᾷν, Evomere, VV. LL., perperam pro ἐξερᾷν.

[Ξερμοδίγεστος, ὁ, Xermodigestus., Audoleontis, regis Pæonum, amicus, ap. Diod. in fr. ap. Tzetz. Hist. 6, 53.]

[Ξερξηνὴ, ἡ, Xerxene, regio Asiæ, accentu falso notata ap. Steph. Byz. : Ξερξήνη, ἀπὸ Ξέρξου, ὡς Καμβυσήνη ἀπὸ Καμβύσου, τῇ μικρᾷ Ἀρμενίᾳ ὅμορος, recto ap. Strab. 11, p. 528, unde sua duxit Steph.]

[Ξέρξης, ου, ὁ, Xerxes, n. viri, quod apud Persas, sec. scholion, quod est in libris Herodoti 6, 98, significat i. q. ἀρήιος, Martius, Bellicosus, ut Ἀρτοξέρξης, μέγας ἀρήιος. (Leonem interpr. Relandus : v. Quatremère ap. Bast. Ep. cr. p. 13.) Filium Darii Herodotus memorat l. 7 cum Æschylo in Persis et aliis quibusvis. Filium Artoxerxis Diodor. 12, 64 sq. Alii ap. Polyb. 8, 25, in numo ap. Mionnet. *Suppl.* vol. 7, p. 724, n. 2. || Formæ Dor. dat. Ξέρξᾳ est ap. Æsch. Pers. 923.]

[Ξερξικὸς, ἡ, ὸν, Qui est Xerxis. Tzetzes In Marcellini Vit. Thuc. p. 133 ed. Par., v. 10 : Εὐριπίδης δὲ Ξερξικοῖς ἦν ἐν χρόνοις. Osann. Ἡ Ξερξικὴ πλάτανος, Nicet. Eugen. 3, 86. Boiss.]

Ξερὸς, οῦ, ὁ, Siccus, Aridus, i. q. ξηρὸς, ex eoque factum per συστολὴν, ut nonnullis placet. Alii contra huic ξερὸς primum locum tribuunt, derivantes a ξέω, quoniam εὐφυῶς ἔχει πρὸς ξέσιν λείαν τὰ ξηρὰ, et ex hoc ξερὸς postea, verso ε in η, factum dicunt ξηρός. Hom. Od. E, [402] : Ῥόχθει γὰρ μέγα κῦμα ποτὶ ξερὸν ἠπείροιο Δεινὸν ἐρευγόμενον. [Phanias Anth. Pal. 6, 304, 1 : Ἀκτῖτα χαλαμευτά, ποτὶ ξερὸν ἔλθ' ἀπὸ πέτρας. Apoll. Rh. 3, 322 : Αὐτοὺς... νήσου Ἐνυαλίοιο ποτὶ ξερὸν ἔκβαλε κῦμα. Nicand. Th. 704 : Αἰγιαλῶν ἐρύσωσιν ἐπὶ ξερὸν ἀσπαλιῆες. Videtur autem non usurpatum præter hanc Homericam formulam nec nisi forma diversum a σχερὸς vel χέρσος.]

Ξέσις, εως, ἡ, Rasura, Scalptura, ipsa Actio radendi, scalpendi, poliendi, dolandi. Theophr. [H. Pl. 5, 6, 4] : Εὐπελεκητότερα δὲ καὶ εὐτορνότερα καὶ εὐξοώτερα τὰ χλωρά· προσκάθηται γὰρ μᾶλλον τὸ τορνευτήριον· καὶ ἡ πελέκησις δὲ τῶν μαλακωτέρων ῥᾴων· καὶ ἡ ξέσις ὁμοίως, καὶ ἔτι λειοτέρα. [Cultus, Gl.]

Ξέσμα, τὸ, Ramentum [Gl.] : cujus signif. exemplum vide in Ξύσμα. [Sext. Emp. Pyrrh. 1, 129 : Τὰ ξέσματα τοῦ κέρατος τῆς αἰγός. L. D. Marc. Antonin. 8, 50 : Ὡς ἂν καὶ ὑπὸ τέκτονος καὶ σκυτέως γελασθείης, καταγινώσκων ὅτι ἐν τῷ ἐργαστηρίῳ ξέσματα καὶ περιτμήματα τῶν κατασκευαζομένων ὁρᾷς. Valck.] Id ipsum quod ex saxo scalptum aut ex ligno dolatum est, ξόανον, Hesych. [Damostr. Anth. Pal. 9, 328, 4 : Ὕμμιν ταῦτα πόρεν Δαμόστρατος ξέσματα. || Id quod insculptum s. inscriptum est, Litera, Scalptura. Eust. Il. p. 632, 33 : Εἴδωλά τινα καὶ πολυειδῆ γραμμικὰ ξέσματα ἐγγράφοντες

A ἤτοι ἐγγλύφοντες πίναξι. Diod. 1, 66 : Ὀροφὴ, φάτναις τισὶ διαγεγλυμμένη. Libri nonnulli φάτναις καὶ ξέσμασι ex interpretatione. V. Ξύσμα.]

[Ξεσμὴ, ἡ, i. q. ξέσμα, quod v. Tzetz. Exeg. Il. p. 122, 15 : Ἐμοὶ δὲ δοκεῖ (ὁ ἀμύμων) ἀμύγμων τις εἶναι ὁ μὴ διδοὺς μυγμὴν ἤτοι ξεσμὴν καὶ αἰτίαν ἀφορμῆς καὶ ἐπιλήψεως. V. Μύγμα.]

Ξεσμὸς, VV. LL. exp. Instrumentum ad radendum; item Radula ex Colum. [Euseb. H. E. 8, 8 : Μετὰ ξεσμοὺς καὶ στρεβλώσεις, Post ungulas, Int. Cit. Routh. Hesychius : Σπαράγμασι, ξεσμοῖς. L. Dind.]

[Ξεστὴρ, ῆρος, ὁ, Politor. Theodr. Prodr. Rhod. p. 6 : Ἀγκὼν, βραχίων, ἁρμονία δακτύλων, ἐκ φυσικοῦ ξεστῆρος ἀπεξεσμένη. Boiss.]

Ξέστης, ὁ, Sextarius [Gl.] : mensura liquidis atque aridis communis, duas heminas capiens apud Romanos, s. uncias mensurales viginti. Atticus vero ξέστης Romano minor erat, capiens duas cotylas, s. libram et semissem, h. e. uncias decem et octo. Ac quia sextarius duodecim cyathos continebat, quemadmo-
B dum as et libra duodecim uncias, antiqui, præsertim poetæ, sextarium, tanquam libram, in uncias partiebantur, iisdemque nominibus appellabant. Itaque sicut in ponderibus sextans duas uncias significat, ita quum de poculis sermo erat, sextans duos cyathos, quadrans tres cyathos, triens quatuor cyathos, et quincunx quinque cyathos, ut in multis ap. Martial. legitur. Est autem ξέστης ex Latino Sextarii nomine depravatam, teste Galeno, et Philox. ap. Etym. : neque enim nomen hoc neque mensura ap. vetustiores Atticos scriptores invenitur, sed una cum imperio Romano et vox et mensura in Græciam venit : unde usus ejus tantum ap. Andromachum, Heram, Asclepiadem, Critonem, Diosc., ac nonnullos alios, qui, dum res Romanæ florerent, de Medicamentis libros scripserunt, frequens est. [Cum gen. fem. conjungitur in versu corrupto Anth. Pal. 11, 298, 5 : Ξέστας γὰρ τριάκοντα μόνας λαγύνη τόδε χωρεῖ.] Nota compendiaria fuit ξ' vel ξ. [Oribas. Ms. De ponderibus et mensuris :
C Ξέστης (ἔχει) κοχλιάρια δύο, αἵτινες καὶ τρύβλια λέγονται. Paul. Æg. l. 8 : Ὁ ξέστης (ἔχει) κοτύλας δύο, αἵτινες καὶ τρύβλια λέγονται. Infra : Ὁ δὲ ξέστης ἡμιξ. β', ἃ δὴ καὶ ἡμίνας προσαγορεύουσιν. Glossæ Mss. ex cod. Reg. 2062 et auctor Etym. (Gud.) : Ξέστης, Ῥωμαϊκόν ἐστι τὸ ὄνομα· τὸν γὰρ παρ' ἡμῖν ἓξ ἀριθμὸν, αὐτοὶ σέξ. Καὶ μέτρου τινὸς παρ' αὐτοῖς τὸ ἕκτον, σέξτον, διὰ δὲ εὐφωνίαν, (τὸ) σέξτης λέγεται (vel ἔλεγον) ξέστης, μεταθέσει (στοιχείου vel) τοῦ ξ. Οὕτω Φίλων. Ubi auctor Etymologici Φιλόξενος ἐν τῷ περὶ Ῥωμαίων διαλέξεως. Democrates ap. Galen. l. 8 De compos. medic. : Οἴνου Φαλέρνου τοῦ καλοῦ ξέστην ἕνα. (Ejusd. l. De comp. med. sec. gen. 1, p. 328 : Ξέστου δὲ νομίζω μεμνῆσθαι τὸν Ἡρᾶν τοῦ Ῥωμαϊκοῦ. Παρὰ μὲν γὰρ τοῖς Ἀθηναίοις οὔτε τὸ μέτρον ἦν οὔτε τοὔνομα τοῦτο· νυνὶ δὲ ἀφ' οὗ Ῥωμαῖοι κρατοῦσι τὸ μὲν ὄνομα τοῦ ξέστου παρὰ πᾶσιν ἐστὶ τοῖς Ἑλληνικῇ διαλέκτῳ χρωμένοις ἔθνεσιν, αὐτὸ δὲ τὸ μέτρον οὐχ ἴσον τῷ Ῥωμαϊκῷ· χρῶνται γὰρ ἄλλοι ἄλλῳ ξεστιαίῳ μέτρῳ. Παρὰ γοῦν τοῖς Ῥωμαϊκοῖς ὁ ξέστης ἔχει μίαν λίτραν καὶ ἡμίσειαν καὶ ἕκτον, ὡς εἶναι τὰς πάσας οὐγκίας κ', ἃς τὸ πολὺ τοῖς κέ-
Dρασι μετροῦσιν ἐντετμημένοις ἔξωθεν γραμμαῖς κυκλοτερέσιν· ἔνιοι δὲ ψευδῶς ὑπειλήφασι τὸν Ῥωμαϊκὸν ξέστην ὀκτωκαίδεκα μετρικῶς ἔχειν οὐγγίας, addit Ducang. in App. p. 143.) Vox usurpata potissimum a scriptoribus, qui, dum res Romana floreret, de medicamentis libros conscripserunt, a quibus hausere alii. Ξέστης γάλακτος ap. Philostorg. l. 9, c. 14. Conc. Calched. act. 10 : (Οἶνον) ἀγοράσαι ἓξ ξέστας. Theophanes a. 3 Copronymi : Ὁ ξέστης τοῦ οἴνου, etc. || In liturgicis sumitur pro Aquæmanili. Didymus s. schol. Hom. Od. A (136) : Προχόῳ) ἀγγείῳ προχυτικῷ, τῷ καθ' ἡμᾶς ξέστῃ. Gl. : Ξέστης, τὸ ἄγγος, Urceolus, (et Urceus). Ducang. Eust. Od. Γ (p. 1476, 8) : Ἔοικε μὲν λέγειν λέβητα τὴν πρόχοον ἤτοι τὸν ἰδιωτικῶς λεγόμενον ξέστην περιέχοντα χέρνιβα, ὅ ἐστιν ὕδωρ κατὰ χειρῶν. Id. in Append. p. 143.]

[Ξεστιαῖος, α, ον. V. Ξέστης.]

[Ξεστίον, τὸ, μέτρον ἐπὶ ὑγρῶν, Suid. Lat. Sextarius. « Synes. Epist. 135 ; Jo. Mosch. in Limon. c. 85. Adamantinus De pond. et mens. Ms. : Τὸ Ἰταλικὸν κεράμιον ἔχει μὴ ξέστια. » Ducang. || Urceolus, Gl. De qua signif. v. id. in Ξέστης. Sic autem fortasse scribendum in Gl. pro Ξεστὸν, Trulleum, et Guttum, et Aquiminale.]

Ξεστὸς, ή, ὸν, Rasus, Scalptus, Dolatus, Radendo, Scalpendo, Dolando expolitus et complanatus, ὡμαλισμένος, καλῶς ἐξεσμένος, s. γλυπτὸς, λεῖος, ποιητὸς, exp. Hesych. Dicitur tum de lapidibus, tum de lignis. Hom. Il. Σ, [504]: Οἱ δὲ γέροντες Εἵατ' ἐπὶ ξεστοῖσι λίθοις, ἱερῷ ἐνὶ κύκλῳ, i. e., inquit Eust., χειροκμήτοις καὶ μὴ εἰκῇ κειμένοις, vel εὐξέστοις. Sic Od. [Θ, 6]: Κάθιζον ἐπὶ ξεστοῖσι λίθοισι πλησίον· Κ, [211]: Εὗρον δ' ἐν βήσσῃσι τετυγμένα δώματα Κίρκης Ξεστοῖσιν λάεσσι· Il. Υ, [11]: Ξεστῇς αἰθούσῃσιν ἐφίζανον, i. e. ἐκ λίθων ἐξεσμένων πεποιημέναις. [Hegesipp. Anth. Pal. 6, 178, 2: Ποτὶ ξεστὰν παστάδα. Pind. Nem. 10, 67: Ξεστὸν πέτρον. Eur. Herc. F. 783: Ξεσταί θ' ἑπταπύλου πόλεως ἀγυιαί. Et sic alibi cum nominibus ὄχθος, πύργωμα, Πέργαμα, τάφος, τύμβος, et ἄγαλμα, βάθρον. Apoll. Rh. 1, 567: Ξεστῇσιν περόνῃσι. Herodot. 2, 124: Λίθου ξεστοῦ, iisdemque verbis Xen. Anab. 3, 4, 10. Longus Past. init.: Γεφύραις ξεστοῦ καὶ λευκοῦ λίθου. Ap. Orph. Arg. 1099: Τέμνουσ' ὑγρὰ κέλευθα παρὰ ξεστῆς χροκάλησιν, intelligi glaream litoris fluctibus levigatam animadverterunt Vossius *Krit. Blætter* vol. 1, p. 346, et Schæfer. Melet. p. 91.] De lignea etiam materia dicitur; ac tunc redditur potius Dolatus s. Dolando politus et fabrefactus. Od. Δ, [272]: Ἵππῳ ἐνὶ ξεστῷ, de equo illo durio s. ligneo. Il. Ω, [322]: Ξεστοῦ [al. ἑοῦ] ἐπεβήσετο δίφρου· Od. Ο, [137]: Ξεστὴν ἐτάνυσσε τράπεζαν· Μ, [172]: Οἱ δ' ἐπ' ἐρετμὰ Ἑζόμενοι λεύκαινον ὕδωρ ξεστῇς ἐλάτῃσι. [Ξ, 350: Ξεστὸν ἐφόλκαιον· Σ, 33, Χ, 72: Οὐδοῦ ξεστοῦ.] Hesiod. Sc. [133]: Μέσσοι δὲ ξεστοὶ περιμήκεες. [Pind. Pyth. 2, 10: Ξεστὸν δίφρον· 4, 94: Ξεστᾷ ἀπήνᾳ. Tyrtæus ap. Stob. Fl. 50, 7 fin.: Δούρασι ξεστοῖσιν. Eur. Tro. 533: Ξεστὸν λόχον Ἀργείων· Cycl. 394: Ὀβελοὺς ξεστοὺς δρεπάνῳ. Aristoph. Thesm. 778: Πινάκων ξεστῶν δέλτοι. Apoll. Rh. 1, 375: Ξεστὰς φάλαγγας· 4, 719: Ξ. θρόνοισι· 913: Ξ. ζυγοῦ.] Sed et corneæ materiæ hoc epith. tribuitur. Od. Τ, [566]: Οἱ δὲ διὰ ξεστῶν κεράων ἔλθωσι θύραζε, Per januas s. fores ex cornu rasura polito fabricatas. Præterea ap. Polluc. [3, 148]: Δρόμοι ξεστοὶ [ξυστοὶ], ἐν οἷς αἱ ἀσκήσεις. Vide Ξυστός.

Ξεστουργία, ἡ, Ars poliendi lapides et ligna, Ars politurae, Plin. [Diodor. 1, 63: Τῆς τῶν λίθων ξεστουργίας.]

Ξέστριξ, Cnidiis κριθὴ ἡ ἐξάστιχος, teste Hesychio. [Cum ξέστης conferunt interpretes. V. autem Ἑξάστιχος.]

Ξέστρον, τὸ, in VV. LL. exp. Rasura.

Ξεῦγμα, Pons, VV. LL., perperam pro ζεῦγμα.

Ξέω, έσω, Rado, Polio, Scalpo: quæ de lapidibus magis proprie dici putantur. Cic.: Ex saxo scalptus aut ex robore dolatus. Horat.: Infabre scalptum, aut fusum durius. Accipitur etiam pro Dolo, quum sc. de lignis dicitur. Hom. Od. Ρ, [341]: Κλινάμενος σταθμῷ κυπαρισσίνῳ, ὅν ποτε τέκτων Ξέσσεν ἐπισταμένως, καὶ ἐπὶ στάθμην ἴθυνε. Sic Ε, [245] de lignis cæsis: Πελέκκησεν δ' ἄρα χαλκῷ Ξέσσε τ' ἐπισταμένως, καὶ ἐπὶ στάθμην ἴθυνε. [Ψ, 199: Λέχος ἔξεον. Apoll. Rh. 1, 1119: Ἔξεσε δ' Ἄργος εὐκόσμως (stipitem). De lapide Simonid. Anth. Plan. 60, 1: Τίς ἅδε; Βάκχα; Τίς δέ μιν ξέσε; Σκόπας. Et similiter alibi in Anthol. Heliodor. Æth. 5, 14: Γραφῇ γὰρ ἔξεστο (ἡ ἀμέθυσος). Ceterum absolute Plato Theag. p. 124, B: Τῶν ξεόντων καὶ τορνευόντων.] || Hesychio ξέσαι est τεμεῖν, κόψαι, ποιῆσαι, τεκτήνασθαι, κατασκευάσαι, ἐργάσασθαι. [|| Signif. Radendi i. e. Lædendi, Aret. p. 59, 47: Τὰ μὲν ἐπιπολῆς ξέει ἔντερα. || Partic. perf. activi ἐξηκὼς ponit gramm. Cram. An. vol. 4, p. 196, 31.] || At ἐξεσμένον ἔγκλημα dicitur ἡ διαγεγραμμένη δίκη, ἡ ἀνῃρημένη δίωξις: h. e., Interlita lis et inducta: itidemque κατεξυσμένον et ἀπαληλιμμένον ἔγκλημα, Obliterata intentio, Judicium obliteratum et circumductum, Bud. p. 161. Sic ap. Hesych.: Διάγραπτος δίκη, ἥ τις καὶ ἐξεσμένη ἐλέγετο· a passiva voce verbi διαγράφειν, quod Idem exp. διαξύειν, ἀπαλείφειν, ἀκυροῦν, ἀποδοκιμάζειν. ||Ἐξεσμένον ἔριον, Bud. ex Gaza interpr. Dilaniata lana. Fuerit igitur hic ξέειν i. q. supra ξαίνειν, Carpere

A s. Carminare. [Ex Theophr. C. Pl. 3, 23, 2, ubi nunc ἐξαμμένον.] || Ξέεσθαι, σπανίζεσθαι, Hesych. [Qui quum Σπανίζεται interpretetur ἀπορεῖ, hic videri potest ξέεσθαι posuisse pro δέεσθαι. Aliter interpretes.]

[Ξηνιάδας, ὁ, Xeniadas, n. viri, in inscr. ap. Castellum Siciliæ inscrr. nova coll. p. 73, I, 12: Θεόδωρον Ξηνιάδα, scribendum Ξεινιάδα vel Ξενιάδα.]

Ξηνὸς, ὁ, Suidæ κορμὸς, Truncus: qui et ἐπίξηνος.

[Ξηρὰ, ἡ, Xera. Πόλις περὶ τὰς Ἡρακλείας στήλας. Θεόπομπος μγ'. Τὸ ἐθνικὸν Ξηραῖος, ὡς Θήρα Θηραῖος, Steph. Byz.]

[Ξήρα, ἡ, Ariditas, Siccitas. Schol. Aristid. p. 326 ed. Frommel.: Ἡ μὲν θερμότητα, ἡ δὲ κρύος, ἄλλη ξήραν, ἑτέρα δὲ ὑγρότητα, ubi ξηρότητα in Lips. vol. 3, p. 34. L. Dind.]

[Ξηραδάτης, ου, ὁ, olim dictus fuit Sagarius fluvius. Plutarch. De fluv. 12, 1. Boiss.]

[Ξηρᾶθεν, Ex terra continenti. Eust. Opusc. p. 285, 42: Τὸ πολέμιον ἐπελθὸν τό τε ξηρᾶθεν καὶ τὸ ἐκ θαλάσσης. L. Dind.]

B Ξηραίνω, ανῶ, Sicco, Arefacio. [Torreo his add. Gl.] Hom. Il. Φ, [347]: Ὥς ὀπωρινὸς βορέης νεοαρδέ' ἀλωὴν Αἶψ' ἂν ξηράνῃ [ἀνξηράνῃ al. De qua forma Lobeck. ad Phryn. p. 25: « Schol. Townl.: Θερμήνῃ μέν φησιν, ἀλλ' οὐ ξηρήνῃ διὰ τὸ κακόφωνον. Nam ξηρᾶναι non ξηρῆναι etiam in oratione pedestri Græci dicendum putaverunt. V. Thuc. 1, 109: Ξηράνας τὴν διώρυχα· 7, 12, Theophr. C. Pl. 3, 27 et alii, unde apparet cur Galen. De comp. med. per gen. 6, 2, p. 808, A, θερμῆναι καὶ ξηρᾶναι scripserit. » Quibus addit in his formis etiam consonantium præcedentium et sequentium rationem habitam esse, ut ξηρῆναι non magis diceretur quam δυσχερῆναι, aut vicissim χαλεπᾶναι. Inter Iones tamen Herodot. 7, 109: Ταύτην τὰ ὑποζύγια μοῦνα ἀρδόμενα ἀνεξήρηνε, et Aretæus infra cit.] Et pass. Ξηραίνομαι, Siccor, Desiccor, Aresco, [Areo, Arefio, Seresco, Siccesco huic add. Gl.] Inaresco: ib. [345]: Πᾶν δ' ἐξηράνθη πεδίον, σχέτο δ' ἀγλαὸν ὕδωρ. [Eur. Cycl. 575: Ἦν δ' ἐκλίπῃς τι, ξηρανεῖ σ' ὁ Βάκχιος. Nicand. Al. 606: Αὐτὸν τ' ἠνεκέεσσι τρίβοις πανάπαστον ἐδωδῇς

C καὶ πόσιος ξήραινε, κατατρύσαιο δὲ γυῖα· Th. 250: Αὐτὰρ ὁ χάμνων ἄλλοτε μὲν δίψῃ φάρυγα ξηραίνεται αὖον. Hippocr. p. 1168, F: Χυμοὺς τοὺς μὲν ἐξῶσαι, τοὺς δὲ ξηρᾶναι. Aret. p. 120, 16: Ξηρῆναι κεφαλήν. Xen. Anab. 2, 3, 15: Τὰς δέ τινας ξηραίνοντες τραγήματα ἀπετίθεσαν· Comm. 4, 3, 8: Τὸν ἥλιον τὰ μὲν ἁδρύνοντα, τὰ δὲ ξηραίνοντα. Plato Tim. p. 88, D: Ὑπὸ τῶν ἔξωθεν ξηραινομένου καὶ ὑγραινομένου· Phil. p. 31, E: Τὸ ξηρανθέν. Aristot. H. A. 6, 15: Τέλμα δ' ἐξηραίνετο. Fut. Meteor. 2, 3: Ὥστε οὐδέποτε ξηρανεῖται, et ibid. iterum.] Theophr. [H. Pl. 6, 4, 8]: Τὸ μὲν χνοῦν, τὸ δ' ἀνθοῦν, τὸ δὲ σπέρματος μὲν μικρὰν ἰκμάδα καὶ μέτρον ἔχον· ξηραινόμενον δὲ τὸ φύλλον διαχεῖται καὶ οὐκέτι κεντεῖ· Plin., Aliud floret in eo genere, aliud concipit, aliud parturit: aculei arescente folio desinunt pungere. Apollonius, Οὐδὲν θᾶσσον ξηραίνεται δακρύου· quod Quintil. [6, 1, 27] dicit, Nihil facilius inarescere quam lacrymas. Alvus quoque ξηραίνεσθαι dicitur, quum astringitur. Hippocr. [p. 1245, A]: Ὁκόσοισι δὲ νέοισι ἐοῦσι αἱ κοιλίαι ὑγραί εἰσι, τουτέοισι ἀπογηράσκουσι ξηραίνονται· ὁκό-

D σοισι δὲ νέοισι ἐοῦσι αἱ κοιλίαι ξηραί εἰσι, τουτέοισι πρεσβυτέροισι γινομένοισι ὑγραίνονται· Celsus, Quibus juvenibus fluxit alvus, plerumque in senectute contrahitur; in quibus in adolescentia fuit astricta, sæpe in senectute solvitur. [Conf. p. 477, 11. || Phalar. Ep. 13, p. 72: Ἄλλοι δ' ὄψεις ἐξηράνθησαν, de excæcatis. || « Improprie avarus κακοχυεῖ αὐτὸν καὶ ξηραίνει, Teles Stob. Fl. 97, 31; ut, Nondum exarui ex amœnis rebus, ap. Plautum. Dæmoniacus ἀφρίζει ... et ξηραίνεται Marci 9, 18. » Valck. Participii perf. pass. forma ἐξηρασμένος est ap. Herodot. 7, 109, et ubi nonnulli sine σ, 1, 186. Quod ἐξηραμμένος scribendum foret, ut est ap. Theophr. C. Pl. 5, 14, 6, Galen. vol. 13, p. 55, Athen. 3, p. 80, D.]

[Ξηραῖος. V. Ξήρα.]

[Ξηράλειψις, εως, ἡ, Sicca unctio. V. Ξηραλοιφέω.]

Ξηρᾰλοιφέω, Sicce ungo, In sicco ungo, ut VV. LL. interpr. Suidas et Eust. [Il. p. 764, 13] ξηραλοιφεῖν esse volunt Ungi absque balneo, i. e. balnei usu; quia, addit Eust., ξηρὸς ἱδρὼς, Siccus sudor, vocatur qui non ex balneo, sed ex laboriosis corporis exercitationibus provenit: nam quod ille dicit γυμνάσια καὶ πόνους, Laboriosas exercitationes interpretandum puto. Ceterum Hesych. Ξηράλειψιν habet pro eo, quod illi duo ξηραλοιφία, eodem alioqui modo exponens. [Ξηραλοιφεῖν pro ξηράλειψιν HSt. ipse et alii ad Hesychium.] Ξηραλοιφεῖν, inquit Bud., Sub dio et ad solem ungi, ut fiebat in palæstra. Affert autem locum Plut. in Κεφ. Ῥωμ. p. 244 [274, C]. Idem Plut. Solone [c. 1] legem ab eo latam refert, qua vetabat servos ξηραλοιφεῖν, sicut et παιδεραστεῖν: cujus legis mentionem ab eo factam reperio in Symp. sept. sap [p. 152, D] et in Erot. [p. 751, B.] Quibus in locis ξηραλοιφεῖν exp. quidam Ad palæstram ungi. [Harpocratio: Ξηραλοιφεῖν, Αἰσχίνης κατὰ Τιμάρχου (p. 19, 25). Ξ. ἔλεγον τὸ χωρὶς λουτρῶν ἀλείφεσθαι, ὡς Δίδυμος ἐν κη' Τραγικῆς λέξεως καὶ Νίκανδρος ἐν ιη' Ἀττικῆς διαλέκτου, προστιθεὶς ὅτι μή ποτε καὶ τὸ ὑπὸ τῶν ἀλειπτῶν λεγόμενον ξηροτρίβεσθαι (—ιβεῖσθαι) οὕτως ἐλέγετο. Σοφοκλῆς Πηλεῖ, Καὶ ξηραλοιφῶν εἵματος διὰ πτυχῶν. Pollux 3, 154; Lucian. Lexiph. c. 4. Vitiose interdum scribitur Ξηραλειφέω, ut ap. Eust. l. c. et Galen. vol. 13, p. 55, et schol. Luciani l. c., ut μυραλειφέω pro μυραλοιφέω, quod v. Monet autem Schneider. ad Theophr. fr. De lassitud. § 18, vol. 4, p. 769, ξηραλοιφεῖν esse Oleo ungi non cum aqua misto, ut χυτλοῦσθαι misto, coll. Galeni l. c.: Εἰ παραμένειν τοῖς σώμασιν ἐδύνατο καὶ μὴ ῥᾳδίως ἀπορρεῖν τὸ ὕδωρ, αὔταρκες ἂν ὑπῆρχε μόνον· ἐπεὶ δὲ τό τε περιχεόμενον ἔξωθεν ἀπορρεῖ ῥᾳδίως τό τ' εἰς τοὺς πόρους τοῦ σώματος εἰσδυόμενον ἐκρεῖ λαβὴν οὐδεμίαν ἔχον, εἰς τοῦτ' αὐτὸ χρησίμως ἔλαιον μίγνυται, καὶ μᾶλλόν γε, ἢν ἐπιπλέον ἐξ ἀμφοῖν ἀνατρίψηταί τις, ὅπερ ὠνόμαζον οἱ παλαιοὶ χυτλοῦσθαι, καὶ ἀντετίθεσάν γε αὐτῷ τὸ ξηραλοιφεῖν, κτλ. quæ hic repetere non licet. Aliter Lex. rhet. Bekk. An. p. 284, 1: Ξ. τὸ ἐν ταῖς παλαίστραις γυμναζόμενον κόνει χρῆσθαι.]

Ξηραλοιφία, ἡ, Sicca unctio, Suidæ et Eustathio. Ap. Hesych. autem ξηράλειψις habetur, uti dixi [in Ξηραλοιφέω. Lutea unctio Tertulliano. Schneider.]

Ξηραμπέλῖνος, η, ον, et ὁ, ἡ, ut ξηραμπέλινος χιτών, Colorem habens vitibus arefactis simillimum. Certum enim genus vitis adulto jam autumno pampinis rubet velut cruentatis. Ita Thyles. At alii, sumpta ex Suida conjectura, ξηραμπέλινον χρῶμα dici putant Pullum et atrum colorem, quem Pulliginem Plin., Atrorem appellarit Gellius, quod videlicet Suid. χλαμύδας ξηραμπελίνας appellatas etiam ἀτραβατικὰς tradiderit. Dictas enim esse Atrabaticas ille putat a colore atro, vel a trabea qua simul utebantur. Vide Ἀτραβατικὰς ap. eum. [Xerampelinas vestes, Juvenal. 6, 517, ubi schol.: Medius inter coccum et muricem color. HSt. in Ind.:] Ἀτραβατικός, ἡ, όν, ap. Suid.: Ἐν δὲ ταῖς κοιναῖς συνόδοις χλαμύδας ἐνεδύοντο ξηραμπελίνας, ἃς ἐκάλουν Ἀτραβατικὰς ἀπὸ τοῦ χρώματος. Τὸ γὰρ μέλαν, ἄτρον καλοῦσι. Sed parum mihi probabilis est ista opinio, putoque Ἀτραβατικὰς scriptum esse pro Ἀτρεβατικάς: et Ἀτρεβατικὰς χλαμύδας esse quos Flav. Vopisc. in Carino [c. 20] vocat Birros ab Atrebaticis petitos: Donati sunt ab Atrebaticis birri petiti. Sunt enim hodieque Atrebates aulæis texendis percelebres. [Jo. Laurent. De magistr. Rom. 1, 16, p. 36: Δίπλακες τὸ χρῶμα ξεραμπέλινοι (sic). Huic contrarium ὠμαμπέλινος. V. Salmas. Plin. Exerc. p. 755, a, B. L. Dind.]

[Ξηράνθη, n. mandragoræ sec. App. Dioscor. 4, 76.]

Ξηρανθισμός, ὁ, Eruptio sicca, ut exp. quidam ap. Diosc. 2, 101, de melle: Τὸ δὲ χειμερινόν, παχύτερον ὄν, χεῖρον, καὶ ξηρανθισμοὺς ποιοῦν· ubi tamen annotatur, in vett. libris scripturam esse ita depravatam, ut non facile sit eam restituere: sed ex Plin. conjici posse, hanc fuisse vet. scripturam, καὶ ἐρείκην ὄζον: cujus tamen verba unde id colligunt, non proferuntur: puto intellexisse ex 11, 15. Ruellius vertit, Hybernum vero, ut pote quod crassius constet, deterrimum reputatur, et ceraginis halitum expirat: videntur ergo legisse ἐξατμισμούς. Utut leg. sit, hæc vox ξηρανθισμοὺς mihi plane suspecta est. [Hodie legitur ἐξανθισμός.]

Ξήρανσις, εως, et Ξηρασία, ἡ, Siccitas, Ariditas, [his Gl. interpretantur formam ξηρασία,] Ariditudo: nisi potius velis ipsa Siccandi et arefaciendi actio, ut

A aliquid intersit inter ξηρασία et ξηρότης. Athen. 1: Τὰ δ' ἀντιτείνονθ' οἱονεὶ δίψαν τινὰ ἢ ξηρασίαν ἔχοντα. Aliud exemplum ex Aristot. habes ap. Bud. p. 294. [H. A. 10, 3: Ἀνισταμένην ὁτὲ μὲν δεῖσθαι θεραπείας οἵας ὅταν πλησιάσῃ ἀνδρί, ὁτὲ δὲ ξηρασίας· Meteorol. 4, 7: Ἡ πῆξις εἴρηται ξηρασία τις οὖσα. Theophr. H. Pl. 7, 2, 2.] Dicitur autem ξήρανσις et ξηρασία, ut θέρμανσις et θερμασία. [Plut. Mor. p. 627, D.] || Ξηρασία, Vitium capillorum, ut scribit Definitt. med. auctor, quum ii similes lanugini apparent: perinde ac si pulvere conspersi essent. Species alopeciæ censeri potest, quæ ita dicta sit propter alimenti pilorum defectum, et ariditatem cutis. [Tertia forma Ξήρασις, Siccitas, Gl. Hippocr. p. 453, 47: Ὑπὸ τοῦ καύματος καὶ τῆς ξηράσιος, cum prima permutanda est.]

Ξηραντέον, Siccandum. [Geopon. 3, 8.]

Ξηραντικός, ἡ, όν, Siccandi vi præditus, Desiccandi vim habens, Siccans, Siccificus, ut Macrob. loquitur. Plut. [Mor. p. 624, E]: Τὸ γὰρ τῇ γεύσει πικρόν, τῇ δυνάμει ξηραντικόν. Sic Athen. 2, [p. 52, E]: Ἡ τῆς B πικρότητος δύναμις ξ. καὶ δάπανος ὑγρῶν οὖσα. Idem 1: Ὁ δὲ κιρρὸς πέττει ῥᾷον ξηραντικώτερος ὤν. [Cum genit. Eust. Opusc. p. 195, 44: Τὸ ξηραντικὸν τῆς κατὰ σάρκα ὑγρότητος. Adv. in Matthæi Med. p. 72: Ξηραντικῶς ἄγειν.]

[Ξηρασία. V. Ξήρανσις.]

[Ξήρασις. V. Ξήρανσις.]

[Ξηρασμός, ὁ, i. q. præcedens. Erotian. v. Αὐασμός, p. 44. Boiss.]

Ξηράφιον, τό, i. q. ξηρίον, Gorr. Apud Aetium 10, 13, Medicamentum resiccans thymos, ξηράφιον appellatum. [V. Ξυράφιον.]

[Ξηράω.] Ξηρᾶσθαι legitur ap. Theophr. C. Pl. 2, 13 [9, 12 Schn.]: Συμμύει γὰρ μᾶλλον, εἰ μὴ ἄρα τῷ ξηρᾶσθαι διαχάσκει· ubi Gaza vertit, His enim magis se comprimunt: nisi forte, quod his siccetur, dehiscere arbitrandum sit. Ex quibus verbis patet ipsum quoque hoc ξηρᾶσθαι agnovisse a verbo Ξηράομαι: malim tamen legere ἐξηρᾶσθαι, ut sit a ξηραίνομαι. [In codice ξηραίνεσθαι.]

C [Ξηρένυδρος, ὁ, ἡ, Leont. ap. Jo. Damasc. Pro imagg. p. 47, 6, serm. 1, vol. 1, p. 326, B: Τὴν ξηρένυδρον πέτραν, Petram aridam aquis manantem, Int. Boiss.]

[Ξήριγγος, ὁ.] Ξήριγγοι, ex Hesych. affertur pro Fluvii perennes: ap. quem tamen ξύριγγοι scriptum, sed in serie τοῦ ξη. [V. conjecturas interpretum.]

Ξήριον φάρμακον, Medicamentum aridum, quod in pulveris modum inspergitur, ideoque et κατάπασμα alio nomine appellatur. Constare potest diversa materia ad usum diversum; nam aliud cuti, aliud ulceribus inspergitur. Quam autem vim habeant quæ cuti insperguntur, et quam ea quæ ulceribus, vide ap. Gorr. Paul. Ægin. 7, 13: Τῶν ξηρίων φαρμάκων, ἃ δὴ καὶ καταπάσματα καλεῖται, τὰ μὲν ἕλκεσιν ἁρμόττει, τὰ δὲ τῷ δέρματι προσφέρεται. Ubi additum habet substantivum φάρμακον: ab aliis absolute ξήριον dicitur, s. ξηρίον: nam utraque scriptura reperitur: ut ap. Aetium 6, 92: Ξηρίον πρὸς πολύποδας καὶ ὀζαίνας· alibi ξηρὸν φάρμακον dicit. VV. LL. annotant ξηρία ab D Actuario vocari Omnia medicamenta arida et sicca, quæ hodie facientes medicinam Pulveres nominant. [Matthæi Med. p. 85: Τῷ ἀπηφρισμένῳ μέλιτι ἑνώσεις τὰ ξηρία. Ξηρίον, Ξυρίον, Alex. Trall. 2, p. 48. V. Ξηράφιον.]

[Ξηροάμυλον, τό, Siccum amylum. Geopon. 20, 26.]

Ξηροβάτικός, ἡ, όν, Qui in sicco graditur. Athen. 3, [p. 99, B]: Διὰ ταῦτα καὶ τὰ τοιαῦτα ὁ θαυμάσιος Πλάτων ἐν τῷ Πολιτικῷ [p. 264, D] εἰπὼν ξηροβατικά τινα ζῷα καὶ ὑδροβατικὰ ἄλλα, ξηροτροφικόν τε καὶ ὑγροτροφικὸν καὶ ξηρονομικόν, ἐπὶ ζῴων χερσαίων καὶ ἐνύγρων καὶ ἐναερίων ἐπιλέγει· dicit autem eum usum ibi esse καινῇ ὀνοματοποιίᾳ. [V. Ξηροβιωτικός.]

[Ξηροβάτραχος, ὁ, ranæ genus, in Epiphanii Physiolog. c. 22 ed. Antverp. 1588. Boiss.]

Ξηροβιωτικός, ἡ, όν, Qui in sicco vivit, Terrestris, ex Plat. [Aristot H. A. 6, 2, sed optimi codd. ξηροβατικῶν.]

[Ξηρόγυφος, ὁ, ita appellatus fluvius ap. Theophylactum Sim. l. 6, c. 3, et Annam Comn. l. 7 Alexiad.

p. 215, forte quod ejusmodi gypsum ex alveo egerat. Ducang.]

[Ξηρόζεμα, τὸ, ap. Hierophilum in Notitt. Mss. vol. 11, p. 193 : Ξ. πίνειν. « *Je ne sais ce que c'est. Est-ce une décoction très-réduite, réduite à consistance de rob? Sont-ce des pastilles, des tablettes?* » Boiss. p. 205.]

Ξηροκακοζηλία, ἡ, Arida et jejuna affectatio. Dem. Phaler. [§ 239] : Ἡ σύνθεσις δὲ συσταλεῖσα κλέπτει μέν πως τὴν ἄδειαν τοῦ πράγματος, ποιεῖ δὲ τὴν νῦν ὄνομα ἔχουσαν ξηροκακοζηλίαν, συγκειμένην ἐκ δυοῖν κακῶν, ἐκ μὲν τῆς κακοζηλίας, διὰ τὸ πρᾶγμα, ἐκ δὲ τοῦ ξηροῦ, διὰ τὴν σύνθεσιν.

Ξηρόκαρπος, ὁ, ἡ, Aridum s. Siccum fructum pariens. [Theophr. C. Pl. 2, 8, 1.]

Ξηροκέφᾰλος, ὁ, ἡ, Qui capite est sicciore, Alex. Aphr. [Probl. 1, 2]; cui opponitur ab Eodem ὑγροκέφαλος.

[Ξηροκήπιον. V. Ξηρόκηπος.]

[Ξηρόκηπος, ὁ, Area, Atrium sine pavimento. Martyrium SS. xx patrum Sabaitarum n. 43 : Οἱ δὲ ὡς μάλιστα ἀδικούμενοι ἠγριαίνοντο καὶ ἐν τῷ ξηροκήπῳ τοῦ ἡγουμενίου ἐξαγαγόντες αὐτοὺς ἐφόνευον. Ξηροκήπιον ap. Codin. De orig. n. 104. Ubi Hortulum aridum s. exsiccatum interpretatur Lambecius. In subscriptionibus Conc. Nicæni 2 act. 4, occurrit Theodorus ἡγούμενος τοῦ ξηροκήπου. Ducang.]

[Ξηροκοιτέω. V. Ξηροκοιτία.]

[Ξηροκοιτία, ἡ, in gll. Mss. χαμευνία, quomodo Galli dicimus *Coucher sur la dure*. Glycas in Theodosio jun. : Καὶ ὁ βασιλεὺς πολλὰ μὲν αὐτῷ ἀπεκάλυψεν ἕτερα, οἷον ξηροκοιτίαν, ἐνδυμενίαν τρίχινον. Ducang. Idem in App. p. 143 verbi ξηροκοιτέω addit ex. Nicephori Presb. in Vita S. Andreæ Sali Ms. : Μὴ γευσάμενος, ξηροκοιτῶν, χαμευνῶν.]

Ξηροκόλλα, ἡ, Gluten siccum, aurificum, et Ferruminatura, σύνθεσίς τις παρὰ τοῖς χρυσουργοῖς, Hesych. [Aetius 2, 222 : Κόλλαν, ἣν ἔνιοι ξηρόκολλαν καλοῦσι. Ducang. App. Gl. p. 144.]

Ξηροκολλούριον, τὸ, Collyrium ex aridis medicamentis, præsertim metallicis, constans, exceptis unitisque vel succo vel melle vel humore aliquo. Quamvis enim liquore aliquo colligantur, non desinunt arida collyria esse, propterea quod ipsorum denominatio non est ab eo, quod ea colligit atque coadunat, sed ab ipsa materia qua maxima ex parte constant. Siquidem ab eo, quod magis in ipsorum compositione pollet, vel ξηροκολλούριον vel ὑγροκολλούριον appellatur. Gorr. Varias eorum compositiones habes ap. Aet. 7. Græco vocabulo utitur Marc. Empir. quoque, Xerocollyrium ad lippitudinis initia.

[Ξηροκόπιον, τὸ, apud Hesychium : Ἴδη, παρὰ δὲ Ῥοδίοις τὸ ξηρόκοπτον, restituebat Salmasius, quod ad ἴγδη, Mortarium, referretur. Cit. Dahler. Idem Hesychius : Καισεκπρώπιον, δρέπανον, ξηροκόπιον.]

[Ξηρολιβύη, ἡ, Xerolibya. Salmas. Plin. Exerc. p. 226, b, C : «Fontium inops et infamis siti) Xerolibyen Servius (ad Virg. Æn. 4, 42) inter Pentapolim et Tripolim collocat.» V. Serv. ib. 196.]

[Ξηρόλιθος, ὁ, s. ξηρὸς λίθος, Suidæ dicitur, ἄνευ πηλοῦ ἐκτισμένος· ἦν γὰρ λίθῳ ξηρῷ διεσκευασμένον τὸ φρούριον ἐκ μεγάλων λίθων συνηρμοσμένων. Ita ξηροὶ λίθοι fuerint Lapides nativi ex ipso solo, petræ naturales, saxa ex calce metallo, ut loquuntur gromatici, nulla arte absque ipso compacta. Theophanes a. 1 Leonis Isauri : Περιτείχισμα διὰ ξηρολίθου ἐποίησαν. Ubi Hist. Miscella : Et super eam sicci lapidis materiam posuerunt. Mauric. Strateg. 12, 21 : Ἀπὸ ξηρολίθων πύργους πρὸς ἀσφάλειαν τῆς γεφύρας ἐγεῖραι. Id. 9, 1 : Πύργων οἰκοδομητῶν ἐκ λίθου ξηροῦ· et 10, 4, ξηρὰ ὕλη et οἰκοδομεῖν ξηρόν. Leo Tact. 15, 69 : Εἰ μὲν λίθος ἢ πλίνθος εὑρίσκεται, οἰκοδομῆσαι ξηρὸν δεῖ· 17, 13 : Πύργους ξυλίνους ἢ ἀπὸ οἰκοδομῆς ἐκ λίθων ξηρῶν ἢ χώματος. Pachym. 2, 27 : Τὸν ἐπὶ τῇ πύλῃ τῆς πηγῆς ἐκ λίθων ξηρῶν ἐπιτειχισμόν. V. notata ad Alexiadem p. 266. Ducang.]

[Ξηρολουτρέω, i. q. ξηραλοιφέομαι. Perperam Hesychius inter Ξηράλειψιν et Ξήριγγοι : Ξηραλουτρεῖν, τὸ αὐτό. De forma —λουτρεῖν Lobeck. Phryn. p. 594.]

[Ξηρόλοφος, ὁ, Xerolophus. Priscian. 6, 13, p. 265 : « In tripode Apollinis, qui est Constantinopoli in loco

A quem Ξηρόλοφον vocant. » Ubi tamen per ε scriptum more Byzantino.]

[Ξηρόλοφοι, οἱ, Monachi, de quibus ita Michael mon. in Vita Ms. S. Theodori Stud. ex cod. Reg. : Οὐχ ἥκιστα δὲ πρὸς τῶν ἀνδρῶν ἐκείνων τῶν λεγομένων ξηρολόφων ἀμοιβαδὸν ἐφθακὼς τοῖς ὁμοροῦσι μέρεσι τὰ λεγόμενα Λάκκου μιτᾶτα. Ducang.]

Ξηρόμῠρον, τὸ, Unguentum siccum : est compositio odorifera, siccis aromatibus constans : ad varios usus antiquis apparabatur; ad suffitus odoris gratia, ad amuleta, præsertim pestilentiæ, ad exsiccationem fluxionis alicujus, adversus hircosum odorem axillarum et reliqui corporis : itaque pro vario usu diverso modo efformabatur. Aetius 6, describens pulveres inspersiles caput densantes, describit ξηρόμυρον, siccis omnibus contritis, et in tenuem pulverem redactis, quem capiti prius oblito vino austero, inspergendum consulit. Hæc inter alia Gorr., cui dubium non videtur, quin massam in unam componi possint in mali modum, quod pomum odoriferum vocari queat, quale
B hodie a plerisque gestatur, tum ad venustatem, tum ad arcendum pestilentiæ periculum. [Rosmarinum, Gl.]

Ξηρονομικὸς, ἡ, ὸν, Qui in sicco pasci solet. Vide Ξηροβατικός.

Ξηροποιέω, Siccum reddo, Sicco.

[Ξηροποιὸς, ὁ, ἡ, Siccum faciens, Siccans. Eust. Il. p. 871, 3 : Πολυκαγκέα δίψαν λέγει τὴν ξ. Schol. Nicand. Th. 691.]

[Ξηροπόταμος, ὁ, Torrens, Gl. Nicetas Man. Comn. 6, 3, p. 120, D : Ποταμόν) ξηροπόταμον cod. B. Meminit Procop. Ædif. 4, 4, Ξηροποτάμου castri in Epiro veteri. Ducang.]

Ξηροπῡρία, ἡ, Balneum siccum; in quo quis tantum desudat, non etiam abluitur aqua; Sudatio quæ fit ἐν ξηρῷ θόλῳ. Utitur schol. Nicandri Al. [600] : Ἐν πίθῳ διθύρῳ ξηροπυρίαν λαμβάνειν, ὥσπερ οἱ ὑδρωπικοί· pro his Nicandri, Ἠὲ πίθου φλογιῇ θάλψας κύτος αἰὲν ἐναλθῆ [ἀναλθῆ] Ἀνέρα θερμάσαιο· χέαι δ' ἀπὸ [ἄπο] νήχυτον ἱδρῶ. [Nicolaus Myrepsus § 31, c. 23 : Χρῶ ἐν βαλανείῳ, ἐν
C τῇ ξηροπρίᾳ ἢ ἐν ἡλίῳ ἕλκων τοῖς μυκτῆρσι τὸ ξηρίον. Ita emendandus hic locus ex cod., qui corruptus est apud Fuchsium. Is porro ξηροπυρίᾳ legendum putat. Ducang.]

[Ξηροπύριον, τὸ, Furnus igne calefactus. Acta spuria S. Meletii n. 48 : Ἐκέλευσεν ἀπαχθῆναι αὐτοὺς ... ὅπου ἦν ὁ φοῦρνος ἡτοιμασμένος καὶ πεπυρωμένος σφόδρα, καὶ λέγει αὐτοῖς, Ἰδοῦ ἡτοίμασα ὑμῖν ξηροπύριον. Ducang. Qui non recte interpretatur quod ille per ironiam dixerat : idem enim furno parando balneum siccum se parasse.]

Ξηροπυρίτης ἄρτος, ὁ, Panis cibarius, cui nihil furfuris ademptum est. Athen. 3, [p. 114, C] : Ἀμερίας δὲ καλεῖ ξηροπυρίταν τὸν αὐτόπυρον ἄρτον. [ῑ]

Ξηρὸς, ὰ, ὸν, Aridus, Siccus, [Torridus add. Gl.] cui opp. ὑγρὸς, νότιος, et χλωρός. Athen. 2, [p. 53, D] : Λυπεῖ δ' ἧττον τὰ χλωρὰ τῶν ξηρῶν, καὶ τὰ βεβρεγμένα τῶν ἀβρόχων. Plut. Alex. [c. 4] : Οἱ ξηροὶ καὶ διάπυροι τόποι τῆς οἰκουμένης. Sic. Greg. Naz. De Baptism. : Πορεύεται δι' ἀνύδρων τόπων καὶ ξηρῶν θείας ἐπιῤῥοῆς, ubi nota gen.,
D pro Non irrigatos divino imbre. [Plat. Tim. p. 22, D.] Et ξηραὶ τροφαὶ, Athen. 2, 11, Cibi sicci. [Plat. Hipparch. p. 230, E.] At diversa signif. Cic. : In rusticis moribus, in victu arido, in hac horrida incultaque vita : ubi metaphora est. [Theocr. 1, 51 : Τὸ παιδίον οὐ πρὶν ἀνήσειν πρὶν ἀκράτιστον ἐπὶ ξηροῖσι καθίξῃ, ubi v. schol. Eur. Bacch. 277 : Αὕτη μὲν (Ceres) ἐν ξηροῖσιν ἐκτρέφει βροτούς· Phœn. 1152 : Ξηρὰν δ' ἔδευον γαῖαν αἵματος ῥοαῖς· Androm. 1259 : Κομίζων ξηρὸν ἐκ πόντου πόδα· 637 : Πολλάκις δέ τοι ξηρὰ βαθεῖαν γῆν ἐνίκησε σπορά· El. 734 : Ξηραί τ' Ἀμμωνίδες ἕδραι· fr. ap. Athen. 13, p. 600, A : Ὅταν ξηρὸν πέδον ... νοτίδος ἐνδεῶς ἔχῃ. Epigr. Anth. Pal. 12, 145, 8 : Ὁ γὰρ πάρος εἰς κενὸν ἡμῶν μόχθος ἐπὶ ξηροῖς ἐκκέχυτ' αἰγιαλοῖς. Herodot. 5, 45 : Παρὰ τὸν ξηρὸν Κράστιν, de fluvio exsiccato. Xen. OEc. 5, 20 : Ὑγρῶν καὶ ξηρῶν καρπῶν (et Plat. Critiæ p. 115, A)· 7, 36 : Ὁ ξηρὸς ποταμός. Plat. Leg. 8, p. 845, B : Ξηρῶν σύκων.] Item μέτρα ξηρὰ ap. Plat. Leg. [5, p. 746, D], Mensuræ aridorum, ut frumenti et quæ ejusmodi sunt. Et ξηρὸς ἱδρὼς ap. Eust.

p. 764, ὁ μὴ ὑπὸ λουτροῦ ἀλλ' ὑπὸ γυμνασίων καὶ πόνων γενόμενος. [Plat. Phædr. p. 239, C.] Item ξηρὸς θόλος, Laconicum siccum. Alex. Aphr. [1, 41] : Καὶ μάλιστα ἐὰν μὴ διαφορηθῶσιν ὑπὸ τοῦ ξηροῦ θόλου, Præsertim si in Laconico sicco non distabuerint immodica sudatione, Bud. Et ap. Medicos ξηρὸς πυρετὸς, Febris sicca : in qua sitis vehemens per initia, lingua arida, cutis dura in modum corii, et squalor plurimus in toto corpore : cui opposita est humida febris. [Ἄνεμος Aristoph. Nub. 404 : Ὅταν ἐς ταύτας ἄνεμος ξ. μετεωρισθεὶς κατακλεισθῇ. Apoll. Rh. 4, 1394 : Ἐπὶ ξηρῇ γὰρ ἔκειτο δίψα δυηπαθίῃ. Quint. Mæcius Anth. Pal. 6, 33, 8 : Ξηρὴν δίψαν ἐλαυνόμενος.] Præterea ξ. λίθος in structura dicitur Saxum compactum sine calce aut luto, ut in maceria : ὁ ἄνευ πηλοῦ κτιζόμενος, ut Suid. exp., hunc l. afferens : Ἦν γὰρ λίθῳ ξηρῷ διεσκευασμένον τὸ φρούριον, ἐκ μεγάλων λίθων συνηρμοσμένων. Dicitur et homo aliquis aut membrum ejus aliquod ξηρὸν, quum naturalis facultas ejus exaruit. [Æsch. Sept. 696 : Πατρὸς ἀρὰ ξηροῖς ἀκλαύστοις ὄμμασι (Eteoclis) προσιζάνει. Eur. Or. 389 : Δεινὸν δὲ λεύσσεις ὀμμάτων ξηραῖς κόραις, de Oreste. Julian. Ægypt. Anth. Plan. 113, 7 : Ξηροῖσιν ὑπὸ βλεφάροισιν. De toto corpore Eur. El. 239 : Οὐκ οὖν ὁρᾷς μου πρῶτον ὡς ξηρὸν δέμας. Antipat. Thess. Anth. Pal. 11, 327, 1 : Τὴν ξηρὴν ἐπὶ νῶτα Λυκαινίδα τὴν ἐλάφου παντὸς ἀπυγοτέρην.] Et τὸ ξηρὸν, Locus siccus, Loca sicca. Athen. 7 : Περὶ τῶν ἐν τῷ ξηρῷ διατριβόντων ζώων [liber Theophrasti p. 312, B; 317, F]. At Thuc. 8, p. 296 [c. 105] : Ἐξέωσάν τε ἐς τὸ ξηρὸν τὰς ναῦς τῶν Ἀθηναίων, καὶ ἐς τὴν γῆν ἐπεξέβησαν. Et 1, [109] : Τάς τε ναῦς ἐπὶ τοῦ ξηροῦ ἐποίησε, In sicco statuit : ut Virg., Quumque marinæ In sicco ludunt fulicæ. Et Plin., Non reversum in maria, atque in sicco expirasse. [Xen. Cyrop. 7, 5, 18 : Καταβιβάσας εἰς τὸ ξηρὸν τοῦ ποταμοῦ τοὺς ὑπηρέτας· OEc. 9, 3 : Τὰ ξηρὰ τῶν στεγῶν. Neutro plur. adverbialiter Nicand. Al. 81 : Ξηρὰ δ' ἐπιλύζων ὀλόῃ χελλύσσεται ἄτῃ· 211 : Ξηρὰ δ' ἀναπτύει.] || Metaph. quoque usurpatur. [Eur. Androm. 784 : Ἡδὺ μὲν γὰρ αὐτίκα τοῦτο βροτοῖσιν, ἐν δὲ χρόνῳ τελέθει ξηρόν.] Aristoph. Vesp. [1452] : Ζηλῶ σε τῆς εὐτυχίας τὸν πρέσβυν οἷ μετέστη ξηρῶν τρόπων καὶ βιοτῆς. (Cic. quoque Aridum victum et vitam aridam dicit, ut paulo ante annotavi. Idem hominem Siccum opponit Vinolento.) Cui ξηρᾷ βιοτῇ mox opp. τὸ τρυφερὸν καὶ μαλακόν. [Theocr. 24, 60 : Ξηρὸν ὑπαὶ δείους ἀκραχόλον Ἰφικλῆα· 8, 44 : Παντᾷ ἔαρ, παντᾷ δὲ νομοὶ, παντᾷ δὲ γάλακτος οὔθατα πλήθουσιν καὶ τὰ νέα τρέφεται, ἔνθ' ἁπαλὰ παῖς ἐπινίσσεται, αἰ δ' ἂν ἀφέρπῃ, χὠ ποιμὰν ξηρὸς τηνόθι χαἰ βοτάναι.] Dem. Phaler. [§ 4] : Οὔτε ἡ μικρότης (sc. τῶν κώλων πρέπουσα τοῖς λόγοις), ἐπεί τοι γίνοιτ' ἂν ἡ λεγομένη ξηρὰ σύνθεσις · qualem esse dicit in hoc l. Hippocr. : Ὁ βίος βραχὺς, ἡ τέχνη μακρὰ, ὁ καιρὸς ὀξύς. Idem [§ 238] : Παράκειται δὲ τῷ ἰσχνῷ διημαρτημένος χαρακτὴρ, ὁ ξηρὸς καλούμενος. Idem ibid. : Περὶ δὲ τὴν λέξιν γίνεται τὸ ξηρὸν, ὅταν πρᾶγμα μέγα σμικροῖς ὀνόμασιν ἀπαγγέλλῃ. Sic Cic. De orat. : Genus sermonis affert non liquidum, non fusum, ac profluens, sed exile, aridum, concisum ac minutum. Sic Quintil. [2, 4, 3] : Narratio arida et jejuna. Idem dicit Magister aridus. Rursum Cic. : Neque enim flumine conturbor inanium verborum, nec subtilitate sententiarum, si orationis est siccitas. [In compositione τὸ ξηρὸν cernitur quando brevibus commatibus justo frequentius utimur, vel in re gravi et magna concisam et abruptam orationem adhibemus. Quint. Aridam et jejunam orationem vocat quæ nil nisi res nudas et inornatas indicat. Conf. 3, 1, p. 117, ubi Arida et jejuna traditio opponitur Nitidæ, quæ lectionis aliquam jucunditatem adferat. Ernest. Lex. rhet. || Κατὰ ξηροῦ τὰς λέξεις ἐκλαμβάνειν, Nudæ literæ adhærere, quod Germani vocant *Den dürren Buchstaben*. Athanas. t. 1, p. 235, ad Matth. 12, 31 : Πολλὰ τῶν θείων γραφῶν ἐὰν κατὰ τὸ γράμμα νοήσωμεν, εἰς ἀθέσμους βλασφημίας περιπίπτομεν οἷόν ἐστι καὶ τὸ προκείμενον ἡμῖν τοῦ κυρίου λόγιον, ὅπερ ἐὰν κατὰ ξηροῦ τὰς λέξεις ἐκλάβωμεν κτλ. Hic κατὰ ξηροῦ et κατὰ τὸ γράμμα sunt ἰσοδυναμοῦντα. Suic.] Femin. dicitur Ξηρὰ pro Terra, more Hebræorum, ut vicissim Homer. ὑγρὴν dicit Mare : Il. Ξ, [308] : Οἵ μ' οἴσουσιν ἐπὶ τραφερήν τε καὶ ὑγρήν. [Apoll. Rh. 4, 1378 : Οὐ γὰρ ὅγε ξηρὴν ὑποδύσεται. Xen. OEc. 17, 2 : Τὸ μὴ ἐν ξηρᾷ σπείρειν· 19, 7 : Πότερον ἐν τῇ ξηρᾷ ἂν βαθὺν ὀρύττοις βόθρον. Aristot. H. A. 5, 10 : Ἐξέρχεται εἰς τὴν ξηράν.] Matth. [23, 15] : Περιάγετε τὴν θάλασσαν καὶ τὴν ξηράν. Sic Ad Hebr. 11, [29] : Πίστει δὲ διέβησαν τὴν ἐρυθρὰν θάλασσαν, ὡς διὰ ξηρᾶς. Paulo ante habuimus ἐν ξηρῷ, In sicco, itidem pro Super terram; est enim terra sua natura sicca.

Ξηρόσαρκος, ὁ, ἡ, Siccam carnem habens, Cujus caro sicca est. [Diocles ap.] Athen. 7, [p. 320, D] : Τὰς δὲ τρίγλας ἧττον τούτων ξηροσάρκους.

[Ξηροσῑτέω, Aridis vescor. Nicolaus in Maii Coll. Vat. vol. 9, p. 613. Osann.]

[Ξηροσμύρνη, ἡ, Myrrha sicca. Alex. Trall. 11, p. 400. Angl.]

Ξηροτήγᾰνον, τὸ, Syracusani vocant τὸ κοινῶς τήγανον, τήγανον autem τὴν λοπάδα, ut Athen. 6, [p. 229, A] refert ex Hegesandro Delpho. Forsan autem eam ob rem ξηροτήγανον appellant, quoniam modicum butyrum aut oleum ei infundi soleat, ita ut frictio illa sit ξηρά : in τηγάνῳ autem s. λοπάδι, τὰ ἑψόμενα soleant κολυμβᾶν, ut conjicere est ex iis quæ in Τήγανον dicentur.

Ξηρότης, ητος, ἡ, Siccitas, [Squalor huic add. Gl.] Ariditas. [Thuc. 7, 12 : Τὸ ναυτικὸν ἡμῶν ἤκμαζε τῶν νεῶν τῇ ξηρότητι. Xen. OEcon. 19, 11 : Αὐαίνεσθαι διὰ ξηρότητα. Plato Reip. 1, p. 335, D.] Plutarch. [Mor. p. 687, F] : Πρὸς μὲν γὰρ τὰς ξηρότητας ἀρδείαις ποτιζόμενα καὶ ψυχόμενα μετρίως, ὅταν φλέγηται. [Id. Mor. p 136, E, ξ. καὶ θερμότης. || « Ξηρότης, Jejuna oratio, jungitur τῇ ἀσθενείᾳ, h. e. enervato sermoni. Longin. Subl. 3, 3. » Ernest. Lex. rh. || Ap. Athanas. t. 2, p. 404 : Τῇ ξηρότητι ἑαυτοὺς δαμάσαντες, de ξηροφαγίᾳ, quod v. Suicer.]

[Ξηροτρῐβέω, Siccum frico. Hesych. v. Ξηράλειψις, ubi recte ξηροτριβεῖσθαι, ξηροτρίβεσθαι male Harpocratio, Photius, Suidas, Zonaras v. Ξηραλοιφεῖν. Rectæ formæ activum et passivum, librariis interdum ad vitiosam aberrantibus, sunt in Matthæi Med. p. 289, 313, 317, 332.]

Ξηροτριβία, ἡ, Frictio sicca, Quum aliquis deterso post sudorem corpore fricatur. Aristot. Probl. s. 37, [6] : Διὰ τί αἱ ξ. στερεὰν τὴν σάρκα παρασκευάζουσιν· quibus verbis subjicit, Διὰ τὴν τρίψιν τῆς θερμασίας ἐπιγινομένης, τὸ ὑγρὸν καταναλίσκεται· πρὸς δὲ τούτοις ἡ σὰρξ τριβομένη πυκνοῦται. [Matthæi Med. p. 289.]

Ξηροτροφικὸς, ἡ, ὸν, Qui in sicco alitur, vivit. Vide Ξηροβατικός. [Plat. Polit. p. 264, D, E.]

Ξηροφᾰγέω, Arida epulor, Comedo quæ siccandi vim habent, Cibis siccioribus utor, Diosc. 2. Epigr. [Lucillii Anth. Pal. 11, 205, 4] : Μὴ κληθεὶς Αὖλος ξηροφαγεῖ καθίσας, Sicco pane contentus accumbit. [Ξηροφαγεῖν, Siccis vesci s. Jejunare cum aridis, in Conc. Laodic. can. 50, in Nomocanon. Cotel. n. 36, 52, 160, 465, 508, etc. Ducang. V. Ξηροφαγία.]

[Ξηροφαγία, ἡ, Aridorum esus. Athen. 3, p. 113, B : Εὔβρωτος πρὸς ξηροφαγίαν. Clemens Alex. Pæd. 2, p. 179 : Τὴν περιττὴν ὑγρότητα ἀνασπογγιζομένην ξηροφαγίᾳ. « Joannes Chrysost. Hom. 106, vol. 6, p. 921, 34. » Seager. Ξηροφαγίᾳ, ut et ὑδροποσίᾳ, monachi maxime jejunium quadragesimale observant. Synod. Laodic. c. 50 : Δεῖ πᾶσαν τεσσαρακοστὴν νηστεύειν ξηροφαγοῦντας, ubi consulendus Balsamon, et ad canon. 69 Apostol. Adde Epiphan. in Compendio Doctrinæ cathol. et al. Triodium 2 fer. 1 Hebdom. jejunior. in Lychnico : Εἰσερχόμενοι δὲ ἐν τῇ τραπέζῃ ἐσθίομεν ξηροφαγίαν. Typic. c. 38 : Ἐσθίοντες ξηροφαγίαν ἄχρι τῆς μεγάλης πέμπτης, etc. De xerophagia athletarum v. Salmas. ad Tertullian. De pallio, Coteler ad l. 3 Hermæ c. 3, et Vales. ad Harpocr. p. 135. Ducang.]

Ξηροφθαλμία, ἡ, Oculorum siccitas : vel potius, Lippitudinis aridæ genus. Sic enim Cels. 6, 6 : Est etiam genus aridæ lippitudinis : ξηροφθαλμίαν Græci appellant : neque tument, neque fluunt, sed rubent tantum, et cum dolore quodam gravescunt, et noctu prægravi pituita inhærescunt. Scrib. Largus c. 4, interpr. Siccam oculorum perturbationem sine tumore : Collyrium psoricum ad caliginem et aspritudinem oculorum, siccamque perturbationem sine tumore, quam ξηροφθαλμίαν appellant. Aetius 7, 2 : Σκληροφθαλμία δὲ καὶ ξηροφθαλμία κοινόν ἐστι πάθος βλεφάρων καὶ αὐτοῦ τοῦ ὀφθαλμοῦ. Actuar. Π. Δ. Π. 2, 7 : Ξηροφθαλμία ἐστὶ δυσκινησία τῶν ὀφθαλμῶν μετὰ πόνου, χωρίς τινος ὑγρότητος ἐκρεούσης· diversam autem hanc facit a ψωροφθαλμία. [Ponitur etiam in Gl.]

Ξηρόφθαλμος, ὁ, ἡ, Siccoculus, ut Plaut. loquitur in Pseudolo.

[Ξηρόφλοιος, ὁ, ἡ, Qui arido est cortice. Geopon. 9, 16, φυτά.]

[Ξηροφορέω, voc. corruptum ap. Epiphan. vol. 1, p. 204, A, s. Iren. p. 52, de quo v. conjecturas interpretum in annot. Massueti ad Iren.]

[Ξηρόφωνος, ὁ, ἡ, Qui arida est voce. Schol. Hom. Il. N, 41 : Αὐίαχοι, ἵν' ἧ ξηρόφωνοι· conf. ad M, 160. Virg. Georg. 1, 358. Wakef. Eust. Od. p. 1914, 51 : Τὸ ξ. καὶ πάντη ἀηδές.]

[Ξηροχειμάρρους, ὁ, Torrens. Hero in Geodæsia Coteler. Eccl. Gr. monum. vol. 4, p. 310 fin. : Διὰ τὸ εὑρίσκεσθαι ἔσωθεν πολλάκις ξηροχειμάρρους καὶ ῥύακας. V. Ξηροπόταμος. Ducang.]

[Ξηρόχειρ, ος, ὁ, ἡ, Qui sicca est manu, siccis manibus. Theod. Prodr. Epigr. p. 152 med. ed. Suvigny. Boiss.]

[Ξήροψις, εως, ὁ, ἡ, Qui sicca est s. macilenta facie. Jo. Malalas p. 406. Elberl.]

[Ξηρώδης, ὁ, ἡ, Aridus, Siccus. Etym. M. v. Λάσιος, p. 557, 27 : Ἡ καρδία, ἐν ᾗ ἐστι τὸ πυρῶδες ἢ ξηρῶδες καὶ θερμὸν καὶ μανικὸν τῆς ψυχῆς.]

[Ξηρῶς. V. Ξηρός.]

[Ξήρωσις, εως, ἡ, legitur in l. suspecto Hippocr. p. 189, C : Οἱ δύσπνοοι ξηρώσει, πολλὰ ἄπεπτα ἀνάγοντες ἐν φθίσει ὀλέθριοι, de quo v. Foes. et Mack. vol. 1, p. 176.]

[Ξιλία, πόλις Λιβύης. Ἀλέξανδρος ἐν γ' Λιβυκῶν. Τὸ ἐθνικὸν Ξιλιάτης, ὡς Ἰάμνια Ἰαμνιάτης, Steph. Byz.]

Ξίμβραι, Æolibus ῥοιαὶ, Mala Punica, Hesych. [Conferendæ sunt huic aliæ Hes. glossæ : Ῥίμβαι, ῥοιαὶ μεγάλαι. Ἄμεινον δὲ διὰ τοῦ ξ, ξίμβαι. Et Σίβδαι, ῥοιαί.]

[Ξιμηνὴ, ἡ, Ximene, regio Ponti, ap. Strab. 12, p. 561.]

[Ξῖρις. V. Ξεῖρις.]

[Ξίσουθρος, ὁ, Xisuthrus, rex Chaldæorum ap. Berosum in Cosmæ Topogr. Christ. p. 340, C, D; 341, C, et ap. Georg. Sync. p. 24, A; 30, A—D; 38, D; 39, D, item Berosi et præter eum Abydeni usum testimonio, et modo Ξίσουθρον modo Σίσουθρον modo Σίσιθρον vocantem. Conf. Buttmann. Mythologi vol. 1, p. 190, 196 sq. L. Dind.]

[Ξιφάριον. V. Ξίφος.]

[Ξιφάρης, ὁ, Xiphares, f. Mithridatis, ap. Appian. Mithr. c. 107.]

[Ξιφείδιον. V. Ξιφίδιον.]

[Ξίφη, ἡ.] Ξίφαι, Hesychio τὰ ἐν ταῖς ῥυκάναις δρέπανα s. σιδήρια.

[Ξιφήνη, ἡ, χώρα Παλαιστίνης. Ἰώσηπος ἕκτῳ Ἰουδαϊκῆς ἱστορίας (A. J. 6, 13, 2) τὸ ἐθνικὸν Ξιφηναῖός φησι, Steph. Byz. Sed apud Josephum constanter Ζιφήνη.]

[Ξιφηρέω, ap. Socr. Hist. Eccl. 7, 33 : Ξιφηροῦντες εἰς τὸ θυσιαστήριον εἰσεπήδησαν, corrigendum ξιφηφοροῦντες. L. Dind.]

Ξιφήρης, ὁ, ἡ, [Gladiator, Gladiosus, Gl.] Qui gladio manum aptat, ut is qui vagina ensem educturus est, ὁ ξίφει ἡρμοσμένος τὴν χεῖρα, τῇδε κἀκεῖσε περιφέρων καὶ περιάγων, schol. Eur.; ὁ ξίφος ἔχων, ξιφηφόρος, Suid. et Hesych. Budæo est ὁ πρόκωπον ἔχων τὸ ξίφος, Manu tenens pugionem, et stringendi occasionem expectans : ap. quem p. 796, 797, duo habes exempla ex Herodiano. Sic idem Herodian. 7, [5, 10] : Ξιφήρεις ἐνέκειντο, Polit. Instabant nudos manu gladios tenentes. [Eur. Or. 1273 : Θῆρας ξιφήρεις· 1346, et alibi sæpius. Frequens est etiam apud Plutarchum. « Etym. p. 611, 11. Ξιφήρεις εἰς πόλεμον, Hesych. in Διεσκευασμένοι. » Hemst. Eust. Opusc. p. 47, 89; 301, 45.] Eur. dicit etiam ξιφήρη χεῖρα, Manum capulo admotam, Manum ensis capulo aptatam, ut Seneca infra in Ξίφος loquitur, Phœn. [366] : Ὥστε ξιφήρη χεῖρ' ἔχων, δι' ἄστεος Κυκλῶν πρόσωπον ἦλθον. [Ξ. ἀκτίς v. in Ξιφίας.]

Ξιφηφορέω, Ensem gesto, Ense armatus sum. He-
A rodian. 7, [11, 7] : Πάντες γὰρ διὰ τὴν οὖσαν στάσιν τε καὶ ταραχὴν, οἱ μὲν φανερῶς, οἱ δὲ κρύβδην ἐξιφηφόρουν, ἀμυντήρια δῆθεν φέροντες ἑαυτῶν, ubi κρύβδην ξιφηφορεῖν, de sicis intelligendum, quæ ὑποκόλπια ξίφη appellantur ab Eodem. [V. Ξιφηρέω. || Ξιφοφορέω, Theophil. Institt. 2, 10.]

Ξιφηφορία, ἡ, Gladii s. Ensis gestatio, τὸ φέρειν τὰ ξίφη, Suid.

Ξιφηφόρος, ὁ, ἡ, Ensifer, ut Ovid., Ensifer Orion; [Sicarius add. Gl.] Qui ensem gestat, Ense armatus. Herodian. 7, [10, 13] : Στρατιώτας περιστήσαντες αὐτοῖς ξιφηφόρους. Antiphanes ap. Athen. 14, [p. 623, B] : Ἥ τε σύννομος Τῆς κυφονώτου σῶμ' ἔχουσα σηπίας Ξιφηφόροισι χερσὶν ἐξωπλισμένη, de loligine, cui ab Aristot. quoque ξίφος tribui infra annotabitur. [Callistrat. Stat. 13, p. 906 : Ἦν δὲ αὐτῇ καὶ ξιφηφόρος ἡ χείρ.] Sunt et Cometæ quidam ξιφηφόροι, Plinio ξιφίαι. Theon ap. Arat. : Τοὺς μὲν ἄνω τῶν ἀστέρων ἔχοντας τὴν κόμην, κομήτας ἐκάλεσαν· τοὺς δὲ κάτω, πωγωνίας· ξιφηφόρους δὲ, τοὺς κάτωθεν. Potest autem ξιφηφόρος de muliere etiam
B dici. [Æsch. Cho. 584 : Ξιφηφόρους ἀγῶνας ὀρθώσαντί μοι. Eur. Or. 1505 : Ξιφηφόρον βαίνοντ' Ὀρέστην· Ion. 980 : Ξιφηφόρους ὀπάονας· Bacch. 991 : Ἴτω δίκα φανερὸς ἴτω ξιφηφόρος· Herc. F. 730 : Βρόχοισι δ' ἀρκύων δεδήσεται ξιφηφόροισι. Lycophr. 153 : Ἐρινὺς θουρία ξιφηφόρος.]

Ξιφίας, ὁ, ut κομήτης, Cometes mucronatus, quem Theon supra ξιφηφόρον appellat. Plin. 2, 25, [23] : Easdem (stellas crinitas) breviores et in mucronem fastigiatas, Xiphias vocavere, quæ sunt omnium pallidissimæ, et quodam gladii nitore, ac sine ullis radiis. [Cram. An. vol. 3, p. 406, 29, et ib. 34 : Ὁ δὲ ξιφίας βραδύτερος μὲν, ὠχρὸς δὲ καὶ ξιφήρεις ἔχων τὰς ἀκτῖνας. Serv. ad Virg. Æn. 10, 272.] || Piscis quidam. Plin. 32, fin. : Tomus thurianus; quem alii Xiphian vocant. Eod. l. c. 2, ex Trebio Nigro : Xiphiam, i. e. Gladium, rostro mucronato esse : ab hoc naves perfossas mergi in oceano. Denominatus autem is piscis est a mucronato isto rostro, quod ξίφος appellatur, ut in Ξίφος dicetur. [Aristot. H. A. 2, 13 : Ἔχουσι δὲ
C καὶ οἱ γαλεώδεις διπλᾶ πάντες (βράγχια) ὅ τε ξιφίας ὀκτὼ διπλᾶ· ibid. 15; 8, 19.] Archestr. apud Athen. 7, [p. 314, E] : Ἀλλὰ λάβε ξιφίου τέμαχος Βυζάντιον ἐλθών. Hos ξιφίας a Strabone vocari etiam γαλεώτας testatur Eust. [Porson. ad Toup. Emend. vol. 4, p. 505 : « In Anaxippi Epidicazomeno ap. Ælian. H. A. 13, 4, ubi circumfertur, Ὄψει διαφέρων τοῦ ἐγξιφίου κυνὸς, corrige, ὄψει διαφέροντ' οὐδὲ ἓν ξιφίου κυνός. Tradit enim Polybius ap. Strab. 1, p. 43 canem piscem eundem esse xiphiæ. Quod ex aliorum testimoniis refellere aggreditur Dorvillius Sicul. 16, p. 273. Sed si nostra Anaxippi emendatio vera est, omnino probabile fit auctores suos habuisse Polybium. » V. quæ de l. Strabonis disputat Coraes ad Xenocr. p. 209. Ἰχθὺς sine interpr. Gl. || Forma Dor. Σκιφίας apud Hesychium : Σκιφίας, εἶδος ἰχθύος, et Epicharm. ab Athen. 7, p. 282, B; 328, A, cit. : Καὶ σκιφίας χρόμεός θ', ὃς ἐν τῷ ἦρι καττὸν Ἀνάνιον ἰχθύων πάντων ἄριστος. V. Ξίφος. || « Aper Ξιφίας in Constantii gemma. Accipiter quoque Ξιφίας ab impetu vel rostro.
D Cœranus et Harpocration vocant ξίφος in Lexico de antipathiis et sympathiis : Ξίφος πτηνόν ἐστιν ἱέραξ, ὃ καλεῖται κίρκος. » Salmas. Plin. Exerc. p. 941, E. ῗᾶ]

Ξιφίδιον, τὸ, Ensiculus, ex Plauto; Gladiolus [Gl.], Pugio. [Aristoph. Lys. 53 : Μήτ' ἀσπίδα λαβεῖν μήτε ξιφίδιον.] Herodian. 7, [9, 12] : Ἕκαστος δὲ ἐπεφέρετο οἴκοθεν ἢ ξιφίδιον ἢ πέλεκυν, δοράτιά τε ἐκ κυνηγεσίων. Xen. Hell. 2, [3, 23] : Ξιφίδια ὑπὸ μάλης ἔχοντας παραγενέσθαι, Pugiones, Sicas : quæ Herodian. ὑποκόλπια ξίφη appellat. Utitur et Thuc. 3, [22] : Ψιλοὶ δώδεκα ξὺν ξιφιδίῳ καὶ θώρακι ἀνέβαινον, Brevioribus gladiis s. sicis succincti. [8, 69 : Μετὰ ξιφιδίου ἀφανοῦς.] Ap. Diod. S. 12, p. 199 [c. 19] scribitur [in libris nonnullis] etiam Ξιφείδιον, per ει, in antep., idque bis. [Contra analogiam, de qua Philemo Lex. techn. s. 96. ῗῑ]

[Ξιφίδιος, ὁ, Xiphidius, n. viri in Libanii Epist. 739.]

Ξιφίζω, Manu in altum sublata salto; nam ξιφίζειν Hesych. exp. ἀνατείνειν τὴν χεῖρα καὶ ὀρχεῖσθαι. Suidæ autem et Eust. [Od. p. 1604, 51] ξιφίζειν est χειροτονεῖν, παραπλήσιον ξίφει τὸ τῆς χειρὸς σχῆμα ποιοῦντα. [Ex. verbi ξιφίζειν priori signif. dicti est in versu Cratini ex Trophonio ab Etym. M. et Zonara in Διαρρικνοῦσθαι citato. || Formam Σκιφίζω, de qua v. in Ξίφος, retulit Hesychius : Σκιφίζει, ξιφίζει· ἔστι δὲ σχῆμα μαχαιρικῆς ὀρχήσεως. L. Dind.]

[Ξιφικῶς, Ad modum gladii, esse videtur ap. Heliod. De chrysopœia Fabric. B. Gr. vol. 8, p. 122, 138 : Ἐγὼ γὰρ ἀνδρωθεὶς μὲν λεπτυνθήσομαι τραφεὶς λίαν ξιφικῶς ἀκμάσω νέος τῇ ποιότητι τεσσάρων τῶν στοιχείων. L. Dindorf.]

[Ξιφιλῖνος, ὁ, Xiphilinus, n. viri, quo fuerunt nonnulli sec. undecimo, de quibus Fabric. B. Gr. vol. 5, p. 141, quod an dicatur ib. vol. 8, p. 42, ubi ξιφλῖνος, videndum est. L. Dind.]

[Ξιφίνδα, adverbium memorat Theognost. Can. p. 164, 31. Videtur ad Lusus genus referri, quod simile esset ξιφισμῷ.]

Ξιφίον, τὸ, Gladiolus, Xiphion, [Cyprius, Gl.] nomen herbæ, quæ et ξίφος a Theophr. nominatur. Diosc. 4, 20 : Ξιφίον· οἱ δὲ φάσγανον, οἱ δὲ μαχαιρώνιον καλοῦσι, διὰ τὸ τοῦ φύλλου σχῆμα· ἔοικε γὰρ ἴριδι, ἔλαττον μέν τοι καὶ στενώτερον καὶ ἀποξὺ ὡς μαχαίριον. Plin. 25, 11 : Lonchitis non, ut plerique existimarunt, eadem est quæ Xiphion aut Phasganion, quanquam cuspidi similis semine. Et mox : Ex diverso Xiphion et Phasganion in humidis, quum primum exit, gladii præbet speciem. Idem Plin. alibi Gladiolum appellat. [Theophr. H. Pl. 6, 8, 1 ; 7, 13, 2. Matthæi Med. p. 347, 350.]

[Ξίφιος, ὁ.] Pro Ξιφίας dicitur et Ξιφιὸς [ξίφιος potius scribendum], teste Hesych.

[Ξιφίρου λιμὴν, Αἰσχύλος Γλαύκῳ Ποτνιεῖ, ὁ πορθμός. Ταῦτα γὰρ πάντα τὰ περὶ Ῥήγιον ὡρείων, Hesych. Quæ ita corrigebat Bernhardy *Berlin. Jahrb.* 1828, p. 243 : Ξιφωνίου λιμήν· Αἰσχύλος Γ. Ποντίῳ *** ὁ πορθμός. Ταῦτα γὰρ πάντα περὶ Ῥήγιον. Ὡρίων, ut Æschyli verba præter duo excidissent. V. Ξιφωνία. L. Dind.]

[Ξίφισμα. V. Ξιφισμός.]

Ξιφισμὸς, ὁ, et Ξίφισμα, τὸ, Saltatio ejusmodi [qualis describitur in verbo Ξιφίζω]. Hesychio ξιφισμὸς est σχῆμα ὀρχηστικὸν τῆς λεγομένης ἐμμελείας ὀρχήσεως : qui ξιφισμάτων exp. simpliciter ὀρχημάτων. Eustathius p. 1167, ex Pausania : Ὀρχήσεως εἶδος καὶ ὁ ξ. καὶ σχῆμα ἐμμελείας, ὅθεν ἀποξιφίσασθαι, τὸ ἐξορχήσασθαι, ὥσπερ καὶ ἀποφοιτᾷν παρὰ Λυσίᾳ τὸ παύσασθαι φοιτῶντα, ὅ ἐστι μανθάνοντα. Sed et Suidæ est σχῆμα ἐκ τῆς ἐμμελείας καλουμένης. Ab Athen. quoque 14, [p. 629, F] inter σχήματα ὀρχήσεως numeratur. [Ξιφισμὸν memorat Pollux 4, 59. Chœrob. Cram. An. vol. 2, p. 242, 8 : Ξιφίσματα, ὄρχησις παρὰ τὸ ξίφος, ὡς τῶν ὀρχουμένων ξιφηρῶν ὄντων. L. Dind.]

Ξιφιστὴρ, ῆρος, ὁ, i. q. ξιφιστής. Plut. in Pomp. [p. 210 [c. 42] de Mithridatis balteo : Τὸν μὲν ξιφιστῆρα πεποιημένον ἀπὸ τετρακοσίων ταλάντων. VV. LL. ξιφιστὴρ exp. Vagina. [Heliod. Æth. 9, 23 : Τὸν ξιφιστῆρα τοῦ σατράπου λιθοκόλλητόν τε καὶ πολύτιμον.]

Ξιφιστὴς, ὁ, φορεὺς, τελαμὼν, Balteus, Cingulum, ex quo ensis suspenditur, Hesych. At Ξιφιστὺς, ύος, ἡ, Dimicatio s. Pugna, quæ ensibus fit, μαχαιρομαχία, μάχη ἐκ χειρῶν, Hesych.

[Ξιφοδήλητος, ὁ, ἡ, Qui gladio lædit. Æsch. Choeph. 729 : Ξιφοδηλήτοισιν ἀγῶσιν· Ag. 1529 : Ξιφοδηλήτῳ θανάτῳ τίσας ἅπερ ἦρξεν.]

Ξιφοδρέπανον, τὸ, Ensis s. Gladius falcatus, ἡ λεγομένη ἅρπη, ὅπλον, Hesych. [Philo Belop. p. 99 fin : Ἀντὶ τῶν ἐγχειριδίων ξιφοδρέπανα ἔχοντες. Ducang.]

[Ξιφόδρης, ὁ, Xiphodres, Persa, ap. Clem. Al. Strom. 5, p. 612.]

Ξιφοειδὴς, ὁ, ἡ, Ensis formam gerens, Ensem sua forma repræsentans, Gladii præbens speciem, ut herba quæ ξίφος dicitur. Exemplum ex Theophrasto [H. Pl. 7, 13, 1] habes in Ξίφος. At ξ. ἐπίφυσις dicitur Cartilago triangula parti infimæ sterni adnata, gladii effigie. In hanc enim sternon exacuitur et desinit : non est autem semper simplex et acuminata hæc cartilago, sed non raro in fine lata, sæpe bifida : unde et vulgo Furcella dicitur. Sæpe tota est latissima et plane ossea, unde Galeno os aliquando dicitur, quod ætatis aut temperamenti siccioris occasione in os degenerat,

A præsertim parte anteriore; nam posterior diutius cartilaginosa est, et intima semper. Quidam Mucronatam cartilaginem vocant, vulgo Malum granatum. Sunt vero qui non eam cartilaginem, sed totum ipsum sternon cum ea ξιφοειδὲς nuncupent, ut ait Gal.; nam sternon manubrio, cartilago vero gladio plerumque similis videtur. [Galen. vol. 4, p. 20 : Τὸ δὲ σύμπαν σχῆμα τοῦ μὲν στέρνου ξίφει παραπλήσιον ὑπάρχει· διὸ καὶ ξιφοειδὲς ἔνιοι προσαγορεύουσιν αὐτὸ, τινὲς δὲ οὐχ ὅλον, ἀλλὰ τὸν ἐπὶ πέρατι μόνον αὐτοῦ χόνδρον οὕτως ὀνομάζουσι. Pollux 2, 164 : Τῷ χόνδρῳ τοῦ στήθους, ὅ ἐστιν ὀστοῦν ἐκπεφυκὸς τοῦ στήθους καὶ λῆγον εἰς αὐτὸ τὸ τοῦ στήθους ἄκρον ὀστοῦν, ὃ καὶ ξιφοειδὲς καλεῖται. || « Adv. Ξιφοειδῶς, Saracenica Sylb. p. 73. » Boiss.]

Ξιφοθήκη, ἡ, Theca in qua ensis conditur, Vagina [Gl.] ensis, βελοθήκη, Pharetra, Hesych. [Paraphr. Iliad. A, 194, 220. Boiss. Confusum cum ψηφοθήκη ap. schol. Aristoph. Thesm. 1031.]

Ξιφοκτονέω, Gladio perimo, Ense necem infero : ξιφοκτονεῖ, ξίφεσιν ἀναιρεῖ, Suidas.

B Ξιφοκτόνος, ὁ, ἡ, Qui ense interficit, ut Soph. Aj. [10] χέρας ξιφοκτόνους dixit τὰς διὰ ξίφους φόνον εἰργασμένας. [Eur. Hel. 354 : Ξιφοκτόνον δίωγμα λαιμορύτου σφαγᾶς.] At Ξιφόκτονος, proparoxytonws, Qui ense peremptus est, Gladio necatus.

Ξιφομάχαιρα, ἡ, Ensis, Magnus gladius, ἡ μεγάλη μάχαιρα, Hesych. Sic Pollux 7, [158] : Εἴρηται δὲ καὶ ξ., ἡ μεγάλη μάχαιρα, ἐν Θεοπόμπου Καπηλίσιν, Ἐλεφαντοκώπους ξυλομαχαίρας καὶ δόρυ· ἔνιοι γὰρ οὕτως εἰρῆσθαι τὰ δόρατά φασι. Sic ap. Polluc. habetur, sc. ξιφομάχαιρα, et postea [vitiose] in l. Theopompi quem citat, ξυλομαχαίρας : quæ scriptura an rejicienda sit, nescias, quoniam subjungit, sic vocata fuisse τὰ δόρατα, sc. ξυλομαχαίρας, Ligneos enses. [Conf. 10, 118, 145. Ξιπομάκαιρα, Scytha Aristoph. Thesm. 1127 : Τὸ ξιπομάκαιραν.]

[Ξιφοποιὸς, ὁ, Gladiarius, Gl.]

[Ξιφορρύπτης, τὸ κρίνον τὸ ἄσπρον, in glossis iatricis Mss. ex codd. Reg. 199 et 843. Lilium album. Duc.]

Ξίφος, ους, τὸ, Ensis, Gladius [Gl.]. Hom. Il. A, C [194] : Ἕλκετο δ' ἐκ κολεοῖο μέγα ξίφος· Υ, [284] : Ἐμμεμαὼς ἐπόρουσεν ἐρυσσάμενος ξίφος ὀξύ· Od. K, [294] : Ξίφος ὀξὺ ἐρυσσάμενος παρὰ μηροῦ. Sic ap. Aristoph. Ran. [264] : Καὶ τὸ ξίφος γ' ἐσπᾶτο, μαίνεσθαι δοκῶν. Lat. Distringere ensem, Ducere s. Educere s. Eripere s. Exuere vagina. [Il. N, 576 : Ξίφεϊ σχεδὸν ἤλασε κόρσην Θρηικίῳ μεγάλῳ. V. schol. et Eust.] Od. Λ, [530] : Ξίφεος δ' ἐπεμαίετο κώπην· Il. Π, [332] : Πλήξας ξίφει αὐχένα κωπήεντι· Od. X, [443] : Θεινέμεναι ξίφεσι τανυήκεσι· Il. Π, [333] et Υ, [476] : Πᾶν δ' ὑπεθερμάνθη ξίφος αἵματι· Od. Λ, [97] : Ἀναχασσάμενος ξίφος ἀργυρόηλον Κουλεῷ ἐγκατέπηξα, Condere in vagina ensem, Recludere, Referre vaginæ, Latini poetæ dicunt. [Il. B, 45 : Ἀμφὶ δ' ἄρ' ὤμοισιν βάλετο ξίφος ἀργυρόηλον, de ense ex balteo pendente, ut Od. B, 3 : Περὶ δὲ ξίφος ὀξὺ θέτ' ὤμῳ· Ξ, 528 : Ξίφος ὀξὺ περὶ στιβαροῖς βάλετ' ὤμοις· Φ, 119 : Ἀπὸ δὲ ξίφος ὀξὺ θέτ' ὤμων. Pind. Nem. 7, 27 : Λευρὸν ξίφος· 10, 6 : Ἐν κουλεῷ κατασχοῖσα ξίφος· Pyth. 4, 147 : Χαλκοτόροις ξίφεσιν. Æsch. Prom. 862 : Δίθηκτον ἐν σφαγαῖσι βάψασα ξίφος. Soph. D Ant. 1232 : Ξίφους ἕλκει διπλοῦς κνώδοντας· 1309 : Τί μ' οὐκ ἀνταίαν ἔπαισέν τις ἀμφιδήκτῳ ξίφει; Eur. Or. 291 : Τῆς τεκούσης ἐς σφαγὰς ὦσαι ξίφος· 1036 : Ξίφος θήγειν χερί· 1133 : Εἰ μὲν γὰρ ἐς γυναῖκα σωφρονεστέραν ξίφος μεθεῖμεν· 1194 : Ξίφος σπάσαντα· 1477 : Ὁ δὲ ξίφος πρόκωπον ἐν χεροῖν ἔχων· 1531 : Μενέλεων δ' οὐ τάρβος ἡμῖν ἀναλαβεῖν εἴσω ξίφους· Med. 1325 : Ἥτις τέκνοισι σοῖσιν ἐμβαλεῖν ξίφος ἔτλης· Phœn. 595 : Ὅστις εἰς ἡμᾶς ξίφος φόνιον ἐμβαλὼν ... οὐκ ἀποίσεται μόρον· 1092 : Μελάνδετον ξίφος λαιμῶν διῆκε. Aristoph. Vesp. 523 : Περιπεσοῦμαι τῷ ξίφει· Lys. 156 : Ἐξέβαλλε τὸ ξίφος· 633 : Φορήσω τὸ ξίφος ἐν μύρτου κλαδί. Lycophr. 1121 : Εἰς σπλάγχν' ἐχίδνης αὐτόχειρ βάψει ξίφος. Theocr. 22, 198 : Ξίφος ἔκβαλεν.] Usus hujus vocabuli in prosa quoque non minus creber. [Herodot. 3, 64 : Τοῦ κουλεοῦ τοῦ ξίφεος· et ib. : Γυμνωθὲν τὸ ξίφος. Xen. Anab. 2, 2, 9 : Σφάξαντες ταῦρον ... εἰς ἀσπίδα βάπτοντες ξίφος· 7, 14, 16 : Ἐσπασμένοι τὰ ξίφη.] Athen. 4 : Θαυματουργοὶ γυναῖκες εἰς ξίφη κυβιστῶσαι. Sic ap. Xen. Symp. [2, 11] : Κύκλος εἰσηνέχθη περίμεστος ξιφῶν ὀρθῶν εἰς ἃ ὀρχηστρὶς

A ἐκυβίστα τε καὶ ἐξεκυβίστα· et [12] : Τολμηρῶς εἰς τὰ ξίφη ἵεται. [Heliodorus 3, 17 : Ἐπηγγέλλετο ἅπαντα ποιήσειν, ὡς ἂν ἐγὼ προστάττω, κἂν εἰ ξιφῶν ἐπιβαίνειν κελεύοιμι. Koenig.] Herodian. 3, [14, 14] : Ξίφος παρηρτημένοι γυμνοῦ σώματος. Plut. De deo Socr. [p. 595, E] : Ξίφος ἔχων, καὶ θώρακα σιδηροῦν ὑπενδεδυμένος. Aliquanto post, Τὴν χεῖρα τῇ λαβῇ τοῦ ξίφους ἐπιβεβληκώς. Ibid., Τὸ ξίφος ἀνέλκων, Ensem vagina educens : Seneca, Aptat impiam capulo manum, Ensemque ducit. Idem Plut. in Crasso [c. 28] : Γυμνοῖς τοῖς ξίφεσιν ὠθουμένους, Nudatis ensibus impressione facta. Item πρόστομον ξίφος, Ensis mucronatus et acutus; cui opp. ἀπρόστομος, Obtusus. [Diodor. 5, 29 : Εἰς τὴν ἀπὸ τοῦ ξίφους συνίστανται μάχην.] Differre autem ξίφος a μάχαιρα, patet ex l. Xen. supra in Μάχαιρα citato : ex eo enim colligimus ξίφος rectius exponi Ensis : μάχαιρα vero Gladius, vel Gladius brevior : ut est Sica, Gladius falcatus, κοπίς : et illud minus esse latum, et ad ictus punctim inserendos magis idoneum : hæc latiora, ad plagam cæsim inferendam. [Non distinguit Polyb. 3, B 114, 2 : Τὰ ξίφη... ἡ δὲ Γαλατικὴ μάχαιρα, de unis iisdemque. Schol. Hom. Il. N, 610 : Ξίφος ἀργυρόηλον) Ἡ διπλῆ, ὅτι Ζηνόδοτος γράφει χείρεσσι μάχαιραν· ἀγνοεῖ δὲ ὅτι Ὅμηρος παραξιφίδα μάχαιραν καλεῖ, τὸ δὲ πολεμιστήριον ξίφος.] Plut. tamen [Cæsare c. 66] ἐγχειρίδιον et ξίφος vocavit Pugionem, quo Casca Cæsarem percussit. Itidemque Herodian. [7, 11, 6] ξίφος ὑποκόλπιον appellat Sicam. [De cuspide sagittæ cod. B Nicetæ Man. Comn. 3, 8, p. 66, A : Βέλη ἀργυρέους ἔχοντα τοὺς ἀτράκτους) σαγίτας ἀργύρια τὰ ξίφη ἔχοντα. L. D. Ferrum jaculi vel lanceæ vel clypei. Anon. In Rhetoricam Aristotelis p. 75 : Τὰ γὰρ κοντάρια ἔχουσιν τὸ ἄκρον, ἔνθα τὸ ξίφος ἐστὶν παρωξυσμένον φύσει. Glossæ Mss. ad Hom. Batrachom. 256 : Δουρὸς ἀκωκή) κονταρίου ξίφος. Leo Tact. 5, 3 : Οἷον ξίφος κονταρίου. Et 6, 25 ; 7, 18. Niceph. Bryenn. Hist. 4, 4 : Ὁπλίζεσθαι γοῦν αὐτοὺς παρασκευάζων περιῄρει μὲν τῶν δοράτων τὰ ξίφη. Jul. African. De app. bell. c. 71, ubi de clypei umbone : Ἔχειν δὲ ἐν τῷ μέσῳ καὶ πέταλον στρογγύλον καὶ ἐν αὐτῷ τὸ ξίφος ἀνεστηκὸς ὡσεὶ δακτύλων δ′. || Ξιφάριον, τὸ, C idem. Glossæ græcobarb. : Τὸν σίδηρον τῶν δοράτων, τὸ ξιφάριον τὸ ἐπάνω τοῦ κονταρίου. Constantin. Tact. p. 10 : Ὡς ξιφάριον κονταρίου. Ducang.] || Ξίφος dicitur etiam Mucronatum xiphiæ piscis rostrum. Athen. 7, [p. 314, E] de xiphia pisce : Τοῦτον Ἀριστοτέλης φησὶν τοῦ ῥύγχους τὸ μὲν ὑποκάτω, μικρόν· τὸ δὲ καθύπερθεν ὀστῶδες, μέγα, ἴσον τῷ ὅλῳ αὐτοῦ μεγέθει· τοῦτο δὲ καλεῖσθαι ξίφος. [H. A. 4, 1 : Τῇ σηπίᾳ καὶ τῇ τευθίδι καὶ τῷ τεύθῳ ἐντός ἐστι τὰ στερεὰ ἐν τῷ πρανεῖ τοῦ σώματος, ἃ καλοῦσι τὸ μὲν σήπιον, τὸ δὲ ξίφος· De partt. an. 2, 8 : Ἐν ταῖς τευθίσι τὸ καλούμενον ξίφος.] In VV. LL. autem ξίφος, Gladiolus, dicitur esse Pars quædam solida in loligine, ap. Aristot. De partt. an. 2, 4. || Ξίφος dicitur etiam herba quædam. Theophr. H. Pl. 7, 12 : Τὸ δὲ φάσγανον, ὑπό τινων δὲ καλούμενον ξίφος, ξιφοειδές· ὅθεν ἔσχε καὶ τοὔνομα· paulo post ξιφίον appellat, ut et Diosc. et Plin. A Gaza redditur Pugio. Sed Gladiolum potius cum Plin. interpretabimur, si Græcam vocem cum eo retinere nolimus. [Πόα τις Hesych. || Formam Σκίφος etymologiæ caussa fingere videtur Etym. M. p. D 611, 9. Sed eam ut Æolicam memorat gramm. in Crameri An. vol. 4, p. 326, 9, et usurpatam fuisse a Doribus ostendimus in Ξιφίας et Ξιφίζω, ponitque etiam Hesychius in Σκίφος citandus. Pausaniæ pro κίφος in loco in Κίφος citato restituendam putabat Schneider.]

Ξιφουλκία, ἡ, Gladii s. Ensis ex vagina eductio, Ensis evaginatio. Plut. Camillo [c. 29] : Πρὸς ταῦτα θορυβηθεὶς ὁ Βρέννος, ἥψατο μὲν ἀψιμαχίας, καὶ παρῆλθον μέχρι ξιφουλκίας ἑκάτεροι καὶ διωθισμῶν, Gladios stringere utrique cœperunt, Nudo ferro concurrere inceperunt, Ad enses evaginandos ventum est : ut fieri solet post tela vel pila emissa. Utitur eod. vocab. idem Plut. Aristide [c. 18, Pompeio c. 69. « Synes. p. 23, D. » Hemst. Nicet. Chon. p. 361, A : Τῆς ἐπὶ Λατίνους ξιφουλκίας.]

Ξιφουλκὸς, ὁ, ἡ, Qui strinxit gladium, ensem vagina eduxit, in VV. LL. habetur. [Æsch. Eum. 592 : Ξιφουλκῷ χειρὶ πρὸς δέρην τεμών.]

Ξιφουργὸς, ὁ, Ensium fabricator, Qui enses fabricatur. [Aristoph. Pac. 546.]

A [Ξιφοφορέω. V. Ξιφηφορέω.]

[Ξιφοφόρος, ὁ, Sicarius, Gl.]

[Ξιφύδριον, τὸ, dimin. a ξίφος, i. q. τελλίνη, quod v., Concha. Xenocr. Aquat. 30, 59 : Τελλῖναι ἢ ξιφύδρια. Hesychius post Ξίφος : Ξιφίδρια (—ύδρια), κοχλία. Idem : Σκιφύδρια, εἶδος κογχυλίου.]

[Ξίφων, ωνος, ὁ, Xiphon, n. canis ap. Xen. Cyn. 7, 5, Chœrob. vol. 1, p. 77, 3.]

[Ξιφωνία, ἡ, Xiphonia. Πόλις Σικελίας. Θεόπομπος Φιλιππικῶν λθ′. Τὸ ἐθνικὸν Ξιφωνιάτης, ὡς Καυλωνιάτης, Steph. Byz. Τὸ τῆς Ξιφωνίας ἀκρωτήριον memorat Strabo 6, p. 267. Ξιφωνίαν Diod. Exc. p. 502, 49. V. Ξιφίρου λιμήν. Quocum conferendum λιμὴν Ξιφώνειος ap. Scylacem p. 4, nisi id ipsum quis malit ap. Hesychium. L. Dind.]

[Ξόανα, Xoana, locus Paphlagoniæ, ap. Ptolem. 7, 1.]

[Ξοανηφόρος, ὁ, ἡ, Qui simulacrum fert. Schol. Æsch. Sept. 310 (289) : Εἴρηται δὴ καὶ ἐν Ξοανηφόροις Σοφοκλέους ὡς οἱ θεοὶ ἀπὸ τῆς Ἰλίου φέρουσιν ἐπὶ τῶν ὤμων B τὰ ἑαυτῶν ξόανα, εἰδότες ὅτι ἁλίσκεται. Boiss.]

Ξοανογλύφος, ὁ, Qui simulacra sculptilia scalpit. [Eust. Angl.]

Ξόἄνον, τὸ, Id quod rasura s. scalptura politum est, quod ex saxo sculptum aut ex ligno dolatum est : unde Hesych. : Ξοάνων, προθύρων ἐξεσμένων. [De instrumentis musicis politis Soph. fr. Thamyr. ap. Athen. 14, p. 637, A : Τά τ' ἐν Ἕλλησι ξόαν' ἡδυμελῆ.] Sed frequentius ξόανα dicuntur ἀγάλματα, εἴδωλα, ζώδια, ac proprie τὰ ἐκ ξύλων ἐξεσμένα ἢ λίθων, ut idem Hesych. tradit, Simulacra ex saxo sculpta aut ligno fabricata. Serv. in Æn. 4, [56] Delubra adeunt : Simulacrum [Gl.], ligneum delubrum [Gl.] dicimus, ex libro, h. e. raso ligno, factum, quod Græce ξόανον dicitur. Idem in Æn. 6, [68] Agitatque numina Trojæ : Aut mecum vexata : aut certe ξόανα dicit, i. e. Simulacra brevia, quæ portabantur in lecticis, et ab ipsis mota infundebant vaticinationem. Pollux 1, [7] : Αὐτὰ δὲ ἃ θεραπεύομεν, ἀγάλματα, ξόανα, ἕδη θεῶν, εἰκάσματα θεῶν, εἰκόνες, μιμητὰ τυπώματα· rejicit autem C δείκηλον et βρέτας. Ammonius vero [p. 99] discrimen facit inter ξόανον, βρέτας, et ἄγαλμα : nam ξόανον esse dicit τὸ ἐξεσμένον λίθινον ἢ ἐλεφάντινον· βρέτας autem, τῷ βροτῷ ὅμοιον, sive æreum illud sit, sive ex simili materia confectum : ἄγαλμα autem, τὸ πώρινον, aut ex alio aliquo lapide. Non incommode reddes Sculptum s. Scalptum simulacrum, Sculptile signum. [Eur. Tro. 525 : Τόδ' ἱερὸν ἀνάγετε ξόανον· 1074 : Χρυσῶν ξοάνων τύποι· Iph. T. 1359 : Κλέπτοντες ἐκ γῆς ξόανα· Ion. 1403 : Βωμοῦ λιποῦσα ξόανα, aliique poetæ. Xen. Anab. 5, 3, 12 : Τὸ ξόανον ἔοικεν ὡς κυπαρίττινον χρυσῷ ὄντι τῷ ἐν Ἐφέσῳ. V. etiam Letronn. ad inscr. Rosett. 77 et 81, *Recueil* vol. 1.] Philo V. M. 3 : Ξοάνων γὰρ καὶ ἀγαλμάτων καὶ τοιουτοτρόπων ἀφιδρυμάτων ἡ οἰκουμένη μεστὴ γέγονεν. Pausan. Att. : Ἐν τούτῳ τῷ πεδίῳ ναός ἐστι Διονύσου, καὶ τὸ ξ. ἐντεῦθεν Ἀθηναίοις ἐκομίσθη τὸ ἀρχαῖον. Aliquanto post, Ξόανον ἀνέθηκεν ἀποκεκρυμμένον. Idem Pausan. [1, 18, 5] : Μόνοις τοῖς Ἀθηναίοις τῆς Εἰλειθυίας κεκάλυπται τὰ ξόανα. Idem [2, 4, 1] : Τὸ δὲ ἄγαλμα τοῦτο, ξόανον ἐστὶ, πρόσωπόν τε καὶ χεῖρες καὶ D ἀκρόποδές εἰσι λευκοῦ λίθου, Signum autem hoc, s. simulacrum, scalptum est s. sculptile. Idem p. 198, pro Statua hominis usurpavit. [HSt. in Ind. :] Ζόαναι, Sacrati homines, ut quidem refert Cæl. Rhod. Antiq. Lect. 12, 11. Ibidem Delubrum, i. e. Ligneum simulacrum, Græce Ζόανον dici annotat, s. ξόανον, ut alii scribere malunt. De sacris autem hominibus vide plura ibid. [|| Formam Æol. Ξύανον annotavit Tzetz. Exeg. Il. p. 122, 13 : Οἱ Αἰολεῖς τὸ βραχὺ ο τρέπουσαν εἰς υ... ὄνυμα τὸ ὄνομα λέγοντες καὶ ξύανον τὸ ξόανον. L. D.]

Ξοανοποιΐα, ἡ, Simulacrorum sculptilium confectio, Strabo de diis loquens ἀνθρωπομόρφοις. [Utitur 16, p. 761, ubi de Judæis loquitur. Kuster.]

[Ξοανουργία, ἡ, i. q. ξοανοποιΐα. Lucian. De dea Syr. c. 34, ubi ξοανουργίη.]

Ξοΐς, ἴδος, ἡ, Instrumentum ad scalpendum s. radendum, Scalprum, μεταλλικὸν σκεῦος καὶ λιθουργικὸν, Hesych. [Epigr. Anth. Plan. 86, 4 : Κύων σύκινος, οὐ ῥυκάνῃ πεπονημένος, οὐδ' ἀπὸ ποιμενικῆς αὐτομαθοῦς ξοΐδος. « Ex hoc l. apparet τὴν ξοΐδα etiam ad lignum scalpendum esse adhibitam. Falcem appellat Propert. 4, 2, 59, ubi Vertumnus : Stipes acernus eram properanti falce dolatus. » Jacobs. Inscr. Att. ap. Müllerum De munim. Athen. p. 34, 40 : Τοὺς ἁρμοὺς ὑπὸ ξοΐδος τιθεὶς sec. conj. Mülleri, qui Asciam interpretatur p. 38. L. Dind.]

[Ξοΐς, ιδος, ἡ, nomen insulæ et urbis in nomo Sebennytico, teste Strabone 17, p. 802. Meminit Plut. Mor. p. 368, B. Steph. Byz. e Strabone recte emendarunt Holsten. et Berkel. Ξόϊς est quoque in Hieroclis Synecdemo p. 724. Alibi scribitur Ζοῦϊς, Ζόϊς, aut magis depravatum. (Orac. Sib. 5, p. 307 : Θμοῦις καὶ Ξοῦις θλίβεται.) (Ap. Plin. N. H. 5, 9, 9, et) In numo Hadriani fit mentio nomi ΞΟΙΤΗΣ. Edidit primus Belley. Comm. Acad. Inscr. t. 28, p. 542, repetiit Zoega in Num. Æg. Imp. p. 116, addidit tamen numum similiter inscriptum ante anecdotum. Tewater. Lucianus Rhet. præc. c. 24 : Ὁρᾷς ἐμὲ, ὃς πατρὸς μὲν ἀφανοῦς καὶ οὐδὲ καθαρῶς ἐλευθέρου ἐγενόμην, ὑπὲρ Ξόϊν καὶ Θμοῦϊν δεδουλευκότος, In servili conditione hominem. Koenig. Accentum paroxytonum, quem postulat etiam accus. Ξόϊν, memorat schol. Hom. Il. Λ, 677, Herodian. Cram. An. vol. 3, p. 235, 19, 30. || Ἀθανάσιος ἐπίσκοπος τῶν Ξοϊτῶν est in Ms. ap. Lambec. Bibl. Cæs. vol. 8, p. 893-4, 18. L. Dind.]

[Ξοΐτης. V. Ξόϊς.]

Ξοὸς, ὁ, ξυσμὸς, Rasura, ὁλκὸς, Hesych.

[Ξουθία, ἡ, Xuthia. Πόλις Σικελίας. Φίλιστος γ' Σικελικῶν. Τὸ ἐθνικὸν Ξουθιάτης, Steph. Byz. Diod. 5, 8 : Ἐβασίλευσε δὲ καὶ Ξοῦθος τῆς περὶ τοὺς Λεοντίνους χώρας, ἥτις ἀπ' ἐκείνου μέχρι τοῦ νῦν χρόνου Ξουθία προσαγορεύεται.]

[Ξουθίδης, ὁ, Xuthides s. Filius Xuthi. Hesychius : Ξουθίδαι οἱ Ἴωνες· Ἴων γὰρ Ξούθου. Lycophr. 987 : Τοὺς πρόσθ' ἕδεθλον Ξουθίδας ᾠκηκότας.]

[Ξουθόπτερος, ὁ, ἡ, Qui alis est flavis. Eur. Herc. F. 487 et fr. Cress. ap. Athen. 14, p. 640, B, μέλισσα.]

Ξουθὸς, ή, ὸν, i. q. ξανθὸς, Flavus : item πυῤῥὸς, Rufus, teste Hesychio [et sec. eundem λευκὸς et χλωρός]. A quibusdam exp. etiam ταχὺς, Celer. Utroque modo accipi potest ξουθαὶ μέλισσαι in Epigr. [Platonis Anth. Plan. 210, 6, Zonæ Anth. Pal. 9, 226, 1, Theocr. Id. 7, 142. Soph. fr. Polyid. ap. Porphyr. Abst. 2, 19, p. 134 et al. : Ξουθῆς μελίσσης κηρόπλαστον ὄργανον. Eur. Iph. T. 165, 635. Antip. Sid. Anth. Plan. 305, 3 : Ξουθὸς ἑσμός (apum).] Et τῆς ξουθῆς δειλότεροι κεμάδος, ap. Athen. l. 5, [p. 222, A]. Sic in Epigr. [Mnasalcæ Anth. Pal. 7, 192, 4] rursum, Ξουθῶν ἐκ πτερύγων ἡδὺ κρέκουσα μέλος· nimirum et pro Flavus s. Rufus, et pro Celer, ξουθὸς hic accipi potest. [Æsch. fr. Myrmid. ap. Aristoph. Ran. 932 : Τὸν ξουθὸν ἱππαλεκτρυόνα· Ag. 1142 : Οἷά τις ξουθὰ ... ἀηδών. Eur. Hell. 1111, item de luscinia : Ἔλθ', ὦ διὰ ξουθᾶν γενύων ἐλελιζομένα. Aristoph. Av. 214 (coll. 744) : Ἐλελιζομένη διεροῖς μέλεσιν γένυος ξουθῆς· 677 : Ὦ ξουθὴ ... ἀηδοῖ. Theocr. Ep. 4, 11 : Ξουθαὶ δ' ἀδονίδες. « Ξουθὴ χελιδὼν, Babrius Fab. 119, 1. » Boiss.] At ap. Athen. l. 13, [p. 608, D] : Ξουθοῖσιν ἀνέμοις φορούμενοι, tantum exposueris Celeribus, Pernicibus. [Quo spectat quod Suidas Ξουθὸν interpr. ὀξὺ, ταχύ. Schweigh.] Quomodo accipi potest et quod ex Epigr. [Anth. Pal. 9, 373, 4] affertur ξουθὰ μαινομένη, et ξουθὰ λαλεῦντα, quod tamen posterius quidam interpr. Argute. [Præterea Hesychius interpretatur λεπτὸν, ἁπαλὸν, ἐλαφρὸν, ὑγρὸν, ἀργυρὸν (sic), πυκνὸν, ὀξὺ, τινὲς δὲ ποικίλον, εὐειδὲς, διαυγές. Quibus καλὸν addit Photius s. Suidas.] At Ξοῦθος, nom. propr. [Filii Hellenis ap. Hesiodum in fr. ap. Tzetz. ad Lycophr. 284, Euripidem in Ione, Herodot. 7, 94, et alios. Conf. Ξουθίδης et Buttmann. Mythologi vol. 2, p. 139. Alii viri cognomines sunt ap. Demosth. p. 816, 26, Aristot. Phys. ausc. 4, 9 init., Plut. Anton. c. 24, et alios. || Ξουθὸς et ξανθὸς confusa ap. Athen. 12, p. 510, D, coll. Porphyr. Abst. 2, 21, p. 140, et eund. coll. Clemente Al. Strom. 4, p. 565.]

[Ξοῦις. V. Ξόϊς.]

[Ξούχης, πόλις Λιβύης. Ἀρτεμίδωρος ἐν ἐπιτομῇ τῶν ἕνδεκα. Τὸ ἐθνικὸν Ξουχίτης, Steph. Byz. Supra Ζοῦχις.]

[Ξυάλη. V. Ξυήλη.]

A [Ξύανον. V. Ξόανον.]

[Ξυάρις, ἡ. Laurent. De mens. 6, 14, p. 112 Rœth. : Ὅτι δὲ τὸν ἐνιαυτὸν ὡς θεὸν ἐτίμησαν δῆλον ἐξ αὐτῆς τῆς Λυδῶν βασιλίδος πόλεως· Σάρδιν γὰρ αὐτὴν καὶ Ξυάριν ὁ Ξάνθος καλεῖ. Quibus additur explicatio nominis prioris, nulla alterius.]

Ξυήλη, ἡ, Radula, Instrumentum quo aliquid raditur. Exemplum e Xen. habes in Ξύω. [Cyrop. 6, 2, 32 : Ὅστις δὲ πεπαίδευται καὶ παλτὸν, ἀγαθὸν καὶ ξυήλης μὴ ἐπιλαθέσθαι.] Vulgo dicebatur Ξυάλη, ut ex Suida et Hesych. patet : Attice autem κνῆστις, de quo suo loco. At vero illud ξυάλη Doricum esse annotatur. [Ut paroxytonon ponit Herodian. Π. μον. λ. p. 39, 3.] Est etiam ξιφίδιόν τι, quod δρέπανον nonnulli vocant, Hesych. Unde colligimus parum inter se differre ξυήλην et κοπίδα : nam κοπίδας Curtius vocari ait Gladios leviter curvatos falcibus similes. Suid. e Xen. Anab. [4, 7, 16] : Εἶχον δὲ καὶ κράνη καὶ περὶ τὴν ζώνην μαχαίριον ὅσον ξυήλην Λακωνικήν· quæ et ap. Eust. leguntur p. 872. Idem Suid. ex Eod. [ib. 8, 25] : Δρακόντιος
B ἔφυγεν ἐκ Σπάρτης παῖς ἔτι ὢν, ἀποκτείνας ξυήλῃ Λακωνικῇ παῖδα. Pro ξυήλη ap. Pollucem [male] habetur Ξυΐνη, 1, [137], de nominibus armorum : Δρεπάνη, δορυδρέπανον, πέλεκυς ἀμφίστομος, ἑτερόστομος· τάχα δ' ἂν προσθείη τις τούτοις καὶ τὴν ξυΐνην τὴν Λακωνικήν. [V. id. 10, 142, 144.]

Ξυηρὸς, Lævigatus, VV. LL. [E Xen. Cyn. 10, 3, de quo l. in Ξυρήκης.]

[Ξύθος, Cilicia, Gl.]

[Ξυλάβιον, τὸ, Forceps quo ignita tenentur. Schol. Oppiani Hal. 2, 342 : Πυράγρη, ἣν ξυλάβιόν φασιν οἱ χαλκεῖς. Nicephorus Blemm. in Logica c. 7, p. 36 : Ὥσπερ ὑπὸ χαλκευτικῆς ὁ ἄκμων καὶ ἡ σφῦρα καὶ τὸ ξυλάβιον, ὄργανα ὑπάρχοντα ταύτης δὴ τῆς χαλκευτικῆς. Ducang. Est in hoc loco varietas ξύλλαβι. Scribe potius ξυλλάβι. Boiss.]

[Ξυλᾰγώγιον, τὸ, Fustis. Basilic. 53, 8, 3 : Ὁ δὲ ναύτης ὁ τὴν κλοπὴν ἐργασάμενος λαμβανέτω ξυλαγώγια ἑκατόν. Ubi lex Rhodia ex Digest. : « Centum plagas fuste verberatus accipiat. » Ducang.]

C [Ξυλᾰ́λογον, τὸ, Ligneus asinus, machinæ species. Nicetas Alex. Comn. 3, 2, p. 329, B : Πλεγμάτιον τοίνυν ἐκ λύγων συγκείμενον, ὅ φασιν ἡ δημώδης φράσις ξυλάλογον ... εἴσεισι. Ubi cod. al. ὄνον ξύλινον. V. Ἄλογον et Ἱππικὸν ξύλινον. Ducang.]

Ξυλᾰλόη, ἡ, Lignum aloes, quod proprio nomine ἀγάλλοχον appellatur, Gorr. [Lex. Ms. ex cod. Reg. : Ἀγάλλοχον, ἡ ξυλαλόη. Symeon Sethi De cibor. facult. : Ξυλαλόη, ξύλον ἐστὶ δένδρου· γίνεται ἐν διαφόροις τόποις τῶν ἑώων. Typicum Ms. monasterii Τῆς κεχαριτωμένης c. 59 (Irenes in Coteler. Eccl. monum. vol. 4, p. 247, B) : Ξυλαλόαι καὶ θυμιάματα. Empirica Mss. Stephani Magnetis : Ξυλαλόην, ῥοδόσταγμα. Ducang. Qui annotavit etiam formam græcobarb. ξυλάλα. Nicetas Alex. 8, p. 158, A, in cod. B : Ἐν μύροις καὶ ἀρώμασι μετὰ ξυλαλόων καὶ καπνισμάτων. Quod ξυλαλοῶν scribendum. Per ο scribi annotat Ps.-Herodian. Cram. An. vol. 3, p. 277, 11. L. Dind.]

Ξυλάριον et Ξυλήφιον, τὸ, Parvum lignum. [Formam ξυλάριον secundam corripere animadvertit Draco p.
D 57, 2. Memorat schol. Dionys. Bekk. An. p. 851, 16. Phot. Bibl. p. 38, 10 : Ξέων ξυλάριον μαχαίρᾳ.] Diosc. 1, 90, de lentisco : Τὰ δὲ ξυλάρια χλωρὰ ἀντὶ καλαμίδων παρατριβόμενα τοῖς ὀδοῦσι, σμήχει τούτοις, Virentes surculi, Ruell. [V. etiam Ξύλον sub finem.] Assula, Tabella, Tessella, Bud. in Polyb. [6, 35, 7] : Ὁ δὲ δίδωσι τούτοις πᾶσι ξυλήφια κατὰ φυλακὴν βραχέα τελέως ἔχοντα χαρακτῆρα, ubi ξυλήφιον et πλατεῖον pro eodem poni annotat, i. e. pro σύνθημα. Lascaris vertit Taleola. [Hippocr. p. 682, 44 : Ξυλήφια ὑποθείς· 683, 3, 5, 7. Alexis ap. Athen. 13, p. 568, D : Ξυλήφιον μυῤῥίνης. Schol. Arist. Nub. 763. Pollux 7, 164; 10, 49.] Scribitur etiam Ξυλύφιον per υ, ap. Suid. : idque in Ms. exemplari, ut de Diocle Atheniensi, Πρῶτος εὗρε τὴν ἐν τοῖς ὀξυβάφοις ἁρμονίαν ἐν ὀστρακίνοις ἀγγείοις, ἅπερ ἔκρουον ἐν ξυλυφίῳ. [Ξυλύφιον, τὸ μικρὸν ξύλον, in Lexico Gr. ms. Reg. Ξυλάριον ap. Demetr. Cpol. in Hieracosophio p. 28. Ξυλήφιον scribit Eust. Od. p. 1533, 48. Ducang.] Sed et ξυλήφιον per η in antep. in Mss. itidem reperitur, ut in quo-

dam meo vet. Lex.: Ξυλήφιον, ὑποκοριστικῶς· δοκιμώτερον δὲ τὸ ξυλήριον καὶ ξυλάριον [δ. δὲ τὸ ξυλήφιον ἢ ξυλάριον Oudendorp. ad Thomam p. 642, eodemque modo Lobeck. Patholog. p. 299, nisi quod etiam ξυλήφιον in ξυλάφιον mutat, ut ad Phrynich. p. 78] : quæ et ap. Etym. [et Philem. Lex. technol. s. 116 : Ξυλάφιον ὑπ. τὸ μικρὸν ξυλάριον καὶ ξυλήφιον· δ. δὲ τὸ ξυλήριον, et qui ad verbum cum Etym. consentit Chœroboscum in Cram. An. vol. 2, p. 242, 29] leguntur. Sed tamen hujus Ξυλήριον nulla ap. alium grammaticum aut lexicographum mentio fit, quod quidem sciam. [Ap. Hippocr. p. 678, 7 : Περὶ ξυληρίοισι μακροῖσι περιαρμόσαι, libri meliores πέριξ εἰρίοισι. Hesychius v. Ῥόμβος: Ξυλήριον, οὗ ἐξῆπται σχοινίον, quæ verba sunt etiam ap. schol. Clem. Al. Protr. ad p. 15, ubi tacite ξυλάριον posuit Bast. ad Greg. Cor. p. 241, ex cod. Mutinensi, ut videtur, alioqui probabilius positurus ξυλήφιον. L. D.] || Ξυλίφιον alicubi reperitur pro ξυλήφιον s. ξυλύφιον. [Thomas p. 642 : Ξυλίφιον, οὐ ξυλάριον. Quod scribendum esse per η animadverterunt interpretes. Idem vitium ex libris correxi Diod. 4, 76. Ξυλύφιον, quod est ap. Suidam in v. et Ξυλύφιον et Ὀξύβαφον, non videtur græcum.]

[Ξύλαχος.] Apud Hesych. habetur etiam Ξύλαχος itidem pro σύνδενδρος τόπος, idque suo loco, h. e. ordine alphabetico. [Pro ξύλοχος.]

[Ξυλάχυρον, τὸ, Ligna et paleæ. Diploma Andronici jun. pro Monembasiotis : Δεκατίας, ἁλιευτικῆς τετραμοιρίας, ξυλαχύρου. Ducang.]

Ξυλεία, ἡ, Lignatio, ut Cæs., Qui lignationis causa in sylvas discessissent. At Colum. Lignationem dixit ipsum locum in quem lignatum itur: Sit lignatio pabulumque vicinum. Lignorum collectio. [Polyb. 22, 22, 12 : Τοὺς ἐπὶ τὰς ξυλείας καὶ χορτολογίας ἐκπορευομένους. Joseph. B. J. 3, 5, 3.] Suidæ est ἡ τῶν ξύλων τῶν ναυπηγησίμων συλλογή, Materiæ navalis collectio. || Ipsa Ligna, vel Ligna quæ collecta sunt ab iis qui lignatum iverunt, aut a ξυληγοῖς. [Materia, Lignetum, Gl.] Plut. [Mor. p. 1112, D] : Τὸ πεφυκὸς αὐτὸ, φύσιν, καὶ τὸ γεγονὸς γένεσιν ὀνομάζουσιν, ὥσπερ οἱ ξυλείαν τὰ ξύλα, καὶ συμφωνίαν καλοῦντες ἐκφορικῶς τὰ συμφωνοῦντα. Scribitur tamen ibi ξυλίαν per ι, a nom. Ξυλία [ut semel in Gl., cum interpr. Lignacio, et ap. Polyb. 10, 27, 10, ap. quem recte ξυλεία 3, 42, 3, ubi ead. significatione]. Hac signif. usurpatur ab Herodiano [7, 12, 13] : Ῥᾷστα δὲ διὰ πυκνότητα τῶν συνοικιῶν ξυλείας τε πλῆθος ἐπάλληλον μέγιστον μέρος τῆς πόλεως τὸ πῦρ ἐνεμήθη, ubi ξυλεία a Polit. redditur Lignea materia. Id. [8, 4, 22] : Τῇ τε ξυλείᾳ τῶν οἰκοδομημάτων εἰς τὰς μηχανὰς κατακέχρηντο, Materiaque omni ad machinas utebantur. In quibus ll. ξυλείαν vocat, quam Thuc. ξύλωσιν infra. [Athen. 1, p. 25, A : Τὰ εἰς ξυλείαν εὔθετα (ξύλα) μακρά (dicit Homerus).]

[Ξυλέλαιον, τὸ, Ligna et oleum. Jo. Malal. p. 437, 17 : Ὁ αὐτὸς βασιλεὺς (Anastasius) ἐδωρήσατο τὸ Γοτθικὸν ξυλέλαιον, κουφίσας τοὺς ὑποτελεῖς ἐκ τοῦ βάρους.]

[Ξυλεργάτης, ὁ, i. q. ξυλουργός. Acta SS. Maji vol. 5, p. 192, F : Ἀστέριός τις ξ. ἁ L. Dind.]

Ξυλεύομαι, Lignor, Materior (ut Liv., Procul a castris lignatum pabulatumque profectos. Idem, Respondentibus lignatum se ire. Plaut., Lignatum mittimur. Cæs., Materiari et frumentari); Ligna peto s. conveho, Ligna colligo : idem cum sequenti Ξυλίζομαι, Hesych. [Gregor. Nyss. vol. 2, p. 6, D. Schol. Hom. Il. Λ, 155. L. Dind.]

Ξυλεὺς, έως, ὁ, Lignator, Lignarius, Qui lignatum it, ligna colligit, ὁ ξύλα παρέχων δοῦλος Hesychio, qui infra ξυλοφόρος, Calo. Pro Lignatore citat Bud. ex Pausania [5, 13, 2, 3].

[Ξυλεύς. V. Ξύλο;.]

[Ξυλευτὴς, ὁ, Lignator. Gl. post Ξυλοῦσθαι : Ξυλουταί, Lignatores. Quod ita corrigendum videtur.]

[Ξυλέχιον, Ξύλεον, Hyoscyamus, prophetis, ap. Apuleium c. 4. Ducang.]

[Ξυλὴ, ἡ, Lignum, Materia. Jo. Damasc. vol. 1, p. 57, D : Δημιουργὸν δὲ ἐνταῦθα τὸν τεχνίτην λέγομεν, οἷον τέκτονα, δημιουργούμενοι δὲ τὴν ὕλην τὴν ὑποκειμένην τῷ τεχνίτῃ, οἷον τὴν ξυλήν· αὕτη γὰρ ὑπόκειται τῷ τέκτονι. L. D. Theophanes a. 2 Artemii : Ἐπὶ τὴν φοίνικα ἐξέδραμεν, πρὸς τὸ κόψαι ξυλὴν κυπαρισσίνην. Sy-

A meon Logotheta in Leone Armenio n. 10 : Παρεσκεύασαν κόψαι ξυλὴν καὶ ποιῆσαι γέφυραν. Ducang.]

Ξυληβόρος, ὁ, ἡ, Qui lignum vorat s. exedit, ut vermes, ξυλοφάγος Hesychio.

Ξυληγέω, Ligna veho vel porto, conveho, bajulo. Pollux 7, [130] : Ὑλοφόροι, καὶ ὑλοφορεῖν· πλινθοφόροι, πλινθοφορεῖν· πηλοφόροι, πηλοφορεῖν· ξυληγοὶ, ἀφ' ὧν καὶ τὸ ξυληγῶν εἴρηκε Δημοσθένης [p. 376, 2]. In VV. LL. annotatur ξυληγεῖν significare nonnunquam Quælibet onera portare.

Ξυληγὸς, ὁ, ἡ, Qui ligna vehit, Lignator; Qui ligna bajulat. [Pollux 7, 130.] Et ξυληγοὶ naves ap. Ulpian., Naves lignariæ, quæ ligna convehunt.

[Ξυλήριον. V. Ξυλάριον.]

[Ξύλης, ου, ὁ, pater Herodoti, quem fingit Tzetzes in Cram. An. vol. 3, p. 350, 9-20, cujus inscitiam notavi in Λύξης. L. Dind.]

[Ξυληφθόρος. V. Ξυλοφθόρος.]

[Ξυλήφιον. V. Ξυλάριον.]

[Ξυλία. V. Ξυλεία.]

B Ξυλίζομαι, i. q. ξυλεύομαι, ut et Hesych. testatur, qui ξυλιζομένην exp. ξύλα συλλέγουσαν. [Xen. Anab. 2, 4, 11 : Ξυλιζόμενοι ἐκ τοῦ αὐτοῦ.] Philo V. M. 3 : Ὕλη δὲ ξύλα πυρὸς, ὥστε τὸν ξυλιζόμενον ἀδελφὸν καὶ ξυγγενὲς ἁμάρτημα τῷ καίοντι δρᾶν, Ita ut qui lignatur, crimen affine et cognatum accendenti perpetrare videatur. Plut. Artox. p. 308 [c. 25] : Ἐκ τοῦ παραδείσου ξυλίζεσθαι τὰ δένδρα κόπτοντας, μήτε πεύκης μήτε κυπαρίττου φειδομένους. Sic φρυγανίζομαι. At metaph. ap. Alciphronem [Ep. 1, 1] : Ὀλίγα ξυλισάμενοι κομμάτια, Veluti assulas legentes, Bud.

Ξυλικὸς, ἡ, ὸν, Ligneus, Ex materia, ligno fabricatus. [Ξυλικὴ ὕλη, Silva; ξυλικὸς, Lignarius; ξυλικὸν, Lignarium, Gl. Aristot. De partt. an. 3, 14 : Διὰ τὴν τῆς τροφῆς δύναμιν, οὖσαν οὐκ εὔπεπτον, ἀλλ' ἀκανθώδη καὶ ξυλικήν. Artemid. 2, 37, p. 215 : Τοῖς γεωργοῖς τοῖς τὸν ξυλικὸν καρπὸν γεωργοῦσι, μάλιστα ἀμπέλους. Τάλαντον ξ., Hero Ms. ap. Scalig. De re numaria p. 44.]

[Ξυλινάδες, οἱ, Lignatores, Lignarii mercatores. Synodus Cpol. viii, Act. 8 : Θεωρουμένων σκυτέων,

C ἰχθυοπρατῶν, ξυλινάδων, βελονάδων καὶ τῶν λοιπῶν τῶν τοιούτων. Ducang.]

[Ξυλίνη, ἡ, Xyline, urbs Cissiorum, ap. Ptolem. 5, 6.]

[Ξυλίνη κώμη, ἡ, ap. Livium 38, 15, 7 : « Ex Pamphylia rediens ad fluvium Taurum primo die, postero ad Xylinen, quam vocant, comen posuit castra. » Cujus nominis ad exemplum ap. Plin. N. H. 6, 23, 26 : « Xylenepolis ab Alexandro condita, unde ceperunt exordium (Onesicritus et Nearchus), juxta quod flumen aut ubi fuerit, non satis explanatur, » legendum videtur Xyline polis. L. Dind.]

[Ξυλινήτης s. Ξυλινίτης. V. Ξύλινον.]

[Ξύλινον, τὸ, Ligneus calceus, nostris *Sabot*. Codinus Orig. Cpol. n. 128 ait monasterium τοῦ Ξυλινήτου a Niceta magistro conditum, Leone Armenio imperante id nominis habuisse διὰ τὸ τὰς μοναζούσας χρᾶσθαι εἰς ὑπόδεσιν τοῖς οὕτω καλουμένοις ξυλίνοις. At cod. Reg. diserte innuit ita appellatum ab eodem Niceta, cui Ξυλινίτου cognomen erat. Ducang. Gl.:

D Ξύλινον σανδάλιον, Cuspus.]

Ξύλινος, η, ον [et ὁ, ἡ, ap. Dionys. A. R. 2, 23 : Ἐν τραπέζαις ξυλίνοις ἀρχαϊκαῖς, quod cum λίθινος gen. fem. dicto comparat Sylburg. Sed præstare videtur ξυλίναις], Ligneus. [Pind. Pyth. 3, 38 : Τείχει θέσαν ἐν ξυλίνῳ, de rogo. Batrachom. 115 : Ξύλινον δόλον, ἣν παγίδα καλέουσιν. Aristoph. Av. 1153 : Τὰ ξύλινα τοῦ τείχους τίνες ἀπειργάσαντο;] Xen. Hell. 2, [4, 24] : Ὅπλα ξύλινα. [Τύρσεις et οἰκίαι Anab. 5, 2, 5 et 25.] Athen. 11, [p. 783, D] : Ξύλινον ποτήριον. Plut. De frat. am. [p. 479, B] : Πόδα ξύλινον προσεποιήσατο, de Hegesistrato lignipede, cujus et Herodotus [9, 37] meminit. [Plato Theæt. p. 146, E, et] Herodian. 4, [7, 8] : Ξυλίνοις ἐς ποτὸν καὶ ἐδέσματα χρώμενος σκεύεσι. Lucian. [Demonact. c. 38] : Ἂν ξύλινον τὸν ἀνταγωνιστὴν ἔχῃς. Et σκορπίος ξ., Plut. [Mor. p. 633, B.] Et Apocal. 9, [20] : Εἴδωλα λίθινα καὶ ξύλινα. Item ap. Plut. De non fœner., ξ. τεῖχος. [Orac. ap. Aristoph. Eq. 1040 : Τεῖχος ποιήσας ξύλινον. Orac. ap. Herodot. 7, 41 : Τεῖχος Τριτογενεῖ ξύλινον διδοῖ εὐρύοπα, de quo ib. 142. Proprie 9, 65 et

4, 108, ubi et πόλις ξυλίνη et οἰκίαι ξύλιναι. Ap. eund. 3, 57, 58, ξύλινος λόχος, item de navibus.] Et ξ. κύων, Plut. Probl. Hellen. [p. 294, D] et ap. Athen. 2, [p. 70, C] pro Sentis canina, Rubus caninus, κυνόσβατος. Item ξ. πῦρ, Ignis qui ex ligno fit. Et ξ. καρποὶ, Fructus qui ex ligno nascuntur, s. τὰ ἀκρόδρυα. [Plato Critiæ p. 115, B : Τὸν ἥμερον καρπὸν... καὶ τὸν ὅσος ξύλινος. Inscr. ap. Bœckh. vol. 1, p. 132, n. 93, 19 : Τοῦ Δημητρίου καρποῦ, τοῦ δὲ ξυλινοῦ.] Athen. 3, [p. 78, D] : Πάντων τῶν καλουμένων ξυλίνων καρπῶν ὠφελιμώτερά ἐστι τοῖς ἀνθρώποις τὰ σῦκα. Hesych. ξ. καρπὸν exp τῶν δένδρων, Fructum arborum. [Diod. 3, 63; Strabo 15, p. 693.] At ξ. λίνα vide in Ξύλον quod Gossipium significat. [Improprie Apollonius Anth. Pal. 11, 275, 1 : Καλλίμαχος, τὸ κάθαρμα, τὸ παίγνιον, ὁ ξύλινος νοῦς. Conf. Pallad. ib. 255, 2 : Δάφνην καὶ Νιόβην ὠρχήσατο Μέμφις ὁ σιμὸς, ὡς ξύλινος Δάφνην, ὡς λίθινος Νιόβην. V. Ξύλον.]

[Ξύλιος. V. Ξύλος.]

Ξυλισμὸς, ὁ, Lignatio, ut ξυλεία : s. ἡ τῶν ξύλων συλλογὴ, Bud. [Thomas p. 641 : Ξυλισμὸς, ἡ τ. ξ. σ., ὡς Θουκυδίδης καὶ ἕτεροι, falsus de Thucydide. Dionys. A. R. 5, 41 : Ἐπὶ ξυλισμὸν ἐξεληλυθότας. Strabo 12, p. 538 : Ὥστε ἐγγύθεν ὁ ξ. πάρεστιν. Pollux 1, 162.]

[Ξυλιστὴς, ὁ, Lignator. Schol. Plat. Conv. p. 376 : Στείλας ἑαυτὸν εὐτελεῖ σκευῇ ὡς ξυλιστήν.]

Ξυλίτης, ὁ, Piscis quidam, Hesych. : fortassis a lignea duritie, ut salpa.

[Ξυλίφιον. V. Ξυλάριον.]

Ξυλοβάλσαμον, τὸ, Lignum balsami, seu quod ex balsamo cæditur, ut sarmenta et surculi. Vel ipse etiam frutex integer. Plin. 12, 25, de balsamo : Et sarmenta quoque in mercede sunt : DCCC amputatio ipsa surculusque venit intra quintum demum annum : Xylobalsamum vocatur, et coquitur in unguentis. [Strabo 16, p. 763 : Τῷ ξυλοβαλσάμῳ ὡς ἀρώματι χρῶνται. Theoph. Nonn. vol. 1, p. 94.] Diosc. 1, 18, itidem de balsamo : Τὸ δὲ ξύλον, ὃ καλεῖται ξ., δόκιμόν ἐστι τὸ πρόσφατον καὶ λεπτόκαρφον. [Constitt. Apost. p. 307. Wakef.]

[Ξυλοβάμων, ονος, ὁ, ἡ, Qui calceis utitur ligneis. Eust. Opusc. p. 107, 4 : Ἐμβεβηκότα ὑψηλαῖς ἐμβάσιν ἢ καὶ ἄλλως ξυλοβάμονα. ā]

[Ξυλοβόλον, τὸ, Cella lignaria, Lignarium, ξυλοθήκη, in Gl. Ducang.]

[Ξυλοβρὼς, ῶτος, ὁ, ἡ, Lignum edens. V. Ἄκιος.]

[Ξυλογιγγίβερι, τὸ, Lignum Gingiberi. Stephani Magnetis Empirica Mss. : Πέπερι, ξυλογιγγίβερι. Ducang.]

[Ξυλόγλυκον, τὸ, Glycyrrhiza, Gl. Siliqua, κεράτιον, καὶ κυάμου καὶ φασήλου λοβοὶ καὶ ξυλόγλυκον. Ducang.]

[Ξυλογλύφος, ὁ, ἡ, Qui ligna scalpit, sculpit. Hesychius : Στυπογλύφος, ξ.]

[Ξυλογραφέω, Ligno inscribo. Inscr. Dor. ap. Bœckh. vol. 2, n. 2448, p. 368, 24 : Ὅπως ὁ νόμος ἀναγραφῇ καὶ ἁ διαθήκα ἔς τε τὰν ὑπόβασιν τῶν ἀγαλμάτων τῶν ἐν τῷ Μουσείῳ καὶ ἐς δέλτον ξυλογραφηθῇ· 30 : Δέλτον ἔχουσαν... τὰν διαθήκαν ἐξυλογραφημέναν.]

Ξυλοειδὴς, ὁ, ἡ, Ligni formam habens, Lignosus. [Theophr. H. Pl. 7, 9, 3; Athen. 14, p. 655, D.]

Ξυλοθήκη, ἡ, Locus ubi ligna reponuntur, Repositorium lignorum. [Lignarium, Gl.] Athen. 5, [p. 208, A], de navi Hieronis : Ἐφ' ὧν κατεσκευασμέναι ἦσαν ξ. καὶ κρίβανοι καὶ ὀπτανεῖα καὶ μύλοι, καὶ πλείους ἕτεραι διακονίαι.

[Ξυλόθριον, τὸ ἀρσενικὸν, in Glossis iatricis Mss. ex cod. Reg. 190. Ducang.]

[Ξυλοκανθήλια, τὰ, Hæ clitellæ. Singularia non habet, Gl. Hesychius : Σώρακον, ἀγγεῖον εἰς ὃ σῦκα ἐμβάλλεται ἢ ξυλοκανθήλια.]

[Ξυλοκάνθηλον, τὸ, Clitella, Gl. Nisi scrib. —κανθήλιον.]

[Ξυλοκάρπασον, τὸ, Lignum carpasi. Galen. vol. 13, p. 971 : Ἀντὶ ξυλοκαρπάσου κιννάμωμον.]

[Ξυλοκαρυόφυλλον, τὸ, v. in Γαύδιον in Addit. (ubi nihil legitur). Ducang. Ex Aetio citat Salmas. Plin. Exerc. p. 743, b, D.]

[Ξυλοκασία, ἡ, Casia. Euchologium p. 644, de confectione unguenti : Στείρακος λίτραν α'... ξυλοκασίας λίτρας γ. V. Salmas. ad Solin. p. 1055 (922, a, E). Ducang. Philostorg. H. E. 3, 6, p. 489, 19 : Παρὰ τούτοις (Auxumitis) ἥ τε ξυλοκασσία (sic) μάλιστα γίνεται καὶ ἡ κασσία. Quæ quomodo differant v. in Κασσία.]

[Ξυλοκατασκεύαστος, ὁ, ἡ, i. q. sequens. Schol. ad Lycophr. 361. Boiss. Ubi accentus ponitur in ultima. Altero est ap. Joann. Siceliotam in Ind. Bekk. Anecd. p. 1403.]

[Ξυλοκατάσκευος, ὁ, ἡ, Ex ligno factus s. constructus. Nicetæ Urbis captæ 13, p. 404, D : Διὰ τῶν ξυλοκατασκεύων πύργων. L. D. Scholl. Oppian. Hal. 1, 358, Æsch. Prom. 450. Wakef.]

[Ξυλοκεραία, ἡ, Antenna lignea. Constantin. Cærim. p. 389, C : Ἐδόθη ὑπὲρ ἀγορᾶς ξυλοκεραίων λόγῳ τῶν ια' καραβίων. Quod nisi est ab neutro —κέραιον ducendum, scribendum —κεραιῶν. L. Dind.]

Ξυλοκέρατα, τὰ, Siliquæ. Sic vocantur a recentioribus Græcis, quæ veteres κεράτια vocarunt. Sunt qui peculiariter Arboris ceratoniæ siliquas hoc nomine nuncupari tradant, quæ vulgo corrupta voce Xylocaracta dicunt. Gorr. Ξυλοκέρατα et Ξυλόκοκκα, inquiunt VV. LL., vocat Nicol. Myrepsus Interna siliquarum grana, a lignoso cortice illa semina vestiente, κεράτια Dioscoridi : quæ Nicandri schol. ἰδιωτικῶς appellari κόκκια annotavit.

[Ξυλοκερατία, ἡ, Cerasus arbor. Manuel Malaxus in Chron. Ms. in Zenone : Εὑρέθη ἐν Κωνσταντίνᾳ πόλει τῆς Κύπρου τὸ λείψανον τοῦ ἁγίου Βαρνάβα ἀποστόλου ἀπὸ κάτω εἰς μέσι ξυλοκερατίαν. Ubi Cedrenus p. 353 habet ὑπὸ δένδρον κερασίαν. Ducang. Qui etiam ξυλοκέρατον ex Damasceno Studita græcobarb. annotavit.]

[Ξυλόκερκος, ὁ, Circus ligneus, ex ligno compactus, cujusmodi Cpoli exstitit is de quo egimus in Cpoli Christiana l. 2. Θέατρα ἐκ τῶν σανίδων εἰργασμένα memorat etiam Jo. Antioch. in Tiberio. Chron. Alex. a. 11 Leonis : Καὶ ἀπηνέχθη εἰς τὸ ξυλόκιρκον, καὶ ἐπάγη ἐν ξύλῳ. Quæ de porta Xylocirci nugatur Codinus Orig. Cp. n. 115, nihili sunt. Ducang. Lemma epigr. Anth. Pal. 9, 690 : Εἰς πόρταν τὴν ἐπιλεγομένην ξυλόκερκον ἐν Βυζαντίῳ. Ubi Jacobsius ita dictum annotavit quod per eam ad ligneum circum pergeretur, et citavit Ducang. Cp. Christ. 1, p. 49.]

[Ξυλοκερκῖται, οἱ, dicti S. Joannis Chrysostomi sectatores, quod ad Xylocircum habitarent. Chron. Alex. a. 10 Arcadii : Τῶν λεγομένων ξυλοκερκιτῶν. V. Cp. Christ. l. 2, ubi de Xylocirco et Xylocircetis agimus. Ducang.]

Ξυλοκιννάμωμον, τὸ, Lignum cinnamomi, ut ξυλοβάλσαμον Lignum balsami. Plin. 12, 19, de cinnamomo : Ipsum vero lignum in fastidio est propter origani acrimoniam : Xylocinnamomum vocatur. Vide et Diosc. 1, 14. [Geopon. 8, 22, 2.]

[Ξυλοκλασίαι, αἱ, Concædes. Anna Comnena Alex. 13, p. 389 : Πᾶσαν ἀτραπὸν διὰ τῶν καλουμένων ξυλοκλασιῶν ἀπετάφρευσεν. V. Gloss. med. Lat. in Concædes. Ducang.]

[Ξυλόκοκκον, τὸ, Interius siliquæ granum. Oribas. Ms. De mens. et pond. : Τὸ γράμμα ἔχει κέρατα ς' ἤτοι ξυλόκοκκα. Rhazes De peste c. 7 : Μετὰ ξυλοκόκκων β' καὶ κρόκου. Orneosophium p. 246 : Βάλε ἐντὸς τοῦ βαμβακίου ξυλόκοκκον ἕν. Ducang. V. Ξυλοκέρατα.]

Ξυλόκολλα, ἡ, Gluten quo ligna sociantur. V. Κόλλα. [Aetius l. 1 ex cod. Reg. : Ταυροκόλλα ἤδε ξυλοκόλλα ἐκ τῶν βοείων βυρσῶν γιγνομένη, etc. Ducang. App. Gl. p. 144.]

Ξυλοκοπέω, Fuste cædo. [Defusto, Fustigo, Gl.] Polyb. p. 187 [6, 37, 1] : Κἂν καταδικασθῇ, ξυλοκοπεῖται. [Ib. 9; 38, 1, 3. Arrian. Epict. 4, 4, 37.]

Ξυλοκοπία, ἡ, ipsa Actio cædendi fustibus. Polyb. [6, 37, 2], ubi pro ξυλοκοπεῖν dicit etiam ξύλοις τύπτειν. Ictus fuste illatos Latini Fustuarium appellant, ut Cic., Fustuarium meruerunt legiones quæ consulem reliquerunt; Liv., Fustuarium meretur qui signa relinquit.

Ξυλοκόπος, ὁ, ἡ, [Fustiarius, Lignarius, Gl.] Qui ligna cædit, Ad ligna cædenda aptus, ut ξ. πέλεκυς : quod Pollux [7, 113, et 10, 129] ex Xen. citat; sed perperam in ejus cod. inter πέλεκυς et ξυλοκόπος distinguitur : quod non viderunt qui in VV. LL. ξυλοκόπος exposuerunt Dolabra, Ascia. Xen. Cyrop. 6, p. 96 [c. 2, 32] : Πέλεκυν ἔχοντας ξυλοκόπον· ubi scribitur etiam ξυλοτόμον, a nomin. Ξυλοτόμος, Ligna secans s.

Lignis secandis aptus. Sunt et ξυλοκόποι quædam Aves quæ rostro arbores tundunt, vel, ut VV. LL. exp., Quæ ligna rostro cædunt, atque defringunt ramusculos et cremia. Gaza interpr. Lignipetæ. Aristot. H. A. 8, 3, de colio ave : Ἔστι δὲ ξυλοκόπος σφόδρα, καὶ νέμεται ἐπὶ τῶν ξύλων τὰ πολλά· paulo post, de κνιπολόγῳ ave : Ἔστι δὲ καὶ τοῦτο ξυλοκόπον· paulo ante δρυοκολάπτας quoque dicit νέμεσθαι πρὸς τὰ ξύλα προσπετομένους. Alicubi poni etiam posset pro Qui fuste cædit.

Ξυλοκύμβη, ἡ, scommate dicitur ἐπὶ γυναικῶν, αἷς οὔτε κάλλος ἐπανθεῖ, οὔτε σύμμετρον μέγεθος, Eust. p. 584.

[Ξυλόλαβον, τὸ, Manubrium ligneum. Acta spuria S. Meletii n. 57 : Καὶ ἀνοίξαντες τὰ στόματα αὐτῶν μετὰ ξυλολάβων ἐνέχεαν τὸν μόλιβδον εἰς τὰ στόματα αὐτῶν. Ducang.]

[Ξυλολατρέω, Ligna adoro. Nicet. Paphl. p. 8 in Martyrum Triade edita a Combef. Paris. 1666. Boiss. V. Ξυλολάτρης.]

[Ξυλολάτρης, ὁ. Ξυλολάτραι Christiani Orthodoxi appellati ab Iconoclastis, quod adorarent et venerarentur imagines in ligno depictas, quum raro apud Græcos statuario opere conficerentur. Synodica orientalium ad Theoph. Imp. p. 125 : Εἶτα Γερμανὸν ξυλολάτρην ἀπεκάλουν. Ps.-synodus c. imagines in Synodo 7, act. 6 : Γερμανῷ τῷ διγνώμῳ καὶ ξυλολάτρῃ, et al. Ducang. Vita Jo. Damasc. vol. 1, p. xxxi fin. L. D. Act. Concil. Nicæn. 11, 6. Cramer.]

[Ξυλολεπής, ὁ, ἡ, Qui ligneo cortice est. Schol. Nicandri Al. 108 : Δένδρου τινὸς ξυλολεπῆ φέροντος καρπόν. Wakef.]

[Ξυλολετάριον, τό. Constantinus a secretis Ms. c. 135 : Καὶ ἑψήσας μέχρι συστάσεως θὲς ξυλολετάριον α΄ καὶ καρυόφυλλα. Ducang. App. Gl. p. 144.]

Ξυλολυχνοῦχος, ὁ, Candelabrum ligneum. Athen. 15, [p. 700, E] : Ξυλολυχνούχου δὲ μέμνηται Ἄλεξις· καὶ τάχα τούτῳ ὅμοιόν ἐστι τὸ παρὰ Θεοπόμπῳ ὀβελισκολύχνιον. Sic et Eust. p. 1571.

[Ξυλόλωτος, ξυλοπέταλον, Quinquefolium. Diosc. Notha p. 465 (4, 42). Boiss.]

[Ξυλομάκερ, τὸ, Rheum barbaricum, Alex. Trall. 7, p. 130. Theophan. Nonn. vol. 2, p. 36 : Τὰ διὰ τοῦ ξυλομάκερος καταπότια.]

Ξυλομανέω, Insanio gignendis sarmentis : ap. Theophr. ξυλομανεῖν pro Sylvescere capitur, diciturque de vitibus et arboribus, quando propter ramorum foliorumque copiam luxuriant. [Ὑλομανῶν est C. Pl. 3, 1, 5.]

Ξυλομάχαιρα, ἡ, Ensis ligneus : ut ξ. ἐλεφαντόκωπος, Pollux [7, 158], Ensis ligneus eburneo capulo. Vide Ξιφομάχαιρα. [Quod verum.]

Ξυλομῐγής, ὁ, ἡ, Ligno permistus, Qui permistum lignum habet, Strabo 12, [p. 571 pr. : Ποιοῦσι δ' ἐκ τοῦ μὴ καθαροῦ (στύρακος) μῖγμα ξυλομιγές τι καὶ γεωμιγές].

Ξύλον, τὸ, Lignum. Hom. Il. [Ψ, 327 : Ἕστηκε ξύλον αὖον. Pind. ap. Athen. 1, p. 24, B : Ποτίκολλον ἅτε ξύλον παρὰ ξύλῳ. Soph. Tr. 700 : Ὥστε πρίονος ἐκβρώματ' ἂν βλέψειας ἐν τομῇ ξύλου· Phil. 294 : Ξύλον τι θραῦσαι. Aristoph. Vesp. 145 : Καπνός;—ξύλου τίνος σύ;—συκίνου.] Θ, [547] : Ἐπὶ δὲ ξύλα πολλὰ λέγοντο· Od. Τ, [64] : Ἐπ' αὐτῶν Νήησαν ξύλα πολλά· Ο, [321] : Πῦρ τ' εὖ νηῆσαι, διά τε ξύλα αὖα [δανὰ] κεάσσαι· Υ, [161] : Εὖ καὶ ἐπισταμένως κέασαν ξύλα· Σ, [307] : Περὶ δὲ ξύλα κάγκανα θῆκαν Αὖα πάλαι. [Soph. fr. Herculis ap. Polluc. 10, 110 : Συνέλεγον τὰ ξύλα. Eur. Cycl. 242 : Φάκελον ξύλων. Aristoph. Vesp. 302 : Ἀπὸ τοῦδέ μου τοῦ μισθαρίου ἔχειν ἄλφιτα δεῖ καὶ ξύλα· Pac. 1133 : Τῶν ξύλων ἅττ' ἂν ᾖ δανότατα. Theocr. 11, 51 : Ἐντὶ δρυὸς ξύλα μοι καὶ ὑπὸ σποδῷ ἀκάματον πῦρ· 24, 87 : Κάγκανα δ' ἀσπαλάθω ξύλ' ἑτοιμάσατ' ἢ παλιούρω ἢ βάτω.] Thuc. [7, 25] et Xen. [Anab. 6, 4, 4], ξύλα ναυπηγήσιμα. [Hesiod. Op. 806 : Νήϊά τε ξύλα πολλά.] Plut. Symp. 5, [p. 676, A] de picea et pinu : Ξύλων παρέχει τὰ πλωϊμώτατα· item ξύλα καύσιμα et ἐρέψιμα. Pausan. Attic., Ξύλα ἡμίεργα. Plut. [Mor. p. 632, F], ἄκαπνα ξύλα, Ligna quæ, quum cremantur, non fumant. Athen. 7, [p. 276, E] : Εὐσηπτότερα τῶν ξύλων τὰ πρὸς τὸ σελήνιον κοπτόμενα. Plut. [Mor. p. 659, A] : Τῶν ξύλων τὰ τεμνόμενα ταῖς πανσελήνοις ἀποβάλλουσιν οἱ τέκτονες, ὡς ἁπαλὰ καὶ μυδῶντα ταχέως, δι' ὑγρότητα· et [ib. p. 49, A] : Οἱ θρίπες ἐμφύονται μάλιστα τοῖς ἁπαλοῖς καὶ γλυκέσι ξύλοις. [Plato Hipp. maj. p. 291, C : Ξύλον σύκινον.] Xen. Hell. [6, 1, 4] : Ἔνθεν καὶ Ἀθηναῖοι τὰ ξύλα ἄγονται. [Ubi sunt eadem quæ supra ξ. ναυπηγήσιμα. Sic ib. 1, 1, 24 : Μὴ ἀθυμεῖν ἕνεκα ξύλων· et alibi. Herodot. 1, 88 : Ξύλα τετράγωνα.] In quorum locorum aliquibus ξύλα reddere possumus non solum Ligna, sed etiam Materies. Sic pro his Theophrasti [H. Pl. 3, 9, 6], de larice et abiete, Ἔστι δὲ τὰ ξύλα τῆς θηλείας μαλακώτερα, Plinius, Lignum feminæ mollius est. Et pro his ejusd. Theophr., Τῶν δὲ ξύλων τὰ μὲν σχιστά, idem Plin., Finduntur materiæ aliquæ sponte. [Ib. 5, 2, 2.] Quod vero Athen. dicit Spartanos ἐπὶ ξύλων κατακεῖσθαι, Cic. In robore accumbere. [Gl. : Ξύλον, ὁ στέλεχος, Robur.] || Aliquando ξύλα dicuntur Quæ ex lignea materia sunt, et tunc periphrasi utendum est, aut alio vocabulo. [Agathias Anth. Pal. 9, 152, 3 : Πριάμου πόλις, ἂν ἀλαπάξαι Ἑλλάνων δεκέτης οὐκ ἐτάλασσεν Ἄρης ἀμφαδόν, ἀλλ' ἵπποιο κακὸν ξύλον.] Aristoph. Nub. [1431], de gallinaceo : Ἐπὶ ξύλου καθεύδεις, Super palo ligneo; ut Varro dicit in parietibus debere esse palos ubi aves assidere possint. Diosc. 3, 9 : Συστρέφουσι κινοῦντες ξύλῳ, Lignea rude, s. simpliciter Rudicula. Lucian. [Demonact. c. 50] : Ξύλοις συντρίψαι, Fustibus comminuere caput alicui. Sic Matth. [26], 47 : Μετὰ μαχαιρῶν καὶ ξύλων. [Ξύλον, ἐν ᾧ τύπτομεν, Fustis, Tignum, Hosnum (sic), Gl.] Pro Baculo accipitur in l. quodam Luciani infra in Ξυλοφόρος. Plut. Lyc. [c. 30] de Hercule, Δέρμα καὶ ξύλον ἔχων, Pellem et clavam. [Conf. Eur. Herc. F. 471, 993. Id. Cycl. 210 : Τάχα τις ὑμῶν τῷ ξύλῳ δάκρυα μεθήσει. Aristoph. Vesp. 458 : Παῖε τῷ ξύλῳ· Pac. 1121 : Παῖ' αὐτὸν ἐπέχων τῷ ξύλῳ. Ran. 715 : Ἵνα μή ποτε κἀποδυθῇ μεθύων ἄνευ ξύλου βαδίζων· Lys. 291 : Ἐμοῦ γε τὼ ξύλω τὸν ὦμον ἐξιπώκατον· 307 : Εἰ τὼ μὲν ξύλω θείμεσθα πρῶτον αὐτοῦ. Lucillius Anth. Pal. 11, 154, 3 : Ἐκ τριόδου ξύλον ἄρας. Philippus Thess. ib. 6, 203, 3 : Ἑρπύζουσα σὺν δρυὸς ξύλῳ. Herodot. 2, 63 : Ξύλων κορύνας ἔχοντας· et ib. : Μάχη ξύλοισι καρτερὴ γίνεται· 4, 180 : Μάχονται πρὸς ἀλλήλας λίθοισί τε καὶ ξύλοισι. « Lucian. Bis accus. c. 6 : Θᾶττον ἄν τις ἐν πλοίῳ πεσὼν διαμάρτοι ξύλου, ἢ ἔνθα ἂν ἀπίδῃ ὁ ὀφθαλμὸς ἀπορήσει φιλοσόφου. » Koenig. || Signif. obscœna Eur. fr. Sylei ap. Eust. Il. p. 107, 32 : Εἶα δὴ φίλον ξύλον, ἔγειρέ μοι σεαυτὸ καὶ γίγνου θρασύ. || Arbor. Eur. Cycl. 572 : Σοφόν γε τὸ ξύλον τῆς ἀμπέλου. Callim. Cer. 41 : Ἤσθετο Δαμάτηρ ὅτι οἱ ξύλον ἱερὸν ἀλγεῖ. Conf. Muncker. ad Antonin. Lib. c. 22, p. 147, qui c. 34, p. 232 dicit : Τοῦτο (τὸ δένδρον τῆς σμύρνης) λέγεται κατ' ἔτος ἕκαστον δακρύειν τὸν ἀπὸ τοῦ ξύλου καρπόν. Καρποὺς ξύλων est in loco Dionis Chrys. de quo dictum in Βρίζω. Cujus verbi quas Hesychius illic ab HSt. citatus ponit interpretationes inauditas et partim verbo Βρίθω potius accommodatas, easdem ex Hesychio, ut videtur, repetitas exhibet margo unius de codd. Dionis. « Ξ. pro arbore in N. T. Apoc. 22, 2 : Ξύλου ζωῆς, ποιοῦν καρποὺς δώδεκα, καὶ τὰ φύλλα τοῦ ξύλου εἰς θεραπείαν τῶν ἐθνῶν. Sic græci interpretes Genes. init. : Ξύλον κάρπιμον, ποιοῦν καρπόν· Ἐξανέτειλεν ἐκ τῆς γῆς πᾶν ξύλον. Ib. 1, 2 : Ξύλον γνωστὸν καλοῦ καὶ πονηροῦ, Arbor sic dicta metonymice ab eventu, quia primi parentes, si gustarent fructum illius, experturi erant quantum bonum amitterent et quantum in malum inciderent. De quo plura ap. Patres. || Ξ. ζωῆς, Arbor vitæ, sic dicta, quia erat typus immortalitatis quam homo consecutus fuisset, si in obedientia perstitisset. Damasc. Orth. fid. 2, 11, p. 113 : Τὸ τῆς ζωῆς ξύλον ἦν ξύλον ἔχον ἐνέργειαν ζωῆς παρεκτικὴν ἢ τοῖς τῆς ζωῆς ἀξίοις καὶ τῷ θανάτῳ οὐχ ὑποκειμένοις μόνοις ἐδώδιμον. || Metaphorice *a.* ξύλον ὑγρὸν καὶ ξηρὸν, Lignum viride et aridum. Ὑγρὸν ξύλον de Christo exponit Theophylactus, ξηρὸν autem de Judæis, ad Lucæ 22, 31, p. 532 : Εἰ ἐν ἐμοὶ τοιαῦτα ἐπεδείξαντο οἱ Ῥωμαῖοι, ἐν ἐμοὶ τῷ ὑγρῷ ξύλῳ τῷ ἐγκάρπῳ καὶ ἀειθαλεῖ καὶ ἀειζώῳ διὰ τὴν θεότητα, ... ἐν ὑμῖν, τῷ λαῷ φημι, τῷ ξηρῷ ξύλῳ, τῷ πάσης δικαιοσύνης ζωοποιοῦ ἐστερημένῳ, ... τί οὐκ ἂν ἐπιδείξαιντο; *b.* Ξύλον, χόρτος, καλάμη, Lignum, Fœnum, Stipula, Cor. 1, 3, 12, dicitur Doctrina curiosa, inutilis, futilis, supervacanea. Clem. Al. Str. 5, p. 558 : Καλάμη, τὰ τῶν αἱρέσεων ἐπαναθήματα καὶ ξύλα καὶ χόρτος. » Suicer. || De fruticibus, ut videtur, ap. Appian. 4, 3, vol. 1, p. 75 : Ποᾳ ἐχρῶντο (Germani) τροφῇ καὶ ὁ ἵππος ξύλοις. Quod non immerito adeo insolens visum Schweigh., ut ὕλαις conjiceret.] || At in proverbio : Ἐξ ἀξίου ξύλου κἂν ἀπάγξασθαι, exponere possumus vel Lignum, s. Arborem, aut Palum : de quo prov. vide Erasm. [Aristoph. Ran. 736 : Κἄν τι σφαλῇτ', ἐξ ἀξίου γοῦν τοῦ ξύλου, ἥν τι καὶ πάσχητε, πάσχειν τοῖς σοφοῖς δοκήσετε. Aristid. vol. 1, p. 510 : Τὸ τῆς παροιμίας ἀξίου τοῦ ξύλου καὶ πάσχειν ὑπῆρχεν.] Quo pertinet quod Act. 10, [39] legimus, Ὃν ἀνεῖλον κρεμάσαντες ἐπὶ ξύλου. Galat. 3, [13] : Ὁ κρεμάμενος ἐπὶ ξύλου, Palo s. Cruce cui sontes affiguntur : qui σταυρὸς quoque nominatur. Herodot. [6, 75] : Ἐν ξύλῳ ἔδησαν, Soleis ligneis illigarunt, VV. LL. [Et 9, 37.] Sic ap. Cic. 1 Ad Herenn., de quodam qui matrem necasse judicatus fuerat : Ei damnato statim folliculo lupino os obvolutum est, et soleæ ligneæ pedibus inductæ sunt, et in carcerem ductus est, quo nomine intelliguntur κλοιοὶ, sive ποδοστράβαι et ποδοκάκαι, ut exp. schol. Aristoph. Eq. [705] : Ἐν τῷ ξύλῳ δήσω σε, νὴ τὸν οὐρανόν· et [367] : Οἷόν σε δήσω τῷ ξύλῳ. [394 : Τοὺς στάχυς ἐκείνους ἐν ξύλῳ δήσας ἀφαύει, de captivis, ut in Pacis l. mox citando. 1049 : Τουτονὶ δῆσαί σ' ἐκέλευ' ἐν πεντεσυρίγγῳ ξύλῳ. Quomodo schol. explicat etiam Pac. 479 : Ὅσοι γ' αὐτῶν ἔχονται τοῦ ξύλου, intelligens τοὺς δεδεμένους τῷ ξύλῳ τῆς ποδοκάκκης.] Plut. De deo Socr. [p. 598, B] : Τοὺς πόδας ἐν τῷ ξύλῳ δεδεμένοι. Ubi potes reddere Ligneis pedicis, compedibus. Demosth. : Δησάντων οἱ ἕνδεκα ἐν τῷ ξύλῳ. [Id. p. 270, 9 : Ὁ πατήρ σου χοίνικας παχείας ἔχων καὶ ξύλον. Lysias p. 117, 32 : Ἐν τῷ ξύλῳ δεδέσθαι. Plur. Andocid. p. 7, 6 : Ἔδησεν ἡμᾶς ἐν τοῖς ξύλοις.] Et in Act. 16, [24] : Τοὺς πόδας αὐτῶν ἠσφαλίσατο εἰς τὸ ξύλον. [Ποδοκάκην vulgo appellabant, quam φαυλότατον τῶν ξύλων appellat Synes. De regno p. 16. Describit Metaphrastes in S. Luciano : Καὶ τοῦ μὲν εἰς ποδοκάκην· ξύλον δὲ πρόμηκές ἐστι στρεβλωτήριον· ἀμφοτέρους αὐτοῦ τοὺς πόδας ἐνεβίβαζον, ἐπὶ τέσσαρα τρήματα διελκύσαντες. Martyrium S. Samonæ et sociorum Ms. : Τοὺς πόδας ἕως τῆς ἐπιγινομένης διασφαλισθῆναι τῷ ξύλῳ. Mart. S. Acindyni et soc. Ms. : Τοὺς πόδας αὐτῶν βληθῆναι ἐν τῷ ξύλῳ. Et similiter in aliis martyriis. Interdum etiam ξύλον Equuleum significat. Sed de hac voce egere pluribus Cujac. Obs. 9, 37, Salmas. De modo usur. p. 813, Vales. ad Euseb. p. 67, 149 (4, 16 ; 5, 1 ; 6, 39 ; 8, 10) etc. Ducang. Qui in App. p. 144 addit Eudem. Lex. Ms. : Πεντεσυρίγγῳ (ex l. Aristoph. supra cit.) ξύλῳ, ἡ ποδοκάκη· πέντε γὰρ ὀπὰς ἔχει κτλ., et Lemoine Var. Sacr. vol. 2, p. 500.] At in hoc Aristoph. loco [« Nub. p. 93 (592) » HSt. Ms. Vind.] : Εἶτα φιμώσητε τούτου τῷ ξύλῳ τὸν αὐχένα, reddes Ligneo collari, Lignea collaria. Sic enim Lucilius et Plautus. Apud Basil. pro Tormenti quoque genere ponitur : Ἐπὶ τοῦ τροχοῦ κατατεινέσθω, ἐπὶ τοῦ ξύλου στρεβλούσθω. || De cruce. Orac. Sib. 6 extr. p. 352 : Ὦ ξύλον ὦ μακαριστὸν, ἐφ' οὗ θεὸς ἐξετανύσθη.] Ξύλον pro Subsellio quoque s. Scamno accipitur. Pollux de theatro [4, 121], Πρῶτον δὲ ξύλον ἡ προεδρία, Primum scamnum s. subsellium : pro quo ibid. βάθρον dicit et ἑδώλιον. [De judicum subselliis ponit id. ib. et 8, 133. Aristoph. Vesp. 90 : Ἐρᾷ τε τούτου τοῦ δικάζειν καὶ στένει, ἢν μὴ 'πὶ τοῦ πρώτου καθίζηται ξύλου· Ach. 25 : Εἶτα δ' ὠστιοῦνται... ἐλθόντες ἀλλήλοισι περὶ πρώτου ξύλου. Ad sedilia in theatro fortasse referendus l. Hermippi ap. schol. Av. 1556 : Ὥσπερ Διονυσίοισιν οὑπὶ τῶν ξύλων. Hesychius : Ξ., πρῶτον βάθρον τὸ ἐν τῇ προεδρίᾳ καὶ τῇ ἐκκλησίᾳ καὶ τῷ δικαστηρίῳ.] Hippocr. suum quoque organum ad restituenda omnia luxata idoneum ξύλον appellavit : recentiores βάθρον vocarunt. [De quo v. Oribas. ed. Mai. c. 25, p. 167.] Rursum Pollux [3, 84] annotat τράπεζαν quoque a Demosth. [p. 1111, 22, ubi de mensa fœneratoris] vocari ξύλον. [|| Ξύλα, Forum lignarium. Aristoph. fr. Holcad. ap. Phot. v. Ἦα : Ἐπεὶ δ' ἐγενόμην οἷπερ ἦ' ἐπὶ ξύλα.] || Ξύλον significat etiam Lignum trium cubitorum mensuræ, Hermol. Barb. ex Didymo Alexandrino de Marmoribus. [Hero De mensur. Cotel. Mon. vol. 4, p. 313 med. : Τὸ ξύλον ἔχει πήχεις γ', πόδας δ' ἥμισυ, παλαιστὰς ιη', δακτύλους οϛ'.] Ceterum ξύλον derivari a ξύω cum Etym. tradit Eust. [Il. p. 243, 4 ; 863, 3] : quoniam eo nulla

A materies πρὸς ξύσιν ἐπιτηδειοτέρα. [|| Lignum quo pulsato fideles vel etiam monachi in ecclesiam congregantur, in Oriente præsertim, ubi campanarum usus serius invectus est. Anon. in Miraculis S. Anastasii Martyris laudatus in Conc. Nic. 2 act. 1 : Εὐφροσύνης μεγάλης πλησθέντες ἅπαντες ἀναστάντες τά τε ἱερὰ ξύλα σημάναντες συνήθροισαν ἅπαντες ἐν τῷ πανσέπτῳ ναῷ τῆς θεοτόκου. Theod. Stud. in Carminibus : Σάλπιζε καιρῷ τὸ ξύλον καθὼς δέος. Rursum : Ἐπειδὰν σαλπίσει τις τὸ ξύλον. Pallad. Laus. c. 104 : Τῷ ἐξυπνιαστικῷ σφυρίῳ τὰς πάντων ἔκρουσε κέλλας. Jo. Moschus in Prato Spirit. c. 11 : Κρούσαντος τοῦ κανονάρχου τὸ ξύλον ἐφ' ᾧ πάντας τοὺς ἀδελφοὺς συναχθῆναι. Adde c. 50, 104, 105. Theod. Petr. episc. in Vita S. Theodos. Archimandr. : Μοναχοί τινες... ἀναιδῶς τῷ ξύλῳ ἔκρουον. Niceph. Blemm. in Vita Ms. S. Pauli jun. Latrensis : Μέχρις ὅτου καὶ τὸ ξύλον σημαίνει τὴν τῶν μοναχῶν ἄθροισιν Infra : Τὸ τῶν μοναχῶν ἀθροίσιμον κρουσθῆναι ξύλον. Auctor Vitæ Athanas. patr. Cpol. : Τῷ τῶν μεσονυκτίων ὕμνων τοῦ ξύλου κρούματι πρῶτος πάντων ἐν τῇ ἐκκλησίᾳ εὑρίσκετο. Exstat

B in cod. Reg. 928 liber Ephraimi mon. continens ordinem precum dicendarum a monachis quum in media nocte excitantur τοῦ ξύλου φωνῇ. || Navis, quomodo Lignum usurpant Latini inferioris ætatis, ut alibi docuimus. Glossæ ad Iliadem barbarogr. : Πλοῖον, ξύλον. Scylitzes in Constantino Duca : Τὸ τῶν Οὔζων ἔθνος τὸν Ἴστρον περαιωθὲν ξύλοις μακροῖς καὶ λέμβοις αὐτοπρέμνοις. Ducang. De navi jam Æschylus ap. Philon. vol. 2, p. 468, 4 : Ποῦ δ' ἔστιν Ἀργοῦς ἱερὸν αὔδασον ξύλον. || Cujus diminut. Ξυλάριον videtur esse ap. Panaret. Chron. Trapez. p. 368, 77 : Ἔξω ἔχοντες καὶ κάτεργα καὶ ξυλάρα (sic) μ'.] || Ξύλον est et Fruticis nomen. Plin. 19, 1 : Superior pars Ægypti in Arabiam vergens gignit fruticem quem aliqui Gossipion vocant, plures Xylon, et ideo lina inde facta Xylina. Parvus est, similemque barbatæ nucis refert fructum, cujus ex interiore bombyce lanugo netur, nec ulla sunt eis candore mollitiave præferenda. Vide et Polluc. 7, c. 12 [§ 75. Apud Plin. vide ne Lana, non Lina, xylina scriptum oportuerit : certe εἴρια ἀπὸ ξύλου dixit He-

C rodot. 3, 47, ubi quidem ξύλον non videtur propr. nom. arboris cujusdam esse, sed Lanam de arbore dicit, quo ab ovium lana distinguatur. Schweigh. Ita ξύλον de arbore dictum, ut supra. Herodot. iterum 7, 65 : Ἰνδοὶ εἵματα ἐνδεδυκότες ἀπὸ ξύλων πεποιημένα, quod 3, 106 dicit : Ἐσθῆτι οἱ Ἰνδοὶ ἀπὸ τούτων τῶν δενδρέων χρέωνται. || Improprie, ut Stipes, de homine stupido, ut supra Ξύλινος. Epigr. Anth. Plan. 187, 1 : Ἑρμείῃ ξυλίνῳ τις ἐπεύχετο καὶ ξύλον ἦεν. « Surdus mutusque omnique sensu privatus videbatur. Clemens Al. p. 4, 19 : Λίθοι δὲ καὶ ξύλα οἱ ἄφρονες, πρὸς δὲ καὶ λίθων ἀναισθητότερος ἄνθρωπος ἀγνοίᾳ βεβαπτισμένος. » Jacobs.]

[Ξυλοπάγης, ὁ, ἡ, Ex ligno compactus. Strabo 5, p. 213, de Ravenna.]

[Ξυλοπέδη, ἡ, Nervus, Gl. Aquila Job. 13, 27.]

[Ξυλοπέταλον. V. Ξυλόλωτος.]

[Ξυλοπόδης, ὁ, i. q. ξυλόπους. Herodian. Epimer. p. 212. Boiss.]

[Ξυλόπολις, εως, ἡ, Xylopolis, urbs Mygdoniæ, ap.

D Ptolem. 3, 13. Gent. Xylopolites ap. Plin. N. H. 4, 10, 27.]

Ξυλόπους, οδος, ὁ, ἡ, Qui ligneum pedem habet : ut ap. Herodot. 9, [37] Hegesistratus, ὁ ἔχων ξύλινον πόδα. [Ξυλόποδες, Compedes. Theophanes a. 4 Mauricii : Καὶ δημιουργοῦσιν εὐθὺς ξυλοπόδας ἐκ ξύλου καὶ σιδήρου, ὅπως τοὺς Ῥωμαίους ὑποβάλλωσιν. V. Ξυλοπέδη. Ducang. Nisi ita scribendum.]

[Ξυλοπριστικὸς, ἡ, ὸν, Ligni sectilis. Coteler. Eccl. Gr. monum. vol. 4, p. 313 med. : Ὁ πῆχυς ἔχει παλαιστὰς ϛ, δακτύλους κδ'· καλεῖται δὲ καὶ ξυλοπριστικὸς πῆχυς.]

[Ξυλόπυργος, ὁ, Turris lignea. Anna Comn. p. 385. Elberling.]

[Ξυλοπώλης, ὁ, Lignarius, Gl. « Hesych. in Συρμιστήρ. » Hemst.]

[Ξυλόρνιθα, Gallinago, Ascolopax, avis nostris *Becasse* dicta. P. Bellon. Obs. 1, 11. Ducang.]

[Ξύλος, πόλις Καρίας. Ἑκαταῖος Ἀσίᾳ. Τὸ ἐθνικὸν Ξύλιος ἢ Ξυλεὺς διὰ τὸ ἰδίωμα τοῦ τόπου· χαίρουσι γὰρ τοῖς εἰς εύς, Steph. Byz.]

[Ξυλόσπογγος, ὁ, s. Ξυλοσπόγγιον, τὸ, Hippiatr. p. 187, Penicillus in fuste alligatus, ap. Veget. Mulom. 5, 70, 3.]

[Ξυλοστεγὴς, ὁ, ἡ, Qui ligneo est tecto. Const. Manass. Chron. 397 : Ξυλοστεγὲς εἰργάζετο τῆς κιβωτοῦ τὸ κύτος. Boiss.]

[Ξυλόστεγος, ὁ, ἡ, i. præcedens. Codin. Orig. p. 8.]

[Ξυλόσφυρον, τὸ, Malleolus ligneus. Constantin. Cærim. p. 285, A : Σμιλάριον α' μετὰ τοῦ ξυλοσφύρου αὐτοῦ. L. Dind.]

[Ξυλοσχίστης, ὁ, Qui ligna scindit. Proculi Paraphr. 3, p. 250.]

[Ξυλοτόμος. V. Ξυλοκόπος.]

[Ξυλότονος, ὁ, ἡ, unde ξυλότονα ὄργανα, Quæ lignis tensos habent nervos. Schneider. sine testim.]

[Ξυλοτρόφος, ὁ, ἡ, Ligna ferens. Chrestom. Strabonis p. 335 Cor.]

[Ξυλοτρώκτης, ὁ, Ligna edens. Suidas : Τερηδὼν, σκώληξ ξυλοτρώκτης. Wakef.]

Ξυλουργέω, Exerceo artem fabri lignarii, Materiariam factito. [Herodot. 3, 113 : Ἅπας τις τῶν ποιμένων ἐπίσταται ξυλουργέειν ἐς τοσοῦτο. || Improprie, ut infra Ξυλώδης, de orationis duræ et contortæ artifice Thucydide Tzetzes in schol. ad 5, 17 : Τοῦτον χρεὼν δ' ἦν τῆς δρυὸς καὶ τοῦ ξύλου υἱὸν, καλεῖσθαι τὸν ξυλουργοῦντα λόγους, οὐ τὸν μελιχρὸν Ἡρόδοτον ἐν τοῖς λόγοις, quibus alludit ad patrem quem Herodoto, ut in Ξύλης diximus, impertivit Ξύλην. L. Dind.]

[Ξυλουργὴς, ὁ, ἡ, Ligneus. Scriptor Περὶ ἱπποδρομίου in Banduri Imp. Or. vol. 2, p. 663, B : Τὸ μέσον αὐτοῦ ἐποίησε ξυλουργές. L. D. Jo. Laur. De magistr. Rom. 3, 37, p. 214 : Διάφραγμα ξυλουργές.]

[Ξυλουργία, ἡ, Ars lignaria. Æsch. Prom. 451 : Οὐ ξυλουργίαν. Pollux 7, 101.]

Ξυλουργικὸς, ἡ, ὸν, Ad fabrum lignarium pertinens. Et ξυλουργικὰ, Opera lignaria, a lignario confecta. Eur. ap. Plut. [Mor. p. 812, E] : Τέκτων γὰρ ὢν ἔπραττες οὐ ξυλουργικά. Ubi tamen et priorem signif. habere potest. [Ξυλουργικὴ (τέχνη), Plato Philebo p. 56, B.]

Ξυλουργὸς, ὁ, ἡ, Faber lignarius, Materiarius Plauto : qui et ὑλουργὸς, s. ὑληουργός. [V. Cujac. ad Nov. 13. Ducang. Pollux 7, 101.]

Ξυλοφάγος, ὁ, ἡ, Qui ligna exedit, ut vermiculi qui θρίπες vocantur : quos generare ligna quædam apparet ex l. Plut. in Ξύλον citato. Hieronymo Contra Jovinianum, ξυλοφάγος est Vermiculus Phrygiæ et Ponto in deliciis, albus, obesus, nigello capite, nascens in carie lignorum. Quem existimo esse Cossum Plinio 17, 24. Idem Plin. tineam quoque scribit materiam rodere, quam Termitem vocat Vitruv. [Ξυλοφάγου σκώληκος εἶδος ... διαφαγεῖν τὸ ξύλον, Strabo 12, p. 570. Hemst. Anton. Lib. c. 22, p. 148 Verh. : Φαίνεται δὲ (ὁ κεράμβυξ) ἐπὶ τῶν ξύλων ... οὗτος ξυλοφάγος βοῦς καλεῖται. || « Ita appellatum Maleæ promontorium ob crebra ibi naufragia et navium (ξύλων, quod v.) καταδύσεις. Tzetz. in Lycophr. p. 69 : Ἧψε φρυκτὸν περὶ τὰ κοῖλα τῆς Εὐβοίας καὶ ὃν ἂν εἴποιμεν Καφηρέα, νῦν δὲ Ξυλοφάγον καλούμενον. Vita Ms. S. Theoctistæ Lesbiæ : Πρὸς τῷ τῆς κατ' Εὔβοιαν θαλάσσης συντριβεὶς ἄκρῳ, ὃ Ξυλοφάγος ὠνόμασται, καὶ γέγονεν ὑποβρύχιος. » Ducang. Georg. Pachym. Mich. Pal. 5, 21, p. 269, A : Πρὸς αὐτῷ τῷ Μαλέᾳ, ὃν καὶ ξυλοφάγον καλεῖν εἰώθασι. L. Dind.]

[Ξυλοφανὴς, ὁ, ἡ, Qui lignum ostendit. Diodor. 20, 96 : Καταψιλωθέντος τοῦ τόπου προσέπιπτον οἱ πυρφόροι τῷ ξυλοφανεῖ τοῦ κατασκευάσματος, Parti ubi lignum apparebat s. ligneæ. Matthæi Med. p. 158 : Τεταμένας τὰς ῥάβδους ἔχει καὶ περιτενεῖς καὶ ξυλοφανεῖς.]

[Ξυλοφάνιον, τὸ, ap. Hesych. in gl. Ἴχθον, ἄστρον, ἐγχειρίδιον (–άδιον), ξυλοφάνιον, cum eo quod Ducangius posuit sine auctore : Ξυλοφὰς, Rutum, Rastrum, ξύστρον, λίστρον, σκαπάνη, contulit Spohn. De extr. Odyss. p. 135, ex eoque ἄστρον mutavit in λίστρον, quum ἴχθον jam Lobeck. ad Aj. 814, in ἰχθύη mutandum conjecisset.]

Ξυλοφθόρος, ὁ, ἡ, Qui ligna corrumpit, ut vermes exedendo, quasi Ligniperdus dicas. Aristot. H. A. 5, 32 : Ἔστι δέ τι σκωλήκιον, ὃ καλεῖται ξυλοφθόρον. [Ubi est var. ξυληφθόρον, ut solent interdum peccare librarii ejusmodi formis inferendis. Annotavit etiam Hesychius.]

A Ξυλοφορέω, Ligna fero, porto ; Fustem gesto : ξυλοφοροῦντες, Baculum ferentes, ut Diogenes et ejus sectatores. Bud. ex Luciano [Pisc. c. 24] ; qui de Cynico ait [De m. Peregr. c. 15], Καὶ πήραν παρήρτητο, καὶ τὸ ξύλον ἐν τῇ χειρὶ ἦν, ubi ξύλον dicit, quod alibi βακτηρίαν, Baculum.

Ξυλοφορία, ἡ, Lignorum portatio, Pollux [7, 131] ex Lysia. [Nehem. 10, 34. Eust. Opusc. p. 243, 61 : Τοῖς πλείοσιν ὄνοις εἰς ξυλοφορίαν χρῆται.]

Ξυλοφόριος, ut ξ. ἑορτὴ ap. Joseph. de Festo quodam Judæorum : i. e. de Festo τῶν σκηνῶν, quo ramos virentes gestabant. Levit. 23, [40].

Ξυλοφόρος, ὁ, ἡ, Qui ligna fert, portat, Calo. Athen. 4, [p. 143, B] ex Dosiade : Ἑκάστῳ δ' αὐτῶν ἀκολουθοῦσι δύο θεράποντες ξυλοφόροι· καλοῦσι δ' αὐτοὺς καλοφόρους. [Id. 8, p. 354, C. Valck. Pollux 7, 130.] Hesychio est etiam ζῶόν τι, quod esse dicitur σκωλήκιον : pro quo haud scio an potius scrib. sit ξυλοφάγος. Item, Qui fustem s. baculum manu gestat. [Nehem. 13, 31 : Τὸ δῶρον τῶν ξυλοφόρων.]

B [Ξυλοφορτηγὸς, ὁ, i. q. ξυλοφόρος, vocab. Schneidero suspectum.]

Ξυλόφραχτος, ὁ, ἡ, Lignis septus s. circumseptus. [Γέφυρα ξ. Dionys. A. R. 3, 55 ; 5, 24 ; 9, 68.]

[Ξυλόφυλλον, τό. Salmas. Plin. Exerc. p. 743, b, D : « Φύλλον et ξυλόφυλλον dixere quia malabathrum ligno quoque utile esset, non tantum folio. Aetius in secunda coctione olei salca : Ξυλοφύλλου ἢ φύλλου, καρποβαλσάμου ἀνὰ λίτραν μίαν. »]

Ξυλοχάρτια, τὰ, Chartæ ligneæ, Libri, Codices. Eust. [Od. p. 1913, 40] de libris qui ἀπὸ βύβλων Αἰγυπτίων et παπύρων fiunt : Ὑποκείμενα τοῖς γραφεῦσι χαρτάρια, ὁποῖα ἴσως καὶ τὰ ὕστερον ἰδιωτικῶς λεγόμενα ξυλοχάρτια. [In quæ verba observat Salmas. ad Histor. Aug., ξυλοχάρτια recentiores Græcos chartas e papyro appellasse ad differentiam chartarum quæ ex linteis conceptis et contusis parantur, quarum jam tunc usus fuisse videtur apud Græcos, Eustathii ætate, quum abolitus esset chartarum e papyro texendarum modus. Papyrum autem lignum vocabant, ut Cassio-
C dorus *spongeum lignum* et *Niloticam sylvam*, ubi papyri nascuntur. Euchologium Cryptoferratense in Ordine quando sacra mensa mota est : Εἶτα περιτίθησι ξυλοχάρτια καὶ δεσμεῖ αὐτὰ κτλ. Schol. Basilic. l. 22, p. 94 : Οἶμαι νομοθετεῖν τὴν νεαρὰν ὅτι ὀφείλουσι τὰ συμβόλαια ἐν ξυλοχαρτίοις γράφεσθαι. Infra : Μὴ ἐν ἑτέρῳ χάρτῃ γράφεσθαι τὰ συμβόλαια, ἀλλ' ἐν τῷ λεγομένῳ ξυλοχαρτίῳ. Et p. 95 : Κἂν γοῦν ξυλοχάρτιον εἴη τὸ συμβόλαιον. Idem porro ξυλοχάρτιον videtur quod Chartam bombacinam et Papyrum bombacinam vocant Constitt. Siculæ 1, 78 ; 3, 36, 1. Ducang.]

[Ξυλοχία, ἡ. « Aetius in σκευασίᾳ myrepsici thymiamatis τάρον interpretatur ξυλοχίαν his verbis : Ξυλοχίας, λαδάνου ... Alibi ξύλοχον hoc idem aroma appellatum reperi. » Salmas. Plin. Exerc. p. 743, a, C.]

[Ξυλοχίζομαι, Dor. Ξυλοχίσδομαι, Ligna cædo. Theocrit. 5, 65 : Ὃς τὰς ἐρείκας τῆνας τὰς παρὰ τὶν ξυλοχίσδεται.]

Ξύλοχος, ἡ, Ligna habens, Lignis s. Arboribus consita. Apud Hom. absolute usurpatur pro Loco
D arboribus fruticibusque s. arbustis condenso, τόπος σύνδενδρος, δρυμὸς, τόπος ὑλώδης, ξυλώδης, ut exp. Hesych. Eust. exp. ὑλώδης τόπος καὶ δασὺς καὶ ξύλα ἔχων, ac subaudiri posse dicit ὕλη : exp. etiam συνέχεια ξύλων : sic supra λόχμη. Il. Λ, [415] de apro : Ὁ δέ τ' εἶσι βαθείης ἐκ ξυλόχοιο θήγων λευκὸν ὀδόντα· Od. Τ, [445] : Ὁ δ' ἀντίος ἐκ ξυλόχοιο, sc. prodibat : itidem de apro, de quo paulo ante dixerat, Ἔνθα δ' ἄρ ἐν λόχμῃ πυκινῇ κατέκειτο μέγας σῦς· unde patet eum λόχμην et ξύλοχον pro eod. usurpare. Il. Ε, [162] : Πόρτιος ἠὲ βοὸς ξύλοχον καταβοσκομενάων· Od. Δ, [335] et Ρ, [126] : Ἐν ξυλόχῳ ἔλαφος κρατεροῖο λέοντος Νεβροὺς κοιμήσασα νεηγενέας· ubi λέοντος ξύλοχον dicit Latibulum s. Lustrum leonis, κοίτην, ὀρεινὴν κατάδυσιν. [Utuntur etiam recentiores Epici, ut Apoll. Rh. Perses Anth. Pal. 7, 445, 2. Anacreont. 7, 5. || Genere masc. unus utitur Tryphiod. 198 : Ὡς οἵγε γλαφυροῖο διὰ ξυλόχοιο θορόντες ἀτλήτους ἀνέχοντο πόνους ἀκμῆτες Ἀχαιοί. « Verisimile habeo Tryphiodorum, quum voc. ξύλοχος masc. gen. præter morem usurpet, ad λόχον alludere voluisse, quo no-

mine equum Trojanum non semel appellari ad v. 2 annotavi. Est igitur γλαφυρὸς ξύλοχος i. atque Homericum κοῖλος λόχος. Jam vett. grammatici videntur voc. ex præp. ξὺν et n. λόχος compositum satis perverse existimasse. » Wernick. || I. q. ξυλοχία, quod v.]

Ξυλόω, In lignum verto, muto. Pass. Ξυλοῦσθαι, In lignum abire, mutari, Lignum s. Lignosum fieri. [Lignarii (sic), Gl.] Theophr. H. Pl. [1, 2, 6] : Ξύλον μὲν γίνεται ἐξ ἰνὸς καὶ ὑγροῦ, καὶ ἔνια σαρκός· ξυλοῦται γὰρ σκληρυνόμενα οἷον ἐν τοῖς φοίνιξι καὶ νάρθηξι, καὶ εἴ τι ἄλλο ἐκξυλοῦται· ubi ξύλον γίνεσθαι, ξυλοῦσθαι, et ἐκξυλοῦσθαι pro eod. usurpavit. || At Paralip. 2, [3, 5]: Οἶκον ἐξύλωσε ξύλοις κεδρίνοις, pro Domum texit tabulis cedrinis. Bud. eo in l. ξυλοῦν interpr. Contignare. Posset etiam reddi Materiationem collocare, Materiaturam imponere : quid autem Materiatura sit, vide in Ξύλωσις. Et pass. Ξυλοῦμαι, Materiatura mihi imponitur. Jerem. [22, 14] : Ἐξυλωμένα ἐν κέδρῳ ὑπερῷα, Cœnacula cedro contignata, Cedrinis tignis tecta, Quibus cedrina materiatura imposita erat, aut cedrina contignatio et trabes. [Ezech. 41, 16 : Ὁ οἶκος καὶ τὰ πλησίον ἐξυλωμένα.] Cic. dicit Ædes male materiatas, τὰς κακῶς ἐξυλωμένας, s. quarum ξύλωσις vetustate labefactata est.

[Ξυλύφιον. V. Ξυλάριον.]

Ξυλώδης, ὁ, ἡ, Lignosus [Gl.]. Theophr. C. Pl. 1 : Τὰ ξηρὰ καὶ ξυλώδη, Sicca et lignosa. Plut. De pr. frig. [p. 953, D] : Οὕτως ἐγένοντο διὰ τὸν πάγον σκληραὶ καὶ ξυλώδεις αἱ χλαμύδες, Ita ex gelu pallia obduruerunt et tanquam in lignum obriguerunt. Item Surculosus, Surculaceus. Theophr. [H. Pl. 8, 2, 3]: Ῥίζαν δὲ ἔχει τὰ χεδροπὰ πάντα ξυλώδη καὶ μίαν. Pro quibus Plin., Legumina omnia singulas habent radices, easque surculosas. Idem Theophr. [H. Pl. 7, 3, 2] : Καὶ τοῖς χρώμασιν ὁμοίως τὰ μὲν μέλανα, τὰ δὲ λευκότερα, τὰ δὲ ξυλώδη. Pro quibus idem Plin., Semina differunt et colore nigro candidoque, item duritie surculacea. Idem Plin. dicit Arbor radice lignosa. [Cornut. De N. D. c. 19, p. 182. Hemst. Schol. Basilic. ad l. 22, p. 95 : Ἐπειδὴ ἔν τισι τόποις οὐκ εἰσὶ ξυλώδεις χάρται, i. q. ξυλοχάρτια, quod v. || Improprie de oratione Tzetzes in epigr. in Thucyd. p. 133 ed. Paris. : Οὐχ ἱστορῶν φαίνῃ γὰρ ἃ προὔβη πάλαι, κρύπτων δὲ μᾶλλον ἃ παρῆξεν ὁ χρόνος τῷ σῷ σκοτεινῷ καὶ ξυλώδει τοῦ λόγου. Quod περίξυλον dicit ad 5, 17. V. etiam Ξυλουργέω. L. Dind.]

[Ξυλών, ῶνος, ὁ, Lignile, Gl.]

Ξύλωσις, εως, ἡ, Materiatio, s. Materiatura; sic enim Vitruv. appellat Ligna quæ in ædificiis lapideis adhibentur, ut sunt trabes, tigna, et hujusmodi. Alii interpr. Contignatio, non male; sicut enim Pollux [7, 124] annotat Thuc. ξύλωσιν dixisse τὰ ἐρέψιμα ξύλα, ita Plin. ὀροφὴν vertit Contignatio : inter ὀροφὴν autem et ἐρέψιμα ξύλα parum interest. Thuc. 2, [14]: Καὶ αὐτῶν τῶν οἰκιῶν καθαιροῦντες τὴν ξύλωσιν· 4, [48] : Διελόντες τὴν ὀροφὴν, schol. τὴν ἀπὸ ξύλων κατασκευὴν, dicens esse Thucydidis ἰδίαν λέξιν. Sic ξυλεία supra. [Joseph. A. J. 3, 6, 5 : Χρυσῷ περιελήλατο πᾶσα (ἡ κιβωτός), ὡς ἀποκεκρύφθαι τὴν ξύλωσιν. Thomas p. 641.]

[Ξύμη.] Ex Hippocr. Galenus affert etiam Ξύμη, itidem pro κνησμὸς, Pruritus. [Pro ξυσμή. V. Ξυσμός.]

[Ξύν. V. Σύν.]

Ξύναθρον, Hesych. dici scribit τὴν συμβιοῦσαν γυναῖκα γαμετὴν, Uxorem, quæ et ξυνάορος. [Quod verum.]

[Ξυνάν. V. Ξυνήων.]

[Ξυνάορος, Ξυνάωρ. V. Συν—.]

[Ξυνέων. V. Ξυνήων.]

Ξυνήϊος, i. q. ξυνὸς, Communis. Hom. Il. A, [124]: Οὐδέ τί πω ἴδμεν ξυνήϊα κείμενα πολλὰ, i. e. πολλὰ κοινὰ, sub. χρήματα. [Ψ, 809 : Τεύχεα δ' ἀμφότεροι ξυνήια ταῦτα φερέσθων. Ξυνεῖα sine interpr. ponit Suidas.] Quin et Ξυνήβιος hinc derivatum videtur, ut sit Communem cum aliquo vitam degens, Convictor. Hesychio συμπότης, Compotor. Sed Idem exp. etiam συνῆλιξ, Coætaneus, Æqualis. [Ξύνηβος recte Photius.]

[Ξύνημα, ἡ τῇ Κελτικῇ φωνῇ καλουμένη, Jaculandi ratio quædam, memorata Arriano Tact. p. 94 ed. Blanc. Schweigh.]

Ξυνήων, ονος, ὁ, ἡ, pro ξυνήιος ap. Nonn. [Jo. c. 4,
A 40 : Ξυνήονι θεσμῷ· c. 7, 105 : Ξυνήονι μύθῳ· 11, 59: Ξυνήονι πότμῳ.] Hesiod. vero [Th. 595, 601] : Κακῶν ξυνήονας ἔργων, pro Participes malorum operum, Socios malefactorum. [Christod. Ecphr. 207 : Τάχα κεν ξυνήονα λέκτρων ἤγετο. V. etiam Ξενήων. || Forma Ξυνάων, Pind. Pyth. 3, 48 : Ὅσσοι μόλον αὐτοφύτων ἑλκέων ξυνάονες. || Forma Ξυνεὼν Alexand. Ætol. ap. Parthen. 14, 3, v. 15 : Σπονδάς τ' ἐν Φοβίου καὶ ἅλα ξυνεῶνα. Qui formam insolentem, etiam correpto υ, quum liceret uti contracta, prætulisse videtur. Forma contracta] Ξυνῆνες, Hesychio κοινωνοί. [Et ap. Pind. (de quo Eust. Opusc. p. 57, 32 : Ἐπὶ πλέον δὲ ἀσύνηθες καὶ τὸ ξυνᾶνα λέγειν τὸν κοινωνὸν... ἵνα εἴη ὥσπερ ἐκ τοῦ ἄλκιμος ἀλκιμὰν, ὅθεν Ἀλκμὰν, οὕτω καὶ ἐκ τοῦ ξυνὸς ὁ ξυνάν. Ἄκαστον γοῦν, τὸν βασιλέα Μαγνήτων, βίου ξυνᾶνα λέγει τῇ αὐτοῦ γυναικί) Nem. 5, 27 : Ξυνᾶνα Μαγνήτων σκοπόν. Ap. Apollon. Bekk. An. p. 570, 10, ξυνᾶν, pravo accentu, ut monuit jam Sturz. ad Maitt. p. 571. Alia ap. Photium : Ξυνῶνα, τὸν κοινωνόν. Σοφοκλῆς. Ap. Maneth. 2, 411 : Φαίνων μὲν δὴ πρῶτα σὺν
B Ἠελίῳ κατὰ πάντων ζωιδίων τελέθει ξυνὼν ἀγαθῶν τε κακῶν τε, Dorvill. ξυνῶς.]

[Ξυνία, ἡ, Xynia. Θετταλίας πόλις. Πολύβιος θ'. Τὸ ἐθνικὸν Ξυνιεὺς, ὡς Αἰλιεύς. Καὶ Ξυνιὰς λίμνη, ἣν Βοιβιάδα φασὶ, Steph. Byz. Hanc memorat Apoll. Rh. 1, 68. *Xyniasi* (nymphis) Catull. 64, 287, ubi alii aliter. Ξυνία, ὄνομα λίμνης, ap. Hesychium Ξυνιὰς scribendum conjecit Albertus.]

Ξυνίζω etiam affertur pro ξενίζω : ut sit Hospitium communico. [Nihili est vocabulum, et ex illo depravatum.]

Ξυνοδοτὴρ, ῆρος, ὁ, Qui communicat, epith. Apollinis in Hymn. in Apoll. Anth. Pal. 9, 525, 15.]

Ξυνὸς, ἡ, ὸν, Communis : i. q. κοινός. Hom. Il. [Ο, 193 : Γαῖα δ' ἔτι ξυνή·] Π, [262] : Ξυνὸν δὲ κακὸν πολέεσσι τιθεῖσι. Et ap. Tragicos, ξυνὸν δόρυ, Communis s. Socia hasta. Rursum Il. Σ, [309] : Ξυνὸς ἐνυάλιος, Communis Mars est : pro Anceps et ἀλλοπρόσαλλος : unde subjungit, Καί τε κτανέοντα κατέκτα. [Hesiod. ap. Orig. C. Cels. 4, p. 216 : Ξυναὶ γὰρ τότε δαῖτες ἔσαν,
C ξυνοὶ δὲ θόωκοι. Tyrtæus ap. Stob. Fl. 51, 5 : Ξυνὸν δ' ἐσθλὸν τοῦτο πόληΐ τε παντί τε δήμῳ. Archiloch. ap. Clem. Al. Strom. 6, p. 739 : Ἐτήτυμον γὰρ ξυνὸς ἀνθρώποις Ἄρης. Pind. Ol. 3, 19 : Ξυνὸν ἀνθρώποις στέφανον ἀρετᾶν· 7, 21 : Ξυνὸν λόγον· Isthm. 1, 46 : Ξ. καλόν· 3, 46 : Παναγυρίων ξυνᾶν· 5, 65 : Ξ. κόσμον· Pyth. 4, 154 : Ξυνᾶς ἀνίας· 9, 13 : Ξυνὸν ἁρμόξασα γάμον· 96 : Ἐν ξυνῷ· 11, 54 : Ξυναῖσιν ἀρεταῖς· fr. ap. Athen. 13, p. 573, B : Ξυναῖς γυναιξί. Adverbialiter Isthm. 7, 46 : Φαντὶ γὰρ ξύν' ἀλέγειν καὶ γάμον Θέτιος ἄνακτα. Soph. OEd. C. 1752 : Ἐν οἷς γὰρ χάρις ἡ χθονία ξύν' ἀπόκειται, πενθεῖν οὐ χρή. Id. Aj. 181 : Μομφὰν ἔχων ξυνοῦ δορός. Æsch. Sept. 76 : Ξυνὰ δ' ἐλπίζω λέγειν· Suppl. 367 : Ξυνῇ μελέσθω λαὸς ἐκπονεῖν ἄχη. Qui hac forma usus est in senariis, qua Sophocles in melicis, Euripides in neutris. Inscr. ap. Æschin. p. 80, 17 : Ἀμφὶ ξυνοῖσιν σφάγμασι μόχθον ἔχειν.] Ξυνῇ, Communiter, κοινῇ, ap. Apollon. Arg. 2, [802 et præter alios Callim. Del. 36, Dionys. Per. 1098, qui etiam alibi semper utuntur forma ξυνὸς, nusquam forma κοινὸς
D (quæ ex libris optimis sublata ap. Dionys. 406, nisi quod κοινὸς est ap. Apoll. uno eoque suspecto loco, Arg. 1, 103), pariterque Lycophron, Aratus aliique recentiorum. Apud Bucolicos unum formæ κοινὸς ex. Bionis 15, 26 : Σπεύδων κοινὸν ἐς ὕπνον, quum ap. eund. 8, 5, sit ξυνὰς, non minus est suspectum quam unum illud Apollonii. L. D. Herodot. 4, 12 : Ξ. λόγος Ἑλλήνων τε καὶ βαρβάρων· et 7, 13, ξ. ἀγαθὸν, Commune bonum. Schweigh. Qui multo frequentius utitur forma κοινὸς et verbis ab ea ductis, quemadmodum etiam Pindarus inter utrasque variavit. Inscr. Teja ap. Bœckh. vol. 2, p. 628, n. 3044, 25 : Ἤ τι κακὸν βουλεύοι περὶ Τηΐων τοῦ ξυνοῦ· 44 : Ὅστις φάρμακα δηλητήρια ποιοῖ ἐπὶ Τηΐοισιν τὸ ξυνὸν ἢ ἐπ' ἰδιώτῃ. Diotogenes Stob. Fl. vol. 2, p. 314 : Τό τε δικασπολὲν καὶ διανέμεν τὸ δίκαιον ξυνᾷ μὲν καθόλου, ἰδίᾳ δὲ κτλ. et in seqq., sed p. 315 sq. κοινόν. Plut. Mor. p. 643, F : Ἐν γὰρ ξυνῷ ἰχθύι ἄκανθαι οὐκ ἔνεισιν, ὥς φησιν ὁ Δημόκριτος. Aret. p. 55, 30 : Ἡ ξυνὴ δίαιτα· 65, 18 : Ξυνὸς ἁπάντων τῶν ἄρθρων πόνος ἡ ἀρθρῖτις. Plotin. Enn. 5, 6,

p. 668, B : Διὸ καὶ ξυνὸν τὸ φρονεῖν, οὐ τὸ μὲν ὧδε, τὸ δὲ ὡδὶ ὄν. || Adv. Ξυνῶς, Communiter, in epigr. Mus. Rhen. novi 1, 1, p. 167, n. 2, 5 : Ὅπως ἔχοι ἀμπαύεσθαι σὺν φιλίῃ ξυνῶς ἀλόχῳ. Ξυνῇ adverbialiter posito, de quo supra, utitur etiam Procop. Hist. p. 547, D, omisso tamen in libris nonnullis. Ceterum Arcadicum dicit ξυνὸς grammaticus Bekk. An. p. 1095. L. Dind.]

[Ξυνόφρων, ονος, ὁ, ἡ, Qui communiter cum alio sentit, Cui convenit cum alio, Propitius, epith. Apollinis in Hymn. Anth. Pal. 9, 525, 15.]

[Ξυνοχάρης, ὁ, ἡ, Qui communiter gaudet, epith. Apollinis Hymn. Anth. Pal. 9, 525, 15.]

Ξυνόω, Conjungo, Consocio. Frequenter hoc verbo Nonnus utitur : ut, Τόδε πάντες ἑνὶ ξυνώσατε μύθῳ, pro Hoc omnes communi ore dixistis, s. Uno eodemque. [Jo. c. 20, 15.] Et, Υἱέϊ καὶ γενετῆρι μίαν ξυνώσατε τιμήν, Communi filium et patrem honore sociate. [Ib. c. 6, 188; c. 20, 80 : Ἔπος ξύνωσε μαθηταῖς· c. 1, 184, Φιλίππῳ.] Rursum [c. 14, 59] : Εἰ δέ με πιστοτάτης φιλίης ξυνώσατε θεσμῷ, Si me communi omnes et fido amore prosecuti estis. Item pro Communico, ap. Eund., Μίαν ἀμφοτέροις ξυνώσατο φωνήν. [Manetho 2, 492 : Ἀκτῖνας ξυνουμένη. Arrian. Ind. c. 20, 4 : Λέγει ὁ Νέαρχος ἑωυτῷ ξυνοῦσθαι τὸν Ἀλέξανδρον.]

[Ξυνών. V. Ξυνήων.]

[Ξυνωνία, ἡ. Ξυνωνίην θέσθαι, Archil. apud Ammon. in Αἶνος, ubi dubites sitne Societas emendi, an a ξυνὸς, ξυνωνὸς fluat ξυνωνία, ut a κοινὸς, κοινωνὸς exsistit κοινωνία. Hemst. Haud dubie dicitur ut κοινωνία. V. Ξυνωνὸς et Ξυνήων.]

[Ξυνωνὸς, ὁ, Socius. Synes. Hymn. 4, 265 : Ἕταρον δὲ δίδου ξυνωνὸν, ἄναξ.]

[Ξυνῶς. V. Ξυνός.]

Ξυόεις, εσσα, εν, Radendo s. Scalpendo politus, i. q. ξεστὸς et ξυστός : unde fem. ξυόεσσαν, ap. Hesych. quod exp. εὖ ἐξεσμένην.

[Ξυπέτη, δῆμος Κεκροπίδος φυλῆς. Ὁ δημότης Ξυπετεὼν, ὡς Μακεδών. Τὸ ἐθνικὸν ἐκ Ξυπετεώνων, εἰς Ξυπετεώνων καὶ ἐν Ξυπετεώνων. Φιλόχορος δὲ Ξυπετέωνον τὸν δῆμόν φησι διὰ τοῦ ω καὶ τοῦ ο μικροῦ ἐν τέλει, Steph. Byz. Ap. quem in Τροία rectius scribi Ξυπετῆ δῆμος probare videtur quod est ap. Hesychium : Ξυπετέα δῆμος τῆς Κ. φ., pro quo Ξυπεταιή Photius s. Suidas. Ad formam certe quadrisyllabam haud dubie spectat Dionys. A. R. 1, 61 : Δήμου Ἐξποταιέως ἄρχοντα, ubi ἐξυπεταίεας cod. Ven. et Lapus (*populo ex ypoteæ*), ἐξυπεταιέως cod. Vat., quæ ex Ξυπεταίας et —έας, quorum alterutrum restituebat etiam Meursius, conflata videntur. Ap. Harpocrationem quod est : Ξυπεταίονες, Ὑπερίδης κατ' Ἀρχεστρατίδου· δῆμος τῆς Κ. Ξυπέτη, ἀφ' ἧς ὁ δημότης Ξυπεταίων, ὡς Διόδωρος, ubi cod. Ξυπέται pro Ξυπέτη et Ξυπεταιῶνες pro —ονες, illud scribendum videtur, ut dixi, Ξυπετῆ, hoc an recipiendum sit, ut dudum legitur in Orat. c. Neær. p. 1356, ex uno exemplo inscr. Att. ap. Bœckh. vol. 1, p. 307, n. 172, 8, ubi o non est pro ω, et legitur Ξυπεταιονες, non licet discernere. Ξυπεταιων est in aliis n. 158, p. 253, 7; n. 178, p. 311; n. 251, p. 363; n. 737, p. 510. Μεταγένης ὁ Ξυπέτιος sine varietate est Plut. Pericl. c. 13. Ξυπετεῶνες, ut ap. Steph., est ap. Polluc. 4, 14. Ξυπετέρων ap. Diog. L. 3, 42, a Casaubono correctum.]

[Ξυραῖος, α, ον, Derasus. Synes. p. 71, A : Εἰ τοίνυν ὁ ξυραῖος χειροποίητός ἐστιν εὐσεβὴς, ὁ φύσει φαλακρὸς αὐτοφυῶς ᾤκείωται τῷ θεῷ.]

[Ξυράφιον, τὸ, Novaculum, Gl. Lex. Gr. ms. Reg. cod. 2062 : Ξυρὸς τὸ ξυράφιον, ἢ τὸ ἠκονημένον ξίφος. Adde Hesychium. (Schol. Aristoph. Ach. 849 : Μιᾷ μαχαίρᾳ εἶπεν, ὃ καλοῦμεν ἡμεῖς ξυράφιον.) || Ap. Paul. Æg. 3, 3, habetur πρὸς τὰ ἐπὶ τῆς κεφαλῆς καὶ τοῦ γενείου συκώδη ἐξανθήματα ξυράφιον. Ubi Cornarius Medicamentum siccum interpretatur, legendumque putat ξηρίον. Ducang. In cod. Reg. 3497, fol. 159 v., describitur φάρμακον ξυράφιον λεγόμενον ποιὸν (l. ποιοῦν. L. D.) πρὸς τὰ ἐπὶ τῆς κεφαλῆς κ. τ. γ. σ. ἐξ. Id. App. p. 144. Legendum potius ξηράφιον, quod v. ὕα L. Dind.]

Ξυράω sive Ξυρέω, Rado, [Ξυράω, Rado, Rasito; Ξυρέω, Glubo, Gl.] Novacula rado, Ad cutem tondeo, ut Cels. dicit, Caput ad cutem tondendum, diuque quotidie jejunis perfricandum; ἐν χρῷ κείρω. Plut. in Apophth. [p. 180, B] : Ξυρᾶν τὰ γένεια τῶν Μακεδόνων.

A [Matthæi Med. p. 304 : Εἶτα ξυρᾶν. Diod. 1, 84 : Πάντες ξυρῶνται ὅλον τὸ σῶμα.] Et, Ξυρεῖ ἐν χρῷ, proverbialiter pro Periculum est, Metuendum est : quasi novacula ad ipsum vivum penetret : παροιμία ἐπὶ τῶν εἰς βάθος ἁπτομένων λεγομένη καὶ ἐπὶ τῶν ἐπικινδύνων πραγμάτων· quo sensu infra, Ἐπὶ ξυροῦ ἵσταται ἀκμῆς· quod sicut aliquando infinitivum sibi copulatum habet, ita et hoc Soph. Aj. [786] : Ξυρεῖ γὰρ ἐν χρῷ τοῦτο μὴ χαίρειν τινά· Radit enim ad vivum hoc, quo minus quis gaudeat : pro Summum periculum est, Summopere metuendum ut non gavisurus sit aliquis ob ea, quæ hic nuntiat. Item alio proverbio, Ξυρεῖν λέοντα, Leonem radere, pro Rem difficillimam aggredi. Plato De rep. 1, [p. 341, C] : Οἴει γὰρ ἂν με οὕτω μανῆναι ὥστε ξυρεῖν ἐπιχειρεῖν λέοντα καὶ συκοφαντεῖν Θρασύμαχον; Ut leonem radere coner et dolis capere Thrasymachum in sermone? salse dictum a Socrate. [Aristid. vol. 2, p. 143.] Et Ξυράομαι s. Ξυροῦμαι, Rador novacula s. Radendum curo, i. q. ξύρομαι. 1 Cor. 11, [6] : Εἰ δὲ αἰσχρὸν τῇ γυναικὶ τὸ κείρασθαι ἢ
B ξυρᾶσθαι, κατακαλυπτέσθω. [Suidas v. Τιβέριος ex Jo. Antioch. p. 801 : Κείρεσθαί μου τὰ πρόβατα, ἀλλ' οὐ ξυρᾶσθαι βούλομαι, pro quo ἀποξύρασθαι falso accentu ap. Joannem.] Act. 21, [24] : Ἵνα ξυρήσωνται τὴν κεφαλήν. Athen. [12, p. 518, A] de barbaris occidentalibus : Πιττοῦνται καὶ ξυροῦνται τὰ σώματα. Idem 13, [p. 565, B] ex Alexide : Πιττοκοπούμενόν τιν' ἢ ξυρούμενον δρᾷς· paulo ante [564, F], Ξυρουμένους τὰ γένεια περιφέρεται τοὺς ἐρωμένους. Idem 6 : Ξυρούμενοι καὶ λεαινόμενοι διετέλουν, ἄνδρες ὄντες. Lucian. [De merc. cond. c. 1] : Ἐξυρημένοι τὰς κεφαλάς. [Aristoph. Thesm. 191 : Σὺ δ' εὐπρόσωπος, λευκὸς, ἐξυρημένος, eodemque tempore Polyb. 30, 16, 3. Fut. ξυρηθήσομαι Levit. 13, 33; 21, 5, Jerem. 48, 37. Ξυρήσομαι Levit. 14, 8, et alibi sæpius in V. T.] Artemid. Onirocr. 1, [22] : Ναυαγήσαντες μὲν γὰρ ἢ ἐκ μεγάλης σωθέντες νόσου ξυρῶνται οἱ ἄνθρωποι. [Eademque forma sæpius ibidem. Item Palæphat. 33, 1 : Τοὺς πώγωνας ἐξυρῶντο. « Forma Ξυρέω Ionibus maxime propria est. Sic ξυρεῦνται, Herodot. 2, 36, 37; ξυροῦντες, 65; ξυρέονται, 66. » Schweigh.
C His addenda exx. perfecti ἐξυρημένοι 2, 36, et aor. ξυρήσαντά μιν τὰς τρίχας 5, 35, pro ξυροῦντες autem scrib. ξυρέοντες. Aret. p. 118, 47 : Ξυρεῖν τὴν κεφαλὴν, ubi scr. ξυρέειν, ut 124, 43. De triplici hujus verbi forma Ξυράω, Ξυρέω, Ξύρω, quarum de tertia v. in Ξύρομαι, Thomas p. 642 : Ξυρέω ξυρῶ Ἀττικοὶ, οὐ ξυράω ξυρῶ, addito ex. Aristidis quod supra citavimus. Photius : Ξυρεῖσθαι οὐδὲ ξυρᾶσθαι λέγουσιν. Niceph. Greg. fr. Lex. gr. p. 324, n. 36 : Ἰστέον ὅτι τὸ ξυρεῖν καὶ τὸ ξύρεσθαι καὶ τὸ ξυρᾶσθαι ἐν χρήσει εἰσὶ παρὰ τοῖς ῥήτορσιν Ἀριστείδῃ τε καὶ Λουκιανῷ καὶ τοῖς ἄλλοις. Qui Luciani fortasse dicit locum Cynici c. 14, ubi jam Oudend. ad Thomam p. 643, ξυρούμενος vel ξυρόμενος, ut alibi est ap. illum, maluit pro ξυρώμενος, quod casu ap. Polyb. 8, 11, 9, in ξυρόμενος mutatum Schweigh. in Lex. vicissim restitui voluit : sed ea forma in illum non cadere videtur. Nam Favorinus quod scribit : Ξυρεῖν καὶ ξυρᾶν οἱ Ἀττικοὶ ἐπὶ πρώτης καὶ δευτέρας συζυγίας λέγουσι· ξυρᾶν τὰς τρίχας, ξυρῶ τὴν κεφαλὴν ἢ τὸν πώγωνα, refellit ipse quum addit : Ξυρέω ξυρῶ Ἀττικοὶ, οὐ ξυ-
D ράω ξυρῶ. Alia harum formarum exx. contulit Lobeck. ad Soph. Aj. p. 181.]

[Ξυρήκης. V. Ξυρήσιμος.]

Ξυρήσιμος, ὁ, ἡ, et Ξυρήκης, ὁ, ἡ, Qui radi potest et ad cutem tonderi, Cui opus est ut radatur s. ad cutem tondeatur. [Photius s. Suidas,] Eust. p. 939 : Ξυρήκης ὁ ξυρήσιμος καὶ κουριῶν, ex Ælio Dionysio; ubi etiam annotat βαρύνεσθαι hanc vocem ut νεήκης, εὐμήκης. Eur. Alc. [429] : Πένθος γυναικὸς τῆσδε κοινοῦσθαι λέγω, Κουρᾷ ξυρήκει καὶ μελαμπέπλῳ στολῇ, Tonsura ad cutem et pulla veste. Solebant enim in luctu radi, ut et ap. Sueton. in Calig. : Regulos quosdam barbam posuisse, et uxorum capita rasisse, ad indicium maximi luctus. [Eur. El. 335 : Κάρα ξυρῆκες· Phœn. 372. || Ap. Xen. Cyn. 10, 3, Τὰ δὲ ἀκόντια ἔστω παντοδαπὰ ἔχοντα τὰς λόγχας εὐπλατεῖς καὶ ξυρήκεις, restitutum ex Poll. 5, 20 : Τὰ μὲν ἀκόντια ἔσται μελίας ἢ ὀξύας... αἱ δὲ λόγχαι αὐτῶν εὐπλατεῖς καὶ ξυρήκεις, verti turque Novaculæ instar acutas. Libri ξυηας, ξυηρας, ξυκρας, ξυκεράς, ξυικας.]

Ξύρησις, εως, ἡ, Rasura quæ fit novacula, Tonsura ad cutem. Alex. Aphrod. Probl. 2, [36]: Ξύρησις ὠφέλιμος ἐπ' ὀφθαλμίᾳ, In lippitudine caput tondere ad cutem juvat. [Plut. Mor. p. 359, C. Vita Symeonis in Actis SS. Maji vol. 5, p. 338, E: Ξύρησιν κεφαλῆς. Matthæi Med. p. 303. L. Dind.]

[Ξυρησμὸς, ὁ, i. q. ξύρησις. Herodian. Epimer. p. 180.]

[Ξυρητικὸς, ἡ, όν. V. Ξυστικός.]

Ξυρίας, ὁ, Ad cutem tonsus, Rasus, VV. LL. Apud Polluc. [4, 133] est persona tragica: Ὁ δὲ ξυρίας, inquit, πρεσβύτατος τῶν γερόντων, λευκότατος τὴν κόμην· προσκείμεναι τῷ ὄγκῳ αἱ τρίχες. [Hesych. in Πριαμωθήσομαι: Τὸ τραγικὸν τοῦ Πριάμου πρόσωπον ξυρίας ἐστίν. Hemst. ῐᾱ]

[Ξυριάω, Tonderi cupio. Nicet. Annal. 19, 4, p. 369, D: Ἡ ἀεὶ ξυριῶσα καὶ νεανισκευομένη παρειά.]

[Ξυρίζω, Tondeo. Alciphr. Epist. 3, 66: Ξυριεῖσθαι τὴν γενειάδα βουλόμενος. Cui Pallad. H. Laus. p. 120: Ὃν ξυρισθῆναι ἐκέλευσεν, comparavit Bast. Ep. crit. p. 181, nec, quod mirum, ξυρεῖσθαι Alciphroni restituit. Athanas. ap. Fabric. Cod. Pseud. V. T. p. 327: Ξύρισον αὐτὸν καὶ ὀνύχισον, al. ξύρησον. Quod defendendum putabat Struvius in Suppl. Lex. Schneid., quum etiam ξύρησον scribere liceat, ut Chron. Pasch. p. 153, 16, codex Vat. ξυριθέντος pro ξυρηθέντος, quod ego restitui, quum ξυρισθέντος illatum esset. Conf. Matthæi Med. p. 292. L. Dind.]

Ξύριον, τὸ, Novacula, VV. LL. [Theod. Prod. in Notitt. Mss. vol. 8, part. 2, p. 139: Τοῦ καυτῆρος ἐκείνου καὶ τουτουὶ τοῦ ξυρίου· 140: Παντοδαπῶν σοι μελήσει ξυρίων. Boiss.]

[Ξυρίον. V. Ξήριον.]

[Ξυρίς. V. Ξειρίς. || Genus calcei s. caligæ. Photius s. Suidas: Ξυρίδες, καμπάγια, ζυγάδδια ἢ ἄλλο ὑπόδημα διάφορον. Qui etiam ἀναξυρίδας inter calceos referunt. Quo videndum an referendum sit quod ap. Photium Ξυστίδες dicitur εἶδος ὑποδημάτων (ὑποδήματος Bekk. An. p. 284, 3, ὑποδημάτων etiam Etym. M.), quum ab aliis omnibus vestis genus perhibeatur ξυστίς.]

[Ξύρισμα, τὸ, Rasura. Tzetz. Hist. 2, 537: Δρασάσῃ ξύρισμα Σαμψὼν βοστρύχων. Boiss.]

[Ξυροδόκη s.] Ξυροδόχη, et Ξυροθήκη, ἡ, Capsula in qua reponuntur novaculæ. Pollux l. 2, [32; 10, 140] de novacula loquens: Ἡ δὲ θήκη, ξυροθήκη ἢ ξυροδόχη παρὰ Ἀριστοφάνει καλεῖται. Verba Aristophanis habes in Ξυρόν. [Eust. Od. p. 1399, 36.]

[Ξυροθήκη. V. Ξυροδόκη.]

Ξύρομαι, Rador, Me rado, Radendum mihi curo. Proprie autem ea signif. Radendi dicitur, qua accipitur pro Novacula radere; et plus est quam tondere: Suet., Barbam posuisse, et uxorum capita rasisse. Radere genas, ap. Cic.; Rasitare barbam, ap. Gellium. Plut. De fort. Alex. l. 2 [p. 336, E] de Nicomede rege: Τὴν κεφαλὴν ξυράμενος καὶ πίλιον ἐπιθέμενος, ἀπελεύθερον ἑαυτὸν Ῥωμαίων ἀπηγόρευσεν. Athen. 13, [p. 565, C]: Ἐν Ῥόδῳ δὲ νόμου ὄντος μὴ ξύρεσθαι, οὐδὲ ὁ ἐπιληψόμενος οὐδείς ἐστι, διὰ τὸ πάντας ξύρεσθαι. Ibid. [p. 564, F]: Τὸ ξύρεσθαι τὸν πώγωνα, κατ' Ἀλέξανδρον προῆκται, Rasitare barbam, i. e. Rasitandam sibi curare. [Antiatt. Bekk. p. 109, 32: Ξύρεσθαί φασι λέγειν καὶ ξυρόμενον. Longus 4, p. 116: Τὸν πώγωνα ξυρόμενος, ubi tamen libri plures ξυρώμενος; quod Longo non indignum. Lucian. De m. Peregr. c. 17: Ξυρόμενος τῆς κεφαλῆς τὸ ἥμισυ] In hoc autem l., quem Bud. ex Plut. affert, ξύρεσθαι de ipso tonsore dictum videtur active pro Radere s. Tondere [Anton. c. 1]: Καὶ ὡς ξύρεσθαι μέλλων κατέβρεχε τὰ γένεια. [Primam produxit Manetho 4, 104: Ξυρομένους κεφαλὰς μίμους. || Ceterum etiam act. hujus formæ Ξύρω, quanquam raro, usurpatur. Tzetz. Hist. 9, 231: Ξύρας δὲ τοῦτον. V. autem de triplici hujus verbi forma quæ dicta sunt in Ξυράω. L. Dind.]

[Ξυρομαχεῖν legitur in Libanio Morellii; sed Reisk. vol. 4, p. 238, e cod. Bavarico recepit ζυγομαχεῖν. Recte. Bast.]

[Ξυρόν. V. Ξυρός.]

Ξυρὸς, ὁ, Acutus, Ad radendum et scalpendum aptus. Hesych. ξυρὸν exp. τομὸν, ὀξὺ, ἰσχνόν. [Hoc fortasse dicit Arcad. p. 69, 8: Τὰ εἰς ρος δισύλλαβα παρα-

A λῃγόμενα τῷ υ βραχεῖ βαρύνεται, Σύρος, Τύρος. Εἰ δὲ ἔχοι ἐκτεταμένον, κύρια μὲν ὄντα βαρύνεται ... μὴ οὕτω δὲ ὀξύνεται, πυρὸς ὁ σῖτος, τυρὸς, ξυρός. Nam a ξύω etiam producto υ vocabulum fieri potuit, nec videtur subst. ξυρὸν dici ab Hesychio. Quanquam ap. Arcadium fieri potest ut ξυρὸς quidem substantivum dicatur, sed Herodianeis et antiquis præceptis, ut alibi, admistum fuerit aliquid ab novitiorum magistrorum imperitia profectum. Nam ap. Draconem p. 121, 16, etiam ξυρὸν τὸ υ ἀδιαφόρως ponitur, et 118, 25, 26, non solum ξυρὸς, sed etiam ξυρῷ inter exx. υ producti, et Mœris p. 272: Ξυρὸν μακρῶς Ἀττικοὶ, βραχέως Ἕλληνες, et Photius: Ξυρὸν, ἐκτεταμένως τὰ πολλὰ λέγουσιν.] || Ξυρὸς substantive frequentius usurpatur pro Cultro rasorio s. tonsorio, i. e. Novacula. [Eur. El. 241: Κρᾶτα πλόκαμόν τ' ἐσκυθισμένον ξυρῷ.] Apud Athen. 13, [p. 565, D]: Ἐν Βυζαντίῳ δὲ ζημίας ἐπικειμένης τῷ ἔχοντι κουρεῖ ξυρὸν, οὐδὲν ἧττον πάντες χρῶνται αὐτῷ. Aristoph. Thesm. [219]: Χρῆσόν τι [νῦν] ἡμῖν ξυρόν· cui respondetur, Αὐτὸς λάμβανε Ἐντεῦθεν ἐκ τῆς ξυροδόκης.

B [Conf. Eccl. 65: Τὸ ξυρὸν δὲ γ' ἐκ τῆς οἰκίας ἔρριψα πρῶτον, ἵνα δασυνθείην ὅλη, unde colligere licet neutro genere dici etiam priori loco, etiamsi τι non sit cum ξυρὸν conjungendum, et in fr. Thesmoph. alt. ap. Polluc. 7, 95. V. infra.] Et proverbialiter ap. Suidam [aliosque parœmiogrr.], Ξυρὸς εἰς ἀκόνην, in eos qui consequuntur quæcunque volunt: cui similis parœmia, Ὄνος εἰς ἄχυρα. Item in alio proverbio, Ἐπὶ ξυροῦ ἵσταται ἀκμῆς, In novaculæ acie sita res est, pro In summo discrimine est: sumpta metaphora a circulatoribus, qui in cuspide gladiorum ingrediuntur, aut ab iis qui ferrum manu contrectant, ut ex schol. Theocr. annotat Erasm., ap. quem plura reperies. Hom. Il. K, [173]: Νῦν γὰρ δὴ πάντεσσιν ἐπὶ ξυροῦ ἵσταται ἀκμῆς, Ἢ μάλα λυγρὸς ὄλεθρος Ἀχαιοῖς ἠὲ βιῶναι. [Æsch. Cho. 883: Ποῖ Κλυταιμνήστρα; τί δρᾷ; Ἔοικε νῦν αὐτῆς ἐπὶ ξυροῦ πέλας αὐχὴν πεσεῖσθαι πρὸς δίκην πεπληγμένης. Eur. Herc. F. 630: Ὧδ' ἔβητ' ἐπὶ ξυροῦ; Theoctistus ap. Stob. Fl. vol. 3, p. 508: Βέλτιον ἐπὶ ξυροῦ ἢ ὄγκου βαίνειν μετὰ προλήψεως.] Theocr. 22, [6]

C de Menelao ac Paride singulari certamine de Helena decernentibus: Ἀνθρώπων σωτῆρας ἐπὶ ξυροῦ ἤδη ἐόντων. In Epigr. quodam vet. [Simonidis], quod habetur in Anthol. [ap. Plut. Mor. p. 870, C]: Ἀκμῆς ἑστηκυῖαν ἐπὶ ξυροῦ Ἑλλάδα πᾶσαν. Sic Soph. Antig. [996]: Φρόνει βεβὼς αὖ νῦν ἐπὶ ξυροῦ τύχης· verba Tiresiæ Creontem monentis, ut sapiat in tanto constitutus periculo. Triclin. ap. Soph. annotat, pro hoc proverbio, Ἐν ξυρῷ ἵσταται τὸ πρᾶγμα, dici etiam ξυρεῖ ἐν χρῷ. Synes. dixit, Ἐν χρῷ τοῦ κινδύνου γίνεσθαι, Proximum esse periculo. Aliquando cum ἐπὶ ξυροῦ infinitivus copulatur. Gregor. in Epitaph. patr.: Ἐπὶ ξυροῦ δὲ ἡ πόλις ἢ μηκέτ' εἶναι μετὰ τὴν ἡμέραν ἐκείνην, ἢ περισωθῆναι. Sic Theodorit. H. E. 4 init. [« Sunt hæc ap. Herodotum p. 213 (6, 11). » HSt. Ms. Vind.], Ἐπὶ ξυροῦ γὰρ ἀκμῆς ἔχεται ἡμῖν τὰ πράγματα [πρήγματα], ἢ εἶναι ἐλευθέροις [—οισι] ἢ δούλοις [—οισι], In summo discrimine res nobis sitæ sunt, Bud. Pro ἐπὶ ξυροῦ ἵσταται ἀκμῆς, Theocr. [14, 9] dicit, Θρὶξ ἀνὰ μέσσον. Solebant etiam ξυροῖς uti ad amputandas cervices. Plut. Artox. p.

D 309 [c. 29]: Τῇ ἑτέρᾳ χειρὶ δραξάμενος τῆς κόμης αὐτοῦ, καὶ καταγαγὼν, ἀπέτεμε τῷ ξυρῷ τὸν τράχηλον. Ibid., de carnifice: Ἧκε μὲν ξυρὸν ἔχων ᾧ τὰς κεφαλὰς ἀποτέμνουσι τῶν κολαζομένων. Ceterum masc. gen. dici ξυρὸς patet ex proverbio supra citato, Ξυρὸς εἰς ἀκόνην, quod ap. Suid. habetur [qui præterea ponit: Ξυρὸς, τὸ ἐργαλεῖον, quanquam hæc forma inusitata fuisse videtur antiquioribus, quam unius Archippi exemplo confirmare potuit Pollux 10, 177. V. quæ initio diximus], et ap. Eust., qui et ipse utitur nominativo ὁ ξυρός. Sic Epigr. [Palladæ Anth. Pal. 11, 288, 2]: Καὶ τάχα νικῶσιν τὸν ξυρὸν αἱ ῥαφίδες. [Ita Planudius: cod. Pal. recte τό.] Ap. Polluc. tamen reperio etiam neutro gen. τὸ ξυρόν: 2, [32] ubi ait, Τοὺς δὲ κουρέας, καὶ κορσωτῆρας ἐκάλουν· ὧν τὰ ἐργαλεῖα, κτένες, ξυρόν. [Ξυρὸν, Novacula, Novaculum, Sipillus; Ξυρὸν κουρέως, Traver; Ξυρὸν σκυτέως, Sicilum (sic), Gl. Incerto genere Lycophr. 840: Πεφήσεται δὲ τοῦ θεριστῆρος ξυρῷ, de Perseo. Nicand. Al. 412: Περὶ δ' αἴνυσο λάχνην κέρσας εὐήκει νεόθεν ξυρῷ. Aret. p. 115, 21: Τὰς κόμας ξυρῷ ἀφαιρέοντα. Ξυρὸν de accentu agens ponit Herodian. Π. μον. λ. p. 38, 33, et Arcad. p. 122, 22, et plur. τὰ ξυρὰ τῶν ξυρῶν p. 137, 13. De mensura v. initio.]

[Ξυροφορέω, Novaculam gesto. Aristoph. Thesm. 218 : Ἀγάθων, σὺ μέντοι ξυροφορεῖς ἑκάστοτε.]

[Ξύρω. V. Ξύρομαι.]

Ξύσιλος, ὁ, Sophron in Mimis : Τί μὰν ξύσιλος, τί γὰρ σύφαρ ἀντ' ἀνδρός; ubi Erasm. annotat ξύσιλον appellari Aridum et pruriginosum senem, παρὰ τὸ ξύειν : at σύφαρ, quasi jam non hominem ipsum, sed Pellem duntaxat exuccam et inanem. Vide et Ξύω. [Locum Sophronis habet Etymol. p. 737, 3. Eustath. Od. p. 1766, 35. Hemst.]

[Ξῦσις.] Ξύσις, εως, ἡ, Rasura, Pruritus commotio. [Hippocr. p. 394, 17 : Ξῦσις τοῦ ἐντέρου. Aret. p. 120, 21 : Πίεσις τῆς κεφαλῆς ἐς τὴν τοῦ δέρματος ξῦσιν. || Scalptura. Ammon. In Aristot. De interpr. fol. 17 a : Τὸ τοῦ γράμματος ὄνομα προηγουμένως τὸν δι' αὐξήσεως ἀποτελούμενον χαρακτῆρα σημαίνει. Διὰ ξύσεως Valcken. Anim. ad Ammon. p. 55. || Politura. Etym. M. p. 611, 20 : Οὐδεμία ὕλη πρὸς ξῦσιν ἐπιτηδειοτέρα ξύλου.]

[Ξῦσμα.] Ξύσμα, τὸ, Ramentum, [Rasura, Gl.] Quod radendo detractum est, ut ξύσμα ἢ τίλμα τῶν ὀθονίων, quod Plin. dicit Derasa linteorum lanugo. Sic Erotian. [p. 78] : Ἄχνη ὀθονίου, τὸ παρ' ἡμῖν λεγόμενον ξύσμα· ἐξ οὗ γίνεται μοτὸς ὁ καλούμενος ξυστός [in edd. male ξυσμός]. Et Gorr. : Ξύσματα, Linamenta linteolis derasis concinnata, quæ proprie μοτοὺς ξυστοὺς Chirurgi appellant. Ab horum similitudine Aristot. De anima 1, [2 bis] ἀτόμους Democriti ξύσματα vocasse videtur, Quisquilias instar lanuginis, quæ lineis deradi solet : Οἷον ἐν τῷ ἀέρι τὰ καλούμενα ξ., ἃ φαίνεται ἐν ταῖς τῶν θυρίδων ἀκτῖσιν. Et rursus paulo post. Itemque in Probl. s. 14, sub fin. [immo s. 15, qu. 12] : Διὰ τὸ κινεῖσθαι τὰ ἐν τῷ ἀέρι, καλεῖται δὲ ξύσματα, φανερὰ δὲ ἔσται ἐν ταῖς ἀκτῖσι ταῖς διὰ τῶν θυρίδων· ταῦτα δὲ κινεῖται κἂν νηνεμίᾳ. [Conf. Iamblich. ap. Stob. Ecl. vol. 1, p. 924. De casei ramentis Suidas v. Δρύππα, ubi citat Phaniæ Anth. Pal. 6, 299, τυροῦ δρύψια κυχλιάδων, et interpretatur τυροῦ ξύσματα περιφεροῦς, ubi alii libri ξέσματα, ut paullo post ap. Diosc. V. Ξυστός. Matthæi Med. p. 352 : Ἐλέφαντος ξύσματα. Theophanes Nonn. vol. 1, p. 326 : Ξύσματα κυπαρίσσου· vol. 2, p. 242 : Κολοκύνθης ξύσματα.] || Ξύσματα, Strigmenta [Gl.] proprie dicebantur antiquis ea, quæ oleo illitis corporibus, post sudorem una cum sudore reliquisque humani corporis sordibus destringebantur. Est autem Destringere, lacinia, strigilive, aut tota manu, quæ corpori hærent, abradere et exterere. Ea ex oleo, sudore, et sordibus humani corporis concreta et in balneorum pavimentis relicta, in multos usus servabantur. Gorr. Hæc strigmenta Diosc. 1, vocat ῥύπον βαλανείων, ῥύπον ἐκ τῆς παλαίστρας, ῥύπον γυμνασίων : alii vero πάτον. Dicitur etiam ξύσμα, quod destringitur fructibus et quod pomorum appellatione continentur. Diosc. 2, 162, de cucurbita : Ὁ δὲ χυλὸς τῶν ξ. θλιβέντων πρὸς ὠταλγίας καθ' ἑαυτὸν καὶ μετὰ ῥοδίνου ἐγχυματιζόμενος ὠφελεῖ, καὶ πρὸς καυσουμένην ἐπιφάνειαν ἐγχριόμενος· Plin. 20, 3 : Succus ex strigmentis illitus cum rosaceo et aceto, febrium ardores refrigerat. Diosc. ibid. : Τὸ δὲ ξύσμα παιδίοις σιριῶσιν ὠφελίμως κατὰ τοῦ βρέγματος καταπλάσσεται, καὶ πρὸς ὀφθαλμοῦ φλεγμονὰς καὶ ποδαγρικὰς ὁμοίως. Unde Plin. ibid. : Necnon ramentis corticis recentes podagras refrigerat, et ardores capitis, infantium maxime; et ignes sacros destrigmentis, vel his impositis, vel seminibus. Possumus igitur, imitatione Plinii, in eo loquendi genere ξύσματα reddere, Ramenta, Destrigmenta, Strigmenta. In posteriori Diosc. l. vulg. edd. habent ξέσμα, vet. libri ξύσμα. Rursum ξύσματα in excrementis quoque dicuntur. Diosc. 4, 178, de pilulis colocynthidis : Ἄγουσαι φλέγμα καὶ χολὴν καὶ ξ. Et mox, Καθαίρει πάχος καὶ ξύσμα, Strigmenta, Ruell. Sic et Marcellus, annotans ibi significari Carnis adipisque minuta ramenta, quæ in excrementis vi purgationis pelluntur, et quasi stringendo derasa detritaque trahuntur; quod enim ex rasura alicui rei ramentum exteritur, id Græcis ξύσμα, Latinis vero, præsertimque Celso [2, 8], Strigmentum esse. [Hippocr. p. 394, 8, de oxymelite ξύσματα ἐμπνέειν scribit : ubi Galen. : Ἕλκωσις γάρ τις ἐπιπολῆς ἐστιν ἡ ξυσματώδης διάθεσις. Hipp. p. 104, D : Αἷμα δὲ καὶ ξύσματα διαχωρήσαντα ἐπαύσαντο ἑβδομαῖα· F : Αἵματός τε καὶ ξύσματος διαχωρεόντων. Foes. Theoph. Nonn. vol. 2, p. 34 : Σημεῖον ἔχει τὸ αἱματῶδες καὶ ξύσματα καταφέρειν.] || Ex Epigr. ξυσμάτων [immo ξυσμάων, quod v. in Ξυσμή] affertur pro Rasurarum et liturarum, quæ fiunt, dum scripta corriguntur. Hesych. vero ipsa etiam γράμματα et characteres ceræ aut libro quasi insculptos ξύσματα vocari scribit, ut in Ξύω annotabo. || Eidem Hesychio ξύσμα est κνηφή, λέπρα. [Ap. Julian. Cæs. p. 309, C : Ὤφθησαν ὠτειλαὶ κατὰ τὸν νῶτον μυρίαι, καυτῆρές τινες καὶ ξέσματα, al. ξύσματα.]

[Ξυσμάτιον, τὸ, ap. Hippocr. p. 1231, C : Ὑπεχώρησε πρὸς βάλανον ξυσμάτια μέλανα χολώδεα, Parvula strigmenta et ramenta. Foes.]

Ξυσματώδης, ὁ, ἡ, Strigmentis s. Destrigmentis et ramentis similis. Et ξυσματώδη, Quæ strigmentis similia sunt. Hippocr. [p. 40, 19; 54, 12. Et p. 220, G : Ξ. διαχώρημα. Et p. 392, 46 : Ξυσματωδέστερα διαχωρήματα. Foes. Aretæus p. 60, 37 : Ξυσματώδεα, ὡς ἀπ' ἐντέρων εἶναι] : Κοιλίη ξυσματώδεα διαχωρέουσα· pro quibus Celsus, Alvus quæ strigmentum repræsentat. [Est et ξ. ὑπόστασις ex eadem denominatione, Sedimentum in urinis ramenta referens, p. 1123, B. Foes.]

Ξυσμή, ἡ, quod a ξύω quidem derivari scribit, sed non exponit Eust. [Il. p. 863, 3.] Videtur vero et ipsum aut Rasuram Scalpturamve, aut Pruritum significare. [Eupithius Anth. Pal. 9, 206, 2 : Ἀϊδήλων ξυσμάων, λεπτὸς τὰς ἐχάραξε δόναξ. Ubi recte Jacobsius interpretatur Tenues notas calamo quasi insculptas. Comparare licebat Georg. Pachym. Andron. Pal. 1, p. 5, B : Ἐπὶ τοσοῦτον γὰρ καὶ παρεῖχτο τοῖς τοῦ πατρὸς (literis) ὡς μὴ ῥᾳδίως διαγνῶναι ἔχειν καὶ τὸν εἰδήμονα, ἐκ μόνης δέ τινος ξυσμῆς βραχυτάτης ἐπὶ τῇ παραλλάξει κατανοούμενον ὑπονοεῖν ἐδίδου τὴν χεῖρα. Gl. : Ξύσμαι (sic), Ramenta. V. Ξῦσμα, Ξυσμὸς, et conf. Ξεσμή. Hesychius : Ἐντορίδες, ξυσμαὶ ὄψεως. De signif. Pruritus autem conf. Ξυσμός. L. Dind.]

Ξυσμὸς, ὁ, Pruritus, κνησμὸς, Erotian. ap. Hippocr. [« Aph. 31 l. 3 : Ξυσμοὶ τοῦ σώματος ὅλου, Pruritus totius corporis fiunt in senibus ob superfluitatum in corporis cute acervatarum copiam, quæ ob cutis frigiditatem difficilem habent evacuationem; fiunt quoque ob salsæ pituitæ ad corporis superficiem delatæ abundantiam. Et p. 415, 23 et 25 : Ἐν τῷ πνεύμονι ξυσμὸς ἐγγίνεται· 1144, B : Ἄνθρωπος ξυσμῷ εἴχετο πᾶν τὸ σῶμα. Ubi etiam κνησμὸν postea explicat : Τοῦ μὲν κνησμοῦ ἐπαύσατο, quem etiam l. adducit Eust. et ξυσμῷ κνησμῷ exponit, nisi quis ap. Hipp. et Erot. ἀντὶ τοῦ κνησμοῦ ξυσμοῦ legere malit. Quinetiam p. 689, 8, ubi legitur καὶ κνησμὸς ἔχῃ, ξυσμὸς legunt exemplaria Regia mss. Ξυσμὴ etiam i. q. ξυσμὸς significat, et usurpatur Hipp. sæpe, ut p. 480, 30 : Καὶ ξυσμὴ ἔχει, pro quo p. 482, 9 : Καὶ ξυσμὸς ἔχει. Et p. 369, 16 : Καὶ τὸ μέτωπον ξυσμὴ λαμβάνει. Quibus ex ll. scriptum videtur a Galen. in Exeg. : Ξυσμὴ, ὃ καλεῖται κνησμός. Etsi ξύμη vitiose pro ξυσμὴ omnibus in exemplaribus legitur. » Ex Foes. OEcon. De literis scalpendis Dionys. Thrax qui dicitur Bekk. An. p. 630, 27 : Γράμματα λέγεται διὰ τὸ γραμμαῖς καὶ ξυσμοῖς τυποῦσθαι. Ubi ξυσμαῖς Fabric. et cod. ap. Cramer. An. vol. 4, p. 326, 2, sed οἱ ξυσμοὶ p. 325, 31. Incerta signif. Hesychius : Χνόος, ξυσμὸς, ψόφος, φθόγγος. Nisi gl. refertur ad ἁλὸς χνόον Hom. Od. Ζ, 226.]

[Ξυσταρχέω, Xysto præsum. Inscr. Ephesia ap. Bœckh. vol. 2, p. 617, n. 2999, si recte ita legitur pro ΙΑΥΠΑΡΧΟΥΝΤΟΣ. Inepto accentu ap. Suidam : Ξυστάρχεις, τοῦ γυμνασίου ἄρχεις, nullo apud Photium. L. Dindorf.]

[Ξυστάρχης, ὁ, Xystarches, ap. Tertullian. legitur Ad Mart. c. 3, et Spiritui S. tribuitur; significat autem Principem gymnasii, aut loci, in quo athletæ hyeme exercentur præsidem. Anonym. Ammian 21, 1, 4 : Xystarchæ similis purpurato. Inscr. Att. ap. Bœckh. vol. 1, p. 513, n. 765, 2 : Ξυστάρχου Αἰλίου Θεοφίλου· Spart. p. 679, n. 1428 : Ξυστάρχης διὰ βίου· Lytti p. 428, n. 2583, 5 : Ξυστάρχην ἱεροῦ ἀγῶνος πενταετηρικοῦ· n. 2758, p. 504, C 7; 505, G, col. III, 8 : Ξυστάρχῃ. L. Dind.]

Ξυστὴρ, ῆρος, ὁ, Rasor, Scalptor. Hermog. rhetor cognomento ξυστὴρ dictus fuit, Suid. || [Ralla, Rallum, Rallus, Rasorium, Rasorius, Sella, Gl. Leonidas Tar. Anth. Pal. 6, 205, 5 : Τέκτονος ἄρμενα ταῦτα ... αἵ τ' ἀρίδες ξυστήρ τε. Schol. Hom. Od. X, 455 : Λίστροις) Τοῖς ξυστῆρσι ἀπὸ τοῦ λειαίνειν. V. Ξυστηρίδιον.] Scalprum chirurgicum radendo idoneum, quo se ad rimas usum Galenus [l. 6 Meth. med. p. 104, 47, 49; 105, 3] prodidit; sed quæ fuerit ejus figura non explicat. [Scalpellus rasorius, quo os raditur, ad dignoscendum ossis vitium, quod alioqui non satis conspectui patet, Hippocr. p. 907, D. Paulus quoque 6, 90, ξυστῆρσι in simplici fractura utitur. Foes.] Dicitur et ξύστρα, Strigilis. Gorr. Ξυστὴρ et Ξυστήριον, inquiunt VV. LL., Scalper, Salprum, Scalpellus, Scalper excisorius, ap. Cels. : ut scalpro medicinali dentes exesos excindere jubet Scrib. Largus. Paul. Ægin. : Καὶ τὰς προσκειμένας τοῖς ὀδοῦσι λεπίδας τῷ κυαθίσκῳ τῆς σμίλης ἢ ξυστηρίῳ ἢ τῷ ῥιναρίῳ καθαίρωμεν. Supra in Κολαπτὴρ habes ξυστὴρ usurpatum pro Scalpro lapicidarum, quo lapides scalpunt ac complanant. [In l. Plut. Mor. p. 350, D : Μόνον οὐ κολαπτῆρσι καὶ ξυστῆρσι τὰς περιόδους ἀπολεαίνων καὶ ῥυθμίζων. Thomas p. 643 : Ξυστὴρ, οὐ ξῦστρον. Memorat etiam Pollux 4, 181, inter instrumenta medicorum.] || Ξυστὴρ dicitur etiam Collyrium τραχωματικὸν, cujus variæ habentur compositiones. Unam recenset Paulus, Aetius duas. Dicitur ἀπὸ τοῦ ξύειν, quod palpebræ asperitates abradat. Gorr. || Ξυστὴρ est etiam Auris pars, Cam. ex Isagoge quæ Galeno ascribitur, Quæ panduntur, πτερυγώματα, quasi Pinnæ, appellantur : quæ vero reflectuntur et cum extremo ambitu intorquentur, κυρτοειδῆ, Gibbosæ partes : intra quas veluti dimidiatus orbis extat, quem ξυστῆρα dixere : et interius cavum, κογχίον : in medio foramen teres, πόρος ἀκουστικὸς est, i. e. Meatus vocis.

[Ξυστηρίδιον, τὸ, diminut. a ξυστήρ. Phrynich. Bekk. An. p. 51, 10 : Ὅμηρος μὲν λίστρον τὸν ξυστῆρα, οὗ ὑποκοριστικὸν λίστριον, οἷον ξυστηρίδιον. L. Dind.]

[Ξυστήριον, τό. V. Ξυστήρ.]

[Ξυστὴς, ὁ, Rasor, Scalptor. Reg. 2, 12, 12 ed. Compl.]

[Ξυστιανός. V. Ξύστις.]

[Ξυστιδωτὸς, ἡ, όν. V. Ξυστίς.]

Ξυστικὸς, ἡ, ὸν, Qui in xysto se exercet, ut Suet. Aug. [c. 45] : Nec tamen eo minus xysticorum concertationes aut gladiatorum pugnas severissime semper exegit. [Conf. Galb. c. 15. Galen. vol. 13, p. 854 : Τούτῳ ἐχρήσατο ἀνὴρ ξυστικός. Inscr. ap. Reines. Cl. 5, p. 379, n. 41 : Ἡ ἱερὰ ξυστικὴ σύνοδος τῶν περὶ τὸν Ἡρακλέα, et iisdem verbis vel addito ἀθλητῶν p. 380, n. 42, 43. L. D.] || Alias significat etiam Radendi, Destringendi vim habens s. Astringendi, VV. LL. in [l. Philotimi ap.] Athen. 3, [p. 81, B] de pomis : Τὰς δὲ δυνάμεις ἔχει τῶν ὑγρῶν· τὰ μὲν ὀξέα καὶ μήπω πέπονα, στρυφνοτέρας καὶ πόσεως [ποσῶς] ὀξείας· χυμόν τε ἀναδίδωσιν εἰς τὸ σῶμα τὸν καλούμενον ξυστικόν [et ibid. iterum]· quæ interpretatio non inconveniens videtur, quum Diosc. quoque 1, 60 [159], dicat, Ὁ καρπὸς (τῆς μηλέας) ἔνωμος μὲν, στυπτικὸς καθέστηκε· πεπανθεὶς δὲ, οὐχ ὁμοίως. Itaque ap. Athen. μήπω πέπων et ξυστικὸς exponi ex Diosc. possunt ἔνωμος et στυπτικός : significat autem στυπτικὸς, Astringendi vim habens. [Alex. Trall. 7, p. 100. || Ξυστικὴ, ἡ, Politura. Schol. Dionys. Bekk. An. p. 650, 30 : Ἡμιτέχνιόν ἐστιν ἡ ἐξ ὀλίγων θεωρημάτων συνεστηκυῖα τέχνη, ὡς ἡ ξυστικὴ καὶ ἡ ἀπονυχιστική. Pro quo ξυρητικὴ in Cram. An. vol. 4, p. 248, 10. L. Dind.]

Ξυστὶς, ίδος [s. Ξύστις, ιδος], ἡ, ead. signif. qua ξυστρὶς dicitur. Pollux 10, c. 16, quod περὶ τῶν ἐν τῷ γυμνασίῳ σκευῶν inscribitur [§ 62] : Καὶ ληκύθιον καὶ στλεγγίδες· καὶ ξυστίδας δ' αὐτὰς ἄν τις εἴποι· nam apud Epicharmum reperiri hoc vocab. dicit, et apud Diphilum, ex quo hunc l. citat, Ξυστίδ' ἔχων, ἐγὼ δὲ καὶ λήκυθον, ubi ξυστὶς et λήκυθος copulantur ut ap. Plaut., Rubiginosam strigilem, ampullamque rubidam. [Verba Pollucis ab HSt. secundum vett. edd. citata nunc ita leguntur : Ἔν τε γὰρ ταῖς Ἐπιχάρμου Νήσοις εὕρηται τοὔνομα καὶ Δίφιλος ἐν Κιθαρῳδῷ εἴρηκεν Λήκυθον, ξύστιν ἔχεις, ἐγὼ δὲ καὶ ξύστραν, pro quibus Pierson. ad Herodian. p. 468 : Ξύστιν τ' ἔχεις· ἔτι δὲ καὶ ξύστραν, ut hic quoque formam ξύστρα memoraverit Pollux, ut loco in Ξύστρα citato.] Sed sunt [in Lex. Septemv.] quibus in eo Pollucis l. reponendum videatur ξυστρὶς, quod ap. Hesych. [in Στελγὶς, nisi est dittographia proximæ gl. Στέλγει, ξύστρα vel ξύστρᾳ] legitur. Nam ξυστὶς plerumque significat Vestem crocei coloris, quam aurigæ in pompis gestare solebant : fortassis ea quam βατραχίδα appellat Dion : τὸ κροκωτὸν ἱμάτιον, inquit Suid., ὃ οἱ ἡνίοχοι μέχρι τοῦ νῦν φοροῦσι πομπεύοντες. [Ἱππικὸν ἔνδυμα dicit Harpocr., addito loco Aristoph.] Idem habent et scholia in Aristoph. Nub. [70], sed annotatur paroxytonωs scribi ξύστις [Schol. Theocr. 2, 74 Genev. : Ξύστις ἀττικῶς, ξυστὶς δὲ κοινῶς. Et ξύστις scriptum in Bekk. An. p. 284, 14. Photius, apud quem semel Ξυστις sine accentu, tum Ξυστὶς et Ξυστίδες, ponit etiam vitiosum Ξύστης, περισκελὲς ἔνδυμα] : et exp. etiam πορφυρὶς, quoniam usque ad id tempus οἱ εἰσελαύνοντες ἀθληταὶ τοιούτῳ κοσμηθέντες σχήματι καὶ ἅρματος ἐπιβάντες, διὰ μέσης ἐπόμπευον τῆς πόλεως. Verba Aristophanis sunt : Ὅταν σὺ, μέγας ὢν, ἅρμ' ἐλαύνῃς πρὸς πόλιν, Ὥσπερ Μεγακλέης, ξύστιδ' ἔχων. Quosdam vero ibi intellexisse ἀκόντιον, annotat Suid. Utebantur ξύστιδι veste reges etiam, Aristoph. schol. [recentior et] Suid. [Pro quo τραγικοὶ βασιλεῖς vetus.] Trabeam nonnulli interpretantur, quæ regibus apud Latinos tribuitur. Utebantur et Comici ac Tragici [comœdi et tragœdi], ut testatur Hesych. quoque, qui ξυστίδας exp. χλανίδας [pro quo χλαμύδας scriptum ap. Tim. Lex. Plat. p. 188] κωμικάς [τραγικὰς Meinek. Com. vol. 2, p. 169 : v. infra] : et ξυστὶς, τραγικὸν ἔνδυμα· [Phot. et] Suid. [sive gramm. Bekk. An. p. 284, 14, schol. Plat. p. 402] quoque annotat esse ἰδίως τὸ τῶν τραγῳδῶν ἔνδυμα, et usos ea etiam fuisse τοὺς τραγικοὺς βασιλεῖς : item, τραγικὸν ἔνδυμα ἐσκευοποιημένον καὶ ἔχον ἐπιπόρπημα [ὅ ἐστιν ἐπὶ τῇ πόρπῃ προσκόσμημα ἢ λίθινον ἢ χρυσοῦν ἢ ἀργυροῦν· πόρπη δέ ἐστιν ἡ ἄνω τῆς χλαμύδος σύνδεσις, addit schol. Plat.]. Exemplum habes in Στατὸς, ubi Callippidi Tragœdo tribuitur. [Plut. Alcib. c. 32 : Καλλιππίδην τὸν τῶν τραγῳδῶν ὑποκριτὴν, στατοὺς καὶ ξυστίδας καὶ τὸν ἄλλον ἐναγώνιον ἀμπεχόμενον κόσμον, quibuscum conf. Mor. p. 348, F, ubi post Callippidis aliorumque histrionum tragicorum mentionem addit : Σκευῶν καὶ προσώπων καὶ ξυστίδων ἁλουργῶν καὶ μηχανῶν ἀπὸ σκηνῆς κτλ.] Rursum Hesychio est χιτὼν ποδήρης γυναικεῖος : et ξυστίδες, ποδήρη ἐνδύματα. Sic accipi potest ap. Theocr. 2, [74] : Βύσσοιο καλὸν σύροισα χιτῶνα, Κἀμφιστειλαμένα τὰν ξυστίδα τᾶς Κλεαρίστας· nam schol. quoque ibi esse dicit γυναικεῖόν τι ἔνδυμα λεπτὸν πεποικιλμένον. [Harpocratio : Ξυστίς· Λυσίας ἐν τῷ πρὸς Νικόδημον καὶ Κριτόβουλον· γυναικεῖόν τι ἔνδυμά ἐστιν ἡ ξυστὶς πεποικιλμένον, ὡς δῆλον ποιοῦσιν ἄλλοι τε τῶν κωμικῶν καὶ Ἀντιφάνης ἐς Εὔπλοιᾳ, Ὥσπερ ξυστίδα ὥσπερ τὸ ποικίλως ὑφασμένων (olim ὥσπερ ξ. ἔνδυμα τῷ ποικίλως ἠμφιεσμένον, unus liber neque ἔνδυμα τῷ neque ὥσπερ τὸ). Ἔστι μὲν (al. δὲ; μέντοι Photius) καὶ τραγικόν τι ἔνδυμα οὕτω καλούμενον, ὡς Κρατῖνος ἐν Ὥραις. Quæ in brevius contraxit Photius. In versu Antiphanis Salmasius ἔνδυμά τι ποικιλτὸν ἠμφιεσμένον. Et sic Plat. Reip. 4, p. 420, E : Ἐπιστάμεθα καὶ τοὺς γεωργοὺς ξυστίδας ἀμφιέσαντες καὶ χρυσὸν περιθέντες πρὸς ἡδονὴν ἐργάζεσθαι κελεύειν τὴν γῆν. Chorus mulierum ap. Aristoph. Lys. 1188 : Στρωμάτων δὲ ποικίλων καὶ χλανιδίων καὶ ξυστίδων καὶ χρυσίων, ὅσ' ἔστι μοι· et fr. Thesmoph. alt. ap. Clem. Al. Pæd. p. 245. Atque hujusmodi locos Comicorum respexisse videntur grammatici qui χλανίδας κωμικὰς sunt interpretati, quanquam mulierum quidem etiam extra scenam fuerunt ξυστίδες, non item virorum in vita communi.] Fuisse autem delicatum et molle vestimenti genus, ex Plut. apparet, qui De orac. Pyth. [p. 406, D] ait : Ἐξωθοῦσα τὸ περιττὸν ἡ χρεία, κρωβύλους τε χρυσοῦς ἀφῄρει καὶ ξυστίδας μαλακὰς ἀπημφίαζε. [Clem. Al. Pæd. 2, p. 237 : Τοσοῦτον ἐπτοῆσθαι περὶ τοὺς πέπλους καὶ τὰς ξυστίδας.] Ap. Athen. 12, [p. 535, E] περὶ ἐξαλλαγῆς πατρίου στολῆς, de Dionysio Siciliæ tyranno : Ξυστίδα καὶ χρυσοῦν στέφανον ἐπὶ περόνῃ μετελάμβανε τραγικόν. Theopomp. ap. Longin. [43, 2] de iis quæ ad regem Persarum mittebantur : Πολλαὶ δὲ καὶ ξυστίδες καὶ κλίναι πολυτελεῖς. Hesych. et [Phot. s.] Suid. ξυστίδα exp. etiam λεπτὸν ὕφασμα [et περιβόλαιον,

Suidas vero Ξυστίδα etiam τὸ παχὺ ἱμάτιον] : item τὸ λεπτὸν, παρὰ τὸ ἐξύσθαι [ἐξῦσθαι. Conf. etiam Polluc. 4, 116; 7, 49, 96. De signif. ὑποδήματος v. in Ξυρίς. || De veste stragula ap. Polluc. 10, 42, et ubi Eubuli citat fr. 6, 10. || Adj. Ξυστιδωτὸς, ἡ, ὸν, de vestimento ad modum illius facto in inscr. Att. ap. Bœckh. vol. 1, p. 246, n. 155, 13 : Πυθιὰς κατάστικτον ξυστιδωτόν. L. D.] || Ξύστις, urbs Cariæ, Steph. B., Plin. [qui *Xystiani* H. N. 5, 29, 29] : cujus gentile Ξυστιανός.

Ξυστοβόλος, ὁ, ἡ, Qui ejusmodi hasta s. spiculo jaculatur. Epigr. [H. in Bacchum Anth. Pal. 9, 524, 15] : Ξυστοβόλος Βάκχος.

[Ξυστόν. V. Ξυστός.]

Ξυστὸς, ὁ, Rasus [Gl.], Scalptus, ὁ ἐξυσμένος Suidæ. Item Derasus : ut [Ἰὸς ξυστὸς ap. Theophan. Nonn. vol. 1, p. 214, ubi v. Bernard.], μοτὸς ξυστὸς, Linamentum rasile, quod vulneribus inditur. Vide Μοτὸς, Ξύσμα. [Antiphanes ap. Athen. 9, p. 402, E : Τυρὸς κοπτὸς, τυρὸς ξυστός (v. Ξῦσμα). Ephippus ap. eund. 11, p. 509, D : Εὖ μὲν μαχαίρᾳ ξύστ' ἔχων τριχώματα.] Item ξυστὸν δόρυ, Hastile rasum et ferro præfixum : ipsum tamen ξυστὸν absolute potius dicitur quam δόρυ ξυστόν. [Apoll. Rh. 2, 1062 : Δούρασί τε ξυστοῖσι καὶ ἀσπίσιν ἄρσετε νῆα. Pro quo δούρασι ξεστοῖσι apud Tyrtæum in illo citatum, nisi legendum ξυστοῖσι. Aristoph. fr. Holcad. ap. Polluc. 10, 144 : Λόγχαι δ' ἐκαυλίζοντο καὶ ξυστὴ χάμαξ. Herodot. 2, 71 : Τὸ δέρμα δ' αὐτοῦ (hippopotami) οὕτω δή τι παχύ ἐστι ὥστε αὔου γενομένου ξυστὰ ποιέεσθαι ἀκόντια ἐξ αὐτοῦ, ubi inutilem esse Schæferi ἀκόντια delentis conjecturam, animadvertit jam Schweigh. Eadem signif. Antiphanes ap. Athen. 10, p. 433, C : Φιάλην Ἄρεως ξυστόν τε βέλος.] Suid. et Hesych. exp. ἀκόντιον : Suid. præterea δορύλλιον, vel etiam δόρυ τέλειον, et Hesych. δόρυ κατεσκευασμένον. [Distinguit vero Xen. Cyrop. 7, 1, 33 : Ἔνθα δὴ δεινὴ μάχη ἦν καὶ δοράτων καὶ ξυστῶν καὶ μαχαιρῶν.] Eust. [Il. p. 863, 1] annotat ξυστὰ dici δόρατα ἀπὸ τοῦ περὶ αὐτὰ δευτέρου πόνου : postquam enim cæsa sunt hastilia, primum δέρεσθαι, unde et δόρατα vocari : deinde ξύεσθαι δι' ὀρθότητα καὶ ἐλαφρότητα : dicuntur igitur ξυστὰ Hastilia radendo polita et ferro præfixa. Sunt qui interpr. Spicula [Gl.]. Hom. Il. Ο, [388] : Οἱ μὲν ἀφ' ἵππων, Οἱ δ' ἀπὸ νηῶν ὑψιμελαινάων ἐπιβάντες Μακροῖσι ξυστοῖσι· Λ, [564] : Νύσσοντες ξυστοῖσι μέσον σάκος. Aliud exemplum ex eodem poeta habes in Ναύμαχος. [Ex Ο, 677 : Νώμα δὲ ξυστὸν μέγα ναυμάχον. Sing. etiam Δ, 469 : Οὔτησε ξυστῷ χαλκηρεϊ. Eur. Hec. 908 : Ξυστὸν δ' ἐπὶ πασσάλῳ. Herodot. 1, 52 : Αἰχμὴν στερεὴν πᾶσαν χρυσέην τὸ ξυστὸν τῇσι λόγχῃσι ἐὸν ὁμοίως χρύσεον. Ammon. De diff. p. 100 : Ξυστὸς τό τε ἀκόντιον, ὡς παρ' Ἡροδότῳ ἐν τῷ πρώτῳ, καὶ τὸ οἰκοδόμημα, ὡς παρὰ Ξενοφῶντι ἐν Οἰκονομικῷ, cui non ξυστὸν restituere debebat Valck., sed errorem ejus notare, ξυστὸς et ξυστὸν confundentis, ut Etym. M. p. 611, 27, et qui ξυστὸς de Hasta dixit Photius s. Suidas in gl. ab schol. cod. Vat. 990 Xen. Anab. 1, 8, 5, repetita : Πελτασταὶ τοξόται ἢ τοὺς ξυστοὺς κατέχοντες. Agathias 3, 17, p. 177, 20 : Ξυστοὺς καὶ σαρίσας. Τὸν ξ. pro τὸ male libri nonnulli Diodori 17, 20.] Xenoph. Cyrop. 4, [5, 58] : Τοὺς θώρακας καὶ τὰ ξ. ἔχοντας ἀεὶ ἐπὶ τῶν ἵππων ὀχεῖσθαι. [Et ib. 4, 6, 1. Diodor. 17, 53 : Τὰ ξυστὰ πολὺ μείζω τῶν προγεγενημένων ἐποίησε.] Plut. Alex. p. 224 [c. 33] : Τὸ ξυστὸν ἐπὶ τὴν ἀριστερὰν μεταβαλὼν, τῇ δεξιᾷ παρεκάλει τοὺς θεούς· p. 220 [c. 16] : Τῷ ξυστῷ διελάσας μέσον· De deo Socr. [p. 598, B] : Ἅμα δὲ τῷ λόγῳ ξυστὸν ἱππικὸν ἔχων διῆκε τῶν πλευρῶν. Sic Arrian. : Τὰ σημεῖα τῆς ἐπιλέκτου στρατιᾶς, ἀετοὶ, εἰκόνες βασίλειοι, στέμματα πάντα χρυσᾶ ἀνατεταμένα ἐπὶ ξυστῷ ἠργυρωμένῳ, quem l. Suidas citans in sequenti significatione accipere videtur. [Immo hac ipsa. Ceterum, notante Toupio Emend. vol. 1, p. 426 sq., sunt verba Dexippi p. 12, 8 ed. Nieb. : Κατόπιν δὲ βασιλέως τὸ σήματα ἦν τ. ἐ. σ. Τὰ δέ εἰσιν ἀ. χρυσοῖ καὶ εἰκόνες β.... ἃ δὴ σύμπαντα ἀνατ. προὐφαίνετο ἐπὶ ξυστῶν ἠργυρωμένων. Quod ignorabat etiam Hutchinsonus, Xenoph. Anab. 1, 10, 12 : Τὸ βασίλειον σημεῖον ὁρᾶν ἔφασαν ἀετόν τινα χρυσοῦν ἐπὶ πέλτης ἐπὶ ξύλου ἀνατεταμένον, hoc l. comparato ξυστοῦ suspicatus, ut est Cyrop. 7, 1, 4 : Ἦν δὲ αὐτῷ (Cyro) τὸ σημεῖον ἀετὸς χρυσοῦς ἐπὶ δόρατος μακροῦ ἀνατεταμένος.] || Ξυστὸς s. Ξυστὸν dicitur etiam Locus in

A quo athletæ exercentur, Hesych. et Suid. Sic Vitruv. 5, 11 : Hæc autem porticus ξυστὸς apud Græcos vocitatur, quod athletæ per hyberna tempora in tectis stadiis exercentur. Faciunda autem xysta sic videntur, ut sint inter duas porticus sylvæ aut platanones, et in his perficiantur inter arbores deambulationes, ibique ex opere signino stationes : proxime autem xystum et duplicem portum designentur hypæthræ ambulationes, quas Græci περιδρομίδας, nostri Xysta appellant : in quas per hyemem e xysto sereno cælo athletæ prodeuntes exercentur. Idem 6, 9, de ædificiorum apud Græcos dispositione, et nominibus, quæ ab Italicis moribus et usibus discrepant : Ξυστὸς enim Græca appellatione est Porticus ampla latitudine, in qua athletæ per hyberna tempora exercentur : nostri autem hypæthras ambulationes, Xysta appellant, quas Græci περιδρομίδας dicunt. [Aliam ejusmodi loci sic dicti rationem comminiscitur Pausan. 6, 23, 1 : Ὁ σύμπας δὲ οὗτος περίβολος (quem antea γυμνάσιον dixerat) καλεῖται Ξυστὸς, ὅτι Ἡρακλεῖ τῷ Ἀμφιτρύωνος
B ἐς ἄσκησιν ἐγίνετο, ὅσαι τῶν ἀκανθῶν ἐφύοντο ἐνταῦθα, ἐπὶ ἑκάστῃ ἡμέρᾳ σφᾶς ἀναξύειν.] Xenoph. Œc. [11, 15] : Εἰ ἐν τῷ ξυστῷ περιπατοίην. Sic Cic., Quum ambularem in xysto, et essem otiosus domi. Idem, Quum pauca in xysto locuti essemus, tum eodem in spatio consedimus. [Plut. Mor. p. 132, D : Ἐν τῷ ξυστῷ καὶ ταῖς παλαίστραις.] Hos ξυστοὺς Pollux [3, 148] vocat ξυστοὺς δρόμους, item [non] ξεστοὺς δρόμους, ἐν οἷς αἱ ἀσκήσεις : citat autem ex Aristea [9, 43], Ἦν μοι παλαίστρα καὶ δρόμος ξυστὸς πέλας. [Inscr. Spart. ap. Bœckh. vol. 1, p. 678, n. 1428 : Ἀρχιερεὺς τοῦ σύμπαντος ξυστοῦ, et aliæ ap. Reines. Cl. 5, p. 379, 380. Conf. Gaulmin. ad Eumath. p. 27. L. D.] || Ξυστὸν Etymologistæ est etiam χιτὼν γυναικεῖος : at, secundum alios, τραγικὸν ἔνδυμα : qua signif. paulo ante ξυστίς. [|| Piscis species. Theophanes a. 11 Pogonati, ubi de Cuphide fluvio : Ἔνθα τὸ ξυστὸν ἀγρεύεται Βουλγαρικὸν ὀψάριον. Ducang.]

[Ξύστος, ὁ, Xystus, n. viri, quod Lat. Sixtus, sic scriptum apud historiæ eccles. scriptores, et Georg.
C Sync. pontifices Rom. hujus nominis memorantem p. 348, B; 381, A, ap. Lambec. Bibl. Cæs. vol. 8, p. 259 sq. et alibi. Sed est etiam Græcum, si quid tribuendum inscrr. duabus Fourmonti ap. Bœckh. vol. 1, p. 391, n. 282, 15; p. 404, n. 301, 8, ubi Ξυσοτος. Hoc autem scribendum foret Ξῦστος. L. Dind.]

Ξυστοφόρος, ὁ, Qui ejusmodi hastam [ξυστὸν] gerit, Spiculator. Xen. Cyrop. 7, [5, 41] : Περιστησάμενος τῶν ξυστοφόρων Περσῶν κύκλον μέγαν· 8, [3, 16] : Ἐπὶ δὲ τούτοις δισχίλιοι ξυστοφόροι. [Arrian. Tact. p. 15 Blanc. : Δορατοφόροι ἢ κοντοφόροι ὀνομάζονται, ἔστιν δὲ ὑφ' ὧν καὶ ξυστοφόροι. Polyb. 5, 53, 2 : Τοὺς ξυστοφόρους ἱππεῖς. Diodor. 19, 27, item de equitatu.]

Ξύστρα, ἡ, Strigil, [Strigilæ, Strigilis, Strigile, Rallum, Ramus, Radula, Gl.] Instrumentum quo se in balneis destringebant, aut in palæstra et gymnasiis. Pollux 3 fin., de gymnastis, et quæ ad eos pertinent [154] : Λήκυθον ἂν εἴποις καὶ στλεγγίδα· ἐκαλεῖτο δὲ καὶ πλεγγὶς [στλεγγὶς cod. Falckenb.] καὶ ξύστρα καὶ σπαθίς. [De alio ejusdem loco, ubi ξύστρα affert ex Di-
D philo, v. in Ξυστίς. Helladius Chrestom. Phot. Bibl. p. 533, 7 : Ἡ ξύστρα τῆς στλεγγίδος παλαιότερον. Verius Phrynichus Epit. p. 299 : Ξύστραν μὴ λέγε, ἀλλὰ στλεγγίδα, quæ permutata ap. Ælian. V. H. 12, 29, notavit Lobeckius. Archippi testimonium affert Herodian. p. 460 ed. Lob.] Infra in Ξύομαι habes ex Luciano ὀδοντωτὴ ξύστρα, Strigil dentata, qua caput sibi scalpebat et destringebat. Artemid. 1, 66 : Ἰδίως δὲ αἱ ξύστραι καὶ βλάβης εἰσὶ σημαντικαὶ, διὰ τὸ ἀποξύειν τὸν ἱδρῶτα καὶ μὴ προστιθέναι τῷ σώματι· paulo ante, Στλεγγίδες καὶ ξύστραι καὶ καταμαγεῖα θεράποντας σημαίνουσι. De his Martial. 14, [51] : Pergamus has misit curvo distringere ferro. Apud Hesych. autem mendose ita legitur, Ξώστρα, ψυκτρὶς, ψυχτρία : pro quibus ita reponendum, ξύστρα, ψηκτρὶς, ψήκτρια. [Conf. Ξυστρωτὸς, ubi etiam de signif. Striæ. || Ξύστρα etiam dicitur Scalprum rasorium chirurgicum, quo Galen. se ad rimas usum fatetur. (V. Ξυστήρ.) Est et ξύστρα Aurifusorium specillum, ὠτεγχύτην vocant, Galen. l. 3 Κατὰ τόπ. p. 88, 10, medicamentum ad aures instil-

landum commode præparat, quemadmodum in ξύστρᾳ. Ibid. Archigenes p. 190, 51 : Ἢ ἐλλέβορον λευκὸν λεῖον ἢ μετὰ ῥοδίνου χλιαρὸν ἔγχει ἐν ξύστρᾳ, Per strigilem infunde. Et p. 191, 9 : Διὰ ξύστρας ἔνσταζε· 12 : Γάρον θερμαίνων διὰ ξύστρας· 22 : Σκιούρου στέαρ ἐν ξύστρᾳ χλιαίνων ἔνσταζε· 24 : Καὶ ξέσας διὰ ξύστρας ἐγχυμάτιζε. Foes. OEc. Hipp.]

Ξυστρὶς, ίδος, ἡ, i. q. ξύστρα, Hesych. στελγὶς, ξυστρίς. [Nisi scribendum ξῦστρον vel ξύστρα.]

[Ξυστροειδὴς, ὁ, ἡ, Strigili similis. Erotian. v. Ἄμβην, p. 86 : Φιλῖνος δέ (φησι τὴν ἄμβην εἶναι) ξυστροειδῆ ὑπεροχήν. Qualem repræsentat Basil. schol. Greg. Naz. in Notitt. Mss. vol. 11, part. 2, p. 138 : « Τῶν αἰσθητῶν τουτωνὶ γραμμῶν, οἷον εὐθείας ταυτησὶ — καὶ καμπύλης ∧ καὶ ξυστροειδοῦς ∿. » Boiss.]

Ξυστρολήκῠθος, ὁ, ἡ, Qui strigilem et lecythum in balneum aut gymnasium fert : qui et στλεγγιδολήκυθος. [Hesychius : Ξυστρολήκυθον, κάδη καὶ βίσσα ἐλαίου λουτρικά. Κάδον καὶ βησία interpretes.]

[Ξῦστρον.] Ξύστρον, τὸ, i. q. λίστρον, Plana ferrea, ad everrendum et complanandum. Diodor. in Hist. Alex. [17, 53] : Τούτων γὰρ ἑκάστου παρ' ἑκάτερον τῶν σειροφόρων ἱππέων ἐξέκειτο προσηλωμένα τῷ ζυγῷ ξύστρα [ξῦστρα] παραμήκη, τρισπίθαμα, Bud. Eidem est Strigil. [Thomas p. 643 : Ξυστὴρ, οὐ ξῦστρον. Schol. Xen. Anab. in cod. Vat. 990 : Στλεγγὶς ἢ ξῦστρον. L. Dind.]

[Ξυστροποιὸς, ὁ, Strigilarius, Gl.]

[Ξυστροφύλαξ, ἄκος, ὁ, Strigilum theca. Artemid. 1, 66 : Λήκυθος καὶ ξυστροφύλαξ.]

[Ξυστρωτὸς, ἡ, ὸν, Striatus, Striclatus, Gl. Aquila et Theodotio Reg. 4, 6, 18 : Κέδρου πρὸς τὸν οἶκον ἔνδον διατετορευμένα ξυστρωτὰ καὶ περίγλυφα ἐκπίπτοντα. « Didymus Mediolan. De mensuris § 57, πυραμὶς ξυστρωτὴ, qui etiam ξύστρα dicit de Stria. » Schneider. Hesychius : Δακτυλωτὸν ἔκπωμα, ἔνιοι τὸ κέρας, ἄμεινον δὲ τὸ ξωστρωτὸν λεγόμενον. Ξυστρωτὸν Albertus. V. Ξώστρα in Ξύστρα notatum.]

[Ξύστωρ, ορος, ὁ, i. q. ξυστὴρ, quod v. Schol. Hom. Od. Χ, 455 : Λίστροισι) ξύστορσιν ἀπὸ τοῦ λεῖον ποιεῖν τὸ ἔδαφος. Boiss.]

Ξύω, ξύσω, i. q. ξέω, ac inde derivatum, ut χύω e χέω, et φορύω ex φορέω, Rado, [Stricto, Strigillo, add. Gl.] Scalpo, Radendo et scalpendo polio. [Thomæ p. 641 præceptum : Ξέω ἐπὶ ξύλων, ξύω δὲ ἐπὶ σαρκὸς, verum est eatenus ut ξέω non dicatur de cute aut carne. Hom. Od. Χ, 456 : Λίστροισιν δάπεδον πύκα ποιητοῖο δόμοιο ξῦον. Per anastrophen H. Ven. 225 : Ξῦσαί τ' ἄπο γῆρας ὀλοιόν. V. Ἀποξύω.] Theophr. H. Pl. 5, 2, quum dixisset abietem esse πολύλοπον veluti cæpe : Διὸ καὶ τὰς κώπας ξύοντες, ἀφαιρεῖν πειρῶνται καθ' ἕνα καὶ ὁμαλῶς, ubi Gaza vertit, Qui remos dolant. [Theophr. H. Pl. 9, 11, 2 : Ἐν οἴνῳ ξύοντα. Et alibi.] Et Ξύομαι, Rador. Ex Theophr. H. Pl. 9 : Ξυόμενος εἰς ἔλαιον, In oleo rasus, Gaza. [Idem H. Pl. 9, 12, 2 : Ξυσθεὶς ἐπαλειφόμενος. Aristot. H. A. 6, 16 : Τοῦ ὕδατος παντὸς ἐξαντληθέντος καὶ τοῦ πηλοῦ ξυσθέντος, Limo exacto. Theophr. C. Pl. 5, 6, 13 : Ὅταν ἡ μήτρα τοῦ κλήματος ξυσθῇ, Exemta medulla.] Item activo Rado, s. Radendo polio. Xenophon Cyrop. 6, p. 96 [c. 2, 36] : Ὅστις δὲ πεπαίδευται καὶ παλτὸν ξύσασθαι, ἀγαθὸν καὶ ξυήλης μὴ ἐπιλαθέσθαι· ἀγαθὸν δὲ καὶ ῥίνην φέρεσθαι, Qui vibratile telum radere didicit, bene faciet si radulam secum ferre non obliviscatur. || Scalpo, Scabo. Ex Aristide [vol. 2, p. 228] : Τὸν ξύοντα ἀντιξύει ὄνος· ut Varro dicit Mutuum muli scabunt. Et Ξύομαι, Scalpo s. Scabo me. Lucian. [Lexiph. c. 5] : Ἐγὼ μὲν ὑποδησάμενος ἐξυόμην τὴν κεφαλὴν ὀδοντωτῇ ξύστρᾳ· καὶ γὰρ οὐ κηπίον, ἀλλὰ σκαφίον ἐκεκάρμην. Aristot. H. A. [9, 1] : Αἰγίθῳ δὲ καὶ ὄνῳ πόλεμος, διὰ τὸ παριόντα τὸν ὄνον ξύεσθαι [al. κνήθεσθαι] εἰς τὰς ἀκάνθας τὰ ἕλκη· pro quibus Plin., Ægithus avis minima dissidet cum asino; spinetis enim se scabendi causa atterens, nidos ejus dissipat. [6, 28 : Ξυόμενοι πρὸς τὰ δένδρα ἐκθλίβουσι τοὺς ὄρχεις.] Sic accipi potest in Aristot. Probl. 1, 29 : Καὶ ἔτι πρὶν δύνασθαι προΐεσθαι σπέρμα, γίνεταί τις ἡδονὴ ἐπὶ παισὶν οὖσιν, ὅταν ἐγγὺς ὄντες τοῦ ἡβᾷν, ξύωνται τὰ αἰδοῖα δι' ἀκολασίαν· ubi Gaza ξύεσθαι vertit Prurire, quod et κνᾶσθαι ac κνήθεσθαι dicitur : sic vero supra ξυσμὸς exp. κνησμός. [Conf. De gener. an. 1, 20, p. 728, 14.] Bud. ex Hesychio, Δέφεσθαι, i. e. ἀποδέρειν τὸ αἰδοῖον διὰ κνησμόν. In quibusdam tamen ll. non tam commode reddi potest Scabo, quam Scalpo, Depecto, Stringo, Distringo. Sicut vero paulo ante dixi κνᾷν et ξύειν idem esse, ita et Herodian. ap. Eust. [Od. p. 1766, 33] ξύειν et κνᾷν, i. e. κόπτειν, idem esse docet, his exemplis, Ξύομαι δ' οὐδὲν ἰσχύων, i. e. κνῶμαι. [Quem l. Sophroni tribuunt Etymologica v. Κνυζηθμὸς, et κνίζομαι exhibent pro ξύομαι. Ibidem ejusdem exstat alter locus, sed leviter corruptus.] Et ex Sophrone, Βαιὰ δ' ἔξυσμαι, ἐκ ποδὸς εἰς κεφαλὴν, i. e. κέκνησμαι. Et ex Democrito, Ξυόμενοι ἄνθρωποι ἥδονται, καί σφι γίνεται ἅπερ τοῖς ἀφροδισιάζουσι· quibus addit Eustath. : Καὶ ξύσιλον δέ φησιν ἀποφαίνεταί τινα, ἐκ τοῦ συνεχοῦς ἐν τῷ γήρᾳ κνησμοῦ. Locum Sophronis habes paulo ante [in Ξύσιλος]. Hesych. ξύει exp. τρίβει. [Hippocr. p. 552, 46 : Ξύων τὴν σάρκα ἐν οἴνῳ λευκῷ διδόναι πίνειν, ubi de carnium intritarum succo accipi videtur.] Et ξύσαι, Eidem est χαράξαι, ἐπιγράψαι. Idem ξύει ab Hom. accipi ait pro γράφει : ac inde ξύσματα dici τὰ γράμματα. Sed proprie fuerit Insculpere literas. [Schol. Aristoph. Ach. 31 : Ζωγραφῶ ἐπὶ τῆς γῆς, ξύων τῷ δακτύλῳ ἤ τινι τοιούτῳ παιδιάς τινας.] || In hoc autem l. Homeri Il. Ξ, [179] : Ἀμφὶ δ' ἄρ ἀμβρόσιον ἑανὸν ἕσαθ' ὅν οἱ Ἀθήνη Ἔξυσ' ἀσκήσασα, τίθει δ' ἐνὶ δαίδαλα πολλὰ, Eustath. annotat veteres exponere ἐκέρκισε : quoniam ξύουσι τὴν κρόκην πρὸς τὸ πυκνωθῆναι : sed exponi etiam posse vel ἐλέαινεν, a metaphora lignorum, quæ complanando et poliendo lævigantur : vel ἔγναμψε μετὰ τὸ ὑφῆναι. At in meo Ms. Hom. exp. εἰς λεπτὸν εἰργάσατο μετ' ἐπιμελείας κατασκευάσασα. [ῡ Exemplum correpti ap. Nonn. Dion. 39, 321 : Ἄλλα ... ἄστατα πηδαλίοιο διέξυσεν ἄκρα κόρυμβα, quod annotaverat Wernick. ad Tryphiod. 516, restituto διέξεσεν sustulit Græfius.]

[Ξιώλων, ἔθνος βαρβάρων, Hesychius.]

[Ξώστρα. V. Ξύστρα.]

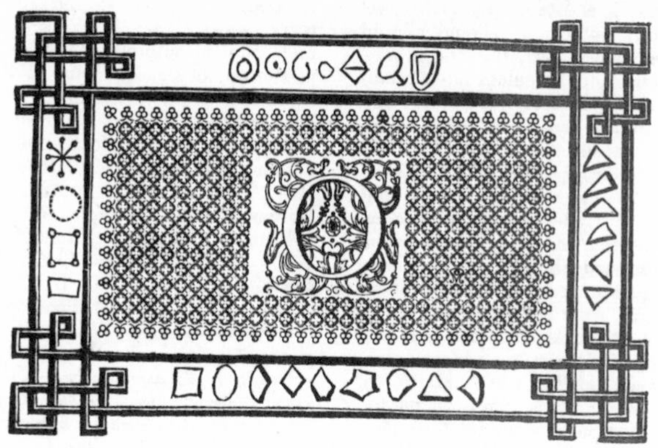

O, decimaquinta Græcorum litera, quæ ο μικρὸν dicitur : ex qua geminata fit τὸ ω, ut ex hac ejus figura veteri apparet ∞ : atque adeo ω μέγα dicitur quoniam ex duobus parvis conflatum est. Veteres eam vocarunt etiam οὖ, ut τὸ ε nominarunt εἶ, sed metri causa in carmine : ut in Argumento τοῦ O Iliadis : Οὖ, Κρονίδης κεχόλωτο Ποσειδάωνι καὶ Ἥρῃ. [Plat. Crat. p. 393, D, et alibi, epigr. ap. Athen. 10, p. 454, F, qui conf. etiam 11, p. 466, F, seq., Cram. Anecd. vol. 1, p. 330, 31, Bœckh. C. I. vol. 1, p. 258, A. Zosimus 4, 13.] Dorice vertitur in ε : dicunt enim Ἀπέλλων pro Ἀπόλλων. Æolice in υ : ut qui ὄνυμα et ὀνυμαίνω dicant pro ὄνομα et ὀνομαίνω. [Alias permutationes rariores v. apud scriptores de dialectis. Mobile est initio vocc. quorundam, ut in Ὀβριάρεως et Βριάρεως, ὀδύρομαι et δύρομαι et aliis. Et ante vocales in Ὀαξὸς et Ἀξὸς, Ὀϊλεὺς et Ἰλεύς.] Est et numeralis nota, significans Septuaginta, hoc modo, ο' : at acuti accentus nota præfixum Septuaginta millia denotat, sic ͵ο. [In libris confunditur inprimis cum ε et σ.]

Ὁ cum sola aspirationis nota, est ἄρθρον προτακτικὸν, Articulus præpositivus, Gall. *Le :* ut ὁ δεσπότης, *Le maistre.* In fem. Ἡ : ut ἡ δεσπότις, s. ἡ δέσποινα, *La maistresse.* At neutro genere Τό : ut τὸ ξύλον, *Le bois.* Utor autem vernaculæ linguæ exemplis ad exponendum Græcum articulum, quod nullum Latina habeat. Quod autem scripserunt quidam, Latinos utcunque articuli vim exprimere pronomine Ille, de certo quodam et insigni, id non ubique verum comperietur. Neque enim si cui dixerim ἦλθεν ὁ ποιητὴς, ut Gallice *Le poete est venu*, intelligens de quodam poeta, qui notus sit utrique nostrum, aut etiam cujus facta fuerit a nobis antea mentio, s. de quo fuerit aliquis inter nos sermo : tunc habere locum poterit pronomen Latinum Ille, tanquam de certo quodam et insigni dictum : at si dixerim τοῦτο εἶπεν ὁ ποιητὴς, *Le poete a dit cela*, intelligens de Homero, tunc aliquem locum pronomen Ille habebit, utpote quum non de certo quodam duntaxat, sed et de insigni ac eximio loquar. Quanquam ne hic quidem videtur posse adhiberi pronomen Ille sine adjectione, ita loquendo sc., Ut dixit ille poeta (alium enim id sensum haberet : veluti quum dicimus, Ut conqueritur senex ille apud Terentium), sed addendum ei Eximius, Magnus, Summus, Præstantissimus, Præstantissimus omnium : ita loquendo, Ut dixit eximius ille poeta, vel magnus ille, etc. Huc autem pertinent ista, quæ partim ex Bud., partim ex Erasmo annotata reperi : Quum Aristot. in genere de quolibet agit bono, ἀγαθὸν vocat; at quum unicum illud ac summum bonum intelligi vult, addito articulo dicit τὸ ἀγαθόν. Sic καλὸν a philosophis de quovis pulchro dicitur, at τὸ καλὸν appellatur Eximium illud ac vere pulchrum, quod a virtute proficiscitur. Sic in l. quem

A Jo. 10, [34] ex Davide [Ps. 81, 6] affert, Ἐγὼ εἶπα, Θεοί ἐστε, de amicis Dei : at quoties verus ille ac solus Deus significatur, semper addito articulo dicitur ὁ Θεός. Itidemque Christus se appellat τὸν υἱὸν τοῦ Θεοῦ : ac plane tantum habet momenti hoc loco prætermissus aut additus articulus, ut Chrysost. et Cyrillus hoc potissimum argumento rejiciant hæresin quorundam, qui negabant Christum illud esse Verbum, quod ab initio fuerat in Patre. Hactenus ex illis. Sciendum est porro, non solum cum nominibus appellativis, sed et cum propriis interdum Græcos articulo suo uti : veluti, Ὡς εἶπεν ὁ Ὅμηρος, Sicut dixit præstantissimus ille Homerus, vel sapientissimus ille : quem usum frequentius etiam habet Ille apud Latinos, cum nomine proprio, inquam : ut quum Cic. dicit, M. Catonem illum sapientem, clarissimum virum. [Non Ille aut ejusmodi quid significat articulus cum n. pr. conjunctus, sed idem quod cum aliis nominibus, quibus modo additur modo non. Quod quibus legibus fiat v. ap. grammaticos in doctrina de usu articuli.] Invenitur tamen et sine adjectione, ut, Sic
B Jupiter ille monebat, ap. Virg.; nam esse hic Ille emphaticum quidam grammatici censuerunt : at Servius dicit, Ille, qui per harpuiam vaticinatus est. Legitur vero apud Eundem, Sic pater ille Deum faciat, sic altus Apollo. Quinetiam in Æn. 12 init. : Pœnorum qualis in arvis Saucius ille gravi venantum vulnere pectus Tum demum movet arma leo, ponitur Ille κατ' ἐξοχὴν, si Servio credimus, intelligiturque princeps ferarum. Sed non dubium est quin et alium usum habere hic pronomen Ille, dicere aliquis possit. Ac profecto non video quid obstet, quominus ὁ, ubi ἐξοχὴν denotat, itidem pronomine Ipse reddatur, quum usitatior etiam sit ei hæc significatio. Unde et in illo, quem modo protuli, loco, Sic Jupiter ille monebat, quædam exempll. pro Ille habent Ipse. Libet autem et hoc de articulo nostro addere, eum quoque aliquando ἐξοχὴν indicare; sicut enim Græci, quum de rege Persarum loquebantur, dicebant ὁ βασιλεὺς, ita Galli si quem regem significare vellent ceteris omnibus potentiorem, dicerent *Le roi :* licet alioqui hodie
C Galli quidem inter se colloquentes, regem suum nominent *Le roi*, articulo non tam ἐξοχὴν indicante, quam esse sermonem de certo ac noto atque adeo suo significante. Quem autem voco articulum ἐξοχὴν indicantem, sunt qui appellent articulum ἀντωνομαστικῶς positum, idque eodem sensu. Sic certe et Hebræi suo ה utuntur. [Ante pronomen pers. positum v. in Ἐμὲ vol. 3, p. 151, D, ubi addere licet Plat. Soph. p. 239, A, et al., ubi τὸν ἐμὲ, et Phædr. p. 258, A, ubi τὸν ἑαυτόν.]

‖ Sed quod ad alterum articuli usum attinet, qui multo est usitatior, ut sc. quum dico, ἦλθεν ὁ ποιητὴς, de certo et noto poeta loquens, ei certe exprimendo si adhibeatur pronomen Ille, tunc ἔλλειψις futura esse videtur. Nam si, verbi gratia, ἦλθεν ὁ ποιητὴς, reddam, Venit ille poeta, i. e. ἦλθε ποιητὴς ἐκεῖνος, vel ἦλθεν ἐκεῖνος ὁ ποιητὴς, putabimus relinqui aliquid subaudiendum. Fateor tamen esse, ubi hoc pronomine uti cogamur ad Græcum articulum interpretandum, vel potius ad vim ejus exprimendam. Sed alicubi quædam apte adduntur, ut si dicam, Venit noster ille poeta. Vel, Venit tuus ille poeta. (Est autem ubi ὁ dicitur vim habere διακριτικὴν, i. e. poni ad distinguendum unum ab altero, cui etiam exponendæ sunt qui adhibeant pronomen Ille.) Bessario ap. Bud. Comm. p. 1104 : Tum etiam ad rem cognitam jam ei, apud quem loquor, tendit usus articuli : ut si discipuli inter se de suo doctore loquantur, cum articulo nominent necesse est ὁ διδάσκαλος : res enim alteri cognita ab altero nominatur. Alia autem de articulo vide eadem p. necnon proxime seq. Quibus et hoc addere potes, alicubi ὁ reddi particula Videlicet : ut in Matth. 19, 17 : Οὐδεὶς ἀγαθὸς, εἰ μὴ εἷς, ὁ Θεὸς, Unus est bonus, videlicet Deus. Ubi tamen possit etiam jungi εἷς cum ὁ Θεὸς, ac verti simplicius, Nisi solus Deus. Multis autem ll. adhibetur articulus, ubi nullum ex præcedentibus usum habet, sed vacat, vel potius ad ornatum ponitur : qua de re lege Bud. p. 1106. Idem vero pag. præcedente exempla profert articuli nominibus interrogativis juncti : quibus addi potest ex Hom. Il. A, [552] : Ποῖον τὸν μῦθον ἔειπες; || Sciendum est porro jungi nominativo, sequente etiam imperativo. Aristoph. [Ach. 155] : Οἱ Θρᾷκες, ἴτε δεῦρο· pro ὑμεῖς οἱ Θρᾷκες. Sic ὁ παῖς φέρε, pro σὺ, ὦ παῖ. Qui l. aperte ostendit, in altero illo esse Θρᾷκες nomin. itidem, non vocativum. Sunt et alia de articuli usu dicenda, non solum præter illa, quæ jam dicta sunt, sed et præter illa, quæ mox dicentur : reliqua autem in aliud tempus servare me cogunt temporis angustiæ, et in aliud opus, ubi et de ceteris linguæ Græcæ particulis fuse lateque dicere constitui : et quidem de multis admonens ad earum usum pertinentibus, a nemine antea annotatis.

|| Ὁ interdum i. valet q. ὁ παῖς, υἱός, Filius : Κῦρος ὁ Καμβύσου, Δαρεῖος ὁ Ἀρταξέρξου. Thucyd. [8, 5] : Βασιλεῖ Δαρείῳ τῷ Ἀρταξέρξου. Ap. Eund. [ib. 8] : Κλέαρχος ὁ Ῥαμφίου. Itidem vero quum additur matris nomen. Sed interdum non additur articulus. Thuc. 8, [15] : Στρομβιχίδης Διοτίμου. Invenientur autem et aliqui ll., in quibus aliud quam υἱὸς subaudiendum esse videatur, ex quibus est unus apud Herodotum, si bene memini.

|| Ὁ præfixus adverbio dat illi nominis adjectivi signif., ut ὁ πάλαι pro ὁ παλαιὸς, Priscus, Antiquus. Sic τοῦ πάλαι, Prisci, etc. Itidem ὁ πλησίον pro ὁ πλησίος, pro quo et ὁ πέλας, Propinquus. Quibus in ll. subaudiri puto ὢν, aut etiam γεγονὼς s. γενόμενος, veluti quum jungitur articulus adverbio illi πάλαι, aut alii hujusmodi. Tale est ὁ ἄνω pro Supernus, et vicissim ὁ κάτω pro Infernus. Sed et cum alius generis adverbiis, ut ὁ πάνυ, pro Insignis. Cui simile est ὁ ἄγαν.

|| [Articulus neque nomine neque particula, velut μὲν vel δὲ, sequente instar pronominis ponitur ab Epicis, velut Hom. Il. A, 12 : Ὁ γὰρ ἦλθε θοὰς ἐπὶ νῆας· Od. A, 9 : Αὐτὰρ ὁ τοῖσιν ἀφείλετο νόστιμον ἦμαρ· ubi ὃ scribebant qui etiam ὃ μὲν et ὃ δὲ, etsi non habebant quomodo ceteros casus ab articulo cum nomine conjuncto distinguerent; v. Eustath. Il. p. 23, 1, Reiz. De incl. acc. p. 5 sq. : pariterque in ceteris casibus, ut Il. K, 224 : Καί τε πρὸ ὁ τοῦ ἐνόησεν· O, 417 : Οὔθ' ὁ τὸν ἐξελάσαι ... οὔθ' ὁ τὸν ἂψ ὤσασθαι· 539 : Ἕως ὁ τῷ πολέμιζε· et sæpius sequente relativo, ut P, 172 : Τῶν ὅσσοι, Od. B. 119 : Τάων, αἳ πάρος ἦσαν, et alibi. Post hos ab Herodoto, inprimis in formula καὶ τὸν, καὶ τοὺς, ut 3, 32; 1, 86, aliisque locis ap. Reiz. ibid. p. 8, et inter Atticos a Tragicis sæpe, ut Æsch. Eum. 2 : Ἐκ δὲ τῆς Θέμιν· 172 : Καὶ τὸν οὐκ ἐκλύσεται· Sept. 197 : Ἀνὴρ γυνή τε χὤτι τῶν μεταίχμιον· 911 : Σιδαρόπλακτοι δὲ τοὺς μένουσι· Suppl. 439 : Ἢ τοῖσιν ἢ τοῖς πόλεμον αἵρεσθαι μέγαν· et præcedente relativo 1048 : Ὅ,τι τοι μόρσιμόν ἐστι, τὸ γένοιτ' ἄν. Soph. OEd. T. 1082 : Τῆς γὰρ πέφυκα μητρὸς, et alibi. In prosa articuli pro demonstrativo positi, non se-
A quente particula δὲ vel μὲν, exx. antiquissima videntur fœderis Eleorum ap. Bœckh. C. I. vol. 1, p. 28, n. 11, verba : Ἄρχοι δέ κα τῶ· et Τὰ γράφεα τᾷ, si recte illa ita interpretatur Ahrens. De dial. vol. 1, p. 280 sq., ut sint Hoc anno et Hic. V. infra in Τοί. Apud Atticos præter formulas Ἐν τοῖς infra ab HSt. memoratam et Πρὸ τοῦ nihil remansit de hoc genere nisi καὶ τὸν, quod modo retulimus, aliquoties usurpatum a Xenophonte et Platone, et, de quo paullo post, ὁ in partitione positum pro demonstrativo. Quibus accedunt exempla, ubi relativum sequitur pronomen, cujusmodi est hoc Plat. Crat. p. 435, A : Τῇ, ᾗ φῂς σὺ σκληρότητι· Critiæ p. 115, B : Καὶ τὸν ὅσος ξύλινος· Prot. p. 320, D : Τῶν ὅσα πυρὶ καὶ γῇ κεράννυται· et ante part. Phæd. p. 102, C : Ὑπερέχεσθαι τῷ ὅτι Φαίδων ὁ Φαίδων ἐστίν. Tab. Heracl. 2, p. 212, 59 : Ἀν' αὐτὰ τὰ παρϝέξονται πρωγγύως, ἀν' ϝὰ καὶ ϝο ἐξ ἀρχᾶς μεμισθωμένος· 220, 78 : Ἀνγράφεν δὲ ϝόσσα κα πεφυτεύκωντι, ἀν' αὐτὰ δὲ τὰ καὶ εἴ τινές κα μὴ πεφυτεύκωντι. Ubi mira est annotatio Mazocchii.]

B || Τῷ, adverbialiter pro Quia, Quoniam, διὰ τὸ, sequente infinitivo. Theophr. [C. Pl. 1, 14, 4] : Δυσκατέργαστοι καρποὶ, τῷ εἶναι τοιοῦτοι. Idem, Τῷ γεώδεις ἢ ξηροὶ ἢ λιπαροὶ τὴν φύσιν εἶναι. [Ib. 1, 16, et alii quivis.] || Interdum et pro Igitur, Quare : qua in signif. et τῷ τοι a Themistio [Or. 1, p. 18, A, aliisque locis in indice ed. Lips. citatis] ponitur. [Plato Theæt. p. 179, D : Τῷ τοι μᾶλλον σκεπτέον ἐξ ἀρχῆς. Præfat. Ps.-Aristot. De plant. p. 814, 31 : Τῷ τοι καὶ σὺν θεῷ τὸ ἔργον διήνυσα. L. D.] Sed et ap. Hom. τῷ non solum exp. οὕτως, cujus signif. supra admonui, sed etiam ἐφ' ᾧ, et ὅτου χάριν : item διό : Il. B, [354] : Τῷ μήτις πρὶν ἐπειγέσθω οἶκόνδε νέεσθαι. [Quod grammatici nonnulli scribebant τῶ, ut factum ex τό : v. Heyn. ad hunc v. et ad 373.]

|| Accus. Τὸν, Gallice *Le*, ut τὸν δεσπότην, *Le maistre.* Sed ut τοῦ pro τούτου, s. αὐτοῦ, ac τῷ pro τούτῳ s. αὐτῷ, usurpant poetæ, sic τὸν pro τοῦτον non apud eos duntaxat legimus, sed et ap. Xen. l. 4, p. 55 meæ ed. : Καὶ τὸν ἀποκρίνασθαι λέγεται, Ἐννοῶ γὰρ κτλ. quem l. quum excuderem, diligenter exemplaria con-
C sului, sed ea in plurimis aliis a se dissentientia locis in hoc omnia consentire observavi. Imitatus autem Gregor. dixit, Καὶ τὸν εἰπεῖν, πῶς καὶ τίνα. [Plato Conv. p. 174, A, et al.] Legitur certe et τὸν καὶ τὸν ap. Lysiam, pro Hunc et illum [p. 157=659] : Καί μοι κάλει τὸν καὶ τόν· quod diceretur etiam τόνδε καὶ τόνδε. [Plato Leg. 6, p. 784, C, etc.] Invenitur autem et τὸ καὶ τὸ, itidem pro τόδε καὶ τόδε. Jam vero ut τὸν pro τοῦτον, sic etiam τοῖς pro τούτοις in prosa quoque inveniri docebo suo loco.

|| At plur. nom. Οἱ, *Les*, ut οἱ δεσπόται, *Les maistres.* Sciendum est autem, quibusdam loquendi generibus adhiberi frequentius quam singularem, nonnullis vero solum etiam. Cujusmodi sunt οἱ ἐν τέλει, Proceres s. Principes : et οἱ πρὸς αἵματος, ἐν αἵματι, Consanguinei : et οἱ περὶ αὐτὸν, Familiares aut Amici ejus. Quod tamen et de ministris intelligi potest. Aliorum autem hujusmodi loquendi generum singula in singulis præpositionibus vide, aut in nominibus, quæ iis adhi-
D bentur. [In Indice :] Οἱ, articul. præpos. masc. gen. plur. num. redditur per Qui : ut οἱ ἀμφὶ τοὺς λόγους, Qui versantur circa literas, Literati : οἱ ἐπ' ἐξουσίας, Qui cum potestate sunt, Magistratus : qui et οἱ ἐπ' ἀξιώσεως, et οἱ ἐν τέλει. Et οἱ ἐπὶ οἰωνοῖς ἱερέων, Sacerdotes qui auguria observant, Augures, Auspices. Et οἱ ἐν ὥρᾳ, Qui in ætatis vigore sunt : οἱ ἐν νοσήμασιν ἐχόμενοι, Qui morbis correpti sunt, ap. Plat. Sic οἱ ἀπὸ ξένης, Qui ex peregrino sunt territorio : οἱ ἐγγὺς, Qui prope sunt, Propinqui : οἱ ἐν αἵματι, Qui ejusdem sanguinis sunt, Consanguinei. At οἳ encliticum vide in Οἷ.

|| Sed poetæ Τοὶ dicunt et pro hoc præpositivo articulo οἱ, tanquam a nominativo singulari Τὸς, cujus tamen nullus est usus. Hom. Il. Ω, [686] : Σεῖο δέ κεν ζωοῦ καὶ τρὶς τόσα δοῖεν ἄποινα Παῖδες τοὶ μετόπισθε λελειμμένοι· ubi Eust. scribit τοὶ Dorice factum esse pro οἱ, præpositivo plurali articulo : ut sit οἱ ἔτι ζῶντες. Addit tamen, εἰ μὴ ἄρα ἐγκλιτικῶς γράφουσι παῖδές τοι.

|| Est tamen, quantum meminisse possum, frequen-

tius in aliis duabus signiff., sc. pro οἳ postpositivo articulo : vel pro οὗτοι, s. αὐτοὶ, aut ἐκεῖνοι. Od. Α, [23]: Αἰθίοπας τοὶ διχθὰ δεδαίαται ἔσχατοι ἀνδρῶν. Et Ξ, [394]: Θεοὶ τοὶ Ὄλυμπον ἔχουσι. Quibus in ll. significat οἳ, s. οἵτινες, Qui. At Il. Α, [447] : Τοὶ δ' ὦκα θεῷ κλειτὴν ἑκατόμβην Ἑξείης ἔστησαν· pro αὐτοὶ, s. ἐκεῖνοι, Ipsi, Illi. Sic Hesiod. Op. [121] pro αὐτοὶ, vel οὗτοι : Τοὶ μὲν, δαίμονές εἰσι· et [140] : Τοὶ μὲν ἐπιχθόνιοι μάκαρες θνητοὶ καλέονται· et [151] : Καὶ τοὶ μὲν χείρεσσιν ὑπὸ σφετέρῃσι δαμέντες. Sed quod ad illud Τὸς attinet, sciendum est, quamvis in usum receptum non sit, ab eo tamen non solum obliquos casus formari, Τοῦ, Τῷ, Τὸν, et in plur. Τοὶ, Τῶν, Τοῖς, Τούς : sed derivari etiam Θάτερος : est enim, ut tradit ex veterum gramm. auctoritate Eust., quasi Τὸ ἅτερος, abjecto sc. ς ex Τὸς, quod Idem appellat Doricum articulum, quum alio in loco non hunc singularem, sed plur. Τοὶ Doribus ascribat, atque quum hic, tum alibi singularem illum in usu esse neget. [Τοὶ μὲν et τοὶ δὲ est etiam apud Tragicos, ut Æsch. Pers. 584, Sept. 295, 298, Soph. Aj. 1404. Τοὶ pro οἵδε in inscrr. Bœoticis quibusdam, ut τοὶ ἀπεγράψαντο, v. ap. Ahrens. De dial. vol. 2, p. 517. V. de usu articuli pro demonstrativo quæ diximus paullo ante.]

|| Genit. Τῶν, Gallice *Des :* ut τῶν δεσποτῶν, *Des maistres.* || Apud poetas autem et pro Quorum : item pro τούτων, s. αὐτῶν. Pro quo ab illis etiam Τέων Ionice, item Τάων, in fem., Dorice. Et τέων quidem legitur ap. Nicandr. Alex. init. : Τέων ἀνεδέγμεθα βλάστας, pro τῶν significante ὧν, Quorum : de quo l. dicam et infra. At τάων ap. Hom. Il. Υ, [223] : Τάων καὶ Βορέης ἠράσσατο βοσκομενάων. Sed accipitur τέων et pro τίνων : atque adeo hunc verum esse ejus usum existimans schol. Nicandri, eum reprehendit tanquam eo abutentem pro ὧν. In quo tamen illius reprehensio digna reprehensione mihi videtur; quum enim τέων sit pro τῶν, hoc autem accipiatur passim pro ὧν, quidni et τέων hanc signif. habebit? Locus autem, quem ex Hom. affert, ubi τέων ponitur pro τίνων, est hic [Il. Ω, 387] : Τέων δ' ἐξ ἐσσι τοκήων. Sed τέων ab illo poni et pro τινῶν, sicut τέῳ pro τινὶ, auctor est Eustath., annotans hæc esse facta per pleonasmum literæ ε.

|| Dativus Τοῖς, Gallice *Aux :* ut τοῖς δεσπόταις, *Aux maistres.* || Accipitur autem [in dial. Dor. et Ion.] et pro οἷς, item pro τούτοις, s. αὐτοῖς, a poetis : qui et in aliis casibus et in altero etiam numero hanc isti articulo significationem tribuunt, ut antea dictum est. Sed et solutæ orationis scriptores τοῖς interdum ponunt pro τούτοις, sicut τὸν pro τοῦτον. Dixit enim Thuc. ἐν τοῖς pro ἐν τούτοις : itidemque Plato Euthyd. [p. 303, C] ἐν δὲ τοῖς, pro ἐν δὲ τούτοις : Πολλὰ μὲν οὖν καὶ ἄλλα καλὰ οἱ λόγοι ὑμῶν ἔχουσιν, ἐν δὲ τοῖς καὶ τοῦτο μεγαλοπρεπέστερον. [Conf. Ἐν vol. 3, p. 961, B. Plato Leg. 3, p. 701, E : Οὐ συνήνεγκεν οὔτε τοῖς οὔτε τοῖς.] || Τοῖσι pro τοῖς articulo, passim apud poetas, itidemque ap. Herodot. et Hippocr., ceterosque Ionica dialecto utentes. Sed utuntur poetæ et in aliis duabus signiff., sc. pro οἷς et τούτοις, s. αὐτοῖς : sc. sequendo signif. ceterorum casuum. Certe pro οἷς et ap. Herodot. [1, 18, 34] legitur, sicut τῶν pro ὧν, et τοὺς pro οὕς. [De articuli ὅς declinatione Ionica v. Struv. Spec. quæst. de dial. Herodoti, Regim. 1828 et G. Dindorf. de dial. Herod.]

|| Accus. Τοὺς, *Les :* ut τοὺς δεσπότας, *Les maistres.* || Item in ceteris signiff. i. e. quæ sequuntur analogiam significationis ceterorum casuum : sc. pro οὓς, Quos : et pro τούτους s. αὐτοὺς, Hos, Ipsos. Hom. Od. Ξ, [17] : Τοὺς γὰρ μινύθεσκον ἔδοντες, pro τούτους. Ap. Herodot. quoque pro οὕς, 4, [103] : Θύουσι μὲν τῇ παρθένῳ τούς τε ναυηγοὺς, καὶ τοὺς ἂν λάβωσι Ἑλλήνων ἐπαναχθέντας, τρόπῳ τοιῷδε· ita enim leg. ibi est, non ἐπαναθέντας. Observa autem τοὺς pro οὓς, quum alioqui proxime præcedat τοὺς primam suam signif. habens, i. e. pro articulo præpositivo positum.

|| Ὁ cum partic. resolvitur in articulum postpositivum cum præs. aut præt. imperf. : ut ὁ λεγόμενος pro ὃς λέγεται, vel ὃς ἐλέγετο, Qui dicitur, dicebatur. Plato Epist. ad Dionis propinquos [7, p. 326, B], Ὁ λεγόμενος βίος εὐδαίμων· Cic., Vita illa beata, quæ ferebatur.

|| Ὁ cum particulis μὲν et δὲ alium usum habet; dicitur enim ὁ μὲν, et ὁ δὲ, pro Hic quidem, Ille vero. Vel, Unus quidem, Alter vero : aut etiam omissis particulis Quidem et Vero. Refertur autem ὁ μὲν ad propinquius, ὁ δὲ, ad remotius : qui tamen ordo interdum immutatur, ut ostendit Bud. p. 1039, ex Aristot. [Eth. 4, 14. Ejusdem et aliorum exx. nonnulla contulit Karsten. ad Parmenid. v. 72.] Sic autem et ap. Plut. alicubi. Quinetiam ex Hom. affertur ὁ μὲν pro Ille, at ὁ δὲ pro Hic. Sed de ὁ δὲ dicam et in Ὅδε. Sciendum est autem alicubi articulum pluralem cum μὲν et cum δὲ reddi Partim : qua interpretatione usus est Plin., quum hæc Theophrasti [De signis 2, 1], Ἐὰν αἱ ἀκτῖνες αἱ μὲν πρὸς βορρᾶν, αἱ δὲ πρὸς νότον σχίζωνται, τούτου μέσου ὄντος κατ' ὄρθρον κοινὸν ὕδατος καὶ ἀνέμου σημεῖόν ἐστι, ita vertit, Si in exortu spargentur radii, partim ad austrum, partim ad aquilonem, pura circa eum serenitas sit licet, pluviam tamen ventosque significabunt. Est vero et ubi οἱ μὲν, οἱ δὲ, redditur Alii quidem, alii vero. At de τὸ μὲν, τὸ δὲ, et τὰ μὲν, τὰ δὲ, vide Bud. p. 1061. [Paullo rariori modo Plato Leg. 5, p. 736, A : Οἷον δέ τινων ξυρρεόντων ἐκ πολλῶν τὰ μὲν πηγῶν τὰ δὲ χειμάρρων εἰς μίαν λίμνην. Et Herodot. 1, 173 : Νόμοισι τὰ μὲν Κρητικοῖσι, τὰ δὲ Καρικοῖσι, ubi, ut sæpe, verti licet Partim. Interdum additur τις, ut Xen. Cyrop. 6, 1, 1 : Ὁ δέ τις Σάκας, ὁ δέ τις καὶ Τωβρύαν. Ponitur etiam articulus post particulam, ut Thuc. 3, 82 : Τῷ μὲν αἰσχύνονται, ἐπὶ δὲ τῷ ἀγάλλονται, et alibi plerumque. Quod conferri potest cum talibus, ut Xenoph. Reip. Ath. 2, 8 : Τοῦτο μὲν ἐκ τῆς, τοῦτο δὲ ἐκ τῆς· 12 : Τὸ μὲν τῇ, τὸ δὲ τῇ, et Platonico in Τοῖς memorando. Exx. autem usus vulgaris, ut de aliis plerisque, omittimus, ad quæ pertinet etiam omissum ὁ μὲν, sequente ὁ δὲ, ut Hom. Il. Χ, 157 : Τῇ ῥα παραδραμέτην, φεύγων, ὁ δ' ὄπισθε διώκων, quod præter Atticos sæpe sic solet omittere Pausanias, pariterque ὁ δὲ in apodosi vel post negationem ab eodem et aliis positum exemplo Herodoti, qui sic 6, 9 : Εἰ μέν νυν ἀνάχθῃ, ὁ δ' οὔτ' ἂν ἔπαθε κακόν κτλ. 3 : Τὴν μὲν αἰτίην οὐ μάλα ἐξέφαινε, ὁ δὲ ἔλεγέ σφι· 9 : Εἰ δὲ ταῦτα μὲν οὐ ποιήσουσι, οἱ δὲ πάντως διὰ μάχης ἐλεύσονται. De eodem ὁ δὲ etiam ab Atticis similiter posito in apodosi dictum in Δὲ vol. 2, p. 928, D, ubi præter alia plurima addi potest Thuc. 3, 98 : Μέχρι μὲν οὖν οἱ τοξόται εἶχον τὰ βέλη ..., οἱ δὲ ἀντεῖχον.]

|| Ὁ αὐτὸς, Idem : de quo dixi in Αὐτός : sed illis addo hic, mihi videri Latinos, quum dixerunt Hic ipse pro Idem, ad hoc Græcum ὁ αὐτὸς respexisse : quamvis enim soluta oratio non utatur hoc nominativo ὁ pro οὗτος, usurpare accus. ejus τὸν pro τοῦτον itidem, et plur. dat. τοῖς pro τούτοις, exemplis docebo. Quod si etiam seorsim positus articulus nullum hujusmodi usum haberet, mirum non esset eum illi dari, ubi alii vocabulo jungitur : sicut videmus cum μὲν et cum δὲ novam signif. accipere. Usi sunt autem duabus illis vocibus Latini pro Idem, quum alii, tum Ovidius.

|| Genit. Τοῦ, tanquam a nomin. Τὸς (de quo dixi in Τοὶ poetico articulo præpos. nomin. sing. pro οἱ), Gall. *Du :* ut τοῦ δεσπότου, *Du maistre.* || Est autem observandum in hoc genitivi casus articulo, interdum ita genitivo jungi ut sit ἔλλειψις, quemadmodum et in nomin., sed quæ fallat lectorem facilius quam in aliis casibus. Verbi gratia, Εὐσεβίου τοῦ Παμφίλου nonnulli exp. Eusebii Pamphili, perinde ac si diceretur in nomin. Εὐσέβιος ὁ Πάμφιλος : quum contra dicatur Εὐσέβιος ὁ Παμφίλου, subaudito nomine υἱὸς, de qua subauditione dictum antea fuit, itidemque Εὐσεβίου τοῦ Παμφίλου, jungendo τοῦ cum subaudito gen. υἱοῦ. Ideo autem hoc exemplum affero, quod aliud mihi in præsentia non succurrat : quum sciam alioqui fuisse qui contra Suidam Εὐσέβιος ὁ Πάμφιλος, non Εὐσέβιος ὁ Παμφίλου vocatum crediderint. Utut sit, exemplum a me prolatum fuerit hujus genitivi articuli de usu, quem non animadversum multis imposuisse scio. || Nec vero illud solum ἐλλείψεως genus invenitur in usu hujus genitivi; quæ et ceteris casibus communis est, quum itidem dicatur τῷ Παμφίλου, et τὸν Παμφίλου : sed et alia, per quam sc. relinquitur subaud. articulus ἕνεκα. Gregor., Τοῦ μὴ δοκεῖν pro

ἕνεκα τοῦ μὴ δοκεῖν, itidemque τοῦ ἀπολέσαι pro ἕνεκα τοῦ ἀπολέσαι. Matth. 2, [13] : Μέλλει γὰρ Ἡρώδης ζητεῖν τὸ παιδίον τοῦ ἀπολέσαι αὐτό. At ionice Τοῖο, pro τοῦ, quo utuntur poetæ : et quidem tam pro τοῦ articulo quam pro τοῦ significante τούτου, s. αὐτοῦ. Ap. Hom. certe Τοῖο γέροντος utroque modo exp. sc. et τοῦ γέροντος, et τούτου τοῦ γέροντος. Ex quo [Il. A, 493] affertur etiam Ἐκ τοῖο pro ἐξ ἐκείνου, subaudito subst. χρόνου. Ex Hesiodo autem [Sc. 337], Κλυτὰ τεύχεα τοῖο, pro αὐτοῦ.

|| Τοῦ, apud poetas interdum pro τούτου, αὐτοῦ, ἐκείνου, Hujus, Ipsius, Illius, sequendo usum, quem iidem dant nominativo ὁ, vel potius ὃ adjecto accentu. Hom. Od. Ξ, [61] : Ἦ γὰρ τοῦ γε θεοὶ κατὰ νόστον ἔδησαν. Aratus initio sui poematis : Τοῦ γὰρ καὶ γένος ἐσμέν. || Τοῦ est etiam οὗ, Cujus : ut τῷ paulo post habes pro ᾧ, Cui, ex Hom. et Herodoto.

|| Dativus Τῷ, ut τῷ δεσπότῃ, *Au maistre*. Et ἐλλειπτικῶς ex Demosth. [p. 419, 23] : Πρὸς τῷ Ἥρωος τοῦ ἰατροῦ, subaudiendo τεμένει, aut alium hujusmodi dativum. Sæpe et cum adverbio, ut ἐν τῷ αὐτίκα : item ἐν τῷ τότε : quibus in ll. subaudiri potest χρόνῳ.

|| Τῷ, poetice pro τούτῳ, etc. ut supra τοῦ pro τούτου etc. || Sed interdum pro τούτῳ τῷ τρόπῳ, Hoc modo, Ita, Sic : ut τῷ κεν ap. Hom pro οὕτως ἄν, et τῷ κέ τοι pro οὕτως ἄν σοι. || Ex Hesiodo autem affertur τῷ μὲν et τῷ δὲ, pro Hoc in loco, Illo in loco, Hic quidem, Illic autem : Theog. [538] : Τῷ μὲν γὰρ σάρκας τε καὶ ἔγκατα πίονι δημῷ Ἐν ῥινῷ κατέθηκε, καλύψας γαστρὶ βοείῃ. Τῷ δ' αὖτ' ὀστέα κτλ. || Pro ᾧ, Cui. Od. K, [494] : Τῷ καὶ τεθνειῶτι νόον πόρε Περσεφόνεια. Sic Herodot. 4, [184] : Οὖρος τῷ οὔνομα Ἄτλας.

|| Feminini generis articulus significationes articuli masc. sequitur. Sed sciendum est dativum Τῇ præterquam quod articuli præpositivi fungitur officio, et pro ᾗ, item ταύτῃ s. αὐτῇ, ponitur [Plato Leg. 4, p. 721, B : Ζημιοῦσθαι χρήμασί τε καὶ ἀτιμίᾳ, χρήμασι μὲν τόσοις καὶ τόσοις, τῇ καὶ τῇ δὲ ἀτιμίᾳ] : accipere etiam signif. adverbii in loco, et per locum : necnon adverbii ad locum ; ponitur enim pro Hic, et pro Hac, item pro Huc : aut etiam pro Illic, Illac, Illuc. [Hom. Od. Θ, 556.] At sequente μὲν et δὲ pro Hic, Illic. Vel, Una quidem parte, Ab una quidem parte, altera autem. Aristot. De mundo [c. 3] : Συνεχὲς δὲ αὐτῷ τῇ μὲν τὸ Αἰγύπτιον, τῇ δὲ Αἰγαῖον. Sed τῇ μὲν, τῇ δὲ capitur etiam pro Partim quidem, Partim vero, vel Quum et Tum. In ea autem signif. poni Qua et Qua a Cic. Pro Plancio, Bud. tradit. Ap. Hesiod. [Sc. 210] τῇ καὶ τῇ et pro Hac illac : Δελφῖνες τῇ καὶ τῇ ἐθύνεον. Ap. Eund. [ib. 206] pro Illuc, Eo : Τῇδ' εἴς, ᾗ σ' ἂν ἄγω. Sic Τῇ ἴμεν ap. Hom., ex quo affertur et pro ἐνταῦθα, et pro ἐκεῖσε. [Parmenides v. 78 : Οὐδέ τι τῇ μᾶλλον τό κεν εἴργοι μὴ ξυνέχεσθαι · 107 : Τῇ μᾶλλον τῇ δ' ἧσσον · 104 : Οὔτε τι βαιότερον πέλεναι χρεών ἐστι τῇ ἢ τῇ.] At de genitivo plur. fem. Τάων dictum fuit supra in Τῶν.

|| Neutrius generis significationes articuli masc. et fem. generis sequitur. Nam Τὸ præterquam quod nominibus præfigi neutris solet, sicut ὁ masculinis, et ἡ femininis : capitur etiam pro ὅ, Quod : item pro τοῦτο, αὐτὸ, ἐκεῖνο, Hoc, Ipsum, Illud. Itidemque plur. Τὰ, easd. signif. accipit. Hom. Il. Ξ, [411] : Τά ῥα πολλὰ θοάων ἔχματα νηῶν Πὰρ ποσὶ μαρναμένων ἐκυλίνδετο, τῶν ἐν ἀείρας Στῆθος βεβλήκει · animadverte autem in primo quidem versu τὰ significare ἅ, at in secundo, τῶν esse τούτων, ἐκείνων. Sed interdum et in uno eodemque versu utramque signif. habet : Od. Ξ, [227] : Αὐτὰρ ἐμοὶ τὰ φίλ' ἔσκε τά που θεὸς ἐν φρεσὶ θῆκε · Il. A, [125] : Ἀλλὰ τὰ μὲν πολίων ἐξεπράθομεν, τὰ δέδασται, ubi τὰ priore loco est Quæ, posteriore autem Ea : quum contra in præcedente versu exponatur. [Hom. Il. E, 564 : Τὰ φρονέων, ἵνα χερσὶν ὑπ' Αἰνείαο δαμείη · I, 493 : Τὰ φρονέων, ὅ μοι οὔτι θεοὶ γόνον ἐξετέλειον.] Sed alium quoque usum habet τὸ, s. notius alios usus. Ac primum quidem dicitur τὸ καὶ τυ, eodem modo quo Gallice *Cela et cela*. Dem. [p. 308, 4] : Εἰ τὸ καὶ τὸ ἐποίησεν ἄνθρωπος οὑτοσὶ, οὐκ ἂν ἀπέθανε, *Si cet homme eust faict cela et cela, il ne fust pas mort* : vel, *S'il eust faict telle chose et telle*. Latine dixeris, Hoc et illud. In quo usu ad unam ex præcedentibus signiff.

A referri potest. [Pind. Isthm. 4, 58 : Ζεὺς τά τε καὶ τὰ νέμει · Ol. 2, 53 : Φέρει τῶν τε καὶ τῶν καιρόν (ὁ πλοῦτος). Demosth. p. 1457, 16 : Ἔφη δεῖν οὕτω προαιρεῖσθαι κινδυνεύειν τὸν στρατηγὸν, ὅπως μὴ τὰ ἢ τὰ γενήσεται, ἀλλ' ὅπως τὰ κτλ.] || Τὸ infinitivo etiam jungitur, sicut et articulus Gallicus *Le*, quæ articuli cum infin. copulatio vim nominis habet : ut τὸ πιεῖν, φαγεῖν, *Le boire*, *Le manger*. At Latini infin. jungunt interdum, non cum articulo, quum eo destituatur, sed cum pronomine : quale est hoc Persii, Velle suum cuique est. Item, Scire tuum nihil est, nisi te scire hoc sciat alter. Item, Quando ad canitiem et nostrum istud vivere triste Aspexi. [Alia de usu infinitivi cum articulo conjuncti v. ap. grammaticos in doctrina de infinitivo. || Byzantinis usitata est conjunctio articuli cum vocabulis interrogandi, ut ap. Jo. Malalam p. 206, 17 : Γνοὺς περὶ τῶν Ἰουδαίων τὸ τί πέπραχαν · 231, 17 : Ἐπηρώτησε τὴν Πυθίαν τὸ διὰ τί οὐκ ἐδόθη αὐτῷ ἀπόκρισις. Cotel. Mon. vol. 4, p. 14 : Μίαν ἔσχε φροντίδα τὸ πῶς ἀρέσει. Quod irrepsit in libros aliquot Xen. Anab.
B 4, 4, 17 : Ἐρωτώμενος δὲ τὸ ποδαπὸς εἴη, ubi τὸ expunxi cum melioribus.] || Τὸ apud grammaticos τεχνικῶς positum, vel, ut quidam loquuntur, materialiter, ut quum dicimus τὸ ἀρετὴ opponi τῷ κακία, pro Vocabulum hoc ἀρετή. Sic τὸ τύπτω, Verbum istud τύπτω. Item, τὸ χρῶμαι οἷς ἔχω, Ἀττικόν ἐστιν, Oratio hæc, χρῶμαι οἷς ἔχω, est Attica, sive constructio hæc. [Apud eosdem τὸ sæpe ponitur sic ut reddi possit Id est. Photius : Ἐς ὀλβίαν, ὡς εἰς μακαρίαν, τὸ εἰς ᾅδου. Ubi Ruhnken. ad Tim. p. 59, ἢ εἰς ᾅδου. Tzetz. ad Lycophr. 20 : Γρώνης ἐκ τοῦ γρῶ τὸ ξέω καὶ ἐσθίω. Etym. M. : Ἀαγὲς ἀπὸ τοῦ ἄγω τὸ κλάνω, et alibi sæpissime. Iisdem usitata formula est ἀντὶ τοῦ, de qua v. in Ἀντί.] || Τὸ interdum pro Quapropter, Quamobrem : διό. Hom. Il. Γ, [176] : Ἀλλὰ τά γ' οὐκ ἐγένοντο τὸ καὶ κλαίουσα τέτηκα · et [T, 213] : Τό μοι οὔτι μετὰ φρεσὶ ταῦτα μέμηλε. [Τὸ adverbiis temporalibus præfixum, v. Lobeck. Phryn. p. 50. Angl. Sic etiam τὰ, ut in τὰ νῦν, quod v. || Periphrasin per neutrum articuli sequente genitivo, ut Eur. Ion. 742 : Τὸ τοῦ ποδὸς μὲν βραδὺ, τὸ τοῦ δὲ νοῦ ταχύ · Soph. OEd. T. 977 : Ὦ τὰ τῆς τύχης κρατεῖ ·
C Thuc. 2, 60 : Τὰ τῆς ὀργῆς ὑμῶν · 7, 49 : Τὰ τῆς ἐμπειρίας, usurpata ab omnibus, nonnulli inprimis frequentarunt, ut Apollon. De pron. p. 47, B ; 54, B : Τὰ τῆς ἀναγνώσεως · 64, B, Aristeas Hist. LXX intt. p. 111, D ; 112, D ; 113, D. Frequentissimum etiam neutrum cum genitivo nominis, ut τὸ τοῦ Σοφοκλέους (dictum), ἐν τοῖς Ἀμαντίου (ædibus), etc.]

|| At de Ὅ significante Ipse, etiam Qui, dicam post Ὅς, quum ab hoc sit, non autem ex articulo præpositivo fiat, assumpto accentu.

[|| Articulum eundem bis positum continuo præter inscr. Att. ap. Ross. *Kunstblatt* 1836, n. 39, 16 : Τὸν τὸν χαλινὸν ἔ[χο]ντα (sic), primus habet Aristot. Poet. c. 22, p. 1459, 8 : Τὸ γὰρ εὖ μεταφέρειν τὸ τὸ ὅμοιον θεωρεῖν ἐστιν · Probl. 10, 27 : Διὰ τὸ τὸ δέρμα ἀσθενέστερον γεγονέναι · H. A. 3, 11 : Διὰ τὸ τὸ μεταξὺ ἀσαρκότατον εἶναι · tum Theophrastus qui dicitur De color. fr. 20, 25 : Διὰ τὸ τὸ ξανθὸν τῷ μέλανι κεράννυσθαι, sæpius recentiores, velut Diodorus, cui frustra ereptum voluit
D Rhodom. ad 3, 32, ego autem nuper post alios restitui locis quos indicavi in annot. ad 2, 52, p. 164, 42 ed. Wessel., et præter illos grammatici atque Byzantini. Antiquiores Attici ceterique omnes quum in prosa tum in carmine nihil ejusmodi admiserunt, sed aut verbis aliter collocandis aut altero omittendo articulo caverunt, ut Eur. Hec. 982 : Σῶσόν νυν αὐτὸν, μηδ' ἔρα τῶν πλησίον · Thuc. 5, 77 : Τῶ σιῶ σύματος · Plato Lach. p. 188, D : Τῷ ὄντι ζῆν · Lys. p. 205, D. Τῆς τοῦ δήμου ἀρχηγέτου θυγατρός. At ne hi quidem diversos articulos vel tres deinceps ponere respuerunt, ut Plato Phædr. p. 269, C : Τὴν τοῦ τῷ ὄντι ῥητορικοῦ τέχνην, et alii. || Duobus vel pluribus nominibus junctus articulus aut singulis deinceps aut primo tantum præmittitur, ut mirabilis sit consuetudo Pausaniæ, ita ab hoc communi omnium usu recedentis, ut sæpe alteri adjungat articulum, prius sine illo ponat, velut 7, 25, 12 : Ἔν τε Ἑλίκῃ καὶ ταῖς Αἰγαῖς · 8, 35, 1 : Καὶ Μαλοῦς καὶ ὁ Σκῦρος · 37, 3 : Δέσποινα καὶ ἡ Δημήτηρ · 10, 3, 3 : Ἀθηναῖοι καὶ οἱ Θηβαῖοι · 8, 5 : Ἀπόλ-

λων καὶ ἡ Νίκη· 37, 4 : Ἐπὶ ἔργῳ παντὶ καὶ ἀμείνω καὶ τὰ χείρω νέμοντι· 38, 9 : Κυπαρίσσου καὶ τῆς πίτυος, et alibi. Quorum ll. ad exemplum 10, 32, 19 : Τό τε Ἰβηρικὸν καὶ τὸ ἐκ τῆς νήσου τῆς Ἰστρίας, omittendum videtur cum libris plerisque τό τε, ut alibi ab librariis alter articulus est omissus. Semel Diodor. 19, 34 : Οἱ περὶ Εὐμένη καὶ τὸν Ἀντίγονον, nisi fallit scriptura. || Articulum ab nomine sejunctum habet Callim. fr. ap. Hephæst. p. 66=118 : Ἡ παῖς ἡ κατάκλειστος, τὴν οἵ φασι τεκόντες εὐναίους ὀαρισμοὺς ἔχθειν ἴσον ὀλέθρῳ. Quod injuria suspectum fuit præter alios Schæfero ad schol. Apoll. Rh. p. 381. Nec Porsonus quum Aristoph. Lys. 416 solœcum diceret τῆς μου γυναικὸς, meminerat Theocr. 5, 2 : Τό μευ νάκος ἐχθὲς ἔκλεψεν· quod est etiam in ep. Anth. Pal. App. 257, 19, cetera non optimo : Λύπας καὶ στοναχὰς τοῖς μου τοκέεσσι διδόντα. Plato Reip. 3, p. 396, C : Ὁ μέν μοι δοκεῖ μέτριος ἀνὴρ, ἐπειδὰν ἀφίκηται ..., ἐθελήσειν κτλ. Ubi dubitatum est conjungenda sint an disjungenda ὁ μὲν et ἀνὴρ, quemadmodum ap. Eur. Hel. 1025 : Ἐκ τῶν θεῶν δ' ἄρχεσθε χἰκετεύετε τὴν μέν σ' ἐᾶσαι πατρίδα
B νοστῆσαι Κύπριν, Ἥρας δὲ τὴν ἔννοιαν ἐν ταὐτῷ μένειν, licet etiam interpungere ante Κύπριν, et Moschi 7, 6 : Ἁ δ' οὐχ οἶδε θάλασσα διερχομένου ποταμοῖο. Alius sunt generis hæc Herodoti 1, 115 : Οἱ γάρ με ἐκ τῆς κώμης παῖδες ... ἐστήσαντο βασιλέα, et Longi 1, p. 27 Sch. : Οἱ γάρ με ἀσεβεῖς λῃσταὶ πρὸ τῶν βοῶν μαχόμενον κατέκοψαν ὡς βοῦν. Et Callimachi apud Hephæstionem p. 50=89 : Τόν με παλαιστρίταν ὀμόσας θεὸν ἑπτάκις φιλήσειν· Onestæ Anth. Pal. 7, 66, 4 : Ἀλλὰ κύον σαίνοις Κέρβερε τόν με κύνα, qualia plura collegit Hecker. Comment. crit. de Antholog. Gr. p. 76. Sed nemo facile non barbare loquentium ejusmodi quid admisit quale hoc Theodori Stud. p. 613, XCIII, 2 : Καὶ τὸν πεποιθὼς εἰκονουργήσαντά με. || Eleganter vero transponunt veteres, ut Eur. Androm. 215 : Εἰ δ' ἀμφὶ Θρῄκην χιόνι τὴν κατάρρυτον, dicere maluit quam τὴν χιόνι κατάρρυτον numeris minus elegantibus et ictu extra carmina melica in hoc voc., ut in Εὐαγὴς diximus p. 2178, A, minus ei probato. Ion. 321 : Τάλαινά
C σ' ἡ τεκοῦσα, τίς ποτ' ἦν ἄρα. (Sic enim legendum videtur pro ἥτις, ut τίς sit ἥτις : v. Bœckh. C. I. vol. 2, p. 50, n. 1956, et nos in Τίς.) 671 : Ἐκ τῶν Ἀθηνῶν μ' ἡ τεκοῦσ' εἴη γυνή· Or. 413 : Οὐ δεινὰ πάσχειν δεινὰ τοὺς εἰργασμένους. Alia v. ap. Seidler. ad El. 264. Aristoph. Nub. 1055 : Εἶτ' ἐν ἀγορᾷ τὴν διατριβὴν ψέγεις· Pac. 1305 : Ὑμῶν τὸ λοιπὸν ἔργον ἤδη 'νταῦθα τῶν μενόντων· Plut. 338, quos ll. comparavit Dobr. ad Eq. 971. Eodem pertinent talia quale hoc Eur. Hel. 1342 : Τᾷ περὶ παρθένῳ Δηοῖ θυμωσαμένᾳ λύπαν ἐξαλλάξατ' ἀλᾶν, ut scripsi pro τάν· et Carcini ap. Diodor. 5, 5, 6 : Καὶ τὴν μὲν Αἰτναίοισι Σικελίαν πάγοις πυρὸς γέμουσαν ῥεύμασιν· Thuc. 4, 109 : Τῶν καὶ Λῆμνόν ποτε καὶ Ἀθήνας Τυρσηνῶν οἰκησάντων, cujus generis plura indicavi ad Xenoph. H. Gr. 2, 4, 10. Paullo rariora sunt talia, ut hoc Alexidis ap. Athen. 13, p. 558, F : Ἡ τῶν γὰρ ἀνδρῶν ἐστι πρὸς ἐκείνην μέλι· et Luciani Nigrin. fin. : Τὸ τοῦ ἄρα Τηλέφου ἀνάγκη ποιεῖν. || Inter adjectivum et substantivum vel substantivum et nomen proprium ponere solent, metri inprimis caussa, Byzantini, ut sæpissime Tzetzes, velut Hist. 1, 33 : Μακαριζόμενος πολλοῖς ἐπὶ λαμπρᾷ τῇ νίκῃ· 708 : Ἀννίβαν πεντεκαίδεκα
D τῶν χρόνων ὑπηργμένον· epigr. in Thucyd. p. 133 ed. Paris. : Οὐκ ὀστρακίζειν Θρᾳκικοῖς σε τοῖς ὅροις· Hist. 1, 64 : Υἱὸς ὁ Κυαξάρης· 70 : Ἀνὴρ ὁ τῆς Πανθείας. Idem cum aliis Byzantinis sæpe duplicem ponit, ubi substantivum secundum, adjectivum primum obtinet locum, aut nomen proprium secundum, substantivum primum, ut Hist. 1, 30 : Τὸν στρατηγὸν τὸν Τέλλον· 9, 102 : Γεννᾷ τὸν μέγαν τὸν Σαμψών· 205 : Εἰπών, Ἰδοὺ πεπλήρωκα, πάτερ, τὸν σὸν τὸν πόθον. Quomodo est in Tab. Heracl. 1, p. 162, 44 : Ἐν δὲ τᾷ τετάρτᾳ τᾷ μερείᾳ παρὰ τὰ Φίντια, nisi hic est error sculptoris, similiterque ap. Theocr. 4, 21 : Αἴθε λάχοιεν τοὶ τῶ Λαμπριάδα τοὶ δαμόται· 23 : Καλὰ πόλις ἅ τε Ζάκυνθος καὶ τὸ ποταῷον τὸ Λακίνιον. Perrara etiam ap. meliores collocatio articuli ante nomen cum adjectivo conjunctum, quod cum illo tanquam in unum coalescit, ut ante nomen conjunctum cum pronomine ap. Soph. Aj. 572 : Μήθ' ὁ λυμεὼν ἐμός· Eur. Hipp. 683 : Ζεύς σ'

A ὁ γεννήτωρ ἐμὸς πρόρριζον ἐκτρίψειεν. Sed ap. Ephræm. Syr. vol. 3, p. 544, F : Τοῖς δάκρυσι ἐμοῖς, excidisse videtur τοῖς. Sæpius vero sic ponitur articulus ante nomen cum ἀμφότεροι, ἑκάτερος, ἕκαστος conjunctum. Et ante nomen dei cum cognomine, ut inscr. Elea ap. Bœckh. vol. 1, p. 28, n. 11 : Τῷ Δὶ Ὀλυμπίῳ· ap. Plut. Mor. p. 323, A : Τῆς Ἀφροδίτης Ἐπιταλαρίου· Athen. 7, p. 325, D : Τῇ Ἑκάτῃ Τριγλανθίνῃ· Jo. Malalam p. 327, 7 : Τῷ Διὶ Κασίῳ. Alio in genere Erycius Anth. Pal. 9, 237, 3 : Τῷ λειοντοπάλα Τιρυνθίῳ. Cum nomine aut subst. inscr. Carth. ap. Brœnsted. Itin. vol. 1, tab. XVI : Κτησίας Εὐκτήμονος ἀνέθηκε τῷ Ἀπόλλωνι Ἀρισταίῳ· Philochorus ap. Athen. 2, p. 38, D : Τὸ τοῦ Διὸς Σωτῆρος ὄνομα. Alia ejusmodi librariis sunt tribuenda, apud veteres quidem : nam de recentissimis anceps interdum est judicium, et quærere vix refert, utrum Paraphr. Vat. Lycophr. p. 305 fin. scripserit : Τῆς πατρίδος ἀτυχοῦς, an aliter, et similes similia. Sed Pselli Synops. 55 : Πολλοὶ δὲ συλλεξάμενοι τὰς ἀγωγὰς ἰδίας, metrum et accentus tuen-
B tur. L. DIND.]

[Ὄα, ἡ. HSt. in Οἴα, quam formam cum hac conjungimus :] Οἴα, ἡ, Pellis ovilla ; nam οἶαι, Hesychio sunt διφθέραι, μηλωταί. Ap. Eust. autem p. 1828, scribitur tribus syllabis ὄϊαι [quod rectius ὄϊαι infra scribit HSt.], διφθέραι, μηλωταί : ac tunc erit a nom. Ὄϊος, Ovillus ; diceturque ὀΐα absolute, ut κυνέη, λεοντέη, ἀρκτέη, pro ὀΐα δορὰ, λεοντέη δορά. || Οἶαι dicuntur etiam Vici, Pagi. Apoll. Arg. 2, [139] : Πέρθοντο γὰρ ἠμὲν ἀλωαὶ, Ἠδ' οἶαι· ubi schol. : Οἶαι δὲ, αἱ κῶμαι, διὰ τὸ ἐν αὐταῖς τὰ πρόβατα καὶ τὰ ἄλλα βοτὰ νέμεσθαι. At Οἴη, scholiastæ Soph. est δῆμος τῆς Ἀττικῆς : unde Οἰῆθεν adv. loci [Harpocratio : Οἰῆθεν, Ἰσαῖος ἐν τῷ κατ' Ἐλπαγόρου. Δῆμος τῆς Πανδιονίδος ἡ Οἴη, ὡς Διόδωρος· Οἰῆθεν δὲ ἀπὸ τόπου ἐπίρρημα· Φιλόχορος δ' ἐν τῇ γ' τὴν Οἴην Κεφάλου μὲν θυγατέρα, Χάροπος δὲ γυναῖκα ἱστορεῖ. Hunc Ὄα dicit Steph. Byz. in illo citandus. Οἰῆθεν iterum ponit Harpocr. in Οἶον, ubi addit : Ἄλλοι δ' ἦσαν οἱ λεγόμενοι Οἰῆθεν, ὡς προείρηται, habentque Demosth. p. 897, 4, ubi Οἰῆθεν,
C Lysias p. 19, Plut. Pericl. c. 9, ubi olim Ἴηθεν, Diog. L. 4, 16. Ceterum confundi ab Harpocr. Ὄην vel Οἴην cum Ὄα vel Οἴα, ita ut forma per η propria fuerit pago Œneidis, forma per α pago Pandionidis, Corsini F. A. vol. 1, p. 239, aliorumque probabilis est sententia. Utrique vero communis fuit duplex forma per O et Oι] : et Οἰάτης, gentile, ut οἰνωάτης [Οἰν.] ab οἰνώη [Οἰν., et fem. Οἰᾶτις]. In Œd. C. p. 306 [1060] : Τὸν ἐφέσπερον πέτρας νιφάδος πελῶσ' Οἰάτιδος ἐκ νομοῦ πώλοισιν. Eustath. autem p. 1164, οἰάτιδος νομοῦ exp. τοῦ ὑπὸ προβάτων κατανεμομένου, appellative, non proprie hoc vocabulum accipiens : itidemque Hesych. in eod. l. οἰάτιδος ἐκ νομοῦ exp. τῆς προβατευομένης ἐκ νεμήσεως, rejiciens eos, qui δῆμον esse volunt, quoniam οὐκ ἐγγὺς κεῖται. [V. infra in forma Ὄα.]

|| Ceterum pro Οἴα reperitur etiam Ὄα sublato ι, et Ὦα, mutato ο in ω, et subscripto ι. Pollux 7, c. 13 [§ 42] : Ὄα δὲ καλεῖται καὶ ἡ τοῦ προβάτου δορὰ ἡ σὺν τῷ ἐρίῳ. Sic ap. Hesych. : Ὄα, ἡ μηλωτὴ, ὄϊς δὲ τὸ πρόβατον, καὶ ἡ σὺν τοῖς ἐρίοις δορά· ἡ δὲ ἐν τοῖς ἱματίοις,
D ᾦα. Hæc de ὄα in hac signif. reperi, quod ab οἴα factum volunt, ut χρόα a χροιά. [Arcad. p. 100, 11 : Τὰ διὰ τοῦ οα σπάνια καὶ κατὰ πάθος γενόμενα παρ' Ἀττικοῖς ὀξύνεται (l. παροξ.) οἴα, ὄα, τὸ δέρμα, χροία, χρόα. Theognost. Can. p. 106, 6 : Ἔστιν γὰρ τὸ ὄα, ὅπερ ἀπὸ τοῦ ᾦα διὰ τῆς ω διφθόγγου· δηλοῖ δὲ δῆμον Ἀττικὸν καὶ τοῦ χιτῶνος τὸ ἄκρον· 25 : Ὦα, ἡ μηλωτή.] De ᾦα autem sic ap. Eustath. p. 1828, ex Ælio Dionysio : Ὦα, μηλωτὴ, διφθέρα· οἷς γὰρ τὸ πρόβατον. Ibid. ex alio grammatico : Ὄϊαι, διφθέραι, μηλωταί· οὗ ἐκτάσει καὶ συναιρέσει ᾦαι. Ibid. ex Aristoph. grammatico : Μῆλα ὁ ποιητὴς καλεῖ καὶ τὰς αἶγας, οἷον, Μῆλ' ὄϊές τε καὶ αἶγες ἰαύεσκον· καὶ ἡμεῖς δὲ δήπου μηλωτὴν καλοῦμεν καὶ τὴν αἰγείαν δοράν· τὴν δὲ τῶν προβάτων ἔνιοι οἰέην· τῶν δὲ ἀρχαίων Ἀττικῶν τινὲς συναλοιφὴν ποιούμενοι, ᾤαν ἐκάλουν. Hæc ibi gramm. ille, hujus usus hoc exemplum adducens ex Hermippo : Ὥρα μάττειν ἐπὶ τοῖς ἱεροῖς, καὶ τὴν ᾤαν περιδεῖσθαι περὶ τὴν ὀσφύν· quæ Eust. ex Eod. citat etiam p. 877. Sunt qui ὄαν s. ᾤαν interpr. Rhenonem, ut Cæsar vocat Vestem pelli-

ceam cum sua lana et villis. Sed notandum in Mss. libris reperiri modo ᾦα paroxytonως, modo ᾧα, ac interdum subscribi ι, interdum non : sicut et apud ipsum Eust., qui ex Odyss. affert ᾧα χρυσῆ. [Non ex Odyss. affert, quod in illa non legitur, sed memorari Ulixis dicit χρυσῆν ᾧαν. De accentu Arcad. p. 100, 23 : Βαρύνεται ὦα ἡ μηλωτή. Theognosti verba v. supra.] Ejusmodi ovina pelle pudenda velabant in balneo mulieres, et viri etiam, si cum mulieribus lavarentur, ut Pollux docet 7, c. 14 [§ 65, 66]; sed tunc addebatur epitheticως λουτρὶς, dicebaturque ᾦα λουτρίς : id, quod alio nomine περίζωμα appellatur, Lat. Subligaculum, Subligar. Idem Poll. 10, c. 47 [§ 181, 182] : Τὸ μέντοι δέρμα, ᾧ ὑποζώννυνται αἱ γυναῖκες λουόμεναι, ἢ οἱ λούοντες αὐτὰς, ὤαν λουτρίδα ἔξεστι καλεῖν · quibus subjungit hunc l. ex Theopompi Fabula quæ Παῖδες inscribitur : Τήνδε περιζωσάμενος ᾤαν λουτρίδα, κατάδεσμον ἥβης, περιπέτασον. Et ex Pherecrate Ἱππῶνι, ubi τὰ τῆς παιδοτριβικῆς ἐργαλεῖα recenset : Ἤδη μὲν ᾤαν λουομένῳ [λουμένῳ] προζώννυνται. Quibus subjungit Pollux, Οὕτω δὲ τὴν μηλωτὴν ἐκάλουν, ἴσως ἀπὸ τῆς ὄϊος. || Ὄα, Ὀὰ, vel Ὦα, dicitur etiam Fimbria vestimenti, Limbus et ora vestis. In Lex. meo vet. : Ὄα ἀπὸ τοῦ οἴα γέγονεν · ἐξ οὗ καὶ τὸ ᾦα, διὰ τῆς ῳ διφθόγγου · δηλοῖ δὲ δῆμον Ἀττικῆς, καὶ τοῦ χιτῶνος τὸ ἄκρον. Eustath. p. 1818 : Ἐκ δὲ τῶν ὀΐων καὶ ὄα κατὰ Αἴλιον Διονύσιον ἐπὶ τοῦ ἱματίου, διὰ τοῦ ο μικροῦ. Paulo post in anonymo Lex. rhet. annotat scribi ὀξυτόνως καὶ συνεσταλμένως, ὀαὶ ἱματίων : ibique hoc afferri exemplum ex Aristoph., Ὅτε τὰς ὀὰς ἐποιήσατο· dictas autem esse has ὀὰς ab ὄϊς, quoniam οἱ παλαιοὶ καὶ ταύταις οἰὸς δέρμα προσέρραπτον, ἵνα ἥκιστα τρίβοιντο τὰ κάτω τῶν ἱματίων. Ibid. ex alio Lex. rhet., Ὦαι, ἔσχαται ἄκραι. Et ap. Suid. : Ὦα, μηλωτὴ, διφθέρα · καὶ τὸ λῶμα τοῦ ἐνδύματος περὶ τὴν πέζαν. Et in meo Lex. vet. : Ὦα σημαίνει τὴν ἀνάκλασιν τοῦ κρασπέδου τοῦ ἱματίου· in quo itidem ab ὄϊς derivatum esse dicitur, quoniam οἱ ἀρχαῖοι πρῶτον δέρματα ἐνέβαλον τοῖς τῶν ἱματίων κρασπέδοις. Sed et Superior vestis ora, s. Latius velut orificium, cui collum inseritur, ὤα s. ὄα dicitur : alio nomine βρογχωτήρ. Apud Suidam, Τὸ περιστόμιον ὦαν ἐκάλεσεν ὁ Δαβὶδ, ὃ καλοῦμεν περιτραχήλιον · οἱ δὲ στόμα ἐνδύματος εἰρήκασιν, οἱ δὲ τὴν ἀνάκλασιν τοῦ ἱματίου. Hæc autem verba exempli loco subjungit [Ps. 132, 3] : Ἐπὶ τὴν ὦαν τοῦ ἐνδύματος αὐτοῦ. Itidem ap. Hesych. : Ὤα τοῦ προβάτου, ἡ μηλωτή · ὤαι δὲ, τῶν ἱματίων · καὶ τὸ λῶμα τοῦ ἐνδύματος, καὶ τὸ περιστόμιον τοῦ ἱματίου. Utramque autem vestimenti oram, et summam, quæ collum cingit, s. cui collum immittitur, et imam, vocari ὤαν, ex Polluce manifestum est, qui sic ait 7, c. 13 [§ 62] : Ὤα δὲ, τὸ ἐξωτάτω τοῦ χιτῶνος ἑκατέρωθεν · λίγνα δὲ (nisi forte reponendum hic est λέγνα pro λίγνα) τὰ ἐν τῷ ἱματίῳ ἑκατέρου μέρους, οὐχ ὅπου ἡ ὤα · τὴν δὲ ὤαν καὶ ὄαν λέγουσι. Hanc tamen vestis aperturam ac velut osculum, cui caput inseritur, nonnulli dictam volunt παρὰ τὸ ὠῶδες σχῆμα. In qua signif. citatur ex Psalmo [132, 3] et Exod. 28, [28. In Ind. :] Ὠΐαι, Hesychio μηλωταὶ, λέγνα, ἄκρα, ἔσχατα, Pelles lanatæ, Fimbriæ, Extremæ oræ : quæ et ᾦαι. Ὀεὰ, Hesychio μηλωτὴ, Pellis ovina : quæ et ὄα ac ὤα. Ὄες, Eidem κώδια, Pelles lanatæ, Vellera. Ὀέσχαι etiam affert pro μηλωταὶ, βαῖται. [Ὠάριον, Fimbriola. Etym. M. : Μίτραι, οἱ ἀπὸ φασκίων καὶ ὠαρίων γινόμενοι στέφανοι. Gataker.] Hesych. ὤας exp. etiam τὰς κόμας. Sic Idem etiam οἴας exp. κόμας, a nomin. Οἴα. [Theognost. Can. p. 106, 13 : Οἴα, ἡ κόμη.] Unde Οἰάτης, Comatus, Crinitus; nam οἰατὰν Hesych. exp. κομήτην : sed notandum apud eum scribi οἰατὰν aspirate, et itidem οἶαι γὰρ αἱ κόμαι : nisi forte pro κόμαι scrib. sit κῶμαι, et pro κομήτης itidem κωμήτης, Paganus : nam οἶαι s. οἶαι apud Apollonium usurpari pro κῶμαι, Vici, supra ex schol. docui. [Contra Albertum ab HSt. dissentientem Ruhnk. in Auct. : « HSt. pulcre legendum vidit κωμήτην ... κῶμαι. Οἴη pro Vico satis confirmatur auctoritate Apoll. et schol. l. c. Ex hac ratione Οἴη tanquam proprium nomen hæsit pago tribus Pandionidis. V. Harpocr. v. Οἴηθεν. Jam cedo mihi vel unum veteris scriptoris locum, ubi οἴη Comam significet. Talis quum frustra quæratur, Hesychii reliqua ll. ad normam quam posuimus emen- A danda sunt : Οἰητᾶν, κομητῶν. Scr. κωμητῶν. Photius : Οἰήτας, τοὺς κομήτας. Σοφοκλῆς Ἀνδρομέδᾳ. L. κωμήτας. Hes. : Ὤας, τὰς κόμας. L. κώμας. Ὦαι vero ex dialecto est pro οἶαι, unde Laconum ὠβαὶ, de quibus Hemst. ad Hesych. v. Οὐαί. Scaliger ad Varron. ab οἴα ducit Lat. Via, ut ab οἶνος Vinum. » Sic igitur emendandus etiam Theognost. supra cit., qui ipse p. 18, 26 : Οἴα (sic), κώμη, καὶ ἐπὶ τοῦ ἀγροῦ · οἴα, τὸ ἐκ προβάτων.]

|| Alias Ὄα Arboris etiam nomen est, quæ et Ὄη et Οἴη appellatur : Lat. Sorbus. Hesych. : Ὄα, δένδρον κάρπιμον · καὶ ὁ καρπὸς αὐτοῦ οὕτω καλεῖται ὄα. Suid. : Ὄα, ἀκροδρύων εἶδος, μήλοις μικροῖς ἐμφερές · ὀπώρα ἡ ὄα. Theophr. C. Pl. 3, 1 : Ὄης καρπὸς, Sorbi fructus, i. e. Sorbum. Et H. Pl. 3, 12 : Ἀνάκανθον δέ ἐστι καὶ ἡ οἴη. [« H. Pl. 2, 2, 10, est ὄην, sed 2, 7, 7, εὐθύνειν τὴν ὄαν. Ita 3, 6, 5, ubi οὖαν erat. Οἴη 6, 3, 11, et locis ab HSt. citt. Ὀῶν δύο γένη 3, 12, 6 cum annot. Τὰ οὖα 3, 2, 1 et 12, 6. Τὸ οὖον C. Pl. 2, 8, 2. Ὄης ib. 3, 1, 4, sed Urbinas οἴης. De scriptura no- B minis v. Ruhnken. ad Tim. p. 189. In Bekk. An. p. 362, 3 : Αἶα, τὰ λεγόμενα ὄα · φυτὰ δέ ἐστι. Διονύσιος δέ φησι, Τὰ δὲ ὄα τινὲς βάμμα, οἱ δὲ αἶα, οἱ δὲ λεόνεον προσαγορεύουσιν, videtur οἶα dici.» Ex indice Schneid. Ruhnk. l. c. ita fere : « Ap. Plat. (ex quo Tim. et Pollux 6, 80 citant ὄα) Conv. p. 190, D : Ὥσπερ οἱ τὰ ὠὰ τέμνοντες καὶ μέλλοντες ταριχεύειν, legendum ὄα. Platonis ὄα a Dioscoride 1, 174 dicuntur οὖα τμηθέντα καὶ ξηρανθέντα. Galen. Gloss. : Ὄα, τὰ πρὸς τῶν πολλῶν οὖα καλούμενα. Id. vol. 6, p. 351 : Τὴν προτέραν συλλαβὴν τοῦ τῶν οὔων ὀνόματος ὑπὸ τῶν παλαιῶν Ἀθηναίων διὰ μόνου τοῦ ο γράμματος γράφεσθαί τε καὶ λέγεσθαι. V. Foes. OEc. Hipp. (qui monet ὄα Galenum memorare videri ex l. Hipp. p. 360, 22 : Οὖα καὶ μέσπιλα καὶ κράνα). Eandem quam in Platone corruptelam οὖα subierunt in Philyllio ap. Athen. 2, p. 52, B, et in Antiphane p. 56, E. Dio Chr. Or. 7, p. 242 : Οὖα τετμημένα καὶ μέσπιλα καὶ μῆλα χειμερινά. Hesychius : Οἴμηλα, οἰμίηλα, ἀκρόδρυα. L. Ὄα, μῆλα, ἀκρ. »] Dicitur et Οὖα eadem arbor ab Eodem H. Pl. 3, 7, ubi ex Judæorum auctoritate re- C fert τὴν οὖαν ἐπιπολαίους μὲν ῥίζας ἔχειν, ἰσχυρὰς δὲ καὶ παχείας. Fructus hujus arboris plur. num. dicuntur Ὄα et Οὖα, Lat. Sorba. Galen. De simpl. pharm. fac. 8 [vol. 13, p. 214] : Ὄη τὸ δένδρον, ἧς ὁ καρπὸς ὄα καλεῖται, ὑπὸ δὲ τῶν πολλῶν οὖα, μετὰ τοῦ υ · στυπτικῆς μετέχει ποιότητος. [Conf. id. vol. 13, p. 509, et ubi sæpe dicit οὖα, 24.] Diosc. 1, 174 : Οὖα τὰ μηλίζοντα καὶ μήπω πέπειρα. Theophr. quoque οὖα appellat Sorba : de quorum differentiis, quæ scribit H. Pl. 3, 12, confer cum iis quæ Plin. 15, 21. Perperam autem Pollux 6, c. 11 [§ 79] : Μέσπιλα, ἃ καὶ ὄα καλεῖται · magnum enim discrimen est inter sorba et mespila, ut ex Theophr. etiam, Galeno et Diosc. ac Plin. discimus. Nomin. sing. erit Ὄον et Οὖον, Sorbum : cujus tamen exempla nulla reperi.

[Ὀὰ, Vah, interj. eadem, ut videtur, quæ apud recentiores οὐὰ, Æsch. Pers. 116 : Ὀὰ Περσικοῦ στρατεύματος τοῦδε · 121 : Ὀὰ τοῦτ' ἔπος ὅμιλος ἀπύων · 573 : Βαρὺ δ' ἀμβόασον οὐράνι' ἄχη, ὀὰ, et sic ib. 570, 578, 581, ubi est interdum var. ὀᾶ. V. Reimar. ad Dion. D Cass. 63, p. 1041, 36.]

[Ὄα, δῆμος τῆς Ἀττικῆς τῆς Πανδιονίδος φυλῆς. Διονύσιος δὲ ὁ τοῦ Τρύφωνός φησι τὸ πληθυντικὸν Ὄεις λέγεσθαι αὐτοὺς, ὡς καὶ ἄλλα πολλά · ὁ μέντοι δημότης Ὄαθεν λέγεται, Δάμων Δαμωνίδου Ὄαθεν. Καὶ ἐκ τόπου τὸ αὐτό. Τὰ δ' ἄλλα Ὄαζε, Ὄασε. Λέγεται καὶ Ὄη. Ἔστι δ' Ὄη τῆς Οἰνηΐδος φυλῆς. Ὁ δημότης Ὄηθεν, Steph. Byz. Hesychius : Ὀάσεις (Ὄα Ὄεις Palmer), δῆμος τῆς Πανδιονίδος φυλῆς. Ὄαθεν est in inscr. Att. ap. Bœckh. vol. 1, p. 315, n. 184, 15. Ὀῆθεν vero in aliis ib. p. 347, n. 223, 1, ubi sequitur Οἰνηὶς φυλὴ, et *Urkunden* p. 287, 11, 45, ap. Ross. *Kunstblatt* 1836, n. 60. De formis per Οι utriusque pagi v. in Ὄα substantivo. De accentu nominum adverbiorumque non constat.]

[Ὀάδμων, ονος, ἡ, λίμνη, lacus Etruriæ, quem Vadimonem dicunt Latini, ap. Polyb. 2, 20, 2.]

[Ὄανος, πόλις Λυδίας. Διονύσιος ἐν τρίτῳ Βασσαρικῶν, Steph. Byz.]

[Ὄαξος, πόλις Κρήτης, Ἐλευθέρνης οὐ πόρρω, καθὰ Ξενίων, ἀπὸ Ὀάξου τοῦ Ἀκακαλλίδος τῆς θυγατρὸς τοῦ

Μίνω. Τινὲς δὲ διὰ τὸ κατὰ γῆν εἶναι (καταγῆναι Holsten.) τὸν τόπον· καλοῦσι γὰρ τοὺς τοιούτους τόπους ἄξους, καθάπερ καὶ ἡμεῖς ἀγμούς. Ὁ πολίτης Ὀάξιος, Steph. Byz. Ὀαξὸς libri deteriores Herodoti, ubi ceteri Ἀξός. V. Eckhel. D. N. vol. 2, p. 305. Per οι Apoll. Rh. 1, 1131 : Γαίης Οἰαξίδος. Ubi schol. : Ἔδει δὲ εἰπεῖν Ὀαξίδος· προσετέθη δὲ τὸ ι. V. Ὄαρος in Ὄαρ.]

Ὄαρ, αρος, ἡ, i. q. ἄορ, Uxor, Conjux : παρὰ τὸ ὁμοῦ ἀρηρέναι γάμῳ, ut tradit Etym., ut ὄαρ per metathesin dictum sit pro ἄορ : verum ἄορες Hesych. auctore non solum γυναῖκες dicuntur, sed etiam tripodes quidam : ut et ap. Hom. Od. P, [222] ubi dicit, Αἰτίζων ἀκόλους, οὐκ ἄορας οὐδὲ λέβητας, hoc ἄορας interpretantur non modo τὰς ἀπὸ τῶν ἀγώνων λαμβανομένας ἆθλα γυναῖκας, verum etiam τρίποδας τοὺς ὦτα ἔχοντας ἐξ ὧν αἴρεσθαι δύνανται, Tripodes habentes auriculas ex quibus tolli et suspendi queant. Rursum tamen idem Hesych. ἄορας masculinum accipi tradit et pro ξίφη, Enses : quum ἄορ significans Ensem, neutrius potius generis sit, ut docui supra [ubi dictum etiam de Ἄορ i. q. γυνή]. Ὄαρας idem Hesych. non γυναῖκας tantum exp., sed γάμους etiam, Nuptias : παρὰ τὸ δι' αὐτῶν ἀρηρέναι τοὺς γαμοῦντας : sociant enim et copulant conjuges. [Ὄαρ, quod sit γυνή, memorat Eust. Il. p. 573, 24; 754, 23, 26, Od. p. 1818, 7, ex loco Il. de quo HSt. :] Verum et Ὄαροι dicitur pro ὄαρες, h. e. γυναῖκες, teste eodem lexicographo, subjungente hunc locum Homeri ex Il. I, [327] : Ἀνδράσι μαρνάμενος ὀάρων ἕνεκα σφετεράων. [Var. ὠρέων memorat schol., ut ὤρεσσιν est E, 486, et Ὀαρίζω contrahitur in Ὠρίζω et vicissim Ὠρίων solvitur in Ὠαρίων. Ὀάρων autem duci ab ὄαρ, non, ut grammaticis nonnullis visum, ab ὄαρος, monet Heynius.] Idem ὀάρους exponi ait etiam παιδιὰν περὶ τὰ ἀφροδίσια, Lusus venereos : ut ὄαρας, γάμους, Nuptias, necnon θιάσους : item μύθους, λόγους, βουλεύματα, Confabulationes, Colloquia, Consilia. Quomodo in Epigr. [Anth. Plan. 202, 2] legimus, Τερπόμενον νυχίοις ἠϊθέων ὀάροις. [Hom. H. Ven. 249 : Ἐμοὺς (Veneris) ὀάρους καὶ μήτιας· Jov. 23, 3 : Ὅστε Θέμιστι ἐγκλιδὸν ἑζομένῃ πυκινοὺς ὀάρους ὀαρίζει. Hesiod. Th. 205 : Παρθενίους ὀάρους. Pind. Pyth. 4, 137 : Πραῢν ποτιστάζων ὄαρον· Nem. 7, 69 : Ψόγιον ὄαρον ἐννέπων· Pyth. 1, 98 : Φόρμιγγες κοινωνίαν παίδων ὀάροισι δέκονται· Nem. 3, 11 : Ὀάροις λύρᾳ τε κοινάσομαι. Empedocl. 124 : Τῶνδ' ὀάρων ἐπιμάρτυρα δέρκευ. Apoll. Rh. 3, 1102 : Μειλιχίοισι καταψήχων ὀάροισι. Musæus 132 : Κυπριδίων ὀάρων· ubi hæc fere Schraderus : « Optime schol. ὁμιλιῶν τῶν διὰ τῆς μίξεως. Ita 230 : Παννυχίων δ' ὀάρων κρυφίους ποθέοντες ἀέθλους. Orph. Arg. 1324 : Νυμφιδίοις ὀάροις λέκτρῳ τε κλιθεῖσα παρθενίην ᾔσχυνον. Sæpissime tamen notat Confabulationes aut Sermones de rebus Venereis, ut locis plurimis Nonni Dion. V. de vario vocis signif. Spanh. ad Callim. Lav. 66 : Οὐδ' ὄαροι νυμφᾶν οὐδὲ χοροστασίαι ἅδεῖαι τελέθεσκον, ὅτ' οὐχ ἀγεῖτο Χαρικλώ. » Leontius Anth. Plan. 272, 2 : Ἁγνὸς ἐὼν Κυπριδίων ὀάρων· et Agath. Anth. Pal. 10, 68, 4. Ib. 9, 362, 16 : Εὐναίων ὀάρων βεβιημένος ὁρμῇ. Lucian. Alex. c. 54 : Νυκτιπλάνοις ὀάροις χαίρει κοίταις τε δυσάγνοις. Attici poetæ abstinuerunt vocc. hujus stirpis. || Formam Οἴαρος v. infra. Ei comparandum Οἰαξὶς pro Ὀαξίς.]

[Ὄαρθος, f. Phinei ex Sophoclis Phineo memoratus in schol. Paris. Apoll. Rh. 2, 178. Ὠρυιθος (sic) dicitur in vet.]

[Ὀάριζος, ὁ, Oarizus, Persa, ap. Herodot. 7, 71.]

Ὀαρίζω, Confabulor, Colloquor. Hom. Il. Z, [516] : Στρέψεσθ' ἐκ χώρης ὅθι ἧ ὀάριζε γυναικί· X, [128] : Τῷ ὀαριζέμεναι ἅτε παρθένος ἠΐθεός τε, Παρθένος ἠΐθεός τ' ὀαρίζετον ἀλλήλοισι, Ut virgo et juvenis inter se confabulantur. [Hom. H. Merc. 170 : Βέλτερον ἤματα πάντα μετ' ἀθανάτοις ὀαρίζειν· Jov. 23, 3 : Ὅστε Θέμιστι ἐγκλιδὸν ἑζομένῃ πυκινοὺς ὀάρους ὀαρίζει. Lucian. De parasit. c. 44 : Μετὰ τῶν μειρακυλλίων καθεζόμενον ὀαρίζειν. Forma contr. est Ὠρίζω, de qua v. in Ὄαρ et in ipsa.]

[Ὀάριος, ὁ, Oarius, servorum in bello servili dux, ap. Diodor. Exc. Photii p. 531, 79.]

[Ὀάρισμα, τὸ, i. q. sequens. Præceptum vertitur ap. Oppian. Cyn. 4, 23 : Σὺ δὲ, πότνα θεά, παγκοίρανε θήρης, ... λέξον, ὄφρα τεῶν ἔργων προμαθὼν ὀαρίσματα

A πάντα θηροφονῇ· ubi olim ὠρίσματα, quod alii aliter scripserunt.]

Ὀαρισμὸς, ὁ, Confabulatio, Colloquium. Hesiod. [Op. 787] : Φιλέει δέ τε κέρτομα βάζειν, ψεύδεά θ', αἱμυλίους τε λόγους, κρυφίους τ' ὀαρισμούς. [Callim. fr. ap. Hephæst. p. 66=118 : Ἡ παῖς ... τὴν οἵ φασι τεκόντες εὐναίους ὀαρισμοὺς ἔχθειν ἶσον ὀλέθρῳ. Quintus 7, 316 : Ἀλλά μιν εἰσέτι μητρὸς ἐνὶ μεγάροισιν ἔρυκε δακρυόεις ὀαρισμός.]

[Ὀαριστήνη vox nihili. V. Ὀαριστύς.]

Ὀαριστὴς, ὁ, Confabulator. Hom. Od. T, [179] : Ἔνθα τε Μίνως Ἐννέωρος βασίλευε, Διὸς μεγάλου ὀαριστής· i. e. συνουσιαστὴς τοῦ Διὸς ἐν λόγοις, quoniam ὄαροι sunt οἱ λόγοι, inquit Plato in Minoe : ubi eum scribit φοιτῆσαι εἰς τὸ ἄντρον τοῦ Διὸς, ac ibi cum eo collocutum. [Timon ap. Diog. L. 8, 36 : Πυθαγόρην ... σεμνηγορίης ὀαριστήν.]

Ὀαριστὺς, ύος, ἡ, i. q. ὀαρισμὸς significans, h. e. Confabulatio, Colloquium, et peculiariter quale est maris cum femina secretius. Hom. Il. Ξ, [216] : Ἔνθ'
B ἔνι μὲν φιλότης, ἐν δ' ἵμερος, ἐν δ' ὀαριστύς. Idem dicit πολέμου ὀαριστὺς pro Conversatio et commercium cum bello, Il. P, [228] : Ἢ ἀπολέσθω, Ἠὲ σαωθήτω· ἣ γὰρ πολέμου ὀαριστὺς, Ita enim cum bello conversari datur. Hesychio vero ὀαριστὺς est non solum ὁμιλία, sed etiam παραλογιστικὴ διήγησις et ἀδολεσχία. Ap. Hesych. reperio et Ὀαριστήνην, μάχην : sed suspectum mihi est. [Pro ὀαριστύν.]

Ὀαρίων [Ὠαρίων], ωνος, ὁ, a Pindaro [qui Ὠαρίων, pro quo Ὀαρίων libri Athen. 11, p. 490, F, Nem. 2, 12, et Ὠαριώνειος dixit.]

[Ὄαρος. V. Ὄαρ.]

[Ὄαρος, ὁ, Oarus, fl. Scythiæ, Herodot. 4, 123.]

[Ὄας. V. Οὖς.]

[Ὄασις, ἡ, quæ alibi Αὔασις, locus fertilis in Libyæ desertis. Oppidum ap. Herodot. 3, 26, et Steph. Byz. in Αὔασις. Cellar. Geogr. ant. vol. 2, p. 814 : « Duas Oases Ptolem. 4, 5, Notitia Imperii, et qui distincte Μεγάλης rationem habent, ut Athanas. Apolog. c. 32, De fuga c. 7, memoraverunt, alii tres, ut
C Strabo (in Αὔασις cit.), Olympiod. Phot. cod. 80 (p. 61), Τρεῖς Ὀάσεις, δύο μεγάλας, τὴν μὲν ἐξωτέρω, τὴν δὲ ἐσωτέρω, agnoscit : ἔστι δὲ καὶ ἄλλη τρίτη μικρὰ, πολλῷ διαστήματι τῶν δύο κεχωρισμένη. Haud dubie hæc tertia est illa prope Ammonis fanum sita, quam Strabo etiam dixit tertiam. Ptolemæus autem et qui duas numerant alii illam Ammoniacæ Oasin silentio prætermiserunt : et si omnino ibidem esset quædam Oasis, non ad Ægyptum, sed ad Marmaricam s. Ammonis regionem pertineret. Ptolem. autem duas tantum Oases habet, pari ferme longitudine, at latitudine paullo minus quam duobus gradibus distantes, quod fere congruit cum Olympiodori Magnarum ad centum milliaria distantia. Discrepant autem parvitatis cognomento. Etenim Ptolemæus illam quæ ad Mœridis lacum est vocat μικρὰν, quæ Abydo est objecta μεγάλην, Olymp. autem utramque hanc μεγάλην. Quibus una magna est, ut Athanasio, illam etiam dicunt τὴν ἄνω Ὄασιν, ut Athanas. Hist. Arian. c. 72 : cujus respectu altera, minor Ptolemæi, inferior di-
D cenda est. Qui unius tantum mentionem habent, μεγάλην Ptolemæi spectant, ut Herodot. 3, 26, eandemque historiæ et leges in pœnarum descriptione, si Oasin nominant. Sic Timasius sub Arcadio τῇ Ὀάσεως οἰκήσει παραδοθεὶς ap. Zosim. 5, 9, sive, ut Sozom. 8, 7 dicit, εἰς τὴν κατ' Αἴγυπτον Ὄασιν. » Idem addit l. Æliani N. A. 10, 25 : Ὄασιν τὴν Αἰγυπτίαν διελθόντι. Diodor. Tars. Phot. cod. 223, p. 212, 23 : Τὴν ἐνδοτέρω Θηβαΐδος χώραν, ἣν ὀνομάζουσιν Ὄασιν κτλ. Numus Oasis inscriptus suspectæ est fidei. V. Mionnet. *Suppl.* vol. 9, p. 178. Ὀασίτης, ὁ, Oasites, gent. ab Ὄασις, memorat Steph. Byz. in Φᾶσις. Νομὸς Ὀασίτης duplex est ap. Ptolem. l. c. et Plin. N. H. 5, 9.]

Ὄδδην, adverbium μεσότητος [quod quid significet vide in Μεσότης p. 829, A], ex præt. perf. ὦμμαι, ut στάδην ab ἕστηκα, Etym., subjungens hoc hemistichium, Μούσῃ [Μούσῃσι cum Sylburgio Næk. Mus. Rhen. novi vol. 3, p. 530] γὰρ ἦλθον ἐς ὄδδην, ubi ἐλθεῖν ἐς ὄδδην est Venire in conspectum, Visum ire, Videre. [Ex Callimacho sec. Herodian. Π. μον. λ. p.

28, 5, ubi est Ἦλθον εἰς ὄβδην, et schol. Dionys. in Bekk. Anecd. p. 942, 7, ubi Ἦλθες ἐσόβδην. Apollon. De adv. p. 611, 28 : Ὄπτω, ὄβδην καὶ ἐσόβδην. Hesychius interpr. εἰς ἐμφάνειαν.]

[Ὀβελαία. V. Ῥαβδοειδής.]

Ὀβελίας ἄρτος, ὁ, Panis veru assatus : vel, qui obolo emitur, ὀβελὸν accipiendo pro ὀβολόν. [Mœris p. 287 : Ὀβελίας ἄρτος ὁ ἐπὶ τῶν ὀβελῶν ὠπτημένος. Ubi Piers. : « De pane ὀβελίᾳ Athen. 3, p. 111, B : Ὁ ὀβ. ἄρτος κέκληται ἤτοι ὅτι ὀβολοῦ πιπράσκεται, ὡς ἐν τῇ Ἀλεξανδρείᾳ, ἢ ὅτι ἐν ὀβελίσκοις ὀπτᾶται ... (Quibus addit ll. Aristophanis et Pherecratis.) Σωκράτης ... τὸν ὀβελίαν φησὶν ἄρτον Διόνυσον εὑρεῖν ἐν ταῖς στρατείαις. Baccho oblatos docet Pollux (1, 248;) 6, (33, 72,) 75 : Ὀβελίαι ἄρτοι, οὓς εἰς Διονύσου ἔφερον οἱ καλούμενοι ὀβελιαφόροι ἐκ μεδίμνου ἑνὸς ἢ τριῶν τὸ μέγεθος· δι' ὀβελῶν τινῶν εἱρημένους, ἀφ' ὧν καὶ τοὔνομα. Malim πειρομένους, ut apud Tzetzen (Hist. 7, 777), qui Pollucem exscripsit ἐμπεπαρμένους ὀβελοῖς. Conf. Athen. 8, p. 333, F. Ὀβ. ἄρτον habet etiam Nicoch. ap. eund. 14, p. 645, C. » Hippocr. p. 356, 13 : Οἱ ἰπνῖται ἄρτοι τροφιμώτεροι τῶν ἐσχαριτῶν καὶ ὀβελιέων. V. Ὀβολίας. Ap. Philon. vol. 2, p. 273, 49, a Wakef. cit., ubi ὀβολιαίους ἄρτους, in cod. Med. autem ὀβολέας, recte Mangei. ὀβελίας, etsi ὀβολιαῖον ἄρτον infra memorabimus.] Et Ὀβελιαφόροι, [secundum Athen. l. c.] Qui panes illos in Bacchi pompa impositos humeris ferebant. [Fabula Ephippi Ὀβελιαφόροι memoratur ab Athenæo.] Utramque autem expos. ὀβελίου ἄρτου affert Athen. [l. c.]; sed Pollux [6, 75], quem vide, ἀπὸ τῶν ὀβελίσκων deducit. || De verubus, ut videtur, inscr. ap. Bœckh. *Urkunden* p. 540, XVI, 160 : Ὀβελείας ἕξ. V. Bœckh. p. 106. ἴα]

[Ὀβελιαφόρος. V. Ὀβελίας.]

[Ὀβελίζω.] Ὀβελίζειν, pro quo Latini Expungere. Cic. Ep. Fam. 9, [10] : Alter Aristarchus hos ὀβελίζει. Vide Erasm. Hermog. De ideis, tom. 2, quædam ὠβελισμένα ap. Demosth. profert. Basil. in Hexaem. p. 31 [vol. 1, p. 37, C] ὀβελὸν esse dicit ἀθετήσεως σημεῖον, et ὠβελίσθαι exemplaria dicit, quæ obelum notatum habent. [Schol. Lycophr. 1; Eust. Il. p. 136, 13, Od. p. 1803, 6.]

Ὀβελισκολύχνιον, τὸ, q. d. Verulucernium; Lucerna, inquit Bud., vel Laterna obelisco præfixa, qualis est, qua prælucere solent viatoribus nocturnis. Aristot. Polit. 4, [15] : Καὶ πρὸς τὴν ὀλιγανθρωπίαν ἀναγκαῖον τὰ ἀρχεῖα ὥσπερ τὰ ὀβελισκολύχνια ποιεῖν. Ubi quidam Luminaria obeliscis imposita, alii Lychnia candelabris imposita interpr. [Aristot. Partt. anim. 4, 6; Theopompus com. ap. Athen. 15, p. 700, E. Pollux 6, 103; 10, 117.] Et Ὀβελισκολύχνος, Athen. p. 293, quem similem vult esse ξυλολυχνούχῳ. Bud. [Ὀβελισκολύχνιον l. c. restituit Casaub.]

Ὀβελίσκος, ὁ, Veruculum, q. v. utitur Plin. [Veru add. Gl. Aristoph. Av. 672 : Ῥύγχος ὀβελίσκοιν ἔχει· Ach. 1007 et alibi.] Ap. Xen. [Anab. 7, 8, 14], βουπόρῳ ὀβελίσκῳ Suid. exp. σούβλᾳ, Subula. [Aristot. Polit. 7, 2 : Ἐν τοῖς Ἴβηρσιν, ἔθνει πολεμικῷ, τοσούτους τὸν ἀριθμὸν ὀβελίσκους καταπηγνύουσιν ὅσους ἂν διαφθείρῃ τῶν πολεμίων.] || Ὀβελίσκοι a figura dicti fuerunt Lapides pyramidum forma, sed minores : qui et apud Latinos nomen servarunt. Imo et multo usitatius apud illos nomen hoc fuisse constat. [Ὀβελίσκος, ut satis constat, apud Ægyptios fuit moles lapidea, Soli sacrata, inferius lata et quadrata, paullatim in gracilitatem et metæ figuram assurgens : v. Ammian. Marcellin. 17, 4, Plin. H. N. 36, 8—11, et Gattereri *Weltgeschichte* vol. 1, p. 461—499. Sturz. V. Zoega De origine et usu obeliscorum, Romæ 1797.] || Ὀβελίσκος pro Lamina ensis, quæ vulgo etiam *Lame*, ex Polyb. [6, 21] affertur : Κέντημα διάφορον καὶ τὸν ὀβελίσκον ἔχει ἰσχυρὸν καὶ μόνιμον. [Simili usu Dionys. A. R. 5, 46 : Ἔστι δὲ ταῦτα (οἱ ὑσσοὶ) βέλη Ῥωμαίων ... ξύλα προμήκη ... σιδηροῦς ὀβελίσκους ἔχοντα, προὔχοντας κατ' εὐθεῖαν ἐκ θατέρου τῶν ἄκρων. || De numis Plut. Lys. c. 17 : Κινδυνεύει δὲ καὶ τὸ πάμπαν ἀρχαῖον οὕτως ἔχειν, ὀβελίσκοις χρωμένων νομίσμασι σιδηροῖς· ἀφ' ὧν παραμένει πλῆθος ἔτι καὶ νῦν τῶν κερμάτων ὀβολοὺς καλεῖσθαι· quem l. Xylander confert ejusd. Fab. c. 27 : Οὐδὲν γὰρ οἴκοι τελευτήσαντος (Epaminondæ) εὑρεθῆναι πλὴν ὀβελίσκον σιδηροῦν λέγουσι, ubi stultum dicit intelligere Veruculum.]

A Ὀβελισμὸς, ὁ, Obeli appositio, Notatio quæ fit apposito obelo.

[Ὀβελίτης, ὁ, ἄρτος, ap. Polluc. 1, 248, i. q. ὀβελίας. || Hesychius : Ἀκροβολίδες, ἄκρα τοῦ ὀβελίτου λίθου ἢ τῶν ὀβελίσκων. ἴ]

Ὀβελὸς, ὁ, Veru [Gl.], ut Hom. Od. Ξ, [75] : Καὶ ἀμφ' ὀβελοῖσιν ἔπειρε. [Et sic alibi.] Sunt et qui Subulas [Gl.] interpr. Sic autem vocari putatur, quod simile sit βέλει. [Suidas et alii grammatici : Τὸ θερμὸν τοῦ ὀβελοῦ, ἐπὶ τῶν αἱρουμένων τὰ χείρονα ἀντὶ τῶν κρειττόνων· ἡ παροιμία ἀπὸ τῶν ἀπείρως δρασσομένων κατὰ τὸ πεπυρωμένον τῶν ὀβελίσκων· μέμνηται αὐτῆς Σοφοκλῆς. Eur. Cycl. 393 : Ὀβελούς τ' ἄκρους μὲν ἐγκεκαυμένους πυρὶ, ξεστοὺς δὲ δρεπάνῳ, τἄλλα παλιούρου κλάδων. Inter vocc. inusitata refert Strato ap. Athen. 9, p. 383, B.] Ap. [Eur. Cycl. 302 et] Herodot. [2, 135] legimus ὀβελοὺς βουπόρους σιδηρέους. || Ὀβελὸς, Nota quædam, veluti virgula recta certis scriptorum ll. apponi solita. Dicitur Obelus, inquit Hieron., quod obelo, i. e. verui, sit similis : vel quia tanquam veru superflua jugulat et
B confodit. Hæc ille. Vide Ἀστερίσκος, et Eust. [locis in Indice citatis. Conf. Casaub. ad Diog. L. 3, 66, Villois. Proleg. ad Hom. p. 13 sq., Wolf. Proleg. p. 252 sq. Lucian. Pro imag. c. 24; Diog. L. 3, 66. || « Obeliscus. Laurentius Lydus (p. 10 ed. Rœth.) : Περὶ τὴν πυραμίδα, ἣν νῦν ὀβελὸν καλοῦσι, διεπληκτίζοντο οἱ ἀγωνισταί. » Ducang. Conf. id. p. 120. Sic autem jam Herodot. 2, 111 : Ὀβελοὺς δύο λιθίνους· 170 : Ὀβελοὶ μεγάλοι λίθινοι. || Unguis. Scriptt. rei accip. 5. De accentu acuto v. Arcad. p. 55, 5. De forma Ὀδελὸς v. infra.]

[Ὀβιδιακηνοί, οἱ, gens Mæotica, ap. Strab. 11, p. 495.]

[Ὄβοδα, χωρίον Ναβαταίων. Οὐράνιος Ἀραβικῶν δ', ὅπου Ὀβόδης βασιλεὺς, ὃν θεοποιοῦσι, τέθαπται. Τὸ ἐθνικὸν Ὀβοδηνὸς, ὡς Δαχαρηνὸς, Steph. Byz.]

[Ὀβόδας, α, ὁ, Obodas, rex, qui Ὀβόδης ap. Steph. Byz. in Ὄβοδα cit., ap. Strab. 16, p. 781, ubi τοῦ Ὀβόδα. Ὄβδον scriptum ap. Euseb. De laud. Constant. 13, p. 755, 42, ubi plura de regibus hujus nominis apud Arabes dixit Valesius.]

C [Ὀβολιαῖος, α, ον.] Ὀβολιαῖαι τροφαλίδες ex Aristot. H. A. 4 [3, 20] affertur, videturque significare Obolares. [Clem. Alex. Pæd. 2, p. 190 : Ἀναξιοπαθήσει ἄρα καὶ ἡ τράπεζα ἡ ἐξ ἐλέφαντος τοὺς πόδας ἐσκευασμένη ὀβολιαῖον ἄρτον βαστάσασα; Eust. Opusc. p. 12, 74 : Τοῖς ὀκτὼ οὐδὲ ὀβολιαῖόν τι ἀπομεριζόμεθα· 162, 65; 304, 55. « Ὀβολιαῖος ἄρτος, Sacra apud Latinos hostia, ita appellatur a Græculis. Anon. Ms. Contra Latinos : Τί βούλεται τὸ ὀβολιαῖον ἀρτίδιον, μᾶλλον δὲ ἀζυμιτίδιον; Ἆρ' οὖν διὰ τοῦ ὀβολιαίου ἢ πλακουντώδους προσέταξεν ὁ Χριστὸς τὴν εἰς τὸ σῶμα αὐτοῦ τελοῦσαν θυσίαν καὶ οὕτως ὡς ὑμεῖς ποιεῖτε; » Ducang. V. Ὀβελίας.]

[Ὀβολίας ἄρτους, τοὺς ὀβολοῦ πωλουμένους. Ἀριστοφάνης Πελαργοῖς, Antiatt. Bekk. p. 111, 7. Quod nisi per jocum fictum, scribendum erit ὀβελίας, q. v. L. D.]

Ὀβολιμαῖος, α, ον, q. d. Obolaris; ut ὀβολιμαῖον κέρδος in Ep. Theanus [Galei Myth. p. 747] : Εἶτα ὀβολιμαῖον κέρδος περιποιούμεναι, μεγάλοις ζημιοῦνται. Et ὀβολιμαῖος τόκος, Eustath. [Id. Opusc. p. 152, 45 : Ἐῶ τὰ λοιπὰ, ἵνα μή τις ὀβολιμαοῖ; (—α) νομίσας ἐκεῖνα καταψη-
D φιεῖταί μου σμικροπρέπειαν.]

Ὀβολιστική, ἡ, ex Aristot. Polit. 1, pro Ars fœneratoria. [Pro ὀβολοστατική. V. Ὀβολοστάτης.]

[Ὀβόλκων, Ὀβόλκωνος, πόλις. Τὸ ἐθνικὸν Ὀβολκωνίτης, Steph. Byz. Ὀβούλκων Straboni 3, p. 141.]

[Ὀβολολογέω, Obolos colligo. Ὀβολολογεῖν, ἐπὶ τῶν βραχέα συλλεγόντων, Phrynichus Bekk. An. p. 56, 2.]

Ὀβολὸς, ὁ, Obolus. [Nummus, Assis, hoc Dupondium; Ὀβολόν, Asse, Gl.] Numus minutus, utpote sexta pars drachmæ, quæ ὀβολῶν ἕξας dicitur, Eust. [Il. p. 136, 7; 421, 23, Od. p. 1405, 25.] Sed oboli temporis progressu multum imminuti fuerunt, et mutati in eos, qui φόλλεις dicti fuerunt. Chrysost. λεπτὰ δύο ap. Marc. 12, [42] exp. ὀβολοὺς δύο. Vide Erasm. Proverb. Obolo dignus, et Obolis quatuor non emam. Ceterum, ut ὀβελὸς a βέλος, sic istud ὀβολὸς ab ὀβελὸς derivatum putatur, quod ὀβελοῦ figuram haberet, ita tamen ut non prorsus in acutum desineret. De hujus autem nom. deriv. lege et Plut. Lys. [c. 17. HSt. in Ind. :] Ὀβολὸς, παρὰ τὸ ὄπισθεν βάλλεσθαι, A rejiciendo :

contemptus et abjectus numulus : unde ὀβολῷ πρίασθαι, pro Vili pretio, Aristoph. [Frequens est ap. Aristoph. ceterosque Comicos et alios quosvis. Ὀβολος inscriptum numis Metaponti ap. Mionnet. *Descr.* vol. 1, p. 161, n. 593, Chio vol. 3, p. 277, n. 121. De accentu acuto v. Arcad. p. 56, 7.]

Ὀβολοστᾰτέω, Fœneror. Sed de turpi et sordido lucro dicitur. Vide Polluc. p. 125 [3, 113]. Lucian. [Necyom. c. 2] : Ἁρπάζουσιν, ἐπιορκοῦσι, τοκογλυφοῦσιν, ὀβολοστατοῦσι. [Ὀβολοστατῆσαι, τόκους λαβεῖν, Lex. rhet. Bekk. An. p. 286, 32.]

[Ὀβολοστατὴρ, ῆρος, ὁ, i. q. seq., inter nomina in ηρ ponit Arcad. p. 20, 10.]

Ὀβολοστάτης, ὁ, Fœnerator; ut Bud. ap. Aristoph. Nub. [1155] : Κλάετ' ὦ 'βολοστάται, Αὐτοί τε, καὶ τἀρχαῖα, καὶ τόκοι τόκων. [Antiphanes ap. Athen. 3, p. 108, F. Harpocr. v. Δανειστής. Philo Jud. p. 454, C. Τοκογλύφος interpr. Lex. rhet. Bekk. An. p. 286, 32.] Item Ὀβολοστάτις, ιδος, ἡ, ap. Polluc. p. 124 [3, 112. Axiochi p. 367, B : Ὡς ὀβολοστάτις ἡ φύσις ἐπιστᾶσα.]

[Ὀβολοστατικὸς, ή, όν.] Ὀβολοστατική, Aristot. Pol. 1, [10] Fœneratoria, sc. ars.

[Ὀβολοστάτις. V. Ὀβολοστάτης.]

[Ὀβούλκων, ωνος, ἡ. V. Ὀβόλκων.]

[Ὄβρια. V. Ὀβρίχαλα.]

[Ὀβριάρεως. V. Βριάρεως.]

Ὀβρίχαλα, quasi ὄβριμα καὶ καλὰ, Leonum catuli, Æsch. [Ag. 147.] Secundum quosdam autem et Luporum catuli, ut addit Eustath. [Il. p. 1395, 47, Od. p. 1625, 47. Ælian. N. A. 7, 47 : Τῶν δὲ ὑστρίχων καὶ τῶν τοιούτων ἀγρίων τὰ ἔκγονα ὄβρια καλεῖται· καὶ μέμνηται δὲ Εὐριπίδης ἐν Πελιάσι τοῦ ὀνόματος καὶ Αἰσχ. ἐν Ἀγ. καὶ Δικτυουλκοῖς.] Et Βρίκελα, vel Βρίκελοι, Larvæ. Vide eund. Eust. [HSt. in Ind. :] Ὄβρια et Ὀβρίχαλα sunt qui dicant esse λεόντων καὶ λύκων σκυμνία, Leonum et luporum catulos, Eust. [et Theognost. Can. p. 122, 24.] Idem alibi [l. altero] scribit Erinaceorum et similium animantium catulos ὄβρια et ὀβρίχαλα nominari : ut Hesych. ὀβριχάλοις generaliter exp. τοῖς τῶν θηρίων ἐκγόνοις. Pollux [5, 15] habet ὀμβρίκια. [V. Ἰβρίχαλος.]

Ὀβριμόγυιος, ὁ, ἡ, Validos artus habens, ceti epith. ap. Oppian. [Hal. 1, 360; 5, 316.]

[Ὀβριμόεθνος, ὁ, ἡ, ap. Tzetz. Posth. 738 : Ἐξ ὧν περ γενεὴ Λατίνων πέλεν ὀβριμόεθνος, ex cod. in ὀβριμόθυμος mutatum.]

[Ὀβριμόεις, εσσα, εν, i. q. ὄβριμος. Tzetz. Posthom. 564 : Στέρνῳ ἐν ὀβριμόεντι πελώριον ἔγχος ἐλάσσας· Hom. 247 : Πληγὴν ὀβριμόεσσαν.]

Ὀβριμοεργὸς, ὁ, Qui aliquid per violentiam facit, Effrænata violentia utens, vel Cujus est effrenata violentia. Utor autem et hic Cic. verbis, quum Effrenatam violentiam dico. Hom. Il. E, [403, X, 418. Hesiod. Th. 996.] Observa autem, in hoc comp. posteriorem signif. τοῦ ὄβριμος retineri. [Const. Manass. Chron. 6581. Boiss. Manetho 5, 177.]

Ὀβριμόθῡμος, ὁ, ἡ, Animo violento præditus, Magnanimus. Hesiod. [Th. 140. V. Ὀβριμόεθνος et Ὀβριμόφωνος.]

[Ὀβριμόπαις, δος, ὁ, ἡ, Qui prævalidum habet filium s. prævalidos filios. Nonn. Dion. 10, 277 : Ῥείης ὀβριμόπαιδος· et 25, 377.]

[Ὀβριμοπάτηρ. V. Ὀβριμοπάτρη.]

Ὀβριμοπάτρη, ἡ, Minerva ap. Hom., Prævalidum patrem habens, s. Præpotentem. [Il. E. 747.] Od. Γ, [135] : Μήνιος ἐξ ὀλοῆς γλαυκώπιδος ὀβριμοπάτρης. [Hesiod. Th. 587; Solon ap. Demosth. p. 421, 27.] Ap. Hesych. est etiam Ὀβριμοπάτηρ et Ὀβριμόπατρις. At in VV. LL. Ὀβριμόπατρος ponitur, a quo sit illud ὀβριμοπάτρη. At masculini ὀβριμόπατρος exemplum nullum affertur, sed ejus signif. ap. Hesych. habet nomen Ὀβριμοπάτηρ : exp. enim ab eo ἰσχυρὸν πατέρα ἔχων, Validum patrem habens, s. Robustum aut Fortem. Sed et alius formæ comp. Ὀβριμόπατρις ap. eum legitur, et aliam itidem expos. habens. Si enim ei credimus, ὀβριμόπατρις dicitur ὁ ἰσχυρὸς πατὴρ, Validus pater s. Robustus aut Fortis.

[Ὀβριμόπατρις, Ὀβριμόπατρος. V. Ὀβριμοπάτρη.]

Ὄβρῐμος, vel [quod nihili] Ὄμβριμος, η, ον [Eur. Or. 1454 : Ἰδαία μᾶτερ ὀβρίμα ὀβρίμα. Mesomedes Hymn. in Nemesin 18, Anth. Gr. vol. 3, p. 6 : Αἴκαν τανυσίπτερον ὀμβρίμαν], Robustus, Validus, Prævalidus. Item Impetuosus. Hom. Il. N, [294 et alibi], ὄβριμον ἔγχος, ut et Lat. Valida hasta. Δ, [453], ὄβριμον ὕδωρ, Impetuosa aqua, vel Rapida. [Od. I, 233 : Ὄβριμον ἄχθος· 241 : Θυρεὸν μέγαν ὄβριμον· 305, λίθον.] Sed in malam partem sæpe ponitur pro Violento, s. Eo cujus violenti sunt et furentes impetus; ita enim ex Cic. apte reddi posse existimo. [Hom. Il. E, 845 etc. : Ὄβριμος Ἄρης. Tyrtæus fr. 2, 27 : Ἔρδων δ' ὄβριμα ἔργα. Pind. Ol. 4, 8 : Τυφῶνος ὀβρίμου· Pyth. 9, 28 : Λέοντι ὀβρίμῳ. Æsch. Ag. 1411 : Ἀπόπολις δ' ἔσει μῖσος ὄβριμον ἀστοῖς· Sept. 794 : Πέπτωκεν ἀνδρῶν ὀβρίμων κομπάσματα.] Hesiod. Theog. [148] : Τρεῖς παῖδες μεγάλοι, καὶ ὄβριμοι, οὐκ ὀνομαστοί. Ubi legitur et ὄμβριμοι. Sic autem passim tam apud eum, quam alios poetas, præsertim ap. Hom., quædam exemplaria ὄβριμον, quædam ὄμβριμον habent : quæ varietas itidem in composs. invenitur. Eust. certe [Il. p. 1395, 45] a βρι deducens, ὄβριμος dicit per pleonasmum et παραγωγὴν fieri, alterius scripturæ nullam mentionem addens. [Eandem etym. ponunt Epim. Hom. Cram. An. vol. 1, p. 208, 7, Etym. M. in v., schol. Oppian. Hal. 1, 360. A Βριμὼ s. Ὀβριμὼ ducit Tzetzes in Ὀβριμὼ cit. Sextus Adv. grammat. 169, p. 253 : Ἐπειδὰν διαπορῶμεν περὶ τῆς ὄβριμος λέξεως, πότερόν ποτε τὸ β τῆς δευτέρας ἐστὶ συλλαβῆς ἀρχὴ ἢ τῆς προηγουμένης πέρας.] At ego memini me alicubi legere deductionem τοῦ ὄμβριμος ab ὄμβρος, quam sequendo non dubium est, quin potius scrib. ὄμβριμος cum μ. Verum ego in antiquioribus et fide dignioribus diversorum poetarum exemplaribus scriptis ὄβριμος potius quam ὄμβριμος observasse mihi videor. [Recte HSt. Sic inscr. ap. Bœckh. vol. 2, p. 430, n. 2589, 1 : Ἑσπερίης πάσης χθονὸς ὄβριμον ἰθυντῆρα. Conf. Ὄβριμος n. pr. Ineptum librariorum μ in talibus interponendi morem exagitavit etiam Blomf. ad l. Æsch. Sept. Non minus absonam formam Ὀμβριάρεως pro Ὀβριάρεως notavi in Βριάρεως. L. Dind.]

[Ὄβριμος, ὁ, Obrimus, n. viri in numo Dyrrhachii Illyr. ap. Mionnet. *Descr.* vol. 2, p. 38, 54. Scriptorem Obrimum citat Stob. Fl. 46, 69, 97; 122, 15. Hujus quoque nomen in Ὄμβριμος depravatum erat ap. Phot. cod. 167, p. 114, 33.]

[Ὀβριμόφωνος, ὁ, ἡ, Qui voce est valida. Tzetz. Hom. 267 : Ψελλὸς ἔην ἠΰς τε μέγας, μέλας, ὀβριμόφωνος. Recte, ut videtur, liber Vat. ὀβριμόθυμος. Similem corruptelam v. in Ὀβριμόεθνος.]

[Ὀβρῖμὼ, οῦς, ἡ, Obrimo, Proserpina. Lycophro 698, Tzetz. Hesiod. Op. 144. Hoc quoque nomen vel contra metrum in Ὀμβριμὼ depravatum in libris nonnullis. Nihil autem commune habere cum ὄβριμος ostendit ι productum.]

[Ὄβριον. V. Ὀβρίχαλα.]

[Ὄβριον, τὸ ὄρος, memorat Theognost. Can. p. 122, 29.]

[Ὄβρυζος. HSt. in Ind. :] Ὄβρυζον χρυσίον, Aurum obryzum, i. e. purum ex crebra coctione. Ita schol. Thuc. p. 53 [2, 13] χρυσίου ἀπέφθου exp. πολλάκις ἑψηθέντος ὥστε γενέσθαι ὄβρυζον. [« Hieronymus dictum putat quasi Ophrisium, quod ex Ophir insula præstantissimum aurum soleat advehi. » Scapulæ Lex. Ὄβρυζος χρυσὸς, Andr. Cret. p. 73. Ὀβρυζώτερος (—ζότερος), p. 246. Kall. Ὄβρυζα, ὄβρυζον, Obryzum, vox Ægyptiaca, de qua in Gloss. med. Latin. Edict. 11 Justiniani in præfat. : Τὴν παρ' Αἰγυπτίοις λεγομένην ὄβρυζαν, τοῖς ἄνωθεν μὲν χρόνοις οὐκ ἐγνωσμένην, etc. Lexicon Ms. ex cod. 1708, ubi Suidas habet Ὄμβρυζον : Ὄβρυζον, χρυσίον τὸ πολλάκις ἑψητὸν, τὸ καθαρώτατον. Al. ἑψηθέν. Cosmas Indicopleustes : Ἦν οὖν τὸ νόμισμα ὄβρυζον, λαμπρὸν, εὔμορφον. Ubi perperam editum εὔριζον. (Quod et ipsum recte habere suo loco diximus.) Theophilus Alex. in Homil. de homine : Εὗρεν ἔμπροσθεν αὐτοῦ τὸ νόμισμα ὁλόβρυζον. Andreas Cret. Archiep. De vita humana p. 77 : Καὶ χρυσὸς μὲν ἐκ μετάλλων ἀνειλημμένος καὶ χωνείᾳ παραδοθεὶς καὶ πυρὶ δοκιμασθεὶς ὀβρυζοτέραν ἑαυτοῦ τὴν παροψίδα τοῖς χρυσοτέχναις παρίστησιν. Theophilus iatrosoph. De urinis p. 31 : Ἀπὸ δὲ τούτου τέτακται τὸ ὑπόπυρρον, ἐοικὸς χρυσῷ τῷ ἀπὸ Κελτικῆς ἐρχομένῳ, εἶτα τὸ πυρρὸν, ὅ ἐστι κατὰ ἀλήθειαν ὄβρυζος χρυσός. Constant. Manasses: Ἐστιλβεν ἥλιος λαμπρὸν, ὡς ὄβρυζον χρυσίον. Ducang. V. Εὔροιζος.]

[Ὄβρων, ὄνομα πόλεως, Suidæ.]

[Ὀγάστριος (sic), ὁ, i. q. sequens. Schol. Lycophr. 452. Conf. Heyn. ad Hom. Il. Φ, 95.]

Ὀγάστωρ [Ὀγάστωρ], Hesychio ὁμογάστωρ, Uterinus, Eodem utero editus.

[Ὄγγα. V. Ὄγκα.]

[Ὀγδοαδικὸς, ἡ, ὸν, Octonarius. Clem. Alex. p. 668. Kall. Theolog. arithm. p. 55, A.]

Ὀγδοαῖος, α, ον, παῖς ap. Plut. [?], Infans octo dierum. [Polyb. 5, 52, 3; 10, 31, 1; Plut. Cæs. c. 17.]

Ὀγδοὰς, άδος, ἡ, Numerus octonarius, Ogdoas, ap. Plut. Thes. [c. 36, et Mor. p. 744, B] et ap. Gregor. [De ὀγδοάδι Jo. Laurent. De mens. p. 138 ed. Rœth.]

[Ὀγδοατικὸς, ἡ, ὸν (vitiose pro ὀγδοαδικὸς), Hermes Pœmand. p. 9, bis. Boiss.]

[Ὀγδόατος. V. Ὄγδοος.]

Ὀγδοήκοντα, Octoginta. [Apud quosvis Atticorum et al.] Dicitur etiam [Dor. et Ion.] Ὀγδώκοντα pro ὀγδοήκοντα, Hom. Il. B, [568, 652. Hegemo Anth. Pal. 7, 436, 2; Theocr. 4, 34, et Herodotus aliique Iones et Dores in prosa. Omisimus autem numeros ὀγδοηκονταέξ etc., qui rectius scribuntur divisim.]

Ὀγδοηκονταέτης seu Ὀγδοηκοντούτης, ὁ, ἡ, Qui octuaginta s. octoginta annorum est, Octuagenarius s. Octagenarius. [Lucian. Hermotim. c. 48, 77; Appian. B. C. 4, 25. || Ὀγδωκονταετὴς Simonid. Anth. Pal. App. 79, 6. De accentu v. in Ἔτος vol. 3, p. 2164, D, ubi post τρίετες excidit « præceptis. »]

Ὀγδοηκοντακισχίλιοι, αι, α, Octies mille, Octo millia. Necnon ὀκτακισχιλίη ἀσπὶς, Herodot. [5, 30], pro ὀκτακισχίλιοι ἀσπιδηφόροι, Octo millia scutatorum.

[Ὀγδοηκοντάλιθος scriptum Orphei memorat Suidas v. Ὀρφεύς.]

[Ὀγδοηκοντάπηχυς, ὁ, ἡ, Qui octoginta est ulnarum. Athen. 5, p. 202, D; Diod. 16, 74, πύργους. « Tzetz. Hist. 3, 942. » Boiss.]

[Ὀγδοηκοντὰς, άδος, ἡ, Octoginta. Tzetz. Hist. 6, 271. Elberling. Photius Bibl. p. 512, 21: Τὸν τῆς ὀγδοηκοντάδος παρέδραμε καιρὸν, de sabbatismo per 80 annos.]

[Ὀγδοηκοντατάλαντος, ὁ, ἡ, Qui octoginta est talentorum. Lysias p. 805, οἶκος. Wakef.]

[Ὀγδοηκοντούτης. V. Ὀγδοηκονταέτης. Fem. Ὀγδοηκοντοῦτις, ιδος, Dio Cass. 61, 19. « Lemma epigr. Anth. Pal. 7, 726. Plurali lemma ib. 733. » Boiss.]

[Ὀγδοηκοσθέβδομος, η, ον, Octogesimus septimus. Tzetz. Hist. 12, 128.]

[Ὀγδοηκοσταῖος, α, ον, Qui est die octogesimo vel octoginta dierum. Hippocr. p. 832, 3; 1131, F.]

[Ὀγδοηκοστόπρωτος, η, ον, Octogesimus primus. Chron. Pasch. p. 20: Ὀγδοηκοστοπρώτου ἔτους. L. D.]

Ὀγδοηκοστὸς, ἡ, ὸν, Octogesimus s. Octuagesimus, ap. Thucyd. [1, 12. « Maccab. 2, 1, 10; Reg. 1, 6, 1. » Schleusn.]

[Ὀγδοημόριον, τὸ, Pars octava. Theolog. arithm. p. 4, A. L. Dind.]

Ὄγδοος, η, ον, Octavus: pro quo poetæ dicunt Ὀγδόατος. Hesiod. [Op. 770]: Ὀγδοάτη τ' ἐνάτη τε. [Et ib. Hom. Il. T, 246: Γυναῖκας ἕπτ', ... ἀτὰρ ὀγδοάτην Βρισηΐδα· Od. Γ, 306, Δ, 82.] Prosæ scriptores [et poetæ quum ceteri, ut Hom. Il. H, 223: Ἐπὶ δ' ὄγδοον ἤλασε χαλκόν· Od. H, 261: Ὄγδοον ἔτος· Pind. Pyth. 4, 65, μέρος, tum qui altera forma abstinent, Attici, ut Aristoph. Eq. 790, ἔτος,] ὄγδοον usurpant: Thuc., ὄγδοον ἔτος, Octavus annus. Plut., ὄγδοος μὴν, Octavus mensis, pro Octobri. Dicunt etiam ὀγδόη pro ὀγδόη ἡμέρα [Quod Nudius octavus interpr. Gl.], Octavus dies, s. Octava dies. [Schol. Aristoph. Pl. 1127.]

[Ὀγδώκοντα, Ὀγδωκονταετής. V. Ὀγδοηκ—.]

Ὄγε, vel Ὅ γε, ut quidam malunt, interdum simpliciter pro ὁ. Plato Leg. 4, [p. 716, E]: Ἀκάθαρτος γὰρ τὴν ψυχὴν ὅγε κακὸς, καθαρὸς δὲ ὅγ' ἐναντίος. Idem [ib. p. 717, B]: Μετὰ θεοὺς δὲ τούσδε καὶ τοῖς δαίμοσιν ὅγ' ἔμφρων ὀργιάζοιτ' ἄν. Idem in Politico [p. 302, E]: Οὐδὲν διαφέροντι τῶν ἄλλων· οὐδ' εἰ τοὔνομα ἤδη διπλοῦν ἐστὶ ταύτης, ἀλλὰ τόγε κατὰ νόμους ἄρχειν καὶ παρανομεῖν, ἔστι καὶ ταύτῃ καὶ ταῖς ἄλλαις. Quibus in ll. ὅ γε et τό γε simpliciter poni pro ὁ et τὸ, putat Bud., et
A quidem [recte] divisim scribens. Addit autem et hunc Chrysostomi l., in quo ὅγε esse itidem simpliciter ὁ, existimat: quum alioqui mihi particula γε ibi non omnino vacare videatur. Ita enim ille In 1 Ad Cor. 15, adversus Manichæos disputans: Εἰ δὲ ἀναμάρτητος ὢν ὁ Χριστὸς ἀπέθανεν, οὐ τὸν τῆς ἁμαρτίας θάνατον, πῶς γὰρ ὅγε ἀναμάρτητος; ἀλλὰ τὸν τοῦ σώματος. [Hæc omnia scribenda divisim, et quum ὁ et τὸ articuli signif. habeant, nihil pertinent ad ὅγε, quod alienum est ab usu Atticorum.]

|| Ὅγε, Hic: qua forma sæpe dicitur et ὅδε in hac ead. signif. Sic Ἥγε, Hæc; Τόγε, Hoc. Nec vero ὅγε exponi duntaxat potest Hic, sed et Is, s. Ille. Hom. Il. A, [68]: Ἤτοι ὅγ' ὡς εἰπὼν, κατ' ἄρ' ἕζετο· et [93]: Οὔτ' ἄρ' ὅγ' εὐχωλῆς ἐπιμέμφεται, οὔθ' ἑκατόμβης. Interdum et proxime subjungitur antecedenti [64]: Ὅς κ' εἴποι ὅ, τι τόσσον ἐχώσατο Φοῖβος Ἀπόλλων· Εἴτ' ἄρ ὅγ' εὐχωλῆς ἐπιμέμφεται [εἴθ' ἑκατόμβης· et in altero membro M, 240: Εἴτ' ἐπὶ δεξί' ἴωσι πρὸς Ἠῶ τ' Ἠέλιόν τε εἴτ' ἐπ' ἀριστερὰ τοίγε ποτὶ ζόφον ἠερόεντα. Et Γ, 409: Εἰσόκε σ'
B ἢ ἄλοχον ποιήσεται ἢ ὅγε δούλην· E, 673, et alibi. Quod imitati sunt poetæ Latini, ut notavit Bentl. ad Horat. Carm. 1, 9, 16, ab Schæf. cit. Habet idem Herodot. 2, 173: Λάθοι ἂν ἤτοι μανεὶς ἢ ὅγε ἀπόπληκτος γενόμενος]. et [96]: Τοὔνεκ' ἄρ' ἄλγε' ἔδωκεν ἑκηβόλος, ἠδ' ἔτι δώσει· Οὐδ' ὅγε πρὶν λοιμοῖο βαρείας χεῖρας ἀφέξει· et [120]: Λεύσσετε γὰρ τόγε πάντες, ὅ μοι γέρας ἔρχεται ἄλλῃ. [Addito subst. Il. E, 327: Αὐτὰρ ὅγ' ἥρως· 794: Εὗρε δὲ τόνγε ἄνακτα ... ἕλκος ἀναψύχοντα. Et iisdem modis ap. ceteros poetas non Atticos.]

[Ὄγκα, ἡ, Onca, Minerva, apud Phœnices. Steph. Byz.: Ὀγκαῖαι, πύλαι Θηβῶν. Εὐφορίων Θρακί· Ὄγκα γὰρ ἡ Ἀθηνᾶ κατὰ Φοίνικας. Æsch. Sept. 162: Μάκαιρ' ἄνασσ' Ὄγκα· 487: Πύλας ἔχων Ὄγκας Ἀθάνας· 501: Ὄγκα Παλλάς. Schol. Eur. Phœn. 1062: Δοκεῖ γὰρ Ἀθηνᾶ συμπρᾶξαι τῷ Κάδμῳ κατὰ τῶν Σπαρτῶν· διὸ καὶ ἱδρύσατο ταύτην, Ὄγκαν προσαγορεύσας τῇ τῶν Φοινίκων διαλέκτῳ· ἐπεγέγραπτο δὲ τῷ ἱερῷ τούτῳ, Ὄγκας νηὸς ὅδ' ἐστὶν Ἀθηνᾶς, ὅν ποτε Κάδμος εἵσατο κτλ. Schol. ad l. pr. Æschyli: Ὀγκαία ἡ Ἀθηνᾶ τιμᾶται παρὰ Θηβαίοις,
C Ὄγκα δὲ παρὰ Φοίνιξιν ἡ Ἀθηνᾶ, καὶ Ὀγκαῖαι πύλαι. Μέμνηται τούτου (sic) καὶ Ἀντίμαχος καὶ Ῥιανός. Ægyptium male dicit voc. schol. ad l. secundum Æschyli. Eundem spectat Hesychius: Ὄγκας Ἀθηνᾶς, τὰς Ὠγυγίας πύλας λέγει, quippe quas Hippomedonti, ad Oncæas posito ab Æschylo, tribuit Eurip. Phœn. 1113, qui omittit Oncæas. Qui autem Ogygiis tribuit Capaneum, Hippomedontem vero παρὰ τὰς Ὀγκαΐδας collocat, Apollod. 3, 6, 6, eum τὰς Νηΐτας scripsisse conjiciebat Porson. ad Phœn. 1150, quum Ὀχνηΐδας sit in libris melioribus, quod in eandem conjecturam deduxit Valckenarium Diatr. de Aristobulo p. 120. Ὄγγα, quod est in libris Pausaniæ 9, 12, 2 (qui σίνγα), et in Hesychii gl. Ὄγγα Ἀθηνᾶ ἐν Θήβαις ἐστὶ χωρίον ἐπώνυμον ἔχουσα, inter Ὀγάστωρ et Ὀγδόνα posita nihilo melius videtur quam ὀγγία pro ὀγκία. Vix dignum etiam memoratu Ογα in inscrr. Spart. Fourmonti ap. Bœckh. vol. 1, p. 77, n. 48, 49. || Ὄγκαι, αἱ, vicus Bœotiæ, ap. Tzetz. ad Lycophr. 1225.]

Ὀγκάομαι, Rudo [Gl.], asini proprium, βρωμῶ.
D [Lucian. Dial. mar. 1, 4: Ἠκούσαμεν αὐτοῦ ᾄδοντος, ὄνον ἄν τις ὀγκᾶσθαι ἔδοξε· Pisc. c. 32: Ὀγκώμενος μάλα τραχύ.]

[Ὀγκεῖον, χωρίον Ἀρκαδίας, ἀπὸ Ὄγκου δυναστεύσαντος, ὡς Παυσανίας η'. Ὁ οἰκήτωρ Ὄγκειος καὶ θηλυκῶς Ὀγκεία, Steph. Byz. Pausan. l. c. 25, 4, cujus libri accentum ponunt in prima. Ὄγκαι Etym. M.]

Ὄγκη, ἡ, γωνία, μέγεθος, Hesych., Angulus, Uncus, Magnitudo, Amplitudo.

Ὀγκηθμὸς, ὁ, dicitur ἡ βρώμησις τοῦ ὄνου, quasi Ruditus. [Hoc Ruditum, Gl.]

[Ὄγκημα, τὸ, Rugitus, Gl.]

Ὀγκηρὸς, ά, ὸν, Tumidus, Magnæ molis. [Hippocr. p. 106, D: Μαζοὺς ὀγκηρούς.] Aristot. Eth. 4, 7: Οὐ γὰρ κέρδους ἕνεκα δοκοῦσι λέγειν, ἀλλὰ φεύγοντες τὸ ὀγκηρὸν, ubi redditur Elatio animi jactatioque. Sed quædam exempll. habent ὀχληρόν. Bud. exp. Fastuosus in Xen. Hell. 3, [4, 8]: Ὡς παράνομα ποιοίη Λύσανδρος, τῆς βασιλείας ὀγκηρότερον διάγων. [Ὀγκηρὸν ὄνομα, Vocabulum grande, vastum, Demetr. § 176 cernitur tribus in rebus : πλάτει, μήκει, πλάσματι. Vide Πλάσμα et Ὄγκος. Ernest. Lex. rhet.]

[Ὄγκησις, εως, ἡ, i. q. ὀγκηθμός. Ælian. N. A. 5, 50, 51.]

[Ὀγκητής.] Ὀγκηστὴς, ὁ, in Epigr. [Secundi Anth. Pal. 9, 301, 1] dicitur ὁ ὄνος quasi Ruditor. [Ubi ὀγκηστὴν Planud., cod. Pal. autem ὀγκιστὴν, ὀγκητὴν ab Schæfero demum ap. Jacobs. vol. 3, p. 525, correctum est, qui monuit etiam Ὀγκηστικὸς, ἡ, ὸν, ap. schol. Nicandri Th. 357 : Ὄνου τοῦ ὀγκηστικοῦ, ab Schneidero illatum, quum ὀγκαστικοῦ, in cod. Gott. autem ὀγκιστικοῦ legeretur, scribendum esse ὀγκητικοῦ.]

[Ὀγκητικός. V. Ὀγκητής.]

[Ὀγκία. V. Οὐγκία.]

Ὀγκίαι, αἱ, Acervi, Tumuli, θημῶνες, χώματα, σιδηροθήκη, Hesych. potius ὄγκιον.

[Ὀγκινάρα, ἡ, i. q. sequens, in libro apocrypho De martyrio SS. Petri et Pauli Ms. : Ὀγκινάραις σιδηραῖς τυφθέντας κελεύω αὐτοὺς ἐν τῷ ναυμαχίῳ τόπῳ ἀναλωθῆναι. Ducang.]

[Ὀγκινίσκος, ὁ, diminut. seq. ὄγκινος. Joann. mon. in Anecd. meis t. 4, p. 202. Boiss. Acta SS. Alphii, Philadelphi et Cyrini mart. n. 43, 44. Ducang.]

Ὄγκῖνος, ὁ, Uncus, Uncinus, [Reticulus huic add. Gl.] Hamus. Ap. schol. Aristoph. [Nub. 178] : Ὀβελίσκον κάμψας, ὥσπερ ὄγκινον [ὀγκίνων εἴδει Ald., i. e. ὀγκινοειδῆ. Codd. ἀγκιστροειδῆ] ποιήσας. In sagittæ quoque cuspide sunt ὄγκινοι, Hami s. Unci Pollux 1, [137] : Τοῦ βέλους τὸ μὲν ἐπτερωμένον, εἴποις ἂν κεφαλὴν βέλους· ὁ δὲ σίδηρος, ἀκίς· καὶ τῆς ἀκίδος ὄγκινοι μὲν, οἱ πρὸς τῷ καλάμῳ· γλωχῖνες δὲ, αἱ πρὸς τῇ ἀκμῇ προσϐολαί. Sic Ovid., Sagittæ hamatæ, Arundo hamata. [Nicetas Paphlago in Festum SS. omnium Apostolorum : Τῶν ἐντοσθιδίων διὰ τῶν σιδηρῶν ὀγκίνων ἐξελκομένων. Acta SS. Alphii, Philadelphi et Cyrini mart. n. 28 : Ὑποϐάλλει ὁ διάϐολος τῷ Τερτύλλῳ ποιῆσαι ὀγκίνους δώδεκα. Infra : Ἐνεχθῆναι τοὺς ὀγκίνους, etc. Duc.]

Ὄγκιον, sive Ὀγκίον, aut Ὄγκαιον, τὸ, Vas in quo aliqua reponuntur, ἀγγεῖον, ἐν ᾧ ἀποτίθενταί τινα, inquit Etym., παρὰ τὸ ὀγκοῦσθαι πληρούμενον : vel ὅπου ἀποτίθενται τὰ σίδηρα τῶν βελῶν : nam ὄγκους appellant τὰς ἀκίδας καὶ ἐξοχὰς τῶν βελῶν. Similiter et Hesychio ὀγκίον est ἀγγεῖον, ἐν ᾧ αἱ ἀκίδες. Et Eust. [Od. p. 1898 seq.] : Ὄγκιον, ἡ θήκη τῶν ἀκίδων, παρὰ τὸ ὀγκῶδες εἶναι. Idem ex Lex. rhetor. : Ὄγκοι, γωνίαι· καὶ ὄγκαιον, ἀγγεῖον πλεκτὸν, οἷον σπυρὶς, ἐν ᾧ αἱ ἀκίδες τῶν βελῶν, αἳ καὶ ὄγκοι. Hesychio ὀγκίον est etiam πλέγμα κιστοειδὲς, ἐν ᾧ ἀπέκειντο οἱ πελέκεις. Similiter et [Hermippus ap.] Polluc. 10, [165] : Τὸ δὲ ὄγκιον, σκεῦος πλεκτὸν εἰς ἀπόθεσιν σιδήρου ἢ ἄλλων τινῶν· παρὰ δὲ Ὁμήρῳ, τῶν Ὀδυσσέως πελέκεων. Locus est ap. Hom. Od. Φ, [61] : Τῇ δ᾽ ἄρ᾽ ἅμ᾽ ἀμφίπολοι φέρον ὄγκιον, ἔνθα σίδηρος Κεῖτο πολὺς καὶ χαλκός.

Ὀγκὶς, ὄγκος, VV. LL. [Male.]

[Ὀγκοειδής. V. Ὀγκώδης.]

Ὀγκολογέω, Cum fastu dico, Tumido sermone jacto : ὀγκολογῆσαι, γογγύσαι, Hesych.

[Ὀγκόμασθος, ἡ, Quæ turgentibus est mammis. Jo. Malal. p. 134. Elberling.]

[Ὀγκομματος, ὁ, ἡ, Qui oculis est tumidis. Is. Porphyrog. in Allatii Exc. 3, 16. Boiss.]

[Ὀγκοπελεθία, ἡ.] Ap. Hesych. legitur Ὀγκοπελεθίαν, πέλεθον οὖσαν : cui expositioni vocab. aliquod deesse videtur a librario omissum. [Ὀνθοπελεθίαν Ruhnk. in Auct.]

[Ὀγκοποιέω, Tumefacio, Gl. Schol. in Hermog. Walz. Rhett. vol. 7, p. 953, 22 : Τῇ περιϐολῇ πλεονάζει Δημοσθένης ἐν τῷ ὀγκοποιεῖν καὶ ἐπαίρειν τὸν λόγον.]

Ὄγκος, ὁ, Tumor, [Moles, Strues, add. Gl.]. Significatur enim hoc vocabulo ἄρσις σωματικὴ, ut Eustath. [Od. p. 1899, 14] ex veteribus grammaticis annotat : itidemque ab Hesych. ἔπαρσις exp. : ὄγκος τῆς πομφόλυγος, Tumor bullæ, Bud. Sæpe reddi commode potest nomine Moles. [Eur. Ion. 15 : Ἀγνὼ, δὲ πατρὶ γαστρὸς διήνεγκ᾽ ὄγκον. Herodot. 4, 62 : Τὸν ὄγκον τῶν φρυγάνων. « Plato Polit. p. 259, B : Σμικρᾶς πόλεως ὄγκος· Reip. 9, p. 591, D : Τὸν ὄγκον τοῦ πλήθους· Leg. 5, p. 737, C : Ὄγκος πλήθους· Reip. 2, p. 373, B : Ὄγκου ἐμπληστέα καὶ πλήθους· Leg. 5, p. 737, C : Τὸν αὐτῶν ὄγκον τοῦ ἀριθμοῦ· Tim. p. 60, C : Τῷ τῆς γῆς

A ὄγκῳ· E : Γῆς ὄγκους· 56, D : Ἐν ὕδατος ὄγκῳ· Critiæ 121, B : Τὸν τοῦ χρυσοῦ ὄγκον, et similiter alibi sæpe. » Ast. Xenoph. Cyrop. 6, 2, 32 : Τούτων (τῶν σκευῶν) ὁ ὄγκος μικρότατος.] Synes. Ep. 105 : Πῶς οὖν οὐκ εἴη εὐμεγέθους ψυχῆς καὶ κρατίστης ἐνέγκαι τοσοῦτον ὄγκον φροντίδων; Tantam molem curarum? Pro Mole et massa accipi potest et in Luciano [Halcyon. c. 4] : Τὰ παιδάρια τὰ παρ᾽ ἡμῖν πλάττειν ἐπιστάμενα πηλὸν, ἢ κηρὸν, ἐκ τοῦ αὐτοῦ πολλάκις ὄγκου μετασχηματίζει πολλὰς ἰδεῶν φύσεις· ubi etiam redditur Corpus a Bud., quomodo et ap. Plat. accipi annotat. Pro Mole accipitur et in Aristot. Eth. 10, 7, de mente : Εἰ γὰρ καὶ τῷ ὄγκῳ μικρόν ἐστι, δυνάμει καὶ τιμιότητι πολὺ μᾶλλον ὑπερέχει πάντων, Etsi mole parva est. Itidemque ὄγκος σώματος, ap. Athen. 12 : Εἰ ἦν τὸ σχῆμα ἀνανδρότερον ἔχων ἢ τὸν ὄγκον τοῦ σώματος προπετῆς ἐφαίνετο. Crassa mole leo, dicit Claudian.; et Virg., Vasta se mole movens, de cyclope. || Eminentia, Prominentia. Sic ὄγκοι ap. Hom. in sagittis dicuntur αἱ ἐξοχαὶ καὶ γωνίαι τῶν ἀκίδων, καὶ πώγωνες τοξικῶν βελῶν, Hesych. Itidem B et Pollux 7, [158] : Βέλους δ᾽ αἱ ἀκίδες, ὄγκοι καὶ πώγωνες καλοῦνται. Il. Δ, [214] de jaculo, quod ex Menelai corpore extrahebatur : Τοῦ δ᾽ ἐξελκομένοιο πάλιν ἄγεν ὀξέες ὄγκοι, ubi et in meo Ms. Hom. exp. αἱ ἐξοχαὶ τοῦ βέλους. Et [151] : Ὡς δ᾽ εἶδεν νεῦρόν τε καὶ ὄγκους ἐκτὸς ἐόντας. Nonnulli ibi ὄγκοι interpretantur Unci, Uncini : ut i. sit q. ὄγκινοι. [Philostr. Imag. p. 848 : Ὄγκοι τοῦ βέλους.] Sic Bud. ap. Athen. 5, [p. 208, B] de navi Hieronis : Ἄτλαντές τε περιέτρεχον τὴν ναῦν ἐκτὸς ἑξαπήχεις, οἳ τοὺς ὄγκους ὑπειλήφεισαν τοὺς ἀνωτάτω καὶ τὸ τρίγλυφον, interpretatur Atlantes novenum pedum altitudinis certis insterstitiis firmatos, ut scalpturas prominentes summæ contignationis mutulorum vice fulcirent : paulo post, Πύργοι τε ἦσαν ἐν αὐτῇ ὀκτὼ σύμμετροι τὸ μέγεθος τοῖς τῆς νεὼς ὄγκοις. Polluci [4, 133] in homine ὄγκος dicitur τὸ ὑπὲρ τὸ πρόσωπον ἀνέχον εἰς ὕψος, λαϐδοειδεῖ τῷ σχήματι. Item, Amplitudo, μέγεθος, Hesych. [Galen. Περὶ τῶν παρὰ φύσιν ὄγκων vol. 7, p. 312 : Τὴν εἰς μῆκος καὶ πλάτος καὶ βάθος διάστασιν οὕτως ὀνομάζουσιν Ἕλληνες· ἔστι δ᾽ ὅτε καὶ τὴν C ὑπὲρ τὸ κατὰ φύσιν αὔξησιν ὄγκον καλοῦσιν, ὅπερ οὐ τοῖς νοσοῦσι μόνον καθ᾽ ὁτιοῦν μόριον, ἀλλὰ καὶ τοῖς ὑγιαίνουσιν ὑπάρχει. Hemst.] In Geopon. [14, 7, 9] : Τοῖς ὄγκοις μεγάλαι καὶ περιττοδάκτυλοι, pro his Varronis, Gallinæ specie quam amplissimæ, nec paribus ungulis. Aristot. De mundo [c. 4], loquens de grandine, Παρὰ δὲ τὰ μεγέθη τῶν ἀποῤῥηγνυμένων θραυσμάτων, οἵ τε ὄγκοι μείζους, αἵ τε καταφοραὶ γίνονται βιαιότεραι, Interea pro fragmentorum magnitudine, quæ abrumpuntur, tum corpuscula majora grandinis, tum delapsus violentiores fiunt, Bud. || Gravitas, Pondus, βάρος σταθμικὸν, Eust. [l. c.] : βάρος a Suida quoque exp. in Soph. El. [1142] : Μικρὸς προσήκεις ὄγκος ἐν σμικρῷ κύτει, de Orestis mortui cineribus. Sic accipi videtur et ap. Plut. Phoc. p. 243 [c. 5] : Ὡς γὰρ ἡ νομίσματος ἀξία πλείστην ἐν ὄγκῳ βραχυτάτῳ δύναμιν ἔχει, οὕτω λόγου δεινότης ἐδόκει πολλὰ σημαίνειν ἀπ᾽ ὀλίγων. Quo genere loquendi utitur Idem et in lib. De orac. Pyth. [p. 408, E] : Θαυμάζειν οὐχ ἥκιστα διὰ τὴν βραχυλογίαν, ὡς πυκνὸν καὶ σφυρήλατον νοῦν ἐν ὀλίγῳ περιέχουσαν ὄγκῳ. Et Lycurgo D p. 14 [c. 14], de numismate ferreo : Καὶ τούτῳ δὲ ἀπὸ πολλοῦ σταθμοῦ καὶ ὄγκου δύναμιν ὀλίγην ἔδωκεν. Posset tamen in his ll. ὄγκος accipi etiam pro ipsa Mole. || Metaph. quoque usurpatur : itidem pro Tumor, h. e. Fastus, s. Animus elatus et inflatus : unde ab Hesych. exp. ὑπερηφανία, φύσημα. Plut. [Mor. p. 39, D] : Δεῖ τῶν νέων μᾶλλον ἐκπνευματοῦν τὸ οἴημα καὶ τὸν τῦφον, ἢ τῶν ἀσκῶν τὸν ἀέρα, τοὺς ἐγχέαι τι βουλομένους χρήσιμον· εἰ δὲ μὴ, γέμοντες ὄγκου καὶ φυσήματος, οὐ προσδέχονται. Idem Coriolano p. 70 [c. 13] : Μεστὸς ὢν ὄγκου, καὶ μέγας γεγονὼς τῷ φρονήματι· Pericle p. 49 [c. 4] : Μάλιστα περιθεὶς ὄγκον αὐτῷ καὶ φρόνημα δημαγωγίας ἐμϐριθέστερον, ὅλως τε μετεωρίσας καὶ συνεξάρας τὸ ἀξίωμα τοῦ ἤθους. Et βασιλικὸς ὄγκος, Tumor et fastus regius. Apud Suidam de Cratero Macedone : Μέγιστός τε ὀφθῆναι καὶ οὐ πόῤῥω ὄγκου βασιλικοῦ. Philo V. M. : Ἐν μὲν ἐσθῆτι καὶ τροφαῖς οὐδὲν ἐπιτραγῳδῶν πρὸς σεμνότερον ὄγκον, Nihil ad fastum et speciem ambitiose exquirens, Turn. Alicubi in bonam partem interpretari possumus Gravitas, Amplitudo, Maje-

A stas : ut et præcedentium ll. quidam accipiendi videntur. Item ὄγκος φρονήματος, pro Animo elato et inflato s. tumido. Apud Suidam, de Mauricio rege : Συνεκέρασεν ἐν ἑαυτῷ ἄμφω τὰ ἐναντίως ἔχοντα ἀλλήλοις, ὄγκον φρονήματος καὶ πραότητος. Et δόξης ὄγκος pro Magna et ampla gloria. [Alexis] ap. Athen. 1, [p. 21, D] : Φέρει δὲ τοῖς μὲν χρωμένοισιν εὖ δόξης τιν' ὄγκον. [Soph. Tr. 817 : Ὄγκον γὰρ ἄλλως ὀνόματος τί δεῖ τρέφειν μητρῷον; Eur. Rhes. 760 : Τοῖς ζῶσι δ' ὄγκος καὶ δόμων εὐδοξία· Tro. 108 : Ὦ πολὺς ὄγκος συστελλόμενος προγόνων· 1158 : Ὦ μείζον' ὄγκον δορὸς ἔχοντες ἢ φρενῶν· Phœn. 717 : Ἔχει τιν' ὄγκον Ἄργος Ἑλλήνων πάρα. Et similiter alibi. Demosth. p. 154, 20 : Πρὸς τηλικοῦτον ὄγκον πραγμάτων.] At Plato Leg. [8, p. 843, B], Ὄγκον μέγαν ἔχθρας ἐντίκτειν, pro Magnas parere inimicitias. || Oratio quoque ὄγκον interdum habet. Dionys. H. [De Lysia jud. c. 8] : Ὁ γὰρ ὄγκος καὶ τὸ ἐξ ἐπιτηδεύσεως ἅπαν ἀνηθοποίητον, Quod enim vel elate vel affectate enuntiatur, id omne sine morum expressione affectuumque dicitur, Bud. Sic Aristot. B Rhet. 3, [6] : Εἰς ὄγκον δὲ τῆς λέξεως συμβάλλεται τάδε. Plut. [Comp. Cic. c. Dem. c. 1], de Demosthene : Ὑπερβαλλόμενος ὄγκῳ καὶ μεγαλοπρεπείᾳ τοὺς ἐπιδεικτικούς, Gravitate orationis. [Demetrius ὄγκον et μέγεθος τῆς ἑρμηνείας fere semper synonyma facit, ut significet quandam elocutionis gravitatem, aures animumque implentem et ab omni exilitate remotam : v. § 36, 77. Alio autem l. § 247 ὄγκον opponit τῇ δεινότητι, ut vitium contrarium. Similiter Longinus 3, 4, ὄγκον κακὸν dicit, ut tumorem vitiosum designet. Nam alibi τὸν ὄγκον etiam bonam in partem, de sublimitate, adhibet. Quicquid enim elatum est, ὄγκος Græcis dicitur. Sic ὄγκον et τὸ ὑψηλὸν ut synonyma jungit Longin. 8, 2, deinde ὄγκον et μεγαλοπρεπῆ σεμνότητα 12, 3, et 15, 1, ὄγκος, μεγαληγορία, et ἀγὼν junguntur. Vitiosum tumorem simpliciter etiam ὄγκον dicit c. 30. Ergo ambiguus vocis sensus ex contextu definiendus est. Sic Plut. De poet. aud. c. 2, ὄγκος λέξεως est Dictionis majestas, ut ὄγκος ὀνομάτων Marcellino Vit. Thuc. p. 8 et Hermogeni l. 1 Περὶ ἰδ. p. 54 sq., qui ὄγκον, μέγεθος et ἀξίωμα jungit. — Phot. Bibl. cod. C 71 de stilo Dionis Cassii : Μεγαλοπρεπῶς τε καὶ εἰς ὄγκον διεσκευασμένος, ὅτι καὶ μεγάλων ἔργων ἐννοίας ἀπαγγέλλει. Conf. Eust. Il. p. 9. Alio autem l. cod. 168 ὄγκον qui ex tropicæ dictionis abusu oriatur, temperari et corrigi τῇ ἀσφαλείᾳ dicit. V. intt. Hesych. v. Ὄγκος. Ernest. Lex. rhet. Schol. Hermog. Walz. Rhett. vol. 7, p. 953, 19 : Ὄγκον καλεῖ τὸ μ. καὶ τὸ ἁ., οὗ εἴδη ἕξ, σεμνότης, περιβολή, τραχύτης καὶ τὰ λοιπά. || Compar. Ὀγκότερος, Aristot. Probl. 37, 2, p. 966, 2, σάρξ. Superl. Ὀγκότατος, Strato Anth. Pal. 12, 187, 4 : Ἀπ' ἰσχνοτάτης εἰς τάσιν ὀγκοτάτην. Quod adjectivi significatione dicitur, ut sit Tumidus.]

[Ὄγκος, ὁ, Oncus, n. viri. V. Ὀγκεῖον.]

[Ὀγκοτράφος, ὁ. Anon. medicus ex cod. Reg. 2147, fol. 57 v., de conceptione : Ὅταν οὖν ὁ γόνος ἀνέλθῃ καὶ καταλάβῃ τὴν μόρφωσιν τοῦ ὀγκοτράφου, ἐκεῖ διαμένει ὅλας τὰς ὥρας κατὰ τὴν ἀλλοίωσιν. Occurrit ibi non semel. Ducang. App. Gl. p. 143.]

Ὀγκόω, Tumidum reddo, Tumefacio, Amplifico. D Et ὀγκοῖ, in VV. LL. Tumefacit, Mensuram auget. Metaph. plerumque capitur itidem pro Tumidum reddo, Effero, Inflo. [Eur. Heracl. 195 : Τὸ δ' Ἄργος ὀγκοῖν, οἷάπερ καὶ νῦν λέγεις· Andr. 320 : Ὦ δόξα δόξα, μυρίοισι δὴ βροτῶν οὐδὲν γεγῶσα βίοτον ὤγκωσας μέγαν. Plut. Mor. p. 616, E : Τοὺς μὲν ταπεινοῦντες, τοὺς δὲ ὀγκοῦντες· 1043, E : Οὕτω δὲ αὐτὸν ἄρας ἐκεῖ καὶ ὀγκώσας, ἐνταῦθα πάλιν εἰς μισθαρνίαν καταβάλλει.] Aristoph. Vesp. [1024] : Ἀρθεὶς δὲ μέγας καὶ τιμηθεὶς ὡς οὐδεὶς πώποτ' ἐν ὑμῖν, Οὐκ ἐκτελέσαι φησὶν ἐπαρθείς, οὐδ' ὀγκῶσαι τὸ φρόνημα, Neque animum sustulisse, Spiritus tumidos sumpsisse. [Ὀγκοῦν τὴν λέξιν Longin. c. 28, 2, dicit suaviorem, graviorem, digni oremque reddere sententiam, de periphrasi. Ernest. Lex. rhet. Proprie Alex. Ætol. ap. Parthen. Erot. 14, 33 : Ἠρίον ὀγκώσει τὸ μεμορμένον.] Et Ὀγκόομαι, Tumidus reddor, Tumesco, Molem capio magnam. [Eur. Ion. 388 : Ὡς, εἰ μὲν οὐκέτ' ἐστὶν, ὀγκωθῇ τάφῳ. Euphorion Anth. Pal. 7, 651, 6 : Ἀντὶ δ' ἐγὼ ξενίης πολυκηδέος ἡ κενεὴ χθὼν ὠγκώθην Δρυόπων ... διψάσιν ἐν βοτάναις. « Aristæn. p. 32, 3 : Τῆς γαστρὸς ὀγκουμένης. » Hemst.] Et metaph. Efferor, Inflor. Aristoph. Ran. [703] : Εἰ δὲ τοῦτ' ὀγκωσόμεσθα κἀποσεμνυνούμεθα, schol. ὑπερφρονήσωμεν, ἀλαζονευθῶμεν, μεγαλαυχήσωμεν. Et ὠγκωμένος ἐπὶ γένει, Xen. [Comm. 1, 2, 25], Inflatus ob genus. [Eur. Hec. 623 : Εἶτα δῆτ' ὀγκούμεθα ὁ μέν τις ἡμῶν πλουσίοις ἐν δώμασιν κτλ. El. 381 : Οὔτ' ἐν Ἀργείοις μέγας οὔτ' αὖ δοκήσει δωμάτων ὠγκωμένος· fr. Phrixi ap. Stob. Fl. 93, 2 : Δῶμα πλούτῳ δυσσεβῶς ὠγκωμένον· et ib. 9, 15 : Μὴ καλῶς ὠγκωμένοις. || Forma media Athen. 9, p. 403, E : Ὁ παρὰ Ἀνθίππῳ τῷ κωμικῷ μάγειρος, ὃς ... τοιάδε ὠγκώσατο. L. D. Cum θυμοῦσθαι confusum ap. Thomam p. 904.]

Ὀγκύλλομαι, Efferor, Turgeo, et magnam molem præ me fero. Hesychio ὀγκύλλεσθαι est ἐπαίρεσθαι et ὄγκον περιβεβλῆσθαι. Ap. Aristoph. Pac. [465] : Ὑπότεινε δὴ πᾶς καὶ κάταγε τοῖσι κάλως. Qui quum postea non traherent, sed se trahere simularent tumidum quasi nixum præ se ferentes, Trygæus dicit, Οὐχ ... οὐ ξυλλήψεσθ' οἷ' ὀγκύλλεσθ'; i. e., inquit schol., οἷα ἐπερείδεσθε μὲν τῷ σχοινίῳ προσποιούμενοι ἕλκειν, οὐχ ἕλκετε δέ· vel, τὸν ὄγκον περιβάλλεσθε καὶ ἀλαζονεύεσθε. In dictis quoque et factis ὀγκύλλεσθαι dicitur qui effertur, et sese jactitat. Athen. 9, [p. 382, B] : Κόροιβος ὁ Ἠλεῖος μάγειρος ἦν, καὶ οὐχ οὕτως ὠγκύλλετο ἐπὶ τῇ τέχνῃ ὡς ὁ παρὰ Στράτωνι μάγειρος, Non usque adeo se efferebat, etiam Superbiebat, Cervice elata erat : ut Hesych. ὀγκύλλεσθαι exp. etiam ὑψαυχενεῖν, et Suid. σεμνύνεσθαι, Eust. [Od. p. 1899, 9] καυχᾶσθαι. [Clemens Al. Strom. 7, p. 854 : Ἵνα μηδὲ ἐπὶ ταύτῃ τῇ σοφίᾳ ὡς ξένῃ ὀγκύλλωνται αἱρέσει.] || Ὀγκύλλεσθαι, inquit Erot. Lex. Hipp. [p. 264], Ἀττικῶς λέγεται τὸ ἐπηρμένα καὶ μέγα φρονεῖν· ὁ δ' Ἱπποκράτης ὀγκυλλομένην λέγει κοιλίαν, τὴν ταχέως εἰς ὄγκον αἰρομένην, Quæ subito intumuit : ut idem sit cum ἐξογκοῦσθαι, Attolli in tumorem : sicut Herodotus dicit, Ἐξώγκωταί μοι ἡ νηδύς. Sed notandum, ap. Erot. scribi ὀγκυλωμένην, uno λ, et per ω in penult. : quam scripturam memini me videre et in alio Ms. [Photius : Ὠγκυλωμένος, ὑπερήφανος. Sed primitus fuerat ὀγκ—, quod poscit ordo alphab. Et sic Suidæ libri : Ὀγκυλώμενος, ὑπερήφανος, cum Bachm. An. p. 312, 11. Sed Ὀγκυλόω quidem novimus et in Ἐξογκυλόω notavimus, non item Ὀγκυλάω. Ὀγκυλόμενος ap. Timæum Lex. p. 64, v. Βρενθυόμενος, reliquit Ruhnk., pro ὀγκυλλόμενος, quod etiam Photius et Suidas ponere voluerunt vel debuerunt.]

Ὀγκύλος, ὁ, ἡ, Tumidus, Inflatus, Superbus : ὀγκύλον, σεμνὸν, γαῦρον, Hesych.

[Ὀγκυλόω. V. Ὀγκύλλω.]

Ὀγκώδης, ὁ, ἡ, Tumidus [Gl.], Inflatus, Magna mole assurgens. Xen. Eq. [1, 12] : Καὶ πλευρὰ δὲ ἡ βαθυτέρα καὶ πρὸς τὴν γαστέρα ὀγκωδεστέρα. [Plato Menon. p. 90, A : Οὐχ ὑπερήφανος δοκῶν εἶναι πολίτης, οὐδὲ ὀγκώδης τε καὶ ἐπαχθής, ἀλλὰ κόσμιος καὶ εὐσταλὴς ἀνήρ. Valck. Suid. in Πέτρος ὁ ῥήτωρ. Τὸ γαῦρον καὶ ὀγκῶδες, Athen. 14, p. 624, D, ex Heraclide. Hemst.] Athen. 1, [p. 20, E] : Ἦν δὲ ἡ Πυλάδου ὄρχησις ὀγκώδης, παθητική τε καὶ πολύκοπος, ubi exponi etiam posset Gravis. [Plut. Lyc. c. 17. « Demetr. § 228, ἐπιστολαὶ ὀγκωδέστεραι κατὰ τὴν ἑρμηνείαν, Quarum dictio elatior et plenior est quam earum character postulat. Ὑπότυφον ἑρμηνείαν vocat Synesius p. 39. Dionys. Dinarch. c. 7, p. 643, τῆς κατασκευῆς τὸ τραγικὸν καὶ ὀγκῶδες opponit τῷ ἰσχυρῷ τῆς λέξεως et τῷ ἁπλῷ τῆς συνθέσεως. Sic auct. Ad Herenn. 4, 8, diserte ad tumorem et inflatam orationem refert, quum verbis gravioribus quam res postulat aliquid dicitur. » Ernest. Lex. rh. || Forma soluta ὀγκοειδέστερον Hermias In Plat. Phædr. p. 110.]

[Ὄγκωμα, τὸ, Tumor. Schol. Aristoph. Pac. 540 : Τὰ ὑπώπια, ἅ ἐστιν ὑπὸ τῶν ὄψεων τὰ ὀγκώματα. Etym. M. in Οἶδμα, οἴδημα, ὄγκωμα, φλεγμονή. L. D. Liban. 119. Wakef. || Cubitus. Oribas. p. 44 ed. Mai. : Ἀγκύλιον καὶ περὶ τράχηλον συνίσταται καὶ περὶ μασχάλην καὶ περὶ ὀγκῶμα (l. ὄγκωμα) περί τε δακτύλους. L. D. Eust. Od. p. 1397, 5 : Ὅθεν καὶ κύβιτον τὸ ὄγκωμα ῥωμαϊστί.]

Ὄγκωσις, εως, ἡ, Inflatio, Tumor, vel Amplificatio.

Ὀγκωτὸς, ἡ, ὸν, Tumefactus, Elatus, Magna mole assurgens. Epigr. [Statyllii Anth. Pal. 9, 117, 2] : Ὀγκωτοῦ τάφου, In tumulum congesti sepulcri.

Ὀγμεύω, Sulcum duco. At Soph. in Phil. [163], Φορβῆς χρείᾳ στίβον ὀγμεύει τόνδε, pro ἐφεξῆς πορεύεται, inquit schol.

[Ὄγμιος, ὁ, Ogmius. Lucian. Hercule c. 1 : Τὸν Ἡρακλέα οἱ Κελτοὶ Ὄγμιον ὀνομάζουσι φωνῇ τῇ ἐγχωρίῳ. Quem ad l. illustrandum Adelung. (Mithrid. 2, p. 69) commendat hosce auctores : John Toland, *Select Pieces* 1, p. 33; Martin, *Religion des Gaulois* 1, p. 304—318, et Frid. Sam. Schmidt, in Archæol. Britt. 1, p. 33. Schweigh.]

Ὄγμος, ὁ, Eustathio ὁ ἀροτριαθεὶς τόπος, Locus aratus, et ἡ ἐπίστιχος καὶ αὐλακώδης φυτεία, Plantæ ordine et per sulcos positæ. Hom. ὄγμον vocat τὴν τομὴν τοῦ ἀρότρου, Sulcum aratri scissione factum : Il. Σ, [546] de aratoribus arantibus : Οἱ δὲ στρέψασκον ἀν' ὄγμους. [Ib. 552 : Δράγματα δ' ἄλλα μετ' ὄγμον ἐπήτριμα πῖπτον ἔραζε· 557 : Ἑστήκει ἐπ' ὄγμον.] Sic et schol. Theocr. ὄγμον vocari scribit τὴν αὔλακα : a Theocrito vero ita vocari τὴν κατ' εὐθὺ τάξιν τοῦ θερισμοῦ, 10, [2] : Οὔτε τὸν ὄγμον ἄγειν ὀρθὸν δύνα, ὡς τὸ πρὶν ἦγες· quanquam ibi etiam pro Sulco accipi queat. Nicander pro Via usurpavit, Ther. 571 : Παλίσσυτον ὄγμον ἐλαύνων· ibi enim schol. exp. ὁδὸν, proprie ὄγμον significare scribens τὴν τάξιν, τὴν ἐπίστιχον φυτουργίαν τῶν δένδρων, καὶ τὴν κατὰ τάξιν ἀγωγήν. [Aratus 748 : Ἠέλιος μέγαν ὄγμον ἐλαύνων.]

[Ὀγρύλη, ἡ, Ogryle, opp. Sardiniæ, ap. Pausan. 10, 17, 5 : Ἐκ τῆς Ἀττικῆς στρατιὰ κατῆρεν ἐς Σαρδὼ, καὶ Ὀλβίαν μὲν πόλιν οἰκίζουσιν, ἰδίᾳ δὲ Ὀγρύλην οἱ Ἀθηναῖοι, διασώζοντες τῶν δήμων τῶν οἴκοι τινὸς τὸ ὄνομα, ἢ καὶ αὐτὸς τοῦ στόλου μετεῖχεν Ὀγρύλος. Ubi Ἀγρυλὴν conjiciunt interpretes, quod notum est pagi Attici nomen, et pro inaudito Ogryli nomine αὐτοὶ μετεῖχον οἱ Ἀγρυλεῖς. Præstabat αὐτοῖς μ. Ἀγρυλεῖς. L. D.]

[Ὀγχέω, quod legitur ap. Lycophr. 64 : Ξυνὸν ὀγχήσει μόρον, libris variantibus inter hoc et ὀχ— οἰχ— οἰγχ— ὀχμ—, iterumque 1049 : Ξένην ἐπ' ὀστέοισιν ὀγχήσει κόνιν, perpaucis οἰχ— et ὀχ— præbentibus, recte judicasse qui ὀκχ— scribi voluerant, pluribus in Ὀκχέω dicetur.]

[Ὀγχησμὸς, ὁ, Onchesmus, portus Epiri, ap. Ptolem. 3, 14, et Strab. 7, p. 324. Gent. *Onchesmites* ap. Cic. Ad Att. 7, 2.]

[Ὄγχηστος, ἄλσος. Ὅμηρος (Il. B, 506) Ὄγχηστόν θ' ἱερὸν Ποσιδήιον ἀγλαὸν ἄλσος. Κεῖται δ' ἐν τῇ Ἁλιαρτίων χώρᾳ. Ἱδρυθὲν θ' ὑπὸ Ὀγχήστου τοῦ Βοιωτοῦ, ὥς φησιν Ἡσίοδος. Ἔστι καὶ πόλις Βοιωτίας, ὡς Παυσανίας θ' (26, 5) καὶ Ἀπολλώνιος ὁ Ῥόδιος (3, 1242). Τινὲς δὲ πόλιν μεγάλην φασὶ τὸν Ὀγχηστὸν μεταξὺ Ἁλιαρτίων καὶ Ἀκραιφνίων. Ἔστι καὶ ποταμὸς ἐν Θεσσαλίᾳ. Ὁ πολίτης Ὀγχήστιος. Παυσανίας θ' (l. c.), Steph. Byz. Pausanias : Ἀπὸ δὲ τοῦ ὄρους τούτου πέντε ἀπέχει καὶ δέκα σταδίους πόλεως ἐρείπια Ὀγχηστοῦ· φασὶ δὲ ἐνταῦθα οἰκῆσαι Ποσειδῶνος παῖδα Ὀγχηστόν. Ἐπ' ἐμοῦ δὲ ναός τε καὶ ἄγαλμα Ποσειδῶνος ἐλείπετο Ὀγχηστίου, καὶ τὸ ἄλσος, ὃ δὴ καὶ Ὅμηρος ἐπῄνεσε (l. c.). Etiam Pausaniæ libri nonnulli n. viri accentu gravi scriptum exhibent. Locus Ὀγχηστὸς est ap. Pind. Isthm. 3, 37. Gent. Ὀγχήστιος ib. 33.]

[Ὄγχνη. V. Ὄχνη.]

[Ὀγχόη, πόλις Φωκίδος. Τὸ ἐθνικὸν Ὀγχαῖος, ὡς τῆς Οἰνόης Οἰνοαῖος, ἢ Ὀγχεὺς, Steph. Byz.]

[Ὀγωα. V. Ὀσογώ.]

[Ὀδαγμὸς, ὁ, quod est in libris Soph. Trach. 770, ex Photio (et gramm. Bekk. An. p. 342, 22) : Ἀδαγμὸς, ὀδαξησμὸς, ὅπερ ἐστὶ κνησμός· οὕτω Σοφοκλῆς, a Piersono ad Moer. p. 41 mutatum in ἀδαγμός. V. Ὀδαξάω. Ap. Hesychium in gl. Ὀδηγμὸς, κνισμὸς, inter Ὀδαξισμὸς et Ὀδαρὸς posita, rectius Albertus, qui ὀδαγμὸς, quam Piers. in Ὀδαξησμὸς cit.]

[Ὀδάζω. V. Ὀδάξω.]

[Ὀδαίναθος, ὁ, Odænathus, Palmyrenus, ap. Suidam, Ὀδάναθος apud Zosimum 1, 39. V. Ὄδηθος.]

Ὁδαῖος, α, ον, sive Ὁδέος [hoc omittendum], ab ὁδάω sive ὁδέω, Vendibilis, vel Emptitius, Qui emi potest; Ad iter conficiendum idoneus, idem cum ἐφόδιος adjective posito. Utraque expositio ap. Hesych. habetur : Ὁδαῖον, inquit, πράσιμον, καὶ εἰς ἐκδημίαν ἐφόδιον. Et, Ὁδαίων, ὠνίων· ὁδῆσαι γὰρ τὸ ὠνήσασθαι. [Εὐριπίδης Ἀλόπῃ καὶ Κύκλωπι addit Photius.] Et aliquanto post, sc. ordine alphabetico, Ὁδέον, πράσιμον, ἢ καὶ εἰς ἐκδημίαν ἐφόδιον. Suspectum tamen haberi potest hoc posterius ὁδέον per ε. Apud Suidam ὁδαῖον tantum invenio, quod exp. ἐφόδιον, Viaticum, Sumptus viæ, etiam Auxilium viæ, ut Virg. [Photius : Ὁδαῖος Ἑρμῆς, ὁ ἐνόδιος.] Rursum ap. Hesych. reperio ὁδαῖος, πράσιμος, ὠνήτης : item, ὀλίγος, ἀτερπὴς, πονηρός : item φορτηγός : et Ὅδα, φορτία [leg. Ὅδαια, ut Hom. Od. Θ, 163 : Φόρτου τε μνήμων, καὶ ἐπίσκοπος ἦσιν ὁδαίων], de quo et alia apud eum vide. Hoc tamen postremum ὁδαῖος in ejus cod. suo loco non est. [Od. O, 444 : Ἐπείγετε δ' ὦνον ὁδαίων, Viaticorum.] Apud eund. Hes. reperio etiam Ὁδανὸς, quod exp. ὁδηγὸς, Dux viæ. [Leg. Ὁδαγός.]

Ὀδακτάζω, Morsico, Cam. ex Apoll. Arg. 4, [1607] : Ἀργινόεντα δ' ἐνὶ στομάτεσσι χαλινὰ Ἀμφὶς ὀδακτάζοντι παραβλήδην κροτέονται. [Paullus Sil. Anth. Pal. 5, 244, 2 : Δωρὶς ὀδακτάζει (in basiis). Photius.]

[Ὀδακτίζω, i. q. ὀδακτάζω. Dionys. Hal. Exc. Vat. p. 493. Cramer.]

Ὀδὰξ, adv. Mordicus [Gl.], Dentes comprimendo. Hom. Od. [A, 381,] Σ, [409] : Οἱ δ' ἄρα πάντες ὀδὰξ ἐν χείλεσι φύντες, Τηλέμαχον θαύμαζον, Labra dentibus prementes, Dentes labris infigentes. Il. Ω, [738] : Ἕκτορος ἐν παλάμῃσιν ὀδὰξ ἕλον ἄσπετον οὖδας. Idem [B, 417] : Πολέες δ' ἀμφ' αὐτὸν ἑταῖροι Πρηνέες ἐν κονίῃσιν ὀδὰξ λαζοίατο γαῖαν, Mordicus appetant terram. [Eurip. Phœn. 1423 : Γαῖαν δ' ὀδὰξ ἑλόντες ... πίπτουσιν.] Aristoph. Pl. [690] : Ὀδὰξ ἐλαβόμην, Dentibus arripui, s. Mordicus arripui. Alibi [Vesp. 743] ὀδὰξ ἔχειν dicit, i. e. Mordicus tenere, s. dentibus. [De forma Δὰξ v. in illa.]

[Ὀδαξάω. V. Ὀδαξέω.]

Ὀδαξέω, Doleo ex morsu quem dentes fecerunt. Cam. e Xen. Symp. [4, 28] : Ὥσπερ ὑπὸ θηρίου τινὸς δεδηγμένος, τόν τε ὦμον πλεῖον ἢ πέντε ἡμέρας ὤδαξον, Dolebam humerum tanquam me bestia momordisset. Bud. autem exp. Pruriebam. Unde in pass. ap. Diosc. 5, de Vinis : Ἁρμόζον πρὸς νεφροὺς ὀδαξουμένους καὶ ἡλκωμένους. Et 6, 2 : Καὶ ἐντέρων πόνος ἰσχυρὸς μετὰ τοῦ δοκεῖν ὀδάξεσθαι τὰ ἐντός. Sic enim ibi scribitur : sicut et ap. Hesych., ὀδάξει, τοῖς ὀδοῦσι δάκνει : ut videatur ὀδάξω dici sicut ἀέξω : at in illo Xen. l. Cam. annotat esse aor. 2. [Immo imperf. formæ ὀδάξω, quæ antiquior fuisse videtur ceteris duabus ὀδαξέω et ὀδαξάω, quarum de altera Brunckius : « Ὀδαξάω, i. q. ὀδαξέω. Ælian. N. A. 7, 35, de scolopendra, quam si quis contigerit, pruritu mordetur : Εἰ δὲ αὐτῆς προσάψεται ἀνθρωπεία σὰρξ, ὀδοξᾶταί τε καὶ κνησιᾷ. Diodor. 3, 29 : Ὡς ὑπὸ ψώρας τινὸς ἐρεθιζόμενος, μετρίως ὀδαξᾶσθαι φιλοτιμεῖται. » Formam ὀδαξέω autem in loco Xenoph. qui exhibet margo libri unius Parisini, eum grammatici correctiones referre ostendi præf. ad Conv. ed. a. 1823, p. v. De medio et pass. HSt. :] Ὀδάξομαι, Mordicor. Diosc. 6, 2 : Ἐντέρων πόνος ἰσχυρὸς μετὰ τοῦ δοκεῖν ὀδάξεσθαι τὰ ἐντός. Sic ap. Hippocr. reperio ὀδάξονται : estque hinc aor. 1 ὀδάξασθαι. [Quum ἀδάξομαι idem quod ὀδάξομαι indicet, extremum tamen crebrius Hippocrati usurpatur. P. 660, 28 : Προστίθεσθαι δὲ ἅσσα μὴ ὀδάξεται· 598, 48 : Ὀδάξονται γὰρ τὰ λεπτά. Sed certe mendosus esse locus videtur, et ἀδάξονται γὰρ τὰ λεπτὰ leg. suspicor, ubi passim & δήξονται scribitur. Sic p. 272, 41 : Καὶ ὀδάξονται τὸ ἄλογον καὶ οὐ ξύνηθες ὂν, Mordentur enim si quid præter rationem et consuetudinem fiat. Et p. 272, 51 : Ὀδάξονται μυκτῆρας, Nares arroduntur. Quibus tamen in locis ὀδάξεσθαι significationem activam habere potest. Ἀδαξᾶσθαι autem etiam quibusdam ab ἀδαξάομαι, ut et ὀδαξᾶσθαι dici videtur, qui leg. p. 633, 26 : Ἢν ἕλκεα γένηται καὶ ἀδαξᾶται (quum passim ὀδαξᾶται legatur), Si ulcera fiant ac morsum excitent. Dicitur etiam ἀδαξῆσαι, ut et ὀδαξῆσαι et ὀδαξησθῶσι ex Hippocr. agnoscere videtur Erotianus, ut in Dict. ἀγρησθῶσιν scripsimus. Foes. Aret. p. 56, 4 : Ἄνδρες δὲ οὐδ' ὅλως ὀδάξονται, de pruritu et libidine. « Hesych. meminit et act. vocis, afferens ὀδάξει pro τοῖς ὀδοῦσι δάκνει, Dentibus mordet. Καρδίαν ὠδαγμένος, Sophocl. ap. Clem. Al. Str. 5, p. 716, 16. » Hemst.

Qui hoc quidem referre debebat ad thema Ὀδάξω, ceterum non animadverterat non esse illa Sophoclis. V. Βαθμός. Quod fugit etiam Piersonum ad Mœr. p. 40, qui addit : « Castigandus Hesychius : Ὠδδάγμην, εὐνησάμην, et Ὠδδάξατο, ἐδίδαξεν. Scribendum Ὠδάγμην, ἐκνησάμην, et Ὠδάξατο, ὤδαξεν. » Pro ἐκνησάμην exspectatur potius κεκνήσμην. De utraque forma Photius et gramm. Bekk. An. p. 340, 28 : Ἀδαξῆσαι τὸ κνῆσαι, οὐχ ἐν τῷ ο ὀδαξῆσαι. V. Ὀδαγμός.]

[Ὀδαξησμός.] Ὀδαξισμὸς, ὁ, Prurigo mordax, seu, ut Galen. 3 in Aphor. 25, definit, κνισμός τις μετὰ βραχείας τινὸς ἀνίας. Ex Hippocr. habes exemplum infra in Ὀδοντοφυέω, una cum interpretatione Celsi. [Aret. p. 80, 9 : Ἄλυπον ὀδαξισμόν.] Diosc. 2, 81 : Ὀδοντιάσεις ὠφελεῖ καὶ τοὺς τῶν οὔλων ὀδαξισμοὺς ἐπὶ παίδων. Plut. Erot. [p. 789, E] : Τὸ δὲ ἐμπαθὲς ἐν ἀρχῇ καὶ δάκνον μὴ φοβηθῇς ὡς ἕλκος ἢ ὀδαξισμόν [ὀδαξησμόν, ut Symp. p. 685, E]. Gorr. ὀδαξισμὸν οὔλων interpr. Pruritum ante dentitionem : nam antequam erumpant dentes, dolorem quendam s. pruritum s. morsum, illis intra gingivas conceptis et erumpere festinantibus, sentiri, quo moti infantes gingivas invicem collidant : ὀδοντίασιν autem, esse Dentis jam concreti eruptionem extra gingivam. Hermolaus Barb. ap. Diosc. Gingivarum commorsionem vertit. Notandum vero scribi et ὀδαξησμὸς per η [quod unum verum est, ut monet Pierson. ad Mœr. p. 40 : « Ab verbo ὀδαξᾶσθαι, et non ab ὀδαξεῖσθαι, ut HSt. statuit, derivatur ὀδαξησμὸς, pro quo et alibi sæpissime et ap. Philon. vol. 2, p. 301, 12, male scribitur ὀδαξισμός. Hesychii glossæ conjungendæ sunt et legendum per η : Ὀδαξησμὸς, τρισμὸς ὀδόντων ὀδηγμὸς, κνησμός. V. Suidam. » Qui de Hesychio fallitur. V. Ὀδαγμός] : quam scripturam sequitur Camer., οὔλων ὀδαξησμὸν s. κνισμὸν ap. Hippocr. [Aphor. p. 1248, D], idem esse annotans quod Plato in Phædro [p. 251, C] dicit, Τῶν ὀδοντοφυούντων πάθος, κνῆσιν καὶ ἀγανάκτησιν περὶ τὰ οὖλα, Pruritum et molestiam gingivarum. Apud Erotian. etiam ὀδαξησθῶσι scribitur : ita ut ὀδαξησμὸς ab ὀδαξεῖσθαι derivari videatur. [Ælian. N. A. 1, 38 ; Artemid. 5, 69.]

[Ὀδαξητικός.] Ὀδαξιστικὸς, ἡ, ὸν, Mordaci prugine præditus : ut ὀδ. χυμὸς, Plato. [Nihil tale ap. Platonem, cujus nomen HSt. cum Lex. septemv. petiit ex verbis non recte intellectis Pollucis 2, 110. Ὀδαξητικὸς scribendum monuit Schneiderus. Vitiosum ι notaverat jam Pierson. ad Mœr. p. 40.]

[Ὀδαξώδης, ὁ, ἡ, Pruritum movens. Aret. p. 60, 42 : Μυξώδεα, ὀδαξώδεα· 135, 49 : Τὰ πινόεντα ὀδαξώδεα τῷ δέρματι. Et cum præp. p. 64, 5 : Ἡ ἐπιμήνιος κάθαρσις ὀδ. ἐς ἡδονήν.]

[Ὀδάτις, ιδος, ἡ, Odatis, regis Scytharum filia ap. Athen. 13, p. 575, A.]

Ὁδάω, sive Ὁδέω, Viatico instruo, ἐφοδιάζω. VV. LL. Τὸν ὀδηθέντα, inquit Cam., interpretantur Venundatum : in Eur. Cycl. [12] : Ὡς ὀδηθείης μακράν. Et accipi hoc potest, Ut in longinquas regiones abductus venires ; nam postea significat verbum plane Venditionem [98] : Εἴτε τις θέλει Βορὰν ὀδῆσαι ναυτίλοις κεχρημένοις, Seu quis forte vult Venundare indigentibus nautis cibos. Et mox [133] : Ὄδησον ἡμῖν σῖτον ᾧ σπανίζομεν· copiam sibi fieri cupit frumenti, cujus penuria laborarent. Hæc Camer. Utrumque verbum agnoscit Hesych., quippe apud quem [ex ll. Eur.] reperitur, ὀδεῖν, πωλεῖν : et ὄδησον, πώλησον : et ὀδῆσαι, ἀποδόσθαι. Sed item ὀδῆσαι exp. etiam πρίασθαι, ὠνήσασθαι : et ὀδηθείς, ληφθείς, πραθείς, adeo ut secundum eum ὀδῆσαι significet et Vendere et Emere. [Conf. de Hesychii gl. suspecta Ὁδεῖν, πωλεῖν κτλ. Lobeck. ad Phryn. p. 584.] Videtur tamen idem Hesych. ὀδῆσαι accipere etiam pro ὁδεῦσαι, Iter facere, Proficisci, Ire ; quippe qui ἐξοδῆσαι exponat ἐξοδεῦσαι.

Ὅδε, Hic. Et in fem. Ἥδε, Hæc. In neutro Τόδε, Hoc. Pro quibus dicitur etiam, et quidem sæpe, οὗτος, et αὕτη, et τοῦτο. Hom. Ω, [398] : Ἀφνειὸς μὲν ὅδ' ἐστί. Dem. Pro cor. : Τοῦτο δὴ δεῖ σκοπεῖν, οὐχ ὡς ὅδε Φωκέας ἀπώλεσε καθ' ἑαυτόν. Aristides : Καὶ ζεύγνυσιν ἐν τῇδε τῇ γῇ πρῶτος ἀνθρώπων ὁ τῇσδε τῆς θεοῦ πάρεδρος ἅρμα τέλειον. Idem, Ἐν τῇδε τῇ πόλει. At Lucian. dicit etiam De merc. cond. c. 6] : Ἐπὶ τήνδε ῥάστην οὖσαν τὴν

A μισθοφορὰν ἀπηνηκέναι, pro ἐπὶ τήνδε τὴν μισθοφοράν. [Æsch. Prom. 774 : Ἥδ' οὐκέτ' εὐξύμβλητος ἡ χρησμῳδία. Soph. Ant. 212 : Τὸν τῇδε δύσνουν κἀς τὸν εὐμενῆ πόλει. Dicitur etiam inverso ordine, ut ib. 57 : Τοὔργον τόδε, et ap. alios quosvis. Sine articulo dicunt Tragici, ut Æsch. Prom. 20 : Τῷδ' ἀπανθρώπῳ πάγῳ· 31 : Τήνδε φρουρήσῃς πέτραν, aliisque locis plurimis, pariterque Aristophanes, ut Eq. 568 : Τήνδ' ἐκόσμησαν πόλιν, et aliis locis nonnullis, ubi tragœdiæ similior vel gravior est oratio, ut in melicis, aut demonstrativum rem quasi monstrat, ut Vesp. 412 : Τόνδε λόγον ἐσφέρει. In prosa sic Pausan. 9, 12, 1 : Λέγεται δὲ καὶ ὅδε ὑπ' αὐτῶν λόγος, ubi nonnulli ὧδε, ut omnes 2, 13, 8, et 15, 5, in eadem formula. Parthen. Erot. c. 16, 1 : Ἐλέχθη δὲ καὶ περὶ Λαοδίκης ὅδε λόγος, ὡς κτλ. Inter ὅδε, ὧδε, et ὅδε ὁ λόγος variant libri Herodoti 1, 31, inter ὅδε et ὅδε ὁ 2, 135, ut solent in talibus fluctuare librarii. Præterea Paus. 4, 17, 11, in plurimis legitur libris melioribus : Δηλοῖ καὶ τάδε ἔπη Ῥιανοῦ, et in nonnullis 10, 12, 10, Ἆσαι τάδε ἔπη pro τάδε τὰ, et in plerisque 6, 14, 8, Τόδε τέλος pro τοιόνδε τέλος. V. Οὗτος.] Interdum cum μὲν et δέ : Aristot. De gener. anim. 2 : Ἐνδέχεται δὲ τόδε μὲν, τόδε κινῆσαι· τόδε δὲ τόδε. [Sic τοῖσδε μὲν ... τοῖσδε δὲ Hierocl. De provid. p. 14.] At in plur. ἐπὶ τάδε μὲν, et ἐπ' ἐκεῖνα δὲ, pro ἐπὶ θάτερα μὲν, ἐπὶ θάτερα δέ. Bud. [Eadem copula conjunguntur. Dio Chr. vol. 2, p. 24 : Νῦν δὲ ἐγὼ δέδοικα μὴ τὴν ἐναντίαν λάβῃ τάξιν, ὥστε μετὰ τῶνδε καὶ τῶνδε ὀνομάζεσθαι. Anon. ap. Cramer. An. vol. 3, p. 210, 19 : Οὐ τόνδε καὶ τόνδε. Theodor. Stud. p. 353, E ; 440, B ; 457, E ; 458, C ; 575, C. Exc. Phryn. Bekk. An. p. 41, 17 : Ἐπαμφοτερίζειν, τὸ μὴ παγίως ἕν τι βουλεύεσθαι καὶ πράττειν, ἀλλὰ καὶ τόδε καὶ τόδε διανοεῖσθαι. Schol. Aristoph. Pl. 1167 : Τὸν πεσσὸν καὶ εἰς τόδε καὶ εἰς τόδε ἐμβάλλοντες τῶν δικαστηρίων.] || Ap. Hom. legitur ὅδε, sequentibus etiam aliis duobus pronominibus, αὐτὸς ἐγὼ, Od. Φ, [207] : Ἔνδον μὲν δὴ ὅδ' αὐτὸς ἐγώ· quæ Eust. poni ἐκ παραλλήλου ait πρὸς ἔνδειξιν σαφοῦς ἀναγνωρισμοῦ. Ap. Soph. autem ὅδε sine adjectione usurpatur et de prima persona, pro ἐγώ : Aj. p. 27 meæ ed. [445] : Νῦν δ' αὖτ' Ἀτρεῖδαι φωτὶ παντουργῷ φρένας Ἔπραξαν, ἀνδρὸς τοῦδ' ἀπώσαντες κράτη. Sic p. 49 [822] : Εὐνούστατον τῷδ' ἀνδρὶ διὰ τάχους θανεῖν. Sed et p. 9 [78] : Ἐχθρός γε τῷδε τἀνδρὶ καὶ τὰ νῦν ἔτι, ubi tamen et aliter accipi potest. Sic autem et Latinos uti suo pronomine Hic, alibi docui. [Frequens etiam inprimis ap. Tragicos ὅδε ubi ὧδε poni licebat. Soph. OEd. T. 41 : Ἱκετεύομέν σε πάντες οἵδε πρόστροποι· OEd. C. 111 : Πορεύονται γὰρ οἵδε δή τινες χρόνῳ παλαιοὶ, etc.] Extra compositionem autem ὁ δὲ, præcedente ὁ μὲν, pro Hic quidem, Ille vero, ut antea dictum fuit in Ὁ. Sed et præcedente μὲν sine ὁ, subjungitur ὁ δὲ, pro ὅδε δὲ, s. οὗτος δὲ, Hic vero, Hic autem, Ipse autem. Pausan. [1, 13, 1] : Ἀφικομένων δὲ τῶν ἀγγέλων, ὡς οὖν τὰ γράμματα [οἱ γράμματα] ἀπεδόθη, ὧν μὲν εἶχε τὰ βιβλία, ἀνεγίνωσκεν οὐδὲν, ὁ δὲ ἥξειν τὴν ξυμμαχίαν [συμμ.] ἔλεγε. Invenitur tamen ὁ δὲ positum etiam simpliciter pro ὅδε, Hic, potius Ipse, Ille. Basil. in Orat. πρὸς τοὺς πλουτοῦντας scripta : Δέον γὰρ εὐφραίνεσθαι καὶ χάριν ἔχειν τοσούτων ὄντας εὐπορωτέρους· οἱ δὲ δυσφοροῦσιν ὅτι ἑνός που τῶν ὑπερπλουτούντων ἀπολιμπάνονται.

|| Τόδε ap. Hom. [Il. Ξ, 298, etc.] pro Huc, cum verbo ἱκάνειν, ubi subaudiri putatur subst. Ex Epigr. affertur et pro Hic. At in prosa dicitur μέχρι τοῦδε, i. e., Huc usque, pro Ad hoc usque tempus, Ad hæc usque tempora. || Affertur τόδε et pro Ideo, Propterea. [Absolute usu non dissimili Æsch. Pers. 750 : Πῶς τάδ' οὐ νόσος φρενῶν εἶχε παῖδ' ἐμόν ; Soph. Ph. 1116 : Πότμος σε δαιμόνων τάδ' οὐδὲ σέ γε δόλος ἔσχεν ὑπὸ χειρὸς ἐμᾶς.]

|| Ὅδε τις, et Τόδε τι, vide ap. Bud. p. 965 ; sed et in Τὶς, de iis dicendum erit. [Frequens inde ab Aristot. Categ. 5 : Πᾶσα δὲ οὐσία δοκεῖ τόδε τι σημαίνειν, et ib. 7 etc. apud plurimos recentiorum. Diversum enim hoc Plat. Soph. init : Ἥκομεν αὐτοί τε κοσμίως καὶ τόνδε τινὰ ξένον ἄγομεν.]

|| Οἵδε, Hi, οὗτοι. Hom. Od. Ξ, [89. A, 76 : Ἀλλ' ἄγεθ', ἡμεῖς οἵδε περιφραζώμεθα πάντες νόστον, ὅπως ἔλθησι. || Formæ epicæ sunt τοῖσδεσι et τοῖσδεσσι ap. Hom. Od. Φ, 73, Il. K, 462, Od. B, 47, 165, K,

268, N, 258, et in orac. ap. Xenoph. Eph. 1, 6, v. 3. Ionica τοῖσιδε ap. Herodot. 1, 32, 120, etc. et Tragicos, ubi sæpe obscuratum ab librariis, ut Eur. Heracl. 146, et alibi. Quibuscum comparandum τωνδεῶν, de quo Epim. Hom. Cram. An. vol. 1, p. 253, 19 : Ζητοῦμεν οὖν καὶ τὸ τοῖς δεσσι (sic) πῶς εἴρηται, καὶ ἄμεινον λέγειν ἐπέκτασιν· τοῦτο μιμούμενος Ἀλκαῖός φησι τῶν δεῶν (sic), ὅπερ τινὲς ἀγνοίᾳ τἀκριβοῦς ἀνέγνωσαν τῶν δεῶν, ἵν' ᾖ τῶν δεῖν. Οὐκ εἰσὶν οὖν μέρη λόγου, ἀλλὰ μέρη λέξεως. Ubi legendum videtur δεινῶν, quum non appareat quomodo δεῶν pro δεῖν, de quo in Δεῖνα diximus, accipi potuerit a grammaticis. L. Dind.]

|| Τῇδε, Dativus adverbialiter positus, aut etiam adverbium : Hoc modo, Hac ratione, Hac via, Sic, Ita. [Proprie Hac via, Aristoph. Ach. 204 : Τῇδε πᾶς ἕπου, δίωκε· et alibi. Improprie Xenoph. Cyrop. 8, 1, 31 : Διῄρει αἰδῶ καὶ σωφροσύνην τῇδε.] Plato De rep. 3, [p. 392, D] : Ἴσως οὖν τῇδε μᾶλλον εἴσῃ· 1, [p. 351, A] : Ἐπιθυμῶ τῇδέ πῃ σκέψασθαι. [Isæus De Menecl. her. § 42 : Νυνὶ δὲ δεινὸν τὸ πρᾶγμα καὶ αἰσχρὸν εἶναι τῇδε νομίζω. Alibi commodius vertitur Ab hac parte, Hac de caussa, ut Xenoph. Ages. 1, 4 : Τῇδέ γε μὴν καὶ κοινῇ ἄξιον ἐπαινέσαι τήν τε πατρίδα καὶ τὸ γένος αὐτοῦ· Cyrop. 8, 2, 21 : Τῇδέ γε μέντοι διαφέρειν μοι δοκῶ τῶν πλείστων, ὅτι οἱ μὲν κτλ.] || Τῇδε, Hic, Hoc in loco. [Hom. Il. P, 512 : Τῇδε γὰρ ἔβρισαν· Od. Z, 173 : Ὄφρ' ἔτι που καὶ τῇδε πάθω κακόν· M, 186 : Οὐ γάρ πώ τις τῇδε παρήλασε. Atque sic sæpe etiam apud Atticos, ut Tragicos, Aristophanem, Xenophontem et Platonem.] Affertur vero et pro Istic, ex Platone : Πάντες οἱ τῇδε λέγουσιν. Item : Ἡμεῖς δὲ πολλὰ ἀκούοντες περὶ τῶν τῇδε. Quinetiam cum αὐτοῦ ex Eodem : Ὅσα νῦν γέγονε τῇδε αὐτοῦ περὶ Σικελίαν. Sic ex Herodoto : Αὐτοῦ τῇδε προσμένων, sed in isto l. pro Hic, non pro Istic. Quinetiam pro Illic, ubi sc. geminatur, ex Greg. Naz. : Νῦν μὲν τῇδε, νῦν δὲ τῇδε ἐνεργεῖν. Exp. enim Nunc hic, nunc illic agere. Fortasse tamen si locus adeatur, comperietur ei aptior esse hæc expos., Nunc hoc, nunc illo modo agere. || Item pro Huc. [Hesiod. Op. 633 : Ὅς ποτε καὶ τῇδ' ἦλθε. De quo l. v. in forma Τυῖδε.] Alex. Aphr. : Τῇδε κἀκεῖσε περιφέρειν, Huc illuc circumagere. [Apud recentiores de vita, ut ἐκεῖ vel ἐκεῖσε de morte. Plotin. vol. 1, p. 75, 12 : Ὁ τῶν τῇδε ἄνθρωπος· 76, 3 : Οὐδέ τι τῶν τῇδε οὔτε προσηνὲς οὔτε ἐναντίον· vol. 2, p. 1411, 10 : Καὶ οὕτω θεῶν καὶ ἀνθρώπων θείων καὶ εὐδαιμόνων βίος, ἀπαλλαγὴ τῶν ἄλλων τῶν τῇδε, βίος ἀνήδονος τῶν τῇδε. Theodor. Stud. p. 182, B : Θλίψεων τῶν τῇδε· 484, E : Τὸν τῇδε βίον. || Forma Æolica est Τυῖδε, in τῇδε vel τίδε corrupta ap. grammaticos de quibus Koen. ad Greg. p. 622, usurpata ab Sapphone fr. 1, 5 : Ἀλλὰ τυῖδ' ἔλθε (conf. Priscian. vol. 1, p. 36), Theocrito 28, 5 : Τυῖδε γὰρ πλόον εὐάνεμον αἰτήμεθα. De scriptura per υ simplex, quæ est tum his in ll. in var. script., tum ap. Hesychium : Τύδαι, ἐνταῦθα, Αἰολεῖς, v. Ahrens. De dial. vol. 1, p. 155. In ejusd. Hesychii gl. Τί δαὶ, τί γὰρ ἄλλο ἢ τί γὰρ, Κρῆτες, Βοιωτοὶ δὲ ἐνθάδε, latere formam Bœoticam adv. τῇδε animadvertit Valcken. Ep. ad Rover. p. 32 : « Possent a ceteris sejungi Τεῖδε, ἐνθάδε, K. καὶ B., quanquam et illi Τυΐδε dixerint. Hesychius : Τυΐ, ὧδε, Κρῆτες, et Τυΐδε, ἐντ. Αἰ. Proderit illud glossæ : Χίδαι, ἀντὶ τοῦ Κρῆτες, pro Τεῖδε sive Τυΐδε, ἀ. τ. ὧδε. » Id. p. 30 : « Th. 5, 32 : Τᾷδ' ὑπὸ τὰν κότινον καὶ τἄλσεα ταῦτα καθίξας. Schol. : Τὸ τᾷδε ἐν ἄλλοις ἀντιγράφοις γράφεται τεῖνδε, ἀντὶ τοῦ ἐνταῦθα, Δωρικῶς. Ubi forma τῇδε legitur v. 118 notatur : Γράφεται καὶ τεῖνδε. Hanc voculam istis in locis et v. 50, 67 restituendam censeo. » Idem restituendum esse his locis omnibus, quibus add. v. 30, ubi libri τὺ ἴδ' ὁ τράγος, a Volgero correctum, nec ferri posse ut modo τεῖδε modo τυῖδε scribatur in carminibus non Æolicis, apertum videtur. Nihil enim discriminis facit signif. duplex Huc et Hic, quum utraque communis sit formæ τῇδε. Conf. de formarum τᾷδε, τῇδε vel τῆδε, τεῖδε, τεῖνδε, τυῖδε usu ap. Theocr. Ahrens. De dial. vol. 2, p. 362, 363, 371, qui τεῖνδε aut librorum aut linguæ vitium esse conjicit : quod tamen Callimacho Cer. 26 : Τὶν δ' αὐτᾷ καλὸν ἄλσος ἐποιήσαντο Πελασγοὶ, ubi locus non est pronomini pers., restituit Hecker. Comment. Callim. p. 141. Idem Ahr., v. de forma Τύϊ p. 364, ubi τυῖδε lectum apud Hesiodum in Τῇδε cit. Op. 633 conjicit ex schol. Proculi : Ἐθέλων εἰπεῖν ὅτι ἦλθον εἰς Βοιωτίαν, οὕτως εἶπεν, Ὅς ποτε καὶ τῇδ' ἦλθε. Δηλοῖ γὰρ αὐτὸ τοῦτο τὸ τῇδε, οὐκ ἄλλο τι ἢ τὸ τῇδε (οὐκ ... τῇδε omittit liber unus) καὶ ἐνταῦθα. Καὶ οἱ λεξογράφοι Κρητῶν εἶναι τὴν φωνὴν ἀνέγραψαν. Μέλει γὰρ οὐδὲν τοῖς ποιηταῖς τὴν (τῶν) πολλῶν συνήθειαν ἐκτρεπομένοις καὶ τοιαύταις διδόναι χώραν λέξεσι. Formam τυΐδε (vel potius Τεῖδε) Koen. ad Gregor. p. 369 restituebat Bœoto ap. Aristoph. Ach. 884 : Ἔκβαθι τῷδε κἠπιχάριτται τῷ ξένῳ, ubi καὶ transpositum videtur. Nihil autem huc pertinere Hesychii gl. Τύτη, τὸ αὐτόθι, ipsa interpretatio probabile reddit. || Ὁ δὴ, forma Dorica. In oratione Megarensis Aristoph. Ach. 744 : Ἀλλ' ἀμφίθεσθε καὶ ταδὶ τὰ ῥυγχία, ubi τὰ δὴ scribebatur ante Kusterum, schol. : Ἄμεινον δὲ ἀντὶ τοῦ γράφειν ταδὶ, τὰ δή· δωρίζει γάρ. Quod ipsum ὁ δὴ pro ὅδε Epicharmo restituebat Ahrens. De dial. vol. 2, p. 272.]

|| Ὁδὶ Attica terminatione, i. q. ὅδε, et Ἡδὶ i. q. ἥδε, et Τοδὶ pro τόδε. Aristot. Metaph. 1, [c. 1] : Τὸ μὲν γὰρ ἔχειν ὑπόληψιν ὅτι τῷ Καλλίᾳ κάμνοντι τηνδὶ τὴν νόσον τοδὶ συνήνεγκεν, πολλῆς ἐμπειρίας ἐστί. Idem 2 : Ἐὰν μὴ λαμβάνῃ τις τησδὶ τῆς συλλαβῆς, ἢ τησδὶ τῆς φωνῆς. Idem, Ὥστε τὸ μὲν, τοδὶ, τὸ δὲ, τοδὶ ποιεῖν. Sic τηνδὶ pro τήνδε Aristoph. sæpe. Et in nominativo fem. ap. Themist. p. 75, ἡδὶ pro ἥδε. [Frequens omnibus generibus, numeris et casibus ap. Aristoph. ceterosque Comicos. Τηνδεδὶ pro τηνδὶ δὲ Aristoph. Eccl. 989, Av. 18. L. Dind.]

Ὁδεία, ἡ, Profectio, Iter. [Aristeas Hist. LXX intt. p. 113, F : Εἰσὶ δὲ καὶ διαβάθραι πρὸς τὰς διόδους, οἱ μὲν μετέωροι τὴν ὁδείαν, οἱ δὲ ὑπ' αὐτὰς ποιοῦνται, καὶ μάλιστα διεστηκυίας τῆς ὁδείας. L. Dind.]

[Ὁδεῖνα. V. Δεῖνα.]

Ὀδελὸς, ὁ, Dor. pro ὀβολὸς, Obolus, ap. Nicandr. Ther. 93 : Ὀδελοῦ δέ οἱ αἴσιος ὁλκή. Sic et Aristoph. [De quo rectius HSt. alibi :] Apud Aristoph. autem Ach. [796] ὀδελὸν Bœotice pro ὀβελόν. [Et sic etiam ap. Nicandr. l. c. et aliis pluribus. Et in inscr. Delph. ap. Bœckh. vol. 1, p. 816, n. 1690, 2 et seqq. V. etiam Ὀδολκαί. L. Dind.]

[Ὅδευμα, τὸ, Iter. Strabo 17, p. 815 : Λέγεται δ' ὁ Φιλάδελφος πρῶτος στρατοπέδῳ τεμεῖν τὴν ὁδὸν ταύτην ἄνυδρον οὖσαν καὶ κατασκευάσαι σταθμοὺς ὥσπερ τοῖς ἐμπορίοις ὁδεύμασι καὶ διὰ τῶν καμήλων. Liber unus ὁδεύουσι.]

[Ὁδεύσιμος, ὁ, ἡ, Pervius, Gl. Strabo 11, p. 510 : Ὥστε καὶ στρατοπέδοις ὁδεύσιμον εἶναι (τὸν αἰγιαλόν).]

[Ὁδευτέον, Proficiscendum. Orig. C. Cels. p. 391. V. Ὁδεύω.]

Ὁδευτὴς, ὁ, Qui iter facit, Viator, ὁδίτης. [Ambulator, Gl.]

[Ὁδευτός. V. Ὁδωτός.]

Ὁδεύω, [Ambulo, Vio, Gl.] Iter facio, Proficiscor, Eo. [Hom. Il. A, 569 : Ἐπὶ νῆας ὁδεύειν. Callim. Del. 18 : Ἀεὶ δ' ἔξαρχος ὁδεύει.] Musæus [95] : Ὀφθαλμὸς ὁ ὁδός ἐστιν· ἀπ' ὀφθαλμοῖο βολάων Ἕλκος ὀλισθαίνει καὶ ἐπὶ φρένας ἀνδρὸς ὁδεύει. [Pausan. 10, 22, 3 : Διὰ Θεσσαλίας ὁδεύσαντες· 23, 1 : Ὁδευόντων ἐπέκειντο τοῖς ἐσχάτοις. Apoll. Rh. 4, 272 : Διὰ πᾶσαν ὁδεῦσαι Εὐρώπην Ἀσίην τε.] Magis proprie Herodian. 7, [3, 9] : Ὀχήμασιν ἐπιτεθέντας ἄγεσθαι νύκτωρ καὶ μεθ' ἡμέραν ὁδεύοντας ἐξ ἀνατολῶν εἰς Παίονας, Vehiculo impositos diu noctuque iter facere ab oriente in Pannoniam. Basil. : Χρῆσαι παρ' Αἰγυπτίων σκεύη χρυσᾶ καὶ ἀργυρᾶ· μετὰ τούτων ὅδευσον· ἐκ τῶν ἀλλοτρίων ἐφοδιάσθητι. Nonnus autem γαῖαν ὁδεύειν dixit pro Iter facere per terram. [Id. Dion. 38, 115 : Αἰθέρος ἑπτάζωνον ἴτυν στεφανηδὸν ὁδεύων. Apoll. Rh. 4, 838 : Ἄσπετον οἶμον ὁδεύειν· 441 : Ἅτε χθόνα πεζὸς ὁδεύων.] At Greg. Naz. : Ὁδευτέον τὰς ὁδούς. [Xen. Eph. 3, 8 : Ὁδεῦσαι πρὸς τὸν Ἁβροκόμαν ὁδὸν εὐτυχῆ. Plut. Eum. c. 15 : Τοῖς ὁδεύουσι τὴν ἔρημον. Tzetz. Hist. 8, 297 : Εἰς πόλον νότιον ὁδεύοντος ἡλίου· 300 : Ὁδεύοντος τὸν βόρειον. Schol. Eur. Hec. 654 : Ὁδεύειν καὶ ἐπὶ θαλάσσης καὶ ἐπὶ ξηρᾶς.] Cam. annotat ὁδεύειν improbari, ut veteribus doctis inusitatum. [Pass. Ravenna γεφύραις καὶ πορθμείοις ὁδευομένη, Strabo 5, p. 213. Hemst. Inscr. Adulit. ap. Cosm. Indicopl. p. 142, B. L. D.] || Hesych. ὁδεύει exp. περιπατεῖ, ἀπέρχεται. [Figurate Eulog. ap. Phot. Bibl. p. 241, 39 : Εἰ ἅπασα ἡ ἐπιστολὴ δι' ἀμφιβόλων τινῶν ὥδευε.]

[Ὁδέω. V. Ὁδάω.]

[Ὁδηγετέω, i. q. ὁδηγέω, nisi error librarii est, ap. Themist. Or. 11, p. 151, C : Σοῦ μὲν ἐξηγουμένου καὶ ὁδηγετοῦντος. Ita dicitur ποδηγεῖν et ποδηγετεῖν, κυνηγεῖν et κυνηγετεῖν.]

[Ὁδηγέτης, ὁ, scribendum foret pro ὁδηγετὴς in inscr. medii ævi in Maii Coll. Vat. vol. 5, p. 462, si recte ita scriptum constaret per ε, sed ὁδηγητὴς scribendum videatur. Cit. Osann.]

Ὁδηγέω, Dux itineris sum, Duco, [Dirigo, Deduco, huic add. Gl.] : τὴν ὁδὸν ἄγω, ut infra habebimus. [Æsch. Prom. 727 : Αὐταί σ' ὁδηγήσουσι. Eur. Herc. F. 1402 : Ὁδηγήσω δ' ἐγώ.] Phocyl. [22] : Τυφλὸν ὁδήγει. Act. 8, [31] : Ὁδηγήσῃ με, Mihi dux viæ fuerit. Greg. Naz. : Φῶς τὸ ὁδηγῆσαν τὸν Ἰσραήλ. [Babrius 11, 5 : Τὴν δ' ἐπίσκοπος δαίμων εἰς τὰς ἀρούρας τοῦ βαλόντος ὡδήγει. Xenoph. Eph. quum alibi tum 1, 9, p. 16, 9 : Τὸν ἔρωτα τὸν ἐμὸν καλῶς εἰς τὴν Ἁβροκόμου ψυχὴν ὡδηγήσατε· 3, 10, p. 71, 4 : Ὡδήγει αὐτὸν εἰς ταῦτα ἐλπὶς δυστυχής. Ammon. De diff. p. 100, ex Ptolem. Ascal. corrigendus : Παίδευσις ἐκ παιδὸς ἀγωγῆς (vel ἀγωγὴ) ἐπ' ἀρετὴν ὁδηγοῦσα, ubi al. cod. ὁδηγηθεῖσα. || Medio Xen. Eph. 5, 1, p. 87, 10 : Συνήλθομεν ἀλλήλοις ἀμφοτέρους ὁδηγουμένου θεοῦ· quod notavit Hemst. ad 3, 10, p. 70, 4. || Pass. Salust. argum. Soph. OEd. C. : Ὁδηγούμενος ἐκ μιᾶς τῶν θυγατέρων.]

[Ὁδηγησία, ἡ, Hesych. Wakef.]

[Ὁδήγησις, εως, ἡ, Introductio. Zonaras p. 664 : Εἰσαγωγή, ἡ ἐπὶ τὰ τέλεια ὁδήγησις τῶν λόγων. Chœrob. vol. 1, p. 19, 8.]

[Ὁδηγητὴρ, ῆρος, ὁ, i. q. ὁδηγός. Epigr. Anth. Pal. App. 283, 1 ; Orph. H. 40, 6.]

[Ὁδηγητικὸς, ή, όν, Viam monstrans vel ducens. Suidas : Ποδηγέστερον, ὁδηγητικώτερον. Unde repetit Eust. Od. p. 1441, 12. Suidæ liber unus male ὁδηγικώτερον.]

[Ὁδηγήτρια, ἡ, Viæ dux. Schol. Eurip. Phœn. 1492. Boiss. Est epith. Deiparæ, de quo pluribus egimus in Cpoli Christ. l. 3, cui complures ædes sacras hac nomenclatura dicatas legere est, tum Cpoli tum in aliis civitatibus, atque adeo Monembasiæ, ut docet Paulus episcopus Monembas. de S. Martha quæ dicitur fuisse ἡγουμένη τοῦ πανσέπτου τῆς ὑπεραγίας θεοτόκου ἐν τῇ θεοφρουρήτῳ πόλει Μονεμβασίας κάτωθεν τῆς ὁδηγητρίας. Ducang. App. Gl. p. 144. Conf. Montef. Palæogr. p. 382 sq., qui etiam de νέα ὁδηγήτρια vel νεοδηγήτρια agit, cujus Calabrense monasterium ita est vocatum, ut distingueretur a Cpolitano τῆς θεοτόκου ὁδηγητρίας vel τῶν ὁδηγῶν dicto monasterio, et Wernsdorf. ad Man. Phile Carm. p. 90 sq. Ædem Mariæ Ἐξ ὁδηγῶν memorat etiam Niceph. Boiss. An. vol. 2, p. 129.]

Ὁδηγία, ἡ, Deductio, ἡ πομπὴ Suidæ. [Greg. Nyss. vol. 3, p. 12, D ; Gretseri Opp. vol. 2, p. 86, D ; Isid. Pel. Ep. p. 6, D, ubi ἡ εἰς Αἴγυπτον ὁδ., i. q. Iter. De via monstranda, ut contraria sit ἀπάτη, ap. Eust. Il. p. 637, 4. L. Dind.]

[Ὁδηγικός. V. Ὁδηγητικός.]

[Ὀδηγμὸς, ὁ, affertur pro Pruritus : sed ἀμαρτύρως. [V. Ὀδαγμός.]

[Ὁδηγοποιῶ, ap. schol. ad Lyc. 250 : Ἐξάρχων) ὁδηγοποιῶν, ποιῶν κατάρχεσθαι. Boisson. Legendum videtur ὁδοποιῶν vel ὁδηγῶν.]

Ὁδηγὸς, ὁ, ἡ, Dux viæ s. itineris. [Ductor, Prævius, add. Gl. Manetho 5, 152 : Οἱ δ' ἀστέρες εἰσὶν ὁδηγοί.] Plut. Alex. [c. 27] : Τῶν ὅρων οἵπερ ἦσαν τοῖς ὁδηγοῖς, συγχυθέντων. Livius Ducem simpliciter dicit, subaudita tamen voce Viæ, ut supra videre potes in Ἀνασταυρόω. [Polyb. 5, 5, 15. Dionys. Hal. vol. 6, p. 746, 2 : Ταῖς Ἀριστοτελείοις τέχναις ὁδηγοῖς χρησάμενος. || De forma Dor. Photius : Ὁδαγὸς διὰ τοῦ ἄλφα, οὐχ ὁδηγός. Quod cum κυναγὸς comparat Porson. ad Eur. Or. 26. Ὁδηγεῖν tamen dixerunt Tragici, ut κυνηγετεῖν et κυναγός. Ὁδαγὸς vel ὁδηγὸς hodie non reperitur ap. Tragicos. Photii vero notationem confirmat etiam Hesychius, cujus de gl. v. in Ὁδαῖος. Ceterum sic dicitur etiam ξεναγός.]

[Ὀδηθος, ὁ, quod ὄνομα χώριον dicunt Suidas et qui Ὀδησθος exhibet Zonaras, fortasse ex Ὀδήναθος vel Ὀδαίναθος corruptum. L. Dind.]

A [Ὀδησσὸς, ἡ, Odessus. Πόλις ἐν τῷ Πόντῳ πρὸς τῷ Σαλμυδησσῷ. Ἀπολλόδωρος δ' ὅρος μέγα τὴν Ὀδησσόν φησιν. Ὁ πολίτης Ὀδησσίτης καὶ Ὀδησσεὺς, Steph. Byz. Numi ap. Mionnet. *Descr.* vol. 1, p. 395, et *Suppl.* vol. 2, p. 350, variant inter simplex et duplex σ, quanquam in autonomis constans esse videtur simplex, in imperatoriis duplex et — ιτης et — είτης.]

[Ὁδί. V. Ὅδε.]

[Ὁδία. V. Ὅδιος.]

Ὅδιος, ὁ, ἡ, et α, ον, Faustus, Auspicatus ad iter : ὅδιος οἰωνὸς, αἴσιος, Hesych. [Æsch. Ag. 157 : Ἀπ' ὀρνίθων ὁδίων· 104 : Ὅδιον κράτος αἴσιον ἀνδρῶν. Eur. El. 162 : Πικρᾶς ἐκ Τροίας ὁδίου βουλᾶς.] Est et Mercurii epith., ut Idem testatur et Steph. B., ἀπὸ τῆς ὁδοῦ, A viis et semitis, quod in viis statueretur ad semitas monstrandas : unde Ἐνόδιος etiam nuncupatus, iisdem et Cornuto testibus. Apud Cornutum tamen in Aldino etiam cod. non ἐνόδιος, sed Εὐόδιος legimus : quod mendosum esse puto; alioqui significaret Bonam viam parans, Prosperum iter præbens. Cornutus [c.

B 16] : Ἵδρυται δὲ καὶ ἐν ταῖς ὁδοῖς, καὶ ἐνόδιος λέγεται. Apud Hesych. ἐνόδιος, Ἑρμῆς Πάρφ. Erat vero et Diana s. Hecate Ἐνοδία. Cornut. [c. 34] : Ἐνοδία δέ ἐστιν οὐ δι' ἄλλο τι ἢ Διὸς καὶ Ἀπόλλωνος Ἀγυιεὺς, Non aliam ob causam Ἐνοδία dicitur quam Apollo et Jupiter Ἀγυιεὺς, qui compitis præest. Festus Viarum deam appellat. Et ὁδία quoque ap. Hesych. ἡ Κόρη θεὸς, Proserpina. Esse autem putatur Proserpina eadem quæ Hecate et Diana jam Ἐνοδία dicta. [Γέννην Ὁδίαν ap. Athenag. Legat. pro Christ. p. 279, jam Meursius correxit τὴν Ἐνοδιάν.] At Ὀδίος nom. proprium ap. [Hom. Il. B, 856 ; E, 39, Strab. 12, p. 551, hic quidem ducis Ἀλιζώνων, præconis Græci Il. I, 170,] Eust. [Pythagorei, Calchedonensis (quomodo scribendum pro Καρχηδ.), ap. Iambl. V. Pyth. p. 526 K., ubi male Ὀδῖος vel Ἀδίος. Quanquam etiam ap. Hom. nonnulli Ὀδῖος.]

[Ὁδίος. V. Ὅδιος.]

[Ὁδιούπολις, εως, ἡ, Hodiupolis, χωρίον Ἡρακλείας τῆς πρὸς τῷ Πόντῳ. Ὁ πολίτης Ὁδιουπολίτης, Steph. Byz.]

C [Ὅδισμα, τὸ, Via. Æsch. Pers. 72 : Πολύγομφον ὅδισμα, de ponte. Ubi var. ἔρεισμα, quod verum videtur.]

Ὁδίτης, ὁ, Viator [Gl.], i. q. ὁδοιπόρος. Apud Hom. sæpe, ἄνθρωπος ὁδίτης. Et Od. H, [204] : Μοῦνος ἰὼν ὁδίτης· P, [211] : Βωμὸς Νυμφάων ὅθι πάντες ἐπιρρέζεσκον ὁδῖται. [Soph. Phil. 147 : Ὁπόταν δὲ μόλῃ δεινὸς ὁδίτης τῶνδ' ἐκ μελάθρων, de Philocteta. Et præter alios poetas Heliodor. ap. Stob. Fl. 100, 6, 2 : Ὁδιτάων ἐπὶ λαιά. Nonn. Jo. c. 12, 62 : Ἑσμὸν ὁδίτην, et 18 : Ἑσμὸς ὁδίτης, quod Joannes dicit ὄχλος. Ib. 64 : Ὄνον, ταλαεργὸν ὁδίτην.] Nicand. Ther. [180] : Ὅτ' ἀντομένοισιν ὁδίταις Ἀΐδα προσμάξηται, ubi annotat schol. scribi etiam ὁδούροις, i. e. ὁδοιπόροις. Tunc autem Ὁδοῦρος longe alia signif. acciperetur quam infra; nam ὅδουροι s. ὁδουροὶ aut ὁδοῦροι plerumque dicuntur Subsessores viarum, ut ibi dicetur : quo sensu accipitur in hoc l., qui ex Eur. Archelao [fr. ap. schol. Pind. Pyth. 2, 54] adducitur, Ἔπαυσ' ὁδούρους λυμεῶνας, Sustulit viarum pestiferos subsessores. [Id. Ion. 1617.] Ab Hesych. exp. quidem etiam προοδοιπόρος et ὁδοῦ κατάρχων, quo significatur Prævius, Qui in via

D præit; sed non ὁδοιπόρος. [Ι]

[Ὀδμαλέος, α, ον. Ὀδμαλέα dicuntur Hippocr. Graveolentia, Fœtida, idem quod ὀζόμενα, p. 590, 39 : Χωρήσει πυώδεα, ὀδμαλέα· p. 594, 26 : Καὶ πολλά τε καὶ ὀδμαλέα καὶ πυώδεα ἐλεύσεται ἀπ' αὐτέων τῶν μητρέων ἤδη ἀπιόντα· p. 595, 1 : Οὔτε ὀδμαλέα ὁμοίως κείνῃ γίνεται. Foes. OEc. Hippocr. p. 514, 17 : Σκόροδα ἤ τι ἄλλο ὀδμαλέον βρῶμα.]

[Ὀδμάομαι, Olfacio, Odoror. Nicander. Th. 47 : Τυτθὸν ὅτ' ὀδμήσηται ἐπιρρανθέντος ἐλαίου. Sextus Emp. Adv. log. 1, 139, p. 400 : Μήτε ὀδμᾶσθαι μήτε γεύεσθαι. « Athanas. vol. 1, p. 26. » Kall.]

Ὀδμὴ, ἡ, Odor, i. q. ὀσμὴ, sed poeticum magis et Ionicum [et Æolicum sec. Greg. Cor. p. 589], ut nonnulli veteres gramm. annotarunt : sicut et dici ὀδμὴ quasi ὀζμὴ [Eust. Od. p. 1570, 9] : quoniam tamen de illis duobus ὀσμὴ et ὀδμὴ vix quicquam satis certi affertur, si quis ex altero factum contendat, non valde repugnabo. Licet vero femin. sit apud ceteros scriptores, ab Homero tamen cum masculino epitheto copulatur : Od. Δ, [406] : Πικρὸν ἀποπνείουσαι ἁλὸς πολυβενθέος ὀδμήν· et [442] : Τεῖρε γὰρ αἰνῶς Φωκάων ἁλιοτρεφέων ὀλοώτατος ὀδμή· et [446] : Ἀμβροσίην ὑπὸ ῥῖνα ἑκάστῳ θῆκε φέρουσα Ἡδὺ μάλα πνείουσαν· ὄλεσσε δὲ κήτεος ὀδμήν. [Sed Il. Ξ, 415 : Δεινὴ δὲ θεείου γίγνεται ὀδμή. Et alibi cum aliis. Item ap. Pind. aliosque poetas.] Hermippus ap. Athen. 1, [p. 29, E], de vino Thasio : Τῷ δὴ μήλων ἐπιδέδρομεν ὀδμή. Xenophanes ap. Eund. 12, [p. 526, B] : Ἀσκητοῖς ὀδμὴν χρίμασι δευόμενοι. Utuntur vocab. prosæ quoque scriptores. [Herodot. 1, 47 in orac. Ὀδμὴν αὐτῆς ὀσφραινόμενος, 1, 80, ubi quidem ὀσμὴν præferunt codd. nonnulli. Sed μεθύσκεσθαι τῇ ὀδμῇ agnoscunt omnes 1, 202, et ὀδμὴν βαρέαν παρέχεται 2, 94; 6, 119. Ῥόδα ὀδμῇ ὑπερφέροντα τῶν ἄλλων 8, 138. Schweigh. Lex.] Plutarch. Connub. præc. [p. 144, C] : Τὸν αἴλουρον ὀδμῇ μύρων ἐκταράττεσθαι καὶ μαίνεσθαι λέγουσι. Athen. 12, [p. 545, F] de rege Persarum : Θεραπευτῆρας τῆς περὶ τὸν χρῶτα αὐτοῦ ὀδμῆς, Qui corpus ipsius colunt, et odoratis unguentis perungunt. Et 14, [p. 626, F] de styrace in orchestris suffito, tempore Bacchanalium : Φρύγιον ποιεῖν ὀδμὴν τοῖς αἰσθανομένοις. Sed et Lucian. utitur, Demonacte [c. 66] : Ἡ γὰρ ὀδμή με θάψει, Quum cadaver meum olebit, sepeliar. Ad verbum, Odor me sepeliet, pro Fœtor cadaveris mei adiget prætereuntes ad me humandum. [De forma Phrynich. Ecl. p. 89 (et brevius in Exc. Bekk. p. 56, 30) : Ὀσμὴ χρὴ λέγειν διὰ τοῦ σ· διὰ γὰρ τοῦ δ ὀδμὴ Ἰώνων· παρανομεῖ γοῦν Ξενοφῶν εἰς τὴν πάτριον διάλεκτον ὀδμὴ λέγων. Ubi Lobeckius : « Idem decernunt Thomas p. 659 et Photius, contrarium Antiatt. Bekk. p. 110, 23 : Ὄζειν οὔ φασι δεῖν λέγειν, ἀλλ' ὀδωδέναι, καὶ ὀδμὴν, οὐχὶ ὀσμήν· quos ne qui a transcribentibus in discordiam actos credat, Pollux 2, 75, docet ὀδμὴ et εὐοδμία (quod v.) nonnullis festiviora videri, poetica esse ignorantibus. Verum librarii, qui Atticam formam Hippocrati De vict. san. 2, 7, p. 47 Mack., Ionicam Platoni Rep. 9, p. 584, B (al. ὀσμὴ) affinxerunt, e Xenophonte ita evulserunt, nullum ut ejus vestigium reliquum fecerint. In ceteris scriptoribus utraque forma sæpe eadem pagina, periodo, atque adeo eodem versu legitur : sic ὀδμὴ — ὀσμὴ Athen. 15, p. 675, D, E, (et p. 687, A, D,) Philon. vol. 1, p. 175, 5, 8, brevissimo ambitu, sed ὀσμὴ tamen sæpius occurrit, et maxime in Aristotelis, Theophrasti et Galeni libris ὀσμὴ — ὀδμὴ — εὔοσμος — εὔοδμος perpetua vicissitudine sese excipiunt. Eadem est in Diodoro, Plutarcho et reliquis omnibus imparilitas, nec potest quidquam in alterutram partem constitui nisi hoc, exx. Atticæ formæ decuplo minimum superare. » Xenophonti, cujus libris utimur nullius contra testimonium Phrynichi auctoritatis, restituenda videtur forma ὀδμὴ, ut ceteris Atticis ὀσμή : nisi quod Tragici forma ὀδμὴ usi sunt non tantum in melicis, ut Æsch. Prom. 115 : Τίς ἀχὼ, τίς ὀδμὰ προσέπτα μ' ἀφεγγής; sed etiam extra illa, ut Eur. Hipp. 1391 : Ὦ θεῖον ὀδμῆς πνεῦμα. Quibus ll. duobus idem est librorum et in altero etiam Christi Pat. consensus in forma ὀδμὴ, qui in ὀσμὴ Æsch. Eum. 253 : Ὀσμὴ βροτείων αἱμάτων με προσγελᾷ, ceterisque senariis Sophoclis et Euripidis quum in tragœdiis tum in fabulis satyricis tam in ipso voc. ὀσμὴ quam in ceteris quæ ab eo facta sunt, ut forma poetica consulto usurpata videatur ejusmodi locis quales sunt Promethei et Hippolyti, communis autem talibus qualis Soph. Phil. 891 : Μὴ βαρυνθῶσιν κακῇ ὀσμῇ, et ceteri in Ὀσμὴ citandi. Sed forma ὀδμὴ in anapæstis Anaxandridis ap. Athen. 4, p. 131, D, fortasse librarii error est, quum in iisdem apud Mnesimachum 9, p. 403, D, et Aristophanem sit ὀσμή.]

Ὀδμήεις, εσσα, εν, Olidus, ὀζώδης. Nicand. Alex. [437] : Ἀμφὶ δὲ ὀδμήεις καμάτῳ περιλείβεται ἱδρώς.

Ὄδμηνος, Odoratus, Odorus, Fragrans, πολύοσμος, εὔοσμος, Hesych. [Ὀδμηρὸς Schneid. Lex.]

Ὀδμώδης, ὁ, ἡ, [Olidus, Gl.] Odorus, Odoratus, Fragrans. Theophr. : Τὰ δὲ ἔγχυλα καὶ ὀδμώδη καὶ παχύτερα δέχεται. Bud. [V. Ὀσμώδης, qua una forma utitur Theophr.]

[Ὁδοδείκτης, ὁ, Viæ monstrator. Georg. Sync. p. 205, B : Μισθωτὸν ὁδοδείκτην. L. Dind.]

Ὁδοιδοχέω, In via viatores excipio, Vias insideo. Eust. [Od. p. 1445, 19] ὁδοιδοχεῖν exp. ὁδοσκοπεῖν, sicut Hesych. et Suid. τὰς ὁδοὺς ἐπιτηρεῖν, Vias observare. [Diod. Exc. p. 601, 91 : Οὐ διέλιπεν ὁδοιδοχῶν.]

Ὁδοιδόκος, ὁ, ἡ, Qui vias insidet et viatores intercipit, in via excipit viatores, Viarum obsessor; Insidiator viæ, ut Cic. Hesychio ἔνοδος λῃστὴς, ἐνεδρευτὴς, κλὼψ, πανοῦργος. Suidæ ὁ ἐν ταῖς ὁδοῖς πανοῦργος, κλώψ. Ead. vox et ap. Festum reperitur, qui exp. Latro atque obsessor viarum. Athen. 5, [p. 214, B] : Ἐξαπέστειλε δὲ καὶ ἐπὶ τὴν χώραν ὥσπερ ὁδοιδόκους τῶν ἀποχωρούντων, οἵτινες αὐτοὺς ἀνῆγον ὡς αὐτὸν, καὶ ἀκρίτους ἀπώλλυε προσβασανίσας [προβ.] καὶ στρεβλώσας. Eust. annotat euphoniæ gratia ι inseri, sicut et in ὀλοοίτροχος. [Polyb. 13, 8, 2. « Herodian. Epimer. p. 97. » Boiss. Eust. Il. p. 422, 32; 925, 2. In δοίδοχος corruptum ap. Theognost. Can. p. 59, 21.]

[Ὁδοίδοχος, ὁ, Hodœdocus, pater Oilei, avus Ajacis, unde adj. Ὁδοιδόκειος, ap. Lycophr. 1150 : Ὁδοιδόκειος Ἰλέως δόμος.]

Ὁδοιπλᾰνέω, Errabundus iter facio, Erro, Pererro. Aristoph. [Ach. 69] : Ἐτρυχόμεθα διὰ τῶν Καϋστρίων Πεδίων ὁδοιπλανοῦντες. [Nicand. Th. 267 : Οἶμον ὁδοιπλανέων· et absolute 915.]

[Ὁδοιπλανὴς, ὁ, ἡ, Errabundus in itinere. Joann. Barbuc. Anth. Pal. 9, 427, 6 : Χαίρεθ' ἁλιπλανέες, χαίρεθ' ὁδοιπλανέες.]

[Ὁδοιπλανία, ἡ, Erratio, Vagatio. Maxim. Καταρχ. 55 : Δείδιθ' ὁδοιπλανίην.]

Ὁδοιποιέω, Viam facio s. munio, VV. LL. Infra Ὁδοποιέω. [Forma vitiosa pro ὁδοποιέω.]

Ὁδοιπορέω, Iter facio. [Itineror, Itero, Meo huic add. Gl. Soph. El. 1099 : Ἆρ' ὀρθῶς ὁδοιποροῦμεν ἔνθα χρῄζομεν; OEd. T. 801 : Κελεύθου τῆσδ' ὁδοιπορῶν πέλας. Et improprie Aj. 1230 : Ὑψήλ' ἐκόμπεις κἀπ' ἄκρων ὡδοιπόρεις. Id. fr. ap. Plut. Artox. c. 28 : Ταχεῖα πειθὼ τῶν κακῶν ὁδοιπορεῖ. Cum accus. OEd. T. 1027 : Ὡδοιπόρεις δὲ πρὸς τί τούσδε τοὺς τόπους; Bion 16, 7 : Νυκτὸς ὁδοιπορέοντα. Herodot. 4, 110 : Ὡδοιπόρεον ἐς τὴν οἰκεομένην· 116 : Ὡδοιπόρεον πρὸς ἥλιον ἀνίσχοντα τριῶν ἡμερέων ὁδόν. De itinere pedestri, ut infra ὁδοιπορία, Xenoph. Anab. 5, 2, 14 : Ἀνέκραγον ὡς οὐ δέοι ὁδοιπορεῖν, ubi al. ὁδοποιεῖν. Quam peculiarem esse hujus verbi signif., quum cetera hujus stirpis etiam de maritimo dicantur, notant scholl. Eur. Hec. 654. Lucian. Hermot. c. 30 : Μίαν ὁδὸν ὁδοιπορήσαντι ταύτην.] Philo V. M. 1 : Ἄραντες δ' ἀπὸ θαλάττης μέχρι μέν τινος ὡδοιπόρουν, Aliquandiu [pedestre] iter fecerunt. Herodian. 8, [6, 10] : Ὁδοιπορήσαντες μετὰ πάσης ἐπείξεως· 3, [6, 22] : Ὑπὸ νιφετοῖς καὶ χιόσιν ἀκαλύπτῳ τῇ κεφαλῇ ὡδοιπόρει. [Xenoph. Eph. 3, 2, p. 54, 1 : Τὰ πρῶτα τοῦ ἔρωτος ὁδοιπορεῖ φιλήματα. Pass. Lucian. Hermot. c. 2 : Οὐχ ἱκανὰ οὖν σοι ἵδρωται καὶ ὡδοιπόρηται;]

[Ὁδοιπόρητος. V. Ὁδοιπόριστος.]

Ὁδοιπορία, ἡ, Profectio, Iter, ut Cic. ὁδοιπορίας ap. Xenoph. interpr. Itinera, p. 47 mei Cic. Lex. [Expeditio, Gl. Palladas Anth. Pal. 11, 317, 2 : Ὅρμον ὁδοιπορίης. Herodot. 2, 29 : Παρὰ τὸν ποταμὸν ὁδοιπορίην ποιήσεαι ἡμερέων μ'· 8, 118 : Οὐκέτι ὁδοιπορίῃσι διεχρέετο, de itinere pedestri. V. Ὁδοιπορέω.] Xen. OEc. [20, 18] : Ἐν ταῖς ὁδοιπορίαις, In itineribus conficiendis. [Ib. 7, 23; Cyrop. 1, 2, 10.] Herodian. 2, [15, 11] : Τῆς ὁδοιπορίας τοὺς σταθμοὺς, Quibus locis itinere illo remoratus sit. Id. 3, [7, 17] : Ὁδοιπορίας μήκει καὶ τάχει, Habita ratione itinerum longitudinis et celeritatis. Id. 4, [12, 11] : Τῷ συνήθει τάχει τῆς ὁδοιπορίας χρησάμενος· et [2, 11, 1] : Τῆς ὁδοιπορίας εἴχετο, pro quo aliquando dicit τῆς ὁδοῦ εἴχετο, Intendebat susceptum iter. Id. [3, 6, 22] : Διὰ τῶν δυσχειμέρων ὀρῶν τὴν ὁδ. ποιούμενος, Iter faciens. Sic 7, [8, 24] : Σχολαιτέραν τὴν ὁδοιπορίαν ἐποιεῖτο, Tardius iter faciebat. Contra 3, [8, 5] : Ἀνύσας δὴ πολλῷ τὴν ὁδοιπορίαν τάχει, Confecto magna celeritate itinere.

Ὁδοιπορικὸς, ἡ, ὸν, Qui viatoris est, Ad viam pertinens, Viatorius [Gl.] : ut Plin. dicit Viatoria vasa, et Viatoria cubilia. [Polyb. 31, 22, 6,] Herodian. 5, [4, 12] : Ἐσθῆτα ὁδοιπορικὴν λαβὼν, Vestem itinerariam, Polit. [In epigr. Leonidæ Tar. Anth. Pal. 6, 298, 2, βάκτρον ὁδοιπορικὸν pro λοιπόρινον restituebat Kuster.

Ὁδ. ἵπποι Pollux 1, 181.] Item ὁδοιπορικὸν, Itinerarium, ut Suet. : i. e. Libellus iter aliquod describens. [Viaticum huic add. Gl. || Adv. Ὁδοιπορικῶς, Viatoris modo. Plut. Arato c. 21 : Νεανίσκους ἐσταλμένους ὁδ.]

Ὁδοιπόριον, τὸ, dicitur Merces s. Donum, quod comiti aut duci itineris, et cuicunque, qui deduxit, datur. Hom. Od. O, [505] : Ἠῶθεν δέ κεν ὕμμιν ὁδοιπόριον παραθείμην Δαῖτ' ἀγαθὴν κρειῶν τε καὶ οἴνου ἡδυπότοιο, i. e. inquit Eust. μισθὸν ἢ ἀμοιβὴν ὑπὲρ τοῦ πλεῦσαι : annotans ibid., καὶ πᾶν δῶρον τὸ ὑπὲρ συνοδεύσεως recte dici posse ὁδοιπόριον. [Id. Opusc. p. 283, 84 : Ἡμεῖς φθάσαντες τὴν τῶν πολεμίων ἔφοδον τοὺς ὅσοι μεθ' ἡμῶν τῆς Κπόλεως ἦσαν τέκνα ἐξεστείλαμεν εἰς τοὺς ἑαυτῶν, οὐ μόνον ὁδοιπόριον ἐνδαψιλευσάμενοι, ἀλλά τι καὶ τῶν ἐς χάριν βαθυτέρας γνώμης, ὡς αὐτοὶ θανάτῳ ἀπολούμενοι, Viaticum dicere videtur. Hesychius, qui interpr. ἡ ἐπὶ τὸ συνοδεῦσαι ἢ συμπλεῦσαι εὐωχία, fortasse τῷ scripserat.]

[Ὁδοιπόριστος, ὁ, ἡ, Pervius. Ps.-Basil. Epist. vol. 3, p. 467, B : Ἵνα δείξῃς αὐτὸν (Halyn fl.) νέαν ἐρυθρὰν ὁδοιπόριστον. Quum ὁδοιπορεῖν dicatur, non ὁδοιπορίζειν, fortasse ne huic quidem scriptori, qui Theodosium imp. alloqui videtur, relinquendum ὁδοιπόριστος pro ὁδοιπόρητος.]

Ὁδοιπόρος, ὁ, ἡ, Qui per viam iter habet, Viator [Gl.]. Plut. Sympos. [p. 649, B] : Ὥσπερ ὁδοιπόρου δι' ἀσθένειαν πολλάκις ἀποκαθίζοντος, εἶτα πάλιν ἐρχομένου. Π. δυσωπίας [p. 536, C] : Οἱ λίθῳ προσπταίσαντες ὁδοιπόροι. Hom. autem usurpavit pro Comes, σύνοδος, ut exp. Il. Ω, [375] : Ὅς μοι τοιόνδ' ἧκεν ὁδοιπόρον ἀντιβολῆσαι. [Æsch. Ag. 901; Soph. OEd. T. 292; Aristoph. Ach. 205.]

[Ὁδοιτέλης, ους, ὁ, Hodœteles, n. viri, in inscr. Att. ap. Bœckh. vol. 1, p. 254, n. 158, 30. L. Dind.]

[Ὀδολκαὶ, ὀβολοὶ, Κρῆτες, Hesychius, fortasse pro ὀβελοὶ, quod ab Æolibus ὀδελὸς dictum conferunt intt.]

[Ὀδόλυνθοι, ἐρέβινθοι, Hesychius.]

[Ὀδόμᾶς, αντος, ὁ, Odomas, frater Edoni ap. Steph. Byz. v. Βιστωνία. Plur. de gente ab Suidam : Ὀδόμαντες, ἔθνος Θρακικὸν, addito loco Aristoph. Ach. 157, in quo, ut ceteris ejus fab., est Ὀδομάντων, ab nom. Ὀδόμαντοι, de quibus Steph. Byz. : Ὀδόμαντοι, ἔθνος Θράκης· Θουκυδίδης β' (101 et 5, 6, Herodot. 5, 16, [ubi pauci Ὀδομάντας, ut *Odomantes* omnes ap. Plin. N. H. 4, 11 init., et Chœrob. p. 37, 25 : Ὀδόμας, Ὀδόμαντος· ἔστι δὲ ὄνομα ἔθνους]; 7, 112, Parthen. Erot. c. 6.) Καὶ Ὀδομαντὶς, Ὀδομαντικὴ ἐκ τοῦ Ὀδομαντικός. Ὀδομαντικὴ ap. Polyb. Exc. Vat. p. 447, Ptolem. 3, 12. Ὀδομαντὶς Armeniæ est ap. Strab. 11, p. 528. L. D.]

[Ὁδόμετρον, τὸ, Viæ mensura. Hero De dioptra in Venturi *Storia dell' ottica* 1, p. 134. Conf. Vitruv. 10, 9. Schneid. Tzetz. Hist. 11, 605 : Καὶ τὸ μετρεῖν δὲ μηχαναῖς σταδίους τῆς θαλάσσης καὶ γῆν τοῖς ὁδομέτροις δὲ καὶ ἕτερα μυρία γεωμετρίας πέφυκεν ἔργα. Cogn. Phaylli, cursoris insignis, quasi viam aut iter emetientis. Schol. Aristoph. Ach. 213 : Ὁ Φαΰλλος δρομεὺς ἄριστος, ὃν ἐκάλουν ὁδόμετρον. Ubi masc. genere, ut sit Viæ mensor, dici videtur.]

[Ὀδονάριον, τὸ, Udo, calceamenti species, Martiali nota. Epiphanius Contra Catharos : Τὰ δὲ ἄλλα πόδια, ὡς εἰπεῖν, τὰ ἐξ ἱματίων γεγενημένα, ἃ παρά τισιν ὀθόνια κέκληται, ἢ βράκας χερσὶ περιτιθέασι, δακτυλίους δὲ τοῖς ποσίν. Hausere ab Epiphanio quæ in hanc rem habent Glossæ Basilic. : Ὀθδονάρια τὰ περιαπτόμενα τοῖς ποσὶν ὑφάσματα, ἃ λέγεται ποδάπανα. Deinde locum integrum adducunt Epiphanii laudatum. Sed infra non jam Calceamentum, sed Orarium interpretantur : Ὀδονάρια καὶ ὀθόνια ὑφάσματα ἐπιμήκη, ἃ καὶ ὀράρια παρά τινων λέγονται· ταῦτα δὲ οἱ εἰς παλάτιον εἰσιόντες συγκλητικοὶ ἐπιφερόμενοι ἐν αὐτοῖς καὶ ἀπεμύττοντο καὶ ἀπέμυττον. V. Gloss. med. Lat. in Udo et Salmas. ad Lampridium. Ducang.]

Ὀδοντάγρα, ἡ, Instrumentum chirurgicum ad evellendos dentes. Gorr. Forficem vocat Celsus, [Forfex dentaria, dentalis, add. Gl.] Forficulam Plinius. Plut. [Mor. p. 468, C] : Τοιούτοις αὐτοῖς πεφυκόσι χρώμενος ὥσπερ ἰατρὸς ὀδοντάγραις καὶ ἀγκτῆρσι. [Hippocr. p. 21, 19 : Ὀδοντάγρῃσι καὶ σταφυλάγρῃσι. Aristot. Mechan. c. 21. Pollux 2, 96, et alibi.]

Ὀδοντᾰγωγὸν, τὸ, Dentiducum. Cæl. Aurel. Chron. 2, 4 : Plumbeum ὀδονταγωγὸν, quod nos Dentiducum dicere poterimus.

Ὀδονταλγέω, Dentibus doleo, Dentium dolore afficior. [Ctes. Ind. c. 15. Wakef.]

Ὀδονταλγία, ἡ, Dentium dolor. Diosc. [3, 22] : Μασσηθεῖσα [μασηθεῖσα] ὀδονταλγίας παραμυθεῖται. Pro quo Plin. de leucacantha : Commanducata, dentium dolores sedat. [Pollux 2, 96.]

[Ὀδοντάριον, τὸ, Denticulus. Heliodorus Oribasii p. 127 ed. Mai. : Τὸ ἐλασμάτιον τὸ λεγόμενον ὀδ. περὶ τὸν κοχλίαν ἐν αὐτῇ τῇ κοίλῃ ἕλικι συνεχόμενον κινεῖν τὴν χελώνην. Osann.]

[Ὀδόντας, Dentatus, Gl. post Ὀδόντα et ante Ὀδοντάγρα, vitiose.]

Ὀδοντίασις, εως, ἡ, Dentitio, i. q. ὀδοντοφυΐα, i. e. Dentis jam concreti eruptio extra gingivam. Gorr.

Ὀδοντιάω, Dentio [Gl.].

Ὀδοντίδης, ὁ, Fœnum fruticosum, triangulis flagellis, geniculatis, nigro articulorum nodo, foliis polygono longioribus, hordei semine : inde dictum, quod decoctum in vino austero gargarizatu dolores dentium mulcet. Gorr. [Gulosus. Hesych. : Ὀδοντίδας, πολυφάγος. Wakef.]

[Ὀδοντίζω, Dentibus instruo. Oribas. p. 125 Mai. : Ἔστι δὲ τὸ τύμπανον κυκλοτερὲς κατασκεύασμα ὀδοντισμένον (ὠδ.). L. Dind.]

[Ὀδοντικὸς, ἡ, ὸν, Dentatus. Suidas : Θρῖναξ, ὄργανον γεωργικὸν ὀδ. Matthæi Med. p. 336 : Περὶ ὀδοντικῶν. Galen. De potest. simpl. l. 5, t. 2, p. 30, 48 Ald.]

[Ὀδόντιον, τὸ, Dens. Moschop. in Agapetum ap. Fabric. B. Gr. vol. 8, p. 42, 67 ed. Harl. : Ὀδοὺς λέγεται τὸ ὀδόντιον. L. Dind.]

[Ὀδόντισμα, τὸ, i. q. ὀδοντισμὸς, nisi ita scribendum, ap. Eust. Il. p. 854, 14 : Ἰακὸν δέ φασιν ὁ ὀδὼν, ὅθεν καὶ ὀδόντισμα, διάλεκτος αὐλητικὴ ἢ κρουμά τι.]

Ὀδοντισμὸς, ὁ, Species una ex quinque Pythicis certaminibus, in quibus tibicines pugnam Apollinis cum dracone Pythio exprimere certatim solebant, ut scribit Pollux [4, 84 (et 80)] : Συμπεριείληφε [ἐμπ.] δὲ τὸ ἰαμβικὸν καὶ τὰ σαλπιστικὰ κρούματα καὶ τὸν ὀδοντισμὸν, ὡς τοῦ δράκοντος ἐν τῷ τετοξεῦσθαι συμπρίοντος τοὺς ὀδόντας. VV. LL. ex eod. Polluce [immo Hesychio] ὀδοντισμὸν exp. Modum quendam canendi tibiis, ὅτε ἡ γλῶττα προσβάλλεται πρὸς τὸν ὀδόντα. [V. Ὀδόντισμα. Jacobs. Anthol. Pal. vol. 3, p. 36, ad 3, 6, 5 : « Conf. Clem. Al. Coh. ad gentes p. 2, 8. Eodem fortasse retuleris Orac. Sibyll. p. 699 : Οὐχ αὐλὸς πολύτρητος, ἔχων τε φρενόβλαβον αὐδὴν, οὐ σκολιοῦ σύριγμα φέρων μίμημα δράκοντος, quod vulgo de lituo minus recte interpretantur. »]

[Ὀδοντογλυφίς, ίδος, ἡ. V. Ὀδοντόγλυφον.]

Ὀδοντόγλυφον, τὸ, et Ὀδοντογλυφὶς, ίδος, ἡ, Dentiscalpium, quo ea, quæ dentibus inhærent, eximuntur. Gorr.

Ὀδοντοειδὴς, ὁ, ἡ, Dentis formam habens : ὀδοντοειδὴς ἀπόφυσις, ea est quam ὀδόντα Hippocr. et omnes anatomici πυρηνοειδῆ ἀπόφυσιν appellant. Gorr.

[Ὀδοντόκερας, ατος, τὸ, Dens instar cornu. Schol. Tzetz. Cram. An. vol. 3, p. 357, 18 : Οὓς (dentes) ἐπὶ τῶν ἐλεφάντων οὐκ ὀδόντας ἀλλὰ κέρατα καλοῦσιν· οὕτως οὐδ' ἐλέφας θῆλυς Ἰνδὸς ὀδοντοκέρατα ἔχει, ὥς φησιν Ἀμυντιανὸς ἐν τῷ περὶ ἐλεφάντων· « Αἰθιόπων δὲ καὶ Λιβύων ἐλέφαντες ἄρρενές τε καὶ θήλεις πάντες ὀδοντοκέρατα ἔχουσιν. » L. Dind.]

Ὀδοντομάχης, ὁ, Dentibus pugnans : ὀδ. ὕες, Eust. [Il. p. 854, 11] ex veteribus, οἱ κάπροι, i. e. Apri.

Ὀδοντοξέστης, ὁ, Instrumentum, ut scribit Pollux [2, 96, ubi ὀδοντοξύστης Falkenburgius], medicum, exesis dentibus eradendis idoneum, ut scalper excisorius vel scalpellus.

[Ὀδοντοποιέω, Dentes facio, edo. Pollux 2, 96 : Τὸ τῶν ὀδοντοποιούντων πάθος ὀδοντοφυΐα.]

[Ὀδοντόσμηγμα, τὸ, Dentifricium, Gl.]

Ὀδοντότριμμα, τὸ, Dentifricium, [Gl.], pulvisculus : id maxime est quo fricantur dentes et gingivæ. Gorr.

[Ὀδοντοτύραννος, ὁ, vermis species in India. Pallad. De Brachmanibus p. 10; Vincentii Specul. Histor. 5, 60. Conf. Ælian. N. A. 5, 3. Schneid.]

[Ὀδοντοφθόρος, ὁ, ἡ, Dentes corrumpens. Schneider. sine testim.]

Ὀδοντοφόρος, ὁ, ἡ, Dentifer, Epigr. [Philodemi s. Argentarii Anth. Pal. 6, 246, 2 : Τὸν περὶ στέρνοις κόσμον ὀδοντοφόρον.]

Ὀδοντοφυέω, Dentes produco. Hippocr. Aphor. [3, 25]: Πρὸς δὲ τὸ ὀδοντοφυεῖν προσάγουσιν οὔλων ὀδαξισμοὶ, σπασμοὶ, πυρετοί. Pro quo Celsus, Propriæ etiam dentientium, gingivarum exulcerationes, distentiones nervorum, febriculæ interdum. [Plato Phædr. p. 251, C; Aristot. H. A. 7, 10; Moschio De morb. mul. p. 50. V. Ὀδοντοφυής.] Gregor. : Ὀδοντοφυοῦντι δὲ ἤδη παιδίῳ καὶ αὐξανομένῳ προσάγει τὸν ἄρτον ἡ τιθήνη.

Ὀδοντοφυὴς, ὁ, ἡ, Dentes producens : ὀδοντοφυῆ βρέφη, Dentientes pueri. Camer. [ex Polluce 2, 96 : Ὀδοντοφυεῖ τὰ βρέφη, ubi olim —φυῆ. Eur. Phœn. 821 : Γένναν ὀδοντοφυῆ.]

Ὀδοντοφυΐα, ἡ, Dentitio, Dentium emissio aut productio. Paul. Ægin. 1, 9 : Ὀδοντοφυΐαι γίνονται περὶ ἕβδομον μῆνα. [Pollux 2, 96.]

[Ὀδοντόφυτος, ὁ, ἡ, Ex dentibus natus. Nonn. Dion. 5, 2 : Ὀδ. γιγάντων.]

Ὀδοντόω, Dentibus instruo et munio : unde Ὀδοντωμένος ap. Polluc. [2, 96], Dentatus, Denticulatus, quum πρίονα, Serram, dicit esse σίδηρον ὀδοντωμένον. [Ὀδοντωμένον, Dentale, Gl., pro ὠδοντωμένον.]

Ὀδοντωτὸς, ἡ, ὸν, verbale, Dentatus, Denticulatus : ὀδ. πρίων ap. Galen. [Hero Spirit. p. 230 fin. : Κανόνες ὀδοντωτοὶ, et τυμπάνου ὀδοντωτοῦ etc. L. D. Lucian. Lexiph. c. 5; Greg. Pal. 21, 27, 28.]

Ὁδοποιέω, [Iterfacio, Gl.] Viam facio, Viam munio, Transitum præstruo, ὁδὸν ποιοῦμαι, ut infra habebimus. [Xen. Anab. 4, 8, 8 : Τὴν ὁδὸν ὡδοποίουν, ὡς διαβιβάσοντες· 5, 1, 13.] Lucian. [Demon. c. 1]: Ἢ ὁδοποιῶν τὰ ἄβατα, ἢ γεφυρῶν τὰ δύσπορα, ubi nota accus. Est enim ibi ὁδοποιῶν τὰ ἄβατα, Viam faciens per invia, Viam patefaciens. Dem. [p. 1274, 26] : Τὸ ὕδωρ τά τε χωρία ἐλυμήνατο καὶ μᾶλλον ὡδοποίει, Corrumpebat fundum et reddebat pervium magis. Herodian. 3, [3, 11] : Τὸν δὲ τόπον ὁ χείμαρρος ἀνοίξας ὡδοποίησεν. Et cum dat. personæ ap. [Xen. Anab. 3, 2, 24 : Ὁδοποιήσειέ γ' ἂν αὐτοῖς καὶ εἰ σὺν τεθρίπποις βούλοιντο ἀπιέναι, ubi libri male αὐτούς·] Gregor. : Σφηκίαι προδραμοῦνται, ὁδοποιοῦσαι τῷ Ἰσραὴλ, quasi Viam præeuntes, et transitum aperientes. Aristot. Metaph. 1 [p. 11, 26 Br.] : Προϊόντων δ' οὕτως, αὐτὸ τὸ πρᾶγμα ὡδοποίησεν αὐτοῖς, καὶ συνηνάγκασε ζητεῖν, Res ipsa eos produxit et progredi coegit. Sic Idem in Rhet. 3, [12] : Ὅπερ ὥσπερ ὁδοποιεῖ τῷ ὑποκρίνεσθαι. Latini quoque dicunt in metaph. signif. Facere viam alicui, Patefacere viam alicui ad aliquam rem, Sternere viam, Aditum patefacere. [Absolute schol. Hom. Il. N, 29 : Τόπον παρεῖχε τῷ θεῷ καὶ οὐκ ἀνθίστατο κυμαίνουσα, ἀλλὰ διίστατο ἤτοι ὡδοποίει.] Interdum dativo personæ additur accus. rei. Damasc., de Christo orante loquens : Προσεύχεται, ἡμῖν ὁδοποιῶν τὴν πρὸς θεὸν ἀνάβασιν. Sic Gregor. De homine : Δι' ὑψηλοτέρας δυνάμεως ὁδοποιεῖ τοῖς ἀνθρώποις τὴν περὶ τῆς ἀναστάσεως πίστιν, Viam ad fidem resurrectionis munit, Aditum ad fidem patefacit, Bud. Pass. Ὁδοποιοῦμαι, Via mihi fit s. patefit, Via mihi aperitur s. sternitur, Bud. interpr. Progredior, Promoveo, Proficio, ex Gregorio [Naz. Or. 16, p. 260, 2. Boiss.] afferens, Ἡ κακίας ἐγκοπτομένης δυσπαθείᾳ τῶν πονηρῶν, ἡ ἀρετῆς ὁδοποιουμένης εὐπαθείᾳ τῶν βελτιόνων, ubi ὁδοποιεῖσθαι opposuit τῷ ἐγκόπτεσθαι, Interpellari, Interrumpi quo minus ad exitum perveniat, et cursum intercidi, τὴν ὁδὸν ὑποτμηθῆναι, Bud. [Philo Belop. p. 95, D : Ἐπεὶ δὲ τῷ προσαγομένῳ μηχανήματι ὁδοποιηθῇ. Aristid. Quint. De mus. fin. : Ὡδοποίηται γὰρ ἱκανῶς τοῖς ... συνησομένοις ... || Med. Viam mihi munio, facio. Plato Phæd. p. 112, C : Εἰς οὓς ἕκαστος ὁδοποιεῖται. Diodor. 20, 23 : Οἱ περὶ τὸν Σάτυρον ἐπὶ τρεῖς ἡμέρας ἔτεμνον τὴν ὕλην, ὁδοποιούμενοι καὶ διακαρτεροῦντες ἐπιπόνως.] || Ὁδοποιεῖν, Redigere ad methodum; nam ὁδὸς interdum Methodum s. Rationem et velut artificium significat. Sic exp. hic l. Aristot. Rhet. 1, [1] : Ἐπεὶ δὲ ἀμφοτέρως ἐνδέχεται, δῆλον ὅτι εἴη ἂν αὐτὰ καὶ ὁδοποιεῖν. [Perf. ὡδοπεποιημένος est in libro

A uno Xen. Anab. 5, 3, 1 : Ἡ δὲ ὁδὸς ὡδοπεποιημένη ἦν, ubi deteriores ὁδοποιουμένη, unus ὁδοποιησαμένη, unde jam olim restitui ὡδοποιημένη, ut est H. Gr. 5, 4, 39 : Διὰ τῶν ὡδοποιημένων τοῦ χαρακώματος ἐξόδων, ubi item est var. ὁδοποιουμένων, ut ib. 4, 5, 8 variatur inter ἠριστοποίηντο et ἀριστοποίοιντο et ἠριστοπεποίηντο, similiterque in προωδοποιῆσθαι ap. Aristot. De div. in somn. c. 1, p. 463, 26. L. Dind.]

Ὁδοποίησις, εως, ἡ, Viarum munitio, stratura, ut Suet. Claudio; Munus vias sternendi, quæ et ὁδοστρωσία, et ὁδοποιΐα. Metaph. accipitur pro Patefactione aditus, ut ita dicam. Aristot. Rhet. 3, [14] : Τὸ μὲν οὖν προοίμιόν ἐστιν ἀρχὴ λόγου, ὅπερ ἐν ποιήσει πρόλογος, ἐν αὐλήσει προαύλιον· πάντα γὰρ ἀρχαὶ ταῦτ' εἰσὶ καὶ οἷον ὁδοποίησις τῷ ἐπιόντι. Cic. etiam De orat. 2, dicit principium s. procemium habere debere aditum ad causam et communitionem. [Paul. Ægin. 6, 114.]

Ὁδοποιητικὸς, ἡ, ὸν, Qui viam facere et aditum patefacere ad aliquid potest. Aristot. Ethic. : Ἕξιν

B ὁδοποιητικὴν μετὰ λόγου, Habitum animi ratione viam facientem s. munientem. [Dionys. Areop. Cœl. hier. c. 15, 3.]

Ὁδοποιΐα, ἡ, Viarum munitio, ipsa Actio vel Munus faciendi s. muniendi viam vel vias. Xen. Cyrop. 6, p. 96 [c. 2, 36] : Τούτους δ' ἔχοντας ταῦτα πρὸ τῶν ἁμαξῶν κατ' ἴλας πορεύεσθαι, ὅπως ἤν τι δέῃ ὁδοποιΐας, εὐθὺς ἐνεργοὶ ἦτε, Si vias facere et munire opus sit. [Plut. C. Graccho c. 7.]

Ὁδοποιὸς, ὁ, ἡ, Qui viam facit, h. e. Qui viam s. vias munit et sternit, Cujus munus est facere vel etiam reficere vias aut publicas aut militares. Æschin. [p. 57, 27] : Ἦσαν δὲ καὶ ὁδοποιοὶ, καὶ σχεδὸν τὴν ὅλην διοίκησιν εἶχον τῆς πόλεως. Et in exercitu ὁδοποιοὶ, Qui vias muniunt. Xen. Cyrop. 6, p. 96 [c. 2, 36] : Ὑμεῖς οἱ τῶν ὁδοποιῶν ἄρχοντες, Vos, qui præestis iis, qui viam muniunt exercitui. Bud. p. 795, Magistratum illum Athen., quem Æschines paulo ante ὁδοποιὸν vocat, sicut et Demosth., Latine dici posse Viatorem scribit. [V. Grot. ad Luc. 3, 5.]

C Ὁδὸς, ἡ, Via, Iter. Hom. Od. [Z, 261] : Ἐγὼ δ' ὁδὸν ἡγεμονεύσω, Dux viæ ero, vel etiam itineris. Id. [M, 26] : Ἐγὼ δείξω ὁδὸν, ἠδὲ ἕκαστα Σημανέω· Δ, [389] : Ὅς κέν τοι εἴπῃσιν ὁδὸν καὶ μέτρα κελεύθου· Il. Z, [15] : Ὁδῷ ἔπι οἰκία ναίων· Π, [271] : Ὁδῷ ἔπι οἰκί' ἔχοντες. [K, 274 : Τοῖσι δὲ δεξιὸν ἧκεν ἐρῳδιὸν ἐγγὺς ὁδοῖο Παλλάς· Ψ, 424 : Παρατρέψας ἔχε μώνυχας ἵππους ἐκτὸς ὁδοῦ.] Hesiod. Op. [727] : Μήτ' ἐν ὁδῷ μήτ' ἐκτὸς ὁδοῦ προβάδην οὐρήσῃς. [Theognis 220 : Μέσην δ' ἔρχου τὴν ὁδόν· 331 : Μέσσην ὁδὸν ἔρχεο· 939 : Εἶμι παρὰ σταθμὴν ὀρθὴν ὁδόν.] Dem. [p. 1274, 17] : Τὸ καταρρέον ὕδωρ τῇ μὲν εἰς τὴν ὁδὸν, τῇ δὲ εἰς τὰ χωρία συμβαίνει φέρεσθαι, Aqua defluens, partim in viam publicam, partim in fundos deferri solet. Id. [ibid.] : Ἣ μὲν ἂν εὐοδῇ, φέρεται κάτω κατὰ τὴν ὁδὸν, In viam publicam. Xen. Cyrop. 8, [3, 9] : Στίχοι εἱστήκεσαν ἔνθεν τῆς ὁδοῦ· et [1, 6, 43] : Στενὰς ἢ πλατείας ὁδοὺς, ἢ ὀρεινὰς, ἢ πεδινάς. Et Prov. Ὁδὸς σκληρὰ, Via salebrosa : itidemque δύσβατος καὶ πετρώδης ὁδὸς, quam ἀπόκροτον vocat Thuc. Et ap. Dem. Phal. τραχεῖα ὁδὸς, et ἀνώμαλος

D ὁδός. [Eur. Bacch. 841 : Ὁδοὺς ἐρήμους.] At metaph. Xen. Cyrop. 1, [3, 4] : Ἁπλουστέρα καὶ εὐθυτέρα παρ' ἡμῖν ἡ ὁδός. [Herodot. 1, 117 : Οὐ τρέπεται ἐπὶ ψευδέα ὁδόν.] Dem. Phal. : Αἱ πολλὰ σημεῖα ἔχουσαι ὁδοὶ καὶ πολλὰς ἀναπαύλας. Herodian. [8, 5, 12] : Λεωφόροι ὁδοὶ, Viæ publicæ s. regiæ : quæ absolute quoque λεωφόροι. Et βασιλικαὶ ὁδοὶ, eæd. quæ λεωφόροι, Regiæ. Plut. Demetr. p. 290 [c. 46]. Sic Gregor. : Διὰ τῆς λείας ὁδοῦ φέρων καὶ ἄγαν εὐπόρου καὶ βασιλικῆς ὄντως. Et ἱερὰ ὁδὸς ap. Pausan. Att. p. 26 [c. 36, 3], Via sacra, quæ Eleusinem ferebat. [De Delphica Herodot. 6, 34.] At vero βραχεῖα ὁδὸς, cui opponitur μακρὰ, ap. Lat., Via brevis et longa : vel etiam Iter breve aut longum. [Soph. Ant. 232 : Χοὕτως ὁδὸς βραχεῖα γίγνεται μακρά. Pind. Pyth. 9, 70 : Ὠκεῖα δ' ἐπειγομένων ἤδη θεῶν πρᾶξις ὁδοί τε βραχεῖαι. Tymn. Anth. Pal. 7, 211, 4 : Νῦν δὲ τὸ κείνου φθέγμα σιωπηραὶ νυκτὸς ἔχουσιν ὁδοί. Soph. fr. Creusæ ap. Stob. Fl. 38, 26 : Οὔτ' ἂν ὄλβον ἔκμετρον ἔνδον εὐξαίμαν ἔχειν· φθονεραὶ γὰρ ὁδοί.] Item ap. Athen. 12 : Τῶν εἰς τοὺς ἀγροὺς φερουσῶν ὁδῶν. [Aristoph. Av.

A
1006 : Φέρουσαι δ' ὦσιν εἰς αὐτὴν ὁδοί.] Itidemque ap. Philon. V. M. 3 : Ὦ τὴν πρὸς εὐδαιμονίαν ἄγουσαν ἀνατέμνει ὁδόν. [Soph. OEd. T. 733 : Σχιστὴ δ' ὁδὸς ἐς ταὐτὸ Δελφῶν κἀπὸ Δαυλίας ἄγει. Plato Reip. 4, p. 434, D.] Thuc. 4 [immo 3, 24] : Ἐχώρουν ἀθρόοι τὴν εἰς Θήβας φέρουσαν ὁδόν. Sic Virg., Quo via ducit in urbem. Idem, Via Tartarei, quæ fert Acherontis ad undas : qua loquendi forma utitur et Livius, ut Bud. quoque annotavit p. 372, Græca etiam exempla e Xen. et Pausania proferens. Xen. Cyrop. 5 : Τῆς πρὸς ἐμὲ ὁδοῦ· Hell. 7, [1, 19] : Ἀποκλείσοντες αὐτὸν τῆς ἐπ' οἶκον ὁδοῦ, ubi subauditur ἀγούσης s. φερούσης, ut in præcedentibus. Legitur præterea τὴν ὁδὸν τέμνειν ap. Thuc., quod Philo paulo ante ἀνατέμνειν dicit, pro Findere, Facere viam, qua iri queat. Sic idem Thuc. [2, 100] : Ὁδοὺς εὐθείας ἔτεμε, Vias rectas fecit. [Aliter de sole Eur. Phœn. 1 : Ὦ τὴν ἐν ἄστροις οὐρανοῦ τέμνων ὁδόν. Plato Leg. 7, p. 810, E : Τὴν νῦν τετμημένην ὁδὸν τῆς νομοθεσίας· 803, E : Καθάπερ ὁδοὶ τέτμηνται. Id. Polit. p. 265, A : Δύο τινὲ ὁδὼ τεταμένα.] Xen. Anab.

B
[5, 1, 15] dicit ποιεῖν τὰς ὁδοὺς, quod Latini ad verbum Facere viam, et Græci composito ὁδοποιεῖν. Sic Hippocr. : Τὸ πνεῦμα ὁδὸν ποιέεται, καὶ χωρεῖ ἔξω, Spiritus sibi viam facit, atque erumpit. At metaph. ap. Demetr. : Ὁδὸν τοῖς μείζοσι πονηροῖς ἀνοιγνύουσιν. Sic Virg., Aperire viam. [Themistocl. Epist. 4, p. 16 : Καὶ ἡμεῖς ἴσως ἂν ἑαυτοὺς αἰτιῴμεθα, ἀνοίξαντας ὁδὸν τοῖς πράγμασιν εὐρεῖαν.] Et ap. Plut. De fort. Alex. 2 [p. 340, F] : Ποῦ σὺ καὶ πότε ταῖς Ἀλεξάνδρου πράξεσιν ὁδὸν ἔδωκας; Sic Cic. dicit, Dare viam alicui per fundum suum. Et, Nullas dans vias nobis ad significationum scientiam. [Demosth. p. 601, 18 : Ἐὰν πολλὰς ὁδοὺς δῷ διὰ τῶν νόμων ἐπὶ τοὺς ἠδικηκότας.] Cui contr. ἀποκλείειν τινὰ τῆς ὁδοῦ, quod e Xen. attuli. [Pind. Ol. 6, 25 : Ὁδὸν ἁγεμονεῦσαι ταύταν. Eur. fr. ap. Macrob. Sat. 1, 17 : Δράκων ὁδὸν ἡγεῖται ταῖς τετραμόρφοις ὥραις.] Item, ἐκνεύειν τῆς ὁδοῦ, Deflectere s. Declinare a via, ap. Plut. [Mor. p. 577, B.] Et ἐξίστασθαι τῆς ὁδοῦ, Decedere de via. Apud Athen. 13 : Εἰ μὴ θᾶττον ἐκστήσῃ ποτὲ Ἐκ τῆς ὁδοῦ. Sic Xen. Symp. [4, 31] : Ὑπανί-

C
στανται δέ μοι ἤδη καὶ θάκων, καὶ ὁδῶν ἐξίστανται· Cyrop. 8, [7, 10] : Πολίταις καὶ ὁδῶν καὶ θάκων καὶ λόγων ὑπείκειν. [Eur. Ion. 635 : Οὐδέ μ' ἐξέπληξ' ὁδοῦ πονηρὸς οὐδείς· κεῖνο δ' οὐκ ἀνασχετὸν εἴκειν ὁδοῦ χαλῶντα τοῖς κακίοσι.] Idem [ib. 1, 6, 43] τὰς ὀρεινὰς ὁδοὺς ἄγειν στρατιὰν, Per vias montosas, seu, ut alii, Montosis itineribus ducere exercitum. Item ap. Thuc. 1, [106] : Διαμαρτὼν τῆς ὁδοῦ· 3, [98] : Τῶν ὁδῶν ἁμαρτάνοντας καὶ εἰς τὴν ὕλην ἐσφερομένους. Virg. et Terent. quoque dicunt Errare via. Contra ap. Lucian. [Hermot. c. 3] : Τῆς ὁδοῦ τυγχάνειν, pro Invenire viam. Xen. Apomn. 2, [1, 27] : Εἰς τὴν πρὸς ἐμὲ ὁδὸν τράποιο· et [23], τρέπεσθαι ὁδὸν ἐπὶ τὸν βίον, quod Cic. vertit, Vivendi viam ingredi : qui ap. Plat. [Leg. 7, p. 810, E] ὁδὸν πορεύεσθαι itidem interpr. Viam ingredi. [Eur. El. 604 : Ποίαν ὁδὸν τραπώμεθ' εἰς ἐχθροὺς ἐμούς; Plato Soph. p. 242, B.] Plut. Polit. præc. [p. 800, C] : Μίαν ὁδὸν πορεύεσθαι τὴν ἐπὶ τὸ βῆμα, quod Thuc. paulo ante χωρεῖν ὁδόν. [Isocr. p. 2, A; 6, A.] Idem Symp. 8 : Κοινήν τινα καὶ πάτριον ὁδὸν βαδίζειν. [Et Mor. p. 168, D.] Et Thuc. 3,

D
[64] : Μετὰ γὰρ Ἀθηναίων ἄδικον ὁδὸν ἰόντων ἐχωρήσατε. Philo V. M. 1 : Τριῶν ἡμερῶν ὁδὸν ἔξω τῆς χώρας προελθών· ut Cic., Quum progressus esset multorum dierum viam. Et Cæs., Tridui viam a suis finibus processisse. Plato De rep. 1, [p. 328, E] : Ὁδὸν προεληλυθότων, ἣν καὶ ἡμᾶς ἴσως δεήσει πορεύεσθαι. Ap. Eund., Ὥσπερ τινὰ ὁδὸν προεληλυθότων, Cic. vertit Tanquam longam aliquam viam confeceris. Xen. Cyrop. 5, [5, 42] : Ὁδὸν μακρὰν ἥκων. [Soph. El. 1318 : Ὅτ' οὖν τοιαύτην ἡμὶν ἐξήκεις ὁδόν· Aj. 994 : Ὁδὸς ἣν δὴ νῦν ἔβην. Eur. Or. 633 : Διπλῆς μερίμνης διπτύχους ἰὼν ὁδούς· Andr. 1125 : Τίνος μ' ἕκατι κτείνετ' εὐσεβεῖς ὁδοὺς ἥκοντα; Et similiter alii cum his et similibus verbis.] Sicut vero Latini dicunt non solum Ire viam, Insistere viam, sed etiam Ire via, Insistere viæ, ita Græci non solum βαδίζειν ὁδὸν, sed etiam βαδίζειν ὁδῷ, necnon ἐν ὁδῷ : sicut ἐν τῇ ὁδῷ πορεύεσθαι ap. Thuc. Lucian. [Hermot. c. 1] : Ὡς μηδὲ ὁδῷ βαδίζων σχολὴν ἄγοις· et [ib. fine] : Ἄν ποτε φιλοσόφῳ ἐν ὁδῷ βαδίζων ἐντύχω. [Sine præp. Eur. Bacch. 68 : Τίς ὁδῷ, τίς ὁδῷ; Aristoph. fr. Triphalet. ap. Athen. 12, p. 525, A.] At Thuc. 2, [3] : Ὅπως μὴ διὰ τῶν ὁδῶν φανεροὶ ὦσιν ἰόντες, Ne per vias proderentur. Plut. De orac. : Δείκνυσι τὴν ὁδὸν, ᾗ βαδίζει τὸ πεπρωμένον, Qua via it, Cui viæ insistit. Aliquando vero ὁδῷ βαδίζειν est Recta via progredi : cujus signif. exempla habes ap. Bud. p. 336. Sic [Demosth. p. 772, 18 : Ὁδῷ βαδίζει·] Theodor. Provid. 2 : Ὁδῷ τοίνυν βαδίζοντες ἐξετάσωμεν τοῦ ἀέρος τὴν φύσιν. Idem l. 1 : Τέως δὲ ὁ λόγος ὁδῷ βαδιζέτω, Interrupto cursu progrediatur. Plut. [Mor. p. 371, C : Τοῖς πράγμασιν ὁδῷ βαδίζουσι καὶ πρὸς ὃ χρὴ φερομένοις·] Lyc. [c. 29] : Ὁδῷ βαδίζει καὶ ἐν ἔργῳ γίνεται, Cursum suum agit. [Liban. vol. 4, p. 376, 25. Hemst.] Itidemque ὁδῷ προϊέναι, Progredi, Proficere, Promovere. [Plato Reip. 7, p. 533, B : Οὐκ ἄλλη τις ἐπιχειρεῖ μέθοδος ὁδῷ περὶ παντὸς λαμβάνειν· Phædr. p. 263, B.] Aristid. [vol. 1, p. 108] : Ὁδῷ προίεσαν [—ῄεσαν] αὔξοντες φιλοτιμίαν. At ὁδῷ προβαίνων, Bud. ex Chrysost. Ad Cor. p. 46, affert pro Sensim progrediens. [Peyron. Pap. fasc. 1, p. 36, 13 : Κατὰ νόμους ὁδῷ πορευομένους. Proprie Plato Tim. p. 20, C : Καθ' ὁδὸν ἐσκοποῦμεν· Plut. Mor. p. 148, B : Ἐν τοιούτοις λόγοις γενόμενοι καθ' ὁδόν. Improprie positum v. infra.] Item πρὸ ὁδοῦ γενέσθαι, Progredi. Hom. Il. Λ, [382] : Οἱ δ' ἐπεὶ οὖν ᾤχοντο, ἰδὲ πρὸ ὁδοῦ ἐγένοντο. Et ap. Lucian. [Hermot. c. 1] : Ἀεὶ σπουδαῖόν τι πράττων καὶ ὃ πρὸ ὁδοῦ σοι γένοιτ' ἂν ἐς τὰ μαθήματα, Et cujus beneficio in bonis disciplinis progrediaris ; etiam, Quod utile et commodum esse possit. [OEnom. ap. Euseb. Pr. ev. 5, p. 214, D. Hemst.] Apud Synes. autem Epist. 125 : Ἐπειδὰν πρὸ ὁδοῦ γενώμεθα, redditur, Ubi parati ad viam fuerimus. Πρὸ ὁδοῦ ἔσται, Opportunum et commodum erit, Bud. p. 715, ex Aristot. De gen. anim. 1, [8] : Πρὸ ὁδοῦ γὰρ οὕτως ἔσται. Alibi vero πρὸ ὁδοῦ εἶναι dicitur pro eo, quod In promptu est, Obvium occurrens. [Conf. 2, 4 med. Et 4, 5 : Τοῖς ἄρρεσι τὸ ἀνασπᾶσθαι τοὺς ὄρχεις συμβαίνει πρὸ ὁδοῦ πρὸς τὴν ὀχείαν.] Et ex H. A. 4 [l. c.] : Συμβαίνει πρὸ ὁδοῦ πρὸς τὴν ὀχείαν, Ad proclivitatem coitus confert. [Ælian. N. A. 3, 16 : Διαδιδράσκει καὶ γίνεται πρὸ ὁδοῦ. Hinc contr. Φροῦδος.] Ὁδοῦ πάρεργον, Obiter. Themist. In 3 Phys. : Ἀλλὰ ταῦτα μὲν ὁδοῦ, φασὶ, πάρεργον εἰρήσθω. Cic. Ad Att. [5, 21; 7, 1] : Nam ὁδοῦ πάρεργον volo te hoc scire : i. e., ut interim a proposito digrediar. Bud. p. 843. [Proprie Eur. El. 509 : Ἦλθον γὰρ αὐτοῦ πρὸς τάφον πάρεργ' ὁδοῦ.] || Via et ratio, μέθοδος, Bud. p. 336, ex Aristot. Sic Dem. [p. 31, 19] : Τὴν τοῦ τὰ βέλτιστα λέγειν ὁδὸν παράσχητε ἀσφαλῆ. Isocr. Ad Demon. [p. 2, A] : Ὅσοι τοῦ βίου ταύτην τὴν ὁδὸν ἐπορεύθησαν, Qui hanc vitæ viam instituunt. Xen. Cyrop. 1, [6, 16] : Τίνα δὲ ὁδὸν ἰὼν τοῦτο πράττων ἱκανὸς ἔσομαι; [Theognis 382 : Οὐδ' ὁδὸς, ἥντιν' ἰὼν ἀθανάτοισιν ἅδοι. Aristoph. Pl. 506.] Plut. Lyc. [c. 9] : Ἑτέρᾳ προῆλθεν ὁδῷ, καὶ κατεπολιτεύσατο τὴν ἐν τούτοις πλεονεξίαν. Aristoph. Nub. [75] : Νῦν οὖν ὅλην τὴν νύκτα φροντίζων ὁδοῦ, Μίαν [φρ., ὁδοῦ μίαν] εὗρον ἀτραπὸν δαιμονίως ὑπερφυᾶ. Apud Latinos quoque Invenire viam eod. modo dicitur; itidemque ap. Thuc., Ὁδοὶ πολέμου πολλαὶ, pro πορισμοί. [Conf. 1, 122.] Et δαΐαν ὁδὸν, in VV. LL. Rationem contentiosam et pugnacem. [Ex Aristoph. Ran. 897 : Τίνα λόγον ἔπιτε δαΐαν ὁδόν, de certamine Æschyli et Euripidis. Pind. Ol. 1, 110 : Γλυκυτέραν ἐπίκουρον εὑρὼν ὁδὸν λόγων, et cum eod. nomine Nem. 7, 51, ut alibi σιγᾶς, σοφίας, ἀλαθείας, ὕβριος, πραγμάτων ὁδὸς vel ὁδοί. Theocr. 16, 69 : Χαλεπαὶ γὰρ ὁδοὶ τελέθουσιν ἀοιδοῖς κουράων ἀπάνευθε Διὸς, ubi alii ἀοιδᾶν vel ἀοιδαῖς. Orac. ap. Aristoph. Eq. 1015 : Φράζευ, Ἐρεχθείδη, λογίων ὁδὸν, ἥν σοι Ἀπόλλων ἴαχεν ἐξ ἀδύτοιο. Ipse Pac. 733 : Ἣν ἔχομεν ὁδὸν λόγων εἴπωμεν. Eur. Phoen. 911 : Ἄκουε θεσφάτων ἐμῶν ὁδόν· Hec. 744 : Ἐξιστορῆσαι σὴν ὁδὸν βουλευμάτων· Hipp. 290 : Στυγνὴν ὀφρὺν λύσασα καὶ γνώμης ὁδόν· 391 : Λέξω δὲ καί σοι τῆς ἐμῆς γνώμης ὁδόν· Heracl. 901 : Ἔχεις ὁδόν τιν', ὦ πόλις, δίκαιον· Med. 376 : Πολλὰς ἔχουσα θανασίμους αὐταῖς ὁδοὺς, οὐκ οἶδ' ὁποίᾳ πρῶτον ἐγχειρῶ· Heracl. 236 : Τρισσαί μ' ἀναγκάζουσι συμφορᾶς ὁδοί· Ion. 930 : Μετῆλθες ἄλλων πημάτων καινὰς ὁδούς. Æsch. Eum. 989 : Γλώσσης ἀγαθῆς ὁδὸν εὑρίσκειν. Soph. OEd. T. 311 : Εἴ τιν' ἄλλην μαντικῆς ἔχεις ὁδόν· 1314 : Ἀμφιάρεως, τὰ πρῶτα μὲν ὄρει κρατύνων, πρῶτα δ' οἰωνῶν ὁδοῖς. Herodot. 2, 20 : Ἔλεξαν περὶ τοῦ ὕδατος τούτου

τριφασίας ὁδοὺς, et 21, 22.] Huc pertinere videtur καθ' ὁδὸν pro Recte. Plato De rep. 4, [p. 435, A]: Καθ' ὁδόν τε λέγεις, καὶ ποιεῖν χρὴ οὕτως. [Crat. p. 425, B. Eur. Med. 776: Νῦν καλλίνικοι ... γενησόμεσθα κἀς ὁδὸν βεβήκαμεν· Or. 550: Ἀπελθέτω δὴ τοῖς λόγοισιν ἐκποδὼν τὸ γῆρας ἡμῖν τὸ σὸν, καὶ καθ' ὁδὸν εἶμι. Id. Hel. 765: Ἡ πόλλ' ἀνήρου μ' ἐνὶ λόγῳ μιᾷ θ' ὁδῷ. Demosth. p. 263, 23: Ἁπλῶς τὴν ὀρθὴν ὁδὸν περὶ τῶν δικαίων διαλέξομαι, ubi ὁδὸν deletum cum libris melioribus.] || Ὁδοὶ Θεοῦ dicuntur Via et ratio, qua Dei providentia omnia regit et gubernat. Ad Rom. 11, [33]: Ἀνεξιχνίαστοι αἱ ὁδοί σου [αὐτοῦ], Viæ tuæ. Apoc. 15, [3]: Δίκαιαι καὶ ἀληθιναὶ αἱ ὁδοί σου. Alias ὁδὸς Θεοῦ dicitur Via qua ad eum itur. Matth. 3, [3]: Ἑτοιμάσατε τὴν ὁδὸν Κυρίου. Jo. 1, [23]: Εὐθύνατε τὴν ὁδὸν Κυρίου. Matth. 22, [16]: Τὴν ὁδὸν τοῦ Θεοῦ διδάσκεις. Hebræorum more ὁδὸς dicitur etiam Vitæ institutum, Secta, αἵρεσις. Act. 19, [9]: Κακολογοῦντες τὴν ὁδὸν ἐνώπιον τοῦ πλήθους, Christianismum, Viam Domini, salutis. Ib. 9, [2] de Paulo: Ἐάν τινας εὕρῃ τῆς ὁδοῦ ὄντας, Si quos invenisset hujus sectæ, Si quos inveniret, qui eam vitæ fideique viam sequerentur. [Plura hujus generis v. ap. Suicerum.] || Auxilium viæ, ut Virg., quod latius extendi potest quam Viaticum. Hom. Il. I, [42]: Εἰ δέ τοι αὐτῷ θυμὸς ἐπέσσυται ὥστε νέεσθαι, Ἔρχεο· πάρ τοι ὁδὸς, νῆες δέ τοι ἄγχι θαλάσσης· nam ibi schol. exp. πάρεστί σοι τὰ πρὸς τὴν ὁδὸν ἡτοιμασμένα. Mallet tamen fortassis aliquis, Via patet, Ire licet. || Insidiæ, quæ juxta viam struuntur. Hom. Il. A, [151]: Ἢ ὁδὸν ἐλθέμεναι, ἢ ἀνδράσιν ἶφι μάχεσθαι· quod alibi [227] dicit, Οὔτε λόχονδ' ἰέναι σὺν ἀριστήεσσιν Ἀχαιῶν Τέτληκας θυμῷ. Ubi annotat Eust. veteres ὁδὸν ἐλθεῖν exponere εἰς λόχον ἀπελθεῖν, afferentes similem vocabuli ὁδὸς usum ex Dem. [p. 637, 2]: Ἐν ὁδῷ καθελὼν, i. e. ἐν λόχῳ. [Conf. Harpocrat. v. Ὁδὸς, qui loco Dem. utitur etiam v. Καθελὼν, ubi Stesichori et Sophoclis ex Eumelo de hoc v. addit testimonia, quæ non recte ad ὁδὸς retulit Brunck. in Lex. Soph.] Sed Eust. et aliter accipi posse tradit, ut sc. ὁδὸς ibi πλατυκώτερον dicatur πρὸς διαστολὴν ἀντιπροσώπου παρατάξεως: ut sunt τὸ ἐπὶ λεία ἀπελθεῖν που, et τὸ ἐπὶ κατασκοπεύσει λαοῦ, ἢ τείχους ἀναμετρήσει: posse etiam dici de legatione. Alibi tamen Idem rursus annotat, illud hemistichium, Οὐδὲ λόχονδ' ἰέναι, esse παραφραστικὸν s. ἑρμηνευτικὸν hujus, ὁδὸν ἐλθέμεναι. Sic in VV. LL. ἐνεδρευθεὶς καθ' ὁδὸν, pro ὁ λοχώμενος, Qui in insidiis subsidet, in subsessis delitescit; Insidiator viæ, Subsessor, ut Cic. et Serv.: qui et ὁδοιδόκος et ὁδούρης [ὁδουρός]. Qui tamen l., sicut et is, qui ex Dem. affertur, in propria etiam signif. accipi potest. || Alicubi reddi potest etiam Iter, ut dictum est, Profectio. Hom. Od. Δ, [483]: Αἴγυπτόνδ' ἰέναι δολιχὴν ὁδὸν ἀργαλέην τε, Longo ac difficili itinere in Ægyptum ire. K, [490]: Ἀλλ' ἄλλην χρὴ πρῶτον ὁδὸν τελέσαι, καὶ ἱκέσθαι Εἰς Ἀΐδαο, Aliud prius iter faciendum est. [Mimnerm. ap. Strab. 1, p. 67: Τελέσας ἀλγινόεσσαν ὁδόν. Theognis 72: Μακρὴν ποσσὶν ... ὁδὸν ἐκτελέσας· 691: Χαίρων εὖ τελέσειας ὁδὸν μεγάλου διὰ πόντου.] Od. A, [309]: Ἀλλά γε νῦν ἐπίμεινον, ἐπειγόμενός περ ὁδοῖο· Δ, [733]: Ἔμεινε καὶ ἐσσυμένος περ ὁδοῖο· A, [315]: Μή μ' ἔτι νῦν κατέρυκε λιλαιόμενόν περ ὁδοῖο. Dem. [p. 293, 14]: Τριῶν ἡμερῶν ὁδὸν ἀπὸ τῆς Ἀττικῆς τῆς μάχης γεγενημένης. Xen. Cyrop. 3, [3, 23]: Δέχ' ἡμερῶν ἀπέχειν ὁδόν. Plut. Alex.: Εἰ ὁδὸν βαδίζοι μὴ λίαν ἐπείγουσαν. Herodian. 3, [6, 21]: Αὐτὸς δὲ τῆς ὁδοῦ εἴχετο, μηδεμίαν ἀνοχὴν ἀναπαύλης διδοὺς, Iter faciebat sine intermissione; et [18]: Τῆς ἐπὶ τὸν Ἀλβῖνον ὁδοῦ εἴχετο, Intendebat iter adversus Albinum susceptum. Lysias [p. 169, 10]: Ῥαστώνην ἐμαυτῷ ἐξεῦρον εἰς τὰς ὁδοὺς τὰς μακροτέρας, Facilem modum inveni longioris itineris conficiendi. Synes. Epist. 54: Ὀνήσομαι τοῦτο τῆς ἐπὶ τὰς Ἀθήνας ὁδοῦ, Hoc boni consequar ex profectione mea. Plut. [Mor. p. 588, A]: Ἐπαρωμένη κακὰς ὁδοὺς, κακὰς δ' ἐπανόδους. Et ἐν ὁδῷ εἶναι, quod Cic. quoque dicit Esse in itinere. Thuc.: Ὁρῶντες ἤδη σφᾶς ἐν ὁδῷ ὄντας. Sic accipi possunt et primi tmematis loci quidam. Usurpatur enim Via interdum pro Iter; et rursum Iter nonnunquam pro Via. [Ceterum locutiones haud paucæ quæ formantur verbis quibusdam cum ὁδὸς conjunctis, quærendæ sunt in illis. Hic addimus usum genit. ap. Soph. OEd. T. 1478: Καί σε τῆσδε τῆς ὁδοῦ δαίμων ἄμεινον ἢ 'μὲ φρουρήσας τύχοι. Aristoph. Pac. 1155: Χἄμα τῆς αὐτῆς ὁδοῦ Χαρινάδην τις βωσάτω. || Aristot. Meteor. 1, 6: Ὁ μέγας ἀστὴρ ἐφάνη μὲν χειμῶνος ... τὸ δὲ φέγγος ἀπέτεινε μέχρι τοῦ τρίτου μέρους τοῦ οὐρανοῦ οἷον ἅλμα, διὸ καὶ ἐκλήθη ὁδός.] || Ὁδὸς Eust. derivat ab ἕω significante πορεύομαι.

|| Quod si vero in Ὀδὸς tenuetur prima syllaba, significat βαθμὸν, inquit Suid. [Ex Harpocrat., qui addit testim. Lysiæ ἐν τῷ κατὰ Φιλίππου, εἰ γνήσιος ὁ λόγος. Lycurgi ex. v. infra.] Idem ὀδὸς exp. οὐδὸς, in hoc l. Soph. [OEd. C. 1590]: Ἐπεὶ δ' ἀφῖκτο τὸν καταῤῥάκτην ὀδὸν, i. e. φλιὰν, inquit: de ædibus Plutonis. Similiter Eust. p. 156: Ὅτι δὲ οὐδὸς παρὰ τὸ ὁδεύεσθαι γίνεται, δηλοῦσι καὶ παρὰ Σοφοκλεῖ ἐν Οἰδίποδι τῷ ἐπὶ Κολωνῷ πολλὰ τῶν ἀντιγράφων, ὀδὸν δίχα τοῦ υ γράφοντα τὸν οὐδὸν, ἐν τῷ, Ἐπεὶ δ' ἀφῖκτο τὸν καταῤῥάκτην ὀδὸν Χαλκοῖς βάθροισι γῆθεν ἐῤῥιζωμένον. Qui l. habetur p. 322 meæ ed., ubi et schol. exp. οὐδόν: annotatque, quem initio χαλκόπουν οὐδὸν Soph. vocavit, eum nunc ex scena et theatro submovere, et καταῤῥάκτην propterea nominare, quod illa descensus esse ad inferos crederetur. Veruntamen idem schol. p. 272 [ib. 57] ubi habetur, Ὃν δ' ἐπιστείβεις τόπον, Χθονὸς καλεῖται τῆσδε χαλκόπους ὀδὸς, non amplius exponit οὐδὸς, sed in propria signif. accipit, et ex Apollodoro tradit δι' αὐτῆς κατάβασιν εἶναι εἰς ᾅδου: vocari autem χαλκόπουν, quoniam ærifodinæ ibi erant. Contra vero hanc expositionem, sc. οὐδὸς, videntur confirmare verba, quæ ex Oraculo affert, Βοιωτοὶ δ' ἵπποιο ποτιστείχουσι Κολωνὸν, Ἔνθα λίθος τρικάρανος ἔχει καὶ χάλκεος οὐδός. Itaque ὀδὸς per systolen dictum est pro Οὐδὸς, ὁ, Limen, Lignum s. Saxum in ima januæ parte qua in ædes intratur. Eust. l. c.: Βηλὸς δὲ συνήθως, ὁ τῆς οἰκίας βατήρ, παρὰ τὸ βαίνεσθαι, ὡς καὶ οὐδὸς παρὰ τὸ ὁδεύεσθαι. Hom. Od. H, [87]: Ἐς μυχὸν ἐξ οὐδοῦ, A limine usque in domus penetralia. Ib. [A, 103]: Ἐνὶ προθύροις Ὀδυσῆος Οὐδοῦ ἔπ' αὐλείου· Il. Θ, [15]: Ἔνθα σιδήρειαί τε πύλαι καὶ χάλκεος οὐδός. Auratum limen dicit Seneca, Ferreum Lucanus, Marmoreum Horatius. Similiter Od. H, [89]: Ἀργύρεοι δὲ σταθμοὶ ἐν χαλκέῳ ἕστασαν οὐδῷ· Π, [41]: Αὐτὰρ ὅγ' εἴσω ἴεν καὶ ὑπέρβη λάϊνον οὐδὸν, Transibat limen marmoreum, ut Ovid., Transire limen cautius. N, [63]: Ὣς εἰπὼν ὑπὲρ οὐδὸν ἐβήσετο· Δ, [680]: Τὸν δὲ κατ' οὐδοῦ βάντα προσηύδα Πηνελόπεια, Accedentem ad limen, Appropinquantem ædibus. Insistere limen dicit Virg.; Exire limen, Terent. [Ἐπὶ τοίχῳ ἄχρι μέσων οὐδῶν, Theocr. 23, 50. Hemst. Lucian. Anth. Pal. 11, 403, 7: Τοὔνεκά νυν φεύγεις πενίης τὸν ἀχάλκεον οὐδόν. Orph. Arg. 986: Αὐτὰρ ἐγὼν ὑπὲρ οὐδὸν ἔβην.] Est et in prosa hujus vocabuli usus: Plut. Quæst. Rom. [p. 271, C]: Τὴν γαμουμένην οὐκ ἐῶσιν αὐτὴν ὑπερβῆναι τὸν οὐδὸν τῆς οἰκίας, ἀλλ' ὑπεραίρουσιν οἱ προπέμποντες. [Lucian. De domo c. 18: Ἐπειδὰν μόνον ὑπερβῇ τὸν οὐδόν· Hermot. c. 23: Πάντα ταῦτα, τὸ γένος, τὴν ἐλευθερίαν, τοὺς προγόνους, ἔξω τοῦ οὐδοῦ καταλείψων ἴσθι, ἐπειδὰν ἐπὶ τοιαύτην σαυτὸν λατρείαν ἀπεμπολήσας εἰσίῃς.] Metaphor. quoque γήραος οὐδὸς dicitur, ut Lucr. Limen lethi (ibi enim Limen accipitur pro Aditu s. Introitu); ut et Plin. Limen interni maris, Virg. Limina portarum, Cic. Limen cubiculi, Ostium limenque carceris: quibus in ll. Limen est, quod εἴσοδον Græci dicunt. Hom. Il. X, [60]: Ὅν ῥα πατὴρ Κρονίδης ἐπὶ γήραος οὐδῷ Αἴσῃ ἐν ἀργαλέῃ φθίσει· Od. O, [246]: Οὐδ' ἵκετο γήραος οὐδόν· et [347]: Ἰὼν ἐπὶ γήραος οὐδῷ. Sic Phocyl. [217]: Μέχρι γήραος οὐδῷ [οὐδοῦ], Usque ad senectutis limen, exeuntem senectutem: si ita dici potest ut Ab ineunte ætate. Utuntur et prosæ scriptores hac metaph. imitatione poetarum: Plato De rep. 1, [p. 328, E]: Ἐνταῦθα εἶ τῆς ἡλικίας ὃ δὴ ἐπὶ γήραος οὐδῷ φασὶν εἶναι οἱ ποιηταί. Antiphon [Lycurgus p. 153, 4, pro quo per errorem scripsit Steph. Antiphontem, ut monuit Kuster. ad Suid. in Πεπορνημένος. Hemst.]: Τοὺς πρεσβυτέρους καὶ τοῦ στρατεύεσθαι ὑπὸ τῶν νόμων ἀφειμένους ἰδεῖν ἦν καθ' ὅλην τὴν πόλιν ἐπὶ γήρως οὐδῷ διαφθειρομένους. [Ὀδῷ περιφθ. receptum nunc ex Suida l. c. Dionys. A. R. 8, 35: Γονεῖς δούλους ἀντ' ἐλευθέρων ἐπὶ γήρως οὐδοῦ γινομένους, quod

insolenter dictum pro οὐδῷ notavit Reiskius, nisi genitivo substituendus dativus.] Lucianus : Περὶ τὸν οὐδὸν γήρως. Vide apud Erasm. Limen senectæ. Sed notandum est in hisce ll., ubi γήραος οὐδὸς dicitur, non semper significari τὴν εἴσοδον, quum aliquis sc. τὸ γῆρας quodammodo ὑπεισέρχεται, ut οἱ ὠμογέροντες : sed plerumque capi pro ἔξοδος, ut is qui dicitur esse ἐπὶ γήραος οὐδῷ intelligatur ὑπέργηρως καὶ ἤδη καὶ αὐτὸ τὸ γῆρας ὑπεξιὼν, καὶ πρὸς τῷ θανάτῳ ὢν : nam οὐδὸς subservit non tam intrantibus, quam exeuntibus etiam, Eust. [Lucian. Pro merc. cond. c. 4 : 'Εν γήρᾳ ὑπάτῳ καὶ σχεδὸν ἤδη ὑπὲρ τὸν οὐδόν.] || Οὐδὸς accipitur etiam pro ὁδὸς, Via. Hom. Od. P, [196] : Δὸς δέ μοι εἴ ποτέ τοι ῥόπαλον τετμημένον ἐστὶ, Σκηρίπτεσθ', ἐπειὴ φάτ' ἀρισφαλέ' ἔμμεναι οὐδὸν, Lubricam esse viam, ubi Eust. annotat οὐδὸς Æolice dictum pro ὁδὸς, inserto υ, ac semel ap. Hom. in ea signif. reperiri : atque hoc οὐδὸς dedisse occasionem derivandi οὐδὸς, quo Limen significatur, ab ὁδὸς, quippe quod sit ὁδὸς ἐς οἶκον. Similiter et Hesychio οὐδὸς est non solum βατὴρ ὁ πρὸ τῆς θύρας, sed et etiam ὁδός. [Sic οὐδὸς de Via s. Itinere reperitur etiam ap. Herodot. 2, 7 ; 3, 126. SCHWEIGH. Recte alii libri ὁδός.] || At Suid. οὐδὸς exp. non tantum φλιὰ, βατὴρ s. βαθμὸς, τὸ κάτω τῆς θύρας, sed etiam ἔδαφος, Solum, Pavimentum : quod et οὖδος s. οὖδας dicitur. Apud Eund. pro οὐδὸς εἰς λαύρην, quod exp. στενὴ ὁδὸς, reponendum ὁδὸς, ut disces ex l. Hom. in Λαύρα cit. [In Ind. : « 'Ωδῶν, « Hesychio οὐδῶν, Liminum. Doricum id est, ut μωσῶν [μωσᾶν] pro μουσῶν. »] Sed et Οὖδος, τὸ, et Οὖδας, quibus significatur Solum, Pavimentum, Humus, Terra, ab ὁδὸς eodem modo, quo præcedens, derivata esse dici possunt; quoniam sc. in solo inambulamus et incedimus : nisi malis dicere hæc duo οὐδὸς et οὖδας una cum ὁδὸς ab ἕω originem traxisse, a quo Eust. quoque ὁδὸς derivat. ['Ες χθονὸς οὖδας, Empedocl. ap. Plut. Mor. p. 361, C. HEMST. Utuntur eodem præter Epicos Tragici, ut Æsch. Pers. 163 : Μὴ μέγας πλοῦτος κονίσας οὖδας ἀντρέψῃ ποδί· Ag. 489 : 'Ιὼ πατρῷον οὖδας 'Αργείας χθονός· Suppl. 1030. Soph. El. 752 : Φορούμενος πρὸς οὖδας· et sæpius Euripides.] Ceterum οὖδος esse nominativum inusitatum annotat Eust., et ab eo esse dat. οὔδει : sicut vicissim οὖδας in solo nomin. et accus. usitatum est, in reliquis casibus ἄκλιτον. Hom. Il. H, [145] et M, [192] : 'Ο δ' ὕπτιος οὔδει ἐρείσθη· T, [92] : 'Επ' οὔδει Πίλναται. Apoll. Arg. 2, [827] : Οὔδει πέσε, In terram cecidit, h. e. τῇ γῇ, τῷ ἐδάφει. Rursum Il. P, [437] : Οὔδει ἐνισκήψαντε καρήατα· T, [61] : Οδὰξ ἕλον ἄσπετον οὖδας· et [406] : Οὖδας ἵκανεν, Humum s. In terram. Od. N, [395] : Αἵματί τ' ἐγκεφάλῳ τε παλαξέμεν ἄσπετον οὖδας. [Orph. Lith. 377 : 'Εκ χειρῶν οὐδάσδε βαλών. In Indice :] 'Ωΐδας, Hesychio οὐδὸς, Limen. [V. 'Ωδῶν paullo ante memoratum.]

'Οδοσκοπέω, Vias observo, vide 'Οδοιδοκέω.

['Οδοστασία, ἡ, Viarum observatio, custodia. Vita S. Marthæ matris S. Symeonis jun. stylitæ n. 8 : Πολλὰς γὰρ κατὰ τὸν καιρὸν ἐκεῖνον ὁδοστασίας συνέβαινεν ἐν τοῖς μέρεσιν ἐκείνοις γίνεσθαι. DUCANG. App. Gl. p. 144.]

['Οδοστατέω. V. 'Οδοστάτης.]

'Οδοστάτης, ὁ, Stationarius, Viarum custos, Bud. [Insidiator. Philes De anim. 30, 4, p. 106 : Σμήνει μελισσῶν δυσμενεῖς ὁδοστάται. Altera signif. De plantis 4, 32, p. 98 ed. Wernsd. : 'Ο τῆς τελευτῆς εὐσταλὴς ὁδοστάτης, de semine, quod terra obrutum indeque progerminans, surrectionis mortuorum imago sit et pignus. « Mich. Syncellus Laud. Dionysii Ar. p. 357 med. » BOISS. Niceph. Greg. vol. 1, p. 353 ed. Bonn. || 'Οδοστατέω, Insidior. Philes De anim. 101, 9, p. 338 : 'Οδοστατηθὲν οὐ δραμεῖται τὸ σκάφος. « Leges Homerit. in Anecd. meis t. 5, p. 86, 9 : Οἱ ὁδοστατοῦντες γυναῖκας καὶ βίᾳ συγγινόμενοι μετ' αὐτῶν. » BOISS.]

'Οδοστρωσία, ἡ, Viarum stratura, Munus sternendæ viæ. Justinian. [Nov. 17, c. 4] : 'Οδοστρωσίας ἢ γεφυρῶν οἰκοδομῆς. [Nov. Justini De divinis domibus c. 6, in Basilic. 19, 8, 6 etc. DUCANG. Jo. Malalas p. 223, 18, ubi de Via ipsa dici videtur : 'Ο 'Ηρώδης... ἐποίησε καὶ τὴν ὁδοστρωσίαν τὴν ἔξω τῆς πόλεως, ἦν γὰρ δύσβατος, στρώσας αὐτὴν λευκαῖς πλάκαις. Pasin. Codd. Taurin. vol. 1, p. 99, A. L. DIND.]

['Οδουρέω, Viam custodio. Photius : 'Οδουρεῖς, πορεύῃ. Idem : 'Οδωρεῖν, ὁδοφυλακεῖν. Sic dicitur κηπουρὸς et κηπωρός.]

['Οδούρης. V. "Οδουρος.]

"Οδουρος, sive 'Οδούρης, ὁ, Qui vias custodit; sed plerumque in malam partem capitur pro Latrone et obsessore viarum, ut ὁδοιδόκος. Eust. p. 1445 : "Οδουροι, κατὰ τοὺς παλαιοὺς οἱ κακοῦργοι· ὁδοφύλακες, ubi proparoxytonως scribitur : paroxytonως autem ap. Hesych. 'Οδοῦρος, ἐνεδρευτὴς καθ' ὁδὸν, Viæ insidiator, ut Cic., ὁδοῦ κατάρχων, προοδοιπόρος, κακοῦργος : quod ὁδοῦρος Pindari schol. [Pyth. 2, 54] annotat in frequentiori usu esse quam ὁδούρης, quod ab Hesych. exp. ὁ τῆς ὁδοῦ ἄρχων ἢ κατάρχων, Qui iter auspicatur, in itinere præit. [Photius : 'Οδουρις (sic), πρῶτος.] Idem ὁδούρεις [ὁδουροὺς Photius] exp. τοὺς ἐν ταῖς ὁδοῖς κακουργοῦντας, Latrones et viarum obsessores. [De schol. Pind. quæ narrat HSt., petiit ex Lex. septemv. Sed nihil ille de forma ὁδούρης, quæ analogiæ adversatur, nec defenditur glossis Hesychii, cui ὁδούρους pro ὁδούρεις et ὁδοῦρος pro ὁδούρης restituendum, ut fere suspicatus est jam Albertus. V. autem 'Οδίτης. Accentus ap. schol., qui addit fr. Soph. ex Ægeo : Πῶς δῆθ' ὁδουρὸν οἷος ἐξέβης λαθών; constanter ponitur in ultima. Atque sic dicitur κηπουρὸς, οἰκουρὸς, q. v. L. D.]

'Οδοὺς, όντος, ὁ, Dens. [Hom. Il. Λ, 416 : Θήγων λευκὸν ὀδόντα, et alibi cum iisdem vocc. De formula "Ερκος ὀδόντων v. in "Ερκος.] Hom. Il. P, [617] : Τὸν βάλ' ὑπὸ γναθμοῖο καὶ οὔατος· ἐκ δ' ἄρ' ὀδόντας Ὦσε δόρυ. [Eur. Bacch. 621 : Χείλεσιν διδοὺς ὀδόντας· Cycl. 640 : Τοὺς ὀδόντας ἐκβαλεῖν.] Plut. Symp. 8, [p. 727, A] : Καὶ δέντης τοὺς ὀδόντας καὶ λάβρα τὰ χείλη. De dentium autem differentia et nominibus v. Polluc. [2, 94 sqq.] et Gorr. [De dentibus machinæ Oribas. p. 127, 131 ed. Mai., Hero Belop. p. 125, D. De seræ dentibus schol. Aristoph. Thesm. 423 : Γομφίους δὲ οὓς ἡμεῖς ὀδόντας. L. D.] || 'Οδόντα vero etiam appellant anatomici apophysin secundi spondyli cervicis, altam, duram, solidam, ex superiori interna mediaque ejus sede erumpentem, sursumque spectantem, propterea quod denti hominis canino assimiletur, ut scribit Gorr., addens, ut hac apophysi totam etiam ipsam vertebram ab Hippocr., ut tradit Galen., ὀδόντα appellatam fuisse, non autem, ut scribit se putare Ruf. Ephes. ἐν τῇ μορίων ὀνομασίᾳ [p. 37 Cl.], primam : alios vero ipsam apophysin, πυρηνοειδῆ vocasse a similitudine nuclei, alios a nuce pinea κωνοειδῆ, alios etiam ὀδοντοειδῆ. [Pollux 2, 131 : 'Ιπποκράτης δ' αὐτὸν (τὸν πρῶτον σφόνδυλον) καὶ ὀδόντα δοκεῖ καλεῖν.] || Ap. Nicandr. vero Th. [85] : 'Εν δέ τε ῥίζαν Σιλφίου, ἣν κνιστῆρι κατατρίψειαν ὀδόντες, schol. exp. δοίδυκες καὶ τριβεῖς, ut ὀδοὺς ibi pro pistillo accipiatur, quo, sicut a dente cibus, in mortario aliquid comminuitur. 'Οδοὺς autem ab ἔδω [sec. Polluc. 6, 38, aliosque grammaticos] quasi ἐδοντής τις ὤν. Atque adeo, ut a quibusdam annotatur, et 'Εδόντας Æoles dicunt pro ὀδόντας. ["Εδοντας scribendum esse dixi in "Εδους, nisi dicendum potius "Εδων.] VV. LL. At 'Οδὼν pro ὀδοὺς Ionicum est, ut tradit Eust. [Il. p. 854, 12. Ponit etiam Hesychius, et habet Herodot. 6, 107. De formæ ὀδοὺς accentu acuto v. Etym. in v. et Arcad. p. 93, 8.]

['Οδοφῦλᾰκέω, Viam custodio. Photius : 'Οδωρεῖν, ὁδοφυλακεῖν. De forma v. Lobeck. ad Phryn. p. 575.]

'Οδοφύλαξ, ἄκος, ὁ, ἡ, Viæ custos, Qui viatores in via observat : vide "Οδουρος. [Herodot. 7, 239.]

'Οδόω, Duco, Præeo, ex Æsch. [Pr. 497 : Δυστέκμαρτον εἰς τέχνην ὥδωσα θνητούς· 812 : Οὗτός σ' ὁδώσει τὴν τρίγωνον ἐς χθόνα· Ag. 175 : Τὸν φρονεῖν βροτοὺς ὁδώσαντα], ut sit i. q. ὁδηγέω. [Eur. Ion. 1050 : "Οδωσον δυσθανάτων κρατήρων πληρώματα, Dirige.] Et 'Οδοῦμαι, Ducor viam, Præitur mihi, Via mihi ostenditur : quo modo ab Herodoto usurpatur. [4, 139 : Τὰ ἀπ' ὑμέων ἡμῖν χρηστῶς ὁδοῦται, ubi quidem ὁδοῦται intelligendum videtur Proficiscuntur, Procedunt, Geruntur; quemadmodum 6, 72, habes εὖ ὡδώθη (sive uno vocab. εὐωδώθη) τὸ πρᾶγμα, Res bene processit, recte successit. SCHWEIGH.] Hesych. autem ὁδοῦται exp. καθ' ὁδὸν πορεύεται.

['Οδρύσαι, οἱ, Odrysæ. "Εθνος Θρᾴκης. Στράβων ζ' (in parte perdita). Λέγεται 'Οδρύσιος καὶ 'Οδρυσία καὶ 'Οδρυσίδαι, καὶ 'Οδρυσιάδες θηλυκῶς καὶ 'Οδρυσίς. "Εστι καὶ Ὄδρυσα πόλις αὐτῶν. Καὶ Ὀδρυσία λέγεται καὶ Ὀδρύσης λέγεται καὶ Ὀδρυσίτης, Steph. Byz. Ὀδρύσαι ap. Herodot. 4, 92, Thuc. 2, 29, Xen. Anab. 7, 2, 18 etc. Polyb. 24, 6, 4, etc., Pausan. 1, 9, 6, et al. In numis ap. Eckhel. D. N. Add. p. 21 et Mionnet. *Suppl.* vol. 2, p. 363 sq. est Οδρoησ, Οδροσ, Οδροσι, Οδροσιτων, Οδροσων. Non minus singularis est forma ap. Tzetz. in Cram. An. vol. 3, p. 352, 1, Ὀδρυσσοὶ, ut ap. Epiphan. vol. 1, p. 8, C: Ὄδρυσον τῶν Θρακῶν προπάτορα. Formam Ὀδρυσαῖος Jo. Malalæ p. 72, 17, Ὀρφεὺς ὁ Θρᾷξ ὁ λυρικὸς Ὀδρυσαῖος pro scriptura codicis Ὀδρυσσέως a me restitutam mirum si usurparit Polyæn. 3, 9, 60, 62, quum ibidem bis sit Ὀδρυσῶν, nec scripserit Ὀδρύσαι. Ib. 60 est fem. Ὀδρυσιάδος, quod inter et Ὀδρυσὶς variant libri Pausan. 1, 10, 4, 5. Ὀδρυσὶς est ap. Cononem Photii p. 140, 21. L. D.]

[Ὀδρύσης, ὁ, Odryses, fl. ex Dascylitide lacu in Rhyndacum exiens, ap. Hecatæum Strab. 12, p. 550. Ubi al. Ὀδρύσσης.]

[Ὀδύζομαι. V. Ὀδύσσω.]

Ὀδυνάω, [Ango, Gl.] Dolore afficio, Dolorem affero, facio, λυπέω. Galen.: Ὥστε τά γε συντείνοντα σφοδρῶς καὶ διὰ τοῦτο ὀδυνῶντα, πλεῖον ἀδικεῖ τοῖς ἀλγήμασιν ἢ ὠφελεῖ. [Eur. Hipp. 247: Τὸ γὰρ ὀρθοῦσθαι γνώμαν ὀδυνᾷ. Aristoph. Lys. 164: Κἄλλως ὀδυνᾶν χρή· Eccl. 928: Οὐ τοὐμὸν ὀδυνήσει σε γῆρας. Charito 3, 1 med.: Παῦσαι μάτην σεαυτὸν ὀδυνῶν.] Pass. Ὀδυνάομαι, Dolore crucior, premor, Doleo. [Soph. El. 804: Ὡς ἀλγοῦσα κὠδυνωμένη δεινῶς.] Plato De rep. 9, [p. 583, D]: Οὐκοῦν καὶ τῶν περιωδυνίᾳ τινὶ ἐχομένων ἀκούεις λεγόντων ὡς οὐδὲν ἥδιον τοῦ παύσασθαι ὀδυνώμενον; [7, p. 515, E: Ὀδυνᾶσθαί τε καὶ ἀγανακτεῖν· Phædr. p. 251, D: Οἰστρᾷ καὶ ὀδυνᾶται.] Et ex Aristoph. [Ach. 3]: Ἃ δ' ὠδυνήθην, Quæ mihi dolorem attulerunt. [Ib. 9, Ran. 650. Pl. 722: Ἵνα ὀδυνῷτο μᾶλλον· Vesp. 283: Διὰ τοῦτ' ὀδυνηθείς. || Forma Ion. Aret. p. 55, 5: Ὀδυνέονται.]

Ὀδύνη, ἡ, Dolor. [Anxietas, Anxietudo, Cruciatus, add. Gl.] Hom. Il. Λ, [398]: Ὀδύνη δὲ διὰ χροὸς ἦλθ' ἀλεγεινή· E, [417]: Ἄλθετο χεὶρ, ὀδύναι δὲ κατηπιόωντο βαρεῖαι, Graves dolores. Δ, [191]: Ἐπιθήσει Φάρμαχ' ἅ κεν παύσῃσι μελαινάων ὀδυνάων, de vulnere Menelai loquens. Sic O, [394]: Ἕλκεϊ λυγρῷ Φάρμακ' ἀκήματ' ἔπασσε μελαινάων ὀδυνάων. Rursum Δ, [117] de sagitta Menelai corpori infixa: Μελαινέων ἕρμ' ὀδυνάων, Fundamentum s. Fulcrum sævorum dolorum, i. e. Causam. Π, [518]: Ἀμφὶ δέ μοι χεὶρ Ὀξείῃς ὀδύνῃσιν ἐλήλαται. Et mox ad Apollinem, Τόδε καρτερὸν ἕλκος ἄκεσσαι, Κοίμισον [Κοίμησον] δ' ὀδύνας· quem exaudiens Apollo, Αὐτίκα παῦσ' ὀδύνας. Sopire et sedare dolorem Latini quoque dicunt: item Inhibere, Levare. Il. Λ, [268, 272]: Ὣς ὀξεῖ' ὀδύναι δῦνον μένος Ἀτρείδαο vulnerati sc. E, [354] de Venere a Diomede vulnerata: Ἀχθομένην ὀδύνῃσι· M, [206] de aquila a dracone icta: Ἀλγήσας ὀδύνῃσι. Od. I, [415] de Cyclope, cui oculum effoderat Utis: Στενάχων καὶ ὠδίνων ὀδύνῃσι· Il. E, [399]: Κῆρ' ἀχέων, ὀδύνῃσι πεπαρμένος, de quodam, quem adversarius sagitta Βαλὼν ὀδύνῃσιν ἔδωκεν, Dolorem intulerat, fecerat: contra Cic. dicit Dare alicui dolorem, pro ὀδυνᾶν. Eod. genere loquendi, Od. P, [567]: Οὔτι κακὸν ῥέξαντα βαλὼν ὀδύνῃσιν ἔδωκεν. [Pind. Pyth. 4, 221: Ἀντίτομα στερεᾶν ὀδυνᾶν. Solon ap. Stob. Fl. 9, 25, 59: Πολλάκι δ' ἐξ ὀλίγης ὀδύνης μέγα γίγνεται ἕλκος. Æsch. Eum. 842: Τίς μ' ὑποδύεται πλευρὰς ὀδύνα; Et utroque numero sæpius ceteri Tragici.] Utuntur et prosæ scriptores. Xen. Hell. 5, [4, 58]: Γενομένης δὲ τῆς κνήμης ὑπερόγκου καὶ ὀδυνῶν ἀφορήτων. Plato Symp., de quodam a vipera morso [p. 218, A], Πᾶν ἐτόλμα δρᾶν τε καὶ λέγειν ὑπὸ τῆς ὀδύνης [ἡδονῆς]. Plutarch. Coriol. [c. 24]: Στροφάς τε παντοδαπὰς ὑπ' ὀδύνης στεφόμενον, Præ dolore. Et apud Theophrast. H. Pl. 9, 12, γαστρὸς ὀδύνη, Dolor ventris (ut Cic. Dolor articulorum; Horat. Dolor lateris), Gazæ Tormina ventris. [De doloribus partus schol. Euripid. Phœn. 355: Ταῖς γυναιξὶν αἱ ὀδύναι φίλτρον καθέστηκε, ubi propter præcedentia αἱ γοναὶ αἱ ὀδύνης αἴτιαι, inferre non licet ὠδῖνες, quæ vocc. alibi sunt inter se confusa.] Et in præcedentibus quidem ll. ὀδύνη de Corporis dolore dicitur: legitur vero et de Animi dolore dictum, i. e. Mœrore. Hom. Od. B, [79]: Νῦν δέ μοι ἀπρήκτους ὀδύνας ἐμβάλλετε μύθῳ [θυμῷ], Infertis s. Affertis dolorem, aut Afficitis mœrore. T, [117]: Μή μοι μᾶλλον θυμὸν ἐνιπλήσῃς ὀδυνάων Μνησαμένῳ· Δ, [812]: Ὀδυνάων Πολλέων αἵ μ' ἐρέθουσι κατὰ φρένα καὶ κατὰ θυμόν· A, [242]: Οἴχετ' ἄϊστος ἄπυστος, ἐμοὶ δ' ὀδύνας τε γόους τε Κάλλιπεν. Cic. quoque copulat hæc duo, Meo dolore luctuque. [Soph. Aj. 262: Τὸ γὰρ ἐσλεύσσειν οἰκεῖα πάθη μεγάλας ὀδύνας ὑποτείνει· Phil. 1142: Μὴ φθονερὰν ἐξῶσαι γλώσσας ὀδύναν, ubi active dicitur de excitando dolore. Eur. Phœn. 1556: Οὐκ ἐπ' ὀνείδεσιν οὐδ' ἐπιχάρμασιν, ἀλλ' ὀδύναισι λέγω· 1561: Δι' ὀδύνας ἔβας. Et alibi.] Sic Xen. Symp. [1, 15]: Ἀλλ' ἢ ὀδύνη σε εἴληφε; At Plin. dicit, Pedum dolore correptus est. [Plato Reip. 3, p. 413, B: Ὀδύνη τις ἢ ἀλγηδών· 9, p. 574, A: Μεγάλαις ὠδῖσί τε καὶ ὀδύναις ξυνέχεσθαι.] Sed corporis proprie est ὀδύνη, Sensus tristis in corpore motionis, ut Gorr. definit: vel, secundum Cic., Motus asper in corpore, a sensibus alienus. Ubi Gorr. annotat magis proprie dici potuisse Sensus motionis quam Motus: defendi tamen Ciceronem posse, quum et Hippocr. aliquando dolorem sumat pro Dispositione ipsa quæ dolorem facit. Idem Gorr. pluribus ostendit dolorem omnibus sensibus accidere, et partibus sentiendi facultate præditis: causas quoque a quibus excitatur afferens. Ab eodem hæ species ponuntur, ὀδύνη βαρεῖα, Dolor gravis, qui veluti cujusdam ponderis loco incumbentis sensum invehit: ἐμπεπαρμένη, Infixus, In quo ceu palus videtur infixus: ἡ μετὰ δήξεως, Mordax: λαπαρὴ, Laxus, Mollis, qui sine phlegmone et tensione est: νυγματώδης, Punctorius: ὀξεῖα, Acutus et pungens, quum ceu acu aut terebro perforante, aut palo impacto, pars divelli videtnr: ὀστοκόπος, Ossium dolor: σφυγμώδης, s. σφυγματώδης, Pulsatorius, ut in arteriis et inflammationibus: τονώδης, Tensivus: de quibus omnibus fusius ipse disserit. Vide et Paul. Ægin. 2, 4. || Cic. interpr. Ærumna, in Stoicis Definitt.: Ἄχθος, λύπη βαρύνουσα, ὀδύνη, λύπη ἐπίπονος, Angor, est Ægritudo premens: Ærumna, ægritudo laboriosa. [Plato Crat. p. 419, C: Ὀδύνη ἀπὸ τῆς ἐνδύσεως τῆς λύπης κεκλημένη ἔοικεν. De forma Æol. Ἐδύνα v. suo loco.]

[Ὀδύνημα, τὸ, i. q. ὀδύνη. Hippocr. p. 401, 49: Τὰ ὀδυνήματα τοῦ ἑτέρου πλευροῦ· et mire p. 654, 10: Ὁκόσα δὲ ἀπὸ τῶν ὑστερέων ξυμβαίνει γίνεσθαι νοσήματα, προσπίπτουσιν ἄλλοτε ἄλλῃ, ὅκου δ' ἂν προσπέσωσιν, ὀδυνήματα καταστηρίζουσιν ὀδυνηρά.]

Ὀδυνηρὸς, ὰ, ὸν, Dolorem afferens, Dolore afficiens s. crucians, Dolorem faciens s. efficiens, λυπηρὸς, ἐπίπονος, ut Hesych. exp. [Pind. Pyth. 2, 91: Ἕλκος ὀδυναρόν. Mimnerm. ap. Stob. Fl. 63, 16, 5: Ὀδυνηρὸν γῆρας· 98, 13, 12: Πενίης δ' ἔργ' ὀδυνηρὰ πέλει. Aristoph. Ach. 230: Ὀξὺς, ὀδυνηρός.] Aristot. Rhet. 2, [10, § 3]: Ὅσα τε γὰρ λυπηρῶν καὶ ὀδυνηρῶν φθαρτικὰ, πάντα ἐλεεινά. Et mox, Ἔστι δὲ ὀδυνηρὰ μὲν καὶ φθαρτικὰ, θάνατοι καὶ αἰκίαι καὶ σωμάτων κακώσεις καὶ γῆρας καὶ νόσοι καὶ τροφῆς ἔνδεια. Et ὀδ. βίος, [Eur. Hipp. 189,] Aristoph., Vita acerba, ærumnosa. [Plut. 526.] Ap. Gregor. Naz. In sacrum Pascha: Γλυκεῖς οἱ ἧλοι, καὶ εἰ λίαν ὀδυνηροὶ, Dulces clavi, et si nimis gravi dolore crucient. [V. Ὀδύνημα. Comparativo, ut Aristoph. Pl. l. c., Ephræm Syr. vol. 3, p. 287, F; 288, D. Superlat. Plato Gorg. p. 525, C, Demosth. p. 1471, 4, Demetr. Cydon. p. 10. L. Dind.]

Ὀδυνηρῶς, Dolenter, Moleste, Joseph. [Lucian. Lexiph. c. 2. Marin. V. Proc. c. 29 init.: Ἤσχαλλε καὶ ὀδ. διέκειτο.]

Ὀδυνήφᾰτος, ὁ, ἡ, Dolores pellens, Dolores abolens, et discutiens, Dolorem domans, et quasi perimens, ὀδύνης παυστικὸς, Eust. Hom. Il. E, [401]: Τῷ δ' ἐπὶ Παιήων ὀδυνήφατα φάρμακα πάσσων· Λ, [846]: Ἐπὶ δὲ ῥίζαν βάλε πικρὴν Χερσὶ διατρίψας ὀδυνήφατον, ἥ οἱ ἁπάσας Ἔσχ' ὀδύνας.

[Ὀδυνηφόρος, ὁ, ἡ, Dolorem afferens. Cornut. N. D. c. 30, p. 217: Ὡς καὶ ὀδυνηφόρου τινὸς ἔσθ' ὅτε κρυπτομένου τῇ παρὰ τὴν πολυποσίαν ἱλαρότητι.]

[Ὀδυνοποιὸς, ὁ, ἡ, Dolorem faciens. Epiphan. vol. 1, p. 302 (?).]

[Ὀδυνοσπὰς, άδος, ὁ, ἡ, Dolore convulsus. Æschylus

Plutarchi Mor. p. 1057, F : 'Οδυνοσπάδος γέροντος. Hemst.]

'Οδύνω et 'Οδύνομαι, quod in VV. LL. i. esse dicitur q. ὀδυνῶ et ὀδυνῶμαι, Dolore afficio et Doleo: mihi suspectum est, ac scr. puto ὠδίνω. [Ap. Arrian. Epict. Diss. 4, 1, 112, habes μή τι ὀδυνήσῃ σε sive ὀδύνῃ σε, Ne quid te doleat; ubi vide quæ annotavi et conf. Ind. græcitatis Epict. Schweigh. Delendum igitur hoc vocabulum.]

['Οδυνώδης, ὁ, ἡ, Dolens. Hippocr. p. 427, 32 : 'Οδυνώδεα ἀνεκπύητα ποιέει· 684, 42 : Ἡ γαστὴρ ὀδυνώδης γίνεται· 47. Aret. p. 52, 57 : 'Οδ. σφηνώσιες. Matthæi Med. p. 299 med. : Αἴσθησιν ὀδυνώδη.]

'Οδυρμα, τὸ, Lamentum. Soph. Tr. [50] : Πανδάκρυτ' ὀδύρματα. [Ib. 936.] Utitur et Eur. [Tro. 1227, Hec. 297, Phœn. 1749, Iph. A. 1101. Æsch. Cho. 508 : Ὑπὲρ σοῦ τοιάδ' ἔστ' ὀδύρματα. Lycophr. 977.]

'Οδυρμὸς, ὁ, Lamentatio, [Lamentum, Questus, Mœror, Comploratio huic add. Gl.] Ploratus, Fletus [Gl.], κλαυθμὸς Hesychio. [Æsch. Pr. 33 : Πολλοὺς δ' ὀδυρμοὺς καὶ γόους ἀνωφελεῖς φθέγξει. Eur. Hec. 156, Phœn. 1071, Med. 112. Θρήνων ὀδυρμοί, Tro. 605. Plato Reip. 3, p. 387, B : Τοὺς ὀδυρμοὺς καὶ τοὺς οἴκτους· 398, D : Θρήνων τε καὶ ὀδυρμῶν. Lucian. Catapl. c. 3.]

'Οδύρομαι, Lamentor, Ploro, Gemo. [Fleo, Ululo, Mœreo, Gl.] Hom. Il. Σ, [32] : 'Οδύρετο δάκρυα λείβων· Od. Ξ, [129] : Καί οἱ ὀδυρομένῳ βλεφάρων ἀπὸ δάκρυα πίπτει· K, [454] : Κλαῖον ὀδυρόμενοι, περὶ δὲ στοναχίζετο δῶμα· Λ, [213], Π, [195] : Ἔτι μᾶλλον ὀδυρόμενος στεναχίζω· Il. I, [608], Ω, [128], Od. Δ, [100] : 'Οδυρόμενος καὶ ἀχεύων· K, [485] : Οἵ με [μευ] φθινύθουσι φίλον κῆρ' Ἀμφ' ἔμ' ὀδυρόμενοι, de sociis Ulyssis, qui reditum cum lacrymis urgebant. Sed et de ipso Ulysse, Θ, [33] : Ἐνθάδ' ὀδυρόμενος δηρὸν μένει εἵνεκα πομπῆς· Δ, [800] : Εἵπως Πηνελόπειαν ὀδυρομένην γοόωσαν Παύσειε κλαυθμοῖο γόοιό τε δακρυόεντος. Et cum infin. Il. B, [290] : Ἀλλήλοισιν ὀδύρονται οἶκόνδε νέεσθαι, Comploratione desiderant domum redire : quo loco explicari potest hic Od. E, [153] : Κατείβετο δὲ γλυκὺς αἰὼν Νόστον ὀδυρομένῳ, Reditum cum lacrymis desideranti s. petenti. [Æsch. Sept. 656 : Οὔτε κλαίειν οὔτ' ὀδύρεσθαι πρέπει· Prom. 643 : Καὶ λέγουσ' ὀδύρομαι θεόσσυτον χειμῶνα. Soph. Aj. 383 : Ξὺν τῷ θεῷ πᾶς καὶ γελᾷ κὠδύρεται· et cum accus. 327 : Τοιαῦτα γάρ πως καὶ λέγει κὠδύρεται.] Alias ὀδύρομαι cum accus. significat Deploro, Defleo; s. itidem Lamentor, ut Plaut. Matrem lamentari mortuam. Il. Ω, [714] : Ἕκτορα δακρυχέοντες ὀδύροντο πρὸ πυλάων· B, [315] : Μήτηρ δ' ἀμφεποτᾶτο ὀδυρομένη φίλα τέκνα· Od. A, [55] : Οὐδ' ἔτι κεῖνον ὀδυρόμενον στεναχίζω Οἶον. [Soph. OEd. C. 1439 : Μή τοι μ' ὀδύρου· Ant. 693 : Τὴν παῖδα ταύτην οἶ' ὀδύρεται πόλις.] Sic et Dem. Pro cor. [p. 239, 23] : Ὁ τὰ Θηβαίων ὀδυρόμενος νῦν πάθη, καὶ διεξιὼν ὡς οἰκτρά. Isocr. Paneg. [p. 76, B] : Εἰ δυστυχίαν ἀνδρῶν ἐν τοιούτοις καιροῖς ὀδυροίμην. [Aor. p. 234, C : Τὴν τύχην ὠδυράμην. Xenoph. Cyrop. 7, 3, 13 : Ἕως ἂν ἐγὼ τόνδε ὀδύρωμαι. Et sæpe Plato et alii.] At Dionys. H. addidit et gen. rei accusativo personæ, l. 8 : Ἄνδρα τῆς τύχης ὠδύροντο, Deplorabant ob infelicem sortem, Deplorabant viri fortunam. [Themistocl. Ep. 5, p. 21 : Μηκέτι ἡμᾶς ὀδύρου τῆς φυγῆς· et ib. p. 17.] Hom. vero ὀδύρομαί τινος dicit pro Ploro et lamentor alicujus causa (nam subauditur ἕνεκα), i. e. Ploro, dolens alicujus vicem, Gemo, deplorans etc. Hom. Od. Ξ, [40] : Ἄνακτος ὀδυρόμενος καὶ ἀχεύων Ἧμαι· [174 : Νῦν αὖ παιδὸς ἄλαστον ὀδύρομαι·] Δ, [819] : Τοῦ δὴ ἐγὼ καὶ μᾶλλον ὀδύρομαι ἤπερ ἐκείνου· Φ, [250] : Οὔτι γάμου τοσσοῦτον ὀδύρομαι. At Ξ, [142] huic genitivo addidit et infinitivum : Οὐδέ τι τῶν ἔτι τόσσον ὀδύρομαι ἀχνύμενός περ Ὀφθαλμοῖσιν ἰδεῖν, Horum videndorum causa ploro. Idem Hom. dicit etiam ὀδύρεσθαι κατὰ θυμὸν, Θ, [577] : Κλαίεις καὶ ὀδύρεαι ἔνδοθι θυμῷ [Ἀργείων]· Il. Ω, [549] : Ὀδύρεο σὸν κατὰ θυμὸν, de iis qui lacrymas quidem non fundunt, intimo tamen pectore ingemiscunt. [Cum præp. Plato Reip. 3, p. 387, D : Οὐκ ἄρα ὑπέρ γ' ἐκείνου ὡς δεινόν τι πεπονθότος ὀδύροιτ' ἄν.] Fut. est ὀδυροῦμαι, quo Dem. utitur [p. 574, 24] : Τὰ παιδία ἔχων ὀδυρεῖται, καὶ πολλοὺς λόγους καὶ ταπεινοὺς ἐρεῖ, δακρύων· mox dicit, Τὰ παιδία παραστησάμενος κλαίειν καὶ δακρύειν. || 'Οδύρομαι junctum dativo sunt qui ex-

A plicent Plorans et lamentans expono, Cum lacrymis et lamentis narro. Hom. Od. Δ, [740] : Εἰ δή που τινὰ κεῖνος ἐνὶ φρεσὶ μῦθον ὑφήνας Ἐξελθὼν λαοῖσιν ὀδύρεται. [Il. B, 290. De forma Δύρομαι Porson. ad Eur. Hec. 734 : « 'Οδύρῃ Aldus et omnes Mss. Sed recte Musgr. δύρῃ, advocato Hesychio, δύρεσθαι, ὀδύρεσθαι. Hesychium frustra erroris insimulat Taylor. Lectt. Lys. c. 9. Eadem opera accusare Etymologum debebat p. 192, 43; 291, 23. Nec magis mirum utrumque δύρεσθαι et ὀδύρεσθαι Atticis (poetis) in usu fuisse, quam utrumque κέλλειν et ὀκέλλειν. Æsch. Pr. 271 : Καί μοι τὰ μὲν παρόντα μὴ δύρεσθ' ἄχη. Male ibi elisionis, qualem nesciunt Attici, signum apponunt editiones. Ap. eund. in Pers. 584 metrum flagitat, Δυρόμενοι γέροντες. (Et ap. Soph. OEd. T. 1218, δύρομαι.) In nostri Med. 159, 'δυρομένα edidit Brunck., quasi o ab ου elidi posset. Initium est versus Eur. Andr. 397 : Ἀτὰρ τί ταῦτ' ὀδύρομαι; cui simillimus alter ex Neophronis Medea apud Stobæum Grotii p. 107 (tit. 20, 34) : Καὶ πρὸς τί ταῦτ' ὀδύρομαι; Quidni, inquies? Quoniam Tragici

B nunquam ita senarium disponunt, ut pedes tertius et quartus unam vocem efficiant. Leg. igitur quum in Eur. tum in Neophrone, ταῦτα δύρομαι. HSt. in Ind. :] Δύρεσθαι, Hesychio et Etym. ὀδύρεσθαι, κλαίειν, θρηνεῖν, Lamentari, Flere, Plorare. [ῡ]

['Οδυρτέον, Lamentandum. Theodor. Stud. p. 575, D. L. Dindorf.]

['Οδύρτης, ὁ, Querulus. Aristot. Physiogn. p. 135 : Οἱ κατηφεῖς ὀδῦρται· 159 : Δυσθυμικοί, ὀδῦρται· pro quo vitiose ap. Adamant. Phys. 2, 16, p. 395 : 'Οδυρταί.]

'Οδυρτικὸς, ἡ, ὸν, Qui frequenter lamentari et plorare solet, Proclivis ad lamenta et lacrymas, Querulus. [Pollux 6, 202.] Aristot. Rhet. 2, [c. 15 prope fin.] loquens de senibus ad misericordiam propensis, quoniam omnia ἐγγὺς εἶναι αὐτοῖς παθεῖν existimant : Ὅθεν ὀδυρτικοὶ εἰσὶ, καὶ οὐκ εὐτράπελοι, οὐδὲ φιλογέλοιοι. ['Οδυρτικὴ καὶ φιλόνεικος, Joseph. A. J. 15, p. 746, 30. Hemst.] Et τὸ ὀδυρτικὸν, Proclivitas ad lamenta et lacrymas. Aristot. ibid. : Ἐναντίον γὰρ τὸ ὀδυρτικὸν τῷ φιλογέλωτι. || Flebilis, Lacrymosus, Lamentabilis :

C ut Cic., Lamentabilis gemitus, Lamentabili voce deplorare. Plut. [Mor. p. 751, A] : Ἀπορούμενοι δὲ πολλάκις ἀναφθέγγονταί τι λιμῶδες καὶ ὀδυρτικόν. [Passive Lamentandus. Theodor. Stud. p. 582, A : Ὢ συναντήματος ὀδυρτικοῦ. L. Dind.]

'Οδυρτικῶς, More eorum qui ad lamenta et lacrymas proclives sunt, Querule. Dem. Phal. : Ἐμπαθῶς ἂν εἰρηκὼς εἴη καὶ ὀδ. Et compar. ap. Aristot. Polit. 8, [c. 5] : Πρὸς μὲν ἐνίας (ἁρμονίας οἱ ἀκούοντες διατίθενται) ὀδυρτικωτέρως, καὶ συνεστηκότως μᾶλλον, οἷον πρὸς τὴν μιξολυδιστὶ καλουμένην, πρὸς δὲ τὰς, μαλακωτέρως τὴν διάνοιαν, οἷον πρὸς τὰς ἀνειμένας.

['Οδυρτὸς, ἡ, ὸν, Lugubris. Aristoph. Ach. 1226 : Λόγχη τις ἐμπέπηγέ μοι δι' ὀστέων ὀδυρτή, Suidæ θρῆνον ἐμποιοῦσα καὶ ὀδυρμόν. Plut. Mor. p. 499, F : Ὅπως τὰ προσπίπτοντα ἔξωθεν οἰκτρὰ καὶ ὀδυρτὰ ποιήσῃ.]

['Οδυσσαϊκὸς, ἡ, ὸν, adj. ab 'Οδυσσεύς. Librarius codicis cujusdam Odysseæ descriptor : v. Classic. Diar. t. 23, p. 63. Boiss.]

['Οδυσείδης, ὁ, Ulixes. Argum. Hom. Od. O : Οὗ

D ἐπέβη Ἰθάκης Λακεδαίμονος ἐξ 'Οδυσείδης. L. Dind.]

['Οδύσσεια, ἡ, Odyssea, poema Homericum de Ulixe. Forma poetica per η ap. Erycium Anth. Pal. 7, 377, 6 : Ὥστ' ἀγορεῦσαι πηλὸν 'Οδυσσείην καὶ βάτον Ἰλιάδα, librarii errore illata videtur, quum metri necessitate non sit excusata, ut aliæ ejusmodi. || Opp. Hispaniæ. V. 'Οδυσσεῖς.]

['Οδυσσειακὸς, ἡ, ὸν, i. q. seq. Schol. Aristoph. Av. 862. Boiss.]

['Οδύσσειος, α, ον, Qui est Ulixis. Theognost. Can. p. 105, 34; 106, 1 : 'Οδύσσειος οἶκος, 'Οδυσσεία σκηνή. Tzetz. ad Lycophr. 1030 : Περὶ τοῦ λεγομένου 'Οδυσσείου ἀκρωτηρίου τῆς Σικελίας λεκτέον ... ἀφ' ἑαυτοῦ τὸ ἀκρωτήριον 'Οδυσσείαν ἄκραν ἐκάλεσε. || Forma poet. 'Οδυσήιος, α, ον, Hom. Od. Σ, 353 : 'Οδυσήιον ἐς δόμον ἵκει.]

['Οδυσσεῖς, οἱ, πόλις Ἰβηρίας ἀρσενικῶς, καὶ τὸ ἐθνικὸν ὅμοιον. Ἀρσενικὸν δὲ, ὡς Ἀταρνεῖς καὶ Διπαιεῖς, Steph. Byz. Ap. Strab. 3, p. 149, 157, 'Οδύσσεια.]

['Οδυσσεὺς, έως, ὁ, Ulixes, Gl. F. Laertis, ap. Homerum ceterosque poetas (qui metri caussa etiam dicunt Ὀδυσεὺς, qua de forma Ps.-Herodian. Cram. An. vol. 3, p. 250, 2 : Ἃ δὲ μὴ δύνανται μεταβάλλεσθαι εἰς δύο ττ, δηλονότι οὐδὲ διὰ τῶν δύο σσ γραπτέον, ὥσπερ καὶ Ὀδυσσεὺς δῆλον μὲν ὅτι ἔχει ἐκφώνησιν διὰ τῶν δύο σσ, γράφεται καὶ (δὲ) διὰ τοῦ ἑτέρου) et alios quosvis. Cujus de nomine Hom. Od. Τ, 409 : Γαμβρὸς ἐμὸς, θυγάτηρ τε, τίθεσθ' ὄνομ' ὅ,ττι κεν εἴπω· πολλοῖσιν γὰρ ἔγωγε ὀδυσσάμενος τόδ' ἱκάνω, ἀνδράσιν ἠδὲ γυναιξὶν, ἀνὰ χθόνα πουλυβότειραν· τῷ δ' Ὀδυσεὺς ὄνομ' ἔσται ἐπώνυμον. Scriptor Vitæ Sophoclis fin. : Παρετυμολογεῖ δὲ (Soph.) καθ' Ὅμηρον καὶ τὸ ὄνομα τοῦ Ὀδυσσέως· Ὀρθῶς δ' Ὀδυσσεύς εἰμ' ἐπώνυμος κακοῖς· πολλοὶ γὰρ ὠδύσσαντο (ὠδύσαντο cod. Paris. ap. Valck. ad Phœn. p. 639) δυσσεβεῖς ἐμοί. Ludicras quasdam etymologias Homericæ addunt Etymol. et Eust. s. schol. Hom. Od. Α, 21, 75, quorum hic ad v. 21 : Ἐγὼ δὲ καὶ Νικόλαος λέγει ὅτι Ὀδυσσεὺς λέγεται παρὰ τοῦ ὀδυσσεύω, τὸ μισῶ, verbo ab ipsis ficto. Accusativi forma Ὀδυσσῆ est ap. Pind. Nem. 8, 26, Eur. Rhes. 708. Plur. Ὀδυσσέας ib. 866. || De forma Æol. Quinct. Inst. 1, 4, 16 : « Sic Ὀδυσσεὺς, quem Οὐδυσσέα fecerunt Æoles, ad *Ulixem* deductus est. » Ὀλυσεὺς est in inscr. vasis Etrusci, de quo v. Welcker. Mus. Rhen. novi vol. 1, p. 343. L. Dind.]

[Ὀδυσσεύω. V. Ὀδυσσεύς.]

Ὀδύσσω, Irascor, Succenseo : verbum in ceteris temporibus inusitatum, usitatissimum in aor. 1 med. ap. poetas. Hesiod. Theog. [617] : Πατὴρ ὠδύσσατο θυμῷ Βριάρεῳ. Sic Hom. [Il. Ζ, 138 : Τῷ μὲν ἔπειτ' ὀδύσαντο θεοί· Θ, 37 : Ὀδυσσαμένοιο τεοῖο·] Od. Τ, [275] : Ὀδύσαντο γὰρ αὐτῷ Ζεύς τε καὶ ἠέλιος· Α, [62] : Τί νύ οἱ τόσον ὠδύσατο Ζεύς; Sunt qui thema faciant Ὀδύζομαι : ego secutus sum Eustathium. [Add. Soph. in Ὀδυσσεὺς cit. Aoristi forma pass. Hesychius : Ὀδυσθῆναι, ὀδύσασθαι, χολωθῆναι, θυμωθῆναι, ὀργισθῆναι. Idem : Ὤδυσται, ἠχθέσθη, quod decurtatum videtur ex Homerico Od. Ε, 423 : Οἶδα γὰρ, ὥς μοι ὀδώδυσται κλυτὸς Ἐννοσίγαιος. Accusativo ubi jungitur, in epigr. Statyllii Anth. Pal. 9, 117, 7 : Αἰακίδη, τί τοσοῦτον ἐμὴν ὠδύσσαο νηδὺν, Schæf. conjiciebat ἐμῇ νηδυῖ. De forma per ω v. HSt. in Ὠδυσία.]

Ὀδωδὴ, ἡ, Odor, ὀσμὴ, Hesych. [Anth. Pal. 9, 610, 612, 1 : Ἔχει δ' ἡδεῖαν ὀδωδήν. Plut. Mor. p. 642, A : Ῥόδον ὠνόμασται δήπουθεν ὅτι ῥεῦμα πολὺ τῆς ὀδωδῆς ἀφίησι. Clem. Alex. Pæd. 2, p. 212. Schol. Aristoph. Pac. 153.]

[Ὀδώδης, ὁ, ἡ, ap. Hippocr. p. 295, 4 : Ὕδατα κρηναῖα καὶ στάσιμα καὶ ὀδώδεα, ubi tamen leg. est ὀλώδεα secundum Galen. Gloss. : v. Heringæ Obs. p. 52.]

[Ὀδωδιὸς, Fœtidus, Suid. v. Ἀδαῆ (?). Kall.]

[Ὀδών. V. Ὀδούς.]

[Ὀδωνὶς, ἡ Θάσος τὸ πάλαι, Hesychius.]

[Ὁδωρέω. V. Ὁδουρέω.]

[Ὁδωτὸς, ἡ, ὸν, Pervius. Soph. OEd. C. 495 : Ἐμοὶ μὲν οὐχ ὁδωτά. Dio Chrys. vol. 1, p. 145 : Γῆν ὁδωτὴν ἐποίησε. Ubi libri duo ὁδευτήν. Suidas : Ὁδωτὴ θάλασσα.]

[Ὀεὰ, Ὄες, Ὀέσχη. V. Ὄα.]

[Ὀέτεας, παρὰ τοῖς βαρβάροις ὁ καλλίθριξ, Hesychius.]

Ὄζαινα, ἡ, Narium ulcus putridum, ab humorum acrium defluxu. Ex ulcerum genere esse Galen. Κ. τόπ. 5, ostendit : eoque inter alia a polypo differt, qui in tumorum tantum genere est. Putrilago vero graveolentiam et fœtorem inducit : unde morbo nomen veteres indidere. Hæc inter alia Gorr. Cels. 6, 8 : Sin autem ea ulcera circa nares sunt, pluresque crustas et odorem fœdum habent, quod genus Græci ὄζαιναν appellant, sciri quidem debet vix ei malo posse succurri. Scrib. Larg. 9 : Ad gravem odorem narium : ὄζαιναν Græci hoc vitium vocant. Polluci [4, 204] est ἕλκωσις ἐν τῷ βάθει τῶν μυκτήρων, μέχρι τῶν καλουμένων ἠθμοειδῶν ὀστῶν, πυρῶδες καὶ δυσῶδες ὑγρὸν ἀφιεῖσα, τὴν αἴσθησιν ἐμποδίζουσα. Sunt qui Ovid. 1 De Ponto, eleg. 1, de hoc vitio intellexisse dicant, ubi ait : Estur ut occulta vitiata putredine naris. Sed ii Naris reponunt pro Navis, ut vulg. editt. habent. Plin. hoc vocabulo utitur ut Latino, 24, 13 : Sanat tetra oris ulcera et ozænas. || Piscis. [Athen. 7, p. 329, A ; Pollux 2, 76. Schweigh.] Plin. 9, 30 : Polyporum generis est Ozæna, dicta a gravi capitis odore, ob hoc maxime murænis eam consectantibus. Supra dicitur ὀσμύλη et ὀσμυλία, ut ex Polluce docui. [De accentu Arcad. p. 199, 14.]

[Ὀζαινικὸς, ἡ, όν.] Ὀζανικὸς, ἡ, ὸν, Ozænicus. Diosc. 4, 140, de bromo : Καὶ ποιεῖ ἐπὶ τῶν ὀζανικῶν, εἰ βρέχων ὀθόνην προστιθῇς τῷ μυκτῆρι, Facit ad ozænas : Linteum eo humore imbutum, et naribus inditum, contra graveolentiam ulcerum efficax est, Ruell. Sed fortassis malit aliquis scribere ὀζαινικὰ, ut φαγεδαινικά.

Ὀζαινῖτις, ιδος, ἡ, Ozænas redolens, etiam Graveolens : ut ὄζαινα generalius pro Fœtore accipiatur. Plin. 12, 12, de nardo : Alterum genus ejus apud Gangem nascens, damnatur in totum ozænitidis nomine, virus redolens.

[Ὀζαλέος, α, ον, Ramosus. Quint. Mæcius Anth. Pal. 9, 249, 6 : Ἢν δὲ χερὶ ψαύσῃς κλοπίῃ μόνον, αὐτίκα δέξῃ ὀζαλέην βάκτρου τήνδε καρηβαρίην.]

[Ὀζανικός. V. Ὀζαινικός.]

Ὀζεία, ἡ, etiam ap. Hesych. reperio, quod exp. θεραπεία, a verbo ὀζεύω : quod an ab ὄζος aliam signif. habente derivetur, incertum est. [Ὀζειέα est ap. Hes. V. de similibus ipsius aliorumque glossis annotationem interpretum.]

Ὄζη, ἡ, unde Ὄζαινα. Est autem ὄζη, Fœtor. Cels. 3, 11 : Fœtorem quendam oris, quem ὄζην Græci vocant, minuit. || Suidæ vero Ὄζαι sunt τὰ δέρματα τῶν ὀνάγρων, Coria onagrorum : fortassis a fœtore vocata, ut Aristoph. dicit βύρσης κάκιστον ὄζων.

[Ὀζήκεις, οἱ σφριγῶντες, Hesychius.]

[Ὀζηλίδα, Marrubium. Lexicon botan. Ms. : Μαρώβιος, ἡ ὀζηλίδα. Ducang. App. Gl. p. 144.]

[Ὄζιμον. V. Ὤκιμον.]

[Ὀζόγυρος, ὁ. Schol. Nicand. Th. 71 : Ὀνόγυρος εἶδος θάμνου· καλοῦσι δὲ αὐτὸν οἱ μὲν ἀνάγυρον ... οἱ δὲ ὀζόγυρον.]

Ὀζοθήκη, ἡ, Oletum, Cloaca, ubi olidum ventris onus deponitur, ex Cyrillo, Τὴν ὀζοθήκην τῆς κοιλίας.

[Ὀζόλαι, Ὀζολίς. V. Ὄζολις.]

[Ὄζολις, ἡ. HSt. in Ὄζω :] Ab ὄζω dicta est etiam Ὄζολις, Polypi species, ut et ὄζαινα paulo ante. Sed Gaza discrimen facit inter hæc duo : siquidem ὄζαινα interpr. Bolitæna, ὄζολις autem Ozole. Sed et Ὀζόλαι ab ὄζω dicti sunt. Sic vero cognominantur Locrorum quidam, ut nonnullis placet, διὰ τὸν Νέσσον, ut aliis, διὰ τὸν Πύθωνα δράκοντα, ἐκβρασθέντας ὑπὸ τῆς θαλάσσης, καὶ σαπέντας ἐν τῇ αὐτῶν χώρᾳ : ut aliis, quoniam κώδια καὶ τραγέας οἱ ἄνθρωποι φοροῦντες, καὶ τὰ πλεῖστα συνόντες αἰπολίοις, ἐγίνοντο δυσώδεις. [V. Strab. 9, p. 653, Antig. Car. c. 129.] Alii contra dicunt, πολυάνθεμον τὴν χώραν οὖσαν ὑπ' εὐωδίας τοὔνομα λαβεῖν. Sic Plut. Quæst. Græc. [p. 294, F.] Servius [ad Virg. Æn. 3, 399] non Ozolas, ut Plin., sed Ozolos appellat, etiam ipse nominis rationem reddens, Ozoli [al. Ozolei], inquit, a putore paludis vicinæ. Regio autem eorum dicitur Ὀζολὶς, Steph. B. [« Civitatem condidisse quæ nunc Ozolis dicitur, » scribit Servius.]

Ὄζος, ὁ, Nodus [Gl.] arboris, et ipse etiam Ramus inde exoriens, ut nonnullis placet. [Thomas p. 644 : Ὄζος ὁ κλάδος καὶ ἡ τούτου ἀρχὴ, ὅθεν φύεται.] Pro ejusmodi nodo accipi potest ap. Theophr. H. Pl. 5, 3, ubi tradit quid σπεῖρα sit : cum quibus conf. quæ Plin. habet 16, 39, itidem in definitione spiræ, ubi et ipse vocabulo Nodus utitur. Loquuntur autem de materia quæ operi seligitur : in qua et οὐλότης et περίφυσις quædam. Sed et tunc ὄζον reddi posse Ramum, patebit ex iis quæ in Ἄοζος ac Ὀζώδης profero. Verum plerumque Ὄζοι dicuntur s. Rami, s. Brachia, utroque vocabulo Plin. appellat, in quæ truncus arboris dividitur : ex quibus, qui pullulant ramusculi, κλάδοι vocantur. Theophr. H. Pl. 1, 2, de partibus arborum et ceterarum plantarum loquens : Ἀκρέμονας δὲ λέγω τοὺς ἀπὸ τούτου (καυλοῦ et στελέχους) σχιζομένους, οὓς ἔνιοι καλοῦσιν ὄζους· κλάδον δὲ, τὸ βλάστημα τὸ ἐκ τούτων. Similiter et ap. Hesych. : Ὄζος ὁ ἀπὸ τοῦ στελέχους σχιζόμενος ἀκρέμων. Aristot. : Ἔστι γὰρ ἀρχή τις ὁ ὄζος τοῦ κλάδου, ἅμα δὲ καὶ μέσον. Est vero et quædam τῶν ὄζων differentia, quam Theophr. H. Pl. 1, 13, his verbis tradit : Εἰσὶ δὲ τῶν ὄζων οἱ μὲν τυφλοὶ, οἱ δὲ γόνιμοι· λέγω δὲ τυφλοὺς, ἀφ' ὧν μηδεὶς βλαστός· οὗτοι δὲ καὶ φύσει καὶ πηρώσει γίνονται. Unde Plin. 16, 30 : Ramorum aliqui cæci, qui non germinant : quod natura fit, si non evaluere : aut pœna, quum deputatos cicatrix hebetavit. Theophr. ibid. : Γίνονται δὲ μᾶλλον ἐν τοῖς παχέσι τῶν ἀκρεμόνων, ἐνίων δὲ καὶ ἐν τοῖς στελέχεσιν· ὅλως δὲ καὶ τοῦ στελέχους καὶ τοῦ κλάδου, καθ' ὃ ἂν ἐπικόψῃ ἢ ἐπιτέμῃ τις, ὄζος γίνεται. Ubi observa quod dicit, non solum ἐν στελέχει, sed et ἐν ἀκρέμοσι et κλάδοις ὄζους fieri : ubi sc. σχίζονται, et quasi in furcas finduntur : quo genere loquendi uti Plinium videbis in Δίοζος. Et paulo ante, Τῆς μὲν ἐλάτης ὀρθοὶ καὶ οἱ ὄζοι καὶ οἱ κλάδοι· Plin. l. c. : Abieti quidem subrecta divisura, ramique in cœlum tendentes, non in latera proni. Et paulo ante, Εἰσὶ δὲ τῶν μὲν ἄτακτοι καὶ ὡς ἔτυχεν οἱ ὄζοι· τῶν δὲ τεταγμένοι, καὶ τῷ διαστήματι καὶ τῷ πλήθει. Pro quibus Plin. ibid. : Quibusdam ramorum ordo, sicut piceæ, abieti ; aliis inconditus, ut robori, malo, pyro. Ibid. Theophr. dicit in calamo τὸ γόνυ esse καθάπερ ὄζον. Et aliquando post, Ὡς γὰρ ὁ ὄζος ἐν τοῖς ἄλλοις, οὕτω καὶ ὀφθαλμὸς ἐν ἀμπέλῳ, καὶ ἐν καλάμῳ γόνυ. Unde Plin. l. c. : Quæ dividuis in ramo natura est, hæc viti in oculo, arundini in geniculo. Hom. videtur uti hoc vocab. non tantum quum Majores illos ramos et brachia significare vult, sed etiam quum Minores : unde et per κλάδος apud eum exponitur. Il. Π, [768] de fago, fraxino, et corno : Πρὸς ἀλλήλας ἔβαλον τανυήκεας ὄζους· Od. Μ, [435] : Ῥίζαι γὰρ ἑκὰς εἶχον, ἀπήωροι δ' ἔσαν ὄζοι, Μακροί τε μεγάλοι τε· Il. Δ, [484] de populo nigra : Ἀτάρ τε οἱ ὄζοι ἐπ' ἀκροτάτῃ πεφύασι· Κ, [467] : Συμμάρψας δόνακας μυρίκης τ' ἐριθηλέας ὄζους· et [Ζ, 39] : Ὄζῳ ἔνι βλαφθέντε μυρικίνῳ· Α, [234] : Οὔποτε φύλλα καὶ ὄζους Φύσει. [Pind. Pyth. 4, 263 : Ὄζους δρυός. Aristoph. Vesp. 1377 : Ὄζος μὲν οὖν τῆς δᾳδὸς οὗτος ἐξέχει. Epigr. Anth. Pal. 9, 209, 1 : Πωτωμένη ὄζον ἀπ' ὄζου.] || Ab eod. Hom. metaph. ὄζος Ἄρηος dicitur ὁ πολεμικὸς ἄνθρωπος, Homo bellicosus, quasi Ramus ex Martis stirpe prognatus, Il. Β, [540] : Τῶν δ' αὖθ' ἡγεμόνευ' Ἐλεφήνωρ ὄζος Ἄρηος. Sic alibi etiam. [Eur. Hec. 125 : Τὼ Θησείδα δ' ὄζω Ἀθηνῶν. Plato Tim. p. 59, B : Χρυσοῦ δὲ ὄζος διὰ πυκνότητα σκληρότατον ὂν καὶ μελανθὲν ἀδάμας ἐκλήθη. Theophr. De sensu § 9, p. 650 : Τὴν ἀκοὴν, ἣν προσαγορεύει (Empedocles) σάρκινον ὄζον.] || Ὄζος pro Clava affertur ex Epigr. [Philippi Thess. Anth. Plan. 104, 4 : Βαρύπους ὄζος ὁ θηρολέτης (Herculis). || « Hesychius : Ἀκροὶ, οἱ ὄζοι τῶν ἐλαφείων κεράτων. » Hemst. || Forma Æol. Sappho ap. Hermog. in Walz. Rhett. vol. 3, p. 315, 2 : Δι' ὔσδων μαλίνων. Eadem ap. schol. Hermog. vol. 7, p. 883, 8 : Ἄκρῳ ἐπ' ὔσδῳ, quæ forma est etiam priori loco in aliis libris et schol. ib. 5, sed altero quoque expellenda est. L. Dind.]

Ὀζόστομος, ὁ, ἡ, [Oriputidus, Gl.] Cui os fœtet, Epigr. [Luciani Anthol. Pal. 11, 420, 1. Marc. Anton. 5, 28.]

[Ὀζόχρωτος, ὁ, ἡ, Hircosus, Gl.]

[Ὀζόω, In materiam ramosam et nodosam converto.] Ap. Theophr. reperitur etiam Ὀζώμενος, quod exp. itidem Ramosus, Nodosus, Nodatus, perinde ut præcedens Ὀζώδης, C. Pl. 3, 6 [5, 1] : Τότε γὰρ λεῖον, ὥσπερ ὑγιὲς καὶ ἀπήρωτον· τὸ δὲ τραχὺ καὶ ὀζώμενον, ἄλλως τε τυφλοῖς ὄζοις ὥσπερ πεπηρωμένον· ubi fortassis alicui leg. videatur ὠζωμένον, ut sit partic. præt. perf. a verbo ὀζοῦσθαι, In materiam ramosam et nodosam converti, ut ξυλοῦσθαι a ξύλον, et λιθοῦσθαι a λίθος. [Ita Schneid. : libri ὀζόμενον vel ὀζομένον.]

[Ὄζυξ, υγος, ὁ, ἡ.] Ὄζυγες pro ὁμόζυγες, apud poetas, metri causa. [Ex Hesychio.]

Ὄζω, Oleo, [Olido, add. Gl.] ὀζήσω, ὀζέσω, teste Eustathio [Od. p. 1523, 38], qui ὀζήσω ex Aristoph. Vesp. [1059] affert. At futuri ὀζέσω exemplum habes in Ἐπόζω et Προσόζω. [Fut. et aor. memorat gramm. Cram. An. vol. 3, p. 396, 32 : Ὄζω καὶ περισπώμενον ὀζῶ καὶ ὀζέσω καὶ προσώζεσαν. Conf. Suid. v. Ὤζεσαν.] Præt. ὤζηκα [Photius : Ὤζηκεν λέγουσιν] : præt. med. ὦδα, et Ὄδωδα, Attice, ut ὄλωλα : quod tamen præter. med. sæpius pro præsenti capitur. Est autem mediæ signif. hoc verbum : sicut et Lat. Oleo : ac pro loco additur Bene oleo, Male oleo, quod et Fœteo. Hom. Od. Ε, [60] : Τηλόσε δ' ὀδμὴ Κέδρου τ' εὐκεάτοιο θύου τ' ἀνὰ νῆσον ὀδώδει Δαιομένων, Fragrabat, Suaviter et bene olebat ; nam inter odores urebantur hæ plantæ in deliciis Circes, ut Plin. in Θύον supra loquitur. [I, 210 : Ὀδμὴ δ' ἡδεῖα ἀπὸ κρητῆρος ὀδώδει.] Cratinus ap. Athen. 14, [p. 661, E] : Ὡς γλυκὺ Ὄζει· κάπνος τ' ἐξέρχετ' εὐωδέστερος. Cic. dicit Bene olere, Plin. Jucunde olere. Rursum Cic. Male olere. Et Horat., Deterius olet herba Libycis lapillis. [Ὄζω καλὸν, Oleo ; Ὄζω σαπρὸν, Feteo, Puteo, Gl.] Theophr. C. Pl. [6, 14, 11] loquens περὶ τῶν ἴων, i. e. De violis : Τὰ μὲν χλωρὰ πόῤῥωθεν ὄζει· Plin. 21, 7 : Rosa recens a longinquo olet. Aliquando cum gen. construitur ; Latinis vero Oleo cum ablativo et accus. : Propert. : Cur nardo flammæ non oluere meæ? Plaut., Stabulum olent ; Plin., Temetum olere ; Martial., Olent tua basia myrrham ; Horat. Hircum olere, et Pastillos olere. [Æsch. Ag. 1310 : Τόδ' ὄζει θυμάτων ἐφεστίων.] Aristoph. Nub. [51] : Ὄζων τρυγὸς, τρασιᾶς, ἐρίων περιουσίας, Ἡ δ' αὖ μύρου, κρόκου, καταγλωττισμάτων, Δαπάνης, λαφυγμοῦ, κωλιάδος, γενετυλλίδος. Hermipp. ap. Athen. 1, [p. 29, E] de vino quodam, quod σαπρίαν appellat : Ὄζει ἴων, ὄζει δὲ ῥόδων, ὄζει δ' ὑακίνθου. Ap. eund. Athen. 3, ὄζειν καπνοῦ. Et ap. Plut. Apophth. [p. 182, D] : Περιζώματος ὄζειν, Olere s. Redolere subligaculum. [V. infra in signif. metaphor.] Et ap. Aristoph. [Ach. 852] : Ὄζων κακὸν τῶν μασχαλῶν Πατρὸς Τραγασαίου. Ap. Eund. [Eq. 892] : Βύρσης κάκιστον ὄζων, Corii teterrimum odorem edens. Idem Aristoph. [Eccl. 524] dixit etiam ὄζω μύρου τῆς κεφαλῆς, Caput meum redolet unguentum. Præterea ὄζειν νηστείας, Jejunium redolere : de fœtore quodam animæ, qui non vitio aliquo oris provenit, sed in omnibus fere est, qui nihil gustarunt. Aristot. Probl. [13, 7] : Διὰ τί τὰ στόματα μηδὲν ἐδηδοκότων, ἀλλὰ νηστευσάντων ὄζει μᾶλλον, ὃ καλεῖται νηστείας ὄζειν, φαγόντων δὲ, οὐκέτι ; ut illa Lucilliana ap. Gellium et Non., Suavium dat jejuna anima. Et φόνου ὄζειν, Graviter olere cadaveris modo, Gravem fœtorem edere, et veluti cadaverosum, si ita loqui licet. Theophr. H. Pl. 3, c. ult., de evonymo arbore : Ὄζει δὲ δεινὸν ὥσπερ φόνου· de qua Plin. 13, 22 : Statim pestem denuntians. Sed rectius ex eod. Theophr. exponere possumus, Ἔχει δὲ τὴν ὀσμὴν δεινὴν καὶ φονώδη· sic enim loquitur H. Pl. 6, 4, de atractylide : Αἱματώδη ποιεῖ τὸν χυλόν· διὸ καὶ φόνον ἔνιοι καλοῦσι τὴν ἄκανθαν ταύτην· ἔχει δὲ τὴν ὀσμὴν δεινὴν καὶ φονώδη. Unde Plin. 20, 16 : Sanguineum succum fundit : qua de causa φόνος vocatur a quibusdam : odore etiam gravis. Sic ap. Dem. Phal. [De eloc. § 283] : Οὐ τέθνηκεν Ἀλέξανδρος, ὦ ἄνδρες Ἀθηναῖοι· ὦζε γὰρ ἂν ἡ οἰκουμένη τοῦ νεκροῦ· ubi ait, ὦζε positum pro ᾐσθάνετο, esse et ἀλληγορικὸν et ὑπερβολικόν. De ejusmodi cadaverum fœtore Lucan. 7 fin. : Tu, cui dant pœnas inhumato funere gentes, Quid fugis hanc cladem? quid olentes deseris agros? Et mox, Sed tibi tabentes populi Pharsalica rura Eripiunt, camposque tenent victore fugato ... funesta ad pabula belli Bistonii venere lupi, tabemque cruentæ Cædis odorati Pholoen liquere leones .... obscœni tecta domosque Deseruere canes, et quicquid nare sagaci Aera non sanum motumque cadavere sensit. Ubi Agros olentes cædem dixit τοῦ φόνου ὄζοντας, et in reliquis φονώδη ὀσμὴν veluti naribus admovit. || Metaph. quoque ὄζειν dicitur. Plut. Apophth. [p. 182, D] : Οἱ λόγοι σου περιζώματος ὄζουσι. Ap. Eund. Præc. pol. [p. 802, E] Pytheas dicit τὸν Δημοσθένους λόγον ἐλλυχνίων ὄζειν καὶ σοφιστικῆς περιεργίας. Ap. Eund. [Mor. p. 828, A] : Οὐκ ὄζει τόκου βαρὺ καὶ δυσχερὲς, Non redolet usuram. Et Symp. 8 [p. 724, D] : Οὐχ ἱστορίας, οὔτε περιηγητικῶν ὄδωδε βιβλίων. Sic Aristoph. Nub. [398] : Σὺ κρονίων ὄζων καὶ βεκκεσέληνε, Antiquitatem redolens. Ap. Plut. Plac. Philos. [p. 881, A] : Ὄζει λήρου βεκκεσελήνου. Similiter apud Latinos Oleo : Plaut., Olet furtum ; Cic., Olet peregrinum, Antiquitatem redolet. Sed alia metaphora iidem Latini dicunt Resipit. || Ὄζω cum accus. etiam construitur, sicut Lat. Oleo et Redoleo. Diosc. 4 : Ὄζουσα γεῶδες, Terram olens. Epigr., Ταυτὸν ὄζει, Idem olet. Sic etiam supra accipi potest, quod ex Athen. attuli, γλυκὺ ὄζει. [Xen. Conv. 2, 4 : Ἅπας ὅμοιον ὄζει.] Et Theophr. : Ἥδιστον ὄζει. Plut. : Ὀδώδει θεσπέσιον οἷον ὑπὸ ἀρωμάτων. [Id. Mor. p. 90, B : Τοιοῦτο πάντες ὄζουσιν οἱ ἄνδρες.] At Aristoph. Pl. [1020] dicit χεῖρας παγκάλους ἔχειν μ' ἔφη, Ὄζειν τε τῆς χρόας ἔφασκεν ἡδύ μου, Suavem esse odorem corporis mei. [῾Ηδύ με, ut HSt. citat in Χρόα, Brunckius et alii, quod verbo potius quam substantivo opus sit pronomine. Imperson. Xen. Ven. 5, 1 : Οὐχ ὄζει αὐτῶν· 7 : Ὄζει τῶν ἰχνῶν. Et ib. : Ἐν δὲ τοῖς ὑλώδεσι μᾶλλον ἢ ἐν τοῖς ψιλοῖς ὄζει.] Præt. medii Attici ὄδωδα exempla aliquot habuisti in præcedentibus; sed et alterius usus aliquis est, ap. poetas tamen. Anaxilas ap. Athen. 2, [p. 68, D] : Τὰ δὲ σφύρ' ὧδει μᾶλλον ἢ σίκυος πέπων, Magis olebant. [Immo ᾤδει, Tumebant, est in loco citato.] Ex Epigr. vero affertur etiam ὤδοδα, Olui, metri causa, pro ὄδωδα. Ὤδωδε, Oluit s. Olet, pro ὄδωδε, ap. Hesych. Apud Eundem reperio etiam Ὀδωδὸς, quod exp. ὄζων, Olens : quod mendosum puto, et scr. ὀδωδώς : aut ὀδωδὸς, ὄζον : ut sit partic. a præt. med. Att. Sic enim ap. Suid. : Ὀδωδὸς, ὄζων, καὶ ὀδωδότι. [Nicand. Al. 115 : Κανθαρίδος σιτηβόρου εὖτ' ἂν ὀδώδῃ.] Ceterum ὄζειν alicubi et Spirare reddi potest : ut dicitur Jucundum spirat odorem : ἀναδίδωσι, πνέει, ut Græci quoque gramm. exponunt. [Ὀζόμενος, Putidus, Gl. Med. etiam Hippocr. p. 413, 14 : Ἰχὼρ πουλὺς καὶ κακὸν ὀζόμενος.] Dorice pro Ὄζω dicitur Ὄσδω. Theocr. 1, [149] : Ὡς καλὸν ὄσδει, Quam bene olet.

Ὀζώδης, ὁ, ἡ, Olidus, Fœtidus, i. q. ὀσμώδης et ὀδμώδης : quæ sicut mediæ signif. sunt, ita et hoc ὀζώδης. Theophr. [H. Pl. 3, 10, 4] : Τὸ τοῦ ἄῤῥενος ξύλον ὀζωδέστερον. Pro quo Plin. de tilia, Materia maris odoratior. [Schol. Nicandri Al. 436. Wakef. Tzetz. Hist. 8, 991 : Φύσεις τὰς ὀζώδεις.]

Ὀζώδης, ὁ, ἡ, Ramosus, Nodosus : cui opp. ἄνοζος, ut suo loco videre est. Theophr. H. Pl. 1, [5, 4 : Τὰ μὲν ἄοζα, τὰ δὲ ὀζώδη·] c. 13 Καὶ τὰ ἄῤῥενα δὲ τῶν θηλειῶν ὀζωδέστερα· ut Plin. de tilia, Materies maris dura, rufiorque, ac nodosa. Et paulo ante, Τὰ μὲν γὰρ ἀνοζότερα, τὰ δὲ ὀζωδέστερα τῶν ὁμογενῶν· paulo ante, Ἔστι γὰρ τὰ μὲν, ὀζώδη, τὰ δὲ ἄνοζα, καὶ φύσει καὶ τόπῳ κατὰ τὸ μᾶλλον καὶ ἧττον. Et mox, Ὀζῶδες δὲ, ἐλαία, πεύκη, κότινος. Plin. 16, 30 : Quædam individuæ, ramosæ, ut piceæ. In hisce exemplis de arboribus s. truncis stipitibusve dicitur. Legitur et de lignis ex arbore cæsis, et quæ dolantur, ap. eund. Theophr. H. Pl. 5, 3 : Καὶ πολλάκις ἔξωθεν μὲν λεῖον τὸ ξύλον, διαιρούμενον δὲ, ὀζῶδες ἐφάνη· ubi observa ὄζους dici de Ramis s. Nodis in ipsa materia latentibus. Quibus subjungit, Διὸ καὶ σκοποῦνται τῶν σχιστῶν τὰς μήτρας· ἐὰν γὰρ αὗται ἔχωσιν ὄζους, ὀζώδη καὶ τὰ ἐκτός. Paulo ante, Χειριστὴν δὲ (τῆς ὕλης εἶναί φασι) τήν τε Παρνασιακὴν καὶ τὴν Εὐβοϊκήν· καὶ γὰρ ὀζώδεις καὶ τραχείας, καὶ ταχὺ σήπεσθαι. Unde Plin. 16, 39 : Pessimæ materiæ Parnasia et Euboica, quoniam ramosæ ibi et contortæ, putrescentesque facile. Unde patet ὄζον imitatione Plinii Ramum reddi posse non solum quum de arbore et trunco sermo est, sed etiam quum de materia ad ædificandum cæsa.

[Ὀζωδία, ἡ, Nilus Epist. 106. Boiss.]

[Ὄζων, ωνος, ὁ, Ozon, n. viri, cujus genit. ponit Suidas : Ὄζωνος, ὄνομα κύριον, nominat. Arcad. p. 11, 18, ex cod. Havn. supplendus : nam in Pariss. excidit. L. Dindorf.]

[Ὀζωτὸς, ὁ, Ramosus. Theophr. H. Pl. 1, 3, 1 : Δένδρον ἐστὶ τὸ ἀπὸ ῥίζης μονοστέλεχες, ὀζωτόν.]

[Ὄη. V. Ὄα.]

[Ὄη, Ὀῆθεν. V. Ὄα.]

[Ὅθε. V. Ὅθεν.]

Ὅθεν, Unde, ab ὃς, ut οἴκοθεν ab οἶκος. Hom. Il. Β, [852] : Ἐξ Ἐνετῶν, ὅθεν ἡμιόνων γένος· [Δ, 58 : Γένος δ' ἐμοὶ ἔνθεν ὅθεν σοί·] Od. Λ, [365] : Ψεύδεά τ' ἀρτύνοντας ὅθεν κέ τις οὐδὲ ἴδοιτο. [Pind. Ol. 1, 8 : Ὅθεν ὁ πολύφατος ὕμνος ἀμφιβάλλεται, et alibi cum aliis quibusvis quum hac tum sequenti significatione. Æsch. Eum. 207 : Κύπρις,... ὅθεν βροτοῖσι γίγνεται τὰ φίλτατα.] Thuc. [6, 24] : Ὅθεν ἀΐδιον μισθοφορὰν ὑπάρχειν, Unde perpetuum suppetere stipendium. [1, 143 : Τὰ τῶν ξυμμάχων, ὅθεν ἰσχύομεν. Et similiter sæpe Plato aliique.] Dem. [p. 36, 14] : Πόθεν ἄλλοθεν ἰσχυρὸς γέγονεν. Aristot. : Ἀρχὴ ἡ μὲν λέγεται ὅθεν ἄν τις τοῦ πράγματος κινηθείη πρῶτον. || Accipitur etiam pro Quamobrem, Quocirca, Quare, sicut et Unde ap. Latinos hoc significat. Porro sicut ὅστις et ὅσπερ annexum habent δὴ, οὖν et περ, sic etiam ὅθεν : nam dicitur Ὁθενδὴ pro Undecunque, Undelibet. [Plato Phædr. p. 267, D : Διαβάλλειν τε καὶ ἀπολύσασθαι διαβολὰς ὁ κράτιστος.] Sapient. 15, [12] : Ὁθενδὴ, κἂν ἐκ κακοῦ, πορίζειν δεῖ, Oportet undecunque, etiam ex malo, acquirere. At disjunctim Ὅθεν δὴ simpliciter Ex quo [Æsch. Suppl. 15 : Ἄργους γαῖαν, ὅθεν δὴ γένος ἡμέτερον. Xen. Comm. 1, 1, 2 : Διετεθρύλητο ὡς φαίη Σωκράτης τὸ δαιμόνιον ἑαυτῷ σημαίνειν· ὅθεν δὴ καὶ μάλιστά μοι δοκοῦσιν αἰτιάσασθαι. Plato Reip. 3, p. 408, C] : necnon Itaque. Et Ὁθενδήποτε, Undecunque [Gl. « Theodor. Hyrtac. in Anecd. meis vol. 2, p. 426. Ὁθενδήποθεν, Jo. Cantacuz. Hist. 1, c. 1, p. 12; c. 4, p. 18. » Boiss.] Sic et Ὁθενοῦν, Undecunque. [Plato Leg. 5, p. 738, C : Ἄλλοθεν ὁθενοῦν.] Sed ap. Hermog. De statibus : Εἴτε ἀπὸ τοῦ στασιάζειν τοὺς ἀγωνιζομένους, εἴτε ὁθενοῦν, exp. Aliunde alicunde. Necnon Ὅθενπερ itidem pro Undecunque. [Pind. Nem. 2, 1 ; Soph. OEd. C. 1227. Ὅθεν τε Hom. Od. Δ, 358 : Λιμὴν εὔορμος, ὅθεν τ' ἀπὸ νῆας... βάλλουσιν· Γ, 321 : Πέλαγος μέγα τοῖον, ὅθεν τέ περ οὐδ' οἰωνοὶ οἰχνεῦσιν· Φ, 142. Soph. OEd. T. 1498 : Τὴν τεκοῦσαν ἤροσεν, ὅθενπερ αὐτὸς ἐσπάρη· OEd. C. 1227 : Κεῖθεν ὅθενπερ ἥκει. Aristoph. Ach. 821; Xen. Cyrop. 8, 7, 26; Plato Reip. 2, p. 366, D. || Forma Ὅθε ap. Tzetz. in Cram. An. vol. 3, p. 377, 14; 380, 12. L. D. Et in ejusd. Exeg. Il. p. 36, 8 ; 63, 20; 79, 21; 83, 1, 12 ; 87, 11 ; 90, 7 ; 98, 14; 100, 25; 114, 6; 121, 8, quarto quidem loco ante vocalem, ceteris ante consonam.]

[Ὀθέτη. V. Ὄθιζα.]

[Ὀθεύω, Ὀθέω. V. Ὄθη.]

Ὄθη, Hesychio φροντὶς, [ὤρα, φόβος,] λόγος, Cura, Ratio, [Metus] : unde Ὀθέω et Ὀθεύω, Curo, Rationem habeo. Hesych. enim ὀθεύει affert pro φροντίζει, et ὀθέων pro φροντίζων. [Et Ὄθεσαν pro ἐπεστράφησαν. Quibuscum conf. Ὄθω vel Ὄθομαι. Ceterum Ὀθεύει Hes. interpr. etiam ἄγει, quocum conf. Ὀθρέω, quod v. infra.]

[Ὄθημον, Hesychio ὑστερινὸν, pro ὄψιμον, quod idem interpretatur ὕστερον. L. Dindorf.]

Ὅθι, Ubi, infinite. Hom. Od. Ξ, [397] : Δουλίχιόν δ' ἰέναι, ὅτι μοι φίλον ἔπλετο θυμῷ· et [73] : Βῆ δ' ἴμεν ἐς συφεοὺς, ὅθι τ' ἔρχατο ἔθνεα χοίρων, Ubi conclusus erat porcorum grex. Ib. [532] : Βῆ δ' ἴμεναι κείων ὅθι περ σύες εὗδον. [Ὅθιπερ etiam Il. Β, 861. Eliso ι Il. Δ, 217 : Ὅθ' ἔμπεσε πικρὸς ὀϊστός. Soph. El. 709 : Στάντες ὅθ' αὐτοὺς κτλ. Id. OEd. C. 1044 : Εἴην ὅθι ... μίξουσιν. Rarum in prosa usurpavit Plato Phæd. p. 108, B : Ἀφικομένην ὅθιπερ αἱ ἄλλαι ψυχαί. Et Galen. vol. 7, p. 263 : Ἔστι δὲ καὶ ὅθι τοῦτο προϊόντος τοῦ λόγου διορισθήσεται. L. Dind.]

Ὄθιζα, Hesychio ἅμαξα ἡμιονικὴ, Currus s. Rheda mularum, quæ et ἀπήνη. [Eidem Ὀθέτη, ἅμ. ἡμ.]

Ὄθλεις, plantæ sunt, ut ἄγνοι et κάλαμοι, quas οἱ ὑδροσκόποι observant; ubi enim eæ nascuntur, aquas ibi esse colligunt. Geopon. 2, 3 [4, 1. Codd. ἤθλεις et ἤθλοις. Fortasse ὁ φλεώς. Schneid.] Vide et Vitruv. ea de re 8, 1. [Ὄθλος non addita significatione memorat Arcad. p. 198, 13.]

[Ὄθμα, τό.] Ὄθματα, Æoles dicunt pro ὄμματα, Oculi, Hesych. [Nicand. Th. 178 : Τὸ δὲ νέρθεν ὑπαιφοινίσσεται ὄθμα πολλὸν ὑπὸ σπείρης· 443.]

Ὀθνεῖος, α, ον, et ὁ, ἡ, Alienigena, Externus, Peregrinus, ἀλλογενὴς, ξένος : ut ὀθνείῃσι γυναιξὶ, Apollon. [Rh. 1, 869. Et 2, 13 : Ἀνδρῶν ὀθνείων, et absolute 3, 1145 : Ὀθνείων, et alibi. Eur. Alc. 532 : Ὀθνεῖος ἢ σοι συγγενὴς γεγῶσά τις· 646 : Γυναῖκ' ὀθνείαν· 810 : Ὀθνείου γ' οὕνεκ' εὖ πάσχειν νεκροῦ. Lycophr. 297 : Ὀθνείαν κόνιν, et alibi ipse aliique poetæ.] Utitur Plato quoque hac voce, [ut notat etiam Pollux 3, 54, ubi ποιητικώτερον dicit] in Epist. [7, p. 331, E] : Πολιτείας ἐν ἑκάσταις πόλεσιν οὐχ οἷός τ' ἦν καταστήσασθαι πιστὰς ἑταίρων ἀνδρῶν, οὔτε ἄλλων δήποθεν ὀθνείων οὔτ' ἀδελφῶν. [Et Leg. 1, p. 629, E : Πρὸς τὸν ὀθνεῖόν τε καὶ ἔξωθεν πόλεμον· 3, p. 697, B : Ὑπὸ μισθωτῶν καὶ ὀθνείων ἀνθρώπων· Reip. 5, p. 470, B : Τὸ δὲ ἀλλότριον καὶ ὀθνεῖον· Prot. p. 316, C : Καὶ οἰκείων καὶ ὀθνείων. Polyb. 1, 6, 6 : Οὐχ ὡς ὑπὲρ ὀθνείων, ἐπὶ δὲ τὸ πλεῖον ὡς ὑπὲρ ἰδίων πολεμήσαντες. Et sæpe Dionys. H. aliique recentiores.]

['Οθνιότυμβος, ὁ, ἡ, In solo peregrino sepultus. Manetho 4, 281. Schleusn.]

A ᾿Όθομαι dicitur pro Curo, Rationem habeo, φροντίζω, ἐπιστρέφομαι, ἐπιστροφὴν ποιοῦμαι. Hom. Il. A, [181]: Σέθεν δ' ἐγὼ οὐκ ἀλεγίζω Οὐδ' ὄθομαι κοτέοντος· [E, 403;] O, [106]: 'Ο δ' ἀφήμενος οὐκ ἀλεγίζει, Οὐδ' ὄθεται. ['Οθεσθαι, Hesychio μέμφεσθαι.] Suid. et activum ᾿Όθω affert, itidem pro ἐπιστροφὴν ποιοῦμαι. [Conf. 'Οθέω.] Meminit et Eust. exponens κινῶ, Moveo: et pass. ᾿Όθομαι, μετακινοῦμαι, Moveor. [Apoll. Rh. 1, 1267; 3, 94. Orac. ap. Niceph. Greg. Hist. Byz. 14, p. 454, C: Οὐ θυσιῶν σπλάγχνων τ' ὄθομαι.]

['Οθόνα, τὸ μέγα χελιδόνιον, in Glossis iatricis Mss. ex cod. Reg. 190 et 1843. Matthæus Silvaticus: *Otonia, Celidona major, sed falso, imo secundum Dioscoridem est Perforata vel Hypericon, vel Herba S. Joannis* etc. In eadem notione 'Οθόνιον scribitur ap. Interpol. Diosc. c. 399. Ducang. V. 'Οθόννα.]

['Οθόνειον, pro ὀθόνιον ap. Galen. De comp. med. sec. loc. l. 2, p. 101, 43 Ald.]

B 'Οθόνη, ἡ, Linteum, [Linteamen, Mappa, add. Gl. Καὶ πᾶν τὸ ἰσχνὸν, κἂν μὴ λινοῦν ᾖ, Hesychius, qui etiam alias varias ponit interpretationes], λινοῦν ὕφασμα. Hom. Il. Γ, [141]: Ἀργεννῇσι καλυψαμένη ὀθόνῃσι· Σ, [595]: Τῶν δ' αἳ μὲν λεπτὰς ὀθόνας ἔχον, οἱ δὲ χιτῶνας Εἵατ' ἐϋνήτους. [Od. H, 107: Καιροσέων δ' ὀθονέων. Improprie Empedocl. v. 308: Ὡς δὲ τότ' ἐν μήνιγξιν ἐεργμένον ὠγύγιον πῦρ λεπτῇσιν ὀθόνῃσι λοχάζετο κύκλοπα κούρην.] Lucian.: Ὡραῖον μειράκιον τὴν καθαρὰν ὀθόνην ἐνδεδυκώς. [Philostr. V. Ap. 1, 7, p. 8: Καὶ δεδώκασι (Tarsenses) τῇ ὀθόνῃ μᾶλλον ἢ τῇ σοφίᾳ Ἀθηναῖοι. « Vir doctus disciplinam Pythagoræ intelligebat quæ per ὀθόνην, linteam vestem, designetur, quum laneis vestimentis Pythagorei abstinuerint. Sic ὀθόνην linteam vestem notare et ἐρίῳ opponi inf. 1, 32 et 8, 7, 5, addo et 2, 39: verum obstat quod Pythagorica disciplina a Tarsensibus exculta nec reprehensionem mereri videatur nec studiis sapientiæ ap. Athenienses opponi possit... 'Οθόνη nihil aliud est quam vestimentum λεπτότητος, subtilitatis maximæ. Eust. Il. p. 297 ὀθόνη est ἧς ὀθόμεθα, τοῦτ' ἔστιν ἐπιστρεφόμεθα διὰ τὴν ἄγαν λεπτότητα. Add. et Il. Ξ, p. 1226 et Lucian. Dial. mer. 5, ubi inter dona meretricibus offerri solita ponit ὅρμον τῶν πολυτελῶν καὶ ὀθόνας τῶν λεπτῶν... 'Οθ. ergo i. q. ἐσθὴς λεπτὴ, et utrumque est mulierum hominumque effeminatæ mollitiei, qualem Tarsensibus tribuit Philostr. inf. 6, 34. Non infrequens autem hominum mores ex vestibus ita notari, nostramque hanc explicationem firmat quod inf. 2, 29 Phraotes pseudophilosophis exprobret τὸ γαστρὶ τε διδόναι καὶ ἀφροδισίοις καὶ ἀμπεχόνῃ λεπτῇ, quæ est ipsissima ὀθόνη.» Olearius. Valck. Ad oraria referebat Vales. ad l. Euseb. in illa signif. citandum p. 361 ed. Reading. Pollux 10, 32: Παραπέτασμα (τοῦ κοιτῶνος) λευκὸν ἐξ ὀθόνης.] Velum etiam nauticum ὀθόνη dicitur, Linteum et ipsum. ['Οθόνη πλοίου, Carbasus, Gl.] Lucian. [Jov. Trag. c. 46]: 'Ο ἄνεμος ἐμπίπτων τῇ ὀθόνῃ. [Pollux 1, 103: Πετάσαντες τὴν ὀθόνην· 106: Ὑποπλέῳ τῇ ὀθόνῃ· 107: Πᾶσαν τὴν ὀθόνην καθέντες. « 'Οθόνην καθέλκειν, in re navali, quod vulgo dicimus, *Baisser le pavillon*, ap. Niceph. Greg. Hist. 6, 8: Καὶ τὴν ὀθ. καθέλκειν ἐκέλευον. » Ducang. App. Gl. p. 144. || Balsamon ad Can. 73 apostol. p. 271: Τῷ ὀνόματι τῆς ὀθόνης πᾶν ὕφασμα δηλοῦται. Diaconi ὀθόνην gerebant. Quid notarit docet Isid. Pel. Ep. 1, 36, p. 41: Ἡ ὀθόνη, μεθ' ἧς λειτουργοῦσιν ἐν τοῖς ἁγίοις οἱ διάκονοι τὴν τοῦ κυρίου ἀναμιμνήσκει ταπείνωσιν, νίψαντος τοὺς πόδας τῶν μαθητῶν καὶ ἐκμάξαντος. Eadem habet Germanus patr. Cp. in Hist. eccl. p. 150. || 'Οθόναι etiam sunt Oraria. Euseb. H. E. 7, 30, de Samosateno: Τοῖς μὴ ἐπαινοῦσι μηδὲ ὡς ἐν τοῖς θεάτροις κατασείουσι ταῖς ὀθόναις... ἐπιτιμῶν καὶ ἐνυβρίζων. Suicer. Qui in Κρότος p. 176 addit: Eadem Niceph. 6, 30, p. 424, et Ruffinus 7, 26: « Ab auditoribus non favorem neque plausum operare solum, sed theatrali more oraria moveri sibi expectabat. « 'Οθόνας, seu tenues fascias lineas, dum favorem significabant et applausum, movebant atque jactabant, ut et manus et vestes, quod est ἀνασείειν τὴν χεῖρα καὶ ἐσθῆτα. Unde Vopiscus in Aureliano (c. 48): « Ipsumque primum donasse oraria populo R., quibus uteretur populus ad favorem. »]

['Οθονιακὸς, ἡ, ὸν, Lintiarius, Gl.]

['Οθόνῖνος, η, ον, Linteus. Lucian. Alex. c. 12: Κατεσκεύαστο αὐτοῖς κεφαλὴ δράκοντος ὀθονίνη, ἀνθρωπόμορφόν τι ἐπιφαίνουσα κατάγραφος· et c. 15 fin. Schol. Lexiph. c. 2.]

'Οθόνιον, τὸ, Panniculus lineus, Linteolum. [Lintiamen, huic add. Gl. Aristoph. fr. Γεωργ. ap. Athen. 11, p. 460, E: Ὥσπερ κυλικείου τοὐθόνιον προπέπταται. De velis Ps.-Demosth. p. 1145, 6, Polyb. 5, 89, 2.] Theophr. H. Pl. 7, 3: Οὕτω γὰρ τὸ τοῦ πράσου καὶ τὸ τοῦ σελίνου τιθέασιν, ἀποδήσαντες εἰς ὀθόνιον· Plin. 19, 7: Ita certe porrum et apium serunt in laciniis colligatum. [Theophr. ib. 9, 12, 5, C. Pl. 5, 6, 9.] Apud Medicos ὀθόνιον modo ponitur pro Panniculo lineo, Fascia linea, ad obliganda vulnera aut alia: modo pro Linteolo, quo medicamentum excipitur. [Aristoph. Ach. 1176: 'Οθόνια παρασκευάζετε. Hippocr. p. 680, 50: 'Οθ. βύσσινον. Oribas. p. 92 ed. Mai.: Σχιστοῖς ὀθονίοις. Pollux 4, 181. « 'Οθόνια βύσσινα τὰ εἰς τὸ βασιλικὸν συντελούμενα ἐν τοῖς ἱεροῖς, Inscr. Rosett. 18 et 29. » Schneid. Pap. Æg. ap. Forshall. *Descr.* part. 1, p. 54, xxii, 11: 'Οθονίου τιμήν. Artemid. 2, 3 init. L. D. Jud. 14, 12, 13: Τριάκοντα ὀθόνια. Hos. 2, 9: Τὰ ἱμάτιά μου καὶ τὰ ὀθόνιά μου. V. et v. 5. Hesych.: 'Οθόνια, λινᾶ ἱμάτια. Cyrill. Ms.: 'Οθ., ὑφάσματα λεπτότατα. Conf. Salmas. in Tertullian. De pall. p. 411, ubi observat Lucianum (Philops. c. 34) ὀθόνιον vocare quam σινδόνα Diog. L. eandemque Ausonio (152, 2 Par.) linteam sindonem dici. Sic et ὀθόνια Joh. 19, 40, quæ alii Evangelistæ σινδόνα nominant. Schleusn. Lex. Pollux 10, 167: 'Εκ δὲ τῶν σκευῶν ἔστω καὶ προσωπὶς, καὶ ὡς ἐν τοῖς Σοφισταῖς Πλάτων, ὠθόνιον πρόσωπον. Interpretes ὀθόνιον, ὀθόνινον, ὀθνεῖον.]

['Οθόνιον, i. q. χελιδόνιον μέγα, vox susp. V. 'Οθόνα.]

['Οθονιοπώλης, ὁ, Lentiarius, Lintearius, Gl.]

'Οθόννα, ἡ, Othonna: herbæ et succi nom., de quo multa Diosc. 2, 211 [213, ubi interpolata in libris quibusdam sunt: Οἱ μέν φασι τοῦ μεγάλου χελιδονίου χυλὸν εἶναι, οἱ δὲ γλαυκίου, οἱ δὲ τῆς κερατίτιδος μήκωνος τῶν ἀνθέων χυλόν· ἔνιοι δὲ μῖγμα ἀναγαλλίδος τῆς κυανέας καὶ ὑοσκυάμου καὶ μήκωνος χυλῶν· οἱ δὲ βοτάνης Τρωγλοδυτικῆς τινος, ἥτις ὄθοννα καλεῖται, εἶναι χυλόν. Ipsius autem Dioscoridis herbæ descriptioni additur: ᾿Ένιοι δέ φασιν αὐτὴν λίθον εἶναι Αἰγύπτιον ἐν τῇ Θηβαΐδι γεννώμενον, λευκόχρουν, μικρὸν τῷ μεγέθει, δάκνοντα τὴν γεῦσιν μετὰ πυρώσεως καὶ στύψεως], et Paul. Ægin. l. 7, [p. 249, 283]. Plin. 27, 11: Othonna in Syria nascitur, similis erucæ, perforatis crebro foliis, flore croci: quare quidam anemonen vocaverunt. Succus ejus oculorum medicamentis convenit. [Dioscoridis ὀθόννα Sprengelio Hist. rei herb. p. 188 est Tagetes patula. Angl. V. 'Οθόνα.]

'Οθονοποιὸς, ὁ, Qui linteos pannos conficit, Linteo. Diosc. 5, 152, de morochtho lapide: Ὧ καὶ οἱ ὀθονοποιοὶ πρὸς λεύκωσιν τῶν ἱματίων χρῶνται· pro quo Galenus dicit, ᾧ χρῶνται οἱ στιλπνοῦντες τὰς ὀθόνας.

['Οθονοσκεπὴς, ὁ, ἡ, Linteo opertus. Nicet. Annal. 3, 3; 20, 5.]

D ['Οθούνεκα. V. ῞Ενεκα.]

['Οθρέω.] 'Οθρεῖν, Hesychio ἄγειν, Agere, Ducere. [V. 'Οθέω.]

᾿Όθριξ, ιχος, ὁ, ἡ, Similes pilos habens, Qui ejusdem comæ est. Hom. Il. B, [765] de equis Eumeli: ᾿Ότριχας, οἰέτεας, σταφυλῇ ἐπὶ νῶτον ἐΐσας. Est autem per sync. factum ex 'Ομοιόθριξ [ὁμόθριξ], sicut οἰέτης ex ὁμοέτης. Tenuari autem ο Eust. scribit propter τ sequens, sicut in ὀτρύνω. Secundum quam regulam in nominat. scrib. foret ὅθριξ spiritu aspero, in obliquis autem tenui, in quibus sc. θ propter χ sequens in τ mutatur.

᾿Όθροος, pro ὁμόθροος dicitur, ut ὄτριχες pro ὁμότριχος: unde et ab Hesych. exp. ὁμόφωνος, σύμφωνος.

['Οθρυάδης, ου, ὁ, Othryades, Spartanus, ap. Herodot. 1, 82, Lucian. Contempl. c. 24, ubi v. intt., Rhet. præc. c. 18, Ps.-Plut. Mor. p. 306. Forma 'Οδρυάδας, α, Diosc. Anth. Pal. 7, 430, 8, Pausan. 2, 20, 7, Strabo 8, p. 376. Et Simonid. Anth. Pal. 7, 431, 5, 'Οδρυάδαο. ὕᾶᾶ]

[Ὀθρυόεις, εσσα, εν. V. Ὄθρυς.]

[Ὀθρυονεὺς, έως, ὁ, Othryoneus, socius Trojanorum ex Cabeso, Hom. Il. N, 363, 374, 772.]

Ὄθρυς, Cretensibus est τὸ ὄρος, Mons, Hesych. Unde Ὀθρυόεν, Eidem τραχὺ, κρημνῶδες, Asperum, Præruptum: item δασὺ, ὑλῶδες, Sylvosum, Arboribus et arbustis hirtum. Infra Ὀκρυόεν.

[Ὄθρυς, υος, ἡ, Othrys, mons Thessaliæ. Hesiod. Th. 632, Herodot. 7, 129, Eur. Alc. 580, Apoll. Rh. 2, 515, Strab. 8, p. 356; 9, p. 432, 433.]

[Ὄθρωνος, Othronus. Πόλις, οἱ δὲ νῆσος, πρὸς νότον Σικελίας. Λυκόφρων (1034, 1027)· Ἄλλοι Μελίτην νῆσον Οθρώνου πέλας. Ὁ οἰκῶν Ὀθρώνιος, Steph. Byz., ap. quem Ὄθρωνος. Ὀθρωνὸς scriptum ap. Lycophr. et Suidam, Ὀθρῶνος, ἡ πρὸς Κερκύρᾳ νῆσος, ap. Hesych., sed Ὀθρωνὸς restituendum huic et Stephano, auctore Theognosto Can. p. 68, 19. L. Dind.]

[Ὀθύκρη, ἡ, Othycre, urbs sec. Chœrob. Bekk. An. p. 1173 med., ubi Ὀλύκρῃ Gaisf. p. 515, 15, quod infra Ὀλύκραι.]

[Ὀθύλλομαι, unde Ὠθύλλετο, Hesychio διενοεῖτο.]

[Ὄθω. V. Ὄθομαι.]

Ὀθῶς, Hesych. ταχέως, Celeriter, Cito. [Pro θοῶς.]

Οἱ, interjectio s. ἐπίφθεγμα est τῶν δυσχεραινόντων, ὀδυρομένων καὶ φοβουμένων, Ægre ferentium, illacrymantium et timentium: ut Lat. Hei et Heu. [Æsch. Pers. 1045: Οἱ μάλα καὶ τόδ' ἀλγῶ· 1053: Οἱ στονόεσσα πλαγά· Sept. 808 et alibi sæpe: Οἱ ἐγὼ τάλαινα· Cho. 680 etc.: Οἱ ἐγώ.] Soph. Aj. [803]: Οἱ ἐγὼ φίλοι, Hei mihi, amici. Eur.: Οἱ ἐγὼ μελέα, Hei mihi miseræ, O me miseram. [Variare in talibus solent libri inter ἐγὼ et 'γὼ, quomodo plerumque est pronuntiandum, nisi quod Æsch. Ag. 1257: Ὀτοτοῖ, Λύκει' Ἄπολλον, οἱ ἐγὼ ἐγὼ, hiatus esse videtur.] In Epigr. [Antipatri s. Apollonidæ Anth. Pal. 9, 408, 3] cum accus., Οἱ ἐμὲ δείλην, O me miseram. [Item in inscr. Cyren. ap. Letronn. *Journ. des Sav.* 1828, p. 184. Absolute Jerem. 1, 12: Οἱ πρὸς ὑμᾶς, si quidem scribendum οἱ cum aliis.] Sed frequentius cum dat. dicitur οἴμοι, Heu mihi. [Ei mihi, Heu, Gl. Æsch. Ag. 1225: Οἰκουρὸν οἴμοι τῷ μολόντι δεσπότῃ· Cho. 434: Τὸ πᾶν ἀτίμως ἔλεξας, οἴμοι. Et similiter in fine ap. Demosth. p. 690, 23.] Apud Synes. [Plutarch. Mor. p. 475, C] ex Eurip. Belleroph.: Οἴμοι· τί δ' οἴμοι; θνητά τοι πεπόνθαμεν. Item cum nomin. casu, Aristoph. [Pl. 169]: Οἴμοι τάλας, Heu mihi misero, O me miserum. Addunt etiam gen. huic οἴμοι, subaudito ἕνεκα vel simili particula. [Æsch. Ag. 875: Οἴμοι πανοίμοι δεσπότου τελουμένου, οἴμοι μάλ' αὖθις ἐν τρίτοις προσφθέγμασιν. Et sæpe apud ceteros Tragicos.] Aristoph. [Pl. 389]: Οἴμοι τῶν κακῶν, Heu mihi ob mala. Idem Nub. [1323]: Οἴμοι κακοδαίμων τῆς κεφαλῆς καὶ τῆς γνάθου, O miserum me ob caput et maxillam. Et [925]: Οἴμοι σοφίας, ἧς ἐμνήσθης, ubi non ἐπὶ λύπης positum, sed potius ἐπὶ θαυμασμοῦ, ut et quum dicit Nub. [773]: Οἴμ' ὡς ἥδομαι, Heu mihi quam lætor. Pro eodem dicitur ᾧ [ὤ]: ut ᾤμοι [ὤμοι] ἐγὼ passim ap. Hom. [et Tragicos], Hei mihi. Eust. [Od. p. 1538, 45] ex Suida affert etiam Ὄϊ, dicens esse κοινότερον τοῦ ὠή: solere autem ἐπιφθέγγεσθαι ὑπὸ δυσχεραινόντων, φοβουμένων καὶ ὀδυρομένων· recte; ita enim scriptum habet et Ms. ejus codex, non item vulgati. [Suidæ gl. petita ex schol. Aristoph. Pac. 929: Τῷ δὴ δοκεῖ σοι δῆτα τῶν λοιπῶν; Ὀΐ. — Ὀΐ; — Ναὶ μὰ Δί'— Ἀλλὰ τουτό γ' ἐστ' Ἰωνικὸν τὸ ῥῆμ'. — Ἐπίτηδες οὖν, ἵν' ἐν τἠκκλησίᾳ... οἱ καθήμενοι ὑπὸ τοῦ δέους λέγωσ' ἰωνικῶς Ὀΐ. Ubi schol. addit: Δίδυμος δὲ ἐν ἐκτάσει· οἱ γὰρ φ. οὕτω λέγουσι. Duplex οἱ, quomodo scriptum etiam ap. Eust. Il. p. 696, 20, memorat Jo. Alex. Τον. παραγγ. p. 36, 15, inter perispomena ponens τὸ οἰοῖ καὶ αἰαῖ. Quod est Æsch. Eum. 841: Οἰοῖ δᾶ, φεῦ, et Suppl. 885, et repetitum 875: Οἰοῖ οἰοῖ. Triplex Apollon. De adverb. p. 588, 25: Καὶ τὰ πρωτότυπα θέλει περισπᾶσθαι, ὡς ἔχει τὸ οἰμοιμοῖ καὶ τὸ... οἰοιοῖ. Quæ in libris divisim scribi solent, ut Æsch. Pers. 954: Οἰοιοῖ βόα· et ib. 966, Soph. El. 1160, 1162, et Phil. 780 et Aristoph. Pac. 257: Οἰμοιμοῖ τάλας. De ὤμοι μοι, quod est ap. Æsch. Ag. 1494: Ὤμοι μοι κοίταν τάνδ' ἀνελεύθερον, tertio addito μοι ap. Soph. Ph. 1086: Ὤμοι

A μοί μοι, non idem traditum. Simplicis οἴμοι et ὤμοι de accentu Arcad. p. 183, 20. Itaque male interdum scribitur ὦ vel adeo ᾧ μοι. Nam ὤμοι unam esse voculam multis disputat Apollon. De adv. p. 536, 28—538, 12, ubi memorat etiam formas ὠοιοί 537, 7, 29; 538, 1; ὠαιαὶ et Æolice ᾠαι 538, 1, 2, quibuscum comparanda ὀτοτοὶ et ὀτοταὶ, οἰοὶ et οἰαὶ, αἰβοῖ et αἶβαι (sic) ap. Theognost. Can. p. 158, 3, quæ omnia circumflectenda, sec. Apollonium l. supra citato et schol. Dionys. Bekk. An. p. 946, 32, ubi corrupte et divisim scriptum οἶ οἶ, ἀοίμοι, οἴμοι. L. D.]

[Οἷ, Sibi. V. Οὗ.]

Οἷ, Quo, indefinite. [Soph. El. 8: Οἷ δ' ἱκάνομεν· Ant. 228: Τί χωρεῖς οἷ μολὼν δώσεις δίκην· Tr. 333: Ὡς σύ θ' οἷ θέλεις σπεύδῃς. Aristoph. Ran. 36: Οἷ πρῶτά με ἔδει τραπέσθαι, etc.] Thuc.: Οἷ κατασχήσουσι, Quo applicabunt. Plato Leg. [4, p. 714, B]: Οἷ βλέπειν, Quo respicere. [Id. Parm. p. 127, C: Οἷ δὴ καὶ ἀφικέσθαι· Dial. de virt. p. 378, B: Οἷ ἔδει δαπανώμενον διδάσκειν· Reip. 3, p. 403, C: Οἷ δεῖ τελευτᾶν· Conv. p.

B 181, B: Οἷ τελευτᾷ κακίας καὶ ἀρετῆς ψυχῆς τε πέρι καὶ σώματος. Soph. El. 1035: Οἷ μ' ἀτιμίας ἄγεις.] Dem.: Οἷ ἀσελγείας προελήλυθε, Quo lasciviæ: οἷ γῆς, Quo terrarum: Οἷ κακῶν με ἤγαγες, In quæ pericula me induxisti. || Ubi. Psalm.: Οἷ οὐκ ἦν φόβος. [|| Οἷπερ Soph. El. 404: Χωρήσομαί τἄρ' οἷπερ ἐστάλην ὁδοῦ. Plato Protag. p. 362, A, Hipp. maj. p. 283, B.]

[Οἶα. V. Ὄα.]

[Οἶα, ἡ, Hœa, n. mulieris, ap. Athen. 12, p. 586, F: Ἀντικύρας· ἐπώνυμον δέ ἐστι τοῦτο ἑταίρας· τὸ γὰρ κύριον ἦν Οἶα, ὡς Ἀντιφάνης εἴρηκεν ἐν τῷ περὶ ἑταιρῶν. Libri οἶα vel οἶα, spiritu fortasse veriori. Οἴη vicus Æginæ est ap. Herodot. 5, 83. Οἶα Theræ ins. in inscr. ap. Ross. *Reisen* vol. 1, p. 61, et ap. Ptolem. 3, 15. Οἴη uxor Cecropis v. in Οἶα s. Ὄα L. D.]

[Οἶα, τὰ δεινὰ, Αἰολεῖς, Hesychius.]

[Οἰαγρίδης, ὁ, patron. ab Οἴαγρος, ap. Nicandr. Th. 462.]

[Οἰαγρὶς, ίδος, ἡ, patron. fem. ab Οἴαγρος, ap. Mosch. 3, 17, de Musis.]

C [Οἴαγρος, ὁ, OEagrus, rex Thraciæ, pater Orphei, ap. Pind. in schol. ejus Pyth. 4, 313, Aristoph. Vesp. 589, Apoll. Rh. 1, 25 etc., in epigr. Anth. Pal. 7, 10, 1, Orph. Arg. 73, Apollod. 1, 3, 2, 1.]

Οἰᾶδὸν, Solum, Solummodo, ab οἶος, ut μοναδὸν a μόνος. Nicander Th. [148]: Χροιὴν δ' ἀλλόφατόν τε καὶ οὐ μίαν οἰαδὸν ἴσχει Τοῦτο.

[Οἰᾶκηδὸν, adv. ab οἴαξ, memorat Apollon. De adv. p. 619, 9: Πᾶν εἰς δὸν λῆγον ἐπίρρημα ποιότητός ἐστι παρεμφατικὸν, οὐ τόπου, βοτρυδὸν, οἰακηδόν.]

Οἰᾶκίζω, significans Guberno, Rego, εὐθύνω: proprie quidem navem, metaphorice vero et alia. [De forma Ion. HSt. in Ind.: « Οἰηκίζω, i. q. οἰακίζω, Guberno, Rego.»] Herodot. 1, [171]: Ἐώθεσαν ἀσπίσι χρέεσθαι, τελαμῶσι σκυτίνοισι οἰακίζοντες [οἰηκίζοντες], Regentes eas loris coriaceis. Aristot. Eth. 10, 1: Διὸ παιδεύουσι τοὺς νέους οἰακίζοντες ἡδονῇ καὶ λύπῃ. [Polyb. 3, 43, 4: Τοῖς ἀγωγεῦσιν ἑνὸς ἀνδρὸς ἐξ ἑκατέρου τοῦ μέρους τῆς πρύμνης (tres quatuorve equos) οἰακίζοντος· et similiter 8, 8, 2. Diodor. 3, 26: Διὰ τῆς ἀριστερᾶς

D χειρὸς οἰακίζων τὸ ἴδιον σῶμα· 18, 59: Ὁ κοινὸς βίος ὥσπερ ὑπὸ θεῶν τινος οἰακιζόμενος. « Οἰακίζεσθαι ἀπὸ ῥάβδου equi dicuntur a Strab. 17, p. 828.» Hemst. Anon. De v. Pythag. p. 63 (114 Kiessl.): Ἕκαστον ὑπὸ μιᾶς φύσεως οἰακίζεται. Valck. Procl. In Alcib. cap. 24, p. 78: Ὁ δαίμων... οἰακίζων ἡμῶν τὴν σύμπασαν ζωήν, ibiq. not. Creuzer.]

[Οἰάκιον, τὸ, Clavi gubernaculum. Eust. Od. p. 1533, 48: Καὶ φέρεται μέχρι καὶ νῦν ἡ τῶν οἰάκων λέξις οὐκ ἐπὶ ὅλου τοῦ πηδαλίου, λέγεται γὰρ τοῖς ναύταις οἰάκια ξυλήφιά τινα, δι' ὧν στρέφουσι τεχνικῶς τὸ πηδάλιον. Conf. p. 1640, 50.]

[Οἴακισις, εως, ἡ, i. q. seq. Nicetas Chon. p. 305, C: Τὴν ἐκείνης (τῆς πόλεως) ἐγχειρίσαι αὐτῷ οἰάκισιν.]

Οἰάκισμα, τὸ, Gubernatio: vel q. d. Gubernamentum. [Regimen, Gl.] Diog. L. [9, 12]: Ἀκριβὲς οἰάκισμα πρὸς στάθμην βίου.

[Οἰακισμὸς, ὁ, Gubernatio. Greg. Naz. Sentt. iamb. tetr. (55 ?). M. D. M.]

Οἰακιστὴς, ὁ, Gubernator: κυβερνήτης Suidæ.

[Οἰακονόμος, ὁ, Gubernator. Æsch. Pr. 149: Νέοι γὰρ οἰακονόμοι κρατοῦσ' Ὀλύμπου.]

Οἰακοστροφέω, Gubernaculum manu verso, Clavum teneo regoque: Suidæ κυβερνῶ. [Æsch. Pers. 767: Φρένες γὰρ αὐτοῦ θυμὸν οἰακοστρόφουν. «Cyrill. Al. præf. in l. 3 in Jo. p. 247: Τῷ ἀγαθῷ καὶ φιλανθρώπῳ θεῷ τὰ καθ' ἡμᾶς οἰακοστροφεῖν ἐπιτρέπωμεν.» Suicer.]

Οἰακοστρόφος, ὁ, Qui gubernaculum manu versat, Gubernator. Metaphor. Æsch. [Pr. 515]: Τίς οὖν ἀνάγκης ἐστὶν οἰακοστρόφος; pro Quis est qui necessitatem vertere pro arbitrio queat, ut gubernator suum gubernaculum? [Sept. 62: Ὥστε νηὸς κεδνὸς οἰακοστρόφος. Pind. Isthm. 3, 89; Eur. Med. 523. «Cyrill. Al. In c. 4 Amosi p. 295: Ὁ τῶν ὅλων θεὸς καὶ οἱονεί πως τῶν ἀνθρωπίνων οἰακ.» Suicer.]

[Οἰακοφόρος, ὁ, ἡ, i. præcedens. Synes. Hymn. 3, 287, p. 324, D, ubi forma Ion. οἰηκοφόρους. Kall.]

[Οἰάκωσις, εως, ἡ, Gubernatio. Aq. Job. 37, 12. Schleusner. Lex.]

[Οἰάνθη, πόλις Λοκρῶν. Ἑκαταῖος Ἀσίᾳ. Ἑλλάνικος δὲ Οἰάνθειαν αὐτήν φησιν. Τὸ ἐθνικὸν Οἰανθεύς. Ἔστι δὲ καὶ Οἰάνθειον καὶ Οἰανθίς· ὁ ἐξ αὐτοῦ Οἰάνθιος, Steph. Byz. Οἰάνθεια ap. Polyb. 4, 57, 2; Strab. 9, p. 427, Pausan. 10, 38, 9. Οἰανθεῖς ap. Thuc. 3, 101 (unde tamen Οἰανθίους affert Steph. Byz. in Χάλαιον), Polyb. 5, 17, 8. Οἰανθίου ap. Polyæn. 8, 46, 1. V. etiam Εὐανθία.]

Οἴαξ, ακος, ὁ, Gubernaculum [Gl.], Temo navis, Clavus [Gl.] navis: ut et Vitruv. docet 10, 8: Navis onerariæ maximæ gubernator ansam gubernaculi tenens, quod οἴαξ a Græcis appellatur. [Æsch. Ag. 663: Θεός τις οὐκ ἄνθρωπος οἴακος θιγών· Suppl. 717: Οἴακος εὐθυντῆρος ὕστατου νεώς. Eur. Hel. 1591: Στρέφ' οἴακα· 1578: Οἰάκων φύλαξ· 1610: Ἐπ' οἰάκων δὲ βάς. Plat. Polit. p. 272, E: Οἷον πηδαλίων οἴακος ἀφέμενος· Alc. 1 p. 117, C: Πότερον χρὴ τὸν οἴακα εἴσω ἄγειν ἢ ἔξω.] Plut. De deo Socr. [p. 588, F]: Ὁρῶντας ὑπὸ μικροῖς οἴαξι μεγάλων περιαγωγὰς ὁλκάδων. Idem in l. An seni capess. resp. [p. 789, E]: Παρ' ἡνίαν καὶ παρ' οἴακα πολλάκις στάς. Pollux [1, 89] non solum totum τὸ πηδάλιον vocari οἴακα scribit, sed etiam τὸ ἄκρον τοῦ πηδαλίου, Summam gubernaculi partem, i. e. Ansam gubernaculi: sed crebrius de ipso gubernaculo dicitur, ut tum in ante citatis ll., tum in metaphorico hoc Theodoriti H. E. 2: Ἦν τῆς Ἀντιοχέων ἐκκλησίας κατέχων τοὺς οἴακας. [Οἴακες πλοίου, Claves (sic), Gl. Æsch. Sept. 3: Ἐν πρύμνῃ πόλεως οἴακα νωμῶν· Ag. 802: Οὐδ' εὖ πραπίδων οἴακα νέμων. Soph. ap. Plut. Alex. c. 7: Πολλῶν χαλινῶν ἔργον οἰάκων θ' ἅμα. Eur. Or. 795: Ἕρπε νυν, οἴαξ ποδός μοι.] Ionice Οἴηξ dicitur pro οἴαξ, Gubernaculum. Hom. οἴηκας vocavit κρίκους τοὺς συνέχοντας τὸν ζυγὸν, Annulos qui jugum tenent: s. κρίκους δι' ὧν ἐνείρονται αἱ τοὺς ἡμιόνους οἰακίζουσαι ἡνίαι, Annulos per quos trajiciuntur mulos regentes habenæ, teste Eust., qui οἴακας itidem vocari scribit non solum τὰ πηδάλια, Gubernacula, verum etiam Annulos per quos trajiciuntur lora in quibus gubernaculum versari a gubernatore queat: atque adeo suo tempore nautas οἰάκια appellasse ξυλήφιά τινα δι' ὧν ἔστρεφον τεχνικῶς τὰ πηδάλια. Porro locus Homeri, cujus mentio facta est, extat Il. Ω, [269]: Ζυγὸν ἡμιόνειον εὖ οἰήκεσσιν ἀρηρός.

[Οἴαξ, ακος, ὁ, OEax, f. Nauplii, ap. Eur. Or. 432, Apollod. 2, 1, 5, 14; 3, 2, 2, 2.]

[Οἰαξίς. V. Ὄαξος.]

[Οἴαρος, ἡ.] Οἴαροι, Suidæ γυναῖκες, Uxores: quæ et ὄαροι.

[Οἰάς, άδος. Οἰάδος τῆς βρυωνίας καλουμένης exponit Erotian. ap. Hippocr. Ἔστι δὲ ἀγρίας ἀμπέλου εἶδος. Verum οἰνάδος quædam exempll. legunt ap. Erot. Foes. OEc.]

[Οἰᾶται, οἱ, OEatæ, demus Tegeatarum, ap. Pausan. 8, 45, 1, ubi libri οἱ τὰς, pro οἰάτας.]

Ὀϊάτειον κρέας, Ovilla caro, Suid., ap. quem pro πρόβειον scrib. videtur προβάτειον. [Moschop. Π. σχεδ. p. 140 med. Boiss.]

[Οἰατης, Οἰάτης, Οἰᾶτις. V. Ὄα, Οἶον.]

Οἰάω, Solus s. Solitarius sum: Hesych. οἰῶντα, μονάζοντα.

[Οἴβᾰλος, ὁ, OEbalus, rex Spartæ, ap. Lycophr.
A 1125, Apollod. 3, 10, 3, 5, et 4, 5, Pausan. 3, 1, 3, etc. Alius Spartanus, 4, 12, 9.]

[Οἰβάρης, ους, ὁ, OEbares, ap. Æsch. Pers. 986, Herodot. 3, 85; 6, 33, Ctesiam Photii Bibl. p. 36, 19, ubi Οἰβάρας, α. ᾱ]

[Οἶβος, ὁ, Pars optima in cervice tauri, ap. Lucian. Lexiph. c. 3: Οἶβον τουτονί. Pollux (?) ab intt. citatus: Οἶβος τοῦ τραχήλου τοῦ βοὸς τὸ κάλλιστον. Ὄχθοιβος, quod confert Schneider., nihil huc pertinet.]

[Οἰβώτας, α, ὁ, OEbotas, Achæus, ap. Pausan. 6, 3, 8; 7, 17, 6 et 13 sq.]

Οἴγω, sive Οἰγνύω [s. Οἴγνυμι], Aperio. Hesiod. Ἡμ. [55, Op. 817]: Τετράδι δ' οἶγε πίθον, Aperi s. Resera dolium. [Æsch. Prom. 612: Ἁπλῷ λόγῳ, ὥσπερ δίκαιον πρὸς φίλους, οἴγειν στόμα· fr. ap. Aristoph. Ran. 1274: Δόμον Ἀρτέμιδος πέλας οἴγειν. Eur. Alc. 547: Ξενῶνας οἴξας· Herc. F. 332: Οἴγειν κλῇθρα· Cycl. 502: Θύραν τις οἴξει μοι; «Ξενῶνας οἶγε, Anaxandr. apud Athen. 2, p. 48, A.» Hemst. Lycophr. 842: Ὠδῖνας οἴξαντος τόκων.] Utrumque thema agnoscit Hesych., in cujus
B Lex. habetur, οἰγνύει, ἀνοίγει, quod et ap. Suid., et οἰγόμενος, ἀνοιγόμενος. Pass. Οἴγνυμαι Hom. utitur Il. Θ, [58]: Πᾶσαι δ' ὠΐγνυντο πύλαι, ἐκ δ' ἔσσυτο λαός. Idem Od. [Γ, 392] utitur aor. 1 ὤϊξε, de dolio, ut Hesiod. paulo ante οἶγε. Et [A, 436]: Ὤϊξεν δὲ πύλας θαλάμου. [Apoll. Rh. 3, 645.] A quo aor. est pass. ὠΐχθην, Apertus sum. [Pind. ap. Dionys. p. 308 Schæf.: Οἰχθέντος ὡρᾶν θαλάμου· Nem. 1, 41: Οἰχθεισᾶν πυλᾶν. Præs. Apoll. Rh. 2, 560: Οἰγομένας· 574: Οἴγοντο γὰρ αὖθις.] Præt. med. Ἔωγα, Aperui. || Ὤϊξα Erot. ap. Hippocr. exp. non solum ἀνέῳξα, sed etiam ἔτεμον. [In Ind.:] Ὠΐγνυντο, Aperiebantur: ab οἴγνυμι q. e. ἀνοίγω. At Ὤϊγον, Aperiebam, ab οἴγω. Ὠΐγνυντο, poetice pro ᾤγνυντο s. οἴγνυντο, ab οἴγνυμι, Aperio. Hom. Il. B, [809]: Πᾶσαι δ' ὠΐγνυντο πύλαι. Ὦχα, Aperui, præt. perf. act. ab οἴγω. [Aor. forma contr. Hom. Il. Ω, 457: Ἑρμείας ᾦξε γέροντι. Part. Z, 89: Οἴξασα κληῗδι θύρας.]

[Οἶδα. V. Εἰδέω, vol. 3, p. 199 sq. Ubi præter alia, quæ in Suppl. tractanda erunt, addendæ sunt formæ Æolicæ Ὄϊδα et Ὦδα, de quibus Herodian. Π. μον. λ.
C p. 24, 4: Οἶδα· οὐδεὶς παρακείμενος δισύλλαβος κατὰ τὴν συνήθειαν καὶ τὴν παλαιὰν χρῆσιν ἀπὸ τῆς οι διφθόγγου ἄρχεται, ἀλλὰ μόνος ὁ οἶδα· οἱ γὰρ περὶ Ἀλκαῖον ὄϊδα λέγουσι τρισυλλάβως· προσέθηκα δὲ κατὰ τὴν παλαιὰν χρῆσιν, ἐπεὶ παρ' Ἀττικοῖς ἐστί· (del.) ἐσθ' ὅτε ᾦδα λέγομεν (?) δισυλλάβως· neque enim in Herodianum cadit suspicio ejusmodi formæ ex ἐγῷδα fictæ. Tum forma Οἴδημι ap. gramm. Cram. An. vol. 4, p. 365, 4: Τὸ γὰρ οἶδα οἴδημί φασιν οἱ Αἰολεῖς, εἶτα τούτου τὸ δεύτερον πρόσωπον οἴδης, καὶ κατ' ἐπέκτασιν τῆς θα συλλαβῆς οἴδησθα καὶ κατὰ συγκοπὴν οἶσθα. Quibus similia sunt in Etym. M. p. 618, 55. Qui ne formam finxisse putentur prohibet Fοίδημι, quod Γοίδημι scriptum, ut Fοῖδα item Γοῖδα, exstat ap. Hesychium. L. Dind.]

Οἰδαίνω, sive Οἰδάνω, Tumefacio, οἰδεῖν ποιῶ, ut Suid. exp. Hom. Il. I, [550]: Ὅστε καὶ ἄλλων Οἰδάνει ἐν στήθεσσι νόον πύκα περ φρονεόντων, Tumefacit, h. e. Facit ut ira intumescat. Sic autem infra a Suida videmus exponi ὠδηκώς, φυσήσας. Pass. Οἰδαίνομαι s. Οἰδάνομαι, Tumeficio. Il. I, [642]: Ἀλλά μοι οἰδάνεται κραδίη χόλῳ ὁππότ' ἐκείνων Μνήσομαι. Quæ Cic. ita
D vertit, Corque meum penitus turgescit tristibus iris. [Hesychius: Οἰδαίνεσθαι, θυμοῦσθαι.] Imitatione prioris l. Homerici dixit Apollon. Arg. 1, [478]: Ἦέ τοι εἰς ἄτην ζωρὸν μέθυ θαρσαλέον κῆρ Οἰδάνει ἐν στήθεσσι, Tumefacit et animat, θαρσύνει, ut mox loquitur. Schol. exp. ἐπαίρει, μετεωρίζει, θρασύνει. Seneca dicit Cor tumefactum; Ovid., Corda tument ira. [Οἰδάνω, Tumeo, ap. Aristoph. Pac. 1166: Τόν τε φήληχ' ὁρῶν οἰδάνοντ'· εἶθ' ὁπόταν ᾖ πέπων, ἐσθίω. V. Οἴδαξ. Jo. Malalas p. 50, 13: Καλέσας αὐτὸν Οἰδίποδα διὰ τὸ οἰδάνειν τοὺς πόδας αὐτοῦ. L. D.] || Alias οἰδαίνω neutraliter potius capitur pro οἰδέω, Tumeo. [Tumesco, Turgesco, Tumido, add. Gl.] Sic Hesych. quoque οἰδαίνουσι exp. non solum φυσῶσι, sed etiam φλεγμαίνουσι: itidemque οἰδαίνει, εἰδεῖ, ἐπαίρεται, [σπαράσσει, φλεγμαίνει]. Arat. [908]: Οἰδαίνουσα θάλασσα, Inflatum mare, ut Cic.; Tumidum mare, pelagus, ut Virg. [Οἰδαίνει ὁ ὄγκος, corpus ebriosi, Basil. vol. 2, p. 126, D. Hemst.] || Οἰδαίνειν dicitur et is qui animo tumet et inflatus

A est, ut et οἰδέω, s. ἐπαίρομαι, φυσῶμαι, ut Bud. accipit hunc Gregorii [vol. 1, p. 360, D] l.: Τήκειν μὲν τὰς σάρκας δι' ἐγκρατείας, τὴν ψυχὴν δὲ οἰδαίνειν κενῷ φρυάγματι· ubi tamen active potius dici videtur οἰδαίνειν pro Inflare, et Turgidum reddere, sicut paulo ante. [Apoll. Rh. 3, 383 : Μέγα δὲ φρένες Αἰακίδαο νειόθεν οἰδαίνεσκον.] Res etiam οἰδαίνειν dicuntur ead. metaph. qua Cic. dixit, ut quidam exp., Tumere negotia, et Virg., Operta tumescere bella. Herodot. [3, 127] : Ἅτε οἱ οἰδαινόντων ἔτι τῶν πρηγμάτων, Tumentibus adhuc rebus, Nondum satis fundatis, Æstuantibus, Fluctantibus, Nondum compositis et pacatis : ut sit metaph. ab οἴδματι θαλάσσης aut etiam animi ira tumentis. Infra idem Herodot. usus est verbo οἰδεῖν simili modo. [Et οἰδεόντων, 3, 76 : sic etiam altero loco 3, 127 præeuntibus codd. nonnullis edidit Wessel. pro olim vulgato οἰδαινόντων, quod et ipsum quidem locum suum potuerat tueri. Schweigh. Qui in Lex. addit : Græcam locutionem imitatus Cicero Tument negotia dixit Ad Att. 14, 4, et Tumorem rerum 14, 5, quæ verba Ernestus de imminentibus rebus B novis, nec ita male, interpretatus est in Clavi Cic.] Suidas οἰδαίνων exponit non solum φλεγμαίνων, sed etiam ψύχων. Eidem οἰδάνει est αὐξάνει.

Οἰδαλέος, α, ον, Tumidus [Gl.], Turgidus, ὑγρὸς Suidæ, Humidus. [Quam interpret. Kusterus retulit ad μυδαλέος, poterat etiam ad ὑδαλέος, quocum permutatur in fr. Archilochi ap. Stob. Fl. 124, 30 : Οἰδαλέους δ' ἀμφ' ὀδύνης ἔχομεν πνεύμονας, ubi ab aliis μυδαλέους repositum ex Photio. Nicand. Al. 210 : Χείλη οἰδαλέα· fr. ap. Athen. 2, p. 60, F : Οἰδαλέα ξύγκολλα βάρη. Matthæi Med. p. 357 : Τοὺς οἰδαλέους τῶν ὄρχεων. Οἰδαλεώτερος, Alex. Trall. 12, p. 213.]

[Οἰδανέω, Οἰδάνω. V. Οἰδαίνω.]

[Οἰδάνης, ὁ, OEdanes, fl. Indiæ, Strab. 15, p. 719.]

[Οἰδάντιον, τὸ, OEdantium. Πόλις Ἰλλυριῶν. Θεόπομπος Φιλιππικῶν λη'. Τὸ ἐθνικὸν Οἰδάντες (Οἴδαντες), ὥς φησιν Ἑκαταῖος. Καὶ Οἰδαντικὴ γῆ, Steph. Byz.]

[Οἶδαξ, ακος, ὁ, an ἡ, neque ex ceteris locis intelligitur, neque ex Chœrob. Cram. An. vol. 2, p. 248, C 14, verbis.] Οἴδακες, οἱ λεγόμενοι φήλικες [φήληκες], Suid., et πάντα τὰ μὴ πέπειρα ἀκρόδρυα. [Apud Polluc. 6, 81 : Τὰ οὔπω πέπειρα τῶν σύκων οἴκαδες καλοῦνται παρὰ Λάκωσι, καὶ φήληκες παρ' Ἀθηναίοις, perperam pro οἴδακες. Conf. autem l. Aristoph. in Οἰδαίνω citatum.]

[Ὁ οἶδας ἐστι στυπτηρία, Alumen, in Glossis chymicis Ms. Ducang.]

[Οἴδας, αντος, ὁ, OEdas, n. viri. Eust. Il. p. 445, 25 : Οἷον οἶδα ῥῆμα, ἐξ οὗ Οἴδας Οἴδαντος, μείδω Μείδας Μείδαντος. Boiss. Etym. M. p. 465, 12; 779, 23, Chœrob. p. 34, 21, 29.]

Οἰδέω, sive Οἰδάω, Tumeo [Gl.], Inflatus sum. Sic accipitur ap. Hom. Od. E, [455] : Ὤδεε δὲ χρόα πάντα, θάλασσα δὲ κήκιε πολλὴ Ἀνστόμα τε ῥινάς τε· nam Eust. ibi exp. ἐξώγκωτο. Sed annotat, in antiquis libris reperiri etiam positum pro ὤζεεν, a verbo ὀζέω, mutato sc. ζ in δ. Plut. De virtute mor. [p. 452, A] : Οἰδῶντι γὰρ ἔοικε καὶ φλεγμαίνοντι σώματι τὸ περιαλγοῦν καὶ περιχαρὲς καὶ περίλυπον τῆς ψυχῆς. Ubi οἰδῶντι est a verbo D οἰδάω. Fortasse tamen aliquis malit scribere οἰδοῦντι. [Aristoph. Ran. 1192 : Οἰδῶν τὼ πόδε. Plato Phædr. p. 251, B : Ὤδησεν ὁ τοῦ πτεροῦ καυλός. L. D. Hippocr. p. 1223, A : Ἡ γαστροκνημίη ᾤδει (ᾤδεε)· 1144, E : Ὤδεε τὸ πρόσωπον ἰσχυρῶς. Foes. Liban. vol. 4, p. 1092, 3 : Παρειαὶ δὲ διδοῦσαι (scr. οἰδοῦσαι) καὶ συνωγκωμέναι τῷ κάτωθεν πνεύματι. Jacobs. Medio Rufus p. 83 ed. Matth. : Οἰδεῖται μᾶλλον.] || Metaph. vero negotia aliqua οἰδεῖν dicuntur, ut Cic. ad Att., Tument negotia; sumpta autem metaph. a tumoribus corporis humani, sicut alia metaph. res Exulceratæ dicuntur. Οἰδοῦντα πράγματα, inquit Bud. in suo Lex., ut φλεγμαίνοντα. Sic leg. ap. Herodot. p. 48 [3, 76] : Ἀμφὶ τὸν Ὀτάνην πάγχυ κελεύοντες ὑπερβαλέσθαι, μηδὲ οἰδεόντων τῶν πρηγμάτων ἐπιτίθεσθαι, Tumentibus rebus, i. e. In bellum et tumultus vergentibus. Virg., Operta tumescere. Vulg. edd. ibi habent οἱ δεόντων : sed Budæi emendationem confirmat vet. exemplar, et alius ipsius Herodoti l. supra in Οἰδαίνω [quod v.] citatus. [Plato Gorg. p. 518, E : Ὅτι οἰδεῖ καὶ ὕπουλός ἐστι δι' ἐκείνους τοὺς παλαιούς (ἡ πόλις). Dionys. A. R. 11, 35 : Ὁ Ἄππιος, οἷα δὴ... ὑπὸ μεγέθους ἐξουσίας διεφθαρμένος, οἰδῶν τε τὴν ψυχὴν καὶ ζέων τὰ σπλάγχνα διὰ τὸν ἔρωτα τῆς παιδός. De fr. Menandri in quo est ᾤδουν ἐν ἐμαυτῷ, de irato, v. quæ dixi in Ἑαυτοῦ p. 12, C.] Præt. perf. est ᾠδηκὼς, Tumidus, Inflatus, πεφυσημένος, Hesych. : quod alia quoque metaphora accipitur, ut Lat. particip. Turgens, Turgidus, Tumidus, Inflatus, pro eo qui superbit. Sic ap. Suid. : Ὠδηκὸς ἦθος ὑπὸ πλούτου. Metaph. itidem ap. Aristoph. Ran. [940] : Τέχνην Οἰδοῦσαν ὑπὸ κομπασμάτων καὶ ῥημάτων ἐπαχθῶν. || Idem Suid. ᾠδηκὼς exp. non solum πεφυσιωμένος, φλεγμαίνων, sed etiam φυσήσας, in qua signif. erit μεταβατικόν. [Phryn. Ecl. p. 153 : Ὤδηκεν, διὰ τοῦ ω ἄριστα ἐρεῖς, ἀλλ' οὐ διὰ τοῦ οι οἴδηκεν. Lobeckius post exx. Theocr. 1, 43, ᾠδήκαντι, et alia plurima, partim supra citata, addit : « Equidem nulla ætate hoc verbum ἀναύξητον fuisse reperio; quanquam Lascaris docet, οἰδαίνω s. οἰδάνω a nonnullis inter ἄτρεπτα numerari, quibus assentiens Herodian. Hist. 8, 8 διοίδαινον scripsit; sed illud ad κοινολογίαν refert Moschop. Π. σχεδ. p. 132 : Ὠδηκὼς ὁ ἐξωγκωμένος παρ' Ἀττικοῖς, ὃ παρὰ τοῖς κοινοῖς οἰδηκὼς λέγεται. » Herodian. p. 423 Piers. : Ὠδηκὼς Ἀττικῶς, οἰδηκὼς Ἑλληνικῶς. Rufus post Oribas. p. 199 ed. Mai. : Τὰ οἰδηκότα. L. Dind.]

Οἴδημα, τὸ, Tumor. [Turgor, add. Gl.] Apud Hippocr. aliosque omnes vett. idem plane significabat quod ὄγκος, Tumor, cujuscunque generis ille esset : verum juniores Medici nominis hujus significationem postea contraxerunt ad eum tumorem designandum, quem pituita committit. Sicut enim qui ex sanguine fit, phlegmone; ex biliosa fluxione, erysipelas; ex melancholico succo, scirrhus nascitur : ita tumori illi, quem pituita creat, οἰδήματος nomen proprium esse voluerunt. Verum autem tumoris genus est, quod naturalis pituita in partem aliquam abscedens committit, molle, laxum, digito prementi cedens, indolens, album, minimum calens, et aliis breviter notis præditum quæ pituitam solent consequi. Non verum autem est, quod fit a pituita non naturali sive per alterationem talis evaserit, sive per alterius humoris mixtionem. Præterea omne οἴδημα, quod proprie et simpliciter οἴδημα dicitur, certo loco definitum, circumscriptumque est : ab ejus tamen similitudine οἴδημα etiam dicitur Tumor ille pituitosus, qui nonnunquam in pedibus et cruribus eorum oritur, qui aqua intercute et phthisi et cachexia laborant, quique etiam in leucophlegmatia occupat corpus universum. Hæc Gorr. inter multa alia. [Quibus addenda quæ dixit Foes. in OEcon. Hipp.] Galen. [vol. 8, p. 612, D, E; 614, E] scribit Hippocratem οἰδήματα nominare solere τοὺς παρὰ φύσιν ὄγκους : posteros autem ejus in φλεγμονὰς et scirrhos, et ea, quæ peculiariter ab ipso οἰδήματα vocantur, divisisse. Idem Gal. Comm. 5 in Aph. sect. 65 : Τοὺς παρὰ φύσιν ὄγκους ἅπαντας ὁ Ἱπποκράτης οἰδήματα προσαγορεύει, περιεχομένων ἐν αὐτοῖς δηλονότι καὶ τῶν φλεγμονῶν· C. 4 in Aph. sect. 34, dicit a veteribus οἰδήματα appellari ὄγκους τοὺς χωρὶς ὀδύνης καὶ μαλακούς. Actuar. Π. Δ. Π. 2, c. 49 : Οἴδημα δέ ἐστιν ὄγκος λευκὸς ἀνώδυνος, ἐπὶ φλέγματι συνιστάμενος, ὥσπερ καὶ τὸ ἐμφύσημα ἐπὶ ψυχρῷ καὶ παχυτέρῳ πνεύματι συνίσταται· καὶ ῥᾴδιον γνωρίζειν τῇ ἁφῇ· ῥᾳδίως γὰρ ὑπείκει τὰ οἰδήματα, μήτε ζέοντα, μήτε ὀδυνῶντα, μήτ' ἠλλοιωμένα ὄντα τῷ χρώματι. Ibid. discrimen inter οἰδήματα et ἐμφυσήματα ponit. At 2, 7, agit de oculorum œdematis, itidem ab emphysematis distinguens. Οἴδημα Celsus interpr. Tumor, ut et Plin., qui tamen et aliter vertit, ut ex seqq. apparebit. Hippocr. : Ἢν ὑπὸ πυρετοῦ ἐχομένῳ, οἰδήματος μὴ ἐόντος, ἐν τῇ φάρυγγι πνὶξ ἐξαίφνης ἐπιγίγνεται, θανάσιμον. Quæ sic Celsus : Neque is servari potest qui sine ullo tumore febricitans subito strangulatur. Diosc. 3, 93, de melanthio : Αἴρει καὶ οἰδήματα παλαιὰ καὶ σκληρίας καταπλασθέν· de quo Plin. 20, 17 : Discutit duritias tumoresque veteres et suppurationes. Rursum Diosc. [3, 72] de radice smyrnii : Τὰ πρόσφατα οἰδήματα καὶ φλεγμονὰς καὶ σκληρίας διαφέρει· de qua idem Plin. : Collectiones et suppurationes non veteres, item duritias discutit illita. Rursum Diosc. [2, 108] : Διαφορεῖ δὲ τὸ ἄλευρον κριθῆς ἑψηθὲν οἰδήματα καὶ φλεγμονάς. Pro quibus idem Plin.: Farina ex hordeo decocta collectiones impetusque discutit. Apud Suid., Συνέβη δὲ τὸν πόδα αὐτοῦ εἰς οἴδημα ἀρθῆναι καὶ φλεγμήναντα σφακελίσαι. Plut. Οἴδημα σπληνὸς, in l. Περὶ ἀοργησίας. [Οἰδημάτων καὶ τραυμάτων γέμοντες, Liban. vol. 4, p. 634, 28. Jacobs. Lucian. Philops. c. 9 : Τοῦ πυρετοῦ καὶ τοῦ οἰδήματος... ἐκ τοῦ βουβῶνος δραπετεύοντος. Ps.-Lucian. Philopatr. c. 3 : Ὅσον οἴδημα τοῖς ἐγκάτοις ἐνέκειτο. Pollux 4, 190, 196.] || Suid. οἰδήματα exp. ἐπάρματα, φυσήματα, in hoc l. : Λόγοις ἐχέφροσι κατηύναζεν ὁ στρατηγὸς τὰ τοῦ στρατιωτικοῦ θράσους οἰδήματα. Ovid., Ora tument ira; Virg., Corda tument rabie. Plut. Coriol. [c. 15] : Τῆς ψυχῆς ὥσπερ οἴδημα τὸν θυμὸν ἀναδιδούσης. Dicitur etiam ἐπὶ τῆς ἐπάρσεως καὶ φυσιώσεως, ut idem Suid. annotat, metaph. a corporibus itidem sumpta : Τῆς δὲ εἰς οἴδημα ἀρθείσης φρονήσεως. Cic. dicit itidem Inflatus ac tumens animus. || Hesychio οἴδημα est non solum ὄγκωμα et ἀπόστημα, sed etiam ταραχὴ κυμάτων : quod οἶδμα dicit Hom. Virg., Maria alta tumescunt. Idem, Mare tumidum, Tumidum pelagus.

[Οἰδημάτιον, τὸ, Tuberculum. Hippocr. p. 754, H : Τῇ δ' ὑστεραίῃ οἰδημάτιον ἐλθεῖν ἐς χεῖρα ἄκρην μαλθακόν. Wakef.]

Οἰδηματώδης, ὁ, ἡ, Tumorem referens, Tumidus. Apud Galen. et Actuar. οἰδηματώδεις ὄγκοι, ipsa οἰδήματα.

[Οἴδημι. V. Οἶδα.]

Οἴδησις, εως, ἡ, Tumor [Gl.], Inflatio, φλεγμονὴ, φύσημα Suidæ. [Phryn. Bekk. An. p. 44, 24 : Ἴονθος, ἡ ἐπὶ τοῦ προσώπου ἅμα τῇ τῶν τριχῶν ἐκφύσει τῶν πρώτων γινομένη οἴδησις. Hesych. : Οἰδήσεις, ἐπάρματα. Isid. Pel. Ep. p. 17, A : Οἰδήσεις κυμάτων. L. Dind.]

[Οἴδιον, τὸ, dimin. ab οἶς, Ovicula. Theognost. Can. p. 121, 29 : Ὀΐδιον καὶ ἐν συναιρέσει οἴδιον. Photius : Οἴδια, προβάτια.]

[Οἰδιποδάγονος, ὁ, OEdipo natus. Schol. Eur. Phœn. 886 : Μηδένα τῶν Οἰδιποδαγόνων, pro eo quod poeta dicit τῶν Οἰδίπου μηδένα. Οἰδίποδος ἐκ γόνων conjiciebat Valckenarius. Forma non dissimile est Μαλεάγονος.]

[Οἰδιπόδεια. V. Οἰδιπόδειος.]

Οἰδιπόδειος, α, ον, et ὁ, ἡ, Ad OEdipum pertinens : ut Οἰδιπόδειον ἱερὸν, schol. Soph. [OEd. C. 91], ex Lysimacho, p. 274 meæ ed. [Ubi tamen absolute dicitur, τὸ δὲ ἱερὸν Οἰδιπόδειον κληθῆναι. Adjective ap. Athenag. Legat. p. 282, A, et Euseb. H. E. 4, 1, p. 201, 10 : Οἰδιποδείους μίξεις. Plut. Sull. c. 19 : Περὶ τὴν Οἰδιπόδειον κρήνην. Fem. forma Pausan. 9, 18, 5 : Πρὸς Οἰδιποδίᾳ καλουμένῃ κρήνῃ· 6: Τῇ Οἰδιποδίᾳ καλουμένῃ κρήνῃ τὸ ὄνομα ἐγένετο ὅτι ἐς αὐτὴν τὸ αἷμα ἐνίψατο ὁ Οἰδίπους τοῦ πατρῴου φόνου. Ubi bis scripsi Οἰδιποδείᾳ, ut est ap. Tzetzen ad Lycophr. 1194. Οἰδιποδίᾳ enim non minus vitiosum quam ejusd. 9, 5, 11 : Ὁ τὰ ἔπη ποιήσας ἃ Οἰδιπόδια ὀνομάζουσιν, quod Οἰδοπόδεια certe scribendum, nisi præstare videretur Οἰδιπόδειαν, quomodo scriptum in tabula Borgiana ap. Welcker. De Cyclo Ep. p. 35. Unde Οἰδιπόδειαν corrigendum etiam ap. schol. Eur. Phœn. fin.: Οἱ τὴν Οἰδιποδίαν γράφοντες. V. quæ dixi in Εὐρώπεια et Μελαμποδία. Diphthongum in talibus recte præcipiunt etiam grammatici, ut Cram. An. vol. 2, p. 299, 26, Eust. Il. p. 785, 20, s. Philemo s. 62. L. Dind.]

[Οἰδιπόδης, Οἴδιπος, V. Οἰδίπους.]

Οἰδίπους, οδος [et ου], ὁ, Cui pedes tument. Est nom. proprium omnibus notum. [Theognost. Can. p. 97, 11 : Ἀπὸ τοῦ οἰδήσω Οἰδησίπους καὶ κατὰ συγκοπὴν τοῦ ησ Οἰδίπους. Cui Herodiani sententiam præfert et cum εἰλίπους et similibus componit Etym. M.] Ad nomen allusit Eur. quoque et Seneca, ubi ait, Forata ferro gesseras vestigia, Tumore nactus nomen a vitio pedum. Accus. est Οἰδίπουν et Οἰδίποδα, quo Plut. et Pausanias [9, 2, 4, aliique recentiores] utuntur. [Mœris p. 282 : Οἰδίπουν Ἀττικοί, Οἰδίπουν καὶ Ἕλληνες. Οἰδίποδα κοινῶς. Οἴδιπος memorat Tzetz. ad Hesiodi Op. 162.] Dicitur et Οἰδιπόδης [Leonidas Alex. Anth. Pal. 6, 323, 1, et genit. Οἰδιπόδα ap. Pind. Pyth. 4, 263, Æsch. Sept. 1055 et alibi ap. ipsum ceterosque Tragicos, et Οἰδιπόδαο ap. Hom. Il. Ψ, 679 et alibi, Οἰδιπόδεω ap. Herodot. 4, 149 ; dat. in Thebaide cycl. ap. Athen. 11, p. 465, F; accus. Οἰδιπόδαν et vocat. Οἰδιπόδα ap. Tragicos,] et Οἴδιπος [Οἰδίπος], Epigr. [Alcæi Mytil. Anth. Pal. 7, 429, 8], ut Lat. OEdipus, OEdipi. [Genit. Οἰδίπου ap. Æsch. Sept. 203 et alibi ap. Tragicos, qui nunquam utuntur formis Οἰδίποδος et Οἰδίποδα. De vocat. Chœrob. p. 206, 30 : Ἰστέον ὅτι τὸ Οἰδίπους ὅταν κλιθῇ διὰ τοῦ δος, οἷον Οἰδίπους Οἰδίποδος, τὴν αὐτὴν ἔχει ὀρθὴν καὶ κλητικήν, οἷον Οἰδίπους ὦ Οἰδίπους· ὅταν δὲ ἀποβολῇ τοῦ σ ποιῇ τὴν γενικὴν ἀττικῶς, οἷον ὁ Οἰδίπους τοῦ Οἰδίπου, τότε καὶ τὴν κλητικὴν ἀποβολῇ τοῦ σ ποιεῖ, οἷον ὁ Οἰδίπους ὦ Οἰδίπου κτλ. In libris Tragicorum raro comparet forma Οἰδίπου, quum Οἰδίπους postulent loci, ubi vocalis sequitur. V. Elmsl. ad Soph. OEd. T. 405, OEd. C. 557. || Formam Οἰδιποδίων, non addita signif., memorat et cum Κυλλοποδίων componit Etym. M. v. Κυλλοπ. L. Dind.]

Οἰδίσκω, Tumefacio, i. q. οἰδαίνω. Alex. Aphr. Probl. [1, 9] : Οἰδίσκον πνεῦμα, Tumefaciens spiritus, Gaza. [Galen. vol. 8, p. 614, F. Hemst.] Pass. οἰδισκόμενον, Quod tumefactum est, intumuit, Inflatum. || Οἰδίσκω, Bud. interpr. etiam Intumesco.

Οἶδμα, τὸ, pro οἴδημα per syncop. poetis tantum usitatum. Hesych. exp. ἔπαρμα, κῦμα, ῥεῦμα, αὔξημα. [Soph. Ant. 337 : Περιβρυχίοισι περῶν ὑπ' οἴδμασι. Nicand. Al. 473 : Σηπιάδος, ἥτε μελαίνει οἶδμα χολῇ.] Frequenter οἶδμα θαλάσσης, tum ap. Hom., tum alios. Gregor. Naz. : Ἄγριον οἶδμα θαλάσσης. [Orac. Sib. procem. p. 20, 43 ed. Alex. : Ὕδατος οἴδματα πόντου· 1, 259 : Ἐπενήχετο οἴδμασι πόντου. Soph. Ant. 588 : Ποντίας ἁλὸς οἶδμα· fr. OEnomai ap. Aristoph. Av. 1337 : Γλαυκᾶς ἐπ' οἶδμα λίμνας. Et similiter sæpissime Eur. vel absolute vel cum adjectivis, ut ἄλιον, πόντιον, vel cum genitivis, ut ἁλός, λίμνας, πόντου, et Hel. 1465, ποταμοῦ.] Et Hesiod. [Th. 109] : Πόντος ἀπείριτος οἴδματι θύων, Tumidis fluctibus æstuans. [Πέλαγος, 131.] Sic ap. Hom. itidem aliquoties [Il. Φ, 234, Ψ, 230], Οἴδματι θύων. Dicitur autem et generaliter de fluctu. || Pelagus. Æschyl. [Eur. Phœn. 210] : Τύριον οἶδμα λιποῦσα. Pro Tumore et elatione usurpavit hoc vocab. Gregor. Carmin. p. 66. Bud. [|| De ventis Secundus Anth. Pal. 9, 36, 4 : Ἦν ὁ μέλας οὔτ' εὖρος ἐπόντισεν οὔτ' ἐπὶ χέρσον ἤλασε χειμερίων ἄγριον οἶδμα νότων.]

[Οἰδματόεις, εσσα, εν, Tumidus. Æschylus fr. Heliad. ap. Athen. 11, p. 469, F : Οἰδματόεντα πόρον. Oppian. Hal. 5, 273 : Κόλπον ἐς οἰδματόεντα.]

Οἶδνον, τὸ, Tumor terræ; nam Suidæ οἶδνα sunt οἰδήματά τινα γῆς, Latini Tubera appellant. Theophr. H. Pl. 1, 2 : Οὔτε γὰρ ῥίζαν πάντ' ἔχει, οὔτε καυλὸν, οὔτε ἀκρέμονα, οὔτε κλάδον, οὔτε φύλλον, οὔτε ἄνθος, οὔτε καρπὸν, οὔτ' αὖ φλοιὸν, ἢ μήτραν, ἢ ἶνας, ἢ φλέβας· οἷον μύκης, οἶδνον. Plin. 19, 2 : Et quoniam a miraculis rerum cœpimus, sequemur eorum ordinem, in quibus vel maximum est, aliquid nasci aut vivere sine ulla radice. Tubera hæc vocantur, undique terra circumdata, nullisque fibris nixa, aut saltem capillamentis, nec utique extuberante loco in quo gignuntur, aut rimas agente : neque ipsa terræ cohærent. Cortice etiam includuntur, ut plane nec terram esse possimus dicere, nec aliud quam terræ callum. [V. Ὕδνον.]

[Οἴδομαι, i. q. οἰδέομαι, ponit schol. Fl. Eur. Hec. 26 : Οἶδμα ἀπὸ τοῦ οἴδομαι τὸ ἐξογκοῦμαι. L. Dind.]

[Οἰδοποιέω, Tumefacio, Gl.]

Οἶδος, ους, τὸ, Tumor, i. q. οἴδημα, ut Erot. Lex. Hippocr. testatur. [Galen. vol. 12, p. 236, A. Hemst. Hippocr. p. 768, D : Τὸ οἶδος ἐξαείρεσθαι ἐς αὐτὸ τὸ ἕλκος· et ib. E. Pag. 646, 16 : Τῇ χειρὶ ἀπώσασθαι ἀπὸ τοῦ ἥπατος παρηγορικῶς τὸ οἶδος. Foes. Nicander Th. 188 : Δυσαλθὲς οἶδος· 237 : Σὰρξ βαρεῖ ἀναδέδρομεν οἴδει· 426, 743. Heliodor. ap. Stob. Fl. 100, 6, 13.]

Οἰέανος, ὁ, ἡ, Unam solum vestem habens, Apoll. [Rh. 3, 646], qui et οἰοχίτων.

[Οἰέη. V. Οἴειος.]

Οἴειος, α, ον, Ovillus. Unde οἰείη dicitur Ovilla pellis : ut λεοντείη, et ἀρκτείη : in quibus subauditur δορά. Pro quo οἰείη legitur etiam Οἰέη, ut λεοντέη et ἀρκτέη : quo posteriori οἰέη utitur Aristoph. gramm. in Ὦα et Ὄα cit.: prius autem οἰείη habetur in Lex. meo vet. [V. Οἰίας.]

Οἰέτης, ὁ, ἡ, Æqualis, Ejusdem ætatis, Qui idem

annorum spatium complevit. Hom. Il. B, [765]: (Ἵπ-πους) Ὄτριχας οἰέτεας, i. e. ὁμοέτεας, ὁμοχρόνους, ὁμή-λικας [quem v. exprimit Matro ap. Athen. 14, p. 656, F]: ut sit sync. ex ὁμοῦ et ἔτος, exempto μου, et inserto ι metri causa. Sunt tamen qui ab ἔτης quoque derivatum existiment. [Moschus 2, 29: Φίλας δ' ἐπεδίζεθ' ἑταίρας, ἥλικας, οἰέτεας. V. Ruhnk. Ep. crit. 2, p. 141.]

[Ὀϊζεύω. V. Ὀϊζύω.]

[Ὀΐζυος, ὁ, ἡ. Theocr. 27, 13: Δ. Δεῦρ' ὑπὸ τὰς πτελέας, ἵν' ἐμᾶς σύριγγος ἀκούσῃς. Κ. Τὴν σαυτοῦ φρένα τέρψον· ὀΐζυον οὐδὲν ἀρέσκει, Miserum, eo sensu quo dicit Virgil. Miserum disperdere carmen. Anglice *A sorry song*. Seager.]

Ὀϊζυρὸς, ὰ, ὸν, Ærumnosus, Calamitosus, Miser. Hom. Il. P, [446]: Οὐ μὲν γάρ τί πού ἐστιν ὀϊζυρώτερον ἀνδρός. Id. [Od. Υ, 140]: Ὥς τις πάμπαν ὀϊζυρὸς καὶ ἄπο-τμος. [Il. N, 569: Ὀϊζυροῖσι βροτοῖσιν.] Hesiod. Op. [637]: Ὀϊζυρῇ ἐνὶ κώμῃ. Rursum Hom. [Od. Λ, 182] ὀϊζυραὶ νύκτες dicit, et ὀϊζυρὸς πόλεμος. Il. Γ, [112]: Παύσεσθαι ὀϊζυροῦ πολέμοιο. [Od. Θ, 540: Οὔπω παύσατ' ὀϊζυροῖο γόοιο. Callim. Apoll.] 24: Μάρμαρον ἀντὶ γυναικὸς ὀϊζυ-ρόν τι χανούσης. Epici etsi producunt υ, dicunt nihilominus ὀϊζυρώτερος et ὀϊζυρώτατος, ut l. supra cit. et Od. E, 105: Ὀϊζυρώτατον ἄλλων. Apud Atticos non usurpatur nisi in voc. ὤζυρὲ vel ὤζυρὰ vel plurali ap. Comicos correpto υ. Aristoph. Vesp. 1504, 1514, et Lys. 948, ὠζυρά. Photius: Ὠζυροὶ, κρᾶσις Ἀττική. Οἰζυ-ρὸς etiam recentiores Epici. Apoll. Rh. 1, 286: Σεῖο πόθῳ μινύθουσα δυσάμμορος. Ubi schol.: Ἐν τῇ προεκδό-σει οὕτως ἔχει· Ὀϊζυρὴ (οἰζυρὴ) ἀχέεσσι δυσάμμορος. Leonid. Tar. Anth. Pal. 9, 335, 3: Ὡς ἐξ οἰζυρῆς ἠπίστατο δωροδοκῆσαι ἐργασίης. Et ib. 7, 336, 4. In prosa Herodot. 9, 82: Δίαιταν ὀϊζυρήν.]

[Ὀϊζυρῶς, Misere. Quintus 3, 363, φεῦγον· 481, ἄχνυτο.]

Ὀϊζὺς, ύος, ἡ, Ærumna [Gl.], Miseria, κακοπάθεια, ταλαιπωρία. Hom. Od. P, [563]: Ὁμὴν ἀνεδέγμεθ' ὀϊζύν· H, [270]: Ἔμελλον ἔτι ξυνέσεσθαι ὀϊζύϊ [ὀϊζυῖ] Πολλῇ, τήν μοι ἐπῶρσε Ποσειδάων· Il. N, [2]: Πόνον τ' ἐχέμεν καὶ ὀϊζὺν Νωλεμέως. Sic Od. Ξ, [415]: Ὀϊζὺν Δὴν ἔχο-μεν, πάσχοντες ὑῶν ἕνεκ'· Δ, [35]: Αἴκε ποθι Ζεὺς Ἐξο-πίσω περ παύσῃ ὀϊζύος· et [E, 289]: Ἐκφυγέειν μέγα πεῖραρ ὀϊζύος. Item Hesiod. [Op. 175]: Παύσονται κα-μάτου καὶ ὀϊζύος. [Ap. Tragicos οἰζὺς, ut monuit Porson. præf. ad Hec. p. 9, Æsch. Ag. 754: Ἀκόρεστον οἰζύν· 1461: Ἀνδρὸς οἰζύς· Eum. 893: Πάσης ἀπήμον' οἰζύος. Eur. Hec. 949: Ἀλάστορός τις οἰζύς. Accus. ὀϊζύα ap. Quint. 2, 88.]

Ὀϊζύω, Ærumnas et miserias perpetior, κακοπαθῶ, ταλαιπωρῶ. Hom. Od. Ψ, [307]: Ὅσα τ' αὐτὸς ὀϊζύσας ἐμόγησε· Il. Γ, [408]: Ἀλλ' αἰεὶ περὶ κεῖνον ὀΐζυε καὶ ἐφύλασσε. [Ξ, 89: Ἧς εἵνεκ' ὀϊζύομεν κακὰ πολλά. Apoll. Rh. 4, 1324, 1374.] Apud Hesych. legitur etiam Ὀϊζεύει, μογεῖ, πάσχει: sed haud scio an perperam pro ὀϊζύει. [V. Οἴζω. Sequente longa producitur, alioqui corripitur υ.]

[Οἴζω, Ejulo. Apollon. De adv. p. 538, 9: Τάχα δὲ καὶ παρὰ τὸ οἰοὶ τὸ οἴζω ἐστὶ, καὶ καθ' ἑτέραν παρα-γωγὴν καὶ διαίρεσιν τῆς διφθόγγου τὸ ὀΐζω ὀϊζύω. Qui rectius dixisset, nisi ita scripsit, παρὰ τὸ οἶ, ut schol. Vict. Aristoph. Nub. 655. Ceterum conf. Valck. Diatr. Eur. p. 21, A. Eo referri etiam Δυσοίζω probabile reddit δύσοικτος, quod δυσθρήνητος interpretantur grammatici, et ducitur a δυσοίζω, ut οἶκτος ab οἴζω. L. Dindorf.]

[Οἰζὼ, ἡ, ἡ ταλαιπωρία, unde ducatur οἰζυρὸς, ponit schol. Lugd.-Bat. Aristoph. Nub. 655. L. Dind.]

[Οἴη, Οἴηθεν. V. Ὄα.]

Οἰήϊον, τὸ, etiam dicitur pro οἴηξ s. οἰάκιον, Gubernaculum, teste Eust. Utitur autem eo Hom. Il. T, [43] de gubernatoribus dicens, Ἔχων οἰήϊα νηῶν. [Od. I, 484: Τυτθὸν ἐδεύησεν δ' οἰήιον ἄκρον ἱκέσθαι· M, 218: Ἐπεὶ νηὸς γλαφυρῆς οἰήια νωμᾷς. Apoll. Rh. 1, 401, et alii Epici.]

Οἴημα, τὸ, Id ipsum quod quis opinatur, Opinio animo concepta. Sed plerumque dicitur de Arroganti et stulta opinione quam aliquis de se concepit, Existimatio de se nimis arrogans. Bud. p. 891, interpr. Elatio, Arrogantio, τῦφος, Plutarchi [Mor. p. 999, F] locum afferens, de sophistis, quibus discipuli

A magna salaria persolvebant: Οἰήματος ἐπληροῦντο καὶ δοξοσοφίας καὶ λόγων ζήλου. Et hanc ex Diog. L. [et Stob. Fl. vol. 1, p. 422] sententiam: Τοὺς μὲν κενοὺς ἀσκοὺς τὸ πνεῦμα διΐστησι, τοὺς δ' ἀνοήτους τὸ οἴημα. [Plut. Mor. p. 39, D: Ὅτι δεῖ τῶν νέων ἐκπνευματοῦν τὸ οἴημα καὶ τὸν τῦφον· 43, B, οἰήματος καὶ ἀλαζονείας, et alibi.]

Οἰηματίας, ὁ, Qui arrogantem de se opinionem concepit, Superbus et insolens, Bud., ἐπηρμένος Suidæ. [Hesychius v. Δοκησίσοφος. L. D. Cyrill. Al. in Collect. in 2 Reg. p. 50: Ἀβεσσαλὼμ ἐστι πᾶς οἰηματίας καὶ ὑπερήφανος. Suicer.]

[Οἰηματικῶς, Arroganter. Theodor. Stud. p. 475, C: Ἀμαθῶς καὶ οἰημ. L. Dind.]

Οἰημάτιον, τὸ, quasi Arrogans opiniuncula quam quis de se concepit.

[Οἰησικοπία, ἡ. Eust. De engastrimytho p. 407 ed. Allatii: Οἰησικοπίας ποιητικῆς εὕρεσις, Poeticæ imaginationis inventio. Schneid.]

Οἴησις, εως, ἡ, Opinatio, Opinio. [Putatio, Existimatio, his add. Gl.] Plato Phædone [p. 92, A]:
B Ἄν περ μείνῃ ἥδε οἴησις, τὸ ἁρμονίαν εἶναι σύνθετον πρᾶγμα. Aliud exemplum præter hoc habes ap. Bud. p. 889, et supra in Νόσημα, ubi Cic. interpretatur Opinatio. [Phædr. p. 244, C: Ἀνθρωπίνῃ οἰήσει. Plut. Mor. p. 49, A: Ὁ λοιδορούμενος φιλοκόλαξ σφόδρα φίλαυτός ἐστι, καὶ δι' εὔνοιαν ἑαυτῷ πάντα μὲν ὑπάρχειν βουλόμενος, πάντα δ' οἰόμενος, ὧν ἡ μὲν βούλησις οὐκ ἄτοπος, ἡ δ' οἴησις ἐπισφαλής. Heliodor. Æth. p. 435 (?): Ὦ τῆς ἡδείας ἀπάτης, ὦ τῆς γλυκυτάτης οἰήσεως. « Seq. genit. Socrat. Epist. p. 15, 29: Ὑπ' οἰήσεως τοῦ εἶναι μακάριος. » Valck.] || Item pro οἴημα ponitur, i. e. pro Arroganti existimatione sui: quo sensu tum ap. Dionys. Areop. usurpari testatur Bud., tum in quodam parænetico, ex quo hæc affert: Ἡ μὲν γὰρ σύνεσις τῆς ἀγνοίας τὴν ἐκ τῆς οἰήσεως ἐγειρομένην προπέτειαν ἐκκό-πτει, i. e., inquit, Excitatam ex stulta et arroganti existimatione sui. Aliud exemplum, quod huic subjungit, ibid. tibi videndum relinquo, sc. p. 890 init. In qua signif. utitur et Philo V. M. 1: Ἅμα μὲν οἰήσει, μεγάλῳ κακῷ, πεπιεσμένος, Simul magno malo, per-
C suasione sui, laborans, Turn., legens μεγάλῳ κακῷ pro μεγάλων κακῶν, ut vulg. edd. habent. Ib. 3: Τὴν πρὸς ὕψος ἄλογον αἴρουσαν καὶ φυσῶσαν οἴησιν, ἀτυφίας ἔρωτι σὺν ἐπιστήμῃ στέλλειν, Persuasionem sui ad excelsitatem sine ratione erigentem et inflantem. [Eurip. fr. Glauci Stob. Fl. 22, 1: Βαρὺ τὸ φόρημ' οἴησις ἀνθρώπου κακοῦ. Diog. L. 7, 23. Valck. Hippocr. p. 23, 20; Voll. Herculan. vol. 1, p. 15 et 17; Isid. Pel. Ep. p. 5, A; Vita Jo. Damasc. vol. 1, p. xxii, B. L. D.] || Hesych. οἰήσεως exp. non solum νομίσεως, δοκήσεως, ἐπάρσεως, sed etiam ὑπονοίας, i. e. Suspicionis.

[Οἰησίσοφος, ὁ, ἡ, Qui sapientem se opinatur. Clem. Alex. Strom. 2, p. 455, 456. « Thalassius Cent. 4, 26: Νοῦς οἰησίσοφος. » Suicer. Restituendum G. Syncello p. 59, 10, 11, 21, pro οἰήσει σοφούς. L. Dind.]

[Οἰησίφρων, ονος, ὁ, ἡ, i. q. præcedens. Cyrill. Alex. l. 3 In Jo. 1, p. 249: Οἰησίφρονας Φαρισαίους. Suicer.]

Οἰητέον, Putandum, Aristot. [Eth. Nic. 9, 2, et alibi. Diosc. 5, 140; Apollon. Dysc. De constr. p. 166, 15; Plotin. vol. 2, p. 807, 1. « Dionys. Areop. p. 250. »
D Kall.]

[Οἰήτης. V. Ὄα.]

Οἰητὴς, ὁ, Opinator, VV. LL.: Hesych. autem οἰη-τᾶν exp. κομητῶν, Comatorum, Crinitorum: quod Ionicum erit pro οἰατῶν: nam Idem οἰατὰν exp. κομή-την. [Utrobique κωμήτης restitui jubet etiam Photii gl.: Οἰήτας, τοὺς κωμήτας, Σοφοκλῆς Ἀνδρομέδᾳ.] Pertinet igitur ad Οἰατὴς, de quo supra.

[Οἰητὸς, ἡ, ὸν, Reabilis; Οἰητὸν, Rebile, Gl. Leg. Reabile.]

Οἰΐας, Hesych. τῶν προβάτων τὰ σκεπαστήρια δέρματα, Pelles ovinas: quæ et οἶαι [οἶαι et οἰεῖαι, quod verum].

[Οἶις. V. Οἶς.]

Οἴκαδε et [Οἴκαδις et] Οἰκόνδε, Domum, εἰς τὰ οἰκεῖα. Est autem οἰκόνδε poeticum tantum adverb. [de quo v. Apollon. De adv. p. 592 sq.], οἴκαδε vero prosæ scriptoribus cum poetis commune. Apud Hom. aliquoties οἶκόνδε νέεσθαι: Od. E, [220]: Οἴκαδέ τ' ἐλθέ-μεναι καὶ νόστιμον ἦμαρ ἰδέσθαι· Θ, [102]: Οἴκαδε νο-στήσας, Domum reversus. Λ, [431]: Οἴκαδ' ἐλεύσεσθαι·

K, [42]: Οἴκαδε νισσόμεθα· Π, [370] et alibi: Ἀπήγαγεν οἴκαδε. Plato De rep. 1, [p. 328, B]: Ἦμεν οὖν οἴκαδε εἰς τὸ Πολεμάρχου. Xen. Hell. 7, [2, 19]: Οἴκαδε καὶ ἑαυτοὺς καὶ ἃ ἤγαγον ἀπέσωσαν. Ex Eod. [ib. 1, 1, 21]: Τὰ οἴκαδε ποθῶ, Res domesticas desidero, s. potius Domum redire et domestica visere desidero. [Atque sic alii quivis Atticorum. « Οἴκαδε ὡς ἐμὲ Dem. p. 583, § 10, Lysias p. 93, 45. Οἴκαδε ὡς ἐκεῖνον Dem. p. 353, § 217. Οἴκ. ὡς ἑαυτὸν Lucian. Asin. c. 56. Id. D. mar. 8, 2, οἴκ. ἐς τὴν Μήθυμναν. Οἴκαδε σπεύδειν de sene morti se parante, Isocr. p. 418, B. » Valck. Cum genit. Aristænet. Ep. 1, 22: Δεδράμηκε οἴκαδε τῆς ἑταίρας.] Dorice autem [sec. Gregorium p. 364] pro Οἴκαδε dicitur Οἴκαδες. Aristoph. Ach. [742]: Ὡς ναὶ τὸν Ἑρμᾶν εἴπερ ἵξετ' οἴκαδες, Τὰ πρᾶτα πειρασεῖσθε τᾶς λιμοῦ, i. e. εἰς τὸν οἶκον ἀφίξεσθε. [Et 779. Utroque loco nunc Οἴκαδις, ut in fr. Epicharm. ap. Athen. 6, p. 236, B: Ἐπεὶ δέ χ' ἥκω Fοίκαδις καταφθαρεὶς, ubi libri οἴκαδ' εἰς. De quo Theognost. Canon. p. 163, 22: Τὸ οἴκαδις σεσημείωται προπαροξυνόμενον, ut οἰκάδις non recte scriptum sit quum illic tum in Etym. M. v. Χαμάδις, ubi βαρύνεσθαι dicitur. L. Dind.]

Οἰκανὸς, Domesticus; nam οἰκανὸν, τὸ οἰκεῖον, Hesych. [V. Οἰκιανός. Alia hariolatur Albertus.]

Οἰκάριον, τὸ, Parva domus, Ædicula, Cellula. Pollux [9, 5] ex Lysia [fr. 33]: Εἰς τὸ οἰκάριον τὸ ὄπισθε τῆς γυναικωνίτιδος, ubi videtur accipere pro Cellula s. Cubiculo, quod Vitruv. OEcum nominare solet. [Eodem respexit Hesychius. Οἰκίδιον interpr. Photius.]

[Οἰκάς.] Οἰκάδες dicuntur Ficus immaturi, Grossi. Pollux: Τὰ δὲ οὔπω πέπειρα τῶν σύκων, οἰκάδες καλοῦνται παρὰ Λάκωσι, καὶ φίληκες παρ' Ἀθηναίοις. [V. Οἶδαξ.]

[Οἰκει. V. Οἰκοι.]

Οἰκειᾰκὸς, ἡ, ὸν, Suidæ i. q. οἰκεῖος. [Dicit Suidas: Οἰκεῖος καὶ οἰκιακὸς, ubi οἰκειακὸς restitutum ex cod. optimo. Honoratus, Domesticus, Familiaris, Gl. « Amphiloch. p. 221; Athan. vol. 1, p. 646. » Kall. Lex. Ms. cod. Reg. 1708 (s. Zonaras p. 1430): Οἰκειακὸς ὁ οἰκεῖος· οἰκιακὸς δὲ ὁ ἐν (τῷ Zon.) οἴκῳ. Sic porro appellatos Domesticos, penes quos erat Imperatoris custodia, docent Glossæ Basil. et Suidas: Δομεστικοὶ, οἱ τῶν Ῥωμαίων ἱππεῖς, οἱ κατὰ Ῥωμαίους οἰκειακοὶ στρατιῶται. Οἰκεῖοι dicuntur S Basilio Epist. 287, Juliano Epist. 22, et Socrati 1, 13; 3, 21; 4, 1, uti observamus in nostra Cpoli 2, p. 161. V. Ducam Hist. p. 37, 46, etc. Οἰκειακὸς porro quemvis Domesticum seu familiarem sonat. Theophanes a. 6 Apsimari Μυάκης ὁ οἰκειακὸς αὐτοῦ ἄνθρωπος etc. Add. p. 323, 335, 383, 389, 394. Michael Psellus in Synopsi Legum v. 243: Οἰκειακοὺς δὲ μάρτυρας εἰκότως ἀθετοῦσιν. Utuntur alii, atque in iis S. Matthæus, Theodoritus De cur. Gr. affect. s. 9, 11, Codinus c. 17, n. 1, etc. || Οἰκειακὰ, dicta Privata Imperatorum patrimonia, quæ etiam ἰδικὰ appellabantur, quibus qui præerat Magistratus ὁ ἐπὶ οἰκειακῶν dicitur anonymo Barensi et λογοθέτης τῶν οἰκειακῶν Pachymeri, ut pluribus docemus in nostra Cpoli Christ. l. 2, p. 154, 160, et supra in Λογοθέτης, etc. Ducang. Idem in Οἰκία, quod v., tanquam ab illo ductum posuit οἰκιακὸς, ejusque exx. addidit, in quibus per diphthongum de monachis οἰκίαις præfectis, Vitæ S. Pachomii n. 19: Ἔταξεν οἰκειακὸν καθ' ἑκάστην οἰκίαν, et ibid. infra. V. Οἰκιακός. Eust. Il. p. 124, 34: Ἄλλο μὲν ὄνομα οἰκειακὸν, ἄλλο δὲ ἐν τοῖς ἐκτός. Ubi locum vix habet οἰκιακὸς, quod alioqui perpetuo cum illo confunditur. Nam quum ap. Psellum ab Ducangio cit. sit οἰκειακοὶ μάρτυρες, per ι οἰκιακὴ μαρτυρία scribitur in locis a Bosqueto ad illum et Gothofredo ad Theophil. Inst. 2, 10, 250, p. 341 citatis, ubi dicit: Ἡ οἰκιακὴ μαρτυρία, ὃ λέγουσιν οἱ νομικοὶ domesticum testimonium, οὐ καλῶς ἐν διαθήκῃ γίνεται· τὴν δὲ οἰκιακὴν μαρτυρίαν οὐκ ἐκ τῆς συγγενείας, ἀλλ' ἐκ τῆς ἑνώσεως τῆς ἐν ὑπεξουσιότητι λαμβάνομεν. || Forma Dor. Callicratidas Stob. Fl. vol. 3, p. 180: Τῷ δὲ συγγενικῷ καὶ οἰκηακῷ μέρεος τῶ ἀνθρώπω τριττὸν τὸ εἶδος.]

Οἰκεῖλαι, Hesychio et [Photio s.] Suidæ est ἐκβληθῆναι, Ejici s. Ejectum esse. Videtur tamen significare potius Domo ejicere, οἴκου ἐξεῖλαι. [Ἐξοκεῖλαι Kusterus, qui debebat ὀκεῖλαι, ut Tollius in Auctario. Conf. autem Οἴαροι.]

A [Οἰκειόγραφος, ὁ, ἡ, Qui propria manu scriptus est. Joann. Hierosol. Vita Joann. Damasc. p. 247, 7 ed. Major. Boiss.]

[Οἰκειοπάθέω, ap. Theodor. Stud. p. 582, E: Εὖ συμβουλεύσαντι καὶ τῷ ὄντι οἰκειοπαθοῦντι, Qui rebus tuis afficitur tanquam propriis, Int. L. Dindorf.]

[Οἰκειοπόθητος, ὁ, ἡ, Desideratus instar necessarii vel familiaris. Constant. Cærim. p. 183, B: Ὡς προσφιλέστατον καὶ οἰκειοπόθητον δοῦλον. L. Dindorf.]

[Οἰκειοποιέω, Proprium facio. Schol. Philostr. Her. p. 592: Οἰκειοποιοῦσιν ἑαυτὰς τῷ Ὁμήρῳ, ἤγουν ἴδιαι γίνονται. Med. Mihi proprium facio. Schol. Thuc. 2, 33: Προσποιήσασθαι, οἰκειοποιήσασθαι. Candidus Photii Bibl. p. 55, 1: Οἰκειοποιήσασθαι τοὺς Ἰσαύρους. Basil. Ms. scholl. in Greg. Naz. p. 44.]

Οἰκειοπρᾶγέω, Privata negotia ago, Mea negotia ago, non publica, Rem privatam ago, non publicam. Oppon. τῷ πολιτεύεσθαι ap. Synes. [Epist. p. 243, C]: Νοῦν ἔχει πολὺν οἰκειοπραγεῖν, ἀλλὰ μὴ παραδιοικεῖν, μηδ' ἀσχημονεῖν, ἀξιοῦντας ὠθίζεσθαι παρὰ τὸ τοῦ δεῖνος ἀρ-
B χεῖον. Ap. Plat. autem [sec. Lex. Septemv., in quo confunditur verbum cum seq. subst.] opponitur verbo πολυπραγμονεῖν. [Niceph. Chumn. Epist. 89. Boiss.]

Οἰκειοπρᾶγία, ἡ, Administratio suorum negotiorum, non alienorum; nam opp. τῇ πολυπραγμοσύνῃ ap. Plat. [Reip. 4, p. 434, C], qualis est ap. Horat. ejus qui Aliena negotia curat, Excussus propriis. [Porphyr. ap. Stob. Fl. vol. 1, p. 55: Δικαιοσύνη δέ (ἐστιν) ἡ ἑκάστου τούτων οἰκειοπραγία, ἀρχῆς πέρι καὶ τοῦ ἄρχεσθαι, quæ sumsit a Plotino vol. 1, p. 23, 9; 32, 4. Idem 32, 14: Τὸ δὲ οἰκεῖον ἔργον ἡ οἰκειοπραγία. Marin. V. Proculi c. 24, p. 19. L. Dind.]

Οἰκεῖος, α, ον, Domesticus. [Familiaris, Peculiaris, add. Gl.] Quæ signif. licet derivationi hujus nominis, quæ est a nomine οἶκος, maxime consentanea sit, minus tamen est frequens [Xen. Cyrop. 4, 3, 12: Οὐδὲ μὴν, ὥσπερ καὶ τοῖς ἄλλοις ἀνδράσι, τοῖς μὲν γεωργίαι ἀσχολίαν παρέχουσι, τοῖς δὲ τέχναι, τοῖς δὲ ἄλλα οἰκεῖα]: quam alioqui ap. Herodian. non semel huic nomini tribuit Polit.: 4, [6, 1]: Εὐθὺς δὲ πάντες ἐφονεύοντο οἱ ἐκείνου
C οἰκεῖοί τε καὶ φίλοι· hunc enim locum ita reddit, Continuo igitur cœpti occidi domestici fratris atque amici. Ibid. [5, 3]: Οὐκ ἀγνοῶ μὲν ὅτι πᾶς οἰκείου φόνος εὐθέως ἀκουσθεὶς μεμίσηται, Non me fugit, omnem domesticorum cædem, statim atque auribus inciderit, odiosam videri. Ut autem in illo priori l. οἰκεῖοι et φίλοι copulat, sic alibi εὔνουν et οἰκεῖον, sc. 3, [12, 8]: Ὡς τοιαῦτα κατασκευάσαντα κατὰ ἀνδρὸς εὔνου καὶ οἰκείου. Quinetiam conjungit alicubi συγγενεῖς et οἰκεῖοι, veluti 7, [3, 17]: Ὀνειδιζόντων αὐτοῖς ἐπιφθόνως συγγενῶν τε καὶ οἰκείων ὡς δὴ κτλ., Exprobrantibus invidiose consanguineis atque domesticis. Sic certe οἰκείους, Ad Galat. 6, [10] vet. etiam Interpres reddit, Ἐργαζώμεθα τὸ ἀγαθὸν πρὸς πάντας, μάλιστα δὲ πρὸς τοὺς οἰκείους τῆς πίστεως, i. e., ut ibid. exp., Eos qui per fidem sunt in eadem atque nos familia Domini. || Familiaris; Necessarius, Necessitudine conjunctus, Bud. afferens ex Demosth.: Οὔτε γὰρ οἰκεῖος, οὔτε συγγενὴς, οὔτε ἀναγκαῖός σοι τούτων οὐδείς. Ubi reddendum est potius Familiaris, quum addatur ἀναγκαῖος. Quo nomine
D interpr. Polit. in Herodiano 3, [6, 11]: Ἐχθρὸς μὲν ἀντὶ φίλου, πολέμιος δὲ ἀντὶ οἰκείου γενέσθαι προήρηται. Sic et in isto, ubi gen. habet [5, 3, 18]: Ἦσαν δέ τινες ἐξ αὐτῶν καὶ πρόσφυγες οἰκεῖοί τε τῆς Μαίσης· itidemque in hoc l. [6, 9, 8]: Καὶ τοὺς οἰκείους Ἀλεξάνδρου. Idem hæc scriptoris ejusd. verba [7, 3, 10], Καὶ μέχρις οἰκείων ἔμενεν ἡ συμφορά, reddit, Neque calamitas extra ipsorum familiam egrediebatur. Apud Thuc. quoque οἰκεῖοι commode reddi videtur Familiares, 2, p. 64 in fine [c. 51]: Ἐπεὶ καὶ τὰς ὀλοφύρσεις τῶν ἀπογιγνομένων τελευτῶντες καὶ οἱ οἰκεῖοι ἐξέκαμνον. Nisi quis malit Domestici. Ab Eod. dicitur aliquis esse οἰκεῖός τινος: 4, p. 155 [c. 106]: Καὶ τῶν ἔξω ληφθέντων συχνοὶ οἰκεῖοι ἔνδον ἦσαν· ubi sunt qui Necessarii, sunt et qui Propinqui exp. [Similiter sæpe Xenoph., Plato, aliique.] Ut autem οἰκεῖος redditur Familiaris, sic et Amicus alicubi: veluti in Herodiano [2, 2, 5]: Καὶ τοῖς οἰκείοις ἕκαστος διήγγελλε, καὶ μάλιστα τοῖς ἐπ' ἀξιώσεως, ἢ πλουσίοις· quum alioqui hic scriptor, ut ante docui, οἰκεῖος alicubi cum εὔ-

νους, alicubi et cum φίλος copulet: ut et Plato [Prot. p. 313, A] copulavit, Καὶ εἰς συμβουλὴν τούς τε φίλους ἂν παρεκάλεις καὶ οἰκείους, ubi Bud. οἰκείους reddit Necessarios. Plut. autem οἰκεῖοι junxit non solum cum φίλοι, sed et cum συνήθεις, medium sc. dans nomini οἰκεῖοι locum: Symp. 7, [p. 708, C]: Ὧ δὲ πολλοὶ φίλοι καὶ οἰκεῖοι καὶ συνήθεις εἰσίν. Bud. ap. Dem.: Οἰκειότερον ἐμοὶ ποιήσειεν, vertit, Amiciorem et majore necessitudine devinctum redderet. || Propinquus, Generis propinquitate conjunctus: ut Idem a Dem. aliquando accipi testatur. [Necessarius, Gl.] Sic vero in Thuc. l. c. a nonnullis accipi, modo admonui. [Id. 4, 64: Οὐδὲν αἰσχρὸν οἰκείους οἰκείων ἡσσᾶσθαι, ἢ Δωριέα τινὰ Δωριέως ἢ Χαλκιδέα τῶν ξυγγενῶν.] Itidem vero κατὰ τὸ οἰκεῖον in alio ejusd. scriptoris [1, 9: Ἐπιτρέψαντος Εὐρυσθέως Μυκήνας τε καὶ τὴν ἀρχὴν κατὰ τὸ οἰκεῖον Ἀτρεῖ] redditur Ob propinquitatem, ubi τὸ οἰκεῖον substantive appellavit τὴν οἰκειότητα. [Lycurg. p. 166, 30: Μόνος οὗτος τῶν πάντων ἀνθρώπων καὶ τὰ τῆς φύσεως οἰκεῖα καὶ ἀναγκαῖα προδέδωκεν. Demosth. p. 1117, 25: Οὐ τοὺς γεγραμμένους νόμους ὁ τοιοῦτος ἄνθρωπος μόνον, ἀλλὰ καὶ τὰ τῆς φύσεως οἰκεῖα ἀναιρεῖ.] Isocr. autem [p. 278, D] dixit, Πρὸς τοὺς οἰκειοτάτους καὶ τῆς αὐτῆς συγγενείας μετέχοντας. Item, Ὅσοι μηδ' ὄνομα συγγενείας ἔχοντες, οἰκειοτέρους σφᾶς αὐτοὺς ἐν ταῖς συμφοραῖς τῶν ἀναγκαίων παρέσχον. Bud. οἰκείους vertit Gentiles in isto Dem. l., in Or. c. Neæram [p. 1365, 2]: Ἀλλὰ βιασθεὶς ὑπὸ τῆς νόσου, καὶ τῆς ἀπαιδείας, καὶ τῆς ἔχθρας τῆς πρὸς τοὺς οἰκείους, Sed vi morbi subactum odioque gentilium. [Lex. rh. Bekk. An. p. 213, 18: Οἱ κατ' ἐπιγαμίαν μιχθέντες τοῖς οἴκοις οἰκεῖοι λέγονται. Et ib. p. 333, 6.] || Οἰκεῖος, ad differentiam ejus qui Externus appellatur: ut quum οἰκείους et ὑπηκόους copulat Herodian. 7, [3, 1]: Εἰ μὴ τοῖς οἰκείοις ἢ τοῖς ὑπηκόοις βαρύτερος ἐγεγόνει καὶ φοβερώτερος, Nisi gravior multo suis ac truculentior quam ipsis fuisset hostibus, Polit. Idem paulo post τοὺς οἰκείους interpr. Ditionis Romanæ homines. || Interdum etiam οἰκεῖοι opponuntur τοῖς ἀλλοτρίοις: ut in isto Gregor. l.: Ἐδίδου τῇ πολιᾷ τὸ ἐναυθεντεῖν ὡς οἰκείοις τοῖς ἀλλοτρίοις, Dabat hoc senectuti jam canæ, ut auctoritate non minus inter exteros quam inter cives suos valeret. Itidem vero aliquid dicitur esse οἰκεῖον, quod opponitur τῷ ἀλλοτρίῳ, Alieno. [Aristoph. Vesp. 1022: Οὐκ ἀλλοτρίων, ἀλλ' οἰκείων Μουσῶν στόμαθ' ἡνιοχήσας.] Plut. Symp. 7: Ἀφαιρούμενον τῷ οἰκείῳ τὸ ἀλλότριον. [Ib. p. 688, C.] Thuc. autem dixit 3, [13]: Νομίσῃ τε μηδεὶς ἀλλοτρίας γῆς πέρι οἰκεῖον κίνδυνον ἕξειν· 2, [39]: Οὐ χαλεπῶς ἐν τῇ ἀλλοτρίᾳ τοὺς περὶ τῶν οἰκείων ἀμυνομένους μαχόμενοι, τὰ πλείω κρατοῦμεν. [Id. 4, 64: Τῆς τε οἰκείας γνώμης καὶ ἧς οὐκ ἄρχω τύχης· 7, 44: Ἑώρων οὕτως ἀλλήλους, ὡς ἐν σελήνῃ εἰκὸς τὴν μὲν ὄψιν τοῦ σώματος προορᾶν, τὴν δὲ γνῶσιν τοῦ οἰκείου ἀπιστεῖσθαι. Et alii quivis.] || Alicubi autem οἰκεῖον opp. τῷ κοινῷ. Isocr. Areop. [p. 145, A], ubi tamen superlativo utitur: Ἐπιμελεῖσθαι τῶν κοινῶν ὥσπερ οἰκειοτάτων [οἰκέτας]. Thuc. vero οἰκεῖα et πολιτικὰ inter se opposuit, 2, [40]: Ἔνι τε τοῖς αὐτοῖς οἰκείων ἅμα καὶ πολιτικῶν ἐπιμέλεια. Denique οἰκεῖον pro loco possumus etiam reddere vel Privatum, vel Proprium, vel Suum. Sunt vero et loci in quibus uti possumus quo libuerit istorum. [Pind. Ol. 12, 21: Παρ' οἰκείαις ἀρούραις· Nem. 1, 53: Τὸ γὰρ οἰκεῖον πιέζει πάντα ὁμῶς· 11, 31: Οἰκείων παρέσφαλε καλῶν. Æsch. Prom. 396: Σταθμοῖς ἐν οἰκείοισι· Ag. 1220: Παῖδες θανόντες ὡσπερεὶ πρὸς τῶν φίλων, χεῖρας κρεῶν πλήθοντες οἰκείας βορᾶς· Cho. 675: Στείχοντα δ' αὐτόφορτον οἰκείᾳ σάγῃ. Soph. Aj. 859: Ὦ γῆς ἱερὸν οἰκείας πέδον. Et similiter alibi et alii quivis.] Exempla autem sunt in ll. Thuc. quos modo protuli; nam ubi dicit, Ἀλλοτρίας γῆς πέρι οἰκεῖον κίνδυνον ἕξειν, possumus οἰκεῖον reddere Privatim s. Proprium, aut etiam Suum. Sic l. 1, [60]: Δεδιότες (οἱ Κορίνθιοι) περὶ τῷ χωρίῳ, καὶ οἰκεῖον τὸν κίνδυνον ἡγούμενοι, Existimantes suum periculum: ap. Chrysost. autem, Ἵνα πρὸς τὸν οἰκεῖον ζῆλον πᾶν τὸ ἐπιγινόμενον ἐπισπάσασθαι δυνηθῶσι, redditur πρὸς τὸν οἰκεῖον ζῆλον, Ad sui æmulationem, perinde ac si dictum esset πρὸς τὸν ἑαυτῶν ζῆλον. Rursum Thuc. [2, 39: Ἐν τῇ ἀλλοτρίᾳ] τοὺς περὶ τῶν οἰκείων ἀμυνομένους, Eos qui sua defendunt, vel Res suas. [Id. 7, 40: Τὴν πολεμιωτάτην γῆν οἰκειοτέραν ἤδη τῆς θαλάσσης ἡγούμενοι.] Ap. Herodian. autem 2, [3, 19] Ὁ δὲ τῶν οἰκείων στερηθεὶς, a Polit. redditur Qui vero suis exuitur bonis. Idem in quibusdam hujus scriptoris ll. τὰ οἰκεῖα vertit Domum suam, Patriam suam, qua in signif. dicunt et τὴν οἰκείαν, subaudientes sc. γῆν: atque ita usus est et Thuc. [« Demosth. Olynth. 1 (p. 14, 13): Ῥαδίως ἐπὶ τὴν οἰκείαν ἐλθών.» HSt. Ms. Vind. Ib. p. 16, 18. Polybii exx. v. ap. Schweigh. in Lex., qui notavit etiam frequentem hac inprimis in formula permutationem cum οἰκία.] In VV. LL. affertur e Xen. οἰκεῖα ποιεῖν pro Communicare s. Impertire: itidemque οἰκεῖα παρέχειν: ut [Comm. 2, 6, 23], Τὰ μὲν ἑαυτῶν ἀγαθὰ τοῖς φίλοις οἰκεῖα παρέχειν· quod videtur esse, Exhibere ut tanquam suis utatur. Bud. ap. Dionys. Areop. οἰκεῖα παραδείγματα vertit Exempla ex nostro usu petita. [Aristoph. Ran. 959: Οἰκεῖα πράγματ' εἰσάγων, οἷς χρώμεθ', οἷς ξύνεσμεν.] Interdum autem genitivo jungitur οἰκεῖον significans Proprium. Isocr. [p. 19, B]: Οἰκεῖα τῶν καλῶς βασιλευόντων ἐστί. Et in Plat. De rep. 1, [p. 343, C]: Οἰκεῖα τοῦ πειθομένου καὶ ὑπηρετοῦντος βλάβη. [Ib. 6, p. 491, C: Κάλλος καὶ πλοῦτος καὶ πάντα τὰ τούτων οἰκεῖα. Alia constr. Demosth. p. 414, 25: Μετὰ ταῦτα οὐδὲν ἐμοὶ πρὸς τούτους οἰκεῖον οὐδὲ κοινὸν γέγονεν.] || Aptus, Accommodatus, Cic. ap. Plat. [Tim. p. 34, A] κίνησιν οἰκείαν vertit Motum qui sit aptissimus. Item alibi οἰκεῖον, Accommodatum ad naturam, et Quod secundum naturam est, ut videbis in meo Lex. Cic. Jungitur autem interdum genitivo, quum Aptus s. Accommodatus aut Conveniens significat: ut Aristot. Eth. 1: Ἀλλὰ τοῦτο μὲν ἴσως ἄλλης ἂν εἴη σκέψεως οἰκειότερον. Ib.: Διὸ τῆς πολιτικῆς οὐκ ἔστιν οἰκεῖος ἀκροατὴς ὁ νέος. [Plato Phæd. p. 96, D: Ἐπειδὰν τοῖς ἄλλοις τὰ αὑτῶν οἰκεῖα ἑκάστοις προσγένηται· Reip. 6, p. 491, C.] At in VV. LL. ex Plut. affertur [Popl. c. 21]: Βίου πράου καὶ καθεστῶτος οἰκεῖον καὶ ἀθόρυβον, pro Placidæ vitæ quietæque studiosum, ac minime turbulentum. [« Polyb. 5, 87, 3, οἰκ. τῆς ἡσυχίας· 3, 78, 7, οἰκ. τῇ φύσει τούτου τοῦ μέρους· 4, 57, 4, λίαν οἰκείους ὄντας τῶν τοιούτων ἐγχειρημάτων· 14, 9, 5, πάντα ἦν οἰκεῖα τῆς μεταβολῆς· 27, 6, 12, οἰκεῖον εἶναι τῆς ἐπανορθώσεως.» Schweigh. Lex. Sæpius sic etiam Diodorus et alii. Cum dat. Plato Leg. 6, p. 772, E: Ἔμπροσθεν τοῦ νόμου προοίμιον οἰκεῖον ἑκάστῳ προτιθέναι· 7, p. 797, E. Theæt. p. 183, B: Οἰκειοτάτη γοῦν διάλεκτος αὕτη αὐτοῖς. Utramque constr. memorat Thomas p. 734. || I. q. οἰκειακὸς, quod v. De forma Ion. Οἰκήιος HSt.:] Ionice Οἰκήϊος, α, ον, Domesticus, Privatus, pro οἰκεῖος. Et τὰ οἰκήϊα, Res domesticæ. Hesiodus οἰκήϊα θέσθαι dixit pro Domi reponere, Domi condere, Ἔργ. [455], de lignis plaustro fabricando idoneis: Τῶν πρόσθεν μελέτην ἐχέμεν οἰκήϊα θέσθαι, Ut domi recondas. [Herodot. 3, 81: Οὔτε καλὸν οὐδὲν, οὐδ' οἰκήϊον. Schweigh. Qui in Lex. annotavit exx. ejusdem, ubi significatione Cognati s. Propinqui dictum interdum genit. et dat. jungitur, itemque signif. Domestici, Privati etc.]

|| Οἰκείως, Familiariter [Gl.], Amice, Benevole. [Aristoph. Lys. 1118: Μὴ χαλεπῇ τῇ χειρὶ μηδ' αὐθαδικῇ μηδ' ὥσπερ ἡμῶν ἄνδρες ἀμαθῶς τοῦτ' ἔδρων, ἀλλ' ὡς γυναῖκας εἰκὸς, οἰκείως πάνυ. Plato Menex. p. 243, E: Ἀσμένως καὶ οἰκείως ἀλλήλοις συνέμιξαν.] Isocr. Paneg. [p. 48, D]: Τὴν τοίνυν ἄλλην διοίκησιν οὕτω φιλοξένως κατεσκευάσατο καὶ πρὸς ἅπαντας οἰκείως. Et οἰκείως ἀποδέχεσθαι, Benevole s. Animo benevolo excipere. Sæpe cum verbo ἔχω: diciturque οἰκείως ἔχω τινὶ, πρός τινα: quarum constructionum utramque usurpat idem Isocr. Paneg. [p. 68, C]: Οἵ τε γὰρ ἀφεστῶτες πρὸς ἡμᾶς τε οἰκείως ἔχουσι καὶ Λακεδαιμονίοις σφᾶς αὐτοὺς ἐνδιδόασι· et in Ep. ad Phil. [p. 98, B]: Παύσῃ ταῖς μὲν τῶν πόλεων οἰκείως ἔχων, πρὸς δὲ τὰς, ἀλλοτρίως διακειμένος. Xen. autem dixit [Comm. 2, 7, 9]: Φιλικώτερόν τε καὶ οἰκειότερον ἀλλήλοις ἕξετε· quod quidam interpr. Inter vos conjunctius amabitis. Et, Οἰκείως εἶχον οἱ Λακεδαιμόνιοι πρὸς αὐτὸν, ex Plut. Pericle [10], pro Lacedæmoniis necessitudo erat cum eo, et amicitia. Sed dicitur etiam οἰκείως χρῆσθαί τινι, quo et Latini modo usurpant suum verbum Uti, quum dicunt Uti aliquo familiariter. [Thuc. 6, 57: Διαλεγόμενον οἰκείως τῷ Ἱππίᾳ.] Xen. Hell. 2, [3, 16]: Ἔτι γὰρ οἰκείως ἐχρῆτο τῷ Θηραμένει. Synes.: Τὸ γὰρ ἀντικειμένως ἔχειν πρὸς παν-

τοδαπὴν πονηρίαν, οἰκείως ἐστὶν ἔχειν πρὸς παντοδαπὴν ἀρετήν. [Polyb. 13, 1, 2 : Οἰκ. διακείμενοι πρὸς καινοτομίαν.] || Apte, Accommodate, Convenienter. [Aristoph. Thesm. 197 : Μή νυν ἐλπίσῃς τὸ σὸν κακὸν ἡμᾶς ὑφέξειν, ἀλλ' αὐτὸς ὅ γε σόν ἐστιν οἰκείως φέρε. Xen. Œc. 2, 17 : Εὗρον πάνυ οἰκείως ταῦτα γιγνόμενα. Plato Le . 10, p. 889, B : Ἁρμόττοντα οἰκείως πως· Reip. 3, p. 397, C : Εἰ μέλλει αὖ οἰκείως λέγεσθαι.] Interdum cum dat. Aristot. : Δρώντων πάντων οἰκείως ταῖς σφετέραις κατασκευαῖς. [Cum genit. Polyb. 1, 59, 12 : Οἰκ. τῆς ἐπιβολῆς· 15, 10, 1, τῆς ὑποκειμένης περιστάσεως. Schweigh. Lex. Diodor. 16, 38 : Τῆς ἀσεβείας οἰκείως. L. D. Cum dat. Diodor. 2, 56 : Ταῖς ὑποκειμέναις περιστάσεσιν οἰκείως. Cornutus De nat. d. c. 32, p. 227 : Ἡ δάφνη πρὸς τὰς καθάρσεις οἰκείως τι ἔχουσα (τυγχάνει). Valck. || Adv. comp. Οἰκειότερον ap. Isæum De her. Menecl. § 49 : Οἰκ. ἡμῶν πρὸς Κλεώνυμον διέκειντο. Οἰκειοτέρως, Aristot. Categ. c. 7, p. 7, 16, Theophr. C. Pl. 6, 16, 1, Dionys. H. vol. 5, p. 251, 5; 252, 3. L. D. Athen. 5, p. 177, E. « Οἰκειότατα, adverb. superl., Isocr. Epist. 8, fin. p. 433; schol. Pind. Ol. 4. » Boiss. Plato Theag. p. 127, C : Ὡς οἷόντε οἰκειότατα. Polyb. 5, 106, 4 : Οἰκ. πρὸς τὸν ἥμερον βίον ἔχοντες.]

[Οἰκειοτέρως. V. Οἰκείως.]

Οἰκειότης, ητος, ἡ, Domesticus usus et consuetudo, Familiaritas, [Domitatio, Familia, huic add. Gl.] Amicitia, Necessitudo. [Xen. Cyrop. 8, 7, 15 : Ἃ οἱ θεοὶ ὑφήγηνται εἰς οἰκειότητα ἀδελφοῖς. Plato Conv. p. 197, C : Οἰκειότητος πληροῖ· Phædr. p. 256, E : Ἡ ἀπὸ τοῦ μὴ ἐρῶντος οἰκειότης. Plurali Isocr. p. 410, E, Demosth. p. 237, 11.] Aristot. Rhet. 2, [5], tria facit genera φιλίας, Amicitiæ, ἑταιρίαν, οἰκειότητα, συγγένειαν. Plut. Popl. [c. 3] : Ὑπῆρχεν αὐτῷ πρὸς Βροῦτον οἰκειότης. [Eadem constr. Diod. 17, 80.] Thuc. copulat etiam φιλίαν cum οἰκειότητα, dicens 4, [19] : Καὶ ἄλλην φιλίαν πολλὴν καὶ οἰκειότητα ἐς ἀλλήλους. [Et Plato Conv. p. 192, C.] || Propinquitas, Cognatio. [Definit. Plat. p. 413, B : Οἰκειότης ταὐτοῦ γένους κοινωνία. Thuc. 3, 86 : Τῆς οἰκειότητος προφάσει. Plato Reip. 7, p. 537, C : Οἰκειότητος ἀλλήλων τῶν μαθημάτων καὶ τῆς τοῦ ὄντος φύσεως· Polit. p. 258, A, et alibi.] Bud. in Synes. : Καταγινώσκω πενίαν τῆς φύσεως, καὶ ἀπογινώσκω εἰς ἥρωας οἰκειότητα, Naturam humanam ipse damno inopiæ, nec istam agnosco heroicam cognationem. Quod ideo dicit, qui cum Proteo comparatus fuerat. [De peritia, Ἡ ἑκάστου πρὸς παιδείαν οἰκειότης, Clearch. apud Athen. 10, p. 457, F, ab Hemst. cit. Forma Ion. Οἰκηιότης, Herodot. 6, 54.]

[Οἰκειοτονέομαι, Proprium habeo accentum. Schol. Hom. Il. Λ, 394 : Κατὰ παράθεσιν ἡ περί, ὅθεν οἰκειοτονεῖται. L. Dind.]

[Οἰκειοφώνως, Propria voce. Phot. Bibl. p. 37, 40 : Ταῦτα αὐτῷ Καμβύσης διὰ Ἰζαβάτου συνέθετο, καὶ αὐτὸς δὲ οἰκ. ὕστερον. L. Dind.]

[Οἰκειόχειρος, ὁ, ἡ, i. q. ἰδιόχειρος, Manu propria scriptus. Hinc οἰκειόχειροι ἀσφάλειαι apud Pachymerem 6, 26, Cautiones propriis manibus exaratæ, subscriptæ. Ducang. Niceph. Greg. Hist. Byz. 15, 3, p. 475, A : Οἰκ. γράμμασι· 21, 5. || « Οἰκειοχείρως γράφειν ap. Harmenopulum 2, 2, 1. Constantin. De admin. Imp. c. 45, οἰκείᾳ χειρί. » Ducang. Cod. Thucyd. ap. Bekker. præf. vol. 1, p. III : Ἐγράφησαν παρ' ἐμοῦ οἰκειοχείρως. L. D. Anna Comn. 13, p. 416, B.]

Οἰκειόω, Familiarem reddo, Concilio : cui oppositum ἀλλοτριόω, Abalieno. Apud Diog. L. : Τὴν πρώτην ὁρμὴν τὸ ζῶον ἴσχειν ἐπὶ τὸ τηρεῖν ἑαυτὸ, οἰκειούσης αὐτῷ τῆς φύσεως ἀπ' ἀρχῆς. Quod Cic. De fin. 3, dicit, Simulatque natum sit animal, ipsum sibi conciliari et commendari ad se conservandum. Quibuscum conf. et alia quæ habes p. 61 mei Lex. Cic. Sed et Thuc. utitur hoc verbo pro Conciliare et Adjungere, 3, [c. 65] : Τὴν πόλιν οὐκ ἀλλοτριοῦντες, ἀλλ' εἰς τὴν ξυγγένειαν οἰκειοῦντες, ἐχθροὺς οὐδενὶ καθιστάντες, Non abalienantes, sed conciliantes. Sic et Cic. l. c. sibi opponit Conciliare et Abalienare. Vicissim aliquis dicitur se οἰκειοῦν alii, quum ei se adjungit et quasi familiarem reddit. Synes. Ep. 26 : Πάντως γε ἡ τοῦ Θεοῦ σοι προσέσται χάρις, ᾧ σαυτὸν οἰκειοῖς τῇ κοινωνίᾳ τῆς εὐεργετικῆς προαιρέσεως, Cui teipsum conjungis et consocias. [Οἰκειοῦσι Ἀπόλλωνι κίθαρον, Athen. 7, p. 325, B. Hesych. in Ναρθηκοπλήρωτον : Ὅθεν καὶ τῷ Διονύσῳ ᾠκείωσαν αὐτόν (τὸν νάρθηκα). Hemst.] Pass. Οἰκειοῦμαι, Familiaris reddor, Adjungor, Concilior. Thuc. 1, de oppido quodam : Μετὰ μεγίστων καιρῶν οἰκειοῦταί τε καὶ πολεμοῦται, Cum maximis momentis ad amicitiam adjungitur et infestum redditur. [Plato Parm. p. 128, A : Ὅτι Ζήνων οὐ μόνον τῇ ἄλλῃ σου φιλίᾳ βούλεται ᾠκειῶσθαι, ἀλλὰ καὶ τῷ συγγράμματι· Prot. p. 326, B : Τοὺς ῥυθμούς τε καὶ τὰς ἁρμονίας ἀναγκάζουσιν οἰκειοῦσθαι ταῖς ψυχαῖς τῶν παίδων.] Aristot. Polit. 7, 17 : Οἰκειουμένων ταῖς πρώταις ἀκοαῖς, Qui primo auditu capiuntur et nobis veluti adjunguntur : de spectatoribus. [Ps.-Demosth. p. 1402, 22 : Τοὺς ἐραστὰς, ὃ μόνον ἴδιον ἔθνος οὐχ ἅπασιν, ἀλλὰ τοῖς καλοῖς καὶ σώφροσιν οἰκειοῦσθαι πέφυκεν. Polyb. 9, 1, 2 : Οὐκ ἀγνοῶ τὴν πραγματείαν ἡμῶν πρὸς ἓν γένος ἀκροατῶν οἰκειοῦσθαι.] Diosc. in præf. l. 1 : Πρὸς πάντας οἰκειούμενος, Nulli te non familiarem exhibens. [Marcellin. Vit. Thuc. p. 1 : Ὠκείωτο ἐκ παλαιοῦ τῷ γένει πρὸς Μιλτιάδην τὸν στρατηγὸν, τῷ δὲ Μιλτιάδῃ πρὸς Αἰακὸν τὸν Διός. Clemens Al. Pæd. 2, p. 236 : Πρὸς οὐδεμίαν ὅλως ὁ ἑπόμενος τῷ λόγῳ αἰσχρὰν ἡδονὴν οἰκειώσεται. Futuri forma pass. Maccab. 4, 5, 26 : Τὰ οἰκειωθησόμενα ἡμῶν ταῖς ψυχαῖς, cui contr. τὰ ἐναντιωθησόμενα.] Et ex Plat. [Ep. 7, p. 330, B] : Ἀκούων τῶν περὶ φιλοσοφίαν λόγων οἰκειοῦσθαι καὶ ἐμοὶ συγγίνεσθαι, pro Uti familiariter. Οἰκειοῦμαι active etiam accipitur pro Concilio et adjungo. [Plato Ep. 3, p. 317, E : Κατάγειν Δίωνα οἰκειωσάμενον.] Plut. Oth. [c. 27] : Οἰκειώσατο [ᾠκ.] πρὸς αὐτὸν τοὺς πολίτας τοῦτο, Hoc ei conciliavit cives. Herodian. 1, [5, 2] : Ὡς μεγαλόφρονι ἐπιδόσει οἰκειώσηται τὸ στράτευμα, Ut pecuniis elargiendis velut auctoramento militum animos sibi adjungeret; et [27] : Μεγαλόφροσι δωρεαῖς χρημάτων οἰκειωσάμενος τὸ στρατιωτικόν. Et 2, [15, 3] : Σοφίσματι οἰκειώσασθαι, Astu sibi adjungere; et [3, 3] : Ὠκειοῦτο μεγάλαις ὑποσχέσεσι πρὸς αὐτὸν ἀνέλκων, Magnis pollicitationibus sibi homines adjungens. 6, [8, 6] : Δώροις αὐτοὺς καὶ παντοδαπαῖς τιμαῖς ᾠκειώσατο, Muneribus omnique genere honorum sibi adjungebat et conciliabat. 3, [11, 8] : Πλείονι θρησκείᾳ ᾠκείωτο ἐκεῖνον. In his et similibus Herodiani ll. Bud. οἰκειοῦσθαι interpr. Auctorare, Sibi obæratum reddere, Beneficio obstringere. Idem οἰκειοῦν s. οἰκειοῦσθαι eod. modo interpr. quo ἐξιδιάζομαι, Amicum mihi peculiarem reddo, Familiarem mihi facio. Pro Adjungere sibi s. Asciscere et familiarem sibi reddere, potest et ap. Gregor. accipi, qui de magnete lapide dicit, Ἀῤῥήτῳ φύσει τὸν σίδηρον ἕλκουσα καὶ τὸ στεῤῥότατον ἐν ὕλαις οἰκειουμένη. Item Concilio, Ascisco, Accommodo, in alio loquendi genere. Gregor. in Epitaph. patr. : Καὶ τί ἂν πάσας ἀπαριθμοίμην τὰς προσηγορίας, ὅσας ἡ ἀρετή σοι πεποίηκεν, ἄλλη τις ἄλλην οἰκειοῦσά τε καὶ προσάγουσα; || Οἰκειόω, s. Οἰκειοῦμαι, Mihi vindico, Meum esse contendo, ἰδιοποιοῦμαι, προσποιοῦμαι. [Plato Leg. 8, p. 843, E : Ἐὰν ἑσμοὺς ἀλλοτρίους σφετερίζῃ τις καὶ κατακρούων οὕτως οἰκειῶται· Reip. 5, p. 466, C : Ἐπὶ τὸ ἅπαντα τὰ ἐν τῇ πόλει οἰκειοῦσθαι.] Chion Matridi, de anima loquens : Ἣν οὐδὲ τὸ περιέχον σῶμα ᾠκείωσε τῇ αὐτοῦ δουλείᾳ. Gregor. : Καὶ οὕτως οἰκειοῦμαι τὰ κατορθώματα, i. e. ἰδιοποιοῦμαι, Mihi vindico, Mea esse contendo, Bud. p. 789. Hac signif. [sec. schol.] usus est et Thuc. 1, [100] : Ὡς οἰκειοῦντες [οἰκιοῦντες] τὰς τότε καλουμένας ἐννέα ὁδοὺς, Sibi vindicantes [immo Colonis frequentaturi. De constructione Thomas p. 734 : Τὸ οἰκειοῦμαι δοτικῇ πάντοτε. || De forma Ion. Οἰκηιόω HSt. :] Οἰκηϊεύμενος κάρτα, Herodot. [4, 148], Valde frequentans, Frequentem reddens, VV. LL. [Immo Concilians, Sibi adjungens. Eadem fere signif. 1, 4 : Τὴν Ἀσίην οἰκειεῦνται οἱ Πέρσαι· 94 : Τούτων τὴν ἐξεύρεσιν οὐκ οἰκηιοῦνται Λυδοί· 3, 2 : Αἰγύπτιοι οἰκειεῦνται Καμβύσεα, Sibi vindicant.]

[Οἰκείω. V. Οἰκέω.]

Οἰκείωμα, τὸ, Quod accommodatum est, q. d. Accommodamentum. Strabo p. 118 [6, p. 269] : Τοιοῦτον ἔχειν οἰκείωμα πρὸς τὴν ἄμπελον εἰκὸς τὴν Αἰτναίαν σποδὸν, Sic natura accommodam esse et utilem, Bud. [Dionys. A. rh. 7, 5, p. 275, 14 : Τὴν πόλιν παραβαλεῖς πρὸς τὰς ἄλλας ἀπὸ μεγέθους, ἀπὸ κάλλους, ἀπ' οἰκιστοῦ, ἀπ' οἰκειώματος. Proprietatem, ἰδίωμα, interpr. Sylburg., ἀξίωμα conjicit Wolf.]

[Οἰκειωματικὸς, ἡ, ὸν, Relativus (immo Possessivus). Etym. M. p. 30, 6 : Οἰκειωματικὸν τὸ οἰκείωσιν ἔχον πρὸς τόπον. Wakef. V. Οἰκειωτικός.]

[Οἰκείως. V. Οἰκεῖος.]

Οἰκείωσις, εως, ἡ, Familiaritas, ut exp. in hoc l. Greg. Naz. : Οἰκείωσις ἡ ἐξ ἀρετῶν· videtur tamen potius active capi pro ipsa Actione familiarem amicumque sibi reddendi, familiaritatem contrahendi. [Clemens Al. Strom. 6, p. 776 : Ἡ πᾶσα οἰκ. ἡ πρὸς τὰ καλὰ μετ' ὀρέξεως γίνεται. Ammon. De diff. p. 115 : Παρρησία ἡ διὰ λόγων πρός τινα οἰκείωσις. « Aliter Ἡ πρὸς φιλομαθίαν οἰκείωσις, Hipparch. Enarr. Phæn. Arat. p. 171, A. » Hemst.] || Vindicatio, qua sc. nobis aliquid vindicamus et nostrum esse contendimus, Thuc. p. 162 [4, 128], de jumentis : Τὰ μὲν ὑπολύοντες κατέκοπτον, τῶν δὲ οἰκείωσιν ἐποιοῦντο, Sibi vindicabant. [V. Οἰκειωματικός. Philo vol. 1, p. 2, 43 : Πρὸς δὲ τὸ μὴ γεγονὸς οἰκείωσις οὐδεμία τῷ μὴ πεποιηκότι. Memorat Pollux. 5, 114. L. Dind.]

[Οἰκειωτέον, Clem. Alex. Pæd. 3, p. 298. Kall.]

[Οἰκειωτικὸς, ἡ, ὸν, Vindicans, Concilians. Plato Soph. p. 223, B : Τέχνης οἰκειωτικῆς. Plut. Mor. p. 759, E : Ἡ οἰκ. δύναμις πρὸς τὸ καλὸν ἐγγέγονε ταῖς ψυχαῖς. Schol. Dionys. Bekk. An. p. 852, 33 : Εἴδη τοῦ κτητικοῦ ταῦτα, οἰκειωτικὸν, μετουσιαστικὸν ... οἰκειωτικὸν μὲν (οἷον) Ὀλύμπιος, θαλάσσιος. Ap. Etym. M. et Gud. οἰκειωματικὸν, nisi leg. οἰκειωτικόν. L. D. Alcin. Introd. p. 112. « Οἰκειωτικῶς, Hesych. » Wakef.]

[Οἰκεσία, ἡ, forma vitiosa pro οἰκετία, quod v.]

[Οἰκέσιον, τὸ, non addita signif. ponit et cum ὀφειλέσιον confert Eust. Od. p. 1751, 12. Ad formam conf. Συνοικέσιον.]

Οἰκετεία, ἡ, Familia [Gl.], Domicilium, habetur in VV. LL. [Hesychius : Μνοία, οἰκετεία. Lucian. De merc. cond. c. 15 : Ἡ οἰκετεία εἰς σὲ ἀποβλέπει. Strabo 14, p. 668 : Πλούσιοι γενόμενοι Ῥωμαῖοι μετὰ τὴν Καρχηδόνος καὶ Κορίνθου κατασκαφὴν οἰκετείαις ἐχρῶντο πολλαῖς, ubi sunt varietates οἰκετίαις et οἰκεσίαις, ut ap. Joseph. A. J. 12, 2, 3, p. 587 : Ἀπολύειν κελεύω τοὺς ἐν ταῖς οἰκετείαις ὄντας Ἰουδαίους, al. οἰκεσίαις, et οἰκετίαν omnes 8, 6, 3 : Τῶν Χαναναίων, οὓς εἰς τὴν οἰκετίαν ἀπήγαγεν. De qua forma v. infra.]

[Οἰκετεύω, i. q. οἰκέω, Habito. Eur. Alc. 437 : Ὦ Πελίου θύγατερ, χαίρουσά μοι εἰν Ἀΐδα δόμοισιν τὸν ἀνάλιον οἶκον οἰκετεύοις.] Οἰκετεύομαι, Domesticus sum, Famulus domesticus sum, Famulor. Hesych. οἰκετεύεται, exp. συνοικεῖ. Famuli autem domestici συνοικοῦσιν et ipsi.

Οἰκέτης, ὁ, Domesticus : cujus fem. gen. Οἰκέτις, ιδος, ἡ, Domestica : quam tamen signif. ap. poetas usitatiorem esse testatur Pollux 3, [82] ubi ait, Οἱ μέν τοι ποιηταὶ καὶ τοὺς ἄλλους οἰκείους, οἰκέτας ὠνόμαζον, ὅπου γε καὶ περιστερὰν οἰκέτιν λέγουσι. Similiter ap. Hesych. : Οἰκέται, οἱ κατὰ τὸν οἶκον πάντες. Itidemque Suid. : Οἰκέται, οὐ μόνον οἱ θεράποντες, ἀλλὰ καὶ πάντες οἱ κατὰ τὴν οἰκίαν, citans ex Aristoph. Nub. [5], Οἱ δ' οἰκέται ῥέγκουσι, Omnes domestici, Tota familia. Est autem locus is, in Prologo Nubium. [Ap. Arist. intelligi Servos ostendit 7 : Ὅτ' οὐδὲ κολάσ' ἔξεστί μοι τοὺς οἰκέτας. Sed illa signif. Æsch. Ag. 733 : Ἄμαχον ἄλγος οἰκέταις· altera, ut videtur, Cho. 737 : Πρὸς μὲν οἰκέτας ... γέλων κεύθουσα, ut in similibus locis Tragicorum, velut Soph. Tr. 908.] Hesych. habet et fem. Οἰκέτις, quod exp. κατοικίδιος : ut supra κατοικίδιος ὄρνις, Gallina domestica s. cohortalis. [Non modo poetæ, sed et prosaici scriptores, Ionici certe, οἰκέτας non modo Famulos, sed et Matresfamilias et Liberos intelligunt. Sic quidem frequenter Herodot., ubi v. Wessel. ad 8, 4. Schweigh. Xen. Cyr. 4, 2, 2 : Οἱ Ὑρκάνιοι ... καὶ τοὺς οἰκέτας ὑστάτους εἶχον· στρατεύονται γὰρ δὴ οἱ κατὰ τὴν Ἀσίαν ἔχοντες οἱ πολλοὶ μεθ' ὧνπερ καὶ οἰκοῦσι. Conf. 5, 4, 2, Anab. 4, 5, 35; 6, 1. L. D. De bestiis, Ὄρνιθες τρόφιμοι καὶ οἰκέται, Ælian. ap. Suid. in Μέλιτος. Hemst.] || Οἰκέτης plerumque capitur pro Famulo s. Servo [Gl.] domestico [Οἰκέται, Familia, Gl.]; sed differt ab οἰκογενὴς et οἰκότριψ, quod hæc duo de verna dicuntur : οἰκέτης autem de Novitio etiam servo, i. e. aut recens empto, aut qui non ita pridem bello captus est. Hesych. : Ὁ μὲν οἰκότριψ, ἀπὸ γονέων δοῦλος· ὁ δὲ οἰκέτης, οὐ πάντως, ἀλλὰ καὶ ὁ αἰχμάλωτος καὶ ὁ ἐν οἴκῳ ὤν. [Sic
A sæpissime ap. Aristoph. et alios quosvis Atticorum, quorum de Tragicis sufficit memorasse Eurip. Ion. 1373, ubi adjective : Ἐν θεοῦ μελάθροις εἶχον οἰκέτην βίον.] Lucian. [De hist. conscr. c. 20] : Οἰκέτῃ νεοπλούτῳ ἄρτι τοῦ δεσπότου κληρονομήσαντι. Herodian. 1, [12, 8] : Οἰκέτης βασιλικὸς γενόμενος, Quum in domum imperatoriam servitio esset traditus. Plut. Symp. 5, [p. 680, E] : Οἰκέτας ἐκεῖθεν ὠνίους ἐξάγοντες. Plut. Apophth. : Μόλις οἰκέτας δύο τρέφειν. Athen. 12 : Πλείστους οἰκέτας ἔχοντα. Et 6 : Πολλοὺς οἰκέτας κτωμένων. Eod. l. : Χιλίους συνεπήγετο οἰκέτας. Plut. Symp. 6 : Τῶν οἰκετῶν ἕνεκα τύπτοντες ἀγνίαις ῥάβδοις. Idem in l. Περὶ ἀοργησίας [p. 460, D] ex Aristot. : Ἐν Τυῤῥηνίᾳ μαστιγοῦσθαι τοὺς οἰκέτας πρὸς αὐλόν. Idem, Ἂν οἰκέτας καὶ θεραπαινίδας κολάζωσιν ἀμέτρως. Ceterum esse aliquam etiam differentiam inter οἰκέτην et δοῦλον, tradit Athen. 6, [p. 267, B, D], ex Chrysippi Περὶ ὁμονοίας libro 2 : nam τοὺς ἀπελευθέρους quidem, δούλους adhuc esse, οἰκέτας autem, τοὺς μὴ τῆς κτήσεως ἀφειμένους : nam ὁ οἰκέτης, inquit, δοῦλός ἐστι κτήσει κατατεταγμένος : quæ distinctio
B confirmari fortasse possit hoc loco Isocr. Panath. [p. 252, E] : Παραπλήσιον ἐποίησαν τοῖς παρὰ μὲν τῶν ἄλλων τοὺς οἰκέτας εἰς ἐλευθερίαν ἀφαιρουμένοις, σφίσι δ' αὐτοῖς δουλεύειν ἀναγκάζουσι. Vult igitur Chrysippus δούλους quidem esse Servos s. Mancipia quæ aliquando rudi donentur, aut etiam vendantur : οἰκέτας autem, Servos perpetuos, qui nunquam manu mittantur ab eo in cujus ministerio sunt. Pro δοῦλος tamen usurpari vult Athen. [ibid.] in hoc l. Ionis : Οἴμοι δόμον, οἰκέτα, κλεῖσον ὑπόπτερος, μήτις ἔλθῃ βροτῶν. [Οἰκέτης ὑπηρέτης στρατιώτου, Gravius, Gl.] Sed notandum, utplurimum οἰκέτης honestius esse vocabulum, et fortasse melius reddi Famulus domesticus, quam Servus domesticus : ut et Aristoph. gramm. ap. Eust. p. 566, ait οἰκέτας vocatos fuisse non solum τοὺς κατ' ἀγροὺς ὑπουργοὺς, sed etiam τοὺς ἐν οἰκίαις ἐλευθέρους. Pro Domesticis certe accipi potest et in Xen. Cyrop. 8, [3, 41] : Ἐμὲ πολλοὶ μὲν οἰκέται σῖτον αἰτοῦσι, πολλοὶ δὲ πιεῖν. [V. supra.] Vide et Οἰκεύς. Fem. etiam οἰκέτις exp. Famula domestica, Ancilla. [Eur. Electr. 104 :
C Ἤ τις οἰκέτις γυνή. Hippocr. p. 236, 28 : Γυναικὸς οἰκέτις μουσοεργὸς, sec. conject. Foesii. Manetho 4, 603 : Οἰκέτιδος γενεῆς τε πεφυκότας ἐκ γενετήρων. De Domestica, non de ancilla, sed nova nupta s. Matrefamilias, Theocr. 18, 38 : Ὦ καλὰ, ὦ χαρίεσσα κόρα, τὺ μὲν οἰκέτις ἤδη, de Helena. De bestiis, ut supra οἰκέτης, Soph. ap. Plut. Mor. p. 959, F : Περιστερὰν ἐφέστιον οἰκέτιν. Quo referri puto quod Pollux dicit 3, 82 : Οἱ ποιηταὶ ... καὶ περιστερὰν οἰκέτιν λέγουσι. || Apollo Οἰκέτας ap. Pausan. 3, 13, 3 et 4. L. Dind.]

[Οἰκέτης, ὁ, nomen viri ap. Hippocr. Epid. 3, sect. 2, 11. Boiss.]

Οἰκετία, ἡ, Familia [Gl.], ex Epicteto. Sic accipi posse videtur et in hoc ap. Suid. l., cui tamen nullam expositionem addit : Ἐν ταύτῃ τῇ πόλει τὰς τῶν γε ἐπιφανεστάτων οἰκετίας ἠθροῖσθαι ἔφασκον, Familias, etiam Domesticos, οἰκέτας. [V. Οἰκετεία, quod præstat. Per ι etiam ap. Clem. Al. Strom. p. 475 : Μηδὲ πιπράσκειν ταύτην ἐξεῖναι διατάττεται, ἀλλὰ μηδὲ ἔτι θεράπαιναν ἔχειν, ἐλευθέραν δὲ εἶναι καὶ τῆς οἰκετίας ἀπαλλάττεσθαι
D βούλεται· in Chron. Pasch. p. 515, 7, et alibi. Conf. Lobeck. ad Phryn. p. 505.]

[Οἰκετίδιον, τὸ, dimin. ab οἰκέτης. Theodr. Prodr. Ep. 93.]

Οἰκετικὸς, ἡ, ὸν, [Vernilis, Gl.] Servilis, Famularis : ut Cic., Famulari veste; Stat., Turba famularis mensas instruit. [Plato Soph. p. 226, B : Τῶν οἰκετικῶν ὀνομάτων.] Aristot. Polit. 2, [2, 3] : Ἐν ταῖς οἰκ. διακονίαις οἱ πολλοὶ θεράποντες ἐνίοτε χεῖρον ὑπηρετοῦσι τῶν ἐλαττόνων. Et ap. Polluc. [3, 82] οἰκ. ὀνόματα, Nomina diversa quibus famuli appellantur : cujusmodi multa ap. Athen. leguntur l. 6. [Οἰκ. γραΐδιον 4, 138, 139, 150.] At τὸ οἰκ. dicitur Famulitium domesticum, Servitium s. Ministerium domesticum : h. e. ipsi Ministri s. famuli domestici, οἱ οἰκέται : sicut τὸ ξενικὸν dicuntur Milites mercede conducti, ipsi ξένοι : et δορυφορικὸν, ipsi δορυφόροι. Plut. [Sulla c. 9] : Τὸ οἰκ. ἐκάλει ἐπ' ἐλευθερίαν, Totum famulitium domesticum s. Totam turbam famularem vocabat ad pileum. Aliud ex Agathia exemplum habes in Οἰκότριψ. [Pausan. 3,

20, 6 Diod. Exc. p. 536, 6. Id. 2, 49: Στιβάδας οἰκετικάς. Joseph. A. J. 8, 6, 3, p. 436: Τὰς οἰκετικὰς χρείας ἐκτελεῖν.]

[Οἰκέτις. V. Οἰκέτης.]

Οἰκεύς, έως, ὁ, Domesticus famulus, Minister domesticus, i. q. οἰκέτης, Qui in domestico ministerio est. Honestius vocabulum quam δοῦλος, quod et de οἰκέτης tradunt gramm. Hom. Il. E, [413]: Μὴ... Ἐξ ὕπνου γοόωσα φίλους οἰκῆας ἐγείροι, ubi annotat Eust. ex veteribus Homerum eo vocab. non intelligere τοὺς δούλους, Servos, sed simpliciter τοὺς ἐν τῷ οἴκῳ, s. τοὺς οἰκείους: ideoque addidisse epith. φίλους. At Z, [365] ubi Hector ait: Καὶ γὰρ ἐγὼν οἶκόνδ' ἐσελεύσομαι, ὄφρ' ἂν ἴδωμαι Οἰκῆας ἄλοχόν τε φίλην, Idem ex vett. itidem annotat οἰκῆας ibi vocari non solum τοὺς δούλους, sed Omnes in genere domesticos, πάντας ἁπλῶς τοὺς ἐν οἴκῳ: itidemque et Od. Ξ, [63]: Οἷά τε ᾧ οἰκῆϊ ἄναξ εὔθυμος ἔδωκεν, observandum docet, οἰκέα vocari non δοῦλον tantummodo, sed etiam τὸν κατ' οἶκον φιλητόν. Rursum in Od. P, [533]: Σῖτος καὶ μέθυ ἡδὺ, τὰ μὲν οἰκῆες ἔδουσιν, eid. Eust. οἰκῆες sunt πάντες οἱ ἐν τῷ οἴκῳ, πάντες οἱ οἰκιακοί. [Theocr. 25, 33: Πρὸς ἐσχατιὰς πολυπίδακος ἀκρωρείης, ἃς ἡμεῖς ἔργοισιν ἐποιχόμεθα πρόπαν ἦμαρ, ᾗ δίκη οἰκήων οἷσιν βίος ἔπλετ' ἐπ' ἀγροῦ.] Alibi dicit medium esse vocabulum, et tam Servum significare, quam Eum qui in domestico ministerio est, sed liber tamen, p. 1024: Ἔχει καὶ ἡ λέξις αὕτη μέσως, καθὰ καὶ οἰκεὺς καὶ οἰκέτης· οἵπερ οὐδ' αὐτοὶ ἐξ ἀνάγκης δούλους δηλοῦσιν. Ἀχαιὸς γοῦν ὁ ποιητὴς διαστέλλων λέγει περί τινος, ὅτι χρηστὸς εἰς τοὺς δούλους ἐστὶ καὶ τοὺς οἰκέτας· εἰσὶ δὲ, φασὶν, οἰκέται οἱ κατὰ τὴν οἰκίαν διατρίβοντες, κἂν εἶεν ἐλεύθεροι. At paulo aliter p. 1423: Οἰκεὺς παρὰ τοῖς παλαιοῖς Ἀθηναίοις ὁ οἰκογενὴς οἰκέτης, καὶ οἰκέται οἱ κατὰ τὴν οἰκίαν ἅπαντες· synonyma faciens οἰκογενῆ, Vernam, et οἰκέα: at discrimen statuens inter οἰκέτην et οἰκέα, quæ tamen antea synonyma esse dixerat. Similiter et Ammon. annotat τὸν οἰκότριβα a Solone ἐν τοῖς ἄξοσι vocari οἰκέα: synonyma autem sunt οἰκότριψ et οἰκογενής, Verna. Hesychio οἰκεὺς est ὑπόχρεως οἰκέτης. [Lysias p. 117, 41, legem Solonis afferens: Ὅσαι δὲ πεφασμένως πωλοῦνται, καὶ οἰκῆος καὶ βλάβης τὴν δούλην εἶναι ὀφείλειν. Ubi Heraldus et Taylorus καὶ οἰκῆος καὶ δούλης τὴν βλάβην ὀφείλειν. Addit autem Lysias: Τὸ δὲ οἰκῆος θεράποντος. Pro quo οἰκέως Harpocratio. Soph. OEd. T. 756: Οἰκεύς τις ὅσπερ ἵκετ' ἐκσωθεὶς μόνος.]

Οἰκέω, Habito [Gl.], Domum s. Mansionem habeo (alicubi). [Æsch. Prom. 714: Λαιᾶς δὲ χειρὸς οἱ σιδηροτέκτονες οἰκοῦσι Χάλυβες· 805: Χρυσόρρυτον οἰκοῦσιν ἀμφὶ νᾶμα. Soph. OEd. C. 92: Κέρδη μὲν οἰκήσαντα τοῖς δεδεγμένοις.] Xen. Hell. 1, [2, 10]: Οἰκεῖν ἀτέλειαν ἔδοσαν τῷ βουλομένῳ· et [6, 8]: Οἰκοῦντας ἐν βαρβάροις. [Cum acc. Hom. Il. Y, 218: Ὑπωρείας ᾤκεον Ἴδης. Eademque constructione alii plurimi, ut Pind. Ol. 6, 34: Ἀλφεὸν οἰκεῖν· Nem. 7, 9: Πόλιν οἰκεῖ· Æsch. Eum. 184: Λέοντος ἄντρον οἰκεῖν.] Thuc. 2, [27]: Ἐκπεσοῦσι δὲ τοῖς Αἰγινήταις οἱ Λακεδαιμόνιοι ἔδοσαν Θυρέαν οἰκεῖν, καὶ τὴν γῆν νέμεσθαι, Habitandam s. Incolendam dederunt. [Hom. Il. Ξ, 116: Ὤκεον δ' ἐν Πλευρῶνι· Od. Z, 204, ἐνὶ πόντῳ· I, 200, ἐν ἄλσεϊ· 400, ἐν σπήεσσι. Æsch. Ag. 1234: Σκύλλαν τινὰ οἰκοῦσαν ἐν πέτραισι. Et alii quivis. De νομῷ Herodot. 2, 166: Οὗτος ὁ νομὸς ἐν νήσῳ οἰκέει.] Dem.: Οἱ ἐν τῷ ἄστει οἰκοῦντες, In urbe habitantes, Qui urbem incolunt. Infra autem in Οἰκία habes οἰκίαν οἰκεῖν, et ἐν οἰκίᾳ οἰκεῖν. Sic Lucian. [Vitt. auct. c. 9]: Τὴν πατρῴαν οἰκίαν ἀπολιπὼν, ἢ τάφον οἰκήσεις ἢ πυργίον ἔρημον, ἢ καὶ πίθον. [Cum præp. ἐν Æsch. Eum. 757: Ἔν τε χρήμασιν οἰκεῖ πατρῴοις.] Plato Apol. [p. 25, C: Οἰκεῖν ἐν πολίταις χρηστοῖς, Habitare inter cives probos. Dem. [p. 55, 22]: Οἱ χωρὶς οἰκοῦντες, Qui seorsim habitant, Inquilini, Incolæ, ut nonnulli volunt. [Soph. OEd. C. 602: Ὥστ' οἰκεῖν δίχα. Dativo jungit Pind. Nem. 10, 58: Οἰκεῖν οὐρανῷ. Eur. Ion. 314: Ναοῖσι δ' οἰκεῖς τοῖσιδ' ἢ κατὰ στέγας; Præpositionibus παρὰ Pind. Pyth. 3, 34: Παρὰ Βοιβιάδος κρημνοῖσιν ᾤκει· et ὑπὲρ Nem. 7, 65: Ὑπὲρ ἁλὸς οἰκέων. Eur. Iph. T. 1098: Ἃ παρὰ Κύνθιον ὄχθον οἰκεῖ. || Absolute Xen. Anab. 7, 7, 55: Ἔλεγον ὡς Ξενοφῶν οἴχοιτο ὡς Σεύθην οἰκήσων. Ib. 4, 3: Εἰ μὴ καταβήσονται οἰκήσοντες. De urbibus H. Gr. 7, 1, 3: Πλεῖσται πόλεις

A περὶ τὴν ὑμετέραν οἰκοῦσι· et ib. 5, 6; 4, 8, 5, Cyrop. 8, 1, 2. Quod infra οἰκεῖσθαι. || De mortuis Eur. Hel. 962: Ὦ γέρον, ὃς οἰκεῖς τόνδε λάϊνον τάφον· El. 677: Σὺ δ' ὦ κάτω γῆς ἀνοσίως οἰκῶν πάτερ.] Pisces quoque flumina et maria οἰκεῖν dicuntur, sicut Hom. aquilæ οἰκία tribuit. Apud Eust. p. 900: Ὁ κύματ' οἰκῶν ὄρνις ἑρμήνευσεν ἄν. Similiter et Cic. ἐπὶ θαλαττίου διατριβῆς dixit Aquarum incolæ bestiæ nantes. Pass. Οἰκέομαι, Habitor, Inhabitor, Incolor. [Soph. Phil. 2: Ἀκτὴ βροτοῖς ἄστειπτος οὐδ' οἰκουμένη· 221: Γῆν οὔτ' εὔορμον οὔτ' οἰκουμένην· 298: Οἰκουμένη στέγη. Eur. Heracl. 305: Τοσῆσδ' οἰκουμένης Ἑλληνίδος γῆς.] Xen. Cyrop. 4, [4, 5]: Οἰκουμένη μὲν γὰρ χώρα, πολλοῦ ἄξιον κτῆμα· ἐρήμη δ' ἀνθρώπων οὖσα, ἐρήμη καὶ τῶν ἀγαθῶν γίγνεται· ubi nota sibi opponi οἰκουμένην et ἐρήμην. [Sic ap. Herodot. 4, 110. Xen. ib. 4: Ὅτι πᾶσα οἰκοῖτο ἡ χώρα.] Sic et Hom. Il. Δ, [18]: Ἤτοι μὲν οἰκέοιτο πόλις Πριάμοιο ἄνακτος, Αὖτις δ' Ἀργείην Ἑλένην Μενέλαος ἄγοιτο, Habitetur et incolatur, Pacifice habitari et incoli sinatur, Non expugnetur et diruatur. [Xen. Anab. 1, 4, 6: B Μυρίανδρον, πόλιν οἰκουμένην ὑπὸ Φοινίκων ἐπὶ τῇ θαλάττῃ· 6, 4, 6: Κῶμαι πολλαὶ καὶ εὖ οἰκούμεναι. In eadem frequens est formula πόλις οἰκουμένη, velut 1, 2, 10 et 11, ut contra aliquoties memorantur desertæ. Et addito situ, 1, 4, 11: Πόλις αὐτόθι ᾠκεῖτο μεγάλη· 2, 4, 25: Ἐνταῦθα ᾠκεῖτο πόλις μεγάλη, etc. Quod activo dictum v. supra. || Οἰκεῖν μετά τινος, de conjugio, Soph. OEd. T. 414: Κοὐ βλέπεις ἵν' εἶ κακοῦ, οὐδ' ἔνθα ναίεις οὐδ' ὅτων οἰκεῖς μέτα· 990: Μερόπη, Πόλυβος ἧς ᾤκει μέτα. Eur. Hel. 295. Id. El. 99: Φασὶ γάρ νιν ἐν γάμοις ζευχθεῖσαν οἰκεῖν· 212: Μάτηρ δ' ἐν λέκτροις φονίοις ἄλλῳ σύγγαμος οἰκεῖ.] || Οἰκέω, interdum commodius redditur Vivo, Dego. [Soph. OEd. C. 1336: Ἄλλους δὲ θωπεύοντες οἰκοῦμεν σύ τε κἀγώ. Eur. fr. Telephi ap. Sext. Emp. p. 702: Σμίκρ' ἂν θέλοιμι καὶ καθ' ἡμέραν ἔχων ἄλυπον οἰκεῖν βίοτον. Plato Gorg. p. 523, B: Ἐς μακάρων νήσους ἀπιόντα οἰκεῖν ἐν πάσῃ εὐδαιμονίᾳ ἐκτὸς κακῶν.] Isocr.: Πολὺ γὰρ ἀθλιώτερον παρὰ τοῖς αὑτοῦ πολίταις ἠτιμωμένον οἰκεῖν, Longe miserius est apud suos cives ignominiosum vivere. C Idem in Areop.: Τὴν εὐδαιμονίαν ἐδοκίμαζον ἐκ τοῦ σωφρόνως οἰκεῖν· Panath.: Τούτους ἐν ἁπάσαις ταῖς πολιτείαις καλῶς οἰκήσειν, καὶ πρὸς σφᾶς αὐτοὺς καὶ πρὸς τοὺς ἄλλους. [Plato Leg. 9, p. 872, D: Ἐν κακῶς οἰκούσαις καὶ τρεφομέναις πόλεσι· Reip. 5, p. 473, A: Ὡς ἂν ἐγγύτατα τῶν εἰρημένων πόλις οἰκήσειε· 10, p. 599, D: Τίς τῶν πόλεων διὰ σὲ βέλτιον ᾤκησεν; 8, p. 547, C: Πῶς οἰκήσει (αὕτη ἡ πολιτεία); ut infra in pass. dicit οἰκεῖσθαι πολιτείαν. Improprie Soph. OEd. T. 1390: Τὸ γὰρ τὴν φροντίδ' ἔξω τῶν κακῶν οἰκεῖν γλυκύ. Et cum accus. Eur. Iph. A. 1507: Ἕτερον αἰῶνα καὶ μοῖραν οἰκήσομεν.] Οἰκέω ponitur etiam pro διοικέω, Administro, Rego. [Eur. Phœn. 486: Οἰκεῖν δὲ τὸν ἐμὸν οἶκον ἀνὰ μέρος λαβών· Iph. A. 331: Οὐχὶ δεινά; τὸν ἐμὸν οἰκεῖν οἶκον οὐκ ἐάσομαι. Id. ap. schol. Aristoph. Ran. 105: Μὴ τὸν ἐμὸν οἴκει νοῦν· ἐγὼ γὰρ ἀρκέσω.] Plut. Apophth., εὖ οἰκεῖν οἶκον, Bene domum suam gubernare, Bene rem familiarem administrare. [Soph. OEd. C. 1535: Αἱ δὲ μυρίαι πόλεις, κἂν εὖ τις οἰκῇ, ῥᾳδίως καθύβρισαν. Eur. Andr. 243: Οὐ βαρβάρων νόμοισιν οἰκοῦμεν πόλιν· El. 386: Οἱ γὰρ τοιοῦτοι τὰς πόλεις D οἰκοῦσιν εὖ καὶ δώματα.] Thuc. 3, [37]: Ἄμεινον οἰκοῦσι τὰς πόλεις, Melius administrant civitates. Idem οἰκεῖν etiam absolute dixit pro οἰκεῖν τὴν πόλιν, 2, [37]: Καὶ ὄνομα μὲν διὰ τὸ μὴ ἐς ὀλίγους, ἀλλ' ἐς πλείονας οἰκεῖν, δημοκρατία κέκληται, Quod remp. gerimus non ad paucorum commodum, sed ad plurimorum utilitatem. Et in pass. Οἰκέομαι, Administror, Regor. [Eur. fr. Antiop. ap. Stob. Fl. 54, 5: Γνώμῃ γὰρ ἀνδρὸς εὖ μὲν οἰκοῦνται πόλεις, εὖ δ' οἶκος· Hipp. 486: Θνητῶν εὖ πόλεις οἰκουμένας. Herodot. 1, 170: Τὰς δὲ ἄλλας πόλιας οἰκεομένας μηδὲν ἔσσον νομίζεσθαι κατάπερ εἰ δῆμοι εἶεν. Xen. Cyrop. 2, 2, 26: Οὔτε οἶκος δύναιτ' ἂν εὖ οἰκεῖσθαι πονηροῖς οἰκέταις χρώμενος, et alibi cum nom. πόλις, quocum sæpissime conjungit etiam Plato.] Thuc. 8, p. 283 [c. 67]: Γνώμην ἐσενεγκεῖν καθότι ἄριστα ἡ πόλις οἰκήσεται. Plato De rep. 2, [p. 371, C]: Ὀρθῶς οἰκουμένη πόλις, Bene instituta civitas. [Leg. 11, p. 936, B: Ἐν οἰκουμένῃ καὶ μετρίως πολιτείᾳ τε καὶ πόλει. Id. Charm. p. 171, E: Ὑπὸ σωφροσύνης οἰκία οἰκουμένη, et alibi cum οἶκος. Ps.-Demosth. p. 1341, 20 : Οὐδ' ὡς διὰ τοῦτο χεῖρον ἡ πόλις οἰκήσεται.] Aristot. Polit. 3 : Τῇ μελλούσῃ καλῶς οἰκήσεσθαι πόλει. Isocr. Areop. [p. 147, E]: Τά γε πλήθη καὶ τὰς ἀκριβείας τῶν νόμων σημεῖον εἶναι τοῦ κακῶς οἰκεῖσθαι τὴν πόλιν. Dem. [p. 665, 27] οἰκεῖσθαι [οἰκεῖν] νόμοις, Legibus regi [regere. Cum dat. etiam, sed ut vertendum sit Instrui, Xen. Cyrop. 4, 5, 39 : Σκηνὴν ἔχουσαν καὶ τοὺς ὑπηρετήσοντας καὶ στρωμνὴν καὶ ἐσθῆτα καὶ τἄλλα, οἷς οἰκεῖται σκηνὴ καλῶς στρατιωτική· 5, 4, 39 : Πάντα ὁπόσοις ἂν οἶκος μέγας καλῶς οἰκοῖτο.] Absolute autem Οἰκεομένη sive Οἰκουμένη dicitur Orbis terrarum, [Orbis, add. Gl.] ut Apul. in Νῆσος supra interpr. Proprie autem sonat Ea totius mundi pars quæ habitatur, habitabilis est, ut continens, insulæ. Latini autem dicere solent Terrarum orbem. [Xen. Vect. 1, 6.] Dem. [p. 242, 1]: Πᾶσα οἰκουμένη μεστὴ γέγονε προδοτῶν, Totus terrarum orbis. [Id. p. 85, 17 : Οὔτε τὰ ὑμέτερα ὑμῖν ἀποδώσει οὔτ' ἐν τῇ οἰκουμένῃ αἱ δωρεαὶ ἔσονται.] Sic Æschin. [p. 77, 19]: Ἔξω τῆς ἄρκτου καὶ τῆς οἰκουμένης ὀλίγου δεῖν πάσης. Plut., de Alexandro : Εἰς ὃν ἡ οἰκουμένη νῦν ἀποβλέπει. Apud Athen. autem 1, [p. 20, B], Philippus γελωτοποιὸς Romam οἰκουμένης δῆμον appellat. Herodian. vero [5, 2, 5] ἡ ὑπὸ Ῥωμαίους οἰκουμένη, Romanum imperium, Bud. [Omnino apud recentiores sæpe ἡ οἰκουμένη significat Imperium Romanum, ut ostendit Suicer. De habitantibus Lycophr. 631 : Ὅσοι παρ' Ἰοῦς γρῶνον οἰκοῦνται πέδον. Hom. Il. B, 668 : Τριχθὰ δὲ ᾤκηθεν καταφυλαδόν. « Præter pass. ead. notione, qua præs. act. Herodot. 1, 172, αἱ δύο (πόλιες) νήσους οἰκέαται· 193, παρ' ὃν (Τίγριν) Νίνος πόλις οἴκητο, ubi commode etiam, ut et alibi, subinde reddere possis, Sita urbs erat. 127 fin., Τοῖσι τὰς νήσους οἰκημένοισι Ἴωσι, et paulo ante τῶν ἐν τῇ ἠπείρῳ οἰκημένων· 5, 73, πῇ γῆς οἰκημένοι· 1, 28, τῶν ἐντὸς Ἅλυος ποταμοῦ οἰκημένων· 8, 115, τῶν περὶ τὰς πηγὰς τοῦ Στρυμόνος οἰκημένων. Schweigh. Lex. Conf. Κατοικέω. Sed Eur. Iph. A. 662 : Ποῦ τοὺς Φρύγας λέγουσιν ᾠκῆσθαι; 706 : Οὗ φασι Κενταύρειον οἰκεῖσθαι γένος, Porsonus restituit ᾠκίσθαι, ut ego Xen. Vectig. 1, 6 : Οὐκ ἂν ἀλόγως δέ τις οἰηθείη τῆς Ἑλλάδος, καὶ πάσης δὲ τῆς οἰκουμένης ἀμφὶ τὰ μέσα ᾠκῆσθαι τὴν πόλιν. Dionysio vero A. R. 1, 89 : Ἀχαιῶν οἱ περὶ τὸν Πόντον ᾠκημένοι, relinquenda videtur hæc forma. || Forma Ion. et poetica Οἰκείω Hesiod. Th. 330 : Ἐνθάδ' ὅγ' οἰκείων.]

[Οἰκηακός. V. Οἰκειακός.]

[Οἰκήιος. V. Οἰκεῖος.]

[Οἰκηιόω. V. Οἰκειόω.]

Οἴκημα, τὸ, Locus habitandi, Habitaculum, Domicilium, Ædificium. [Habitatio, huic add. Gl. Pind. Ol. 2, 10 : Ἱερὸν ἔσχον οἴκημα ποταμοῦ, de Agrigento. Æsch. Ag. 334 : Ἐν αἰχμαλώτοις Τρωικοῖς οἰκήμασι ναίουσιν.] Xen. Hell. 4, [1, 32]: Ἅ μοι ὁ πατὴρ οἰκήματα καλὰ κατέλιπεν. Plut. Artox. [c. 29] : Τὴν αὐλαίαν ὑπολαβὼν ἀνεχώρησεν εἰς τὸ ἐντὸς οἴκημα, In penetralia domus. Idem in Pericle [c. 34] : Ἐν οἰκ. μικροῖς καὶ σκηνώμασι πνιγηροῖς· De loquac. [p. 503, C]: Οἰκημάτων μὲν ἀθύρων καὶ βαλλαντίων ἀδέσμων μηδὲν ὄφελος. Alibi autem pro οἴκημα ἄθυρον dicit οἰκία ἄκλειστος. Pausan. [10, 25, 1] : Οἴκημα γραφὰς ἔχον τῶν Πολυγνώτου, Domus picturas habens quasdam Polygnoti. [Id. ib. 5, 2 οἴκημα dicit quod 1 οἰκοδόμημα. Sic Herodotus inter utrumque voc. variat 1, 121, cujus de usu Schweigh. : « Τὰ οἰκ. οὐ κατέβαλλε, 1, 17, pro quo post τὰς οἰκίας. Οἰκ. μουνόκωλα ἔδειμαν, 1, 179. Οἰκ. ἐν κατιρῶσαι, 1, 164. Οἰκ. λίθινον, 1, 121. Τῶν οἰκ. ἢ τῶν ἱρῶν 9, 13, et de æde, θεῶν τὰ ἀγάλματα καὶ οἰκήματα, 8, 144. » Thuc. 4, 47 : Ἐς οἴκημα μέγα καθεῖρξαν, et 48, ubi intelligere licet etiam Carcerem. V. Οἰκήσιμον.] || Peculiariter autem Atticis Domus in qua meretrices se exponebant, Lupanar, τὸ πορνεῖον, Hesych., Pollux [9, 34]: forsan δι' εὐφημισμόν. Athen. 13, [p. 569, D] ex Philemone : Πρῶτος Σόλων διὰ τὴν τῶν νέων ἀκμὴν, ἔστησεν ἐπὶ οἰκημάτων γύναια πριάμενος. Et mox, Ἀφ' ὧν ἠργυρίσαντο αἱ προστᾶσαι τῶν οἰκημάτων. Idem alibi, Προεστηκυῖαι ἐπ' οἰκήματος, In fornice prostantes. Itidem ap. Suidam : Ταῖς ἐπὶ τῶν οἰκ. ἑστώσαις ἀκωλύτως συνιέναι, i. e. χαμαιτυπείων. Sic et οἰκήσιμον. [Vocabulo οἴκημα de Lupanari utitur etiam Herodot. 2, 121, 126. Item de Officina, in qua

A sedent hi qui artem condiendi cadavera exercent, 2, 86. Schweigh. De officina Plato Protag. p. 321, E. De lupanari Charm. p. 173, B, Xen. Comm. 2, 2, 4, Diog. L. 2, 31, 105; 4, 46.] || Sed et domus in quam sontes includebantur, i. e. Carcer, οἴκημα dicebatur, ad levandam nominis invidiam. Plut. Solone p. 27 [c. 15] de Atheniensibus : Τὰς τῶν πραγμάτων δυσχερείας ὀνόμασι χρηστοῖς καὶ φιλανθρώποις ἐπικαλύπτοντας ἀστείως ὑποκορίζεσθαι· τὰς μὲν πόρνας, ἑταίρας· τοὺς δὲ φόρους, συντάξεις· φυλακὰς δὲ, τὰς φρουρὰς τῶν πόλεων· οἴκημα δὲ, τὸ δεσμωτήριον καλοῦντας. Sic et οἰκήσιμον. [Ps.-Demosth. p. 789, 2 : Οἱ ἐν τῷ οἰκήματι. Dem. p. 890, 13; 1284, 2.] || Tabernas etiam s. Cauponas οἰκήματα nominari posse innuere videtur Pollux 9, [45]: Τοῦ δ' ἐμπορίου μέρη, καπηλεῖα, καὶ πορνεῖα, ἃ καὶ οἰκήματα ἄν τις εἴποι. Nisi forte illud ἃ ad solum πορνεῖα referendum est. [Sic est.] || Pro loco redditur etiam Turris, Tabernaculum, Casa, Conclave, Cubiculum. [Cella, Cœnatorium, Gl. « Τὸ οἰκ. ἐν τῷ κοιμώμεθα, Herodot. 1, 9 et 10. Οἰκ. σποδοῦ πλέον, 2, 100. B Οἰκήματα τὰ μὲν ὑπόγαια, τὰ δὲ μετέωρα, 2, 148. » Schweigh. Lex. Plato Conv. p. 217, D : Οὐδεὶς ἐν τῷ οἰκήματι ἄλλος καθηῦδεν, et alibi. Xen. OEc. 9, 2 : Τὰ οἰκήματα (τῆς οἰκίας) ᾠκοδόμηται κτλ. Conv. 2, 18.] Thuc. 2, [4]: Ἐμπρήσαντες τὸ οἴκημα, Incensa turri. Herodian. 4, [2, 12] : Ἐκ μόνης συμπήξεως ξύλων μεγίστων εἰς σχῆμα οἰκήματος, Ex lignorum ingentium materia compactum in tabernaculi formam, Polit. Philo V. M. 2 : Συνεχῆ κατασκευασάμενος ἔνδον οἰκήματα, Continentia conclavia architectatus. Quibus addere possumus ex Athen. 5 : Κατεσκεύαστο δὲ καὶ οἰκήματα πλείω τοῖς ἐπιβάταις, Habitationes et conclavia militibus destinata. [Heraclid. Cum. ap. eund. 4, p. 145, B : Οἰκήματα δύο, ἐν οἷς ὁ βασιλεὺς τὸ ἄριστον ποιεῖται καὶ ἐν ᾧ οἱ σύνδειπνοι. Et Heraclid. Pont. 12, p. 536, F : Τὰ χρήματα εἰς οἴκημά τι θέμενος τῆς οἰκίας. Valck.] Ex Dem. [p. 542, 2] affertur etiam τὸ τῶν ἀρχόντων οἴκημα, pro Sedes magistratuum. [« Cella ubi frumentum, oleum, vinum, ligna, alii tales rei rusticæ proventus reconduntur, id. p. 1040, 20 : Παρεσημηνάμην τὰ οἰκήματα· C 1041, 12. Et 1044, 25 : Ὃν ἐξῆγεν ἐκ τῶν οἰκημάτων σῖτον καὶ οἶνον καὶ τἄλλα. » Reisk.] Et ex Herodoto [7, 119] : Ἐν οἰκήμασι ὄρνιθας τρέφει, In cortibus altiles habet aves : quo in l. οἰκήματα possent etiam accipi pro οἰκίσκοι, de quibus infra. [Οἰκήματα πρὸ παρεμβολῆς, Procastria, Gl. || De tabulatis s. contignationibus machinæ Xen. Cyrop. 6, 1, 52 : Ὥστε ὀκτὼ ζεύγεσι βοῶν ἄγειν τῶν μηχανῶν τὸ κατώτατον οἴκημα· 53 : Ἐποίησε δὲ ἐπὶ τῶν οἰκημάτων καὶ περιδρόμους καὶ ἐπάλξεις.]

[Οἰκηματικός, ή, όν, Domesticus. Diog. L. Theophasto 5, 55 : Τῶν οἰκηματικῶν σκευῶν. Seager.]

Οἰκημάτιον, τὸ, Parva domus, Ædicula, Conclave, [Cellula, Gl. Eadem : Οἰκημάτιον βραχὺ, Gurgulio,] ut οἰκίσκος. Plut. [Mor. p. 145, B]: Γραφαῖς οἰκηματίων, καὶ χλιδώσεσιν ἡμιόνων. [Xenoph. Eph. 2, 10, p. 43, 7 : Ἐρευνώμενος τὸ οἰκ., ἔνθα πρὸ τῆς κολάσεως διῆγεν. Athanas. vol. 1, p. 193, B.]

[Οἰκῆος. V. Οἰκεῖος.]

Οἰκήσιμος, ὁ, ἡ, Habitabilis. [Cyrill. Al. Hom. Pasch. D 25, p. 299 : Οἱ ἀκάθεκτοι τάχα που καὶ μόνοι τὴν γῆν οἰκήσιμον ἔχειν ἐπείγονται, γειτόνων οὐκ ἀπεχόμενοι. Suicer. Polyb. 3, 55, 9 : Ὑλοφόρα καὶ δενδροφόρα καὶ τὸ ὅλον οἰκήσιμά ἐστιν. Arrian. Exp. 6, 18, 1 : Οἰκήσιμον τὴν χώραν κατασκευάσοντας. Πόλις οἰκήσιμος ponit Pollux 9, 24. « Οἰκησιμωτέρα μᾶλλον, Gemin. p. 54, D. » Hemst.] || At οἰκήσιμον, τὸ, Locus in quo habitari potest, Habitandi locus, Domus, Domicilium, Ædificium, i. q. οἴκημα. || Sicut vero οἴκημα pro Carcere et Lupanari ab Atticis usurpari docui, ita et οἰκήσιμον accipi tradit. Pollux 10 [9, 45] : Ἦν δὲ τῶν δημοσίων οἰκοδομημάτων καὶ εἱρκτὴ, καὶ δεσμωτήριον, καὶ οἴκημα, καὶ γοργύρα, ὡς Ἴωνες ἔλεγον· mox, Οὐ μόνον τὸ δεσμωτήριον οἴκημα παρὰ τοῖς Ἀττικοῖς ἐστιν εἰρημένον, μηδὲ τὸ πορνεῖον, ἀλλὰ καὶ τὸ οἰκ. [Hoc est οἴκημα dici non tantum Lupanar aut Carcerem, sed etiam Habitabilem domum, ut appareat sequentia exx. ad οἴκημα, non ad οἰκήσιμον, quod pro illo intulerunt librarii, referenda esse, ut pluribus dixerunt intt.] Quibus verbis subjicit sequentia exempla : Plato Protag. [p. 315, D, ubi libri οἰκήματι] : Ἦσαν ἐν οἰκησίμῳ τινὶ, ᾧ προτοῦ μὲν ταμιείῳ ἐχρῶντο· Leg. [12, p. 952, C, ubi οἰκοδομήμασιν et οἰκοδομήσασιν est in libris] : Δημοσίοις οἰκησίμοις ὑποδέχεσθαι. Et ex Thuc. 3, [2, loco mox citando] : Οἰκήσιμον ὃ ἦν τοῦ τείχους. Ubi tamen generalius accipi fortasse posset pro Domicilio, s. Ædificio, ut Idem dixit l. 2, [4] : Ἐσπίπτουσιν ἐς οἴκημα μέγα, ὃ ἦν τοῦ τείχους, In ingens ædificium, quod erat muri.

Οἴκησις, εως, ἡ, Habitatio. [Habitatus, Gl.] Thuc. 2, [16] : Αὐτονόμῳ οἰκήσει μετεῖχον, Liberam habitationem sibi usurpabant. Aliquanto post dicit, Εἴπου αὐτόνομοι οἰκήσειαν. Sic 6, p. 226 [c. 88] : Τῶν τὴν μεσόγαιαν ἐχόντων αὐτόνομοι οὖσαι καὶ πρότερον ἀεὶ οἰκήσεις. [Plato Min. p. 321, B : Περὶ πόλεως οἰκήσεως. Xen. Vectig. 2, 6 : Ὀρέγεσθαι τῆς Ἀθήνησιν οἰκήσεως.] || Habitatio, i. e. Habitandi locus, Domus, [Habitaculum, Gl.] i. q. οἴκημα. [Æsch. Suppl. 1009 : Οἴκησις δὲ καὶ διπλῆ πάρα, τὴν μὲν Πελασγὸς, τὴν δὲ καὶ πόλις διδοῖ. Soph. Phil. 31 : Κενὴν οἴκησιν ἀνθρώπων δίχα. Theocr. 15, 9 : Ἠλεὸν, οὐκ οἴκησιν. De sepulcro Soph. Ant. 892 : Ὦ κατασκαφὴς οἴκησις ἀείφρουρος, ut ap. Xen. Ages. fin. : Εἰς τὴν ἀΐδιον οἴκησιν κατηγάγετο. Diod. 1, 93 : Τοὺς γονεῖς ἢ τοὺς προγόνους φανῆναι τετιμηκότας εἰς τὴν αἰώνιον οἴκησιν μεταστάντας. Aristoph. Th. 272 : Ὄμνυμι τοίνυν αἰθέρ' οἴκησιν Διός· Eccl. 674 : Τὸ γὰρ ἄστυ μίαν οἴκησίν φημι ποιήσειν.] Plato [Leg. 12, p. 955, E], ἑστία οἰκήσεως, Focus domiciliorum, ut Cic. interpr. p. 40 mei Lex. Cic. Idem Epist. 7, [p. 349, E] : Οὐκέτι μετεπέμψατό με εἰς τὴν οἴκησιν, In ædes suas non amplius me accersivit. [Et alibi sæpe utroque numero. Xen. Anab. 7, 2, 38 : Βισάνθην οἴκησιν δώσω. De regia OEc. 4, 6. De cubili feræ Cyneg. 13, 14. De nidis avium Aristot. H. A. 9, 11 : Τῶν ἀγρίων ὀρνέων αἱ οἰκήσεις.] VV. LL. οἰκήσεις exp. etiam Penates. In Iisd. οἴκησις Familia, Gens, Cognatio.

[Οἰκήτειρα, ἡ, Habitatrix. Orac. Sibyll. p. 252. Elberling.]

[Οἰκητὴρ, ῆρος, ὁ, i. q. οἰκητής. Soph. OEd. C. 627 : Οἰκητῆρα τόπων τῶν ἐνθάδε. Oppian. Hal. 1, 325 : Ὄστρακον οἰκητῆρος ἀνέστιον οἰχομένοιο. V. Οἰκιστήρ.]

Οἰκητήριον, τὸ, Locus ad habitandum commodus, Domus, Domicilium [Gl.], Sedes, i. q. οἰκήσιμον, οἴκημα. Alex. Aphr. : Οἰκητήριον τῶν δυνάμεων, Sedes et domicilium virium. Proprie autem [Eur. Or. 1114 : Ὥσθ' Ἑλλὰς αὐτῇ σμικρὸν οἰκητήριον. Lycophr. 376, et alibi.] Plut. [Mor. p. 602, D] loquens de Naxo et Thuria : Ἐκείνη μὲν ἐχώρει τὸν Ἐφιάλτην καὶ τὸν Ὦτον· αὕτη δὲ τοῦ Ὠρίωνος ἦν οἰκητήριον. Et Symp. 4 [p. 667, C], de Galepso Eubœæ : Χωρίον κατεσκευασμένον οἰκήσεσι καὶ διαίταις, κοινὸν οἰκητήριον ἀποδέδεικται τῆς Ἑλλάδος, Commune domicilium effectum est Græciæ. [Conclave s. Cubiculum in pap. Æg. interpretatur Peyron. Pap. fasc. 2, p. 1, 23. In οἰκιστήριον depravatum in schol. Aristoph. Av. 409.]

[Οἰκητήριος. V. Οἰκητόρια.]

Οἰκητὴς, ὁ, Habitator [Gl.] et incola. Ap. Suid. [ex Soph. OEd. T. 1450] : Ἐμοῦ δὲ μήποτ' ἀξιωθήτω τόδε Πατρῷον ἄστυ ζῶντος οἰκητοῦ τυχεῖν. || VV. LL. exp. etiam Colonus, et Coloniæ deductor, sed sine auctore et exemplo. [Οἰκέτης, si proba lectio, sic etiam positum a Simonide apud Diodor. 11, 11. Hemst. Ἀνδρῶν ἀγαθῶν ὅδε σηκὸς οἰκέταν εὐδοξίαν Ἑλλάδος εἵλετο. Hoc quum formetur ab οἶκος, non apparet quomodo conveniat huic loco, ubi οἰκητὰν poscit sententia.]

Οἰκητικὸς, ἡ, ὸν, Qui habitacula et domicilia sibi quærere solet : sicut et Gaza τὸ οἰκητικὸν interpretatur Quæ domicilia sibi faciunt. [Aristot. H. A. 1, 1 med. : Τὰ μὲν οἰκητικὰ, τὰ δὲ ἄοικα, οἰκ. μὲν, οἷον ἀσπάλαξ, μῦς, μύρμηξ. « Habitatus, Athanas. vol. 1, p. 616. » Kall.]

Οἰκητόρια, τὰ, Hesychio Vasa domestica, Utensilia, σκεύη τὰ κατὰ οἶκον. [Perperam pro οἰκητήρια, quum spectetur locus Alcæi ap. Polluc. 10, 11 : Καὶ ναὶ μὰ Δί' ἄλλα σκευάρι' οἰκητήρια.] Qua signif. infra ex Suida et Eust. habebimus Οἰκοπορεία. [Quod v.]

Οἰκητὸς, ὁ, ἡ, Habitatus, Habitabilis. [Soph. OEd. C. 28, 39, τόπος et χῶρος. Fem. Philostr. Imag. 2, p. 853 : Οἰκητὸς (αὐλὴ) ἀράχναις μόναις.]

Οἰκήτωρ, ορος, ὁ, Habitator et incola, i. q. οἰκητὴς A [Æsch. Suppl. 952 : Τῆσδε γῆς οἰκήτορας· Prom. 351 : Κιλικίων οἰκήτορα ἄντρων], Soph. [OEd. C. 728 : Χθονὸς τῆσδ' εὐγενεῖς οἰκήτορες· Trach. 282 et alibi ᾄδου. Eur. Andr. 1089 : Λαὸς οἰκήτωρ θεοῦ· Suppl. 658 : Κεκροπίας οἰκήτορας.] Plin. οἰκήτορας interpr. Oppidanos supra in Γενναιότης. [Herodot. 4, 34 : Τιμὴν ἔχουσι πρὸς τῶν Δήλου οἰκητόρων. Xenoph. Cyrop. 3, 3, 21 : Συμπαρεκάλει δὲ καὶ ἥρωας, γῆς Μηδίας οἰκήτορας καὶ κηδεμόνας· et ib. ἥρωας Ἀσσυρίας οἰκήτορας. Perperam hoc voc. illatum ab editoribus nuperis Parthenio c. 19, ignaris Diodori 5, 50, et annot. intt. ad illum.] Pro Colono usurpatur a Thuc. 2, [27] : Ἐξέπεμψαν ὕστερον οὐ πολλῷ ἐς αὐτὴν τοὺς οἰκ., Miserunt colonos. Sic 3, [92] : Ἐξέπεμψαν τοὺς οἰκ. αὐτῶν τε καὶ τῶν περιοίκων, Emiserunt colonos et ex sua urbe et ex finitima regione. Idem dicit etiam ἀποίκους πέμπειν et ἐποίκους πέμπειν in urbem aut regionem habitatoribus et incolis vacuam. [Herodot. 7, 153 : Οἰκήτωρ ἐὼν Γέλης. Thuc. 1, 26 : Οἰκήτορα τὸν βουλόμενον ἰέναι κελεύοντες· et in seqq. et 4, 49. Demosth. p. 1136, 22 : Οἰκήτωρ B ὢν ἐν Σκύρῳ.]

Οἰκία, ἡ, Domus, [Insula, add. Gl.] Ædes, [Lares, huic add. Gl.] i. q. οἶκος. [Simonid. Carm. De mul. 106 : Οὐδ' ἐς οἰκίην ξεῖνον μολόντα προφρόνως δεχοίατο. Non usurpatum Tragicis frequens est apud Comicos et alios quosvis. Tum in prosa apud Herodotum, quum propria tum Gentis signif.] Plut. [Mor. p. 515, B] : Ἄπνουν ἢ σκοτεινὴν ἢ δυσχείμερον οἰκίαν ἢ νοσώδη. Thuc. 2, [16 : Οἰκίας τε καταλιπόντες καὶ ἱερά· 52] : Οἰκιῶν γὰρ οὐχ ὑπαρχουσῶν, ἀλλ' ἐν καλύβαις πνιγηραῖς ὥρᾳ ἔτους διαιτωμένων. Lucian. in vita sua [immo Vitt. auct. c. 9] : Τὴν πατρῴαν οἰκίαν ἀπολιπών. Plut. : Οἰκίας ἱεροῖς γειτνιώσας. Idem [Mor. p. 800, F] : Τῆς οἰκίας αὐτοῦ πολλὰ μέρη κάτοπτα τοῖς γειτνιῶσιν ἐχούσης Sic idem in Polit. præc. : Ὅλην μου ποιήσειν τὴν οἰκίαν καταφανῆ, Totam conspicuam. Aristoph. Nub. [123] : Ἐξελῶ ἐκ τῆς οἰκίας, Ejiciam domo : cui opp. ἀναλαβεῖν εἰς τὴν οἰκίαν, ap. Athen. l. 13 Dipn. [Aristot.] Polit. 2, [6] : Οἰκίας δύο οἰκεῖν. Sic Athen. 13 : Διογένους οἰκίαν οἰκεῖν, ἐν ᾗ πρότερον ᾤκησαν ἄλλοι. Et C οἰκίαν ποιεῖν τινι, Ædificare alicui domum, supra in Μισθός. Et Athen. 12 : Καλλίονας τὰς οἰκίας ποιῆσαι τῶν ἱερῶν· cui similem l. ex Demosth. habes in Οἰκοδόμημα. Idem Athen. 11 : Οἰκίας ἔχουσιν ἐξ ἀνθερίκου πεποιημένας. Thucyd. 8 : Τὴν γῆν αὐτῶν καὶ οἰκίας νειμάμενοι. Xenoph. Hell. 6, [5, 27] : Κάοντες καὶ πορθοῦντες πολλῶν κἀγαθῶν μεστὰς οἰκίας. Plutarch. Probl. Rom. : Τὴν οἰκίαν κατέσκαψεν. At θεῖναι οἰκίαν dicitur τὸ δοῦναι εἰς ἀποθήκην : θέσθαι autem, τὸ λαβεῖν εἰς ἀποθήκην, Pollux [8, 142. Οἰκία βασιλέως, Palatium ; Οἰκία βασιλικὴ, Aula regalis, Gl.] || Suid. οἰκίαν interpr. ὀσπήτιον. || Οἰκίαι dicuntur etiam Avium domicilia et nidi, proprie καλιαὶ et νεοσσιαί. || Familia [Gl.], Gens, sicut et οἶκος. Dem. [p. 1358, 12] : Τὰ ἐπιτήδεια ταύτην ἐργασομένην, καὶ τὴν οἰκίαν θρέψουσαν, Victum ipsum quæsituram, familiamque eo alituram. [Id. p. 22, 8 : Θετταλοῖς ἐπὶ τὴν τυραννικὴν οἰκίαν ἐβοήθει. Herodot. 1, 107, οἰκίης ἐόντα ἀγαθῆς· 99, ἐόντες οἰκίης οὐ φλαυροτέρης· 2, 172, ἐόντα οἰκίης οὐκ ἐπιφανέος· 4, 76, ταύτης ἦν τῆς οἰκίης Ἀνάχαρσις· 6, 35, ἐὼν οἰκίης D τεθριπποτρόφου. Schweigh. Lex. Thuc. 8, 6 : Ὅθεν καὶ τοὔνομα Λακωνικὸν ἡ οἰκία αὐτῶν κατὰ τὴν ξενίαν ἔσχεν. Plato Leg. 10, p. 909, B : Ἰδιώτας τε καὶ ὅλας οἰκίας καὶ πόλεις. Xen. Comm. 2, 7, 6 : Ἀπὸ ἀρτοποιίας τὴν οἰκίαν πᾶσαν διατρέφει. Id. 4, 1, 2 : Ἐπιθυμεῖν τῶν μαθημάτων πάντων, δι' ὧν ἔστιν οἰκίαν τε καλῶς οἰκεῖν καὶ πόλιν. De discrimine inter hoc et οἶκος OEc. 1, 5 : Οἶκος τί δοκεῖ ἡμῖν εἶναι ; Ἆρα ὅπερ οἰκία, ἢ καὶ ὅσα τῆς οἰκίας ἔξω τις ἐκέκτητο, πάντα τοῦ οἴκου ταῦτά ἐστιν ; Aristot. Reip. 1, 2 : Ἐκ τούτων τῶν δύο κοινωνιῶν (viri cum uxore et servo) οἰκία πρώτη, καὶ ὀρθῶς Ἡσίοδος εἶπε ποιήσας, Οἶκον μὲν πρώτιστα γυναῖκά τε βοῦν τ' ἀροτῆρα. V. Οἶκος. Id. ib. 3 : Πᾶσα πόλις ἐξ οἰκιῶν σύγκειται· οἰκίας δὲ μέρη ἐξ ὧν αὖθις οἰκία συνίσταται· οἰκία δὲ τέλειος ἐκ δούλων καὶ ἐλευθέρων . . Πρῶτα καὶ ἐλάχιστα μέρη οἰκίας δεσπότης καὶ δοῦλος καὶ πόσις καὶ ἄλοχος καὶ πατὴρ καὶ τέκνα. || « Οἰκίαι, Cellæ, Ædiculæ in monasteriis, in quibus monachi ab Abbate delecti munia sibi injuncta ad monasterii usus et necessitates obeunt, Officinæ in regulis monasticis appellatæ, ut qui iis præficiebantur, Obedientiarii, Οἰκιακοὶ, Domestici tanquam οἰκίαις præpositi, a Græcis dicti.» Ducang. Qui quæ hujus voc. exx. attulit, in iis omnibus οἰκιακὸς scriptum, quod v. || Voc. Οἰκία quum sæpius sit in Tab. Heracl., non magis quam cetera ejusdem stirpis digamma habet præfixum, etsi ap. Hom. aliosque poetas, qui uti solent digamma, nusquam eo carent οἶκαδε et cetera, et ϝοικία est in inscr. ap. Bœckh. vol. 1, p. 9, n. 4.] A

[Οἰκιάδης, ὁ, patron. ab Οἰκεὺς, ut videtur. Hesychius : Οἰκιάδης. Σιμωνίδης καὶ Ἱππόνου πατήρ. Ubi excidisse Δεξαμενοῦ ante καὶ, et nomen ejus, qui utriusque pater fuit, Οἰκεὺς, post Sevinum conjecerunt Albertus et Ernestus ad Callim. Del. 102 : Βοῦρά τε Δεξαμενοῖο βοόστασις Οἰκιάδαο, ubi Οἰνιάδαο intulit Vascosanus, ut Potterus et Müllerus in schol. Lycophr. 591, quum Οἰκιάδαο tueatur etiam Etym. v. Βοῦρα. Quod recte formatur ab Οἰκεὺς, ut Νηλιάδης, de quo supra, ab Νηλεύς, et Οἰλιάδης ab Οἰλεύς. Sed præstat fortasse duci ab Οἶκις, quod v., ut Βακχιάδης a Βάκχις. L. Dind.]

Οἰκιακὸς, ἡ, όν, Qui in domo est, Domesticus [Gl. Ἐν ταῖς οἰκιακαῖς, Timæus ap. Athen. 6, p. 264, D. Videtur excidisse χρείαις. Hemst. Οἰκειακαῖς cod. Venetus. Οἰκίαις restitutum ex aliis. L. D.] Supra Οἰκειακός. [De discrimine utriusque voc., de quo v. etiam in illo, Coraes ad Plut. Cic. c. 20 : Ἡ Τερεντία ἦν ... φιλότιμος γυνὴ καὶ μᾶλλον, ὡς αὐτός φησιν ὁ Κικέρων, τῶν πολιτικῶν μεταλαμβάνουσα παρ' ἐκείνου φροντίδων ἢ μεταδιδοῦσα τῶν οἰκειακῶν ἐκείνῳ) Ἐξ ἡμετέρας διορθώσεως ἀντὶ τοῦ οἰκιακῶν. Οἰκιακὰ μὲν γάρ εἰσι τὰ κατὰ τὴν οἰκίαν ἢ τὰ τῆς οἰκίας, οἷόν ἐστι τὸ, Ἐχθροὶ τοῦ ἀνδρὸς οἱ οἰκιακοὶ αὐτοῦ (Matth. 10, 36), τουτέστιν οἱ ὄντες ἐν τῇ οἰκίᾳ αὐτοῦ, οἱ σύνοικοι· οἰκειακὰ δ' ἂν λέγοιτο, εἴγε ὅλως καὶ λέγεται, τὰ τῶν οἰκείων. Quibus addit in l. Suidæ ab HSt. in Οἰκειακὸς citato legi οἰκιακός. Sed Suidas haud dubie scripserat quod librum optimum servare diximus οἰκειακός. V. etiam Οἰκία.]

[Οἰκιανὸς pro οἰκιακὸς est in var. script. ap. Theophil. Instit. l. in Οἰκειακὸς cit. Conf. Οἰκανός.]

[Οἰκιάτης. V. Οἰκιήτης.]

[Οἰκίδδω. V. Ὀκίδδω.]

Οἰκίδιον, τὸ, Parva et vilis domus, Ædicula, Casa, Gurgustium, [Ædiculum, Tuguriolum, Domuncula, huic add. Gl. Lysias p. 92, 27 : Οἰκ. ἔστι μοι διπλοῦν. Eryxiæ p. 394, D : Ἐν σμικρῷ καὶ φαύλῳ οἰκιδίῳ.] Dem. [p. 1319, 12] : Τινὲς ἐπὶ τὸ οἰκ. ἐλθόντες ἐν ἀγρῷ νύκτωρ ἐπεχείρησαν διαφορῆσαι τἄνδοθεν, In gurgustium agreste invaserunt, Bud. Pro Parva et vili domo s. Ædicula usus est Aristoph. [Nub. 92] : Ὁρᾷς τὸ θύριον τοῦτο καὶ τῳκίδιον; Ap. Polluc. [10, 159] οἰκίδια etiam sicut οἰκίσκοι de Bestiarum, quæ domi aluntur, cellulis et aviariis : ut [in inscr. capitis 36, quarum inscriptionum nulla est fides], περὶ Οἰκιδίων, ἐν οἷς τρέφεται τὰ ζῷα. [Diog. L. 4, 7. Hemst. Lucian. Asino c. 1, 2; Plut. Æmilio Paulo c. 5. Polyb. ap. Suid. in Θωράκιον : Τὰ οἰκ. τῶν ἐλεφάντων, Turriculæ dorsis elephantorum impositæ. De mensura secundæ, quæ est in l. Aristoph., Photius : Οἰκίδιον· τὴν δευτέραν συλλαβὴν ἐκτείνουσιν, ὡς καὶ χρυσίδιον καὶ τὰ ὅμοια.]

Οἰκίδιος, α, ον, Domesticus, Privatus. Gregor. Naz. [Or. 21, p. 391, D. Boiss.] : Δημοσίας ἑστιάσεις καὶ οἰκιδίας, Bud. [Oppian. Cyn. 1, 472. Wakef.]

Οἰκίζω, Ædifico, Struo, Condo [Pind. Nem. 10, 5 : Αἰγύπτῳ ᾤκισεν ἄστη. Eur. fr. Archelai ap. script. De Nili increm. v. 6 : Ὤκισ' Ἰνάχου πόλιν· fr. Erechthei ap. Lycurg. v. 11 : Ὅστις δ' ἀπ' ἄλλης πόλεος οἰκίζει πόλιν. Aristoph. Av. 149 : Τί οὐ τὸν Ἠλεῖον Λέπρεον οἰκίζετον; et cum πόλιν 173. Herodot. 6, 33 : Πόλιν μεσαμβρίην οἴκισαν· 7, 143 : Ἐκλιπόντας χώρην τὴν Ἀττικὴν ἄλλην τινὰ οἰκίζειν. Et sæpe Plato, Xenophon aliique.] Οἰκίσαι πόλιν, ex Aristot. OEcon. [sive Isocrate p. 27, E; 164, A, Plutarch. Rom. c. 11. Νήσους Aristot Polit. 2, 10 init.] Et in pass. voce, ex Plutarch. Solone : Ὠκισμένη πόλις ὑπὸ τοῦ Ξενοφῶντος. [Lycophr. 1254 : Κτίσει δὲ χώραν ἐν τόποις Βορειγόνων ὑπὲρ Λατίνους Δαυνίους τ' ᾠκισμένην. Xen. Anab. 5, 3, 7 : Ἐν Σκιλλοῦντι ὑπὸ τῶν Λακεδαιμονίων οἰκισθέντι. Plato Reip. 3, p. 403, B : Ἐν τῇ οἰκιζομένῃ πόλει.] Sed frequentius pro In ædibus loco, colloco, s. In aliqua

A sede. Unde exp. etiam Habitare facio. Sic pass. οἰκισθέντες, In sedibus collocati, Qui sedes collocarunt. Ap. Eur. autem [Iph. A. 670] simpliciter pro Loco s. Colloco, οἰκίζω ἐς ἄλλα δώματα· Ion. 915 : Ὅς τῷ μὲν ἐμῷ νυμφεύτᾳ παῖδ' εἰς οἴκους οἰκίζεις· Hec. 1022 : Οὗπερ τὸν ἐμὸν ᾤκισας γόνον· Iph. A. 1293 : Μήποτ' ὤφελεν ... Ἀλέξανδρον οἰκίσαι ἀμφὶ τὸ λευκὸν ὕδωρ. Pind. Isthm. 7, 20 : Δίδυμαι γένοντο θύγατρες Ἀσωπίδων ὁπλόταται Ζηνί τε ἅδον βασιλέϊ· ὃ τὰν μὲν παρὰ Δίρκα πόλιος ᾤκισσεν ἀγεμόνα. Soph. OEd. C. 785 : Ἥκεις ἔμ' ἄξων, οὐχ ἵν' ἐς δόμους ἄγῃς, ἀλλ' ὡς πάραυλον οἰκίσῃς. Latiori signif. i. q. Reddo, Eur. Heracl. 613 : Τὸν μὲν ἀφ' ὑψηλῶν βραχὺν ᾤκισε.] Et pass. in Axiocho qui Platoni ascribitur [p. 371, C] : Εἰς τὸν τῶν εὐσεβῶν χῶρον οἰκίζονται, In piorum sede s. regione collocantur. Nisi quis malit reddere Piorum sedem incolunt, habitant. [Soph. fr. Ach. conv. ap. Herodian. Π. σχημ. p. 58, 4 : Οὐδ' ὡς ὁ Τυδεὺς ἀνδρὸς αἷμα συγγενὲς κτείνας ἐν Ἄργει ξεῖνος ὢν οἰκίζεται. Plato Tim. p. 72, D : Τὰ περὶ ψυχῆς, δι' ἃ χωρὶς ᾠκίσθη· Phæd. p. 114, C : Εἰς τὴν καθαρὰν
B οἴκησιν ἀφικνούμενοι καὶ ἐπὶ τῆς γῆς οἰκιζόμενοι· Leg. 10, p. 904, B : Ποίαν ἕδραν δεῖ μεταλαμβάνον οἰκίζεσθαι.] Alicubi vero ᾤκισται pro Sedem habet, Situs est, ut ap. Eur. Hec. init. : Ἥκω νεκρῶν κευθμῶνα καὶ σκότου πύλας Λιπὼν, ἵν' ᾅδης χωρὶς ᾤκισται θεῶν, quo in l. redditur etiam In sedibus collocatus est : a schol. autem, non solum κατῳκίσθη, sed et κατοικεῖται. [Cum accusat. Tro. 435 : Οὗ δὴ στενὸν δίαυλον ᾤκισται πέτρας δεινὴ Χάρυβδις· Heracl. 46 : Ζητοῦσ' ὅπῃ γῆς πύργον οἰκιούμεθα. Med. absolute Antipat. Anth. Pal. 7, 75, 4 : Οὗ ... ἃ πρὶν Ὁμήρου ψυχὰ ἐνὶ στέρνοις δεύτερον ᾠκίσατο.] || A Thuc. dicitur aliquis locum quempiam οἰκίζειν, pro Colonos ibi collocare, et Coloniam eo mittere, Coloniam deducere, 1, [98] : Ἔπειτα Σκύρον τὴν ἐν τῷ Αἰγαίῳ νῆσον, ἣν ᾤκουν Δόλοπες, ἠνδραπόδισαν, καὶ ᾤκισαν αὐτοί. || Ab Isocr. usurpatur οἰκίζω pro Constituo, et pro Habitabilem facio, Bud. [Hæc signif. eadem est primæ. Notabili constr. Thuc. 6, 5 : Τὴν πόλιν αὐτοῖς (αὐτὸς Bekk.) ξυμμίκτων ἀνθρώπων οἰκίσας Μεσσήνην ... ἀντωνόμασε. Intransitivam signif. annotasse videtur Hesychius : Οἰκίζουσιν, οἰκοῦσιν.
C L. Dindorf.]

Οἰκιητὴς, ὁ, ap. Hesych. ὠνητὸς δοῦλος, Emptitius servus ; s. potius Servus aut Famulus domesticus : ut οἰκέτης. In VV. LL. vero οἰκηιτής. [Lege οἰκιητής. Pherecyd. apud Diog. L. 1, 122. Hemst. Antonino Lib. c. 41, p. 274, ἄνδρα οἰκιήτην pro οἰκέτην ex cod. qui οἰκέτην, supra scripto ιη, restituit Bast. Ep. cr. p. 201 et App. p. 48. Οἰκιάτης ponit Etym. M. p. 698, 11, et Steph. Byz. in Οἶκος.]

Οἰκικὸς, ἡ, όν, Domesticus, ex Can. ult. Concil. Antioch. [Pro οἰκιακὸς, ut videtur.]

[Οἰκιμβάζω. V. Ὀκιμβάζω.]

Οἰκίον, τὸ, i. q. οἰκία et οἶκος, [Domus] : sed poeticum. Hom. Il. Π, [261, de vespis] : Ὁδῷ ἔπι [ἔπι] οἰκί' ἔχοντες· [Μ, 168 : Ὥστε σφῆκες μέσον αἰόλοι ἠὲ μέλισσαι οἰκία ποιήσωνται ὁδῷ ἔπι·] Ζ, [15] : Ὁδῷ ἔπι οἰκία ναίων· Ν, [664] : Κορινθόθι οἰκία ναίων, Corinthi domum habitans, Corinthi habitans. Sic Ρ, [584] : Ἀβυδόθι οἰκία ναίων· Od. Υ, [288] : Σάμῃ ἔνι οἰκία ναίων· Il. Μ, [221] :
D Φίλα οἰκί' ἱκέσθαι, Caram domum, s. nidum, καλιάν, de aquila, ut Eust. annotat. Β, [750] : Οἰκί' ἔθεντο, Sedes collocarunt, οἴκησιν ἐποιήσαντο. Od. Ξ, [210] : Οἰκί' ἔνειμαν, Tecta dederunt. [Β, 154 : Δεξιῷ ἧξαν διά τ' οἰκία καὶ πόλιν αὐτῶν. Nicand. Ther. 412 : Ὁ δ' ἐν δρυσὶν οἰκία τεύξας ἢ ὅγε που φηγοῖσιν.] Utitur et Hesiod. Theog. [744] : Νυκτὸς ἐρεμνῆς οἰκία δεινά. Hoc autem οἰκίον non esse dimin., sed παραγωγικὸν, testatur Eust. Attamen Suid. οἰκίον exp. τὸ μικρὸν οἴκημα, ap. quem hoc hemistichium, Οἰκίον εὖτε δέμοιμι, i. e. εὖ οἰκοδομοίην. [Est autem revera τὸ οἰκίον dimin. forma vocabuli οἶκος. At plurali num. τὰ οἰκία utuntur non poetæ modo, sed Ionici omnino scriptores, etiam in soluta oratione, pro ὁ οἶκος, quemadmodum Latine Ædes plurali numero dicimus. Sic Herodot. 1, 35, 41, 59, 109, 119, et sexcenties alibi, constanter plur. numero, nunquam singulari. Schweigh. Qui in Lex. addit : « Quibus cunctis in locis de regum domibus, adeoque de amplioribus ædibus agitur. Est vero etiam ubi de privatorum ædibus reperitur, 7, 118, ἀνάστα-

τοι ἐκ τῶν οἰκίων ἐγένοντο. At ibi plures probati codd. οἴκων exhibent, quod haud dubie verum videtur. » Qui aperte fallitur : neque enim οἴκων locum hic habet. Theophr. C. Pl. 4, 13, 7, Ὅταν (ὁ σῖτος) εἰς τὰ οἰκία τεθῇ χύδην, exhibuit cod. Urbinas pro οἰκεῖα. Sæpius ap. Antonin. Lib., ut c. 6, p. 38 : Ἐλθὼν εἰς τὰ οἰκία· c. 14, p. 98 : Πῦρ ἐνέβαλλον οἱ κλῶπες εἰς τὰ οἰκία· c. 39, p. 262 : Νυκτὸς ἐπὶ τὰ οἰκία τῆς Ἀρσινόης ἐφοίτα· 264 : Ἐξήλασαν ἐκ τῶν οἰκίων· ut frustra c. 5, p. 30 : Ἐμίγνυτο φοιτῶν εἰς τὰ ἐκείνης οἰκία, aliisque locis nonnullis alienam ab iis scripturam cod. οἰκεῖα defendant Verheyk. et Muncker. || Singulari, cujus vix ullus est usus, Callim. ap. schol. Pind. Ol. 10, 55 : Ἦλιν ἀνάσσεσθαι Διὸς οἰκίον ἔλλιπε Φυλεῖ· et Philipp. Thess. Anth. Pal. 6, 203, 7 : Συμαίθου πατρὸς ἔχουσι δινήεντος ὑγρὸν οἰκίον. Etym. M. p. 585, 41, inter neutra a femininis μεταπλασθέντα ponit αἱ οἰκίαι et τὰ οἰκία.]

[Οἶκις, ιδος, ὁ, OEcis, n. viri, quod Etym. M. p. 216, 48, pro οἰκὶς restitui in Βάκχις, in inscr. Argiva ap. Bœckh. vol. 1, p. 597, n. 1210, ubi genitivi forma Οἴκιος. V. Οἰκιάδης. L. Dind.]

Οἴκισις, εως, ἡ, pro eod. Apud Thuc. Deductio coloniæ, 5, [11] : Καὶ τὴν ἀποικίαν ὡς οἰκιστῇ προσέθεσαν, καταβαλόντες τὰ Ἁγνώνεια οἰκοδομήματα, καὶ ἀφανίσαντες εἴ τι μνημόσυνόν που ἔμελλεν αὐτοῦ τῆς οἰκίσεως περιέσεσθαι. Quem l. fortasse intelligit Pollux [9, 7] : Καὶ τὸ πρᾶγμα, οἰκισμὸς, καὶ παρὰ Θουκυδίδῃ οἴκισις, καὶ κατοίκισις· sed perperam in vulg. edd. legitur οἴκησις, itemque κατοίκησις.

[Οἰκισκάριον. V. Οἰκίσκος.]

Οἰκίσκη, ἡ, Parva domus, μικρὸν οἰκίδιον. Pollux [9, 39] in Dem. C. Olympiod. [p. 1171, 26] : Καὶ οὗτος εἵλετο τοὺς φαρμακοτρίβας καὶ τὴν οἰκ., ἐγὼ δ᾽ ἔλαβον τοὺς σακχυφάντας [σακχ.] καὶ τὴν οἰκίαν, ubi forsan pro Cellula s. Cubiculo accipitur. [In libris Dem. legitur τὴν οἰκίαν ... καὶ τὴν οἰκίαν τὴν ἑτέραν. Addit autem Pollux, ὡς εἶναι τὴν οἰκίσκην μικρὸν οἰκίδιον.]

Οἰκίσκος, ὁ, Parva vel Vilis domus, Parvum domicilium, Ædicula, Cellula. Dem. Pro Ctes. [p. 258, 21 : Πέρας ἅπασιν ἀνθρώποις ἐστὶ τοῦ βίου θάνατος, κἂν ἐν οἰκ. τις αὑτὸν καθείρξας τηρῇ], οἰκίσκῳ, pro μικρῷ τινι οἴκῳ, Harpocr. [De l. Dem. præter scriptores ab intt. citatos v. Reitz. ad Luciani Demosth. enc. c. 5.] Pro Cellula et cubiculo accipitur ab Herodiano 7, [9, 20] : Εἰσελθὼν μόνος εἰς τὸν οἰκίσκον ὡς δὴ καθευδήσων, In cubiculum. Sic δωμάτιον quoque usurpatur. Just. Martyr οἰκίσκους vocavit Cellulas LXXII Interpretum. [|| Sacella in ecclesiis majoribus. S. Nilus in Epist. ad Olympiodorum præf. : Ἐν δὲ τῷ κοινῷ οἴκῳ πολλοῖς καὶ διαφόροις οἴκοις διειλημμένῳ ἀρκεῖσθαι ἕκαστον οἰκίσκον πεπηγμένῳ τιμίῳ σταυρῷ. V. Gloss. med. Lat. in Cubiculum. Ducang. Diminut. Οἰκισκάριον βαμβίκινον ap. Theodor. Balsam. cit. ab eod. App. Gl. v. Βαμβίκινος.] || Avium quoque cellulæ et domicilia οἰκίσκοι dicuntur. Annotat enim Harpocr. Atticos οἰκίσκον dicere, quod lingua communis ὀρνιθοτροφεῖον, Caveam, Aviarium. Quod Didymo dedisse occasionem perperam exponendi locum Demosthenicum. Sic Pollux [10, 159 : conf. 160] ex Aristoph., Οἰκίσκος ὀρνίθειος· et οἰκίσκος περδικικός. Itidem Eust. p. 1423 : Οἰκίσκος παρὰ Ἀριστοφάνει περδικοτροφεῖον· οἷον, τί δὲ τὸν ὀρνίθειον οἰκίσκον φέρεις ;

Οἰκισμὸς, ὁ, Ædificatio, ipsa Actio condendi, deducendæ coloniæ. Habes ex Polluce [9, 7] in præcedentibus. [Solon ap. Plut. Sol. c. 26 : Οἰκισμῷ δ᾽ ἐπὶ τῷδε χάριν καὶ κῦδος ὀπάζοι. Plato Leg. 4, p. 708, D : Πόλεων οἰκισμοί. Eust. ad Dionys. 876 : Διὰ τὸν ἐν Σόλοις οἰκισμόν. A κτίσει distinguit Dionys. A. R. 1, 74 : Τὸν τελευταῖον τῆς Ῥώμης γενόμενον οἰκισμὸν ἢ κτίσιν ἢ ὅ,τι δήποτε χρὴ καλεῖν. « Iambl. V. P. 60. » Wakef.]

[Οἰκιστὴρ, ῆρος, ὁ, Conditor, qui urbem s. regionem incolis frequentat. Orac. ap. Herodot. 4, 155 : Ἄναξ δέ σε Φοῖβος Ἀπόλλων ἐς Λιβύην πέμπει μηλοτρόφον οἰκιστῆρα. Pind. Ol. 7, 30 : Τᾶσδε χθονὸς οἰκιστήρ· Pyth. 1, 31 : Κλεινὸς οἰκιστήρ· 4, 6 : Οἰκιστῆρα Λιβύας. Æsch. Sept. 19 : Ἐθρέψατ᾽ οἰκιστῆρας ἀσπιδηφόρους, vitiose pro οἰκητῆρας, quod est in libro recentissimo, in alio οἰκηστῆρας. (V. Οἰκητήριον.) Callim. Apoll. 66 : Καὶ Λιβύην ἐσιόντι κόραξ ἡγήσατο λαῷ δεξιὸς οἰκιστῆρ, ubi

A οἰκιστῆρι Bentlejus. Ep. Anth. Pal. App. 386, 1 : Χώρης οἰκιστῆρα.]

Οἰκιστὴς, ὁ, Ædificator, Conditor, Qui sedes alicui dat, assignat, in sedibus locat. Item Deductor coloniæ. Thuc. 1, [25] : Τόν τε οἰκιστὴν ἀποδεικνύντες σφῶν ἐκ Κορίνθου ὄντα. [Et ib. 24.] Id. 5, [11] : Καὶ τὴν ἀποικίαν ὡς οἰκιστῇ προσέθεσαν, ut vides in Οἴκισις, quod proxime præcedit. VV. LL. exp. etiam Qui habitare facit; nec solum Deductor coloniæ, sed et Auctor deducendæ coloniæ; item Conditor civitatis et institutor : ex Plat. De rep. 2, [p. 379, A] : Οὐκ ἐσμὲν ποιηταὶ ἐν τῷ παρόντι, ἀλλ᾽ οἰκισταὶ πόλεως. Et ex Isocr. [p. 133, A ; 120, B], οἰκισταὶ πόλεων. [De diis οἰκισταῖς v. Rochett. *Mon. inéd.* vol. 1, p. 252.] || Οἰκισταὶ, inquit Bud. ex Appiano B. C. 5, [14] dicebantur et Qui assignabant κατοικήσεις militibus in urbes Italiæ missis ὡς εἰς ἀποικίας.

Οἰκιστικῶς, ap. Polluc. [9, 7], qui ejus usum non declarat. Fortassis autem dictum fuit pro More eorum qui urbem condunt, coloniam deducunt.

B Οἴκιστρον, τὸ, Hesych. exp. non solum οἶκον, Domicilium, sed etiam ἐλεεινὸν, Miserabilem, ac si esset ab οἶκτος : verum id parum consentaneum est.

[Οἰκιτεὺς, έως, ὁ, i. q. οἰκέτης. Athenæus 4, p. 162, D, E : Ὁ καλὸς τοῦ Ζήνωνος οἰκιτεύς. Χαριέντως γὰρ ἔφη Βίων ὁ Βορυσθενίτης, θεασάμενος αὐτοῦ (Zenonis) χαλκῆν εἰκόνα, ἐφ᾽ ἧς ἐπεγέγραπτο Περσαῖον Ζήνωνος Κιτιέα, πεπλανῆσθαι εἶπε τὸν ἐπιγράψαντα· δεῖν γὰρ οὕτως ἔχειν Περσαῖον Ζήνωνος Οἰκετιέα. Ἦν γὰρ οὗτος οἰκέτης γεγονὼς τοῦ Ζήνωνος. Οἰκετιαία cod. Laur., ceteri οἰκιτιέα, omnes οἰκιτιεύς. Cit. Schneider.]

[Οἰκλείδης. V. Οἰκλῆς.]

[Οἰκλῆς, έους, ὁ, OEcles, f. Antiphatis vel Mantii, Hom. Od. O, 243, ubi Ὀϊκλῆα, Pind. Pyth. 8, 41 : Οἰκλέος παῖς· Æsch. Sept. 609 : Υἱὸν Οἰκλέους (nonnulli Οἴκλεος), Eur. Suppl. 925, Diodor. 4, 68, Pausan. 3, 12, 5 etc., quibus exemi alienam a prosa formam Ὀϊκλῆς. Cognominem avo filium Amphiarai memorat Diod. 4, 32. || Forma poet. Οἰκλείης de priori Hom. Od. O, 244. || Patron. Οἰκλείδης s. Ὀϊκλείδης Pind. Ol. 6, 13, Nem. 9, 17 ; 10, 9, Æsch.
C Sept. 382.]

[Οἰκόβιος, ὁ, ἡ, Domi vivens. Schol. Pind. Nem. 8, 58 : Οἰκ. γὰρ ἡ τῶν ἀδίκων δόξα.]

[Οἰκογένεια, ἡ, Dominatus, Gl.]

Οἰκογενὴς, ὁ, ἡ, Domi nostræ natus, Non emptitius s. adventitius, Vernaculus. [Verna, Vernula, Vernus, Dominatus, huic add. Gl. Aristoph. Pac. 789 : Ὄρτυγας οἰκογενεῖς.] Plut. [Mor. p. 480, B] : Κύων τις οἰκογενὴς παρορώμενος καὶ ἵππος ἅπτεται φιλοστόργων γερόντων. Epigr. [Agathiæ Anth. Pal. 7, 205, 1] : Οἰκογενὴς αἴλουρος ἐμὴν πέρδικα φαγήσας, i. e. ἐν οἴκῳ γενηθείς. Et οἰκογενεῖς ἀλεκτορίδες, Gallinæ domi natæ, Vernaculæ; Gaza vertit Cohortales, i. e. Quas domi cohors nostra alit : Aristot. H. A. 6 init. : Τίκτουσι δὲ καὶ οἰκογενεῖς ἔνιαι δὶς τῆς ἡμέρας. Sunt et Varroni De re rust. Vernaculæ aves, ut gallinæ, columbæ : quibus opponit Advenas, ut hirundines, grues. [Crinagoras Anth. Pal. 7, 643, 2 : Ὑμνίδα, ἐράσμιον αἰὲν ἄθυρμα οἰκογενές. Inscr. ap. Chandler. p. 150 : Σῶμα γυναικεῖον οἰκογενές. Plato
D Menon. p. 82, B. Diodor. 1, 70, aliique recentiorum, quorum nonnullos v. ap. Lobeck. ad Phryn. p. 202.] Interdum οἰκογενὴς absolute dicitur pro οἰκογενὴς δοῦλος, Servus vernaculus, Verna. Apud Suid. : Κανθάρου τινὸς οἰκογενής. Plut. Quæst. Rom. [p. 277, B] : Τῇ Ἑκάτῃ κύνα Ῥωμαῖοι θύουσιν ὑπὲρ τῶν οἰκογενῶν. Sed notandum in hoc posteriori Suidæ l. scribi Οἰκογεννὴς duplici ν. || Hesychio οἰκογενὴς est non solum δοῦλος, Verna, sed etiam συγγενὴς, Cognatus, Propinquus, etiam Domesticus.

[Οἰκογεννής. V. Οἰκογενής.]

[Οἰκοδέγμων, ονος, ὁ, ἡ, Qui domo recipit. Τραγικὸν dicit Pollux 6, 11.]

[Οἰκοδέκτωρ, ορος, ὁ, i. q. præcedens, signif. astrologica, ut οἰκοδεσπότης, ap. Paul. Alexandr. Schneid.]

Οἰκοδέσποινα, ἡ, Hera, Materfamilias, [Matrona huic add. Gl.] ad verbum, Domina domus. Plut. Probl. Rom. : Ὅπου σὺ κύριος καὶ οἰκοδεσπότης, καὶ ἐγὼ κυρία καὶ οἰκοδέσποινα. [Id. Mor. p. 140, C ; 141, D, F ; 612, F.] Pollux [10, 21] improbat hoc vocab., ut in

Οἰκοδεσπότης dicetur. [Babrius Fab. 10, 5. Boiss. Est etiam ap. Artemid. 2, 20, 37, schol. Pind. Pyth. 9, 33.]

[Οἰκοδεσποσύνη, ἡ, Domus dominium. Inscr. ap. Pocock. p. 36, n. 26; p. 37, n. 33. Schneider. ῠ]

[Οἰκοδεσποτεία vitium scripturæ pro οἰκοδεσποτία, quod v.]

Οἰκοδεσποτέω, Sum paterfamilias, Domui præsum, Familiam rego, Rem familiarem administro : tam de hera, quam de hero. 1 Tim. 5, [14] : Βούλομαι οὖν νεωτέρας γαμεῖν, τεκνογονεῖν, οἰκοδεσποτεῖν. || Planetæ etiam οἰκοδεσποτεῖν dicuntur quasi Domini esse domicilii. Eust. p. 162 : Δέδονται τόποι τινὲς τοῖς πλανήταις, οὓς οἴκους αὐτῶν καλοῦσιν οἱ νεώτεροι· ἐν οἷς αὐτοὺς ὄντας καὶ οἰκοδεσποτεῖν λέγουσιν. Quo verbo utitur Plut. De placit. philos. 5, 18, p. 1672 meæ ed. [908, B] : Τὰ δὲ ἀσύνδετα ζώδιά ἐστιν ἐὰν τῶν οἰκοδεσποτούντων ἀστέρων τυγχάνῃ. [Lucian. De astrolog. c. 20 : Ὁκόσοισι ἀνθρώποισι ἐν τῇ γῇ ταύτῃ οἰκοδεσποτέουσιν. Proculus In Ptolem. p. 144, B : Οἱ οἰκοδεσποτήσαντες αὐτῶν ἀστέρες· et sæpius in seqq.]

Οἰκοδεσπότης, ὁ, Dominus domus, Herus, Paterfamilias [Gl.], quo usus est Alexis; sed Phryn. [Epit. p. 373] magis probat οἰκίας δεσπότης. [Conf. Thomas p. 645.] Frequens vocab. in N. T., ubi et [ap. Luc. 22, 11], Τῷ οἰκοδεσπότῃ τῆς οἰκίας. Aliud exemplum ex Plut. modo adduxi in Οἰκοδέσποινα. Utitur et Alexis, teste Polluce [10, 21], qui tamen non probat nec οἰκοδεσπότης, nec οἰκοδέσποινα, licet magis τεθρυλλημένα, dicens esse καινότατα : vocari autem τὸν τοῦ παντὸς οἴκου δεσπότην, ναύκληρον, Dorice ἑστιάμονα, vel ἑστιοπάμμονα, ut alibi : item στέγαρχον, στεγανόμον. || Οἰκοδεσπότης ap. Genethliacos Genituræ dominus, quem Præsidem domicilii vocant.

[Οἰκοδεσποτία, ἡ, Dominium genituræ, ap. Genethliacos. V. Οἰκοδεσπότης. Οἰκοδεσποτεία male ap. Procul. Paraphr. Ptolem. p. 57, 58, 60, 61, 66, 88.]

Οἰκοδεσποτικός, ή, όν, Ad patremfamilias pertinens. Bud. interpr. Rei familiari conveniens, Homini frugi congruens. Reddere etiam possumus Patremfamilias decens. Cic. Ad Att. 43 : Illa Silii et Drusi non satis οἰκοδεσποτικὰ mihi videntur : quid enim sedere totos dies in villa ista ? [Proc. In Ptolem. Tetrab. p. 175 : Εἴ τινα πρὸς αὐτὸν ἁπλῶς ἔχει λόγον οἰκοδεσποτικόν. L. D.]

Οἰκοδεσπότις, ιδος, ἡ, nominis nullum exemplum affertur.

[Οἰκοδίαιτος, ὁ, ἡ, Qui domi vivit. Galen. vol. 13, p. 931, F, ἀλεκτρυόνες.]

Οἰκοδομέω, Ædifico [Gl.], Domum struo s. fabricor. [Struo, Fabrico, Gl.] Pollux 7, [117] : Τὸ δὲ τοῖς οἰκοδόμοις ἔργον, οἰκοδομεῖν, ἐποικοδομεῖν, διοικοδομεῖν, λίθους ἁρμόττειν, συναρμόττειν. Plut. [Mor. p. 525, B], de Stratonico loquens : Τοὺς μὲν Ῥοδίους ἐπέσκωπτεν εἰς πολυτέλειαν, οἰκοδομεῖν μὲν ὡς ἀθανάτους λέγων, ὀψωνεῖν δὲ ὡς ὀλιγοχρονίους. Dem. [p. 566, 7] : Εἴ τις οἰκοδομεῖ λαμπρῶς, Si quis splendide et laute ædificet. Pass. Οἰκοδομοῦμαι, Ædificandum mihi curo, Ædificandum loco, Bud. p. 762. Οἰκοδομεῖ ὁ οἰκοδόμος, οἰκοδομεῖται δὲ ὁ δι' ἑτέρου οἰκοδομῶν, καὶ ὁ τὸν μισθὸν διδούς· ex Luciano [Char. c. 17] hoc exemplum inter alia adducens, Ὁ τὴν οἰκίαν οἰκοδομούμενος, καὶ τοὺς ἐργάτας ἐπισπέρχων. Ea tamen differentia non semper observatur : οἰκοδομεῖν enim dicitur non solum faber, sed et is qui ædificandam domum locat, ut ex prædictis manifestum est : et vicissim οἰκοδομήσασθαι dicitur etiam faber, ut ex sequentibus cognoscetur. Οἰκοδομέω, et οἰκοδομέομαι interdum accusativum habent ejus rei quæ ædificatur, i. e. struitur : tunc autem καταχρηστικῶς capitur. [Aristoph. Av. 613 : Οὐχὶ νεὼς ἡμᾶς οἰκοδομεῖν δεῖ λιθίνους αὐτοῖς. Herodot. 1, 21, 22, νηόν· 1, 114, οἰκίας· 2, 101, πυραμίδα· 2, 121, θησαυρόν· 8, 71, τεῖχος.] Thuc. 3, [68] : Νεὼν ἑκατόμπεδον λίθινον ᾠκοδόμησαν αὐτῇ. Æschin. De male gesta leg. [p. 58, 10] : Ἑκατὸν δὲ τριήρεις ἑτέρας ἐναυπηγησάμεθα, καὶ νεωσοίκους ᾠκοδομήσαμεν [ᾠκοδομησάμεθα. Andocides p. 93, 4]. Cic. quoque dicit Ædificare domum de eo qui ædificandam curat. [Plato Gorg. p. 514, B : Εἴ τι οἰκοδόμημα ᾠκοδομήκαμεν. Demosth. p. 429, 26 : Εἰρήνην ἑορακότες τὰς τῶν πρέσβεων οἰκίας οἰκοδομούσας.] Et οἰκοδομεῖν θριγκόν, ac οἰκοδομεῖν αἱμασίαν, quod habes

A supra in Θριγκός. Legimus rursum ap. Thuc. 2, [100] : Τὰ νῦν ὄντα ἐν τῇ χώρᾳ ᾠκοδόμησε, καὶ ὁδοὺς εὐθείας ἔτεμε. [Aristoph. Av. 1132 : Τίνες ᾠκοδόμησαν αὐτὸ (τὸ τεῖχος) τηλικουτονί; Muniendi potius quam ædificandi signif. Xen. Cyrop. 3, 1, 1 : Ὀφθήσεσθαι ἔμελλε τὰ βασίλεια οἰκοδομεῖν ἀρχόμενος, ὡς ἂν ἱκανὰ ἀπομάχεσθαι εἴη. De reficiendo Diod. 11, 29 : Τῶν ἱερῶν τῶν ἐμπρησθέντων καὶ καταβληθέντων οὐδὲν οἰκοδομήσω, ubi ego olim malebam ἀνοικοδομήσω, quod est ap. Lycurg. p. 158, 7, ubi idem jusjurandum recitat.] Activa etiam signif. Chrysost. De sacerd. dicit οἰκοδομήσασθαι οἰκίαν, ut Cicero, Ædificare domum, villam, porticum, urbem. Sic Plato De rep. 2, [p. 372, A] : Σῖτόν τε ποιοῦντες καὶ οἶνον καὶ ἱμάτια καὶ ὑποδήματα, καὶ οἰκοδομησάμενοι οἰκίας. [Herodot. 2, 121 : Οἰκοδομέεσθαι οἴκημα λίθινον· 148 : Τῶν τὸν λαβύρινθον οἰκοδομησαμένων βασιλέων. Thuc. 7, 11 : Τὰ τείχη οἰκοδομησαμένων. Xen. Vect. 2, 6, Reip. Ath. 2, 10, Comm. 1, 1, 8.] Lucian. H. S. 2 : Τοῦτο ἦν ἡ τέχνη αὐτῶν, ἐς δέον οἰκοδομήσασθαι [οἰκονομ.] τὴν ὕλην, Struere mate-
B riam ut convenit. Gregor. vero dixit etiam ἰξευτὴς καλάμους οἰκοδομεῖ, pro Struit, Aptat : sc. ad capiendas aves. Et pass. signif. [Herodot. 2, 126 : Ἐκ τούτων τῶν λίθων τὴν πυραμίδα οἰκοδομηθῆναι· 127 : Διὰ οἰκοδομημένου αὐλῶνος. Xen. Anab. 2, 4, 12 : Ἦν δὲ ᾠκοδομημένον (τὸ τεῖχος) πλίνθοις ὀπταῖς.] Aristot. Problem. : Τὰ ἄριστα ᾠκοδομημένα τοῦ σώματος, Partes corporis optime ædificatas et coagmentatas. Scriptor quoque aliquis οἰκοδομεῖν dicitur, quum opus aliquod veluti struit. Aristot. Poet. [c. 13], loquens de Euripide : Εἰ καὶ τὰ ἄλλα μὴ εὖ οἰκοδομεῖ [οἰκονομεῖ], ἀλλὰ τραγικώτατός γε τῶν ποιητῶν φαίνεται. Alia autem metaph. Xen. Cyrop. 8, p. 139 [c. 7, 15] : Ἐπὶ ταῦτα εὐθὺς οἰκοδομεῖτε ἄλλα φιλικὰ ἔργα, His superstruite, veluti fundamento, alia amicitiæ et benevolentiæ opera, ad conservandam sc. οἰκειότητα : ubi ad οἶκον alludit. [Δεῖ ταῦτα πρότερον οἰκοδομῆσαι καλῶς, Charito p. 128, 6. V. Dorvill. Hemst. Plautinum Exædificare inchoatam ignaviam confert Valck. Rursus aliter Aristoph. Pac. 749 : Ἐποίησε τέχνην μεγάλην ἡμῖν
C κἀπύργωσ' οἰκοδομήσας ἔπεσιν μεγάλοις καὶ διανοίαις καὶ σκώμμασιν οὐκ ἀγοραίοις. || « Οἰκοδομεῖσθαι, Ædificari, sensu Christiano, Nicet. Paphl. Laud. S. Eust. p. 54. » Boiss. Gregor. 2 pap. in Epist. 2 ad Leonem Isaurum Imp. : Καὶ τοὺς ἐλθόντας ἐκ τῶν ἐθνῶν δακτύλῳ δεικνύντες τὰς ἱστορίας οὕτως αὐτοὺς οἰκοδομοῦσι καὶ τὸν νοῦν καὶ τὰς καρδίας ἄνω πρὸς θεὸν ἀναφέρουσι. V. Gloss. Med. Lat. in Ædificare. Ducang. Sine augm. Οἰκοδομημένον, Structum, Gl. Tab. Heracl. p. 213, 64 : Τὰ οἰκοδομημένα· 230, 93 ; 226, 89 : Ὅσσα κα... οἰκοδόμηται. Phrynich. Ecl. p. 153 : Ὠκοδόμηκεν διὰ τοῦ ω ἄριστα ἐρεῖς, ἀλλ' οὐ διὰ τοῦ οι, οἰκοδόμηκεν. « Οἰκοδόμησε Sturzius e linguæ Maced. monimentis protulit; οἰκοδομήθη Joseph. Ant. 8, 5, p. 432, nunc e Mss. augmentum recepit; οἰκοδομημένος legitur Arrian. Peripl. M. Erythr. p. 143. » Lobeck.]

[Οἰκοδομή. V. Οἰκοδόμημα.]

Οἰκοδόμημα, τό, et Οἰκοδομή, ἡ, Ædificium, Structura, [Ædificatio his add. Gl.] : quod posterius οἰκοδομὴ Phrynich. [p. 421] rejicit, ac pro eo usurpandum οἰκοδόμημα dicit. [Herodot. 2, 121 : Τὸν λίθον
D ἐπὶ τῷ οἰκοδομήματι, quod paullo ante οἴκημα. Ib. 136 : Ἔχει γὰρ καὶ τὰ πάντα προπύλαια τύπους τε ἐγγεγλυμμένους καὶ ἄλλην ὄψιν οἰκοδομημάτων μυρίην. Thuc. 4, 90 : Τοῦ ἱεροῦ οἰκοδόμημα οὐδὲν ὑπῆρχεν. Xen. H. Gr. 4, 5, 6. Et sæpissime Plato.] Dem. [p. 36, 22] : Ἔνιοι δὲ τὰς ἰδίας οἰκίας τῶν δημοσίων οἰκοδομημάτων σεμνοτέρας εἰσὶ κατεσκευασμένοι. Aristot. Polit. 6, [c. 7 prope fin.] : Τὴν πόλιν ὁρῶν κοσμουμένην τὰ μὲν ἀναθήμασι, τὰ δὲ οἰκοδομήμασι. Ibid. [c. 8] : Τῶν πιπτόντων οἰκ. καὶ ὁδῶν σωτηρία καὶ διόρθωσις. Et mox, Ἀνορθοῦσθαι τὰ πίπτοντα τῶν οἰκοδομημάτων, Erigere ædificia ruinam minantia. Herodian. [8, 4, 12] : Τὰ μὲν οἰκοδομήματα τῶν προαστείων ἔρημα εὕρισκον, Ædificia suburbana. Aliud exemplum ex Eod. habes in Ξυλεία. At οἰκοδομὴ usitatius in N. T. interdum pro Ædificio [Gl.], interdum pro Structura et ædificatione [Gl.], tam metaphorice quam proprie. 1 Cor. 3, [9] : Θεοῦ γεώργιον, θεοῦ οἰκοδομή ἐστε, Dei ædificium. Eod. cap. dicit, Ναὸς Θεοῦ ἐστέ. Et 2 Cor. 6, [16] : Ναὸς Θεοῦ ἐστὲ

ζῶντος· οἰκοδομὴν et ναὸν de re ead. dicens. Matth. 24, [1]: Ἐπιδεῖξαι αὐτῷ τὰς οἰκοδομὰς τοῦ ναοῦ [ἱεροῦ]. Ephes. 2, [21]: Ἐν ᾧ πᾶσα ἡ οἰκοδομὴ συναρμολογουμένη αὔξει εἰς ναὸν ἅγιον ἐν Κυρίῳ, Totum ædificium congruenter coagmentatum, Tota structura. 4, [12]: Εἰς οἰκοδομὴν τοῦ σώματος τοῦ Χριστοῦ. 1 Cor. [14, 12]: Πρὸς τὴν οἰκοδομὴν τῆς Ἐκκλησίας, Ad ædificationem Ecclesiæ. [Ædificatio, quomodo Latini Patres hanc vocem usurpant. S. Basil. Ep. 67: Κέκλεισται στόμα, παρρησίαις τε δικαίοις καὶ λόγοις χάριτος ἐπ' οἰκοδομὴν τῆς ἀδελφότητος βρύον. Nilus mon. Ep. 2, 223: Τοῖς λογισμοῖς πρὸς οἰκοδομὴν πνευματικὴν χρώμενοι, etc. Ducang. Nicet. Paphlag. Laud. S. Eust. p. 47. Boiss.] Propria autem signif. usurpatur Geopon. [3, 1, 2]: Πρὸς οἰκοδομὴν ξύλα τέμνειν, pro his Varronis [Columellæ 11, 2, 11. Hemst.], In ædificia succidere arborem. [Vocab. οἰκοδομὴ olim legebatur ap. Herodot. 2, 127: sed ibi pro οἰκοδομῆς, quod quidem libri dederant omnes, recte nunc οἰκοδόμησις legitur. Schweigh. Gl. interpretantur etiam Loramentum. Formæ οἰκοδομὴ certum testimonium primum est duplex in Tab. Heracl. p. 231, 98: Ἐς δὲ τὰ ἐποίκια χρήσονται ξύλοις ἐς τὰν οἰκοδομὰν οἷς κα δήλωνται· et p. 235, 102: Οὔτε τίμαμα οἴσοντι οὔτε τῶν χώρων οὔτε τᾶς ἐπιοικοδομᾶς· quibus accedunt exx. dubiæ aut ætatis, ut Laconicum ap. Suid. v. Ἵππους proverbium: Οἰκοδομά σε λάβοι, aut fidei, velut Aristotelis et Theophrasti ap. Schneiderum in Ind. ad hunc, quæ cum decretis Atticis ap. Ps.-Plut. Vit. dec. orat. p. 851, D, et Diog. L. 7, 11, memoravit et plurimis recentiorum inde ab Diodoro auxit Lobeck. ad Phryn. p. 488, quæ repetere aliisque cumulare supersedemus.]

Οἰκοδόμησις, εως, ἡ, Ædificatio, Structura. Thuc. 3, [21]: Τὸ δὲ τεῖχος ἦν τῶν Πελοποννησίων τοιόνδε τῇ οἰκοδομήσει, Talis erat structura, s. Hoc modo structus erat murus, vel Ita ædificatus erat. [A quo usurpatum notavit Antiatt. p. 110, 21. Plato Reip. 3, p. 394, A: Ἐν ναῶν οἰκοδομήσεσιν· Gorg. p. 455, B: Τειχῶν περὶ οἰκοδομήσεως. De ædificio Leg. 6, p. 778, E: Διά τινων οἰκοδομήσεων εἴρξοντας τοὺς πολεμίους· Critiæ p. 111, C; 117, A. Philo Belop. p. 91, D. L. Dind.]

[Οἰκοδομητέον, Ædificandum. Plato Reip. 4, p. 424, D; Philo Belop. p. 95, C. L. Dind.]

Οἰκοδομητικὸς, ἡ, ὸν, Ad ædificatorem pertinens. Plato De rep. 1, [p. 346, D]: Οἰκοδομητικὴ τέχνη, Ars s. Peritia ædificandarum domuum, Architectonice. Infra οἰκοδομική. [Quod restitutum ex libris melioribus. Ap. Lucian. Contempl. c. 5: Μὴ πικρᾶς τῆς Ὁμήρου οἰκοδομητικῆς πειραθῶμεν, non hoc, sed οἰκοδομῆς, est in Gorlic. aliisque libris bonis.]

[Οἰκοδομητὸς, ἡ, ὸν, Ædificatus, Structus. Aristot. Metaph. p. 230, 22 Br. Strabo 3, p. 155: Καθέδρας οἰκοδομητάς· 8, p. 369: Οἰκοδομητοὶ λαβύρινθοι. Lex. rhet. Bekk. An. p. 264, 28: Ὀροφὴν περιφερῆ οἰκοδομητήν. «Eust. Il. p. 77, 41.» Seager.]

Οἰκοδομία, ἡ, Ædificatio, Ædium structura, simpliciter Structura. [Ædificium, Gl.] Thuc. 1, p. 30 [c. 93]: Καὶ δήλη ἡ οἰκοδομία ἔτι καὶ νῦν ἐστιν ὅτι κατὰ σπουδὴν ἐγένετο. [Id. 2, 65: Οἱ δυνατοὶ καλὰ κτήματα κατὰ τὴν χώραν οἰκοδομίαις τε καὶ πολυτελέσι κατασκευαῖς ἀπολωλεκότες. Xen. Comm. 3, 1, 7. Plato Leg. 7, p. 804, C: Οἰκοδομίαι γυμνασίων.] Et Democritus ap. Plut. De solert. anim. [p. 974, A], dicit nos esse discipulos ἀράχνης ἐν ὑφαντικῇ καὶ ἀκεστικῇ, χελιδόνος ἐν οἰκοδομίᾳ. Ubi potest accipi non solum pro Ædificatione, sed et pro Ædificandi peritia, quæ et οἰκοδομική. [De ædificio ipso Plato Leg. 6, p. 758, E: Τῆς πόλεως αὐτῆς ὁδῶν καὶ οἰκήσεων καὶ οἰκοδομιῶν καὶ λιμένων ἐπιμελητάς· 759, A; 763, C. Et cum genitivo p. 779, B: Τὰς οἰκοδομίας χρὴ τὰς τῶν ἰδίων οἰκήσεων οὕτως ἐξ ἀρχῆς βάλλεσθαι· 8, p. 848, D: Πρῶτον οἰκοδομίας εἶναι περὶ τὰ ἱερὰ ταῦτα, τοῖς φρουροῖς ὑποδοχήν. || De accentu schol. Thuc. l. c.: Τὸ οἰκοδομία τινὲς ὀξύνουσιν· quod commentum repetiit Suidas.]

Οἰκοδομικὸς, ἡ, ὸν, Ad ædificatorem pertinens. Et οἰκοδομικὴ, sub. τέχνη, Ars fabricandarum et struendarum domuum, Peritia ædificandi. [Plato Reip. 1, p. 346, D; 4, p. 438, D. Addito τέχνη Polit. p. 288, B, et alibi utroque modo. Charm. p. 170, C: Τὸ οἰκοδομικὸν οἰκοδομικῇ· Gorg. p. 514, A: Τῶν πολιτικῶν

A πραγμάτων ἐπὶ τὰ οἰκοδομικά. Aristot. Metaph. p. 104, 7 Br., Eth. Nic. 1, 5. Plut. Mor. p. 571, F.] At οἰκ. ὕλη, Materia ædificandis domibus apta, Theophr. [H. Pl. 5, 7, 1.] || Οἰκοδομικὸς vero homo aliquis dicitur, Qui ædificandarum domuum peritus est, Struendarum ædium peritus artifex. Plato De rep. 1, [p. 333, B]: Εἰς πλίνθων καὶ λίθων θέσιν ὁ δίκαιος χρησιμώτερός τε καὶ ἀμείνων κοινωνὸς τοῦ οἰκοδομικοῦ.

Οἰκοδομικῶς, More eorum qui ædificandarum domorum periti sunt, More ædificatorum. [Pollux 7, 117.]

Οἰκοδόμος, ὁ, Ædificator: qua voce Cic. post Catonem utitur, dicens, Ædificator et opifex mundi domus. [Structor, add. Gl.] Xen. [Hell. 7, 2, 20]: Χωρίον ἡμῖν τειχίζουσιν, οἰκοδόμους πολλοὺς ἔχοντες. Aliud exemplum ex Eod. [Conv. 4, 4] habes supra in Μισθός. Plut. Symp. 1, [p. 618, A]: Οὐδὲ γὰρ οἰκοδόμος τὸν Ἀττικὸν λίθον ἢ τὸν Λακωνικὸν πρὸ τοῦ βαρβαρικοῦ τὴν εὐγένειαν τίθησι. Christodulus [Thom. p. 645] hoc vocab. rejicit, et dicendum potius ait οἴκων ἐργάτης,
B τέκτων. Utitur tamen eo non solum Xen. et Plut., ut ex præcedentibus patet, sed et Plato [quum alibi sæpe tum] De rep. 2, [p. 369, D] et Aristoph. Gerytade, teste Polluce [7, 117].

[Οἰκοθάλης, ὁ, ἡ, ap. Timæum Lex. p. 28: Ἀμφιθαλεῖς, ἀντὶ τοῦ ἀμφότεροι οἰκοθαλεῖς, ubi ἀμφοτέρωθεν vel similiter Ruhnk., ut sit Cujus domus superstitibus floret parentibus.]

Οἴκοθεν, Domo, [Gl.] Hom. Il. [H, 364: Ὅσσ' ἀγόμην ἐξ Ἄργεος ἡμέτερον δῶ πάντ' ἐθέλω δόμεναι καὶ ἔτ' (hoc del.) οἴκοθεν ἄλλ' ἐπιθεῖναι·] Ψ, [558, 592]. Sic Soph. [Aj. 1052]: Οἴκοθεν ἄγειν Ἀχαιοῖς ξύμμαχον, Domo adducere Achivis socium. [Pind. Pyth. 8, 53: Τὸ δὲ οἴκοθεν ἀντία πράξει. Æsch. Suppl. 390: Δεῖ τοι σε φεύγειν κατὰ νόμους τοὺς οἴκοθεν. Eur. Phœn. 294: Τὸν οἴκοθεν νόμον σέβουσα. Aristoph. Pl. 803: Μηδὲν ἐξενεγκόντ' οἴκοθεν. Thuc. 4, 90: Ἡμέρᾳ τρίτῃ, ὡς οἴκοθεν ὥρμησαν. Plato Parm. p. 126, A: Οἴκοθεν ἐκ Κλαζομενῶν. Et ap. alios quosvis.] || Aliquando accipitur pro ἀφ' ἑαυτοῦ, ut idem schol. Soph. usurpari
C annotavit: Per se, Ex se, Suopte ingenio, impulsu, Suapte sponte. Pro loco autem et aliter reddes. [Pind. Ol. 3, 44: Νῦν γε ... Θήρων ἅπτεται οἴκοθεν Ἡρακλέος σταλᾶν· Nem. 3, 30: Οὐδ' ἀλλοτρίων ἔρωτες ἀνδρὶ φέρειν κρέσσονες· οἴκοθεν μάτευε. Eur. Med. 239: Δεῖ μάντιν εἶναι, μὴ μαθοῦσαν οἴκοθεν. Aristoph. Pac. 522: Πόθεν ἂν λάβοιμι ῥῆμα μυριάμφορον, ὅτῳ προσείπω σ'· οὐ γὰρ εἶχον οἴκοθεν. Philo vol. 1, p. 2, 5: Λέγειν οἴκοθεν μὲν οὐδέν. Alia phrasi Agathias p. 8, 11 ed. Bonn.: Ὡς δὴ οὖν οἴκοθεν οἴκαδε οὔσης τῆς μεταστάσεως κτλ. De proverbio οἴκοθεν ὁ μάρτυς, ἐπὶ τῶν καθ' ἑαυτῶν μάρτυρας φερόντων, Qui testes contra se producunt, v. Diogenian. 7, 29, cum annot. «Chrysost. in Epist.: Οἴκοθεν καὶ παρ' ἑαυτοῦ ποιεῖν, Sponte et nullo monente præstare.» Koenig. De accentu Apollon. De adv. p. 605, 15.]

Οἴκοθι, Domi. Hom. Od. Φ, [398]: Τοιαῦτα καὶ αὐτῷ οἴκοθι κεῖται, Domi jacent. Sic alibi. [Il. Θ, 513. Od. Τ, 237: Εἰ τάδε ἔστο περὶ χροῒ οἴκοθ' Ὀδυσσεύς.] Hesych. οἴκοθι exp. non solum ἐν οἴκῳ, sed etiam ἐξ οἴ-
D κου, Domo, quod οἴκοθεν potius dicitur. Est autem hoc οἴκοθι poetis tantum usitatum.

Οἰκόθουρος, Hesychio ὁ οἰκουρὸς κύων, Canis qui domum custodit. Forsan quia ex ædibus impetum dat in ignotos qui accedunt.

[Οἰκόθρεπτος, ὁ, ἡ, Domi nutritus. Photius: Οἰκογενὲς, τὸ οἰκ. ἀνδράποδον.]

Οἴκοι, [Domi, Gl.] prosæ scriptoribus cum poetis commune. Hom. Il. Ω, [240]: Καὶ ὑμῖν Οἴκοι ἔνεστι γόος. Hesiod. Op. [363]: Οἴκοι βέλτερον εἶναι, ἐπεὶ βλαβερὸν τὸ θύρηφι. [Æsch. vel Soph. fr. ap. Stob. Fl. 39, 14: Οἴκοι μένειν δεῖ τὸν καλῶς εὐδαίμονα. Soph. OEd. T. 1123: Οἴκοι τραφείς. Eur. Ion. 251: Οἴκοι δὲ τὸν νοῦν ἔχομεν. Aristoph. Pac. 1189: Ὄντες οἴκοι μὲν λέοντες, ἐν μάχῃ δ' ἀλώπεκες. Et apud alios quosvis.] Plutarch. Polit. præc.: Οἷς οὐδέν ἐστιν οἴκοι χρηστὸν, ἐν ἀγορᾷ διατρίβουσι. Et ὁ οἴκοι, Qui domi est, Domesticus. [Pind. Nem. 2, 21: Τὰ δ' οἴκοι μάσσον' ἀριθμοῦ. Eur. Tro. 379: Τὰ δ' οἴκοι τοῖσδ' ὅμοι' ἐγίγνετο. Soph. OEd. C. 759: Ἡ δ' οἴκοι (πόλις) πλέον δίκῃ σέβοιτ' ἄν. Xen.

Cyrop. 6, 1, 10 : Ὡς οὖν τὰ μὲν οἴκοι στρατείαν οὖσαν, τάδε δὲ ἑορτήν· Anab. 1, 7, 4 : Τὰ παρ' ἐμοὶ ἑλέσθαι ἀντὶ τῶν οἴκοι· H. Gr. 5, 4, 2 : Μισοῦντα αὐτὸν τὰ οἴκοι.] Isocr. Ad Philipp. [p. 414, E] : Τῶν οἴκοι τιμῶν ἀπεστερήθη. Plato De rep. 2, [p. 371, A] : Τὰ οἴκοι ἑαυτοῖς ποιεῖν ἱκανὰ, Rem familiarem, quæ sibi sufficiat, parare. [Pro οἴκαδε, Domum, Dio Cass. in Xiphilini Excc. 75, 9 : Οἴκοι ἀναχωρησάντων. De accentu Apollon. De adv. p. 588, 21, Arcad. p. 183, 16, Chœrob. Bekkeri p. 1213. De forma Οἴκει Theognost. Can. p. 159, 5 : Σπάνια δὲ τὰ παραδείγματα (adverbiorum in ει), ὡς ἔχει ... τὸ οἴκει ἀπὸ τοῦ οἴκοι γεγονὸς κατὰ τροπὴν τοῦ ο εἰς ε. L. D. Et Joannes Al. Τον. παραγγ. p. 36, 32 : Καὶ ἔτι τὸ οἴκει παρὰ Μενάνδρῳ ἀντὶ τοῦ οἴκοι. Οἴκοι tamen exstat in aliquot Menandri fragmentis. Osann.]

[Οἰκοκερδὴς, ὁ, ἡ, Domi quæstuosus. Phrynichus Bekkeri p. 55, 22 : Οἰκοκερδῆ βίον εὕρηκεν, κερδαλέον.]

[Οἰκοκρᾰτέομαι, Domi meæ gubernor. Eust. Od. p. 1618, 20 : Μηδὲ στοχαζομένων (τῶν Κυκλώπων) τοῦ κοινῇ συμφέροντος διὰ τὸ μηδὲ κοινῇ πολιτεύεσθαι, ἀλλ' ὡς εἰπεῖν, οἰκοκρατεῖσθαι.]

[Οἰκολόγος, ὁ, Curator domus. Typicum Ms. monast. Deiparæ τῆς Κεχαριτωμένης c. 14 : Οἱ τῶν οἰκολόγων λογαριασμοί. Ducang.]

Οἰκομᾰνία, ἡ, Insanus ædium, sc. ædificandarum, amor, Bud. Quo vitio qui laborat, a Colum. Ædificator dicitur, ubi ait, Eleganter igitur ædificet agricola, nec sit tamen ædificator, i. e. Ædificandi nimis studiosus.

[Οἰκόνδε. V. Οἴκαδε.]

Οἰκονέμων, Tragicis ὁ οἰκονόμος, pro quo ap. Polluc. [6, 11] perperam scribitur Οἰκοδέμων, VV. LL. Pollux synonymum facit τῷ ἑστιάτωρ, ξενίζων, συμποσίαρχος, συνιστὰς τὸ συμπόσιον. [Cod. οἰκοδέγμων.]

[Οἰκονομεῖον, τὸ, Locus in monasterio, ubi œconomus vestes monachorum aliaque eorum usui reponebat. Vita S. Paphnutii n. 75 : Ἀπελθὼν ἐκεῖνος εἰς τὸ οἰκονομεῖον ἔλαβεν στρῶμα καλὸν ἐλαφρόν. Moschus in Limon. c. 5 ed. Cotel. : Ἐλθὲ, ἵνα τὰ σκεύη τοῦ ἀδελφοῦ ἀπενέγκωμεν εἰς τὸ οἰκονομεῖον. Cyrill. Scythop. Vita S. Sabæ c. 58 : Καὶ πληροῦσι τὸ οἰκονομεῖον παντοίων ἀγαθῶν. Ducang.]

Οἰκονομέω, Rem familiarem administro, Res domesticas dispenso, ut Cic. loquitur. [Dispenso, Vilico, Dispendo, Demoror, Gl.] Luc. 16, [2] herus ad suum dispensatorem, qui apud eum delatus fuerat quod dissiparet ipsius bona : Ἀπόδος τὸν λόγον τῆς οἰκονομίας, οὐ γὰρ δυνήσῃ ἔτι οἰκονομεῖν. Aliquando accus. additur, et tunc simpliciter pro Administro capitur. [Soph. El. 190 : Ἁπερεί τις ἔποικος ἀναξία οἰκονομῶ θαλάμους πατρός.] Harpocr. : Ἔστι δὲ ληξιαρχικὸν, εἰς ὃ ἐνεγράφοντο οἱ τελεσθέντες τῶν παίδων, οἷς ἐξῆν ἤδη τὰ πατρῷα οἰκονομεῖν, Liber in quem puerorum nomina referebantur, qui jam tutelæ suæ facti erant, et quibus rem familiarem administrare licebat. [Plato Lys. p. 209, D : Τὴν αὐτοῦ οἰκίαν οἰκονομεῖν. Xen. Comm. 3, 4, 12 : Οἱ τὰ ἴδια οἰκονομοῦντες· 4, 5, 10 : Δι' ὧν ἄν τις τὸν ἑαυτοῦ οἶκον καλῶς οἰκονομήσειε. De deo 4, 3, 13 : Τάδε οἰκονομῶν ἀόρατος ἡμῖν ἐστιν.] Isocr. autem dixit etiam οἰκονομεῖν τὸν ἑαυτοῦ βίον, pro Instituere vitam suam, Ad Demon. [p. 2, A] : Τίνων ἔργων ἀπέχεσθαι, καὶ ποίοις τισὶν ἀνθρώποις ὁμιλεῖν, καὶ πῶς τὸν ἑαυτῶν βίον οἰκονομεῖν. Nisi ibi malis Regere. [Conf. p. 12, A.] Aristot. De mundo [c. 5] : Ὁ νόμος πάντα οἰκονομεῖ τὰ κατὰ τὴν πολιτείαν, Lex regit omnia ad remp. pertinentia, Bud. [Aristot. Polit. 2, 5 : Τίς οἰκονομήσει ὥσπερ τὰ ἐπὶ τῶν ἀγρῶν οἱ ἄνδρες αὐτῶν (mulierum). L. D. Ista sic ᾠκονόμησεν ὁ χρησμὸς, Marcellin. Vita Thuc. § 10. Valck.] Alicubi Dispenso, Dispono, Constituo. 2 Macc. 3, [14] : Οἰκονομήσων τὴν περὶ τούτων ἐπίσκεψιν, De his constiturus, Hæc ordinaturus. [V. l. Aristot. Art. poet. in Οἰκοδομέω cit. Schol. Hom. Il. Λ, 599 : Ἅμα δὲ ᾠκονόμησε ταῦτα ὁ ποιητὴς πρὸς τὴν ἔξοδον Ἀχιλλέως. Improprie etiam Plato Phædr. p. 256, E : Ἡ ἀπὸ τοῦ μὴ ἐρῶντος οἰκειότης, σωφροσύνῃ θνητῇ κεκραμένη θνητά τε καὶ φειδωλὰ οἰκονομοῦσα. De Polybio Schweigh. : « Ταῦτα οἰκονομήσας, His rebus gestis, 4, 67, 9. Οὐδὲν δι' αὐτοῦ οἰκονομεῖν ὑπὲρ τῶν ὅλων, Nihil de summa reip. constituere, 4, 26, 6. Τὰ οἰκονομούμενα, Res administratæ et ratio qua administratæ sunt, 25, 2, 12. »] Sic Bud. οἰκονομούμενον interpr. Recte constitutum atque dispensatum. Pro Constituere et corrigere accipitur et in Synes. Ep. 67 : Οἰκονομήσασθαι δὲ ἕν τι λοιπὸν, καὶ λόγου πεπαύσομαι. Dii etiam οἰκονομεῖν dicuntur, quum res humanas dispensant : Ovid., Dispensant mortalia fata sorores. Lucian. in Jove Trag. [c. 37] : Τὰ ἐν κόσμῳ ἄπειρα τὸ πλῆθος ὄντα οἰκονομούμενοι. [Lucian. Quom. hist. scr. c. 51 : Καὶ τοῦτο ἦν ἡ τέχνη αὐτῶν, ἐς δέον οἰκονομήσασθαι τὴν ὕλην.] Est alioqui, inquit Bud. p. 299, οἰκονομεῖν verbum theologicum, et significat Moliri, Struere, Instituere. Damasc. Ὀρθοδ. 4, de fletu et somno et morte Christi loquens, et aliis affectibus humanis : Οὐδὲν τούτων τοῦ θείου πάσχοντος, δι' αὐτῶν δὲ τὴν ἡμῶν οἰκονομοῦντος σωτηρίαν. Vide et alia ibid. ‖ Dispenso et Distribuo, verbum medicorum. Galen. : Ἀνάδοσις, ἐστὶν ὁλκὴ τῆς πεφθείσης καὶ οἰκονομηθείσης τροφῆς εἰς πάντα τοῦ σώματος μόρια, Distributi alimenti et digesti, Bud. [V. Οἰκονομία.]

[Οἰκονομημένως, pro ᾠκονομημένως, Accommodate, scriptum in schol. Harlej. Hom. Od. Γ, 296, apud Cramer. Anecd. Paris. vol. 3, p. 435, 5. L. Dind.]

[Οἰκονομητέον verbale ap. Greg. Naz. Ep. 26, p. 791, 2. Boiss.]

[Οἰκονομητικὸς, ἡ, ὸν, vitium scripturæ pro οἰκονομικὸς, Xen. Cyrop. 2, 2, 4. Neque ap. Procop. H. Arc. p. 56, D : Ἀναστάσιος προνοητικώτατός τε ἅμα καὶ οἰκονομητικώτατος πάντων αὐτοκρατόρων γενόμενος κτλ., ferendum videtur, sed scribendum οἰκονομικώτατος. L. Dindorf.]

Οἰκονομία, ἡ, Dispensatio rei familiaris, rei domesticæ, Rei familiaris cura et administratio. Luc. 16, [2] homo quidam locuples ad suum dispensatorem, qui insimulatus fuerat quod bona ipsius dissiparet : Ἀπόδος τὸν λόγον τῆς οἰκονομίας σου, Redde rationem dispensationis tuæ. [Dispensatio, Administratio, Dispositio, Gl. Οἰκονομίη περὶ τὸν νοσέοντα, Ægrorum procuratio, est accommodatus eorum quæ ab arte medico suggeruntur usus et administratio, velut dispensatio quædam et recte gubernandorum ægrorum facultas, quam recte explicat Hipp. aph. 33 l. 6 Epid. s. 2, in eaque administranda medici diligentiam requirit. Foes. Aret. p. 119, 36 : Ξύμφορος δὲ ὁ μέτριος (ὕπνος) ἐς τὴν τῆς τροφῆς οἰκονομίην, Distributionem. Proprie Xen. Œcon. 1, 1 : Οἰκονομίας ἔργον ... εὖ οἰκεῖν τὸν οἶκον, et alibi. Cyrop. 1, 6, 12 : Ἆρα ἐν τοῖς στρατηγικοῖς καὶ οἰκονομίας τί σοι ἐπεμνήσθη ὁ ἀνήρ· οὐδὲν μέντοι ἧττον οἱ στρατιῶται τῶν ἐπιτηδείων δέονται ἢ οἱ ἐν οἴκῳ οἰκέται. De castello instruendo 5, 3, 25 : Ὅσον χρόνον ἐκαθέζετο ὁ Κῦρος ἀμφὶ τὴν περὶ τὸ φρούριον οἰκονομίαν.] Pro Administratione rei familiaris accipitur et in his ll. Aristot. Pol. 3, [4] : Οἰκονομία ἑτέρα ἀνδρὸς καὶ γυναικός· τοῦ μὲν γὰρ, κτᾶσθαι· τῆς δὲ, φυλάττεσθαι ἔργον ἐστί. Plut. Lycurgo [c. 25], de adolescentibus Spartanis : Διὰ τῶν συγγενῶν καὶ τῶν ἐραστῶν ἐποιοῦντο τὰς ἀναγκαίας οἰκονομίας, Necessaria in rei familiaris administratione negotia conficiebant. Alii autem οἰκονομίας hic simpliciter et generaliter interpr. Negotia. Sic Plato Apol. [p. 36, B] : Ἀμελήσας χρηματισμοῦ καὶ οἰκονομίας, Rei familiaris negligens dispensator, administrationem negligens. Cui opp. ὁ τῆς οἰκονομίας κατορθωτικὸς, Boni et frugi paterfamilias. [Eadem conjungit Reip. 6, p. 498, A. Plur. ib. 3, p. 407, B : Ἡ περιττὴ ἐπιμέλεια τοῦ σώματος πρὸς οἰκονομίας καὶ πρὸς στρατείας δύσκολος.] Sunt vero et urbium οἰκονομίαι, Administrationes : tunc autem ἀκύρως et καταχρηστικῶς hoc vocab. capitur : ut Aristot. in l. quodam paulo post in Οἰκονομικὸς citando, βασιλείαν esse dicit πόλεως καὶ ἔθνους ἑνὸς ἢ πλείονος οἰκονομίαν, Urbis gentisve unius aut plurium administrationem. Sic Turn. in Polyb., Τὴν μὲν οἰκονομίαν καὶ τὸν χειρισμὸν ποιοῦνται τούτων αὐτῶν, vertit, Eorum administratio curaque ad eos pertinet. [5, 31, 7; 10, 23, 1.] Itidem Herodian. 6, [1, 2] : Ἡ μέν τοι διοίκησις τῶν πραγμάτων καὶ ἡ τῆς ἀρχῆς οἰκονομία ὑπὸ ταῖς γυναιξὶ διῳκεῖτο, Negotiorum administratio ac principatus gubernacula mulieribus incumbebant, Polit. Sed et Deo οἰκονομία tribuitur, quæ est vel Providentia, vel Providens rerum omnium administratio in hoc mundo, velut domo sua. Chrysost. In 2 Ep. ad Col. 2 : Τὸν πατέρα ἠπάτηκεν ὁ Ἰακώϐ· ἀλλ' οὐκ ἀπάτη, ἀλλ' οἰκονομία ἦν, Divino id numine agebatur, Bud. Sic accipi potest et Coloss. 1, [25] : Ἐγὼ διάκονος κατὰ τὴν οἰκ. τοῦ Θεοῦ, Ita dispensante divina providentia, Ex dispensatione Dei, ut alii. Alibi dicit se vocatum esse Apostolum διὰ θελήματος Θεοῦ, et διὰ Ἰησοῦ Χριστοῦ καὶ Θεοῦ Πατρός. Gregor. quoque οἰκονομίαν vocat Providentiæ divinæ administrationem, Bud. At Suidæ est quidam τῆς τοῦ Θεοῦ προνοίας τρόπος, quem triplicem constituit, ut apud eum videbis. Alias Theologi vocant Christi incarnationem : ut et Hieron. testatur in Epist. ad Pammachium et Oceanum, de Apollinari loquens: Is dimidiatam Christi introduxit οἰκονομίαν, i. e. ἐνανθρώπησιν, ex eo sc., quod divinam personam Christo homini sustulit et unam tantum naturam tribuit. Bud. p. 299, annotat vitam Christi et ejus theurgiam totam vocari οἰκονομίαν. [Proleg. ad Orac. Sibyll. p. 4, 1 ed. Alex.: Περὶ τῆς ἐνσάρκου οἰκ. τοῦ κυρίου] Ib., quum ex Damasc. citasset, Τὸ τῆς οἰκ. μυστήριον, itidemque a Bas. usurpari indicasset, subjungit: Est enim οἰκονομία Provincia Christo a Deo Patre injuncta et mandata. Exempla autem alia, quæ affert, ibi videnda tibi reliqui. [Οἰκ. ap. Græcos Patres usurpari solet pro eo quod Christus in terris gessit ad procurandam salutem generis humani : cujus initium est Incarnatio, sicut postrema est Passio. Hinc cod. Reg. 3118 οἰκονομία ἑκουσίου μεγέθους συγκατάβασις definitur. Ita S. Athanas. t. 2, p. 320 dicit : Τόκος ἐστὶν ἐκ παρθένου τὸ μέγα καὶ ἔνδοξον τῆς οἰκονομίας προοίμιον, ut S. Chrysost. Hom. 2 in Matth. τὴν γέννησιν ait πάσης τῆς οἰκονομίας τὸ κεφάλαιον καὶ ἀρχὴν esse. Theodorit. Dial. 2 contra Hæreses : Τὴν ἐνανθρώπησιν τοῦ θεοῦ λόγου καλοῦμεν οἰκονομίαν. Contra οἰκονομίαν τοῦ πάθους dixit Epiphanius in Hæresi alogorum p. 247 et Justin. Mart. Adv. Tryph. p. 331 : Πρὶν τὸν Χριστὸν εἰς τὴν οἰκονομίαν τὴν κατὰ τὸ βούλημα τοῦ πατρὸς γεγενημένην ὑπ' αὐτοῦ ἐπὶ τὸ σταυρωθῆναι ἐλθεῖν. V. Οἰκονομικῶς. Ducang.] || Rursum Dispensatio et distributio : οἰκονομία τῶν χρημάτων, Chrysost. Ephes. 3, [2] : Τὴν οἰκ. τῆς χάριτος τοῦ Θεοῦ. [Οἰκ. interdum sumitur quomodo Humanitas apud Latinos, ut Humanitatem præbere, pro Aliquem excipere, cibum potumque dare. Theophanes a. 1 Anastasii : Καὶ ἦλθεν εἰς τὸ Βυζάντιον, ἀγαθὰς ἀμοιβὰς ἐλπίζων παρ' αὐτοῦ ἀνθ' οὗ ἦν ἐν Ἀλεξανδρείᾳ πεποιηκὼς αὐτῷ οἰκονομίαν, ὃν καὶ γυμνὸν ἀπὸ ναυαγίου δεξάμενος etc. Auctor inc. post Theoph. p. 437, ubi Leo Armen. ad patriarcham : Συγκατάβα, φησὶ, τὶ μικρὸν καὶ ποίησον οἰκονομίαν εἰς τὸν λαόν. Ducang. || Sacrificium incruentum, Missa. Epiphan. in Exposit. fidei n. 22 : Ἔν τισι δὲ τόποις λατρεία οἰκονομίας ἐν τῇ πέμπτῃ ὥρᾳ γίνεται ἐνάτῃ, καὶ οὕτως ἀπολύει μενόντων ἐν τῇ αὐτῇ ξηροφαγίᾳ. Et n. 23, et Hæres. 75, n. 3. Id. Append. p. 144.] Est et in architectorum opere οἰκονομία, Distributio. Vitruv. 1, 2 : Architectura autem constat ex ordinatione, quæ Græce τάξις dicitur, et ex dispositione (hanc autem Græci διάθεσιν vocant), et eurythmia, et symmetria, et decore, et distributione, quæ Græce οἰκονομία dicitur. Et sub fin. capitis : Distributio autem est copiarum locique commoda dispensatio, parcaque in operibus sumptus cum ratione temperatio. Et aliquanto post : Omnino faciendæ sunt aptæ omnibus personis ædificiorum distributiones. Habent et oratores ac poetæ suam in scribendo οἰκονομίαν, de qua Cic. intellexisse videtur, quum l. 1 De oratore ait, Inventa non solum ordine, sed etiam momento quodam atque judicio dispensare atque disponere. Bud. οἰκ. interpr. Distributionem et dispositionem oratoriam. Quintil. 3, 3, de partibus rhetorices : Hermagoras judicium, partitionem, ordinem, quæque elocutionis sunt, subjecit œconomiæ : quæ Græce appellata ex cura rerum domesticarum, et hic per abusionem posita, nomine Latino caret. Pro hac œconomia alii ponunt Dispositionem, ut ibid. docet. Cic. Ad Att. 6, 1 : Nec οἰκονομίαν meam instituam, sed ordinem conservabo tuum : sc. in respondendo literis tuis. Aliquanto post : Sedenim οἰκονομία si perturbatior est, tibi assignato; te enim sequor σχεδιάζοντα. Ap. Athen. in præf. libri 1 : Καί ἐστιν ἡ τοῦ λόγου οἰκ.

A μίμημα τῆς τοῦ δείπνου πολυτελείας, καὶ ἡ τῆς βίϐλου διασκευὴ, τῆς ἐν τῷ λόγῳ παρασκευῆς. Ibid. Athen. dicitur θαυμαστὸς τοῦ λόγου οἰκονόμος. « Οἰκονομία Rhetoribus dicitur *rerum omnisque causæ ad certum ordinem comparata tractatio* : vid. Dionys. Jud. Isocr. c. 4, De vi dic. Demosth. c. 51, p. 1113, Ep. ad Pomp. c. 3, p. 778. Οἰκονομία πραγματικὴ inprimis appellata. Ejus tres partes nominat in Jud. Thucyd. c. 9, p. 826, διαίρεσιν, *distributionem*, τάξιν, *ordinem*, ἐξεργασίαν, *pertractationem*. Τάξιν καὶ οἰκονομίαν πραγμάτων vocat Longin. c. 1; vid. voc. Ἐποικονομία, et conf. Sulpic. Vict. Inst. orat. p. 145. Porro οἰκονομία et διοίκησις προοιμίων jungitur Apsini Rhet. p. 712 ed. Ald. Conf. Quintil. 3, 41, 122, et 7 ult., ubi *œconomicam* totius caussæ *dispositionem* vocat, et singulatim docet in quibus rebus illa insit : qui locus de ea re classicus est, verbotenus quidem, ut videtur, expressus ex Dionys. Censur. scriptt. vett. c. 2, de Panyasi. Ibidem c. 32, p. 426, commemorantur etiam ἀρεταὶ οἰκονομικαὶ, Virtutes dispositionis, qua scriptor utitur. »
B Ernest. Lex. rh.] Est et poetarum οἰκονομία, quam in poematis suis sequuntur. Sic Serv. in Virg. : Bona œconomia et rei futuræ præparatio. Et alibi : Hoc loco ab Homeri œconomia recessit. Quintil. 1, 8, de veteribus Comicis apud Latinos : OEconomia quoque in his diligentior quam in plerisque novorum erit, qui omnium operum solam virtutem sententias putaverunt. Et aliquanto post, tradens quæ puer in lectione observare debeat : Præcipue vero illa infigat animis, quæ in œconomia virtus, quæ in decoro rerum, quid personæ cuique convenerit. Athen. 1, [p. 21, E] ex Chamæleonte de Æschylo : Πρῶτον αὐτὸν σχηματίσαι τοὺς χορούς, ὀρχηστοδιδασκάλοις οὐ χρησάμενον· ἀλλὰ καὶ αὐτὸν τοῖς χοροῖς τὰ σχήματα ποιοῦντα τῶν ὀρχήσεων, καὶ ὅλως πᾶσαν τὴν τῆς τραγῳδίας οἰκ. εἰς ἑαυτὸν περιϊστᾷν. Sic schol. Soph. p. 129 : Θαυμαστὴ δὲ ἡ οἰκ. τοῦ ποιητοῦ, μὴ ἅμα τῇ ἀπαγγελίᾳ τοῦ θανάτου κομίσαι τὰ λείψανα. Et alibi in OEd. C. : Καλῶς δὲ τὰ τῆς οἰκ. ἔχει, ἵνα μὴ μόνος ὁ Οἰδίπους ἀπολειφθῇ. Donat. in hæc Andriæ Terent. [1, 4, 1], Audivi
C Archillis : Hæc sunt inventionis poeticæ, ut ad œconomiam facetiæ aliquid addant; nam οἰκονομία est ut accersatur obstetrix, et conveniatur Pamphilus.

[Οἰκονομία, ἡ, OEconomia, n. mulieris. Σερϐιλία Οἰκονομία, monum. in Mus. Worslejano vol. 1, tab. 28, p. 47. L. Dind.]

Οἰκονομιαστής, ὁ, ab οἰκονομία, Dispensator, Administrator, Gubernator, VV. LL.

Οἰκονομικὸς, ή, όν, Qui est dispensatoris rei domesticæ, Pertinens ad dispensatorem rei familiaris : οἰκ. τέχνη, ἐπιστήμη, Aristot. Eth. 1, 1, Scientia dispensandi res domesticas : cujus finem esse dicit πλοῦτον : quam in Polit. absolute οἰκονομικὴν appellat, sed subaudito horum altero, vel ἐπιστήμη, vel τέχνη, Polit. 3, 11 : Ὥσπερ γὰρ ἡ οἰκονομικὴ βασιλεία τις οἰκίας ἐστὶν, οὕτως ἡ βασιλεία, πόλεως καὶ ἔθνους ἑνὸς ἢ πλειόνων οἰκονομία. Et 1, 5 : Οὐχ ἡ αὐτὴ οἰκονομικὴ τῇ χρηματιστικῇ· τῆς μὲν γὰρ, τὸ πορίσασθαι· τῆς δὲ, τὸ χρήσασθαι. Hanc οἰκονομικὴν Cic. vocat Privatæ vitæ rationem, quum ait, Quum autem tertia pars philo-
D sophiæ bene vivendi præcepta quæreret, ea quoque ab iisdem non solum ad privatæ vitæ rationem, sed etiam ad rerump. rectionem relata : i. e. οἰκονομικὴν et πολιτικήν. Eod. lib. c. 8, tres partes facit τῆς οἰκονομικῆς, sc. δεσποτικὴν, πατρικὴν, γαμικήν : ubi cum οἰκονομικὴ subaudiendum ἀρχὴ, ut ex seqq. patet; nam οἰκονομικὴν ἀρχὴν patrifamilias tribuit triplicem, δεσποτικὴν, qua servis præest, ut herus : πατρικὴν, qua filiis, ut pater, quam regiam esse dicit; et γαμικὴν, qua uxori, ut maritus : quam πολιτικὴν appellat. [Xen. OEc. 3, 4, 11 : Τί ὠφελήσει ἡ οἰκονομική· 21, 2 : Καὶ πολιτικῇ καὶ οἰκονομικῇ.] Aliquando οἰκονομικὸν reddere possumus Quod ad rem familiarem tuendam aut locupletandam confert, imitando Cic., qui ita De senect. : Quam copiose ab eo agricultura laudatur in libro qui est de Tuenda Re familiari, qui Οἰκονομικὸς inscribitur. At Xen. Cyrop. 8, p. 120 [c. 1, 14] οἰκονομικὰ videtur accepisse pro ipsa Dispensatione rei familiaris, aut etiam ipsa Re familiari : Σκοπῶν ὅπως ἂν τὰ οἰκονομικὰ καλῶς ἔχοι. [Ib. 15 : Τὰς οἰκονομικὰς πρά-

ξεις· OEc. 3, 3 : Λέγειν τί μοι δοκεῖς καὶ τοῦτο τῶν οἰκονομικῶν. Et ib. 1, ἔργων.] Οἰκονομικὸς dicitur etiam Is qui dispensandæ et tuendæ rei familiaris peritus est, Peritus rerum domesticarum dispensator. [Xenoph. Comm. 3, 4, 12 : Μὴ καταφρόνει τῶν οἰκονομικῶν ἀνδρῶν· 4, 2, 9 : Τοὺς ὀλίγα κεκτημένους, ἐὰν οἰκονομικοὶ ὦσιν, εἰς τοὺς πλουσίους (θήσομεν).] Plut. Π. Πολυπρ. [p. 515, E] loquens de Xenophonte : Λέγει τοῖς οἰκονομικοῖς ἴδιον εἶναι τῶν ἀμφὶ θυσίαν σκευῶν, ἴδιον τῶν ἀμφὶ δεῖπνα τόπον, ἀλλαχοῦ κεῖσθαι τὰ γεωργικὰ, χωρὶς τὰ πρὸς πόλεμον. Athen. 3, [p. 73, D] : Βουλόμενοι οἰκονομικώτεροι εἶναι. [Xen. Ages. 10, 1 : Οὐχ ὥσπερ εἰ θησαυρῷ τις ἐντύχοι, πλουσιώτερος μὲν ἂν εἴη, οἰκονομικώτερος δὲ οὐδὲν ἄν.] Sic Aristot. [H. A. 9, 37] de polypo : Ἀνόητος μέν ἐστιν, οἰκονομικὸς δ' ἐστίν. Unde Plin. : Quum alioqui brutum habeatur animal, in re quodammodo familiari callet : omnia in domum comportat. [De poetis, ut Οἰκονομεῖν, Οἰκονομία, Οἰκονομικῶς, Eust. Il. p. 7, 10 : Τὸ γὰρ κατὰ φύσιν ἀπὸ τῶν πρώτων ἄρξασθαι οὔτε καινόν τι ἔχει καὶ ὁ ἀκροατὴς δὲ ὡς ἐπὶ πολὺ οὕτως ἐλπίζει γενέσθαι, ἅμα δὲ καὶ διὰ τὸ δεινότερον, τουτέστιν οἰκονομικώτερον. || « Οἰκονομικὴ, Cyrillus Scythop. in Vita Ms. S. Sabæ c. 56 : Ὑπερζέσας τῷ θυμῷ ὁ βασιλεὺς ἀπέστειλεν Ὀλύμπιόν τινα Καισαρέα ... συναποστείλας αὐτῷ τὴν ἀπὸ Σιδῶνος γραφεῖσαν οἰκονομικὴν ἐπιστολήν. Qui l. refertur in Conc. Nicæno II act. 1. Ubi vet. Int. legisse videtur οἰκουμενικὴν, Universalem epistolam vertens : novus Dispensatoriam reddidit. Rursum idem : Γράμμασι κολακευτικοῖς τε καὶ οἰκονομικοῖς πρὸς τὸν βασιλέα χρησαμένων. Balsamon ad Nomocanon. Photii tit. 13, c. 2 ex versione Lat. : « Nisi si quando Imp. οἰκονομικῷ τινι λόγῳ ... permiserit. Licitum est enim Imperatoribus aliter quam secundum leges οἰκονομεῖν. » Ubi Agylæus int. Dispensationem et Dispensare vertit. Infra : « Quod enim perfecto sponsaliorum nuptiarumque tempori deest, supplens Imperatoris οἰκονομία, » etc. Mox οἰκονομικῶς voce utitur. » Ducang.]

Οἰκονομικῶς, More dispensatorum rei familiaris, More eorum qui dispensandæ et tuendæ rei familiaris periti sunt, Budæo Non sine mysterio et certa ratione, et ut res, quæ gerebatur, poscebat, in Damasc. 3 De Christo : Εἰ καὶ οἰκ. ἑαυτὸν συνέστελλε πολλάκις· οὐ γὰρ ἠγνόει τὸν καιρόν· Etiamsi sæpe Judæis male cogitantibus se subduxit, quando ita mysterium futuri supplicii poscebat, cujus tempus nondum venisse sciebat. Videtur autem metaph. esse a providis rerum domesticarum dispensatoribus, qui sciunt quo quælibet tempore agenda sint, et quando expensæ faciendæ. [Lex. Ms. ex cod. Reg. 1708 : Οἰκονομικῶς ἐπὶ τοῦ Χριστοῦ κατὰ τρεῖς δύναται νοεῖσθαι τρόπους, τουτέστιν ἢ ὡς χάριν τῆς οἰκονομίας, ὡς ὅταν λέγομεν οἰκονομικῶς ἐθήλασε καὶ ἐνηπίασε καὶ ἐκοιμήθη καὶ ἐπείνησε καὶ ἐδίψησε, τουτέστι κατὰ φύσιν τῆς σαρκὸς τῆς οἰκονομίας αὐτοῦ (λέγομεν. Πάλιν οἰκ. καὶ ὅτε γίνεται πρᾶγμα οὐ πάντως ὀφεῖλον γίνεσθαι, γίνεται δὲ διὰ συγκατάβασιν καὶ σκοπὸν σωτηρίας τινῶν ... Ἔστι δὲ πάλιν οἰκ. ὅταν ἦλθεν εἰς τὴν συκῆν ἀπὸ πρωίας πεινῶν καὶ ἐξήρανεν αὐτὴν, καὶ ὅτε ἦλθε πρὸς τοὺς μαθητὰς νυκτὸς περιπατῶν ἐπὶ τῶν ὑδάτων διά τινας οἰκονομίας ἀποκρύφους κτλ. ap. Zonar. p. 1438). Sed de hac voce multa multi commentati sunt, Budæus, Vulcanius in S. Cyrillum C. Anthropomorph. ad p. 26 primæ ed., Casaub. ad Epist. S. Greg. Nyss., Fr. Scorsus ad Hom. 5 Theophanis Ceramei, Vales. ad Euseb. H. E. 1, 1; 10, 1, et ad Philostorg. 6, 3, et alii. Ducang. Theod. Stud. p. 321, A : Διύπνισον τὸν ἀκοίμητον ὀφθαλμὸν οἰκ. καθεύδοντα· 593, C : Τὸ μὲν οὖν μεταδιδόναι μεταδιδότω· τοῖς μὲν ἱερωμένοις οἰκ. μετὰ ἐπιτιμίου· D : Οἰκ. δὲ ταῦτα εἴρηται. Maximus Conf. vol. 2, p. 42, C : Φαίνεται ὁ αὐτὸς ὡς ἄνθρωπος καὶ τὸ κατὰ φύσιν ὑπάρχων θεὸς θέλων οἰκ. παρελθεῖν τὸ ποτήριον. Alia multa Suicerus.] Quum vero scholiastæ poetarum dicunt οἰκονομικῶς λεχθὲν, intelligunt de ea poetarum οἰκονομίᾳ, de qua aliquanto ante dictum. [Schol. Hom. Il. A, 1, p. 1, 30 : Ὁ ποιητὴς οἰκ. κἂν τούτῳ ἤρξατο ἀπὸ τῶν τελευταίων. Schol. Eur. Phœn. 69. Comparativo Jo. Veccus in Allatii Græciæ Orthod. vol. 2, p. 2, A : Ἵνα τινὰ τῶν οἰκονομικωτέρων ἡμῖν ἐν τῇ πρωτοτύπῳ βίβλῳ διαληφθέντων ὑπὸ τῶν ἐν ἀντιγράφῳ ἀκριβεστέρων σχοίη τὴν διόρθωσιν. Scribendum videtur —ρως. L. D. Superlativo Οἰκονομικώτατα
A schol. Eur. Hipp. 521 : Οἰκ. οὐδὲν πρὸς τὴν ὑπόθεσιν ἀντέθηκεν.]

Οἰκονόμος, ὁ, [ἡ, Æsch. Ag. 153 : Οἰκονόμος δολία, μνάμων μῆνις τεκνόποινος· Lysias p. 92, 22 : Καὶ γὰρ οἰκονόμος δεινή,] Domus sive Rerum ad domum pertinentium administrator, Qui domi omnia dispensat, Dispensator rei familiaris : ut Cicero, Dispensare res domesticas. Et Plin., Dispensator belli Armeniaci. [Dispensator, Archarius; Οἰκ. ὁ ἐπὶ τῆς κώμης, Vilicus, Gl. V. Mœris p. 372, qui magis Atticum putat ταμίας. Manetho 4, 610 : Ἀνδράσιν οἰκονόμοισι. Xen. Comm. 2, 10, 4 : Οἱ ἀγαθοὶ οἰκονόμοι, ὅταν τὸ πολλοῦ ἄξιον μικροῦ ἐξῇ πρίασθαι, τότε φασὶ δεῖν ὠνεῖσθαι. Et alibi sæpe. Plato Polit. p. 259, B : Καὶ μὴν οἰκονόμος γε καὶ δεσπότης ταὐτόν· 258, E : Πότερ' οὖν τὸν πολιτικὸν καὶ βασιλέα καὶ δεσπότην καὶ ἔτ' οἰκονόμον θήσομεν ὡς ἓν πάντα ταῦτα προσαγορεύοντες; Amat. p. 138, C : Ἔστιν ἄρα ταὐτὸ, ... οἰκονόμος, δεσπότης, etc.] Vide et Ἀστυνομία. Aristot. Polit. 5, 11, de principibus qui rerum publicarum curam aliquam gerunt, rationesque reddunt acceptorum
B et expensorum : Οὕτω γὰρ ἂν τις διοικῶν, οἰκονόμος, ἀλλ' οὐ τύραννος εἶναι δόξει, Dispensator civitatis. Et c. ult. Ep. ad Rom. [23] : Ἔραστος ὁ οἰκονόμος τῆς πόλεως, vet. Interpr. Arcarius; dicitur autem Arcarius in Pand. Qui publicam vel privatam asservat pecuniam. Erasm. Quæstor ærarii : alii Procurator. Et Θεοῦ οἰκονόμος, Ad Tit. 1, [7], Qui in domo Dei omnia dispensat. Proprie autem accipitur Luc. 16, [1] : Ἄνθρωπός τις ἦν πλούσιος, ὃς εἶχεν οἰκονόμον· qui postea jubetur ἀποδοῦναι λόγον τῆς οἰκονομίας αὐτοῦ, Reddere rationem dispensatæ rei domesticæ. Interdum accipitur pro Distributor, ut et Lat. Dispensator. 1 Petri 4, [10] : Ὡς καλοὶ οἰκονόμοι ποικίλης χάριτος, Ut boni dispensatores variæ Dei gratiæ. Aristot. Rhet. 3, [3] ex Alcidamante : Πανδήμου χάριτος δημιουργὸς καὶ οἰκονόμος τῆς τῶν ἀκουόντων ἡδονῆς, ubi videtur dicere, Scire quando auditores oblectandi sint, ut bonus rerum domesticarum dispensator, quando aliquid expendendum. [De οἰκονόμῳ, Dispensatore ecclesiæ, οἰκονόμῳ μεγάλῳ, dignitate in ecclesia Sophiana et Græcanica,
C de οἰκονόμοις monasteriorum v. Ducang. Gl. De accentu Arcad. p. 85, 25; 91, 4.]

[Οἰκοπεδικὸς, ἡ, ὸν, Ad aream domus pertinens. Pap. Ægypt. ap. Peyron. Papyri fasc. 1, p. 34, 9 : Πήχεις οἰκοπεδικοὺς ἑπτὰ ἥμισυ. Conf. quæ de signif. disputavit Peyron. p. 113 seqq. L. Dind.]

Οἰκόπεδον, τὸ, Area domus, Solum supra quod domus diruta stetit aliquando. [Photio s. Suidæ ἔρημον κατάπτωμα οἴκου. Quam tamen Ruinæ signif. non necessario esse ponendam præter voc. Οἰκοπεδικὸς ipsa ostendit etymologia. Thuc. 4, 90 : Λίθους ἅμα καὶ πλίνθον ἐκ τῶν οἰκοπέδων τῶν ἐγγὺς καθαιροῦντες.] Diosc. 3, 119, de marrubio : Φύεται περὶ τὰ οἰκ. καὶ ἐρείπια, Circa areas domorum et rudecta. Bud. interpr. Area ædificii quod corruit, ap. Æschin. [p. 26, 9] : Τῆς οἰκίας ταύτης ἕστηκε τὰ οἰκ., Reliqua est area domus illius collapsæ. Xen. [Vect. 2, 6] : Πολλὰ οἰκιῶν ἔρημά ἐστιν ἐντὸς τῶν τειχῶν καὶ οἰκόπεδα. [Καὶ delendum videtur. Polyb. 15, 23, 10 : Πόλεως οἰκόπεδον ἔρημον ἐκληρονόμει. Vicissim ap. Diodor. 5, 66 : Ὅπουπερ ἔτι
D καὶ νῦν δείκνυται θεμέλια Ῥέας οἰκόπεδα, Wessel. conjiciebat καὶ οἰκ. Appiani Hisp. 6, 33 fin. : Ὁ Μάρκιος τὴν ἀρετὴν τῶν Ἀσταπαίων καταπλαγεὶς, οὐκ ἐνύβρισεν ἐς τὰ οἰκόπεδα αὐτῶν· Mithr. c. 53 : Οἰκόπεδον οὐδὲν αὐτῆς οὐδ' ἄγαλμα ἔτι ἦν· Civ. 4, 102 : Ὡς μηδὲν ἔτι πλὴν οἰκόπεδα μόνον ἱερῶν ὁρᾶσθαι. Quorum locorum nonnullis convenit signif. Ædificii potius quam Ruinæ.] In hoc autem Aristot. l. Polit. 2, [6] : Καὶ τὴν τῶν οἰκ. διαίρεσιν δεῖ σκοπεῖν, μή ποτ' οὐ συμφέρῃ πρὸς οἰκονομίαν, accipitur potius pro Area domus ædificandæ. Aliud exemplum ex Plat. [Leg. 5, p. 541, C] habes in Γήπεδον. [Exc. Phrynichi Bekk. An. p. 32, 1 : Γήπεδον διαφέρει οἰκοπέδου· οἰκόπεδον γὰρ οἰκίας κατερριμμένης ἔδαφος, γήπεδα δὲ τὰ ἐν ταῖς πόλεσι προκείμενα, οἷον κηπία. Οἰκήπεδα male ap. schol. Opp. Hal. 1, 54.]

[Οἰκοπίναξ, ἄκος, ὁ, pro οἴκοι πίναξ male scriptum ap. Aristæn. Ep. 2, 5, 8.]

[Οἰκοποιέω, Domum struo. Cæsar. Dial. 1, 30 : Ὁδοποιεῖν ἑαυτοὺς τῷ κυρίῳ παιδευόμεθα, καὶ οἰκοποιεῖν δι' ἐναρέτου πολιτείας, μονὴ καὶ ναὸς αὐτοῦ γινόμενοι.]

Οἰκοποιὸς, ὁ, ἡ, sequendo signif. aliorum a ποιῶ compositorum, accipiendum esset pro Domus fabricator, Ædificator : Soph. tamen usurpavit pro Eo qui in ædibus factus est, Domi apparatus. In Phil. p. 379 [32]: Οὐδ' ἔνδον οἰκοποιός ἐστί τις τροφή; i. e. ἡ ἐν οἴκῳ γενομένη, schol. [Hic quoque active dictum.]

Οἰκοπορεῖα, τὰ, Vasa domestica, τὰ κατ' οἰκίαν σκεύη Suidæ. [Οἰκυπορεῖα male ap. Photium. Legendum οἰκητήρια, quod ap. Hesychium, ut supra dictum, in οἰκητόρια, hinc in οἰκυπορεῖα et οἰκοπορεῖα corruptum, etiam Eustathium fefellit Od. p. 1423, 5. Quod vidit Schneider.]

[Οἰκόριος, α, ον, pro οἰκούριος, Domesticus, Pind. Pyth. 9, 19: Οὔτε δείπνων οἰκοριᾶν μεθ' ἑταιρᾶν τέρψιας.]

Οἶκος, ὁ, Domus. [Casa, Ædes add. Gl. Eadem : Οἶκος βασιλικὸς, Aula.] A poetis οἶκος aliquando vocatur ἡ οἰκία, aliquando ἡ οὐσία, inquit Plut. [Mor. p. 22, D], afferens illius quidem signif. exemplum, Οἶκον ἐς ὑψόφορον· hujus autem, Ἐσθίεταί μοι οἶκος· qui duo loci sunt Homeri. Possunt autem addi his exemplis alia plurima: sed quod ad priorem illam signif. attinet, adjungam duntaxat οἶκόνδε ex eodem poeta, quod adverbialiter ponitur pro πρὸς οἶκον, Latine Domum, non adjecta præpositione. Il. A, [606]: Οἱ μὲν κακκείοντες ἔβαν οἶκόνδε ἕκαστος, Cubitum iverunt, domum quisque suam. B, [158]: Οὕτω δὴ οἶκόνδε φίλην ἐς πατρίδα γαῖαν Ἀργεῖοι φεύξονται ἐπ' εὐρέα νῶτα θαλάσσης. [Od. Υ, 34 : Οἶκος μέν τοι ὅδ' ἐστὶ, γυνὴ δέ τοι ἥδ' ἐνὶ οἴκῳ· 265 : Ἐπεὶ οὔτοι δήμιός ἐστιν οἶκος ὅδ', ἀλλ' Ὀδυσῆος. Pind. Pyth. 4, 294 : Εὔχεταί ποτε οἶκον ἰδεῖν. Æsch. Eum. 458 : Ἔφθιθ' οὗτος οὐ καλῶς μολὼν ἐς οἶκον· Prom. 387 : Σαφῶς μ' ἐς οἶκον σὸς λόγος στέλλει πάλιν· Ag. 867 : Ὡς πρὸς οἶκον ὠχετεύετο φάτις. Et ap. alios quosvis. Sine præp. Soph. OEd. T. 637 : Οὐκ εἶ σύ τ' οἴκους, σύ τε, Κρέον, κατὰ στέγας; Nam ap. Diod. Exc. Hœsch. p. 497, Καὶ οὐδεὶς ὑπελείφθη ἀπελθεῖν οἶκον, nisi scrib. εἰς οἶκον, barbari eclogarii est.] Est autem hoc vocabulum poetis commune cum oratoribus, quum alioqui δόμος illis sit peculiare, sicut et δῶμα : licet δόμος ap. Herodot., significatione etiam paulum diversa, reperiatur. Xen. Cyrop. 4, [6, 9]: Τὰ μὲν τείχη, ὅταν θέλῃς, οἶκόν σοι παρέξω. [H. Gr. 3, 2, 12 : Καρία, ἔνθαπερ ὁ Τισσαφέρνους οἶκος· 4, 12 : Νομίσας ἐπὶ τὸν αὐτοῦ οἶκον εἰς Καρίαν αὐτὸν ὁρμήσειν.] 8, [6, 5]: Ἔδωκε πολλοῖς τῶν φίλων κατὰ πάσας τὰς καταστραφείσας πόλεις, οἴκους. Et οἶκος βασίλειος, Domus regia, s. potius Regia, sine adjectione. Cum præpp. ἐν et ἐπί. Est autem ἐν οἴκῳ, quod Latini dicunt Domi, ἐπ' οἴκου autem, Attice pro ἐπ' οἶκον, quod illi dicunt Domum, pro quo Hom. οἶκόνδε, ut docui modo. [Plurali Soph. Tr. 1275: Λείπου μηδὲ σὺ, παρθέν', ἐπ' οἴκων.] Sed pro Domi dicitur et Οἴκοι, quod adverbium est. [Pind. Ol. 6, 43: Ἅπαντας ἐν οἴκῳ εἴρετο παῖδα.] Plut. [Mor. p. 142, C] : Ταῖς Αἰγυπτίαις ὑποδήμασι χρῆσθαι πάτριον οὐκ ἦν, ὅπως ἐν οἴκῳ διημερεύσωσι. Et pro Domi, generaliore signif. veluti quum dicitur Domi, Foris. Xen. [H. Gr. 1, 5, 16]: Οἱ δὲ ἐν οἴκῳ Ἀθηναῖοι, ἐπειδὴ ἠγγέλθη ἡ ναυμαχία. Alicubi vero οἱ ἐν οἴκῳ, redditur Domestici. [Æsch. Cho. 579 : Φύλασσε τἀν οἴκῳ καλῶς. Plurali Æsch. Eum. 417 : Ἀραὶ τ' ἐν οἴκοις γῆς ὕπαι κεκλήμεθα. Soph. El. 1309 : Μήτηρ δ' ἐν οἴκοις.] At cum ἐπί : ut, Ἀπεχώρησαν ἐπ' οἴκου, Thuc. [1, 87]; et [108], Ἀπῆλθον ἐπ' οἴκου· qui dixit etiam Νῆες ἐπ' οἴκου ἀνακομιζόμεναι. [Sic 2, 31, Xen. H. Gr. 4, 8, 6.] Sed et cum præp. κατά. [Soph. El. 929 : Καὶ ποῦ 'στιν; — Κατ' οἶκον. Et alii multi. Herodot. 3, 79 : Κατ' οἴκους ἑωυτοὺς οἱ μάγοι ἔχουσι· 6, 39 : Εἶχε κατ' οἴκους.] Dicitur autem οἱ κατ' οἶκον pro Domestici [Soph. Trach. 934 : Ὀψ' ἐκδιδαχθεὶς τῶν κατ' οἶκον] : itidemque τὰ κατ' οἶκον, Domestica, Res domesticæ. Thuc. 2, [60] : Ταῖς κατ' οἶκον κακοπραγίαις, Domesticis calamitatibus. [Plur. Soph. Ant. 531 : Ἡ κατ' οἴκους ὡς ἔχιδν' ὑφειμένη λήθουσά μ' ἐξέπινες.] Interdum vero κατ' οἶκον, s. κατ' οἴκους adverbialiter redditur Domesticatim, vel Per unamquamque domum, s. potius Per singulas domos. Invenitur autem junctus hujus nominis gen. et præpositioni ἐπί [ἀπό. Eur. fr. Alcmæonis ap. Hesych. v. Ἀτενής : Ἥκω δ' ἀτενὴς ἀπ' οἴκων.] Thuc. 1, [99]: Ἵνα μὴ ἀπ' οἴκου ὦσι, quod exp. Ne peregre proficiscerentur. [Cum præp.
A ἐξ Xen. Ages. 2, 11 : Τῶν ἐξ οἴκου αὐτῷ συστρατευσαμένων.] || Domus pars, μέρος τι τῆς οἰκίας, Hesych., afferens ex Hom. [Il. Z, 490], Ἀλλ' εἰς οἶκον ἰοῦσα τὰ σαυτῆς ἔργα κόμιζε. Apud Athen. itidem οἶκος est certa pars domus, ut et ap. Vitruv.: Qui œcos facit majores tricliniis, Bud.; addens etiam οἶκον esse Triclinium prægrande ad convivia. Idem alicubi αὐλὴν et οἶκον pro eod. accipi tradit ap. Athen. Quinetiam pro Cubiculo poni a Luciano tradit. Vide Vitruv. quum alibi, tum 6, 5. [Οἶκος ὑπὸ μίαν κλεῖδα, Conclavis, Gl. Xen. Conv. 2, 18 : Οἶκος ἑπτάκλινος. De sepulcro, ut supra οἴκησις, Diodor. 1, 51 : Τοὺς δὲ τῶν τετελευτηκότων τάφους ἀϊδίους οἴκους προσαγορεύουσιν, ὡς ἐν ᾅδου διατελούντων τὸν ἄπειρον αἰῶνα.] || Οἶκος νεὼς, q. d. Domus navis, vide Νεώσοικος, quod usitatius est. VV. LL. ex schol. Aristoph. [Ach. 96], οἶκος νεὼς, Statio navis. || Οἶκοι πλανητῶν, Domicilia planetarum, Sedes s. Regiones assignatæ planetis : unde dicuntur οἰκοδεσποτεῖν. [Vox astronomorum in eorum libris passim obvia. Eust. Il. p. 162, 2 : Δέδονται τόποι τινὲς τοῖς πλανήταις, οὓς οἴκους αὐτῶν καλοῦσιν οἱ νεώτεροι, ἐν οἷς αὐτοὺς ὄντας
B καὶ οἰκοδεσποτεῖν λέγουσιν. V. Scalig. ad Manil. 1, p. 202, ubi δωδεκάτοπον s. XII domus cælestes descripsit. (Schol. Eur. Phœn. 1 : Τοὺς οἴκους τοῦ ζῳδιακοῦ κύκλου.) || Ecclesia, Ædes sacra. Gloss. : Ædes, αὐλαὶ, ναοί. Gloss. Basilic. : Ἀέδες οἱ ναοί. Chron. Pasch. passim ea notione hanc vocem usurpat a. 1 et 4 Marciani, a. 7 et 11 Leonis M., ut alios præteream. Ducang. Οἶκος θεοῦ notat Templum, Timoth. 1, 3, 15. Quæ appellatio quum alibi sæpe occurrat, allusione procul dubio ad templum Hierosol., hoc l. ei non opponitur, verum ædibus s. templis gentilium s. Græcorum, quibus illi potissimum gloriabantur... ita sc. ap. illos pariter templa deorum οἶκοι θεῶν s. *OEci* passim dicebantur. Hesychius : Ναὸς, οἶκος ἔνθα θεὸς προσκυνεῖται. Et quidem οἶκος proprie Cella, Sacellum, Delubrum, Sacrarium dei, ubi imago ejus. Hesych. : Οἶκος, ὀλίγη οἰκία. Nominatim vero D. Paulus istud oppositum voluit templo cellæque Dianæ Ephesinæ, de quo οἴκῳ Aristophanes quoque, ac maxime Cereris Eleusiniæ.
C Templum certe vel sacellum, delubrum Eleusinium, in quo mysteria agitabantur, dicitur οἶκος Aristidi in orat. Eleusinia, οἶκος μυστικὸς Dioni Chrysostomo Or. 12, ut et οἴκημα itidem, μυστοδόκος δόμος Aristophani in Nub., μυστικὸς σηκὸς Straboni l. 19. Οἶκος ap. scriptt. eccles. passim de Templo. Can. 5 Gangrensis : Εἴ τις διδάσκει τὸν οἶκον τοῦ θεοῦ εὐκαταφρόνητον εἶναι καὶ τὰς ἐν αὐτῷ συνάξεις, ἀνάθεμα ἔστω. Euseb. H. E. 8, c. ult.: Οἴκους ἐν οἷς συνήγοντο οἱ Χριστιανοί· 9, 9 : Οἴκους ἐκκλησιῶν οἰκοδομεῖν. Chrysost. Hom. 95, t. 6 : Οἶκός ἐστι δεσποτικὸς ἡ ἐκκλησία. Alias vocatur οἶκος εὐκτήριος, quod v. Οἶκος προσευχῆς in N. T. Suicer. Ap. Zosimum 4, 18, 4 : Εἰκόνα τοῦ ἥρωος (Achillis) ἐν οἴκῳ μικρῷ δημιουργήσας ὑπέθηκε τῷ ἐν Παρθενῶνι καθιδρυμένῳ τῆς Ἀθηνᾶς, Kœhlerus *Mém. de l'Acad. de St. Peterb.* vol. 10, p. 797, interpretabatur Cistulam, ut esset i. q. σηκὸς, quo condita esset effigies. De cavea dixisse videtur Diodor. 13, 82 : Τινὰ δὲ (τῶν μνημείων κατεσκεύασαν) τοῖς ὑπὸ τῶν παρθένων καὶ παίδων ἐν οἴκῳ τρεφομένοις ὀρνιθαρίοις, ubi οἰκίσκῳ malebat Valck.
D De alveari Geopon. 15, 2, 22 : Οἶκός σοι ἔστω ὑψηλὸς δεκαπηχυαῖος.] || Domus, i. e. Familia [Gl. Herodot. 5, 31 : Σὺ ἐς οἶκον τὸν βασιλέος ἐξηγητὴς γίνεαι πρηγμάτων ἀγαθῶν· 6, 9. Plato Leg. 10, p. 890, A : Πόλεσί τε καὶ ἰδίοις οἴκοις.] Thuc. [1, 137]: Ὃς κακὰ μὲν πλεῖστα Ἑλλήνων εἴργασμαι τὸν ὑμέτερον οἶκον. Dem. [p. 1096, 20] : Ὁ γὰρ μήπω ἐν τῷ οἴκῳ τῷ Ἀρχιάδου ὤν. Athen. 13, [p. 560, C] : Ἀνετράπησαν δὲ καὶ ὅλοι οἶκοι διὰ γυναῖκας. Sic et ap. Hom. exp. alicubi. [Od. A, 232 : Μέλλεν μέν ποτε οἶκος ὅδ' ἀφνειὸς καὶ ἀμύμων ἔμμεναι, ὄφρ' ἔτι κεῖνος ἀνὴρ ἐπιδήμιος ἦεν. Sic accipere licet etiam 397 : Αὐτὰρ ἐγὼ οἴκοιο ἄναξ ἔσομ' ἡμετέροιο καὶ δμώων. Hesiod. Op. 242 : Οὐδὲ γυναῖκες τίκτουσιν, μινύθουσι δὲ οἶκοι. Pind. Ol. 13, 2 : Τρισολυμπιονίκαν ἐπαινέων οἶκον. Et sæpissime Tragici, ut Æsch. Eum. 751 : Οἶκον ψῆφος ὤρθωσεν μία· 895 : Ὡς μή τιν' οἶκον εὐθενεῖν ἄνευ σέθεν. Soph. El. 978 : Τὸν πατρῷον οἶκον. Et alibi.] Bud. πατρῷον οἶκον vertit Gentilitatem, in isto Isæi l. [p. 66, 3] : Μητρὸς δὲ οὐδείς ἐστιν ἐκποίητος, ἀλλ' ὁμοίως ὑπάρχει τὴν αὐτὴν εἶναι μητέρα, κἂν ἐν τῷ πατρῴῳ μένοι

τις οἴκῳ, κἂν ἐκποιηθείη. Ita enim hæc reddit: A matre nullus per adoptionem alienus esse potest, neque matrem habere potest nisi propriam, sive in gentilitate maneat, sive inde migret. [Pind. Nem. 9, 14: Οἴκων πατρῴων. Æsch. Cho. 76: Ἐκ γὰρ οἴκων πατρῴων δούλιον ἐσᾶγον αἶσαν.] || Bona, Facultates, οὐσία, ut dixi exponere Plut. in isto Hom. loco, Ἐσθίεταί μοι οἶκος. Quod hemistichium extat Od. Δ, [318] ubi ista verba absolvunt versum, ὄλωλε δὲ πίονα ἔργα. [B, 64: Οὐδ' ἔτι καλὸς οἶκος ἐμὸς διόλωλε.] Addi autem possunt huic exemplo, quod Plut. protulit, etiam ista, Τοὶ δὲ φθινύθουσιν ἔδοντες Οἶκον ἐμὸν, Od. A, [250]. Et [248]: Τόσσοι μητέρ' ἐμὴν μνῶνται, τρύχουσι δὲ οἶκον. Et Π, [431]: Τοῦ νῦν οἶκον ἄτιμον ἔδεις. [Ξ, 233: Αἶψα δὲ οἶκος ὀφέλλετο· T, 161: Οἴκου κήδεσθαι καὶ κτήματα πάντα φυλάσσειν· Il. O, 498: Οἶκος καὶ κλῆρος ἀκήρατος. Quæ jungit etiam Od. Ξ, 64. Herodot. 3, 53: Τὸν οἶκον τοῦ πατρὸς διαφορηθέντα· 7, 224: Τὸν οἶκον πάντα τὸν ἑωυτοῦ ἐπέδωκε. Plato Lach. p. 185, A.] Sic et ap. Dem. accipi tradit Bud. [p. 833, 24: Οἶκοι ταλαντιαῖοι καὶ διτάλαντοι]; itidemque Xenophonti [OEc. 1, 5 et al.] esse τὴν σύμπασαν κτῆσιν. [Pausan. 8, 51, 2: Ἐδίδοσαν οἶκον αὐτῷ τὸν Νάβιδος ἐς πλέον ἢ τάλαντα ἑκατόν.] [|| Οἶκος, Hymni genus, in Dei vel Sancti alicujus laudem, ita constructum, ut quasi Compagem, Ædificium fabricamque virtutum ejus et gloriæ videatur componere: et ideo κοντακίῳ opponitur, ut eo amplius et diffusius. Italorum quoque poemata habent *Stanze*, id est *Domus* sive *Habitacula*. Ita Goarus ad Euchologp. 57, 541. Triodium Sabbato 5 hebdom. jejun.: Καὶ ἀναγινώσκομεν ὑπὸ τῶν οἴκων ς'· ἱστάμεθα εἰς τὴν τούτων ἀνάγνωσιν· οἱ δ' αὐτοὶ οἶκοί εἰσι κατὰ ἀλφάβητον ἤγουν κδ', καὶ λέγονται παρὰ τοῦ ἱερέως, οἶκος πρῶτος, Ἄγγελος πρωτοστάτης οὐρανόθεν ἐπέμφθη, etc. Atque ibi describuntur singuli œci, quorum initia a singulis alphabeti literis initium ducunt. Secundus enim œcus incipit a βλέπουσα, tertius a δύναμις, quartus ab ἔχουσα, et sic deinceps. Euchólog. p. 54: Κοντάκιον καὶ ὁ οἶκος. Marcus hieromon. De dubiis Typicis c. 9: Καὶ ὁ οἶκος, εἶτα καθίσματα τῶν ἁγίων, etc. Add. c. 30. Aliique multi. Ducang. V. schol. Hephæst. p. 172 sive Draco Strat. p. 167, 22, aliique recentiores de metris scriptores, Zanetæ Geomantia ap. Lambec. Bibl. Cæs. vol. 7, p. 555, B.]

[Οἴκοσε, Domum. Apollon. De adv. p. 607, 24.]

Οἰκοσιτία, ἡ, Quum quis domi suæ victitat, Domicœnium: ut Mart. loquitur 5: Si tristi domicœnio laboras Torani, potes esurire mecum. Et 12: Trinoctiali Affecit domicœnio clientem. [Pollux 6, 36.]

Οἰκόσιτος, ὁ, ἡ, Qui domi suæ cibum sumit, ex suis facultatibus vivit: cui opp. παράσιτος, et is cui civitas victum subministrat. Athen. 6, [p. 247, F]: Καλεῖται δὲ οἰκόσιτος ὁ μὴ μισθοῦ, ἀλλὰ προῖκα τῇ πόλει ὑπηρετῶν· ut ἐκκλησιαστὴς οἰκόσιτος, quod ex Antiphane affert. Ibid. οἰκόσιτος νυμφίος, Qui paternis bonis sustentare se potest, nec dote indiget. Menander [ibid.]: Οἰκόσιτον νυμφίον, οὐδὲν δεόμενον προικὸς ἐξευρήκαμεν. [Anaxilas ap. Polluc. 2, 34. Poll. ipse 6, 36.] A Luciano οἰκόσιτος dicitur Qui domi patris adhuc alitur, Somnio [c. 1]: Εἰ δέ τινα τέχνην τῶν βαναύσων τούτων ἐκμάθοιμι, τὸ μὲν πρῶτον εὐθὺς ἂν αὐτὸς ἔχειν τὰ ἀρκοῦντα παρὰ τῆς τέχνης, καὶ μηκέτι οἰκόσιτος εἶναι, τηλικοῦτος ὤν· item οἰκόσιτοι μαθηταὶ dicuntur Discipuli, qui quidem magistri ædes discendi causa frequentant, sed non ab eo aluntur, verum domi patris sui. Menander in Citharista [ap. Athen. l. c.]: Οὐχ οἰκοσίτους τοὺς ἀκροατὰς λαμβάνεις. Ab Eod. [Luc. De sacrif. c. 9] οἰκόσιτοι dii dicuntur Qui in cœlo cibum capiunt, nec in sacrificiis nidore victimarum crematarum vescuntur, et sanguinem per altaria sparsum lambunt: Ἦν δ' οἰκόσιτοι ὦσι, νέκταρ καὶ ἀμβροσία τὸ δεῖπνον. At nuptiæ οἰκόσιτοι, Quæ domi celebrantur, Quibus domi et privatim familiares excipiuntur, non publice tota multitudo. Menand. ap. Athen. [6, p. 248, A]: Μὴ Συνάγειν γυναῖκας, μηδὲ δειπνίζειν ὄχλον, Ἀλλ' οἰκοσίτους τοὺς γάμους πεποιηκέναι. [Οἰκ. μῦς, Babrius 109, 4. Hesychio μισθωτός, ἑαυτὸν τρέφων.]

[Οἰκοσκευή, ἡ, Supellex, Gl. Οἰκιακὸς ἐξοπλισμὸς in Basilicis 4, 13, 1; 15, 1, 2; 16, 3 etc. Ducang. Arcad. p. 103, 13.]

A [Οἰκοσκοπητικός, unde Οἰκοσκοπητικὸν, τὸ, i. q. οἰκοσκοπικὸν, quod v. Eudocia p. 41. « Nonn. ad Greg. Naz. Stelit. p. 160 s. Hist. Synag. 1, 72. » Boiss.]

Οἰκοσκοπικὸν, dicitur quoddam vaticinationis genus, quum ex iis, quæ in ædibus contingunt, auguramur: ut, verbi gratia, quid significet si felis aut serpens in tecto conspiciatur, si oleum aut mel effusum sit, et hujusmodi alia. Vide Suid. in Οἰωνιστικόν [et Ξενοκράτης. Quæ repetuntur in Crameri Anecd. vol. 4, p. 240 seq. V. Οἰκοσκοπητικός.]

[Οἰκοσσόος, ὁ, ἡ, Domum servans. Nonn. Dion. 21, 270: Οὐ δύνασαι γὰρ λάτριον ἔργον ἔχειν οἰκοσσόον. Maximus v. 98: Οἰκοσσόον ἄκοιτιν.]

Οἰκοτράφής, ὁ, ἡ, Domi nutritus, Verna, [Vernus, Vernaculus, Alumnus huic add. Gl.] οἰκογενής. [HSt. iterum:] Sic dicitur Οἰκοτραφὴς et Σκιατραφὴς, aliaque itidem, quæ habes cum suis subst. [Mœris p. 283: Οἰκότριψ Ἀττικοί, οἰκοτραφὴς Ἕλληνες. Thomas p. 645: Οἰκότριψ, οὐκ οἰκοτραφής. Pro οἴκοι τραφεὶς Soph. OEd. T. 1123 infert schol. Ven. Hom. Il. E, 533,

B Ambr. Od. Θ, 186.]

Οἰκοτρίβαιον, sub. παιδίον, Puer ex verna natus. Pollux 3, [76]: Τὸ δὲ παιδίον τὸ ἐκ τῶν οἰκοτριβῶν, οἰκοτρίβαιον ὠνόμαζον, Qui jam inde ab avo suo servit. [V. Οἰκοτρύβλιον.]

[Οἰκοτρϊβέω, Domi versor. Theodor. Stud. p. 434, A: Πάλιν ὧδέ τε κἀκεῖσε οἰκοτριβοῦντα. L. Dind.]

[Οἰκοτρίβης. V. Οἰκότριψ.]

[Οἰκοτρϊβής, ὁ, ἡ, i. q. οἰκοφθόρος. Critias ap. Athen. 10, p. 432, F: Οἰκοτριβὴς δαπάνη.]

[Οἰκοτριβικός, ἡ, όν, Vernalis, Gl.]

[Οἰκοτρίβων, ωνος, ὁ. Theod. Prodr. in Notitt. Mss. vol. 8, p. 92: Παρὰ τοῖς οἰκοτρίβωσι τῷ βασιλικῷ δαπέδῳ. Elberling. Videtur vitium scripturæ pro οἰκότριψι.]

Οἰκότριψ, ϐος, ὁ, [Verna, Gl.] et Οἰκοτρίϐης, ὁ, Verna, Servus vernaculus, et non nunc primum emptus, sed diu domi nostræ versatus aut etiam ex parentibus servis natus, ὁ ἀπὸ γονέων δοῦλος, qui et θρεπτός: qua re ab eo, qui οἰκέτης dicitur, differt.

C Ammon.: Οἰκότριψ, ὁ ἐν τῇ οἰκίᾳ διατρεφόμενος, ὃν ἡμεῖς θρεπτὸν καλοῦμεν· οἰκέτης δὲ, ὁ δοῦλος ὁ ὠνητός· quibus verbis Servum recens emptum s. Novitium significat. Hesych. οἰκοτρίβης, οἰκογενὴς δοῦλος. [Quod scribendum videtur, Οἰκότριβες, οἰκογενεῖς δοῦλοι, ut est in Lex. rh. Bekk. An. p. 286, 18, et ap. Photium. L. D.] Sic exp. Suid. in Agathia: Εἵπετο δὲ καὶ τῶν οἰκοτρίβων ὀπαδῶν ὁ προστάτης, καὶ ὅσον ἄλλο οἰκετικὸν, καὶ ὅσοι τομίαι κατευναστῆρες. [Ps.-Demosth. p. 173, 16: Φθόρους ἀνθρώπους οἰκοτρίβων οἰκότριβας.] Philo V. M. 1: Ὡς πριάμενος παρὰ δεσποτῶν, οἷς ἦσαν οἰκότριβες, ὑπήγετο, καὶ δούλους ἀπέφαινε, Tanquam vernas de justo domino emptos. Erasm. Chil.: Lacedæmonii vernas, h. e. servos domi natos, μόθωνας appellant, aut eos qui ingenuorum filios instituunt, quos Athenienses vocant οἰκότριβας. [Non de servo Aristoph. Th. 426: Ὡχότριψ Εὐριπίδης. Mus οἰκότριψ κλὼψ, Babrius 107, 2. Alia exx. indicavit Lobeck. ad Phryn. p. 203. De accentu parox. Eustath. Od. p. 1854, 16.]

[Οἰκότροφος, ὁ, ἡ, Domi vivens. Dio Chr. vol. 1,

D p. 202: Οἰκότροφοι μὲν οὐχ ἧττον τῶν γυναικῶν.]

Οἰκοτρύβλιον, τὸ, etiam habetur ap. Hesychium, τὸ ἐκ δούλου δοῦλον, nisi scrib. τὸν, et ap. Eust. [Od. p. 1423, 6, et Phot.] τὸ οἰκογενὲς παιδάριον. [Pro οἰκοτρίβαιον, quod v.]

[Οἰκοτύραννος, ὁ, Tyrannus domesticus. Palladas Anth. Pal. 10, 61, 1: Φεύγετε τοὺς πλουτοῦντας ἀναιδέας οἰκοτυράννους, μισοῦντας πενίην μητέρα σωφροσύνης.]

[Οἰκουμένη. V. Οἰκέω.]

Οἰκουμενικῇ, adv., Per universum terrarum orbem.

Οἰκουμενικός, ἡ, όν, Ad orbem terrarum pertinens: οἰκ. σύνοδος, Concilium in quod totus terrarum orbis coit. Damasc. p. 37, de Chalcedonensi Concilio: Τὴν παροῦσαν ταύτην ἁγίαν καὶ οἰκ. σύνοδον κατ' οὐδὲν ἔλαττω ἡγοῦμαι τῶν προλαβουσῶν ἁπασῶν. [Οἰκουμενικὸς titulus qui summo pontifici Rom. primum tributus legitur in Conc. Calchedonensi, in libello Theodori Diaconi Alexandrini: Τῷ ἁγιωτάτῳ καὶ μακαριωτάτῳ οἰκουμενικῷ ἀρχιεπισκόπῳ καὶ πατριάρχῃ τῆς μεγάλης Ῥώμης Λέοντι καὶ τῇ ἁγίᾳ καὶ οἰκουμενικῇ συνόδῳ. Ita etiam in libello Ischyrionis Diaconi, in libello Athanasii presbyteri Alexandrini, et in libello supplici Sophronii. Sed et Constantinus Pogonatus Imp. Papam οἰκουμενικὸν ἀρχιποιμένα compellavit, tametsi pontifices Rom. nunquam se ita inscripsisse in confesso sit. Primus vero Joannes νηστευτὴς patriarcha Cpol. hunc sibi titulum adscripsit et ex eo ceteri fere Cpoli præsules. Qua de causa ita sese indigitarint patriarchæ Cpolitani, videtur indicasse Theodoretus l. 4 Hæret. fabul., ubi de Nestorianis : Καὶ Νεστόριος ψήφῳ τῶν περὶ τὰ βασίλεια καὶ τοὺς θρόνους καὶ αὐτοῦ τοῦ τηνικαῦτα τῆς οἰκουμένης τὰ σκῆπτρα διέποντος τῆς κατὰ Κπόλιν τῶν ὀρθοδόξων καθολικῆς ἐκκλησίας τὴν προεδρίαν πιστεύεται, οὐδὲν δὲ ἧττον καὶ τῆς οἰκουμένης πάσης etc. Continuator Theophanis l. 4, 2, 30, de Photio : Πρὸς τὸν τῆς πατριαρχίας θρόνον ἀναβιβάζουσι καὶ τῆς οἰκουμένης τοὺς οἴακας ἐμπιστεύουσιν. || Οἰκουμενικαὶ σύνοδοι. Cedrenus a. 13 Pogonati : Ἐκλήθησαν δὲ οἰκουμενικαὶ διότι ἐκ κελεύσεων βασιλικῶν οἱ κατὰ πᾶσαν τὴν Ῥωμαίων πολιτείαν ἀρχιερεῖς μετεκλήθησαν κτλ. Ex Ducang. Gloss. || Οἰκουμενικὸς, ὁ, intell. ἀγὼν, vel Οἰκουμενία s. Οἰκουμενικὰ, τὰ, Ludi œcumenici. « Ad explicandos ludos œcumenicos præclara attulit Spanhem. (ad Morell. ep. 2 § 7), unde hæc pauca excerpo. Ludus œcumenicus i. q. universalis aut ad universos pertinens, quod vulgo omnibus universi orbis incolis permissum fuerat vires in eo suas artemque experiri. Opponitur τῷ κοινῷ s. Communi singularum nationum et privatis singularum urbium, quales agebantur Athenis, Lacedæmone, alibi. Atque in hoc sensu dicitur in marmore Sponii Juventianus parasse diversoria τοῖς ἀπὸ τῆς οἰκουμένης ἐπὶ τὰ Ἴσθμια παραγενομένοις ἀθληταῖς. Auctor fictorum carminum Sibyll. 2, 39, aliud agendo eleganter explicat naturam certaminis OEcumenici addito etiam Iselastico his verbis : Μέγας γὰρ ἀγὼν εἰσελαστικὸς ἔσται εἰς πόλιν οὐράνιον, οἰκουμενικὸς δέ τε πᾶσιν ἔσσεται ἀνθρώποισιν. » Eckhel. D. N. vol. 4, p. 446. Οἰκουμενικὸς et Οἰκουμενικὰ est in numis ap. Eckh. ib. p. 445, Οἰκουμένια in Ephesiis ap. Mionnet. *Descr.* vol. 3, p. 112, n. 381, *Suppl.* vol. 6, p. 174, n. 624. L. Dind.]

[Οἰκουμένιος, ὁ, OEcumenius, episcopus Triccæ, scriptor, cujus plura supersunt. V. Fabric. B. Gr vol. 8, p. 692 sq. Alius in inscrr. ap. Gruter. p. MXC, 11, 20; MXCIV, 4; MCII, 1. L. Dind.]

[Οἰκουργέω, Clem. 1 ad Cor. 1. Routh.]

[Οἰκουργός. V. Οἰκουρός.]

Οἰκουρέω, Domum custodio, Domi maneo, Domi me contineo vide; Λυχνοφόρος. [Æsch. Ag. 809 cum accusat. : Γνώσει δὲ ... τόν τε δικαίως καὶ τὸν ἀκαίρως πόλιν οἰκουροῦντα πολιτῶν. Soph. OEd. C. 343 : Κατ' οἶκον οἰκουροῦσιν, ὥστε παρθένοι· Ph. 1328 : Κρύφιος οἰκουρῶν ὄφις. Aristoph. Ach. 1060. Accusativo jungit Lycophr. 54 : Τοῖς τε Ταντάλου Λέτριναν οἰκουροῦσι λειψάνοις πυρός. Schol. οἰκοῦσι, φυλάττουσι. Plato Reip. 5, p. 451, D : Οἰκουρεῖν ἔνδον. Demosth. p. 1374, 13.] Interdum in malam partem pro Domi desideo, latito. Lucian. [Nigrin. c. 18] : Τὸ λοιπὸν οἰκουρεῖν εἱλόμην, καὶ βίον τινὰ τοῦτον γυναικώδη καὶ ἄτολμον τοῖς πολλοῖς δοκοῦντα προτιθέμενος. Plut. De Herodot. [p. 873, E] : Οἰκουρεῖν καὶ ἀμελεῖν Ὀλύμπια καὶ Κάρνεια πανηγυρίζοντας· Pericle p. 50 [c. 11], de Thucydide : Ἧττον μὲν ὢν πολεμικὸς τοῦ Κίμωνος, ἀγοραῖος δὲ καὶ πολιτικὸς μᾶλλον, οἰκουρῶν ἐν ἄστει. Sic in eod. Pericle p. ead. Et in Camillo [c. 28] : Ἕβδομον γὰρ ἐκεῖνον οἰκούρουν μῆνα πολιορκοῦντες, Septimum illum mensem in obsidione agebant. [Augmentum in verbis hujus stirpis, ut in Οἰκοδομέω diximus, magis minusve usitatum, ap. Plut. in hoc verbo etiam alibi omissum notavit Lobeck. ad Phryn. p. 143. Ὠκούρουν memorat Chœrobosc. vol. 2, p. 909, 3, sive Cram. An. vol. 4, p. 413, 14. || Pass. Photius : Οἰκουρουμένης, τῆς ἀσφαλῶς τηρουμένης καὶ ὑποικουρουμένης ὑγρότητος, ἤτοι τῆς ἐνδομυχούσης καὶ ἔνδον κατεσπαρμένης.]

Οἰκούρημα, τὸ, Quod domum custodit s. domi manet. Pro Muliere domus custode usurpatur ab Eur. Or. [926], οἰκουρήματα φθείρειν, i. e. τὰς οἰκουρήσας γυναῖκας. Ubi quidam interpr. Ancillas domesticas. || Οἰκούρημα a Soph. accipitur etiam pro Domus custodia, φυλακὴ, παρουσία, schol. in Philoct. p. 414
A [868] : Ὦ φέγγος ὕπνου διάδοχον, τό, τ' ἐλπίδων Ἄπιστον οἰκούρημα τῶνδε τῶν ξένων. [Eur. Hipp. 787 : Πικρὸν τόδ' οἰκούρημα δεσπόταις ἐμοῖς· Heracl. 700 : Αἰσχρὸν γὰρ οἰκούρημα γίγνεται τόδε, τοὺς μὲν μάχεσθαι, τοὺς δὲ δειλίᾳ μένειν.]

Οἰκουρία, ἡ, Domus custodia, Quum quis domi manet et domestica negotia curat : quod in mulieribus laudatur, quas Paulus quoque Apostolus jubet esse castas et οἰκουρούς. [Eur. Herc. F. 1373 : Μακρὰς διαντλοῦσ' ἐν δόμοις οἰκουρίας. Lycophr. 1107.] Plut. Περὶ εὐθυμίας, p. 827 meæ edit. [p. 465, D] : Οἰκουρίᾳ τὰ πολλὰ συνούσας, Utpote quæ domi majorem vitæ partem transigant. Probl. Rom. p. 484 meæ ed. [p. 271, E] : Ἔκειτο δὲ πάλαι καὶ σανδάλια καὶ ἄτρακτοι· τὸ μὲν, οἰκουρίας αὐτῆς, τὸ δὲ, ἐνεργείας σύμβολον· Præc. connub. [p. 142, D] : Τὴν Ἠλείων ὁ Φειδίας Ἀφροδίτην ἐποίησε χελώνην πατοῦσαν, οἰκουρίας σύμβολον ταῖς γυναιξί. [Philo J. p. 327 : Θηλείαις οἰκουρία.] Accipitur in malam partem pro Desidia, qua quis domi manet, nec civilia aut bellica negotia suscipit. Plut.
B Coriol. [c. 35] : Οἵαν οἰκουρίαν ἡμῖν ἡ σὴ φυγὴ περιεποίησεν.

Οἰκουρικὸς, ἡ, ὸν, Domi manere solitus, Qualis est eorum, qui domi manent : ut οἰκ. ἡδυπάθεια, quod tamen Bud. vertit, Domestica voluptas. Lucian. [Fugit. c. 16] substantive τὸ οἰκουρικὸν pro οἰκουρία, Sedulitas in domo custodienda et tractandis negotiis domesticis.

Οἰκούριον, τὸ, Præmium quo afficitur is, qui domum custodiit et rem familiarem alio absente administravit. Soph. Tr. p. 350 [542] : Τοιάδ' Ἡρακλῆς Ὁ πιστὸς ἡμῖν κἀγαθὸς τελούμενος Οἰκούρι' ἀντέπεμψε τοῦ μακροῦ χρόνου, i. e., τῆς οἰκουρίας δῶρα, εὐχαριστήρια τῆς πολυχρονίας ἡμῶν οἰκουρίας, schol.; τοὺς ὑπὲρ οἰκουρίας μισθοὺς, Eust. [Il. p. 502, 40.] || Οἰκούρια dicuntur etiam Crepundia et Ludicra, quæ matres infantibus domi manentibus relinquunt. Eust. p. 1422 [1423, 3], de οἰκουρεῖν loquens : Ὅθεν οἰκούρια παρὰ τοῖς παλαιοῖς ὡς οἷον οἰκοφυλάκια, τὰ ὑπὸ μητέρων παιδίοις ὑπολειπόμενα παίγνια. Hesych. [et similiter Photius] τὰ ὑπὸ τῶν μητέρων προσφερόμενα τοῖς νηπίοις παίγνια·
C quæ ejus verba videntur significare Crepundia et ludicra, quibus matres solent domi pueros continere, in ludendo sc. occupatos.

[Οἰκουροκαθέδριος, ὁ, ἡ, Domiseda. Tzetz. Hist. 1, 287 : Κἂν οἰκουροκαθέδριον εἱλόμεθα τὸν βίον. Elberl.]

Οἰκουρὸς, ὁ, ἡ, i. q. οἰκουργὸς [Sic pro οἰκουρὸς scriptum in loco quem indicavit Boiss., Sorani De arte obstetr. c. 8, p. 21 : Οἰκουργὸν καὶ καθέδριον διάγειν βίον, quibuscum conf. Tzetzæ verba modo apposita, et ejusd. ib. 9, 173 : Ὁ δ' Ἰακὼβ ἦν οἰκουρὸν τὸν βίον κεκτημένος, quod Diodor. Exc. p. 520, 38, dicit ἀγωγὴν οἰκουρὸν καὶ ὕπανδρον, de femina loquens], ab οὐρέω, Custodio. Sic οἰκουρὸν ὄφιν dixit poeta quidam draconem, qui Palladis ædem custodiebat, s. τὸν τῆς πολιάδος φύλακα δράκοντα, τὸν τῆς ἀκροπόλεως φύλακα, ut Hesych. exp., apud quem plura de hoc serpente reperies. [Aristoph. Lys. 659. Νῆσσαι Arat. 969.] Plut. [Mor. p. 998, B] : Τὸν οἰκουρὸν ἀλεκτρυόνα. Et Athen. 13, [p. 611, C] de cynico, quem cani confert : Τό, τε συνανθρωπίζον καὶ οἰκουρὸν καὶ φυλακτικὸν τοῦ τῶν εὖ δρώντων βίου. Et
D Nicand. [ap. Athen. 4, p. 133, D] de rapis : Προσφιλέας χειμῶνι καὶ οἰκουροῖσιν ἀεργοῖς, Otiosis ædium custodibus, Qui otiosi domi latitant. Quum vero homo aliquis οἰκουρὸς dicitur, significat Eum qui domi manet et res domesticas curat : Suidæ οἰκονομικὸς, cui opponitur Qui frequenter in foro ac publico versatur, Quive peregrinatur aut militat. [Æsch. Ag. 1625 : Γύναι, σὺ ... οἰκουρὸς ... τόνδ' ἐβούλευσας μόρον ; Soph. fr. Pelei ap. schol. Aristoph. Nub. 1417 : Πηλέα ... οἰκουρὸς μόνη γεροντάγωγῶ. Eur. Herc. F. 45, 1277.] Paul. Ad Tit. 2, [5] de juvenculis uxoribus : Φιλοτέκνους, σώφρονας, ἁγνὰς, οἰκουρούς. [Ap. Hippocr. p. 1201, H, quod est Φαέθουσα ἡ Πυθέου γυνὴ ἡ κοῦρος, scrib. οἰκουρὸς dixi in Ἐπίτοκος.] At οἰκουρὸν γραΐδιον, quod Pollux 4, [150, 151] in personis comicis numerat, dici potest anicula, quæ domum simul custodit, et res quoque domesticas curat; nam vetulas ad rem attentas esse notum est. Aliquando in malam partem accipitur pro Eo qui domi semper desidet, nec civilia aut bellica negotia capessit, Plut. Pericle [c. 36.

Æsch. Ag. 1225 : Λέοντ' ἄναλκιν ἐν λέχει στρωφώμενον οἰκουρόν.] In sermone vernaculo ita usurpatur *Casanier*. Item οἰκουρὸς κύων dicitur Canis, qui domi ignave latitat nec venatum exit. Aristoph. Vesp. [970] : Ὁ δ' ἕτερος οἷός ἐστιν οἰκουρὸς μόνον. Αὐτοῦ μένων γὰρ, ἅττ' ἂν εἴσω τις φέρῃ, Τούτων μεταιτεῖ τὸ μέρος. Cui opp. alter qui comedit τραχήλια Καὶ τὰς ἀκάνθας, κοὐδέποτ' ἐν ταὐτῷ μένει. [Pausan. 3, 15, 4 : Ἐνταῦθά οἱ κύων ἐπεφέρετο οἰκουρός.] At Plut. [Mor. p. 953, B] : Οἰκουρὸς καὶ ὑπωρόφιος ἀὴρ, Domesticus tectisque clausus aer. Eust. annotat quosdam etiam περισπωμένως scribere Οἰκοῦρος. [Cogn. Bacchi ap. Lycophr. 1246 : Μυσῶν ἄνακτος, οὗ ποτ' Οἰκουρὸς δόρυ γνάμψει θέοινος. Quod explicare conatur Eust. ad Dionys. v. 566. De forma Dor. HSt. :] Οἰχῶρος, Hesychio οἰκουρὸς, Custos domus. [Pro οἰκωρὸς, ut κηπωρὸς dicitur et κηπουρός. Acutum accentum in οἰκουρὸς præcipit Arcad. p. 70, 5; 73, 5; 86, 11. L. Dind.]

[Οἰκουρότης, ητος, ἡ, Domi manentis desidia. Nicet. Ann. 20, 1, p. 377, B : Ἡ ὑπτιότης καὶ οἰκ. τῶν τὰ Ῥωμαίων χειριζόντων πράγματα.]

[Οἰκοῦς, Καρίας πόλις. Τὸ ἐθνικὸν Οἰκούσιος καὶ Οἰκουσία καὶ Οἰκούσιον ἄστυ, Steph. Byz. Postrema sunt verba Nicæneti ap. Parthen. Erot. 11, 1. Schol. Dionys. Per. 825 : Κατάγεται εἰς Λυδίαν τῆς Ἀσίας (Miletus), οὗ οἰκήσας Οἰκοῦντα τὸν τόπον ὠνόμασε. L. Dind.]

Οἰκοφθορέω, Domum s. Familiam pessundo, Rem familiarem dilapido. [Lycophr. 1093 : Τοιαῖσδ' ἐχῖνος μηχαναῖς οἰκοφθορῶν.] Plato Leg. 11, [p. 929, D] : Ἐὰν δέ τίς τινα νόσος ἢ γῆρας ἔκφρονα ἀπεργάζηται, καὶ λανθάνῃ τοὺς ἄλλους πλὴν τῶν συνδιαιτωμένων, οἰκοφθορῇ δὲ ὡς ὢν τῶν αὐτοῦ κύριος, Bona sua dilapidet, Rem familiarem absumat. [Et 12, p. 959, C. « Clem. Al. p. 270, 1 : Γραῖαι οἰκοφθοροῦσαι. » Hemst.] Et pass. ap. Herodot. [5, 29], οἰκοφθορημένοι, Quorum familiæ ad egestatem sunt redactæ; Bud. p. 47, locum ibi proferens, Quorum domus eversæ sunt. [Conf. 8, 142, 144.] Ex Eod. [1, 196] Οἰκοφθορήθησαν, Rem domesticam absumpserunt. [Dionys. A. R. 1, 14 : Ὑπό τε πολέμων καὶ ἄλλων κακῶν οἰκοφθόρων βαρηθεῖσαι, libri meliores recte οἰκοφθορηθεῖσαι. Perf. οἰκοφθορημένης τῆς πόλεως ὑπὸ λοιμοῦ, ap. eund. vol. 6, p. 842, 14.]

Οἰκοφθορία, ἡ, Domus s. Familiæ eversio, Rei familiaris dilapidatio, Rei domesticæ jactura. Plato [Phæd p. 82, C] : Οἰκοφθορίαν καὶ πενίαν φοβούμενοι. [Dionys. A. R. 1, 23; Plut. Mor. p. 12, B.]

Οἰκοφθόρος, ὁ, ἡ, [Domi corruptor, Gl.] Domuum pernicies, Qui domos pessundat, Qui familiam aliquam evertit, Bona domestica dilapidat. [« Qui et φθοροοικός. » HSt. Ms. Vind. Eur. fr. ap. Stob Fl. 67, 8 : Οἰκοφθόρον γὰρ ἄνδρα κωλύει γυνὴ ἐσθλὴ παραζευχθεῖσα. Plato Leg. 3, p. 689, D.] || Hesych. οἰκοφθόρους; exp. μοιχούς. [Orph. Lith. 584 : Μύσος κεύθων οἰκοφθόρον οὐκ ἐνόησεν ἀνήρ. Damasc. ap. Suidam v. Ἱλάριος citat Hemst.]

[Οἰκοφόρος, ὁ, ἡ, Domum secum ferens. Scymni Chii fr. p. 50, v. 115 : Οἰκοφόρα ἔθνη.]

Οἰκοφυλάκέω, Domum custodio. [Fab. Æsop. 82, p. 52.]

Οἰκοφυλάκιον, τὸ, Præmium custoditæ domus : vide Οἰκούριον. [Eust. Od. p. 1423, 3 : Οἰκοφυλάκια, τὰ ὑπὸ μητέρων παιδίοις ὑπολειπόμενα παίγνια.]

Οἰκοφύλαξ, ἄκος, ὁ, Domus custos, Epigr. [Nossidis Anth. Pal. 9, 604, 3, σκυλάκαινα. Æsch. Suppl. 27, Ζεύς. || « Οἰκοφύλακες, Agricolæ, seu potius Desides, οἰκουροι, ἀπόλεμοι, Nicetæ. Anon. ms. De castrametatione : Γεωργοί τινες οἱ λεγόμενοι οἰκοφύλακες. Rursum : Διωκόμενοι οἱ τὸ σχῆμα τῶν οἰκοφυλάκων καὶ γεωργῶν ὑποδύντες. » Ducang.]

[Οἴκριτος, ὁ, n. viri, quod ponit Theognost. Can. p. 75, 24, inter nomina in ιτος, ex alio cum —κριτος composito, qualia plura sunt, corruptum videtur. L. Dindorf.]

[Οἰκτειρέω. V. Οἰκτείρω.]

Οἰκτείρημα, τὸ, ap. Hesych. ἔλεος, Misericordia, Commiseratio, Miseratio. [LXX Jerem. 31, 3.] In VV. LL. habetur Οἴκτειρμα, quod malim quam illud οἰκτείρημα : quod tamen dicere possumus formatum esse ab οἰκτειρημαι [immo οἰκτειρέω. Οἴκτειρμα autem scribendum foret οἴκτιομα, ut οἰκτιρμός.]

[Οἰκτείρσις, εως, ἡ, Miseratio. Clem. Alex. p. 149=127. Wakef.]

[Οἴκτειρμα. V. Οἰκτείρημα.]

Οἰκτείρω, [f. ερῶ, Æsch. fr. Prom. sol. ap. Strab. 4, p. 183 : Ἰδὼν δ' ἀμηχανοῦντά σ' ὁ Ζεὺς οἰκτερεῖ,] Miseror [Gl.], Commiseror, i. q. οἰκτίζω. [Gl. et Οἰκτείρει, Miseretur.] Hom. Il. Ω, [516] : Οἰκτείρων πολιόν τε κάρη πολιόν τε γένειον· alibi ἐλεαίρειν dicit et ἐλεεῖν. [Λ, 814 : Τὸν δὲ ἰδὼν ᾤκτειρε. Æsch. Prom. 351 : Τὸν γηγενῆ τε Κιλικίων οἰκήτορα ἄντρων ἰδὼν ᾤκτειρα. Et alibi cum ceteris Tragicis. Aristoph. Vesp. 328 : Πάθος οἰκτείρας.] Soph. Tr. [1072] : Οἰκτειρόν τέ με Πολλοῖσιν οἰκτρὸν, Miserare me multis miserabilem. [Xen. OEc. 2, 7 : Ὧν ἕνεκα οἰκτείρω σε μή τι ἀνήκεστον κακὸν πάθῃς. Plato Leg. 2, p. 653, D.] Sicut vero οἰκτίζω cum accus. personæ habet etiam gen. rei, sic etiam οἰκτείρειν. [Æsch. Ag. 1321 : Οἰκτείρω σε θεσφάτου μόρου· Suppl. 209 : Κόπων οἴκτειρε μὴ ἀπολωλότας.] Xen. Cyrop. [5, 4, 31] : Τοῦ μὲν πάθους ᾤκτειρεν αὐτὸν, Casum ejus est miseratus. [Conf. Conv. 4, 37. Id. OEc. 2, 4 :] Οἰκτείρω σε ἐπὶ πενίᾳ, Miseret me tuæ egestatis, Miseret me tuæ paupertatis. Soph. cum infin. quoque in Aj. [652] ait, Οἰκτείρω δέ νιν Χήραν παρ' ἐχθροῖς παῖδά τ' ὀρφανὸν λιπεῖν, Adeo me ejus miseret, ut verear eam destituere, Miserum duco illam relinquere viduam. [Interdum Deploro, Lugeo, ut apud Lucian. t. 1, p. 264 : Οἱ πένητες οἰκτείροντες τὴν ἀπορίαν, Pauperes lugentes inopiam suam. Kuster.] Οἰκτείρομαι, Sum miserabilis, Alios mei miseret, Xen. [OEc. 7, 40.] Reperitur fut. οἰκτειρήσω, Ad Rom. 9, [15] ex LXX : Καὶ οἰκτειρήσω ὃν ἂν οἰκτείρω. [Aoristo ᾠκτείρησα utitur Liban. vol. 4, p. 1072, 19. Correpta secunda Posidipp. Anth. Pal. 7, 267, 2 : Χαίρετε Νικήτην οἵτινες οἰκτίρετε. Ubi similia nonnulla contulit Jacobsius. De qua forma Chœrob. Bekk. An. p. 1404, b : Οἰκτίρω, Οἰκτείρω· καὶ διὰ τοῦ ι γράφεται καὶ διὰ τῆς ει διφθόγγου. Ἔχουσι δὲ λόγον ἑκάτεροι. Οἱ γὰρ διὰ τοῦ ι γράφοντες διὰ τὸ οἰκτιρμὸς γράφουσι, καὶ πάλιν οἱ Αἰολεῖς οἰκτίρρω λέγουσι καὶ οὐχὶ οἰκτέρρω· οἱ δὲ διὰ τῆς ει διφθόγγου γράφουσιν αὐτὸ, ἐπειδὴ οἰκτερῶ ἐστιν ὁ μέλλων, quæ sunt fere eadem ap. Cramer. Anecd. vol. 2, p. 243, 26. Nihil tamen tribuendum exemplis quale hoc Ephræmi Syr. vol. 3, p. 166, B, ubi οἰκτιρήσει, quum οἰκτειρήσει sit ibid. p. 506, D. Ceterum Οἰκτέρρω ut Æolicum posuit Herodian. Περὶ μ. λέξ. p. 43, 17. L. Dind.]

Οἰκτίζω, ίσω, ιῶ, Miseror, Commiseror, Miseret me. Construitur cum accus. [Æsch. Prom. 68 : Ὅπως μὴ σαυτὸν οἰκτιεῖς ποτε· 685 : Μηδέ μ' οἰκτίσας ξύνθαλπε μύθοις ψευδέσιν· Suppl. 635, et sæpius Soph. et Eur. Xen. qui dicitur Apol. 4 : Ἀδικοῦντας ἐκ τοῦ λόγου οἰκτίσαντες] : cui interdum gen. rei additur : sicuti verbo ζηλόω et μακαρίζω. Aristot. De mundo [c. 1] : Τοὺς μετὰ σπουδῆς διαγράψαντας ἡμῖν ἑνὸς τόπου φύσιν οἰκτίσειεν ἄν τις τῆς μικροψυχίας. In his autem loquendi generibus subaudiri etiam potest ἕνεκα. Pass. [Med.] Οἰκτίζομαι, i. q. οἰκτίζω, Misereor. [Æsch. Suppl. 1031 : Ἐπίδοι δ' Ἄρτεμις ἁγνὰ στόλον οἰκτιζομένα.] Eur. [Iph. T. 486] : Οἰκτίζεται ᾅδην. [Suppl. 280 : Οἴκτισαι ἀμφὶ τέκνων μ' ἱκέταν.] Thuc. 2, [51] : Ἐπὶ πλέον δὲ ὅμως οἱ διαπεφευγότες τόν τε θνήσκοντα καὶ τὸν πονούμενον οἰκτίζοντο. Sicut vero οἰκτίζειν præter accus. personæ habet etiam gen. rei, ita et οἰκτίζομαι. Philo V. M. 1 : Δεδακρυμένοι τὸν παῖδα ἐκτιθέασι περὶ τὰς ὄχθας τοῦ ποταμοῦ, καὶ στένοντες ἀπῄεσαν, οἰκτιζόμενοι μὲν αὐτοὺς τῆς ἀνάγκης, αὐτόχειράς τε καὶ τεκνοκτόνους ἀποκαλοῦντες, Suæ conquerentes necessitudinis vicem, Turn. Oratores autem οἰκτίζεσθαι dicuntur, quum et ipsi reum miserantur, et ipsos judices vel lacrymis vel οἰκτρολογίᾳ ad eum commiserandum permovent. [Longinus De subl. 34, 2 : Οἰκτίσασθαι προσφυέστατος. Valck.] Athen. 13, [p. 590, E] post l. in Οἶκτος citandum : Καὶ ἀφεθείσης ἐγράφη μετὰ ταῦτα ψήφισμα, μηδένα οἰκτίζεσθαι τῶν λεγόντων ὑπέρ τινος, Miserari, Miserationem excitare, ut patroni in epilogis faciunt, Bud. Sic Dinarch. p. 93 [104, 15] : Ὅταν Δημοσθένης ἐξαπατῆσαι ὑμᾶς βουλόμενος, οἰκτίζηται καὶ δακρύῃ. [Polyp. Exc. Vat. p. 408 : Μετὰ τὸ συντελεσθῆναι τὸν φόνον ἀνανεούμενος καὶ πρὸς πολλοὺς οἰκτιζόμενος καὶ μεταμελόμενος.] Bud. οἰκτίζομαι ex Polluce [3, 99; 6, 201; 8, 117] exp. ποτνιῶμαι, κατολοφύρομαι. [Æsch. Eum. l. in

Οἶκτος sic posito cit. Eur. Tro. 155 : Ἀΐον οἴκτους οὓς οἰκτίζει· Hel. 1053 : Καὶ μὴν γυναικείοις σ' ἂν οἰκτισαίμεθα κουραῖσι καὶ θρήνοισι πρὸς τὸν ἀνόσιον.] Hesychio οἰκτίζει est θρηνεῖ.

Οἰκτικὸς, ἡ, ὸν, ut οἰκτικὰ ῥήματα, Verba commiserativa, Gaza. [Bachmann. Anecd. vol. 2, p. 290, 1. L. Dindorf.]

[Οἰκτιρμόνως. V. Οἰκτίρμων.]

Οἰκτιρμὸς, ὁ, Miseratio [Gl.], Commiseratio, Misericordia [Gl., quæ ponunt etiam formam Οἰκτειρμὸς cum eadem interpret.], quod plus esse volunt quam ἔλεος. [Pind. Pyth. 1, 85 : Κρέσσων οἰκτιρμοῦ φθόνος.] 2 Ad Cor. 1, [3] : Ὁ πατὴρ οἰκτιρμῶν καὶ Θεὸς πάσης παρακλήσεως. Ad Rom. 12, [1] : Διὰ τῶν οἰκτιρμῶν Θεοῦ. Ad Col. 3, [12] : Σπλάγχνα οἰκτιρμῶν. Hebr. 10, [28] : Χωρὶς οἰκτιρμῶν ἀποθνήσκει.

[Οἰκτιρμοσύνη, ἡ, i. q. οἰκτιρμός. Tzetz. Hist. 8, tit. 173. Elberl.]

Οἰκτίρμων, ονος, ὁ, ἡ, Misericors. [Theocr. 15, 75 : Χρηστῶ κοἰκτίρμονος ἀνδρός. Ep. Anth. Pal. Append. 223, 5.] Epigr. [Anth. Pal. 7, 359, 1] : Ἰδὼν οἰκτίρμονι B θυμῷ, Animo misericordi et benigno. Usus hujus vocabuli et in N. T., Luc. 6, [36] : Γίνεσθε οἰκτίρμονες, καθὼς ὁ πατὴρ ὑμῶν οἰκτίρμων ἐστί. Jac. 5, [11] : Πολύσπλαγχνός ἐστιν ὁ Κύριος καὶ οἰκτίρμων. [|| Adv. Οἰκτιρμόνως, anon. ap. Ducang. Gl. in Κελλαρίτης. Boiss.]

[Οἰκτίρρω, Οἰκτίρω. V. Οἰκτείρω.]

[Οἴκτισμα, τὸ, i. q. οἰκτισμός. Eur. Heracl. 159 : Ἢν δ' ἐς λόγους τε καὶ τὰ τῶνδ' οἰκτίσματα βλέψας πεπανθῇς.]

Οἰκτισμὸς, ὁ, videtur esse Oratio, Verba ejus qui οἰκτίζεται. Ammon. [p. 102] ita inter οἶκτος et οἰκτισμὸς distinguit, ut οἶκτος sit οἰκτιζομένου ἔλεος, οἰκτισμὸς autem, ὁ λόγος τοῦ οἰκτείροντος. [Æsch. Eum. 189 : Οἰκτισμὸν πολύν. Xen. Conviv. 1, 16. Longin. De subl. 9, 12 : Τὰς ὀλοφύρσεις καὶ τοὺς οἰκτισμοὺς, ὡς πάλαι που προεγνωσμένους τοῖς ἥρωσιν, ἐνταῦθα (in Odyssea Homerum) προσαποδιδόναι. Phalar. Ep. 50 init. : Ὁ πολὺς οἰκτ. ἐπὶ τοῖς ὑφ' ἡμῶν ἀπολουμένοις. Pollux 6, 201.]

[Οἴκτιστα. V. Οἴκτιστος.]

[Οἴκτιστος, η, ον. HSt. in Οἰκτρός :] Alias pro οἰκτρό- C τατος alia forma etiam dicitur Οἴκτιστος, quo et poetæ et prosæ scriptores utuntur. Hom. Od. M, [258] : Οἴκτιστον δὴ κεῖνο ἐμοῖς ἴδον ὀφθαλμοῖσι Πάντων ὅσσ' ἐμόγησα· Il. X, [76] : Τοῦτο δὴ οἴκτιστον πέλεται δειλοῖσι βροτοῖσι. [Od. Λ, 412 : Θάνον οἰκτίστῳ θανάτῳ. 472 : Ὅπως οἴκτιστα θάνοιεν.] Apoll. [Rh. 2, 782] : Οἰκτίστοις ἐλέγοισιν ὀδύρεται. Lucian. Prometh. [c. 4] : Οἴκτιστον θέαμα πᾶσι Σκύθαις, Spectaculum omnibus Scythis maxime miserabile. Unde Οἴκτιστα et Οἰκτίστως, Ita ut miseratione dignissimum sit, Admodum miserabiliter. Apud Phalar. Οἰκτίστως, Admodum miserabili cruciatu. [Οἴκτιστα, Miserrime, Lycophr. 1077, Act. SS. Maji vol. 5, p. 341, A; 353, C, et alibi. L. Dind.]

[Οἰκτίστως. V. Οἴκτιστος.]

Οἶκτος, ὁ, Misericordia [Gl.], Commiseratio. Hom. Od. B, [81] : Ποτὶ δὲ σκῆπτρον βάλε γαίῃ Δάκρυ' ἀναπρήσας· οἶκτος δ' ἕλε λαὸν ἅπαντα, Misericordia captus et permotus est totus populus. [Ib. Ω, 438. Æsch. Prom. 239 : Θνητοὺς δ' ἐν οἴκτῳ προθέμενος τούτου τυχεῖν D οὐκ ἠξιώθην αὐτός· Sept. 51 : Οἶκτος δ' οὔτις ἦν διὰ στόμα· Suppl. 386 : Μένει τοι Ζηνὸς ἱκτίου κότος δυσπαράθελκτος παθόντος οἴκτοις.] Itidem ap. Suid. : Οἶκτος δὲ νύμφας εἷλεν. Herodian. 4, [3, 21] : Πάντας δὲ οἴκτου καταλαβόντος διελύθη τὸ συνέδριον, Coorta miseratione. 6, [9, 6] : Πάντας εἰς οἶκτον καὶ ἔλεον προσκαλούμενος. Cic., Concitare misericordiam populi, Implorare et exposcere misericordiam alicujus, Misericordia permovere, In misericordiam inducere. Et ἔχειν οἶκτον, Miserari. Cic. dicit Impartiri misericordiam alicui, Misericordia capi et moveri. Soph. Aj. [525] : Αἴας, ἔχειν σ' ἂν οἶκτον, ὡς κἀγὼ, φρενὶ Θέλοιμ' ἄν. [Tr. 801 : Εἰ δ' οἶκτον ἴσχεις. Id. El. 100 : Κοὐδεὶς τούτων οἶκτος ἀπ' ἄλλης ἢ 'μοῦ φέρεται· Tr. 298 : Ἐμοὶ γὰρ οἶκτος δεινὸς εἰσέβη· Ph. 965 : Ἐμοὶ μὲν οἶκτος δεινὸς ἐμπέπτωκέ τις τοῦδ' ἀνδρός. Eur. Med. 931 : Ἐσῆλθέ μ' οἶκτος, εἰ γενήσεται τάδε· Hipp. 1089 : Οὐ γάρ τις οἶκτος σῆς μ' ὑπέρχεται φυγῆς· Suppl. 194 : Δι' οἴκτου τὰς ἐμὰς λαβεῖν τύχας· Hec. 851 : Ἐγώ σε καὶ σὸν παῖδα καὶ τύχας σέθεν A δι' οἴκτου ἔχω· Tro. 60 : Ἐς οἶκτον ἦλθες πυρὶ κατηθαλωμένης· 473 : Τοῖς κακοῖσι πλείον' οἶκτον ἐμβαλῶ· El. 968 : Μῶν σ' οἶκτος εἷλε; Hec. 519 : Σῆς παιδὸς οἴκτῳ.] Et οἶκτον ἐξαιρεῖν, ut Cic., Hominibus lenissimis misericordiam ademit consuetudine incommodorum. Plut. [Mor. p. 771, C], de uxore Julii Sabini, quæ in spelunca eum per aliquot annos nutrierat, et quam Vespasianus una cum eo occidebat : Οὐδὲ μᾶλλον ἑτέραν εἰκὸς ἦν καὶ θεοὺς καὶ δαίμονας ὄψιν ἀποστραφῆναι· καί τοι τὸν οἶκτον ἐξῄρει τῶν θεωμένων τὸ θαρραλέον αὐτῆς καὶ μεγαλήγορον. [Plurali Plat. Reip. 3, p. 387, D. Eodem numero Polit. p. 305, B, et alibi. Οἴκτου τυχεῖν Isocr. p. 306, D. Ps.-Eurip. Iph. A. 653 : Συνετὰ λέγουσα μᾶλλον εἰς οἶκτόν μ' ἄγεις. Diodor. 3, 40 : Τοὺς ὁρῶντας εἰς οἶκτον καὶ συμπάθειαν ἄγει. Theodor. Stud. p. 234, A : Οὐκ ἐκ φόβου, ἀλλ' ἐξ οἴκτου τοῦ κατὰ τοῦ κοινοῦ.] Apud oratores οἶκτοι dicuntur etiam quum in causæ peroratione misericordiam judicibus concitant sua commiseratione. Athen. 13, [p. 590, E] de Hyperide, qui in defensione Phrynes dicendo B nihil effecerat : Παραγαγὼν αὐτὴν εἰς τοὐμφανὲς, καὶ περιῤῥήξας τοὺς χιτωνίσκους, γυμνά τε τὰ στέρνα ποιήσας, τοὺς ἐπιλογικοὺς οἴκτους ἐκ τῆς ὄψεως αὐτῆς ἐπεῤῥητόρευσε. De hac commiseratione Auctor ad Herenn. : Commiserationem brevem esse oportet; nihil enim lacryma citius arescit. [Longin. De subl. 11, 2 : Ἐν οἴκτοις ἢ ἐν εὐτελισμοῖς. Pollux 4, 121, de oratore, οἶκτον ἐπισπάσασθαι.] || Οἶκτος pro Ejulatu affertur ex Soph. [Aj. 895] : Οἴκτῳ τῷδε συγκεκραμένη, i. e. τῷ σχετλιασμῷ. [Æsch. Cho. 411 : Πέπαλται δ' αὖτέ μοι φίλον κέαρ, τόνδε κλύουσαν οἶκτον· Suppl. 59 : Εὖ δὲ χυρεῖ τις πέλας οἰωνοπόλων ἐγγαῖος, οἶκτον ἀΐων· 64 : Πενθεῖ νέον οἶκτον ἠθέων· Eum. 490 : Ταῦτά τις τάχ' ἂν πατὴρ ἢ τεκοῦσα νεοπαθὴς οἶκτον οἰκτίσαιτ', ἐπειδὴ πίτνει δόμος Δίκας. Soph. Tr. 864 : Ἢ κλύω τινὸς οἴκτου δι' οἴκων ἀρτίως ὁρμωμένου; Eur. Tro. 155 : Ἀΐον οἴκτους οὓς οἰκτίζει, et alibi eodem numero.] At compar. Οἰκτότερος, Miserabilior, affertur ex Herodoto [7, 46, ubi quidem pro olim vulgato οἰκτότερα nunc præeuntibus optimis quibusque codd. οἰκτρότερα legitur. Schweigh. Οἰκτὸς ὁ ἀποθανὼν ponit Etym. M. p. 617, 34.]

[Οἰκτοσυνη, ἡ, Commiseratio. Herodian. Epimer. C p. 232. ῠ]

[Οἰκτρίζομαι.] Οἰκτρίζεσθαι, Bud. exp. ἐλεεῖσθαι [Miserationem movere]. Sic ap. Hesych. οἰκτριζόμενος, ἐλεούμενος.

[Οἰκτρόβιος, ὁ, ἡ, Qui miseræ est vitæ. Paul. Alex. 4. Tzetz. ad Hesiod. Op. p. 13 Gaisf.]

Οἰκτρογοέω, Miserabiles edo gemitus, Miserabiliter gemo : Hesych. οἰκτρογοοῦντας, οἰκτιζομένους, ἐλεουμένους. [Ad locum Aristoph. in Οἰκτροχοέω cit. referebat Heinsius, quem spectari ipsa casuum diversitas improbabile facit. Ceterum ἐλεοῦντας potius exspectes, quum οἰκτιζομένου; accipi possit pro medio, aliena autem a glossa videatur passiva signif.]

[Οἰκτρογοή, ἡ, Lamentatio. Orig. C. Cels. 3, p. 149=154 : Οἰκτρογοῶν ἀποπαύουσι. Seager.]

[Οἰκτρόγοος, ὁ, ἡ, Miserabiliter plorans. Plato Phædro p. 267, C : Οἰκτρογόων λόγων.]

[Οἰκτροκέλευθος, ὁ, ἡ, Qui miseram viam ingreditur. Manetho 4, 222.]

Οἰκτρολογία, ἡ, Oratio ad misericordiam s. mise- D rationem commovendam, qua miseratio movetur, i. q. ἐλεεινολογία. [Item HSt. :] Οἰκτρολογία, ἡ, Commemoratio miserabilium, Oratio ad misericordiam concitandam composita, ἐλεεινολογία, ut Dem. Pro cor. : Τὰ Θηβαίων ὀδυρόμενος νῦν πάθη καὶ διεξιὼν ὡς οἰκτρά. [Pollux 2, 124; 4, 22, 33.]

[Οἰκτρομέλαθρος, ὁ, ἡ, Qui misera utitur domo. Manetho 4, 33.]

Οἰκτρὸς, ὰ, ὸν, Misericordia s. Commiseratione dignus, Miserabilis, [Detestabilis add. Gl.] Miserandus, οἴκτου ἄξιος, ut οἰκτρὰ τραγῳδία ap. Eust. [Od. p. 1691, 34] in responso Philoxeni ad Dionysii tragœdiam recitatam, ubi Dionysius οἰκτρὰ accipiebat pro οἰκτηρὰ, Miserabilis, ut Hom. dicit οἰκτρὰ κήδεα, quod in laudem tragœdiæ alicujus dicitur; sed alio sensu Philoxenus dixerat, sc. pro οἴκτου ἀξία, h. e. μοχθηρὰ, sicut οἰκτρὸν ἀνδράποδον de mancipio deploratæ nequitiæ dicitur. [Hom. Od. Λ, 381 : Τούτων και οἰκτρότερ' ἄλλ' ἀγορεῦσαι· 421 : Οἰκτροτάτην ὄπα Πριάμοιο θύγατρος. Pind. Ol. 7, 77 : Συμφορᾶς οἰκτρᾶς· Pyth. 3, 42 : Οἰκτροτάτῳ θανάτῳ. Æsch. Prom. 238 : Πημοναῖσι κάμπτομαι πάσχειν μὲν ἀλγειναῖσιν, οἰκτραῖσιν δ' ἰδεῖν· 435 : Στένουσιν ἄλγος οἰκτρόν· Suppl. 59 : Οἶκτον οἰκτρὸν ἀΐων· 59 : Οἰκτρᾶς ἀλόχου· Sept. 321 : Οἰκτρὸν πόλιν ὧδ' ὠγυγίαν Ἀΐδι προϊάψαι. Et sæpe ceteri Tragici quum de hominibus tum de rebus. Superl. Eur. Med. 646 : Οἰκτροτάτων ἀχέων, et alibi. Menander fr. Herois ap. Stob. Fl. 104, 13 : Ὡς οἰκτρόν. Xen. Cyrop. 2, 2, 13 : Καὶ ἐν ᾠδαῖς καὶ ἐν λόγοις οἰκτρά ἄττα λογοποιοῦντες· OEc. 2, 9 : Ὅπως μὴ τῷ ὄντι οἰκτρὸς γένωμαι· Hier. 1, 36 : Δυσχερὲς πάθημα καὶ οἰκτρόν. Et sæpius Plato et Demosth., aliique.] || Hesych. οἰκτρὸς exp. non solum ἐλέου ἄξιος, ἐλεεινὸς, sed etiam ἐλάχιστος, βραδὺς, δειλός. Suid. etiam ταπεινὸς et ἐλέους ἄξιος in hoc l.: Ἀνθρώποις οἰκτροῖς καὶ ἀτιμοτάτοις. At Οἰκτρὰ adverbialiter significat Miserabiliter. Hom. Od. [Δ, 719,] Ω, [59] : Οἶκτρ' [Οἴκτρ'] ὀλοφυρόμεναι. Pro quo forma adverbiali in prosa dicitur Οἰκτρῶς, Suid. [ex Soph. El. 145] : Νήπιος ὃς τῶν οἰκτρῶς οἰχομένων γονέων ἐπιλάθεται, i. e. ἐλεεινῶς, Miserabiliter [Gl. Soph. ib. 102 : Οὕτως αἰκῶς οἰκτρῶς τε θανόντος· Tr. 1080 : Ὡς οἰκτρῶς ἔχω· Ph. 1043 : Ὡς ζῶ μὲν οἰκτρῶς. Æsch. Pers. 688 : Οἰκτρῶς καλεῖσθέ με. Et sæpius Euripides. || De comparativo adjectivi v. in Οἶκτος. Comparativo adv. Palladas Anth. Pal. 10, 65, 2 : Πολλάκι ναυηγῶν πταίομεν οἰκτρότερα. Superlativo Eur. Hel. 1208 : Θανάτῳ δὲ ποίῳ φησὶ Μενέλεων θανεῖν; — Οἰκτρόταθ', ὑγροῖσιν ἐν κλυδωνίοις ἁλός. De adjectivo HSt.:] Superl. Οἰκτρότατος, Valde miserabilis, Quo nihil miserabilius. [Demosth. p. 1312, 17 : Πῶς οὖν οὐκ ἂν οἰκτρότατα πάντων ἐγὼ πεπονθὼς εἴην.] Plut. De aud. poem. [Hom. Od. Λ, 421] : Οἰκτροτάτην δ' ἤκουσα ὄπα Πριάμοιο θύγατρος Κασσάνδρης.

[Οἰκτρότης, τητος, ἡ, Miseria. Schol. Eur. Or. 671. Kall. Pollux 3, 116.]

[Οἰκτρόφωνος, ὁ, ἡ, Qui voce est miserabili. Schol. Hom. Il. P, 5 : Κινυρὴ δὲ οἰκτρόφωνος.]

Οἰκτροχοέω, Miserabiliter fundo. Aristoph. Vesp. [555] : Ἱκετεύουσίν θ' ὑποκύπτοντες, τὴν φωνὴν οἰκτροχοοῦντες, Miserabilem vocem fundentes, s. Miserabiles sonos. Si vero sine casu dicatur οἰκτροχοεῖν, interpretabimur Miserabilia verba fundere, ut rei deprecantes. [Conf. Οἰκτρογοέω.]

[Οἰκτρῶς. V. Οἰκτρός.]

[Οἰκῶναξ, ακτος, ὁ, Domus rex s. dominus, Paterfamilias. Hesych. v. Ἑστιοῦχος. Boiss.]

Οἰκωφελὴς, ὁ, ἡ, Domui s. Familiæ utilis, Toti familiæ utilitatem afferens. [Theocr. 28, 2, ubi olim οἰκωφελέεσσι, nunc οἰκωφελίας.] || Οἰκωφελῶς, Cum utilitate totius familiæ, Ita ut ad totam familiam totius perveniat, Dion. [Cass. 56, 7, βιώητε.]

Οἰκωφελία, ἡ, Frugalitas toti familiæ utilitatem afferens. Hom. Od. Ξ, [223] : Τοῖος δ' ἐν πολέμῳ, ἔργον δέ μοι οὐ φίλον ἔσκεν, Οὐδ' οἰκωφελίη, ἥ τε τρέφει ἀγλαὰ δῶρα, ubi Eust. οἰκουρία καὶ ἐπιμέλεια τοῦ οἴκου διὰ γεωργίας τυχὸν ἢ τοιούτου τινός : vel πορισμὸς βίου εἰρηναίου : vel, οἰκουρικὴ οἰκονομία. Bud. scribit opponi τῇ οἰκοφθορίᾳ, paroxytonws autem dici, ut κοινωφελία, δυστυχία. [V. Οἰκωφελής. Naumach. v. 20. Hesych. in v., ubi male οἰκωφελείη.]

[Οἰκωφελῶς. V. Οἰκωφελής.]

[Οἰλάωμα, τὸ προστιθέμενον τῇ πλάστιγγι τοῦ ζυγοῦ, ἐὰν μὴ ἰσορρεπῇ, Hesychii gl. corrupta, fortasse ex σήκωμα.]

[Οἰλεὺς, έως, ὁ, Oileus, Trojanus quidam, Hom. Il. Λ, 93; pater Ajacis Locri, princeps Locrensium, Hom. Il. B, 527, Eur. Rhes. 175, ubi est forma Οἰλεὺς, quum Epici dicere soleant Ὀϊλεύς. Patron. Ὀϊλιάδης Hom. Il. M, 365 et alibi sæpe. || Formam Ἰλεὺς memorant Etym. M. p. 346, 41, Eust. Il. p. 101, 19, et pluribus 650, 45 : Τοιοῦτος δὲ καὶ Ἡσίοδος ..., ὅπου τὸν παρὰ τοῖς ἄλλοις Ὀϊλέα τετρασυλλάβως καλούμενον Ἰλέα τρισυλλάβως αὐτὸς λέγειν ἐθέλων φησὶν οὕτως αὐτὸν κληθῆναι, οὕνεκα νύμφην εὑρόμενος ἵλεων μίχθη ἐρατῇ φιλότητι, ὅθεν ἔστι συνιδεῖν ὅτι κατὰ πλεονασμὸν τοῦ ο ἐκ τοῦ Ἰλεὺς γέγονεν ὁ Ὀϊλεὺς ὁμοίως τῷ κέλλω κτλ. Quibus Stesichori testimonium addit p. 1018, 58, Hesiodi autem versus Ἰλεὺς ducentis ab ἵλεως servavit Etym.
A Gud. et Paris. V. Ἰλεύς. Ad quod respexit etiam schol. Pind. Ol. 9 fin., ubi scripturam Ἰλιάδα pro Οἰλιάδα, ut est in nonnullis, testatur. Quo Hesychii gl. Ἰλιάδης pertinere animadvertit Sopingius. V. etiam Heyn. ad Il. B, 526. Habet etiam Lycophr. 1150, ubi nonnulli Οἰλέως. Vicissim libri multi Pausaniæ 10, 26, 3 Ἰλέως, cui disyllabam formam Οἰλέως restitui, hic et 3, 19, 12, quum Ὀϊλεὺς in prosa non magis ferendum sit quam Ὀϊκλῆς, ὄϊς, ὀϊστός. L. Dind.]

[Οἶμα. V. Οἴμημα.]

[Οἶμαι. V. Οἴω.]

Οἰμάω, s. Οἰμάω, a quo nonnulli derivant οἶμος, ego potius ab οἶμος deduxerim, ut in Οἶμος etiam dicetur. Significat autem οἰμάω, Impetum do, Impetu feror, Irruo. Hom. Il. X, [140] de circo ave : Ῥηϊδίως οἴμησε μετὰ τρήρωνα πέλειαν· cui Achillem comparat, et de quo dicit, Ἐπόρουσε ποσὶ κραιπνοῖσι πεποιθώς. Ib. 308 : Οἴμησεν δὲ ἀλεὶς ὥστ' αἰετὸς ὑψιπέτηλος· 311 : Ὣς Ἕκτωρ οἴμησε τινάσσων φάσγανον ὀξὺ, i. e. ὥρμησεν. [Orac. ap. Herodot. 1, 62 : Θύννοι δ' οἰμήσουσι σεληναίης διὰ νυκτός.]
B Eust. hoc οἰμάω deducit ab ὁμῶ significante ὁμοῦ γίνομαι : dicens οἰμᾶν esse τὸ πυκνωθέντα τινὰ καὶ ὁμοῦ εἰληθέντα ἢ ἀλέντα, ὅ ἐστιν, ἑαυτὸν συστρέψαντα, ὁρμᾶν : idque manifestum esse ex hoc hemistichio, Οἴμησεν δὲ ἀλεὶς, quod ex vett. exp. ἄθρουν συστρέψας ἑαυτὸν, ὥρμησεν. Scribitur autem οἴμησεν et οἰμᾶν ap. Eust. δασέως, utpote qui ab ὁμῶ derivet. In meo vero Lex. vet. et Hom. Ms., tenui spiritu, sicut et ap. Suid. et Hesych., qui etiam οἰμᾶν exponit non solum ὁρμᾶν, sed et ὑποβρύχιον εἶναι, δύεσθαι. [Spiritum asperum confirmat φροίμιον ex πρὸ et οἶμος compositum, et memorat Arcad. p. 199, 23, Moschop. p. 40 ed. Titz.]

Οἴμη, ἡ, idem esse cum οἶμος testatur Suid. et Hesych., quippe quorum uterque οἴμη exp. ὁδός : sed scriptura tantum discrepant eorum codd. : habet enim Suid. οἴμη aspiratum; Hesych. οἴμη : a quo exp. etiam κύκλος, itidem ut οἶμος. || Οἴμη, Hesychio ᾠδὴ, Cantus, ut Quintil. quoque infra in Προοίμιον interpr., derivanti inde προοίμιον, τὸ πρὸ τῆς ᾠδῆς. Itidem in meo Lex. vet.: Οἴμη, ἡ ᾠδὴ, παρὰ τὸ ἐν ταῖς οἴμοις ψάλ-
C λεσθαι, τουτέστι ταῖς ὁδοῖς· ὅθεν καὶ προοίμιον ἐπὶ τῶν ποιημάτων. Hom. Od. Θ, 37 : Μοῦσ' ἄρ ἀοιδὸν ἀνῆκεν ἀειδέμεναι κλέα ἀνδρῶν, Οἴμης τῆς τότ' ἄρα κλέος οὐρανὸν ἷκεν· i. e. ᾠδῆς, vel διηγήσεως, Eust. [Ib. 481 : Οὕνεκ' ἄρα σφέας οἴμας Μοῦσ' ἐδίδαξε. Callim. Del. 9 : Δήλῳ νῦν οἴμης ἀποδάσσομαι. Apoll. Rh. 4, 150 : Οἴμῃ θελγόμενος. Lycophr. 11 : Δυσφάτους αἰνιγμάτων οἴμας, ubi al. οἴμας, ut 713.] || Hesychio οἴμη est etiam λόγος, ἱστορία, et φωνή.

[Οἴμη, ἡ, OEme, f. Danai, Apollod. 2, 1, 5.]

Οἴμημα, τὸ, Impetus qui in aliquem datur, ὅρμημα, Hesych. : pro quo οἴμημα per sync. dici Οἶμα tradit Eust., sicut κῦμα pro κύκημα. Utitur autem hoc vocabulo οἶμα Hom. Il. Π, [752] : Οἶμα λέοντος ἔχων, ὅστε σταθμοὺς κεραΐζων Ἔβλητο πρὸς στῆθος· Φ, [252] : Αἰετοῦ οἴματ' ἔχων μέλανος τοῦ θηρητῆρος, i. e. ὁρμήματα, schol. et Hesych.

[Οἴμοι, Οἰμοιμοῖ. V. Οἴ.]

Οἶμος, ὁ, ἡ, et Οἴμη, ἡ, Via, Semita, i. q. ὁδός. Hesiod. Op. [288], de virtute : Μακρὸς δὲ καὶ ὄρθιος
D οἶμος ἐπ' αὐτὴν, Καὶ τρηχὺς τὸ πρῶτον· paulo ante de vitio, Ὀλίγη δὲ ὁδὸς, μάλα δ' ἐγγύθι ναίει. [Pind. Ol. 8, 79 : Ἐπίκρυφον οἶμον· Pyth. 2, 96 : Ὀλισθηρὸς οἶμος· 4, 248 : Οἶμον ἴσαμι βραχύν. Æsch. Prom. 2 : Σκύθην ἐς οἶμον· 395 : Λευρὸν γὰρ οἶμον αἰθέρος ψαίρει. Eur. El. 218 : Σὺ μὲν κατ' οἶμον· Or. 1252 : Ἄλλον οἶμον· Alc. 835 : Ὀρθὴν παρ' οἶμον, ἣ 'πὶ Λάρισαν φέρει. Callim. Jov. 78 : Φοίβου δὲ λύρης εὖ εἰδότας οἴμους, de cantu, ut οἴμη. Apoll. Rh. 4, 43 : Ἀνὰ στεινὰς θέεν οἴμους, et alibi. Lycophr. 889 : Δείξαντι πλωτὴν οἶμον.] Fem. gen. usus est Alpheus Mityl. [Anth. Pal. 9, 526, 4] : Ἤδη γὰρ καὶ πόντος ὑπέζευκται δορὶ Ῥώμης, Καὶ χθών· οὐρανίη δ' οἶμος ἔτ' ἔστ' ἄβατος, Via, qua ad cœlum ascenditur. Sic et ap. Suid. in quodam Epigr. [Antipatri Anth. Pal. 7, 246, 4] : Ἔργον Ἀλεξάνδροιο Μακηδόνος, οἵ ποτ' ἄνακτι Δαρείῳ πυμάτην οἶμον ἐφεσπόμεθα. [Aliique poetæ in Anthol.] Priorem syllabam hujus vocabuli οἶμος aspirari a Chrysolora et Gaza tradunt VV. LL. Ac certe in Mss. etiam libris vidi scriptum οἴμη et οἶμος [ut οἰμάω, quod v. Arcad. p. 199, 23,

Moschop. p. 40 ed. Titz., Suidas v. Καθ' οἶμον, de quo mira est Kusteri conjectura] : rursum tamen in meo quodam Lex. vet. tenui accentu οἰμη et οἶμος : in quo οἶμος derivatur ab οἰμέω significante ὁρμῶ, quoniam ἐν αὐτῇ ὁρμοῦσί τινες καὶ ὁδεύουσι : aut etiam ab οἴσω fut. verbi φέρω, quoniam δι' αὐτῆς παντοίας φέρονται φορὰς οἱ κατ' αὐτὴν ὁδεύοντες τῇδε κἀκεῖσε. Malim tamen ego contra οἰμέω ab οἶμος s. οἴμη derivare, ut sit, Recta via impetum do in aliquem; nam qui impetu in aliquem feruntur, non quærunt ambages. Utitur hoc vocabulo Plato quoque, idque in utroque genere, De rep. 4, [p. 420, B] : Τὸν αὐτὸν οἶμον, ὡς ἐγῷμαι, πορευόμενοι εὑρήσομεν ἃ λεκτέα. At in Phædro [p. 108, A, ubi fr. Æschyli ex Telepho refert] : Ἐκεῖνος μὲν γὰρ ἁπλῆν οἶμόν φησιν εἰς ᾅδου φέρειν· ἡ δ' οὔτε ἁπλῆ οὔτε μία φαίνεται εἶναι. [Hippocr. p. 23, 28 : Τοῖσιν ἐς τὴν παραπληγίην οἶμον ἐμπίπτουσιν.] || Οἶμος, Virga, ῥάβδος, παρὰ τὸ ὁρμᾶν εἰς εὐθὺ ἐν τῷ φύεσθαι : sic in meo Lex. vet., ubi hoc additur exemplum, Τοῦ δ' ἤτοι δέκα οἶμοι ἔσαν. Qui l. habetur initio Il. Λ, de thorace Atridæ : Τοῦ δ' ἤτοι δέκα οἶμοι ἔσαν μέλανος κυάνοιο, Δώδεκα δὲ χρυσοῖο, Eust. ζῶναι, ὁδοὶ, ῥάβδοι ὀρθαί : in meo Hom. Ms. ὁδοὶ μέλανος σιδήρου, et στίχοι, quod posterius malim; significare enim videtur Quædam quasi lineamenta et strias per thoracem ductas. Suid. autem οἶμος exp. ῥάβδος κύκλου : κύκλον forsan accipiens pro Rota. Ab Eodem οἶμος exp. στίχος. || Hesychio autem οἶμος est non solum ὁδὸς, τρίβος, sed etiam κύκλος : quibus addit, ὅθεν καὶ τῆς ἀσπίδος κύκλους οἴμους ἐκάλεσαν.

Οἰμωγή, ἡ, Ploratus, Ejulatus. [Ululatus, Gl.] Hom. Il. Δ, [450], Θ, [64] : Ἔνθα δ' ἅμ' οἰμωγή τε καὶ εὐχωλὴ πέλεν ἀνδρῶν Ὀλλύντων τε καὶ ὀλλυμένων· X, [409] : Ἀμφὶ δὲ λαοὶ Κωκυτῷ τ' εἴχοντο καὶ οἰμωγῇ κατὰ ἄστυ. [Æsch. Pers. 426 : Οἰμωγὴ δ' ὁμοῦ κωκύμασιν κατεῖχε πελαγίαν ἅλα. Soph. Tr. 783 : Ἅπας δ' ἀνευφήμησεν οἰμωγῇ λεώς· 790 : Πολλὰ οἰμωγῇ βοῶν· Ph. 190 : Πικρᾶς οἰμωγᾶς· Aj. 317 : Οἰμωγὰς λυγράς· et sæpius Eur. Thuc. 7, 71 : Οἰμωγῇ τε καὶ στόνῳ.] Xen. Hell. 2, [2, 3] : Οἰμωγὴ ἐκ τοῦ Πειραιῶς διὰ τῶν μακρῶν τειχῶν εἰς ἄστυ διῆκεν. Herodian. 7, [9, 19] : Πολλὴ δὲ οἰμωγὴ κατὰ τὴν πόλιν γυναικῶν τε καὶ παιδίων. Et Synes. Ep. : Ἦν ἄκουσμα σκυθρωπὸν, ἀνδρῶν οἰμωγαὶ, γυναικῶν ὀλολυγαὶ, παίδων ὀλοφυρμοί. Ubi quidam οἰμωγὰς volunt esse Gemitus; et ὀλολυγὰς, Ululatus.

[Οἴμωγμα, τὸ, i. q. οἰμωγή. Æsch. Sept. 8 : Ἐτεοκλέης ἂν ... ὑμνοῖθ' ὑπ' ἀστῶν ... οἰμώγμασιν· 1023 : Μήτ' ὀξυμόλποις προσσέβειν οἰμώγμασιν· Ag. 1346 : Τοὔργον εἰργάσθαι δοκεῖ μοι βασιλέως οἰμώγματι (al.—σιν)· 1384 : Κἂν δυοῖν οἰμώγμασι μεθῆκεν αὑτοῦ κῶλα. Eur. Bacch. 1112.]

[Οἰμωγμὸς, ὁ, i. q. οἴμωγμα. Soph. Stobæi Flor. 63, 6, 5 : Ἔστι δ' ἵμερος ἄκρατος, ἔστ' οἰμωγμός.]

Οἰμώζω, [ώξομαι ap. Atticos, ώξω Plut. Mor. p. 182, D : Οἰμώξετε· Orac. Sib. 5, 295 : Ὕπτια δ' οἰμώξει Ἔφεσος· 475 : Μυρία δ' οἰμώξει δεινὴ γενεή, et alibi apud recentiores, etiam in prosa,] Ploro, Ejulo. [Ululo, Gl.] Verbum factum παρὰ τὸ οἴμοι λέγειν, ut αἰάζω derivatum παρὰ τὸ αἶ αἶ λέγειν. Hom. Il. O, [377] : Ὤμωξεν δ' ἄρ ἔπειτα, καὶ ὣ πεπλήγετο μηρὼ Χερσὶ καταπρηνέεσσ'· his verbis immediate subjungens, Ὀλοφυρόμενος δ' ἔπος ηὔδα· indicansque οἰμώζειν et ὀλοφύρεσθαι esse synonyma. Et Il. X, [408] : Ὤμωξεν δ' ἐλεεινὰ πατήρ. [Æsch. Ag. 1599, Soph. Tr. 932 : Ὤμωξεν. Cum accus. pers., ut sit Ploro propter, Tyrtæus ap. Pausan. 4, 14, 5 : Δεσπότας οἰμώζοντες.] Soph. [Aj. 962] cum accus. pro Defleo, Deploro, Ejulatu et lamentis prosequor : Ἴσως τοι κ' εἰ βλέποντα μὴ πόθουν, Θανόντ' ἂν οἰμώξειαν. [Cum accus. rei Soph. OEd. C. 820 : Τάχ' ἕξεις μᾶλλον οἰμώζειν τάδε· et sæpius Eur. Cum accus. adj. adverbialiter posito Soph. Ant. 1226 : Στυγνὸν οἰμώξας. Pass. Eur. Bacch. 1286 : Οἰμωγμένον γε πρόσθεν (κάρα). Ubi ᾠμωγμένον Elmslejus, ut alibi est ᾤμωξεν, de quo Chœrob. vol. 2, p. 909, 3, quod ipsum οἴμωξε vel οἴμωζε scriptum Aristoph. Ran. 743.] At quum aliquis alicui οἰμώζειν λέγει, imprecatur ei ut pœnas luat : quia fletus et ejulatio pœnas consequitur. Aristoph. Pl. [58] : Ἐγὼ μὲν οἰμώζειν λέγω σοι· pro quo mox ead. signif. κλαίειν ἔγωγέ σοι λέγω. Ib. [111, et alibi], Οἰμώξει μακρὰ, Pœnas dabis, et non leves. [Vesp. 1033 : Ἑκατὸν δὲ κύκλῳ κεφαλαὶ κολάκων οἰμωξομένων ἐλιχμῶντο· Ran. 178 : Οὐκ οἰμώξεται; Lys. 516 : Κἂν ᾤμωξάς γ' εἰ μὴ 'σίγας· Eccl. 942 : Οἰμώζων ἄρα νὴ Δία σποδήσεις· Ach. 840 : Οἰμώζων καθεδεῖται. Imperativo Eq. 891 : Σὺ δ' οἴμωζε, et alibi. Οἴμωζε, Vale, Gl. Cic. Ad Q. Fr. 3, 9 : Ἀλλ' οἰμωζέτω.] Sic Plut. Artox. [c. 26] : Οἰμώξεται μέντοι τούτων ὃς ἂν ἐμοὶ προσαγάγῃ τὰς χεῖρας. Et Xen. Hell. 2, [3, 56] Theramenes Satyro dicenti sibi ὅτι οἰμώξοιτο εἰ μὴ σιωπήσειεν, per interrogationem respondet, Ἂν δὲ σιωπῶ, οὐκ ἄρα οἰμώξομαι; Quod si taceam, an pœnas non dabo ? Sic Diogenes in Epist. quadam ad Græcos : Διογένης τοῖς καλουμένοις Ἕλλησιν οἰμώζειν· licet ibi et in propria signif. accipi queat, utpote oppositum τῷ χαίρειν. [Demosth. p. 937, ult. : Πονηροῦ ταῦτ' ἐστὶ σοφιστοῦ καὶ οἰμωξομένου. Pass. Theognis 1204 : Οὐδ' ἐπὶ τύμβῳ οἰμωχθεὶς ὑπὸ γῆν εἶσι τύραννος ἀνήρ. || Forma Οἰμώττω Liban. vol. 1, p. 30, 4 : Οἰμώττουσι δὴ τοῖς ὧδε πεπραγμένοις, unde citat Thomas p. 646. « Dem. Cydon. Ep. 10 ed. meæ. » Boiss. || Forma Οἰμώσσω Symmachus Malach. 2, 13 : Κλαίοντες καὶ οἰμώσσοντες. Maccab. 4, 12, 15.]

Οἰμωκτὶ, Cum ploratu et ejulatu. [Zonaras p. 1438 : Οἰμωκτὶ, μετὰ θρήνου.]

[Οἰμωκτία. V. Οἰμωξία.]

Οἰμωκτὸς, Deplorandus, Lamentabilis, Lacrymabilis, Aristoph. [Ach. 1195, ubi glossema proximi αἰακτὸς delevit Porsonus.]

[Οἰμωκτικὸς, ἡ, ὸν, Ejulans, Schol. Soph. Phil. 203, φωνή. Boiss.]

[Οἰμωξία, ἡ.] Apud Hesych. legitur et Οἰμωξία, expositum τὸ οἰμῶξαι. [Photius : Οἰμώκτιαν, ἀντὶ τοῦ οἰμώξειαν, vitiose.]

[Οἰμώσσω s. Οἰμώττω. V. Οἰμώζω.]

[Οἶνα, πόλις Τυρρηνίας ἐχυρὰ λίαν ... ὡς Ἀριστοτέλης περὶ Θαυμασίων ἀκουσμάτων (c. 96). Τὸ ἐθνικὸν Οἰνάτης· οὐκ ἀλλότριος γὰρ ὁ τύπος, Steph. Byz. Ap. Aristot. est Οἰναρέα. De quo v. intt.]

Οἰνάγρα, ἡ, Herbæ nomen ap. Diosc. 4, 118, quæ et οἰνοθήρας : sed vulgati libri habent ὀνάγρα.

Οἰνάγωγος, ὁ, Vinum vehens, Vehendo vino aptus : οἰν. πλοῖον, Navigium quo vinum comportatur, Pollux [6, 23] ex Cratino. Sic Pherecr. ap. Athen. 11, [p. 481, C] : Βαθείας κύλικας, ὥσπερ ὁλκάδας Οἰναγωγούς.

[Οἰνάδης, ου, ὁ, OEnades, n. viri Tenii in inscr. Att. ap. Bœckh. vol. 1, p. 253, n. 158, A, 22; B, p. 254, 23. L. Dind.]

[Οἰναδοθήρας, α, ὁ, Venator columbarum silvestrium. Ælian. N. A. 4, 38 : Καλοῦνται δὲ, ὡς ἀκούω, καὶ ἐν τῇ Σπάρτῃ τινὲς οἰναδοθῆραι.]

[Οἴναιον, τὸ, OEnæum, locus Paphlagoniæ, apud Nicetam Chon. p. 148, D; 227, C : Πλήρη πότου τόπον τὸ οἴναιον, ὡς δηλοῖ καὶ τὸ τῆς χώρας προσώνυμον· 410, D. Unde gent. Οἰναιώτης in Ms. ap. Lambec. Bibl. Cæs. vol. 7, p. 481, A, et Petavii Uranologio p. 359 inscr. L. Dind.]

Οἰναῖος, α, ον, gentile nomen, Qui ex OEna ortus est. Apud Hesych. vide proverb. οἱ Οἰναῖοι τὴν χαράδραν. [V. Οἰνη et Οἰνοή.]

[Οἰναιώτης. V. Οἴναιον.]

[Οἰνανθάριον, τὸ, i. q. οἰνάνθη. Alex. Trall. 7, p. 329=109. Aetius Phot. cod. 221, p. 177, 21 : Σκευασίας οἰνανθαρίων.]

Οἰνάνθη, s. [Dor.] Οἰνάνθα, ἡ, Flos vitis, Uva germinans, [τὸ ἄνθος τῆς ἀμπέλου, Gl.] Hesychio ἡ ἔκφυσις τῆς ἀμπέλου : Suidæ ἡ πρώτη ἔκφυσις τῆς ἀμπέλου : Ammonio ἡ πρώτη τῶν βοτρύων ἐξάνθησις : scholiastæ Aristoph., ἡ πρώτη ἔκφυσις τῆς σταφυλῆς : quo sensu exp. Av. [588], Τὰς οἰνάνθας οἱ πάρνοπες οὐ κατέδονται. Sic ap. Eurip. [Phœn. 236] accipit, Οἰνανθ' [Οἴνα θ'] ἃ καθαμέριον στάζει, Τὸν πολύκαρπον οἰνάνθας ἱεῖσα βότρυν. Idem schol. οἰνάνθην exp. τὴν πρώτην ἔκφυσιν τῆς ἀμπέλου, in Ran. [1320] : Οἰνάνθας γάνος ἀμπέλου, Βότρυος ἕλικα παυσίπονον· afferens itidem ex Eurip. Hypsipyle, Οἰνάνθα φέρει τὸν ἱερὸν βότρυν. [Callim. Anth. Pal. 13, 9, 2 : Ἀμφορεὺς Λεσβίης ἄωτον νέκταρ οἰνάνθης ἄγων. Nicand. Th. 898 : Χαύνης οἰνάνθης βρύα λευκά. Aliique poetæ in Anth.] Theophr. C. Pl. 3, 19 : Ὅσα καρπὸν ἔχει, τούτων ἐπικνίζειν τὰς κορυφὰς ἐν αὐταῖς ταῖς οἰνάνθαις, Quum uva floret, ut Gaza interpr. Et mox, Ἐπὶ ταῖς οἰνάνθαις αὔξει τὸν βόςρον [V. Schneider. Ind. A Theophr.] Sed major pars οἰνάνθην dicit esse Florem labruscæ s. vitis agrestis : vel Uvas ex labrusca pullulantes. Diosc. 5, 2 : Ἄμπελος ἀγρία διττή· ἡ μὲν γὰρ αὐτῆς οὐ περκάζει τὴν σταφυλὴν, ἄχρι δ' ἀνθήσεως ἄγει τὴν λεγομένην οἰνάνθην. Et c. 5 : Οἰνάνθη καλεῖται ὁ τῆς ἀγρίας ἀμπέλου καρπὸς, ὅταν ἀνθῇ. Plin. l. 12, c. ult. : Eodem et œnanthe pertinet. Est autem vitis labruscæ uva. Colligitur quum floret, i. e. quum optime olet. Itidem Ruell. ap. Diosc. 1, 57, οἰνάνθην τὴν ἐκ σταφυλῆς vertit, OEnanthen ex labrusca : alii, Labruscæ vitis florem : in compositione olei œnanthini, quod Plin. quoque de œnanthe fieri scribit. Similiter et Gaza οἰνάνθης βοστρύχια vertit Racemuli labruscæ virentis, ap. Aristot. H. A. 5, 18, de ovo polypi : Ὅμοιον βοστρυχίοις οἰνάνθης καὶ λεύκης καρπῷ. Plin. 9, 51, itidem de polypis : Hyeme coeunt, pariunt vere ova tortilli vibrata pampino. Sed et ex Galeni l. 8 τῶν Κατὰ τόπους affertur, Οἰνάνθη, τὸ τῶν ἀγρίων ἀμπέλων ἐκβλάστημα σὺν τοῖς ἄνθεσιν, ἐξ οὗ ταῖς ἡμέραις ἡ σταφυλὴ γίνεται. [Aret. p. 76, 62; 107, 10. Pollux 6, 21. Im- B proprie Pind. Nem. 5, 6 : Οὔπω γένυσι φαίνων τέρειναν, ματέρ' οἰνάνθας ὀπώραν, de lanugine.] || Polluci 6, c. 30 [immo 3, § 21], οἰνάνθαι, αἱ ἄμπελοι. [Vinum conditum, οἶνος εὐώδης, Symeoni Thessalonicensi ap. Goar. ad Euchol. p. 849, sc. in Liturgiis sacris : nam aliud sonat οἰνάνθη ap. Græcos, de qua voce v. Salmas. ad Hist. Aug. p. 192. Euchologʹ. in ordine in antimens. consecr. : Τῶν ἱερέων ἐπιθέντων τῇ τραπέζῃ τὰ ἀντιμένσια τούτοις ἐκ τῆς οἰνάνθης τὸ ἀρκοῦν τρὶς ὁ ἀρχιερεὺς ἐπιχέει etc. Et in dedicat. templi : Λαμβάνει ὁ ἀρχιερεὺς βῖκον οἰνάνθης ἢ οἴνου πλήρη. Ducang.] || Οἰνάνθη est etiam Herbæ nomen [sec. Hesychium], de qua vide Diosc. 3, 135, et Theophr. H. Pl. 6, 7, ubi dicit eam habere ἄνθος βοτρυῶδες καὶ λευκόν. [Plura Schneider. in Ind. Theophr.] Plin. 21, 11, et ipse OEnanthen appellat : scribens odorem eundem ei esse, qui germinantibus uvis, atque inde nomen. || Οἰνάνθη est etiam Avis nomen ap. Aristot. H. A. 9, 49. Ubi Gaza, OEnanthe, quasi Vitifloram dixeris.

[Οἰνάνθη, ἡ, OEnanthe, n. mulieris, ap. Demosth. C p. 961, 3. Mater Agathoclis Ægypt. Polyb. 14, 11, 1 etc.]

[Οἰνανθία, ἡ, OEnanthia, Bospori Cimmerii ap. Ptolem. 5, 9.]

Οἰνάνθινος, η, ον, [Pampineus, Gl.] OEnanthinus, De œnanthe factus : οἰν. ἔλαιον, Diosc. 1, 57, OEnanthinum oleum, Plin. 23, 4; de quo Idem 15, 7 : OEnanthinum fit de ipsa œnanthe, ut dictum est in unguentis. Et οἰν. μύρον, Unguentum œnanthinum. Et κηρωτὴ οἰν. Diosc. 1, 149, Ceratum œnanthinum. Et οἰν. οἶνος, 5, 33, Vinum œnanthinum, quod conficitur ex flore τῆς ἀγρίας ἀμπέλου βρυούσης. Plin. 24, 16 : Fit ex labrusca, h. e. vite sylvestri, quod vocatur OEnanthinum. Flores ejus libris duabus in musti cado macerati post triginta dies mutantur. [Theophr. fr. 4, 27, μύρον. Aret. p. 74, 54, λίπαϊ. Aquila Cant. 2, 5.]

[Οἰνάνθιον, Pampineum, Gl., pro οἰνάνθινον, ut videtur. Sed ap. Constantin. Cærim. p. 338, C : Οἰνάνθια καὶ ῥοδοστάγματα, est genus unguenti. L. Dind.]

Οἰνανθὶς, ίδος, ἡ, Flos vitis, Uva germinans : vide D Οἰνάρεος.

[Οἰναρέα. V. Οἴνα.]

[Οἰνάρεον, τὸ, i. q. οἴναρον. Theocr. 7, 134 : Νεοτμάτοισι γεγαθότες οἰναρέοισι.]

Οἰνάρεος, α, ον, Pampineus, Pampinaceus, Pampinarius : Ovid., Frondes pampineæ; Colum., Pampinarius palmes. Athen. 13, [p. 601, B] ex Ibyco, de tempore verno : Αἵ τ' οἰνανθίδες αὐξόμεναι σκιεροῖσιν ὑφ' ἕρνεσιν οἰναρέοις θαλέθουσι. [Hippocr. p. 668, 54 : Ἐπὶ σποδίην οἰναρέην.]

Οἰνᾰρίζω, Pampino [Gl.], Pampinos decerpo, Inutilia vitis folia demo. Aristoph. Pac. [1147] : Οὐ γὰρ οἷόν τ' ἐστὶ πάντως οἰναρίζειν τήμερον, i. e. ἀποφυλλίζειν, φυλλολογεῖν, [ἀμπέλους ἐργάζεσθαι huic addit Hesychius.] Pampinare. [Schol. Theocr. 7, 134 : Οἰναρέοισι) κυρίως τὰ φύλλα τῆς ἀμπέλου. Φανίας δέ φησιν οἰναρίζειν τὸ περιαιρεῖν τῶν οἰναρέων καὶ τρυγᾶν. Δεῖ γὰρ καὶ οἰναρίζειν τὰς ἀμπέλους, ἐπειδὰν πεπαίνωσιν αἱ βότρυες.]

[Οἰνάριον. V. Οἰνίσκος.]

Οἰνᾰρὶς, ίδος, ἡ, Hesychio κληματίς : quo nomine quidam Pampinarum palmitem accipiunt : et οἰναρίδες interpretantur, Pampini vitium, itidem ut οἴναρα. Galen. οἰναρίδων ap. Hippocr. [p. 673, 47] exp. ἀμπέλου κλημάτων : itidemque Erot. οἰναρίδας Attice vocari scribit τὰ κλήματα τῶν ἀμπέλων, Palmites.

Οἴνᾰρον, τὸ, idem quod οἰναρίς [quod οἶνον, quod v.]. Theophr. H. Pl. 9, 14 [13, 5 Schn.], de pentaphyllo : Ἔχει δὲ τὸ μὲν φύλλον ὥσπερ οἴναρον, μικρὸν δὲ καὶ τὴν χροιὰν ὅμοιον· C. Pl. 5, 3 [9, 11] : Ἄμπελος διατηρεῖ τὸν καρπὸν ἄνευ οἰνάρων, Vitis sine foliis fructum servat. Eod. l. : Αἱ ἀποψιλώσεις τῶν ἀμπέλων καὶ ἀποκνίσεις τῶν οἰνάρων τῶν μεγίστων. Item Xen. OEc. [19, 18] : Ἄμπελος περιταννύουσα τὰ οἴναρα. [Pollux 1, 237, 243; 6, 21. || Ap. Alciphr. 3, 22 : Ἤδη καὶ ὁλοκλήρους ἀπέτεμον τῶν οἰνάρων τοὺς βότρυς, ipsæ Vites intelligi videntur.]

Οἴναρος, ὁ, Unedo, Gaza ap. Theophr. H. Pl. 1, 15 [9, 13, ubi codd. Vind. Med. Urbin. σίναρος habent. Sed κόμαρος reponendus esse videtur in locum vocabuli aliunde non noti. Schneider. Ind.]

[Οἰναρχεῖον, τὸ, Compotatio. Theognost. Can. p. 22, 24 : Οἰναρχεῖον, συμπόσιον. L. Dind.]

Οἰνὰς, άδος, ἡ, Columba sylvestris, dicta a colore uvis maturatis simili, Gazæ [et Gl.] Vinago. Eust. p. 1712 : Ἱστορεῖται δὲ ζωϊκῶς ὅτι περιστερῶν εἴδη πέντε· οἰνὰς, μείζων περιστερᾶς, οἰνωπὸς τὸ χρῶμα· φὰψ, μέση περιστερᾶς καὶ οἰνάδος· φάττα, μέγεθος ἀλέκτορος, χρῶμα δὲ αὐτῇ σποδιόν· καὶ τρυγὼν, πάντων ἐλάττων, ἧ χρῶμα τεφρόν. Vide plura ap. Athen. 9, [p. 394] in Φάσσα, et ap. Aristot., H. A. [5, 13; 6, 1;] 9, 13. [Lycophr. 358 : Γαμφαῖσιν ἅρπης οἰνὰς ἑλκυσθήσομαι. Hesychio εἶδος περιστερᾶς ἀγρίας. V. Ælian. N. A. 4, 58, ubi Aristotelem sequitur.] Apud Polluc. reperio etiam Οἰνίας de eadem ave, l. 6, capite ubi derivata ab οἶνος recenset [§ 22] : Οἰνίας δὲ καὶ οἴνας, ἡ ἀγρία περιστερά· ubi sicut οἴνας perperam scribitur pro οἰνὰς, ut habetur tum ap. Hesych. et Eust., tum Athen. et Aristot., ita οἰνιὰς pro οἰνίας reponendum existimo. Apud Hesych. vero legitur etiam Οἰνιὰξ, εἶδος κόρακος : pro quo itidem reposuerim οἰνιάς. Nec obstat, quod Corvi genus esse dicit; nam et de οἰνὰς ait, γένος κόρακος· οἱ δὲ ἀγρίαν περιστεράν. [Idem : Γοινεὲς, κόρακες.] || Οἰνὰς Xenophonti Cyneg. [7, 5] est etiam Canis nomen.

Οἰνὰς, άδος, ἡ, Locus vitibus consitus, Vinea : οἰνόπεδον s. οἰνόφυτον : nam οἰνάδες, Hesychio ἀμπελώδεις τόποι. Idem οἰνάδας [Οἰνάδας] ἀκτὰς dictas scribit pro Οἰνομαΐτιδας [Οἰνωάτιδας]. Ion. ap. Athen. 10, [p. 447, D] : Ἐξ οὗ βοτρυόεσσ' οἰνὰς ὑποχθόνιον πτόρθον ἀνασχομένη θαλερῷ ἐπτύξατο πήχει. [Ubi est i. q. οἴνη, Vitis. Macedon. Anth. Pal. 9, 645, 7 : Πρώταις δ' ἡμετέρῃσιν ἐν ὀργάσιν οἰνὰς ὀπώρῃ οὔθατος ἐκ βοτρύων ξανθὸν ἄμελξε γάνος· Simias ib. 7, 193, 2 : Πτώσσουσαν βρομίης οἰνάδος ἐν πετάλοις. || « Vinum. Nicander Al. 354 : Ἢ ἀπὸ βάκχης ἢ ἀπὸ μυρτίνης ὁτὲ μυρτίδας οἰνάδι βάλλων. V. Οἰάς. 443. || Vino gaudens. Oppian. Cyn. 4, 233 : Γυναῖκες οἰνάδες. » Wakef. Adjective etiam epigr. Anth. Plan. 15, 1 : Ὁ πρὶν ἀεὶ Βρομίου μεμεθυσμένος οἰνάδι πηγῇ... Σάτυρος.]

Οἰναχθὴς, ὁ, ἡ, Vino gravis, Ebrius, i. q. οἰνοβαρὴς, Hesychio exp. μέθυσος, μεθύων.

Οἰνάω, Solitariam vitam dego, Solitarius ago. Hesych. οἰνῶντα exp. μονήρη. [V. Οἰνίζω.]

[Οἰνειάδαι. V. Οἰνιάδαι.]

[Οἰνείδης. V. Οἰνεύς.]

Οἰνέλαιον, τὸ, Vinum oleo mixtum. Οἰνέλαιον, inquit Gorr., Mistura vino et oleo constans, cujus mentionem Galen. fecit quum l. 1 τῶν Κατὰ γένη in descriptione emplastri, quod ex argenti spuma et œnelæo præparatur, tum in l. Περὶ εὐπορίστων, quo loco vetat ipsum dari phthisicis, sed eo calfacto stomachum fovendum præcipit. [Oribas. p. 7 ed. Mai. L. Dind.]

[Οἰνέμπορος, ὁ, Vini mercator. Basilic. ap. Mai. Nov. Coll. Vat. vol. 7, p. 33 med. : Οἱ οἰν. Artemid. 3, 8. Simile Ἐλέμπορος, de quo quæ dixi vol. 3, p. 658, C, iis hic addo, inscr. quam memoravi nunc legi ap. Bœckh. vol. 2, p. 762, n. 3288, ubi male Ἑλέμπορος. L. Dind.]

[Οἰνεραστὴς, ὁ, Vini amator. Ælian. V. H. 2, 41.]

[Οἰνεὺς, έως, ἡ, OEneus, f. Porthei s. Porthaonis,

Hom. Il. Ξ, 117, Soph. Tr. 6 etc., OEd. C. 1315, Eur. Phœn. 133 etc., aliosque poetas et mythologos. F. Ægypti, ap. Apollod. 2, 1, 5, 8. F. Pandionis, ap. Pausan. 1, 5, 2. De joco ex nominibus Οἰνεὺς et Πηλεὺς, eorumque signif. propria, captato v. intt. Demetrii Phal. § 171. Patron. Οἰνείδης ap. Hom. Il. E, 813, K, 497, Pind. Isthm. 4, 34, ubi Οἰνεΐδας, ut Eur. Rhes. 906, et Apoll. Rh. 1, 190 etc., Demosth. p. 1398, 15, ubi tribules tribus Atticæ Οἰνηῒς, quod v., dicuntur.]

Οἰνεύομαι, Poto vinum: οἰνεύεσθαι, Erot. ap. Hippocr. exp. πίνειν.

[Οἰνεών. V. Οἰνών.]

[Οἰνεών, ῶνος, ὁ, OEneon. Λοκρίδος λιμήν. Θουκυδίδης τρίτῃ (95, 98, 102). Τὸ ἐθνικὸν Οἰνεώνιος, Steph. Byz.]

Οἴνη, ἡ, Vitis: ἡ οἰνομήτηρ ἄμπελος, ut poeta quidam ap. Athen. appellat. Hecatæus ap. Athen. 2, [p. 35, B]: Τούτου δ' Οἰνεὺς ἐγένετο, κληθεὶς ἀπὸ τῶν ἀμπέλων· οἱ γὰρ παλαιοὶ Ἕλληνες οἴνας ἐκάλουν τὰς ἀμπέλους. Utitur hoc vocabulo Hesiod. Ἔργ. 2, [188=570]: Τὴν φθάμενος οἴνας περιτεμνέμεν· paulo post, Τότε δὴ σκάφος οὐκέτι οἰνέων, ubi Procl. οὐκέτι καιρὸς τομῆς ἀμπέλων καὶ σκάφης· nam tunc propter æstum, quo tellus inarescit, σκάπτειν οὐκ ἐπιτήδειον. Idem Hesiod. Sc. [292]: Οἱ δ' ἐτρύγων οἴνας, δρεπάνας ἐν χερσὶν ἔχοντες. [Eur. Bacch. 535: Ναὶ τὰν βοτρυώδη Διονύσου χάριν οἴνας· Phœn. 228. Et sæpissime Nicander aliique poetæ, non solum de Viti, sed etiam de Vino, ut Meleag. Anth. Pal. 12, 49, 3: Πλῆρες ἀφυσσάμενος σκύφος οἴνας· Leonid. Tar. ib. 6, 334, 5: Σκύφος ἔμπλεον οἴνης. Lycophr. 660: Οἴνης σκύφον προτείνων.] || Οἴνας Ionica lingua vocat τοὺς κύβους, Suid. [et schol. Plat. p. 460], hoc proverbium citans, Ἢ τρὶς ἓξ ἢ τρεῖς οἴνας. Sic in Κύβος supra ex Eust. attuli, Ἢ τρὶς ἓξ ἢ τρεῖς κύβους· ubi κύβον accipit non pro ipsa tessera quæ jacitur, sed pro Unione s. Puncto tesseræ ab uno latere impresso. Vide et Hesych. [Memorat etiam Pollux, 7, 204, ubi v. intt. Conf. Οἰνάω, Οἰνίζω. Formam Οἰνὸς, quam addunt libri nonnulli Pollucis, omittunt alii. V. etiam Dorvill. Vann. p. 136 seq.] || Οἴνη ap. Steph. Byz. urbs Argiva. [Ἑκαταῖος ἱστοριῶν α'. Τὸ ἐθνικὸν Οἰναῖος Οἰναία Οἰναῖον. Ὧρος δὲ Οἰνώην αὐτήν φησιν, quod v. Hesychius: Οἰνωᾶτιν Ἄρτεμιν τὴν ἐν Οἴνῃ τῆς Ἀργείας. Οἰνόην appellant Apollod. 1, 8, 6, 3, Pausan. 1, 15, 1, etc.]

[Οἰνηγία, ἡ, Vini importatio. Clem. Alex. p. 185: Οἰνηγίαι διαπόντιοι. Wakef.]

[Οἰνηῒς, ΐδος, ἡ, OEneis, nympha, eadem quæ Οἰνόη, quod v. || Ὑπερίδης ἐν τῷ πρὸς Ἀριστογείτονα, μία τῶν ι' φυλῶν παρ' Ἀθηναίοις, Harpocratio. Pollux 8, 110. Sæpe memoratur quum ap. scriptores tum in inscrr., ut ap. Bœckh. *Annali* 1829, p. 163, et C. I. vol. 1, p. 220, n. 147, 7; 298, n. 169, III, 41, ubi Οινειδος. Gent. Οἰνεῖδαι v. in Οἰνεύς. V. etiam Οἰνοίη.]

Οἰνηρὸς, idem, Vinarius: οἰν. ἀγγεῖον, Vas vinarium, sicut μελιτηρὸν, Mellarium. [Herodot. 3, 6: Κεράμιον οἰνηρόν. Schweigh. Quod ex hoc et Cratino citat Pollux 7, 116.] Notandum autem ejusmodi οἰνηρὸν ἀγγεῖον significare non solum Vas in quo vinum asservatur, sed etiam Quod vinum resipit s. redolet, quod asservatum in eo fuerat, sicut μελιτηρὸν et ἰχθυηρὸν, et hujusmodi alia. Athen. 10: Οἰνηρὸν ἀγγεῖον. Cratinus ap. Eund. 11, [p. 494, C]: Καὶ τἄλλα πάντ' ἀγγεῖα τὰ περὶ τὸν πότον, Κ' οὐδ' ὀξύβαφον οἰνηρὸν ἔτι κεκτήσεται, Oxybaphum vinarium: qui l. a Polluce quoque [10, 23 et 67] citatur: sic κρωσσοὶ οἰνηροὶ, Cululli vel Urcei vinarii, Pollux 6, c. 3 [§ 23] ex Æschylo: Μήτε κρωσσοὺς μήτ' οἰνηροὺς μήθ' ὑδατηροὺς λιπεῖν ἀφνεοῖσι δόμοισι, Nec urceos vinarios nec hydrias. [Pind. Nem. 10, 43: Οἰνηραῖς φιάλαις. Eur. Ion. 1179: Οἰνηρὰ τεύχη σμικρά. Οἰνηροὶ πίθοι Hesych. v. Μῆνιγξ.] Et οἰνηρὰ μέτρα, Mensuræ vinariæ, quibus vinum dimetiuntur. Aristot. Eth. 5, 7: Οὐ γὰρ πανταχοῦ ἴσα τὰ οἰνηρὰ καὶ σιτηρὰ μέτρα. Et οἰνηρὰ ὑγρότης, Vinaceus humor. [Eur. Iph. T. 164: Βάκχου τ' οἰνηρὰς λοιβάς. Nicand. Al. 534: Οἰνηρὴν ... τρύγα. Antig. Anth. Pal. 9, 406, 2: Οἰνηραῖς χεῦεν ὑπὸ σταγόσι.] Pollux 6, c. 3 [§ 23] ex Anacr. citat etiam οἰνηρὸς θεράπων: quod tamen non exp., dubiumque est significetne Servum qui vina curet vel ministret, an Vinosum. [Callim.

A Anth. Pal. 13, 9, 1: Ἀπ' οἰνηρῆς Χίου. Aristo ib. 7, 457, 8: Οἰνηρῶν γείτονα θειλοπέδων. Hippocr. p. 774, G: Ἰητρεύειν τοὺς τοιούτους τῇ οἰνηρῇ ἰητρείῃ, Vinosa curatione, quæ fit quum fasciæ vino imbuuntur, et fracturæ vino perfunduntur ac foventur.] || Οἰνηρὰ in VV. LL. exp. etiam Pampini, Frondes vitis: quæ potius οἴναρα.

Οἰνήρυσις, ἡ, Vasculum quo vinum hauritur: ut ζωμήρυσις, Cochlear quo jus hauritur. Aristoph. Ach. [1067]: Φέρε τὴν οἰνήρυσιν Ἵν' οἶνον ἐγχέω λαβὼν, schol. τὴν τοῦ οἴνου κοτύλην, ᾗ ἀρύονται. [Philo p. 272, D. Hemst. Pollux 6, 19; 10, 75; Hesychius, Phrynich. Bekk. p. 39, 16; 55, 7. De forma Æol. Fοινάρυσις v. in Ἐτνήρυσις. L. Dind.]

[Οἰνία.] Apud Hesych. legitur et Οἰνίαι, expositum οἴακες, Gubernacula: sed mendi suspectum. [Οἰήια interpretes, ut postulat ordo literarum.]

[Οἰνία, ἡ, Mustum. Aq. Zach. 9, 17. Schleusn.]

[Οἴνια, ἡ, f. Asopi, ap. Diod. 4, 72, ubi libri tres optimi Ὀρνία, quod cum Ὀρνέα comparat Unger.
B Theb. Paradox. p. 364.]

[Οἰνιάδαι, αἱ, OEniadæ. Πόλις Ἀκαρνανίας... Λέγεται καὶ Οἰνειὰς ἡ χώρα. Ἔστι καὶ ἑτέρα τῆς Οἰτείας πόλις Οἰνειάδαι, Steph. Byz., ap. quem Οἰνειάδαι, ut ap. Strab. 9, p. 434 (sed 10, p. 458, 459, per ι) scriptum convenienter ordini literarum. Sed numi οινιαδαν inscripti sunt ap. Mionnet. *Descr.* vol. 2, p. 84, *Suppl.* vol. 3, p. 470 sq. eandemque scripturam præstant Soph. Trach. 509, ubi metrum respuit diphthongum, Thuc. 1, 111; 2, 102, ubi schol. Οἰνιὰς πόλις ἐστὶν ἐν τῷ στομίῳ τοῦ Ἀχελώου, ἡ καὶ νῦν Δραγαμέστη λεγομένη, etc., Xen. H. Gr. 4, 6, 14 (ubi Οἰνεάδας ap. Plut. Pericl. c. 19 corrigit Schneider.), Polyb. 4, 65 etc., Diodor. 11, 85 etc., Pausan. 1, 11, 4; 4, 25, 1; 5, 26, 1, qui etiam gentem dicit Οἰνιάδας. Ceterum frequens in libris vitium est Οἰνιάδων pro Οἰνιαδῶν. ῐᾱ]

[Οἰνιάδης, ὁ, OEniades, n. viri, Anth. Plan. 28, 2: Πρόνομον παῖδα τὸν Οἰνιάδου. ῐᾰ]

[Οἰνιὰξ, Οἰνίας s. Οἰνιάς. V. Οἰνάς.]

[Οἰνιάς. V. Οἰνιάδαι.]

C [Οἰνίας, α, ὁ, OEnias, pater OEbotæ, Dymæi, ap. Pausan. 7, 17, 6.]

[Οἰνίδιον, τὸ, Villum. Diocles Diogenis Laert. 10, 11: Κοτύλη οἰνιδίου. Boiss.]

Οἰνίζω, Vinosum saporem refero, Vinum resipio, redoleo. Qua signif. Diosc. usurpavit hoc verbum, ap. quem similia alia frequenti in usu sunt, ut χυανίζειν, χλωρίζειν. [Apollon. Hist. Mir. c. 43, quæ verba Schneider. inseruit Theophr. H. Pl. 2, 2, 7: Δι' ὅλου δὲ τοῦ βίου οἱ κόκκοι τὸ οἰνίζον ἔχουσιν.] || Suidæ οἶνον ἀγοράζω, Vinum emo: quod tamen οἰνίζομαι potius dicitur; nam οἰνίζεσθαι ab Hom. accipitur pro οἶνον πορίζεσθαι: sicut idem Suid. οἰνισάμενοι exp. οἶνον ἀγοράσαντες [et Hesychius: Οἰνίζεσθαι, οἶνον ὠνεῖσθαι]: et Pollux quoque [6, 22] οἰνίζεσθαι poetis dici scribit ἐπὶ τῶν τὸν οἶνον ὠνουμένων, nullam τοῦ οἰνίζειν mentionem faciens. Hom. Il. H, [472]: Ἀγέμεν μέθυ χίλια μέτρα. Ἔνθεν ἄρ' οἰνίζοντο, Vinum emebant, οἶνον ὠνοῦντο. Dicit autem quosdam οἰνίσασθαι χαλκῷ, quosdam σιδήρῳ, h. e. ære et ferro, emisse vinum, s.
D permutasse æs et ferrum vino: nimirum alios æs, alios ferrum vino permutasse. Et Il. Θ, [546] Hector ad milites Trojanos: Ἐκ πόλιος δ' ἄξασθε βόας καὶ ἴφια μῆλα Καρπαλίμως, οἶνον δὲ μελίφρονα οἰνίζεσθε, Σῖτόν τ' ἐκ μεγάρων, ἐπὶ δὲ ξύλα πολλὰ λέγεσθε. [Lucian. V. H. 1, 9: Ἐκ τοῦ ποταμοῦ οἰνισάμενοι.] Οἰνίζειν Hesych. κατὰ γλῶσσαν scribit significare μονάζειν. [V. Οἰνή.]

[Οἰνικὸς, ή, όν, Vinarius. Suidas v. Κριός: Ἐν ταῖς οἰνικαῖς ἀποστάσεσι, In cellis vinariis. Hesych.: Κάδος, μέτρον σιτικὸν καὶ οἰνικόν. Idem: Μανδραγόρας, εἶδος βοτάνης οἰνικόν.]

Οἴνινος, η, ον, Vineus, Ex vino factus. Athen. 7, [p. 310, D] ex Archestrato: Μήθ' ὕδατος πηγὴν, μήτ' οἴνινον ὄξος Συμμίξης.

[Οἴνιον, τὸ, nomen loci, inter nomina in ιον ponit Theognost. Can. p. 122, 30.]

[Οἶνις, ιδος, ὁ, OEnis, ephorus Spart. ap. Polyb. 4, 31, 2.]

Οἰνίσκος, ὁ, et Οἰνάριον, τὸ, Villum. Eubulus ap. Athen. 1, [p. 29, A]: Ὁ Λευκάδιος πάρεστι καὶ Μιλήστος Οἰνίσκος. Alexis ib. paulo ante [p. 28, E]: Θασίοις A καὶ Λεσβίοις οἰναρίοις Τῆς ἡμέρας τὸ λοιπὸν ὑποβρέχει μέρος Καὶ νωγαλίζει. Poliochus ap. Eund. 2, [p. 60, C]: Θλαστή τ' ἐλαία, καὶ πιεῖν οἰνάριον. Et 3, [p. 76, A] ex Apollodoro: Τὸ οἰνάριον πάνυ Ἦν ὀξὺ καὶ πονηρόν. [Diphilus ap. eund. 10, p. 422, C: Ἐμβαλεῖς οἰνάριον εἰς λάγυνον.] Item Lucill. [Anth. Pal. 11, 189, 6]: Ἐς βραχὺ σταρίου κέρμα καὶ οἰναρίου, Ob exiguam peculiolam pro emendo tritico et vino. [Demosth. p. 933, 24. « Chron. Alex. in Heraclio p. 904: Ἐπέμφθησαν αὐτῷ ἀπὸ τῆς πόλεως βρώσιμά τινα καὶ οἰνάρια. Balsamon ad Conc. 1 can. 18: Σημείωσαι τὸν κανόνα διὰ τοὺς ἱερωμένους ἐμπορευομένους οἰνάρια. » Ducang.] || Galen. ap. Hippocr. οἰναρίῳ exp. ἀμπέλου. [Ap. Ammon. p. 102: Οἰνάρια δὲ τὰ φύλλα, recte Valck. οἴναρα.]

Οἰνιστήρια, τὰ, Sacrificium quoddam, quo ephebi comam posituri libabant Herculi. Eust. p. 907: Οἰνιστήρια, σπονδὴ τελουμένη τῷ Ἡρακλεῖ ὑπὸ τῶν ἐφήβων πρὶν ἀποκείρασθαι. Ubi tamen non οἰνιστήρια scribitur, sed Οἰνιαστήρια. [Photius: Οἰνιαστήρια· σπονδὴ τῷ Ἡρακλεῖ ἐπιτελουμένη ὑπὸ τῶν ἐφήβων πρὶν ἀποκείρασθαι· B Εὔπολις Δήμοις.] Οἰνιστήρια vero scrib. esse, ex Hesychio patet: Ἀθήνησιν οἱ μέλλοντες ἐφηβεύειν, πρὶν ἀποκείρασθαι τὸν μαλλὸν, εἰσέφερον Ἡρακλεῖ μέτρον οἴνου· καὶ σπείσαντες, τοῖς συνελθοῦσιν ἐπεδίδουν πίνειν· ἡ δὲ σπονδὴ ἐκαλεῖτο οἰνιστήρια. Pollux paulo aliter 3, [52]: Ἡ δὲ ὑπὲρ τῶν εἰς τοὺς φράτορας εἰσαγομένων παιδίων οἴνου ἐπίδοσις, οἰνιστήρια ἐκαλεῖτο. Pamphilus autem ap. Athen. 11, [p. 494, F] οἰνιστηρίαν accipit pro Poculo capaci, vino repleto, quo Herculi libabant, et cœtui potum præbebant, qui ex ephebis excedentes ponebant pendulas comas: Οἱ μέλλοντες ἀποκείρειν τὸν σκόλλυν, εἰσφέρουσι τῷ Ἡρακλεῖ μέγα ποτήριον, πληρώσαντες οἴνου, ὃ καλοῦσιν οἰνιστηρίαν, καὶ σπείσαντες τοῖς συνελθοῦσι διδόασι πιεῖν. Ubi vulg. edd. habent οἰνηστηρία, non οἰνιστηρία: sed et ap. Polluc. οἰνηστηρία scribitur, sc. per η in antep. Apud eund. Poll. legitur etiam Οἰνίστρια, de eadem re, diversis tamen verbis ab iis quæ paulo ante ex eo citavi, 6, c. 3 de derivatis ab οἶνος [§ 22]: Ἡ δὲ οἰνίστρια, οἴνου δόσις ὑπὲρ τῶν παίδων ἐν τοῖς φράτορσιν, Vini donatio nomine puerorum, qui in phratrias cooptabantur. C Pro quo reponunt alii οἰνιστηρία, mutato etiam accentu, qui ap. Eust. et Hesych. et eund. Polluc. in antep. collocatus est, quum ap. Athen. οἰνηστηρία legatur.

[Οἰνίστρια. V. Οἰνιστήρια.]

[Οἰνοαῖος. V. Οἰνόη.]

[Οἰνόανδα, πόλις Λυκίας. Ἀλέξανδρος α' Λυκιακῶν. Τὸ ἐθνικὸν Οἰνοανδεὺς, Steph. Byz. « Straboni 13, p. 631, Οἰνοάνδρου, Ptolem. 5, 2, Οἰνέανδα, ut et Plinio 5, 27. » Pinedo. De forma per ι in secunda et singulari numero v. Wessel. ad Hierocl. p. 685.]

Οἰνοβαρείω, Vino gravis sum, Ebrius sum, Vino sepultus sum. Hom. Od. K, [555]: Ψύχεος ἱμείρων κατελέξατο οἰνοβαρείων· I, [374]: Ὁ δ' ἐρεύγετο οἰνοβαρείων. [Φ, 304. Forma Οἰνοβαρέω, Theognis 503: Οἰνοβαρῶ κεφαλὴν, ubi recte οἰνοβαρείω Stob. Fl. 18, 17, et libri duo. Ap. schol. Il. A, 225: Οἰνοβαρές) οἰνοβεβαρημένε pro οἴνῳ βεβ., ut monuit jam Albertus ad Hesych. v. Οἰνοβαρής.]

Οἰνοβαρής, ὁ, ἡ, Vino gravis, ut Ovid. paulo post D in Οἶνος loquitur: οἴνῳ βεβαρηκὼς, ut Hom.: Virg. dicit etiam Vino gravatus, i. e. Ebrius. [Temulentus, Vinulentus, Gl.] Hom. Il. A, [225]: Οἰνοβαρὲς, κυνὸς ὄμματ' ἔχων· de quo l. Plut. Symp. 5, [p. 678, B]: Πρῶτον αὐτὸν οἰνοβαρῆ προσείρηκεν, ὡς μάλιστα τῶν νοσημάτων τὴν οἰνοφλυγίαν προβαλλόμενος. [Simonides Anth. Pal. 7, 24, 5: Οἰνοβαρὴς φιλόκωμος. Lucian. Fugit. c. 30, Demosth. enc. c. 5.]

[Οἰνοβάφης, ὁ, ἡ, Vino tinctus, mersus. Nonn. Dion. 7, 15, λοιβή.]

[Οἰνόβιος, ὁ, OEnobius, Athen. ap. Pausan. 1, 23, 9. Βοινόβιος, β pro digamma posito, ut in Βοινόη pro Οἰνόη, in inscr. Lycti Cretæ ap. Bœckh. vol. 2, p. 426, n. 2577.]

[Οἰνοβρεχὴς, ὁ, ἡ, Vino madidus. Meleager Anth. Pal. 7, 428, 18.]

Οἰνοβρὼς, ῶτος, ὁ, ἡ, ap. Nicandr. Al. [493]: Ἄλλοτε δ' οἰνοβρῶτα βορὴν ἐν κυρτίδι θλίψας, i. e. ἐν οἴνῳ τρωγομένην βορὰν, h. e. σταφυλὴν, schol.

Οἰνόγαλα, κτος, Potionis genus ex vino et lacte mistis: cujus mentionem Hippocr. [p. 1230, B; 629, 51, ubi tamen ὄνου γ. Cornarius] fecit, cedrim Creticam scribens feminarum incommodis auxiliari ἐν οἰναγάλακτι: id quod tamen nonnulli Tepidum aut Egelidum interpretantur in modum lactis: id enim γαλακτῶδες videtur significare. Gorr.

Οἰνόγαρον, τὸ, Garum vinosum, h. e. Garum mistum vino. Aetius 3, 85, refert compositionem οἰνογάρου καθαρτικοῦ: ex qua tamen quodnam proprie fuerit gari et vini temperamentum, certo constare non potest. Gorr.

Οἰνογευστέω, Vinum gusto, Potito. Athen. 9, [p. 380, F] ex Antiphane: Οἰνογευστεῖ, περιπατεῖ ἐν τοῖς στεφάνοις. [Geopon. 7, 7, 1.]

[Οἰνογευστία, ἡ, Vini gustatio. Philo J. t. 4, p. 228 ed. Pf. (?).]

[Οἰνογευστικὸς, ή, ὸν, Vinum gustans. Οἰνογευστικὴ, Ars vinum gustandi. Sext. Emp. Adv. math. 6, 33, p. 363, 17: Χωρὶς οἰνογευστικῆς ἡδόμεθα οἴνου γευσάμενοι. Hemst.]

[Οἰνόδεσμος, voc. obscuræ signif. ap. Hesych. v. Οἰνοπέπηκτον.]

[Οἰνοδόκος, ὁ, ἡ, Vini capax. Pind. Isthm. 5, 37, φιάλαν. Quint. Mæcius Anth. Pal. 6, 33, 6, κύλικα.]

[Οἰνοδοσία, ἡ, Vini datio. Jo. Chrys. Hom. 5, p. 140; Method. p. 43, 53. Kall. Inscr. ap. Walpol. *Travels* p. 579.]

[Οἰνοδότειρα, ἡ, Quæ vinum dat. Cyr. Theod. Kall.]

[Οἰνοδοτέω, Vinum do. Athenæus Oribasii p. 69 Matth.]

[Οἰνοδότης, ὁ, Vini dator. Eur. Herc. F. 682, Βρόμιον.]

[Οἰνοδοχεῖον, το, Vini receptaculum. Hero Spirit. p. 211, C. L. Dind.]

[Οἰνοδόχος, ὁ, ἡ, 1. q. οἰνοδόκος. Hero l. c. p. 211, B. L. Dind. Tob. 1, 22 sec cod. Alex., ubi al. οἰνοχόος. Tzetz. ad Lyc. 455. Etym. M. p. 247, 26, δέρματα.]

[Οἰνοδυνάστης, ὁ. Isidor. Pelus. quos Paulus Tim. 1, 3, 8, οἴνῳ πολλῷ προσέχοντας vocat, eos 1, 351, appellat οἰνοδυνάστας, Vino potentes: Τί τοὺς οἰν. ἐρεθίζεις; Suicer.]

[Οἰνοειδὴς, ὁ, ἡ, Vino similis Hesychius v. Οἰνωπόν.]

Οἰνόεις, εσσα, εν, Vinosus, i. q. οἰνηρός. A cujus fem. genere οἰνόεσσα per contractionem deductum Οἰνοῦττα, mutato σσ in ττ more Attico: sicut μελιτοῦττα ex μελιτόεσσα, et similia alia. Est autem οἰνοῦττα, Maza vino subacta, Placenta ex vino et melle confecta; annotat enim schol. Aristoph. Pl. οἰνοῦτταν vocari τὴν ἐν οἴνῳ πεφυραμένην μάζαν: vel, ut alii exp., εἶδος πλακοῦντος μετ' οἴνου καὶ μέλιτος γιγνόμενον. Polluci quoque 6, c. 3 [§ 23] οἰνοῦττα est μάζα οἴνῳ δεδευμένη, Vino madefacta. [Id. ib. 76.] Aristoph. Pl. [1121]: Οἰνοῦτταν, μέλι, Ἰσχάδας. || Οἰνοῦττα, Herbæ nomen, qua gustata corvi et canes inebriantur. Athen. 10, [p. 429, C] ex Aristot. libro quem Περὶ μέθης inscripsit: Μεθύσκονται δὲ κἂν τοῖς ἀλόγοις ζώοις ὕες μὲν, σταφυλῆς στεμφύλων χορτασθέντες, καὶ τὸ τῶν κοράκων καὶ τῶν κυνῶν γένος, τὴν οἰνοῦτταν καλουμένην φαγόντα βοτάνην. [Ælian. V. H. 2, 40.] Ipsum etiam Οἰνοῦσσα, quod communis linguæ est, usurpatur; sic enim ap. Hesych.: Οἰνοῦσσα, μάζα οἴνῳ πεφυραμένη, ἢ ἡ διακονοῦσα τοῖς συμποσίοις. Sed perperam apud eum οἰνοῦσα scribitur uno σ, sicut et οἰνοῦτα ap. Suid. uno τ. Quum vero hoc οἰνοῦττα s. οἰνοῦσσα sua natura adjectivum sit, subaudiri potest vel μάζα, vel aliquid simile. || Sunt et OEnussæ insulæ ap. Plin. [N. H. 4, 12, 19; 5, 31, 38.] Ap. Steph. B. Οἰνοῦσαι, unde Οἰνουσαῖος et Οἰνούσιος, Ex iis insulis oriundus. [Dicit Steph. Byz.: Οἰνοῦσαι νῆσος τῇ Χίῳ προσεχής. Ἑκαταῖος Εὐρώπῃ. Τὸ ἐθνικὸν Οἰνουσσαῖος καὶ Οἰνούσιος. Quod rectius dixisset νῆσοι προσεχεῖς. Nam quinque memorat Herodot. 1, 165, Thuc. 8, 24. Tres cognomines sinus Messenii Pausan. 4, 34, 12. Incertum autem quo pertineat quod Hesychius ponit: Οἰνούσιος, εἶδος ἀμπέλου. || De Panis cognomine Οἰνόεις v. in seq. Οἰνόη.]

[Οἰνόη. V. Οἴνη. || Fons Pheneat. ap. Pausan. 8, 15, 6. Nympha ap. eund. ib. 47, 2. Eidem ib. 30, 3:

Ἄγαλμα Πανὸς λίθου πεποιημένον, ἐπίκλησις δὲ Σινόεις ἐστὶν αὐτῷ· τήν τε (l. τὴν δὲ) ἐπίκλησιν γενέσθαι τῷ Πανὶ ἀπὸ νύμφης Σινόης λέγουσι, ταύτην δὲ σὺν ἄλλαις τῶν νυμφῶν καὶ ἰδίᾳ γενέσθαι τροφὸν τοῦ Πανὸς, recte Siebelis restituit Οἰνόεις et Οἰνόης: sed præter schol. Theocr. 1, 3: Ἀρίστιππος δὲ ... Διὸς καὶ νύμφης Οἰνηίδος (Panem filium perhibet), ubi Vulc. Οἰνοηίδος, quasi Οἰνόης voluisset, comparare debebat schol. Vat. Eur. Rhes. 36: Ἀρίαιθος δὲ Τεγεάτης αἰθέρος αὐτὸν (Panem) καὶ νύμφης Οἰνόης γενεαλογεῖ. || Harpocratio: Οἰνόη καὶ Οἰναῖος. Ὑπερίδης ἐν τῷ πρὸς Ἀριστογείτονα, «Καὶ ἔφασαν ἐν Οἰνόῃ ἀκοῦσαι ὅτι μάχη εἴη γεγονυῖα.» Οἰνόη δῆμος τῆς Ἱπποθοωντίδος πρὸς Ἐλευθέραις, ὁ δὲ τῆς Αἰαντίδος πρὸς Μαραθῶνι. Ἀφ' ἑκατέρου δὲ τῶν δήμων ὁ δημότης Οἰναῖος καλεῖται. Μνημονεύοι δ' ἂν νῦν ὁ ῥήτωρ τοῦ πρὸς Ἐλευθέραις, οὗ καὶ Θουκυδίδης ἐν τῇ β'. Quæ in brevius contracta et corrupta repetuntur ap. Photium. Priorem memorat Strabo 8, p. 375, 383, Lucian. Icarom. c. 18, alterum Strabo l. priori, Herodot. 5, 74, Thuc. 2, 18 sq., 8, 98, Xen. H. Gr. 1, 7, 28, Pausan. 1, 33, 8, et ut Wessel. conjicit, Diod. 4, 60. Alterutrum Isæus p. 88, 34, ubi ἐν Οἰνόῃ conjungitur cum Προσπαλτοῖ. Ptolem. 3, 15. Gent. Οἰναῖοι in inscrr. Att. ap. Bœckh. vol. 1, p. 143, n. 105, 8; p. 307, n. 172, 24, 29, etc. Hinc autem proverb. Οἰναῖοι πρὸς χαράδραν ap. Hesych. aliosque gramm. De adv. gent. Jo. Alex. Τον. παραγγ. p. 34, 22: Προπαροξύνεται μὲν ὅσα ἔχει βαρύτονον τὸ πρωτότυπον, ὡς παρὰ τὸ Οἰνόη τὸ Οἰνόηζε. || Oppidum Corinth. ap. Xen. H. Gr. 4, 5, 5 et 19, Strab. 8, p. 380. || Opp. Elidis, ap. Strab. 8, p. 338: Ἐφύρα ... ἤτοι ἡ αὐτὴ οὖσα τῇ Βοιωνώᾳ, τὴν γὰρ Οἰνόην οὕτω καλεῖν εἰώθασιν, ubi Βοινώᾳ vel Βοινόᾳ Coraes. || Oppidum Λακωνικῆς μεσόγειον ap. Ptolem. 3, 16 fin. || Μία τῶν ἐν Ἰκαρίᾳ δύο πόλεων. Τὸ ἐθνικὸν Οἰνοαῖος, Steph. Byz. Athen. 1, p. 30, D, Strab. 14, p. 639. Οἰναῖοι (sic) ἐξ Ἰκάρου inscr. Att. ap. Bœckh. vol. 1, n. 158, p. 253, A, 12; 254, B, 5. L. Dind.]

[Οἰνόηζε. V. Οἰνόη.]

Οἰνοηθητής, ὁ, Qui vinum colat, h. e. per colum transfundens purgat: a verbo οἰνοηθέω, Vinum percolo: quod et καθυλίσαι τὸν οἶνον, et διηθεῖν s. ἠθεῖν τὸν οἶνον, ap. Athen. 13, [p. 608, A] in Epist. Parmenionis de iis, quos ex Darico exercitu ceperat: Ὀψοποιοὺς διακοσίους ἑβδομήκοντα ἑπτὰ, χυτρεψοὺς εἰκοσιεννέα, γαλακτουργοὺς τρεῖς καὶ δέκα, ποτηματοποιοὺς ἑπτακαίδεκα, οἰνοηθητὰς ἑβδομήκοντα.

[Οἰνοθήκη, ἡ, Cella vinaria, Geopon. 6, 2.]

Οἰνοθήρας, ὁ, OEnothera, plantæ nomen, ad verbum Vini venator, de qua Theophr. H. Pl. 9, 21: Ἡ δὲ τοῦ οἰνοθήρα ῥίζα δοθεῖσα ἐν οἴνῳ, πραότερον ποιεῖ καὶ ἱλαρώτερον τὸ ἦθος· mox de ejus radice, Ὄζει δὲ αὐανθεῖσα ὥσπερ οἴνου, sic enim reponendum esse, ex Plin. quoque patet, 26, 11: OEnothera sive Onuris hilaritatem afferens in vino. Et mox de radice: Quum siccata est, vinum olente. De eadem Diosc. 4, 118: Ὀνάγρα, οἱ δὲ ὀνοθήραν, οἱ δὲ ὄνουριν· mox, de radice: Ἥτις ξηρανθεῖσα οἴνου ὀσμὴν ἀποδίδωσι. De ead. ita ap. Galen. Simpl. 8: Ὄναγρον, ἢ ὀνόθηρα, ἢ ὀνοθουρίς· τούτου ἡ ῥίζα ξηραινομένη οἰνῶδές τι ὄζει· ἔστι δὲ καὶ τῇ δυνάμει κατ' οἶνον μάλιστα. Sed hæc vocabula suspecta sunt. Itidem tamen ap. Ægin. 7: Ὀνάγραν, οἱ δὲ ὀνόθηραν, ἄλλοι ὀνοθοῦριν. [Ex Theophrasto et Plinio οἰνάγραν, οἰνοθήραν, et οἰνόθουριν scribi cum Saraceno alii malunt, quod mihi propter compositionis formam contra videtur, et in Theophrasto liber Urbinas tandem verum Ὀνοθήρα dedit, quod solum probo. Schneider. Ind. Theophr.]

Οἰνοθηρίς, ίδος, ἡ, herbæ nomen. Plin. 24, 17: Cratevas OEnotheridem, cujus aspersu ex vino feritas omnium animalium mitigaretur. [Vide ad Theophrast. p. 829, Sprengel. Hist. rei herb. 1, p. 89, 171. Schneider.]

[Οἰνοίη, ἡ, ins. Sicini n. antiquius, ap. Apollon. Rh. 1, 623, Nympham cognominem, Sicini conditoris matrem, memorantem 626. V. Xenagoras ap. schol. Ipse schol. ita dictam perhibet διὰ τὸ εἶναι αὐτὴν ἀμπελόφυτον. Conf. autem Etym. s. Σίκινος, ubi Οἰνοναΐδος scriptum pro Οἰνηΐδος, quod etiam apud scholl. Apoll. pro Νηΐδος restituendum animadvertit Bochartus Chan. 1, 14. Similem formarum Οἰνηίς et Οἰνόη permutationem notavimus in Οἰνόη. L. Dind.]

[Οἰνοκάπηλος, ὁ, Vini caupo. Sext. Emp. Adv. gramm. 141, p. 246. ἄ]

Οἰνοχάχλη, ἡ, Vino gaudens, Vinosa, Pollux 6, c. 3. [Theopompus comicus ap. Eund. 2, 18; 6, 21, ubi codd. Οἰνομάχλη, quod legitur etiam ap. Clem. Alex. Pæd. 2, p. 187: Οἰν. γυνή. «Michael Psellus De grammatica: Γυναῖκα δὲ τὴν φίλοινον οἰνοχάχλαιναν λέγε.» Ducang.]

[Οἰνοκρέα, τὰ, Vinum et carnes. Jo. Malal. 2, 9, ubi Chilmead. conj. οἶνον, κρέα. Elberling. Idem significare οἰνοκρέα animadvertit Reiskius ad Constantin. p. 502 ed. Bonn.]

[Οἰνόλαθος, ὁ, OEnolathus, n. parasiti, ap. Alciphr. Ep. 3, 57.]

Οἰνόληπτος, ὁ, ἡ, Vino sepultus, gravis, i. e. Ebrius, Ebriosus, Qui vino sepeliri solet. Plut. De educ. lib. [p. 4, B]: Ἀνδράποδον οἰν. καὶ λίχνον, πρὸς πᾶσαν πραγματείαν ἄχρηστον.

Οἰνομανής, ὁ, ἡ, Insano vini amore captus. Athen. 11, [p. 464, E]: Καὶ γὰρ ὁ φίλοψος καὶ ὁ ὀψοφάγος οἷον ὀψομανής ἐστι, καὶ ὁ φίλοινος, οἰν. [Eust. Il. p. 702, 38. Wakef.]

[Οἰνόμαος, ὁ, OEnomaus, Græcus, ap. Hom. Il. E, 506; rex Pisæ, ap. Pind. Ol. 1, 76, etc., Eur. Iph. T. 2, et alibi, Apollod. 2, 4, 2, 1, Diodor. 4, 73, Pausan. 5, 1, 6, etc. Strabo, aliique. Philosophus Cynicus, de quo v. Vales. ad Socr. H. E. 3, 23.]

[Οἰνομάχλη. V. Οἰνοχάχλη.]

Οἰνόμελι, τὸ, Vinum mulsum: quod et simpliciter Mulsum [Gl.] dicitur: i. e., Vinum melle conditum: cujus condiendi diversæ rationes a Medicis traduntur. Mulsum vero, quod ex musto fit, sunt qui νέκταρ vocari scribant: quanquam Constantinus Cæsar eo nomine Conditi mulsi genus quoddam appellari scribit, ex variis aromatis, et sub caniculæ ortum per dies quadraginta insolati. Diosc. [5, 16]: Οἰνόμελι τὸ ἐκ τοῦ αὐστηροῦ οἴνου καὶ μέλιτος ἑφθοῦ γινόμενον, ἧττον πνευματοῖ· Plin.: Mulsum ex austero vino factum non implet stomachum, neque ex decocto melle, minusque inflat. Vide Μελιτίτης. [Meleager Anth. Pal. 12, 164, 4; Polyb. 12, 2, 7; Diodor. 5, 34. Pollux 6, 17.]

[Οἰνομετρέω, Vinum metior s. admetior. Inscr. Naxia Musei Rhen. novissimi vol. 1, p. 99, 6: Ἐβουθύτησέν τε καὶ οἰνομέτρησεν πᾶσι· et ib. 27 eadem constructione. L. Dind.]

Οἰνομήτωρ, ορος, ἡ, Vini mater. Astydamas ap. Athen. 2, [p. 40, B]: Θνητοῖσι τὴν ἀκεσφόρον λύπης ἔφηνεν οἰνομήτορ' ἄμπελον.

Οἶνον, τὸ, Folium vitis, Pampinus, licet Pampinus significet potius Frondem viteum [sic], Ramum vitis virentem: οἶνα Hesych. exp. τὰ τῆς ἀμπέλου φύλλα, quæ et οἴναρα. [Quod verum.]

[Οἰνοπαής, ὁ, ἡ, i. q. οἶνοψ. Jo. Malal. 1, p. 132, 330, 336, 366. Elberling. Is. Porphyrog. in Allatii Exc. p. 305, 306, 308, 313. Boiss.]

[Οἰνοπάρας, ὁ, OEnoparas, fl. Syriæ, ap. Strab. 16, p. 751.]

Οἰνόπεδον et Οἰνόφυτον huc quoque referri possunt, ut Eustathio etiam videtur; est enim οἰνόφυτον i. q. ἀμπελόφυτον. De iis tamen inter composita ab οἶνος dico. — Οἰνόπεδον, τὸ, Campus vini ferax, οἰνόφυτον πέδον, ἀμπελόφυτον χωρίον, Eustathio ἀμπέλων γῆ πεδινή, qui non ab οἶνος, sed οἴνη derivari vult. Hom. Il. I, [575]: Τὸ μὲν ἥμισυ οἰνοπέδοιο, Ἥμισυ δὲ ψιλὴν ἄροσιν πεδίοιο ταμέσθαι. Ubi neutraliter οἰνόπεδον dici, ut θειλόπεδον et στρατόπεδον, annotat Eust. [Theognis 838: Αηλάντου δ' ἀγαθὸν κείρεται οἰνόπεδον. Theocr. 24, 129: Οἰνόπεδον μέγα Τυδεὺς ναῖε. Anth. Pal. 9, 384, 20; Plut. Mor. p. 604, B. «Vinea. Anna Comnena 14, p. 456: Ἀρούρας τε καὶ οἰνόπεδα καὶ οἰκίας.» Ducang.] Alibi autem adjective idem Hom. dicit Οἰνόπεδος, ὁ, ἡ, Od. Α, [193, coll. Λ, 193, Mosch. 4, 100]: Ἑρπύζοντ' ἀνὰ γουνὸν ἀλωῆς οἰνοπέδοιο· i. e. γῆς ἀμπελοφόρου, s. οἰνοφόρου, Campi viniferi. Reperitur et Οἰνοπέδη, itidem pro Campo vini ferace s. Vinea. Epigr. [Lentuli Gætul. Anth. Pal. 11, 409, 4]: Σὲ δ' ὕδασιν οὐχ ἐμίηνεν, Ἀλλ' οἷος πρώτης ἦλθες ἀπ' οἰνοπέδης, Qualis a vinea venisti. [Oppian. Cyn. 4, 331: Οἴνου νηδυμίοιο, τὸν ἐνδεκάτῳ λυκάβαντι θλῖψέ τις οἰνοπέδησι φυτηκομίῃσι μεμηλώς.]

Οἰνοπέπαντος, ὁ, ἡ, In quo vinum maturuit. Ap. Suidam [ex epigr. Crinagoræ Anth. Pal. 6, 232, 1] : Βότρυες οἰνοπέπαντοι ἐϋσχίστοιό τε ῥοιῆς Θρέμματα.

[Οἰνοπέπηκτον, οἰνόδεσμον, Hesychii gl. corrupta.]

[Οἰνόπη, ἡ, nomen uvæ, ap. Polluc. 6, 82, si recte habet scriptura.]

[Οἰνοπήκτης, ὁ, n. parasiti ap. Alciphr. Ep. 3, 8.]

[Οἰνοπία, ἡ, ῥίζα, ap. Galen. vol. 5, p. 447. Schneider.]

[Οἰνοπία, ἡ, OEnopia, ins. Æginæ n. antiquius, Pind. Isthm. 7, 21.]

[Οἰνοπίδης, ὁ, OEnopides, patron. ab Οἶνοψ, ap. Hom. Il. E, 707. Chius, mathematicus, ap. Platon. Amat. init., Diod. 1, 41, etc., Athen. 2, c. 87.]

Οἰνοπίπης, ὁ, Qui circumcirca vagis oculis investigat, quod potet : ut γυναικοπίπης, παρθενοπίπης, παιδοπίπης : ab ὀπιπεύω, Circumspicio, Observo, ἐπιτηρῶ, Intentis oculis capto. Suid. οἰνοπίπας fem. gen. accipit, et exp. τὰς τοὺς οἴνους περισκοπούσας, in Aristoph. Thesm. [393] : Τὰς μοιχοτρόπους, τὰς ἀνδρεραστρίας καλῶν, Τὰς οἰνοπίπας, τὰς προδότιδας, τὰς λάλους. Sed annotat etiam, κατὰ μίμησιν fictum esse hoc vocab. a πιπίζειν, τὸ μύζειν s. μυζᾷν, Sugere : quamvis πιπίζειν Atticis eo sensu usitatum non sit. In vulg. Aristoph. editt. ibi non legitur οἰνοπίπας [aut quod schol. memorat οἰνοπίπους], sed οἰνοπότιδας : quam scripturam alteri longe præfero; nam οἰνοπίπας fem. gen. nescio an a quopiam usurpetur, quum similia ei composita παρθενοπίπης, γυναικοπίπης, et παιδοπίπης masculino tantum genere usurpata reperiam.

[Οἰνοπίων, ωνος, ὁ, OEnopio, f. Bacchi, rex Chii, ap. Aratum 640, Apoll. Rh. 3, 996, Apollod. 1, 4, 3, 4, Diod. 5, 79, 84, Pausan. 7, 4, 8; 5, 13, Athen. 1, p. 26, B; 28, B, Plut. Thes. c. 20. N. pincernæ, ap. Lucian. Pseudol. c. 21. N. comœdiæ Philetæri comici ap. Athen., quam Nicostrato tribuens Οἰνοποιὸν dicit Suidas in voce. Οἰνοπίων τις de vinoso Alexis ap. Athen. 10, p. 443, D. Conf. etiam Jahn. *Vasenbilder* p. 25, *n.* 1.]

Οἰνοπλάνητος, ὁ, ἡ, Vino errans, Eur. [Rhes. 363 : Κυλίκων οἰνοπλανήτοις ἁμίλλαις. ἄ]

Οἰνοπληθής, ὁ, ἡ, Vino plenus, h. e. Vino abundans, Vini ferax. Hom. Od. O, [405] de Syria insula : Εὔβοτος, εὔμηλος, οἰνοπληθής, πολύπυρος. [Οἰνοπληθὴς γῆ, Joann. Eugenicus Encomio Trapez. p. 371, 65. Boiss. Schol. Hom. Il. N, 63; Phrynich. Bekk. An. p. 40, 6. L. Dindorf.]

[Οἰνόπληκτος, ὁ, ἡ, i. q. οἰνοπλήξ. Basil. M. vol. 2, 126, D; vol. 3, p. 12, D; 317, C.]

Οἰνοπλήξ, ῆγος, ὁ, ἡ, Vino percussus, i. e. Ebrius. Sic Tibull. 2 : Nec quisquam multo percussum tempora Baccho Excitet : ut habent quædam exempll. pro Perfusum, quod in vulg. edd. legitur. Aliquando et Ebriosum significat. [Antipater Sid. Anth. Pal. 9, 323, 5 : Ἐν οἰνοπλῆξι τεράμνοις. « Hesych. in Μεθυστάδες. » Hemst. Planud. V. Æsopi p. 56, 7 ed. Froben. Boiss. De accentu v. in Μεθυπλήξ. In loco Anthol. cod. Pal. οἰνόπληξι.]

Οἰνοποιέω, Vinum facio. Plut. Symp. 3, 6 [p. 653, A] : Αὐτὴν δὲ τὴν τοῦ μέλιτος φύσιν οὐχὶ πρὸς ὄμβριον ὕδωρ καὶ χιόνα συμμιγνύοντες οἰνοποιοῦσι.

[Οἰνοποιητέον, Vinum faciendum.] Athen. 1, p. 33, A] de vinis Italicis : Οἰνοποιητέον δὲ αὐτοὺς πρό τινος χρόνου, καὶ εἰς ἀναπεπταμένον τόπον θετέον.

Οἰνοποιΐα, ἡ, Vini confectio. Athen. 1, [p. 26, B] de vino veteri loquens [Ἔνιοι τὴν Διονύσου φυγὴν εἰς τὴν θάλασσαν οἰνοποιΐαν σημαίνειν φασὶ πάλαι γνωριζομένην. Theophr. fr. 4, 67; Apollodor. 3, 14, 7, 3; Diodor. 3, 63; 5, 75, 79.]

Οἰνοποιός, ὁ, ἡ, Qui vinum conficit. [Athen. 1, p. 27, D.]

[Οἰνόπολος, ὁ, Orac. Sibyll. p. 252. Elberling.]

[Οἰνοπορέω, Hesych. Wakef.]

[Οἰνοπόρος, ὁ, ἡ, Vinum suppeditans. Nonn. Dion. 40, 238 : Ξανθὸν ὕδωρ πίνοντες ἀπ' οἰνοπόρου ποταμοῖο. Wakef.]

Οἰνοποσία, ἡ, Vini potio s. potatio : ut οἰνοποσία μετὰ κράματος, Potio vini aqua mixti. [Hippocr. p. 389, 44; Philumenus Aetii 9, 3. Eust. Od. p. 1910, 54; schol. Hom. Il. A, 225. Pallad. Hist. Laus. p. 7.]

A Οἰνοποτάζω, poetice pro οἰνοποτέω, i. e. Vinum poto, Vino me ingurgito. Hom. Od. [Z, 309,] Υ, [262]: Μετ' ἀνδράσιν οἰνοποτάζων, Vinum potans. Il. Υ, [84] : Τὰς Τρώων βασιλεῦσιν ὑπέσχεο οἰνοποτάζων, Inter scyphos. [Anacr. ap. Athen. 11, p. 463, A; Phocylides ap. eund. 10, p. 428, B.]

Οἰνοποτέω, Vinum bibo, οἶνον πίνω, Vinum poto, Vino me ingurgito. Athen. 11, init., de ποτήριον loquens : Ὠνομάσθη ἀπὸ τῆς πόσεως, ὡς τὸ ἔκπωμα οἱ Ἀττικοὶ ἐπὶ τοῦ ὑδροποτεῖν καὶ οἰνοποτεῖν λέγουσι. Ubi simpliciter accipitur pro Vinum bibere. [Ib. p. 781, D : Ἄμυστιν οἰνοποιεῖν. Pollux 6, 22. LXX Prov. 31, 4.]

[Οἰνοποτήρ, ῆρος, ὁ, i. q. sequens. Hom. Od. Θ, 456 : Ἄνδρας μετὰ οἰνοποτῆρας. Leonidas Tar. Anth. Pal. 5, 206, 5.]

[Οἰνοποτήριον, τὸ, incertus ap. Boisson. Anecd. vol. 3, p. 414. Osann.]

Οἰνοπότης, ὁ, Vini potor, ut Plin. loquitur. [Vinarius, Gl.] Pollux [6, 22]. Item ap. Suid. in Epitaph. Anacreontis : Σπεῖσόν μοι παριών· εἰμὶ γὰρ οἰνοπότης.

B [Callim. Ep. 38, 1, fr. ap. Athen. 15, p. 668, C, aliique poetæ in Anthol. Polyb. 20, 8, 2. Proverb. 23, 20.]

Οἰνοπότις, ιδος, ἡ, fem. gen. Vini potatrix, Bibacula : quod idem Pollux [6, 22] ex Anacreonte affert. Habes etiam in Οἰνοπίπης.

[Οἰνόπους, quod sine interpretatione ponit Theognost. Can. p. 22, 23, fortasse ex uno de proximis cum οἶνος compositis corruptum. L. Dind.]

[Οἰνοπράτης, ὁ, i. q. οἰνοπώλης. Tzetz. ad Hesiod. p. 13 fin. Gaisf. Boiss.]

Οἰνόπτης, ὁ, Vini inspector, magistratus quidam Athenis, de quo Athen. 10, [p. 425, A] : Οἱ δὲ οἰνόπται οὗτοι ἐφεώρων τὰ ἐν τοῖς δείπνοις, εἰ κατ' ἴσον πίνουσιν οἱ συνόντες· quam ἀρχὴν dicit fuisse εὐτελῆ, ut et ex verbis Eupolidis, quæ ibi citantur, manifestum est : Οὓς δ' οὐκ ἂν εἵλεσθ' οὐδ' ἂν οἰνόπτας πρὸ τοῦ, Νυνὶ στρατηγοὺς λεύσσομεν. Athen. ib. [B] : Τρεῖς ἦσαν οἱ οἰνόπται, οἵτινες καὶ παρεῖχον τοῖς δειπνοῦσι λύχνους καὶ θρυαλλίδας· ἐκάλουν δέ τινες τούτους καὶ ὀφθαλμούς. Itidem ap. Polluc. 6, c. 3 de derivatis ab οἶνος [§ 21] : Καὶ οἰνόπτης

C τις, ὁ τὸν οἶνον ἐπιβλέπων· οὗτος δὲ καὶ λύχνους καὶ θρυαλλίδας παρεῖχε, καὶ τὴν ἐξ ἴσου πόσιν ἐφεώρα. [Iisdem fere verbis quibus Pollux et Athen. utitur Photius, additque, ἐπιμεληταὶ τοῦ τοὺς φράτορας ἡδὺν οἶνον ἔχειν.] Sed perperam apud eum scribitur ἐπόπτηστις pro ἐπόπτης τις [«οἰνόπτησις pro οἰνό(πτης τις)». HSt. Ms. Vind.]. Ejusmodi οἰνόπτην volunt esse, quem Martial. Cœnarum magistratum appellat, Varro Modiperatorem. [Geopon. 7, 7, 1.]

Οἰνοπωλέω, Vinum vendo. Aristot. De mir. aud. [c. 32] : Καὶ ἐν Τάραντι δέ φασιν οἰνοπώλην τινὰ τὴν μὲν νύκτα μαίνεσθαι, τὴν ἡμέραν δὲ οἰνοπωλεῖν.

Οἰνοπώλης, Vini venditor, Vinarius [Gl.], ut Plaut., Suet. [Theognostus Can. p. 92, 26. L. D. || Fem. Οἰνοπῶλις, ιδος, ἡ, Liban. vol. 4, p. 139, 21. Jacobs. Schol. Aristoph. Pl. 436.]

Οἰνοπώλιον, τὸ, Taberna vinaria, Locus ubi vinum venditur, Caupona. [Grammat. ap. Cramer. Anecd. vol. 2, p. 356, 20. L. Dind.]

[Οἰνοπῶλις. V. Οἰνοπώλης.]

D [Οἰνός. V. Οἰνή.]

Οἶνος, ὁ, Vinum. [Temetum, Bacchus; Οἶνος ἀρχαῖος, παλαιός, Temetum; Οἶνος ἐν θυσίᾳ, Calper, Gl.] Homerus Od. E, [165] : Οἶνον ἐρυθρὸν Ἐνθήσω μενοεικέ· Il. E, [341] : Οὐ πίνουσ' αἴθοπα οἶνον· Od. H, [182] : Μελίφρονα οἶνον ἐκίρνα· Γ, [391] : Ἀνὰ κρητῆρα κέρασσε Οἴνου ἡδυπότοιο. Unde apud Aristotelem, Plut., Athenæum et alios, οἶνος κεκραμένος, μεμιγμένος, Vinum aqua mixtum. Od. B, [340] : Ἐν δὲ πίθοι οἴνοιο παλαιοῦ ἡδυπότοιο Ἕστασαν· I, [516] : Ἐπεί μ' ἐδαμάσσαο οἴνῳ· Γ, [139] : Οἴνῳ βεβαρηότες· Τ, [122] : Βεβαρηότα με φρένας οἴνῳ. Ovid. dicit, Graves vino somnoque jacebant. Od. Σ, [330] : Ἦ ῥά σε οἶνος ἔχει φρένας· Φ, [293] : Οἶνός σε τρώει. [Eur. Cycl. 422 : Τρώσει νιν οἶνος· Alc. 759 : Ἕως ἐθέρμην' αὐτὸν ἀμφιβᾶσα φλὸξ οἴνου.] Xen. Cyrop. 8, [8, 12] : Ἥττους τοῦ οἴνου ἐγίνοντο. Athen. 5 : Ἐν οἴνῳ ὄντες, pro Compotantes. [Plato Leg. 2, p. 652, A : Τῆς ἐν οἴνῳ συνουσίας· 1, p. 641, C : Τὴν ἐν τοῖς οἴνοις κοινὴν διατριβήν.] Sic Idem in pluribus Il., παρ' οἶνον, Inter scyphos.

[Xen. Conv. 6, 2. Cum dat. Soph. OEd. T. 780: Ἀνὴρ γὰρ ἐν δείπνοις μ' ὑπερπλησθεὶς μέθῃ καλεῖ παρ' οἴνῳ, πλαστὸς ὡς εἴην πατρί.] Apud eundem: Οἴνου μὴ γεύσασθαι, et, Οἴνου ἀπέχεσθαι. Apud Eundem ἄπυρος οἶνος, i. e. ὁ οὐχ ἑψημένος: et πρόδρομος οἶνος, i. e. ὁ γλυκὺς, s. γλυκάζων, ut alibi. Et 1, [p. 30, C] ex Aristoph.: Οὔτε πραμνίοις σκληροῖσιν οἴνοις, συνάγουσι τὰς ὀφρῦς τε καὶ τὴν κοιλίαν, ἀλλ' ἀνθοσμίᾳ καὶ πέπονι νεκταροσταγεῖ. Alia apud alios scriptores exempla occurrunt. [Plurima de vinorum generibus Foes. in OEcon. Hipp., Pollux et alii. Plurali etiam Xen. Anab. 4, 4, 9: Οἴνους παλαιοὺς εὐώδεις· Plat. Leg. 1, p. 645, D: Ἡ τῶν οἴνων πόσις. Et sæpius Theophr., de quo Schneider. in Ind.] Aristoph. οἶνον vocat Ἀφροδίτης γάλα: alii εὔφρονα καρπὸν ἀρούρης. Improprie autem ap. Athen. 10, [p. 447, A] κρίθινος οἶνος: quem alio nomine ζῦθον s. βρῦτον appellabant. Sic Herodot. 2, [77] de Ægyptiis: Οἴνῳ δὲ ἐκ κριθέων πεποιημένῳ διαχρέωνται· οὐ γάρ σφι εἰσι ἐν τῇ χώρῃ ἄμπελοι. [Item φοινικήιος, quod v. Xen. Anab. 1, 5, 10: Οἶνον ἐκ τῆς βαλάνου πεποιημένον τῆς ἀπὸ τοῦ φοίνικος, de quo v. Schneid.] Variæ autem hujus vocabuli etymologiæ afferuntur, inter quas et hæc Platonis ap. Plutarch. Symp. 7, [p. 715, A]: Ὅτι οἴεσθαι νοῦν ἔχειν ποιεῖ τοὺς πίνοντας. [Ex Plat. Crat. p. 406, C. Οἶνος fictus in vase ap. Jahn. *Vasenbilder* p. 17.]

Οἰνόσπονδος, ὁ, ἡ, In quo vinum libatur: θυσίαι, ἐν αἷς οἶνος σπένδεται: quod vide in Νηφάλιος. [Diogen. L. 6, 76. Wakef. Psellus Opusc. p. 48 fin.; 39, 7 meæ ed.; Porphyr. Abst. 2, 20 fin. Boiss. Pollux 6, 26. Lex. rh. Bekk. An. p. 287, 22.]

Οἰνοσσόος, ὁ, ἡ, ex Nonno [Jo. c. 2, 30: Οἰνοσσόον ἴαχε φωνήν] pro Vinum servans.

[Οἰνότευκτος, ὁ, ἡ, Vino paratus. Jo. Damasc. in Hymn. (vol. 1, p. 680, B), οἰνότευκτος μέθη. Koenig.]

[Οἰνοτόκος, ὁ, ἡ, Vinum pariens, gignens. Nonn. Dion. 7, 89, ἐέρσαις· 12, 24, βότρυν, et alibi.]

[Οἰνοτροπικὸς, ἡ, ὸν, Torcularius. Galen. vol. 8, p. 104: Οἱ οἰνοτροπικοὶ καὶ μαγειρικοὶ τὴν γεῦσιν ... ἔτεσι συχνοῖς εἰς ἀκρίβειαν ἀσκοῦσιν. L. Dind.]

[Οἰνότροποι, αἱ, OEnotropœ, vocantur tres filiæ Anii regis Deli, OEno, Spermo et Elais, Tzetz. ad Lyc. 580: Οἰνοτρόπους Ζάρηκος ἐκγόνους φάβας, et Dict. Cret. 1, 23. Hesychius: Οἰνοτρόποι (sic), αἱ Ἀνίου θυγατέρες.]

[Οἰνοτρόφος, ὁ, ἡ, Vinum alens, ferens. Epigr. Anth. Pal. 9, 375, 1, ὄμφακα.]

[Οἰνουντιάδης, Οἰνούντιος. V. Οἰνοῦς.]

[Οἰνουργέω, Vinum facio. Schol. Pind. Pyth. 3, 177: Ὅτι σείει τὰ μέλη τῶν οἰνουργούντων ὁ Διόνυσος ἐν ᾧ τοὺς βότρυς ἀλλόμενοι πατοῦσιν. Wakef.]

[Οἰνουργία, ἡ, Vini confectio. Pollux 7, 193; Tzetz. Hist. 8, 586, schol. 6, 671, in Cram. Anecd. vol. 3, p. 366, 17.]

[Οἰνοῦς, οῦντος, ὁ, OEnus. Πολίχνιον Λακωνικῆς, ὡς Ἀνδροτίων καὶ Δίδυμος. Καὶ τὸ ἐθνικὸν Οἰνούντιος καὶ Οἰνουντιὰς, Steph. Byz. Hinc Οἰνουντιάδης οἶνος ap. Athen. 1, p. 31, C, D. || Fl. Laconiæ Οἰνοῦς ap. Polyb. 2, 65, 9; 66, 7.]

[Οἰνοῦσαι, Οἰνουσαῖος, Οἰνούσιος, Οἰνοῦσσα, Οἰνοῦττα. V. Οἰνόεις.]

[Οἰνοφαγία, ἡ, Vini esus. Lucian. V. H. 1, 7: Ὕστερον ἐπινοήσαντες, τοὺς ἄλλους ἰχθῦς τοὺς ἀπὸ τοῦ ὕδατος παραμιγνύντες ἐκεράννυμεν τὸ σφοδρὸν τῆς οἰνοφαγίας. Libri duo οἰνοφλυγίας.]

Οἰνοφερὴς, ὁ, ἡ, Proclivis ad vini potum, Vinosus, πάροινος, Hesych.

[Οἰνόφιλος, ὁ, OEnophilus, n. viri. Ἀμφίας Οἰνόφιλος in numo Att. ap. Mionnet. *Descr.* vol. 2, p. 117, n. 61. Alius Athen. in inscr. ap. Bœckh. vol. 1, p. 312, n. 180, 2. Cretensis in Orop. vol. 2, p. 738, n. 1566, 2.]

Οἰνοφλυγέω, Vinosus sum, Vino me ingurgito, Inebrior. Deut. 21, [20]: Οὐχ ὑπακούει τῆς φωνῆς ἡμῶν, συμβολοκοπῶν οἰνοφλυγεῖ. Habetur et ap. Polluc. 6, 3 [§ 21. Philo vol. 1, p. 361; Ephræm Syr. vol. 1, p. 73, 16. Hemst.]

Οἰνοφλυγία, ἡ, Vinolentia, Ebrietas. Aristot. Eth. 3, 5: Αἶσχος ἢ πήρωσις ἢ ἐξ οἰνοφλυγίας ἢ ἄλλης ἀκολασίας. Philo V. M. 1, [§ 22, p. 163]: Οἰνοφλυγίαι καὶ ὀψοφαγίαι καὶ λαγνεῖαι, καὶ ἄλλαι ἀπλήρωτοι ἐπιθυμίαι. Utitur et Antiphan. ap. Athen. 12, [p. 552, F]: Τοῦ-

A τον οὖν δι' οἰνοφλυγίαν καὶ πάχος τοῦ σώματος, Ἀσκὸν καλοῦσι πάντες οἱ 'πιχώριοι. [Xen. OEc. 1, 22. « Polyb. 2, 19, 4; Clem. Al. p. 181, 18; 182, 23. » Hemst. Οἰνοφλυγίαι, μέθαι, Hesych.]

Οἰνόφλυκτος, ὁ, ἡ, Temulentus, Ebrius, Bud. ex Basilio.

Οἰνόφλυξ, υγος, ὁ, ἡ, Qui vino bullit, vinum eructat, i. e. Vinosus, Ebriosus, Vini avidus. [Temulentus, Gl.] Xen. [Apol. § 19.] Pollux [6, 21. Eryxias p. 405, E; Hippocr. p. 83, G; 548, 16; 550, 34. « Athen. 5, p. 220, C; Stob. Flor. 18, 34; Basil. vol. 2, p. 126, D, E; Hesych. in v.; Aspas. In 4 Eth. Nic. Aristot. f. 52, a. » Hemst. Et Aristot. ipse Poet. c. 25, ubi dat. οἰνόφλυξιν. Iambl. V. P. p. 414 Kiessl. Herodian. Philet. p. 432, ubi alia exx. annotavit Piers.]

[Οἰνόφλυξις, εως, ἡ, i. q. οἰνοφλυγία. Aristot. Poet. c. penult. (p. 1461, 15.) Routh.]

[Οἰνοφορεῖον, τὸ, Vinarium, Gl.]

[Οἰνοφόρτον, τὸ, Diota, Gl.]

Οἰνοφόρος, ὁ, ἡ, Vinum ferens, Vino ferendo aptus.

B Athen. 10, [p. 432, D] ex Critiæ elegiis: Πίνειν τὴν αὐτὴν οἰνοφόρον κύλικα. Lucill. quoque et Mart. ac Apul. OEnophorum usurpant pro Vase ad ferendum vinum apto: quod Herodian. 8, [4, 9] οἰνοφόρον σκεῦος appellat. [Οἰνοφόρος γῆ, Vinifera terra, Gl. Hesychius in Οἰνοπέδοιο. Οἰνοφόρον, τὸ, Vinarium, Gl. Οἰνοφόρον ἀγγεῖον Pollux 6, 14; 10, 70.]

Οἰνοφύλαξ, ἄκος, ὁ, ἡ, Vini custos. Hoc vocabulo schol. Aristoph. exp. οἰνόπτης.

[Οἰνόφυτος, ὁ, ἡ.] Οἰνόφυτον, Locus in quo vinum nascitur. Nisi malis ab οἴνη derivare, et interpretari Locus vitibus consitus, i. e. Vinea. [Fem. Dion. A. R. 1, 37: Ποίας δ' οἰνοφύτου (λείπεται) Τυρρηνία; Strabo 12, p. 559: Οἰνόφυτα τὰ κτήματα αὐτῶν ἐστι τὰ πάντα. Nonn. Dion. 21, 172: Οἰνοφύτῳ θρασὺν ὕμνον ἀνακρούσασα Λυαίῳ. V. etiam Οἰνόπεδον.] || Οἰνόφυτα, nom. proprium loci cujusdam in Bœotia, Thuc. 1, p. 35 [c. 108; 4, 95], Aristot. Polit. 5, [c. 3. Diod. 11, 83.]

[Οἰνοφῶν, ῶντος, ὁ, OEnophon, Athen. in inscr. Att. Bœckh. vol. 1, p. 140, n. 102, 12, 21.]

C [Οἰνοχαίρων, οντος, ὁ, n. fictum parasiti, ap. Alciphr. Ep. 3, 72.]

[Οἰνοχαρὴς, ὁ, ἡ, Vino gaudens vel plenus. Epigr. Anth. Pal. App. 225, 6: Οὐδ' ὑμέναιον ᾖσέ τις οἰνοχαρὴς πρόσθεν ἐμῶν θαλάμων.]

[Οἰνοχάρης, ὁ, OEnochares, n. viri in inscr. Att. *Kunstblatt* 1840, n. 17. L. Dind.]

[Οἰνοχάρων, ωνος, ὁ, ap. Alcæum Mess. Anth. Pal. 11, 12, 3, Charon in vino, qui homines instar Charonis vino medicato in Orcum transvehit. ᾰ]

[Οἰνοχεῖον, τὸ, Vas illud cujus usus est vulgo in mensis principum, quod *Nef* seu Navim nostri a forma vocant; in quo includuntur alia ad potum vascula necessaria. Codinus Off. 7, 33, ubi de mensa imperatoris: Καὶ ὁ πιγκέρνης αὐτίκα τὸ τοῦ οἰνοχείου φέρει σκουτέλιον. Ubi σκουτέλιον vas est quod bibenti supponitur a pincerna. Idem 14, 28: Φέρων ὁ ἀρχιδιάκονος τὸν σταυρὸν, ὁ δὲ σκεῦος τὸ κοινῶς καλούμενον οἰνοχεῖον, κωθώνιον ἔχον ἐντὸς μετὰ ἁγιάσματος. V. Gloss. med. Lat. in Navis. Ducange. Οἰνοχοεῖον Gretserus.]

D Οἴνοχημα, τὸ, Omne vas vinarium, VV. LL., sine auctore tamen et exemplo. [Pro οἰνοχόημα, quod tamen paullo alius est signif.]

[Οἰνοχίτων, ωνος, ὁ, ἡ, Vino vestitus. Hesychius: Οἰνοχίτωνας, ἐλάτας. Idem: Δρύες οἰνοχίτωνες, αἱ ἄμπελοι διὰ τὸ τὸν οἶνον ἔχειν. Καὶ ὁ χιτὼν δὲ παρὰ τὸ κεχύσθαι ὠνόμασται. Ubi Kusterus διὰ τὸ τὰς δρῦς ἀμπέχειν scribere debuisse Hesychium monet, sed non animadvertit scripsisse χέειν, non ἔχειν. L. Dind.]

Οἰνοχοεία, ἡ, Vini infusio, Munus pincernæ, Suid.

[Οἰνοχοεῖον. V. Οἰνοχεῖον.]

[Οἰνοχοεύω. V. Οἰνοχοέω.]

Οἰνοχοέω, Vinum infundo. Hom. [Il. Α, 598: Θεοῖς ἐνδέξια πᾶσιν ᾠνοχόει, γλυκὺ νέκταρ ἀπὸ κρητῆρος ἀφύσσων, ut l. infra citando c. accus. νέκταρ.] Od. Ο, [322]: Δαιτρεῦσαί τε καὶ ὀπτῆσαι καὶ οἰνοχοῆσαι· Υ, [255]: Ἐῳνοχόει δὲ Μελανθεύς. Xen. Cyrop. 1, [3, 8]: Ὡς καλῶς οἰνοχοεῖ. Ibid. de pincernis regiis, Κομψῶς τε οἰνοχοοῦσι καὶ καθαρείως ἐγχέουσι· ubi οἰνοχοεῖν videtur accipere pro Miscere vinum in pateras infundendam. [Cum dat. ib.: Σάκας αὐτῷ οἰνοχοεῖ.] Athen. 10, [p. 425, A]: Οἰνοχοοῦντα ἐν τῷ πρυτανείῳ τοῖς Μιτυληναίοις. Simili loquendi genere utitur etiam lib. 13. [Ex Polyb. 14, 11, 2: Κλεινοῦς τῆς οἰνοχοούσης αὐτῷ.] Plut. autem cum accus. in Pericle [c. 7] dixit, Πολλὴν [κατὰ τὸν Πλάτωνα, qui dicit Reip. 8, p. 562, D: Ὅταν ἀκράτου αὐτῆς (τῆς ἐλεθευρίας) μεθυσθῇ, neque cetera habet verba, ut credidisse videtur Nicephor. Callist. H. E. præf. p. 8, A, ubi Plutarchea compilat: Πολλήν τε καὶ ἄκρ. κατὰ τὸν Πλ. τὴν ἐλ. τοῖς ὑπηκόοις οἰνοχοοῦντα] καὶ ἄκρατον τοῖς πολίταις ἐλευθερίαν οἰνοχοῶν, metaphorice. In propria etiam signif. Hom. Il. Γ: Οἶνον ἐῳνοχόει. [Immo Δ, 3: Μετὰ δέ σφισι πότνια Ἥβη νέκταρ ἐῳνοχόει. Fefellit HSteph. Lex. Sept., ubi Γ, sed recte νέκταρ.] Sic Epigr. [Antipatri Anth. Pal. 11, 24, 4]: Ὑμῖν Αὔσονα Βάκχον Οἰνοχοεῖ κρήνης ἐξ ἀμεριμνοτέρης. Philostr. Ep. 10: Οἰνοχοούσας νᾶμα πότιμον. Pass. Οἰνοχοοῦμαι, Vinum mihi infunditur. Gregor., de Ganymede et raptu ejus loquens: Ἵν' ὡς ἥδιστα συμποσιάζοιεν οἱ θεοὶ, τοῖς Διὸς οἰνοχοούμενοι παιδικοῖς. [Plut. Mor. p. 349, F: Ἕκτῃ μηνὸς οἰνοχοεῖται τῆς Χαβρίου περὶ Νάξον ἐπινίκια ναυμαχίας. Augmenti simplicis ᾠνοχόουν et duplicis atque poetici ἐῳνοχόουν exx. v. supra.] Pro οἰνοχοέω dicitur etiam Οἰνοχοεύω. Hom. Il. Υ, [234] de Ganymede: Τὸν καὶ ἀνηρείψαντο θεοὶ Διῒ οἰνοχοεύειν. Ad quem l. respexit Aristot. Poet. [c. 26, 21]: Ὅθεν εἴρηται ὁ Γανυμήδης Διῒ οἰνοχοεύειν· quod Cic. dicit Jovi pocula ministrare. [Eumath. p. 97: Ὅτι μοι παρθένος οἰνοχοεύει. L. Dind.]

Οἰνοχόη, ἡ, Vas ex quo vinum in pocula infunditur. Trullam nonnulli interpr. At Bud. Urceolum Latine dici annotat. Hesiod. [Op. 742]: Μηδέ ποτ' οἰνοχόην τιθέμεν κρητῆρος ὕπερθεν. Et Thuc. 6, p. 213 [c. 46], de templo Veneris: Ἐπέδειξαν τὰ ἀναθήματα, φιάλας τε καὶ οἰνοχόας καὶ θυμιατήρια καὶ ἄλλην κατασκευήν. [Inscr. Att. ap. Bœckh. vol. 1, p. 232, n. 150, 29; p. 240, n. 151, 21: Οἰνοχόαι ἀργυραῖ. Plut. Mor. p. 156, E; Ælian. V. H. 13, 40. Phrynichus Bekkeri p. 55, 13: Οἰνοχόη, ἐξ οὗ τὸν οἶνον εἰς τὰ ἐκπώματα ἐνέχεον, οὐχ ὡς οἱ νῦν, τὴν τράπεζαν, ἐφ' ἧς τὰ ἐκπώματα κεῖται. Ἔστι δ' ἀγγεῖον προχοιδίῳ ὅμοιον. Hesychius: Οἰνοχόην, τὴν κατάχυσιν, τὸ ἀγγεῖον. Idem: Γοιναῦτις (Φοινάρωστις), οἰνοχόη. || « Pocillatrix, Pincerna femina. Cohel. 2, 8: Ἐποίησά μοι ᾄδοντας καὶ ᾀδούσας, καὶ ἐντρυφήματα υἱῶν ἀνθρώπων, οἰνοχόον καὶ οἰνοχόας. || Quæ vini curam habet, in puellarum monasteriis, in Typico monasterii Deiparæ τῆς κεχαριτωμένης Ms. c. 22, ubi ejus officium describitur. » Ducang.]

Οἰνοχόημα, τὸ, Id quod a pincerna infunditur. Plut. Phocione accepit pro Vino quod in epulis solennibus infunditur convivis, p. 243 [c. 6]: Καὶ παρεῖχε καθ' ἕκαστον ἐνιαυτὸν οἰνοχόημα ὁ Χαβρίας τῇ ἕκτῃ ἐπὶ δέκα τοῦ βοηδρομιῶνος· ubi interpr. vertit, Vinum dimensus est. De qua re Idem in libro Utrum Athenienses bello an sapientia præcelluerint [p. 349, F]: Ἕκτῃ δὲ μηνὸς οἰνοχοεῖται τῆς Χαβρίου περὶ Νάξον ἐπινίκια ναυμαχίας.

[Οἰνοχοΐα, ἡ, Vini fusio. Dio Chrys. vol. 2, p. 378: Μαγειρικῆς τε καὶ οἰνοχοΐας. Tatian. Ad Gr. p. 40: Οἰνοχοΐαν τοῦ Γανυμήδους. Wakef. Heliod. Æth. 8, 1, p. 311. || Adj. ap. eund. 7, 27, p. 397: Ὑποδεικνύναι τι καὶ ὑφηγεῖσθαι τῶν οἰνοχοϊκῶν.]

[Οἰνοχοϊκὸς, ἡ, ὸν, Qui ad vinum infundendum pertinet. V. Οἰνοχοΐα.]

Οἰνοχόος, ὁ, ἡ, [Pocillator, Gl.] Qui vinum infundit, Pincerna. Hom. Il. B, [128]: Πολλαί κεν δεκάδες δευοίατο οἰνοχόοιο, Indigerent pincerna. Od. Σ, [417]: Ἀλλ' ἄγετ', οἰνοχόος μὲν ἐπαρξάσθω δεπάεσσι. Xen. Hell. 7, [1, 38]: Ἀρτοκόπους καὶ ὀψοποιοὺς καὶ οἰνοχόους· Cyrop. 1, [3, 8]: Οἰνοχόων βασιλικῶν. Athen. 3, [p. 125, C]: Τῶν οἰνοχόων τοῖς ἄλλοις μισγόντων εἰς τὸ ποτὸν χιόνος. [Paulus Sil. Anth. Pal. 5, 266, 6: Δέπας οἰνοχόων.] Adjective quoque usurpavit ap. Eund. 11, [p. 463, B] Xenophanes Coloph. [Ion Chius]: Ἡμῖν δὲ κρητῆρ' οἰνοχόοι θέραπες κιρνάντων προχοῖσιν ἐν ἀργυρέαις.

[Οἰνόχροος, ὁ, ἡ, i. q. seq. Eust. Opusc. p. 240, 35: Ἀγαθοὶ τὴν χρόαν καὶ οἱ καθαροὶ διβινοὶ λίθοι, οὓς ὁ Ἑλληνίζων εἰς οἰνοχρόους μεταλαμβάνει.]

[Οἰνόχρους, ὁ, ἡ, i. q. seq. schol. Eurip. Or. 115: Οἰνωπὸν ἄχνην) τὴν οἰνόχροα τρίχα.]

Οἰνοχρὼς, ῶτος, ὁ, ἡ, Qui vinei coloris est, οἰνωπός. Theophr. H. Pl. 9, 13, [4]: Οἰνοχρῶτες καὶ ἐρυθραὶ, ubi tamen Gaza, Cæruleæ ac rubeæ. [Scribendum Οἰνόχρως. V. Μελάγχρως. L. Dind.]

[Οἰνόχυτος, ὁ, ἡ, Cui vinum infusum est. Soph. Phil. 714, πῶμα. || « Qui vinum infundit. Nonn. Dion. 13, 256: Οἰνοχύτῳ Διονύσῳ· 33, 74: Οἰνοχύτου βρέτας Ἥβης. » Wakef.]

[Οἶνοψ.] Οἶνοψ, οπος, ὁ, ἡ, Cujus facies vinum repræsentat, Qui vinei coloris est, οἴνου ὄψιν ἔχων, Eust. Hom. Il. A, [350]: Ὁρόων ἐπὶ οἴνοπα πόντον. Sic Od. A, [183]: Πλείων οἴνοπα πόντον ἐπ' ἀλλοθρόους ἀνθρώπους· Il. N, [703]: Βόε οἴνοπε, i. e. οἱ οἰνώδεις ἰδεῖν, ac propterea μέλανες, Eust. At Od. N, [32] ubi itidem habetur βόε οἴνοπε, idem Eust. exp. non solum μέλανες, διὰ τὸ, μέλας οἶνος: sed etiam πυῤῥοὶ, διὰ τὸ, οἶνος ἐρυθρός. Alibi autem Hom. αἴθωνες βόες dicit, propter eosdem duos colores, vel etiam οἱ θερμοὶ ἐργάζεσθαι. [Leonid. Tar. Anth. Pal. 6, 44, 5: Οἴνοπι Βάκχῳ. Nonnus Jo. c. 15, 4: Οἴνοπι καρπῷ· et c. 19, 123: Οἴνοπα μὴ σχίζοιμεν ἀληθέα τόνδε χιτῶνα, de Christi tunica rubra.]

[Οἶνοψ, οπος, ὁ, OEnops, cujus f. Liodes est inter procos, Hom. Od. Φ, 144. Pater Hyperbii Thebani, Æsch. Sept. 486.]

Οἰνόω, Vinum facio, In vinum verto. Pass. Οἰνοῦμαι, In vinum mutor, Vinum fio. Nonn.: Νάματος οἰνωθέντος, Aquæ in vinum conversæ. || Alias significat etiam Inebrio, μεθύσκω, Suid. [Critias ap. Athen. 10, p. 433, B: Οἰνῶσαι σῶμ' ἀμέτροισι πότοις. Hemst.] Et οἰνοῦσθαι dicitur homo aliquis quum vino expletur, inebriatur. Hom. Od. Π, [292], T, [11]: Μή πως οἰνωθέντες ἔριν στήσαντες ἐν ὑμῖν Ἀλλήλους τρώσητε. [Herodot. 5, 18: Οἷα πλεύνως οἰνωμένοι.] Aristot. Rhet. 2, [c. 14, 2]: Ὥσπερ γὰρ οἱ οἰνωμένοι, οὕτω διάθερμοί εἰσιν οἱ νέοι ὑπὸ τῆς φύσεως. Plut. [Mor. p. 672, A]: Μάλιστα μὲν πίνειν καὶ οἰνοῦσθαι παρακαλοῦντες ἀλλήλους. Sed minus esse οἰνωμένον quam μεθύοντα apparet ex Zenone ap. Diog. L. [7, 118]: Οἰνωθήσεσθαι δὲ τὸν σοφόν φασιν, οὐ μεθυσθήσεσθαι δὲ, Vino impleri, Bud. Sunt igitur Zenoni οἰνωμένοι qui Aristoteli ἀκροθώρακες, Appoti, Bene poti, et Qui inebriari jam incipiunt. In hoc tamen l. Aristot. Eth. [Nic.] 7, [3], ubi dicit τὸν καθεύδοντα καὶ μαινόμενον καὶ οἰνωμένον, præditum quidem esse ἕξει, sed ea non uti, οἰνωμένος accipitur potius pro Eo qui jam prorsus ebrius est: sicut Eust. quoque οἰνοῦσθαι ap. Hom., exp. μεθύσκεσθαι. Itidemque οἰνωθέντες ex Galeno Ad Glauc. 1 affertur pro Inebriati. [Apollodor. 3, 5, 7, 2. Hemst. Theæt. Anth. Pal. 7, 444, 1: Χείματος οἰνωθέντα τὸν Ἀνταγόρεω μέγαν οἶκον ... ἔλαθε πῦρ ὑπονειμάμενον.] Et οἰνωμένοι, Temulenti, [Vinolentus, Potus, huic addunt Gl.] Ebrii. [Æsch. Suppl. 409: Δεδορκὸς ὄμμα μηδ' ἄγαν ᾠνωμένον, ubi nonnulli male οἰν. (v. Boiss. An. vol. 5, p. 416). Soph. Tr. 268: Δείπνοις ἡνίκ' ἦν οἰνωμένος, ubi ᾠνωμένος Elmsl. ad Eur. Bacch. 686, quum ab Atticis certe alienum sit augmentum in talibus omissum, ut diximus in Οἰδέω. In quo præter libros Aristotelis supra citati aliorumque haud paucorum consentiunt libri Diod. 1, 57, ubi οἰνωμένοι, 17, 72 et Demetr. Phal. c. 15, ubi οἰνωμένων, Athenæi 10, p. 428, E, Alciphr. Ep. 3, 57, Æliani Ep. 15, Pollucis 6, 21, qui ex Cratino citat οἰνωμένοι, ex Platone autem διοινωμένος et κατοινωμένος, cui ex libris restitutum ω, et alibi. Eust. Il. p. 692, 12: Ἄψογον μὲν τὸ οἰνίζεσθαι· μέθην γὰρ ἡ λέξις ἐνδείκνυται, ὡς δηλοῖ καὶ παρὰ Σοφοκλεῖ (Stob. Fl. 18, 1) τὸ οἰνωθεὶς (ἀνὴρ ἥσσων μὲν ὀργῆς ἐστι).]

[Οἰνὼ, Struthium. Append. Dioscor. 2, 193.]

[Οἰνὼ, οῦς, ἡ, OEno, una OEnotroporum. V. Οἰνοτροποι.]

[Οἰνωάτης, Οἰνωᾶτις Ἄρτεμις. V. Οἴνη.]

Οἰνώδης, ὁ, ἡ, Vinosus, [Temulentus huic add. Gl.] Vinaceus, Vinum resipiens, redolens. Sic Vinosus sapor et Vinosus succus dicit Plin. Plut. Symp. 3, [p. 652, F]: Καὶ τῶν ἄλλων δὲ καρπῶν τοῖς οἰνώδεσι μᾶλλον ὡς ψυκτικοῖς χρωμένους τοὺς ἰατροὺς ὁρῶμεν, ὥσπερ ῥοαῖς καὶ μήλοις. Plin. dicit Fructus vinosum succum habentes. [Theophr. C. Pl. 6, 14, 4: Ἐν τῶν οἰνωδῶν τισι καρπῶν ἡ εὐοσμία. Aristot. Probl. 19, 43: Αἱ οἰνώδεις ῥοιαὶ καλούμεναι. Meteor. 4, 9, χυμός. Ap. Hippocr. p. 610, 2, σίδης οἰνώδεος, et 6, οἶνον οἰνώδεα Πράμνιον.] Alex. Aphr.: Αὐτὸ τὸ οἰνῶδες καὶ τρόφιμον, Pars illa vinacea et alimento idonea. [Ad colorem referri videtur ap. Pancratem Athen. 7, p. 305, C, ubi κίχλην οἰνώδεα Rubentem turdum intelligunt viri docti. Schweigh. Hesych. in v. Οἰνοπα. Boiss. De lapillis Lucian. De Syr. dea c. 31 : Λίθοι πολυτελέες, τῶν πολλοὶ οἰνώδεες. Interpretando οἶνοψ adhibent scholl. Hom. Il. N, 703.]

[Οἰνώη. HSt. in Οἴνη :] Ab Oro hæc Οἴνη vocatur Οἰνώη. Cujus gentile est Οἰνωάτης. Et fem. Οἰνωᾶτις : ut Οἰνωᾶτις Ἄρτεμις, Stephano Byz. ἡ ἐν Οἰνώῃ τῆς Ἀργείας ἱδρυμένη ὑπὸ Προίτου. De qua Eurip. Herc. F. [378] : Θηροφόνον θεὰν Οἰνωᾶτιν ἀγάλλει. Ap. eund. Steph. est etiam Οἰνόη : cujus gentile Οἰνοαῖος. [V. Οἴνη et Οἰνόη.]

[Οἰνωνᾶς, ᾶ, ὁ, OEnonas, citharœdus Italus ap. Athen. 1, p. 20, A.]

Οἰνὼν, ῶνος, ὁ, Cella vinaria, ut Colum. [Vinaria, Cellaria, add. Gl.] Pollux 6, c. 2 [§ 15] : Τὰς δὲ ἀποθήκας τοῦ οἴνου, Ξενοφῶν μὲν οἰνῶνας εἴρηκεν, Εὔπολις δὲ πιθῶνας. [Conf. 9, 49.] Xen. Hell. 6, [2, 6] : Μεγαλοπρεπεῖς δὲ οἰκήσεις καὶ οἰνῶνας κατεσκευασμένους ἔχουσαν ἐπὶ τῶν ἀγρῶν. Utitur et Athen. 12, [p. 519, D. Inscr. Att. ap. Bœckh. vol. 1, p. 166, n. 123, 8 : Οἰνῶσιν. Hesychius : Οἰνῶνες, αἱ ἀποθῆκαι. || Οἰνεὼν, Cella vinaria, Vinetum, Gl. Geopon. 7, 7, 6. De utraque forma v. Lobeck. ad Phryn. p. 166.]

[Οἰνώνη, ἡ, OEnone. Νῆσος τῶν Αἰακιδῶν. Οἱ οἰκήτορες Οἰνωναῖοι, ὡς Παρθένιος Ἡρακλεῖ, Steph. Byz. Quæ ad Æginam referri conjiciunt interpretes, cujus n. antiquius Οἰνώνη est ap. Pind. Nem. 5, 16 et alibi, Herodot. 8, 46, Apollod. 3, 12, 6, 7, Strab. 8, p. 375. Οἰνώνη dicta etiam f. Cebrenis fl., Paridis conjux, ap. Bion. 15, 11, Apollod. 3, 12, 6, 1, Parthen. Erot. c. 4, Strab. 13, p. 596.]

[Οἰνώνης, ὁ, Vini mercator. Phot., οἷον οἶνον συνωνούμενος.]

Οἰνωπὸς, ὁ, ἡ [et ἡ, ὸν, ap. Nicand. Alex. 490 : Σίδης Κρησίδος οἰνωπῆς τε· Nonn. Jo. c. 2, 39 : Οἰνωπῇ... φωνῇ· Dion. 12, 325 : Οἰνωπῇ ῥαθάμιγγι· 18, 343 : Οἰνωπῇσι παρῃσι· et Philippus infra cit.; sed ap. Hippocr. p. 563, 29, οἰνωπαὶ mutandum in οἰνωποὶ, ut est p. 638, 28], Qui vinei coloris est, s. potius Qui uvas maturas colore refert, ut discimus ex Aristot. De color. [c. 2] : Τὸ οἰνωπὸν χρῶμα γίνεται, ὅταν ἀκράτῳ τῷ μέλανι καὶ στίλβοντι κραθῶσιν αὐγαὶ ἡεροειδεῖς, ὥσπερ καὶ αἱ βοτρύων ῥᾶγες· καὶ γὰρ τούτων οἰνωπὸν φαίνεται τὸ χρῶμα ἐν τῷ πεπαίνεσθαι· μελαινομένων δὲ, τὸ φοινικοῦν εἰς τὸ ἁλουργὸν μεταβάλλει. Sunt qui interpr. Nigricans, ut ap. Eur. [Iph. T. 1245], οἰνωπὸς δράκων, Nigricans draco. Et in Epigramm. [Simonidis Anth. Pal. 7, 20, 2], οἰνωπὸς βότρυς, Nigricans racemus : Οἰνωπὸν Βάκχου βότρυν ἐρεπτόμενος. Gaza ap. Theophr. H. Pl. 3, 16 [18, 3, ubi comparativo, de ligno], et 17 [18, 2] vertit Fulvus. [Proprie de Baccho Euripides Bacch. 236 : Ξένος ... οἰνωπὸς, ὅσσοις χάριτας Ἀφροδίτης ἔχων· et de eodem 438 : Οὐδ' ὠχρὸς, οὐδ' ἤλλαξεν οἰνωπὸν γένυν, et cum eodem vocab. Phœn. 1160. De vino Or. 115 : Μελίκρατ' ἄφες γάλακτος οἰνωπόν τ' ἄχνην. Plut. Lysand. c. 28 : Οἰνωπὸν ἐπιστίλβει τὸ χῶρμα καὶ διαυγές. De vultu juvenili etiam Philippus Anth. Pal. 11, 36, 2 : Ἡνίκα μὲν καλὸς ἧς Ἀρχέστρατε κἀμφὶ παρειαῖς οἰνωπαῖς ψυχὰς ἔφλεγες ἠιθέων. Theocr. 22, 34 : Κάστωρ αἰολόπωλος, ὅ,τ' οἰνωπὸς Πολυδεύκης. «Ἵππος οἰνωπὸς χρώματι, Hesych. in Ἰρικάν.» Hemst. || Forma Οἰνώψ, ῶπος, ὁ, ἡ, Soph. OEd. T. 211 : Οἰνῶπα Βάκχον εὔϊον· OEd. C. 674 : Οἰνῶπα κισσόν.]

[Οἰνωπὸς, ὁ, n. pr., quod inter propria nomina in ωπὸς ἀπὸ φύσει μακρᾶς ἀρχόμενα ponit Arcad. p. 67, 18, scribendum Ἰνωπός. L. Dind.]

[Οἰνωροὶ, οἱ, οἱ ἱεραγωγοὶ Διονύσου, Hesychio.]

Οἴνωσις, εως, ἡ, Bene potum esse, Appotum esse, Incipere inebriari : minus quam μέθη, quo significatur Ebrietas. Sunt qui interpr. Vinositas. Vinosus tamen significat potius Vini cupidus, φίλοινος. Plut. [Mor. p. 503, F], quum citasset hos Homeri versus ex Od. Ξ, de vino, Ὅς τ' ἐφέηκε πολύφρονά περ μάλ' ἀεῖσαι, Καί θ' ἁπαλὸν γελάσαι καί τ' ὀρχήσασθαι ἀνῆκεν, Καί τι ἔπος προέηκεν, ὅπερ τ' ἄῤῥητον ἄμεινον, scribit videri ibi poetam exprimere differentiam inter οἴνωσιν et μέθην, quæ a philosophis investigatur : Οἰνώσεως μὲν, ἄνεσιν,
A μέθης δὲ, φλυαρίαν. Et mox, Ἀλλ' ἡ μωρολογία μέθην ποιεῖ τὴν οἴνωσιν· nam μέθη est λήρησις πάροινος. Idem Plut. Symp. 3, init. [p. 645, A] citatis iisdem Homeri versibus subjungit, Οἰνώσεως ἐνταῦθα τοῦ ποιητοῦ καὶ μέθης, ὡς ἐμοὶ δοκεῖ, διαφορὰν ὑποδεικνύντος· ᾠδὴ μὲν γὰρ καὶ γέλως καὶ ὄρχησις, οἰνουμένοις μετρίως ἔπεισι· τὸ δὲ λαλεῖν καὶ βλέπειν ἀβέλτερον, ἢ σιωπᾶν, παροινίας ἤδη καὶ μέθης ἔργον ἐστί. Similiter Zeno dicit hominem sapientem debere quidem οἰνοῦσθαι, sed non μεθύσκεσθαι. [Ἐν ταῖς οἰνώσεσι, Diog. L. 7, 183. Hemst. Ammon. De diff. p. 85, Cornut. De nat. d. c. 30, p. 217 fin.]

[Οἰνωτρίδες, αἱ, OEnotrides, insulæ duæ prope Italiæ oram meridionalem. Strab. 6, p. 252, 258.]

Οἴνωτρος, ὁ, Palus, Pedamentum vitis, Vallus quo vitis ceu adminiculo fulcitur. Hesych. οἴνωτρον Dorica lingua dici scribit χάρακα, ᾗ τὴν ἄμπελον ἱστᾶσι. [Iisdem fere verbis interpretatur Theognost. Can. p. 22, 25], ubi male οἴνοτρον.] || Οἴνωτρος, nomen proprium viri ap. Plin. [Filii Lycaonis, conditoris OEnotriæ, de qua Steph. Byz. : Οἰνωτρία, χώρα τῆς Ἰταλίας, τινὲς δὲ καὶ αὐτὴν Ἰταλίαν οὕτω φασὶ κεκλῆ-
B σθαι ἀπὸ Οἰνώτρου Ἀρκάδος, ὡς Παυσανίας ὀγδόῳ (3, 5). Πείσανδρος ιγ' ἀπὸ τῆς τοῦ οἴνου χρήσεως κεκλῆσθαι αὐτήν φησι. Τὸ ἐθνικὸν Οἰνωτρὸς ... λέγεται καὶ Οἰνώτριος, ἀφ' οὗ τὸ Οἰνωτριὰς γῆ. Ὀξύνεται δὲ τὸ Οἰνωτρός. Eundem accentum præcipit Arcad. p. 75, 1 : Τὸ δὲ Οἰνωτρός κύριον (intell. ὀξύνεται), ἀφ' οὗ τὸ ἔθνος. Unde corrigenda prosodia apud Pausaniam et Dionys. A. R. 1, 11-13, ubi gentis (ut ap. Steph. B. in Ἀριάνθη, Ἀρίνθη, Νίναια, Σέστιον) ducisque nomen est proparoxytonon. Ceterum præter Pherecydis etiam Sophoclis Οἰνωτρίαν memorantis testim. citatur, cui add. Lycophr. 912, Herodot. 1, 167, Aristot. Pol. 7, 10, Strab. 5, p. 209; 6, p. 253 sq., qui etiam adj. Οἰνωτρικὸς, ἡ, ὸν, habet p. 256 : Οἰνωτρικῶν βασιλέων.]

[Οἰνώψ. V. Οἰνωπός.]

[Οἰόβαζος, ὁ, OEobazus, n. viri Persicum, ap. Herodot. 4, 84; 7, 68; 9, 115, 119.]

[Οἰόβατος, ὁ, ἡ, ὕλη, Quam solus quis ingreditur,
C Solitaria, ap. Anyten Anth. Plan. 231.]

Οἰόβιος, ὁ, ἡ, Qui solitariam vitam degit, Qui in solitudine versatur. Suidæ αὐθαίρετος, μονότροπος, μεμονωμένος τῷ λογισμῷ, ἐκτὸς φρενῶν. [Hesychio μονόβιος.]

Οἰοβότης, ὁ, Solus seorsum ab aliis pascens. Soph. Aj. [615] : Νῦν δ' αὖ φρενὸς οἰοβότας, φίλοις μέγα πένθος εὕρηται, i. e., ut schol. exp., αὐτὸς ἑαυτοῦ διάνοιαν βόσκων, μόναρχος ὢν τῷ λογισμῷ, καὶ μηδενὶ πειθόμενος· s. ἐσθίων αὐτοῦ φρένα, ut simile sit hoc Homeri [Il. Z, 202], Ὃν θυμὸν κατέδων, πάτον ἀνθρώπων ἀλεείνων· s. ἐκτὸς φρενῶν διάγων καὶ ἀποπλανηθεὶς, metaphora sumpta ab ovibus, quæ huc illuc vagantur, et solæ seorsum pascuntur. [Nunc receptum οἰοβώτας, quod metrum postulat.]

[Οἰοβουκόλος, ὁ, ἡ, Unius vaccæ pastor. Æsch. Suppl. 304, de Argo Ius pastore.]

[Οἰοβώτης. V. Οἰοβότης.]

Οἰόγαμος, ὁ, ἡ, i. q. μονόγαμος, ex Epigr. [Pauli Sil. Anth. Pal. 5, 231, 8 : Ἐν πενίῃ μιμνέτω οἰογάμῳ.] Sed
D hoc exp. et de Femina unum habente virum.

[Οἰογένεια, ἡ, Unica filia, ut μουνογένεια, in epigr. ap. Welcker. Syll. epigrr. p. 112, n. 82, 1 : Ἔτι παρθένος, οἰογένεια, quæ ibid. 81, 1 dicitur μουνογενής. L. Dind.]

Οἰόζωνος, ὁ, ἡ, Soph. [OEd. T. 846] : Ἄνδρ' ἕν' οἰόζωνον, Unum absque comitatu virum. Quidam existimarunt hoc verbo significari Eum, quem μονόζωνον vocarunt, i. e. Latronem. Cam. [Οἰόζων (sic), μονόστολον, Hesychius ab intt. correctus.]

Οἰόθι et Οἰόθεν. Οἰόθι quidem pro Solum, ex Apoll. Arg. 2, [709, etc.] : Ἀφάσσει δ' οἰόθι Λητώ. Exp. et Seorsum. [Arat. 376 : Οὐ γάρ κ' ἐδυνήσατο πάντων οἰόθι κεκριμένων ὄνομ' εἰπεῖν.] At Οἰόθεν, Ab una sola parte, Ab una solum parte, Ab una duntaxat loco, μοναχόθεν, Hesych. Idem οἰόθεν οἶος exp. ἐκ μόνου μόνος, addens et hanc declarationem, μόνος πρὸς μόνον. Sunt autem illa verba ex Hom. sumpta, Il. H, [39] : Ἤν τινά που Δαναῶν προκαλέσσεται οἰόθεν οἶος, Ἀντίβιον μαχέσασθαι ἐν αἰνῇ δηιοτῆτι, ubi itidem Eust. exp. μόνος ἐκ μόνου, addens et hanc expos., εἷς ἐκ τοῦ ἑνὸς μέρους. Apud Apollon. autem Arg. 2, [28] οἰόθεν οἶος exp. μοναχόθεν. Aratus quoque usus est hoc adverbio [55]: Οὐ μὲν ἐκείνη Οἰόθεν, οὐδ' οἶος κεφαλῇ ἐπιλάμπεται ἀστήρ.

[Οἰοῖ, Οἰοιοῖ. V. Οἴ.]

[Οἰόκερως, ωτος, ὁ, ἡ, Unicornis. Oppian. Cyn. 2, 96: Οἰοκέρωτες.]

[Οἴοκλος, ὁ, OEoclus, f. Neptuni et Ascræ, ap. Pausan. 9, 29, 1.]

[Οἰολύκη, ἡ, OEolyce, f. Briarei. Schol. Paris. Apoll. Rh. 2, 778: Τινὲς μὲν Ἱππολύτης (τὸν ζωστῆρά φασι), τινὲς δὲ Διλύκης, Ἴβυκος δὲ ἰδίως ἱστορῶν Οἰολύκης φησὶν εἶναι τῆς Βριάρεω θυγατρός. Οἰολύκης deest in vulg. Διλύκης scribendum esse Δηιλύκης in illo dixi. ῦ L. D.]

[Οἰόλυκος, ὁ, OEolycus, f. Theræ, Spartanus, ap. Herodot. 4, 149, Pausan. 3, 15, 8; 4, 7, 8. Thessalus, ap. Plut. Mor. p. 674, F, ubi est var. Ἀντολύκου (Αὐτολύκου). L. Dind.]

[Οἴομαι s. Ὀΐομαι. V. Οἴω.]

[Οἰομένως, Opinando. Hieron. In Es. 53: vide Pearson. ad Ignat. Ep. p. 13. Kall.]

[Οἶον, τὸ, OEum, castellum Locridis, ap. Strab. 1, p. 60. || Δῆμος τῆς Λεοντίδος φυλῆς. Ἐξ Οἴου Ἄλεξις Ἀλέξιδος. Ἐξ Οἴου Λεοντίς. Ἐν Οἴῳ, Οἶόνδε, εἰς Οἶον, Steph. Byz. Quocum consentit Harpocr.: Οἶον· Ἰσαῖος ἐν τῷ περὶ τῆς ποιήσεως. Δῆμοί εἰσιν ἐν τῇ Ἀττικῇ διττοὶ οὐδετέρως λεγόμενοι, καλοῦνται δὲ Οἶον (tria hæc verba inania omittit liber unus). Κεκλῆσθαί φησιν οὕτω Φιλόχορος ἐν τῇ ιγ' διὰ τὸ μηδαμῶς οἰκητὸν τόπον ἔχειν, ἀλλὰ μεμονῶσθαι· τὸ γὰρ μόνον οἶον ἐκάλουν οἱ ἀρχαῖοι. Ἔστι δὲ τὸ μὲν Κεραμεικὸν Οἶον τῆς Λεοντίδος φυλῆς, τὸ δὲ Δεκελεικὸν τῆς Ἱπποθοωντίδος, ὡς Διόδωρος. Οἱ δὲ δημόται ἑκατέρωθεν ἐλέγοντο ἐξ Οἴου. Ἄλλοι δ' ἦσαν οἱ λεγόμενοι Οἴηθεν, ὡς προείρηται. (V. Ὄα.) Libri nonnulli Οἶον, quam prosodiam sequi videatur Theognost. Can. p. 49, 28: Οἶος τό τε ὀξύτονον· δηλοῖ δὲ δῆμον Ἀττικὸν καὶ πόλιν Κρητικὴν καὶ ὄνομα λιμένος καὶ ῥεῖθρον, ubi excidisse apparet τό τε προπερισπώμενον. Sed etiam τό τε ψιλούμενον καὶ τὸ δασυνόμενον, quæ nunc sunt v. 26 loco præpostero, huc revocanda apparet, ut οἶος distinguatur ab οἷος. De genere vero et accentu Οἰὸς consentit Arcadius p. 37, 14: Οἰὸς δὲ ὁ δῆμος τῆς Ἀττικῆς ὀξύνεται. Et schol. Hom. Ven. Il. Α, 24: Τὸ Οἰός· οὕτως γὰρ λέγεται δῆμος παρ' Ἀθηναίοις κατ' ὀξεῖαν τάσιν. In inscrr. et locis scriptorum, quos omitto, quum sit fere genit. ἐξ Οἴου, de nominativo fortasse dissenserunt grammatici. L. Dind.]

[Οἰονόη, quod inter hyperdisyllaba in οη ponit Theognost. Can. p. 108, 17, scribendum Οἰνόη. L. D.]

Οἰονόμος, ὁ, ἡ, affertur pro Solus pascens, In solitudine pascens. [Simonid. Anth. Pal. App. 80, 4, σκοπιαί. Leonidas Anth. Plan. 230, 1: Ἐπ' οἰονόμοιο, quod neutro genere de Solitudine dici animadvertit Schæfer. ad Bos. p. 505. || Pastor ovium, ut οἰοπόλος. Anyte Anth. Plan. 291, 2: Θεύδοτος οἰονόμος· Archias Anth. Pal. 7, 213, 4: Ἔκρεκες ἀχέτα μολπὰν τέττιξ οἰονόμοις.]

[Οἰοπέδη, ἡ, ap. Crinagoram Anth. Pal. 7, 401, 4: Καὶ κώλων δούλιον οἰοπέδην, voc. ab οἶς facto, ut videtur, fasciamque laneam significante.]

Οἰοπέδιλος, ὁ, ἡ, Unum solummodo habens talare s. calceum. [Apoll. Rh. 1, 7.]

Οἰοπόκος, ὁ, ἡ, Lanam ovillam habens. Soph. OEd. C. p. 287 [475]: Οἰὸς νεαρᾶς οἰοπόκῳ [nunc νεοπόκῳ ex codd.] μαλλῷ λαβών.

[Οἰοπολέω.] Οἰοπολεῖν, Solitarium esse, Solum alicubi versari, In locis solis versari, In solitudine degere, Epigr. [Leonidæ Tar. Anth. Pal. 7, 657, 1: Ποιμένες, οἳ ταύτην ὄρεος ῥάχιν οἰοπολεῖτε, ubi nonnulli de pascendo acceperunt, non recte. Eur. Cycl. 74: Ὦ φίλε Βάκχειε, ποῖ οἰοπολεῖς;]

Οἰοπόλος, ὁ, ἡ, interdum significat Qui circa oves versatur: ut [schol. ad Il. N, 473, Apollon. Lex. H. ex Apollodoro, Hesychius,] schol. Apoll. Arg. 2 [4, 1322, 1413] οἰοπόλοι exp. αἱ περὶ τὰ πρόβατα πολοῦσαι. [Coluth. 302: Οἰοπόλοιο Ἀπόλλωνος, et alibi.] Interdum Solitarius, Qui solus alicubi versatur. Dicitur etiam de loco aliquo, vel eo in quo oves versari solent, vel eo in quo non nisi solus versari queas, Desertus. Hom. Il. [N, 473, P, 54: Χώρῳ ἐν οἰοπόλῳ·] Τ, [377]: Τὸ δὲ καίεται ὑψόθ' ὄρεσφι Σταθμῷ ἐν οἰοπόλῳ· Ω, [614]: Ἐν οὔρεσιν οἰοπόλοισι. [H. Merc. 314: Ἑρμῆς οἰοπόλος. Pind. Pyth. 4, 28: Οἰοπόλος δαίμων.]

[Οἰόρπατα, voc. Scythicum, Virum occidens, sec. Herodot. 4, 110: Τὰς δὲ Ἀμαζόνας καλέουσι οἱ Σκύθαι Οἰόρπατα· δύναται δὲ τὸ οὔνομα τοῦτο κατὰ Ἑλλάδα γλῶσσαν ἀνδροκτόνοι· οἰὸρ γὰρ καλέουσι τὸν ἄνδρα, τὸ δὲ πατὰ κτείνειν.]

[Οἰορών, ῶνος, ὁ, ap. Theognost. Can. p. 38, 31: Τὰ εἰς ων ὀξύτονα ἀρσενικὰ, ἔχοντα πρὸ τοῦ ω τὸ λ ἢ τὸ ρ, φυλάττει τὸ ω ἐπὶ τῆς γενικῆς, οἷον ... οἰορὼν οἰορῶνος, οὕτως δὲ ἡ χάραξις τοῦ ἀρότρου, scribendum esse οἰρὼν, quod sine interpr. ponit etiam Arcad. p. 15, 9, docent quæ ex eodem de vocc. ab οιρ incipientibus annotabimus in Οἰριάζω, χάραξις autem, quamvis Sulci significatione positum alludat ad Hesychii interpretationem mox afferendam, videtur mutandum in χάραξ, quod illic significare dicitur simile voc. οἰρωγὸς, nisi hoc ipsum est scribendum οἰρών. Nam hic quoque Theognosti, antiquioris grammatici libro corrupto decepti, error subesse videtur: ex quo an explicanda et corrigenda sit etiam Suidæ glossa Ὀΐρωνος, sine interpretatione posita contra ordinem literarum ante Ὄϊος, in medio relinquo. Hinc autem sponte intelligitur Hesychii gl.: Οἱ ῥῶν, οἱ ἐκ τῆς καταμετρήσεως τῆς γῆς εὐθυωρία, ubi Οἰρώνη Musurus, sic esse emendandam: Οἰρὼν, ἡ ἐκ .... L. Dind.]

Οἷος, α, ον, Qualis, citra interrogationem: diversoque præterea usu a ποῖος, ut exempla docebunt. Hom. Il. Ψ, [589]: Οἶσθ' οἷαι νέου ἀνδρὸς ὑπερβασίαι τελέθουσι. [P, 471: Οἷον πρὸς Τρῶας μάχεαι· 587: Οἷον δὴ Μενέλαον ὑπέτρεσας· N, 633: Οἷον δὴ ἄνδρεσσι χαρίζεαι ὑβριστῇσιν. Alio cum adj. conjunctum Λ, 653: Οἶσθα οἷος ἐκεῖνος δεινὸς ἀνήρ· Σ, 262: Οἷος ἐκείνου θυμὸς ὑπέρβιος, οὐκ ἐθελήσει μίμνειν ἐν πεδίῳ· Φ, 108: Οὐχ ὁράᾳς οἷος καὶ ἐγὼ καλός τε μέγας τε;] Plato Charmide [p. 154, B]: Αὐτίκα, ἔφη, εἴσει, καὶ ἡλίκος καὶ οἷος γέγονε. Lucian. in Anach. [c. 15]: Εἴσει ἕκαστα, οἷα μὲν περὶ θεῶν, οἷα δὲ περὶ γονέων ἢ περὶ γάμων δοκεῖ ἡμῖν. Rursum ap. Plat., sicut et ap. alios, passim respondet ei τοιοῦτος, vel τοιόσδε, Talis: ut in Timæo [p. 39, E]: Ἧπερ οὖν νοῦς ἐνούσας ἰδέας τῷ ὅ ἐστι ζῶον, οἷαί τε ἔνεισι καὶ ὅσας καθορᾷ, τοιαύτας καὶ τοσαύτας διενοήθη δεῖν καὶ τόδε σχεῖν, Cic. vertit, Quot igitur et quales animalium formas mens in speciem rerum intuens poterat cernere, totidem et tales in hoc mundo secum cogitavit effingere. Apud poetas autem ei respondet vel τοιόσδε vel τοῖος. Hom. Il. [Z, 146]: Οἵηπερ φύλλων γενεὴ, τοιήδε [τοίη δὲ] καὶ ἀνδρῶν. Sed ap. utrosque scriptores interdum præcedit οἷος, interdum sequitur: ut et Latine permutatur ordo vocum Talis et Qualis. Invenitur autem et redditum interrogationi factæ per ποῖον, quum alibi, tum ap. Plat. Quoniam autem non reperitur vicissim ποῖον subjunctum τῷ οἷον, hoc etiam nomine fortasse priorem locum merito dederimus illi ποῖος. Ceterum vocabuli hujus οἷος interrogative etiam positi exemplum affertur, ex Hom. sc., dicente aliquot locis [Il. H, 455, etc.], οἷον ἔειπες· quod tamen potius tale est, quale esse ποῖον ἔειπες dicemus, inclusa sc. habens quum alia, tum θαυμασμόν. [Sic Il. Φ, 54: Ὦ πόποι, ἦ μέγα θαῦμα τόδ' ὀφθαλμοῖσιν ὁρῶμαι· ἦ μάλα δὴ Τρῶες ... αὖτις ἀναστήσονται· οἷον δὴ καὶ ὅδ' ἦλθε φυγὼν κτλ. Od. Α, 32: Ὦ πόποι, οἷον δή νυ θεοὺς βροτοὶ αἰτιόωνται· Ε, 183: Ἦ δὴ ἀλιτρός γ' ἐσσὶ καὶ οὐκ ἀποφώλια εἰδώς· οἷον δὴ τὸν μῦθον ἐπεφράσθης ἀγορεῦσαι. Hesiodi Sc. 104: Ἦ μάλα δή τι πατὴρ ἀνδρῶν τε θεῶν τε τιμᾷ σὴν κεφαλὴν καὶ ταύρεος Ἐννοσίγαιος· οἷον δὴ καὶ τόνδε βροτὸν ... σὰς ἐς χεῖρας ἄγουσιν, ἵνα κλέος ἐσθλὸν ἄρηαι. Et similiter sæpius Pindarus, Tragici, aliique poetæ. Alia de hoc genere exx. rectius componuntur cum iis, de quibus infra, ubi de οἷος pro ὅτι τοιοῦτος, ut Hom. Il. Χ, 347: Αἳ γάρ πως αὐτόν με μένος καὶ θυμὸς ἀνείη, ὤμ' ἀποταμνόμενον κρέα ἔδμεναι, οἷά μ' ἔοργας· Od. Ρ, 479: Μή σε νέοι διὰ δώματ' ἐρύσσωσ', οἷ' ἀγορεύεις. Sæpe etiam duplex sic ponitur, ut Soph. Tr. 994: Οἵαν ἀνθ' οἵων ἐπί μοι μελέῳ χάριν ἠνύσω, et alibi.] Sic certe θαυμαστικῶς dici videtur ap. Xen. [Cyrop. 2, 4, 5]: Οἷον πεποίηκας, et ap. Plat. De rep. 1, [p. 344, D]: Οἷον ἐμβαλὼν λόγον ἐν νῷ ἔχεις ἀπιέναι. Quidam vero exp. ἡλίκον in hujusmodi ll. [Duplex sic est ap. Eur. Hipp. 879 : Οἷον οἷον εἶδον ἐν γραφαῖς μέλος, et alibi. Alciphr. Ep. 3, 39 : Οἷα γὰρ οἷά σε λανθάνει· 55 : Οἷον γὰρ οἷον ἔλαθέ σε συμπόσιον. Ponitur etiam sæpissime, ubi exx. afferuntur, ut in Hesiodeo Ἢ οἵη, unde Ἠοῖαι, quod v. Æsch. Pers. 21 : Οἷος Ἀμίστρης ἠδ' Ἀρταφρένης σοῦνται, et ap. alios quosvis. || Interdum resolvi potest per ὅτι τοιοῦτος, ut Æsch. Prom. 908 : Ἦ μὴν ἔτι Ζεύς, καίπερ αὐθάδη φρονῶν, ἔσται ταπεινός, οἷον ἐξαρτύεται γάμον γαμεῖν, ὃς αὐτὸν ἐκ τυραννίδος θρόνων τ' ἄϊστον ἐκβαλεῖ· Soph. OEd. T. 701 : Δίδαξον κἄμ' ὅτου ποτὲ μῆνιν τοσήνδε πράγματος στήσας ἔχεις.—Κρέοντος, οἷά μοι βεβουλευκὼς ἔχει. Et alibi.] Οἷος interdum Quis potius quam Qualis. Hom. Il. I, [105] : Οὐ γάρ τις νόον ἄλλος ἀμείνονα τοῦδε νοήσει Οἷον ἐγὼ νοέω, i. e. ὃν ἐγὼ νοέω. [Sine pron. Eur. Hipp. 531 : Οὔτ' ἄστρων ὑπέρτερον βέλος, οἷον τὸ τᾶς Ἀφροδίτας ἵησιν ἐκ χερῶν Ἔρως, ubi similem pron. ὅσος et part. ὡς, quæ v., post comparativos sine ἢ positorum constructionem comparavi.] Plato Apol. [p. 39, C] : Φημὶ γάρ, εἴ με ἀποκτενεῖτε, τιμωρίαν ὑμῖν ἥξειν εὐθὺς μετὰ τὸν ἐμὸν θάνατον πολὺ χαλεπωτέραν ἢ οἵαν ἐμὲ ἀπεκτείνατε. [Οἵους, Quos; Οἷα, Quæ, Gl. In locis autem ab HSt. positis est brachylogia quædam. Brevius dictum etiam hoc Od. Ω, 377 : Οἷος Νήρικον εἷλον, τοῖος ἐὼν κτλ. Et Herodot. 1, 86 : Οἷα δὴ εἶπας. Aristoph. Ach. 753 : Τί δ' ἄλλο πράττεθ' οἱ Μεγαρῆς νῦν; Οἷα δή, pro πράττομεν οἷα δὴ πράττομεν, ut est Eur. Med. 1011 : Ἤγγειλας οἷ' ἤγγειλας, et alibi similiter. Heracl. 632 : Πάρεσμεν, οἷα δή γ' ἐμοῦ παρουσία. || Articulum post οἷος, quod rarius, ponit Georg. Pachym. Mich. Pal. 1, 2, p. 5, C : Ἐφ' οἵαις ταῖς αἰτίαις. Acta Synodi Maji Novæ Coll. vol. 4, p. 3, 2 : Κατὰ τίνα τρόπον καὶ οἵαν τὴν ἐκδοχήν. Nam paullo aliter dicuntur talia ut, quod supra citavimus, Od. E, 183 : Οἷον δὴ τὸν μῦθον ἐπεφράσθης ἀγορεῦσαι, et similia.]

|| Οἷος interdum subauditum habet ante se τοιοῦτος, et quidem cum infin. Xen. [Comm. 2, 9, 3] : Οὐ γὰρ ἦν οἷος ἀπὸ παντὸς κερδᾶναι, pro οὐ γὰρ ἦν τοιοῦτος οἷος κτλ., sed illud οἷος postea resolvendum in ὥστε, ut convenire possit cum hac interpr., Non erat talis, ut quæstum ex re qualibet faceret. [Anab. 2, 3, 13 : Οὐ γὰρ ἦν ὥρα οἵα τὸ πεδίον ἄρδειν.] Sic ap. Plat. [Reip. 2, p. 381, E] : Ἀλλ' αὐτοὶ μὲν οἱ θεοί εἰσιν, οἷοι μὴ μεταβάλλειν, Tales sunt ut non mutentur, qui non mutentur. Idem [Reip. 1, p. 334, D] : Ἀλλὰ μὴν οἵγε ἀγαθοί, δίκαιοί τε καὶ οἷοι μὴ ἀδικεῖν. Itidem ap. Aristot. : Οὐχ οἷος ποιεῖν, pro οὐ τοιοῦτος οἷος ποιεῖν, i. e. ὥστε ποιεῖν, Non talis ut efficiat. Et οἷος εὐποιεῖν, Talis ut beneficia conferat. [Xen. Vect. 1, 2 : Ἡ χώρα πέφυκεν οἵα πλείστας προσόδους παρέχεσθαι· Cyrop. 2, 2, 23 : Δοκεῖ μοι τὸ πολὺ τῶν στρατιωτῶν εἶναι οἷον ἕπεσθαι ᾗ ἄν τις ἡγῆται. Et similiter alibi quum ipse tum Plato et Demosth. et alii.] Idem plena oratione dixit, De gener. anim. 3 : Εἴπερ ἐστί τι τοιοῦτον γένος οἷον ἄνευ ἄῤῥενος γεννᾷν. [Xen. Cyrop. 1, 2, 3 : Ὅπως μὴ τοιοῦτοι ἔσονται οἷοι ... ἐφίεσθαι, et alibi. Plato Reip. 3, p. 415, E.] Quinetiam in uno eodemque loco et plena et imperfecta est usus : Eth. 7 : Ὁ μὲν γὰρ φύσει τοιοῦτος οἷος μὴ ἥδεσθαι παρὰ τὸν λόγον · εἰ δ' οἷος ἥδεσθαι, ἀλλὰ μὴ ἄγεσθαι. [V. infra in Οἷός τε.] Et cum infin. pass. : Ταῦτα μὲν οἷα ἀπιστεῖσθαι. Sed præcedente uno ex obliquis, nomen hoc itidem ponitur in eod. casu obliquo. Lucian. [Hermot. c. 76] : Εἴ τινι ἐντετύχηκας Στωϊκῷ οἵῳ μήτε λυπεῖσθαι· ponitur enim οἵῳ in eod. casu, in quo poneretur quod omittitur et subaudiendum relinquitur vocabulum; diceretur enim Στωϊκῷ τοιούτῳ κτλ. Huc pertinet et istud dictum, Ἀνδρὸς οὐδαμῶς οἵου τε ψεύδεσθαι, Viri qui non ejusmodi est ut mentiatur. Interdum vero et non sequente infin. Eur. [Alc. 804] : Οὐχ οἷα γέλωτος ἄξια πράττομεν, pro οὐ τοιαῦτα πράττομεν οἷά ἐστιν ἄξια γέλωτος. Sed non ita commode resolvi potest istud Xenophontis [Hell. 2, 3, 25] : Ἡμεῖς δὲ ἔγνωμεν τοῖς οἵοις τε ἡμῖν [ἡμῖν τε] καὶ ὑμῖν χαλεπὴν πολιτείαν εἶναι δημοκρατίαν· itemque istud Ejusd. [Comm. 2, 9, 3] : Χαριζόμενον οἵῳ σοι ἀνδρί. Est enim dictum pro χαριζόμενον τοιούτῳ ἀνδρὶ οἷος σύ. Itidemque illic, pro τοῖς τοιούτοις οἷοι ἡμεῖς καὶ ὑμεῖς. Quare non video cur dicendum fuerit οἷος in hujusmodi ll. significare ὅμοιος, i. e. Similis. [Xen. H. Gr. 1, 4, 16 : Οὐκ ἔφασαν δὲ τῶν οἵωνπερ αὐτὸς ὄντων εἶναι καινῶν δεῖσθαι πραγμάτων. Et ib. : Τοῖς δ' αὐτοῦ ἐχθροῖς (ὑπάρχειν) τοιούτοις δοκεῖν εἶναι οἵοισπερ πρότερον· ubi libri τοιοῦτος ... οἷόσπερ. Sed quanquam recte ponitur οἷος casu eodem qui præcesserat, ubi idem sequitur, ut in l. primo Xen. ab HSt. cit., Soph. Tr. 444 : Πῶς δ' οὐ χἀτέρας, οἵας γ' ἐμοῦ; aliisque aliorum quorumvis, non tamen ferendus videtur etiam ubi nominativus aut sequitur, ut in οἵωνπερ αὐτὸς ὄντων, aut intelligitur, ut in οἵοισπερ πρότερον, etsi talia sæpe inferunt librarii, ut Aristoph. Ach. 601 : Νεανίας οἵους σὺ διαδεδρακότας, ubi οἷος restituit et alia ejus vitii exx. contulit G. Dindorf.] Sed nec sequente infin. lubenter reddiderim οἷος, Promptus, Strenuus, Cupidus, Pronus : quæ tamen habet Bud. At voce Paratus cum suo infin. alicubi videtur licere uti. Quinetiam cogimur uti verbo Posse interdum in interpr. hujus vocabuli οἷος juncti itidem infinitivo, et quidem interdum habentis præterea velut appendicem syllabæ τε. Sic Aristot. Polit. 3 : Ἀλλ' οὐχ οἷος ποιεῖν ἀγαθούς, Sed qui minime possit bonos reddere. Idem ibid. [3, 6] : Καὶ ὁ νόμος συνθήκη, καθάπερ ἔφη Λυκόφρων ὁ σοφιστής, ἐγγυητὴς ἀλλήλοις τῶν δικαίων, ἀλλ' οὐχ οἷος ποιεῖν ἀγαθοὺς καὶ δικαίους τοὺς πολίτας, Sed qui minime facere possit, Bud. Quinetiam neutrum Οἷον itidem pro Possibile. Gorgias Pro Palamede [p. 190] : Ἀλλά σοι οὐκ ἦν οἷον μόνον [μόνῳ] μάρτυρας, ἀλλὰ ψευδομάρτυρας εὑρεῖν· ἐμοὶ δὲ οὐδέτερον εὑρεῖν τούτων ἀδύνατον. Sed possunt suspecti cuipiam esse hi ll., tanquam omissam habentes voculam τε : cum qua passim nomen istud signif. hanc obtinet. [Harpocr. : Οἷος εἶ καὶ Οἷός τε εἶ, τὸ μὲν χωρὶς τοῦ τε σημαίνει τὸ βούλει καὶ προῄρησαι, τὸ δὲ σὺν τῷ τε δύνασαι· ἀμφοτέροις ἐχρήσατο Λυσίας ἐν τῷ κατὰ Λυσιθέου, εἰ γνήσιος. Schol. Æsch. Pr. 41 : Σημείωσαι ὅτι τὸ οἷον τὸ δυνατὸν χωρὶς τῆς τε συλλαβῆς οὐ γράφεται.] Nam passim legitur Οἷός τε sequente infin., pro Potis : interpretando sc. οἷός τε εἰμί, Potis sum, Possum, Est mihi facultas. [Hom. Od. T, 160 : Ἤδη γὰρ ἀνὴρ οἷός τε μάλιστα οἴκου κήδεσθαι · Φ, 117 : Οἷός τ' ἤδη πατρὸς ἀέθλι' κάλ' ἀνελέσθαι, et præmisso τοῖος 173 : Οὐ γάρ τοι σέ γε τοῖον ἐγείνατο πότνια μήτηρ οἷόν τε ῥυτῆρα βιοῦ τ' ἔμεναι καὶ ὀϊστῶν. Et alii quivis.] Aristoph. Vesp. [955] : Μὰ Δί', ἀλλ' ἄριστός ἐστι τῶν νυνὶ κυνῶν, Οἷός τε πολλοῖς προβατίοις ἐφεστάναι. Dem. [p. 343, 5] : Τὸν δὲ καιρὸν τῶν πραγμάτων ἐάν τις ἑκὼν καθυφῇ καὶ προδῷ τοῖς ἐναντίοις, οὐδ' ἂν ὁτιοῦν ποιῇ, πάλιν οἷός τε ἔσται σῶσαι, Occasiones autem rerum gerendarum si quis adversariis condonarit et prodiderit, ut quidvis deinde ille faciat, servare res perditas non poterit, Bud. [Id. p. 23, 5 : Ἀνδρὸς οὐδαμῶς οἵου τε ψεύδεσθαι· 542, 6 : Τὸ μὲν οὖν πρῶτον οἷός τ' ἦν πείθειν αὐτόν. Polyb. 1, 26, 2 : Οὐχ οἷοί τ' ἦσαν ἐπιτρέπειν, aliis locis pluribus ap. Schweigh. in Lex.] Isocr. [p. 31, B] : Τοῦτο γὰρ παρασκευάσασθαι αἱ τυραννίδες μᾶλλον τῶν ἄλλων πολιτειῶν οἷαί τ' εἰσί. Quinetiam cum accus. solo affertur ex Plat. [Epist. 7, p. 329, D], Σμικρὰ δ' οἷός τ' ἦν, Parum poteram. Et οἷόν τε itidem, Possibile [Gl.] est : Οἷόν τε εὑρίσκειν, Lucian., Possibile est invenire, pro Potest inveniri, Facultas est inveniendi. Isocr. Evag. [p. 190, D] : Πλησιάζοντας τοῖς ἀνθρώποις τοὺς θεοὺς οἷόν τ' αὐτοῖς ποιηταῖς ἐστὶ ποιῆσαι, Facultas est poetis fingendi, Licet s. Datur poetis fingere. Et cum negativa particula οὐχ : ut Οὐχ οἷόν τέ ἐστιν ἡμῖν διατρίβειν, Aristoph. [Nub. 198. Atque sic sæpe ap. quosvis, ut Eur. Alc. 487 : Οὐδ' ἀπειπεῖν τοὺς πόνους οἷόν τέ μοι.] Sic Isocr. Evag. : Τῆς δόξης οὐχ οἷόν τε ἀλλ' ἢ τοὺς διενεγκόντας κτήσασθαι. Interdum vero cum οἷόν τε subaudiendum relinquitur ἐστί : ut ὡς οἷόν τε ap. Dem., quod exp. Pro virili parte. [Quod sæpe conjungitur cum superlativis, ut Xen. Anab. 2, 4, 24 : Διέβαινον τὴν γέφυραν ὡς οἷόν τε μάλιστα πεφυλαγμένως.] Et, Καθ' ὅσον οἷόν τε μετρίως καὶ εὐλαβῶς χρηστέον ταῖς ἄλλαις κενώσεσι, Quam parcissime et cautissime fieri potest. [Etiam οἷός τε et οὐχ οἷός τε sine εἰμὶ dicitur, ut Aristoph. Eq. 342 : Ὁτιὴ λέγειν οἷός τε κἀγώ. || Plurali Herodot. 1, 194 : Ἀνὰ τὸν ποταμὸν οὐκ οἷά τέ ἐστι πλέειν, et alibi.] Sed οὐχ οἷός τε εἰμὶ significat etiam, ut scribit idem Bud., Nolo, Renuo, Invitus facio. Polyb. [3, 90, 5], de Fabio Maximo cunctatore : Εἰς ὁλοσχερῆ δὲ κρίσιν ἐξ ὁμολόγου συγκαταβαίνειν οὐδαμῶς οἷός τ' ἦν. Idem, Ἐγγίζειν γε μὴν καὶ συμπλέκεσθαι τοῖς πολεμίοις οὐχ οἷοί τε

ησαν, Sibi persuadere non poterant. [De γὲ post οἷός τε posito v. in illo vol. 2, p. 540, B. Ceterum apud Epicos etiam extra formulas ubi cum infinitivo conjungitur, οἷός τε dicitur, ut sit Qualis. Il. P, 157: Μένος, οἷόν τ' ἄνδρας ἐσέρχεται· Od. N, 223: Οἷοί τε ἀνάκτων παῖδες ἔασι· P, 309: Οἷοί τε τραπεζῆες κύνες ἀνδρῶν γίγνονται. Hesiod. Sc. 7: Τοῖον ἄηθ' οἷόν τε πολυχρύσου Ἀφροδίτης. Conjunctum cum particulis δὴ, οὖν, περ, v. infra. Cum τις, Hom. Il. E, 638: Ἀλλ' οἷόν τινά φασι βίην Ἡρακληείην· Od. I, 348: Οἷόν τι ποτόν. Plato Protag. p. 313, A: Οἶσθα εἰς οἷόν τινα κίνδυνον ἔρχει;] || Ceterum ut ante illud οἷος habens post se infinitivum, dixi subaudiri τοιοῦτος, sic etiam ante οἷος junctum superlativo subaudiri sciendum est. Plato Apol. [p. 23, A]: Ἐκ ταύτης ἤδη τῆς ἐξετάσεως πολλαί μοι ἀπέχθειαι γεγόνασι, καὶ οἷαι χαλεπώταται καὶ βαρύταται· perinde ac si dixisset, τοιαῦται οἷαι αἱ βαρύταται, Tales fuerunt, quales quæ acerbissimæ, i. e. Ut quæ acerbissimæ, Quamacerbissimæ. Tale est οἷος ἀργαλεώτατος, Aristoph. [Eq. 978. Ἐνσκευάσασθαί μ' οἷον ἀθλιώτατον, Ach. 384. Xen. Anab. 4, 8, 2: Χωρίον οἷον χαλεπώτατον]: et οἷος κράτιστος, Aristot. Eth. 9, 3, et βίος οἷος ἁβρότατος, Lucian. [Aliter Herodot. 4, 28: Ἀφόρητος οἷος γίνεται κρυμός.] || Quinetiam in hoc loquendi genere, Οὐδὲν γὰρ οἷον ἀκούειν αὐτοῦ τοῦ νόμου, ap. Dem. [p. 529, 21] subaudiri τοιοῦτον ante οἷον, persuasissimum habeo. Quo minus libenter sequor Budæi interpr., qui vertit Nihil vetat, ut sc. οἷον sit pro κωλύον. Sic Aristoph. [Av. 967]: Ἀλλ' οὐδὲν οἷόν ἐστ' ἀκούειν τῶν ἐπῶν. Itidemque ap. Gregor.: Οὐδὲν δὲ οἷον ἐν βραχεῖ διηγήσασθαι. Sed addit et aliud interpr. genus, quo sc. vertamus, Nihil melius: ut οἷον sit pro βέλτιον: subjungitque ex Plat. Gorgia init.: Οὐδὲν οἷον τὸ αὐτὸν ἐρωτᾶν, ὦ Σώκρατες. [Xen. OEc. 3, 14: Οὐδὲν οἷον τὸ ἐπισκοπεῖσθαι.] Cui tamen loco quendam Themistii addit, in quo ait οὐδὲν δὲ οἷον plane significare, Nihil vero vetat, Tamen supervacaneum non erit. Verum ego, quod tanti viri pace dixerim, violentam s. potius violentissimam esse hanc interpr. judico, qua οὐδὲν οἷον redditur Nihil vetat: alteram vero tolerabiliorem esse existimo, qua vertit, Nihil melius. Nec enim dubito quin οὐδὲν οἷον, subaudiendo τοιοῦτον ante οἷον, uti dixi, sit ad verbum quod dicimus, *Il n'y a rien tel que,* vel *rien de tel*, etc., veluti quum dicimus, *Nous avons beau parler aux autres, il n'y a rien tel que de parler à luy-mesme,* vel, *Il n'est rien tel que*, etc.: nam utroque modo loquimur. Sic Dem. postquam nonnulla de quadam lege disseruit, eam valde commendans, tandem eam recitari jubet: rationem hanc subjungens, Οὐδὲν γὰρ οἷον ἀκούειν αὐτοῦ τοῦ νόμου, q. d. *Mais quoy que je vous en scache dire, encore n'est-il rien tel que d'ouir les propres mots de la loy*. Verum si non inveniatur Latina loquendi formula quæ illi nostræ, eademque opera, Græcæ respondeat, non recusem interim reddere Nihil melius, satius: præsertim quum ita quoque loquamur in eadem re, *Il n'y a rien meilleur que,* etc. Vel, *Le plus expedient est,* etc. Ac certe qui dicit Nihil tale est quale, etc. (quod sonare dico illum hellenismum ad verbum, subaudiendo τοιοῦτον), perinde est ac si diceret Nihil perinde profuerit atque etc. Vel, Nihil perinde juverit, aut utile fuerit. Sed de hoc tamen aliorum esto judicium. [Sine infinitivo Aristoph. Lys. 135: Οὐδὲν γὰρ οἷον, ubi κωλῦον interpr. schol.] || Est vero et quidam alius usus hujus nominis οἷος cum infin., sed qui vix admittere videtur ut subaudiatur τοιοῦτος, qualis est in Hom. Od. B, [271]: Εἰ δή τοι σοῦ πατρὸς ἐνέστακται μένος ἠΰ, Οἷος ἐκεῖνος ἔην τελέσαι ἔργον τε ἔπος τε, Οὔτοι ἔπειθ' ἁλίη ὁδὸς ἔσσεται, οὐδ' ἀτέλεστος, Ut erat, vel Qua erat ille dicendi facultate efficiendique præditus, non hæc tibi utique peregrinatio irrita abibit et infecta, Bud. [X, 234: Ὄφρ' εἰδῇς οἷός τοι ἐν ἀνδράσι δυσμενέεσσι Μέντωρ Ἀλκιμίδης εὐεργεσίας ἀποτίνειν.] Et Lucian. [D. deor. 6, 5]: Ἀλλ' οἷοι πάντες ἄνθρωποι ἀπειρόκαλοί εἰσιν, αὐχήσει κατελθὼν ἴσως, Sed ut sunt homines inepti et insolentes, vel Pro ea, quæ omnibus insita est hominibus, insolentia. Quamvis autem dixerim hunc usum vocis οἷος vix admittere ut subaudiamus τοιοῦτος, fortasse tamen aliquis hic quoque locus inveniri ei possit: ac præsertim quum istud loquendi

A genus ea forma, ut ita dicam, effertur, qua videmus a Luciano hic efferri, veluti si, verbi gratia, in illo ejus loco ita resolvamus illam orationem, ut dicamus, Οἷοι πάντες ἄνθρωποι ἀπειρόκαλοί εἰσιν, αὐχήσει κτλ. perinde esse ac si dictum esset, Τοιοῦτος ὢν οἷοι πάντες ἄνθρωποι, οἵγε ἀπειρόκαλοι εἶναι εἰωθότες. Vel ita, Τοιοῦτος ὢν οἷοι πάντες ἄνθρωποι, ἀπειρόκαλος δηλαδὴ ὡς ἐκεῖνοι ἀπειρόκαλοι· sed et alius fortasse excogitari queat illam orationem resolvendi modus. Sunt vero et alii usus vocabuli οἷος, in quibus pro loco videndum est quid commode subaudiri, aut quæ interpr. adhiberi queat, non quidem illi seorsim, sed resolvendo totam orationem in aliam atque aliam formam, prout præcedentia vel sequentia viam nobis patefacere videbuntur. [Demosth. p. 23, 7: Εἴ τις ἀνήρ ἐστιν αὐτοῖς οἷος ἔμπειρος πολέμου καὶ ἀγώνων. In Ind.:] Οἷά τε, i. significat q. οἷάπερ, sc. Qualiter, Quemadmodum, Tanquam, ut, οἷά τε δημότης, Tanquam privatus, Ut qui esset privatus. Legitur ap. Hom. etiam et Hesiodum. [V. supra.]

B || Οἷός περ, et Οἷός ποτε, et Οἷος δήποτε, vel Οἱοσδήποτε, item Οἱοσδήποτ' οὖν, vel Οἱοσδηποτοῦν, Qualiscunque, Quilibet, [Quicunque huic add. Gl. in Οἷος δήποτε. Quod habet Hesych. in Ἑλεπόλεις. De Οἷος οὖν v. HSt. in Οὖν]. In VV. LL. οἷός ποτ' ἐστὶ, Qualiscunque s. Quicunque sit. Ibid. ex Diosc.: Οἷον δή ποτε φάρμακον, vel potius οἱονδήποτε, Quodlibet venenum. Ex Eod.: Οἱασδηποτοῦν ποιότητος ἀμέτοχος, Cujusvis qualitatis expers. [Chron. Pasch. p. 427, 17: Ἐν οἱᾳδήποτε ἡμέρᾳ. Eust. in Maji Nov. Coll. vol. 7, p. 285, B: Φύσεως τῆς οἱασδηποτοῦν. Conf. Lobeck. ad Phryn. p. 373. « Demetrius De sympathiis ap. Fabric. B. Gr. vol. 4, p. 337: Γυνὴ ἔγκυος ὄφιν οἱονδηποτοῦν ὑπερβᾶσα ἐκτιτρώσκει.» Cramer. Simplex οἷος δὴ, de quo initio diximus, est ap. Arrian. Stob. Fl. App. vol. 4, p. 9: Οἵαν δὴ οὐ σμικρὰν μοῖραν.] At οἷός περ, non solum pro Qualiscunque, s. Quicunque, sed et simpliciter pro Qualis, affertur. Verum pro Qualis, potius οἷός περ, at pro Qualiscunque, οἱόσπερ scrib. fuerit. Nisi quis malit οἷοσπερ, retinendo accentum in prima, quum particula περ sit ascititia, sicut
C τοῖσδεσσι scribi annotat Eust. Sic etiam Ὁποιόσπερ scriptum invenitur: et tamen ὁποίῳπερ et ὁποίωνπερ, non ὁποιώνπερ et ὁποιῷπερ, ipse Bud. scripsit in ll. iis quos supra protuli. Quod si οἷοσπερ, etiam ὁποῖοσπερ scribere licebit. [Hom. præter l. initio ab HSt. cit., Il. E, 340, addito etiam τε: Ἰχὼρ, οἷόσπερ τε ῥέει μακάρεσσι θεοῖσιν. Soph. Aj. 1117: Ὡς ἂν ᾖς οἷόσπερ εἶ· OEd. C. 896: Οἷάπερ πέπονθ' ἀκήκοας. Æsch. Ag. 1046: Ἔχεις παρ' ἡμῶν οἷάπερ νομίζεται. Addito οὖν 607: Γυναῖκα ... εὕροι μολὼν, οἵανπερ οὖν ἔλειπε. Xen. Cyrop. 1, 6, 19: Τοῦτο τοιοῦτόν ἐστιν οἷόν περ εἴ τις κύνας ἀνακαλοῖτο, et alibi.]

|| Οἷον, adv., Qualiter, Sicut, Velut, Quemadmodum, Tanquam. [Utpote, Ut puta, Ceu huic add. Gl.] Hesiod. Sc. [106]: Οἷον δὴ καὶ τόνδε βροτόν. [Alia exx. initio posita sunt.] Plato Apol. [p. 40, C]: Καὶ εἴτε δὴ μηδεμία αἴσθησίς ἐστιν (ὁ θάνατος), ἀλλ' οἷον ὕπνος, Sed est tanquam somnus, vel somno similis, ut Cic. vertit. Apud Eund., Οἷον δὴ λέγω, Exempli gratia, ubi existimatur esse imperfecta oratio pro λέγω δὲ τὸ τοιόνδε οἷον. Sæpe cum εἰκὸς, ubi exp. Ut: vide Εἰκός. [Οἷον
D in primis frequens est apud grammaticos, et apud eosdem aliosque scriptores recentiores et recentissimos Ὡς οἷον vel οἷα et οἷον ὡς pro alterutro, ut apud Eustathium, sed jam ap. Ælian. N. A. 4, 16: Γαῦρος, ὡς οἷα δήπου κρατῶν ἤδη, et alios ap. Bast. Ep. crit. p. 57, Lobeck. ad Phryn. p. 427. Quorum nihil cadit in antiquiores, velut Aristotelem, cui οἷον ὡς affinxit qui libros De plantis composuit 1, 3, p. 818, 22.] || Interdum pro Ferme: ut, Οἷον δέκα σταδίους, Thuc. || Quinetiam redditur Id est, in Plut. Numa [c. 14]: Τὴν καλουμένην ῥηγίαν, οἷόν τι βασίλειον οἴκημα. [Sic sæpe grammatici, quorum unum et alterum memorasse sufficit, ut Photium Bibl. p. 533, 23: Τὸ τητᾶσθαι βίου, οἷον στέρεσθαι· Hesychium: Ἐλέπουν, οἷον ἐλέπιζον.] || Quippe. Hom. Od. Ξ, [392]: Ἦ μάλα τίς τοι θυμὸς ἐνὶ στήθεσσιν ἄπιστος· Οἷόν σ' οὐδ' ὀμόσας περ ἐπήγαγον· sed controversa est hæc interpr., et merito quidem. [Comparandus hic l. cum iis quos initio attulimus, ubi de οἷος sic posito ut sit i. q. ὅτι τοιοῦτος. Ver-

ιere sic licet participio junctum ap. Georg. Pachym. Mich. Pal. 1, 2, p. 5, D : Ἀντιμαχομένου καὶ ἀντισκοποῦντος οἷον τοῦ Ἑρμοῦ τῇ Λητοῖ, nisi malis Quasi, Ferme, ut ap. Agathiam Præf. p. 7, 9 : Ξυνέβη ... οἷον ἅπαντα τὰ ἀνθρώπεια κεκινῆσθαι. || Addito περ Plato Tim. p. 21, A : Οἷόν περ ὑμνοῦντας ἐγκωμιάζειν, et alibi.] At vero pro Qualiter, Sicut, etc. dicitur etiam Οἷα [Æsch. Ag. 1142 : Οἷά τις ξουθὰ ἀηδών. Soph. Tr. 105 : Οἷά τιν' ἄθλιον ὄρνιν· 526 : Ἐγὼ δὲ μάτηρ μὲν οἷα φράζω. Epigr. Anth. Pal. App. 222, 6 : Οἷά γε δὴ κτίστας τάνδε φέροιτο χάριν. Sozom. H. E. 2, 19 : Οἷά γε τὰ Ἀρείου φρονοῦντες], quod exp. et Utpote in Herodoto : Πολὺς ἦν ἐν λόγοις, οἷα κάρτα δεόμενος. [Οἷα γίνεται, Ut fit, Gl. Οἷα δή, Utpote, Gl. Xen. Cyrop. 1, 3, 2 : Ὁ Κῦρος, οἷα δὴ παῖς φιλόστοργος· et alibi sæpe.] Pro quo et Οἷά περ ap. Thuc. et Xen. Quinetiam pro οἷον, invenitur interdum et Οἱονεὶ, [et Οἱονανεὶ, Gl.] Tanquam. Longin. : Ὡσπερεὶ φάναι καὶ οἱονεί. [Polyb. 1, 3, 4 : Οἱονεὶ σωματοειδῆ. Et addito περ Plato Theæt. p. 201, E : Ἀκούειν ὅτι τὰ πρῶτα οἱόνπερ εἰ στοιχεῖα ... λόγον οὐκ ἔχοι. Quod οἱόνπερ εἰ, sed cum verbo conjunctum habet Xen. supra cit. Cum πως Cyrill. Al. In c. 4 Amosi p. 295 : Οἱονεί πως τῶν ἀνθρωπίνων οἰακοστρόφος.] || Οἷον, adverb. cum οὐχ et μὴ habet et aliam quandam signif., quæ videri posset potius pertinere ad οἶος, Solus, nisi obstaret spiritus diversitas. Nam Οὐχ οἷον, et Μὴ οἷον, significat Non solum non, Non modo non. Polyb. : Μένουσα μὲν γὰρ φάλαγξ ἐν τοῖς ἐπιτηδειοτάτοις αὐτῇ τόποις, οὐχ οἷον ὠφελεῖν δύναιτ' ἂν τοὺς φίλους, ἀλλ' οὐδὲ αὐτὴν σώζειν, Non modo non possit suos juvare, sed ne seipsam quidem servare. [Id. 1, 20, 12, etc.] Sic et Phalar. : Οὐχ οἷον ἀνθρώπῳ τινὶ πεισθείην τὴν τυραννίδος ἐξουσίαν καταθέσθαι, ἀλλ' οὐδὲ θεῶν τῷ δυναστεύοντι, Non modo non persuaserit mihi quisquam mortalium, sed ne ipse quidem deorum princeps Jupiter. Possumus autem uti et particula Nedum in hujusmodi ll. : ut hic, Ne ipsius quidem Jovis consilio paruerim, nedum mortali ulli. Quinetiam possumus uti illo genere loquendi Latinis usitatissimo, Tantum abest : hoc modo, Ne ipsi quidem Jovi paruerim, Ne ipse quidem Jupiter mihi hoc persuaserit, tantum abest ut quisquam mortalium. [Addito μόνον, quod similiter sic addi post οὐκ ἀρκεῖ diximus in ipso, Polyb. 18, 18, 11 : Οὐχ οἷον δὲ τῶν ἐξ αὐτῆς τῆς Καρχηδόνος ἀπέσχετο μόνον, ἀλλὰ καὶ οὐδὲν εἴασε ...] Est autem idem usus et cum μή : ut ap. eund. Polyb. 5, [40, 2] : Καὶ μὴ οἷον τυχεῖν ἐπὶ τούτοις χάριτος, ἀλλὰ τοὐναντίον κληθεὶς εἰς τὴν Ἀλεξάνδρειαν, παρ' ὀλίγον κινδυνεῦσαι τῷ βίῳ, Non solum non retulisse gratiam, sed contra etc. Idem 1, [75, 6] : Ἐξ ὧν συνέβαινε τοὺς Καρχηδονίους μὴ οἷον στρατοπέδῳ τῆς χώρας ἐπιβαίνειν, ἀλλὰ μηδὲ τοὺς κατ' ἰδίαν θέλοντας διαπεσεῖν, ῥᾳδίως ἂν δύνασθαι λαθεῖν τοὺς ὑπεναντίους. [Phrynich. Ecl. p. 372 : Οὐχ οἷον ὀργίζομαι, κίβδηλον ἐσχάτως· μάλιστα ἁμαρτάνεται ἐν τῇ ἡμεδαπῇ Οὐχ οἷον καὶ Μὴ οἷον λεγόντων, ὅπερ οὐ μόνον τῷ ἀδοκίμῳ ἀπόβλητον, ἀλλὰ καὶ τῷ ἤχῳ ἀηδές. Λέγειν δὲ χρὴ Οὐ δήπου, Μὴ δήπου. Antiatt. Bekk. p. 110, 13 : Οὐχ οἷον ὀρίζομαι (ὀργ.), οὐχ οἷον ἁλίσκω (corruptum ex alio verbo) καὶ τὰ ὅμοια· σὺ δὲ Πολὺ ἀπέχω τοῦ ὀρίζεσθαι (ὀργ.). Tritæ ap. recentiores formulæ non vidi antiquiorem auctorem Amphide ap. Athen. 7, p. 244, C : Πέτεται γὰρ οὐχ οἷον βαδίζει τὰς ὁδούς. Diodor. 3, 18 : Οὐχ οἷον ὑγρὰν τροφὴν ἐπιζητοῦσι ποιοῦ, ἀλλ' οὐδ' ἔννοιαν ἔχουσι, vel potius ἐπιζητοῦσιν ... ἔχουσι ποιοῦ, et ib. 33. Schol. Aristoph. Ran. 757 : Τὸ δὲ μἀλλ' εἶπεν ἀντὶ τοῦ οὐκ ἀλλὰ, ἐν οἵῳ τρόπῳ λέγομεν, Οὐχ οἷον ἥδομαι, ἀλλ' ὑπερήδομαι.]

|| Etiam Οἵως dicitur, pro Qualiter, Quemadmodum, Quomodo, Aristoph. Vesp. [1363.] Apud Soph. σχετλιασμῷ adhibetur [Aj. 923] : Ὦ δύσμορ' Αἴας οἷος ὤν, οἵως ἔχεις. [Ph. 1007 : Οἵως μ' ὑπῆλθες. Hippocr. p. 1194, F : Οἵως Ποσειδωνίῃ. Oribas. p. 176 ed. Mai. : Οἵως ἐδηλώθη ἐν τῇ τῶν ὀλισθημάτων πραγματείᾳ. L. D.]

[Ὄϊος, Ovillus. V. Ὄα, Οἴα.]

[Οἶος, α, ον. HSt. post Οἷος :] At vero Οἶος tenui spiritu scriptum, poetis in usu est pro Solus. Hom. Il. B, [247] : Ἴσχεο, μηδ' ἔθελ' οἶος ἐριζέμεναι βασιλεῦσιν· Od. K, [495] : Τῷ καὶ τεθνειῶτι νόον πόρε Περσεφόνεια Οἴῳ πεπνύσθαι. [Il. Γ, 91 : Οἴους μάχεσθαι· K, 141 : Ἀνὰ στρατὸν οἶοι ἀλᾶσθε· Ξ, 480 : Οὔ θην οἴοισίν γε πόνος ἔσεται· Ψ, 638 : Οἴοισίν μ' ἵπποισι παρήλασαν· I, 438 : Πῶς ἂν ἔπειτ' ἀπὸ σεῖο λιποίμην οἶος; K, 40 : Οἶος ἐπελθών· Λ, 693 : Τῶν οἶος λιπόμην. Addito καὶ N, 79 : Μενοινώω δὲ καὶ οἶος Ἕκτορι μάχεσθαι· Π, 243 : Ἦ ῥα καὶ οἶος ἐπίστηται πολεμίζειν. Sequente ἀπὸ, quocum etiam μόνος conjungi supra diximus, Od. I, 192 : Φαίνεται οἶον ἀπ' ἄλλων· Φ, 364 : Οἶον ἀπ' ἀνθρώπων.] Il. Ω, [573] : Οὐκ οἶος· ἅμα τῷγε δύω θεράποντες ἕποντο· B, [822] : Οὐκ οἶος· ἅμα τῷγε δύω Ἀντήνορος υἶε. Fem. Οἴη, Sola. Od. A, [331] et Il. Γ, [143] : Οὐκ οἴη, ἅμα τῇγε καὶ ἀμφίπολοι δύ' ἕποντο. Et in neutro, κλέος οἶον, Solam famam, Il. B, [486] : Ἡμεῖς δὲ κλέος οἶον ἀκούομεν. [Et alibi. Pind. Pyth. 1, 93, et alibi masculino. Ceterum vocabuli frequens est usus apud poetas non Atticos, rarior ap. hos. Soph. Aj. 750 : Κάλχας μεταστὰς οἶος Ἀτρειδῶν δίχα· fr. Ægei ap. schol. Pind. Pyth. 2, 54 : Πῶς δῆθ' ὁδουρὸν οἶος ἐξέβης λαθών;] Affertur et Οἶον, pro Solum, Tantummodo, adverbialiter positum. [Hesiod. Th. 26 : Γαστέρες οἶον. Æsch. Ag. 132 : Οἶον μή τις ἄγα θεόθεν κνεφάσῃ στόμιον, Modo ne.]

[Οἶος, ὁ, OEus. Πολίχνιον Τεγέας. Αἰσχύλος Μυσοῖς. Οἱ πολῖται Οἰᾶται. Τὸ ἐθνικὸν ὁμοίως, Steph. Byz. Οἰάτας memorat Pausan. 8, 45, 1. V. etiam Οἶον.]

Οἰοφάγος, ὁ, ἡ, Oves devorans : ut οἰοφάγῳ σιδήρῳ, inquit Hesych., quasi μηλοκτόνῳ, Oves occidente.

[Οἰόφρων, ονος, ὁ, ἡ, Solitarius. Æsch. Suppl. 795, πέτρα.]

[Οἰοφυσίτης, ὁ, i. q. μονοφυσίτης, quod v. Ephræm Cæs. 9751 et alibi. L. Dind.]

Οἰοχίτων, ωνος, ὁ, ἡ, Tunicam ovinam habens, ex lana ovina, Hesychio προβατοχίτων, vel etiam μονοχίτων, Unicam tunicam habens, aut δίχα ἱματίου. [Hom. Od. Ξ, 489 : Οἰοχίτων' ἴμεναι. Nonn. Dion. 8, 16. De monachis Greg. Naz. vol. 2, p. 218, B. ῐ]

Οἰόω, i. q. μονόω, Solum reddo, Desolo, Destituo, Viduo. Hom. Il. [Z, 1] : Τρώων δ' οἰώθη καὶ Ἀχαιῶν φύλοπις αἰνή, schol. ἐμονώθη τῆς τῶν θεῶν συμμαχίας, χωρὶς θεῶν ἐγένετο. [Λ, 401 : Οἰώθη δ' Ὀδυσεὺς δουρικλυτὸς, οὐδέ τις αὐτῷ Ἀργείων παρέμεινεν. Οἰῶ τὸ μονόω ponit Arcadius p. 165, 7. Non videtur huc pertinere Hesychii gl. : Οἰῶντα, μονάζοντα, de qua v. intt.]

[Οἶπερ. V. Οἷ.]

Ὀΐπτωτον, Excrementum ovis, Ovillum fimum, ut Plin. appellat. Pollux 5, περὶ ἀφοδευμάτων loquens [91] : Τῶν προβάτων τὴν κόπρον, ὀΐπτωτον [οἰσπώτην] καλοῦσι.

[Οἰριάζω verbum ignotum cum aliis aliunde incognitis ponit Theognost. Can. p. 23, 25 : Ἡ οι συλλαβὴ πρὸ τοῦ ρ ἐν ἀρχῇ λέξεως διὰ τοῦ υ ψιλοῦ γράφεται ... σεσημείωται τὸ οἰρωγὸς, ὁ χάραξ (v. Οἰορών)· οἴριος, ἀποστερητής· οἴριζον, ὅρισον· οἰριάζων, τραχυνόμενος, διὰ τῆς οι διφθόγγου. Quibus an addenda sit Hesychii gl. : Οἱραῖοι βλέπειν οἵτινες, incertum. Delevit Musurus. L. D.]

Οἶς, οἰὸς, sive Ὄϊς, ὄϊος, ὁ, ἡ, Ovis, in fem. gen. : sin in masc. usurpetur, Arietem significat. Disyllabi exempla primo loco ponam. Hom. Il. M, [451] de pastore : Πόκον ἄρσενος οἰὸς Χειρὶ λαβών· Od. Φ, [408] : Ἐΰστρεφὲς ἔντερον οἰός· Il. [Γ, 198] : Ὅστ' οἰῶν μέγα πῶϋ διέρχεται ἀργεννάων· Od. Ξ, [100] : Τόσα πώεα οἰῶν· O, [385] : Μουνωθέντα παρ' οἴεσιν ἢ παρὰ βουσίν. [Alia dativi forma ὄεσσι est Il. Z, 25; Λ, 106; Od. I, 418.] Utitur et Soph. supra in Οἰοπόκος [et alibi eodem casu οἰός]. Theocr. [2, 2] : Φοινικέῳ οἰὸς ἀώτῳ. Xen. [Comm. 2, 7, 13] : Τὴν οἶν πρὸς τὸν δεσπότην εἰπεῖν, Ovem ad dominum dixisse. Idem, Οἶς θύουσι, Oves mactant et immolant. Masc. autem genere Aristot. De gen. anim. 4, 3, τὸν οἶν dixit Arietem, τὸν κριόν : ut, οἰῒ κυρίττοντι, Arieti cornibus ferienti. Trisyllabum autem Ὄϊς Ionicum esse, testatur ipse etiam Aristoph. Pac. [930] : οἶν vero et οἶς, aliique casus bisyllabi Attica sunt, ut Hesych. et alii testantur. Hom. Il. Ω, [125] : Τοῖσι δ' ὄϊς λάσιος μέγας ἐν κλισίῃ ἱέρευτο· et [621] : Ὄϊν ἄργυφον ὠκὺς Ἀχιλλεὺς σφάξ'· Δ, [433] : Ὥστ' ὄϊες πολυπάμμονος ἀνδρὸς ἐν αὐλῇ Μυρίαι ἑστήκασιν ἀμελγόμεναι γάλα λευκόν· Ψ, [31] : Πολλοὶ δ' ὄϊες καὶ μηκάδες αἶγες. [Dat. forma ὀΐεσσιν utitur Hom. Il. K, 486, etc.] Hesiod. [Op. 773] : Ἦ μὲν ὄϊς πείκειν. Quo accusativo utitur [Hom. Il. Λ, 245, etc.] Plut. [Mor. p. 303, A] : Πρὸς τὸ τοῦ Ἀγήνορος τέμενος τὰς ὄϊς προσελαύνοντες οἱ Ἀργεῖοι βιβάζουσι. Et e Xen. [Cyrop. 1, 4, 7], ἄγριοι ὄϊες, Oves agrestes. Hippocr. ὄϊος στόμα, quod Erotian. exp. γοῦλαν προβάτου. [Recte Mœris p. 274 : Οἶς μονοσυλλάβως Ἀττικοὶ, πρόβατα Ἕλληνες. Schol. Aristoph. Pac. 930 : Οἱ Ἴωνες δισυλλάβως λέγουσιν ὄϊς, οἱ δὲ Ἀττικοὶ μονοσυλλάβως καὶ τὰς οἶς καὶ πολλὰ τοῦ αὐτοῦ γένους. Οἱ Ἀττικοὶ συναιροῦντες τὸν ὄϊν οἶν. Hesychius : Οἶν· συνεῖρον τὸ οἶν ἀρρενικῶς Ἀττικοί. Thomas p. 649 : Ὄϊς τὸ πρόβατον (addito ex. Aristidis), καὶ οἶς μονοσυλλάβως ἐπὶ θηλυκοῦ. Οἶν ap. Aristoph. Pac. 1076 in oraculo, Eur. El. 513, et accus. pluralis οἶς sæpe ap. Xenoph., ut Cyrop. 5, 2, 5, ubi deteriores ὄϊας, pariterque nom. plur. οἶες Comm. 3, 2, 1 et alibi, qui non solet in οἶς contrahi. Οἶες igitur et οἶς scribendum in locis ex prosæ scriptoribus ab HSt. citatis, aliisque multis, qui adhuc habent diæresin Ionicam. || Forma poet., sed ab Atticis aliena, Οἶις est ap. Callim. Apoll. 53 : Οὐδ' ἀγάλακτοι οἴιες, ubi plerique male ὄϊες, et ap. Theocr. 1, 9 : Αἴκα ταὶ Μῶσαι τὰν οἴιδα δῶρον ἄγωνται.]

[Οἶσαξ. V. Οἰσύα.]

[Οἰσιὰ, ἡ, ap. Arcad. p. 99, 11 : Τὸ δὲ Κηφισιὰ καὶ Οἰσιὰ καὶ Λουσιὰ ὀνόματα δήμων, scribendum Ὑσιά. L. Dindorf.]

[Οἶσκος, ἡ, OEscus, urbs Triballorum, ap. Ptolem. 3, 10, et ubi οἰσκὸς 8, 9. Conf. Larcher. ad Herodot. 4, 49, intt. Antonini Itin. p. 220 sq. L. Dind.]

Ὄϊσμα, τὸ, derivatum ab ὀΐομαι et οἴομαι, Gaza dicitur vertisse Elatio.

Οἰσόκαρπον, τὸ, Fructus s. Granum salicis. Eust. p. 834, de λύγος loquens : Φυτὸν ἱμαντῶδες καὶ ἁπαλὸν, ὃ καὶ οἶσον καλοῦσιν· ἐξ οὗ καὶ οἰσόκαρπον, τὸ κατά τινας ἀγνόκοκκον. [Schol. Ven. Hom. Il. Λ, 105; Etym. M. v. Μόσχοισι.]

Οἶσον, τὸ, Funis, σχοινίον, Hesych. [et Theognost. Can. p. 24, 11.] Proprie οἶσα esse dicuntur Funes nautici, Retinacula navium. Lycophr. [20] Οὖσα vocavit, Ionice, ut annotat schol. ejus. Alioqui οἶσον est etiam aor. 1 imp. modi, Fer : a them. οἴω. Alioqui et Οἶσος s. Οἰσὸς, [Vimen, Gl.] dicitur ἡ οἰσύα teste Eust. [Od. p. 1533, 57], ap. quem perispωmenωs scriptum est : oxytonωs ap. Theophr. H. Pl. 6, 2, [2] ubi de cneoro dicit, Γλίσχρον δὲ σφόδρα· διὸ καὶ χρῶνται πρὸς τὸ καταδεῖν καὶ προσλαμβάνειν, ὥσπερ τῷ οἰσῷ. Utroque modo ap. Hesych. [v. Οἰσύϊνοισι], οἰσοὶ, γένος σχοινίου. Et rursum [v. Οἰσυΐνῃσι], πλέγμασι τοῖς ἀπὸ οἴσων γεγενημένοις. [Theophr. H. Pl. 3, 18, 1; μέλας, λευκὸς 2. Τῷ οἴσῳ 6, 2, 2; fr. 3, 37, ubi alii libri οὐσῷ et χρυσῷ habent. V. annot. ad Varr. R. R. p. 312. Schneid. Qui primo horum locorum quæ post καὶ οἴσου adduntur καὶ οἴτου recte animadvertit dittographiam esse præcedentium, non alius fruticis nomen.]

[Οἰσοπόνηρος, ὁ, Tristis, Molestus, sec. Theognost. Can. p. 24, 12 : Οἰσοπόνηρον, λυπηρὸν, inter vocc. ab οισ incipientia. Nisi hic quoque deceptus est vitio libri, qui hoc exhiberet pro οἰσυπηρὸν, interpretationem autem de suo adjecit. V. Οἶτος. L. Dind.]

[Οἶσος s. Οἰσός. V. Οἶσον.]

Οἰσοφάγος, Gula [Gl.], Meatus a faucibus in ventriculum, duabus tunicis constans, per quem cibus et potus in ventriculum descendunt. Sic dictus est quod ea ferat, quæ eduntur; est enim via cibi. Galen. vero in Lex. Hippocr. annotat οἰσοφάγον ab Hippocr. dici Os ventriculi, τὸν τῆς γαστρὸς στόμαχον. [Hippocr. p. 409, 34 : Ἡ δὲ κοίλη φλὲψ περαίνεται μὲν ὡς ὁ οἰσοφάγος, πέφυκε δὲ μεταξὺ τοῦ τε βρόγχου καὶ τοῦ οἰσοφάγου.] Hæc inter alia Gorr., ap. quem vide et de tunicis οἰσοφάγου. Hesychio idem est cum βρόγχος, Suidæ idem cum λαιμός. Aristot. H. A. [1, 16] : Ἐντὸς δὲ τοῦ αὐχένος ὅ, τε οἰσοφάγος καλούμενός ἐστιν, ἔχων τὴν ἐπωνυμίαν ἀπὸ τοῦ μήκους καὶ τῆς στενότητος· De partt. anim. [2, 3] : Ὁ δὲ οἰσοφάγος ἐστὶ, δι' οὗ ἡ τροφὴ πορεύεται εἰς τὴν κοιλίαν· ὥσθ' ὅσα μὴ ἔχει αὐχένα, οὐδ' οἰσοφάγον ἔχουσιν ἐπιδήλως. [Pollux 2, 202. In οἰστροφάγος corruptum ap. Hesych.]

Οἰσπάτη, ἡ, Sordes ovium, ὁ τῶν προβάτων ῥύπος, Didym. ap. Hesych. [cui οἰσπάτη pro οἰσποτιτὴς υἱὸς (i. e. οἰσπώτη, τῆς οἰὸς, ut fere vidit Schow.) intulit Musurus] : ipse autem Hesych. generalius exp. ῥύπος. Suidæ οἰσπάτη, ὁ ῥύπος τῶν ἐρίων, Sordes lanarum. [V. Οἰσπώτη.] Ceterum pro οἰσύπη vel οἰσπάτη legitur etiam Οἴσπη : quod Ionicum esse videtur; nam οἴσπη pro ῥυπαρῶν προβάτων ἔρια Suid. affert ex Herodoto
A [4, 187, ubi al. οἰσύπη] : quo sensu paulo post ex Lex. Herod. afferam οἰσύπη. Itidem Galen. Lex. Hippocr. : Οἴσπη αἰγὸς, ὁ παρὰ ταῖς θριξὶ τῆς αἰγὸς ἐγγινόμενος ἐν τῇ ἕδρᾳ ῥύπος, καὶ μάλιστα ταῖς κατὰ τὴν ἕδραν συνιστάμενος ῥύπος· pro quo Erotian. habet οἰσύπη αἰγὸς, ut infra citabo [in Οἴσυπος]. Itidem ap. Hesych. : Οἶσπαι, προβάτων κόπρος, ῥύπος.

[Οἴσπη. V. Οἰσπάτη.]

Οἰσπώτη, ἡ, Ungula ovis, ὁπλὴ προβάτου, ut in meo Lex. vet. exp., derivaturque ab οἶς et πατέω, verso α in ω. Item Sordes ovium, Fimum ovillum : οἰὸς ῥύπος, τὸ τοῦ προβάτου διαχώρισμα [διαχώρημα, ut in Οἴσυπος, quod v., scriptum], ut in eod. meo Lex. vet. exp., prolato hoc Aristoph. loco, Πρῶτον μὲν ἔχρη ὡσπερεὶ πόκον Ἐκπλύνοντα τὴν οἰσπώτην ἐκ τῆς πόλεως ἀποθῦσαι. Qui locus ex Lysistrata [575] desumptus est; sed paulo aliter in vulgata ed. legitur, ita sc., Πρῶτα [—τον] μὲν ἐχρῆν, ὥσπερ πόκον ἐν βαλᾳ [βαλανείῳ] Ἐκπλύναντας τὴν οἰσπώτην ἐκ τῆς πόλεως ἐπικλίνεις [ἐπὶ κλίνης, ut dixi in Μοχθηρὸς p. 1232, D] Ἐκραβδίζειν
B τοὺς μοχθηρούς. sed et his menda subsunt. [V. Ὀΐπτωτον.] Dio Cass. 46, [5] in concione Caleni, exprobrantis Ciceroni quod fullonis esset filius et succidas lanas sordibus repurgasset, retrimentaque collegisset : Καὶ γυμνὸς ἐν γυμνοῖς αὐξηθεὶς καὶ οἰσπώτας καὶ ὑσπελέθους καὶ σπατίλας συλλέγων, Sordes lanarum succidarum et succerdas. Vel etiam Fimum ovillum, Stercora ovilla; ubi tamen vulgata ed. habet οἰσπότη, quod et ap. Etym. legitur : sed est aut οἰσπώτη aut οἰσπάτη scrib. [Koenii ad Greg. Cor. p. 543 conjecturam de ὁπλὴ, quod spectat scripturam οἰσπάτη, recte rejicit Bastius.]

Οἰστέος, α, ον, Ferendus [Gl. Soph. Ant. 310 : Τὸ κέρδος ἔνθεν οἰστέον· OEd. C. 1360 : Ἐμοὶ μὲν οἰστέα τάδε.] Eur. [Or. 769 : Οἰστέον τάδε· Alc. 739 : Τοὐν ποσὶν οἰστέον κακόν· Ion. 1260 : Οἰστέον δὲ τὴν τύχην. Plato Soph. p. 237, C : Τῶν ὄντων ἐπί τι τὸ μὴ ὂν οὐκ οἰστέον. Isocr. p. 298, D : Ὀρχομενίοις φόρον οἰστέον. « Schol. Eur. Phœn. 382. » Boiss. Aristot. Rhet. 3, 4 : Οἰστέαι αἱ εἰκόνες, ὥσπερ αἱ μεταφοραί. Κομιστέον exp. Phrynich. Bekk. p. 56, 3.]

C Ὀΐστευμα, τὸ, Id ipsum quod jaculando emissum est, i. e. Sagitta, Jaculum : idem cum ὀϊστός : vel potius Sagitta excussa, Jaculum emissum. Plut. Apophth. [p. 225, B] : Λέγοντός τινος, Ἀπὸ τῶν ὀϊστευμάτων τῶν βαρβάρων οὐδὲ τὸν ἥλιον ἰδεῖν ἐστί.

Ὀϊστευτήρ, ὁ, Sagittarius. [Nonn. Dion. 7, 271. Wakef. Antip. Sid. Anth. Pal. 6, 118, 3.]

[Ὀϊστευτής, ὁ, i. q. præcedens. Callim. Apoll. 43 : Κεῖνος ὀϊστευτὴν ἔλαχ' ἀνέρα.]

[Ὀϊστευτικὸς, ἡ, ὸν, i. q. præcedens. Eust. Il. p. 1053, 4, ἀκίδος. L. Dind.]

Ὀϊστεύω, Sagitta peto, vel ferio, Jaculor, Sagittam emitto. Hom. Od. M, [84] : Οὐδέ κεν ἐκ νηὸς γλαφυρῆς αἰζήϊος ἀνὴρ Τόξῳ ὀϊστεύσας κοῖλον σπέος εἰσαφίκοιτο· Il. Θ, [269] : Ἐπεὶ ἄρ τιν' ὀϊστεύσας ἐν ὁμίλῳ. Cum genit. construitur, Δ, [100] : Ἀλλ' ἄγ' ὀΐστευσον Μενελάου κυδαλίμοιο· ubi subaudiri potest κατὰ, ut sit Sagitta impete, Sagittam immitte, Sagittam dirige contra. [Anon. ap. Athen. 13, p. 591, A : Φίλτρα δὲ βάλλω οὐκέτ' ὀϊστεύων, de Amore. Apoll. Rh. 3, 28 : Αἴκε πίθηται κούρην
D Αἰήτεω ... οἷσι βέλεσσι θέλξαι ὀϊστεύσας ἐπ' Ἰήσονι· 143 : Σὺ δὲ παρθένον Αἰήταο θέλξον ὀϊστεύσας ἐπ' Ἰήσονι.]

[Οἴστη, ἡ, μαλλὸς, Villus, (ut diversum sit ab οἴσπη, quod nihilominus reponendum videtur, etiamsi hanc interpr. ceteri grammatici omiserunt, parum sane accuratam : conf. Οἰσύπη) inter vocc. ab. οισ incipientia refert Theognost. Can. p. 24, 11. Οἴτη cum ead. interpr. male p. 18, 20. V. quæ de fide Theognosti dicemus in Οἶτος. L. Dind.]

[Οἰστικὸς, ἡ, ὸν, Qui fert. Philo vol. 1, p. 110, 12 : Εἰ μὴ προκατεβλήθη τὸ οἰστικὸν αὐτῶν ἡδονή. (Ni voluptate ceu fundamento niterentur, Int., non recte : nam et hic et p. 389, 25 : Οὐχὶ τῇ καρπῶν ἡμέρων μητρὶ, ἀλλ' ἥτις πικρίας οἰστικὴ γέγονε, Feracem et producentem significat. L. D.) Qui producit, Antyllus Stob. Fl. vol. 3, p. 323 : Βαρῶν καὶ δυσαρεστημάτων οἰστικά. Wakef. Creuzeri Initt. philos. ac theol. vol. 3, p. 98 : Ἄλλων ἐστὶν οἰστικά. Orig. Philoc. c. ult. p. 438 ed. Par.; Niceph. Blemm. p. 31. « Ferax. Jo. Chrys. In Ps. 106, vol. 1, p. 973 : Ἥ τε τούτων χώρα καὶ πόλις, οἰστικὴ πρότερον οὖσα καρπῶν ἀγαθῶν, ἐκ τῆς εἰς Χριστὸν παροινίας ἄκαρπος ἔτι διατελεῖ. » SEAGER. Damascius ap. Wolf. Anecd. vol. 3, p. 243 : Οἰστικὴ τῆς οὐσίας καὶ πατρικὴ ἐνέργεια. KALL. Cornutus De nat. deor. 28, p. 210 : Διὰ τὸ ἐπίπονον εἶναι καὶ πόνων οἰστικὴν ἐργασίαν. Schol. Plat. Ruhnk. p. 102 (p. 399 Bekk.) : Ἰατρική ἐστιν ἀπούσης ὑγείας οἰστική. || Οἰστικῶς, Iamblich. Vit. Pyth. c. 5, p. 64 : Ἀπῆρεν εἰς τὴν Ἰταλίαν, πατρίδα ἡγησάμενος τὴν πλείονας (recte cod. Ciz. πλειόνων) εὖ ἐχόντων πρὸς τὸ μανθάνειν οἰστικῶς ἔχουσαν χώραν, Plurium feracem. Ubi miræ sunt editorum conjecturæ.]

[Ὀϊστοβόλος, ὁ, ἡ, Sagittarius. Nonn. Dion. 24, 139, alibi. WAKEF. Id. 29, 68. Antip. Anth. Pal. 7, 427, 10.]

[Ὀϊστοβρόχιον, τὸ, Sagittarum vel telorum pluvia. Eust. Il. p. 770, 48 : Ἰοχέαιραν, ὡς ἰοὺς χέουσαν κατά τινα ὄμβρον ἢ νιφετόν· ὅθεν ἡ ἀπεριλάλητος γλῶσσα λαβοῦσα βούλεται λέγειν ὑποκοριστικῶς ὀϊστοβρόχιον τὴν τοιαύτην χύσιν τῶν ὀϊστῶν. Alibi vocat Σαγιτοβρόχιον. DUC.]

[Οἰστοδέγμων, ονος, ὁ, ἡ, Sagittas continens. Æsch. Pers. 1020 : Τάνδε δ' οἰστοδέγμονα, de pharetra.]

Ὀϊστοδόκη, ἡ, Theca in qua sagittæ reponuntur : quæ et Ὀϊστοθήκη. Cam. [Utrumque ap. Polluc. 10, 142. Adj. ap. Apoll. Rh. 1, 1194 : Ῥίμφα δ' ὀϊστοδόκην μὲν ἐπὶ χθονὶ θῆκε φαρέτρην.]

[Ὀϊστοδόχος, ὁ, ἡ, Sagittas recipiens. Jo. Diac. in Hesiodi Sc. 128 : Φαρέτρα λέγεται τὸ ὀϊστοδόχον ὅπλον. L. DINDORF.]

[Ὀϊστοθήκη. V. Ὀϊστοδόκη.]

[Ὀϊστοκόμος, ὁ, ἡ, Sagittas servans. Nonn. Dion. 48, 360 : Ὀϊστοκόμοιο φαρέτρης. WAKEF.]

Οἰστὸς, ὁ, Qui ferri potest, Tolerabilis. [Ferendus, Gl.] Thuc. 1, p. 39 [c. 122] : Εἰ μὲν ἡμῶν ἦσαν ἑκάστοις πρὸς ἀντιπάλους περὶ γῆς ὅρων διαφοραὶ, οἰστὸν ἂν ἦν, i. e. ὑπομονητὸν ἂν ἦν, Tolerabile esset. Idem [7, 75] : Ὅμως δὲ ὑπὸ μεγέθους τοῦ ἐπικρεμαμένου ἔτι κινδύνου, [πάντα ταῦτα] οἰστὰ αὐτοῖς ἐφαίνετο, Tolerabilia videbantur. Idem, Καῦμα οὐδαμῇ οἰστόν. Utitur et Synes. [Lucian. Jud. voc. c. 7 : Οἰστὸν ἦν μοι τὸ ἄκουσμα. Comparativo Heliod. Æthiop. 2, 24 : Συμφορᾶς τὸ μὲν ἀπροσδόκητον ἀφόρητον, τὸ δὲ προεγνωσμένον οἰστότερον. || Adv. Οἰστῶς una cum adjectivo annotavit Pollux 3, 131.]

Ὀϊστὸς, ὁ, [Missile, Gl.] Sagitta, Jaculum. Eust. a verbo οἴω, i. e. κομίζω, derivat : ut ἰὸς ab ἵημι. Arat. [598] : Εὐποίητος ὀϊστὸς, Sagitta, ut Cic. interpr. p. 101 mei Cic. Lex. Frequens ap. Hom. : ut Il. E, [99] : Διὰ δ' ἔπτατο πικρὸς ὀϊστός· Od. Φ, [12] de ἰοδόκῳ pharetra : Πολλοὶ δ' ἔνεσαν στονόεντες ὀϊστοί· Il. Θ, [323] : Φαρέτρης ἐξείλετο πικρὸν ὀϊστόν· E, [393] : Ὀϊστῷ τριγλώχινι βεβλήκει· Θ, [297] : Προέηκα τανυγλώχινας ὀϊστούς· N, [662] : Προίει χαλκήρε' ὀϊστόν· Φ, [492] : Ταχέες δ' ἔκπιπτον ὀϊστοί· O, [313] : Ἀπὸ νευρῆφι δ' ὀϊστοὶ θρῶσκον. Et alibi [Λ, 478], ὠκὺς ὀϊστός. [Pind. Ol. 2, 99 : Ἐκ φρενὸς εὐκλέας ὀϊστοὺς ἱέντες. || De forma disyllaba, præter Hesychium cum οἰστὸς confundentem bis, Mœris p. 275 : Οἰστὸς δισυλλάβως Ἀττικοὶ, βέλος Ἕλληνες. Photius p. 316 : Οἰστὸν δισυλλάβως Ἀττικοὶ λέγουσι τὸ βέλος. Eur. Med. 634 : Ἱμέρῳ χρίσασ' ἄφυκτον οἰστόν· Herc. F. 190 : Μυρίους οἰστοὺς ἀφείς.] Utitur et Lucian. [De merc. cond. c. 29, Tox. c. 38, 54], licet poetis hoc vocabulum sit peculiarius. [Item Thucyd. 2, 75 : Πυρφόροις οἰστοῖς. Plato Leg. 7, p. 795, A, Xen. Anab. 2, 1, 6, aliique, apud quos divisim fere scriptum, forma vel a poetis Atticis aliena, ut monuit Porson. præf. ad Hec. p. 9. « Improprie Heraclit. Alleg. Hom. p. 455 : Ὁ τῆς σοφίας ὀϊστὸς εὔστοχα βληθείς. » VALCK. || Fem. Aristot. Phys. 6, 9 : Ἀκίνητον τὴν φερομένην εἶναι οἰστόν.]

[Οἰστὸς, ἡ, n. navis Atticæ, ap. Bœckh. *Urkunden* p. 90.]

Ὀϊστοῦχος, ὁ, Sagittas continens, vel Sagittas in se habens : ut ὀϊστοῦχος φαρέτρη ap. posteros Homeri pro eo quod Hom. dicit ἰοδόκος. Eust. [Il. p. 1024, 62. Photius : Οἰστούχου, φαρέτρας, et addito ὀϊστοὺς ἐχούσης Hesychius, quibus ex dittographia appensum καὶ εὐστόχου.]

[Ὀϊστοφόρος, ὁ, Sagittarius. Tzetz. Posth. 46, 85, 159.]

[Οἶστρα, σφόδρα, Theognost. Can. p. 24, 12, inter

A vocc. ab οισ incipientia. Qui deceptus videtur ejusmodi glossa qualis Photii est et Timæi : Οἰστρᾷ (sic), συντόνως καὶ μανικῶς κινεῖται. Non minus graves ejus in glossis ex corruptis Glossariorum libris repetitis errores notavimus supra p. 46, C, in Λαισχύδης et Λαίσπαις, et in Λήιτος p. 249, A, et mox in Οἶτος. L. DINDORF.]

Οἰστράω et Οἰστρέω, Œstro s. Asilo agitor, i. q. οἰστρηλατοῦμαι. [Menand. fr. Leucad. ap. Strab. 10, p. 452 : Οἰστρῶντι πόθῳ.] Aristot. H. A. 8, 15 : Πολλοὶ ἁλίσκονται διὰ τὸ οἰστρᾶν, Gaza interpr. Propter infesti asili stimulum. Aliud exemplum ex eodem Aristot. eod. l. habes in Θύννος, una cum Plinii interpretatione. Metaphorice autem Plato Rep. 9, [p. 573, E] : Τότε δὴ δορυφορεῖταί τε ὑπὸ μανίας καὶ οἰστρᾷ οὗτος ὁ προστάτης τῆς ψυχῆς, Furit velut œstro percitus, Furore velut œstro agitatur. [Eadem forma ib. A, et Phædr. p. 251, D : Ἡ ψυχὴ οἰστρᾷ· Theæt. p. 179, E. Ælian. N. A. 13, 15 : Ἀφ' ὧν οἰστρᾷ τε καὶ ἐκμαίνεται· et pass. 15, 9 : Τὰς θηλείας εἰς μῖξιν οἰστρᾶσθαι.] Theocr. 6, [27] de

B amica zelotypa : Ἐκ δὲ θαλάσσης Οἰστρεῖ, παπταίνοισα ποτ' ἄντρα τε καὶ ποτὶ ποίμνας, Velut œstro percita fertur. Eur. Iph. A. [77] : Μενέλαος οὖν καθ' Ἑλλάδ' οἰστρήσας μόνος, Fureus : sicut Hesych. οἰστρεῖ exp. μαίνεται. [Æsch. Prom. 835 : Ἐντεῦθεν οἰστρήσασα τὴν παρακτίαν κέλευθον ἦξας πρὸς μέγαν κόλπον Ῥέας. Lycophr. 612 : Ὅταν οἰστρήσῃ κύων πρὸς λέκτρα· 1366. Dionys. A. R. 11, 35 : Διὰ δὴ ταῦτα πάντα οἰστρῶν. Achill. Tat. 2, 37, p. 56 : Ἐν τῇ τῆς Ἀφροδίτης ἀκμῇ οἰστρεῖ μὲν ὑφ' ἡδονῆς. Ap. Theognost. Can. p. 24, 12 : Οἰστρεῖον ὁρᾶν, scrib. videtur οἰστρεῖν, ὁρμᾶν, potius quam ἐρᾶν. L. D. Theodoridas ap. Athen. 7, p. 302, C : Θύννοι οἰστρήσοντι Γαδείρων δρόμον. Liberalis Met. c. 12, p. 104, duo tauri περὶ μίαν οἰστρήσαντες βοῦν· c. 21, mulier amore οἰστρήσασα. Palæphat. c. 4, βοῦς οἰστρήσασα. VALCK.] || Οἰστρέω active etiam capitur pro Œstro agito, exerceo, stimulo. Hesych. οἰστρεῖ, οἰστρηλατεῖ, ἐκμαίνει, Œstro agitat, Furore percellit, Ad insaniam agit : itidemque Suid. οἰστρεῖ, ἐρεθίζει, ἐκμαίνει. Sed vulg. ed. habet οἰστροῖ per οι. [Eur. Bacch. 32 : Αὐτάς

C ἐκ δόμων ᾤστρησ' ἐγὼ, ubi ᾤστρησ' Porsonus. Quod non magis quam quod Æschylo restituit ᾠακοστρόφουν probat Chœrob. vol. 2, p. 908, 30 : Ἔστι δὲ καὶ τὸ οἰστρῶ οἴστρησεν ... οἰακοστροφῶ οἰακοστρόφουν.] Unde pass. Οἰστροῦμαι, Œstro agitor, οἰστρηλατοῦμαι. [Eur. Bacch. 119 : Θηλυγενὴς ὄχλος ἀφ' ἱστῶν παρὰ κερκίδων τ' οἰστρηθεὶς Διονύσῳ.] Apud Suid. : Καὶ ταῦτα μὲν ἔδρασεν ὥσπερ οἰστρηθεὶς καὶ κάτοινος γενόμενος. Nonn. : Εἰς θεὸν οἰστρηθέντες, Contra deum œstro veluti perciti. [Joann. c. 6, 183 : Εἰς χόλον οἰστρηθέντες· c. 20, 17 : Οἰστρηθέντι ποδῶν διφήτορι ταρσῷ. Agathias Anth. Plan. 80, 4 : Ὑπ' ἔρωτος οἰστρηθεὶς Θωμᾶς.] Utitur et Soph. Tr. p. 354 [655] : Νῦν δ' Ἄρης οἰστρηθεὶς ἐξέλυσ' ἐπίπονον ἁμέραν, Furore velut œstro percitus. Ubi scribitur etiam οἰστρωθεὶς in quibusdam libris : quod est a verbo Οἰστρόω, Œstro agito, exerceo, i. q. οἰστρέω, οἰστρηλατέω. Similiter et ap. Suid. legitur, Οἰστροῖ, ἐρεθίζει, ἐκμαίνει. [Nunc οἰστρεῖ, ut ap. Photium. Ap. Sophoclem nunc αὖ στρωθεὶς ἐξήρυξ' ἐπ. ἁμ. Aliud hujus formæ ex. v. in Ἐξοιστράω p. 1322, D.

D Perf. Lycophr. 818 : Πλασταῖσι λύσσης μηχαναῖς οἰστρημένῳ. Iamblich. De vita Pyth. § 195 : Τὸ οἰστρημένον μειράκιον ὑπὸ τοῦ ἔρωτος.]

[Οἰστρέβλης, ὁ, Thespiadis ex Hercule f. ap. Apollod. 2, 7, 8, 6, qui Οἰστρέφλης scribitur in libro Vat., haud dubie scribendus Οἰστρόβλης. L. DIND.]

[Οἰστρέω. V. Οἰστράω.]

[Οἰστρηδὸν, More eorum qui œstro agitantur, Furiose. Oppian. Hal. 4, 142.]

Οἰστρήεις, εσσα, εν, Œstro percitus, Furiosus, Insanus, Nonn. [Jo. c. 18, 13. Oppian. Cyn. 2, 423. WAKEF.]

Οἰστρηλασία, ἡ, Quum quis œstro agitatur, Stimuli œstri, quibus aliquis agitatur. Metaph. autem Joseph. in Macc. [2, 4] : Τὴν ἡδυπαθείας οἰστρηλασίαν ἐπικρατεῖ ὁ λογισμὸς, Voluptatis stimulos et irritamenta vincit ratio, Aculeos quibus aliquis velut œstro ad voluptates amplectendas impellitur, Insanas cupiditates quibus quis pellicitur. [Georg. Chron. ap. Cramer. Anecd. vol. 4, p. 244, 3 : Καὶ μετὰ θάνατον ἐρῶν τοῦ παιδὸς δι' ὑπερβάλλουσαν ἀσέλγειάν τε καὶ οἰστρ. L. D. Suidas v. Σαρδανάπαλλος : Ἐκ πολλῆς γαστριμαργίας καὶ οἰστρ.]

Οἰστρηλατέω, OEstro agito. [Exagito, Gl. Hesychius quod in Οἰστρεῖ ponit Οἰστρηλατεῖ, μαίνεται, videtur —τεῖται scribi debuisse.] Pass. Οἰστρηλατέομαι, OEstro agitor, exerceor. Dicuntur etiam οἰστρηλατεῖσθαι, Qui furore et insania agitantur, velut œstro. Item Qui insanis cupiditatibus velut œstro perciti æstuant : unde οἰστρηλατούμενοι, Hesychio πυρούμενοι : Suidæ in præcedente loquendi genere ἐκμαινόμενοι. [Theodoret. H. E. 1, 4. Mendham. Μανίαις οἰστρηλατούμενος καὶ δονούμενος, Gregor. Naz. p. 113, C. Hemst. Eust. Opusc. p. 93, 34 : Γυνὴ ὑποκρινομένη τὸ τῆς συζυγίας εὐάρμοστον οἰστρηλατεῖται εἰς μοιχείαν.]

[Οἰστρηλάτημα, τὸ, Agitatio per œstrum. Nilus Narrat. p. 40. Boiss.]

[Οἰστρήλατος, ὁ, ἡ. Æsch. Pr. 581, οἰστρηλάτῳ δείματι, Ab œstro illato.]

Οἴστρημα, τὸ, et Οἴστρησις, ἡ, OEstrum, Stimulus et aculeus quo quis velut œstro agitatur : οἴστρησις tamen significat potius ipsam passionem, hoc est Quum quis velut œstro agitatur, ut οἰστρηλασία. Metaphor. οἰστρήσεις dicuntur etiam αἱ θηλυμανίαι, Insani mulierum amores, quibus sc. aliquis velut œstro ad eas amandas impellitur. Apud Suidam : Τὰς ὑπὲρ τῶν γυναικῶν οἰστρήσεις τε καὶ μανίας παρ' οὐδὲν ἐτίθετο. [Οἴστρημα, Soph. OEd. T. 1318 : Οἷον εἰσέδυ μ' ἅμα κέντρων τε τῶνδ' οἴστρημα καὶ μνήμη κακῶν. Ep. Anth. Pal. 6, 51, 3 : Οἰστρήματα λύσσης.]

[Οἴστρησις. V. Οἴστρημα.]

[Οἰστρόβλης. V. Οἰστρέβλης.]

Οἰστροβολέω, OEstro agito, Stimulo, Epigr. [Meleagri Anth. Pal. 9, 16, 2 : Τρεῖς δέ με θηλυμανεῖς οἰστροβολοῦσι πόθοι. Οἰστοβολοῦσι Blomfield. ad Æsch. Pr. 583.]

Οἰστροδίνητος, ὁ, ἡ, Qui ab œstro ictus in gyrum se agit, Qui œstro agitante quasi rotatur. Dicitur de Ione Inachia, de qua et Virg. Georg. post l. in Οἶστρος citandum, Hoc quondam monstro horribiles exercuit iras Inachiæ Juno pestem meditata juvencæ. Aristoph. autem οἰστροδίνητον μυχὸν dixit τὸν ὑπὸ ἀνέμου ἐλαυνόμενον, ut Suid. exp. [Thesm. 322] : Σύ τε, πόντιε, σεμνὲ Πόσειδον ἁλιμέδον, προλιπὼν μυχὸν ἰχθυόεντ' οἰστροδίνητον. [Οἰστροδόνητον, quod est ap. Aristoph., nunc etiam Suidæ restitutum. Sic Æsch. Suppl. 574 : Οἰστροδόνητον Ἰώ.]

[Οἰστροδόνητος. V. Οἰστροδίνητος.]

[Οἰστρόδονος, ὁ, ἡ, i. q. οἰστροδόνητος. Æsch. Suppl. 17 : Τῆς οἰστροδόνου βοὸς ἐξ ἐπαφῆς.]

Οἰστρομανὴς, ὁ, ἡ, Qui insania velut œstro agitatur, Qui insano œstro concitatus furit. Cujus tamen exemplum non reperi. [Habet Nonn. Dion. 1, 282; 10, 36; 18, 59. Orph. H. 50, 14. Orac. Sib. 1, 114, μῆνις· 363, χόλος.]

[Οἰστρομανία, ἡ, Asilus, Furor, Gl. Hippocr. p. 1284, 20, τῆς ἀσελγείης.]

Οἰστροπλὴξ, ῆγος, ὁ, ἡ, Ab œstro ictus, Quem œstrus s. asilus percussit, Qui œstro agitatur, [Furiosus, Gl.] Qui furore agitatur; nam Suid. οἰστροπλῆγα exp. τῇ μανίᾳ πεπληγότα : itidemque Hesych. οἰστροπλῆγος, τῇ μανίᾳ πληγείσης. [Æsch. Prom. 682 : Οἰστροπλὴξ δ' ἐγὼ μάστιγι θείᾳ γῆν πρὸ γῆς ἐλαύνομαι. Eur. Bacch. 1229 : Οἰστροπλῆγας ἀθλίας.] Utitur Aristoph., et Soph. init. El. : Τῆς οἰστροπλῆγος ἄλσος Ἰνάχου κόρης, schol. οἰστρῳ, ἤγουν μανίᾳ, πληγείσης. Vide et quæ in Οἰστροδίνητος ex Virg. attuli super eadem re. [Plut. De fluv. c. 5, 1 : Κατ' ἐπιφάνειαν Ἐρινύων οἰστροπλὴξ γενόμενος· c. 1, 6, ἐλέφας. Hemst. Eust. Opusc. p. 102, 70. De accentu v. in Μεθυπλήξ.]

Οἶστρος, Asilus [Gl.], OEstrus, Tabanus [ὁ μύωψ, Asilio huic add. Gl.] : de quo animali vide in Ἐξοιστρέω. Hom. Od. X, [300] : Οἱ δ' ἐφέβοντο κατὰ μέγαρον, βόες ὣς ἀγελαῖαι, Τὰς μέν τ' αἰόλος οἶστρος ἐφορμηθεὶς ἐδόνησεν Ὥρῃ ἐν εἰαρινῇ. [Apoll. Rh. 1, 1269 : Κακῷ βεβολημένος οἴστρῳ· 3, 276 : Οἷόν τε νέαις ἐπὶ φορβάσιν οἶστρος τέλλεται. Aristot. De partt. an. 2 fin. : Οἱ οἶστροι καὶ οἱ μύωπες· et sæpius in H. A.] Plut. [Mor. p. 55, E] : Τοῖς ταύροις τὸν οἶστρον ἐνδύεσθαι περὶ τὸ οὖς λέγουσι, καὶ τοῖς κυσὶ τὸν κρότωνα. De hoc malo Virg. Georg. 4 [3, 148] : Est lucos Silari circa, ilicibusque virentem Pluribus Alburnum volitans, cui nomen

A asilo Romanum est : œstron Graii vertere vocantes : Asper, acerba sonans, quo tota exterrita sylvis Diffugiunt armenta : furit mugitibus æther Concussus, sylvæque. Thynnus quoque piscis ejusmodi furoris quasi stimulo agitatur. Athen. 7, [p. 301, E] de thynno : Ἔχει δὲ ὑπὸ τὰ πτερύγια τὸν λεγόμενον οἶστρον· ibid. [p. 302, B] : Ὠνομάσθη δὲ θύννος ἀπὸ τοῦ θύειν τε καὶ ὁρμᾷν· ὁρμητικὸς γὰρ ὁ ἰχθὺς διὰ τὸ ἔχειν κατά τινα ὥραν οἶστρον ἐπὶ τῆς κεφαλῆς. Plura de hoc œstro ex eodem Athen. et Aristot. vide in Θύννος, ubi et Plinii interpretationem ascripsi.*Sed et apes suos œstros habent, quibus exagitantur. Plin. 11, 16 : Nascuntur aliquando in extremis favis apes grandiores, quæ ceteras fugant : OEstrus vocatur hoc malum. Clarius Colum. 9, 14 : Progenerantur in extremis partibus favorum amplioris magnitudinis fœtus quam sint ceterarum apum : eosque nonnulli putant esse reges : verum quidam Græcorum auctores οἴστρους appellant, ab eo quod exagitent, neque patiantur examina conquiescere. [De œstro Ius Æsch. Prom. 568 : Χρίει τις

B αὖ με τὰν τάλαιναν οἶστρος, et sæpius in illa et Supplicum fabula, ubi est 307 : Βοηλάτην μύωπα κινητήριον, οἶστρον καλοῦσιν αὐτὸν οἱ Νείλου πέλας. Ubi Stanlejus annotat : « Sunt vero qui μύωπα ab œstro distinguunt; quorum esse videtur Aristot. 5, 19, ut et Sostratus De anim. 4 (1 Blomf. ad Prom. 583, ap.) schol. Apoll. Rh. 1, 1265; 3, 276 : Ὁ μὲν γὰρ μύωψ ἐκ τῶν ξύλων ἀπογεννᾶται, ὁ δὲ οἶστρος ἐκ τῶν ἐν τοῖς ποταμοῖς ἐπιπλεόντων ζωαρίων. » Hesychius : Μύωψ, μυῖά τις ἐρεθίζουσα τὰς βοῦς καὶ πᾶν ζῷον ἐλαύνουσα, οἶστρος δὲ μόνον βοῦν. Eur. Iph. T. 394. || Ὁ παροξυσμὸς, Instinctus, Gl.] Metaph. quoque capitur pro Stimulo quasi furibundo, quo quis agitatur : ut [Soph. Tr. 1254 : Πρὶν ἐμπεσεῖν σπαραγμὸν ἤ τιν' οἶστρον· Ant. 1002 : Ἀγνῶτ' ἀκούω φθόγγον ὀρνίθων, κακῷ κλάζοντας οἴστρῳ καὶ βεβαρβαρωμένῳ. Eur. Hipp. 1300 : Σῆς γυναικὸς οἶστρον· Or. 791 : Κεῖνό μοι μόνον πρόσαντες, μὴ θεαί μ' οἴστρῳ κατάσχωσι· Herc. F. 862 : Κεραυνοῦ τ' οἶστρος ὠδῖνας πνέων· 1144 : Ποῦ δ' οἶστρος ἡμᾶς ἔλαβεν, de insano. Iph. A. 547 : Γαλανείᾳ χρησάμενοι μαινομένων οἴστρων·

C Bacch. 665 : Βάκχας, αἳ τῆσδε γῆς οἴστροισι λευκὸν κῶλον ἐξηκόντισαν· Iph. T. 1456 : Περιπολῶν καθ' Ἑλλάδα οἴστροις Ἐρινύων. De amore et libidine Anacreont. 3, 28 : Καί με τύπτει μέσον ἧπαρ οἶστρος. Lycophr. 405 : Ἥ μιν παλεύσει δυσλύτοις οἴστρου βρόχοις. Et similiter sæpius in Anthol. Plato Reip. 9, p. 577, E : Ὑπὸ οἴστρου ἑλκομένη ψυχή· Phædr. p. 240, D : Ὑπ' ἀνάγκης τε καὶ οἴστρου ἐλαύνεται· Leg. 6, p. 782, E : Μεστὸν οἴστρου ζῷον· 9, p. 854, B : Οἶστρός σε τις κινεῖ, ἐμφυόμενος ἐκ παλαιῶν ... ἀδικημάτων. Maccab. 4, 2, 3 : Τὸν τῶν παθῶν οἶστρον.] Chrysost. De sacerd. : Οἶστρον δαιμονικὸν ὑπομένειν, Diabolicis stimulis agitari. Plut. [Mor. p. 994, A] : Ὑμᾶς δὲ πῶς νῦν τίς λύσσα καὶ τίς οἶστρος ἄγει πρὸς μιαιφονίαν; Et Nicand. Alex. [160] : Παραπλῆγές θ' ἅτε βάκχαι Ὀξὺ μέλος βοόωσιν ἀταρμύκτῳ φρένας οἴστρῳ. Statius Poeticum quoque furorem œstrum vocavit, Theb. 1, [32] : Tempus erit quum laurigero tua fortior œstro Facta canam. Item Cupiditatum stimuli οἶστρος dicuntur, quibus quis quasi œstro agitatur. Lucill. Epigr. lib. 2 [Anth. Pal. 11,

D 389, 4] : Μή σε γ' ἀπειρεσίων οἶστρος ἕλῃ κτεάνων, Ne te capiat insana immensarum opum cupiditas. [Nonn. Dion. 2, 23 : Οἶστρον ἑλὼν πολέμοιο. De ventis dictum notavit schol. ad l. Aristoph. in Οἰστροδόνητος citatum.] Eustath. derivari scribit ab οἴω, Fero : fortasse quoniam ab œstro icti boves impetu feruntur. || Οἶστρος est etiam nomen Avis ap. Aristot. H. A. 8, 3. [|| Et jactus talorum ap. Polluc. 7, 205.]

[Οἰστροφόρητος, ὁ, ἡ, i. q. οἰστρώδης. Planudes Boeth. p. 44, 6. Boiss.]

[Οἰστροφόρος, ὁ, ἡ, Qui œstrum fert. Paul. Sil. Anth. Pal. 5, 234, 2 : Οἰστροφόρου Παφίης.]

[Οἰστρόω. V. Οἰστράω.]

Οἰστρώδης, ὁ, ἡ, Quo quis velut œstro agitatur, si de re aliqua dicatur; sin de homine, Qui œstro agitatur, OEstro percitus, Furiosus, Insanus : ut οἰστρώδεις φέρονται· quod Gaza vertit, Gravi stimulo agitati feruntur. Et metaph. ap. Plat. in Tim. [p. 91, B] : Οἷον ζῷον ἀνυπήκοον τοῦ λόγου, δι' ἐπιθυμίας οἰστρώδεις ἐπιχειρεῖ κρατεῖν. [Leg. 5, p. 734, A. Tim. Locr. p. 102, E :

Λύσσαι οἰστρώδεες.] Appian. ap. Suid. : Πᾶσιν οἰστρώδης ἐνέπιπτεν ὁρμὴ καὶ προθυμία κατὰ τῶν βαρβάρων. [Plut. Mor. p. 446, D; 450, F; 1089, C.] A

[Οἰστῶς. V. Οἰστός.]

Οἰσύα, ἡ, [Vimen, Gl.] Eust. et Suidæ est ἱμαντῶδες φυτὸν, i. q. ἰτέα, Planta ex vitilium s. viminum genere, Salix : de cujus generibus et usu hæc Plin. 16, 37 : Et in proceritatem magnam emittunt jugis vinearum perticas, pariuntque baltheo corticis vincula : et aliæ virgas sequacis ad vincturas lentitiæ : aliæ prætenues, viminibus texendis spectabili subtilitate : rursus aliæ firmiores, corbibus ac plurimæ agricolarum supellectili : candidiores, ablato cortice, levique tractatu, vilioribus vasis quam ut ex corio fiant. A Polluce [7, 176] esse dicitur λύγος, Salix viminalis Plinii : h. e. ferens virgas sequacis ad vincturas lentitiæ. [V. Οἴσυον. Οἰσύαν pro οἴσακα restitutum Geopon. 2, 6, 24. Theognost. Can. p. 106, 19. ῠᾱ]

[Οἰσύδρα, ἡ, inter nomina ab οισ incipientia ponit et ὑδροχέα interpr. Theognost. Can. p. 24, 11. Quod ὑδροχόα scribebat et ad ὀρσύδρα referebat Lobeck. ad Buttm. Gramm. vol. 2, p. 487. V. Οἶτος. L. Dind.] B

Οἰσύϊνος, η, ον, Confectus ex salice, Salignus, Vimineus; vimen enim est salix viminalis. Hom. Od. Ε, [256] de rate Ulyssis : Φράξε δέ μιν ῥίπεσσι διαμπερὲς οἰσυΐνῃσι, Virgis salignis, ῥάβδοις τῆς ἰτέας. Itidem ap. Polluc. [7, 176; 10, 176] οἰσύϊνα σκεύη : ap. Eust. οἰσύϊνοι κόφινοι : ap. Suid. οἰσύϊνον σχοινίον ἰτέας. Fuerunt et arma quædam οἰσύϊνα. [Xen. H. Gr. 2, 4, 25 : Ὅπλα ἐποιοῦντο, οἱ μὲν ξύλινα, οἱ δὲ οἰσύϊνα, καὶ ταῦτα ἐλευκοῦντο.] Thuc. [4, 9] ap. Suidam : Ναύτας ἐξώπλισεν ἀσπίσι φαύλαις καὶ οἰσυΐναις ταῖς πολλαῖς. Et Eunapius ibid., de Parthis : Οἰσυΐνας ἀσπίδας ἔχοντες καὶ κράνη οἰσύϊνα πλοκὴν τινα πάτριον πεπλεγμένα. [Quas memorat etiam Pollux locis citt. et 1, 133. Oppian. Hal. 3, 372 : Κύρτον οἰσύϊνον. Ubi οἴσυνον sola editionum secunda Schneideri, quo ipse deceptus est in Lex. Philodem. Anth. Pal. 6, 246, 3, ῥάβδον. Phylarchus ap. Athen. 4, p. 150, E : Ἐκ χαράκων καὶ τῶν καλάμων τῶν τε οἰσυΐνων ἐπεβάλλετο σκηνάς.]

[Οἴσυλος, προϊοῦλος, προύνικος, Hesychius post Οἴσυπος. Ubi v. conjecturas intt.] C

[Οἰσύμη, ἡ, OEsyme. Πόλις Μακεδονίας, Θουκυδίδης δ' (107), ἡ νῦν Ἠμάθεια. Τὸ ἐθνικὸν Οἰσυμαῖος. Ταύτην Αἰσύμην Ὅμηρος ἔφη, Steph. Byz. Scylax p. 27, Scymn. Descr. orb. 655, Diodor. 12, 68. Antiphontis et Ephori testimonia memorat Harpocr. Gentile Οἰσυμαῖος est in inscr. Delph. Musei Rhen. noviss. vol. 2, p. 116, n. 12, 2. L. Dind.]

[Οἴσυον, τὸ, Vimen, Gl. in Ὑσίον. Phrynichus Bekkeri p. 57, 8 : Οἴσυον, οὐδετέρως· οἱ δὲ θηλυκῶς λέγοντες οἰσύα διαμαρτάνουσιν. Σημαίνει δὲ ῥάβδους ἐλώδεις. Lycurg. p. 164, 1 : Παρὰ τὴν κρήνην τὴν ἐν τοῖς οἰσύοις, ubi libri οἰσυίοις.]

Οἰσυοπλόκος, ὁ, Polluce [7, 175] teste, dicitur ὁ τὰς οἰσύας πλέκων, Qui salices contexit. [Ὑσιοπλόκος, Vietor, Gl.] Et Οἰσυουργὸς ap. Eupolin, Qui vasa et instrumenta ex salice texit. [Ib. 176.]

[Οἰσυουργός. V. Οἰσυοπλόκος.]

Οἰσύπειον, ἔριον ῥυπαρὸν προβάτων, Sordida ovium lana, legitur ap. Hesych. At οἰσύπειρον ap. Eund. mendosum esse puto pro οἰσυπηρόν. D

[Οἰσύπη. V. Οἴσυπος.]

Οἰσῠπηρὸς, ὰ, ὸν, OEsypum redolens, Sordidus ex œsypo : ut οἰσ. ἔρια, de quibus dicetur in Οἴσυπος. Erotian. in Lex. Hippocr. : Οἰσυπηρὰ ἔρια, τὰ μετέχοντα τῆς οἰσύπης, ἢ τοῦ οἰσύπου, ἑκατέρως γὰρ λέγεται. Diosc. 2, 84, de œsypo : Λαβὼν ἔρια μαλακὰ οἰσυπηρὰ ἔκπλυνον, ἐστρουθισμένα θερμῷ ὕδατι, ἅμα ἐκθλίβων πᾶσαν ῥυπαρίαν· paulo post, Ἔστι δὲ βελτίων ἀστρούθιστος καὶ λεῖος, ὄζων ἐρίων οἰσυπηρῶν. Pro quo Plin. 29, 2 : Probatio autem, ut sordium virus redoleat. Sicut vero pro οἴσυπος perperam alicubi scribi ὕσωπος infra dicetur, ita et ὑσσωπηρὸς pro οἰσυπηρὸς, ut tum in l. quodam Galeni in Οἴσυπος citando, tum ap. Alex. Trall. in cap. de Podagra, Ἔρια ὑσσωπηρὰ, pro οἰσυπηρά. [Aristoph. Ach. 1176 : Ἔρι' οἰσυπηρὰ, unde citat Pollux 7, 28. Exc. Phrynichi Bekk. An. p. 56, 7 : Οἰσωπηρὰ δεῖ λέγειν τὰ ῥυπαρὰ καὶ ἄπλυτα ἔρια παρὰ τὸν οἴσωπον οἰσωπηρὰ, ὡς παρὰ τὸν ὄλισθον ὀλισθηρά. Aliter corruptum v. in Οἰσύπειον. Archigenes ap. Oribas. p. 31, C : Ἡ διὰ τῶν οἰσυπηρῶν.]

Οἰσῦπὶς, ίδος, ἡ, i. q. οἴσυπος s. οἰσύπη : h. e., Sordes ovium, et Lana sordida s. succida; nam Galen. Lex. Hippocr. οἰσυπίδας exp. προβάτου ῥύπον, ἤγουν ἔριον ῥυπαρόν. Ap. Eund. ibid. sic legitur : Οἰσυπίδες, προβάτου ῥύποι συνεστραμμένοι· δηλοῖ δὲ καὶ ἐρίου ῥυπαροῦ μαλίον. Quæ postrema vox mendosa est, ac scrib. fortasse μαλλίον, forma dimin. a μαλλός. [Hippocr. p. 877, E. De μαλίον pro μαλλίον diximus in Μαλλίον.]

Οἴσυπος, ὁ, sive Οἰσύπη, ἡ, Sordes ovium, Fimum ovillum, ut οἴπτωτον. Erot. in Lex. Hippocr. : Οἰσύπη κυρίως λέγεται τὸ διαχώρημα τοῦ προβάτου· ab ὄϊς derivans. De masculino autem οἴσυπος vide ex Eod. in Οἰσυπηρός. Hippocr. [p. 668, 43] καταχρηστικῶς dixit οἰσύπη αἰγὸς, pro τὸ τῆς αἰγὸς διαχώρημα, ut idem Erot. annotavit: pro quo Galen. habet οἴστη. Hesychio tamen οἴσυπος est ὁ τῆς αἰγὸς [αἰὸς codex, οἰὸς recte Schow.] ῥύπος. || Is qui de Dialectis scripsit [Greg. Cor. p. 543], annotat, Ionica lingua οἰσύπην dici non solum τὸ διαχώρημα τοῦ προβάτου, sed etiam τὸ τῶν ῥυπαρῶν προβάτων ἔριον : quemadmodum et in Lex. Herod. οἰσύπη exp. ῥυπαρὰ προβάτων ἔρια : ex quo Herodoto [4, 187] eadem signif. Suidas citat Οἴσπη. Erit igitur οἰσύπη Lana sordida, succida. [Οἴσυπος, Succida, Gl.] Sed frequentius οἰσύπη dicuntur Sordes s. Fimus ovillæ lanæ adhærens, præcipue circa nates; s. Sordes, quæ ovillæ lanæ ex fimo adhærent. [Theognosto Can. p. 24, 13, ὁ ῥύπος.] Suidæ ὁ ῥύπος τῶν ἐρίων : vel etiam Pinguedo, quæ ex iis sordibus exprimitur. [Aret. p. 75, 42 : Ἔρια οἰσύπῳ πιναρά.] Diosc. 2, 84 : Οἴσυπος δὲ λέγεται τὸ ἐκ τῶν οἰσυπηρῶν ἐρίων λίπος. Plin. 29, 2 : Quin ipsæ sordes pecudum sudorque feminum et alarum adhærentes lanis, OEsypum vocant, innumeros prope usus habent. Et mox de probatisssimo œsypo : Lana ab his partibus recenti concerpta, aut quibuscunque sordibus succidis primum collectis, ac lento igni in æneo vase subfervefactis et refrigeratis, pinguique quod supernatet, collecto in fictili vase, iterumque decocta priori materia : quæ pinguitudo utraque frigida aqua lavatur. Ovid. [Art. am. 3, 213] : OEsypa quid redolent, quamvis mittantur Athenis? Demptus ab immundæ vellere succus ovis. Ubi neutro gen. usus est, sicut et Plin. l. c., Probatissimum œsypum fit pluribus modis. Sed notandum, tam ap. Græcos quam Latinos scriptores, librariorum vitio sæpe pro οἴσυπος s. οἴσυπον legi ὕσσωπος s. ὕσσωπον : nam utroque genere hæc usurpantur : Galen. De med. simpl. 11 : Τὰ δὲ πεπλυμένα ἔρια καὶ μηκέτι ἔχοντα τὸν ὕσωπον, pro οἴσυπον. Ibid. perperam itidem περὶ ἐρίων ὑσωπηρῶν pro οἰσυπηρῶν. Apud Eund. 13 Meth. τὸ Ἀττικὸν ὕσσωπον, itidem mendose pro οἴσυπον : nam et Plin. 29, 2, meminit œsypi, quod ex Atticorum ovium lanis colligitur, et Ovid. l. c. Similiter ap. Cels. 5, 19, in compositione emplastri enneapharmaci : Medulla vel cervina vel vitulina vel bubula, hyssopo, butyro : perperam itidem pro OEsypo. Sic etiam Herm. Barb. ap. Plin. 29, 6, pro, Ut omnia hysopo illinantur, restituit OEsypo. Et paulo ante, Hysopum cum myrrha calidum penicillo illitum, Idem reponit OEsypum ex vet. cod. Οἴσυπος, inquit Gorr., proprie dicitur Ovium sordes, earum lanis adhærescens : deinde vero pro ipsa etiam Lana adhuc sordida et illota dici cœpit. Sordes autem ea ex sudore feminum et alarum colligitur, adhæretque lanis : quæ propterea quod οἴσυπον habent, οἰσυπηραὶ, ῥυπαραὶ, et ab Hippocr. πινόεσσαι ac πινώδεις appellantur; est enim πῖνος i. q. ῥύπος. Latini Sordidas et Succidas vocant, quod tales sint, quales ubi primum succisæ detonsæque sunt. Diosc. œsypum appellavit Succidarum lanarum pinguitudinem, ejusque extrahendæ parandæque rationem l. 2, [84] exponit. Ex eo conficitur pharmacum a Paulo Ægin. descriptum l. 7, et ab Aetio 15, quod Græci alias οἴσυπον φάρμακον, alias οἴσυπον χηρωτὴν, alias οἴσυπον χηρωτοειδῆ, alias οἴσυπον ὑγρὸν nuncupant, ejusdem prorsus cum ipso œsypo facultatis. Hæc ille inter alia. [Aristid. vol. 1, p. 315 : Χρόνῳ ὕστερον ἐκ τεττάρων τι συνθεὶς ἐπέθηκεν, ὧν τὰ μὲν δύο μέμνημαι, πίτταν ἐξ οἴνου καὶ οἴσυπον. Conf. Matthæi Med. p. 394 extr. L. Dind.]

[Οἰσυπόω, Sordeo, esse videtur ap. Hippocr. p. 881, H : Εἴρια οἰσυποῦντα, κατεξασμένα· quod si esset ab οἰσυπόεις, ut putavit Schneiderus, οἰσυπόεντα, si ab οἰσυπέω, οἰσυπέοντα dici postularet dialectus Hippocratis.]

Οἰσυπώδης, ὁ, ἡ, i. q. οἰσυπηρός. [Hippocr. p. 876, D, οἰσυπώδεα et, ubi οἰσυπωδέστατα, p. 879, E. Aret. p. 133, 34.]

Οἰσὺς, ύος, ἡ, affertur pro feminino οἰσύα : sed sine ullo testimonio.

[Οἰσχὸς, ὁ. HSt. in Ὄσχος :] Apud eund. Etym. reperio etiam Οἰσχὸς, κλῆμα βότρυας φέρον ὀργῶντας καὶ γενναίους : et Οἰσχοφορία, τὰ τῆς ἀμπέλου κλήματα περιέχοντα βότρυας : citatque ex Aristoph. Quum vero nec ap. Hesych. nec Suid. nec Eust. nec alium ullum lexicographum scripturam istam reperiam, merito suspectam habeo. Sed et ipsum οἰσχοφορία cum sua expositione mendosum est. [Eodem vitio Hesychius ante Οἴτας pro Οἴσχεα ponit : Οἴχεα, δίδυμοι ὀρχιπέδων, ubi v. intt.]

[Οἴτας, ὁ Κορυνήτης, Hesychius.]

[Οἴτη, ἡ, OEta. Ὄρος περὶ Τραχῖνα (ap. Soph. Ph. 490, Tr. 200, et alibi in utraque fab., Strabonem aliosque). Ἔστι καὶ πόλις Μηλιέων. Οἱ οἰκοῦντες Οἰταῖοι. Σοφοκλῆς (Ph. 444), Οἰταίου πατρός. Καὶ θηλυκὸν Οἰταίη καὶ Οἰτηὶς, ἴσως ἀπὸ τοῦ Οἰτιεὺς (l. Οἰταιεὺς), Οἰταιῆται (cod. Vrat. Οἰτεῆσαι, i. e. Οἰταιὶς καὶ) Οἰτηίς. Ἔστι δὲ ὡς παρὰ τὸ Κρηταῖος Κρηταιεύς. Καὶ τὸ οὐδέτερον Οἰταῖον, Steph. Byz. Adj. Οἰταῖον νάπος Soph. Tr. 436, Οἰταία χθὼν Phil. 479, 664, et præter alios Thuc. 3, 92; 8, 3, Xen. H. Gr. 1, 2, 18, orac. ap. Diog. L. 1, 106. Numi Οιταιων inscripti sunt ap. Mionnet. *Descr.* vol. 2, p. 19, *Suppl.* vol. 3, p. 298 sq. || Adj. Οἰταϊκὸς, ἡ, ὸν, est ap. Nicandrum, cujus carmen fuit Οἰταϊκὰ inscriptum, et Diog. L. 1, 106. L. Dind.]

[Οἶτνον. V. Οἶτος.]

[Οἰτόλῖνος, ὁ, genus cantici lugubris a Lino dicti. Pausan. 9, 29, 8 : Πάμφως... ἀκμάζοντος ἐπὶ τῷ Λίνῳ (quod n. vid.) τοῦ πένθους Οἰτόλινον ἐκάλεσεν αὐτόν. Σαπφὼ δὲ τοῦ Οἰτολίνου τὸ ὄνομα ἐκ τῶν ἐπῶν τῶν Πάμφω μαθοῦσα Ἄδωνιν ὁμοῦ καὶ Οἰτόλινον ᾖσεν.]

[Οἰτόν. V. Οὔιγγον.]

Οἶτος, ὁ, Ærumna, Calamitas, κακοπάθεια. Item Exitium : quemadmodum ab Hesych. quoque exp. et πόνος ac κακοπάθεια, Labor, Ærumna, Mala, Miseriæ : et μόρος, ὄλεθρος, Infelix fatum, Fatalia mala, Interitus. Hom. Od. A, [350] : Τούτῳ οὐ νέμεσις, Δαναῶν κακὸν οἶτον ἀείδειν· Il. Ω, [388] : Ὅς μοι καλὰ τὸν οἶτον ἀπότμου παιδὸς ἔνισπες· Θ, [34] : Οἵ κεν δὴ κακὸν οἶτον ἀναπλήσαντες ὄλωνται· Od. Γ, [134] : Τῷ σφέων πολέες κακὸν οἶτον ἐπέσπον Μήνιος ἐξ ὀλοῆς γλαυκώπιδος ὀβριμοπάτρης. [Et similiter alibi. Orac. ap. Ammian. Marc. 29, 1, 33 : Καὶ αὐτοῖς Τισιφόνη βαρύμηνις ἐφοπλίσει κακὸν οἶτον. Soph. El. 168 : Τὸν ἀνήνυτον οἶτον ἔχουσα κακῶν. Eur. Iph. T. 1091 : Ὄρνις, ἃ παρὰ τὰς πετρίνας πόντου δειράδας, ἀλκυὼν ἔλεγον οἶτον ἀείδεις, ubi οἰκτρὸν Barnesius. Et sæpe Apollon. Rh. aliique poetæ. Latiori signif. Hom. Il. I, 563 : Οὕνεκ' ἄρ' αὐτῆς μήτηρ ἀλκυόνος πολυπενθέος οἶτον ἔχουσα κλαῖε. Nicænetus ap. Parthen. Erot. 11, 1 : Αὐτὴ δὲ γνωτὴ, ὀλολυγόνος οἶτον ἔχουσα, Βυβλὶς ... Καύνου ὠδύρατο νόστον. Callim. Lav. Min. 94 : Γοερῶν οἶτον ἀηδονίδων. Crates Anthol. Pal. App. 47, 6 : Χρήματα δ' οὐκ ἐθέλω συνάγειν κλυτὰ, κανθάρου οἶτον· epigr. 9, 581, 5 : Μηδὲ νοήσω Ζηνὸς μειλιχίοιο λαχὼν θρόνον ἀνέρος οἶτον. Democritus Stobæi Fl. 16, 16 : Οἱ φειδωλοὶ τὸν τῆς μελίσσης οἶτον ἔχουσιν, ἐργαζόμενοι ὡς ἀεὶ βιωσόμενοι, Sortem. || Lamentatio. Theognost. Can. p. 24, 15 : Τὸ υ πρὸ τοῦ τ κατ' ἀρχὴν λέξεως σπάνιον πάνυ· τὸ ὕτνον γὰρ εὕρομεν διὰ του υ ψιλοῦ, καὶ τὸ οἶτος, ὃ δηλοῖ τὸν ὀδυρμὸν διὰ τῆς οι διφθόγγου καὶ μόνα. Simonides ap. Diod. 11, 11 : Ὁ δ' οἶτος ἔπαινος· ubi οἶκτος Jacobsius. Et Theognosti quidem testimonio, suspecto etiam propterea quod usitatam signif. non ponit, tanto minus tribuendum, quod οἶτνον certe vitiosum est pro οἶδνον vel ὕδνον, quæ v., illi vero scriptum per τ alicubi oblatum videtur, ut est in Gl. : Οἶτνον, Tuber. V. quæ diximus in Οἰορὼν, Οἶστρα, Οἴστη, Οἰσύδρα. Sed οἶτος præter Zonaram p. 1431, etiam Hesychius interpr. θρῆνος, idemque καὶ ὁρμίσχος τις ἐξ αἵματος, de quibus v. conjecturas edd. L. Dind.]

[Οἶτος. V. Οἶσον.]

[Οἰτόσυρος. V. Γοιτόσυρος.]

[Οἴτυλος, τρισυλλάβως, ὡς δάκτυλος, πόλις Λακωνικῆς. Ὅμηρος (Il. B, 585), Οἱ δ' (ἠδ') Οἴτυλον ἀμφενέμοντο, ἀπὸ τοῦ Οἰτύλου ἥρωος. Τινὲς δὲ τὸ οἱ ἄρθρον φασὶ καὶ τὴν πόλιν Τύλον. Τὸ ἐθνικὸν Οἰτύλιος, Steph. Byz. V. schol. ad l. Hom., qui Pherecydis de OEtylo heroe testimonium apponit. Urbem virumque memorat Pausan. 3, 21, 7; 25, 10.]

[Οἰφάω s. Οἰφέω.] Οἰφεῖν, Hesychio ὀχεύειν, Inire. Dicitur etiam Οἰφᾷν pro eodem : ut ap. Athen. l. 13, [p. 568, E] : Ὄντως γὰρ ἄριστα χωλὸς οἰφᾷς. Eustath. [Od. p. 1597, 29] barytonως habet Οἴφειν et οἴφεσθαι, exponi dicens περαίνειν et περαίνεσθαι : indeque derivans οἰφόλης cum synonymo φιλοίφας. [Plutarch. Pyrrh. c. 28 : Οἶφε τὰν Χιλωνίδα. Liber unus οἴφει.] Sed perispωmenως potius dicendum videtur οἰφεῖν s. οἰφᾷν : ut et schol. Theocr. [4, 64] ait οἰφεῖν esse τὸ συνουσιάζειν, [ἀπὸ τοῦ ὀπιπεύειν, quod Toup. corrigebat ὀπύειν vel ὀπυίειν,] velut in proverbio Ἄριστα χωλὸς οἰφεῖ· indeque ap. Theocr. esse φιλοίφα significans φιλοσυνουσιαστά : et apud Alexandrinos κόροιφον hinc nominari τὸν κόρην οἰφώμενον : necnon οἰφωλὴς γυνή. Hæc ille. Sed pro isto οἰφωλὴς reponendum οἰφολὶς ex Hesych., exponente καταφερὴς, μάχλος, πασχητιῶσα, Prona in venerem, Libidinosa, Virum appetens : nisi paroxytonως potius scrib. οἰφόλις [quem verum esse accentum ostendunt quæ de μαινόλις diximus], ut in masc. gen. οἰφόλης, ap. Eust., quod magis probo : quum itidem κορυπτόλης dicatur a κορύπτω, et μαινόλης a μαίνω s. μαίνομαι. Sed miror cur idem Hesych., quum οἰφολὶς exponat [γυνὴ] καταφερὴς, μάχλος, πασχητιῶσα, οἰφόλης contra esse velit ὁ μὴ καταφερὴς πρὸς γυναῖκα, ἀλλ' ἐγκρατὴς, Non pronus in mulieres, sed continens; parum enim hoc verisimile videtur : quare Eustathio potius assentior. [Transponenda esse ἐγκρατὴς et καταφερὴς animadverterunt intt.]

[Οἰφὶ sive Οἴφι, μέτρον τι τετραχοίνικον Αἰγύπτιον, Hesych., apud quem tamen editur οἴφιν, apud Phavorin. adeo οἴφιον. Ezech. 45, 13, ed. Ald. habet ὕφι, et Hieronymus in codd. suis invenerat ὕφι, quod ipse corrupte scriptum esse intellexit in Commentario ad hunc l. vol. 5 Opp. p. 468, C. Idem ad Zachar. 5, 6, vol. 6, p. 200, H, recte observat, mensuram, quæ apud Hebræos dicitur *Epha*, אֵיפָה, crebro a LXX in οἰφὶ verti. Atque sic legitur Num. 28, 5, Jud. 6, 19, Ruth. 2, 17, quanquam hoc l. alii habent οἰφεὶ, sed Ezech. h. l. in cod. Vatic. est οἴφι, ut apud Clem. Alex. Str. 2, p. 382, D. Eandem fere scribendi varietatem vidimus in ἀχὶ, et Ægyptii gaudebant nominibus in iota desinentibus. Sic Ἄθυρι vel potius Ἀθυρὶ habet Plut. De Is. et Osir. c. 56, ἶρι ibid. c. 10, κῦφι ibid. c. 52 et 80, ὄμωμι c. 46, quod genus herbæ Jablonskius non attulit. De οἰφὶ v. Hod. p. 113, Jablonsk. Panth. Ægypt. part. 2, p. 229, et Opusc. vol. 1, p. 182 sq. Sturz.]

[Οἰφόλης, ὁ, Οἰφόλις, ιδος, ἡ, Οἴφω. V. Οἰφάω.]

[Οἰχᾰλία, ἡ, OEchalia. Πόλις, ἣν Ὅμηρος ἐν τῷ Πελασγικῷ Ἄργει τάσσει, λέγων (B, 730) Οἵ τ' ἔχον Οἰχαλίην πόλιν Εὐρύτου. Οἱ δὲ νεώτεροι τεθείκασιν αὐτὴν ἐν Εὐβοίᾳ. Ἔστι καὶ Μεσσηνὶς Οἰχαλία, καὶ ἑτέρα ἐν Τραχῖνι καὶ ἐν Θετταλίᾳ καὶ ἐν Ἀρκαδίᾳ. Ὁ πολίτης Οἰχαλιεὺς ... καὶ Οἰχαλὶς καὶ Οἰχαλιώτης ... Λίνος γὰρ ὁ ἱστορικὸς Οἰχαλιώτης ἦν. Λέγεται καὶ Οἰχάλιος καὶ Οἰχαλίηθεν ἐκ τόπου, Steph. Byz. De variis hujus nominis urbibus v. præter intt. Stephani Strab. 8, p. 339, 350, 360 etc. Messeniacam memorat Hom. Il. B, 596, OEchaliam Euryti Soph. Tr. 354 etc. Eur. Herc. F. 473, Hipp. 545. Gent. Οἰχαλιεὺς ap. Hom. l. c. et ib. 596, Plut. Thes. c. 9, adv. Οἰχαλίηθεν Il. B, 596. || OEchalia, Melanei conjux, a qua dicta urbs Messeniæ OEchalia, sec. Pausan. 4, 2, 2. Qui etiam urbes cognomines memorat locis pluribus. || Οἰχαλίας ἅλωσις, carmen cyclicum, memorant Strabo 9, p. 438; 14, p. 638, aliique.]

[Οἰχητέον, Abeundum. Alciphr. 3, 42, § 15 : Ἐς Κυνόσαργες ἴσως οἰχ. Boiss.]

[Οἰχθὴν inter oxytona in ην non addita signif., ponit Arcad. p. 8, 24.]

Οἰχμὴ, Hesych. δούλη, Serva, Ancilla. [Quibus addit οἱ δὲ οἰχμᾶν. Οἰχνὴ Is. Vossius, ut poscit ordo literarum.]

[Οἰχνεύω s.] Οἰχνέω, i. q. οἴχομαι, ex eoque factum, ut ἱκνέω ex ἵκομαι: ex quo οἰχνέω, factum postea est Οἰχνέσκω [Non recte HSt. ex imperf. frequentativo fingit hoc præsens], i. e. Abeo, Discedo: interdum et Exeo, Prodeo: ut Hom. Il. E, [790]: Οὐδέποτε Τρῶες πρὸ πυλάων Δαρδανιάων Οἴχνεσκον· κείνου γὰρ ἔδεισαν ὄμβριμον ἔγχος· ubi Eust. exp. ἤρχοντο: nam οἴχεσθαι quoque pro loco significare ἔρχεσθαι. [O, 640: Ἀγγελίης οἴχνεσκε. Præs. Od. Γ, 300: Ἐς πέλαγος μέγα τοῖον, ὅθεν τέ περ οὐδ᾽ οἰωνοὶ αὐτόετες οἰχνεῦσιν, Commeant. Pind. Pyth. 5, 86: Ἄνδρες οἰχνέοντες δωροφόροι, ubi schol. ἐρχόμενοι πρὸς αὐτούς. Id. ap. Dionys. De comp. vv. p. 153, 2: Οἴτ᾽ ἄστεος ὀμφαλὸν οἰχνεῖτε, de diis.] Et θυραῖον οἰχνεῖν, Foras ire, prodire, etiam Foris agere. Sicut vero οἰχόμενος dicitur Absens, ita et τηλωπὸν οἰχνεῖν, Longinquum abesse, vel etiam In longinquas regiones abiisse necdum rediisse, sed adhuc abesse: Soph. Aj. [564] de Teucro: Εἰ τανῦν Τηλωπὸς οἰχνεῖ, δυσμενῶν θήραν ἔχων, Longinquus abest; ubi τηλωπὸς οἰχνεῖ exp. etiam Foris degit, Peregre vivit, ἔκδημός ἐστι. Item Oberro, περιέρχομαι, ut schol. accipit in Soph. El. p. 88 [165]: Ὃν ἔγωγ᾽ ἀκάματα προσμένουσ᾽, ἄτεκνος, τάλαιν᾽, ἀνύμφευτος αἰὲν οἰχνῶ, δάκρυσι μυδαλέα· ubi etiam reddi potest Versor domi, s. Vivo, Ago vitam. [|| Forma Οἰχνεύω Pind. ap. Plut. Niciæ c. 1 et Mor. p. 65, B: Παρὰ Λύδιον ἅρμα πεζὸς οἰχνεύων, ubi plerique ἰχν.]

Οἴχομαι, Abeo, Discedo, Proficiscor. [Immo Abii, Discessi, ut Il. A, 288: Ἕκτωρ δ᾽ ὡς ἐνόησ᾽ Ἀγαμέμνονα νόσφι κιόντα, Τρωσί τε καὶ Λυκίοισιν ἐκέκλετο... Οἴχετ᾽ ἀνὴρ ὤριστος· et alibi ap. Hom. et quosvis alios, ut Æsch. Pers. 1: Περσῶν τῶν οἰχομένων Ἑλλάδ᾽ ἐς αἶαν· 60: Τοιόνδ᾽ ἄνθος Περσίδος αἴας οἴχεται ἀνδρῶν· Aristoph. Ach. 210: Ἐκπέφευγ᾽, οἴχεται φροῦδος. Atque sic HSt. ipse recte vertit in l. Thuc., quem citat paullo post. Itaque ᾠχόμην sæpius est non imperf., sed plusquamperf., ut Od. Π, 24: Οὔ σ᾽ ἔτ᾽ ἔγωγε ὄψεσθαι ἐφάμην, ἐπεὶ ᾤχεο νηὶ Πύλονδε, aliisque aliorum. Sed multo pluribus obtinet signif. aoristi, ut Il. A, 380: Χωόμενος δ᾽ ὁ γέρων πάλιν ᾤχετο· Soph. Tr. 733: Ἐπεὶ πάρεστι μαστὴρ πατρὸς, ὃς πρὶν ᾤχετο· Aristoph. Lys. 277: Οὐδὲ Κλεομένης ἀπῆλθεν ἄψαλακτος, ἀλλ᾽ ᾤχετο θὤπλα παραδοὺς ἐμοί· Xen. Cyrop. 8, 3, 28: Βληθεὶς δὲ οὐδὲ μετεστράφη, ἀλλ᾽ ᾤχετο ἐφ᾽ ὅπερ ἐτάχθη, aliisque ap. Buttm. in Gramm. v. Οἴχομαι.] Hom. Il. A, [366]: Ὠχόμεθ᾽ ἐς Θήβην, Thebas proficiscebamur, ibamus, ἤλθομεν, Eust. Od. O init.: Ἐς Λακεδαίμονα Παλλὰς Ἀθήνη Ὤχετ᾽. Dem.: Ὤχετο εἰς Θράκην, In Thraciam profectus est. Xen. Cyrop. 3, [2, 11]: Ὤχετο ἐπὶ τὸν Ἀρμένιον ἄγγελος, Abiit s. Ivit ad. Aristoph. [Pl. 32]: Ὠχόμην ὡς τὸν θεὸν, Ad deum proficiscebar, Deum adibam. Thuc. 3: Αἰσθόμενοι τάς τε Ἀττικὰς ναῦς προσπλεούσας, τάς τε τῶν πολεμίων οἰχομένας, Classem hostium discessisse. [Quemadmodum autem εἶμι dicitur interdum etiam de iis qui jamjam eunt, sic οἴχομαι de iis qui locum unde discederent nondum reliquerunt, ut Soph. OEd. C. 894: Κρέων ὅδ᾽, ὃν δέδορκας, οἴχεται τέκνων ἀποσπάσας μου τὴν μόνην ξυνωρίδα· 1009: Τὰς κόρας τ᾽ οἴχει λαβών.] Frequenter cum partic. copulatur, et tunc interdum commodius οἴχομαι omitti potest in interpretatione: ut verbi gratia ap. Hom. Il. B, [71]: Ὣς ὁ μὲν εἰπὼν Ὤχετ᾽ ἀποπτάμενος, Avolabat, potius reddemus quam Abibat avolans. Sic Z, [346]: Ὥς μ᾽ ὄφελ᾽ ἤματι τῷ ὅτε με πρῶτον τέκε μήτηρ, Οἴχεσθαι προφέρουσα κακὴ ἀνέμοιο θύελλα Εἰς ὄρος, Abripuisse s. Asportasse. Sic Xen. Cyrop. 5, [1, 3]: Πρὸς τὸν Βακτριανῶν βασιλέα πρεσβεύων ᾤχετο, Legatus abierat ad regem Bactrorum, etiam Legatione fungebatur apud. Et Hell. 1, [1, 18]: Τὰς δὲ ναῦς οἱ Ἀθηναῖοι ᾤχοντο ἄγοντες εἰς Προικόννησον· 4, [1, 27]: Ὤχοντο ἀπιόντες εἰς Σάρδεις πρὸς Ἀριαῖον. Herodot. [5, 75]: Οἴχοντο ἀπαλλασσόμενοι. [Οἴχεαι ἔχων ἐκκλέψας αὐτὸν, id. 2, 115; οἴχοντο πλέοντες ἐς Λακεδαίμονα, 4, 145, etc. Schweigh. Lex.] Ad quod loquendi genus sunt qui respexisse putent Cic.: Confestim ad eum ire perreximus. Sic οἴχομαι φεύγων, Aufugio, Fuga me proripio. Et ex Soph. Aj. [743], Οἴχεται τραπεὶς, Conversus est. Potest tamen ipsum etiam οἴχομαι interdum exprimi inter-

A pretando, ut tum in præcedentium locorum quibusdam, tum ap. Eur., ubi ait, Οἴχου λαβὼν αὐτὴν, Abiisti ea abrepta, vel etiam, Abripuisti eam et discessisti: sicut ap. Plut. Popl. [c. 6]: Ὤχετ᾽ ἐξαναστὰς, Surrexit et abiit. [Aristoph. Lys. 953: Κἀποδείρασ᾽ οἴχεται· 976: Ὦ Ζεῦ, εἴθ᾽ αὐτὴν... οἴχοιο φέρων· Av. 892: Ἰκτῖνος εἰς ἂν τουτό γ᾽ οἴχοιθ᾽ ἁρπάσας. Exx. Platonis plurima annotavit Astius, Demosthenis Reiskius. Pausan. 3, 16, 5: Τὰς οὖν βοῦς ἔδει κρατηθέντος Ἡρακλέους τὸν Ἔρυκα ἄγοντα οἴχεσθαι. || Inverso modo Hom. Il. X, 223: Τόνδε γ᾽ ἐγώ τοι οἰχομένη πεπιθήσω· Ψ, 699: Αὐτοὶ δ᾽ οἰχόμενοι κόμισαν δέπας. || Cum accus. Eur. Rhes. 366: Ἀτρειδᾶν Σπάρταν οἰχομένων Ἰλιάδος παρ᾽ ἀκτᾶς. Aratus 1137: Καὶ καρκίνος ᾤχετο χέρσον. Cum præp. Eur. Hel. 1219: Ἐς αἰθέρ᾽ οἴχεται· Phœn. 1055: Ὃς ἐπὶ θάνατον οἴχεται· Suppl. 37: Οἴχεται δέ μοι κῆρυξ πρὸς ἄστυ· Or. 846: Πρὸς Ἀργεῖον οἴχεται λεών. Aristoph. Eccl. 62: Ὁπόθ᾽ ἀνὴρ εἰς ἀγορὰν οἴχοιτό μου· Av. 1270: Τὸν κήρυκα τὸν παρὰ τοὺς βροτοὺς οἰχόμενον. Pind. Nem. 7, 40: Ὤχετο πρὸς θεόν. Xen. Anab. 7, 7,

B 55: Ὡς Ξενοφῶν οἴχοιτο ὡς Σεύθην οἰκήσων, ut ex melioribus restitui pro πρὸς, quod alibi jungit cum οἴχεσθαι, pariterque εἰς et ἐπί.] Res etiam aliquæ οἴχεσθαι dicuntur, quum a nobis recedunt, aut etiam quum nos deserunt et destituunt. Hom. Il. E, [472]: Ἕκτορ, πῆ δή τοι μένος οἴχεται ὃ πρὶν ἔχεσκες; Quo tibi abiit, Quonam a te recessit, Quonam se proripuit? Sic Ω, [201]: Οἴμοι, πῆ δή τοι φρένες οἴχονθ᾽ ᾗς τὸ πάρος περ Ἔκλε᾽ ἐπ᾽ ἀνθρώπους; Et N, [220] ad Diomedem: Ποῦ τοι ἀπειλαὶ Οἴχονται τὰς Τρωσὶν ἀπείλεον υἷες Ἀχαιῶν; Musonius ap. Gellium [16, 1]: Ἄν τι πράξῃς καλὸν μετὰ πόνου, ὁ μὲν πόνος οἴχεται, τὸ δὲ καλὸν μένει. Quæ verba ibid. Cato Latine ita: Si quid vos per laborem recte feceritis, labor ille a vobis cito recedet: benefactum a vobis, dum vivetis, non abscedet. [Pind. Nem. 10, 78: Οἴχεται τιμὰ φωτί· Pyth. 4, 82: Οὐ πλόκαμοι κερθέντες ᾤχοντ᾽ ἀγλαοί.] Aliquando etiam οἴχεσθαι dicuntur quæ evanuerunt, quæ perierunt, de quibus actum est. Synes. Ep. 59: Πάντα οἴχεται, πάντα ἀνήρηται, Perierunt s. Interierunt omnia. Herodian. 1, [13, 4]:

C Οἴχεται δέ σοι ὅ, τε Ῥωμαίων δῆμος, καὶ τὸ πλεῖστον τοῦ στρατιωτικοῦ, Actum de populo Romano, actum etiam magna ex parte de exercitu est. Cic. Ad Att. 6 init.: Quare non οἴχεται tua industria, quod vereris, sed præclare ponitur. [Æsch. Cho. 636: Βροτῶν ἀτιμωθὲν οἴχεται γένος· Pers. 252: Τὸ Περσῶν δ᾽ ἄνθος οἴχεται πεσόν· Ag. 657: Ὤιχοντ᾽ ἄφαντοι (naves). Eur. Tro. 591: Οἰχομένας πόλεως· Heracl. 14: Πόλις μὲν οἴχεται. Et similiter alibi. Plato Leg. 12, p. 945, C: Διαλυθεῖσαν οἴχεσθαι πολιτείαν.] Homo etiam aliquis οἴχεσθαι dicitur, quum Ex hac vita discedit, quum Ex vivis excedit, quum Moritur. Eust. p. 119, de οἴχομαι loquens: Λαμβάνεται δέ ποτε ἡ λέξις καὶ ἐπὶ τῶν ἀφανῶν γενομένων· οἷον, ὁ δεῖνα ποιήσας τόδε τι, ᾤχετο· ἀλλὰ καὶ ἐπὶ θανάτου, οἷον, πρὸ ὥρας ᾤχετο· ἐξ οὗ καὶ οἰχόμενος καὶ ἀποιχόμενος ὁ θανών· quomodo et φροῦδος usurpatur: quod factum est ex πρόοδος. Sic interpr. nonnulli Od. Ξ, [144]: Ὀδυσσῆος πόθος αἴνυται οἰχομένοιο, Mortui. Alii contra accipiunt pro Absentis, Qui olim hinc abiit necdum rediit, et sic interpr. eod. l. [376]:

D Ἄχνυνται δὴν οἰχομένοιο ἄνακτος, i. e. ἀπόντος. [Æsch. Pers. 546: Μόρον τῶν οἰχομένων· 916: Μετ᾽ ἀνδρῶν τῶν οἰχομένων. Et alibi cum ceteris Tragicis, ut Soph. El. 146: Τῶν οἰκτρῶς οἰχομένων γονέων· Aj. 999: Βάξις ὡς οἴχει θανών· Phil. 414: Ἦ χοὖτος οἴχεται θανών. Eur. Alc. 908: Ὦ χόρος ᾤχετ᾽ ἐν δόμοισι.] Itidemque ap. Plat. De rep. 2, [p. 360, A]: Διαλέγεσθαι ὡς περὶ οἰχομένου, De eo loqui tanquam qui non adesset: ubi etiam reddi posset, Loqui de eo velut qui abiisset: nisi malles, Qui mortuus esset. [Alibi aptius vertitur Perii, ut Æsch. Ag. 172: Ὃς δ᾽ ἔπειτ᾽ ἔφυ, τριακτῆρος οἴχεται τυχών· Suppl. 786: Οἴχομαι φόβῳ. Soph. Tr. 85: Ἢ οἰχόμεσθ᾽ ἅμα· 1143: Οἴχομαι τάλας. Xen. Cyrop. 3, 1, 13: Ὡς οἰχομένου τοῦ πατρός· 5, 4, 11: Οὕτω μοι προθύμως ἐβοήθησας, ὡς νῦν τὸ μὲν ἐπ᾽ ἐμοὶ οἴχομαι, τὸ δ᾽ ἐπὶ σοὶ σέσωσμαι.] || Οἴχεσθαι ἀνὰ simpliciter ponitur pro Obire, Ire per: sicut Il. A, [53]: Ἐννῆμαρ μὲν ἀνὰ στρατὸν ᾤχετο κῆλα θεοῖο, Per novem dies exercitum obibant Apollinis sagittæ. H. e., per novem dies infestabant quasi abeundo exercitum. Schol. exp.

ἐπῄει, ἐπήρχετο. [E, 495 : Κατὰ στρατὸν ᾤχετο πάντῃ· A Ξ, 381 : Οἰχόμενοι δ' ἐπὶ πάντας Ἀρήια τεύχε' ἄμειβον.] || Mutuatur hoc verbum quædam tempora ab inus. Οἰχέομαι, fut. Οἰχήσομαι, quod et Hesych. agnoscit, οἰχήσονται exponens non solum πορεύσονται, sed etiam ἀπελασθήσονται. Utitur eo fut. [Aristoph. Thesm. 653 : Ὅπως μὴ διαφυγὼν οἰχήσεται, ut Bentlejus scripsit pro οἴχεται.] Plato Phædone [p. 115, D] : Οὐκέτι ὑμῖν παραμενῶ, ἀλλ' οἰχήσομαι ἀπιὼν εἰς μακάρων δή τινας εὐδαιμονίας, de Socrate moriturο post haustum venenum : quod Cic. interpr., Hinc excedam, Hinc avolabo, p. 4 mei Lex. Cic. [Ibid. p. 91, C, et alibi sæpius.] Præt. perf. ᾤχημαι, et sine augmento οἴχημαι. [V. Διοίχομαι, Παροίχομαι. Ap. Leonid. Anth. Pal. 7, 273, 6 : Κἀγὼ μὲν πόντῳ δινεύμενος, ἰχθύσι κῦρμα, οἴχημαι Planud., οἴχευμαι Pal., οἰχεῦμαι Brunck.] Invenitur autem præt. Οἴχωκα, tanquam ab act. voce, quo Herodot. utitur : unde οἰχωκυῖαι [8, 108; οἰχωκότας τοὺς βαρβάρους, 9, 98], Quæ abierunt. Apud Eund. sæpe οἰχώκεε, Abiit, Ivit: ut [4, 165] : Οἰχώκεε ἐς Αἴγυπτον, Abiit in Ægyptum, In Ægyptum se proripuit; et B [127] : Ὁ μὲν δὴ κῆρυξ οἰχώκεε ἀγγελέων ταῦτα Δαρείῳ, Abiit s. Ivit nuntiatum ista Dario. Idem : Οἰχώκεε φέρων, Abstulit. [Οἰχώκεε φεύγων 8, 126.] Et [1, 189] : Ὑποβρύχιον οἰχώκεε φέρων. [Quum autem οἴχωκα significatione non differat a præs. οἴχομαι, etiam οἰχώκεε non differt ab ᾤχετο.] || Οἴχωκα, aliquando sonat Interii, Actum de me est. Soph. Aj. [896] : Οἴχωκ', ὄλωλα, διαπεπόρθημαι, φίλοι· verba Tecmessæ post cognitam Ajacis mortem. Putatur autem hoc οἴχωκα dictum pro ᾤχηκα, abjecto augmento, et verso η in ω, ut in μεμβλώκει pro μεμβλήκει. [In Ind. :] Ὤχωκεν, Abiit s. Periit : pro ᾤχηκεν, τροπῇ τοῦ η, a themate οἰχῶ, ut Lex. meum vet. et Etym. tradunt. [Hæc forma est Æsch. Pers. 13 : Πᾶσα γὰρ ἰσχὺς Ἀσιατογενὴς ᾤχωκε, ubi cod. Med. et edd. Robort. et Stephan. οἴχωκε, quod Sophocli exemit Herodianus Ms. ap. Koen. ad Greg. p. 66, qui exhibet ᾤχωκα. Οἴχωκε vero scriptum rursus in fr. Thamyræ ap. Athen. 4, p. 175, F, ut ex l. Aj. οἴχωκα citant Suidas et schol. Hom. Il. B, 219. Sic οἴχετο male adhuc legitur ap. Apollon. Rh. 4, 1435, C ubi libri quattuor ᾤχετο, ut postulat consuetudo Epicorum. L. Dind.]

[Οἰχῶρος. V. Οἰκουρός.]

Οἴω, sive Ὀΐω, Puto, Existimo, Arbitror, Opinor, Reor. Disyllabi hæc sunt exempla, teste etiam Eust. Hom. Il. T, [71] : Ἀλλά τιν' οἴω Ἀσπασίως αὐτῶν γόνυ κάμψειν, Puto curvaturum genua. Ξ, [454] : Οὐ μὰν αὖτ' οἴω μεγαθύμου Πανθοΐδαο Χειρὸς ἄπο στιβαρῆς ἅλιον πηδῆσαι ἄκοντα. Hesiod. Sc. [111] : Ἀλλά μιν οἴω φεύξεσθαι, Opinor eum fugiturum. Trisyllabi hæc sunt exempla : Il. A, [60] : Νῦν ἄμμε παλιμπλαγχθέντας ὀΐω Ἂψ ἀπονοστήσειν· et [170] : Οὐδέ σ' ὀΐω Ἐνθάδε πλοῦτον ἀφύξειν, Neque te arbitror hic hausturum esse opes. Ib. [296] : Οὐ γὰρ ἔγωγ' ἔτι σοι πείσεσθαι ὀΐω. [Ubi est quasi periphrasis futuri, ut N, 272 : Οὐ γὰρ ὀΐω ἀνδρῶν δυσμενέων ἑκὰς ἱστάμενος πολεμίζειν· Od. T, 215 : Νῦν μὲν δή σεῦ ξεῖνέ γ' ὀΐω πειρήσεσθαι.] Quibus et hæc adduntur [558] : Τῇ σ' ὀΐω κατανεῦσαι ἐτήτυμον ὡς Ἀχιλῆα τιμήσῃς· nam et in meo Ms. Hom. ibi ϊ, non ι habetur. Et Od. O, [31] : Ἀλλὰ τά γ' οὐκ ὀΐω· tunc autem ι D corriperetur : quod breve in aliis temporibus ap. Hom. non memini me legere; ac propterea sicut Eust. in secundo loco ex Hom. citato legit, οἴω, non ὀΐω, malim et ego in his duobus postremis scribere οἴω, sc. δισυλλάβως. Interdum ἀποστατικῶς ἐπεντίθεται, κατ' ἐνδοιασμὸν εὐλαβῆ, sicut Puto, Opinor, Reor, Arbitror, ap. Latinos, ut in Οἶμαι quoque dicetur. Od. Π, [309] : Ἐμὸν θυμὸν καὶ ἔπειτά γ' ὀΐω Γνώσεαι, Quo animo sim, postea etiam, arbitror, cognosces : pro Ut arbitror, ὡς οἴομαι. [Il. Θ, 536 : Ἐν πρώτοισιν, ὀΐω, κείσεται οὐτηθείς, et alibi.] Interdum οἴω s. ὀΐω commodius redditur Suspicor, Conjicio, στοχάζομαι : interdum et Spero. Apud Suid. περισπωμένως reperio etiam Οἰῶ, cum hoc exemplo [ex schol. Ar. Lys. 997] : Ἀλλ' ἀρχὰ [ἄρχε] μὲν οἰῶ Λαμπιτῶ· pro, ὡς οἴομαι, ἀρχὴ τῆς μάχης ἡ Λαμπιτὼ (ita enim in vet. cod.), Ut arbitror. Ex quo οἰῶ pass. οἴομαι mutuari dicemus futurum, et quæ inde formantur. [Ib. 81 : Μάλα γ' οἰῶ ναὶ τὼ σιώ· 156 : Ἐξέβαλ' οἰῶ τὸ ξίφος· 1256 : Θάγοντας οἰῶ τὸν ὀδόντα· quibus Ahrens. De dial. vol. 2, p. 350 addit ex. Epilyci in Coralisco ap. Athen. 4, p. 140, A.]

|| Pass. [med.] Οἴομαι s. Ὀΐομαι, i. q. οἴω s. ὀΐω : quorum hoc ὀΐομαι ap. poetas solummodo usitatum est, illud prosæ scriptoribus cum poetis commune : οἴω autem et ὀΐω poetis peculiare. Hom. Il. T, [334] : Ἤδη γὰρ Πηλῆά γ' ὀΐομαι ἢ κατὰ πάμπαν Τεθνάμεν, Prorsus mortuum esse arbitror. Od. Ξ, [190] : Πεζὸν ὀΐομαι ἐνθάδ' ἱκέσθαι· Il. Δ, [12] : Καὶ νῦν ἐξεσάωσεν ὀϊόμενον θανέεσθαι, Quum se periisse existimaret; sed annotat ibi Eust. non solum active accipi posse pro νομίζοντα, verumetiam pass. pro νομιζόμενον, Qui credebatur interiisse. Od. [A, 323 : Ὀΐσατο γὰρ θεὸν εἶναι· I, 213 : Αὐτίκα γάρ μοι ὀΐσατο θυμὸς ἄνδρ' ἐπελεύσεσθαι·] K, [232] : Εὐρύλοχος δ' ὑπέμεινεν ὀϊσσάμενος δόλον εἶναι, Suspicans dolum subesse. Apoll. Arg. 2, [1136] : Μαντοσύνας Φινῆος ὀϊσσάμενος τελέεσθαι, Ratus. Lucill. Epigr. : Οἷον ἰδοῦσαν Τὴν Ἑκάτην αὐτὴν οἴομ' ἀπαγχονίσαι, Quo conspecto reor vel ipsam Hecaten se strangulaturam. [Cum accus. Hom. Il. N, 283 : Ἐν δέ τέ οἱ κραδίη μεγάλα στέρνοισι πατάσσει κῆρας ὀϊομένῳ· Od. Ξ, 363 · Ἀλλὰ τάγ' οὐ κατὰ κόσμον ὀΐομαι οὐδέ με πείσεις· X, 165 : Κεῖνος δ' αὖτ' ἀΐδηλος ἀνήρ, ὃν ὀϊόμεθ' αὐτοί, ἔρχεται ἐς θάλαμον. Apoll. Rh. 1, 290 : Τὸ μὲν οὐδ' ὅσον οὐδ' ἐν ὀνείρῳ ὠισάμην εἰ Φρίξος ἐμοὶ κακὸν ἔσσετ' ἀλύξας.] Dem. : Πότερα γὰρ ἂν οἴεσθε ῥᾷον τῷ πατρὶ, Utrum enim existimatis expeditius patri meo fuisse. [Cum inf. Æsch. Prom. 268 : Οὐ μήν τι ποιναῖς γ' ᾠόμην τοίαισί με κατισχνανεῖσθαι· Eum. 470 : Ἤ τις οἴεται τόδε βροτὸς δικάζειν. Soph. OEd. C. 28 : Οἴομαι δὲ δεῖν οὐδέν.] Aristot. Rhet. 2 : Ὁ γὰρ μηδένα οἰόμενος, πάντας οἰήσεται ἀξίους εἶναι κακοῦ. Plato Apol. [p. 41, D] : Οἰόμενοι βλάπτειν τι· quæ ita Cic., Quod mihi nocere se crediderunt. Lucian. [Gallo c. 18] : Καινότερος αὐτοῖς ᾤμην ἔσεσθαι. Thucyd. [2, 89] : Οἴονται σφίσι τὸ αὐτὸ ποιήσειν, Opinantur, Arbitrantur. Isocr. Archid. [p. 132, B] : Τίνα γὰρ οἰηθῶμεν αὐτοὺς γνώμην ἕξειν, ὅταν αὐτοὶ μὲν κακῶς πάσχωσιν, ἡμᾶς δὲ ποιεῖν μὴ δύνωνται, Arbitremur : ubi οἴεσθαι potest etiam accipi pro προσδοκᾷν. Herodian. 1, [13, 8] : Οὐδὲν μέν τοι εἰδότα τῶν ἀπηγγελμένων, οἰόμενον δὲ, Nihil jam certi scientem, sed aliquid tamen opinantem imperatori renuntiatum; Suspectantem, Polit. Et οὔποτε οἰόμενος, Qui nunquam putasset. [E Xen. Cyrop. 1, 4, 18 : Πρῶτον τότε ὅπλα ἐνδὺς, οὔποτε οἰόμενος. Id. H. Gr. 4, 7, 4 : Οἱ δ' ἄλλοι στρατιῶται ᾤοντο ἀπιέναι, ut sit i. q. δεῖν ἀπιέναι. V. Νομίζω, p. 1544, B.] Frequens etiam, ὡς οἴομαι, Ut arbitror, Meo judicio, Ut mea fert opinio. Thuc. 6, p. 211 [c. 40] : Εἰ μή τι αὐτῶν ἀληθές ἐστιν, ὥσπερ οὐκ οἴομαι, Ut non esse opinor. Herodian. 7, [8, 6] : Ὡς δὲ ἐγὼ οἴομαι, οὐ θαύματος ἄξια, Ut ego existimo. 6, [5, 10] : Ὡς ᾤετο ἄριστα βεβούλευτο. Simile ex Eod. exemplum habes in Διοικέω. Interdum particula ὡς omittitur, ac οἴομαι ἀποστατικῶς ἐπεντίθεται, sicut etiam οἴω et οἶμαι. [Æsch. Cho. 758 : Πολλὰ δ', οἴομαι, ψευσθεῖσα.] Synes. Ep. 60 : Ἐσιώπησα, πῶς οἴει καὶ τότε δακνόμενος; Quanta cum animi molestia me tunc tacuisse arbitraris? Lucian. in Gallo [c. 7] : Πολὺ χρυσίον εἶδον· πῶς οἴει καλόν; οἵαν τὴν αὐγὴν ἀπαστράπτον; Et Plato De rep. 6, [p. 486, C] : Οὐκ, οἴει, ἀναγκασθήσεται τελευτῶν αὑτὸν μισεῖν; Annon tandem, tuo judicio, cogetur se odisse? Sic dicitur πῶς δοκεῖς; || Οἴομαι, Suspicor, Suspectum habeo. Hom. Il. A, [561] : Δαιμονίη, αἰεὶ μὲν ὀΐεαι, οὐδέ σε λήθω, Semper suspicaris. [Od. Ξ, 298 : Τῷ ἑπόμην ἐπὶ νηὸς, ὀϊόμενός περ ἀνάγκῃ· O, 443 : (Μὴ) δδ' ὀϊσάμενος καταδήσῃ δεσμῷ ἐν ἀργαλέῳ.] Itidem Hesych. οἴεται exp. non solum νομίζει, sed etiam ὑπολαμβάνει, ὑπονοεῖ. Pro Suspicor s. Conjicio accipi potest et in Od. I, [339] de Polyphemo suum pecus in speluncam compellente, nec quicquam foris relinquente : Ἤ τι ὀϊσσάμενος, ἢ καὶ θεὸς ὣς ἐκέλευεν. [Sequente μὴ Od. T, 390 : Αὐτίκα γὰρ κατὰ θυμὸν ὀΐσατο, μή ἑ λαβοῦσα οὐλὴν ἀμφράσσαιτο.] || Spero, Expecto, ἐλπίζω, προσδοκῶ. Od. [B, 351 : Οἶνον ἄφυσσον, ὃν σὺ φυλάσσεις, κεῖνον ὀϊομένη τὸν κάμμορον·] Υ, [224] : Ἀλλ' ἔτι τὸν δύστηνον ὀΐομαι εἴ ποθεν ἐλθὼν Ἀνδρῶν μνηστήρων σκέδασιν κατὰ δώματα θείη, i. e., ἐλπίζω, inquit Eust. Sic [Υ, 349,] Ω, [400] ad Ulyssem : Νόστησας ἐελδομένοισι μάλ' ἡμῖν, Οὐδέ τ' ὀϊομένοισι, Summopere quidem cupientibus nobis rediisti, sed non speran-

tibus te unquam rediturum; Inopinantibus, Inopinato nobis reversus es. Longe autem diversa signif. accipitur K, [248]: Ἐν δέ οἱ ὄσσε Δακρυόφιν πίμπλαντο, γόον δ' ὠΐετο θυμός. Exp. enim ibi quidam, Luctum arguebat animus. Schol. autem διενοεῖτο, προσεδέχετο. Eust. ἐφάνταζε: quod magis probo. || Ὀΐεται pass. etiam capitur pro Videtur, δοκεῖ. T, [312]: Ἀλλά μοι ὧδ' ἀνὰ θυμὸν ὀΐεται ὡς ἔσεταί περ, Sic mihi videtur. Ad verbum Sic mihi putatur, h. e., Sic existimo, auguror. Sic accipi etiam potest P, [586]: Οὐχ ἄφρων ὁ ξεῖνος ὀΐεται, ὅσπερ ἂν εἴη, Non insipiens videtur peregrinus iste hospes, quisquis tandem ille sit. At vulg. Interpr. habet, Non insipiens hospes, putat sicut est. [In Ind.:] Ὠϊσάμην, Putavi, ab ὀΐομαι, Epigr. Ab eod. est ὠΐσσατο, et pass. ὠΐσθη [Hom. Od. Δ, 453: Οὐδέ τι θυμῷ ὠΐσθη δόλον εἶναι· Π, 475: Καί σφεας ὠΐσθην τοὺς ἔμμεναι, οὐδέ τι οἶδα. Et partic. Il. I, 453: Πατὴρ δ' ἐμὸς αὐτίκ' ὀϊσθεὶς πολλὰ κατηρᾶτο, Suspicatus vel animadvertens et sentiens. Ap. Arrian. Ind. 13, 5: Πόαν πολλὴν ἐπιφέρουσι, τοῦ μὴ ἀρίδηλον εἶναι τοῖσι θηρίοισι τὴν γέφυραν, μή τινα δόλον οἰσθῶσιν, Buttm. Gr. v. Οἴομαι, scribebat ὀϊσθῶσιν, sine caussa. Photius ponit etiam passivam signif.: Οἰσθεὶς, εἰκασθεὶς, ὑπολαβών. Sed εἰκασθεὶς omittit Suidas], et ὤϊστο Ὠΐετο, Putabat. Ex Od. Υ, [349] affertur pro Meditabatur, Animo moliebatur. De temporibus quæ οἴομαι ex οἰέομαι mutuatur, ut οἰήσομαι, ᾠήθην, et hujusmodi, dixi etiam in Οἰῶ circumflexo. [Aor. Οἰήσασθαι utitur Arat. 896: Ἀλλ' ὅσσον τε μάλιστα πυγούσιον οἰήσασθαι, et sec. conjecturam Lobeckii 1006: Χαίρειν κέ τις ὠΐσαιτο, ubi libri alii ὠΐσσοιτο vel ὠΐσσαιτο, οἰΐσσοιτο, ὀΐσοιτο. In prosa Porphyr. Abst. 2, 24, p. 144, ubi item οἰήσαιτο, et Eustrat. in Aristot. Eth. Nic. 1, p. 8 r., ab eodem citati. Item Tzetz. Exeg. Il. p. 51, 26: Ἵνα μὴ μύθους οἰήσαιντο γράφειν· quum ὀϊσάμενος sit p. 43, 15. Forma pass. Eur. Iph. A. 986: Σὲ γαμβρὸν οἰηθεῖσ' ἔχειν. Aristoph. Eq. 860: Μηδ' οἰηθῇς ... εὑρήσειν, et sæpissime quivis in prosa, ut Plato Leg. 10, p. 905, B, ᾠήθης, et alibi aliis modis. Apud eosdem frequens est usus futuri οἰήσομαι.]

|| Ex Οἴομαι per contract. factum est Οἶμαι, Puto, Existimo, Judico, Censeo, Credo, Arbitror, Opinor, Reor, et si qua alia sunt synonyma. [Æsch. Ag. 321: Οἶμαι βοὴν ἄμικτον ἐν πόλει πρέπειν· 1521: Οὐκ ἀνελεύθερον οἶμαι θάνατον τῷδε γενέσθαι.] Dem.: Τὴν μεγίστην ἂν αὐτὸν δικαίως οἶμαι δίκην δοῦναι, Ingentes pœnas merito daturum arbitror. Plut. De sol. anim. [p. 972, F]: Πολλῶν οἶμαι διηγημάτων διακορεῖς ὑμᾶς εἶναι. || Οἶμαι frequentius ἀποστατικῶς ἐπεντίθεται κατ' ἐνδοιασμὸν εὐλαβῆ, sicut et ὀΐω ap. Hom. [Soph. Ph. 498: Ὡς εἰκὸς, οἶμαι, τοὐμὸν ἐν σμικρῷ μέρος ποιούμενοι.] Dem. [p. 362, 17]: Τὰ τοιαῦτα ζηλωτά ἐστιν, οἶμαι, καὶ λαμπρά· ubi Bud. dicit παρέλκειν pro Utique, Nimirum. Lucian. [Hercule c. 4]: Φιλόσοφος, οἶμαι, τὰ ἐπιχώρια, Philosophiæ quoque, more gentis, studens, quantum conjicere licet. Sic ap. Thuc. et ceteros scriptores. [Sufficit notare rariora; ut Plat. Gorg. p. 483, C: Ἡ δέ γε οἶμαι φύσις· Reip. 8, p. 564, A: Ἐξ οἶμαι τῆς ἀκροτάτης ἐλευθερίας. Demosth. p. 458, 7: Ἐν οἶμαι πολλοῖς· 1268, 27: Οἱ γὰρ οἶμαι βέλτιστοι. Sæpe etiam initio, ut Plat. Gorg. p. 460, A: Ἐγὼ μὲν οἶμαι ... καὶ ταῦτα παρ' ἐμοῦ μαθήσεται.] Quæ vox proprie hæsitatorum et scepticorum est, qui nihil temere asserere audent: ut ap. Xen. in responsionibus [Comm. 4, 6, 3, al.]: Οἶμαι ἔγωγε, Sic arbitror. Et [ibid.]: Οὐκ οἶμαι, ἔφη. Pro quo alibi dicit, ἔμοιγε δοκεῖ. Et, εἰκός γε, ἔφη. Chremylus ap. Aristoph. Pl. [114]: Οἶμαι γὰρ, οἶμαι· ξὺν θεῷ δ' εἰρήσεται. [Eur. Med. 916.] De ejusmodi responso Aristot. Rhet. 2, [15] mores senum describens: Καὶ οἴονται, ἴσασι δὲ οὐδέν· καὶ ἀμφισβητοῦντες προστιθέασιν ἀεὶ τὸ Ἴσως καὶ Τάχα, καὶ πάντα λέγουσιν οὕτω, παγίως δὲ οὐδέν. Et Cic. Pro Fonteio: Qui primum illud verbum consideratissimum nostræ consuetudinis, Arbitror, quo nos etiam tum utimur, quum ea dicimus jurati, quæ comperta habemus, quæ ipsi vidimus, ex toto suo testimonio sustulit, atque omnia se scire dixit. Interdum hoc οἶμαι ἀποστατικὸν accipitur pro Nisi fallor, Si bene memini. Lucian. in Hermotimo [c. 28], de sagittario Homerico: Ὅς, δέον τὴν πελειάδα κατατοξεῦσαι, ὁ δὲ τὴν μήρινθον ἔτεμεν· ὁ Τεῦκρος, οἶμαι· et [c. 54]: Φασί γέ τοι τῶν πλαστῶν τινα, Φειδίαν οἶμαι, ὄνυχα μόνον λέοντος ἰδόντα, ἀπ' ἐκείνου ἀναλελογίσθαι ἡλίκος ἂν ὁ πᾶς λέων γένοιτο. Sic et Plut. aliquot in ll. Nonnunquam hoc οἶμαι ἀποστατικὸν ironice accipitur, ut Credo ap. Cic. Demosth. p. 165 [395, 22]: Ἀλλ' οἶμαι περιῆσαν οὗτοί μου, At credo isti præstantiores se quam ipse me præbui. [Æsch. Prom. 968: Κρεῖσσον γὰρ, οἶμαι, τῇδε λατρεύειν πέτρᾳ, quo de loco v. quæ diximus in Λατρεύω p. 131, A.] || Οἶμαι pro Ut existimo, aliquando in postremo periodi membro ponitur, ita tamen ut ex præcedentibus pendeat. [Soph. Tr. 536: Κόρην γὰρ, οἶμαι δ' οὐκετ', ἀλλ' ἐζευγμένην παρεισδέδεγμαι.] Greg. Naz.: Οὕτω γὰρ ἐγὼ καλῶ τὰ ἐκείνων σεμνά· οἶμαι δὲ, τῶν εὐφρονούντων ἕκαστος, Sed et sapientissimus quisque, ut arbitror; etiam, Sicque sapientissimum quemque appellare existimo. Idem, Φῶς ἀειλαμπὲς, τριλαμπὲς, ὀλίγοις ὅσον ἐστὶ θεωρούμενον· οἶμαι δὲ, οὐδὲ ὀλίγοις, Ac ne paucis quidem opinor. Idem, Ὅπερ ἐπὶ σωτῆρος ἐγὼ θεωρῶ, οἶμαι καὶ τῶν σοφωτέρων ἕκαστος. Simili modo usurpari ab eod. Greg. οὐ μόνον δὲ, suo loco indicavi, sc. in Μόνον. [Sæpe etiam extra constructionem ponitur. Plato Theæt. p. 147, A: Ἦ οἴει τίς τι συνίησί τινος ὄνομα· Reip. 6, p. 486, C: Οὐκ οἴει ἀναγκασθήσεται; 9, p. 590, C: Διὰ τί οἴει ὄνειδος φέρει; Conv. p. 216, D: Πόσης οἴεσθε γέμει σωφροσύνης; Maxim. Tyr. Diss. 11, 8: Ἦ οἴει τοῦτο εὔχετο ὁ Σωκράτης· Choric. Villois. An. vol. 2, p. 24, 8: Πόσων οἴεσθε θυγατέρας ἐξέδωκεν; comparavit Schæfer. ad Plut. vol. 5, p. 31. Dio Chr. vol. 2, p. 24: Ἀλλὰ Ἀθηνόδωρος ... ἆρα οἴεσθε ... προὔκρινεν ἂν τῆς μετ' ἐκείνου διατριβῆς τὴν ἐνθάδε; ubi Reiskius mire προκρῖναι. || Post νομίζειν ponit Xen. H. Gr. 7, 4, 35: Τοῦ τε γὰρ ἱεροῦ τοῦ Διὸς προεστάναι οὐδὲν προσδεῖσθαι ἐνόμιζον, ἀλλ' ἀποδιδόντες ἂν καὶ δικαιότερα καὶ ὁσιώτερα ποιεῖν, καὶ τῷ θεῷ οἴεσθαι μᾶλλον ἂν οὕτω χαρίζεσθαι. Æschines F. L. p. 32 extr.: Θαρρεῖν τε παρεκελεύετο καὶ μὴ νομίζειν, ὥσπερ ἐν τοῖς θεάτροις, διὰ τοῦτο οἴεσθαί τι πεπονθέναι. Post ἀξιοῦν anon. ap. Suid. v. Ὀδαίναθος, quem Damascium esse conjicit Kusterus: Οὔκουν οἴεσθαι δεῖν ἐκεῖνος ἠξίου τὸν φιλόσοφον ἐρωτᾶσθαι οὐδὲ ἀποκρίνεσθαι ἐκ τοῦ παρατυχόντος ὁτιοῦν. Sic dicitur προσήκειν δεῖν et similia. L. D.] Ex ἐγὼ autem et οἶμαι conflatum est Ἐγῷμαι [Aristoph. Thesm. 442]. Xen. [Comm. 2, 7, 5], Ὡς ἐγῷμαι, Ut ego arbitror, Meo judicio. Plato De rep. 2, [p. 361, D]: Ὄντοιν δὲ τοιούτοιν, οὐδὲν ἔτι χαλεπὸν, ὡς ἐγῷμαι, ἐπεξελθεῖν τῷ λόγῳ οἷος ἑκάτερος βίος ἐπιμένει. Et Xen. [ib. 9]: Ἔστιν, ὡς ἐγῷμαι, δῆλον.

|| Est vero et aliud Οἴω, significans Fero, Porto, Eust. p. 1161, ἀπὸ τοῦ οἴω, τοῦ κομίζω, de οἶστρος loquens. Nullus tamen usus est nisi futuri et temporum quæ inde formantur. Hom. [Il. O, 718: Οἴσετε πῦρ·] Od. Υ, [154]: Μεθ' ὕδωρ Ἔρχεσθε κρήνηνδε, καὶ οἴσετε θᾶσσον ἰοῦσαι· ubi Eust. annotat esse fut. pro præsenti. Et X, [106, 481] iterum in imperativo, pro Fer, Porta: Οἶσε θέειον γρηῦ, κακῶν ἄκος· οἶσε δέ μοι πῦρ. [Callim. Cer. 137: Οἶσε θερισμόν. Hom. Il. T, 173: Τὰ δὲ δῶρα ... Ἀγαμέμνων οἰσέτω εἰς μέσσην ἀγορήν. Od. Θ, 255.] Sed et ex Aristoph. [Ran. 482, Ach. 1099, 1101, 1122] citatur οἶσε, φέρε, Fer. [Antimach. ap. Athen. 11, p. 468, B: Δέπαστρα οἰσόντων χρύσεια. V. Mœris p. 285. Inf. Hom. Il. Γ, 120: Ταλθύβιον προΐει ... νῆας ἐπὶ γλαφυρὰς ἰέναι, ἠδ' ἄρν' ἐκέλευεν οἰσέμεναι· Ψ, 564: Φίλῳ ἐκέλευσεν ἑταίρῳ οἰσέμεναι κλισίηθεν· Od. Γ, 429: Καὶ ἀγλαὸν οἰσέμεν ὕδωρ· Θ, 399: Δῶρα δ' ἄρ' οἰσέμεναι πρόεσαν κήρυκα. Pind. Pyth. 4, 102: Φαμὶ διδασκαλίαν Χείρωνος οἴσειν, signif. præsentis.] Pro quo Phalar. Epist. dicit οἶσον. [Quæ vera est forma aor. imp., posita etiam ap. grammat. Cram. An. vol. 4, p. 202, 8, quum οἶσε sit quasi præsentis, ut putabat etiam Herodianus l. c. Alterius formæ plur. οἴσατε est ap. schol. Callim. Lav. Min. 13, quod non est cur in οἴσετε mutetur. Ceteri modi in compositis inprimis non infrequentes sunt apud recentiores et recentissimos, quorum exx. inde a Philon. vol. 1, p. 611, 11, ubi οἶσαι in στῆσαι mutabat Mangejus, annotavit Lobeck. ad Phryn. p. 733 sq. Οἴσωμεν Theodor. Stud. p. 486, E. Indicativi ex. Æliani citavit Suidas: Οἶσε, προσήγαγε, συνῆξεν. « Ἑαυτῇ μὲν πλοῦτον οὐκ εὐκαταφρόνητον οἶσεν. »] At fut. οἴσει, Feret, ex Hom. quoque affertur: sicut et

Hesych. οἴσομεν exp. κομίσομεν. [Ex Il. Γ, 104 : Δὶ δ' ἡμεῖς οἴσομεν ἄλλον. Ib. E, 232 : Μᾶλλον ὑφ' ἡνιόχῳ εἰωθότι καμπύλον ἅρμα οἴσετον· H, 82 : Τεύχεα συλήσας οἴσω προτὶ Ἴλιον ἱρήν· N, 820 : Ἵπποι, οἵ σε πόλινδ' οἴσουσι· Φ, 125 : Σκάμανδρος οἴσει ἁλὸς εὐρέα κόλπον· B, 229 : Χρυσοῦ ἐπιδεύεαι, ὅν κέ τις οἴσει... ἐξ Ἰλίου· Od. Γ, 204 : Καί οἱ Ἀχαιοὶ οἴσουσι κλέος εὐρύ. Pind. Pyth. 9, 104 : Παῖδα ὃν Ἑρμᾶς Ὥραισι... οἴσει.] Pass. οἰσθήσομαι, Ferar, citat Bud. ex Aristot. Phys. At voce med. οἴσομαι e Xen. OEc. [18, 6], pro Ferar : ex Thuc. [2, 11 : Μεγίστην δόξαν οἰσόμενοι] pro Feram. [Hom. Il. N, 68 : Οἰσόμενος δόρυ· Ψ, 441 : Οἴσῃ ἄεθλον· 663 : Νικηθεὶς δέπας οἴσεται· 858 : Οἴσεται ἡμιπέλεκκα· X, 217 : Νῦν δὴ νῶΐ γ' ἔολπα οἴσεσθαι μέγα κῦδος Ἀχαιοῖσι· Od. T, 504 : Οἰσομένη ποδάνιπτρα. Theognis 518 : Οὔτε τι μεῖζον σῆς ἕνεκα ξενίης ἄλλοθεν οἰσόμεθα. Aristoph. Pac. 1032 : Καὶ τὴν τράπεζαν οἴσομαι. De aor. ἀνῷσαι et προσοῖσαι v. in illis verbis, de futuro vero nonnulla etiam in Φέρω.]

Οἰωή, affertur pro Impetus; sed ἀμαρτύρως : potius id Ἰωή diceretur.

[Οἰωνίζω, Omino, Gl. et Chœrob. infra, ipse, ut videtur, fingens.]

Οἰωνίζομαι, Auguror, Ominor, [Auspicor, add. Gl.] οἰωνὸν τίθεμαι, ut Eur. infra loquitur. Xen. Hell. 1, [4, 11] : Ὅ τινες οἰωνίζοντο ἀνεπιτήδειον εἶναι τῇ πόλει. [Eadem constr. 5, 4, 17 : Ἄνεμος, ὃν καὶ οἰωνίζοντό τινες σημαίνειν πρὸ τῶν μελλόντων.] Aristot. Polit. 5, 4 : Οἰωνισάμενοί τι σύμπτωμα· ut Val. Flacc., Longosque sibi non auguret annos. Et ap. Suid. : Δαιμονίως πως οἰωνισάμενος τὸ μέλλον, sicut et Cic. dicit Futura augurari. Suid. exp. μαντευσάμενος. [Cum accus. ominis Xen. Cyrop. 1, 6, 1 : Τούτων φανέντων οὐδὲν ἄλλο ἔτι οἰωνιζόμενοι ἐπορεύοντο. Ps.-Demosth. p. 794, 5 : Ὁ φαρμακός, ὁ λοιμός, ὃν οἰωνίσαιτ' ἄν τις μᾶλλον ἰδὼν ἢ προσειπεῖν βούλοιτο. Theophr. H. Pl. 8, 6, 2 : Οἰωνίζονται τὸ πλέον ὡς οὐκ ἀγαθόν.] Plut. Polit. præc. [p. 825, B] : Τοῦ κρατῆρος αὐτομάτως ἐπὶ ταῖς σπονδαῖς μέσου ῥαγέντος, οἰωνισάμενος, καὶ καταλιπὼν τὴν νύμφην, Augurio inde accepto; Velut quodam augurio, vel sinistro omine deterritus deseruit sponsam. Suid. οἰωνίζεσθαι exp. ἀποτρέπεσθαι ὡς κακῷ οἰωνῷ. In propria autem signif. idem Plut. Probl. Rom. [p. 273, D] dixit, de Quinto Metello Pontif. max. : Ἐκώλυεν οἰωνίζεσθαι μετὰ τὸν Σεξτίλιον μῆνα τὸν νῦν Αὔγουστον προσαγορευόμενον, Augurari, h. e. Augurium agere, ἐπ' οἰωνῶν καθίζεσθαι, ut Idem loquitur. [Augmentum hujus verbi pariterque reliquorum ejusdem stirpis nullum esse monet Chœrob. vol. 2, p. 521, 14 : Σεσημείωται τὸ οἰωνίζω οἰωνιζόμην, καὶ ἄλλα τινὰ παρὰ τοῖς ποιηταῖς, ἃ οὐ χρώμεθα ἐν συνηθείᾳ, μὴ τρέψαντα τὴν οι δίφθογγον κατὰ τοὺς παρωχημένους εἰς τὸ ω· 908, 31 : Ἔστι δὲ καὶ τὸ οἰωνίζω οἰωνιζόμην καὶ τὰ παρὰ τὸ οἰωνός, οἷον οἰωνοσκοπῶ οἰωνοσκόπουν, οἰωνοπόλουν. L. Dind.]

Οἰωνικός, ή, όν, Auguralis : οἰωνική, sub. ἐπιστήμη, Auguralis scientia, Augurum disciplina, VV. LL. [vitiose]. Malim οἰωνιστική.

Οἰώνισμα, τὸ, Auspicium, Augurium, Omen; Augurium, quod ex volatu avium vel qualibet re accipimus : οἰώνισμα δεξιόν, Faustum omen, Bonum auspicium. [Eur. Phœn. 839 : Οἰωνίσματ' ὀρνίθων μαθών.] Julian. : Ἦν δέ μοι τοῦτο δεξιὸν οἰώνισμα καὶ χρηστῶν ἐλπίδων ἀρχή. Contra Herodian. 1, [14, 3] : Πρὸς τὸ μέλλον οἰωνίσματι καὶ φαύλῳ συμβόλῳ χρωμένους πάντας ἐτάραξεν, Pessimo augurio universos conterruit. Et οἰώνισμα ἐνόδιον, Augurium et divinatio de eo quod in itinere observatur. Item οἰώνισμα τὸ τῆς ὑγιείας, Augurium salutis. Dion 37, [24] : Τότε δὲ οἱ Ῥωμαῖοι πολέμων ἀνάπαυσιν ἔσχον, ὥστε καὶ τὸ οἰώνισμα τὸ τῆς ὑγιείας ὠνομασμένον διὰ πάνυ πολλοῦ ποιῆσαι. De quo Tacit. 12 : Salutis augurium quinque et viginti annis omissum repeti ac deinde continuari placitum. Et Cic. De divin. 1 : P. Claudius augur consuli nuntiavit, addubitato salutis augurio, bellum domesticum triste ac turbulentum fore. Dion ibid. : Τοῦτο δὲ δὴ μαντείας τις τρόπος ἐστί, πίστιν τινὰ ἔχων εἰ ἐπιτρέπει σφίσιν ὁ θεὸς ὑγίειαν τῷ δήμῳ αἰτῆσαι, ὡς οὐχ ὅσιον οὐδὲ αἴτησιν αὐτῆς πρὶν συγχωρηθῆναι γενέσθαι· καὶ ἐτελεῖτο κατ' ἔτος ἡ ἡμέρα, ἐν ᾗ μηδὲν στρατόπεδον μήτε ἐπὶ πόλεμον ἐξήει, μήτ' ἀντιπαρετάττετό τις, μήτε ἐμάχετο. [Chion Epist.

A 17. Frequens est ap. Themistium Or., ut 6, p. 82, C : Ἀγαθὸν οἰώνισμα τῆς χειροτονίας, et alibi.]

[Οἰωνισμός, ὁ, Auspicium, Gl. Plut. Numa c. 14. LXX Num. 23, 23; Sirac. 34, 5. Greg. Nyss. vol. 2, p. 79, D; Jo. Dam. vol. 1, p. 108, D.]

Οἰωνιστήριον, τὸ, Unde augurium aliquod accipimus, Signum quale est omen. Xen. Apol. [12] : Καὶ γὰρ οἱ φθόγγοις οἰωνῶν, καὶ οἱ φήμαις ἀνθρώπων χρώμενοι, φωναῖς δήπου τεκμαίρονται· βρονταῖς μὲν ἀμφιλέξει τις ἢ μὴ φωνεῖν, ἢ μὴ μέγιστον οἰωνιστήριον εἶναι. ‖ Locus in quo augures augurium agunt, Auguraculum, i. q. οἰωνοσκοπεῖον. [Dionys. A. R. 1, 86 : Ἦν δὲ Ῥωμύλῳ μὲν οἰωνιστήριον τὸ Παλάντιον.]

Οἰωνιστής, ὁ, Augur [Gl.], Aruspex, ὀρνεοσκόπος, Hesych. [Hom. Il. B, 858, P, 218, N, 70; Hesiod. Sc. 185.]

Οἰωνιστικός, ή, όν, [Auspicalis, Gl.] Ad augurem s. auspicem pertinens, Auguralis : οἰωνιστικὸν μαντείας εἶδος, Auguralis divinatio, Divinatio ex auspicio : i. q. οἰωνοσκοπικὸν s. ὀρνεοσκοπικόν : sc. ὅταν πετομένου τοῦδε
B τοῦ ὄρνιθος ἔμπροσθεν ἢ ὄπισθεν, καὶ δεξιὰ ἢ ἀριστερὰ νεύοντος, εἴποι τις ὅτι τόδε σημαίνει, Suid. : ap. quem vide alia de οἰκοσκοπικῷ et χειροσκοπικῷ. Et οἰωνιστικὸν ἀξίωμα Gazæ pro eo, quod Cic. dicit Auguratus. [Aristot. H. A. 1, 11 : Σημεῖον οἰωνιστικόν.] Item ἡ οἰωνιστική, sc. ἐπιστήμη, Auguralis scientia, τὸ οἰωνιστικόν. [Plato Phædr. p. 244, D : Ἂν νῦν οἰωνιστικὴν ... οἱ νέοι κατιοῦσιν.] Plut. [Mor. p. 975, A] : Οὐ γάρ τι μικρὸν οὐδὲ ἄδοξον, ἀλλὰ πολὺ καὶ παμπάλαιον μαντικῆς μόριον οἰωνιστικὴ κέκληται· sicut et Eur. θεῶν κήρυκας esse dicit τοὺς ὄρνιθας. [Schol. Hom. Il. B, 305.]

[Οἰώνιχος, ὁ, OEonichus, n. viri, Aristoph. Eq. 1287. Hesychius : Οἰώνιχον, μουσεῖον· τοῦτο δὲ Οἰωνίχου φησὶ μουσεῖον εἶναι, τὸ σηζ αἰή, quorum postrema tria omisit Musurus, Schowius utcumque se scripturam codicis expressisse ait. Musicum fuisse OEonichum produnt scholl. ad l. Arist. Apud Hesych. præstat fortasse Οἰωνίχου μουσεῖον, cetera non tango. L. Dind.]

Οἰωνόβρωτος, ὁ, ἡ, Ab avibus devoratus, Quem alites depasti sunt : οἰωνοβρώτους, Hesychio ὑπ' ὀρνέων
C βρωθέντας. Sed et Suidæ οἰωνόβρωτος est ὀρνεόβρωτος. [Macc. 2, 9, 15; 3, 6, 34. Strabo 15, p. 735 : Τοὺς δὲ μάγους οὐ θάπτουσιν, ἀλλ' οἰωνοβρώτους ἐῶσι, ubi est var. —βότους.]

Οἰωνοθέτης, ὁ, Qui prout alites videt vel volare vel pasci, vel garrire, οἰωνοὺς τίθεται, Qui ex avium volatu, pastu, aut garritu, auguria et omina accipit. Soph. OEd. T. [484] de Tiresia augure : Δεινὰ ταράσσει σοφὸς οἰωνοθέτας, ubi Triclin., ὁ τοῖς οἰωνοῖς τιθέμενος καὶ ἀρεσκόμενος εἰς τὰς μαντείας, et, ὁ τὰς πτήσεις τῶν οἰωνῶν διατιθεὶς καὶ εὐκρινῶν.

[Οἰωνόθροος, ὁ, ἡ, Ab avibus clamatus. Æsch. Ag. 55 : Οἰωνόθροον γόον.]

[Οἰωνοκλῆς, έους, ὁ, OEonocles, n. viri, ap. Tischbein. tab. 48. L. Dind.]

[Οἰωνοκτόνος, ὁ, ἡ, Aves interficiens. Æsch. Ag. 564, χειμῶνα.]

Οἰωνομαντεία, ἡ, Vaticinatio vel Vaticinium ex auspiciis.

[Οἰωνομαντικός, ή, όν.] Οἰωνομαντική, sc. ἐπιστήμη,
D Scientia auguralis. [Dionys. A. R. 3, 70.]

Οἰωνόμαντις, εως, ὁ, Qui ex auguriis s. auspiciis vaticinatur, qui et ὀρνιθόμαντις Hesychio. [Eur. Phœn. 767. Dionys. A. R. 3, 69, 72.]

[Οἰωνόμικτος, ὁ, ἡ, Avibus mistus. Lycophr. 595 : Ἐπτερωμένην ἰδὼν οἰωνόμικτον μοῖραν. Schol. ὀρνεόμορφον τύχην.]

[Οἰωνοπολέω, Auguror. Chœrob. in Οἰωνίζω cit. L. Dind.]

[Οἰωνοπόλησις, εως, ἡ, Haruspicium, Gl.]

[Οἰωνοπολία, ἡ, Oscinum, Gl. Suidas v. Πόλλης hujus memorat scriptum περὶ τῆς καθ' Ὅμηρον οἰωνοπολίης (sic). L. Dind.]

Οἰωνοπόλος, ὁ, ἡ, Qui circa aves versatur, Augur, Auspex [Gl.], ὁ ἐπ' οἰωνῶν, ut Plut. loquitur. Hom. Il. A, [69, Z, 76] : Οἰωνοπόλων ὄχ' ἄριστος. Esse autem μάντεων genus οἰωνοπόλους testatur et Plut. De dæm. Socr. [p. 593, C], ubi dicit Homerum τῶν μάντεων οἰωνοπόλους τινὰς καλεῖν, καὶ ἱερεῖς, καὶ ἑτέρους δὲ τῶν θεῶν αὐτῶν διαλεγομένων συνιέντας. [Æsch. Suppl. 58.

Manetho 6, 473; Dionys. A. R. 3, 69. Pollux 7, 188. De accentu Arcad. p. 88, 24.]

Οἰωνὸς, ὁ, Avis, Volucris, Ales [Gl. Eadem : Οἰωνοὶ, Auxilites (sic).] Sed proprie dici putatur de majoribus avibus et carnivoris. [V. Suidas. Κόραξ interpr. Theognostus infra cit., γὺψ Etymol. et Tzetzes Hist. 13, 10 : Γῦπες κυρίως οἰωνοὶ ... Οὕτω κυρίως οἰωνοὶ καλοῦνται μὲν αἱ γῦπες καὶ πάντα δὲ τὰ ὄρνεα καταχρηστικωτέρως. Omnibus his modis interpretatus Hesych. addit, ἢ ὄφεις, et Οἰωνὸς, ὄφις· ἐπιεικῶς γὰρ λέγεται εἰς τὰς μαντείας τοὺς ὄφεις ἔχειν, οὓς καὶ οἰωνοὺς ἔλεγον.] Hom. Il. A, [5] : Αὐτοὺς δὲ ἑλώρια τεῦχε κύνεσσιν, Οἰωνοῖσί τε πᾶσι· Od. Γ, [259] : Τόν γε κύνες τε καὶ οἰωνοὶ κατέδαψαν Κείμενον ἐν πεδίῳ. Virg., Heu terra ignota canibus data præda Latinis Alitibusque jaces. Ξ, [133] : Τοῦ δ' ἤδη μέλλουσι κύνες ταχέες τ' οἰωνοὶ Ῥινὸν ἀπ' ὀστεόφιν ἐρύειν, Canes celeresque volucres. Sic Il. X, [354] : Ἀλλὰ κύνες τε καὶ οἰωνοὶ κατὰ πάντα δάσονται· et [336] : Σὲ μὲν κύνες ἠδ' οἰωνοὶ Ἑλκήσουσ' ἀϊκῶς· Od. Γ, [271] : Κάλλιπεν οἰωνοῖσιν ἕλωρ καὶ κύρμα γενέσθαι· Il. Θ, [379], P, [241] : Τρώων κορέει κύνας ἠδ' οἰωνούς· Λ, [454] : Οἰωνοὶ Ὠμησταὶ ἐρύουσ', Dilacerabunt et discerpent crudivoræ volucres. Od. Λ, [604] : Κλαγγὴ νεκύων ἦν οἰωνῶν ὥς, Ceu volucrium. Sic Od. Π, [216] : Κλαῖον δὲ λιγέως, ἀδινώτερον ἤ τ' οἰωνοὶ, Φῆναι ἢ αἰγυπιοί· traduntur autem esse ἀετώδη duo hæc avium genera. At Hesiod. Op. [275] : Ἰχθύσι μὲν καὶ θηρσὶ καὶ οἰωνοῖς πετεηνοῖς, Alitibus volucribus. Itidem Emped. [134, 160] : Θῆρές τ' οἰωνοί τε καὶ ὑδατοθρέμμονες ἰχθῦς. Utitur et Plut. Romulo [c. 7] hoc vocabulo pro Volucris, Avis, Ales : Οἰωνοῖς καὶ θηρίοις ἐῤῥίφημεν, Alitibus ferisque præda projecta sumus. [Pind. Ol. 13, 21 : Τίς θεῶν ναοῖσιν οἰωνῶν βασιλέα δίδυμον ἐπέθηκε· Pyth. 1, 7 : Ἀρχὸς οἰωνῶν. Æsch. Prom. 125 : Τί ποτ' αὖ κινάθισμα κλύω πέλας οἰωνῶν· 281 : Αἰθέρα θ' ἁγνὸν πόρον οἰωνῶν· 286 : Τὸν πτερυγωκῆ τόνδ' οἰωνόν· Sept. 1020 : Πετεινῶν ὑπ' οἰωνῶν ταφέντα· Ag. 113 : Οἰωνῶν βασιλεύς. Soph. Aj. 830 : Ῥιφθῶ οἰωνοῖς ἕλωρ, et al.] || Aliquando dicitur de Avi quæ in auspicio observatur, ac interdum reddi potest Augurium, Auspicium, Omen [Gl.]. Hom. Il. Ω, [292] : Αἴτει δ' οἰωνὸν ταχὺν ἄγγελον, ὅς τέ οἱ αὐτῷ Φίλτατος οἰωνῶν· N, [823] : Ὣς ἄρα οἱ εἰπόντι ἐπέπτατο δεξιὸς ὄρνις Αἰετὸς ὑψιπετής· ἐπὶ δ' ἴαχε λαὸς Ἀχαιῶν Θάρσυνος οἰωνῷ· M, [237] : Τύνη δ' οἰωνοῖσι τανυπτερύγεσσι κελεύεις πείθεσθαι· Od. A, [202] : Οὔτέ τι μάντις ἐὼν, οὔτ' οἰωνῶν σάφα εἰδὼς, Nec vates, nec auguralis scientiæ peritus. Il. M, [243] : Εἷς οἰωνὸς ἄριστος ἀμύνεσθαι περὶ πάτρης. Unde Cic. De senect. : Augurque quum esset, dicere ausus est, optimis auspiciis ea geri, quæ pro reip. salute fierent. [Hesiod. Op. 799 : Οἰωνοὺς κρίνας, οἳ ἐπ' ἔργματι τούτῳ ἄριστοι. Æsch. Prom. 488 : Γαμψωνύχων τε πτῆσιν οἰωνῶν· Sept. 24 : Ὁ μάντις οἰωνῶν βοτήρ. Soph. OEd. T. 310 : Ἀπ' οἰωνῶν φάτιν, et alibi. Eur. Ion. 1333 : Καθαρὸς Ἀθήνας ἔλθ' ὑπ' οἰωνῶν καλῶν.] Plato Epist. 7, [p. 336, C] : Νῦν δὲ δὴ εὐφημῶμεν χάριν οἰωνοῦ, Bona ominemur felicis auspicii gratia. Xen. Cyrop. 3, [3, 22] : Οἰωνοῖς χρησάμενος αἰσίοις ἐνέβαλεν εἰς τὴν πολεμίαν. Et ap. Suid. : Ξὺν αἰσιωτέροις τοῖς οἰωνοῖς ἅψασθαι τοῦ πολέμου. Sic Horat., Secunda alite aliquid facere; Claud., Secundis alitibus procedere. Et ap. Cic., Solvere adversa avi. Ovid., Este bonis avibus visi gnatoque mihique. [Dionys. A. R. 1, 86 : Φυλάττειν οἰωνοὺς αἰσίους.] Idem Xen. Symp. [4, 48] : Σημαίνουσί μοι πέμποντες ἀγγέλους, φήμας, καὶ ἐνύπνια καὶ οἰωνοὺς, ἅ, τε δεῖ καὶ ἃ οὐ χρὴ ποιεῖν. Sic Cyrop. 8, [7, 3] : Ἐσημήνατέ μοι καὶ ἐν ἱεροῖς καὶ ἐν οὐρανίοις καὶ ἐν οἰωνοῖς καὶ ἐν φήμαις ἅ τ' ἐχρῆν ποιεῖν καὶ ἃ οὐκ ἐχρῆν. Item ap. Plut. Probl. Rom. [p. 281, C] : Ἐπ' οἰωνῶν καθίζεσθαι, Considere augurii agendi causa; ut Cic., Quum in arce augurium augures acturi essent. Ibid., οἱ ἐπὶ τῶν οἰωνῶν, Augures [p. 281, A] : Τῶν ἐπ' οἰωνοῖς ἱερέων, οὓς Αὔσπικας πρότερον, Αὔγουρας δὲ νῦν καλοῦσι. At de οἰωνὸς ἀριστερὸς vide ibid. plura [p. 282, D-F]. Idem, Πρὸς τῇ θέᾳ γενόμενος τῶν οἰωνῶν. [Dionys. A. R. 2, 5 : Τῶν οἰωνοῖς μαντευομένων.] Item τὸν οἰωνὸν δέχομαι, cui opponi potest ἀποδιοπομποῦμαι τὸν οἰωνὸν, Plut. Æmilio [c. 10] et in Apophth. [p. 198, A] : Ἀγαθῇ τύχῃ, καὶ δέχομαι τὸν οἰωνόν. Sic Val. Flacc., Accipit augurium Æsonides, lætusque superbi Tecta petit Peliæ. [Herodot. 9, 91 : Δέχομαι τὸν οἰωνὸν

A τὸν ἡγησίστρατον.] || Interdum Omen et signum. Eur. Phœn. [865] : Οἰωνὸν ἐθέμην καλλίνικα τὰ [σὰ] στέφη, Ominatus sum nos esse victuros. [Eadem phrasi Plat. Alc. 2 p. 151, C. Eur. Or. 788 : Οὗτος οἰωνὸς μέγας. Aristoph. Eq. 28 : Δέδοικα τουτονὶ τὸν οἰωνόν.] Thuc. 6, p. 206 [c. 27] : Τοῦ τε γὰρ ἔκπλου οἰωνὸς ἐδόκει εἶναι. [Xen. Anab. 3, 2, 9 : Ἐπεὶ περὶ σωτηρίας ἡμῶν λεγόντων οἰωνὸς τοῦ Διὸς τοῦ σωτῆρος ἐφάνη, de sternutamento. Plato Leg. 3, p. 702, C : Οἰωνόν τινα ποιοῦμαι. Dionys. A. R. 2, 67 : Δι' οἰωνοῦ λαμβάνουσαι τὰς ἐκείνων συμφοράς· 3, 13 : Πρὸς οἰωνοῦ λαβόντες ἀγαθοῦ πόλει.] || Nomen proprium filii Licymnii, Eust. [Il. p. 293, 13, et schol. Il. A, 52, ubi Οἰωνὸς scriptum, ut ap. Pind. Ol. 11, 69, Nicand. ap. schol. Ther. 215, Diod. 4, 33, 34, et Pausan. 3, 15, 4 et 5, libris interdum ad υἱωνὸς aberrantibus, sed Οἴωνος scribendum videtur, ut κόρωνος scribitur et Κορωνὸς, de quo ipso non distincte Theognost Can. p. 68, 20, quum utrumque distinguat Arcad. p. 66, 9, ubi etiam οἰωνὸς memorant, Theognostus quidem addito ὁ κόραξ, Arca-
B dius vero sine signif.]

Οἰωνοσκοπεῖον, τὸ, Locus ubi auspices consident et augurium agunt, Auguraculum : quo tamen nomine proprie Romæ arx dicebatur, quod ibi augures augurium agerent : quod et οἰωνιστήριον. [Pausan. 9, 16, 1 : Οἰων. Τειρεσίου. V. Οἰωνοσκόπιον.]

[**Οἰωνοσκοπέω**, Auguror, Auspicor, Gl. Eur. Bacch. 347, Phœn. 956.] **Οἰωνοσκοποῦμαι**, Augurium ago : pro quo οἰωνοσκοπεῖσθαι Plut. dicit ἐπ' οἰωνῶν καθίζεσθαι. [Joseph. A. J. 18, 5, 3. Priscianus 8, 4, 15, p. 368 : Lucius Cæsar : « Certæque res augurantur, » οἰωνοσκοποῦνται. De augmento verbi nullo v. Chœrob. in Οἰωνίζω cit.]

[**Οἰωνοσκόπημα**, τὸ, Auspicium, Augurium. Schneid. sine testim.]

[**Οἰωνοσκοπητικὸς**, ἡ, ὸν, i. q. οἰωνοσκοπικός. Eust. Il. p. 961, 45 : Τῆς τοιαύτης οἰωνοσκοπητικῆς.]

Οἰωνοσκοπία, ἡ, Auspicium, Augurium [Gl.], h. e. Avium inspectio divinatioque ex earum volatu, garritu, aut pastu. [Dionys. A. R. 3, 70 : Τυρρηνικῆς οἰω-
C νοσκοπίας. Plut. De fluv. 6, 4. Psellus ap. Lambec. Bibl. Cæs. vol. 7, p. 279, B : Περὶ οἰωνοσκοπίας. In οἰνοσκοπίαν depravatum in Crameri Anecd. vol. 4, p. 240, 9. L. D. Eust. Il. p. 48, 18. Seager. Schol. Il. A, 63.]

Οἰωνοσκοπικὸς, ἡ, ὸν, Ad auspicem pertinens, Auguralis, [Auspicalis, huic add. Gl. Dionys. A. R. 3, 70 : Τὴν οἰωνοσκοπικὴν τέχνην]. Et ἡ οἰωνοσκοπικὴ, sub. ἐπιστήμη, Scientia auguralis. [Theodoret. Therapeut. 1, p. 6, 52. Manetho 4, 212.]

[**Οἰωνοσκόπιον**, τὸ, Auspicium. Gl. : Οἰωνοσκοπίοις, Auspiciis, nisi fuit —σκοπείοις, quam formam v. paullo ante. Ita supra Νειλοσκόπιον pro Νειλοσκοπεῖον. L. Dindorf.]

Οἰωνοσκόπος, ὁ, Auspex, Qui avium volatus et pastus inspicit, ex iisque auguria accipit. [Eur. Suppl. 500; Strabo 16, p. 762. Ammon. p. 104. « Anna Comn. p. 166. » Elberling. Pollux 7, 188.]

[**Οἴως**. V. Οἶος.]

Οἰωτὸς χιτὼν, Hesychio ὁ ἀπὸ ἐρίων, Tunica ex pel-
D libus ovium, ut μυωτὸς χιτὼν, Ex pellibus murium.

[**Ὄχα**. V. Ὅτε.]

[**Ὀκάρας**. V. Ἀχεσκός.]

Ὀκέλλω, Appello, Applico, signif. transitiva, ut κέλλω neutra. [Eur. Iph. T. 1380 : Δεινὸς γὰρ κλύδων ὤκειλε ναῦν πρὸς γῆν. Nicand. Th. 295 : Μέσσου ὅγ' ἐκ νώτου βαιὸν πλόον αἰὲν ὀκέλλει· 321 : Ἀτὰρ στίβον ἀντί' ὀκέλλει. Philostr. Her. p. 86 ed. Boiss. : Καί τινας καὶ ὤκελλον τῶν νεῶν οἱ Ἀρκάδες.] Thuc. 4, p. 125 [c. 12] : Τὸν ἑαυτοῦ κυβερνήτην ἀναγκάσας ὀκεῖλαι τὴν ναῦν, i. e. ἐλλιμένισαι, Appellere, Applicare. [Absolute ib. 11. Xen. Anab. 7, 5, 12, ubi de navibus.] Et ap. Herodot., Ὤκελλον τὰς νῆας [8, 84, Terræ admoverunt naves. Sed et neutraliter, et quidem metaphorice, pro Deflecto, Declino, ponitur idem verbum, sicut compp. ἀποκέλλω et ἐξοκέλλω. Nic. Damasc. ap. Athen. 6, p. 274, F : Ὤκειλαν εἰς πολυτελῆ δίαιταν ἐκ τῆς παλαιᾶς σωφροσύνης. Schweigh. In Ind. :] Ὠκείλαντες, Hesychio προσπεσόντες, Allapsi : quod potius ὀκείλαντες per ο, utpote ab ὀκέλλω. [Improprie Aristoph. Ach. 1159 :

Ὃν ἐπίδοιμι τευθίδος δεόμενον, ἡ δ' ωπτημένη σίζουσα πάραλος, ἐπὶ τραπέζης κειμένη, ὀκέλλοι. Aret. p. 66, 5, ἐς γλουτὸν ἢ ὀσφὺν ὀκέλλει τὸ ἄλγημα· 128, 40, ὀκέλλει τὸ κακὸν ἐς ἀνήκεστον· 108, 12, τὸ πῦρ ἐς συγκοπήν.]

[Ὀκιμβάζω, Moror. Hesychius: Ὀκιμβάζειν, διατρίβειν καὶ στραγγεύεσθαι. Photius: Ὀκιμβάζειν καὶ κιμβάζειν, τὸ στραγγεύεσθαι. In Οἰκιμβάζειν depravatum cum iisdem interpretationibus quibus antea ponit Hesychius, cui Hemst. comparabat ejusd. gl. Οἰκίδδειν, καθῆσθαι, ab aliis aliter tentatam. Conf. Κιμβάζω.]

[Ὄκκα. V. Ὅτε.]

[Ὄκκαβος, ὁ, Annulus, i. q. κρίκος, quod v. Etym. M. p. 383, 22: Ἐπὶ δὲ κρίκον ἕστορι βάλλον, ἀντὶ τοῦ τῷ δὲ ὀκκάβῳ τὸν ἕστορα ἔβαλλον. De Armillis ap. Hesychium: Ὄκκαβος (vel —βοι), τὰ περὶ τὸν βραχίονα ψέλια. Occabus est etiam in inscr. Lat. ap. Orell. Inscrr. vol. 1, p. 404, n. 2322.]

[Ὄκκαλος. V. Ὄκκος.]

[Ὄκκελος pro Ὤκελλος scriptum ap. Iambl. V. Pyth. extr. p. 532 K., ubi Ὀκκέλω καὶ Ἑκκύλω, in alio cod. scriptum Ὁκκέλω καὶ Ἑκκέλω, Kusterus scrib. putabat Ὀκκέλου καὶ Ὀκκύλου, quod Ὠκέλλου καὶ Ὠκύλλου debebat.]

Ὄκκος, ὁ, Hesychio ὀφθαλμὸς, Oculus. [Ὄκος s. Ὄκκος, unde Ocus, Oculus: ab ὄσσω, ὄσσομαι. Ὄκταλλος pro eodem apud Bœotios, Arcad. p. 54, 4, nisi leg. ὄκκαλλος. Schneid. Sed τ tuetur ὀπτίλος.]

[Ὀκκύλαι. V. Ὀκύλλω.]

Ὀκλᾰδία, ἡ, i. q. ὄκλασις, Suid.: i. e. Genuum flexus, Crurum curvatura, more jumentorum, quæ flexis genibus procumbunt.

Ὀκλαδίας, ὁ, Qui genua flectit, et crura incurvans subsidit: ὀκλ. δίφρος, Sella quæ complicari potest, quum vero explicatur, quasi subsidit: ὀκλαδίας θρόνος, inquit Hesych., πτυκτὸς δίφρος, ταπεινὸς, ὃν οἱ ἀκόλουθοι φέρονται τοῖς εἰς τὰς ἀγορὰς ἐξιοῦσι πλουσίοις [παρὰ τὸ ὀκλᾶσθαι (ὠκλάσθαι)]. Athen. 12, [p. 512, C]: Ὀκλαδίας τε αὐτοῖς δίφρους ἔφερον οἱ παῖδες, ἵνα μὴ καθίζοιεν ὡς ἔτυχεν, de Atheniensibus loquens: i. e., Sellas eis complicatiles pueri ferebant. Ὀκλαδίας δίφρος, inquit Cam., Sella quæ explicari et componi solet: quales et in nostra gente majoribus usitatæ fuerunt. [Pollux 3, 90; 10, 47.] Pausan. Att. [27, 1]: Δίφρος ὀκλαδίας ἐστὶ Δαιδάλου ποίημα. Dicitur etiam ὀκλαδίας absolute, subaudito δίφρος, θρόνος, Aristoph. Eq. [1384]: Ἔχε νῦν ἐπὶ τούτοις τουτονὶ τὸν ὀκλαδίαν. Sic mox ibid.: ubi schol. annotat ὀκλαδίαν esse δίφρον συγκεκλασμένον, καὶ ποτὲ μὲν ἐντεινόμενον, ποτὲ δὲ συστελλόμενον. Itidem Lucian. Lexiph. [c. 6]: Ἔκειντο δὲ καὶ ὀκλαδίαι καὶ ἀσκάνται. [ῐᾱ]

Ὀκλαδιάω, Genibus flexis subsido, i. q. ὀκλάζω. [Etym. M. p. 620, 39: Ὀκλαδιᾶν, ὀκλάζειν κτλ.]

[Ὀκλάδις, i. q. ὀκλαδόν. Theognost. Can. p. 163, 22; Jo. Alex. p. 38, 27. L. Dind.]

[Ὀκλαδιστὶ, i. q. ὀκλάδις. Babrii Fab. 25, 7: Καὶ βατράχων ὅμιλον εἶδον ἀκταίων βαθέην ἐς ἰλὺν ὀκλαδιστὶ πηδώντων. V. Ὀκλαστί. L. Dind.]

Ὀκλαδὸν, Flexo genu, Curvatis cruribus, i. q. ὀκλαστὶ et ὀκλάξ. Apoll. Arg. 3, [122]: Ὁ δ' ἐγγύθεν ὀκλαδὸν ἧστο Σῖγα κατηφιόων, i. e. ὀκλάσας.

Ὀκλάζω, [Deficio, Lasso, Gl.] In genua procumbo, Flexis s. Submissis genibus subsido: quod Ingeniculari quidam Latini dixerunt, teste Diomede, εἰς τὸ γόνυ κάμπτομαι, ut Suid. et Hesych. exp. et Erot. paulo infra in Ὄκλασις. Bud. interpr. Genu succiduo submittor, Ingeniculo me. Ut, Herculem multitudine oppressum se ingeniculasse, multis jam vulneribus acceptis defessum. [Arat. 67: Τὸ δ' αὖτ' ἐν γούνασι κάμνον ὀκλάζοντι ἔοικεν. Xen. Anab. 6, 1, 10: Ὤκλαζε καὶ ἐξανίστατο. De pede Christod. Ecphr. 300: Εἶχε γὰρ ἤδη δεξιὸν ὀκλάζοντα θοὸν πόδα.] Plut. [Mor. p. 139, B]: Οἱ τοῖς ἵπποις ἐφάλλεσθαι μὴ δυνάμενοι, αὐτοὺς ἐκείνους ὀκλάζειν καὶ ὑποπίπτειν διδάσκουσι. Lucian. Zeuxide [c. 4], de centauro: Ὀκλάζοντι ἔοικεν, ὢν καμπύλος, ὑπεσταλμένη τῇ ὁπλῇ· Dial. mort. [27, 4]: Ὁ δὲ Θρᾷξ εἰς γόνυ ὀκλάσας, δέχεται τῇ σαρίσσῃ τὴν ἐπέλασιν. Et 3 Reg. 8, [55]: Ὠκλακὼς ἐπὶ τὰ γόνατα. Rursum Plut. De fort. Rom. [p. 320, D]: Τὸν μὲν οὖν ἐρινεὸν Ῥουμινάλιν ὠνόμασαν, ἀπὸ τῆς θηλῆς, ὃν ἡ λύκαινα παρ' αὐτὸν ὀκλάσασα τοῖς βρέφεσι παρέσχε, Quam lupa ingeniculans infantibus submiserat. Et in Epigr. [Anth. Plan. 105, 6]: Αὐχένα θὴρ ὑπὸ χερσὶ Δαμνάμενος κρατεραῖς ὤκλασεν εἰς τὀπίσω [ὀπ.]. In alio Epigr. [Irenæi Anth. Pal. 5, 251, 5] improprie, Ὤκλασεν ὄγκος, Subsedit quasi flexis genibus. [Arrian. Venat. 10, 2: Ὡς μὴ ἐπιθλιβομένην ἄνωθεν τὴν κύνα ὀκλάζουσαν κακοπαθεῖν.] Construitur et cum accus. more activorum. Xen. [Eq. 11, 3]: Ὀκλάζει μὲν τὰ ὀπίσθια, ἐν τοῖς ἀστραγάλοις, αἴρει δὲ τὰ πρόσθεν, de equo: ubi tamen possit subaudiri præp. κατά. Cam. certe ap. Soph. OEd. C. p. 278 [196]: Λέχριός γ' ἐπ' ἄκρου λάου βραχὺς ὀκλάσας, pro βραχὺς ὀκλάσας scr. dicit βραχύ σ' ὀκλάσας, Paulisper te inflectens: ὀκλάσαι proprie esse dicens jumentorum in crura incumbentium. Hunc eund. locum in Comm. utriusque Linguæ citans, eodemque modo scribens, Obliquum, inquit, jubet illum residere in summo saxo, leviter se recurvantem. [Ælian. N. A. 7, 4: Ὀκλάσαντας (τοὺς ταύρους) τοὺς προσθίους (πόδας). Reg. 1, 19, 18: Γόνατα, ἃ οὐκ ὤκλασαν γόνυ τῷ Βαάλ. « Τινὰ ἐπὶ τὰ γόνατα 4 Maccab. 11, 10. » Valck. || Medio Euphorio ap. Steph. Byz. v. Ὠρύχιον cit.: Ἴχνος ἂν Ὠρυχίοισιν ἐν ἕρκεσιν ὀκλάσσαιντο.] Metaph. autem Gregor.: Μή που ὀκλάσῃς τὸν λογισμὸν, Ne titubes animo et mente, Bud. ὀκλάζειν exponens etiam Succumbere, Labascere, ἀτονῆσαι. [Ὀκλάζει δὲ καὶ αὕτη (δύναμις) μεταξὺ κτλ., Galen. vol. 8, p. 640, D. Hemst. Dio Chr. vol. 1, p. 69: Οὐκ ἦν ἀσφαλὴς ὁ θρόνος οὐδὲ ἡδρασμένος, ἀλλὰ κινούμενός τε καὶ ὀκλάζων. Valck. Vacillandi aut Remittendi signif. sæpius etiam Heliod. Æth. 1, 26, p. 42, 2: Εὔδηλος γὰρ εἶ κἂκ τούτων μὴ ὀκλάσας τὸν ἐπ' ἐμοὶ πόθον ὑπὸ τῶν πολλῶν συμφορῶν· 5, 1, p. 173, 10: Ἡγοῦμαί σε λοιπὸν ὀκλάζειν· 7, p. 183, 16: Ὤκλαζεν αὐτοῖς ὁ θυμὸς καὶ παρεῖντο αἱ δεξιαί· 23, p. 206 fin.: Ὁ δὲ ἄνεμος τῆς ἄγαν φορᾶς ὤκλαζε καὶ κατ' ὀλίγον ἐνδιδοὺς κτλ. 9, 4, p. 353 fin.: Ἐνταῦθα τὸ τεῖχος ὤκλαζε καὶ τῷ σάλῳ τὸν κίνδυνον ἐπεσήμαινεν.] Metaphora autem ea sumpta est ab jumentis, quæ præ pondere in genua incumbunt et subsident, s. quæ præ pondere labascunt et succumbunt. Idem Bud. ὀκλάζω interpr. etiam Deficio, Impar sum incepto, Non sufficio animo, ex Clem. Alex. de Joanne afferens, Ψυχὴν ὀκλάζουσαν πρὸς δεύτερον φάρμακον, Quum deficeretur constantia iterum sumendi venenum. [Joseph. B. J. 3, 8, 3: Ἐπειδὴ τὸ Ἰουδαῖον φῦλον ὀκλάσαι δοκεῖ σοι (deo) τῷ κτίσαντι.]

Ὀκλὰξ, idem q. ὀκλαδόν: ut ὀκλὰξ καθῆσθαι ap. Eust. p. 1769, i. e. ἐπὶ γόνυ, s. ἐπικεκαμμένως. Sic ap. Suid. ὀκλὰξ καθήμενος, itidem ἐπὶ γόνυ, Ingeniculans. Et Lucian. in Lexiph. [c. 11]: Ὀκλὰξ παρακαθήμενος. Arat. [517]: Ταύρου δὲ σκελέων ὅσση περιφαίνεται ὀκλὰξ, Atque genu flexo taurus connititur ingens, Cic. interprete. Vel, Hic tauri curvantur crura minacis Festo Avieno. [Hippocr. p. 893, B: Καθίσας τὸν ἄνθρωπον ὀκλὰξ ἐπὶ ὅλμων δύο. Apoll. Rh. 3, 1308: Τὸν δ' ἐν χθονὶ κάββαλεν ὀκλάξ. Galen. vol. 4, p. 366: Κατ' ἐκεῖνα μάλιστα τὰ σχήματα τὰ καλούμενα γνύξ τε καὶ ὀκλάξ. Photius: Ὀκλὰξ, οὕτως καὶ οἱ Ἀττικοὶ λέγουσιν ὡς ἡμεῖς. De accentu acuto Herodian. Π. μον. λέξ. p. 25, 7.]

Ὄκλᾰσις, εως, ἡ, Genuum flexus, curvatura, s. Quum quis flexis genibus subsidit; nam ὀκλάσαι, inquit Erot., hoc ὄκλασις ap. Hippocr. [p. 839, H; 857, C] exponens, λέγεται τὸ ἐπὶ τὰς κνήμας καὶ τὰς πτέρνας κάμψαντα τὰ γόνατα καθίσαι. [Lucian. Salt. c. 41: Βοὸς ὄκλ.]

Ὄκλασμα, τὸ, Genuum flexus. Est et Saltationis quoddam genus, forsan a genuum flexu dictum. Pollux 4, c. 14 [§ 100]: Ἡδύκωμος, ἡδίων, καὶ κνισμὸς, καὶ ὄκλασμα· οὕτω γὰρ ἐν Θεσμοφοριαζούσαις [alteris] ὀνομάζεται τὸ ὄρχημα τὸ Περσικὸν καὶ σύντονον. [Xen. Anab. 6, 1, 10: Τέλος δὲ τὸ Περσικὸν ὠρχεῖτο κρούων τὰς πέλτας καὶ ὤκλαζε καὶ ἐξανίστατο.]

[Ὄκλᾰσος, ὁ, Oclasus, f. Penthei, ap. schol. Eur. Phœn. 795, 942, ubi v. annot. Matthiæ. L. Dind.]

Ὀκλαστὶ, Flexis genibus. Apud Suidam de ranis, Βαθεῖαν εἰς ἰλὺν ὀκλαστὶ πηδώντων. [Ex Babrio, apud quem ὀκλαδιστὶ scribi supra diximus.]

[Ὄκνα, Foramen dolii, in Turcogr. Crusii p. 254, 255. Ducang. Occurrit hæc vox, sed alia, ut videtur, notione, ap. Epiphan. in Hæresi apostolic. n. 3, ubi partes navis recenset: Ἱστίων τε καὶ πηδαλίων, ὀκνῶν τε καὶ αὐχενίων, οἰάκων τε καὶ τῶν ἄλλων πάντων ἐκ διαφόρων ξύλων ἔχει τὴν συναγωγήν. Id. App. p. 145.]

[Ὀκνάδραστον, πᾶν πρᾶγμα ἄγνωμον, Hesychii gl. corrupta, in qua etiam Οἰκ— contra seriem.]

[Ὀκνᾰλέος, α, ον, Tardus, Segnis, Timidus. Nonn. Dion. 18, 207. Wakef. ‖ Adv. Ὀκναλέως, Musæus 119. Kall. Planud. interpr. Boethii p. 48, 3 ed. Weber.: Πῶς ποτ' ὀκναλέως εἶσι Βοώτης. L. Dind.]

[Ὀκνείω. V. Ὀκνέω.]

Ὀκνέω, sive Ὀκνείω, poetice inserto ι [Non poeticam hanc formam, sed meditativam opinabatur Macrob. De diff. p. 574: « His enim verbis (θανατιῶ et sim.) tentamentum quoddam rei et meditatio, non ipse effectus exprimitur. His similia videntur ῥιγείω, ὀκνείω, γαμησείω, πολεμησείω, βρωσείω. » Sed quum ὄκνος ipse sit lenta quædam meditatio, hujusmodi meditationis meditatione sero ad rem ipsam perveniretur. L. D.], Piger et segnis sum, Piget me laboris. Thuc. 1, [120]: Ὁ διὰ τὴν ἡδονὴν ὀκνῶν, τάχιστ' ἂν ἀφαιρεθείη τῆς ῥαστώνης τὸ τερπνὸν δι' ὅπερ ὀκνεῖ, εἰ ἡσυχάζοι, Qui ignavus est. Herodian. 6, [3, 12]: Μὴ δὴ μέλλωμεν μηδὲ ὀκνῶμεν, Ne segnes simus, h. e. Ne prælium detrectemus. Ib. [13] de barbaro milite: Πρὸς ὑπείκοντα καὶ ὀκνοῦντα θαρσύνεται, Cedentibus detrectantibusque acriter instant [« instat » HSt. Ms. Vind.]. Possumus etiam alicubi reddere Pigror [Gl.], ut Cic., Scribere ne pigrere. Sic et in Plutarchi Pericle: Ὤκνησε χαρίσασθαι τοῖς πολλοῖς, Pigrabatur multitudinis animos beneficiis sibi demereri; Segnior erat in demerendis sibi multorum animis. [Ὀκνῶ ἐπὶ τούτῳ τῷ πράγματι, Piget me hujus rei, Gl.] Interdum vero non tam reddi potest Piget me [Gl.], quam etiam Vereor, Non audeo, Dubito, Gravor. Hom. Il. E, [255]: Οὐ γάρ μοι γενναῖον ἀλυσκάζοντι μάχεσθαι, Οὐδὲ καταπτώσσειν· ἔτι μοι μένος ἔμπεδόν ἐστιν· Ὀκνείω δ' ἵππων ἐπιβαινέμεν, Sed vereor conscendere equos. [Υ, 155: Ἀρχέμεναι πολέμοιο ὤκνεον ἀμφότεροι. Æsch. Prom. 629: Σᾶς δ' ὀκνῶ θρᾶξαι φρένας. Thuc. 1, 120: Μὴ ὀκνεῖν δεῖ αὐτοὺς τὸν πόλεμον ἀντ' εἰρήνης μεταλαμβάνειν. Et similiter sæpius Xenophon.] Lucill. Epigr.: Ὀκνῶν ἐξελθεῖν, ὡμολόγησε φόνον, Quum pigeret egredi, gravaretur egredi. Et ὀκνῶ λέγειν, frequentissimum, pro Vereor dicere, Non audeo dicere, Gravor dicere. Isocr. Panath. [p. 238, D]: Ἀφρονεστέρους ὄντας τῶν μαθητῶν· ὀκνῶ γὰρ εἰπεῖν τῶν οἰκετῶν· Archid. [p. 131, A]: Χαλεπὰ μέν ἐστιν ἃ μέλλω λέγειν, ὅμως δὲ οὐκ ὀκνήσω παρρησιάσασθαι περὶ αὐτῶν. Lucian.: Οὐκ ὀκνήσω καὶ τοῦτο εἰπεῖν, Non verebor et hoc addere. Id. Necyom. [c. 11]: Μὴ γὰρ ὀκνήσῃς εἰπεῖν. [Id. D. deor. 6, 1.] At Dem. [p. 1259, 17; 702, 4], ὀκνῶ ὀνομάσαι, Piget nominare, vel Non audeo nominare. Aristot. Rhet., ὀκνῶ γράφειν. Æschines: Οὐκ ὤκνησε κατήγορος γενέσθαι. Et ὀκνῶ ἄρξαι, Xen. Nec tantum Vereor reddi potest, sed etiam Timeo, Metuo: frequentissimum ap. Soph., ut in Aj. [81]: Μεμηνότ' ἄνδρα περιφανῶς ὀκνεῖς ἰδεῖν; i. e. φοβῇ. Sic accipit et schol. in El. p. 98 [320]: Φιλεῖ γὰρ ὀκνεῖν πρᾶγμ' ἀνὴρ πράσσων μέγα· exponens eodem modo et Homeri l. supra citatum. Suidas vero ὀκνεῖν ibi accipit pro ἀναδύεσθαι, Detrectare. Sic et in OEd. T. p. 183 [746]: Ὀκνῶ τοι πρός σ' ἀποσκοποῦσ', ἄναξ, i. e. δέδοικα· ubi tamen etiam reddi potest Vereor, Non audeo. [Phil. 93: Πεμφθείς γε μέντοι σοι ξυνεργάτης ὀκνῶ προδότης καλεῖσθαι. Et similiter sæpe Eur. Xen. Ag. 11, 2: Θαρρῶν πλείονα ἔθυεν ἢ ὀκνῶν ηὔχετο. Plato Gorg. p. 462, E, et alibi.] Imo Suid. annotat oratores hoc verbum non usurpare ἐπὶ δειλίας καὶ ῥαθυμίας, sed ἐπὶ τοῦ φοβεῖσθαι, hæc addens exempla. Antiphon: Εἰ ἀποῦσι μὲν καὶ μέλλουσι τοῖς κινδύνοις τῇ γλώττῃ θρασύνεται καὶ τῷ θέλειν ἐπείγειν, τὸ δὲ ἔργον ἂν παρῇ, ὀκνεῖν. Dem. [p. 14, 10]: Εἰ δὲ θατέρου τούτων ὀλιγωρήσητε, ὀκνῶ μὴ μάταιος ὑμῖν ἡ στρατεία γένηται, Metuo s. Vereor ne. [Xen. Anab. 2, 3, 9: Ἔστ' ἂν ὀκνήσωσιν οἱ ἄγγελοι μὴ ἀποδόξῃ· 4, 22: Ὀκνοῦντες μὴ οἱ Ἕλληνες μένοιεν. Plato Phædr. p. 257, C.] Similiter annotat Eust. in locum Hom., quem citavi, Homerum quidem ponere hoc verbum ἐπὶ τοῦ ὀκνηρῶς ἔχειν, ut ὀκνεῖν sit quasi οὐκ ὀνεῖν, i. e. ἐνεργεῖν: sed ap. Homeri posteros utplurimum usurpari ἐπὶ φόβου. [Herodot. 7, 50, 1: Τοῖσι βουλομένοισι ποιέειν ὡς ἐπίπαν φιλέει γίνεσθαι τὰ κέρδεα, τοῖσι ἐπιλεγομένοισι δὲ πάντα καὶ ὀκνέουσι οὐ μάλα ἐθέλει.] Reperitur etiam cum accus. ap. [Soph. OEd. T. 976: Καὶ πῶς τὸ μητρὸς λέ-

A κτρον οὐκ ὀκνεῖν με δεῖ; 1000: Ἦ γὰρ τάδ' ὀκνῶν κεῖθεν ἦσθ' ἀπόπτολις; OEd. C. 731: Ὃν μήτ' ὀκνεῖτε. Xen. Cyrop. 2, 2, 21: Οἱ ὁμότιμοι ὤκνουν τὴν τοῦ ὄχλου ἰσομοιρίαν· H. Gr. 3, 1, 20: Ὀκνῶν τοὺς πολίτας.] Dem. [p. 294, 4]: Οὐδένα κίνδυνον ὀκνήσας ἴδιον, οὐδ' ὑπολογισάμενος, ubi reddi potest, Suscipere timens, Detrectans. [Cum præp. περὶ Xen. Cyrop. 4, 5, 20: Ὀκνεῖ περὶ ἡμῶν καὶ περὶ αὐτοῦ.] Pass. Ὀκνέομαι, itidem Vereor, Timeo; nam Erotian. in Lex. Hippocr. ὀκνήθη exp. ηὐλαβήθη. ‖ Nequeo, Non potis sum; nam idem Erot. in eod. Lex. ὀκνέειν exp. μὴ δύνασθαι, hoc addito exemplo: Οὗτοι κατοχνέουσι ὀρθοῦσθαι.

[Ὀκνηλός, ή, όν, i. q. ὀκνηρός, ap. Theognost. Can. p. 62, 5.]

Ὀκνηρία, ἡ, Pigritia [Gl.]. VV. LL. [Ephræm Syr. vol. 3, p. 272, C: Ἀποθώμεθα τὰς ματαίας ὀκνηρίας· 291, C: Ὀκνηρίας ἔγκλημα· 502, F; 507, B; 514, B; 534, A. L. Dind.]

Ὀκνηρός, ά, όν, idem q. ὀκνώδης. [Hippocr. p. 388, 34: Βαρέας καὶ ἀσθενεῖς καὶ ὀκνηρούς.] Herodian. 8, [5,
B 1] de exercitu Maximini: Ὀκν. ἐγίγνετο, Minus jam alacer erat, Polit. 2, [8, 4]: Τὸ πρὸς καλοῦντας καὶ δεομένους ὀκνηρὸν, ἀνανδρίας ἅμα καὶ προδοσίας φέρει διαβολὴν, Segniorem et tardiorem esse in ope ferenda iis qui implorant rogantque. 6, [9, 9]: Τὸ πρὸς τὰς ἐπιδόσεις ὀκνηρὸν, Quod in pecuniis erogandis minus promptus esset. In quibus ll. τὸ ὀκνηρὸν accipitur pro ὄκνος, Segnities, Cunctatio, Tarditas. [Pind. Nem. 11, 22: Ἐλπίδες ὀκνηρότεραι. Menander fr. Thrasyl. ap. Athen. 6, p. 248, B: Ὀκνηρὸς, πάντα μέλλων. Theocr. 16, 10: Ὀκνηραὶ μίμνοντι, de Musis. 24, 35: Ἐμὲ γὰρ δέος ἴσχει ὀκνηρόν. Antiphon p. 644, 8: Ὀκνηρότερος εἰς τὴν πρᾶξιν. Aret. p. 46, 20, ὀκνηροὶ ἄρξασθαι σιτίων. Memorat etiam Pollux 1, 179, et alibi.] Ὀκνηρὸς interdum Ignavus et timidus, Piger et meticulosus. Thuc. [1, 142]: Καὶ ἐν τῷ μὴ μελετῶντι ἀξυνετώτεροι ἔσονται, καὶ δι' αὐτὸ καὶ ὀκνηρότεροι. [4, 55: Ἐς τὰ πολεμικὰ ὀκνηρότεροι.] Sic et in VV. LL. exp. Qui timide aliquid aggreditur, ἐπίφοβος. [Ps.-Demosth. p. 777, 5: Ἡ καλοκἀγαθία ἡσύχιον καὶ ὀκνηρόν. ‖ Active Metum
C faciens. Soph. OEd. T. 834: Ἡμῖν μὲν, ὦναξ, ταῦτ' ὀκνηρά.]

Ὀκνηρῶς, Pigre, Segniter. [Xen. Anab. 7, 1, 7: Ὀκνηρῶς συνεσκευάζοντο. Demosth. p. 138, 24: Πρὸς τὰ τοιαῦτα ὀκνηρῶς διακεῖσθαι. Pollux 3, 123.] Basil. in quadam Ep. ad Greg.: Καὶ διὰ τὸ πολλάκις ἀπατηθῆναι, ὀκν. ἔχων πρὸς τὸ πιστεύειν, Quod sæpe deceptus, quasi segnior essem in credendo, i. e., Vix crederem. Herodian. 2, [2, 8] de militibus: Μήπως ὀκνηρότερον ἐπακούσωσι τῇ Περτίνακος ἀρχῇ, Ne satis libenter imperatorem Pertinacem acciperent, Polit. Xen. Cyrop. 1, [4, 6]: Ὀκνηρότερον προσῄει, exp. Remissius adibat et timidius. [Ὀκνειῶς ἔχω, ap. Villoison. schol. Hom. Il. E, 258. Falso lectum pro ὀκνηρῶς ἔχω. Bast.]

Ὀκνητέον, Pigrandum, Reformidandum, Plato [Leg. 10, p. 891, D. Isocr. p. 55, E, et alibi. Polyb. 1, 14, 7. « Greg. Naz. Or. 20, p. 362, D. » Boiss.]

Ὀκνία, ἡ, Pigrities, Segnities, etiam Timor, vocabulum εὐτελὲς, teste Polluce [?].

Ὄκνος, ὁ, Pigritia [Gl.], Segnitia, Ignavia, Metus
D adeundi laboris. In Definitt. Stoic., Ὄκνος, φόβος μελλούσης ἐνεργείας, i. e., Cic. interpr., Pigritia, Metus consequentis laboris. Eust. autem dicit Homerum innuere ὄκνον esse τὴν μετὰ κάματον ἀργίαν, hoc sc. loco, Il. E, [817] ubi Diomedes Palladi respondet, Οὔτε τί με δέος ἴσχει ἀκήριον, οὔτε τις ὄκνος, Ἀλλ' ἔτι σῶν μέμνημαι ἐφετμέων, ubi tamen accipi pro Metu adeundi laboris, h. e. Pigritia, manifestum est: adeo ut quod dicit Eust. de signif. hujus vocabuli, non intelligendum videatur simpliciter de Pigritia post laborem, sed de Ea pigritia, qua quis revocatur a subeundo labore, postquam aliquo defunctus est: quasi dicas, Pigritia repetendi laborem. Sic Il. N, [224]: Οὔτε τινὰ δέος ἴσχει ἀκήριον, οὔτε τις ὄκνῳ Εἴκων, ἀνδύεται πόλεμον, Nec est qui præ pigritia et ignavia bellum detrectet. K, [122]: Πολλάκι γὰρ μεθίει τε καὶ οὐκ ἐθέλει πονέεσθαι, Οὔτ' ὄκνῳ εἴκων οὔτ' ἀφραδίῃσι νόοιο, Nec ignaviæ et pigritiæ succumbens. [Eadem phrasi Aret. p. 46, 13.] Nisi malis Timori, Metui: sicut Suid. ibi ὄκνος pro φόβος accipi annotat. Sed Eust. ap. Homeri poste-

ros ὄκνος pro φόβος frequentius usurpari testatur: apud quos tamen pro Pigritia etiam usitatissimum est. Isocr. Ad Dem. [p. 2, C]: Τὸν μὲν ὄκνον, ψόγον, τὸν δὲ πόνον, ἔπαινον ἡγουμένη. Demosth. [p. 308 fin.]: Βραδυτῆτας, ὄκνους, ἀγνοίας. [Xen. Anab. 4, 4, 11: Πολὺς ὄκνος ἦν ἀνίστασθαι. Plato Soph. p. 242, A: Εἰ τοῦτό τις εἴργει δρᾶν ὄκνος· Reip. 5, p. 450, D: Διὸ δὴ καὶ ὄκνος τις αὐτῶν ἅπτεσθαι· 473, E: Ὃ ἐμοὶ πάλαι ὄκνον ἐντίθησι λέγειν· Leg. 2, p. 665, D: Ὄκνου πρὸς τὰς ᾠδὰς μεστός· 6, p. 768, E: Ἀναβολῶν καὶ ὄκνων.] Thuc. 7, p. 250 [c. 49]: Ὄκνος τις καὶ μέλλησις ἐνεγένετο· 2, [40]: Τοῖς ἄλλοις ἀμαθία μὲν θράσος, λογισμὸς δὲ ὄκνον φέρει· ubi nota sibi opponi θράσος et ὄκνον, Audaciam et ignaviam; s. Audaciam et timorem. 3, [39]: Παρέσχεν ὄκνον μὴ ἐλθεῖν εἰς τὰ δεινὰ, Pigriores et timidiores reddidit; in his enim duobus posterioribus ll. mixtam signif. habet, accipiturque tam pro Pigritia, quam pro Timore. [Æsch. Sept. 54: Καὶ τῶνδε πύστις οὐκ ὄκνῳ χρονίζεται. Aret. p. 32, 54, ὄκνος ὁμιλίης· 119, 30, ἁπάσης πρήξιος· 40, 22, ἐς τὸ ξύνηθες ἔργον.] Apud Soph. OEd. C. p. 293 [652]: Τοῦ μάλιστ' ὄκνος σ' ἔχει, accipitur pro Metus, φόβος, ut et scholiastæ placet. Sed et Suid. tradit frequentissime ab eod. Soph. usurpari hoc vocab. ἐπὶ φόβου, ut et in Aj. [82]: Οὐκ ἂν ἐξέστην ὄκνῳ, Non consternarer metu. [139: Μέγαν ὄκνον ἔχω καὶ πεφόβημαι· El. 321: Φιλεῖ γὰρ ὀκνεῖν πρᾶγμ' ἀνὴρ πράσσων μέγα.— Καὶ μὴν ἔγωγ' ἔσωσ' ἐκεῖνον οὐκ ὄκνῳ· Tr. 181: Πρῶτος ἀγγέλων ὄκνου σε λύσω· Ph. 225: Μή μ' ὄκνῳ δείσαντες· 887: Τοῦ πόνου γὰρ οὐκ ὄκνος· OEd. T. 1175: Θεσφάτων γ' ὄκνῳ κακῶν· Ant. 243: Τὰ δεινὰ γάρ τοι προστίθησ' ὄκνον πολύν. Æsch. Ag. 1008. Eur. Suppl. 295: Ἀλλ' εἰς ὄκνον μοι μῦθος ὃν κεύθω φέρει· 697: Τὰ Θησέως οὐκ ὄκνῳ διεφθάρη.] ‖ Hesychio est non solum φόβος, sed etiam εἶδος ἐρωδιοῦ, Species Ardeæ, a pigritia dicta, ut testatur Aristot. H. A. 9, 18: Ὁ δ' ἀστερίας, ὁ ἐπικαλούμενος ὄκνος, μυθολογεῖται μὲν γενέσθαι ἐκ δούλων τὸ ἀρχαῖον· ἔστι δὲ κατὰ τὴν ἐπωνυμίαν τούτων ἀργότατος. [Ælian. N. A. 5, 36: Εἴ τις ὄκνον καλέσειεν αὐτὸν (τὸν ἀστερίαν), ὁ δὲ βρενθύεται καὶ ἀγανακτεῖ, ὡς καὶ εἰς τὸ ἀγεννὲς σκωπτόμενος καὶ εἰς ἀργίαν εὐθυνόμενος.] Sed scribitur ibi Ὀκνὸς, accentu in posteriore: quemadmodum et is, qui collegit Vocabula pro diverso accentu diversam significationem habentia, vult ὀκνὸς, oxytonως, significare Pigritia, Cunctatio: ὄκνος proparoxytonως [paroxytonως], Piger. [Ita libri nonnulli Aristot. et est ap. Antonin. Lib. c. 7, p. 50. ‖ Ὄκνος χαλκοῦς· βούλεται τοῦτο τοῖς Βιθυνοῖς ἐπιχωρίως δίφρου τινὸς γυναικείου εἶδος εἶναι, Suidas, cujus gl. omittit cod. Paris.] ‖ Nom. proprium viri, de quo proverbium, Συνάγει τοῦ ὄκνου τὴν θώμιγγα, in Ionia dici solitum in eum, qui πονεῖ ἐπὶ οὐδενὶ ὄνησιν φέροντι, Qui operam suam collocat in iis unde nullam utilitatem percipit, ut Pausan. in Phocic. tradit, p. 273 [10, 29, 2]. Fingitur autem ille ocnus πλέκων σχοινίον· παρεστηκυῖα δὲ αὐτῷ θήλεια ὄνος ἐπεσθίουσα τὸ πεπλεγμένον ἀεὶ τοῦ σχοινίου. De quo Propert. [4, 3, 22]: Dignior obliquo funem qui torqueat Ocno, Æternusque tuam pascat, aselle, famem. Plin. 35, 11, de picturis Socratis: Et Piger, qui appellatur Ocnos, spartum torquens quod asellus arrodit. Hunc tamen Ocnum Pausanias de quorundam sententia dicit fuisse hominem φιλεργότατον quidem, sed cujus uxor omnia absumeret quæ ipse conquisivisset. Vide et alia ap. Erasm. in Prov. Contorquet piger funiculum. Item nom. proprium conditoris Mantuæ ap. Virgil. [Æn. 10, 198.]

[Ὀκνόφιλος, ὁ, ἡ, Amicus ignaviæ, Ignavus. Cyrill. Alex. l. 2 In Jo. c. 5, p. 194: Μανθάνωμεν μὴ ζηλοῦν ἐκεῖνον τὸν ὀκνόφιλον οἰκέτην. Suicer.]

Ὀκνώδης, ὁ, ἡ, Piger, Segnis, Ignavus; Timidus, Cam.

[Ὁκοδαπὸς, Ὁκόθεν, Ὁκοῖος. V. Ὁπ—.]

[Ὀκονδοβάτης, ὁ, Ocondobates, præfectus Alexandri M. ap. Arrian. Exp. 3, 8, 8.]

[Ὀκορνὸς, ὁ, Locusta. Ὀκορνοὺς, τοὺς πάρνοπας, Αἰσχύλος Φιλοκτήτῃ. Οἱ δὲ Ἴωνες ἀττελέβους, Photius. Hesychius: Ὀκορνοὺς, τοὺς ἀττελάβους καὶ τὰ ἀκριώδη (ἀκρίδια Piers. ad Mœr. p. 316, B) οὕτω λέγουσιν. In codice Photii deest accentus. Similis forma est Κόρνοψ.]

[Ὁκόσος, Ὁκόσσος, Ὁκότε, Ὅκου. V. Ὁπόσος, Ὁπότε, Ὅπου.]

A [Ὄχρα, mons Norici, ap. Strabon. 4, p. 202 etc.]

Ὀκρία, ab Etym. et Lex. meo vet. esse dicitur πέτρα, derivarique παρὰ τὰς ἄκρας, quæ sunt ἐξοχαὶ, Eminentiæ, montium sc. aut rupium. Ejus exemplum hoc afferunt ex Hom., Δι' ὀκρίας ἠνεμοέσσας. Verum iis non assentior, dicoque scribendum ὄκριας, a nominativo ὄκρις, i. significante q. ἄκρις, Summum cacumen [quod etiam ab Latinis usurpatum sec. Festum p. 181, 17 Müller.: « Ocrem antiqui, ut Atejus philologus in libro Glossematorum refert, montem confragosum vocabant, ut aput Livium: Sed qui sunt hi qui ascendunt altum ocrim? Et, Celsosque ocris arvaque putria et mare magnum. Namque Tænari celsos ocris. Et, Haut ut quem Chiro in Pelio docuit ocri »]: præsertim quum quædam exempll. habeant ἄκριας pro illo ὀκρίας, Od. I, 399, illudque ἄκριας reperiatur et alibi: Π, [365]: Σκοποὶ ἵζον ἐπ' ἄκριας ἠνεμοέσσας. Et Κ, [281]: Πῆ δ' αὖτ' ὦ δύστηνε δι' ἄκριας ἔρχεαι οἶος; Rursum ap. eos legitur oxytonως Ὀκρὶς, ut et ap. Galen. Lex. Hippocr., exponentem ἐξοχὴ

B προμήκης, Eminentia s. Prominentia oblongior: sed rectius ms. cod. habet paroxytonως ὄκρις [ὀκρίδα est etiam ap. Æsch. Prom. 1016: Ὀκρίδα φάραγγα, ubi al. ἀκρίδα]: ex quo ὄκρις compos. Ὀκριοειδὴς, quo Hippocr. utitur in lib. De articulis [p. 802, D]: Τοῖσι γὰρ τούτοισι [l. τοιούτ.] ἐπιπώρωμα ἴσχει ἡ ῥὶς, καὶ ὀκριοειδεστέρη τινὶ γίνεται, similisque fit ὄκρεϊ, h. e. Prominentiæ oblongiori. [Est etiam ap. Aret. p. 70, 35. Formam Ὀκριώδης Valck. restituebat in Clementinis p. 615, 13: Διθάλασσοι δὲ καὶ θηριώδεις τόποι (παρεικάσθωσαν) τοῖς ἀλογίστοις καὶ ἐνδοιάζουσι περὶ τῶν τῆς ἀληθείας ἐπαγγελμάτων. Sed θηριώδης, quod v., tuetur ἀλογίστοις.] Ex eodem derivatum est Ὀκριόεις, significans itidem Prominentias oblongas habens; Eustathio ἔχων ἄκρας καὶ ὀξύτητας, Habens acutas eminentias: Il. [Δ, 518: Χερμαδίῳ γὰρ βλῆτο παρὰ σφυρὸν ὀκριόεντι·] Θ, [327]: Βάλεν λίθῳ ὀκριόεντι· [Π, 735: Πέτρον μάρμαρον ὀκριόεντα· Μ, 380 et] Od. I, [499]: Μαρμάρῳ ὀκριόεντι βαλών. Alii id ὀκριόεντι interpr. τραχεῖ, Aspero: dicentes ὄκριν itidem esse τραχὺν λίθον, Lapidem asperum. [Æsch.

C Prom. 281: Ὀκριοέσσῃ χθονὶ τῇδε πελῶ· Sept. 300: Χερμάδ' ὀκριόεσσαν. Theocr. 25, 231: Οὐ γάρ τι βέλος διὰ σαρκὸς ὄλισθεν ὀκριόεν. Apoll. Rh. 1, 1093: Δινδύμου ὀκριόεντος· 1120: Ἐπ' ὀκριόεντι κολωνῷ· 2, 737: Ἀϋτμὴ ὀκριόεντος ἀναπνείουσα μυχοῖο· 3, 1331: Ὀκριόεσσα δ' ἠρείκετο νειὸς ὀπίσσω, quibus ll. est var. ὀκρυ—. Nicand. Th. 470: Οὔρεα ὀκριόεντα. Orph. Lith. 521: Ὀκριόεντα λίθον.] Certe verb. Ὀκριᾶσθαι [vel ὀκριοῦσθαι] exp. itidem τραχύνεσθαι, Asperari, Exasperari: Od. Σ, [33] de Iro et Ulysse contendentibus: Ὣς οἱ μὲν προπάροιθε θυράων ὑψηλάων Οὐδοῦ ἐπὶ ξεστοῦ πανθυμαδὸν ὀκριόωντο, Hesych. itidem exp. ἐτραχύνοντο, ὠργίζοντο: metaph. esse dicens ἀπὸ τῶν ἄκρα πολλὰ ἐχόντων λίθων. [Lycophr. 545: Βρύξουσι χηχασμοῖσιν ὠκριωμένοι. Schol. λοιδορίαις τετραχυσμένοι, ὠργισμένοι.] Affert Idem [et ex Sophocle Photius] et Ὀκριάζων pro τραχυνόμενος. Sed notandum, hoc ὀκριάζων quidem, et Ὀκριὸς, quod ab eo proprie esse dicitur ὁ τραχὺς λίθος, Lapis asper, Saxum asperum, et ὀκριόεντι, scripta esse per ι in secunda a principio syllaba: ὀκρυόεν autem et ὀκρυόωντο per υ.

D Cujus scripturæ Eust. quoque, Etym. et Lex. meum vet. meminere, sed ei aliud etymon tribuentes, ὀκρυόεις sc. derivatum volentes παρὰ τὸ κρύος, pleonasmo τοῦ κατ' ἀρχὴν ο, ideoque exponentes ῥιγεδανὸς, φρικώδης, φρικτὸς, Rigidus, Horrendus: Il. Ζ, [344] in oratione Helenæ ad Hectorem: Δαερ ἐμεῖο κυνὸς κακομηχάνου ὀκρυοέσσης· ut Paris κύων ὀκρυόεσσα dicatur quoniam ejus causa multæ pugnantium animæ τῷ κρυερῷ ᾅδῃ demissæ fuerunt, ideoque Horrendus et fugitandus. [I, 64: Ὃς πολέμου ἔραται ἐπιδημίου ὀκρυόεντος, unde repetit Aristoph. Pac. 1098, et ubi per ι scriptum, Polyb. 12, 26, 4. Apoll. Rh. 2, 607: Οἱ δέ που ὀκρυόεντος ἀνέπνεον ἄρτι φόβοιο, ubi est var. ὀκρι—. ῠ]

[Ὀκριάζω, Ὀκριάω. V. Ὀκρία.]

Ὀκρίβας, αντος, nonnullis est ἄγριος κριὸς, Aries sylvaticus: forsan παρὰ τὸ τὰς ἄκριας βαίνειν: aliis [ὄνος, si recte ὄνον pro ὄνομα conjiciunt interpretes,] κλίμαξ, Scala, utpote qua utamur ad conscendenda loca prærupta et edita. Sed proprie ita nominatur τὸ λόγιον [λογεῖον], ἐφ' οὗ οἱ τραγῳδοὶ ἠγωνίζοντο: seu, ut alii volunt, κιλλίβας τρισκελὴς ἐφ' οὗ ἵσταντο οἱ ὑποκριταὶ καὶ τὰ ἐκ μετεώρου ἔλεγον. Ita Hesych. In posteriore signif. Plato Symp. [p. 194, C]: Ἰδὼν τὴν σὴν ἀνδρίαν καὶ μεγαλοφροσύνην, ἀναβαίνοντος ἐπὶ τὸν ὀκρ. μετὰ τῶν ὑποκριτῶν, Ascendentis pulpitum cum histrionibus. Pictores etiam ὀκρίβαντι utebantur; nam ut Pollux tradit l. 7, c. 28 de instrumento pictorum [§ 129], lignum illud τρισκελὲς, ἐφ' οὗ αἱ [οἱ] πίνακες ἐρείδονται ὅταν γράφονται [γράφωνται], nominatur ὀκρίβας et κιλλίβας. [Conf. 10, 163.] Ὀκρίβαντες Hesychio sunt præterea ἐμβάται. [Photio Ὀκρίβαντας interpretato ἐμβάντας Pors. non recte ἐμβάδας restituit pro ἐμβάτας, ut est ap. Suidam et in Bachm. Anecd. p. 315, 28: Ὀκρίβαντας, ἐμβάτας, ἄμβωνας. Et cothurnos Ruhnk. ad Tim. p. 191 intelligebat ap. Themist. Or. 26, p. 316, D: Καὶ οὐ προσέχομεν Ἀριστοτέλει ὅτι Θέσπις πρόλογόν τε καὶ ῥῆσιν ἐξεῦρεν, Αἰσχύλος δὲ τρίτον ὑποκριτὴν καὶ ὀκρίβαντας· Philostr. V. Ap. 5, 9, p. 195: Ὁρῶντες... ἐφεστῶτα ὀκρίβασιν οὕτως ὑψηλοῖς· 6, 11, p. 245: Ὀκρίβαντος δὲ τοὺς ὑποκριτὰς ἀνεβίβασεν (Æschylus), ὡς ἴσα ἐκείνοις (heroibus) βαίνοιεν· V. Soph. 1, 9, p. 492: Εἰ τὸν Αἰσχύλον ἐνθυμηθείημεν, ὡς πολλὰ τῇ τραγῳδίᾳ ξυνεβάλετο, ἐσθῆτί τε αὐτὴν κατασκευάσας καὶ ὀκρίβαντι ὑψηλῷ καὶ ἡρώων εἴδεσιν, ubi Pulpita Schneiderus, comparato Horat. A. P. 279: « Æschylos et modicis instravit pulpita tignis», sed addente etiam «Et docuit magnumque loqui nitique cothurno.»] At Ὀκρίβατον esse dicit σχῆμα ἡνιόχου. [Rectius Suidas et Photius: Ὀκρίβας, σχῆμα ἡνιόχου. Pro quo recte margo cod. ap. Bachm. Anecd. p. 315, 29, γρ. ὄχημα ἡνιόχου. Idem Photius: Ὀκρίβας, σκήνη, ἰδίως πάντων τῶν λεγόντων· τὰ πλαστικὰ πήγματα, ἐφ' οἷς διατυποῦσι τὰς εἰκόνας· καὶ τὰ ὑπερείσματα τῶν ξυλίνων θεάτρων· βέλτιον φαίνεται τὸ λογεῖον, ἐφ' οὗ ἵστανται οἱ τραγῳδοί. Timæus Lex. Plat. p. 190: Ὀκρίβας, πῆγμα τὸ ἐν τῷ θεάτρῳ τιθέμενον, ἐφ' οὗ ἵστανται οἱ τὰ δημόσια λέγοντες. Θυμέλη γὰρ οὐδέπω ἦν. Λέγει γοῦν τις· Λόγιον (λογεῖον) ἐστὶ πῆξις ἐστορεσμένη ξύλων, εἶτα ἑξῆς Ὀκρίβας δὲ ὀνομάζεται. Ruhnk.: « Verbis λέγει γοῦν Tim. veterem grammaticum laudat sententiæ suæ astipulatorem (cujus verbis trimetrorum vestigia insunt). Post λόγιον interpungit Montf. Bibl. Coisl. p. 480, vereor, ut satis recte.» Eust. Opusc. p. 41, 64: Ἀναπόλει εἰς νόησιν τὸν ἱερὸν ὀκρίβαντα, τὸ πεδινὸν θεῖον ὄρος, de ambone aut suggestu, quem conscenderet clericus, ut ib. p. 190, 73: Εἰς τύπον διδασκάλου τινὸς ὀκρίβαντος· 298, 65.]

[Ὀκρίβατον. V. Ὀκρίβας.]

[Ὀκριδίων, ωνος, ὁ, Ocridio, heros Rhodius ap. Plut. Mor. p. 297, C, D.]

[Ὀκρίκολα, πόλις Τυρρηνῶν. Διονύσιος ιη' Ῥωμαϊκῆς ἀρχαιολογίας. Τὸ ἐθνικὸν Ὀκρικολανὸς, ὡς (ὁ) αὐτός φησι, Steph. Byz. Ὄκρικλοι ap. Strab. 5, p. 226, 227.]

[Ὀκριοειδής. V. Ὀκρία.]

[Ὀκριόεις, Ὀκριὸς, Ὀκριόω. V. Ὀκρία.]

[Ὀκρὶς s. Ὄκρις. V. Ὀκρία.]

[Ὀκριώδης, ὁ, ἡ, Confragosus. V. Ὀκρία.]

[Ὀκρυόεις. V. Ὀκρία.]

[Ὀκτάβιβλος, ἡ, Octo libri. Theophanes Chronogr. p. 5, B: Τὴν ὀκτάβιβλον τῆς ἐκκλησιαστικῆς ἱστορίας Εὐσεβίου. L. D. Psell. Synops. legg. v. 24, 27. Boiss.]

Ὀκτάβλωμος, ὁ, ἡ, ἄρτος ap. Hesiod. [Op. 440]: Ἄρτον δειπνήσας τετράτρυφον, ὀκτάβλωμον, Panis octo buccellarum, s. Octo turundarum, ut alii.

[Ὀκτάγλωσσον φλάμμουλον, Flammulum in linguas octo, in inferiori sui parte, divisum, ap. Codin. De off. c. 6, n. 21: Τὸ δὲ ἕτερον, εἰκόνας ἔχον πολλὰς, θείας ἱεραρχῶν ὀκτάγλ., ὅπερ καλεῖται ὀκταπόδιον. Quum vero hæ linguæ quodammodo pedes referant polypi, inde ὀκταπόδιον appellatum. Ducang.]

[Ὀκτάγωνος, ὁ, ἡ, Octangulus. Alex. Trall. 9, p. 165: Λαβὼν δακτύλιον σιδηροῦν ποίησον γενέσθαι τὸ χρικέλλιον αὐτοῦ ὀκτάγωνον. Nicomach. Arithm. 2, p. 121, D; 122, C; 124, A ed. Ast. || De Octagone Cpolis Chron. Pasch. p. 622, 22: Ἦλθον εἰς τὸν Ὀκτάγωνον, pro quo, nisi altero l. fallit scriptura, p. 623, 3: Ὕφηψαν τὴν Ὀκτάγωνον. V. Ducang.]

[Ὀκταδακτυλιαῖος, α, ον, i. q. sequens. Oribas. p. 159 ed. Mai.: Πρὸς ἔνθεσιν πριαπίσκου ὁ κατὰ δακτυλιαίου (sic) τῷ μεγέθει. L. Dind. Ὀκτωδακτ. Heliodorus Oribasii p. 128 ed. Mai. Osann.]

A [Ὀκταδάκτυλος s. Ὀκτωδάκτυλος, ὁ, ἡ, Qui est octo digitorum longitudinis. Aristoph. Lys. 109: Οὐκ εἶδον οὐδ' ὄλισβον ὀκτωδάκτυλον. Inscr. ap. Bœckh. *Urkunden* p. 502, xiv, 104. Clearchus ap. Athen. 8, p. 332, D: Οὗτοι δ' εἰσὶν ὀκταδάκτυλοι μάλιστα τὸ μῆκος. Athen. Mach. p. 6, C.]

Ὀκτάδιον, Hesych. καλάθιον, πρὸς ὀρνιθάρια.

[Ὀκτάδραχμος, ὁ, ἡ, Qui est octo drachmarum. Diophantus Alex. epigr. Anth. Pal. App. 19, 1. Wess.]

Ὀκτάεδρος, ὁ, ἡ, Qui octonorum sessuum est. Vide Δωδεκάεδρος. [Tim. Locr. p. 98, D: Ὀκτάεδρον, ὀκτὼ μὲν βάσιας, ἓξ δὲ γωνίας ἔχον. Plut. Mor. p. 719, D; 887, C, etc. Theolog. arithm. p. 24, B; 25, C; 37, C; 64, C.]

Ὀκταετηρὶς, ίδος, ἡ, Octennium, Octennale tempus, Diog. L. [Plut. Mor. p. 892, C.]

Ὀκταέτης, ὁ, ἡ, Qui octo annorum est. [Gregor. Anth. Pal. 8, 10, 3: Ὀκταέτης λαοῖο θεόφρονος ἡνία τείνας. Diodor. 17, 94: Ὀκταετῆ χρόνον.] A quo fem. Ὀκταέτις. [Plato Ep. 13, p. 361, D.]

[Ὀκταετία, ἡ, Octo anni. Procl. Paraphr. Ptolem.

B 4, 10, p. 285. Struv. Epiphan. vol. 1, p. 33, D. L. D.]

[Ὀκταέτις. V. Ὀκταέτης.]

[Ὀκτάζυγος, ὁ, ἡ, Octijugus. Paul. Sil. Descr. Soph. 732: Ὀκτάζυγος οἴμου. L. Dind.]

Ὀκταήμερος, ὁ, ἡ, Octo dies durans: ὀκτ. περιτομὴ, Paul. Ad Phil. 3, [5], Circumcisio, quæ fit octavo die, pro Circumcisus octavo die. [Origenes vol. 1, p. 176, A; Epiphan. vol. 1, p. 17, A. L. Dind. « Ὀκταήμερον, Octo dierum jejunium, quod observant monachi ante festa Dominica et Deiparæ. Typ. Casal. c. 6: Χωρὶς τῶν δεσποτικῶν ἑορτῶν καὶ τῆς Θεοτόκου σὺν τοῖς ὀκταημέροις κτλ.· 16: Τὰ ὀκταήμερα τῶν δεσποτικῶν ἑορτῶν.» Ducang.]

[Ὀκτάκερκις, ιδος, ὁ, ἡ, i. q. ὀκτάρραβδος. Etym. M. v. Ὀκτάκνημα, ὀκτάραβδα, ὀκτακέρκιδα.]

Ὀκτάκις, Octies. [Simonides Anth. Plan. 82, 1, et alii. Ὀκτάκι Iambl. In Nicom. p. 127, B, nisi fallit scriptura, quum ὀκτάκις sit ib. p. 22, B, etsi non alieni sunt recentiores ab his formis vel in prosa. V. Ἑξάκις, Οὐδενάκις. L. Dind.]

C [Ὀκτακισμύριοι, αι, α, Octoginta millia. Diodor. 14, 47.]

Ὀκτακισχιλίη ἀσπὶς, Herodot. [5, 30] pro ὀκτακισχίλιοι ἀσπιδηφόροι, Octo millia scutatorum. Ut et Ὀκτακισχίλιοι, Octies mille, Octo millia. [Xen. Anab. 5, 5, 4; Plato Tim. p. 23, E.]

[Ὀκτάκλῖνος, ὁ, ἡ, Qui est octo lecticarum. Aristot. Mir. ausc. c. 1: Κατέχειν τόπον ὀκτακλίνου.]

Ὀκτάκνημος, ὁ, ἡ, Octo radios habens, Rotæ epitheton. Hom. Il. E, [722]: Ἥβη δ' ἀμφ' ὀχέεσσι θοῶς βάλε καμπύλα κύκλα Χάλκεα, ὀκτάκνημα, σιδηρέῳ ἄξονι ἀμφίς, i. e. ὀκτάραβδα, Eust.

Ὀκτακόσιοι, αι, α, Octingenti, Thuc. [Xen. Anab. 7, 8, 15, et al. Forma Dor. Ὀκτακάτιοι in Tab. Heracl. 2, 79.]

[Ὀκτακοσιοστὸς, ἡ, ὸν, Octingentesimus. Dio Cass. 60, 29. « Codin. Orig. p. 8.» Boiss.]

[Ὀκτακότυλος, ὁ, ἡ, Qui octo est cotylarum. Athen. 5, p. 180, A, ψυκτῆρα.]

[Ὀκτάκωλος, ὁ, ἡ, Qui est octo versuum. Hephæst.

D p. 125, 11, στροφή. Schol. Aristoph. Ach. 558.]

[Ὄκταλλος. V. Ὄκκος.]

[Ὀκταμερὴς, ὁ, ἡ, Octonis partibus constans. Nemes. p. 174 (?). Wakef. Diog. L. 7, 110.]

[Ὀκτάμετρος, ὁ, ἡ, Octo metris constans, sine testim. posuit Schneider.]

Ὀκταμηνιαῖος, α, ον, Octavum mensem agens, Octavo mense natus: ὀκτ. βρέφη, Alex. Aphr. [Probl. 2, 47], Infantes qui octavo mense eduntur, editi sunt. [Diod. 14, 38, ἀνοχαί. Plut. Mor. p. 908, A, C; Theolog. ar. p. 47, B.]

Ὀκτάμηνος, ὁ, ἡ, Qui octo mensium est. Xen. [Cyn. 7, 6. Aristot. H. A. 5, 14; 6, 20; Plut. Mor. p. 908, A, C. Ὀκτώμηνος ponit Etym. M. p. 767, 33.]

[Ὀκταούγκιον, Bessem, Gl.]

[Ὀκτάπεδος, ὁ, ἡ, Dorice pro ὀκτώπους, ὁ, ἡ, Qui octo est pedum. Tab. Heracl. 2, 45, 69.]

[Ὀκτάπηχυς. V. Ὀκτώπηχος.]

[Ὀκταπλᾰσιάζω, Octuplico. Psell. In Cantic. Cant. ad c. 6, 7. Boiss.]

Ὀκταπλάσιος, α, ον, Octuplus, et Octuplicatus etiam, ex Livio. [Aristoph. Eq. 70 : Ὀκταπλάσια χέζομεν. Plato Tim. p. 35, C; Nicomach. Arithm. 1, p. 94, D ed. Ast.]

[Ὀκτάπλεθρος, ὁ, ἡ, Qui est octo jugerum. Dionys. A. R. 4, 61 : Ὀκτάπλεθρος τὴν περίοδον (ναός).]

[Ὀκτάπλευρος, ὁ, ἡ, Qui octo latera habet Paul. Sil. Descr. Soph. 728, βάσις. L. Dind.]

[Ὀκταπλοῦς, ῆ, οῦν. Ὀκταπλοῦν, Octoplum, Gl.]

Ὀκταπόδης, ὁ, Octo pedes habens, Octipes, i. q. ὀκτάπους s. ὀκτώπους : ut ὀκταπόδης καρκίνος, Nicand. Ther. 605 : nam ὀκτὼ πόδας ἔχουσιν οἱ καρκίνοι. Sic Ovid., Octipedis brachia cancri. [Maximus Καταρχ. 229 : Ὀκταπόδην ... σκορπίον. L. D.] Ὀκταπόδης, Octo pedes longus : ὀκτ. ἄξων, Hesiod. Ἔργ. [2] 43 [423], Virgilio Temo protentus in octo pedes.

[Ὀκταπόδιον. V. Ὀκτάγλωσσος. De polypodibus anon. ms. in Methodo de urinis ap. Ducang. : Ἐσθίειν ὀκταπόδια. Schol. Oppiani Hal. 1, 306 : Πουλύποδες) λέγω τὰ ὀκταπόδια. L. Dind.]

[Ὀκτάπορος, ὁ, ἡ, Octuplex. Tzetz. Anteh. 85 : Τέρπετο δ' αὖ τοκέεσσι κασιγνήτοις τ' ἐνὶ Τροίῃ, ῥέζων πατρῴοισι θεοῖς κλειτὰς ἑκατόμβας, ἑπτάσιν ὀκταπόροις καλλιχρόου Ἠριγενείης. Liber unus ἑπτασπόροις.]

Ὀκτάπους, οδος, ὁ, ἡ, Octo pedes habens, Octipes, ut Octipes cancer Ovidio. [Multipes, Polypus, Gl.] Item Polypus piscis κοινότερον dicitur ὀκτάπους, ab octo pedibus : ut πολυγλώχιν vocatur ἡ τρίαινα, Eust. Itidem brevium scholiorum auctor πουλύποδος exp. per ὀκτάποδος veluti notius. In Scythia vero ὀκτάποδες dicebantur Qui duos boves possiderent et currum; duobus enim bobus octo pedes sunt. Lucian. [Scytha c. 1] : Οἱ πολλοὶ καὶ δημοτικοὶ, ὀκτάποδες· τοῦτο δέ ἐστι, δύο βοῶν δεσπότην εἶναι καὶ ἁμάξης μιᾶς. [Statyllius Fl. Anth. Pal. 6, 196, 2 : Ὀκτάπουν ... πάγουρον. Formam insolentiorem notat Pollux 2, 195.]

[Ὀκτάραβδος s. Ὀκτάρραβδος, ὁ, ἡ, i. q. ὀκτάκνημος, quod v.]

[Ὀκτάρριζος, ὁ, ἡ, Qui octo habet radices. Leonidas Anth. Pal. 6, 110, 3 : Τὰ δ' ὀκτάρριζα μετώπων φράγμαθ' ὑπὲρ χραναὰν ἅλος ἔπαξε πίτυν.]

Ὀκτάρυμος, s. Ὀκτάρρυμος, ὁ, ἡ, Octojugis, Octo temones habens : ὀκτ. ἅρμα, Xen. Cyrop. 6, [1, 52] Currus octojugis : Ἰδὼν τὸ τετράρυμον αὐτοῦ ἅρμα, κατενόησεν ὡς οἷόν τε εἴη καὶ ὀκτάρυμον ποιήσασθαι, ὥστε ὀκτὼ ζεύγεσι βοῶν ἄγειν.

[Ὀκτὰς, άδος, ἡ, Numerus octonarius, Octo. Macedonius Anth. Pal. 6, 40, 6 : Ὀκτάδος ἑνδεκάτης. Theolog. arithm. p. 55, A.]

[Ὀκτασέλιδον, τὸ, Octapla Origenis. Kall. Ὀκτασέλιδος, Τετρασέλιδος, Schol. ad Psalm. in Bibl. Gr. vol. 3, p. 714.]

[Ὀκτάσημος, ὁ, ἡ, Qui octo habet moras. Schol. Hephæst. p. 164, 5. Schol. Æsch. Sept. 103. Adv. Ὀκτασήμως, ib. 120, de dochmiis.]

[Ὀκτασκελὴς, ὁ, ἡ, Qui octo habet crura. Cocchii Chirurg. 8, 24 : Χιστὸς ὀκτασκελής (ἐπίδεσμος). Kall. Ib. p. 24 med. : Σκεπάστρα ἐξ ὀκτασκελοῦς. Oribas. p. 93, xx ed. Mai. L. Dind.]

[Ὀκταστάδιον, τὸ, Spatium octo stadiorum. Strabo 5, p. 246; 7, p. 322 fine; Polyb. 34, 12, 4.]

[Ὀκτάστιχος, ὁ, ἡ, Qui est octo versuum. Synes. p. 312, A : Τὸ ὀκτάστιχον (carmen). L. Dind.]

Ὀκτάστυλος, ὁ, ἡ, Octo columnas habens, Vitruv. 3, 1.

[Ὀκτασύλλαβος, ὁ, ἡ, Octo syllabis constans, unde adv. Ὀκτασυλλάβως ap. Tzetz. in Cram. Anecd. vol. 3, p. 328, 4. L. Dind.]

[Ὀκτάσφαιρος, ὁ, ἡ, Octo globos habens, epitheton cæli ap. Philoponum In Aristot. Meteor. vol. 1, p. 209 ed. Ideler. Osann.]

[Ὀκτάτευχος, ἡ. HSt. in Τεῦχος : « Sic Octateuchum vocant octo priores V. T. libros. » Euseb. Præp. ev. 1 extr. : Ὀστάνης ἐν τῇ ἐπιγραφομένῃ ὀκτατεύχῳ. De qua v. Harius *Philolog. Mus.* vol. 1, p. 10. L. D. Tzetz. Hist. 10, 66, τῆς Εὐδοχίας. Elberling.]

[Ὀκτάτομος, ὁ, ἡ, In octo tomos divisus. Nomen libri, quem Didymus scripsit, Alex. Trall. 7, p. 122=368, βίβλος. Forma Ὀκτώτομος ap. schol. Pselli Syneps. Leg. v. 40 : Μετὰ τὴν ὀκτώτομον.]

A [Ὀκτάτονος, ὁ, ἡ, Octuplex. Antiphilus Anth. Pal. 9, 14, 4, ἕλικες.]

[Ὀκταφόρος. V. Ὀκτωφόρος.]

[Ὀκτάχορδος, ὁ, ἡ, Qui octo habet chordas. Plut. Mor. p. 1029, C : Ὀκτάχορδον ἐμμέλειαν. Iambl. V. P. p. 258 Kiessl.; Aristoxen. Harm. p. 2, B.]

[Ὀκτάχρονος, ὁ, ἡ, Qui est octo temporum, annorum. Proclus In Platon. vol. 6, p. 289 ed. Cousin. Cramer.]

[Ὀκταχῶς, q. d. Octupliciter, Octo modis. Epim. Hom. Cram. An. vol. 1, p. 243, 11; 259, 16 : Τὰ εἰς ος ὀκτ. συντίθεται. L. D. Etym. M. v. Οὐ. Boiss. Villoison. Anecd. Gr. vol. 2, p. 105. Wakef.]

Ὀκτήρης, ἡ, Navis octo ordinum [(remorum). Polyb. 16, 3, 2 et 7 sq. Plut. Anton. c. 61, Memno Photii p. 226, b, 21.]

[Ὀκτόηχος. V. Ὀκτώηχος.]

Ὀκτὼ, Octo. [Hom. Il. B, 313, etc.] Plut. : Τὰ ὀκτὼ, πρῶτος κύβος ἀπὸ ἀρτίου τῆς δυάδος. Dicunt etiam ὁ ὀκτὼ ἀριθμὸς, Numerus octonarius. [Demosth. p. 731,

B 13 : Ἀλλὰ καθιστῶσιν ἐγγυητὰς μέχρι τῆς ἐννάτης πρυτανείας; τὰς δὲ ὀκτὼ τί ποιήσομεν; Seager. Frequentem in libris permutationem numerorum ὀκτώ (η') et πεντήκοντα (ν') notavimus in Βαλλάντιον vol. 2, p. 75, B, et Ἑλλανοδίκης vol. 3, p. 759, B. De proverbio Πάντα ὀκτὼ v. Theolog. arithm. p. 56. Ceterum ὀκτὼ cum compositis spiritu aspero scribitur in Tab. Heracl. V. p. 286. L. Dind.]

Ὀκτώβριος, ὁ, recentiores Græci dicunt pro Latino October; et plur. εἰδοῖς Ὀκτωβρίαις, pro Idibus Octobribus. [Plut. Rom. c. 25; Joseph. A. J. 14, 10, 13. Schol. Thuc. 2, 78.]

[Ὀκτωδακτυλιαῖος, Ὀκτωδάκτυλος. V. Ὀκταδ—.]

[Ὀκτώηχος, ὁ, ἡ, Qui est octo sonorum. « Ὀκτώηχος s. liber eccles. continens octo tonos a S. Jo. Damasc. compositos : in quo canones s. troparia et quæcunque aliæ cantiones in hoc libello contentæ ita dispositæ sunt, ut quæ primo tono concinuntur, omnia sibi primum locum occupent, quæ secundo secundum etc.... Veteris Octoechi tit. in ed. Ven. a. 1610 : Ὀκτώη-

C χος, βίβλος κατ' ἦχον ψαλλομένη ἐν ταῖς κυριακαῖς τῶν ἡμερῶν κτλ. Octoechi meminit Geronticum ap. Nicomem in Pandecte Ms. 1, 29 : Τὰς ὥρας κατὰ τῆς ὀκταήχου ψάλλω. Typicum Sabæ : Ψάλλεται ἡ ὀκτώηχος, et al. Ὀκτάηχος etiam in Nomocan. Cotel. n. 120, et ap. anon. De locis Hieros. c. 14. Ex Ducang. Gl. Per o male in Paracletice ap. Suicer. in Στιχηρόν. || Item ap. Balsamon. in Conc. 6 Can. 51 : Ἔοικε δὲ διὰ τῶν τοιούτων κανόνων ἐπιτίμια ἐπινοηθῆναι τὰ βασιλικὰ παίγνια τὸν ... ἀγχίαλλον (sic), τὸν ὀκτόηχον καὶ τὰ λοιπὰ, ὡς μὴ διάχυσιν καὶ γέλωτα ἄσεμνον ἐμποιοῦντα τοῖς βλέπουσιν.]

Ὀκτωκαίδεκα, Octodecim, Duodeviginti. [Herodot. 2, 111, Xen. H. Gr. 4, 3, 23, Plato et alii.]

[Ὀκτωκαιδεκάδραχμος, ὁ, ἡ, Qui est duodeviginti drachmarum. Demosth. p. 1045, 3 : Πωλῶν τὰς κριθὰς ὀκτ.]

[Ὀκτοκαιδεκαέτης. V. Ὀκτωκαιδεκέτης.]

[Ὀκτωκαιδεκάκις, Decies et octies. Theolog. arithm. p. 64, C. L. Dind.]

D Ὀκτωκαιδεκάπηχυς, Qui octodecim cubitorum est. Diod. S., δοκοί.

[Ὀκτωκαιδεκαπλασίων, ονος, ὁ, ἡ, Per octodecim multiplicatus. Archimedes p. 515, 86. L. D. Plutarch. Mor. p. 892, B; 925, C.]

[Ὀκτωκαιδεκὰς, άδος, ἡ, Numerus duodeviginti. Theolog. arithm. p. 39, B, D. L. Dind.]

[Ὀκτωκαιδεκάσημος, ὁ, ἡ, Qui octodecim est morarum vel temporum. Aristid. Quint. p. 35. Boiss.]

[Ὀκτωκαιδεκαταῖος, α, ον, Qui est diei duodevigesimi. Hippocr. p. 469, 29; 1220, D.]

Ὀκτωκαιδέκατος, η, ον, Decimusoctavus, s. Octavusdecimus. [Hom. Od. E, 279 etc. : Ὀκτωκαιδεκάτη, intell. ἡμέρα. Polyb. 1, 56, 2; inscr. ap. Boeckh. vol. 1, p. 172, n. 126, 26.]

Ὀκτωκαιδεκέτης, ὁ, ἡ, Octodecim annos natus. Dem. [p. 1009, 13] : Συνέβη γάρ μοι ὀκτωκαιδεκέτη γῆμαι. [Theocr. 15, 129; Meleager Anth. Pal. 7, 448, 2. Lucian. D. mort. 27, 7, Philops. c. 14. || Ὀκτωκαιδεκέτις, ιδος, ἡ, Lucian. Tox. c. 24; Dioscor. Anth.

Pal. 7, 167, 5. || Forma Ὀκτωκαιδεκαέτης Psell. Synops. 740 : Ἐννόμως τοῦτο πράττουσα ὀκτωκαιδεκαέτης. L. Dindorf.]

[Ὀκτωκαιεικοσαετηρὶς, ίδος, ἡ, Duodeviginti anni. Chron. Pasch. p. 399, 7; 404, 20. L. Dind.]

[Ὀκτωκαιεικοσάκις, Octies et vicies. Isaac mon. in Petavii Uranologio p. 385, D. L. Dind.]

[Ὀκτωκαιεικοσιπλασίων, ονος, ὁ, ἡ, Per duodetriginta multiplicatus. Plut. Mor. p. 889, F : Κύκλον εἶναι (solem) ὀ–ονα τῆς γῆς. L. Dind.]

[Ὀκτωκαιεικοσίφθογγος, ὁ, ἡ, Qui est octo et viginti sonis. Nicomachus Harm. p. 38 Meib. Osann.]

[Ὀκτωκαιτριακοντάμετρος, ὁ, ἡ, Qui duodequadraginta metra habet. Schol. Aristoph. Pac. 151. L. D.]

[Ὀκτωμηνιαῖος, α, ον, Qui est octo mensium. Schol. Arati 455, περίοδον. Pro quo ὀκτωμηναίων est ap. Philonem vol. 1, p. 29, 38.]

[Ὀκτώμηνος. V. Ὀκτάμηνος.]

[Ὀκτώπας, ὁ, Octopas, fl. ap. Photium : Ὀκτώπαν ποταμὸν Αἰσχύλος διαπέπλευκε Νεανίσκοις. Hesychius : Ὀκτώπας, ποταμός.]

Ὀκτώπηχυς, sive Ὀκτάπηχυς, ὁ, ἡ, Qui octo cubitorum est : Hesych. ὀκτώπηχυ, τὸ ὀκτάπηχυ. [Ex Philemone citat Photius. Ὀκτάπηχυς Polyb. 5, 89, 6; Strabo 3, p. 170; Callixen. ap. Athen. 5, p. 196, F; 198, F; 202, C.]

Ὀκτώπους, οδος, ὁ, ἡ, Cui octo pedes sunt, Octipes. Sic vocatur et Scorpius ab octo pedibus : unde proverb. apud Cratinum, Ὀκτώπουν ἀνεγείρεις, i. e. σκορπίον, [Phot. et] Suid. Ap. Hesych. [et Photium] vero perperam scriptum Ὀκτώπας, σκορπίος, pro ὀκτώπους. [Ὀκτώπους præterea ex Philemone citat Photius. Est ap. Plat. Menon. p. 82, E seqq., et in inscrr. Att. ap. Müller. De munim. Athen. p. 36, 57, et ap. Bœckh. vol. 1, n. 160, p. 262, 37, 50.]

[Ὀκτωστάδιος, ὁ, ἡ, Qui octo est stadiorum. Strabo 14, p. 652.]

[Ὀκτώτομος. V. Ὀκτάτομος.]

[Ὀκτωφόρος, vel Ὀκταφόρος, ὁ, ἡ, Lectica. Cic. Verr. 5, 11. Plura de utraque forma v. in Lexx. Lat.]

[Ὀκύλλω, i. q. ὀκλάζω, quod v. Ruhnken. Ep. cr. p. 244 : « Ab eadem radice (qua ὀκλάζω) est ὀκύλλω. Hesych. (etiam ab HSt. memoratus : « Ὀκκύλαι, τὸ ὀκλάσαι καὶ ἐπὶ τῶν πτερνῶν καθέζεσθαι [καθίζεσθαι], Flexis genibus sidere ».) Eodem referas Ὠγύλλοντο, συνεκάμπτοντο, ubi κ in literam affinem abiit. Idem : Κλωκυδᾶ, τὸ καθῆσθαι ἐπ' ἀμφοτέροις ποσίν. Scribendum ὀκκύλαι. » Postremum tamen ectasi et metathesi defendebat Lobeck. Patholog. p. 122, 6.]

[Ὀχέω.] Ὀχέομαι, Sustineor ab aliquo vel ei insideo, sicut et ὀχοῦμαι : unde ὀχήσασθαι, quod Suid. exp. ἐπικαθεσθῆναι. Activa autem vox Ὀχέω, pro Subeo, Sustineo, Veho; item pro Exhaurio, Exantlo, ex Pind. [Ol. 2, 74 : Ὀχέοντι πόνον. Hesychius : Ὀκτήσεις, οἴσεις, ὀκχήσεις. Ὀκχήσεις pro utroque verbo interpretes. Callim. Jov. 23 : Πολλὰς δὲ Μέλας ὤκχησεν ἁμάξας. In Ὀγχέω depravatum notavimus in illo, ut Ὄγχος pro ὄχος erat ap. Tzetz. ad Lycophr. 1108, et Heringa ad Erotian. p. 274 : Ὄγχη) καὶ Ὄγχειν δὲ εὕρομεν, ubi cod. Dorvill. ὀγχείην, glossam referri vidit ad verbum ὀχέω.]

Ὀχή, ἡ, Sustentaculum, Cui innitimur, βάσταγμα, στήριγμα, ut Suid. exp. hoc in loco [Callimachi, ut conjiciebat Hemst.] : Γέντο δ' εἰρήνης σκηπάνιον· ὃ δὴ πέλε γήραος ὀχή. [Στ., βακτηρία, ἔρεισμα, σκῆπτρον Hesychio.]

Ὄχος, ὁ, pro ὄχος s. ὄχημα, Vehiculum, Currus, ex Pind. Ol. [6, 24]: Ἐν καθαρῷ βάσομεν ὄκχον. [Quam Æolicam formam dicit Tzetzes ad Hesiod. Op. 664, et Etym. Ms. Leid. v. Καυάξαις. L. Dind.]

[Ὄχωλον, χωρίον Ἐρετριέων. Θεόπομπος Φιλιππικῶν κδ'. Τὸ ἐθνικὸν Ὀκώλιος, Steph. Byz.]

[Ὄχως. V. Ὅπως.]

[Ὀκωχεύω.] Ὀκωχεύειν, Hesychio ἔχειν, συνέχειν, Habere, Continere. [Ab ὀκωχή pro ὀχή, ut ἀνοκωχή, παροκωχή etc. pro ἀνοχή, etc. V. Buttmann. Gr. vol. 1, p. 338. Schneid. Suppl.]

[Ὀκώχωσις, εως, ἡ, vox suspecta ap. Hippocr. De septimestr. (lib. spur.) vol. 1, p. 165. Struv.]

Ὀλαεῖ et Ὀλαθεῖ Hesych. affert pro ἐνοχλεῖ. [Ὀχλεῖ
A et Ὀχλέει Valcken., Ὀλάει et Ὀλάθει Buttmann. Lexil. vol. 2, p. 81. V. autem Ὄλλυμι.]

[Ὀλαί, s. Ὅλαι, s. Ὀλαί, αἱ κριθαί. V. Οὐλαί.]

[Ὀλαίας, ὁ, f. Cypseli ap. Pausan. 8, 5, 7, nomen vix recte scriptum.]

[Ὀλαΐδας, ὁ, Olaidas, n. viri Elei ap. Pausan. 6, 15, 2, ubi libri Ὀλίδαν, Thebani 10, 7, 8.]

Ὀλαιμεύς, et Ὅλαιμος, παρὰ τὰς ὀλὰς dicitur ὁ σπερμολόγος, ὁ τὰς ὀλὰς βάλλων, Lex. meum vet. et Etym. Meminit et Hesych. Ὀλαιμεὺς afferens pro ὁ τὰς ὅλας βάλλων : et Ὀλαιτοὶ ac Ὀλατοὶ pro σπερμολόγοι. [Photius : Ὀλαιμεύειν, ὅλας βάλλειν.]

Ὀλάργυρος, ὁ, ἡ, Totus argenteus, Qui ex solido argento est. [Callixen. ap.] Athen. [5, p. 199, D] : Τράπεζα ὀλάργυρος δωδεκάπηχυς. [Inserto ο Philo vol. 1, p. 666, 32 : Ὁλοάργυροι καὶ ὁλόχρυσοι.]

[Ὄλανα s. Ὀλανα, Padi fl. ostium, ap. Polyb. 2, 16, 10.]

[Ὀλανή, ἡ, Olane, castellum Armeniæ, ap. Strab. 11, p. 529.]

B [Ὀλάω pro ὁράω, balbutientis, Aristoph. Vesp. 45.]

[Ὀλαχνον. V. Ὀλβάχνιον.]

[Ὀλβα, Ὀλβαῖος. V. Ὀλβία.]

[Ὀλβανός, ὁ, Olbanus, inter nomina in ανος cum Ἀφρικανὸς et Ὑρκανὸς ponit Draco p. 17, 5, sive Steph. Byz. in Ἄγκυρα.]

[Ὄλβασα Pisidiæ memoratur Ptolemæo 5, 5, Antiochianæ ib. 6, Ciliciæ ib. 8. V. Wessel. ad Hierocl. p. 680.]

[Ὀλβάχιον. V. Ὀλβάχνιον.]

Ὀλβάχνιον, τὸ, pleonasmo [Syracusano] τοῦ β pro ὀλάχνιον, dicitur τὸ τὰς οὐλὰς ἔχον, h. e. κανοῦν ἐν ᾧ ἀπετίθεντο τὰς οὐλάς. Ita Lex. meum vet. [s. Etym. M.] in Δερβιστήρ : serie autem sua habet Ὄλαχνον [Ὄλεχον] et Ὄλβαχνον, remittens ad prædictum Δερβιστήρ. Hesych. Ὀλβάχιον affert pro κανοῦν, ex Dinolocho. [Qui ponit etiam Ὄλεχθον, τὸν μαζονόμον, quod voc. vide.]

[Ὄλβαχνον. V. Ὀλβάχνιον.]

[Ὄλβη, ἡ, Olbe, urbs Ciliciæ, ap. Strab. 14, p. 672,
C Hierocl. Synecd. p. 708, ubi v. Wessel. Ὀλβέων numi ap. Mionnet. *Descr.* vol. 3, p. 594, *Suppl.* vol. 7, p. 238.]

[Ὀλβήεις, εσσα, εν, Beatus. Manetho 4, 100, πλοῦτον.]

[Ὄλβηλος, πόλις Μακεδονίας. Βάλαγρος Μακεδονικῆ. Τὸ ἐθνικὸν Ὀλβήλιος, Steph. Byz.]

[Ὀλβία, ἡ, Felicitas, ut μακαρία. Photius post Ἐσμυρνισμένον : Ἐς ὀλβίαν, ὡς εἰς μακαρίαν, τὸ εἰς ᾅδου. Codex εἰς ὀλβίαν.]

[Ὀλβία, ἡ, Olbia. Πόλις Λιγυστική. Ὁ πολίτης Ὀλβιοπολίτης, καὶ Ὀλβιανοί, ὡς Ἀσιανοί. Ἔστι δὲ καὶ πλησίον αὐτῆς ὄρος Ὀλβιανόν. Δευτέρα πόλις ἐν Πόντῳ. Τρίτη Βιθυνίας ἀπὸ Ὀλβίας νύμφης. Τετάρτη Παμφυλίας, ὡς Φίλων. Οὐκ ἔστι δὲ Παμφυλίας, ἀλλὰ τῆς τῶν Σολύμων γῆς, καὶ οὐδὲ Ὀλβία, ἀλλὰ Ὄλβα καλεῖται, καὶ οἱ πολῖται Ὀλβαῖοι, καὶ Ὄλβιος καὶ Ὀλβία. Πέμπτη Ἰβηρίας, ἕκτη Σαρδοῦς, ἑβδόμη Ἰλλυρίδος, ὀγδόη Ἑλλησπόντου, ἐνάτη Κιλικίας. Λέγεται καὶ Ὀλβηνὸς καὶ Ὀλβιακὸς καὶ θηλυκὸν Ὀλβιακή, Steph. Byz. Qui in Ἀρσινόη Troglodyticam
D memorat, postea Ἀρσινόην dictam. Gent. Ὀλβιοπολίτης est ap. Herodot. 4, 18, et in numis ap. Mionnet. *Descr.* vol. 1, p. 349, *Suppl.* vol. 2, p. 12 sq. Varias autem Olbias memorat Strabo, ut Massalioticam 4, p. 180, 184; Borysthenicam 7, p. 306; Pamphylicam 14, p. 666, 667; primam etiam Ptolem. 2, 10, idemque Ὀλβίαν et Ὀλβιανὸν λιμένα Sardiniæ 3, 3, et Borysth. 5, 1, Pamphyliæ 5, 5, Ὀλβίαν Sardiniæ etiam Pausan. 10, 17, 5. Ὀλβιανὸς κόλπος est ap. Scylacem p. 34, 35, qui Ὀλβίαν Mysiæ memorat p. 35, Lysiæ p. 39.]

[Ὄλβια, τά, Olbia, Alpes. Athen. 6, p. 233, D : Τὰ πάλαι μὲν Ῥίπαια καλούμενα ὄρη, εἶθ' ὕστερον Ὄλβια προσαγορευθέντα, νῦν δὲ Ἄλπια. V. Ὄλπια.]

Ὀλβιάζω, Beo, Beatum prædico, μακαρίζω, VV. LL. [Pro ὀλβίζω.]

[Ὀλβιανός, ὁ, Olbianus, inter gentilia in ιανος a prototypo quod ι habeat ante terminationem ponit Draco p. 16, 16, sive Steph. Byz. in Ἄγκυρα, tanquam gentile, ut videtur, ab Ὀλβία, quod v.]

Ὀλβίζω, Beatum prædico, Beatum judico, μακα-

ῥίζω, εὐδαίμονα ἡγοῦμαι. [Æsch. Ag. 928 : Ὀλβίσαι δὲ
A χρὴ βίον τελευτήσαντ' ἐν εὐεστοῖ φίλῃ.] Soph. [OEd. T. 1529] ap. Suid. : Μηδέν' ὀλβίζει πρὶν ἂν Τέρμα τοῦ βίου περάσῃ μηδὲν ἀλγεινὸν παθών. Sic habes ap. Ovid., Dicique beatus Ante obitum nemo supremaque funera debet. [Id. fr. Tyndar. ap. Stob. Fl. 105, 3 : Οὐ χρή ποτ' εὖ πράσσοντος ὀλβίσαι τύχας ἀνδρός. Eur. Alc. 918 : Πολυάχητος δ' εἵπετο κῶμος τήν τε θανοῦσαν κἀμ' ὀλβίζων· Ion. 308 : Ὥς σου τὴν τεκοῦσαν ὤλβισα· Andr. 1218, et de diis celebrandis Hel. 228, Aristoph. Thesm. 107, 117. Pass. Soph. El. 693 : Τούτων ἐνεγκὼν πάντα τἀπινίκια ὠλβίζετο· Eur. Tro. 1253 : Μέγα δ' ὀλβισθεὶς ὡς ἐκ πατέρων ἀγαθῶν ἐγένου· Iph. A. 51 : Οἱ τὰ πρῶτ' ὠλβισμένοι... Ἑλλάδος νεανίαι. || Felicito, Felicem reddo, Fœcundo. Eur. Phœn. 654 : Βρόμιον, κισσὸς ὃν ἔρνεσιν κατασκίοισιν ὀλβίσας ἐνώτισεν· 1689 : Ἓν ἦμάρ μ' ὤλβισ', ἓν δ' ἀπώλεσεν· Tro. 229 : Κρᾶθις ξανθὰς χαίτας πυρσαίνων ... τρέφων εὔανδρόν τ' ὀλβίζων γᾶν. Pass. Soph. ap. Stob. Fl. 67, 5 : Τίς δ' οἶκος ἐν βροτοῖσιν ὠλβίσθη ποτὲ γυναικὸς ἐσθλῆς χωρίς;]

[Ὀλβιόγαμος, ὁ, ἡ, Felix nuptiis. Theod. Prodr. Ep. p. 50. Bast.]

Ὀλβιογάστωρ, ορος, ὁ, ἡ, Ventre beatus, Qui se ventre bene curato beatum existimat, beatitudinem in suo ventre ponit, i. e., Ventris sui voluptate metitur. Amphis in Gynæcomania ap. Athen. 9, [p. 386, E] : Εὐρύβατε κνισολοῖχ' οὐχ ἐσθ' ὅπως Οὐκ ὀλβιογάστωρ εἶ.

Ὀλβιοδαίμων, ονος, ο, ἡ, Fortunatus, εὐδαίμων. Sed illud poeticum est, quod usurpatur Hom. Il. Γ, [182. V. Μακαρισμὸς p. 514, D.]

[Ὀλβιόδωρος, ὁ, ἡ, Felicia donans. Paul. Sil. Anth. Pal. 11, 60, 9 : Ὀλβ. μέθυ. Tzetz. Hom. 125 : Ὀλβιοδώρου Γλαύκου. Eustath. ap. Tafel. De Thessalon. p. 427 fin. L. D. Jo. Geometra H. 3, 53. Boiss.]

[Ὀλβιοδώτης, ὁ, Felicia dans, Fortunans. Orph. Ad Mus. 35; H. 33, 2. || Ὀλβιοδῶτις, ἡ, H. 39, 2; 64, 9.]

Ὀλβιοεργός, ὁ, ἡ, Beatæ vitæ effector, Beatum et divitem efficiens : ὀλβ. Ἀπόλλων, Epigr. [Hymn. in Ap. Anth. Pal. 9, 525, 16. Anon. H. in Virg. 16.]

[Ὀλβιόθυμος, ὁ, ἡ, Qui felicis est animi. Orph. H. 18, 21, ζωήν.]

[Ὀλβιόμοιρος, ὁ, ἡ, Felix sorte. Orph. H. 8, 8, εὐφρόνη· 25, 6; 33, 12; 38, 2; 62, 3; 66, 5.]

[Ὀλβιόπλουτος, ὁ, ἡ, Felix opibus. Philoxenus Athenæi 14, p. 643, D, θοίνα.]

[Ὀλβιόπολις, ὁ, ἡ, Felix urbs s. civitas. Const. Manass. Chron. 2348, πόλιν. Boiss.]

[Ὀλβιοπολίτης. V. Ὀλβία.]

Ὄλβιος, α, ον [et ὁ, ἡ, Tzetz. Hist. 1, 500 : Ἐν προπομπαῖς ὀλβίοις], Beatus, Dives, Locuples [Gl.], sicut Hesych. exp. εὐδαίμων, ὁ διὰ τοῦ ὅλου βίου μακαριστὸς, et πλούσιος. Hom. Od. Σ, [137] : Ἔμελλον ἐν ἀνδράσιν ὄλβιος εἶναι· Ρ, [420] : Καὶ γὰρ ἐγώ ποτε οἶκον ἐν ἀνθρώποισιν ἔναιον Ὄλβιος ἀφνειόν· Η, [148] : Τοῖσιν θεοὶ ὄλβια δοῖεν. [Od. Ν, 41 : Πομπὴ καὶ φίλα δῶρα, τά μοι θεοὶ οὐρανίωνες ὄλβια ποιήσειαν.] In quibus ll. mixtam signif. habet; at in sequentibus accipitur potius pro Beatus. Hesiod. Ἡμ. [62=824] : Εὐδαίμων τε καὶ ὄλβιος, ὃς τάδε πάντα Εἰδὼς ἐργάζηται· Theog. [954] : Ὄλβιος, ὃς μέγα ἔργον ἐν ἀθανάτοισιν ἀνύσσας Ναίει ἀπήμαντος καὶ ἀγήραος ἤματα πάντα. [Sic etiam Pind. et Tragici ceterique poetæ, tam de hominibus quam de locis rebusque, quorum de usu addere sufficit Æsch. Suppl. 526 : Ὄλβιε Ζεῦ· Eur. Hec. 491 : Πριάμου τοῦ μέγ' ὀλβίου· et Orest. 1332. Superl. Hec. 625. Aristoph. Eccl. 1131 : Τίς γὰρ γένοιτ' ἂν μᾶλλον ὀλβιώτερος; Qui voc. utitur etiam alibi, sed nonnisi in canticis aut oratione tragœdiam imitante, ut Av. 1708 : Δέχεσθε τὸν τύραννον ὀλβίοις δόμοις. Cum genit. epigr. Anth. Pal. 9, 189, 5 : Ὄλβιαι ὀρχηθμοῦ. Plato Prot. p. 337, D : Εἰς τὸν μέγιστον καὶ ὀλβιώτατον οἶκον τόνδε.] Itidem Crœsus Solonem ap. Herodot. [1, 30] interrogat, Εἴ τινα ἤδη πάντων εἶδεν ὀλβιώτατον· respondet autem Solon, Μηδένα εἶναι τῶν ζώντων ὄλβιον. [Μὴ χαλεὶν κω ὄλβιον, ἀλλ' εὐτυχέα, id. 1, 32; πάντα ἐόντα μεγάλα καὶ ὄλβια ib. 30, 31; ταῦτα τὰ ὀλβιώτατά σφι νενόμισται, 216. Schweigh.] Pro his vero in Sardanapali Epitaphio verbis, Τὰ δὲ πολλὰ καὶ ὄλβια πάντα λέλειπται, ita Cic. Tusc. 5 : At illa jacent multa et præclara relicta. || Adv. Ὀλβίως Soph. OEd. C. 1720 : Ἐπεὶ ὀλβίως γ' ἔλυσε τὸ τέλος βίου.]

[Ὄλβιος, ὁ, Olbius, n. archontis Att. anni incerti in inscr. Att. ap. Curtium Inscrr. Att. duodecim p. 3, 3. Fl. Arcadiæ ap. Pausan. 8, 14, 3.]

[Ὀλβιότυφος, ὁ, ἡ. Bion Diogenis L. 4, 52 : Ἀρχύτα ὀλβιότυφε, Beatule fastu, Int.]

[Ὀλβιόφρουρος, ὁ, ἡ, Qui felicis est custodiæ. Jo. Geom. Hymn. 3, 53. Boiss.]

[Ὀλβιόφρων, ονος, ὁ, ἡ, Felicia cogitans, Felix mente. Lucian. Tragœdop. 193 : Ὀλβιόφρον ποδάγρα, de podagra opum amante.]

[Ὀλβιόχειρος, ὁ, ἡ, Orph. H. 23, 8, ubi ἠπιόχειρον restituit Ruhnk.]

[Ὀλβίσιοι, ἔθνος ἐπὶ Ἡρακλείων στηλῶν, καὶ Ὀλβισίνιοι ἄλλο, Steph. Byz.]

[Ὄλβιστος, η, ον, Felicissimus, ap. Callim. Lav. Min. 117 : Ὀλβίσταν ἐρέει σε καὶ εὐαίωνα γενέσθαι· Nonn. Dion. 6, 99; 31, 32 : Ὀλβίστην ἐνέπω σε· Alcæum Messen. Anth. Pal. 7, 1, 7 : Ὀλβίστη νήσων· Antipatrum
B Sid. 7, 14, 9 : Ὀλβίστην ἱερὴν τρίχα· Macedon. 6, 40, 4; Meleagrum 12, 256, 11; Paul. Sil. 7, 563, 3 : Τεὴ δ', ὄλβιστε, σιωπή· Maneth. 4, 42 : Τέκνα καὶ ὀλβίστη παράκοιτις· Dionys. Per. 927 : Ὀλβίστων Ἀράβων. Quod Buttmannus Gramm. vol. 1, p. 270; 2, p. 410 frustra in ὀλβιστὸς mutabat.]

[Ὀλβίως. V. Ὄλβιος.]

Ὀλβοδότειρα, ἡ, Divitiarum datrix, Effectrix beatæ vitæ, ut Cic. loquitur, πλουσίως παρέχουσα, ut Hesych. ὀλβοδότης exp. πλουσίως παρέχων, Epigr. [Eur. Bacch. 419, εἰρήναν. Orph. H. 59, 11. « Oppian. Cyn. 1, 45. » Wakef.]

[Ὀλβοδοτήρ. V. Ὀλβοδότης.]

Ὀλβοδότης, ὁ, Divitiarum dator, ut Virg., Lætitiæ Bacchus dator : i. q. πλουτοδοτὴρ ap. Hesiod. : ad cujus formam dici etiam potest Ὀλβοδοτήρ. [Eur. Bacch. 572 : Τὸν εὐδαιμονίας βροτοῖς ὀλβοδόταν. Orph. H. 67, 9.]

[Ὀλβοδότις, ιδος, ἡ, fem. præcedentis. Orph. H. 26, 9.]

[Ὀλβοθρέμμων, ονος, ὁ, ἡ, Opibus nutritus. Pind.
C ap. Theodor. Metoch. Misc. p. 282 : Κῆρες ὀλβοθρέμμονες.]

[Ὀλβομέλαθρος, ὁ, ἡ, Qui ædes habet opulentas. Manetho 4, 504 : Γυναῖκες βαθυχρήμονες, ὀλβομέλαθροι.]

[Ὀλβονομέω, Fortunas administro. Manetho 4, 581 : Ἔν τε τοκισμοῖς καὶ χρείαις ζήσουσι πολὺν βίον ὀλβονομοῦντες.]

Ὄλβος, ὁ, Beatitudo, Felicitas; s. Fortunæ, Opes, Divitiæ. Hom. Od. Δ, [208] : Ῥεῖα δ' ἀρίγνωτος γόνος ἀνέρος ᾧ τε Κρονίων Ὄλβον ἐπικλώσῃ γαμέοντί τε γεινομένῳ τε. Hesiod. Theog. [974] : Τὸν δ' ἀφνειὸν ἔθηκε, πολὺν δέ οἱ ὤπασεν ὄλβον· Op. [319] : Εἰ γάρ τις καὶ χερσὶ βίῃ μέγαν ὄλβον ἕληται, Magnas opes sibi conquisierit : de quibus divitiis male partis mox dicit, Παῦρον δέ τ' ἐπὶ χρόνον ὄλβος ὀπηδεῖ. Ab Hom. sæpe copulatur ὄλβος et πλοῦτος, et tunc reddi potest Opes s. Fortunæ, ob quas beatus aliquis censetur : unde Beatus sæpe pro Divite ponitur. Il. Π, [596] : Ὄλβῳ τε πλούτῳ τε μετέπρεπε Μυρμιδόνεσσι· Ω, [536] : Πάντας γὰρ ἐπ' ἀνθρώπους ἐκέκαστο Ὄλβῳ τε πλούτῳ τε. Sic et
D Od. Ξ, [206] : Θεὸς ὣς τίετο δήμῳ Ὄλβῳ τε πλούτῳ τε καὶ υἱάσι κυδαλίμοισι. Utitur hoc vocabulo [præter Pindarum et Tragicos Aristoph. Av. 421 : Λέγει μέγαν τιν' ὄλβον οὔτε λεκτὸν οὔτε πιστόν. Herodot. 1, 86 : Θησάμενος πάντα τὸν ἑωυτοῦ (Crœsi) ὄλβον. Hippocr. p. 1272, 21 : Εἴ τίς ἐστιν ἄλλος ἀνὴρ κατ' Εὐρώπην ἀγαθὸς, φίλον οἴκῳ βασιλέως τίθεσο, μὴ φειδόμενος ὄλβου·] et Xen. Cyr. 1, [5, 9] : Πολὺν μὲν ὄλβον, πολλὴν δὲ εὐδαιμονίαν, μεγάλας δὲ τιμὰς καὶ αὑτοῖς καὶ τῇ πόλει περιάψειν· 4, p. 58 [c. 2, 44, 46] : Ὄλβον δὲ ὅλον πειρώμενοι θηρᾶν. [Plur. Manetho 4, 61 : Ἐκ δὲ γυναικείων Χαρίτων λάμποντας ἐν ὄλβοις. Paul. Sil. Amb. 261 : Χρυσέου δὲ μίτου σέλας ἄλλον ἐπ' ἄλλῳ ὄλβον ἐπανθίζων περὶ κάλλεϊ κάλλος ἐγείρει.] Annotat Eust. [Od. p. 1364, 6; 1558, 53] ὄλβος a quibusdam exponi non solum εὐδαιμονία, sed etiam φρόνησις, unde ἄνολβος pro ἀνόητος [Soph. Aj. 1156, ubi schol. ὄλβος κυρίως ἡ φρ.] : alios, ἡ τῶν ἀγρῶν κτῆσις· παρὰ τὰς ὀλὰς, i. e. κριθάς : ut sit ὄλβος quasi ὁ περὶ ὀλὰς βίος.

[Ὀλβὸς, ὁ, Olbus. Arcad. p. 45, 24 : Σεσημείωται τὸ

ὠλεός κύριον παροξυνόμενον, ὥσπερ λοβός. Scr. ὀξυνόμενον. L. Dind.]

Ὀλβοφόρος, ὁ, ἡ, Divitias ferens, Opes afferens, [Ps.-] Eur. [Iph. A. 597.]

[Ὄλγασσυς, ὁ, Olgassys, mons Paphlagoniæ, ap. Strab. 12, p. 561, 562, ubi est var. Ὄλγασις. Idem haud dubie nomen quod inter Paphlagonica ponit p. 553, ubi libri variant inter Ὀλίγασυς vel Ὀλόγασυς, Ὀλιγάσης.]

[Ὀλεάριος, ὁ. S. Epiphanius Hæresi 30, n. 24: Ἦλθεν εἰς αὐτὸ τὸ λουτρόν· κα' γενόμενος πρὸς τὸν εἰωθότα ὑποδέχεσθαι τῶν λουομένων τὰ ἱμάτια, ἤρετο τίς ἔνδον ἐστὶν ἐν τῷ βαλανείῳ. Ὁ δὲ ὀλεάριος ἐπὶ τοῦ φυλάττειν ἱμάτια προσκαρτερῶν· ἐν τοῖς γὰρ γυμνασίοις ἔργον ταῦτό τισιν ὑπάρχει παρισμοῦ ἕνεκα τῆς ἐφημέρου τροφῆς· ἔφη τῷ Ἰωάννῃ, etc. Idem forte qui ἀλειπτὴρ ap. Pollucem. Σπολιάριος conjicit Petav. Ducang.]

[Ὀλεθρεία, ἡ, Pernicies, Exitium. Theodot. Soph. 2, 5. Per ι male Sap. 18, 15, Macc. 3, 4, 2.]

[Ὀλεθρεργάτης, ὁ, Perniciem afferens. Constant. Manass. Chron. 3853: Τοὺς ὀλεθρεργάτας τοῦ βασιλέως. Boiss. ά]

[Ὀλέθρευσις. V. Ὀλόθρευσις.]

[Ὀλεθρευτής. V. Ὀλοθρευτής.]

[Ὀλεθρεύω, Perdo, Everto. Symm. Soph. 2, 5: Ἔθνος ὀλεθρευόμενον. Adde Exod. 12, 23 Breit. Schleusn. De scriptura hujus verbi per ε et ο v. etiam in Ἐξολ —.]

[Ὀλεθρία. V. Ὀλεθρεία.]

Ὀλέθριος, ὁ, ἡ [et α, ον. Æsch. Sept. 198: Ψῆφος κατ' αὐτῶν ὀλεθρία βουλεύσεται· Soph. Tr. 845: Ὀλεθρίαισι συναλλαγαῖς· et alibi semper eadem forma, utraque Eur., ut Hec. 1085: Ὀλέθριον κοίταν· 993: Ὀλέθριον βιοτάν· Herc. F. 415: Ὀλεθρίους ἄγρας· Suppl. 116: Οἶσθ' ἣν στρατείαν ἐστράτευσ' ὀλεθρίαν; Orph. Lith. 549: Ὀλέθριος ἔσχεν ὀπωπή. Herodot 6, 112: Μανίην ὀλεθρίην. Polyb. 2, 68, 10: Ὀλεθρίῳ φυγῇ. Theodor. Stud. p. 403, B: Ὀλεθρίου δυάδος· 464, B: Ὀλεθρίαν παρρησίαν], Exitialis, Perniciosus, [Exitiabilis his add. Gl.] Lethalis. Hom. Il. T, [294]: Οἵ πάντες ὀλέθριον ἦμαρ ἐπέσπον· et [409]: Ἀλλά τοι ἐγγύθεν ἦμαρ ὀλέθριον. Plato Epist. 7, [p. 334, D]: Ὀλέθριος πάντως ἡ πεῖρα, Exitiale et pestiferum est id tentare. Chrys. De sacerd.: Τῆς ὀλεθρίου ταύτης ἐπιθυμίας. Adverbialiter Soph. [Aj. 402], Ὀλέθριον αἰκίζει dixit pro Exitialiter, ἄχρι θανάτου, schol. [Plato Reip. 3, p. 389, D: Ἐπιτήδευμα ὀλέθριον. Aret. p. 29, 21: Μέλαινα χολὴ κάρτα ὀλέθριον. Reg. 3, 21, 42: Ἄνδρα ὀλέθριον. Ὀλεθρία, Perditrix, Gl. Comparat. et superlat. ap. Theodor. Stud. p. 227, B; 146, C. Hic etiam ap. Hippocr. p. 91, B. || « Ὀλέθριος passive etiam quandoque significat. Sic apud Lucian. Dial. mort. 2, 1: Μισῶ γὰρ αὐτοὺς ἀγεννεῖς καὶ ὀλεθρίους ὄντας, Ignavos et perditissimos.» Brunck. || Adv. Ὀλεθρίως, Eust. Il. p. 132, 16. Seager. Dionys. Areop. p. 93; Theod. Stud. p. 474, C.]

[Ὀλεθριώδης, ὁ, ἡ, i. q. ὀλέθριος, Hesych. v. Λευγαλέην. Scr. ὀλεθρώδης. L. Dind.]

[Ὀλεθρίως. V. Ὀλέθριος.]

[Ὀλεθροποιὸς, ὁ, ἡ, Perniciem efficiens, Perniciosus. Cyrill. Alex. In c. 49 Jesaiæ p. 664: Τὴν ὀλ. ἁμαρτίαν.]

Ὄλεθρος, ὁ, Perditio, Pernicies, Exitium, [Strages, Interitus pestilens his add. Gl.] Thuc. 7, p. 341 [c. 27]: Χρημάτων τ' ὀλέθρῳ καὶ ἀνθρώπων φθορᾷ ἐκάκωσε τὰ πράγματα, Eo quod pecuniæ interiissent. [Ib. 29: Ἰδέα πᾶσα καθεστήκει ὀλέθρου. Xen. Anab. 1, 2, 26: Διὰ τὸν ὄλεθρον τῶν συστρατιωτῶν· Hier. 4, 9: Τὸ δὲ τούτων τι συντέμνειν ὄλεθρος δοκεῖ εἶναι. Plato Reip. 4, p. 434, B: Τὴν τούτων πολυπραγμοσύνην ὄλεθρον εἶναι τῇ πόλει· 6, p. 491, B: Τούτων σκόπει ὡς πολλοὶ ὄλεθροι καὶ μεγάλοι· 5, p. 471, A: Οὐδ' ἐπ' ὀλέθρῳ (κολάζοντες)· 9, p. 590, A: Πολὺ ἐπὶ δεινοτέρῳ ὀλέθρῳ 10, p. 610, E: Τὸ ἐπ' ἄλλου ὀλέθρῳ τεταγμένον κακόν· Phæd. p. 88, B: Τὴν διάλυσιν τοῦ σώματος, ἣ τῇ ψυχῇ φέρει ὄλεθρον· 91, D: Ψυχῆς ὄλεθρος. Isocr. p. 61, E: Τὸν Σκιωναίων ὀλ. Antiphon p. 114, 27: Γινώσκωσι τὸν ὄλεθρον, ἐν ᾧ εἰσί.] Herodian. 1, [13, 6]: Ὀλέθρου τοσαύτου τοῖς μὲν αἴτιον ἤδη γεγονότα, ἡμῖν δὲ ἐσόμενον, Qui tanti exitii et cladis auctor illis jam fuit, mox futurus nobis est. 3, [12, 11]: Ὡς ὄλεθρος αὐτῷ οὐχ ὁ τυχὼν ἐπήρτυται· 2, [1, 18]: Οὐκ ἐπ' ὀλέθρῳ τῷ σῷ ἧδε ἡμῶν ἡ ἄφιξις, Ad exitium et mortem tibi afferendam. [Aret. p. 21, 37: Διαδιδράσκουσι τὸν ὀλ. 83, 28: Εἰ ὁ νοσῶν ἐς ὄλεθρον εἴη ὕστατον.] Usitatissimum est hoc vocab. et ap. Hom., itidem pro Perditio, Exitium, Pernicies, Mors. Il. X, [325] de jugulo, s. gula: Ἵνα ψυχῆς ὤκιστος ὄλεθρος· Od. Π, [448]: Τῷ δ' ἤρτυεν αὐτὸς ὄλεθρον, Parabat ei exitium et mortem. K, [115]: Ὃς δὴ τοῖσιν ἐμήσατο λυγρὸν ὄλεθρον· Il. Ξ, [464]: Τῷ γὰρ ῥα θεοὶ βούλευσαν ὄλεθρον· P, [244]: Ἡμῖν δ' αὖτ' ἀναφαίνεται αἰπὺς ὄλεθρος· Λ, [441]: Ἦ μάλα δή σε κιχάνεται αἰπὺς ὄλεθρος· H, [402]: Ὡς ἤδη Τρώεσσιν ὀλέθρου πείρατ' ἐφῆπται· Od. A, [11]: Πάντες ὅσοι φύγον αἰπὺν ὄλεθρον· Il. Y, [289]: Τό οἱ ἤρκεσε λυγρὸν ὄλεθρον, Ab eo depulit exitium, mortem. O, [534]: Ὥς οἱ καὶ τότε παιδὸς ἀπὸ χροὸς ἤρκεσ' ὄλεθρον· Od. I, [303]: Ἀπωλόμεθ' αἰπὺν ὄλεθρον· Δ, [489]: Ὤλετ' ὀλέθρῳ ἀεικέϊ· Γ, [87]: Ἦχι ἕκαστος ἀπώλετο λυγρῷ ὀλέθρῳ. [Pind. Pyth. 2, 41, et Tragici, ut Æsch. Cho. 362: Ἀγαμεμνίων οἴκων ὄλεθρον· Eum. 935: Σιγῶν ὄλεθρος. Soph. OEd. T, 430: Οὐκ εἰς ὄλεθρον; 659: Ἐμοὶ ζητῶν ὄλεθρον. Aristoph. Vesp. 1034: Χαράδρας ὄλεθρον τετοκυίας· Thesm. 84: Ἐκκλησιάζειν ἐπ' ὀλέθρῳ· 429: Τούτῳ ὄλεθρόν τιν' ἡμᾶς κυρκανᾶν. Manetho 2, 271: Κἀκείνων βιότοις ὀλέθρους ἐπάγουσιν.] || Homo etiam aliquis ὄλεθρος dicitur, ut Pestis, Pernicies, pro Pestifer, Perniciosus, Exitialis, Græcis alio nomine λυμεών. Dem. [p. 582, 1]: Τόνδε βάσκανον, τόνδε ὄλεθρον· et [p. 119, 8]: Οὐδὲ βαρβάρου ὄντος, ἀλλ' ὀλέθρου Μακεδόνος· et [p. 269, 19]: Ὄλεθρος γραμματεύς [et p. 688, 6]. Lucian. De saltat.: Ὀλέθρῳ τινὶ ἀνθρώπῳ. Id. [D. mort. 9, 4]: Εἰ καὶ βάρβαρος ἦν καὶ ὄλεθρος. [Herodot. 3, 142: Ἐὼν ὄλεθρος· Aristoph. Lys. 325: Ὑπό τε γερόντων ὀλέθρων. Menand. ap. Stob. Fl. 86, 6, ult.: Σκύθης τις ὄλεθρος. Diog. L. 2, 75: Ἦν δὲ Φρὺξ καὶ ὄλεθρος· aliique recentiorum. || Hesychius: Ὄλεθρος βαθύς, ἔνιοι ἐπὶ κόσμου γυναικείου, ἀπώλεια, Aristophanis spectans fragm. Thesmoph. ap. Polluc. 7, 95, ubi inter mundum muliebrem recenset, Ἔγχουσαν, ὄλεθρον τὸν βαθὺν, ψιμύθιον. V. quæ diximus in Βάραθρον. || Photius, nisi fallit scriptura: Ὄλεθρον, τὸ μόριον (μοίρων vel μώριον cod. pr.) τὸ γυναικεῖον.]

[Ὀλεθροτόκος, ὁ, ἡ, Perniciem pariens. Ms. ap. Kollar. Suppl. Lambec. p. 54: Ἔνθεν ὀλεθροτόκων αἱρέσεων ἤμβλυνε φρένα. Bandin. Bibl. Med. vol. 1, p. 123, B; Ephræm Syr. vol. 3, p. 546, B. L. Dind. Joann. monach. in Anecd. meis t. 4, p. 358 init. Boiss.]

[Ὀλεθροφόρος, ὁ, ἡ, Perniciem ferens. Const. Manass. Chron. 3050: Μάστιγι ὀλεθροφόρῳ· 4186: Νέφος ὀλεθροφόρου βίας. Nicet. Paphl. Laud. S. Eust. p. 55. Boiss. Macc. 4, 8, 18, ἀλαζονείαν.]

[Ὀλεθρώδης. V. Ὀλεθριώδης.]

[Ὀλείρ, ἐλειὸς μῦς, Hesychius. Qui eodem fere modo interpr. Ὄλιος. V. Ἐλειός.]

[Ὀλέκρανες. V. Ὀλέκρανον.]

[Ὀλεκρανίζω, Cubito ferio. Phryn. Bekk. p. 56, 17: Ὀλεκρανίζεσθαι, τὸ τοῖς ὀλεκράνοις παίεσθαι· ὀλέκρανα δὲ τὰ ἄκρα τῶν ἀγκώνων.]

[Ὀλέκρανον. HSt. in Ὠλέκρανον:] Sed scribitur et Ὀλέκρανον per ο in prima syllaba, ap. Hesych. quoque et [Photium s.] Suid., nec non in hoc l. Aristoph. Pac. [443], in quo et metrum eam scripturam requirit: Ὅστις δὲ πόλεμον μᾶλλον εἶναι βούλεται, Μηδέποτε παύσασθαι αὐτὸν, ὦ Διόνυσ' ἄναξ, Ἐκ τῶν ὀλεκράνων ἀκίδας ἐξαιρούμενον, Faxis, Bacche, ut nunquam ex cubiti tubere s. gibbero desinat evellere cuspides: i. e. Faxis ut perpetuo in cubiti tubere telorum cuspides habeat quas eximat. Imprecatur enim ei hoc malum, quoniam ea pars offensa, extreme dolet, sicut et poples. [Aret. p. 21, 27: Ὀλεκράνῳ. Schol. Arati 876 (?). Angl. V. Ὀλεκρανίζω.] Apud Hesych. vero legitur non solum ὀλέκρανα neutro genere, sed etiam Ὀλέκρανες, masculino: quorum utrumque esse dicit τὰ ἐπὶ τῶν ἀγκώνων ὀστᾶ, Ossa ex cubitis prominentia et acuta.

Ὀλέκω, Perdo, h. e. Exitium affero, Perimo. Hom. Il. O, [249]: Οὓς ἑτάρους ὀλέκοντα, Suos socios perimentem. Σ, [172]: Οἱ δ' ἀλλήλους ὀλέκουσι· Od. X, [305]: Οἱ δέ τε τὰς ὀλέκουσιν ἐπάλμενοι. [Soph. Ant. 1286: Τί μ' ὀλέκεις; Apoll. Rh. 3, 1058: Ὀλέκοιεν ἀλλήλους. Theocr. 22, 108: Ἀλλάλους δ' ὄλεκον.] Pass.

Ὀλέκομαι, Pereo, Intereo, Morior. Il. A, [10]: Νοῦσον ἀνὰ στρατὸν ὦρσε κακήν· ὀλέκοντο δὲ λαοί. [Æsch. Prom. 563: Τίνος ἀμπλακίας ποιναῖς ὀλέκει; Soph. Tr. 1013: Ὠλεκόμαν ὁ τάλας.] Hesych. quoque ὀλέκειν exp. ἀπολλύναι, φονεύειν, πολιορκεῖν: sed perperam ap. eum scribitur Ὀλύκειν, ut ex alphabetico etiam ordine manifestum est. [In prosa usurparunt V. T. intt. Job. 32, 18: Ὀλέκει με τὸ πνεῦμα τῆς γαστρός· unde Suidas: Ὀλέκει, φονεύει, φθείρει. Ib. 17, 1: Ὀλέκομαι πνεύματι φερόμενος. Theod. Stud. p. 279, A: Ὠλέκοντο.]

[Ὄλενοι κριθῆς, δεσμοί, Hesychius.]

[Ὀλερὸς, ά, όν.] Ὀλερὸς, i. q. ὀλώδης. Galen. ap. Hippocr. [p. 607, 30, ubi nunc θολερὸν, ut conjicit Foes.] ὀλερὸν esse dicit δυσῶδες: vel μέλαν, ἀπὸ τοῦ τῶν σηπιῶν ὄλου. [Quod v. Hesychius: Ὄλερον (sic), βορβορῶδες, τεταγμένον.]

Ὀλεσήνωρ, ορος, ὁ, ἡ, Viros perdens, Hominibus perniciem afferens. Hesiodus et Theogn. [399] vocant ὀλεσήνορας ὅρκους, Perjuria hominibus exitialia, VV. LL. [Nonn. Dion. 28, 273. Wakef.]

[Ὀλεσιαυλοκάλαμος, ὁ, ἡ, Qui tibiarum arundines vel tibias arundineas perdit. Eust. Il. p. 1165, 23: Κάλαμος δὲ αὐληταῖς (χρήσιμος), ὅθεν καί τις φαύλως αὐλῶν ὀλοσιαλοκάλαμος ἐσκώφθη. Ὀλεσιαυλοκάλαμος apud Pratinam Athen. 14, p. 617, A, pro ὀλοσίαλον κάλαμον vel ὀλοσιαλοκάλαμον restituit HSt.]

Ὀλεσίβωλος, ὁ, ἡ, Glebas perdens, h. e. Glebis nocens.

[Ὀλεσίθηρ, ος, ὁ.] Ὀλεσίθηρος, Feris perniciem afferens, Feras perdens et perimens. Eur. Phœn. [672] de dracone, quem Cadmus occidit: Ὃν ἐπὶ χέρνιβας μολὼν Κάδμος ὤλεσε μαρμάρῳ, κρᾶτα φόνιον ὀλεσίθηρος ὠλέναις δικὼν βολαῖς, Feræ s. Anguis interfector Cadmus. [Vera scriptura est ὀλεσίθηρος ὠλένας, ut sit gen. ab Ὀλεσίθηρ.]

[Ὀλεσίκαρπος, ἡ ἰτέα, διότι φθείρει τὰ ἔμβρυα ὅ τε κάρπος αὐτῆς καὶ τὸ ἄνθος ἀποτριβούμενα ἐν ὕδατι καὶ πινόμενα κτλ. Neophytus in Gloss. iatr. Ms. *Salix.* Ducang. V. Ὠλεσίκαρπος.]

Ὀλεσίκρανον, affertur pro ὀλέκρανον: sed ἀμαρτύρως.

[Ὀλεσίμβροτος, ὁ, ἡ, Homines perdens. Proculus Hymn. in Apoll. 41: Ἀχλὺν ἀποσκεδάσας ὀλεσίμβροτον. Orph. Lith. 444.]

[Ὀλεσίνοος, ὁ, ἡ, Mentem perdens. Ὀλεσσίνοος Joann. Memph. Epigramma in Greg. Naz. Boiss.]

[Ὀλεσίοικος, ὁ, ἡ, Domum perdens. Ὀλεσίοικος γυνή, Liban. vol. 4, p. 143, 13. Hemst. Infra per ω. Quod etiam ap. Lib. præferebat Lobeck. ad Phryn. p. 701.]

[Ὀλεσίπτολις, ὁ, ἡ, Urbem s. civitatem perdens. Tryphiod. 453: Ἴλιον ὀλεσίπτολις ἀμφέβαλεν νύξ· 683: Πυρὸς ὀλεσίπτολιν ἄτην.]

[Ὀλεσιτύραννος, ὁ, ἡ, Tyrannum vel Tyrannos perdens. Anth. Pal. 15, 50, 3: Εὖτε γὰρ ἦλθεν ἄνακτος ὀλεσσιτύραννος ἀκωκή.]

Ὀλέσκω, i. q. ὀλέκω: unde ap. [Phot. s.] Suid.: Ὀλέσκει, ὀλοθρεύει, in manuscripto etiam libro: unde derivare possumus ὀλέεσκεν: nam in eo Eust. tradit esse pleonasmum τοῦ ε. Hom. Il. T, [135]: Ἀργείους ὀλέεσκεν ἐπὶ πρύμνῃσι νέεσσι. [Ubi al. ὤλεσκεν et ὀλέκεσκεν. Priori forma Orac. Sib. 1, 108: Καὶ τοὺς ὑσμίνη τ' ἀνδροκτασίαι τε μάχαι τε ξυνεχέως ὤλεσκον. Altera Quintus 2, 414: Τίπτε σὺ Τρῶας ἀνηλεγέως ὀλέεσκες; Præsens autem, quod cum Suida ponit HSt., nullum est.]

[Ὀλεσσι—. V. Ὀλεσι—.]

Ὀλέτειρα, ἡ, Perditrix [Gl.], Interfectrix, Quæ perniciem et exitium affert. [Batrach. 117: Μυῶν ὀλέτειραν ἐοῦσαν. Piso (sec. Planud. Antiochus) Anth. Pal. 11, 424, 2: Γαίης ἐκ Γαλατῶν μηδ' ἄνθεα, ἧς ἀπὸ κόλπων ἀνθρώπους (—πων Plan., —ποις Brunck.) ὀλέτειραι Ἐρινύες ἐβλάστησαν. Memorat Theognost. Can. p. 101, 26.]

Ὀλετὴρ, ῆρος, ὁ, Perditor, Interemptor, Interfector: unde ap. Hesych. Ὀλετῆρες, φονεῖς. Hom. Il. Σ, [114]: Νῦν δ' εἶμ' ὄφρα φίλης κεφαλῆς ὀλετῆρα κιχείω Ἕκτορα. [Nicand. Th. 735: Μυιάων ὀλετῆρος. Manetho 2, 184: Λεχέων ὀλετῆρας ἀλλοτρίων· 3, 11: Τέκνων δ' αὖτ' ὀλετὴρ πέλεται. Nonnus Dion. 20, 50: Τιτήνων ὀλετῆρα· 25, 92: Γηγενέων ὀλετῆρες. Epigr. Anth. Pal. 9, 686, 1. Antip. Sidon. ib. 6, 115, 3: Δαρδανέων

A ὀλετῆρα.] Apud Hesych. habetur etiam Ὀλητῆρες, φονεῖς: a nom. Ὀλητήρ: quod verbale est, quasi ab ὀλέω, cujus fut. ὀλήσω.

[Ὀλετήριος, α, ον, Perniciosus. Epiphan. vol. 1, p. 3, D; 4, A; 31, A; 69. Theognost. Can. p. 56, 7.]

[Ὀλέτις, ιδος, ἡ, Perditrix. Epigr. Anth. Pal. 3, 7, 2: Δίρκην κτείνατε τάνδ' ὀλέτιν ματέρος Ἀντιόπας.]

[Ὀλητήρ. V. Ὀλετήρ.]

[Ὀλθακὸς, ὁ, Olthacus, princeps Dandaniorum, ap. Plut. Lucull. c. 16.]

[Ὀλιάτος, ὁ, Oliatus, n. viri Mylasensis, ap. Herodot. 5, 37.]

Ὀλιβάξαι, Hesych. ὀλισθεῖν, Labi, Lapsare: afferenti itidem Ὀλιβρὸν pro ὀλισθηρὸν, λεῖον, ἐπισφαλὲς, Lubricum. [Ὠλίβραξαν Hesychio ὤλισθον. V. Ὀλισθράζω.]

[Ὀλίγαιθος, ὁ, ἡ, Oligæthus, Corinthius, unde patron. Ὀλιγαιθίδας est ap. Pind. Ol. 13, 93. Ὀλίγαιθος memorat Theognost. Can. p. 59, 5.]

Ὀλιγαιμία, ἡ, Sanguinis paucitas. [Aristot. De

B partt. anim. 2, 5. L. Dind.]

[Ὀλίγαιμος.] Ὀλιγόαιμος, ὁ, ἡ, vel potius Ὀλίγαιμος, Cui paucus est sanguis, Cui parum est sanguinis, Alex. Aphrod. [Probl. 1, 103, ubi ὀλιγόαιμοι.] Sed frequentius invenitur Ὀλίγαιμος, et ita habetur ap. Polluc. [2, 215; Etym. M. p. 621. Hippocr. p. 278, 1 et 50; 280, 15; 357, 16; 358, 22; 563, 32; 638, 41; Aristot. H. A. 1, 16, De respir. c. 1, De longæv. c. 5 et alibi.]

[Ὀλιγαιμότης, ητος, ἡ, Paucitas sanguinis. Aristot. De partt. anim. 4, 11: Ὁ φόβος κατάψυξίς δι' ὀλιγαιμότητά ἐστι καὶ ἔνδειαν θερμότητος. L. Dind.]

Ὀλιγάκις, Paucies (ut Titinn. ap Nonium, In urbem paucies venire soles), Raro, Non ita sæpe multumque. [Eur. Or. 919: Ὀλ. ἄστυ κἀγορᾶς χραίνων κύκλον. Perfrequens est etiam ap. Xen. et Plat.] In Epist. Philippi ap. Dem. [p. 161, 24]: Πολλάκις μὲν ἐμοῦ δεηθέντος, οὐκ ὀλιγάκις δ' ἐκείνων. || Apud Eur. vero schol. [male] exp. οὐδ' ὅλως, Or. [387]: Φείδου δ' ὀλιγάκις λέγειν κακά. [Similes interpretationes voc.

C ὀλίγος v. ap. Heyn. ad Il. E, 800. || Formam Ὀλιγάκι memorat Etym. M. p. 172, 6.]

[Ὀλιγάμπελος, ὁ, ἡ, Paucas vites habens. Antiphil. Anth. Pal. 9, 413, 1, νησίς.]

Ὀλιγανδρέω, ήσω, Virorum paucitate et penuria laboro: oppositum τῷ εὐανδρῶ. Plut. [Poplic. c. 11]. Ἀνεπλήρωσε τὴν βουλὴν ὀλιγανδροῦσαν, Ad paucos viros redactum. Sic Thuc. [4, 25]: Πολλοὶ γὰρ φθειρομένων ἐν τῇ ναυαγίᾳ τῶν σκαφῶν, ἀπεκολύμβησαν· οὓς ἐς τὸ ναυτικὸν ὀλιγανδροῦν κατέταξαν. [Diod. 15, 63. Dio Cass. 49, 1; 59, 9. « Suid. in Περίνεως. » Hemst.]

Ὀλιγανδρία, ἡ, [Paucitas, Gl.] per quod Bud. interpr. τὸ ὀλιγανθρωπία. [Plut. Mor. p. 413, F: Τῆς κοινῆς ὀλιγανδρίας. Strabo 14, p. 636. Schol. Hom. Il. A, 691. Cyrill. Al. In c. 1 Sophoniæ p. 582.]

[Ὀλιγανθρωπέω, Hominum paucitate laboro, i. q. ὀλιγανδρέω. Joseph. A. J. 11, 5 fin; Theagenes ap. schol. Pind. Nem. 3, 21; Tzetz. ad Lycophr. 176.]

Ὀλιγανθρωπία, ἡ, Paucitas raritasque hominum. Thuc. [1, 11: Αἴτιον δ' ἦν οὐχ ἡ ὀλ.] 3, [93]: Τὰ πρά-

D γματά τε ἔφθειρον, καὶ ἐς ὀλιγανθρωπίαν κατέστησαν. || Idem significat quod ὀλιγανδρία. [Xen. Comm. 2, 7, 2; Plat. Leg. 6, p. 780, B, ubi plurali; Aristot. Reip. 3, 5, etc. Pollux 2, 5.]

[Ὀλιγάνθρωπος, ὁ, ἡ, Non frequens hominibus, i. q. ὀλίγανδρος. Xen. OEcon. 4, 8, χώραν· Reip. Lac. 1, 1: Ἡ Σπάρτη τῶν ὀλιγανθρωποτάτων πόλεων οὖσα. Dionys. A. R. 2, 3, ἀποικίαι· 3, 11, πόλεις. « Jo. Chrys. Serm. 71, vol. 6, p. 722: Εἴ τις τὴν σύναξιν ταύτην τὴν ὀλιγάνθρωπον,... κἀκείνην τὴν σύναξιν τὴν πολυάνθρωπον... ὥσπερ ἐν ζυγῷ καὶ σταθμῷ θελήσει σταθμῆσαι. » Seager.]

[Ὀλιγάριθμος, ὁ, ἡ, Numero paucus. Theodor. Metoch. p. 568. Cramer.]

Ὀλιγᾱριστία, ἡ, Prandium præparcum, Quum pauculo cibo in prandio contenti sumus. [Plut. Mor. p. 127, B; 180, A; 1099, C; Alex. c. 22.]

[Ὀλιγαρκέω, Paucis contentus sum. Minus proprie Geopon. 14, 7, 25: Τῇ δὲ ὀλιγαρχούσῃ (ὄρνιθι), Quæ paucos pullos habet.]

Ὀλιγαρκὴς, ὁ, ἡ, Paucis contentus, Modico contentus. Unde etiam exp. Frugalis, s. Homo frugi. Et τὸ ὀλιγαρκὲς substantive, Contentum esse paucis, Animus paucis contentus. Lucian. [Timon. c. 54]: Τῶν ἡδονῇ χαιρόντων κατηγορῶν, καὶ τὸ ὀλιγαρκὲς ἐπαινῶν. [Ib. c. 57.]

Ὀλιγαρκία s. Ὀλιγάρκεια, ἡ, idem q. τὸ ὀλιγαρκές. Gregor.: Θαυμαστὸν ἡ ἐγκράτεια καὶ ὀλιγαρκία. At in VV. LL. mendose ὀλιγαρκία redditur Penuria cibi, quum hæc signif. sit vocabuli ὀλιγαρτία. [Ὀλιγαρκία, τὸ ἐν ὀλίγοις ἀρκεῖσθαι, Suidas.]

Ὀλιγαρτία, ἡ, Penuria panis. Ad verbum sonat Paucitas panis, ἡ λεῖψις τοῦ ἄρτου, inquit Suid. [Ἡ ἔνδεια τοῦ σίτου Etym. M.] In VV. autem LL. male ὀλιγαρκία pro hoc ponitur.

Ὀλιγαρχέω, unde ὀλιγαρχοῦντες, Pauci dominatum obtinentes. Et πόλεις ὀλιγαρχούμεναι, ap. [Xen. Reip. Ath. 2, 17, 20,] Plat. [Reip. 8, p. 552, B, etc.] et Aristot., Civitates dominatui paucorum subditæ. [Thuc. 8, 76: Οἱ μὲν τὴν πόλιν ἀναγκάζοντες δημοκρατεῖσθαι, οἱ δὲ τὸ στρατόπεδον ὀλιγαρχεῖσθαι. Isocr. p. 32, A. Dionys. A. R. 11, 11: Ἐὰν ἀγαπῶσι Ῥωμαῖοι πάντες ὀλιγαρχούμενοι.]

[Ὀλιγάρχης, ὁ, Qui cum paucis dominatur, unde ap. Dionys. A. R. 11, 39: Ἀππίου καὶ τῶν ἄλλων ὀλιγαρχῶν· 39: Τῆς τῶν ὀλιγαρχῶν καταλύσεω· 43: Ἅμα τοῖς ὀλιγάρχαις· eodemque casu 46, de decemviris Rom.]

Ὀλιγαρχία, ἡ, Paucorum dominatus [dominatio, imperium, principatus huic add. Gl. Herodot. 3, 82: Δήμου τε ἀρίστου καὶ ὀλιγαρχίης καὶ μουνάρχου.] Thuc. 6, p. 211 [c. 39]: Πρῶτα μὲν, δῆμον ξύμπαν ὠνομάσθαι, ὀλιγαρχίαν δὲ μέρος. Idem 8, p. 291 [c. 73]: Ἐν ᾧπερ καὶ μάλιστα ὀλιγαρχία ἐκ δημοκρατίας γενομένη ἀπόλλυται. [Xen. Cyrop. init.: Ὅσαι ὀλιγαρχίαι ἀνήρηνται ἤδη ὑπὸ δήμων· Comm. 1, 2, 12: Τῶν ἐν τῇ ὀλιγαρχίᾳ πάντων κλεπτίστατος. Et alibi sæpe ap. eundem de triginta et quadringentorum dominatu. Perfrequens est etiam ap. Plat. et Demosth. et Isocr.] Sciendum est autem ὀλιγαρχίαν dici etiam peculiarius Paucorum eorumque divitum dominatum. Ὀλιγαρχία, inquit Bud., Plato De rep. 8, [p. 550, C]: Ἡ ἀπὸ τιμημάτων κατάστασις τῆς πολιτείας. [Aristot. Rhet. 1, 8: Ὀλιγ. ἐν ᾗ οἱ ἀπὸ τιμημάτων, ἀριστοκρατία δὲ ἐν ᾗ οἱ κατὰ παιδείαν.] Sic ab ipso appellatur ἐν ᾗ οἱ πλούσιοι μόνοι ἄρχουσι. [Aristot. Eth. Nic. 8, 12, et sæpius in Rep.]

Ὀλιγαρχικὸς, ἡ, ὸν, Ad oligarchiam pertinens. Et ὀλιγαρχικὸν, Peculiare oligarchiæ. Apud Thuc. autem 8, p. 285 [c. 72], ἐν ὀλιγαρχικῷ κόσμῳ, Statu oligarchiæ. Idem 6, p. 216 [c. 60]: Ἐπὶ συνωμοσίᾳ ὀλιγαρχικῇ καὶ τυραννικῇ. [Πολιτεία ὀλ. Polyb. 6, 9, 3. Demosth. p. 707, 22: Οὐδὲν ὠμὸν οὐδ' ὀλ. προστάττουσιν.] ‖ Ὀλιγαρχικὸς, Oligarchiæ favens, Paucorum dominatu gaudens. [Quod perfrequens est ap. Platonem, ut Reip. 8, p. 553, E, etc., Isocr. p. 169, E, Æschin. p. 1, 23, Aristot. Eth. Nic. 5, 6, Dionys. A. R. 6, 10, et alibi. Comparativo 7, 20: Οἱ αὐθαδέστεροι καὶ ὀλιγαρχικώτεροι. Numenius ap. Euseb. Præp. 14, p. 728, B. ‖ Adv. Ὀλιγαρχικῶς, Plat. Reip. 8, p. 555, A: Ὀλίγοις τισὶν ἑαυτοῦ πολεμῶν ὀλιγ. τὰ πολλὰ ἡττᾶται. Demosth. p. 200, 15: Πολιτευομένους ὀλιγ.]

[Ὀλίγασυς. V. Ὄλγασσυς.]

[Ὀλιγαῦλαξ.] Ὀλιγαύλαξ, ἄκος, ὁ, ἡ, Paucos habens sulcos, et per consequens paucos agros. Suidas ὀλιγαύλας substantive capit, exponens ἡ μικρὰ χώρα, hoc adjiciens exemplum, Ἦτ' ὀλιγαύλαξ σπείρεσθαι. [In epigr. Leonidæ Anth. Pal. 6, 226, 1, cod. Pal. ὀλιγόλαυξ, ὀλιγῶλαξ Brunckius.]

Ὀλιγάχόθεν, Ex paucis locis. In VV. LL. pro Alicunde, Aliquantulum, citatur ex Herodoto [3, 96, ubi τῆς Λιβύης ὀλιγ. significat, E Libyæ exigua parte. Schweigh.]

Ὀλιγαχοῦ, Paucis in locis, ut πανταχοῦ, Ubique, et πολλαχοῦ, Plerisque in locis. [Plato Charm. p. 160, C.] Utitur Aristot. [Rhet. 3, 5], teste Budæo. [Theophr. H. Pl. 4, 6, 10, sec. cod. Urb., et 9, 10, 3.]

[Ὀλιγαχῶς, Paucis modis. Philemo Lex. techn. p. 57. Planud. De grammatica Ms. Boiss.]

[Ὀλίγγη, ἡ, ἡ ἀνάπαυσις, Requies, inter hyperdisyllaba in γη ponit Arcad. p. 105, 12. Diversum est

A ὠλίγγη, non dissimile ἕλινος, quod comparat Lobeck. Patholog. p. 305, et forma quidem ἰλίγγη, de quo dictum in Ἑλιγή.]

[Ὄλιγγος, ὁ γόνος τῶν ἀκρίδων, Photius et Suidas; Ὄλιγγοι, γένος ἀκρίδων, Photius. V. Hesych. in Ὀλίγινθα cit.]

[Ὀλιγεκτέω, Pauca habeo. Theolog. arithm. p. 29.]

[Ὀλιγεξία. V. Ὀλιγοεξία.]

[Ὀλιγήμερος, ὁ, ἡ, Qui paucorum est dierum. Hippocr. p. 386, 11. Aret. p. 53, 4: Ὀλιγήμεροι θνήσκουσι· 63, 35: Ὀλ. ἡ διάλειψις. Eust. Il. p. 14, 11.]

[Ὀλιγηπελέω. HSt.:] Ὀλιγοπελέω, Parum valeo, Infirmus et imbecillus sum. Et Ὀλιγοπελία, Imbecillitas. Verum pro his dicunt poetæ potius Ὀλιγηπελέω, metri causa. Hom. Od. E, [457]: Ὁ δ' ἄπνευστος καὶ ἄναυδος Κεῖτ' ὀλιγηπελέων, Viribus defectus. Il. O, [23]: Ὄφρ' ἂν ἵκηται Γῆν ὀλιγηπελέων· Od. T, [356]: Ἥ σε πόδας νίψει ὀλιγηπελέουσά περ ἔμπης, i. e. ὀλίγον ἰσχύουσα, ἀσθενοῦσα· de vetula viribus defecta. Dicitur autem ὀλιγηπελέω quasi Pusilla res sum, Adeo exhaustus sum vi-

B ribus, ut pauculum restet: quo sensu et ὀλιγοδρανέω. [Alteræ formæ non usurpantur.]

[Ὀλιγηπελὴς, ὁ, ἡ, Exilis. Crinagoras Anth. Pal. 7, 380, 6, ῥάκος. «Synes. Hymn. 3, 359: Ψυχὰν ὀλιγηπελέα.» Boiss.]

Ὀλιγηπελίη, ἡ, Virium defectus, Imbecillitas. Hom. Od. E, [468]: Μή μ' ἄμυδις στίβη τε κακὴ καὶ θῆλυς ἐέρση Ἐξ ὀλιγηπελίης δαμάσῃ κεκαφηότα θυμόν. [Eust. Opusc. p. 297, 23.]

[Ὀλιγήρης, ὁ, ἡ, i. q. ὀλίγος. Nicander Th. 284: Τρηχὺν ὑπ' ἄρπεζαν θαλάμην ὀλιγήρεα τεύχων. Arcad. p. 117, 12.]

[Ὀλιγήριον, τὸ, Parvum sepulcrum. Leonid. Tarent. Anth. Pal. 7, 656, 1: Τὴν ὀλίγην βῶλον καὶ τοῦτ' ὀλιγήριον, ὦνερ, σῆμα ποτίφθεγξαι ... Ἀλκιμένευς. Non simplex, sed compositum putabat Lobeck. Patholog. p. 281.]

Ὀλιγηροσία, ἡ, Tenue arvum. Apud Suid. [ex epigr. Zonæ Anth. Pal. 6, 98, 2], Πενιχρῆς ἐξ ὀλιγηροσίης μοῖραν ἀλοεῖται στάχυος· qui tamen pentameter

C mendosus est.

[Ὀλιγησίπυος, ὁ, ἡ, Qui exigui est penoris. Leonid. Tar. Anth. Pal. 6, 300, 2: Κὴξ ὀλιγησιπύω δέξο Λεωνίδεω. Id. ib. 288, 10: Θείης δ' εὐσιπύους ἐξ ὀλιγησιπύων.]

Ὀλίγινθα, ap. Hesych., quod exp. ὀλίγον. [In Ind.:] Dicitur ut μίνυνθα: cui et συνωνυμεῖ. At Ὀλίγιοι, Eidem est εἶδος ἀκρίδων: ut aliis placet, ῥιζίον ὅμοιον βολβῷ. [V. Ὄλιγγος.]

[Ὀλίγιστος. V. Ὀλίγος.]

[Ὀλιγόαιμος. V. Ὀλίγαιμος.]

[Ὀλιγοαναφορία. V. Ὀλιγοανάφορος.]

[Ὀλιγοανάφορος, ὁ, ἡ, ap. Ptolem. Centiloq. p. 221, νϛ': Τῶν πολυαναφόρων καὶ ὀλιγοαναφόρων ζῳδίων, Signa recta et obliqua vertit Pontanus. Procul. In Ptolem. Tetrab. p. 114, 12: Ἀναγκαῖόν ἐστιν εἰπεῖν, σεσιώπηται γὰρ τῷ παλαιῷ, τὰ βραδυανάφορα τῶν ζῳδίων ταχυκατάφορα γίνεται καὶ τὸ ἀνάπαλιν τὰ βραδυκατάφορα ὀλιγοανάφορα· 118 fin.: Ἀλλ' οὐκ ἀεὶ τὰ ἑξάγωνα ληψόμεθα, ἀλλ' ὅταν τὰ μὲν ἑξάγωνα πολυανάφορα ᾖ· τότε γὰρ δοκεῖ διὰ τὴν πολυαναφορίαν μιμεῖσθαι τὴν τοῦ τετραγώνου δύναμιν, τὰ δὲ

D Δ, ὅταν ὀλιγοανάφορα ᾖ· συστελλόμενα γὰρ καὶ ταῦτα τὴν τοῦ Π ἐναπολαμβάνει δύναμιν, ἐὰν μὴ τὸ μὲν εὑρεθῇ τῶν ζῳδίων ὀλιγοανάφορον, τὸ δὲ πολυανάφορον· τότε γὰρ χρὴ ἢ τὴν πλευρὰν ὅλην λαμβάνειν ἢ ἀπὸ τοῦ κανόνος τὴν ὀλιγοαναφορίαν ἢ πολυαναφορίαν εὑρίσκειν. Et ib. p. 119 fin. L. Dind.]

[Ὀλιγόβαθμος, ὁ, ἡ, Qui paucos habet gradus. Theodor. Prodr. ap. Cram. Anecd. vol. 3, p. 211, 19, κλίμακι. L. Dind.]

[Ὀλιγοβάρης, ὁ, ἡ, Qui est exigui ponderis. Paul. Æginet. p. 122, 10. Hemst.]

Ὀλιγόβιος, ὁ, ἡ, Pauco, i. e. Brevi, tempore vivens. [Cotel. Eccl. Gr. monum. vol. 1, p. 341. Boiss. Job. 14, 1. Hesych. v. Μινύζηον, Andr. Cret. p. 245, C; Achmes Onir. p. 70, 72, 74, 78. Et comparat. ὀλιγοβιώτεροι Aristot. H. A. 8, 28.]

[Ὀλιγόβουλος, ὁ, ἡ, Qui exiguæ est prudentiæ. Polemo Physiogn. 1, 3, p. 182; Adamant. 2, 23, p. 409.]

Ὀλιγογνώμων, ονος, ὁ, ἡ, i. q. ὀλίγωρος, Negligens; sic enim ap. Hesych. [et Photium s. Suidam] ὀλιγόγνωμον, ὀλίγωρον. [Synes. p. 15, A : Μικροκεφάλους τε καὶ ὀλιγογνώμονας· 28, C : Οὓς ἐγὼ καὶ μυρμήκων ἀγενεστέρους ἀποφηνάμενος καὶ μᾶλλον ὀλιγογνώμονας, Insipidiores. Cyrilli exx. nonnulla indicavit Suicer.]

Ὀλιγογόνᾰτος, ὁ, ἡ, Paucis geniculis nodatus. Theophr. [H. Pl. 4, 11, 11] : Ἴδιος δὲ ὁ τοξικὸς κάλαμος, ὃν δὴ Κρητικόν τινες καλοῦσιν, ὀλ. δέ. Quæ ita Plin. 16, 36 : Suum genus est sagittario calamo s. Cretico, longissimis internodiis. Dixit autem Longissimis internodiis pro ὀλιγογόνατος : quoniam ubi pauciora sunt genicula, sequitur ibi longiora esse internodia. [Iterum HSt. :] Ὀλιγογόνατος : ut ὀλιγογόνατος κάλαμος, ex Theophr. H. Pl. 12, Arundo paucioribus geniculis, et longioribus internodiis. Vide Plin. 16, 36.

[Ὀλιγογονία, ἡ, Exigua proles. Plato Protag. p. 321, B. Permutatum cum ὀλιγοδεΐα ap. Palladium De Brachman. ab Suida v. Βραχμᾶνες cit.]

Ὀλιγόγονος, ὁ, ἡ, Paucos generans aut procreans, Infœcundus. Aristot. [H. A. 6, 1] : Τὰ δὲ γαμψώνυχα πάντα ὀλιγόγονά ἐστι. Pro quo Plin. : Pennatorum infœcunda sunt quæ aduncos habent ungues. [Comparat. 6, 17, et Theophr. C. Pl. 1, 22, 1, ὀλιγογονώτερα.] Videtur potius scrib. ὀλιγογόνος. [Habes tamen antepenacute scriptum ὀλιγόγονα etiam ap. Herodot. 3, 108, prorsus ut huic oppositum πολύγονα. Schweigh. Eandem esse prosodiam contrarii πολύγονος animadvertit Buttm. Gramm. vol. 2, p. 482. Alterius ex. nullius fidei notavi ad Diodor. 1, 40, p. 49, 50. L. D.]

[Ὀλιγόδακρυς, Eust. Angl.]

[Ὀλιγοδάπανος, ὁ, ἡ, Parcus, Qui exiguos sumtus facit. Etym. M. v. Εὐτελής. Boiss. Pallad. Laus. 98, p. 155. ᾰᾰ]

Ὀλιγοδεής, ὁ, ἡ, Qui paucis eget; Paucis contentus, ex consequente. [Vescus, Veses, Gl. Ὀλιγοδεής συμπότης ponit Pollux 6, 28. Posidon. ap. Athen. 6, p. 275, A : Οὕτω ὀλιγοδεεῖς ἦσαν. Sthenidas ap. Stob. Fl. vol. 2, p. 319 : Εἰ ὀλιγοδεέα παρασκευάζοι αὑτόν. « Marc. Antonin. 1, 5. » Valck. Polyb. 16, 20, 4 : Τὸ δὲ πρὸς ἀλαζονείαν καὶ φαντασίαν, ὃ καὶ τὴν κατασκευὴν ἔχει ῥᾳδιεστέραν καὶ τὴν εὐδόκησιν ὀλιγοδεεστέραν, Ad placendum paucioribus opus habet.]

[Ὀλιγόδεια.] Ὀλιγοδεία, et Ὀλιγοδεΐα, ἡ, Paucarum rerum indigentia, Suid. [Philo Jud. apud Euseb. Præp. ev. p. 380, B; ὀλιγοδέεια p. 381, D : quæ apud Phil. p. 877, A, ὀλιγόδεια. Hemst. Sic et vol. 1, p. 39, 42, a Wakef. cit. « Idem V. M. 3, § 22, p. 163. » Boiss.]

[Ὀλιγόδενδρος, ὁ, ἡ, Qui paucas habet arbores. Schol. Dionys. Bekk. An. p. 713, 16 : Ἐν τοῖς ψιλοτέροις ὄρεσιν, ἤγουν ἀδένδροις ἢ ὀλιγοδένδροις. L. Dind.]

Ὀλιγοδίαιτος, ὁ, ἡ, Modico contentus circa victum, s. in victu : ut Bud. interpr. ap. Athen. p. 228 : Γεγονέναι γὰρ ὀλιγοδίαιτον καὶ τρυφῆς ἀλλότριον.

[Ὀλιγόδουλος, ὁ, ἡ, Qui paucos habet servos. Strabo 16, p. 783; Eust. ad Dionys. Per. 954.]

Ὀλιγοδρᾰνέω, quod illis duobus nominibus [εὐδρανέω, λιποδρανεῖν] usitatius est, itidem pro Langueo; ac sæpe de spiritum vix trahentibus, atque adeo animam agentibus. Sic ὀλιγοδρανέων de Patroclo Hom. Il. Π, [843]; itidem de Hectore Χ, [337]; at Ο, [246] de Debilitato ob vulnus. [Ion apud Philon. vol. 2, p. 466, 35 : Ὀλ. φθογγάζεται. Hemst. Gregor. Naz. vol. 2, p. 106, 2. Boiss.]

Ὀλιγοδρᾰνής, ὁ, ἡ, Aristoph. Av. [686 : Ὀλιγοδρανέες. Orph. Arg. 428 : Ἀνθρώπων ὀλιγοδρανέων. Lucian. Tragœdop. 663. Nonnus Dion. 35, 271 : Καρηβαρέων, ὀλιγοδρανὲς ἆσθμα τιταίνων]; et Ὀλιγοδρανία, i. q. ἀδρανής et ἀδρανία, [Imbecillis et Imbecillitas. Æsch. Pr. 548 : Ὀλιγοδρανίην ἄκικυν. Paul. Sil. Anth. Pal. 5, 236, 8].

[Ὀλιγοδρανία. V. Ὀλιγοδρανής.]

[Ὀλιγοδῠνᾰμέω, Exiguum valeo. Schol. Hom. Il. Χ, 337; glossator Gregorii Naz. in notis ad Theophyl. Simoc. Ep. 43, n. 5. Boiss.]

[Ὀλιγοδύναμος, ὁ, ἡ, Exiguum valens. Schol. Oppiani Hal. 1, 623.]

[Ὀλιγόδωρος, ὁ, ἡ, Qui pauca donat. MS. ap. Hardt. Catal. codd. Monac. vol. 5, p. 450. L. Dind.]

[Ὀλιγοέλαιος. V. Ὀλιγοελαιόω.]

Ὀλιγοελαιόω, Parum olei fero, Parce oleum fundo : quo vitio laborant oleæ, quum parcus olei proventus est, nec larga olivitas, ut Colum. loquitur. Theophr. C. Pl. 6, [8, 5] : Ὧν δὲ ἡ σὰρξ πολλή, ὁ δὲ πυρὴν μικρὸς, ὀλιγοελαιοῖ. [Ὀλιγοέλαιοι Schn., ab adject. Ὀλιγοέλαιος.]

[Ὀλιγοεξία, ἡ, Pauca habere, continere. Nicomach Arithm. 1, p. 87, ubi est var. ὀλιγεξία.]

[Ὀλιγοεργής, ὁ, ἡ, Parum efficax. Hippocr. p. 422, A : Τὸ σῶμα μετατρεπόμενον νικώμενον καὶ ὀλιγοεργές ἐστι.]

Ὀλιγοέτης, ὁ, ἡ, Qui paucorum annorum est. [Pollux 1, 58. Ὀλιγοετής schol. Eur. Hec. 896 Matth.]

Ὀλιγοετία, ἡ, Paucitas annorum. [Xen. Cyrop. 1, 4, 3 : Ἐμφαίνεταί τι αὐτοῖς, ὃ κατηγορεῖ τὴν ὀλ.]

Ὀλίγοζος, ὁ, ἡ, Paucos ramos habens, In paucos ramos divisus, Paucos nodos habens; vide Ἄνοζος.

[Ὀλιγοζωία, ἡ, Brevis vita. Achmes Onir. p. 40, 54, 95. L. Dind.]

[Ὀλιγόζωος, ὁ, ἡ, Qui brevis est vitæ. Achmes Onir. p. 39, 56, 78. L. Dind.]

Ὀλιγόθερμος, ὁ, ἡ, Cui modicus calor inest, Parum caloris habens. [Aristot. De respir. c. 9, 12, De generat. an. 1, 11; 5, 3, De partt. an. 2, 7; 3, 7.]

[Ὀλιγόθριξ, τριχος, ὁ, ἡ, Qui paucos habet capillos. Chronic. Pasch. p. 688 annot. L. Dind.]

[Ὀλιγοθῡμέω, Cui exiguus est animus. Eust. Il. p. 159, 18. Idem ad Il. Ο, 240 : Ἀγείρει δὲ θυμὸν ὁ ὀλιγοθυμήσας, ὅπερ ὁ ποιητὴς ὀλιγηπελέειν φησί.]

[Ὀλιγόϊνος, ὁ, ἡ, Paucas habens fibras sive venas. Theophr. H. Pl. 5, 1, 6. ῑ]

[Ὀλιγόκαιρος, ὁ, ἡ, Exiguum tempus s. exiguam opportunitatem habens. Hippocr. p. 422, 7 : Ἡ ἰητρικὴ ὀλ. ἐστιν.]

Ὀλιγοκάλαμος, ὁ, ἡ, Paucos habens calamos. [Theophrast. C. Pl. 4, 11, 4, ὀλιγοκαλαμώτερος. ᾰᾰ]

Ὀλιγόκαρπος, ὁ, ἡ, Paucos fructus gignens, oppos. τῷ πολύκαρπος, εὔκαρπος. [Dionys. A. R. 1, 37, δενδρῖτις.]

Ὀλιγόκαυλος, ὁ, ἡ, Paucos caules habens, opposit. τῷ πολύκαυλος. Theophr. H. Pl. 7, 8, [2] : Μονόκαυλα δὲ καὶ ὀλιγόκαυλα τὰ ὀρθόκαυλα.

[Ὀλιγόκερως, ωτος, ὁ, ἡ, Qui modicis est cornibus. Geopon. 18, 1, 3 : Τοὺς κριοὺς εἶναι χρὴ ... εὐκέρωτας, ὀλιγοκέρωτας. Omittit codex.]

[Ὀλιγοκίνητος, ὁ, ἡ, Qui non multum movetur. Stob. Ecl. eth. 2, 202 (?). Angl.]

[Ὀλιγόκλᾰδος, ὁ, ἡ, Qui paucos habet ramos. Theophrast. H. Pl. 1, 5, 1.]

[Ὀλιγόκληρος, ὁ, ἡ, Qui exiguas sortitus est fortunas. Eust. ad Od. Λ, 488 : Ἀνδρὶ παρ' ἀκλήρῳ) Ἄκλ. ἀνὴρ ὁ ὀλ.]

[Ὀλιγοκτήμων, ονος, ὁ, ἡ, Pauper. Cyrill. Al. In Julian. 7, p. 226, B. Jacobs.]

[Ὀλιγοκύμαντος, ὁ, ἡ, Exiguis fluctibus jactatus. Eust. Opusc. p. 350, 69 : Εἰ μὴ ἐν παντελῶς γαληναίῳ, ἀλλ' ὡς ἐν ὀλιγοκυμάντῳ κατάστηθι. ῡ]

[Ὀλιγολᾰλέω, Pauca loquor. Eust. p. 1278, 12 (?). Lobeck. Phryn. p. 627.]

[Ὀλιγόλαλος, ὁ, ἡ, Qui pauca loquitur. Epiphan. monachus De Deipara c. 6, eodemque tono Aphodisianus, cujus locum profero ad Anecd. Gr. vol. 3, p. 39. Boisson.]

[Ὀλιγόλογος, ὁ, ἡ, Pauca loquens. Jo. Mauropus in Mustox. Sylloge fasc. 2, p. 5, et apud me ad Marin. p. 133. Boiss.]

Ὀλιγομᾰθής, ὁ, ἡ, Qui pauca didicit, Parum doctus. Vide Ἀμαθής. [Iren. 2, c. 45. Boiss. Socr. H. E. 2, 35, p. 130. Bryennius Harmon. p. 359, A. Etym. M. ‖ Adv. Ὀλιγομαθῶς, Socr. H. E. 4, 7, p. 219.]

[Ὀλιγομετρία, ἡ, Paucitas. Stob. Ecl. phys. p. 1098 : Πρὸς τὴν ὀλιγομετρίαν τὰ λοιπὰ ζῷα μεμετροποίηται. ‖ Paucitas s. Exilitas metri. Eust. Il. p. 353, 39 : Κακίαν ἔπους εἶναι, καθὰ καὶ τὴν ὀλιγομετρίαν, ᾗ θεωρεῖται ἐν στίχῳ ἐξ ὀλίγων μερῶν λόγου συγκειμένῳ, οἷον Κολλητὸν βλήτροισι δύω καὶ εἰκοσίπηχυ· εὐτελὲς γὰρ τὸ ἐκ δύο μερῶν λόγου, ἤγουν ὀνόματος καὶ συνδέσμου ἡρῷον ἔπος συγκεκροτῆσθαι, ubi agit etiam de ὑπερμετρίᾳ et πολυμετρίᾳ. L. Dind.]

[Ὀλιγομήκης, ὁ, ἡ, Qui exiguæ est longitudinis. Theodor. Metoch. p. 242. Cramer. Eust. Opusc. p. 54, 52 : Ποιῶν τὸ ὀλιγόμηκες (carminum suorum Pindarus) διὰ βραχύτητα δόσεως.]

Ὀλιγόμισθος, ὁ, ἡ, Qui mercede exigua conducitur, Cui parvum stipendium numeratur. Plato Epist. 7,

p. 348, A]: Μισθοφόρων τοὺς πρεσβυτέρους ἐπεχείρησεν ὀλιγομισθοτέρους ποιεῖν, Veteranis militibus stipendia minuere tentavit. [Pollux 4, 43 : Σοφιστὰς ὀλ.]

Ὀλιγομυθία, ἡ, Pauciloquium, ut Plaut. [Democritus Stob. Fl. 74, 38 : Κόσμος ὀλ. γυναικί. Wakef.]

Ὀλιγόμυθος, ὁ, ἡ, Qui pauca loquitur, Pauciloquus; Qui paucula loquitur, Plauto; Qui paucis loquitur quæ vult. [Eust. Opusc. p. 60, 22 : Ἐπινίκιοι (Pindari), οἳ καὶ περιάγονται μάλιστα διὰ τὸ ἀνθρωπικώτεροι εἶναι καὶ ὀλιγόμυθοι καὶ μηδὲ πάνυ ἔχειν ἀσαφῶς κατά γε τὰ ἄλλα, Quod paucos habent mythos.]

[Ὀλιγόνειρος, ὁ, ἡ, Qui pauca somnia habet. Iambl. V. P. c. 114.]

[Ὀλιγόνοια, ἡ, Tenuitas ingenii. Theodor. Stud. p. 84, D: Ἀλλὰ περὶ μὲν τούτων εἴρηταί μοι ἱκανῶς, ἐφ' ὅσον ἐφικτὸν τῇ ὀλιγονοίᾳ μου. L. Dind.]

[Ὀλιγόξυλος, ὁ, ἡ, Qui pauca habet ligna s. ligni non multum. Leonidas Tar. Anth. Pal. 6, 226, 3 : Τοῦτό τε ῥωπεύειν ὀλιγόξυλον. Philem. Lex. segm. 209 : Σχεδία, κυρίως κάραβος μονόξυλος ἢ ὀλιγόξυλος.]

[Ὀλιγοπαθής, ὁ, ἡ, Gaza Introd. gramm. p. 6. Angl.]

[Ὀλιγοπαιδία, ἡ, Paucitas liberorum. Cyrill. In Jes. 49, p. 674 : Μητρὸς παθούσης τὴν ἀπαιδίαν ἤγουν ὀλιγοπαιδίαν. Suicer.]

Ὀλιγόπαις, αιδος, ὁ, ἡ, Cui pauci sunt liberi, Plato Leg. [11, p. 930, A.]

[Ὀλιγοπελέω, Ὀλιγοπελία. V. Ὀλιγηπ—.]

[Ὀλιγοπιστία, ἡ, Exigua fides. Orig. C. Cels. p. 39; Ephræm Syr. vol. 1, p. 26, E; Michael Nicetas ap. Tafel. De Thessalon. p. 357.]

Ὀλιγόπιστος, ὁ, ἡ, Exigua et pauxilla fide præditus, ideoque interdum exp. Incredulus, Qui pusillæ vel modicæ fidei est, Parum fidens s. credens. Matth. 8, [26]: Τί δειλοί ἐστε, ὀλιγόπιστοι; Et 14, [31]: Ὀλιγόπιστε, εἰς τί ἐδίστασας; Et 16, [8]: Τί διαλογίζεσθε ἐν ἑαυτοῖς ὀλιγόπιστοι; Et ap. Greg. Naz., ὀλιγόπιστος μήτηρ. [Eust. Opusc. p. 330, 57. Conf. Μικρόπιστος.] || Exp. etiam pass. significatione, Cui parum fidendum est.

[Ὀλιγόπνους, ὁ, ἡ, Exiguum spirans. Hesychius : Ἀζαλές, πολύπνουν καὶ ὀλιγόπνουν.]

[Ὀλιγοποιέω, Ad paucitatem redigo. LXX Sirac. 48, 2.]

[Ὀλιγοπόλιος, α, ον, Cujus per tempora pauci cani sparsi sunt, Parum canus. Hesych. v. Σπανοπόλιος.]

[Ὀλιγοπονία, ἡ, Ignavia, Segnities. Polyb. 16, 28, 3.]

[Ὀλιγόπονος, ὁ, ἡ, Segnis, Iners. Dionys. H. De adm. vi Dem. c. 51, p. 1113, 14.]

Ὀλιγοποσία, ἡ, q. d. Pauca potatio. Pro quo dixerim potius Parcus potus. [Aret. p. 117, 20, ubi male per τ ὀλιγοποτίη· 123, 25. Lucian. Paras. c. 16. Ex Hippocrate citat Lobeck. Phryn. p. 522.]

Ὀλιγοποτέω, Pauco potu utor, Parum poto, apud Aristot. De partt. anim. 3, p. 178 [c. 7]. Sic et Plut. Apophth. Lac. [p. 224, D]: Ἐρωτώμενος δὲ διὰ τίνα αἰτίαν ὀλιγοποτοῦσιν οἱ Σπαρτιᾶται, ἔφη, ἵνα μὴ ἄλλοι ὑπὲρ ἡμῶν βουλεύωνται. [Hesych. v. Ἀγαθοδαιμονισταί.]

[Ὀλιγοπότης, ὁ, Qui parum bibit. Athen. 10, p. 419, A. Eust. Opusc. p. 323, 12.]

Ὀλιγόποτος, ὁ, ἡ, Pauco potu contentus, Qui parum potat, bibit. Aristot. [H. A. 8, 4. Conf. id. ib. 3; De partt. an. 3, 6], ὀλιγόποτα τοῖς διψητικοῖς opponit, Bud.

[Ὀλιγοπραγμοσύνη, ἡ, Inertia. Plut. Mor. p. 1043, B.]

[Ὀλιγοπράγμων, ονος, ὁ, ἡ, Qui parum agit. Plut. Mor. p. 1043, B.]

Ὀλιγόπτερος, ὁ, ἡ, Cui paucæ pennæ s. pinnæ sunt. [Aristot. H. A. 1, 1 init. : Τὰ μὲν πολύπτερα, τὰ δ' ὀλιγόπτερα.]

[Ὀλιγοπύθμην, ενος, ὁ, ἡ, Qui exiguum habet fundum. Theognost. Can. p. 86, 14.]

Ὀλιγόπυρος, ὁ, ἡ, Parum tritici ferens, Tritici minime ferax. Theophr. C. Pl. 4, 12 [11, 4]: Ὁ στάχυς μικρὸς καὶ ὀλιγόπυρος.

[Ὀλιγορρημονέω, Pauca facio verba. Eust. Opusc. p. 95, 33 : Τὸ σιγηλὸν καὶ τὸ ὀλιγορρημονεῖν.]

[Ὀλιγόρριζος, ὁ, ἡ, Qui paucas habet radices. Theophrast. H. Pl. 1, 6, 3; Geopon. 4, 1, 12.]

[Ὀλιγόρρυτος, ὁ, ἡ, Hesych. Wakef.]

Ὀλίγος, η, ον, Paucus, [Paulus, Aliquantulus, add. Gl.] : ὀλίγῃ δαπάνῃ, Paulo [« pauco » HSt. Ms. Vind.] sumptu, ut loquitur Terent. Habes autem paulo post

A exempla alia usus hujus sing. numeri. [Plato Tim. p. 39, C :] Πλὴν ὀλίγοι τῶν πολλῶν, Præter admodum paucos : p. 27 mei Lex. Cic. [Æsch. Pers. 330 : Πολλῶν παρόντων δ' ὀλίγ' ἀπαγγέλλω κακά.] Thuc. 1, [110]: Ὀλίγοι ἀπὸ πολλῶν πορευόμενοι διὰ τῆς Λιβύης· 7, p. 264 [fine]: Ὀλίγοι ἀπὸ πολλῶν ἐπ' οἴκου ἀπενόστησαν. Sic Herodian. 7, [9, 17]: Ὀλίγοι ἐκ πολλῶν ἐσώθησαν, Pauci ex multis. Plut. in libro Utrum Athen. [p. 346, E] : Ὀλίγοι ὄντες, ὡς πρὸς τὸ πλῆθος τῶν πολεμίων, Pauci, si cum tanta hostium multitudine comparentur. Plato Symp. [p. 194, B]: Ὀλίγοι ἔμφρονες πολλῶν ἀφρόνων φοβερώτεροι. [Cum art. Plato Polit. p. 303, A : Ὥσπερ ἑνὸς καὶ πλήθους τὸ ὀλίγον μέσον. Xen. Cyrop. 2, 1, 8 : Πολὺ ἂν θᾶττον οἱ ὀλίγοι ὑπὸ τῶν πολλῶν τιτρωσκόμενοι ἀναλωθείησαν ἢ οἱ πολλοὶ ὑπὸ τῶν ὀλίγων· 3, 3, 47 : Ἡμᾶς φοβουμένους τὸ πλῆθος τοῖς ὀλίγοις ἐπιχειρῆσαι. || Cum τὶς Xenoph. H. Gr. 4, 5, 17 : Ὀλίγοι τινὲς ἐσώθησαν. Plato Polit. p. 270, D : Τὸ τῶν ἀνθρώπων γένος ὀλίγον τι περιλείπεται· Reip. 6, p. 500, A : Ἐν ὀλίγοις τισίν. || Notanda locutio ἐν ὀλί-

B γοις, ut Latini dicunt In paucis, cujus Hemst. ad Luciani Somn. c. 2 exx. citavit Herodoti 4, 52 : Ποταμὸς ἐν ὀλίγοισι μέγας· Heliod. Æth. 3, 1, p. 127 : Πομπὴν ὀνομαστὴν ἐν ὀλίγαις γενομένην, et alia Dionysii Hal., Æliani, Longi. Pausaniæ 1, 19, 2, pro ἐν λόγοις, restituit Kuhnius. Meleag. Anth. Pal. 7, 418, 5 : Μοῦσαι δ' εἰν ὀλίγοις με ... ἠγλάϊσαν χάρισιν.] In republica autem aliqua ὀλίγοι dicuntur Pauci quidam, penes quos imperium est; Pauci quidam, quorum arbitrio resp. administratur : ut ii, qui Optimates Lat. dicuntur : quibus oppos. τὸ πλῆθος, οἱ πολλοί, Multitudo, Plebs. Thuc. 8, p. 267 [c. 9] : Οἱ δὲ ὀλίγοι ξυνειδότες, τό, τε πλῆθος οὐ βουλόμενοί πω πολέμιον ἔχειν· p. 294 [c. 97]: Μετρία γὰρ ἥ τε ἐς τοὺς ὀλίγους καὶ τοὺς πολλοὺς ξύγκρασις ἐγένετο. Et p. 280 [c. 53] : Εἰ μὴ πολιτεύσομεν σωφρονέστερον, καὶ ἐς ὀλίγους μᾶλλον τὰς ἀρχὰς ποιήσαιμεν. Alibi, Ἐς ὀλίγους τὰ ἐν πόλει κατέστησαν· l. 3 : Ξυναφίσταται τοῖς ὀλίγοις ὁ δῆμος, Cum paucis, i. e. optimatibus. [Sæpe sic etiam Xenoph. Plato Polit. p. 291, D : Τὴν ὑπὸ τῶν ὀλίγων δυναστείαν.] Itidem ap. Dem.

C [p. 1396, 21] : Αἱ διὰ τῶν ὀλίγων δυναστεῖαι. At σὺν ὀλίγοις, Cum paucis aliis, Inter paucos alios. Plut. Galba [c. 3] : Λέγεται Λιβύης ἀνθύπατος γενόμενος σὺν ὀλίγοις ἐπαινεθῆναι. At κατ' ὀλίγους ap. Herodian. frequens est : 5, [4, 7] : Τῶν αὐτομόλων τὸ πλῆθος ἑκάστοτε, οἱ καὶ κατ' ὀλίγους προσιόν, Quum transfugæ multi quotidie, pauci tamen singulis vicibus, accederent. 2, [7, 10] : Πρῶτα κατ' ὀλίγους, ἡγεμόνας τε καὶ χιλιάρχας οἰκειούμενος. Sic et paulo ante. Et 6, [9, 7] de militibus Alexandri : Κατ' ὀλίγους ἀνεχώρουν, Paulatim dilabebantur, Polit. Quibus quidem in ll. cum ὀλίγοι subaudiri potest ἄνδρες, aut aliquid aliud, quod magis convenit. [Ἀπορραίνουσι κατ' ὀλίγους τῶν κέγχρων, Herodot. 2, 93; τῶν ἄλλων συμμάχων ἐξελέγετο κατ' ὀλίγους, 8, 113. Οὗτοι κατ' ὀλίγους γιν ενοι ἐμάχοντο τοῖσι αἰεὶ ἐσπίπτουσι, 9, 102. Schweigh. Lex. Xen. Anab. 7, 6, 29 : Κατ' ὀλίγους ἀποσκεδαννυμένους. Plato Theæt. p. 187, D : Τὰς μὲν κατ' ἀγέλας οὔσας, τὰς δὲ κατ' ὀλίγας.] At vero 1 Petr. [5, 12] : Δι' ὀλίγων ἔγραψα, subaudiendum est

D ῥημάτων, aut tale quid, sicut et ap. Virg., ubi ait, Responsum paucis reddere, subaudiendum est Verbis : quod loquendi genus habetur et in prosa. [Plato Phil. p. 31, D : Εἰ δεῖ δι' ὀλίγων περὶ μεγίστων ὅτι τάχιστα ῥηθῆναι· Leg. 6, p. 778, C : Μόνον ὅσον τινὰ τύπον αὐτῶν δι' ὀλίγων ἐπεξέλθωμεν.] In singulari autem [Plato Leg. 11, p. 918, C : Σμικρὸν γένος ἀνθρώπων καὶ φύσει ὀλίγον· Charm. p. 156, A : Οὐ γάρ τί σου ὀλίγος λόγος ἐστὶν ἐν τοῖς ἡλικιώταις· Phil. p. 53, C : Ὀλίγη (ἡδονὴ) πολλῆς καθαρὰ λύπης· Phædr. p. 233, C : Ὀλίγην ὀργὴν ποιούμενος·] ὀλίγος θυμός, Parum animi. Hom. Il. A, [593] : Κάππεσον ἐν Λήμνῳ· ὀλίγος δ' ἔτι θυμὸς ἐνῆεν, Parum animi inerat, i. e. Pene exanimis eram. Et ὀλίγη ὁδός, Parum viæ, Brevis via, Hesiod. Op. [286] de vitio : Ὀλίγη [λείη] μὲν ὁδός, μάλα δ' ἐγγύθι ναίει. [Plato Phædr. p. 272, C.] Et ὀλίγος χρόνος, Parum temporis, Breve temporis spatium, Pauci dies, menses. [Hom. Il. T, 157, Ψ, 418, Pind. Nem. 7, 38, Xen. H. Gr. 4, 5, 8.] Apud Thuc., Ὀλίγον χρόνον, Paulisper [Gl.]. Et ὀλίγον ἐπὶ χρόνον, Exiguo tempore, p. 86 mei Lex. Cic. [Ὀλίγῳ χρόνῳ, Brevi tempore, Gl. Soph. fr.

Tynd. ap. Stob. Fl. 105, 3, 4 : Ἐν γὰρ βραχεῖ καθεῖλε A κὠλίγῳ χρόνῳ.] Itidem dicitur ὀλίγῳ πρότερον, Paulo ante : ὀλίγῳ ὕστερον, Paulo post. Isocr. Areop. : Τοῖς ὀλίγῳ πρὸ ἡμῶν τὴν πόλιν διοικήσασι. [Ὀλ. πρόσθεν, Paulo ante; Ὀλ. ὕστερον, Paulo quam, Gl. Xen. OEc. 2, 9 : Ὀλίγον πρόσθεν, ubi est var. ὀλίγῳ. Conv. 1, 14 : Ὀλίγον ὕστερον, et sæpe Plato aliique omnes. Absolute ὀλίγον, de tempore, Theocr 23, 32 : Καὶ κάλλος καλὸν ἐστι τὸ παιδικὸν, ἀλλ' ὀλίγον ζῇ.] Et cum præp. ut δι' ὀλίγου, itidem sub. χρόνου, Subito, Brevi temporis intervallo. Thuc. 2, [85], ἡ δι' ὀλίγου μελέτη· cui opp. ἡ ἐκ πολλοῦ ἐμπειρία, Recens et novitia exercitatio, Diuturna peritia. Sic 5, p. 188 [c. 69] : Εἰδότες ἔργων ἐκ πολλοῦ μελέτην πλείω σώζουσαν ἢ λόγων δι' ὀλίγου καλῶς ῥηθεῖσαν παραίνεσιν. Et p. præced. [c. 66] : Ὁρῶσι δι' ὀλίγου τοὺς ἐναντίους ἐν τάξει ἤδη πάντας, i. e. ἐξαίφνης, schol.; qui et 6, p. 201 [c. 11] : Δι' ὀλίγου ἀπέλθοιμεν, exp. ταχέως, Celeriter. [Pollux 6, 142 : Δι' ὀλίγου πᾶν τὸ ἐπιὸν λέγων, de oratore futili et vulgari.] Itidem ἐντὸς ὀλίγου, Intra breve temporis spatium. Synes. Ep. 47 : Πολλοὺς ἂν ἐντὸς ὀλίγου Πέτρους ἐθεασάμεθα, Mul- B tos intra breve tempus Petros vidissemus. [In Ind.:] « Διολίγου, pro δι' ὀλίγου διαστήματος, Non longo intervallo, Prope. [Æsch. Sept. 762 : Μεταξὺ δ' ἀλκὰ δι' ὀλίγου τείνει πύργος ἐν εὔρει. Eur Phœn. 1098 : Ὡς τῷ νοσοῦντι τειχέων εἴη δορὸς ἀλκὴ δι' ὀλίγου.] Thuc. [3, 21]: Τῶν πύργων ὄντων διολίγου καὶ ἄνωθεν [στεγανῶν]. Hesych. divisim habet δι' ὀλίγου, exponens μετ' ὀλίγον, ubi subauditur subst. χρόνου. » [|| Fem. gen. Δι' ὀλίγης, Pausan. 8, 16, 5 : Τότε δὲ ὑπὸ μόνου τοῦ μηχανήματος ἀνοιχθεῖσα καὶ οὐ πολὺ ἐπισχοῦσα συνεκλείσθη δι' ὀλίγης.] Sic et ἐξ ὀλίγου, Brevi temporis spatio, Subito. Thuc. [2, 61] : Μεταβολῆς μεγάλης ἐξ ὀλίγου ἐμπεσούσης, Quum ingens mutatio repente extitisset. 5, p. 186 [c. 64] : Τοῖς μὲν ἐξ ὀλίγου, ἐγίγνετο (ἡ βοήθεια), i. e. ἐξαίφνης, schol. Et p. seq. [c. 65] : Καταπλαγέντες τῇ ἐξ ὀλίγου αἰφνιδίῳ αὐτῶν ἀναχωρήσει, ubi et schol. subaudit καιροῦ. [Non illa signif., sed ut sit, Ex parvo, Solon ap. Stob. Flor. 9, 25, 14 : Ἀρχὴ δ' ἐξ ὀλίγου γίγνεται, ὥστε πυρός. Ἐν ὀλίγῳ, item non de tempore, Eur. Suppl. 1126 : Ἐν ὀλίγῳ τἀμὰ πάντα συνθείς. Tam de tempore C quam de spatio capi potest Xen. H. Gr. 4, 4, 12 : Τότε γοῦν οὕτως ἐν ὀλίγῳ πολλοὶ ἔπεσον, ὥστε οἱ ἄνθρωποι τότε ἐθεάσαντο σωροὺς νεκρῶν. V. HSt. infra.] Paulo post, Ὁρῶσι δι' ὀλίγου, τοὺς ἐναντίους, ubi schol. ἐξαίφνης, Paulo momento, ut Plaut. [Et Ἐν ὀλίγῳ Pind. Pyth. 8, 96, Plato Apol. p. 22, B, Demosth. p. 33, 18, ubi χρόνῳ addit unus et alter. Ἐπ' ὀλίγον, Theophrast. H. Pl. 3, 5, 1 : Ἔξω ἐρεβίνθου καὶ φακοῦ καὶ ἐπ' ὀλίγον κυάμου. Geopon. 7, 12, 22; 10, 7, 10.] Et, Κατ' ὀλίγον ὕστερον ἀναβλέπειν μέλλουσιν, Jam appropinquat ut videant, p. 57 mei Lex. Cic. Item μετ' ὀλίγον, Paulo post. [Xen. H. Gr. 2, 3, 5; Plato Leg. 12, p. 950, D. Sequente genitivo dictum v. in Μετὰ p. 840, D.] Et πρὸς ὀλίγον, Ad breve tempus, Herodian. 3, [7, 20] : Πρὸς ὀλίγον ἀπολαύσας ὀλεθρίου τιμῆς, Brevi temporis spatio lætatus funesto honore. [Lucian. Nigr. c. 23. Geopon. 7, 12, 21.] Item ὀλίγον διάστημα, Parum interstitii, Parvum intervallum. Sed sæpe omittitur διάστημα, ut et χρόνος in præcedentibus. [Hom. Il. A, 52 : Ἱππῆες δ' ὀλίγον μετεκίαθον· 547 : Ὀλίγον γόνυ γου- D νὸς ἀμείβων· Ψ, 424 : Ὀλίγον δὲ παρακλίνας. Theocr. 21, 4. Κἢν ὀλίγον νυκτός τις ἐπιψαύησι. Arat. 185 : Ἀπὸ ζώνης ὀλίγον κε μεταβλέψειας· 229 : Ὀλίγον γὰρ ὑπ' αὐτὴν ἐστήρικται· 21 : Οὐδ' ὀλίγον μετανίσσεται. Aliter Xen. Anab. 3, 4, 46 : Νῦν ὀλίγον πονήσαντες ἀμαχὶ τὴν λοιπὴν πορευσόμεθα, ubi χρόνον delevi cum libris melioribus.] Sic dicitur, Ἀπέχει τῆς Δήλου ὀλίγον, Parvo intervallo distat a Delo. Et Xen. Cyrop. 4, [2, 20] : Ὀλίγῳ πλέον ἢ παρασάγγην ἀπέχει. His autem addendum est ἐξ ὀλίγου, Ex propinquo, ἐγγύθεν. Et δι' ὀλίγου, ut Thuc. 3, [21] : Τῶν πύργων ὄντων δι' ὀλίγου, Qui parvo intervallo distabant, Quorum non erat magnum intervallum. Ib. [43] : Δι' ὀλίγου σκοποῦντες, Qui cominus inspectant et considerant : quibus opp. οἱ περαιτέρω προνοοῦντες. Et ἐν ὀλίγῳ, Thuc. 4, p. 130 [c. 26] : Στενοχωρία τε ἐν ὀλίγῳ στρατοπεδευομένοις ἐγίγνετο, ubi et schol. subaudit διαστήματι γῆς. 2, [86], ἡ ἐν ὀλίγῳ ναυμαχία, Conflictus navalis in angustiis. [V. supra.] 4, p. 163 [c. 129] : Ἐς ὀλίγον ἀφίκετο πᾶν τὸ στράτευμα νικηθῆναι, Parum abfuit quin. [De pretio Plato Soph. p. 234, A : Ταῦτα ἕτερον ἂν διδάξειεν ὀλίγου· Apol. p. 23, A : Ἡ ἀνθρωπίνη σοφία ὀλίγου τινὸς ἀξία ἐστὶ καὶ οὐδενός. Andocid. p. 17, 26 : Ὀλίγου πραθείσης. || Cum ὅσος Lucian. Prometh. c. 12 : Ὀλίγον ὅσον τοῦ πηλοῦ λαβόντα· Hermotim. c. 59 : Ἀρυσάμενος ὀλίγον ὅσον αὐτοῦ.] Quo pertinet et ὀλίγου s. ὀλίγου δεῖ [vel δεῖν, Pæne, Propemodum, Ferme, Gl. Xenoph. Comm. 3, 10, 14 : Ὀλίγου δεῖν ... προσθήματι ἐοίκασι. Plato Apol. p. 22, A : Ὀλίγου δεῖν τοῦ πλείστου ἐνδεεῖς εἶναι], Parum abest. Plut. Coriol. [c. 17] de populo ad iram concitato : Ὀλίγου ἐδέησεν ἐμπεσεῖν εἰς τὴν βουλήν. Isocr. Æginet. init. : Ὀλίγου δέω χάριν ἔχειν τούτοις, Parum abest quin his habeam gratias, His gratias fere habeo. Plato vero sine δεῖ in Apol. Socr. [p. 17, A] dixit : Ὡς ἔπος γὰρ εἰπεῖν, ὀλίγου αὐτῶν ἅπαντες οἱ παρόντες ἂν βέλτιον ἔλεγον, Omnes fere, qui aderant. [V. infra.] Πρὸς ὀλίγον τοῦ στομίου ὑπερκύψαι, Paulisper caput erigere, et eminere ex specu; πρὸς ὀλίγον θαλάσσης, Contra mare aliquantulum. Mixtam autem signif. habent κατ' ὀλίγον et παρ' ὀλίγον, Paulatim, [Paulisper, Parumper, add. Gl.] Sensim. Herodian. 2, [4, 10] : Κατ' ὀλίγον ὀκνηροὺς αὐτοὺς παρεῖχον. Philo De mundo : Κατ' ὀλίγον ἐλαττούμενος, Ad imminutionem sensim vergens. Herodian. 8, [4, 4] : Πυλίσι κατ' ὀλίγον αὐξανομέναις, Sensim crescentibus. Aristot. De mundo [c. 3, 8] : Κατ' ὀλίγον σφίγγει τὴν οἰκουμένην, Paulatim astringit orbem terrarum. [Plato Tim. p. 85, D : Θερμὴ καὶ ὑγρὰ κατ' ὀλίγον τὸ πρῶτον ἐμπίπτουσα πήγνυται. Diodor. 13, 17 : Κατ' ὀλίγον ἅπαντες ἐτράπησαν, nisi hic quidem legendum μετ' ὀλίγον. Ἐκ τοῦ κατ' ὀλίγον sic idem 1, 8, διαρθροῦν τὰς λέξεις· 30 : Ἡ ἄμμος ἐκ τοῦ κατ' ὀλ. πατουμένη τὴν ἔνδοσιν λαμβάνει· 36 : Ἐκ τοῦ κ. ὀλ. ταπεινοῦται, et alibi. || Aliter, ut sit i. q. κατ' ὀλίγους, Thuc. 5, 9 : Τὴν ἐπιχείρησιν ᾧ τρόπῳ διανοοῦμαι ποιεῖσθαι, διδάξω, ἵνα μὴ τότε κατ' ὀλίγον καὶ μὴ ἅπαντας κινδυνεύειν ἐνδεὲς φαινόμενον ἀτολμίαν παράσχῃ, quod schol. interpretatur κατ' ὀλίγους, nec vertere hic licet ut supra. || Duplex est in Fab. Æsop. 46 Fur. : Καὶ οὕτω γενομένου ὅσον ὅσον ὁ ἰατρὸς ἐπετίθει τοῖς ὀφθαλμοῖς αὐτῆς τὴν ἰατρείαν, κατ' ὀλίγον ὀλίγον τὰ προσόντα αὐτῇ ἔκλεπτε.] Ἐν ὀλίγῳ, Fere, Propemodum, ut quidam interpr. Act. 26, [28] : Ἐν ὀλίγῳ πείθεις με Χριστιανὸν γενέσθαι. Vet. Interpr. In modico. De παρ' ὀλίγον autem copiose disserui in Παρά. Ὀλίγον, Parum, [Paulum, Paululum, Modicum add. Gl.]; Ὀλίγον ὅσον, Parum admodum, Aliquantulum, Lucian. [Hermotim. c. 59.] Et Aristoph. Nub. [1142] : Ὀλίγον μοι μέλει. [Eur. Cycl. 163 : Ὀλίγον φροντίσας γε δεσποτῶν. Isocr. p. 169, C : Οὕτως ὀλίγον αὐτῶν φροντίζομεν.] Et ap. Hom. [Il. E, 800], Ὀλίγον οἱ ἐοικότα παῖδα, Parum ei similem; Nullo modo similem, ut Eur. schol. vult. [« Sic οὐ πάνυ in Πάνυ. » HSt. Ms. Vind.] At ὀλίγον ἧττον, Paulo minus. Hom. Od. O, [364] : Ὀλίγον δέ τί [μ'] ἧσσον ἐτίμα. [Il. Ψ, 789 : Ἐμεῖ ὀλίγον προγενέστερός ἐστιν. Et cum περ Λ, 391 : Καὶ εἴ χ' ὀλίγον περ· Τ, 217 : Φέρτερος οὐκ ὀλίγον περ· Od. Θ, 547 : Ἀνέρι ὅστ' ὀλίγον περ ἐπιψαύῃ πραπίδεσσιν. Apoll. Rh. 1, 813 : Οὐδὲ πατὴρ ὀλίγον περ ἑῆς ἀλέγιζε θυγατρός.] Sed ὀλίγον ὕστερον, et ὀλίγον πρότερον s. ἔμπροσθεν ad præcedentia pertinent : quippe in quibus subaudiatur vel χρόνον vel διάστημα, ut ante dictum fuit : idem et de ὀλίγον πρὸ sciendum est. Alias ὀλίγον significat etiam Fere. Plut. Popl. [c. 16] : Ὀλίγον [sec. Lex. Septemv. : sed ὀλίγου libri omnes] συνεσπάσαντο [συνεπεσπάσαντο Wyttenb. Ind. v. Συσπάω] τοὺς πολεμίους εἰς τὴν πόλιν, Parum abfuit, quin insequentem hostem una in urbem susciperent. Ὀλίγα, Paululum, Raro, VV. LL. [Parva, Gl. Eur. Med. 120 : Ὀλίγ' ἀρχόμενοι, πολλὰ κρατοῦντες. Xen. Ven. 6, 25 : Παραμυθούμενον τὴν αὐθάδη ὀλίγα· H. Gr. 6, 2, 27 : Τοῖς ἀκατίοις ὀλίγα ἐχρῆτο. Lucian. De histor. scr. c. 57 : Ὁ Θουκυδίδης ὀλίγα τῷ τοιούτῳ εἴδει τοῦ λόγου χρησάμενος.] Ὀλίγου, Fere, Propemodum, Parum abest quin. Hom. Od Ξ, [37] : Ὀλίγου σε κύνες διεδηλήσαντο. Et [Aristoph. Nub. 722 : Ὀλίγου φροῦδος γεγένημαι· Ach. 348 : Ὀλίγου τ' ἀπέθανον. Xen. Conv. 3, 6 : Ὀλίγου ἀν' ἑκάστην ἡμέραν. Plato Reip. 3, p. 397, B, et alibi sæpe.] Thuc., Ὀλίγου εἷλον, Parum abfuit quin ceperint. Cic. dicit Propius nihil est factum, quam ut occideretur, pro ὀλίγου ἀνῃρέθη. Et, Nec quicquam propius est factum quam ut vivus combureretur. [Pausan. 1, 13, 6 : Ὀλίγου μὲν ἦλθον ἑλεῖν αὐτοβοεὶ τὴν πόλιν.] At de ὀλίγου δεῖ dictum fuit inter illa, in quibus cum ὀλίγον subauditur διάστημα : est autem plenius hoc loquendi genus. || Ὀλίγῳ, Paulo. [Ὀλίγῳ ἧττον, Paulo minus; Ὀλ. πλέον, Paulo plus, Gl. Aristoph. Eccl. 71 : Κἄγωγ' Ἐπικράτους οὐκ ὀλίγῳ καλλίονα. Atque sic sæpissime.] Thuc., Ὀλίγῳ πλείους, Paulo plures : pro quo Herodotus Ionice dicit ὀλίγῳ πλεῦνες. At de ὀλίγῳ πρότερον, et ὀλίγῳ ὕστερον dictum supra fuit, inter ea, in quibus subauditur χρόνος et διάστημα. In hoc autem ὀλίγῳ πλείους subaudiri potest ἀριθμῷ. Apud Thucyd. vero 4, p. 161 [c. 124], Ὀλίγῳ ἐς χιλίους redditur pro Circiter mille. [Ὀβολοῦ πλέον ὀλίγῳ τινὶ, Hesych. v. Δανάκη. Hemst. Andocides p. 21, 23 : Οὐκ ὀλίγῳ μοι παρὰ γνώμην εὑρέθη τὰ ἐνταῦθα πράγματα ἔχοντα. « Ὀλίγον τι πρότερον τούτων, Herodot. 4, 81, ubi alii quidem ὀλίγῳ præferunt, quod fere omnes agnoscunt 4, 79; 7, 113; 8, 95, 132. » Schweigh. Lex. Idem Pausaniæ aliquoties restitutum ex libris, confirmat locus Aristoph. Thesm. 578 : Πρᾶγμα ... ὀλίγῳ τι πρότερον κατ' ἀγορὰν λαλούμενον.]

|| Ὀλίγος, Parvus, Exilis, Tenuis, cui opp. μέγας. Hom. [Il. Ξ, 376 : Ἔχει δ' ὀλίγον σάκος ὤμῳ·] Od. Θ, [186] : Λάβε δίσκον Μείζονα καὶ πάχετον, στιβαρώτερον, οὐκ ὀλίγον περ. Apoll. [Rh. 1, 955] : Ὀλίγος λίθος, Parvus lapis. Et Od. Υ, [259] : Δίφρον ἀεικέλιον παραθεὶς, ὀλίγην τε τράπεζαν· pro quo Aristot. Poet. [c. 22, 13] μετατεθέντων τινῶν ὀνομάτων dici posse ait, Δίφρον μοχθηρὸν παραθεὶς μικράν τε τράπεζαν. Od. Κ, [94] : Κῦμα Οὔτε μέγ', οὔτ' ὀλίγον· Il. [Γ, 115 : Ὀλίγη δ' ἦν ἀμφὶς ἄρουρα·] Ρ, [394] : Ἔνθα καὶ ἔνθα νέκυν ὀλίγῃ ἐνὶ χώρῃ Εἵλκεον. [Κ, 161 : Ὀλίγος δ' ἔτι χῶρος ἐρύκει· Μ, 423 : Ὀλίγῳ ἐνὶ χώρῳ. Herodot. 9, 70 : Οἷα ἐν ὀλίγῳ χώρῳ πολλαὶ μυριάδες κατειλημέναι. Xen. Cyrop. 3, 2, 7 : Ἡ χώρα ὀλίγη ἢ τὰ χρήματα ἔχουσα· 5, 4, 25 : Ὀλίγη γάρ ἐστι χώρα τῶν πρὸς ἐμὲ ἀφεστηκότων· Anab. 3, 3, 9 : Οὔτε οἱ πεζοὶ τοὺς πεζοὺς ἐκ πολλοῦ φεύγοντας ἐδύναντο καταλαμβάνειν ἐν ὀλίγῳ χωρίῳ.] Et Od. Γ, [368], οὐκ ὀλίγον χρέος, Debitum non parvum, Non exigua pecuniæ summa, quæ mihi debetur : Ἔνθα χρεῖός μοι ὀφέλλεται οὔτι νέον γε, Οὔτ' ὀλίγον. [Il. Δ, 442 : Ἥ τ' ὀλίγη μὲν πρῶτα κορύσσεται. Arat. 366 : Ὀλίγῳ μέτρῳ. Plato Reip. 2, p. 369, B : Οὐκ ὀλίγον ἔργον εἶναι.] Quibus addi potest περὶ ὀλίγου ποιεῖσθαι, Parvi facere, Contemptui habere. [Isocr. p. 370, C.] At ὀλίγη φωνὴ, Vox exilis, submissa. Od. Ξ, [492] : Φθεγξάμενος δ' ὀλίγῃ ὀπί με πρὸς μῦθον ἔειπε. [Od. Μ, 252 : Ἰχθύσι τοῖς ὀλίγοισι.] Homo quoque ὀλίγος dicitur Qui exili corpore vel parva statura est [Od. Ι, 515] : Ὀλίγος τε καὶ οὐτιδανός. [Il. Β, 529 : Οἰλῆος ταχὺς Αἴας ... ὀλίγος μὲν ἔην· Α, 167 : Σοὶ τὸ γέρας πολὺ μεῖζον, ἐγὼ δ' ὀλίγον τε φίλον τε ἔρχομ' ἔχων· Od. Ζ, 208 : Δόσις τ' ὀλίγη τε φίλη τε. Pind. Pyth. 10, 20 : Οὐκ ὀλίγαν δόσιν. Theocr. 28, 25 : Δώρῳ ξὺν ὀλίγῳ.] Cic. ap. Arat. [366] ὀλίγῃ interpr. Parva, et ὀλίγαι Tenues : ὀλίγη αἴγλη, Tenue lumen : item ὀλίγη, Leviter posita : quæ reperies in meo Lex. Cic. singula suis locis. [Apud Herodot. 4, 52, fluvius ἐν ὀλίγοις μέγας, est Magnus ut inter tenues. Schweigh. Vertendum In paucis magnus, ut supra diximus. Magis huc pertinent loci qualis Dionis Chr. Or. 18, vol. 1, p. 479 : Οὐκ ἀδύνατος οὐδὲ ὀλίγος περὶ τὴν ἑρμηνείαν (Theopompus). Quod ap. Suidam v. Ἔφορος dicitur τῇ φράσει πολύς. || « Ὀλίγον, Unus e novendecim tonis Musicæ Græcanicæ, quos recensemus in v. Φωνή. Hagiopolites Ms. : Τὸ ὀλίγον ἴσον κέκληται. Rursum : Τὸ ὀλίγον δὲ μετὰ ἀποστρόφου, κἂν τε ἄνω κἂν τε κάτω ᾖ εἰς τὸ πλάγιον, καὶ αὐτὸ βαρεῖα λέγεται. Infra : Τὸ δὲ ὀλίγον ἔχει φωνὴν μίαν, ὁμοίως καὶ ἡ πεταστὴ καὶ ἡ ὀξεῖα. V. in Ἴση. » Ducang.] Pro ὀλίγος lingua Tarentinorum dici Ὀλίος, annotatur in Lex. meo vet., ubi et hoc exemplum habetur, Ὀλίοισιν ἡμῶν ἐμπέφυκ' εὐτυχία. Et ὀλίον μισθόν. Ibid. additur, Plat. comicum διαπαίζειν hoc vocab. veluti barbarum. [Herodian. Π. μον. λέξ. p. 19, 23, unde hæc petita : Ὀλίγος· οὐδὲν εἰς ος ὑπὲρ δύο συλλαβὰς τῷ ι παραλήγεται καὶ παροξύνεται, ἀλλὰ μόνον τὸ ὀλίγος· μήποτ' οὖν Ταραντῖνοι χωρὶς τοῦ γ προφερόμενοι τὴν λέξιν ἀναλογώτερον ἀποφαίνονται, ὥσπερ Ῥίνθων ἐν Δούλῳ Μελεάγρῳ, Ὀλίοισιν ὑμῶν ἐμπέφυκ' εὐψυχία· καὶ ἐν Ἰοβάτῃ, Χρήζω γὰρ ὄλιον (l. ὀλίον) μισθὸν A αὐτὸς λαμβάνειν· πολλὰ γάρ ἐστι(ν) εἰς ος λήγοντα καθαρῷ τῷ ι παραληγόμενα καὶ παροξυνόμενα ... Πλάτων μέντοι ὁ κωμικὸς ἐν Ὑπερβόλῳ διέπαιξε τὴν ἄνευ τοῦ γ χρῆσιν ὡς βάρβαρον, λέγων οὕτως· Ὃδ' οὐ γὰρ ἠττίκιζεν, ὦ Μοῖραι φίλαι, ἀλλ' ... ὁπότε ... εἰπεῖν δέοι ὀλίγον (add. ὀλίον) ἔλεγεν. || Comp. Ὀλιγώτερος, ap. Hippocratem p. 562, 33 : Ἀθυμοτέρη καὶ ὀλιγωτέρη φύσις ἡ γυναικείη. Appian. Pun. c. 19 : Τῶν ὀλιγωτέρων προεπιχειρούντων· 42. Ælian. N. A. 2, 42 : Τὸ μέγεθος ὄντες αἰετῶν οὐκ ὀλιγώτεροι· 6, 51 : Ἔχεως μέν ἐστιν ὀλιγωτέρα τὸ μέγεθος. Longus p. 97, 21, ab Hemst. cit. || Adv. Ὀλίγως, Parum. Strato Anth. Pal. 12, 205, 1 : Παῖς τις ὅλως ἁπαλὸς τοῦ γείτονος οὐκ ὀλίγως με κνίζει. Aquila Jesaiæ 10, 7 : Ἔθνη οὐκ ὀλίγως, pro ὀλίγα. Paul. Æg. 7, p. 233, 7 : Λεπτομερὲς οὐκ ὀλίγως ἐστίν. Ap. Plat. Alcib. 2 p. 149, A : Οὐκ ὀλίγως ἐνδεεστέρως τιμῶσιν, recte Buttm. ὀλίγῳ.]

|| Ὀλίγιστος, η, ον, Paucissimus, [Paululus, Gl. Aristoph. Ran. 115 : Κόρεις ὀλίγιστοι· Pl. 628 : Ἐπ' ὀλιγίστοις ἀλφίτοις. Diodorus Zonas Anth. Pal. 6, 98, 5 : B Ἐκ μικρῶν ὀλίγιστα. Xen. Reip. Ath. 3, 8 : Τῇ ὀλιγίστας (ἑορτὰς) ἀγούσῃ πόλει.] Plato Epist. 7, [p. 351, D] : Δι' ὀλιγίστων θανάτων καὶ φυγῶν, Ut paucissimi morte et exilio mulctentur. De rep. 2, [p. 378, A] : Ὀλιγίστοις [ἐλαχίστοις] συνέβη ἀκοῦσαι, Perpaucis. Idem, Χρῶμαι ὡς ἂν δύνωμαι ὀλιγίστοις, Quam possum paucissimis. Idem [Gorg. p. 510, A], Μηδὲν ἀδικεῖσθαι, ἢ ὡς ὀλίγιστα. Isocr. : Τὰς ἀμφισβητήσεις ὡς ὀλιγίστας ποιήσουσι. Item ap. [Hom. Il. Τ, 223 : Ἄμητός τ' ὀλίγιστος·] Hesiod. [Op. 721] : Δαπάνη τ' ὀλιγίστη, Sumptus paucissimus, parcissimus. Rursum ex Plat. Epist. 7, [p. 351, E] : Ταυτὸν δὴ καὶ Δίωνα ἔσφηλε δι' ὀλιγίστων [verba ex loco supra cit. repetita recte omittunt libri nonnulli], pro Idem etiam Dionem fefellit aliquantum. || Minimus, [Parvolus huic add. Gl.] Perexiguus. [Xen. Reip. Ath. 1, 5 : Ἀκολασία ὀλιγίστη· 14 : Ὀλίγιστον χρόνον. Et cum eod. voc. Plato Leg. 2, p. 661, C. Idem 7, p. 792, B : Ὡς ὀλιγίστῃ ἀλγηδόνι· Phil. p. 65, C : Νοῦν οὐδὲ τὸν ὀλίγιστον. Demosth. p. 1069, 21 : Ἀπομισθωσάτω ὅπως ἂν δύνωνται ὀλιγίστου.] Ὀλίγιστον διάστημα, Intervallum C quamminimum, Aristot. in Probl. [10, 8. Hesych. interpr. etiam ὀλιγοχρόνιος. Ceterum v. Ὀλιγοστός. || Ὀλίγιστον ἐπίρρημα, Paulo, Pauco, Parvo, Gl. Cum art. Plato Parm. p. 149, A : Δύο ἄρα δεῖ τὸ ὀλίγιστον εἶναι· sine illo Reip. 9, p. 587, B : Ὁ δὲ ὀλίγιστον (ἀφεστήξει). Plurali Leg. 12, p. 953, A : Ὡς ὀλίγιστα ἐπιχρωμένους.] || Ὀλιγίστως, Paucissimo numero, Parcissime. Apud Bud. p. 669, habetur etiam Ὀλιγίστατος, Paucissimus : quod Atticum esse dicit, ut λαγνίστατος et λαλίστατος. [Ὀλιγίστατος sicubi reperitur, scribendum ὀλίγιστος, ut ἐγγιστότατος pro ἔγγιστος vitiose scriptum notavimus in Ἐγγύς p. 40, C : nam cetera illa alius sunt generis.]

[Ὀλιγοσαρκία, ἡ, Carnis exiguitas. Eust. Il. p. 1361, 24.]

[Ὀλιγόσαρκος, ὁ, ἡ, Qui non multum habet carnis, Macer. Lucian. Abdicat. c. 29.]

[Ὀλιγοσθενὴς, ὁ, ἡ, Qui exiguo est robore, Debilis. Schol. Oppiani Hal. 1, 623.]

Ὀλιγοσιτέω, Pauco cibo utor, Exiguo pastu contenD tus sum. [Cyrill. Al. Adv. Julian. 2, p. 45 : Προσποιοῦνται ὀλιγοσιτεῖν ἔσθ' ὅτε. Suicer. Theophanes Nonnus vol. 1, p. 88, 154; Eust. Opusc. p. 229, 21.]

Ὀλιγοσιτία, ἡ, Modicus cibus, i. e. Cibi parsimonia, Frugalitas. Aristot. Polit. 2, [c. 10 med.], et Synes. Ep. 114 : Ἀγαθὸν ἀναγκαῖον ἡ ὀλιγοσιτία. [Theophr. fr. 7, 17; Aret. p. 57, 36; Lucian. Parasit. c. 16; Iambl. Protr. 16; Synes. p. 255, B.]

Ὀλιγόσιτος, ὁ, ἡ, Qui parum cibi sumit, modico cibo utitur. [Vesces, Vescus, Gl., quæ eodem modo interpr. Ὀλιγοδεής.] Pherecr. ap. Athen. 6, [p. 248, C] : Ὡς ὀλιγόσιτος ἦσθ' ἄρ', ὃς τῆς ἡμέρας Κατεσθίεις μακρᾶς τριήρους σιτία. [Idem 10, p. 415, E. Valck. Pollux 6, 28, 34.]

Ὀλιγόσπερμος, ὁ, ἡ, Parum seminis ferens. [Aristot. De generat. an. 1, 18 med. : Τὰ μὲν πολύσπερμα, τὰ δ' ὀλιγόσπερμά ἐστι.] Theophr. H. Pl. 7, 4 : Εὐχυλότερον δὲ καὶ τῶν τευτλίων τὸ λευκὸν τοῦ μέλανος, καὶ ὀλιγοσπερμότερον, ὃ καλοῦσί τινες Σικελικόν. Unde Plin. 19, 8 : Ejus quoque a colore duo genera Græci faciunt : nigrum, et candidius, quod præferunt, parcissimi seminis, appellantque Siculum. Item Parum seminis emittens, de homine aut alio animante.

[Ὀλιγοστάδιος, ὁ, ἡ, Qui est paucorum stadiorum. Eustath. ad Dionys. Per. 65, p. 96, 26, πορθμός. Boiss. Id. Od. p. 1667, 48. ᾰ]

[Ὀλιγοστῐχία, ἡ, Pauci versus. Philipp. Thess. Anth. Pal. 4, 2, 6 : Γνῶθι καὶ ὁπλοτέρων τὴν ὀλιγοστιχίην. Theodor. Prodr. *Notices* vol. 8, p. 122.]

Ὀλιγόστιχος, ὁ, ἡ, Paucos ordines s. versus continens. [Schol. Aristoph. Eq. 534. Eust. Opusc. p. 218, 22 : Φέρε γὰρ ὀλιγόστιχον ἐπιδρομὴν ποιησώμεθα. « Idem in Epist. ante Comm. ad Dionys. p. 77, 23 ed. Bernh. » Boiss. Photius Bibl. p. 507, 21, bis.]

Ὀλιγοστὸς, ἡ, ὸν, Unus ex paucis, Paucis comitatus, Cum paucis. Joseph. : Ἡττηθεὶς δὲ μάχῃ καὶ φυγὼν ὀλιγοστός. [Similiter A. Jud. 10, 11, 11, C. Apion. 1, 19 et 20.] Plut. Anton. [c. 51] : Καταβὰς ὀλιγοστὸς ἐπὶ θάλασσαν, Paucis comitatus. Et in Cæs. [c. 49] : Ὀλιγοστῷ τοσαύτην ἀμυνομένῳ πόλιν καὶ δύναμιν, Ut cui tam paucis copiis succincto tantis copiis tantæque urbi resistendum esset : cui opp. πολλοστός. Bud. p. 669, 996. [Frequens est etiam in V. T., cujus exx. v. ap. Schleusner.] Ὀλιγοστοῦ, Hesych. παρὰ μικρόν. [Cod. ὀλιγωστοῦ. Ordo literarum poscit ὀλιγίστου, ut est ap. Photium, et sec. Schowium « in cod. Marciano ω interdum ex ι oritur ».] || Ὀλιγοστὸς χρόνος, Brevissimum tempus, Pauxillum temporis. Soph. Ant. p. 239 [625] : Πράσσειν δ' ὀλιγοστὸν χρόνον ἐκτὸς ἄτας, schol. οὐδὲ ὀλίγον, Ne pauxillum quidem temporis. [Aristot. Metaphys. p. 194, 23 : Κίνησιν τῇ ἁπλῇ κινήσει καὶ τῇ ταχίστῃ· ὀλιγοστὸν γὰρ αὕτη ἔχει χρόνον. || Adv. Ὀλιγοστῶς, Planud. Caton. Distich. l. 1, p. 18.]

[Ὀλιγοσυλλᾰβία, ἡ, Paucæ syllabæ. Eustath. Il. p. 25, 36.]

[Ὀλιγοσύλλαβος, ὁ, ἡ, Qui paucis constat syllabis. Eust. Opusc. p. 340, 16 : Τὸ ὀλ. τῆς γραφῆς· Il. p. 836, 17. « Const. Manass. Chron. 4908, γραφή. » Boiss. V. Ἀποφθέγγομαι.]

[Ὀλιγοσύνδεσμος, ὁ, ἡ, Paucis conjunctionibus utens. Dionys. H. De comp. verb. p. 150 R., de oratione.]

[Ὀλιγοσχῐδὴς, ὁ, ἡ, Non multifariam fissus. Eust. Opusc. p. 54, 18 : Ὁδὸν ἁπλουστέραν ἑλομένη τινὰ καὶ ὀλιγοσχιδῆ.]

[Ὀλιγόσχοινος. V. Ὁλόσχοινος et Ὀξύσχοινος.]

[Ὀλιγοσώματος, ὁ, ἡ, Qui est tenui corpore. Schol. ad Plat. Tim. ap. Creuzer. ad Plotin. De pulcr. p. 536 : Διὰ τὸ λεπτότερον καὶ ὀλιγοσωματώτερον τοῦ ὕδατος. Boiss.]

[Ὀλιγοτεκνία, ἡ, Pauci liberi. Procl. Paraphr. Ptolem. 4, 6, p. 264. Struv. Jo. Chrys. Hom. 8 in Acta Ap. vol. 9, p. 81.]

[Ὀλιγότεκνος, ὁ, ἡ, Qui paucos habet liberos. Max. Tyr. Wakef.]

Ὀλιγότης, ητος, ἡ, Paucitas. [Plato Tim. p. 75, A : Δι' ὀλιγότητα ψυχῆς ἐν μυελῷ κενὰ ἐστι φρονήσεως· Leg. 5, p. 745, D : Τῷ πλήθει τε καὶ ὀλιγότητι τῆς διανομῆς· et similiter alibi. Aristot. De partt. an. 3, 5 : Ἀδυνατούσης τῆς θερμότητος πέσσειν δι' ὀλιγότητα, et mox διὰ τὴν αὐτῆς ὀλιγότητα· H. A. 1 init. : Πλήθει καὶ ὀλιγότητι· Polit. 3, 8 : Συνθεὶς τῇ εὐπορίᾳ τὴν ὀλιγότητα, τῇ δ' ἀπορίᾳ τὸ πλῆθος.] Theophr. [H. Pl. 6, 6, 4] de rosis : Τῶν δὲ ῥόδων πολλαὶ διαφοραὶ, πλήθει τε φύλλων καὶ ὀλιγότητι. Quæ Plin. ex parte interpretans dixit 21, 4 : Differunt multitudine foliorum. [Dionys. A. R. 5, 46 : Τῆς τῶν πολεμίων ὀλιγότητος. Cum λιτότης conjungit Porphyr. De abst. 1, 49; 4, 13, Pollux 4, 163; 6, 144.]

[Ὀλιγοτιμία, ἡ, Exiguus honor, Dedecus. Cyrill. t. 2 In Jo. 4 : Ταῖς ἡμετέραις ὀλιγοτιμίαις συσχηματίζεται Κύριος τῆς δόξης ὑπάρχων, ὡς θεὸς, ἵνα καὶ εἰς τὴν βασιλίδα τιμὴν ἀναγάγῃ τὴν ἀνθρώπου φύσιν. Suicer.]

Ὀλιγοτοκέω, Paucos edo partus, Raro pario.

Ὀλιγοτοκία, ἡ, Paucus partus. [Aristot. De generat. an. 4, 4 fin. : Περὶ ὀλιγοτοκίας.]

Ὀλιγοτόκος, ὁ, ἡ, Paucos edens partus, Raro et paucos pariens. [Aristot. H. A. 6, 17, De partt. an. 4, 10 med.]

[Ὀλιγοτραφέω, pro ὀλιγοτροφέω, Sym. Sethi Ichnel. p. 328. Boiss.]

[Ὀλιγοτρεφὴς, ὁ, ἡ, Parum nutriens. Eust. Od. p. 1752, 9 : Ζατρεφέας μὲν εἶναι τοὺς σιάλους, ὀλιγοτρεφεῖς δὲ τοὺς χοίρους.]

Ὀλιγότρῐχος, ὁ, ἡ, Qui paucos habet pilos, Aristot. [H. A. 2, 1 fere med. : Οὐχ ὥσπερ ὁ ἄνθρωπος ὀλιγότριχον.]

[Ὀλιγοτροφέω, Parum s. exiguo cibo vel pabulo nutrio. Fab. Æsop. 358, p. 234, 7 Cor. : Ὀλιγοτροφεῖ με, asinus de domino suo. « Sapient. Indor. p. 328, sic leg. » Schæf.]

[Ὀλιγοτροφία, ἡ, Exigua nutritio. Alex. Trall. 12, p. 214=698. Struv.]

Ὀλιγότροφος, ὁ, ἡ, Qui pauco cibo s. nutrimento contentus est, Parum nutrimenti in cibo præbens. [Hippocr. p. 85, A : Διαιτήμασι ὀλιγοτρόφοισι. Aristot. De partt. an. 4, 5 fin.; Theophr. C. Pl. 3, 13, 4. Diphilus Siphn. ap. Athen. 2, p. 51, B, κεράσια· 68, F, πέπων· Hicesius 7, p. 308, D, ἰχθύς.]

Ὀλιγοΰδρος, ὁ, ἡ, Parum aquæ habens, Parum aquosus, Pauca aqua contentus, Cui pauca aqua sufficit. Quo modo Theophr. H. Pl. 6, 7, [6] dicit ὀλιγοϋδρότατος ὁ ἕρπυλλος. Huic opponitur φίλυδρος.

[Ὀλιγόϋλος, ὁ, ἡ, Qui exiguæ est materiæ. Eust. Opusc. p. 224, 58 : Ὡς ἡ παλαιὰ ἱστορία τοῖς Ἀβίοις αὐτίκα καὶ τὸ δικαιότατον συνέθηκε διὰ τὸ κατ' αὐτοὺς ὀλιγόϋλον· et improprie Il. p. 4, 1 : Ἐκεῖ δὲ γλισχρότατος καὶ πάντῃ ὀλιγόϋλος ὁ τοῦ βιβλίου σκοπός· Od. p. 1379, 42 : Ἰστέον δὲ ὅτι πάνυ γλίσχρα τὰ τῆς ὑποθέσεως ἐν τῷ βιβλίῳ τούτῳ καὶ ἄσπορα καὶ ὀλιγόϋλα. ῡ]

[Ὀλιγοϋπνέω, Non multum dormio. Eust. Od. p. 1649, 32 : Τὸν τηνικαῦτα δυνάμενον ὀλιγοϋπνεῖν κερδαίνειν διπλᾶ.]

[Ὀλιγοϋπνία, ἡ, Exiguus somnus. Iambl. V. P c. 69.]

[Ὀλιγόϋπνος, ὁ, ἡ, Qui exiguum capit somnum. Appian. B. Hisp. c. 74, ὀλιγοϋπνότατος.]

[Ὀλιγοφᾰγία, ἡ, Exiguus esus. Schol. Aristoph. Pac. 28.]

[Ὀλιγοφάγος, ὁ, ἡ, Inedax, Gl. Hippocr. p. 358, 19 : Τὰ ὀλιγοφάγα τῶν πολυφάγων.]

[Ὀλιγοφᾰὴς, ὁ, ἡ, Breve s. Exiguum lumen afferens. Suid. v. Βραχυφεγγίτης.]

Ὀλιγοφῐλία, ἡ, Amicorum paucitas, inopia. Ab Aristot. Rhet. 2, [8] ἀφιλία et ὀλιγοφιλία numerantur inter mala fortunæ. Opponitur πολυφιλία. [Antiphon ap. Antiatt. Bekkeri p. 110, 33, et Pollucem 3, 63.]

Ὀλιγοφόρος οἶνος, Vinum, quod paucam aquam fert, eam ob rem dictum Aqueum, ap. schol. Aristoph. [Pl. 854.] Oppositum huic πολυφόρος οἶνος. [Hippocr. p. 393, 22, ubi v. Galenus.]

[Ὀλιγοφρᾰδὴς, ὁ, ἡ, Breviloquus. Schol. Pind. Ol. 3, 81 : Οἱ δὲ Δωριεῖς ὀλ. καὶ συλληπτικοί. Boiss.]

[Ὀλιγοφρενία, ἡ, Exigua mens. Greg. Naz. Carm. 13, 126.]

[Ὀλιγοφρόνως. V. Ὀλιγόφρων.]

Ὀλιγόφρων, ονος, ὁ, ἡ, Pusillanimis; μικρόψυχος, Hesych. At VV. LL. ex Plut. De garrul. [p. 504, A] afferunt τὸ ὀλιγόφρον, tanquam ebrietatis epith. [Ἡ μέθη λάλον· ἄνουν γὰρ καὶ ὀλ., διὰ τοῦτο καὶ πολύφωνον], pro Sine cura, Oscitabundum. Quod certe hac in signif. plane mihi suspectum est. [Fatuus. Anon. physiogn. ap. Boisson. ad Marin. p. 133 med. : Ἀνὴρ κατὰ τὸ εἶδος ἐοικὼς γυναικὶ ἄνανδρος καὶ μαλακὸς καὶ ὀλιγόφρων ἐστίν. Memorat etiam Pollux 4, 14, et de canibus minus sagacibus 5, 64. L. D.] Ὀλιγοφρόνως adv. a Polluce [4, 15] rejicitur ut ἀτοπώτερον.

Ὀλιγόφυλλος, ὁ, ἡ, Pauca folia habens. Cui opponitur πολύφυλλος, quod vide.

[Ὀλιγόφωνος, ὁ, ἡ, Aristides Quint. De musica p. 43 Meib. : Τὰ δὲ μικρὸν καὶ ἀμαυρὸν ἠχοῦντα παντάπασιν ἄφωνα, οἷον ὀλιγόφωνα, προσαγορεύεται. Attamen verba οἷον ὀλιγόφωνα, quæ Gaisford. ad Hephæst. p. 187 a Ms. Magd. abesse annotavit, vereor ne insititia sint. Osann.]

[Ὀλιγόχλωρον, τὸ, Capparis. Diosc. Notha 2, 204. Boiss.]

Ὀλιγοχοέω, Sum ὀλιγόχους, Parum fundo s. refundo, Exiguo cum fœnore refundo. Talem autem et verbi Fundo usum vide ex Plinio in Πεντηκοντάχοος.

Ὀλιγόχοος, s. Ὀλιγόχους, ὁ, ἡ, Parum refundens, ut semina telluri commissa dicuntur ὀλιγόχοα, Quæ exiguo cum fœnore reddunt ac refundunt sese in aream seminatoris. Theophr. C. Pl. 4, [8, 2] : Διὸ καὶ πυροὶ κριθῶν ὀψιέστεροι καὶ ὀλιγοχούστεροι· H. Pl. [8, 4, 4]: Ὀλιγόχοοι δὲ καὶ ὀλιγόγονοι καὶ κοῦφοι κατὰ τὴν προσφορὰν καὶ ἡδεῖς, sub. εἰσὶν οἱ δίμηνοι πυροί. Et mox, Τρίμηνοι δὲ πολλοὶ καὶ πανταχοῦ κοῦφοι· οὗτοι καὶ ὀλιγόχοοι, καὶ μονοκάλαμοι κατὰ τὴν ἔκφυσιν. [Formam ὀλιγόχοι, quam ib. 3 cum πολύχοι præbet cod. Urb., etiam his locis restituendam esse apparet.] Affertur et [ex Aristot. De generat. an. 3, 7] Ὀλιγοχούστερος πρὸς γονὴν, pro Minus copiosus genituræ. Ubi nota compar. ὀλιγοχούστερος, sicut et in superiore Theophr. l.

Ὀλιγοχορδία, ἡ, Chordarum s. Fidium paucitas : cui opp. πολυχορδία, ap. Athen. [Plut. Mor. p. 1137, D, pro quo p. 1135, D, perperam legitur Ὀλιγοχορεία. Wyttenb.]

[Ὀλίγοχος, Ὀλιγόχους. V. Ὀλιγόχοος.

[Ὀλιγοχρηματία, ἡ, Clem. Alex. Wakef. Recte videtur reposuisse Triller. ap. Melamp. De palpitat. p. 480, pro Ὀλιγοχρονία. Struv.]

[Ὀλιγοχρήματος, ὁ, ἡ, Qui exiguæ est pecuniæ, Vilis. Philo vol. 1, p. 344, 31 : Ὀλιγοχρημάτου παρακαταθήκης, et cum eodem nomine 287, 39; vol. 2, p. 346, 30.]

[Ὀλιγοχρονία. V. Ὀλιγοχρηματία.]

Ὀλιγοχρόνιος, ὁ, ἡ [ut ap. Lucian. Nigrin. c. 33 : Ὀλιγοχρονίου τε καὶ βραχείας ἡδονῆς, et α, ον, ut ap. Aristot. Polit. 5, 12 : Ὀλιγοχρόνιαι, sed cui restituendum videtur ὀλιγοχρόνιοι, ut est l. infra citato. Aret. p. 94, 16 : Πνὶξ ὀλιγοχρονίη· Leonid. Tar. Anth. Pal. 7, 648, 2 : Εἶπ' ὀλιγοχρονίης ἁψάμενος κεφαλῆς· v. Πολυχρόνιος, et Wernick. ad Tryphiod. p. 40], Qui pauci s. brevis est temporis, Exiguo s. Brevi temporis spatio durans. [Temporalis, Gl. Theognis 1014 : Ἀλλ' ὀλιγοχρόνιον γίγνεται ὥσπερ ὄναρ. Plato Anth. Pal. 5, 79, 4 : Σκέψαι τὴν ὥρην ὡς ὀλιγοχρόνιος. Herodot. 1, 38 : Ἔφη σε ὀλιγοχρόνιον ἔσεσθαι· ὑπὸ γὰρ αἰχμῆς σιδηρέης ἀπολέεσθαι. Polyb. 2, 35, 6 : Ὡς ὀλ. καὶ λίαν εὔφθαρτον τὸ φῦλον αὐτῶν (Gallorum). « Diog. L. 8, 90 : Ἔνδοξον, ἀλλ' ὀλιγοχρόνιον. » Hemst.] Xen. Cyrop. 4, p. 58 [c. 2, 44] : Τὸ μὲν γὰρ νῦν πλεονεκτῆσαι, ὀλιγοχρόνιον ἂν ἡμῖν τὸν πλοῦτον παράσχοι. Cui ὀλιγοχρόνιος opp. ἀενναότερος, dicens, Τοῦτ' ἀενναότερον [ἀεναώτερον] ἡμῖν δύναιτ' ἂν τὸν πλοῦτον παρέχειν. Itidemque Medici ὀλιγοχρόνιον μανίαν, Furorem s. Insaniam brevi durantem tempore dixerunt, vatum poetarumque ἐνθουσιασμῷ similem, quæque levi de causa exorta, statim evanescit. Fanatici appellantur ab JCtis, qui morbo illi sunt obnoxii. [Aristot. H. A. 5, 8 : Αἱ κυήσεις ὀλιγοχρόνιοί εἰσιν· 14 : Ὀλιγοχρονιωτέρα ἡ ὀχεία γίνεται. Eodemque gradu Reip. 5, 12, et Plato Phæd. p. 87, C et D : Τὸ σῶμα ἀσθενέστερον καὶ ὀλιγοχρονιώτερον.]

[Ὀλιγοχρονιότης, ητος, ἡ, Breve tempus. Proculus Paraphr. Ptol. 1, 3, p. 14; 3, 5, p. 164, 165.]

[Ὀλιγόχρονος, ὁ, ἡ, pro ὀλιγοχρόνιος, nisi fallit scriptura, legitur ap. Marc. Anton. 5, 10 : Ὡς ὀλιγόχρονα. Conf. de duplici horum compositorum forma Wernick. l. in altera citato.]

[Ὀλιγόχρυσος, ὁ, ἡ, Qui non multum habet auri. Pollux 3, 109.]

[Ὀλιγόχυλος, ὁ, ἡ, Qui non multum habet succi. Diphilus Siphn. ap. Athen. 3, p. 91, E; 120, E.]

[Ὀλιγόχυμος, ὁ, ἡ, Qui non multum habet saporis, ap. Xenocr. p. 12, 50, ubi tamen ὀλιγόχυλοι ex Diphilo reponebat Coraes, qui de utriusque voc. discrimine disputavit p. 218.]

Ὀλιγοψυχέω, Sum animo pusillo, Sum pusillanimis; i. q. μικροψυχέω, teste Hesych. [Isocr. p. 392, B : Βαδίζειν οὐ δυνάμενον, ἀλλ' ὀλιγοψυχοῦντα, ubi olim ἀλλὰ λειποψυχοῦντα. L. D. Jon. 4, 9 : Ὠλιγοψύχει καὶ ἀπελέγετο τὴν ψυχὴν αὐτοῦ. Sirac. 4, 9 : Μὴ ὀλιγοψυχήσεις ἐν τῷ κρίνειν σε· et alibi sæpe in V. T. Schleusn. Aristoteles quum Euripi motus rationem reperire non posset, ἐτελεύτησεν ὀλιγοψυχήσας, Etymol. M. p. 395, 31. Hemst. Schol. Hom. Il. Ο, 24. Glossæ ad Aristæn. 1, 15, p. 457.]

[Ὀλιγοψυχία, ἡ, Pusillanimitas, Gl. Hippocr. p. 594, 7 : Τῇ χολώδει ὀλ. ἐμπίπτει· 1223, B : Ἔστιν ὅτε ὀλιγοψυχίη ἴσχετο. Exod. 6, 9 : Ἀπὸ τῆς ὀλ. Ps. 54, 8. « Joann. Hist. Barlaam. cod. 903, p. 11, 2. » Boiss.]

A Ὀλιγόψυχος, ὁ, ἡ, Pusillanimis. Exp. tamen et Impatiens. [Ὄρτυγες μάχιμοι καὶ ὀλιγόψυχοι, et ægrotum significant moriturum esse διὰ τὸ ὀλιγόψυχον, Artemidor. 3, 5. Hemst. Justin. M. Dial. c. Tryph. p. 114, C : Γυναῖκα καταλελειμμένην καὶ ὀλ. Jacobs. || Adv. Ὀλιγοψύχως, Jo. Chrys. Hom. in Psalm. 6, p. 4 Cotel.]

Ὀλιγόω, Ad paucos redigo, Imminuo, Hesych. v. Ὀλιζόω. [Eust. Il. p. 143, 22 : Ὀλιγοῖ γὰρ τὰ ζῶα, οἷς ἐμπέσῃ ὁ λοιμός. Pass. Etym. M. p. 597, 7 : Διὰ τὸ ὀλιγωθῆναι τοὺς ἀνθρώπους. Hemst. Eust. Opusc. p. 155, 35 : Ὀλιγοῦται καὶ αὐτή. Synes. De febr. p. 30 : Ὀλιγοῦται ἡ φαιδρότης τοῦ προσώπου αὐτῶν. L. D. Orac. Sib. 1, 321 : Εἰς ἄλλα τε βένθεα πόντου μέτρ' ὀλιγωθείη. « Testam. 12 patriarch. in Fabric. Cod. pseudepigr. V. T. vol. 1, p. 667 med. : Μετὰ τὸ ὀλιγωθῆναι ὑμᾶς καὶ σμικρυνθῆναι. V. Ὀλιζόω. || Animi deliquium patior. Eumath. Ism. p. 341 : Ὅλος ὀλιγωθεὶς τὴν ψυχήν. Sic hodie loqui Græcos monet ad l. Eumathii Coraes ad Heliod. vol. 2, p. 171. » Struv. V. Ὀλιγωρέω fin.]

[Ὀλίγυρτος, ὁ, Oligyrtus, mons Arcadiæ, ap. Polyb.
B 4, 11, 5 et 70, 1, libris inter hoc et ὀλύγυρτον, λύγυρτον, λίγυρτον et similia variantibus, comparatur cum castello circa hæc loca ap. Plut. Cleom. c. 26, ubi libri τὸν (vel τὸ) ὀνόγυρτον, ὀλόγουτον, ὀλόγουντον, vel sim.]

[Ὀλιγῶλαξ. V. Ὀλιγαῦλαξ.]

Ὀλιγωρέω, significans ὀλίγην τὴν ὥραν ἔχω, Suid., Parvam curam habeo, Parum curo, Negligo [Contemno, Supersedeo, Gl.] : i. q. ἀμελῶ, oppositum habens κήδομαι s. φροντίζω. Isocr. Paneg. [p. 56, A] : Οὐ γὰρ ὠλιγώρουν τῶν κοινῶν, οὐδ' ἀπέλαυον μὲν ὡς ἰδίων, ἠμέλουν δὲ ὡς ἀλλοτρίων· ἀλλ' ἐκήδοντο μὲν ὡς οἰκείων, ἀπείχοντο δὲ ὥσπερ χρὴ τῶν μηδὲν προσηκόντων. Sic Xen. [Comm. 2, 4, 3] : Τῶν φίλων ὀλιγωρεῖν, Amicos non curare, sed neglectui habere. [Thuc. 5, 9 : Τοὺς ἐναντίους εἰκάζω ... ἀτάκτως κατὰ θέαν τετραμμένους ὀλιγωρεῖν. Perfrequens cum genit. rei vel pers., vel absolute positum, est etiam ap. Platonem. Aristot. Eth. Nic. 4, 7 : Τῆς δὲ παρὰ τῶν τυχόντων τιμῆς ... πάμπαν ὀλιγωρήσει.] Aristot. vero non cum gen., sed cum εἰς, Rhet. 2, [2] :
C Τοῖς εἰς τὰ τοιαῦτα ὀλιγωροῦσιν ὑπὲρ ὧν αὐτοῖς αἰσχρὸν μὴ βοηθεῖν, ut parentes sunt, liberi, uxores, magistratus quorum imperio subsunt. [|| Pass. Plato Lach. p. 180, B : Ὀλιγωρεῖσθαί τε καὶ καλῶς διατίθεσθαι. Ps.-Demosth. p. 217, 23 : Ἡμῖν τοῖς οὕτως ὠλιγωρημένοις. || « Ὀλιγωρεῖν, Animo delinquere, defici. (Ὀλιγωρῶ, Deficio, Gl.) Theophanes a. Heraclii 21, et Saracenica Sylburgii p. 57 : Ἔφασκεν ὅτι φοβερὰν ὀπτασίαν ἀγγέλου θεωρῶ καὶ μὴ ὑποφέρων αὐτοῦ τὴν θεωρίαν ὀλιγωρῶ καὶ πίπτω. » Ducang. Conf. Ὀλιγόω. Similiter Hesychius interpr. : Ὀλιγωροῦντος, ἀδημονοῦντος, de qua signif. plura v. in Βαρυθυμέω. L. Dind.]

[Ὀλιγώρησις, εως, ἡ, i. q. ὀλιγωρία. Themist. Or. 10, p. 136, 10.]

Ὀλιγωρητέος, α, ον, Contemnendus. [Isocr. p. 617, 21 : Ὀλιγωρητέον ἐστὶ τῶν Ἑλληνικῶν πραγμάτων. Athen. 12, p. 545, E.]

Ὀλιγωρία, ἡ, Negligentia, Incuria, vel etiam Neglectus, Contemptus, [Pusillanimitas, Segnitia, Devotio, Gl.] i. q. ἀμέλεια, ut patet ex Aristot. Rhet. 2,
D [2] : Ὀλιγωρίας γὰρ δοκεῖ καὶ ἡ λήθη σημεῖον εἶναι· δι' ἀμέλειαν μὲν γὰρ ἡ λήθη γίγνεται· ἡ δ' ἀμέλεια ὀλιγωρία ἐστίν. [Sic Demosth. p. 249 fin. : Εἰ δέ τι πλημμελοῦντα παρὰ τὰ ἐπεσταλμένα λαβὼν, ὅτι ἐπισκεψάμενοι Ἀθηναῖοι ἐπιτιμήσουσι κατὰ τὴν τῆς ὀλιγωρίας ἀξίαν.] Idem in eod. l. ὀλιγωρίαν esse dicit ἐνέργειαν δόξης περὶ τὸ μηδενὸς ἄξιον φαινόμενον : tresque ejus esse species, καταφρόνησιν, ἐπηρεασμὸν. et ὕβριν. [Herodot. 6, 137 : Ὑπὸ ὕβριός τε καὶ ὀλιγωρίης. Aristot. Eth. Nic. 7, 7 : Ὕβρις ἡ ὀλιγωρία.] Legitur vero vocab. hoc aliquando absolute positum et solum, ut quum dicunt ἐν ὀλιγωρίᾳ ποιοῦμαι, Neglectui habeo et contemno : itidemque τῶν ἰατρῶν ὀλιγωρία, Medicorum incuria et negligentia. [Isocr. p. 150, A : Ἐκεῖνοι γὰρ ἦσαν οἱ ποτρέψαντες ἐπὶ ταύτας τὰς ὀλιγωρίας. Demosth. p. 405, 13 : Τίνα τῶν ἐν τῇ πόλει φήσαιτ' ἂν βδελυρώτατον εἶναι καὶ πλείστης ἀναιδείας καὶ ὀλιγωρίας μεστόν;] Interdum cum gen. rei quæ negligitur et contemnitur. Plut. Camillo [c. 6] : Ὀλιγωρία τῶν θείων καὶ περιφρόνησις, Neglectus contemptusque rerum divinarum. De disc. adul. ab

amico [p. 59, F]: Γονέων δὲ ὀλιγωρία, καὶ παίδων ἀμέλεια, καὶ ἀτιμία γαμετῆς. Thuc. 2, [52]: Ἐς ὀλιγωρίαν ἐτράποντο καὶ ἱερῶν καὶ ὁσίων ὁμοίως· νόμοι τε πάντες συνεταράχθησαν, οἷς ἐχρῶντο πρότερον περὶ τὰς ταφὰς, Negligere cœperunt jus fasque. [Aliæ constructiones sunt ap. Demosth. p. 1269, 3: Τὴν τούτου πρὸς τὰ τοιαῦτ' ὀλιγωρίαν. Polyb. 11, 9, 2: Τὴν πρότερον ὀλιγωρίαν τὴν περὶ τῶν ὅπλων, eodemque casu Iambl. V. Pyth. p. 64 Kiessl. Cum accus. Pollux 1, 22: Ὀλιγωρία περὶ τὸ θεῖον. Heraclit. Alleg. H. init.: Τῆς εἰς τὸ θεῖον ὀλιγωρίας.]

Ὀλίγωρος, ὁ, ἡ, (q. d. Cui est ὀλίγη ὤρη alicujus rei, ut Hesiod. loquitur,) Negligens, Incuriosus, Qui aliquid parum curat. [Pusillanimis, Desiduus, Gl.] Aristot. Rhet. 3: Οὐκ οἴονται δὲ παθεῖν οὔτε οἱ ἐν εὐτυχίαις μεγάλαις ὄντες καὶ δοκοῦντες· διὸ ὑβρισταὶ καὶ ὀλίγωροι καὶ θρασεῖς. [Herodot. 3, 89: Χαλεπός τε καὶ ὀλίγωρος. Demosth. p. 764, 24: Εἰ εἴποι τις ὡς ἀνέῳκται τὸ δεσμωτήριον, οἱ δὲ δεσμῶται φεύγουσιν, οὐδεὶς οὔτε γέρων οὔτ' ὀλίγ. οὕτως ἐστὶν ὅστις οὐχὶ βοηθήσειεν ἄν· 1357, 25: Σοβαρὸν καὶ ὀλίγωρον εἰδυῖα αὐτοῦ τὸν τρόπον ὄντα· 1483, 25: Ὦ λίαν ὀλίγωροι, οὔτε τοὺς ἄλλους οὔθ' ὑμᾶς αὐτοὺς αἰσχύνεσθε.] Isocr. Panath. [p. 254, D]: Τοιαύτην ἐποιήσαντο τὴν εἰρήνην, ἧς οὐδεὶς ἂν ἐπιδείξειεν οὔτ' αἰσχίω ποτὲ γενομένην, οὔτ' ὀλιγωροτέραν τῶν Ἑλλήνων. [Quo loco passive accipitur voc. ὀλίγωρος, Neglectus, Neglectim habitus, sicut ap. Nicomachum Athen. 7, p. 290, F: Ὀλίγωρον πεποίηκάς τι, Neglectim, Parum curate fecisti quidpiam. Schweigh.] Et superl. gradu, Ὀλιγωρότατος τοῦ πρέποντος, Maximus honestatis et decori contemptor. [|| Ὀλίγωρος, Brassica canina, ap. Interpol. Diosc. c. 663. Ducang. || Photius quod dicit Ὀλίγωρος σὺν τῷ γ, spectare videtur formam Ὀλίωρος, ut Ὀλίος pro ὀλίγος.] || Unde adv. Ὀλιγώρως, Negligenter, vel etiam Contemptim. Dem. [p. 189, 10]: Ὀλ. βουλεύεσθαι, Consultare negligenter, ἀμελῶς. [Ps.-Demosth. p. 1381 fin.: Οὕτως αἰσχρῶς καὶ ὀλ. ἐάσετε ὑβρίζουσαν εἰς τὴν πόλιν· 1383, 5: Ὀλιγ. καὶ ῥαθύμως φέροντες.] Xen. [H. Gr. 1, 6, 20]: Ὀλ. εἶχον, Negligentes erant. [Non in malam partem Plato Phæd. p. 68, C: Τὸ περὶ τὰς ἐπιθυμίας μὴ ἐπτοῆσθαι, ἀλλ' ὀλ. ἔχειν καὶ κοσμίως.] Demosth.: Ὀλ. εἶχον τούτων, Hæc negligebant et parum curabant. [Ὀλ. ἔχειν χρημάτων Isæus p. 40, 3; 41, 4, τῆς δοκιμασίας Lysias p. 794, 4. Ὀλ. ἔχειν περὶ τὸ σωρεύειν Diod. 5, 77, ubi libri duo τοῦ. Plato Anth. Pal. 9, 506, 1: Ἐννέα τὰς Μούσας, φασίν τινες, ὡς ὀλιγώρως. Plat. Alc. 2 p. 149, A: Οὕτως ὀλ. διάκεινται πρὸς τοὺς θεούς. Eademque constr. Polyb. 5, 91, 4 et Isocr. p. 311, C: Ὀλ. πρὸς χρήματα διακείμενοι· 281, A: Ὀλ. καὶ λίαν πικρῶς ἐδόκουν μοι διειλέχθαι. Aristot. Eth. Nic. 4, 3: Διὰ τὸ μηθὲν τοῦ καλοῦ φροντίζειν ὀλ. καὶ πάντοθεν λαμβάνουσιν (οἱ ἄσωτοι). || Sordide. Hesychius: Ὀλιγώρως, μικρολόγως, σκνιφῶς, ῥυπαρῶς.]

[Ὀλίγως. V. Ὀλίγος.]

[Ὀλίγωσις, εως, ἡ, Imminutio. Eust. Opusc. p. 44, 62: Ἕως ἂν οἰκτίσωνται ἑαυτοὺς τῆς ὁσημέραι πτώσεως καὶ ὀλιγώσεως.]

[Ὀλιγωφελής, ὁ, ἡ, Parum utilis. Sext. Emp. Adv. dogmat. 5, 132, p. 715: Τοῦτο ὀλ. ὄν· 139, p. 716; Adv. math. 1, 296, p. 282. Archigenes Oribasii p. 165 Matth.]

Ὀλιζόω, Minorem reddo, Minuo: unde ὀλιζοῦται, quod Hesych. exp. μειοῦται, ὀλιγοῦται. Apud Eund. reperio etiam ὀλίζυνται, μειοῦνται, ὀλιγοῦνται: quasi a verbo Ὀλίζυμαι, i. significante q. ὀλιζοῦμαι. [Recte Albertus ὀλιζοῦνται. Pro ὀλιγοῦται male legebatur in versu ap. Euseb. Præp. ev. 5, 22.]

[Ὀλίζυμαι. V. Ὀλιζόω.]

Ὀλίζων, ονος, ὁ, ἡ, Parvus: ut et ὀλίγος. Nicand. Ther. [372]: Μετ' ἀμφίσβαιναν ὀλίζονα καὶ μινύθουσαν, schol. μικρὰν, μικροφυῆ, βραδεῖαν. [Ib. 212: Ἀν' Εὐρώπην μὲν ὀλίζονα· 123: Ὀλίζωνες φορέονται, ubi aut ὀλίζονες scribendum et φορέονται mutandum aut ὀλιζότεραι, ut Bentlejus conjecerat.] Hesych. ὀλίζονες exp. ἥσσονες, ἐλάττονες: in compar. hoc vocabulum accipiens: Eidemque ὀλίζων est ἐλάσσων: et in Lex. meo vet. Ὀλίζονος ἔμμορε τιμῆς, pro μικρᾶς, εὐτελοῦς, Exiguum et vilem honorem consecutus est. Neutro gen. ὄλιζον, proparoxytonως, τὸ ὀλίγον s. μικρὸν, quod Eust. alicubi Æolicum, alicubi Ionicum esse dicit: Steph. B. autem ex Demosth. ἐν Κτίσεσι refert Thessalos ὄλιζον vocare τὸ μικρόν. [Additque ex.: Λαοὶ δ' ὑπ' ὀλίζονες ἦσαν. Lycophr. 627: Μετοχλίσας ὀλίζον, ubi μικρὸν, ὀλίγον interpr. schol. Callim. Jov. 72: Τὰ μὲν μακάρεσσιν ὀλίζοσιν αὖθι παρῆκας. Epigr. Anth. Pal. 9, 521, 1: Ὀλίζον κλέος.] At Ὀλιζὼν, ῶνος, urbs Thessaliæ, teste Steph. B., qui hunc l. citat: Καὶ Πιτύειαν ἔχων καὶ Ὀλίζωνα τρηχεῖαν: dicta ἀπὸ τοῦ μικρὰ εἶναι· nam Thessalorum lingua ὄλιζον dixi esse μικρόν. Cujus gentile Ὀλιζώνιος. A Plinio quoque Olizon inter Thessaliæ oppida numeratur. [Strab. 9, p. 436.] Suidæ autem Ὀλιζῶνες sunt ἔθνος Θρᾳκικόν. || Ὀλιζότερος, Minor, quasi ab ὄλιζος. Oppian. Cyn. 3, [65]: Αἱ δ' ἔτ' ὀλιζότεραι μὲν, ἀτὰρ μένος οὔτι χερείους, Minores quidem. Et [394]: Βαιὸν ὀλιζότερον δέμας, Paulo minus est corpus eorum, nec æquat luporum magnitudinem. Et Nicand. Al. [479]: Ὀλιζοτέρη κρίσις οὔρων.

[Ὀλίζω, Totum facio, ex Olympiod. In Plat. Phæd. ὁλίζουσα dicente, affert Bekker. Anecd. p. 1405.]

[Ὀλιζῶνες, Ὀλιζώνιος. V. Ὀλίζων.]

Ὁλικὸς, ἡ, ὸν, Totalis, Universalis. [Theodor. Stud p. 131, B: Ἐμφερής ἐστι τῇ ὁλικῇ ὁμοιώσει. Max. Conf. vol. 2, p. 35, D. Eustath. Opusc. p. 220, 16: Οὐκοῦν θαρρῶ γενικὴν εἰπεῖν, ἀλλὰ μάλιστα ὁλικήν· et sæpius in seqq. Comparat. Damascius De princ. p. 260 med.: Εἴ τι ἐν ταῖς μερικωτέραις οὐσίαις ὄν, προείληπται ἐν ταῖς ὁλικωτέραις. Ammon. Hermias in Aristot. Περὶ ἑρμηνείας p. 203. Porphyrio ap. Stob. Ecl. vol. 1, p. 842, 2, pro ὀλιγωτέραν restituit Canterus. L. Dind.]

Ὁλικῶς, In totum, Universe, In universum, ἐξ ὅλου, Hesych. [Eust. Opusc. p. 226, 30: Ὁ... ἐκεῖνον φιλῶν ὁλικῶς. Theodor. Stud. p. 443, B; Max. Conf. vol. 2, p. 42, aliique recentiorum. L. D. Chrys. 104. Wakef.]

[Ὀλινύα.] Ὀλινύη, Argivis est ὀλίγη, Pauca vel Parva, Hesych. [Codex ὀλινύ. litera postrema a Musuro deleta. Formam Doribus peculiarem cum Lat. *Janua* et similibus comparat Koen. ad Greg. Cor. p. 345.]

[Ὀλίος. V. Ὀλίγος.]

[Ὄλιος, σκίουρος ἔλιος, Hesychius. Cujus de gl. v. in Ὀλείρ.]

[Ὄλιος, ὁ, f. Agenoris sec. Pherecydem ap. Marcellin. Vit. Thucyd. initio. Simile est Ὁδίος.]

Ὀλισάτρον, affertur pro Olus atrum, Petroselinum: sed ἀμαρτύρως.

[Ὀλισβοκόλλιξ, παρὰ τὸ ἑτοιμοκόλλιξ, Hesychius. Quod voc., nisi formæ caussa comparatum est, non apparet quid sibi velit. Altero significatur Panis ὀλίσβῳ similis.]

Ὄλισβος, ὁ, dicitur σκύτινον αἰδοῖον, Penis coriaceus, quo improbæ tribades prurientem libidinem fallunt, Aristoph. ap. Suid.: Οὐκ εἶδον οὐδ' ὄλισβον ὀκταδάκτυλον, ὃς ἂν ἡμῖν σκυτίνη ᾖ ἐπικουρία. [Lys. 109, fr. Thesmoph. alt. ap. Polluc. 7, 96. Cratinus ap. Athen. 15, p. 676, F: Ναρκισσίνους ὀλίσβους.]

[Ὀλισθάζω.] Ὀλισθάζων affertur pro Labens [immo Labans]; sed ἀμαρτύρως. [Habet Epicharmus ap. Athen. 6, p. 236, A: Ἕρπω δ' ὀλισθάζων τε καὶ κατάσκοτος. Schweigh. V. Ὀλισθράζω et Ὀλιβάζω.]

Ὀλισθαίνω, i. q. ὀλισθῶ, a quo est factum. [Act. Facio ut labatur aliquis, Nilus Sent. 50: Ὀλισθαίνει καὶ σκελίζει τοὺς τρέχοντας. Schneider. || Labefio, Labor, Lapso, Gl.] Plato Cratylo [p. 427, B]: Ὅτι δὲ ὀλισθαίνει μάλιστα ἐν τῷ λ ἡ γλῶττα, κατιδὼν ὁ ἀφομοιῶν, ὠνόμασε τά τε λεῖα καὶ αὐτὸ τὸ ὀλισθαίνειν. Plut. Probl.: Ὀλισθαινούσης γλώττης. Unde ὀλισθηρὰ γλῶττα, quod afferam infra. [Formæ hujus certa exx. sunt Apoll. Rh. 1, 377: Ὥς κεν ὀλισθαίνουσα δι' αὐτάων φορέοιτο.] In Poemate de Herone et Leandro, quod Musæo cuidam ascribitur, περὶ τοῦ ἐρωτικοῦ ἕλκους legimus [95], Ἀπ' ὀφθαλμοῖο βολάων Ἕλκος ὀλισθαίνει καὶ ἐπὶ φρένας ἀνδρὸς ὁδεύει, ubi redditur Lubrico lapsu incidit, Illabitur. [De Hippocr. Foes.: « Ὀλισθαίνειν, quod est Prolabi, Excidere, et toto loco moveri, dicitur de articulis aut ossibus quæ luxantur et excidunt, suisque sedibus ex toto elabuntur, quod ἐξαρθρεῖν dicitur: quamvis quidam de articulatione quæ paululum nec ex toto naturali sede excessit ὀλισθαίνειν dici contendant, et παραρθρεῖν significare, ut scribit Galen. Comm. 2 in lib. De fract. p. 549, 39, Hipp.

p. 760, F. Hac notione scribit Hipp. p. 780, B : Ὦμου ἄκρον ὀλισθαῖνον ἐς τὴν μασχάλην, quum humeri caput eo sinu in quo recipitur, ex toto movetur. Quæ luxatio maxima est quum tota sua sede excidat. » V. etiam Ὀλισθράζω. Sed in prosa veterum quæ reperiuntur exx. hujus formæ, ut Platonis l. c., omnia revocata aut revocanda sunt ad Ὀλισθάνω. Quæ forma est ap. Soph. in fr. ap. Suid. v. Ὡς : Θαυμαστὰ γὰρ τὸ τόξον ὡς ὀλισθάνει· Orph. Arg. 267 : Θοὴ δ' ὠλίσθανε πόντῳ (Argo). Apollonidem Anthol. Pal. 7, 233, 3 : Νοῦσον ὅτ' εἰς ὑπάτην ὠλίσθανε· 9, 296, 5 : Αὔτανδρος δ' ἐπὶ γῆς ὠλίσθανε Περσὶς ἄναυδος ὀλλυμένη. Xenoph. Anab. 3, 5, 11 : Ὥστε δὲ μὴ ὀλισθάνειν ἡ γῆ σχήσει, ubi libri ὀλισθῆναι vel ὀλισθᾶναι, quod correxit Porsonus. (Quæ aoristi forma est ap. Nicandr. Al. 89 : Ὄφρ' ἂν ὀλισθήνασα χέῃ κακὰ φάρμακα νηδύς· nisi ὀλισθήσασα scripserat. Qua forma dixit fr. 2, 55 : Στιφροῖς ὠλίσθησαν ἐνιχρίμψαντα χαρείοις.) Sed ὀλισθαίνω relinquendum fortasse recentioribus, ut Oribasio p. 79, 139 ed. Mai., etiamsi alienum sit a Polybio 3, 55, 2, quamvis ne apud recentissimos quidem alterius formæ exx. desiderantur. Aoristo Soph. El. 746 : Ἐξ ἀντύγων ὤλισθε. Aristoph. Ran. 690 : Κεἴ τις ἥμαρτε σφαλείς τι Φρυνίχου παλαίσμασιν, ἐγγενέσθαι φημὶ χρῆναι τοῖς ὀλισθοῦσιν τότε ... λῦσαι τὰς πρότερον ἁμαρτίας. Theocr. 25, 230 : Οὐ γάρ τι βέλος διὰ σαρκὸς ὄλισθεν. Moschus 4, 111 : Ἰφικλέης μεγάθυμος ἐπ' οὔδεϊ κάππεσ' ὀλισθών. Callim. fr. ap. Suid. v. Σιμωνίδης 7 : Ὤλισθεν μεγάλους οἶκος ἐπὶ Σκοπάδας. Et improprie ap. schol. Pind. Nem. 5, 25 : Ἔκλυε τῶν μηδὲν ἐμοὺς δι' ὀδόντας ὀλίσθῃ, ubi male, ut alibi, ὀλισθῇ, aliique poetæ. Cum genit. Philippus Thess. Anth. Pal. 9, 267, 1 : Νηὸς ὀλισθών. Pro quo male ὀλισθέντα ap. Procul. Chrestom. p. 1, 19 Bekk. Perf. Philostr. V. Ap. 3, p. 129, 3 : Ὠλισθήκει τὸν γλουτόν· Diodor. 4, 79 : Διότι κατὰ τὸν λουτρῶνα ὠλίσθηκε, ut ex libris melioribus dedi pro ὀλισθήσας, cujus aor. ὠλίσθησα exx. sunt ap. Demodocum Anth. Pal. 11, 238, 6 : Μὴ κόσμος ὀλισθήσῃ καππαδοκιζόμενος· anon. 9, 125, 4 : Μητρὸς ὀλισθήσας διὰ κόλπων (quem l. HSt. non recte citat et interpretatur), aliosque recentiores poetas, ut Gregor. Naz. Tum ap. Apollodor. 2, 5, 4, 8 : Τὸ βέλος τῆς χειρὸς ὀλισθῆσαν (ut schol. Æsch. Pers. 70 : Ἡ Ἕλλη ὀλισθήσασα τοῦ κριοῦ), et ὀλισθήσασα 3, 2, 1, 6, quum forma ὤλισθεν utatur 1, 9, 1, 5; 3, 14, 6, 3. Ex illo autem HSt., quanquam exemplo grammaticorum, ut Etym. in Ὄλισθος cit., anon. in Cram. An. vol. 4, p. 418, 19, non recte fingit præsens :] Ὀλισθέω, Labor, Prolabor, Cado, ut sc. aliquis labitur s. cadit in loco lubrico, si quidem propriam signif. sequi velimus, i. e. eam quæ propria esse existimatur. Ac certe pro hac signif. facit iste Hom. locus, Il. Ψ, 774 : Ἔνθ' Αἴας μὲν ὄλισθε θέων, (βλάψεν γὰρ Ἀθήνη,) Τῇ ῥα βοῶν κέχυτ' ὄνθος ἀποκταμένων ἐριμύκων. Lubricum enim fuisse locum, ex his patet. Brevium scholl. auctor ὄλισθε exp. simpliciter ἔπεσε. Ex Nonno autem affertur ὀλισθῆσαι ὀλέθρῳ pro Incidere in perniciem. Ex Epigr. [l. c.], Ὀλισθήσας μητρὸς, pro Delapsus ex utero materno.

[Ὀλίσθᾰνος, ὁ, ἡ, Lubricus. Galen. vol. 12, p. 264 : Ἡ διάρθρωσις ὀλισθανωτέρα. L. Dindorf.]

[Ὀλισθάνω. V. Ὀλισθαίνω.]

[Ὀλισθεύω, i. q. ὀλισθάνω, nisi ita legendum, ap. Jo. Laur. De magistrat. 3, 32, p. 206, ubi ὀλισθεύων.]

Ὀλισθήεις, ὁ, poetice i. q. ὀλισθηρός. Fem. Ὀλισθήεσσα, Epigr. [Pauli Sil. Anth. Pal. 9, 443, 3], ὀλισθήεσσα φύσις, Lubrica natura.

Ὀλίσθημα, τὸ, item Ὀλίσθησις, Lapsus, [Lapsio, Gl.] etc. ut dicetur de Ὄλισθος. Utrumque, sc. et ὀλίσθημα et ὀλίσθησις, ap. Plut. legitur [prius Mor. p. 49,C, alterum p. 731, F. « Ὀλίσθησις Proc. In Alcib. 1 c. 47 cum annot. » Creuz. Plato Tim. p. 43, C : Ὑγροῖς ὀλισθήμασιν ὑδάτων. Pollux 4, 203 : Ὀλίσθημα ἐντέρου εἰς τὸ ὄσχεον. Πλάναις, παραπτώμασι interpr. Hesychius. Maximus Conf. vol. 2, p. 102, D : Γνώμης ἐκτροπὴ καὶ ὀλίσθημα. « Ὀλισθήματα dicuntur Hippocrati Integræ ossium elapsiones et luxationes, διακινήματα vero parvæ, ac velut emotiones. Sic enim exponit Galen. Comm. 3 in lib. De fract. p. 572, 46. Ὀλισθήματα videntur dici Celso quum ossa toto loco mota sunt, διακινήματα vero, ubi paulum excesserunt, c. 14 lib. 8. Auctori Definitt. med. p. 493, 7, ὀλίσθημα dicitur τῶν κατ' ἄρθρον ἢ κατ' ἁμοργὴν κινουμένων ὀστῶν φορὰ εἰς τὸ παρὰ φύσιν, quum ossa, quæ vel articuli vel coagmentationis beneficio moventur, extra naturam sunt delata. » Foes. Ὀλισθήματα vocat Hippocr. τὰς τέτταρας παραλλαγὰς τῶν ὀστῶν, Galen. vol. 12, p. 259, D. Hemst. Conf. Oribas. p. 85, 90, 139, 141, 168, 176, 177. L. Dind.]

Ὀλισθηρὸς, ὰ, ὸν, sonat quasi quis dicat Labilis : accipiendo de Eo qui ad labendum proclivis est, s. Talis ut lapsui sit obnoxius : unde ὀλισθηρὸς exp. πτωτικός. [Lubricus, Lapsivosus, Gl.] Diciturque metaphorice ὀλισθηρὸς esse ad rem aliquam, s. ad aliquod vitium, Qui ad id proclivis est et propensus, et Qui facile in id prolabitur. Quo pertinet ὀλισθηρὰ γλῶττα, Lingua cui sæpe contingit ut labatur [ap. Polluc. 6, 120. Qui etiam ὀλισθηρὸς (τὴν γλῶτταν) de oratore ponit 6, 119, 146; 8, 81. Proprie Pind. Pyth. 2, 96 : Ποτὶ κέντρον δέ τοι λακτιζέμεν τελέθει ὀλισθηρὸς οἶμος. Apollonid. Anth. Pal. 7, 702, 6 : Ἐντὸς ὀλισθηρῶν δυσαμένη φαρύγων.] Sed ὀλισθηρὸς τόπος dicitur Locus lubricus, in quo quis facile labitur, in quo firmiter gradum sistere non potest, sed labitur. Extatque hoc ὀλισθηρὸς τόπος ap. Plut. [Pyrrho c. 29], itidemque ὀλισθηρὸν χωρίον ap. Xen. [Eq. 7, 15, Polluc. 1, 187.] Accipiturque et generalius, sicut Lubricus : unde quod λεῖον est, dicitur esse ὀλισθηρὸν et δυσκάθεκτον. Lucian. Timone [c. 29] : Ὡς δὲ λεῖος εἶ, ὦ Πλοῦτε, καὶ ὀλισθηρὸς καὶ δυσκάθεκτος καὶ διαφευκτικός. Sic ap. Eund. legimus in Hermotimo [c. 59] : Ὡς ὀλισθηρὸς, ὦ Ἑρμότιμε, καὶ διαδιδράσκεις ἐκ τῶν χειρῶν. Ut autem in illo priore Luciani loco λεῖος et ὀλισθηρὸς copulantur, sic ap. Plut. quoque et alios copulata inveniuntur. Observandumque est, sicut ὀλισθηρὸς in priori signif. (i. e. ea cui priorem locum dedi) verbo Labi commode reddi potest, ita hoc per comp. Elabi in hujusmodi locis reddi posse. Qui enim est λεῖος et δυσκάθεκτος, et qui διαδιδράσκει ἐκ τῶν χειρῶν, eum dicere possumus facile elabi. Sic certe et comp. εὐόλισθος redditur Lubricus, sed videndum an unicuique horum locorum convenire itidem possit. [Agathias Anth. Pal. 5, 216, 2 : Ὀλισθηρῆς ἱκεσίης· 10, 66, 4 : Τέρψιν ὀλισθηρῆς οὐ δεδάηκε τύχης. De pedibus in loco lubrico lapsi Statyll. Fl. 7, 542, 2 : Κοῦρος ὀλισθηροῖς ποσσὶν ἔθραυσε πάγον. Manetho 5, 154 : Ἢν δ' ἐσίδῃς ζώοις ἐν ὀλισθηροῖσι τὰ κέντρα. Orph. Lith. 674 : Ὀλισθηροῖο ἑρπετοῦ. Hippocr. p. 385, 46 : Τῆς πτισάνης τὸ ὀλισθηρόν· et ib. : Ὀλισθηροτάτην τὴν πτισάνην· et 785, D. Aret. p. 60, 30 : Ὀλισθηρὰ τῷ περιρρόῳ, Ob humorem lubrica. 109, 35 : Κλυσμοῖσι ὀλισθηροῖσι· 127, 9 : Ἄγειν φλέγμα εὔπνοον, ὀλισθηρὸν δὲ τὴν κάτω διέξοδον. Et alibi. Schol. Aristoph. Thesm. 487 : Καταχέασα τοῦ στροφέως ὕδωρ, ἵνα ὀλισθηρὸς γενόμενος μὴ ψοφῇ. Xenoph. Anab. 4, 3, 6 : Τραχὺς ἦν ὁ ποταμὸς μεγάλοις λίθοις καὶ ὀλισθηροῖς· Eq. 7, 9 : Ἡνίαι μηδὲ ὀλισθηραὶ μηδὲ παχεῖαι. Plato Soph. p. 231, A : Τὸν δὲ ἀσφαλῆ δεῖ πάντων μάλιστα περὶ τὰς ὁμοιότητας ἀεὶ ποιεῖσθαι τὴν φυλακήν· ὀλισθηρότατον γὰρ τὸ γένος. Εὐχερῶς μεταγινώσκων interpr. Photius s. Suidas.] ‖ Ὀλισθηρὸς εἰς πόδας legimus ap. Antipatr. Epigr. p. 243 meæ ed. [Anth. Pal. 7, 398] : Οὐκ οἶδ' εἰ Διόνυσον ὀνόσσομαι, ἢ Διὸς ὄμβρον Μέμψομ'· ὀλισθηροὶ δ' εἰς πόδας ἀμφότεροι. Quibus versibus subjunguntur hi, Ἀγρόθε γὰρ κατιόντα Πολύξενον ἔκ ποτε δαιτὸς Τύμβος ἔχει, γλίσχρων ἐξεριπόντα λόφων. Ubi ὀλισθηροὶ εἰς πόδας quidam interpr. Lubrici pedibus. Ego verba hæc εἰς πόδας existimo πλεονάζειν, et duntaxat ad explendum versum addi : dici autem ὀλισθηροὶ active, non passive, de Iis qui ad lapsum proclives reddunt : vel, ut simul εἰς πόδας exprimamus, Proclives pedes reddunt. Ego versus illos ita verti (inter ea Epigrammata Anthologiæ, quæ sunt ultra numerum a me editorum) : Haud scio culpandus Bacchusne sit, an Jovis imber. Sæpe etenim labi cogit uterque pedes. Quum autem Antipater ita Epigr. hoc claudat, Ἀλλά τις ὄρφνης Δειμαίνοι μεθύων ἀτραπὸν ὑετίην, ubi ἀτραπὸς ὑετίη, i. e. Via pluvialis, optime cum ὀλισθηροὶ convenit, quidam tamen omnino nova et inusitata interpr. utens (sed ei aliud verbum non suggerente sua Musa, ut credibile est), Salebrosas vias reddidit : ita interpretans illam Epigrammatis clausulam, Ergo cavebis Nocte salebrosas ebrius ire vias. Ego ita, Hoc bene potos Noctu iter A extimeant ut pluviale monet. [Fallax, Suid. v. Γλοιός : ibi enim loco impressi ὀλίστηρον necessario leg. ὀλισθηρόν. Schleusn. || Adv. Ὀλισθηρῶς, schol. Aristoph. Pac. 192. Procliviter, Clem. Al. Pæd. 2, p. 169, 228.]

[Ὀλίσθησις, εως, ἡ. V. Ὀλίσθημα.]

[Ὀλισθητικὸς, ἡ, ὸν, Lubricus. Hippocr. p. 261, 3 : Χρίσας τὴν χεῖρα κηρωτῇ, ἥτις ὀλισθητικὴ μάλιστα.]

[Ὀλισθογνωμονέω.] Ὀλισθογνωμεῖν ap. Lucian. Lexiph. [c. 19] sonat q. d. Excidere mente, Mentis compotes non esse, ubi Lexiphanes ita loquitur : Ὃς περιφανῶς μακκοᾷ, καὶ ἄνδρας πεφρενωμένους ὀλισθογνωμεῖν οἴεται. Sed hoc verbum ipsi Lexiphani, sicut alia pleraque, affingi existimo, ejus in sermone studium novitatis irridendo. [Ὀλισθογνωμονεῖν restitutum ex libris melioribus.]

[Ὀλισθοποιέω, Labefacio, Gl.]

Ὄλισθος, ne nunc quidem, ubi ponendum fuerit, ex iis quæ ap. Etymologistam extant, statuere possum : quippe quæ talia sint ut non solum quæ credamus, sed etiam quæ legamus, indigna esse videantur. Ὄλισθος, inquit, παρὰ τὸ ὅλως θέειν : vel παρὰ τὸ ὅλος, et ἵζω, quod est κάθημαι : ut sit ὁ ὅλος καταπίπτων. Additque, Et verbum Ὀλισθέω, ex quo est Ὀλισθαίνω. Sed B in veteri editione Etymologi prætermissum est verbum ὀλισθέω. Legitur enim, Καὶ ῥῆμα ὀλισθαίνω, τὸ καταπίπτω, quum ita legi debeat, Καὶ ῥῆμα Ὀλισθῶ, ὀλισθήσω· ἐκ δὲ τοῦ ὀλισθῶ παράγεται Ὀλισθαίνω. Ut autem cetera omittam, quomodo ὄλισθος, quo significatur Lapsus, substantivum, possit dici sonare ὁ ὅλος καταπίπτων, viderint ii qui Etymologo patrocinari volent. — Ὄλισθος, ὁ, Lapsus, [Labes, add. Gl.] Casus, Prolapsio. [Πτῶσις Hesychio.] Existimatur autem proprie dici de Lapsu qualis in lubrico contingere loco solet. Lucian. [Anacharsi c. 2] : Τῆς ψάμμου τὸν ὄλισθον ἀφαιρούσης. Interdum vero ὄλισθος est Lubricitas, inquit Bud., ut ap. Lucian., ubi loquitur de corpore athletarum, quod oleo perfundi solebat, ut firmiter prehendi non posset; hanc enim lubricitatem appellat ὄλισθον. [Est et ὄλισθος Hippocrati idem quod ὀλίσθησις aut ὀλίσθημα, p. 852, A : Δακτύλου δὲ ἄρθρου C ὄλισθον μὲν εὔσημον οὐ δεῖ γράφειν. Alioqui ὄλισθον Lubricitatem significat, et de sputo dicitur quod lubricum fit et λεῖον, facileque educitur neque alicubi hæret, ut p. 393, 48, de oxymelite; Εἰ γὰρ ἀνάγοι μὲν τὰ ἐγκέρχνοντα, καὶ ὄλισθον ἐμποιήσειε. Ubi etiam de faucium aut gutturis lubricitate sumi potest, quo facilius sputum exspuatur, ac necubi in via hæreat. Foes. Aret. p. 108, 28 : Κλυσμοῖσι ἐς ὄλισθον χρέεσθαι μαλακοῖσι. Polyb. 15, 14, 2 : Ὁ τῶν νεκρῶν ὄλισθος. Schol. Xen. Anab. 1, 5, 8 : Κατὰ στενοῦ καὶ ὀλίσθου γέμοντος ὑψηλοῦ τόπου. Liban. vol. 4, p. 615, 2 : Ὥστε λίμνας ὅλας ἐν αὐτῇ συνεστάναι καὶ ὀλίσθους εἶναι τῆς ἀγορᾶς πανταχοῦ. « Ὄλισθος et derivata a gymnasticis ad moralia transducta, Creuzer. Initt. philos. ac theol. e Plat. ducta 1, p. 136. » Angl. Jobius Photii Bibl. p. 283, 13 : Ἑτοίμη πρὸς ὄλισθον ἡ ὕλη. Jacobs.] Ceterum hoc nomen Ὄλισθος pono ante verbum Ὀλισθέω, non tam quod Etym. priorem locum ei tribuat (sæpe enim in assignandis hujusmodi locis nullo illum judicio præditum esse videmus), quam quod veram D verbalis formam non habeat : nisi forte ab aor. posteriore ὤλισθον formatum esse dicamus. At Ὀλισθηρὸς, si quidem non extaret verbum Ὀλισθέω, huic nomini ὄλισθος subjungerem : at quum in usu sit, et ab eo esse possit, ei potius subjungam : sic tamen ut alioqui talem ordinem valde pertinaciter tueri nolim. [Μεθύουσιν ὄλισθος οἶνος ψυχαπάτης, poeta apud Clem. Al. p. 183, 23; 184, 18. Hemst. Philo De colend. par. p. 17 : Ὀλίσθῳ τύχης. || Piscis. Oppian. Hal. 1, 113 : Πηλαμύδες γόγγροι τε καὶ ὃν καλέουσιν ὄλισθον. Coraes ad Xenocrat. p. 210 : Τὸν παρὰ τῷ Ὀππιανῷ μόνῳ καλούμενον ὄλισθον ἰχθὺν γλανεὸν καὶ τοῦτον ὁ σχολιαστὴς ἰδιωτικῶς φησιν ὀνομάζεσθαι, ὃν ὁ Γεσνῆρος (Περὶ ἐνυδρ. σ. 742) ὡρμημένος ἀπὸ τοῦ ὀνόματος τὸ ὀλισθηρὸν καὶ ἐπομένως τὸ λεῖον καὶ ἀλεπίδωτον δηλοῦντος, ὑποτοπάζει μήποτε ὁ αὐτός ἐστιν ὃν *Lamproie* ὑπὸ τῶν Γάλλων καλεῖσθαι εἰρήκαμεν. L. Dind.]

[Ὀλισθὸς, ὁ, ἡ, Lubricus. Arcad. p. 50, 1 : Τὸ δὲ ὀλισθός ὁ ὀλισθηρός ὀξύνεται, ἐπίθετον ὄν.]

[Ὀλισθράζω. Ὀλισθράζοντα, ὀλισθαίνοντα ap. Hippocr. explicat Galen. in Exegesi, Prolabentia, Excidentia. Verum ubi vulgo ὀλισθαίνοντα legitur, ὀλισθράζοντα legisse videtur Galen., ut p. 776, C : Ἀλλὰ τὰ μὲν ἔξω καὶ ἔσω ὀλισθαίνοντα, Verum ubi extrorsum et introrsum prolapsa sunt. Et p. 824, A : Τὰ ἄρθρα τὰ ἐκπίπτοντα καὶ τὰ ὀλισθαίνοντα, Articuli qui excidunt et elabuntur. Foes. V. Ὀλισθάζω et, quod ipsum quoque ap. Hesychium scriptum semel cum ρ semel sine, Ὀλιβάζω.]

[Ὀλίσχρη, ἡ, inter barytona in ρη non addita signif. memorat Arcadius p. 113, 19.]

[Ὀλιστήνη, ἡ, Olistene, f. Jani, ap. Athen. 15, p. 692, E.]

[Ὀλκάβας, ὁ, Olcabas, Scytha, Appian. Mithr. c. 79.]

[Ὁλκαδικὸς, ἡ, όν. Aristot. De incessu anim. c. 10 med., πλοῖον, Navis oneraria.]

Ὁλκάδιον, τὸ, Navicula oneraria.

[Ὁλκαδοπιττώτης, ὁ, Qui naves onerarias pice illinit. Anon. in Bekk. Anecd. p. 1089, de Michaele Calfate.]

[Ὁλκαδοχρίστης, ὁ, Qui naves onerarias illinit, pingit. Manetho 4, 342 : Ὑλογράφους ἄνδρας, κηραγγέας, ὁλκαδοχρίστας.]

Ὁλκάζω, Traho, ἕλκω, χαλιναγωγῶ, Hesych.

Ὁλκαία, ἡ, Cauda. Nicander Ther. [122] de Pleiadibus : Αἵθ᾽ ὑπὸ ταύρου Ὁλκαίην ψαίρουσαι, ὀλίζωνες φορέονται. Dictam autem ὁλκαίαν schol. annotat παρὰ τὸ ἕλκεσθαι ὑπὸ τοῦ ὅλου σώματος : proprie autem ὁλκαίαν esse Caudam leonis, quoniam leo δι᾽ αὐτῆς ἑαυτὸν ἐποτρύνει μάχεσθαι. [Memorat schol. etiam scripturam ἀλκαία, quocum permutatur etiam ap. schol. Apoll. Rh. 4, 1614, ubi ex. Callimachi additur. Conf. autem Nicand. ib. 225.]

Ὁλκαῖον, τὸ, Vas, in quo pocula abluuntur, ἐν ᾧ τὰ ἐκπώματα ἐναπονίπτουσιν, Pollux 6, [99] citans Antiochum. Idem libro 10, [78] scribit, fortasse id λουτήριον quoque appellari posse. Hesychio est λεκάνη, νιπτήρ, κρητήρ : quæ significata tribuit etiam τῷ ὅλκιον. [V. etiam Ὁλκήιον et Ὁλκίον.]

Ὁλκαῖος, α, ον, Qui trahitur. Nicander Ther. 267 : Οἶμον ὁδοιπλανέων σκολιὴν τετρηχότι νώτῳ, Τράμπιος ὁλκαίης ἀκάτῳ [καμάτῳ Schneid.] ἴσος, Naviculæ, quæ trahitur, s. ἐπισπωμένης. In illo autem Ejusd. lib. I. [162] de aspide, Ἕρπει Ἀτραπὸν ὁλκαίην δολιχῷ μηρύγματι γαστρὸς, idem schol. ὁλκαίην ἀτραπὸν dicit esse οἱονεὶ τὴν ἐπιμήκη ὁδόν. Paulo ante [118] de aspide femina : Παλίγκοτος ἀντομένοισι, Δάγματι πλειοτέρῃ, καὶ ὁλκαίην ἐπὶ σειρὴν, exp. ἑλκομένην οὐράν : si vero ὁλκαίῃ legatur, dictum esse pro τῇ ὁλκῇ τοῦ σώματος : proprie vero ὁλκὴν esse τὸ κατὰ τὴν οὐρὰν σῶμα. [Ib. 830 : Ἐν ὁλκαίοισι λίνοις μεμογηότα ἐργοπόνον. Lycophr. 216 : Λεύσσω πάλαι δὴ σπεῖραν ὁλκαίων κακῶν· 1072 : Κροτωνιᾶτιν αὔλακα βοῶν ἀροτρεύσουσιν ὁλκαίῳ πτερῷ. Schol., τῷ ἑλκομένῳ τοῦ ἀρότρου ἄκρῳ, ὃ καλεῖται ὕννις. Nonnus Dion. 44, 110 : Στέμματι δ᾽ ὁλκαίῳ κεφαλὴν κυκλώσατο Κάδμου. Neutro præter Apoll. Rh. 1, 1313, ab HSt. in Ὁλκήιον cit., Nicander Th. 220 : Ὑπὲρ ἄκρον ὁλκαῖον σπείρης, i. q. ὑπὸ πείρασιν ὁλκοῦ, 226.]

Ὁλκὰς, άδος, Bayfio Oneraria navis, [Mula, add. Gl. Pind. Nem. 5, 2 : Ἐπὶ πάσας ὁλκάδος. Eur. Cycl. 505 : Σκάφος, ὁλκὰς ὡς, γεμισθείς. Ubi male nonnulli junxerunt σκάφος ὁλκάς. Herodot. 7, 25 : Ἀγινέοντας ὁλκάσι τε καὶ πορθμηίοισι· 137 : Ὁλκάδι καταπλώσας πλήρεϊ ἀνδρῶν. Hippocr. p. 296, 30 : Ὁλκάδες ἄπειροι τῷ μεγέθει.] Appian. B. C. 5 : Πολὺ δὲ ὁλκάδων καὶ σκευοφόρων ἄλλο πλῆθος. Thuc. 2, [91] : Ἔτυχε δὲ ὁλκὰς ὁρμοῦσα μετέωρος, i. e. ἐμπορικὴ ναῦς, schol. [6, 1 : Περίπλους ἐστὶν ὁλκάδι οὐ πολλῷ τινι ἔλασσον ἢ ὀκτὼ ἡμερῶν· 22 : Σῖτον ἐν ὁλκάσιν ἄγειν. Xen. Reip. Ath. 1, 20 : Οἱ μὲν πλοῖον κυβερνῶντες, οἱ δὲ ὁλκάδα. Plato Lach. p. 183, D : Προσβαλούσης τῆς νεὼς πρὸς ὁλκάδα τινά. Lysias p. 908 : Πέμψας εἰς τὸν Ἀδρίαν ὁλκάδα δυοῖν ταλάντοιν.] Id. 7 : Ὅπως μὴ οἱ Ἀθηναῖοι πρὸς τὰς ὁλκάδας μᾶλλον ἢ πρὸς τὰς τριήρεις ἔχωσι. Aliquando adj. nomen ei additur, et tunc sæpius Navis tantum exp. Thuc. 6, [44] : Ὁλκάδες ... σιταγωγοὶ, καὶ τοὺς σιτοποιοὺς ἔχουσαι καὶ λιθολόγους, Naves frumentariæ. Plut. [Mor. p. 588, F] : Ὑπὸ μικροῖς οἴαξι μεγάλων περιαγωγὰς ὁλκάδων. Athen.

11, [p. 481, C] ex Pherecrate comico : Βαθείας κύλικας ὥσπερ ὁλκάδας Οἰναγωγούς, περιφερεῖς, λεπτὰς μέσας γαστρίδας. [Aristoph. Eq. 171, Pac. 37. || Hesychius int. etiam ἀηδὼν, εἰρήνη, quod interpretes inter alia scribendum conjiciunt σειρήν. || « Lapidis pretiosi species, ap. Psellum et anonymum De virtutibus lapidum Ms. » Ducang. || Improprie Synodus Cpol. in Maji Nova Coll. Vat. vol. 4, p. 4 : Ὁ τῆς κοσμικῆς μεγάλης ὁλκάδος κυβερνήτης προβεβλημένος ἡμέτερος βασιλεύς. || Fabulam Ὁλκάδας scripserat Aristophanes. L. Dind.]

[Ὀλκάδες, ὡς Ἀρκάδες, ἔθνος Ἰβήρων τῶν ἐντὸς Ἴβηρος τοῦ ποταμοῦ. Πολύβιος ἐν τρίτῳ, Steph. Byz.]

[Ὁλκεῖον. V. Ὁλκίον.]

Ὁλκεὺς, έως, Qui retia trahit : ὁλκεῖς, οἳ τὰ ἀμφίβληστρα ἐπισπῶνται, Hesych.

Ὁλκέω, Traho navem onerariam, VV. LL. [Verbum fictum.]

Ὁλκὴ, ἡ, Tractio, Tractus. [Æsch. Suppl. 884 : Ὁλκὴ γὰρ οὔτοι πλόκαμον οὐδάμ' ἅζεται, de trahendo per capillos.] Ὁλκὴ τοῦ ἀρότρου, Arati tractio, Sext. Emp. Plut. De def. orac. [p. 424, E] : Ἄπορόν ἐστιν ἀψύχων σωμάτων πρὸς ἀσώματον χωρεῖν καὶ ἀδιάφορον, ἢ φορὰν ἐξ αὐτῶν ἢ ὁλκὴν ὑπ' ἐκείνης γινομένην νοῆσαι, Inexplicabile est intellectu, corpora inanima ad incorporeum et indifferens ferri, et vel a se ipsa cieri, vel ab illo trahi et allici, Turn. Synes. Ep. 67 : Ὥσπερ ὁλκαῖς τισι φυσικαῖς ἀκολουθῆσαι τὸ θεῖον, Tanquam illecebras quasdam naturales sequi Deum, s. ductum quendam naturalem. || Attractio : ἡ ὁλκὴ τῆς νοτίδος, Attractio humoris, ex Theophr. C. Pl. 5, [6, 2 : Ὁλκὴ Attractionem significat ap. Hippocr., ut lib. 1 Περὶ γυναικ. p. 610, 29, ὁλκὴν ποιέεσθαι, Attractionem facere, de medicamento, cujus appositu naribus odor attrahitur. Quod libr. Περὶ γυναικ. φύσ. eadem in re dicitur, p. 570, 8 : Ἕλκειν τὴν ἀτμίδα ἐς τὸ στόμα καὶ τὰς ῥῖνας προσίσχειν, Ore et admotis naribus medicamenti nidorem attrahere. Foes. Aret. p. 9, 10 : Ἐς ὁλκὴν τῶν πέλας κινεύμενος πνεύμων· 16, 43 : Ὁλκὴ ἠέρος μεγάλη.] || Inclinatio, ῥοπὴ, quum aliquid aliquam in partem vergit et quasi trahitur. Plut. De loquac. [p. 510, A] : Ἐν τῷ σώματι πρὸς τὰ πεπονθότα μέρη καὶ ἀλγοῦντα γίνεται φορὰ καὶ ὁλκὴ τῶν πλησίον. Exp. et Sequacitas : quum aliquid sequitur quasi tractum ab alio. Philo De mundo, Τὴν πρὸς τὸ ὂν διανοίας ὁλκὴν ἀμήχανόν ἐστιν ἰδεῖν, Mentis sequacitatem erga id, quod est, videre non datur, Bud. [Φιλίας ὁλκὴ nulla ἀνδρὶ πρὸς ἄνδρα, Maxim. Tyr. Diss. 6, 6. Valck.] || Hesychio δύναμις, ἰσχὺς, τόνος. [Idem : Ὁλκῇ μιᾷ, τόνῳ, δυνάμει, et per dittographiam : Ὁλκήμιον, τὸ αὐτό. Non enim hoc ad ὅλκιμον referri licet.] Quomodo exp. illud Theophr. C. Pl. 5, 5 : Τίς ἡ φύσεως ὁλκὴ καὶ πρὸς ἄλληλα σχέσις ; Quæ illa naturæ vis et mutua rerum cognatio ? At illud Plat. [Crat. p. 435, C] : Γλίσχρα ἡ ὁλκὴ τῆς ὁμοιότητος, a Ficino exp. Tenuis istius similitudinis usurpatio. [Id. Tim. p. 80, C : Πάντων τούτων ὁλκὴ οὐκ ἔστιν οὐδενί ποτε· Leg. 2, p. 659, D : Ὡς παιδεία μέν ἐσθ' ἡ παίδων ὁλκή τε καὶ ἀγωγὴ πρὸς τὸν ὑπὸ τοῦ νόμου λόγον ὀρθὸν εἰρημένον· Polit. p. 282, E : Πρὸς τὴν τῆς γνάψεως ὁλκήν· Phil. p. 57, D : Τοῖς δεινοῖς περὶ λόγων ὁλκὴν, In orationibus huc illuc trahendis. Ast.] || Pondus [Gl.], quoniam ejus gravitas bilancem in alteram partem trahit. Nicander Ther. [92] : Ἀβροτόνοιο δύω κομόωντας ὀράμνους Καρδάμῳ ἀμμίγδην· ὀδελοῦ δέ οἱ αἴσιον ὁλκὴν [αἴσιος ὁλκὴ], Par pondus, i. e. ἴσῳ σταθμῷ βαλών. Lucian. : Τὴν ὁλκὴν διτάλαντα [Jov. trag. c. 7 : Πολυτάλαντος τὴν ὁλκὴν], Ponderis duorum talentorum. Diosc. : Ποτιζόμεναι μεθ' ὑδρομέλιτος ὁλκῆς δραχμῶν ζ'. Sic ap. Plut. quoque [Mor. p. 226, D], Μνᾶ ὁλκὴ [sic codd.; edd. ὁλκῇ] Αἰγιναία, exp. Mna [Mina] pondere Æginetica. Apud Eund., Φιάλην ἀργυρᾶν ὁλκῆς πέντε λιτρῶν, Ponderis quinque librarum. [Aret. p. 78, 23 : Τοῦ φαρμάκου τῆς ἱερῆς καλευμένης νῆστι διδόναι ὁλκῆς ≺ β'· 27 : Εὐκαιρίη δέ κοτε καὶ ἐν ἑσπέρῃ γίγνεται τῆς ἱερῆς ὁλκῆς ≺ α'· 131, 36 : Τῆς ῥίζης τοῦ ἁλικακκάβου ὁκόσον δραχμῆς ὁλκῆς.] Apud Athen. 12, [p. 552, C] de Archestrato vate, qui in hostes inciderat, dicitur ejus corpus habuisse tantum ὀβολοῦ ὁλκήν : adeo fuisse ἰσχνόν. [Menand. ap. Polluc. 9, 76 : Ὁλκὴν ταλάντου χρυσίου σοι παιδίον ἕστηκα τηρῶν. « Athen. 4, p. 128, E : Ὁλκὴν ἴσαι τῷ πρώτῳ στεφάνῳ· 155, D : A Ὁλκὴν ἄγον πεντήκοντα δραχμάς. Vid. ad p. 195 notas. Id. 11, p. 493, C : Βαρὺ τὴν ὁλκὴν, Pondere grave. » Valck. Diodor. Exc. p. 629, 34 : Νίκην χρυσῆν ἄγουσαν ὁλκὴν χρυσίνων μυρίων.] || Peculiariter vero ὁλκὴ i. est q. Drachma. Galen. : Κελεύει δίδοσθαι μίαν ὁλκὴν μεθ' ὕδατος ψυχροῦ κυάθων δ'· ἡγοῦμαι δὲ λέγειν αὐτὸν δραχμὴν ἀργυρᾶν· καὶ γὰρ οὕτω σχεδὸν ἅπασι τοῖς νεωτέροις ἰατροῖς ἔθος ὀνομάζειν. Quod ipsum et Palæmon testatur, quum scribit, Holceque a drachma non re, sed nomine differt. || Hesychio ῥυτήρ : et Nicandri schol. τὸ κατὰ τὴν οὐρὰν σῶμα, pro quo οὐραίην a Nicandro dici annotat.

Ὁλκήεις, εσσα, εν, Ponderosus. Nicander Ther. [907] : Ὁποῖό τε δάκρυα βάλλοις Τριπλοῖς ὁλκήεσσιν ἰσοζυγέων ὀδελοῖσιν, i. e. τριπλοῖς ὀβελοῖσιν βαρέσιν ἐσταθμημένοις ἰσοζυγῶν. Et [651] : Ὁλκήεσσαν ὑπὸ πλάστιγγα, i. e. βάρος ἔχουσαν.

Ὁλκήϊον, τὸ, Lignum in infima navis parte prope carinam, quo navis trahitur, ut Apollonii schol. exp. Arg. 4, [1609] de dæmone quodam marino : Ὥς ὅγ' B ἐπισχόμενος γλαφυρῆς ὁλκήϊον Ἀργοῦς Ἦγ' ἅλαδε. Simile quid legitur Arg. 1, [1313] de Glauco dæmone marino, qui Argonautas compellaturus, navem arreptam inhibebat : Στιβαρῇ δ' ἐπορέξατο χειρὶ Νηΐου ὁλκέοιο, καὶ ἴαχεν ἐσσυμένοισι· sic enim ibi scribitur, fortasse pro ὁλκείοιο, ut inde ὁλκήϊον resolutione Ion. factum sit, sicut ex βασίλειον βασιλήϊον : at VV. LL. legunt ὁλκαίοιο, ab ὁλκαῖον, exponuntque πηδαλίου s. Temonis navis : schol. tamen ibi intelligit μέρος τῆς νεὼς, ὅπερ σύρεται κατὰ τὸ ὕδωρ.

Ὁλκήρης, ὁ, ἡ, Nicandro Ther. [355], Serpentium epith., qui longo volumine caudam trahunt : ut sit sive Caudatus, s. Tractu se colligens, ut Virg. de angue : Γηραλέον μὲν ἀπὸ φλόον ἑρπετὰ βάλλει Ὁλκήρη· et [351] : Ἰδῶν ὁλκήρεα θῆρα Οὐλοόν.

Ὅλκιμος, ὁ, ἡ, Glutinosus, Lentus atque mollis, Qui dum extenditur, trahi, non etiam rumpi possit. Gorr. [Ὅλκιμον dicitur Quod trahitur et ducitur, et in varias partes tractum sequax est, non divellitur aut dissipatur, sed perpetuum est, velut quæ lenta sunt C et tenacia aut glutinosa, quale est viscum, ut scribit Galen. Comm. 2 in lib. De art. p. 802, E. Hinc εὐόλκιμον ἄλητον ibidem dicitur Hippocrati Farina quæ facile ducitur et sequax est, hoc est Lenta et tenax. Idem Gal. lib. 2 De loc. affect. p. 266, 12, Ὅλκιμον πόνον τοῦ ἥπατος ex Archigene exponens, scribit ὅλκιμον usitata significatione τὸ γλίσχρον, hoc est Viscidum, indicare, ut viscum, quodque una parte tracta, per ipsam reliquum illi continuum attrahere potest. Sic pastam ex frumento ὅλκιμον dici, maxime si accurate subacta fuerit, ex hordeo vero aut milio minime sic vocari, quod duci aut trahi nequeat. Qua significatione ὅλκιμος πόνος hepatis dici nequeat. Proinde ὅλκιμον quibusdam dici scribit, quum hepar vel inflammatum vel induratum jugulum detrahit, quibusdam etiam diuturnum, aliis quoque moderatum. Aliis quoque ὅλκιμον βραδὺ καὶ βαρὺ, hoc est Tardum et grave, significare, vel τὸ βάρους ἔμφασιν ἔχον, Quod gravitatis speciem præ se fert : ὀνομάζεσθαι γὰρ ἐν τῇ συνηθείᾳ κατὰ τοῦ βάρους τὴν ὁλκήν. Foes. OEc. Hipp.] D Sic ap. Galen. K. τόπ. 10, Ὁλκιμώτερον κατάπλασμα vertunt Tractu facilius. Athen. 2, [p. 64, E] de quibusdam eduliis : Τῶν ἐχόντων ὅλκιμόν τι καὶ γλίσχρον. Diosc. [2, 101] de melle quoque dixit, Ὅλκιμον καὶ εὔτονον. Plut. [Mor. p. 696, C], de oleo : Τὸ δὲ ἔλαιον ὅλκιμον πανταχῇ καὶ μαλακὸν ἄγεται περὶ τὸ σῶμα. [Active Paul. Æg. 6, 41, p. 190, 45 : Ὁλκιμώτεραι μᾶλλόν εἰσιν αἱ χαλκαῖ σικύαι.]

Ὁλκίον, τὸ, Gubernaculum, Clavus navis. Pollux 10, [134] : Καὶ ὁλκία δὲ τὰ πηδάλια [Σοφοκλῆς] ἐν Ναυπλίῳ ὠνόμασε· quod et ἐφόλκιον ab ἐφέλκεσθαι dicitur. [Scribendum Ὁλκεῖα, ut ostendit forma Ὁλκήιον, quod v.] At Ὅλκιον [ὁλκεῖον Salmasius et Bentlejus], Eidem 10, [176] : Ἀγγεῖον ὑγρῶν τε καὶ ξηρῶν, ὡς ἐπιτοπολὺ χαλκοῦν· citanti hunc ex Menandro versum, Ἦ χαλκοῦν μέγα ὅλκιον [ὁλκεῖον]· et ex Philemone, Ὅλκιον ἴδον [Ὁλκεῖον εἶδον] ἐπὶ τραπέζης κείμενον, πυρῶν τε μεστόν. || Magnus crater, Labrum, λουτὴρ, Hesych. At [Polyb. ap.] Athen. 5, [p. 195, C, sive 10, p. 439, B] : Ἐν τῷ γυμνασίῳ πάντες ἐκ χρυσῶν ὁλκίων ἠλείφοντο κροκίνῳ μύρῳ. [Plut. Alex. c. 20: Ὡς δὲ εἶδε μὲν ὅλκια καὶ κρωσσοὺς καὶ πυέλους πάντα χρυσοῦ, ubi libri alii μὲν ὅλκια vel μενολκία, quorum hoc ducit ad ὁλκεῖα. Atque ὁλκεῖα est etiam ap. Polyb. ib. 5, p. 199, E, ubi al. ὁλκαῖα.] Scribitur vero tenui spiritu et ap. Hesych. et Athen., sicut et ὁλκὰς et ὁλκός. [Etsi ordini literarum ap. Hesychium convenit scriptura per ι, diphthongum tamen si minus illi, certe Athenæo et Plutarcho esse restituendam dubitare non sinunt quæ de ceteris hujus formæ testimoniis diximus, non græcæ his signiff. Recte, sed accentu non recto Photius: Ὅλκειον, χαλκοῦς λέβης, τρεῖς πόδας ἔχων. Atque sic Epigenes ap. Athen. 11, p. 480, A: Κρατῆρες, κάδοι, ὁλκεῖα, κρουνεῖ'. —Ἔστι γὰρ κρουνεῖα; — Ναί. L. Dind.]

[Ὄλκιον, πόλις Τυρρηνίας. Πολύβιος ἕκτῳ. Τὸ ἐθνικὸν Ὀλκιῆται καὶ Ὀλκιεῖς, Steph. Byz.]

Ὁλκὸς, ὁ, ἡ, adj., Attractorius, Bud. ex Plat. De rep. 7, [p. 521, D]: Μάθημα ψυχῆς ὁλκὸν ἀπὸ τοῦ γιγνομένου ἐπὶ τὸ ὄν· paulo post ἑλκτικὸν, ἀγωγόν. Idem [p. 524, E]: Οὐκ ἂν ὁλκὸν εἴη ἐπὶ τὴν οὐσίαν· quo sensu alibi, Καὶ οὕτω τῶν ἀγωγῶν ἂν εἴη καὶ μεταστρεπτικῶν ἐπὶ τὴν τοῦ ὄντος ἰδέαν ἡ περὶ τὸ ἓν μάθησις. [Ib. p. 527, B: Ὁλκὸν ψυχῆς πρὸς ἀλήθειαν.] Theophr. C. Pl. 4: Εἰ μὴ ἄρα καὶ τοῦτο τῆς τροφῆς ὁλκόν. [Id. ib. 3, 17, 3: Τὰς ῥίζας ὁλκοτέρας ποιοῦντες.] Hæc Bud. Quibus addendus Philo V. M. 1, de ingente quodam dracone, qui ceteros omnes hiante ore absorbebat: Τὸ δὲ στόμα διοίξας, ὁλκοῦ πνεύματος ῥύμῃ βιαιοτάτῃ, καθάπερ βόλον ἰχθύων πάντας ἐν κύκλῳ σαγηνεύσας, ἐπισπᾶται, Violentissimo spiritus haustu. Et ὁλκὸς ἄνθρωπος ap. Suid. ὁ ἑλκυστικὸς καὶ ἐπαγωγὸς, Illex, VV. LL. Et ὁλκοὺς idem [Phot. s.] Suid. exp. ἐφελκομένας, fem. [Basil. M. 1, p. 162, D: Πολὺ τὸ ἀγωγὸν καὶ πρὸς σωτηρίαν ὁλκὸν ἔχει. Sanguinem ὁλκὸν considerat τῆς φανταστικῆς ψυχῆς ap. Stob. Ecl. p. 133, 3. Euseb. Præp. ev. p. 74, D, et 68, C: Τὰ ὁλκὰ πρὸς αἰσχρουργίαν μέρη τοῦ σώματος. Leg. ἐφολκά. Valck. Qua conjectura, proposita etiam ad Callim. fr. p. 289, non opus esse diximus in illo. Philo vol. 2, p. 585, 37: Οἷς μηδεμία πρόσεστιν ὁλκὸς δύναμις εἰς τοὐναντίον. Hesychius: Ὁλκὰ, δυνατά. Ὁλκὸς, ἰσχυρός. Idem gen. fem. formam femininam ponere videtur, ubi ὁλκὰς inter alia interpretatur δυνατάς. «Compar. Ὁλκότερον, Lentius, Heliod. 3, 5.» Hemst. Hesychius: Θουλκότατον, βαρύτατον, quod ex τὸ ὁλκότατον contractum.]

Ὁλκὸς, ὁ, Tractus. Gregor.: Τὸ μὲν γὰρ ὑπεξῆλθε, τὸ δὲ ἀντεισῆλθε, ὥσπερ ἐν ὁλκῷ ποταμοῦ μὴ ἑστῶτος καὶ μένοντος, In tractu et defluxu, Bud. || Sulcus, Vestigium ex aratri tractu remanens. Apoll. Arg. 3, [412]: Τὴν αἶψα ταμὼν ἐπὶ τέλσον ἀρότρῳ, Οὐ σπόρον ὁλκοῖσιν Δηοῦς ἐνιβάλλομαι ἀκτήν. [De sulco fosso id. 1, 375: Ἐν δ' ὁλκῷ ξεστὰς στορέσαντο φάλαγγας. Id. 3, 1391: Αἵματι δ' ὁλκοὶ ἠΰτε κρηναῖαι ἀμάραι πλήθοντο ῥοῇσιν, ubi schol. αὔλακα. De scribendo Aristoph. Thesm. 779: Ἄγε δὴ πινάκων ξεστῶν δέλτοι, δέξασθε σμίλης ὁλκούς.] || Unde Tractus ille et veluti sulcus, quem serpentes, naves, æthereæ sagittæ et similia, quasi vestigium sui gressus relinquunt: quod ἐγχάραξιν quoque et αὔλακα quidam gramm. exp. Nicander Ther. [159] de aspide loquens: Ἐν δὲ κελεύθῳ Νωχελὲς ἐξ ὁλκοῖο φέρει βάρος. Quod aliis verbis dixerat [163], Ἕρπει Ἀτραπὸν ὁλκαίην δολιχῷ μηρύγματι γαστρός· hic enim ὁλκὸν et μήρυγμα significare volunt ἑλιγμὸν καὶ διασπασμόν: et paulo post, Ὁλκῷ δὲ τροχόωσαν ἅλων' εἱλίξατο γαίῃ. [Philostr. Imag. p. 869: Παρεῖνται μηκύναντες ἐς γῆν τοὺς ὁλκούς. Manetho 2, 59: Οὕνεκεν οὐ ζῴων μορφαῖς ὁλκοῖς τε φαεινοῖς οὐδὲ μὲν οὐ χροιῇσι διάκριτοι εἰσορόωνται. Orph. Arg. 928, 991. « Etym. M. p. 191, 40: Τοὺς ἐν ταῖς ὁδοῖς ὁλκούς τε καὶ συνεχεῖς τριμμοὺς πάτους ἔλεγον.» Hemst. Eur. Ion. 145, de Ione lauri frondibus templum verrente: Ἀλλ' ἐκπαύσω γὰρ μόχθους δάφνας ὁλκοῖς.] Xen. [Ven. 9, 18] de cervo tendiculum trahente, [Κατὰ τὸν ὁλκὸν τοῦ ξύλου, ubi male scriptum ὅλκον,] Ἔσται δὲ (ὁλκὸς τοῦ ξύλου) οὐκ ἄδηλος [—λον]. Sic Ὁλκοὺς νεῶν dixit Herodot. [2, 159.] Apoll. Arg. 3, [141]: Ἀστὴρ ὡς, φλεγέθοντα δι' ἠέρος ὁλκὸν ἵησιν· et [1377]: Οὐρανόθεν πυρόεις ἀναπάλλεται ἀστὴρ Ὁλκὸν ὑπαυγάζων· 4, [296]: Ὁλκὸς ... οὐρανίης ἀκτῖνος. [Manetho 2, 116: Ὁλκὸς δ' αὖτε γαλαξίεω βαιὸς μὲν ὁρᾶται· 3, 190: Ἑρμῆς ὥρης ὕπερ ὁλκὸν ἀμείβων τεύχει·

A 4, 318: Σελάεσσι φλογὸς βαρυδάμονος ὁλκῷ. Mesomedes 2, 9: Θαῦμα δ' ἦν ἰδεῖν βροτοῖς ὁλκὸν ἐκ πυρὸς ῥέοντα, de vitro liquefacto. Nonnus Jo. c. 21, 8: Διηκοσίοις ἐνὶ πήχεσι κύματος ὁλκῷ ἀφρὸν ἀνηκόντιζον ... αὖραι.] Fluctibus etiam ὁλκοὶ tribuuntur, eo quod quidam veluti sulci in mari a ventis agitato videantur. Id. 1, [1167]: Δὴ τότ' ἀνοχλίζων τετρηχότος οἴδματος ὁλκοὺς, Μεσσόθεν ἆξεν ἐρετμὸν, schol. τὰς φυσήσεις καὶ οἷον ἐπάρσεις καὶ μετεωρισμοὺς τῶν κυμάτων. || Aquæ ductus [Gl.], quod et ipse aliquid cum sulci tractu simile habeat, ὁδὸς ἢ ἀγωγὸς ῥεύματος, Suid.: ap. quem exemplum est, Ὁ δὲ τὸν ὁλκὸν τοῦ ὕδατος ἔκοψεν. [Cui locum Menandri Prot. p. 124 comparavit Toup.] || Eidem τὸ τῆς τρόπιδος ἔκταμα, eo quod sit δρακοντοειδὲς, διὰ πάσης τῆς νεὼς διῆκον: nam ὁλκὸν proprie esse vult τὸ τῶν δρακόντων σύρμα. [De nave Nonnus Dion. 3, 8: Δουρατέῳ τροχόεντι διαστείβων ῥόου ὁλκῷ· 40, 467: Οἶδμα ἐνδόμυχον γλαφυροῖο κεχηνότι δούρατος ὁλκῷ· quos ll. cum Tryphiod. 344: Ὁλκῷ δουρατέῳ ῥοδέους στορέσαντο τάπητας, dicentis de equo Trojano, contulit Wernick. B || «De pulsanda magadi Diogenes trag. ap. Athen. 14, p. 636, B: Κλύω δὲ Λυδὰς Βακτρίας τε παρθένους... Ἄρτεμιν σέβειν ... πηκτίδων ἀντιζύγοις ὁλκοῖς κρεκούσας μάγαδιν.» Hemst.] || Longitudo tracta s. producta et extenta, μῆκος καὶ παράτασις: sic enim Nicandri schol. accipit illud in Alex. [79] de iis, qui cerussam hauserunt: Ἀμφὶ δὲ ὁλκὸς Τέτρηχε γλώσσης, νέατος δ' ὑποκάρφεται ἰσθμός. || Lorum, quo aliquid trahitur. Soph El. [861] de Oreste, qui in stadii cursu excussus curru et loris tractus fingebatur: Ἦ καὶ χαλαργοῖς ἐν ἁμίλλαις οὕτως, ὡς ἐκείνῳ [κείνῳ] δυστάνῳ, τμητοῖς ὁλκοῖς ἐγκύρσαι; respiciens ad illa pædagogi verba, qui totam rem narrans, dixerat, Κἀξ ἀντύγων ὤλισθε, σὺν δ' ἑλίσσεται Τμητοῖς ἱμᾶσι. [Σχοινία εἰς τὸ ἕλκειν ἐπιτήδεια Photio sive Lex. rh. Bekk. An. p. 285, 9.] || Machinæ, Instrumenta, quibus naves subducuntur. [Hesychio αἱ μηχαναὶ δι' ὧν αἱ νῆες νεωλκοῦνται.] Thuc. 3, [15]: Καὶ ὁλκοὺς παρεσκεύαζον τῶν νεῶν ἐν τῷ ἰσθμῷ, i. e. ὄργανα, οἷς αἱ νῆες ἕλκονται, s. μηχαναὶ, δι' ὧν αἱ νῆες νεωλκοῦνται. Et χαμουλκοὶ μηχαναὶ, pro eod. comp. voce C ap. Polluc. 7, [191]. Erravit autem Valla, qui Phalangas ap. Thuc. vertit: nam Pollux hoc in l. disertis verbis discrimen constituit inter Phalangas, quæ alio nomine ἕρματα appellantur, et inter χαμουλκούς· illas esse dicens τὰ τῶν νεῶν ξύλα, οἷς ὑποβληθεῖσιν ἐφέλκονται: has autem, μηχανὰς, δι' ὧν εἵλκοντο. [Idem inter apparatum nauticum 10, 134: Ἄγκυραι, ὁλκοὶ, ἕρματα· 148: Νεωλκοῦ σκεύη φάλαγγες, φαλάγγια, ὁλκοὶ, οὖροι.] Pulvinos id ab Isidoro vocari, annotant VV. LL. [Apud Ammian. 17, 4, Chamulcus, i. q. Traha.] || [Photio s.] Suidæ ἰσχυρὸς τόνος ἢ ἑλκυστικὸς, ὅρμος, ναύσταθμος, ἕλξις πλοίων: Hesychio [qui ponit etiam interpret. τὰς ἕλξεις τῶν πλοίων, et pro iis quas refert HSt., ἰσχυρὸς ῥυμὸς συρμὸς τόπος, corrigendas ex Suida, denique βάρος, de qua v. infra,] οὐρὰ, ῥυμὸς, βάρος. [De ναυστάθμῳ, quomodo interpr. etiam Hesychius, Eur. Rhes. 146: Ἀλλὰ προσμίξω νεῶν ὁλκοῖσι νυκτὸς τῆσδ' ἐπ' Ἀργείων στρατῷ· 673: Ἀλλ' ὅσον τάχιστα χρὴ φεύγειν πρὸς ὁλκοὺς ναυστάθμων. Herodot. 2, 154: Ἐξ ὧν δὲ ἐξανέστησαν χώρων, ἐν τούτοισι δὴ οἵ τε ὁλκοὶ τῶν D νεῶν καὶ τὰ ἐρείπια τῶν οἰκημάτων τὸ μέχρι ἐμεῦ ἔσαν· 159: Αἱ δ' ἐν τῷ Ἀραβίῳ κόλπῳ (τριήρεες) τῶν ἔτι οἱ ὁλκοὶ ἐπίδηλοι, ubi alii Machinas, de quibus supra, vel Canales navibus deducendis intellexerunt. Interpretatur autem Hesychius etiam τὰς ἕλξεις τῶν πλοίων.] || Araneus s. Aranea, Insecti genus, s. potius Aranei species quædam. Diosc. 2, 68: Ἀράχνη τὸ ζῷον, ὃ ὁλκὸν ἔνιοι ἢ λύκειον καλοῦσι. [Ὁ ἀράχνης, in glossis iatricis Mss. ex cod. Reg. 190, Araneus. Ducang. Hesychii interpretationem λύκοι huc esse referendam monitum jam in Lex. Septemv.] || Herbæ nomen, quam describit Plin. 27, 10, addens, eam circa caput alligatam vel circa lacertum, educere ex corpore aristas, exprimens sc. rationem nominis, et a quibusdam ob id Aristidiam vocatam. || Aliquibus ὁ θώραξ, h. e. Ea tota pars corporis, quæ a collo ad crura usque pertendit, Gorr. [Pro ὅλμος, quod v.] || Corpus, τὸ σῶμα, ut Nicandri schol. [et Moschop., de quo v. Albert. ad Hesych.] exp. illud Ther. [316] de Hæmorrhoidibus: Τῶν δ' Ἑλένη μέσον ὁλκὸν ἀνέκλασε· θραῦσε δ' ἀκάνθου [ἀκάνθης Schneid.] Δέσμα πέριξ νωταῖα, ῥάχις δ' ἐξέδραμε γυίων. Sic et illud [266] de Ceraste : Αὐτὰρ ὅγε σκαιὸς μεσάτῳ ἐπαλίνδεται ὁλκῷ· i. e. πλάγιος ἐπικυλίεται τῷ σώματι. [|| De corpore serpentis Lucian. Hermot. c. 79 : Ἦ οὖν οὐχὶ καὶ ὀρθῶς τις φαίη τὴν σκιὰν ὑμᾶς θηρεύειν, ἐάσαντας τὸ σῶμα, ἢ τοῦ ὄφεως τὸ σύφαρ, ἀμελήσαντας τοῦ ὁλκοῦ, Tractu ipso ac volumine corporis neglecto. Brunck. Schol. : Λέγεται ὁλκὸς καὶ τὸ σῶμα τοῦ ὄφεως ... ἤγουν ἡ κοινῶς συρμή. Sic accipere licet ap. Mesomedem in ænigm. de sphinge 6 : Πτερόεσσα μὲν ἦν τὰ πρόσω γυνά, τὰ δὲ μέσσα βρέμουσα λέαινα θήρ, τὰ δ' ὄπισθεν ἑλισσόμενος δράκων, οὔθ' ὁλκὸς ἀπέτρεχεν, οὐ γυνά. Cum σῶμα conjungit Orph. H. 86, 3 : Σὸς γὰρ ὕπνος ψυχὴν θραύει καὶ σώματος ὁλκόν, de morte. || I. q. ὁλκή, Pondus, ap. Niceph. Chumn. Boiss. An. vol. 5, p. 270, 11 : Ἐς τριάκοντα γὰρ ταλάντων ὁλκὸν τὸν κόσμον τοῦτον εἶναί φασι βαρυνόμενον. Zonaras Lex. p. 1442 : Ὁλκὸς, καὶ τὸ βάρος· Φέρων ὁλκὸν χρυσοῦ βαρυτάλαντον. Itaque ap. Hesych. Ὁλκὸς interpretatum etiam βάρος, non erat quod βαρὺς vellet Hemst.]

[Ὁλκότης, ητος, ἡ, Hesychius ponens post ὁλκὸς dicit significare τὰ αὐτά, Pondus, vel Tractum, etc.]

[Ὄλλιξ, ικος, τὸ ξύλινον ποτήριον, sec. Pamphilum ἐν Ἀττικαῖς λέξεσι ap. Athen. 11, p. 494, F.]

Ὄλλῦμι, sive Ὀλλύω, Perdo, Amitto, Perdo, h. e. Perniciem et exitium infero, Perimo : unde ap. Hesych. : Ὀλλύει, ἀπολλύει, φονεύει. [Archiloch. ap. Macrob. Sat. 1, 17 : Ἄναξ Ἄπολλον, καὶ σὺ τοὺς μὲν αἰτίους πήμαινε, καὶ σφᾶς ὄλλυ' ὥσπερ ὀλλύεις. Comicus ap. schol. Hom. Il. B, 423 : Τὸ κνῖσος ὀπτῶν ὀλλύεις τοὺς γείτονας. Soph. Ant. 673 : Αὕτη πόλεις ὄλλυσιν· et sæpius Eurip. Imperf. Æsch. Pers. 461 : Τοξικῆς δ' ἀπὸ θώμιγγος ἰοὶ προσπίτνοντες ὤλλυσαν. Forma ex imperf. et aoristo confusa epigr. ap. Welcker. Syllog. epigr. p. 74, n. 2 : Κύζικος ἦν μία πᾶσι πατρὶς, καὶ μοῖρα δὲ πάντας ὤλλυσεν ἠιθέους, ὦ παροδῖτα, μία. Quod aut ὤλεσεν aut ὤλλυεν dicendum erat.] Pass. Ὄλλυμαι, Perdor, Pereo. Et ὀλλύμεναι ἡδοναὶ ap. Dionys. Areop., Perditæ, etiam Perniciosæ. [Soph. OEd. T. 179 : Πόλις ὄλλυται· 799, ὄλλυσθαι· El. 927 : Ἡνίχ' ὤλλυτο· Tr. 652, et sæpius Eurip.] Ὄλλυμι pro Perdo, Interficio, et Ὄλλυμαι pro Interimor usurpat Hom. quoque : Il. Θ, [449] : Ὀλλῦσαι Τρῶας τοῖσιν κότον αἰνὸν ἔθεσθε· Δ, [451] : Ἔνθα δ' ἅμ' οἰμωγή τε καὶ εὐχωλὴ πέλεν ἀνδρῶν, Ὀλλύντων τε καὶ ὀλλυμένων· ῥέε δ' αἵματι γαῖα· [K, 201 : Ἕκτωρ ὀλλὺς Ἀργείους·] X, [62] : Υἷας τ' ὀλλυμένους, ἑλκηθείσας [ἑλκυσθ.] τε θύγατρας. Mutuatur sua tempora ab inusitato them. Ὀλέω, aut etiam Ὄλλω. Fut. enim est ὀλέσω, aor. 1 ὤλεσα : præt. perf. ὤλεκα, Attice ὀλώλεκα : præt. med. ὦλα et Attice ὄλωλα : fut. 2 ὀλῶ : aor. 2 med. ὠλόμην. [Hom. Od. N, 399 : Ξανθὰς δ' ἐκ κεφαλῆς ὀλέσω τρίχας· forma contracta præter orac. ap. Diod. Exc. Vat. p. 3 et Plutarchum : Ἁ φιλοχρηματία Σπάρταν ὀλεῖ, ἄλλο δὲ οὐδὲν, Soph. Tr. 718 : Πῶς οὐχ ὀλεῖ καὶ τόνδε· Ph. 1388 : Ὀλεῖς με τοῖσδε τοῖς λόγοις.] Il. P, [616] : Αὐτὸς δ' ὤλεσε θυμὸν ὑφ' Ἕκτορος ἀνδροφόνοιο, Perdidit, Ereptus ei est. Od. Ω, [93] : Ὣς σὺ μὲν οὐδὲ θανὼν ὄνομ' ὤλεσας· I, [63] : Φίλους ὀλέσαντες ἑταίρους, Perdentes, h. e. Amittentes. Sic Il. [Ω, 242] : Παῖδ' ὀλέσαι τὸν ἄριστον. Et Od. H, [60] : Ἀλλ' ὁ μὲν ὤλεσε λαὸν ἀτάσθαλον, ὤλετο δ' αὐτὸς, Perdidit gentem suam, simulque ipse periit. Interdum cum accus. rei additur etiam dativus, et tunc transitivum est : Δ, [668] : Ἀλλά οἱ αὐτῷ Ζεὺς ὀλέσειε βίην, ubi exponi potest Extinguat ei, Privet eum, Eripiat ei : sicut et in l. paulo ante cit., Ὤλεσε θυμὸν ὑφ' Ἕκτορος, Ereptus ei est. [Eadem Perdendi et Amittendi signif. sæpissime verbo utuntur Tragici.] Passivorum quoque temporum, quæ ab ὀλέω mutuatur ὄλλυμι, ap. Eund. extant exempla : Od. O, [90] : Μὴ πατέρ' ἀντίθεον διζήμενος αὐτὸς ὄλωμαι· A, [7] : Σφετέρῃσιν ἀτασθαλίῃσιν ὄλοντο· E, [306] : Οἳ τότ' ὄλοντο Τροίῃ ἐν εὐρείῃ· Il. Σ, [80] : Ἐπεὶ φίλος ὤλεθ' ἑταῖρος Πάτροκλος, Periit, Interfectus est. Φ, [133] : Ἀλλὰ καὶ ὡς ὀλέεσθε κακὸν μόρον, Mala morte peribitis : a fut. 2 ὀλοῦμαι : a quo et Il. B, [325] : Ὅου κλέος οὔποτ' ὀλεῖται, Cujus gloria nunquam interibit : sicut vero in præced. l. dicitur κακὸν μόρον ὀλεῖσθε, ita et Il. Γ, [417] : Σὺ δέ κεν κακὸν οἶτον ὄληαι. Optat. modi ὄλοιο, Pereas, imprecantis A est malam mortem : ut in hoc iambo ap. Plut. [Mor. p. 520, B] et Lucian. [Lexiph. c. 17] : Ὄλοιο θνητῶν ἐκλέγων τὰς συμφοράς. Apud Horat., Male pereat Lesbia, itidem imprecantis est. Et ὀλοίατο ap. Soph. [Aj. 842], Pereant, Ionice pro ὄλοιντο. Et ὄλοιτο, ap. Suid. φθαρείη. [Omnibus his modis frequens est verbi usus quum ap. Soph. tum ap. ceteros Tragicos. Med. pro activo Ps.-Callisthenes ap. Berkel. ad Steph. Byz. p. 238, A : Λύκος εἰς ἀγέλην ποιμνίων ὠλέσατο.] Apud Eund. præt. med. Ὄλωλα, ἀπόλωλα : et ὀλώλαμεν, ἀπολώλαμεν. [Quo ipso jam Hom. utitur], etiam conjunctivo, Il. Δ, 164, Z, 448 : Ὅταν ποτ' ὀλώλῃ Ἴλιος ἱρή. Et sæpissime Tragici. De forma part. Οὐλόμενος v. in ipsa.] || Hesych. ὀλεῖ in præsenti quoque exp. ἐξολοθρεύει, ἐνοχλεῖ. [Et Ὀλαεῖ (sic) vel ὀλαθεῖ, ἐνοχλεῖ. Quarum interpretationum priorem probans Buttm. Lexil. vol. 2, p. 81, ab hoc verbo Ὀλέω, quod nihil commune habere putat cum ὄλλυμι, quo altera spectat interpretatio ἐξολοθρεύει, repetit ἐόλει et ἐόλητο, neque improbat formas ὀλάω et ὀλάθω, quas credibilius est B primæ esse dittographias. HSt. in Ind. :] Ὀλέω, unde Ionicum ὀλέεσκεν pro ὤλεε, Perdebat : ap. Hom. Il. T, [135] de Hectore : Ἀργείους ὀλέεσκεν ἐπὶ πρύμνῃσι νέεσσι· licet alii esse velint hoc l. pleonasmum τοῦ ε, et derivent a them. ὀλέσκω. At ὀληθεὶς, Hesych. affert pro ὀδυνηθεὶς, Dolore affectus. [Addit autem ὀλήτη καὶ τὰ ὅμοια. Quod ὀλήθη, ὀδυνήθη (sic) scriptum ap. Cyrillum, quem comparavit Albertus. Perf. in Sigillo Rugerii in Ughell. Ital. S. vol. 1, p. 944, C : Ἐκκλησίαι ... ὀλεσμέναι. || Formam Ὄλλω, quam ponit Zonaras p. 1445 : Ὄλλει, φθείρει, et Lex. de spirit. p. 232 et aliquoties Etym. M., usurpat Jo. Diac. Alleg. ad Hesiod. Theog. p. 450 : Ὀλλοῦσαι τὸ τῆς ἀγνοίας μεῖον (Musæ), in etymologia n. Ὀλμειός. L. Dind.]

[Ὀλλυνέομαι, Morti vicinus sum. Aret. 7, 1, p. 127 : Μετεξέτεροι δὲ τῶν καμνόντων ὑπ' ἀγνωσίης τε τῶν παρεόντων καὶ τῶν αὖθις ἐσομένων ἐς τέλος ξυνδιαιτέονται τῇ νούσῳ· ἐπὶ γὰρ τοῖσι πλείστοισι οὔτε ὀλλυνέονται οὔτε ὀρρωδέουσι θάνατον· διὰ τάδε ὧν ἰητρῷ σφέας αὐτοὺς οὐδ' ἐπιτρέπουσι. Vitium loci arguit ratiocinatio perversa, quod animadvertit Wigganus.]

C [Ὄλλω. V. Ὄλλυμι.]

[Ὄλμα, Dacis Ebulus, ap. Interpol. Dioscor. c. 755 (4, 172) et Apul. c. 91. Ducang.]

Ὁλμειὸς, ὁ, derivatum ab ὅλμος, significans itidem Lapidem tereti figura, in quo tundunt legumina et hujusmodi alia, teste schol. [recenti] Aristoph. [Vesp. 238] et Suida. In VV. LL. etiam Ὁλμεὺς affertur pro Lapis orbicularis, in quo legumina cæduntur et alia quædam; sed ἀμαρτύρως. [Fictum ex ὁλμειός. Ὁλμειὸς autem ab Suida confunditur cum ὅλμος.]

[Ὀλμειός, ὁ, Olmius, fl. Bœotiæ, ap. Hesiod. Th. 6 : Ὁλμειοῦ ζαθέοιο, ubi Hemst. : « Restituenda hæc vox Statio Theb. 7, 284 : *Canoris Et felix Hormie vadis.* Lege *Holmie*, quomodo et ap. Lutatium legendum ... Meminit et Strabo 9, (p. 407, 411, et Philostr. Imag. p. 823, Nonnus Dion. 7, 236). Dictum ab Olmio Sisyphi f. Græculorum sunt nugæ. Optime Bochart. deducit a Phœnicio הול מיא Dulcis aquis. » Qui non animadvertit ap. schol. Hesiodi pro Ὀλμειοῦ τοῦ Σισύφου παιδὸς legendum esse Ὄλμου, de quo dicetur in D Ὄλμωνες, quod nomen confirmat sententiam grammaticorum. Ceterum Ὄλμειος scriptum ap. Hesychium, ut olim Ὀλμίοιο ap. Nonnum, quem accentum refellit Arcad. p. 44, 16, qui et ipse servat spiritum lenem, etiam ap. ceteros servatum, quum Ὁλμειοῦ sit in libro uno Hesiodi, quam prosodiam unus Pausaniæ in nominibus Ὄλμος et Ὄλμωνες exhibet loco priori. Sic sæpe scribitur ὅλμος pro ὄλμος, nec certum est, quod cum illis conferri possit, ἔπολμις, ut suo loco diximus.]

[Ὁλμεύς. V. Ὁλμειός.]

[Ὀλμιαί, αἱ, Olmiæ, τὸ ποιοῦν ἀκρωτήριον τὸν κόλπον, ἐν ᾧ ἥ τε Οἰνόη καὶ Παγαί, ap. Strab. 8, p. 380.]

[Ὄλμιον, πόλις Βοιωτίας, ὡς Ἐπαφρόδιτος ἐν τοῖς Ὁμηρικοῖς. Τὸ ἐθνικὸν Ὀλμιεύς, Steph. Byz. Ὄλμιον, ὄρος Ἐφέσου, Hesychius.]

Ὁλμίσκος, ὁ, dimin. ab ὅλμος, Mortariolum. Pollux [2, 93] ὁλμίσκους vocari scribit τὰς τῶν μύλων κοιλότητας, Cavitates dentium molarium. [Rufus De partt.

A corp. hum. p. 27. L. D. || De cardine januæ Sext. Emp. Adv. math. 10, 54, p. 643 : Ἐπὶ τῆς κλειομένης ἢ ἀνοιγομένης θύρας ὁ μὲν κατὰ τοῦ ὀλμίσκου βεβηκὼς στροφεὺς τῷ αὐτῷ ἐνστρέφεται τόπῳ, τὸ δ' ἀντικείμενον αὐτῷ τῆς θύρας μέρος διαφέροντας ἐπέρχεται τόπους.]

[Ὄλμοι, πόλις τραχείας Κιλικίας, ὅπου πρότερον ᾤκουν οἱ νῦν Σελευκεῖς. Τὸ ἐθνικὸν Ὀλμεῖς, ὡς Ταρσεῖς, Steph. Byz. Ὅλμοι ap. Strab. 14, p. 670, qui Ὅλμους Phrygiæ τῆς παρωρείου memorat ib. 663.]

[Ὁλμοκοπέω, Mortario tundo. Alex. Trall. 11, p. 632 : Ὁλμοκοπηθὲν τοῦ ὑὸς στέαρ μετὰ ἀσβέστου · 650. Oribas. p. 70 Mai. Ὁλμοκοπίσας pro ὁλμοκοπήσας ap. Theoph. Nonn. vol. 2, p. 278.]

Ὁλμοποιὸς, ὁ, Qui conficit mortaria s. pilas culinarias. Aristot. Polit. 3, 1 : Ὅλμους εἶναι τοὺς ὑπὸ τῶν ὁλμοποιῶν πεποιημένους.

Ὅλμος, ὁ, Mortarium, [Pila, Pilum, add. Gl.]; idque ex ligno lapideve oblongo et terete, forma cylindri : unde Hom. Il. Λ, [147] dicit, Ὅλμον δ' ὣς ἔσσευε κυλίνδεσθαι δι' ὁμίλου. [Aristoph. Vesp. 201 : Καὶ τῇ δοκῷ προσθεὶς τὸν ὅλμον τὸν μέγαν ἀνύσας τι προσκύλιε· B 238 : Τῆς ἀρτοπώλιδος λαθόντ' ἐκλέψαμεν τὸν ὅλμον. Ubi schol.: Ὡς ξυλίνου ὄντος τοῦ ὅλμου (ut ap. Hesiod.). Ἄλλως · ὅλμον τὸ μαγειρικὸν ἐργαλεῖον, καὶ ὁ τρίπους τοῦ Ἀπόλλωνος. Herodot. 1, 200 : Ἐσβάλλουσι ἐς ὅλμον. Theophr. H. Pl. 9, 16, 9 : Κόπτουσιν ἐν ὅλμῳ. Pollux 1, 245; 10, 114.] Hesych. quoque esse dicit Lapidem teretem, in quo herbas et alia tundunt conteruntque. Sed erant et ξύλινοι ὅλμοι, ut Hesiod. docet, Op. [241] jubens Ὅλμον μὲν τριπόδην τάμνειν, ὕπερον δὲ τρίπηχυν, Mortarium cædere tripedaneum, pistillum vero tricubitalem. Hesych. ipsum etiam Cylindrum s. Volgiolum nominari ὅλμον tradit : forsan a formæ similitudine. Est et ποτηρίου εἶδος, teste Eodem. Id Athen. 11, [p. 494, B] dicit fuisse κερατίου τρόπον εἰργασμένον, ὕψος ὡς πυγονιαῖον· ex Menesthene afferens, Ὅλμον χρυσοῦν. Sed et τὸν τρίποδα τοῦ Ἀπόλλωνος dictum fuisse ὅλμον, auctor schol. Aristoph. [Pl. 9.] Alibi Partem esse tripodis scribit ; ait enim τὴν Πυθίαν ἐπὶ τρίποδος καθημένην χρησμῳδεῖν : vocari autem Partem illam, in qua sedet, ὅλμον. [Conf. Pollux 10, C 181.] Inde proverb. Ἐν ὅλμῳ εὐνάσω : usurpatum ab iis, qui se quippiam divinatione cognitum ire minabantur : quoniam qui holmis indormissent, repente divinandi spiritum concipiebant : quamobrem et ἔνολμον Soph. Apollinem cognominavit, quod in ὅλμῳ sciscitantibus responsa daret. Auctor Zenobius [Prov. 3, 63]. Præterea ὅλμον appellari τὸ ὑπὸ ταῖς ὑπογλουτίσιν ἑκατέρωθε κοῖλον, annotat Hesych. : Pollux vero [2, 162] ὅλμον et θώρακα nominari τὸ ἀπὸ αὐχένος ἕως ἰσχίων σύμπαν, Totum illud, quod a cervice est usque ad coxendicem [Etym. M. p. 460, 17] : i. e. Truncum corporis, τὸν κορμὸν τοῦ σώματος. [|| Photius: Ὅλμοι καὶ ὑφόλμια ἐπὶ αὐλῶν· Εὔπολις Φίλοις, Ῥέγκειν δὲ τοὺς ὅλμους. Pollux 4, 70 : Τῶν δὲ ἄλλων αὐλῶν τὰ μέρη γλῶττα, τρυπήματα καὶ βόμβυκες, ὅλμοι καὶ ὑφόλμια.]

[Ὄλμωνες, κώμη Βοιωτίας, ἀπὸ Ὀλμοῦ τοῦ Σισύφου. Παυσανίας θ' (24, 3; 34, 10). Τὸ ἐθνικὸν Ὀλμωνεῖς, Steph. Byz. Ὄλμος rectius ap. Paus., qui olim utrumque nomen per α pronuntiatum perhibet in prima.]

D [Ὁλμώνιος, ὁ, Holmonius, n. viri in inscr. Bœot. Musei Rhen. novissimi vol. 2, p. 113, 12, 14. L. D.]

[Ὁλόαγνος, ὁ, ἡ, Totus sanctus. Nicolaus in Maji Coll. Vat. vol. 9, p. 617. Osann.]

[Ὁλοάργυρος. V. Ὁλάργυρος.]

[Ὀλόβαγρα, πόλις Μακεδονίας. Θεαγένης ἐν Μακεδονικοῖς. Τὸ ἐθνικὸν Ὀλόβαχρος (sic), Steph. Byz., cujus cod. Vrat. Ὀλόβογρα.]

[Ὁλοβολάδες, θῖνες, Hesychio. Ὁλοβωλάδες Salmasius.]

[Ὁλόβρυζον νόμισμα, Christophori Alexandrini Homilia in Fabric. Bibl. Gr. vol. 12, p. 660. Conf. Lat. Obrussa. Schneider. V. Torrent. ad Suet. Ner. c. 44, et Ὄβρυζος.]

[Ὁλοβρύχιος, ὁ, ἡ, Totus mersus, ναῦς, Nonn. ad Gregor. Naz. Stel. 1, p. 145. Hemst. ῠ]

[Ὁλόβωλος, ὁ, Holobolus, cogn. viri, quo fuerunt auctor scholiorum in Aram Dosiadæ aliique nonnulli, de quibus Hasius *Notices des Mss.* vol. 9, p. 139 sq. L. Dindorf.]

[Ὁλογράμμᾰτος, ὁ, ἡ, i. e. δι' ὅλων γραμμάτων, non A vero notis scriptus. V. Cujac. ad Nov. 47, et l. 3 Obs. c. 3. Ita ap. Galen. De pond. et mens., ubi de iisdem (p. 213 HSt.) : Ἀλλ' ἐπειδή τινες οὐχ ὁλογραμμάτως, ἀλλὰ διὰ χαρακτήρων ταῦτα σημαίνουσι. Ita ὁλόγραφος usurpat Constantin. in Vita Basilii n. 31 ed. Combefis. Duc.]

Ὁλογρᾰφέω, Integrum scribo. Plut. [Mor. p. 288, E] : Τὰ δὲ πρῶτα τῶν ὀνομάτων οὐχ ὁλογραφοῦσιν, ἀλλ' ἢ δι' ἑνὸς γράμματος, ὡς τὸν Τῖτον, Τ, καὶ Μάρκον, Μ.

[Ὁλόγρᾰφος, ὁ, ἡ, i. q. ὁλογράμματος, quod v. Euseb. H. E. 6, 24 : Ὡς καὶ τοῦτο ὁλόγραφοι δηλοῦσιν αὐτοῦ πρὸ τῶν τόμων ἐπισημειώσεις. Julius Pap. in Epist. ad Synod. Antioch. : Καὶ κατηγόρου Ἰσχύρα προεκόμισε ὁλόγραφον αὐθεντικήν. Ita *Holographum* usurpant scriptores aliquot Latini. V. Gloss. med. Lat. Ducang. Gregor. in Anecd. meis vol. 5, p. 458, 6. || Adv. Ὁλογράφως, schol. Eurip. Andr. 566. Boiss.]

[Ὁλόγυμνος, ὁ, ἡ, Totus nudus. Chronic. Paschal. vol. 1, p. 700, 16 : Ἐπῆραν Φωκᾶν ὁλόγυμνον. Coraes.]

[Ὁλόγῡρος, ὁ, ἡ, Totus rotundus. Melet. Cram. An. vol. 3, p. 74, 20 : Ἵνα μὴ πάντῃ ὁλόγυρος οὖσα (ἡ κε- B φαλὴ) ... κολοβὴ δεικνύηται. L. Dind.]

Ὁλοδάκτῠλος, ὁ, ἡ, στίχος, Versus totus ex dactylis : et τὸ τοῦ στίχου ὁλοδάκτυλον, Eust. [Il. p. 1086, 18, et στίχους ὁλοδ. p. 836, 17.]

[Ὁλοδρομία, ἡ, Cursus. Clem. Alex. fr. p. 1019 : Ὑποδήσατε αὐτοῦ τοὺς πόδας εἰς τὴν ἑτοιμασίαν τοῦ εὐαγγελίου τῆς εἰρήνης τὴν πρὸς τὰς καλὰς πράξεις ὁλοδρομίαν. Routh.]

[Ὀλόεις, εσσα, εν, Perniciosus, i. q. ὀλοός. Soph. Trach. 521 : Ἦν δὲ μετώπων ὀλόεντα πλήγματα.]

[Ὀλοεργὴς, ὁ, ἡ, i. q. seq. Manetho 6, 722 : Ὀλοεργέσιν ἀστράσιν.]

Ὀλοεργὸς, ὁ, ἡ, Qui exitialia patrat, Maleficus, κακοῦργος Hesychio Exitium afferens, Mortem afferens, Exitialis. Nicand. Ther. [828] : Τρυγόνα μὴν ὀλοεργὸν, ἁλιρραίστην τε δράκοντα Οἶδ' ἀπαλέξασθαι. Vocat autem ὀλοεργὸν turturem marinam, quæ Lethiferum animal est, φονευτικὸν, schol.

[Ὁλοέχινος, Ὁλοέχοινος. V. Ὁλόσχοινος.]

[Ὁλοήμερος, ὁ, ἡ, Qui est per totum diem. Unde C adv. Ὁλοημέρως Tzetz. ad Hesiodi Op. 566. L. D.]

[Ὁλοθᾰνὴς, ὁ, ἡ, Qui totus mortuus est. Jo. Chrys. Hom. in Ps. 6, p. 9 ed. Coteler.]

Ὁλοθούριον, τὸ, Holothurium, Hesych. esse dicit εἶδος θαλάττιον. Mentio τῶν ὁλοθουρίων ap. Aristot. H. A. 4 [immo De partt. an. l. infra citato], ubi ea dicit parum a spongiis differre. Plin. 9, 47 : Multis eadem natura, quæ frutici, ut holothuriis, pulmonibus, stellis. [Conf. Aristot. l. c. 1, 1 med. : Πολλὰ δ' ἀπολελυμένα μέν ἐστιν, ἀκίνητα δὲ, οἷον ὄστρεα καὶ τὰ καλούμενα ὁλοθούρια. « De partt. an. 4, 5 med. : Τὰ δὲ καλούμενα ὁλοθούρια καὶ οἱ πνεύμονες, ἔτι δὲ καὶ ἕτερα τοιαῦτ' ἐν τῇ θαλάττῃ μικρὸν διαφέρει τούτων (σπόγγων et sim.) τῷ ἀπολελύσθαι· αἴσθησιν μὲν γὰρ οὐδεμίαν ἔχει, ζῇ δὲ ὥσπερ ὄντα φυτὰ ἀπολελυμένα. Accuratius genus notis hujusmodi definire hodie non licet, et origo nominis latet. » Schneid.]

Ὀλόθρευσις, εως, ἡ, Perniciei allatio, Occisio. [Jos. 17, 13. « Euthym. Zygab. p. 22. » Boiss.]

Ὀλοθρευτὴς, ὁ, Qui exitium affert, perimit, He- D sychio λυμεών : ap. quem tamen non suo loco ponitur, sed inter Ὄλβος et Ὄλεθρος : unde suspicari aliquis possit scrib. ὀλεθρευτὴς, ab ὀλεθρεύω, verbo derivato ab ὄλεθρος : passim tamen per ο legitur ὀλοθρεύω, etiam in manuscriptis libris, et vero etiam ap. ipsum Hesych. ἐξολοθρεύω. Legitur autem hoc ὀλοθρευτὴς 1 Ad Cor. 10, [10] : Ἀπώλοντο ὑπὸ τοῦ ὀλοθρευτοῦ, de Judæis in deserto murmurantibus, ubi exp. Ab exterminatore. [Pro quo ὀλοθρευτῆρες in Nicetæ Chon. cod. græcobarb. p. 701, 26.]

[Ὀλοθρευτικὸς, ἡ, ὸν, Perniciosus. Porphyr. schol. in Il. Ω, 39. Boiss. Schol. Od. Α, 127.]

[Ὀλοθρεύτρια, ἡ, Perditrix. Hesych. in Λοιγίστρια. Boiss.]

Ὀλοθρεύω, Perdo, Pessundo, Everto, Perniciem et exitium affero; Extinguo, Extermino, ut alii malunt. Verbum ap. recentiores usitatum : pro ὀλεθρεύω, quo Eust. utitur in Ὀλοφώϊος [Od. p. 1502, 40, ubi ὀλεθρευτικός]. Utitur eo et Suid. in exponendo Ὀλέσκει. Et Greg. Naz. : Οὐδὲ φεύγει τὸν ὀλοθρεύοντα, ubi exponere possumus Exitium sibi parantem, ὄλεθρον ἀρτύοντα, ut Hom. loquitur: vel φονεύοντα, Perimentem: ut ὀλοθρεύειν accipiatur pro Occidere, sicut ὀλλῦσαι et ὀλέκειν s. ὀλέσκειν. Hebr. 11, [28]: Ἵνα μὴ ὁ ὀλοθρεύων τὰ πρωτότοκα θίγῃ αὐτῶν, de malo angelo omnes primogenitos Ægyptiorum perimente, præterquam eos, quorum fores sanguine signatas vidisset. [Exx. Philonis vol. 1, p. 73, 2, schol. Eur. Hipp. 535, Etym. M. p. 622, 37, et V. T. de activo et passivo annotavit Schleusn. Lex. V. T. « Anthol. Pal. 1, 57. Suidas in Βροτολοιγός. » Boiss.]

[Ὀλόθριξ, τρῖχος, ὁ, ἡ, Qui est integris capillis, Cui nulli deciderant. Tzetzes Hom. 268, Ἕκτωρ. Martin.]

[Ὀλοίιος, Ὀλοιός. V. Ὀλοός.]

Ὄλοισος, Hesychio ὁ ἀπολλύς. [Aut ὀλοιὸς legendum videtur aut ὀλλύς.]

[Ὀλοίτροπα, παρὰ Ῥοδίοις ἑπτὰ (λεπτὰ Perger.) πλάσματα εἰς θυσίαν, Hesychius.]

Ὁλοίτροχος dicitur ὁ ὅλος τροχοειδὴς καὶ πανταχόθεν ἀστήρικτος, Omni ex parte rotundus in modum rotæ vel orbis, Eust. p. 925, ubi etiam addit, Herodotum ὁλοίτροχον πέτρον appellare eum qui λειαίνεται κατασυρόμενος ἐν τῇ πρὸς ἄλλους προστρίψει: Herodot., inquam, in hoc l. [8, 52]: Ὅτι προσιόντων τῶν βαρβάρων πρὸς τὰς Πύλας ὁλοιτρόχους ἐφίεσαν. Ex eod. Herod. affertur, Ὁλοιτρόχους μεγάλους κατὰ τοῦ λόφου κυλίοντες, Saxa magna et rotunda devolventes ex vertice. Sed et e Xen. affertur [Anab. 4, 2, 3]: Ἐκυλίνδουν οἱ βάρβαροι λίθους ὁλοιτρόχους ἁμαξιαίους, Saxa rotunda s. molaria. Sic enim quidam interpr.; nec perperam: nam molares lapides, etiam ipsi sunt τροχοειδεῖς. Nota vero in eo Xen. loco additum subst. λίθους, quod Herodot. omisit, et subaudiendum reliquit. [Zosimus 1, 52: Τά τε βέλη καὶ τοὺς ὁλοιτρόχους. Theocr. 22, 49: Πέτροι ὁλοίτροχοι.] Dicitur porro et Ὁλοοίτροχος, s. Ὀλοοίτροχος: utroque enim modo scribitur, propter duplex etymon: quamobrem in quibusdam mss. Lexx. duplici spiritu reperitur Ὁ᾿λοοίτροχος. Qui enim ψιλοῦσι τὸ ο, quorum ex numero sunt Ptolemæus et Aristonicus, eo nomine accipiunt τὸν ἐπὶ τὸ τρέχειν ὀλοὸν, interposito ι: alii autem δασύνουσι, qui accipiunt pro ὅλος τροχοειδὴς, καὶ κατὰ πᾶν μέρος ἀστήρικτος. Hæc Lex. meum vetus, et Eust. p. 925. Utitur autem Hom. Il. N, 136: Ἦρχε δ' ἄρ' Ἕκτωρ Ἀντικρὺ μεμαὼς, ὀλοοίτροχος ὡς ἀπὸ πέτρης. Ubi meum vetus exemplar tenui spiritu scriptum habet hoc vocab., et exp. ὁ ἐν τῷ τρέχειν ὀλοὸς, Perniciosus et exitiosus in cursu: quoniam sc. καταφερόμενος πᾶν τὸ ἐμπίπτον βλάπτει. Exp. etiam λίθος περιφερὴς καὶ στρογγύλος: ut et ab Hesych. exp. ἐπιστρόγγυλος, κυκλοτερὴς, καὶ παντὶ μέρει ἁπτόμενος τῆς γῆς, quoniam sc. ὁ τετράγωνος ἐν μέρει ἐφάπτεται. Democritus vero τὸ κυλινδροειδὲς σχῆμα vocat ὀλοοίτροχον, ut in Lex. meo vet. annotatur, nec non ab Eust. p. 925, ubi etiam addit, eum appellationis istius occasionem sumpsisse forsan ex hemistichio illo Hom. [Il. N, 142]: Οὔτι κυλίνδεται ἐσσυμένος περ. [Orac. ap. Herodot. 5, 92: Λάβδα κύει, τέξει δ' ὀλοοίτροχον, ut ex Eusebio repositum pro δὲ ὁλοίτροχον. In Ind.:] Ὁλότροχος, Hesychio περιφερὴς λίθος: qui et ὁλοίτροχος. [Eadem forma est ap. eum etiam in Ὁλοοίτροχος.]

[Ὁλοκάρδιος, ὁ, ἡ, Qui est integro corde. Epiphanii Physiolog. (Antverpiæ a. 1588) c. 24. Boiss.]

[Ὁλοκαρπεύω, i. q. seq. Orac. Sibyll. 3, 579: Βωμῷ ἐπὶ μεγάλῳ ἁγίως ὁλοκαρπεύοντες.]

Ὁλοκαρπόω, a καρπόω, Totum adoleo. [Orac. Sib. 3, 565: Πρὸς ναὸν μεγάλοιο θεοῦ ὁλοκαρπώσασα.] At Sirac. 45, [14]: Θυσίαι αὐτοῦ ὁλοκαρπωθήσονται, redditur, Sacrificia ejus consummabuntur: ὁλοκαρπούμενον, Hesychio et Suidæ ὅλον προσφερόμενον.

Ὁλοκάρπωμα, τὸ, et Ὁλοκάρπωσις, εως, ἡ, Holocaustum, Sapient. 3, [6], Es. 41. Utrumque citat Bud. ex Aretha p. 963, sed non interpretatur. [Exx. utriusque ex V. T., ubi etiam permutatur cum ὁλοκαύτωμα et ὁλοκαύτωσις, v. ap. Schleusn. Lex. V. T. « Clem. Alex. Strom. 5, p. 581, E. Conf. Matthiæ Eurip. fr. inc. 155, p. 402. » Boiss.]

Ὁλόκαυστον, τὸ, Quod totum crematum et combustum est, cremari solet. [Adolitum, Gl.] Est Sacrificii genus, quo tota victima cremabatur, quum alias in sacrificiis deorum exta tantum aræ superimposita

A flammis adoleri consuevissent. I. q. infra ὁλοκαύτωμα et ὁλοκαύτωσις.

[Ὁλοκαυτέω. V. Ὁλοκαυτόω.]

[Ὁλοκαυτίζω, i. q. ὁλοκαυτέω. Exc. Phrynichi Bekk. An. p. 56, 14: Λέγεται καὶ διὰ τοῦ ι ὁλοκαυτίζω, ἐξ οὗ ὁλοκαυτιῶ ὁ Ἀττικὸς μέλλων, οὗ τὸ ἀπαρέμφατον ὁλοκαυτιεῖν. Cyrill. Alex. C. Julian. 10, p. 349.]

[Ὁλοκαυτισμὸς, ὁ, i. q. ὁλόκαυστον. Photius: Ὁλ., ὁλοκαρπία.]

[Ὁλόκαυτος, ὁ, ἡ, Qui totus comburitur. Levit. 6, 23: Πᾶσα θυσία ἱερέως ὁλόκαυτος ἔσται.]

Ὁλοκαυτόω, sive Ὁλοκαυτέω, Totum comburo, cremo: quod in quibusdam sacrificiis fieri solebat. Xen. Cyrop. 8, [3, 24]: Ἔθυσαν τῷ Διῒ καὶ ὡλοκαύτωσαν τοὺς ταύρους. Ibid.: Ὡλοκαύτωσαν τοὺς ἵππους· Anab. 7, [8, 5]: Τῇ δ' ὑστεραίᾳ ὁ Ξενοφῶν... ἐθύετο, καὶ ὡλοκαύτει χοίρους τῷ πατρίῳ νόμῳ, καὶ ἐκαλλιέρει. Ibid. [§ 4] θύεσθαι καὶ ὁλοκαυτεῖν legitur. Sic Plut. [Mor. p. 694, B]: Θύουσι Βουβρώστει ταῦρον μέλανα, καὶ κατακόψαντες, αὐτόδορον ὁλοκαυτοῦσιν. [Phryn. in Ὁλοκαυτίζω cit.:

B Ὁλοκαυτεῖν, ἀπὸ τοῦ ὁλοκαυτῶ, οὗ ὁ μέλλων ὁλοκαυτήσω. Idem p. 51, 18: Μηροκαυτεῖν, ὁμοίως τῷ ἱεροκαυτεῖν καὶ ὁλοκαυτεῖν. Ap. Clem. Al. Pæd. p. 36: Τῇ Ταυροπόλῳ Ἀρτέμιδι ἄνθρωπον ὁλοκαεῖν, Eusebius ὁλοκαυτεῖν, Joannes ὁλοκαυτοῦν. Inter formas ὁλοκαυτοῦται et ὁλοκαυτεῖται variatur ap. Joseph. A. J. 3, 9, 1.]

Ὁλοκαύτωμα, τὸ, Victima, s. Hostia, quæ integra comburitur, tota crematur, et ex qua nihil reliqui fit, Ad Hebr. 10, [6]. Item Greg. Naz. De baptismo: Γενώμεθα ὁλοκαυτώματα λογικά. Item in Encom. Macc.: Τοῖς θύμασι προθύμοις εἰς σφαγὴν, ὁλοκαυτώμασι λογικοῖς, Hostiis promptis et paratis, ut ad solidum incensum ex ratione præditis victimis Deo offerendum mactentur. Holocautomata, quæ et Holocausta, sunt quæ super altare integra concremantur: victimæ autem et hostiæ, quarum pars offertur altari, pars sacerdotibus traditur. Hieron. in c. 56 Es. Supra ὁλόκαυστον. [Plura cum aliis S. S. exemplis v. ap. Schleusn. Lex. V. et N. T. Memorat etiam Hesych.]

Ὁλοκαύτωσις, εως, ἡ, Sacrificium, in quo tota

C victima crematur, Peractio sacri, quo tota hostia comburitur. Interdum pro ὁλοκαύτωμα capitur. [Flagrantia, Holocautoma, Gl. Exod. 29, 25; Lev. 4, 34; 6, 9, et alibi sæpius. Esdr. 6, 9. Schleusn. Jo. Malalas p. 200, 3: Ἐπῆρεν ἐκ τοῦ βωμοῦ τοῦ πυρὸς τῆς ὁλ. κρέα. Athenag. Legat. p. 290, A.]

Ὁλοκληρία, ἡ, Integritas, [Integratio, Gl.] qua res aliqua integra et omnibus suis partibus absoluta est, vel qua integra est et nullo vitio labefactata, Dem. Phal., quum de membris periodorum loquens, citasset hunc Xen. l., Δαρείου καὶ Παρυσάτιδος γίνονται παῖδες, subjicit [§ 3], Ἔχει γάρ τινα ὁλοκληρίαν ἡ διάνοια αὐτὴ καθ' αὑτὴν, pro quo paulo ante dicit, διάνοια ἐν ἑκατέρῳ πληροῦταί τις, continet ipsa suapte vi integritatem ac perfectionem quandam. [Iambl. In Nicom. p. 47, B, aliique recentiorum, ut Eustath. Opusc. p. 226, 67: Μέρους τινὸς ὑποσπωμένου ἐκ τῆς κατὰ γένος ὁλοκληρίας. « Tzetz. Exeg. Iliad. p. 26, 3. » Boisson.] Quod porro Cicero dicit Stoicos in primis secundum naturam numerare incolumitatem conserva-

D tionemque partium, valetudinem, sensus integros, doloris vacuitatem, vires, pulcritudinem, Diog. L. Zenone [7, 107] dicit, ὁλοκληρίαν s. ἀρτιότητα, ὑγίειαν, εὐαισθησίαν, ἀλυπίαν, ἰσχὺν, ῥώμην, κάλλος: τῇ ἀρτιότητι vero s. ὁλοκληρίᾳ opponit τὴν πήρωσιν, sicut τῷ ὁλοκλήρῳ opp. ὁ πηρὸς, Bud. [Hesychio ἕνωσις. Esaiæ 1, 6: Ἀπὸ ποδῶν ἕως κεφαλῆς οὐκ ἔστιν ἐν αὐτῷ ὁλοκληρία, Sanitas. Conf. Act. Apost. 3, 16, ubi Latinus ὁλοκληρίαν Integram sanitatem interpretatur. Sic ap. Cic. Fin. 5, 40, *integritas corporis* pro valetudine. Schleusn. Lex. V. T.]

[Ὁλοκλήριος. V. Ὁλόκληρος.]

Ὁλόκληρος, ὁ, ἡ, Tota sorte constans, Cui tota sors inest, totum id, quod sorte obvenit. Generalius autem accipitur pro Integer, [Solidus, add. Gl.] Totus, Universus. [Plato Tim. p. 44, C: Ὁλόκληρος ὑγιής τε παντελῶς· Phædr. p. 250, C: Ὁλόκληροι αὐτοὶ ὄντες καὶ ἀπαθεῖς κακῶν· ὁλόκληρα φάσματα· Leg. 6, p. 759, C: Ὁλόκληρον καὶ γνήσιον. Polyb. 18, 28, 9: Εἴπερ βούλονται τὴν τῶν Ἑλλήνων εὔκλειαν ὁλόκληρον περιποιήσασθαι. Apollon. De pron. p. 111, A : Τῇ Ἀττικῇ ὡς ὁλοκληροτέρᾳ· et eodem gradu ibid. B, 126, C. Superl. Trypho in Mus. Cantabr. vol. 1, p. 36.] Herodian. 6, [2, 6] : Πέρσαις ἀνανεώσασθαι πᾶσαν ὁλόκληρον, ἣν πρότερον ἔσχον, ἀρχὴν, Integrum imperium Persis restituere. Philo De mundo : Μηδενὸς ἀποστατοῦντος μέρους, ἀλλ' ὁλοκλήρων ἐγκατειλημμένων, Quum nulla pars mundi ab ejus compage desciscat, integraque intus omnia cohibeantur. Aristot. Eth. 4, 1, quum dixisset multos esse modos illiberalitatis s. avaritiæ, Ἐν δυσὶ γὰρ οὖσα, τῇ τε ἐλλείψει τῆς δόσεως, καὶ τῇ ὑπερβολῇ τῆς λήψεως, οὐ πᾶσιν ὁλόκληρος παραγίνεται, ἀλλ' ἐνίοτε χωρίζεται· καὶ οἱ μὲν τῇ λήψει ὑπερβάλλουσιν, οἱ δὲ τῇ δόσει ἐλλείπουσι, Non integra inest in omnibus, Non omnibus suis partibus consummata cernitur in omnibus, sed interdum divellitur; ac sunt qui in accipiendo modum excedunt; alii, qui in dando illum deserunt. Rursum Herodian. 7, [12, 16] de incendio urbis Romæ : Τοσοῦτον δὲ μέρος τῆς πόλεως τὸ πῦρ ἐλυμήνατο, ὡς μηδεμίαν τῶν μεγίστων πόλεων ὁλόκληρον δύνασθαι τῷ μέρει ἐξισωθῆναι. Item εἰς ὁλόκληρον, Pand.: Ἐάν τις ὁμολογήσῃ πολλοὺς δούλους παριστᾷν, καὶ τὸν ἕνα μὴ παραστήσῃ, βεβαιοῦται εἰς ὁλόκληρον ἡ ποινή. Quod Ulpianus sic, Si plurium servorum nomine judicio sistendi causa una stipulatione promittatur, pœnam quidem integram committi, licet unus status non sit, quia verum est omnes statos non esse. Bud. p. 215, in Παραστῆσαι. Herodian. 6, [9, 17] : Ἡ Ἀλεξάνδρου βασιλεία εὐδοκίμησεν εἰς τὸ ὁλόκληρον, In totum, ut Plin.; Omni ex parte. [Inscr. Att. imperatoria ap. Bœckh. vol. 1, p. 418, n. 353, 26 : Τὸ βασίλειον ὃν ἐν ὁλοκλήρῳ τῷ γένει.] Item κληρονομία ἐξ ὁλοκλήρου καὶ ἐκ μέρους, Hæreditas ex asse s. in solidum, et ex parte. Bud. [Ὁλοκλήρου, Asse, Gl. || Ὁλόκληρον ζήτημα est Quæstio quæ copia argumentorum perfecta est, aut suis locis absoluta, aut in qua omnibus conjecturæ argumentis uti sive accusandi sive defendendi causa possumus. Hermog. Περὶ διαιρ. στάσ. p. 54. Ernest. Lex. rh.] Accipitur etiam ea signif., qua Cic. dicit Integra mens, Integrum corpus, Integer sensus; et Celsus, Integer sanguis, i. e. Non vitiosus. Lucian. [Macrob. c. 2] : Εἰς μακρὸν γῆρας ἀφικέσθαι ἐν ὑγιαινούσῃ τῇ ψυχῇ καὶ ὁλοκλήρῳ τῷ σώματι, Sana mente et integro corpore. Cic. dicit etiam ead. signif., Cumulatur ex integritate corporis et mentis ratione perfecta. [Εἰς ὁλόκληρον, Ἐξ ὁλοκλήρου, Pro solido, In solidum, in Basilicis. Gl. Gr.-Lat.: Ἡ εἰς ὁλόκληρον, In integrum restitutio, Reintegratio. Ducang. Hesychius : Ὁλοσχερής, τέλειος, ὁλόκληρος, ἐξ ὁλοκλήρου. Schol. Aristoph. Pl. 351 : Κατὰ πάντα τρόπον, ἐξ ὁλοκλήρου. || Photius : Οἱ ἄρχοντες ἐδοκιμάζοντο, εἰ ὁλόκληροί εἰσιν, Μένανδρος Θετταλῇ « Ὁλόκληρος οὗτος σοὶ, ξένε. » Ἱερεῖα ὁλόκληρα ponit Pollux 1, 29.] In VV. LL. ponitur etiam Ὁλοκλήριος, quod i. q. ὁλόκληρος esse dicunt. [|| Adv. Ὁλοκλήρως, Perfecte, In totum, Ex omni parte. Jo. Chrys. In Jo. hom. 35, vol. 2, p. 697. Seager. Eust. Opusc. p. 227, 20 : Τὸ οὕτως ὁλ. φιλικόν. Tzetz. Hist. 11, 215; Amphiloch. p. 44.]

[Ὁλοκληρόω, Consummo. Eust. Opusc. p. 208, 12 : Ἐπεὶ τὸν ἀγαθαῖς μιμήσεσιν ἐντηκόμενον καὶ εἰς τὸ ἀεὶ προβαίνοντα τέλειον, ἐχρῆν κἀνταῦθα τῆς ἐν τοιούτοις καὶ αὐτὸν ὁλότητος εἶναι μέτοχον, οὐκ ἀρκοῦν ἡγεῖται τὴν τοιαύτην ἐπιποίησιν, ἀλλὰ ὁλοκληροῖ καὶ αὐτὸς θεῖον ἔργον.]

[Ὁλοκλήρως. V. Ὁλόκληρος.]

Ὁλόκνημος, ὁ, ἡ, Integras tibias habens, In cujus tibiis nihil mancum s. mutilum est, sed integra omnia : ὁλόκνημοι, Hesychio ὁλομελεῖς, partem accipiendo pro toto. Item σκελίδες ὁλόκνημοι ap. Polluc. [2, 191; 6, 52, 59] ex Comœdia, fortassis σκελίδες una cum toto crure s. tibia. Pherecr. comicus ap. Athen. 3, [p. 96, A] et 6, [p. 269, A] : Καὶ μὴν παρῆν τεμάχη μὲν ἐξωπτημένα ... Σκελίδες δ' ὁλόκνημοι πλησίον τακερώταται Ἐπὶ πινακίσκοις, καὶ δίεφθ' ἀκροκώλια.

[Ὁλόκοπος, ὁ, ἡ, Totus concisus, Diosc. 5, 65.]

[Ὁλοκοτίνιν, Ὁλοκοτίνος, Numus s. Solidus aureus. Etymologiæ ex Orione Theb. in codd. Reg. 772 et 2113 : Ὁλοκοτίνιν, διὰ τὸ τὸν ὅλον κότον ἐν αὐτῷ. At quid hoc l. κότος significat? an Aurum? nam id vocis Aureum sonat. Theodorit. H. E. 2, 16 : Ἐκβάντος δὲ Λιβερίου ὁ βασιλεὺς ἀπέστειλε πεντακοσίους ὁλοκοτίνους αὐτῷ εἰς δαπάνας. Ubi Sirmondi cod. pro hac voce χρυσίνους præfert. Et Epiphanius schol. Quingentos solidos vertit. Theophanes a. 24 Leonis Isauri : Ὁ οὖν βασιλεὺς ἰδὼν τὰ τείχη πτωθέντα, διελάλησε τῷ λαῷ, λέγων Ὅτι ὑμεῖς οὐκ ἐκποεῖτε τὰ τείχη κτίσαι, ἀλλ' ἡμεῖς διετάξαμεν τοῖς διοικηταῖς καὶ ἀπαιτοῦσιν εἰς κανόνα κατὰ ὁλοκοτίνιν τὸ μιλιαρίσιον· καὶ λαμβάνει αὐτὰ ἡ βασιλεία καὶ κτίζει τὰ τείχη. Ubi Hist. Miscella et Anastasius, *Exigent in regulam per singulos aureos nummum argenteum unum.* Zonaras et Cedrenus νόμισμα habent. Apophth. Patr. in Joanne Persa n. 2 : Ὕστερον ἔρχεται ὁ κύριος τοῦ ὁλοκοτίνου θέλων αὐτό. Supra χρυσινὸν appellavit. Pelagius Solidum vertit. Paralipomena de S. Pachomio et Theodoro n. 21 : Τούτῳ προσελθὼν ὁ ἀδελφὸς παρεκάλει αὐτὸν πωλῆσαι σῖτον αὐτῷ ρ' νομισμάτων. Τοῦ δὲ ἀδελφοῦ εἰπόντος ὅτι οὐχ οὕτως θέλω, ἀλλ' ἐὰν θέλεις τῶν ρ' ὁλοκοτίνων δοῦναί μοι οἵας θέλεις τιμῆς, καλῶς ποιεῖς· ἐκεῖνος ἔφη, Ναὶ, δύναμαι οὐ μόνον τῶν ρ' ὁλοκοτίνων, ἀλλ' ἐὰν θέλεις καὶ ἄλλων τοσούτων ὁλοκοτίνων λαβεῖν σῖτον ... Ἐπὶ τούτῳ τῷ ὅρκῳ γομώσας πλοῖον σίτου ἐκ δεκατριῶν ἀρταβῶν τοῦ ὁλοκοτίνου, μηδαμοῦ καθ' ὅλην τὴν Αἴγυπτον εὑρισκομένου πέντε ἀρταβῶν τοῦ ὁλοκοτίνου, κατέπλευσεν κτλ. Paulo supra ἑκατὸν νομίσματα appellavit. Adde n. seq., ubi hæc vox pluries occurrit. Cod. Reg. ms. 618, f. 283, ubi de forma s. typario : Καὶ χύσε τὸ ἐπάνω εἰς τὸ τυπάριν, ἐπάνω εἰς τὰ γράμματα, εἰς τὴν ἀποτύπωσιν τοῦ ὁλοκοτίνου γύρωθεν καλοῦ, μὴ δράμῃ ἔξωθεν. Vita Ms. S. Symeonis propter Christum Sali : Ἐκλάπη τις ἐν Ἐμέσῃ λογάριν νομίσματα πεντακόσια, καὶ ὡς ἐζήτει αὐτὰ, ὑπαντᾷ αὐτῷ ὁ ἀββᾶς Συμεὼν καὶ ... λέγει πρὸς αὐτὸν, Δύνασαι ποιεῖν, ἔξηχε, τί ποτε, ἵνα εὑρεθῶσι τὰ ὁλικότινά μου. Ita rursum infra. Suidas : Δηνάριον, εἶδος ἀργυρίου ὁλοκοτίνου ἴσην ἔχον ἰσχύν. Ducang. Jo. Carpathi episc. in Narr. Mss. de anachoretis : Θέλει ἵνα κρατήσω δύο ὁλοκότινα λόγῳ ἀσθενείας σώματος. Id. App. p. 145.]

[Ὁλόκυκλος, ὁ, ἡ, Qui plenum facit orbem. Theoph. In Matth. p. 25.]

[Ὁλοκυκλόω, Plenum orbem facio. Eumath. Ism. p. 425 med. : Σὺ δέ μοι τὴν μηνοειδῆ σελήνην ὁλοκύκλωσον. Wakef.]

[Ὁλόκυρος.] Ὁλόκυρον in Ponto vocant τὴν χαμαιπίτυν, teste Diosc. 3, 175. [Apollodor. ap. Athen. 15, p. 681, D : Χαμαίπιτυν, οἱ δὲ ὁλόκυρον, οἱ δ' Ἀθήνησιν ἰωνίαν. Pro quo ap. Dioscorid. Alexiph. c. 7, p. 406, A : Ἡ ... ὁλόκληρος, Ἀθήνησι δ' ἰωνία καλεῖται. Conf. Schneider. ad Nicandri Al. 56.]

[Ὁλοχωνιτίδιον. V. Ὁλοχωνῖτις.]

Ὁλοχωνῖτις, ιδος, ἡ, Galeno in Lex. Hippocr. est βοτάνη τις ἀγρία λαχανώδης, Olus quoddam sylvestre. Legitur ap. Hippocr. Γυναικ. l. 1, [p. 626, 4 : Ὁλοχωνίτιδος τῆς γλυκείας ῥίζα. « In Nili Sent. p. 312 ed. Orell., monachorum est συλλέγειν τὰ ὁλοχωνίτιδα, ubi conjicitur leg. ὁλοχωνιτίδια. » Schneid.]

[Ὁλολαμπής, ὁ, ἡ, Totus lucens. Ad etymologiam n. Ὄλυμπος fingunt scholl. Hom. Il. A, 18, Eust. Il. p. 38, 38. « Jo. Diac. in Bandini Anecd. p. 155; Psellus Opusc. p. 171, 3 a fine. » Boiss. Pro quo Ὁλόλαμπος Tzetzes Exeg. Il. p. 81, 26.]

[Ὁλόλεπρος, ὁ, ἡ, Totus leprosus. Orig. Ecl. in Luc. p. 93 ed. Ven. Routh. Ms. ap. Pasin. Codd. Taurin. vol. 1, p. 119, πϛ'.]

[Ὁλόλευκος, ὁ, ἡ, Totus albus. Antiphanes Athenæi 3, p. 118, D, τάριχος. Schweigh. Pollux 7, 46 : Χλαμὺς ἡ μὲν ὁλόλευκος, ὡς Φιλέταιρος ὁ κωμῳδοδιδάσκαλος ὠνόμαζεν. Tzetzes Posthom. 667. « Epiphanii Physiolog. (Antv. a. 1588) c. 23. » Boiss.]

[Ὁλόλιθος, ὁ, ἡ, Totus lapideus. Schol. brev. ad Lycophr. 350. Boiss. Strabo 17, p. 813 : Τὸ Μεμνόνειον βασίλειον, θαυμαστῶς κατεσκευασμένον ὁλόλιθον.]

[Ὁλολος. V. Ὄλολυς.]

[Ὁλολυγαῖος, α, ον, Ululans. Epigr. ap. Welcker. Mus. Rhen. noviss. vol. 3, p. 259 : Οὐ βάτοι, οὐ τρίβολοι τὸν ἐμὸν τάφον ἀμφὶς ἔχουσιν, οὐδ' ὁλολυγαία νυκτερὶς ἀμπέταται. L. Dind.]

[Ὁλολυγή, ἡ, Ulula, Ululatus, Gl. HSt.:] Ab ὀλολύζω sunt verbalia Ὀλολυγή et Ὀλολυγμός, Ululatus, Ejulatus alto cum clamore. [Ὀλ. ἀγροίκων, Jubilatus, Gl. Hesychio φωνὴ γυναικῶν, ἣν ποιοῦνται ἐν τοῖς ἱεροῖς εὐχόμεναι.] Hom. Il. Z, [301] : Αἱ δ' ὀλολυγῇ πᾶσαι Ἀθήνῃ χεῖρας ἀνέσχον. [Eur. Med. 1176 : Εἶτ' ἀντίμολπον ἧκεν ὀλολυγῆς μέγαν κωκυτόν. Aristoph. Lys. 240 : Τίς ὡλολυγά; Av. 222 : Θεία μακάρων ὀλολυγά. Callim. Del. 258 : Αὐτίκα δ' αἰθὴρ χάλκεος ἀντήχησε διαπρυσίην ὀλολυγήν· Lav. Min. 139 : Σύν τ' εὐγμασι σύν τ' ὀλολυγαῖς, χαῖρε θεά. Herodot. 4, 189 : Δοκέει ἔμοιγε καὶ ἡ ὀλολυγὴ ἐπ' ἱροῖσι ἐνταῦθα πρῶτον γενέσθαι. Quibus locis omnibus perinde ut ὀλολυγμὸς et ὀλολύζω dicitur ea signif. quam in hoc exponemus. || Hesychius interpretatur etiam ἄνθος τι παρὰ λίμναις γινόμενον.] Thuc. 2, [4] : Τῶν γυναικῶν τε καὶ τῶν οἰκετῶν ἅμα ἀπὸ τῶν οἰκιῶν κραυγῇ τε καὶ ὀλολυγῇ χρωμένων, Vociferantibus et ululantibus. [Appian. Pun. c. 77 : Σὺν ὀλολυγῇ μανιώδει· 92 : Ἐντυγχάνουσαι μετ' ὀλολυγῆς ἑκάστῳ, utrobique de vociferantibus et ejulantibus.] Sic Synes. Ep. 67, et 57 : Ἦν ἄκουσμα σκυθρωπὸν, ἀνδρῶν οἰμωγαὶ, γυναικῶν ὀλολυγαὶ, παίδων ὀλοφυρμοί. [« Procop. Pers. p. 71, D : Ἐβόα δὲ ὀλολυγῇ τε χρωμένη καὶ ... ἐγκελευομένη· H. Arc. p. 5, C : Ὀλολυγῇ κεχρημένη ὠλοφύρετο. » Hemst. De accentu Arcad. p. 105, 7.] Posteriore Ὀλολυγμὸς [quod θρῆνος, κλαυθμὸς interpr. Hesych.] utitur Anaxandrides apud Athen. 6, [p. 242, E] sed paulo aliter. Ibi enim dicens Athenienses esse derisores, inter alia subjungit, Λαμπρός τις ἐξελήλυθ', ὀλολυγμὸς [ὄλολυς, quod v., libri meliores] οὗτός ἐστι [ἦν]· Λιπαρὸς περιπατεῖ Δημοκλῆς, ζωμὸς μέλας Κατωνόμασται. [Æsch. Sept. 268 : Ἔπειτα σὺ (chorus mulierum) ὀλολυγμὸν ἱερὸν εὐμενῆ παιάνισον· Ag. 28 : Ἀγαμέμνονος γυναικὶ σημαίνω τορῶς ... ὀλολυγμὸν εὐφημοῦντα τῇδε λαμπάδι ἐπορθιάζειν· 595 : Γυναικείῳ νόμῳ ὀλολυγμὸν ἄλλος ἄλλοθεν κατὰ πτόλιν ἔλασκον· Cho. 385 : Ἐφυμνῆσαι γένοιτό μοι πυκάεντ' ὀλολυγμὸν ἀνδρός. Eur. Or. 1137 : Ὀλολυγμὸς ἔσται πῦρ τ' ἀνάψουσιν θεοῖς. L. D. Hesychio ποιὰ φωνὴ λυπηρὰ, ὀδύνην καρδίας ἀσήμῳ τινὶ φθόγγῳ παριστῶσα. || De alia signif. « Procop. In Jes. 16, p. 236 : Ὀλολυγμὸς ... ὀδυνηρὰ φωνὴ γυναικῶν βαρυτάτῳ πένθει κεχρατημένων. » Valck.]

[Ὀλολύγιος, quod est ap. Eumath. Ism. p. 393 fin. : Ἐκώκυσεν ὀλολύγιον, scribendum ἐκώκυσε διωλύγιον, ut dubitanter proposuit Dorvill. ad Charit. p. 278 = 368, quod in λύγιον corruptum notavimus supra p. 412, B.]

[Ὀλόλυγμα, τὸ, i. q. ὀλολυγή. Eur. Heracl. 782 : Ὀλολύγματα παννυχίοις ὑπὸ παρθένων ἰαχεῖ ποδῶν κρότοισι. Rhian. Anth. Pal. 6, 173, 3 : Γαλλαίῳ Κυβέλης ὀλολύγματι. Orph. H. 13, 5. Jesai. 15, 8, sec. ed. Ald.]

[Ὀλολυγμός. V. Ὀλολυγή.]

Ὀλολυγὼν, όνος, ὁ, Ululatus, [Ejulatus, add. Gl.] peculiariter Is quem mares ranæ edunt, quum feminas ad coitum vocant. Plut. [Mor. p. 982, E] : Οἱ δὲ βάτραχοι περὶ τὰς ὀχείας ἀνακλήσεσι χρῶνται, τὴν λεγομένην ποιοῦντες ὀλολυγόνα, φωνὴν ἐρωτικὴν καὶ γαμήλιον οὖσαν. Sic Aristot. H. A. 4, 9 : Καὶ τὴν ὀλ. δὲ τὴν γινομένην ἐν τῷ ὕδατι οἱ βάτραχοι οἱ ἄῤῥενες ποιοῦσιν, ὅταν ἀνακαλῶνται τὰς θηλείας πρὸς τὴν ὀχείαν. At Plin. 11, 37 : Mares tum vocantur Ololygones : stato id tempore evenit, cientibus ad coitum feminas : tum siquidem inferiore labro demisso, ad libramentum modicæ aquæ receptæ in fauces, palpitante ibi lingua ululatus ejicitur. [Ælian. N. A. 6, 19; 9, 13.] || Avis quædam loca sola amans et τρύζουσα τὰ προσόρθρια, ut Theon ap. Arat. [948 : Ἢ τρύζει ὀρθρινὸν ἐρημαίη ὀλολυγών] annotavit. Cic. Acredulam vertit, Festus Avienus Ululam, [Strix add. Gl.] ut videbis in Τρύζω. Sed addit Theon, quosdam velle esse ζῶον λιμναῖον. [Agathias Anth. Pal. 5, 292, 5 : Ἡ δ' ὀλολυγὼν τρύζει, τρηχαλέαις ἐνδιάουσα βάτοις. Nicænetus ap. Parthen. Erot. 11, 1, v. 9 : Αὐτὴ δὲ γνωτὴ, ὀλολυγόνος οἶτον ἔχουσα, Βυβλὶς ἀποπρὸ πυλῶν Καύνου ὠδύρατο νόστον. Eubulus ap. Athen. 15, p. 679, B : Κισσὸς ὅπως καλάμῳ περιφύεται αὐξόμενος ἔαρος ὀλολυγόνος ἔρωτι κατατετηκώς. Theophr. fr. 6 De signis 3, 5 : Ὀλολυγὼν ᾄδουσα μόνη ἀκρωρίας χειμέριον. « Geopon. 1, 3, 11 : Ὀλ. τρύζουσα ἑωθινὸν χειμῶνα δηλοῖ. Theophrasteum ἀκρωρείας Aratus ὀρθρινὸν reddidit, quare ἀκρωρίας scripsi. » Schneider. Hesychius : Ὀλ. ζωΰφιον γινόμενον ἐν ὕδασιν ὅμοιον ἐντέρῳ, καὶ τοὺς εὐήθεις δὲ οὕτως ἔλεγον.]

Ὀλολύζω, [ξομαι, Eur. El. 691 : Ὀλολύξεται πᾶν δῶμα,] Ululo [Gl.], Cum alto clamore ploro et ejulo. [Ἐπὶ ἀγροίκων Ejulo, Gl.] Hom. Od. Δ, [767] : Ὣς εἰποῦσ' A ὀλόλυξε· Γ, [450] : Αἱ δ' ὀλόλυξαν Θυγατέρες τε νυοί τε καὶ αἰδοίη παράκοιτις. [X, 408 : Ἡ δ' ὡς οὖν νέκυάς τε καὶ ἄσπετον εἴσιδεν αἷμα, ἴθυσέν ῥ' ὀλολύξαι, ἐπεὶ μέγα εἴσιδεν ἔργον· 411 : Ἐν θυμῷ, γρηῦ, χαῖρε καὶ ἴσχεο, μηδ' ὀλόλυζε. Omnibus autem his locis dicitur non de plorantibus aut ejulantibus, quomodo interpretatur etiam Servius ad Virg. Ecl. 8, 55 : « Ululæ, aves, ἀπὸ τοῦ ὀλολύζειν, i. e. a fletu nominatæ; » sed aut precantibus aut gaudentibus, utrumque cum ululatu. Atque sic Æsch. Eum. 1043, 1047 : Ὀλολύξατε νῦν ἐπὶ μολπαῖς. Eur. Bacch. 689 : Ἡ σὴ δὲ μήτηρ ὠλόλυξεν ἐν μέσαις σταθεῖσα βάκχαις, ἐξ ὕπνου κινεῖν δέμας. Aristoph. Pac. 96 : Εὐφημεῖν χρὴ καὶ μὴ φλαῦρον μηδὲν γρύζειν, ἀλλ' ὀλολύζειν· Eq. 1327 : Ὀλολύξατε φαινομέναισιν ταῖς ἀρχαίαισιν Ἀθήναις. Philemo ap. Athen. 7, p. 288, F : Τὴν ἡδονὴν ὁ πρῶτος αὐτῶν καταμαθὼν τῆς λοπάδος ἀνεπήδησε κἄφευγεν κύκλῳ τὴν λοπάδ' ἔχων, ἄλλοι δ' ἐδίωκον κατὰ πόδας, ἐξῆν ὀλολύζειν. Apollon. Rh. 3, 1219 : Αἱ δ' ὀλόλυξαν νύμφαι. Theocr. 17, 64 : Κόως δ' ὀλόλυξεν ἰδοῦσα.] Utuntur et prosæ scriptores. Demosth. posuit pro Alta voce clamare, B Vociferari cum quodam ululatu [p. 313, 21] : Μὴ γὰρ οἴεσθ' αὐτὸν φθέγγεσθαι μὲν οὕτω μέγα, ὀλολύζειν δ' οὐχ ὑπέρλαμπρον. [Ib. 20 : Ἐπὶ τῷ μηδένα πώποτε τηλικοῦτ' ὀλολύξαι σεμνυνόμενος.] Nonn. vero et ipse ὀλόλυξεν usurpasse dicitur pro Alto clamore locutus est. [Alioqui ἐπὶ γυναικῶν dici recte monet Pollux 1, 29, de quibus est etiam ap. anon. in Cram. Anecd. vol. 3, p. 188, 21. Ephræm Syr. vol. 3, p. 474, B : Ὠλόλυξεν γῆ. Act. SS. Maji vol. 5, p. 327, A; 380, F. || Photius : Ὀλολύττουσιν, οὐχὶ ὀλολύζουσι, Μένανδρος. Sed in fr. illius ap. Strab. 7, p. 297 est : Ἐκυμβάλιζον δ' ἑπτὰ θεράπαιναι κύκλῳ, αἱ δ' ὠλόλυζον. Nec tamen dixerim nomen Menandri ex præcedenti glossa Ὄλολυν huc irrepsisse.]

[Ὀλολυκτόλης, ὁ, non addita signif. ponit gramm. Cram. Anecd. vol. 4, p. 336, 13 : Τὰ εἰς λης ῥηματικὰ ὀλολυκτόδης (sic), φαινόλης. Videtur esse i. q. ὀλολύζων, non ὄλολυς. L. Dind.]

[Ὄλολυς, ὁ, ap. Anaxandrid. Athen. 6, p. 242, E : Ὑμεῖς γὰρ ἀλλήλους ἀεὶ χλευάζετ', οἶδ' ἀκριβῶς· ... λαμ- C πρός τις ἐξελήλυθ' (εὐθὺς addebat Porson.) ὄλολυς οὗτός ἐστι, sec. Photium : Ὄλολυν, Μένανδρος τὸν γυναικώδη καὶ κατάθεον καὶ βάκηλον (quo voc. usus est Menander in Hymnide), Mulierosum, Superstitiosum, Fatuum. Idem : Ὀλόλους, τοὺς δεισιδαίμονας ἐκάλουν οἰωνιζόμενοι· Μένανδρος Δεισιδαίμονι, Θεόπομπος Τισαμενῷ καὶ ἄλλοι. Quæ forma suspecta est, quum alteram diserte testetur Herodian. Π. μον. λέξ. p. 32, 35, inter barytona in υς ponens : Ὄλολυς τὸ προσηγορικὸν εἴτε τὸ κύριον, ubi notandum etiam n. pr. Ὄλολυς.]

[Ὀλολύττω. V. Ὀλολύζω.]

[Ὁλομέλεια, ἡ, Integritas membrorum. Niceph. Callist. H. E. præf. p. 14, D : Τὸ διεῤῥωγὸς ἐπανάγεις, τῇ ὁλομελείᾳ συνάπτεις. Eust. Opusc. p. 12, 87 : Τὴν ἔνθεον ὁλομέλειαν· 29, 24 : Ὁλομελείας τοιαύτης ὑπερκεῖσθαι σφαιρίον πολύτρητον, de capite ceteris membris superimposito. 199, 64 : Χεῖρας ταύτας μεγαλοφυεῖς τῇ Ῥωμαϊκῇ ὁλομελείᾳ προσφύων. Aliique recentiorum. L. D. Theodor. Metoch. p. 543. Cramer. Const. Manass. Chron. 3625. Anon. in Anecd. meis vol. 4, p. 448, 3. Boiss. V. Οὐλομελής.]

D Ὁλομελὴς, ὁ, ἡ, Qui integris membris est, Omnibus suis membris constans. [Integer, Gl.] Athen. 12, [p. 540, B] : Ἀναδόσεις ἐγίνοντο ὁλομελῶν βρωμάτων. Ibid. [C] : Ἕκαστος ἀπέφερε τῶν ἑστιατόρων ὁλομελῆ κρέα χερσαίων τε καὶ πτηνῶν καὶ θαλαττίων ζώων ἀδιαίρετα ἐσκευασμένα. [Eust. Opusc. p. 136, 55 : Ὁλομελές σοι τὸ καλὸν καὶ πάντη ἄρτιον· 156, 58 : Πληγὰς ὁλομελεῖς· 175, 60 : Τὸ σῶμα τῆς ὁλομελοῦς παρελύετο πλάσεως. || Adv. idem p. 52, 91 : Αὐλοὶ γέμοντες οὕτω θεοῦ, οἷς αὐτῷ μέλπομεν ὁλομελῶς τε καὶ ἐντελῶς· 180, 93. L. D.]

[Ὁλομέρεια, ἡ, Integritas. Tzetz. Exeg. Il. p. 89, 14.]

[Ὁλομερὴς, ὁ, ἡ, Integer, Totus. Athen. 5, p. 210, D, et Diodor. 5, 28, κρέα. || Adv. Ὁλομερῶς, « Diog. L. Aristot. (5, 28) p. 175 ed. H. Steph. » Seager.]

[Ὁλόμωρος, ὁ, ἡ, Plane stultus. Nicetæ Chon. cod. barbarogr. p. 502, 24.]

[Ὀλονθεὺς, έως, ὁ, Olontheus, Laco, Xen. H. Gr. 6, 5, 33.]

[Ὄλονθος. V. Ὄλυνθος.] Ὄλονθον γνάθον quidam ex

recentioribus per jocum dixit τὴν ὅλην ὄνθου ἤτοι πικρίας γέμουσαν, teste Eust. [Od. p. 1329, 30], Malam quæ tota fimo s. amarore plena est : h. e. Os conviciatoris maledicum et spurcum. At ὅλυνθος aliud est.

[Ὁλονύκτιος, ὁ, Qui est per totam noctem, Pernox. Eust. Opusc. p. 266, 73 : Οὐκ ἔστιν οὐδὲ ὁλονύκτιον ἀναπαύσασθαί σε. || Adv. Ὁλονυκτίως schol. Lycophr. 812.]

[Ὁλόνυκτος, ὁ, ἡ, i. q. præced. Ephræm Syr. vol. 3, p. 298, A : Ὁλονύκτοις ἀγρυπνίαις. L. D. Joann. monach. in Anecd. meis vol. 4, p. 189 fin., p. 272, 11. Boiss. Niceph. Gregor. Hist. Byz. 7, 1, p. 131, B. || Adv. Ὁλονύκτως, Jo. Phocas Descr. T. S. p. 5.]

Ὄλοξ, Sulcus : Hesych. Ὄλοχες, αὔλακες. [V. Γόλαξ. Similiter ap. Arcad. p. 125, 6 scribitur ὅλξ, quod alludit ad ὦλξ. Ὄλξ, ὁλκὸς ἢ αὖλαξ vitiose Chœrob. vol. 1, p. 344, 17.]

[Ὁλόξηρος, ὁ, ἡ, Penitus siccus. Symm. Ps. 57, 10.]

[Ὁλοοίτροχος s. Ὀλοοίτροχος. V. Ὀλοίτροχος.]

Ὀλοὸς, ἡ, ὀν, Perniciosus, Exitialis, Noxius. Hom. Il. Π, [701] : Ἔστη τῷ ὀλοὰ φρονέων, Τρώεσσι δ' ἀρήγων, i. e. βουλεύσας ὄλεθρον, ut supra habuimus. Il. Γ, [365] : Οὔτις σεῖο θεῶν ὀλοώτερος ἄλλος. [Et βροτῶν Ψ, 439. Χ, 15 : Θεῶν ὀλοώτατε πάντων.] Alibi ὀλοὸν πῦρ, et ὀλοοῦ πολέμοιο. Item Od. Δ, [442] : Φωκάων ἁλιοτρεφέων ὀλοώτατος ὀδμὴ, Exitialis et pestifer odor, s. teterrimus. Od. Ι, [82] : Φερόμην ὀλοοῖς ἀνέμοισι Πόντον ἐπ' ἰχθυόεντα, Adversis ventis. Vel potius q. d. Exitialiter adversantibus mihi. Alibi ὀλοὴ νὺξ, et ὀλοὸν γῆρας. Dicitur autem ὀλοὴ νὺξ particulariter de Nocte quadam exitiali, non generaliter de quavis nocte : sicut et ὀλοὴ μοῖρα dicitur πρὸς διαστολὴν τῆς εὐμοιρίας. [Similiter alibi cum κὴρ, λύσσα, μῆνις. Frequens est etiam ap. Hesiodum et Tragicos, ut Æsch. Prom. 554 : Σὰς προσιδοῦσ' ὀλοὰς τύχας· Sept. 213 : Νιφάδος ὅτ' ὀλοᾶς νιφομένας βρόμος· 768 : Τὰ δ' ὀλοὰ πελόμεν' οὐ παρέρχεται · 986 : Ὀλοὰ λέγειν, ὀλοὰ δ' ὁρᾶν. Soph. Tr. 846 : Ἦ που ὀλοὰ στένει· El. 843 : Φεῦ δῆτ'· ὀλοὰ γάρ. Eur. Hipp. 884 : Ὀλοὸν κακόν· Andr. 1211 : Κτύπημα χειρὸς ὀλοόν· Tro. 850 : Φέγγος ὀλοὸν εἶδε γαῖαν· Or. 999 : Γέρας ὀλοόν. Callimachus ap. Etym. M. v. Ἐρωή : Θηρὸς ἐρωήσας ὀλοὸν κέρας· ap. Eustath. Il. p. 756, 36 : Ἕλλετε, βασκανίης ὀλοὸν γένος. Frequentissimum est ap. Apoll. Rh. et Nicandrum atque Bucolicos aliosque poetas.] At Il. Α, [342] : Ἦ γὰρ ὅγ' ὀλοῇσι φρεσὶ θύει, Χ, 5 : Ἕκτορα δ' αὐτοῦ μεῖναι ὀλοὴ μοῖρ' ἐπέδησεν,] annotat Eust. ο ἐκτείνεσθαι μουσικῶς propter sequentem tem syllabam circumflexam. Quosdam vero ausos fuisse scribere ὀλοιῇσι, ut huic malo mederentur. [In Ind. : « Ὀλοῇσιν Hesych. affert pro ὀλεθρίαις et ἀπω« λείαις. »] Sicut et in meo Lex. vet. traditur pro ὀλοὸς dici Ὀλοιὸς, pleonasmo literæ ι : pro quo ὀλοιὸς perperam ap. Etym. et in VV. LL. scriptum Ὀλειός. [Hom. H. Ven. 225 : Ξῦσαί τ' ἀπὸ γῆρας ὀλοιόν. De ceteris formis HSt. :] Ὀλοΐϊος, idem. Greg. Naz. : Ἡ μοι γῆρας ἔχευεν ὀλοΐϊον. Ubi ὀλοΐϊον γῆρας dixit, quod Hom. ὀλοὸν, Gravem et exitialem senectutem; est enim senectus limen mortis. [Proculus Hymn. in Ven. 1, 15.] Ὀλώϊος, i. q. ὀλοός. Hesiod. Theog. [591] : Τῆς γὰρ ὀλώϊόν ἐστι γένος καὶ φῦλα γυναικῶν. [Ὀλωὴ libri nonnulli Χ, 25. || Miseri s. Perditi signif. Æsch. Pers. 962 : Ὀλοοὺς ἀπέλειπον Τυρίας ἐκ ναὸς ἔρροντας. Aristoph. Th. 1027 : Ὀλοὸν ἄφιλον ἐκρέμασεν κόραξι δεῖπνον. Conf. autem Οὐλοός.]

[Ὀλοοσσὼν, όνος, ἡ, Oloosson. Πόλις Μαγνησίας. Ὅμηρος (Il. Β, 739), Πόλιν τ' Ὀλοοσσόνα λευκήν. Οἱ πολῖται Ὀλοοσσόνιοι καὶ Ὀλοοσσονίηθεν ἐπίρρημα, Steph. Byz. Ap. Arcad. p. 15, 14, quod est τὸ δὲ λοσὼν πόλις, scrib. videatur Ὀλοσσὼν vel Ὀλοοσσὼν, nisi obstaret quod inter masc. ponitur. Femininum dicit etiam Theognost. Can. p. 32, 6; 39, 21, qui formam Ὀλοσσὼν ponit, quæ est etiam in libris nonnullis Strab. 9, p. 440. Ὀλοσσόνων γύας est ap. Lycophr. 906, ubi schol. : Ὀλόσσων, πόλις Θετταλίας.]

Ὀλοόφρων, ονος, ὁ, ἡ, Cui mens est perniciosa, animus est perniciosus. I. e. Qui mente agitat s. versat quæ perniciosa sunt aliis, Qui perniciem s. exitium alicui machinatur. Ut sc. non aliud sit ὀλοόφρων quam ὀλοὰ φρονῶν : sicut Hesych. quoque ὀλοόφρονος exp. ὀλέθρια φρονοῦντος. [Hom. Od. Α, 52 : Ἄτλαντος ὀλοόφρονος· Κ, 137, Λ, 323. Apoll. Rh. 4, 828, Σκύλλης.

A Mnasalcas Anth. Pal. 7, 491, 1 : Αἰαῖ παρθενίας ὀλοόφρονος.] Sed ὀλοόφρων leo [Il. Ο, 630] est simpliciter pro ὀλοὸς, ut docet Eust., quem consule et de ὁλοόφρων aspirato. [Hom. Il. Β, 723 : Ὀλοόφρονος ὕδρου· Ρ, 21 : Συὸς κάπρου ὀλοόφρονος.]

[Ὁλοπαγὴς, ὁ, ἡ, Totus compactus s. concretus. Joann. Damasc. vol. 1, p. 74, B : Χάλαζα ἐστὶν ὁλοπαγὲς ὕδωρ · et : Πάχνη ἐστὶ(ν) ὁλοπαγὲς ὕδωρ. L. Dind.]

[Ὁλοποιὸς, ὁ, ἡ, Totum efficiens. Damascius De princip. p. 87. Osann.]

[Ὁλοπόλιος, α, ον, Qui toto est capite canus. Jo. Malal. vol. 1, p. 132, 323, 330, 382, alibi. Elberling. Is. Porphyr. in Allatii Exc. p. 312. Boiss. Achmes Onir. p. 20, 21. L. Dind.]

Ὁλοπόρφῦρος, ὁ, ἡ, Totus purpureus, Totus ex purpura. Xen. Cyrop. 8, [3, 13] : Κάνδυν ὁλοπόρφυρον. [Unde citat Pollux 7, 63; 10, 43.] Vide et Λευκοπάρυφος. [Num. 4, 7 : Ἱμάτιον ὁλοπόρφυρον· et ib. 13. Jo. Malalas p. 320, 10 : Κίονα ὁλοπόρφυρον, de columna tota ex lapide porphyrite. Memorat Theognost. Can. p.
B 88, 27.]

Ὁλόπτερος, ὁ, ἡ, Qui totus pennatus est, Cujus universum corpus pennis tectum est, Integras alas habens, Cujus alæ fissæ non sunt : opp. τῷ σχιζόπτερος : tales autem sunt muscæ et apes. [Aristot. De insomn. c. 2 : Τῶν ὁλοπτέρων, οἷον σφηκῶν καὶ μελισσῶν· De partt. anim. 4, 12, De anim. incess. c. 15. Strabo 6, p. 259.]

[Ὁλόπτοον, συμπεφυκότα, Hesychii gl. suspecta. V. Ὀλόγινον.]

[Ὀλόπτω.] Ὀλόπτειν, Vellere, Decorticare. Callim. H. in Dian. [76] : Στήθεος ἐκ μεγάλου λασίης ἐδράξαο χαίτης, Ὤλοψας δὲ βίηφι, ubi schol. exp. non solum ἀπέτιλας, sed etiam ἐλέπισας : quod minus quadrat, potius convenit huic loco Nicandri Ther. [595] : Καὶ χλοεροῦ νάρθηκος ἄπαλ μέσου ἦτρον ὀλόψας · ut sit non tantum Avellens, sed etiam Decorticans : ut schol. quoque exp. λεπίσας : addens etiam κόψας. Hesych. sane ὀλόπτειν exp. λεπίζειν, τίλλειν, κολάπτειν. [Nonnus Dion. 21, 70 : Ἀνδρὸς ἀμαιμακέτοιο κόμην ὤλοψε Πολυξώ. Medio Antipater Anth. Pal. 7, 241, 5 : Ἐὰν ὠλό-
C ψατο χαίταν.]

[Ὁλόπτωτον, τό. Nov. Manuelis Comn. de monasteriis ad urbem : Κατά τε δύσιν καὶ ἀνατολὴν, κἂν ἐξ αὐτῶν εἰς εὐδιαίτημα τῶν κατὰ τὴν ἡμέραν βασιλέων κἂν ἀπὸ χλασμάτων ὦσι κἂν ἀπὸ συμπαθειῶν ἢ ἀποχεκινημένων ἢ ὁλοπτώτων ἢ ἀπὸ ταπεινῶν τελουμένων διαρίων. Int. Caduca. Ducang.]

Ὀλόπῡρος, ὁ, ἡ, Triticum integrum, quod integrum coctum est. Athen. 9, [p. 406, D] ex Heliodoro : Τῆς τῶν πυρῶν ἑψήσεως ἐπινοηθείσης, οἱ μὲν παλαιοὶ πύανον, οἱ δὲ νῦν ὀλόπυρον προσαγορεύουσι.

[Ὄλορος, ὁ, Olorus, rex Thraciæ, Herodot. 6, 39 et 41. Pater Thucydidis, ap. Marcellin. in Vita ejus, etiam alterum memorantem. Idem § 25, 26 memorat scripturam Ὄρολος. Sed Ὄλορος libri Thuc. 4, 104, et præter alios Philodem. Voll. Hercul. Ox. part. 2, p. 7 sive p. 14 ed. Gros. Per ου Photius Bibl. p. 19, 40 : Τὸν δὲ Ἡρόδοτον ἀποφήνασθαι ὡς εἴη ὁ παῖς, ὦ Ὄλουρε, ὁ σὸς οργῶσαν ἔχων τὴν φύσιν πρὸς μαθήματα. L. Dindorf.]

D Ὁλορριζεὶ, Una cum tota radice, Radicitus. [Esther. 3, 13 sec. ed. Origen. Ὀλοριζὶ cod. Vat.]

Ὁλόρριζος, ὁ, ἡ, ut ὁλόρριζος ἀνασκάπτεται, q. d. σὺν ὅλῃ τῇ ῥίζῃ, Cum tota radice. Exp. et Radicitus. [Theophr. H. Pl. 3, 18, 5 : Ὥστε ἀνασκάπτεσθαι ῥᾳδίως ὁλόρριζον. Geopon. 11, 28, 3.] Et metaph. Ὁλόρριζοι ἐκ γῆς ὀλοῦνται, ex Prov. 15, [5], Radicitus interibunt, vel Omnino eradicabuntur. [Alia exx. v. ap. Schleusn. Lex. V. T. || Adv. Ὁλορρίζως, Radicitus, Esther. 3, 13, sec. ed. Compl.]

Ὅλος, η, ον [suspectum quod est ap. Theodos. Acro. 1, 51 : Ἔστησε τὰς φάλαγγας ἐγξίφους ὅλους, ut diximus in Ἔγξιφος], Totus. [Ignotum Homero, qui, ut alii Epici, Οὖλος dicere solet. Ὅλος tamen Aratus 726, 795, 899. Nam Theognidi 73 : Πρῆξιν μηδὲ φίλοισιν ὅλως ἀνακοινέο πᾶσιν, ὁμῶς restituit Brunckius.] Dicitur autem ὅλον, οὗ μηδὲν ἄπεστι μέρος ἐξ ὧν λέγεται τὸ ὅλον φύσει, ut Aristot. Metaph. 4 fin. definit. [Ib. addit : Τοῦ ποσοῦ ἔχοντος ἀρχὴν καὶ μέσον καὶ ἔσχατον, ὅσων μὲν μὴ ποιεῖ ἡ θέσις διαφορὰν, πᾶν λέγεται, ὅσων δὲ ποιεῖ, ὅλον, ὅσα δὲ ἄμφω ἐνδέχεται καὶ ὅλα καὶ πάντα· ἔστι δὲ ταῦτα ὅσων ἡ μὲν φύσις ἡ αὐτὴ μένει τῇ μεταθέσει, ἡ δὲ μορφὴ οὔ, οἷον κηρὸς καὶ ἱμάτιον· καὶ γὰρ ὅλον καὶ πᾶν λέγεται· ἔχει γὰρ ἄμφω· ὕδωρ δὲ καὶ ὅσα ὑγρὰ καὶ ἀριθμὸς πᾶν μὲν λέγεται, ὅλος δ' ἀριθμὸς καὶ ὅλον ὕδωρ οὐ λέγεται, ἂν μὴ μεταφορᾷ· πάντα δὲ λέγεται ἐφ' οἷς τὸ πᾶν ὡς ἐφ' ἑνὶ ἐπὶ τούτοις πάντα ὡς ἐπὶ διῃρημένοις, πᾶς οὗτος ὁ ἀριθμὸς, πᾶσαι αὗται αἱ μονάδες.] Duobus autem modis aliquid Totum dicitur; vel respectu partium, et tunc commodius interpretabimur Totum, Integrum, Solidum; vel respectu specierum, et tunc reddemus vel Totum, vel Universum. [Pind. Ol. 2, 33 : Τὸν ὅλον ἀμφὶ χρόνον· 3, 20 : Ὅλον ἑσπέρας ὀφθαλμόν· 11, 45 : Ὅλον στρατόν· Pyth. 5, 50 : Ὅλον δίφρον. Soph. Ph. 480 : Ἡμέρας τοι μόχθος οὐχ ὅλης μιᾶς· OEd. T. 1136 : Τρεῖς ὅλους ... ἐκμήνους χρόνους· OEd. C. 479 : Τὸν τελευταῖον δ' ὅλον (κρωσσόν). Eur. Phœn. 1131 : Γίγας ἐπ' ὤμοις γηγενὴς ὅλην πόλιν φέρων· Cycl. 217 : Ἐκπιεῖν ὅλον πίθον. Aristoph. Ach. 85 : Ὅλους ἐκ κριβάνου βοῦς. Et ap. alios quosvis. Notandum autem articulum, ut diximus in Ὁ, sæpe poni ante subst., sequente post illud ὅλος, ut Aristoph. Eccl. 63 : Ἀλειψαμένη τὸ σῶμ' ὅλον· 39 : Τὴν νύχθ' ὅλην ἤλαυνέ μ' ἐν τοῖς στρώμασιν, et Plat. Conv. p. 219, C. Id. Reip. 3, p. 411, A : Τὸν βίον ὅλον.] Philo De mundo [vol. 2, p. 602, 6] : Οὐ μόνον ὅλους ἐξεθείωσαν, ἀλλὰ καὶ τὰ κάλλιστα τῶν ἐν αὐτοῖς μερῶν, Non totos illos solum, velut deos, sed etiam eorum partes pulcerrimas consecrarunt. Lucian. [Somn. c. 6] : Καὶ παρὰ μικρὸν ὅλον εἶχέ με, Me ferme totum detinebat. Plut. De def. orac. [p. 435, B] : Εἰ μὴ τὸ ἱερεῖον ὅλον ἐξ ἄκρων σφυρῶν ὑποτρόμον γένηται, Nisi hostia toto corpore ab imis usque articulis contremiscat. Plato Tim. [p. 30, B] : Οὐδὲν ἀνόητον τοῦ νοῦν ἔχοντος ὅλον ὅλου κάλλιον ἔσεσθαι, Nihil esse eorum, quæ non intelligunt, intelligente in toto genere præstantius, ut Cic. interpr. p. 15 mei Lex. Cic. Rursum Plato aliquanto post, Ἓν ὅλον ἐξ ἁπάντων τέλεον καὶ ἀγήρων καὶ ἄνοσον αὐτὸν ἐτεκτήνατο, Unum opus totum atque perfectum ex omnibus totis atque perfectis absolvit, quod omni morbo senioque careret : ut idem Cic. interpr. p. 19 ejusd. Lex. Idem Plato Leg. 11, [p. 937, B] : Ἐπισκήπτεσθαι ὅλῃ τῇ μαρτυρίᾳ, ἢ μέρει, Insimulare aut in totum testimonium, aut in partem. Isæus : Ὅλου τοῦ κλήρου λαγχάνειν, In totum assem hereditatis agere, Bonorum possessionem totius hereditatis agnoscere, Bud. Xen. Hell. 7 : Ὅλον ἐπο ησε φεύγειν τὸ τῶν ἐναντίων, Totum vel Universum adversariorum agmen. [Cum art. Cyrop. 5, 4, 19 : Τὸ μαθεῖν μήποτε διασπᾶν ἀπὸ τοῦ ὅλου ἀσθενεστέραν τῆς τῶν πολεμίων δυνάμεως· 49 : Ἂν μὴ τῷ ὅλῳ ὑπολάβωσι τοῦ παντὸς κρείττους εἶναι.] Soph. Aj. [1105] : Ὕπαρχος ἄλλων δεῦρ' ἔπλευσας, οὐχ ὅλων Στρατηγός. [Recte HSt. significare videtur ὅλων se accipere genere neutro, non ut sit pro πᾶς, quomodo Paul. Sil. Anth. Pal. 5, 217, 5, dixit : Χρυσὸς ὅλους ῥυτῆρας, ὅλας κληῖδας ἐλέγχει· Sophronius ib. 7, 679, 5 : Κτήμασι μὲν πολύολβος ὅλων πλέον, ὧν τρέφε Κύπρος· Nonnus Dion. 47, 482 : Ἰναχίδας Διόνυσος ὅλας οἴστρησε γυναῖκας· Joann. c. 21, 103 : Μᾶλλον ὅλων ἑτάρων· Liban. vol. 4, p. 596, 1 : Τοῦτο δὲ πάντως ὅλαις ἂν μηχαναῖς ἐθηρώμην, et quæ alia his, indicatis partim ab Lobeckio, recentiorum adjici possunt exx. Inepte nonnulli sic acceperant in loco Soph., in quo tamen ne neutrum quidem ὅλων, sed, quod alii conjecerunt, ὅπλων verum videtur.] Et ὅλα τὰ πράγματα, ap. Dem., Summa rerum. [Æschines p. 30, 36, et Isocr. p. 407, B : Τῶν ὅλων πραγμάτων. Plat. Hipp. maj. p. 301, B : Τὰ ὅλα τῶν πραγμάτων οὐ σκοπεῖς.] Aliquando vero omittitur πράγματα : ut quum Polyb. dicit, Περὶ τῶν ὅλων κρίνεται· quod Cic., De fortunis omnibus decernitur, De summa rerum. [Act. κρίνειν τὰ ὅλα, 3, 70, 1.] Plut. Fabio [c. 14], de Minucio : Τὸν περὶ ὅλων ἀναῤῥίψων κύβον, De summa rerum aleam jacturus. [Xen. Cyrop. 8, 1, 13 : Τῆς τῶν ὅλων σωτηρίας ἐπιμελεῖσθαι. Demosth. p. 234, 25 : Τὰ ὅλα ... πεπρακέναι. Æschin. p. 44, 6 : Τὴν πόλιν τὴν ὑπὲρ τῶν ὅλων μέλλουσαν βουλεύεσθαι. De Polybio Schweigh. ita fere : « Ὀττευσάμενός τι περὶ τῶν ὅλων πραγμάτων, 1, 11, 15; κινδυνεύειν τοῖς ὅλοις πράγμασι 1, 70, 1. Τοῖς ὅλ. πρ. ἐσφαλμένος 18, 16, 1. Τοῖς ὅλ. πρ. ἀγνοεῖν 18, 19, 6. Ἡ ὑπὲρ τῶν ὅλων φιλοτιμία 1, 52, 4. Τῆς τῶν ὅλων ἐλπίδος ἐφίεται 5, 102, 1. Ἡ περὶ τῶν ὅλ. ἐξουσία 32, 11, 6. Ὁ ὑπὲρ τῶν ὅλ. κίνδυνος 3, 89, 8. Δύναται κρίσεως τὰ ὅλα τυχεῖν 1, 59, 11. Τὴν ταχίστην κρῖναι τὰ ὅλα 3, 70, 1. Κρατεῖν τῶν ὅλων 3, 90, 11. Τοῖς ὅλοις ἔσπευδον ἐγγίσαι τοῖς πολεμίοις 1, 33, 1. Τοῖς ὅλοις ἐπταικότες 3, 48, 4, et alibi σφαλῆναι. Καταπλήξασθαί τινα τοῖς ὅλοις 20, 10, 7. Καταβαρούμενοι τοῖς ὅλοις 18, 4, 8. Καταμέλλων τοῖς ὅλοις 21, 10, 1. Εὐδοκοῦντο τοῖς ὅλοις 24, 4, 14. Denique τοῖς ὅλοις præcedente vel sequente part. negante est Nullo modo, Neutiquam, 4, 47, 4; 3, 90, 10. » Diodori aliorumque similia exx. omittimus.] Alias etiam ap. Philosophos τὰ ὅλα significat Universum, Universitatem rerum. Plut. Pericle [c. 5], de Anaxagora : Τοῖς ὅλοις πρῶτος οὐ τύχην οὐδ' ἀνάγκην διακοσμήσεως ἀρχὴν, ἀλλὰ νοῦν ἐπέστησε καθαρόν. [Xen. Cyrop. 8, 7, 22 : Θεούς, οἳ καὶ τήνδε τῶν ὅλων τάξιν συνέχουσιν.] Sic et τὸ ὅλον ap. [Plat. Gorg. p. 508, A : Τὸ ὅλον τοῦτο ... κόσμον καλοῦσι· Lys. p. 214, A : Οἱ περὶ φύσεώς τε καὶ τοῦ ὅλου διαλεγόμενοι καὶ γράφοντες·] Philon., Universum, Universitas rerum : alibi autem τὸ ὅλον, Universa res, Summa rei. [Plato Leg. 10, p. 901, B : Διαφέρον οὐδὲν οἰόμενος εἶναι τῷ ὅλῳ ἀμελουμένων τῶν σμικρῶν.] Plato Leg. [5, p. 728, C] : Ὥστε [Ὡς τὸ] ὅλον εἰπεῖν, Ut in universum dicam, In summa. [Eadem formula Reip. 2, p. 377, A.] Nonnunquam vero τὸ ὅλον dicitur simpliciter pro ὡς τὸ ὅλον εἰπεῖν. Lucian. [Vitt. auct. c. 8] : Ἐλευθερωτής εἰμι τῶν ἀνθρώπων, καὶ ἰατρὸς τῶν παθῶν· τὸ δ' ὅλον, ἀληθείας καὶ παῤῥησίας προφήτης εἶναι βούλομαι· ubi etiam vertere poteris Denique, sicut et e Xen. [Comm. 4, 1, 2 : Τῶν μαθημάτων πάντων, δι' ὧν ἔστιν οἰκίαν τε καλῶς οἰκεῖν καὶ πόλιν, καὶ τὸ ὅλον ἀνθρώποις τε καὶ ἀνθρωπίνοις πράγμασιν εὖ χρῆσθαι,] Καὶ τὸ ὅλον affertur pro Denique : vel etiam Omnino, sicut ap. Synes. 114 : Ὕδατος ἁλυκοῦ καὶ χλιαροῦ καὶ τὸ ὅλον ἑστῶτος, exp. Et omnino stante. Itidemque ap. Plut. De educ. puer. [p. 5, D] : Τὸ δὲ ὅλον, εἴ τις ἐπὶ τῇ τοῦ σώματος ῥώμῃ φρονεῖ, exp. Omnino. [De toto, ut sit contrarium singulis, Xen. Ven. 1, 13 : Λαμπροὶ μὲν καὶ καθ' ἓν ἕκαστον, τὸ δὲ ὅλον αἴτιοι Τροίαν ἁλῶναι. In universum, Plat. Men. p. 79, C : Ὥσπερ εἰρηκὼς ὅ,τι ἀρετή ἐστι τὸ ὅλον· Phædr. p. 261, B : Ἆρ' οὖν οὐ τὸ μὲν ὅλον ἡ ῥητορικὴ ἂν εἴη ψυχαγωγία τις;] Aliter autem ap. Plat. Leg. [12, p. 941, D, ubi non est τὸ ὅλον, quod v. infra], Τὸ ὅλον ἀδικεῖ, Omnino injustus est, i. e. Prorsus. Pro Omnino dicitur etiam τῷ ὅλῳ et τοῖς ὅλοις, Xen. [l. supra cit.] τῷ ὅλῳ. [Cum τις Plato Lys. p. 215, C : Ἆρά γε ὅλῳ τινὶ ἐξαπατώμεθα. Et in Gl. est Ὅλος τις, Quisquam, quod tamen scribendum videtur ὅλως τις, ut in iisdem est infra.] Plato addidit etiam παντὶ, Leg. [5, p. 734, E] : Τῷ παντὶ καὶ ὅλῳ, Prorsus et in totum, universum. Et in Cratylo [p. 433, E], Ὅλῳ καὶ παντὶ διαφέρει τὸ ὁμοιώματι δηλοῦν. [Phæd. p. 79, E. « Philo J. ap. Euseb. Præp. ev. p. 387, D. » Hemst. Differre utrumque præter Aristot. supra cit. monet etiam Plato Theæt. p. 204, B : Τὸ πᾶν καὶ τὸ ὅλον πότερον ταὐτὸν καλεῖς ἢ ἕτερον ἑκάτερον; — Παρακινδυνεύων λέγω ὅτι ἕτερον· Reip. 6, p. 486, A : Τοῦ ὅλου καὶ παντὸς ἀεὶ ἐπορέξεσθαι θείου τε καὶ ἀνθρωπίνου· Leg. 7, p. 808, A : Ὅλην καὶ πᾶσαν τὴν οἰκίαν. Εἰς τὸ ὅλον Plato Polit. p. 302, B. Καθ' ὅλον Reip. 3, p. 392, D : Οὐ κατὰ ὅλον, ἀλλ' ἀπολαβὼν μέρος τι· Tim. p. 40, A; 55, E.] Dem. [p. 127, 21] : Ἐπειδὴ τοῖς ὅλοις ἡττᾶσθαι ἐνόμιζον, In totum se devictos esse rati, Prorsus superatos. Item δι' ὅλων, itidem In totum, Prorsus, Omnino. Aristot. De mundo, ἡ δι' ὅλων παθητὴ, Omnino patibilis. [De καθ' ὅλου, quod est ap. Plat. Men. p. 77, A, v. in Καθόλου.] Dicitur etiam de tempore. Dem. [p. 117, 16] : Ἐν τρισὶ καὶ δέκα οὐχ ὅλοις ἔτεσι. Sic Martial., Non toto tabuit anno. Herodian. 2, [4, 11] : Οὐδ' ὅλων μηνῶν δύο τῆς βασιλείας αὐτοῦ προκεχωρηκυίας, Quum nondum totos duos menses imperasset. [|| « Ὅλος interdum idem fere sonat ac Summus, Eximius, Præcipuus, διὰ τὴν αἵρεσιν καὶ τὴν ὅλην εὔνοιαν, Quod Pœnis unice faveret, Polyb. 1, 14, 3. Διασαφεῖν τὴν ὅλην εὔνοιαν τοῦ βασιλέως, 2, 50, 10. Προσκλίνων τοῖς Ῥοδίοις κατὰ τὴν ὅλην αἵρεσιν, 4, 51, 5. Τὴν ὅλην ἀκαταστασίαν καλῶς συνθεωρούμενοι Καρχηδόνιοι, 7, 4, 8. Schweigh. Lex. || Notandum etiam hoc Xenoph. H. Gr. 5, 3, 7 : Ἀντιπάλοις τὸ μετ' ὀργῆς, ἀλλὰ μὴ γνώμῃ προσφέρεσθαι ὅλον ἁμάρτημα, cui Demosth. p.

1110, 17 : Ὄψεσθε ὅτι πλάσμα ὅλον ἡ διαθήκη, confert Schneid. Axioch. p. 368, C : Ἀλλ' οὐχ ὅλον, ὥς φασιν, ἕλκος (ἡ γεωργία)· Menon. p. 81, D : Τὸ ζητεῖν καὶ τὸ μανθάνειν ἀνάμνησις ὅλον ἐστίν· Leg. 12, p. 944 : Διαφέρει δὲ ὅλον που καὶ τὸ πᾶν· Alc. 1 p. 109, B : Διαφέρει ὅλον καὶ πᾶν.] Quod vero ap. Suid. legitur, Ὅλος καὶ πᾶς ἦν τῇ διανοίᾳ περὶ τοὺς ἐνεστῶτας κινδύνους, reddideris potius Tota ejus mens et cogitatio. [Πρὸς τὸ διακινδυνεύειν ὅλος καὶ πᾶς ἦν, Polyb. 3, 94, 10; πρὸς ταῖς παρασκευαῖς 5, 58, 1; πρὸς τοῦτο τὸ μέρος ὅλοι καὶ πάντες ἐνενεύκεισαν 9, 5, 5; ταῖς ἐπιβολαῖς ὅλος καὶ πᾶς ἦν πρὸς τὴν Κύπρον 32, 1, 5. Τὸ ὅλον αὐτοῖς ἦν καὶ τὸ πᾶν Ἀπελλῆς 5, 26, 5. Schweigh. Lex. Diod. 16, 92 : Ὁ Φίλιππος ἡσθεὶς ἐπὶ τοῖς ἀπηγγελμένοις ὅλος ἦν. Theocrit. 3, 33 : Τὶν ὅλος ἄγκειμαι, τὺ δέ μευ λόγον οὐδένα ποιῇ. Xen. Comm. 2, 6, 28 : Δεινῶς ὅλος ὥρμημαι ἐπὶ τὸ φιλῶν αὐτοὺς ἀντιφιλεῖσθαι. Demosth. p. 380, 14 : Οὗτος ἔκφρων ἦν καὶ ὅλος πρὸς τῷ λήμματι. Cum genitivo Eustath. ap. Tafel. De Thessalonica p. 428 init. : Οἵ τῆς τοῦ μάννα τούτου βροχῆς ὅλοι γεγόνασι. Propria recentiorum sunt etiam quod est ib. p. 420 init. : Ποσὶ δὲ ὅλοις εἰς τὸν γαληνότατον δεσπότην τρέχουσι· et ὅλοις χείλεσι in Actis SS. Maii vol. 5, p. 371, A. || Ὅλων ὕστερον. Eust. Il. p. 883, 12 : Ἐν δὲ τῷ Ἄνδρα κτείνας πύματον λίπον, οὐ λέγει μὲν τίνα ἔλιπε, δηλοῖ δὲ ὅτι τὸν κτάμενον ἔλιπεν ... Ἰστέον δὲ ὡς ἐντεῦθεν ἡ κοινὴ γλῶσσα λαβοῦσα λέγει ἐπὶ πολέμων καὶ αἰκιῶν καὶ τῶν τοιούτων ὅτι ὁ δεῖνα ὅλων ὕστερον ἕνα ἔρριψε καὶ ὅλων ὕστερον μίαν πληγὴν ἠκίσατο. || Sine articulo posuit Jo. Malalas p. 229, 1 : Φανῆναι τὸν ὅλων σωτῆρα καὶ κύριον Ἰησοῦν Χριστόν. Nisi excidit τῶν. || Neutrum sic sine art. pro adverbio est in circulo ad Chron. Pasch. p. 27, 8 ed. meæ : Ὁ δὲ ὅλον ἐνδότερος τροχὸς, Intimus. L. Dind.]

|| Ὅλως, adverb., Omnino, In totum; interdum etiam In universum, In summa, Summatim. [Ὅλως, Toto, Omnino, In sumna; Ὅλως που, Quoquam; Ὅλως τι, Quidquam, Quidpiam, Quodquam; Ὅλως τινὰ, Quemquam, Gl.] Cic. Acad. Quæst. : At ea, in quibus ponebat nihil omnino esse momenti, ὅλως ἀῤῥεπῆ dicebantur. Theophr. [H. Pl. 5, 3, 4] : Καὶ ὅλως ἐξ ὧν τὰ πυρὰ [πυρεῖα] γίνεται· pro quibus Plin., Calidæ et morus, laurus, hedera, et omnes ex quibus igniaria fiunt. Plato Leg., Ὅλως δ' εἰπεῖν, In universum autem, Omnino autem. [Cratyl. p. 406, A : Τὰς Μούσας τε καὶ ὅλως τὴν μουσικήν· Reip. 4, p. 437, B : Διψῆν καὶ πεινῆν καὶ ὅλως τὰς ἐπιθυμίας· 8, p. 568, A : Οὐκ ἐτὸς ἡ τραγῳδία ὅλως σοφὸν δοκεῖ εἶναι· Phil. p. 36, A : Πότερον ἀλγοῦνθ' ὅλως ἢ χαίροντα; Ast. Xen. Comm. 1, 2, 35 : Τάδε σοι προσαγορεύομεν τοῖς νέοις ὅλως μὴ διαλέγεσθαι. Et alibi sæpius. « Demosth. Olynth. 3 sub fin. : Ὅλως οὔτ' ἀφελὼν, οὔτε προσθεὶς etc., In summa. » Kuster. Æschin. p. 3, 24 : Ὅλως δὲ ... οὐκ ἐπιτήδειον εἶναι ἡγήσατο συμπολιτεύεσθαι. Isocr. p. 316, D : Τὰ μὲν μείζω τοῦ προσήκοντος εἴρηκε, τὰ δ' ὅλως ψεύδεται. Aristot. Metaphys. 4, p. 104, 10 Br. : Ἡ ὅλως ἀρχή· 116, 28 : Τὸ καθόλου καὶ τὸ ὅλως λεγόμενον ὡς ὅλον τι ὂν, οὕτως ἐστὶ καθόλου κτλ. 6, p. 132, 10 : Τὰ ὅλως γνωστά· 11, p. 277, 10 : Πρὸς μὲν τὴν ὑπόθεσιν ὀρθῶς λέγουσιν, ὅλως δ' οὐκ ὀρθῶς· 286, 9 : Ὥστε πάντας συμβαίνει κατὰ μέν τι λέγειν ὀρθῶς, ὅλως δ' οὐκ ὀρθῶς.] Aristot. Rhet. 2, [c. 1, 4] : Διὸ κάμνοντες, πενόμενοι, ἐρῶντες, διψῶντες, ὅλως ἐπιθυμοῦντες καὶ μὴ κατορθοῦντες, ὀργίλοι εἰσί· ubi etiam exponere possumus Denique, sicut ap. Lucian. [D. deor. 4, 3] Καὶ ὅλως redditur Denique. Interdum accipitur pro Sane. Plut. [Mor. p. 415, F] : Καὶ ὁ λόγος ὅλως ἠνίχθαι δοκεῖ τῷ Ἡσιόδῳ πρὸς τὴν ἐκπύρωσιν, Ac sane videtur ab Hesiodo per ænigma ad significationem exustionis dici, Turn. [Cum negatione Polyb. 20, 5, 10 : Τοῖς ἄλλοις Βοιωτοῖς ἤρεσκε τοῦτο πράξας, τοῖς δὲ Θηβαίοις οὐχ ὅλως εὐδόκει τὸ γεγονός. De μηδόλως v. in illo. Quod μηθόλος scribitur ap. Maxim. Conf. vol. 2, p. 45, C; sed alibi apud eundem recte per δ. Οὐδ' ὅλως Philodem. p. 76, 23 ed. Gros., qui μηδ' ὅλως dixerat p. 60, 2.]

[|| Διόλου, Penitus, In universum. Asclepiad. Anth. Pal. 5, 158, 3 : Διόλου δ' ἐγέγραπτο. Phocylid. ib. 10, 117, 2 : Τοὺς δὲ κακοὺς διόλου πάντας ἀποστρέφομαι. Plut. Alex. c. 35 : Μόγις κατέσβεσαν τὸ σῶμα τοῦ παιδὸς διόλου πῦρ γενόμενον, et alibi sæpe cum aliis recentiorum. Cum ὅλος conjungit Basil. M. vol. 1, p. 30,
A D : Ὅταν τὸ ὑγρὸν ὅλον διόλου παγῇ. Act. SS. April. vol. 1, p. xvii fin. : Ὅλη διόλου ἐκλονούμην. De Καθόλου v. suo loco.]

Ὄλος, ὁ, i. significat q. θόλος, i. e. Atramentum sepiæ. Apud Hesych. tamen legitur Ὅλος, τὸ μέλαν τῆς σηπίας : sed rectius in Ms. Suidæ exemplari ὄλος, tenui spiritu et paroxytonως. Galen. quoque ὄλον ap. Hippocr. exp. τὸ μέλαν τῆς σηπίας. [Ὀλὸν pro θολὸν mihi videtur legisse Galen. p. 486, 50, aut certe locum p. 1127, E, subindicasse ὀλῷ ἢ ἰκέλη ἡ κάθαρσις, etsi ὀλῷ vitiose illic scribitur, ut ὀλὸν et ὀλὸς dicatur. Foes. Dosiadæ Ara, Anth. Pal. 15, 25, 1 : Ὁλὸς οὔ με λιβρὸς ἰρῶν λιβάδεσσιν ... τέγγει. Ubi schol. : Ὀλὸς (sic), ὁ σκοτεινός· φησὶ δὲ τὸ αἷμα· ὀλὸς τὸ τῆς σηπίας, ὃν καὶ θόλον καλοῦσι ... σκοτοῦσι δὲ αἱ σηπίαι τὴν πέριξ θάλασσαν διὰ τοῦ μέλανος ... ψιλοῦται δὲ καὶ ὀξύνεται ὀλός· τὸ γὰρ περιεκτικὸν τῶν θρεμμάτων δασύνεται καὶ βαρύνεται. Et : Ὀλὸς τὸ τῆς σηπίας μέλαν, ὃν καὶ θόλον καλοῦσι πορφυρευταί. Exc. Phrynich. p. 12, 23 : Τὸν θόλον τῆς σηπίας, ὃν οἱ Ἀττικοὶ καὶ χωρὶς τοῦ θ ὅλον (sic) λέγουσιν. Photius :
B Ὅλος, θόλος (sic). Verum esse ὀλὸς s. ὁλὸς θολὸς dicam in proximo Ὀλός.]

[Ὀλὸς, ὁ, i. q. ὀλοὸς, Perniciosus. Arcad. p. 52, 18 : Τὸ δὲ ὀλός ὁ ὀλέθριος ὀξύνεται. De quo Epim. Hom. Cram. An. vol. 1, p. 442, 7 : Εἴ τι δὲ ὠξύνθη πρὸς διαστολὴν σημαινομένου, ὡς τὸ ὅλος καὶ ὀλός, θόλος καὶ θολός ὁ τῆς σηπίας· ... τὸ δὲ αὐτὸ λέγεται ὀλός ... Τὸ δὲ, Ὦ ὀλὲ δαῖμον, κτητικὸν ἐκ τοῦ ὀλοός συγκέκοπται, ὡς ἐκ τοῦ ἠλεέ ἠλέ. Quod fr. citat Etym. M. p. 622, 47, Alcmanis esse testatur gramm. Barocc. a Cramero citatus : Οὕτως (l. οὐδὲ) ἀντιπίπτει τὸ θολός κατ' ὀξεῖαν τάσιν, ὁπότε σημαίνει τὸ μέλαν τῆς σηπίας· πρὸς γὰρ ἀντιδιαστολὴν τοῦ θόλου οὕτως ἐτονώθη, οὐδὲ τὸ Ἀλκμανικὸν κτλ. L. Dind.]

[Ὁλοσήρικον, Sericum (totum). Lex. Ms. Colberteum : Σῆρες, ὄνομα ἔθνους, ὅθεν ἔρχεται τὸ ὁλοσήρικον. Ducang. Eadem Hesychius. Gen. fem. ap. Jo Malalam p. 287, 15 : Στολὴν ἄσπρον ὁλοσηρικόν· et iisdem verbis p. 310, 11 : nam p. 413, 12 : Χλαμύδα ἄσπρον ὁλοσήρικον, Chron. Pasch. p. 613, 20 χλαμύδιν ὁλοσηρικόν. Sed idem p. 721, 11 : Φοροῦντας ὁλοσήρικα.]

C Ὀλοσιαλοκάλαμος, Indoctus tibicen per scomma ita dictus. Vide Καλαμαύλης. [Leg. Ὀλεσιαυλοκάλαμος, quod vide.]

[Ὁλοσίδηρος, ὁ, ἡ, Totus ferreus. Pollux 7, 156, δόρυ· 10, 176 : Σκεῦός τι ὁλοσίδηρον, ὡς ἐν Ἀντιφάνους Φιλίσκῳ. Plut. Camillo c. 40, Æmilio c. 19; Diod. Exc. p. 515, 32; schol. Apoll. Rh. 2, 99. « Herodian. Epimer. p. 40; Suid. v. Αἰγανέα. » Boiss. Id. et Hesychius aliique lexicogrr. v. Ζιβύνη.]

[Ὁλόσκιος, ὁ, ἡ, Eust. e Strab. 6, p. 260, ὁλόσκιον τὸ χωρίον, ubi hodie παλίνσκιον.]

[Ὁλοσπάδης, ὁ, ἡ.] Ὁλοσπαδεῖς, Hesychio ὅλαι κατασπώμεναι καὶ κατατεινόμεναι.

[Ὁλοσπὰς, άδος, ἡ, Quæ tota deglutitur. Photius : Ὁλοσπάδες, ὅλαι καταπινόμεναι καὶ κατασπώμεναι. Σοφοκλῆς. Vitiose Hesychius : Ὁλοσπαδεῖς, ὅλαι κατασπ. καὶ κατατεινόμεναι, omisso n. Sophoclis.]

[Ὁλοσπόνδειος, ὁ, Qui totus ex spondeis constat. Eust. Il. p. 836, 16, 18.]

[Ὀλοσσών. V. Ὀλοοσσών.]

D Ὁλόστεος, ὁ, Qui totus osseus est, Ex solido osse constans. At Ὁλόστεον, τὸ, Herba per antiphrasin sic nominata. Plin. 27, 10 : Holosteon sine duritia est herba, ex adverso appellata a Græcis, sicut fel dulce; tenuis usque in capillamenti speciem; longitudine quatuor digitorum, ceu gramen, foliis angustis, astringens gustu. [Plantago albicans Linnæi.] Apud Diosc. autem 4, 11, unde Plin. hæc desumpsit, in vulg. edit. scriptum Ὁλέστιον.

Ὁλοστήμονος, ὁ, ἡ, ut ὁλοστήμονες [« — μονοι » HSt. Ms. Vind.] τολύπαι, i. e. αἱ ταινίαι, Pollux [7, 32], ex Sophocle. [Ὁλοστήμονας HSt. iterum in Τολύπη, recte.]

[Ὁλόστομος, ὁ, ἡ, incertæ signif. voc. ap. Harpocr. Prolog. in Cyran. ap. Iriart. Bibl. Matr. p. 433 : Αὕτη ἡ βίβλος κατεχώσθη ἐν λίμνῃ τῆς Συρίας ἐγκεχαραγμένη στήλῃ σιδηρᾷ ὁλοστόμῳ.]

[Ὁλοστὸς, Integer, Totus. Hesychio : Ὁλοστὸς, ὅλος ὡς ἔστιν.]

[Ὁλοστρόγγυλος, ὁ, ἡ, Totus rotundus. Schol. Oppiani Hal. 2, 370. Wakef. Nicetæ Chon. cod. barbarogr. p. 104, 25.]

[Ὁλόστροφος, ὁ, ἡ, Qui totus movetur. Hesych.: Ἐλελίστροφε, εὔστροφε, ὁλόστροφε. « Lactant. De falsa relig. 1, 7, Apollinis versum hunc laudat: Πάνσοφε, παντοδίδακτ', ἐνολοίστροφε, κέκλυθι, δαῖμον. Ubi G. Canter. Nov. Lectt. 30, 30, legit αἰολόστροφε. Sed hinc patet leg. esse ἐλελίστροφε. » Soping.]

[Ὁλόσφαλτος, ὁ, ἡ, Totus corruptus. Margo cod. Palat. Anthol. 6, 269, ad epigramma Sapphonis valde corruptum: Ὁλόσφαλτον.]

[Ὁλοσφίζω. V. Ὀλούφω.]

[Ὁλοσφύρατος. V. Ὁλόσφυρος.]

Ὁλοσφυρήλᾰτος, ὁ, ἡ, Qui totus malleo ductus est s. fabricatus, Solidus, ναστὸς καὶ στερεὸς, καὶ οὐδαμοῦ διάκενος οὐδὲ χωνευτὸς, ut sunt signa quædam et statuæ non conflatæ. Joseph. A. J. [14, 7, 1]: Κράσσος ἐν τῷ ἱερῷ λαμβάνει δοκὸν ὁλοσφυρήλατον χρυσῆν, Trabem solidam ex auro. [Nisi leg. ὁλοσφύρατον, quod v. in Ὁλόσφυρος, aut ὁλόσφυρον, quod cum σφυρήλατος confusum ap. Artemid. 2, 5, p. 137. L. Dind.]

[Ὁλοσφύρητος. V. Ὁλόσφυρος.]

[Ὁλοσφύριον, τὸ, ap. Ammon. p. 40: Σόλος δὲ τὸ χαλκοῦν ὁλοσφύριον, Toupius scribebat ὁλόσφυρον.]

Ὁλόσφῡρος et Ὁλοσφύρᾱτος, ὁ, ἡ, i. q. ὁλοσφυρήλατος, [Solidus, Gl.]: utrumque legitur ap. Hesych. [et Photium], ὁλόσφυροι exponentem per ὁλοσφύρατοι, veluti notius: quod et ap. Plin. legitur, 33, 4: Aurea statua prima omnium, nulla inanitate, et antequam ex ære aliqua illo modo fieret, quam vocant ὁλοσφύρατον, in templo Anaitidis posita dicitur. [Phryn. Ecl. p. 203: Τὸ ὁλοσφύρατον ἔκβαλε, καὶ ἤτοι σφυρήλατον λέγε ἢ ὁλόσφυρον. Ubi Alcidam. p. 75, et Nicephori Greg. Hist. Byz. 8, 6, et Epiphanii exx. de forma ὁλόσφυρος annotarunt intt. Est eadem ap. Jo. Malalam p. 264, 23. Ὁλοσφύρητος est ap. Lucill. Anth. Pal. 11, 174, 3: Ὁλοσφύρητον Ἄδωνιν· Sirac. 50, 10: Σκεῦος χρυσίου ὁλοσφύρητον, et Hesych. v. Ναστός. De utraque forma perinde male formata v. Lobeck. p. 206. Ms. ap. Pasin. Codd. Taurin. vol. 1, p. 73, A: Ὁ ἐν Ἤλιδι ... ὁλοσφύρατος χρυσοῦς Ζεύς. « Ita deum vocabat Machometes, quasi, inquit Sylburgius, videatur μονοπρόσωπον θεὸν significasse, atque adeo oppositum τριάδι s. Trinitati Christianorum, sicut in Corani Azoara 82 et 122 legitur. Euthymius Zygabenus in Panoplia: Ὁλόσφυρον λέγει τὸν θεὸν ἤτοι σφαιρικὸν etc. Nicetas in Manuele l. 7, n. 7: Καὶ παραβόλως τὰ πρῶτα ἐνισταμένου βασιλέως ἀληθῆ δοξάζειν θεὸν τὰ παρὰ Μωάμεθ ὁλόσφυρον καὶ μὴ γεγενημένον ἢ γεννήσαντα θεὸν κτλ. » Ducang.]

[Ὁλοσχέρεια, ἡ, Summa computationis. Strabo 2, p. 79. V. Ὁλοσχερής. « Integritas. Phurnut. N. D. c. 20, p. 52=187: Κατὰ τὴν ἀρχαίαν ὁλοσχέρειαν ἔχοντος τούτου. » Wakef.]

Ὁλοσχερὴς, ὁ, ἡ, Integer: ὁλ. κίνδυνος, Periculum de summa rerum, ὁ περὶ τῶν ὅλων. Polyb.: Ὁλοσχερῆ μὲν κίνδυνον κατὰ μηδένα τρόπον συνίστασθαι, Prælium de summa totius belli nullo modo suscipere. Apud Philon. vero in l. De mundo, Ταῖς τοῦ παντὸς ὁλοσχερεστέραις μοίραις, Bud. interpr. Amplioribus universi partibus. Et ibid., Περὶ τῶν ὁλοσχερεστέρων ἐν κόσμῳ φυτῶν, Idem vertit, Super præcipuis mundi stipitibus. Apud Diosc. tamen 5, 92, de scolecia: Θλάσας αὐτὸν εἰς ὁλοσχερέστατα μέρη, Ruell. interpr. Minutissime frangens comminuensque: ut εἰς ὁλοσχερέστατα μέρη i. sit q. aliquanto ante λεπτομερέστατα. [Ὁλοσχερὴς ἀνὴρ, Plane vir neque ulla forma aliena celatus, Soph. ap. Clem. Al. Str. 5, p. 716, 9. Hemst. Qui non magis quam Porson. ad Med. v. 284, animadverterat tale vocabulum non cadere in Sophoclem, cujus nomen mentitus est illius fragmenti auctor, ut ostendi in Βαθμός. Poetarum primus eo utitur Theocr. 25, 210: Σὺν πυκινῇσιν ὁλοσχερὲς ἔσπασα ῥίζαις. In prosa Hippocr. p. 381, 54: Αἷμα ὁλοσχερές. Theophr. H. Pl. 3, 18, 5: Τὸ ὁλοσχερὲς ὄστλιγγας ἔχον. Et præcipue Polyb., ut « οὐδὲν ὁλ. προτέρημα 1, 18, 6; 1, 74, 3. Ὁλ. ἔγκλιμα, Totius aciei inclinatio, 1, 19, 11, et similiter alibi ἀγὼν, διαφορὰ, κρίσις. Οὐδὲν ὁλ. πράττειν, 1, 19, 6; 57, 7. Ὁλ. μεταβολὴ 6, 3, 1. Φόβοι ὁλ. 1, 73, 7, Gravissimi. Ὁλ. πληγαὶ, 23, 5, Graviores ictus. Ὁλ. πε-

A ριστάσεις 17, 15, 2, Difficiliora tempora. Ὁλοσχερεστέρα συμπλοκὴ 1, 40, 11; τιμωρία 2, 58, 10, Gravior pœna. Παρασκευαὶ ὁλοσχερέστεραι 1, 13, 11, Ampliores omni ex parte; πρᾶξις 5, 24, 12. Τὰ ὁλοσχερέστερα μέρη τῆς περὶ τὰ στρατόπεδα θεωρίας 6, 42, 6, Potiores partes; τὸ ὁλοσχερέστατον μέρος 3, 37, 8, Maxima; ἡ ὁλοσχερεστάτη χορηγία 2, 15, 3; ἐλπὶς 4, 51, 6. » Ex Schweigh. Lex. Strabo 2, p. 78: Οὕτω δ' ὁλοσχερεῖ τινι τύπῳ τὴν δευτέραν ἀποδιδοὺς σφραγῖδα πολὺ ταύτης ὁλοσχερέστερον ἀποδίδωσι τὴν τρίτην σφραγῖδα κατὰ πλείους αἰτίας. Varias interpretationes v. ap. Hesychium.]

|| Ὁλοσχερῶς, adv., In totum, Penitus, Prorsus, τελείως Hesychio, ὁλοτελῶς Suidæ. Isocr. Ad Phil. [p. 109, D]: Τοὺς δὲ πρὸς ἄλλο τι τῶν ἀνοήτως φιλουμένων τοῖς πολλοῖς ὁλοσχερῶς [ἄλλο τι τῶν ὄντων ἀπλήστως cod. Urbinas] διακειμένους, ἀκρατεστέρους καὶ φαυλοτέρους εἶναι δοκοῦντας. [Ex Diphilo citat Antiatt. Bekk. p. 110, 18.] Et ὁλοσχερῶς κόπτειν s. θλάσαι, ap. Diosc., Penitus tundere, quod εἰς ὁλοσχερῆ μέρη θλάσαι Idem appellat, 5, 82, de vino helleborite: Ὁλοσχερῶς συνθλάσας· B 2, 92: Ὁλ. κεκομμένου, Plane contusi. Aliquanto ante, Πάντα δὲ ἔστω ὁλοσχερέστερα κεκομμένα. Et mox, Ἀσπάλαθον ὁλοσχερέστερον κοπέντα. [Τοῖς ἰδίοις πράγμασιν ἐπταικότες ὁλοσχερῶς, Polyb. 1, 10, 1. Τοὺς βαρβάρους ὁλ. ἐκβαλεῖν ib. 11, 7. Τούτου ὁλ. ἠστόχησαν ib. 33, 10. Σημαίας ὁλ. πιεσθείσας (nisi ὁλοσχερεῖς leg.) 6, 38, 1. Ὁλοσχερέστερον ἐμπλεκόμενοι εἰς τὰ κατὰ τὴν Σικελίαν 1, 17, 3. Ὥρμησαν ὁλοχερέστερον ἐπὶ τὸ συνίστασθαι ναυτικὰς δυνάμεις 1, 25, 5. Ὁλοσχερέστερον ἐπιτρέπειν τινι, Summam rerum alicui committere, 5, 68, 2. Ex Schweigh. Lex. « Marcus Anton. 5, 36, et Gataker. » Hemst.]

[Ὁλόσχιστος, ὁ, ἡ, Totus fissus. Plato Polit. p. 279, D: Τῶν περικαλυμμάτων τὰ μὲν ὁλόσχιστα, σύνθετα δὲ ἕτερα· 280, C: Τῶν ὁλοσχίστων σκεπασμάτων. Pollux 7, 208: Ὁλοσχίστων δερματουργική.]

Ὁλόσχοινος, ὁ, ἡ, Junci quoddam genus crassum et carnosum. [Lex. rh. Bekk. An. p. 287, 3: Ὁλόσχοινος, ἣν λέγομεν ἡμεῖς σχοῖνον, ἐκ γῆς ἀναφυομένην, ὥσπερ καλάμην. Memorat Pollux 7, 160.] Diosc. 4, 52, de C tribus junci speciebus: Ἔστι δὲ τρίτη σχοῖνος, πολλῷ σαρκωδεστέρα καὶ παχυτέρα τοῖν δυοῖν, ὁλόσχοινος λεγομένη· ubi perperam sine diphthongo scriptum legitur ὁλόσχινος, perperam item τραχυτέρα pro παχυτέρα. Item et Theophr. H. Pl. 4, 13 [12, 1, 2] ait, Πρὸς γὰρ τὰ πλέγματα χρησιμώτερος ὁ ὁλόσχοινος, διὰ τὸ σαρκῶδες καὶ μαλακόν [Conf. 9, 12, 1]· Plin. 21, 18: Utilissimus ad vitilia holoschœnus, quia mollis et carnosus est. Et mox, Usus omnium (sc. junci specierum) ad nassas marinas, vitilium elegantiam, lucernarum lumina: præcipua medulla. Caput autem hoc 18 ita inchoarat: Similia præcipit Mago et de junco quem Mariscon appellant, ad texendas tegetes: et ipsum Junio mense eximi. Ubi sunt qui Mariscon et Holoschœnon idem significare credant, hunc Æschinis locum [p. 31, 5] afferentes: Πηγὰς δὲ δὴ λόγων ἀφθόνους ἔχειν ἐπηγγέλλετο· καὶ περὶ τῶν δικαίων Ἀμφιπόλεως καὶ τῆς ἀρχῆς τοῦ πολέμου τοιαῦτα ἐρεῖν ἔφη, ὥστε ἀποῤῥάψειν τὸ Φιλίππου στόμα ὁλοσχοίνῳ ἀβρόχῳ· cum hac interpretatione: Fontes sane quidem rationum uberes se habere polliD cebatur: et tum de jure Amphipolis, tum de belli origine talia dicturum esse ajebat, ut vel sicco marisco posset os Philippi consuere. Addit autem ἀβρόχῳ, ut rei facilitatem ostendat, sc. se nullo negotio obturaturum et obsuturum os Philippo; nam solent madefieri junci, quum ad funes, storeas, aut alia ejusmodi nectenda assumuntur. Quibuscum conf. quæ Erasm. dixit in Prov. Junco sicco. [Ælian. N. A. 12, 43, p. 267: Ὁλοσχοίνων τε ἀβρόχων, et paulo post ὁλοσχοίνων βεβρεγμένων. Hemst.] Ὁλόσχοινος ab Hesych. exp. ὀξύσχοινος, perperam. [Recte ab Hesych. exp. ὀξύσχοινος. Diog. L. Aristippo 2, 81: Ἑταίρας εἰπούσης πρὸς αὐτὸν, Ἐκ σοῦ κύω, Οὐ μᾶλλον, ἔφη, γινώσκεις ἢ εἰ δι' ὁλοσχοίνων ἰοῦσα ἔφασκες ὑπὸ τοῦδε κεκεντῆσθαι, Per spinas densissimas, Int. Seager. Palladas Anth. Pal. 10, 49, 5: Ἀποφράξαντα δεήσει λοιπὸν ὁλοσχοίνῳ τὸ στόμα, μηδὲ πνέειν.] Ὁλοέχοινος, perperam in quibusdam codd. pro ὁλόσχοινος. [Ὁλοέχινος Moschop. Περὶ σχεδῶν p. 208 fin.: Ὁλοέχινος· τρία εἴδη φασὶ τοῦ ἐχίνου, ὧν ὁ τρίτος τῷ μεγέθει καὶ εὐσαρκίᾳ διαφέρων Ὁλοέχινος λέγεται.]

[Ὅλοσχος, ὁ.] Ὀλόσχους, ut μίσχους, volunt esse Pediculos pomorum. Utitur eo vocab. Nicander Ther. 870 : Σίδης δ' ὑσγινόεντας ἐπημύοντας ὀλόσχους Αὐχενίους, ἵνα λευκὰ πέριξ ἐνερεύθεται ἄνθη, ubi schol. ὀλόσχους αὐχενίους σίδης exp. ῥοιῶν τραχήλους. [« Vocab. ὅλοσχος alibi nondum repertum videtur ab ὄσχος derivandum, ut ab ὄνθος ὄλονθος, ὄλυνθος. » Schneid. ad eum l. Idem in Lex. scribit Ὅλοσχος.]

[Ὁλοσώματος, ὁ, ἡ, Qui est toto corpore. Heliod. Æth. 4, 17 : Στρόφον ὁλοσώματον. Eust. Opusc. p. 133, 49. « Hesych. in Ἀμυχρόν. » Hemst. Anecd. mea vol. 5, p. 100 med. Boiss. Niceph. Greg. Hist. Byz. 9, 10, p. 270, A. || Forma Ὁλόσωμος Theodor. Stud. p. 401, D; 423, B.]

Ὁλοτελὴς, ὁ, ἡ, Perfectus, Totus, Integer, Bud. ex Greg. Naz. Or. de Homine : Τὴν ὁλοτελῆ χάριν προσευχόμενος αὐτοῖς, τοῦ σώματος καὶ τῆς ψυχῆς, καὶ τοῦ πνεύματος. [Eust. Opusc. p. 231, 58 : Πῶς ἡσυχαστὴς ὁλοτελὴς κληθήσῃ; « Hesych. in Παντελής. » Hemst. || Adv.] Ὁλοτελῶς, In totum, Integre, Penitus. Illo adverbio Suidas exp. præcedens ὁλοσχερῶς. [Amphil. p. 219; Cyril. Hier. p. 198. Kall. Photius v. Ὁλοσχερῶς. Schleusn. Schol. Gregor. Naz. ad Stel. 1, p. 2. Hemst. Theodor. Heracl. Catena in S. Matth. cod. Coisl. Cramer. Aq. Deut. 13, 16. Ephr. Syr. vol. 3, p. 344, C; 347, E; 353, F, et alibi cum aliis recentiorum.]

Ὁλότης, ητος, ἡ, Totitas, si ita dici posset, ut Quantitas. Aristot. Metaph. 4 fin. : Ὡς οὔσης τῆς ὁλότητος ἑνότητός τινος, Ac si totum, unum esset. [Theolog. arithm. p. 33, D; 38, B, aliique recentiorum.]

[Ὁλότμητος, ὁ, ἡ, Totus sectus. Exc. Phryn. Bekkeri p. 54, 23 : Ὁλότμητα δεῖπνα, τὰ μεγάλα, ἐν οἷς ὅλα τὰ μέρη τῶν παρασκευαζομένων ἀποτέμνεται καὶ παρατίθεται δαιτυμόσιν.]

[Ὁλοτρόπως, Penitus. Syntipas Fab. 60. Boiss. Poeta ap. Bandur. Imp. Or. vol. 1, p. 16 : Αὐτοὺς τροπώσας δεξιὸς ὁλοτρόπως. L. Dind.]

[Ὁλότροχος. V. Ὁλοίτροχος.]

[Ὀλουρὶς, ίδος, ἡ.] Ὀλουρίδας, Hesychio εἶδος κόγχης. [Non minus incerta ejusdem gl. : Ὀλούροισιν, ἄνω τῆς θύρας στρόφιγγες.]

[Ὄλουρος, ὁ, Olurus. Πολίχνιον τῆς Ἀχαΐας, οὐ πόρρω Πελλήνης, ὡς Ξενοφῶν ζ' (H. Gr. 7, 4, 17, 18). Τὸ ἐθνικὸν Ὀλούριος, Steph. Byz. Cognominem Messeniæ memorat Strabo 8, p. 350 : Δώριον δὲ οἱ μὲν ὄρος, οἱ δὲ πεδίον φασίν· οὐδὲν δὲ νῦν δείκνυται· ὅμως δὲ ἔνιοι τὴν νῦν Ὄλουριν ἢ Ὄλουρον, ἐν τῷ καλουμένῳ Αὐλῶνι τῆς Μεσσηνίας κειμένην, Δώριον λέγουσιν. Ubi al. νῦν Ὄλουραν cum Eust. Il. p. 298, 23. Herodian. Π. μον. λέξ. p. 13, 22 : Ὄλουρα, μέμνηται Ἐρατοσθένης. || V. Ὄλορος. L. Dind.]

[Ὀλοῦς, οῦντος, ὁ, Olus. Πόλις Κρήτης. Ξενίων ἐν τοῖς Κρητικοῖς. Ὁ πολίτης Ὀλούντιος, ὡς Σελινούντιος, Steph. Byz. Ὀλοῦς memoratur Scylaci p. 18, Pausaniæ 9, 40, 3; gent. Ὀλούντιοι est in inscr. ap. Bœckh. vol. 2, p. 398, n. 2554, ubi Ὀλόντιοι est et Ὀλόντι per ο. Atque etiam in numis ap. Mionnet. *Descr.* vol. 2, p. 289, est Ολοντιων et Ολοντι. L. Dind.]

[Ὀλούφω.] Ὀλουφεῖν, Hesychio τίλλειν : quod et ολόπτειν. Διολουφεῖν, Hesychio διατίλλειν ἢ διασιλλαίνειν, Pervellere, Subsannare : ut et aliquanto supra extra seriem, sc. post Δίαλον, Διαλουφῶν exp. διατίλλων, subjungens, Atticis ὀλουφεῖν esse τὸ τίλλειν, seu, ut alii volunt, τὸ ἐκλέγειν τῶν σποριμων τὴν πόαν. [Veriori accentu Photius : Ὀλούφειν, τίλλειν ἢ κατασπᾶν, οἷον ὁλοσφίζειν. Et ὀλούφων cod. Hesychii. V. autem Ὀλόφειν in Ὀλοφύζω positum.]

[Ὁλοφαὴς, ὁ, ἡ, Qui pleno lumine lucet. Amphil. p. 19. Kall. Const. Manass. Chron. 112, σελήνη. Basil. p. 283 ed. Combef. Boiss.]

[Ὁλόφακος, ὁ, nisi neutro genere dicitur, Lens integra. Geopon. 20, 12, 1 : Ὁλοφάκου χοίνικα α' et 19, 1 : Ὁλοφάκου πεφρυγμένου δραχ. η'.]

[Ὁλοφανῶς, Penitus. Theodor. Stud. p. 410, D : Ἵνα ὁλοφανῶς Χριστὸς ἀρνηθείη. L. Dind.]

[Ὁλοφέρνης. V. Ὀροφέρνης.]

Ὁλοφλυκτὶς, ίδος, ἡ, quod Pustulam significat; nam ὁλοφλυκτίδες Galen. ap. Hippocr. explicat voce φλύκταιναι, quum alioqui Erotian., ut videbis p. 39 meæ ed. [282 Fr.], quosdam aliud ea voce intellexisse

A scribat, sc. περινυκτίδας : nonnullos, δοθιῆνας : alios, ἐξανθήματα ζωϋφίοις ὅμοια. [Hippocr. p. 673, 37, ubi legitur καὶ φλυκτίδες, ὁλοφλυκτίδες quidam ex codicibus Vaticanis legunt. Foes.] Dicitur etiam Ὀλοφυγδὼν, pro Pustula. Theocr. 9, [30] : Μηκέτ' ἐπὶ γλώσσης ἄκρας ὀλοφυγδόνα φύσῃς. [Hesychius : Ὀλοφυγδόνα, φλυκτὶς ἐπὶ τῆς γλώττης.] Ubi a schol. ὀλοφυγδὼν exp. φῦμα (nec non peculiarius, φῦμα ἐπὶ τῆς ῥινὸς γινόμενον), item φλύκταινα, et φλυκτώδης φύσκα. Ubi obiter observanda est et vox Φλυκτώδης, pro Pustulæ formam referens. Pro qua fortasse reponendum quis suspicetur φλυκταινώδης. Quod autem ad illud nom. Φύσκα attinet, meminisse debemus schol. Aristoph. [Ran. 236] φλύκταιναν exposuisse itidem φύσκαν. Additque, Atticos ὀλοφυκτίδα nominasse. [Ita Photius : Ὀλοφυκτίς· φλύκταινα ἐπὶ τῆς γλώττης. Ὀλοφυκτίς· οἷον ἐπινυκτὶς ἢ δοθιήν· ὅταν δὲ ἐπὶ τῆς γλώττης τοῦτο γένηται, λέγουσιν αἱ γυναῖκες, ὅσα ποθεῖς τίς σοι μερίδα ἐπέδωκεν· δοκεῖ δὲ ταῦτα ἐπιγίνεσθαι τῇ γλώττῃ καὶ ὅταν ὑπὲρ ἀπόντος καλοῦ ἢ καλῆς διαλέγεται. Hesychius : Ὀλοφυκτὶς, τὴν φλύκται-

B ναν, οὐκ εὖ· ἐπὶ γὰρ τῶν δυναμένων φύεσθαί τι, ἐπιφλυκτίδα ἢ δοθιῆνα.] Animadverte porro scribi ὀλοφυκτίδα sine λ in tertia syllaba, sicut et ὀλοφυγδόνα : præsertim quum hæc scriptura sit etiam etymo, quod Eust. affert, consentanea : sc. a verbo Ὀλοφύζω : a quo est etiam nomen adj. Ὀλοφυδνός. Est autem ὀλοφύζω, Lugeo, Lamentor, quum ὀλοφυδνὸς, cujus thema προϋποκεῖσθαι dicitur hoc ὀλοφύζω, sit Lugubris, Luctuosus, Lamentabilis, ut Hom. Il. E, [683, etc.] : Ἔπος δ' ὀλοφυδνὸν ἔειπε. [Anyte Anth. Pal. 7, 486, 1 : Πολλάκι τῷδ' ὀλοφυδνὰ κόρας ἐπὶ σάματι Κλεινὼ... παῖδ' ἐβόασε φίλαν. || Pap. Æg. ap. Forshall. *Descr.* part. 1, p. 47, 21 : Μηδεν δε ολοφειν εις την ημετεραν περιστασιν. Editor « Ολοφειν) *Apparently for* ολοφυρεσθαι, ολοφυζειν. » L. D.] Quin etiam Ὀλόφυς, nisi mentiuntur vulg. Hesychii exempll., est Luctus : et ἔλεος, οἶκτος, [θρῆνος]. Verum ut ad Ὀλοφυγδὼν revertar, sciendum est afferri ex eo et adj. Ὀλοφυγδὸς pro Pustulosus : quo sit usus Nicander Ther. [682] : Ῥηγνυμένων ὀλοφυγδὰ [ὀλοφυδνὰ Schneider.] διήφυσε ποσσὶ χίμετλα.

C [Ὀλόφρυξ. Etym. M. p. 526, 1 : Κολόφρυξ, ὁ ὀλόφρυξ· τὸ κ περισσόν.]

[Ὀλοφυγδὼν, Ὀλοφυδνὸς, Ὀλοφύζω, Ὀλοφυκτίς. V. Ὀλοφλυκτίς.]

Ὁλοφυὴς, ὁ, ἡ, in VV. LL. redditur ex Gazæ auctoritate, Confusius exortus, Confusus. Item ὁλοφυῆ ap. Aristot. Michael Ephesius exposuisse traditur περιφερῆ καὶ στρογγύλα, Orbiculata, Rotunda. Sed suspecta esse potest hæc scriptura ὁλοφυὴς, hac quidem in signif. [Aristot. De partt. anim. 4, 12 : Τὰ δὲ πρανῆ τοῦ σώματος καὶ τὰ ὕπτια καὶ τὰ τοῦ καλουμένου θώρακος ἐπὶ τῶν τετραπόδων ὁλοφυὴς ὁ τόπος ἐπὶ τῶν ὀρνίθων ἐστίν. V. etiam Οὐλοφυής.]

Ὁλόφυλος, ὁ, ἡ, ὁ ὁλόκληρος, Integer, Suid.

[Ὀλόφυξος, πόλις ἐν Θράκῃ περὶ τὸν Ἄθω. Ὁ πολίτης Ὀλοφύξιος. Ἡρόδοτος περὶ νυμφῶν καὶ θεῶν γράψας, Steph. Byz. Memorat Herodot. 7, 22, Thuc. 4, 109, Scylax p. 26, Strabo 7, p. 331. Gent. Ὀλοφύξιοι Aristoph. Av. 1042.]

Ὀλοφυρμὸς, ὁ, item Ὀλόφυρσις, εως, ἡ, Lamentatio,

D [Comploratio, huic add. Gl.] Lamentum (sed hoc in plur. potius usurpatur, ideoque aptius ὀλοφυρμοὶ reddetur Lamenta). Item Ejulatus, Ploratus, Luctus. [Aristoph. Vesp. 390 : Τοῖς δακρύοισιν τῶν φευγόντων ἀεὶ καὶ τοῖς ὀλοφυρμοῖς.] Thuc. 7, p. 258 [c. 71] : Ὀλοφυρμὸς, βοή· νικῶντες, κρατούμενοι. [Axioch. p. 368, B : Ὀλοφυρμοῦ καὶ δακρύων.] Synes. παισὶ peculiariter tribuit ὀλοφυρμούς : in quadam Epist. [p. 195, C] scribens, Ἀνδρῶν οἰμωγαὶ, γυναικῶν ὀλολυγαὶ, παίδων ὀλοφυρμοί. [Phalar. Epist. 5, p. 24.] Illud autem alterum verbale Ὀλόφυρσις pro Ploratu s. Comploratione, ap. Thuc. extat : nec non plur. ὀλοφύρσεις. Legimus enim 1, p. 47 [c. 143] : Τήν τε ὀλόφυρσιν μὴ οἰκιῶν καὶ γῆς ποιεῖσθαι, ἀλλὰ τῶν σωμάτων· repetendo χρὴ ex præcedentibus. Ubi ὀλόφυρσιν ποιεῖσθαι τῶν σωμάτων possumus interpretari Deplorare corpora, perinde ac si scriptum esset ὀλοφύρεσθαι τὰ σώματα. Aut etiam reddere, Ploratum et lamenta edere ob corpora, ut subaudiamus ὑπὲρ s. ἕνεκα : sicut in ὀλοφύρεσθαι Δαναῶν subaudiri ap. Hom. dixi. Plurali autem ὀλοφύρσεις utitur 2, p. 64

[c. 51] : Ἐπεὶ καὶ τὰς ὀλοφύρσεις τῶν ἀπογιγνομένων τελευτῶντες καὶ οἱ οἰκεῖοι ἐξέκαμνον, ὑπὸ τοῦ πολλοῦ κακοῦ νικώμενοι. Ubi subaudiendum esse præp. πρὸς tradit schol. Quamvis autem nova subauditio hæc et dura videri possit, nisi tamen eam admittamus, multum negotii nobis facesset hic locus. Valla certe ejus sententiam omnino pervertit, ita interpretans, Postquam domestici eos qui vita excesserant complorarant, deficiebant, ejus vehementia superati. Atqui Thuc. significare vult, ipsos etiam propinquos ad complorationes s. comploratus morientium defecisse, mali gravitate superatos. Vel, Ne comploratu quidem morientes prosequi amplius valuisse, ut Liv. dicit Comploratu prosequi mortuos. [Aret. p. 30, 32 : Ὀλοφύρσιες κενεαί. Sic enim legendum. Pollux 6, 201. Michael Nicetas ap. Tafel. De Thessalon. p. 373, A : Εἰς ὀλοφύρσεις καταρρέω πάλιν. Tzetzes ad Hesiodi Op. 412, p. 224 fin. : Τὸ θέατρον πρὸς ὀλοφύρσεις ἐκίνησεν.] Dat. ὀλοφύρσεσι ap. Philon. extat, Τοιαύταις χρωμένων ὀλοφύρσεσι, ubi redditur, Ista quiritantibus. || Ὀλοφυρμὸς, redditur etiam Nænia, ex Athen., scribente l. 14, [p. 619, B] ita vocari τὴν ἐπὶ τοῖς θανάτοις καὶ λύπαις ᾠδήν.

Ὀλοφύρομαι [fut. ὀλοφυροῦμαι, ap. Lysiam p. 181, 35, ubi ὀλοφυροῦνται,] pluribus modis ἐτυμολογεῖται. Eust. enim vult esse ex adv. ὀλοῶς et φύρεσθαι, Etym. autem vult ὀλοφύρεσθαι esse τὸ ὅλως φύρειν ἑαυτόν : sed his etymis tertium potest addi, ex ipso Eust.; ubi enim scribit ὀλοφύρεσθαι esse ὀλοῶς φύρεσθαι, dicit vel μετὰ ὀλυγῆς : cum φύρεσθαι subaudiens dat. δάκρυσι. Alio autem in loco pro adv. ὀλοῶς dativum ὀλοῷ affert : scribens, ὀλοφύρεσθαι esse proprie τὸ ἐπί τινι ὀλοῷ φύρεσθαι δάκρυσιν. Quorum etymorum nullum mihi satisfacit : an autem aliquod eorum lectori satisfacturum sit, nescio. Sed in eo ipse satisfacere illi debebo, quod profero quicquid habeo. — [Ὀλοφύρω, Lugeo, Gl.] Ὀλοφύρομαι, fut. οῦμαι, Lamentor, Ejulo, Ploro, [Comploro, huic add. Gl.] Fleo, vel Lugeo. Hom. Il. Φ, [106] : Ἀλλὰ φίλος θάνε καὶ σύ, τίη ὀλοφύρεαι αὔτως; Apud Eund., Πόλλ' ὀλοφυρόμενοι, et Οἴκτρ' ὀλοφυρόμενοι non uno in loco legimus. Item, Ἐμὸν δ' ὀλοφύρεται ἦτορ, Il. X, [169, Θ, 202. Οὐδέ νύ σοί περ ὀλλυμένων Δαναῶν ὀλοφύρεται ἐν φρεσὶ θυμός; Pind. fr. ap. Dionys. Hal. vol. 6, p. 973, 10, si recte ita suppletur voc. mancum ὀλοφυ. Frequens est etiam ap. Apoll. Rh. et alios poetas.] Sed quamvis poetarum magis sit hoc verbum quam eorum qui soluta oratione utuntur, esse tamen et ap. hos aliquem hujus usum sciendum est. Plato De rep. 1, [p. 329, A] de senibus loquens: Οἱ οὖν πλεῖστοι ἡμῶν ὀλοφύρονται ξυνιόντες, τὰς ἐν τῇ νεότητι ἡδονὰς ποθοῦντες καὶ ἀναμιμνησκόμενοι. [Menex. p. 248, B.] Thuc. de mulieribus lugentibus mortuos usurpavit, 2, [34] : Καὶ αἱ γυναῖκες παρῆσαν [πάρεισιν] αἱ προσήκουσαι ἐπὶ τὸν τάφον [ὀλοφυρόμεναι]. Sic ap. Herodian. ὀλοφύρεσθαι et θρηνεῖν copulantur, 4, [13, 14]: Καὶ πρῶτος Μακρῖνος ἐπιστὰς τῷ πτώματι, ὀλοφύρεσθαί τε καὶ θρηνεῖν προσεποιεῖτο. Sed Thuc. cum casu etiam usus est, sc. cum accus. et cum dat. Cum hoc, 6, p. 222 fin. [c. 78] : Καὶ εἰ γνώμῃ ἁμάρτοι, τοῖς αὑτοῦ κακοῖς ὀλοφυρθεὶς, τάχ' ἂν ἴσως καὶ τοῖς ἐμοῖς ἀγαθοῖς ποτε βουληθείη αὖθις φθονῆσαι. Ubi schol. subaudire videtur præp. ἐπί. Quod autem ad constructionem cum accus. attinet, de ea verba faciam in iis quæ proxime sequuntur, ubi de altero hujus verbi ap. Hom. usu disseram. Prius autem de hoc admonendum lectorem puto, inveniri et genitivo junctum hoc verbum ap. illum poetam : Il. Θ, 33 : Ἀλλ' ἔμπης Δαναῶν ὀλοφυρόμεθ' αἰχμητάων, Οἵ κεν δὴ κακὸν οἶτον ἀναπλήσαντες ὄλωνται. Sed non dubito quin hic ellipsin præpositionis ὑπὲρ aut adverbii ἕνεκα constituere oporteat: cujus ellipseos exempla multa protuli in Appendice mea ad aliorum Scripta de dialecto Attica. [II, 17 : Ἦ σύγ' Ἀργείων ὀλοφύρεαι, ὡς ὀλέκονται· X, 169 : Ἐμὸν δ' ὀλοφύρεται ἦτορ Ἕκτορος, ut referre huc liceat etiam l. supra cit. Θ, 202.] Ceterum de signif. hujus verbi hoc addo : Etym. tradere, ὀλοφύρεσθαι esse proprie μετὰ τιλμοῦ τῶν τριχῶν κλαίειν. || Ὀλοφύρομαι, cum accus. ap. Hom. pro Deploro, Commiseror, Vicem alicujus miseror. [Il. Θ, 245 : Τὸν δὲ πατὴρ ὀλοφύρατο δακρυχέοντα.] Od. K, 157 : Καὶ τότε τίς με θεῶν ὀλοφύ-

A ρατο μοῦνον ἐόντα, Eust. κατελεήσατο. Paucisque interjectis annotat, Sciendum est autem, quum Hom. hic ὀλοφυρμὸν usurparit ἐπὶ συμπαθείας καὶ ἐλέου, eos, qui posteriores illo fuerunt, usurpasse ἐπὶ κλαυθμοῦ. Ubi συμπάθειαν vocat quod nos verbum verbo reddentes dicimus *Compassion* : veluti in hoc loquendi genere, *Avoir compassion de quelcun*. Sed mirum hoc videri possit, et quidem non immerito, quod Eust. dicat Homeri posteros usos esse verbo isto ἐπὶ τοῦ κλαίειν, quasi ipse quoque Hom. ita usus non sit, quum tamen plerisque ejus locis (cujusmodi sunt quos ex eo attuli) aut hæc aut alia expositio huic affinis tribuatur, atque adeo tribuenda esse ab omnibus judicetur. Legitur et ap. Thuc. cum accus. 2, [44] : Διόπερ καὶ τοὺς τῶνδε νῦν τοκέας ὅσοι πάρεστε, οὐκ ὀλοφύρομαι μᾶλλον ἢ παραμυθήσομαι. Ubi ὀλοφύρομαι non solum Deploro verti potest, s. Defleo, sed fortassis et Commiseror, ut in illo Hom. loco. Eodem pertinet et istud loquendi genus, Vicem eorum doleo. [Soph. El. 148 : Ἃ Ἴτυν αἰὲν Ἴτυν ὀλοφύρεται. Eur. Rhes. 896 : Τέκνον σ' ὀλοφύρομαι.
B Aoristi forma pass. Thuc. 6, 78 : Τοῖς αὑτοῦ κακοῖς ὀλοφυρθεὶς, quod schol. explicat ἐπὶ ταῖς ἰδίαις συμφοραῖς ὀλοφυρόμενος. || Cum infinitivo Hom. Od. X, 232 : Πῶς δὴ νῦν, ὅτε σόν τε δόμον καὶ κτήμαθ' ἱκάνεις, ἄντα μνηστήρων ὀλοφύρεαι ἄλκιμος εἶναι; ubi est i. q. Tergiversaris. || Formam Æol. Ὀλοφύρρω ponit Herodian. Π. μον. λ. p. 43, 17.]

[Ὀλόφυρσις. V. Ὀλοφυρμός.]

Ὀλοφυρτικὸς, ή, όν, Ad lamenta s. Ad lamentandum proclivis, Qui facile ad fletum s. ejulatum movetur. Aristot. Eth. 4, 3, τοῦ μεγαλοψύχου ingenium describens : Καὶ περὶ τῶν ἀναγκαίων ἢ μικρῶν ἥκιστα ὀλοφυρτικὸς καὶ δεητικός· ubi de Eo dici videtur, qui facile ad quiritationem prorumpit. Quidam autem ὀλοφυρτικὸς et δεητικὸς perperam vertit Anxius et solicitus. [Hesychius et Apollon. Lex. Hom. v. Ὀλοφυδνόν. || Adv. Ὀλοφυρτικῶς, Joseph. B. J. 6, 5, 3.]

[Ὀλόφυς. V. Ὁλοφλυκτίς.]

[Ὁλόφυτον, τὸ, Capparis. Diosc. Noth. p. 448 (2, 204). Boiss.]

C Ὀλοφώϊος, Hesychio πολύπειρος, πανοῦργος, πονηρὸς, Multa expertus, Versutus, Improbus : afferenti et ὀλοφώϊα pro δεινὰ, ὀλέθρια ex Hom. Od. Δ, [410]: Πάντα δέ τοι ἐρέω ὀλοφώϊα τοῖο γέροντος, ubi non male interpreteris Versutias, Improbos astus. [Ib. 460: Ἀλλ' ὅτε δή ῥ' ἀνίαζ' ὁ γέρων ὀλοφώια εἰδώς· P, 248.] Sic K, [289] : Πάντα δέ τοι ἐρέω ὀλοφώϊα δήνεα Κίρκης, Vafra, Improba. [Apoll. Rh. 1, 476: Δαιμόνιε, φρονέεις ὀλοφώια καὶ πάρος αὐτῷ· 4, 476, ἔργον.] Apud Nicandr. Ther. init.: Ῥεῖά κέ τοι μορφάς τε σίνη τ' ὀλοφώϊα θηρῶν Ἔμπεδα φωνήσαιμι, schol. exp. ὀλλύοντα φῶτας ἤτοι ἄνδρας, Perimentia viros, Exitialia ; sed nil vetat pro Versuta etiam et improba accipere. [Ib. 327 : Μέλας ὀλοφώιος ἰός. Theocr. 25, 185 : Λύκων τ' ὀλοφώιον ἔρνος.]

[Ὁλόφωνος, ὁ, ἡ, Qui totis viribus vocem edit. Cratinus Athenæi 9, p. 374, D, ἀλέκτωρ, unde citant Hesych. et Photius.]

[Ὁλόφωτος, ὁ, ἡ, Plene lucidus. Eust. Ism. p. 425: Σὺ δέ μοι τὴν μηνοειδῆ σελήνην, ὁλοκύκλωσον, ἵν' ὁλόφωτον
D εἴη μοι τὸ διήγημα. Wakef. Tzetz. Hist. 12, 849. Elberl. Psellus In Cantic. Cant. 1, 6, 50, Opusc. p. 171, 4 a fine. Boiss. Andr. Cret. p. 128, 148, 150. Georg. Sync. p. 63, 1 : Τὴν ὁλόφωτον ἡμέραν.]

[Ὁλόχαλκος, ὁ, ἡ, Totus æreus. Schol. Eur. Phœn. 115 (122). Kall. Schol. Apoll. Rh. 1, 1196.]

[Ὁλόχλωρος, ὁ, ἡ, Totus viridis. Diosc. 4, 127 : Ἔστι δὲ ἡ βοτάνη ὁλόχλωρος.]

[Ὁλοχρόνιος, ὁ, ἡ, Qui est per totum annum, Annuus. Herodian. Epimer. p. 186 med.: Ἐπηετανὸς, ὁ ὁλοχρόνιος. || Adv. Ὁλοχρονίως Tzetz. ad Hesiodi Op. 31, in ejusdem voc. explicatione.]

Ὁλόχροος, s. Ὁλόχρους, ὁ, ἡ, Toticolor, ut Gaza interpr. ap. Aristot. De gener. anim. 5, 6, ubi ipse philosophus ὁλόχροα ζῷα nominare se ait ὧν τὸ σῶμα ὅλον τὴν αὐτὴν ἔχει χρόαν, ut bos ὅλος λευκὸς καὶ ὅλος μέλας. Quibus opponuntur τὰ ποικίλα, ut sunt maculosæ pantheræ et lynces, pavones, et pisces quidam. Μεταβάλλει δὲ, inquit ibid., τὰ ὁλόχροα πολλῷ μᾶλλον τῶν μονοχρόων, καὶ εἰς τὴν ἀλλήλων χρόαν τὴν λευκήν, οἷον ἐκ λευκῶν μέλανα, καὶ ἐκ μελάνων λευκά, καὶ μεμιγμένα ἐξ ἀμφοτέρων· διὰ τὸ ὅλῳ τῷ γένει ὑπάρχειν ἐν τῇ φύσει τὸ μὴ μίαν ἔχειν χρόαν. Ibid. μονόχροα esse dixerat ὧν τὸ γένος ὅλον ἓν χρῶμα ἔχει, ut leones omnes fulvi sunt: quod in avium quoque et piscium generibus cernitur, nec non in aliis nonnullis animantibus.

[Ὁλόχρῡσος, ὁ, ἡ, Totus aureus. Athen. 5, p. 202, B; 6, p. 259, D. Philo vol. 1, p. 666, 33: Ὁλόχρυσοι ... στρωμναί. Lucian. Ep. Saturn. c. 28: Ὁλόχρυσος μὲν τὰ ἔξω, κατάρραφος δὲ τὰ ἔνδον ὥσπερ αἱ τραγικαὶ ἐσθῆτες, ἐκ ῥακῶν εὐτελῶν συγκεκομμέναι. Jo. Malalas p. 287, 11: Στέφανον ὁλόχρυσον.]

[Ὁλόχῡλος, ὁ, ἡ, Totus madidus, et quidem pluvia. Eust. Od. p. 1552, 34: Κοινῶς μέχρι καὶ τῶν ἄρτι χυλοῦσθαι τὸ ἐξ ὑετῶν τυχὸν ὑγραίνεσθαι, καὶ Ὁλόχυλος ὁ λίαν τοῦτο παθών.]

[Ὁλόψῡχος, ὁ, ἡ, Qui est toto animo. Eust. Il. p. 52 extr. Id. Od. p. 1901, 43: Τὸ δὲ ἐμμενὲς τὴν ὁλόψυχον ... βίαν δηλοῖ· Opusc. p. 341, 27: Δέησιν ὁλόψυχον. « Vita S. Nili Jun. p. 9 ed. Rom. 1644. » Boiss. || Adv.] Ὁλοψύχως, Toto animo: ἐξ ὅλης τῆς ψυχῆς, ut Lucas supra loquitur: Ὁλοψύχως μετανοῆσαι, Cyrill. [Eust. Opusc. p. 83, 23: Τὰ εἰρημένα ὁλοψύχως ἐθέλω· et alibi. « Suidas in Ἐκτενῶς. » Boiss.]

[Ὁλόω, Totum facio, Absolvo. Etym. M.: Ὠλέναι, αἱ χεῖρες, αἱ παλάμαι, ἀπὸ τοῦ δι' αὐτῶν ὁλοῦσθαι (ὁλ.) τὰς πράξεις, τουτέστι πληροῦσθαι. Wakef.]

[Ὄλπα, ἡ, ἐλπίς, καὶ χόνδρου τις ἔφεσις, Hesychius. Ὀλπίζειν pro ἐλπίζειν et ὀλπίδα pro ἐλπίδα dixisse constat Byzantinos. Pro ἔφεσις fortasse legendum ἕψησις.]

[Ὄλπαι, φρούριον, κοινὸν Ἀκαρνάνων καὶ Ἀμφιλοχίων δικαστήριον. Θουκυδίδης γ'. Ὁ οἰκήτωρ Ὀλπαῖος καὶ θηλυκῶς καὶ οὐδετέρως, Steph. Byz. Hoc gent. est ap. Thuc. l. c. 101, n. urbis Ὄλπαι et Ὄλπη 105; 8, 110, 111, 113.]

Ὄλπη, et Ὄλπις, ιδος, ἡ, Hesychio λήκυθος, Lecythus, Ampulla olearia, Vas olearium. Nicand. Ther. [97]: Αὖα δ' ἐν ὄλπῃ θρύπτε, καὶ αὐτίκα γυῖα λιπαίνοις. [Ib. 80: Τεῦχος κεραμήιον ἠὲ καὶ ὄλπην.] Theocr. 2, [156]: Καὶ παρ' ἐμὶν ἐτίθει τὰν Δωρίδα πολλάκις ὄλπαν· hic enim schol. ὄλπην interpr. λήκυθον. [Leonid. Tar. Anth. Pal. 6, 293, 3; 298, 3.] Itidemque ὄλπιδος pro ληκύθου accepit idem Theocr. 18, [45]: Ἀργυρέας ἐξ ὄλπιδος ὑγρὸν ἄλειφαρ Λασδόμεναι. || Ὄλπας vocarunt etiam χόας οἰνοχόης σχῆμα ἔχοντας, aptos πρὸς τὴν τοῦ οἴνου ἔγχυσιν, Athen. 11, [p. 495, B] ubi simul affert hoc Ionis testimonium, Ἐκ ζαθέων πιθακνῶν ἀφύσσοντες ὄλπαις οἶνον ὑπερφίαλον κελαρύζετε. Sic ὄλπις etiam Hesychio est οἰνοχόη.

[Ὄλπια, τά, Alpes. Etym. M. p. 623: Ὄλπια, τὰ ὄρη τὰ διείργοντα Ἰταλίαν καὶ Κελτικήν. Supra Ὄλβια.]

[Ὄλπις. V. Ὄλπη.]

[Ὄλπις, ὁ, Olpis, n. viri ap. Theocr. 3, 26.]

[Ὀλσοί, οἱ, Volsci, ap. Scylacem p. 3. Ὀλσκοὶ reponentem Vossium rationem fugisse animadvertit Gronovius. Nec tamen vidit hanc esse primitivum nominis formam, ut *Grajus* est primitiva formæ *Græcus*, quod aliis exemplis ostendit Niebuhr. Hist. Rom. vol. 1, p. 79. L. Dind.]

[Ὄλυκα, πόλις Μακεδονίας. Θεόπομπος ε' Φιλιππικῶν. Τὸ ἐθνικὸν Ὀλυκαῖος, Steph. Byz.]

[Ὀλύκραι, πόλις περὶ Ναύπακτον. Ἑκαταῖος περιηγήσει Εὐρώπης. Τὸ ἐθνικὸν Ὀλυκραῖος, Steph. Byz. Ὀλύκρη ponitur in Cram. An. vol. 4, p. 412, 9. V. Ὀθόκρη.]

[Ὀλυμπαῖος. V. Ὀλύμπη.]

[Ὀλυμπᾶς, ὁ, Olympas, n. viri, Rom. 16, 15, ubi al. Ὀλυμπίαν, Ὀλυμπεῖδα, Olympiadem.]

[Ὀλυμπασταν inscriptum numum Mionnet. *Suppl.* vol. 3, p. 354, n. 316, non ad Ὀλύμπην Illyrici, sed Thebas Bœotiæ, quarum alii sunt Ὀλυμ inscripti, referendum conjecit.]

[Ὀλυμπεύς. V. Ὀλύμπη.]

Ὀλύμπη, ἡ, Stephano Byz. est urbs Illyriæ: cujus incola dicitur Ὀλυμπαῖος, vel Ὀλυμπεύς.

[Ὀλυμπηνός. V. Ὄλυμπος.]

Ὀλυμπία, ἡ, Elidis locus, in quo templum, et ante ipsum lucus. Ὀλυμπία, inquit Steph. Byz., quæ prius Pisa dicebatur, ubi Jupiter Olympius colitur: unde

A Ὀλύμπια, certamen. [Berkel. ad Steph. B.: « Non exprimitur an fuerit urbs, neque etiam in qua regione fuerit sita, sed v. Πίσα noster tradit Pisam fuisse urbem et fontem Olympiæ. Quemadmodum inter veteres sunt Olympiam a Pisa distinguentes, sic etiam inveniuntur Olympiam et Pisam eadem loca esse asseverantes. Hinc in recentioribus scholiis Ol. 1 Pind. legimus p. 130: Ὀλυμπία, Πίσα καὶ Ἦλις τὸ αὐτό. Sic quoque in vetustioribus scholiis traditur, quosdam non recte Pisam et Elida confundere, p. 4: Ἔνιοι δὲ ὑποσυγχέουσι τὴν Πίσαν καὶ τὴν Ἦλιν, οὐχ ὀρθῶς δέ· διέστηκε γὰρ ἀλλήλων τὰ χωρία ἐν σταδίοις πεντήκοντα. ... Etym. M. p. 623, 12: Ὀλυμπία, ὁ ἐν Ἤλιδι τόπος· φασὶ γὰρ τὸν Δία ἡσθέντα τῷ τόπῳ ἑαυτῷ ὡς κλῆρον κατασχεῖν· ὁμωνύμως οὖν τοὔνομα τοῦ οὐρανοῦ τὸν τόπον ὠνόμασε. Διὰ τοῦτο καὶ αὐτὸς Ὀλύμπιος προσηγόρευται· οὐ γὰρ δέχομαι τοὺς λέγοντας ὠνομάσθαι τὸν τόπον ἀπὸ Ὀλυμπίας τῆς Ἀρκάδος, ἣν ἔγημε Πῖσος. Ὦρος. » De Olympia, parte Pisatidis, neque pro urbe neque pro eadem atque urbs Pisa habenda, v. J. B. Gailii *Mémoire sur Olympie* in *Mémoires de l'Acad.* vol. 5, p.
B 48 sqq. Memoratur autem Ὀλυμπία primo Pindaro, etiam Οὐλυμπία dicenti Ol. 3, 16 etc., Soph. OEd. T. 900, Herodot. 2, 160; 5, 22, et sæpe Xenophonti. Isocr. p. 353, B: Τὴν ἐν Ὀλυμπίᾳ πανήγυριν.] Ab hoc nomine Ὀλυμπία sunt τοπικὰ hæc, Ὀλυμπιάθεν et Ὀλυμπίαζε. Hæc ille, omittens et tertium Ὀλυμπιάσι. [V. infra.] At Strabo 8, περὶ τῶν χωρίων τῶν ὑπὸ τῷ Νέστορι loquens [p. 337]: Ἦν δὲ ταῦτα ἥ τε Πισᾶτις, (ἧς ἡ Ὀλυμπία μέρος), καὶ ἡ Τριφυλία, καὶ ἡ τῶν Καυκώνων. In alio ejusd. libri loco, περὶ τῶν Αἰτωλῶν loquens [p. 354]: Ηὔξησαν τὴν κοίλην Ἦλιν καὶ τῆς Πισάτιδος ἀφείλοντο πολλήν· καὶ ἡ Ὀλυμπία ὑπ' ἐκείνοις ἐγένετο. In alio autem libri ejusd. loco [p. 356] scribit ipsum ἱερὸν esse ἐν τῇ Πισάτιδι, minus trecentis stadiis distans ab Elide: et ante hoc esse lucum ἀγριελαίων, in quo sit τὸ στάδιον. || Ὀλυμπία de Olympiaco certamine, s. Olympiaci certaminis arte, videtur dici ab Aristoph. Vesp. [1387]: Νὴ τὸν Δί', ἐξέμαθές γε τὴν Ὀλυμπίαν. Sed comice, ut opinor, data fuerit isti nomini hæc signif. ||
C Ὀλυμπία [Ὀλύμπια], Hesych. exp. ὁ Ἀθήνησιν ἀγών. [V. Ὀλυμπιεῖον. Eust. Opusc. p. 137, 9: Ἀπορούμενος τί δήποτε ἄλλων ἐν Ὀλυμπίᾳ βιούντων καὶ ἀτρεμεὶ ζώντων, αὐτὸς καὶ λύπην ἔχει καὶ φόβον, de iis qui laute vivunt. || N. meretricis, ap. Athen. 13, p. 591, F. || Ab hoc autem Ὀλυμπία est adj. Ὀλύμπιος, α, ον, Olympius, ap. Pind. Ol. 11, 106: Βωμὸν παρ' Ὀλύμπιον· Pyth. 11, 47: Ὀλυμπίαν ἀγώνων ἀκτῖνα. Inscr. ap. Bœckh. vol. 1, p. 26, n. 11: Τῷ Δὶ Ὀλυνπίῳ· Att. p. 137, n. 99, III, 6: Τῷ Διὶ τῷ Ὀλυνπίῳ.]

Ὀλύμπια, τά, Olympiaca certamina, in honorem Jovis celebrari solita. [Pind. Ol. 2, 27: Ζώει μὲν ἐν Ὀλυμπίοις· Pyth. 9, 105: Ἐν Ὀλυμπίοισί τε ... ἀέθλοις.] Redditur etiam Olympiaci ludi (qui a Cic. vocantur et Olympiæ ludi); afferturque ex Demosth. [p. 401, 12], Ὀλύμπια ποιεῖν, pro Ludos Olympiacos s. Olympicos edere. Dicitur etiam ἄγειν Ὀλύμπια. [Herodot. 8, 26.] Plut. Apophth. [p. 190, C]: Ἐπαινουμένων δὲ τῶν Ἠλείων ἐπὶ τῷ τὰ Ὀλύμπια καλῶς ἄγειν. Xen. Hell. 7, [4, 28]: Ἐπεὶ δὲ ὅ, τε μὴν ἧκεν ᾧ τὰ Ὀλύμπια γίγνε-
D ται, αἵ τε ἡμέραι ἐν αἷς ἡ πανήγυρις ἀθροίζεται. [Herodot. 6, 126: Ὀλυμπίων ἐόντων.] Frequens autem est ap. quoslibet scriptores accus. Ὀλύμπια cum verbo νικᾶν. [Ps.-Demosth. p. 1342 fin.: Ὀλ. νικήσας παῖδας στάδιον.] Aristot. Rhet. 1, [2]: Ὀλύμπια γὰρ νενίκηκε. Sic Lucian. [Harmonid. fine]: Πᾶν γὰρ ἤδη στάδιον ἧττον φοβερὸν τῷ Ὀλύμπια τὰ μεγάλα νενικηκότι. Ubi observa etiam addi τὰ μεγάλα. [Sunt enim etiam alia, de quibus infra.] Sic certe Horat. Olympia magna dixit, ut paulo post docebo. Quin etiam quum Ennius dixisset, Vincere Olympia, Græcorum exemplo, ipse eorundem exemplo Coronari Olympia dixit. Ennii locus est ap. Cic.: Sicut fortis equus, spatio qui sæpe supremo Vicit Olympia, post senio confectus quiescit. Horatii autem locus Epist. 1, 1: Quis circum pagos et circum compita pugnax Magna coronari contemnat Olympia? Esse enim Græcum et hoc loquendi genus, non ex poetis tantum, sed et ex aliis scriptt. discimus. Simonides [ap. Hephæst. p. 113, 1; 119, 13]: Ἴσθμια, δὶς Νέμεα, τρὶς Ὀλύμπια [Ἴσθμια δὶς, Νε-

μέᾳ δὶς, Ὀλυμπίᾳ est ap. Heph.] ἐστεφανώθην. Lucian. [De merc. cond. c. 13] : Κεκράτηκας οὖν, ὦ μακάριε, καὶ ἔστεψαι τὰ Ὀλύμπια· μᾶλλον δὲ Βαβυλῶνα εἴληφας. Ut porro Ὀλύμπια νενικηκέναι dicitur quispiam, sic Ὀλύμπια ἀνελέσθαι, pro Olympiacam palmam reportasse. [Herodot. 6, 36 : Ὀλύμπια ἀναραιρηκὼς πρότερον τουτέων τεθρίππῳ.] Hoc quoque sciendum est, pro Ὀλύμπια inveniri Ὀλυμπίων ἀγὼν, quum alibi, tum ap. Athen. Quod autem attinet ad epith. illud Magna, quod Horat. Olympiis tribuit, legitur ap. eund. Lucian., non in eo tantum quem attuli supra loco, sed et alibi : ut in Herodoto s. Aetione [c. 1] : Ἐνίσταται οὖν Ὀλύμπια τὰ μεγάλα· καὶ ὁ Ἡρόδοτος τοῦτ' ἐκεῖνο, ἥκειν οἱ νομίσας τὸν καιρὸν οὗ μάλιστα ἐγλίχετο, πλήθουσαν τηρήσας τὴν πανήγυριν. Ubi animadvertere etiam oportet, πανήγυριν dici περὶ τῶν Ὀλυμπίων, sicut in Xen. loco qui allatus ante fuit. Sic Dem. τὰς ἐν τῇ Ἑλλάδι πανηγύριας appellat, Ἴσθμια, Νέμεα, Ὀλύμπια, Πύθια. [|| De Olympiis Macedonicis Demosth. p. 401, 13 : Ἐπειδὴ εἷλεν Ὄλυνθον Φίλιππος, Ὀλύμπια ἐποίει· et illius incognitus interpretibus Diod. 16, 55 : Μετὰ τὴν ἅλωσιν τῆς Ὀλύνθου Ὀλύμπια ποιήσας (Philippus) τοῖς θεοῖς ἐπινίκια μεγαλοπρεπεῖς θυσίας συνετέλεσε. Ubi Wessel. : « Eorum inter Macedones princeps auctor rex Archelaus fuit. Ulpianus in Or. περὶ παραπρ. p. 242 : Τὰ Ὀλύμπια δὲ πρῶτος Ἀρχέλαος ἐν Δίῳ τῆς Μακεδονίας κατέδειξεν· ἤγετο δ' ἐπ' ἐννέα, ὥς φασιν, ἡμέρας, ἰσαρίθμους ταῖς Μούσαις. Sacra ergo Musis erant certamina. Hinc lux adfulget clarissima Dioni Chr. Or. 2, p. 18, C : Ἐν Δίῳ τῆς Πιερίας ἔθυον ταῖς Μούσαις καὶ τὸν ἀγῶνα τῶν Ὀλυμπίων ἐτίθεσαν, ὅν φασιν ἀρχαῖον εἶναι παρ' αὐτοῖς· et Philostrato V. Apoll. 1, 35, p. 44 : Εἰ δὲ θύοι Φίλιππος Ὀλύμπια πόλεις ἡρηκώς· respiciunt enim uterque hunc agonem. V. etiam infra 17, 16. Arrian. Exp. 1, 11 : Ἐν Αἰγαῖς διέθηκε τὰ Ὀλύμπια. » De Olympiis Athenis, Nicææ, Smyrnæ (inscr. Smyrn. ap. Bœckh. vol. 2, p. 735, n. 3201) celebratis v. Corsin. Fast. Att. vol. 2, p. 352-3. De Olympiis ab Hadriano institutis Olear. ad Philostr. V. Soph. 1, p. 530. De Antiochenis Syriæ Jo. Malal. p. 283-6, Müller. Comment. Antioch. p. 62 sqq., 91 sqq. L. D.] || Ὀλύμπια sæpe adverbialiter accipi pro In Olympiis, annotant VV. LL.; sed exemplum nullum proferunt. Legitur quidem ap. Plut. Apophth. [p. 179, D] : Παρακαλούμενος ὑπὸ τοῦ πατρὸς Ὀλύμπια δραμεῖν τὸ στάδιον· sed suspectum merito esse potest hoc l. istud vocab., ne pro ἐν Ὀλυμπίᾳ aut Ὀλυμπιάσι scriptum sit. [Libri nihil variant.] || Ὀλύμπια, Πύθια, Νέμεα, Ἴσθμια, quatuor sunt nomina, quæ suis quatuor libris dedit Pindarus, in quibus encomia iis, qui victoriam inde reportarunt, scribit. || Ὀλύμπια τύπτειν festivissime dixit Lucillius de anu, tanquam infligente plagas non minores Olympiacis, i. e. quas Olympiæ pugiles infligunt, Epigr. : Γραῦν μαχίμην τύπτουσαν Ὀλύμπια. [V. Τύπτω.]

[Ὀλυμπιάδας, α, ὁ, Olympiadas, n. viri, in numo Sicyon. ap. Mionnet. *Descr.* vol. 2, p. 200, n. 376, restituendum fortasse in Siphniis ib. p. 326, n. 108, 109, pro ΟΛΥΜΠΙΔΟΣ, ΟΛΥΜΠΙΑΔΑ. L. Dind.]

[Ὀλυμπίαζε, Ὀλυμπίαθεν, Ὀλυμπίαθι, Ὀλυμπίασι. HSt. in Ὀλύμπια :] Ab illo Ὀλυμπία non solum derivantur illa duo τοπικὰ, quæ Steph. B. affert, Ὀλυμπίαθεν et Ὀλυμπίαζε, et tertium quod omittit, Ὀλυμπιάσι, sed etiam nomen Ὀλυμπιακὸς, et neutr. plur. Ὀλύμπια, nec non substantivum Ὀλυμπιὰς, άδος, ἡ, et comp. Ὀλυμπιονίκης. De quibus ut eodem ordine dicam, sciendum est, illa quæ τοπικὰ vocat Steph. B., esse adverbia. Quorum primum Ὀλυμπιάσι (primum enim mereri locum videtur, quamvis ab eo sit prætermissum), est adv. in loco, ut gramm. loquuntur, i. e. ἐν Ὀλυμπίᾳ, In Olympia, s. potius Olympiæ. Alioqui Apud Olympiam rectius diceretur. Aristoph. Vesp. [1382] : Ὀλυμπιάσι γὰρ [Ὀλυμπίασιν] ἡνίκ' ἐθεώρουν ἐγώ. [Thesm. 1131 : Ὀλυμπίασιν, ἐν Πύλαις, Πυθοῖ, πόσους ...] Thuc. [1, 121, 143], Τῶν Ὀλυμπιάσι χρημάτων, et Τῶν ἐν Ὀλυμπίᾳ, pro eodem. Sic Τὸ Ὀλυμπιάσιν ἱερὸν, Strabo [8, p. 357, al.]. Et ὁ Ὀλυμπιάσιν ἀγὼν, ap. Athen. et alios. [Demosth. p. 561, 26.] Item νικᾶν Ὀλυμπιάσι, ap. Eund. Sic ap. Plat. Apol. [p. 36, D] : Ἵππῳ νενίκηκεν Ὀλυμπιάσι. Itidem Plut. Artox. [c. 3] : Ὀλυμπιάσιν ἵππῳ κέλητι νενικη-

A κέναι. Quamvis autem Ὀλυμπιάσι νικᾶν, nihil aliud sit quam Ὀλύμπια νικᾶν, Olympia vincere, ut loquitur Horat., vel Olympiacam victoriam reportare : non debuit tamen Ὀλυμπιάσι exponi Ad Olympia et In Olympiis, in VV. LL. Siquidem Ὀλυμπιάσι νικᾶν, sonat ad verbum Vincere s. Victorem esse Olympiæ, s. apud Olympiam. Sciendum est autem inveniri etiam adjectam præp. ἐν ante Ὀλυμπιάσι. Plut. Apophth. : Ὁ νικῶν ἐν Ὀλυμπιάσιν. Sed hæc præpositionis adjectio suspecta esse potest. Ita enim dicitur Ὀλυμπιάσι ut dicitur Πλαταιάσι pro ἐν Πλαταίᾳ. Quod Πλαταιάσι miror a Steph. Byz. esse prætermissum itidem, quum alioqui annotet reliqua duo adverbia, Πλαταιόθεν et Πλαταιάζε : quorum illud significat Ex Platæa, s. Platæis, hoc autem Platæas : ut Πλαταιάζε πορευθεὶς, Platæas profectus. Ceterum de Ὀλυμπιάσι hoc quoque nosse oportet, inveniri etiam scriptum Ὀλυμπιᾶσι cum α circumflexo ; sed hanc scripturam rejiciendam esse, quod α corripiatur : ut vel in eo versu, quem ex Aristoph. protuli, videre est. Atque adeo annotat
B ibi schol. Ὀλυμπιάσι in eo loco et similibus debere scribi; at vero ab Ὀλυμπιὰς, άδος, dat. plur. esse Ὀλυμπιᾶσι cum ᾶ. [Minime. Adv. scribendum Ὀλυμπίᾶσι.] || Adverb. secundum Ὀλυμπίαθεν, est adv. de loco : ut Ὀλ. ἐλθὼν, Qui venit Olympia. Tertium Ὀλυμπίαζε, est adv. ad locum : Ὀλ. παρεῖναι, Thuc., Olympiam venire, 3, [8] : Ὡς αὐτοῖς οἱ Λακεδαιμόνιοι εἶπον Ὀλυμπίαζε παρεῖναι, Jusserunt ut Olympiam venirent. At VV. LL. Ad Olympiam adesse. [Theophr. fr. 2 De lapid. 16. Ὀλυμπίαθι, quod ponit Etym. M. p. 25, 16, memoratur etiam in Epim. Hom. Cram. An. vol. 1, p. 388, 9 : Τέτριπται δὲ Ὀλυμπίαθι καὶ Ὀλυμπίασι.]

Ὀλυμπιᾰκὸς, ή, όν, adj., Olympiacus. Ὀλ. ἀγὼν, Olympiacum certamen. In VV. LL. annotatur, quosdam hanc vocem Ὀλυμπιακὸς rejecisse, et potius Ὀλυμπικὸς agnovisse. Sed contra Ὀλυμπικὸς trisyllabum rejiciendum potius fuerit, quum manifestum sit ab Olympia magis consentaneam rationi deductionem esse Ὀλυμπιακὸς cum α, quam Ὀλυμπικὸς sine α. [Hoc
C argumentum aliorum adjectivorum gentilium in ικος ab nominibus in ια comparatio refellit.] Ideoque non dubito quin aliquis de voce Ὀλυμπικὸς illud in sui libri margine annotasset, nimirum eam repudiari : deinde VV. LL. consarcinatores annotationem illam voci Ὀλυμπιακὸς apposuerint, quæ alteri vocabulo Ὀλυμπιακὸς apponenda erat. Id certe conjicere est et ex adverbio τετρασυλλάβως : pro quo alioqui scrib. fuisset τρισυλλάβως. Hæc enim sunt ipsamet VV. LL. verba : Ὀλυμπιακὸς, οῦ, ὁ, Olympiacus. Sunt qui hanc vocem non recipiant, ut a bonis auctoribus usurpatam ; sed Ὀλυμπικὸς τετρασυλλάβως agnoscant. Hæc, inquam, sunt illorum verba, ubi adv. τετρασυλλάβως dico aperte ostendere, fuisse hoc annotatum de Ὀλυμπιακὸς, quod est τετρασύλλαβον : sc. esse id quod agnoscatur ; ideoque hæc voci Ὀλυμπικὸς debuisse opponi et Ὀλυμπιακὸς ante τετρασυλλάβως scribi. Legitur porro Ὀλυμπιακὸς ἀγὼν ap. Aristoph. quoque, Pl. [583] : Εἰ γὰρ ἐπλούτει, πῶς [ἂν add. ex codd.] ποιῶν αὐτὸς τὸν Ὀλυμπιακὸν [τὸν Ὀλυμπιακὸν αὐτὸς cod., Ὀλυμπικὸν
D Kusterus] ἀγῶνα. [Thuc. 1, 6 : Ἐν τῷ Ὀλυμπιακῷ ἀγῶνι, ubi, ut 5, 49, plerique sic, perpauci altera forma, quanquam Thomas p. 648 ex l. 5 affert et præfert Ὀλυμπικὸς, eodemque modo variant libri Apollod. 2, 7, 2, 6, Diodor. 4, 53, Eust. Opusc. p. 60, ubi utraque forma alternat, et Pausaniæ, cui nunc constanter restitutum Ὀλυμπικός : nam ambabus usum esse absurdum videtur. In altera consentiunt libri Xen. H. Gr. 7, 4, 14 : Τοῦ Ὀλυμπιακοῦ ὅρους· 28 : Ἐπιόντος Ὀλυμπιακοῦ ἔτους, et ib. τὴν Ὀλυμπιακὴν ὁδόν. Philonis, Themistii, Chrysostomi exx. annotavit Sallier. ad Thom. l. c.] Sed mirum si in hoc adjectivo antepenultima et penultima producuntur, quæ ap. Virg. correptæ extant, Georg. 3, [49] : Seu quis Olympiacæ miratur præmia palmæ. Sic et ap. Stat. atque alios. Apud Plut. habetur et Ὀλυμπιακὴ ἐκεχειρία, in Lyc. [init.] || Ὀλυμπιακὸς autem quamvis regularius esse, ut ita loquar, docuerim, non rejici tamen debere illud Ὀλυμπικὸς, apparet ex Epigr. lib. 2, siquidem in ejus principio Ὀλυμπικὸς [quod v.]

legitur dictum de Pugile Olympiaco, s. Pugile Olympiorum, ut Cic. appellat. Quin etiam Ὀλυμπικὸς ἀγὼν, sicut Ὀλυμπιακὸς, invenitur. Atque adeo ab Horat. Pulverem Olympicum videmus appellari τὸν Ὀλυμπιακὸν, initio Carminum. Alioqui Ὀλυμπικὸς esse potius ab Ὄλυμπος, dictum est. [Æschines p. 29, 35 : Ἑάλω ὑπὸ λῃστῶν ἐν ταῖς σπονδαῖς ταῖς Ὀλυμπικαῖς. Sed hic quoque nunc ex aliis libris Ὀλυμπιακαῖς.]

[Ὀλυμπιάνδις, Olympiam. Theognost. Can. p. 163, 33 : Τὰ εις δις ἐπιρρήματα, ἔχοντα πρὸ τοῦ δ τὴν αν συλλαβὴν διὰ τοῦ ι γράφεται καὶ Δώριά ἐστιν, οἷον χαμάνδις, ἀγράνδις, Ὀλυμπιάνδις.]

[Ὀλυμπῐᾱνὸς, ὁ, Olympianus, n. viri in epist. Liban. 584, 1518. Adj. Ὀλυμπιάνειος posuisse videtur Suidas : Ὀλυμπιάνειος (—νιος cod. unus), σοφιστής, τοῦ Ὀλυμπιάνου, ubi edd. vett. absurde Ὀλυμπιανείου. Nam haud dubie Suidas hoc voluit, Ὀλυμπιάνειος esse adjectivum nominis Olympiani. Nihil expedire potuerunt editores, qui ipsum Olympianum ignorarent. Ap. Steph. Byz. v. Δούλων πόλις qui citatur Ὀλυμπιανὸς, Jac. Gronovio non diversus videbatur ab Ulpiano in Τάϊννοι citato. Ac sane illic Οὐλυμπιανὸς cod. Vratisl., i. e. Ὀλυμπιανὸς, quæ nomina permutata etiam ap. Marin. Vit. Proc. p. 8, 11 ed. Boiss., ubi Οὐλπιανὸς ὁ Γαζαῖος in libris plerisque Ὀλυμπιανὸς scriptus est. L. Dindorf.]

[Ὀλυμπιάρατος, ὁ, Olympiaratus, n. viri, in inscr. Att. ap. Bœckh. vol. 1, p. 298, n. 169, III, 34. ῐᾱᾰ]

Ὀλυμπιὰς, άδος, ἡ, Olympiorum victoria, Olympiaca victoria, Olympiaci certaminis victoria. [Vel Olympicum certamen. Pind. Ol. 2, 2 : Ὀλυμπιάδα δ' ἔστασεν Ἡρακλέης· 1, 94 : Τᾶν Ὀλυμπιάδων ἐν δρόμοις, et alibi. Simonides ap. Pausan. 6, 9, 9 : Καὶ νικῶ πὺξ δὑ' Ὀλυμπιάδας. Isocr. p. 135, D : Ἄξιον δὲ καὶ τὴν Ὀλυμπιάδα καὶ τὰς ἄλλας αἰσχυνθῆναι πανηγύρεις.] Herodot. [6, 103] : Ὀλυμπιάδα ἀνελόμενος. Qui locus Budæo dubitationem de ista signif. tollere potuisset ap. Philostr. [Herodot. 6, 125 : Ὁ Ἀλκμαίων οὗτος οὕτω τεθριπποτροφήσας Ὀλυμπιάδα ἀναιρέεται· 71 : Ὀλυμπιάδα σφι ἀνελόμενος (Demaratus) τεθρίππῳ. Ib. 103 : Τῇ ὑστέρῃ Ὀλυμπιάδι· 7, 206 : Ἦν κατὰ τωὐτὸ Ὀλυμπιὰς ... συμπεσοῦσα.] Suidæ Ὀλυμπιὰς est ipse ἀγὼν, ut mox docebo. || Ὀλυμπιὰς, Olympias, Quadriennium, Quatuor annorum spatium. In VV. LL. tamen dicitur esse Quinquennium : quod certe multi crediderunt. Sed fuit tandem deprehensus hic error quum ab aliis, tum a Glareano; cujus hæc verba sunt (in Chronologia quam in Dionysii H. XI libros Antiquitatum Rom. scripsit) : Olympias spatium est quatuor annorum : quod puto ap. Romanos vocari Lustrum. Et paucis interjectis, Fefellit autem quosdam hic loquendi modus apud Latinos. Quinto quoque anno agon gymnicus totius Græciæ celebrabatur : item quinto quoque anno lustrum Romæ condebatur : ut Olympiada spatium quinque annorum crediderint, atque adeo etiam scriptis prodiderint : non intelligentes, annum quo sequens Olympias incipit, quintum dici annum : qui tamen est primus sequentis Olympiados. Quatuor itaque anni interjacent exceptis iis quibus luditur mensibus. Hæc ille : itidemque alii quidam Olympiadibus quaternos tantum annos ex Eusebio et Solino tribuerunt. Atque ita et ap. Suid. Ὀλυμπιὰς habet quatuor annos (qui tamen non τετραετηρικὸν χρόνον, verum τετραετηρικὸν ἀγῶνα exponit). Eodemque modo ap. Plut. Apophth. [p. 190, D] Agis iis qui Eleos ἐπὶ τῷ καλῶς ἄγειν Ὀλύμπια laudabant, Τί δὲ ποιοῦσι θαυμαστὸν, inquit, εἰ δι' ἐτῶν τεσσάρων μιᾷ ἡμέρᾳ χρῶνται τῇ δικαιοσύνῃ; Computare porro tempus per Olympiadas moris fuit, ut Athen. 14, [p. 635, E] : Ἐγένετο δὲ ἡ θέσις τῶν Καρνείων κατὰ τὴν ἕκτην καὶ εἰκοστὴν Ὀλυμπιάδα. [Hanc Olympiadum computationem quis primus instituerit non constat : nam Xenophontis Historiæ Græcæ 1, 2, 1 insertum Olympiadis 93 numerum alienissimam ab illa ætate referre chronologiam dudum est animadversum : quum ferri possit quod est 2, 3, 1 : Τῷ ἐπιόντι ἔτει, ᾧ ἦν Ὀλυμπιὰς· ipsas enim Olympiades sine numeris cum pancratii in iis victoribus annotaverat etiam Thuc. 3, 8; 5, 49, quum ap. Xenoph., ut ceteros post illum, stadii victores nominentur, ut animadvertit Marx. ad Ephor. p. 78. L. D.] Plut. [Mor. p. 350, F] de Isocrate : Τρεῖς Ὀλυμπιάδας ἀνήλωσεν ἵνα γράψῃ. [|| « Propter quinquennalem ludorum frequentiam, qui ad Olympici agonis imitationem inventi etiam Ὀλυμπιάδες dicebantur, factum tandem ut Ὀλυμπιὰς pro qualicunque victoria, aut adorea et gloria quocunque modo parta poneretur. Philostr. V. Ap. l. 4 : Παρεσκεύαστο δὲ καὶ κατήγορος ἐς αὐτὸν, πολλοὺς ἀπολωλεκὼς ἤδη καὶ τοιούτων Ὀλυμπιάδων μεστός· l. 5 : Τοῦτό σοι πολλῶν μὲν τυραννίδων, πολλῶν δὲ Ὀλυμπιάδων μεῖζον. Niceph. Greg. l. 4 : Καὶ περὶ ὅσων ἄλλων εἰκὸς ἦν περιεργάζεσθαι στρατηγὸν ἄνδρα καὶ πολλῶν Ὀλυμπιάδων τοιούτων μεστόν. » Casaub. ad Sueton. Aug. c. 59.] || Ὀλυμπιὰς dicta fuit et Alexandri Magni mater; idemque nomen et aliæ quædam habuerunt. [Ut ap. Stob. Fl. 11, 2. Fontem Antiochiæ ad Orontem, a matre scilicet Alexandri M. sic dictum, memorant Liban. vol. 1, p. 296, 13, Jo. Malalas p. 234, 12, de quo Müller. Comment. Antioch. p. 22. || Ὀλυμπιὰς, ab Ὄλυμπος ductum, v. in Ὄλυμπος. L. Dind.]

Ὀλυμπίας, Ventus, vide in Ὀλύμπιος.

[Ὀλυμπίασι. V. Ὀλυμπίαζε.]

[Ὀλυμπιεῖον, τό.] Stephano Byz. Ὀλυμπίειον quadrisyllabe [πεντεσυλλάβως], Locus est apud Delum [ἐν Δήλῳ], quem quum Athenienses Adriani sumptibus ædificassent, novas Athenas appellarunt. [Addit autem, ὡς Φλέγων ἐν Ὀλυμπιάδων ιε'. Τὸ ἐθνικὸν Ὀλυμπιεὺς ἢ Ὀλύμπιος ὡς Βυζάντιος. Nullum ejusmodi locum fuisse in Delo, sed Stephani aut Hermolai vel librarii errorem subesse post Salmasium disputavit Dorvill. Misc. Obss. vol. 7, p. 74 sqq., Olympieum quod Athenis a Pisistratidis condi cœptum Hadrianus demum absolvit hæc omnia spectare conjiciens, et ap. Aristot., de quo HSt. :] Ὀλύμπιον, quod Ædificii cujusdam nomen est ap. Aristot. Polit. [5, 11] (cujus Hesych. quoque meminit), ab Ὄλυμπος an ab Ὀλυμπία deductum sit, dubitari potest [(est ab Ὀλύμπιος, cognomine Jovis) p. 75 scribendum monuit Ὀλυμπιείου. Ac τοῦ παρ' Ἀθηναίοις Ὀλυμπιείου mentionem Polybius facit ap. Athen. 5, p. 194, A, ubi Ὀλυμπίου libri duo, ut omnes Platonis Phædr. initio, Dicæarchi fragm. de Græcia item initio, Strabonis 9, p. 396, nisi quod hic nonnulli Ὀλυμπικὸν, quum inter Ὀλυμπίου, Ὀλυμπείου, Ὀλύμπου varient p. 404, unus Plutarchi Solone c. 32, ubi ceteri Ὀλυμπιεῖον, et rursus omnes Luciani Icarom. c. 24, Dionis Cass. 69, 16, quum *Olympieum* sit apud Vellejum Pat. 1, 10, apud alios Latinorum *Olympium*, quæ forma neque apud Græcos ferenda neque apud Latinos. Nec Theophr. C. Pl. 5, 14, 2, Ἐν Κορίνθῳ τὸ Κρανίον καὶ τὸ Ὀλύμπιον scripserat, sed Κράνειον et Ὀλυμπιεῖον, ut Syracusium memorans Thucyd. 6, 64, 65, 70, 75; 7, 4, 37, 42. De quo Livius 24, 33 : « Olympium, Jovis id templum est, MD passibus ab urbe. » Ubi *Olympieum* recte Glareanus, nec quidquam tribuendum locis Diodori duobus 13, 6, et Exc. vol. 2, p. 505, 82, ubi Ὀλύμπιον, quum 16, 68, libri varient inter Ὀλύμπιον et Ὀλυμπεῖον h. e. Ὀλυμπιεῖον, ut ap. Plutarch. Niciæ c. 16, inter Ὀλυμπίου et Ὀλυμπείου. Itaque Pausaniæ, varia Megarorum, Sicyonis, Ephesi memoranti Olympiea, libris variantibus inter Ὀλύμπιον, Ὀλύμπειον, Ὀλυμπεῖον, Ὀλυμπίειον et Ὀλυμπιεῖον 7, 2, 9, ita tamen ut plurimum fidei habeat Ὀλυμπιεῖον, minimum Ὀλύμπιον, etiam 1, 41, 1; 2, 7, 3 pro Ὀλυμπίου et Ὀλύμπιον restitui id in quo omnes 1, 40, 4 conveniunt Ὀλυμπίειον vel Ὀλυμπιεῖον : hunc enim accentum præcipit Theognostus Can. p. 129, 27 : Προπερισπῶνται δ' ὁμοίως (τὰ) διὰ τῆς ει διφθόγγου γραφόμενα καὶ ὅσα ἀπὸ τῶν εἰς ος καθαρῶν τῷ ι παραληγομένων κύρια καὶ κτητικὰ ... οἷον Ἀσκληπιεῖον· Ἀσκληπιὸς γάρ· Ὀλύμπιος, Ὀλυμπίειον, quem Ὀλυμπιεῖον scripsisse apparet, ut Stephanum Byz. in Καπετώλιον, ubi dicit προπερισπᾶσθαι ... Ἀσκληπιεῖον· Ἀσκληπιός γάρ· Πτολεμαιεῖον· Πτολεμαῖος γάρ· Ὀλυμπίεια τὰ Ἀθήνησιν· Ὀλύμπιος γάρ· non Ὀλυμπίεια, sed Ὀλυμπιεῖα. Diserte vero formam Ὀλύμπιον rejicere videtur Photius : Ὀλύμπια, τὰ ἐν Πίσῃ Ὀλύμπια· Ἀθήνησι· καὶ τὸ ἱερὸν Ὀλύμπιον, πεντασυλλάβως, ὡς Ἀσκληπιεῖον, Ἀριστοφάνης (ubi Porsonus non recte Ὀλυμπίειον ... Ἀσκληπίειον), sive scripsit τὰ ἐν Πίσῃ, Ὀλύμπια Ἀθήνησι (ut Hesychius, cujus verba HSt. posuit in Ὀλυμπία), καὶ τὸ ἱερὸν Ὀλυμπιεῖον, sive uterque Ὀλυμπιεῖα Ἀθήνησι, quæ memorantur in inscr. Att. ap. Bœckh. vol. 1, p. 250, n. 157, 19 : Ἐξ Ὀλυμπιείων παρὰ τῶν τοῦ δήμου συλλογέων, ubi item 15 præcesserat ἐξ Ἀσκληπιείων. L. Dind.]

Ὀλυμπικὸς, ή, όν, Olympicus, usurpatur nonnunquam cum subst. ἀγών : vocaturque Ὀλυμπικὸς ἀγὼν, Olympicum certamen. Verum frequentius Ὀλυμπιακὸς dicitur : et quidem rectius, utpote a nomine Ὀλυμπία, de quo supra. [Herodot. 7, 172 : Τὴν ἐσβολὴν τὴν Ὀλυμπικήν· ubi Thessaliæ regio dicitur, ut sit ab Ὄλυμπος.] In Epigr. l. 2 in principio [Lucill. Anth. Pal. 11, 75, 1], Ὀλυμπικὸς appellatur Olympicus pugil. Interdum etiam nomen propr. est Ὀλυμπικὸς quum ap. alios, tum ap. Plut. [Apud quem in Symposs. l. 3 nunc ex libris Parisinis Ὀλύμπιχος. Ὀλυμπικὸς Nicarch. Anth. Pal. 11, 162, 1, in numo Chalcid. Maced. ap. Mionnet. *Suppl.* vol. 3, p. 60, n. 384.]

[Ὀλυμπιοδώρα, ἡ, Olympiodora, n. mulieris in inscr. Att. ap. Bœckh. vol. 1, p. 246, n. 155, 72, ubi ΠΙΟΔ superest nominis muliebris fragmentum.]

[Ὀλυμπιόδωρος, ὁ, Olympiodorus, n. viri, Attici ap. Herodot. 9, 21, archontis ol. 121, 3, ap. Pausan. 1, 25, 2, et alibi, Dionys. Hal. vol. 5, p. 651. Aliorum ap. Demosth. p. 1167 sqq., Byzantii ap. Polyb. 4, 47, 4, in numis Byzantii, Clazomenarum, Laodiceæ Phryg. ap. Mionnet., et in inscrr. nonnullis. Scriptores ejus nominis plures v. ap. Fabric. B. Gr.]

[Ὀλύμπιον. V. Ὀλυμπιεῖον. Oppidum Olympium memorat Athen. 1, p. 30, A.]

Ὀλυμπιονίκης, ὁ, (quod et post Ὀλυμπιὰς collocari potuit), Olympiorum victor, Victor in Olympiis, Olympiacus victor. Retinetur vero et Græca vox a Latinis, scribentibus Olympionices. [Pind. Ol. 8, 18 : Θῆκεν Ὀλυμπιονίκαν· 10, 7 : Ἀφθόνητος αἶνος Ὀλυμπιονίκαις οὗτος ἄγκειται· Pyth. 10, 13 : Πατρὸς Ὀλυμπιονίκα· et adjective Ol. 3, 3 : Ὀλυμπιονίκαν ὕμνον· 7, 88 : Ὕμνου τεθμὸν Ὀλυμπιονίκαν· 11, 1 : Τὸν Ὀλ. παῖδα· et 4, 9 : Οὐλυμπιονίκαν κῶμον, quæ forma est etiam Ol. 6, 4. Altera ap. Simonid. Anth. Plan. 2, 1, Xen. H. Gr. 2, 4, 33, et alios.] Plato De rep. 5, [p. 465, D] : Ζήσουσί τε τοῦ μακαριστοῦ βίου, ὃν οἱ Ὀλυμπιονῖκαι ζῶσι, μακαριώτερον. Frequens est et ap. alios. [Contra quam ap. Plat. Liban. Epist. 539, p. 263 : Εἰ δ' οὖν καὶ τῶν Ὀλυμπιονικῶν ἐπιπονώτερον ἄθλων, οὐ νῦν πρῶτον ὑπὲρ ἡμῶν ποιήσεις. || Forma Ὀλυμπιόνικος, ὁ, ἡ, Pind. Nem. 6, 17 : Κεῖνος Ὀλυμπιόνικος ἐών· Ol. 5, 21 : Σέ τ', Ὀλυμπιόνικε· 14, 19 : Ὀλυμπιόνικος ἁ Μινυεία. Sed ap. Galen. vol. 5, p. 252 : Οὐ μόνον οὐκ ἂν ἕλοιτο νίκην Ὀλυμπιονίκην, scribendum Ὀλυμπιακήν. Nihil certe præsidii in gl. Etym. Havn. ap. Bloch. ad Etym. M. p. 987 : Ὀλυμπιονίκη, ἡ πανήγυρις καὶ Ὀλυμπιονίκης ὁ γενναιότατος ἢ ὁ στεφθείς. L. Dind.]

[Ὀλυμπιόνικος, ὁ, Olympionicus, n. viri, ap. schol. Theocr. 1, 121. L. Dind.]

Ὀλύμπιος, α, ον [et ὁ, ἡ, Lycophr. 564 : Ὀλύμπιοι πλάκες], Olympius, Olympum incolens s. habitans : Ὀλ. Ζεὺς, ap. Homerum [et Hesiodum, Pindarum aliosque poetas], perinde ac si diceremus Cœlicolam Jovem, (ut Olympum pro Cœlo accipi dicemus. Ab Hesych. Ὀλύμπιος exp. οὐράνιος, i. e. Cœlestis). Il. A, [508] : Ἀλλὰ σύ πέρ μιν τῖσον, Ὀλύμπιε μητίετα Ζεῦ. Apud Eundem [et Hesiodum Op. 472, Theog. 390] extat et Ὀλύμπιος sine adjectione pro Jove. [Lucian. De m. Peregr. c. 4 : Ἀνταγωνίσασθαι καὶ αὐτῷ τῷ Ὀλυμπίῳ δυνάμενον.] Sic Ὀλύμπιοι θεοὶ, Aristoph. [Thesm. 960], nec non Ὀλύμπιοι sine adjectione, ap. Hom. : qui alibi [ab eod. et Hesiod. Op. 81 etc.] dicuntur Ὀλύμπια δώματ' ἔχοντες. [Ὀλύμπιος de Jove et Ὀλύμπιοι vel Ὀλύμπιοι θεοὶ frequenter dicunt etiam Tragici et Aristophanes, apud quem Thesm. 333, Av. 867 est etiam fem. de deabus. Γῆ Ὀλυμπία ap. Pausan. 1, 18, 7, Plut. Thes. c. 27.] Sed ap. Eund., Ὀλύμπιοι ἄλλοι, quidam exp. οἱ Τιτᾶνες. Isocr. [p. 106, B] : Τῶν θεῶν τοὺς αἰτίους ἡμῖν ἀγαθῶν ὄντας appellatos esse ait Ὀλυμπίους. Adjective Ὀλύμπιον, Cœleste, ut Ὀλύμπιον δῶμα, Cœleste domicilium. Sed ap. Hom. potius pluraliter Ὀλύμπια δώματα. At vero Musæ Ὀλυμπιάδες [ap. Hesiod. Th. 25, 52, 966, 1021] vel tanquam

A filiæ Jovis Ὀλυμπίου : vel tanquam, Ὀλύμπια δώματ' ἔχουσαι. Eust. [Hesiod. ap. Pausan. 9, 40, 6 : Ἦν δ' εἶδος Ὀλυμπιάδεσσιν ὁμοίη.] Invenitur etiam Ῥείας Ὀλυμπιάδος, in Epigr. Item Soph. [Aj. 887], Ὀλυμπιάδων θεῶν, quod exp. οὐρανίων. [Immo Ὀλ. θεᾶν, de nymphis montis Olympi.] || Ὀλύμπιος dictus fuit Pericles, secundum quosdam, ἀπὸ τῆς ἐν τῇ πολιτείᾳ καὶ ταῖς στρατηγίαις δυνάμεως, ut scribit Plut. in ejus Vita [c. 8], quem consule. Extat hoc cognomentum ap. Aristoph. Ach. [530. Diod. 12, 40, Lucian. Imagin. c. 17, cum annot. Grævii. Item imperatores Romani, ut Hadrianus et Commodus in numis Cyzici et Ephesi. V. Mionnet. *Suppl.* vol. 9, p. 268, Bœckh. C. I. vol. 2, p. 723, n. 3174, ubi Ἀδριανῷ Ὀλυμπίῳ. Item Byzantini, ut ap. Constantin. Cærim. p. 204, A, B. Hinc εἰς τὸν Ὀλύμπιον οἶκον αὐτῶν, de domo Cæsarea, in inscr. Att. imperatoria ap. Bœckh. vol. 1, p. 418, n. 353, 36. L. D.] || Ὀλύμπιος est etiam nomen propr., ut te docebit Thes. L. Lat. a patre meo editus, in nomine Olympius. Sed in iis quæ ex Suida ibid. afferuntur, male Olympius pro Olympus scriptum est.

B [Frequentissimum est in epistolis Libanii.] || Ὀλύμπιος denique est etiam Venti nomen ap. Hesych. Sed hic ventus Ὀλυμπίας ab Aristot. De mundo [c. 4, et Meteor. 2, 6] appellatur, aliisque nominibus ἀργέστης, et Ἰάπυξ. Poniturque in numero τῶν ἐναντίων ζεφύρων, a solstitiali occasu flans, ut Zephyrus ab æquinoctiali. Hesychio autem [qui poetæ fortasse verba ponit Ὀλυμπίου πνοαί] ventus Ὀλύμπιος est Zephyrus qui ab Olympo flat. Sed Ὀλυμπίας, non Ὀλύμπιος, ap. Theophr. quoque scriptum est, C. Pl. 5, 16 [12, 4 Schn., H. Pl. 4, 14, 11, fr. 5 De ventis 62]. Itidemque a Plin. Olympias appellatur, 2, 47 : Sunt etiam quidam peculiares quibusque gentibus venti, non ultra certum procedentes tractum, ut Atheniensibus Sciron, paulum ab Argeste deflexus, reliquæ Græciæ ignotus. Alicubi elatior idem Olympias vocatur. Fuerunt etiam ὄρη quædam παρὰ Νικαεῦσι dicta Ὀλύμπια. Eust. [Il. p. 38, 29. Λᾶαν Ὀλύμπιον memorat Orph. Lith. 682. De Ὀλύμπιος et Ὀλύμπια ab Ὀλυμπία ductis v. in Ὀλυμπία.]

C [Ὀλυμπιοσθένης, ους, ὁ, Olympiosthenes, statuarius, ap. Pausan. 9, 30, 1.]

[Ὄλυμπις, n. viri, ut in numo nescio quo lectum ponit Mionnet *Descr.* vol. 1, p. 139. Est etiam Ολυμπις Υπερβολου in inscript. Messan. ap. Castellum Sicil. inscrr. Nov. Coll. p. 9, 1, qui Ὁ Λύμπις legit.]

[Ὀλύμπιχος, ὁ, Olympichus, n. viri de quo v. Etym. M. p. 582, 39, in numo Dyrrhachii Illyr. ap. Mionnet. *Suppl.* vol. 3, p. 350, n. 292, et fortasse restituendum ibid. p. 341, n. 211, ubi ΟΙΓΛΓΙΧ., Ephesi ib. p. 85, n. 167. Item in inscrr. Att. ap. Bœckh. vol. 1, p. 161, n. 120, 4; p. 297, n. 168 b, 5. Alii ap. Demosth. p. 1310, 23, Polyb. 5, 90, 1; 27, 1, 9, Athen. 11, p. 502, D. Conf. Ὀλυμπικὸς· in fine. Patron. Ὀλυμπίχιος in inscr. Delph. Mus. Rhen. novissimi n. 8, p. 109 bis. L. Dind.]

[Ὀλυμπίων, ωνος, ὁ, Olympio, nom. viri in inscr. Acarnan. ap. Bœckh. vol. 2, p. 1, n. 1793 a, 9. Legati Genthii Illyrici ap. Polyb. 29, 2, 6; 3, 6.]

D [Ὀλυμπόθεν, Ex Olympo. Schol. Harlej. Hom. Od. E, 293, ap. Cram. An. Paris. vol. 3, p. 447, 29 : Οὐκ εἶπε ὀρώρει Ὀλυμπόθεν. || Forma Οὐλυμπόθεν est ap. Pind. Pyth. 4, 214. L. Dind.]

Ὄλυμπος si quidem prima signif. de Cœlo dicatur (ut passim a poetis hoc significatum illi tribui videmus), quæ ab Aristot. quoque traditur etymologia, convenire illi merito dicetur : nimirum ut Ὄλυμπος dictus sit quasi ὁλόλαμπος : sin vero putemus nomen hoc Ὄλυμπος monti cuidam impositum primo fuisse, deinde Cœlum id accepisse, quod mons ille cœlum altitudine æquare videretur, aliud etymum quærendum fuerit. Hoc autem potius quam illud credemus, si fidem grammaticis adhibere velimus : ex quibus Eust. quiddam etiam tertium quodammodo afferre videtur, ut mox docebo.—Ὄλυμπος, ὁ, Thessaliæ mons altissimus. Hom. Od. Λ, [314] de Oto et Ephialte gigantibus : Ὄσσαν ἐπ' Οὐλύμπῳ μέμασαν θέμεν· αὐτὰρ ἐπ' Ὄσσῃ Πήλιον εἰνοσίφυλλον, ἵν' οὐρανὸς ἀμβατὸς εἴη·

sic enim leg. est Οὐλύμπῳ, cum ου, non Ὀλύμπῳ, ut stet versus. Habetque et mea edit. lectionem illam, non hanc, repugnantibus alioqui plerisque edd. : quarum ex numero est ea, quæ Eustathii Commentarios, insertos habet. [Forma Οὔλυμπος (de qua HSt. in Ind. : « Οὔλυμπος, poetice pro Ὄλυμπος, metri causa. Et Οὔλυμπόνδε pro Ὀλυμπόνδε s. εἰς Ὄλυμπον, In Olympum s. cœlum. Hom. Il. A, [221] : Οὔλυμπόνδε βεβήκει »), est etiam quum aliis multis locis Epicorum tum ap. Pind. Ol. 13, 88, Nem. 10, 84 etc., Eurip. Herc. F. 872, Iph. Aul. 578, et Herodotum, cujus libri tamen variant inter hoc et quod ab eo alienum Ὄλυμπος.] Interpretatus est autem versus istos Virg. Georg. 1, [281]: Ter sunt conati imponere Pelio Ossam, Scilicet atque Ossæ frondosum involvere Olympum. Quibus in Il. convenit inter scholiastas de Olympo, montem esse Macedoniæ; nam et Serv. in illum Virgilii locum id testatur. Sed de ceteris nominibus aliqua inter illos est dissensio. Quum enim et Pelion et Ossa Thessaliæ montes esse tradant quum alii, tum enarratores Homeri, Servius Pelion Thessaliæ, Ossam Thraciæ attribuit. Ceterum quamvis dixerim de Olympo convenire inter scholiastas, Macedoniæ montem esse, non desunt tamen qui Thessaliæ ascribant. Atque adeo Eust. in Dionysii P. poema, vult Ὄσσαν et Ὄλυμπον ap. Hom. vel Macedonicos vel Thessalicos montes esse. Quidam vero Olympum proprie montem Macedoniæ vel Thessaliæ appellari posse negarunt, quippe qui inter utramque situs sit. [De Olympo hoc v. Eust. Opusc. p. 359, 77 sq. Eur. Tro. 215 : Τὰν Πηνειοῦ σεμνὰν χώραν, κρηπῖδ' Οὐλύμπου καλλίσταν.]

|| Ὄλυμπος, Mysiæ mons. Sed observavi dici potius cum additione nominis adjectivi Μύσος : licet Steph. Byz. ea de re non admoneat : scribens duntaxat Ὄλυμπον esse montem Mysiæ, et auctorem citans Arrianum, Bithyn. 1. Sic certe ap. Callim. non Ὀλύμπῳ simpliciter legitur, sed Ὀλύμπῳ Μυσῷ, discriminis causa, Hymn. in Dian. [117] : Ποῦ δ' ἔταμες πεύκην, ἀπὸ δὲ φλογὸς ἥψαο ποίης Μυσῷ ἐν Οὐλύμπῳ. Annotatque in hæc verba schol., esse etiam Macedoniæ. Intelligens nimirum, addi Μυσῷ, ea de causa quam dixi : ut sc. discernatur a monte Macedoniæ. Sic certe ap. Xen. et Athen. adjectivum illud additum observavi; sed τετρασυλλάβως scriptum Μύσιον, non Μυσόν. Legimus enim ap. Xen. Cyneg. p. 581 meæ ed. [c. 11, 1] : Τὰ δ' ἐν τῷ Ὀλύμπῳ τῷ Μυσίῳ καὶ ἐν Πινδῷ, τὰ δ' ἐν τῇ Νύσῃ τῇ ὑπὲρ τῆς Συρίας. Loquitur autem περὶ τῶν θηρίων, i. e. De feris, quæ his in montibus capiuntur. Apud Athen. vero extat illa Ὀλύμπου τοῦ Μυσίου appellatio, 2, [p. 43, A] : Ἐν δὲ Προύσῃ τῇ πρὸς τὸν Μύσιον Ὄλυμπον. [Herodot. 1, 36 : Ἐν τῷ Μυσίῳ Οὐλύμπῳ· quod 43 dicit τὸν Οὔλυμπον τὸ ὄρος.] Debuit igitur Steph. Byz. aliter de nomine Ὄλυμπος scribere : sc. Olympum antiquitus quidem fuisse dictum peculiariter Macedoniæ montem, postea vero et quendam Mysiæ hoc nomen accepisse; sed discriminis causa dictum cum adjectione fuisse Ὄλυμπον τὸν Μύσιον, s. τὸν Μυσόν. Sed et aliquot alios nomen idem habuisse, quidam tradiderunt, ut in proxime sequentibus docebo.

|| Ὄλυμπος non solum est Macedoniæ mons (vel Thessaliæ, ut quidam tradiderunt, Herodoti testimonio nitentes [Thuc. 4, 78 : Δῖον, ὃ ὑπὸ τῷ Ὀλύμπῳ Μακεδονίας πρὸς Θεσσαλοὺς πόλισμα κεῖται. Polyb. 37, 1, 15, ap. Steph. Byz. in Μουσεῖον, ponit in Macedonia, Theophr. autem H. Pl. 3, 15, 5, Μακεδονικὸν, 3, 2, 5 et 4, 5, 4, Πιερικὸν, primoque et tertio loco etiam Μύσιον memorat]), mons item Mysiæ, sed alii præterea idem nomen habere feruntur : quidam in Gallogræcia, vel Cypro : quidam, ad mare Rubrum, in Æthiopia, haud longe ab Heliopoli oppido, qui oriente sole usque ad quintam diei horam flammas emittit. Hæc in Thes. L. Lat. edito a patre meo annotata invenio. Sed et alios quosdam hoc nomen sibi vindicare testantur quum alii, tum Eust. ex Strab. [cujus locos plurimos de variis hujus nominis montibus, quibus accedit Lycius etiam Φοινικοῦς dictus 14, p. 666, et Pisatidis 8, p. 356, v. in ind.]; in illud enim hemistichium libri Il. A, Ὀλύμπια δώματ' ἔχον-

A τες (quod et alibi reperitur), postquam dixit Olympum ap. poetam esse montem Macedoniæ, vel Thessaliæ, juxta Herodot. [1, 56; 7, 128, etc.], et quædam alia de hoc monte dixit, subjungit alios quoque Olympos esse : quendam in Peloponneso [Laconiæ, ap. Polyb. 2, 65, 8 sqq., 5, 24, 9], sicut in Comm. εἰς τὸν Περιηγητὴν scriptum fuerit : quoddam item in Cypro esse ὄρος μαστοειδὲς, inter Citium et Amathuntem. Quin etiam quandam ἀκρώρειαν Cypri hoc nomine vocatam fuisse, in qua fuerit templum Veneris Ἀκραίας, ad quod accessus mulieribus non patuerit. Insuper περὶ τὰς ἀκρωρείας Tauri montis fuisse quendam Ὄλυμπον montem, et φρούριον : unde conspici totam Lyciam et Pamphyliam et Pisidiam, teste Strab. [14, p. 671, quem citat etiam Steph. Byz., qui hujus quoque gent. dicit Ὀλυμπηνοί] (quem Γεωγράφον nuncupat). [Lysiæ urbem Olympum memorat Strab. 14, p. 665, 666.] Jam vero et quatuor Idæ λόφους, dictos fuisse Ὀλύμπους. Denique fuisse et Bebrycum montem Ὄλυμπον, cujus ἐθνικὸν nomen Ὀλυμπινοί. Hæc Eust.,
B cujus Commentariorum in Dionys. P. locus, ad quem nos remittit, extat p. 67 ed. patris mei [ad v. 809, ubi Ὀλυμπηνοὶ Μυσοί]. Ceterum quamvis multos montes hoc nomen sibi vindicantes ex aliis enumerarim, unum tamen addere illis possum. Siquidem et quendam Lydiæ montem ap. Athen. Ὄλυμπον dictum invenio, ex Aristone, l. 2, [p. 38, F] : Διὸ καὶ τὸ καλούμενον νέκταρ κατασκευάζειν τινὰς περὶ τὸν Λυδίας Ὄλυμπον, οἶνον καὶ κηρία συγκιρνάντας εἰς ταὐτὰ καὶ τὰ τῶν ἀνθῶν εὐώδη. Ceterum quod dixi de Myso Olympo, eum sc. non sine adjectione solitum nominari, majori cum ratione locum hic habere potest, quum post Olympum Macedonicum s. Thessalicum, nullum Mysio celebriorem fuisse constet : adeo ut si cum adjectione nominari necesse habuerit, multo etiam magis similem adjectionem ceteri desiderarint.

|| At vero nomen Ὄλυμπος, quod dictum esse fertur quasi ὁλόλαμπος, est appellativum : quo significatur Cœlum, non minus ap. Græcos poetas quam ap. Latinos (præsertimque Virg.), duntaxat terminatio-
C nem Græcam more suo in Latinam mutantes. Esse autem Olympum sedem ac domicilium deorum, testatur Hom., quum alibi, tum Il. E, [360] : Ὄφρ' ἐς Ὄλυμπον ἵκωμαι, ἵν' ἀθανάτων ἕδος ἐστί. Sed hunc Olympum, domicilium deorum, illum ipsum esse montem Macedoniæ s. Thessaliæ, quidam tradiderunt : quod Homerus interdum uno eodemque in loco Ὀλύμπου et οὐρανοῦ mentionem faciat. Ὄλυμπος, inquit Eust., ap. Poetam Mons est altissimus Macedoniæ; vel Thessaliæ, teste Herodoto : domicilium deorum, ut vult fabulæ licentia : unde sunt dicti Ὀλύμπιοι. At vero allegoria Ὄλυμπον appellat τὸν οὐρανὸν (i. e. Cœlum), quasi ὁλόλαμπον : ideoque fortasse fabula non alium montem quam Olympum illis tribuit, quod posset εἰς τὸν λαμπρὸν οὐρανὸν συμβιβάζεσθαι, per ἀνάπτυξιν nominis. Videtur autem ex ὁλόλαμπος factum esse, detracta per sync. syllaba λα, et mutato posteriore ο in υ, Æolice : ut pro ὄνομα dicitur ὄνυμα : unde est ὀνυμαίνω pro ὀνομαίνω. Hinc etiam fit ut tenui spiritu notetur Ὄλυμπος : quod tenui spiritu
D Æoles gaudeant. Idem in hunc locum ejusd. poetæ, qui legitur Il. E, [749] : Αὐτόμαται δὲ πύλαι μύκον οὐρανοῦ, ἃς ἔχον Ὧραι, Τῇς ἐπιτέτραπται μέγας οὐρανὸς Οὔλυμπός τε, Ἠμὲν ἀνακλῖναι πυκινὸν νέφος, ἠδ' ἐπιθεῖναι, annotat vel οὐρανὸς et Οὔλυμπος pro una eademque re poni ἐκ παραλλήλου, idque κατὰ ἀλληγορικὴν ἀλήθειαν : vel, sicut alibi, Ὄλυμπον quidem esse intelligendum τὸ Μακεδονικὸν ὄρος : at οὐρανὸν, τὸν ὑπὲρ τὰ νέφη τόπον : quippe qui interdum quidem claudatur nubibus, velut portis, interdum contra aperiri videatur. Sed quum hic duas exposs. afferat istorum nominum, et earum priorem ἐκ παραλλήλου positam videri tradat, alibi posterioris tantum meminit: Π, [356] : Ὡς δ' ὅτ' ἀπ' Οὐλύμπου νέφος ἔρχεται οὐρανὸν εἴσω Αἰθέρος ἐκ δίης, ὅτε τε Ζεὺς λαίλαπα τείνει. Hic enim nobis observandum proponit manifestum Ὀλύμπου et οὐρανοῦ et αἰθέρος discrimen : siquidem Ὄλυμπον appellari ipsum montem : οὐρανὸν autem, τὸν λιμνάζοντα ἀέρα καὶ παχὺν : at αἰθέρα dici τὴν ἄνω κυκλοφορίαν, τὴν αἰτίαν τῆς ποιᾶς τῶν ἀνέμων κινήσεως,

ut nimirum sit hic sensus, ἐξ Ὀλύμπου τοῦ ὄρους λαῖλαψ νεφώδης εἰς ἀέρα ἔρχεται, ἄνωθεν λαβοῦσα τὸ ἐνδόσιμον· Aut simplicius, inquit, possumus per ætherem intelligere τὴν αἰθρίαν καὶ εὐδίαν: ut sit sensus, νέφος ἐξ Ὀλύμπου εἰς οὐρανὸν ἔρχεται μετὰ εὐδίαν. [V. Dorv. ad Charit. 8, 8, p. 759 sq. (664 sq.) Valck. Ὄλυμπος de cœlo ceteri post Hom. et Hesiodum poetæ, ut Tragici, Æsch. Prom. 149: Νέοι γὰρ οἰακονόμοι κρατοῦσ' Ὀλύμπου· Soph. OEd. C. 1655: Τὸν θεῶν Ὄλυμπον· OEd. T. 867: Νόμοι, ὧν Ὄλυμπος πατὴρ μόνος, οὐδέ νιν θνατὰ φύσις ἀνέρων ἔτικτεν· 1088: Οὐ τὸν Ὄλυμπον· Ant. 758: Οὐ τόνδ' Ὄλυμπον· et Eurip. In Ind.:] Ὀλυμπόνδε, In Olympum s. cœlum. [Οὐλυμπόνδε Hom. Il. A, 221, etc., Pind. Ol. 3, 38, Isthm. 3, 73, et sæpius Apoll. Rh.]

|| Ὄλυμπος quidam olim pro diversa signif. accentu diverso notarunt, ut ex Servii verbis (aut certe auctoris Commentariorum qui Servio ascribuntur, quicunque is sit,) colligi potest. In hunc enim versum Virg. Æn. 3 fin. [2, 779], Haud ille sinit superi regnator Olympi, hæc scribit: Cur in penultima accentus sit, manifesta est ratio apud Latinos: quanquam Græci discretionem velint per accentum facere montis et cœli: quod superfluum est. Idem in Æn. 4, [268]: Ipse deum tibi me claro demittit Olympo Regnator, hæc annotat: Olympus quasi Ololampus dictus est: sive mons sit Macedoniæ, (qui dicitur esse deversorium deorum,) sive cœlum. Unde addidit Claro: ut Plemmyrium undosum. Accentus sane Græcus tunc potest esse, si sit Græca declinatio: ut Ὄλυμπος, Ὀλύμπου. Nam Latine Olympi.

|| Ὄλυμπος est etiam nomen præstantissimi tibicinis Mysi, s. Phrygis, qui Marsyæ discipulus fuit, ut scribit schol. Aristoph. Eq. init. [9]: Ξυναυλίαν κλαύσωμεν, Ὀλύμπου [Οὐλύμπου] νόμον, ubi idem schol. ait eum composuisse αὐλητικοὺς καὶ θρηνητικοὺς νόμους, Tibiales et lugubres modos. Paulo post addit, eum fuisse ἄριστον περὶ τὴν αὐλητικήν: et eum quoque δυστυχῆσαι διὰ μουσικήν. A Polluce [4, 78 sq.] Ὀλύμπου νόμοι quidam ἐπιτύμβιοι vocantur, quasi qui super sepulchro canerentur. Idem Poll. scribit hujus Olympi famulum, et discipulum, nec non amasium fuisse quendam Hieraca: a quo sit dictus Ἱεράκιος νόμος. Plato in Minoe [p. 318, B] Olympum hunc Phryga Marsyæ παιδικὰ appellat. [Cum Marsya conjungitur etiam Leg. 3, p. 677, D, et Marsyæ discipulus vocatur Conviv. p. 215, C. Conf. Μαρσυας. Herculis et Eubœæ f. memoratur ap. Apollod. 2, 7, 8, 4.] Ceterum ab hoc Olympo dictus est Olympus mons quidam Mysiæ, si Suidæ credimus: quem vide. Commemorantur etiam Ὀλυμπηνοὶ Mysi, sive Ὀλύμπιοι, quum ab aliis, tum ab Eust. in Dionys. [809, et Il. p. 364, 14. Pro quo Ὀλυμπιηνοὶ ap. Herodot. 7, 74, quod Ὀλυμπηνοὶ scribendum videtur, de quo monuit jam Wessel. Ὀλυμπηνὸς est in inscr. ap. Bœckh. vol. 2, p. 707, n. 3142, 42, ap. Strab. 12, p. 566, 576. Ολυμπη, Ολυμπ, Ολ Λυκιων in numis Olympi Lyciæ, v. ap. Mionnet. *Suppl.* vol. 7, p. 17.]

[Ὀλυμπούσης Thespiadis mentionem facit Apollod. 2, 7, 8, 5.]

[Ὀλυνθάζω.] Ab ὄλυνθος est verbum Ὀλυνθάζειν, ut ἐρινάζειν ab ἔρινον. Id, sicut idem ἐρινάζειν, exp. Caprificare, ap. Theophr. C. Pl. 2, 13 [9, 15]: Τὸ δ' ἐπὶ τῶν φοινίκων συμβαῖνον, οὐ ταυτὸν μὲν (sc. τῷ ἐρινάζειν ἐστὶν), ἔχει δέ τινα ὁμοιότητα τούτῳ· διὸ καλοῦσιν ὀλυνθάζειν αὐτούς. Cujus loci expositio petenda ex H. Pl. 2, fine [8, 4]. Ibi enim scribit, quod auxilium ficubus est a caprificis, id esse palmis feminis a masculis; nam ὅταν ἀνθῇ τὸ ἄῤῥεν, ἀποτέμνεσθαι τὴν σπάθην, ἐφ' ἧς τὸ ἄνθος, εὐθὺς ὥσπερ ἔχει, τόν τε χνοῦν καὶ τὸ ἄνθος καὶ τὸν κονιορτὸν κατασείεσθαι κατὰ τοῦ καρποῦ τῆς θηλείας· κἂν τοῦτο πάθῃ, διατηρεῖν ἐκπέττειν τε καὶ οὐκ ἀποβάλλειν τὸν καρπόν· idque ex similitudine τῶν ἐριναζομένων σύκων dici ὀλυνθάζειν.

[Ὀλυνθηφόρος. V. Ὀλυνθοφόρος.]

[Ὀλυνθιακὸς, ή, όν. V. Ὄλυνθος, ἡ. Ὀλυνθιακὸς, ὁ, fluvius Macedoniæ ap. Athen. 8, p. 334, E.]

Ὄλυνθος, ὁ, Grossus, [Grassus, Grasum, et Bolunda, Bolundus, Gl.] h. e. Ficus immatura, τὸ μὴ πεπαμμένον σύκον Hesychio. Theophr. [C. Pl. 5, 9, 12]: Συμβαίνει δὲ τότε τὰ ἐρινὰ ἀποῤῥεῖν καὶ τοὺς ὀλύνθους. Galen. Simpl. 8: Τὰ δὲ τῶν ἐρινεῶν σύκα δριμείας ἐστὶ καὶ διαφορητικῆς δυνάμεως· οὕτως καὶ τῶν ἡμέρων οἱ ὄλυνθοι. Democritus in Geopon. 10, [51, 4]: Εἰ δὲ θέλεις πρὸ τοῦ καιροῦ ἐσθίειν σύκα, κόπρον περιστερῶν καὶ πέπερι μίξας ἐλαίῳ, ἐπίχριε τοὺς ὀλύνθους· Palladius: Ut ficus cito matures, succo cæpæ longioris cum oleo et pipere mixto unge poma, quando grossi incipiunt subrubere. Diosc. 1, 186, τοὺς ὀλύνθους a quibusdam dicit vocari ἐρινεούς: quum Theophr. et Galenus manifeste inter eos distinguant. Ibid. ἑφθοὶ ὄλυνθοι, et ὠμοὶ ὄλυνθοι, ut Coctæ grossi et Crudæ grossi ap. Plin. 23, 7. Notandum porro, Theophrastum ὄλυνθος accipere etiam pro Ficuum genere, quod vel penitus non maturescat, vel saltem ad perfectam maturitatem non perveniat. Ita enim ille, C. Pl. 5, 1, [8]: Οἱ δ' ὄλυνθοι, συνεργούσης ἤδη τῆς χώρας, πεπαίνονται μέχρι τινὸς, Aliquatenus maturescunt, non penitus: et quidam ita ut etiam edules sint. Nam paulo post subjungit: Ὅλως δὲ πολυειδές τι τὸ τῶν συκῶν ἐστίν· αἱ μὲν γὰρ, ὀλυνθοφόροι μόνον, σύκα δὲ οὐ φέρουσιν, οἷον αἱ τοὺς λευκοὺς ὀλύνθους φέρουσαι τοὺς ἐδωδίμους· ἕτεραι δὲ φέρουσι καὶ σύκα καὶ ὀλύνθους μέλανας, ἀβρώτους ἢ καὶ ἐδωδίμους. Sic ap. Latinos, grossi quidam penitus non maturescunt, quidam aliquam maturitatem consequuntur. Plin. 13, 7, de ficu Ægyptia: Fructus quaternos fundit; toties et germinat; sed grossus ejus non maturescit nisi incisura emisso lacte. Idem 15, 18: Deprehensas in his hyeme grossos. Ejusmodi grossos nunquam maturescentes, appellat etiam Abortus, 16, 25: In ficis mirabiles sunt et abortus, qui nunquam maturescunt. [Alios locos Theophr. v. ap. Schneid. in Ind.] Ceterum quos Theophr. ὀλύνθους vocat, eum Grossos intelligere, patet ex hoc Theophr. loco, quem Athen. 3, [p. 77, F] affert ex φυτικῆς ἱστορίας l. 2: Ἔστι καὶ ἄλλο γένος συκῆς ἔν τε τῇ Ἑλλάδι καὶ περὶ Κιλικίαν καὶ Κύπρον, ὀλυνθοφόρον· ὃ τὸ μὲν σύκον ἔμπροσθεν φέρει τοῦ φύλλου, τὸν δὲ ὄλυνθον ἐξόπισθεν· eum enim sic interpr. 16, 26: Insigne proditur in quodam genere Ciliciæ, Cypri, Helladis, ficus sub folio, grossos vero post folium nasci. Quo in loco, ut et in præcedente, nota compos. Ὀλυνθοφόρος, Ferens grossos s. abortus. [Herodot. 1, 193: Ψῆνας φορέουσι, καθάπερ οἱ ὄλυνθοι. « Hippocr. p. 566, 37: Τὸ ἀπὸ τῶν ὀλύνθων, Grossorum succus; et 568, 48: Ὀλ. χειμερινοί· p. 574, 23, et p. 627, 33; 641, 43. Ὀλ. ἔρινοι etiam dicuntur Hipp., ut p. 639, 53, qui et ἔρινοι aut ἐρινεοὶ vocantur etiam Dioscor. 1, 186. » Foes. Hesiod. fr. ap. Strab. 14, p. 642. Lycophr. 428: Ὅτ' εἰς ὄλυνθον δῆριν ἑλκύσας σοφὴν τὸν ἀνθάμιλλον· et ib. 980. Eratosthen. c. 41: Συκῆν ὀλύνθους ἔχουσαν, citat Valck. L. D. Ὄλονθος constanter scribi in vetustissimis Athenæi codd. monui ad l. 3, p. 76, E; 77, F; 14, p. 651, C. Schweigh.]

[Ὄλυνθος, ἡ, Olynthus. Πόλις Θράκης πρὸς τῇ Σιθωνίᾳ τῆς Μακεδονίας, ἀπὸ Ὀλύνθου τοῦ Ἡρακλέους. Ὁ πολίτης Ὀλύνθιος καὶ Ὀλυνθία, Steph. Byz. Memorant præter Strab. ll. pluribus, Herodot. 7, 122; 8, 127, Thuc. 1, 63, et alibi, qui etiam gent. Ὀλύνθιοι habet 5, 39, utrumque sæpe Xen. in H. Gr. et Anabasi, et qui cognominem oppido f. Eionei memorat Conon Narrat. 4, ap. Phot. Bibl. p. 131, 20-31, et Demosth. in orationibus Olynthiacis, aliique. Ὀλυνθινων (sic) est in numo Sestinii ap. Mionnet. *Suppl.* vol. 3, p. 84, n. 518. Adj. Ὀλυνθιακὸς est ap. Demosth. in orationibus sic inscriptis.]

[Ὄλυνθος, ὁ, Olynthus, f. Herculis, ap. Athen. 8, p. 334, E. V. Ὄλυνθος, ἡ.]

[Ὀλυνθοφορέω.] At verbo Ὀλυνθοφορεῖν, Grossos s. Abortus ferre, utitur Theophr. H. Pl. 3, 8 [7, 3]: Συκῆ καὶ τὰ ἔρινα τὰ προαποπίπτοντα, καὶ εἴ τινες ἄρα τῶν συκῶν ὀλυνθοφοροῦσιν.

[Ὀλυνθοφόρος. V. Ὄλυνθος sub finem. Forma Ὀλυνθηφόρος ap. Zenob. 2, 23.]

Ὄλυνος, Hesychio τὸ ἀπότριμμα καὶ ἀποκάθαρμα, Ramentum, Purgamentum.

Ὄλῡρα, ἡ, [Far, Ador, Siliga, Spelta, Gl.] Hesychio species est seminis mediæ inter frumentum et hordeum naturæ. Addit, quosdam eandem esse velle cum τῇ ζεᾷ s. ζειᾷ. [Sic etiam Photius aliique.] Cum iis

Galenus facit, ζειὰς ap. Hippocr. exponens ὀλύρας. Necnon Dioscor. 2, 113, scribit τὴν ὀλύραν esse ἐκ τοῦ αὐτοῦ γένους τῆς ζειᾶς, itidemque ἀρτοποιεῖσθαι, et κρίμνον ἐξ αὐτῆς γίνεσθαι, sed ἀτροφωτέραν κατὰ ποσὸν εἶναι. Et Herodot. 2, p. 65 [c. 36], de Ægyptiis loquens: Ἀπὸ ὀλυρέων ποιεῦνται σιτία, τὰς ζέας μετεξέτεροι καλέουσι· indicans et ipse zeam cum olyra esse eandem. [Conf. ib. 77.] Sic Hom. etiam Od. Δ, [40] dicit, Καὶ τοὺς μὲν κατέδησαν ἐφ' ἱππείῃσι κάπῃσι, Πὰρ δ' ἔβαλον ζειὰς, ἀνὰ δὲ κρῖ λευκὸν ἔμιξαν; Il. Θ, [560]: Ἵπποι δὲ κρῖ λευκὸν ἐρεπτόμενοι καὶ ὀλύρας. [Il. E, 196. Inter equorum pabula ponit etiam Pollux 1, 183.] Plin. vero 18, 8, diversam a zea facit, et Arincam Latine appellari dicit [Ægypto autem ac Syriæ, Ciliciæque et Asiæ et Græciæ peculiares zea, olyra, tiphe]. Et c. 10: Ex arinca dulcissimus panis: ipsa spissior quam far, et major spica, eadem et ponderosior. Exteritur in Græcia difficulter: ob id jumentis dari ab Homero dicta: hæc enim est, quam olyram vocamus. Eadem in Ægypto facilis fertilisque. [Demosth. p. 100, ult.: Τῶν ὀλυρῶν τῶν ἐν τοῖς Θρακίοις σιροῖς · 135, 27: Τῶν μελινῶν καὶ τῶν ὀλυρῶν. « Ζειὰ, τίφη, ὄλυρα, καὶ εἴ τι ἕτερον ὁμοιόπυρον, Theophr. H. Pl. 8, 1, 3; πολύλοπος, 8, 4, 1. Τίφη καὶ ὀλ. ὁμοιότατα τοῖς πυροῖς, 8, 9, 2. Etym. Havn. ap. Bloch. ad Etym. M. p. 987: Ὀλ. εἶδος κριθώδους καρποῦ, ζειά· ἡ γὰρ κριθὴ ἑξάστιχος, ὁ σῖτος τετράστιχος, ἡ δὲ ὄλυρα δίστιχος καὶ ὄψιμος, quo auctore, nescio. » Schneider. Ind. De accentu Herodian. Π. μον. λέξ. p. 17, 26, Arcad. p. 194, 13.]

[Ὀλύρινος, η, ον, Hordeaceus. Papyrus Æg. in Maii Auctt. class. vol. 5, p. 603, ubi femin. substantive: Πρὸς τὴν σύνταξιν ὀλυρίνης. Osann.]

[Ὀλυρίτης, ὁ, Panis ex olyra factus. עֻגָה, Placenta. Reg. 3, 19, 6: Καὶ ἰδοὺ πρὸς κεφαλῆς αὐτοῦ ἐγκρυφίας ὀλυρίτης. Etym. Ms.: Ὀλυρίτης ἄρτος, ὁ τῶν κριθῶν. Trypho Alexandrinus ἐν τοῖς Φυτικοῖς ἄρτων ἐκτίθεται γένη, εἴ τι κἀγὼ μέμνημαι, .. τὸν ἐξ ὀλυρῶν, τὸν ἐκ τιφῶν, τὸν ἐκ μελινῶν, Athen. 3, p. 109, D. Herodot. 2, 77, de Ægyptiis: Ἀρτοφαγέουσι δὲ, ἐκ τῶν ὀλυρέων ποιεῦντες ἄρτους, τοὺς ἐκεῖνοι κυλλήστις ὀνομάζουσι. « Quod panis genus (ὀλυρίτης) Gen. 40, 16, vocari videtur χονδρίτης. Gloss. Gr.-Lat. exponunt Cinarius. » Valck. Gloss. S. ex Hes. p. 2.]

[Ὀλύσσεια, ἡ, et Ὀλυσσεύς, έως, ὁ, per λ pro δ memorat Eust. Il. p. 289, 39: Καὶ ὁ Ὀδυσσεὺς δέ που Ὀλυσσεὺς καὶ ἡ Ὀδύσσεια Ὀλύσσεια. De qua forma, conservata Latino *Ulixes*, conf. Rochett. *Monum. inéd.* vol. 1, p. 377. L. Dind.]

Ὀλώδης, ὁ, ἡ, Ater instar atramenti sepiarum, Turbidus; nam Galenus ap. Hippocr. ὀλώδη exp. θολερὰ ἢ μέλανα.

[Ὀλώϊος, Ὀλῶος. V. Ὀλοός.]

[Ὅλως. V. Ὅλος.]

[Ὅλωσις, εως, ἡ, q. d. Totalitas. Theolog. arithm. 10, p. 59 Ast.: Φυσικὴ δέ τις συσταθμία καὶ μετριότης καὶ ὅλωσις ἐν τῇδε μάλιστα ὑπῆρχε, de decade, de qua infra: Εἰκότως μέτρῳ τῶν ὅλων αὐτῇ καὶ ὥσπερ γνώμονι καὶ εὐθυντηρίῳ ἐχρήσατο.]

Ὁμᾶ, i. q. ὁμοῦ [Simul], Hesych. [Quod repetitur post Ὁμέστιος.]

[Ὁμάγαθος, ὁ, ἡ, Qui est ejusdem bonitatis. Alexand. ap. Gretser. Opp. vol. 2, p. 2, B: Ὁ ὁμάγαθος τῷ γεννήσαντι πατρί. L. Dind.]

[Ὁμαγύριος. V. Ὁμηγύριος.]

Ὁμάδεύω, In unum cogo et coacervo: Hesychius ὁμαδεύειν, ἀθροίζειν. [Ὡμάδευσε Suidæ ἐσώρευσεν. Valck.]

Ὁμᾰδέω, Tumultuor. Proprie ὁμαδεῖν dicitur multitudo in unum eundemque locum collecta, quum colloquendo strepitum quendam et tumultum excitat. Hom. Od. A, [365 etc.]: Μνηστῆρες δ' ὁμάδησαν ἀνὰ μέγαρα σκιόεντα. Apoll. Arg. 2, [638]: Οἱ δ' ὁμάδησαν Θαρσαλέοις ἐπέεσσι, schol. ὁμοῦ ἀνεφώνησαν, derivans ὅμαδος ab ὁμοῦ ᾄδειν. [1, 474: Οἱ δ' ὁμάδησαν πάντες ὁμῶς, Ἴδμων δὲ καὶ ἀμφαδίην ἀγόρευσε, et alibi sæpius.]

[Ὁμαδιάζειν, Colligere summam numeri. Vox arithmeticorum, quæ crebro occurrit in Arithmetica Ms. anonymi. Ducang.]

Ὁμαδὸν, Summatim, VV. LL. [Constantin. Cærim. p. 56, C. Annæ Comn. exx. 10, p. 285, A: Ὁμαδὸν

A διανήξασθαι τὸν πορθμόν· 11, p. 316, B: Πᾶσιν ὁμαδὸν τὴν εἰσέλευσιν συνεχώρει· 15, p. 479, C, indicavit Lobeck. Aglaoph. p. 643, d.]

Ὅμᾰδος, ὁ, Bud. interpr. Multitudo, in Plat. De rep. 2, [p. 364, E]: Βίβλων δὲ ὅμαδον παρέχονται Μουσαίου καὶ Ὀρφέως. Ab Hom. ὅμαδος accipitur non solum pro Multitudine in unum eundemque locum collecta, s. turba, verum etiam pro Tumultu et strepitu, quem ejusmodi multitudo concitat, Il. [B, 96: Τετρήχει δ' ἀγορὴ, ὅμαδος δ' ἦν· I, 573: Τῶν δὲ τάχ' ἀμφὶ πύλας ὅμαδος καὶ δοῦπος ὀρώρει·] Π, [296]: Δαναοὶ δ' ἐπέχυντο Νῆας ἀνὰ γλαφυράς· ὅμαδος δ' ἄλιαστος ἐτύχθη· quod hemistich. legitur etiam Il. M, 471. Rursum Π, [295]: Τοὶ δ' ἐφόβηθεν Τρῶες θεσπεσίῳ ὁμάδῳ. Item N, [797] de ventorum turbine s. procella: Θεσπεσίῳ δ' ὁμάδῳ ἅλι μίσγεται. Sunt qui hoc ὅμαδος compositum existiment ex ὁμοῦ et αὐδὴ, sicut et Eust. Il. Ψ, [234]: Τῶν μιν ἐπερχομένων ὅμαδος καὶ δοῦπος ἔγειρεν, hoc vocabulum accipi annotat ἐπὶ τῆς ὁμοῦ αὐδῆς s. συλλαλιᾶς. Loquitur autem de iis, qui ἀμφ' Ἀτρείωνα ἀολλέες ἠγερέθοντο. Similes præcedenti loco sunt et hi, Il. T, [81]:

B Ἀνδρῶν δ' ἐν πολλῷ ὁμάδῳ πῶς ἄν τις ἀκούσαι Ἢ εἴποι; K, [13]: Αὐλῶν συρίγγων τ' ἐνοπὴν, ὅμαδόν τ' ἀνθρώπων, Hominum in unum locum collectorum et colloquentium vocem. [Eur. Hel. 185: Ὅμαδον ἔκλυον. Schol. Soph. Aj. 1202: Αὐλῶν ὄτοβον) ὅμαδον, ἦχον. || De multitudine ipsa Il. H, 307: Ὁ μὲν μετὰ λαὸν Ἀχαιῶν ἤϊ', ὁ δ' ἐς Τρώων ὅμαδον κίε· O, 689: Οὐδὲ μὲν Ἕκτωρ μίμνεν ἐνὶ Τρώων ὁμάδῳ· P, 380: Ζωὸν ἐνὶ πρώτῳ ὁμάδῳ Τρώεσσι μάχεσθαι. Inter utramque signif. hæsitant scholl. Pind. Nem. 6, 39: Παρὰ Κασταλίᾳ τε Χαρίτων ἑσπέριος ὁμάδῳ φλέγεν, ubi X. ὁμ. οἱ μὲν τῷ χορῷ ἀποδεδώκασιν, οἱ δὲ τῷ χαριεστάτῳ θορύβῳ τῆς ἐπὶ τῇ νίκῃ πανηγύρεως. De pugna id. Isthm. 7, 25: Ἀρίστευον ἀρηΐφιλοι παῖδες ἀνορέᾳ χαλκέον στονόεντ' ἀμφέπειν ὅμαδον. Hesiod. Sc. 257: Ἆψ δ' ὅμαδον καὶ μῶλον ἐθύνεον αὖτις ἰοῦσαι· 155: Ἐν δ' ὅμαδός τε φόβος τ' ἀνδροκτασίη τε δεδήει. Apoll. Rh. 1, 347: Αὐτὸς ὅτις ξυνάγειρε καὶ ἄρχευοι ὁμάδοιο· 2, 1077: Οἵη δὲ κλαγγὴ δηΐου πέλει ἐξ ὁμάδοιο, et alibi. Orph. Arg. 112: Στεῖνον δὲ ψαμάθους ὁμάδῳ·

C Lith. 554: Θερμὴν ἐξ ὁμάδου κεφαλὴν ἔτι.]

[Ὁμάζω de voce ursarum et pardorum dici tradunt Zenodot. ap. Valck. Anim. ad Ammon. p. 228: Ἐπὶ ἄρκων καὶ παρδάλεων ὁμάζειν· et alius ib.: Ἄρκος καὶ πάρδαλις ὁμάζει. Cit. Boiss.]

[Ὁμαίμιος, ὁ, Consanguineus. Pind. Nem. 6, 16, nisi fallit scriptura: Πατροπάτορος ὁμαιμίου.]

Ὅμαιμος, ὁ, ἡ, Consanguineus. Sed ὅμαιμος appellatur etiam Frater peculiariter, et quidem frequentius, vel Soror. [Æsch. Sept. 681: Ἀνδροῖν δ' ὁμαίμοιν· 940: Κάρτα δ' εἰσ' ὅμαιμοι· et cum gen. Eum. 605: Οὐχ ἦν ὅμαιμος φωτός. Soph. Ant. 512, et sæpius Eur. Theocr. 22, 173. Diodor. 4, 34.] Ap. Soph. ὅμαιμος, Soror, [OEd. C. 323 etc.] El. p. 80 [v. 12]: Πρὸς σῆς ὁμαίμου καὶ κασιγνήτης λαβών. Ubi annotat schol. ὁμαίμου et κασιγνήτης poni ἐκ παραλλήλου. [Eur. Hipp. 339.] Hesych. σύναιμος exponit duntaxat ἀδελφός. Sed ὅμαιμοι esse dicit et ἀδελφοὶ et συγγενεῖς, et addit ὁμόαιμοι. Interdum et adjective ponitur ὅμαιμος, unde ὅμαιμον σπέρμα, ap. Soph. Antig. [OEd. C. 328. Æsch. Eum.

D 212: Οὐκ ἂν γένοιθ' ὅμαιμος αὐθέντης φόνος· 653: Τὸ μητρὸς αἷμ' ὅμαιμον· et alibi.] Sunt autem poetica hæc tria [σύναιμος, ὅμαιμος et αὐθόμαιμος], sicut et quæ in μων terminantur synonyma συναίμων et ὁμαίμων, de quibus paulo post.

Ὁμαιμοσύνη, ἡ, Consanguinitas, Fraternitas, Anthol. [Plan. 128.]

[Ὁμαιμότης, ητος, ἡ, Consanguinitas, Gl. Theophil. Institt. 3, 2, 64.]

Ὁμαίμων, ωνος, ὁ, ἡ, Consanguineus [Gl.], Frater, i. q. ὅμαιμος, et [sec. Polluc. 3, 23] poeticum itidem. [Diodoro 4, 34, exemtum ab libris melioribus, qui ὁμαίμων. Sed ἄνδρας ὁμαίμονας Herodot. 5, 49. Frequentius Tragici, tam de persona, ut Æsch. Sept. 416: Δίκη δ' ὁμαίμων κάρτα νιν προστέλλεται· Suppl. 402: Ὁμαίμων τάδ' ἐπισκοπεῖ Ζεύς· quam de re, ut Sept. 351: Ἁρπαγαὶ δὲ διαδρομᾶν ὁμαίμονες. Eur. Hel. 890: Κρύψασ' ὁμαίμονα, et alibi. Lycophr. 337.] Ap. Soph. [qui etiam positivo utitur de fratribus Trach. 1147, de sororibus, OEd. C. 1275, et al.] comparat. gradus

Ὁμαιμονεστέρα Ant. [484], ubi schol. exp. οἰκειοτέρα καὶ συγγενικωτέρα.

[Ὁμάϊον, τὸ, Schola. Eust. Il. p. 856, 63 : Τὸ ἀΐεν, οὗ θέμα τὸ ἀΐω, τουτέστιν ἀκούω, ὀνόματος Πυθαγορικοῦ ἐστὶ παραγωγὸν, ὥσπερ καὶ τὸ ἀκούειν· ὡς γὰρ ἐξ αὐτοῦ ὁμακόϊον τὸ ἄθροισμα τῶν ἀκροωμένων, οὕτω καὶ ὁμάϊον τὸ αὐτὸ παρὰ τὸ ὁμοῦ ἀΐειν, ὅπερ ἐστὶν ἀκούειν. Qui l. a Wakef. cit. fugit quum alios tum Holstenium ad Porphyr. V. Pyth. p. 26, probantem quod ap. Hierocl. In Pythag. p. 318 : Ὅλου τοῦ ἱεροῦ συλλόγου, καὶ, ὡς ἂν αὐτοὶ εἴποιεν, ὁμαΐου παντὸς ἀπόφθεγμα κοινόν, conjecit interpres ὁμακοΐου.]

[Ὁμαιχμέω, Simul milito, Simul bellum ineo, Simul jaculor. Oppian. Hal. 5, 160 : Ὅτε οἱ πελάσωσιν ὁμαιχμήσωσί τ' ἀέθλῳ.]

Ὁμαιχμία, ἡ, Belli societas, Confœderatio. Herodot. [7, 145] : Ὁμαιχμίην συντίθεμαι πρὸς τὸν Πέρσην. [8, 140, 1 : Ἡμῖν ὁμαιχμίην συνθέμενοι. Πονηρὸν dicit Pollux 4, 30, et οὐχ ἥδιον πρὸς τὴν ἀκοὴν 1, 153, quamvis usurpaverit Thuc. 1, 18 : Ὀλίγον χρόνον ξυνέμεινεν ἡ ὁμαιχμία. Habet etiam Appian. Gall. c. 15. « Suidas v. Δυσμικῶν. » Wakef.] Et [vitiose] Ὁμαίχμη, pro eodem, videlicet pro συμμαχία. [Ex Hesychio.]

Ὅμαιχμος, ὁ, ἡ, q. d. Collancearius, Socius in bello, Arma consocians, Confœderatus, σύμμαχος, Hesych. Exp. etiam Commilito. [Thuc. 3, 58 : Ξύμμαχοι ὁμαίχμοις ποτὲ γενομένοις. Ponit etiam Hesychius.]

[Ὁμᾱκόϊον, τὸ, Auditorium commune, vox Pythag., ut dictum in Ὁμάϊον. Porphyr. Vit. Pyth. p. 44 Kiessl. : Ὁμοῦ σὺν παισὶν ὁμακόϊόν τι παμμέγεθες ἱδρυσαμένους. Pro quo ὁμακόειον Iambl. V. Pyth. p. 66 Kiessl., apud quem per ι p. 156, 386. Per ει Clem. Al. Strom. 1, p. 355, ubi etiam properisp. ὁμακοεῖον. Per ι Olympiod. In Plat. Alc. p. 132, ubi ejusd. In Phædon. p. 9 locum indicat Creuzer., Eust. Opusc. p. 132, 41. Niceph. Blemm. Epit. Log. c. 6, p. 34 : Τοὺς μὲν εὐμενῶς δεχόμενοι, τοὺς δὲ μετὰ παρρησίας ἐλέγχοντες καὶ τοῦ ὁμακοΐου μακρὰν ἐκδιώκοντες, ubi est var. ὁμοοικοίου, annotavit Ducang., non perspecta vocabuli signif. In verbis Damascii ex Vita Isidori ap. Phot. Bibl. p. 351, 26 : Τοῦ ὁμακοΐου τῆς αὐτοψίας καὶ ἀκοῆς ἅμα, ὁμμακοΐου restitutum ex cod. L. Dind.]

[Ὁμάκοος, ὁ, Qui una audit, Condiscipulus. Iambl. V. Pyth. p. 154 Kiessl. : Μνῆμα αὐτοῖς ὡς νεκροῖς ἐχώννυντο ὑπὸ τῶν ὁμακόων· οὕτω γὰρ ἐκαλοῦντο πάντες οἱ περὶ τὸν ἄνδρα (Pythagoram)· et ib. p. 344.]

Ὁμαλῇ, Hesychio ὁμοῦ, Una, Simul.

[Ὁμαλής. V. Ὁμαλός.]

[Ὁμαλία, ἡ, Planitudo, Gl.]

Ὁμᾰλίζω sive Ὁμαλύνω, Planum reddo, Complano, Lævigo [Prius, quod memorat etiam Phrynich. Exc. Bekk. p. 56, 29, in Gl. cum interpr. Plano, Hostio, Æquo, Adæquo] : qua in signif. usus est Plato Timæo [p. 45, A : Διαχεῖ τε καὶ ὁμαλύνει τὰς ἐντὸς κινήσεις, ὁμαλυνθεισῶν δὲ ἡσυχία γίγνεται.] || Æqualem s. Æquabilem reddo, Ad æquabilitatem redigo. Aristot. Polit. 2, [5] : Μᾶλλον γὰρ δεῖ τὰς ἐπιθυμίας ὁμαλίζειν ἢ τὰς οὐσίας. Dixit autem et ἰσάζειν : 3, [9] : Ἀφαιροῦντα δὲ τοὺς ὑπερέχοντας τῶν σταχύων, ὁμαλῦναι τὴν ἄρουραν. Bud. Comm. ὁμαλίζειν esse ait Æquabiliter aliquid facere, vel fieri et procedere, accipiendo absolute. Aristot. [Probl. 10, 47] : Διὰ τὸ τὴν τοῦ θερμοῦ φορὰν ὁμαλίζειν εἰς τὸ πρόσθεν. Xen. [Œc. 18, 5] de tritura tritici loquens : Στρέφοντες γὰρ καὶ ὑπὸ τοὺς πόδας τῶν ὑποζυγίων ἀεὶ ὑποβάλλοντες τὰ ἄτριπτα, μάλιστ' ἂν ὁμαλίζοιεν, καὶ τάχιστα ἀνύτοιεν. Et [ibid.] : Ὅπως τὸ δεόμενον κόψουσι, καὶ ὁμαλιεῖται ὁ ἀλοητὸς, Spicæ æqualiter tundentur et terentur. [Ap. Athen. 12, p. 546, A, legislatores ὁμαλίζειν βουληθέντες τὸ τῶν ἀνθρώπων γένος. Ὁμαλιζέτω τις ἐσχάραν 3, p. 102, F, ex emend. Cas. Τῆς πέψεως οὐχ ὁμαλιζούσης ap. Athen. 8, p. 357, E. Eunap. p. 101, 13 : Τὴν βασιλείαν ὁμαλίζων ἐς τὸ φιλοσοφώτερον. Valck. Theophr. C. Pl. 5, 1, 12 : Μέχρι οὗ ἂν ὁ ἀὴρ ὁμαλίζῃ· 5, 9, 8, κινεῖν καὶ ὁμαλίζειν τὴν γῆν. Schneid.] Et, Ὡμαλισμέναι πόλεις ὑπὸ τῶν συμφορῶν, Isocr. Ad Phil. [p. 90, B], pro Ad æquabilitatem redactæ. [Id. p. 129, D : Οὕτω δ' ὡμαλισμένοι ταῖς συμφοραῖς εἰσιν, ὥστε μηδένα διαγνῶναι δύνασθαι τοὺς κάκιστα πράττοντας αὐτῶν.] Sic autem Aristot. Metaph. 6, [7] : Εἰ γὰρ ὑγιάσθη, δεῖ ὁμαλυνθῆναι, Ad æquabilitatem s. æqualitatem redigi.

A Sed ὁμαλίζειν ab Isocr. poni etiam pro Sedare et reprimere ferociam, scribit Bud., locum tamen non proferens. [V. supra cit.] || Ὁμαλίζειν absolute positum, de quo usu dictum modo fuit, redditur etiam Adæquare, ex Cic., pro Æqualem esse (quod Adæquare proprie respondet τῷ ἰσάζειν, absolute itidem posito); Gaza autem vertit etiam Æquabiliter ampliari et crescere. Quinetiam pro Lævis affertur ex Theophr. ὁμαλίζων. [Ὁμαλύνειν, Complanare, Lævigare, Exæquare, Adæquare et ad æqualitatem redigere. De his dicitur quæ, ubi exasperantur aut eminent, ad æqualitatem reducuntur. Hippocr. p. 893, F, de catoptere et instrumento quo sedes dilatatur : Διοιγόμενος γὰρ ὁμαλύνει τὴν κονδύλωσιν. Foes. Theophr. C. Pl. 6, 2, 1.]

Ὁμαλισμὸς, ὁ, Complanatio, Lævigatio, Æquatio, ipsa Actio reddendi æqualem s. æquabilem. [Plut. Mor. p. 688, F : Καὶ γὰρ τοῖς ἐγκαταδαρθάνουσι τῷ δίψῃ ὁ ὕπνος ἐκ μέσων ἐπανάγων τὰ ὑγρὰ καὶ διανέμων πάντη τοῖς μέρεσιν, ὁμαλισμὸν ἐμποιεῖ καὶ ἀναπλήρωσιν.] In VV. LL. dicitur esse Æquabilitas et inclinatio accentus, B qua nec attollitur syllaba nec deprimitur, sed æquabiliter pronuntiatur : ex Aristoph. schol. Pl. [414], qui in σπεῦδέ νυν, ait hoc νυν esse leg. κατὰ ὁμαλισμόν. Ego κατὰ ὁμαλισμὸν ἀναγνωστέον esse puto Æquabili quodam vocis tenore pronuntiandum. [Schol. Æsch. Ag. 946 : Καθ' ὁμ. ἀναγνωστέον τὸ νυν καὶ ἄνευ τόνου, ἵνα ᾖ ἀντὶ τοῦ δή. Valck.]

[Ὁμαλιστέον, Complanandum. Geopon. 18, 2. Kall.]

[Ὁμαλιστὴρ, ὁ, unde plur. Ὁμαλιστῆρες, Paviculæ, Gl.]

[Ὁμαλίστρα, ἡ, Hostorium, Gl.]

[Ὁμάλιστρον, Hesych. in Λίστρον, quod v. Dahler.]

[Ὁμαλόδερμος, ὁ, ἡ, Qui levi est cortice. Suid. v. Λειόφυλλον, ubi Λειόφλοιον restituit Portus, quod confirmat liber optimus, qui λειόφυλον. Cit. Boiss.]

Ὁμᾰλὸς, ἡ, ὸν, et Ὁμαλὴς, ὁ, ἡ, Planus, [Æquus add. Gl. in Ὁμαλός.] Plut. Fabio [c. 11] : Ὁμαλὸν διὰ ψιλότητα καὶ λεῖον. Ubi observa ei adjungi λεῖον, Lævem, quum alioqui hoc nomine exponatur illud interdum : ut videre est et ap. Hesych. Atque ita exponendum censeo C et ap. Hom. Od. I, [327] : Οἱ δ' ὁμαλὸν ποίησαν, quum tamen Eust. velit ὁμαλὸν ποίησαν accipi pro ἀπώξυναν. In quo prorsus ab eo dissentio : nec video cur propter hæc præcedentia verba ἀποξῦναι δ' ἐκέλευσα, hanc signif. nomini isti dare debuerit, alioqui, ut quidem opinor, inauditam. Nam quum ὁμαλὸν ποιεῖν prius sit quam ἀποξύνειν, verisimile est socios, quum fustem illum complanassent et exasciassent, aut etiam lævigassent (his enim modis reddi posse existimo ὁμαλὸν ποιεῖν), voluisse ἀποξύνειν, sicut jussi erant, sed Ulyssem postea hunc laborem sibi sumpsisse. [Damocharis Anth. Plan. 310, 5 : Ὁμαλή τε καὶ οὐ περίεργα λιπῶσα σάρξ. Antiphilus Anth. Pal. 9, 413, 2 : Νησὶς ... ὁμαλὴ πᾶσα καὶ ἀστύφελος.] Apud Thuc. τὸ ὁμαλὸν habemus substantive, pro Planities : 5, p. 187 meæ edit. [c. 65] : Καταβιβάσαι τοὺς Ἀργείους καὶ τοὺς ξυμμάχους, καὶ ἐν τῷ ὁμαλῷ τὴν μάχην ποιεῖσθαι. Et aliquanto post, Ὕστερον δὲ ἀπάγουσιν αὐτοὺς ἀπὸ τοῦ λόφου, καὶ προελθόντες ἐς τὸ ὁμαλὸν, ἐστρατοπεδεύσαντο, ὡς ἰόντες ἐπὶ τοὺς πολεμίους. [Superl. id. 4, 31 : Μέσον δὲ καὶ ὁμαλώτατον. D L. D. Ὁμαλοὶ τόποι, τὰ ὁμαλὰ, Polyb. 1, 33, 1; 1, 30, 13; 1, 39, 12. Schw. Xen. Anab. 4, 2, 16 : Κατὰ τὴν ὁδὸν ἐν τῷ ὁμαλῷ θέσθαι τὰ ὅπλα· et similiter alibi. Inter hoc et ὁμαλὲς, quod ex libris melioribus restitui 4, 6, 12 : Ῥᾷον ὄρθιον ἀμαχὶ ἰέναι ἢ ὁμαλὲς ἔνθεν καὶ ἔνθεν πολεμίων ὄντων, libri variant etiam H. Gr. 4, 6, 7 : Κατεβίβασαν ἐς τὸ ὁμαλὸν, ubi item recepi ὁμαλὲς, quod est in omnibus Ven. 2, 7 : Ἐν τοῖς ὁμαλέσιν, quum 5, 17, omnes consentiant in τὰ ἀνάντη ἢ τὰ ὁμαλά. Rursus Plato Critia p. 118, A : Λεῖον καὶ ὁμαλὲς, ubi item est var. ὁμαλόν. Diodoro 18, 15 : Τὴν διὰ τῶν ὅπλων ἀποχώρησιν ἀπέγνω, restitui ὁμαλῶν. Pausan. 8, 21, 3 : Οἰκεῖται δ' ἐν ὁμαλῷ· 39, 5 : Ἀνελθόντι ὁμαλὴς ἐστιν ὁ λόφος ἤδη καὶ ἐπίπεδος. De utraque forma Photius : Ὁμαλὲς ἐπὶ τοῦ πράγματος, ὁμαλὸν ἐπὶ τόπου, additis alterius exx. Thucydidis. « Ὁμαλῆς caulis et planta Theophr. H. Pl. 1, 5, 3. Ὁμαλῆ τόπον ὥσπερ ἅλω ποιήσαντες, 9, 3, 1. C. Pl. 3, 13, 3. Ὁμαλέστερον fr. 2, 2, ὁμαλωτέρας ib. 61. » Schneider. Ὁμαλαὶ ὁπλαὶ 1, 191, ὁμαλὴ γῆ et ὁδὸς 1, 186 et 3, 96, ὁμαλὸν πρέμνον 1, 235, et ἐν ὁμαλεῖ πόλις 9, 19, ponit Pollux. Hesychius : Ὁμαλῇ, ὁμοῦ.] || Æqualis, Æquabilis. [Æsch. Prom. 903 : Ἐμοὶ δ' ὁμαλὸς ὁ γάμος. Theocr. 12, 10 : Εἴθ' ὁμαλοὶ πνεύσειαν ἐπ' ἀμφοτέροισιν Ἔρωτες· 15, 50 : Οἷα πρὶν ἐξ ἀπάτας κεκροταμένοι ἄνδρες ἔπαισδον, ἀλλάλοις ὁμαλοί. Manetho 3, 164 : Οὐχ ὁμαλὸν βίοτον δῶκαν, ποτὲ μὲν γὰρ ἄειραν ὑψοῦ, ἄλλοτε δ' ἔσφηλαν. « Hippocr. p. 772, A : Τήν τε κατάτασιν δικαίην παρέχοι καὶ ὁμαλὴν, Et extensionem justam et æquabilem præbuerint. Ubi scribit Galen. ὁμαλὸν καὶ ἴσον τῷ δικαίῳ contineri, et τὸ δίκαιον ad duorum comparationem referri, ἴσον vero et ὁμαλὸν de uno quod æquabilitatem servat dici. » Foes. Aret. p. 42, 42 : Πῦον λευκὸν λεῖον ὁμαλόν. Plato Tim. p. 34, B : Λεῖον καὶ ὁμαλὸν σῶμα ἐποίησε· 58, E : Ἐκ μεγάλων καὶ ὁμαλῶν· 67, B : Τὴν δὲ (φωνὴν) ὁμαλήν τε καὶ λείαν· 77, D : Ἵνα ἅτ' ἐπὶ κάταντες ἡ ἐπίχυσις γιγνομένη παρέχοι τὴν ὑδρείαν ὁμαλήν· 59, B : Πάντων ὅσα χυτὰ προσείπομεν ὕδατα, τὸ μὲν ἐκ λεπτοτάτων καὶ ὁμαλωτάτων πυκνότατον γιγνόμενον· Leg. 6, p. 773, A : Τὸ ὁμαλὸν καὶ ξύμμετρον ἀκράτου μυρίῳ διαφέρει· 11, p. 918, B : Πῶς οὐκ εὐεργέτης ὃς ἂν οὐσίαν ... ἀσύμμετρον οὖσαν καὶ ἀνώμαλον ὁμαλήν τε καὶ σύμμετρον ἀπεργάζηται.] Plut. Lyc. [c. 8] : Ὁρῶντα τοὺς σωροὺς παραλλήλους καὶ ὁμαλεῖς· Pericle [c. 15] : Παντάπασι λυθείσης τῆς διαφορᾶς, καὶ τῆς πόλεως οἷον ὁμαλῆς καὶ μιᾶς γενομένης. Qui l. facit ut suspicer reponendum ἕνα καὶ ὁμαλῆ in isto Demetrii Phalerei pseudonymi : Καὶ συνάψαι βούλεται ἐπαίνῳ ἔπαινον, μᾶλλον δὲ ἕνα ὁμαλῆ ἔπαινον ποιῆσαι· ubi tamen observandum ὁμαλῆ vocari potius Non interruptum. Et οὐσίαι ὁμαλώτεραι ap. Aristot. Item ὁμαλὴς δίαιτα ap. Athen. [12, p. 546, B], Æqualitas civilis, cui πλεονεξία opponitur; Bud. p. 735, 858. Dat autem et aliam signif. huic nomini, de qua dicam in adverbio Ὁμαλῶς : videri autem possit hoc nomen esse ab ὁμοῦ. [Ὁμαλὸς στρατιώτης ap. Theocr. 14, 56, exponitur Mediocris miles : Οὔτε κάκιστος οὔτε πρᾶτος ἴσως, ὁμαλὸς δέ τις ὁ στρατιώτας. Brunck. Cum dativo Erinna Anth. Pal. 6, 352, 2 : Ἐντὶ καὶ ἄνθρωποι τὶν ὁμαλοὶ σοφίαν. « Ap. Clem. Al. p. 745, 8 Ὁμαλὸν ἤσκησεν βίον. » Valck. || Ὁμαλὸν ἦθος dicitur, quum mores in oratione ita effinguntur, ut non discrepet aliquis a se ipso, ut nunc non ita, nunc aliter moratus fingatur. Sic Aristot. Poet. c. 15. Idem Horatius expressit Art. poet. 126 : *Servetur ad imum, qualis ab incepto processerit, et sibi constet.* Illud enim præceptum, quamvis ad artem inprimis dramaticam ab Aristotele comparatum, in rhetorica etiam valet. Ab eo differt τὸ ὅμοιον, Morum similitudo, qua efficitur ut mores personarum temporibus suis sint accommodati, *Haltung des Costums in Sitten und Characteren.* — Lucianus De conscr. hist. c. 55, historicis commendat διήγησιν λείως καὶ ὁμαλῶς προϊοῦσαν, καὶ αὐτῇ ὁμοίως, h. e. quæ læviter et æquabiliter procedat, ne sententiæ hic illic emineant extra corpus orationis expressæ, quod vocat προύχειν, *eminere*, ut solent panni purpurei, qui late splendent, judicante Horatio. V. voc. Ἀνωμαλία. Ernest. Lex. rhet. || Forma Æolica Hesychius Ἐξ ὑμάλων, ἐξ ὁμοίων.]

Ὁμαλῶς, Æqualiter, Æquabiliter. [Planitus, Gl. « Ὁμαλῶς, ὁμοίως, Æqualiter, Similiter, exponit Erotianus apud Hippocratem. Verum quod idem ex lib. 4 Epid. ejus dictionis usum addit, non leviter suspectum est, nisi pro ὁμαλόν τι, ὁμαλῶς legisse videatur. Sic enim habent exemplaria nostra lib. 4 Epid. p. 1133, D : Ἦν τε καὶ αὐτὸ τοῦτο πρὸς τοῦ δεξιοῦ ὁμαλόν τι ὑπερεξηρμένον. Ea autem in significatione sæpius usurpatur Hippocrati, ut Aph. 12 lib. 6 Epid. sect. 1 : Καὶ τὰ ὁμαλῶς ξυμπεπαινόμενα· p. 399, 19 : Ἀλείφοντά τε καὶ περιστέλλοντα ὁμαλῶς. » Foes. Xen. Anab. 1, 8, 14 : Τὸ βαρβαρικὸν στράτευμα ὁμ. προῄει· OEc. 17, 7 : Ῥίπτειν ὁμ. τὸ σπέρμα· 20, 3 : Οὐχ ὁμ. ὁ σπορεὺς ἐσπείρεν.] Geopon. [14, 7, 20] : Ὁ δὲ πρὸς τοῦτο τεταγμένος δι' ἡμερῶν μεταστρεφέτω τὰ ᾠὰ, ἵνα πάντοθεν ὁμαλῶς θάλπωνται, pro his Varronis, Curator oportet circumeat diebus interpositis aliquot, ac vertat ova, ut æquabiliter concalefiant. Et his Columellæ, Circumire debet ac manu ova versare, ut æqualiter calore concepto, facile animentur. Plut. [Comp.] Alcib. [cum Coriol. c. 1] : Ὁμαλῶς γὰρ ἀμφότεροι πολλὰ μὲν στρατιωτικῆς ἔργα τόλμης καὶ ἀνδρείας, πολλὰ δὲ τέχνης καὶ προνοίας

A στρατηγοῦντες ἐπεδείξαντο. Sed ap. Eund. sæpe observavi ὁμαλῶς cum πάντες : ut in Pericle [c. 10] : Ἔπεσον δὲ καὶ τοῦ Κίμωνος οἱ φίλοι πάντες ὁμ. Ibid. [c. 6] : Τῶν δὲ τοῦ δήμου πραγμάτων ὁμαλῶς ἁπάντων ὑπὸ τῷ Περικλεῖ γενομένων. Idem in Probl. Rom. [p. 272, B] : Ἀργείους δὲ τοὺς Ἕλληνας οἱ παλαιοὶ πάντας ὁμ. προσηγόρευον. Qui ll. et alii his similes faciunt ut a Bud. dissentiam in expos. hujus adverbii, quam ei dat in Plut. Apophth. [p. 188, A] : Καὶ πάντας ὁμ. ἑώρα τὸν λόγον ἀποδεχομένους· quum enim dixit ὁμαλὸς accipi pro Placidus, Tranquillus, hunc adverbii usum affert in exemplum, quasi sc. ὁμαλῶς hic sonet itidem Placide, Tranquille. At ego contra hic idem significare existimo, quod in illis præcedentibus ll., et πάντας ὁμαλῶς significare Omnes pariter, Omnes sine ullo discrimine, Omnes nullo excepto. Alicubi etiam quod Latini dicunt, Uno omnes ore. Sed melius Græcis illis verbis respondent hæc Gallica *Tous uniment.* Siquidem et quum aliquis ex numero quopiam eximitur s. excipitur, hæc exceptio quandam veluti seriem con-
B tinuam interrumpere videtur, simulque inæquabilitatem afferre. [Damoxen. ap. Athen. 3, p. 102, D : Ὁ χυμὸς ὁμαλῶς πανταχοῦ συνίσταται. Ὁμαλῶς ἄριστα ap. Athen. 8, p. 358, B. Isocr. p. 72, B : Ὁμαλῶς καὶ πολιτικῶς βιῶναι. Valck. Iambl. V. Pyth. p. 284 Kiessl. : Μυρία ἕτερα περὶ τἀνδρὸς ὁμ. καὶ συμφώνως ἱστορεῖται.] || In quodam Thuc. l. [5, 70] schol. ὁμαλῶς exp. ἠρεμαίως, et quidam Lat. Sedate.

Ὁμαλότης, ητος, ἡ, Æqualitas, [Planities, Æquitas, add. Gl.] Æquabilitas. [Frequens est ap. Plat. in Timæo et Leg., ut 6, p. 773, D : Ἐπᾴδοντα δὲ πείθειν πειρᾶσθαι τὴν τῶν παίδων ὁμαλότητα τῆς τῶν γάμων ἰσότητος ἀπλήστου χρημάτων οὔσης περὶ πλείονος ἕκαστον ποιεῖσθαι, Æqualem temperatamque liberorum suorum generationem. 11, p. 918, C : Ἐξευπορεῖν ὁμαλότητα ταῖς οὐσίαις.] Ὁμαλότης τοῦ σφυγμοῦ, Galen., Æquabilitas pulsus, Æquabilis pulsus; κτήσεων καὶ οὐσιῶν, Aristot. Polit. 2, [5; et 5, 9], quam Cic. vocat Æquationem bonorum. Bud. p. 735. [Plut. Mor. p. 52, A, ubi v. Wyttenb.]

C [Ὁμαλόω, Complano, Gl.]

[Ὁμαλύνω. V. Ὁμαλίζω.]

[Ὁμαλῶς. V. Ὁμαλός.]

[Ὄμανα, πόλις τῆς εὐδαίμονος Ἀραβίας. Γλαῦκος β Ἀραβικῶν ἀρχαιολογίας. Τὸ ἐθνικὸν Ὀμανεὺς ὡς Τυανεὺς, Κομανεὺς, Steph. Byz. Lucian. Macrob. c. 17.]

[Ὅμαργος (sic enim scrib. pro ὅμαργος) σύνθετον ἀπὸ τοῦ ὁμοῦ καὶ τοῦ ἀργός· ἔστι δὲ ὄνομα κυνὸς, Arcad. p. 47, 18.]

[Ὁμαρής, ὁ, ἡ.] Ὁμαρές, Hesychio ὁμοῦ, συμφώνως. [Ad ὁμήρης refert Guietus. Hesych. eodem modo interpretatur Ὁμᾶ et Ὁμαλῇ, ὁμοῦ.]

[Ὁμάριον, πόλις Θετταλίας. Θεόπομπος Φιλιππικῶν κϛ'. Ἐν ταύτῃ τιμᾶται Ζεὺς καὶ Ἀθηνᾶ. Τὸ ἐθνικὸν Ὁμάριος, Ὀμαρεὺς, Steph. Byz. In Achaia ponit Strabo 8, p. 385, 387, cujus libri Ἀρνάριον et Αἰνάριον. Huc refertur quod est ap. Polyb. 5, 93, 10 : Ἐφ' οἷς δ' ἔληξαν τῆς πρὸς ἀλλήλους διαφορᾶς, γράψαντες εἰς στήλην παρὰ τὸν τῆς Ἑστίας ἀνέθεσαν βωμὸν ἐν Ὁμαρίῳ. V. Ὁμόριος.]

[Ὁμαρτέω. V. Ὁμαρτῇ.]

D Ὁμαρτῇ, i. q. ὁμοῦ, Simul, Una, ὁμοῦ καὶ ἀρηρότως, aut ὁμοῦ καὶ ἠρτημένως : de iis, quæ Serie quadam continua se sequuntur. Hom. Il. Σ, [571] : Τοὶ δὲ ῥήσσοντες ὁμαρτῇ Μολπῇ τ' ἰϋγμῷ τε ποσὶ σκαίροντες ἕποντο· E, [656] : Καὶ τῶν μὲν ὁμαρτῇ δούρατα μακρὰ Ἐκ χειρῶν ἤϊξαν. [Φ, 162. Od. X, 81. Eur. Hec. 839 : Ὡς πάνθ' ὁμαρτῇ σῶν ἔχοιτο γουνάτων· Hipp. 1195 : Κἂν τῷδ' ἐπῆγε κέντρον ἐς χεῖρας λαβὼν πώλοις ὁμαρτῇ· Heracl. 138 : Πολλὰ δ' ἦλθον ... δίκαι' ὁμαρτῇ δρᾶν τε καὶ λέγειν ἔχων· Rhes. 309 : Πολὺς δ' ὄχλος γυμνῆς ὁμαρτῇ. Apoll. Rh. 1, 538.] Eust. annotat, Aristarchum oxytonωs scripsisse ὁμαρτή, volentem esse ἀποκεχομμένον ex Ὁμαρτήδην, significante itidem ὁμοῦ, Una, Simul, Una serie. Hoc autem ὁμαρτήδην derivatum videri queat ex verbo Ὁμαρτέω, Sequor, Eo una cum. Il. Ω, [438] : Ἐνδυκέως ἐν νηῒ θοῇ ἢ πεζὸς ὁμαρτέων. [Od. N, 87 : Οὐδέ κεν ἴρηξ κίρκος ὁμαρτήσειεν, Consequatur, Æquet currentem. Φ, 188 : Τὼ δ' ἐξ οἴκου βῆσαν ὁμαρτήσαντες ἅμ' ἄμφω.] Hesiod. Op. [674] : Ὅστ' ὤρινε θάλασσαν ὁμαρτήσας Διὸς ὄμβρῳ. [Ibid. 194 : Ζῆλος δ' ἀνθρώποισιν ὁμαρτήσει· Theogon. 201 : Τῇ δ' Ἔρος ὡμάρτησε.] Apud Homerum rursum ὁμαρτήτην legitur, per sync. pro ὡμαρτησάτην, Insecuti sunt, Il. N, [584] : Τὼ δ' ἄρ ὁμαρτήτην· ὁ μὲν, ἔγχεϊ ὀξυόεντι Ἵετ' ἀκοντίσαι, ὁ δ', ἀπὸ νευρῆφιν ὀϊστῷ. [Aliam scripturam memorat schol. Vict. : Οἱ δὲ ἁμαρτήτην, ἅμα προΐεντο, ὡς ἀπειλήτην. Quorum utrumque esse per ει scribendum, ut ὁμαρτείτην est in libro uno, animadvertit Lobeck. ad Buttm. Gr. v. Ὁμαρτέω.] Vana enim eorum opinio est, qui adverbium esse existimarunt illud ὁμαρτήτην pro ὁμαρτήδην : rectius sentit Eust., quem ideo secutus sum. [Cum accus. M, 400 : Τὸν δ' Αἴας καὶ Τεῦκρος ὁμαρτήσανθ' ὁ μὲν ἰῷ βεβλήκει κτλ., quanquam accus. etiam cum verbo seq. conjungere licet. Theognis 1165 : Κακοῖσι δὲ μήποθ' ὁμάρτει. Æsch. Prom. 678 : Βουκόλος Ἄργος ὡμάρτει· Sept. 1023 : Μήθ' ὁμαρτεῖν τυμβοχόα χειρώματα· Eum. 339 : Τοῖς ὁμαρτεῖν· fr. ap. Plut. Mor. p. 389, A : Μιξοβόαν πρέπει διθύραμβον ὁμαρτεῖν. Soph. OEd. C. 1647 : Ἀστακτὶ σὺν ταῖς παρθένοις στένοντες ὡμαρτοῦμεν· fr. Thyest. ap. Stob. Fl. 115, 16 : Τῷ γήρᾳ φιλεῖ χὠ νοῦς ὁμαρτεῖν καὶ τὸ βουλεύειν ἃ δεῖ. Eur. Bacch. 923 : Ὁ θεὸς ὁμαρτεῖ· Herc. F. 336 : Ὦ τέκν', ὁμαρτεῖτ' ἀθλίῳ μητρὸς ποδί· 622 : Ὁμαρτεῖτ' ἐς δόμους πατρί· El. 412 : Ποίμναις ὁμαρτεῖ· Ion. 1151 : Ἄστρα δ' ὡμάρτει θεᾷ (Nocti)· Iph. A. 1212 : Ὥσθ' ὁμαρτεῖν μοι πέτρας. Callim. Cer. 129 : Ποτὶ τὰν θεὖν ἄχρις ὁμαρτεῖν. Theocr. 8, 64. Nicand. Th. 360 : Πληγῇ δὲ κακήθεα σήμαθ' ὁμαρτεῖ. In prosa Hippocr. p. 483, 8 : Οὐχ ὁμαρτέει πῦον. Philostr. V. Ap. 3, 4, p. 96. || Aor. Orph. Arg. 509 : Καί ῥα πανημερίησιν ἐν εἰλαπίνῃσιν ὅμαρτεν. || Forma Æol. Ὑμάρτη Theocr. 28, 3.]

[Ὁμαρτήδην. V. Ὁμαρτῇ.]

[Ὀμάρτης s. Ὁμάρτης, ὁ, Omartes, rex Marathorum, ap. Athen. 13, p. 575, B.]

[Ὁμαρτητήρ. V. Ὁμηρητῆρες.]

Ὁμὰς, άδος, ἡ, Omnes simul, Universitas, [Summa huic add. Gl.]; nam Bud. σύνδικος τῆς ὁμάδος, s. διεκδικητὴς τῆς ὁμάδος, interpr. Actor universitatis, in Pand. Ὁμὰς, inquit Idem, Universitas, ut ἀγωγὴ περὶ ὁμάδος, ut Petitio hæreditatis, in lege Sicut, Cod. de Præscriptt. XXX vel XL annorum. Et de Rerum Divisione : Τινὰ πάντων ἐστὶ, τινὰ τῆς ὁμάδος. In quo tamen posteriore l. quum opponantur ὁμὰς et πάντες, accipi ὁμὰς posset pro Multitudo. [Eust. Opusc. p. 14, 75 : Ὁμάδα συστήσασθαι· 153, 2 : Τῇ ὁμάδι τῶν τιμίων κλήρων· 339, 12 : Τῇ ὁμάδι τῶν ἀδελφῶν. Geopon. 10, 2, 3 : Πάντες καθ' ὁμάδα οἱ τὰ γεωργικὰ συγγραψάμενοι. Alia exx. v. ap. Reitz. ad Theophil. p. 1282.]

Ὅμασπις, ὁ, ἡ, Una cum alio clypeum gestans, Commilito, Epigr. [Theæteti schol. Anth. Plan. 233, 5.]

[Ὁμαυλία, ἡ, Cohabitatio, Concubitus. Æsch. Choeph. 599 : Ξυζύγους θ' ὁμαυλίας, ubi schol. ὁμοκοιτίας.]

Ὅμαυλος, ὁ, ἡ, Consonus. Soph. OEd. T. [187] : Ἰαιὰν δὲ λάμπει, στονόεσσά τε γῆρυς ὅμαυλος, i. e. ὁμόυρους, ὁμόφωνος, schol.

[Ὅμαυλος, ὁ, ἡ, Cohabitans, Una pernoctans. Hesychius : Ὅμαυλον, ὁμόκοιτον, ὁμοῦ αὐλιζόμενον. Priorem interpretationem ponit Phot. Signif. Vicini Sophocli fr. Ægei ap. Strab. 9, p. 392 : Νίσῳ δὲ τὴν ὅμαυλον ἐξαιρεῖ χθόνα, restituit G. Dindorfius.]

[Ὀμβηλὸς, ὁ, Ombelus, fl. Indiæ, ap. Nonn. Dion. 26, 49.]

[Ὄμβοι, πόλις Αἰγύπτου πρὸς τῇ Λιβύῃ. Ἀλέξανδρος ἐν α' Αἰγυπτιακῶν. Τὸ ἐθνικὸν Ὀμβῖται, Steph. Byz. Νομὸς Ὀμβίτης in numis ap. Mionnet. *Suppl.* vol. 9, p. 145, et in inscr. Ægypt. ap. Letronn. *Recueil* vol. 1, p. 40, pap. ap. Peyron. Pap. 1, p. 59, 173, 39; Ὄμβων ib. p. 172, 3.]

Ὀμβρέω, Pluo. Hesiod. Op. [413] : Μετοπωρινὸν ὀμβρήσαντος Ζηνὸς ἐρισθενέος. [Apoll. Rh. 3, 1399 : Διὸς ἄσπετον ὀμβρήσαντος. Lycophr. 79 : Ὅτ' ἠμάθυνε πᾶσαν ὀμβρήσας χθόνα Ζηνὸς καχλάζων νασμός.] Et cum accus. ap. Philonem V. M. 2 : Ἀνθ' οὗ φλόγα αἰθέριον ὤμβρησεν ἀπὸ τοῦ οὐρανοῦ. [Id. vol. 1, p. 402, 15 : Ὅτῳ (ὁ θεὸς) τὸ θεοφιλὲς ὤμβρησεν ἀγαθόν· vol. 2, p. 397, 2 : Μὴ ἀνωφελεῖς ἃς ἡ φύσις ὤμβρησε πηγὰς τοῦ γάλακτος· 399, 26 : Τὴν φύσιν ὀμβρῆσαι γάλα. Nonnus Dion. 2, 33 : Γίγαντος ... πίδακας ὀμβρήσαντος.] Greg. Naz. autem

A dixit ἄρτος ὀμβρήσει in Or. εἰς τὸ ἅγιον Πάσχα. Vide Ὀμβρίζω. [|| Irrigo. Epigr. Anth. Pal. 7, 340, 2 : Ὀμβρήσας δακρύοις λάρνακα. V. autem Ὀμβρίζω. Hesych. interpr. Ὀμβρεῖ, ἀτιμάζει, ἀκολουθεῖ, ὑπερισχύει, αὔξει, πιαίνει, πλήθει. Quarum interprr. secundam pertinere ad ὁμηρεῖν, cujus verbi Hes. alibi memorat similes formas, animadvertit Albertus.]

[Ὀμβρηγενὴς, ὁ, ἡ, Pluvia natus. Orph. H. 79, 4, ὕδωρ.]

[Ὀμβρήεις, εσσα, εν, i. q. ὄμβριος. Orac. Sib. 11, 217 : Φόνον ὀμβρήεντα.]

[Ὀμβρηλὸς, ἡ, ὸν, i. q. ὀμβρηρός. Theognost. Can. p. 62, 5, inter τὰ διὰ τοῦ ηλος ὀξύτονα ὑπὲρ δύο συλλαβάς. L. Dindorf.]

Ὄμβρημα, τὸ, Quod pluit, Pluvia. Vide et Ὀμβρία. [Ps. 77, 44. Tzetz. Hist. 5, 416. Etym. Havn. ap. Bloch. ap. Etym. M. p. 987.]

Ὀμβρηνὸς, seu Ὀμβρηρὸς, Pluviosus. Hesiod. Op. [449] : Ἥτ' ἀροτοιό τε σῆμα φέρει, καὶ χείματος ὥρην Δεικνύει ὀμβρηνοῦ, Tempus pluviosæ hyemis. Sed legi-

B tur etiam ὀμβρηροῦ. Quinetiam extat et tertia lectio, sc. ὀμβρινοῦ cum ι : tunc autem videri queat potius esse a nomine, quam a verbo. [Utrumque nihili est, verumque unum ὀμβρηρός.]

[Ὀμβρήρης, ὁ, ἡ, Pluvialis. Nicand. Th. 406 : Κόραξ τ' ὀμβρήρεα κρώζων.]

[Ὀμβρηρὸς, ά, ὸν, Pluviosus. V. Ὀμβρηνός. || Ὀμβρηρῶς, Ad morem imbris. Philo vol. 1, p. 129, 24 : Ὅταν δὲ στένωμεν, ἀνιχρῶς καὶ πάνυ ὀμβρ. χρώμεθα ταῖς λύπαις, Inundamur obruimurque, Int. Wakef.]

[Ὄμβρησις, εως, ἡ, Pluvia. Schol. Hesiodi Th. 138 : Διὰ τῆς ὀμβρήσεως (ὁ οὐρανὸς) θάλλειν πάντα καὶ αὔξεσθαι ποιεῖ.]

Ὀμβρία, ἡ, Pluvia quædam nimbosa, si ita loqui licet, Nimbus. Ex Theophr. autem affertur C. Pl. 6, 4, Ὑπ' ὀμβρίας φύεσθαι, pro Frequentia imbrium provenire. [Ἐπομβρίαις Schneider.] Schol. Aristoph. [Nub. 298] ὀμβροφόροι νεφέλαι exp. ὄμβρου γέμουσαι, ὀμβρίας πληρωθεῖσαι.

Ὀμβρίας et Ὀμβρίχια, poetæ vocant τὰ πάντων τῶν

C ἀγρίων τέκνα, Omnium ferarum catulos, auctore Polluce [5, 15] : Eust. habet ὀβρίκαλα et ὄβρια. [Quod v.]

Ὀμβρίζω, est Imbre rigo, madefacio, humecto. Item simpliciter Madefacio, Humecto, ὑγραίνω, ex Epigr. [Ubi verum ὀμβρέω, quod v.] Scribit autem Eust. [Il. p. 114, 5], quamvis dicatur ὀμβρίζω et σταθμίζω a vett., inveniri tamen ὤμβρησε et ἐστάθμησε tanquam a them. Ὀμβρῶ et Σταθμῶ : quibus verbis innuere videtur in usu non esse illud thema : quod tamen legitur ap. Suid., ut antea docui. Sed et Hesych. habet Ὀμβρεῖ, cui varias dat signiff. : sc. ἀτιμάζει, ἀκολουθεῖ, ὑπερισχύει, αὔξει, πιαίνει, πλήθει. [Anon. in Boiss. Anecd. Gr. vol. 4, p. 444, 2, ab ipso cit. : Ὄμβρισον ἐλέους μοι σταγόνα. Cod. ὄμβρυσον.]

[Ὀμβρίχια. V. Ὀμβρίας.]

[Ὀμβριχία, ἡ, Umbricia, nom. mulieris, in inscr. Smyrn. ap. Bœckh. vol. 2, p. 785, n. 3375.]

[Ὀμβρίκιος, ὁ, Umbricius, n. viri ap. Plut. Galbæ c. 24, in inscr. Smyrn. ap. Bœckh. vol. 2, p. 785, n. 3375. L. Dind.]

D [Ὄμβρικος. V. Βάκχος vol. 1, p. 63, C.]

[Ὀμβρικοὶ, ἔθνος Ἰταλικὸν περὶ τὸν Ἀδριανὸν κόλπον, μέσον τοῦ Πάδου καὶ Πικεντικοῦ. Λέγονται καὶ Ὄμβροι (ap. Lycophr. 1360). Ἔστι καὶ ποταμὸς Ἰταλίας Ὄμβρος. Λέγονται Οὔμβροι παρὰ τοῖς Ἰταλικοῖς συγγραφεῦσι, Steph. Byz. Ὀμβρικὴ et Ὀμβρικοὶ sæpius est ap. Strab. l. 5. Ap. Steph. pravo accentu Ὄμβρικοι, ut Ὀμβρίκων ap. Herodot. 4, 49, quum Ὀμβρικοὺς sit 1, 94, ut ap. Dionys. A. R. 1, 22, Scymnum 220, Scylac. p. 6, Nicolaum Dam. Stob. Fl. vol. 1, p. 209, 300.]

[Ὀμβριμαῖος, α, ον, Pluvialis. Herodian. Epimer. p. 100. Boiss. Synod. Cpol. in Maji Nova Coll. Vat. vol. 4, p. 5, 3 : Τὰς ὀμβριμαίας σταγόνας. L. Dind.]

[Ὀμβριμόγυιος, ὁ, ἡ, Const. Manass. Amat. 4, 30. Boiss. V. Ὀβριμόγυιος.]

Ὀμβριμοεργὸς, Suidæ ὁ μεγάλα ἔργα ποιῶν, Magna et ardua facinora edens. [Callim. ap. Strab. 14, p. 648. V. Ὀβριμοεργός.]

Ὀμβριμόπατρος s. Ὀβριμόπατρος, dicitur Cui pater est validus, vel robustus, s. magno robore præditus, aut fortis, Natus patre prævalido, s. præpotente. Unde fem. Ὀμβριμοπάτρη, sive Ὀβριμοπάτρη, itidem Nata patre prævalido: quo epitheto Minerva insignitur ab Hom. Od. Γ, 135: Μήνιος ἐξ ὀλοῆς γλαυκώπιδος ὀβριμοπάτρης. [V. Ὀβριμοπ—, quod verum.]

Ὄμβριμος, vel Ὄβριμος, Impetuosus, Vehemens, Validus, Gravis. Interdum et Potens, Præpotens. Hesiod. Op. [144], loquens de tertio seculo hominum, quod æreum erat: Δεινόν τε καὶ ὄμβριμον. Et ὄμβριμον ἔγχος ap. Hom., Hasta valida. — Hic autem ponendum esset hoc nomen, sequendo eos qui ab ὄμβρος deducunt; sed quum non minus frequens sit Ὄβριμος, inde hoc derivare malo, unde et βριαρός: vel potius unde et βριάω, a quo βριαρός. De hac autem derivatione hujus nominis et de ejus signiff. dixi supra, in Ὄβριμος. [Ineptissimam esse etymol. ab ὄμβρος moneri non opus est. Sed totam formam ὄμβριμος inane esse librariorum commentum in Ὄβριμος diximus. Pro ὄμβριος est ap. Nicand. Th. 388: Ἠὲ καὶ ἔντερα γῆς, οἷα τρέφει ὄμβριμος αἶα, ubi est var. ὄβριμος, Schneid. autem conjecit ὄμβριος. Sed ὄμβριμος pro ὄμβριος est aliquoties ap. Theoph. Nonnum vol. 1, p. 234.]

[Ὀμβριμώ. V. Ὀβριμώ.]

Ὄμβριος, ὁ, ἡ [et α, ον, Lycophr. 876: Ὀμβρία νιφάς], Pluvius, Pluvialis [Gl.]; ὄμβριον ὕδωρ, Aqua pluvia, quam Horat. vocavit et Aquam cœlestem. [Pind. Ol. 10, 3; Aristoph. Av. 1593; Herodot. 2, 25; Plut. Mor. p. 653, A, etc. Soph. OEd. C. 1502: Ὀμβρία χάλαζα.] Affertur et ὄμβριον νέφος ex Aristoph. [Nub. 288], ubi quidam malint Pluviosa nubes. [Hesych. in Μίχαι, quod interpretatur λάχανα ὄμβρια. Ὄμβριος Ζεὺς ap. Lycophr. 160, Strab. 15, p. 718, Plut. Mor. p. 158, D, Pausan. 1, 32, 2.]

[Ὀμβρισία, ἡ, Receptaculum aquæ pluviæ, ὀμβρίου vel ὀμβριμαίου ὕδατος. Anonymus in Descript. S. Sophiæ p. 261: Ἔθετο δὲ κατὰ πρόσωπον δεξαμενῆς ὀμβρισίαν ναμάτων καὶ ἔγλυψε λέοντας δώδεκα etc., i. e. posuit in conspectu cisternæ conceptaculum aquæ pluviæ. Ducang. Verba corrupta videntur sic ut ὀμβρίων vel ὀμβρίμων ναμάτων scribendum sit.]

[Ὀμβρίων, ωνος, ὁ, Ombrio, Cretensis, Arrian. Exp. 3, 5, 67.]

[Ὀμβροβλυτέω.] Ὀμβροβλύζων, Pluviam fundens, in quibusdam VV. LL. In aliis est Ὀμβροβλυτῶν, cum eadem expositione. Legitur autem ὀμβροβλυτῶ ap. Suid. scribentem: Ὀμβρῶ, ὀμβρήσω, ὀμβροβλυτῶ· καὶ ὀμβρήσαντος, πηγάσαντος. [Non græcum est ὀμβροβλύζω. Ὀμβροβλυτεῖς autem est etiam in Etym. Havn. apud Bloch. ad Etym. M. p. 987.]

[Ὀμβροδέκτης, ὁ, Pluviæ receptaculum. Hero in Mathem. vett. p. 318, 34: Φροντίζειν τῆς τοῦ ὕδατος ἀφθονίας, καὶ ἐμπλᾶν τοὺς ὀμβροδέκτας καὶ τὰ ἀγγεῖα πάντα.]

[Ὀμβροδόχος, ὁ, ἡ, Pluviam recipiens. Bianor Anth. Pal. 9, 272, 2.]

[Ὀμβροδοσία, ἡ, Imbrium donatio. Jo. Chrys. Serm. 27, vol. 7, p. 325: Κινῶ τὴν γλῶτταν πρὸς ὀμβροδοσίαν.]

[Ὄμβροι. V. Ὀμβρικοί.]

[Ὀμβροκτύπος, ὁ, ἡ, Pluvia strepens. Æsch. Ag. 656: Σὺν ζάλῃ τ' ὀμβροκτύπῳ.]

[Ὀμβροποιός, ὁ, ἡ, Pluviam faciens. Schol. Hom. Il. A, 397.]

Ὄμβρος, ὁ, Imber, Pluvia, [Nimbus add. Gl.] Hom. Il. Λ, [493]: Χειμάρρους κατ' ὄρεσφιν ὀπαζόμενος Διὸς ὄμβρῳ. [Cum eod. Jovis nomine Pind. Isthm. 4, 55.] Κ, [6]: Ὡς δ' ὅταν ἀστράπτῃ πόσις Ἥρης ἠϋκόμοιο, Τεύχων ἢ πολὺν ὄμβρον, ἀθέσφατον, ἠὲ χάλαζαν, Ἢ νιφετόν. Idem alibi vocat ἄσπετον ὄμβρον. [Χειμέριος Pind. Pyth. 5, 10; 6, 10. Eur. Hel. 1481. Æsch. Ag. 1533: Δέδοικα δ' ὄμβρου κτύπον. Soph. OEd. C. 1279: Ὁμοῦ μέλας ὄμβρος χαλάζης αἱματός τ' ἐτέγγετο· 1428: Ἄγος, τὸ μήτε γῆ μήτ' ὄμβρος ἱερὸς μήτε φῶς προσδέξεται. Eur. Tro. 79: Ζεὺς ὄμβρον καὶ χάλαζαν ἄσπετον πέμψει. Herodot. 8, 13: Ὄμβρος λάβρος. Plato Reip. 2, p. 359, D: Ὄμβρου πολλοῦ γενομένου.] Item ὄμβρον dicit aliquid ἀέξειν, et περάαν διαμπερές, et δεύειν, item aliquid καταπύθεσθαι ὄμβρῳ. Herodian. 8, [5, 9]: Ὄμβρων τε καὶ ἡλίου ἠνείχοντο· 3, [3, 9]: Νύκτωρ αἰφνιδίως ὄμβρων μεγίστων καταρραγέντων, χιόνος τε πολλῆς. [Plur. etiam Pind. Pyth. 4, 81: Φρίσσοντας ὄμβρους. Soph. OEd. C. 350: Πολλοῖσι δ' ὄμβροις ἡλίου τε καύμασι· El. 736: Καλλίστων ὄμβρων διόθεν στερεῖσαι. Aristoph. Nub. 338: Ὄμβρους θ' ὑδάτων δροσερᾶν νεφελᾶν. Orph. H. 18, 5, etc. Herodot. 2, 25: Τῶν ὄμβρων ἐπιλειπόντων αὐτούς. Xen. OEc. 5, 18: Ὄμβροι ἐξαίσιοι. Plat. Axioch. p. 370, C: Καταφορὰς ὄμβρων.] Apud Plutarch. autem legimus Ῥαγδαίου ἐκχυθέντος ὄμβρου, in Alexandro [c. 60]. Aristot. De mundo, quid sit ὄμβρος, et quid ὑετός, hisce declarat verbis [c. 4, 6]: Ὄμβρος δὲ γίγνεται μὲν κατ' ἐκπιεσμὸν νέφους εὖ μάλα πεπαχυμμένου· διαφορὰς δὲ ἴσχει τοσάσδε ὅσας καὶ ἡ τοῦ νέφους θλίψις· ἠπία μὲν γὰρ οὖσα μαλακὰς ψεκάδας διασπείρει, σφοδρὰ δὲ, ἁδροτέρας· καὶ τοῦτο καλοῦμεν ὑετὸν, ὄμβρου μείζω καὶ συνεχῆ συστρέμματα ἐπὶ γῆς φερόμενα· Imber fit expressione nubis magnopore addensatæ, tot habens differentias quotuplex est nubis compressio, quippe quæ remissa si fuerit, molles stirias dispergat, sin vehemens, pleniores. Hocque appellamus ὑετὸν, Pluviam, imbris contorta stillicidia, quum majuscula ipsa, tum vero jugi tenore casitantia. Bud. Deduci autem ὄμβρος putarunt quidam gramm. ἀπὸ τοῦ ὁμοῦ ῥεῖν. [Oppian. Cyn. 4, 43: Δόρκοι ... δρόμοις ἐνὶ μεσσατίοισι κυστίδα χυμαίνουσιν ἀναγκαίοισιν ὑπ' ὄμβροις βριθόμενοι λαγόνας, de urina. Hal. 3, 22: Αἰθόμενος πυρὸς ὄμβροις. Improprie etiam Nestor Anth. Pal. 9, 364, 2: Ἡδὺν ἀπὸ στομάτων Ἑλικωνίδος ὄμβρον ἀοιδῆς. Ut νιφετὸς de oratore diserto Pollux 6, 147.] Ab Hesychio nomen Ὄμβρος dicitur significare vel χοιρίδιον, vel ὑετός. [Prior interpretatio pertinet ad Ὄβρια aut cognatum ei vocabulum.]

[Ὀμβροτοκία, ἡ, Imbris generatio. Dionys. Areop. Hier. cœl. 17, 6, p. 170: Κατὰ τὴν νοητὴν ὀμβροτοκίαν. Suicer.]

[Ὀμβροτόκος, ὁ, ἡ, Imbrifer, Imbrem generans. Orph. H. 20, 2; 81, 5, νεφέλαι. « Ὀμβροτόκος νεφέλη, Aquosa nubes, Planud. Ovid. Met. 5, 570. » Boiss. Cyrill. In Jo. 2, 5, p. 213: Ὀμβροτόκους πηγάς. Suic.]

Ὀμβροφόρος, ὁ, ἡ, Imbrifer, [Nimbifer, Gl.] Imbrem ferens. [Æsch. Suppl. 35: Ὀμβροφόροισιν ἀνέμοις.] Ὀμβροφόροι νεφέλαι, Aristoph. [Nub. 298], Imbriferæ nubes. Schol. exp. ὄμβρου γέμουσαι, Imbre refertæ: item ὀμβρίας πληρωθεῖσαι. [Av. 1748, βρονταί. Ap. Hesiod. Op. 547 ex conjectura Seleuci.]

[Ὀμβροχαρής, ὁ, ἡ, Pluvia gaudens. Orph. H. 25, 8.]

[Ὀμβρόω, et pass. Ὀμβρόομαι, unde Ὀμβροῦται, Imbricitur, Gl.]

Ὀμβρώδης, ὁ, ἡ, affertur pro Imbre dilutus.

Ὁμέθνιος, Suidæ [et Photio] ὁμόφυλος, Qui ejusdem gentis est.

[Ὁμειρόμενοι, ὁμείρονται, ἐπιθυμοῦσιν, Hesychius et omisso ὁμειρόμενοι Photius. « Thessal. 2, 8, pro ἱμειρόμενοι alii codd. ὁμειρόμενοι, quod a Theophylacto allatum sequutus est Hesych. V. quæ monui ad Gloss. N. T. p. 146, ubi Ὁμειρόμενοι, ἐπιθυμοῦντες legitur. » Albert.]

[Ὁμέμπορος, ὁ, Comes. Nonnus Dion. 27, 337. Wakef.]

Ὁμέστιος, ὁ, ἡ, Eundem larem habens, Contubernalis, ex Plat. [Epigr. infra cit. Empedocl. ap. Clem. Al. Strom. 5, p. 722: Ἀθανάτοις ἄλλοισιν ὁμέστιοι. Soph. fr. Niptr. ap. Steph. Byz. in Δωδώνη cit.: Δωδῶνι ναίων Ζεὺς ὁμέστιος βροτῶν. Quintus 14, 186: Μακάρεσσι θεοῖσιν ἤδη ὁμέστιός εἰμι. « Polyb. 2, 57, 7 (al. ὁμοέστιος, quæ formæ permutantur ap. Marin. V. Proc. p. 8, 5 ed. Boiss.); 4, 33, 5. » Schweigh. Lex. Mich. Syncell. Laudatione Dionysii Ar. p. 351. Boiss.] Sic et in Epigr. [Platonis]: Εἰμὶ δὲ ταῖς νύμφαισιν ὁμέστιος [ubi cod. Pal. ὁμέψιος, quod v. Quintus 14, 187: Ἐπεὶ μακάρεσσι θεοῖσιν ἤδη ὁμέστιός εἰμι.]

[Ὁμευναῖος, α, ον, Conjugalis. Oppian. Hal. 1, 509: Ὁμευναίαις ἀλόχοισι.]

[Ὁμευνέτης. V. Ὅμευνος et Ὁμευνήτης.]

Ὁμευνέτις, ιδος, ἡ, Uxor. Soph. [Aj. 501]: Ἴδετε τὴν ὁμευνέτιν Αἴαντος. [Memorat etiam Suidas.]

[Ὁμευνήτης, ὁ, ἡ, i. q. ὁμευνέτης (nisi ita scribendum ex Photio et Suida, qui interpr. συγκοίτου ἀνδρὸς, ut gl. fortasse petita sit ex l. Eur. in Ὅμευνος cit.), ap.

Hesych.: Ὁμευνήτου, συγκοίτου, ὁμολέκτρου. V. quæ diximus in Εὐνήτης.]

[Ὅμευνις, ιδος, ἡ, Conjux. Lycophr. 372 : Ὁμήροισι τοῖς ὁμευνίδων.]

Ὅμευνος, ὁ, ἡ, et Ὁμευνέτης, ὁ, Qui eodem cubili utitur. Unde exp. et Maritus. [Eur. Med. 953, Ion. 894; Lycophr. 1199; Damaget. Anth. Pal. 7, 735, 3. Ὅμευνος, ὁ, Nicand. Th. 131 : Θουρὰς ... κάρη ἀπέκοψεν ὁμεύνου. Ἡ, Manetho 3, 148 : Αἰνόγαμοι καὶ δυσκλέες εἵνεχ' ὁμεύνων· 199 : Ἄλλας ὁμεύνους· et alibi.]

[Ὁμέψιος, ὁ, ἡ, Comes. Plato Anth. Pal. 9, 826, 3 : Εἰμὶ δὲ ταῖς Νύμφαισιν ὁμέψιος.]

[Ὁμηγερής, ὁ, ἡ.] Ὁμηγερέες, Congregati simul, ex ὁμοῦ et ἠγερέομαι pro ἀγείρομαι. Hom. Il. A, [57] : Οἳ δ' ἐπεὶ οὖν ἤγερθεν, ὁμηγερέες τ' ἐγένοντο, ubi ὁμηγερέες ἐγένοντο repetitio est τοῦ ἤγερθεν. Posset autem, si ἠγερέομαι non extaret, formari ὁμηγερέες ab ἀγείρομαι, accipiente η in incremento; vel ὁμηγερέες per contractionem ex ὁμοαγειρέες, ut vult Etym. [M. p. 623, 44] : Ὁμηγερέες· ἐπίῤῥημα ἀθροίσεως, παρὰ τὸ ὁμοῦ καὶ τὸ ἀγείρω τὸ συναθροίζω, ὁμοαγειρής, ὁμοαγειρέος, ὁμηγερέος, καὶ ἡ εὐθεῖα τῶν πληθυντικῶν. [Conf. autem Hom. Il. B, 789, H, 415, O, 84, Ω, 84, 99, 790, Od. B, 9, Γ, 417 (qui versus abest a multis exemplaribus), Θ, 24, Ω, 420. Apoll. Rh. 2, 467, 996; 4, 1369; Arat. 378.]

[Ὁμηγόρος, ὁ, ἡ, Qui æquo utitur dicendi jure. Hesychius : Ὁμηγόροι, ἰσήγοροι, ἐν ταυτῷ συνήγοροι.]

[Ὁμηγυρίζω.] Ὁμηγυρίσασθαι, Congregare, In eundem locum cogere, συναθροῖσαι, ὁμοῦ συναγαγεῖν. Hom. Od. Π, [376] : Πρὶν κεῖνον ὁμηγυρίσασθαι Ἀχαιοὺς Εἰς ἀγορήν. Ap. Hesych. reperio et [vitiose] Ὁμηγύρειν expositum itidem [τὸ] συνάξαι, Cogere, Congregare.

[Ὁμηγυρής, ὁ, ἡ, Qui congregatur, Congregatus. Nonnus Jo. c. 18, 40 : Ὁμηγυρέες μαστεύετε· c. 20, 90 : Ὁμηγυρέεσσι μαθηταῖς. Forma Dor. Pind. Pyth. 11, 8 : Ἔνθα στρατὸν ὁμαγυρέα καλεῖ συνίμεν.]

[Ὁμηγύριος, ὁ, epith. Jovis. Pausan. 7, 24, 2 : Πρὸς θαλάσσῃ δὲ Ἀφροδίτης ἱερὸν ἐν Αἰγίῳ, καὶ μετ' αὐτὸ Ποσειδῶνος, Κόρῃ τε πεποίηται τῇ Δήμητρος, καὶ τέταρτον Ὁμαγυρίῳ Διΐ. Ὁμαγύριος δὲ ἐγένετο τῷ Διὶ ἐπίκλησις, ὅτι Ἀγαμέμνων ἤθροισεν ἐς τοῦτο τὸ χωρίον τοὺς λόγου μάλιστα ἐν τῇ Ἑλλάδι ἀξίους, μεθέξοντας ἐν κοινῷ βουλῆς, καθ' ὅντινα χρὴ τρόπον ἐπὶ ἀρχὴν τὴν Πριάμου στρατεύεσθαι.]

Ὁμήγυρις, εως, ἡ, Cœtus, Multitudo hominum eodem congregatorum. Hom. Il. Υ, [142, H. Cer. 484] : Ἄψ ἴμεν Οὔλυμπόνδε, θεῶν μεθ' ὁμήγυριν ἄλλων. [Pind. Isthm. 6, 46 : Ἐλθεῖν μεθ' ὁμάγυριν Ζηνός. Æsch. Cho. 6 : Τίς ποθ' ἥδ' ὁμήγυρις στείχει γυναικῶν φάρεσιν μελαγχίμοις πρέπουσα; Ag. 4 : Ἄστρων κάτοιδα νυκτέρων ὁμήγυριν. Eur. Hipp. 1179 : Μυρία δ' ὀπισθόπους φίλων ἅμ' ἔστειχ' ἡλίκων ὁμήγυρις. Coluth. 340 : Νυμφάων ἐς ὁμήγυριν ἀγρομενάων ἤλυθεν.]

[Ὁμηγύρω. V. Ὁμηγυρίζω.]

[Ὁμήθεια, ἡ, Consuetudo. Oppian. Cyn. 4, 2 : Νυμφίδιοι φιλότητες ὁμήθειαί τε. Manetho 6, 188 : Ζεύξαντες ὁμηθείῃσι γυναικῶν ἀλλοτρίων μετέπειτα γάμους ἀναφανδὰ τελοῦσιν. Hesych. in Ὁμαιχμία.]

Ὁμήθης, ὁ, ἡ, Qui eorundem morum est, similibus moribus, ex Apoll. Arg. 2, [917] : Ὁμήθεας ἄνδρας ἰδέσθαι. [3, 118 : Ἅτε κοῦροι ὁμήθεες. Nicand. Th. 415 : Βρύα προλιπὼν καὶ ἕλος καὶ ὁμήθεα λίμνην. Quod συνήθη interpr. Hesychius.]

Ὁμηλικία, ἡ, Ætatis æqualitas, Eadem ætas. Hom. Il. N, [485] : Εἰ γὰρ ὁμηλικίῃ γε γενοίμεθα τῷδ' ἐνὶ θυμῷ, Pari ætate : ὁμοίᾳ ἡλικίᾳ, Eust. [Recte nunc hic recepta altera scriptura ὁμηλικίη, ut hic quoque dicantur Æquales.] At Γ, [175] accipitur pro ipsis Æqualibus s. Coætaneis; dicit enim Helena, Γνωτούς τε λιποῦσα, Παῖδά τε τηλυγέτην, καὶ ὁμηλικίην ἐρατεινήν, Æquales meas. [Atque sic ceteris locis omnibus Homeri, velut Od. Z, 23 : Κούρῃ Δύμαντος, ἣ οἱ ὁμηλικίη μὲν ἔην, quod συνῆλιξ interpr. Hesych., et aliorum, ut Apoll. Rh. 3, 814. Priori signif. Quintus 8, 281 : Οὕνεκ' ἴσοι τελέθουσιν ὁμηλικίῃ τε βίῃ τε. Eidem 11, 133 : Ἄγχι μάλ' ἑσταότες κατὰ φύλοπιν, εὖθ' ὑπ' ἀπήνῃ δοιοὶ ὁμηλικίῃ κρατεροὶ βόες, nominativum restituebat Spitzner. ad l. pr. Homeri. Orph. Arg. 508 : Φίλατο δ' αὖ παρεόντας ὁμηλικίης ἕνεκα σφῆς· 1113 : Πάντες ὁμῶς στίλβοντες ὁμηλικίην ἐρατεινήν· ubi vertere licet Juventutem, ut ap. Theognid. 1011 : Πτοιοῦμαι δ' ἐσορῶν ἄνθος ὁμηλικίης. Poeticum esse monet Pollux 3, 62.]

Ὁμῆλιξ, ἴκος, ὁ, ἡ, Qui ejusdem ætatis est, i. q. ἧλιξ et ἰσῆλιξ, Coætaneus, Æquævus. [Æqualis, Coæqualis, Coævus, Ædilis add. Gl.] Hom. Od. O, [197] : Ἀτὰρ καὶ ὁμήλικες ἐσμέν· Ἥδε δ' ὁδὸς καὶ μᾶλλον ὁμοφροσύνῃσιν ἐνήσει· Π, [419] : Ἐν δήμῳ Ἰθάκης μεθ' ὁμήλικας ἔμμεν' ἄριστον. [Cum eadem præp. Hesiod. Op. 442, 445. Eur. Hipp. 1098 : Ὦ νέοι μοι τῆσδε γῆς ὁμήλικες· Bacch. 201 : Ἃς θ' ὁμήλικας κεκτήμεθα· et eodem gen. Tro. 1183. Cum genit. Alc. 953 : Δάμαρτος τῆς ἐμῆς ὁμήλικας. Anth. Pal. 1, 21 : Πατρὸς ὁμῆλιξ. Moschus 2, 102 : Ἑτάραι φίλιαι καὶ ὁμάλικες. Nonn. Jo. c. 8, 40 : Ὁμήλικα χαίτην.] Bud. ex Philone : Εἰκὸς γὰρ, ἀλλὰ δ' [sic] ἀναγκαῖον, ἀνθρώποις συνυπάρξαι τὰς τέχνας ὡς ἂν ὁμήλικας. [Lucian. Pro imag. c. 13. De neutro pl. τὰ ὁμήλικα ζῷα ap. Apollon. Hist. Mir. c. 18 conf. Lobeck. Paralip. p. 289. Memorat etiam Pollux 3, 61, et usurpat 6, 156.]

Ὅμηλυς, υδος, ὁ, ἡ, q. d. Convena, ex Nonno, pro Veniens simul, Comes viæ. [Joann. c. 6, 59 : Ὁμήλυδες λαοί· c. 19, 110, ἀρχιερῆες· c. 21, 111, ἀσπαλιῆες.]

[Ὁμηλῠσίη, ἡ, Conjunctum iter. Arat. 178 : Ὁμηλυσίῃ περ ἀνελθών· et schol. Boiss.]

[Ὁμηραπάτη, ἡ, Homeri fraus. Sextus Pyrrh. hyp. 1, 224, p. 58 : Τίμων φησὶ, Ξεινοφάνης ὑπάτυφος, Ὁμηραπάτης ἐπισκώπτης (ἐπικόπτης, quod v.) ... Ὁμηραπάτης δὲ ἐπισκώπτην (ἐπικόπτην) εἶπεν, ἐπεὶ τὴν παρ' Ὁμήρῳ ἀπάτην διέσυρεν. Ὁμηραπάτην est ap. Diog. L. 9, 18, quod quamvis recte formatum tamen refellitur Sexti verbis citatis.]

Ὁμηρεία, ἡ, Obsidium, ut dicitur Obsidio dare, a Tac. Sed et pro Pignus quod datur in obsidium. Thuc. 8, [45] : Ἀπολιπόντες ἐς ὁμηρείαν τὸν προσοφειλόμενον μισθόν. [Alex. Ætol. ap. Parthen. c. 14, v. 6 : Ὁμηρείης ὅρκια. Plato Polit. p. 310, E : Ὁμηρειῶν ἐκδόσεσιν. Dionys. A. R. 6, 25 : Τριακοσίους εἰς ὁμηρείαν ἐκ τῶν ἐπιφανεστάτων οἴκων ἐπιλεξάμενος. Diodor. 19, 75 : Τὸν ἀδελφὸν ἐξέκλεψεν ἐκ τῆς ὁμηρείας. « Conditio obsidis, Polyb. 9, 11, 10; 18, 22, 5, etc. Ὁμηρία 9, 11, 10; 28, 4, 7; 31, 12, 1. Sed analogiæ convenientior prior forma a verbo ὁμηρεύειν. » Schweigh. Lex. Male etiam Gl. Ὁμηρία, Clarigatio.]

[Ὁμήρειον, τὸ, Templum in Homeri honorem. Strabo 14, p. 646. Pictum v. in Mus. Worslejano vol. 2, fol. 43. De accentu proparoxytono Theognost. Can. p. 129, 33, ubi Ὁμηρεῖον scriptum, Ὁμήρειον ap. Bekker. Anecd. p. 1343.]

Ὁμήρειος, α, ον, et ὁ, ἡ, i. q. Ὁμηρικός, Homericus; sed poetis potius usitatum. Ὁμήρειος λόγος, ὁ τοῦ Ὁμήρου, Suid. Et Ὁμήρειοι χάριτες in quodam versu. [Aristoph. fr. Dætal. ap. Galen. Lex. Hipp. p. 404 : Ὁμηρείους γλώττας. Γράμμα Callim. Ep. 6, 3. Nicand. Th. 957 : Ὁμηρείοιο Νικάνδροιο. Alexand. Æt. ap. Athen. 15, p. 699, C : Ὁμηρείην ἀγλαΐην ἐπέων. Automedon Anth. Pal. 11, 361, 2 : Ταῖσιν Ὁμηρείοις πάντα Λιταῖς ἴκελαι. Plato Theæt. p. 179, E : Τούτων τῶν Ἡρακλειτείων, ἤ, ὥσπερ σὺ λέγεις, Ὁμηρείων. Hippocr. p. 848, B : Τὸ Ὁμήρειον (verbum). V. Ὁμηρικός.]

[Ὁμηρείως, Ælian. N. A. 15, 16 : Καὶ τῆς γαστρός οἱ στεινομένης, Ὁμηρείως δὲ εἶπον, τήνδε οὐκ ἀντέχειν. Atque sic scribendum videtur 9, 11 : Πρᾶον εἶναι καὶ, ἵνα Ὁμήρῳ ἰδίως (al. ἰδίῳ) εἴπω, ἀβληχρὸν, quod nihili est. Ὁμηροειδῶς conjiciebat G. Dindorfius v. Βληχρός. L. Dindorf.]

[Ὁμηρέτης, ὁ, Qui consentit. Ὁμόψηφος, ὁμογνώμων, interpr. Hesych. et Photius. Sic dicitur συνηρετεῖν, ὑπηρετεῖν. Ap. Phot. male ὁμηρίταις.]

Ὁμήρευμα, τὸ, habet significationem, quam posteriore loco dedi nomini proxime præcedenti ὁμηρεία, necnon τῷ ὅμηρον. Plut. Romulo [c. 16] : Μεγάλοις ὁμηρεύμασιν ἐνδεδεμένους. Proprie autem sonat ὁμηρεύματα, Quæ obsidio sunt tradita, quum sit tanquam a verbo pass. Sunt qui ὁμήρευμα interpr. etiam Obses.

Ὁμηρεύω, Sum obses. [Eur. Bacch. 297 : Χρόνῳ δέ νιν βροτοὶ τραφῆναί φασιν ἐν μηρῷ Διός, ὄνομα μεταστήσαντες, ὅτι θεᾷ θεὸς Ἥρα ποθ' ὡμήρευσε. Æschines p. 72, 35 : Λακεδαιμόνιοι νῦν ὁμηρεύσοντες μέλλουσιν ὡς Ἀλέξανδρον ἀναπέμπεσθαι. Et sæpius Polyb. aliique recentiorum.] Herodian. 3, [9, 4]: Τούς τε παῖδας ὁμηρεύειν εἰς ἀσφάλειαν πίστεως ἔδωκε, Dedit ut obsides fidei ab eo datæ essent. Polit. autem, Traditisque obsidio liberis fidem suam auctoravit. Athen. 10, [p. 438, D]: Ἀντίοχος ὁ ὁμηρεύσας παρὰ Ῥωμαίοις· de quo infra ex Maccab., ὃς ην ὅμηρα ἐν τῇ Ῥώμῃ. [Improprie Oppian. Hal. 1, 421: Τούνεκα καὶ ξυνῇσιν ὁμηρεύουσι γενέθλαις ἀμφιβίων, Conjunguntur. || Capio obsidem. Eurip. Rhes. 433: Τῶν δ' ὁμηρεύσας τέκνα. «Πόλις ὁμηρευομένη, Civitas quæ obsides dedit, Æneas Poliorc. c. 10.» Seager. V. etiam Ὁμηρέω.]

Ὁμηρέω, In unum convenio, Occurro, Obvius fio; Comitor. Hom. Od. [Π, 468]: Ὡμήρησε δέ μοι παρ' ἑταίρων ἄγγελος ὠκὺς, Κῆρυξ, Eust. συνήντησεν, et ὁμοῦ γέγονεν: addens, ex ὁμὸς fieri nomen Ὅμηρος, a quo esse verbum Ὁμηρῶ pro συναντῶ. Affert tamen et aliam derivationem, sc. ἐκ τῶν ὁμοῦ ἐρεσσόντων, ἢ συναρηρότων. Apud Harpocr. ὁμηρῆσαι (ita enim ibi reponendum pro ὁμηρῶσαι) legimus esse τὸ συμβαλεῖν: in cujus signif. exemplum affertur ille Hom. versus. Vide et Suid., item Hesych. non solum in Ὁμηρεῖν, sed et in Ὡμήρησε. Apud Hesiod. Theog. [39]: Φωνῇ ὁμηρεῦσαι, Voce concordantes, τῇ φωνῇ συμφωνοῦσαι. Exp. et ὁμοῦ εἴρουσαι, item ὁμοῦ τῇ φωνῇ λέγουσαι. [Hesychius præter ὁμηρεῦσαι hinc petitum ponit cum Photio et Suida etiam Ὁμηρεύειν, συμφωνεῖν.] || Ὁμηρεῖν pro ἀκολουθεῖν, Sequi, vide Ὅμηρος. Ὁμήρει Hesych. exp. ἀκολουθεῖ, ἐγγυᾶται. [Pro ὁμηρεῖ.]

[Ὁμήρης, ὁ, ἡ, Conjunctus. Nicander Al. 70: Ῥιζία... ὁμήρεα κόψας οἴνῳ· 261: Πολλάκι καὶ φηγοῖο πόροις ἀχύλοισιν ὁμήρη.]

[Ὁμηρία. V. Ὁμηρεία.]

[Ὁμηριάδης, ὁ, pro Ὁμηρίδης. Tzetz. Exeg. in Il. p. 3, 3: Παισὶν Ὁμηριάδαις.]

[Ὁμηρίδδω.] Ὁμηριάδειν, Hesychio ψεύδεσθαι, Mentiri. [Leg. Ὁμηρίδδειν. V. Valck. Ep. ad Roev. p. 77. De interpretatione Hemsterh.: «Signif. non absurda, sive ὁμηρίζειν capias Homerum imitari (neque enim primus Dion in Troica mendaciorum reum egit principem poetam), sive Homeri carmina recitare, quod Homeridæ faciebant et rhapsodi. Notum vero ῥαψῳδεῖν sæpius i. esse q. φλυαρεῖν, ψεύδεσθαι, μυθολογεῖν· et ap. Nostrum Ῥαψῴδημα, ψεῦσμα, φλυαρία.»]

Ὁμηρίδης, ὁ, Homeri imitator, ejusque dogma sequens. Ὁμηρίδας appellat Plato [Reip. 10, p. 599, E, Phædr. p. 252, B] Homeri imitatores, ejusque dogmata sequentes. [De studiosis Homeri Plat. Ion. p. 530, D: Ὑπὸ Ὁμηριδῶν ἄξιος χρυσῷ στεφάνῳ στεφανωθῆναι. Eust. Il. p. 1203, 17: Ἐκ τούτου τοῦ τόπου οἱ Ὁμηρίδαι πολλά τε ἄλλα τεχνικὰ (κερδαίνουσι) κτλ. Theodor. Hyrtac. *Notices* vol. 6, p. 5 fin.: Τόδε καὶ γέγονε καὶ τετελεσμένον ἐστὶ, φάναι δὴ καθ' Ὁμηρίδην.] Synes. Εὐοπτίῳ: Τούτους αὐτοφυεῖς Ὁμηρίδας ἐνόμισα, καὶ ἐθέμην τῷ δόγματι· de quo l. lege Bud. p. 907. A Suida Ὁμηρίδαι exp. οἱ τὰ Ὁμήρου ὑποκρινόμενοι. Sunt et qui Rhapsodos omnes ita vocatos existiment. [Pind. Nem. 2, 1: Ὁμηρίδαι ῥαπτῶν ἐπέων ἀοιδοί.] || At vero ap. Isocr. Hel. Enc. [p. 218, E]: Ὁμηρίδαι, γένος ἐν Χίῳ, ab Homero poeta denominatum; secundum alios, ἀπὸ τῶν ὁμήρων. Vide Harpocr., ex quo sumpsit et Suid. [«Hanc interpretationem relinquamus vanitati Chiorum ap. Strab. 14, p. 645, a qua fortasse ipsi Homeridæ abfuerunt.» Wolf. Proleg. Hom. p. 98, 65. Γένος ἐν Χίῳ ἀπὸ τῶν Ὁμήρου ἀπογόνων dicitur in Lex. rh. Bekk. An. p. 288, 6.] Existimo certe, significando Ὁμήρου ἀπογόνους, rectius scribi Ὁμηρεῖδαι. || Apud Hesych. autem Ὁμηρεῖδαι legitur expositum esse αἱ ῥαψῳδίαι: sed aut hæc expositio perperam scripta est, aut illud vocabulum: quod potius suspicor, ac pro eo reponi debere Ὁμηρεῖαι.

Ὁμηρίζω, Homerum imitor, Homerica usurpo; nam Suid. exp. τοῖς Ὁμήρου χρῶμαι. Bud. autem significare ait i. q. ῥαψῳδῶ. [Liban. vol. 4, p. 1070, 26: Αἱ Μοῦσαι περὶ τὴν κόρην ὡμήριζον καί τι λέγειν τοῦ κάλλους οὐκ εἶχον ἐπάξιον. Signif. Mentiendi v. in Ὁμηρίδδω forma Laconica. || Signif. obscœna ad μηροὺς alludente Ach. Tat. 8, 9, p. 181, 4: Ὀλίγον ἑαυτῷ μισθωσάμενος στενωπεῖον εἶχεν ἐνταῦθα τὸ οἴκημα, ὁμηρίζων τὰ πολλά. Sic Ὁμηρικὸς in epigr. Cratetis Anth. Pal. 11, 218, 4. || Cucurbito. V. Ὁμηριστής.]

A Ὁμηρικὸς, ἡ, ὸν, Homericus, Qui est Homeri, Ad Homerum pertinens. [Plato Reip. 10, p. 600, B: Ὁδόν τινα βίου παρέδοσαν Ὁμηρικήν. Strabo 2, p. 70: Τὴν Ὁμηρικὴν γερανομαχίαν.] Ὁμ. ἔπος, στίχος, itidemque in plur. ἔπη, στίχοι, ap. Athen. [Schol. Dionys. Bekk. An. p. 853, 12: Ἁμαρτάνουσιν οἱ λέγοντες (ποίημα) Ὁμηρικόν. Ὁμήρειον γὰρ δεῖ λέγειν· οὐ γὰρ περιέχει περὶ Ὁμήρου, ἀλλ' Ὁμήρου ἐστὶ τὸ ποίημα.] Aliquando Ὁμηρικὸν vocatur Id cujus ab Homero fit mentio, quod ab Homero describitur, ut Ὁμηρικὴ ὄρνις, ap. Plut. Sic Ὁμ. Κύκλωψ, Σθένελος, etc. Interdum vero τὸ Ὁμηρικὸν dicitur sine adjectione, pro Carmen vel Dictum illud Homericum. || Homeri imitator. [Crates Anth. Pal. 11, 218, 4: Καὶ γὰρ Ὁμηρικὸς ἦν.] Quam signif. sequendo, dicitur et comp. Ὁμηρικώτερος [ap. Strab. 1, p. 3: Βελτίων δ' Ἡράκλειτος καὶ Ὁμηρικώτερος], et superl. Ὁμηρικώτατος: quo usus est Longin. [13, 3]; ap. quem tamen et aliter exponitur. [V. autem Ὁμηρίζω.]

Ὁμηρικῶς, Homerice, Homerico more, More Homeri,
B Ut solet Homerus. Plut. [Mor. p. 529, D]: Ἀλλ' ἡμῖν χρῆσθαι τοῖς ὀνόμασιν ἀσυκοφαντήτως δόκωσαν, μᾶλλον δὲ Ὁμ. Quidam Comicus [Strato] ap. Athen. 9, [p. 382, F]: Ὁμηρικῶς γὰρ διανοεῖ μ' ἀπολλύναι. Cic. Ep. ad Att. 1, 15: Respondebo tibi ὕστερον πρότερον, Ὁμηρικῶς. [Comparativo Apollon. De constr. p. 165, 10: Συντάσσειν Ὁμηρικώτερον.]

[Ὁμηριστὴς, ὁ, Homerista. Athen. 14, p. 620, B: Ὅτι δ' ἐκαλοῦντο οἱ ῥαψῳδοὶ καὶ Ὁμηρισταὶ Ἀριστοκλῆς εἴρηκεν ἐν τῷ περὶ χορῶν. Τοὺς δὲ νῦν Ὁμηριστὰς ὀνομαζομένους πρῶτος εἰς τὰ θέατρα παρήγαγε Δημήτριος ὁ Φαληρεύς. Petron. Sat. c. 59, p. 395: «Quum Homeristæ Græcis versibus colloquerentur.» Diomedes 3, 8, 4: «Olim partes Homerici carminis in theatralibus circulis cum baculo, i. e. virga, pronuntiabant qui ab eodem Homero dicti sunt Homeristæ.» || Alia signif. Artemid. 4, 3: Ἀπολλωνίδης ὁ χειρουργὸς ὁμηρίζειν νομίσας καὶ πολλοὺς τιτρώσκειν πολλοὺς ἐχειρούργησε· καὶ γὰρ οἱ ὁμηρισταὶ τιτρώσκουσι μὲν καὶ αἱμάσσουσιν, ἀλλ' οὐχ ἀποκτεῖναί γε βούλονται. «Verbum ὁμηρίζειν hoc l.
C significat Cucurbitare et ὁμηρισταὶ sunt Cucurbitatores.» Reiff.]

[Ὁμηρῖται, οἱ, Homeritæ. Ἔθνος Αἰθιόπων. Μαρκιανὸς ἐν περίπλῳ α', Steph. Byz. Sæpe memorantur etiam Byzantinis, ut Nonnoso ap. Phot. Bibl. p. 2, 21, ubi tamen alii altera forma Ἀμερίτας, codex autem in marg.: Γρ. καὶ Ὁμηρίτας· οἱ γὰρ ἐξ ἀρχῆς βασιλεῖς δι' ὁμήρων ἐπιστοῦντο τὴν τούτων ὑποταγήν. L. Dind.]

[Ὁμηροειδῶς. V. Ὁμηρείως.]

Ὁμηρόκεντρα, τὰ, vel Ὁμηροκέντρωνες, οἱ, Homeri centones, i. e. carmina, vel integra vel dimidia, ex variis locis decerpta, et ita velut consuta, ut ad alius rei et longe etiam diversæ descriptionem accommodentur. Extant autem hodieque Ὁμηρόκεντρα edita ἀνωνύμως, quibus bona pars Evangelicæ historiæ comprehenditur, ex consutis Homeri carminibus. Creduntur autem a nonnullis esse Eudoxiæ uxoris Theodosii Junioris, quæ hac in re Probam Falconiam imitari voluerit, i. e., ad eum usum Homericos versus convertere, ad quem illa converterat Virgilianos. Hanc
D certe Suid., in Κῦρος, Πανοπολίτης ἐποποιὸς, appellat φιλοεπῆ, Carminum studiosam. Eust. agens de voce κέντρων, Ab hoc vocab., inquit, deductum est nomen Κέντρωνες, et Qui consuuntur, et Qui scribuntur: necnon verb. Ἐγκεντρίζειν, de stirpibus: ut quemadmodum ἐγκεντρίζειν est ἐγκεντεῖν et ἐμβάλλειν φυτῷ τινι κλαδίσκον ἀλλοίου φυτοῦ, sic et κέντρων sit ῥαπτὸς μὲν, ᾧπερ ὡσανεὶ παρακεντοῦνται διάφοροι χρόαι ὑφασμάτων: at vero γραπτὸς, ᾧ παρατίθενται, τοιούτου παρακεντήματος δίκην, μέρη ποιημάτων καὶ στίχων ἄλλοθεν ἄλλα: quibus subjungit, hinc appellata esse ὁμηρόκεντρα: quod exp. οἱ ὁμηρικοὶ κέντρωνες. Latini pro κέντρων dixerunt Cento, abjicientes literam ρ. Erasm. Prov. Farcire centones, Centones, inquit, dicuntur Vestes ex variis panniculis, ac diversis etiam interdum coloribus, consarcinatæ. Juven.: Intravit calidum veteri centone lupanar. Ad harum similitudinem centonem vocant Carminis genus ex diversis carminibus et carminum fragmentis hinc atque illinc accersitis contextum, quasique consutum. Græci κέντρωνας

appellant addita litera, quam abjiciunt Latini. Extant adhuc Ὁμηροκέντρωνες, quorum meminit et divus Hieronymus, et Virgiliocentones Probæ mulieris, et Cento nuptialis Ausonii, qui legem etiam ejus carminis tradit. Hæc ille. Quidam autem Centonem Latinos a nomine Centum derivasse crediderunt, quasi vero ab iis Græci sumpserint. A schol. Aristoph. κέντρων esse dicitur τὸ ἐπισασσόμενον (ita enim ap. eum scriptum est) τοῖς ὄνοις, ἐκ πολλῶν καὶ διαφόρων συῤῥαφὲν σακκίων, καὶ ἐπίσαγμα τῶν ὄνων, in Nub. [449], ubi quum alia multa conjunguntur, tum hæc, Κέντρων, μιαρὸς, στρόφις. Exp. autem φανερὸς κλέπτης, necnon aliis modis. Vide et Suid. in Κέντρων, ubi habes et vocem illam Ὁμηρόκεντρα. Affert Bud. et nomin. sing. Ὁμηρόκεντρον, exponens Homerocento. [Ὁμηροκέντρων Anth. Pal. inscr. 1, 119. Ὁμηρόκεντρα plur. ap. Tzetzen Hist. 8, 118; 10, 92. L. Dind.]

Ὁμηρομάστιξ, ῖγος, ὁ, Homeri flagellum, ad verbum. Ego commoda periphrasi posse exponi arbitror, Cujus lingua est flagellatrix Homeri; Qui lingua maledicta tanquam flagello Homerum insectatur. Hoc nomen s. potius cognomen datum fuit Zoilo cuidam Amphipolitano, ὃς ἐπεκλήθη Ὁμηρομάστιξ, inquit Suid., ὅτι ἐπέσκωπτεν Ὅμηρον. [Eust. Od. p. 1702, 44: Διαβάλλουσι δὲ καὶ τὸν τοιοῦτον τόπον οἱ ὁμηρομάστιγες.] Possumus autem ad imitationem hujus compositi, uti nomine μάστιξ cum aliis propriis nominibus: ut si dicam Ἡσιοδομάστιξ, Πινδαρομάστιξ, Σωκρατομάστιξ, Πλατωνομάστιξ, Ξενοφωντομάστιξ.

Ὅμηρος, ὁ, ἡ, Obses [Gl.], et Ὅμηρον, τὸ, Pignus quod est velut loco obsidis. [Eur. Alc. 870: Τοῖον ὅμηρόν μ' ἀποσυλήσας ᾅδη θάνατος παρέδωκεν· Bacch. 293: Ἔθηκε τόνδ' ὅμηρον Διόνυσον Ἥρας νεικέων· Or. 1189: Ξυλλάβεθ' ὅμηρον τήνδε. Aristoph. Ach. 327: Οὓς ἔχω γ' ὑμῶν ὁμήρους· Lys. 244: Τασδὶ δ' ὁμήρους κατάλιφ' ἡμῖν ἐνθάδε. Herodot. 61, 99: Ὁμήρους τῶν νησιωτέων παῖδας ἐλάμβανον· 7, 222: Κατεῖχέ σφεας ἐν ὁμήρων λόγῳ ποιεύμενος· 8, 94: Ἀγόμενοι ὅμηροι.] Thuc. [6, 61: Τοὺς ὁμήρους τῶν Ἀργείων τοὺς ἐν ταῖς νήσοις κειμένους·] 7, p. 262 [c. 83]: Ἄνδρας δώσειν Ἀθηναίων ὁμήρους, ἕνα κατὰ τάλαντον· 8, p. 271 [c. 24]: Ἐσκόπουν ὅπως μετριώτατα ἢ ὁμήρων λήψει ἢ ἄλλῳ τῳ τρόπῳ καταπαύσωσι τὴν ἐπιβουλήν. [Ib. 31: Ἔτυχε διὰ τὴν προδοσίαν τοὺς ὁμήρους καταλεγόμενος.] Xen. Hell. 6, [1, 6]: Τοὺς δὲ ἑαυτοῦ παῖδας ἔδωκεν ὁμήρους. [Cyrop. 4, 2, 7: Ὁμήρους θέλομεν ἀγαγεῖν· Anab. 7, 4, 24: Ὁμήρους λαμβάνειν τοὺς δυνατωτάτους. Sequente fut. 3, 2, 24: Πολλοὺς δ' ἂν ὁμήρους (δοίη) τοῦ ἀδόλως ἐκπέμψειν. Verbo λαμβάνειν jungit etiam Isocr. p. 83, C; 177, D.] Cyrop. 8, [8, 4]: Τὴν γυναῖκα καὶ τὰ τέκνα, καὶ τοὺς τῶν φίλων παῖδας ὁμήρους παρὰ τῷ Αἰγυπτίῳ ἐγκαταλιπών. At Ὅμηρον significat potius Pignus quod est velut loco obsidis, uti dixi. Hesych. exp. τὰ ἐπὶ συμβάσει διδόμενα ἐνέχυρα. Schol. Thuc. ἐνέχυρον ait esse τὸ ὑπὲρ εἰρήνης παρεχόμενον (addens derivari παρὰ τὸ ὁμοῦ εἴρειν: et Eust. [Il. p. 4, 33] de voc. ὅμηρος loquens: Οἱ καί φασι τὰ ἐπὶ εἰρήνῃ ὅμηρα οὕτω λέγεσθαι, παρὰ τὸ ὁμοῦ, καὶ τὸ ἀρῶ, τὸ ἁρμόζω· εἰς ὁμόνοιαν γὰρ ἁρμόττονται διὰ τῶν ὁμήρων οἱ διεστῶτες ἀλλήλων καὶ στασιάζοντες,) in hunc Thuc. l., 1, p. 27 [c. 82]: Μὴ γὰρ ἄλλο τι νομίσητε τὴν γῆν αὐτῶν ἢ ὅμηρον ἔχειν. [Plato Theæt. p. 202, E: Ὥσπερ ὁμήρους ἔχομεν τοῦ λόγου τὰ παραδείγματα.] Bud., postquam dixit ὅμηρον significare Pignus et Obses, affert ex Polyb. 3, [52, 5]: Ἔλαβε παρὰ τούτων ὅμηρα, τοὺς υἱεῖς τῶν ἐπιφανεστάτων ἀνδρῶν. Et ex Lys. [p. 126, 21]: Ὑπέσχετο δὲ εἰρήνην ποιήσειν, μήτε ὅμηρα δοὺς, μήτε τὰ τείχη καθελὼν, μήτε τὰς ναῦς παραδούς. Strabo autem dixit, alia signif., προδιδόναι τὰ ὅμηρα, sicut et τὰς πίστεις, l. 7: Πάλιν δ' ἀφίστανται, προδιδόντες καὶ τὰ ὅμηρα καὶ τὰς πίστεις. Interdum additur gen. huic nomini, ac tum cogimur reddere Pignus. Plut. in Pompeio [?] de Lentulo, Καὶ πάντας ἀναιρεῖν πλὴν τῶν Πομπηΐου τέκνων· ταῦτα δ' ἐξαρπασαμένους ἔχειν ὑφ' αὑτοῖς, ὅμηρα τῶν πρὸς Πομπήϊον διαλύσεων. || Ὅμηρα de unico obside, Macc. [1,] 1, [11] de Antiocho: Ὃς ἦν ὅμηρα ἐν τῇ Ῥώμῃ· quem pluralis usum ap. probatum scriptorem haud itidem inveniri puto. Huc autem pertinet, quod legitur in Ὁμηρεύω de hoc Antiocho. || Ὅμηρον, pro Obses, sunt et qui aliunde derivent, ut docebo in Ὅμηρος, nomine proprio.

A Ὅμηρος, ὁ, Homerus, qui et Μαιονίδης, Mæonides, patronymice, celeberrimus ille poeta, a quo ceu fonte perenni, Vatum Pieriis ora rigantur aquis, ut Ovid. Ideo autem huic proprio nomini datus hic fuit locus, quod ex eo appellativa non pauca nata sint. Dictus vero putatur ὅμηρος vel quod revera fuerit ὅμηρος, Obses, quod ὅμηρος ἀπὸ τοῦ ὁμοῦ εἴρειν derivatur, aut, secundum alios, a verbo Ὁμηρεῖν significante ἀκολουθεῖν: cujus etymi auctor est ap. Harpocr. Theopompus, dicens ὁμηρεῖν Achæis significasse ἀκολουθεῖν [immo τοῖς ἀρχαίοις, Veteribus, non Ἀχαιοῖς]: unde ὁμήρους appellatos fuisse τοὺς ἐπ' ἀκολουθίᾳ τῶν ὁμολογουμένων διδομένους: vel quasi μήορος: ut sc. ex μήορος dicto ἀπὸ τοῦ μὴ ὁρᾶν factum sit ὅμηρος per metathesin. Vide Eust. et eos qui Homeri vitam scripserunt. [Ὅμηρος, Cæcus, Cumæorum idiomate. Ps.-Herodot. Vita Homeri c. 13. Dahler. Sic Lycophr. 422: Ὅμηρον ὅς μιν θῆκε τετρήνας λύχνους. Schol. τυφλόν. Sic interpr. etiam Hesychius. Ceterum alios Homeros v. ap. Fabric. in B. Gr. Atheniensis est in inscr. ap. Bœckh.
B vol. 1, p. 504, n. 672.]

Ὁμηρτῆρες, Hesychio ἀκόλουθοι, συνήγοροι, Asseclæ, Patroni, forsan pro ὁμαρτητῆρες. [Simile ὁμιλητήρ.]

Ὁμῑλᾰδὸν, vel Ὁμιληδὸν, Turmatim, Catervatim, Per turmas, Facto agmine. Et q. d. In turba, Magna cum turba. Hom. Il. M, init.: Οἱ δ' ἐμάχοντο Ἀργεῖοι καὶ Τρῶες ὁμιλαδὸν, ubi Eust. ὁμιλαδὸν μάχεσθαι ait esse κατὰ πλῆθος, et ἀναμὶξ, et quod dicunt κατ' ἴλας, non autem μονομαχικῶς, et, ut poeta quispiam dixerit, μονάξ. Idem non semel dat. ὁμίλῳ explicat isto adverbio ὁμιλαδὸν, addens et παμπληθεὶ, item disjunctim exponens ὁμοῦ et ἰλαδόν. [O, 277: Ὣς Δαναοὶ εἵως μὲν ὁμιλαδὸν αἰὲν ἕποντο.] Apoll. Arg. 1, [655]: Πᾶσαι ὁμιλαδὸν ἠγερέθοντο. [Sic idem 4, 1181, 1453; Arat. 1077; Nicand. Al. 518; Orph. Arg. 374, 802, Lith. 414. V. etiam Hesych.] Hesiod. [Sc. 170]: Τῶν καὶ ὁμιληδὸν στίχες ἤϊσαν. [Apoll. Rh. 3, 596: Ἀνδράσι νοστήσαντας ὁμιλαδὸν, i. q. ὁμοῦ, Una cum.]

[Ὅμιλαος, i. q. ὁμιλητής. Pittacus ap. Diog. L. 1, 81: Ὡς ἀνδρὶ ξείνῳ γενοίμην τοι ὁμίλαος. Suspecta lectio:
C an ὁμιλατάς? Hemst. Codd. συνόμιλος.]

Ὁμῑλέω, In cœtu aliquorum versor, respiciendo ad ὅμιλος significans Cœtum; sed generalius accipitur pro Conversor, Versor cum, Consuetudinem vel Commercium habeo cum. [Sermocinor, Fabello, Gl.] Hom. Il. A, [261]: Ἤδη γάρ ποτ' ἐγὼ καὶ ἀρείοσιν ἠέπερ ὑμῖν Ἀνδράσιν ὡμίλησα. [Et alibi sæpe. Pind. Ol. 1, 116: Τοσσάδε νικαφόροις ὁμιλεῖν· Pyth. 6, 53: Συμπόταισιν ὁμιλεῖν. Æsch. Pers. 753: Τοῖς κακοῖς ὁμιλῶν ἀνδράσιν. Et sæpius Eur., ut fr. Phœnicis ap. Demosth. p. 417, 18: Ὅστις δ' ὁμιλῶν ἥδεται κακοῖς ἀνήρ. Aristoph. Nub. 1077: Ἐμοὶ δ' ὁμιλῶν χρῶ φύσει. Xenoph. Conv. 2, 10: Ἀνθρώποις χρῆσθαι καὶ ὁμιλεῖν. Plato Reip. 6, p. 500, C: Ὅτῳ τις ὁμιλεῖ ἀγάμενος, μὴ μιμεῖσθαι ἐκεῖνο, et alibi sæpe. Cum præpositione id. Leg. 10, p. 886, C: Θεογονίαν διεξέρχονται, γενόμενοί τε ὡς πρὸς ἀλλήλους ὡμίλησαν.] Sic in Sententiis monostichois [274]: Κακοῖς ὁμιλῶν, καὐτὸς ἐκβήσῃ κακός· itidemque [475]: Σοφοῖς ὁμιλῶν καὐτὸς ἐκβήσῃ σοφός. Apud Thuc. autem 3, [11]: Ἡμῖν δὲ ἀπὸ τοῦ ἴσου ὁμι-
D λοῦντες, quoniam paulo aliter redditur, de hoc l. et similibus mox dicam. [1, 77: Οἱ εἰθισμένοι πρὸς ἡμᾶς ἀπὸ τοῦ ἴσου ὁμιλεῖν.] Item ὁμιλεῖν τινὶ πρὸς χάριν, Isocr. [Antid. p. 452, 141], et ὁμιλεῖν πρὸς ἡδονὴν, Ita versari cum aliquo et consuetudinem habere, ut gratificari ei studeas, ejus voluptati inservias. Scio tamen reddi in VV. LL. Ad gratiam confabulari, Ad voluptatem confabulari: de qua interpr. dicam, ubi ad hanc τοῦ ὁμιλῶ signif. pervenero. [Cum dat. rei sic Pind. Pyth. 7, 9: Πάσαισι πολίεσι λόγος ὁμιλεῖ, et simili l. ap. Athen. 12, p. 513, C: Πάσαισιν πολίεσσιν ὁμίλει. Isthm. 3, 6: Πλαγίαις φρένεσσιν ὄλβος οὐ πάντα χρόνον ὁμιλεῖ. Cum præp. μετὰ Hom. Il. E, 86: Ἠὲ μετὰ Τρώεσσιν ὁμιλέοι ἢ μετ' Ἀχαιοῖς, et ib. 834, et alibi. Cum παρὰ Od. Σ, 383: Οὕνεκα πὰρ παύροισι καὶ οὐκ ἀγαθοῖσιν ὁμιλεῖς. Pind. Ol. 12, 21: Ὁμιλέων παρ' οἰκείαις ἀρούραις.] || Ὁμιλῶ οὕτω πρός σε, Talis est mea consuetudo tecum s. conversatio, Tale est mihi tecum commercium, Ita me gero erga te. Isocr. [p. 19, D]: Οὕτως ὁμίλει τῶν πόλεων πρὸς τὰς ἥττους· quod exp., Sic cum inferioribus civi-

tatibus commercium agita. Apud Thuc. autem non in uno loco [3, 11, al.], Ἡμῖν ἀπὸ τοῦ ἴσου ὁμιλεῖν, Pari jure nobiscum agitare, agere, se gerere; potius Ita se nobiscum gerere, ut qui pari sunt jure. [Plato Polit. p. 307, E : Οἴκοι πρὸς ἅπαντας οὕτως ὁμιλοῦντες· Phædr. p. 252, D : Τούτῳ τῷ τρόπῳ πρός τε τοὺς ἐρωμένους καὶ πρὸς τοὺς ἄλλους ὁμιλεῖ τε καὶ προσφέρεται· Reip. 4, p. 428, D : Ὄντινα τρόπον αὐτή τε πρὸς αὑτὴν καὶ πρὸς τὰς ἄλλας πόλεις ἄριστα ὁμιλοίη. || Cum præp. μετὰ Plato Polit. p. 272, C : Οἱ τρόφιμοι τοῦ Κρόνου μετά τε θηρίων καὶ μετ' ἀλλήλων ὁμιλοῦντες.] || Junctum autem dativo rei ὁμιλῶ, redditur sæpe verbo Versor, cum præp. In, ut [Pind. Nem. 1, 61 : Ποίαις ὁμιλήσει τύχαις. Soph. Aj. 1201 : Ἐκεῖνος οὔτε στεφάνων οὔτε βαθειᾶν κυλίκων νεῖμεν ἐμοὶ τέρψιν ὁμιλεῖν. Eur. Or. 354 : Εὐτυχίᾳ δ' αὐτὸς ὁμιλεῖς· El. 940 : Ηὔχεις τις εἶναι τοῖσι χρήμασι σθένων· τὰ δ' οὐδὲν εἰ μὴ βραχὺν ὁμιλῆσαι χρόνον. Aristoph. Nub. 1399 : Ὡς ἡδὺ καινοῖς πράγμασιν καὶ δεξιοῖς ὁμιλεῖν,] Ὁμιλεῖν τοῖς πράγμασι, Versari in rebus. Synes. Ep. 105 : Οὓς τὸ ὁμιλεῖν πάνυ πράγμασιν ἀνθρωπίνοις μὴ ἀποκόπτει τοῦ θείου, Versari in rebus humanis, Res humanas tractare. Idem Epist. 131 : Πράγμασιν ὁμιλεῖ δυσκόλοις, In molestis negotiis versatur, Negotia molesta tractat. Et ὁμιλεῖν φροντίσι ap. Synes., Versari in curis, q. d. Commercium habere cum curis. Sed et ὡμιληκὼς πολέμῳ, Thuc. [6, 70], Versatus in bello. At vero ap. Isocr., ubi uterque dat. huic verbo datur, nimirum unus rei, alter personæ, haud itidem verbo Versari reddi potest, quo tamen Bud. reddendum censuit, nisi ei duæ præpositiones dentur : in hoc sc. l., Ad Nic. [p. 22, D] : Ὁμιλεῖν καὶ τοῖς πράγμασι καὶ τοῖς ἀνθρώποις δύνασθαι, καὶ μὴ διαταράττεσθαι ἐν ταῖς τοῦ βίου μεταβολαῖς· hoc modo, Et in rebus gerendis et cum hominibus versari posse. [Cum ἔργον Apoll. Rh. 1, 630 : Ῥηΐτερον πάσῃσιν Ἀθηναίης πέλεν ἔργων, οἷς αἰεὶ τὸ πάροιθεν ὁμίλεον.] Interdum vero ὁμιλεῖν cum rei dat. redditur non solum Versari, sed et Adhærere, Operam dare. Bud. certe postquam dixit ὁμιλεῖν esse Versari, Adhærere alicui rei, affert ὁμιλεῖν τῇ φιλοσοφίᾳ ex Plat. De rep. 6, [p. 496, A] : Ὅταν αὐτοὶ [αὐτῇ] πλησιάζοντες ὁμιλῶσι [τῇ φιλοσοφίᾳ] μὴ κατ' ἀξίαν. Addit et hunc Ejusd. l. [ib. B], Πάνυ σμικρὸν δή τι λείπεται τῶν κατ' ἀξίαν ὁμιλούντων φιλοσοφίᾳ· ubi vertit, Qui digne et honeste philosophiæ studeant. [Γυμναστικῇ Reip. 3, p. 410, C.] Apud Lucian. autem, Παιδείᾳ κἂν ἐλάχιστον ὡμιληκὼς reddit, Qui literis quantulamcunque operam dederit. Ut autem φιλοσοφίᾳ ὁμιλεῖν redditur Philosophiæ operam dare, sic etiam φιλοσόφῳ ὁμιλεῖν reddere possumus Philosopho operam dare, ap. Plut. Præc. sanit. [De educ. lib. p. 5, B. Plato Reip. 3, p. 408, D : Δικασταὶ οἱ παντοδαπαῖς φύσεσιν ὡμιληκότες, et ib. : Ἰατροὶ εἰ ὡς πλείστοις τε καὶ πονηροτάτοις σώμασιν ὁμιλήσειαν· Phæd. p. 67, A : Ἐὰν ὅτι μάλιστα μηδὲν ὁμιλῶμεν τῷ σώματι μηδὲ κοινωνῶμεν· Reip. 10, p. 605, B : Τῷ πρὸς ἕτερον τοιοῦτον ὁμιλεῖν τῆς ψυχῆς, ἀλλὰ μὴ πρὸς τὸ βέλτιστον.] At vero ὀνείρασιν ὁμιλῶ ap. Chrysost. vertitur, Res est mihi cum somniis. Fortasse autem et in isto Gregorii l., Θεὸς ὁμιλήσας σαρκὶ, possit itidem reddi Cui res fuit cum carne. Nisi quis malit, ut certe et ego malo, Cui commercium cum carne fuit. At in VV. LL. Qui carni se alligavit. Affertur ex Hermog. et pro προσέχειν τὸν νοῦν. [Paullo aliter Æsch. Eum. 720 : Ἐγὼ δὲ μὴ τυχοῦσα τῆς δίκης βαρεῖα χώρᾳ τῇδ' ὁμιλήσω πάλιν. De re ipsa Orph. Lith. 66 : Οὐδέ σφιν κρείων ἐνὶ δώμασιν ὄλβος ὁμιλεῖ. Altero modo ib. 667 : Ὁμιλήσας κυλίκεσσιν. Nonnus Jo. c. 8, 46 : Ἢ ξίφος ἕλκων αὐτοφόνῳ διὰ γαστρὸς ὁμιλήσειεν ὀλέθρῳ· 56, βερέθρῳ. Hippocr. p. 780, E : Ὁμιλέει ὁ βραχίων τῷ κοίλῳ τῆς ὠμοπλάτης πλάγιος, Adhæret. V. etiam Ὁμιλία.] || Ὁμιλεῖν, In alicujus congressum colloquiumque venire, ut Cic. hæc copulat, Colloqui, Confabulari : sicut ὁμιλία pro Colloquio interdum accipi docebo. Sic in his ll., quos superius protuli, ὁμιλεῖν πρὸς χάριν, ἡδονὴν, redditur Confabulari [Plato Gorg. p. 513, D; 521, A]; sed non dubium est, quin latius accipere oporteat ὁμιλεῖν in hujusmodi ll., ut hoc dicatur de iis, qui quibuscunque possunt modis sua conversatione s. consuetudine gratificari conantur. [V. Casaub. ad Theophr. Char. p. 32. De auditoribus Socratis Xen.
A Comm. 1, 2, 15 : Νομίσαντε, εἰ ὁμιλησαίτην ἐκείνῳ, γενέσθαι ἂν ἱκανωτάτω λέγειν τε καὶ πράττειν· 39, et alibi. Cum præp. πρὸς 4, 3, 2 : Πρὸς ἄλλους οὕτως ὁμιλοῦντι. V. Pollux 4, 45. Cum adv. schol. Eur. Phœn. 278 : Οὐ καθάπαξ Ἑλληνικῶς ὡμίλουν, ἀλλ' εἶχόν τι τῆς πατρῴας φωνῆς. Et cum adj. adverbialiter posito Theodor. Stud. p. 387, B : Φιλικὰ ὁμιλεῖν. L. D.] Affertur autem ὁμιλεῖν et pro Orationem ad populum habere, s. Sermonem, ex Concil. Anticyr. Can. 1, cui analogon significationem habere nomen ὁμιλία dicetur infra. || Ὁμιλεῖν, Consuetudinem habere, Consuescere, intelligendo de concubitu. [Soph. OEd. T. 367 : Λεληθέναι σέ φημι σὺν τοῖς φιλτάτοις αἴσχισθ' ὁμιλοῦντα· 1185 : Ὅστις πέφασμαι φύς τ' ἀφ' ὧν οὐ χρῆν, ξὺν οἷς τ' οὐ χρῆν μ' ὁμιλῶν. Xen. Anab. 3, 2, 25 : Μήδων καὶ Περσῶν καλαῖς καὶ μεγάλαις γυναιξὶ καὶ παρθένοις ὁμιλεῖν· Reip. Lac. 2, 12 : Ἀνὴρ καὶ παῖς συζυγέντες ὁμιλοῦσιν· Comm. 2, 1, 24 : Τίσι παιδικοῖς ὁμιλῶν· Conv. 8, 21 : Ἐρῶντι οὐχ ἐρῶν ὁμιλεῖ· Hier. 8, 6 : Πρὸς ὃν ἂν τυγχάνῃ ὁμιλῶν.] Lucian. [D. deor. 5, 1] : Ἐγὼ δὲ ᾤμην
B ταῖς γυναιξὶ μόναις χαλεπήν σε εἶναι ὁπόσαι ἂν ὁμιλήσωσιν ἐμοί. Cui verbo analogon signif. habet nomen ὁμιλία, ut videbis infra. [Pollux 5, 92.] || Ὁμιλεῖν affertur et pro Accedere, ex quibusdam Homeri ll., ubi fortasse reddi potest etiam In congressum venire, Congredi. [Od. Ω, 19 : Ὣς οἱ μὲν περὶ κεῖνον ὁμίλεον.] At vero ap. Herodot. [7, 26] : Ὁμίλησαν τῇ Φρυγίῃ, vertitur Attigerunt Phrygiam. [Ib. 214 : Εἰ τῇ χώρῃ πολλὰ ὡμιληκὼς εἴη.] Et ap. Alex. Aphrod., Οὐχ ὁμιλεῖ τῷ σώματι αὐτῆς, Non attingit corpus ejus, Non contingit. Sed rursum ap. Hom. ὁμιλεῖν in bello est τὸ ὁμόσε κατὰ ἴλας γίνεσθαι. [De pugna Il. N, 779 : Ἐξ οὗ γὰρ παρὰ νηυσὶ μάχην ἤγειρας ἑταίρων, ἐκ τοῦδ' ἐνθάδ' ἐόντες ὁμιλέομεν Δαναοῖσι νωλεμέως· Π, 641 : Οἱ δ' αἰεὶ περὶ νεκρὸν ὁμίλεον· Σ, 539 : Ὡμίλευν δ' ὥστε ζωοὶ βροτοὶ ἠδ' ἐμάχοντο· Od. A, 265 : Αἳ γὰρ τοῖος ἐὼν μνηστῆρσιν ὁμιλήσειεν Ὀδυσσεύς. Eur. Andr. 791 : Σὺν Λαπίθαισί σε Κενταύρων ὁμιλῆσαι δορὶ κλεινοτάτῳ.] Est vero et ὅμιλον ποιεῖν. Vide Eust. [ad Od. Δ, 684 : Μὴ μνηστεύσαντες μηδ' ἄλλοθ' ὁμιλήσαντες ὕστατα καὶ πύματα νῦν ἐνθάδε
C δειπνήσειαν.] || Ὁμιλεῖν ἐκτὸς, pro Semotum agere, VV. LL. ex Soph. [Aj. 640 : Ὃς οὐκέτι συντρόφοις ὀργαῖς ἔμπεδος, ἀλλ' ἐκτὸς ὁμιλεῖ, ubi apparet improprie dici, de homine mente capto. || « Ap. Thuc. 6, 17, cum accusativo active ponitur, pro δι' ὁμιλίας ποιεῖν : Καὶ ταῦτα ἡ ἐμὴ νεότης ἐς τὴν Πελοποννησίων δύναμιν λόγοις τε πρέπουσιν ὡμίλησε, Hæc autem mea juventus verbis decentibus utens effecit, transegit. » Brunck.]

[Ὁμιληδόν. V. Ὁμιλαδόν.]

Ὁμίλημα, τὸ, Officium congressus, Congressus quidam officiosus. [Commercium. Eurip. fr. Antiop. Stob. Fl. 36, 10 : Τὸ δ' ἐκλαλοῦν τοῦθ' ἡδονῆς μὲν ἅπτεται, κακὸν δ' ὁμίλημα.] In VV. LL. ex Plat. [Leg. 5, p. 730, B : Ξενικά τε καὶ ἐπιχώρια ὁμιλήματα] affertur pro θεράπευμα, et Latine redditur Officium. [Lucian. Amor. c. 25 : Γυνὴ ἀπὸ παρθένου μέχρι ἡλικίας μέσης ... εὐάγκαλον ἀνδράσιν ὁμίλημα.]

[Ὁμιλητέον, Colloquendum. Clem. Alex. Pæd. p. 203, 28 : Οὐδὲ τροχαλῶς ὁμ. Vel Conversandum. Ari-
D stot. Eth. Nic. 8, 16 : Οὕτω δὴ καὶ τοῖς ἀνίσοις ὁμιλητέον.]

[Ὁμιλητήρ, ῆρος, ὁ. Hesychius : Θέραπες, ὁμιλητῆρες, Famuli. V. Ὁμηρητῆρες.]

Ὁμιλητὴς, ὁ, q. d. Conversator, pro eo qui conversari solet, et cui frequens est consuetudo cum aliquo. Sed accipitur peculiariter pro Discipulo, ap. Xen. [Comm. 1, 2, 12, 48]; sicut nomen Φοιτητὴς, quod proprie sonat Ventitator, ponitur itidem pro Discipulo. Huic autem nominis ὁμιλητὴς significationi ἀνάλογον habet et nomen ὁμιλία, ut ex sequentibus disces. [Lucian. Tim. c. 10, Pro lapsu c. 5; Liban. Epist. 343, 1535; Eust. Opusc. p. 259, 16. Pollux 4, 44. L. Dindorf.]

Ὁμιλητικὸς, ἡ, ὸν, [Tractator, Gl.] Qui bene et cum dexteritate quadam scit conversari, Qui dexteritate quadam in conversatione utitur. Eand. enim interpret. do huic nomini, quam dedi adjectivo εὐόμιλος : sed illud usitatius est quam hoc. A Bud. exp. ὁμιλητικὸς, Qui dexteritate convictus præditus est, et scit cedere aliis et dedere se opportune. Isocr. Ad Dem. [p. 8, D] : Γίνου πρὸς τοὺς πλησιάζοντας ὁμιλητικὸς, ἀλλὰ μὴ σεμνός· quibus subjungit ea, quæ cavenda sunt ei, qui ὁμιλητικὸς esse vult : Ὁμιλητικὸς δὲ ἔσει μὴ δύσερις ὢν, μηδὲ δυσάρεστος, μηδὲ πρὸς πάντα φιλόνεικος. [Definitt. Plat. p. 415, E : Κολακεία ἕξις ὁμιλητικὴ πρὸς ἡδονὴν ὑπερβάλλουσα τὸ μέτριον. Alciphr. Ep. 3, 44 : Τί δὲ ὁμιλητικὸν φέρει. Charito 1, 4, p. 8, 13 : Πάσης χάριτος ὁμιλητικῆς ἔμπλεος.] In VV. LL. redditur Sociabilis, Affabilis, Comis in congressu, Ad consuetudinem facilis et aptus (ex quibus illud Sociabilis præsertim, minime placet), et affertur ex Philostr. V. Ap. [1, 1] : Νόμον τοῦτον οἱ ὁμιλητικοὶ ἡγοῦντο, καὶ ἐτίμων αὐτὸν ὡς ἐκ Διὸς ἥκοντα. At vero ὁμιλητικαὶ διηγήσεις, Narrationes, quæ appellentur, vide ap. Eust. p. 122. [Id. Opusc. p. 181, 16 : Τοῦτο μὲν γὰρ ὁμιλητικώτερον.]

[Ὁμιλητὸς, ὁ, ἡ, Quocum conversari licet. Æsch. Sept. 189 : Οὐχ ὁμιλητὸν θράσος.]

[Ὁμιλήτρια, ἡ, Quæ conversatur, Amica. Philostr. V. Ap. 1, 30, p. 39, 3 : Λέγεται (ἡ Δαμοφύλη) τὸν Σαπφοῦς τρόπον παρθένους ὁμιλητρίας κτήσασθαι.]

Ὁμιλία, ἡ, q. d. ipsa Actio versandi in cœtu hominum : qua periphrasi utor, ut ostendam quomodo s. potius quatenus sequatur signif. nominis ὅμιλος. Exp. alioqui Conversatio, Consuetudo, Congressus, Commercium; peculiarius, Colloquium, [Loquela, Sermo, Locutio, Aspectus, Collocutio, Disputatio, Fabella, huic add. Gl.] Confabulatio. Bud. ex Cic. vertit, Familiaris congressio : quæ etiam expos. magis peculiarem dat huic nomini signif. [Æsch. Sept. 599 : Ἐν παντὶ πράγει δ' ἔσθ' ὁμιλίας κακῆς· Prom. 39 : Τὸ ξυγγενές τοι δεινὸν ἥ θ' ὁμιλία· Ag. 839 : Ὁμιλίας κάτοπτρον· Eum. 966 : Ἐπιβριθεῖς ἐνδίκοις ὁμιλίαις. Soph. Phil. 70 : Ὡς δ' ἔστ' ἐμοὶ μὲν οὐχὶ, σοὶ δ' ὁμιλία πρὸς τόνδε πιστὴ καὶ βέβαιος ἔκμαθε· El. 418 : Λόγος τις αὐτήν ἐστιν εἰσιδεῖν πατρὸς ... δευτέραν ὁμιλίαν ἐλθόντος ἐς φῶς, ubi fere ut infra ὁμιλία pro ὅμιλος dicitur de persona potius quam de re. V. infra in plur. Eur. Hipp. 19 : Μείζω βροτείας προσπεσὼν ὁμιλίας· 838 : Τῆς σῆς στερηθεὶς φιλτάτης ὁμιλίας· El. 384 : Τῇ δ' ὁμιλίᾳ βροτοὺς κρινεῖτε καὶ τοῖς ἤθεσιν τοὺς εὐγενεῖς. Aristoph. Pl. 775 : Τοὺς ἀξίους τῆς ἐμῆς ὁμιλίας. Xen. Comm. 1, 2, 20 : Τὴν τῶν χρηστῶν ὁμιλίαν ἄσκησιν οὖσαν τῆς ἀρετῆς.] Plato Sympos. [p. 203, A] : Θεὸς δὲ ἀνθρώπῳ οὐ μίγνυται, ἀλλὰ διὰ τούτου πᾶσά ἐστιν ἡ ὁμιλία καὶ ἡ διάλεκτος θεοῖς πρὸς ἀνθρώπους. [Eadem constr. Phædr. p. 239, E. Demosth. p. 1466, 2 : Ἐξ ὁμιλίας προσαγαγέσθαι· 1463, 27 : Δι' ὁμιλίας πεῖσαι.] Plut. Sympos. : Εὐνοίᾳ δὲ καὶ χρείᾳ καὶ ὁμιλίᾳ καὶ παιδιᾷ πολιτικῶν ἀνδρῶν ἐπάγεται. [Id. Mor. p. 66, D : Ἀμούσου τινὸς καὶ ἀτέχνου πρὸς εὔνοιαν ὁμιλίας.] Philo V. M. 1 : Οὐ θέμις τῆς ὁμιλίας σοι τῆς ἐμῆς ἀπολαῦσαι, Tibi consuetudine mea frui nefas est. [De consuetudine Eur. Phœn. 1408 : Καί πως νοήσας Ἐτεοκλῆς τὸ Θεσσαλὸν εἰσήγαγεν σόφισμ' ὁμιλίᾳ χθονός. Cui loco Æschylei infra citt. comparari possunt. Respexit Hesychius : Ὁμιλίᾳ χθονὸς, ἀντὶ τοῦ φιλίᾳ, ἔρωτι τῆς πατρίδος· περὶ γὰρ τὴν πάλην ἐσπούδασαν οἱ Θηβαῖοι. Andr. 684 : Ὅπλων γὰρ ὄντες καὶ μάχης ἀΐστορες ἔβησαν ἐς τἀνδρεῖον· ἡ δ' ὁμιλία πάντων βροτοῖσι γίγνεται διδάσκαλος. Thuc. 1, 3 : Δοκεῖ μοι ... καθ' ἑκάστους μὲν ἤδη τῇ ὁμιλίᾳ μᾶλλον καλεῖσθαι Ἕλληνας, οὐ μέντοι πολλοῦ γε χρόνου ἠδύνατο καὶ ἅπασιν ἐκνικῆσαι. Schol. τῇ ὁμιλίᾳ) οὐκ ἀπὸ γραφῆς καὶ δόξης ἁπάντων, ἀλλ' ἐκ τῆς τῶν ἐπιχωρίων ὁμιλίας.] Usitatus est et plur. ὁμιλίαι. [Soph. OEd. T. 1489 : Ποίας γὰρ ἀστῶν ἥξετ' εἰς ὁμιλίας, ubi similiter dicitur ut in l. El. paullo ante cit. Eur. Tro. 51 : Αἱ συγγενεῖς ὁμιλίαι φίλτρον οὐ σμικρὸν φρενῶν. Plato Leg. 1, p. 640, B : Ἐν ἀνδρῶν ὁμιλίαις ἐχθρῶν ἐχθροῖς· 5, p. 729, D : Πρὸς τὰς ἐν βίῳ ὁμιλίας, et alibi sæpe, Xen. OEc. 1, 20 : Ἀνωφελεῖς ἀνθρώπων ὁμιλίαι. Demosth. p. 71, 7 : Αἱ πρὸς τοὺς τυράννους αὗται λίαν ὁμιλίαι.] Plut. De def. orac. [p. 438, C] : Καὶ τὸν βίον ὅλως ἀνεπίμικτον ἀλλοδαπαῖς ὁμιλίαις καὶ ἄθικτον φυλαττούσης τῆς Πυθιάδος. Idem in Symp. sept. sap. [p. 147, C] : Χρώμενος ὁμιλίαις ὑγιειναῖς ἄχρι τε νῦν, καὶ συνουσίας ἀνδρῶν νοῦν ἐχόντων ἐπαγόμενος. [Dionys. De Thuc. c. 49, p. 938, 4 : Ἐν ταῖς ἰδιωτικαῖς ὁμιλίαις, ἐν αἷς περὶ τῶν βιωτικῶν διαλεγόμεθα πολίταις ἢ φίλοις ἢ συγγενέσιν, διηγούμενοί
A τι τῶν συμβεβηκότων ἑαυτοῖς κτλ.] Sic in illo senario Menandri, qui a Paulo [Cor. 1, 15, 33] citatus fuit, et quidem sanctificatus, ut dixit Tertull., Φθείρουσιν ἤθη χρῆσθ' [χρήσθ'] ὁμιλίαι κακαί· de cujus interpretatione lege quæ dixi in Sententiis Comicorum Græc., quas non pridem edidi. Hoc certe constat, licet ὁμιλία interdum pro Colloquio accipiatur, non recte reddi illic ὁμιλίας, Colloquia : quod hæc interpr. nimis restringat illam sententiam. Alioqui ὁμιλίαν aliquando peculiarius accipi pro Colloquio constat; atque ita reddi potest in posteriore illo Plut. l. Sic Synes. [De insomn. p. 148, D] : Καὶ ἐς τὴν βασιλέως ὁμιλίαν τῶν πώποτε Ἑλλήνων θαῤῥαλεώτερον παρεστήσατο. Sic et ἐλθεῖν εἰς ὁμιλίαν τινὸς, Venire in colloquium alicujus. Lubentius tamen reddiderim, In congressum et colloquium, ut alicubi Cic. [Ὁμιλίας ἐγκοπὴ, Oblocutio, Gl.] Quas autem quidam Christiani Theologi, et nominatim Basil. ac Chrysost., inter sua scripta ὁμιλίας vocarunt, sunt qui Sermones, alii Sacras conciones interpr. Vide Ὁμιλέω. [Eust. Il. p. 974, 2, ὁμιλίας δι-
B δασκαλίας esse scribit : unde διδαχαὶ Conciones Græcis recentioribus dicuntur. Conc. Laodic. can. 19 : Περὶ τοῦ δεῖν ἰδίᾳ πρῶτον μὲν τὰς ὁμιλίας τῶν ἐπισκόπων καὶ τῶν κατηχουμένων εὐχὴν ἐπιτελεῖσθαι. Cyrill. In Ep. ad Celestinum papam : Τὰς ὁμιλίας, ἃς ἐπ' ἐκκλησίας εἴρηκε. Ducang.] || Restringitur non solum ad Consuetudinem, quæ est per colloquium, unde etiam fit ut hac ipsa voce Colloquium reddatur, sed et ad illam Consuetudinem, quæ est præceptori cum discipulo, in eo docendo, atque adeo ad ipsam docendi actionem : unde ap. Xen. [Comm. 1, 2, 6] legimus λαμβάνειν τῆς ὁμιλίας μισθόν. [Conf. ib. 15. Ælian. V. H. 3, 19 : Κατέλαβε διαλεγόμενον (Platonem) ... Ἐπεὶ δὲ ἐπαύσατο τῆς ὁμιλίας.] Eust. quoque, ὁμιλίας fuisse dictas τὰς διδασκαλίας, auctor est, p. 974. [V. Ducang. modo cit.] Illam certe signif. sequitur ὁμιλητὴς, quod pro Discipulo ponitur : ut et Eust. in eod. illo innuit l. || Restringitur et ad Consuetudinem quæ est inter maritum et uxorem, sicut et συνουσία, accipiturque itidem pro Concubitu : quemadmodum et ap. Latinos
C nomen illud Consuetudo, necnon verbum Consuescere restringi ad hanc signif. videmus. Aristot. [H. A. 7, 1 : Τὴν ὁμ. τὴν τῶν ἀφροδισίων· 2 : Ἐν ταῖς ὁμιλίαις τῶν ἀφροδισίων·] De gen. anim. [4, 5 med.] : Διὸ καὶ τῶν γυναικῶν, ὅσαι πρὸς τὴν ὁμιλίαν ἀκρατεῖς τὴν τοιαύτην, ὅταν πολυτοκήσωσι, παύονται τῆς πτοήσεως. [Æsch. fr. Myrmid. ap. Lucian. Amor. c. 54 : Μηρῶν τε τῶν σῶν εὐσεβὴς ὁμιλία. Eur. Hel. 1400 : Τὰ πρῶτα λέκτρα νυμφικάς θ' ὁμιλίας τιμᾶν. Herodot. 1, 182 : Λέγονται ἀνδρῶν οὐδαμῶν ἐς ὁμιλίην φοιτᾶν. Xen. Comm. 3, 11, 14 : Ὡς κοσμικωτάτῃ ὁμιλίᾳ· Conv. 8, 22 : Ἐκ τῆς ἀναιδοῦς ὁμ. Hier. 4, 1 : Ποία ἀνδρὶ καὶ γυναικὶ τερπνὴ ἄνευ πίστεως ὁμιλία; « De Pasiphaes cum tauro coitu : Καὶ τῆς ὁμολογίας (scrib. ὁμοκοιτίας vel ὁμιλίας) ὑπόμνημα παῖς (sic lege pro ταῖς) προελήλυθεν, Liban. vol. 4, p. 1105, 4. » Jacobs. Verior priori est altera conjectura. Sic enim ὁμιλία in ὁμολογία corruptum ap. Diodor. Exc. Vat. p. 97 ed. Mai., sive Vales. p. 594, 72, et Iambl. V. Pyth. p. 288 : Τῆς πρὸς τὸ θεῖον ὁμιλίας.] Et cum adjectione, ut ἡ πρὸς ἄνδρα ὁμ., Lucian. [De sacrif. c.
D 6] : Ἄδουσιν, ἄνευ τῆς πρὸς τὸν ἄνδρα ὁμιλίας τὴν Ἥραν ὑπηνέμιον παῖδα γεννῆσαι τὸν Ἥφαιστον. Et ἡ πρὸς γυναῖκας ὁμ., ap. Philon. Itidemque ἡ πρὸς τοὺς ἄῤῥενας ὁμ., Aristot. in Pol. [2, 8 med.] Ibid. [2, 7 ante med.] et ἡ τῶν ἀῤῥένων ὁμ. Sic et Athen. : Περὶ τὰς τῶν ἀῤῥένων ὁμιλίας ἐπτοημένος. Legitur et ἡ τῶν ἀφροδισίων ὁμ. Sciendum est autem dici et alio sensu ἡ πρὸς γυναῖκα ὁμ. ab Aristot. OEcon., tali sc., quali et ἡ πρὸς δούλους ὁμ., pro Ratione agendi cum uxore et cum servis, Bud.; sed possumus pro Agendi dicere etiam Se gerendi. Addit vero et hanc interpret., Rationem et modum præbendi se vel mitem et indulgentem, vel severum. Rursum vero hunc l. illius afferens, ex OEc. 1, [5], Ὁμιλία δὲ πρὸς δούλους, μήτε ὑβρίζειν, μήτ' ἀνιέναι, Ita cum servis agat. Ibid. ὁμιλίαν γυναικὸς esse ait Viri cum uxore conversationem, et colloquium, et appellationem. [De bestiis Pollux 1, 217 : Αἱ ἵπποι ἀνέχονται τότε τὴν πρὸς τὰ χείρω ὁμιλίαν.] || At ὁμιλία φαρμάκου, in VV. LL. affertur ex Galeno Ad Glauc., pro Applicatio medicamenti. [Τὴν παράθεσιν

καὶ γειτνίασιν interpretatur Erotian. Gl. p. 272, ubi de loco Hipp. in Ὁμιλέω cit. agit.] || Ὁμιλία vel potius Ionice Ὁμιλίη, ap. Herodot., pro ὅμιλος: accipiendo tamen non pro Turba, sed pro Certa multitudine, Cœtu, etiam Collegio, ut Bud. interpr. hoc in l., 3 [81]: Ἡμεῖς ἀνδρῶν τῶν ἀρίστων ἐπιλέξαντες ὁμιλίην, τούτοισι περιθείομεν τὸ κράτος. [Æsch. Eum. 57: Τὸ φῦλον οὐχ ὄπωπα τῆσδ' ὁμιλίας, οὐδ' ἥτις αἶα τοῦτ' ἐπεύχεται γένος· 406: Καινὴν δ' ὁρῶσα τήνδ' ὁμιλίαν χθονός· 711: Βαρεῖαν τήνδ' ὁμιλίαν χθονός· 1030: Ὅπως ἂν εὔφρων ἥδ' ὁμιλία χθονὸς τὸ λοιπὸν εὐάνδροισι συμφοραῖς πρέπῃ. Soph. Aj. 872: Δοῦπον αὖ κλύω τινά. — Ἡμῶν γε ναὸς κοινόπλουν ὁμιλίαν· qui tamen l. similior est l. El. initio citato. Eur. Heracl. 581: Ὑμεῖς ἀδελφῶν ἡ παροῦσ' ὁμιλία. L. Dindorf.]

[Ὅμιλλος. V. Ὅμιλος.]

Ὅμιλος, ὁ, Cœtus, Turba, Multitudo. [Caterva, Gl.] Apud Hom. ὅμιλος quum de alia Multitudine s. turba, tum vero sæpe de Multitudine militum, s. Turba, vel Agmine, aut Turma. Orion ap. Etym. scribit, ὅμιλον, quum dicitur ἐπὶ πολέμου, derivari παρὰ τὸ ὁμοῦ τὰς ἴλας βάλλειν, i. e. τὰς συστροφάς: at vero quum dicitur ἐπὶ τῆς ἀναστροφῆς τοῦ ὄχλου, derivari παρὰ τὸ ὁμοῦ εἰλεῖσθαι. Sed mihi non placere, diversa dari eid. vocabulo etyma pro diverso usu, docui et antea. [« Verbum militare proprie significat In una turma versari, ab ὁμοῦ et ἴλη, Cœtus et turma.» HSt. Ms. Vind.] Eust. in Hom. Od. A, [225]: Τίς δαίς, τίς δὲ ὅμιλος ὅδ' ἔπλετο, annotat ὅμιλος esse nomen γενικὸν, derivatum ἀπὸ τῆς ἴλης. Il. Σ, [603]: Πολλὸς δ' ἱμερόεντα χορὸν περιίσταθ' ὅμιλος Τερπόμενοι· Ω, [712]: Κλαίων δ' ἀμφίσταθ' ὅμιλος. Alibi dicit et μνηστήρων ὅμιλον. At de Turba militum, s. de Agmine, multo etiam frequentius usurpat, ut quum dicit Δαναῶν ὅμιλον, et Ἀχαιῶν ὅμιλον. Sic Il. Λ, [469]: Ἀλλ' ἴομεν καθ' ὅμιλον· ἀλεξέμεναι γὰρ ἄμεινον· Ρ, [365]: Μέμνηντο γὰρ αἰεὶ Ἀλλήλοις καθ' ὅμιλον ἀλεξέμεναι πόνον αἰπύν· Υ, [76]: Αὐτὰρ Ἀχιλλεὺς Ἕκτορος ἄντα μάλιστα λιλαίετο δῦναι ὅμιλον. Ut autem hic δῦναι, sic alibi καταδῦναι ὅμιλον: Ν, [459]: Τὸν δ' ὕστατον εὗρεν ὁμίλου Ἑσταότ'. Dicit autem et, Μίκτο δ' ὁμίλῳ, aliquot in ll.: quo pertinet vocis Gallicæ usus in re militari, *La meslee.* Aliquando autem dat. ὁμίλῳ ponitur potius adverbialiter pro ὁμιλαδόν. Hoc quoque sciendum est quum alioqui ὅμιλος idem plerisque in ll. significet quod πληθύς, inveniri tamen ista duo distincte ab Hom. posita, Od. Λ, [512]: Αὐτὰρ ὅτ' ἀμφὶ πόλιν Τροίην μαρνοίμεθ' Ἀχαιοί, Οὔτε ποτ' ἐς πληθὺν μένεν ἀνδρῶν, οὐδ' ἐν ὁμίλῳ, Ἀλλὰ πολὺ προθέεσκε, τὸ ὃν μένος οὐδενὶ εἴκων· ubi Eust. illa duo οὔτ' ἐς πληθὺν, οὐδ' ἐν ὁμίλῳ sic exp., οὔτε ἐν τῷ κοινῷ τῶν Ἀχαιῶν ὄχλῳ, οὔτε ἐν τοῖς κατὰ ἴλας μαχομένοις. Addit tamen, esse fortasse idem, ἐκ παραλλήλου, ἐν πληθυῖ, et ἐν ὁμίλῳ. Hoc postremo sciendum est, quod attinet ad usum hujus verbi, quem habet ap. Hom., interdum non de Agmine universo usurpari, sed de Parte duntaxat: Il. Ρ, [471]: Οἶον πρὸς Τρῶας μάχεαι πρώτῳ ἐν ὁμίλῳ μοῦνος. [Pind. Pyth. 9, 127: Νομάδων δι' ὅμιλον· 10, 46: Ἐς ἀνδρῶν μακάρων ὅμιλον· Isthm. 6, 35: Προμάχων ἀν' ὅμιλον· Nem. 7, 24: Τυφλὸν ἔχει ἦτορ ὅμιλος ἀνδρῶν ὁ πλεῖστος· 9, 21: Φαινομέναν ἐς ἄταν σπεῦδεν ὅμιλος ἱκέσθαι, de exercitu. Sic etiam Tragici sæpe, ut Æsch. Sept. 35: Μηδ' ἐπηλύδων ταρβεῖτ' ἄγαν ὅμιλον· Prom. 417: Σκύθης ὅμιλος· Pers. 123, γυναικοπληθής, 1027, ναύφαρκτον, etc. Eur. Or. 941: Ἀλλ' οὐχ ἕπειθ' ὅμιλον· Andr. 19: Πηλεῖ ξυνῴκει χωρὶς ἀνθρώπων Θέτις, φεύγουσ' ὅμιλον· Cycl. 100: Σατύρων ὅμιλον εἰσορῶ· Hec. 921: Ναύταν ὅμιλον. Spectatores ita alloquitur Cratinus ap. Hephæst. p. 84: Ὦ μεγ' ἀχρειογέλως ὅμιλε. Aristophani illatum erat ab interpolatore Pac. 921: Τὸν δημότην (ὅμιλον) καὶ τὸν γεωργικὸν λεὼν, ut ab alio qui Euripidi Iph. A. v. 427: Πᾶς ἐς θέαν ὅμιλος ἔρχεται δρόμῳ, affinxit cum tota illa declamatione.] || In soluta quoque oratione usitatum est pro Multitudine militum, Turba: et nominatim ap. Thuc.: ut 4, [112: Ὁ ἄλλος ὅμιλος κατὰ πάντα ὁμοίως ἐσκεδάννυντο· 125]: Καὶ τὸν ψιλὸν ὅμιλον ἐς μέσον λαβών· 2: Ὕστερον δὲ αὖθις οὐ πολλῷ, ὅπερ φιλεῖ ὅμιλος ποιεῖν, στρατηγὸν εἵλοντο· ibid. [2, 34]: Ὅπως ἀκούοιτο ὡς ἐπὶ πλεῖστον τοῦ ὁμίλου. Sed et Herodot. ante illum ita usus fuerat, quum alibi, tum l. 7: Οὗτος ἄλλος

A ὅμιλος γίνεται τρισμύριοι καὶ ἑξακισχίλιοι καὶ πρὸς διηκόσιοί τε καὶ δέκα. [Ὁ πολλὸς ὅμιλος, Herodot. 1, 88. Σοφίῃ καὶ μὴ βίῃ τε καὶ ὁμίλῳ, 3, 127. Τὸν ἀρχαῖον ἑκάστων τῶν ἐθνέων ὅμιλον, 7, 184. Ἐρημωθέντες τοῦ ὁμίλου, 4, 135. Βοῇ τε καὶ ὁμίλῳ ἐπήισαν ὡς ἀναρπασάμενοι τοὺς Ἕλληνας, 9, 59. Schweigh. Tim. Locr. p. 96, E: Πᾶς ὅμιλος.] Philo autem dixit, Καὶ ὁ πολὺς ὅμιλος τῶν ἀπὸ τῆς στοᾶς φιλοσόφων, ubi Bud. vertit itidem Multitudo, ita reddens illa verba: Ac pleraque Stoicorum multitudo. [Id. ap. Euseb. Præp. ev. p. 379: Μεγάλους καὶ πολυανθρώπους ὁμίλους. Hemst. || Formam Æol. Ὅμιλλος vel potius Ὄμιλλος memorat Etym. M. p. 658, 55, et Reg. ap. Koen. ad Gregor. p. 588, Cram. An. vol. 2, p. 239, 30.]

Ὀμιχέω, Meio [Gl.], Mingo, Urinam facio, Lotium reddo. Hesiod. Ἔργ. 2, [345=725]: Μηδ' ἄντ' ἠελίοιο [ἄντ' ἠελίου] τετραμμένος ὀρθὸς ὀμιχεῖν. [Eupolis ap. Athen. 14, p. 646, F: Ὃς χαρίτων μὲν ὀμιχεῖ. Eust. Il. p. 580, 3: Τὸ ὀμιχῶ ὀμιχήσω· ἔστι γὰρ καὶ βαρυτόνως ὀμίχω, ὡς δῆλον ἐκ τοῦ (Hipponactis Etym. M. p. 624,
B 8, Chœrob. vol. 1, p. 590, 6, et gramm. in Cram. An. vol. 4, p. 416, 8), Ὤμιξεν αἷμα καὶ χολὴν ἐτίλησεν.]

Ὁμίχλη, ἡ, et [sec. Eust. Il. p. 117, 31, et al.] Ionice Ὀμίχλη, Nebula, [Caligo, Gl.] Aristoteli De mundo [c. 4], ἀτμώδης ἀναθυμίασίς τις, ἄγονος ὕδατος, ἀέρος μὲν παχυτέρα, νέφους δὲ ἀραιοτέρα, Expiratio quædam vaporosa, aquæ nequaquam genitrix, ut aere crassior, ita nube rarior: quo fere modo et Galen. definit supra in Ἀχλύς. [Plato Tim. p. 66, E: Τὸ ἐξ ἀέρος εἰς ὕδωρ ἰὸν ὁμίχλη.] Hom. Il. Γ, [10]: Εὖτ' ὄρεος κορυφῇσι νότος κατέχευεν ὀμίχλην· Ρ, [649]: Αὐτίκα δ' ἠέρα μὲν σκέδασεν καὶ ἀπῶσεν ὀμίχλην. [Ap. Hom. ὀμίχλην poscit dialectus, ut et his ll. scriptum et Α, 359: Καρπαλίμως δ' ἀνέδυ πολιῆς ἁλὸς ἠΰτ' ὀμίχλη. Aristoph. Nub. 330: Ὁμίχλην καὶ δρόσον αὐτὰς (Nubes) ἡγούμην καὶ καπνὸν εἶναι· 814: Οὔτοι μὰ τὴν Ὁμίχλην ἔτ' ἐνταυθὶ μενεῖς. Xen. Anab. 4, 2, 7: Ὁμίχλη ἐγένετο, ὥστε ἔλαθον. « Polyæn. 8, 23, 2: Ὁμίχλη ἐξαίρεται πολλή. Clem. Al. p. 489, 29. » Hemst. || De caligine fortasse Macedon. Anth. Pal. 5, 229, 3: Ἐμὲ στε-
C νάχοντα τόσης κατὰ νυκτὸς ὁμίχλην. De pulvere Hom. Il. Ν, 336: Οἵ τ' ἄμυδις κονίης μεγάλην ἱστᾶσιν ὁμίχλην.] Metaph. [Æsch. Prom. 145: Φοβερὰ δ' ἐμοῖσιν ὄσσοις ὁμίχλα προσῇξε πλήρης δακρύων· Mnesimach. ap.] Athen. l. 9, [p. 403, D]: Ὀσμὴ σεμνὴ μυκτῆρα δονεῖ λιβάνου, σμύρνης, καλάμου, στύρακος· subjungens, Τοιάδε δόμους ὁμίχλη κατέχει πάντων ἀγαθῶν ἀνάμεστος, Suffitum appellans ὁμίχλην. Alia metaph. Aristoph. Eq. [803]: Ὁ δὲ δῆμος Ὑπὸ τοῦ πολέμου καὶ τῆς ὁμίχλης, ἃ πανουργεῖς, μὴ καθορᾷ σου, Bellicis turbis et reip. caligine. [De forma per α, memorata etiam ab Hesychio: Ὁμίχλη ἢ Ὁμίχλα, Herodian. Philet. p. 445: Ὀμίχλη, οὐχὶ ὀμίχλα, ἀλλὰ ὁμοίως ἡ ὀμίχλη τῷ ἡ τρίγλη διὰ τοῦ η. Quem spectare videtur Eust. locis a Piers. ad Mœr. p. 184 citatis. Conf. etiam Athen. 7, p. 305, B.]

[Ὁμιχλήεις, εσσα, εν, i. q. ὁμιχλώδης. Nonn. Dion. 35, 276: Ὕπνον ὁμιχλήεντα. Paul. Sil. Ecphr. 57: Ὁμιχλήεσσα κονίη.]

[Ὁμιχλοειδής. V. Ὁμιχλώδης.]

[Ὁμιχλόω, Obnubilo. Inc. Psalm. 64, 13: Ὁμι-
D χλωθήσονται. Secundum Heracleotam in Comment. ad hunc l. t. 2 Catenæ Ps. Gr. p. 264 incertus hic int. est Symmachus, cui in Hexaplis γνοφωθήσεται tribuitur, quod secundum eundem est Aquilæ. Schleusn. Lex. Pass. Stob. Fl. App. vol. 4, p. 6: Τὸ συνιστάνειν ὁμιχλούμενον. L. Dind.]

Ὁμιχλώδης, ὁ, ἡ, Nebulosus, etiam Caliginosus [Gl. Tim. Locr. p. 99, C: Τὸ νοτερὸν καὶ ὁμιχλῶδες. Theophr. C. Pl. 5, 11, 3; 6, 18, 3; Polyb. 3, 84, 1; 34, 11, 15. Aret. p. 43, 48, πνεύματος.] Plut. [Mor. p. 721, F]: Τὰς ἀνωμάλους νύκτας, οἷον ὁμιχλώδεις καὶ δυσχειμέρους, ἠχωδεστέρας εἶναι τῶν αἰθρίων καὶ κεχραμένων ὁμαλῶς. Idem in Artox. [c. 24]: Ἐμβαλὼν εἰς χώραν τραχύτητι χαλεπὴν καὶ ὁμιχλώδη. [Synesius De insomn. p. 141, D. Boiss. Schol. Hom. Il. Ω, 753: Ἀμιχθαλόεσσαν) Ἔνιοι τὴν ὁμ. ἀπέδοσαν. || Adv. Ὁμιχλωδῶς, schol. Il. E, 770. || Forma Ὁμιχλοειδής Epicur. ap. Diog. L. 10, 115: Πυκνώμασί τισιν ὁμ.]

[Ὄμιχμα, τό.] Ὀμίχματα, Hesychio οὐρήματα, Urinæ excretiones, Mictus. Sed notandum, ap. eum hæc δασέως scripta esse. [Photius vitiose: Ὀμαμαιτα, τὰ οὐρήματα. Αἰσχύλος.]

[Ὀμίχω. V. Ὀμιχέω.]

Ὄμμα, τὸ, Visum, Spectaculum, θέαμα. Soph. Aj. [1004]: Ὦ δυσθέατον ὄμμα, O dirum spectaculum. Idem usurpavit pro Spectrum, ὅραμα, φάντασμα: El. [902]: Ἐμπαίει τί μοι Ψυχῇ ξύνηθες ὄμμα φιλτάτου βροτῶν Πάντων Ὀρέστου. [De eodem Oreste Electra ap. Æsch. Cho. 238: Ὦ τερπνὸν ὄμμα τέσσαρας μοίρας ἔχον ἐμοί. Soph. Aj. 977: Ὦ ξύναιμον ὄμμ' ἐμοί· Phil. 171: Μηδὲ σύντροφον ὄμμ' ἔχων. Eur. Alc. 1133: Ὦ φιλτάτης γυναικὸς ὄμμα.] ‖ Aspectus, Facies. Athen. 12, [p. 546, B] ex poeta quodam [Soph. fr. Ajacis Locr. ap. Stob. Ecl. phys. vol. 1, p. 124]: Χρύσεον ὄμμα τὸ τᾶς δίκας· pro quo ibid. alius dicit, Δικαιοσύνας τὸ χρύσεον πρόσωπον. [Æsch. Eum. 970: Στέργω δ' ὄμματα Πειθοῦς· fr. Xantr. ap. Galen. vol. 9, p. 385: Οὔτ' ἀστερωπὸν ὄμμα Λητῴας κόρης, de luna. Pers. 428: Κελαινῆς νυκτὸς ὄμμα. Soph. Tr. 101: Ὦ κρατιστεύων κατ' ὄμμα, de sole. Eur. Iph. T. 110: Ὅταν δὲ νυκτὸς ὄμμα λυγαίας μόλῃ· 194: Ἀλλάξας ἱερὸν ὄμμ' αὐγᾶς ἅλιος.] Plut. Polit. præc. [p. 823, A] itidem ex poeta aliquo: Στείχει πολίταις ὄμμ' ἔχων ἰδεῖν πικρόν. Virg., Tyndaridis facies invisa. [Pind. Pyth. 5, 56: Ὄμμα φαεννότατον ξένοισι· Nem. 7, 66: Ὄμματι δέρκομαι λαμπρόν· 10, 63: Κείνου γὰρ ὀξύτατον ὄμμα. Æsch. Prom. 571: Ὁ δὲ πορεύεται δόλιον ὄμμ' ἔχων· 655: Ὡς ἂν τὸ δῖον ὄμμα λωφήσῃ πόθου· 905: Μηδὲ κρεισσόνων θεῶν ἄφυκτον ὄμμα προσδράκοι με· Sept. 359: Πικρὸν δ' ὄμμα θαλαμηπόλων· 537: Γοργὸν δ' ὄμμ' ἔχων προσίσταται· 623: Ποδώκες ὄμμα· Ag. 240: Ἔβαλλ' ἕκαστον θυτήρων ἀπ' ὄμματος βέλει φιλοίκτῳ· 271: Εὖ γὰρ φρονοῦντος ὄμμα σὸν κατηγορεῖ. Soph. Tr. 527: Τὸ δ' ἀμφινείκητον ὄμμα νύμφας· Aj. 167: Ὅτε τὸ σὸν ὄμμ' ἀπέδραν. Eur. Hipp. 886: Τὸ σεμνὸν Ζηνὸς ὄμμ' ἀτιμάσας.] Xen. Cyrop. 8, [7, 26]: Εἴ τις οὖν ὑμῶν ἢ δεξιᾶς βούλεται τῆς ἐμῆς ἅψασθαι, ἢ ὄμμα τοὐμὸν ζῶντος ἔτι προσιδεῖν ἐθέλει, προσίτω. [Eur. Hipp. 887: Ζῶν ἐς σὸν ἐλθεῖν ὄμμα.] Quod vero Soph. Aj. [462] dicit, Καὶ ποῖον ὄμμα πατρὶ δηλώσω; reddideris potius Qua fronte in conspectum patris veniam? nisi malis Quibus oculis. [Id. Tr. 379: Ἦ κάρτα λαμπρὰ καὶ κατ' ὄμμα καὶ φύσιν· OEd. T. 87: Λαμπρὸς, ὥσπερ ὄμματι. Eur. Andr. 1064: Κρυπτὸς καταστὰς, ἢ κατ' ὄμμ' ἐλθὼν μάχῃ· 1117: Κατ' ὄμμα στάς· Suppl. 484: Εἰ δ' ἦν παρ' ὄμμα θάνατος.] Nam ὄμμα pro Oculus frequentissimum est tam in prosa quam ap. poetas. [Singulari Epicorum unus utitur Apoll. Rh. 4, 145: Τοῖο δ' ἑλισσομένοιο κατ' ὄμματος εἴσατο κούρη, nisi fallit scriptura: libri plerique κατόμματον. Tum Manetho 1, 287: Ἢν ὄμμα βάλῃ πανταυγές· et alibi.] Hom. Il. Γ, [217]: Ὕπαι δὲ ἴδεσκε, κατὰ χθονὸς ὄμματα πήξας· Sic Virg., Fixi solo oculi. [Theocr. 2, 112: Ἐπὶ χθονὸς ὄμματα πήξας. Plato Reip. 7, p. 530, D: Ὡς πρὸς ἀστρονομίαν ὄμματα πέπηγεν. Soph. Tr. 272: Ἄλλοσ' αὐτὸν ὄμμα, θατέρᾳ δὲ νοῦν ἔχοντα· Aj. 193: Ὧδ' ἐφάλοις κλισίαις ὄμμ' ἔχων. Eur. Herc. F. 931: Παῖδες προσέσχον ὄμμα.] Od. E, [47] et Ω, [3] de virgula Mercurii: Τῇ τ' ἀνδρῶν ὄμματα θέλγει. [Π, 179: Ταρβήσας δ' ἑτέρωσε βάλ' ὄμματα· E, 492: Ὕπνον ἐπ' ὄμμασι χεῦε· Il. K, 91: Οὔ μοι ἐπ' ὄμμασι νήδυμος ὕπνος ἵζάνει. Et quæ sunt aliæ ejusmodi formæ ap. Hom. et alios.] Il. Γ, [397]: Ὄμματα μαρμαίροντα, sicut ap. Xen. Cyneg. [6, 15]: Ἀστράπτουσαι τοῖς ὄμμασι. [Pind. Nem. 10, 41: Μὴ κρύπτειν φάος ὀμμάτων· 8, 43: Ἐν ὄμμασι θέσθαι πίστιν. Abundanter additum ap. Æsch. Prom. 69: Ὁρᾷς θέαμα δυσθέατον ὄμμασιν. Soph. Tr. 241: Γυναικῶν ὧν ὁρᾷς ἐν ὄμμασιν· 746: Ἐν ὄμμασι δεδορκὼς, κοὐ κατὰ γλῶσσαν κλύων.] Aristot. Polit. 3, [c. 12]: Βέλτιον ἴδοι τις δυοῖν ὄμμασι. [Improprie Æsch. Sept. 228: Πολλάκι δ' ἐν κακοῖσι τὸν ἀμάχανον κἀκ χαλεπᾶς δύας ὕπερθ' ὀμμάτων κρημναμενᾶν νεφελᾶν ὀρθοῖ. Soph. OEd. T. 1385: Ὀρθοῖς ἔμελλον ὄμμασιν τούτους ὁρᾶν;] Xen. Hell. 7, [1, 30]: Ἀναβλέψομεν ὀρθοῖς ὄμμασι. [Eur. Iph. A. 851: Οὐ γὰρ ὀρθοῖς ὄμμασίν σ' ἔτ' εἰσορῶ. Theocr. 5, 36: Εἴ τύ με τολμῇς ὄμμασι τοῖς ὀρθοῖσι ποτιβλέπεν· et 22, 66. Æsch. Sept. 696: Ξηροῖς ἀκλαύστοις ὄμμασι προσιζάνει· Ag. 520: Φαιδροῖς ὄμμασι δέξασθε βασιλέα· Cho. 99: Ἀστρόφοισιν ὄμμασιν· 671: Δικαίων τ' ὀμμάτων παρουσία· 809: Φιλίοις ὄμμασι.] Plut. De animi tranquill. [p.

A 476, E]: Πρὸς τὴν τύχην ἀνεῳγόσι τοῖς ὄμμασιν ἀντιβλέπειν· De solert. anim. [p. 979, F], Σκαιὸν ὄμμα παραβαλὼν θύννου δίκην· quod et ap. Athen. habetur l. 7. [Soph. OEd. C. 15: Πύργοι ὡς ἀπ' ὀμμάτων πρόσω. Æsch. Suppl. 949: Κομίζου δ' ὡς τάχιστ' ἐξ ὀμμάτων. Soph. Ant. 760: Ὡς κατ' ὄμματ' αὐτίκα θνήσκῃ.] Aristot. Poet. [c. 17]: Πρὸ ὀμμάτων τιθέμενον, Ante s. Ob oculos. Rhet. 2, [8]: Ἐγγὺς γὰρ ποιοῦσι φαίνεσθαι τὸ κακὸν, πρὸ ὀμμάτων ποιοῦντες. [Πρὸ ὀμμάτων Aristot. dicit simpliciter subjectionem sub oculos, si quam rem ita significamus, ut veluti in actione sit et motu vel sub imagine quadam in sensus nostros cadat, Rhet. 3, 10, 11. Hoc fit in iis rebus, quæ quum sint inanimata, finguntur animata. Itaque quædam est προσωποποιία, unde oritur ἡ ἐνέργεια, Evidentia, c. 10. Quare et μεταφορὰ πρὸ ὀμμάτων dicitur translatio, quæ rem oculis subjicit et conjuncta est cum aliqua prosopopœia, ut παρακαλεῖν κινδύνους τοῖς κινδύνοις βοηθήσοντας. Illam formam διατύπωσιν et διασκευὴν appellat Hermog. l. 3 Περὶ εὑρέσ. p. 148, pertinetque
B ea ad illum modum narrandi, quo orator non solum docere, sed et commovere animos studet. Ernest. Lex. rh. Hoc πρὸ ὀμμάτων in προὐμμάτων contraxit Lycophr. 82, 251.] Plato Tim. [p. 45, C]: Κατὰ τὴν τῶν ὀμμάτων εὐθυωρίαν, Secundum directionem radiorum ocularium. Lucian. [D. mort. 1, 3]: Χαροπὰ ἢ μέλανα ὄμματα. Hom. Il. A, [225]: Κυνὸς ὄμματ' ἔχων, Caninos oculos habens, i. e. Impudens: pro quo et κυνώπης dicitur. B, [488]: Ὄμματα καὶ κεφαλὴν ἴκελος Διΐ, Oculos et caput, ut Virg., Os humerosque deo similis. Metaph. ὄμμ' αἰθέρος dixit Aristoph. [Nub. 285], Solem, quasi Ætheris oculum et lumen. [Æsch. Pers. 169: Ὄμμα γὰρ δόμων νομίζω δεσπότου παρουσίαν· Eum. 1026: Ὄμμα γὰρ πάσης χθονὸς Θησῇδος ἐξίκοιτ' ἂν εὐκλεὴς λόχος παίδων γυναικῶν. Soph. Tr. 203: Ὡς ἄελπτον ὄμμ' ἐμοὶ φήμης ἀνασχὸν τῆσδε νῦν καρπούμεθα. Aristoph. Eccl. 1: Ὦ λαμπρὸν ὄμμα τοῦ τροχηλάτου λύχνου· Ach. 1184: Ὦ κλεινὸν ὄμμα, νῦν πανύστατόν σ' ἰδὼν λείπω φάος. ‖ « Ἀπὸ ὀμμάτων, Cæcus, quomodo *Ab ocellis* semel ac iterum habetur in lib. Ms. De mi-
C raculis S. Victoris. Vita Ms. S. Stephani jun.: Τοὺς δὲ ῥινοτμήτους, τοὺς δὲ ἀπὸ ὀμμάτων, ἄλλους χεῖρας κεκομμένας ἔχοντας. Ita ap. Moschum c. 96: Τὸ δὲ ὄνομα Ἰουλιανὸς ἀπὸ ὀμμάτων· 169: Ἦν τις γέρων ἀπὸ ὀμμάτων· Theophan. a. 26 Justiniani, Cedren. p. 376, ubi de Didymo, de quo ita etiam Eust. Il. A, p. 149, 29: Ἄρα ἐξ Ὁμήρου λαβόντες οἱ ὕστερόν φασιν ἐξ ὀμμάτων τὸν πηρωθέντα, οἷον Δίδυμος ὁ ἐξ ὀμμάτων.» Ducang. Ἀπ' ὀμμάτων et ἐξ ὀμμάτων aliter dicta v. supra. ‖ Ὄμματα in cauda pavonis ap. Eutecnium in Cram. An. Paris. vol. 1, p. 30, 78: Τῶν πτερῶν τὰ ἄνθη ... περιάγων εἰς κύκλον διατεταγμένοις ὄμμασι.] Æolice autem pro Ὄμματα dicitur Ὄππατα. [Quod in ὄπτα corruptum in Etym. M. p. 624, 19, ex cod. Leid. emendavit Koen. ad Gregor. p. 581, cujus in Indice v. ceteros grammaticorum de dialectis locos hanc formam memorantium. Habet Sappho ap. Longin. 10, 2.]

[Ὀμμάδην, adv., Theod. Prodr. Rhod. p. 194: Εἰς ταὐτὸν εἰς ἓν ὀμμάδην ἠθροισμένον (στόλον)· 366: Σκιρτῶμεν ἄνδρες ὀμμάδην· 401: Εἰς Κύπρον ἐξώρμησαν εὐ-
D θὺς ὀμμάδην; sed Ὀμμαδὸν, p. 109: Θύοντας ἡμᾶς ὀμμαδὸν ξυλλαμβάνει. Gaulm.: « Τοῦ ὀμμαδὸν duplicem usum in posterioribus Græcis observavi; quem et in pluribus istius scriptoris ll. animadvertas licet. Aliquando pro In conspectu, alias pro eo, quod Galli dicunt, *En un clin-d'œil,* accipiunt. » At hæc nota ad ὀμμαδὴν referenda potius erit, quam vocem et hoc l. restituendam puto. Elberling. Ὀμμαδὸν libri optimi consensu præbent 3, 116 (p. 109), in ceteris locis, 5, 90; 8, 391; 9, 233, ὀμμάδην (sic). Utrumque nihili est, et scribendum ὁμάδην aut ὁμαδόν. L. Dind.]

[Ὀμμακοῖον, τὸ, Visus et auditus. Damasc. Vita Isidori ap. Phot. Bibl. p. 351, 26: Τοῦ ὀμμακοΐου τῆς αὐτοψίας καὶ ἀκοῆς ἅμα, ubi olim male ὁμακοΐου. L. D.]

Ὀμμάτειος πόθος, dixit quidam, quoniam ἐκ τοῦ ὁρᾶν γίνεται τὸ ἐρᾶν, Hesych. [Ejusdem obscura est gl. præcedens: Ὀμματεῖς πηροὺς ἢ βλάπτεσθαι, de qua v. conjecturas intt.]

[Ὀμματεργάτης, ὁ, Theod. Prodr. Ep. 57.]

['Ομματίδιον. V. 'Ομμάτιον.]

'Ομμάτιον sive 'Ομματίδιον, τὸ, Ocellus. Aristot. [Physiogn. p. 46]: 'Ομμάτιον ἀνεπτυγμένον καὶ λαμπρόν. [Quint. Mæcius Anth. Pal. 5, 130, 2: Νοερῶν σύγχυσις ὀμματίων. Philodem. ib. 132, 4.]

['Ομματογράφος, ὁ, ἡ, Oculos pingens. Ion ap. Eust. Od. p. 1761, 33, et Polluc. 5, 101, στίμμιν.]

['Ομματολαμπὴς, ὁ, ἡ, Oculis lucens. Synes. Hymn. 3, 272: Κοσμαγοὶ ὀμματολαμπεῖς· 4, 217: Φωτὸς γενέταν ὀμματολαμπῆ. Boiss.]

['Ομματόπλουτος, ὁ, ἡ, Dives oculis. Pisid. Hexaem. 1507: Ἡ τῶν Χερουβὶμ ὀμμ. φύσις.]

['Ομματοποιὸς, ὁ, ἡ, Oculos faciens, Oculans. Iambl. V. P. p. 70 Kiessl.: Τὰ ἐπιστημονικὰ πάντα, ὅσαπερ ὀμματοποιὰ τῆς ψυχῆς ὡς ἀληθῶς καὶ καθαρτικὰ τῆς τοῦ νοῦ τυφλώσεως.]

['Ομματοστερὴς, ὁ, ἡ, Oculis privans. Æsch. Eum. 940: Φλογμός τ' ὀμματοστερὴς φυτῶν, Ardor germina plantarum corrumpens. || Oculis privatus, Cæcus. Soph. OEd. C. 1260: Κρατὶ ὀμματοστερεῖ. Eur. Phœn. 327: Πρέσβυς ὀμμ.]

['Ομματουργὸς, ὁ, ἡ, i. q. ὀμματοποιός. Iambl. Protr. p. 328 Kiessl.: 'Ομματουργὰ ταῦτα (τὰ μαθήματα) μόνα καὶ φωτοποιά.]

['Ομματόφυλλον, τὸ, Palpebra. Hypatus Ms. De partibus corp. hum. (p. 144. Boiss.): Βλέφαρα τὰ ὀμματόφυλλα. 'Επιβλεφαρίδες αἱ τρίχες τῶν ὀμματοφύλλων. Ducang. Glossæ interlin. ad Aristoph. Plut. (721): Κατέπλασσεν αὐτοῦ τὰ βλέφαρα, τὰ ὀμματόφυλα. Infra 'Ομματόφυλλα scribitur. Id. App. p. 146.]

'Ομματόω, Oculatum reddo et vigilem, VV. LL. sed sine auctore et exemplo. [Æsch. Suppl. 467: Ξυνῆκας· ὠμμάτωσα γὰρ σαφέστερον, de dicto chori, quod antea vocatum erat αἰνιγματῶδες. Cho. 854: Οὔτοι φρέν' ἂν κλέψειεν ὠμματωμένην, Perspicacem. Diod. 4, 76: Πρῶτος ὀμματώσας (Dædalus statuas). « Tzetz. ad Lycophr. 1240: Τὸ ὕδωρ (fl. Lyncei) πολλοὺς ὠμμάτωσεν. Plut. ap. Stob. Fl. 3, 49: Τὸ σῶμα πρόσω μόνον ὠμμάτωται. » Hemst. Cyrill. Al. Orat. de excessu animæ p. 415: 'Ομματώσωμεν εἰς νῆψιν τὴν διάνοιαν. Suicer. 'Ομματωμένος, Ocellatus, Gl. pro ὠμματ.]

['Ομματώδης, ὁ, ἡ, Qui oculi speciem habet. Hesych. v. Ἕλικες, τῆς ἀμπέλου τὰ ὀμματώδη. Quod si sanum, intelligendum erit de Gemma s. Oculo vitis, ut dictum in Ἕλιξ vol. 3, p. 741, C. Conf. 'Ομματοστερής.]

['Ομμάτωσις, εως, ἡ, Oculi deligatio. Cocchii Chirurg. vett. p. 19, σξθ': Διμερὴς ὀμμάτωσις· 27, οκα': Ἁπλοῦς ὀφθαλμὸς ἢ ὀμμάτωσις λεπτή. Elberling.]

Ὄμνυμι, seu 'Ομνύω, Juro: quod ὀμνύω quidam gramm. factum putarunt ex inusitato 'Ομόω, a quo etiam sunt tempora in usu, fut. ὀμόσω, necnon ὀμοῦμαι, fut. 2 med.; præter. ὤμοκα (de quo dicam in Συνόμνυμι) et Attice ὀμώμοκα, aor. 1 ὤμοσα: quod si verum esset, 'Ομνύω prius esse quam Ὄμνυμι, dicendum foret: facto sc. 'Ομνῶ ex 'Ομῶ, deinde 'Ομνύω. Alioqui utrum illorum, ὄμνυμι dico et ὀμνύω, præcedere dicamus, non valde refert, quum apud antiquissimos etiam scriptt. utrumque extet. [Utriusque exx. sunt ap. Xenoph. et alios Atticorum, contra Thomæ p. 648: Ὄμνυμι, οὐχ ὀμνύω, observationem. Rectius Photius: 'Ομνύναι καὶ ὀμνύειν· διττῶς λέγουσιν· μᾶλλον δὲ διὰ τοῦ ναι, καὶ ζευγνύναι καὶ τὰ ὅμοια. Ὄμνυθι καὶ ἔκδυθι καὶ τὰ ὅμοια διὰ τοῦ θι.] Hom. Il. Ξ, [278]: Ὤμνυε δ', ὡς ἐκέλευε, θεοὺς δ' ὀνόμηνεν ἅπαντας· Ψ, [585]: Γαιήοχον ἐννοσίγαιον Ὄμνυθι, μὴ μὲν ἑκὼν τὸ ἐμὸν δόλῳ ἅρμα πεδῆσαι. Alibi dicit ὀμόσσαι ὅρκον s. καρτερὸν ὅρκον, item ὀμόσσαι ὅρκους, necnon ὀμόσσαι ἐπίορκον. [Od. Δ, 253: Ὤμοσα καρτερὸν ὅρκον. 'Επίορκον ὀμόσσαι Il. Γ, 279, Hesiod. Op. 280, Th. 232. Cum ὅρκος Xen. Comm. 1, 1, 18 et alii. Cum accus. rei Hom. Il. Τ, 187: Ταῦτα δ' ἐγὼν ἐθέλω ὀμόσαι. Theognis 659: Οὐδ' ὀμόσαι χρὴ τοῦθ' ὅτι μήποτε πρᾶγμα τόδ' ἔσται. Soph. OEd. C. 1145: Ὧν ὤμοσ' οὐκ ἐψευσάμην οὐδέν σε. Et similiter sæpe Xenoph. et alii. Thuc. 5, 47: 'Ομόσαι τὰς σπονδὰς 'Αθηναίους. Demosth. p. 236, 8: Ὤμοσε τὴν εἰρήνην ὁ Φίλιππος, ubi est var. ὡμολόγησε.] Sic autem et in soluta oratione dicitur ὀμνύναι s. ὀμνύειν, vel absolute, vel cum accus. θεὸν aut ὅρκον. Plato Sympos. [p. 183, B]: Ὅτι καὶ ὀμνύντι μόνῳ
A συγγνώμη παρὰ θεῶν ἐκβάντι τῶν ὅρκων. [Ib. p. 215, D: Εἶπον ὀμόσας ἂν ὑμῖν.] Xen. Symp. [4, 10]: Οὐδενὸς γὰρ ὁρκίζοντος ἀεὶ ὀμνύοντες, καλόν με φατὲ εἶναι. Isocr. [p. 7, A]: Ἕνεκα χρημάτων μηδένα θεὸν ὀμόσῃς. Plut. Solone [c. 25]: Κοινὸν ὤμνυεν ὅρκον ἡ βουλὴ, τοὺς Σόλωνος νόμους ἐμπεδώσειν· Pericle [c. 30]: Ὅταν ὀμνύωσι τὸν πατρικὸν [πάτριον] ὅρκον. Et cum plur. ὅρκους ap. Plat. Sic et Thuc., 'Ομόσαι ὅρκους ἀλλήλοις. Apud quem legitur etiam, Ὤμοσαν πρὸς ἐκείνους τάδε. Sed quod attinet ad illum personæ accus., quo dicitur ὀμνύναι τὸν θεὸν, τοὺς θεοὺς, itidemque ap. [Æsch. Sept. 729: Ὄμνυσι δ' αἰχμὴν ... ἦ μὴν λαπάξειν ἄστυ· Soph. Tr. 185: Ὄμνυ Διός νυν τοῦ με φύσαντος κάρα· Eur. Hipp. 1026: Ὅρκιόν σοι Ζῆνα ... ὄμνυμι, et alios quosvis.] Lucian. [Vitt. auct. c. 16]: 'Ομνύω γέ σοι τὸν κύνα καὶ τὴν πλάτανον, οὕτω ταῦτ' ἔχειν. [« 'Ομνύοντες οὐ μόνον τὸν ἀριθμὸν, ἀλλὰ καὶ τὸν ὑποδείξαντα κτλ. Pythagorei, Sext. Emp. p. 332, 1. » Hemst.] Sciendum est interdum ei addi particulam νὴ, ut quidem annotatur in VV. LL. ex Aristoph. Nub. [825]: Ὤμοσας νῦν νὴ [νυνὶ] Δία. [Cum
B inf. aoristi Theocr. 27, 34: Ὄμνυε μὴ μετὰ λέκτρα λιπὼν ἀέκουσαν ἀπενθῆν. Ponitur etiam extra constructionem, ut pro infinitivo sequatur verbum finitum, ut Theocr. 30, 22: Ὄμνυμί σοι, Κυθήρη, αὐτάν σε καὶ τὸν ἄνδρα καὶ ταῦτά μευ τὰ δεσμὰ καὶ τώσδε τὼς κυναγὼς, τὸν ἄνδρα τὸν καλόν σευ οὐκ ἤθελον πατάξαι. Et addito ἦ μὴν, ap. Xenoph. Anab. 6, 1, 31: 'Ομνύω ὑμῖν θεοὺς πάντας καὶ πάσας, ἦ μὴν ἐγὼ ἐθυόμην. || Pass. Aristoph. Nub. 1241: Ζεὺς γέλοιος ὀμνύμενος τοῖς εἰδόσιν. Dionys. A. R. 10, 22: Φιλίας αὐτοῖς ὀμωμοσμένης.] Sed et pro ὀμνύναι, ὀμνύειν, ὀμόσαι τινὰ, dicitur interdum ὀμνύναι κατά τινος: ut ap. Dem. [p. 1269, 19] legimus, 'Αξιοπιστότερος τοῦ κατὰ τῶν παίδων ὀμνύντος, καὶ διὰ τοῦ πυρός. [Conf. p. 852, 19. Καθ' ἱερῶν p. 1306, 21.] Exp. autem Bud. κατὰ παίδων ὀμνύναι, In capita liberorum jurare: quem vide p. 115. Dixit vero et ὀμνύοντα κατ' ἐξωλείας [p. 553, 17]. Affertur et cum dativo, ex Aristoph. [Nub. 248] in eadem significat. · Τῷ δ' ἄρ' ὄμνυτ'; ἢ σιδαρέοισι; pro κατὰ τίνος. [Cum ἐπὶ Polyb. Exc. Vat. p. 458: Φάσκοντες αὐτὸν πολ-
C λάκις ἐπὶ τῶν ἱερῶν ὀμωμοκέναι.] At cum præp. εἰς ap. Plut. Othone [c. 18], ὀμνύειν εἰς τὸν Οὐιτέλλιον, exp. In Vitellium jurare, i. e. In Vitellii verba jurare, Vitellio se astringere jurejurando. Sed et ὤμοσαν περὶ τοῦ Οὐιτελλίου apud eundem [ib. c. 13 extr.] significare dicitur Jurarunt pro Vitellio. Ap. Hom. et alios cum præp. πρὸς, ea signif. qua dicitur Jurare alicui, Affirmare alicui jurejurando: Od. Ξ, [331]: Ὤμοσε δὲ πρὸς ἔμ' αὐτόν. [Τ, 288: Ὤμνυε δὲ πρὸς ἔμ' αὐτόν.] Utuntur vero interdum et ipsi Græci dativo itidem. Ap. eund. Hom. [Il. Α, 233, Ι, 132] legitur fut. ὀμοῦμαι. [In Ind.:] 'Ομοῦμαι, Jurabo, ab ὀμόω, Il. Φ, [373]: 'Εγὼ δ' ἐπὶ καὶ τόδ' ὀμοῦμαι. Hesiod. Op. [192]: 'Επὶ δ' ὅρκον ὀμεῖται. [Xen. H. Gr. 1, 3, 11: Οὐκ ἔφη ὀμεῖσθαι, εἰ μὴ κἀκεῖνος αὐτῷ ὀμεῖται· 7, 1, 39: Οὐκ ὀμούμενοι. Demosth. p. 852, 19: Τὰ εὔορκα ὀμουμένη.] Item ὀμεῖ, Jurabis, ap. Aristoph. [Nub. 246] Attice pro ὀμῇ. 'Ομεῖται, Hesych. affert pro ὀμνύει, Jurat: alii per fut. rectius exp. Jurabit, ὀμόσει: afferentes itidem ὀμῇ pro Jurabis ex Greg. Naz.; dicitur enim ὀμοῦ-
D μαι in prima pers. ['Ομιώμεθα, Dorice, Aristoph. Lys. 183: Πάρφαινε μὰν τὸν ὅρκον, ὡς ὀμιώμεθα. Seager. Perf. pass. Æsch. Ag. 1290: 'Ομώμοται γὰρ ὅρκος ἐκ θεῶν μέγας. Eur. Rhes. 816: Ζεὺς ὀμώμοσται πατήρ· ubi ὀμώμοται Matthiæ, ut ap. Demosth. p. 505 extr. ὀμώμοται pro illo præbuit liber optimus, quum in forma ὀμώμοσται consentiant libri Aristot. Rhet. 1, 15, p. 1377, 11. Eodem modo variatur in aor. passivi, ut monuit Buttm. Gramm. v. Ὄμνυμι, ap. Demosth. p. 1174, 8, ubi pro ὑπομοθέντος alii ὑπομοσθ., ut ὀμοσθήσεται est ap. Andocid. p. 27, 43; ὑπομοσθείσης (-μαθ- cod. Ven.) ap. Hyperidem ab schol. Aristoph. Pl. 725 cit., et ὠμόσθησαν ap. Xen. H. Gr. 7, 4, 10. Recte autem monet Buttm. ὀμώμοσμαι et ὀμωμοσμένος nunquam aliter dici.] At de ὄμνυμι, quod annotatur positum pro εὔχομαι, dixi in 'Επόμνυμι [p. 1922, C].

['Ομοάγαθος, ὁ, ἡ, legitur in Dionysio Areopagita. Kall. Supra ὁμαγάθος.]

Ὁμοαιχμία, ἡ, ap. Hesych. [Pro ὁμαιχμία, expositum ὁμομαχία.]

Ὁμοάριθμος, ὁ, ἡ, Qui ejusdem numeri est.

[Ὁμοβασίλειος, ὁ, ἡ, Cujus idem est regnum. Andr. Cret. p. 280, B : Τὴν τριαδικὴν μίαν θεότητα, ὡς ὁμοβασίλειον. Kall.]

[Ὁμόβῐος, ὁ, ἡ, Convivax, Gl. Alciphro Ep. 1, 12 : Ὀλίγοι τῶν ὁμοβίων. || Steph. Byz. v. Ἄβιοι, ut sit i. q. ὁμότοξος, quod v.]

Ὁμοβλαστής, ὁ, ἡ, Simul germinans. [Theophr. C. Pl. 5, 5, 4 : Τῶν ὁμογενῶν τὰ ὁμοβλαστῆ καὶ σύντροφα.]

[Ὁμοβουλέω, Simul consulto. Plut. Mor. p. 96, E.]

[Ὁμόβουλος, ὁ, ἡ, Qui est ejusdem voluntatis. Theophyl. In Jo. c. 10, p. 712, in Ὁμοδύναμος cit.; Theodor. Abucara de Filio Dei. Suicer.]

[Ὁμόβρομος, ὁ, ἡ, Qui una strepit. Hesychius : Ἀβρωμούντασχοι (ἄβρομοι, αὔϊαχοι) ... ἀντὶ τοῦ ὁμόβρομοι.]

Ὁμοβώμιος, ὁ, ἡ, Cui ara cum alio communis est, i. q. σύμβωμος. Thuc. 3, [59] : Θεοὺς τοὺς ὁμοβωμίους καὶ κοινοὺς τῶν Ἑλλήνων ἐπιβοώμενοι, Communis cultus et publica Græciæ deorum numina invocantes, Camer. [Pollux 6, 155. Quæ forma restituenda fortasse Hesychio : Ὁμόβωμοι θεοὶ ἐν Ἐλευσῖνι Δήμητρος καὶ Κόρης εἰσὶν, quæ non integra sunt aut nonnihil corrupta.]

Ὁμογάλακτες, οἱ, [Collactanei,] ap. Aristot. Pol. 1, 1, [2]. Hesych. ὁμογάλακτας exp. τοὺς ἐκ τοῦ γένους, vel ἀδελφούς. [Schol. Plat. Critone p. 333 Bekk. : Οἱ δὲ ὁμογάλακτας, φράτορας, συγγενεῖς τοὺς γεννήτας. Boiss. Similiter Photius. Hesych. v. Ἀγάλακτος. Pollux 6, 156 : Τὸ ὁμογάλακτες ἴδιον τῶν Ἀττικῶν. Et 3, 23, 52.]

Ὁμογάλακτος, ὁ, ἡ, Collactaneus [Gl. Ap. Polluc. 3, 52, ubi cod. ὁμογάλακτες, et Etym. M. p. 226, 20, ubi ὁμογαλάκτους, pro quo in iisdem fere verbis Harpocr. aliique grammatici ὁμογάλακτας. Sed certius ex. est ap. Longum Past. 4, p. 115 Schæf. : Τιμώμενος ὡς ὁμογάλακτος, nec quisquam altera nominativi sing. forma usus reperitur.]

Ὁμόγαμβροι, οἱ, Qui simul generi sunt, h. e. unius ejusdemque soceri socrusve generi, Qui duxerunt sorores, Pollux [3, 32].

[Ὁμόγᾰμος, ὁ, ἡ, Qui communes cum alio contraxit nuptias. Eur. Phœn. 137 : Οὗτος ὁ τᾶς Πολυνείκεος αὐτοκασιγνήτας νύμφας ὁμόγαμος κυρεῖ; de Conjuge. Sed Herc. F. 339 Amphitruo de Jove : Ὦ Ζεῦ, μάτην ἄρ' ὁμόγαμόν σ' ἐκτησάμην. L. D. Glossa ad Soph. OEd. T. 459, in nota Brunckii. Boiss.]

Ὁμογάστριος, [ὁ, ἡ, Manetho 5, 206 : Ἠδὲ κασιγνήτοις ὁμογάστριον εὐνήν· 6, 118 : Πολέσιν δ' ὁμογάστριοι ἐς λέχος ἦλθον νύμφαι,] Frater qui ex eodem ventre prodiit, Uterinus. Hom. Il. Φ, 95 : Ἐπεὶ οὐχ ὁμογάστριος Ἕκτορός εἰμι. Alibi autem addidit κασίγνητος, Il. Ω, 47 : Ἠὲ κασίγνητον ὁμογάστριον, ἠὲ καὶ υἱόν. [Schol. Pind. Pyth. 4, 253. Boiss.] Et Ὁμογάστωρ. [Utrumque ap. Polluc. 3, 23.]

Ὁμογένεια, ἡ, Cognatio. [Strabo 16, p. 784; Iambl. In Nicom. p. 52, D.]

[Ὁμογενέτωρ, ορος, ὁ, Frater. Eur. Phœn. 165 : Πρὸς ἐμὸν ὁμογενέτορα.]

Ὁμογενής, ὁ, ἡ, [Gentilis, Consanguineus, Gl.] Qui ejusdem generis est, Propinquus genere, Cognatus : compositum ex Homerico illo, ἀμφοτέροισιν ὁμὸν γένος, ut Eust. tradit. [Soph. OEd. T. 1362 : Ὁμογενὴς ἀφ' ὧν αὐτὸς ἔφυν τάλας· fr. Alcmæon., ut conj. Valck., ap. Plut. Mor. p. 35, F : Ἀνδροκτόνου γυναικὸς ὁμογενὴς ἔφυς.] Eur. Phœn. [226] : Ὁμογενεῖς ἐπὶ Λαΐου πεμφθεῖσ' ἐνθάδε πύργους, i. e. συγγενεῖς. [Ib. 436 : Ὁμογενεῖς φίλους· 1291 : Ὁμογενῆ δέραν, ὁμογενῆ ψυχάν· Or. 244 : Ἀνὴρ ὁμ. Iph. T. 918 : Ὁμ. ἐμός· Med. 1268 : Ὁμογενῆ μιάσματα. Plato Tim. p. 18, D : Νομιοῦσι ... ὁμογενεῖς. Aristot. H. A. 6, 7 : Οὐδὲν τῶν ὁμ. ὀρνέων.] || Ὁμογενής, apud Philosophos et Logicos est Qui eodem genere comprehenditur. Aristot. Rhet. 1 [immo 3, 4] : Ἀεὶ δὲ δεῖ τὴν μεταφορὰν τὴν ἐκ τοῦ ἀνάλογον, ἀνταποδιδόναι καὶ ἐπὶ θάτερα καὶ ἐπὶ τῶν ὁμογενῶν. [Tim. Locr. p. 99, D : Λίθοι τοὶ ὁμογενέες· 95, C : Ὁμογενέα σχήματα. Cum genit. Aristot. Metaphys. 9, p. 207, 28 : Ὁμογενῆ τῶν ἐναντίων. Theolog. arithm. p. 62, C : Ἀρχαὶ τῶν καθ' ἕκαστον ὁμογενῶν. « Iren. 1, 2. » Routh.] Ὁμογενῆ Gaza ap. Theophr. C. Pl. 2, 9, vertit Congenera. [V. id. 5, 5, 4, H. Pl. 8, 8, 1.] At ὁμογενὴς febris a Galeno dicitur ἡ συνεχὴς, VV. LL. Ὁμογενῆ, inquit Bud., a quibusdam ὁμοιομερῆ vocantur, ut auctor libri Sphæræ, in cap. Quod aqua sit rotunda, aquam corpus ὁμογενὲς esse dicit. Sic ὁμογενῆ μόρια ap. Galen. dicuntur Partes corporis similares. Unde Ὁμογενῶς, Ejusdem generis complexu, Ejusdem generis ratione. Sed et Ὁμογένους in accus. plur. quasi ab Ὁμόγενος, ap. Polluc. 3, [23] reperitur in eadem signif. Sic enim apud eum scribitur, Ὁμογάλακτας δὲ τούτους καὶ ὁμογαστρίους καὶ ὁμογάστορας ῥητέον, καὶ ὁμογένους· nisi forte ὁμογόνους aliquis leg. censeat. [Quod nunc legitur.]

[Ὁμογενῶς. V. Ὁμογενής.]

[Ὁμογλωσσέω s.] Ὁμογλωττέω, Eadem lingua utor. Bud. [Dio Cass. 41, 58 : Τῆς ἑαυτῶν βοῆς ὁμογλωσσούσης.]

[Ὁμόγλωσσος s.] Ὁμόγλωττος, ὁ, ἡ, Qui ejusdem linguæ est. Xen. Cyrop. 1, [1, 5] : Τῶν ἐθνῶν ἦρξεν οὔθ' ἑαυτῷ ὁμογλώττων ὄντων, οὔτ' ἄλλοις. Cam. [Cum dativo etiam Herodot. 1, 57, 171; 2, 158; 8, 144, Polyb. 1, 67, 3, et utraque forma sæpius ap. Pollucem.]

[Ὁμογνήσιος, Germanus, Gl.]

[Ὁμόγνητος, η, ον, i. q. ὁμόγνιος. Manetho 6, 117 : Τῆμος ὁμογνήτοις γενεῇ τ' ἄγχιστα συνεύνοις ζεύγνυνται. Nonn. Jo. c. 4, 196, Dion. 37, 192. Fem. Orph. Arg. 1213 : Κούρη ὁμογνήτη.]

Ὁμόγνιος, ὁ, ἡ, quod per sync. ex præcedenti ὁμογενὴς factum videtur pro Ὁμογένιος, ejusdem est signif., ut modo ex Polluce [3, 23] declaravi. Epigr. [Christodor. Ecphr. 306] : Φοίβου δ' οὐρεσίφοιτος ὁμόγνιος ἵστατο κούρη Ἄρτεμις, Soror. [Apoll. Rh. 3, 1076 : Πασιφάης, ἣ πατρὸς ὁμόγνιός ἐστιν ἐμοῖο· et eod. genere 4, 743. Nonnus Dion. 39, 103 : Κυδαίνων Διόνυσον ὁμόγνιον. Ep. Anth. Plan. 44, 4 : Ὁμόγνια πήματα χάρμης. Synes. p. 184, C : Αἵματος ὁμογνίου. Eust. Opusc. p. 14, 63 : Ἣν αἱ καθ' ἑκούσιον βροχαὶ πιαίνουσιν, αὐτοὶ λύθροις ὁμογνίοις μιαίνουσι. Photius : Ὁμόγνια, ὁμογενῆ ἢ γνήσια ἢ φίλα.] Et Ὁμόγνιοι θεοὶ, Penates dii, Plato Leg. [5, p. 729, C. Soph. OEd. C. 1333 : Πρὸς θεῶν ὁμογνίων. Quod ap. Dionys. A. R. 6, 21, male scriptum θεῶν ὁμογενίων. Pollux 3, 5.] At ὁμόγνιος Ζεὺς, est ὁ τοῦ γένους ἐφορῶν δίκαια, Gentilitius Jupiter, ut ex Synes. Bud. interpr. Plut. [Mor. p. 679, D] : Οἱ κατὰ γένος προσήκοντες καὶ Διὸς Ὁμογνίου κοινωνοῦντες. [Eur. Andr. 921; Aristoph. Ran. 750; Plato Leg. 9, p. 981, D. Omisso nomine Eust. Opusc. p. 123, 59 : Ὀνόμασι καὶ μόνοις ὁσιούμεθα, ὥσπερ τὸν ὁμόγνιον, οὕτω καὶ τὸν φίλιον.]

[Ὁμογνιότης, ητος, ἡ, Cognatio Nicet. Chon. p. 390, D : Ἐγκαλλωπίζομαι τῇ ὁμογνιότητι.]

Ὁμογνωμονέω, Ejusdem sum sententiæ, Idem sentio, Consentio, Assentior. [Concordo, Gl. Thuc. 2, 97 : Ἔθνος οὐκ ἔστιν ὅ,τι δυνατὸν Σκύθαις ὁμογνωμονοῦσι πᾶσιν ἀντιστῆσαι. Xen. H. Gr. 6, 3, 5 : Εἰ δὲ δὴ καὶ ὁμογνωμονοῖμεν. Paullo aliter Cyrop. 2, 2, 24 : Ἡ πονηρία, διὰ τῶν παραυτίκα ἡδονῶν πορευομένη, ταύτας ἔχει συναναπειθούσας πολλοὺς αὐτῇ ὁμογνωμονεῖν.] Nec dicitur solum ὁμογνωμονῶ σοι, sed interdum et cum accus. : ut ὁμογνωμονῶ σοι καὶ τοῦτο ap. Xen. [Comm. 4, 3, 10], Hoc quoque tibi assentior; vel potius, De hoc quoque. [OEc. 17, 6. Ib. 3 : Ταῦτα ὁμογνωμονοῦμεν πάντες οἱ ἄνθρωποι. Demosth. p. 281, 21 : Περὶ τῶν ἄλλων πολλάκις ἀντιλέγοντας ἑαυτοῖς τοῦθ' ὁμογνωμονοῦντας ἀεί.] Alioqui dicitur etiam ὁμογνωμονῶ σοι περὶ τούτου : ut legimus ap. Aristot. Eth. 9, [6] : Οὐδὲ τοὺς περὶ ὁτουοῦν ὁμογνωμονοῦντας ὁμονοεῖν φασίν· οἷον, τοὺς περὶ τῶν οὐρανίων· οὐ γὰρ φιλικὸν τὸ περὶ τούτων ὁμονοεῖν· ubi obiter observa etiam, licet verb. Ὁμονοεῖν interdum ponatur pro ὁμογνωμονεῖν, ut hic, περὶ τούτων ὁμονοεῖν : proprie tamen latius patere : ut patet etiam ex proxime sequentibus, Ἀλλὰ τὰς πόλεις ὁμονοεῖν φασιν, ὅταν περὶ τῶν συμφερόντων ὁμογνωμονῶσι, καὶ τὰ αὐτὰ προαιρῶνται, καὶ πράττωσι, τὰ κοινῇ δόξαντα. At vero ὁμογνωμονεῖν ἑαυτῷ dicitur aliquis ab Eod. pro Constare sibi : cui opp. is, qui secum dissidet ipse, ut loquitur Flaccus : i. e. ἑαυτῷ διαφέρεται. Cic. quoque dicit A seipso dissidere, secumque discordare. Locus Aristot. est Eth. 9, [4] : Ἔοικε γὰρ, καθάπερ εἴρηται, μέτρον ἑκάστῳ ἡ ἀρετὴ καὶ ὁ σπουδαῖος εἶναι· οὗτος γὰρ ὁμογνωμονεῖ ἑαυτῷ, καὶ τῶν αὐτῶν ὀρέγεται κατὰ πᾶσαν τὴν ψυχήν. [Ὁμογνωμέω male olim ap. Procop. Hist. p. 540, D.]

[῾Ομογνωμόνως. V. ῾Ομογνώμων.]

[῾Ομόγνωμος, ὁ, ἡ, i. q. ὁμογνώμων. Pollux 3, 54. Sed ὁμόγνωμος in codd.· omissum proximi ὁμόνομος dittographia videtur.]

[῾Ομογνωμοσύνη, ἡ, Consensus. Pollux 3, 62; 8, 152. Clem. Alex. Str. 2, p. 51. « Jo. Chrys. In Jo. hom. 64, vol. 2, p. 828. » Seager. Joseph. Contra Apion. 2, 37. Jacobs. ῠ]

῾Ομογνώμων, ονος, ὁ, ἡ, Qui ejusdem est sententiæ. [Unanimis, Concors, Gl. Thuc. 8, 92 : Ὅσοι ἦσαν ὁμογνώμονες. Xen. H. Gr. 2, 3, 15 : Ὁ Κριτίας τῷ Θηραμένει ὁμογνώμων τε καὶ φίλος ἦν· Reip. Lac. 8, 1, et alibi. Demosth. p. 151, 13, et sæpius. || Adv. ῾Ομογνωμόνως, Lycurg. C. Locr. p. 201, 9. Pro ὁμοίως illatum erat Isocrati p. 411, B. Diod. 11, 72 : Πάντες ὁμ. ἐψηφίσαντο. « Jo. Damasc. Ep. ad Theoph. Imp. de imagg. p. 111. » Boiss. Hermias In Plat. Phædr. p. 402.]

῾Ομόγονος, ὁ, ἡ, Germanus. Pind. Pyth. 4, 146 : Εἴ τις ἔχθρα πέλει ὁμογόνοις. Xen. Ag. 4, 5 : Τοῖς ἀπὸ μητρὸς αὐτῷ ὁμογόνοις.] Plato Leg. 8, [p. 878, D] : Ἐὰν ὁμόγονος τὸν ὁμόγονον τρώσῃ, Bud. Idem valet ὁμόγνιος. At ὁμόγονα, τὰ, Quæ ejusdem sunt generis, ὁμογενῆ. [Aristot. H. A. 9, 2 : Συναγελάζονται οὐ μόνον τὰ ὁμ. Plato Theæt. p. 156, B : Τὸ αἰσθητὸν γένος, τούτων ἑκάσταις ὁμόγονον. Pollux 3, 23; 6, 155.]

῾Ομόγραμμος, ὁ, ἡ, Qui earundem linearum est. [῾Ομογράμμους vocavit Lucian. Hermot. c. 40, athletas qui easdem literas sorte duxissent; potuerat usitatiore forma ὁμογραμμάτους scripsisse. Hemst.]

[῾Ομόγραυς, αος, ἡ, Quæ simul consenuit. Arcad. p. 93, 2 : Τὰ εἰς αυ πολυσύλλαβα βαρύνονται, χιλιόναις, ὁμόγραυς· τὰ δὲ ἁπλᾶ περισπῶνται, γραῦς, ναῦς.]

[῾Ομογρᾰφέω, i. q. ὁμοιογραφέω, Eodem modo scribo. Eust. Od. p. 1960, 56 : Τὸ δούλειον εἶδος καὶ μέγεθος ὁμογραφοῦνται τῇ ἐκ τοῦ δουλεύω γινομένῃ δουλείᾳ.]

[῾Ομόγραφος, ὁ, ἡ, Eodem modo scriptus. Herodian. in Cram. An. vol. 3, p. 234, 27 : Τὴν αἰτιατικὴν ὁμότονον καὶ ὁμόγραφον. Chœrob. vol. 1, p. 129, 2 : ῾Ομόφωνον καὶ οὐχ ὁμόγραφον. L. Dindorf.]

[῾Ομοδαίμων, ονος, ὁ, ἡ, Olympiod. in indice An. Bekkeri. Boiss.]

[῾Ομόδαις, αιτος, ὁ, ἡ, Conviva. Chœrob. vol. 1, p. 176, 4 : Δαὶς ὁμόδαις· qui ὁ ὁμοῦ εὐωχούμενος interpretatur p. 206, 29.]

[῾Ομοδάλιοι, ἰσοετεῖς Hesychio, i. e. Æquales. Similia ap. eundem vocc. compararunt interpretes.]

[῾Ομόδειπνος, ὁ, ἡ, Conviva. Const. Manass. Chron. 3389, 3401, 4992. Boiss. Pollux 6, 12.]

῾Ομόδελφος, ὁ, ἡ, [Uterinus,] vide Δελφύς. [Callim. fr. ap. Etym. M. p. 302, 13 : Εἰνατίην ὁμόδελφον. Pro quo ῾Ομόδελφυς, ὁ ἀδελφὸς id. p. 255, 2, quod ex cod. corrigendum ὁμόδελφος monuerunt intt. Gregorii Cor. p. 344, 892.]

῾Ομοδέμνιος, ὁ, ἡ, Qui ejusdem strati s. lecti particeps est, Conjux. [Æsch. Ag. 1108 : Τὸν ὁμ. πόσιν. Christodor. ap. schol. Hom. Il. B, 461 : Κουριδίην ὁμοδέμνιον. Musæus 70.]

῾Ομοδημέω, ut συνανθρωπῶ, In ordinem me cogo, Civilem me gero, Bud. ex Plut. [Mor. p. 823, D] : Ἴσος δὲ ὁμαλὸς ἐσθῆτι καὶ διαίτῃ καὶ τροφαῖς παίδων, καὶ θεραπείᾳ γυναικὸς, οἷον ὁμοδημεῖν καὶ συνανθρωπεῖν τοῖς πολλοῖς βουλόμενος.

[῾Ομοδημία, ἡ, Concordia populi. Iambl. V. Pyth. § 32, p. 72 : Πολιτεία ἡ βελτίστη καὶ ὁμοδημία.]

῾Ομόδημος, ὁ, ἡ, Qui ejusdem populi et gentis est, Popularis, Gentilis, VV. LL. ||Qui cum populo facit, ad populi mores se componit, Popularis. [Pind. Ol. 9, 48 : ῾Ομόδαμον γόνον· Isthm. 1, 30 : ῾Ομόδαμος ἐὼν Σπαρτῶν γένει. Pollux 6, 155.]

῾Ομοδίαιτος, ὁ, ἡ, Qui eodem victu s. eodem vitæ genere utitur; ut ὁμοδίαιτος ἅπασι ap. Lucian. [Demonact. c. 5] exp. Qui communi cum aliis omnibus vivendi ratione utitur. [Figur. id. De hist. conscr. c. 16 : ῾Ομοδίαιτα τοῖς πολλοῖς, de vocabulis vulgaribus.] Redditur et Convictor, [Conversator, huic add. Gl.] ut sit i. q. ὁμοτράπεζος [quomodo interpr. Photius et eodem similique modo Hesychius. Galen. vol. 13, p. 296 : Νοσῶν ... ἐλέφαντα ... ὁμ. ἦν τοῖς συνήθεσιν. « ῾Ομοδίαιτοι Christiani, Just. Mart. Apolog. 1, 14, p. 52, A. » Jacobs.] || Contubernalis [Gl.]. A Bud. autem et Sodalis, ap. Gregor., ubi hæc tria jungit, ὁμόστεγοι, ὁμοδίαιτοι, συμφυεῖς. [Pollux 6, 155. Isidor. Pel. Epist. p. 7, A. L. Dind.]

[῾Ομόδιφρος, ὁ, ἡ, Qui eodem curru vehitur. Nonn. Dion. 21, 191 : Βακχείης ὁμόδιφρος ἐϋκνήμιδος ἀπήνης.]

[῾Ομοδογματέω, Ejusdem sum opinionis. Marc. Anton. 11, 8.]

[῾Ομοδογματία, ἡ, Consensus. Stob. Ecl. eth. p. 130 : Συμφωνίαν (εἶναι) ὁμοδογματίαν περὶ τῶν κατὰ τὸν βίον.]

῾Ομοδοξέω, Ejusdem sum opinionis, Idem sentio. [Plato Reip. 4, p. 442, D : Ὅταν τό τε ἄρχον καὶ τὼ ἀρχομένω τὸ λογιστικὸν ὁμοδοξῶσι δεῖν ἄρχειν. Theophr. fr. 1 De sensu 70 : Οὐδὲ περὶ τούτων ὁμοδοξοῦσι. Strabo 2, p. 154. Polyb. 1, 41, 5 : Περὶ τούτου τοῦ μέρους ὡμοδόξουν. Pollux 6, 117.]

῾Ομοδοξία, ἡ, Eadem opinio aliquorum, Consensus in opinione. [Plato Reip. 4, p. 433, C : Ἡ ὁμ. τῶν ἀρχόντων τε καὶ ἀρχομένων· plur. Polit. p. 310, E, et alibi.] Aristot. Eth. 9, [6. Olympiod. In Alcib. 1 sect. 20. Creuzer.]

῾Ομόδοξος, ὁ, ἡ, Qui ejusdem est opinionis. [Lucian. Eun. c. 2 : ῾Ομόδοξοι ἄμφω. Pollux 6, 156, Hesychius. L. D. ῾Ομόδοξος τῷ πατρὶ Christus, Joann. Eugenicus Ecphras. p. 336 fin. ed. meæ. Boiss. || Adv. ῾Ομοδόξως. « Jo. Chrys. Hom. 140, vol. 5, p. 886. » Seager. Epiphan. vol. 2, p. 31, A; Sozom. H. E. 2, 20.]

῾Ομόδοξος, ὁ, ἡ, Pari gloria præditus, Gregor.

῾Ομοδόρπιος, ὁ, Cœnæ socius, aut particeps, σύνδειπνος, Nonn. [Jo. c. 6, 32 : Σύμπλοκος ἑσμὸς ἔην ὁμοδόρπιος ὑψόθι γαίης.]

῾Ομόδουλος, ὁ, ἡ, Conservus : est Atticum hoc vocabulum, non autem σύνδουλος, ut Thom. M. [p. 649] tradit. [Eur. Hec. 60 : Ὀρθοῦσαι τὴν ὁμόδουλον. Meleag. Anth. Pal. 12, 81, 5 : Ἀλλ' ὁμόδουλοι, de sociis amoris. Xen. H. Gr. 4, 1, 36 : Τοὺς νῦν ὁμοδούλους σοι, de satrapis Persicis. Plato Phæd. p. 85, B : ῾Ομ. τε τῶν κύκνων καὶ ἱερὸς τοῦ αὐτοῦ θεοῦ· Theæt. p. 172, D, Phædr. p. 273, E.] Plut. De solert. anim. [p. 975, B] : Ἰδίᾳ δέ φησιν ὁ Σωκράτης ὁμόδουλον ἑαυτὸν ποιεῖσθαι τῶν κύκνων. Idem [Mor. p. 137, D] : Βοῦς πρὸς τὴν ὁμόδουλον ἔλεγε κάμηλον. [Ib. p. 401, A.] Pollux [3, 81] ait esse, qui exponant τὸν τῆς αὐτῆς τύχης : at σύνδουλον, τὸν τοῦ αὐτοῦ δεσπότου. [Qui Hyperidis et Euclidis exx. citat. Ut Atticum commendat Mœris p. 273. || « Qui ex iis bonis, quæ eidem domino serviunt, possident bona quasi conservi agricolæ, qui Sozomeno l. 9 ὁμόδουλοι ἐν ἀγρῷ dicuntur. V. Cujac. ad Nov. 128, 168, et Eclog. 56 Basilic. tit. 18 in lemmate. » Ducang. || Adverb. ῾Ομοδούλως 3 codd. Monac. Eumath. p. 58 ed. Teuch. Jacobs.]

[῾Ομόδουπος, ὁ, ἡ, Consonus. Nonn. Dion. 39, 129 : Καναχὴν ὁμόδουπον.]

῾Ομοδρομέω, Simul curro, Concurro. [Maximus Καταρχ. 232 : Τοξευτῆρι ὁμοδρομέουσα Σελήνη. Tim. Locr. p. 97, A : Διὰ τὸ ὁμοδρομῆν ἀλίῳ.] Plut. De mus. [p. 1143, F] : ῾Ομοδρομεῖν δεῖ τήν τε αἴσθησιν καὶ τὴν διάνοιαν ἐν τῇ κρίσει τῶν τῆς μουσικῆς μερῶν. [Alcidam. De soph. p. 80. Boiss. Schol. Pindari Pyth. 8, 9. Hemst. Orion v. Ἔλεγος : Πεντάμετρον τῷ ἡρωικῷ συνῆπτον οὐχ ὁμοδρομοῦντα τῇ τοῦ προτέρου δυνάμει, ἀλλ' οἷον συνεκπνέοντα.]

[῾Ομοδρομία, ἡ, Concursus, Conjunctio. Lucian. Astrol. c. 22 : Ἡ Ἀφροδίτης καὶ τοῦ Ἄρεος ὁμοδρομίη. Porphyr. Quæst. Hom. c. 4, p. 6 extr. ed. Rom., Etym. M. p. 145, 15, et alii gramm. in expl. voc. ἁματροχιά.]

[῾Ομόδρομος, ὁ, ἡ, Comes. Plato Epin. p. 987, B : ῾Ομόδρομος ἡλίῳ. Nonnus Dion. 37, 275 : Ἱππομανῆ νόον εἶχεν, ὁμόδρομον ἡνιοχῆος. || Adv. ῾Ομοδρόμως. « Tzetz. Hist. 10, 194, 538. » Elberling.]

[Ομοδῡνᾰμέω, Æquipolleo. Procli Paraphr. Ptol. 1, 11, p. 39.]

[῾Ομοδύναμος, ὁ, ἡ, Æquipollens. Dionys. Areop. De D. N. 4, 11, p. 475 : Δι' ἑτέρων καὶ ὁμοδυνάμων λέξεων διασαφῆσαι. Theophyl. In c. 10 Jo. p. 712 de filio dicit eum esse patri ὁμοδύναμον καὶ ὁμόβουλον. Suicer. Jo. Damasc. vol. 1, p. 117, C; Theodor. Stud. p. 94, C.]

[῾Ομόεδρος, ὁ, ἡ, Consessor, Eandem sedem tenens.

Hermes ap. Stob. Ecl. phys. p. 1102, ubi male per ω : Τῷ σώματι ὁμωέδρῳ ὄντι ἐφιζάνει.]

[Ὁμοεθνέω, Ejusdem gentis sum. Diodor. 15, 39 : Οὐ μόνον τῶν ὁμοεθνούντων, ἀλλὰ καὶ πάντων Ἑλλήνων πολὺ προέσχεν.]

Ὁμοεθνής, ὁ, ἡ, Ejusdem gentis s. nationis. [Gentilis, Gl. Herodot. 1, 91 : Ἐκ δυοῖν οὐκ ὁμοεθνέων ἐγεγόνεε. Aristot. Rhet. 2, 6 : Ὁμοεθνεῖς, et alibi. Diod. 11, 78 : Τοῖς ὁμοεθνέσι· 13, 27 : Ὁμοεθνεῖς ἀνθρώπους. Polybii exx. indicavit Schweigh.]

[Ὁμοεθνία, ἡ, Gentilitas, Cognatio; sed improprie ap. Hippocr. p. 408, 30 : Τοῦτο δ' ὁποῖον ἄν τι πάθῃ τὸ σμικρότατον, ἐπαναφέρει πρὸς τὴν ὁμοεθνίην ἕκαστον πρὸς τὴν ἑωυτοῦ, ἤν τε κακὸν ἤν τε ἀγαθόν· καὶ διὰ ταῦτα καὶ ἀλγέει καὶ ἥδεται ὑπὸ ἔθνεος τοῦ σμικροτάτου τὸ σῶμα. In quibusdam Mss. schol. : Ὁμοεθνίη ἡ τοῦ σώματος συμμετρία καὶ ὁμοτονία. Etiam p. 663, 52 : Μάλιστα δὲ καὶ οἱ μαζοὶ ἀείρονται κατὰ τὴν ὁμοεθνίην, Cognatione quadam cum pectore. Ex Foes. Œc.]

[Ὁμόεθνος, ὁ, ἡ, Congentilis, Gl. Joseph. C. Apion. 1, 22, p. 455 fin. : Παρὰ τοῖς ὁμοέθνοις, et Polyb. 1, 10, 2, quod utroque loco ex altera forma natum videtur.]

[Ὁμοείδεια, ἡ, Eadem species. Strabo 11, p. 518 : Τὰ δ' ἐπέκεινα ὅτι μὲν Σκυθικά ἐστιν ἐκ τῆς ὁμοειδείας εἰκάζεται. Dionys. H. vol. 5, p. 543, 1 : Τὸ διαλαμβάνεσθαι τὴν ὁμοείδειαν ἰδίαις μεταβολαῖς· 641, 5 : Ἡ ὁμ. τῶν λόγων· 787, 2, τῶν σχηματισμῶν. « Cyrill. Alex. 1 In Jo. c. 5, p. 45 : Τῆς τῶν γενητῶν ἀποδιοριζόντες φύσεώς τε καὶ ὁμοειδίας (—δείας)· 2 In Jo. c. 1, p. 117 : Διὰ τῆς πρὸς ἀλλήλους ὁμοειδίας εἰς μίαν ἅπαντες ἀναδεσμούμενοι φύσιν. » Suicer. Per ι male ap. Longin. De subl. c. 41, 2, et in locis nonnullis Dionysii.]

Ὁμοειδής, [ὁ, ἡ, Qui est ejusdem speciei. Theophr. C. Pl. 3, 6, 6. Aristot. Metaph. p. 59, 23; 118, 27 et alibi. Polyb. 34, 11, 17 : Τοὺς κρατῆρας ὁμοειδεῖς μὲν εἶναι κτλ. Plotin. vol. 1, p. 345, 11; 519, 11; 2, p. 697, 17; Jo. Damasc. vol. 1, p. 14, E. In ὁμόειδος corruptum ap. Pollucem 6, 155. L. Dind. Symeon Sethi Ichnel. p. 196. Boiss. « Ὁμοειδὴς dicitur scriptor, qui in suo argumento perpetuo permanet, nec res alienas variandi gratia immiscet, ut de Philisto judicat Dionys. Ep. ad Pomp. c. 5, p. 780 : Πρᾶγμα ἔξωθεν οὐ βούλεται περιλαμβάνειν, ἀλλ' ἐστὶν ὁμοειδής. Deinde ὁμοειδὴς φράσις est dictio *uniformis*, non variata figuris orationis, unde mox dicitur ἀσχημάτιστος. Schol. Hermog. in Prol. ad l. 1 Περὶ ἰδεῶν p. 376 ed. Ald. : Σκληρὸς μὲν, inquit, καὶ προσκορὴς ὁμοειδὴς λόγος, ἡδὺς δὲ καὶ πιθανώτατος ὁ ποικίλος καὶ πολυσχημάτιστος. Cic. Ad Att. 2, 6 : « Etenim γεωγραφικὰ, quæ constitueram, magnum opus est; et hercule sunt res difficiles ad explicandum et ὁμοειδεῖς : nec tam possunt ἀνθηρογραφεῖσθαι quam videbatur. » Ernest. Lex. rh. ‖Adv. Ὁμοειδῶς, Marc. Anton. 9, 35; Iambl. In Nicom. p. 28, A.]

[Ὁμοείρκτης, ὁμότοιχος, ἐκ τοῦ αὐτοῦ γένους, Photius. V. Ὁμοερκής.]

[Ὁμοεργής, ὁ, ἡ, Qui est ejusdem operationis. Maximus Conf. vol. 2, p. 59, B, C; 114, A bis. V. Ὁμοεργία. L. D. Epiphan. vol. 1, p. 437.]

[Ὁμοεργία, ἡ, ap. Maximum Conf. vol. 2, p. 59, D : Ἵνα μὴ λέγω ὅτι καὶ φύσει (ὑπογράφοντες) παθητὸν τὸν πατέρα καὶ σεσαρκωμένον εἶτουν ἐνανθρωπήσαντα τῇ πρὸς τὸν υἱὸν ὁμοεργίᾳ τῶν τε θαυμάτων ὁμοίως καὶ παθημάτων, Int. vertit Pari illa cum filio miraculorum passionumque operatione. L. Dind.]

[Ὁμοερκής, ὁ, ἡ.] Ὁμοερκὲς Pollux [6, 156] ex Solone affert, sed durum esse ait. Videtur autem τὸ ὁμοερκὲς significare Unis iisdemque septis contineri, Contubernium. [Conferendum videtur Ὁμοείρκτης, quod vide. Harpocratio : Ὁμοερκὲς Δείναρχος ἐν τῷ πρὸς τὴν Καλλίππου παραγραφὴν ἀντὶ τοῦ ὑφ' ἓν ἕρκος, τουτέστιν ὑπὸ τὸν αὐτὸν περίβολον. Hesychius : Ὁμοερκής, ὁμότοιχος. Lex. rhet. Bekk. p. 286, 33 : Ὁμοερκεῖς κίονες οἱ τῶν μετάλλων κίονες. Qui supra μεσοχρινεῖς. L. Dind.]

[Ὁμοέστιος, ὁ, ἡ, i. q. ὁμέστιος, quod v. Plut. Mor. p. 703, F, et in var. script. ap. Polyb. 2, 57, 7.]

[Ὁμοέτης, ὁ, ἡ, Qui eodem anno vel iisdem est annis. Etym. M. p. 386, 46 : Ἔτης, οἷον ὁμοέτης. L. D. Schol. Arati 4. Wakef.]

A [Ὁμόζευκτος, ὁ, ἡ, Conjux. Nonn. Dion. 22, 333 : Ὁμοζεύκτῳ πόδα δεσμῷ.]

[Ὁμοζηλία, ἡ, Par studium. Maccab. 4, 13, 24. Schleusner.]

Ὁμόζηλος, ὁ, ἡ, Qui unius ejusdemque zeli est, unum idemque æmulatur et affectat. Nonn., ὁμοζήλῳ μενοινῇ, Concordi et unanimi studio. [Jo. c. 3, 134. (Id. Dion. 37, 261 : Ἀντίτυπον δρόμον εἶχεν ὁμοζήλων ἐπὶ δίφρων.) Philo vol. 1, p. 146, 24 : Τὸν Ἰσαὰκ, τὸν Ἰακὼβ, τὸν Μωϋσῆν καὶ εἴ τις αὐτοῖς ὁμόζηλος. Wakef.]

[Ὁμοζυγέω.] Ὁμοζυγεῖν, Sub eodem jugo esse. [Τέτρωρον δελφίνων ὁμοζυγούντων τε καὶ ταὐτὸν πνεόντων, Philostr. Im. 2, p. 841, 10. Hesych. in Ἐφομαρτεῖτον. Clem. Protr. p. 90. Hemst. Heliod. Æth. 2, 2 : Οἷα δὴ ἀπειρίᾳ τὴν εἰρεσίαν οὐχ ὁμοζυγοῦντες.]

Ὁμοζυγής, ὁ, ἡ, Conjux, Qui sub eodem jugo est. [Nonn. Jo. c. 7, 51. Wakef. Id. Dion. 39, 134 : Νηυσὶν ὁμοζυγέεσσιν, Conjunctis. L. Dindorf.]

Ὁμοζυγία, ἡ, Unum idemque jugum. [Dionys. H. vol. 5, p. 197, 7 : Ἡ πεπλανημένα μέτρα καὶ ἀτάκτους

B ῥυθμοὺς ἐμπεριλαμβάνουσα (λέξις), καὶ μήτ' ἀκολουθίαν ἐμφαίνουσα αὐτῶν μήτε ὁμοζυγίαν κτλ., quæ repetuntur vol. 6, p. 1110, 11. ‖Theodor. Stud. p. 503, C : Ὁ τῆς ὁμοζυγίας χωρισμὸς, Conjugii. L. Dind.]

Ὁμόζυγος, ὁ, ἡ, i. q. ὁμοζυγής. [Conjux, Jugalis, Gl. Γαμετὴ Hesychio. Theodor. Stud. p. 440, B; 472, B; 479, C; 503, C; 543, B, utroque genere. Ephræm Syr. vol. 3, p. 262, C : Τὸν ὁμόζυγον. Ms. ap. Pasin. Codd. Taur. vol. 1, p. 292, B, C : Τοῖς ὁμοζύγοις. L. D. Schol. Lycophr. 1114.]

Ὁμόζυξ, υγος, ὁ, ἡ, q. d. Parijugis, Alter equus in jugo. [Ὁμόζυγες, Juges, Gl. Plato Phædr. p. 256, A : Ὁ ὁμ. μετὰ τοῦ ἡνιόχου πρὸς ταῦτα ἀντιτείνει. Unde Pollux 6, 156.] Item ὁμόζυγες ἀμφιφορῆες ap. Nonn., Amphoræ binæ, q. d. Amphoræ copulatæ. [Ὁμ. λίθοι, Protarchus Aristot. Phys. 2, 6. « Theophyl. Simoc. Ep. 82. » Boiss. De conjuge Eust. Opusc. p. 64, 42 : Ἀφιεὶς τὴν ὁμόζυγα. Theod. Stud. p. 436, B; 571, B. De bestiis Eutecnius ap. Cramer. Anecd. Paris. vol. 1, p. 29, 18 : Τελευτησάσης τῆς ὁμόζυγος. Chœrob. vol.

C 1, p. 83, 21. Dubium ad utram formam referendum sit quod est ap. Maneth. 4, 602 : Ὁμόζυγα λατρεύοντες, et in Etym. M. p. 590, 27 : Τὰ ὁμόζυγα τούτων, et ap. Aret. p. 33, 51, τὰ ὁμόζυγα καὶ ὁμώνυμα. L. D.]

[Ὁμοζωέω, Una vivo. Symeon Sethi Ichnel. p. 226 : Ὁμοζωεῖ μεθ' ἡμῶν. Boiss.]

[Ὁμοζωΐα, ἡ, Olympiodor. In Alcib. 1 sect. 27. Creuzer.]

[Ὁμοζωνέω, Ὁμοζωνία, ἡ, Ὁμόζωνος, ὁ, ἡ, Paul. Alex. Apotelesm. D. 4.]

[Ὁμοήγορον, ὅμοιον, Hesychius.]

[Ὁμοήθεια, ἡ, Consuetudo. Philostr. V. Ap. 2, p. 61, 1; Cyrill. C. Julian. 10, p. 338. Pollux 3, 62.]

Ὁμοήθης, ὁ, ἡ, [Similis, Consuetus, Solitus, Gl.] Qui eorundem morum est, similibus moribus. [Plato Gorg. p. 510, C : Ὁμ. ὤν.] Aristot. Eth. 8, [13] : Οἱ τοιοῦτοι δ' ὁμοπαθεῖς καὶ ὁμοήθεις ὡς ἐπὶ τὸ πολύ. [Comparativo 8, 14. Pollux 1, 152; 3, 54, 61; 6, 155. Eust. Opusc. p. 277, 80. Etym. M. p. 735, 31.]

[Ὁμῆλιξ, ικος, ὁ, ἡ, Æqualis. Epigr. Anth. Pal.

D App. 303, 1 : Μεθ' ἡλικίας ὁμοήλικος ἡδέα παίσας, i. q. ὁμηλικίας, Cum æqualibus. Neutro Jo. Chrys. In Matth. hom. 59, vol. 2, p. 378, 21 : Πῶς δὲ καὶ ἀναιρήσει τὰ ὁμότιμα καὶ ὁμοσθενῆ καὶ ὁμοήλικα;]

[Ὁμόηχος, ὁ, ἡ, Consonus. Hesych. v. Ὁμορροθοῦντες. Jo. Damasc. Ep. ad Theoph. Imp. De imag. p. 125.]

[Ὁμοθάλαμος, ὁ, ἡ, Thalami socius. Pind. Pyth. 11, 2 : Ὁμοθάλαμε Νηρηΐδων. ἀά]

[Ὁμοθαμνέω, Una fruticor. Marc. Anton. 11, 8 : Ὁμοθαμνεῖν μὲν, μὴ ὁμοδογματεῖν δέ.]

[Ὁμοθελής, ὁ, ἡ, Qui ejusdem est voluntatis, consentit. Andr. Cret. p. 15. Kall.]

Ὁμόθεν, Ex eodem loco, ἐκ τοῦ αὐτοῦ τόπου, Hesych. [Sic interpr. schol. Apoll. Rh. 1, 91 : Τοῖσι δ' ἐπ' Αἰακίδαι μετεκίαθον, οὐ μὲν ἅμ' ἄμφω οὐδ' ὁμόθεν· νόσφιν γὰρ ἀλευάμενοι κατένασθεν Αἰγίνης. Mœris p. 272, ἐκ τοῦ αὐτοῦ.] Et ὁ ὁμόθεν πεφυκὼς, Iisdem natus parentibus. Affertur enim ex Eur. [Iph. A. 501], Τὸν ὁμόθεν πεφυκότα, Fratrem eodem patre prognatum. [Or.

486 : Ἑλληνικόν τοι τὸν ὁμόθεν τιμᾶν ἀεί· fr. ap. Stob. Fl. 126, 1 : Σπάνιον δ' ἄρ' ἦν θανοῦσιν ἀσφαλεῖς φίλοι, κἂν ὁμόθεν ὦσιν.] Itidem accipi potest, quod Hesiod. Op. [108] dicit : Ὡς ὁμόθεν γεγάασι θεοὶ θνητοί τ' ἄνθρωποι, Ab eadem origine orti sunt. [Hom. H. Ven. 135 : Σοῖς τε κασιγνήτοις οἵ τοι ὁμόθεν γεγάασιν. Xen. Cyrop. 8, 7, 14 : Ἀπὸ τοῦ ὁμόθεν γενομένου.] Affertur item ex Soph. [El. 156] : Οἷς ὁμόθεν εἶ, pro Quibus es propinqua; sed non additur de quanam propinquitate, locine an generis, dicatur. Ὁμόθεν redditur etiam Ex propinquo : ut sit i. q. ἐγγύθεν, sicut ὁμοῦ idem significat cum ἐγγύς : in qua signif. usurpari a Xen. annotat Bud. Ita certe accipi potest Cyrop. [1, 4, 23 : Ὁμόθεν διώκοντες· 2, 3, 20] : Ὅτι οὐ σφίσι γε δοκοίη παιδιὰν εἶναι τὸ ὁμόθεν παίεσθαι· 8, [8, 22] : Ἓν παλτὸν ἑκάστῳ δοὺς εἰς χεῖρα, ὁμόθεν τὴν μάχην ἐποιεῖτο. [Ven. 7, 8.]

Ὁμόθεος, ὁ, ἡ, Qui pariter Deus est, una Deus est, Ejusdem divinitatis consors, Gregor. [Or. 42, p. 685 : Διὰ τὴν πρόσληψιν τὴν χρισθεῖσαν θεότητι, καὶ γενομένην ὅπερ τὸ χρῖζον καὶ θαρρῶ λέγειν ὁμόθεον, i. e. τεθεωμένον. Atque ita explicat Damascenus Orth. fid. 3, 17. Theophan. Orat. 36, p. 256 : Τὸ πρόσλημμα ἀμέσως ἑνωθὲν τῇ θεότητι καθ' ὑπόστασιν ὁμόθεον γέγονεν. Theophanes Nicænus Epist. 3 : Τὸ ἴδιον πρόσλημμα ὁμόθεον ἀπεργασάμενος. Suicer.]

[Ὁμόθεσμος, ὁ, ἡ, Qui iisdem utitur legibus. Sibyll. Orac. 5, p. 603 : Οὐκέτι βακχεύσει Περσῶν χθόνα ποὺς ἀκάθαρτος Ἑλλήνων, ὁμόθεσμον ἐνὶ στήθεσσιν ἔχων νοῦν.]

[Ὁμόθηλος, ὁ, ἡ, Iisdem mammis nutritus. Hesychius : Ἀγάλακτος, ἡ ὁμ.]

[Ὁμόθηρος, ὁ, ἡ, Comes venationis. Callim. Dian. 210 : Σὴν ὁμόθηρον. Pollux 5, 9.]

[Ὁμόθρησκος, ὁ, ἡ, Qui eodem cultu utitur. Socr. Hist. Eccl. 5, 24, p. 301; 6, 5, p. 315; Syncell. Vita Dionys. Areop. p. 32; Eust. Opusc. p. 12, 82.]

[Ὁμόθριξ, τρῖχος, ὁ, ἡ, Qui comas easdem vel similes habet. Schol. Hom. Il. B, 765, ad explicandum ὄτριχας. Improprie Sophron ap. Demetr. Phal. § 151, ἐπὶ τῶν γερόντων· Ἐνθάδε κἠγὼ παρ' ὔμμε τοὺς ὁμότριχας ἐξορμίζομαι, quippe perinde canos.]

[Ὁμόθρονος, ὁ, ἡ, Qui est ejusdem throni. Pind. Nem. 11, 2, Ἥρας. « Cyrill. Alex. In c. 49 Jesaiæ p. 656 : Ἔστι θεὸς ὁ λόγος ἰσοκλεὴς καὶ ὁμόθρονος τῷ θεῷ καὶ πατρί. OEcumen. In 2 Corinth. 3, p. 518 : Κύριος τὸ πνεῦμα καὶ ὁμόθρονον. » Suicer. Jo. Damasc. vol. 1, p. 117, C. L. Dind.]

Ὁμόθροος, ὁ, ἡ, αὐδή, Vox unum idemque loquens, Concors vox. [Nonn. Jo. c. 7, 10. Forma contr. Ὁμόθρους schol. Soph. OEd. T. 187.]

Ὁμοθῡμᾰδόν, Unanimiter, Uno animo et consensu. [Universi, Una, Pariter, Gregatim, Simul, Universum, Gl. Aristoph. Pac. 484 : Ὁμ. ἅπασιν ἡμῖν αὖθις ἀντιληπτέον· Av. 1016 : Ὁμ. σποδεῖν ἅπαντας τοὺς ἀλαζόνας.] Xen. Hell. [2, 4, 17 : Πάντες ὁμ. τιμωρώμεθα·] 7, [1, 23] : Ὁμ. καὶ ἔπραττον καὶ ἐστρατεύοντο. [Plato Leg. 7, p. 805, A.] Philo V. M. 1 : Ἰδίᾳ ἕκαστον καὶ πάντας ὁμ. ἐφ' ἱκετείας καὶ λιτὰς τραπομένους, Et privatim singulos et universos uno consensu. Herodian. 2, [3, 6] : Πάντες ὁμ. εὐφήμησαν, Lætis acclamationibus unanimiter exceperunt. Dem. Phil. 4, [p. 147, 1] : Ἐὰν ὑμεῖς ὁμοθυμαδὸν ἐκ μιᾶς γνώμης Φίλιππον ἀμύνησθε, quasi ex superabundanti addidit ἐκ μ. γν. Sed et Philo dixit, Ἁπάντων ἀθρόως ὁμ. ἐκβοησάντων, Omnibus promiscue uno ore et consensu vociferantibus. [Plurima exx. sunt in V. et N. T.]

[Ὁμοθυμέω est in var. script. Xen. Cyrop. 4, 2, 47, pro ὁμονοοῦμεν.]

Ὁμοθυμία, ἡ, Unanimitas, ut Liv. loquitur.

Ὁμόθυμος, ὁ, ἡ, Unanimis, Concors, ὁμόφρων, ὁμόψυχος, Hesych. [Adv. Ὁμοθύμως, ὁμοψύχως, ὁμοφρόνως, ὁμολόγως, Phot. Nisi adjectiva posuerat, ut Suidas.]

Ὁμοιάζω, Similis sum, Similitudinem refero, Assimulo, Assimilo, ut ὁμοιόω infra. Marc. 14, [70] : Γαλιλαῖος εἶ, καὶ ἡ λαλιά σου ὁμοιάζει, Galilæus es, et locutio tua similis est : h. e., Locutio tua Galilæum assimilat.

[Ὁμοίιος. V. Ὅμοιος.]

Ὁμοιόαρκτος, ὁ, ἡ, Similiter incipiens, ex schol. Hermog. [Περὶ ἰδ. l. 1, p. 400, ubi de contraria ὁμοιο-

A τελεύτῳ figura. Ernest. Lex. rh. Mich. Psellus ap. Tafel. De Thessalon. p. 364, B : Ὁμοιόαρκτος (γενοῦ), τέλους ἀγαθοῦ προοίμιον κάλλιστον παριστῶν. L. Dind.]

[Ὁμοιοβᾰρής, ὁ, ἡ, Qui æqualis est ponderis. Aristot. De cœlo 1, 6.]

Ὁμοιόβῐος, ὁ, ἡ, Simili victus ratione utens. [Aristot. De partt. an. 3, 1 : Τῶν ὁμ. ἔνια. Eust. Opusc. p. 193, 24; 208, 26.]

Ὁμοιοβίοτος, ὁ, ἡ, Qui simili victu utitur. [Aristot. H. A. 9, 18 : Πολέμιος δὲ τῇ ἅρπῃ· καὶ γὰρ ἐκείνη ὁμ.]

Ὁμοιοβλαστάνειν, Similiter germinare, Germinis ratione convenire. [Theophr. H. Pl. 1, 11, 1, pro ὁμοβλαστεῖν, quod conjecit Schneider.]

Ὁμοιογένεια, ἡ, Generis similitudo. [Dionys. A. R. 3, 15.]

Ὁμοιογενής, ὁ, ἡ, Qui similis et proprie ejusdem est generis. [Ὁμόφυλον, συγγενικὴν int. Hesychius. Theophr. H. Pl. 8, 3, 1 : Τὰ ὁμοιογενῆ· et 4, 1 : Τὰ μὴ ὁμοιογενῆ et τὰ ὁμοιογενῆ, Schneid. ὁμογενῆ, ut 8, 8, 1. V. Ὁμοιοειδής. Dionys. H. vol. 6, p. 776, 12 : Ἡδονὴν
B καὶ πειθὼ καὶ τέρψιν καὶ τὰς ὁμοιογενεῖς ἀρετάς. Plut. Mor. p. 902, C : Τοῖς ὁμοιογενέσι. Diog. L. 10, 32 : Ἡ ὁμ. αἴσθησις. Pro ὁμογενής in libro uno Diodori 1, 7. ‖ Adv. Ὁμοιογενῶς, gramm. Cram. An. vol. 4, p. 273, 15. Philemo Lex. s. 35, p. 25 : Ὁμ. συντάσσονται.]

[Ὁμοιογνώμων, ονος, ὁ, ἡ, Consentiens. Epiphan. vol. 1, p. 258.]

[Ὁμοιογονία, ἡ, Similitudo. Hermes ap. Stob. Ecl. phys. p. 942.]

[Ὁμοιογρᾰφέω, Simili vel eodem modo scribo. Eust. Od. p. 1428, 19 : Ἔοικε δὲ ἢ ὁμοιοφωνεῖν καὶ ὁμοιογραφεῖσθαι ἀττικῶς τῷ ἀρσενικῷ.]

[Ὁμοιόγραφος, ὁ, ἡ, Similiter vel eodem modo scriptus. Eust. Il. p. 1340, 30 : Ὅθεν ὁμοιόγραφος καὶ ἡ μολύβδαινα. Boiss. Apollon. Bekk. An. p. 526, 21 : Ἐπὶ τοῦ ἄρα συνδέσμου ὁμοιογράφου καθεστῶτος. L. D.]

[Ὁμοιόδοξος, ὁ, ἡ, Qui ejusdem est fidei. Athanas. vol. 2, p. 559.]

[Ὁμοιόδουλος, ὁ, ἡ, pro ὁμόδουλος scriptum ap. Eumath. 9, p. 333 fin. : Καὶ νῦν ὁμ. ἐπὶ Δαφνήπολιν
C συνεκπλεύσω σοι.]

[Ὁμοιοδύναμος, ὁ, ἡ, Qui est ejusdem potestatis vel significationis. Philem. Lex. techn. s. 50, p. 264 : Τῶν δύο τούτων ὁμοιοδυνάμων ῥημάτων.]

[Ὁμοιοείδεια. V. Ὁμοείδεια.]

Ὁμοιοειδής, ὁ, ἡ, Ejusdem speciei, generis. [Dionys. H. vol. 5, p. 213, 8 : Τὰ ὁμοιοειδῆ μέτρα· 429, 7 : Αἱ κυκλικαὶ περίοδοι καὶ ὁμοιοειδεῖς τῶν σχηματισμῶν. Hephæstio De metr. p. 77, 5 : Τῶν ὁμοιοειδῶν μέτρων, de quibus schol. p. 83, 18. Bito De mach. p. 106, B : Οἱ κανόνες ἔχοντες ὀδόντας ὁμοιοειδεῖς τοῖς πάχεσι. Itaque ap. Theophr. C. Pl. 1, 22, 1 : Αὐτῶν δὲ τῶν ὁμογενῶν τὰ ὁμοιοειδέστερα πολυγονώτερα, Schneideri conjectura ὁμοειδέστερα non opus videtur. V. Ὁμοιογενής. ‖ Adv. « Ὁμοιοειδῶς, var. script. pro ὁμοειδῶς, in cod. Greg. Nyss. ap. Wolf. Anecd. Gr. vol. 2, p. 12. » Kall.]

[Ὁμοιόθερμος, ὁ, ἡ, Similiter calidus. Tzetz. Hist. 7, 712 : Ταῖς ὁμοιοθέρμοις.]

Ὁμοιοκαρπέω, Similes fructus gigno, Fructuum
D similitudine convenio cum alio. Theophr. C. Pl. 1, 11, [1] : Οὐδ' αὐτὰ αὑτοῖς ὁμοιοβλαστάνει τὰ γένη καὶ ὁμοιοκαρπεῖ [ὁμοβλ. et ὁμοκαρπεῖ Schneider.]

Ὁμοιόκαρπος, ὁ, ἡ, Similes habens fructus, Cujus fructus similes sunt.

[Ὁμοιοκαταληκτέω, Similem habeo clausulam. Apollon. De pron. p. 115, A; Cram. An. vol. 4, p. 354, 6. L. D. Eust. Il. Λ, 474.]

[Ὁμοιοκατάληκτος, ὁ, ἡ, Qui similem habet clausulam. Apollon. De pron. p. 96, 6 : Αἱ ὁμοιοκατάληκτοι (ἀντωνυμίαι). Schol. Thuc. 1, 2 : Τὸ δὲ σχῆμα τοῦ ὁμοιοκαταλήκτου Γοργίειον καλεῖται. Schol. Hom. Il. Λ, 474. Eust. Il. p. 50, ult., Od. A, 40. Schol. Aristoph. Nub. 393, Eq. 115. Ap. Iambl. In Nicom. p. 132, D, eodem modo ut alibi ap. eund. ὁμοκατάληκτος dictum v. in illo.]

[Ὁμοιοκαταληκτώδης, ὁ, ἡ, i. q. ὁμοιοκατάληκτος. Vita Isocratis in Mustoxydis Anecd. p. 13 : Ζηλωτὴς μὲν ἐγένετο τοῦ Γοργίου (Isocrates) κατὰ τὸ ὁμοιοκαταληκτῶδες καὶ παρισῶδες. Schneid.]

[Ὁμοιοκαταληξία, ἡ, Similis terminatio s. clausula. Eust. Od. p. 1399, 55; 1415, 48; 1524, 13. Pro quo ὁμοιοκατάληξις schol. Od. Η, 115, cujusmodi formarum exx. non desunt ap. inferioris ætatis scriptores.]

[Ὁμοιοκάταρκτος, ὁ, ἡ, Qui simile habet initium. Dionys. Hal. ap. schol. ad Hermog. De ideis vol. 2, p. 412 Rhett. Ald. Osann.]

Ὁμοιόκριθος, ὁ, ἡ, affertur pro Hordeo similis. [Theophr. H. Pl. 8, 1, 1; 9, 2, C. Pl. 4, 5, 2.]

[Ὁμοιολεπτομερής, ὁ, ἡ, pro ὁμοίως λεπτ., Similiter tenuis. Schol. Aristoph. Nub. 230 : Ὅμοιον δὲ εἶπε τὸν ἀέρα, ἀντὶ τοῦ ὁμοιολεπτομερῆ.]

[Ὁμοιόληκτος, ὁ, ἡ, i. q. ὁμοιοκατάληκτος. Greg. Nyss. vol. 2, p. 332, A, φωναῖς. Boiss.]

Ὁμοιολογία, ἡ, Dictio similis, Verba similia. Quintil. 8, 3, de Ornatu orationis, quum de ταυτολογίᾳ et ἐπαναλήψει locutus esset : Prior hac ὁμοιολογία est, quæ nulla varietatis gratia levat tædium, atque est tota coloris unius : quæ maxime deprehenditur, carens arte oratoria : eaque et in sententiis et figuris, et compositione longa, non animis solum, sed etiam auribus est ingratissima.

Ὁμοιομέρεια, ἡ, Similitudo partium, vel, ut alii loqui audent, Similaritas partium. Et in plur. ap. Justin. Mart. [Coh. ad Græc. § 3, p. 9, C] : Ἀναξαγόρας ἀρχὰς τῶν πάντων τὰς ὁμοιομερείας εἶναι ἔφη· quod mox referam et in ὁμοιομερῆ, ex Aristot. et Diog. L. [Lucret. 1, 830 : « Nunc et Anaxagoræ scrutemur Homœomeriam, quam Græci memorant, nec nostra dicere lingua concedit nobis patrii sermonis egestas. Sed tamen ipsam rem facilest exponere verbis, Principium rerum quam dicit Homœomeriam, ossa videlicet e pauxillis atque minutis ossibu' : sic et de pauxillis atque minutis visceribus viscus gigni, » etc. Plut. Mor. p. 876, B, D; 882, A, etc.]

Ὁμοιομερής, ὁ, ἡ, Similibus partibus constans, Qui constat partibus quæ sunt inter se similes : quas quidam Similares partes vocant. [Theophr. C. Pl. 5, 2, 1 : Αὕτη γὰρ μείζων ἡ παραλλαγὴ τῶν ἐν τοῖς φυτοῖς, ὅσῳ μᾶλλον ὁμοιομερῆ τὰ φυτὰ τῶν ζῴων.] Aristot. [H. A. 1 init.,] De partt. an. 2, circa princ., scribit secundam σύστασιν animalium esse ἐκ τῶν ὁμοιομερῶν, ut ossis et carnis, et aliorum id genus : tertiam autem ἐκ τῶν ἀνομοιομερῶν, ut faciei, manus. De his late disserit Idem Meteor. 4, [10]. Quidam ὁμοιομερῆ definierunt esse Quorum totum nihil a parte differt, ut aqua, aurum, lapis, lignum. Hæ partes vocatæ etiam fuerunt μέρη ὁμογενῆ et στοιχειώδη : ut vicissim ἀνομοιομερῆ, appellatæ fuerunt etiam ἑτερογενῆ et ὀργανικά, ut tradit Galenus [vol. 2, p. 358, D. Hemst.] : qui et alibi ὀργανικὰ opponit τοῖς ὁμοιομερέσι, ita scribens : Ἐγγίνεται δὲ ἡ ἑνώσεως λύσις οὐ μόνον ὁμοιομερέσι τε καὶ ἁπλοῖς ὀνομαζομένοις μορίοις, ἀλλὰ καὶ τοῖς συνθέτοις τε καὶ ὀργανικοῖς. Ceterum ἐκ τῶν ὁμοιομερῶν Anaxagoras principia generationis esse voluit, non elementa, Aristot. De cœlo 3, [c. 3], quod et ap. Diog. L. [2, 8] legimus. [Plotin. vol. 1, p. 101, 16. || « Adv. Ὁμοιομερῶς, Stephan. schol. in Hippocr. p. 129 bis ed. Dietz. » Osann.]

[Ὁμοιόμορφος, ὁ, ἡ, Qui est ejusdem formæ. Diog. L. 10, 49 : Τύπων τινῶν ἐπεισιόντων ἡμῖν ἀπὸ χροῶν τε καὶ ὁμοιομόρφων.]

[Ὁμοιονόμιος, Dulcis radix, γλυκύρριζα, ap. Interpol. Diosc. c. 412 (3, 5, ubi est ὁμοινόμιος). Ducang.]

[Ὁμοιόνομος, ὁ, ἡ, Qui iisdem legibus utitur. Phintys apud Stob. Fl. vol. 3, p. 445 : Δεῖ τὰν εὐνομουμέναν πόλιν ... συμπαθέα τε καὶ ὁμοιόνομον ἦμεν. Hemst.]

[Ὁμοιοούσιος, Similis essentiæ.]

Ὁμοιοπάθεια, ἡ, Affectuum similitudo, Similes affectus, s. Iidem, Eædem perturbationes. Item Figura, vel Virtus oratoria, a similitudine affectuum ducta : ut, Fuit et tibi quondam Anchises genitor. Bud. ex Macrobio [Sat. 4, 6, p. 53 ed. Bip. I. q. συμπάθεια ap. Diodor. 13, 25 : Διὰ τὴν κοινὴν τῆς φύσεως ὁμοιοπάθειαν. Strabo 1, p. 6 : Τὴν ὁμ. (Oceani. V. Ὁμοιοπαθέω.) Metrodor. ap. Plut. Mor. p. 1117, B : Μονονοὺ καταδύντες ταῖς ὁμοιοπαθείαις.]

Ὁμοιοπαθέω, vel Ὁμοπαθέω, Similes sunt mihi affectus s. Iidem, Similes perturbationes, Similiter afficior. Bud. vertit ὁμοιοπαθεῖν, Similiter affici, in isto

A Aristot. l., Eth. 1, [5] : Διὰ τὸ πολλοὺς τῶν ἐν ταῖς ἐξουσίαις ὁμοιοπαθεῖν Σαρδαναπάλῳ. [Μὴ παραζήλου, μὴ ὁμοιοπαθῇς, Hesych. Hemst. Strabo 1, p. 6 : Οὐθ' ὁμοιοπαθοῦντος τοῦ Ὠκεανοῦ πανταχοῦ (fluxu et refluxu).] At Ὁμοπαθεῖν vertit Consentire, Assentiri, Obtemperare. Plut. Galba [c. 1. Alia ejus exx. v. ap. Wyttenb. ad Mor. p. 72, B, ubi de utriusque verbi discrimine agit et permutatione.]

Ὁμοιοπαθής, vel Ὁμοπαθής, ὁ, ἡ, Cui similes sunt affectus, eædem aut similes perturbationes, Iisdem affectibus obnoxius, s. perturbationibus. [Plato Rep. 3, p. 409, B : Ἅτε οὐκ ἔχοντες ἐν ἑαυτοῖς παραδείγματα ὁμοιοπαθῆ τοῖς πονηροῖς· Tim. p. 45, C.] Aristot. Eth. 8, περὶ τῶν ἡλικιωτῶν loquens [c. 13] : Οἱ τοιοῦτοι δὲ ὁμήθεις καὶ ὁμοιοπαθεῖς [ὁμοπαθεῖς] ὡς ἐπιτοπολύ. Usus est Lucas Act. 14, [15 : Ἡμεῖς ὁμοιοπαθεῖς ἐσμεν ὑμῖν ἄνθρωποι. Jacob. 5, 17.] In VV. LL. ex Theophr. ὁμοιοπαθῆ τοῖς καρποῖς, Quæ simili fructuum ratione afficiuntur. Fortasse reddi possit, Quibus accidunt similia iis quæ et fructibus. Vel eadem quæ etc. [Id.
B fr. 5, 35 : Ὁμοιοπαθῆ τὰ κατὰ τὸν ἀέρα· H. Pl. 5, 7, 2 : Δεῖ δὲ ὁμ. εἶναι τὰ μέλλοντα συμφύεσθαι. Plotin. vol. 1, p. 5, 13 : Τὸ διαπλακεῖσα οὐ ποιεῖ ὁμοιοπαθῆ τὰ διαπλακέντα. Ignatius in Chron. Pasch. p. 416, 8 : Σῶμα ὁμοιοπαθὲς ἡμῖν ἠμφιεσμένος.]

Ὁμοιοπαθῶς, adv., vel Ὁμοπαθῶς, Cum similitudine affectuum, Iisdem affectibus. [Theodor. Stud. p. 578, E : Οὐχ ἠνέσχετο ὑπελθεῖν ὁμοιοπ. τοῖς ἐνταῦθα εἰρχθεῖσι. L. Dindorf.]

[Ὁμοιόπιστος, ὁ, ἡ, Qui est similis s. ejusdem fidei. Justin. Mart. Dial. c. Tryph. p. 348. Anon.]

[Ὁμοιοπλάτης, ὁ, ἡ, Qui est similis latitudinis. Oribas. p. 112 fin. ed. Mai. : Τελαμὼν ὁμ. L. Dind.]

[Ὁμοιόπους, οδος, ὁ, ἡ, Qui eundem habet pedem s. eosdem pedes. Draco Ms. fol. 98, sect. Π. στίχων. Bast.]

[Ὁμοιοπρεπής, ὁ, ἡ, Similem speciem præ se ferens, Similis. Æsch. Ag. 193 : Καὶ ξυγχαίρουσιν ὁμοιοπρεπεῖς ἀγέλαστα πρόσωπα βιαζόμενοι.]

Ὁμοιοπροσωπέω, Ejusdem personæ sum.

Ὁμοιοπρόσωπος, ὁ, ἡ, Qui ejusdem personæ est.
C [Etym. M.]

Ὁμοιοπρόφορος, ὁ, ἡ, Qui similis est pronuntiationis. Martianus Capella [5, 167] vitium compositionis maximum esse dicit, homœoprophoron, dysprophoron et polysigma non vitare. [Illiusque exemplum addit versiculum, O Tite tute Tati, etc.]

[Ὁμοιόπτερος, ὁ, ἡ.] Ὁμοιόπτεροι, Quibus similes pennæ sunt. [Aristot. H. A. 1, 1 med.] || Ὁμοιόπτερα, Volatilibus similia, VV. LL. [Male. Impropriam signif. memorat Hesychius : Ὁμοιόπτεροι, ὁμοιότιμοι. Sic dicitur εὔπτερος. L. Dind.]

Ὁμοιόπτωτος, ὁ, ἡ, Similiter cadens, Similes casus habens. Ὁμοιόπτωτον figura est oratoria. Quintil. 9, 3, [80] : Tertium est, quod in eosdem casus cadit : ὁμοιόπτωτον dicitur. Sed neque quod finem habet similem, est ὁμοιόπτωτον : utique in eundem finem venit, ὁμοιοτέλευτον. Est enim ὁμοιόπτωτον tantum casus similis, etiamsi dissimilia sint quæ declinentur : nec tantum in fine deprehenditur, sed respondent vel
D prima inter se, vel mediis vel extremis, vel etiam permutatis his : ut media primis, et summa mediis accommodentur, et quocunque modo accommodari poterunt. Nec enim semper paribus syllabis constat : ut est ap. Afrum, Amisso nuper infelicis aulæ si non præsidio inter pericula, tamen solatio vitæ inter daversa. Meminit et Rut. Lupus [2, 13 : « Hoc schema in duobus verbis eundem habet casum aut eandem novissimam syllabam »], necnon Beda, qui hoc ex Ennio exemplum affert, Mœrentes, flentes, lacrymantes, commiserantes. Utitur eod. vocab. Plut., ut vidisti in Κολλάω. [Apollon. De constr. p. 124, 25 : Τὸ ὁμ. πρόσωπον· et 125, 6, et De pron. p. 67, A. Ib. B : Ὁμοιοπτώτοις προσώποις. || Adv. Ὁμοιοπτώτως, gramm. Cram. An. vol. 4, p. 273, 15. L. D. Philem. Lex. s. 35, p. 25. Boiss. Schol. Apoll. Rh. 4, 5; Eust. Il. p. p. 124, 44, Od. p. 1385, 37; 1389, 33.]

Ὁμοιόπυρος, ὁ, ἡ, Tritico similis. Theophr. C. Pl. 4, 6 : Τοῖς ὁμοιοπύροις καὶ ὁμοιοκρίθοις. [H. Pl. 8, 1, 1 et 3; 9, 2.]

[Ὁμοιόρροπος, ὁ, ἡ, Qui similem s. æqualem habet motum s. vim. Ὁμ. γυμνάσιον ὀξὺ, Galen. vol. 6, p. 86, F. Hemst.]

[Ὁμοιόρρυθμος, ὁ, ἡ, ap. Aristid. De dict. civ. p. 258, et Ὁμοιόρρυσμος Ionice, Æqualis. Hippocr. p. 916, B : Νεφροὶ ὁμοιόρρυσμοι· et ib. C : Σπλὴν ὁμ. ἴχνει ποδός· et ἔντερον ὁμ. Pempelus Stob. Fl. vol. 3, p. 124 : Ὥστε αἴκα δεόντως τις χρῆται πατέρι καὶ ματέρι καὶ προπάτορι καὶ οὔλως τοῖς ὁμοιορρύσμοις. V. Ἑτερόρρυσμος et Ὁμόρρυσμος.]

Ὅμοιος, sive Ὁμοῖος, α, ον, sicut ἕτοιμος et ἑτοῖμος, ἔρημος et ἐρῆμος : quorum hanc scripturam veteribus Atticis, illam recentioribus usitatam fuisse tradit Eust. [Il. p. 206, 13; 531, 35; 569, 18; 799, 40, Od. p. 1817, 15, et Etym. M. p. 224, 42. Dionys. Bekk. An. p. 678, 18. L. D. Eandemque scripturam Ionici tenuere scriptt. : sic quidem ap. Herodot. meliores quique codd. ὁμοῖος etc. Schweigh. Ὁμοῖος tantum memorat Arcad. p. 45, 10, alterum casu omittens], Similis. [Hesiod. Th. 27 : Ἴδμεν ψεύδεα πολλὰ λέγειν ἐτύμοισιν ὁμοῖα. Theognis 714 : Οὐδ' εἰ ψεύδεα μὲν ποιοῖς ἐτύμοισιν ὁμοῖα. Pind. Ol. 7, 52 : Ἔργα ζωοῖσιν ἑρπόντεσσί θ' ὁμοῖα· Pyth. 2, 48 : Ἀμφοτέροις ὁμοῖοι τοκεῦσι, τὰ ματρόθεν μὲν κάτω, τὰ δ' ὕπερθε πατρός. Æsch. Prom. 78 : Ὁμοῖα μορφῇ γλῶσσά σου γηρύεται.] Xen. Hell. 3, [2, 20] : Ὅμοιόν τινα Θρασυδαίῳ ἀποκτείναντες, ᾤοντο Θρασυδαῖον ἀπεκτονέναι, Thrasydæo similem. Aristot. Poet. loquens de bonis pictoribus, s. iconographis, Ἀποδιδόντες τὴν ἰδίαν μορφὴν, ὁμοίους ποιοῦντες, καλλίους γράφουσι. Lucian. [De hist. scr. c. 23] : Ὅμοια τὰ πάντα καὶ ὁμόχροα εἶναι. Herodian. 4, [2, 3] : Πλασάμενοι εἰκόνα πάντα ὁμοίαν τῷ τετελευτηκότι, Defuncto quamsimillimam, s. omni ex parte similem. Ubi nota accus. rei, qua simile aliquid alicui dicitur. Dicuntur et aliis rebus aliqui similes esse, ut virtutibus, vitiis, et hujusmodi aliis; et tunc ὅμοιος interdum reddi potest Par, Æqualis. Hom. [Il. Π, 53 : Ὁππότε δὴ τὸν ὁμοῖον ἀνὴρ ἐθέλῃσιν ἀμέρσαι·] Od. Ρ, [218] : Ὡς αἰεὶ τὸν ὁμοῖον ἄγει θεὸς ὡς τὸν ὁμοῖον. Plato Sympos. [p. 195, B] : Ὁ γὰρ παλαιὸς λόγος εὖ ἔχει, ὡς ὅμοιον ὁμοίῳ ἀεὶ πελάζει. [Ubi Menandri testimonio utitur schol.] Quo respexisse videtur Cic. De senect. : Pares enim cum paribus, veteri proverbio, facillime congregantur. [Plato Gorg. p. 510, B : Ὁ ὅμοιος τῷ ὁμοίῳ (φίλος).] Aristot. Eth. 9, 3 : Τὸ ὅμοιον τῷ ὁμοίῳ φίλον : quod Latini dicunt, Simile simili gaudet. 3, 1 : Τὸ ὅμοιον τοῦ ὁμοίου ἐφίεσθαι. [8, 1 : Τὸν ὅμοιόν φασιν ὡς τὸν ὅμοιον.] Rursum Hom. Od. Τ, [240] Ulyssem dicit carum fuisse omnibus, quoniam παῦροι Ἀχαιῶν ἦσαν ὁμοῖοι, Quoniam pauci ejus similes erant s. ei pares. [Comp. Plato Phæd. p. 79, B : Ὁμοιότερον ψυχὴ σώματος τῷ ἀειδεῖ, et al. Superl. Soph. Ant. 833 : Ἅ με δαίμων ὁμοιοτάταν κατευνάζει. Aristoph. Vesp. 189 : Ὁμοιότατος κλητῆρος πωλίῳ. Herodot. 2, 92 : Ὁ καρπὸς κηρίῳ σφηκίων ὁμοιότατον.] Plato Tim. [p. 33, B] : Πάντων ὁμοιότατον αὐτὸ ἑαυτῷ, Cujus omnes partes simillimæ omnium, Lex. Cic. p. 19. Aristot. Eth. 7 : Ὅμοιόν τι ἔχουσι τῷ ἐγκρατεῖ, Similes in aliquibus sunt continenti. Rhet. 1 : Τό, τε ἀληθὲς καὶ τὸ ὅμοιον ἀληθεῖ, Verum et verisimile. Et Plut. Alex. : Ἔδοξαν ἀληθέσιν ὅμοια κατηγορεῖν· De fort. Rom. [p. 316, D] ex Ione : Ἀνομοιότατον πρᾶγμα τῇ σοφίᾳ τὴν τύχην οὖσαν, ὁμοιοτάτων πραγμάτων γίνεσθαι δημιουργόν. Item cum accus. rei, [Hesiod. Op. 114, infra ab HSt. cit. : Οὐδέ τι δειλὸν γῆρας ἐπῆν, αἰεὶ δὲ πόδας καὶ χεῖρας ὁμοῖοι τέρποντ' ἐν θαλίῃσι. Æsch. Sept. 668 : Μὴ γένῃ ὀργὴν ὁμοῖος τῷ κάκιστ' αὐδωμένῳ.] Soph. Aj. [550] : Ὦ παῖ, γένοιο πατρὸς εὐτυχέστερος, Τὰ δ' ἄλλ' ὁμοῖος, In ceteris similis. Et [1152] : Ἐμφερὴς ἐμοὶ, Ὀργήν θ' ὁμοῖος. Dicitur etiam ὅμοιος εἰς φύσιν, Natura similis. Auctor Batrachom. [32] : Τὸν εἰς φύσιν οὐδὲν ὁμοῖον. [Cum οὐδὲν etiam Hesiod. Op. 143 : Γένος μερόπων ἀνθρώπων, χάλκειον ποίησ' οὐκ ἀργυρέῳ οὐδὲν ὁμοῖον.] Aliquando cum partic. dativi casus construitur, et tunc commodius redditur Præ se ferens. Plut. Symp. sept. sap. [p. 160, D] : Ὁ δὲ ἠκροᾶτο, πολλὰ πάσχοντι πρὸς τὸν λόγον ὅμοιος ὢν, Præ se ferens varie affici se illo sermone. Synes. Ep. 4 : Διδοὺς μὲν οὐδέν· οὐ γὰρ οὐδ' ὅμοιος ἦν ἔχοντι· Plin., Tristis et mœrenti similis. Ὅμοιος pro Par, Æqualis, accipi, in præcedentibus quoque dictum est, sed seor- A sim etiam repetendum, Il. [Ψ, 632 : Ἔνθ' οὔτις μοι ὁμ. ἀνὴρ γένετο. Et cum infin. Β, 553 : Τῷ δ' οὔπω τις ὁμοῖος ἐπιχθόνιος γένετ' ἀνὴρ κοσμῆσαι ἵππους·] Κ, [437] : Λευκότεροι χιόνος, θείειν δ' ἀνέμοισιν ὁμοῖοι, Cursu ventis pares, ventos æquantes. [Ξ, 521 : Οὐ γάρ οἵ τις ὁμοῖος ἐπισπέσθαι ποσὶν ἦεν. Herodot. 9, 96 : Βουλευομένοισι γάρ σφι ἐδόκεε ναυμαχίην μὴ ποιέεσθαι· οὐ γὰρ ὦν ἐδόκεον ὁμοῖον εἶναι.] Thuc. 1, [136] : Γενναῖον δὲ εἶναι, τοὺς ὁμοίους ἀπὸ τοῦ ἴσου τιμωρεῖσθαι, Pares ex pari conditione et fortuna ulcisci. Aristot. Rhet. 2, [c. 9] : Ὁμοίους δὲ λέγω, ὁμοεθνεῖς, πολίτας, ἥλικας, συγγενεῖς, ὅλως τοὺς ἐξ ἴσου. Aliquanto post, Ὁμοίους δὲ λέγω κατὰ γένος, κατὰ συγγένειαν, κατὰ ἡλικίαν, κατὰ ἕξιν, κατὰ δόξαν, κατὰ τὰ ὑπάρχοντα. [Id. Polit. 5, 7 : Ἐὰν πλείους ὦσιν ἐν τῷ πολιτεύματι, πολλὰ συμφέρει τῶν δημοτικῶν νομοθετημάτων, οἷον τὸ ἑξαμήνους τὰς ἀρχὰς εἶναι, ἵνα πάντες οἱ ὅμοιοι μετέχωσιν· ἔστι γὰρ ὥσπερ δῆμος ἤδη οἱ ὅμοιοι κτλ. De Lacedæmoniorum ὁμοίοις sæpe memoratis quum ab aliis tum a Xenoph. H. Gr. 3, 3, 5, Reip. Lac. 10, 7; 13, 1, Anab. 4, 6, 14, B præter Schneid. ad ll. Xenoph. v. Hermann. Antiq. Gr. § 47, 10, et in peculiari de iis disputatione.] Eadem signif. dicitur etiam τὴν ὁμοίαν ἀποδοῦναι, Pares referre gratias. Herodot. 6, [21] : Παθοῦσι δὲ ταυτὰ Μιλησίοισι πρὸς Περσέων οὐκ ἀπέδοσαν τὴν ὁμοίην, Parem gratiam non rependerunt. [Conf. 4, 119. Ἀνταποδιδόναι 1, 18. Διδόναι et φέρεσθαι 6, 62.] Huc referendum ἐκ τοῦ ὁμοίου, Pari modo, Vicissim, Thuc. 6, p. 223 [c. 78], et p. 226 [c. 87], quod alias ἐν μέρει dicitur. Illud tamen ἐκ τοῦ ὁμοίου interdum significat etiam Ex æquo ap. Eund., 2, [44] : Οὐ γὰρ οἷόν τε ἴσον τι ἢ δίκαιον βουλεύεσθαι οἳ ἂν μὴ καὶ παῖδας ἐκ τοῦ ὁμοίου παραβαλλόμενοι κινδυνεύωσι. Apud Eund. 3 : Τί ἔδει ἡμᾶς ἐκ τοῦ ὁμοίου ἐπ' ἐκείνοις εἶναι; redditur a nonnullis, Quorsum oportebat nos, pari conditione, s. quum pares simus, in illorum potestatem venire. [Plur. Æsch. Ag. 1423 : Ὡς παρεσκευασμένης ἐκ τῶν ὁμοίων χειρὶ νικήσαντ' ἐμοῦ ἄρχειν. Plato Phædr. p. 243, D.] Item ἐν ὁμοίῳ, Pari conditione, Æqua conditione. [Πυνθανόμενοι ταῦτα οὐκ ἐν ὁμοίῳ ἐποιεῦντο, He- C rodot. 7, 138. Ὅς τά τε ἱρὰ τά τε ἴδια ἐν ὁμοίῳ ἐποιέετο, 8, 109. Schweigh. Lex.] Thuc. 6, p. 205 [c. 21] : Οὐκ ἐν τῷ ὁμοίῳ στρατευσόμενοι· at p. 203, Ἐν τῷ ὁμοίῳ accipi potest pro In simili casu, Vicissim. Dicitur et ἐπὶ ἴσῃ καὶ ὁμοίᾳ, et ἐπὶ τοῖς ἴσοις καὶ ὁμοίοις, pro Æquali conditione, Æquis conditionibus. [Eadem conjungit Eur. Phœn. 501 : Νῦν δ' οὔθ' ὁμοῖον οὐδὲν οὔτ' ἴσον βροτοῖς. Herodot. 6, 51 : Ὥστε καὶ ὁμοίων καὶ ἴσων ἐόντων. Demosth. p. 551, 9 : Οὐ μετέστι τῶν ἴσων οὐδὲ τῶν ὁμοίων πρὸς τοὺς πλουσίους τοῖς πολλοῖς ἡμῶν. Pollux 1, 169 : Ἐπὶ τῇ ἴσῃ καὶ ὁμοίᾳ, et alii multi. Vel ἐφ' ἴσῃ καὶ ὁμοίᾳ in inscr. Smyrn. ap. Bœckh. vol. 2, n. 3137, p. 696, 44; 697, 75. || Compendiario loquendi genere Hom. Il. Ρ, 51 : Αἵματί οἱ δεύοντο κόμαι χαρίτεσσιν ὁμοῖαι. Æsch. Suppl. 497 : Νεῖλος γὰρ οὐχ ὁμοῖον Ἰνάχῳ γένος τρέφει. Xenoph. Cyrop. 5, 1, 3 : Ὁμοίαν ταῖς δούλαις εἶχε τὴν ἐσθῆτα· 6, 1, 26 : Ἐπειρᾶτο συντελεῖν αὐτῷ εἰς τὰ ἑκατὸν ἅρματα ἐκ τοῦ ἱππικοῦ τοῦ ἑαυτοῦ ὅμοια ἐκείνῳ. Notanda etiam constr. cum ὥσπερ, Æsch. Ag. 1311 : Ὁμοῖος ἀτμὸς ὥσπερ ἐκ τάφου D πρέπει. Xen. Conv. 4, 37 : Ὅμοιά μοι δοκοῦσι πάσχειν ὥσπερ εἴ τις κτλ. Et seq. οἷός περ H. Gr. 4, 2, 11 : Ὅμοιον εἶναι τὸ πρᾶγμα οἷόνπερ τὸ τῶν ποταμῶν. Et alibi. Et cum ὥστε Eur. Or. 697 : Ὅμοιον ὥστε πῦρ κατασβέσαι λάβρον. Seq. καὶ Herodot. 7, 50 : Γνώμῃσι ἐχρέωντο ὁμοίῃσι καὶ σύ. Xenoph. Hipparch. 8, 9 : Οὐ γὰρ ὅμοιον φεύγοντι καὶ διώκοντι σφαλῆναι. Plat. Theæt. p. 154, A : Ἄλλῳ ἀνθρώπῳ ἆρ' ὅμοιον καὶ σοὶ φαίνεται ὁτιοῦν· Crit. p. 48, B : Οὗτός τε ὁ λόγος ἔμοιγε δοκεῖ ἔτι ὅμοιος εἶναι καὶ πρότερον. Et τε καὶ Xen. Cyrop. 8, 4, 27 : Οὐχ ὁμοίου χρυσοῦ ἐμοί τε τὸ ἔκπωμα δέδωκας καὶ Χρυσάντᾳ τὸ δῶρον· Anab. 5, 4, 21 : Οὐχ ὁμοίοις ἀνδράσι μαχοῦνται νῦν τε καὶ ὅτε τοῖς ἀτάκτοις ἐμάχοντο· Comm. 3, 4, 3 : Οὐδὲν ὅμοιόν ἐστι χοροῦ τε καὶ στρατεύματος προεστάναι. Et ἢ καὶ Pausan. 7, 16, 4 : Οὐδέν τι γενόμενος ἐς Ἀχαιοὺς ὅμοιος ἢ καὶ Καλλίστρατος. Constructionem cum genit. annotat Thomas p. 649 : Ὅμοιον τῷ δεῖνι καὶ ὅμοιον τοῦ δεῖνος, addito ex. Herodoti 3, 37, ex libris nunc correcto, cui aliud Æliani N. A. 8, 1, ubi ἐκείνῳ restituit Jacobs., addidit Oudend. Nec satis probat l. Theophr. H. Pl. 9, 11, 11 : Ἡ δὲ ἄκαρπος ἔχει τὸ φύλλον ὅμοιον θριδακίνης τῆς πικρᾶς. Eandem ego ex libris correxi ap. Xenoph. Anab. 4, 1, 17. Ib. 3, 5, 13, quod ex melioribus recepi : Ἐθεῶντο καὶ ὅμοιοι ἦσαν θαυμάζειν, pro θαυμάζοντες, Pors. scribebat οἷοι.] || Interdum reddi etiam potest Idem, sicut ὁμός. Hom. Il. Σ, [329] : Ἄμφω γὰρ πέπρωται ὁμοίην γαῖαν ἐρεῦσαι Αὐτοῦ ἐνὶ Τροίῃ, Eandem terram, τὴν αὐτὴν, Eust. [Æsch. Ag. 1239 : Καὶ τῶνδ' ὅμοιον εἴ τι μὴ πείθω· 1404 : Σὺ δ' αἰνεῖν εἴτε με ψέγειν θέλεις ὅμοιον. Alexis ap. Athen. 10, p. 431, A : : Ποδαπὸς ὁ Βρόμιος, Τρύφη; — Θάσιος. — Ὅμοιον.] Herodot. [8, 80] : Ὅμοιον ἡμῖν ἔσται, Idem nobis erit ac, Perinde nobis erit. Thuc. 2, [49] : Ἐν τῷ ὁμοίῳ καθειστήκει τό,τε πλέον καὶ ἔλασσον ποτὸν, Idem erat. Synes. Ep. 37 : Ἐπεὶ καὶ νῦν ἐν τοῖς ὁμοίοις ἐστὶ, Quando etiam nunc in eodem et pari morbi statu est. || Nonnunquam reddere queas non modo Idem, sed etiam Sui similis, Sui semper similis. Thuc. [2, 89] : Ὅμοιός εἰμι πρὸς τοὺς αὐτοὺς κινδύνους, Mei sum similis, Idem sum qui antea, In iisdem periculis mihi consto. Quibus hoc Hesiodeum Op. [114] addi potest, Ἀεὶ δὲ πόδας καὶ χεῖρας ὁμοῖοι Τέρποντ' ἐν θαλίῃσι, Manibus pedibusque semper sui similes, Eodem semper manuum pedumque vigore pollentes, Semper æque vegeti. || Ὅμοια autem alicui Ea esse dicuntur, quæ expediunt et conducunt, τὰ ἁρμοδίως συμφέροντα, schol. Soph. Aj. [1366] : Ἦ πάνθ' ὅμοια πᾶς ἀνὴρ αὑτῷ πονεῖ. [Immo Consentanea, ut ap. Plat. Reip. 8, p. 549, D : Πολλά τε καὶ ὅμοια ἑαυταῖς (φιλοῦσιν αἱ γυναῖκες) περὶ τούτων ὑμνεῖν, et locis similibus quos contulit Lobeckius.]

|| Ὅμοιον substantive aliquando accipitur pro Similitudo. Plato Tim. [p. 33, B] : Νομίσας μυρίῳ κάλλιον ὅμοιον ἀνομοίῳ, i. e., Cic. interpr., Quoad ejus præstabat judicio dissimilitudini similitudo. Est etiam Figuræ nomen, de qua ita Jul. Ruf. [fig. 25] : Hæc figura fit quum ex partibus aliqua similitudo colligitur : Virgilius, Sic oculos, sic ille manus, sic ora ferebat. Etiam in actu fit ὅμοιον : Virgil., Non aliter quam si immissis ruat hostibus omnis Carthago, aut antiqua Tyros. Aliud ex Cic. exemplum apud Eundem reperies. [Speusippi Ὅμοια citat Athenæus. Quibuscum Jubæ et Sosibii Ὁμοιότητας ab eodem citatas confert Valcken. præf. ad Ammon. p. xx.] Ὅμοιον adverbialiter accipi pro ὁμοίως vult schol. Theocr. 8, [37] : Αἴ περ ὁμοῖον Μουσίσδοι Δάφνις ταῖσιν ἀηδονίσι, Si cantu et musicis modulis luscinias æquet. [Soph. Ant. 586 : Ὅμοιον ὥστε ποντίαις οἶδμα δυσπνόαις ὅταν ... ἐπιδράμῃ. Plato Leg. 1, p. 628, D : Ὅμοιον ὡς εἰ κάμνον σῶμα ἡγοῖτό τις ἄριστα πράττειν. Plur. Æsch. Eum. 240 : Ὁμοῖα χέρσον καὶ θάλασσαν ἐκπερῶν. Soph. fr. Ach. conv. Ath. 15, p. 686, A : Ὅδ' ἀνὴρ οὐ πρὶν ἂν φάγῃ καλῶς ὁμοῖα καὶ βοῦς ἐργάτης ἐργάζεται. Eur. Phœn. 169 : Ἑῴοις ὁμοῖα φλεγέθων βολαῖς ἁλίου.] Sed et ex Luciano ὅμοια affertur pro ὁμοίως : Ὅμοια τοῖς πολλοῖς, Perinde ut vulgus, Quemadmodum vulgus. [Sic Herodot. ὅμοια, s. potius Ionice : Ὁμοῖα τοῖσι πρώτοισι, 3, 35; τοῖσι πλουσιωτάτοισι, 57, et frequenter alibi similiter. » Schweigh. Qui in Lex. addit ὁμοῖα τοῖσι μάλιστα 3, 8; 7, 118, 141. Τὸ ἄριστον ὁμοῖα τῷ δείπνῳ παρασκευάζειν 7, 120, et cum ὁμοίως permutatum 2, 57; 3, 35.] Diversum autem est, quod ex Thuc. affertur [1, 25] : Χρημάτων δυνάμει ὄντες ὅμοια τοῖς πλουσιωτάτοις, Divites ut qui ditissimi : nisi ὅμοιοι scrib. sit. [Non est scribendum, sed ὁμοῖα. V. plura hujus formulæ exempla ap. Hemst. ad Lucian. Somn. c. 2.]

|| Poetæ autem Ὁμοίϊος, [ὁ et ἡ, Bion 6, 18 : Χὰ νὺξ ἀνθρώποισιν ἴσα καὶ ὁμοίιος ἀώς,] itidemque pro παρόμοιος usurpant Παρομοίϊος. Hesiod. Op. [180] : Οὐδὲ πατὴρ παίδεσσιν ὁμοίϊος, οὐδέ τι παῖδες. || Ab Hom. autem ὁμοίϊον νεῖκος dicitur quod supra ὁμὸν, quo nimirum aliquorum ὁμόσ' ἔρχεται μάχη, quo aliqui committuntur et in unum eundemque certaminis locum descendunt. Il. Δ, [444] : Ἥ σφιν καὶ τότε νεῖκος ὁμοίϊον ἔμβαλε μέσσῳ, ubi exp. etiam Omnibus æque perniciosum et molestum. [Theocr. 22, 172.] Dicitur autem eod. modo ὁμοίϊος πτόλεμος : Od. [Ω, 542] : Ἴσχεο, παῦε δὲ νεῖκος ὁμοιΐου πτολέμοιο· Il. N, [358] : Ἔριδος κρατερῆς καὶ ὁμοιΐου πτολέμοιο Πεῖραρ ἐπαλλάξαντες· Od.

A Σ, [263] : Οἵ κε τάχιστα Ἔκριναν μέγα νεῖκος ὁμοιΐου πτολέμοιο. Dicitur ab Eod. et γῆρας ὁμοίϊον : Il. Δ, [315] : Ἀλλά σε γῆρας τείρει ὁμοίϊον. Itidem θάνατος ὁμοίϊος ab Eod. [Od. Γ, 236] vocatur, quod ex Horat. interpretari aliquis possit, Mors quæ æquo pulsat pede pauperum tabernas Regumque turres, s. Orcus, qui metit grandia cum parvis. [Sic Pind. Nem. 10, 57 : Πότμον ἀμπιπλάντες ὁμοῖον.] Sed notandum est videri quibusdam grammaticis ὁμοίϊος compositum ex ὁμοῦ et ἰέναι : nam ὁμοίϊον γῆρας exp. τὸ πᾶσιν ὁμοίως κατὰ φύσιν ἐπερχόμενον : quibusdam ex ὁμοῦ et οἴεσθαι, qui ὁμοίϊον θάνατον vocari scribunt περὶ οὗ πάντες ὁμοίαν ἔχουσι δόξαν : vel τὸν ὁμοίως πᾶσι φορτικὸν, derivantes ex ὁμοῦ et οἴω τὸ φέρω. [|| Forma Æol. Ὕμοιος ap. Theocr. 29, 20 : Φίλει δ' ἄς κε ζόῃς, τὸν ὕμοιον ἔχειν ἀεί. Leni spiritu ap. Theognost. Can. p. 88, 21 : Τροπῇ τοῦ ο εἰς υ Αἰολικῇ, ὡς ὅμοιον ὔμμιον (sic).]

|| Ὁμοίως, Similiter, [Pariter, Item, Itidem, Æque, Quoque, Sane, Obiter, Gl.] Simili modo, Eodem modo, Perinde [Gl. Pind. Pyth. 9, 81 : Ὁ καιρὸς ὁμοίως παντὸς ἔχει κορυφάν. Æsch. Ag. 67 : Δαναοῖσι Τρωσί θ' ὁμοίως· Eum. 278 : Λέγειν ὅπου δίκη σιγᾶν θ' ὁμοίως. Et similiter sæpissime Soph., Eurip. Aristophanes et alii. Thuc. 2, 49 : Λήθη τῶν πάντων ὁμοίως.] Xen. Cyrop. 1, [6, 25] : Τῶν ὁμοίων σωμάτων οἱ αὐτοὶ πόνοι οὐχ ὁμ. ἅπτονται ἄρχοντός τε ἀνδρὸς καὶ ἰδιώτου· pro quibus Africanus ap. Cic. dicit, Eosdem labores non esse æque graves imperatori et militi. Aristot. H. A. 4 : Ὁμοίως ἔχουσιν αὐτὰ ὥσπερ τοῖς τετράποσι, Non secus quam in quadrupedum genere hæc habent. Plato Min. [p. 313, A] : Νόμος γὰρ ἕκαστος αὐτῶν ἐστιν ὁμοίως, οὐχ ὁ μὲν μᾶλλον, ὁ δ' ἧττον. Item cum casu, ut ὁμοίως τοῖς μάλιστα, quod Cic. dicit Quam qui maxime : alii, Ut qui maxime. Dem. De reditu suo [Ep. 2, p. 1473, 12] : Ἀλλὰ καὶ εὔνουν ἐμὲ εὑρήσετε τῷ πλήθει τῷ ὑμετέρῳ τοῖς μάλισθ' ὁμοίως. [V. Ὅμοια. De usu Herodoti Schweigh. in Lex. : « Οὐχ ὁμοίως δυνατὸς ἐκείνῳ, 1, 32. Τὸ ξυστὸν τῇσι λόγχῃσι ὁμοίως χρύσεον, 1, 52. Οὐ τὰ μὲν, τὰ δὲ οὔ, ἀλλὰ πάντα ὁμοίως, 1, 139. Ὁμ. σμικρὰ καὶ μεγάλα ἄστεα ἐπεξιὼν, 1, 5. Ἠπειρωτῶν ἑκάστας ὁμοίως ὡς καὶ τὸν πεζὸν, 7, 100, ubi ὡς om. nonnulli, ut ὁμοίως καὶ τῶν πρότερον κατέλεξα, 7, 115. Οὐδὲν ὁμοίως καὶ Ἀθηναῖοι (ἐποίησαν s. ποιήσαντες), 6, 21. » De constructione notandum conjungi, ut ὅμοιος, cum ὥσπερ ap. Xen. Cyrop. 1, 4, 6 : Οὐκέθ' ὁμοίως λιπαρεῖν ἐδύνατο ὥσπερ παῖς ὤν· et sæpe ap. Plat. et alios. Cum καὶ ap. Xen. Ag. 5, 1 : Μέθης μὲν ἀπέχεσθαι ὁμοίως ᾤετο χρῆναι καὶ μανίας, σίτων δ' ὑπὲρ καιρὸν ὁμοίως καὶ ἀργίας, ubi ὡς post alterum ὁμοίως illatum in libros. Cum dat. Hier. 9, 3 : Μέθην καὶ ὕπνον ὁμοίως ἐνέδρᾳ φυλάττομαι, et alibi ap. Xen. et Platonem. Duplex est ap. Xen. Hier. 10, 5 : Ἀσφάλειαν παρέχειν ὁμοίως μὲν τοῖς σοῖς ἰδίοις, ὁμοίως δὲ τοῖς ἀνὰ τὴν χώραν. Plato Protag. p. 319, D : Συμβουλεύει αὐτοῖς περὶ τούτων ὁμ. μὲν τέκτων, ὁμ. δὲ χαλκεὺς, κτλ. || Ὁμοίως quum interdum ponatur, ubi etiam ὅμως locum habet, male nonnunquam in illud mutatur ab editoribus aut pro eo poni creditur, ut ap. Xen. Conv. 8, 35 : Καὶ μετὰ ξένων, κἂν μὴ ἐν τῇ αὐτῇ πόλει ταχθῶσι τῷ ἐραστῇ, ὁμοίως αἰδοῦνται· Demosth. p. 239, 6; 263, 17.] Compar. Ὁμοιότερον, Similius. Epigr. : Τίς θᾶσσον γράψει καὶ τίς ὁμοιότερον, Uter celerius scribet et uter similius, Uter melius illa, quæ imitatur, exprimet et effinget. [Superl. Aristoph. fr. Dram. ap. Polluc. 10, 119 : Ὥσπερ λύχνος ὁμοιότατα καθηῦδε. Plat. Epist. 7, p. 335, C : Τοῖς ἀποκτείνασιν ἐκεῖνον δικαιότατ' ἂν ὀργιζοίμην τρόπον τινὰ ὁμοιότατα καὶ Διονυσίῳ.]

Ὁμοιόσημος, ὁ, ἡ, Idem significans, Qui ejusdem est significationis. [Etym. M. p. 48, 29; 281, 25; schol. in Dionys. Thrac. p. 946, 14; Cramer. An. vol. 1, p. 384, 27.]

[Ὁμοιοσκελής, ὁ, ἡ, Qui est cruribus similis alii, ἄνθρωπος, Galen. De usu partt. 3, init. Boiss.]

Ὁμοιόσκευος, ὁ, ἡ, Eodem cultu s. habitu utens. [Strabo 17, p. 828 : Κατὰ τὸ πλέον ὁμοιόσκευοί εἰσι καὶ τἄλλα ἐμφερεῖς.]

[Ὁμοιοστάδιος, ὁ, ἡ, Stadio similis. Tzetz. Hist. 8, 26 : Ὡς εἰς ὁμοιοστάδιον τόπον βαδίζων ἦλθε.]

[Ὁμοιοστέλλομαι, in Epicuri fr. De natura l. 11, col. 11, v. 7, 8, p. 64.]

Ὁμοιόστομος, ὁ, ἡ, Ore similis, Simile os habens : ὁμ. φάλαγξ, a similitudine oris s. frontis. Est autem ὁμοιόστομος διφαλαγγία Æliano [Tact. c. 42], ὅταν ὁ ἀκολουθῶν λόχος ἐν ὁμοίῳ σχήματι ἕπηται.

[Ὁμοιόστροφος, ὁ, ἡ, Qui æqualem habet stropham. Schol. Eur. Phœn. 103, Hec. 687. V. Ἑτερόστροφος.]

[Ὁμοιοσύλλᾰβος, ὁ, ἡ, Æqualis syllabis. Moschop. p. 39 ed. Titz. : Τὰ ὁμ. L. Dind.]

Ὁμοιοσύντακτος, ὁ, ἡ, Similis et ejusdem constructionis.

[Ὁμοιοσχημάτιστος, ὁ, ἡ, i. fere q. ὁμοιοσχήμων. Photius in Maji Coll. Vat. vol. 1, p. 227. Osann.]

Ὁμοιοσχημονέω, Ejusdem figuræ sum, Eundem positum, habitum servo. Aristot. Probl. [2, 5] : Διὰ τί τὰς χεῖρας γυμναζομένοις μᾶλλον ἱδρὼς γίνεται, ἐὰν τὰ ἄλλα ὁμοιοσχημονῶμεν; [Theophr. fr. 1, 50, ubi εὐσχημονεῖν editum; fr. 9, 34 : Ἂν τἄλλα ὁμοιοσχημονῶσιν. Schneid.]

[Ὁμοιοσχημόνως. V. Ὁμοιοσχήμων.]

[Ὁμοιόσχημος, ὁ, ἡ, i. q. ὁμοιοσχήμων. Apollon. De pron. p. 131, B : Ἡ αὐτὸς ὁμοιόσχημος οὖσα. L. D. Cornut. De nat. deor. 17, p. 175.]

B [Ὁμοιοσχημοσύνη, ἡ, Uniformitas. Aristot. Soph. elench. 1, 6. Eust. Il. p. 677, 64 : Τοῦτο δὲ ἐποίησεν Ὅμηρος οὐ μόνον διὰ ποικιλίαν καὶ τὸ ἐκκλίνειν τὴν ὁμοιοσχημοσύνην. ὔ]

Ὁμοιοσχήμων, ονος, ὁ, ἡ, Qui ejusdem est figuræ : ὁμ. προτάσεις, Aristot. [Epicur. Phys. p. 6, 13 : Τόποι ὁμοιοσχήμονες τοῖς στερεμνίοις. Dionys. H. vol. 5, p. 213, 4 : Τὰς περιόδους μήτε ἰσομεγέθεις μήτε ὁμοιοσχήμονας. Apollon. De pron. p. 128, C : Παντὶ κτητικῷ τὸ ὑπακουόμενον κτῆμα ὁμοιόσχημόν ἐστιν. Meletius Cram. An. vol. 3, p. 75, 4 : Ὀστοῦν ὁμοιόσχημον ἑαυτῷ. Oribas. p. 21 ed. Mai. : Καυτήριον ὁμοιόσχημον τῷ αὐλίσκῳ. Nisi hæc omnia pertinent ad ὁμοιόσχημος, pariter atque loci Theophrasti, de quibus Schneider. : « Φύλλον ὁμοιόσχημον H. Pl. 4, 2, 4; 6, 2, 3; 7, 3, 5; ὁμοιοσχήμονα C. Pl. 6, 2, 4, ubi —σχήματα codd. » Quod etiam —σχημα scribere licet. « Ὁμοιοσχήμων, Synes. Calv. p. 71, B; 74, C. » Boiss. || Adv. Ὁμοιοσχημόνως, Eust. Il. p. 688, 42.]

C Ὁμοιοτᾰχής, ὁ, ἡ, idem q. ἰσοταχής. Unde Ὁμοιοταχῶς, Eadem celeritate, Æque celeriter; vel potius Simili celeritate. Nam discriminis aliquid est inter ἰσοταχὴς et ὁμοιοταχὴς, itidemque inter adverbia ex illis derivata : ut patet ex his verbis Theonis, ad quem scholia in Aratum conscripta referuntur, de stellis inerrantibus [ad Phæn. 19] : Ὁμοίως συμπεριάγονται παντὶ μέρει τοῦ οὐρανοῦ, ὁμοιοταχῶς, οὐ μὴν ἰσοταχῶς· ὁμοιοταχεῖς μὲν γάρ εἰσιν ἀστέρες, οἱ τὰς ὁμοίας περιφερείας ἐν ἴσῳ ἔχοντες χρόνῳ, καὶ διανύοντες· ἰσοταχεῖς δὲ, οἱ τὰς ἴσας περιφερείας ἐν ἴσῳ χρόνῳ ἔχοντες καὶ κινούμενοι, ὁμοιοταχῶς γὰρ κινοῦνται οἱ ἐπὶ τοῦ ἰσημερινοῦ, τοῖς ἐπὶ τοῦ πόλου κινουμένοις [al. κειμένοις], οὐ μὴν καὶ ἰσοταχῶς, Simili quidem, at non pari s. æquali velocitate. Amplior enim est meridiana cœli plaga quam septentrionalis, atque eam ob rem stellæ, quæ sunt in meridiana parte, vertuntur quidem simili celeritate, at non æquali iis quæ septentrionem versus sunt.

[Ὁμοιοτελευταῖος, (i. q. ὁμοιοτέλευτος). Tiber. Rhet. § 33. Boiss. Ubi ὁμοιοτέλευτον scribendum videtur. Sic apud Phœbammon. Rhett. vol. 8, p. 517, 7 : Τὸ δὲ ὁμοιοτέλευτον, cod. τὸ δὲ ὁμοίως καὶ τελευταῖον. L. Dind.]

D Ὁμοιοτέλευτον, τὸ, q. d. Similem finem habens. Fabius 9, 3 : Secundum, ut clausula similiter cadat, vel iisdem in ultimam partem collatis, ὁμοιοτέλευτον, similem duarum sententiarum vel plurium finem, Non modo ad salutem ejus extinguendam, sed etiam gloriam per tales viros infringendam. Paulo post, Sed neque quod finem habet similem, est ὁμοιόπτωτον : utique in eundem finem venit ὁμοιοτέλευτον. Est enim ὁμοιόπτωτον tantum casus similis, etiamsi dissimilia sint, quæ declinentur. Vide plura ibid., nec non ap. Rut. Lupum [2, 14. Aristot. Rhet. 3, 9 : Πάρισον καὶ ὁμοιοτέλευτον. Demetr. Phal. § 26, Alexand. Rhett. vol. 8, p. 475, et alii. In ὁμοτέλευτον corruptum ap. Diodor. 12, 53, correxit Wesseling. L. D. || Adv. Ὁμοιοτελεύτως. « Eust. Il. p. 179, 2. » Seager.]

[Ὁμοιότεχνος, ὁ, i. q. ὁμότεχνος, nisi id ipsum restituendum. Ita legendum videtur ap. Ephræm. Syr. vol.

A 3, p. 36, C : Οἱ ἐν ἀξιώματι τὸν ἀπὸ ἀξιωμάτων ἐγκωμιάζουσιν, οἱ στρατιῶται τὸν ἀπὸ στρατιωτῶν ὑπερθαυμάζουσιν, οἱ συντεχνῖται τὸν ἀπὸ ὁμοιοτεχνῶν ἐπαινοῦσιν, ut scribatur ὁμοιοτέχνων vel ὁμοτέχνων. L. Dind.]

Ὁμοιότης, ητος, ἡ, Similitudo, [Parilitas, Æqualitas, add. Gl.] Plato Tim. [p. 30, C] : Τίνι τῶν ζώων αὐτὸν εἰς ὁμοιότητα συνέστησε, Cujusnam animantium similitudinem secutus sit, ut Cic. interpr. p. 15 mei Lex. Cic. Vide et alium l. p. 28. [Tim. p. 39, E : Εἰς ὁμοιότητα ᾧπερ ἀπεικάζετο, ut Phædr. p. 253, B : Εἰς ὁμοιότητα αὐτοῖς καὶ τῷ θεῷ, et alibi. Plur. Leg. 6, p. 779, B : Ὁμαλότητί τε καὶ ὁμοιότησιν· Phæd. p. 82, A : Κατὰ τὰς αὐτῶν ὁμοιότητας τῆς μελέτης.] Idem Plato in Phædro [p. 240, C, ubi paullo aliter], Ὁμοιότης φιλίαν παρέχεται, Similitudo amicitiam conciliat : quod Aristot. dicit τὸ ὅμοιον τῷ ὁμοίῳ φίλον, et Latini, Simile simili gaudet. Aristot. De mundo, Κατὰ τὴν πρὸς ταῦτα ὁμοιότητα ὧδε προσαγορευθεῖσαι, Ab earum rerum similitudine appellatæ. [Isocr. p. 152, B : Παρ' αὐτοῖς (Spartanis) τὰς ἰσότητας καὶ τὰς ὁμ. μᾶλλον ἢ παρ' ἄλλοις ἰσχυούσας.] Plut. De odio et invid. [p. 536, F] : Οὐχ οὕτω ταυτὸν αἱ ὁμοιότητες ὡς ἕτερον αἱ διαφοραὶ ποιοῦσι. Aristot. Eth. 6, 3 : Εἰ δεῖ ἀκριβολογεῖσθαι, καὶ μὴ ἀκολουθεῖν ταῖς ὁμοιότησι. [H. A. 2, 8 : Τὸ πρόσωπον ἔχει πολλὰς ὁμοιότητας τῷ τοῦ ἀνθρώπου· 8, 1.] Citatur et Ὁμοιοτήτων liber Jubæ regis ab Athen. [4, p. 170, E. Item Sosibii 15, p. 690, E. Conf. Valck. præf. ad Ammon. p. xx.]

[Ὁμοιότῑμος, ὁ, ἡ, Qui est ejusdem pretii vel eodem fruitur honore. Hesych. in Ὁμοιόπτεροι. Cit. Boiss.]

[Ὁμοιότονος, ὁ, ἡ, Qui similis est toni. Dionys. H. vol. 5, p. 66, 16 : Ὁμοιότονα παρ' ὁμοιοτόνοις. || Adv. Ὁμοιοτόνως, Eust. Od. p. 1400, 19.]

Ὁμοιοτροπία, ἡ, Similis et idem prope modus, Morum similitudo. [Strabo 1, p. 21; 10, p. 471; 12, p. 570. Euseb. Dem. ev. p. 17, A.]

Ὁμοιότροπος, ὁ, ἡ, Qui similis et ejusdem modi est. [Ὁμοιότροπα φάρμακα dicuntur Medicamenta conformia et uniusmodi, quæ similiter eodemque temporis spatio purgant, non hoc citius, aut alterum tardius. Hipp. p. 387, 36 : Ἀτὰρ καὶ τὰ μισγόμενα ἀλλήλοισιν ὁμοιότροπα ταῦτα ἐστίν. Sibi similigena vertit Aurelianus Ac. 2, 19. Galenus vero illic ὁμοιότροπα esse medicamenta exponit ὁμολογεῖν ταῖς δυνάμεσι, καὶ κατὰ μηδὲν στασιάζειν. Ἡ γάρ τοι στάσις ἐν ταῖς μίξεσι τῶν καθαιρόντων γίνεται φαρμάκων, οὐχ ὅταν αὐτῶν τὸ μὲν χολῆς, εἰ τύχοι, τὸ δὲ φλέγματος ᾖ κενωτικόν. Ἀμφότερα γὰρ κενοῦσθαι δύναται κατὰ τὸν αὐτὸν χρόνον, ἀλλ' ὅταν τὸ μὲν εὐθέως, τὸ δὲ μετὰ πολὺ τῆς προσφορᾶς πεφύκει κινεῖν τὴν κάθαρσιν. Ἀνώμαλος γὰρ οὕτως ἡ κένωσις γίνεται προσενεχθέντων ἅμα· λέγω δὲ ἀνώμαλον, ὅταν ἤδη παύεσθαι δοκούσης, ἀρχὴ πάλιν ἑτέρας κενώσεως γίνεται. Foes. OEc. Plat. Alcib. 2 p. 142, C : Τούτων τε καὶ ἑτέρων πολλῶν ὁμοιοτρόπων.] Philo De mundo : Καὶ ὅσα τούτοις ὁμοιότροπα, i. e. καὶ ὅσα τὸν αὐτὸν ἔχουσι τρόπον, Et quæcunque simili se modo habent, Et alia ejusmodi, Et alia id genus. Sic Aristot. Polit. 6, 8 : Καὶ ὅσα τούτοις ἄλλα τῆς ἐπιμελείας ὁμοιότροπα, Et alia quæ similem curam desiderant. [Τὰ ὁμ. καὶ τὰ τῇ φύσει κεχωρισμένα, Agatharchid. Phot. Bibl. p. 717, 8. Ὁμ. τῷ πλοίῳ χαδίσκος. Hemst.] || Qui similibus præditus est moribus, Qui ejusdem est ingenii. Thuc. 8, p. 294 [c. 96] : Μάλιστα γὰρ ὁμοιότροποι γενόμενοι, ἄριστα καὶ προσεπολέμησαν· 3, [10] : Καὶ τἄλλα ὁμοιότροποι εἶεν, Et alioqui similibus præditi sint moribus. Sic Herodian. 5, [5, 10] : Οὐδὲ γὰρ προσίετο εἰ μὴ τοὺς ὁμοιοτρόπους τε καὶ κόλακας αὐτῷ τῶν ἁμαρτημάτων. [Aristot. H. A. 1, 1 med. : Ὁμοιότροπά τε γὰρ καὶ ὁμοιόπτερα πάντα ταῦτα.] Ὁμοιότροπα et Ὁμοιοτρόπως, Iisdem moribus, Eodem modo. Thuc. 1, non procul ab initio [c. 6] : Τὸ παλαιὸν Ἑλληνικὸν ὁμοιότροπα τῷ νῦν βαρβαρικῷ διαιτώμενον, Eodem cultu victuque, quo nunc barbari. Philo De mundo : Ὁμοιοτρόπως δὲ καὶ ζώοις ἐπιγίνεται τελευτὴ, Simili modo, Consimili ratione, τῷ αὐτῷ τρόπῳ, s. τὸν αὐτὸν τρόπον. [Adv. Ὁμοιοτρόπως, Thucyd. 6, 20 : Παρεσκευασμέναι ὁμ. μάλιστα τῇ ἡμετέρᾳ δυνάμει. Aristot. De gen. an. 3, 5 : Οὐχ ὁμ. τοῖς τῶν ὀρνίθων ἔχει τὰ περὶ τὰ ᾠὰ τῶν ἰχθύων· Metaphys. p. 115, 11 : Καὶ τὸ ἕν τινι δὲ εἶναι ὁμ. λέγεται καὶ ἑπομένως τῷ ἔχειν, et alibi.]

[Ὁμοιοτύπωτος, ὁ, ἡ, Simili forma expressus. Dionys. Areop. De cœl. hier. 2, 3, p. 18 : Φωτοειδεῖς τινὰς ἄνδρας καὶ ἐξαστράπτοντας· καὶ ὅσαις ἄλλαις ὁμ. μορφαῖς ἡ θεολογία τοὺς οὐρανίους ἐσχημάτισε νόας. SUICER.]

[Ὁμοιούσιος. V. Ὁμοούσιος.]

[Ὁμοιόφθογγος, ὁ, ἡ, Qui similis est soni. Etym. M. p. 169, 10. BOISS.]

[Ὁμοιόφλοιος. V. Ὁμόφλοιος.]

[Ὁμοιοφᾰνὴς, ὁ, ἡ, Pariter apparens. Galen. vol. 12, p. 473 : Ὁμοιοφανεῖς ἐπίσης καὶ τὰ ἐμπρόσθια καὶ τὰ ὀπίσθια δεικνύοντες. L. DIND.]

[Ὁμοιοφόρος, ὁ, ἡ, Par ad ferendum, Æque fertilis. Theophr. H. Pl. 4, 13, 5 : Εἰ, ὅπερ ἐπὶ τῶν ἀμπέλων λέγουσί τινες ὡς περιακρουμένων τῶν ῥιζῶν ... δύναται διαμένειν ἡ ὅλη φύσις καὶ ὁμ.]

[Ὁμοιόφρων, ονος, ὁ, ἡ, Similiter animatus. Athanas. vol. 2, p. 559=244.]

[Ὁμοιοφωνέω, Similiter sono. Eust. ad Od. p. 1428, 19 : Ἔοικε δὲ ὁμοιοφωνεῖν τῷ ἀρσενικῷ.]

[Ὁμοιοφωνία, ἡ, Similis sonus. Eustath. ad Od. K, 513 (?). STRUV.]

[Ὁμοιόχροια, ἡ, Similis color. Aristot. Meteor. 1, 5 : Δι' ὁμοιόχροιαν.]

[Ὁμοιόχρονος, ὁ, ἡ, Qui similia habet tempora. Dionys. vol. 5, p. 66, 16 : Ὁμοιόχρονα παρ' ὁμοιοχρόνοις.]

[Ὁμοιόχροος, ὁ, ἡ, Qui similis est coloris. Plotin. 2, vol. 1, p. 345, 11 : Ὅσα τῶν μεγεθῶν ὁμοειδῆ ὁμόχροα ὄντα. CREUZER. Ὁμοιόχροον, τὸ, Similitudo coloris, Philo In Cantic. Cant. p. 150.]

[Ὁμοιοχρώματος, ὁ, ἡ, i. q. præcedens. Athen. 5, p. 202, A.]

[Ὁμοιόχωρος, ὁ, ἡ, Qui similem locum tenet. Hermes ap. Stob. Ecl. phys. p. 1102 : Τὸ πῦρ καὶ τὸ πνεῦμα, ἀνωφερῆ ὄντα ἐπὶ τὴν ψυχὴν, ὁμοιόχωρον αὐτοῖς ὑπάρχουσαν ἀνατρέχει.]

Ὁμοιόω, [Similo, Gl.] Assimilo, Similem efficio. [Eur. Hel. 33 : Ὁμοιώσασ' ἐμοὶ εἴδωλον ἔμπνουν.] Plato [Phædr. p. 261, E : Πᾶν παντὶ ὁμοιοῦν·] Tim. [p. 30, E]: Κόσμον θεὸς ὁμοιῶσαι βουληθεὶς, Quum Deus similem mundum efficere vellet, p. 16 mei Lex. Cic. Sic et Isocr. Evag. Encom. [p. 206, A] : Τοῖς μὲν πεπλασμένοις καὶ τοῖς γεγραμμένοις οὐδεὶς ἂν τὴν τοῦ σώματος φύσιν ὁμοιώσειε, Similes effecerit. [Plato Reip. 8, p. 546, B : Ὁμοιούντων τε καὶ ἀνομοιούντων (ἀριθμῶν).] Pass. Ὁμοιοῦμαι, Similis efficior, Assimilor, Similis sum, Imitor. [Eur. Med. 890 : Οὔκουν χρή σ' ὁμοιοῦσθαι κακοῖς· Bacch. 1348 : Ὀργὰς πρέπει θεοὺς οὐχ ὁμοιοῦσθαι βροτοῖς· Hel. 139 : Ἄστροις ὁμοιωθέντε. Plato Theæt. p. 177, A : Ζῶντες τὸν εἰκότα βίον ᾧ ὁμοιοῦνται· Reip. 4, p. 431, E : Ὡς ἁρμονίᾳ τινὶ ἡ σωφροσύνη ὡμοίωται. Et alibi sæpe.] Isocr. [p. 142, D] : Ταύτῃ καὶ τοὺς νόμους καὶ τοὺς ῥήτορας καὶ τοὺς ἰδιώτας ἀναγκαῖόν ἐστιν ὁμοιοῦσθαι, Huic similes effici, Ad hanc conformari. [Id. p. 105, D : Κατά γε τὸ τῆς ψυχῆς ἦθος καὶ τὴν φιλανθρωπίαν δύναι' ἂν ὁμοιωθῆναι τοῖς ἐκείνου βουλήμασιν· 131, E : Στρατόπεδον τοῖς ξενικοῖς στρατεύμασιν ὡμοιωμένον.] Thuc. p. 194 [5, 103] : Μηδ' ὁμοιωθῆναι τοῖς πολλοῖς, οἷς παρόν· 2, [97] : Οὐδ' ἐς τὴν ἄλλην εὐβουλίαν τοῖς ἄλλοις ὁμοιοῦνται, Aliis similes sunt. Aristot. Eth. 8 : Ἡ ἀδελφικὴ τῇ ἑταιρικῇ ὁμοιοῦται, Fraterna amicitia similis est sodalitiæ. [Demosth. p. 1408, 22 : Τὸ κάλλιστον τῶν ἀγωνισμάτων ... τοῖς ἐν τῷ πολέμῳ συμβαίνουσιν ὡμοιωμένον.] Alicubi hoc ὁμοιοῦσθαι reddi queat Assimulare, ut Ovid. : Innitens baculo, positis per tempora canis Assimulavit anum. || Comparo, Exæquo, Confero et contendo cum, Similem esse dico. Matth. 11, [16] : Τίνι δὲ ὁμοιώσω τὴν γενεὰν ταύτην; Marc. 4, [30] : Τίνι ὁμοιώσομεν τὴν βασιλείαν τοῦ θεοῦ; In hoc loquendi genere ὁμοιόω reddere possumus Assimilo, ut Ovid., Grandia si parvis assimilare licet; Tacit., Præsentia mala vetustis cladibus assimilantem. [Isocr. p. 223, A : Ἢ τοῖς Ὀρφέως ἔργοις ὁμοιώσομεν; Med. Herodot. 1, 123 : Τὰς πάθας τὰς Κύρου τῇσι ἑωυτοῦ ὁμοιούμενος. Et fortasse Pollux 7, 127.] Pass. Ὁμοιοῦμαι, Comparor, Similis et par esse dicor, Æquiparor, Exæquor. Hom. Il. A, [187] : Ἶσον ἐμοὶ φάσθαι, καὶ ὁμοιωθήμεναι ἄντην, i. e. ἐξισωθῆναι. [Od. Γ, 120 : Ἔνθ' οὔ τίς ποτε μῆτιν ὁμοιωθήμεναι ἄντην ἤθελε.] || Ὁμοιόω πρὸς, Effingo et compono ad. Thuc. 3, [82] : Πρὸς τὰ παρόντα τὰς ὀργὰς τῶν πολλῶν ὁμοιοῖ, Effingit.

A || Neutraliter etiam pro Similis sum, Assimulo, Assimilo, cum accus., ut Virg., Vox hominem simulat; Ovid., Protinus assimulat tetigit quoscunque colores. Ex Eod. paulo ante citavi ead. signif., Assimulavit anum. Sic Claud., de histrice: Os longius illi Assimilat porcum. Diosc. 3, 52 : Ἄγριον πήγανον ὁμοιοῖ τῷ ἡμέρῳ, Sylvestris ruta sativæ similis est. [Doxopat. Rhett. vol. 2, p. 160, 4 : Ἄνθρωπος ἀνθρώπῳ ὁμοιοῖ. L. DINDORF.]

Ὁμοίωμα, τὸ, [Instar, Gl.] Similitudo, Simulacrum, Figura expressa et efficta ad rei alicujus similitudinem, Id quod rem aliquam simulat, assimulat, sua similitudine refert et repræsentat. [Plato Phædr. p. 250, A : Ὅταν τι τῶν ἐκεῖ ὁμοίωμα ἴδωσιν· Parm. p. 132, D : Τὰ δὲ ἄλλα τούτοις ἐοικέναι καὶ εἶναι ὁμοιώματα· Leg. 7, p. 812, C : Τὰ τῆς ἀγαθῆς (ψυχῆς) ὁμοιώματα.] Aristot. Eth. 8, 10, de rerumpubl. et πολιτειῶν mutationibus : Ὁμοιώματα αὐτῶν καὶ οἷον παραδείγματα λάβοι τις ἂν καὶ ἐν ταῖς οἰκίαις, Similitudines et veluti exempla. [Ib. 8, 4, ὁμ. τῆς φιλίας.] Et 10 : Ἐφ' ὅσον
B ὁμοίωμά τι τῆς τοιαύτης ἐνεργείας ὑπάρχει, Imago quædam et simulacrum. Rhet. 1, [c. 2, 3] rhetoricam ait esse μόριόν τι τῆς διαλεκτικῆς καὶ ὁμοίωμα, Simulacrum et effigiem dialectices. [Metaphys. p. 15, 28 : Ἐν δὲ τούτοις ἐδόκουν θεωρεῖν ὁμοιώματα πολλὰ τοῖς οὖσι καὶ γιγνομένοις. Doxopat. Rhett. vol. 2, p. 160, 1 : Εἰκὼν καὶ ὁμ. διαφέρει· ἡ μὲν εἰκὼν ἐπὶ τῶν ἑτεροουσίων ..., τὸ δὲ ὁμ. ἐπὶ τῶν ὁμοουσίων λαμβάνεται κτλ.] Item in Ep. ad Rom. 1, [23] : Ἐν ὁμοιώματι εἰκόνος φθαρτοῦ ἀνθρώπου.

Ὁμοιωματικὸς, ἡ, ὸν, ut ὁμ. ὄνομα, Nomen similitudinem significans, Gaza in Gramm. 1. [Theodor. Stud. p. 512, D : Ἐπεὶ καὶ Παῦλος τὴν φιλαργυρίαν εἰδωλολατρίαν ἀπεκάλεσεν, αἰτιολογικῶς καὶ δευτέραν κατὰ ἀναφορὰν ὁμοιωματικὴν τῆς οὔσης εἰδωλολατρίας· 579, B. L. D. Etym. M. || Adv. Ὁμοιωματικῶς, schol. Oppiani Hal. 2, 113. WAKEF. Schol. Ven. Hom. Il. E, 638 : Κέχρηται μὲν οὖν αὐτῷ (v. οἷον) καὶ ὁμοιωματικῶς. Theodor. Stud. p. 390, B.]

[Ὁμοίως. V. Ὅμοιος.]

Ὁμοίωσις, εως, ἡ, [Similitudo, Nexus, Gl.] ap.
C Rhetores Figuræ nomen est. Jul. Ruf. De fig. sent. [22] : Ὁμοίωσις est, quum per similitudinem res repræsentantur. Cujus species sunt primæ duæ, παράδειγμα et παραβολή. Bedæ autem ὁμοίωσις est Minus notæ rei per similitudinem ejus, quæ magis nota est, demonstratio : cujus species tres facit, εἰκόνα, παραβολὴν, παράδειγμα. [Plato Epin. p. 990, D : Τῶν οὐχ ὄντων ὁμοίων ἀλλήλοις φύσει ἀριθμῶν ὁμοίωσις· Reip. 5, p. 454, C : Ἐκεῖνο τὸ εἶδος τῆς ἀλλοιώσεώς τε καὶ ὁμοιώσεως. Cum dat. Theæt. p. 176, B : Φυγὴ ὁμοίωσις θεῷ κατὰ τὸ δυνατόν. Aristot. Metaphys. p. 309, 15 : Εἴτε κατ' ἀναλογίαν εἴτε κατ' ἄλλην ὁμοίωσιν.] In Novo autem Testamento ὁμοίωσις capitur pro Similitudo, Effigies, Simulacrum, itidem ut ὁμοίωμα. Jac. 3, [9] : Τοὺς ἀνθρώπους τοὺς καθ' ὁμοίωσιν Θεοῦ γεγονότας. [De similitudine Theophr. fr. 2, 41 : Θαυμάζουσί (τινες) τὴν ὁμ. τῷ ἀργύρῳ μηδαμῶς οὖσαν συγγενῆ.]

Ὁμοιωτὴς, ὁ, Qui rerum simulacra imitatur et exprimit, effingit : quasi Assimilatorem s. Assimulatorem dicas, ut Quintil. : Pictor accepta semel imitandi
D ratione, facile assimulabit quicquid acceperit. Pollux [7, 126] hoc verbale facit synonymum τῷ ζωγράφος, μιμητής : sed tamen durum esse ait.

[Ὁμοιωτικὸς, ἡ, ὸν, Assimilans, Imaginans. Theolog. arithm. p. 57 fin.: Ὁμοιωτικὸν λέγεται τὸ περισσὸν εἶδος, ἀνόμοιον δὲ τὸ ἄρτιον, καὶ πάλιν ὁμοιωτικὸν μὲν τὸ τετράγωνον, ἀνόμοιον δὲ τὸ ἑτερόμηκες, τάχα δὲ κἀπειδὴ μάλιστα τῇ πλευρᾷ ὡμοιώθη. L. D. Greg. Nyss. Antirrh. ad Apoll. 10, p. 146. KALL. Pollux 7, 126 : Τέχνη ζώων ὁμοιωτική. || Adv. Ὁμοιωτικῶς, Sext. Emp. p. 317. Pollux 4, 10.]

[Ὁμόκαπνος. V. Ὁμόκαπος.]

Ὁμόκαπος, ὁ, ἡ, Idem præsepe habens. Aristot. Pol. 1 non procul ab initio [c. 2] : Ἡ μὲν οὖν εἰς πᾶσαν ἡμέραν συνεστηκυῖα κοινωνία κατὰ φύσιν, οἶκός ἐστιν, οὓς Χαρώνδας μὲν καλεῖ ὁμοσιπύους, Ἐπιμενίδης δὲ ὁ Κρὴς ὁμοκάπους. Affertur tamen et alia lectio, sc. ὁμοκάπνους : ut dicti sint Ὁμόκαπνοι tanquam Ad eundem fumum degentes, et ex consequenti, Eodem foco utentes. Sed non dubito, quin ὁμοκάπους vera sit lectio :

ut sc. dicantur ὁμόκαποι Qui eodem utuntur præsepi, i. e. eadem mensa, pro ὁμοτράπεζοι, eadem catachresi, qua dixit Horat., Non qui certum præsepe teneret.

[Ὁμοκαρπέω. V. Ὁμοιοκαρπέω.]

[Ὁμοκατάληκτος, ὁ, ἡ, pro ὁμοιοκατάλ., ap. Iambl. In Nicom. p. 97, A : Οἱ γνώμονες τοῦ ἑπταγώνου πάντες ὁμοκατάληκτοι ἔσονται τοῖς πρώτοις δυσὶ τῷ τε α καὶ τῷ ς, scribi, ut est l. in illo cit. p. 132, D, animadvertit Struvius, non animadvertit vero alterum formæ ὁμοκ. ex. ib. p. 21, B. L. Dindorf.]

[Ὁμοκάτοικος, ὁ, ἡ, Contubernalis. Schol. Oppiani Hal. 5, 418 : Ὁμωροφίους) ὁμοκατοίκους.]

[Ὁμοκέλευθος, ὁ, ἡ, Comes viæ. Plato Crat. p. 405, D : Ὥσπερ τὸν ὁμοκέλευθον ἀκόλουθον ἐκαλέσαμεν. Etym. M. p. 168, 48 : Ὁμοκ. ἡ ὀπίσω ἔχων τὴν ὁδόν.]

[Ὁμόκεντρος, ὁ, ἡ, q. d. Concentricus, Idem habens centrum. Ptolem. Math. comp. vol. 1, p. 240 sq. ed. Halm. Strabo 2, p. 110 : Ἡ γῆ ὁμ. τῷ οὐρανῷ μένει. L. Dind.]

[Ὁμοκίνητος, ὁ, ἡ, Simul motus. Schol. Eur. Phœn. 328. Boiss.]

Ὁμοκλάω, vel Ὁμοκλέω, Hortor vociferando, Minaciter clamo, Increpito, Inclamito, Budæo Minabunde clamo, ut in conserenda pugna. Hom. Il. Β, [199] : Τὸν σκήπτρῳ ἐλάσασκεν, ὁμοκλήσασκέ τε μύθῳ· Υ, [364] : Τρώεσσι δὲ φαίδιμος Ἕκτωρ Κέκλεθ' ὁμοκλήσας. Dicitur autem aliquis ab eo [canibus et] equis etiam ὁμοκλῆσαι. [Od. Ξ, 35 : Τοὺς μὲν ὁμοκλήσας σεῦεν κύνας ἄλλυδις ἄλλῃ.] Il. Ψ, [363] : Πέπληγόν θ' ἱμᾶσιν, ὁμόκλησάν τ' ἐπέεσσιν Ἐσσυμένως, ubi scribit Eust., ὁμοκλῆσαι esse ἀπειλήσασθαι τοῖς ἵπποις οἷα δύναται καὶ ὡς ἐρεθίζειν αὐτοὺς εἰς δρόμον : addens ὁμοκλᾶν simile esse τῷ κέκλεσθαι. [Od. Τ, 155 : Εἷλον ἐπελθόντες καὶ ὁμόκλησαν ἐπέεσσιν. De equis etiam Soph. El. 712 : Οἱ δ' ἅμα ἵπποις ὁμοκλήσαντες ἡνίας χεροῖν ἔσεισαν.] Idem in Od. Φ, [366] : Αὐτὰρ ὃ θῆκε φέρων αὐτῷ ἐνὶ χώρῳ Δείσας, οὕνεκα πολλοὶ ὁμόκλεον ἐν μεγάροισι, annotat, Homerum ad ostendendum ὁμοκλεῖν idem esse quod ἀπειλεῖν, post πολλοὶ ὁμόκλεον subjunxisse, Ἀπειλήσας ἐγεγώνει. [Ω, 173 : Ἔνθ' ἡμεῖς μὲν πάντες ὁμοκλέομεν ἐπέεσσι τόξον μὴ δόμεναι, μηδ' εἰ μάλα πόλλ' ἀγορεύοι· Il. Ο, 658 : Ὁμόκλεον ἀλλήλοισιν, de abhortantibus inter se, ut Σ, 176 : Μέγα δὲ Τρώεσσιν ὁμόκλα. De objurgante Ω, 248 : Ὁ δ' υἱάσιν οἷσιν ὁμόκλα νεικείων· 252 : Τοῖς ὁ γέρων ὁμοκλήσας ἐκέλευεν. Cum inf. Π, 714 : Λαοὺς ἐς τεῖχος ὁμοκλήσειεν ἀλῆναι. Addito δεινὰ Il. Ε, 439, Π, 706. Usurpat etiam Apoll. Rh. 1, 493; 4, 1006, Quintus 3, 166, et sæpius Orph. Arg.]

Ὁμοκλή, ἡ, Hortamentum, quod fit cum vociferatione, Increpatio, Comminatio, ἀπὸ τοῦ ὁμοῦ κέκλεσθαι, Eust.: ita enim legere malo ap. eum quam κέλεσθαι. Hom. Il. Μ, [413], Ψ, [417] : Οἱ δὲ ἄνακτος ὑποδδείσαντες ὁμοκλήν· Ω, [265] : Οἱ δ' ἄρα πατρὸς ὑποδδείσαντες ὁμοκλήν· Ζ, [137] : Κρατερὸς γὰρ ἔχε τρόμος ἀνδρὸς ὁμοκλῇ. [Od. Ρ, 189 : Χαλεπαὶ δέ τ' ἀνάκτων εἰσὶν ὁμοκλαί.] Affertur autem et cum tenui scriptum hoc nomen ap. Hesiod. Sc. [341], de equis : Τοὶ δ' ὑπ' ὁμοκλῆς Ῥίμφ' ἔφερον θοὸν ἅρμα· quæ scriptura si mendosa non est, falsa comperietur illa Eust. deductio, ἀπὸ τοῦ ὁμοῦ κέκλεσθαι. [Sic ap. Callim. Del. 158 : Αἱ δ' ὑφ' ὁμοκλῆς πασσυδίῃ φοβέοντο, plures libri boni ὑπ' ὁμ. Similiter alibi scribitur ὅπ' ἱεῖσαι, de quo dicemus in Ὄψ. Pind. Isthm. 4, 30 : Ἐν αὐλῶν παμφώνοις ὁμοκλαῖς. Empedocl. 412 : Ὁ δ' ἀνηκούστησεν ὁμοκλέων. Æsch. fr. Edon. ap. Strabon. 10, p. 470 : Πίμπλησι μέλος μανίας ἐπαγωγὸν ὁμοκλάν. Callim. Del. 321 : Οὔατα (canis) αἰὲν ἑτοῖμα θεῆς ὑποδέχθαι ὁμοκλήν. Apoll. Rh. 2, 20; 4, 13. Nicand. Th. 311 : Βορέαο κακὴν προφυγόντες ὁμοκλήν.]

[Ὁμοκληρία, ἡ, Consortium, Gl.]

[Ὁμόκληρος, ὁ, ἡ, Consors. Pind. Ol. 2, 54 : Ὁμόκλαρον ἀδελφεάν· Nem. 9, 5 : Ὁμοκλάροις ἐπόπταις.]

Ὁμοκλῆς, ὁ, ἡ, Hesychio ὁμώνυμος, Qui eodem nomine vocatur, Cognominis : ut Plaut., Illa mea cognominis fuit. [Alcæus Strabonis 9, p. 413 : Ναοπόλον μάντιν δαπέδοισιν ὁμοκλέα, pro ὁμοκλεέα. Schneid. Theodor. Stud. p. 330, E : Ὡς Γεώργιος καὶ Θεόδωρος σὺν τοῖς ὁμοκλεέσιν. L. Dind.]

[Ὁμοκλήτειρα, ἡ, Minax. Lycophr. 1337 : Ὁμοκλήτειραν ἱεῖσαι βοήν. Schol. ἀπειλητικήν.]

A Ὁμοκλητήρ, ῆρος, ὁ, Increpitator, Objurgator, item Minator : si dici possit pro Eo qui minatur. Sed intellige Eum qui clamans minatur, s. magno cum clamore. Hom. Il. Μ, [273] : Ὁμοκλητῆρος ἀκούων· Ψ, [452] : Ὁμοκλητῆρος ἀκούσας.

Ὁμόκλητος, ὁ, ἡ, Cognominis. Hesychio ὁ μιᾷ κλήσει καλούμενος μετὰ ἑτέρου. [Nicander Th. 882 : Καυλεῖον ὁμοκλήτοιο δράκοντος. Schol. ὁμωνύμως λεγομένου.]

[Ὁμοκλινής, ὁ, ἡ.] Ὁμοκλινέες, Simul accumbentes, Nonn. [Jo. c. 2, 7 : Ὁμοκλινέες μαθηταί. Pro quo Ὁμόκλινος, Herodot. 9, 16.]

[Ὁμόκλινος. V. Ὁμοκλινής.]

[Ὁμόκλιτος, ὁ, ἡ, var. script. ap. Oppian. Hal. 4, 352, pro ὁμόκτιτος.]

[Ὁμοκοίλιος, ὁ, ἡ, Qui est ejusdem uteri. Jo. Chrys. quodam in l. dixit : Παῖδες γνήσιοι καὶ ὁμοκοίλιοι. Vocantur alias ὁμομήτριοι, ὁμονήδυοι. Suicer.]

[Ὁμοκοιτία, ἡ, Cohabitatio. Schol. Æsch. Cho. 599.]

[Ὁμόκοιτις, ιδος, ἡ, Tori socia. Plato Crat. p. 405, D : Ὥσπερ ὁμόκοιτιν ἄκοιτιν ἐκαλέσαμεν.]

B [Ὁμόκοιτος, ὁ, ἡ, Tori socius, socia. Manetho 3, 585 : Ἀλόχοι τίουσ' ὁμοκοίτους. Heliodor. Æth. 6, 8, p. 238, 3 : Ἡ ὁμ., eodemque gen. 7, 22, p. 294, 10. « Hesych. v. Ὅμαυλον. Schol. Æsch. Pers. 686. » Boiss. Justin. Mart. Apol. 1, p. 42. Anon. Eudocia p. 75.]

[Ὁμόκραιρος, ὁ, ἡ, Qui simili est capite. Nonn. Dion. 1, 335 : Ὁμοκραίρῳ παρακοίτῃ.]

[Ὁμόκτιτος, ὁ, ἡ, In propinquo situs. Oppian. Hal. 4, 352 : Ὁμόκτιτον αὖλιν.]

[Ὁμολαλητὸς fingit Eust. ad explicandum Ἀλαλητὸς, Il. p. 180, 9.]

Ὁμόλεκτρος, ὁ, ἡ, ap. Tragicos Consors tori s. thalami, ut loquitur Naso, Conjux. [Eur. Or. 476 : Ζηνὸς ὁμόλεκτρον κάρα· 508 : Ὁμ. γυνή. Leonid. Tar. Anth. Pal. 7, 295, 9. Eudocia p. 75.]

[Ὁμόλεχος, ἡ, Conjux, ponit Apollon. Lex. H. p. 86 : Ἀλόχου, ὁμολέχου, ut schol. Thuc. 7, 78, pro quo Ὁμόλοχος schol. Pind. Pyth. 8, 9.]

[Ὁμόλη, Ὁμόλιον. V. Ὁμολώιος.]

[Ὁμολιεύς, Ὁμόλιον. V. Ὁμολώιος.]

C [Ὁμόλιππος, ὁ, Homolippus, f. Herculis et Thespiadis ap. Apollod. 2, 7, 8.]

Ὁμολοβρὸς, ap. Hesych. αἰσχρὸς, ἀναιδής, περίτριμμα. Sed divisim scrib. ὁ μολοβρός.

Ὁμολογέω, Consentio, [Voto, Fateor, add. Gl.] Assentior. [Soph. Phil. 980 : Ἐγώ, σάφ' ἴσθ', οὐκ ἄλλος, ὁμολογῶ τάδε. Eur. Iph. A. 1142 : Αὐτὸ δὲ τὸ σιγᾶν ὁμολογοῦντός ἐστί σου· fr. Auges ap. Stob. Fl. 18, 20 : Ὁμολογῶ δέ σε ἀδικεῖν. Aristoph. Pl. 94 : Ὁμολογῶ σοι· Nub. 765 : Ὥστ' αὐτὸν ὁμολογεῖν σ' ἐμοί· Eq. 1261 : Ὥσθ' ὁμολογεῖν σε μηδέν' ἀνθρώπων ἐμοῦ ἰδεῖν ἀμείνω. « Λέγουσι Κορίνθιοι, ὁμολογέουσι δέ σφι Λέσβιοι, Herodot. 1, 23. Οὕτω Κρῆτες λέγουσι, οὐ μέντοι ὁμολογέουσι τούτοισι οἱ Κᾶρες, 1, 171. Ὧδε ἔλεγον ὁμολογέοντές σφισι, 2, 4. Κυρηναῖοι τὰ περὶ Βάττου οὐδαμῶς ὁμολογέουσι Θηραίοισι, 4, 154. » Schweigh. Lex. De re Hippocrates p. 743, F : Ὁμολογέει δὲ ὤμου μὲν ἡ περὶ τὴν ἑτέραν μασχάλην περιβολή, et 112, E : Καὶ γὰρ τοῦτο σημεῖον τούτοισι ὁμολογέον ἐστί. Sic Herodotus, de quo Schweigh. : « Consentire, Congruere, Commune ali-
D quid habere, ὁμολογέουσι ταῦτα τοῖσι Ὀρφικοῖσι, 2, 81. Αὗται αἱ πόλιες τῇσι πρότερον λεχθείσῃσι ὁμολογέουσι κατὰ γλῶσσαν οὐδέν, 1, 142. Τούτους ὁμολογέοντας κατ' οἰκηιότητα Περσέϊ οὐδέν, 6, 54. » Plato Tim. p. 32, C : Τὸ τοῦ κόσμου σῶμα ἐγεννήθη δι' ἀναλογίαν ὁμολογῆσαν.] Et ὁμολογῶ σοι τοῦτο, pro κατὰ τοῦτο, De hoc tibi assentior, De hoc tecum sentio. Paus. Lacon. [12, 9] : Τοῦτο Ἐπιμενίδην κατασκευάσαι λέγουσιν, οὐχ ὁμολογοῦντες τὰ ἐς αὐτὸν Ἀργείοις. Synes. : Καὶ πολλοῦ δέω ταῖς τοῦ πλήθους ὑπολήψεσιν ὁμολογῆσαι. Item Concedo, ut quum concedimus aliquid ei, adversus quem disputamus. [Xen. Comm. 3, 9, 11 : Ὁπότε τις ὁμολογήσειε ... εἶναι.] Plato De rep. 2, [p. 367, B] : Ὁμολογεῖν Θρασυμάχῳ ὅτι τὸ δίκαιον, ἀλλότριον ἀγαθὸν, Hoc concedere Thrasymacho, Hoc assentiri Thrasymacho. [Atque sic sæpissime.] Ὁμολογοῦμεν ἀλλήλοις, simpliciter ὁμολογοῦμεν, Plato [Phædr. p. 237, C], Inter nos convenit. Idem in Critone [p. 51, E] : Ὡμολογηκέναι ἔργῳ, ἀλλ' οὐ λόγῳ, Ita convenisse. Et cum infin. Isæus [p. 69 fin.] : Καὶ εἰ μὲν τὸ ὄνομα αὐτοῦ ὡμολόγουν εἶναι τοῦ Νι-

χοστράτου. Dem.: Ἄνευ αὐτοῦ ὁμολογήσαντα μὴ ἀποδώσειν. [Cum subst. Plat. Crit. p. 52, A: Ἐγὼ αὐτοῖς ὡμολογηκὼς τυγχάνω ταύτην τὴν ὁμολογίαν. Cum περὶ Xenoph. Apol. 20: Ὁμολογῶ περί γε παιδείας. « De re Pausan. 2, 26, 5: Ὡς τὸν ἀριθμὸν οὐχ εὕρισκεν ὁμολογοῦντα τῶν αἰγῶν, ab Hemst. cit.] || Spondeo, [Despondeo add. Gl.] Roganti promitto, Bud. in Liban.: Ἐγὼ μὲν οὖν ὡμολόγηκα πρὸς ἐκεῖνον ὡς πάντως ἂν παρὰ σοῦ τύχοι. Item cum infin. Dem. [p. 384, 25]: Καὶ ὅλην δὲ τὴν πόλιν καὶ σφᾶς ὡμολόγουν ὑπάρξειν αὐτῷ. Et ex Thuc., Ὁμολογῶ σοι καταλύσειν. Et ex Platone in Epist. 7: Ἥξειν ὡμολόγησα ἐπὶ τούτοις τοῖς λόγοις. Invenitur et cum accusativo. Plato, Οὔτε σμικρὸν οὔτε μέγα ὡμολόγησα, addito etiam dat. personæ σοι. Itidem ap. Eund. in Symposio [p. 196, C]: Ἃ δ' ἄν τις ἑκὼν ἑκόντι ὁμολογήσῃ, φασὶν οἱ πόλεως βασιλεῖς νόμοι δίκαια εἶναι. [Menand. ap. Plut. Mor. p. 103, D: Εἰ τοῦτο τῶν θεῶν τις ὡμολόγησέ σοι.] Sic dicitur ὁμολογεῖν μισθὸν, Pacisci mercedem. Exp. et Vovere a Bud. in Herodiano [4, 4, 12]: Ὡμολόγει τε χαριστήρια, ἔθυέ τε σωτήρια. [|| Spondere, Promittere, vox JCtorum, passim ap. Theophilum (1, 39, 309; 3, 15, 253 sqq. Reitz.). Ducang.] || Confiteor [Gl. Aristoph. Vesp. 1422: Ὁμολογῶ γὰρ πατάξαι καὶ βαλεῖν· Eq. 296: Ὁμολογῶ κλέπτειν. Menander fr. Adelph. ap. Stob. Fl. 10, 24: Οὐδὲ εἷς γὰρ ὁμολογεῖ αὐτῷ προσήκειν τὸν βοηθείας τινὸς δεόμενον.] Thuc. 2, [40]: Καὶ τὸ πένεσθαι οὐχ ὁμολογεῖν τινὶ αἰσχρὸν, ἀλλὰ μὴ διαφεύγειν ἔργῳ αἴσχιον. Plut. [Mor. p. 537, D]: Ὅτι μισεῖν μὲν πολλοὺς ὁμολογοῦσιν ἔνιοι, φθονεῖν δὲ οὐδενὶ λέγουσι. Et cum præterito: ut quum dicitur ὁμολογῶ πεποιηκέναι. Et cum partic., ex Eod., ὁμολογῶ οἰκοδομῶν. Invenitur et cum accus. Epigr., Ὡμολόγησε φόνον, Fassus est cædem, se perpetrasse cædem. [Xen. H. Gr. 3, 3, 11: Ἠλέγχετο καὶ ὡμολόγει πάντα, et alibi. Demosth. p. 408, 9: Οὐδεὶς πώποθ' ὁμολογῶν ἀδικεῖν ἑάλω. Absolute p. 181, 2: Τί τοὺς ὁμολογοῦντας ἐχθροὺς ἔχοντες ἑτέρους ζητοῦμεν.] || Alicubi autem aptius exp. Profiteor [Gl.] quam Confiteor. [Xen. Comm. 2, 3, 9: Ἐπίστασθαι δὲ ὁμολογῶν καὶ εὖ ποιεῖν καὶ εὖ λέγειν.] || Ὁμολογεῖν, quod Gall. *Emologuer,* pro *Homologuer,* Auctoritate publica comprobare, Bud. [Contestor, Gl.] Ὁμολογῶ ap. Thuc., pro eo quod alibi dixit ὁμολογίᾳ προσχωρῶ, 1, [101]: Θάσιοι δὲ τρίτῳ ἔτει πολιορκούμενοι, ὡμολόγησαν Ἀθηναίοις, Composuerunt cum Atheniensibus, Dediderunt sese. [Id. 4, 69: Ὁμολογήσαντες ἐξῆλθον. « Ὁμολογήσαντος ἐπὶ τούτοισι Πεισιστράτου, Herodot. 1, 60. Μισθῷ ὁμολογήσαντες, 2, 86. Ὡμολόγησαν ἑκατὸν τάλαντα ἐκτίσαντες ἀζήμιοι εἶναι, 6, 92. Εἰ μὴ πέμψετε στρατιὴν, ἐπίστασθε ἡμέας ὁμολογήσειν τῷ Πέρσῃ, 7, 172. Μεγάλα προτεινόντων ἐπ' οἷς ὁμολογέειν ἐθέλουσι, 8, 140, etc.» Schweigh. || Pati pro Christo. Hosius Cordub. episc. in Epist. ad Constantium ap. Athanas. ad Solitar.: Ἐγὼ μὲν ὡμολόγησα καὶ τὸ πρῶτον, ὅτε διωγμὸς γέγονεν ἐπὶ τῷ πάππῳ σου Μαξιμιανῷ. Ducang.] || Ὁμολογεῖσθαι pro ὁμολογεῖν, Assentiri, Concedere, e Xen. [Comm. 1, 2, 57]: Ὁμολογοῦμαι ἀγαθὸν εἶναι. [Verba sunt: Σωκράτης ἐπειδὴ ὡμολογήσατο τὸ μὲν ἐργάτην εἶναι ὠφέλιμόν τε ἀνθρώπῳ καὶ ἀγαθὸν εἶναι, ubi al. ἐπεὶ διομολογήσαιτο. Utrumque est non Assentiri, sed Disputando persequi ita ut de re constet et conveniat. Sic Conv. 4, 56: Ὁμολογησώμεθα πρῶτον ποῖά ἐστιν ἔργα τοῦ μαστροποῦ. Plato Cratyl. p. 439, B: Ἀγαπητὸν δὲ καὶ τοῦτο ὁμολογήσασθαι, ὅτι αὐτὰ ἐξ αὐτῶν μαθητέον· Reip. 4, p. 436, C: Ἔτι τοίνυν ἀκριβέστερον ὁμολογησώμεθα, μή πῃ προϊόντες ἀμφισβητήσωμεν· 8, p. 544, A: Ὁμολογησάμενοι τὸν ἄριστον καὶ τὸν κάκιστον ἄνδρα.] Ὁμολογεῖσθαι, pass. signif. dicitur id quod concessum est, et de quo convenit, seu, id quod aliquorum consensu receptum est. [Xen. Cyrop. 1, 2, 1: Ὁμολογεῖται ὁ Κῦρος... γενέσθαι· Anab. 6, 3, 9: Διελέγοντο περὶ σπονδῶν· καὶ τὰ μὲν ἄλλα ὡμολόγητο αὐτοῖς· 1, 9, 14: Τοὺς ἀγαθοὺς ... ὡμολόγητο διαφερόντως τιμᾶν, et ibidem 1 et 20 παρὰ vel πρὸς πάντων ὁμ. Et aliter cum dat. Cyrop. 1, 3, 18: Οὐ ταὐτὰ παρὰ τῷ πάππῳ καὶ ἐν Πέρσαις δίκαια ὁμολογεῖται.] Isocr. Paneg. [p. 45, B]: Ὁμολογεῖται μὲν γὰρ τὴν πόλιν ἡμῶν, ἀρχαιοτάτην εἶναι καὶ μεγίστην, καὶ παρὰ πᾶσιν ἀνθρώποις ὀνομαστοτάτην. Plut. Pericle [c. 24]: Ὁμολογεῖται μὲν ὅτι θυγάτηρ ἦν Ἀξιόχου· quod etiam dicitur ad ver-

A bum Confessum est, ut Cic. quoque dixit Confessam rem et manifestam, et Pro confesso habetur. Sed mutatur aliquando hæc orationis structura, omittendo ὅτι: Plato De rep. 1, [p. 342, D]: Ὡμολόγηται γὰρ ὁ ἀκριβὴς ἰατρὸς σωμάτων εἶναι ἄρχων, pro ὡμολόγηται ὅτι ὁ ἀκριβὴς ἰατρὸς, σωμάτων ἐστὶν ἄρχων. [Atque sic sæpe de re, ut Leg. 1, p. 644, A: Ὁ νῦν δὴ λόγος ἡμῖν ὁμολογηθείς· 9, p. 854, A: Προοίμια κατὰ τὸν ἔμπροσθεν λόγον ἡμῖν ὁμολογηθέντα· 11, p. 921, C: Ἐν χρόνοις τοῖς ὁμολογηθεῖσι. Demosth. p. 230, 2: Ὡμολογεῖτο ἂν ἡ κατηγορία τοῖς ἔργοις αὐτοῦ· 235, 6: Ἐπειδὴ Φίλιππος ἀποστείλας πρέσβεις ὁμολογουμένας πεποίηται συνθήκας· 1035, 17: Ὡμολογεῖτο τὰ σημεῖα τῶν γραμμάτων ὑπὸ τῆς γυναικός. Cum infin. p. 1029, 14: Ὑπολειφθεισῶν χιλιῶν δραχμῶν καὶ ὁμολογηθεισῶν ἀπολαβεῖν, ὅταν Πολύευκτος ἀποθάνῃ.] Unde ὁμολογούμενον et ἀμφισβητούμενον, itidemque ὁμολογούμενον et ἀμφισβητήσιμον opp. ap. Isocr. [p. 25, A] et Xenoph. [Hell. 3, 5, 4.] Item cum infin., pro Convenit inter nos. Plato Epist. [3, p. 316, E]: Ὡμολογήθη νῶϊν, πλεῦσαι μὲν οἴκαδε ἐμέ. At

B ὁμολογούμενοι λόγοι, ut Cic. interpr. ap. Plat. [Tim. p. 29, C], p. 14 Cic. Lex., Oratio quæ sibi constet, et ex omni parte secum ipsa consentiat. [Isocr. p. 32, C: Πολὺ τούτου συντομώτερος καὶ μᾶλλον ὁμολογούμενος ὁ λόγος ἐστί. Xenoph. Comm. 4, 6, 15: Διὰ τῶν μάλιστα ὁμολογουμένων ἐπορεύετο.] Sic ὁμολογούμενον αὐτὸ ἑαυτῷ, vide Bud. p. 774. [Plato Leg. 5, p. 746, C: Τὸ ὁμ. αὐτὸ αὐτῷ· Phædr. p. 265, D. Crat. p. 387, D: Εἴπερ τι τοῖς ἔμπροσθεν μέλλει ὁμολογούμενον εἶναι· Prot. p. 339, C: Δοκεῖ σοι ταῦτα ἐκείνοις ὁμολογεῖσθαι; et similiter alibi. Isocr. p. 18, B: Ζήτει νόμους σφίσιν αὐτοῖς ὁμολογουμένους, et al.] Exp. ὁμολογούμενον et Conveniens, Consentaneum. Aristot. De gener. et corrupt. 1: Λόγοι πρὸς τὴν αἴσθησιν ὁμολογούμενα λέγοντες. [Id. Metaphys. p. 16, 9: Ὅσα εἶχον ὁμολογούμενα δεικνύναι ἔν τε τοῖς ἀριθμοῖς καὶ ταῖς ἁρμονίαις πρὸς τὰ τοῦ οὐρανοῦ πάθη καὶ μέρη ..., ταῦτα συνάγοντες ἐφήρμοττον.] || Ὁμολογεῖσθαι, Promitti: unde ὁμολογηθεὶς, Promissus, [Votivus, Gl.] VV. LL. [Ὁμολογημένον (sic), Condictum, Gl.]

Ὁμολόγημα, τὸ, Id de quo convenit inter aliquos.

C Et peculiariter ap. Plat. [Phæd. p. 93, D: Τοῦτο δ' ἔστι τὸ ὁμ. Gorg. p. 480, B: Εἴπερ τὰ πρότερον μένει ἡμῖν ὁμολογήματα· Reip. 5, p. 462, E: Τὰ τοῦ λόγου ὁμολογήματα. Ex quo citat Pollux 2, 120.] Id de quo convenit inter disserentes, Quod utrimque confessum est.

[Ὁμολογησία, ἡ, Confessio. Cyrill. Alex. In Esaiæ c. 13, p. 224: Πεποιήμεθα καὶ τῆς ὀρθῆς πίστεως τὴν ὁμολογησίαν. Suicer.]

[Ὁμολόγησις, εως, ἡ, i. q. præcedens. Diod. 17, 68: Τὴν αἴτησιν τῶν νεκρῶν περιέχουσαν ἥττης ὁμολόγησιν.]

[Ὁμολογητέον, Confitendum. Xen. Cyrop. 2, 1, 8: Ὁμ. μηδενὸς ἀξίους εἶναι συμμάχους. Plato Phil. p. 37, E: Τὴν δόξαν οὐκ ὀρθὴν ὁμολογητέον· Tim. p. 51, E; 79, D, Leg. 9, p. 860, D.]

[Ὁμολογητὴς, ὁ, Sponsor, Confessor, Gl. « Jo. Chrys. In Ps. 109, vol. 1, p. 729, 21.» Seager. Confessores qui nihil pro nomine Christi perpessi sola vitæ sanctitate Christum confitentur, atque adeo omnes fere

D Christiani. Balsamon ad Can. Apostol. 61, p. 265: Ὁ τῆς ἐκκλησίας νόμος ὁμολογητὰς τῆς πίστεως θέλει πάντας εἶναι τοὺς ὀρθοδόξους. Suicer. Qui pro fide passi sunt. Socr. H. E. 1, 8: Εἴ τις τῶν ὁμολογητῶν λαϊκὸς... ἀντιπίπτει τοῖς διαλεκτικοῖς. Sozom. 1, 10: Πλεῖστοι τῶν ὁμολογητῶν· 7, 14; 4, 16. V. Alex. mon. De inv. crucis ap. Gretser. p. 125 (qui v. Opp. vol. 2, p. 89). Ducang. Ὁμολογήτρια, de femina, ap. Epiphan. Hæresi 68, n. 5. Id. App. p. 146.]

[Ὁμολογητικῶς, Spondendo. Eust. Il. p. 233, 40: Ὁρίζονται γάρ τι ὁμ. οἱ ὀμνύοντες.]

[Ὁμολογήτρια. V. Ὁμολογητής.]

Ὁμολογία, ἡ, Consensus, Assensus, Convenientia. [Concinnitudo huic add. Gl.] Plato Symp. [p. 187, B]: Συμφωνία δὲ, ὁμολογία τις· ὁμολογίαν δὲ ἐκ διαφερομένων, ἕως ἂν διαφέρωνται, ἀδύνατον εἶναι. [Charm. p. 175, C: Ἡ ἡμετέρα ὁμ. Prot. p. 350, E: Κατὰ τὴν σὴν ὁμολογίαν ἡ σοφία ἐστὶν ἰσχύς· Gorg. p. 487, E: Ἡ ἐμὴ καὶ σὴ ὁμ. Phil. p. 12, A: Τῆς πρὸς Σωκράτη ὁμολογίας· Theæt. p. 169, E: Ἀκύρους τῆς ὑπὲρ ἐκείνου ὁμολογίας· Epin. p.

991, E : Τῆς τῶν ἄστρων περιφορᾶς τὴν ὁμολογίαν οὖσαν μίαν ἁπάντων· Leg. 8, p. 840, E : Ἐμμένοντες ταῖς πρώταις τῆς φιλίας ὁμολογίαις· et alibi sæpe.] Sic autem et 2 Ad Cor. 9, 13, ubi male vet. Interpres reddidit Confessionem. [Isocr. p. 230, A : Λόγον οὐκ ἀπολογίαν, ἀλλ' ὁμολογίαν· 197, E : Ὁμοίως τὰς ἐν τοῖς ἔργοις ὁμ. ὥσπερ τὰς ἐν τοῖς λόγοις διαφυλάττειν.] Cic. ὁμολογίαν in quodam Stoico dogmate vertit Convenientiam, ut videbis p. 163 mei Lex. || Pactum, Pactio [Gl.], Conditio, Compositio. Thuc. [3, 4] ὁμολογίᾳ ἐπιεικεῖ dixit pro Conditione æqua, Bud. Sed alibi ap. eum dat. ὁμολογίᾳ varie redditur : 1, [98] : Καὶ χρόνῳ ξυνέβησαν καθ' ὁμολογίαν, Tandem composuerunt certa conditione, certis conditionibus ; Accesserunt ad conditionem et pactionem, ut etiam loquuntur interdum Latini. Exp. item, Tandem composuerunt et in fidem recepti sunt. Obiter autem hic animadverte ξυνέβησαν καθ' ὁμολογίαν, sicut alicubi ap. Eund. ξύμβασις et ὁμολογία pro eod. ponuntur. Idem eod. l. [c. 107] : Καὶ τοὺς Φωκέας ὁμολογίᾳ ἀναγκάσαντες ἀποδοῦναι τὴν πόλιν, Quum coegissent reddere urbem compositione. [Conf. 3, 90.] Apud Eund. non semel παραστήσασθαι aliquam urbem pro Ad deditionem adigere pactione, compositione [1, 29] : Ξυνέβη καὶ τοὺς τὴν Ἐπίδαμνον πολιορκοῦντας παραστήσασθαι ὁμολογίᾳ. Sed et ipsæ urbes dicuntur προσχωρεῖν alicui ὁμολογίᾳ, pro Dedere se s. Deditionem facere pactione, aut etiam omittendo hunc ablat., vel In fidem se dare. Sic autem et ὁμολογίῃ χρῆθαι, ap. Herodot. [1, 150; 4, 118, 201; 7, 139. De eodem Schweigh. in Lex. : « Κατὰ τὴν ὁμ. τὴν πρὸς Μεγακλέα γενομένην, 1, 61. Ἐς ὁμ. προσεχώρησαν, 7, 156. Λόγους προσφέρειν περὶ ὁμολογίης, 8, 52. Ἤχειν ἐς ὁμ. ἄξοντα τῷ βαρβάρῳ Ἀθηναίους, 8, 141. Ἥκοντα παρὰ τοῦ βαρβάρου ἄγγελον ἐπ' ὁμολογίῃ, Pacis conciliandæ caussa, 8, 141. »] Item pro Fœdus inire, Pacisci : quod et ὁμολογίαν ποιεῖσθαι ap. eund. Thuc. [4, 65. Plato Theæt. p. 145, C : Θαρρῶν ἔμμενε τῇ ὁμολογίᾳ· 183, E : Ὁμολογίας παραβαίνοντες· Leg. 11, p. 920, D : Ἀτελοῦς ὁμολογίας· Reip. 4, p. 443, A : Κατὰ τὰς ἄλλας ὁμολογίας· Critiæ p. 106, B : Κατὰ τὰς ὁμολογίας, et alibi sæpe. Demosth. p. 1042, 21 : Κυρίας εἶναι τὰς πρὸς ἀλλήλους ὁμολογίας, ἃς ἂν ἐναντίον μαρτύρων ποιήσωνται. Isocr. p. 77, C : Διαλύειν τὰς ὁμ. 77, D : Τῶν γεγραμμένων ἐν ταῖς ὁμ. 123, E : Τῶν ῥᾳδίως τὰς ὁμ. ποιουμένων· 126, D : Ὑμᾶς αὐτοὺς ἐμβαλεῖν εἰς αἰσχρὰς ὁμ. Ὁμολογίαν ποιῶ, Caveo, Gl.] Apud Aristot. καθ' ὁμολογίαν Bud. vertit Cum eo ut pactum constituatur. Exp. autem et Stipulationem contractus ap. Eund. Plato Critone [p. 52, D, et Crat. p. 435, C], ὁμολογίας et ξυνθήκας copulavit, ut Lat. Pacta et conventa sæpe conjunguntur. [Stipulatus ; Ὁμολογία ἡ ἀπὸ ἐρωτήσεως, Sponsio, Stipulatio, Gl. « Anon. Combefis. in Lecapeno n. 44 : Τὰς ὁμολογίας κατέκαυσεν. » Ducang.] || Confessio [Gl.]. Isocr. Busir. [p. 230, A] : Ἐπεὶ τόν γε λόγον, ὃν συνέγραψας, οὐκ ἀπολογίαν ὑπὲρ Βουσίριδος, ἀλλ' ὁμολογίαν τῶν ἐγκαλουμένων δικαίως ἄν τις εἶναι νομίσειεν· οὐ γὰρ ἀπολύεις αὐτὸν τῶν ἁμαρτιῶν, ἀλλὰ ἀποφαίνεις. Sic et in N. T. pro Confessione. [Basilius Epist. 298 : Τοὺς στεφάνους τῆς κατὰ Χριστὸν ὁμολογίας. Socr. H. E. 3, 19 : Ἐπεβίω χρόνον μετ' ἐκείνην τὴν ὁμ. πολύν. Sozom. 1, 8 : Διαμείναντες ἐν ὁμολογίαις ἢ μαρτυρίαις, et c. 16 extr. || Professio (Gl.) s. Votum (Gl.) monachorum vel virginum deo dicatorum. Basilius Epist. 1 ad Amphilochium can. 18 : Τὰς ὁμ. τότε ἐκρίνομεν ἀφ' οὗπερ ἂν ἡ ἡλικία τὴν τοῦ λόγου συμπλήρωσιν ἔχῃ· Can. 19 : Ἀνδρῶν ὁμολογίαν οὐκ ἔγνωμεν. Ducang.]

Ὁμόλογος, ὁ, ἡ, q. d. Iisdem verbis utens, Consentiens, Assentiens, Qui in eadem est sententia, opinione. [Ὁμόλογον, Compromissum, Pactum, Gl.] Xen. Sympos. [8, 36] : Δοκοῦμεν δ' ἄν μοι πάντες ὁμόλογοι γενέσθαι περὶ ὧν λέγω. VV. LL. exp. et Consentaneus ; afferuntque ex Galeno, Μίαν ὁμόλογον κρᾶσιν ἔχουσι, ubi dicitur ea esse temperies, quam vulgus medicorum Proportionalem appellat. [Sic Aristot. Eth. Nic. 3, 9 : Ὁμόλογοι τούτοις (τοῖς ἐν πολέμῳ θανάτοις) εἰσὶ καὶ αἱ τιμαὶ αἱ ἐν ταῖς πόλεσι. Euclides Elem. 12, 12, vol. 3, p. 175, 5 : Αἱ ὅμοιαι πυραμίδες καὶ τριγώνους ἔχουσαι βάσεις ἐν τριπλασίου λόγῳ εἰσὶ τῶν ὁμολόγων πλευρῶν· et ib. fin. Et sæpius Tab. Heracl., ut p. 187, 17 : Τούτως πάντας ὁμολόγως ἀλλάλοις. L. Dind. « Ἐξ ὁμο-

A λόγου, Citra controversiam, ἐξ ὁμ. φανήσεσθαι τῶν ὑπαίθρων κρατοῦντες, Polyb. 3, 91, 10. Τὰ ἐξ ὁμ. προσοφειλόμενα, 1, 67, 1. De prœlio quod tempore et loco condicto fit, συνέβαλλον ἀλλήλοις ἐξ ὁμ. 1, 87, 9. Ἐξ ὁμ. διὰ μάχης κρίνειν τὰς πράξεις, 2, 66, 4. Ὁλοσχερὴς κρίσις ἐξ ὁμ. 3, 90, 5. Ἡ ἐξ ὁμ. καὶ κατὰ πρόσωπον ἔφοδος, 4, 8, 11. Αἱ ἐξ ὁμ. καὶ συστάδην μάχαι, 11, 32, 7. » Schweigh. Lex. Προφανοῦς interpr. Suidas, ubi fr. anonymi citat, quod Polybio tribuerunt intt. « Aristid. Quint. 1, p. 8. » Boiss.]

|| Ὁμολόγως, adv. q. d. Consentienter. Exp. et Convenienter, Congruenter, ex Cic. in quodam l., de quo dicetur in Ὁμολογουμένως. Item ὁμολόγως ἔχων, Consentaneus. [Aristot. Eth. Nic. 6, 2 : Ἡ ἀλήθεια ὁμ. ἔχουσα τῇ ὀρέξει· De partt. anim. 3, 4 : Βούλεται καὶ ἐν τοῖς ἄλλοις ὁμ. ἐν μέσῳ κεῖσθαι τοῦ ἀναγκαίου σώματος. Diod. 1, 80 : Ἐκέλευε τοὺς βουλομένους ἔχειν ταύτην τὴν ἐργασίαν ἀπογράφεσθαι πρὸς τὸν ἀρχιφῶρα, καὶ τὸ κλαπὲν ὁμ. ἀναφέρειν παραχρῆμα πρὸς ἐκεῖνον.] At vero ap. LXX Oseæ [14, 5] : Ὁμ. ἀγαπήσω αὐτούς, Perspicue
B et aperte, Absque ulla dubitatione, VV. LL. ex Hieronymo.

[Ὁμόλογος, ὁ, Homologus, n. viri, ap. Cosmam Topogr. Christ. p. 114, A. L. Dind.]

Ὁμολογουμένως, q. d. Confesse : pro quo dicitur Ex confesso, a Fabio, Vituperare quæ ex confesso sint turpia. [Sane, Vero, Confesso, Enimvero, Gl.] Ita enim hæc reddideris Græce, καὶ ψέγειν ἅπερ ὁμ. ἐστὶν αἰσχρά. Plut. Solone [c. 2] : Ὁμ. ἦν σοφίας ἐραστής. [Thuc. 6, 90 : Ὁμ. νῦν βαρβάρων μαχιμωτάτους. Xenoph. H. Gr. 2, 3, 38 : Τοὺς ὁμ. συκοφάντας· 6, 1, 18 : Ἰάσων ὁμ. ταγὸς καθειστήκει· 5, 34 : Αὐτοὶ ὁμ. ὑφ' ἁπάντων τῶν Ἑλλήνων ἡγεμόνες προκριθείησαν. Et cum ἐξ Anab. 2, 6, 1 : Εἷς μὲν αὐτῶν Κλέαρχος ὁμ. ἐκ πάντων ... δόξας γενέσθαι ἀνὴρ καὶ πολεμικὸς κτλ. Plato Lach. p. 186, B : Ὁμ. ἀγαθοί· Theæt. p. 157, E : Ὁμ. ἐλέγχεσθαι δοκεῖ ὃν ἄρτι διῇμεν λόγον, et alibi sæpe quum ipse tum Isocr., Aristot. et alii.] Etiam Convenienter, Concorditer, Consentanee. [Menander ap. Stob. Fl. 98, 8, 4 : Οὗτος κακοδαίμων ἐστὶν ὁμ.] Xen. [OEc. 1, 11] : Καὶ ὁμ.
C γε, ὦ Σώκρατες, ὁ λόγος ἡμῖν χωρεῖ. Item cum dat. : ὁμ. τοῖς εἰρημένοις, Xen. [Apol. 27], Convenienter et congruenter iis quæ dicta sunt. Cic. ὁμολογουμένως τῇ φύσει ζῆν, vertit in quodam Stoicorum dogmate [Diog. L. 3, 87], Congruenter naturæ convenienterque vivere. Sed in VV. LL. pro ὁμολογουμένως habetur ὁμολόγως, afferturque in illo adverbio hic l.

[Ὁμολογούντως, idem. Clem. Alex. Pæd. 2, 10, p. 230. Routh.]

[Ὁμολόγως. V. Ὁμόλογος.]

[Ὅμολος, ὁ, i. q. ὁμονοητικός, ap. Æoles sec. Istrum in Ὁμολώϊος cit. Similis est Hesychii gl. : Ὁμολιῶν, ἰσάζων, καταλεαίνων, quæ tamen ad ὁμαλίζων alludit.]

[Ὁμόλοχος, ὁ.] Ὁμόλοχοι, Qui ejusdem cohortis sunt, iidem qui παραστάται, ut quidem in libro de Vocab. Milit. traditur. Sunt autem viri 64.

[Ὁμόλοχος. V. Ὁμόλεχος.]

[Ὁμολωεύς, Ὁμολωΐα. V. Ὁμολώϊος.]

Ὁμολώϊος, ὁ, cognomentum Jovis apud Thebanos, apud quos et Ὁμολωΐδες πύλαι. [Æsch. Sept. 570 :
D Ὁμολωΐσιν δὲ πρὸς πύλαις. Eur. Phœn. 1119 : Ὁμολωΐσιν ... πρὸς πύλαις. Pausan. 9, 8, 5, 6, de quibus conf. Unger. Theb. Paradox. p. 323.] Vide Suid. [sive Photium, qui : Ὁμολώϊος (Ὁμόλοος male ap. Hesych., qui eundem memorat Jovem) Ζεὺς ἐν Θήβαις καὶ ἐν ἄλλαις πόλεσι Βοιωτίας, καὶ ὁ ἐν Θεσσαλίᾳ ἀπὸ Ὁμολώας προφήτιδος τῆς Ἐνυέως, ἣν προφῆτιν εἰς Δελφοὺς πεμφθῆναι ὁ Ἀριστοφάνης ἐν δευτέρῳ Θηβαϊκῶν. Ἴστρος δὲ ἐν τῇ ιϛ' τῆς συναγωγῆς, διὰ τὸ παρ' Αἰολεῦσι τὸ ὁμονοητικὸν καὶ εἰρηνικόν, ὅμολον λέγεσθαι. Ἔστι δὲ καὶ Δημήτηρ Ὁμολωΐα ἐν Θήβαις. Schol. Eur. l. c. : Ὁμολωΐσι· πύλαι Θηβῶν αὗται οὕτως ἐκλήθησαν ἀπὸ Ὁμολωέως τοῦ Ἀμφίονος. Τοὺς γὰρ περὶ Ἀμφίονα φασὶ σὺν τοῖς παισὶν ἅμα Κάδμῳ τειχίσαι τὴν πόλιν. Ἀριστόδημος δ' αὐτάς φησιν οὕτω κληθῆναι διὰ τὸ πλησίον εἶναι τοῦ Ὁμολωοῦ (Ὁμολώου)· ἄλλοι δὲ ἀπὸ μιᾶς τῶν Νιόβης θυγατέρων, Ὁμολωΐδος καλουμένης. Ubi alii libri ἀπὸ τοῦ Ὁμολώου ἥρωος, κατὰ δὲ τοὺς ψευδολογεῖν βουλομένους ἀπὸ μιᾶς τῆς Ν. θ. Lycophr. 520, de Minerva : Καὶ τριγέννητος θεὰ Βοαρμία Λογγᾶτις Ὁμολωῒς βία, ubi schol. : Ὁμολωῒς δὲ τιμᾶται

παρὰ Θηβαίοις, ἀπὸ Ὁμολωίδος, τῆς Νιόβης θυγατρός. Ὁμολωίδες γὰρ πύλαι Θηβῶν. Schol. Æschyli l. cit.: Ὁμολωίσιν, ἀπὸ Ὁμολωίδος τῆς θυγατρὸς Νιόβης. Steph. Byz.: Ὁμόλη, ὄρος Θετταλίας, Παυσανίας ἐνάτῳ (c. 8, 6). Λέγεται καὶ Ὅμολος. Οἱ οἰκοῦντες Ὁμολοεῖς. Καὶ Θηβῶν αἱ πρὸς τῷ ὄρει Ὁμολωίδες πύλαι. Καὶ Ζεὺς Ὁμολώιος τιμᾶται ἐν Βοιωτίᾳ. (De quo v. infra.) Idem: Ὁμόλιον, πόλις Μακεδονίας καὶ Μαγνησίας, Στράβων ἑβδόμῃ. (Qui 9, p. 443: Τὸ Ὁμόλιον ἢ τὴν Ὁμόλην, λέγεται γὰρ ἀμφοτέρως, et mox τὸν Ὁμολίου. Numos urbis Ὁμολιέων inscriptos memorat Eckhel. D. N. vol. 2, p. 139.) Τὸ ἐθνικὸν Ὁμολιεύς. Τὸ δὲ Ὁμολώιος τὸ κτητικόν ἐστι, κατὰ πλεονασμὸν τοῦ ω. Ὁμόλη, cujus de accentu barytono Theognost. Can. p. 111, 19, memoratur ap. Eur. Herc. F. 371: Ὁμόλας ἔναυλοι· Orph. Arg. 460. Apoll. Rh. 1, 594: Ὁμόλην... πόντῳ κεκλιμένην παρεμέτρεον, ubi schol.: Ὁμόλη, ὄρος Θετταλίας οὕτω καλούμενον, ἢ πόλις Θρᾴκης. Theocr. 7, 103: Πὰν, Ὁμόλας ἐρατὸν πέδον ὅστε λέλογχας, ubi schol.: Ὅμολος, Θετταλίας ὄρος, ὡς Ἔφορος, καὶ Ἀριστόδημος ὁ Θηβαῖος, ἐν οἷς ἱστορεῖ περὶ τῆς ἑορτῆς τῶν Ὁμόλων (immo Ὁμολῴων vel Ὁμολωίων, ut Meursius, et est in inscr. Bœot. ap. Bœckh. vol. 1, p. 764, n. 1584, 37), καὶ Πίνδαρος ἐν τοῖς Ὑπορχήμασιν, ἢ Ὅμολος ὄρος Θετταλίας, ἔνθα τιμᾶται ὁ Πάν. Gl. in libris nonnullis illata scholio docto et antiquo: Καὶ Καλλίμαχος, Πὰν Ὁμαλιήτης τρύπανον αἰπολικόν, recentissimi est hominis additamentum, qui non intelligeret Πὰν ὁ Μαλειήτης esse scribendum, quod monstratum ab Steph. Byz. v. Αἴγινα: Σπάνια δὲ τὰ εἰς της ἐθνικὰ τῷ η παραλήγεται (nisi leg. —ληγόμενα) ὑπὲρ τρεῖς συλλαβὰς βαρύτονα. Εἰσὶ δὲ ταῦτα, Αἰγινήτης, Μαλειήτης, ἔστι δὲ τρύπανον αἰπολικὸν, Κεραμιήτης (cujus verba non minus ludificarunt editores illius quam Callimachi ad fr. 412, et Casaubonum ad Theocritum,) invenit jam Lobeck. Patholog. p. 523: excidisse autem post ἔστι δὲ apparet nomen Callimachi cum parte versus. L. Dind.]

[Ὁμολώιος, ὁ, Homoloius, mensis Bœotorum. V. Bœckh. C. I. vol. 1, p. 733, b fin. L. Dind.]

[Ὁμολώιχος, ὁ, Homoloichus, n. viri in inscr. Thebana ap. Bœckh. vol. 1, p. 760, n. 1577, 8; p. 771, n. 1590, 3. Pro quo Ὁμολοιχος scriptum in Thespiensi Musei Rhen. noviss. vol. 2, p. 105, n. 6, 8, ut ap. Plut. Sull. c. 17, ubi Chæronensis memoratur. Patron. Ὁμολωίχιος in inscr. Delphica in eod. Mus. ib. n. 8, p. 110, 1. L. Dind.]

[Ὁμολῷον. V. Ὁμολώιος.]

Ὁμομαστιγίας, ὁ, q. d. Converbero, i. e. Socius verberum. Aristoph. Ran. [756]: Ὃς ἡμῖν ἐστιν ὁμομαστιγίας, pro ὁμόδουλος, Conservus. [Schol. Aristoph. Plut. 631: Τῶν ὁμομαστιγιῶν. ῐᾱ]

[Ὁμομηλίς. V. Ὁμαμηλίς.]

Ὁμομήτωρ, ορος, ὁ, ἡ, et Ὁμομήτριος, α, ον, Eadem matre natus, Uterinus [Gl.] frater. Pollux 3, [23]: Οἱ μὲν ἐκ τοῦ αὐτοῦ πατρὸς, ὁμοπάτριοι καὶ ὁμοπάτορες· οἱ δὲ ἐκ τῆς αὐτῆς μητρὸς, ὁμομήτριοι καὶ ὁμομήτορες· quos et ὁμογάλακτας, ὁμογαστρίους, ὁμογάστορας, ὁμογνίους, ὁμογένους dici posse scribit [Conf. id. 6, 156]: duo tamen posteriora ad utrumque parentem referri possunt. [Prius ap. Orpheum quem citat Plato Crat. p. 402, C: Κασιγήτην ὁμομήτορα Τηθύν. Alterum ap. Aristoph. Nub. 1372: Τὴν ὁμομητρίαν ἀδελφήν· Ach. 790: Ὁμοματρία γάρ ἐστι κὴκ τωὐτοῦ πατρός· Herodot. 6, 38: Ἀδελφεοῦ ὁμομητρίου· Xenoph. Anab. 3, 1, 17, Plat. Euthyd. p. 297, E, et alibi sæpe.]

Ὁμόναος, ὁ, ἡ, Qui communi templo cum alio deo colitur, Hesych.

Ὁμόνεκρος, ὁ, ἡ, Paris corruptionis cum mortuis, VV. LL. [Lucian. D. mort. 2, 1.]

Ὁμονήδυος, ὁ, ἡ, [Photio s.] Suidæ ἀδελφὸς γνήσιος, Frater uterinus s. germanus. Synonymum ὁμογάστωρ s. ὁμογάστριος. [Scripturam Ὁμονηδύϊος diserte ponit Etym. M.]

Ὁμονοεῖον, τὸ, Concordiæ templum, ap. Dionem [Cass. 49, 18: Εἰκόνας ἐν τῷ Ὁμονοείῳ ἔστησε· 55, 8: Τὸ Ὁμονόειον (sic)· ib. 9; 56, 25; 58, 11.]

Ὁμονοέω, Concors sum, Concorditer vivo, Consentio. [Adsentio, Concordo, add. Gl. Thuc. 8, 75: Δημοκρατηθήσεσθαί τε καὶ ὁμονοήσειν. Plato Reip. 1, p. 352, A: Στασιάζοντα καὶ οὐχ ὁμονοοῦντα αὐτὸν ἑαυτῷ· Alc. 1 p. 126, C: Διὰ τίνα τέχνην ὁμονοοῦσιν αἱ πόλεις περὶ ἀριθμούς; Men. p. 86, C: Ἐπειδὴ ὁμονοοῦμεν ὅτι ζητητέον, et alibi.] Aristot. Eth. 9, [6]: Ἀλλὰ τὰς πόλεις ὁμονοεῖν φασιν ὅταν περὶ τῶν συμφερόντων ὁμογνωμονῶσι, καὶ τὰ αὐτὰ προαιρῶνται, καὶ πράττωσι τὰ κοινῇ δόξαντα. Dixerat autem antea, Οὐδὲ τοὺς περὶ ὁτουοῦν ὁμογνωμονοῦντας, ὁμονοεῖν φασιν· οἷον τοὺς περὶ τῶν οὐρανίων· οὐ γὰρ φιλικὸν τὸ περὶ τούτων ὁμονοεῖν. Apud Isocr., ὁμονοεῖν et τὴν αὐτὴν γνώμην ἔχειν, pro eod. [Id. p. 58, A: Περὶ τῆς κοινῆς σωτηρίας ὁμονοοῦντες· 255, C: Περὶ τῶν ... πεπραγμένων ὁμονοήσειν τοῖς ὑπ' ἐμοῦ λεγομένοις· 162, E: Εἰ τὰ πρὸς ἡμᾶς αὐτοὺς ὁμονοοῦμεν.] Et Xen., Ὁμονοοῦμεν ταῦτα, pro ἐν τούτοις, Cyrop. 4, [2, 46. Idemque sæpe absolute. Improprie Diogenes Athen. 14, p. 636, B: Αὐλὸς ὁμονοεῖ χοροῖς.]

[Ὁμονοητέον, Consentiendum. Æschin. Epist. 11, p. 691: Ὁμ. καὶ πολεμοῦσι καὶ μὴ παντὸς ἕνεκα. L. Dind.]

Ὁμονοητικὸς, ἡ, ὸν, Ad concordiam efficiendam aptus, Ad concordiam pertinens, Ad concordiam propensus. Utitur Aristot. Polit. 2, [c. 3. Et 7, 10: Τὸ πρὸς τοὺς ἀστυγείτονας πολέμους ὁμονοητικώτερον.] A Plat. [in adv. cit.] ei opp. στασιαστικός. [Id. Reip. 8, p. 554, E: Ὁμονοητικῆς τῆς ψυχῆς· Phædr. p. 256, B: Ὁμονοητικὸν τὸν ἐνθάδε βίον διάγουσιν. V. Ὁμολώιος.]

[Ὁμονοητικῶς, Plato Reip. 10, p. 603, C: Ὁμ. διάκειται· Phædr. p. 263, A: Περὶ ἔνια τῶν τοιούτων ὁμ. ἔχομεν, περὶ δ' ἔνια στασιαστικῶς. « Gemist. Pletho in Συλλογῇ Ἀνεκδότων edita a Mustox. fasc. 3, p. 3. » Boiss.]

Ὁμόνοια, ἡ, Concordia, [Consensus, Conspiratio, Gl. Menand. ap. Stob. Fl. 70, 7: Τὴν γὰρ ὁμόνοιαν τὴν πρὸς ἀλλήλους ποιεῖ. Callim. Cer. 134: Τάνδε σάω πόλιν ἔν θ' ὁμονοίᾳ ἔν τ' εὐημερίᾳ.] Isocr. Areop.: Εἰς τοιαύτην ἡμᾶς ὁμόνοιαν κατέστησαν. Et, Πᾶσιν αὐτοῖς ὁμόνοιαν ἐμβάλλειν, Xen. Cyrop. 5, [5, 11. Id. Comm. 4, 4, 16: Ὁμ. μέγιστον ἀγαθὸν ταῖς πόλεσιν. De qua civili ὁμονοίᾳ, quam πολιτικὴν φιλίαν dicit Aristot. Eth. Nic. 9, 6, et sæpe memorant Demosthenes et Isocr., Dionis sunt orationes 38, 39, 40. Plato Polit. p. 311, B: Ὁμονοίᾳ καὶ φιλίᾳ, et cum eodem nomine Reip. 1, p. 351, D. Clitoph. p. 409, E: Τὴν ὄντως καὶ ἀληθῶς φιλίαν εἶναι σαφέστατα ὁμόνοιαν· Alc. 1 p. 127, A: Εἴπερ φιλία ὁμ. ἦν. Et ib.: Οὐκ ἄρα ἔν γε τούτοις ἐστὶν ὁμόνοια γυναιξὶ πρὸς ἄνδρας. Definitt. p. 411, D: Ὁμόνοια ψυχῆς πρὸς αὐτήν.] || Deæ nomen ap. Apoll. Arg. 2, [718. Cujus aram Olympiæ memorat Pausan. 5, 14, 9, templum Syracusis Charito 3, 2, p. 61, 6. Est etiam n. navis Atticæ ap. Bœckh. *Urkunden* p. 90. || « Argemone, ap. Interpol. Dioscor. c. 396 (2, 208). » Ducang.]

[Ὁμόνομος, ὁ, ἡ, i. q. σύννομος, Qui iisdem pascuis, eodem victu utitur. Ælian. N. A. 7, 17: Κηρύλος καὶ ἀλκυὼν ὁμόνομα καὶ συμβιοῖ.]

[Ὁμόνομος, ὁ, ἡ, Iisdem legibus utens. Plato Leg. 4, p. 708, C: Τὸ ἕν τι εἶναι γένος ὁμόφωνον καὶ ὁμόνομον. Pollux 3, 54.]

Ὁμόνοος, et Ὁμόνους, ὁ, ἡ, q. d. Parem s. Similem mentem habens. Qua fere dicitur forma Unanimis. Respondet tamen ὁμόνους potius nomini Concors [Gl. Pollux 6, 155. || Adv. Ὁμονόως, Concorditer, Xen. Cyrop. 6, 4, 15, Ag. 1, 37. Diog. L. p. 251.]

[Ὁμόνυμφος, ἡ, Leviri uxor, Glos. Orac. Sibyll. 1, 290. « Ἡ ὁμόνυμφος ἡ Ἀμφίονος γυνὴ, schol. Homer. Od. T, 518. » Hemst.]

[Ὁμόοικος, ὁ, ἡ, Qui una habitat. Hesychius ceterique lexicogrr. v. Ὁμέστιος. « Glossator Gregorii Naz. in cod. 993, p. 43, 1. » Boiss.]

[Ὁμοουσιαστὴς, ὁ. Qui τὸ ὁμοούσιον defendebant, ab Hæreticis vocabantur ὁμοουσιασταὶ, q. d. Consubstantialistæ vel Coessentialistæ. Athanas. t. 2, p. 158: Παρ' ὀλίγον με πείθεις ὁμοουσιαστὴν γενέσθαι. Severianus Hom. 4 de creat.: Κἂν γὰρ καλῶσιν ὁμοουσιαστὰς, οὐκ ἄνθρωπον ἑρμηνεύουσιν, ἀλλὰ τὴν πίστιν κηρύττουσι. Basil. Epist. 226, vol. 3, p. 348, A: Οὗτοι νῦν καὶ τὴν ἐν Νικαίᾳ διαβάλλουσι πίστιν, καὶ ὁμοουσιαστὰς ἡμᾶς ἀποκαλοῦσιν. Cit. Suicer.]

Ὁμοούσιος, ὁ, ἡ, Ejusdem essentiæ, Coessentialis, Consubstantialis ap. Greg. [Thaumat. c. 2 De fide p. 3: Ὁμοούσιον λέγεται τὸ ταὐτὸν τῇ φύσει καὶ τῇ ἀϊδιότητι ἀπαραλλάκτως. Athanas. t. 2, p. 50: Ὁμ. ἐστι τὸ τῆς αὐτῆς οὐσίας καὶ ἐνεργείας ἀπαραλλάκτως ὑπάρχον· καὶ γὰρ διὰ τοῦτο λέγεται ὁμοούσιον ὅτι τὴν αὐτὴν οὐσίαν δύναμιν κέκτηται· 290 : Τὸ ὁμ. ἐστι τὸ ταυτοούσιον. Id. lib. De synodi Nicænæ decretis contra hæresin Arianam : Τοῦ ὁμοουσίου ἀκούοντες μὴ εἰς τὰς ἀνθρωπίνας αἰσθήσεις πίπτοντες μερισμοὺς καὶ διαιρέσεις τῆς θεότητος λογιζώμεθα, ἀλλ' ὡς ἐπὶ ἀσωμάτων διανοούμενοι τὴν ἑνότητα τῆς φύσεως καὶ τὴν ταὐτότητα τοῦ φωτὸς μὴ διαιρῶμεν. Patres in synodo Antioch. ap. Socrat. 3, 25, Sozom. 6, 4 : Τὸ τοῦ ὁμοουσίου ὄνομα ἀσφαλοῦς τετύχηκε παρὰ τοῖς πατράσιν ἑρμηνείας, σημαινούσης ὅτι ἐκ τῆς οὐσίας τοῦ πατρὸς ὁ υἱὸς ἐγεννήθη καὶ ὅτι ὅμοιος κατ' οὐσίαν τῷ πατρὶ, οὔτε δὲ ὡς πάθους τινὸς περὶ τὴν ἄρρητον γέννησιν ἐπινοουμένου. Ad ætatem voc. quod attinet, Sozom. 1, 21, dicit in synodo Nicæna decretum esse τὸν υἱὸν ὁμοούσιον εἶναι τῷ πατρὶ, Socr. 2, 21, conc. Sardicense fidem Nicænam confirmasse, et 3, 25, Acacianos sub Joviano Antiochiæ congregatos hanc vocem recepisse. Sed prius eadem usus Origenes a. Chr. 230, contra Marcion., ubi θεὸν λόγον dicit esse ὁμοούσιον, et Dionys. episc. Alex. a. Chr. 250, centum fere ante synodum Nic. annis, ap. Athanas. t. 1, p. 274, et in Bibl. Patr. t. 11, p. 277. Conf. id. Athan. t. 1, p. 937, Philostorg. H. E. 1, 7. Alii ὁμοιούσιον vel ὁμοιοούσιον dicebant. Ita Eusebius et ejus asseclæ, de quibus Sozom. 3, 58 : Διαφορὰν εἰσηγοῦντο τοῦ ὁμοούσιον λέγειν καὶ κατ' οὐσίαν ὅμοιον, ὅπερ ὁμοιούσιον ὠνόμαζον. Τὸ μὲν γὰρ ὁμοούσιον ἐπὶ σωμάτων κυρίως νοεῖσθαι, τὸ δὲ ὁμοιούσιον ἐπὶ ἀσωμάτων, οἷον ἐπὶ θεοῦ καὶ ἀγγέλων. Macedoniani ap. Athanas. t. 2, p. 210 dicunt, Ὁμοιούσιον λέγομεν, καὶ οὐχ ὁμοούσιον. Iidem dicebant ὁμοιοούσιον eodem sensu ap. Sozom. 6, 26. Epiphanius Hæresi 73, p. 360 : Τῆς αἱρέσεως αὐτῶν προστάται φασὶν οὐ λέγομεν ὁμοούσιον, ἀλλὰ ὁμοιοούσιον. Idem 4, 6 : Περὶ οὐσίας, ἣν σουσταντίαν Ῥωμαῖοι ὀνομάζουσιν εἴτε ὁμοούσιος εἴτε ὁμοιούσιος ἐστὶν ὁ υἱὸς τῷ πατρὶ, παντελῶς ἀπαγορεύει λέγειν. (Socr. H. E. 2, 40, p. 152, 8 : Πολλοὺς ἐθορύβησεν τὸ ὁμοούσιον καὶ τὸ ὁμοιούσιον ἐν τοῖς παρελθοῦσι χρόνοις· 12 : Τὸ μὲν ὁμοούσιον καὶ τὸ ὁμοιούσιον ἐκβάλλομεν ὡς ἀλλότριον τῶν γραφῶν.) V. de voce ὁμοούσιος epist. Eusebii Cæs. ap. Theodoret. H. E. 1, 11, Socrat. H. E. 1, 8, Sozom. 3, 13; 4, p. 554, Epiphan. Hær. 65, 69, 73, Ancor. p. 10. Ex Suiceri Thes. et Suppl. Primum voc. est etiam ap. Plotin. 4, vol. 2, p. 865, 16 : Διὰ συγγένειαν καὶ τὸ ὁμοούσιον. Et Doxopat. Rhett. vol. 2, p. 160, 3, ubi contr. ἑτεροούσιος. || « Adv. Ὁμοουσίως, ap. Basilium Imp. in Maji Coll. Vat. vol. 2, p. 679. » Osann.]

[Ὁμοουσιότης, ητος, ἡ, Consubstantialitas. Acta S. Petri Archiep. Alex. p. 193, 195 Combef. Boiss. Hesychius : Ὁμ., ταυτότης κατὰ τὸ ὑποκείμενον καὶ τὸ ἀπαράλλακτον κατὰ τὴν οὐσίαν. Cyrill. Al. l. 1 In Jo. c. 4, p. 36 : Ὁ τῆς ὁμ. λόγος· 9, p. 93 : Τὸ ἅγιον πνεῦμα γενητὸν καὶ κτιστὸν φάσκειν, καὶ ὅλως τῆς τοῦ θεοῦ καὶ πατρὸς ἐξέλκειν ὁμοουσιότητος· 10, p. 871 : Πρόδηλον ὅτι τῆς πρὸς τὸν πατέρα καὶ θεὸν ὁμοουσιότητος οὐκ ἀλλότριος ὁ υἱός. Suicer.]

[Ὁμοουσίως. V. Ὁμοούσιος.]

Ὁμόπαγοι, οἱ, Qui ejusdem pagi sunt, VV. LL. sine auctore et exemplo. Verisimile est certe ex aliquo recenti esse sumptum. [Dionys. A. R. 4, 15.] Nam πάγος pro Pagus s. Vicus a vetusto scriptore usurpatum nusquam inveni.

[Ὁμοπάθεια, ἡ, Affectus qui simul fit vel eodem modo. Plotin. 4, vol. 2, p. 670, 1 : Κἂν τὸ μέγεθος δὲ ἓν ᾖ, ἀλλὰ τό γε ἐφ' ἑκάστῳ μέρει ταὐτὸν, κοινωνίαν οὐδεμίαν εἰς ὁμοπάθειαν ἔχει· 818, 5 : Ὁμοπαθείας τινὸς οὕτω πρὸς αὐτὰ γιγνομένης· 847, 3 : Ὁμοπαθείᾳ ἐλέγχοιτ' ἄν. Secundo loco est var. ὁμοιοπ. L. Dind.]

[Ὁμοπαθέω, Simul vel eodem modo afficior. V. Ὁμοιοπαθέω.]

[Ὁμοπᾰθής, ὁ, ἡ, Simul affectus. Plato Reip. 5, p. 464, D : Πάντας εἰς τὸ δυνατὸν ὁμοπαθεῖς λύπης τε καὶ ἡδονῆς εἶναι. Aristot. Probl. 5, 22. Plut. Mor. p. 96, D; 491, A; 708, D; 921, D, citat Wyttenb. ad Mor. p. 72, B. V. autem Ὁμοιοπαθής, quocum præter l. Arist. in illo cit. permutatur ap. Plotin. 6, vol. 2, p. 1179, 13 : Τὸ ἄλλου μέρους λευκὸν οὐχ ὁμοπαθὲς τῷ ἄλλου.]

[Ὁμοπαθῶς. V. Ὁμοιοπαθῶς.]

[Ὁμοπαίκτωρ, ορος, ὁ, Collusor. Schol. Theocr. 6, 18, ubi pro νικῆσαι τὸν ὅμοιον παίκτορα, Scaliger et Toup. ὁμοπαίκτορα.]

A [Ὁμόπαις, αιδος, ὁ, ἡ.] Ὁμόπαιδας, et Ὁμογόνους, s. Ὁμογνίους, Pollux [3, 23] dictos fuisse scribit τοὺς διδύμους, utpote Pueros uno eodemque partu editos. Sic Hesych. [Tragici verba spectans] scribit ὁμόπαιδα κάσιν Κασάνδρας dici vel ὁμοῦ παιδευθέντα, vel ὁμοῦ τεκνωθέντα : quoniam sunt δίδυμοι.

[Ὁμοπατόρια, τὰ, ap. Eudociam p. 75, v. Ἀπατούρια : Οἱ δέ φασιν ὅτι τῶν πατέρων ὁμοῦ συνερχομένων διὰ τὰς τῶν παίδων ἐγγραφὰς οἷον ὁμοπατόρια λέγεσθαι τὴν ἑορτὴν, et ib. paullo post. Boiss.]

Ὁμοπάτριος, ὁ, ἡ [et α, ον, Levit. 18, 11 : Ὁμοπατρία ἀδελφή· unde repetit Georg. Sync. p. 183, 18. Ctesias Photii Bibl. p. 43, 16], pro sequenti. Solet vero dici aliquis esse ὁμοπάτριος ἀδελφὸς, vel ὁμομήτριος : interdum vero utrumque, ut etiam affertur ex Ctesia [§ 50], Ἀδελφὸς ὁμοπάτριος καὶ ὁμομήτριος. [Æsch. Prom. 559 : Τὰν ὁμοπάτριον Ἡσιόναν. Xen. Anab. 3, 1, 17 : Ὁμομητρίου καὶ ὁμοπατρίου ἀδελφοῦ. Plato Leg. 6, p. 774, E : Ἀδελφῶν ὁμοπατρίων· Euthyd. p. 297, E : Ὁμομήτριος, οὐ μέντοι ὁμοπ. Theophan.
B Chron. p. 8, B : Παίδων τῶν ὁμ. Pollux 3, 22; 6, 155. Ὁμοπάτριοι inscripta fuit fabula Menandri.] Sed et Ὁμοπατρίας VV. LL. [Quod vitiosum.]

Ὁμόπατρος, ὁ, ἡ, sonat, sicut ὁμοπάτωρ et ὁμοπάτριος, Cui idem est pater, Eodem patre natus. Sed potius dicitur Ὄπατρος facta syncope, et mutato spiritu aspero in tenuem. Hom. Il. Λ, 257 : Ἤτοι ὅ Ἰφιδάμαντα κασίγνητον καὶ ὄπατρον Ἕλκε ποδὸς μεμαώς. Ubi annotat Eust. κασίγνητος quidem generale vocab. esse, ὄπατρος autem speciale et ἀντιδιαιρεῖσθαι τῷ ὁμομητρίῳ : ac posse particulam καὶ pro supervacanea haberi. Quod vero ad scripturam attinet, licet ὅπατρος sit pro ὁμόπατρος, ideoque aspirari debeat, tenuari tamen, quoniam o præfixum literæ π, tenuem spiritum habere solet : exceptis nominibus quæ ἀναφορικὰ sunt, item ὁπλὴ et ὅπλον et iis quæ hinc sunt derivata. Invenitur tamen aspiratum nomen illud ap. Orph. Argon. [1023], in quibusdam exempll., Μαστεύειν δ' ἄρα παῖδα κασιγνήτην καὶ ὅπατρον.

Ὁμοπάτωρ, ορος, ὁ, ἡ, Eodem patre genitus, Fra-
C ter qui non est uterinus. Is enim vocatur ὁμομήτωρ, Eadem matre genitus. Habes autem supra in voc. Ὁμομήτωρ, verba Pollucis. [Qui memorat etiam 6, 155. Plato Leg. 11, p. 924, E : Ἀδελφὸς ὁμοπάτωρ, et cum eod. nom. Demosth. p. 1067, 4. ἄ]

Ὁμόπεδος, ὁ, ἡ, Qui est cum solo, i. e. Qui unam eandemque superficiem habet cum solo, ut ita loquar, unde intelligitur Planus. [Fingit HSt. in Ἄπεδος, cum grammaticis, ut schol. Thuc. 7, 78.]

[Ὁμοπιστία, ἡ, Conspiratio in fide. Cyrill. In Jesai. 11, p. 205 : Ὁ τίμιος σταυρὸς γέγονε πρόξενος τοῦ συναχθῆναι πρὸς ὁμοπιστίαν τοὺς ἀνὰ πᾶσαν τὴν γῆν. Suicer.]

[Ὁμόπιστος, ὁ, ἡ, Eidem religioni addictus. Athanas. vol. 1, p. 660. Kall. Jo. Chrys. In Ep. ad Hebr. serm. 3, vol. 4, p. 448, 25. Seager. Cyrill. Alex. l. 2 In Exod. p. 269 : Αὐτοὺς συνεργάτας ὥσπερ καὶ συλλήπτορας τοὺς ὁμοπίστους δεξάμενοι· 291 : Χρὴ ἡμᾶς τοῖς ὁμ. ὁμοῦ τῶν θείων ἐμφορεῖσθαι λόγων. Suicer. Theophilus Alex. Orat. de vita humana p. 3 et 4; Man. Palæolog. Dialogo sec. cum Muteriza § 9 (*Notices* vol.
D 8, part. 2, p. 365). Boiss. Ms. ap. Lequien. ad Jo. Dam. vol. 1, p. 89, A. L. Dind.]

[Ὁμόπλαστος, ὁ, ἡ, Is. Porphyrog. in Allatii Exc. p. 298. Boiss.]

Ὁμοπλεκής, ὁ, ἡ, In unum nexus, Connexus, i. q. ὁμόπλεκτος, etiam In unum plicatus, Complicatus, Epigr. [Christod. Ecphr. 252] : Εἶχε δὲ δοιὰς Χεῖρας ὁμοπλεκέας, Complicatas s. Connexas. [Nonn. Jo. c. 21, 66 : Οἷσιν (ἰχθύσιν) ὁμοπλεκέεσσιν ἐπέτρεχον ἰχθύες ἄλλοι.]

Ὁμόπλεκτος, ὁ, ἡ, In unum nexus. Pro Colligatus, Complicatus, affertur ex Nonno [Jo. c. 11, 161 : Στείχων αὐτοκέλευθος ὁμοπλέκτῳ χθόνα ταρσῷ] : qui et ὁμόπλοκος eadem signif. usurpasse dicitur.

[Ὁμοπληθής, ὁ, ἡ, Qui est ejusdem multitudinis. Euclides Elem. 12, 12.]

[Ὁμοπλοέω, Una navigo. Polyb. 1, 25, 1 : Ἔχων δέκα ναῦς ὁμοπλοούσας.]

Ὁμόπλοια, ἡ, Navigationis societas. [Cic. Ad Att. 16, 1, 4, 5.]

[Ὁμόπλοκος, ὁ, ἡ, Connexus. Nonn. Dion. 21, 330: Ἠέλιος... ἐνδομύχοις ἀκτῖσιν ὁμόπλοκα φύλλα χαράξας· Jo. c. 14, 78: Καὶ ἐγὼ θθ' ὁμόπλοκος ὑμῖν. Et proprie c. 19, 22: Στέφος ὀξυέθειρον ὁμόπλοκον εἶχεν ἀκάνθης· c. 20, 32: Ζωστῆρα αὐτοέλικτον ὁμόπλοκον.]

Ὁμόπλοος, et Ὁμόπλους, ὁ, ἡ, Navigationis socius, Epigr. [Antiphili Anth. Pal. 7, 635, 1, ναῦν. Tryphiod. 265: Ἄνδρα μὲν Ἀργείοισιν ὁμόπλοον.]

[Ὁμοπλωτήρ, ῆρος, ὁ, i. q. ὁμόπλους. Oppian. Hal. 1, 208: Σῆμα τόδε πλωτῆρσιν ἐτήτυμον. ἔγγυθι γαίης ἔμμεναι, εὖτε λιπόντας ὁμοπλωτῆρας ἴδωνται.]

[Ὁμόπνοια, ἡ, Conspiratio, Concordia. Georg. Walz. Rhett. vol. 1, p. 566, 12: Ἀδελφικῆς ὁμοπνοίας. « Damasc. De princ. p. 8. » Osann.]

[Ὁμόπνους, ὁ, ἡ, Conspirans. Nicetas Chon. p. 5: Ὁμόπνουν τινὶ διακεῖσθαι, Consentire alicui. Koenig. Niceph. Greg. Hist. Byz. p. 265 ed. Bonn.]

[Ὁμοποιός, ὁ, ἡ, ap. Iambl. In Nicom. p. 137, A: Οἱ περισσοὶ ἀριθμοὶ ἐπειδὴ ἔτι ὁμοποιοί εἰσι καὶ τῆς αὐτοῦ (αὐτῆς?) φύσεως, Habent eandem operationem.]

[Ὁμοπολέω, Simul verto. Plato Crat. p. 405, D: Οὕτω καὶ Ἀπόλλωνα ἐκαλέσαμεν, ὃς ἦν ὁμοπολῶν· et ib. antea: Ἐπιστατεῖ δὲ οὗτος ὁ θεὸς τῇ ἁρμονίᾳ, ὁμοπολῶν αὐτὰ πάντα καὶ κατὰ θεοὺς καὶ κατ' ἀνθρώπους· 406, A.]

[Ὁμοπόλησις, εως, ἡ, ap. Proculum Theolog. Platon. p. 378, ubi significare dicitur τὴν ἐναρμόνιον τῶν ὅλων κίνησιν καὶ τὴν εἰς αὐτὴν συνιοῦσαν καὶ συνδέουσαν τὰ πάντα συμφωνίαν. V. Ὁμοπολέω. Τὴν ὁμοῦ πόλησιν dicit Plato Crat. p. 405, C.]

Ὁμόπολις, ὁ, ἡ, Qui ejusdem urbis est, Conterraneus: quo sensu et ἔμπολις. [Plut. Mor. p. 276, B: Οὐκ ἐποιήσατο σύνοικον οὐδὲ ὁμόπολιν αὐτόν. Fem. Olympias Stob. Fl. 11, 2: Ἀλάθεια θεῶν ὁμόπολις. L. D.] Metri autem gratia poetæ dicunt Ὁμόπτολις. [De quo HSt.:] Ὁμόπτολις, ὁ, ἡ, i. q. ὁμόπολις, Qui ejusdem urbis est. [Soph. Ant. 733: Οὔ φησι Θήβης τῆσδ' ὁμόπτολις λεώς. Nonn. Dion. 4, 32: Πόσιν ἤθελε μᾶλλον ὁμόπτολιν· Jo. 12, 90: Ἀνδρέᾳ εἶπε Φίλιππος ὁμόπτολις.]

[Ὁμοπολίτης, ὁ, i. q. ὁμόπολις. Eustrat. In Aristot. Eth. p. 148 ed. Ald. G. Dindorf.]

Ὁμοπόρευτος, ὁ, ἡ, Simul iter faciens, Comes, Dionys. Areop. p. 139, 150.

[Ὁμοπρᾱγέω, Conjuncta opera ago. Joseph. A. J. 16, 5.]

[Ὁμοπράγμων, ονος, ὁ, ἡ, Qui conjuncta opera agit, Socius, Adjutor. Joseph. A. J. 17, 12, 1: Ὁμοπράγμονα παραλαβὼν ὁμόφυλον ἄνδρα.]

[Ὁμοπροσκύνητος, ὁ, ἡ, Qui una adoratur. OEcumenius In 2 Corinth. 3, p. 518: Κύριος τὸ πνεῦμα καὶ ὁμόθρονον καὶ ὁμοπροσκύνητον καὶ ὁμοούσιον πατρὶ καὶ υἱῷ. Theodor. Stud. p. 126, C; 127, E.]

[Ὁμόπτερος, ὁ, ἡ.] Ὁμόπτεροι, Hesychio ὅμοιοι, ὁμότριχες [ὁμότριχοι], ὁμόχρονοι, ἀδελφοὶ ἥλικες, ὁμοῦ ηὐξημένοι: at tunc metaphora esset: ac fortassis exponi posset Simul volantes, ut ὁμόπτεροι essent Qui ita eandem agunt ætatem, ut aliquæ aves, quæ simul volant. [Partim proprie partim improprie Æsch. Pers. 559: Ὁμόπτεροι κυανώπιδες νᾶες, ubi λινόπτεροι suspicabatur Schützius, quod v. Suppl. 224: Ἐν ἁγνῷ δ' ἑσμὸς ὡς πελειάδων ἵζεσθε κίρκων τῶν ὁμοπτέρων φόβῳ· Cho. 174: Καὶ μὴν ὅδ' ἐστὶ χάρτ' ἰδεῖν ὁμόπτερος. Eur. Phœn. 329: Ἀπήνας ὁμοπτέρου, de fratribus Eteocle et Polynice. El. 530: Πολλοῖς δ' ἂν εὕροις βοστρύχους ὁμοπτέρους καὶ μὴ γεγῶσιν αἵματος ταὐτοῦ, Similes. Aristoph. Av. 229: Ἴτω τις ὧδε τῶν ἐμῶν ὁμοπτέρων. Plato Phædr. p. 256, E: Ὁμοπτέρους ἔρωτος χάριν γενέσθαι. Pollux 6, 156: Ὁμοπτέρους δὲ τοὺς ὁμοτρίχους εἰπόντος Εὐριπίδου (l. El.), Στράττις τοὺς ὁμήλικας εἴρηκεν ὁμοπτέρους.]

[Ὁμοπτέρως, ad explicandum ἀπτέρως adhibet Tzetz. ad Lycophr. 627. Cit. Boiss.]

[Ὁμόπτολις. V. Ὁμόπολις.]

Ὁμοπτώτως, Eodem casu: quod et ὁμοιοπτώτως.

[Ὁμορβέω.] Ὁμορβεῖν, Hesychio ἀκολουθεῖν, ὁδοιπορεῖν, quod et ἀμορβεῖν.

[Ὁμοργάζω, i. q. ὁμόργνυμι. Hom. H. Merc. 361: Αὐγὰς ὡμόργαζε. Libri ὡμόρταζε.]

[Ὅμοργμα, τό, Sordes. Synes. p. 182, D: Κηλῖδας ἀρχαίας καὶ προστετηκότα ὁμόργματα. Gramm. Bekk. An. p. 432, 4: Ὁμόργματα τὰ ἐπίμετρα λέγεται.]

[Ὁμόργνυμι, Tergo, Gl. V. Μόργνυμι.]

Ὁμορέω, Confinis s. Conterminus sum. [Confinio, Gl.] Plut. Popl. [c. 8]: Ὁμοροῦν χωρίον ἐκείνῳ, Illi finitimum prædium. Herodian. 6, [7, 5]: Τὰ Ἰλλυρικὰ ἔθνη, ὁμοροῦντα καὶ γειτνιῶντα Ἰταλίᾳ, Nationes conterminas vicinasque Italiæ. [Inscr. Adulit. ap. Cosmam Topogr. Christ. p. 143, B: Τὰ ἔθνη τὰ ὁμοροῦντα τῇ ἐμῇ γῇ. Diodoro 13, 81, restitui ὁμοροῦντες τῇ τῶν Καρχηδονίων ἐπικρατείᾳ, ubi libri ὁρῶντες τὴν... ἐπικράτειαν. Hesych. interpr. Ὁμοροῦσα etiam πλησιάζουσα, quod vertere licet etiam Coeuntem, de qua signif. et forma Ionica Ὁμουρέω v. infra.]

[Ὁμορία, ἡ, Confinium, Vicinia, esse videtur ap. Philodem. Vol. Hercul. part. 1, p. 20 penult.: Ὁμορίας καρποῦσθαι. L. Dind.]

[Ὁμόριος Ζεύς, ap. Polyb. 2, 39, 6, Conterminus.]

Ὁμορίτας, Hesychio ἄρτος ἐκ πυροῦ διῃρημένου γεγονώς, pro quo supra ἀμορίτης. [V. Ὁμοῦρα.]

Ὅμορος, ὁ, ἡ, Conterminus, Confinis, Finitimus, [Confinalis, Adfinis add. Gl.] πρόσοικος. [Thuc. 6, 2: Ὅμοροι τοῖς Σικανοῖς οἰκήσαντες· 6: Ὅμοροι ὄντες τοῖς Σελινουντίοις· et absolute 78. Xenoph. Cyrop. 3, 1, 33: Οἱ ὅμοροι Χαλδαῖοι· H. Gr. 6, 1, 38: Δυσμενεῖς ὄντας ὑμῖν Θηβαίους καὶ ὁμόρους οἰκοῦντας· 40: Ὅμοροι οἰκοῦντες. Isocr. p. 54, E: Ὅμοροι προσοικοῦντες ἡμῖν.] Aristot. Polit. 7: Τὴν πρὸς τοὺς ὁμόρους ἔχθραν. Isocr. [p. 69, E]: Τῶν ὁμόρων ἐπάρχειν, Finitimis imperare. [Id. p. 67, E: Τῇ αὐτῶν πόλει τοὺς ὁμόρους· 300, A: Τούτων τυχεῖν ὁμόρους ὄντας.] Herodian. 3, [2, 12]: Ἐπὶ τὴν Βιθυνίαν ὅμορον οὖσαν, Ad Bithyniam finitimam regionem. Sic Demosth. [p. 18, 5]: Χώραν ὅμορον καὶ δύναμίν τινα κεκτημένους. Isocr. Ad Phil. [p. 410, D]: Ἐπιστάμενον ὅτι τὴν μὲν χώραν Θετταλοὶ, τὴν δὲ δύναμιν ἡμεῖς ὅμορόν σοι τυγχάνομεν ἔχοντες. Alicubi vero etiam ἡ ὅμορος absolute ponitur pro ἡ ὅμορος χώρα, ut ap. Dem. Idem dixit etiam ὅμορος πόλεμος [p. 24, 10; 307, 17]: Ἐπειδὰν δὲ ὅμορος πόλεμος συμπλακῇ, In finitima regione: cui opp. ὑπερόριος. Et ὅμορος πόλις, Pollux [9, 8]. Dicitur quoque ὅμορος Is qui vicinus nobis est, cujus ager nostro est ὁμοτέρμων, Confinis s. Conterminus. Epigr.: Ἐτάφη μισθῷ πρός τινα τῶν ὁμόρων, Juxta prædium vicini sui. Τὸ ὅμορον neutraliter et substantive pro Confinia. Thucyd. 6, p. 226 [c. 88]: Τοῖς δὲ Συρακουσίοις ἀεὶ κατὰ τὸ ὅμορον διάφοροι· solent enim finitimi litigare inter se de finibus. [Construitur tam cum genitivo, ut Xenoph. Cyrop. 4, 2, 1: Ὑρκάνιοι ὅμοροι τῶν Ἀσσυρίων εἰσί· quam cum dat., ut 5, 2, 25: Σάκαι ὅμοροι ἡμῖν, et in locis supra citatis et alibi. Liban. Vita Demosth. p. 5, 1: Οἱ Φωκεῖς ἔθνος ὅμορον τῇ Εὐβοίᾳ, ubi diceretur de transmarinis, nisi omnino ineptum esset Εὐβοίᾳ, et Βοιωτίᾳ scribendum cum H. Wolfio.]

[Ὁμοροφέω, Sub eodem tecto vivo. Fab. Æsop. 149, p. 346 Cor.: Ἀηδόνα τοῖς ἀνθρώποις συνεῖναι καὶ ὁμοροφεῖν, pro ὁμωροφεῖν. V. Lobeck. ad Phryn. p. 709.]

[Ὁμοροφία, ἡ, Contubernium, Gl. Scribendum ὁμωροφία.]

Ὁμορόφιος, ὁ, Sub eodem tecto habitans, Contubernalis. Antiphon [p. 130, 32]: Ἵνα μὴ ὁμ. γένηται τῷ αὐθέντῃ. [Diog. L. 9, 17: Ὁμοροφίους χελιδόνας μὴ ἔχειν. Galen. vol. 13, p. 931, F: Οἰκοδίαιτοι καὶ ἡμῖν ὁμορόφιοι. Pollux 3, 61, ap. quem alibi rectius scribitur ὁμωρόφιος, quod v.]

Ὁμόῤῥειθρος, ὁ, ἡ, quum alioqui sonet Una cum alio fluenta habens, Conjuncta fluenta habens: in Pand. Græc. vocatur Qui ex eodem rivo ducit aquam, i. e. Rivalis, Bud.

Ὁμόῤῥητος, ὁ, ἡ, Uno eodemque ore dictus, Concors, Nonn. [Jo. c. 1, 180.]

Ὁμοῤῥοή, ἡ, Confluvium, VV. LL.

Ὁμοῤῥοθέω sonat, q. d. Constrepo, i. e. Una strepitum aut sonitum edo, vel simul: ut ὁμοῤῥοθοῦντες Hesych. exp. ὁμόηχοι: sed ei præfigit ὁμοφωνοῦντες, Consentientes, ad verbum, Eandem vocem edentes. Sic certe ap. Soph. Ant. p. 235 meæ ed. [536]: Δέδρακα τοὔργον, εἴπερ ἥδ' ὁμοῤῥοθεῖ, schol. exp. συμφωνεῖ. Sed ὁμοῤῥοθεῖν dicuntur etiam remiges, quum eorum remi consurgunt, ut loquitur Ovid., et uno velut consensu remigant; nam exp. etiam τὸ ἅμα καὶ συμφώνως ἐρέσσειν. Interdum vero pro Adjuvo, Auxilior, in

qua signif. convenit cum Ἐπίῤῥοθος, de quo suo loco. A
Vide schol. Aristoph. [Av. 852, ubi poeta Sophoclis ex Peleo verbis utitur : Ὁμορροθῶ, συνθέλω. Eur. Or. 530 : Ἓν οὖν λόγοισι τοῖς ἐμοῖς ὁμορροθεῖ. Hippocr. p. 598, 42 : Καὶ ἢν τὰ ἀπὸ τοῦ ἀνδρὸς ἀπιόντα ὁμορροθῇ κατ' ἴξιν τῷ ἀπὸ τῆς γυναικὸς, Si recta concurrerint. Orph. Arg. 254 : Ὑπὸ στέρνοισι κάλωας βρίσαθ' ὁμορροθέοντες. « Ælian. De anim. 6, 32 : Κρότῳ ὀστράκων ὁμορροθοῦντι πρὸς τὸ μέλος. » Hemst. Synes. p. 138, C : Φύσιν δὲ ἔχει τὴν ἅπαξ ἐγκεκεντρισμένην εἰς αὐτὸ ψυχὴν ἢ ὁμορροθεῖν ἢ ἕλκεσθαι. L. Dind.]

[Ὁμορρόθιος, ὁ, i. q. ὁμορροθῶν. Marcus Argent. Anth. Pal. 7, 374, 4 : Ἀλλά με δαίμων ἄπνουν αἰθυίαις θῆκεν ὁμορρόθιον πνυταγόρην, Una cum illis jactatum.]

[Ὁμόρροθος, ὁ, ἡ, i. q. præcedens. Theocr. Epigr. 3, 5 : Ἄντρον ἔσω στείχοντες ὁμόρροθοι.]

Ὁμόῤῥοια, ἡ, quasi quis Confluxionem aut Confluentiam dicat. Nam pro eo, quod Latini Confluentem s. plur. Confluentes dicunt, non affertur. Hesych. exp. ἄθροισμα. [Ita HSt. cum Lex. Sept. Sed ap. Hes. est ἄθροια, unde corrigendum Ὁμόρροα, ἀθρόα, ut B
Pergerus vidit.]

Ὁμόῤῥοος, ὁ, ἡ, Simul juncta fluenta habens, Simul fluens, Confluens. [V. Ὁμόρροια.]

[Ὁμόρρυσμος, ὁ, ἡ.] Ὁμορυσμὸς, ὁ, Eosdem habens ῥυσμούς. Hippocr. De anatome [p. 915, H] : Ἀρτηρίη ἐξ ἑκατέρου φαρυγγέθρου τὴν ἔκφυσιν ποιευμένη ἐς ἄκρον πνεύμονος τελευτᾷ, κρίκοις ξυγκειμένη ὁμορυσμοῖς, τῶν περιηγέων ἁπτομένη. [Conf. ὁμοιόρρυσμος, quod et ipsum falso scribitur ὁμοιορρυσμὸς ap. Hippocr.] Ibidem [p. 916, A] utitur subst. Ὁμορυσμίη, dicens, Τὸ δὲ ἧπαρ ὁμορυσμίην μὲν ἔχει τοῖς ἄλλοις ἅπασιν, αἱμορρωδέστερον δέ ἐστι τῶν ἄλλων. Ubi quidam interpr. Vicinitatem.

[Ὁμόρρυτος, ὁ, ἡ, voc. corruptum ap. Nonnum Dion. 47, 261 : Σείριον ὃν καλέουσιν ὁμόρρυτον.]

Ὁμὸς, ἡ, ὸν, Similis : ὅμοιος Hesychio, qui eodem modo accipit hunc l. adespoton : Ἡμῖν δ' ἀμφοτέροισιν ὁμόν. Sic et Hom. Il. Ω, [57] : Εἰ δὴ ὁμὴν Ἀχιλῆϊ καὶ Ἕκτορι θήσετε τιμὴν, Eust. ὁμοίαν : nisi malimus Parem, ἴσην : vel etiam τὴν αὐτὴν, ut in seqq. || Acci- C
pitur interdum pro Idem, ὁ αὐτὸς, Hesych. [Hom. Il. Δ, 437 : Οὐ γὰρ πάντων ἦεν ὁμὸς θρόος · Ο, 209, : Ὁμῇ πεπρωμένον αἴσῃ · Ψ, 91 : Ὄστεα νῶιν ὁμὴ σορὸς ἀμφικαλύπτοι · Ω, 57 : Ὁμὴν τιμήν · Od. Κ, 41 : Ὁμὴν ὁδόν · Ν, 354 : Ὁμὸν γένος. Apoll. Rh. 4, 673 : Οὐδὲ μὲν οὐδ' ἄνδρεσσιν ὁμὸν δέμας, ἄλλο δ' ἐπ' ἄλλων συμμιγέες μελέων. Nicand. Th. 817 : Σηπά γε μὴν πεδανοῖσι ὁμὴν σαύροισιν ἀλύξεις, Salm. restituebat πεδανοῖσιν ὁμὴν. Brunckii Anal. vol. 3, p. 504 : Ὁμὰ χθὼν ἅδε καλύπτει. Quintus 7, 52 : Πάντες ὁμὴν ἀίδαο κέλευθον νισσόμεθα. Tryphiod. 309 : Αὐλοὶ καὶ φόρμιγγες ὁμὴν ἐλίγαινον ἀοιδήν.] Sic ὁμὸν λέχος dicitur Idem lectus, In quem iidem conjuges conveniunt. Il. Θ, [291] : Ἠὲ γυναῖχ', ἥτις [ἥ κέν] τοι ὁμὸν λέχος εἰσαναβαίνει [—οι], In unum eundemque lectum. Sic Hesiod. Theog. [508] : Ἠγάγετο Κλυμένην, καὶ ὁμὸν λέχος εἰσανέβαινεν. Et [Sc. 50] : Οὐχ ἔθ' ὁμὰ φρονέοντε, i. e. οὐχ ὁμοφρονοῦντε, Non amplius idem sentientes. [Callim. fr. ap. Eustath. Il. p. 1317, 18 : Ἑτέρων ἴχνια μὴ καθ' ὁμά. Ubi Bentl. p. 541 Hesychii gl. in Κάθομον positam confert, per- D
peram autem huc trahit Photii et al. glossam Κάθοιμον, καθ' ὁδὸν, de qua dictum in Οἶμος.] Item ὁμὸν νεῖκος dicitur Illud, quo adversarii in idem coeunt s. congrediuntur, Il. Ν, [333] : Τῶν δ' ὁμὸν ἵστατο νεῖκος ἐπὶ πρύμνῃσι νέεσσι, Eust. ὁμοῦ ποιοῦν εἶναι αὐτοὺς, qui idem esse ait cum eo, quod mox sequitur, τῶν ὁμόσ' ἦλθε μάχη, et ἄμυδις ἵστασι : itidemque ὁμοΐον πόλεμον dici ὅτε συναναμιγῶσιν ἀλλήλοις οἱ ἀντίμαχοι. Sed addit Eust. posse et aliter accipi eo in l. ὁμὸν νεῖκος, nimirum pro ἴσῃ μάχῃ : ut idem ibi Hom. dicat quod alibi, Ἴσας ὑσμίνη κεφαλὰς ἔχον. || Ὁμὸν adverbialiter acceptum exp. Similiter, Simili, vel Eodem modo, Una, Simul. [Adv. Ὁμῇ, Simul, Una. Strato Anth. Pal. 12, 234, 4 : Ταῦτα δ' ὁμῇ φθονέων ἐξεμάρανε χρόνος. Christod. Ecphr. 314 : Ἦ καὶ χαλκὸν ἔχευεν ὁμῇ θεὸς εἴδεϊ μορφῆς. V. Ὁμᾶ.] || Composita autem ab ὁμὸς s. ὁμὸν, ut ὁμαίχμος, ὁμόσιτος, et similia, cum suis substantivis reperies, aut in Indice. Ὅμιλος tamen hic ponere commodius visum fuit.

|| Ὁμῶς, Similiter, Simili modo, Uno eodemque modo, Æque, Pariter. Hom. Il. I, [320] : Κάτθαν' ὁμῶς, ὅ, τ' ἀεργὸς ἀνὴρ ὅ, τε πολλὰ ἐοργώς · Od. Θ, [542] : Ἵν' ὁμῶς τερπώμεθα πάντες Ξεινοδόκοι καὶ ξεῖνοι · Il. Α, [196] : Ἄμφω ὁμῶς φιλέουσα. [Φ, 162 : Ἦ ἄρ' ὁμῶς καὶ κεῖθεν ἐλεύσεται · Od. Δ, 775 : Μύθους ὑπερφιάλους ἀλέασθε πάντας ὁμῶς · Λ, 565 : Ἔνθα χ' ὁμῶς προσέφη κεχολωμένος, ἦχεν ἐγὼ τόν · Ο, 34 : Νυκτὶ δ' ὁμῶς πλείειν · 476 : Ἐξῆμαρ μὲν ὁμῶς πλέομεν νύκτας τε καὶ ἦμαρ. Hesiod. Op. 3 : Ὁμῶς ἄφατοί τε φατοί τε · Th. 74 : Εὖ δὲ ἕκαστα ἀθανάτοις διέταξεν ὁμῶς. Pind. Ol. 8, 56 : Καὶ Νεμέᾳ γὰρ ὁμῶς ἐρέω ταύταν χάριν · Pyth. 8, 6 : Ἔρξαι τε καὶ παθεῖν ὁμῶς · etc., aliique poetæ epici et lyrici. Tum Tragici, Æsch. Prom. 736 : Ὁ τῶν θεῶν τύραννος ἐς τὰ πάνθ' ὁμῶς βίαιος · Eum. 388 : Δερχομένοισι καὶ δυσομμάτοις ὁμῶς · 692 : Τό τ' ἦμαρ καὶ κατ' εὐφρόνην ὁμῶς. Soph. Aj. 1372 : Κἀκεῖ κἀνθάδ' ὢν ἔμοιγ' ὁμῶς ἔχθιστος ἔσται. Abundantius Dionys. Per. 1098 : Ξυνῇ ὁμῶς μάλα πάντας ἐπωνυμίην Ἀρηνούς.] Interdum cum dat. construitur, et tunc redditur Æque ac, Perinde ac, Tanquam, Non aliter ac, Non minus quam, vel simili alio loquendi genere. Od. Ξ, [156] : Ἐχθρὸς γάρ μοι κεῖνος ὁμῶς Ἀΐδαο πύλῃσι γίγνεται · Il. Ε, [536] : Ὃν Τρῶες ὁμῶς Πριάμοιο τέκεσσι τῖον. [In prosa Herodot. 8, 74 : Οἱ μὲν δὴ ἐν τῷ Ἰσθμῷ τοιούτῳ πόνῳ συνέστασαν ... οἱ δὲ ἐν Σαλαμῖνι ὁμῶς ταῦτα πυθόμενοι ἀρρώδεον.]

[Ὁμόσαρχος, ὁ, ἡ, Ejusdem carnis, Una caro cum alio. Cyrill. Alex. In Malach. 2, p. 845, de uxore : Ἐννόησον ὅτι αὕτη κοινωνός σου καὶ γυνὴ διαθήκης σου, τουτέστιν ὁμόσαρκός σοι καὶ κατὰ νόμον συνῳκισμένη. Suicer.]

Ὁμόσε, Eundem in locum, Eodem, [Simul, Gl.] εἰς τὸν αὐτὸν τόπον, Hesych. hoc in l. : Τῶν πάντων ὁμόσε στόματ' ἔτραπε, ex Hom. Il. Μ, init., ubi de fluviis sermo est. Ὁμόσε πορεύεσθαι accipitur pro Convenire, Conditionem accipere, Bud. ap. Dem. p. 204 [1287, 18] : Ὡς ἑώρα ἡμᾶς ὁμόσε πορευομένους · sed notandum in vulg. editt. legi ὁμόσαι. Frequenti in usu est ὁμόσε ἰέναι s. χωρεῖν pro Concurrere, Hostili et infesto impetu congredi, Pedem conferre, Obviam ire; solent enim hostes aut adversarii prælium certamenque inituri, eundem in locum concurrere : sic Eust. ὁμόσε χωρεῖν exp. συμβάλλειν κατὰ μάχην. [Aristoph. Lys. 451 : Ὁμόσε χωρῶμεν αὐταῖς · Eccl. 862 : Ὁμόσ' εἶμι κύψας · 876 : Βαδιστέον ὁμόσ' ἐστί.] Thuc. 4, p. 132 [c. 29] : Εἰ δ' αὖ ἐς δασὺ χωρίον βιάζοιτο ὁμόσε ἰέναι, schol. εἰς χεῖρας καὶ πλησίον, ἤτοι συστάδην μάχης. Id. [2, 62] : Ἰέναι δὲ τοῖς ἐχθροῖς ὁμόσε μὴ φρονήματι μόνον, ἀλλὰ καὶ καταφρονήματι. Sic Xen. Symp. [2, 13] : Ποιήσει πάντας Ἀθηναίους τολμᾶν ὁμόσε ταῖς λόγχαις ἰέναι. Id. [Cyrop. 3, 3, 57] : Ὁμ. τοῖς ἐναντίοις ἰέναι, Cum hostibus congredi, concurrere, etiam Occurrere, Obviam ire : sicut ap. Eust. p. 935 : Ὁμ. ἦλθεν ὁ δεῖνα τῷ δεῖνι, pro ἀντικατέστη ὡς εἰς πόλεμον : et ὁμόσε ἦλθε τοῖς λόγοις, s. ἀντιλογίαις. [Ex Eur. Or. 921 : Ξυνετὸς δὲ χωρεῖν ὁμόσε τοῖς λόγοις θέλων. Plato Reip. 10, p. 610, C : Ἐάν τις ὁμόσε τῷ λόγῳ τολμᾷ ἰέναι.] Dicitur et ὁμόσε χωρεῖν itidem ut ὁμόσε ἰέναι, quemadmodum et paulo ante admonui : cui opp. ὑποχωρεῖν. Gregor. : Ὁμ. χωρεῖν καὶ ὠθίζεσθαι · quem l. citans Bud., subjungit ei hunc Sallustianum, Sæpe obviam eundo periculis. [Sæpe et cum hoc verbo et cum verbis γίγνεσθαι, ἐλαύνειν, ἔρχεσθαι, θεῖν, φέρεσθαι conjungit etiam Xenophon, et Plato improprie Euthyd. p. 294, D : Τῷ δὲ ἀνδρειότατα ὁμόσε ᾔτην τοῖς ἐρωτήμασιν.] Plut. Anton. [c. 53] : Αἰσθομένη δὲ ἡ Κλεοπάτρα τὴν Ὀκταβίαν ὁμόσε χωροῦσαν αὐτῇ, i. e., inquit ille, Retrahere volentem Antonium ab ea. Theseo [c. 10] : Ὁμ. φήμῃ βαδίζοντες, Famæ obviam euntes. Et Dem. [p. 444, 26] : Ὁμόσε ἐφώρμουν. Sic dicitur et ὁμόσε φέρεσθαι, pro Manum conserere, Aggredi, Grassari in aliquem, Bud. ap. Xen., addens et hunc Platonis [Euthyd. p. 294, D] locum, Ὥσπερ οἱ κάπροι οἱ πρὸς τὴν πληγὴν ὁμόσε ὠθούμενοι. Dicuntur etiam ὁμόσε γίγνεσθαι, qui jam ad manus venerunt. Xen. Cyrop. 1, [2, 10] : Παίειν μὲν γὰρ δεῖ τὸν ὁμόσε γιγνόμενον. Sed et μάχη aliquorum ab Hom. ὁμόσε ἔρχεσθαι dicitur, quum pedes conferunt et infestis manibus confligunt. Iliad. Ν, [337] : Ὡς ἄρα τῶν ὁμόσ' ἦλθε μάχη, μέμασαν δ' ἐνὶ θυμῷ Ἀλλήλους καθ' ὅμιλον ἐναιρέμεν ὀξέϊ χαλκῷ, ubi τῶν ὁμόσ' ἦλθε μάχη dixit quod prosæ scriptor ὁμόσε ἐχώρουν, ὁμόσε ἐφέροντο, ἐφώρμων.

[Ὁμόσημος, ὁ, ἡ, Qui ejusdem est significationis. Gramm. Barocc. in Anecd. Bekk. p. 1372, a. Boiss.]

Ὁμοσθενής, ὁ, ἡ, Iisdem præditus viribus, Æque validus. [Nonnus Jo. c. 21, 62 : Χερσὶν ὁμοσθενέεσσι. Jo. Damasc. vol. 1, p. 679, E, item in carmine. L. D. Jo. Chrys. In Matth. hom. 59, vol. 2, p. 378, 21 : Πῶς δὲ καὶ ἀναιρήσει τὰ ὁμότιμα καὶ ὁμοσθενῆ καὶ ὁμήλικα; Seager.]

Ὁμοσίπυοι, οἱ, αἱ, a Charonda ap. Aristot. dicti sunt Conjuges, quasi Compenuarii, i. e. Ex uno penu victitantes, et ex arca una panaria, Polit. 1 non procul a principio [c. 2. Vitiose Hesychius : Ὁμοσίπται, ὁμοτράπεζοι.]

Ὁμοσιτέω, Una cibum capio, Simul vescor, Herodot. [1, 146 : Ὁμοσιτῆσαι τοῖσι ἀνδράσι.]

Ὁμόσιτος, ὁ, ἡ, Qui cibum cum aliquo capit, Convictor : Hesychio ὁμόσιτοι, ὁμοτράπεζοι : [Phot. s.] Suid. autem Ὁμόσιτον, ὁμοῦ τρεφόμενον, Qui una cum aliquo alitur. Pro ὁμοτράπεζος utitur Herodot. p. 266 meæ edit. [7, 119] : Ταῦτα μὲν δὴ αὐτῷ τε βασιλέϊ καὶ τοῖσι ὁμοσίτοισι μετ' ἐκείνου ἐπεποίητο. [Plut. Mor. p. 643, D. Pollux 3, 61; 6, 8, 12, 155.]

Ὁμόσκευος, ὁ, ἡ, Qui iisdem σκεύεσιν s. armis utitur [ὁπλισμῷ Hesych.], Simile armorum genus gestans. Thuc. 2, [96] : Καὶ οἱ ταύτῃ ὅμοροί τε τοῖς Σκύθαις καὶ ὁμόσκευοι, Eodem cultu armaturaque eadem utuntur : qui locus ab Polluce [10, 14, memorante etiam 6, 155] quoque citatur, sed mendose in vulgatis ejus editt. scriptus. Sic idem Thuc. 3, [95] : Ὄντες ὅμοροι τοῖς Αἰτωλοῖς καὶ ὁμόσκευοι. [Dionysius A. rh. 8, 11, p. 302, 8 : Ξενοφῶν ἐν τῇ Παιδείᾳ βουλόμενος τοὺς ἐκ τοῦ δήμου τῶν Περσῶν ὁμοσκεύους ποιῆσαι τοῖς ὁμοτίμοις, pro ὁμοσκήνους, ut ostendit l. Xen. in Ὁμοσκηνόω cit.]

[Ὁμοσκηνέω. V. Ὁμοσκηνόω.]

Ὁμοσκηνία, ἡ, In eodem tentorio s. tabernaculo habitare, Contubernium, Xen. [Cyrop. 2, 1, 26.]

Ὁμόσκηνος, ὁ, ἡ, Qui in eodem tentorio s. tabernaculo habitat, Contubernalis. [Dionys. A. R. 1, 55; 6, 74. Charito 4, 2 : Τοὺς ὁμοσκήνους. « Chrysost. Hom. 2 ad pop. Antioch. : Πολέμιός ἐστιν ὁμόσκηνος, ἐχθρὸς σύνοικος· hom. 10, t. 5 : Γέγονας διὰ φιλοξενίας καὶ θεῷ καὶ ἀγγέλοις ὁμόσκηνος· hom. 110, t. 6, p. 832 : Τὴν νηστείαν τὴν τῶν ἀγγέλων ὁμόσκηνον, et similiter Basil. 2 De jejunio p. 336. » Suicer. Dionys. ap. Euseb. 7, 21, vocat fideles ὁμοσκήνους καὶ συμψύχους ἀδελφούς. Suic. fil. Suppl. Thes. Pollux 6, 155. « Suidas v. Ὁμορόφιον. » Boiss.]

Ὁμοσκηνόω, In eodem tentorio s. tabernaculo habito, Contubernalis sum in militia. Xen. Cyrop. 2, [1, 25] : Ἐν δὲ τῷ ὁμοσκηνοῦν ἐδόκουν αὐτῷ ὠφελεῖσθαι πρὸς τὸν μέλλοντα ἀγῶνα. Suid. hunc l. citans in Συσκηνία, legit ὁμοῦ σκηνοῦν. Idem [l. c.] : Ἀλλήλοις ὁμοσκηνοῦντες. Quod ὁμοσκηνοῦντες potest deduci etiam ab Ὁμοσκηνέω, ut συσκηνέω.

[Ὁμόσκιος, ὁ, ἡ, epitheton μνήματος pluribus recipiendis destinati. Lapis in Brurckhardti *Reisen durch Syrien* vol. 1, p. 147, ex certissima Seidleri et Reisigii conjectura, a nobis firmata in Jahnii Annall. phil. ann. 4, fasc. 10, p. 184. Osann.]

[Ὁμόσκοτος, ὁ, ἡ, Qui in iisdem tenebris est. Greg. Naz. in Tollii Insign. p. 82, carm. 3, v. 4. Boiss.]

[Ὁμόσπλαγχνος, ὁ, ἡ, Ejusdem visceris, Cognatus. Æsch. Sept. 889 : Ὁμοσπλάγχνων πλευρωμάτων. Soph. Ant. 511 : Οὐδὲν αἰσχρὸν τοὺς ὁμοσπλάγχνους ... σέβειν. Justin. Mart. Dial. c. Tryphone p. 143, B : Ὁμοσπλάγχνοις καὶ ἀδελφοῖς.]

[Ὁμοσπονδέω, Sum ὁμόσπονδος, quod v. Pollux 1, 34.]

Ὁμόσπονδος, ὁ, ἡ, Libaminum consors, Fœdere conjunctus, Confœderatus, [Fœderatus, Gl.] Confœdustus; antiquis enim Confœdusti dicebantur, teste Festo, Fœdere conjuncti. Hesych., [Phot.] et Suid. exp. φίλος. [Herodot. 9, 16 : Ἐπεὶ νῦν ὁμοτράπεζός τέ μοι καὶ ὁμ. ἐγένεο.] Dem. [p. 321, 14] : Μήθ' ὁμορόφιον [ὁμωρ.] μήθ' ὁμόσπονδον γεγενημένον εἶναι τοῖς πρὸς ἐκείνους παραταξαμένοις. [« Phanodem. ap. Athen. 10, p. 437, C, D. » Hemst. Orac. Sib. 5, 238 : Σπειρομένης ἀκτῖνος ὁμοσπόνδοιο προφητῶν. Greg. Naz. vol. 2, p. 206, D :

A Ὁμ. τοῖς κάτω φανείς. Pollux 1, 34; 3, 61; 6, 30, 155.]

Ὁμόσπορος, ὁ, ἡ, Simul seminatus s. satus, Eadem stirpe satus, Eodem sanguine natus, ὁ ἐκ τοῦ αὐτοῦ σπέρματος γεγονώς, ut Plut. loquitur : unde ap. Hesych. ὁμόσποροι, ἀδελφοί. [Hom. H. Cer. 85 : Αὐτοκασίγνητος καὶ ὁμόσπορος. Pind. Nem. 5, 43 : Ὁμόσπορον ἔθνος, et sæpe ap. Tragicos, ut Æsch. Sept. 820 : Βασιλέοιν ὁμοσπόροιν· 931 : Χερσὶν ὁμοσπόροισιν· Ag. 1509 : Βιάζεται δ' ὁμοσπόροις ἐπιρροαῖσιν αἱμάτων· Cho. 242 : Τῆς τυθείσης νηλεῶς ὁμοσπόρου· Soph. Trach. 212 : Τὰν ὁμόσπορον, et utroque genere sæpe Euripides, Antiphanes ap. Athen. 10, p. 444, C.] || Item ὁμόσπορος active accipitur pro ὁ τὴν αὐτήν τινι σπείρων γυναῖκα, Qui eandem mulierem semine implet, i. e. cum eadem muliere rem habet cum qua alius : quo modo accipit schol. Soph. OEd. T. [460] : Φανήσεται δὲ παισὶ τοῖς αὐτοῦ ξυνὼν Ἀδελφὸς αὐτὸς καὶ πατήρ· κἀξ ἧς ἔφυ Γυναικός, υἱὸς καὶ πόσις· καὶ τοῦ πατρὸς Ὁμόσπορός τε καὶ φονεύς. [260 : Ἔχων δὲ λέκτρα καὶ γυναῖχ' ὁμόσπορον,
B de OEdipo communem cum Laio habente uxorem Iocastam, ubi passive dicitur, ut altero loco active.]

[Ὁμόσσυτος, ὁ, ἡ, Simul excitatus. Nonn. Dion. 45, 217 : Ὁμόσσυτος ἤιε Κάδμῳ.]

[Ὁμοστεγέω, Eadem domo utor. Basil. Sel. Thecl. Vit. p. 298 : Ὁμοστεγεῖν καὶ συνοικεῖν. Hemst.]

Ὁμόστεγος, ὁ, ἡ, Sub eodem tecto habitans, Contubernalis. Gregor. Naz. : Ὁμόστεγοι, ὁμοδίαιτοι. [Id. Carm. p. 8, C; Amphil. p. 184. Kall.]

[Ὁμοστεφής, ὁ, ἡ, Ejusdem comæ consors. Andreas Cret. p. 173. Kall.]

[Ὁμοστιβής, ὁ, ἡ, proprie, Qui iisdem incedit vestigiis : metaph. Consentiens, Concors. Cyrill. Alex. 11, 12, In Jo. 18, 19, p. 1024 : Ἐρωτᾷ περὶ τῆς διδαχῆς αὐτοῦ, πότερόν ποτε τοῖς διὰ Μωσέως ἀπῳδός ἐστι νόμοις, ἤγουν τοῖς πάλαι τεθεσπισμένοις ὁμοστιβὴς καὶ σύνδρομος, Interrogat de doctrina ejus, num a lege per Mosen data dissentiat, an vero cum iis, quæ olim divinitus præcepta sunt, consentiat et concurrat. Corrigendus hinc Hesych., ap. quem Ὁμόστιβοι, συμπράττοντες. Re-
C stituendum ὁμοστιβεῖς, Una laborantes, Rei gerendæ socii, Consentientes. Quemadmodum enim dicitur ἀστιβής, εὐστιβής, περιστιβής, ita etiam ὁμοστιβής. Suic.]

[Ὁμόστιβος. V. Ὁμοστιβής.]

[Ὁμόστιξ, ἴχος, ὁ, ἡ, memorat Chœrob. vol. 1, p. 310, 33; 312, 19; 343, 8, et interpretatur ἡ ἅμα τινὶ πορευομένη, Comes.]

Ὁμοστιχάω sive Ὁμοστιχέω, Simul procedo, Una eo, Comitor. Prioris verbi nulla afferuntur exempla, posterioris autem, hoc ex Nonno : Ὠμάρτησεν ὁμοστιχέων. [V. Ὁμοστιχής.] Sed et prius auctorem habet ipsum Hom. Il. O, [635] : Πρώτῃσι καὶ ὑστατίῃσι βόεσσιν Αἰὲν ὁμοστιχάει, de pastore.

[Ὁμοστιχής, ὁ, ἡ, Simul incedens. Nonn. Jo. c. 10, 143 : Ἄσπετος ὡμάρτησεν ὁμοστιχέων χορὸς ἀνδρῶν.]

Ὁμόστιχος s. Ὁμόστοιχος, ὁ, ἡ, Qui ejusdem versus s. ordinis est, In eodem versu s. ordine locatus. [Theophrast. C. Pl. 6, 6, 3 : Μεταβάλλει ἐκ τῶν στερητικῶν (χυλῶν) εἰς τοὺς κατ' εἶδος οἷον ἐκ πικρῶν καὶ στρυφνῶν εἰς γλυκεῖς καὶ λιπαροὺς καὶ εἴ τις ἄλλος ὁμόστοιχος.] Ap.
D Plut. [Mor. p. 503, D] : Μανίᾳ γὰρ ὁμόστοιχος μὲν ἡ ὀργή, exp. Comes. Quæ interpr. si vera est, ὁμόστοιχος hoc ab ὁμοστοιχέω s. ὁμοστοιχάω derivandum potius foret quam a στοῖχος. [Recte in ed. Par. receptum quod voluerat jam Mezir. ὁμότοιχος, et vel proximum postulat σύνοικος. Ephræm ap. Phot. Bibl. p. 258, 25 : Ἀπολιναρίου καὶ τῶν ὁμοστοίχων αἱρετικῶν ἀθέων. Hermias In Plat. Phædr. p. 96. « Epiphan. Ancor. p. 67, § 64 : Ὁμόστοιχος καὶ ὁμοούσιός ἐστιν ἡ ἁγία τριάς, Ejusdem ordinis et substantiæ. » Suicer. Suppl. Thes. Ap. eund. Epiphan. ὁμόστιχον vol. 1, p. 11, D. || Adv. Ὁμοστοίχως, Epiphan. vol. 2, p. 31, A. L. Dind. Const. Apost. 2, 5. Kall.]

Ὁμόστολος, ὁ, ἡ, Qui simul στέλλεται, i. e. Qui simul mittitur s. proficiscitur, Comes. [Soph. OEd. T. 212 : Μαινάδων ὁμόστολον.] Apoll. Arg. 2, [802] : Ὁμόστολον ὔμμιν ἔπεσθαι, Vos comitari, deducere. [3, 558 : Ἦ ῥα γυναιξὶν ὁμόστολοι ἐνθάδ' ἔβημεν.] Item Nonn. [Jo. c. 9, 10] : Ὁμόστολος ἑσμὸς ἑταίρων, Caterva sociorum una iter faciens. Idem dicit etiam ὁμόστολον οἶμον ὁδεύειν, pro Una iter facere. [Et c. 14, 69 : Ὁμόστολον ἔσται ὑμῖν· c. 18, 16 : Ὁμόστολος ἀνήρ. Συμπράττοντες interpr. Hesych. || Similis. Æsch. Suppl. 496 : Μορφῆς δ' οὐχ ὁμ. φύσις.]

Ὁμόστοργος, ὁ, ἡ, Eodem amore prosequens, Concors in amore, ex Nonno [Jo. c. 14, 82, ἀρθμῷ· Dion. 3, 391, μενοινῇ. Wakef.]

[Ὁμοσύζυξ, ὕγος, ὁ, ἡ, Consors jugi, et in plur. neutr. ὁμοσύζυγα, Philoxenus ap. Athen. 4, p. 147, E. Schw.]

[Ὁμοσυμφωνέω, Gramm. ined. Wakef.]

[Ὁμοσύμφωνος, ὁ, ἡ, Consonus, Consentiens. Athanas. vol. 1, p. 826. Kall.]

[Ὁμόσυνος, quod inter hyperdisyllaba in υνος memorat Arcad. p. 66, 4 : Τὸ μέντοι ὁμόσυνος ἀπὸ μετοχῆς μετήχθη, scribendum videtur ὁμόσυνος.]

Ὁμόσφυρος, ὁ, ἡ, Qui suis σφυροῖς gradiens una cum aliquo iter facit, Comes. Exp. etiam Frater. [Hesychius : Ὁμόσφυροι, συνοδοιπόροι. Ὁμόσφυρος, ἀδελφὴ (vel, ut Alb. malebat, ἀδελφός)· τῆς δὲ τρίτης συλλαβῆς ἐκτεινομένης, δηλοῖ τὸν ὁμόχωρον. Σφύρα γάρ, τῆς σπορίμου γῆς τὸ μέτρον. Suid. : Ὁμόσφυρος, ὁ ἐν τῷ αὐτῷ τὴν πορείαν ποιούμενος. Etym. M. : Ὁμόσφυρος ἀδελφός· διὰ τὸ περὶ τὰ αὐτὰ σφυρὰ τῆς μητρὸς πεσεῖν γεννηθέντα. Hanc signif. pertinere ad ὁμόσπορος monet Kuster.]

Ὁμοσχήμων, ονος, ὁ, ἡ, ut ὁμοιοσχήμων, Uniformis. [In var. script. apud Theophr. H. Pl. 4, 2, 4, pro ὁμοιοσχήμων. « Schol. Ven. Hom. Il. Ψ, 65. » Boiss.]

[Ὁμόσχολος, ὁ, ἡ, Consors scholæ, Condiscipulus. Hesych. Miles. De vir. clar. 39. « Τῶν ὁμοσχόλων κατατρέχων, Suid. in Τυραννίων. » Hemst.]

[Ὁμόσωμος, ὁ, ἡ, Qui est unius corporis cum alio. Theodor. Stud. p. 228, E : Ὅμως ὁμόσωμοι αὐτῆς (ecclesiæ) καὶ τρόφιμοι. L. Dind.]

[Ὁμοτἄγής, ὁ, ἡ, Qui ejusdem est ordinis. Euclid. Elem. 12, 12, vol. 3, p. 175 fin. : Ἑκάστη τῶν ὁμοταγῶν πυραμίδων πρὸς ἑκάστην ὁμοταγῆ πυραμίδα τριπλασίονα λόγον ἕξει. L. D.] Ὁμοταγεῖς, Qui ejusdem sunt ordinis, οἱ ἐν τῷ αὐτῷ τάγματι [Hesychio]. Chrys. De sacerd. [3, vol. 6, p. 20, 23] et Dionys. Areop. [Epist. 8, p. 448 antep.; p. 457, 4. Boiss. Etiam ap. philosophos, ut Proculum Instit. theol. § 21 et § 108. Creuzer. Ὁμοταγὴς τῇ ἀνδρείᾳ ἡ σωφροσύνη, Andron. Paraphr. Eth. Nicom. p. 105. Hemst. Theodor. Stud. p. 330, E : Ὡς Πέτρος ἢ Παῦλος σὺν τοῖς ὁμοταγέσιν. L. D. Julian. Or. 4, p. 144, D : Ἔργα ὁμοταγῆ ταύταις. || Adv.] Ὁμοταγῶς, Eodem ordine, Eadem serie. [Nicet. Paphl. p. 13 in Martyrum Triadi edita a Combef. Paris. 1666. Boiss.]

[Ὁμοτάλαντος, ὁ ἡ, Qui ejusdem ponderis est. Eust. aliique grammatici in expl. voc. ἀτάλαντος Hom. Il. B, 169.]

[Ὁμότἄφος, ὁ, ἡ, Ejusdem sepulcri particeps. Æschines p. 20 extr. : Περὶ τοῦ ὁμοτάφους αὐτοὺς γενέσθαι. Plut. Mor. p. 359, B.]

[Ὁμοτἄχής, ὁ, ἡ, Æque celer. Aristot. De cœlo 2, 7, p. 289, 9 : Ἕκαστον ὁμοταχὲς ἔσται τῷ κύκλῳ καθ' ὃν φέρεται. L. D. Strabo 2, p. 97, 110. Pro quo Ὁμόταχος, ὁ, ἡ, ap. Heliod. Æth. 10, 29, init. : Τὸν δρόμον οὕτως ὁμόταχον ῥυθμίζων.]

[Ὁμόταχος. V. Ὁμοταχής.]

Ὁμοταχῶς pro ὁμοιοταχῶς affertur, i. e. Simili velocitate.

[Ὁμοτέλευτος vitium scripturæ pro ὁμοιοτέλευτος, quod v.]

[Ὁμοτελής, ὁ, ἡ.] Ὁμοτελεῖς, Qui idem tributum pendunt. [Hesychius : Ὁμοτελεῖς, οἱ ἀπὸ τῶν αὐτῶν τιμημάτων. Pollux 3, 56. Ad quod voc. referenda videtur Photii ab Suida et Timæo Lex. Plat. repetita interpretatio τοὺς ὁμοῦ τὰ τέλη ἔχοντας, nunc in Ὁμοτέρμονας posita. Psellus Synops. 1370 : Μετ' αὐτοὺς ὁμοτελεῖς συμπαρατεθειμένοι· 1372 : Τυγχάνουσι δ' ὁμοτελεῖς, ὡς ἤρεσε τοῖς νόμοις, ὁμοῦ πάντες οἱ τῆς αὐτῆς ὁποταγῆς τυχόντες, κἂν διαφόρων ἔχωσι τελέσματα τοπίων. L. D. || Adv. Ὁμοτελῶς, Niceph. Blemm. Epit. phys. p. 199.]

Ὁμοτέρμων, ονος, ὁ, ἡ, Conterminus, ὅμορος, πλησιόχωρος, Finitimus, Vicinus. Nonn. : Ὁμοτέρμονες ἄνδρες ἐρήμου, Vicini deserto, Quorum fines cum deserto coeunt. [Id. Jo. c. 7, 12 : Ἰουδαίης ὁμοτέρμονα γαῖαν.] Legitur et ap. Plat. Leg. [8, p. 842, E. Dionys. A. R.

A 1, 9, 26; 5, 50; 11, 3. Schol. Apoll. Rh. 1, 419, vel potius poeta ap. eum : Τὴν ὁμοτέρμονα Σικελίας νῆσον.]

Ὁμοτεχνέω, Sum ὁμότεχνος, Eandem artem profiteor s. factito. Hippocr. [p. 1285, C] : Οὔτε δὲ οἱ πάσχοντες ἐξομολογέειν ἐθέλουσιν, οὔτε οἱ ὁμοτεχνέοντες μαρτυρέειν, Nec ægri sanati id fateri volunt, nec alii medici. [Ὁμοτεχνεῦντες scriptum ap. Hipp.]

Ὁμότεχνος, ὁ, ἡ, [Ejusdem artis, Gl.] Qui eandem artem profitetur, Ejusdem artis opifex. [Cum genit. Plato Charm. p. 171, C : Τὸν αὐτοῦ ὁμότεχνον. Cum dat. Plato Theag. p. 125, E : Ὁμότεχνος Καλλικράτη· Lach. p. 186, E. Demosth. p. 611, 4 : Τὰς ὁμοτέχνους σοι πόρνας. Hippocr. p. 27, 16 : Ἐφ' οἷς ἂν ἰητρὸς ἀγαθὸς ἀκμάζοι ὁμότεχνος καλεόμενος, Qui probe artem callet, interpr. Foes.] Lucian. [Demon. c. 23] : Ὁμότεχνός εἰμί σοι, Eandem artem factito s. exerceo quam tu, Unam eandemque artem profiteor quam et tu. Legitur et ap. Athen. 14. Et ap. Synes. Ep. 61 : Γένοιτο γὰρ ἄν τις ὁμώνυμος καὶ ὁμότεχνος, Esse enim possit aliquis ejusdem nominis et ejusdem artificii. [Cum genit. Da-
B mochar. Anth. Pal. 7, 206, 1 : Ὁμότεχνε χυνῶν. Photius : Ὁμότεχνον, οὐ σύντεχνον. Thomas M. p. 649 : Ὁμότεχνος, οὐ σύντεχνος. Utrumque memorat Pollux 7, 7. Qui ponit etiam ταῖς πόρναις ὁμότεχνος 6, 126.]

[Ὁμότηθος. V. Ὁμότιτθος.]

[Ὀμότης, ὁ, Jurator, Juratus, Gl. In quibus male ὁμοτής. Inter barytona in οτης Theognost. Can. p. 45, 3 ponit ὀμότης καὶ ξυνωμότης. Et sic Etym. M. p. 258, 3. L. D. Ὀμότης, Anna Comn. p. 301. Elberling.]

[Ὀμοτικὸς, ή, όν, Jurativus. Longin. De subl. 16, 1, σχῆμα.] Ὀμοτικὰ ἐπιῤῥήματα, Adverbia jurandi, ap. grammaticos. [Orig. C. Cels. p. 434, δύναμις. Kall.]

Ὁμοτῑμία, ἡ, Honoris æqualitas, Æqualitas majestatis, Par dignitas. Greg. Naz. vero, Ὁμοτιμία τῆς ἀξίας, pro Par gradus dignitatis. [Jo. Damasc. vol. 1, p. 69, B : Ὁ δὲ Νεστόριος ἄλλας ἐπενόει ἑνώσεις, κατὰ τὴν ἀξίαν φημὶ καὶ ὁμοτιμίαν. Basil. M. vol. 3, p. 36, C : Ἐὰν καθ' ἑαυτὸ ἕκαστον ἀριθμήσῃς, ὁμοτιμίαν ποιεῖς ἐν τῷ ὁμοίῳ τρόπῳ τῆς ἀριθμήσεως· 43, B : Κατὰ τὴν πρὸς ἀλλήλους ὁμοτιμίαν. Firmus in Murat. Anecd. vol.
C 4, p. 297. L. Dind.]

Ὁμότιμος, ὁ, ἡ, i. q. ἰσότιμος, [Collega, Consors, Gl.] Qui in pari et eodem habetur honore, Æque honoratus; interdum etiam Ejusdem conditionis. Hom. Il. O, [186] : Εἴ μ' ὁμότιμον ἐόντα βίῃ ἀέκοντα καθέξει· verba Neptuni, qui dicit inter se, Jovem, et Plutonem, imperium τριχθὰ δεδάσθαι, ἕκαστον δ' ἐμμορέναι τιμῆς. [Theocr. 17, 16 : Τῆνον καὶ μακάρεσσι πατὴρ ὁμότιμον ἔθηκεν ἀθανάτοις. Quod Nonnus Dion. 7, 103 dicit : Μακάρων ὁμότιμος ... ἔσται Διόνυσος.] Apud Persas ὁμότιμοι quidam vocabantur ab honoris æqualitate, quorum mentio ap. Xen. Cyrop. 2, p. 24, 32 [c. 1 et 2 et 3, al.], ubi etiam dicitur eorum βίος fuisse ἔντιμος : p. autem 24 eorum armatura describitur. [Locos Xen. Cyrop. collectos v. ap. Sturz. Lex. Memorat etiam Arrian. Exp. 2, 11, 12; 7, 29, 9, et præter alios Charito 5, 2 init.] A Plutarcho Numa [c. 5] ὁμοτίμων nomine vocantur Senatores Romani, quoniam pari erant honore et dignitate, et veluti patres colebantur a reliquis civibus. [Pollux 6, 155;
D 8, 156. Apud Hesychium excidit caput gl., sed supersunt interprett. ὁμόδοξος, ἰσότιμος, ὅμοιος.] Interdum cum gen. s. accus. construitur. Plut. Fab. [c. 9] : Τὸν δὲ Μινούκιον ἐψηφίσαντο, τῆς στρατηγίας ὁμότιμον ὄντα, διέπειν τὸν πόλεμον ἀπὸ τῆς αὐτῆς ἐξουσίας τῷ δικτάτωρι, Parem imperatori muneris honorem habentem, s. dignitatem, Pari in ducendo exercitu et bello administrando auctoritate pollentem. Greg. Naz. : Τὴν ἀσέβειαν ὁμότιμα, pro Impietate æqualia. Affertur et Ὁμότιμον δύναμιν ἔχουσιν, pro Ex æquo potentiam habent.

Ὁμοτίμως, Æquali honore, Pari dignitate. [Galen. vol. 4, p. 169 : Ἀμφοτέροις δὴ ὁμ. συναρθροῦσθαι τὰς πλευράς. Jobius ap. Phot. Bibl. p. 186, 14, Jo. Chrys. ib. p. 520, 14.]

Ὁμότιτθος, ὁ, ἡ, Eadem usus nutrice, Pollux [6, 156] ex Dinarcho. [Photius : Ὁμότιτθον, οὐχ ὁμότιθον, quod ὁμότηθον scribendum apparet, neque ap. Hesychium in gl. inter Ἀγαλλόμενος et Ἀγαλλόμεναι posita : Ἀγάλαξ, ὁμότηθος, esse cur inferatur ὁμότιτθος. L. Dind.]

Ὁμότοιχος, ὁ, ἡ, Communem habens parietem : ut [Æsch. Ag. 1004 : Νόσος γείτων ὁμότοιχος. Antiphanes ap. Stob. Fl. 99, 27 : Λύπη μανίας ὁμότοιχος εἶναί μοι δοκεῖ, ubi codicis ὁμόστοιχος, quod v. Callim. Cer. 117 : Μὴ τῆνος ἐμὶν φίλος εἴη μηδ' ὁμότοιχος. Plato Leg. 8, p. 844, C : Ὁμότοιχον οἰκοῦντα. Diod. 1, 49 : Ὁμότοιχον τῇ βιβλιοθήκῃ κατεσκευάσθαι οἶκον εἰκοσίκλινον. Hesych. in Ὁμοερκής], ὁμότοιχος οἰκία ap. Isæum [p. 60, 17], Domus pariete intergerino s. intermedio discreta, atque ita parietem illum habens communem.

[Ὁμοτονέω, Eundem habeo tonum, accentum. Ammon. De diff. p. 126 : Ὁμοτονεῖ τοῖς βαρυτόνοις τὰ βαρύτονα. Apollon. De pron. p. 12, A; 104, A. Schol. Hom. Il. N, 103. « Nicom. Geras. Harm. p. 26. » Kall. Schol. Ven. Hom. Il. Ψ, 419. Boiss. Eadem intentione utor. Philo Belop. p. 61, B, in Ὁμοτονούντως citandus. Mithridatis Præf. ad Bruti Epist.]

Ὁμότονος, ὁ, ἡ, Eundem semper tenorem servans, Tenorem semper sui similem servans. Et ap. Medicos ὁμότονος πυρετὸς, Febris sibi æqualis ac similis, a principio ad finem usque perseverans. Nam quasi semper in eodem vigore consistit, neque crescens neque decrescens : unde et Ἀκμαστικὸς πυρετὸς alio nomine a medicis appellatur. Galen. Meth. med. 9, hunc μονότονον πυρετὸν, ut et ἐπακμαστικὸν et παρακμαστικὸν, speciem statuit τοῦ συνόχου non putris, quem inter diarias febres recenset : ut eodem auctore ὁμότονος dici possit Quæcunque febris eundem tenorem perpetuo servarit. Hæc Gorr. Et vox ὁμότονος dicitur Quæ tenore sui semper simili sonatur, nec in gravem sonum declinans, nec se in acutum tollens [Δύο δὲ θῶμεν, βαρὺ καὶ ὀξὺ, καὶ τρίτον ὁμότονον, Plato Philebo p. 17, C. Seager.] : quæ et μονότονος, ut docet Cælius Aurel. Acut. 3, 1 : Exclamatio vehemens atque eodem modo perseverans, quam Græci μονότονον vocant. Item ὁμότονος dicitur Æqualiter tentus, contentus. Vitr. 1, 1 : In capitulis enim dextra ac sinistra sunt foramina hemitoniorum, per quæ tenduntur suculis et vectibus ex nervo torti funes, qui non præcluduntur nec præligantur, nisi sonitus ad artificis aures certos et æquales fecerint. Brachia enim quæ in eas tentiones includuntur, quum extenduntur æqualiter et pariter, utraque plagam emittere debent. Quod si non homotona fuerint, impedient directam telorum missionem. Ubi nota eum subjungere, Quod si non homotona fuerint, quum dixisset, Extenduntur æqualiter. Hemitoniorum vero nomine intelligit Funes s. Nervos : ac foramina hemitoniorum appellat Ea foramina per quæ hemitonia trajiciuntur, s. per quæ tenduntur suculis et vectibus ex nervo torti funes : qui funes appellantur et τόνοι. Perperam igitur quidam pro illo Foramina hemitoniorum, reposuerunt Foramina homotona : nonnulli, Foramina homotonorum. Hemitonia autem dici ejusmodi funes, patet ex quodam Heronis loco, quem ex Turn. afferam in Τόνος, qui et ipse illud Hemitoniorum retinet, et itidem interpr. Funium. [Athen. p. 480 (?) : Τὰ εἰς ος λήγοντα τῶν ὀνομάτων ὁμότονά ἐστι, κἂν μεταληφθῇ εἰς τὸ ω παρ' Ἀττικοῖς. Et sæpe sic de accentu apud grammaticos, ut Apollon. De pron. p. 103, C; 104, A. « Marc. Antonin. 1, 14 : Τὸ ὁμότονον ἐν τῇ τιμῇ τῆς φιλοσοφίας. Longin. De subl. 36, 4 : Τὸ μὲν ἀδιάπτωτον ὡς ἐπὶ τὸ πολὺ τέχνης ἐστὶ κατόρθωμα, τὸ δ' ἐν ὑπεροχῇ, πλὴν οὐχ ὁμότονον, μεγαλοφυΐας, βοήθημα τῇ φύσει πάντη πορίζεσθαι τὴν τέχνην. » Valck.]

‖ Ὁμοτόνως, Æquali tenore, Eodem tenore, More eorum quæ æqualiter tensa sunt. [Ὁμοτόνως ὑπὸ τῶν ζευγῶν ἕλκεσθαι, Suid. in Ἀμπρεύοντες. Hemst. Steph. Byz. v. Πάραισος : Ὁμ. τῷ οἰκιστῇ, et sæpius sic apud grammaticos de accentu.]

[Ὁμοτονούντως, Eadem intentione. Philo Belop. p. 61, B : Ἴσως καὶ ὁμοτονούντως ἀλλήλοις, quod paullo ante dixerat οὐχ ὁμοτονούσῃ τῇ τάσει.]

[Ὁμοτόνως. V. Ὁμότονος.]

[Ὁμότοξος, ὁ, ἡ, fingit Steph. Byz. s. v. Ἄβιοι, ad expl. ἄβιος, ut ex α collectivo et βιὸς compositum.]

[Ὁμοτὸς, ὁ, Juratus, ut oxytonon memorat Theognost. Can. p. 75, 29, quod in ὁμωτὸς corruptum 95, 13. Est autem simplex, cujus usitatiora sunt composita, ἀνώμοτος et alia. L. Dind.]

Ὁμοτράπεζος, ὁ, ἡ, Qui eadem mensa utitur, ὁ τῇ αὐτῇ τραπέζῃ χρώμενος : qui et συγκλίτης et σύγκλινος dicitur : item παρακλίτης, ὁμόδειπνος, ὁμόσιτος · et σύσσιτος, ut Pollux docet l. 6, initio. [Id. 3, 61; 6, 155.] Citatur autem [falso pro ξυστράπεζος] ὁμοτράπεζος ex Eur. [Cum dat. Herodot. 3, 132; 9, 16. Schweigh. Xen. Cyrop. 7, 1, 30 : Οἱ ἑταῖροι καὶ ὁμοτρ. Anab. 1, 8, 25 : Πλὴν πάνυ ὀλίγοι ἀμφ' αὐτὸν κατελείφθησαν, σχεδὸν οἱ ὁμ. καλούμενοι · 3, 2, 4 : Κλεάρχῳ καὶ ὁμ. γενόμενος. Plato Leg. 9, p. 868, E; Euthyd. p. 4, B.]

[Ὁμοτρεχὴς, ὁ, ἡ, Simul currens, ad explicandum ἀτρεκὴς fingit schol. Pind. Pyth. 8, 9.]

[Ὁμότρητος, ὁ, ἡ, Simul foratus. Nonn. Jo. c. 19, 94 : Ὁμοτρήτῳ γόμφῳ.]

[Ὁμότριχος, ὁ, ἡ.] Ὁμότριχοι, Qui uno eodemque pilo præditi sunt. [Hesych. v. Ὁμόπτεροι, et Pollux in illo cit.]

[Ὁμοτροπέω, In eadem sum sententia, Iisdem moribus præditus sum. Cyrill. Alex. In Jo. 10, p. 833 : Τοῖς ὁμόφροσι καὶ ὁμοτροπεῖν ἑλομένοις. Suicer. Id. vol. 1, part. 1, p. 32, C, ὁμοτροποῦντος. L. Dind.]

[Ὁμοτροπία, ἡ, Similitudo morum. Dionys. A. R. 4, 28 : Ἔτυχε τῶν γαμβρῶν ἑκάτερος ἐναντίᾳ συναφθεὶς τύχῃ κατὰ τὴν οὐχ ὁμοτροπίαν. Pollux 3, 67.]

Ὁμότροπος, ὁ, ἡ, i. q. ὁμοιότροπος : ut [Pind. Ol. 13, 7 : Δίκα καὶ ὁμότροπος Εἰράνα ·] ὁμότροπα ἤθη, Plato [qui Phæd. p. 83, D, dicit : Ἀναγκάζεται ὁμότροπός τε καὶ ὁμότροφος γίγνεσθαι, quum alterum ex Herodoto infra cit. petiverit Lex. Septemv., in quo recte ἤθεα, non ἤθη], Similes mores. Exp. vero non solum Iisdem præditus moribus, verum etiam Consentaneus. [Herodot. 2, 49 : Τὰ ἐν τῇ Αἰγύπτῳ ποιεύμενα τῷ θεῷ ὁμότροπα ἦν τοῖσι Ἕλλησι · 8, 144 : Ἤθεα ὁμότροπα. Schweigh. Æneas Tact. c. 1, p. 15 : Εἴς τινα ἄλλην ὁμότροπον ταύταις λειτουργίαν. Pollux 3, 61; 6, 155. ‖ Adv. Ὁμοτρόπως, Æneas Tact. c. 12 init. : Διεσκεδάσθαι ὁμ. Nymphod. ap. schol. Soph. OEd. Col. 337 : Ὁμ. ἡμῖν διοικοῦσι. « Diog. L. Pyrrhone 9, 70. » Seager.]

[Ὁμοτροφία, ἡ, Convictus. Joseph. A. J. 18, 6, 1 : Ὁμοτροφίας καὶ συνηθείας αὐτῷ πολλῆς γενομένης πρὸς Δροῦσον.]

Ὁμότροφος, ὁ, ἡ, Simul nutritus, educatus, Convictor, Sodalis, ὁ ὁμοῦ τεθραμμένος, ut Hom. loquitur. [Hom. H. Apoll. 199 : Ἄρτεμις ὁμ. Ἀπόλλωνι · H. Dian. 2 : Παρθένον ἰοχέαιραν ὁμ. Ἀπόλλωνος. L. D. Herodot. 2, 66 : Ὁμότροφα τοῖς ἀνθρώποις θηρία. Schweigh.] Aristoph. dixit etiam ὁμότροφα πεδία, Campos qui aliquos simul alunt, qui alunt ὁμοτρόφους : nam pluribus uno sodalitio conjunctis ager unus aut alter subministrare alimenta potest : Av. [329] : Ὃς γὰρ φίλος ἦν, ὁμότροφά θ' ἡμῖν ἐνέμετο πεδία παρ' ἡμῖν. Ubi schol. ὁμότροφα esse dicit οἷον τὴν αὐτὴν ἡμῖν κατανομὴν νεμόμενα. [Ex. Plat. v. in Ὁμότροπος.]

[Ὁμοτροχάω, Concurro. Manetho 6, 527 : Μέσσῳ δ' ἐν κέντρῳ Θοῦρος σφετέροιο κατ' οἴκου Ἑρμῇ ὁμοτροχάων τέχνας ὤπασσε βαναύσους. V. Ἁματροχάω.]

[Ὁμοτυπία, ἡ, Æqualitas formationis. Philoxenus ap. Etym. M. p. 234, 55 : Μήποτε ὁμοτυπίᾳ συγκριτικῶν ταῦτα ὑπάγονται.]

Ὁμοῦ, Una, Simul [Gl.], Eodem in loco. [Hom. Il. Λ, 127 : Ὁμοῦ δ' ἔχον ὠκέας ἵππους.] Xen. Cyrop. 6, [1, 7] : Ὁμοῦ μένοντες · cui opp. χωρὶς ὄντες ἀλλήλων. Idem [2, 3, 18] dicit ὁμοῦ γίγνεσθαι, Convenire, In unum eundemque locum coire. Construitur et cum dat., et redditur Una cum, Simul cum. [Hom. Il. E, 867 : Τοῖος Τυδείδῃ ... φαίνεθ' ὁμοῦ νεφέεσσιν ἰὼν εἰς οὐρανὸν εὐρύν · O, 118 : Κεῖσθαι ὁμοῦ νεκύεσσι. Æsch. Pers. 401 : Παρῆν ὁμοῦ κλύειν πολλὴν βοήν · 1042 : Ἴυζε μέλος ὁμοῦ τιθείς · Cho. 502 : Οἴκτειρε θῆλυν ἄρσενός θ' ὁμοῦ γόνον · Eum. 286 : Χρόνος καθαιρεῖ πάντα γηράσκων ὁμοῦ. Soph. Aj. 1079 : Δέος ᾧ πρόσεστιν αἰσχύνη θ' ὁμοῦ · 1309 : Τρεῖς ὁμοῦ ξυγκειμένους, etc. Et cum πᾶς El. 715 : Ὁμοῦ δὲ πάντες ἀναμεμιγμένοι, et alibi. Plato Phæd. p. 72, C : Ταχὺ ἂν τὸ τοῦ Ἀναξαγόρου γεγονὸς εἴη, Ὁμοῦ πάντα χρήματα, de quo Diog. L. 2, 6, et Valck. Diatr. Eur. p. 40 citat Wyttenb. V. Aristot. Metaphys. p. 72, 28; 241, 6, 15; 246, 26.] Hom. Od. O, [364] : Τῇ ὁμοῦ ἐτρεφόμην. Sic Tac., Mamerco simul, i. e. ὁμοῦ τῷ Μαμέρκῳ, ἅμα τῷ Μαμέρκῳ. At Soph. Aj. p. 46 [767], Θεοῖς ὁμοῦ pro σὺν θεοῖς, Diis juvantibus. [Æsch. Pers.

426 : Οἰμωγὴ δ' ὁμοῦ κωκύμασιν κατεῖχε πελαγίαν ἅλα. Soph. Tr. 1225 : Τοῖς ἐμοῖς πλευροῖς ὁμοῦ κλιθεῖσαν· Aj. 767 : Θεοῖς μὲν κἂν ὁ μηδὲν ὢν ὁμοῦ κράτος κατακτήσαιτο. Aristoph. fr. Hor. ap. Athen. 9, p. 372, C : Ἔπειτα κολοκύντας ὁμοῦ ταῖς γογγυλίσιν ἀροῦσιν. Id. ap. Polluc. 6, 62 : Πολφοὺς δ' οὐχ ἧψον ὁμοῦ βολβοῖς. Xen. Eq. 7, 1 : Τὰς ἡνίας ὁμοῦ τῇ χαίτῃ.] Pro Simul, i. e. Eodem tempore, accipitur ap. Hom. Il. A, [61] : Εἰ δὴ ὁμοῦ πόλεμός τε δαμᾷ καὶ λοιμὸς Ἀχαιούς. Nonnunquam usurpatur pro Simul, i. e. Eodem modo, Pariter [Gl. Hom. Il. Δ, 122 : Ὁμοῦ γλυφίδας τε λαβὼν καὶ νεῦρα· P, 362 : Ἔπιπτον νεκροὶ ὁμοῦ Τρώων καὶ Δαναῶν· et similiter alibi. Hesiod. Op. 240 : Λιμὸν ὁμοῦ καὶ λοιμόν. Soph. Ph. 185 : Ἔν τ' ὀδύναις ὁμοῦ λιμῷ τ' οἰκτρός. Et similiter abundans cum verbo composito Trach. 1237 : Τοῖσιν ἐχθίστοισι συνναίειν ὁμοῦ. Eur. Hel. 104 : Ὀθούνεχ' αὐτῷ γ' οὐ ξυνωλόμην ὁμοῦ. Et ap. Plat. Reip. 8, p. 547, A : Ὁμοῦ μιγέντος σιδήρου ἀργύρῳ.] Aliquando est συναπτικὸν duorum κώλων, addito μὲν et δὲ, ut ap. Soph. OEd. T. init. : Πόλις δ' ὁμοῦ μὲν θυμιαμάτων γέμει, Ὁμοῦ δὲ παιάνων. Latini quoque Simul geminant interdum, vel dicunt Simul et. [Χρονικὸν h. l. dicit schol. Plat. Phæd. p. 380. Ceterum duplex est etiam ap. Ephræm. Syr. vol. 3, p. 197, D, ubi ὁμοῦ... ὁμοῦ καί. Et ap. Niceph. Greg. Hist. Byz. 2, 8 fin. : Ὁμοῦ τε γὰρ αὐτὸς ἐξ ὠδίνων εἰς φῶς προήγετο μητρικῶν καὶ ὁμοῦ τὰ τῆς αὐτοκρατορίας σκῆπτρα ὁ πατὴρ ἄρτι ἐδέδεκτο, item apud Basilium M. vol. 1, p. 54, E. L. D.] || Capitur etiam pro Prope, ἐγγύς, Attice, schol. Aristoph. Eq. [245] : Ὁ κονιορτὸς δῆλος αὐτῶν, ὡς ὁμοῦ προσκειμένων. [Thesmophor. 572 : Πρὶν οὖν ὁμοῦ γενέσθαι, σιγᾶτε.] A Xen. quoque et Demosth. sic usurpari testis est Bud. Sed et Hesych. tradit ὁμοῦ esse τοπικὸν pro ἐγγύς, itidemque ὁμοῦ 'στι exp. σχεδὸν s. ἐγγύς ἐστι. [Ex Aristoph. Pac. 513 : Καὶ μὴν ὁμοῦ 'στιν ἤδη. Schol. Plat. p. 380 ejusdem signif. testim. ponit Aristophanis ex Triphalete : Λάβεσθε· καὶ γάρ ἐσθ' ὁμοῦ. Alia sunt ap. Xenoph., ut Cyrop. 3, 1, 2 : Λέγοντες ὅτι καὶ δὴ αὐτὸς ὁμοῦ, etc.] Itidem Soph. Ant. p. 262 [1180] : Καὶ μὴν ὁρῶ τάλαιναν Εὐρυδίκην ὁμοῦ Δάμαρτα τὴν Κρέοντος, pro ἐγγύς. [OEd. C. 1107 : Ποῦ δῆτα ποῦ 'στον; — Αἵδ' ὁμοῦ πελάζομεν.] Sed et in hac signif. cum dat. construitur. Suid. : Ὁμοῦ τε τῇ πληγῇ ἡ παῖς ἦν, pro ἔγγιστα, Proxime ictum erat, Proxima ictui, Fere icta erat. [Ὁμοῦ τι, quod hic præbuerunt libri, reponendum videtur etiam in l. anonymi ap. Suidam v. Ἀπίκιος cit. : Ἔτεσι τοῖς ἐνενήκοντα ὁμοῦ τε ἐβίωσε καὶ πάντα ... ἀπαθὴς ἦν. L. D. Ὁμοῦ ταῖς σπονδαῖσι, Inter libamina, Diphil. ap. Athen. 7, p. 292, B. Hemst. Xen. H. Gr. 3, 2, 5 : Ὁμοῦ δὴ τὸ λοιπὸν τοῖς Ἕλλησι στρατοπεδευσάμενοι ἦγον καὶ ἔκαιον τὴν Βιθυνίδα· 4, 5, 15 : Πρὶν τοῖς ὁπλίταις ὁμοῦ γίγνεσθαι.] Alia exempla ὁμοῦ significantis Prope, ap. Eund. reperies. [Cum genit., Νεὼς ὁμοῦ, Prope navem, Soph. Ph. 1218.] Item Prope in alia signif., sc. pro Ferme, Fere : ex Dionys. H. 5. [Schol. Plat. l. c. : Ὁμοῦ σημαίνει ποτὲ μὲν τὸ ἐγγὺς, ὡς δηλοῖ Δημοσθένης (p. 420, 14)· Ὁμοῦ σ' ἔτη καὶ μ', καὶ (p. 785, 23), Εἰσὶν ὁμοῦ πάντες δισμύριοι, καὶ Μένανδρος ἐν τῷ Ἑαυτὸν τιμωρουμένῳ· Ὁμοῦ γάρ ἐστιν ἑξήκοντά σοι (ἔτη).] Dicitur etiam Ὁμοῦ τι pro ὁμοῦ, Una, Simul, Plut. Cic. p. 277 : Δυσμυρίων ὁμοῦ τι συνηθροισμένων, Simul, In unum eundemque locum. Identidemque ab eo pro Simul usurpari Bud. annotat, ut in Philopœm. p. 120 [c. 10 : Πάσαις ὁμοῦ τι ταῖς πολιτικαῖς δυνάμεσιν]. Exp. etiam Prope, Ferme, Circiter, sicut et ὁμοῦ. [Et ὁμοῦ τι, ut sit Prope, ap. Plat. Theag. p. 129, D : Ὁμοῦ τι τούτῳ ἐλᾶν. Dionys. A. R. 1, 78 : Καὶ γὰρ ὁμοῦ τι τῷ τὴν κόρην εἶναι τίκτειν, ubi aut τίκτειν post τῷ ponendum aut τῷ cum HSteph. post εἶναι. Cod. Vat. omittit totum hoc membrum. Schol. Apoll. Rh. 2, 121 : Τὸ ὁμοῦ τιθέασι καὶ ἐπὶ τοῦ ἐγγύς, ὡς Ἀθηναῖοι εἰώθασι χρῆσθαι. Μένανδρος· Ὁμοῦ δὲ τῷ τίκτειν παρεγένεθ' ἡ κόρη, quæ verba ap. Photium s. Suidam negligenter ita scripta : Ἤδη γὰρ τοῦ τίκτειν ὁμοῦ, etiam ap. schol. corrupta videntur, ubi παρεγένεθ' in γὰρ ἐγένεθ' mutandum videtur, ut hic quoque ὁμοῦ τι scribendum sit pro ὁμοῦ δέ.] Quod vero ad ὁμοῦ attinet, Eust. in adverbium abiisse tradit ex gen. ὁμοῦ, ut αὐτοῦ : dici enim ὁμοῦ pro ἐπὶ ὁμοῦ τόπου, sicut αὐτοῦ pro ἐπ' αὐτοῦ τοῦ τόπου. Hoc

A autem sequendo, proximum esse debuerit ὁμοῦ nomini ὁμός.

[Ὁμόϋλος, ὁ, ἡ, Qui ejusdem est materiæ. Iambl. V. Pyth. p. 98; Nicomach. Harm. p. 11. Wakef.]

Ὁμοῦπνοι, Charondæ ap. Aristot. Polit. 1, dicuntur Domestici, Familiares ac contubernales, quasi una somnum capientes, VV. LL.; sed nescio quænam secuta exempll.; nam Aldina, Florentina, nec non Basil. editt. ibi habent ὁμοσιπύους. [Quod verum.] Metuo igitur ne indoctus ac temerarius quidam corrector, non intelligens quid per ὁμοσιπύους declararetur, ex eis fecerit ὁμοῦπνους. Locus autem Aristot. est Polit. 1 init.

Ὁμοϋπόστατος, ὁ, ἡ, Eandem hypostasin habens : accipiendo Hypostasin in ea signif., qua accipitur quum de Trinitate divina loquimur. [Jo. Damasc. vol. 1, p. 50, A; Maximus Conf. vol. 2, p. 79, D. L. Dind. Psellus Omnif. doctr. c. 6. Boisson.]

Ὁμοῦρα, Hesych. σεμίδαλις ἐφθὴ, μέλι ἔχουσα καὶ σησάμην, pro quo supra ἀμόρα. [V. Ὁμορίτας.]

B Ὁμουρέω, Ionice pro ὁμορέω, Conterminus s. Confinis sum. Unde ὁμουροῦσι ap. Hesych. γειτνιῶσιν ἐν τοῖς ὅροις. [Οἱ Κελτοὶ ὁμουρέουσι Κυνησίοισι, Herodot. 2, 33; 8, 47. Ἐκ τῶν προσεχέων πολίων τῇ Παλλήνῃ, ὁμουρεουσέων δὲ τῷ Θερμαίῳ κόλπῳ, 7, 123. Schweigh. Lex. Hecatæus ap. Steph. Byz. in Χερρόνησος et Χοιράδες. || I. q. πλησιάζω τινὶ, Rem habeo cum aliquo. Stob. Serm. 173, 178 (?). Unde Ὁμούρησις ap. Epicurum Diogenis 10, 64, ubi male ὁμούρυσις. Schneid. Hesychius : Ὁμούρησιν, τὴν ὁμήρησιν, Ἀττικοί.]

Ὁμούριος et Ὅμουρος, ὁ, ἡ, Conterminus, Confinis, Ionice pro ὅμορος. [Callim. ap. Galen. De præsag. ex puls. 3, 6 : Βριλησσοῦ λαγόνεσσιν ὁμούριον. Apoll. Rh. 2, 379 : Μοσσύνοικοι ὁμούριοι· 3, 1094 : Ἔνθεν φάτις Ὀρχομενοῖο δήποτε Καδμείοισιν ὁμούριον ἄστυ πολίσσαι. Dionys. Per. 649 : Ἀνδράσιν, οἳ κατὰ χῶρον ὁμούριον οἶκον ἔθεντο· 686 : Τοῖς δ' ἐπὶ ναιετάουσιν ὁμούριον αἶαν ἔχοντες Ἡνίοχοι. Nonnus Dion. 13, 254. || Altera forma Dionys. 435 : Ἧσιν ὁμούρων ἕσπεται ἀλλυδὶς ἄλλα Κεφαλλήνων πτολίεθρα. Et ap. Herodot., de quo Schweig-

C hæuser. : « Οἱ ὅμουροι ἦσαν τοῖσι Δωριεῦσι, 1, 57. Τῶν ὁμούρων 1, 134; 4, 125. Ἐοῦσα Αἴγυπτος ὅμουρος τῇ Λιβύῃ, 2, 65; 7, 8. »]

Ὁμούσιος, pro ὁμοούσιος, VV. LL. Sunt tamen qui distinguenda putent. Unde Ὁμουσιότης, Consubstantialitas.

[Ὁμοφεγγής, ὁ, ἡ, Simul lucens. Nonn. Dion. 5, 113 : Ὁμοφεγγέος αἴγλης. Wakef.]

[Ὁμοφήτωρ, ορος, ὁ, vocab. fictum ad explicandum Hom. ἀφήτωρ Il. I, 404, ap. Eust. ad l. V. Villoison. ad Apoll. Lex. Hom. p. 184.]

[Ὁμόφθογγος, ὁ, ἡ, Simul vociferans, vel clamans, loquens. Nonn. Dion. 1, 157 : Παντοίην ἀλάλαζεν ὁμοφθόγγων ὄπα θηρῶν· Jo. c. 9, 81; c. 19, 71 : Ὁμοφθόγγων ἀπὸ λαιμῶν· ib. 122 : Ὁμοφθόγγῳ τινὶ μύθῳ.]

[Ὁμοφλεγής, ὁ, ἡ, Simul combustus. Nonn. Dion. 6, 220 : Ὁμοφλεγέος δὲ καὶ αὐτῆς πηγνυμένης.]

Ὁμόφλοιος, ὁ, ἡ, Similem corticem habens, vel etiam Eundem. In VV. LL. ὁμόφλοια, Quibus est eadem corticis natura. [Ex Theophr. C. Pl. 1, 6, 2, ubi ὁμοιο-

D φλοίων scripsit Schneider.]

Ὁμόφοιτος, ὁ, ἡ, Qui simul it, vadit, Comes. Nonn. [Dion. 5, 117 : Ἀρκτῴης ἀνέτελλε δράκων ὁμόφοιτος ἁμάξης· Jo. c. 12, 90 : Ἀνδρείας ὁμόφοιτος ἐπειγομένοιο Φιλίππου, et alibi eadem constr. Pind. Nem. 8, 33 : Αἱμύλων μύθων ὁμόφοιτος. Nonnus Jo. c. 14, 104 : Εἰρήνην ἀτίνακτον ἐμὴν ὁμόφοιτον ὀπάσσω.]

Ὁμοφόριος, Contubernalis, VV. LL. perperam pro ὁμορόφιος [ὁμωρόφιος, quod v.].

Ὁμοφραδής, ὁ, ἡ, Unanimis, Concors, Idem sentiens, Nonn. [Jo. c. 4, 186 : Ὁμοφραδέες Σαμαρεῖται· c. 7, 154 : Ὁμοφραδέων λαῶν· c. 12, 80 : Ὁμ. Φαρισαῖοι. Etym. M. p. 221, 39, ἦχος.]

Ὁμοφράδμων, ονος, ὁ, ἡ, Qui una cum alio consultat, s. consilium init, Consilii particeps, Unanimis, Concors. Pro qua signif. affertur ὁμοφράδμων, ex Plat. etiam Epist. [1, p. 310, A, νόησις], licet sit potius poeticum. [Et sunt illa poetæ cujusdam.]

Ὁμοφρονέω, [Consentio, Gl.] Eadem sum mente, s. voluntate, Eadem mihi est sententia, Idem sentio,

Sum concors. Hom. Od. I, [456] : Εἰ δὴ ὁμοφρονέοις, ποτιφωνήεις τε γένοιο. [Z, 183 : Ὁμοφρονέοντε νοήμασιν. Herodot. 7, 229 : Οὐκ ἐθελῆσαι ὁμοφρονέειν, ἀλλὰ γνώμη διενειχθέντας κτλ. et 9, 2. Cum dat. 8, 75 : Οὔτε ἀλλήλοισι ὁμοφρονέουσι. De conjuratis Xen. H. Gr. 7, 5, 7.] Affertur autem ὁμοφρονέων πόλεμος, ex Herodoto fortasse [Est 8, 3], pro Bello quod concorditer geritur.

[Ὁμοφρονία, ἡ, i. q. ὁμοφροσύνη. Hippolytus C. hær. Noeti c. 7, p. 57 ed. Routh. : Μὴ πάντες ἓν σῶμά ἐσμεν κατὰ τὴν οὐσίαν, ἢ τῇ δυνάμει καὶ τῇ διαθέσει τῆς ὁμοφρονίας ἓν γινόμεθα; L. Dind.]

[Ὁμοφρόνως. V. Ὁμόφρων.]

Ὁμοφροσύνη, ἡ, Concordia. [Consensio, Unanimitas, Gl.] Hom. Od. Z, [181] : Ἄνδρα τε καὶ οἶκον καὶ ὁμοφροσύνην ὀπάσειαν. Fortassis autem ὁμόφρων reddi queat uno verbo Unanimis, et ὁμοφροσύνη, Unanimitas : nisi cui significantiora hæc esse videantur. [O, 198 : Ἥδε δ' ὁδὸς καὶ μᾶλλον ὁμοφροσύνῃσιν ἐνήσει. Apoll. Rh. 2, 716 : Ὁμοφροσύνῃσι νόοιο. Agathias Anth. Pal. 7, 551, 8 : Βωμὸς Ὁμοφροσύνης. Orph. Arg. 351 : Οἱ δ' αὖτις ὁμοφροσύνῃ κατένευσαν· Lith. 225 : Ἀρρήκτοισιν ὁμοφροσύνῃσιν ἅμ' ἄμφω ... καθέξει. Pollux 8, 152. Polus ap. Stob. Fl. vol. 1, p. 245 : Ἀνδρὸς καὶ γυναικὸς ποτ' ἀλλάλως ὁμ. Themistocl. Epist. 10, p. 29 : Ἡ σὺν αὐτοῖς ἐφ' ἡμᾶς ὁμ. Max. Conf. vol. 2, p. 58, D. ῠ]

Ὁμόφρων, ονος, ὁ, ἡ, Qui ejusdem est animi, Cujus animo eadem sententia sedet, Concors. [Consensus, Unanimus, Gl. Hom. Il. X, 263 : Ὁμόφρονα θυμὸν ἔχουσιν· H. Cer. 434. Hesiod. Th. 60 : Ἡ δ' ἔτεκ' ἐννέα κούρας ὁμόφρονας. Theognis 81 : Ὁμόφρονα θυμὸν ἔχοντες. Pind. Ol. 7, 6 : Ὁμόφρονος εὐνᾶς. Aristoph. Av. 632, λόγους. Agathias Anth. Pal. 7, 614, 15 : Ὁμόφρονας ἡρωΐνας· et ib. 55, 7. || Adv. Ὁμοφρόνως, Constitt. Apost. 3, 19; Achmes Onir. inscript. c. 44, 47, 49; Theophanes Chron. p. 51, D.]

Ὁμοφυής, ὁ, ἡ, Qui ejusdem est naturæ; aut etiam, Simul natus, Congenitus. Pro quo tamen dicitur potius συμφυής. [Plato Reip. 5, p. 458, C : Τὰς γυναῖκας ἐκλέξας παραδώσεις ὁμοφυεῖς· Phæd. p. 86, A : Τὴν ἁρμονίαν ἀπολωλέναι τὴν τοῦ θείου τε καὶ ἀθανάτου ὁμοφυᾶ τε καὶ ξυγγενῆ· Reip. 4, p. 439, E : Τούτων ποτέρῳ ἂν εἴη ὁμοφυές;] Apud Theodorit. H. E. homo est homini ὁμοφυής : Ἄνθρωπος γὰρ ὤν, ὁμοφυῶν βασιλεύεις. Ibid. : Ὁμοφυῶν ἄρχεις, ὦ βασιλεῦ, καὶ μὲν δὴ καὶ ὁμοδούλων. [« Canisii Lectt. antiq. 1, 14. » Schleusn. Cyrilli exx. quædam v. ap. Suicer. Quibus plurima aliorum Patrum et recentiorum addi possint scriptorum. « Psellus In Orac. p. 105, 8, ex Proclo. » Boiss.] Ex Gregor. Naz. affertur et subst. Ὁμοφυΐα, pro Naturæ communitas, ubi de Patre et Filio loquitur.

[Ὁμοφυΐα. V. Ὁμοφυής.]

[Ὁμοφυλία, ἡ, Cognatio. Strabo 1, p. 41 : Πολλὴν ὁμοφυλίαν ἐμφαίνει κατά τε τὴν διάλεκτον καὶ τοὺς βίους. « Plut. Mor. p. 975, E. » Hemst.]

Ὁμόφυλος, ὁ, ἡ, Qui ejusdem est tribus, Tribulis (pro quo videndum an satis Latine dicatur Contribulis) [Congrex, Gentilis, huic add. Gl.] : unde ἔμφυλον dictum est exponi ὁμόφυλον, sicut et φυλέτην ap. Hom. [Eur. Iph. T. 346 : Ἐς θοὐμόφυλον ἀναμετρουμένη δάκρυ (ut ap. Demosth. p. 290, 21 : Οὐδὲ ἀλλότριον ἡγεῖται ὁ Ἀθηναίων δῆμος τὸν Θηβαίων δῆμον οὔτε τῇ συγγενείᾳ οὔτε τῷ ὁμοφύλῳ)· Herc. F. 1200 : Αἰδόμενος φιλίαν ὁμόφυλον. Plato Menex. p. 244, A : Φιλίαν βέβαιον καὶ ὁμόφυλον παρεχομένη· 242, D : Ἡγούμενοι πρὸς τὸ ὁμόφυλον μέχρι νίκης δεῖν πολεμεῖν· Tim. p. 81, A : Πρὸς ἕκαστον εἶδος τὸ ὁμόφυλον· Leg. 8, p. 843, A : Τοῦ μὲν ὁμόφυλος Ζεὺς μάρτυς. Isocr. p. 104, A : Οὐχ ὁμοφύλου γένους. Hippocr. p. 289, 7 : Μήτε ὁμόφυλον μήτε ἀλλόφυλον· 225, 22.] Quidam ap. Philon. τοὺς ὁμοφύλους interpr. Populares suos. [Xen. Cyrop. 5, 4, 27 : Ὑπὸ τῶν ὁμοφύλων πεισθείς. Diod. 17, 101, ubi est var. ὁμόφωνος. Plut. Arato c. 45 : Ὁμοφύλους καὶ συγγενεῖς ἄνδρας.] Polit. autem ap. Herodian. 6, [2, 10] : Μηδὲ γὰρ ὁμοίαν ἔσεσθαι μάχην αὐτῷ πρὸς Ῥωμαίους, οἵαν σχεῖν πρὸς τοὺς γειτνιῶντας καὶ ὁμοφύλους βαρβάρους, vertit ὁμοφύλους βαρβάρους, Ejusdem corporis barbaros. Quo in l. fortasse quis a φῦλον deducere malit. || Qui ejusdem est sexus. Aristot. De mundo [c. 5] : Ὥσπερ ἀμέλει τὸ ἄρρεν συνήγαγε (subaudi ἡ φύσις) πρὸς τὸ θῆλυ, καὶ οὐχ ἑκάτερον πρὸς τὸ ὁμόφυλον, Sic certe ipsa (natura)

A marem cum femina conjunxit, non etiam cum suo horum utrumque sexu. Dicam autem de hac istius comp. signif. et in nomine Φῦλον. Et generalius, Qui ejusdem est generis (quæ interpretatio et illi Aristotelis loco convenire potest; nam quæ sunt ejusdem sexus, ejusdem generis sunt), ut ὁμόφυλοι ὄρνιθες, Ejusdem generis aves, Bud. e Xen. [Cyrop. 1, 6, 39. Id. 8, 7, 20 : Morte δῆλά ἐστιν ἕκαστα ἀπιόντα πρὸς τὸ ὁμόφυλον. Cicero De sen. c. 22 : « Abeunt illuc unde orta sunt. » De animalibus disparibus etiam Aristot. H. A. 8, 28 fin. bis; 9, 1 med. Sæpe memorat etiam Pollux.] Apud Plut. ὁμόφυλον redditur etiam Cognatum, et quidem non incommode. [Heracl. Alleg. 41, p. 138, φύσις. Schleusn.]

[Ὁμόφυτος, ὁ, ἡ, Cognatus. Theolog. arithm. p. 50 Ast. : Διὰ τὸ συγγενεστάτην αὐτὴν καὶ ὁμόφυτον εἶναι τῇ τοῦ ἀνθρώπου κατασκευῇ (τὴν ἑβδομάδα).]

Ὁμοφωνέω, Eandem vocem s. Eundem sonum edo, Voce consentio, s. sono, aut verbis. [Eadem lingua utor, Herodot. 1, 142 : Σφὶ ὁμοφωνέουσι. « Eust. Il. p. B 50, 35. » Seager. Schol. Aristoph. Eq. 10. Themist. p. 258, B. Hemst. Aristot. Eth. Nic. 1, 12 : Πάντα γὰρ ὁμοφωνεῖ τῷ λόγῳ. Apollon. De pron. p. 140, B : Τῶν ὑποτακτικῶν ἄρθρων, ἅπερ ὁμοφωνεῖ ταῖς κτητικαῖς, et al.]

Ὁμοφωνία, ἡ, Vox eadem, Vocis convenientia, Voces inter se convenientes, Concentus, Cantus simplex et unius modi : cui varietas cantus s. discrimina vocum opponuntur : ap. Aristot. [Polit. 2, 5 med. Ὥσπερ κἂν εἴ τις τὴν συμφωνίαν ποιήσειεν ὁμοφωνίαν. Pollux 8, 152.]

Ὁμόφωνος, ὁ, ἡ, Cujus eadem vox est, s. idem sonus, Consonus, Consentiens, Concors. [Æsch. Ag. 153 : Τοῖς δ' ὁμόφωνον αἴλινον αἴλινον εἰπέ.] Interdum etiam Qui eadem voce utitur, i. e. eadem lingua, qua in signif. extat ap. Thuc. 4, p. 135 meæ ed. [c. 40.] Sic ex Herodoto [3, 98] affertur, Οὐχ ὁμόφωνα σφίσι, pro Quæ dissona sunt inter se lingua. [Xen. Comm. 4, 4, 19 : Οὔτε ὁμ. εἰσι. Plato Leg. 4, p. 708, C : Ἔν τι εἶναι γένος ὁμόφωνον. Apollon. De pron. p. 140, B : Τὸ ὅς ὑποτακτικὸν ὁμόφωνον τῷ ἀπὸ τοῦ ἐμός. Pollux 2, C 111; 6, 117, 155. Permutatum cum ὁμόφυλος ap. Diod. 17, 101.]

Ὁμοφώνως, Eadem voce, Vocibus inter se consentientibus, Consone. [Etym. M. p. 6. Dionys. Alex. in Routhii Reliq. SS. 3, p. 202. Boiss. Plut. Galba c. 5. Seager. Strabo 9, p. 411. Cum dativo Pollux 2, 113.]

[Ὁμόφωτος, ὁ, ἡ. Cæsarius Dial. 1 interr. 3 de SS. Trinitatis personis : Ἀγέννητος ὁ πατήρ, γεννητὸς ὁ υἱός, ἐκπορευτὸν τὸ πνεῦμα, ἐν ἀλλήλοις φῶτα· μήτε συναλειφόμενοι, ὁμόφωτοι, ἀείφωτοι, Lucent eodem lumine. Suicer.]

Ὁμοχοίνιξ, ικος, ὁ, ἡ, Qui eadem chœnice victitat, ut ὁμοχοίνικες dicuntur milites vel servi Qui eandem participant chœnicem, et eodem demenso victitant; (solebat enim cuivis χοίνιξ quotidie dari : unde et ἡμεροτροφὶς nominata fuit :) s. Qui dimensum, quod acceperunt, conferunt, et communes ex eo sumptus faciunt, ὁμόσιτοι. Plut. Symp. 2, 10 [p. 643, D] : Οὐ μόνον ὁμορόφίους, ἀλλὰ καὶ ὁμοχοίνικας καὶ ὁμοσίτους, τῷ D πᾶσαν σέβεσθαι κοινωνίαν· ubi etiam magis probat nostri sæculi consuetudinem, qua ἐκ κοινοῦ δειπνοῦμεν, quam veterem qua πρὸς μερίδας.

[Ὁμόχορος, ὁ, ἡ, Sodalis. Phot. C. Manich. 4, 6, ubi cum συνθιασώτης jungitur, ut cum θιασώτης ap. Plut. Mor. p. 768, B, ubi male olim ὁμοχώρους.]

[Ὁμοχριστιανοί, οἱ, Socii Christiani. Eust. Opusc. p. 12, 83.]

[Ὁμοχροέω, Eodem colore sum. Geopon. 19, 6, 2 : Αἱ ὁμοχροοῦσαι τῶν ποικίλων αἱρετώτεραι. « Moschop. Π. σχεδ. p. 193. » Boiss.]

Ὁμόχροια, ἡ, Idem s. Similis color. Xen. Cyneg. p. 573 [c. 5, 18] : Ἄδηλοι διὰ τὴν ὁμόχροιαν, Eo quod colore sint eodem, Eo quod concolores sint. [|| Ap. Herodot. 1, 74 : Ἐπεὰν τοὺς βραχίονας ἐπιτάμωνται ἐς τὴν ὁμοχροιήν (vel potius ὁμόχροιαν), τὸ αἷμα ἀναλείχουσι ἀλλήλων, est Superficies cutis, ut Axiochi p. 369, D : Οὐδὲ ἅπτεται ταῦτα τῆς ὁμοχροίας. « Ap. Hippocr. p. 896, C : Ἡ ὁμοχροίη ὀστέου, intelligitur Calvariæ superficies exterior levis, quæ cute tegitur, tum interior, quæ membranam cingit. Id. p. 750, H, ὁμόχροιαν vocat partium totius manus æquabilitatem. » Foes. Geopon. 18, 1, 1 : Ἔχουσαι τὴν κοιλίαν ὅλην δασεῖαν ἐρίων πλήθει καὶ μαλακότητι καὶ ὁμοχροίᾳ, Int. intellexit Coloris æqualitatem.]

Ὁμοχρονέω, Eodem tempore sum, Tempore æquo s. æqualis sum. Lucian. [De hist. conscr. c. 50] : Καὶ πρὸς πάντα σπευδέτω, καὶ, ὡς δυνατὸν, ὁμοχρονείτω, καὶ μεταπετέσθω ἀπ' Ἀρμενίας μὲν εἰς Μηδίαν, ἐκεῖθεν δὲ ῥοιζήματι ἑνὶ ἐς Ἰβηρίαν, εἶτα ἐς Ἰταλίαν, ὡς μηδενὸς καιροῦ ἀπολείποιτο. [Imag. c. 14 : Ὁμοχρονεῖν τῇ γλώττῃ τὸ πλῆκτρον.]

Ὁμόχρονος, ὁ, ἡ, i. q. ἰσόχρονος. Greg. Naz. Macc. Enc. : Ἡλικιῶται δὲ, οἱ σήμερον ἡμῖν συγκινδυνεύοντες, καὶ τὴν καρτερίαν ὁμόχρονοι, Qui eodem nobiscum tempore fortiter agunt et cruciatus hosce tolerant. [Themist. Orat. 9, p. 128, A : Ὁμηλίκων σχεδὸν ἑκατέρων καὶ ὁμοχρόνων. || Adv. « Ὁμοχρόνως, Jo. Climac. p. 132; schol. Arati Ph. 173, bis. » Boiss.]

Ὁμόχροος, s. Ὁμόχρους, ὁ, ἡ, Qui ejusdem coloris est, Concolor [Gl.], i. q. σύγχροος. [Paul. Sil. Anth. Pal. 5, 301, 3 : Εἰ καὶ ἐς ἀντολίην πρὸς ὁμόχροον ἵξεαι Ἠῶ. Hippocr. p. 607, 8 : Τὸ δὲ χωρίον λεῖον ἔστω καὶ ὁμόχροον, Æquabile interpr. Foes., ut supra Ὁμόχροια. Aristot. H. A. 4, 1 : Ὁμόχρουν ἅπαν καὶ λεῖον. Theophr. H. Pl. 9, 4, 10 : Τὴν ὁμόχρουν σμύρναν. Geopon. 19, 2, 1 : Μυκτῆρα ὁμόχρουν. « Ὁμόχροα Lucian. [De conscr. hist. c. 13 vocat, si in oratione singula sibi respondent, ita ut, si in exordio magna et mira promiseris, sequentia non destituant exspectationem. » Ernest. Lex. rhet. Pollux 1, 216 : Ἡ ὁμόχρους χαίτη· eademque forma 6, 155. Et 9, 98 : Ψήφων ὁμοχρόων.]

[Ὁμοχρωμάτος, ὁ, ἡ, i. q. ὁμόχροος. Diod. 1, 88 : Τῶν ἀνθρώπων τοὺς ὁμοχρωμάτους τῷ Τυφῶνι.]

[Ὁμόχρωμος, ὁ, ἡ, i. q. præcedens, nisi fallit scriptura, in Lex. rh. Bekk. An. p. 220, 17 : Ὁμόχρωμοι τοῖς δικαστηρίοις ἐδίδοντο βακτηρίαι. Ejusdem formæ exx. sunt in aliis compositis. L. Dind.]

[Ὁμόχρως, ωτος, ὁ, ἡ, i. q. præcedentia. Ap. Theophr. fr. 1 De sensu quum 27 esset τὸ ὁμόχροον, cod. præbuit ὁμόχρων, ut est 37, et fr. 6 De signis 3, 8. Aristot. De gen. anim. 3, 1 init. : Τὸ ᾠὸν ὁμόχρων ἐστὶν αὐτῶν. Pausan. 5, 5 fin. : Ὑγιὴς καὶ ὁμόχρως.]

[Ὁμοχώριος, Conterraneus, Gl.]

[Ὁμόχωρος, ὁ, ἡ, i. q. præcedens. Pollux 9, 13. Dio Cass. Exc. p. 34, 64; l. 38, 34, et alibi sæpe. V. etiam Ὁμόσφυρος. « Qui communia habent prædia, ap. Harmenop. et in Basilicis. Cedrenus in Stauracio ait hunc Augustum imperasse ut egeni militarent, iisque παρὰ τῶν ὁμοχώρων arma et stipendia in singulos 18 nomismatum darentur. » Ducang.]

[Ὁμοψηφέω, Eandem sententiam fero. Joseph. A. J. 17, 11, 1 : Τοῖς πρέσβεσιν ὁμοψηφεῖν.]

Ὁμόψηφος, ὁ, ἡ, Cujus idem est suffragium, Cujus eadem est sententia. Sed ap. Herodot. ὁμόψηφος, Annumeratus in ferenda sententia, Censendi locum obtinens cum aliis : ἰσόψηφος autem Thucydidi, Par in ferenda sententia. Bud. [Herodot. 6, 109 : Τὸ παλαιὸν Ἀθηναῖοι ὁμόψηφον ἐποιεῦντο τοῖσι στρατηγοῖσι· 7, 149 : Μετὰ δύο τῶν σφετέρων ὁμόψηφον τὸν Ἀργεῖον εἶναι. Andocid. p. 23, 16. Pollux 8, 15. In ὁμόψυχος corruptum ap. Diod. 15, 53.]

[Ὁμοψυχέω, Eodem sum animo, Consentio. Cyrill. Alex. 11, 11, In Jo. p. 997, οἱ πιστεύσαντες εἰς Χριστὸν dicuntur ὁμοψυχεῖν ἀλλήλοις. Suicer.]

[Ὁμοψυχία, ἡ, Unanimitas (Gl.), Concordia. Jo. Chrys. In Ep. ad Ephes. serm. 20, vol. 3, p. 868, 25. Seager. Apollon. Lex. v. Συμφερτή, Athanas. vol. 1, p. 286, 445, 532, 590.]

Ὁμόψυχος, ὁ, ἡ, [Qui eandem animam habet. Jo. Chrys. Hom. 4 ad pop. Antioch. vol. 1, p. 56; Euseb. De vita Const. 5, 11, p. 582. Anon.] Qui ejusdem animi est, Unanimis, Concors. [Conf. Ὁμόψηφος.] Unde adv. Ὁμοψύχως, Uno animo, Unanimiter, Unanimi consensu, μιᾷ ψυχῇ καὶ μιᾷ γνώμῃ, ὁμοθυμαδόν.

Ὁμόω, Unio, In unum idemque coire facio. Unde ὁμοῦσθαι φιλότητι ab Hom. dicuntur, qui coeunt, Il. Ξ, [209] : Εἰς εὐνὴν ἀνέσαιμι ὁμωθῆναι φιλότητι, exp. ἑνωθῆναι, εἰς ὁμόνοιαν ἐλθεῖν, οἰκειωθῆναι. [Medio Nicand. Th. 334 : Διψάδος εἶδος ὁμώσεται αἰὲν ἐχίδνῃ παυροτέρης.]

A [Ὄμπη.] Ὄμπαι, Hesychio θύματα πυρῷ καὶ μέλιτι δεδευμένα. [Lex. rh. Bekk. An. p. 287, 21 et Etym. M. : Ὀμπή· πυροὶ μέλιτι περικεχρισμένοι, μεμελιτωμένοι. Photius : Ὄμπην· Ἀθηναῖοι ὅταν τὸν νεὼν ἱδρύωνται, πυροὺς μέλιτι δεύσαντες, ἐμβαλόντες εἰς καδίσκον, εἶθ' οὕτως ἐπιθέντες τὸ ἱερεῖον, συντελοῦσι τὰ ἑξῆς· χρῶνται δὲ τούτῳ καὶ πρὸς ἄλλας ἱδρύσεις καὶ θυσίας, προσαγορεύοντες ὄμπην, εὐθένειαν οἰωνιζόμενοι· ὅθεν καὶ ἡ Δημήτηρ Ὀμπνία. Apud quem ordine literarum, cui tamen non multum tribuendum ap. Photium, commendatur forma Ὄμπη, quæ est etiam ap. schol. in Ὄμπνη cit.] At Ὄμπια, Eidem sunt παντοδαπὰ τρωγάλια. [Pro Ὄμπνια.]

[Ὄμπνειος vel potius Ὄμπνιος.] Ὄμπνειον et Ὄμπνιον, necnon Ὀμπνηρὸν, dicitur τὸ ἀναπνεῖν ἡμῖν διδὸν, Quod nobis respirandi et vivendi causa est, Almum : καρποφόρον : ut Ὀμπνία Δημήτηρ, Alma Ceres. [Ap. schol. Nicand. Al. 7. Ὄμπνια ap. Marcell. Anth. Pal. App. 51, 56 : Καίσαρος ἰφθίμοιο παρόψεται Ὄμπνια μήτηρ. Paul. Sil. Descr. Soph. 145 a Boiss. cit. : Ὄμπνια Ῥώμη. Eundem accentum præcipit schol. Hom.

B ap. Cramer. Anecd. Paris. vol. 3, p. 137, 2; 351, 3.] Et ὄμπνιος λειμὼν, s. ὄμπνειος λειμὼν, Ager segete et Cerealibus frugibus plenus. Hesych. ὄμπνειον [ὄμπνιον, nam vitiosa videtur diphthongus in hoc et ὀμπνειόχειρ] λειμῶνα dici scribit τὸν τῶν πυρίνων καὶ Δημητρίων καρπῶν : ut Suid. quoque ὄμπνιον λειμῶνα, τὸν σῖτον, καὶ τοὺς Δημητριακοὺς καρποὺς, Cereales fructus : quoniam ἡ Δημήτηρ vocatur Ὀμπνία. Sic ὄμπνιον ὕδωρ ap. Suid. et ὀμπνηρὸν ὕδωρ ap. Hesych., quod exp. τρόφιμον, Almum. [Idem præter gl. in Ὄμπη et Ὀμπνειόχειρ cit. ponit : Ὄμπνια, τὰ ζωτικά. Ὀμπνείου νέφους, μεγάλου, πολλοῦ, ηὐξημένου.] Suid. et ὀμπνικὸν ὕδωρ dici scribit τὸ τρόφιμον. Et Soph. ὄμπνιον νέφος vocavit, quod fundat τὸ ὄμπνιον ὕδωρ. [Photius : Ὀμπνίου νέφους, μεγίστου. Idem (plenius Suida, qui omittit πλούσιος, et verius Hesychio qui ὀμπνειόχειρ) : Ὄπνιος χεὶρ, πλουσία χεὶρ, πλούσιος· Ὄπνιον νέφος, μέγα, πολὺ, ηὐξημένον, Σοφ. Θησεῖ· Ὄπνιος λειμὼν etc. quæ ex Suida repetit HSt., et Ὀπνιηρὸν ὕδωρ, τὸ τρόφ.] Ex Nonno [Jo. c. 4, 175] affertur et ὄμπνιος σπόρος pro

C Semen Cereale. [Callim. ap. Etym. M. v. Φαρῶ cit. : Ἡ ἄφαρον φαρόωσι, μέλει δέ φιν ὄμπνιον ἔργον. Lycophr. 1264 : Κτῆσιν ὀμπνίαν κειμηλίων· 621 : Δηοῦς ἀνεῖναι μήποτ' ὄμπνιον στάχυν. Apoll. Rh. 4, 989 : Τιτῆνας δ' ἔδαεν στάχυν ὄμπνιον ἀμήσασθαι. Schol. : Πολὺν, δαψιλῆ. Φιλητᾶς ἐν ἀτάκτοις γλώσσαις ἀπέδωκεν Ὄμπνιον στάχυν τὸν εὔχυλον καὶ τρόφιμον. Κυρηναίων δέ τινες τὸν πλούσιον καὶ εὐδαίμονα ὄμπνιον καλοῦσιν. Ἄμεινον δὲ τὸν φερέσβιον εἰπεῖν, οἱονεὶ ἔμπονον (Par. ἔμπνεον, legendum ἔμπνοον) τινα ὄντα καὶ ὄμπνιον. Quibuscum conf. Melet. Cram. An. vol. 3, p. 8, 21 : Ὀμφαλὸς παρὰ τὸ ὀμπνεῖν εἴρηται, ὅ ἐστιν ἀναπνεῖν. Eratosth. ap. Achill. Tat. in Phæn. p. 153, v. 16 : Ὄμπνιον ἀλδήσκουσαι καρπὸν Ἐλευσινίης Δημήτερος. Moschio ap. Stob. Ecl. phys. p. 242, 10 : Καρποῦ ὀμπνίου. L. Dind.]

Ὀμπνειόχειρ, ap. Hesych. legitur expositum πλουσιόχειρ, πλούσιος, Larga manu dans, Abundus. Necnon Ὀμπνεῖ δαιτὶ pro πολλῇ, Larga, Liberali. [Quod foret ducendum ab ὀμπνής, quod nihili est. Recte intt. ὀμπνείῃ vel ὀμπνίῃ. Prius scribendum Ὀμπνιόχειρ. V.

D Ὄμπνειος.]

[Ὀμπνεύω, Augeo vel Augeor, Cresco. Photius : Ὀμπνεύειν, αὔξειν. V. Ὀμφύνω.]

Ὄμπνη, ἡ, Hesychio est τροφὴ, εὐδαιμονία, Cibus, Beatitas, Beata rerum copia. Sunt qui ὄμπνας esse velint Fruges melle imbutas, diis sacrificari solitas. [Photius : Ὄμπναι, πυροὶ μέλιτι πεφυραμένοι.] Unde ap. Callim. [ap. schol. Nicandr. l. c.] esse, Ἐν δὲ θεοῖς [θεοῖσιν ἐπὶ] φλογὶ καιέμεν ὄμπνας. [Id. ap. schol. Soph. OEd. C. 489 : Τῇσιν ἀεὶ μελιηδέας ὄμπνας ... καίειν. Ubi ὄμπας scriptum, quod v. supra.] Alii simpliciter Cereales fructus nominatos ὄμπνας tradunt, ut quorum usus sit nobis causa τοῦ ἀμπνεῖν et vivendi : quamobrem et pro Frumento hanc vocem usurpavit Lycophr. [621, ubi non hoc est, sed ὄμπνιος, schol. autem ὄμπναι interpr. πυροί.] Nicander πολυωπέας ὄμπνας favos appellat, Alex. 450, de apibus : Ἀμφὶ καὶ ἔργων Μνησάμεναι Δηοῖ πολυωπέας ὤπασαν ὄμπνας. Ita ut ὄμπνας vocare possimus et Fruges Cereales et alia quibus alimur quæque nobis τοῦ ἀμπνεῖν causa sunt.

[Pravo accentu προσφέρειν ὀμπνὴν ap. Polluc. 1, 28.]

[Ὀμπνηρός. V. Ὄμπνειος.]

[Ὄμπνια Δημήτηρ. V. Ὄμπη, Ὄμπνειος.]

[Ὀμπνής. V. Ὀμπνειοχείρ.]

[Ὀμπνἴἀκὸς, ἡ, ὸν, i. q. ὄμπνιος. Tullius Geminus Anth. Pal. 9, 707, 4 : Ἦ γὰρ ἐγείρω ὀμπνιακῶν χαρίτων ἡδύτερον τρίβολον.]

[Ὀμπνικὸς, Ὄμπνιος. V. Ὄμπνειος.]

[Ὀμπνιόχειρ. V. Ὀμπνειοχείρ.]

[Ὀμύδιον, τὸ, i. q. χήμη, ap. schol. Oppiani Hal. 1, 138 : Χήμησι) ὀμυδίοις.]

Ὄμφα, ἡ, Hesych. auctore, Laconibus est ὀσμὴ, Odor. [Eidemque ὀμφὴ, πνοὴ, quod huc referebat Albertus, qui accentus fortasse præstat, ut ὀμφὰ nihil nisi alia sit forma formæ ὀσμά. Inde Εὐόμφαλος (sic enim scrib. supra) et Ποτόμφει, προσόζει, ap. Hesych.]

[Ὀμφαῖος, α, ον, Vocalis. Ὀμφαίη dæmon fingitur ab Empedocle v. 30. Nonn. Dion. 9, 283 : Ὀμφαίῃ περὶ πέτρῃ· 12, 42 : Ὀμφαίῳ παρὰ τοίχῳ.]

Ὀμφάκη, ἡ, Ex acerbis uvis expressa melligo, Ruell. ap. Diosc. 3, 9, Acerbæ uvæ succus, quem Omphacium dicunt, Marcell. : Οὕτω καὶ θαψία καὶ μανδραγόρα καὶ ὀμφάκη, καὶ τὰ ὅμοια τούτοις χυλίζεται. Ubi quædam exempll. [recte] habent ὄμφαξ.

[Ὀμφάκη, ἡ, Omphace. Πόλις Σικελίας. Φίλιστος Σικελικῶν δ'. Τὸ ἐθνικὸν Ὀμφακαῖος. Ἔδει δὲ Ὀμφακῖνος τύπῳ τῆς χώρας, Steph. Byz. Urbem memorat Pausan. 8, 46, 2; 9, 40, 4.]

[Ὀμφάκηρὸς, ὰ, ὸν, ap. Philagrium Oribasii p. 57 ed. Matth., κεράμια.]

Ὀμφακίας, ὁ, Acerbitate sua ὄμφακας referens, Ex uvis immaturis et acerbis confectus : ὀμφ. οἶνος, Eust., fortasse i. q. ὀμφακίτης. [Apud Athen. 1, p. 26, D, memorantur duo genera vini Albani, ὁ μὲν γλυκάζων, ὁ δ' ὀμφακίας, Alterum dulce, alterum acerbiusculum. Schweigh. Hesychius : Ὀμφακίας, παρόξους (πάροξυς).] Metaphor. ex Luciano [Catapl. c. 5] : Ὀμφακίας νεκροὺς ἄγεις, Acerba [« immatura » Brunck.] morte defunctos agis. Et ap. Aristoph. Ach. [352], ὀμφακίας θυμὸς, Acerbus immitisque animus : Οὕτως ὀμφακίαν πεφυκέναι Τὸν θυμὸν ἀνδρῶν, ὥστε βάλλειν καὶ βοᾶν. [Phrynichus Bekk. An. p. 54, 22 : Ὀμφ. θυμὸς, ὁ αὐστηρὸς καὶ ἄγαν σκληρός. Plut. De lib. educ. p. 11, D : Πατέρες, τὸν τρόπον ὀμφακίαι καὶ στρυφνοὶ, Moribus crudi atque austeri, i. e. severi. ἀϊά]

[Ὀμφακίζω, Immaturus s. Acerbus sum. Geopon. 3, 13, 5; 9, 19, 1, ἐλαία· et σταφυλὴ 5, 43, 3; 47, 1. « Vit. Sophocl. p. 2, 33 : Ῥᾶγα ἔτι ὀμφακίζουσαν. » Hemst. Improprie de mamillis, ut infra ὄμφαξ, Eumath. p. 181 : Τοὺς ὀμφακίζοντας τῶν βοτρύων ἐκθλίβων· 182 : Μὴ τὴν σταφυλὴν ὀμφακίζουσαν. Latiori signif. Acerbus sum, in Monodia in Eustathium ap. Tafel. De Thessalonica p. 375 : Στρυφνότητος ὀμφακιζούσης. Memorat etiam Zonar. Lex. p. 1451. L. D. Item improprie, ut ὄμφαξ, Aristænet. Ep. p. 153. Nicetas Chon. Andron. p. 178, B : Παραγκαλιζόμενος ὁ πέπων τὴν ὀμφακίζουσαν, ὁ ὑπέρωρος τὴν ἡλικίαν τὴν ὀρθότιτθον νεάνιδα.]

Ὀμφακίζομαι, Uvas acerbas et adhuc immaturas lego, proverb. ap. Suid. [et al.], Σικελὸς ὀμφακίζεται, quod Erasmus scribit dictum in eos, qui libidine furandi quamlibet vilia tollerent furto : ductum a furacitate Siculorum. Sed et alias affert explicationes, quas ap. eum vide in Adagio, Siculus omphacizat.

Ὀμφάκἴνος, η, ον, Omphacinus, Ex uvis acerbis et immaturis confectus. [Ὀμφάκινον, Virideolium, Gl. Leg. Viride oleum.] Ὀμφ. ἔλαιον, Oleum ex olivis immaturis, quod et ὠμοτριβὲς dicitur, quia olivæ illæ acerbæ, unde exprimitur, crudæ adhuc sunt. Diosc. 1, 29 : Ἔλαιον πρὸς τὴν ἐν ὑγείᾳ χρῆσιν ἄριστον τὸ ὠμοτριβὲς, ὃ καὶ ὀμφάκινον καλεῖται. [Geopon. 3, 13, 5, etc.] Plin. etiam Omphacinum oleum appellat, 23, 4. Apud Polluc. 7, [56] ὀμφάκινον est etiam Vestimenti muliebris genus : quo colore Alexandrum delectatum scribit. [Alex. Trall. 1, p. 2; Hippocr. p. 667 init.]

Ὀμφάκιον, τὸ, Omphacium, Succus uvæ acerbæ, necdum maturescentis. Diosc. 5, 7 : Ὀμφάκιον, ἔστι μὲν χυλὸς ὄμφακος Θασίας σταφυλῆς μήπω περκαζούσης, ἢ Ἀμιναίας. Plin. 12, 27 : Oleum et omphacium est. Fit duobus generibus, et totidem modis, ex olea et vite : olea adhuc alba expressa, deterius ex druppa : ita vo-

A catur priusquam cibo matura sit, jam tamen colorem mutans. Ex vite fit Psythia aut Aminæa, quum sunt acini ciceris magnitudine, ante canis ortum. In prima lanugine demetitur uva, ejusque melligo. [Hippocr. p. 407 med. De papillis Aristæn. 2, 7 : Ὀμφάκια μῆλα τοῦ στέρνου.]

Ὀμφακὶς, ίδος, ἡ, Cavum illud ex quo glans quercina enascitur, qua utuntur coriarii. Paul. Ægin. 3, 42, de dysenteria : Ὀμφακίδος κεκαυμένης, ἔστι δὲ τὸ κοῖλον ἐξ οὗ ἐκπέφυκεν ἡ τῆς δρυὸς βάλανος, ᾧπερ οἱ βυρσεῖς χρῶνται. Plin. Calycem glandium vocat, recentiores Medici Cupulam, ut nonnulli tradunt, qui ap. Paul. pro ὀμφακίδος corrupte legi annotant ὀμφακίτιδος : idque Interpreti imposuisse, existimanti ibi significari Gallam, quæ ὀμφακῖτις nominatur. Rursum ap. eund. Paul. interpretes ὀμφακίδα gravi errore vertisse Uvam acerbam, pro Glandium calyce. [Cornarius ad Galen. De comp. med. sec. loc. p. 283, 456.]

[Ὀμφακισμὸς, ὁ, memorat Zonaras Lex. p. 1451, non addita signif.]

B Ὀμφακίτης, ὁ, ut ὀμφακίτης οἶνος, Vinum omphacites, quod conficitur θειλοπεδευομένης, μήπω κατὰ πάντα πεπείρου τῆς σταφυλῆς οὔσης, ἔτι δὲ ὀξιζούσης, ἐπὶ ἡμέρας γ' ἢ δ', ἕως ἂν ῥυσσωθῶσιν οἱ βότρυες, Diosc. 5, 12. [Geopon. 8, 11.] Et fem. Ὀμφακῖτις κηκὶς, species Gallæ parva, tuberosa, solida, nullo foramine pervia, Diosc. 1, 147. [Unde corrigendus Hermes p. 330 ed. Rœther. : Κικίδου ὀμφακίτιδος. Hippocr. p. 668 med.]

[Ὀμφακόκαρπος, vitium scripturæ pro ὀμφαλόκαρπος, quod v.]

Ὀμφακόμελι, τὸ, Medicamentum ex uvis immaturis et melle. Diosc. 5, 31, fieri tradit ἐξ ὀμφάκων μήπω περκαζουσῶν, καὶ χυλοῦ μέλιτος : quod potionis genus ex uvæ acerbæ succo et melle, pharmacopolæ Sirupum de agresta dicunt.

Ὀμφακορρὰξ, ᾶγος, ὁ, ἡ, Acerbos et immaturos acinos habens. Anthol. [epigr. Philippi Anth. Pal. 9, 561, 5] unico ρ : Ἡ τοὺς ὀμφακορᾶγας ἐγείναο τοὺς ἀπεπάντους Βότρυας.

[Ὀμφακὸς, ὁ, Uva acerba. Hippocr. p. 878 extr. :

C Ὀμφακοῦ χυλός. Nisi leg. ὀμφακίου.]

Ὀμφακώδης, ὁ, ἡ, Acerbus in modum uvarum immaturarum, Theophr. H. Pl. 3, [13, 6. Hippocr. p. 95, Geopon. 4, 15, 4.]

[Ὀμφάλειον. V. Ὀμφάλιον.]

[Ὀμφάλειος, εἶδος σύκου, ἰσχάδος, Photius.]

[Ὀμφάλη, ἡ, Omphale, regina Lydorum, ap. Soph. Trach. 252, 356, et alios. Fabulam Ὀμφάλην scripserat Ion. Chius. Ap. Steph. Byz. in Ἀκέλη male Μάλιδος δούλης τῆς Ὀμφαλίδος, pro Ὀμφάλης. L. Dind.]

[Ὀμφαλητομία, Ὀμφαλητόμος. V. Ὀμφαλοτ—.]

[Ὀμφαλίδαι, πατριαὶ, Hesychii gl. obscura, quæ ad ὁμοφυλίαι alludit.]

[Ὀμφαλικὸς, ἡ, ὸν, Ad umbilicum pertinens. Phanias Athenæi 2, p. 58, E : Κατὰ μέσον τοῦ πλακουντικοῦ ὄγκου τὸ κέντρον ὀμφαλικόν. Boiss.]

Ὀμφάλιον, τὸ, Umbilicus [Nicand. Al. 609 : Ἀμφὶ δὲ μέσσον πνεύματ' ἀνειλίσσοντα κατ' ὀμφάλιον, sicut Hom. Il. H, 267, nonnulli μέσσον ἐπ' ὀμφάλιον pro ἐπομφάλιον. Arat. 206, 213; Leonid. Tar. Anth. Pal. 8, 506,

D 8], proprie [improprie] clypei, i. e. Umbo, ὁ ὀμφαλὸς τῆς ἀσπίδος, ut Suid. exp. in Epigr. quodam. [Diog. L. 8, 45 : Ἀσπίδος Εὐφόρβου βλέψον ἐς ὀμφαλόον. Ὀμφαλόεν vel ὀμφάλιον Menagius. L. D. Clypeus ipse, Paul. Sil. Anth. Pal. 6, 81, 1 : Ζηνὶ τόδ' ὀμφάλιον σάκεος τρύφος, ᾧ ἐπὶ λαιὴν ἔσχεν ἀριστεύων, ἄνθετο Νικαγόρας. Ita veteribus, at paullo recentioribus dicitur Tabella, ex quavis materia, in qua imago describitur. Nam in umbonibus seu scutis solemne erat Græcis imagines effingere, quæ ὀμφαλόεσσαι ἀσπίδες dicuntur Paul. Sil. in Descr. ædis Sophianæ. Ita tradit Photius, et ex eo alii, ap. Allat. De consensu utriusque eccl. l. 2, c. 6, n. 6, Leonem Papam scuta argentea, in quibus descriptum erat symbolum fidei, ex gazophylacio ecclesiæ sustulisse : Ἀσπίδας δύο Ἑλληνικοῖς καὶ γράμμασι καὶ ῥήμασιν ἐχούσας τὴν τῆς πίστεως ἔκθεσιν. Theophanes a. 20 Mauricii p. 239 et Cedrenus, ubi de imagine Christi ad portam palatii Chalces dictam : Κρατήσαντες αὐτὸν οἱ δέκης ὑπηρέται παρέστησαν τῷ πορφυρῷ ὀμφαλίῳ τῷ ἐκεῖσε. Ubi Miscella Purpureum umbilicum vertit, de quo Symeo Logoth. in Leone Armen. n. 2 : Ὡς πρὸ τῶν τῆς Χαλκῆς πυλῶν ἐν τῷ κατ' ἐπιφάνειαν κυκλικῷ καὶ πορφύρῳ μαρμάρῳ ἐγένετο, εὐχαριστήριον ἀπεδίδου τῷ ἐκεῖσε Χριστοῦ τοῦ θεοῦ ἡμῶν εἰκονίσματι. V. Anonym. Combefis. in Lecapeno 2, 44, et Cp. Christ. 2, p. 117. Phocas Descr. T. S. n. 11 : Ἐφ' ὃν τόπον ἔστησαν οἱ τοῦ κυρίου πόδες, ὁρᾶται ὀμφάλιον πάνυ λευκὸν, ἐν ᾧ μέσον ἐκτύπωσις θείου σταυροῦ· 14 : Ἔστιν ἐν τῷ τόπῳ ἐκείνῳ κέλλη, ἐν ᾗ τὴν παναγίαν αὐτοῦ ψυχὴν παρέθετο τῷ υἱῷ καὶ θεῷ ὀμφάλια δύο. V. Gloss. Lat. v. Scutum et Surtaria. Ex Ducang. Gl. Euseb. p. 238, et Casaub. in Sueton. in Calig. c. 16, citat id. App. p. 146. Memorat hoc voc. etiam schol. Dionys. ap. Bast. ad Gregor. p. 29.]

[Ὀμφάλιον, τὸ, Omphalium. Τόπος Κρήτης, πλησίον Θενῶν καὶ Κνωσσοῦ. Ἔστι καὶ Θετταλίας. Τὸ ἐθνικὸν Ὀμφαλίτης, Steph. Byz. Callim. Jov. 45 : Τουτάκι τοι πέσε, δαῖμον, ἀπ' ὀμφαλός· ἔνθεν ἐκεῖνο Ὀμφάλιον μετέπειτα πέδον καλέουσι Κύδωνες. V. Ὀμφαλὸς sub finem. Ὀμφάλιον in Epiro memorat Ptolem. 3, 14. || Thessalici gentile Ὀμφαλιῆας est in versu Rhiani ap. Steph. Byz. v. Παραύαιοι. L. Dind.]

[Ὀμφαλίς. V. Ὀμφάλη.]

Ὀμφαλιστὴρ, ῆρος, ὁ, Scalper excisorius, quo obstetrix infanti recens nato umbilicum præsecat. Pollux 2, [169] : Καὶ ὁ [ὃς] ἀποτέμνει τοὺς ὀμφαλοὺς τῶν βρεφῶν, Ὀμφαλιστήρ. [Id. 4, 208.] Itidemque Hesychio [et Photio] ὀμφαλιστὴρ, ᾧ τοὺς [τῶν παιδίων] ὀμφαλοὺς ἀποτέμνουσιν.

[Ὀμφαλίων, ωνος, ὁ, Omphalio, n. Pisatæ, ap. Pausan. 6, 21, 1; 22, 2, Strab. 8, p. 362. Pictoris ap. Pausan. 4, 31, 12.]

[Ὀμφαλίτης. V. Ὀμφάλιον.]

[Ὀμφαλοειδὴς, ὁ, ἡ, Umbilico similis. Eust. Il. p. 1350, 5.]

Ὀμφαλόεις, εσσα, εν, Umbilicatus, Umbilicum habens : ὀμφ. ἀσπίδες, Clypei umbilicati, potius Clypei qui umbones habent. Hom. Il. M, [161, Tyrtæus ap. Stob. Fl. 51, 25, Aristoph. Pac. 1274, 1278]. Item ζυγὸν ὀμφαλόεν, Ω, [269], τὸ ἢ κύκλους τινὰς κοίλους ἔχον ὀμφαλοειδεῖς, ἢ γλύμμα τι κοῖλον περὶ τὸ μέσον τοῦ ζυγοῦ ὅπου οἱ ἱμάντες περιτίθενται, ut Eust. dicit manifestum esse ex eo l. quem in Ὀμφαλὸς citabo. Qui vero ἀκριβέστεροι sunt, ὀμφαλόεν exp. τὸ ὑπεροχάς τινας ἔχον ἐν μέσῳ, ἐν αἷς οἱ ἱμάντες περιειλοῦνται : vel, τὸ ἔχον μέσον ὀμφαλὸν, ᾧ προσδεῖται ἱμᾶσιν ὁ ῥυμός : tot enim expositiones afferuntur ab Eust. A Nicandro vero [Al. 7] ἄρκτος ὀμφαλόεσσα dicitur [etiam sec. Hesychium, qui hunc l. respicit], vel quod in umbilico poli borealis sit constituta; vel quod ipsa ursa fœcunda sit atque altrix : quoniam cuncta animantia, quæ umbilicum habent, per eum primum alimentum accipiunt et nutriuntur. Sunt etiam qui ὀμφαλόεσσαν exposuerint Creticam, a Cretæ loco quodam, qui ὀμφαλὸς appellatur. Sic VV. LL., sed vide schol. tam de hoc l., quam de ὀμφαλόεσσα πόσις. [Ib. 348, ubi dicit : Ὀμφ. ἢ τὴν τῷ ὀμφαλῷ προσιζάνουσαν ἢ τὴν ἐκ σύκων τῶν ὀμφαλοὺς ἐχόντων· τὰ γὰρ σῦκα κάτω τρύπας ἔχουσι δίκην ὀμφαλοῦ, δι' ὧν τρυπῶν ὁ ὀπὸς αὐτῶν ῥεῖ.]

Ὀμφαλόκαρπος, ὁ, ἡ, Cujus fructus umbilicatus est, umbilicum refert. Ita dicitur aparine, ut testatur Diosc. 3, 103 [92] : Ἀπαρίνη· οἱ δὲ ἀμπελόκαρπον, οἱ δὲ ὀμφαλόκαρπον, οἱ δὲ φιλάνθρωπον καλοῦσι. Nominis rationem mox exprimit his verbis, Σπέρμα, σκληρὸν, λευκὸν, στρογγύλον, ὑπόκοιλον ἐκ μέσου ὡς ὀμφαλός. De eadem Plin. 27, 5 : Aparinen aliqui Omphalocarpon, alii Philanthropon vocant : ramosam, hirsutam, quinis senisve in orbem circa ramos foliis per intervalla : semen rotundum, durum, concavum, subdulce. Sed perperam ibi scribitur Ὀμφακόκαρπος.

Ὀμφαλὸς, ὁ, Umbilicus, τὸ ἐν μέσῳ τῆς γαστρὸς κοῖλον, ut Ruf. Ephes. [p. 31 Cl.] tradit : sicut et Polluci [2, 169] ὀμφαλὸς est τὸ κατὰ μέσην γαστέρα κοῖλον. Legitur et ap. Plat. Symp. [p. 190, E] : Συνέλκων πανταχόθεν τὸ δέρμα ἐπὶ τὴν γαστέρα νῦν καλουμένην, ὥσπερ τὰ σύσπαστα βαλάντια, ἓν στόμα ποιῶν ἀπέδει κατὰ τὴν μέσην γαστέρα, ὃ δὴ τὸν ὀμφαλὸν καλοῦσι. Hom. Il. [Δ, 525 : Οὖτα δὲ δουρὶ παρ' ὀμφαλόν·] Φ, [180] : Γαστέρα γάρ μιν τύψε παρ' ὀμφαλόν. [Eur. Hec. 559 (et Bion 1, 25) : Παρ' ὀμφαλόν· Phœn. 1412 : Δι' ὀμφαλοῦ καθῆκεν ἔγχος. Aristoph. Pac. 175 : Ἤδη στροφεῖ τι πνεῦμα περὶ τὸν ὀμφαλόν. Et alii quivis. Herodot. 7, 60 : Αἱμασιὴν ὕψος ἀνήκουσαν ἀνδρὶ ἐς τὸν ὀμφαλόν. Xen. Anab. 4, 5, 2 : Βρεχόμενοι πρὸς τὸν ὀμφαλόν. Plato Leg. 11, p. 925, A : Γυμνὰς ὀμφαλοῦ μέχρι θεώμενος. V. de ὀμφαλῷ inprimis Aristot. De gen. an. 2, 4 finem versus, et 7 init.; 4, 8 fin.] Ceteris quoque animalibus ὀμφαλὸς tribuitur, et item piscibus; nam in iis ὀμφαλὸς dicitur ea pars, ubi ova visuntur. [Aristot. H. A. 6, 14 init., et 7, 7.] || Transfertur et ad inanima. Dicitur enim ὀμφαλὸς s. μεσόμφαλον γῆς ab Eur. [Med. 668], Delphorum urbs, quia creditur esse ἐν μέσῳ τῆς οἰκουμένης. [Conf. Ion. 5, 222.] Sic Eust. p. 309 : Ὁ δὲ περὶ Πυθῶνα τόπος, ὀμφαλὸς ἐκλήθη γῆς, ἤτοι μεσότης· qui locus et ὀμφαλὸς αἰγὸς s. αἰγαῖος [Αἰγαῖος] dicitur, ut Hesych. [qui conf. etiam in Τοξίου βουνός] innuit. [Sic Soph. OEd. T. 898 : Τὸν ἄθικτον γᾶς ἐπ' ὀμφαλόν. Plat. Reip. 4, p. 427, C : Ἐν μέσῳ τῆς γῆς ἐπὶ τοῦ ὀμφαλοῦ καθήμενος. Pind. Pyth. 4, 74 : Πὰρ μέσον ὀμφαλὸν εὐδένδροιο ματέρος· et χθονὸς 6, 3, Nem. 7, 33, γᾶς Pyth. 8, 62; 11, 10, ἄστεος ap. Dionys. De comp. verb. p. 304 Schæf. Πόληος Simonid. in epigr. ap. Bœckh. C. I. vol. 1, p. 556, n. 1051, 9. Æsch. Eum. 166 : Γᾶς ὀμφαλόν· 40 : Ὁρῶ δ' ἐπ' ὀμφαλῷ μὲν ἄνδρα θεομυσῆ ἕδραν ἔχοντα. Callim. Cer. 15 : Καλλίστης νήσου δράμες ὀμφαλὸν Ἔνναν. De ὀμφαλῷ τῆς πόλεως Antiochiæ v. Jo. Malalas p. 233, 7, 8.] Sic Cic. in Verr. de Ennensium nemore : Qui locus, quod in media est insula situs, Umbilicus Siciliæ nominatur. Itidemque Liv. dicit Ætolos umbilicum Græciæ incolere. [Ἐν ὀμφαλῷ τῆς πάσης ἡγεμονίας ἵδρυται, Aristid. vol. 2, p. 301, D. Hemst.] Sed et mari tribuitur ὀμφαλὸς, ap. Hom. Od. A, [50] de insula Calypsus : Νήσῳ ἐν ἀμφιρύτῳ [—τη], ὅθι τ' ὀμφαλός ἐστι θαλάσσης, i. e. τὸ μεσαίτατον τῆς Ἀτλαντικῆς ἢ τῆς ὅλης θαλάσσης, Eust. [|| Ὀμφαλὸς γῆς, Umbilicus Veneris, κοτυληδὼν, ap. Interpol. Dioscor. c. 694. V. Μεσόμφαλος. || Pars media ædis sacræ. Didym. s. schol. Hom. Od. A, 50, ὀμφ., τὸ μεσαίτατον. Marc. hierom. De dubiis typ. c. 96 : Πληρώσας τὸ θυμιᾶν καὶ μέλλων εἰσιέναι τῷ ναῷ χαράττει σταυρὸν ἔμπροσθεν τῶν βασιλικῶν πυλῶν, ὡσαύτως καὶ εἰς τὸν ὀμφαλὸν, ἤγουν ἐν τῷ μέσῳ τοῦ ναοῦ, καὶ εἰς τὰ ἄλλα θυρία ὁμοίως. Adde Maximum Cyther. 30 April. in S. Donato, Cp. Christ. l. 3, n. 79. Ducang.] || In agmine autem militari ὀμφαλὸς dicitur Media illa pars inter duo κέρατα, Cornua : quæ et ἄραρος et συνοχὴ et στόμα, et διχοτομία, ut in libello Περὶ τάξεως παλαιᾶς traditur, ubi διχοτομία φάλαγγος esse dicitur ἡ εἰς β' ἴση τομή· ἅ τινα μέρη καλεῖται κέρατα. Pollux 1, [126] : Τῶν μαχομένων τὸ μὲν ἔμπροσθεν, μέτωπον καὶ ζυγὸν, καὶ πρόσωπον, καὶ τὰ ἑκατέρωθεν ἄκρα, πλευρὰ καὶ κέρατα, δεξιὸν καὶ εὐώνυμον· τὸ δὲ μέσον, ὀμφαλός. [African. Cest. c. 77, p. 315, B, fin. : Ὅτι οἱ παλαιοὶ τὴν φάλαγγα ἐν ταῖς κινήσεσι ζώῳ εἰκάζοντες, τὸ μὲν αὐτῆς πρόσωπον ὀνομάζουσι καὶ στόμα..., ἄλλο δὲ ὀφθαλμὸν ἢ ὀμφαλὸν, quorum verum est alterum, quod cum ὀφθαλμὸς confusum infra notabimus. L. D.] || Clypeis etiam tribuitur, quem Latini Umbonem [Gl.] vocant. [Ὀμφαλὸς ἀσπίδος τηβέννης, Umbilicus, Gl., ubi distinguendum ante τηβέννης. Eodem pertinet Ὀμφ., Buccula, in iisdem.] Eust. dicit esse Bullam in medio clypeo, Bullam in medio clypei ventre : vel τὸ κατὰ τὸ μέσον ἐπανάστημα ἔκ στερεᾶς τινος ὕλης. Hom. Il. N, [192] : Ὁ δ' ἄρ ἀσπίδος ὀμφαλὸν οὖτα, Clypei umbonem : unde ab eod. Hom. ἀσπίδες ὀμφαλόεσσαι appellantur. [A, 34 : Ἐν δέ οἱ ὀμφαλοὶ ἦσαν ἐείκοσι κασσιτέροιο λευκοί.] || Sed et phialæ suos habent ὀμφαλούς : unde βαλανειόμφαλοι φιάλαι ap. Cratinum, ἀπὸ τῶν ἐν ταῖς γυναικείαις πυέλαις ὀμφαλῶν, ut supra etiam suo loco dictum fuit : vocantur item μεσόμφαλοι φιάλαι, ut supra dictum. || Habent et libri suos ὀμφαλούς, quibus antiqui eorum integumenta solebant ornare, confectis vel ex ebore, aliove osse, vel metallica materia. Latini itidem Umbilicos appellant. Catull. ad Varum : Novi umbilici, lora rubra, membrana Desecta, plumbo et pumice omnia æquata. Martial. 4 : Ohe, jam satis est, ohe libelle : Jam pervenimus usque ad umbilicos. Sic Horat. Epod. 14 : Inceptos olim, promissum carmen, iambos Ad umbilicum adducere. [Epigr. Anth. Pal. 9, 540, 1 : Μὴ ταχὺς Ἡρακλείτου ἐπ' ὀμφαλὸν εἴλεε βίβλον.] Lucian. [De merc. cond. c. 41] : Ὅμοιοί εἰσι τοῖς καλλίστοις τούτοις βιβλίοις, ὧν χρυσοῖ μὲν οἱ ὀμφαλοὶ, πορφυρᾶ δ' ἔκτοσθεν ἡ διφθέρα· et [Adv. indoct. c. 7] : Πορφυρᾶν μὲν ἔχον τὸ βιβλίον τὴν διφθέραν, χρυσοῦν δὲ τὸν ὀμφαλόν. [|| Pollux 4, 66 : Μέρη δὲ τοῦ κιθαρῳδικοῦ νόμου Τερπάνδρου κατανείμαντος ἔπαρχα, μέταρχα, κατάτροπα, μετακατάτροπα, ὀμφαλὸς, σφραγὶς, ἐπίλογος.] || Præterea ὀμφαλὸς ζυγοῦ dicitur τὸ μέσον, ut Hesych. tradit, αἱ ἐν τῷ ζυγῷ τρῶγλαι, ἐφ' ὧν αἱ ἡνίαι, ut Idem [in Ὀμφαλόεντα]: Jugi foramina, de quibus religantur habenæ. Apud Eust. p. 1350 [et schol. Hom. Il. Ω, 273]: Τρὶς δ' ἑκάτερθεν ἔδησαν ἐπ' ὀμφαλὸν, i. e. ἐπὶ τὸ μέσον τοῦ ζυγοῦ. || Præterea fici quoque ὀμφαλοὺς in ima sui parte et quasi ventre habent. Pollux 2, [170] : Οἱ δὲ Ἀττικοὶ καὶ τὸν τῶν σύκων πυθμένα ὀμφαλὸν ὀνομάζουσι. Similiter in pomis quoque, pyris, mespilis, sorbis, umbilicus s. ὀμφαλὸς dicitur, Quod in fundo umbilici modo prominet. [Geopon. 10, 56, 2; Aristot. Probl. 12, 7. Theophr. H. Pl. 3, 7, 5 : Φύει δ' ἐντεριώνης τῶν ῥοπῶν μασχαλίδος ἕτερον σφαιρίον ἄμισχον καὶ κοιλόμυχον, ἴδιον καὶ ποικίλον· τοὺς μὲν γὰρ ἐπανεστηκότας ὀμφαλοὺς ἐπιλεύκους ἢ ἐπεστιγμένους ἔχει μέλανας. Ubi Schneider. : « Umbilici videntur partes gallæ convexæ et protuberantes dici. »] || Ὀμφαλὸς vocatur etiam Umbilicus fornicis, i. e. Lapis continens compagem et coagmentationem sese forficum modo intersecantem. Sic et in forfice umbilicus nominari potest. Hæc Bud., respiciens ad Aristot. De mundo [c. 6 post med.]: Παραβάλλειν τὸν κόσμον τοῖς ὀμφαλοῖς λεγομένοις τοῖς ἐν ταῖς ψαλίσι λίθοις, οἳ μέσοι κείμενοι κατὰ τὴν εἰς ἑκάτερον μέρος ἔνδοσιν, ἐν ἁρμονίᾳ τηροῦσι καὶ ἐν τάξει τὸ πᾶν σχῆμα τῆς ψαλίδος καὶ ἀκίνητον· quem l. sic interpretatus est : Mundum cum illis lapidibus componere, qui in operibus fornicatis forficis in modum dispansi conformatis structura se intersecante, Umbilici vocantur. In VV. LL. annotatur Ὀμφαλὸν s. Ὀμφάλιον esse etiam Cretæ locum, cujus mentionem fieri a Callim. [Jov. 45]: item locum quendam Thessaliæ. [V. Ὀμφάλιον. Diod. 5, 70 : Φερομένου ὑπὸ τῶν Κουρήτων αὐτοῦ (de Jove loquitur) φασὶν ἀποπεσεῖν τὸν ὀμφαλὸν καὶ τὸ χωρίον τε τοῦτο καθιερωθὲν ἀπὸ τοῦ τότε συμβάντος Ὀμφαλὸν προσαγορευθῆναι καὶ τὸ περικείμενον πεδίον ὁμοίως Ὀμφάλειον. Quod non videtur Ὀμφάλιον scribendum. ||Frequens hujus voc. cum ὀφθαλμὸς permutatio, quæ Africanum, qui dicitur, fefellit l. paullo ante citato, notata a me est ap. Jo. Malal. p. 233, 8 (in Add.).]

[Ὀμφαλοτομητέον, Umbilicus præcidendus est. Soran. De arte obstetr. c. 70, in lemmate : Πῶς ὀμφ. Boiss.]

Ὀμφαλοτομία, sive Ὀμφαλητομία, ἡ, Umbilici præcisio. Prius ὀμφαλοτομία, ap. Polluc. legitur in fine l. 4 [§ 208], posterius autem ὀμφαλητομία una cum ὀμφαλητόμος ap. [Phot. s.] Suid. : Ὀμφαλητομία, ὅτε τὸν ὀμφαλὸν τοῦ βρέφους αἱ μαῖαι ἀποτέμνουσι· καὶ αὗται δὲ, ὀμφαλητόμοι λέγονται. [Plat. Theæt. p. 149, D, ubi al. per o, ut est ap. Aristot. H. A. 7, 9.]

Ὀμφαλοτόμος sive Ὀμφαλητόμος, ἡ, Obstetrix, Quæ umbilicos infantibus recens natis præcidit : quod Eust. [Il. p. 956, 43; 1314, 49] Ionice pro μαῖα dici annotat. [Unde Photio : Μαῖαν, ὡς ἡμεῖς τὴν ὀμφαλητόμον, ἡ δὲ ὀμφαλητόμος Ἀττικὸν μᾶλλον ὄνομα, restituendum esse Ἰακὸν animadvertit Lobeck. ad Phryn. p. 651, additis exx. formæ ὀμφαλητόμος Hippocr. p. 608, 55, Hesychii et Suidæ s. Photii, alterius Sophronis ap. Athen. 7, p. 324, E : Τριγόλα ὀμφαλοτόμῳ.] Pollux 2, [169], ὀμφαλοτόμος, ἡ μαιεύτρια. [Ὀμφαλητ. Theodor. Prodr. Epigr. p. 50 Suvigny. Boiss.]

[Ὀμφαλόψυχος, ὁ, ἡ. « Ὀμφαλόψυχοι dicti primum Bogomili : deinde ita appellati per ludibrium a Barlamo Calabro monachi ætatis istius qui se ἡσυχαστὰς vocabant, a modo quo preces fundebant, κινοῦντες nempe τὸν αἰσθητὸν ὀφθαλμὸν σὺν ὅλῳ νοΐ ἐν μέσῳ τῆς κοιλίας ἤγουν κατὰ τὸν ὀμφαλὸν, ut est ap. Symeonem Xerocerci Abbatem. V. Jo. Cypariss. De Palamicis transgress. c. 3, Jo. Cantacuz. 2, 39, Leon. Allat. l. 2 De concordia utriusque eccl. c. 17, 2, et nos ad Alexiadem p. 422. » Ducang.]

Ὀμφαλώδης, ὁ, ἡ, Umbilicaris : ὀμφ. πρόσφυσις, Umbilicaris appendix, Gaza ap. Aristot. De gener. anim. 3, 2, ubi de ovis immaturis, quæ gallina madefacta aut frigore horrens ediderit, ait : Ἔτι αἱματῶδές τε

A φαίνεται τὸ κύημα καὶ ἔχον δι' αὐτοῦ στόλον μικρὸν ὀμφαλώδη. [H. A. 5, 18 med.: Ἡ πρόσφυσις ἡ ὀμφ.]

Ὀμφαλωτὸς, ἡ, ὸν, Umbilicatus : ὀμφ. χρυσὶς, Phiala aurea umbilicata. Pherecr. ap. Athen. [11, p. 502, A]: Στεφάνους τε πᾶσι κὠμφαλωτὰς χρυσίδας. [Fragm. Athen. in Casaub. Anim. 11, 14, p. 819 (ib. B, ubi φιάλαι ὀμφαλωτοὶ, nisi hic quoque scrib. ὀμφαλωταὶ, quæ usitata hujus terminationis adjectivorum forma est). Hemst. Polyb. 6, 25, 7, πόπανον. Pollux 1, 134, θώρακες.]

Ὄμφαξ, ἄκος, ἡ, Uva acerba, [immatura, Crepusum, add. Gl.] necdum matura, σταφυλὴ δριμεῖα καὶ οὔπω πέπειρος. Hom. Od. H, [125] : Πάροιθε δὲ ὄμφακές εἰσιν Ἄνθος ἀφιεῖσαι, ἕτεραι δ' ὑποπερκάζουσαι, ubi nota ὄμφακας dici etiam Parvos illos acinos, qui statim post amissos flores apparent, necdum ὑποπερκάζουσι. Hesiod. autem ὄμφακας vocat etiam Quæ jam variare incipiunt, Sc. [399]: Ὅτ' ὄμφακες αἰόλλονται. [Æsch. Ag. 970 : Ὅταν δὲ τεύχῃ Ζεὺς ἀπ' ὄμφακος πικρᾶς οἶνον. Soph. fr. Thyest. ap. schol. Eur. Phœn. 227 : Εἶτ' ἦμαρ
B αὔξει μέσσον ὄμφακος τύπον. Epigr. Anth. Pal. 9, 375, 1 : Οἰνοτρόφον ὄμφακα Βάκχου. Babrius 19, 8.] Athen. 14 : Τοῦ θέρους ἀντὶ τοῦ ὄξους τῆς ὄμφακος ἐμβαλὼν εἰς τὸν ζωμόν. Reperitur etiam usurpatum masc. genere. Plut. p. 240 meæ ed. [Mor. p. 138, E] : Οὐδὲν ἀπολείπουσι τῶν διὰ τὴν ὄμφακα τὴν σταφυλὴν ἑτέροις προϊεμένων· p. 1152 [Mor. p. 648, F], de hedera : Μάλιστα δὲ αὐτὸς ὁ κόρυμβος ὄμφακι πυκνῷ καὶ περκάζοντι προσεοικὼς ἐκμεμίμηται τὴν τῆς ἀμπέλου διάθεσιν. Non solum autem uva acerba et immatura ὄμφαξ appellatur [ut etiam ap. Polluc. 1, 243], sed etiam oliva, [ut ap. eund. 5, 67 : Περκνῆς ἐλαίας οὔτε ὄμφακος ἔτι οὔτε ἤδη μελαινομένης,] necnon lauri baccæ, omnesque omnium plantarum acerbi adhuc et crudi fructus, et qui ad maturitatem nondum pervenere. Hesychio certe ὄμφακες sunt πάντα τὰ αὐστηρὰ καὶ ὀξέα, ἤγουν ὄξινα. [Ὄμφ. πᾶν τὸ αὐστ. λέγουσιν, Photius. Τὰ ἄκρα τῶν βοτρύων καὶ ὄξινα Phryn. Bekk. p. 53, 10. Id. 9 : Ὄμφακας βλέπειν, οἷον αὐστηρὸν καὶ δριμύ. Permutatum cum στόμφαξ v. in illo. Theocr. 11, 21 : Ὦ λευκὰ Γαλάτεια, μόσχῳ γαυροτέρα,
C φιαρώτερα ὄμφακος ὠμᾶς. Cui loco conferendi Eumathii p. 182 : Φεῖσαι παρθενίας ἐμῆς, μήπως ἀντὶ νέκταρος ὄξος ἐκθλίψῃς ἐξ ὄμφακος· Onestæ Anth. Pal. 5, 20, 1 : Οὔτε με παρθενικῆς τέρπει γάμος οὔτε γεραιῆς, ... εἴη μήτ' ὄμφαξ μήτ' ἀσταφίς· Stratonis 12, 205, 4 : Νῦν ἀφύλακτοι ὄμφακες, de puero duodecim annorum, et Tryphiod. 34 : Ἀθηλέος ὄμφακα μαζοῦ· Nonni Dion. 42, 306 : Ἡμερίδων δὲ ὄμφακα γινώσκω νεοθηλέα χερσὶν ἀφάσσων· 1, 71 : Ἀμφοτέρῳ ὄμφακι μαζῷ· 48, 957 : Στάζοντα νόθον γλάγος ὄμφακι μαζῷ. || Genus lapilli. Theophr. fr. 2 De lapid. 30 : Ἐξ ὧν δὲ τὰ σφραγίδια ποιεῖται, καὶ ἄλλαι πλείους εἰσὶν ... καὶ ἡ ὄμφαξ ... Εὑρίσκονται δὲ καὶ αὗται διακοπτομένων τινῶν πετρῶν. « Alibi nondum nominatum reperi lapidem, qui fortasse a colore uvæ acerbæ nomen traxit. » Schneider. || De genere Phryn. Ecl. p. 54 : Ἡ ὄμφαξ, ἡ βῶλος θηλυκῶς δέον, οὐχ ἀρρενικῶς. Id. p. 56, 10 Bekk. : Τὰς ὄμφακας θηλυκῶς εἶπε Πλάτων. « Ὁ ὄμφαξ, τοῦ ὄμφακος Apollon. Lex. p. 814 Vill. et Hesych. v. Ὑποπερκάζουσι. Τὸν ὄμφακα Plut. Mor. p. 138, E. Τοὺς ὄμφ. Geopon. 4, 15, p.
D 306. Ἡ ὄμφ. præter supra citatos Hippocr. De vict. acut. 68, p. 323 (et p. 875, E, G, H), Dioscor. 5, 31. » Lobeck.]

Ὀμφὴ, ἡ, dicitur φήμη θεία, κληδὼν θεία, [φωνὴ, δόξα, πνοὴ, ὀνείρου φαντάσματα, his addit Hesychius : in quibus πνοὴ ad ὄμφα referebat Albert.], Divina vox, Responsum a deo datum consulenti : quasi ἡ τὸ ὂν φαίνουσα, Aperiens id quod est, Veritatem prodens. Hom. Il. B, [41] : Ἔγρετο δ' ἐξ ὕπνου· θείη δέ μιν ἀμφέχυτ' ὀμφή. [Υ, 129 : Ταῦτα θεῶν ἐκ πεύσεται ὀμφῆς· Od. Γ, 215 : Ἐπισπόμενοι θεοῦ ὀμφῇ. Theognis 806. Soph. OEd. C. 102 : Κατ' ὀμφὰς τὰς Ἀπόλλωνος. Eur. Ion. 907 : Ὅς γ' ὀμφὰν κληροῖς. Apoll. Rh. 3, 939 : Ὀμφὴν οἰωνοῖο θεήλατον. L. D. Ὀμφαὶ τρίποδος Philostr. Im. 2, p. 842, 11. Orac. ap. Euseb. Præp. ev. p. 239, A. Hemst.] Accipitur et pro φωνὴ simpliciter s. αὐδή. [Pind. fr. ap. Cram. An. vol. 1, p. 285, 19 : Κηρίων ἐμὰ γλυκερώτερος ὀμφά· ap. Dionys. De comp. verb. p. 308 : Ἀχεῖται μελέων ὀμφαί· Nem. 10, 34 : Ἀδεῖαί γε μὲν ἀμβολάδαν ἐν τελεταῖς δὶς Ἀθαναίων νιν ὀμφαὶ κώμασαν. Æsch. Suppl.

808: Ἴυζε δ' ὀμφὰν ὀρανίαν μέλη λίτανα θεοῖσι. Soph. OEd. C. 550: Κατ' ὀμφὴν σὴν ὃς ἐστάλη· 1351: Οὔτ' ἄν ποτ' ὀμφῆς τῆς ἐμῆς ἐπήσθετο. Apoll. Rh. 4, 725, 1382.] Eur. Med. [175]: Πῶς ἂν ἐς ὄψιν τὰν ἁμετέραν ἔλθοι, μύθων τ' αὐδαθέντων δέξαιτ' ὀμφάν; Sic Nonn. [Jo. c. 6, 58], Ὑποκάρδιον ὀμφήν, Vocem sub pectore latentem, dixit pro Mente et cogitatione. [Melanippid. ap. Athen. 10, p. 429, C. Hemst. || Galen. l. 1 De remed. p. 434 ed. Basil.: Διὸ καὶ τὰς ὀμφὰς ὀνομαζομένας βαρβάρῳ γλώττῃ προσήκει λαμβάνειν. Ducang. App. Gl. p. 146. De accentu Arcad. p. 115, 10.]

Ὀμφήεις, σσα, εν, Fatidicus, Vocalis. [Nonn. Dion. 2, 686, Jo. c. 1, 194. Wakef. Paul. Sil. Descr. Soph. 997, μενοινή.]

Ὀμφητήρ, ῆρος, ὁ, Fatidicus, Vates. Tryphiod. [132]: Ἑλένοιο μετήλυδος ὀμφητῆρος.

[Ὄμφις, εὐεργέτης, cognomen Osiridis. Hermæus ap. Plut. De Is. p. 368, B. Quum vero εὐεργέτης Ægyptiis dicatur ἐρόμφις, Plut. scripsisse Ῥόμφις, quod ex ἐρόμφις oriri potuit, putat Jablonsk. Opusc. vol. 1, p. 183.]

[Ὄμφορα, ὅσα ἀπὸ τῶν ἱερῶν ἐκφέρεσθαι ὁ νόμος κωλύει, Hesychii gl. corrupta, ut videtur.]

[Ὀμφύνω.] Ὀμφύνειν, Hesychio αὔξειν, σεμνύνειν, ἐντιμότερον ποιεῖν, Augere, Honoratiorem et augustiorem reddere. Ὠμφύνειν, Hesychio est ἐνδόξους ποιεῖν: afferenti et ὤμφυναν pro ἐδόξαζον: videtur esse ab ὀμφή. [Photius: Ὀμφύνειν, σεμνύνειν. Idem Ὀμπνεύειν, αὔξειν, utrumque quo series literarum poscit loco.]

Ὁμῶλαξ, ακος, ὁ, ἡ, q. d. Ὁμαῦλαξ, Qui eodem sulco comprehenditur, Vicinus. Apoll. Arg. 2, [396]: Βύζηρες δ' ἐπὶ τοῖσιν ὁμώλακες, i. e. ὅμουροι, schol. [787: Φρύγας, οἳ ναίουσιν ὁμώλακας ἡμὶν ἀρούρας. Antip. Thess. Anth. Pal. 7, 402, 3, κωμῆται. Etym. M.]

[Ὅμωμι, Persis genus herbæ ap. Plut. Mor. p. 369, E.]

Ὁμωνυμέω, Cognominis sum, Idem mihi nomen est. Et ὁμωνυμεῖν, Cognominem esse, vel cognomines. Athen. [11, p. 491, C]: Λαμπροκλῆς δὲ καὶ ῥητῶς τὰς πλειάδας εἶπεν ὁμωνυμεῖν ταῖς περιστεραῖς. Porphyrius hoc vocat κοινωνεῖν κατὰ τοὔνομα. [Arcad. De accent. p. 11, 18: Ὁπότε πόλει ὁμωνυμεῖ. L. Dind.]

Ὁμωνυμία, ἡ, q. d. Cognominitas (ita enim potius dicendum esset, si a Cognominis fingere substantivum liceret, quam Cognominatio, ut habent VV. LL.), Nominis communitas: ut in l. Aristot., quem mox proferam in Ὁμωνύμως. [Crinagoras Anth. Pal. 7, 628, 2: Ἐς δ' ἀνδρῶν ἦλθον ὁμωνυμίην. Aristot. Metaphys. p. 69, 28 Br.: Οὐκ ἔσται εἶναι καὶ μὴ εἶναι τὸ αὐτὸ ἀλλ' ἢ καθ' ὁμωνυμίαν· ὥσπερ ἂν εἰ ὃν ἡμεῖς ἄνθρωπον καλοῦμεν, ἄλλοι μὴ ἄνθρωπον καλοῖεν· Rhet. 3, 2: Τῶν ὀνομάτων τῷ μὲν σοφιστῇ ὁμωνυμίαι χρήσιμοι· παρὰ ταύτας γὰρ κακουργεῖ, τῷ δὲ ποιητῇ συνωνυμίαι. V. Ὁμώνυμος. Max. Tyr. Diss. 24, 3, vol. 1, p. 457: Διὰ τὴν πρὸς τὸν θεὸν ὁμωνυμίαν. Theodor. Stud. p. 512, D: Κατὰ κατάχρησιν ἤτοι ὁμωνυμίαν. L. Dind.]

[Ὁμωνυμικῶς, Eodem nomine. Epiphan. vol. 1, p. 261, B.]

[Ὁμωνύμιος, α, ον, i. q. seq. Aristot. Pepl. (Anth. Pal. App. 9) v. 14: Νῆσος ὁμωνυμίη. Ita legendum in epigr. ap. Viscont. *Mus. Pio-Cl.* vol. 6, p. 46: Εἰσίν μοι δύ' ἀδελφοὶ ὁμώνυμοι, δύ' ὅμοιοι. L. Dind.]

Ὁμώνυμος, ὁ, ἡ, Idem nomen habens, Cognominis: licet Festus Cognomines esse dicat, qui ejusdem sunt cognominis. [Cognominatus, Gl.] Quidam interpr. et Gentiles, ex Cic.: qui tamen non dixit Gentiles ap. Plat. [Tim. p. 41, C], sed Quasi gentiles: ut videbis p. 31 mei Cic. Lex. [Hom. Il. P, 720: Ὁμώνυμοι, de duobus Ajacibus. Pind. Isthm. 6, 24: Μάτρωι ὁμωνύμῳ. Dionys. P. 903: Οὐχ ἅμα ναιετάοντες ὁμώνυμοι· 1026: Ὁμώνυμον ἴσχετο γαῖαν. Xen. Ven. 10, 11: Πούς ὁ ἀριστερὸς ἐπέσθω τῇ χειρὶ τῇ ὁμωνύμῳ. Plato Polit. p. 257, A: Ἡ κλῆσις ὁμώνυμος οὖσα· Theæt. p. 147, C: Τῷ σῷ ὁμωνύμῳ τούτῳ Σωκράτει· Prot. p. 311, B: Τὸν σαυτοῦ ὁμώνυμον, etc.] Dicitur autem et ὁμώνυμός τινος, τινι. [Pind. ap. Aristoph. Av. 927: Ζαθέων ἱερῶν ὁμώνυμε, et ap. schol. Nem. 7, 1: Ὀλβίων ὁμώνυμε Δαρδανιδᾶν, ubi permutatur cum ἐπώνυμος, et eadem constr. Orph. Lith. 341, 488.] Isocr. Evag. [p. 192, C]: Σαλαμῖνα κατῴκησεν ὁμώνυμον τῆς πρότερον αὐτῷ πατρίδος οὔσης.

A Sic Plut. Themist. [c. 28]: Πρὸς τὸν ὁμώνυμον τοῦ θεοῦ βαδίζειν. Cum dat. autem quum ap. alios [ut Isocr. p. 223, C: Ὁμώνυμον αὐτῇ τὴν χώραν καταστήσασα· Lycophr. 1370: Ζηνὶ τῷ Λαπερσίῳ ὁμώνυμος Ζεύς· Xen. Conv. 4, 26: Τὸ τοῖς στόμασι συμψαύειν ὁμώνυμον εἶναι τῷ ταῖς ψυχαῖς φιλεῖσθαι, quæ tamen verba non sunt Xenoph., ut alibi dixi. Plato Reip. 1, p. 330, B, et alibi], tum ap. Herodian., aliquot ll. || Ὁμώνυμοι λέξεις, Vocabula quæ nomina habent ejusd. signif., Idem significantia vocabula. Apud Aristot. [Eth. Nic. 1, 4] τὰ ὁμώνυμα, Idem nomen habentia, s. Commune, Quibus idem nomen obtigit. Dicitur vero et vox aliqua esse ὁμώνυμος, qua duæ res aut plures significantur: vulgo Æquivocum [Gl.] vocabulum vocant. [V. Quintilian. 8, 2, 13. Diomed. l. 2 in ἀμφιβολολογίᾳ hoc verbo utitur. Ernest. Lex. rh.] Vide Συνώνυμος. [Schneider. Ind. Theophr.: « Ὥσπερ ὁμώνυμον, Fere nomine tenus tantum cognatum, H. Pl. 2, 6, 11. Τὰ μὲν ἐν πλείοσιν ἰδέαις ἐστὶ καὶ σχεδὸν οἷον ὁμωνύμοις, 7, 15, 3. Helleborus niger et albus ὥσπερ ὁμώνυμοι φαί-
B νονται, 9, 10, 1. Ταῦτα ὥσπερ ὁμώνυμα συνείληπται, 9, 12, 5, et sim. ib. 16, 3. Ἔοικεν ὥσπερ ἐν ὁμωνυμίᾳ γίγνεσθαι τὸ ἀπόρημα, C. Pl. 1, 18, 3. Ὁμωνυμίᾳ τινὶ παντελῶς εἰλημμένος ὁ στρύχνος, H. Pl. 7, 15, 4, et sim. παρ' ὁμωνυμίαν C. Pl. 4, 16, 3.»]

Ὁμωνύμως, q. d. Cognominiter, Eodem nomine, Uno et eodem nomine, Communi nomine. Aristot. Eth. 5, 1: Οἷον ὅτι καλεῖται κλεὶς ὁμ. ἥ τε ὑπὸ τὸν αὐχένα τῶν ζώων, καὶ ᾗ τὰς θύρας κλείουσιν. Dixerat autem paulo ante, Ἔοικε δὲ πλεοναχῶς λέγεσθαι ἡ δικαιοσύνη καὶ ἡ ἀδικία, ἀλλὰ διὰ τὸ σύνεγγυς εἶναι τὴν ὁμωνυμίαν αὐτῶν, λανθάνει. [Conf. Metaphys. p. 61, 13; 105, 9; 134, 15; 216, 20.] In VV. LL. redditur Æquivoce, item Æquivoca nominis communione, ex Gaza. [Theophr. C. Pl. 1, 22, 1: Ὅπερ ἐκ ζώων ὁμοιότητος ληπτέον καὶ μὴ ὁμ.]

[Ὅμωρος ἄρτος, ap. Athen. 3, p. 100, B: Ἐπίχαρμος δ'... ἄρτων ἐκτίθεται γένη, Κριβανίτην, ὅμωρον, σταιτίτην... ὧν καὶ Σώφρων... μνημονεύει λέγων οὕτως, Δεῖπνον ταῖς θείαις κριβανίτας καὶ ὁμώρους καὶ ἡμιάρτιον Ἑκάτᾳ. Libri deteriores ὅμορον et ὁμόρους. Signif.
C incerta.]

Ὁμωρόφιος, ὁ, Qui sub eadem camera vel tecto est, Pollux [1, 80; 6, 155. Demosth. p. 321, 14: Μήθ' ὁμωρόφιον μήθ' ὁμόσπονδον γεγενημένον· 553, 5: Ἀλῶν κοινωνὸς καὶ ὁμωρόφιος γιγνόμενος, ὡς οὐδὲν εἰργασμένῳ. Oppian. Hal. 5, 418; Nonn. Jo. c. 11, 32; c. 13, 99, ubi cum ἑταῖρος et φίλος. Theodoret. H. E. 1, 5, ὁμορρόφιος (sic) conjungit cum ὁμόφυλος et ὁμοτράπεζος. Cit. Suicer. Suppl. Thes. Idem vitium sublatum ap. Nonn. Dion. 2, 340.] Dicitur et Ὁμώροφος pro eod. [Herodian. Epimer. p. 204: Ὄροφος μικρόν· τὰ δὲ παρ' αὐτοῦ γινόμενα, εἰ μὲν ἔχουσι τὴν πρὸ τοῦ ὄροφος συλλαβὴν βραχεῖαν, διὰ τοῦ ω μεγάλου γράφονται, οἷον ... ὁμώροφος καὶ τὰ ὅμοια. Boiss. Babrius Fab. 12, 13. Per o male ap. Hesychium: Ὁμόροφος, ὁμοδίαιτος, σύνοικος. Ap. Athen. 10, p. 437, F: Διὰ τὸ ὁμορόφους γενέσθαι τῷ Ὀρέστῃ, ubi alii ὁμορρόφους, epit. ὁμωροφίους, scribendum ὁμωρόφους. Non minus vitiosa ὁμοροφέω, ὁμοροφία, ὁμορόφιος supra notavimus. Alia hujus vitii exx. annotavit Lobeck. ad Phryn. p. 709, ap.
D Synes. Epist. 147, p. 286, C: Ὅταν (ἀνθρώπια) ποτὲ ἡμῖν ὁμόρροφα γένηται, et plura de forma —φιος modo recte modo secus scripta. L. Dind.]

[Ὁμώροφος. V. Ὁμωρόφιος.]

Ὅμως, Tamen [Gl. Hesiod. Op. 20: Ἥτε καὶ ἀπάλαμόν περ ὅμως ἐπὶ ἔργον ἐγείρει. Theognis 442: Τολμᾷ ἔχων τὸ κακὸν κοὐκ ἐπίδηλος ὅμως. Pind. Pyth. 4, 140: Τραχεῖαν ἑρπόντων πρὸς ἐπίβδαν ὅμως. Æsch. Sept. 712: Πείθου γυναιξὶ καίπερ οὐ στέργων ὅμως· 810: Βαρέα δ' οὖν ὅμως φράσον· Pers. 295: Λέξον καταστὰς, κεἰ στένεις κακοῖς ὅμως· 840: Ἐν κακοῖς ὅμως ψυχὴν διδόντες ἡδονῇ· Cho. 115: Μέμνησ' Ὀρέστου, κεἰ θυραῖός ἐσθ' ὅμως· (quibuscum conf. Eur. Hel. 728: Χεἰ πέφυχ' ὅμως λάτρις.) Ag. 990: Τὸν δ' ἄνευ λύρας ὅμως ὑμνῳδεῖ. Soph. Tr. 374: Τὸ δ' ὀρθὸν ἐξείρηχ' ὅμως· 1115: Νοσῶν ὅμως· Aj. 15: Κἂν ἄποπτος ᾖς ὅμως· 1253: Ὑπὸ σμικρᾶς ὅμως μάστιγος. Xen. Cyrop. 8, 2, 21: Καὶ ὅμως ἔνδον ἔχοντες τοσαῦτα οὔτε ἐσθίουσι κτλ. Nam usus vulgaris exx., ut ap. Thuc. 6, 50: Λάμαχος μὲν ταῦτα εἰπὼν ὅμως προσέθετο καὶ αὐτὸς τῇ Ἀλκιβιάδου γνώμῃ, et alios quosvis omittimus.] Plerumque ei annectitur δέ. [Hom. Il. M, 393 : Ὅμως δ' οὐ λήθετο χάρμης. Pind. Ol. 11, 9 : Ὅμως δὲ λῦσαι δυνατὸς ὀξεῖαν ἐπιμομφάν. Æsch. Sept. 620 : Ὅμως δ' ἐπ' αὐτῷ φῶτα Λασθένους βίαν ἀντιτάξομεν· et alibi sæpissime, ap. alios quosvis.] Dem. Pro cor.: Τὸ δ' αἴτιον οὐκ ἀγνοεῖς μὲν, ὅμως δὲ φράσω σοι καὶ ἐγώ. Plato Apol. [p. 22, B]: Αἰσχύνομαι οὖν ὑμῖν εἰπεῖν τἀληθῆ, ὅμως δὲ ῥητέον. Sic etiam initio periodi Idem in Timæo: Ἔστι δ' ὅμως οὐδὲν ἧττον κατανοῆσαι δυνατὸν, Attamen illud perspici et intelligi potest, Cic. interpr. Ubi etiam nota postpositum esse, præmisso δέ. [Æsch. Ag. 1255 : Δυσμαθῆ δ' ὅμως. Rarius ponitur sine δὲ vel ἀλλὰ, ut Æsch. Suppl. 730 : Ὅμως ἄμεινον· Soph. OEd. T. 1064 : Ὅμως πιθοῦ μοι· Ant. 519 : Ὅμως ὅγ' Ἅδης τοὺς νόμους τούτους ποθεῖ. Et in media oratione Æsch. Cho. 934 : Τοῦθ' ὅμως αἱρούμεθα. Theocr. 15, 30 : Δὸς ὅμως, et alii quivis.] Dicitur etiam ὅμως δ' οὖν, ὅμως μέντοι [Plat. Crit. p. 54, D, Men. p. 92, E], ὅμως μενοῦν, itidem pro Tamen s. Attamen. Affertur et ὅμως καὶ pro Tametsi. [Herodot. 5, 63 : Ὅμως καὶ ξείνους σφι ἐόντας τὰ μάλιστα. Plato Lys. p. 213, A, Phæd. p. 91, C]; ὅμως μὴν, pro Ceterum tamen [Plat. Polit. p. 297, D, Leg. 6, p. 766, A] : et ἀλλ' ὅμως pro Atqui, ex Gazæ Gramm. 4. [Pind. Pyth. 1, 85 : Ἀλλ' ὅμως μὴ παρίει καλά· 2, 82 : Ὅμως μὰν ... ἀγὰν διαπλέκει· et alii plurimi. Sæpe etiam præponitur. Theognis 1029 : Τόλμα θυμὲ κακοῖσιν ὅμως ἄτλητα πεπονθώς· et sæpissime Soph. et Eur. aliique. Ὅμως, Tandem, quod ponit Gl., item videtur scr. Tamen, ut initio.]

Ὁμωχέται θεοὶ, Hesychio οἱ συμμετέχοντες τῶν αὐτῶν σπονδῶν, Earundem libationum participes; s. ὁμοβώμιοι καὶ ὁμόναοι, Qui eodem templo eademque ara honorantur. Legitur ap. Thuc. 4, p. 153 [c. 97] in oratione Bœotici κήρυκος ad Athenienses : Ὑπέρ τε τοῦ θεοῦ καὶ ἑαυτῶν Βοιωτοὺς ἐπικαλουμένους τοὺς ὁμωχέτας δαίμονας καὶ τὸν Ἀπόλλω. Ubi schol. itidem exp. συμμετέχοντας τῶν αὐτῶν ναῶν καὶ τῶν αὐτῶν ἱερῶν : ut sit, Apollinem Delphicum et ceteros deos, quos eodem templo iisdemque sacris honorant Bœoti.

Ὀνάγρα sive Ὀνοθήρας, Herbæ nomen, quæ potius vocanda οἰνάγρα et οἰνοθήρας, a vineo odore. In Diosc. tamen et Galeni ac Pauli Ægin. editis exempll. hæ aliæque scripturæ reperiuntur, ut in Οἰνοθήρας admonui.

[Ὀνάγρῖνος, η, ον.] Ὀνάγριος : ut ὀν. χρῶμα, Color qualis est onagrorum, i. e. Color cilicinus, ut Pollux docet : quum ait l. 7, [56]: Ἔστι δὲ καὶ κίλλιον ἐσθῆτος χρῶμα, τὸ νῦν ὀνάγριον [ὀνάγρινον codd.] καλούμενον· καὶ κίλλον γὰρ τὸν ὄνον οἱ Δωριεῖς, καὶ κιλλακτῆρα, τὸν ὀνηλάτην.

Ὀναγρόβοτα, τὰ, Onagrorum pascua, Loca pascendis onagris apta. In VV. LL. scribitur Ὀναγρόβατα, tunc autem significat hæc vox, Loca in quibus onagri inambulant, quæ onagri perambulant s. pererrant. [Strabo 12, p. 568.]

Ὄναγρος, ὁ, Asinus ferus, ὄνος ἄγριος, ut Herodot. et Xen. vocant [conf. quæ de σύαγρος ab recentioribus pro σῦς ἄγριος usurpato dicentur] : cui opp. ὁ ἥμερος, Mansuetus. Latini quoque Onagrum [Gl.] appellant, ut Cic., Virg., Plin., et ante eos Varro 2, 6, de asinis : Horum duo genera; unum, ferum, quos vocant Onagros; in Phrygia et Lycaonia sunt greges multi; alterum mansuetum, ut sunt in Italia omnes. Ibid., Ad seminationem onagrus idoneus, quod ex fero fit mansuetus facile. Vide Ælian. et Oppian. [apud quos ὄνος ἄγριος. Luitprandus Legat. ad Phocam p. 485, A : Λέων καὶ σκύμνος ὁμοῦ διώξουσιν ὄναγρον.] || Machina quædam, quæ alio nomine ἅρπαξ vocatur, ut Suid. testatur, his verbis : Ὄναγροι, μηχανήματα, οἱ λεγόμενοι ἅρπαγες, οἵ γε ἁρπάζειν τοὺς προσιόντας ἐπιβαλλόμενοι εἶχον. [Procop. Gotth. 1, 21 : Μηχανὰς ἐπήξαντο εἰς λίθων βολὰς ἐπιτηδείας· σφενδόναις δέ εἰσιν ἐμφερεῖς, καὶ ὄναγροι ἐπικαλοῦνται. Theophan. a. 13 Constantii : Ὀνάγροις τοὺς πλείους ἐλέφαντας ἀπέκτειναν. Perperam igitur harpagonis speciem fuisse existimavit Suidas. V. Gloss. Lat. v. Asellus. Ducang. Qui fundæ similem fuisse monet. Ammian. 23, 4, 7 : «Tormentum, cui onagri vocabulum indidit ætas novella ea re, quod asini feri quum venatibus agitantur, ita eminus
A lapides post terga calcitrando emittunt, ut perforent pectora sequentium aut perfractis ossibus capita ipsa displodant.»] At Ὀναγρὸς in VV. LL. exp. Asinarius. [Leg. Ὀναγὸς, sed exemplum desideratur. Angl. Est ap. Plaut. Asin. prol. 10 : «Huic nomen Græce est Onagos fabulæ.» || Onagri cujusdam mentio fit in Eclogis Hist. eccles. ap. Cramer. Anecd. Paris. vol. 2, p. 95, 14 : Στέφανος ὁ Ἀντιοχείας ἐπίσκοπος ... ἔχων Ὄναγρον τὸν νεανίαν. L. Dind.]

[Ὄναιθος, ὁ, Onæthus, statuarius, ap. Pausan. 5, 23, 5.]

Ὄναιον, Utilius, Potius, ἄρειον, Hesych., i. e. Præstantius. [Ἀχρεῖον Horreus. V. Ὀνᾶς. Nihil certe huc pertinet Ὄνειον s. Ὄνιον, quod v.]

[Ὀναῖον, τὸ, Dalmatiæ, memorat Ptolem. 2, 17.]

Ὄναρ, τὸ, Somnium [Visio add. Gl.], Insomnium. Hom. Il. K, [496] : Κακὸν γὰρ ὄναρ κεφαλῆφιν ἐπέστη Τὴν νύκτ', Οἰνείδαο παῖς, διὰ μῆτιν Ἀθήνης, ubi tamen quidam interpr. Mortifer somnus, quem illi Diomedes attulit. A, [63] : Καὶ γάρ τ' ὄναρ ἐκ Διός ἐστι, Etenim
B somnia ab Jove proficiscuntur. [Hom. Od. T, 547 : Οὐκ ὄναρ, ἀλλ' ὕπαρ ἐσθλὸν, ὅ τοι τετελεσμένον ἔσται· Υ, 90 : Ἐπεὶ οὐκ ἐφάμην ὄναρ ἔμμεναι, ἀλλ' ὕπαρ ἤδη. Æsch. Cho. 526 : Ἦ καὶ πέπυσθε τοὔναρ; Suppl. 885 : Ὄναρ μέλαν. Soph. El. 426 : Ἠνίχ' Ἡλίῳ δείκνυσι τοὔναρ. Eur. Iph. T. 55 : Τοὔναρ ὧδε συμβάλλω τόδε· 59 : Οὐδ' αὖ συνάψαι τοὔναρ ἐς φίλους ἔχω. Aristoph. Vesp. 13 : Ὄναρ θαυμαστὸν εἶδον ἀρτίως· Eq. 1090.] Xenophon Sympos [4, 33] : Ἐάν τι ὄναρ ἀγαθὸν ἴδῃς. Sic Cernere somnia Lucret. dicit, et Ovid., Cur hæc ego somnia vidi? Itidem legitur ap. Athen., Ἐνύπνιον ὁρᾷν. Rursum Xen. Cyr. 8, [7, 1] : Ὄναρ εἶδε τοιόνδε, Ejusmodi vidit somnium. Plato, Μηδ' ὄναρ μηδὲν ὁρᾷ, Sine visis somniorum, p. 2 mei Lex. Cic. [Apol. p. 40, D.] Item κατ' ὄναρ, Per quietem, somnium, In somnis, quod et καθ' ὕπνους dicitur. Matth. [1, 20 : Ἄγγελος κυρίου κατ' ὄναρ ἐφάνη αὐτῷ·] 2, [12] de Magis : Χρηματισθέντες κατ' ὄναρ μὴ ἀνακάμψαι πρὸς Ἡρώδην, Responso s. Oraculo in somnis accepto. [Pallad. Anth. Pal. 11, 263, 1.] Pro quo κατ' ὄναρ frequentius absolute dicitur ὄναρ.
C [Æsch. Eum. 116 : Ὄναρ γὰρ ὑμᾶς νῦν Κλυταιμνήστρα καλῶ· 130 : Ὄναρ διώκεις θῆρα. Soph. fr. Acris. ap. Stob. Fl. 108, 56 : Τὰ πολλὰ τῶν δεινῶν ὄναρ πνεύσαντα νυκτὸς ἡμέρας μαλάσσεται. Eur. Iph. T. 518 : Μηδ' ἰδὼν ὄναρ· Rhes. 782 : Ὡς ὄναρ δοκῶν· Cycl. 8 : Τοῦτ' ἰδὼν ὄναρ λέγω· fr. Alop. ap. Eust. Od. p. 1902, 2 : Οὐδ' ὄναρ κατ' εὐφρόνην φίλοις ἔδειξεν αὐτόν. Plato Theæt. p. 173, D : Οὐδὲ ὄναρ πράττειν προσίσταται αὐτοῖς. Et alibi.] Mosch. [4, 18] : Τὰ δ' οὐδ' ὄναρ ἤλυθεν ἄλλῳ. [Et similiter sæpe in Antholog. Strato ib. 12, 191, 1 : Οὐκ ὄναρ οὗτος ὁ πώγων ἦλθε. Id. ib. 177, 2 : Οὐδ' οἶδ' εἴτε σαφῶς εἴτ' ὄναρ ἠσπάσατο.] Plut. [Mor. p. 183, A] : Ὄναρ ἰδὼν χρυσοῦν θέρος ἐξαμῶντα Μιθριδάτην, Quum in somnis vidisset. Pericle [c. 13] : Ἡ θεὸς ὄναρ φανεῖσα, Dea per quietem ei se offerens. Philo V. M. 1 : Οὐδ' ὄναρ ἐπῄσθοντο, Ne vel per somnium quidem sensus eis ullus. Lucian. : Ἔδοξεν ὄναρ ἐπιστάντα οἱ τὸν Ἀλέξανδρον. [Id. Tim. c. 20, Hermot. c. 2, 71, al.] Synes. Ep. 4 : Ἰδόντες καὶ παθόντες ἃ μηδὲ ὄναρ ἠλπίσαμεν. [Conf. Demosth. p. 429, 18. Plato Phædr. p. 277, E : Τὸ ἀγνοεῖν
D ὕπαρ τε καὶ ὄναρ δικαίων τε καὶ ἀδίκων πέρι· Theæt. p. 158, B : Περὶ τοῦ ὄναρ τε καὶ ὕπαρ, et alibi similiter.] || Nonnunquam ὄναρ accipitur pro Umbra. Plut. Theseo [c. 32] : Ὄναρ ἐλευθερίας, Umbra libertatis. Epigr. [Philodemi Anth. Pal. 5, 25, 6] : Οὐδ' ὄναρ οἶδε φόβου [φόβον], Ne timoris quidem umbram. Alicubi οὐδ' ὄναρ redditur etiam, Ne vestigium quidem ullum. [Pind. Pyth. 8, 99 : Σκιᾶς ὄναρ ἄνθρωπος. Mimnermus s. Theognis 1014 : Ὀλιγοχρόνιον γίγνεται ὥσπερ ὄναρ ἥβη τιμήεσσα, unde Theocr. 27, 8 : Παρέρχεται ὡς ὄναρ ἥβη, ut Bion 1, 58 : Πόθος δέ μοι ὡς ὄναρ ἔπτη. Æsch. Ag. 81, de senili imbecillitate : Ὄναρ ἡμερόφαντον ἀλαίνει. Plato Conv. p. 175, E : Φαύλη καὶ ἀμφισβητήσιμος ὥσπερ ὄναρ οὖσα· Men. p. 85, C : Νῦν αὐτῷ ὥσπερ ὄναρ ἄρτι ἀνακεκίνηνται αἱ δόξαι αὗται· Reip. 8, p. 563, D : Τὸ ἐμὸν ἐμοὶ λέγεις ὄναρ, de qua formula v. in Ὄνειαρ.]

[Ὀνάριον. V. Ὀνίδιον.]

[Ὄναρις, ὁ, Onaris, dux Bisaltarum, ap. Athen. 12, p. 520, D, Charonis Lampsaceni verba citantem.]

[Ὀνᾶς, δοῦλον ἀνόητον, ἀχρεῖον, Hesychii gl. suspecta. V. Ὄναιον.]

[Ὀνας, quod est in numo Thebano Bœot. ap. Mionnet. *Descr.* vol. 2, p. 102, n. 41, ad Ὀνάσιμος (quod v. in Ὀνήσιμος) vel aliud ejusmodi nomen referendum videtur.]

[Ὀνασίας, ὁ, Onasias, pictor, ap. Pausan. 9, 4, 2, ubi scribendum esse Ὀνασία δὲ Ἀδράστου καὶ Ἀργείων ἐπὶ Θήβας ... στρατεία, ostendi in præfatione, et ib. 5, 11.]

[Ὀνασίκλεια, ἡ, Onasiclea, n. mulieris in inscr. Eleusinia, ap. Bœckh. vol. 1, p. 496, n. 594.]

[Ὀνασικλῆς, έους, ὁ, Onasicles, n. viri, in inscr. Megar. ap. Bœckh. vol. 1, p. 567, n. 1074, 8, et fortasse in Spart. ib. p. 637, n. 1283.]

[Ὀνασικράτης. V. Ὀνησικράτης.]

[Ὀνασίμβροτος, ὁ, Onasimbrotus, n. viri, in inscr. Lebad. ap. Bœckh. vol. 1, p. 779, n. 1603.]

[Ὀνασιμήδης, ὁ, Onasimedes, statuarius, ap. Pausan. 9, 12, 4.]

[Ὀνάσιμος, Ὀνάσιππος. V. Ὀνήσ—.]

[Ὀνασίφορις, ιδος, ἡ, Onasiphoris, n. mulieris in inscr. Spart. ap. Bœckh. vol. 1, p. 669, n. 1382, 12.]

[Ὀνασίων, ωνος, ὁ, Onasio, n. viri in inscr. Spart. ap. Bœckh.. vol. 1, p. 665, n. 1368; in Paria, vol. 2, p. 347, n. 2386.]

[Ὄνασος, ὁ, Onasus, scriptor Ἀμαζονικῶν ap. schol. Apoll. Rh. 1, 1207, 1236. Conf. Arrian. Exp. 3, 5, 7.]

[Ὀνάσσων, ωνος, ὁ, ponit Chœrob. vol. 1, p. 77, 13, nisi scribendum Ὀνάσων.]

[Ὀνάτας. V. Ὀνήτης.]

[Ὀνάτιχος, ὁ, Onatichus, n. viri in inscr. Messenia ap. Bœckh. vol. 1, p. 639, n. 1295, 5.]

[Ὄνατος, ὁ, Onatus, n. Pythagorei Crotoniatæ ap. Iambl. V. Pythag. c. 36, p. 522 Kiessl., qui Ὀνάτας potius dicendus, quod v. in Ὀνήτης.]

[Ὀνεᾶται, οἱ, Oneatæ, tribus Sicyonia, ap. Herodot. 5, 68.]

Ὀνεία, ἡ, sub. δορὰ, Pellis asinina, ἡ τοῦ ὄνου δορὰ, Suid. ex Babria [7, 13]: Τὴν σάγην τε τοῦ κτήνους καὶ τὴν ὀνείαν προσεπέθηκεν ἐκδείρας.

[Ὄνεια, τά. V. Ὄνειον.]

[Ὀνειαβάτης, πόλις Αἰγύπτου. Ἑκαταῖος περιηγήσει Λιβύης. Ὁ πολίτης Ὀνειαβάτης τῷ τῆς χώρας ἔθει, Steph. Byz.]

Ὄνειαρ, ατος, τὸ, Utilitas, Emolumentum. [Hom. Il. Χ, 433: Σεῦ ἀποτεθνηῶτος, ὅ μοι νύκτας τε καὶ ἦμαρ εὐχωλὴ κατὰ ἄστυ πελέσκεο, πᾶσί τ' ὄνειαρ, Τρωσί τε καὶ Τρωῇσι κατὰ πτόλιν· 486: Οὐδὲ σὺ τούτῳ ἔσσεαι, Ἕκτορ, ὄνειαρ· Od. Ο, 78: Ἀμφότερον, κῦδός τε καὶ ἀγλαΐη καὶ ὄνειαρ. Ib. Δ, 444: Ἀλλ' αὐτὴ ἐσάωσε καὶ ἐφράσατο μέγ' ὄνειαρ ἀμβροσίην ὑπὸ ῥῖνα ἑκάστῳ θῆκε φέρουσα. Apoll. Rh. 2, 388: Ἔνθα γὰρ ὔμμιν ὄνειαρ ἀδευκέος ἐξ ἁλὸς εἶσιν· 1092: Ποῖον ὄνειαρ ἔμελλεν ἐελδομένοισιν ἱκέσθαι; 3, 507: Οὐ μὲν ἔολπα βουλῆς εἶναι ὄνειαρ· 1051: Καὶ δέ τοι ἄλλο παρὲξ ὑποθήσομ' ὄνειαρ· 4, 1433: Ἐφ' ὑμετέροισιν ὄνειαρ δεῦρ' ἔμολεν καμάτοισιν. Theocr. 13, 34: Λειμὼν γάρ σφιν ἔκειτο μέγα στιβάδεσσιν ὄνειαρ. Quintus 12, 182: Ἀμφὶ δὲ τοῖσι, καὶ ἀθανάτοις περ ἐοῦσιν, ὕπνου βληχρὸν ὄνειαρ ἐπὶ βλεφάροισι τανύσθη. Orph. Lith. 675: Τοὔνεκα θεσπεσίοιο λίθου ἀθέριξεν ὄνειαρ.] Hesiod. Ἔργ. [344]: Πῆμα κακὸς γείτων, ὅσσον τ' ἀγαθὸς μέγ' ὄνειαρ, Quam utilis est et juvat bonus vicinus, tam nocet malus. [Sic ib. 41, et 820: Αἵδε μὲν ἡμέραι εἰσὶν ἐπιχθονίοις μέγ' ὄνειαρ· Th. 871. Similiterque sæpe recentiores Epici cum eodem adj. μέγα.] Hesych. ὀνειάτων exp. ὀνησιφόρων. Peculiariter autem ab Hom. ὀνείατα vocantur τὰ βρώματα, ut Athen. paulo post in Ὀνίσκειν docet, rationem etiam ejus rei reddens. Suidas vero annotat non tantummodo βρώματα ab eo dici ὀνείατα, sed πάντα τὰ εἰς ὄνησιν ἐπιτήδεια, ut in hoc l., Ὀνείατ' ἄγοντα· qui l. habetur Il. Ω, [367]: Εἴ τίς σε ἴδοιτο θοὴν διὰ νύκτα μέλαιναν Τοσσάδ' ὀνείατ' ἄγοντα, Eust. δῶρα. [Apoll. Rh. 3, 900: Καί δέ κε σὺν πολέεσσιν ὀνείασιν οἴκαδ' ἵκοισθε· 2, 185: Γάνυσθαι ἀπειρεσίοισιν ὀνείασιν, ὅσσα οἱ αἰεὶ θέσφατα πενθόμενοι περιναιέται οἴκαδ' ἄγειρον· ubi tamen etiam σιτία καὶ βρώματα intelligere licet, ut schol.] Alibi autem ὀνείατα exp. χρήματα: nam et ipsa ὀνίνησι. Pro βρώματα au-

A tem vel potius ὅσα ὄνησιν παρέχει καὶ ὠφέλειαν, ἀγαθὰ βρώματα, ut Hesych. exp., Homero non infrequens est, ut paulo ante etiam dixi. Od. Α, [148]: Οἱ δ' ἐπ' ὀνείαθ' ἑτοῖμα προκείμενα χεῖρας ἴαλλον. Sic alibi. [|| De somnio Callim. Ep. 52, 6: Οἱ δὲ λέγουσιν, Ἱερὸς ὁ πλόκαμος, τοὐμὸν ὄνειαρ ἐμοί· et anon. Anth. Pal. 7, 42, 1: Ἆ μέγα Βαττιάδαο σοφοῦ περίπυστον ὄνειαρ, ἦ ῥ' ἐτεὸν κεράων οὐδ' ἐλέφαντος ἔης. Quo respicit Eust. Od. p. 1877, 64: Ὠνόμασέ τις ὄνειαρ καὶ αὐτὸ τὸ ὄνειρον, οἷον ὄνειαρ κεράτων οὐδ' ἐλέφαντος ὄν, ἐξ οὗ δῆλον ὅτι οὐχ ἐπὶ βρωμάτων μόνον λέγεται τὸ ὄνειαρ, ἀλλὰ πᾶν εἰς ὄνησιν ἐπιτήδειον οὕτω καλεῖται, ὁποῖόν τι καὶ ὁ ἀληθὴς ὄνειρος· οἱ γλωσσογράφοι μέντοι ἐπὶ βρώματος τὴν λέξιν ἰδίασαν. Ὄνειραρ, quod fingit Etym. M. p. 47, 53: Ὄνειραρ ὀνείρατος, ὡς ἧπαρ ἥπατος, et nonnulli utroque l. repositum voluerant, græcum non esse ex Herodiani Π. μον. λέξ. p. 30, 10, πεῖραρ ut solitarium memorantis verbis colligi monuit Hecker. Comment. de Antholog. p. 162. Ceterum quamquam usum Callimacheum formæ singularis testatur epigr. Eustathii auctoritate confirmatum,
B non tamen obtrudenda eadem videtur eidem epigr. 34, 2: Οἶδ' ὅτι μοι πλούτου κενεαὶ χέρες, ἀλλὰ Μένιππε, μὴ λέγε πρὸς Χαρίτων, τοὐμὸν ὄνειρον ἐμοί. Ubi Dacieria utroque loco τοὐμὸν ὄνειρον vel ὄνειαρ i. esse animadvertit q. Rem notissimam. V. Ὄναρ. L. Dind.]

[Ὀνείατος. V. Ὀνείτης.]

Ὀνειδεία, sive Ὀνειδία, ἡ, Probrum, Dedecus. Nicandri schol. Alex. [408]: Ἐν δέ νυ θρίοις Ἀργαλέην μεσάτοισιν ὀνειδίην ἐπέλασσε, exp. αἰσχύνην. Sed notandum ap. schol. ὀνειδείην, per diphthongum, at in Nicandri contextu ὀνειδίην per ι scribi, sicut ὀνείδειος quoque et ὀνείδιος scribi indicabo.

Ὀνείδειος, sive Ὀνείδιος, (nam utroque modo scriptum reperitur in Mstis etiam exempll. Homeri, sed frequentius ὀνείδειος), ὁ, Probrosus, Contumeliosus. Il. Α, [519]: Ὅταν μ' ἐρέθῃσιν ὀνειδείοις ἐπέεσσι· Β, [277]: Νεικείειν βασιλῆας ὀνειδείοις ἐπέεσσι· Φ, [393]: Ὀνείδειον φάτο μῦθον. Et ap. Suid., Ὀνείδιος λόγος, ὀνειδιστικὸς, ubi per ι scribitur penultima: sicut Il. Π, [628]: Οὔτι Τρῶες ὀνειδίοις ἐπέεσσι Νεκροῦ χωρήσουσι,
C Ms. exemplar itidem ι in penult. habet, at in ceteris, quos citavi ll., ει, sicut et Il. Χ, [497]: Χερσὶν πεπληγὼς καὶ ὀνειδείοισιν ἐνίσσων· quo in l. subaudiendum est ἔπεσιν, μύθοις, tale quid. [Fr. Thebaidis Cyclicæ ap. schol. Soph. OEd. C. 1375: Ὤμοι ἐγὼ, παῖδές μοι ὀνείδειον τόδ' ἔπεμψαν, ut Schneiderus conjecit pro ὀνειδείοντες. Ammian. Anth. Pal. 9, 573, 2: Ψωμὸν ὀνείδειον. Eudocia ap. Bandin. Bibl. Med. vol. 1, p. 230, 180: Ὀνειδίοις μύθοις. L. Dind.]

Ὀνειδίζω, ίσω, [Att. ιῶ,] Probris increpo, Probra in aliquem jacto, Probra ingero. [Exprobro, Opprobro, Probro, Objecto, Impropero, Gl.] Plato Apol. Socr. [p. 38, C] cum dat.: Οἱ βουλόμενοι ὑμῖν ὀνειδίζειν, Probra vobis inferre, Probris vos afficere. Ibid. [fin.]: Ὀνειδίζετε αὐτοῖς ὥσπερ ἐγὼ ὑμῖν. Ibid. [p. 30, E] cum accus.: Ὀνειδίζων ἕνα ἕκαστον, Probris increpans. Hom. quoque in hac signif. hoc verbo utitur, Il. Β, [255]: Ἀτρείδῃ Ἀγαμέμνονι ποιμένι λαῶν Ἧσαι ὀνειδίζων, Probra dicens, Conviciis probrosis incessens. [Polyb. Exc. Vat. p. 440: Τοὺς πλείστους εἰκότως ὀνειδίζειν τῇ τύχῃ.] Interdum addit dat. instrumenti, Il.
D Α, 211: Ἔπεσιν ὀνείδισον· Η, [95]: Νείκει ὀνειδίζων· et tunc simpliciter reddi potest Increpo, nisi malis Probrose increpo. Pass. Ὀνειδίζομαι, Probris increpor, Probra mihi ingeruntur. [Eur. Tro. 936: Κὠνειδίζομαι ἐξ ὧν ἐχρῆν με στέφανον ἐπὶ κάρᾳ λαβεῖν. Plato Tim. p. 86, D: Οὐχ ὀρθῶς ὀνειδίζεται.] Philo V. M. 1: Τοιαῦτα ὀνειδιζόμενος, οὐχ οὕτως ἐπὶ ταῖς εἰς αὐτὸν κακηγορίαις ἐδυσχέραινεν, His lacessitus, Turn. Utitur et Soph. passivo OEd. T. fin. [1500]: Τοιαῦτ' ὀνειδιεῖσθε· κᾆτα τίς γαμεῖ; schol. ὑβρισθήσεσθε, His afficiemini probris et contumeliis. [Quæ constr. comparanda cum activi duplici cum accus. conjuncti constr. OEd. C. 1002: Τοιαῦτ' ὀνειδίζεις με τῶνδ' ἐναντίον. Ap. Stob. Fl. vol. 2, p. 73: Σερίφιος ὀνειδιζόμενος ὑπὸ Ἀθηναίου τῇ μικροπολιτείᾳ, ex libris restituendus est accus. Theophanes Chron. p. 53, B: Ὀνειδιζόμενος μαλακίαν. L. D.] Pro Vitupero accipi potest Il. Ι, [34]: Ἀλκὴν μέν μοι πρῶτον ὀνείδισας ἐν Δαναοῖσι· nam Eustath. ibi exp. ἐμέμψω μοι τὴν ἀλκήν: quia sequitur, Φὰς ἔμεν' ἀπτό-

λεμον καὶ ἀνάλκιδα. || Exprobro, Opprobro, Objecto ut probrum, Probrose objicio, Impropero. Od. Σ, [379]: Οὐδ' ἄν μοι τὴν γαστέρ' ὀνειδίζων ἀγορεύεις, Ἀλλὰ μάλ' ὑβρίζεις. Hesiod. Ἔργ. [716]: Μὴ πενίην θυμοφθόρον ἀνδρὶ Τέτλαθ' ὀνειδίζειν. [Æsch. Cho. 917: Αἰσχύνομαί σοι ταῦτ' ὀνειδίσαι σαφῶς. Soph. Aj. 1298: Τοιοῦτος ὢν τοιῷδ' ὀνειδίζεις σποράν· Phil. 523: Τοῦτ' οὐκ ἔσθ' ὅπως ποτ' εἰς ἐμὲ τοὔνειδος ἕξεις ἐνδίκως ὀνειδίσαι· OEd. T. 372: Ταῦτ' ὀνειδίζων ἃ σοι οὐδεὶς ὃς οὐχὶ τῶνδ' ὀνειδιεῖ τάχα· 412: Ἐπειδὴ καὶ τυφλόν μ' ὠνείδισας· 1423: Οὐδ' ὡς ὀνειδιῶν τι τῶν πάρος κακῶν· OEd. C. 754: Ἆρ' ἄθλιον τοὔνειδος... ὠνείδισ' εἰς σὲ κἀμὲ καὶ τὸ πᾶν γένος. Eur. Tro. 430: Τἄλλα δ' οὐκ ὀνειδιῶ· Or. 4: Κοὐκ ὀνειδίζω τύχας· 85: Τὰ τούτου δ' οὐκ ὀνειδίζω κακά· Alc. 701: Κᾆτ' ὀνειδίζεις φίλοις τοῖς μὴ θέλουσι δρᾶν τάδε· Hel. 1009: Ἃ δ' ἀμφὶ τῷδ' ὀνειδίζεις πατρί· Androm. 978: Τὰς αἱματωποὺς θεᾶς ὀνειδίζων ἐμοί· et similiter alibi.] Plut. Symp. 2: Ἀσθένειαν σώματος ὀνειδίζεις. Herodian. 3, [8, 12]: Δῶρα ὀνειδίζων πεμφθέντα ἐκείνῳ. [Et sic sæpe Herodot. verbum hoc cum accus. rei et dativo personæ construit; sed et cum gen. rei, ut 1, 90: Τῷ θεῷ τούτων ὀνειδίζων, sc. subintellecta præp. περὶ, quam ipsam adjecit 4, 79: Σκύθαι δὲ τοῦ βακχεύειν πέρι Ἕλλησι ὀνειδίζουσι. Alibi præp. εἰς utitur, ut 9, 92. Schweigh.] Dem. [p. 316, 10]: Τὸ δὲ τὰς ἰδίας εὐεργεσίας ὑπομιμνήσκειν καὶ λέγειν, μικροῦ δεῖν ὅμοιόν ἐστι τῷ ὀνειδίζειν, ubi sub. præcedens accus. εὐεργεσίας. Similis autem ei sententiæ est Terentiana illa, Beneficiorum commemoratio est exprobratio immemoris beneficii. At diversa constr. ap. Xen. [Comm. 2, 9, 8]: Αὐτῷ ὀνειδίζει ὡς ὑπὸ Κρίτωνος ὠφελούμενος κολακεύει αὐτόν, Ei ut probrum objicit quod. [Sequente ὅτι Plato Gorg. p. 526, E, Reip. 6, p. 505, C. Cum inf. Hipparch. fin.: Εἴ τίς τῳ ὀνειδίζει φιλοκερδεῖ εἶναι. Diog. L. 2, 50.]

[Ὀνείδισις, εως, ἡ, Improperium, Gl. «Hesychius: Ἔλεγξις, ὀν.» Dahler.]

Ὀνείδισμα, τὸ, Probrum, Quod objicitur ut probrum. [Herodot. 2, 133: Τὸν δὲ δεινὸν ποιησάμενον πέμψαι ἐς τὸ μαντήιον τῷ θεῷ ὀνείδισμα, ἀντιμεμφόμενον κτλ.]

Ὀνειδισμὸς, ὁ, Exprobratio, [Probrium, Properium, add. Gl.] Objectio probrosa.

[Ὀνειδιστέος, α, ον, Objurgandus. Plato Leg. 3, p. 689, C: Ὡς ἀμαθέσιν ὀνειδιστέον. Clem. Alex. p. 133, 268.]

[Ὀνειδιστήρ, ῆρος, ὁ, i. q. sequens. Eur. Herc. F. 218: Λόγους ὀνειδιστῆρας ἐνδατούμενος.]

Ὀνειδιστὴς, ὁ, Exprobrator: ut [Aristot. Rhet. 2, 4 med.], ὀνειδιστὴς εὐεργετημάτων, Qui beneficia exprobrat, probrose alicui objicit.

Ὀνειδιστικὸς, ή, όν, Exprobratorius, Exprobrationem habens, ut ὀν. λόγος, quem ὀνείδειον ἔπος, s. ὀνείδιον μῦθον Hom. appellat: et ap. Hermog., Ὀνειδιστικὴ ἔννοια. [Τὸ ὀνειδιστικὸν, Opprobrandi libido, Lucian. D. mar. 1, 2, Char. c. 7.]

[Ὀνειδιστικῶς, adv., Cum exprobratione. Jo. Chrys. In Ep. 2 ad Cor. serm. 23, vol. 3, p. 669, 20. Seager. Marc. Anton. 1, 10. Suidas v. Ἀπηχές.]

Ὀνείδιστος, ὁ, ἡ, Probrosus. [Adv. Zosimus 1, 11 init.: Τά τε ἄλλα αἰσχρῶς καὶ ὀνειδίστως βεβιωκότος. Multo frequentius est comp. ἐπονείδιστος. L. Dind.]

[Ὀνειδολεσχία. V. Ὀνειρολεσχία.]

Ὄνειδος, ους, τὸ, Probrum, [Opprobrium, Opprobramentum, Improperium, add. Gl.] Hom. Il. Π, [498]: Σοὶ γὰρ ἐγὼ καὶ ἔπειτα κατηφείη καὶ ὄνειδος Ἔσσομαι· Γ, [242]: Αἴσχεα δειδιότες καὶ ὀνείδεα πόλλ', ἅ μοι ἔσται, Dedecora et probra. Quod vero Latini dicunt Objicere probrum, Jacere s. Jactare probra in aliquem, Ingerere probra, Increpare probris, Homerum προφέρειν ὀνείδεα dixisse vides Il. B, [251] ad Thersitem Atridas convitiis probrisque incessentem: Καί σφιν ὀνείδεά τε προφέροις, Et probra eis objicias. Od. X, [463]: Αἳ δὴ ἐμῇ κεφαλῇ κατ' ὀνείδεα χεῦαν· Il. Γ, [438]: Μή με, γύναι, χαλεποῖσιν ὀνείδεσι θυμὸν ἔνιπτε· et [Y, 246]: Ἔστι γὰρ ἀμφοτέροισιν ὀνείδεα μυθήσασθαι Πολλὰ μάλ'. Sic ap. Ovid. habes, Dicere probra multa alicui. Od. P, [461]: Ὅτε δὴ καὶ ὀνείδεα βάζεις· Il. B, [222]: Τότ' αὖτ' Ἀγαμέμνονι δίῳ Ὀξέα κεκληγὼς λέγ' ὀνείδεα. Ubi quod dicit ὀνείδεα μυθήσασθαι, βάζειν, λέγειν, reddere queamus, Probrosa con-

A vitia dicere, Probrosis convitiis incessere. [Herodot. 7, 160: Ὀνείδεα κατιόντα ἀνθρώπῳ φιλέει ἐπανάγειν τὸν θυμόν.] Itidem Dem. [p. 1397, 4]: Ὁ τἀληθὲς ὄνειδος λέγων, Qui veris probris increpat. Et ὄνειδος εἶναι, γίνεσθαι, quod Latini dicunt Probro esse, Od. Z, [285]: Ὧς ἐρέουσιν, ἐμοὶ δέ κ' ὀνείδεα ταῦτα γένοιτο. [Il. P, 556: Σοὶ μὲν δὴ, Μενέλαε, κατηφείη καὶ ὄνειδος ἔσσεται· H. Ven. 247: Αὐτὰρ ἐμοὶ μέγ' ὄνειδος ἐν ἀθανάτοισι θεοῖσιν ἔσσεται... εἵνεκα σεῖο.] Hesiod. Ἔργ. [309]: Ἔργον δ' οὐδὲν ὄνειδος, ἀεργίη δέ τ' ὄνειδος. [Theognis 546: Ὄφρα μὴ ἀμπλακίης αἰσχρὸν ὄνειδος ἔχω. Pind. Ol. 6, 80: Ἀρχαῖον ὄνειδος· Nem. 8, 33: Κακοποιὸν ὄνειδος. Æsch. Sept. 382: Θένει δ' ὀνείδει μάντιν. Æsch. Sept. 539: Τὸ τῆς πόλεως ὄνειδος· Pers. 757: Τοιάδ' ἐξ ἀνδρῶν ὀνείδη πολλάκις κλύων κακῶν. Soph. Tr. 254: Τοῦτο τοὔνειδος λαβών· 462: Οὔπω λόγον κακὸν ἠνέγκατ' οὐδ' ὄνειδος· Aj. 724: Ὀνείδεσιν ἤρασσον· OEd. C. 753: Οὐκ ἂν ἐξεύροις ἐμοὶ ὄνειδος οὐδέν· 984: Αὐτῆς ὄνειδος παῖδας ἐξέφυσέ μοι· El. 1069: Φάμα ἀχόρευτα φέρουσ' ὀνείδη· Ph. 477: Σοὶ δ' ἐκλιπόντι τοῦτ' ὄνειδος οὐ καλόν· B 842: Κομπεῖν δ' ἔστ' ἀτελῆ ξὺν ψεύδεσιν αἰσχρὸν ὄνειδος· 968: Μὴ παρῇς σαυτοῦ βροτοῖς ὄνειδος· Aj. 1191: Τροίαν δύστανον ὄνειδος Ἑλλάνων, et similiter quum alibi tum locis in Ὀνειδίζω citatis, itemque Eur., de quo memorasse sufficit Iph. A. 906: Σοὶ δ' ὄνειδος ἵξεται, ὅστις οὐκ ἤμυνας· 999: Μήτ' εἰς ὄνειδος ἀμαθὲς ἔλθωμεν· Tro. 846: Τὸ μὲν οὖν Διὸς οὐκέτ' ὄνειδος ἐρῶ· fr. Belleroph. ap. Stob. Fl. 73, 20: Τί λέγων μεῖζόν σε τοῦδ' ὄνειδος ἐξείποι τις ἄν; Phœn. 1555: Οὐκ ἐπ' ὀνείδεσιν... λέγω· Herc. F. 130: Εὐκλεεστάτας πατρίδος οὐκ ὀνείδη· Tro. 418: Ἀργεῖ' ὀνείδη καὶ Φρυγῶν ἐπαινέσεις, Convicia in Argivos. Menand. ap. Stob. Fl. 107, 3: Ὦ τύχη, σόν ἐσθ' ὄνειδος τοῦτο.] Eodem sensu Herodot. 9 [7, 231]: Ἔχε ὄνειδος καὶ ἀτιμίην, Probro erat, Probrosum erat et infame. Dicunt item prosæ scriptores εἰς ὄνειδος καταστῆσαί τινα. Isocr. Archid. [p. 128, A]: Ἐξ ὧν εἰς ὀνείδη τὴν πόλιν καταστήσουσιν, Probrum et infamiam inferre, Cic. [Plat. Menex. p. 246, D.] Rursum aliquid alicui dicitur ὄνειδος καθίστασθαι, i. e. Probro esse, dari posse. Dem. [p. 1396, 27]: Κἂν τὰ δεινότατα C ἀσχημονήσῃ, μικρὸν ὄνειδος τὸ λοιπὸν αὐτῷ καταστήσεται. Ab Aristot. opponuntur ἐγκώμια et ὀνείδη, Rhet. 1, [c. 9]: Καὶ ἐκ τίνων τὰ ἐγκώμια καὶ τὰ ὀνείδη, ταῦτ' ἐστὶ, Laudationes et vituperationes. A Cic. quoque Laus et Probrum opp.: ut quum ait, In isto tuo maledicto probrum non modo mihi nullum objectas, sed etiam laudem illustras meam. [De homine qui dedecori est s. opprobrio, Aristoph. Ach. 855: Λυσίστρατός τ' ἐν ἀγορᾷ, Χολαργέων ὄνειδος. Callim. Del. 240: Οὕτω νῦν, ὦ Ζηνὸς ὀνείδεα, καὶ γαμέοισθε λάθρια καὶ τίκτοιτε κεχρυμμένα. Aliæ locutiones sunt ap. Menandr. Stob. Fl. 94, 11: Πολλὰ (χρήματα) μετ' ὀνείδους λαβεῖν. Plat. Gorg. p. 512, C: Ὡς ἐν ὀνείδει ἀποκαλέσαις ἂν μηχανοποιόν· Conv. p. 189, E: Ἐν ὀνείδει ὄνομα κείμενον· Reip. 4, p. 431, A: Τοῦτο ὡς ἐν ὀνείδει ψέγειν· Leg. 11, p. 918, D: Ἐν αἰσχροῖς γέγονεν ὀνείδεσιν· 12, p. 943, E: Ὡς αἰσχρὰς αὐτὰς εἰς ὀν. τιθείς· ut omittam phrases ὄνειδος φέρειν, ὀνείδει ἐνέχεσθαι, ξυνέχεσθαι et alias ap. hunc et Demosth. Theodor. Stud. p. 56, B: Τὰ παρ' αὐτοῦ δι' ὀνείδους ποιούμενοι.] Eust. ὄνειδος exp. ὕβρις, ὄνο- D σις, i. e. μέμψις: annotatque posteris Homeri significare προφορὰν εὐεργεσιῶν ἐπὶ ἐλέγχῳ ἀχαριστίας, Probrum, quo alicui ingratitudinis crimen objectatur. Quum vero exponit ὄνοσις, innuit se derivare ob ὄνεσθαι, τὸ μέμφεσθαι. || Ceterum annotat idem Eust., ὄνειδος non semper esse βαρεῖαν λέξιν καὶ ἀηδῆ, idque patere ex eo qui scripsit, Ὡς καλὸν ὄνειδος σπαργάνων ἀνειλόμην· et ex eo qui dixit, Κάλλιστον ὄνειδος· est autem is, Eur. Phœn., ut mox videbimus. Quibus subjungit, Εἴη δ' ἂν τοιοῦτον ὄνειδος, ὁ λόγος ὁ προφέρων πάθος τὶ, δεινὸν μὲν, ἐπίσημον δ' ἄλλως ἐν ἀνθρώποις καὶ θαυμαζόμενον· ὁποῖον καὶ τὸ τοῦ Οἰδίποδος διήγημα, οὗ μέρος καὶ ἡ τῶν σφυρῶν αὐτοῦ τρῆσις καὶ οἴδησις. Similiter Eur. schol. dicit medium esse vocab.; nam in Phœn. [1746]: Σφιγγὸς ἀναφέρεις ὄνειδος; exp. τὸ κλέος τῆς σφιγγὸς ἀναμιμνήσκεις; Laudem et gloriam ex sphinge sublata partam refers et commemoras? Aliquanto ante [829], ubi Eur. dicit, Ἔτεκες... τὰν ἀπὸ θηροτρόφου φοινικολόφοιο δράκοντος γένναν ὀδοντοφυῆ, Θήβαις κάλλιστον ὄνειδος, exp. itidem κλέος, ἐγκώμιον, ut sensus sit, Thebis pulcerrimum decus et gloriam. [Aliter Iph. A. 305 : Αἴαν δεσπόταισι πιστὸς εἶ.—Καλόν γέ μοι τοὔνειδος ἐξωνείδισας. Et ubi per ironiam, Med. 514 : Καλόν γ' ὄνειδος τῷ νεωστὶ νυμφίῳ, πτωχοὺς ἀλᾶσθαι παῖδας.] Præterea pluribus in ll. annotat Eust. ὄνειδος esse non neutrius solum generis, sed etiam masculini, sicut σκότος, ἔλεος, τάριχος: cujus tamen usus exempla nec ipse affert, nec ego ap. quempiam reperi. [Ὁ ὄνειδος, Phot. Contra Manich. 1, p. 41, 56, in Wolf. Anecd. Boiss. Leo Diacon. Hist. 4, 1, p. 55. Coraes. Ὄνειδοι, Turpes, Cl. Niceph. Greg. Hist. Byz. 19, 3, p. 591, A : Ὄνειδον περιφανῆ. L. D.] || Hesychio ὄνειδος est etiam εἶδος πόματος.

[Ὀνείλεον, θυσία Ποσειδῶνος, Hesychii gl. obscura.]

Ὀνεῖον, τὸ, Stabulum asinorum, ἐν ῳ οἱ ὄνοι ἵστανται, Suid. Contra Ὄνειον retracto accentu dicitur esse Mons Corinthi. [Ap. Thuc. 4, 44, ubi τὰ Ὄνεια ὄρη dici a Polyb. 2, 52, 5, et Plut. Cleom. c. 20 monent intt. Sic et Strabo 8, p. 380; 9, p. 393. Singulari sæpe Xen. H. Gr. l. 6 et 7, Hesych., App. Prov. 4, 64.]

[Ὄνειος, ὁ.] Ὄνεια, Hesych. exp. ὠφέλιμα, κτήματα, βρώματα : verum ὄνεια, quod esse dicit ὠφέλιμα, erit a nomin. Ὄνειος, Utilis. Pro quo facta resolutione Ionica dicitur Ὀνήϊος, itidem pro Utilis, ὠφέλιμος. Nicand. Al. [548] : Ἢ πλεῖον· πλεῖον γὰρ ὀνήϊον· nisi id ὀνήϊον compar. sit, ejusd. signif. cum ὄναιον, quod ex Hesych. attuli. [Verior prior interpretatio. V. etiam Ὄνιον. Tzetz. ad Lycophr. 621 : Πνοὴν ὀνίαν.]

Ὄνειος, α, ον, Asininus : ὀν. [γάλα Aristot. H. A. 3, 20 med.,] κρέας, Caro asinina [Gl.], Galen. Ad Glauc. 2. [Aristoph. Eq. 1396 : Τὰ κύνεια μιγνὺς τοῖς ὀνείοις πράγμασι. Plut. Mor. p. 150, E. Pollux 9, 48.]

[Ὀνειράζομαι, unde ὀνειρασθεὶς, Somnio inquinatus, illusus. Timoth. patr. Alexandr. in Quæsitis canon. : Ἐὰν ὀνειρασθεὶς ὁ λαϊκὸς ἐρωτήσῃ τὸν κληρικὸν κτλ. Ἀφροδισιάζεσθαι τοῖς ὀνείρασι ap. Damascium in Vita Isidori p. 1063. Ducang.]

[Ὀνειράτιον, τὸ, dimin. ab ὄνειρος vel ὄνειρον, ap. schol. Apoll. Rh. 2, 197. Wakef.]

Ὀνείρειος, α, ον, ut ὀνείρειαι πύλαι, Somni portæ, Insomniorum portæ, αἱ τῶν ὀνείρων πύλαι, ut Hesych. exp. Hom. Od. Δ, [809] : Ἡδὺ μάλα κνώσσουσ' ἐν ὀνειρείῃσι πύλῃσι. [Babrii Fab. 30, 8 : Ἐν πύλαις ὀνειραίαις (sic). L. Dindorf.]

[Ὀνειρήεις, εσσα, εν, i. q. ὀνείρειος. Orph. H. 86, 14, ὄψις.]

[Ὀνειρογενὴς, ὁ, ἡ, Somnio natus. Heliod. Æth. 9, 25, p. 451.]

[Ονειρειστον λεγομενον προς αρ... (κα)θαρου. *Ce n'est qu'avec beaucoup de peine que j'ai lu le premier mot, qui semble ne pas être connu des lexicographes, et qui doit dériver d'ὀνειρίζω. C'est apparemment une recette pour avoir des songes, prononcée à* ... Reuvens. *Lettre à M. Letronne* 1, p. 9. L. Dind.]

Ὀνειρογόνος, In somnis genituræ profluvium, VV. LL. ex Plin. [ap. quem est latinum hoc voc., non græcum. Cæl. Aurel. Chron. 5, 7, 82 : « Aliqui etiam ajunt ὀνειροπόλησιν ab ὀνειρογόνῳ discerni, siquidem ὀνειροπόλησις illa sit quæ per somnum concubitum fingit, cum operantium (vel operis) sensu, sed sine seminis jactu : Ὀνειρόγονος vero usque ad defectum (vel effectum) deducit seminis lapsum. Sed Melesius nihil inquit supra dicta differre etc. » Recte monet Foes. Œcon. Hipp. verum esse ὀνειρωγμός.]

[Ὀνειροδότιον, τὸ, Fabric. Biblioth. Gr. t. 2, p. 509. Coraes.]

[Ὀνειροδότις, ιδος, ἡ, Somnia dans, excitans. Poeta De vir. herb. 42, p. 638 Fabr. B. Gr. vol. 1.]

[Ὀρειροκρισία, ἡ, Somniorum interpretatio. Artemid. 2, 25, 70. Kall.]

Ὀνειροκρίτης, ὁ, Qui somnia interpretatur, dijudicat, interpretatione explicat, [Conjector, Somnisolutor, Somniorum interpres, Gl.] Bud. ex Basilio. [Theocr. 21, 33 : Οὗτος ἄριστος ἔστιν ὀνειροκρίτας, ὁ διδάσκαλός ἐστι παρ' ᾧ νοῦς. Theophr. Char. c. 16 : Ὅταν ἐνύπνιον ἴδῃ, πορεύεσθαι πρὸς τοὺς ὀνειροκρίτας. Pollux 7, 188. Eust. Il. A, p. 48, 5, Od. p. 1877, 4. || Fem. Ὀνειροκρίτις, ιδος, ἡ, in inscr. Att. ap. Bœckh. vol. 1, p. 469, n. 481, 8. V. autem l. Hom. et Æsch. Prom. 485 et Cho. 37, in Ὀνείρατα s. Ὄνειρος citati.]

A Ὀνειροκριτικὸς, ἡ, ὸν, Ad somniorum interpretem et conjectorem pertinens. Extant et Artemidori libri Ὀνειροκριτικοὶ, de Interpretandis Somniis. Ὀνειροκριτικὸς dicitur etiam Is qui somnia interpretari novit, Peritus somniorum interpres. [Dem. Phal. Plutarchi Aristid. c. 27. Stob. Ecl. vol. 2, p. 238 : Μαντικῆς (εἶδος) τὸ ὀνειροκριτικόν. Theodor. Prodr. *Notices* vol. 6, p. 553 fin. : Τὴν ὀνειροκριτικὴν ἐξευρόντες Τελμισεῖς. || Adv. Ὀνειροκριτικῶς, Eust. Od. p. 1877, 37.]

[Ὀνειροκρίτις. V. Ὀνειροκρίτης.]

[Ὀνειρολεσχία, ἡ, ὕβρις, Suidas. Quam interpr. postulare ὀνειδολεσχία annotavit Kuster. Ὀνειροσχελία cum ὀνειρωξία ponit Zonaras p. 1453.]

Ὀνειρολογία, ἡ, Somniorum enarratio; Disputatio de somniis, Cam.

Ὀνειρόμαντις, εως, ὁ, Qui ex somniis vaticinatur, futura prædicit, Pollux [7, 188] ex Magnete. [Æsch. Cho. 31 : Τόρος γὰρ ὀρθόθριξ φόβος δόμων ὀνειρόμαντις.]

[Ὄνειρον. V. Ὄνειρος.]

[Ὀνειρόπλαστος, ὁ, ἡ, Somnio fictus. Const. Manass.

B Chron. 861 : Φάσμασιν ὀνειροπλάστοις.]

Ὀνειρόπληκτος, ὁ, ἡ, Somnio territus, Qui somniis percellitur et terretur; Suid. enim ὀρειρόπληκτον exp. ὑπὸ ὀνείρων πληττόμενον. Hesychio quoque ὀνειρόπληκτος est ὀνείρῳ πεπληγώς :. sed addit, ἢ ὀνειροκρίτης.

[Ὀνειροπλὴξ, ῆγος, ὁ, ἡ, i. q. præcedens. Philo vol. 2, p. 43. Wakef.]

[Ὀνειροποιὸς, ὁ, ἡ, Somnium s. Somnia faciens. Tzetz. Exeg. Il. p. 75, 31; 109, 23.]

Ὀνειροπολέω, In somniorum interpretatione versor, Somniorum interpretem et conjectorem ago. Hesychio ὀνειροπολῶν est ὁ δι' ὀνείρων μαντευόμενος. Item Somnio, Somnium cerno, βλέπω ὄνειρον, ut Eust. exp. [Plato Tim. p. 52, B : Πρὸς ὃ καὶ ὀνειροπολοῦμεν βλέποντες· Reip. 7, p. 534, C; Leg. 10, p. 904, D.] Plut. [Mor. p. 590, B] : Οὐ μάλα σωφρονῶν ἐναργῶς, εἴτε ἐγρήγορεν εἴτε ὠνειροπόλει. Lucian. Hermot. [c. 71] : Πολλὰ καὶ θαυμαστὰ ὀνειροπολοῦντα νύξας ὁ λόγος ἀπὸ τοῦ ὕπνου ἐκθορεῖν ἐποίησεν. Sic Dem. [p. 54, 10] : Πολλὰ τοιαῦτα ὀνειροπολεῖν ἐν τῇ γνώμῃ. Et Liban. : Ἐγὼ δὲ ὀνοειροπολῶ τὰ

C τῶν Φοινίκων ἀγαθά. Frequens est etiam ap. Aristoph. [Nub. 27] : Ὀνειροπολεῖ γὰρ καὶ καθεύδων ἱππικήν· quem l. citans Eust. p. 533, ὀνειροπολεῖν dicit accipi non eo modo quo ὀνειροπόλος ab Hom., sed σκῶμμα ἔχειν, et significare τὸ ὡς ἐν φαντασίᾳ μάτην ἐλπιδοκοπεῖσθαι, vel τὸ βλέπειν ὄνειρον : nam ita eum equis addictum esse ait, ut etiam in somnis et dormiens de eis cogitet : Terent., Dies noctesque me ames, me desideres, Me somnies, me expectes, de me cogites. Idem Nub. [15] : Ἱππάζεταί τε καὶ ξυνωρικεύεται, Ὀνειροπολεῖ θ' ἵππους, Equos somniat, Etiam in somnis de equis cogitat. Item Decipio et eludo veluti vanis per somnum imaginationibus, Eq. [809] : Τὸν δ' ἐξαπατᾷς καὶ ὀνειροπολεῖς περὶ σαυτοῦ, schol. παρακρούῃ καὶ παραλογίζῃ καὶ παραπλανᾷς. [Dioscor. Anth. Pal. 12, 43, 2 : Ὅ,τι σοι θυμὸς ὀνειροπολεῖ.]

[Ὀνειροπόλημα, τὸ, Somnium. Clem. Alex. p. 849. Wakef.]

[Ὀνειροπόλησις, ὁ, ἡ, i. q. seq. Cæl. Aurel. Chron. 5, 7. V. Ὀνειρογόνος.]

D [Ὀνειροπολία, ἡ, Somnium. Plato Epinom. p. 985, C : Καθ' ὕπνον ἐν ὀνειροπολίᾳ. Epiphan. vol. 1, p. 163, 214. « Nilus Epist. 166. » Boiss.]

[Ὀνειροπολικὸς, ἡ, όν. « Ὀνειροπολικὸν, τὸ, apud Artemid. lib. 1, Ars conjiciendi et interpretandi somnia. » HSt. Ms. Vind. Ὀνειροπολικὸν, τὸ, Vaticinatio ex insomniis, Plutarch. De plac. phil. 5, 1, p. 904, E.]

Ὀνειροπόλος, ὁ, ἡ, Qui circa somnia versatur, eis futura prædicens, Conjector, [Somniortator, Gl.] ὁ δι' ὀνείρων μαντευόμενος, ut exp. ap. Hom. Il. A, [62] : Μάντιν ἐρείομεν ἢ ἱερῆα, Ἢ καὶ ὀνειροπόλον· E, [149] : Υἱέας Εὐρυδάμαντος, ὀνειροπόλοιο γέροντος. Eust. dicit ὀνειροπόλον ab Hom. vocari τὸν περὶ ὀνείρους στρεφόμενον, κἀκεῖθεν τὸ μέλλον προειδότα διὰ τοῦ κρίνειν ὀνείρους. Propertium ad vocem Græcam allusisse puto, Quæ mea non decies somnia versat anus? Sed ὀνειροπόλος dicitur non solum ὁ τοὺς ὑπ' ἄλλων βλεπομένους ὀνείρους διευκρινῶν, sed etiam ὁ βλέπων αὐτὸς ὀνείρους καὶ κατ' αὐτοὺς προλέγων, Is qui ex somniis, quæ ipse vidit, futura prædicit, ut Agamemnon, Il. B, teste Eust. [et Hesych. Fem. Orph. Arg. 35 : Ὅσα θεσπίζουσιν ὀνειροπόλοισιν ἀταρποῖς ψυχαὶ ἐφημερίων· 599 : Ὀνειροπόλον διὰ πύστιν. Pollux 7, 188.]

[Ὀνειροπομπία (sic leg. pro Ὀνειροπομπεία), ἡ, Somniorum missio. Euseb. Dem. ev. p. 203, B. Wakef.]

[Ὀνειροπομπὸς, ὁ, Somnia immittens. Galen. vol. 13, p. 275. *Reuvens*, *Lettre à M. Letronne* 1, p. 8. L. D. Euseb. H. E. 4, 7; vide Vales. Mendham. Just. Mart. Apol. 1, 27, 19.]

Ὄνειρος, ὁ, Somnium, [Visum add. Gl.] Hom. Od. T, [541] : Κλαῖον καὶ ἐκώκυον ἔνπερ ὀνείρῳ, Licet somnians. [Ib. 581 : Τοῦ ποτε μεμνήσεσθαι ὀΐομαι ἔν περ ὀνείρῳ.] Il. X, [199] : Ὡς δ' ἐν ὀνείρῳ οὐ δύναται φεύγοντα διώκειν, Inter somniandum, In somnis. [Apoll. Rh. 1, 290 : Τὸ μὲν οὐδ' ὅσον οὐδ' ἐν ὀνείρῳ ὠισάμην. Theocr. 9, 16 : Ἔχω δέ τοι ὅσσ' ἐν ὀνείρῳ φαίνονται. Pind. fr. ap. Plut. Mor. p. 120, E : Εὐδόντεσσιν ἐν πολλοῖς ὀνείροις δείκνυσι. Theocr. 20, 5 : Μὴ τύ γά μευ κύσῃς τὸ καλὸν στόμα μηδ' ἐν ὀνείροις. Plato Leg. 10, p. 910.] Athen. 5 : Τὰ μηδέποτε ἐλπισθέντα μηδ' ἐν ὀνείρῳ φαντασθέντα, Ne in somnis quidem, Ne per somnium quidem : quod supra κατ' ὄναρ et ὄναρ dicitur. [Pind. Ol. 13, 64 : Ἐξ ὀνείρου αὐτίκα ἦν ὕπαρ· Pyth. 4, 163 : Ταῦτά μοι θαυμαστὸς ὄνειρος ἰὼν φωνεῖ.] Od. Λ, [221] : Ψυχὴ δ' ἠΰτ' ὄνειρος ἀποπταμένη. [Apoll. Rh. 3, 446 : Νόος δέ οἱ ἠΰτ' ὄνειρος ἑρπύζων πεπότητο· et 4, 877. Et 4, 384 : Δέρος δέ τοι ἶσον ὀνείροις οἴχοιτ' εἰς ἔρεβος. Od. Λ, 206 :] Σκιῇ εἴκελον, ἢ καὶ ὀνείρῳ· Il. B, [56] : Θεῖός μοι ἐνύπνιον ἦλθεν ὄνειρος, Visum divinum per quietem mihi oblatum est. Od. Z, [49] : Ἀπεθαύμασ' ὄνειρον. Item κρίνασθαι et ὑποκρίνασθαι ὀνείρους, Dijudicare et explicare somnia. T, [535] : Ἀλλ' ἄγε μοι τὸν ὄνειρον ὑπόκριναι· Il. E, [150] : Ὁ γέρων ἐκρίνατ' ὀνείρους. [Eur. Hec. 87 : Ὡς μοι κρίνωσιν ὀνείρους.] Od. T, [560] : Ἤ τοι μὲν ὄνειροι ἀμήχανοι ἀκριτόμυθοι γίγνονται. [Apoll. Rh. 3, 618 : Ἄφαρ δέ μιν ὀλοοὶ ἐρέθεσκον ὄνειροι· 636 : Οἷόν με βαρεῖς ἐφόβησαν ὄνειροι.] Aristoph. Ran. [1332] : Τίνα μοι δύστανον ὄνειρον πέμπεις; [Pluralis gen. et dat., qui tam ad formam masc. quam neutram referri potest, exx. in hac forma ponimus, Æsch. Ag. 274 : Ὀνείρων φάσματα· 1218 : Ὀνείρων προσφερεῖς μορφώμασι· 13 : Εὐνὴν ὀνείροις οὐκ ἐπισκοπουμένην. Eur. Hec. 74 : Ὄψιν ἂν δι' ὀνείρων ἔμαθον· Iph. T. 150 : Οἵαν ἰδόμαν ὄψιν ὀνείρων· Herc. F. 111 : Ἔπεα μόνον καὶ δόκημα νυκτερωπὸν ἐννύχων ὀνείρων, ut Phœn. 1545 : Πολιὸν αἰθέρος ἀφανὲς εἴδωλον ἢ ... πτανὸν ὄνειρον· fr. Æoli apud Stob. Fl. 116, 4 : Ὀνείρων δ' ἕρπομεν μιμήματα. Theocr. 21, 67 : Χρυσοῖσιν ὀνείροις.] In prosa quoque ὄνειρος pro Somnio itidem frequentissimum est. Lucian. [Hermot. c. 72] : Ὀνείρῳ ἠδεῖ συνόντα. Plut. Symp. 8, [p. 735, E] : Ψευδεῖς ὄνειροι. Et paulo ante [p. 734, F] : Τῆς διὰ τῶν ὀνείρων μαντικῆς. Idem in Alex. [c. 18] : Τινὸς ὀνείρου θαῤῥύνοντος αὐτόν· Symp. 2, [p. 631, A] : Διηγηματικὸς ὀνείρων· ubi διηγεῖσθαι ὀνείρους dixit quod Cic. Enarrare alicui somnium, Explicare interpretatione somnium. [Quod ex schol. Ven. Hom. Il. A, 63 : Ὁ ὀνειροπόλος αὐτὸς δρᾷ ὑπὲρ ἑτέρων ὀνείρους, affert Schneider., neque ipse neque editores schol. animadverterunt scrib. esse ὁρᾷ, licet ibidem sit aliquoties θεατὴς ὀνείρου. L. D.] || Ὄνειρος accipitur a poetis pro ipso Quietis deo, et etiam pro ipso Somnio, i. e. eo quod per somnum videtur, ut ap. Hom. Il. B, [8] : Βάσκ' ἴθι, οὖλε ὄνειρε, θοὰς ἐπὶ νῆας Ἀχαιῶν. [Orph. H. 85, 1. Hom. Od. Ω, 12 : Παρ' Ἠελίοιο πύλας καὶ δῆμον ὀνείρων.] Eustath. ὄνειρος alicubi derivat παρὰ τὸ ὂν εἴρειν, i. e. ἀληθὲς ἀγγέλλειν, alicubi ab ὀνεῖν, i. e. ὠφελεῖν. [Sic etiam Theognost. Can. p. 71, 21, et Etym. M. p. 626, 17.] || Ὄνειρον, τὸ, i. q. ὄνειρος, Somnium, Visum quod per somnum offertur, seu, ut Ammon. exp., ἡ ἐν τῷ καθεύδειν φαντασία. Hom. Od. Δ, [841] : Ὥς οἱ ἐναργὲς ὄνειρον ἐπέσσυτο νυκτὸς ἀμολγῷ, et ap. Plutarch. [Mor. p. 764, F] : Ἀμφὶ δέ οἱ δολόεντα φιλόφρονα χεῦον ὄνειρα, Fallacia somnia. [Æsch. Cho. 541 : Τοὔνειρον εἶναι τοῦτ' ἐμοὶ τελεσφόρον· 550 : Ὡς τοὔνειρον ἐννέπει τόδε. Soph. El. 1390 : Ὥστ' οὐ μακρὰν ἔτ' ἀμμένει τοὐμὸν φρενῶν ὄνειρον αἰωρούμενον. Eur. Herc. F. 517 : Εἰ μή γ' ὄνειρον ἐν φάει τι λεύσσομεν· 528 : Ποῖ' ὄνειρα χηραίνουσ' ὁρῶ; Moschus 4, 122, alibi altera forma. Apoll. Rh. 2, 197 : Ἀκήριον ἠΰτ' ὄνειρον, alibi masc. forma usus, ut monet Etym. M. v. Ἀκήριον. Inter utramque variat etiam Herodotus, qui 1, 120, ἐξήκειν τὸν ὄν., 7, 16, ἐπιφοιτᾶν ὄνειρον οὐκ ἐῶντα, sed « τὠυτὸ ὄνειρον Ξέρξῃ ἔλεγεν ἐπιστὰν 7, 14; ἐπιφοιτῶν ὄνειρον φαντάζεταί μοι ib. 15, et ib. : Ἐπιπτήσεται καὶ σοὶ τὠυτὸ τοῦτο ὄνειρον, et, Ἦλθέ οἱ τὠυτὸ τοῦτο ὄνειρον τὸ καὶ παρὰ Ξέρξεα ἐφοίτα, ib. 17. » Schweigh. Idem plur. 1, 120 : Τὰ τῶν ὀνειράτων ἐχόμενα. Cum genit. Crinag. Anth. Pal. 9, 234, 3 : Ἄλλοις ἄλλ' ἐπ' ὄνειρα διαγράψεις ἀφένοιο.] Reperitur etiam Ὀνείρατα [Visa, Gl.] plur. num. in prosa pro eo quod poetæ dicunt ὄνειρα. Chysost. : Ποίοις προσδοκᾷς ὀνείρασιν ὁμιλῆσαι, μὴ τειχίσας σαυτὸν προσευχαῖς; Cum qualibus insomniis putas rem tibi fore? [Xen. Anab. 4, 3, 13 : Εὔχεσθαι τοῖς φήνασι θεοῖς τὰ ὀνείρατα ἐπιτελέσαι, ubi, ut sæpe, de uno somnio dicitur paullo ante narrato. Hipparch. 9, 9 : Ἐν φήμαις καὶ ἐν ὀνείρασιν. Plato Reip. 3, p. 414, D : Ὥσπερ ὀνείρατα ἐδόκουν ταῦτα πάντα πάσχειν· Leg. 5, p. 746, A : Οἷον ὀνείρατα λέγων ἢ πλάττων· Epist. 8, p. 357, C : Οἷον ὀνείρατα θεῖα ἐπιστάντα ἐγρηγορόσιν.] Lucian. [De calumn. c. 17] : Ὀνείρατα διηγούμενοι, Somnia enarrantes. Sed et gen. sing. ὀνείρατος in usu esse testatur Bud., quo et Pausan. utitur, quum in Attic. dicit, Ἀναμένοντες δήλωσιν ὀνείρατος. [3, 14, 4 : Ἐποίει δὲ ταῦτα κατὰ ὄψιν ὀνείρατος. Apoll. Rh. 4, 1732 : Ὀνείρατος ἐννυχίοιο. Plato Theæt. p. 201, D; 278, E; Leg. 12, p. 969, B.] Athen. dativum etiam usurpat, 3 : Ὀνείρατι θεασαμένους τινὰς ἐρασθῆναι αὐτῶν· pro quo alibi dicit ὄναρ ἰδόντας. Nec poetis quoque inusitatum hoc vocab. est. Legitur enim ap. [Aristoph. Vesp. 53 : Οὕτως ὑποκρινόμενον σαφῶς ὀνείρατα. Æsch. Prom. 658 : Νυκτίφοιτ' ὀνείρατα· 448 : Ὀνειράτων ἀλίγκιοι μορφαῖσι· 485 : Κἄκρινα πρῶτος ἐξ ὀνειράτων ἃ χρὴ ὕπαρ γενέσθαι· Cho. 37 : Κριταί τε τῶνδ' ὀνειράτων· Ag. 491 : Εἴτ' οὖν ἀληθεῖς εἴτ' ὀνειράτων δίκην τερπνὸν τόδ' ἐλθὸν φῶς ἐφήλωσε φρένας· Cho. 525 : Ἔκ τ' ὀνειράτων καὶ νυκτιπλάγκτων δειμάτων· 929 : Οὖξ ὀνειράτων φόβος· Eum. 156 : Ἐμοὶ δ' ὄνειδος ἐξ ὀνειράτων μολόν· Prom. 656 : Τοιοῖσδε ... ὀνείρασι ξυνειχόμην· Pers. 176 : Πολλοῖς νυκτέροις ὀνείρασι ξύνειμι· Ag. 891 : Ἐν δ' ὀνείρασιν λεπταῖς ὑπαὶ κώνωπος ἐξηγειρόμην ῥιπαῖσι.] Soph. [El. 460 : Πέμψαι τάδ' αὐτῇ ὀνείρατα· 481 : Ἡδυπνόων κλύουσαν ἀρτίως ὀνειράτων· OEd. T. 981 et Eur. Alc. 354], Ἐν ὀνείρασι· itemque Apoll. Arg. 2, [306; 4, 664] dativo ὀνείρασι utitur. [Et alii ceteris casibus.] A Plat. autem Leg. [3, p. 695, C] ὀνείρατα dicuntur Res inanes et nihili, sicut et ὄναρ ac Somnium ap. Latinos accipitur. [De Herodoto v. paullo ante. De nominativo sing. ὄνειαρ v. in illo voc. Formam Æolicam Ὄνοιρος memorant Chœrob. vol. 1, p. 100, 10; 562, 19, gramm. Cram. An. vol. 1, p. 29, 2; 210, 2; vol. 4, p. 416, 15, Etym. M. p. 660, 53.]

[Ὄνειρος, ὁ, Onirus, f. Achillis et Deidamiæ, ap. Ptolem. Hephæst. Phot. Bibl. p. 148, 22 sq.]

[Ὀνειροσκοπικὸς, ἡ, ὸν, Ad somnia consideranda pertinens. Joseph. Hypomn. p. 326 Fabric.]

Ὀνειροσκόπος, ὁ, Qui somnia considerat et interpretatur. Pollux 7, [188] : Ὀνειροκρίται, ὀνειροπόλοι, ὀνειράτων ὑποκριταί, ὀνειροσκόποι· quæ synonyma facit τῷ ὀνειρομάντεις.

[Ὀνειρόσοφος, ὁ, ἡ, Somniorum interpres. Tzetz. Exeg. Il. p. 51, 11.]

[Ὀνειροτόκος, ὁ, ἡ, Somnia gignens. Nonn. Dion. 10, 264.]

[Ὀνειροφαντασία, ἡ, Visio per somnium. Artemid. 4, 63.]

[Ὀνειρόφαντος, ὁ, ἡ, Somnio similis. Æsch. Ag. 420, δόξαι.]

[Ὀνειρόφοβος, ὁ, ἡ, Somnio territus. Tzetz. Hist. 9, 621 : Καὶ πάντες ἦσαν ἐκπλαγεῖς καὶ τῶν ὀνειροφόβων.]

Ὀνειρόφρων, ονος, ὁ, ἡ, Somniorum peritus interpres, Eur. [Hec. 709 : Τίς γάρ νιν ἔκταν'; οἶσθ' ὀνειρόφρων φράσαι;]

[Ὀνείρωγμα. V. Ὀνείρωμα. L. Dind.]

Ὀνειρωγμὸς, ὁ, Insomnium. Utplurimum dicitur de Libidinis imaginatione in somnis. [Ps.-Aristot. H. A. 10, 6 : Ταύταις γίνεται ταὐτὰ παθήματα μετὰ τὸν ὀνειρωγμόν.] Diosc. 3, 148, de nymphæa : Πίνεται δὲ ἡ ῥίζα καὶ πρὸς ὀνειρωγμούς· de qua Plin. 26, 10 : Inso-

A mnia quoque veneris, ab jejuno pota et in cibo sumpta, adimit. [Artemid. 1, 1. Wakef. In ὀνειρογόνος corruptum v. supra.]

['Ονειρώδης, ὁ, ἡ, Somnio similis. Philostr. V. Ap. 7, 14, p. 295 : Ὀνειρώδη καὶ ἀνεμιαῖα. Greg. Naz. In Jul. 1 : Τῆς ὀνειρώδους τέρψεως. Tzetz. ad Lycophr. 113 : Ψυχρὰν περιπλοκὴν καὶ ὀνειρώδη. Achmes Onir. c. 104, p. 71, A : Τοῦ ὀνειρώδους εὑρήματος, Reperti s. Lucri per somnium. Theodor. Stud. p. 375, B.]

['Ονειρωκτικὸς, ἡ, ὸν, Ad somnia pertinens. Olympiod. In Plat. Phileb. f. 152 : Ὅτι εἰσὶν ἡδοναὶ ψευδεῖς πολλαχόθεν ἐπιχειρεῖ ὁ Σωκράτης ἀπὸ τῶν ὀνειρωκτικῶν (cod. ὀνειρακτικῶν) ἡδονῶν. Cit. Cramer. Schol. Theocr., a Wakef. cit., 9, 16 : Αἱ ὀνειρωτικαὶ φαντασίαι, item scripserat ὀνειρωκτικαί. L. Dind.]

['Ονείρωμα, τὸ, Somniatio, Somnium. Choricius Maii Spicil. Rom. t. 5, p. 460, 6 a fine : Ἦσαν πάντα ὀνειρώματα καὶ φαντασία κενή. Boiss. Scribendum est ὀνειρώγματα.]

['Ονειρωξία. V. Ὀνείρωξις.]

B Ὀνείρωξις, εως, ἡ, Somnium, potius ipsa Somniandi actio, ἡ τῶν ὀνειράτων δεῖξις Suidæ. [Plato Tim. p. 52, B : Ὑπὸ ταύτης τῆς ὀνειρώξεως. « Philo vol. 2, p. 446. » Wakef. Greg. Naz. Stel. 1, p. 69 Montac. Boiss. Ὀνειρωξία ponit Zonaras Lex. p. 1453.]

['Ονειρώσσω s.] Ὀνειρώττω, Somnio [Gl.]. Plato De rep. 5, [p. 476, C] : Ὀνειρώττειν ἆρα οὐ τόδε ἐστὶν, ἐάν τ' ἐν ὕπνῳ τις, ἐάν τ' ἐγρηγορὼς, τὸ ὅμοιόν τῳ, μὴ ὅμοιον, ἀλλ' αὐτὸ ἡγῆται εἶναι ᾧ ἔοικεν ; [Ib. 7, p. 533, C : Ὁρῶμεν ὡς ὀνειρώττουσι περὶ τὸ ὄν· Leg. 7, p. 800, A : Οἷόν πού τις ὠνείρωξε μαντευόμενος αὐτό· et alibi sæpe. Aristot. De divinat. 2 init. : Καὶ τῶν ἄλλων ζώων ὀνειρώττει τινά· ubi dicitur de insomniis.] Synes. De insomn. : Καίτοι πᾶν τοῦτο ὕπαρ ἐστὶν ὀνειρώττοντος καὶ ἐγρηγορότος ἐνύπνιον, Hoc totum est inter vigilandum somniantis. Construitur etiam cum accus., ut ὀνειροπολεῖν, quod ejusd. signif. est. Plut. De def. orac. [p. 425, E] : Μέσον τε τοῦ ἀπείρου τόπου οὐχ ὀρθῶς ὀνειρώττων, Quum medium loci infiniti non recte somniet. [Palladas Anth. Pal. 10, 45, 3 : Ὁ Πλάτων σοι τῦφον ὀνειρώσσων ἐνέφυσεν, ἀθάνατόν σε λέγων.] Peculiariter autem Me-

C dici ὀνειρώττειν de iis somniis dixerunt, quæ conjunctas sibi veneris et libidinis imagines habent ; vocaruntque ὀνειρωγμοὺς Libidinis in somno imaginationes. Atque adeo [Tzetz. Hist. 8, 885,] schol. Aristoph. [Nub. 16] ita ὀνειρώττειν distinguit ab ὀνειροπολεῖν, ut ὀνειρώττειν sit Genituram per somnium emittere : id quod accidere solet iis qui amoribus vacant : ὀνειροπολεῖν vero sit Visum in somniis videre atque somniare. [Hippocr. p. 352, 36 ; 479, 15 ; 557, 54. Aret. p. 32, 53, ubi male ὀνειρώττουσι pro ὀνειρώσσουσι.]

['Ονειρωτικὸς vitium scripturæ pro ὀνειρωκτικὸς, quod v.]

['Ονείτης, ἥρως, ὄνομα καὶ (l. δὲ) ἴσως ἂν εἴη, Hesychius. Ὀνείτης f. Herculis et Dejaniræ est ap. Apollod. 2, 7, 8, 8, Ὀνύτης scriptus ap. schol. Lucian. D. deor. 13, 2, Ὀλίτης ap. schol. Soph. Tr. 53, Ὀδίτης, Ὀδείτης (s. —οπίτης, —οπείτης) in libris Diodori 4, 37, quorum omnium unum verum videtur Ὀνείτης. Ὀνίτην Herculis et Megaræ f. memorat Tzetz. ad Lycophr. 38, p. 332, Eudocia p. 216. Apud Diodorum

D autem librariis obversatus videtur Ὀπίτης, q. v. L. D.]

['Ονέλαφος, ὁ, Onelaphus, Asinus cornutus, ignotum hodie animal, cujus generis septem bigas traductas esse in pompa Ptolemæi Philadelphi narrat Callixenus Athenæi 5, p. 200, F, ubi temere olim pro ὀνελάφων simplex ἐλάφων edebatur. Schweigh.]

['Ονέστου Βυζαντίου s. Κορινθίου epigrammata leguntur in Anthol. Gr., de quo v. Jacobs. vol. 13, p. 926-7.]

Ὄνευος, ὁ, Sucula, machina tractorii generis, constans ex tereti ligno, duobus aut pluribus vectibus trajecto, utrimque æqua extantibus longitudine : quæ dum versatur, funis ductarius circum eam obvolvitur, onera sensim adducens : ejusmodi machina hodie vietores sive cupparii vina ex hypogæis subvehunt, aut in ea demittunt, Turnum eam appellantes, Bud. Pand. Thuc. scholiastæ [7, 25] ὄνευος est μηχανὴ ἐπ' ἄκρων τῶν ἀκατίων πηγνυμένη, ἀφ' ἧς περιβάλλοντες βρόχους, τοὺς σταυροὺς ῥᾳδίως ἐκ τοῦ βυθοῦ ἀνέσπων· ἔστι γὰρ ἡ μηχανὴ ἐπὶ τοσοῦτον βιαιοτάτη, ὥστε καὶ σαγήνην βαρεῖαν ὑπὸ δύο ἀνδρῶν ἀπόνως ἕλκεσθαι. Ipsi etiam helciarii, qui suculam versant, ὄνευοι appellantur, ut ex eod. schol. discimus : Ὄνευος, μηχανή ἐστι περιαγωγῆς, ᾗ οἱ χρώμενοι, ὄνευοι λέγονται. Machina autem ea ab Aristot. vocatur ὄνος, ut tum in Ὄνος dicetur, tum Eust. in seq. Ὀνεύω testatur.

Ὀνεύω, Suculam verso et circumago. Eust. p. 862, nominis ὄνος significationes aliquot enumerans : Ἡ δὲ ὁμωνυμία καί τι σκεῦος αὐτὸ οἶδε παρὰ τοῖς Ἀριστοτελικοῖς· unde esse dicit, Ὀνεύειν, de quo Ælius Dionys. ita : Ὤνευον παρὰ Θουκυδίδῃ [7, 25] τὸ ἐκίνουν καὶ περιῆγον· ὄνος γὰρ, τοῦ μύλου τὸ κινούμενον, καὶ αἱ τοιαῦται μηχαναὶ, ὄνος. [Phrynich. Bekkeri p. 57, 21.] Ὀνεύομαι et Κατονεύομαι, itidem Suculam verso et circumago, Sucula versata et circumacta contendo. Galen. Lex. Hippocr. : Ὀνεύεσθαι, δι' ὄνων ἐπιστροφῆς τείνειν· ὄνοι δὲ καὶ ὀνίσκοι, οἱ ἄξονες· γράφεται δὲ Κατονεύεσθαι.

Ὀνηγήσιος, ὁ, Asini dux, Agaso, ὀνηλάτης.

['Ονηδὸν, More asinino. Nicetas Ann. 20, 3, p. 380, A : Ὀν. ἐπιβρωμώμενος.]

['Ονήιον. V. Ὄνειος.]

Ὀνήϊστος, ὁ, ἡ, alicubi videri queat esse superl. ab Ion. ὀνήϊος pro ὄνειος [Utilis] posito. Schol. tamen Apoll. Arg. 2, [335] : Τῷ καὶ τἆλλα μεθέντες, ὀνήϊστον πονέεσθε Θαρσαλέως, exp. ὠφελιμώτερον ποιεῖτε. [Superlativi significatio convenit loco Phœnicis Coloph. ap. Athen. 11, p. 495, D : Θαλῆς γὰρ, ὅστις ἀστέρων ὀνήιστος καὶ τῶν τόθ', ὡς λέγουσι, πολλὸν ἀνθρώπων ἐὼν ἄριστος κτλ. Ubi libri variant inter ὀνήιστος et ὀνηιστός. Aret. p. 82, 34 : Τὸ ἀΐδιον αὐτέων ὀνήιστον· 84, 18 : Ἔμετος ὀνήιστον· 91, 21 : Πέπερι ὀνήιστον, et 31 : Ἀλλὰ καὶ τῆς ἄλλης δοτέον ὁκόσον (l. ὁκόσων) ἂν ᾖ ἀβλαβὴς ἡ ὀπώρη, ἀλλὰ καὶ ὀνήιστος· et cum genitivo 130, 19 : Τά τε ἄλλα ὁκόσα ὕδρωπος ὀνήιστα, sed ap. quem semper scribitur ὀνηιστός.] Hæc vero Heracliti verba ap. Diog. L. [9, 2] : Ἡμέων μηδὲ εἷς ὀνήϊστος ἔστω, ita interpr. Cic. p. 141 mei Lex. Cic. : Nemo de nobis unus excellat. [Id. 8, 49 : Εἰ δὲ ὑμεῖς οἱ ὀνήιστοι τὰς πόλεις ἐκλείψετε. Anaxagoras ap. Simplic. ad Aristot. Phys. p. 33 : Καὶ τὴν γῆν αὐτοῖς φύειν πολλά τε καὶ παντοῖα, ὧν ἐκεῖνοι τὰ ὀνήιστα συνενεικάμενοι εἰς τὴν οἴκησιν χρῶνται. Schneid.]

['Ονηλασία, ἡ, Asinorum agitatio. Dio Chrys. vol. 1, p. 302. Wakef.]

Ὀνηλατέω, Asinum agito, Aristoph. [ap. Polluc. 7, 187. Memorat id. 1, 226.]

Ὀνηλάτης, ὁ, Agaso, [Asinarius, Mulio, Gl.] Agitator aselli, ut Virg. Georg. [Demosth. p. 1040, fin. Pollux 7, 148.] Plut. [Mor. p. 461, A] : Ὁ βουλόμενος τύπτειν τὸν ὀνηλάτην. Apud Athen. 13, [p. 582, E, ex Machone] : Ὦ τρισάθλιε Ὀνηλάτ', εἰ μὴ θᾶττον ἐκστήσῃ ποτὲ Ἐκ τῆς ὁδοῦ. [Lucian. Asin. c. 29. « Suidas in Ὑπὲρ ὄνου σκιᾶς. Doribus κιλλακτήρ, Pollux 7, 56. Hesych. in Καπαλεύτας, Ὀνοκίνθιος. » Hemst. ἄ]

Ὄνημι, sive Ὀνίνημι, [Ὀνέω, Juvo, Gl. Et Ὀνήσει, Juvabit,] Juvo, Prosum, Utilitatem affero. Hom. Il. Ω, [45] : Οὐδέ οἱ αἰδὼς Γίνεται, ἥτ' ἄνδρας μέγα σίνεται ἠδ' ὀνίνησι (ubi nota sibi opponi σίνεται et ὀνίνησι), Nocet, Prodest, Juvat. Ead. autem verba Hesiod. Ἔργ. [316] habet, Αἰδὼς, ἥτ' ἄνδρας μέγα σίνεται ἠδ' ὀνίνησι. [Id. Th. 429 : Ὧ δ' ἐθέλει μεγάλως παραγίνεται ἠδ' ὀνίνησι. Hom. H. Merc. 577 : Παῦρα μὲν οὖν ὀνίνησι. Nicand. Th. 380 : Ἡ δ' ὀνίνησι ῥινῷ δυσπαθέοντας. Plat. Conv. p. 193, D : Ὃς ἡμᾶς πλεῖστα ὀνίνησιν εἰς τὸ οἰκεῖον· Leg. 1, p. 641, B : Τί μέγα τὴν πόλιν ὀνίνησιν ; (Quod cum plur. conjungitur ap. Eutecn. Metaphr. Nicand. Th. 620 : Οἱ παλαιοὶ (βάτραχοι) μεγάλα ὀνίνησι, iterumque 636, pro ὀνινᾶσι.) Hipp. maj. p. 301, C : Σὺ ἡμᾶς ὀνίνης ἀεὶ νουθετῶν· Phil. p. 58, C : Σμικρὰ ὀνινᾶσα. Infinitivum ὀνινάναι eidem Reip. 10, p. 600, D, ubi libri πρὸς ἀρετὴν ὀνῆναι, ὀνεῖναι, ὀνῖναι, ὀνίναι ἀνθρώπους, restituit Matthiæ. Galeni nonnulla et al. exx. v. ap. Lobeck. Paralip. p. 12. Aret. p. 83, 13 : Φλεβοτομίης ὀνίνησι μᾶλλον.] Lucian. : Τί με ὁ κωκυτὸς ὑμῶν ὀνίνησι ; Quid mihi prodest ? Galen. Ad Glauc. : Λουτρὰ δὲ θερμὰ μεγάλως ὀνίνησι, Maximopere juvant et prosunt. Apud Eund. ὀνινάναι legitur pro Juvare, et ap. Hesych. Ὀνίνοιεν, ὠφελήσειεν [ὠφελήσοιεν est ap. Hes., fortasse pro ὠφελήσαιεν. Scribendum autem ὀνίναιεν, quum nihili sit ὀνίνοιεν. Idem conjecit Matthiæ in Gramm. v. Ὀνίνημι. L. D.]. Mutuantur sua tempora ab 'Ονέω seu 'Ονάω inusitato [nisi quod ap. Stob. est Fl. 68, 36 : Τί ὀνεῖται ὁ μὴ γήμας· et ap. Ps.-Lucian. Philopatr. c. 26 : Μηδὲν ὀνούμενοι τοῦ βδελύγματος, ubi ὀνάμενοι Pelletus. Pro imperf. autem ὠφέλουν dicit monet Planud. De constr. verborum p. 419] : inde enim est fut. ὀνήσω et aor. ὤνησα. Hom. Il. A, [503] : Ζεῦ πάτερ, εἴ ποτε δή σε μετ ἀθανάτοισιν ὄνησα Ἢ ἔπει ἢ ἔργῳ, Si unquam te juvi, tibi profui, aut verbo aut facto. Et [395] : Εἴ ποτε δή τι Ἢ ἔπει ὤνησας κραδίην Διὸς ἠὲ καὶ ἔργῳ· E, [205] : Τὰ δέ μ' οὐκ ἄρ ἔμελλον ὀνήσειν, Non mihi profutura erant. Od. Ψ, [24] : Σὲ δὲ τοῦτό γε γῆρας ὀνήσει, Hoc tibi utilitatis senectus afferet. Ubi nota accus. rei una cum accus. personæ. [Orac. ap. Herodot. 7, 141 : Τεῖχος ξύλινον, τὸ σὲ τέκνα τ' ὀνήσει. Simonid. ap. schol. Soph. Aj. 740 : Βιότῳ κέ σε μᾶλλον ὄνασα. Eur. Med. 533 : Ὅπῃ γὰρ οὖν ὤνησας οὐ κακῶς ἔχει· Tro. 933 : Τοσόνδ' οὑμοὶ γάμοι ὤνησαν Ἑλλάδα· Hipp. 314 : Οὐ θέλεις παῖδας ὀνῆσαι· Heracl. 705 : Σμικρὰ δ' ὀνήσει πόλιν ἡμετέραν· 1044 : Ὑμᾶς ὀνήσω· fr. ap. Clem. Al. Strom. 4, p. 524 : Οὐδεμίαν ὤνησε κάλλος εἰς πόσιν ξυνάορον, ἁρετὴ δ' ὤνησε πολλάς. Aristoph. Lys. 1032 : Ὤνησάς γέ με. Apoll. Rh. 3, 21 : Δόλον ὅστις ὀνήσει θυμὸν ἀριστήων. Theocr. 5, 69 : Μήτ' ἐμὲ Μόρσων ἐν χάριτι κρίνῃς μήτ' ὦν τύγα τοῦτον ὀνάσῃς· 7, 36 : Τάχ' ὥτερος ἄλλον ὀνασεῖ, ubi cod. unus ὀναξεῖ. Aret. p. 87, 29 : Τῶν ἄλλων μᾶλλον ἂν ὤνησε. Et sæpe Xenoph., ut Cyrop. 5, 4, 11 : Τοὺς φίλους τι ὀνῆσαι· Anab. 3, 1, 38 : Μέγα ὀνῆσαι τὸ στράτευμα· 6, 1, 32 : Ξενοφῶντα ὠνήσατε οὐχὶ ἑλόμενοι· Cyrop. 7, 2, 20 : Γενόμενοι (παῖδες) οὐδὲν ὤνησαν· et similiter sæpe Plato.] Philo V. M. 1 : 'Ονήσεις γὰρ οὐδὲν, Nihil enim profueris. Lucian. Lexiph. : Τὸ δὲ μάλιστα ὀνῆσαν, ἐκεῖνο ἦν. Pass. Ὄνημαι s. Ὄναμαι et 'Ονίναμαι. Cujus ὀνίναμαι hæc proferuntur exempla a Bud. : Plato Gorg. [p. 525, C] : Ἄλλοι δὲ ὀνίνανται τούτους ὁρῶντες διὰ τὰς ἁμαρτίας τὰ μέγιστα καὶ ὀδυνηρότατα πάθη πάσχοντας, Alios juvat. [Leg. 7, p. 789, D : Τὰ σώματα ... ὀνίναται.] Galen. : 'Εκ τῶν προσηκόντων ἰαμάτων οἱ κάμνοντες ὀνίνανται, Juvantur, Eos juvant, Eis prosunt. Idem, Μήτε ὀνιναμένη πρὸς αὐτῶν μηδὲν ὅ, τι καὶ λόγου ἄξιον, Nec quippiam eam juvat, Nec quippiam ei prodest. Et ap. Hesych. 'Ονίνασθαι, ὠφελεῖσθαι. [Infin. Plat. Gorg. p. 525, B. Phædro p. 264, E : Πρὸς ἅ τις βλέπων ὀνίναιτ' ἄν· Reip. 2, p. 380, B : Οἱ δὲ ὠνίναντο κολαζόμενοι. Ap. Dion. Cass. 63, 11 (Exc. Peiresc. p. 693 Val.) quod est ὠνίνετο jam Lobeck. ad Buttm. Gr. v. 'Ονίνημι p. 256 correxit ὠνίνατο. V. quæ de ὀνίνοιεν dixi in activo.] Illius autem ὄνημαι usus ap. antiquiores est : unde partic. ὀνήμενος, ap. Hom. Od. B, [33] : 'Εσθλός μοι δοκεῖ εἶναι ὀνήμενος, ubi schol. annotat desse optat. εἴη, ut sit ὀνήμενος εἴη, h. e. ὄνησιν ἑαυτοῦ λάβοι. Hesych. exp. ἄξιος ὀνήσεως, annotans a quibusdam accipi pro φρόνιμος. Apud posteros autem Homeri usitatius est ὄναμαι, et quæ ab eo derivantur : quod aliquando per se ponitur, aliquando cum accus. aut gen. construitur. Od. Ξ, [415] : Πρὸς δ' αὐτοὶ ὀνησόμεθα, Id nobis proderit : ad verbum, Juvabimur, pro Id nos juvabit. Aristot. Eth. 9, 8 : Καὶ γὰρ αὐτὸς ὀνήσεται τὰ καλὰ πράττων καὶ τοὺς ἄλλους ὠφελήσει· unde liquet ὄνασθαι et ὠφελεῖσθαι ejusd. signif. esse. Quum vero cum accus. aut gen. construitur, significat Fructum et utilitatem percipio : interdum etiam Fruor. [Soph. Tr. 570 : Τοσόνδ' ὀνήσει τῶν ἐμῶν πορθμῶν. Eur. Med. 1348 : Ὃς οὔτε λέκτρων νεογάμων ὀνήσομαι· Hel. 935 : Ὄντων ἐν οἴκοις χρημάτων ὀνήσομαι· Alc. 335 : Σοῦ γὰρ οὐκ ὠνήμεθα. Theocr. 15, 55 : 'Ωνάθην μεγάλως, ὅτι μοι τὸ βρέφος μένει ἔνδον. Xen. Anab. 5, 5, 2 : Τὴν στρατιὰν ὀνηθῆναί τι. Quem aor. Straboni 16, p. 782 : Μετὰ τῶν ὠνηθῆναι δυναμένων, restituit Struv. in Suppl. ad Schneid. Plato Charm. p. 175, E : Μηδὲν ὀνήσει ἀπὸ ταύτης τῆς σωφροσύνης, et alibi eadem constructione.] Synes. Ep. 54 : 'Ονήσομαι δὲ οὐ μόνον τοῦτο τῆς ἐπὶ τὰς Ἀθήνας ὁδοῦ, Non tantum hoc boni consequar ex profectione mea Athenas. Ep. 121 : Ἔμελλεν ἄρα τῆς πανουργίας ὀνήσεσθαι, Fructum erat laturus astutiæ suæ. Ep. 117 : Ὅπως οὖν ὄναιο τῆς σῆς φύσεως, Ut naturæ tuæ fructum capias. Ep. 44 : Οὕτω τῆς ἱερᾶς φιλοσοφίας ὀναίμην, Ita mihi frui detur, Bud. [Demosth. p. 842, 10 : Οὕτως ὄναισθε τούτων.] Alii autem, Ita me juvet. Pro Frui accipi potest in hoc

A l. Gellii 14, 6 : Ὄναιό σου ταύτης τῆς πολυμαθείας, Et librum hunc opulentissimum recipe, nil prorsus ad nostras paupertinas literas congruentem : ut sit, Fruere tua ista multiplici doctrina. [Simonid. Anth. Pal. 7, 516, 2 : Οἱ δ' ὑπὸ γᾶν θέντες ὄναιντο βίου. Soph. OEd. T. 644 : Μή νυν ὀναίμην, ἀλλ' ἀραῖος ὀλοίμην· OEd. C. 1042 : Ὄναιο τοῦ τε γενναίου χάριν κτλ. Euripid. Iphig. A. 1008 : Ὄναιο συνεχῶς δυστυχοῦντας ὠφελῶν· 1359 : Ὄναιο τῶν φρενῶν. — Ἀλλ' ὀνησόμεσθα. Id. Hec. 997 : Σῶσόν νυν αὐτὸν, μηδ' ἔρα τῶν πλησίον. — Ἥκιστ' ὀναίμην τοῦ παρόντος· Iph. T. 1078 : Ὄναισθε μύθων· Hel. 645 : 'Οναίμαν τύχας· 1418 : Αὖθις κελεύω, καὶ τρίτον γ', εἴ σοι φίλον. — Ὄναιο, κἀγὼ τῶν ἐμῶν βουλευμάτων· Suppl. 256 : Οὔτοι δικαστήν σ' εἱλόμην ἐμῶν κακῶν, ἀλλ' ὡς ὀναίμην. Aristoph. Thesm. 469 : Οὕτως ὀναίμην τῶν τέκνων· Nub. 1237 : Ἁλσὶν διασμηχθεὶς ὄναιτ' ἂν οὑτοσί.] Quod tamen ὄναιο interdum ei obnuntiatur quem in malam rem abire jubemus, sicut ap. Latinos quoque Fruere, Habe tibi. Hesych. ὀναίμην exp. non solum ὠφεληθείην et ἀπολαύσαιμι, sed etiam τύχοιμι :
B quo sensu ex Epigr. [Anth. Pal. 7, 355, 2] affertur, Ὄναιο τάφου, pro τύχοις, Nanciscaris, Faxit Deus ut consequaris. [Hom. Od. T, 68 : Ἀλλ' ἔξελθε θύραζε, τάλαν, καὶ δαιτὸς ὄνησο.] Alias ὄνασθαι cum accus. et gen. constructum, significat etiam ipsum Juvare. [Plato Reip. 7, p. 528, A : Εἴ τίς τι δύναιτο ἀπ' αὐτῶν ὄνασθαι.] Synes. Ep. 21 : Ἀθρόοι γενόμενοι προσαγηόχασιν ἐμοὶ τὸν ἄνδρα, καὶ ἐδεήθησαν ὄνασθαί τι τῶν ἐμῶν γραμμάτων, Adjuvari nonnihil nostris literis. [Inf. etiam Eur. Med. 1025 : 'Εγὼ δ' ἐς ἄλλην εἶμι γαῖαν δὴ φυγὰς, πρὶν σφῷν ὄνασθαι· Hipp. 517 : Πότερα δὲ χριστὸν ἢ ποτὸν τὸ φάρμακον; — Οὐκ οἶδ'· ὄνασθαι, μὴ μαθεῖν βούλου· 718 : Αὐτή τ' ὄνασθαι πρὸς τὰ νῦν πεπτωκότα. Indic. Herc. F. 1368 : Οὐδ' ὤνασθε τῶν ἐμῶν καλῶν. Epigr. Anth. Pal. App. 307, 4 : Καί μευ δύσμορος οὐκ ὄνατο. Sed Euripidi restituendum ὤνησθε, nisi fallit Phrynich. Ecl. p. 12 : 'Ωνάμην, ὤνασο, ὤνατο, πάντα ἀδόκιμα διὰ τοῦ α· τὰ γὰρ ἀρχαῖα διὰ τοῦ η, ὠνήμην, ὤνητο. Ubi indicativi ὠνάμην exx. Luciani, Appiani, Aristidis et æqualium annotavit Lobeck., usumque hujus aoristi apud At-
C ticos optativo et infinitivo contineri animadvertit. Idem notavit non infrequens in libris vitium οι pro αι inferendi in optativo, ut ὄνοιντο ap. Manethonem 2, 200, ὀνοίμην ap. Aristoph. Thesm. 466 et alibi. Formam ἐπωνάσθην v. in 'Επονίνημι.] Ὤνησο pro ὤνασο, et alio modo construitur : Lucian. [Prometh. c. 20] : Ὤνησο διότι μὴ καὶ ὁ Ζεὺς ταῦτα ἐπήκουσέ σου, Profuit tibi quod, etiam Bene tecum actum est. [Plat. Men. p. 84, C : Ὤνητο ναρκήσας.] Cui adde Aristoph. Pl. [1062] : Ὄναιο μέν τ' ἂν εἴ τις ἐκπλύνειέ σε, Profuerit tibi si quis te laverit, Valde te juverit. [De aor. forma ὠνοσάμην ab Dioscoride usurpata pro ὠνάμην v. in 'Ονόω.] ‖ Est vero et diversæ signif. Ὄνημι, quod capitur pro Vitupero, Probris incesso : cujus pass. Ὄναμαι, itidem Vitupero, Probris increpo. [Hesychius : 'Ονᾶται (ὄναται), ἀτιμάζεται, μέμφεται.] Hom. Il. P, [25] : Οὐδὲ μὲν οὐδὲ βίη Ὑπερήνορος ἱπποδάμοιο Ἧς ἥβης ἀπόνηθ', ὅτε μ' ὤνατο καὶ ὑπέμεινεν· in quem l. Eust. de differentia superioris ὄνημαι et hujus ὄναμαι, hæc annotat : Ὅρα δὲ καὶ ὅτι ἐν στίχῳ ἑνὶ Ὤνητο
D εἰπὼν καὶ Ὤνατο, οὐ μόνον παρισῶσαι καὶ παρηχῆσαι δοκεῖ, ἀλλὰ καὶ διαφορὰν τῶν τοιούτων δοῦναι λέξεων· ἀρέσκει γὰρ τοῖς παλαιοῖς διὰ τοῦ η μὲν γράφειν ἐπ' ὠφελείας, Ὤνητο καὶ 'Ονήμενος, ὡς ἐν 'Οδυσσείᾳ· διὰ δὲ τοῦ α ἐπὶ μέμψεως. Et paulo post quam dixisset Homeri posteros ὤνατο et ἀπώνατο usurpare pro ὠφελήθη, subjungit, Θέμα δὲ καὶ τοῦ Ὤνατο καὶ τοῦ Ὤνητο, τὸ Ὄνημι ἄρρητον, ἐπί τε ὠφελείας ὄν, ἐπί τε μέμψεως. Igitur Ὄνημι ambiguum verbum est, significans interdum Juvo, Prosum : interdum Vitupero, Probris increpo. Pass. autem Ὄνημαι ap. Hom. significat Juvor, Mihi prodest : ὄναμαι vero itidem Vitupero, Probris increpo, ἐκφαυλίζω, Ignaviam exprobro : licet posteri Homeri ὄναμαι usurpent pro ὄνημαι Homerico, i. e. Juvor, Mihi prodest.

['Ονήσανδρος, ὁ, Onesander, n. scriptoris, cujus superest liber Στρατηγικὸς dictus, olim male 'Ονόσανδρος scriptum, contra Leonis et codd. auctoritatem. V. Schwebel. præfat. fol. *** 2. Aliud ex. est in inscr. Syria ap. Bœckh. vol. 2, n. 2347, c. L. Dind.]

[Ὀνησᾶς, ᾶ, ὁ, Onesas, ni viri in inscr. Spart. ap. Bœckh. vol. 1, p. 636, n. 1279, 17; Delphica p. 833, n. 1710, A, 5. Sculptor in *Bullett.* 1839, n. 7, p. 105, et ap. Braccium Comment. de art. scalpt. vol. 2, tab. 88 et 89.]

[Ὀνησιγένης, ους, ὁ, Onesigenes, n. Syracusani, ap. Polyb. 7, 4, 1.]

Ὀνησίδωρος, ὁ, ἡ, Dans quæ juvent et utilitatem afferant. Fem. genere ὀνησιδώρα dicitur terra in Epigr. [ap. Plut. Mor. p. 317, A, ubi ἀνησιδώραν restituit Jun. et Bergler. ad Alciphr. Ep. 1, 3, p. 14, ut grammatico in Catal. Bibl. Riccard. p. 38: Κλήσεις Δήμητρος... ὀνησιδώρα, restituit Ruhnk. ad Hom. H. Cer. 122. Sed ap. Plut. libri al. —δωρον.]

[Ὀνησικράτης, ους, ὁ, Onesicrates, n. viri, ap. Plut. Mor. p. 679, C; 1131, B. Forma Dor. Ὀνασικράτης in inscr. Spart. ap. Bœckh. vol. 1, p. 661, n. 1357. ᾰ]

[Ὀνησικράτις, ιδος, ἡ, Onesicratis, n. mulieris, in inscr. Hermion. ap. Bœckh. vol. 1, p. 596, n. 1207, ubi forma Dor. Ὀνασικρ.]

[Ὀνησίκριτος, ὁ, Onesicritus, n. viri, quo fuit gabernator navis Alex. M. ap. Arrian. Exp. 6, 2, 6 etc., Plut. Alex. c. 46, et alibi. Al. ap. Diog. L. 6, 75; Phot. Bibl. cod. 167, p. 114, 24.]

[Ὀνησίλαος, ὁ, Onesilaus, apud Amathusios cultus, memoratur Athenagoræ p. 290, C. ῐᾱ]

[Ὀνήσῐλος, ὁ, Onesilus, Cyprius, ap. Herodot. 5, 104, 114. Ubi sunt varietates Ὀνήσιμος et Ὀνησίλεως, nusquam vero apparet Ὀνήσυλος, quod quum diserte inter nn. in υλος recenseat Theognost. Can. p. 61, 23, illi substituendum videatur. Sed etiam Νικησίλη una cum Νικάσυλος usurpatum supra ostendimus. L. Dindorf.]

[Ὀνησῐμῐᾱνὸς, ὁ, Onesimianus, n. viri, in inscr. ap. Gruter. C. I. vol. 1, p. dcxci. L. Dind.]

Ὀνήσιμος, η, ον, Qui juvare et prodesse potest, Utilis. [Hom. H. Merc. 30: Σύμβολον ἤδη μοι μέγ' ὀνήσιμον. Æsch. Eum. 924: Βίου τύχας ὀνησίμους.] Soph. Aj. [665]: Ἐχθρῶν ἄδωρα δῶρα κοὐκ ὀνήσιμα. [Tr. 1014: Ἔγχος ὀνήσιμον· Ant. 995: Ἔχω πεπονθὼς μαρτυρεῖν ὀνήσιμα. Pollux 5, 136.] Est etiam nomen proprium. [Viri Coloss. 4, 9, Philem. 10, item in numis Limyr. Lyciæ, ap. Mionnet. *Suppl.* vol. 7, p. 11, n. 41; Nacol. Phrygiæ *Descr.* vol. 4, p. 346, n. 871, et al. Forma Dor. Ὀνάσιμος Laced. ap. Thuc. 4, 119.]

[‖ Ὀνησίμως, Utiliter. Plato Leg. 5, p. 747, C: Τῶν μελλόντων αὐτὰ ἱκανῶς τε καὶ ὀν. κτήσεσθαι.]

[Ὀνησίπολις, ἡ, Utilis civitati. Simonid. ap. Plat. Protag. p. 346, C, δίκαν.]

[Ὀνήσιππος, ὁ, Onesippus, f. Herculis et Thespiadis, ap. Apollod. 2, 7, 8, 3. Forma Dor. Ὀνάσιππος Spart. in inscr. Spart. ap. Bœckh. vol. 1, p. 666, n. 1373.]

Ὄνησις, ἡ, Juvamen. [Emolumentum, add. Gl.] Hom. Od. Φ, [402]: Αἲ γὰρ δὴ τοσσοῦτον ὀνήσιος ἀντιάσειεν, Ὡς οὗτός ποτε τοῦτο δυνήσεται ἐντανύσασθαι, Utinam tantum juvaminis a diis obtineat, Utinam tantum eum deus juvet ut arcum intendere queat. [Æsch. Ag. 350: Πολλῶν γὰρ ἐσθλῶν τήνδ' ὄνησιν εἱλόμην. Soph. Ant. 616: Ἐλπὶς πολλοῖς μὲν ὄνησις ἀνδρῶν· OEd. C. 452: Οὔτε σφὶν ἀρχῆς τῆσδε Καδμείας ποτὲ ὄνησις ἥξει· 288: Φέρων ὄνησιν ἀστοῖς τοῖσδε· El. 1061: Ἀφ' ὧν ὄνασιν εὕρωσι· Aj. 400: Οὔτε θεῶν γένος οὔθ' ἁμερίων ἔτ' ἄξιος βλέπειν τιν' εἰς ὄνησιν ἀνθρώπων. Eur. Hipp. 757: Κακονυμφοτάταν ὄνασιν· Med. 254: Σοὶ μὲν πόλις θ' ἥδ' ἐστὶ καὶ πατρὸς δόμοι βίου τ' ὄνησις καὶ φίλων κοινωνία· 618: Κακοῦ γὰρ ἀνδρὸς δῶρ' ὄνησιν οὐκ ἔχει· Hec. 1231: Χρυσοῦ τ' ὄνησις οἴχεται· Or. 1043: Τέρπου κενὴν ὄνησιν· Alc. 334: Ἅλις δὲ παίδων τῶνδ' ὄνησιν εὔχομαι θεοῖς γενέσθαι· Iph. T. 579: Ὑμῖν τ' ὄνησιν σπεύδουσ' ἅμα καὶ σοί· Bacch. 473: Ἔχει δ' ὄνησιν τοῖσι θύουσιν τίνα; Critias ap. Sext. Emp. p. 563: Ὅθενπερ ἔγνω τοὺς φόβους ὄντας βροτοῖς καὶ τὰς ὀνήσεις τῷ ταλαιπώρῳ βίῳ. Menander ap. Athen. 14, p. 659, E: Τῶν ὄντων τε νῦν ἀγαθῶν ὄνησιν πᾶσι. Philemo ap. Stob. Fl. 79, 8: Ἔτεκές με, μῆτερ, καὶ γένοιτό σοι τέκνων ὄνησις. Theocr. 16, 23: Οὐχ ἅδε πλούτου φρονέουσιν ὄνασις.] In prosa accipitur potius pro Utilitas, Fructus. [Xen. OEc. 9, 17: Σωζομένων μεγίστη ὄνησις. Plato Soph. p.

A 230, C: Μὴ πρότερον αὐτὴν ἕξειν τῶν μαθημάτων ὄνησιν· Leg. 6, p. 761, C: Ἐπ' ὀνήσει χαμνόντων νόσοις.] Dem. [p. 307, 26]: Τί γὰρ ἡ σὴ δεινότης εἰς ὄνησιν ἥκει τῇ πατρίδι; Quid prodest? vel etiam Quid juvat? Id. [p. 328, 14]: Ὄνησιν μὲν οὐδεμίαν φέροντας οὐδ' ἀγαθοῦ κτῆσιν οὐδενός· et [p. 1393, 9]: Ὁ μὲν γὰρ πλοῦτος καὶ τὸ τάχος καὶ ἡ ἰσχὺς καὶ ὅσα ἄλλα τούτοις ὅμοια αὐτάρκεις ἔχει τὰς ὀνήσεις τοῖς κεκτημένοις, Satis per se utilitatis et fructus afferunt; potius Satis per se juvare possunt. Hesychio ὄνησις est non solum ὠφέλεια, sed etiam ἰσχύς. [Ap. Theodor. Stud. p. 458, C, ὄνησιν φέρον fortasse scribendum ὀνησιφόρον, quo utitur p. 474, E. L. Dind.]

Ὀνησιφόρος, ὁ, ἡ, Utilitatem afferens, Afferens quæ juvent et prosint: Hesych. [Ὀν., ὠφέλειαν φέρων·] ὀνησιφόρων, τὰ ὠφέλιμα φερόντων. Pollux [5, 136] hoc vocab. rejicit. [Comicus ap. Stob. Fl. 57, 7: Ὀνησιφόρα γένοιτο· τοῦτο γίνεται· ὃ γὰρ φέρει νῦν οὗτος (ager sterilis), εἷς ὄνος φέρει, ubi lusum inter ὀνησίφορος et ὄνος φέρει notavit Bentl. Hippocr. p. 28, 50: Τόπος ὀνησιφ.

B Aret. p. 91, 11: Τὰ πράσα ὀνησιφόρα καὶ ἥδιστα. Lucian. Vit. auct. c. 26; Plut. Mor. p. 555, E. Ptolem. Centiloq. p. 216.]

‖ Ὀνησιφόρως, Ita ut utilitatem afferat, Utiliter. [Plut. Mor. p. 71, D.]

[Ὀνησίφορος, ὁ, Onesiphorus, n. viri numis Cyzici ap. Mionnet. *Descr.* vol. 2, p. 546, n. 216, *Suppl.* vol. 5, p. 340, n. 380, Acrasi Lydiæ ib. vol. 7, p. 314, n. 14. Argivi in inscr. ap. Bœckh. vol. 1, p. 578, n. 1122, Spartani in alia ib. p. 623, n. 1249, 4.]

[Ὀνησιφόρος. V. Ὀνησιφόρος.]

[Ὀνησιφῶν, ῶντος, ὁ, Onesiphon, n. viri in inscr. ap. Gruter. C. I. vol. 1, p. lxix s. Bœckh. vol. 2, p. 73, n. 2046, et in Attica vol. 1, p. 157, n. 115, 6. L. Dindorf.]

[Ὄνησος, ὁ, Onesus, n. viri, in inscr. Paria ap. Bœckh. vol. 2, p. 347, n. 2386, 4: Ὄνησος Ὀνήσου.]

[Ὀνήσυλος. V. Ὀνήσιλος.]

[Ὀνήτης, ὁ, Onetes, Carystius, ap. Herodot. 7, 214. Forma Dor. Ὀνάτας sculptor Æginet. ap. Pausan. 5,

C 25, 10, et al. Alius ap. Diog. L. 2, 46, Stob. Ecl. vol. 1, p. 92, qui male Ὄνατος ap. Iambl. V. Pyth. p. 522 Kiessl.]

Ὀνητικὸς, ἡ, ὸν, Utilis, Qui juvare et prodesse potest. Pro quo Dorice dicitur Ὀνατικὸς, VV. LL.

[Ὀνητορίδης. V. Ὀνήτωρ. N. viri Bœoti ap. Thuc. 2, 2.]

Ὀνητὸς, ὁ, Qui vituperari et probris increpari meretur: Hesych. ὀνητὰ, μεμπτά.

Ὀνητὸς, ἡ, ὸν, Quo frui queas: Suid. ὀνητὴν, ἀπόλαυστον.

Ὀνήτωρ, ορος, ὁ, Qui juvat et prodest, Utilis, ὄνησιν φέρων, Hesych. Item nom. propr. [sacerdotis Jovis, Hom. Il. Π, 604. Laconis Od. Γ, 282, ubi quidem est patron. ab eo Φρόντιν Ὀνητορίδην. Photius: Ὀνήτωρ, ὄνησιν φέρων, καὶ Ὀνάτωρ ὁμοίως. (Hæc forma est ap. Pindarum Ol. 11, 9, τόκος. Altera ap. anon. H. in Virg. 16.) Ὀνήτωρ· πρὸς ὃν Δημοσθένης ἔγραψε τοὺς ἐξούλης λόγους· εἷς δὲ ἦν τῶν χορηγησάντων· οὗ καὶ Ἰσοκράτης ἐν τῷ Περὶ ἀντιδόσεως (p. 442, 99) μέμνηται. De-

D mosth. p. 864 sqq. et alibi, Pausan. 10, 25, 2, in inscr. Att. ap. Bœckh. vol. 1, p. 124, n. 85, 8. Conf. Bœckh. *Urkunden* p. 248.]

[Ὀνθὶς, ίδος, ἡ, Onthis, lacus Ætoliæ, nisi fallit scriptura, ap. Nicandr. in schol. Th. 215: Ῥύπης τε πάγον καὶ Ὀνθίδα λίμνην.]

Ὄνθος, ὁ, Hesychio κόπρος κτηνῶν, Stercus s. Fimus [Gl.] jumentorum, βόλβιτον, [κόπρος βοῶν,] Fimus boum. Ita sane Hom. Il. Ψ, [775]: Τῇ ῥα βοῶν κέχυτ' ὄνθος ἀποκταμένων ἐριμύκων· et [777]: Ὄνθου βοέου πλῆτο στόμα τε ῥῖνάς τε. Pro quo ὄνθου βοέου Suid. habet ὄνθου βοέης, fem. genere. [Sic Apollodor. 2, 5, 5, 2: Τὴν ὄνθον ἐκφορήσειν. Æschyl. fr. Psychag. ap. schol. Hom. Od. Λ, 134: Ἐρωδιὸς γὰρ ὑψόθεν ποτώμενος ὄνθῳ σε πλήξει. Pollux 5, 91.]

[Ὀνθυλάζω vitium scripturæ pro ὀνθυλεύω, quod v.]

[Ὀνθύλευμα. V. Ὀνθύλευσις.]

[Ὀνθύλευσις, εως, ἡ.] Ὀνθυλεύσεις, et Μονθυλεύσεις, Polluce [6, 60] teste, vocabantur αἱ περιτταὶ σκευασίαι, Exquisitiores ciborum apparatus et lenocinia

A coquorum. [Menander ap. Athen. 4, p. 132, D : Τὰς ὀνθυλεύσεις καὶ τὰ κεχαρυκευμένα. Formæ Μονθύλευμα ex. fortasse præbet Hesychii gl. Βομβολεύματα, de qua dictum vol. 2, p. 322, A, B.]

Ὀνθυλεύω longe aliam habet signif., significans sc. Exquisite apparo, condio, Exquisitioribus scitamentis et lenociniis apparo. Athenio comicus ap. Athen. 14, [p. 661, B] : Μετὰ ταῦτα γαστρίον τις ὠνθυλευμένον Προϊόντος εἰσηνέγκατ' ἤδη τοῦ χρόνου. Dicitur pro eod. et Ὀνθυλάσαι. Alexis ap. Athen. 7, [p. 326, E] : Ἀλλὰ τὰς μὲν τευθίδας, Τὰ πτερύγι' αὐτῶν συντεμὼν, στεατίου Μικρὸν παραμίξας, περιπάσας ἡδύσμασι Λεπτοῖσι χλωροῖς ὤνθύλασα· si tamen non ὠνθύλευσα potius scrib. est. [Sic est ap. Ath. Memorat etiam Pollux 6, 91.] Apud Suidam legitur verb. Ὀνθηλεύουσι, cum his verbis, τὸν ὄνθον συμμιγνύντες αὐτῷ σαπρόν· unde conjiciunt nonnulli ὀνθηλεύω esse Stercore bovino inquino, Fimo jumentorum aspergo.

[Ὀνθύριον, τὸ, Onthyrium. Πόλις Θεσσαλικὴ περὶ τὴν Ἄρνην. Τὸ ἐθνικὸν Ὀνθυριεύς. Ῥιανὸς ὀγδόῳ, Steph. Byz.]

Ὀνιαῖαι, Stercora asinina. Hesychio τοῦ ἵππου τὸ
B ἀφόδευμα. Apud Suid. vero ita, Ὀνιδία [ὀνιαία Phot.], τοῦ ἵππου τὸ ἀφόδευμα. Quibus verbis subjungit, Καὶ ὀνίδες, τὰ τῶν ὄνων ἀποπατήματα, ἃ ἐπίτηδες πεπλασμένα ἐστί.

Ὀνίας, ὁ, Scari piscis genus [Hesychio]. Athen. 7, [p. 320, C] : Νίκανδρος δ' ὁ Θειατειρηνὸς [Θυατ.] δύο γένη φησὶν εἶναι σκάρων, καὶ καλεῖσθαι τὸν μὲν, ὀνίαν, τὸν δὲ, αἰόλον. Eust. vero p. 1644, ita : Δύο γένη σκάρων, ὧν ὁ μὲν, Ὀνίσκος, ὁ δὲ, αἰόλος. [ῐᾱ]

[Ὀνίας, ὄνομα κύριον, Suidas.]

[Ὀνίγλιν, εἶδος οἴνου, Hesychio. Quam gl. Porsonus adhibuit Athen. 1, p. 31, C : Ἀλκμὰν δέ που ἄπυρον οἶνόν φησι ... τὸν ἐξ Ὀνόγλων ... Φησὶ γοῦν, Οἶνον ... Ὄνογλιν, dubitans utrum scriptura per ο præstet an per ι.]

[Ὀνιδία. V. Ὀνιαῖαι.]

Ὀνίδιον, τὸ, et Ὀνάριον, τὸ, et Ὀνίσκος, ὁ, Asellus. [Secundum ponitur in Gl.] Ὀνίδιον dimin. agnoscit Suid., exponens per alterum dimin. ὀνάριον, quod non
C infrequens est. [Aristoph. Vesp. 1306 : Ὥσπερ καχρύων ὀνίδιον εὐωχημένον.] Athen. 23, [p. 582, C] ex Comico quodam [Machone] : Ὦ τρισάθλιε Ὀνηλάτ', εἰ μὴ θᾶττον ἐκστήσῃ ποτὲ Ἐκ τῆς ὁδοῦ τὰ γύναια ταυτὶ, καταβαλῶ Σὺν τοῖς ὀναρίοις· qui Comicus utitur etiam paulo ante ap. Eund. [Et Diphilus ap. Stob. Fl. 57, 2, 1. Joann. 12, 14. Constantini Manass. exx. citat Ducang.] Ὀνίσκος vero pro Asellus, affertur in VV. LL. Ὀνίσκοι dicuntur etiam Pisces quidam, et bestiolæ sub hydriis, quæ manu tactæ in globulum se rotundant : præterea Ὀνίσκος dicitur etiam Axis : de quibus omnibus in Ὄνος dicetur. Hesychio vero ὀνίσκος est τεκτονικὸς πρίων, Serra fabrilis. [ῐ et ᾰ]

Ὀνικὸς, ἡ, ὸν, Asininus, Asinarius [Gl. Matth. 18, 6; Luc. 17, 2. Pollux 10, 53, ζεύγη, ubi tamen ὀρικὰ Pierson. ad Mœr. p. 273, quæ confusa ap. Diodor. 2, 11.]

[Ὀνίνημι. V. Ὄνημι.]

Ὄνιον, Suidæ ὠφέλιμον, Utile. [Pro ὄνειον. V. Ὄνειος.]

Ὀνὶς, ίδος, ἡ, sub. κόπρος, Stercus asininum, Fimus asininus, Pollux 5, [91] : Ὄνου κόπρον, ὀνίδα φασὶ καὶ
D ὄνθον. [Ὀνίδες Suidæ τὰ τῶν ὄνων ἀποπατήματα, ἃ ἐπίτηδες πεπλασμένα ἐστί. Utitur sæpe Hippocr. in tota muliebrium morborum tractatione, ut p. 583, 1, 2, ad fluxum muliebrem, ubi tamen ὀνῖτιδα (quod v.) pro ὀνίδα legisse videtur Calvus (ut et alias eodem in libro), quum Origanum vertat. Rursus Hipp. p. 667, 48, ἡμιόνου ὀνίδα, hoc est Muli stercus, ustum, tritum et vino odorato dilutum propinat in fluore muliebri (ubi tamen ungulæ ex mula cinerem perperam sumsit Calvus), pro quo ἡμιονίδα scribit p. 583, 30, si modo vera est lectio ac non ἡμιόνου ὀνίδα legendum. Ubi etiam ὀνίδας ad suffitum uteri adhibet Hipp. p. 583, 13. Ὀνίδα quoque usurpat Galen. Π. τῶν εὐπορίστων p. 477, 43; 478, 28. Foes. OEc.] Utitur hoc voc. Aristot. H. A. 5, 19 : Αἱ δὲ μηλολόνθαι ἐκ τῶν σκωλήκων τῶν ἐν τοῖς βολίτοις καὶ τῶν ὀνίδων γίνονται. [Aristoph. Pac. 4 : Δὸς μᾶζαν ἑτέραν ἐξ ὀνίδων πεπλασμένην.]

[Ὀνίσκη, ἡ, Asella, Gl.]

[Ὀνίσκος. V. Ὀνίδιον, Ὄνος.]

Ὀνίσκω, Juvo, Prosum, ex ὀνέω derivatum παραγωγικῶς. Athen. 2, [p. 35, C] de Homero loquens : Τὰ βρώματα ὀνείατα καλεῖν εἴωθεν, ἀπὸ τοῦ ὀνίσκειν ἡμᾶς. [Eust. Il. p. 883, 28. Hemst. Ὀνίσκεται, Fruitur, Gl.]

[Ὀνιστειοι, νεοσσοὶ, Hesychii gl. obscura, quæ ad ὀρνιθ— alludit.]

[Ὀνιστις, Brassica canina, ap. Interpol. Diosc. c. 663. Ducang.]

Ὀνῖτις, ιδος, ἡ, [ὀρίγανον Hesychio,] q. d. Asinaria, species quædam Origani. Plin. 20, 17 : Origanum, quod in sapore cunilæ æmulatur, ut diximus, plura genera in medicina habet : Onitin vel Prasion appellant, non dissimile hyssopo. Et mox, Optimum autem Creticum; nam et jucunde olet; proximum Smyrnæum : deinde Heracleoticum, ad potum utilius : quod Onitin vocant. Diosc. tamen 3, 32 et 33, diversa hæc duo facit, sc. ὀρίγανον ἡρακλεωτικὴν et ὀνῖτιν : ubi non ὀνῖτις scribitur, sed Ὀνῆτις : quam scripturam mendosam esse puto. Nicand. Al. [56] : Τό, τ' ὀνίτιδος αὖον ὀρείης, ubi schol. ὀνῖτιν vocari dicit τὸ ἥμερον ὀρίγανον, ὃ καὶ οἱ ὄνοι ἐσθίουσι. [Ὀνίτης ap. Alex. Trall. 11, p. 640, genus lapidis Scythici. Struv. V. Ὀνίς.]

[Ονvε vel Ονvεων inscriptos numos, de quibus dubitatur quo sint referendi, v. ap. Rochett. *Journ. des Sav.* 1836, p. 457 sq.]

[Ὄννη, ἐμπόριον τῆς εὐδαίμονος Ἀραβίας. Μαρκιανὸς ἐν περίπλῳ. Τὸ ἐθνικὸν Ὀνναῖος, ὡς Ἐνναῖος, Steph. Byz.]

[Ὄννης, ὁ, Onnes, Semiramidis conjux ap. Diod. 2, 5 sq., et anon. De mulieribus bello claris, quem memoravi in annot. L. Dind.]

[Ὄννωφρις, ὁ, Onnophris, n. viri, ap. Schow. Chart. pap. p. 4, 12.]

Ὀνοβατέω, Asinum admitto, h. e. Facio ut asinus equam ineat, ὄνον βιβάζω. Xen. Eq. p. 548 [c. 5, 8] : Αἱ γὰρ ἀγελαῖαι τῶν ἵππων οὐχ ὁμοίως ὑπομένουσι τοὺς ὄνους ἐπὶ τῇ ὀχείᾳ ἕως ἂν κομῶσιν· οὗ ἕνεκα καὶ ἀποκείρουσι πρὸς τὴν ὀχείαν τὰς ἵππους ἅπαντες οἱ ὀνοβατοῦντες. Ubi transitive capitur [ut ap. Polluc. 1, 217, ubi hæc exprimit]. Pollux autem neutraliter ὀνοβατεῖν dicit de ipsis asinis equas ineuntibus, c. 5, 15 [§ 92] : Ὄνων δὲ ἴδιον τὸ Ὀνοβατεῖν, ὁπόταν ἵπποις ἐπιβαίνωσι.

Ὀνοβάτις, ιδος, ἡ, Quæ asinum conscendit, eoque vehitur. Mulier in adulterio apud Cumanos deprehensa, in forum deducebatur, et saxo imposita omnibus proponebatur : indeque asino imposita per civitatem vehebatur : qua infamia notatam, ὀνοβάτιν appellabant. Ab eo tempore lapidem tanquam impurum et detestabilem vitabant : Erasm. Chil. ex Plutarch. Hellen. init., p. 520 meæ ed. [p. 291, E, F.] Eadem ab Hesych. vocatur etiam [vitiose] Ὀνοβόστις. Ὀνοβόστιδες, inquit, ὀνοβάτιδες, αἱ ἐπὶ μοιχείᾳ ἁλοῦσαι γυναῖκες καὶ ἐξενεχθεῖσαι ἐπὶ ὄνων.

Ὀνόβλιτον, τὸ, species Bliti, linguæ similis. [Gorræus, ut Schneid. conjicit, ex Hippocr. p. 669, 20, ubi vulgo βλίτον, sed al. ὀνίβλητον vel ὀνόβλ. vitiose.]

[Ὀνοβόστις. V. Ὀνοβάτις.]

[Ὀνοβρόχειλος, herba quæ ὀνοβρυχὶς Dioscoridi dicitur, quam ejus Interpolator a Latinis Opacam appellari observat c. 576. Ducang.]

[Ὀνοβρυχὶς, ίδος, ἡ, ut scriptum etiam ap. Galen. vol. 13, p. 215.] Ὀνόβρυχις, Planta lentis folio, longiore paulo, caule semipedem alto, flore rubenti, radicibus exiguis. Nascitur incultis et aquosis locis. Gorr. ex Diosc. 3, 170. [Plin. N. H. 24, 16.]

[Ὀνόγαστρις, ὁ, Qui ventre est asinino. Phrynichus Bekkeri p. 54, 28 : Ὀν. ἄνθρωπος, ἐπὶ τῶν ἄρρυθμον καὶ μεγάλην γαστέρα ἐχόντων.]

[Ὄνογλα, Ὄνογλις. V. Ὀνίγλον.]

Ὀνόγῡρος, ὁ, herba, quæ alias ἀνάγυρος [et ἀνάγυρις]. Nicand. Ther. 71 : Καὶ ἐμπρίοντ' ὀνόγυρον. Suid. : Ὀνόγυρος, φυτὸν ἀλεξίκακον, ὅπερ τριβόμενον ὄζει· οἱ δὲ ἀνάγυρον αὐτό φασι· unde translatum esse proverb. dicit, Κινεῖς τὸν ἀνάγυρον, de iis qui ipsi sibi mala accersunt. [Hesychio Ὀνόγυροι, σειροὶ, καὶ πόα τις. Ubi Ὀνόγυρος ἥρως Perger., comparans Varr. R. R. 2, 5, a quo Argis Ὀνόγυρος nobilitatus a pecore bubulo dicitur.] Nicandri schol. in Al. 56, χαμαίπιτυν vocari ait Eam herbam, quæ et ὀνόγυρος et σιδηρῖτις dicitur et ὀνία ἀγρία : quæ nonnulli ut inepta rejiciunt. [V. Bodæus ad Theophr. p. 609.]

᾿Ονοδέστεροι, Hesychio ἄγνωστοι, Incogniti.

[᾿Ονοειδὴς, ὁ, ἡ, Asini speciem gerens. Orig. C. Cels. 6, p. 295 (359). Seager. (Etym. M. p. 220, 32.) || Adv. ᾿Ονοειδῶς, ib. p. 304, 369. Kall.]

[᾿Ονοθήλεια, ἡ, Asina, Gl., in quibus male ὀνοθηλία. « Demetr. Cp. Hieracos. 2, 9 : Γάλα ὀνοθηλείας. » Duc.]

[᾿Ονοθήρας. V. ᾿Ονάγρα.]

[᾿Ονοθοῦρις. V. Οἰνοθήρας.]

[῎Ονοιρος. V. ῎Ονειρος.]

[᾿Ονοκάρδιον, τὸ, Dipsacus, Diosc. Notha p. 452 (3, 11). Boiss. ᾿Ονοκάρδιος lapidis pretiosi species ap. anon. De virtutt. lapid. Ms. et Psellum p. 346. Ita etiam appellari Chamæleonem herbam observat Apulejus De virtt. herb. c. 25. Ducang.]

[᾿Ονόκαρσις, locus Thraciæ, ap. Theopomp. Athen. 12, p. 531, E, ubi accus. ᾿Ονόκαρσιν.]

[᾿Ονοκενταύρα. V. ᾿Ονοκένταυρος.]

[᾿Ονοκένταυρος, ὁ.] ᾿Ονοκένταυροι, οἱ, Dæmonum genus tenebrosum καὶ κάθυλον, apud Aquilam, δαιμόνων τι γένος κάθυλον καὶ σκοτεινὸν τῇ ἐπιφανείᾳ, qui et τριχρίωνες, Hesych. Meminit et Hieron.

᾿Ονοκένταυρος, ὁ, [s. ᾿Ονοκενταύρα, ἡ,] animal ap. Ælian. [N. A. 17, 9, ubi nunc altera legitur forma. Priori Philes Carm. 44, et Vincent. Speculi Natur. 19, 97, qui bestiæ formam, unde nomen accepit, describunt. « Inscr. Prænest. ap. Nibby *Viaggio antiq. nei contorni di Roma* vol. 1, p. 297. » Osann.]

[᾿Ονοκέφᾰλος, ὁ, ἡ, Caput asininum habens. Orig. C. Cels. 6, p. 300. Seager. Horapoll. Hierogl. 1, 23 : ῎Ανθρωπον ὀνοκέφαλον ζωγραφοῦμεν.]

[᾿Ονοκηκίς. V. Κηκίς.]

᾿Ονοκίνδιος, ὁ, Suidæ ὀνηλάτης, ἀστραβηλάτης, Agaso. Pollux [7, 185] Doricum esse vocab. annotat, itidem exponens. Ap. Hesych. pro eo ᾿Ονοκύνδιος et [bis] ᾿Ονοκίνδας. [Eupolis ap. schol. Aristoph. Av. 1556 : Ὁ μέγας οὑνοκίνδιος. Quo respexit schol. Pac. 394, Pisandrum ita vocatum perhibens.]

[᾿Ονοκίχλη. V. ᾿Ονόχειλος.]

[᾿Ονόκλεια. V. ᾿Ονόχειλος. Neophytus mon. Ms. : Πέλεθος, βοτάνη ἡ λεγομένη ὀνοκλεία. Ducang.]

[᾿Ονοκοίτης. V. ᾿Ονόχηλος.]

᾿Ονοκόπος, ὁ, ἡ, Qui asinariam molam vel ὄνον impellit et agitat, Molitor. Pollux 7, c. 4 [§ 20] : Τὸν δὲ νῦν μυλοκόπον, ὀνοκόπον ῎Αλεξις εἴρηκεν ἐν ᾿Αμφωτίδι, ᾿Ονοκόπος τοὺς ἀλεκτρυόνας τῶνδε κοπτόντων ὄνους.

[᾿Ονοκρότᾰλος, Onocrotalus. V. Πελεκάν. Trica, Tribuo, Tinvero, Gl.]

[᾿Ονοκώλη, ᾿Ονόκωλις. V. ᾿Ονόκωλος.]

᾿Ονόκωλος, ὁ, ἡ, Pedes asininos habens, Empusæ epith., de qua Aristoph. Ran. [295] : Καὶ σκέλος χαλκοῦν ἔχει, Νὴ τὸν Ποσειδῶ, καὶ βολίτινον θάτερον, ubi schol. exponens quid sit βολίτινον σκέλος, ait : ῎Ενιοι δὲ ὄνου σκέλος λέγουσι· διὸ παρά τισι καλεῖσθαι ὀνόκωλον. Dicitur eadem et ᾿Ονόσκελις, et ᾿Ονόκωλις. ᾿Ονοπόλη, ap. Etym. in ῎Εμπουσα, perperam, pro ᾿Ονοκώλη, ut restituendum ex Lex. meo vet. (cui multa cum Etym. sunt communia), ubi sic legitur, ῎Εμπουσα, φάντασμα δαιμονιῶδες ὑπὸ τῆς Ἑκάτης πεμπόμενον, ὃ δοκεῖ πολλὰς μορφὰς ἀλλάσσειν· paulo post explicatum nominis etymon, Οἱ δέ φασιν ὄνου σκέλος ἔχειν αὐτήν· ὅθεν ἐκεῖνοι ὀνοσκελίδα, ὀνοκώλην, ὀνόκωλον, καὶ ὀνοκωλέαν καλοῦσι. Vide et ᾿Ονόκωλις in ᾿Ονόσκελις.

῎Ονομα, τὸ, Nomen. [Hesiod. Th. 143 : Κύκλωπες δ' ὄνομ' ἦσαν ἐπώνυμον.] Hom. Od. [H, 54 : ᾿Αρήτη δ' ὄνομ' ἐστὶν ἐπώνυμον, ut T, 409 : Τῷ δ' ᾿Οδυσεὺς ὄνομ' ἔστω ἐπώνυμον·] Σ, [5] : ᾿Αρναῖος δ' ὄνομ' ἔσκε· τὸ γὰρ θέτο πότνια μήτηρ ᾿Εκ γενετῆς· [et ib. T, 406. Act. 403 : Αὐτὸς νῦν ὄνομ' εὕρεο ὅ, ττι κε θείης παιδὸς παιδί·] Θ, [550] : Εἴπ' ὄνομ' ὅ, ττι σε κεῖθι κάλεον μήτηρ τε πατήρ τε, ῎Αλλοι θ' οἳ κατὰ ἄστυ καὶ οἳ περιναιετάουσι. [Æsch. fr. Ætn. ap. Macrob. 5, 19 : Τί δῆθεν αὐτοῖς ὄνομα θήσονται βροτοί; Soph. El. 694 : ᾿Αργεῖος μὲν ἀνακαλούμενος, ὄνομα δ' ᾿Ορέστης· Ph. 605 : ῎Ονομα δ' ὠνομάζετο ῞Ελενος· fr. ap. Stob. Fl. vol. 2, p. 454 : ῏Η τοι Κύπρις οὐ Κύπρις μόνον, ἀλλ' ἔστι πάντων ὀνομάτων ἐπώνυμος· OEd. T. 1285 : Κακῶν ὅσ' ἐστὶ πάντων ὀνόματ', οὐδέν ἐστ' ἀπόν. Eur. Hec. 1271 : Τύμβῳ δ' ὄνομα σῷ κεκλήσεται ... κυνὸς ταλαίνης σῆμα· Ion. 800 : ῎Ονομα δὲ ποῖον αὐτὸν ὀνομάζει πατήρ; Aristoph. Av. 1291 : ᾿Ωρνιθομάνουν οὕτω περιφανῶς ὥστε καὶ πολλοῖσιν ὀρνίθων ὀνό-

A ματ' ἦν κείμενα. Quocum verbo jungit Xen. Cyrop. 2, 2, 12 : Ὁ ἀλαζὼν ἐμοὶ δοκεῖ ὄνομα κεῖσθαι ἐπὶ τοῖς προσποιουμένοις κτλ. || Pro dat. ὀνόματι, qui est e. gr. ap. Plat. Apolog. 21, C : Διασκοπῶν τοῦτον, ὀνόματι γὰρ οὐδὲν δέομαι λέγειν, et sæpius ab editoribus mutatus est in ὀνομαστὶ, quod v., ap. Appian. Pun. c. 81 est ἐξ ὀνομάτων.] Frequens autem est usus ap. Eund. ceterosque poetas [non Atticos : nam Soph. Ph. 251, ubi corrector intulerat, correxit Erfurdtius : sed usurpavit Lycophr. 339, 370] hujus vocabuli cum diphthongo ου, sc. scribendo Οὔνομα : itidemque in plur. οὐνόματα : ut Il. P, [260] : Τῶν δ' ἄλλων τίς ἂν [κεν] ᾗσι φρεσὶν οὐνόματ' εἴποι; [Ubi verum οὔνομα sing. cum plur., ut Od. Z, 194 : ᾿Ερέω δέ τοι οὔνομα λαῶν. Et altera forma ap. Hesiod. Th. 369 : Τῶν ὄνομ' ἀργαλέον πάντων βροτὸν ἄνδρα ἐνισπεῖν· Arat. 376 : Πάντων ὄνομ' εἰπεῖν.] At Τοὔνομα pro τὸ ὄνομα, est et prosæ scriptoribus usitatum. Thucyd. 6 : Τοῦ πάππου ἔχων τοὔνομα. [Æsch. Suppl. 938 : Τί σοι λέγειν χρὴ τοὔνομα; Soph. OEd. C. 60 : Φέρουσι τοὔνομα τὸ τοῦδε κοι-

B νὸν πάντες ὠνομασμένον. Eur. Med. 126 : Τῶν γὰρ μετρίων πρῶτα μὲν εἰπεῖν τοὔνομα νικᾷ· Phœn. 1314 : ᾿Εμός τε γὰρ παῖς γῆς ὄλωλ' ὑπερθανὼν τοὔνομα λαβὼν γενναῖον, ἀνιαρὸν δ' ἐμοί· Iph. A. 938 : Τοὔνομα γὰρ, εἰ καὶ μὴ σίδηρον ἥρατο, τοὐμὸν φονεύσει παῖδα σήν.] Iidem dicunt etiam καλεῖν ὄνομα et καλεῖσθαι, Vocare nomine. Thuc. 4, [64] : ῎Ονομα ἓν κεκλημένους Σικελιώτας. [Eur. Ion. 259 : ῎Ονομα τί σε καλεῖν ἡμᾶς χρεών; Xenophon Comm. 2, 2, 1 : Καταμεμάθηκας τοὺς τί ποιοῦντας τὸ ὄνομα τοῦτο ἀποκαλοῦσιν; OEc. 7, 3 : Εἴ τινες καλοῦσί με τοῦτο τὸ ὄνομα οὐκ οἶδα. Ib. 6, 12 : ᾿Εφ' οἷς (ἀνδράσιν) τοῦτο τὸ ὄνομα δικαίως ἐστὶν, ὃ καλεῖται καλός τε κἀγαθός· et ead. cum præp. Comm. 3, 14, 2 : Λόγου ὄντος περὶ ὀνομάτων, ἐφ' οἵῳ ἔργῳ ἕκαστον εἴη. Plato Crat. p. 419, E : Τῇ ... δυνάμει δῆλον ὅτι τοῦτο ἐκλήθη τὸ ὄνομα· Polit. p. 279, E : Τουτοισὶ τοῖς ἀμυντηρίοις τὸ ὄνομα ἱμάτια ἐκαλέσαμεν· Crat. p. 385, D : ᾿Εμοὶ μὲν ἕτερον εἶναι καλεῖν ἑκάστῳ ὄνομα, et cum accus. p. 383, E : ῞Οπερ καλοῦμεν ὄνομα ἕκαστον· (Aristot. De cœlo 2, 13, p. 293, 24 : Γῆν, ἣν ἀντίχθονα ὄνομα κα-

C λοῦσιν·) Parmen. p. 147, D : ῞Εκαστον τῶν ὀνομάτων οὐκ ἐπί τινι καλεῖς; Cum λέγειν duplici accus. Plato Polit. p. 280, E : ῎Ονομα ὑφαντικὴν λεχθεῖσαν· Leg. 8, p. 842, E : Νόμοι λεγόμενοι τοὔνομα γεωργικοί. Et cum inf. Apolog. p. 23, A : Πολλαὶ ἀπέχθειαί μοι γεγόνασι ..., ὥστε πολλὰς διαβολὰς ἀπ' αὐτῶν γεγονέναι, ὄνομα δὲ τοῦτο λέγεσθαι σοφὸς εἶναι. Dativo Plato Conv. p. 179, C : ᾿Ονόματι μόνον προσήκοντας· et al. Frequens est etiam dat. ὀνόματι cum nom. conjunctus, ut ap. Xen. Anab. 1, 4, 11 : Πόλις Θάψακος ὀνόματι, et alios quosvis. Accus. ὄνομα, ut cum nominativo conjunctus etiam nomen pr. nominativo poni postulat, velut ap. Xen. Cyr. 2, 2, 11 : ᾿Ετύγχανέ τις ... ὤν, ᾿Αγλαϊτάδας ὄνομα, et al. quosvis, ita alio cum casu etiam nomen eodem ponitur, ut H. Gr. 2, 1, 15 : Πόλει ξυμμάχῳ ὄνομα Κεδρείαις.] Utuntur et dat. ὀνόματι, vel cum hoc verbo, vel cum προσαγορεύειν, προσειπεῖν, λέγειν, ὀνομάζειν, aliove hujusmodi. Aristot. Eth. 6, [5] : Καὶ τὴν σωφροσύνην τούτῳ προσαγορεύομεν τῷ ὀνόματι. Plutarch. Ad Colot. : Τίνι προσείπωμεν ἀξίως ὀνόματι; [Alius est

D usus dativi, ap. recentiores maximeque Byzantinos frequens, ut in Basilic. vol. 2, p. 316, C : Οὐ δύναται ὀνόματι αὐτοῦ ἐνάγειν, Ejus nomine actionem instituere. Quo pertinent talia, ut Diod. 18, 57 : Γράψας ἐπιστολὴν ἐκ τοῦ τῶν βασιλέων ὀνόματος. 60 : Τὰ προστάγματα λαμβάνειν ἐκ τοῦ ὀνόματος τοῦ βασιλέως.] Illud etiam τίθεσθαι ὄνομα in prosa quoque frequens est, pro eo, quod Latini dicunt Imponere nomen. [Item apud alios, ut apud Æschylum supra cit., et Aristoph. Av. 817 : Τί δῆτ' ὄνομ' αὐτῇ θησόμεσθα; 810 : ῎Ονομα τῇ πόλει θέσθαι τι μέγα, et 815; fr. ap. Polluc. 9, 36. Plato Leg. 5, p. 736, A.] Xen. Cyneg. [7, 5] : Τὰ δ' ὀνόματ' αὐταῖς τίθεσθαι βραχέα, ἵνα εὐανάκλητα ᾖ. Sic Plut. et Athen. Legitur vero et μετατίθεσθαι ὄνομα, pro Nomen, quod impositum fuerat, mutare. Athen. autem usurpavit et pro Mutato nomine appellare. Plut. dixit etiam μεταβάλλειν ὄνομα. [῎Ονομα λαμβάνειν dicitur puer baptizandus. Euchol og. : Παιδίον λαμβάνον ὄνομα. Ducang. ῎Ον. διδόναι dicuntur baptizandi. Timoth. patr. Alex. in Resp. canon. : ᾿Εὰν γυνὴ κατηχουμένη δέδωκε τὸ ὄνομα αὐτῆς, ἵνα φωτισθῇ. Id. App. p. 146.] Ap. Lucam Act. 1, 15 : Ἦν τε ὄχλος ὀνομάτων ἐπὶ τὸ αὐτὸ ὡς ἑκατὸν εἴκοσιν, vet. Interpr. reddit simpliciter Nominum, quidam Latinius Capitum. Ideo autem sic locutus est Lucas, quod soleant homines nominatim censeri, quum exquiritur eorum numerus, Erasm. [|| Persona, Græcis sequioris ævi. Ammon. mon. De SS. monachis Sinaitis p. 93 : Εὕραμεν ἀποθανόντας ὀκτὼ καὶ τριάκοντα ὀνόματα ἐν διαφόροις μέλεσιν πληγὰς ἔχοντας. Cyrill. Scythop. Vita Ms. S. Sabæ c. 9 : Ρν′ ὀνομάτων συνῳδία. Jo. Mosch. in Limon. c. 135 : Μοναστήριον παρθένων ὡς ὀνομάτων μ. Synes. Epist. 78 : Χειρῶν δεῖ τῷ πολέμῳ καὶ οὐκ ὀνομάτων πολλῶν. Georg. Alex. Vita Chrysost. n. 38 : Λαβὼν στρατιώτας ἕως ὀνομάτων πεντακοσίων, et alii plurimi. Ex Ducang. Gl. Joann. Malal. p. 60, 20 : Ὀνοματα οε′ ἀρρενικῶν τε καὶ θηλειῶν, aliisque ll. in Indice a me indicatis.] || Ὄνομα apud grammaticos una ex partibus orationis, ut apud Latinos Nomen : sæpe vero et apud eos et apud alios pro Vocabulum [Gl.], Verbum, generali signif. [Aristoph. Nub. 681 : Περὶ τῶν ὀνομάτων μαθεῖν σε δεῖ, ἅττ' ἄρρεν' ἐστὶν, ἅττα δ' αὐτῶν θήλεα, et ibid. 685. Plato Theæt. p. 168, B : Ἐκ συνηθείας ῥημάτων καὶ ὀνομάτων· Soph. p. 261, E : Διττὸν γένος, τὸ μὲν ὀνόματα, τὸ δὲ ῥήματα κληθὲν, et ibid. in præcedd. Thuc. 1, 122 : Τὴν πλείστους δὴ βλάψασαν καταφρόνησιν, ἣ ἐκ τοῦ πολλοὺς σφάλλειν τὸ ἐναντίον ὄνομα ἀφροσύνη μετωνόμασται. Hippocr. p. 3, 20 : Τὰ ὀνόματα φύσιος νομοθετήματά ἐστι. Aristot. De sensu c. 1 fin. : Τῶν ὀνομάτων ἕκαστον σύμβολόν ἐστιν. Xen. Cyrop. 5, 3, 47 : Τῶν ἐργαλείων τὰ ὀνόματα· Reip. Ath. 1, 19 : Ὀνόματα μαθεῖν τὰ ἐν τῇ ναυτικῇ· Cyn. 13, 5 : Τοῖς ὀνόμασιν οὐ σεσοφισμένως λέγω· et ib. : Ὀνόματα οὐκ ἂν παιδεύσειαν, γνῶμαι δέ· 6 : Ψέγουσι τοὺς νῦν σοφιστὰς, ὅτι ἐν τοῖς ὀνόμασι σοφίζονται, καὶ οὐκ ἐν τοῖς νοήμασιν.] Aristot. Eth. 5, [4] : Ἐλήλυθε δὲ τὰ ὀνόματα ταῦτα ἥ τε ζημία καὶ τὸ κέρδος ἐκ τῆς ἑκουσίου ἀλλαγῆς· 3, [12] : Τὸ δ' ὄνομα τῆς ἀκολασίας. [De generibus ὀνομάτων v. id. Poet. c. 21. Polyb. Exc. Vat. p. 396 : Βραχέα προοισόμεθα τῶν ὁμολογουμένων αὐτοῦ λόγων ἐπ' ὀνόματος. Galen. vol. 4, p. 140 : Ἡρόφιλος αὐτοῖς ὀνόμασι τάδε φησίν.] Plato Euthyd. [p. 304, E] : Οὑτωσὶ γάρ πως καὶ εἶπε τοῖς ὀνόμασι. [Hipp. maj. p. 286, A : Ἄλλως εὖ διακείμενος (λόγος) καὶ τοῖς ὀνόμασι· Apol. p. 17, C : Οὐ μέντοι κεκαλλιεπημένους γε λόγους, ὥσπερ οἱ τούτων, ῥήμασί τε καὶ ὀνόμασιν οὐδὲ κεκοσμημένους, ἀλλ' ἀκούσεσθε εἰκῇ λεγόμενα τοῖς ἐπιτυχοῦσιν ὀνόμασι. Quæ conjungit etiam Conv. p. 198, B : Τοῦ κάλλους τῶν ὀνομάτων καὶ ῥημάτων, ubi ῥήματα totam significant orationem.] Isocr. Paneg. [p. 42, D] : Καὶ τὰ προσήκοντα περὶ ἑκάστης πράξεως ἐνθυμηθῆναι, καὶ τοῖς ὀνόμασιν εὖ διαθέσθαι, ubi Bud. Stilo recte prosequi. [Id. p. 190, D : Μὴ μόνον τοῖς τεταγμένοις ὀνόμασιν, ἀλλὰ τὰ μὲν ξένοις, τὰ δὲ καινοῖς δηλῶσαι· E : Τῶν ὀνομάτων τοῖς πολιτικοῖς χρῆσθαι. Et alibi similiter.] Qui etiam annotat, ὄνομα de Omni parte orationis dici quum ab aliis, tum a Plut. sæpe [ut Mor. p. 86, C] et a Dionys. H., ut quum de quodam l. Isocratis loquens, ὀνόματα vocat duo ista, quæ verba sunt, secundum appellationem grammaticam, i. e. ῥήματα, ἀπέλαυον et ἠμέλουν. [Phrynich. Epit. p. 271 de ἔσθ' ὅπῃ, ἠμελημένοι εἰσὶν οἱ τούτῳ τῷ ὀνόματι χρώμενοι.] Ap. Eund. σύνθεσιν ὀνομάτων, interpr. Compositionem oratoriam. Ὄνομα poni etiam ait [De vi adm. Dem. c. 35] pro λόγος, Sermocinatio, afferens ex Æschine [p. 86, 27] : Ἐξ ὀνομάτων συγκείμενος ἄνθρωπος, καὶ τούτων πικρῶν. Sed minime convenire hoc exemplum, manifestum est : contra vero in Dem. [p. 400, 1] : Τὸ ψυχρὸν τοῦτο ὄνομα τὸ ἄχρι χόρου παρελήλυθε, recte ὄνομα accipi scribit, ἀντὶ λόγου, pro Dicto : quo Latini modo usurpant aliquando Verbum. Sciendum est porro, sicut λόγος sæpe opponitur ἔργῳ, ita et ὄνομα nonnunquam illi opponi. Eur. [Hipp. 501 : Κρεῖσσον δὲ τοὔργον, εἴπερ ἐκσώσει γέ σε, ἢ τοὔνομ', ᾧ σὺ κατθανεῖ γαυρουμένη·] Or. [448] : Ὄνομα γὰρ, ἔργον δ' οὐκ ἔχουσιν οἱ φίλοι, Sunt verbis tenus amici. [Iph. A. 128 : Ὄνομ' οὐκ ἔργον παρέχων Ἀχιλεύς· Hel. 601 : Ἔλασσον τοὔνομ' ἢ τὸ πρᾶγμ' ἔχων.] Sic utuntur quum alii, tum Thuc. [6, 78] et Æschin. [p. 89, 29. Non dissimilia hæc Soph. Tr. 817 : Ὄγκον γὰρ ἄλλως ὀνόματος τί δεῖ τρέφειν μητρῷον; 1065 : Ὦ παῖ, γενοῦ μοι παῖς ἐτήτυμος γεγὼς, καὶ μὴ τὸ μητρὸς ὄνομα πρεσβεύσῃς πλέον· et ubi in bonam partem dicitur tanquam per periphrasin OEd. C. 1003 : Καί σοι τὸ Θησέως ὄνομα θωπεῦσαι καλόν. Eur. Hec. 435 : Ὦ φῶς, προσειπεῖν γὰρ σὸν ὄνομ' ἔξεστί μοι· Or. 1082 : Ἀλλ', ὦ ποθεινὸν ὄνομ' ὁμιλίας ἐμῆς· Iph. T. 906 : Ὅπως τὸ κλεινὸν ὄνομα τῆς σωτηρίας λαβόντες ἐκ γῆς βησόμεσθα βαρβάρου, ubi Seidlerus comparat præter ll. modo citt. et Med. 126, Hec. 381 supra et infra citandos, fr. Auges ap. Stob. Fl. 47, 3 : Τοὐλεύθερον γὰρ ὄνομα παντὸς ἄξιον, pro ἡ ἐλευθερία. Phœn. 1702 : Ὦ φίλτατον δῆτ' ὄνομα Πολυνείκους ἐμοί· 412 : Καὶ σοὶ τί θηρῶν ὀνόματος μετῆν, τέκνον; 553 : Ἦ πολλὰ μοχθεῖν πόλλ' ἔχων ἐν δώμασι βούλει; τί δ' ἔστι τὸ πλέον; ὄνομ' ἔχει μόνον. Hel. 730 : Τοὔνομ' οὐκ ἔχων ἐλεύθερον, τὸν νοῦν δέ. Aristoph. Pl. 159 : Αἰσχυνόμενοι γὰρ ἀργύριον αἰτεῖν ἴσως ὀνόματι περιπέττουσι τὴν μοχθηρίαν. Antip. Sid. Anth. Pal. 7, 639, 3 : Ἄλλως τοὔνομ' ἔχουσι· Munat. 9, 103, 6 : Τῶν ἐπ' ἐμοὶ μεγάλων οὔνομ' ἔχουσα μόνον. Plato Leg. 3, p. 695, E : Βασιλεὺς οὐδείς πω μέγας ἐγγέγονεν ἀληθῶς πλήν γε ὀνόματι.]

|| Ὄνομα, Nomen, Fama, Celebritas, Gloria. [Quo referri licet Hom. Od. N, 248 : Ἰθάκης γε καὶ ἐς Τροίην ὄνομ' ἵκει· Δ, 710 : Ἦ ἵνα μηδ' ὄνομ' αὐτοῦ ἐν ἀνθρώποισι λίπηται. Theocr. 16, 97 : Βοᾶς δ' ἔτι μηδ' ὄνομ' εἴη. Tyrtæus fr. 3, 31 : Οὐδέποτε κλέος ἐσθλὸν ἀπόλλυται οὐδ' ὄνομ' αὐτοῦ. Epigr. Anth. Pal. 12, 39, 2 : Τῶν χαρίτων λοιπὸν ἔτ' οὐδ' ὄνομα. Theognis 246 : Ἄφθιτον ἀνθρώποις αἰὲν ἔχων ὄνομα. Simonid. Anth. Pal. 7, 514, 3 : Πατρὸς δὲ κλεεννὸν Διφίλου αἰχμητῆς υἱὸς ἔθηκ' ὄνομα. Soph. OEd. C. 306 : Πολὺ τὸ σὸν ὄνομα διήκει πάντας. Eur. Hec. 381 : Δεινὸς χαρακτὴρ κἀπίσημος ἐν βροτοῖς ἐσθλῶν γενέσθαι κἀπὶ μεῖζον ἔρχεται τῆς εὐγενείας ὄνομα τοῖσιν ἀξίοις· Iph. A. 910 : Ὄνομα γάρ τὸ σόν μ' ἀπώλεσ', ᾧ σ' ἀμυναθεῖν χρεών· Iph. T. 504 : Τὸ σῶμα θύσεις τοὐμὸν, οὐχὶ τοὔνομα. Callim. Apoll. 70 : Πάντῃ δέ τοι οὔνομα πουλύ· Epigr. 50, 11 : Αἵ οἱ ἐπ' ἀνθρώπους ὄνομα κλυτὸν θῆκαν. Quod Apoll. Rh. 2, 1139 : Κατάλεξον ... αὐτῶν ὑμείων ὄνομα κλυτὸν, simpliciter de nomine dicit.] Thuc. 5, [16] : Καὶ τῷ μέλλοντι χρόνῳ καταλιπεῖν ὄνομα ὡς οὐδὲν σφήλας τὴν πόλιν διεγένετο. [7, 64 : Τὸ μέγα ὄνομα τῶν Ἀθηνῶν.] Xen. Cyrop. 4, [2, 3] : Ἀπὸ γὰρ τῆς μάχης τὸ τούτου ὄνομα μέγιστον ηὔξετο. [Anab. 6, 1, 20 : Νομίζων ... εἰς τὴν πόλιν τοὔνομα μεῖζον ἀφίξεσθαι αὐτοῦ· 7, 3, 19 : Παρὰ Σεύθῃ τὸ σὸν ὄνομα μέγιστόν ἐστι. Plato Protag. p. 335, A : Οὐδ' ἂν ἐγένετο Πρωταγόρου ὄνομα ἐν τοῖς Ἕλλησιν· Hipp. maj. p. 281, C : Ὧν ὀνόματα μεγάλα λέγεται ἐπὶ σοφίᾳ. Isocr. p. 138, C : Καταισχῦναι τὸ τῆς Σπάρτης ὄνομα.] Philostr. : Ὑφ' Ὁμήρου πολλοὶ καὶ τῶν μὴ πάνυ σπουδαίων εἰς ὄνομα ἤχθησαν. [Pausan. 10, 3, 2 : Τούτων μὲν δὴ ὄνομα ἦν ἐκ παλαιοῦ, καὶ οὐχ ἥκιστα ἐπῶν ἕνεκα τῶν Ὁμήρου. Galen. vol. 4, p. 107 : Οὐκ ἦν ὄνομα Λύκου παρὰ τοῖς Ἕλλησιν, ἡνίκ' ἔζη. Et in malam partem Plat. Epist. 2, p. 312, C : Ὅτι παρὰ πᾶσιν ὄνομα οὐ καλὸν ἔχει. Strabo 6, p. 264 : Ὁ Θουρῖνος τῶν ἐν ὀνόματι οἴνων ἐστί. « Vita S. Paphnutii n. 80 : Ὁρῶ τινας ὑμῶν θέλοντας λαμβάνειν ὀνόματα. » Ducang.]

|| Ὄνομα, Prætextus, Obtentus, πρόσχημα [quocum conjungit Plato Reip. 6, p. 495, C] : qua in signif. legitur ap. Thuc. [4, 60] dativus ὀνόματι [ἐννόμῳ ξυμμαχίας τὸ φύσει πολέμιον εὐπρεπῶς ἐς τὸ ξυμφέρον καθίστανται], item ἐπ' ὀνόματι. Sic μετ' ὀνομάτων καλῶν, q. d. Speciosis prætextibus. Dionys. H. : Ἔπραττε δὲ Ἀμούλιος τοῦτο μετ' ὀνομάτων καλῶν, ὡς τιμὴν τῷ γένει καὶ κόσμον περιτιθείς· quod redditur etiam ad verbum ex Sallustio, Honestis nominibus. [Eadem phrasis μετ' ὀν. κ. ap. Thucyd. 5, 89. Eur. Iph. Aul. 1115 : Τοῖς ὀνόμασιν μὲν εὖ λέγεις, τὰ δ' ἔργα σου οὐκ οἶδ' ὅπως χρή μ' ὀνομάσασαν εὖ λέγειν. Similis huic usui est quum ponitur, ut lat. Nomen, ap. Eur. Or. 547 : Ἐγὼ δ' ἀνόσιός εἰμι μητέρα κτανὼν, ὅσιος δέ γ' ἕτερον ὄνομα τιμωρῶν πατρί. Xen. Cyrop. 6, 4, 7 : Ὅτι με οὔτε ὡς δούλην ἠξίωσε κεκτῆσθαι οὔτε ὡς ἐλευθέραν ἐν ἀτίμῳ ὀνόματι. || De gente, ut ap. Latinos dicitur Nomen Latinum, Thuc. 1, 3 : Διὰ τὸ μηδὲ Ἕλληνάς πω, ὡς ἐμοὶ δοκεῖ, ἀντίπαλον ἐς ἓν ὄνομα ἀποκεκρίσθαι. Isocr. p. 51, A : Τὸ τῶν Ἑλλήνων ὄνομα πεποίηκε μηκέτι τοῦ γένους, ἀλλὰ τῆς διανοίας δοκεῖν εἶναι. || De forma Ion. Οὔνομα supra dictum. De Æol. HSt. :] Ὄνυμα, Æolice pro

ὄνομα dicitur; mutant enim ο in υ. [Pind. Ol. 6, 57 : Καλεῖσθαι τοῦτ' ὄνυμ' ἀθάνατον· Nem. 6, 51 : Πέταται τηλόθεν ὄνυμ' αὐτῶν. Memorat Herodian. Περὶ μον. λ. p. 29, 19, Etym. M. p. 696, 3, gramm. Cram. An. vol. 2, p. 399, 6. Eadem ex cod. restituta aliquoties Archytæ ap. Iambl. Protr. p. 48 Kiessl. Forma Dor. Ὤνομα est ap. Theocr. 7, 13.]

['Ὀνόματα, τὰ, ap. Pausan. 2, 10, 1 : Τῆς ἑορτῆς δὲ ἣν ἄγουσι (Sicyonii) τῷ Ἡρακλεῖ τὴν προτέραν τῶν ἡμερῶν Ὀνόματα ὀνομάζοντες, Ἡράκλειαν δὲ καλοῦσι τὴν ὑστέραν, ubi codd. nonnulli Ὀνόματαν, Ὀνομάταν, Ὀνομάτων, suspectum est.]

['Ὀνομάδημος, ὄνομα κύριον, Suidæ.]

Ὀνομάζω, Nomino, Nomine appello, Nuncupo, [Indigito, add. Gl.] i. q. ὀνομαίνω, sed hoc poetis peculiare est, illud aliis scriptoribus cum poetis commune. [Pind. Pyth. 12, 23 : Ὠνόμασεν πολλᾶν κεφαλᾶν νόμον (Polycephalum). Æsch. Prom. 598 : Θεόσυτον νόσον ὠνόμασας· Ag. 681 : Τίς ποτ' ὠνόμαζεν ὧδ' ἐς τὸ πᾶν ἐτητύμως ... Ἑλέναν; Eur. Bacch. 529 : Ἀναφανῶ σε τόδ', ὦ Βάκχιε, Θήβαις ὀνομάζειν· Iph. T. 1321 : Ὦ θαῦμα, πῶς σε μεῖζον ὀνομάσας τύχω; Iph. A. 1116 : Τὰ δ' ἔργα σου οὐκ οἶδ' ὅπως χρή μ' ὀνομάσασαν εὖ λέγειν· Hel. 1193 : Ὦ δέσποτ', ἤδη γὰρ τόδ' ὀνομάζω σ' ἔπος· Ion. 800 : Ὄνομα ποῖον αὐτὸν ὀνομάζει πατήρ· Phœn. 612 : Οὐ θέμις σοι μητρὸς ὀνομάζειν κάρα. Aristoph. Eccl. 299 : Τὰς ἡμετέρας φίλας· καί τοι τί λέγω; φίλους γὰρ χρῆν μ' ὀνομάζειν.] Plato Timæo [p. 39, C] : Τῶν δ' ἄλλων τὰς περιόδους οὐκ ἐννενοηκότες ἄνθρωποι, πλὴν ὀλίγοι τῶν πολλῶν, οὔτε ὀνομάζουσιν, οὔτε πρὸς ἄλληλα συμμετροῦσι. Quæ Cic. ita reddit : Ceterorum autem siderum ambitus ignorantes homines, præter admodum paucos, neque nomine appellant, neque inter se numero commetiuntur. Ita enim posteriores editt. habent, non autem Nomen appellant : quam tamen lectionem sine veteris Codicis auctoritate mutare non fueram ausus in mea ed., alioqui mihi suspectam, ut ibi ostendi. Plut. [Mor. p. 338, C] : Τῶν θυγατέρων τὴν μὲν, Ἀρετὴν, τὴν δὲ, Σωφροσύνην ὠνόμασεν, τὴν δὲ, Δικαιοσύνην. Athen. 14 : Κήρυκας δὲ αὐτοὺς ἀπὸ τοῦ κρείττονος ὠνόμαζον. [Cum inf. Xen. Apolog. 13 : Οἰωνούς τε καὶ φήμας καὶ συμβόλους τε καὶ μάντεις ὀνομάζουσι τοὺς προσημαίνοντας εἶναι. Plato Theæt. p. 160, B : Εἴτε τις εἶναί τι ὀνομάζει· 166, C : Εἰ εἶναι δεῖ ὀνομάζειν· Prot. p. 311, E : Σοφιστὴν ὀνομάζουσι τὸν ἄνδρα εἶναι· Reip. 4, p. 428, E : Ὅσοι ἐπιστήμας ἔχοντες ὀνομάζονταί τινες εἶναι. Isæus De Meneclis Hered. § 41 : Τὸν πατέρα, οὗ εἶναι ὠνομάσθην. Herodot. 4, 33 : Δύο κούρας, τὰς οὐνομάζουσι Δήλιοι εἶναι Ὑπερόχην τε καὶ Λαοδίκην. Pausan. 2, 19, 5 : Ἑξῆς δὲ τῆς εἰκόνος ταύτης πῦρ καίουσιν, ὀνομάζοντες Φορωνέως εἶναι· quem etiam comp. ἐπονομάζω cum inf. conjunxisse diximus in illo. Ejusd. 8, 36, 8 : Τὸ δὲ ὄρος τὸ Μαινάλιον ἱερὸν μάλιστα εἶναι Πανὸς ὀνομάζουσιν, conjectura repositum est νομίζουσιν, quæ verba sæpe confundi notarunt Bastius Epist. crit. p. 61, Schæfer. ad Dionys. De compos. verb. p. 142.] Et pass. Ὀνομάζομαι. [Pind. Ol. 9, 50 : Λαοὶ ὀνόμασθεν. Æsch. fr. ap. Athen. 11, p. 491, A : Αἳ δ' ἑπτ' Ἄτλαντος παῖδες ὠνομασμέναι. Soph. Tr. 1105 : Ὁ τῆς ἀρίστης μητρὸς ὠνομασμένος, ὁ τοῦ κατ' ἄστρα Ζηνὸς αὐδαθεὶς γόνος· OEd. T. 1036 : Ὥστ' ὠνομάσθης ἐκ τύχης ταύτης ὃς εἶ· Ph. 605 : Ὄνομα δ' ὠνομάζετο Ἕλενος· OEd. C. 61 : Φέρουσι τοὔνομα τὸ τοῦδε κοινὸν πάντες ὠνομασμένοι. Eur. Phœn. 124 : Αὔδησον, ὦ γεραιὲ, τίς ὀνομάζεται; El. 935 : Ὅστις τοῦ μὲν ἄρσενος πατρὸς οὐκ ὠνόμασται, τῆς δὲ μητρὸς ἐν πόλει· Ion. 1588 : Τοῦδε δ' ὀνόματος χάριν Ἴωνες ὀνομασθέντες. Aristoph. Av. 288 : Τίς ὀνομάζεταί ποθ' οὗτος; Herodot. 4, 98 : Παρανομίαν ἐπὶ τοῖς μὴ ἀνάγκῃ κακοῖς ὀνομασθῆναι, καὶ οὐκ ἐπὶ τοῖς ἀπὸ τῶν ξυμφορῶν τι τολμήσασι, Dici de. Similiter Xen. Comm. 4, 5, 12 : Ἔφη τὸ διαλέγεσθαι ὀνομασθῆναι ἐκ τοῦ συνιόντας κοινῇ βουλεύεσθαι διαλέγοντας κατὰ γένη τὰ πράγματα. Plato Crat. p. 402, D : Τὸ ἕτερον ὄνομα ὃ ὀνομάζουσιν αὐτόν· Conv. p. 212, C : Τοῦτο ὀνόμαζε· Reip. 6, p. 493, C : Εἰ ὀνομάζοι πάντα ταῦτα ἐπὶ ταῖς τοῦ μεγάλου ζῴου δόξαις· eademque construct. Alc. 1 p. 135, C, et sine accus. p. 108, A. (V. Ὄνομα.) Isocr. p. 271, C : Ἀρετῆς ἀντιποιούμενοι μὴ τῆς ἐπὶ τῶν τεχνῶν ὀνομαζομένης. Soph. OEd. T. 1042 : Τῶν Λαΐου δήπου τις ὠνομάζετο. Et sine pronom. Isocr.

A p. 380, D : Ὥστε αὐτῷ προσήκει μετὰ τῶν αὐτομόλων ἀναγεγράφθαι πολὺ μᾶλλον ἢ τῶν φευγόντων ὀνομάζεσθαι· Diod. 1, 38 : Θαλῆς εἷς τῶν ἑπτὰ σοφῶν ὀνομαζόμενος· 4, 76 : Δαίδαλος εἷς τῶν Ἐρεχθειδῶν ὀνομαζόμενος, ubi ὀνομαζομένων Poggius. Exc. Vales. p. 551, 45 : Ὠνομάσθη μὲν εἷς τῶν ἑπτὰ σοφῶν.] Lucian. [De hist. conscr. c. 31] : Εἴτε Νικαίαν αὐτὴν ἀπὸ τῆς νίκης χρὴ ὀνομάζεσθαι, εἴτε Ὁμόνοιαν, εἴτε Εἰρηνίαν. Dicunt etiam ὀνομάζειν aliquem s. rem quampiam pro Nomen quod habet, s. quo nominatur ab aliis, proferre. Sed et simpliciter interdum sonat Proferre, ut quum dicit Demosth. [p. 268, 13] : Ῥητὰ καὶ ἄρρητα ὀνομάζων, ubi sunt et qui reddant Efferre. Latini dicunt eod. modo Dicenda tacenda loqui. Apud Lucam Act. 19, 13 : Ὀνομάζειν ἐπὶ τοὺς ἔχοντας τὰ πνεύματα τὰ πονηρὰ, τὸ ὄνομα τοῦ Κυρίου Ἰησοῦ, vet. Interpr. ὀνομάζειν reddit Invocare, alii simpliciter Nominare. || Ὀνομάζω, sicut et ὀνομαίνω, Nomine voco, appello [Gl.]. Hom. Od. Δ, [551] : Σὺ δὲ τρίτον ἄνδρ' ὀνόμαζε. [Il. Χ, 415 : Ἐξονομακλήδην ὀνομάζων ἄνδρα ἕκαστον· Od. Δ, 278 : Δα-
B ναῶν ὀνόμαζες ἄνδρας ἀρίστους· Ξ, 145 : Τὸν μὲν ἐγὼν καὶ οὐ παρεὼν ὀνομάζειν αἰδέομαι. Eur. Or. 37 : Ὀνομάζειν γὰρ αἰδοῦμαι θεὰς Εὐμενίδας. Et alii quivis] Item Nominatim recenseo, percenseo, quæ et ipsa signif. verbo ὀνομαίνω dabitur. Il. Σ, [449] : Καὶ πολλὰ περίκλυτα δῶρ' ὀνόμαζον, ubi Eust. ὀνόμαζον ait esse εἰς πλάτος ἐξετίθουν, vel pro ὀνόμαινον, ut alibi loquitur. At I, [511] : Εἰ μὲν γὰρ μὴ δῶρα φέροι, τὰ δ' ὄπισθ' ὀνομάζοι Ἀτρείδης, idem Eust. ait esse ἀριθμεῖν κατ' ὄνομα. [Od. Ω, 339 : Σὺ δ' ὠνόμασας καὶ ἔειπες ἕκαστα. Xen. H. Gr. 2, 3, 1 : Πυθοδώρου ἄρχοντος, ὃν Ἀθηναῖοι, ὅτι ἐν ὀλιγαρχίᾳ ᾑρέθη, οὐκ ὀνομάζουσιν. Soph. OEd. C. 294 : Ταρβεῖν μὲν, ὦ γεραιὲ, τἀνθυμήματα πολλή 'στ' ἀνάγκη τἀπὸ σοῦ· λόγοισι γὰρ οὐκ ὠνόμασται βραχέσι, ponitur rariori signif. Commemorandi s. Dicendi, ut activum Eurip. Phœn. 407 : Ἡ πατρὶς, ὡς ἔοικε, φίλτατον βροτοῖς. — Οὐδ' ὀνομάσαι δύναι' ἂν, ὡς ἐστὶν φίλον. Demosth. p. 1259, 17 : Τὰ μὲν ἄλλα καὶ βλασφημίαν ἔχει τινὰ, καὶ ὀνομάζειν ὀκνήσαιμ' ἂν ἐν ὑμῖν ἔνια.] || Celebro, Decanto : quam tamen signif. sequitur potius partic. pass.
C ὠνομασμένος, pro Celebris, Nobilis : q. d. Nominatus, i. e. Decantatus. Isocr. Κατὰ τοῦ Λοχίτου [p. 398, D] : Οὐ γὰρ δίκαιόν ἐστιν ἐλάττους ποιεῖσθαι τὰς τιμωρίας ὑπὲρ τῶν ἀδόξων ἢ τῶν ὠνομασμένων. [Nunc ex codd. διωνομασμένων. || Verbum ὀνομάζω cum dativo casu construxisse videri potest Theopompus ap. Athen. 6, p. 252, B, notione Dedicandi, Consecrandi : Ὁπότε μέλλοι δειπνεῖν, τράπεζαν παρετίθει χωρὶς, ὀνομάζων τῷ δαίμονι τῷ βασιλέως. Nisi intelligendum fuerit, παρετίθε τῷ δαίμονι τῷ βασ. ὀνομάζων αὐτὴν τοῦ δαίμονος τοῦ βασ. τράπεζαν. Schweigh. Ὠνομασμένος τῷ θεῷ, de dedicato, apud Zonaram t. 2, p. 126. Ducang. Simili quadam signif. positum est in v. Euripidi supposito Hipp. 33 : Ἱππολύτῳ δ' ἔπι τὸ λοιπὸν ὠνόμαζεν ἱδρῦσθαι θεάν. || Med. Soph. OEd. T. 1021 : Ἀλλ' οὔ σ' ἐγείνατ' οὔτ' ἐκεῖνος οὔτ' ἐγώ. — Ἀλλ' ἀντὶ τοῦ δὴ παῖδά μ' ὠνομάζετο; || Aoristi formam Dor. ὠνόμαξα, quales Byzantini usurpant vel in prosa, Euripidi imperite affinxit qui indignum poeta 28 versuum emblema interposuit Iph. A. 416, cujus peccatis, quæ alibi notavi, et hoc est adden-
D dum et quod in Ἐνάρχομαι, ἐξάρχου pro ἐνάρχου positum. Illud corrigere tentavit editor Aldinus, qui bona fide hæc omnia Euripidis putavit. || De forma Ion. HSt. :] Οὐνομάζω, pro ὀνομάζω, Nomino, Appello, Recenseo. [« Ἐς τρὶς ὀνομάσαι (οὐνομάσαι) Σόλωνα, Herodot. 1, 86. Σκύθας Ἕλληνες οὐνόμασαν, 4, 6. Οὔνομα τῇ πόλει Βουτώ, ὡς καὶ πρότερον οὐνόμασταί μοι, 2, 155. Οὐνομάζεται σκυθιστὶ, 4, 59. Ἀπὸ τούτου μὲν τοῦτο οὐνομάζεται, Οὐ φροντὶς Ἱπποκλείδῃ, 6, 129, Originem duxit proverbium. » Schweigh. Lex. || Forma Æol. in Æoliis carminibus utitur Pind. Pyth. 2, 44 : Ὀνύμαξε Κένταυρον· 11, 6 : Ἰσμήνιον ὀνύμαξεν· et fut. forma med. Pyth. 7, 6 : Τίνα δ' οἶκον ὀνυμάξομαι ἐπιφανέστερον; Προσονυμάσδεσθαι in inscr. Cumæa ap. Bœckh. vol. 2, p. 849, n. 3524, 7. || Perf. pass. tertia pl. forma ὠνομάδαται utitur Eust. Opusc. p. 38, 70. L. Dind.]

Ὀνομαθετέω, Nomen impono, s. Nomina. [Vitiose pro Ὀνοματοθετέω.]

Ὀνομαθέτης, ὁ, Nominis impositor vel nominum. Apud Plat. Cratylo [p. 389, D] ὀνομαθέτης, et disjunctim ὀνομάτων θέτης pro eod. [Nunc recte ὀνοματοθέτης, quod v.]

Ὀνομαίνω, ανῶ, Aor. 1 ὠνόμηνα [ὠνόμηνα], poeticum verbum, Nomino, Nuncupo, Appello. Hesiod. [Op. 88]: Ὀνόμηνε δὲ τήνδε γυναῖκα Πανδώρην. [Callim. Jov. 38: Κεῖνο Νέδην ὀνόμηνε· fr. ap. Strab. 1, p. 46: Ἀτὰρ κείνων γλῶσσ' ὀνόμηνε Πόλας. Et sæpius Apoll. Rh., qui non utitur forma ὀνομάζω.] Apud Hom. Nomine voco, Compello, quum alibi, tum Il. Π, [491]: Φίλον δ' ὀνόμηνεν ἑταῖρον, Γλαῦκε πέπον. Item Nominatim recenseo, percenseo, Β, [488]: Πληθὺν δ' οὐκ ἂν ἐγὼ μυθήσομαι, οὐδ' ὀνομήνω· Ι, [121]: Ὑμῖν δ' ἐν πάντεσσι περίκλυτα δῶρ' ὀνομήνω. [Hesiod. ap. schol. Ven. Hom. Il. Ξ, 200: Καὶ πολλὰ καὶ ἀγλαὰ δῶρ' ὀνόμηναν.] Capitur et pro Nominatim polliceor, cum infin. [Od. Ω, 341: Ὅρχους δέ μοι ὧδ' ὀνόμηνας δώσειν. Cum inf. præs. Hesiod. in Etym. Ms. Paris. cit.: Ἰλέα, τόν ῥ' ἐφίλησεν ἄναξ Διὸς υἱὸς Ἀπόλλων, καί οἱ τοῦτ' ὀνόμην' ὄνομ' ἔμμεναι, οὕνεκα νύμφην εὑρόμενος ἵλεων κτλ. Euripidi hanc formam restitui in comp. Ἐξονομαίνω, in libris in ἐξονομάζω corrupto. || Οὐνομαίνω, forma Ion., Herodot. 4, 47: Ὅσοι οὐνομαστοί εἰσι αὐτέων, τούτους οὐνομανέω. De forma Æol. HSt.:] Ὀνυμαίνω, Æolice pro ὀνομαίνω. [Eadem utuntur Dores, ut Tim. Locr. p. 100, C, D; 102, B, Clinias ap. Stob. Fl. 1, 65, a Cantero emendatus. || Forma Æol. et Bœot. est ap. Corinnam loco ab Apollon. De pron. p. 98, C, citato: Χώραν τ' ἀπ' ἑοῦς πᾶσαν ὠνούμηνεν. L. Dind.]

Ὀνομακλήδην, et Ἐξονομακλήδην, Nominatim. Hom. Od. Δ, [278]: Ἐκ δ' ὀνομακλήδην Δαναῶν ὀνόμαζες ἀρίστους· Il. Χ, [415]: Πάντας δ' ἐλλιτάνευε, κυλινδόμενος κατὰ κόπρον, Ἐξονομακλήδην ὀνομάζων ἄνδρα ἕκαστον. Dicam autem de hoc adv. et in Ὀνομάκλυτος. [Crit. ap. Athen. 10, p. 432, E. Hemst. Cephalio ap. Georg. Sync. p. 167, C: Ὀνομ. ἄνευ πράξεων βαρβάρους φωνέοντι τυράννους. L. Dind.]

[Ὀνομακλῆς, έους, ὁ, Onomacles, Atheniensis ap. Thuc. 8, 25. Unus de triginta tyrannis ap. Xen. H. Gr. 2, 3, 2. Ephorus Laced. ib. 10. Alius Athen. ap. Bœckh. *Urkunden* p. 248. Alii alibi, ut ap. Harpocrat. v. Πενταχοσιομέδιμνον, Ὑακινθίδες, in inscr. Att. ap. Bœckh. vol. 1, p. 307, n. 172, 35.]

Ὀνομακλήτωρ, ορος, ὁ, qui Lat. Nomenclator, Nomenculator. Et peculiariter etiam Qui aliquos vocat s. invitat ad convivium: qui et Vocator Plinio. Apud Athen. dicitur et de Eo qui singulos ad discumbendum vocat, 2, [p. 47, E]: Κατεκλίνθημεν ὡς ἕκαστος ἤθελεν, οὐ περιμείναντες ὀνομακλήτορα, τὸν τῶν δείπνων ταξίαρχον. [Iterum HSt.:] Ὀνομακλήτωρ, Nomenclator, Qui nominatim aliquos vocat. Sunt qui putent ita dici qui a Plin. Vocator appellatur, quod nominatim vocet convivas ad discumbendum: ut is sit, qui ab Athen. nominatur ταξίαρχος τῶν δείπνων. [Lucian. De merc. cond. c. 10. Infra Ὀνοματοκλήτωρ.]

Ὀνομάκλυτος, ὁ, ἡ, Cujus nomen est inclytum, vel vel inclytum fama: ut Virg. dicit Gloriam inclytam fama. Hom. Il. Χ, [51]: Πολλὰ γὰρ ὤπασε παιδὶ γέρων ὀνομάκλυτος Ἄλτης, Eust. ὁ καὶ ἐκ μόνου ὀνόματος κλυτὸς, καὶ ὡς εἰπεῖν περιώνυμος: male autem quidam, ὁ ἐκ μόνου etc. omissa particula καί. Alibi dicit, Οὗ τὸ κύριον ὄνομα περίκλυτον ἀνθρώποις ἦν· itidemque ὀνομακλήδην καλεῖν ait significare ἐξ ὀνόματος κυρίου. [Iterum HSt.:] Ὀνομακλυτὸς, Cujus inclytum est nomen, Inclytus, Celebris, Cujus κύριον ὄνομα hominibus est περικλυτὸν, Eust. [Hom. H. Ven. 111, 146: Ὀτρεὺς δ' ἐστι πατὴρ ὀν. Simias ap. Tzetz. Hist. 7, 707: Ἄλλων ἀγνώσσουσι βροτῶν ὀνομάκλυτον αὐδὴν, ubi male editum ὄνομα κλυτὸν, αὐδήν. Fem. Ὀνομακλυτὰ vel — κλυτὰ ex Pindaro afferre videntur scholl. ad l. Il. || « Forma Οὐνομάκλυτος Simonid. De mul. 87. » Boiss.]

[Ὀνομάκριτος, ὁ, Onomacritus, n. viri ap. Theogn. 503. Attici, oraculorum auctoris, ap. Herodot. 7, 6, qui tamen Οὐνομάκριτος scripserat. Locrus ap. Aristot. Reip. 2, 12 med.]

[Ὀνομάντιος, ὁ, Onomantius, n. ephori Spartani, ap. Xen. H. Gr. 2, 3, 10.]

[Ὀνόμαρχος, ὁ, Onomarchus, Phocensis, ap. Aristot. Reip. 5, 4 med., Demosth. p. 443, 27, Diod., al.]

[Ὀνόμας, αντος, ὁ, Onomas, Lacædem. ad Darium legatus, ap. Arrian. Exp. 3, 24, 7.]

A Ὀνομασία, ἡ, q. d. Nominatio, [Nuncupatio, add. Gl.] pro Appellatio, Nomen. [Plato Polit. p. 275, D: Ἡμᾶς ἔλαθε κατὰ τὴν ὀνομασίαν ἐκφυγών.] Aristot. De poet. [c. 6]: Λέξιν εἶναι τὴν διὰ τῆς ὀνομασίας ἑρμηνείαν. Athen. 14, [p. 618, C; 624, D, et al.]: Αὐλήσεων δ' εἰσὶν ὀνόματα, ὥς φησι Τρύφων ἐν δευτέρῳ Ὀνομασιῶν. [Eadem quæ ἑρμηνεία, Elocutio. Dionys. De comp. vv. c. 3, p. 12. Inest in verborum delectu, ἐκλογῇ τῶν ὀνομάτων, de qua paullo antea dixerat. Conf. Aristot. l. c. Ernest. Lex. rhet. « Ἡ Ἰαπυγία διῃρημένη εἰς τρεῖς ὀνομασίας, Polyb. 3, 87, 4. Appellatio regis, 10, 40, 6. Ἐπιφέρειν τινὶ ταύτην τὴν ὀνομασίαν (proditoris), 17, 15, 1. » Schweigh. Lex. Memorat etiam Pollux 6, 203.]

Ὀνόμασμα, τὸ, q. d. Nominamentum, pro Nomen s. Appellatio, ex Plat. Cratylo [p. 421, A] affertur. [Ubi leg. μάσμα, quod v.]

[Ὀνομαστέον, Nominandum. Plato Crat. p. 387, D: Ὀνομ. ᾗ πέφυκε τὰ πράγματα ὀνομάζειν τε καὶ ὀνομάζεσθαι. Lucian. Fugit. c. 26.]

B Ὀνομαστήρια, τὰ, Festum quod celebratur ob impositionem nominis, ut γενέθλια ob nativitatem, Greg. Naz.

[Ὀνομαστὴς, ὁ, Autumator, Gl.]

Ὀνομαστὶ, significat Nominatim [Gl.], Nomine. [Callim. Del. 224: Ἀστερίη δ' ὀνομαστὶ παρερχομένην ἐκάλεσσεν. Theocr. 24, 76: Ἀκρέσπερον ἀείδουσαι Ἀλκμήναν ὀνομαστί.] Thuc. 1, [132]: Καὶ ἐπέγραψαν ὀν. τὰς πόλεις ὅσαι ξυγκαθελοῦσαι τὸν βάρβαρον, ἐστήσαντο ἀνάθημα. Apud Arat. [374], Ὀνομαστὶ καλέσσαι, Signare nomine vero, Cic.: quum alioqui ὀνομαστὶ καλέσαι s. καλεῖν sonet simpliciter Nomine vocare, appellare. Sic καλούμενος ὀν., Dem. In Mid. [Ib. p. 533, 4: Ὀν. μνησθῶ, ex conjectura repositum, pro ὀνόματι, et pro eodem p. 1160, 20, ὀνομαστὶ προσαγορεύειν.] Xenoph. [Cyrop. 2, 2, 28] dixit etiam Ἀνακαλέσας ὀν. [Et Cyrop. 1, 4, 15: Παρακαλοῦντι ὀν. ἕκαστον.] Æschin. [p. 27, 21]: Ὀν. παρεκάλει. Pro eod. προσειπεῖν, Plut. Popl.: Ὀν. τὸν υἱὸν ἑκάτερον προσειπών. Ap. Xen. [Cyrop. 5, 3, 47] legimus et ὀνομαστὶ προσαγορεύειν. [Isocr. p. 199, B:
C Τοὺς ἄλλους ὀνομαστὶ διελθεῖν. De ι correpto monitum etiam ab Chœrobosco Cram. An. vol. 2, p. 245, 6.]

Ὀνομαστικὸς, ἡ, ὸν, q. d. Nominativus, Nominatorius: ὀνομαστικὴ πτῶσις ap. Græcos grammaticos qui ap. Latinos gramm. posteriores Nominativus casus: sed relinqui solet subaudiendum substantivum πτῶσις, ut Casus. [Ὀνομαστικὴ, Nominativus, Gl. Strabo 14, p. 648: Εἴτε τὴν ὀνομαστικὴν δέχοιτο πτῶσιν.] Schol. Thuc. [1, 2]: Ὀνομαστικὴ ἀντὶ γενικῆς, Ἀττικὸν σχῆμα. Ex Plat. [Crat. p. 423, D] affertur ὀνομαστικὴ τέχνη pro Ars nominatrix, imponendi rebus nomina. [Et absolute ib. p. 425, A. Et de homine 424, A: Οὗτος ἂν εἶναι (ἔμοιγε δοκεῖ) ὁ ὀνομαστικὸς, Peritus nominum imponendorum.] At ex Hermog. ὀνομαστικὴ λέξις. [Λέξις ὀνομαστικὴ Hermogeni l. 1 Περὶ ἰδ. p. 70, dicitur de verbis iis, quæ participiis, pronominibus etc. conficiuntur, τὴν ἀπὸ τῶν ῥημάτων εἰς ὀνόματα πεποιημένην, vocabula a nomine vel verbo flexa, adeoque quodammodo nova et insolentia. Eandem ὀνοματικὴν λέξιν vocat Aristid. Περὶ πολ. λόγου p. 164, v. c. πλεονέκτημα
D μέγα ὑπῆρξε Φιλίππῳ, vel, τόλμα ἀλόγιστος. Alius nempe in his usus fuisset verbis πλεονεκτεῖν et τολμᾶν, quæ dicitur λέξις ῥηματική. Hanc formam scribendi, quam inprimis Thucydides secutus est, bene definit et describit Photius Bibl. cod. 213, in censura Agatharchidæ historici: Ἀντιλαβεῖν μὲν ὄνομα ῥήματος, ἀμεῖψαι δὲ τὸ ῥῆμα εἰς ὄνομα, καὶ λῦσαι μὲν λέξεις εἰς λόγους, συναγαγεῖν δὲ λόγον εἰς τύπον ὀνόματος, οὐδενὸς ἀνεπιτηδειότερος ὧν ἴσμεν. Καὶ ζηλωτὴς μὲν ἐστὶ Θουκυδίδου κτλ. Conf. Dionys. Ep. 2 ad Amm. c. 4, ubi de eadem forma ex instituto agitur. Ernest. Lex. rh. Verum autem ὀνοματική.]

|| Ὀνομαστικὸν, substantive quod alio nomine Græco dicitur λεξικὸν, Latine ad verbum, sed voce minime antiquis usitata, quod sciam, Dictionarium: ut Ἰουλίου Πολυδεύκους Ὀνομαστικόν. [De Pollucis libris Ὀνομαστικὸν s. Ὀνομαστικὸς vel Ὀνομαστικὰ aliorumque eodem modo inscriptis v. Hemsterh. præf. p. 34—6, cui add. schol. Plat. p. 385 Bekk.: Πολυδεύχης ἐν Ὀνομαστικοῖς. L. Dind.]

[᾿Ονομαστικῶς, vox grammaticis usitata, Proprie vel Proprio nomine aliquid ita vel ita appellari. Schol. Hom. Il. K, 160. V. ad Athen. p. 646. Schweigh. Nomine proprio, Tzetz. ad Lycophr. 402; schol. Eur. Med. 2. Kall. Schol. Theocr. 17, 53, et Æschinis p. 251 Bekk. Boiss. Pro ὀνομαστῶς ap. Pollucem 5, 159 scriptum conjecit Seber. In loco schol. Hom. autem Bekkerus exhibuit ὀνοματικῶς, etsi in ὀνομαστικῶς consentit Etym. M. v. Θρωσμός. ᾿Ονοματικῶς vero est Δ, 212; Z, 237, quod etiam Od. Δ, 248, pro ὀνομαστικῶς restituit Preller. ad fr. Polemonis p. 16, et ceteris restituendum est locis, quibus alios nonnullos addit Lobeck. Patholog. p. 66, qui utrumque ferendum putabat. Sed libris quantum tribuendum sit ostendit vel var. script. ap. Sext. Emp. p. 653 ed. Bekker. L. Dind.]

᾿Ονομαστὸς, ἡ, ὸν, [Nominatus, Gl.] q. d. Nominabilis. Nam ex Plat. Cratylo [p. 421, A] affertur ὀνομαστὸν pro eo Quod nominari potest, s. nomine efferri. [Arat. 381 : Ἄφαρ δ' ὀνομαστὰ γένοντο ἄστρα· 385 : Πάντα μάλ' ἠερόεντα καὶ οὐκ ὀνομαστὰ φέρονται.] Apud Hom. autem Qui nominari debet : quum dicit, Κακοΐλιον, οὐκ ὀνομαστήν [Od. T, 260]. Vide Eust. p. 1863. Et Hesiod. Theog. [148] : Τρεῖς παῖδες μεγάλοι καὶ ὄβριμοι, οὐκ ὀνομαστοί. [Id. fr. ap. schol. Apoll. Rh. 1, 156 : Εἶχε δὲ δῶρα παντοῖ' οὐκ ὀνομαστά. Apoll. ipse 3, 801 : Πρὶν τάδε λωβήεντα καὶ οὐκ ὀνομαστὰ τέλεσσαι.] Sic Latini Nefandum usurpant; sed Rem nefandam potius dicentes quam Nefandum hominem, s. virum : quo tamen usus est Virg. Æn. 4 : Abolere nefandi Cuncta viri monumenta jubet. || ᾿Ονομαστὸς, q. d. Nominatitius (nam Nominatus respondet τῷ ὠνομασμένος), Celebris, Nobilis, Clarus. [Theognis 23 : Πάντας δὲ κατ' ἀνθρώπους ὀνομαστοῦ. Pind. Pyth. 1, 38 : Πόλιν ἔσεσθαι ὀνομαστάν. Eur. Herc. F. 510 : Ὅσπερ ἦ περίβλεπτος βροτοῖς ὀνομαστὰ πράσσων. Arat. 264 : Ὀλίγαι καὶ ἀφεγγέες, ἀλλ' ὀνομασταὶ ἦρι καὶ ἑσπέριαι. Theocr. 16, 45 : Ἐν ἀνδράσι θῆχ' ὀνομαστούς. Epigr. Anth. Pal. App. 267, 2 : Πατρίδα θῆχ' ὀνομαστοτέραν. De usu Herodoteo v. infra in forma Οὐνομαστός.] Plato ὀνομαστὸν εἶναι et εὐδοκιμεῖν pro eod. posuit, Pol. 1, [p. 330, A] de Themistocle, ubi hisce verbis, Ὅς τῷ Σεριφίῳ λοιδορουμένῳ, καὶ λέγοντι ὅτι οὐ δι' αὐτὸν, ἀλλὰ διὰ τὴν πόλιν εὐδοκιμοῖ, subjungit, Ἀπεκρίνατο ὅτι οὔτ' ἂν αὐτὸς Σερίφιος ὢν, ὀνομαστὸς ἐγένετο, οὔτ' ἐκεῖνος, Ἀθηναῖος. Quo in l. Cic. ὀνομαστὸς vertit primum Nobilis, deinde Clarus; ita enim ille totum hunc interpretatur l. : Ut Themistocles fertur Seriphio cuidam in jurgio respondisse, quum ille dixisset, non eum sua, sed patriæ gloria splendorem assecutum : Nec hercle, inquit, si ego Seriphius essem, nobilis; nec, si tu Atheniensis esses, clarus unquam fuisses. [Demosth. p. 1399, 16.] Isocr. ὀνομαστοὺς opp. ἀδόξοις, Evag. [p. 202, C.] Usurpatur et compar. ᾿Ονομαστότερος, item superl. ᾿Ονομαστότατος, in Archid. : Καὶ λαμπρότερον, καὶ παρὰ πᾶσιν ἀνθρώποις ὀνομαστότερον. [Id. p. 110, A; 45, B; 127, A, al.] Apud Eund. in Epist. : Καὶ τοὺς ὀνομαστοτάτους ἐν ταύτῃ τυγχάνειν παρ' ὑμῖν γεγονότας. [Plat. Tim. p. 21, D, Critiæ p. 112, E. Frequens omnibus gradibus est ap. Xenoph., ut cum præp. ἐν, H. Gr. 7, 2, 20 : ᾿Ονομαστότατος ἐν τοῖς συμμάχοις καὶ πολεμίοις (ἔσει), et alibi. Cum ἐπὶ Comm. 1, 2, 61 : Λίχας, ὃς ὀνομαστὸς ἐπὶ τούτῳ γέγονε. De forma Ion. HSt. :] Οὐνομαστὸς pro ὀνομαστὸς, Clarum nomen habens, Celeber, Nobilis s. Nobilitatus. [Qua constanter usus est Herodotus, etsi libri sæpe peccant, cujus de usu Schweigh. : « Ἀθηναίων πολλοί τε καὶ ὀνομαστοὶ, 6, 114, Περσέων, 8, 89. Ὥστε πολλῷ ὀνομαστοτέρην γενέσθαι (τὴν οἰκίην) ἐν τοῖσι Ἕλλησι, 6, 126. ᾿Ονομαστότατοι ἐγένοντο, 9, 72. Et τέμενος οὐνομαστότατον, 2, 178, τοῖσι οὐνομαστοῖσι ποταμοῖσι, 4, 58. » || Adv.] ᾿Ονομαστῶς, Celebriter, Nobiliter.

[᾿Ονόμαστος, ὁ, Onomastus, n. viri Elei ap. Herodot. 6, 127, ubi male ᾿Ονομαστὸς pro Οὐνόμαστος, ut aliquoties de alio ᾿Ονομαστὸς pro ᾿Ονόμαστος ap. Plut. Galbæ c. 24, quem accentum restitui Pausaniæ 5, 8, 7, ubi Smyrnæus, libri autem servarant ap. Polyb. 23, 13, 3, ubi Thracius memoratur. L. Dind.]

[᾿Ονομάστραι. Arethas In Apocal. c. 29 : Ἐπεὶ γὰρ ὁ ταῦτα ὁρῶν ἄγγελος ἀπείρατος τοιούτων ἀνοσιουργιῶν A ὑπῆρχε, κελεύεται διὰ τῆς καταπόσεως τοῦ βιβλίου, ᾧ αἵ τε ὀνομάστραι καὶ αἱ πράξεις τῶν ἀσεβῶν ἐνεφέροντο, etc. Ducang. Videtur esse Nomen s. Index nominum.]

[᾿Ονομαστῶς. V. ᾿Ονομαστός.]

[᾿Ονοματίας, ὁ, non addens quid sit ponit Herodian. Π. μον. λ. p. 34, 11. Οἰηματίας conjici posse monet Lobeck. Patholog. p. 508.]

[᾿Ονοματίζω, ap. Galen. vol. 12, p. 93 : Τοῦτο μὲν τὸ ὀνοματίζειν τισὶν οὐ μεγάλης ἄξιον σπουδῆς, vertitur Hæc de vocabulis controversia. Pro ὀνομάζω, in Sigillo Rugerii ap. Ughell. Ital. Sacr. vol. 1, p. 944, C : Αὐτὴ ἡ μία· οὔτε τῆς Βιβώνης οὔτε τῆς Ταυρανῆς ὀνοματίζεσθαι· 945, A : Τὸν ποταμὸν τὸν ὀνοματιζόμενον Σκατοπλήτον. Ms. ap. Pasin. Codd. Taurin. vol. 1, p. 333, B. L. Dindorf.]

[᾿Ονοματικὸς, ἡ, ὸν, Ad nomen pertinens. Dionys. H. vol. 5, p. 8, 9 : Τὰ προσηγορικὰ διελόντες ἀπὸ τῶν ὀνοματικῶν· et ib. 37, 10, 12; 66, 18, de nominibus substantivis. Herodiani ᾿Ονοματικὰ citat Eust. Od. p. 1807, 16. Quæ alibi apud eundem numero singulari τὸ ᾿Ονοματι- B κὸν dici, idque repetitum ab Etym. M. v. Ὑπερκύδαντας, in libris illius semel recte scriptum, semel in ᾿Ονομαστικὸν esse corruptum (᾿Ονομαστικὸς et —κῷ constanter in eod. l. ap. Chœrob. vol. 1, p. 35), monuit jam Hemsterh. præf. ad Polluc. p. 35. Idem liber numero sing. sæpissime citatur apud Chœroboscum : v. ind. p. 210. Cujus ipsius Ch. ᾿Ονοματικὸν memoratur in Stephani Byz. epitome v. Ταμίαθις, ubi vitio edd. ᾿Ονομαστικὸν caret cod. Vratisl., dicitur autem qui hodie superest commentarius in Theodosii ᾿Ονοματικὰ vel ᾿Ονοματικόν. Tryphonis ᾿Ονοματικὰ memorat Athen. 11, p. 503, D, ubi libri deteriores ᾿Ονομαστικὰ, idemque alibi ejus libros Περὶ ὀνομασιῶν. L. D. V. ᾿Ονομαστικός.]

[᾿Ονοματικῶς. Gramm. Bekk. Anecd. p. 363, 24 : Ἀχαρὴς λέγεται παρὰ τοῖς Ἀττικοῖς καὶ ὀνοματικῶς, οἷον ἀχαρὴς χρόνος, καὶ ἐπιρρηματικῶς. Boiss. Jo. Alex. Τον. παραγγ. p. 30, 15 : Τὸ ἐπιτηδὲς ὀνοματικῶς ὀξυνόμενον, ἐπιρρηματικῶς προπαροξυνόμενον. Eodem modo ἐπιρρηματικῶς et ὀνομ. contraria ap. Apollon. Lex. Hom. v. C Ἀπριάτην, ap. Eust. Il. p. 381, 21. De n. pr. ab adj. distinguendo ap. Apoll. Lex. Hom. vv. Ἀβίων, Ἀγαυόν. Add. Hesych. v. Ἀκαλανθὶς, et v. ᾿Ονομαστικῶς. L. D.]

[᾿Ονομάτιον, τὸ, dimin. ab ὄνομα. Longin. 43, 2.]

[᾿Ονομάτιον, ἡ, Onomatium, n. mulieris in inscr. Att. ap. Bœckh. vol. 1, p. 521, n. 841.]

᾿Ονοματογραφέω, Nomina scribo, inscribo, conscribo, i. e. in acta refero, Bud.

᾿Ονοματογραφία, ἡ, Nominum scriptio, inscriptio. Exp. et Nomenclatura. [Esdr. 3, 8, 19 : Πάντων ἐσημάνθη ἡ ὀν. et alibi. V. Schleusn. Lex. V. T. Sext. Empir. p. 704 fin.]

᾿Ονοματογράφος, ὁ, Nominum scriptor s. inscriptor. [Tzetz. in Crameri Anecd. Paris vol. 1, p. 62, 2. L. D.]

᾿Ονοματοθεσία, ἡ, pro Nominum impositio. [Nominalium, Nuncupatio, Gl. Eust. Il. p. 39, 21; Maximus Conf. vol. 2, p. 101, B.]

[᾿Ονοματοθέσια, τὰ, Nominalia, Gl.]

[᾿Ονοματοθετέω, Nomen impono. Eust. Il. p. 32, 6 : Ἃ οὐκ ὠνοματοθέτησαν οἱ πρὸ αὐτῶν· Opusc. p. 63, 40 : D Ὁ δὲ μὴ τοιοῦτος λέγεται παρὰ τοῖς ὀρθῶς ὀνοματοθετοῦσι μονίας· et alibi, aliique recentiorum.]

᾿Ονοματοθέτης, ὁ, v. ᾿Ονομαθέτης. [Plato præter l. illic cit. Charm. p. 175, D. Eust. Il. p. 39, 11, Opusc. p. 143, 37.]

[᾿Ονοματοθετικὸς, ἡ, ὸν, Nomina imponens. Schol. Hom. Il. E, 60 : ᾿Ον. ὁ ποιητής. Adv. ᾿Ονοματοθετικῶς, Il. Z, 19 : Ἡ διπλῆ ὅτι ὀνομ. ὁ ποιητής. Quorum ll. alterum ex altero corrigendum apparet.]

᾿Ονοματοθήρας, ὁ, q. d. Nominum auceps, i. e. Vocabulorum : ut Auceps syllabarum dicitur a Cic. Apud Athen. 14, [p. 649, B], ὀνοματοθήρας dicitur Ulpianus quidam, quasi Captator verborum s. vocabulorum, inquit Bud., quod omnia verba excuteret morose, et reprehenderet eos qui unumquodque a se prolatum tueri veterum auctoritate non possent. Huc referunt quidam, quod Cic. vocat Verborum aucupium et tendiculas, afferentes et hunc Plat. l. in Gorgia, ubi ὀνόματα θηρεύων legimus : Εἶπέ μοι, ὦ Σώκρατες, οὐκ αἰσχύνῃ τηλικοῦτος ὢν ὀνόματα θηρεύων, καὶ ἐάν τις ὀνόματι ἁμαρτάνῃ, τοῦτο ἕρμαιον ποιούμενος; Sic et θηρευτὴν ὀνομάτων citra compositionem legimus ap. Athen. 3. || Ὀνοματοθήρας ap. Athen. [3, p. 98, A] est etiam Qui nomina nova fingit, qui et ὀνοματοποιὸς, Bud.

[Ὀνοματοθηράω, Verba venor, Vocabula aucupor, Athen. 15, p. 671, F. SCHWEIGH. Ubi ipse recte ὀνόματα θήρα.]

[Ὀνοματοκλήτωρ, ορος, ὁ, Nomenclator, Gl. Supra Ὀνομακλήτωρ.]

Ὀνοματολόγος, ὁ, Qui nomen dicit, Nomenclator [Gl.], Bud. ex Plut. [Cat. min. c. 8.] Affertur ex Athen. 9, [p. 397, A] et pro ead. signif. qua usurpat alibi ὀνοματοθήρας. [Suidas v. Παλαμήδης. Pollucem ita vocat schol. Luciani Lexiph. c. 1.]

[Ὀνοματομάχος, ὁ, ἡ, Qui de verbis pugnat. Clem. Alex. p. 446=374.]

Ὀνοματοποιέω, Nomina fingo, i. e. Vocabula, Verba novo. [Schol. Aristoph. Nub. 1474.] Plerumque autem significat Fingo vocabula per onomatopœiam, i. e. a sono ea deducens, ut mox dicetur: unde λέξεις s. φωναὶ ὠνοματοπεποιημέναι s. ὀνοματοποιηθεῖσαι, a pass. themate Ὀνοματοποιοῦμαι, quum ap. alios gramm., tum ap. Eust. [Od. p. 1382, 30.] || Et simpliciter pro Nomen do, impono, Nuncupo, Bud. in Aristot. Eth. 2, [7]: Ἔστι μὲν οὖν καὶ τούτων τὰ πλείω ἀνώνυμα· πειρατέον δ' ὥσπερ καὶ ἐπὶ τῶν ἄλλων αὐτοὺς ὀνοματοποιεῖν, σαφηνείας ἕνεκα καὶ τοῦ εὐπαρακολουθήτου. [Aristot. Categ. c. 7. SEAGER.]

[Ὀνοματοποίησις, εως, ἡ, i. q. sequens. Suidas v. Ναύσων.]

Ὀνοματοποιΐα, ἡ, Nominis s. Nominum fictio, i. e. Vocabulorum. Quintilianum interpretari Nominis fictio, videbis paulo post. Sed peculiariter dicitur ὀνοματοποιΐα de vocabulis ita fictis, ut sonum rei quæ significatur éxprimant s. repræsentent: qualia multa excogitarunt poetæ. Ἡ δὲ ὀνοματοποιΐα, inquit Eust. [Il. p. 32, 3], τρόπος ἐστὶ ποιητικὸς καὶ αὐτὴ μιμουμένη τοὺς τῶν σωμάτων ἤχους· καὶ γέμει ταύτης ἡ ποίησις. Ponuntur autem hoc in numero quum aliæ pleræque voces, tum βόμβος, βρόμος, φλοῖσβος, et ἔκλαγξαν, ac λίγξε, ap. Hom. Quintil. 1, 5, in fine: Sed minime nobis concessa est ὀνοματοποιΐα: quis enim ferat si quid simile illis merito laudatis, λίγξε βιὸς, et σίζει ἄνεμος, fingere audeamus? Jam ne Balare quidem aut Hinnire fortiter diceremus, nisi judicio vetustatis niterentur. Idem 8, 6: Onomatopœia quidem, id est Fictio nominis, Græcis inter maximas habita virtutes, nobis vix permittitur. Et sunt plurima ita posita ab iis qui sermonem primi fecerunt, aptantes affectibus vocem; nam Mugitus et Sibilus et Murmur inde venerunt. Hæc ille. Tale est autem et Tinnire, unde Tinnitus.

Ὀνοματοποιὸς, ὁ, Nominis fictor, s. potius Nominum, Qui nomina fingit, i. e., verba, vocabula, Bud. ex Athen. [3, p. 99, C.]

[Ὀνοματουργέω, Nomen fingo. Demetr. Phal. 98.]

Ὀνοματουργὸς, ὁ, Nominis s. potius Nominum artifex, i. e. Vocabulorum. Plato Cratylo [p. 388, E] dicit οὐ παντὸς εἶναι ὄνομα θέσθαι, sed ὀνοματουργοῦ.

[Ὀνοματώδης, ὁ, ἡ, λόγος, Definitio nominalis. Aristot. Poet. 1, 2, Anal. postt. 2, 2, 10.]

Ὀνόπη, Hesychio ἀμπέλου μελαίνης εἶδος.

[Ὀνοπόλη. V. Ὀνόκωλος.]

Ὀνόπορδον, τὸ, Crepitus asini. [Τὴν ἐλξίνην. Ἔστι δὲ λάχανον ἄγριον, καὶ εἶδος κογχυλίου, Hesych.] Herba est, de qua Plin. 27, 12: Onopordon si comederint asini, crepitus reddere dicuntur.

[Ὀνόπους, οδος, ὁ, locus sic dictus apud Const. Porphyrog. De cerimon. 1, 22, p. 127. CORAES.]

[Ὀνοπρόσωπος, ὁ, ἡ, Qui asini faciem habet. Schol. Luciani in *Zeitschr. f. d. Alterthumswiss.* 1834, n. 141, p. 1130. OSANN.]

Ὀνόπυξος, ἡ, Buxus asinina, Gaza ap. Theophr. H. Pl. 6, 3 [4, 3 Schn.], ubi numeratur inter ea quæ habent φύσιν ἀκανθώδη. A Plin. quoque 21, 16, inter ea ponitur, quæ et folio et caule spinosas lanugines habent. Retinet autem Græcum vocab.

[Ὀνόρυγχος, ὁ, Bunilla, Gl.]

Ὄνος, ὁ, Asinus. Hom. Il. Λ, [557]: Ὡς δ' ὅτ' ὄνος παρ' ἄρουραν ἰὼν ἐβιήσατο παῖδας Νωθὴς, ᾧ δὴ πολλὰ περὶ ῥόπαλ' ἀμφὶς ἐάγῃ. Ubi νωθὴς ὄνος, qui Virgilio Tardus asellus, Ovidio Lente gradiens asellus. Xen. Cyrop. 7, [5, 11] de Phœnicibus [« palmis » HSt. Ms. Vind.]: Πιεζόμενοι ὑπὸ τοῦ βάρους ἄνω κυρτοῦνται, ὥσπερ οἱ ὄνοι οἱ κανθήλιοι, Asini clitellarii. [Plato Conv. p. 221, E; Aristot. H. A. 6, 36.] Xen. ib. 1, [4, 7], ὄνοι ἄγριοι· contra Plut. Alex., ὄνος ἥμερος. Athen. 5: Ὄνων ἶλαι πέντε· 10: Ἐπὶ ὄνων ἅρματος κωμάζειν. [Tyrtæus ap. Pausan. 4, 14, 5: Ὥσπερ ὄνοι μεγάλοις ἄχθεσι τειρόμενοι. Archiloch. ap. Plut. Mor. p. 604, C: Ἥδε δ' ὥστ' ὄνου ῥάχις ἕστηκεν ὕλης ἀγρίας ἐπιστεφὴς, de montis jugo, ut pluribus in Ῥάχις dicetur, et similiter Ὄνου γνάθος de Laconiæ peninsula ap. Strab. 8, p. 363. Pind. Pyth. 10, 33: Ὄνων ἑκατόμβας. Theognis 990: Γνοίης χ' ὅσσον ὄνων κρέσσονες ἡμίονοι, et alii quivis. Aristoph. Av. 1328: Πάνυ γὰρ βραδύς ἐστι τις ὥσπερ ὄνος. Herodot. 4, 135: Τοὺς ὄνους πάντας καταδήσας κατέλιπε αὐτοῦ ταύτῃ ἐν τῷ στρατοπέδῳ.] At de ὄνου γνάθος, ὄνου πόκαι, ὄνου σκιά: item de ὄνος ἀντρώνιος, Ὄνος ἄγει μυστήρια, vide Hesych. [Schol. ad Aristoph. Vesp. 191: Περὶ τοῦ μαχεῖ νῷν δῆτα; — Περὶ ὄνου σκιᾶς. Plato Phædr. p. 260, C: Μὴ περὶ ὄνου σκιᾶς ὡς ἵππου τὸν ἔπαινον ποιούμενος. Photius s. Suidas: Ὄνου σκιά καὶ Περὶ ὄνου σκιᾶς· Σοφοκλῆς Κηδαλίωνι ... Τὰ πάντ' ὄνου σκιά.] Vide et alia ap. Suid. et Erasm. Chil. [In his est illud Ὄνος λύρας, ubi non utique ἀκούει subintelligendum, sed percommode etiam ἅπτεται, ut ex Machonis versiculis apparet ap. Athen. 8, p. 349, D. SCHWEIGH. Photius tamen: Ἡ δ' ὅλη παροιμία, Ὄνος λύρας ἤκουσε καὶ σάλπιγγος ὗς. Et sic Phanias Anth. Pal. 6, 307, 7: Ἔνθα λύρας ἤκουσεν ὅπως ὄνος. Cetera proverbia ap. parœmiogrr. præter ea quæ aliunde notavimus sunt Ὄνον κείρεις, Ὄνος εἰς Ἀθήνας vel Κυμαίαν, Ὄνος ἐν μελίσσαις, ἐν μύροις, ἵππον μιμούμενος, Ὄνος τὰ Μελιταῖα, Ὄνου παρακύψεως. Et Ὄνος ἐν πιθήκοις de deformi in Prov. Coisl. p. 151, n. 370, et ap. Menandr. fr. Plocii ab Gellio N. A. 2, 23, 9 cit. (Quocum conferri potest Socratis ap. Xen. Conv. 5, 7: Τῶν ὄνων αἴσχιον τὸ στόμα ἔχειν.) Idem ap. Stob. et Plut. Mor. p. 739, F: Ὄνον γενέσθαι κρεῖττον ἢ τοὺς γείτονας ὁρᾶν ἑαυτοῦ ζῶντας ἐπιφανέστερον. Xen. Anab. 5, 8, 3: Ὁμολογῶ καὶ τῶν ὄνων ὑβριστότερος εἶναι. Aliud prov. est ap. Plat. Leg. 3, p. 701, D: Ἀπό τινος ὄνου πεσεῖν. De prov. Ὄνος εἰς ἄχυρα s. ἄχυρον vel ἀχυρῶνα v. in illis vocc. || De Libycis asinis cornutis Herodot. 4, 191: Ὄνοι οἱ τὰ κέρεα ἔχοντες· 192: Ὄνοι οὐχ οἱ τὰ κέρεα ἔχοντες, ἀλλ' ἄλλοι ἄποτοι· οὐ γὰρ δὴ πίνουσι. De Indicis Aristot. De partt. an. 3, 2 med.: Λέγεται δὲ καὶ μώνυχον, ὃν καλοῦσιν Ἰνδικὸν ὄνον· H. A. 2, 1 med.] Apud Nicandr. autem Ther. [628], Ὄνου πετάλιον, Origani species quædam est, quasi ὀνόφυλλον, ut schol. tradit: Σὺν καὶ ὄνου πετάλειον ὀρείγανον. Ὄνοι dicuntur etiam Stellæ duæ juxta φάτνην, Præsepe, collocatæ, non longe a Cancro, ut docet Proclus. Latini Asellos et Asinos nominant. Plin. l. 18, c. ult.: Sunt in signo cancri duæ stellæ parvæ, Aselli appellatæ, exiguum inter illas spatium obtinente nubecula, quam Præsepia appellant. Festus Avienus, in Cancro: Qua duro concava dorso Tegmina curvantur, geminus micat ardor in auras: Hos dixere Asinos, ortos Thesprotide terra. Et mox, Hos itidem qualis præsepibus esse Forma solet, dispar chelarum forma coruscat. Vide plura de his Asinis in Comm. Germanici Cæsaris Phænomenis addito. [Arat. 898: Καὶ τοὶ μὲν καλέονται ὄνοι, μέσση δέ τε φάτνη, et 905: Νότιος ὄνος. Theocr. 21, 22: Ὄνων τ' ἀνὰ μέσσον ἀμαυρὴ φάτνη. Theophr. fr. 6, 1, 23, cum annot. Schneid., Eratosth. Catast. c. 11.]

|| Ὄνος sive Ὀνίσκος, Piscis etiam nomen est. Athen. 3, [p. 118, C] ex Dorione, de piscibus quibusdam loquens, quibus plura tribuuntur nomina, et speciatim de χελλάρῃ: Καὶ γὰρ καὶ τοῦτον, ἕνα ὄντα ἰχθὺν, πολλῶν ὀνομασιῶν τετυχηκέναι· καλεῖσθαι γὰρ καὶ βάκχον καὶ ὀνίσκον καὶ χελλάρην. Sic Eust. p. 862: Ὄνος, ἰχθὺς ποιὸς, ὁ καὶ ὀνίσκος καὶ βάκχος. Apud eund. tamen Athen. 7, [p. 315, F] idem Dorion χελλάρην s. γαλλαρίαν, speciem facit ὀνίσκου: nam de fluviatili muræna loquens, ait, Ἔχει μίαν ἄκανθαν μόνην ὁμοίαν τῷ ὀνίσκῳ τῷ καλουμένῳ γαλλαρίᾳ. Sic Plin. 9, 17: Asellorum duo genera: callariæ minores, et bacchi, qui non nisi in

alto capiuntur, ideoque prælati prioribus. [᾿Ονίσκος, ἰχθὺς, Asellus, Gl.] De lapillis autem, quos ὄνος piscis in capite habet, lege quæ Athen. 7, [p. 315, E] ex Aristot. refert, et quæ Plin. 32, 10. Sed notandum Dorionem discrimen statuere inter ὄνον et ὀνίσκον, ut Athen. docet l. c., ex Eo proferens, Ὄνος, ὃν καλέουσί τινες γάδον· γαλλερίδας, ὃν καλέουσί τινες ὀνίσκον τε καὶ μάξεινον· alii tamen nullum ponunt, ut Euthydemus ibid., de ὄνῳ loquens, Οἱ μὲν βάκχον καλοῦσιν, οἱ δὲ γελαρίην, οἱ δὲ ὀνίσκον· et Archestratus, Τὸν ὄνον, τὸν καλλαρίαν καλέουσι. Quod vero attinet ad χελλάρης, γαλλαρίας, καλλαρίας, et γαλλερίδας, ejusd. piscis nomen sunt, scripturam tantum differentem habens. Vide et Ælian. [N A. 5, 20; 6, 30; 9, 38. Opp. Hal. 3, 140.] ᾿Ονίσκοι, Eustathio sunt εἶδός τι σκάρων, ut in ᾿Ονίας vidisti. || Est Ὄνος præterea genus quoddam Locustæ, cui etiam nomen ἀσίραχος. Diosc. 2, 57: Ἡ δὲ λεγομένη ἀκρὶς, ἀσίραχος, ἢ ὄνος, ἄπτερός ἐστι καὶ μεγαλόκωλος.

|| Ὄνος sive ᾿Ονίσκος, dicitur etiam Bestiola quædam multipes, coloris fusci et subcinericii, nascens in locis humectis, sub aquariis plerumque vasis: quæ contracta in orbem pilulæ rotundissimæ similem se complicat: alio nomine κουβαρὶς dicta et πολύπους et κύαμος: vel conjunctim ὄνος πολύπους, κατοικίδιος: Lat. Multipeda, Cutio, Porcellio: quam vocem Itali retinere dicuntur. Diosc. 2, 37, περὶ κουβαρίδων: Ὄνοι οἱ ὑπὸ τὰς ὑδρίας, ζῶά εἰσι πολύποδα, σφαιρούμενοι κατὰ τὰς ἐπαφὰς τῶν χειρῶν. Galen. De locc. aff. 3: ᾿Ονίσκος κατοικίδιος, ζῶόν ἐστι πολύπουν, ἐν τοῖς ὑδρηροῖς ἀγγείοις καὶ ἐν ταῖς κοπρίαις γεννώμενον, κατὰ δὲ τὰς τῶν δακτύλων ἐπερείσεις σφαιρούμενον· l. 11 De simpl. med. fac. in cap. Περὶ δράκοντος, hæc animalcula a quibusdam sui temporis hominibus dicit appellari κυάμους, quoniam παραπλήσιοι τοῖς ἐδωδίμοις κυάμοις εἰσὶν, ὅταν ἑαυτοὺς σφαιρώσωσι, φαιοὶ κατὰ τὴν χρόαν ὄντες. Scrib. Larg. c. 5: Bestiolæ multorum pedum, quæ tactæ complicant se in orbem pilulæ rotundissimæ similem: κατοικιδίους ὄνους aut πολύποδας Græci hoc genus animalium vocant. Marc. Empir. c. 9: Cutiones, bestiolæ sunt multipedes, cute dura et solida: quæ tactæ complicant se in orbem pilulæ rotundissimæ: πολύποδας Græci appellant. Idem alibi, Multipedes cutiones, qui in stercore nascuntur, quique contacti in globulos complicantur. Et alibi, In locis humidis et sordidis sub lapidibus inveniuntur bestiolæ multipedes, quæ contactæ contrahuntur et rotundantur. [Aristot. H. A. 5, 31 fin.: Τοῖς ὄνοις τοῖς πολύποσι.] Cæl. Aurel. Chron. 1, 4: Et porcelliones, h. e. animalia quæ humectis et aquosis locis sæpe nascuntur, a Græcis appellata ὀνίσκοι. A Theophr. quoque ὄνος vocatur: ut H. Pl. 4, 4 [3, 6 Schn.] de serpentibus et lacertis, quæ ἄποτα esse animalia dicit: Τοὺς δὲ Λίβυας λέγειν, ὅτι τὸν ὄνον ἐσθίει ταῦτα, ὃς καὶ παρ' ἡμῖν γίνεται πολύπουν τι καὶ μέλαν, συσπειρώμενον εἰς ἑαυτό· ubi quidam leg. putant συσφαιρούμενον, quoniam Galen. eum σφαιροῦσθαι dicit. Apud Eund., eod. l. c. 7, de quercu: Καὶ κάτω δὲ πρὸς αὐτῷ τῷ καυλῷ περιπεφυκότων τινῶν ὅλων, ἐν τούτοις δεδυκότες οἱ ὀνίννοι καὶ ἄλλ' ἄττα, καὶ τὸ ὅμοιον πολύποδι, pro ὅλων iidem reponunt ἰούλων, et ὀνίσκοι pro ὀνίννοι: annotantque Hesych. et Suid. confudisse ἴουλον, et ὄνον, quippe ap. quos hæc verba legantur: Ἴουλος, ζῶον πολύπουν, ὅπερ ἡμεῖς λέγομεν ὄνον· τινὲς δὲ καὶ τὸν ἐπὶ ταῖς ὑδρίαις γινόμενον ὄνον πολύποδα καὶ συστρεφόμενον, ἴουλον καλοῦσι. [V. Theophr. ap. schol. Apoll. Rh. 1, 972.] Errasse præterea Plin. 29, c. ult.: Millepeda, ab aliis Centipeda aut Multipeda dicta, animal est ex vermibus terræ, pilosum, multis pedibus arcuatim repens, tactuque contrahens se: ὀνίσκον Græci vocant, alii τίλον. Illam autem, quæ non arcuatur, σῆπα Græci vocant, alii σκολόπενδραν, minorem perniciosamque. Errasse inquam, quod ὀνίσκος nec pilosus sit vermis, nec arcuatim repat, nec Millepeda aut Centipeda dicendus sit, sed Multipeda: Millepedam autem s. Centipedam, vermem terræ pilosum, quique multis pedibus arcuatim repat, animal esse ex erucarum genere, vites corrodens atque olera: et a Colum. Hirsutam dici, a Græcis ἴουλον, teste etiam Suida, cui ἴουλος est ὁ ἐν ταῖς ἀμπέλοις σκώληξ πολύπους. A qua hirsutia ἰούλους dici quosdam etiam pilosos vermes nigros, ex terrestrium lumbricorum genere, quod ex maris litoribus effoditur ad piscium escam: quia hirsutam s. millepedam villis repræsentant: de quibus Numenius ap. Athen. 7, [p. 305, A]: Καὶ δὲ σύ γε μνήσαιο δελείατος, ὅ,ττι παρ' ἄκρα Δήεις αἰγιάλοιο γεώλοφα· τοὶ μὲν ἴουλοι Κέκληνται, μέλανες, γαιηφάγοι, ἔντερα γαίης. Superiores autem ἰούλους a Lycophr. schol. vocari ἰούλους μυριόποδας, et longe differre a scolopendra, ut et Nicand. Ther. [811] docet, qui ait, Οἶδά γε μὴν καὶ ἴουλος ἃ μήδεται, ἠδ' ὀλοὸς σφὴξ, Πεμφρηδών ὀλίγη τε, καὶ ἀμφικαρὴς σκολόπενδρα· ubi schol. ἴουλον esse dicit εἶδος σκώληκος τοῦ καλουμένου μυριόποδος. Errasse præterea eund. Plin. 30, 8: Prodest urinæ, millepedam oniscon bibisse: dicere enim potius debuisse Multipedam oniscon, πολύποδα ὀνίσκον, ut Græci vocant: nam μυριόποδα ὀνίσκον diversum esse, ex prædictis patere. Recte autem eund. Plin. scribere c. 6 ejusd. l.: Multipeda quoque, quem Oniscon appellavimus, medetur, denarii pondere ex vino cyathis duobus pota.

|| Ὄνος, in quodam ludi genere, cui nomen οὐρανία, dicebatur Is qui victus fuerat et imperata facere cogebatur, Pollux 9, [106]. Sed et in ὀστρακίνδα ludo, Is qui inter eos qui fugiebant captus esset, ὄνος καθῆσθαι dicebatur, ut idem Poll. eod. libro [§ 112] docet, his verbis: Ὁ μὲν τοίνυν ληφθεὶς τῶν φευγόντων, ὄνος οὗτος κάθηται. De priori ludo, i. e. sphærico, Eust. p. 1601, ex vett.: Τῶν αὐτὴν (σφαῖραν) παιζόντων τοὺς μὲν νικῶντας, βασιλεῖς ἐκάλουν, ὡς ἐπὶ σεμνώματι τοῦ ἔργου, ὄνους δὲ, τοὺς ἡττημένους, ubi hæc subjungit exempla: ex Plat. Theæt. [p. 146, A]: Ὁ δὲ ἁμαρτὼν, καθεδεῖται, ὥσπερ φασὶν οἱ σφαιρίζοντες, ὄνος· ὃς δ' ἂν παραγένηται ἀναμάρτητος, βασιλεὺς ἡμῶν. Et ex Cratino, Ὄνοι ἀπωτέρω κάθηνται τῆς λύρας· quibus subjungit, Τοὺς γὰρ ἡττωμένους, ὄνους καθῆσθαι ἔλεγον.

|| Ὄνος, Axis, et ᾿Ονίσκος, Axiculus, i. e. Sucula: quæ et Ὄνευος dicitur, unde ὀνεύεσθαι et κατονεύεσθαι. Galen. Lex. Hippocr.: Ὄνοι δὲ καὶ ᾿Ονίσκοι, οἱ ἄξονες, οἱ αὐτοὶ καὶ κάλοι ἀπὸ στυπείου, ἢ λίνου, ἢ καννάβεως. Hæc enim addunt quædam exempll. Ὄνος, Axis, et ὀνίσκος, Axiculus, Parvus axis, Asellus etiam et Sucula dicitur, quæ est machina tractorii generis apud Catonem, ut testatur Budæus. [᾿Ονίσκους Axiculos vocat Hippocr., per quos extensionem moliri licet, p. 761, F, ubi Galenus ὄνους τοὺς ἄξονας, et ὀνίσκους τοὺς μικροὺς ἄξονας vocari scribit forma diminutiva. Rursus p. 773, C, ὄνου περιαγωγὴ, Axis versatio, in firmissimo machinamento ponitur. Ubi etiam ὄνους et ὀνίσκους τοὺς ἄξονας exponit Galen. Ac rursus p. 808, G: Ὥστε ἀπὸ τροχιλίης τὰ χαλώμενα εἶναι ὅπλα, ἢ ἀπὸ ὄνου, Si a trochlea vel ab axe funes laxentur. Illic enim ὄνος dicitur axis ex quo funis demittitur ad concussionem per scalam faciendam. Et ὀνίσκους τοὺς ἄξονας vocari scribit Galenus. Atque p. 834, A, ὀνίσκους ἔχειν ἑκατέρωθεν, Ut asellum utrinque contineant. Ubi etiam Galenus τοὺς ὀνίσκους ἄξονας vocat. Ὄνος quoque Erotiano apud Hippocratem exponitur ὁ ἄξων, Axis, ἴσως διὰ τὸ κυκλικὸν τῆς κινήσεως, Forte ob conversionem motus in orbem. Et ὄνοι καὶ ὀνίσκοι οἱ ἄξονες dicuntur Galeno in Exeg. vocum Hippocrat., ut ὀνεύεσθαι ἢ κατονεύεσθαι δι' ὄνων ἐπιστροφῆς τείνειν. Foes.] Aristot. Mechan. quæst. 14: Διὰ τί ῥᾷον κινοῦνται περὶ τὸν αὐτὸν ζυγὸν οἱ μείζους τῶν ἐλαττόνων κόλλοπες, καὶ οἱ αὐτοὶ ὄνοι λεπτότεροι ὑπὸ τῆς αὐτῆς ἰσχύος τῶν παχυτέρων; Ubi ter ζυγὸν vocat Ergatam machinam, et toties ὄνον Suculam. [Herodot. 7, 36: Κατέτεινον ὄνοισι ξυλίνοισι τὰ ὅπλα, Ligneis suculis intendebant rudentes. Schweigh. Qui in Lex. citat Van Capell. ad l. Aristot. p. 235 (Amstelod. 1812). Forma ὀνίσκος Philo Belop. p. 61, D, 74, A; 76, A, C. Hesychio ᾿Ονίσκος est etiam τεκτονικὸς πρίων, ut HSt. retulit in ᾿Ονίς.]

|| Ὄνος, Fusus, ἐφ' οὗ τὴν κρόκην νήθουσι, Hesych. Pollux 10, c. 28 [§ 125]: Καὶ μὴν καὶ ὄνον, ἐφ' οὗ νῶσι, ἐπίνητρον, ἄτρακτον καὶ σφόνδυλον· 7, c. 10 [§ 32]: ᾿Εφ' οὗ δὲ νήθουσιν ἢ νῶσιν, ἐπίνητρον καλεῖται, καὶ ὄνος. Quibus addit, Λέγοις δ' ἂν ἄτρακτον ἐπιστρέφειν, ἔριον ἕλκειν· quo sensu Plin. dicit Torquere fusos; Ovid., Teretem versabat pollice fusum; Idem, Versato ducentem stamina fuso; Virg., Dum fusis mollia pensa Devolvunt.

|| Ὄνος dicitur etiam Superior molæ lapis, ὁ ἀνώτερος λίθος τοῦ μύλου, Hesych. A Polluce 7, c. 4 [§ 119] vocatur ὄνος ὁ ἀλέθων [et ubi ἀλέτων 10, 112] : a Xen. ὄνος ἀλέτης, Anab. 1, [5, 5] : Οἱ δὲ ἐνοικοῦντες, ὄνους ἀλέτας ὀρύττοντες· ubi ὄνον ἀλέταν appellat, secundum quorundam sententiam, quem Matth. 18, [6] μύλον ὀνικὸν, Molam asinariam, ut Varro De R. R. c. 10 : Molas asinarias unas, et trusatiles unas. Vide et Ὀνεύω. [Aristot. Probl. 35, 3.]

|| Ὄνος est etiam Vasis quoddam genus, appellatum fortassis διὰ τὸ διάπλασμα ἔχειν ὄνου μορφὴν, schol. Aristoph. Vesp. [616] : Κἂν οἶνόν μοι μὴ 'γχῇς σὺ πιεῖν, τὸν ὄνον τόνδ' ἐσκεκόμισμαι Οἴνου μεστόν· de quo mox, ad ὄνον animal alludens, Οὗτος δὲ κεχηνὼς, Βρωμησάμενος, τοῦ σοῦ δίνου μέγα καὶ στράτιον κατέπαρδεν.

|| Ὄνος appellatur etiam Unio in tessera : quæ et μονὰς et κύβος. Pollux 10 [9, 95] de tesseris : Καὶ μάλιστα ἥ τε μονὰς, ἡ αὐτοῖς ὄνος, καλεῖσθαι εἶχε κύβοι. [Nunc restitutum ἥ γε μονὰς ἡ ἐν αὐτοῖς ὄνομα εἶχε κύβος καλεῖσθαι.] Sic quidam acceperunt proverb. illud, Βασιλεὺς ἢ ὄνος, Rex aut asinus : ut simile sit alii proverbio, Ἢ τρὶς ἓξ ἢ τρεῖς κύβοι. Sed rectius intelligitur de illo qui in sphæristerio victus, ὄνος καθῆσθαι dicebatur, ut supra diximus. [Ὄνος ἴχρεως, Prophetis s. Chymicis, Sampsuchum, ap. Interpol. Diosc. c. 452 (3, 41, ubi ὄνος ἱερέως). Ducang.]

[Ὀνόσανδρος. V. Ὀνήσανδρος.]

Ὄνοσις, εως, ἡ, Reprehensio, Vituperium. Eust. p. 733 : Ὄνειδος δὲ καὶ νῦν, ὕβρις, ὄνοσις, ὅ ἐστι μέμψις. Sed videtur fictum ab eo hoc vocab.

[Ὀνοσκελὴς, ὁ, ἡ, Qui asinina habet crura. Lucian. Ver. H. 2, 46. Ibidem quod est θαλαττίους γυναῖκας Ὀνοσκελέας, in aliis libris scriptum Ὀνοσκελίας, quod ad Ὀνοσκελίδας alludit, quo retulit Schneiderus, sed ταῖς Ὀνοσκελέαις redit ib. 47 sine var.]

Ὀνοσκελὶς, ίδος, ἡ, Empusa dicitur, ab asininis cruribus, quæ ei affinguntur. Aristoph. schol. Eccl. [1056], ubi vetula quædam dicit, Ἀλλ' ἔμπουσά τις ἕλκει μ', annotat, ἣν καλοῦμεν νῦν ὀνοσκελίδα· est autem et ipsa dæmonis quoddam genus, ut paulo ante in Ὀνοπόλη [Ὀνόκωλος] videre est. Testatur et Eust. p. 1704, ubi ex gramm. quibusdam hæc affert : Ἔμπουσα, φάσμα δαιμονιῶδες ὑπὸ Ἑκάτης πεμπόμενον, ὅ τινες μὲν ὀνόκωλιν λέγουσιν, οἱ δὲ ὀνόσκελιν· ubi proparoxytonωs scribitur, secus quam ap. alios.

Ὀνόσκελος, ὁ, ἡ, Crura asinina habens. Ὀνόσκελοι, Dæmonum genus, de quo Cæl. Rhod. 2, 6 : Qui vero inaquosa et arida frequentant, corporibus arescentibus, cujusmodi ὀνόσκελοι pernoscuntur, qui sunt asininis cruribus, hi sese mares plurimum exhibent, interdum quoque leonem ac canem induere videntur.

[Ὀνοσκελὼ, οῦς, ἡ, i. q. ὀνοσκελὶς, accus. ὀνοσκελοῦν, Fabric. Cod. Pseud. V. T. p. 1047-8. Struv.]

[Ὀνόσκορδον, τὸ, Allii genus. Demetr. Cpol. Hieracosoph. 1, 89 : Λαβὼν τὸ λεγόμενον ὀνόσκορδον λεῖον ἐν ἰγδίῳ. Ducang.]

Ὄνοσμα, τὸ, Onosma, herba, quæ alio nom. ὀσμὰς dicitur, et φλονῖτις et ὄνωνις, teste Diosc. 3, 147, ubi descriptionem ejus vide. Apud Paul. Ægin. scriptum est ὄνομα et ὀνομὶς, sed perperam; habet enim et Galen. ὄνοσμα, Simpl. medic. l. 8. Itidemque Plin. 27, 12 : Onosma longa folia habet, fere ad tres digitos in terra jacentia, tria, ad similitudinem anchusæ incisa, sine caule, sine flore, sine semine.

[Ὀνοστάσιον, τὸ, Stabulum (asinorum), Gl.]

Ὀνοστὸς, ἡ, ὸν, Reprehensione dignus, Qui vituperari et probro dari potest : Hesych. ὀνοστὰ, ἐκφαυλισμοῦ ἄξια, ψεκτὰ, μεμπτὰ, φαῦλα, εὐτελῆ : respiciens, opinor, ad Hom. Il. I, [164] : Δῶρα μὲν οὐκ ετ' ὀνοστὰ διδοῖ Ἀχιλῆϊ ἄνακτι, Dona quæ carpi et sperni nequeant : ἄμεμπτα. [Lycophr. 1235 : Ὁ Καστνίας γόνος, βουλαῖς ἄριστος, οὐδ' ὀνοστὸς ἐν μάχαις.] || Ὀνοτὸς, i. q. ὀνοστός : Hesychio ὀνοτὸς est non solum ἐπονείδιστος, sed etiam μεμψίμοιρος, πτωχός. [Pind. Isthm. 3, 68 : Ἀλλ' ὀνοτὸς μὲν ἰδέσθαι.] Priori modo accipitur ap. Apoll. Arg. 4, [91] quum feminam quandam dicit Χήτει κηδεμόνων ὀνοτὴν, i. e. μεμπτὴν, schol.; sicut et Suid. : Ὀνοτοὶ, ψεκτοὶ, μεμπτοί. [Callim. Del. 20 : Ἡ δ' ὄπιθεν Φοίνισσα μετ' ἴχνια Κύρνος ὀπηδεῖ οὐχ ὀνοτή. Theognost. Can. p. 95, 13. || Adv. Ὀνοστῶς, Eustath. Il. p. 1101, 2.]

[Ὀνοστύππαξ, ὀνοστύπτα (hoc del.), διὰ μὲν τοῦ ὄνου τὸν μυλῶνα ὀνειδίζων, δια δὲ τοῦ στύπτακος (στύππακος), ὅτι στυππειοπώλης ἦν, Hesychius. Divise Suidas Ὄνος στύππαξ.]

[Ὀνοστῶς. V. Ὀνοστός.]

[Ὀνοσφάγία, ἡ, Asini s. Asinorum immolatio s. sacrificium. Callim. ap. Clem. Al. Protr. 25, 15, et schol. Pind. Pyth. 10, 49 : Τέρπουσιν λιπαραὶ Φοῖβον ὀνοσφαγίαι.]

Ὀνοτάζω, Vitupero, Carpo : Hesych. ὀνοτάζων, ὑβρίζων, ἐκφαυλίζων : et ὀνοτάζειν etiam ὀνειδίζειν : ab Ione vero ὀνοταζομένη usurpari pro πορθουμένη, annotat. Eust. ὀνοτάζων, exp. μεμφόμενος in hoc hemistichio, Σκολιῶς ὀνοτάζων· desumpto ex Hesiodi Op. [p. 256], ubi sic legitur : Καί ῥ' ὁπότ' ἄν τις μιν βλάπτῃ σκολιῶς ὀνοτάζων, Incusans, et probris incessens. [Hom. H. Merc. 29 : Οὐκ ὀνοτάζω. Medio Æsch. Suppl. 10 : Γάμον Αἰγύπτου παίδων ... ὀνοταζόμεναι, Abominantes.]

[Ὀνοτός. V. Ὀνοστός.]

[Ὄνου γνάθος. V. Ὄνος.]

[Ὄνουρις, Onuris. V. Οἰνοθήρας.]

[Ὄνουφις, Taurus Soli sacer, cultus Hermunthi. Ælian. N. A. 12, 11. Verum tauri hujus nomen fuit *Ihruphi*, Bonus genius. Jablonsk. Op. vol. 1, p. 185. Steph. Byz. : Ὄνουφις, πόλις Αἰγύπτου, οὐκ ἄγνωστος. Ὁ πολίτης, Ὀνουφίτης. Hierocl. Synecd. p. 725, ubi v. Wesseling. Hinc Νομὸς Ὀνουφίτης ap. Herodot. 2, 166, de quo l. nonnulla Kocherus monet in Misc. obss. crit. nov. vol. 2, p. 147. Tewater. Ονουφι in numis ap. Mionnet. *Descr.* vol. 6, p. 540, *Suppl.* vol. 9, p. 171. Ap. Dion. Chr. Or. 11, vol. 1, p. 322, libri ἐν τῷ ὄνυχι pro ἐν τῇ Ὀνούφι s. Ὀνούφει.]

[Ὀνουφίτης, V. Ὄνουφις.]

[Ὀνόφας, αντος, ὁ, Onophas, n. pr. ap. Chœrobosc. vol. 1, p. 39, 33.]

Ὀνοφορβὸς, ὁ, Asinorum pastor, Asinarius, ut Cato appellat. [Herodot. 6, 68, 69.]

[Ὀνόφυλλον, τὸ, schol. Nicandri Ther. 628 : Ὄνου πέταλον καλεῖται οἱονεὶ ὀνόφυλλον. Wakef.]

[Ὀνόφυλλος, Anchusa, ap. Interpol. Diosc. c. 605 (4, 23). Ducang.]

Ὀνόχειλος, ὁ, sive Ὀνοχειλὲς, τὸ, Anchusæ altera species. Diosc. 4, 24 : Ἄγχουσα ἑτέρα, ἣν ἔνιοι ἀλκιβιάδειον ἢ ὀνοχειλὲς ἐκάλεσαν· altera autem species dicitur Ὀνόκλεια, de qua cap. præced. : Ἄγχουσα, ἣν ἔνιοι κάλυκα, οἱ δ' ὀνόκλειαν καλοῦσι. Unde Plin. 22, 21 : Est et alia herba, proprio nomine Onochiles, quam aliqui Anchusam vocant, alii Arcebion, alii Onocleam. A Galeno De fac. simpl. med. 5, [6, vol, 13, p. 149, et ibidem sæpius ὀνόκλεια,] nominatur ὀνόχειλος, itidemque ab Aetio 1 et Paulo Ægin. 7. At a Nicandri schol. vocatur Ὀνόχηλον : nam in Ther. [838] : Ὅτ' ἀγχούσης θριδακινίδα [—ήιδα] λάζεο χαίτην, annotat θριδακινίδα vocari, quia folia habet θρίδαξι similia : subjungens, τοῦτο δ' αὐτὸ καὶ ὀνόχηλον λέγεται. Apud Theophr. H. Pl. 7, 10, [3] perperam scribitur Ὀνοκίχλη, Turdaria, Gaza.

[Ὀνόχηλον. V. Ὀνόχειλος.]

Ὀνόχηλος, ὁ, Ungulam s. Pedem asininum habens. Tam infando nomine Jesus Christus dicebatur olim a veræ religionis hostibus, cui asininas aures effingebant, pedemque alterum inungulatum, toga indutum, librumque manibus tenentem pingentes. [Tertullian. Apolog. c. 16 fin. : « Sed nova jam Dei nostri in ista civitate proxime editio publicata est, ex quo quidam ... picturam proposuit cum ejusmodi inscriptione, DEUS CHRISTIANORUM ΟΝΟΚΟΙΤΗΣ. Is erat auribus asininis, altero pede ungulatus, librum gestans et togatus. » Ubi al. onocorsites, ononychites, onochœtes.]

[Ὀνόχωνος, ὁ, Onochonus, fl. Thessaliæ, ap. Herodot. 7, 129, 196, schol. Apoll. Rh. 4, 132.]

Ὀνόω, όσω, i. q. ὄνημι, Vitupero, Probris incesso, ἐκφαυλίζω, vel Reprehendo, Carpo. Sed frequentiori in usu est pass. Ὄνομαι, in activa tamen signif., itidem pro Vitupero, Reprehendo, Carpo, etiam Probris incesso. Hom. Od. Θ, [239] : Ὡς ἂν σὴν ἀρετὴν βροτὸς οὔτις ὄνοιτο. Sic Il. N, [287] : Οὐδέ κεν ἔνθα τεόν γε μένος καὶ χεῖρας ὄνοιτο. In quibus ll. ὄνοιτο accipi etiam queat pro ἐκφαυλίζοι, Ignaviæ arguat, Ignaviam exprobret. Sic et Od. Φ, [427]: Ἔτι μοι μένος ἔμπεδόν ἐστιν, Οὐχ ὥς με μνηστῆρες ἀτιμάζοντες ὄνονται. Nisi malis exponere, Probris, Contumeliis ac convitiis incessunt. Pro Incuso, Vitupero, Vitio verto, Probro do, Exprobro, accipi potest P, [378]: Ἦ ὄνοσαι ὅτι τὸν βίοτον κατέδουσιν ἄνακτος Ἐνθάδ' ἀγειρόμενοι, de mendicis, Eust. μέμφῃ. [Eodem Buttm. in Gr. v. Ὄνομαι retulit Il. Ω, 241: Ἦ οὔνεσθ', ὅτι μοι Κρονίδης Ζεὺς ἄλγε' ἔδωκε, ubi ὀνόσασθ' Aristarchus, οὔνοσθε Buttm., qui huc referendas monuit Hesychii gll.: Οὐλιᾶσθε (οὔνασθε), Οὔνεσθε, Οὔνοσθε, ὄνησίν τινα ἔχετε, κατ' εἰρωνείαν. Herodot. 2, 167: Ἥκιστα δὲ Κορίνθιοι ὄνονται τοὺς χειροτέχνας.] Fut. ὀνόσομαι, unde aor. 1 ὠνοσάμην, Il. I, [55]: Οὔτις τοι τὸν μῦθον ὀνόσσεται, Nemo tua verba carpet. Ξ, [95], P, [173]: Νῦν δέ σευ ὠνοσάμην πάγχυ φρένας οἷον ἔειπας, Nequaquam laudo. N, [127]: Ἃς οὔτ' ἄν κεν Ἄρης ὀνόσαιτο μετελθὼν, Οὔτε κ' Ἀθηναίη λαοσσόος· pro quo dicit P, [399]: Οὐδέ κ' Ἄρης λαοσσόος οὐδὲ κ' Ἀθήνη Τόν γε ἰδοῦσ' ὀνόσαιτ', Reprehendere et carpere queat. [A, 439: Οὐκ ἄν τίς τοι πομπὸν ὀνοσσάμενος μαχέσαιτο. Et Apoll. Rh. 1, 205: Ἀτὰρ δέμας οὔ κέ τις ἔτλη ἠνορέην τ' ὀνόσασθαι· 867: Ἠὲ γάμων ἐπιδευέες ἐνθάδ' ἔβημεν κεῖθεν ὀνοσσάμενοι πολιήτιδας; 830: Οὐδέ τί σ' οἴω γαῖαν ὀνόσσεσθαι. Theocr. 26, 38: Μηδεὶς τὰ θεῶν ὀνόσαιτο. Antip. Sid. Anth. Pal. 7, 398, 1: Οὐκ οἶδ' εἰ Διόνυσον ὀνόσσομαι, eodemque tempore Dionys. Per. 839, et aor. 994. Cum gen. Hom. Od. E, 379: Ἀλλ' οὐδ' ὥς σε ἔολπα ὀνόσσεσθαι κακότητος. Quocum jungit etiam, sed confundens cum ὤνατο, ut sit Frui, Dioscor. Anth. Pal. 7, 484, 1: Πέντε κόρας καὶ πέντε Βιῶ Διδύμωνι τεκοῦσα ἄρσενας, οὐδὲ μιᾶς οὐδ' ἑνὸς ὠνόσατο. Cui ὠνάσατο substituerunt edd., quod non videtur græcum. De forma aor. ὠνάμην v. in Ὄνημι.]

[Ὀντοποιέω, Ens vel essentiam efficio. Damasc. De princip. p. 180. Osann.]

[Ὀντότης, ητος, ἡ, Essentia. Maximus Conf. vol. 2, p. 3, A; 102, A, B, et alii recentiorum. L. D. Theodor. Metoch. p. 53. Cramer. Theod. Prodr. in Anecd. meis vol. 4, p. 440, v. Boiss. Ὀντότης, ἀπὸ ὄντος, Existentia. Alex. Aphrod. Ms. ap. Kopp. ad Damasc. De princip. p. 4. Osann.]

Ὄντως, adv. pro Vere, Revera. [Sane, Plane, Profecto, Certo, add. Gl. Rarius in antiquiori poesi usurpavit primus Eur. Ion. 222: Ἆρ' ὄντως μέσον ὀμφαλὸν γᾶς Φοίβου κατέχει δόμος; fr. Archel. ap. Stob. Fl. 95, 4: Μισῶ γὰρ ὄντως, οἵτινες φρονοῦσι μὲν κτλ. Aristoph. nonnisi semel in fr. ap. Athen. 14, p. 652, F: Ὄντως γὰρ κατὰ τὸν Ἀριστοφάνην Οὐδὲν γὰρ ὄντως γλυκύτερον τῶν ἰσχάδων. Nec ceteri sæpe, ut Callim. Ep. 53, 1: Τῆς Ἀγοράνακτός με λέγε, ξένε, κωμικὸν ὄντως ἀγκεῖσθαι νίκης μάρτυρα. Frequentius in prosa, ut ap. Xen. Conv. 9, 5: Ὁρῶντες ὄντως καλὸν κτλ. Hipparch. 5, 9: Ὄντως γὰρ οὐδὲν κερδαλεώτερον ἀπάτης· H. Gr. 3, 4, 17: Ὥστε τὴν πόλιν ὄντως οἴεσθαι πολέμου ἐργαστήριον εἶναι. Eidem Conv. 4, 8: Ὄψον μὲν γὰρ δὴ ὄντως ἔοικεν εἶναι, ὡς κρόμυον γε οὐ μόνον σῖτον, ἀλλὰ καὶ ποτὸν ἡδύνει, pro οὕτως restituit Wyttenb., qui de usu hujus et synonymi τῷ ὄντι in dictis aliorum, ut hic Homerico ἐπὶ δὲ κρόμυον ποτῷ ὄψον, ad rem præsentem transferendis monuit ad Plutarch. Mor. p. 692.] Plato [Soph. p. 263, D: Ὄντως δὲ καὶ ἀληθῶς γίγνεσθαι λόγος ψευδής· Phædr. p. 260, A: Τὰ ὄντως ἀγαθά· Leg. 10, p. 894, C: Καλουμένην ὄντως τῶν ὄντων πάντων μεταβολὴν καὶ κίνησιν. Ib. 2, p. 655, E: Οὐχ ὡς ἔπος εἰπεῖν μυριοστὸν, ἀλλ' ὄντως. Cum partic. ὢν Soph. p. 266, E: Εἰ τὸ ψεῦδος ὄντως ὂν ψεῦδος φανείη πεφυκός· Phædr. p. 247, C: Ἡ οὐσία ὄντως οὖσα ψυχῆς· Reip. 10, p. 597, D: Βουλόμενος εἶναι ὄντως κλίνης ποιητὴς ὄντως οὔσης· vel verbo Phil. p. 32, D: Εἴπερ ὄντως ἔστι τὸ λεγόμενον·] De rep. 1, [p. 347, D]: Ὁ τῷ ὄντι ἀληθινὸς ἄρχων· Tim. [p. 28, A]: Ὄντως δὲ οὐδέποτε ὄν, quod Cic. interpretatur, Nec unquam esse vere potest. Dicitur et ὄντως που, quod exp. etiam Nimirum, Utique.

[Ὄντωσις, εως, ἡ, Zonaræ p. 1453, ἡ αὔξησις, quod convenire videtur potius voc. ὄνησις.]

[Ὄνυμα, Ὀνυμάζω, Ὀνυμαίνω. V. Ὀνομ—.]

[Ὀνυμέω, i. q. ὀνομάζω. Incertus auctor ap. Lucian. De conscr. hist. c. 18: Ἦν Ὀσρόης, τὸν οἱ Ἕλληνες

A Ὀξυρόην ὀνυμέουσι. Elberling. Notat autem Lucianus ineptum Herodoti imitatorem, qui hujusmodi formam finxit neque Ionicam neque Græcam.]

Ὄνυξ, ὔχος, ὁ, Unguis, [Unx, add. Gl.]: sin quadrupedibus et μώνυξι tribuatur, Unguem vel Ungulam interpretaberis, imitando Colum., qui de bobus ait, Si sanguis in inferiore parte ungulæ est, extrema pars ipsius unguis ad vivum resecatur. Hesiod. Sc. [266] de Clothone et Lachesi: Μακροὶ δ' ὄνυχες χείρεσσιν ὑπῆσαν. [Ib. 263: Ἐν δ' ὄνυχας χεῖράς τε θρασείας ἰσώσαντο· 254: Ἀμφὶ μὲν αὐτῷ (Κὴρ) βάλλ' ὄνυχας μεγάλους. Æsch. Cho. 25: Πρέπει παρῇς φοινίοις ἀμυγμοῖς ὄνυχος ἄλοκι νεοτόμῳ. Soph. Aj. 310: Κόμην ἀπρὶξ ὄνυξι συλλαβὼν χερί. Eur. Hec. 656: Δίαιμον ὄνυχα τιθεμένα σπαραγμοῖς· Or. 961: Τιθεῖσα λευκὸν ὄνυχα διὰ παρηΐδων· Suppl. 76: Διὰ παρῇδος ὄνυχα λευκὸν αἱματοῦτε· Hel. 373: Ὄνυχι δ' ἁπαλόχροα γένυν ἔδευσε φονίαισι πλαγαῖς· 1089: Παρῇδί τ' ὄνυχα φόνιον ἐμβαλῶ χροός· El. 147: Κατὰ μὲν φίλαν ὄνυχι τεμνομένα δέραν· Andr. 826: Ὀνύχων δάϊ' ἀμύγματα θήσομαι· Suppl.

B 826: Κατὰ μὲν ὄνυξιν ἠλοκίσμεθα· Tro. 280: Ἕλκ' ὀνύχεσσι δίπτυχον παρειάν. Aristoph. Av. 8: Ἐμὲ τὸν δύσμορον ἀποσποδῆσαι τοὺς ὄνυχας τῶν δακτύλων· Eq. 708: Ἐξαρπάσομαί σου τοῖς ὄνυξι τἄντερα· Vesp. 108: Ὑπὸ τοῖς ὄνυξι κηρὸν ἀναπεπλασμένος. Epigr. Anth. Plan. 266, 1: Τάκεο δυστάνων ὀνύχων ἄπο παμφάγε Μῶμε. Ib. 54, 2: Ἐπ' ἀκροτάτῳ πνεύματι θεὶς ὄνυχα. Herodot. 4, 64: Τὰς δεξιὰς χέρας ἀποδείραντες αὐτοῖσι ὄνυξι.] Aristot.: Τῷ ἀλὶ δαψιλεστέρῳ χρησαμένων οὐκ ἔχοντα γίνεται τὰ παιδία ὄνυχας. Quæ ita Plin., Salsioribus cibis usæ carentem unguiculis partum edunt. Athen. 12, [p. 541, D]: Κεντοῦντες ὑπὸ τοὺς τῶν χειρῶν ὄνυχας βελόναις, ἀνεῖλον αὐτάς· 8: Ἐπ' ἄκρων ἐβάδιζε τῶν ὀνύχων, quod et ἐπ' ἄκρων δακτύλων dicitur. [Eur. El. 840: Ὄνυχας ἐπ' ἄκρους στάς· Cycl. 159: Ὥστ' εἰς ἄκρους γε τοὺς ὄνυχας ἀφίκετο (vinum). Philipp. Anth. Pal. 9, 709, 4: Ἐκ κορυφῆς ἐς ἄκρους ὄνυχας· Rhian. ib. 12, 93, 10: Ἐς νεάτους ἐκ κορυφῆς ὄνυχας· Rufinus ibid. 5, 14, 4: Τὴν ψυχὴν ἐξ ὀνύχων ἀνάγει. « Ἐπ' ὀνύχων ἵστασθαι, Hesych. in Ὀρχύπτειν. » Hemst.] Ceteris etiam animantibus

C tribuuntur, ut volucribus et quadrupedibus. [Hom. Il. Θ, 248: Αἰετὸν νεβρὸν ἔχοντ' ὀνύχεσσι· et alibi. Eur. El. 471: Σφίγγες ὄνυξιν ἄγραν φέρουσαι. Aristoph. Av. 1180: Χωρεῖ δὲ πᾶς τις ὄνυχας ἠγκυλωμένος, de avibus.] Hesiod. Op. [202] de accipitre: Ὀνύχεσσι μεμαρπὼς, ut Ovid. de corvo, Nigris rapit unguibus hydrum. Et mox [203], Γναμπτοῖσι πεπαρμένη ἀμφ' ὀνύχεσσι· ut Lucr., Uncis unguibus timendæ volucres; Horat., Curvi ungues; Stat., Recurvi ungues. Et Plut. Symp. 2, [p. 641, D]: Γρυπότης τῶν ὀνύχων. [Ὄνυχες γρυποὶ Aret. p. 11, 20; 36, 49. Πελιδνοὶ id. p. 17, 49. Λεπροὶ ap. Hippocr. p. 426, 36.] De quadrupedibus ap. [Hesiod. Sc. 427: Λέων ῥινὸν κρατεροῖς ὀνύχεσσι σχίσσας· Pind. Nem. 4, 63: Λεόντων ὄνυχας ὀξυτάτους. Asclepiad. Anth. Pal. 9, 64, 6: Κρήνας Ἑλικωνίδος ἔνθεον ὕδωρ, τὸ πτανοῦ πώλου πρόσθεν ἔκοψεν ὄνυξ. Et de ungulis equi etiam Xenoph. Eq. 1, 3.] Lucian. [D. mort. 11, 4]: Ὀδοῦσι καὶ ὄνυξι καὶ πάσῃ μηχανῇ· quod Cic., Toto corpore, atque omnibus ungulis, ut dicunt. At in proverbio, Ἐξ ὀνύχων τὸν λέοντα, Ex unguibus leonem:

D de quo Erasmus. Sunt et alia proverbialia loquendi genera utrique linguæ communia. Plut. [Mor. p. 128, E]: Ἡ ἀκριβὴς σφόδρα καὶ δι' ὄνυχος λεγομένη δίαιτα· ut ap. Horat., Perfectum carmen decies castigatum ad unguem; et, Homo ad unguem factus. Idem alibi, Ἡ ἀκριβὴς καὶ δι' ὄνυχος λεγομένη συζήτησις. Et alibi, Δι' ὄνυχος ἀκριβοῦν, Ad unguem exigere. Id. Mor. p. 86, A: Τὸν Πολύκλειτον οἴομεθα λέγειν ὡς ἔστι χαλεπώτατον αὐτῶν τὸ ἔργον, οἷς ἂν εἰς ὄνυχα ὁ πηλὸς ἀφίκηται. Dionys. Hal. vol. 6, p. 994, 6: Τὸν Λυσιακὸν χαρακτῆρα ἐκμέμακται εἰς ὄνυχα.] Item ἐξ ὀνύχων, quod Latini A teneris unguiculis, et Horat., De tenero ungue. Greg. Naz.: Ἐξ ὀνύχων καθιερωθήτω τῷ πνεύματι, A teneris unguiculis consecretur spiritui. Ἐξ ἁπαλῶν ὀνύχων, A teneris unguiculis, p. 180 mei Lex. Cic. [V. supra. Automedon Anth. Pal. 5, 129, 2. Plut. De lib. educ. p. 3, C.] || Ὄνυξ ad alia quoque transfertur: ut σιδηροῖ ὄνυχες ap. scriptores rei rusticæ, quos Columella Ferreos ungues appellat. Exemplum ex Theophr. [H. Pl. 4, 2, 1, et ib. 9, 6, 2] cum Plinii interpretatione habes in Ἐπιχνίζω. [Diosc. 1, 18 init.: Ἐντεμνομένου σιδηροῖς ὄνυξι τοῦ δένδρου.] Et ξύλινοι ὄνυχες ap. Herodot. [7, 36]: Ὄνυξι ξυλίνοισι τὰ ὅπλα στρεβλοῦντες, ubi interpretari queas Uncis. [At ὄνοισι, pro olim vulgato ὄνυξι, recte jam pridem ibi e melioribus codd. editur. Schweigh.] Nam ὄνυξ pro Unco quoque s. Uncino sumitur: ut ap. Hippocr. De superf. [p. 261, C: Ἔχειν δὲ χρὴ πρὸς τὰ τοιαῦτα καὶ ὄνυχα ἐπὶ δακτύλῳ τῷ μεγάλῳ,] ὄνυξ dicitur Uncus quo fœtus mortuus extrahitur, alio nomine ἑλκυστὴρ et ἐμβρυουλκὸς appellatus, et ἐμβρυοθλάστης: quia sua curvitate ad volucrium aduncos et recurvos accedit ungues. Itidem ἀγκύρας ὄνυξ dicitur Anchoræ uncinus. Plut. De virtt. mul. p. 441 meæ ed. [p. 247, E]: Κατέμαθε τῇ ἀγκύρᾳ τὸν ὄνυχα μὴ προσόντα. [Philo Belop. p. 66, C: Πήγνυται δὲ καὶ χρυπτοῖς πελεκίνοις, ὥστε τὰς ἐκτὸς γωνίας ἐπ' ὄνυχος συμβεβλημένας ἔχῃ, cui Schneider. confert, quod Galenus vol. 4, p. 11, dicat σύμπηξιν εἰς ὄνυχα, Celsus 8, 1, In unguem committere, Vitruv. 4, 6, In ungue conjungere, de ossium in calvaria commissura.] || Ὄνυξ est etiam βασανιστήριον ὄργανον, ap. Synes. p. 21, et Theodor. H. E. p. 32. Bud. Possumus autem fortassis et in ll. illis nomine Uncus interpretari, quum ex Cic. atque aliis discamus uncis usos esse antiquos et ad maleficiorum pœnas. [Alia exx. v. ap. Has. *Notices et Extr.* vol. 9, p. 188.] || Tribuuntur et rosis ὄνυχες. Diosc. 1, 131: Χυλίζειν δὲ δεῖ τὰ ἁπαλὰ, ἀποψαλίσαντας τὸν ὄνυχα καλούμενον, ὅπερ ἐστὶ τὸ λευκὸν τὸ ἐν τῷ φύλλῳ. Plin. 21, 18, de rosa: Usus ejus dividitur in folia et flores. Capita foliorum partesque candidæ, Ungues vocantur. Unde ὠνυχισμένα ῥόδα, Rosæ quibus unguis exemptus est. Apud eund. Diosc. ὄνυχες σκορόδων redditur Segmenta alliorum: ab aliis Alliorum capita et nuclei, qui synonymum esse volunt vocabulis ἄγλιθες et σκελλίδες. [V. Cornar. ad Galen. C. M. s. LL. p. 546. Angl.] || Cordis quoque pars quædam ὄνυξ dicitur. Nicandri schol. [Th. 559]: Τράπεζα καὶ πύλη, μέρη τινά εἰσιν ἐξημμένα τοῦ ἥπατος, ὥσπερ καὶ ὄνυξ καὶ μάχαιρα καὶ κάνεον. Meminit et Ruf. Ephes. [De partt. corp. p. 39 Cl.]: Πύλη δὲ ἥπατος, ἡ φλὲψ δι' ἧς ἡ τροφὴ εἰσέρχεται· ἃ δὲ ἐν ἱεροσκοπίᾳ πύλας καὶ τράπεζαν καὶ μάχαιραν καὶ ὄνυχα καλοῦσιν, ἔστι μὲν καὶ ἐν ἀνθρώπῳ, ἀσαφῆ δὲ καὶ οὐκ εὔδηλα. || Item ὄνυξ in oculo dicitur, Quum tunica cornea cernitur purulenta, idque nunc profunde, nunc in superficie, ut pus figura unguem repræsentet. Hæc Actuarius tradit, et Paul. Ægin. iisd. verbis, 3, 22: Ὑπόπυος ὁ κερατοειδὴς ἐνίοτε γίνεται, ποτὲ μὲν διὰ τοῦ βάθους, ποτὲ δὲ δι' ἐπιπολῆς, ὄνυχι προσεοικότος τοῦ πύου κατὰ τὸ σχῆμα· διὸ καὶ τὸ πάθος ὄνυχα προσαγορεύουσι. [Et similibus auctor Definitt. med. p. 400, 1. Aureliano 2, 32 dicitur in oculi circulo nata macula albida, quæ in unguis similitudinem nascentis vel crescentis lunæ cornibus respondens, paulatim sumit augmentum. Ex Foes. OEcon.] || Ὄνυξ est et Gemmæ nomen. Plin. 37, 6: Exponenda est et onychis ipsius natura, propter nominis societatem: hoc in gemmam transiit ex lapide Carmaniæ. Sudines dicit in gemma esse candorem unguis humani similitudine: item chrysolithi colorem, et Sardæ et Jaspidis. Zenothemis Indicam onychem plures habere varietates, igneam, nigram, corneam, cingentibus candidis venis, oculi modo, intervenientibus quarundam oculis obliquis venis. Alia vide ibid. Ab eod. Plin. 36, 7, Onyx inter marmora numeratur: qui lapis alio nomine ὀνυχίτης dicitur et ἀλαβαστρίτης, ut ex Diosc. discimus, 5, 153, ubi ait λίθος ἀλαβαστρίτης, ὁ καλούμενος ὄνυξ. Onychem, inquit Plin. l. c., etiam tum in Arabiæ montibus, nec usquam aliubi, nasci putavere nostri veteres: Sudines in Germania: potoriis primum vasis inde factis, dein pedibus lectorum sellisque. Sed et Pocula ex ejusmodi lapide facta ὄνυχες dicebantur: quamvis Pamphilus in Vocabulis Atticis ὄνυχα exp. τὸ ξύλινον ποτήριον Παναθηναϊκὸν, Athen. 11, [p. 494, F]. Ita vero nominari Vasa quædam potoria patet ex Posidonio Philosopho, qui l. 6 Historiarum ita scribit [ib. p. 495, A]: Ἦσαν δὲ καὶ ὀνύχινοι σκύφοι, καὶ συνδέσεις τούτων, μέχρι δικοτύλων, καὶ Παναθηναϊκὰ μέγιστα. Onycha Propert. [3, 18, 22] pro Alabastro usurpavit, Et crocino nares murrheus ungat onyx; Horat. itidem [Od. 4, 12, 17] pro

A Alabastro s. Pixide unguentaria ex onychite lapide: Nardi parvus onyx; sicut rursum Propert. [2, 10, 30]: Quum dabitur Syrio munere plenus onyx. Et Martial. [7, 93, 1]: Unguentum fuerat, quod onyx modo parva gerebat. Ubi nota utrumque genus. Alii autem eo in l. malunt accipere pro Vasculo unguentario ex concha onychis ostrei, quippe quæ nardi odore jam penitus imbuta sit. || Nam ὄνυξ est præterea Operculum conchylii, purpuræ operculo simile, quod reperitur in Indiæ paludibus iis quæ nardum ferunt: itaque et odores suavissimos afflat, quoniam conchylia nardo vescuntur; sic enim Diosc. 2, 10: Ἔστι πῶμα κογχυλίου, ὅμοιον τῷ τῆς πορφύρας, εὑρισκόμενον ἐν τῇ Ἰνδίᾳ, ἐν ταῖς ναρδοφόροις λίμναις· διὸ καὶ ἀρωματίζει νεμομένων τῶν κογχυλίων τὴν νάρδον. Quidam unguem aromaticum vocant, pharmacopœi Blattas Byzantias: unde Blatteus color ap. Vopiscum, qui et Onychinus: quo sensu Onychina pruna dixit Colum. [12, 10, 2] et Onychina pyra, Plin. 15, 15. Ὄνυξ, inquit Gorr., Unguis odoratus. Est Testa, ut scribit Paul. Ægin.,
B conchylii Indici, nardum redolens, quod ejus fruticem in India pascatur. Nec vero Testa tantum ea ὄνυξ vocatur, sed etiam ipsum Ostreum. [Diphil. Siphn. ap.] Athen. 3, [p. 90, D] de ostreis: Οἱ δὲ σωλῆνες μὲν πρός τινων καλούμενοι, πρός τινων δὲ καὶ αὐλοὶ καὶ δόνακες καὶ ὄνυχες, πολύχυλοι καὶ κακόχυλοι, κολλώδεις. Ubi nota hæc quatuor esse synonyma, sicut et ap. Plin. sub fin. libri 32: Strombus, solen, s. αὐλὸς, s. donax, s. onyx, s. dactylus. Sed ab eod. Plin. Onyx in præcedenti etiam signif. pro Ostracio ponitur, ut c. 10 ejusd. libri: Invenio apud quosdam Ostracium vocari, quod aliqui Onychem vocant: hoc suffitum vulvæ pœnis mire resistere: odorem esse castorei, meliusque cum eo ustum proficere. || Ὄνυξ a nonnullis appellatur Frutex quidam parvus, alio nomine ἀστράγαλος dictus. In Appendice Diosc. 4, 62: Ἀτράγαλος· οἱ δὲ, χαμαισύκη, οἱ δὲ, ὄνυξ· θαμνίσκος ἐστὶ μικρὸς ἐπὶ γῆς.
[Ὄνυξ μυὸς, Prophetis seu chymicis Polygonum
C mas ap. Interpol. Diosc. c. 586 (4, 4) et Apul. c. 18. Ὄνυξ ἴβεως, iisdem Quinquefolium c. 624 (4, 42) et ap. Apulejum c. 2. Ducang.]

Ὀνυρίζεται, Hesych. ὀδύρεται: quod et μινυρίζεται.

[Ὄνυσος, ὁ, fl. sec. Theognost. Can. p. 73, 25, inter nomina in υσος. L. Dind.]

[Ὀνυστήριον. V. Ὀνυχιστήριον.]

[Ὀνυχέα, ἡ, Affectio vel Læsio unguium. In Orneosophio caput est quod sit inscribitur: Περὶ πληγῆς ὀρνέου, ὅταν ἔχει μιτέαν ἢ ὀνυχέαν. Ducang.]

[Ὀνυχιαῖος, α, ον, ap. Eustath. Epist. ante Comment. in Dionys. Per. p. 73, 31: Ὀνυχιαίῳ που τάχα τινὶ διαστήματι γῆν ἀπείρονα περικλείσαντες, Unguis spatio.]

Ὀνυχίζω, Ungues [demo, Gl.] præcido, reseco [Gl. Etym. M. p. 127, 41: Μὴ ὀνυχίσῃς ξηρὸν ὄνυχα], Artemid. Ὀνειροκρ. 16. [V. in medio. || Ungulam divido, diffindo. Levit. 11, 3: Πᾶν κτῆνος διχηλοῦν ὁπλὴν καὶ ὀνυχιστῆρας ὀνυχίζον δύο χηλῶν· 26, Deut. 14, 6, 7, 8. Lev. 11, 7: Ὀνυχίζει ὄνυχας ὁπλῆς. Ὀνυχίζω, Ungues facio, Gl.] Rosas quoque ὀνυχίζειν dicimur, quum unguem eis eximimus, i. e. imas foliorum partes,
D colore candido, quibus in capite suo hærent et pendent: ideo in medicina damnatas, quod nulla solis coctura coloratæ odoratæque inutili humore abundent. VV. LL. Diosc. 1, 54: Νεαρὰ ὀνυχίζων πρόσβαλε ῥόδα, Recentes rosas detractis unguibus adjice. Et in pass. ap. Eund. et ap. Paul. Ægin. ὀνυχισμένα [ὠν.] ῥόδα, Rosæ quarum unguis recisus est. De his autem unguibus ex eod. Diosc. et Plin. in Ὄνυξ scripsi. Apud Polluc. [2, 146] habetur etiam Ὀνυχίσασθαι, active itidem pro ἀφαιρεῖσθαι τοὺς ὄνυχας τῶν δακτύλων: pro quo utendum potius ait composito ἀπονυχίσασθαι: verba ejus in Ἀπονυχίζω retuli. [V. infra citanda verba Phrynichi. Iambl. Protr. c. 27: Παρὰ θυσίᾳ μὴ ὀνυχίζου· Vit. Pyth. c. 154: Ἐν ἑορτῇ μὴ ὀνυχίζεσθαι. Sam. 2, 19, 24: Οὐκ ἐθεράπευσε τοὺς πόδας αὐτοῦ οὐδὲ ὠνυχίσατο. Gl.: Ὀνυχίζομαι, Ungues demo. Athanas. vol. 2, p. 9, addit Hœschel. ad Phryn. mox cit. Artemid. 1, 22, p. 36: Τὸ ὀνυχίζεσθαι ... σημαίνει ... βλάβος ὑπὸ τῶν ὀνυχισάντων· ... καὶ γὰρ ὀνυχίζεσθαί φαμεν τὸν ἐπὶ βλάβῃ ὑπό τινος ἐξαπατηθέντα.] Ὀνυχίζω exp. etiam

Ungue noto, ut ii faciunt, qui memoriæ consulunt. [Thomas p. 651, post verba ex Phrynicho mox citanda τίθεται ἐπὶ τοῦ addit πρὸς μνήμην διανίστασθαι ἤ, quæ ad hanc fortasse signif. referuntur.] || Ad unguem exigo, Exacte subtiliterque expendo, λεπτολογῶ, quo sensu et comp. ἐξονυχίζω usurpatur. Sic Phrynich. [Epit. p. 289]: Ὀνυχίζειν καὶ ἐξονυχίζειν τίθεται ἐπὶ τοῦ ἀκριβολογεῖσθαι· τὸ δ' Ἀπονυχίζειν, τὸ τὰς αὐξήσεις τῶν ὀνύχων ἀφαιρεῖν σημαίνει. Et mox addit, [Ἐπειδὴ ὁ πολὺς συρφετὸς λέγουσιν ὀνύχισόν με καὶ ὠνυχισάμην, διὰ τοῦτο ... φαμεν, ὅτι] εἰ μὲν ἐπὶ τοῦ τοὺς ὄνυχας ἀφαιρεῖν τίθησί τις, χρήσαιτο ἂν τῷ Ἀπονυχίζειν· ἐπὶ δὲ τοῦ ἀκριβολογεῖσθαι καὶ ἐξετάζειν ἀκριβῶς, τῷ Ὀνυχίζειν χρήσαιτο ἄν. [Similia p. 13, 16 Bekk. Ubi tamen addit: Κρατῖνος μέντοι τὸ ὠνυχισμένον ἐπὶ τοῦ τετμημένου τοὺς ὄνυχας τέθεικεν, et p. 74, 2 : Ὠνυχισμένος, ἐπὶ τοῦ τετμημένου ὑπὸ λύπης.] Sic ap. Hesych. : Ὀνυχιεῖ, ἐπιμελῶς ἐξετάσει. Exemplum habes in Ἐξονυχίζειν, quod Athen. usurpavit pro Cavillabunde et sophistice disserere, Ad unguem exigere et exquirere, Bud. [Artemid. 4, proœm. p. 306 fin. : Ἐπιζητούμενα ὑπὸ τῶν ὀνυχιζόντων πάντα καὶ μηδὲν ἀβασάνιστον πειρωμένων εὑρίσκειν. Clemens Al. Strom. 3, p. 529, 11 : Ἐπὶ πλεῖον ὀνυχίζοντες τὸν τόπον. De medio Photius s. Suidas: Ὀνυχίζεται, ἀκριβολογεῖται· οὕτως Ἀριστοφάνης.]

[Ὀνυχιμαῖος, α, ον. Phrynichus Bekkeri p. 53, 14 : Ὀνυχιμαῖα τέμνειν, ἀντὶ τοῦ μικρά.]

[Ὀνυχίνη, ἡ. Etym. M. : Ἐλεφαντίνη, ἡ Αἰγυπτία, καί φησιν Ἀπίων ὅτι Ὀνυχίνην χρὴ λέγειν, ὅτι καθάπερ ὄνυξ ἀφαιρεθεὶς ἐπιβλαστάνει διώκων αὐξήσειν τὴν ἀφαίρεσιν, οὕτως ὁ Νεῖλος... ἐπαναχεῖται καθ' ἕκαστον ἔτος κτλ.]

Ὀνύχῖνος, η, ον, Onychinus : ὀν. μύρον, ap. Dioscor. 1, Unguentum onychinum, ex onychis ostrei adipe, qui pro oleo in usu olim fuit, Marcell. || Colorem onychis conchylii referens : qui color Blatteus etiam appellatur, quemadmodum in Ὄνυξ quoque dictum fuit : ut Onychina pruna ap. Colum., et Onychina pyra ap. Plin. 15, 15, ubi ait, Signina, quæ alii a colore Testacea appellant, sicut Onychina, purpurea. [Plut. Antonio c. 58, δελτάριον. Arrian. p. 169 ed. Blanc. : Ὀνυχίνη λιθεία καὶ μουρρίνη. Ap. Suidam pro Ὀνύχινος εἶδος λίθου καὶ ὀνυχίτης, liber optimus Ὀνύχιος. L. Dind.]

Ὀνύχιον, τὸ, Unguiculus. [Aristot. H. A. 2, 11 : Ἔχει δὲ καὶ ὀνύχια ... ὅμοια τοῖς τῶν γαμψωνύχων. Ὀνύχια, Unguella, Gl. Et Ὀνύχιον, Ungula, Unguella, Unguicula.] Citatur etiam pro Onychites lapis, ex Exodo 28, [20. Theophr. fr. De lapid. 2, 31 : Τὸ ὀνύχιον μικτὴ λευκῷ καὶ φαιῷ παρ' ἄλληλα. Georg. Hamart. Cram. An. vol. 4, p. 229, 4 : Ὀνύχιον καὶ βηρύλλιον. Memorat voc. etiam Theognost. Can. p. 126, 22.]

[Ὀνύχιον, τὸ, Onychium. Τόπος Κρήτης ἀπὸ ὄνυχος ἀγκύρας, ἐνσχεθείσης ἐν αὐτῷ τῶν Ἀμυκλαίων ἀποικησάντων, Steph. Byz.]

[Ὀνύχιος. V. Ὀνύχινος.]

[Ὀνυχισμὸς, ὁ, Unguium curatio. Strabo 17, p. 828. Wakef.]

[Ὀνυχιστὴρ, ῆρος, ὁ, Unguis. LXX Deut. 14, 6, 7, 8; Lev. 11, 3, 26.]

[Ὀνυχιστήριον, τὸ, Unguicularium, Gl.] Ὀνυστήρια λεπτὰ ex Posidippo comico affert Pollux 10, c. 31 [§ 140], in sermone de Instrumentis Tonsoris. Sed forsan scr. Ὀνυχιστήρια, et intelligendi Cultri ad recisionem unguium apti. Alii interpr. Parvi onyches; sed viderint.

Ὀνυχίτης, ὁ, ut ὀνυχίτης λίθος, Lapis onychites, qui et Onyx et Alabastrites, ut ex Diosc. docui in Ὄνυξ : est autem Marmoris quoddam genus. Fem. Ὀνυχῖτις, ut ὀν. καδμεία, Onychitis cadmia, dicta a similitudine venarum onychis lapidis : de qua ita ap. Diosc. 5, 84 : Ἡ ἔξωθεν μὲν κυανίζουσα, ἔνδοθεν δὲ λευκοτέρα, διαφύσεις ἔχουσα ἐμφερεῖς ὀνυχίτῃ λίθῳ. Plin. 34, 10 : Onychitis, extra pæne cærulea, intus onychis maculis similis. [Appian. Mithr. 95 : Δισχίλια ἐκπώματα λίθου τῆς ὀνυχίτιδος λεγομένης. Wakef.]

[Ὀνῠχογραφέω, Unguibus scalpo. Hippocr. p. 1190, D : Ῥὶς ὀνυχογραφηθεῖσα.]

Ὀνυχοειδὴς, ὁ, ἡ, Unguium speciem præbens. [Diosc. 1, 77, διαφύσεις.]

[Ὄνυχος, Onix, Gl. V. Ὄνυξ.]

A [Ὀνυχόω, Unguis ad speciem fingo. Oribas. p. 94, 16 ed. Cocch. : Τοῦ ἑτέρου ἐκκοπέως ἡ ἀκμὴ ἐντιθέσθω εἰς τὸ πρῶτον τρῆμα, ἧς τὸ μὲν ὀλίγον μέρος ἔστω πρὸς ὑγιὲς ὀστέον τεταγμένον, τὸ δὲ ὀνυχωμένον πρὸς τὸ παρὰ φύσιν. Scr. ὠνυχ.]

[Ὀνυχώδης, ὁ, ἡ, i. q. ὀνυχοειδής. Nilus Epist. 207. Boiss.]

Ὀνώδης, ὁ, ἡ, Asininus, Qui asinini generis est. Aristot. Physiogn. [p. 138] : Οἱ τὰ ὦτα μικρὰ ἔχοντες, πιθηκώδεις, οἱ δὲ μεγάλα, ὀνώδεις, Ad naturam asininam proclives, Bud. Et ap. Plut. [Mor. p. 525, E] : Ὀν. καὶ μυρμηκώδης φιλοπλουτία. [Οἱ ὀνώδεις τε καὶ καμηλώδεις ἄνθρωποι τὴν ψυχὴν καὶ τὸ σῶμα, Galen. vol. 6, p. 373, F. Ὀνώδης καὶ παχὺς τὴν ψυχὴν vol. 10, p. 489, D. Hemst. Cum νωθὴς permutatur ap. Harpocr. v. Κηφισόδωρος.]

[Ὀνώνης, ὁ, Vonones, n. regis in numis, de quibus v. Rochett. *Journ. des Sav.* 1836, p. 137 sq. Alibi Βονώνης. L. Dind.]

Ὄνωνις, ιδος, ἡ, Ononis : a Theophr. numeratur B inter ea, quæ παρὰ τὴν ἄκανθαν ἕτερον ἔχουσι φύλλον, H. Pl. 6, 1, [3]. Unde Plin. 21, 15 : Aliqua et secundum spinam habent folium, ut tribulus et ononis. Et cap. seq. itidem in spinosorum genere numerat ononin, dicens in ramis spinas habere, apposito folio rutæ simili, toto caule foliatam in modum coronæ : esse vivacem præcipue, et aratro inimicam; sequi enim a frugibus. Merito igitur τρηχεῖαν ὄνωνιν dixit quidam [ap. Plut. Mor. p. 44, E]. Diosc. [3, 21] ἄνωνιν vocat. [Vide Theophr. 6, 5, 3, et var. lectt. Aristoph. ap. Eust. Od. p. 1788, 21 : Εἶτα δὴ εἰς (τὴν) πόλιν ἄξεις τήνδε τὴν ὀνώνιδα; Rufus p. 277 : Τὸ ἀφέψημα τῆς ὀνώνιδος. Zopyrus in Matthæi Med. p. 350. Paulus Æg. p. 249, 22. Ib. 14 est : Ὄνομα ἢ ὀνομὶς ἢ φλομῖτις ἢ ὄνωνις.] Apud Nicandrum legitur et Ὄνωσις, Ther. 872 : Ὑσσωπός τε καὶ ἡ πολύγωνος ὄνωσις· sed metuo ne perperam pro ὄνωνις [quod nunc legitur] : præsertim quum addat πολύγωνος : id enim pro πολυάκανθος accipere videtur. [Ὀνῶνις ὀνώνιδος scriptum ap. Chœrob. p. 354, 31, et in Etym. M. p. 626, 35.]

C [Ὀξάθρης, ου, ὁ, Oxathres, n. viri Persicum, ap. Arrian. Exp. 3, 8, 3; 19, 5; 7, 4, 1, Diod. 17, 77. Heracleæ Ponti tyrannus Ὀξάθρας ap. eund. 20, 77. Quem Ὀξάθρην dicit Memno Photii p. 224 sq. V. Ὀξυάθρης.]

[Ὀξάλειος, ὁ, ἡ.] Ὀξάλιοι, Hesychio εἶδος σύκων : forsitan sic denominatum ab acore quo prædita sunt. [Pollux 6, 81, ubi ὄξαλοι. Photius : Ὀξάλειοι, συκαῖ τινες. Quam veram esse scripturam ostendit Athen. 3, p. 76, A : Ὀξαλείων δὲ σύκων (non opus συκῶν scribi aut ap. hunc aut ap. Hes.) οὕτως καλουμένων μνημονεύει Ἡρακλέων ὁ Ἐφέσιος καὶ Νίκανδρος ὁ Θυατειρηνὸς παρατιθέμενοι Ἀπολλοδώρου τοῦ Καρυστίου ... τάδε ... Τὰ λοιπὰ μὲν γὰρ ὀξαλείους χωρία συκᾶς φέρει, τοὐμὸν δὲ καὶ τὰς ἀμπέλους. Ubi diphthongum restituit G. Dind.]

Ὀξαλὶς, ίδος, ἡ, Acida fæx, Vappa; sic enim Hesych., Ὀξαλὶς, ἡ ὀξεῖα τρὺξ, ἢ ὀξίνης οἶνος. || Est et Lapathi species quædam hoc nomine dicta, cui inter alia Diosc. tribuit καρπὸν ὕποξυν, ἐρυθρὸν, δριμὺν, 2, 140, ubi de lapathi generibus ait : Ἔστι δὲ καὶ τέταρτον D εἶδος αὐτοῦ, ὃ ἔνιοι ὀξαλίδα ἢ ἀναξυρίδα ἢ λάπαθον καλοῦσι. De quo Plin. 20, 21 : Est autem et sylvestre, quod alii Oxalidem appellant, sativo proximum, foliis acutis, colore betæ candidæ, radice minima : nostri vero Rumicem, alii Lapathum cantherinum. Quum autem vocet sylvestre lapathum, suspicari aliquis possit, in citatis Diosc. verbis, pro λάπαθον καλοῦσι, reponendum esse λάπαθον ἄγριον καλοῦσι. Ab hac vero oxalide diversum est Oxylapathum, cui et ipsi tribuuntur folia ὑποξέα κατὰ τὰ ἄκρα, Acutiora folia, ut Plin. habet, cujus verba supra citavi. [Nicander Ther. 840 : Ἄρκτιον ὀξαλίδας τε. Rumex divaricatus Linnæi secundum Sprengel. Hist. rei herb. 1, p. 171.] In VV. LL. habetur etiam Ὀξωλὶς, quod itidem esse dicitur Genus lapathi s. rumicis, ab aciditate nomine accepto. Sed perperam poni opinor ω pro α. [V. Ὀξηλίς.]

Ὀξάλμη, ἡ, Acida muria, ut ap. Diosc. interpr. Ruellius. At Hermol. Acetum salsum. Sic et a Plin. vocatur, et aliquando voce Græca Oxalme. Vide Athen. 9, [p. 385, B.] Habetur et ap. Aristoph. Vesp. [331] :

Εἰς ὀξάλμην ἔμβαλε θερμήν. [Aristot. Meteor. 2, 3 fin.: Ἐκεῖ (ἐν τῇ Σικανικῇ τῆς Σικελίας) ὀξάλμη γίγνεται, καὶ χρῶνται καθάπερ ὄξει πρὸς ἔνια τῶν ἐδεσμάτων. Pollux 6, 68.]

[Οξαν in numis Uxenti: v. Mus. Borbon. vol. 4, tab. xv, p. 2. L. Dind.]

['Οξέα, ἡ, δένδρον, Ornus, Gl. V. 'Οξύα.]

['Οξεῖαι, αἱ. V. 'Οξίαι, 'Οξύς.]

'Οξείδιον, τὸ, idem cum ὄξος, Suid.: est tamen potius dimin. ab Ὄξος. [V. 'Οξίδιον.]

['Οξέϊνος, η, ον, Faginus. 'Οξέϊνον, Fagus, Gl. ubi Faginus recte Salmas. ad S. H. Aug. p. 410. Geopon. 15, 2, 7: Σανίδων ὀξεΐνων ἢ συχίνων. Quod recte tuetur Nicolaus, ignarus tamen Apollodori Poliorc. p. 33 fin.: Ξύλων μελείνων ἢ ὀξεΐνων. L. Dindorf.]

'Οξεῖος, Acidulus, VV. LL. Sed videndum est ne quis feminini ὀξεῖα, a masc. ὀξὺς, per errorem fuerit masculinum ὀξεῖος. Alioqui ab ὄξος, malim Ὄξειος, q. d. Aceteus.

'Οξέλαιον, τὸ, Condituræ genus aceto et oleo simul temperatis, Gorr. [Xenocr. p. 21 ed. Matth.: Μετ' ὀξελαίου ἐσθίονται. L. Dind.]

['Οξεόβαφος. V. 'Οξύβαφον.]

['Οξερίας. V. 'Οξυρίας.]

['Οξέως. V. 'Οξύς.]

['Οξηλὶς, ίδος, ἡ, ἡ βοτάνη ὀξυτόνως, Theognost. Can. p. 14, 7, qui ponit etiam Ὄξηλος, ὄνομα τόπου. 'Οξηλὶς cum ὀξαλὶς comparat Lobeck. Patholog. p. 111. L. D.]

['Οξηρίας. V. 'Οξυρίας.]

'Οξηρὸς, ά, ὸν, Acetum resipiens, Acetarius: ὀξ. ἀγγεῖον, infra in 'Οξίς. [Aristoph. ap. Polluc. 7, 161, 162: Κεράμιον ὀξηρόν. Dionysius Anth. Pal. 12, 108, 4: Κώνωψ ὀξηρῷ τερπόμενος κεράμῳ, quocum Toup. comparat Aristot. H. A. 5, 19: Οἱ κώνωπες ἐκ σκωλήκων, οἳ γίγνονται ἐκ τῆς περὶ τὸ ὄξος ἰλύος. Diocles in Matth. p. 187: Μηδὲ ἐπιπίνειν μεταξὺ μηδὲν ἢ μικρὸν, ὀξηρὸν δέ.]

'Οξίαι, Navigia quædam velociora, Celoces, VV. LL. nullo tamen prolato exemplo, nec nominato auctore. Fortassis leg. ὀξεῖαι, et subaudiendum νῆες, ut ὀξεῖα pro Celox ab ὀξὺς significante Celer, Velox, ita dicatur, sicut 'Οξεῖα pro λόγχη, ab ὀξὺς significante Acutus, Mucronatus, Cuspidatus.

'Οξίδαι, quod ap. Hesych. habetur, exponiturque itidem λαγύνια μικρὰ vel ὀξύβαφα, mendosum esse existimo, ac pro eo reponendum opinor ὀξίδες, vel ὀξίδας.

['Οξίδιον, τὸ, Pauxillum aceti. Dieuches in Matthæi Med. p. 43: Ἅλα μέτριον ἐμβάλλειν καὶ ὀξίδιον βραχὺ ἐπιχεῖν. Supra male ὀξείδιον. Formæ græcobarbaræ ὀξείδιν s. ὀξίδιν exx. attulit Ducang. L. Dind.]

'Οξίζω, Aceo [Gl. in 'Οξύζω] (ut Cato, Vinum quod neque aceat neque muceat), i. e. Acidus sum, [Aceto, Acesco, Gl.] Acorem refero s. Acidum saporem, ut ὀξίζων οἶνος, Vinum quod acet: utendo verbo Catoniano: sic in Geopon. libro 7 inscribitur caput quoddam, Πῶς οἶνον ἀρχόμενον ὀξίζειν θεραπεῦσαι δεῖ; Quæ medela adhibenda sit vino incipienti acere? Possis etiam reddere Vino acescenti. Et ὀξίζουσα σταφυλὴ, Uva acida s. acerba, Diosc. 5, 12, ubi tradit quomodo ὀμφακίτης οἶνος conficiatur: Μήπω κατὰ πάντα πεπείρου τῆς σταφυλῆς οὔσης, ἔτι δὲ ὀξιζούσης. [Matthæi Med. p. 154: Φακοὶ δὲ ὀξίζουσιν, εἴ τις αὐτοὺς προσενέγκαιτο, καὶ ἀηδεστέρους ποιοῦσι τοὺς ἐμέτους.] Alicubi [ut in Gl.] scriptum reperitur 'Οξύζω, per υ in penult.: quam scripturam non probo; nec enim ab ὀξὺς derivatur, sed ab ὄξος, ut οἰνίζω ab οἶνος, et χυανίζω a κύανος, aliaque itidem. [V. Lobeck. ad Phryn. p. 210.]

['Οξίθεος, n. pr. viri, ap. Stob. Fl. vol. 4, p. 14, bis positum, vitiosum et in Εὐξίθεος mutandum videtur. L. Dindorf.]

'Οξίνα dicitur Crates dentata stylis ferreis, Plin., i. e. Occa, ut tum alii, tum Colum.: quo instrumento rustici in occando utuntur. Hesych.: 'Οξίνα, ἐργαλεῖόν τι γεωργικὸν, σιδηροῦς γόμφους ἔχων, ἑλκόμενον ὑπὸ βοῶν.

['Οξίνας. V. 'Οξίνης.]

'Οξίνης, ὁ, Vinum quod coacuit aliquatenus, nondum tamen in acetum versum est, quod Vappam [Gl.] Latini vocant. Chrysost.: Οἴνου μὲν ἀρετῆς βλάβη τὸ παρατραπῆναι καὶ εἰς ὀξίνην μεταπεσεῖν, In vappam mutari. Cui l. aptissime subjungemus hunc Plinii, 4,

A 20: Vitiumque quibusdam in locis, iterum sponte fervere: qua calamitate, quum deferbuit, deperit sapor, vappæque accipit nomen, probrosum etiam hominum, quum degenerarit animus. Plut. Symp. 8, 9 [p. 732] refutans opinionem cujusdam, qui censebat τὰς ἐπιτάσεις καὶ ἀνέσεις μὴ ποιεῖν διαφορὰς, μηδὲ τοῦ γένους ἐκβιβάζειν, hæc exempla adducit: Οὕτω γὰρ οὔτε ὄξος ὀξίνου φήσομεν διαφέρειν, οὔτε πικρότητα στρυφνότητος, οὔτε πυρῶν αἶραν, οὔτε μίνθης ἡδύοσμον· quibus subjungit, Καί τοι περιφανῶς ἐκστάσεις αὗται καὶ μεταβολαὶ ποιοτήτων εἰσί. Idem p. 834 meæ ed. [Mor. p. 469, C] dicit Chium quendam solitum aliis χρηστὸν οἶνον πιπράσκειν, sibi vero τὸν ἄριστον ὀξίνην ζητεῖν διαγευόμενον. [Theophr. H. Pl. 9, 11, 1, et addito οἶνος 9, 20, 4. Alciphr. Ep. 1, 20. Pollux 1, 248; 6, 17. Thomas p. 651. De sapore Plut. Mor. p. 913, B: Διὰ τί τῶν χυμῶν ὀκτὼ τῷ γένει ὄντων ἕνα μόνον τὸν ἁλμυρὸν ἀπ' οὐδενὸς καρποῦ γεννώμενον ὁρῶμεν, καίτοι καὶ τὸν πικρὸν ἡ ἐλαία φέρει πρῶτον καὶ τὸν ὀξίνην ὁ βότρυς.] Aristoph. dixit etiam θυμὸν ὀξίνην pro Acrem et acerB bum s. Biliosum, ut quidam volunt, Vesp. [1082]: Ἐμαχόμεσθ' αὐτοῖσι θυμὸν ὀξίνην πεπωκότες· ubi quidam etiam interpr. Iræ quodam aceto epoto. Schol. θυμὸν ὀξίνην exp. δριμεῖαν ὀργήν. Idem tamen ὀξίνην πολίτην videtur dicere Vappam, probro quodam, ut ex Plin. verbis discimus, [Eq. 1304] de Hyperbolo: Ἄνδρα μοχθηρὸν, πολίτην ὀξίνην. [De forma per α Photius: 'Οξίνην, τὸν οἶνον, οὐχ ὀξίναν, καὶ Ἕρμιππος καὶ Φιλωνίδης καὶ οἱ ἄλλοι. De formis Ὄξινος et Ὄξυνος v. in Ὄξυνος. Ita ὀξύνην ed. Hœschel. Procop. Gotth. 4, p. 599, A.]

['Οξινος, η, ον, Acidus, ap. Phryn. Bekk. p. 53, 10: Ὄμφακες, τὰ ἄωρα τῶν βοτρύων καὶ ὄξινα, et Photium: 'Οξίνη διάθεσις, ἥν φασιν οἱ πολλοὶ τοῦ στομάχου ὀξίδα. L. Dind.]

['Οξιουΐ, Clymenum, ap. Ægyptios. App. Diosc. p. 462 (4, 13).]

'Οξὶς, ίδος, ἡ, Acetabulum, Vas in quo acetum asservatur, in mensa apponitur: quod et ὀξύβαφον, s. ὀξυβάφιον, necnon κύμβον s. κυμβίον et ἐμβάφιον nomiC natur: τὸ κεράμεον, ὅ ἐστιν ὄξους δεκτικὸν, Aristoph. schol.; qui ap. eund. Aristoph. Vesp. [1509]: Τουτὶ τί ἦν τὸ προσέρπον, ὀξὶς, ἢ φάλαγξ; itidem ὀξίδα, esse dicit εἶδος ἀγγείου· ubi tamen dubium alicui videri queat an Acetarium vas significet: pro quo accipitur ap. eund. Comicum Ran. [1440]: Κᾆτ' ἔχοντες ὀξίδας Ῥαίνοιεν ἐς τὰ βλέφαρα τῶν ἐναντίων. Ubi schol. sic exp. hæc verba: Εἰ ὀξυβάφους κατέχοντες, ῥαίνοιεν ὄξει τοὺς πολεμίους· sed addens, ὀξίδας esse κεράμεα μικρὰ, vel εἶδος λοπάδος. Aristoph. tamen Pl. [812] ὀξίδα et λοπάδα diversa facit, atque ibi schol. annotat, ὀξίδα esse ἀγγεῖον ὄξους δεκτικὸν, λοπάδα vero εἶδος ἀγγείου πᾶν εἰς ὀξὺ λῆγον. Verba Aristophanis sunt, 'Οξὶς δὲ πᾶσα καὶ λοπάδιον καὶ χύτρα, Χαλκῆ γέγονε, sc. quum antea essent κεραμεᾶ. Suid., hunc l. citans, ὀξίδα esse dicit ἀγγεῖον ὄξους δεκτικὸν, vel λοπάδος εἶδος εἰς ὀξὺ λῆγον. Utrius autem verba in dubium vocanda sint, Suidæne an scholiastæ, incertum est. [De eadem Athen. l. infra cit.: Μνημονεύει δέ που καὶ τοῦ ἐκ Κλεωνῶν ὀξίδος ὡς διαφόρου, Ἐν δὲ Κλεωναῖς ὀξίδες εἰσί. Ita Casaub. pro ὀξύτιδες vel ὀξίτιδες. V. Pollux 6, 85, 92.] 'Οξὶς, Acetabulum, Vas quo D acetum metiuntur ii, a quibus venditur: cotylam autem id capiebat. Diphil. ap. Athen. 2, [p. 67, D] de quodam qui Laconice cœnabat, Ὄξους δὲ κοτύλην. Quæ verba alter admirans, subjicit, πάξ: respondet alter, Τί πάξ; ὀξὶς μέτρον Χωρεῖ τοσοῦτο τῶν Κλεωναίων, Quid miraris? ὀξὶς apud Cleonæos tantum mensuram capit, videlicet cotylam. Pro Vase autem, quo acetum apponebatur intingendis obsoniis, utitur Sopater ap. eund. Athen. 6, [p. 230, E]: Ἀλλ' ἀμφὶ δείπνοις ὀξίδ' ἀργυρᾶν ἔχει. [Nicostratus ib. D. Mœris p. 281: 'Οξίδας, οἱ Ἀττικοὶ τὰ μικρὰ λαγύνια. Alex. Trall. 5, p. 76; 7, p. 179. De acore, ut videtur, schol. Aristoph. Pac. 529: Ὅτι ἐπὶ πολὺ ἐγκαλυπτόμενος ὁ γύλιος ἐκ τῶν διαφόρων ὄψων τε καὶ ζωμῶν ὀξίδος συμμικτόν τινα ὀσμὴν ὄδωδεν.]

['Οξόβαφον. V. 'Οξύβαφον.]

['Οξόγαρον. V. 'Οξύγαρον.]

['Οξοδάτης, ὁ, Oxodates, n. Persæ ap. Arrian. Exp. 3, 20, 4; 4, 18, 3, sed cum var. 'Οξυδάτης, quam formam ceteræ, quæ sunt infra, commendant.]

[Ὀξοπώλης, ὁ, Aceti venditor. Pollux 7, 198.]

Ὄξος, ους [vel, ut Nicander in fine versuum Al. 366 et al. dicere solet, Ion. ὄξευς], τὸ, Acetum; Vinum quod coacuit: derivatum ab ὀξὺς, sic τάχος a ταχὺς, πάχος a παχὺς, Etym., cui ὄξος est ὁ εἰς ὀξὺ καταβεβληκὼς οἶνος, ἐπειδὰν τέμνῃ καὶ κεντρίζῃ, ὡς εἰπεῖν, τὴν γεῦσιν. [Antiphanes ap. Stob. Fl. 116, 13: Σφόδρα τι ἐστὶν (σφόδρ' ἐστὶν Jacobsius ad Anthol. vol. 12, p. 103, cui præstat fortasse σφόδρα γ' ἐστὶν) ἡμῶν ὁ βίος οἴνῳ προσφερής· ὅταν ᾖ τὸ λοιπὸν μικρὸν, ὄξος γίγνεται. Eadem etiam alibi contraria, ut in versu, Οἴνου παρόντος ὄξος ἠράσθη πιεῖν, et ap. Plut. Lysand. c. 13: Ὁ κωμικὸς Θεόπομπος ἀπεικάζων τοὺς Λακεδαιμονίους ταῖς καπηλίσιν, ὅτι τοὺς Ἕλληνας ἥδιστον ποτὸν ἐλευθερίας γεύσαντες ὄξος ἐνέχεαν.] Plut. Symp. 3 [p. 652, F]: Τὸ ὄξος οἴνου τινός ἐστι φύσις καὶ δύναμις. Athen. 3: Τὸ δ' ὄξος καὶ τὸ θύμον τὸν δριμὺν αὔξει χυμόν· ubi discrimen facit inter saporem ὀξὺν, Acidum et acutum, ac inter δριμὺν, Acrem. Archestratus tamen ap. Athen. 7, [p. 321, C] dicit δριμεῖ ὄξει, Acri aceto: Ὀπτὸν σαργὸν, τυρῷ κατάπαστον, Εὐμεγέθη, θερμὸν, δριμεῖ δεδαϊγμένον ὄξει, Acri maceratum et confectum aceto: quod ὄξος δριμὺ dici volunt ad differentiam τοῦ γλυκέος s. γλυκάζοντος: cujus conficiendi ratio traditur Geopon. 8, [36, 1]. Erat et ὄξος ἑψητὸν, Acetum coctum: cujus absque vino ex gypso et aqua marina decoctis, componendi ratio in Geopon. itidem exp. Coquebatur et ex caryotis s. palmulis: unde ap. Suid.: Ὄξος ἑψητὸν, τὸ ἀπὸ φοινίκων. De eod. et Xen. Anab. 2, [3, 14]: Ἐνῆν δὲ σῖτος πολὺς καὶ οἶνος, φοινίκων, καὶ ὄξος ἑψητὸν ἀπὸ τῶν αὐτῶν· qui l. citatur et ab Athen. 14, [p. 651, B], ubi Interpres suspectum habens hoc ὄξος, pro eo male reposuit ὄψον, ita vertens, Aderat multus cibus, vinumque palmularum obsoniumque ex illis coctum. Verba autem Suidæ male intellecta, Alciato gravis erroris occasionem præbuerunt, quippe qui in tres posteriores libros Cod. ita scribat: Apud Phœnices tingebatur pretiosissima purpura, quorum tincturam Suidas appellavit Oxum. [Ὄξος λευκὸν ap. Hippocr. p. 574, 39; 587, 23; 674, 17. Ὄξος γλυκὺ p. 493, 22, quod cum ὀξύγλυκυ et ὀξύμελι et ὀξυμελίκρητον componit Foes.] Item οἴνινον ὄξος, Vineum acetum, h. e. Ex vino confectum; nam et ex cervisia conficitur: item ex palmulis, ut jam dictum est. Apud Eust. [Il. p. 871, 51], Μήθ' ὕδατος πηγὴν, μήτ' οἴνινον ὄξος Συμμίξῃς. A regionibus autem denominatur Αἰγύπτιον et Κνίδιον, quæ duo genera Chrysippus ap. Athen. 2, [p. 67, C] κάλλιστα esse ait. Et Σφήττιον ap. Aristoph. Pl. [720]: Ὄξει διέμενος Σφηττίῳ, ut Horat. dixit Romano aspersus aceto, ita fortasse nominatum, inquit ibid. Didymus, διότι οἱ Σφήττιοι ὀξεῖς. Itidem [male per diphthongum] ap. Hesych. Ὄξος Σφήττειον· ἴσως οἱ Σφήττειοι ὀξεῖς ἦσαν· διὰ τοῦτο εἶπεν ὄξος Σφήττειον, ἤγουν δριμύ. Ibid. meminit et τοῦ ἐκ Κλεωνῶν ὄξους, et Δεκελεικοῦ ὄξους. [Ubi vinum vile et acidum dici ὄξος Δεκελ., ut ap. Eubulum ib. 1, p. 28, F: Οἶνον γάρ με Ψίθιον γεύσας ἡδὺν ἄκρατον διψῶντα λαβὼν ὄξει παίει πρὸς τὰ στήθη, monet Meinek. Com. vol. 3, p. 514. V. supra.] Attici autem solum acetum ἡδύσματος nomine dignantur, ut Athen. testatur 2 [l. c.] his verbis, Τοῦτο μόνον Ἀττικοὶ τῶν ἡδυσμάτων εἶδος καλοῦσι· atque eam fortassis ob rem Cyrenæi, ut Orion ap. Etym. docet, ipsum appellant ἦδος, alii autem γλυκάδιον. Nicandri vero schol. [Th. 595] vult ὄξος κατ' εὐφημισμὸν vocari γλυκάδιον, sicut χολὴν, γλυκεῖαν, et εὐώδεα, πίσσαν. [Solon ap. Polluc. 10, 103: Οἱ μὲν ἴγδιν, οἱ δὲ σίλφιον, οἱ δὲ ὄξος. Æsch. Ag. 322: Ὄξος τ' ἄλειφά τ' ἐγχέας· conf. id. ap. Plut. Mor. p. 632, F. Aristoph. Av. 534: Ἀλλ' ἐπικνῶσιν τυρὸν, ἔλαιον, σίλφιον, ὄξος, quem l. cum alio ejusdem in Ὀξωτὸς cit. contulit Salmas. Plin. Exerc. p. 261, B, ubi agit de usu ὄξους apud veteres. (Philemo ap. Athen. 2, p. 64, E: Ἔλαιον, κρόμυον, ὄξος, σίλφιον.) Id. Ach. 35: Ὃς οὐδεπώποτ' εἶπεν ἄνθρακας πρίω, οὐκ ὄξος, οὐκ ἔλαιον. (Quæ conjungit etiam Menand. ap. Stob. Fl. 22, 19, 4.) Ran. 620: Ἐς τὰς ῥῖνας ὄξος ἐγχέων. De homine Theocr. 15, 148: Χὤνὴρ ὄξος ἅπαν· πεινᾶντι δὲ μηδὲ ποτένθῃς.]

Ὀξύα [vel Ὀξύη], ἡ, arbor ap. Theophr. H. Pl. 3, 3, [8, ἀγρίαν ὀξύην. Ὀξύην ἐπιπολαιόρριζον 3, 6, 5. Describitur 3, 10, 1, ubi τῇ ὀξύᾳ 3; ὀξύη 3, 11, 5; 5, 1, 2, 4 ὀξύαν ibid., ὀξύη 5, 4, 3 et 6, 4. Schneid.] Abieti non
A multum absimilis, cui folium est ἐξακανθίζον ἐξ ἄκρου καὶ εἰς ὀξὺ συνηγμένον, unde et denominata est. Gaza vertit Scissima: quo nomine ab Eod. redditur et Ὀξύνη [ὀξύη] ἀγρία. [|| Ὀξύη pro Hasta ap. Eur. Heracl. 727: Χειρὶ δ' ἔνθες ὀξύην. Kuster. Porphyr. schol. Hom. Il. Z, 201: Ἔγχεα ὀξυόεντα, τὰ ἐξ ὀξύας τοῦ δένδρου, ὡς καὶ Ἀρχίλοχος, Ὀξύη ποτᾶτο. De utraque forma Phryn. Bekk. p. 55, 32: Ὀξύη, τὸ δένδρον, διὰ τοῦ υ καὶ η, ἀλλ' οὐκ ὀξέα, καὶ ὀξύϊνον. Eustath. ad Dionys. 322: Τὴν ὀξύην δηλοῖ· sed 809, ἡ ὀξύα. Ὀξείας pro ὀξύας ap. Polluc. 5, 20. Longus 2, p. 52: Στελέχει κοίλῳ ξηρᾶς ὀξύης. Itaque suspecti videri possunt loci Theophr., ubi ὀξύα. Conf. Lobeck. ad Phryn. p. 301. De accentu Arcad. p. 100, 20, qui ὀξύα ponit.]

[Ὀξυάθρης, ὁ, Oxyathres, Darii Codomanni frater, ap. Strab. 12, p. 544, quem Ὀξυάρτην dicit Arrian. Exp. 7, 4, 8, Ὀξάθρην Diod. 17, 34. Ὀξοάθρης et Ὀξαώθρης male ap. Zonar. Lex. p. 1456.]

Ὀξυάκανθα, ἡ, vel Ὀξυάκανθος, Acuta spina. Ὀξυάκανθα, inquit Diosc. 1, 123, quam alii πυρίναν, alii et
B πιτυάνθην appellant, Arbor est pyrastro similis, spinosa valde et minor. Baccas profert myrti, plenas, rubras, fragiles, etc. [Mespilus pyracantha Linn.] Sunt et qui κυνόσβατον eam appellent, ut Idem tradit c. 124 ejusdem lib.; ita enim id orditur, Κυνόσβατον, οἱ δὲ ὀξυάκανθαν καλοῦσι. Hæc a Theophr. [H. Pl. 1, 9, 3; 3, 3, 1; 3, 3, 3; 3, 5, 8; 6, 8, 3] et Ægin. ὀξυάκανθος etiam appellatur. Officinæ, inquit Gorr., Berberis, rura spinivinetum appellant. In quo tamen sunt qui Gorræo repugnent, scribentes non esse illam, quam officinæ Berberis appellent, sed Spinam illam in sepibus nasci solitam, quæ vulgo *Aubepine*, vel *Blanchepine* s. *Blanch' épine*, nuncupetur. [Ὀξυάκανθον οἱ ἐν Καρίᾳ ἐν Φρυγίᾳ, Hesychius. Ὀξυακάνθης Geopon. 5, 44, 1; εἰς ὀξυάκανθον 10, 76, 6.]

[Ὀξυακουσίλογος, Auritus, Gl., ubi –ακου– pro –ακο– correxit Scaliger.]

[Ὀξυάλκης, ὁ, Oxyalces, n. regis Indiæ. Plut. De fluv. 25, 1. Boiss.]

[Ὀξυάρτης, ὁ, Oxyartes, Bactrianus, ap. Arrian.
C Exp. 3, 28, 16 etc., Diod. 18, 3 etc. Rex Bactrianorum, Nini æqualis, ib. 2, 6. V. etiam Ὀξυάθρης.]

[Ὀξυαύγεια, ἡ, Acutus splendor, qui visum pungit. Philo vol. 2, p. 654 fin.: Ἀδυνατήσει καὶ τὸ ὀξυωπέστατον βλέπον ἰδεῖν τὸ ἀγένητον, ὡς τυφλωθῆναι πρότερον ἢ θεάσασθαι διὰ τὴν ὀξυαύγειαν καὶ τὸν ἐπεισρέοντα χείμαρρον τῶν μαρμαρυγῶν. Cit. Wakef.]

[Ὀξύβαρυς, εια, υ, Acutus et gravis. Arcad. apud Villois. Epist. Vinar. p. 116, A, fin.: Ταύτην (acutum et gravem) εἶναι τὴν περισπωμένην ἔλεγεν (Aristophanes), ὡδέ πως αὐτὴν ἐξ ἀμφοῖν τοῖν τόνοιν, ἐξ ὧν ἐγένετο Λ, ὀξυβαρεῖαν (scr. ὀξυβάρειαν) ὀνομάζων.]

[Ὀξυβαφὴς, ὁ, ἡ, Violaceus. Nicetas in Isaacio 3, 5: Φάλαρα ὀξυβαφῆ αὐτῷ ἐνέδωκεν ἔχων, ubi cod. al. ὑποδήματα ὀξέα. Ducang.]

[Ὀξυβάφιον, Ὀξύβαφον. V. Ὀξύβαφος.]

Ὀξύβαφος, ὁ, s. Ὀξύβαφον, et Ὀξυβάφιον, τὸ, Acetabulum, [Acetarium add. Gl., quæ ponunt formas secundam et tertiam] ἀγγεῖον δεχόμενον ὄξος, Athen. 2, [p. 67, E] exp. Proprie dictum fuit Vasculum, in quod
D acetum infundebatur ad intingendos cibos: Pollux vero [6, 85; 10, 86] ἐμβάφια, κελάρια [λεκάρια], λεκάνια, τρυβλία [τρύβλια] et ὀξύβαφα inter ἀγγεῖα quoque ἡδυσμάτων ἢ βρωμάτων commemorat: addens mox, ὀξύβαφα olim vocata etiam τὰ ὑποδεχόμενα τὰς λάττας, seu, ut quidam emendant, τὰς λατάγας [conf. 6, 110]: et alibi [10, 86] scribens ὀξύβαφα non solum dici ἐπὶ τῶν κοτταβικῶν, verum etiam ἐπὶ τῶν εἰς τὴν ἐδωδίμην χρείαν, sicut Aristoph. Av. [361]: Ὀξύβαφον ἐντευθενὶ πρόσθου λαβὼν, ἢ τρυβλίον [τρύβλιον]· et in Phrynichi Musis, Κἂν ὀξυβάφων [—φῳ χρῆσθαι, verbis corruptis] τρεῖς χοίνικας ἢ δύ' ἀλεύρων. [Alexis ap. Athen. 12, p. 516, C: Μέλιτος ὀξύβαφον. Carystius Pergamenus ib. p. 542, F: Ἦν αὐτοῦ τὸ ἄριστον ὀξύβαφα παντοδαπὰς ἐλάας ἔχοντα καὶ τυρὸν νησιωτικόν. Polyb. 12, 23, 7: Ἀλλά μοι δοκεῖ πεισθῆναι Τίμαιος, ὡς, ἂν Τιμολέων, πεφιλοδοξηκὼς ἐν αὐτῇ Σικελίᾳ, καθάπερ ἐν ὀξυβάφῳ, σύγκριτος φανῇ τοῖς ἐπιφανεστάτοις τῶν ἡρώων, κἂν αὐτὸς ὑπὲρ Ἰταλίας μόνον καὶ Σικελίας πραγματευόμενος εἰκότως παραβολῆς ἀξιωθῆναι τοῖς ὑπὲρ τῆς οἰκουμένης... πεποιημένοις τὰς

συντάξεις. Ubi dicitur ad irridendas Timoleontis pusillas, si cum heroum, quod fecerat Timæus, factis compararentur, res gestas, ut ap. Lucill. Anth. Pal. 11, 105, 2: Τὸν μέγαν ἐζήτουν Εὐμήκιον· ὃς δ' ἐκάθευδεν μικρῷ ὑπ' ὀξυβάφῳ τὰς χέρας ἐκτανύσας. Clemens Al. Pæd. p. 188, ab Routh. cit.: Λεκάνας καὶ ὀξύβαφα.] Hinc ad Mensuræ nom. translatum est, quæ quartam heminæ partem contineret, τέταρτον κοτύλης, ut Græci loquuntur: h. e., ut Bud. De asse scribit, 24 Drachmas, i. e. Quadrantale. [Nicand. Th. 598: Ἄγρει δ' ἐξάμορον κοτύλης εὐώδεα πίσσαν,... μεστωθὲν δὲ χάδοι βάθος ὀξυβάφοιο. Eutecnius, Ὀξυβάφου μέτρον ἐχέτω. Et sæpe ap. Medicos.] Ὀξύβαφον VV. LL. scribunt vocari etiam, similiter ut κοτύλην et κοτυληδόνα, ab Anatomicis, Sinus profundiores ossium capita excipientes: observari autem ejusmodi cavitates atque acetabula in coxendicis osse maxime, et in eo, qui cymbam refert figura, unde ei et nomen. || [Poculum. Athen. 11, p. 494, D: Ὀξύβαφον. Ἡ μὲν κοινὴ συνήθεια οὕτως καλεῖ τὸ ὄξους δεκτικὸν σκεῦος· ἔστι δὲ καὶ ὄνομα ποτηρίου, οὗ μνημονεύει Κρατῖνος μὲν ἐν Πυτίνῃ οὕτως, Συντρίψω γὰρ αὐτοῦ τοὺς χόας... καὶ τἄλλα πάντ' ἀγγεῖα τὰ περὶ τὸν πότον, Κοὐδ' ὀξύβαφον οἰνηρὸν ἔτι κεκτήσεται. Ὅτι δ' ἐστὶ τὸ ὀξ. εἶδος κύλικος μικρᾶς κεραμέας σαφῶς παρίστησιν Ἀντιφάνης ἐν Μύστιδι διὰ τούτων· Γραῦς ἐστι φίλοινος ἐπαινοῦσα κύλικα μεγάλην καὶ ἐξευτελίζουσα τὸ ὀξ. ὡς βραχύ. Εἰπόντος οὖν τινὸς πρὸς αὐτήν, Σὺ δ' ἀλλὰ πῖθι, λέγει, Τοῦτο μέν σοι πείσομαι· καὶ γὰρ ἐπαγωγόν, ὦ θεοί, τὸ σχῆμά πως τῆς κύλικός ἐστιν ἄξιόν τε τοῦ κλέους τοῦ τῆς ἑορτῆς· οὗ μὲν ἦμεν ἄρτι γὰρ ἐξ ὀξυβαφίων κεραμέων ἐπίνομεν... (Cratini et Antiphanis locis utitur etiam Pollux 10, 67.) Κἀν τοῖς Βαβυλωνίοις οὖν τοῖς Ἀριστοφάνους ἀκουσόμεθα ποτήριον τὸ ὀξύβαφον, ὅταν ὁ Διόνυσος λέγῃ περὶ τῶν Ἀθήνησι δημαγωγῶν ὡς αὐτὸν ᾔτουν ἐπὶ τὴν δίκην ἀπελθόντα ὀξυβάφω δύο· οὐ γὰρ ἄλλο τι ἡγητέον εἶναι ἢ ὅτι ἐκπώματα ᾔτουν. Καὶ τὸ τοῖς ἀποκοτταβίζουσι δὲ ὀξύβαφον τιθέμενον εἰς ὃ τοὺς λάταγας ἐγχέουσιν οὐκ ἄλλο τι ἂν εἴη ἢ ἐκπέταλον ποτήριον. Μνημονεύει δὲ τοῦ ὀξυβάφου ὡς ποτηρίου καὶ Εὔβουλος ἐν Μυλωθρίδι, Καὶ πιεῖν χωρὶς μετρῶ ὀξύβαφον εἰς τὸ κοινὸν, εἶτ' ἐπομνύτω ὁ μὲν οἶνος ὄξος αὐτὸν εἶναι γνήσιον, τὸ δ' ὄξος οἶνον αὐτὸ μᾶλλον θατέρου. Ὀξυβάφῳ ποτηρίῳ est ap. Antiphanem 9, p. 462, C. Idem p. 473, D: Κάνθαροι· ὅτι μὲν πλοίου ὄνομα κοινὸν, ὅτι δὲ καὶ ποτήριόν τι οὕτω καλεῖται Ἀμειψίας ἐν Ἀποκοτταβίζουσί φησιν, Ἡ Μανία φέρ' ὀξύβαφα καὶ κανθάρους, ubi ὀξύβαφα ad lusum cottabi adhibita dici ostendit ipse 15, p. 667, F, integriorem ponens locum Amipsiæ et ἐπινεῖν ἐπὶ λεκάνης ὀξύβαφα κενὰ in lusu illo dicens, quod repetit schol. Luciani Lexiph. c. 3. || Aliud lusus genus memorat Suidas v. Διοκλῆς, de quo dicit: Τοῦτον δέ φασιν εὑρεῖν καὶ τὴν ἐν τοῖς ὀξυβάφοις ἁρμονίαν, ἐν ὀστρακίνοις ἀγγείοις, ἅπερ ἔκρουεν ἐν ξυληφίῳ. || Exc. Phryn. Bekk. An. p. 56, 21: Ὀξύβαφον διὰ τοῦ υ, παρὰ τὸ ὀξὺ καὶ οὐ παρὰ τὸ ὄξος σύγκειται. Schol. Dioscorid. in Matth. Med. p. 361: Ὀξύβαφον· ὀξύβαφόν ἐστι τὸ σκεῦος τὸ ἀντιδιαιρούμενον τῷ τρυβλίῳ· γραπτέον δὲ διὰ τοῦ υ, καὶ οὐχ, ὥς τινες, ὀξόβαφον· σύγκειται γὰρ οὐ παρὰ τὸ ὄξος, ἀλλὰ παρὰ τὸ γένος ὅπερ ἐστὶν ὀξύ, ὡς Ἑλλάδιος ἐν τῇ χρήσει (χρηστομαθίᾳ) φησί.]

[Ὀξύβαφον s. Ὀξυβάφιον, τὸ, ut habent Πατριὰ ΚΠ., Locus s. tractus Cpoli, ubi ejusmodi violacea tinctura (ut in Ὀξυβαφής dictum) fiebat. Codinus Orig. n. 110 ex cod. Reg.: Καὶ μέχρι τοῦ Ὀξυβάφου τὸν ἅγιον Πρόβον... ὁ αὐτὸς Ναρσῆς ἀνήγειρε. Meminit etiam Balsamon ad Can. 60 synodi in Trullo cujusdam Stauracii cognomento Ὀξεοβάφου ex iis Sanctis quos Σάλους appellabant. Ducang.]

Ὀξυβελής, ὁ, ἡ, Acutam habens cuspidem. Id enim proprie significare vult Eust., dicens βέλος esse τὸ τοῦ ὀϊστοῦ σιδήριον. Hom. Il. Δ, [126]: Ἆλτο δ' ὀϊστὸς Ὀξυβελής, καθ' ὅμιλον ἐπιπτέσθαι μενεαίνων. Ὀξυβελής, Suidæ est etiam ὀξὺ βέλος ἔχων· quo propemodum sensu Echichus ab Empedocle, ut Plut. [Mor. p. 98, D] refert, ὀξυβελής dictus est, quippe Qui aculeis armatus sit admodum acutis. [Sed ἐχίνοις ὀξυβελεῖς χαῖται νώτοις ἐπιπεφρίκασι correxit HSt. ipse. Id. Emped. v. 186, ap. Plut. Mor. p. 920, C: Ἥλιος ὀξυβελής. Oppian. Hal. 2, 346: Νῶτα καράβου ὀξυβελῆ· 4, 41: Πόθον ὀξυβελῆ.] Etymologico autem ὀξυβελής est Qui celeriter jaculum mittit, aut Qui celeriter jaculo ictus est. Ad priorem

A signif. pertinet hoc Diod. S. 20, [85]: Ἐνέθετο μὲν (εἰς τοὺς λέμβους) τῶν τρισπιθάμων ὀξυβελῶν τοὺς πορρωτάτω βάλλοντας, καὶ τοὺς τούτοις κατὰ τρόπον χρησαμένους, Imposuit machinas, quæ tela quam longissime emittere valerent, eosque homines qui illis machinationibus exacte uti possent, Bayf. [Idem Diod. 16, 75, ubi v. Wess.] Ὀξυβολῶ autem, quod Suid. exp. ταχέως ἀκούω, hic locum non habet. [Iterum HSt.:] Ὀξυβελής, ὁ, ἡ, Qui celeriter jaculatur, velociter impetit et ferit, Acutum jaculum habens. Suid. exp. ὀξέως βάλλων, ἢ ὀξὺ βέλος ἔχων: sicut Eust. quoque ὀξυβελὴς ὀϊστὸς exp. ὁ ὀξὺ βέλος s. ἀκίδα ἔχων. De quo supra quoque tractavi post Βέλος. [Philo Belop. p. 56, B; 68, A, C; 98, A; Aristeas Hist. LXX intt. p. 113, D. Polyæn. 2, 29, absolute, et 7, 9, καταπέλτας ὀξυβελεῖς, cit. Wakef. Contra pass. Hesychius ὀξέως βληθεὶς ἢ ταχέως βαλλόμενος. L. Dind.]

[Ὀξυβελικός, ή, όν, Ad machinas ὀξυβελεῖς pertinens. Diod. 20, 75: Πολλὰ τῶν ὀξυβελικῶν· 85, 86.]

B [Ὀξύβιοι, μοῖρα Λιγύων. Κουάδρατος ιδ' Ῥωμαϊκῆς χιλιαρχίας, Steph. Byz. Memorat Polyb. 33, 7, Strabo 4, p. 202, et ubi etiam Ὀξύβιον καλούμενον λιμένα, p. 185.]

[Ὀξυβλεπτέω, Acutum cerno. Arrian. Epict. 2, 11, 22: Εἰ οὐκ ὀξυβλεπτεῖς.]

[Ὀξυβλέπτης, ὁ, Dispex, Gl.]

Ὀξυβλεψία, ἡ, Visus acutus, Visus acumen. Hesych. utitur hoc vocab., quum ὀξυοπεῖαν (pro quo reponendum est ὀξυωπίαν) exponit ὀξυβλεψίαν. Synonymum est ὀξυδέρκεια, s. ὀξυδερκία.

[Ὀξυβόας, ὁ, Acutum clamans. Æsch. Ag. 57: Οἰωνόθροον γόον ὀξυβόαν. Lucian. Jov. trag. c. 31: Ἀνέρες ὀξυβόαι. Meleager Anth. Pal. 5, 151, 1, κώνωπες. « Const. Manass. Chron. 414, γόος. » Boiss.]

[Ὀξυβολέω, vitium scripturæ pro ὀξυλοβέω, quod v.

[Ὀξυβουλία, ἡ, Citum consilium. Schol. Ven. Hom. Il. K, 204: Οὐκ ἔδει προοιμίων, ἀλλ' ὀξυβουλίας.]

Ὀξύγαλα, ακτος, τὸ, Lac acidum, quod acuit s. coacuit: quod fit certa quadam lactis præparatione, per quam sola caseosa substantia relinquitur, eaque

C ipsa non ejusdem omnino naturæ, cujus ab initio fuit; neque enim calidam et acrem seri qualitatem retinet, neque pinguem et calidam butyri, sed sola crassiore substantia constat, quæ in caseum abit ὀξυγαλάκτινον appellatum, Gorr.: addens, id genus hodie Gallos videri Junceam appellare. Columella vocat Oxygalam, 12, 8, ubi conficiendi ejus rationem tradit: Plin. Oxygala, retenta Græca declinatione, de quo ita scribit 28, 9, de lactis usu tractans: Additur paulum aquæ ut acescat. Quod est maxime coactum, in summo fluitat: id exemptum, addito sale, Oxygala appellant. Et mox, Oxygala fit et alio modo, acido lacte addito in recens, quod velis acescere: utilissimum stomacho. Plut. Artox. [c. 3]: Ποτήριον πιεῖν ὀξυγάλακτος. De ὀξυγάλακτος usu et vi qua inter nutrimenta præditum est, vide Galen. Περὶ τροφῶν δυνάμεως, 3, 16, et Aet. 2, 98, quo loco et περὶ πρωτογάλακτος agit. [Geopon. 18, 12, 21. Ctesias Ind. § 22: Πίνουσι δὲ γάλα καὶ ὀξ. τῶν προβάτων. Polyæn. 4, 3, 31, ὀξ. ἡδυσμένον. Strabo

D 7, p. 311: Γάλακτι καὶ ὀξ., τοῦτο δὲ καὶ ὄψημά ἐστιν αὐτοῖς κατασκευασθέν πως. Antiquis Græcis est τροφαλίς, Gallice *Jonchée*. Morelli Codices Ms. Latini Bibliothecæ Nanianæ p. 67, ex Anthimii (Anthemii) libro De observatione ciborum ad Regem Francorum Theodericum c. 56: « Oxygala vero Græcis, quod Latini vocant Melcam, quando acetarit, auctores dicunt sanis hominibus esse aptum, quia non coagulatur in ventre. » Galen. Method. 7, 4, De bono succo et malo c. 13; Alex. Trall. 7, 7. Schneider.]

Ὀξυγαλάκτινος, η, ον, Ex oxygala s. oxygalacte factus, Ex acido lacte confectus: ut ὀξυγαλάκτινος τυρός. Galen. De alim. facult. 3, 17 [vol. 6, p. 385], de caseo: Τῶν δὲ νέων ἁπάντων τυρῶν εἶναι κάλλιστον ὁποῖος ὁ παρ' ἡμῖν ἐν Περγάμῳ καὶ κατὰ τὴν ὑπερκειμένην αὐτῆς Μυσίαν γίνεται, καλούμενος ὑπὸ τῶν ἐγχωρίων ὀξυγαλάκτινος.

[Ὀξυγαρίζω, Oxygaro condio. Forma novitia per o Hierophilus in Ideleri Phys. vol. 1, p. 411, 15: Ἐκ τῶν λαχάνων ... τὸ κολίανδρον μετρίως ὀξογαρίζειν ὀξεῖ σκιλλητικῷ· 413, 33: Ὀξογαρίζειν τὸ μαϊούλιον. L. D.

Per υ inc. in Boisson. Anecd. vol. 3, p. 418. Osann.]

Ὀξύγαρον, τὸ, Confectio quædam quæ aceto et garo diluitur, de qua Colum. 12, c. ult., ubi vocatur etiam moretum ὀξύπορον. Athen. 9, [p. 366, C] postquam citavit hunc Antiphanis l., Ὁρῶ δὲ καὶ μετ' ὄξους ἀναμεμιγμένον Γάρον, subjungit, Οἶδα δὲ ὅτι νῦν τινὲς τῶν Ποντικῶν ἰδίᾳ καθ' αὑτὸ κατασκευάζονται ὀξύγαρον. Oxygari meminit et Martial. [Id. Ath. 2, p. 67, E: Λεκτέον δὲ ὀξύγαρον διὰ τοῦ υ. Phryn. p. 56, 22 Bekk.: Ὀξύγαρον καὶ οὐχ ὀξόγαρον. Male ap. Zonar. Lex. p. 145, 6: Ὀξόγαρος βάρβαρον· ὀξύγαρος γάρ. Ap. Hierophil. in Ὀξυγαρίζω cit. p. 414, 13: Τὰ ὀξομέλιτα καὶ ὀξογάριτα, nisi leg. ὀξόγαρα. L. D. || Ὀξυτάριον, Acetabulum, vasculum aceti ad intingendum appositum, Græcis ὀξύβαφον, ap. Cassiodorum De orthographia, ex Martyrio. Sed alii legendum contendunt ὀξύγαρον, quomodo Acetarium exponitur in Glossis vett. Ducang.]

Ὀξύγγιον, τὸ, Græci recentiores dixere pro Lat. Axungia: h. e. Adipe s. Pingui suillo, quo rotarum axes unctæ fuerunt. Perperam enim Hermol. Barb. ab ὀξὺς derivatum putavit, interpr. modo Posca, modo Fæx aceti. Diosc. 3, 104, de aparine: Ἀναληφθεῖσα ὀξυγγίῳ λείῳ διαφορεῖ χοιράδας. [Gl.: Ὀξύγγιον, Arbina, Unguen, Unguina, Arviva, Axungia.]

Ὀξυγένειος, ὁ, Qui acuto est mento, Bud. [Vel potius Barba acuta, ut Ὀξυτενής. Pollux 4, 145, et ex eo schol. Lucian. Epist. Saturn. c. 24. L. Dind.]

Ὀξύγενυς, ὁ, ἡ, Id quod infra labra in maxilla inferiore eminet: ut interpr. Cam. ex Polluce [2, 97], addens et γένυν ab eo vocari.

[Ὀξύγη, ἡ, εἶδος χριδος (sic), Bufo et Cufo, Gl.]

[Ὀξυγλυκής, ὁ, ἡ.] Ὀξυγλυκές, Galen. Comm. 3 εἰς τὸ Περὶ ἀγμῶν, ubi scribit non aliud esse quam ἀπόμελι, fierique ab aliis ex melle et aceto, ab aliis autem ex favis et aceto. Gorr.

Ὀξύγλυκυς, εια, υ, Dulciter acris; ut ὀξυγλυκεῖα [—γλύκεια] ῥοὰ [ῥόα] ap. Aristoph. [ap. Polluc. 6, 80, qui Æschyli versum ab Aristoph. usurpatum monet], Dulciter acre punicum Erasm. interpr. Apud Medicos autem ὀξύγλυκυ est Potus, qui paratur dulcissimis favis maceratis et decoctis. [Ὀξύγλυκυ, Ὀξύγλυκον (sic), Dulcacidum, Gl. Hippocr. p. 652, 23: Ἡδύναντα ἐν ὀξυγλύκει καὶ ἁλσί· 760, B: Ποτῷ χρῆσθαι ὕδατι καὶ μὴ οἴνῳ ἀλλὰ ὀξυγλυκεῖ· 775, F: Ὀξύγλυκυ εὐῶδες ὀλίγον ἐπὶ ὕδωρ ἐπιστάζοντα· 840, H: Ποτὸν ὀξύγλυκυ. Altero loco scribendum ὀξυγλύκει, ut est p. 1028, D: Ποτῷ ἐχρῆτο ὀξυγλύκει. Et p. 651, 49, ὀξυγλύκεσι, et rursus ὀξυγλύκει p. 662, 23. Rationem ejus conficiendi et adhibendi usum pluribus exponit Foes. in OEcon.]

[Ὀξύγοος, ὁ, ἡ, Clara voce ejulans. Æsch. Sept. 325: Ὀξυγόοις λιταῖσιν.]

[Ὀξυγραφέω, Celeriter scribo. Euthym. Zygab. præf. in Psalm. in Le Moyn. Var. Sacr. vol. 1, p. 205.]

[Ὀξυγραφία, ἡ, Scriptura celera. Simeon Metaphr. Vit. S. Luciani, cod. Ms. Par. 1524, p. 91, a. Bast. Anonym. ap. Allatium ad Method. Conviv. p. 361. Boiss. Euthym. l. modo cit.]

Ὀξυγράφος, ὁ, ἡ, Qui celeriter scribit, qui et ταχυγράφος. [Philo vol. 2, p. 363, 29: Ἵνα ὦσιν ὀξυγράφοι. Wakef. Ps. 44, 2: Ἡ γλῶσσά μου κάλαμος γραμματέως ὀξυγράφου. Euthym. Zygab. Præf. in Ps. in Le Moyn. Var. Sacr. 1, p. 205; Cram. An. vol. 3, p. 397, 28.]

Ὀξυγώνιος, ὁ, ἡ, In acutos angulos desinens, Acutos habens angulos. Suid. in Ὀξύ: Ὅσα μὲν γὰρ ἐπιτήδεια εἰς τὸ κεντεῖν ποιῆσαι βουλόμεθα, ὀξυγώνια αὐτὰ ποιοῦμεν· ὅσα δὲ εἰς τὸ ὠθεῖν, ἀμβλυγώνια. Aristot. in 3 De cœlo [c. 8] πυραμίδα esse dicit ὀξυγωνιωτάτην, Acutissimis constare augulis. [Schol. Oppiani Hal. 3, 88: Τῇ ὀξυγωνίῳ. Wakef. Theolog. arithm. p. 15, D: Τριγώνου εἴδη τρία, ὀξυγώνιον, ἀμβλυγώνιον, σκαληνόν. Euclid. vol. 1, p. 4 ed. Peyrard. κθ': Τῶν τριπλεύρων σχημάτων ... ὀξυγώνιον τὸ τὰς τρεῖς ὀξείας ἔχον γωνίας. Memorat Pollux 4, 161. L. Dind.]

[Ὀξυγωνιότης, ητος, ἡ, Angulus acutus. Apollod. Poliorc. p. 24 fin.: Ἵνα μὴ κόπτῃ τὰ σχοινία ἡ ὀξ. αὐτῶν.]

[Ὀξύγωνος, ὁ, ἡ, i. q. ὀξυγώνιος. Jo. Climac. p. 171. Boiss.]

[Ὀξυδάτης. V. Ὀξοδάτης.]

A Ὀξυδέρκεια, ἡ, Acumen visus, Acies oculorum. Et Ὀξυδερκία: utrumque ap. Suid. [Apollod. 3, 10, 3, 5: Ὀξυδερκίᾳ διήνεγκεν. Schol. Nicandri Th. 33. Ὀξυδέρκεια, scriptor Vitæ Hom. in Galei Op. myth. p. 320. Wakef. Alterius formæ exx. Galeni vol. 13, p. 942, D, Georg. Pis. Hex. 83, addit Lobeck. ad Phryn. p. 576. Rursus Zonaras p. 1456: Ὀξυδέρκεια τὸ ὀξέως βλέπειν, ὀξυδορκία δέ.]

Ὀξυδερκέω, Acutum cerno. [Aristot. Ep. ad Alex. rhet. vol. 4, p. 20 ed. Buhl. (ubi tamen ὀξυδορκεῖν Bekker. p. 1421, 22, ὀξὺ δερκεῖν (sic) afferens nonnisi ex libro uno), Philon. p. 195, D; 324, C; 756, A; 898, Lucian. Philops. c. 15, Eunap. Proœm. p. 12, Suid. v. Ἐκ δυεῖν, affert Lobeck. ad Phryn. p. 576, Jo. Chrysost. Hom. 2 in Matth. p. 12, Suicer.]

Ὀξυδερκής, ὁ, ἡ, Acutum cernens, Acie oculorum acri præditus, Perspicax. [Themist. Or. 13, p. 170, D.] Unde ὀξυδερκέστατος ap. Herodot. [2, 68], i. e. ὀξυωπέστατος, ut Aristot. loquitur. Et ap. Lucian. [Vitt. auct. c. 26] per admirationem dicenti, Ἡράκλεις τῆς

B ἀκριβολογίας, respondet alter, Τί δὲ εἰ ἀκούσῃς ἄλλα πολλὰ τούτων ὀξυδερκέστερα; [Athen. 6, p. 250, E: Τῶν ἄλλων ὀξυδερκέστερος.] Et τὸ ὀξυδερκὲς, Acutum et perspicax, Acies oculorum. [Ὀξυδερκὲς ὕδωρ, transitive, Diocles Athen. 2, p. 46, D. Boiss. Dioscor. 5, 6: Ἔστι δὲ καὶ ὀξυδερκές. Memorat Pollux 2, 51.]

[Ὀξυδερκία. V. Ὀξυδέρκεια.]

Ὀξυδερκικὸς, ἡ, ὸν, Visus acumini conferens. [Aut hoc aut ὀξυδορκικὸς reponendum in Matthæi Med. p. 320: Τὸ ὅμοιον καὶ ἐπὶ τῶν ὀξυδερκιῶν συντετύχηκε χολλυρίων, nisi quis malit ὀξυδερκῶν. L. Dind.]

Ὀξυδορκέω, Acutum cerno [Gl. Anon. ap.] Plut. [Mor. p. 469, B, et 515, D]: Τί ἀλλότριον [τἀλλότριον], ἄνθρωπε βασκανώτατε, κακὸν ὀξυδορκεῖς, τὸ δ' ἴδιον παραβλέπεις; [Strab. 6, p. 267, Lucian. Bis accus. c. 34, Philon. p. 252, D; 419, A; 541, D; 567, B; 734, A, et al. citat Lobeck. ad Phryn. p. 576. Apoll. De constr. p. 191, 10. L. D. Euseb. Præp. ev. p. 543. Wakef. Scholl. Aristoph. Pl. 290, Lycophr. 148.]

Ὀξυδορκής, ὁ, ἡ, dicitur pro ὀξυδερκής, a præt.

C med. δέδορκα. || Unde Ὀξυδορκῆ et Ὀξυδορκικὰ φάρμακα vocantur Medicamenta, quæ oculos nullo quidem sensibili affectu laborantes, male tamen munere suo fungentes, corrigunt et in integrum restituunt. Hujusmodi collyria aliquot referuntur a Galeno K. τόπ. 4. Gorr. Et ap. Plut. [Mor. p. 69, A]: Ὁ δὲ παῤῥησίαν καὶ δηγμὸν ἀνθρώπῳ δυστυχοῦντι προσάγων, ὥσπερ ὀξυδορκικὸν ὄμματι ταρασσομένῳ καὶ φλεγμαίνοντι. [Casii Probl. 18.]

Ὀξυδορκία, ἡ, Acumen visus. [Acies oculorum, Acies, Gl.] Lucian. [Macrob. c. 5]: Κριθίνῳ ἄρτῳ χρωμένους, ὡς ὀξυδορκίας τοῦτο φάρμακον. [Metopus Stob. Fl. vol. 1, p. 25: Ὀπτίλων ἀρετὰ ὀξυδορκία. Hippodam. ib. vol. 3, p. 342. Wakef. Diosc. 3, 80, Geopon. 12, 13, Eunap. V. Max. p. 77, addit Lobeck. ad Phryn. p. 576.]

[Ὀξυδορκικός. V. Ὀξυδορκής.]

[Ὀξύδουπος, ὁ, ἡ, Acutum edens strepitum. Philipp. Anth. Pal. 6, 94, 2, κύμβαλα.]

[Ὀξυδράκαι, οἱ, Oxydracæ. Ἔθνος Ἰνδικὸν, ἀφ' ὧν

D σώσας Ἀλέξανδρον Πτολεμαῖος σωτὴρ ἐκλήθη· οἱ δὲ ψεῦδος τὸ περὶ τῶν Ὀξυδρακῶν, Steph. Byz. Strabo 15, p. 687, Pausan. 1, 6, 2, Diodor., Arrian. et al.]

[Ὀξυδρομέω, Velociter curro. Cyrill. Alex. Or. Pasc. 7, p. 83: Τοῖς ὀξυδρομοῦσι νεανίαις ἀκολουθεῖν. Suicer.]

[Ὀξύδρομος, ὁ, ἡ, Celeriter currens. Schol. Pind. Ol. 13, 51: Ἡ ὀξύδρομος ἡμέρα. Sed scribendum potius ὀξυδρόμος, ut ταχυδρόμος. Philes De anim. p. 312: Ἰοῦ δὲ μεστὰ καὶ φθορᾶς ὀξυδρόμου.]

[Ὀξυέθειρ, ος, ὁ, ἡ, i. q. seq. Marc. Sidet. 35. Nonn. Dion. 14, 368: Ὀξυέθειρας ἀκάνθας· et cum eod. nomine 22, 25.]

Ὀξυέθειρος, ὁ, ἡ, Acutos capillos habens, Nonn. [Jo. c. 19, 22, στέφος.]

[Ὀξύζω scriptura vitiosa pro ὀξίζω quod v.]

[Ὀξύη. V. Ὀξύα.]

Ὀξυηκοΐα, ἡ, Acumen audiendi, Facultas acute audiendi. Cui opponitur Βαρυηκοΐα. [Ὀξυακοΐα Metopus Stobæi Fl. vol. 1, p. 26. Valck. Quod reddendum Hippodamo vol. 3, p. 342, ubi ὀξυκοΐα, qua de A forma vitiosa HSt. infra et de similibus nos in Βαρυκωφέω. Ὀξυηκοΐα habet Pollux 2, 82. L. Dind.]

Ὀξυήκοος, ὁ, ἡ, Qui acuto est auditu, Qui acute audit. [Plato Tim. p. 75, B : Ὀξυήκοον αἴσθησιν. Aristot. H. A. 4, 8 med. : Μάλιστα ὀξυηκόους εἶναι τοὺς ἰχθῦς. Pollux 2, 81.] Sunt qui ὀξυήκοον interpr. Cui teretes sunt aures; sed perperam. Basil. : Τὸ δὲ ὀξυήκοον τοῦ ζώου· ubi τὸ ὀξυήκοον ponitur pro ἡ ὀξυηκοΐα. [V. Ὀξύκοος. Forma contracta Ὀξυήκους ap. Galen. vol. 13, p. 404 corrigenda ὀξυήκοος.]

[Ὀξυήκουστος, ὁ, ἡ, Acutus ad audiendum. Sext. Emp. Adv. math. p. 320. Wakef. Sed ap. Sextum p. 566 Fabr. est : Εἰ περί τινος τῶν ἀκουστῶν ἐζητοῦμεν, εὐλόγως ἂν τοῖς ὀξυηκουστάτοις ἐπιστεύομεν, quod ut ad ὀξυήκουστος referri possit, scribendum ὀξυηκουστοτάτοις, quum nihili sit quam nonnulli finxerunt talium superlativorum syncopen. Sententia autem poscit ὀξυηκοωτάτοις, quod est ap. Zonaram Lex. p. 1456. L. Dindorf.]

[Ὀξυηρὸς vel Ὀξυχρὸς, Acernus interpr. Gl. Rectius B fortasse ὀξηρὸς, quod v.]

[Ὀξυηχὴς, ὁ, ἡ, i. q. seq. Philostr. V. Soph. 1, p. 489, 8 : Ὀξυηχὲς ἠκούετο. Hemst.]

Ὀξύηχος, ὁ, ἡ, Acutum sonum edens, Argutum sonans, Alex. Aphr. [Probl. 1, 97. Etym. M.: Διάτορον, ὀξύτονον, ὀξύηχον.]

[Ὀξυθάνατος, ὁ, ἡ, Mortem cito afferens. Strab. 17, p. 823 : Ἤπερ καὶ ὀξυθανατωτέρα (aspidum). Hemst. Promptus ad moriendum. Eunap. Exc. Maii p. 293 : Γένος ἀνθρώπων ... ὀξυθάνατον καὶ φιλοκίνδυνον. Cramer.]

[Ὀξύθεμις, ιδος, ὁ, Oxythemis, Demetrii Poliorcetæ amicus, ap. Diod. 21, 18, 20, Athen. 6, p. 253, A; 13, p. 578, A; 14, p. 614, F.]

Ὀξύθηκτος, ὁ, ἡ, Valde acutus, Quem quis ita exacuerit, ut ejus mucronem acutum reddiderit : ὀξ. φασγάνοις, Eur. [Andr. 1118, et sing. 1150. El. 1158, βέλει. Soph. Ant. 1301 : Ἡ δ' ὀξύθηκτος ἥδε, quod schol. expl. ὀξεῖαν λαβοῦσα πληγήν. Triclinius autem poni dicit pro adv. ὀξυθήκτως. Ὀξύτατος bis interpr. C Hesychius.]

[Ὀξυθρήνητος, ὁ, ἡ, Acute deploratus. Schol. Æsch. Sept. 326.]

Ὀξυθυμέω, Iræ impotens sum, Præcipiti ira excandesco. [Eur. Androm. 689 : Ἦν δ' ὀξυθυμῇς, σοὶ μὲν ἡ γλωσσαλγία μείζων.] Aristoph. Vesp. [501] : Ὅτι κελητίσαι 'κέλευον, ὀξυθυμηθεῖσά μοι, Ἤρετ' εἰ τὴν Ἱππίου καθίσταμαι τυραννίδα. [Cum dat. Thesm. 466 : Τὸ μὲν ὀξυθυμεῖσθαι σφόδρα Εὐριπίδῃ. Et ὠξυθυμήθη id. ap. Polluc. 2, 231. Photius : Ὀξυθυμεῖσθαι, οὐχὶ ὀξυθυμεῖν λέγουσιν τὸ ὀργίζεσθαι ἀκραχόλως. Cujus si rationem habuissent editores Euripidis, l. c. ὀξυθυμῇ restituere debuissent. L. Dind.]

[Ὀξυθύμησις, εως, ἡ, i. q. seq. Artemid. 4, 69 : Τὴν ὀξυθύμησιν καὶ φιλονεικίαν.]

Ὀξυθυμία, ἡ, Excandescentia, Iracundia, Vitium animi, quo levissima de causa irascitur : opp. τῇ μακροθυμίᾳ. [Eur. Androm. 728 : Ἀνειμένον τι χρῆμα πρεσβυτῶν ἔφυ καὶ δυσφύλακτον ὀξυθυμίας ὕπο.] || Sordes, Purgamentum. Pollux 2, [231] : Καὶ ὀξυθυμία, ἣν οἱ D φαῦλοι ῥήτορές φασι καθάρματα· 6, [c. 5] tit. Περὶ οὐδαμινοῦ [163] : Τῶν ἐν ταῖς τριόδοις καθαρμάτων ἐκβλητότερος· κοπρίων ἐκβλητότερος, εἰ χρὴ καθ' Ἡράκλειτον λέγειν· τῶν ὀξυθυμιῶν ἀτιμώτερος, Vilior abjectiorque purgamentis. Quibus in ll. vocabulum hoc fem. gen. usurpatur. Reperitur vero neutro etiam gen. et plur. τὰ ὀξυθύμια : quod variis modis exp. Quidam enim, ut Harpocr. annotat, inter quos est et Aristarchus, volunt esse τὰ ξύλα, ἀφ' ὧν ἀπάγχονταί τινες, dicta ἀπὸ τοῦ ὀξέως τῷ θυμῷ χρῆσθαι, Cruces, ex quibus suspenditur et strangulatur aliquis. Nonnulli, ut Hesych. scribit, volunt esse τὰ καθαρτήρια καὶ ἀποτρόπιμα ξύλα, ἅπερ εἰς τὰς τριόδους ἀποστρέφουσι καθαίροντες τὰς οἰκίας. Hyperides in Orat. c. Dem. : Περὶ οὗ πολλῷ ἂν δικαιότερον ἐν τοῖς ὀξυθυμίοις ἡ στήλη σταθείη ἢ ἐν τοῖς ἡμετέροις ἱεροῖς. Eupolis : Ὃν χρῆν ἐν ταῖς τριόδοις κἂν τοῖσιν ὀξυθυμίοις πρὸς τὸ τρόπαιον τῆς πόλεως καίεσθαι περιτετριγότα. Addit Harpocr. a Didymo exponi τὰ καθάρματα καὶ ἀπολύματα : hæc enim solere efferri in trivia, quum domus expurgantur. Idem hæc subjungit, quibus aliquid mendi subesse videtur : Ἐν δὲ τῷ ὑπομνήματι τῷ κατὰ Δημάδην, τὰ ἐν ταῖς τριόδοις φησὶν Ἑκαταῖός που· [Ἑκαταῖα, ὅπου] τὰ καθάρσια ἔφερόν τινες, ἃ ὀξυθύμια καλεῖται. Quæ duæ expositiones posteriores cum Pollucis explicatione conveniunt : quemadmodum Suid. [et Photius] quoque scribit, ὀξυθύμια vocabantur Athenis Purgamenta ædium, quæ noctu in triviis exponebantur.

[Ὀξυθύμια, τά. V. Ὀξυθυμία.]

Ὀξυθυμίας, ὁ, i. q. ὀξύθυμος, s. ὀξύχολος, Pollux [2, 231; 6, 124].

Ὀξύθυμος, ὁ, ἡ, Qui subita et acri ira excandescit, acerbe vehementerque irascitur, Ad iram præceps, Præceps animi, ut Virg. [Iracundus, Gl. Æsch. Eum. 705 : Βουλευτήριον ὀξύθυμον. Eur. Med. 319 : Γυνὴ γὰρ ὀξύθυμος, ὡς δ' αὔτως ἀνὴρ ῥᾴων φυλάσσειν ἢ σιωπηλὸς σοφός· Or. 1198 : Ὀξυθύμου μὴ κρατῶν φρονήματος· Bacch. 671 : Τοὐξύθυμον καὶ τὸ βασιλικὸν λίαν. Menander ap. Stob. Fl. 20, 22 : Τὸ ὀξύθυμον τοῦτο καὶ λίαν πικρόν. Anonym. ibidem 40 : Συγγένει ὅταν παρῇ τραχεῖα κὠξύθυμος. Epicharm. ibidem 8 : Μὴ 'πὶ μικροῖς αὐτὸς αὑτὸν ὀξύθυμον δείκνυε.] Aristoph. Vesp. [1104] : Οὐδὲν ἡμῶν ζῷον ἠρεθισμένον Μᾶλλον ὀξύθυμόν ἐστιν, οὐδὲ δυσκολώτερον, Nullum animal irritatum tam acri ira excandescit. [Ib. 407 : Νῦν ἐκεῖνο τοὐξύθυμον, ᾧ κολαζόμεσθα, κέντρον.... 455 : Ἀνδρῶν τρόπος ὀξυθύμων· Eq. 706 : Ὡς ὀξύθυμος.] In ead. comœdia dicit ὀξυκάρδιοι eadem signif. Aristot. Rhet. [1, 10 : Ὁ ὀξ. δ' ὀργήν (ἄδικος)·] 2, [12] : Καὶ θυμικοὶ καὶ ὀξύθυμοι, καὶ οἷοι ἀκολουθεῖν τῇ ὁρμῇ. Eod. l., [c. 5] : Καὶ τῶν ἠδικημένων καὶ ἐχθρῶν ἢ ἀντιπάλων οὐχ οἱ ὀξύθυμοι καὶ παῤῥησιαστικοὶ, ἀλλ' οἱ πρᾶοι καὶ εἴρωνες καὶ πανουργοί. [Suidas in Σπεύσιππος, schol. Theocr. 6, 40. Hemst.] Sunt qui esse velint Irasci facilis, Cerebrosus : quibus utitur Horat. Opponitur, ut scribit Galen., τῷ θυμώδει, Animoso, quod non nisi magna et justa de causa irascitur; estque ὀξύθυμος, Qui si vel levissime offenditur, iram ferre non potest et concoquere, sed statim excandescit; nec potis est iræ et animo suo moderari, sed mulierum more minimis perturbationibus succumbit, et protinus ardet iracundia : ideoque ὀξύθυμος pusillo, non generoso virilique animo præditus est.

Ὀξύϊνος, η, ον, et Ὀξυόεις, εσσα, εν, Ex ea arbore [ὀξύᾳ] confectus. [Σκινδαψὸν ὀξύϊνον memorat Athen. 4, p. 183, B. Schweigh. Theophr. H. Pl. 5, 7, 2 : Ὀξυΐνην τρόπιν.] Eustath. p. 1951, quum dixisset νεκυία a quibusdam scribi, sicut μυία, a quibusdam νεκύα, κατὰ τὴν ὀξύαν τὸ φυτὸν, addit, ἀφ' ἧς καὶ βέλη κατά τινας ὀξυόεντα. Hesych. quoque ita accipit, addens tamen et aliam expos. : Ὀξυόεντι, ὀξεῖ, ἢ ὀξυΐνῳ· ὀξύα δὲ εἶδος δένδρου. Utitur hoc epith. Hom., βέλει ipsum tribuens : Il. Θ, [514] : Βλήμενος ἢ ἰῷ ἢ ἔγχεϊ ὀξυόεντι· Od. Τ, [33] : Ἐσφόρεον κόρυθάς τε καὶ ἀσπίδας ὀμφαλοέσσας, Ἔγχεά τ' ὀξυόεντα.

[Ὀξυκαμπὴς, ὁ, ἡ, Acute curvatus. Antyllus Oribasii p. 51 ed. Mai. : Ἄγκιστρον ὀξυκαμπές. L. Dind.]

[Ὀξυκανὸς, ὁ, Oxycanus, Indus, ap. Arrian. Exp. 6, 16, 1 sq.]

Ὀξυκάρδιος, ὁ, ἡ, Acutum cor habens. Accipitur pro ὀξύθυμος, Iracundus, Ad iram præceps, Qui acuta ira excandescit. [Æsch. Sept. 906 : Ἐμοιράσαντο δ' ὀξυκάρδιοι κτήματα.] Aristoph. Vesp. [430] : Σφῆκες ὀξυκάρδιοι· quæ ap. Eund. [1104] dicunt, Οὐδὲν ἡμῶν ζῷον ἠρεθισμένον Μᾶλλον ὀξύθυμόν ἐστιν οὐδὲ δυσκολώτερον· et [404] : Ἡνίκ' ἄν τις ἡμῶν ὀργίσῃ τὴν σφηκίαν, νῦν ἐκεῖνο, νῦν ἐκεῖνο τοὐξύθυμον ᾧ κολαζόμεσθα κέντρον ἐντέτατ' ὀξύ.

Ὀξυκάρηνος, ὁ, ἡ, Acutum caput habens. [Nicand. Th. 223 : Πᾶς δέ τοι ὀξυκάρηνος ἰδεῖν ἔχις· 397 : Τὸ μὲν δέμας ὀξυκάρηνος.] Dionys. Alex. [P. 642 : Ταῦρον δέ ἑ κικλήσκουσιν, οὕνεκα ταυροφανές τε καὶ ὀξυκάρηνον ὁδεύει. « Etym. M. p. 404, 26. » Hemst. ἄ]

Ὀξύκεδρος, ὁ, ἡ, Acuta cedrus, Theophr. H. Pl. 3, [12, 3]. Meminit et Plin. 13, 5, de duobus cedri generibus : Differunt folio; nam quæ durum, acutum, spinosum habet, Oxycedros vocatur, ramosa et nodis infesta.

[Ὀξυκέλευθος, ὁ, ἡ, Qui est celeris viæ. Nonn. Dion. 5, 228 : Ὀξυκέλευθον ἐπὶ δρόμον. Boiss.]

['Οξυκέντητος, ὁ, ἡ, Acute pungens. Nicet. Eugen. 5, 148 : Τὸ τῶν ὀνύχων ὀξυκέντητον σθένος. Boiss.]

['Οξύκεντρος, ὁ, ἡ, Qui acuto est stimulo. Const. Manass. Chron. 339 : Τριβόλοις ὀξυκέντροις· 5599 : 'Ακάνθαις ὀξυκέντροις. Boiss.]

['Οξυκέρᾰτος, ὁ, ἡ, Qui acuto est cornu vel acutis cornibus. Schol. Æsch. Pr. 424, Hesych. in 'Οξύπρωροι, locum eundem, ut videtur, respiciens.]

['Οξύκερως, ω vel ωτος, ὁ, ἡ, i. q. præcedens. Oppian. Cyn. 2, 445 : 'Οξύκερως θήρ. Eust. in Dionys. Per. 1004 : Κερώνυχα τὸν ὀξύκερών φασιν οἱ παλαιοί. Wakef.]

'Οξυκέφᾰλος, ὁ, ἡ, Qui acuminato capite est. Poetæ dicunt ὀξυκάρηνος. Idem qui φοξὸς ap. Hom., Pollux [2, 43. Schol. Aristoph. Av. 1295].

['Οξυκῑνησία, ἡ, Celer motus. Eunap. V. Soph. p. 46, τῶν ὀμμάτων. Proc. In Ptolem. Tetrab. p. 145 ult.; schol. Pind. p. 16 med.; Cramer. Anecd. Paris. vol. 1, p. 318, 23.]

'Οξυκίνητος, ὁ, ἡ, Ad motum subitus et præceps, Qui celeriter s. subito movetur. Lucian. [Abdic. c. 28, Dips. c. 5] : 'Οξ. γίνεται, Subita et acri ira commovetur, Subito et acriter exacerbatur. [Scholl. Hesiodi Op. 412, p. 224, et Pind. l. c.]

'Οξυκοΐα, ἡ, Aures acutæ, Auditus acumen. Plut. Symp. 4 [p. 670, F] de lepore : 'Οξυκοΐᾳ δὲ δοκεῖ διαφέρειν. [Id. Mor. p. 34, C, ubi v. Wyttenb.] Sed hanc scripturam ego minime probarim, ac scrib. potius censuerim 'Οξυήκοος et 'Οξυηκοΐα [quæ v.], de quibus supra : nam η in hoc compos. amitti valde insolens esset.

['Οξύκομος, ὁ, ἡ, Qui crines habet acutos. Improprie de pinu epigr. ap. Philostr. Her. p. 748, 5 : 'Οξυκόμοιο κρεμαστὸς ἀπὸ... πεύκης. « Oppian. Cyn. 2, 194 : 'Οξύκομον κεράμου ἔρνος· 599 : 'Εχίνοις ὀξυκόμοισιν. » Kall.]

'Οξύκοος, ὁ, ἡ, Qui acutas habet aures, celeriter audit, Ad cujus aures sonus editus celeri et acuto motu perfertur. [Aristot. H. A. 4, 8, ubi nunc recte ὀξυήκοος, quod v.]

['Οξυκόρᾰκος, ὁ, ἡ. Paul. Æg. 6, 87, ὀξυκοράκῳ σμιλίῳ, de σμιλίῳ acutum habente κόρακα, quod voc. v.]

'Οξύκρᾱτον, τὸ, Potio ex aceto et aqua permistis, Acetum aqua mistum, i. e. Posca [Gl.] s. Pusca. Miscendi autem ejus ratio nunquam certa fuit; quippe quæ varie temperari queat. Exemplum cum Plinii interpretatione habes in 'Αφεψέω. [Etym. M.; Erotian. Wakef. Antyllus in Matthæi Med. p. 73 : 'Οξυκράτῳ ποτίζομεν. Oribas. p. 55 ed. Mai. Forma Ion. 'Οξύκρητον Aret. p. 74, 52; 72, 48, etc. L. Dindorf.]

['Οξυκώκῡτος, ὁ, ἡ, Acuta voce deploratus. Soph. Ant. 1316 : 'Οξυκώκυτον πάθος.]

'Οξυλάβεια, ἡ, Studium celeriter aliquid capessendi et aggrediendi. Eust. p. 123 : Εἴη ἂν 'Εκατογχειρ, ὁ πολύχειρ, ἢ πράξεσιν, ἢ πλήθει στρατοῦ ἢ μηχαναῖς· ἡ δ' ἐν τοιούτοις δραστηριότης, ὀξυλάβεια ἔργων λέγεται, Celeriter rem aliquam capessere et aggredi. [Conf. 'Οξυλάβος. Schol. Hom. Il. N, 527. L. D. 'Ακμῆς καὶ ὀξυλαβίας χρῄζει, schol. Æschyl. Sept. 97. Hemst. ᾰ]

'Οξυλᾰβέω, Celeriter prehendo, capesso et aggredior; nam ὀξυλαβῆσαι, ὀξέως λαβέσθαι πραγμάτων, Hesych. [et Etym. M. Xen. H. Gr. 7, 4, 27 : Ὅσοι ἐγγύτατά τε ἐτύγχανον ὄντες καὶ ὠξυλάβησαν, ἐξῆλθον.]

['Οξυλάβη, ἡ, Forceps. Chron. Pasch. et Cedrenus p. 19 (sive Georg. ante Malalam p. 24) de Vulcano : Τοῦτον δέ φασι διὰ μυστικῆς εὐχῆς τὴν ὀξυλάβην δεξάμενον ἐκ τοῦ ἀέρος τὴν χαλκευτικὴν Αἰγυπτίοις παραδοῦναι. Suid. in Ἥφαιστος. Ducang.]

'Οξυλαβὴς, ὁ, ἡ, Celer ad prehensionem, Velociter prehendens, capiens, In captura aut in capienda præda celer. Aristot. H. A. 9, 34, de aquila pullos suos ex nido exturbante : Φύσει γάρ ἐστι φθονερὸς καὶ ὀξύπεινος, ἔτι δὲ ὀξυλαβής· λαμβάνει δὲ μέγα ὅταν λάβῃ. Fortassis autem est potius a verbo hoc nomen, sicut et εὐλαβής. [Iterum HSt. :] 'Οξυλαβὴς, Aristot. de aquila dixit, Quæ velociter prehendit prædam.

'Οξυλάβος, ὁ, ἡ, Qui cito prehendit, Celer in aliquo negotio capessendo et exequendo. Eust. p. 1753 : Ὁ δὲ ὀξύχειρ, καὶ 'Οξυλάβος ῥηθείη ἂν, καὶ ἡ κατ' αὐτὸν σπουδὴ, 'Οξυλάβεια. Idem et δραστήριος dicitur. [Forceps, ut ὀξυλάβη. Schol. Hom. Il. Σ, 477 : Πυράγρην τὸν ὀξύλαβον (sic).]

'Οξυλάλος, ὁ, ἡ, Acute loquens, Aristoph. [Ran. 815 : 'Οξυλάλου θήγοντος ὀδόντας ἀντιτέχνου, de Euripide.]

['Οξυλάπαθον, τὸ, vel 'Οξυλάπαθος, ὁ. HSt. in Λάπαθος, quod v. :] Est et alterum genus [lapathi herbæ], fere 'Οξυλάπαθον vocant : sativo item similius, et acutiora habet folia ac rubriora, nonnisi in palustribus nascens... Hæc Plin. 20, 21, [85, ubi paullo post iterum mentionem facit oxylapathi]. Igitur ὀξυλάπαθον dicitur, quod folia sativo habeat acutiora. ['Οξυλάπαθος, Geopon. 2, 5, 4. Boiss. Schol. Nicand. Th. 838. Incerto genere Aret. p. 98, 32, Oribas. p. 69 ed. Mai. ᾰᾰ L. Dindorf.]

['Οξύλευκος, ὁ, ἡ, Candidoroseus. Georg. Pachym. 4, 29 : Τὰ ὀξύλευκα παράσημα ἀπεβάλετο κατὰ τρόπον. Distinguit voces Codinus De offic. 3, 6 : Τὰ ὑποδήματα αὐτοῦ διβολέα, χρώματος ὀξέως καὶ λευκοῦ. Ita c. 4, 31. Ducang.]

B 'Οξυλίπαρος, ὁ, ἡ, Aceto et pinguedine imbutus, ut ὀξυλίπαρον τρίμμα, Athen. 7, [p. 295, B] ex Timocle : Γαλεοὺς καὶ βατίδας, ὅσα τε τῶν γενῶν ἐν ὀξυλιπάρῳ τρίμματι σκευάζεται· qui l. citatur etiam l. 9, [p. 385, A] ubi Ulpianus verba ejus, qui dixerat ἥδιστα γεγονέναι καὶ τὸν μετ' ὀξυλιπάρου ἀλεκτρυόνα, excipiens, ait, 'Οξυλίπαρον δὲ τί ἐστι; πλὴν εἰ μὴ καὶ κόττανα καὶ λέπιδιν, τὰ πάτριά μου νόμιμα βρώματα, ὀνομάζειν μέλλετε. Ubi ὀξυλίπαρον absolute accipitur pro ὀξυλίπαρον τρίμμα, s. alio ejusmodi, h. e. Intritum condimentumque pingue ac acidum. [ῐᾰ]

'Οξυλῐπὴς, ὁ, ἡ, et 'Οξυλίπαρος, Aceto et pingui aliquo imbutus. 'Οξυλιπὴς ἄρτος, Acidus panis, Cui exiguum aceti affusum est, qui in febribus diariis exhibetur iis quibus alvus fluit, Gorr. Aet. 5, 68, de diariis febribus ex cruditate obortis : Τρέφειν δὲ, ῥεούσης μὲν ἔτι τῆς γαστρὸς, ἀλφίτοις τε καὶ τοῖς καλουμένοις ὀξυλιπέσιν ἄρτοις. Ubi Interpres, Panibus qui Oxylipes vocantur ex eo, quod paucissimum acetum habent. Videtur ergo derivare hoc ὀξυλιπὲς ex ὀξὺ et λείπω.

C Meminit et Galen. Meth. 8, [5, 5].

['Οξυλοβέω.] 'Οξυβολέω, Celeriter jaculor, In jaculando celer sum. Suidæ vero ὀξυβολῶ est τὸ ταχέως ἀκούω. Pro quo reponendum est 'Οξυλοβέω, id quod et alphabeticus ordo docet; positum enim est hoc ὀξυβολῶ post 'Οξυθυμία, ante Ὄξυλος. Derivatur vero ὀξυλοβῶ ex ὀξὺς et λοβός. Eust. p. 1137, de λοβοὶ loquens : 'Αφ' ὧν καὶ ἐλλόβια, κόσμος ἐνώτιος ἀπηρτημένος τῶν κατὰ τὰ ὦτα λοβῶν· καὶ 'Οξυλοβῶ, ῥῆμα, τὸ ταχέως ἀκούω.

[Ὄξυλος, ὁ, ἡ.] Ὄξυλον, Hesychio ἰσόξυλον, ὅμοιον ξύλῳ : ut ὄτριχες, ὄπατρος. [V. sequens n. pr.]

[Ὄξυλος, ὁ, Oxylus, f. Martis et Protogeniæ, ap. Apollod. 1, 7, 7. F. Hæmonis, nepos Andræmonis, ap. eund. 2, 8, 3, 4, Aristot. Polit. 6, 4 med., et sæpe ap. Pausan. et Strab. Conf. Heyn. ad l. alterum Apollod. Herodoti patrem Lyxen ita dictum invenerat Tzetzes in Cram. An. vol. 3, p. 350, 9, ὁ Λυξου in 'Οξύλου corrupto. Accentum Ὄξυλος præcipiunt gramm. Cram. An. vol. 1, p. 51, 23, et Arcad. p. 56,

D 25 : Τὰ εἰς υλος τρισύλλαβα, κύρια ὄντα, ἔχοντα τὴν πρώτην συλλαβὴν μηκυνομένην, παροξύνεται, προσηγορικὰ δὲ ὄντα προπαροξύνεται ... Τὸ δὲ Ἄξυλος καὶ Ὄξυλος κύρια ὄντα τοῖς προσηγορικοῖς κατὰ τὸν τόνον ἠκολούθησαν. 'Οξύλος tamen scriptum in scholl. Nicand. Th. 289, ubi scriptor quidam, et Pind. Ol. 3, 19, 22, ubi Ætolus memoratur, utrobique fortasse contra libros : Pindari enim schol. ed. vet. Ὄξυλος, Nicandri autem scholiis verba illa desunt in ed. pr., ab Schneid. addita. L. Dindorf.]

['Οξύμαγις, ὁ, Oxymagis, fl. Indiæ, ap. Arrian. Ind. c. 4, 5.]

['Οξυμᾰθὴς, ὁ, ἡ, Celeriter discens. Exc. Phryn. p. 56, 11 : 'Οξ. ἄνθρωπος, ὁ ὀξέως μανθάνων τὸ λεγόμενον. Suid. v. Θυμόσοφος.]

['Οξυμαθία, ἡ, Celeriter discere. Ἡ ὀξ. τῆς διαλέκτου, Strab. 2, p. 101. Hemst.]

'Οξύμᾶλα, τὰ, Acida mala, i. e. Pruna, τὰ κοκκύμαλα, Hesych. Vox Laconica, ut testatur Athen. 3, [p. 83, A] : 'Αριστοφάνης δὲ ὁ γραμματικὸς ἐν Λακωνικαῖς Γλωσσαις τὰ κοκκύμηλά φησι τοὺς Λάκωνας καλεῖν ὀξύμαλα Περσικά.

Ὀξύμελι, τος, τὸ, Oxymeli, s. Oxymel : potionis genus ex aceto, aqua marina, et melle, ut fusius docet Dioscor. 5, 22. Sic Plin. 14, 17 : Acetum melle temperabatur : Oxymel hoc vocarunt. Interpretes Dioscoridis Acetum mulsum vertere, Plinii imitatione, qui ὑδρόμελι Aquam mulsam nominat. [Hippocr. p. 393, 43, et 402, 6, et 558, 55. Cujus variam conficiendi rationem habes ap. Galen. l. 4 Salub. Ex Foes. OEc. « Diphilus Siphn. ap. Athen. 2, p. 61, D, et Lysias ib. p. 67, F. » Seager. Lecapen. ap. Matth. Lectt. Mosq. p. 52. Boiss. Matthæi Med. p. 19; Aret. p. 93, 16. Forma Ὀξόμελι est ap. Hierophilum in Ideleri Phys. vol. 1, p. 411, 13, 17; 414, 12, ubi τὰ ὀξομέλιτα pro adjectivo habebat Boisson. *Notices* vol. 11, p. 220, 9, propter additum ὀξογάριτα, quod ὀξόγαρα scribendum suspicati sumus in Ὀξύγαρον. Conferre tamen, qui adjectivum putaret ὀξομέλιτα, posset quod est ib. p. 253 : Πάντα τὰ γλυκέα καὶ σεμιδαλάτα, οἰνομέλιτα καὶ δροσάτα λαμβάνειν, nisi hic quoque recte haberet οἰνομέλιτα substantivum. L. Dind.]

[Ὀξυμελίκρατον, τὸ, Acetum mulsum, ut ὀξύμελι. Hippocr. p. 416, 3 : Ὀξυμελικρήτῳ.]

Ὀξυμέριμνος, ὁ, ἡ, Acuta cura inventus, Acute excogitatus, Aristoph. [Ran. 877 : Ὀξυμερίμνοις στρεβλοῖσι παλαίσμασιν ἀντιλογοῦντες.]

[Ὀξυμήνιτος, ὁ, ἡ, Cito s. Acriter irascens, Iracundus. Æsch. Eum. 472 : Φόνου ὀξυμηνίτου (ὀξυμηνίτους Stanlejus) δίκας.]

[Ὀξύμολπος, ὁ, ἡ, Clare canens. Æsch. Sept. 1023 : Μήτ' ὀξυμόλποις προσσέβειν οἰμώγμασιν.]

[Ὀξύμορφος, ὁ, ἡ, Qui forma est acuta. Jo. Damasc. vol. 1, p. 679, E : Πατρόθεν ὀξύμορφον. L. Dind.]

Ὀξυμυρσίνη, ἡ, Acuta myrtus, Myrtus cujus folia acuta sunt et pungunt, i. e. Myrtus sylvestris, quæ a Theophr. vocatur κεντρομυρσίνη, a poeta, Pastoralis præfixa cuspide myrtus. In Appendice Diosc. 4, 146 : Μυρσίνη ἀγρία· οἱ δὲ, ἱερόμυρτον, οἱ δὲ, ὀξυμυρσίνη· ubi vocatur etiam χαμαιμύρτη. Plin. 15, 7 : Eadem ratio et in sativo myrto; sed præfertur sylvestris minore semine, quam quidam Oxymyrsinen vocant, alii Chamæmyrsinen. At c. 29 ejusd. l., ὀξυμυρσίνην videtur facere Speciem sylvestris myrti : Nunc et alia distinctio (sc. myrti est) sativæ aut sylvestris, et in utraque latifoliæ; in sylvestri, propria oxymyrsine. Nisi hæc verba, In sylvestri, propria oxymyrsine, ita accipias, Sylvestris proprie oxymyrsine dicitur : sicut et l. 23, c. ult. dicit, Myrtus sylvestris, s. Oxymyrsine, s. Chamæmyrsine, baccis rubentibus et brevitate a sativa distat. Scrib. Largo est Scopa regia, c. 39 : Oxymyrsine, quæ Scopa regia vocatur, succo hæc omnia contusa ligno colliguntur. [Zopyrus in Matth. Med. p. 350 : Μυρσίνης φύλλα καὶ ὀξυμυρσίνης. Ὀξυμυρρίνη in cod. ib. p. 395. t]

Ὀξυμύρσινος, ὁ, Qui ex sylvestri myrto confectus est, Oxymyrsinus : quo Plin. utitur, in tit. c. 4 l. 23 : De oxymyrsino oleo (si tamen Plinii ista verba sunt; nam in ipso contextu non utitur ea voce, sed ait, Chamæmyrsinæ s. Oxymyrsinæ eadem natura), de oleo loquens, quod ex ea conficitur, s. ex ejus baccis.

Ὀξύμωρος, ὁ, ἡ, q. d. Acutistultus, Acutifatuus. Ὀξύμωρον, ut Bud. ex Quintiliano tradit, sententia est ex periculo petita, h. e. ita affectate et acute enuntiata ut fatua videatur : ut Virg. Æn. 7, [295] : Num capti potuere capi? num incensa cremavit Troja viros? In quem l. hæc annotat Serv. : Cum felle dictum est; nam si hoc removeas, erit oxymorum. Simile ap. Cic., Si tacent, satis dicunt. Et ap. Horat., Strenua nos exercet inertia. Ab Eod. dicitur Insipiens sapientia, et Concordia discors.

[Ὀξύνεια, ἡ, Oxynia, urbs Thessaliæ, ap. Strab. 7, p. 327.]

[Ὀξυνητέον pro ὀξυντέον scriptum in schol. Apoll. Rh. Paris. 1, 131, notavit Heinrich. ad schol. Odyss. p. 563 ed. Buttm. Ita παροξυνητέον in schol. Harlej. Od. A, 70 ap. Cramer. Anecd. Paris. vol. 3, p. 417, 14. L. Dindorf.]

[Ὀξυνίδης, ὁ, Oxynides, n. viri, in numo Thessal. ap. Mionnet. *Descr.* vol. 2, p. 3, n. 14.]

A [Ὄξυνος, ὁ, i. q. ὀξίνης, ut hodie ap. Græcos, Geopon. 6, 4, 5 : Ὅταν ὄξυνος γένηται. Sed codd. rectius ὄξινος.]

[Ὀξύνους, ὁ, ἡ, Qui acutæ est mentis, Acutus vel acri ingenio præditus. Basil. M. vol. 3, p. 131, E : Ὁ ὀξύνους ὀξέως ἀπώλετο. « Const. Manass. Chron. 5705 : Βουλευτὴς ὀξ. Astrologus Anon. Ms. » Boiss.]

[Ὀξυντέον, Acuendum. Schol. Ven. Hom. Il. O, 445. Boiss.]

[Ὀξυντήρ, ῆρος, ὁ, Qui acuit. Paul. Sil. Anth. Pal. 6, 64, 3 : Ὀξυντῆρα μεσοσχιδέων δονακήων.]

[Ὀξύντης, ὁ, Oxyntes, pater Thymœtæ, ap. Pausan. 2, 18, 9, Euseb. Cram. An. Paris. vol. 2, p. 138, 17, 20. Theognost. Can. p. 43, 25, ubi ὀξύντης memorat, non dixit an. n. pr. intelligeret.]

Ὀξύνω, Acuo. [Acumino, Cudo, Produco, add. Gl., quæ ponunt etiam Ὀξύω, quod scrib. ὀξύνω, nisi recentissimis condonanda sunt talia, velut quod est in schol. Basilic. vol. 2, p. 456, B : Οἷον εἰ ὀξύεται ὁ οἶνος. V. Ὀξυτικός.] Acutum reddo. [Dionys. Per. 177 : Ἡχί περ ἄκρη ἐς μυχὸν ὀξυνθεῖσα τιταίνεται
B Ὠκεανοῖο. Improprie epigr. Anth. Pal. App. 304, 5 : Τὴν βλεπτικὴν αἴσθησιν ὀξύνει πλέον (balneum).] Grammatici dicuntur etiam Syllabam aliquam ὀξύνειν, quum acuto tono eam pronuntiant, s. acuto tono eam insigniunt. Athen. 11, [p. 484, F] in Λεπαστή : Οἱ μὲν ὀξύνουσι τὴν τελευταίαν, ὡς Καλή· οἱ δὲ παροξύνουσιν, ὡς Μεγάλη· qua signif. dicitur et προπαροξύνειν. Inde Acuta syllaba. [Exacerbo, Soph. Trach. 1192 : Τοὐμὸν ὀξῦναι στόμα. Valck. Herodot. 8, 138 : Ὁ δὲ ταῦτα ἀκούσας καὶ ὀξυνθεὶς, Iratus. Schol. Theocr. 14, 10 : Ἐκ τοῦ παραχρῆμα καὶ τοῦ σιωπᾶν ὀξυνόμενος. Ezech. 21, 16 : Διαπορεύου, ὀξύνου ἐκ δεξιῶν καὶ ἐξ εὐωνύμων.] || Acuo ad, pro Instigo, Incito, παροξύνω, ut Suid. exp. || Acidum reddo, Acescere facio, Acorem facio. Galen. Simpl. 5 : Ἡ δὲ ἐκ σηπεδόνος ὀξυνούσης ἔχει τὴν γένεσιν. Sic enim quidam ibi accipiunt. Potest tamen et neutraliter capi pro Acescente s. Coacescente : de quo hujus verbi usu mox dicetur. Transitivum est in Galen. De alim. fac. 3,
C ubi de oxygala loquitur : Ἡ μὲν γὰρ ἔνδεια τῆς θερμασίας ὀξύνειν αὐτὸ πέφυκεν, ἡ δ' ὑπερβολὴ, κνισσοῦν, Facere solet ut coacescat. Similiter et Alex. Aphr. Probl. 2, 70, dicit τὴν ὀξώδη qualitatem nasci ἐκ ψυχρότητος πλείονος καὶ ὑγρότητος. Pass. Ὀξύνομαι, Acidus fio, In acidam qualitatem abeo, Acesco, Coacesco. [Aristot. De generat. an. 3, 2 med. : Οἱ οἶνοι ἐν ταῖς ἀλέαις ὀξύνονται.] Galen. Περὶ τροφῶν δυνάμεως 3, loquens de lacte : Οὕτω γὰρ αὐτῷ συμβαίνει, κἂν κάλλιστον ᾖ, παρὰ τὴν τῶν κοιλιῶν διαφορὰν, ἐνίοτε μὲν ὀξύνεσθαι· κνισσώδη δ' αὖθις ἐφ' ἑτέρου τὴν ἐρυγὴν ἀναπέμπει. Sed et ὀξύνω interdum pro ὀξύνομαι capitur, Acesco, Coacesco, In acorem vertor : quo modo exponi potest l. quidam Galeni paulo ante citatus, ut ibi admonui. Gaza certe, quod Cic. De senect. dicit, Ut enim non omne vinum, sic non omnis ætas [natura] vetustate coacescit, hoc verbo in neutrali signif. utens, ita Græce reddidit : Καθάπερ γὰρ οὐ πᾶς οἶνος, οὕτως οὐδὲ πᾶς βίος ὀξύνει παλαιωθείς. [Aret. p. 64, 27 : Ἦν πρὸς τοῖσι ἄλγος ὀξύνῃ. Theophr. H. Pl. 4, 3, 3 : Τὸν οἶνον οὐ διαμένειν, ἀλλ' ...
D ὀξύνειν. Perf. pass. part. ὠξυμμένος ap. Hesych. v. Σχῶλα et Σχῶλοψ.]

[Ὀξυόδους, όδοντος, ὁ, ἡ, Qui est acuto dente s. acutis dentibus. Lex. Bekk. An. p. 442, 27; Tzetz. in Lycophr. 34. Boiss. Nonnus Dion. 40, 484 : Ὀξυόδοντι καταγράψεις γενείῳ. L. Dind.]

[Ὀξυόεις. V. Ὀξύϊνος.]

[Ὀξυόστρακος, ὁ, ἡ, Qui acuta vel aspera est testa. Lucian. Lexiph. c. 13, ποτήρια.]

[Ὀξυπαγής, ὁ, ἡ, Qui acute infigitur vel infixus est. Antip. Sid. Anth. Pal. 6, 109, 4 : Ὀξυπαγεῖς στάλικας. Schæf. Oppian. Hal. 1, 261 : Κάραβος ὀξ. Nonn. Dion. 14, 385 : Ὀξ. ὄνυξ. Wakef.]

Ὀξυπαθῶς, Acuto et vehemente animi affectu, Suidæ λίαν περιπαθῶς, hoc in l. : Οἱ δὲ Ῥωμαῖοι ὀξυπαθῶς εἶχον ἐπὶ τοῖς ἔναγχος ὑπὸ Χοσροοῦ παρεστρατηγημένοις αὐτοῖς. [Theoph. Simoc. Hist. 5, 10.]

[Ὀξυπαιδερώτινος, η, ον, Oxypæderotinus, ap. Fl. Vopisc. Aurelian. c. 46 : « Quum antea coloreas habuissent (tunicas et ceteras vestes) et ut multum oxypæderotinas, » i. e. παιδέρωτος colore eoque ὀξεῖ, quæ vocc. v.]

[Ὀξυπείνης, ὁ, i. q. sequens. Aspas. ad Aristot. 4 Eth. Nic. p. 51, a. Procl. ad Hesiod. Op. v. 524. Hemst. Philes De anim. 3, 8.]

Ὀξύπεινος, ὁ, ἡ, Qui acuta et vehementi fame excruciatur, Famelicus, Athen. 2, [p. 47, B, C] ex Diphilo, Antiphane, Eubulo : l. 9, [p. 410, D] ex Demonico, Ὀξύπεινον ἄνδρα καὶ Βοιώτιον· nam τὸ Βοιωτῶν ἔθνος εἰς πολυφαγίαν ἐκωμῳδεῖτο, et 10, [p. 417, C], ubi etiam de iisdem Bœotis Eubulus dicit, Ἀνδρῶν ἀρίστων ἐσθίειν δι' ἡμέρας. [Aristot. H. A. 9, 34 : Φύσει γάρ ἐστι φθονερὸς καὶ ὀξύπεινος (ὁ ἀετός). Cicero Ad Att. 2, 12, 2 : « Sum in curiositate ὀξύπεινος· » 4, 13, 1 : « Valde sum ὀξύπεινος. » L. Dindorf.]

[Ὀξυπέπερι, τὸ, ap. Xenocr. De alim. ex aquatil. 23, p. 19 ed. Matth., ubi Coraes p. 12 μετ' ὄξους καὶ πεπέρεος rescribit.]

[Ὀξυπετὴς, ὁ, ἡ, Celeriter volans. Schol. Hom. Od. Γ, 372. Elberling. Euagr. H. E. 3, 26, p. 355. Anon.]

[Ὀξύπετρος, γῆς ποιὸν εἶδος οἱ γεωργικοί φασιν, Hesych.]

[Ὀξυπευκὴς, ὁ, ἡ.] Ὀξυπευκὲς, Hesychio ὀξύπικρον, Acidum cum amarore, Vehementer amarum. [Æsch. Cho. 640 : Ξίφος ὀξυπευκές.]

[Ὀξύπικρος, ὁ, ἡ, Acidus, Gl. V. Ὀξυπευκής.]

[Ὀξυπλὴξ, ῆγος, ὁ, ἡ, Acute percutiens. Soph. fr. Polyxen. ap. Stob. Ecl. phys. p. 1008, Ἀχέροντος.]

[Ὀξυποδέω, Citato pede feror. Jo. Chrys. Hom. 120, vol. 6, p. 869, 38 : Ὀξυποδήσωμεν· μικρὸν αἰσχυνθῶμεν. Seager. Festino, Cyrilli Lex. Wakef. Addenso, Denso, Grassor, Gl. Ephræm Syr. vol. 3, p. 478, E : Εἴ τις ἀγαπᾷ συμπολίτης γενέσθαι τοῦ βασιλέως, ὀξυποδησάτω. Per ι ap. eund. vol. 1, p. 190, D : Ὀξυπόδισον ἐν τοῖς βήμασι τούτοις. L. Dind.]

[Ὀξυποδία, ἡ, Acupedium, Addensatio, Gl.]

[Ὀξυπόριον, Ὀξύπορον. V. Ὀξύπορος.]

Ὀξύπορος, ὁ, ἡ, [Angustus, Per quem exiguus est transitus. Oppian. Hal. 2, 406 : Ὥς ὅγε σάρκας δάπτων ὀξυπόροιο κατέσπασεν ἄγγεος ἔξω.] Qui cito transit, opp. τῷ βραδύπορος [Dionys. Areop. p. 57. Kall. Schol. Pind. Ol. 13, 54], ut ap. Colum. l. 12, c. ult. : Moretum oxyporum, vel, ut alii, oxygarum, quemadmodum componas. Quod ibid. docet in olla nova servatum, quum exegerit usus, aceto et garo dilui. Sic oxypora medicamenta et antidota. Plin. 20, 23, de fœniculo : Condimentis prope omnibus inseritur, oxyporis etiam aptissime. Idem 24, 8 : Juniperis miscetur antidotis oxyporis. In priori autem l. Oxyporis sine adjectione dixit, pro Oxyporis medicamentis : sicut et Diosc. 3, 58, de ligustico : Μίγνυται δὲ ἡ ῥίζα καὶ τὸ σπέρμα χρησίμως καὶ τοῖς ὀξυπόροις καὶ ταῖς πεπτικαῖς δυνάμεσι. Itidem Stat. Oxyporum pro Oxyporum condimentum, Sylv. 4, [9, 36] : Non sal, oxyporumve, caseusve. [Ὀξύπουρον in Glossis botan. Mss. τιθύμαλλον. Ὀξύπορον ap. Myrepsum 19, 25, in cod. Reg., ὀξύπουριν cod. Fuchsii. Gloss. iatricæ cod. Reg. 170 : Ὀξύφορον, τὸ πέπλιον. Ducang.] A Galeno, iisque qui eum secuti sunt, frequentius usurpatur Ὀξυπόριον quam Ὀξύπορον. Gorr. Ὀξυπόριον Medicamenti genus est tenuium partium, et facile venas subiens ac permeans : ut nomen ipsum indicat, a cita penetratione inditum. Est autem facultate concoctorium, iis constans quæ cum tenuitate partium calore prædita sunt. Ejusmodi est, Τὸ διὰ τριῶν πεπέρεων, τὸ διὰ καλαμίνθης, τὸ διὰ κυδωνίων, τὸ διοσπολιτικόν· quæ habentur apud Galen. De san. tuenda, et alia permulta ab Aetio descripta 3, 90, 91, et 5, 68, et 6, 10. Exhibetur vel in potu ante cibum tum mane, tum vesperi, vel in condimento, ad ciborum concoctionem digestionemque procurandam. Materia autem hæc fere deligitur, fœniculum, apium, ligusticum, ammi, piper, zingiber, ruta, cuminum, seseli, thymus, calamintha, cinnamomum, et reliqua ejusdem generis, de quibus ap. Aet. 9, 24, ubi de cruditate ex Galeno disserit. Quibus etiam aliquid quandoque adjici potest, quod purgandi vim habet : ex quo ὀξυπόριον καθαρτικὸν fiet, quemadmodum ap. Aet. 3, continetur. Hæc ille. Utitur hoc vocab. Oxyporium Marcellus quoque Empiricus.

[Ὀξύπορος, ὁ, Oxyporus, f. Cinyræ, ap. Apollodor. 3, 14, 3, 4.]

A [Ὀξυπόρφῦρος, ὁ, ἡ, Purpureus violaceus. Niceph. Blemm. De chymia ms. : Εἶθ' οὕτως εὑρήσας τὸ ξηρίον τετελειωμένον τῇ χροίᾳ ὀξυπόρφυρον. Ducang.]

[Ὀξύπους, οδος, ὁ, ἡ, Acupedius, Gl. Celer. Eur. Or. 1550 : Ἀλλὰ μὴν καὶ τόνδε λεύσσω ὀξύπουν, quam formam memorat Thomas p. 644. Gramm. Bekk. An. p. 442, 29 : Ἀργίποδες, ταχεῖς, ὀξύποδες. Boiss.]

[Ὀξύπρῳρος, ὁ, ἡ.] Ὀξύπρωρος, Acutam s. Acuminatam proram habens, Cujus prora in acuminatum rostrum desinit : ὀξύπρωροι, ὀξυκέρατοι, Hesych. [Æsch. Prom. 422 : Στρατὸς ὀξυπρώροισι βρέμων ἐν αἰχμαῖς.]

[Ὀξυπτελέα erat ap. Theophr. H. Pl. 3, 11, 5, ubi ὀξύη, πτελέα dedit cod. Urbinas.]

[Ὀξύπτερνον, τὸ, Juncus marinus, ap. Interpol. Dioscor. c. 634 (4, 52, ubi legitur ὀξύπτερνος). Ducang.]

[Ὀξύπτερος, ὁ, Accipiter. Inc. Deut. 14, 13. Vide Bochart. Hieroz. part. 2, l. 6, c. 3. Schleusner. Lex. Pro quo in Ms. ap. Lambec. Bibl. Cæs. vol. 7, p. 556 fin. : Ἱερακοσόφιον ὀρνέων ... ὀξυπτερύγων. || In Fab. Æsop. 3, p. 4 : Περικόψας αὐτοῦ τὰ ὀξύπτερα, Alas. L. D.]

B [Ὀξυπύθμενος, ὁ, ἡ, Imam partem acutam habens, n. piscis ap. Xenocr. De alim. ex aquatil. c. 23, p. 19 Matth., 12 Cor., ubi ὀξυπύθμενοι.]

[Ὀξύπυκνος, ὁ, ἡ, Martianus Cap. 9, p. 184 : « Barύπυκνοι (soni) sunt, qui velut regiones primas spissi retentant; μεσόπυκνοι vero, Qui media possident; ὀξύπυκνοι, qui ultima tenent. » Bryenn. Harmon. p. 384, C; Aristid. Quint. De mus. 1, p. 12, A.]

[Ὀξυπύνδαξ, ἄκος, ὁ, ἡ, Qui acuto est fundo. Eubulus ap. Athen. 11, p. 471, D, κύλικα.]

[Ὀξυρεγμέω. V. Ὀξυρεγμιάω.]

Ὀξυρεγμία, ἡ, Ructus acidus, ἡ ὀξεῖα ἐρευγή : quæ ex cruditate fit, quum cibus in stomacho coacuit et computruit frigido; nam qui in calido cibus corrumpitur et torretur, non acidum ructum efficit, sed ἐρευγὴν κνισσώδη, Ructum nidorosum. Hippocr. Aphor. 1 l. 6, [p. 1256, D] : Ἐν τῇσι χρονίῃσιν λειεντερίῃσιν ὀξυρεγμίη ἐπιγενομένη πρότερον, σημεῖον ἀγαθόν. Pollux [6, 44] scribit eam, quæ vulgo ἀπεψία dicitur, ὀξυρεγμίαν dici posse, sc. τὴν ὑπὸ πλήθους τροφῆς δυσχέρειαν. C [Hesychio ἀπεψία.] Suidas de quadam, quæ multa deambulatione utebatur, se crudam esse simulans, hoc exemplum affert : Ἡ δὲ περιπάτους ἐποιεῖτο συχνοὺς, ὀξυρεγμίαν προσποιουμένη. Ubi annotat ὀξυρεγμίαν dici, ὅταν ἡ τροφὴ ἐποξίσῃ, Quum cibus in ventriculo coacescit, Quum cibus intus coacuit, ut Cels. Sic Erotian. ap. Hippocr. ὀξυρεγμίην exp. τὴν τοῖς ἀπεπτοῦσι παρακολουθοῦσαν ἐποξίζουσαν ἐρυγήν. [HSt. alibi :] Ὀξυρεγμία paulo aliter formatum fuit. Sic autem appellatur Acidus ructus : qui sc. flatum sapore acidum a ventriculo ad os refert. Hippocr. : Ἐν τῇσι χρονίῃσι λειεντερίῃσιν κτλ. [Conf. id. p. 1015, E; 359, 22, 29, Galen. vol. 3, p. 71, et al. Lucian. De merc. cond. c. 19. Plur. Hippocr. p. 104, 18; 372, 13, etc. Rufus p. 48 ed. Matth. || I. q. ὀξυθυμία. Photius : Ὀξυρεγμεῖν· Ἀριστοφάνης ἐν Σκηνὰς καταλαμβανούσαις τὴν ὀξυθυμίαν οὕτως ἔφη· Καὶ μὴν ἄκουσον, ὦ γύναι, θυμοῦ δίχα, καὶ κρῖνον αὐτὴ μὴ μετ' ὀξυρεγμίας. Ap. Phrynich. p. 56, 19 Bekk. : Ὀξυρεγμία, καὶ ὀξωρεγμία· τὸ αὐτό ἐστι· λέγεται γὰρ ἀμφότερα, alia potius forma subesse videtur, ut D ὀξορεγμία, quales aliquoties notavimus supra.]

Ὀξυρεγμιάω, Acidos ructus edere soleo, Acidis ructibus obnoxius sum, Acidum ructito. Unde partic. ὀξυρεγμιῶν, i. q. ὀξυρεγμιώδης, Qui acidum ructitat. Diosc. 4, [1] de betonica : Μετὰ μέλιτος ἑφθοῦ ὁμοίως καὶ ὀξυρεγμιῶσι δίδοται. Ex eod. Diosc. [3, 35] Bud. affert Ὀξυορεγμιῶντες, sed id mendosum est, et reponendum ὀξυρεγμιῶντες : Ὅθεν τοῖς ἀσσώδεσι καὶ κακοστομάχοις καὶ ὀξυορεγμιῶσι δίδοται. [Iterum HSt. :] Ὀξυρεγμιάω, Acidum ructo : unde τοῖς ὀξυρεγμιῶσι, Diosc. pro τοῖς ὀξυρεγμιώδεσι. [Ὀξυρεγμῶσι male in Matthæi Med. p. 92, 1. Nec quod Photius ponit : Ὀξυρεγμεῖν, ὅταν μεθ' ἡμέραν ἐποξίσῃ ἡ τροφή· Ἀριστοφ. et cetera quæ in Ὀξυρεγμία posuimus, ita scripsisse videtur, sed ὀξυρεγμία, ut est ap. Suidam in libris deterioribus : melioribus enim verba desunt.]

Ὀξυρεγμιώδης, ὁ, ἡ, dicitur Qui acidos ructus edere solet, Acido ructui obnoxius. Galen. 8 τῶν Κατὰ τόπους, c. 4 : Τοῖς δὲ ὀξυρεγμιώδεσιν κοριάνου ὡς κοχλιάριον δίδου πρὸ ἑτέρου τῶν σιτίων τρώγειν. Hippocr. Aphor.

33 l. 6 : Οἱ ὀξυρεγμιώδεες οὐ πάνυ τι πλευριτικοὶ γίνονται. [Iterum HSt. :] Ὀξυρεγμιώδης, Qui acidum ructum emittit, Qui acidum ructat. Hippocr. : Οἱ ὀξυρεγμιώδεες οὐ πάνυ τι πλευριτικοὶ γίνονται. [Aret. p. 59, 24; Paul. Ægin. p. 93, 47.]

Ὀξυρίας, ὁ, ut ὀξυρίας τυρὸς, genus Casei quo Siculi utebantur, ita dictum ab acore : fortasse idem cum ὀξυγαλακτίνῳ caseo. Pollux 6, c. 9 [§ 48] : Τυρὸς χλωρός· τὸν γὰρ ξηρὸν, ἰσχνὸν ἔλεγον· ὁ γὰρ ὀξυρίας [ὀξερίας codd.] τυρὸς εἴρηται μὲν τῇ κωμῳδίᾳ, Σικελικὸν δὲ τὸ ἔδεσμα. Apud Hesych. vero hæc leguntur, Ὀξερίας, τυρὸς ἀχρεῖος : idque suo loco : quod nisi mendosum sit, ab ὀξὸς derivatum videbitur. [Ὀξηρίας ab ὀξηρὸς suspicatur Lobeck. Patholog. p. 492.]

[Ὀξυρόδινον. V. Ὀξυρρόδινον.]

[Ὀξυρρεπὴς, ὁ, ἡ.] Apud Hesych. extat Ὀξυρρεπὴς, quod exp. ὀξέως βαρῶν, ἢ ῥέπων : item κινούμενος, sub. ὀξέως : quæ expos. convenit cum ea signif. nominis ὀξύρροπος, qua ponitur pro Agilis. [Pind. Ol. 9, 98 : Ὀξυρεπεῖ δόλῳ. « Schol. Apoll. Rh. 4, 1015. » Hemst.]

Ὀξύῤῥιν, et Ὀξύῤῥις, ὁ, ἡ, Qui acuto est naso. [Hippocr. p. 1040, A : Ὀξύρινες (sic). Forma Ὀξύρρῖνος, ὁ, ἡ, Zonaras in Γρυπὸν, ὀξύρριvον. L. Dind.]

Ὀξυῤῥόδῖνον vel Ὀξυρόδινον, τὸ, sine adjectione substantivi ἔλαιον, Oleum rosaceum aceto temperatum. [Athen. 2, p. 67, F.] Sed quum varius esse possit utriusque modus, qui temperatissimus est, recipit olei rosacei partes quatuor, aceti unam, Galen. Περὶ εὐπορίστων init.

[Ὀξυρροπία, ἡ, Promptitudo. Amphiloch. p. 98, ubi Combef. male ὀξυροποιΐαν. Kall.]

Ὀξύῤῥοπος, ὁ, ἡ, quasi οὗ ὀξεῖά ἐστι ῥοπὴ, vel ὀξεῖαν ῥοπὴν ἔχων, Qui fit momento temporis. Unde exp. Celer, Celerrimus : ut, Ἡ ὀξύῤῥοπος κίνησις τῆς σελήνης, ap. Alex. Aphr. Sic, Ὀξύῤῥοποι τῆς τύχης μεταβολαὶ, Quamcelerrimæ fortunæ mutationes, VV. LL. ubi alioqui ὀξύῤῥοπος per se etiam significare interdum dicitur Paulo momento mutabilis. A Bud. exp. et Fluxus. Idem affert et pro Agilis : ex Basilio [s. Eustath. Hexaem. p. 35] : Ῥαγδαῖον ἡ πάρδαλις καὶ ὀξύῤῥοπον ταῖς ὁρμαῖς· ἐπιτήδειον αὐτῇ τὸ σῶμα συνέζευκται, τῇ ὑγρότητι καὶ τῷ κούφῳ τοῖς τῆς ψυχῆς κινήμασι συνεπόμενον. [Plato Reip. 3, p. 411, B : Ὀξύρροπου (τὸν θυμὸν) ἀπειργάσαντο· Theæt. p. 144, A : Πρὸς τὰς ὀργὰς ὀξύρροποι. Theophr. fr. 1 De sensu 45 : Τὰ παιδία ὀργίλα καὶ ὅλως ὀξύρροπα. Pollux 6, 121. « Νοῦς πρὸς τὰς μιαιφονίας μόνον ὀξύρροπος, Memnon ap. Phot. p. 366, 23 (223, 18 Bekk.). Ὀξύρροπος ἐξουσία Aristæn. 2, 4, p. 142. Ὀξύρροπος περὶ τὸ πταίειν, Theodoret. E. Π. Θ. p. 174, 16. » Hemst. « Ὀξύρροπον, τὸ, Celeritas cum vehementia conjunctum, Vehementia orationis simpliciter, Longin. 18, 1. V. Σοβαρός. » Ernest. Lex. rhet. || Adv. Ὀξυρρόπως, Greg. Naz. Or. 53, p. 753; Is. Porphyr. in Allatii Exc. p. 274. Boiss.]

Ὀξυρυγχίτης, ὁ, Qui ex Oxyryncho urbe s. præfectura est. Et Oxyrynchites νομὸς, Oxyrynchi præfectura. Plin. 5, 9 : Dividitur in præfecturas oppidorum, quas νομοὺς vocant. Et mox, Quæ juxta Pelusium est regio, nomos habet, Pharbætiten, Bubastiten, Sethroiten, Taniten; reliqua autem, Arabicum, Hammoniacum tendentem ad Hammonis Jovis Oraculum, Oxyrynchiten. [Οξυρυγχι in numo ap. Mionnet. *Descr.* vol. 6, p. 541, n. 110.] Quem Oxyrynchiten Strabo Ὀξύρυγχον vocat.

Ὀξύῤῥυγχος sive Ὀξύρυγχος (nam utraque scriptura reperitur), ὁ, ἡ, Acutum rostrum habens, nomen piscis Ægypto sacri, denominati ita ab acumine rostri. Ab Athen. 7, [p. 312, A] ὀξύρυγχος numeratur inter Νειλαίους ἰχθῦς. Sed perperam ibi scribitur ὀξύριγχος. [Nempe sic olim ap. Athen. l. c., recte vero nunc ὀξύρυγχος, sicut 8, p. 356, A. Metri causa scribitur etiam Ὀξυόρυγχος (immo ὀξύρρυγχος) ap. eund. Athen. 3, p. 116, B. Adjective vero ὀξύρυγχοι ῥαφίδες, Acuto rostro instructæ acus, pisces dicuntur Epicharmo ap. Athen. 7, p. 304, C, et 319, D. Schweigh. Jo. Philopon. In Aristot. Analyt. p. 3, 14 : Τὸν ὀξύρρυγχον τύπον γράφειν. Editio ὀξύρρυχον. Boiss.] || Ὀξύρυγχος est etiam oppidum Ægypti ab oxyryncho denominatum, qui ei præ ceteris Ægypti urbibus sacer est. Strabo 17, p. 354 [812] : Ἐν δὲ τῇ περαίᾳ

A Ὀξύρυγχος πόλις, καὶ νομὸς ὁμώνυμος· τιμῶσι δὲ τὸν ὀξύρυγχον, καὶ ἔστιν αὐτοῖς ἱερὸν ὀξυρύγχου, καί τοι καὶ τῶν ἄλλων Αἰγυπτίων κοινῇ τιμώντων τὸν ὀξύρυγχον. [Conf. Steph. Byz.] Ipsa etiam præfectura ejus tractus Ὀξύρυγχος nominatur, ut ex verbis citatis patet; dicit enim Strabo ὀξύρυγχον esse πόλιν et νομὸν ei ὁμώνυμον. [Athanas. vol. 1, p. 187, E.]

Ὀξὺς, εῖα [Forma Ionica, qua Empedocles quoque utitur 65 : Ἔνθ᾽ οὔτ᾽ ἠελίοιο διείδεται ὀξέα αὐγὴ, in libris Herodoti, Hippocratis aliorumque non raro, ut alia hujusmodi adjectiva, per η scripta ὀξέη, quod non defenditur exemplo Babriæ, qui ὀξέην metri caussa dixit Fab. 73 : Ἰκτῖνος ... ὀξέην ἔχει κλαγγήν. G. D.], ὺ, Acutus, ut ea quæ mucronata et cuspidata sunt. Hom. Il. Δ, [185] : Οὐκ ἐν καιρίῳ ὀξὺ πάγη βέλος. [Sic alibi cum πέλεκυς, ἄκων, ἄορ, ξίφος, φάσγανον.] Sic ap. Latinos Sagitta acuta, Jaculum s. Spiculum s. Telum acutum. Od. N, [271] : Κατέκτανον ὀξέϊ χαλκῷ. [Pind. Pyth. 4, 213 : Ὀξυτάτων βελέων· Nem. 4, 63 : Ὀξυτάτων ὀνύχων. Eur. Suppl. 539 : Σίδηρον ὀξύν. Aristoph. Vesp. 226 : Κέντρον

B ὀξύτατον· Ran. 1363 : Ἀνέχουσα λαμπάδας ὀξυτάταιν χεροῖν Ἑκάτα.] Et ap. Etym. ὀξεῖα μάχαιρα, i. e. ἡ ἠκονημένη, Acutus gladius. Suidæ autem ὀξὺ μαχαίριον est ὃ ταχέως κεντεῖ : unde videtur facere primam eam signif., qua ὀξὺς pro Celer usurpatur. Et Diosc. [4, 89] sempervivo tribuit φυλλάρια ὀξέα ἐπ᾽ ἄκρου, Mucronata [Gl.], ut Plin. Et ὀξὺς σχοῖνος, Juncus acutus. Plin. 21, 18, de junci generibus : Tria genera ejus : acuti, sterilis, quem marem et ὀξὺν Græci vocant. [Item de rebus asperis, ut de frenis, Xen. Eq. 10, 6 : Τοὺς ἐχίνους ὀξεῖς.] Hom. Il. Υ, [423] : Ὀξὺ δόρυ κραδάων. Sic Latine Acuta hasta ap. Virg. et Ovid. Et Il. Π, [772] : Ὀξέα δοῦρα· Od. I, [382] : Μοχλὸν ἑλόντες ἐλάϊνον, ὀξὺν ἐπ᾽ ἄκρῳ. Et κατὰ τὰ ὀξέα, Mucronato turbine, Gaza. [Il. M. 447 : Λᾶας, ὅς ῥα ὕπερθεν ὀξὺς ἔην· Π, 739 : Ὀξέϊ λᾶϊ. Et alibi πάγοι, σκόλοπες, ὄγκοι. Et Od. M, 74 : Οἱ δὲ δύω σκόπελοι, ὁ μὲν οὐρανὸν εὐρὺν ἱκάνει ὀξείῃ κορυφῇ. Apoll. Rh. 3, 1371 : Πόντος ὀξείῃσιν ἐπιβρομέων σπιλάδεσσιν. Dionys. Per. 243 : Σχῆμα εὐρὺ μὲν ἀμφ᾽ ἀκτὰς βορεήτιδας, ὀξὺ δ᾽ ἐπ᾽ ἠῶ· 278 : Ὀξὺ μὲν

C ἑσπέριον· 6 : Οὐ μὴν πᾶσα διαπρὸ περίδρομος, ἀλλὰ διαμφὶς ὀξυτέρη βεβαυῖα πρὸς ἠελίοιο κελεύθους, σφενδόνῃ εἰοικυῖα. Herodot. 3, 8; 7, 68, λίθος. Id. 7, 64 : Κυρβασίας ἐς ὀξὺ ἀπηγμένας.] || Metaph. quoque pro Acutus capitur, Acer : ut quum Visus acutus s. acer dicitur. Plato Phædro [p. 250, D] : Ὄψις γὰρ ἡμῖν ὀξυτάτη τῶν διὰ τοῦ σώματος ἔρχεται αἰσθήσεων. Quem l. Cic. ita interpretatus est : Oculorum est in nobis sensus acerrimus. [Eur. Iph. A. 5 : Μάλα τοι γῆρας τοὐμὸν ἄϋπνον καὶ ἐπ᾽ ὀφθαλμοῖς ὀξὺ πάρεστιν.] Quo pertinet ὀξὺ βλέπειν, Acutum cernere, Acie oculorum pollere. [Eur. fr. Melanipp. ap. Stob. Ecl. phys. vol. 1, p. 232 : Ὀξὺ βλέπει γὰρ ὁ χρόνος. Xen. Ven. 5, 26 : Βλέπει οὐχ ὀξύ.] Il. [Ξ, 345 : Οὐδ᾽ ἂν νῶι διαδράκοι Ἠέλιός περ, οὔτε καὶ ὀξύτατον πέλεται φάος εἰσοράασθαι·] Ψ, [477] : Οὔτε τοι ὀξύτατον κεφαλῆς ἐκδέρκεται ὄσσε· Ρ, [675] de aquila : Ὅν ῥά τε φασιν Ὀξύτατον δέρκεσθαι ὑπουρανίων πετεηνῶν. [Plato Leg. 5, p. 741, D : Ἥτις ἂν ὀξύτατον ὁρᾶν δοκῇ· Reip. 7, p. 516, C : Τῷ ὀξύτατα καθορῶντι τὰ παριόντα. Pind. Nem. 10, 62 : Κείνου (Lyncei) πάντων γένετ᾽ ὀξύτατον

D ὄμμα. Apoll. Rh. 1, 153 : Ὀξυτάτοις ἐκέκαστο ὄμμασιν.] Plato Polit. 2, [p. 368, C] : Οὐ φαῦλον, ἀλλ᾽ ὀξὺ βλέποντος. [6, p. 484, C : Ὀξὺ ὁρῶντα· Soph. p. 232, A : Τάχ᾽ ἂν ὑμεῖς οἱ νέοι ὀξύτερον πρὸς αὐτὸ βλέποιτε.] Aristoph. [Lys. 1202 : Ὀξύτερον ἐμοῦ βλέπει·] Pl. [210] : Ὀξύτερον βλέπων τοῦ Λυγκέως, de eo qui acerrimi visus est, ut loquitur Plin. [Apoll. Rh. 4, 128 : Ὀξὺς ἀΰπνοισι προϊδὼν ὄφις ὀφθαλμοῖσιν.] Et metaph. ap. Philon. V. M. 1 : Τοῖς ὀξὺ τῇ διανοίᾳ βλέπειν δυναμένοις, Hominibus acri mentis acie intuentibus. [Ὁ νουνεχὴς, Catus, Gl.] || Ad auditum quoque transfertur [ut Soph. El. 30 : Σὺ δὲ ὀξεῖαν ἀκοὴν τοῖς ἐμοῖς λόγοις διδούς], et voces sonosque qui aures feriunt : ut ap. Latinos legitur Vox acuta, Sonus s. Tinnitus s. Stridor acutus : item Æs acutum, pro Acutum sonum edens : qua signif. etiam Argutus [Gl.] capitur. Hom. Il. Ο, [313] : Ὦρτο δ᾽ ἀϋτὴ Ὀξεῖ᾽ ἀμφοτέρωθεν. [Pind. Pyth. 9, 35.] Et ap. Aristot. Rhet. 3, [c. 1] ὀξεῖα φωνὴ, Vox acuta : Καὶ πῶς τοῖς τόνοις χρῆσθαι δεῖ πρὸς ἕκαστα πάθη, οἷον ὀξείᾳ, καὶ βαρείᾳ, καὶ μέσῃ. Ab Horat. quoque opp. Acutus et Gravis sonus, ut quum de chorda ait, Poscentique gravem persæpe remittit acutum. [Xen. Ven. 6, 20: Ὑποσαχῇ οἷόν τ' ἂν ᾖ τοὺς τόνους τῆς φωνῆς ποιούμενον, ὀξὺ, βαρὺ, μικρὸν, μέγα.] Huc pertinet ὀξὺ φθέγγεσθαι et κλάγγειν [κλάζειν], Acutum s. Argutum. Il. P, [89]: Ὀξὺ βοήσας· [Σ, 71, κωκύειν· X, 141, λεληκώς· Υ, 52: Ὀξὺ κατ' ἀκροτάτης πόλιος Τρώεσσι κελεύων. Theognis 1197: Ὄρνιθος ὀξὺ βοώσης. Æsch. Pers. 1058: Ἄϋτει δ' ὀξύ. Soph. Ant. 112: Ὀξέα κλάζων αἰετός. Aristoph. Ach. 804: Ὡς ὀξὺ πρὸς τὰς ἰσχάδας κεκράγατε.] B, [222] de Thersite: Ὀξέα κεκληγὼς λέγ' ὀνείδεα. [Apoll. Rh. 2, 827: Ὀξὺ κλάγξας.] Hesiod. Sc. [234]: Ἰάχεσκε σάκος μεγάλῳ ὀρυμαγδῷ Ὀξέα καὶ λιγέως. [Æsch. Sept. 954: Ἐπηλάλαξαν ἀραὶ τὸν ὀξὺν νόμον. Soph. El. 737: Ὀξὺν δι' ὤτων κέλαδον ἐνσείσας θοαῖς ἵπποις· Aj. 321: Ἀψόφητος ὀξέων κωκυμάτων· Ant. 424: Πικρᾶς ὄρνιθος ὀξὺν φθόγγον. Aristoph. Av. 1095: Ὀξὺ μέλος. Apoll. Rh. 4, 624: Γόον ὀξὺν ὀδυρομένων· 3, 1217: Ὀξείῃ ὑλακῇ χθόνιοι κύνες ἐφθέγγοντο· 4, 70: Ὀξείῃ φωνῇ.] Athen. 4: Ὀξὺ καὶ γοερὸν φθεγγομένοις. Sic Horat.: Quo pacto alterna loquentes Umbræ cum Sagana, resonarent triste et acutum. Dicitur autem Sonus acutus, qui ita aures penetrat, ut ferrum mucronatum cutim; sic enim et Suid. ὀξὺν ψόφον exp. τὸν ταχέως παραγινόμενον ἐπὶ τὴν αἴσθησιν καὶ ταχέως ἀποπαυόμενον, ut is, quem νεάτη edit: βαρὺς autem, quem ἡ ὑπάτη. [Ὀξεῖα, unus e novendecim tonis Musicæ græcanicæ, quos recensemus in Φωνή. Hagiopolites Ms.: Ἰστέον ὅτι ἡ ὀξεῖα μόνη ἐνέργειαν φέρει, ὁμοίως καὶ τὰ πνεύματα. Infra: Διαφέρει δὲ ὀξεῖα τῆς πεταστῆς, ὡς πλείονα ἐχούσης τὴν δύναμιν· ὅτε δὲ ἀμφότερα ἐπάνω ἔχουσι τὰ πνεύματα, διαφορὰ οὐκ ἔστιν ἐν αὐτοῖς, ἐκτὸς δὲ τῶν πνευμάτων δυνατωτέρα ἐστὶν ἡ πεταστὴ τῆς ὀξείας· ἰσοδυναμεῖ δὲ ὀξεῖα τὸ ὀλίγον, εἰ καὶ ἀμφότερα μετὰ τοῦ κεντήματος V. Κλάσμα. Ducang.] Et ὀξεῖα προσῳδία ap. grammaticos Acutus s. Summus tonus: ut Gell. 13, 24: Summum autem tonum, προσῳδίαν acutam dicit. [Apollon. Bekk. p. 561, 20: Ἐν ὀξεῖ τόνῳ, et mox ὀξὺς τόνος, et al.] || Itidem metaph. ὀξεῖαι μελεδῶναι et ὀξεῖαι νόσοι dicuntur, ubi etiam reddere queas Acres, Vehementes. Hom. Od. T, [517]: Πυκιναὶ δέ μοι ἀμφ' ἀδινὸν κῆρ Ὀξεῖαι μελεδῶναι ὀδυρομένῳ [—ην] ἐρέθουσιν. [Il. T, 125: Ἄχος ὀξύ. Et cum eodem nomine Apoll. Rh. 1, 262. Pind. Ol. 8, 85: Ὀξείας νόσους· Pyth. 3, 97: Ὀξείαισι πάθαις· Nem. 1, 35: Ὀξείαις ἀνίαισι· 11, 48: Ὀξύτεραι μανίαι. Callim. Dian. 21: Ὀξείῃσιν ὑπ' ὠδίνεσσι γυναῖκες τειρόμεναι. Apoll. Rh. 4, 351: Ὀξεῖαι κραδίην ἐλέλιξαν ἀνῖαι.] Sic Acres curas dicit Varro, Lucr., Cic. Qui autem dolor ὀξὺς et acutus dicatur [ap. Hom. aliosque Epicos], vide in Ὀδύνη. Sic reddi posse etiam ὀξεῖα νόσος s. ὀξὺ νόσημα, ante dixi, ut Horat.: Si latus aut renes morbo tententur acuto. Sed ὀξεῖα νόσος significat etiam Celerem morbum. Nam, ut ait Galen. extremo libri 3 De diebus criticis, ex motus specie acutus morbus nominatur. Nec tamen in solo celeri motu essentia acuti morbi posita est, sed in ejus etiam magnitudine et periculo: unde et Archigenes acutum morbum non temporibus quidem solis nudisque, sed motu potius et natura appellandum censebat. Nam quum morbus segni lentoque motu et cum intervallis a febre vacuis ad quadragesimum usque diem procedit, nemo, inquit, sanæ mentis eum acutum dixerit, sed πολυχρόνιον, h. e. Diuturnum: similiter et parvas illas febres periculoque carentes diarias, nemo acutas, sed ὀλιγοχρονίους, Breves, vocarit. Est enim acutus morbus, ut ipse definivit, cui motus velox et subita pericula adveniunt. At velociter quidem moveri dicitur, quod ad suum finem judiciumque properet, ipsumque ad decimum quartum diem consequatur. Qui enim ante solvitur, κάτοξυς, Peracutus, dicitur: qui vero longius procedit, simpliciter acutus. Sunt tamen et in his differentiæ, quas ap. Gorr. vide. Hippocr. in vehementi febri videtur acutorum morborum essentiam collocasse, ut qui l. 1 Περὶ διαίτης ὀξέων ita scribat: Ἔστι δὲ ταῦτα ὀξέα ὁκοῖα ὠνόμασαν οἱ ἀρχαῖοι, πλευρῖτιν καὶ περιπλευμονίην, καὶ φρενῖτιν, καὶ λήθαργον, καὶ καῦσον, καὶ τἄλλα νοσήματα ὁκόσα τουτέων ἐχόμενά ἐστι, ὧν οἱ πυρετοὶ τὸ ἐπίπαν ξυνεχέες ὄντες κτείνουσι. Idem Hippocr. [p. 1165, F] ὀξεῖς πυρετοὺς, Febres

A acutas, de Galeni sententia, eas appellavit, quæ caliditatem exhibent manui celeriter occurrentem. Dicitur vero et alia signif. ὀξὺς πυρετὸς, ab eod. Hippocr. l. 6 τῶν Ἐπιδημιῶν: est enim febris differentia a motu caloris sumpta, h. e. a caliditate celeriter manui occurrente, et suam motionem celerem indicante: cui ipse Hippocr. ἐπαναδιδόντα πυρετὸν opponit. Dicitur autem ea, cujus calor initio et mox ubi manus est admota corpori, ardens et acris percipitur, sed manu diutius immorante, languidior et mitior sentitur: hujusmodi sunt biliosæ febres. [Omisso πυρετὸς p. 1129, C: Ἦτρου ἔντασις ἑκατέρωθεν ἐς ἰθὺ, μέχρι ὀμφαλοῦ, ξὺν ὀξεῖ.] Ὀξέα πάθη s. ὀξέα νοσήματα Scrib. Larg. vocat Vitia præcipitia, Cæl. Aurel. Celeres passiones: qui, sicut Aretæus Περὶ ὀξέων καὶ χρονίων παθῶν octo libros edidit, et ipse tres Celerum Passionum libros conscripsit, Χρονίων quinque. Celeres autem vocat etiam Acutas: χρονίας vero, Tardæ passionis morbos. [De igni Philemo ap. Athen. 7, p. 291, D: Τὸ πῦρ μόνον ποιεῖτε τοῖς ὀπτοῖσι μήτ' ἀνειμένον· τὸ B γὰρ τοιοῦτ' οὐκ ὀπτὸν, ἀλλ' ἕφθον ποιεῖ· μήτ' ὀξύ· κατακάει γὰρ ὅσ' ἂν ἔξω λάβῃ.] || Sol quoque ὀξὺς dicitur, qui ita calore suo penetrat hominum corpora ut telum mucronatum. [Hom. Il. P, 372: Αὐγὴ ἠελίου ὀξεῖα.] Hesiod. Ἔργ. 2, [32=412]: Τῆμος δὴ λήγει μένος ὀξέος ἠελίοιο· de temperie aeris quæ dies caniculares sequitur. Sic Horat.: Est ubi plus tepeant hyemes? ubi gratior aura Leniat et rabiem canis et momenta leonis, Quum semel accepit solem furibundus acutum? Lucr. et Plin. dicunt etiam Sol acer; Virg., Potentia solis acrior. [Pind. Ol. 3, 25: Ὀξείαις αὐγαῖς ἁλίου· 7, 70: Ὀξειᾶν ἀκτίνων πατήρ. Apoll. Rh. 4, 1542: Ὀξύτατον σέλας ἠελίοιο· 1312: Ὀξύνται αὐγαὶ ἠελίου. Archil. ap. Plut. Mor. p. 658, B: Πολλοὺς μὲν αὐτῶν Σείριος καταυανεῖ ὀξὺς ἐλλάμπων. Callim. Ep. 31, 1: Οὐ μὰ τὸν ὀξὺν ἥλιον. Arat. Phæn. 330: Ὅς ῥα μάλιστα ὀξέα σειριάει. Et de aliis sideribus 471: Κνέφαος διαφαίνεται ὀξέα πάντα. Contra Pind. Pyth. 1, 20: Χιόνος ὀξείας, ut Latini quoque Acutum dicunt de frigore, et Empedocl. v. 269: Ὀξὺ δ' ἐπ' ὀξὺ ἔβη, interpreta- C batur Karsten. De ventis Soph. Aj. 258: Λαμπρᾶς ἄτερ στεροπᾶς ᾄξας ὀξὺς νότος ὣς λήγει.] || Mars quoque ὀξὺς dicitur, ut Horat. Acuta bella vocavit, pro Acria, Vehementia: alii malunt Periculosa. Hom. Il. [B, 440: Ὄφρα κε θᾶσσον ἐγείρομεν ὀξὺν Ἄρηα·] H, [330]: Τῶν νῦν αἷμα κελαινὸν ἐΰρροον ἀμφὶ Σκάμανδρον Ἐσκέδασ' ὀξὺς Ἄρης. Eust. annotat ὀξὺς ἄρης ab Hom. usurpari vel pro ὁ τομὸς σίδηρος, vel pro ὁ σφοδρὸς καὶ σύντονος πόλεμος. [Post Hom., qui sæpissime sic, inprimis de pugna acri, alii poetæ, ut Eur., cui Androm. 106, restitui in Λαιψηρὸς p. 48, D: Εἷλέ σ' ὁ χιλιόναυς Ἑλλάδος ὀξὺς Ἄρης, pro ὠκὺς, Heracl. 289: Μάλα δ' ὀξὺς Ἄρης ὁ Μυκηναίων.] Sic ὀξὺς ἀγὼν καὶ χαλεπὸς, Plut. Romulo p. 51 meæ ed. [c. 18], Acre ac difficile certamen, prælium: ut Cic., Bellum acre et magnum, Prælium acerrimum. || Homo etiam aliquis ὀξὺς vocatur, qui et δριμὺς et ταχὺς, Acer, et celer ac promptus in expediendis quæ suscepit, aut aggrediendis quæ cogitavit. [Theocr. 14, 10: Τοιοῦτος μὲν ἀεὶ τὺ, φίλ' Αἰσχίνα, ἅσυχος, ὀξὺς, πάντ' ἐθέλων κατὰ καιρόν.] Aristot. Eth. 3, D 7: Οἱ δὲ ἀνδρεῖοι, ἐν τοῖς ἔργοις ὀξεῖς, Acres et celeres: θρασεῖς vero dicit esse προπετεῖς, Præcipites. Thuc. [4, 126 fin.: Οἱ τοιοῦτοι ὄχλοι τοῖς μὲν τὴν πρώτην ἔφοδον δεξαμένοις ἄποθεν ἀπειλαῖς τὸ ἀνδρεῖον μελλήσει ἐπικομποῦσιν, οἳ δ' ἂν εἴξωσιν αὐτοῖς κατὰ πόδας τὸ εὔψυχον ἐν τῷ ἀσφαλεῖ ὀξεῖς ἐνδείκνυνται·] 8, p. 294 [c. 96]: Διάφοροι γὰρ πλεῖστον ὄντες τὸν τρόπον, οἱ μὲν ὀξεῖς, οἱ δὲ βραδεῖς· ubi nota opponi ei βραδεῖς, sicut a Latinis opponuntur Celeres et tardi, Acuti et hebetes. Cic.: Velox an tardus sit, acutus an hebetior. Idem, Aliæ agrorum partes, quæ acuta ingenia gignant, aliæ, quæ retusa. Et ὀξεῖς κατήγοροι, Qui acuti et perspicaces sunt in accusando, vel Acres. Plato Apol. [p. 39, B]: Οἱ δέ μου κατήγοροι, ἅτε δεινοὶ καὶ ὀξεῖς ὄντες. [Quo referre licet Pind. Ol. 2, 45: Ἰδοῖσα δ' ὀξεῖ' Ἐρινὺς ἔπεφνε, ubi ὀξέως schol. ad visum referens. Id. Ol. 6, 37: Ὀξείᾳ μελέτᾳ· 11, 9: Ὀξεῖαν ἐπιμομφάν. Orph. H. 88, 14: Θυμοῦ δ' αὖ μένος ὀξὺ κατισχέμεν, ὅς μ' ἐρέθησιν φυλόπιδος κρυερῆς ἐπιβαινέμεν.] Interdum cum infin. hoc ὀξὺς construitur. Thuc. 1, [70]: Οἱ

A μέν γε, νεωτεροποιοί, καὶ ἐπινοῆσαι ὀξεῖς τε καὶ ἐπιτελέσαι ἔργῳ ὃ ἂν γνῶσι, Celeres ad excogitandum et exequendum. Ad cujus l. imitationem Herodian. 2, [9, 2] dixit, Πόνους τε ἀντέχων ῥᾷστα, νοῆσαί τε ὀξὺς, καὶ τὸ νοηθὲν ἐπιτελέσαι ταχὺς, Promptus ad excogitandum. Sic Cic.: Animi atque ingenii celeres quidam motus esse debent, qui ad excogitandum sint acuti. Demosth. [p. 32, 22]: Καὶ γνῶναι πάντων ὑμεῖς ὀξύτατοι τὰ ῥηθέντα, Acutissimi. || Alias homo aliquis ὀξὺς dicitur etiam pro ὀξύθυμος, Iracundus s. Ad iram præceps, Qui facile s. levi de causa accenditur vehementi ira. Epigr. 2, in parcos [Automedontis Anth. Pal. 11, 325, 3]: Εἰπεῖν τὸν καλέσαντα φυλάσσομαι, ἐστὶ γὰρ ὀξύς· Caveo ne nominem eum, qui ad cœnam illam me vocavit; præceps enim ad iram est. Sic Etym. ὀξὺν ἄνθρωπον esse dicit τὸν ταχέως θυμούμενον, et Eust., τὸν θυμικόν. Is etiam Acer Lat. dicitur, ut in Ὀξύτης dicetur. [De ira ipsa Theognis 366: Ἴσχε νόον· γλώσσῃ δὲ τὸ μείλιχον αἰὲν ἐπέστω· δειλῶν τοι τελέθει καρδίη ὀξυτέρη. Soph. ŒEd. C. 1193: Εἰσὶ χἀτέροις γοναὶ κακαὶ καὶ θυμὸς ὀξύς.]

B || Præterea Succus acutus s. acidus, ὀξὺς dicitur. Ruf. Eph.: Ἄλλους δὲ ὀξὺν καὶ νιτρώδη καὶ ἁλυκὸν καὶ πικρόν. Sic Xen. Cyrop. 6, [2, 31]: Ὄψα δὲ χρὴ συνεσκευάσθαι ὅσα ἐστὶν ὀξέα ἐπὶ πλεῖστον καὶ δριμέα καὶ ἁλμυρά. [Hier. 1, 22: Ὀξέα καὶ δριμέα καὶ στρυφνὰ, item de cibis. Anab. 5, 4, 29: Οἶνος, ὃς ἄκρατος μὲν ὀξὺς ἐφαίνετο εἶναι ὑπὸ τῆς αὐστηρότητος, κερασθεὶς δὲ εὐώδης τε καὶ ἡδύς.] Plut. Symp. 6, 2 [p. 688, B]: Τὰ γὰρ ὀξέα καὶ δριμέα καὶ ἁλμυρὰ θρύπτοντα τὴν ὕλην διαφέρει καὶ σκίδνησιν, ὥστε νεαρὰν ποιεῖν τὴν ὄρεξιν. Sic Plin. Ep. 123: Si cœnam tibi facerem, dulcibus cibis acres acutosque miscerem, ut obtusus illis et oblitus stomachus, his excitaretur. Ubi Acutis dixit pro Acidis. Plin. major tamen diversa facit Acutus et Acidus de sapore itidem loquens: ut 15, 17: Quæ sunt communia et pomis omnibusque succis saporum genera, tredecim repeririuntur, dulcis, suavis, pinguis, amarus, austerus, acer, acutus, acerbus, acidus, salsus. Ibid. dicit, In vinis sapor austerus et acutus, et dulcis et suavis, omnes alieni. Alibi de alio sensu loquens dicit Odor acutus. C Apollod. ap. Athen. 3, [p. 76, A]: Πλὴν τὸ οἰνάριον πάνυ Ἦν ὀξὺ καὶ πονηρόν· ὥστ' ᾐσχυνόμην, Acidum. Et ipsum Acetum ὀξὺ dicitur, quod acore suo palatum penetret: Horat., Acre acetum; Cels., Acerrimum acetum. Item ὀξεῖα σταφυλὴ ap. Suid. ἡ κεντρίζουσα τὴν γεῦσιν. [De odore acido Aristoph. Ach. 193: Ὄζουσι χαὖται πρέσβεων ἐς τὰς πόλεις ὀξύτατον.] || Celer, [Pernix, Velox, Citatus, Citus, Gl. Et Ὀξύτατος, Ocissimus. Soph. Ph. 808: Ὡς ἥδε μοι ὀξεῖα φοιτᾷ καὶ ταχεῖ' ἀπέρχεται. Aristoph. Av. 1112: Ὀξὺν ἱερακίσκον. Callim. Del. 44: Στεινοῖο παρ' ὀξὺν ἔδραμες εὐρίποιο πόρον. Apoll. Rh. 1, 1027: Ὀξείῃ ῥιπῇ πυρός· 2, 1036: Πτερὸν ὀξύ· 1251: Ὀξέϊ ῥοίζῳ. Dionys. Per. 990: Ὀξύτερον προΐησι κάτω ῥόον. Herodot. 5, 9: Ζευγνυμένους ὑπ' ἅρματα εἶναι ὀξυτάτους (equos), ubi est var. ὠκυτάτους. Xen. Eq. 1, 13: Κουφότερα ἂν τὰ πρὸς τὸν δρόμον εἴη καὶ ὀξύτερον μᾶλλον ἂν τὸν ἵππον παρέχοιτο.] Plut. Romulo p. 41 meæ ed. [c. 10] de quodam Celere: Καὶ ἀπ' ἐκείνου τοὺς ταχεῖς οἱ Ῥωμαῖοι καὶ ὀξεῖς, κέλερας ὀνομάζουσι. A Cic. quoque hæc duo copulantur, ut quum ait, Motus animi celeres et acuti. D Et κινήσεις ὀξεῖαι, a quibus ὀξυκίνητα dicuntur, Quæ celeri acutoque motu agitantur. Sic ὀξέα πάθη, s. ὀξέα νοσήματα dicuntur Celeres passiones, Cæl. Aurel.; Vitia præcipitia, Scrib. Largo: alias Morbi acuti, ut supra docui: quibus opp. χρόνια πάθη, Tardæ passiones, ut Cæl. Aurel. Itidem homo aliquis ὀξὺς dicitur Qui celer et promptus est in exequendis, quæ animo concepit (cui opp. βραδὺς, Tardus); vel Acutus in excogitandis. Sic Stat. de quodam palæstrita, Motu Spartanus acuto Mille cavet lapsas circum sua tempora mortes: i. e. celeri et callido. Hujus signif. exempla paulo ante retuli. Legitur et ὀξὺς πρὸς αἴσθησιν ap. Plat. De rep. 2, [p. 375, A.] || Dicitur etiam καιρὸς ἐπισφαλὴς καὶ ὀξὺς, a Plut. Coriol. p. 71 [c. 17, Pelop. c. 8, Mor. p. 804, A]: qui imitatus videtur Xen. Cyrop. 8, [5, 7]: Ὅσῳ τε ὀξύτεροι οἱ καιροὶ τῶν εἰς τὰ πολεμικὰ χρήσεων, καὶ μείζω τὰ σφάλματα ἀπὸ τῶν ὑστεριζόντων ἐν αὐτοῖς, interpr. Quo enim magis subita sunt tempora earum rerum quibus utendum est ad res bellicas. Hippocr. [Aphor. 1 l. 1]

A καιρὸν ὀξὺν vocasse dicitur Præcipitanter celeriterque elabentem. [De re etiam Æsch. Ag. 1389: Κἀκφυσιῶν ὀξεῖαν αἵματος σφαγὴν βάλλει μ' ἐρεμνῇ ψακάδι. Soph. Ant. 108: Ὀξυτέρῳ κινήσασα χαλινῷ· 1238: Φυσιῶν ὀξεῖαν ἐκβάλλει πνοήν. Theocr. 22, 127: Αἰεὶ δ' ὀξυτέρῳ πιτύλῳ δαλεῖτο πρόσωπον.]

|| Ὀξὺς, Herbæ nomen, Plin. 27, 12.

|| Sunt et Ὀξεῖαι Insulæ, forsan a mucronato situ. Plin. quoque Oxias appellat, 4, 12, dicens esse inter Leucadiam et Achaiam sitas. Hom. Θοὰς nominat, ut Strabo testatur l. 10, p. 200 [458]: Καὶ αἱ Ὀξεῖαι καλούμεναι, ἃς ὁ ποιητὴς Θοὰς εἶπε. Idem l. 8, [p. 351] quum citasset hunc versum Hom. Od. O, [298]: Ἔνθεν δ' αὖ νήσοισιν ἐπιπροέηκε Θοῇσι, subjungit, Θοὰς δὲ εἴρηκε τὰς Ὀξείας· τῶν Ἐχινάδων δ' εἰσὶν αὗται, πλησιάζουσαι τῇ ἀρχῇ τοῦ Κορινθιακοῦ κόλπου, καὶ ταῖς ἐκβολαῖς τοῦ Ἀχελώου. [Antipater Anth. Pal. 7, 639, 2: Στενὸν Ἕλλης κῦμα καὶ Ὀξείας ἠλεὰ μεμφόμεθα. Heliodor. Æth. 5, 17.] || Est et ὀξεῖα βαφὴ, de qua Eust. p. 1658, postquam dixit Chæremonem peculiariter ῥόδα B vocare ὀξυφεγγῆ καὶ ἔαρος τιθηνήματα, subjungit, Ἔνθα ὅρα τὸ Ὀξυφεγγῆ, χρήσιμον ὂν εἰς τὸ νοῆσαι τοὔνομα τῆς ὀξείας βαφῆς. [Ὀξὺς, Violaceus, ὑακίνθινος, Portio et Hieronymo Germano. Præter Eust. l. c. Nicetas Paphlago in Vita Ignatii Patr. Cpol.: Δύο εὑρίσκουσι βιβλία χρυσῷ καὶ ἀργύρῳ σὺν ὀξέσιν ἐνδύμασιν ἔξωθεν κεκοσμημένα. Cedren. a. 1 Tiberii Thracis: Τῶν μερῶν φορούντων στολὰς σωληνωτὰς ἀπὸ βλατίου ὀξέος. Leo Grammat. p. 464: Βάρδα τοῦ Καίσαρος ἐν τῇ προελεύσει προερχομένου μετὰ σκαραμαγγίου ὀξέος. Symeon. Thessalon. De sacr. ordinat. c. 5, p. 148: Περιβάλλεται ἀμφία ὀξεῖα ἢ μέλανα· Pachym. 5, 17: Ἐνδύτην ἐκ χρυσοπάστου ὀξείας διὰ μαργάρων· 13, 23: Ὀξὺ πέπλον. Codin. De off. 3, 13: Τὸ καββάδιον αὐτοῦ ὀξὺ ἢ ἐρυθρόν. Et 17, 25; 18, 1. De hac v. ὀξὺς viri docti multa commentati sunt, ac inprimis Salmas. ad H. Aug. p. 398 et adv. Heraldum p. 332. Ducang. De colore etiam Aristoph. Pac. 1173: Φοινικίδ' ὀξεῖαν πάνυ· Plut. Cat. min. c. 6: Πορφύραν τὴν κατακόρως ἐρυθρὰν καὶ ὀξεῖαν. Ælian. N. A. 4, 46: Ἐπεὶ καὶ τῶν ᾀδομένων τῶν C Σαρδιανικῶν ἐστί τε ὀξυτέρα καὶ τηλαυγεστέρα (vestis quædam regis Persici). Nicander ap. Athen. 15, p. 684, C: Αὐταί τ' ἠίθεαι ἀνεμωνίδες ἀστράπτουσαι τηλόθεν ὀξυτέρῃσιν ἐφελκόμεναι χροιῇσιν. || De angulo Euclid. vol. 1, p. 2 ed. Peyrard. ιϐ': Ἀμβλεῖα γωνία ἐστὶν ἡ μείζων ὀρθῆς, ὀξεῖα δὲ ἡ ἐλάσσων ὀρθῆς.]

|| Substantive etiam et absolute dicitur Ὀξεῖα, pro ἡ λόγχη: unde Δι' ὀξείας δραμεῖν, proverbium ἐπὶ τῶν διακινδυνευόντων, Suid. [Zenob. 3, 13. Hesychius: Δι' ὀξείας. Παρὰ τοῖς Πυθαγορικοῖς λέγεται. Ἔστι δὲ ἐπὶ τῶν συστημάτων.]

|| Ὀξὺς, Lumbus: unde ὀξύϊ, quod Erot. ap. Hippocr. exp. ὀσφύϊ. [Ἰξύι scribendum monuit Foes.]

|| Ὀξὺ, substantive, Id quod in acutum exit, Mucro, Acumen, Acies. Aristot. [H. A. 5, 30] de cicadis: Τίκτουσι δ' ἐν τοῖς ἀγροῖς τρυπῶντες ᾧ ἔχουσιν ὄπισθεν ὀξεῖ· pro quibus Plin.: Asperitas præacuta in dorso, qua excavant fœturæ locum in terra. Sic Κατὰ τὰ ὀξέα, Gazæ Mucronato turbine. In gladio ὀξὺ dicitur Acies et mucro: in oculis, Oculorum itidem acies s. acumen: D in sonis, Vox acuta: in saporibus et succis, Acor: in cursu, Celeritas: quibus opp. τὸ ἀμβλὺ, τὸ βαρὺ, τὸ γλυκὺ, τὸ βραδύ: ut ex his verbis patet, quæ in VV. LL. citantur [quibus simillima habet Thomas p. 651], Τὸ ὀξὺ, ἐπὶ μὲν φωνῆς ἔχει ἐναντίον τὸ βαρύ· ἐπὶ δὲ δρόμου, τὸ βραδύ· ἐπὶ δὲ ὀφθαλμῶν καὶ ξίφους, τὸ ἀμβλύ· ἐπὶ δὲ χυμῶν, τὸ γλυκύ. Sed et ὀξὺ dicitur Quicquid celeri motu transit, et subito efficacique sensu percipitur, sumpta metaph. a mucronatis s. cuspidatis. Ὀξὺ dicitur etiam Celeritas: τὸ ἐμπλήκτως ὀξὺ, Præceps celeritas, quemadmodum Bud. interpr. ap. Thuc. 3, [82]: Τὸ δ' ἐμπλήκτως ὀξὺ, ἀνδρὸς μοίρᾳ προσετέθη, Præceps celeritas data est virilitati et ascripta, Præcipitis celeritatis causam virilitatem esse censebant. [Ap. Hippocr. ἐν ὀξεῖ pro ὀξέως p. 122, F: Ἀναθερμανθέντες ἐν ὀξεῖ· 127, D: Ὀλέθριοι ἐν ὀξεῖ.] || Ὀξὺ adverbialiter etiam capitur, sicut Acutum quoque ap. Latinos pro Acute: ut Horat., Cur in amicorum vitiis tam cernis acutum? quod Græci ὀξὺ βλέπειν dicunt, et una voce ὀξυδορκεῖν. Itidem enim Plut. ait [Mor. p. 469, B], τὸν

βάσκανον τὸ ἀλλότριον κακὸν ὀξυδορκεῖν, τὸ ἴδιον παραϐλέπειν, In alienis vitiis acutum cernere, ad sua connivere. Aristoph. [secundum Lex. Septemv., etsi ap. Aristoph. est non illud, sed ὀξὺ κεκράγατε Ach. 804] ὀξὺ ᾄδων, Acutum canens, pro Acuta voce. Et Plato Leg. [11, p. 927, B], Ὀξὺ ἀκούων, Acute audiens; dicuntur enim Acutæ aures, quæ celeriter sonos editos percipiunt. Alia præcedentibus similia exempla habes in Ὀξύς. Sed et plur. Ὀξέα pro ὀξέως capitur. Hesiod. [Sc. 233] : Ὀξέα καὶ λιγέως ἰάχεσκεν, Acuta voce s. Alta : pro quo ὀξέα dicitur etiam Ὀξεῖα, inserto ι propter metrum : Ὀξεῖα χρέμισαν, ibid. 347, i. e. Acutum hinniebant, ut Virg., Pelion hinnitu fugiens implevit acuto. [Apoll. Rh. 2, 546 : Ἄλλοτε δ' ἄλλῃ ὀξέα πορφύρων ἐπιμαίεται ὀφθαλμοῖσιν· 4, 1466 : Ὀξέα τηλοῦ ὄσσε βαλεῖν. Nicand. Th. 245 : Ὀξέα πυρπολέουσα.] || Ὀξὺ, Celeriter, Velociter, Cito. Hom. Il. P, [256] : Ὣς ἔφατ'· ὀξὺ δ' ἄκουσεν Ὀϊλῆος ταχὺς Αἴας, Celeriter s. Cito audiit; quo accipi modo queat et Plat. l. qui præcedit. [Eur. Or. 1530 : Ὀξὺ γὰρ βοῆς ἀκοῦσαν Ἄργος ἐξεγείρεται. Apoll. Rh. 3, 253 : Ὀξὺ δ' ἄκουσε Χαλκιόπη, et 4, 475, ἴδεν.] Il. E, [680] : Εἰ μὴ ἄρ' ὀξὺ νόησε μέγας κορυθαιόλος Ἕκτωρ· qui versus multis in ll. ap. Hom. legitur, mutatis tantum aliquot verbis. [Od. E, 393 : Ὀξὺ μάλα προϊδών. Callim. Jov. 56 : Ὀξὺ δ' ἀνήϐησας. Plato Parmen. p. 165, C : Ἐγγύθεν καὶ ὀξὺ νοοῦντι. Permutatum cum ὠκὺς aliquoties notavimus supra.]

|| Ὀξέως, Acute. [Plato Phædr. p. 263, C : Ἔπειτά γε οἶμαι πρὸς ἑκάστῳ γιγνόμενον μὴ λανθάνειν, ἀλλ' ὀξέως αἰσθάνεσθαι ... ποτέρου ὃν τυγχάνει τοῦ γένους· Reip. 8, p. 567, B : Ὀξέως δεῖ ὁρᾶν αὐτὸν τίς ἀνδρεῖος.] || Frequentius accipitur pro Celeriter, Velociter, [Cito, Raptim huic add. Gl.] interdum et Studiose : nam qui aliquid perficere student, accelerant et properant. Thuc. 2, p. 52 [c. 11] : Τὰ παραγγελλόμενα ὀξέως δεχόμενοι, schol. συντόμως. At p. 78 [c. 89] : Εὔτακτοι παρὰ ταῖς ναυσὶ μένοντες, τὰ παραγγελλόμενα ὀξέως δέχεσθε, idem schol. ὀξέως exp. σπουδαίως : ita ut in priori l. pro συντόμως leg. videatur συντόνως. [Sæpe recentiores συντόμως dicunt pro Cito. Xen. Cyrop. 2, 4, 6 : Οὕτω σοι ὀξέως ὑπακούω· H. Gr. 6, 2, 14 : Μάλα ὀξέως τὰς ναῦς ἐπληροῦτο.] Athen. 1, [p. 21, B] ex Plat. Theæt. [p. 175, E] : Πάντα δυναμένου ὀξ. τε καὶ τορῶς διακονεῖν, ἀναϐάλλεσθαι δὲ οὐκ ἐπισταμένου, Celeriter, Velociter, Acriter, ut Tac. Acria ministeria. [Plato ib. p. 162, D : Τῆς δημηγορίας ὀξέως ὑπακούεις καὶ πείθει. Hippocr. p. 1086, B : Πολλοὶ ὀξ. ἀπώλλυντο· 75, D, κτείνειν, et 73, B, μεταπίπτειν.] Sic Plut. Rom. p. 39 meæ ed. [c. 8] : Παρεκελεύσατο τῶν πραγμάτων ὀξ. ἀντιλαμϐάνεσθαι· ubi ὀξέως ἀντιλαμϐάνεσθαι id fere est quod alii vocant ἐπείγειν. Et in compar. gradu ap. Thuc. 2, [8] : Ἀρχόμενοι γὰρ πάντες ὀξύτερον ἀντιλαμϐάνονται, Celerius acriusque capessunt. Chrysost. : Εἰς φυγὴν ὀξέως ἔτρεψε, Cito, Repente. [Comparat. Ὀξυτέρως, Acutius. Hippocr. p. 1096, F : Ἐπύρεσσεν ὀξ. Cosmas Topogr. Christ. p. 155, E. Pro quo in Gl. : Ὀξύτερον, Ocius. Plato Theæt. p. 190, A : Εἴτε βραδύτερον εἴτε καὶ ὀξύτερον ἐπάξασα. || Superl. Ὀξυτάτως, Celerrime. Ephræm Syr. vol. 3, p. 2, C : Ἀπὸ γῆς εἰς οὐρανὸν ὀξ. προσφέρουσα τὰ αἰτήματα ἡμῶν. Et adjectivo Theophr. fr. 1 De sens. 56 : Ὀξύτατον ἀκούειν. Pro quo in Gl. : Ὀξύτατα, Quam ocissime. Plato Reip. 3, p. 401, E : Ὀξύτατ' ἂν αἰσθάνοιτο. Lucian. Nigrin. c. 10 : Ὀξύτατα συρίζομαι, Acutissime. L. D. Ὀξύτατα ἰδὼν αἰετὸς Ælian. N. A. 12, 21. Boiss.]

[Ὀξυσάκχαρον, τὸ, Oxysacharum. Synes. De febr. p. 152. Kall. Ibid. paullo ante est forma Ὀξυσάκχαρ.]

[Ὀξυσθενής, ὁ, ἡ, Job. 39, 23, cod. Alex. μάχαιρα, ubi fortasse leg. est ὀξυτενής, In acutum tendens, Acuminatus. Schleusn. Lex.]

[Ὀξυσιτία, ἡ, ap. Aristid. vol. 1, p. 275 : Ἔδοξά τινα τῶν βαρϐάρων ἐπιέναι μοι καὶ ... καθεῖναι τὸν δάκτυλον οὑτωσὶ μέχρι τοῦ λαιμοῦ, καί τι ἐγχέαι ... ὀνομάσαι δὲ αὐτὸ ὀξυσιτίαν· ταῦτα δὲ ὕστερον ὡς ὄναρ διηγεῖσθαι, καὶ τοὺς ἀκούοντας ... λέγειν ὡς ἄρα τοῦτο αἴτιον εἴη τοῦ δίψῆν μὲν, μὴ δύνασθαι δὲ πιεῖν, τὸ τρέπεσθαι εἰς ὄξος τὰ σιτία, ubi liber unus ὀξιτίαν, est Acidus sapor ciborum. Conf. Ὀξυρεγμία.]

Ὀξύστομος, ὁ, ἡ, Qui acuto ore s. rostro est, ut

A [Æsch. Prom. 675 : Ὀξυστόμῳ μύωπι χρισθεῖσα· 802 : Ὀξυστόμους Γρῦπας· Eur. Suppl. 1206 : Ὀξύστομον μάχαιραν·] Aristoph. Av. [244] ὀξυστόμους ἐμπίδας dixit, quoniam acutissimis rostris mordent : schol. tamen maluit exponere ὀξὺ ᾀδούσας. [Matthæi Med. p. 142 : Αἱ ὀξύστομοι σικύαι.]

Ὀξύσχοινος, ὁ, [Hibiscum, Juncus, Gl.] Juncus acutus, diversus ab ὁλοσχοίνῳ, ut tum Diosc. tradit, tum Plin. : Diosc. quidem, 4, 52, ubi duo σχοίνου genera facit, λείαν et ὀξύσχοινον, quam dicit esse ἄποξυν ἐπ' ἄκρου, In mucronem fastigiari : Plin. autem 21, 18, cujus verba citabo in Σχοῖνος. Qui ibid. ait, Alterum genus juncorum facit, quod marinum et a Græcis ὀξύσχοινον vocari invenio. Satis igitur hinc patet diversum esse ὁλόσχοινον ab oxyschœno. Pro quo ὁλόσχοινος ap. Galen. Simpl. medic. perperam scriptum legitur Ὀλιγόσχοινος, ut et ex Paulo Ægin. constat. Plura vide ap. Theophr. H. Pl. 4, 13. [Hom. Batrachom. 163 : Ἔγχος δ' ὀξύσχοινος ἑκάστῳ μακρὸς ἀρήρει· 242. Aristoph. Ach. 230 : Πρὶν ἂν σχοῖνος αὐτοῖσιν ἀντεμπαγῶ ὀξὺς, confert Schneider.]

B [Ὀξυτάτως. V. Ὀξύς.]

Ὀξυτενής, ὁ, ἡ, In acutum tendens, Acuminatus. [Ἡ ὀξεῖα τρίϐος interpr. Suidas.] Epigr. [Christodor. Ecphr. 329 : Κάτω δ' εὐρύνετο πώγων ἀμφιταθεὶς, μαλακὸς δὲ καὶ εὔτροχος· οὐδὲ γὰρ ἦεν ὀξυτενής, ἀλλ' εὐρὺς ἐπέπτατο.] Sic accipitur et Ὀξυτονῶν ap. Greg. Naz.

[Ὀξυτέρως. V. Ὀξύς.]

Ὀξύτης, ητος, ἡ, Acumen, Acies [Gl. Eademque proprie : Ὀξύτης ξίφεος, Acumen; Ὀξύτης σιδήρου, Acies ferri]. Plut. [Mor. p. 923, B] de Homero loquens, Τὴν νύκτα θοὴν ὀξύτητι σκιᾶς προσηγόρευσεν, Noctem citam ob acumen umbræ appellavit, Turn. Accipitur et pro Ingenii acumine. Sic Suid. dicit tres esse partes τῆς εὐμαθίας, ἀγχίνοιαν, μνήμην, ὀξύτητα τῆς διανοίας : nisi malis Acrimonia. [Ὀξύτης φρενῶν, Acies animi, Gl. Plato Charmid. p. 160, A : Ἡ ἀγχίνοια οὐχὶ ὀξύτης τίς ἐστι τῆς ψυχῆς, ἀλλ' οὐχὶ ἡσυχία; Definitt. p. 412, E : Ὀξύτης νοῦ.] Et ab Eust. p. 1379, ὀξύτης ῥητορικὴ, i. e. νοημάτων βαθύτης ἐν ἐπιπολαζούσῃ ἁπλότητι. [Ideo ὀξυ-
C τέραν Odysseam appellat, διὰ τὰ ἐν φαντασίᾳ ἐπιπολαίου ἀφελείας βάθη τῶν νοημάτων, quoad sententiæ graves, acutæ, splendidæ, forma simplici et suavi veluti indutæ prodeunt. Expressit, ni fallor, illam orationis virtutem, quam dicimus *Naïveté, hoher Sinn in leichter, natürlicher, niedlicher Einkleidung*. Quamobrem etiam ἠθικωτέραν appellat, hoc est, ut ipse explicat γλυκυτέραν καὶ ἀφελεστέραν. V. Τάχος, quod fere synonymum τῇ ὀξύτητι esse solet. Ernest. Lex. rh.] || Ὀξύτης a Plat. dicitur etiam Acutus tonus, ἡ ὀξεῖα προσῳδία, ut gramm. appellant, et Gellius supra in Ὀξύς. Plato Cratylo [p. 399, A] : Πολλάκις ἐπεμϐάλλομεν γράμματα, τὰ δ' ἐξαιροῦμεν, παρ' ὃ βουλόμεθα ὀνομάζοντες, καὶ τὰς ὀξύτητας μεταϐάλλομεν· exempli gratia, inquit, Τὸ Διῒ φίλος ἵνα ἀντὶ ῥήματος ὄνομα ἡμῖν γένηται, τό, τε ἕτερον αὐτόθεν ἰῶτα ἐξείλομεν, καὶ ἀντὶ ὀξείας τῆς μέσης συλλαϐῆς, βαρεῖαν ἐφθεγξάμεθα· faciendo sc. Δίφιλος ex Διῒ φίλος. [Leg. 7, p. 812, D : Ὀξύτητα βαρύτητι ξύμφωνον καὶ ἀντίφωνον παρεχομένους· Phil. p. 17, C : Ὀξύτητός τε πέρι καὶ βαρύτητος· Theæt. p. 163, B :
D Τῶν δὲ τὴν ὀξύτητά τε καὶ βαρύτητα ἀκούειν τε ἅμα καὶ εἰδέναι. Aristid. Quint. De mus. 1, p. 8 fin. Apollon. Bekk. An. p. 545, 15 : Τὸ αἴτιον τῆς ὀξύτητος σ, de accentu acuto.] || Acrimonia, Acerbitas. Plut. [Mor. p. 650, E] de ebrietatis symptomatis : Πλεονασμοὶ δὲ λαλιᾶς, ὀξύτητες δὲ ὀργῆς, λῆθαι τε καὶ παραφοραὶ διανοίας. Arrian. : Κατὰ τὴν βασιλέως ὀξύτητα, καὶ αὐτὸς ὠμῶς τε καὶ σὺν ὕϐρει ἐξηγεῖτο, Pro regis acerbitate [Conf. Exp. 7, 29, 1 et 8; 12, 11] : quem l. Suidas citans, ὀξύτης exp., πικρία, αὐστηρία : ab ea signif. τοῦ ὀξὺς, qua pro Acris accipitur, ut Lucr. de calidioris constitutionis hominibus, Quibus acria corda Iracundaque mens facile effervescit in ira. Et Terent., Ut sciat Lenem patrem illum factum me esse acerrimum, pro Acerbissimum. Sic Nævius, Mei feri ingenii atque animi acrem acrimoniam. Item Acrimonia, i. e., Acrimonia in rebus gerendis, Studium acre, Labor acer, Intentio acris, s. Natura acris, ut Horat. loquitur. Plut. Alcib. p. 68 [c. 38 extr.] : Φοϐηθέντων τὴν ὀξύτητα καὶ μεγαλοπραγμοσύνην τοῦ ἀνδρός. Et ὀξύτης ἀγῶνος, Certaminis acrimo-

nia, Acris in certamine contentio. Plut. : Οὐκ εἰδότες A
τὴν ῥοπὴν οὐδὲ τὴν ὀξύτητα τοῦ ἀγῶνος· vel etiam Acerbitatem. || Acor [Gl.], quem frigoris humorisque copia gignit, Alex. Aphr. Probl. 2, 70. Acrimonia in gustu quoque dicitur, sed diversa est ab Acore. [Theophr. fr. De odor. 4, 2 : Τὴν ὀξύτητα τοῦ οἴνου.] || Celeritas, Velocitas. Plut. Romulo p. 61 meæ ed. [c. 26] : Ἦσαν δὲ περὶ αὐτὸν ἀεὶ τῶν νέων οἱ καλούμενοι Κέλερες, ἀπὸ τῆς περὶ τὰς ὑπουργίας ὀξύτητος, Celeritate s. Velocitate. Philo V. M. 3 : Ἕνεκα τῆς συντόνου περὶ τὰς λειτουργίας ὀξύτητος ἀπεγυμνοῦντο, Ad contentam administrationis celeritatem, Turn. [Demosth. p. 730, 18 : Κρατοῖμεν τῶν ἐχθρῶν καὶ ταῖς ὀξύτησι δυναίμεθα καὶ τοῖς τοῦ πολέμου καιροῖς ἀκολουθεῖν. Polyb. 2, 57, 3 : Τὴν ὀξύτητα τῆς ... μεταβολῆς. Diodor. 15, 43 : Ἐὰν παρῶσι τὴν ὀξύτητα τῶν καιρῶν. Scriptor Vitæ Hom. p. 320 ed. Galei : Τὴν ὀξ. τῆς ὄψεως καὶ τῆς πράξεώς ποτε μὲν ἱέρακι παραβάλλει.]

[Ὀξυτικός, ή, όν, Celer. Hippolytus p. 261 med. ed. Fabr. : Τί τοῦ ἡλιακοῦ ἅρματος ὀξυτικώτερον εἰς δρόμον; Ad quam formam non pertinent quæ de forma Ὀξύω B
diximus initio formæ Ὀξύνω. Nam ὀξυτικὸς ab ὀξύτης est formatum. L. Dindorf.]

Ὀξυτόκιον φάρμακον, dicitur Medicamentum quo partus acceleratur, efficiens ut parturiens mulier cito pariat : quod ὠκυτόκιον vocat Plut. supra in Δυστοκέω. Diosc. 2, 194, de cyclamino : Ἔστι δὲ καὶ ὀξυτόκιον περιαπτομένη, Partum appensa accelerat. Itidem 3, 37, de dictamno : Ἔστι δὲ καὶ ὀξυτόκιον, Partus accelerat.

Ὀξυτόκος, ὁ, ἡ, Cito pariens, Partum maturans s. accelerans.

[Ὀξυτόμος, ὁ, ἡ, Acute secans. Pind. Pyth. 4, 263, πελέκει.]

Ὀξυτονέω, In acutum tendo, Angustus sum, ut Bud. interpr. ap. Greg. Naz. De homine : Καθ' ἣν (sc. φάρυγγα) ὁ ἀνθερεὼν ὑποχαλᾶται κοιλαινόμενος, καὶ ὀξυτονῶν ἐπιτείνεται. [|| Accentu acuto profero. Athen. 9, p. 400, B; Eust. Il. p. 67, 36.]

[Ὀξυτόνησις, εως, ἡ, Accentus acutus. Eust. Il. p. 60, 13.] C

[Ὀξυτονητέον, Accentu acuto notandum. Bekk. An. 457, 12; schol. Apoll. Rh. 1, 131, p. 18 not.; gramm. in Cramer. Anecd. Paris. vol. 4, p. 166, 33. Boiss. Schol. Aristoph. Av. 267.]

Ὀξύτονος, ὁ, ἡ, Qui acuto tono finitur, acuto sono concluditur, ut Quintil. loquitur : velut ὀξύτονος λέξις ap. grammaticos dicitur Vocabulum quod acuto tono profertur, s. cujus ultima syllaba acuto accentu profertur. [Dionys. H. De comp. vv. p. 63, 15 R.; Sext. Emp. p. 263, et ibid. paullo post adverbio.] Soph. vero [El. 243] ὀξυτόνων γόων dixit Acutisonorum, Qui acuto vocis tenore eduntur. [Aj. 629 : Ὀξ. ᾠδάς· Phil. 1093 : Ὀξ. διὰ πνεύματος. Etym. M. : Διάτορον, ὀξύτονον.]

[|| Ὀξυτόνως, κυρίως, Hesychius. Ap. grammaticos, Accentu acuto. Schol. Hom. Il. A, 420, Eust. Il. p. 41, 4. « Schol. Aristoph. Pl. 435, 1062. » Kall.]

[|| Ὀξύτονος, Papaveralis s. Papaver rubrum (rhœas), ap. Interpol. Dioscor. c. 645 (4, 64). Ducang.]

[Ὀξυτόνως. V. Ὀξύτονος.]

Ὀξύτορος, ὁ, ἡ, ἧλος, Clavus acute fixus, Nonn. [Jo. D
c. 19, 7.] Quod quidam derivatum existimant ex ὀξὺ et præt. med. τέτορε, significante ἔτρωσε : alii ex ὀξὺ et τερέω significante τρυπῶ : sed tunc scr. potius foret ὀξυτόρος, et significaret Qui acumine suo celeriter vulnerat s. perforat, i. e. Acutus. [Pro ὀξυτέρῳ libri deteriores Soph. Ant. 108. Meleager Anth. Pal. 4, 1, 46 : Ὀξυτόρου πίτυος.]

[Ὀξυτρίφυλλον, τό, Acutum trifolium. Scribon. Larg. c. 42, § 163, p. 89 : « Trifolium acutum, quod Ὀξυτρίφυλλον Græci appellant : nascitur et hoc Siciliæ plurimum : nam in Italiæ regionibus nusquam eam vidi herbam, nisi in Lunæ portu, quum Britanniam peteremus cum deo nostro Cæsare, plurimum super circumdatos montes. Est autem foliis et specie et numero similis communi trifolio, nisi quod hujus pleniora sunt et quasi lanuginem quandam super se habent, et in extrema parte velut aculeum eminentem. » Non enim divisim scribendum videtur ὀξὺ τρίφυλλον. L. Dindorf.]

[Ὀξύτριχος, ὁ, ἡ, Qui crinibus est acutis. Jo. Mauropus in Mustox. Syll. fasc. 2, p. 5, et in not. ad Marin. p. 133. Boiss.]

[Ὀξύφαγρος, ὁ, piscis nomen, ap. Oppian. Hal. 1, 140, ubi alii libri Ὀψοφάγρος. Conf. Διωξίφαγρος.]

[Ὀξυφαής, ὁ, ἡ, Acute videns. Nonn. Dion. 7, 214 : Ὀξυφαὲς μίμημα φέρων ὄρνιθος ὀπωπῆς.]

[Ὀξυφεγγής, ὁ, ἡ, Acute splendens. Chæremon ap. Athen. 13, p. 608, F : Ῥόδ' ὀξυφεγγῆ. Eust. Od. p. 1658, 57, in Ὀξὺς sub finem cit.]

[Ὀξύφθογγος, ὁ, ἡ, Qui acutum edit sonum. Epigr. Anth. Pal. 6, 51, 5, κύμβαλα. Athen. 14, p. 633, F : Ὀξύφθογγον εἶναι μουσικὸν ὄργανον τὴν σαμβύκην. Comp. Bryenn. Harmon. p. 363, C, D.]

[Ὀξυφλεγμασία, ἡ, Acuta et vehemens inflammatio, quæ fit a succenso sanguine. Hippocr. p. 563, 1 : Ὑπὸ ὀξυφλεγμασίης μαίνεται.]

[Ὀξυφοίνικον, τό, Opopanax. Glossæ iatr. græcob. Mss. : Ὀξιφήνηκον, ὀποπάνακον. Ducang. Ὀξυφοίνικος, glossa ap. Salmas. Exerc. Plin. p. 930.]

[Ὀξύφορον. V. Ὀξύπορον.]

[Ὀξύφρων, ονος, ὁ, ἡ, Qui acutæ mentis est. Eur. Med. 644 : Ἀπτολέμους δ' εὐνὰς σεβίζουσ' ὀξύφρων κρίνοι λέχη γυναικῶν (Ἀφροδίτη). Lex. in Cram. Anecd. Paris. vol. 4, p. 209, 15 : Ἀεσίφρων, ὀξύφρων.]

[Ὀξύφυλλον, τό, herba, Diosc. Notha p. 469. Boiss.]

Ὀξύφυλλος, ὁ, ἡ, Qui acutis est foliis, Acuta habens folia. [Achmes Onir. c. 151, p. 121, B. L. Dind.]

[Ὀξυφωνέω, Acuta voce pronuntio. Eust. Il. p. 23, 4 : Τοιοῦτον καὶ τὸ Ὁ μέν καὶ τὸ Ὁ δέ· καὶ αὐτὰ γὰρ ὀξυφωνούμενα ἀντὶ ἀντωνυμιῶν κεῖνται. Quod paullo ante dixerat σφοδρότερον ἐκφωνεῖσθαι.]

Ὀξυφωνία, ἡ, Acumen vocis, Vox acuta. [Hippocr. p. 159, D, κλαυθμώδης. Aristot. Eth. 4, 8 fin. Aretæus p. 119, 48.]

Ὀξύφωνος, ὁ, ἡ, Acutam vocem habens, Cui vox acuta est. [Soph. Tr. 963 : Ὀξ. ὡς ἀηδών. Et Babr. Fab. 12, 3 et 18.] Compar. Ὀξυφωνότερος, Cui vox est acutior. [Aristot. H. A. 4, 11 fin. : Πάντα τὰ θήλεα λεπτοφωνότερα καὶ ὀξ. 7, 1 : Γυνὴ ἀνδρὸς ὀξυφωνότερον.]

Ὀξύχειρ, ος, ὁ, ἡ, Celer manu, s. manibus; (nam et hic ὀξὺς ponitur pro ταχύς :) itidemque subst. Ὀξυχειρία, Celeritas manus s. manuum. Vel, Celeritas in movendis manibus, qualis est in artifice exercitato, Bud. [Æsch. Cho. 23 : Ὀξύχειρι σὺν κτύπῳ.] A Cam. autem illud ὀξύχειρ redditur Promptus manu, affertque ex Nicomacho ap. Athen. 7, [p. 291, C] : Δειπνῶν δὲ πᾶς τἀλλότρια γίνετ' ὀξύχειρ, ubi vertit ὀξύχειρ, Qui est manibus rapacibus. Qui aliena comedat, inquit, eum esse ait manibus rapacibus. Idem ὀξυχειρίαν interpr. Subitas aggressiones. Esse autem ὀξύχειρ vocem Alexidis, at ὀξυχειρίαν, Menandri, tradit Pollux [2, 149. Conf. id. 4, 97. Theocr. 20, 2 : Τὸν ὀξύχειρα, de Hercule. « Lucian. D. deor. 7, 2 : Οὕτως ὀξύχειρ ἐστὶ, καθάπερ ἐν τῇ γαστρὶ ἐκμελετήσας τὴν κλεπτικήν, Adeo aduncas manus habet. » Koenig.] In VV. LL. ὀξύχειρ redditur, Cui manus est acuta : quod signum promptitudinis ac celeritatis in re aliqua perpetranda esse aiunt. Sed illud, Manus acuta, inepte meo quidem judicio, dicitur. Ibid. ὀξυχειρία redditur etiam Promptitudo, Rapacitas. Quæ posterior interpr. parum mihi placet : ac ne in illo quidem l. Nicomachi video cur ὀξύχειρα necesse sit interpretari Qui est rapacibus manibus : quum ea signif., quam illi primam dedi, optime conveniat. Quin etiam, si ὀξύχειρ proprie dicitur de Artifice qui celeritate in movendis manibus utitur, ut solent qui sunt exercitati, facete ad δειπνοῦντα τἀλλότρια translatum fuerit, tanquam et ipsum in ea arte exercitatum. [Theodor. Prodr. Amar. init. Boiss. Ὀξυχειρία Sextus Emp. p. 297. Gretser. Opp. vol. 2, p. 121, D.]

[Ὀξυχειρία. V. Ὀξύχειρ.]

[Ὀξυχολέω, Subito irascor. Tzetz. ad Hesiod. Op. 135, p. 45.]

Ὀξυχολία, ἡ, dicitur Ejusmodi animi affectio, qua sc. alicui præcordia subita et vehementi inflammantur bile, Ira repentina et acris, Iracundia. [Ephræm Syr. vol. 3, p. 221, F; Zonaras Lex. p. 1456. L. Dind.]

Ὀξύχολος, ὁ, ἡ, Cui bilis subito in nasum concitur, Qui subito et acriter irascitur, Pronus et celer ad iram, Iracundus, [Biliosus, Cerebrosus, Irritabilis, Litigiosus huic add. Gl.] ut ὀξύθυμος. [Solon ap. Stob. Fl. 9, 25, 26 : Τοιαύτη Ζηνὸς πέλεται τίσις, οὐδ' ἐφ' ἑκάστῳ, ὥσπερ θνητὸς ἀνὴρ, γίγνεται ὀξύχολος. Soph. Ant. 955 : Ζεύχθη δ' ὀξυχόλοις παῖς ὁ Δρύαντος κερτομίοις ὀργαῖς. Epigr. Anth. Pal. 9, 127, 4, πρεσβύτης. Clem. Al. Strom. p. 841, γραΐδιον.]

Ὀξυωπέω, Sum acutis oculis, Est mihi acuta oculorum acies, Acutum cerno. [Theophr. De sensu 8 : Τῶν ζῴων τὰ μὲν μεθ' ἡμέραν, τὰ δὲ νύκτωρ μᾶλλον ὀξυωπεῖν. L. D.] Basil. Hexaem. : Περὶ τὴν ῥέουσαν ταύτην φύσιν ὀξυωπούντων. [Synes. p. 140. Clem. Alex. p. 113 : Δι' οὗ τὸ θεῖον ὀξυωποῦμεν. Wakef. Οἱ τὸν νοῦν καὶ τὸν λόγον ὀξυωποῦντες, Sext. Emp. p. 566, 3. Hemst. Horapollo Hierogl. 1, 6 : Δοκεῖ πρὸς τὰς ἡλίου ἀκτῖνας ὀξυωπεῖν (accipiter)· 1, 40 : Ὁ κύων εἰς τὰ τῶν θεῶν εἴδωλα ὀξυωπεῖ. L. Dind.]

Ὀξυώπης, vel Ὀξυωπὴς, ὁ, ἡ, Acutos habens oculos, Qui est acuti visus. Eust. illius Ὀξυώπης exemplum istud affert, Ἐπεὶ ὁ Διονύσιος οὐχ ἦν ὀξυώπης· quorum verborum auctorem non nominat; sed is est Athen., aut qui ab eo loquens inducitur, 6, [p. 249, F] ubi de iis, qui διονυσιοκόλακες vocabantur, scribit, Οὗτοι δὲ προσεποιοῦντο μήτε ὀξὺ ὁρᾶν παρὰ τὸ δεῖπνον, ἐπεὶ ὁ Διονύσιος οὐχ ἦν ὀξυώπης. Apud Eund. legitur ille comparativus ὀξυωπέστερος, 3, [p. 75, E] : Εἰ ὁ Λυγκεὺς ἐγεύσατο ὥσπερ ἐγὼ, ὀξυωπέστερος ἂν ἐγεγόνει παρὰ πολὺ τοῦ ὁμωνύμου. Et Alex. Aphr. Probl. [2, 55]: Οἱ ὑδροποτοῦντες ὀξυωπέστεροι. [Schol. Nicandri Th. 392.] Superlativus autem ap. Aristot. [H. A. 1, 10 fin., 9, 34 med.] et Lucian. [Icarom. c. 14], dicentes αἰετὸν esse ὀξυωπέστατον, Acutissimi s. Acerrimi visus, Acutissimam habere oculorum aciem. [Sext. Emp. p. 566, 29. Hemst. Schol. Aristoph. Pl. 210.] Sed in VV. LL. Ὀξυωπὴς duntaxat habetur, et quidem expositum etiam, Visum acuens, Visus aciem excitans; sed absque ullo hujus signif. exemplo [quod præbet Dioscor. 3, 52 : Ἔστι δὲ (τὸ πήγανον) καὶ ὀξυωπές· conf. Ὀξυδερκής], cui tribuuntur ille comp. et superlativus : Eust. contra fecit τοῦ Ὀξυώπης duntaxat mentionem, eosdem illi ascribens. Habet et Pollux [2, 51] ὀξυωπής. [Adv. comp. Ὀξυωπέστερον, Horapollo Hierogl. 1, 11, p. 15 : Ὀξ. ὁρᾷ. Suidas in Λυγκέως ὀξ. Adv. superl. Hermes Stob. Ecl. phys. vol. 1, p. 988 : Τότε ὀξυωπέστατα βλέπουσιν.]

Ὀξυωπία, ἡ, Acuta acies oculorum, Acumen oculorum, Acutus visus. Aristot. Probl. 4, 3 : Ὁμοίως ἀμφοτέροις τὰ ὄμματα πρὸς ὀξυωπίαν βλάπτονται. [Id. De partt. anim. 4, 11 med. V. HSt. in Ὀξυβλεψία. Orph. Lith. epit. v. 425 : Ὀφθαλμοῖς ἀμβλυώπεσιν ὀξυωπίαν παρέχει. L. Dind.]

Ὀξυωπίας, ὁ, terminatione differens ab ὀξυώπης, significatione cum eo convenit. [Pollux 2, 51.]

Ὀξυωπὸς, ὁ, ἡ, Cui sunt acuti oculi, i. q. ὀξυώπης supra, sed minus usitatum. [Aristot. De partt. an. 2, 13 init. : Οὐχ ὀξυωπά· ib. med. : Τὰ γαμψώνυχα μὲν ὀξυωπά· De generat. an. 5, 1 med. et ibid. infra. H. A. 9, 1 med., 30 fin.]

Ὀξώδης, ὁ, ἡ, Acetosus, Acidus. [Acinaticius, Gl.] Galen. Περὶ τροφῶν δυνάμεως 3, 16, de lacte loquens : Ἐναντίων διαθέσεων οὐσῶν, καθ' ἃς ὀξῶδες ἢ κνισσῶδες γίγνεται, Acidum fit. [Id. vol. 5, p. 51, χυμός.] Alex. Aphr. Probl. 2, 70 : Ἡ δὲ ὀξώδης (s. qualitas, nascitur) ἐκ ψυχρότητος πλείονος καὶ ὑγρότητος. Idem [ib. 73]: Εἰ φλέγμα ὀξὺ εἴη, τῶν ὀξωδῶν ὀρέγονται, Si pituita acida sit, sapores acidos appetunt. [Pollux 6, 17; Thom. p. 641.]

[Ὀξωλίς. V. Ὀξαλίς.]

[Ὄξωνος, non dicens quid sit, ponit Suidas.]

[Ὀξωρεγμία. V. Ὀξυρεγμία.]

[Ὀξωτὸς, ἡ, ὸν, Aceto conditus. Aristoph. ap. Polluc. 6, 69, et Diog. L. 4, 18 : Ὀξωτὰ, σιλφιωτὰ, βολβὸς, τευτλίον. V. Ὄξος.]

[Ὄον. V. Ὄα.]

[Ὄπ, exclamatio remigantis Charonis ap. Aristoph. Ran. 208 : Ὦὸπ ὄπ, ὠὸπ ὄπ. Ubi cod. Ven. ὢ ὀπόπ ὢ ὀπόπ ὢ ὀπόπ. Utrique præstare videtur ὠοπόπ, etsi ὠὸπ quidem est etiam alibi.]

[Ὀπαδέω, Ὀπαδός. V. Ὀπαδέω, Ὀπηδός.]

Ὀπάζω, Persequor, κατόπιν διώκω, Eust. in Hom. A Il. E, [334]: Ἀλλ' ὅτε δή ῥ' ἐκίχανε πολὺν καθ' ὅμιλον ὀπάζων· Θ, [341] : Ὡς Ἕκτωρ ὤπαζε καρηκομόωντας Ἀχαιοὺς, i. e. ἑπόμενος ἐδίωκε, Persequebatur et fugabat : quem cani comparat, qui συὸς ἀγρίου ἠὲ λέοντος Ἅπτηται κατόπισθε ποσὶν ταχέεσσι πεποιθώς· ut fere idem sint ὀπάζειν et in persequendo κατόπιν ἅπτεσθαι : quod tamen postremum aliquid amplius significat. Et Il. Ρ, [462] : Ῥεῖα δ' ἐπαΐξεσκε [—ασκε] πολὺν καθ' ὅμιλον ὀπάζων, Persequens : Ἀλλ' οὐχ ᾕρει φῶτας ὅτ' ἐσσεύαιτο [ὅτε σεύαιτο] διώκειν· ubi nota ὀπάζειν et διώκειν, in ead. signif. posita esse. [Eur. El. 1192 : Φόνια δ' ὤπασας λέχε' ἀπὸ γᾶς Ἑλλανίδος. Apoll. Rh. 1, 614 : Ἐπεὶ χόλος αἰνὸς ὄπαζε Κύπριδος· 4, 920 : Τὰς μὲν λίπον, ἄλλα δ' ὄπαζον κύντερα μιξοδίησιν ἁλὸς ῥαιστήρια νηῶν. || Improprie Comitor, Il. Θ, 103 : Χαλεπὸν δέ σε γῆρας ὀπάζει· Nicand. Th. 336 : Θνητοὺς δὲ κακὸν περὶ γῆρας ὀπάζει· ubi tamen etiam Premit vertere licet.] Pass. Ὀπάζομαι, A persequente urgeor et premor. Il. Λ, [493] : Ὡς δ' ὁπότε πλήθων ποταμὸς πεδίονδε κάτεισι Χειμάῤῥους κατ' ὄρεσφιν, ὀπαζόμενος B Διὸς ὄμβρῳ, i. e. ἐπειγόμενος, κατόπιν ἐλαυνόμενος, Urgentibus imbribus Jovialibus. || Sequi jubeo, Do qui sequatur, Comitem do. Od. Ι, [89] : Ἄνδρε δύω κρίνας, τρίτατον κήρυχ' ἅμ' ὀπάσσας· i. e. δοὺς ἕπεσθαι. Eust. Pass. Ὀπάζομαι, Comitem accipio, Comes mihi adjungitur. Il. Τ, [238]: Ἠ καὶ Νέστορος υἷας ὀπάσσατο κυδαλίμοιο· Od. Κ, [59] : Δὴ τότ' ἐγὼ κήρυκα ὀπασσάμενος καὶ ἑταῖρον, Βῆν εἰς Αἰόλου κλυτὰ δώματα, i. e. ὀπαδὸν ἑλόμενος, Eust., qui in præcedenti l. ὀπάσσατο exp. ὀπαδοὺς ἐκρίνατο, Comites delegit. Itidem Il. Κ, [238] : Σὺ δὲ χείρον' ὀπάσσεαι αἰδοῖ εἴκων, idem Eust. annotat ὀπάζεσθαι usurpari non pro παρέχειν [quomodo tamen dixit Nicand. Th. 60 : Ὑδρηλὴν καλάμινθον ὀπάζεο χαιτήεσσαν, ubi Schneiderus media significatione Sumendi positum putabat. 520 : Ναὶ μὴν καὶ τρίσφυλλον ὀπάζεο κνωψὶν ἀρωγήν· 813 : Σκολόπενδρα, ἥτε καὶ ἀμφοτέρωθεν ὀπάζεται ἀνδράσι κῆρα, ubi παρέχει, δίδωσι recte interpr. schol.], sed pro προσλαμβάνεσθαι εἰς ὀπαδόν. Hesych. [et Photius] ὀπαζόμεναι exp. ἑπόμεναι, θεραπεύουσαι. Eust. hoc ὀπάζω videtur derivare ab ἕπομαι : C nec male fortassis : ut sc. ὀπάζω ita ab ἕπω s. potius ἕπομαι derivetur, sicut Σύνοπος a Συνέπομαι : quod σύνοπος Hesych. exp. σύνοδος : est autem id σύνοδος accipiendum pro Comes, συνοδοιπόρος, ut exp. alibi. || Ὀπασθεὶς autem Hesych. esse ait ἐκ τῶν ὀπίσω δεθεὶς [hactenus etiam Photius] καὶ ἐξαγκωνισθείς. || Ὀπάζω, Præbeo, Do. Il. Ζ, [157] de Bellerophonte : Τῷ δὲ θεοὶ κάλλος τε καὶ ἠνορέην ἐρατεινὴν Ὤπασαν, i. e. ἔδωκαν, Eust. Od. Τ, [161] : Τῷ τε Ζεὺς κῦδος ὀπάζει. Sic alibi, Ἕκτορι κῦδος ὀπάζει, i. e. παρέχει. [Od. Θ, 498 : Ὡς ἄρα τοι πρόφρων θεὸς ὤπασε θέσπιν ἀοιδήν (unde Eur. Med. 425 : Οὐ γὰρ ἐν ἁμετέρᾳ γνώμᾳ λύρας ὤπασε θέσπιν ἀοιδάν)· Ο, 320 : Ἑρμείαο ... ὅς ῥά τε πάντων ἀνθρώπων ἔργοισι χάριν καὶ κῦδος ὀπάζει· et contra Ψ, 320 : Θεοὶ δ' ὤπαζον ὀϊζύν.] Il. [Ξ, 491] : Τόν ῥα μάλιστα Ἑρμείας Τρώων ἐφίλει καὶ κτῆσιν ὄπασσε, Opes et divitias præbuit, Opibus locupletavit. [Od. Δ, 131 : Τάλαρον ὄπασσεν· Θ, 430 : Καί οἱ ἐγὼ τόδ' ἄλεισον ... ὀπάσσω· Φ, 214 : Κτήματ' ὀπάσσω. Similiter sæpe præter ceteros Epicos, Pind., ut Ol. 6, 65 : Ἔνθα οἱ ὤπασε θησαυρὸν μαν- D τοσύναις· 7, 50 : Σφίσιν ὤπασε τέχναν· et cum infin. (ut Apoll. Rh. 2, 814 : Μυρί' ὀπάσσας δῶρα φέρειν) 9, 71 : Πόλιν ὤπασεν λαόν τε διαιτᾶν. Aliter Isthm. 5, 63 : Μελέταν ἔργοις ὀπάζων. Et Tragici, ut Æsch. Prom. 8 : Παντέχνου πυρὸς σέλας θνητοῖσι κλέψας ὤπασεν· 30 : Βροτοῖσι τιμὰς ὤπασας· Eum. 622 : Ζεὺς τόνδε χρησμὸν ὤπασε. Eur. Hipp. 45 : Ἀραῖσιν ἃς ... Ποσειδῶν ὤπασεν Θησεῖ γέρας· Phœn. 1576 : Ψυχρὰν λοιβὰν, ἂν ἔλαχ' Ἅδας, ὤπασε δ' Ἄρης· El. 1192 : Φόνια ὤπασας λέχεα· Med. 517 : Τί δὴ χρυσοῦ ... τεκμήρι' ἀνθρώποισιν ὤπασας σαφῆ; Aristoph. Thesm. 973 : Ὄπαζε δὲ νίκην.] Quum vero dicitur λαὸν ὀπάζειν, et πομπῆας ὀπάζειν, pertinet potius ad id ὀπάζειν, cui in præcedenti tmemate posteriorem locum tribui : Il. Σ, [452] : Πέμπε δέ μιν πόλεμόνδε, πολὺν δ' ἅμα λαὸν ὄπασσε, Multitudinem magnam adjunxit, quæ eum sequeretur. Od. Υ, [364] : Οὔ τι σ' ἄνωγα ἐμοὶ πομπῆας ὀπάζειν. [Il. Ω, 153 : Τοῖον γάρ οἱ πομπὸν ὀπάσσομεν.] Videtur autem hoc ὀπάζειν, significans Præbeo, Do, defluxisse ex præcedenti : quod ea quæ damus alicui, ea velut discedant a nobis, et contra illum comitentur. [Interdum vertere licet Facere, sic tamen ut Præbendi quædam notio accedat, ut Æsch. Sept. 256 : Ὦ Ζεῦ, γυναικῶν οἷον ὤπασας γένος· 492 : Ὅστις τόδ' ἔργον ὤπασεν πρὸς ἀσπίδι. || Photius Ὀπάζει interpretatur etiam Θεωρεῖ, Spectat; quod scribendum videri ὀπτίζω in illo dicemus. L. Dind.]

Ὀπαία, ἡ, ab Ὀπὴ derivatum, Fictile vas in quo foramen est, Dolium foramen habens; nam κεραμὶς, quo Pollux in exponendo hoc ὀπαία utitur, Bud. interpr. inter alia, Testa, Fictile vas, Dolium : at κεραμὶς significans Tegulam, huic loco convenire non videtur. Pollux 2, [54] : Ὀπαίαν δὲ οἱ Ἀττικοὶ τὴν κεραμίδα ἐκάλουν, ἣ τὴν ὀπὴν εἶχεν. [Mœris p. 292 : Ὀπαία κεραμὶς, δι' ἧς ὁ καπνὸς ἔξεισιν Ἀττικοί, καπνίαν Ἕλληνες. Hesychius (omissis tamen verbis Δίφ. ... σφόδρα) et Photius : Ὀπαία κεραμὶς, ἡ τὴν κάπνην ἔχουσα. Δίφιλος Χρυσοχόῳ· « Διακύψας ὁρῶ διὰ τῆς ὀπαίας κεραμίδος καλὴν σφόδρα. » Idem Hesychius : Ὀπαία θυρὶς ἡ ἐκ τοῦ κεράμου. Ejusdem glossæ Ὀργητὸς, ὀργή, adjecta verba κάπνη, διάδυσις, pertinere ad Ὀπαία animadvertit Piers. ad Mœrin.]

Ὀπαῖον, τὸ, exp. Foramen ollæ, item Foramen per quod fumus ex furno aut camino exit. Apud Plut. autem Pericle [c. 13] : Τὸ δ' ὀπαῖον ἐπὶ τοῦ ἀνακτόρου Ξενοκλῆς ἐκορύφωσε, Interpres vertit, Fastigium fenestræ adyti Xenocles adjecit.

[Ὀπάλλιον, τὸ, genus lapidis pretiosi, quem Opalum dicunt Latini, de quibus v. Lexx. Lat. Orph. Lith. 279 : Φημὶ δέ τοι τέρπειν καὶ ὀπάλλιον οὐρανίωνας ἀγλαὸν ἱμερτοῦ τέρενα χρόα παιδὸς ἔχοντα· καί ἑ καὶ ὀφθαλμοῖσιν ἀοσσητῆρα τετύχθαι, quibuscum Gesner. comparat Plin. N. H. 37, 5, 22 : « Propter eximiam gratiam (opalum) plerique appellavere Pæderota. »]

[Ὀπάσις, εως, ἡ, Datio, δόσις, παροχὴ, Zonaras p. 1458. Dahler.]

[Ὀπαστὸν, τὸ ἐφόδιον, Viaticum. Πέρσαι, Hesychius. Aliud voc. Persicum excidisse animadvertit Albert.]

[Ὀπάτριος, ὁ, i. q. ὄπατρος, apud Lycophr. 452 : Ὀπατρίου φονεύς. Ubi var. ὀγαστρίου vel ὀγαστρίου memorant scholl. et libri exhibent nonnulli, sed non fert sententia, quum uterini non fuerint Ajax et Teucer, de quibus agitur.]

[Ὄπατρος. V. Ὁμόπατρος.]

[Ὀπάτωρ, ορος, ὁ, pro ὁμοπάτωρ, Dosiades Anth. Pal. 15, 26, 7. ᾱ]

Ὀπάων, ονος, ὁ, ἡ, i. q. ὀπαδὸς s. ὀπηδὸς, Comes, Assectator, Assecla, ἀκόλουθος, Eust. Hom. Il. Ψ, [360] : Ἀντίθεον Φοίνικα, ὀπάονα πατρὸς ἑοῖο· K, [58] : Ἰδομενῆος ὀπάων. Utitur et [Æsch. Cho. 769 : Ἄγειν κελεύει δορυφόρους ὀπάονας· Suppl. 954 : Σὺν φίλοις ὀπάοσι, et sæpius Soph. Lycophr. 1251,] Eur. Or. [1108] : Καὶ πῶς; ἔχει γὰρ βαρβάρους ὀπάονας, ubi exp. ἀκολούθους, δούλους. Mox dicit [1124] : Πρόσθεν δ' ὀπαδῶν τίς ὄλεθρος γενήσεται; ubi exp. itidem ἀκολούθων, Quomodo assectatores et asseclas ejus interimemus? s. Stipatores. [Schol. Apoll. Rh. 4, 1396, ex Pherecyde. Hemst. De opilione Pind. Pyth. 9, 66 : Ὀπάονα μήλων. Fem. Marcell. Anth. Pal. App. 51, 52 : Οὐ μὲν ἀτιμήσειε θεὰ βασίλεια γυναικῶν ἀμφίπολον γεράων ἔμεναι καὶ ὀπάονα νύμφην. Oppian. Hal. 5, 489 : Τοίη γὰρ ὀπάονι νήχετο ῥιπῇ.] At pro Ὀπέωνες, quod ex Herodoto affertur, exponiturque Servi, Servitia, reponendum fortassis illud ὀπάονες. [Immo non sollicitanda Ionica forma Ὀπέωνες. Vide var. lect. ap. Herodot. 9, 50. Schweigh. Eandem 5, 111, ubi vulgo ὀπάων, restituit G. Dindorfius. ᾱ]

[Ὄπεας, ατος, τὸ, Subula. Herodot. 4, 70 : Τύψαντες ὀπέατι, ubi libri ἐπέατι vel ὑπέατι. Sic in Gloss. : Ὑπήτιον, Subula; et ap. Hesychium in Χηλεύσεις, ἠπύτια. Apud eundem quod est Ὀπάτα τὸ ὀπήτειον ex eadem forma ὄπεας depravatum videtur. V. autem Ὀπήτιον, ubi et ὀπέας pro ὄπεας.]

[Ὅπερ pro Ὥσπερ v. in Ὥσπερ.]

[Ὀπερτρίτις s. Ὀπερτρίτος, i. q. ἶρις. Dioscor. Noth. 1, 1.]

Ὀπεύεσθαι, κληδονίζεσθαι. Aristoph. Lys. [597] : Ὀπευομένη [ὀττευομένη] κάθηται. [Deceperat hoc vitium jam Eustathium Il. p. 965, 1.]

[Ὀπεύς. V. Ὀπήτιον.]

[Ὀπεύω. V. Ὀπιπτεύω.]

[Ὀπέων. V. Ὀπάων.]

Ὄπη [vel Ὀπῇ sec. Apollonium Bekk. An. p. 625, 2 : Ὅπη προστιθεμένου τοῦ ι, Eust. Il. p. 174, 1 : Σὺν τῷ ι γράφουσιν οἱ τεχνικοὶ τὸ πῇ καὶ ὅπῃ. Dorica forma Ὀπεῖ in inscrr. Corcyr. ap. Bœckh. vol. 2, p. 18, n. 1841, 12, et seqq., ut πεῖ pro πῇ], Ubi [Hom. Od. K, 190 : Οὐ γάρ τ' ἴδμεν ὅπη ζόφος οὐδ' ὅπη Ἠώς. Hesiod. Th. 387 : Οὐδέ τις ἕδρη οὐδ' ὁδὸς ὅππη μὴ κείνοις θεὸς ἡγεμονεύει. Æsch. Prom. 639 : Τἀποκλαῦσαι κἀποδύρασθαι τύχας ἐνταῦθ' ὅπη μέλλει τις οἴσεσθαι δάκρυ ..., ἀξίαν τριβὴν ἔχει. Soph. Ph. 481 : Ἔμβαλοῦ μ' ὅπη θέλεις ἄγων. Eur. Heracl. 19 : Ὅπη γῆς πυνθάνοιθ' ἱδρυμένους, et ib. 46. Xen. Anab. 4, 2, 12 : Ἀναβαίνοντας ὅπη ἐδύναντο ἕκαστος· 5, 6, 20 : Τῆς κύκλῳ χώρας ἐκλεξάμενοι ὅπη ἂν βούλησθε κατασχεῖν] : interdum cum ἂν [Thuc. 8, 56 : Παραπλεῖν τὴν ἑαυτοῦ γῆν ὅπη ἂν ... βούληται], interdum cum ποτέ. Plato De rep. 2, [p. 372, E] : Τάχ' ἂν κατίδοιμεν ὅπη ποτὲ ταῖς πόλεσιν ἐμφύονται, Ubi, Ubinam. [Ita Ficinus. Sed hic est Qua via, ratione.] Sequente ποτὲ significat etiam Ubicunque : et conjunctim scribitur ὁπήποτε. Plut. Pericle [c. 17] : Πάντας τοὺς Ἕλληνας τοὺς ὁπήποτε κατοικοῦντας Εὐρώπης ἢ Ἀσίας. [Sine ποτὲ sic Plato Phil. p. 51, E : Ὅπῃ τοῦτο καὶ ἐν ὅτῳ τυγχάνει γεγονὸς ἡμῖν.] Dicunt etiam ἔσθ' ὅπη, Est ubi, non solum pro Alicubi, sed etiam pro Aliquando. Herodian. 6, [6, 10] : Οὐ γὰρ ἀνάνδρως Ῥωμαῖοι ἡττήθησαν, ἀλλὰ καὶ αὐτοὶ τοὺς πολεμίους ἔσθ' ὅπη κακώσαντες· et [5, 7] : Πᾶν τὸ πλῆθος τῶν ἀνδρῶν, ἔσθ' ὅπη καὶ γυναικῶν, ἐπὰν κελεύσῃ βασιλεὺς, ἀθροίζεται. In quo posteriore l. Polit. etiam vertit Nonnunquam. || Significat etiam Quo. Hom. [Il. M, 48 : Ὅππῃ τ' ἰθύσῃ, τῇ τ' εἴκουσι· N, 784 : Νῦν δ' ἄρχ' ὅππῃ σε κραδίη θυμός τε κελεύει· ἡμεῖς δ' ἐμμεμαῶτες ἅμ' ἑψόμεθα·] Od. Ξ, [517] : Πέμψει δ' ὅππῃ σε κραδίη θυμός τε κελεύει, Quo ire jubet : poetice ibi geminato π propter metrum. [Æsch. Prom. 565 : Σήμηνον ὅπη γῆς ἡ μογερὰ πεπλάνημαι· Sept. 659 : Τάχ' εἰσόμεσθα τἀπίσημ' ὅπη τελεῖ· Cho. 1021 : Ἄλλος φανεῖ δῆτ'· οὐ γὰρ οἶδ' ὅπη τελεῖ. Qualia omnia apparet referri posse etiam ad proximam signif., neque apta esse probandæ alteri, quæ non inest particulæ, etiamsi de contendentibus in locum quempiam dicitur.] Sequente ἂν ponitur interdum pro Quocunque, Quencunque in locum. Plato Apol. Socr. [p. 37, D] : Ὅπη ἂν ἔλθω, λέγοντος ἐμοῦ ἀκροάσονται οἱ νέοι, Quocunque venero, iero. [Dudum hic ex libris restitutum ὅποι, pariterque Gorgiæ p. 456, B : Εἰς πόλιν ὅποι βούλει ἐλθόντα, ubi olim ὅπῃ. Ceteris autem locis quos hujus signif. testes citavit Astius, ut Theæt. p. 168, C : Ὅπη ἂν τύχωσιν ἕλκοντες, plurimisque aliis, quos non repetam, obtinere signif. proximam Qua, interdum ostendit vel sequens demonstrativum ταύτῃ, ut in illo quem pro signif. Qua citavit HSt.] || Significat etiam Qua, Qua via. Xen. Cyrop. 7, [2, 1] : Πάντες δὴ ἔφευγον οἱ Λυδοὶ ἀπὸ τῶν τειχῶν ὅπη ἠδύναντο ἕκαστος. [H. Gr. 5, 3, 26 : Ἀκολουθεῖν ὅπη ἂν ἡγῶνται· 6, 4, 21 : Ἐν πολλαῖς τῶν πόλεων πρότερον ὀφθεὶς ἢ ἀγγελθεὶς ὅπῃ πορεύοιτο.] Item sequente ποτὲ, Quanam, Quanam via. Plato [Soph. p. 231, C] : Ἀπορῶν ὅπη ποτὲ διαδύσεται, Incertus quanam potissimum effugeret. Sequente ἂν redditur etiam Quacunque, Quacunque via. Plato De rep. 2 [3, p. 394, D] : Ἀλλ' ὅπη ἂν ὁ λόγος ὥσπερ πνεῦμα φέρῃ, ταύτῃ ἰτέον. || Significat etiam Qua ratione, Quomodo, Prout, idque vel sequente ἂν vel omisso. [Simonid. Stob. Fl. 98, 16, 2 : Τέλος μὲν Ζεὺς ἔχει βαρύκτυπος πάντων ὅσ' ἐστὶ καὶ τίθησ' ὅπῃ θέλει. Æsch. Prom. 588 : Οὐδ' ἔχω μαθεῖν ὅπη πημονὰς ἀλύξω. Aristoph. Ran. 1257 : Θαυμάζω γὰρ ἔγωγ' ὅπη μέμψεταί ποτε τοῦτον. Xen. Cyrop. 6, 1, 43 : Ἐκτάττεσθαι ὅπη ἂν δοκῇ κράτιστον εἶναι· H. Gr. 2, 4, 38 : Ὅπη δύναιντο κάλλιστα· 6, 1, 17 : Ὅπη δύναιτο ἄριστα.] Thuc. 6, p. 229 [c. 93] : Ποιεῖν ὅπη ἐκ τῶν παρόντων μάλιστα καὶ τάχιστά τις ὠφέλεια ἥξει τοῖς ἐκεῖ. Plato [Euthyphr. p. 3, E : Τοῦτ' ἤδη ὅπη ἀποβήσεται·] Apol. Socr. [p. 35, D] : Ὑμῖν ἐπιτρέπω καὶ τῷ θεῷ κρῖναι περὶ ἐμοῦ ὅπη μέλλῃ ἐμοί τε ἄριστα εἶναι καὶ ὑμῖν, Prout mihi et vobis utile futurum est. [Et alibi sæpe similiter.] Cum ἂν, Thuc. 5, p. 171 [c. 18] : Ταύτῃ μεταθεῖναι ὅπῃ ἂν δοκῇ ἀμφοτέροις· [6, 8 : Πρᾶξαι ὅπῃ ἂν γιγνώσκωσιν ἄριστα·] 8, p. 283 [c. 67] : Ἄρχειν ὅπῃ ἂν ἄριστα γιγνώσκωσιν. Accipitur etiam pro Quomodocunque, Proutcunque : ut quum dicitur ὅπη τύχῃ pro Quomodocunque sors tulerit, i. e. Fortuito. Plato Tim. [p. 43, B] : Κινεῖσθαι ζῷον, ἀτάκτως μὴν ὅπου [ὅπῃ] τύχῃ [τύχοι] προϊέναι. Sed in hac signif. plerumque ei annecti solet ἂν, δήποτε, ποτὲ, οὖν. Plato Epist. 7, [p. 338, A : Ἔπεισα ὅπῃ δήποτ' ἐδυνάμην·] Ὅπη ποτὲ γέγονε, Quomodocunque factum est. [Charm. p. 166, E.] De rep. 2, [p. 381, C] : Δοκεῖ ἄν τίς σοι ἑκὼν ἑαυτὸν χείρω ποιεῖν ὅπῃ οὖν; Quoquo pacto se deteriorem facere. [Ib. 7, p. 538, D : Τοὺς καὶ ὅπῃ οὖν μετρίους, et alibi sæpe similiter. Cum negatione ib. 5, p. 454, B : Ἐπεσκεψάμεθα δὲ οὐδ' ὅπῃ οὖν.] Reperitur etiam Ὁπητιοῦν positum pro Aliquid, Aliquid quæcunque tandem ratio ineatur. Plato Apol. Socr. [p. 35, B] : Ταῦτα γὰρ, ὦ ἄνδρες Ἀθηναῖοι, οὐ χρὴ ποιεῖν ὑμᾶς τοὺς δοκοῦντας ὁπητιοῦν εἶναι, Qui alicujus auctoritatis esse videmini, Ficin. [Ὁπηοῦν et Ὁπητιοῦν memorat Thomas p. 655. Ὅπη δὴ Plato Leg. 5, p. 738, C: Ὅσα ... τινὲς ἔπεισαν παλαιοὶ λόγοι ὅπῃ δή τινας πείσαντες. Gramm. Bekk. An. p. 204, 14 : Ἀμοιγέποι (sic) ἀντὶ τοῦ ὁπηδή.] Dicunt etiam ἔσθ' ὅπη pro Aliqua ratione, Aliquo modo, Aliquatenus, Quodammodo, Quadantenus. Herodian. 6, [1, 18] : Ἰδίᾳ ἐθησαύριζε· καὶ διέβαλεν ἔσθ' ὅπῃ τοῦτο τὴν ἀρχὴν αὐτοῦ. [Cum eodem verbo aliter Æsch. Ag. 67 : Ἔστι δ' ὅπῃ νῦν ἐστι· Plato Reip. 6, p. 486, B : Ἔσθ' ὅπῃ ἂν ἄδικος γένοιτο. Quæ non refellere Phrynichi Epit. p. 271 observationem : Ἔσθ' ὅπῃ· τί πάσχουσιν οἱ οὕτω λέγοντες, δέον ἔστιν ὅτε λέγειν, οὐκ ἄν τις εἰκάσειεν, ἀλλ' ἢ τοῦτο μόνον, ὅτι ἠμελημένοι εἰσὶν οἱ τούτῳ τῷ ὀνόματι χρώμενοι, animadvertit Lobeck., non omnino dici, sed qui de tempore usurpari noluerit, de quo dixerunt Herodianus, Galenus, aliique recentiorum, qui etiam pro Aliquatenus, Quadantenus usurparunt, ut præter Herod. l. ab HSt. cit. Plutarchus et alii. || Cum ὅπως conjungit Æsch. Prom. 874 : Τοιόνδε χρησμὸν ... μήτηρ ἐμοὶ διῆλθε ... Θέμις· ὅπως δὲ χὤπῃ, ταῦτα δεῖ μακροῦ χρόνου εἰπεῖν. Plato Phæd. p. 100, D : Εἴτε ὅπῃ δὴ καὶ ὅπως προσγενομένη· Reip. 10, p. 612, A : Εἴτε ὅπῃ ἔχει καὶ ὅπως· 621, B : Ὅπη μέντοι καὶ ὅπως εἰς τὸ σῶμα ἀφίκοιτο οὐκ εἰδέναι· Leg. 2, p. 652, A : Ὅπη δὲ καὶ ὅπως, ἀκούωμεν· 8, p. 834, B : Εἴτε τριετηρίδες εἴτε αὖ καὶ διὰ πέμπτων ἐτῶν εἴθ' ὅπῃ καὶ ὅπως· 10, p. 899, A : Εἴτ' ἔξωθεν εἴθ' ὅπως εἴθ' ὅπῃ· B : Εἴτε ἐν σώμασιν ἐνοῦσαι εἴτε ὅπῃ τε καὶ ὅπως· Tim. p. 37, A : Καὶ ὅπῃ καὶ ὅπως καὶ ὁπότε ξυμβαίνει. Xenophonti Comm. 3, 1, 11 : Πότερά σε τάττειν μόνον ἐδίδαξεν ἢ καὶ ὅποι καὶ ὅπως χρηστέον ἑκάστῳ τῶν ταγμάτων, ex libris melioribus, qui ὅποι σοι, ὅπῃ σοι, ὅπῃ, eadem formula est restituenda, qua præter hos utitur Dio Chr. Or. 25, vol. 1, p. 520 : Ἄγων ὅπῃ τε καὶ ὅπως αὐτὸς βούλεται· vol. 2, p. 86 : Εἰπὲ ὅπῃ τε καὶ ὅπως ἔχει· ut fortasse etiam p. 249 : Γιγνώσκοντες πῇ τε καὶ ὅπως ἔχοι, scripserit ὅπῃ, etsi non infrequens est duplex in talibus forma, Cyrillum Al. vol. 1, part. 1, p. 301, C, ubi item ὅπῃ τε καὶ ὅπως, et in fr. Eur. ap. Clem. Al. Strom. 4, p. 634, ubi ὅπῃ καὶ ὅπως, quæ tamen illic delebat Valck. ut inutilia post præcedens πῇ τε συνέστη. Ceterum conf. de similibus Lobeck. Paralip. p. 57. Alia recentiorum exx. v. ap. Boiss. ad Philostr. Her. (p. 733) p. 604, ubi eodem modo erratum ut ap. Xen. || Ὅπηπερ iisdem modis ut ὅπῃ dictum est ap. Plat. Soph. p. 251, A : Ὅπηπερ ἂν υἱοί τε ὦμεν εὐπρεπέστατα· Leg. 4, p. 711, B : Πορεύεσθαι ταύτῃ ὅπηπερ ἂν ἐθελήσῃ· 7, p. 824, B : Ὅπου καὶ ὅπηπερ ἂν ἐθέλωσι κυνηγετεῖν, et alibi.] || Ὅπα, Dorice pro ὅπῃ, Ubi, [vel Qua, Quomodo]. Epigr. [Pind. Ol. 11, 10 : Νῦν ψᾶφον ἑλισσομέναν ὅπᾳ κῦμα κατακλύσσει ῥέον, ὅπᾳ τε κοινὸν λόγον φίλαν τίσομεν ἐς χάριν, quod dicitur ut νῦν ὅτε, de quo in illo; et ib. 58, Nem. 3, 24. Æsch. Ag. 1533 : Ἀμηχανῶ ὅπᾳ τράπωμαι· Prom. 905 : Τὰν Διὸς γὰρ οὐχ ὁρῶ μῆτιν ὅπᾳ φύγοιμ' ἄν. Soph. Ant. 1344 : Οὐδ' ἔχω ὅπᾳ πρὸς πότερον ἴδω. Eur. Or. 1546 : Τέλος ἔχει δαίμων ... ὅπᾳ θέλει. Aristoph. Ach. 748 : Ἐγὼν δὲ καρυξῶ Δικαιόπολιν ὅπᾳ, intell. ἐστί. Theocr. 29, 13 : Ποίησαι καλιὰν μίαν εἰν ἑνὶ δενδρέῳ, ὅπᾳ μηδὲν ἀπίξεται ἄγριον ὄρπετον.] Significat etiam Quomodo, Prout : Thuc. [5, 77] : Ὅπα [κα δικαιότατα] δοκῇ, Quomodo videatur. At ὄπα, Vocem, accus. est a nom. ὄψ. [Forma epica Ὅππῃ utuntur Homerus et reliqui, etsi non dixerunt ὅπποι aut ὅππου. De forma Ion. Ὅκῃ Schweigh. Lex. Herodot. : « Quo, Quam in partem,

A Ὄκῃ ἰθύσειε στρατεύεσθαι Κῦρος, ἀμήχανον ἦν ἐκεῖνο τὸ ἔθνος διαφυγέειν, 1, 104. Ubi, Εἰρωτᾶν ἑκάστην αὐτέων ὄκῃ εἴη ὁ ἑωυτῆς ἀνὴρ, 5, 87, ubi quidem ὄκου olim edd. »]

Ὀπὴ, ἡ, in meo Lex. vet. exp. ἡ ἐξόπισθεν ἑπομένη τίσις : quod et ap. Etym. in Ὀπαδὸς habetur : cujus tamen signif. nulla proferuntur exempla : ita ut mihi ea expos. valde suspecta sit. [Theognost. Can. p. 116, 12 : Ἔπω τὸ φαίνω ὀπή, διὸ καὶ ψιλοῦται· ἐπὶ γὰρ τοῦ ἀκολουθοῦ δασύνεται.] || Nam ὀπὴ significat potius Foramen, τόπος τετρημένος, ut in eod. illo Lex. vet. exp. : quod ab ὄπτομαι derivatum creditur, ut et Pollux testatur l. 2, [53] ubi derivata et compp. quædam ab ὄπτομαι enumerans, ait, Καὶ ὀπὴ, δι' ἧς ἐστὶν ἰδεῖν. [Ὀπὴ, ἀπὸ τοῦ ὄπωπα, Specus, Gl.] Sic ap. Aristoph. Pl. [714] uxori Chremyli interroganti πῶς ἑώρακε, respondet Carion servus, Διὰ τοῦ τριβωνίου, Ὀπὰς γὰρ εἶχεν οὐκ ὀλίγας, Nec enim pauca habebat foramina, per quæ acies oculorum meorum penetrare posset et pervidere. Et Comicus quidam [Xenarchus] ap. Athen.
B 13, [p. 569, B] in mœchos : Μὴ κλίμακ' αἰτησάμενον εἰσβῆναι λάθρα, Μηδὲ δι' ὀπῆς κάτωθεν ἐκδῦναι στέγης, ubi nota de Majori etiam foramine dici : nisi malis Fenestra interpretari; nam et ab Hesych. exp. θυρίς. [De janua agens Pollux 10, 25 : Ἡ δὲ ὀπὴ εἴρηται ἐν Αἰολοσίκωνι Ἀριστοφάνους, Καὶ δι' ὀπῆς κἀπὶ τέγους. Aristoph. Vesp. 350 : Ἔστιν ὀπὴ δῆθ' ἥντιν' ἂν ἔνδοθεν οἷός τ' εἴης διορύξαι· et ib. 352, 317, Lys. 720. Aristot. H. A. 6, 1 : Ὃν δ' οἱ Βοιωτοὶ καλοῦσιν εἴροπα, εἰς τὰς ὀπὰς ἐν τῇ γῇ καταδυόμενος νεοττεύει· 9, 6 : Οἱ μὲν (τῶν ἐχίνων) ἐν τῇ γῇ τὰς ὀπὰς αὐτῶν μεταμείβουσιν. « Vitruv. 4, 2, 4 : *Utraque enim, et inter denticulos et inter triglyphos, quæ sunt intervalla metopæ nominantur : ὀπὰς enim Græci tignorum cubilia et asserum appellant, uti nostri ea cava columbaria : ita quod inter duas opas est intertignium, id metopa est apud eos nominatum.* Ptolem. Mathem. Synaxi apud Simplicium ad Aristot. De cœlo p. 173, A : Ὡς τὰ ἐν ταῖς ὀπαῖς τῶν τοίχων πανταχοῦ ἁπτόμενα τοῦ τοίχου ζῷα οὐ βαρύνονται ὑπ' αὐτοῦ, ὅτι πανταχοῦ ὁ τοῖχος ἑαυτὸν ἐπανέχει. » Schn.]
C Sed et ὀπὴ τῶν ὤτων dicitur Foramen aurium, h. e. Meatus ille per quem vox penetrat et auditorium sensum verberat. Pollux 2, [85] : Καὶ ἡ ὀπὴ δὲ τῶν ὤτων, ἡ παραπέμπουσα τὴν φωνὴν εἰς τὴν ψυχὴν, σκολιὸς πόρος τῆς ἀκοῆς λέγεται. [Idem 5, 73 : Ὅσων δ' ἂν ἐτῶν εἴη (vel potius ᾖ), τοσαύτας ἔχει τῶν ἀπὸ τοῦ σώματος ἐκχωρούντων ὑπὸ τὴν οὐρὰν τὰς ὀπάς. L. D. Philo J. vol. 1, p. 465, 39, ubi τόπων male corrigit Mang. Hemst.]

[Ὀπηδεύω. V. Ὀπηδέω.]

Ὀπηδέω, Comitor, Comes sum, Assector : a quo tamen Eust. præcedens ὀπαδὸς derivat, priorem ei locum tribuens, posteriorem τῷ ὀπαδός. Hom. Il. B, [184] : Κῆρυξ, Εὐρυβάτης Ἰθακήσιος, ὅς οἱ ὀπήδει, Qui eum assectabatur, comes ei et assectator erat. [Ω, 368 : Γέρων δέ τοι οὗτος ὀπηδεῖ· E, 216 : Ἀνεμώλια γάρ μοι ὀπηδεῖ (τὰ τόξα).] P, [251] : Ἐκ δὲ Διὸς τιμὴ καὶ κῦδος ὀπηδεῖ. Sic Hesiod. Op. [141 : Ἀλλ' ἔμπης τιμὴ καὶ τοῖσιν ὀπηδεῖ· 311] : Πλούτῳ δ' ἀρετὴ καὶ κῦδος ὀπηδεῖ, Divitiarum virtus comes est s. pedissequa : ut contra auctor Rhet. ad Herennium, Virtutis pedissequæ
D sunt divitiæ. Et aliquanto post [324] de viro qui rapinis sibi divitias congessit : Μινύθουσι δὲ οἶκοι Ἀνέρι τῷ, παῦρον δέ τ' ἐπὶ χρόνον ὄλβος ὀπηδεῖ, Ad exiguum tempus divitiæ eum comitantur. [Theocr. 17, 75 : Πολὺς δέ οἱ ὄλβος ὀπηδεῖ. Epigr. Anth. Pal. 9, 784, 1 : Μὴ νεμέσα βαιοῖσι· χάρις βαιοῖσιν ὀπηδεῖ. Dionys. Per. 547 : Τοῦτο δ' ἀριστήεσσι Διὸς πάρα δῶρον ὀπηδεῖ.] Sed et virtus ὀπηδεῖν dicitur ei, qui præditus ea est. Hom. Od. Θ, [237] : Ἐθέλεις ἀρετὴν σὴν φαινέμεν, ἥ τοι ὀπηδεῖ, Notam omnibus facere virtutem qua polles. [Theognis 929 : Παύροις ἀνθρώπων ἀρετὴ καὶ κάλλος ὀπηδεῖ. De re mala Hesiod. Op. 228 : Οὐδέ ποτ' ἰθυδίκαισι μετ' ἀνδράσι λιμὸς ὀπηδεῖ. De Calliope Th. 80 : Ἡ γὰρ καὶ βασιλεῦσιν ἅμ' αἰδοίοισιν ὀπηδεῖ.] Jupiter etiam Hospitalis hospitibus et peregrinis ὀπηδεῖν dicitur, quasi Comes eis esse, pro Eorum curam gerere : de quo ib. I, [271] : Ὃς ξείνοισιν ἅμ' αἰδοίοισιν ὀπηδεῖ· H, [165] : Ὅσθ' ἱκέτησιν ἅμ' αἰδοίοισιν ὀπηδεῖ. [T, 397 : Θεὸς δέ οἱ αὐτὸς ἔδωκεν Ἑρμείας· τῷ γὰρ κεχαρισμένα μηρία καῖεν ἀρνῶν ἠδ' ἐρίφων· ὁ δέ οἱ πρόφρων ἅμ' ὀπήδει. Theocr. 2, 14 :

Χαῖρ' Ἑκάτα δασπλῆτι καὶ ἐς τέλος ἄμμιν ὀπάδει. Nonnus Jo. c. 21, 120. Callim. Del. 19 : Ἡ δ' ὄπιθεν Φοίνισσα μετ' ἴχνια Κύρνος ὀπηδεῖ. De situ Dionys. Per. 403 : Πέλοπος δ' ἐπὶ νῆσος ὀπηδεῖ.] Pro Ὀπηδῶ, dicitur etiam Ὀπηδεύω, Comitor, Etym. ex Apoll. [Rh. 4, 675] : Μῆλα ὀπηδεύοντα νομῆϊ. [Ib. 974. De forma Dor. et Att. HSt. :] Ὀπᾱδέω, Comitor, Sector : Hesych. ὀπαδεῖ, ἐπακολουθεῖ. [Pind. Pyth. 4, 237 : Θεράπων δέ οἱ οὐ δράστας ὀπαδεῖ. Simonid. ap. Plut. Mor. p. 49, C : Ὁ Σ. τὴν ἱπποτροφίαν φησὶν οὐ Ζακύνθῳ ὀπαδεῖν, ἀλλ' ἀρούραισι πυροφόροις. Apud Tragicos non legitur, nisi quod in versibus Æschylo suppositis ap. Theophil. Ad Autol. 2, p. 378, A, et Stob. Ecl. vol. 1, p. 120 : Ἑξῆς δ' ὀπηδεῖ δόχμιον, ἄλλοθ' ὕστερον (δίκη), Theophilus, qui ὀπάζει, formam ὀπαδεῖ monstrat.]

[Ὀπάδησις, εως, ἡ, Consecutio, Comitatus. Crito ap. Stob. Eclog. eth. p. 350 : Τᾶς κατ' ὀρθὸν λόγον ὀπαδήσιος.]

Ὀπηδητὴρ, ῆρος, ὁ, i. q. ὀπαδός. Hesych. σύνοδος, ἀκόλουθος, Comes, Assectator.

Ὀπηδὸς, ὁ, ἡ, i. q. ὀπαδὸς, [ἀκόλουθος, συνοδοιπόρος, Hesychio,] sed Atticum, ut Eust. testatur, p. 1576, ubi ait, Ἐκ δὲ τοῦ ὀπηδεῖ γίνεται καὶ ὄνομα ὁ ὀπηδὸς, παρ' Ἀττικοῖς· κοινῶς δέ γε Ὀπαδὸς, ὃ δηλοῖ τὸν ἀκόλουθον· videtur tamen potius Ionicum esse, quum ὀπαδὸς contra prosæ etiam scriptoribus usitatum sit. [Gætul. Anth. Pal. 6, 190, 7 : Σταγόνα σπονδῖτιν, ἀεὶ θυέεσσιν ὀπηδόν. De forma Dor. et Att. HSt. :] Ὀπᾱδὸς, ὁ, [ἡ, Pind. Nem. 3, 8 : Δεξιωτάταν ὀπαδόν. Soph. OEd. C. 1092 : Κασιγνήταν ὀπαδὸν ἐλάφων. Eur. Alc. 137 : Ἀλλ' ἥδ' ὀπαδῶν ἐκ δόμων τις ἔρχεται. Plato infra cit.] Qui sequi aliquem jubetur, comes alicui adjungitur, Quem comitem aliquis sibi deligit : uno verbo reddes Comes, Assectator. [Cicero Ad Att. 4, 6, 2 : « Ergo erimus ὀπαδοὶ, qui ταγοὶ esse noluimus ? »] Philo V. M. 3 : Ἀλήθεια γὰρ ὀπαδὸς Θεοῦ, Est enim veritas Dei comes. Plutarch. in Romulo : Ὀπαδῶν ἔρημος βασιλεὺς, Assecларum et stipatorum ope destitutus ; nam ibi amplius aliquid significat quam ἀκόλουθος : ut in præcedenti l. Philonis, cui similis est hic ap. Suid., de tempore : Καὶ ἡ τούτου φύλαξ καὶ ὀπαδὸς καὶ ἔφοδος ἀλήθεια. [Plut. Camill. c. 37.] Pro Assecla et Stipator accipi potest et in quodam l. Eur. in Ὀπάων citato. Pro Comite autem Soph. accepit in Trach. [1266], ubi Hyllus ad eos, qui ex Eubœa se comitati fuerant, dicit, Αἴρετ' ὀπαδοὶ, Tollite, o comites, nimirum cadaver patris mortuum. [Pind. ap. schol. Pyth. 3, 137 : Ὦ Πὰν ... ματρὸς μεγάλας ὀπαδέ. Æsch. Suppl. 985 : Ἐμοὺς δ' ὀπαδοὺς τούσδε καὶ δορυσσόους ἔταξαν· 1022 : Ὑποδέξασθε δ' ὀπαδοὶ μέλος· Ag. 426 : Βέβακεν ὄψις οὐ μεθύστερον πτεροῖς ὀπαδοῖς ὕπνου κελεύθοις. Eur. Med. 53 : Τέκνων ὀπαδέ· et alibi sæpissime. Theocr. 2, 166 : Χαίρετε δ' ἄλλοι ἀστέρες, εὐκάλοιο κατ' ἄντυγα νυκτὸς ὀπαδοί.] || Deorum etiam aliquis esse ὀπαδὸς dicitur, Qui cum eis in cœlis conversatur, et eos veluti comitatur quocunque ierint, Deorum assectator. [Hom. H. Merc. 450 : Καὶ γὰρ ἐγὼ Μούσῃσιν Ὀλυμπιάδεσσιν ὀπηδός. Plato Phil. p. 63, E : Ἄλλας ἡδονὰς ἀληθεῖς, ὁπόσαι καθάπερ θεοῦ ὀπαδοὶ γιγνόμεναι αὐτῇ ξυνακολουθοῦσι πάντῃ· Phædr. p. 252, C : Τῶν Διὸς ὀπαδῶν.] Herodian. 1, [5, 17] de Antonino Philosopho jam vita functo : Ὀπαδὸς ἤδη καὶ σύνεδρός ἐστι θεῶν, Consors est consessorque deorum, Polit. Hesychio ὀπαδὸς est non solum ἀκόλουθος, sed etiam συνεργὸς, δοῦλος. [In prosa utuntur etiam recentiores, ut Plutarchus sæpe et alii, quorum nonnullos indicavit Lobeck. ad Phryn. p. 431, omisso tamen formæ per η ex., quod Schæf. indicat, Antonin. Lib. c. 7, p. 52 : Τὸν θεράποντα τὸν ὀπηδὸν τοῦ Ἄνθου. Cum genitivo rei Maximus Conf. vol. 2, p. 91, C : Τῆς ἐκείνου μανίας ὀπαδὸς καὶ διάδοχος Νεστόριος. Spiritum asperum interdum in libris conspicuum notavit Elmslej. ad Eur. Med. 52. Sic ὑφ' ὀπαδοῖς Theodor. Prodr. p. 65 fin. L. Dind.]

[Ὀπήεις, εσσα, εν, Perforatus. Hippocr. p. 640, 15 : Δίφρον δὲ χρὴ ὀπήεντα εἶναι καὶ ἀμφιέζεσθαι τὴν γυναῖκα.]

[Ὀπήλη, ἡ, voc. incertæ signif. ponit Theognost. Can. p. 111, 7, nisi fallit scriptura.]

[Ὁπηλίκος, η, ον, Quantæ magnitudinis, staturæ. Plato Leg. 5, p. 737, C : Καθ' ὁπόσα μέρη πλήθει καὶ ὁπηλίκα. Diod. 1, 44 : Ὁπ. ἕκαστος τῶν βασιλευσάντων ἐγένετο τῷ μεγέθει. Diosc. Ther. Præf. « Socrat. Epist. p. 21, 9 : Οὐ τοσοῦτό γε, ὁπηλίκον εἰ ἀδικήσω. » Valck. Memorat Herodian. Π. μον. λέξ. p. 20, 25.]

Ὁπηλικοσοῦν, ησοῦν, ονοῦν, Quantuscunque. Theophr. : Κἂν ὁπηλικονοῦν μέγεθος λάβωσιν. Aristot. Phys. p. 26. Bud. [Id. De cœlo 1, 6, p. 274, 14 ; Epicur. ap. Diog. L. 10, 56, 57. Ptolem. Geogr. 1, 22 init. : Ὁπηλίκη δ' οὖν ἂν ᾖ. Ὁπηλίκου ποτ' οὖν Philo Belop. p. 56, A.]

Ὁπηνίκα, pro Quum, [Ubi, Postquam, Quam mox, add. Gl.] Quando. [Soph. Phil. 464 : Ὁπηνίκ' ἂν θεὸς πλοῦν ἡμὶν εἴκῃ, τηνικαῦθ' ὁρμώμεθα· OEd. C. 434 : Ὁπηνίκ' ἔζει θυμός. Aristoph. Av. 1499 : Πηνίκ' ἐστὶν ἄρα τῆς ἡμέρας ; Ὁπηνίκα ; Theocr. 23, 33 : Ἥξει καιρὸς ἐκεῖνος ὁπανίκα καὶ τὺ φιλασεῖς· 24, 84 : Ἔσται δὴ τοῦτ' ἆμαρ, ὁπανίκα νεβρὸν ἐν εὐνᾷ ... σίνεσθαι ἰδὼν λύκος οὐκ ἐθελήσει. Thuc. 4, 125 : Κυρωθὲν οὐδὲν ὁπηνίκα χρὴ ὁρμᾶσθαι. Xen. Anab. 3, 5, 18 : Ὁπηνίκα καὶ δοκοίη τῆς ὥρας· OEc. 19, 7. Plato Leg. 6, p. 772, D : Ὁπότε τις οὖν καὶ ὁπηνίκα τῶν κε' γεγονότων ἔτη ... ἐξευρηκέναι πιστεύει, γαμείτω· Alc. 1 p. 105, D : Ὃν ἐγὼ περιέμενον ὁπηνίκα ἐάσει.] Apollonides [Anth. Pal. 9, 281, 1] : Ξεῖνον ὁπηνίκα θαῦμα κατείδομεν Ἀσὶς ἅπασα· cui respondet λόγος ἤλυθε. || Interdum vero et pro Quando, i. e. Quandoquidem. Dem. p. 220 [527, 23] : Ἀλλὰ μὴν ὁπηνίκα καὶ πεποιηκὼς, ἃ κατηγορῶ, καὶ ὕβρει πεποιηκὼς φαίνεται, τοὺς νόμους ἤδη δεῖ σκοπεῖν. Sic et ὅπου interdum poni docet Bud. p. 930.

[Ὁπηοῦν, Ὅπηπερ, Ὁπήποτε. V. Ὅπῃ.]

[Ὀπητείδιον. V. Ὀπήτιον.]

Ὀπήτιον, τὸ, Subula, [Subucula, Subla, add. Gl.] qua aliquid perforatur, τὸ σουβλίον τὸ τὰς ὀπὰς ἐμποιοῦν. Pollux 10, [141] enumerans instrumenta σκυτοτόμων, ut sunt, τομεὺς, s. περιτομεὺς, σμίλη, καλόπους, addit : Καὶ χηλεύματα καὶ ὀπέας· καὶ ὀπήτιον εἴρηται ἐν Νικοχάρους Κρησὶ, τοῖς τρυπάνοις ἀντίπαλον [ὅπερ ἀγχίλεον vel ἀγχίλιον, quæ ex ὀπήτιον et alio voc. unius syllabæ depravata, si idem locus dicitur qui 7, 83, neque hic Nicochores usus erat forma ὄπεας, quod Bentlejus putabat. « Hippocr. p. 1153, D : Ὁ σκυτεὺς κάσσυμα κεντῶν ὁ ἐπὶ τῷ πιτύῳ ἐκέντησεν αὐτὸν ἐπάνω τοῦ γόνατος, ubi alii libri ἐν τῷ ὀπιτίῳ vel solum ὀπιτίῳ præbent, leg. ὀπητίῳ. » Schneid.]. Similiter 7, c. 21 [§ 83], quum inter σκυτοτόμου ἐργαλεῖα posuisset σμίλην et περιτομέα, subjungit, ὀπήτεια καὶ ὀπητείδια, ἃ καὶ χηλεύματα ἐκάλουν οἱ ποιηταί. Scribitur autem ibi Ὀπήτεια, per ει in penult. : at Ὀπητείδια existimo esse dimin. pro ὀπήτια, s. ὀπήτεια : quod tamen ὀπήτεια haud scio an ita scrib. sit, præsertim quum non solum ap. ipsum Poll., sed etiam ap. Suid. et Hesych. ὀπήτια reperiam. Verba Suidæ paulo ante citavi : Hesychii addam, quæ cum Pollucis verbis consentiunt. Χηλεύσεις, inquit, πλέξεις· χηλεύματα γὰρ ἐλέγοντο οἷον ὀπήτια, οἷς πλέκουσιν ἢ ῥάπτουσι· perperam tamen ibi ἠπύτια habetur pro ὀπήτια. [Photius : Ὀπή, δι' ἧς ἔστιν ἰδεῖν, ἔνθεν καὶ ὀπήτιον.] Sed et Ὀπεὺς [immo Ὄπεας, quod v.], quod in posteriore Pollucis l. [10, 141] habetur, pro ὀπήτιον usurpatum creditur.

[Ὀπήτρια, ἡ, Sutrix s. Sartrix. Hesychius. v. Κωδηλήνη.]

Ὀπίας, ου, ὁ, ut ὀπ. τυρὸς, Caseus lacte ficulno coagulatus, ὁ πεπηγὼς ὑπὸ τοῦ ὀποῦ, Eust. in Ὀπός. Sic Athen. 14, [p. 658, C] de diversis caseorum generibus : Εὐριπίδης δ' ἐν Κύκλωπι ὀπίαν καλεῖ τυρὸν, τὸν δριμὺν, τὸν πηγνύμενον τῷ τῆς συκῆς ὀπῷ. Euripidis verba sunt [v. 136] : Καὶ τυρὸς ὀπίας ἐστὶ καὶ Διὸς γάλα. Sic Aristoph. schol. : Καὶ τυρὸν δὲ λέγουσι τὸν ὀπίαν, τὸν τῷ ὀπῷ τῆς συκῆς πυκνούμενον. Aristoph. autem per jocum ὀπίαν derivavit ab ὀπὴ, ac ὀπίαν γενέσθαι usurpavit pro Per foramen perrepere, Vesp. [353] : Πάντα πέφρακται, κοὐκ ἔστιν ὀπῆς οὐδ' εἰ σέρφῳ διαδῦναι, Ἀλλ' ἄλλο τι δεῖ ζητεῖν ὑμᾶς· ὀπίαν δ' οὐκ ἔστι γενέσθαι. [ῐᾱ]

[Ὀπιγαῖς, planta ap. Ps.-Aristot. De plantis 2, 3, p. 818, 37 : Ὁ χυμὸς ἔν τισιν ἀρχέγονος, ὡς ἐν τῷ φυτῷ τῷ λεγομένῳ ὀπιγαῖς.]

Ὀπιδνὸς, ἡ, ὸν, Reverendus, Summopere cavendus et extimescendus. [Hesychius : Ὀπιδνή, φοβερά, πονηρά.] Apoll. Arg. 2, [292] de styge : Ἥ τε θεοῖσι Ῥιγίστη πάντεσσιν ὀπιδνοτάτη τε τέτυκται, schol. τιμία καὶ ἐπιστροφῆς ἀξία, παρὰ τὴν ὄπιδα καὶ ἐπιστροφήν. Sed perperam tam ap. schol., quam ipsum poetam scribitur

Ὀπνιδοτάτη : quem errorem, licet ex metro satis manifestum, VV. LL. retinuerunt, in quibus scriptum Ὀπνιδὸς, et expositum Reverendus, Cura dignus.

Ὀπίζομαι, Curo, Revereor, αἰδοῦμαι, ἐπιστρέφομαι. Hom. Il. X, [332] Achilles ad Hectorem de Patroclo interfecto : Ἐμὲ δ' οὐδὲν ὀπίζεο νόσφιν ἐόντα· Σ, [216] : Μητρὸς δὲ πυκινὴν ὠπίζετ' ἐφετμήν· Od. Ξ, [283] : Διὸς δ' ὠπίσσατο [ὠπίζετο] μῆνιν Ξεινίου. Sic Hesiod. Sc. [21] : Τῶν ὅγ' ὀπίζετο μῆνιν. [Orph. Arg. 878 : Οὔ τιν' ὀπιζομένη.] Cum gen. etiam construitur, [Theognis 732 : Θεῶν μηδὲν ὀπιζόμενος· 1144 : Θεῶν ἀθανάτων μηδὲν ὀπιζόμενοι. Manetho 6, 218 : Οὐδὲν ὀπιζομένη λεχέων θεσμῶν τε γάμοιο.] Apoll. Arg. 2, [181] : Οὐδ' ὅσσον ὀπίζετο καὶ Διὸς αὐτοῦ, Ne tantillum quidem curabat s. verebatur Jovem. [Cum accus. 4, 700 : Ὀπιζομένη Ζηνὸς θέμιν Ἱκεσίοιο.] || Caveo, φυλάττομαι. Hom. Od. N, [148] : Ἀλλὰ σὸν αἰεὶ θυμὸν ὀπίζομαι ἠδ' ἀλεείνω. || Ὀπίζομαι pro ἀμείβομαι, affertur ex Pind. Pyth. [2, 17 : Χάρις φίλων ποίνιμος ἀντὶ ἔργων ὀπ.], ubi ὀπιζομένη χάρις exp. Beneficium repensum, s. mutuum, q. d. consectaneum, quodque præcedentem gratiam consectatur, s. subsequitur. [4, 86 : Ὀπιζομένων τις εἶπεν· Isthm. 3, 5 : Ζώει ὄλβος ὀπιζομένων.] || Hesych. ὀπίσσεται exp. etiam ὄψεται. [De quo dictum in Ὀπιπτεύω. Ὀπίζεο eidem πονηρεύου, ἀπόφευγε. Act. in epigr. recenti Anth. Pal. App. n. 223 : Κεῖνος δ' οἰκτίρμων καὶ σώματος ἔσχατ' ὀπίζων, Αὐρεόλου γέφυραν εἵσατο τήν τε ταφήν· quod Corporis ultima servans, versum in Anthol. Lat. vol. 1, p. 244 ed. Burm., ab Salmasio, Suo cineres dignatus honore. Τὸ ὀπίζω τὸ ἐπιστρέφομαι, et τὸ ἀκολουθῶ καὶ κατόπιν διώκω ponit Etym. M. v. Ὀπίσω, quod ab illis ducit, quorum prius ad ὀπίζομαι, alterum ad ὀπάζω potius pertinet.]

Ὀπίζω, Succum lacteum arboris alicujus colligo, cortice inciso, Caulem incido succi gratia. Alii interpr. Liquorem eximo inciso caule, aut radice. Dioscor. dicit ὀπὸν συλλέγειν : et eos qui colligunt, ἐγχαράττειν τὴν ῥίζαν καὶ τὸν καυλόν. Theophr. H. Pl. 7, 6, [2] : Ὀπίζουσι δ' αὐτὴν ὑπὸ πυραμητόν. [Ib. 9, 1, 3 : Τὸν καυλὸν ὀπίζουσιν.] Idem Diosc. [4, 65] de ὀπισμῷ papaveris : Ὀπίζοντας δὲ δεῖ μετὰ τὸ τὰς δρόσους ἀνικμασθῆναι, περιγράφειν μαχαιρίῳ τὸν ἀστερίσκον· de qua re Plin. loquens 20, 18, dicit, Saporem s. succum excipere, qui inciso scapo gignitur. Et 27, 4, de aloe, s. aloes lacryma, ait, Quidam et caulem ante maturitatem seminis incidunt succi gratia : exprimens Græcum vocabulum ὀπίζειν : nam Diosc. ὀπίζεσθαι eam arborem dicit. Dicitur autem ὀπίζεσθαι radix s. caulis arboris alicujus, quum ex ea succus colligitur, qui ex incisura manat, s. quum succus excipitur, qui inciso scapo gignitur. Diosc. 3, 55, de panace : Ὀπίζεται δὲ ἡ ῥίζα ἐπιτεμνομένη ἀρτιβλάστων ὄντων τῶν καυλῶν, Ruell. ad imitationem Plinii, Excipitur succus incisa radice, recenti caulium pullulatu. [Diod. 5, 41 : Ὁ δὲ λιβανωτὸς ὁ γινόμενος ἐξ αὐτοῦ ὀπίζεται ὡς ἂν δάκρυον. || Coagulo. Aristot. Meteor. 4, 7 : Τὸ δὲ γεῶδες (τοῦ γάλακτος) συνίσταται καὶ ὑπὸ τοῦ ὀποῦ, ἐάν πως ἔψῃ τις, οἷον οἱ ἰατροὶ ὀπίζοντες. V. etiam Ὀπιαία.]

[Ὄπιθε, Ὄπιθεν. V. Ὄπισθεν.]

[Ὀπιθόμβροτος, ὁ, ἡ, Post mortem contingens, durans. Pind. Pyth. 1, 92, ὀπ. αὔχημα δόξας.]

[Ὀπικία, ἡ, χώρα, Zonaras Lex. p. 1458, ut est ap. Thuc. 6, 4 : Κύμης τῆς ἐν Ὀπικίᾳ, ap. quem ib. 4 libri meliores nonnulli Ὄπικας, pro Ὀπικοὺς, ut ceteri, et Steph. Byz. : Ὀπικοὶ, ἔθνος Ἰταλίας. Εὔδοξος ἕκτῳ γῆς περιόδου ... Οἱ δὲ ὅτι Ὀφικοὶ ἀπὸ τῶν ὄφεων. Strabo 6, p. 242 : Ἀντίοχός φησι τὴν χώραν ταύτην Ὀπικοὺς οἰκῆσαι, τούτους δὲ καὶ Αὔσονας καλεῖσθαι. Πολύβιος δ' ἐμφαίνει δύο ἔθνη νομίζων ταῦτα· Ὀπικοὺς γάρ φησι καὶ Αὔσονας οἰκεῖν τὴν χώραν ταύτην ... Ἄλλοι δὲ λέγουσιν οἰκούντων Ὀπικῶν πρότερον καὶ Αὐσόνων μετ' ἐκείνους κατασχεῖν ὕστερον Ὄσκων τι ἔθνος· τούτους δ' ὑπὸ Κυμαίων ... ἐκπεσεῖν. Cujus de verbis conf. Niebuhr. Hist. R. vol. 1, p. 73 sq., qui Antiochum monet sequutum videri etiam Aristot. Polit. 7, 10 : Ὤκουν δὲ τὸ μὲν πρὸς τὴν Τυρρηνίαν Ὀπικοὶ καὶ πρότερον καὶ νῦν καλούμενοι τὴν ἐπωνυμίαν Αὔσονες. Pausan. 8, 24, 5 : Κυμαῖοι οἱ ἐν Ὀπικοῖς. Philodem. Anth. Pal. 5, 132, 7 : Εἰ δ' Ὀπικὴ ... καὶ οὐχ ᾄδουσα τὰ Σαπφοῦς, ubi ita vocatur puella non Græca nec Græce sciens, ut Latinis quoque Opicus est i.

A fere q. barbarus. Aristid. Quintil. De mus. 2, p. 72 : Ἀναίσθητοι καὶ βοσκηματώδεις, ὥς οἵ τε περὶ τὴν Ὀπικίαν καὶ Λευκανίαν. Jo. Laur. De mens. c. 4, p. 12 Rœther. : Ἐν πόλει τῆς Ἰταλίας, ἣν καὶ Ὀππικήν φασιν ὀνομασθῆναί ποτε, ἐξ ἧς καὶ ὀππικίζειν καὶ, ὡς τὸ πλῆθος, ὀφφικίζειν τὸ βαρβαρίζειν Ἰταλοὶ λέγουσιν. V. Lexx. Lat. v. Opicus. In quibus duplex π ordo literarum confirmat in Gl. : Ὀππικιστὴς ὡς Ἰουβενάλιος, Apicus. Pro Ὀπικίζειν autem ap. schol. Juven. 3, 207 : « *Opizein* Græci dicunt de iis qui imperite loquuntur. » Cui comparandum Opizare apud Ducang. Gloss. Lat.]

Ὀπιμαντεῖον, Voce datum responsum, VV. LL. [Voc. fictum ex ἐπιμαντεῖον, quod pro ἐστι μαντεῖον est in libris Pausaniæ 1, 40, 6, et in ὀπιμ. in nonnullis nuper collatis corruptum jam olim fefellisse apparet VV. LL.]

Ὄπιον, τὸ, Opium, i. e. Succus lacteus qui papaveris scapo inciso emanat ; at μηκώνιον appellatur Succus ex capitibus foliisque ejusdem decoctis expressus torculari. Gorr. interpr., Succus papaveris, dicens ab aliis Lac, ab aliis Lacrymam appellari. Plin. certe

B Saporem etiam nominat, et Diosc. χυμὸν, ut in Ὀπὸς dicetur. Sed et ὀπὸν μήκωνος vocat, 4, 65, ubi etiam scribit, quum ros in papavere exaruerit, cultro decussatim in stellas, ne penitus adigatur, ex obliquo in rectum summam cutem incidere oportere, lacrymam exeuntem digito in concham abstergere, nec multo post redire ut concreta inveniatur. Plin. 20, 18, quum dixisset, ex nigro papavere saporem gigni scapo inciso, quum turgescit, jussissetque incidi sub capite et calyce, mox, interjectis quibusdam de cujusvis herbæ succo excipiendo, subjicit, Papaveris vero largus densatur, et in pastillos tritus in umbra siccatur, non vi soporifera modo, verum, si copiosior hauriatur, etiam mortifera per somnum : Opion vocant. Aliquanto post, Quum capita ipsa et folia decoquuntur, succus Meconium vocatur, multo opio ignavior. Scrib. Larg. c. 48 : Opium potum, quod quidam Meconium vocant, ab odoris gravitate intelligitur ; papaveris enim viridis, cujus succus est, qualitatem repræsentat. Ubi nullum inter opium et me-

C conium discrimen facere videtur : facit autem c. 3, ubi dicit se collyrio diaglaucio opium quoque adjicere : Verum adjicere oportet, quod ex lacte ipso papaveris sylvatici capitum fit, non ex succo foliorum ejus, ut pigmentarii institores ejus rei, compendii causa faciunt. [Theophanes Nonn. vol. 1, p. 84, 270 ; et ubi Θηβαῖον, p. 249, Alex. Trall. 2, p. 52.]

[Ὄπιος, κύριον, sec. Zonaram Lex. p. 1457. Fortasse pro Ὄππιος.]

Ὀπῑπευτὴρ, ῆρος, ὁ, verbale ab ὀπιπεύω deriv. i. q. ὀπτὴρ, Visor, Speculator. [Nonnus Dion. 7, 193 : Πατρὸς ὀπιπευτῆρος, de Jove Semelen contemplante. Manetho 6, 584 : Ἄνδρας μὲν μάχλους καὶ ὀπιπευτῆρας ἔτευξαν, ubi dicitur de Libidinosis, ut fere παρθενοπίπης. Simpliciter Spectator est ap. Nonn. Dion. 37, 70 : Ἑζόμενοι στοιχηδὸν ὀπιπευτῆρες ἀγῶνος· Jo. c. 12, 85, ἑορτῆς· et sine genit. c. 20, 45, ὀπ. ἑταῖροι· ibid. 106, μαθηταί.]

[Ὀπιπεύω. V. Ὀπιπτεύω.]

[Ὀπιπήρα, ὀφθαλμῶσα, Lippa, Hesychius.]

D [Ὀπίπης, ὁ, Deceptor. Hesychius : Ὀπίπας, ἀπατεῶν ἢ ἀπατῶν. V. Ὀπιπτεύω.]

Ὀπιπτεύω, Inspicio, Inspecto. Hom. Il. Δ, [371] : Τί πτώσσεις, τί δ' ὀπιπτεύεις πολέμοιο γεφύρας ; Alicubi Intentis oculis observo, ἐπιτηρῶ, ἐποπτεύω. H, [243] : Ἀλλ' οὐ γάρ σ' ἐθέλω βαλέειν τοιοῦτον ἐόντα, Λάθρη ὀπιπτεύσας, ἀλλ' ἀμφαδὸν, Clanculum observans. Item ὀπιπτεύειν γυναῖκας dicitur Qui intentis oculis eas observat, s. περιέργως βλέπει, Nimis curiose inspicit, ut Od. T, [67] exp., Ξεῖν', ἔτι καὶ νῦν ἐνθάδ' ἀνιήσεις διὰ νύκτα Δινεύων κατὰ οἶκον, ὀπιπτεύσεις δὲ γυναῖκας ; [« Vers. 101 Mus. de Leandro aspectante Heronem : Λοξὰ δ' ὀπιπτεύων δολερὰς (ἐλέλιζεν ὀπωπάς). » HSt. Ms. Vind. Hesiod. Op. 29 : Νείκε' ὀπιπτεύοντα· 804 : Μέσσῃ δ' ἑβδομάτῃ Δημήτερος ἱερὸν ἀκτὴν εὖ μάλ' ὀπιπτεύοντα ἐϋτροχάλῳ ἐν ἀλωῇ. Apoll. Rh. 2, 406 : Ἀμφὶς ὀπιπτεύει δεδοκημένος· 3, 1137 : Ἤδη δ' ἀμφίπολοι μὲν ὀπιπτεύουσαι ἄπωθεν σιγῇ ἀνιάζεσκον· 4, 469 : Τὸν δ' ὅγε πλῆξεν ὀπιπτεύσας, et alibi. Lycophr. 45 : Μυχοὺς στενοὺς ὀπιπτεύουσαν ἀγρίαν κύνα. Poeta ap. Dion. Chr. Or. 32, vol. 1, p. 694 : Τί πτώσσεις, τί δ' ὀπιπτεύεις κατὰ ἄρμ' ἐν ἀγῶνι; ubi exprimit locum Hom. initio cit. Nicand. Th. 735. Orph. Arg. 247.] Alii scribunt Ὀπιπεύω, dicentes ex ὄπτω fieri ὀπτεύω, indeque ὀπιπτεύω, facto ἀναδιπλασιασμῷ : ex eo autem, Ὀπιπεύω, exempto τ : sic in Lex. meo vet. : et certe in Ms. Hom. exemplari sine τ bis reperi. Eust. tamen cum τ scribit Ὀπιπτεύω. [Eadem var. est ap. Hesiod. et ap. Nicandr. et Dion. l. c. In scriptura Ὀπιπεύω constat sibi cod. Manethonis, qui passivo utitur 5, 182 : Δολεροῖσιν ὀπιπευθεῖσαι ἔπεσσι, Deceptæ. V. Ὀπίπης. Etym. M. v. Ὄλπις : Εἴρηται δὲ παρὰ τὸ οἱονεὶ ἐλαιόπιν τινὰ εἶναι διὰ τὸ δι' αὐτῆς ὀπιπεύεσθαι τοὔλαιον. Ὀπιπεύειν, Photio παρατηρεῖν.] Ceterum sicut Ὀπιπτεύω deducunt ex Ὀπτεύω, sic dicere possumus Ὀπιπτεύω factum esse ex Ὀπεύω, quod ejusdem cum præcedentibus est significationis. Nam Hesych Ὀπεύει exp. περισκοπεῖ, βλέπει, sicut Ὀπιπτεύει, περιβλέπει, περισκοπεῖ. [Idem : Ὀπήσασθαι, θεωρῆσαι, quod ὠπήσασθαι scribendum, ut vidit Schneiderus. Ὀπεύει autem ex ὀπιπεύει vel ὀπιπτεύει corruptum, quod compararunt interpretes. Priori conferenda ejusdem gl. : Ὀπίσσεται, ὄψεται, nisi hæc quidem rectius ad Ὀπίζομαι relata est ab HSt. Denique Arcad. p. 150, 3 : Πιπῶ καὶ ὀπιπῶ τὸ περιβλέπομαι.]

Ὄπις, ιδος, ἡ, Ultio s. Vindicta, qua deus aliquem persequitur : ejusd. cum ὀπάζω originis, sc. ab ἕπομαι derivatum, ut quibusdam gramm. placet, a quibus exp. ἡ ὄπισθεν ἑπομένη τίσις : ab aliis, ἡ εἰς τὸ μέλλον τῶν θεῶν ἐπιστροφή : est autem vox poetica, ac interdum cum gen. θεῶν copulatur, interdum sine illo solum ponitur. Hom. Od. Ξ, [82] : Οὐδ' ὄπιδα φρονέοντες ἐνὶ φρεσίν, οὐδ' ἐλεητύν· et [88] : Καὶ μὲν τοῖς ὄπιδος κρατερὸν δέος ἐν φρεσὶ πίπτει. Hesiod. Theog. [222] de Parcis : Οὐδέποτε λήγουσι θεαὶ δεινοῖο χόλοιο Πρίν γ' ἀπὸ τῷ δώωσι κακὴν ὄπιν ὅστις ἁμάρτεν, ubi ἀποδοῦναι ὄπιν deas dicit pro Ulcisci et punire, quasi dicas Ultionem reddere s. rependere. Frequentius cum gen. θεῶν copulatur, ut ante dixi. Od. Υ, [215] : Οὐχ ὄπιδα τρομέουσι θεῶν· Φ, [28] : Οὐδὲ θεῶν ὄπιν ᾐδέσατ'. Hesiod. Op. [185 : Οὐδὲ θεῶν ὄπιν εἰδότες· 249] : Σκολιῇσι δίκῃσι Ἀλλήλους τρίβουσι, θεῶν ὄπιν οὐκ ἀλέγοντες· quod hemistichium et Il. Π, [388, Tryphiodor. 268] habetur, ubi θεῶν ὄπιν οὐκ ἀλέγοντες, ait Bud. esse, Respectum divinum pro nihilo ducentes, vel νέμεσιν, ut Cornutus exp. [Hes. ib. 704 : Εὖ δ' ὄπιν ἀθανάτων μακάρων πεφυλαγμένος εἶναι. Theocr. 25, 4 : Ἑρμέω ἀζόμενος δεινὴν ὄπιν. Moschus 4, 117 : Αἰδεσθεὶς ὄπιδα πολιοῖο γενείου. L. D. Οὔτε θεῶν ὄπιν τρομέων οὔτ' ἀνθρώπων, epigr. ap. Philostr. Her. p. 748, 3. Hemst.] In Lex. meo vet. ὄπις exp. μῆνις, παρὰ τὸ ἕπεσθαι καὶ ἀκολουθεῖν τοῖς ἁμαρτάνουσι : et ab eo derivatur φύλοπις. ‖ Exp. etiam Cura, Consideratio [Pind. Pyth. 8, 74 : Θεῶν ὄπιν ἄφθιτον αἰτέω ὑμετέραις τύχαις· Isthm. 4, 65 : Ἔχνισ' ὄπιν] : et ὄπιν οὐδεμίην [—μίαν] ἔχων, Nihil pensi habens, ex Herodoto [8, 143], ut arbitror. [Addit autem Her. genitivum τῶν (θεῶν καὶ ἡρώων), ut 9, 76 : Τοὺς οὔτε δαιμόνων οὔτε θεῶν ὄπιν ἔχοντας. Tryphiod. 598 : Οὐδὲ θεῶν ὄπιν εἶχον ἀθεσμοτάτης ὑπὸ ῥιπῆς.] ‖ Ab Hesych. exp. etiam φωνή : quo modo δὴ potius accipitur.

Ὀπισαμβῶ, Itio retrograda, ἡ εἰς τοὐπίσω ἀναχώρησις, Eust. [Il. p. 862, 5] ex quodam Lex. Derivatum autem videtur ex ὀπίσω et ἀναβαίνειν, i. e. ὀπίσω ἰέναι, ὀπίσω ἀναχάζεσθαι, ut Hom. loquitur : ut alii, ὀπίσω χωρεῖν, ἀναχωρεῖν, ἀναποδίζειν, ἐπὶ σκέλος χωρεῖν, s. ἀνάγειν. [Prov. App. Vat. 3, 36 : Ὀπισάμβων· ταύτην Χρύσιππος τάττει κατὰ τῶν χεῖρον ἐν τοῖς πράγμασι προβαινόντων παρὰ τὸ ἀεὶ ὀπίσω βαίνειν. Μέμνηται δὲ τοῦ ὀνόματος Σοφοκλῆς. Ὀπισάμβρω item vitiose Plut. Prov. p. 1252 Wytt.]

[Ὀπισθάγκων, ωνος, ὁ, ἡ, Brachia post tergum religata habens. Schol. Lycophr. 704. Ὀπισθάγκωνα, Post tergum, Gl. Martyr. SS. Alph. Philad. et Cyrini n. 8 : Ἐκέλευσε δεθέντας αὐτοὺς ὀπισθάγκωνα ἀπελθεῖν. Cedren. a. 10 Leonis M. : Ἀχθέντος αὐτοῦ δεδεμένου ὀπισθ. Duc.]

[Ὀπισθαίτερον. V. Ὄπισθεν fine.]

[Ὀπισθάμβωνος, ὁ, ἡ, unde ὀπ. εὐχή, Oratio quæ retro ambonem in media ecclesia recitatur. Symeo Thessalon. De sacris ordinat. c. 5, p. 147 : Τὸν ἱερέα λέγειν

A τὴν εὐχὴν πρὸς τὸν θεόν· ἡ δὲ τελευταία ἐστὶ καὶ ὀπισθάμβωνος λέγεται. Liturgia Chrysostomi : Εὐχὴ ὀπ., aliique scriptt. eccles. ap. Ducang. et Suicer.]

[Ὀπισθέκτιχος, Hesych. Wakef.]

[Ὀπισθέλη, Postilena, ὀπισθία, Gl. (in quibus Ὀπισθένη post ὄπισθεν.) Ὀπισθελίνη eadem notione Leo Tact. c. 6, § 3 : Ἔχειν καὶ μικρὰ καρφία καὶ τὰ (κατὰ) τῶν ὀπισθελίνων (ὀπισθελινῶν) τῶν ἵππων· § 10 : Καὶ τουφία δὲ εἰς τὰς ὀπισθελίνας τέσσαρα. Constantin. Tact. : Ἐχέτωσαν δὲ καὶ μικρὰ τουφία ἤγουν διβέλλια εἰς τὰς ὀπισθελίνας τῶν ἱππαρίων. Mauric. Strateg. 1, 2 : Μικρὰ τουφία κατὰ τῶν ὀπισθελίνων καὶ ἀντελίνων τῶν ἵππων. Occurrit rursum infra. Ducang.]

Ὄπισθεν, sive Ὄπισθε poetice [et Ionice], A tergo, Pone. Hom. Il. X, [157] : Ὁ δ' ὄπισθε δίωκε, Pone insequebatur fugientem. [I, 332 : Ὁ δ' ὄπισθε μένων παρὰ νηυσί, cui l. similes sunt in forma ὄπιθεν. Λ, 397 : Ὄπισθε καθεζόμενος, et Od. Ρ, 201 : Σταθμὸν δὲ κύνες καὶ βώτορες ἄνδρες ῥύατ' ὄπισθε μένοντες· Il. Ε, 595 : Φοίτα δ' ἄλλοτε μὲν πρόσθ' Ἕκτορος, ἄλλοτ' ὄπισθεν· Λ,
B 613 : Ἤτοι μὲν τά γ' ὄπισθε Μαχάονι πάντα ἔοικεν· Ν, 289 : Οὐκ ἂν ἐν αὐχέν' ὄπισθε πέσοι βέλος οὐδ' ἐνὶ νώτῳ.] Od. Ο, [34] : Οὖρον ὄπισθεν Πέμψει, A tergo s. A puppi immittet. [Herodot. 2, 96 : Ὄπισθε (τοῦ πλοίου).] Plato De rep. 1, [p. 327, B] : Καί μου ὄπισθεν λαβόμενος τοῦ ἱματίου, Pone me prehendens veste. Et Arcesilaus ap. Plut. in Præc. sanit. [p. 126, A] et Symp. 8, [p. 705, E] in mœchos et ἀκολάστους dicit οὐδὲν διαφέρειν ὄπισθέν τινα ἢ ἔμπροσθεν κίναιδον εἶναι. Item ὄπισθεν ποιεῖσθαι dicimus eum, quem prævertimus et superamus. Xen. Hell. 4, [1, 41] : Νομίζων ὁπόσα ὄπισθεν ποιήσαιτο ἔθνη, πάντα ἀποστερήσειν [ἀποστήσειν] βασιλέως, Quas superasset et devicisset gentes. Item ὁ ὄπισθεν, Qui pone et a tergo est [Comm. 2, 3, 19] : Τὰ ἔμπροσθεν ἅμα καὶ τὰ ὄπισθεν ἰδεῖν, Tum quæ ante sunt, tum quæ retro, Et quæ a fronte sunt et quæ a tergo. [Anab. 3, 4, 40 : Ἔρημα καταλιπεῖν τὰ ὄπισθεν· Cyrop. 2, 2, 8 : Μηδένα τῶν ὄπισθεν κινεῖσθαι.] Plato Charm. [p. 154, C] : Ἐν τοῖς ὄπισθεν εἵποντο, A tergo sequebantur. [Similiter Aristoph. Vesp. 1327 : Κλαύσεταί τις τῶν ὄπι-
C σθεν ἐπακολουθούντων ἐμοί.] Οἱ ὄπισθεν dicuntur etiam Qui superati et victi sunt, οἱ νικηθέντες. Soph. [Aj. 1249] : Καὶ τοὺς ὄπισθεν εἰς τὸ πρόσθεν ἄξομεν. Item εἰς τοὔπισθεν ap. Aristot., In aversum : cui opp. εἰς τὸ πρόσθεν, Ante se. Locum Aristot. cum Plinii interpretatione habes in Κῶλον. [Eur. Hipp. 1222 : Ἱμᾶσιν ἐς τοὔπισθεν ἀρτήσας δέμας· Phœn. 1410 : Λαιὸν μὲν ἐς τοὔπισθεν ἀμφέρει πόδα. Xen. Cyrop. 7, 1, 36 : Περιήλαυνεν εἰς τὸ ὄπισθεν· Anab. 4, 1, 6 : Μή τις ἄνω πορευομένων ἐκ τοῦ ὄπισθεν ἐπίσποιτο· Reip. Lac. 11, 8 : Ἢν ἐκ τοῦ ὄπ. οἱ πολέμιοι ἐπιφανῶσιν· Ven. 9, 8 : Ἐν τῷ ὄπισθεν· Anab. 3, 3, 10 : Εἰς τοὔπισθεν τοξεύοντες ἀπὸ τῶν ἵππων· et alibi. Cum genit. Hom. Il. Ν, 536 : Ἵππους οἵ οἱ ὄπισθε μάχης ἠδὲ πτολέμοιο ἕστασαν, et Ξ, 430. Et Ω, 15 : Ἕκτορα δ' ἕλκεσθαι δησάσκετο δίφρου ὄπισθεν. Pind. Ol. 6, 63 : Φάμας ὄπισθεν ἵμεν. Herodot. 1, 9 : Ὄπισθε τῆς ἀνοιγομένης θύρης· 7, 176 : Ἔμπροσθέ τε Θερμοπυλέων καὶ ὄπισθε· 8, 53 : Ὄπισθε τῶν πυλέων καὶ τῆς ἀνόδου.] ‖ Ὄπισθεν de tempore etiam dicitur pro Posthac, Postea, s. Post. Hom. [Il. Δ, 362 : Ταῦτα
D δ' ὄπισθεν ἀρεσσόμεθα·] Od. Ξ, [394] : Αὐτὰρ ὄπισθεν [ὕπερθε] Μάρτυροι ἀμφοτέροισι θεοί, i. e. εἰς τὸ μέλλον. Et ὁ ὄπισθεν, Posterior. [Herodot. 5, 22 : Ἐν τοῖσι ὄπισθε λόγοισι· et 7, 213.] Eod. modo, sc. pro Postea, μετὰ ταῦτα, accipit Eust. in Od. X, [174] : Ἐς θάλαμον βαλέειν, σανίδας δ' ἐκδῦσαι [—δῆσαι] ὄπισθε, Postea. [Il. I, 515 : Εἰ μὲν γὰρ μὴ δῶρα φέροι, τὰ δ' ὄπισθ' ὀνομάζοι· 519 : Νῦν δ' ἅμα τ' αὐτίκα πολλὰ διδοῖ, τὰ δ' ὄπισθεν ὑπέστη. Theocr. Ep. 20, 8 : Πολλοῖς μασὶν ὄπισθε χηνιαυτοῖς.] Ceterum Ὄπισθεν ex ὀπίσω derivari, ac per sync. quasi ὀπίσωθεν dici, vult idem Eust. [Improprie Soph. Ant. 640 : Γνώμης πατρῴας πάντ' ὄπισθεν ἑστάναι. ‖ « Antea, Supra, Retro. Nicetas Isaac. l. 1 : Εἰς ἀγαθοὺς ἄνδρας μεταθέντες καὶ ἀεὶ τὸν ὄπισθεν κτείνοντες. Ita usurpat Balsamon ad Nomocanon. Photii tit. 9, c. 22, 39 et alibi. » Ducang. Schol. Pind. Ol. 7, 25, aliique scholiastæ et Byzantini. ‖ Formarum ὄπισθε et ὄπισθεν, pariterque compositi ἐξόπ., usum apud poetas Atticos notandum est metro regi videri ita ut ὄπισθε dicatur, ubi non illius caussa altera opus sit forma,

ut Eur. Cycl. 545 : Τί δῆτα τὸν κρατῆρ' ὄπισθέ μου τίθης; Iph. T. 1333 : Αὐτὴ δ' ὄπισθε δέσμ' ἔχουσα τοῖν ξένοιν ἔστειχε· Suppl. 665 : Νεκροὺς ὄπισθε θέμενος, ubi alii ὄπισθεν, in fragm. Phaethontis ap. Longin. § 15 : Πατὴρ δ' ὄπισθε νῶτα σειραίου βεβὼς ἵππευε, ubi vel ad sonum insuavius foret ὄπισθεν. Sed librarii his formis ita assueti fuerunt, ut vel in prosa ferrent etiam ante vocalem, eoque minor sit librorum auctoritas, etiam ubi consona sequitur omittentium.] Poetice pro ὄπισθεν s. ὄπισθε, metri causa usurpatur Ὄπιθεν [quod ὀπίσω, Tergo, Pone, et μετὰ ταῦτα, Postsecus, interpr. Gl.], sive Ὄπιθε. Hom. Il. Ψ, [136] : Ὄπιθεν δὲ κάρη ἔχε δῖος Ἀχιλλεύς, Pone tenebat. B, [542] : Ὄπιθεν κομόωντες, In terga comantes, Stat. : pro quo vocab. composito dicitur ὀπισθοκόμαι. [Z, 181 : Πρόσθε λέων, ὄπιθεν δὲ δράκων· Λ, 545 : Ὄπιθεν δὲ σάκος βάλεν· N, 83 : Τοὺς ὄπιθεν Γαιήοχος ὦρσεν Ἀχαιούς· et alibi.] A, [197] : Στῆ δ' ὄπιθεν, A tergo s. Pone stabat, Retro stabat. [Cum gen. P, 468 : Στῆ δ' ὄπιθεν δίφροιο. Pind. Ol. 3, 33 : Πνοιᾶς ὄπιθεν Βορέα.] Ὄπιθεν εἶναι dicuntur etiam ii, qui non adsunt, μὴ παρόντες, Eust. in Od. Λ, [66] : Νῦν δέ σε τῶν ὄπιθεν γουνάζομαι οὐ παρεόντων, Πρός τ' ἀλόχου καὶ πατρός. Sed idem Eust. annotat τῶν ὄπιθεν accipi etiam posse pro τῶν μελλόντων, sc. τοῦ ἰδεῖν τὴν ἄλοχον καὶ πατέρα : ut sensus sit, Oro te per ea quæ futura sunt, ut sc. videas uxorem. [Conf. ib. 72 : Μή μ' ἄκλαυτον ἄθαπτον ἰὼν ὄπιθεν καταλείπειν.] Nam ὄπιθεν temporis etiam adverbium est, sicut et ὄπισθεν : Od. B, [270] : Τηλέμαχ', οὐδ' ὄπιθεν κακὸς ἔσσεαι οὐδ' ἀνοήμων, Nec in posterum. [Σ, 168 : Εὖ μὲν βάζουσι, κακῶς δ' ὄπιθεν φρονέουσιν. Pind. Ol. 11, 36 : Ὄπιθεν οὐ πολλόν· Nem. 7, 101 : Ἄρειον ὄπιθεν. Usurpant etiam Tragici, ut Æsch. Pers. 1002 : Ὄπιθεν ἑπόμενοι, ubi libri ὄπισθεν, et recentissimi etiam in prosa, velut schol. Hom. Il. Ψ, 726, Constantin. Cærim. p. 279, B; 343, D, etc. Chron. Pasch. p. 701, 3, Mauric. Strateg. p. 164, 166, 167, 170. Schol. ad Aristid. vol. 2, p. 153 ed. Ox. addit Lobeck. ad Phryn. p. 11, qui dicit p. 8 : Ὄπιθεν ἄνευ τοῦ σ μηδέποτε εἴπῃς, ὄπισθεν δέ. Itaque jam tum fuerunt qui ὄπιθεν dicerent. Quod Doricum dicit Gregor. p. 222, Pindari locum spectans, ut monet Koen. || Formam Æolicam Ὕπισθα (ὄπισθα enim fingere videtur Apollon. Bekk. An. p. 563, 26; 604, 28) v. in Ἐξύπισθα. || Formas compar. et superl. Ὀπίστερος et Ὀπίστατος, item Ὀπισθότερος et Ὀπισθότατος v. infra. Ὀπισθαίτερον Eust. Opusc. p. 269, 27 : Ὑπὸ τῶν ὀπ. ἐγκειμένων. L. Dind.]

Ὀπισθέναρ, τό. Quidam Eam partem manus qua aliquid prehendi solet, quæ est prior et quasi aversa, θέναρ appellarunt, ut Hippocr. et ante hunc Homerus. Huic oppositam vero totam, quæ est veluti aversa manus, ὀπισθέναρ, posteriorem planitiem. Hæc Cam. in utriusque Linguæ Comm. Ibid. quum θέναρ interpretatus esset Ir, subjicit, Exterius est ὀπισθέναρ, vel potius τὸ ὄπισθε θέναρ, i. e. πρυμνὴ χείρ, Prona manus : ut versa, ὑπτία, Supina. Desumpsit autem hæc ex Polluce, qui l. 2, [143] ait, Καὶ τὸ μὲν ἔνδοθεν τῆς χειρὸς σαρκῶδες, ἀπὸ τοῦ μεγάλου δακτύλου μέχι τοῦ λιχανοῦ, καλεῖται θέναρ· τὸ δὲ ἔξωθεν, ὀπισθέναρ. Aliquanto post [144] ait, Ἔνιοι δὲ τὸ μὲν πρόσθιον τῆς δρακὸς ἅπαν, θέναρ οἴονται καλεῖσθαι· τὸ δὲ ἀντικείμενον πᾶν, ὀπισθέναρ ἢ κτένας. [Id. 9, 126 : Ἐπιστρέψαντα τὴν χεῖρα δέξασθαι κατὰ τὸ ὀπισθέναρ.]

[Ὀπισθένη. V. Ὀπισθέλη.]

[Ὀπισθίδιος, α, ον, i. q. ὀπίσθιος. Callim. Dian. 151 : Κάπρον ὀπισθιδίοιο φέροι ποδὸς ἀσπαίροντα. Agathias Anth. Pal. 9, 482, 8 : Ὀπισθιδίην εἰς ὁδόν. Schol. Hom. Il. Φ, 397; Apollon. De adv. p. 567, 1. ῐῐ]

Ὀπίσθιος, α, ον, Posticus, Aversus, Posterior, [Retrorsus, Gl. Herodot. 2, 103 : Κάμηλος ἐν τοῖσι ὀπισθίοισι σκέλεσι ἔχει τέσσερας μηρούς.] Aristot. H. A. 8, [24] de equis : Τὰ ὀπίσθια σκέλη ἐφέλκουσιν ἐπὶ τὰ ἐμπρόσθια, Quum posteriora crura languide priora subsequuntur, Bud. : de equis, de quibus Xen. Eq. [11, 2] : Ὑποτιθέναι τὰ ὀπίσθια σκέλη ὑπὸ τὰ ἐμπρόσθια. Itidem de Bisaltarum equis ap. Athen. 12, [p. 520, E] : Ἐπὶ τῶν ὀπισθίων ποδῶν ἱστάμενοι, τοῖς προσθίοις ὠρχοῦντο. [Simonid. ap. schol. Aristoph. Ach. 740 : Ὁπλὰς ἐκίνει τῶν ὀπισθίων ποδῶν. Philemo in Bekk. An. p. 476, 18. Pollux 1, 193.] Et ὀπίσθιον τάγμα, Extrema acies, h. e. Milites qui a tergo agminis sunt. Gaza ap. Aristot. τὰ ὀπίσθια pro loco vertit Suffragines, Cauda. [Ὀπίσθια, τὰ τῶν ζώων οὐραῖα, Hesych.] Τὰ ὀπίσθια exp. etiam Præterita : Hesych. τὰ παρελθόντα. [« Respexisse videtur ad l. Exod. 33, 22, 23 : Ἡνίκα δ' ἂν παρέλθῃ ἡ δόξα μου, τότε ὄψει τὰ ὀπίσω μου. Patres τὰ ὀπίσθια vocant, ut monuit Suicer. (qui affert Theodoret. Interrog. 68 in Exod. p. 112 : Τοῦ θεοῦ τὰ ὀπίσθια· Gregor. Naz. Or. 34, p. 538 : Ταῦτα θεοῦ τὰ ὀπίσθια). » Albert. Ὀπίσθια, Postellena, Postilena, Posteriora, Gl. V. Ὀπισθέλη. Eadem : Ὀπίσθιον, Postergum.]

Ὀπισθίως, Pone, A tergo, 1 Reg. 4, [18] : Ὀπ. ἐχόμενος τῆς πύλης, Post portam positus.

Ὀπισθοβάμων, ονος, ὁ, ἡ, Qui retrorsum redit, retro cedit, Retrogradus, Epigr. [Statyllii Flacci Anth. Pal. 6, 196, 2] de paguro, ut Plin. de cancris, Retrorsum pari velocitate redeunt. [ᾰ]

[Ὀπισθοβαρής, ὁ, ἡ, A posteriori parte gravis, Retro gravatus. Schol. Hom. Il. Ψ, 726 : Ὀπισθοβαροῦς ἤδη γεγονότος, de supino. Plotin. vol. 2, p. 1394, 11 : Ἀναβεβηκέναι ἔτι ὀπ. ὑπάρχων. L. D. Simpl. ad Epict. p. 128=71.]

[Ὀπισθοβάτης, ὁ, i. q. ὀπισθοβάμων. Meleager Anth. Pal. 12, 33, 2. || Hinc adj. « Ὀπισθοβατικός, ή, όν, ap. Clem. Alex. Pæd. 2, p. 223 : Ὀπισθοβατικὸν ὁ λαγὼς in coitu. » Hemst.]

[Ὀπισθοβόλος, ὁ, ἡ, Retro jactus. Nonn. Dion. 41, 25 : Ῥαίνων ἀρτιχάρακτον ὀπισθοβόλῳ χθόνα καρπῷ, qui versus fuerat jam 2, 65. Ib. 47, 387. Kall.]

[Ὀπισθοβριθής, ὁ, ἡ, A posteriori parte gravis. Æsch. ap. Hesych. v. Σαυροβριθής, ὀπ. ἔγχος.]

Ὀπισθόγραφος, [ὁ, ἡ, A tergo scriptus; nam et adversis pagellis scribi solebat, ut ex Plin. discimus 13, 12, ubi de chartarum generibus agit : Nimia quippe Augustæ tenuitas tolerandis non sufficiebat calamis. Ad hoc transmittens literas, lituræ metum afferebat adversis. Lucian. [Vitt. auct. c. 9] : Ἡ πήρα δέ σοι θέρμων ἔσται μεστὴ καὶ ὀπισθογράφων βιβλίων. Quo vocab. utitur et Plin. Secundus in Epist. quadam ad Marcum [3, 5], de avunculo suo loquens : Hac intentione tot ista volumina peregit : Electorum commentarios CLX mihi reliquit, opisthographos quidem, minutissime perscriptos. || In VV. LL. leguntur hæc, ex variis collecta, quorum tamen quædam sola conjectura nituntur : Folii vero pagella una in ratiocinatorum codicibus, rationem continebat expensi : altera ex adverso, accepti : ut uno fere intuitu rationes adversarias utrobique spectando ratiocinium cuivis facillimum foret. Ad quod allusisse videtur Plin. 2, 7, de fortuna loquens : Huic omnia expensa, huic omnia feruntur accepta; et in tota ratione mortalium sola utramque paginam facit. Rursus foliorum singulorum ratiocinarii pagina una dicebatur charta nova, altera vero, deletitia : quia spongia deletili solebant inducere atque obliterare quæ præscripserant, postquam retulissent in codicem, et nominum justas tabulas confecissent. Præscripserant autem accipitur hic pro Prius scripserant, unde Præscriptiones ap. Cic., in liturariis s. adversariis; sic enim Cic. appellat, quia adversantur opponunturque chartæ novæ, a tergo cujus quæ scripta sunt, Adversaria nominantur : a Cic. inquam pro Roscio Comœdo, ubi scribit, Nimium cito ait me indagare de tabulis : non habere se hoc nomen accepti : in codicem accepti et expensi relatum confitetur, sed in adversariis patere contendit. Usque eone te diligis et magnifice circumspicis, ut pecuniam non ex tuis tabulis, sed adversariis petas? Suum codicem testis loco recitare, arrogantiæ est : suarum præscriptionum et liturarum adversaria proferre, non amentia est? Rursum Idem dicit negligenter scribi Adversaria, ac diligenter confici Tabulas : quia hæc sunt menstrua, illæ æternæ : hæc delentur statim, illæ servantur sancte : hæc sunt conjecta, illæ in ordinem confectæ. Id igitur est discriminis inter Adversaria et Codicem, s. Justas tabulas, quod inter Præscriptionem et Perscriptionem, i. e. exactam absolutamque scriptionem καὶ εἰς τὸ κάλλος γραφὴν, in nova sc. charta, non in deletitia ac liturariis. Herm. Barbarus, quum

Opisthographos appellari dixisset, quoniam utraque pagina scripti essent, adversa et aversa, minutis literis et lituris pleni, subjungit, Scio quosdam opisthographum accipere pro eo quod ita scriptum est, ut legi postea non possit, nisi librariis describendum mandetur. Dicat aliquis et pro Charta deletili s. palimpsesto posse capi : quia Ulpian. de bonorum secundum tabulas possessione disserens, in l. Chartæ, ff. de Bonorum possess. secundum Tab., Chartæ, inquit, appellatio etiam ad novam chartam refertur et ad deletitiam. Proinde etsi in opisthographo quis testatus sit, hinc peti potest bonorum possessio. Mihi a tergo id nomen tractum placet, ut probem qui sic interpretantur in Juv. 1, Summi plena jam margine libri, Scriptus et in tergo, nec dum finitus Orestes. Hæc ille.

[Ὀπισθοδάκτυλος, ὁ, ἡ, Qui digitos habet retrorsum versos. Strabo 2, p. 70.]

Ὀπισθόδετος, ὁ, ἡ, Retro ligatus, A tergo ligatus : ὀπ. ἱμάντες, Lora retro ligata, quibus equi os frænatur. Exemplum habes in Λάβρος. [Fallitur : nam de Marsya tibiis canente Simonides (ap. Plut. Mor. p. 456, C, qui non dicit cujus sint versus quos Simonidi tribuit Tzetz. Hist. 1, 374) agit. Hemst.]

[Ὀπισθοδίωξις, εως, ἡ, Persecutio quæ fit retrorsum. Jo. Diac. ad Hesiod. Sc. 154.]

Ὀπισθόδομος, ὁ, Postica domus pars (ut Liv., Hortus erat posticis ædium partibus; Suet., Proripitque se postica parte palatii), s. Posticum. [HSt. iterum :] Ὀπισθόδομος, priori Πρόδομος opp., τὸ κατόπιν. [Ærarium, Posticula, Gl. Demosth. p. 170, 6 : Ἀνέωξάν τινες τὸν ὀπισθόδομον· 743, 1 : Οἱ ταμίαι ἐφ' ὧν ὁ ὀπ. ἐνεπρήσθη. Hesychius : Ὀπισθοδόμοις (—όδομοι vel —όδομος intt.), τόποι ὄπισθεν τῶν οἴκων, ἐν ᾧ τὰ κειμήλια ἀπόκειται. Ὀπισθοδόμος (sic) ἐν τῇ ἀκροπόλει, οὗ τὸ δημόσιον ἀργύριον ἀπέκειτο πρὸς τῷ ὀπισθοδόμῳ καὶ ὁ φόρος. Et similiter Harpocr.] Lucian. Timone [c. 53] : Ἀλλὰ καὶ πλουτεῖς, τὸν ὀπ. διορύξας. Nisi forte peculiariter ὀπισθόδομον hic intelligat Posticam arcis Atheniensis partem, ubi ærarium publicum erat. || Templi postica pars. Pollux 1, c. 1 [§ 6] : Τὸ δὲ πρὸ αὐτοῦ, πρόδομος· καὶ τὸ κατόπιν, ὀπισθόδομος. [Varro L. L. 5, p. 160 : « In ædibus sacris ante cellam ... Græci dicunt πρόδομον, quod post, ὀπισθόδομον. » Strato Anth. Pal. 12, 223, 4 : Οὕτω γὰρ καὶ ἄγαλμα θεοῦ καὶ νηὸν ὁρῶμεν ἀντίον οὐ πάντως καὶ τὸν ὀπισθόδομον.] Sic Aristoph. Pl. [1193] : Τὸν ὀπισθόδομον ἀεὶ φυλάττων τῆς θεοῦ, Posticum templi Palladis, etiam Posticam arcis partem (nam et ea Palladi sacra erat), ut Pollux docet l. 9, [40] : Καὶ τὸ κατόπιν τῆς ἀκροπόλεως, ὀπισθόδομον. [Conf. inscrr. Att. ap. Bœckh. vol. 1, p. 116, n. 76, 15, 17; p. 233, n. 150, 22. L. D. Tabularium, Euseb. H. E. 5, 18, ubi vide Vales. Schweigh. || Adj. fem. Polyb. 12, 12, 2 : Τὰς ὀπισθοδόμους στήλας.]

[Ὀπισθοδρομέω, Retro curro. Niceph. Greg. Hist. Byz. 8, 13, p. 228, A : Ὀγδοήκοντα καὶ ἑκατὸν διισταμένην μοίρας τὴν σελήνην ὀπισθοδρομῆσαι καὶ ὑποδραμεῖν τὸν ἥλιον.]

[Ὀπισθόδρομος inter compp. ab ὀπίσω (immo ὄπισθεν) ponitur ap. Theognost. Can. p. 83, 26, nisi leg. —δομος. Idem quod ponit ὀπισθοπονδῆχος (sic), dubium ex quo sit composito corruptum. L. Dind.]

Ὀπισθόκαρπος, ὁ, ἡ, Ferens fructum ex adverso folio s. a tergo folii, ut interpr. ap. Theophr. C. Pl. 5, 2, [3] ubi tamen ὀπισθοκάρπιον scribitur, neutro genere, et substantive, ut videtur : Φαίνεται δὲ καὶ τῇδε ἧττον ἄτοπον, ὅτι γένος τί φασιν εἶναι τοιοῦτον δὴ, ὃ καλοῦσιν ὀπ.

Ὀπισθοκέλευθος, ὁ, ἡ, Qui pone sequitur, Assectator, Nonn. [Jo. c. 17, 70 : Καί οἱ ὀπ. ὁμάρτεε τηλόθι Σίμων· Dion. 18, 159 : Βαιὸν ὀπ. ἔχων ἔτι λείψανον Ἠοῦς.] Ejusd. signif. ὀπαδὸς, s. ὀπηδὸς, et ὀπάων.

Ὀπισθόκεντρος, ὁ, ἡ, Cui aculeus in posteriore parte est, in cauda spiculum habens, Qui aculeo in alvo armatus est, Plin. Aristot. H. A. 4, 7 : Οὐδὲν δ' ἐστὶ δίπτερον ὀπισθόκεντρον· Plin. 11, 28 : Nullum cui aculeus in alvo, bipenne est. [Ib. 1, 5 med., De partt. an. 4, 6.]

[Ὀπισθοκέφαλον, τὸ, Occiput, Gl.]

A Ὀπισθοκόμης, sive Ὀπισθόκομος, ὁ, ἡ, In terga comans, Stat. Posteriori parte comatus. Priori utitur Herodot.; posteriori Nonn., ap. quem [Jo. c. 2, 6] ὀπισθόκομοι μέροπες. [HSt. iterum :] Ὀπισθόκομος, s. Ὀπισθοκόμης, Qui a tergo comatus est, rasa aut calva fronte est, occipite comato, Comas ad tergum reflexas habens. Herodot. : Ὡς ὀπισθοκόμαι Εὐβοεῖς καὶ ἀκροκόμαι Θρᾷκες. [Immo non Herod., sed Pollux 2, 28, ait, Καὶ μὴν ὀπισθοκόμαι μὲν Εὐβοεῖς, ἀκροκόμαι δὲ Θρᾷκες λέγονται. Schweigh. Nonn. Dion. 13, 420 : Ὀπισθοκόμων ἐπὶ νώτων. Wakef.]

[Ὀπισθοκράνιον, τὸ, Occipitium, Gl. || Ὀπισθόκρανον, τὸ, Occiput. Niceph. Blemmyd. Exc. Maii p. 667. Cramer.]

[Ὀπισθοκρηπὶς, ῖδος, ἡ. Hesychius : Ὀπ., εἶδος ὑποδήματος.] Ὀπισθοκρηπῖδες, αἱ, genus Calceamentorum muliebrium, Pollux 7, [91, 94.]

Ὀπισθοκύφωσις, εως, ἡ, Spinæ in posteriorem partem contorsio, quæ et simpliciter dicitur κύφωσις, Gorr. [Galen. vol. 12, p. 367, C. Hemst. ῠ]

B [Ὀπισθόλακκος, τὸ ἰνίον, ap. Hypatum Ms. De partt. corporis (p. 144), Occipitium. Ducang.]

[Ὀπισθολεπρία, ἡ, pars urbis Ephesi post montem Preonem, etiam Λεπρὰν ἀκτὴν dictum, sita, ap. Strab. 14, p. 633 : Τὰ γοῦν ὄπισθεν τοῦ Πρηῶνος κτήματα ἔτι νυνὶ λέγεται ἐν τῇ Ὀπισθολεπρίᾳ.]

[Ὀπισθομήριον, τὸ, Postica pars femoris, Coxendix. Melampod. De palpitat. p. 493 bis.]

[Ὀπισθόμηρον, τὸ, i. q. præcedens. Ptolemæus Mathem. Comp. vol. 2, p. 8, A : Ἐν τῷ ὀπισθομήρῳ τῆς ἄρκτου· et mox τῆς παρθένου· 44, med. : Τὸ δεξιὸν ὀπισθόμηρον τοῦ ὀφιούχου· 54, D : Ὁ ἐν τοῖς ὀπισθομήροις. L. Dind.]

Ὀπισθονόμος, ὁ, ἡ, Qui retro ambulans pascitur, retrorsa cervice pascitur : ὀπ. βόες, Herodot. [4, 183], ut Plin. 8, 45 : Boves animalium soli et retro ambulantes pascuntur. Athen. tamen 5, [p. 221, E] dicit non esse πιστὸν, quod Herodotus dicit ὡς εἰσί τινες κατὰ τὴν Λιβύην ὀπισθονόμοι βοῦς· διὰ τὸ μὴ ἔμπροσθεν αὐτοὺς πορευομένους νέμεσθαι, ἀλλ' εἰς τοὐπίσω ὑποχω-

C ροῦντας. Aristot. De partt. anim. 2, [16] : Τοὺς ὀπισθονόμους βόας νέμεσθαί φασιν ἀναχωροῦντας πάλιν πυγηδὸν, nimirum propter longitudinem cornuum cessim euntes, Bud. Valla ap. Herod. Præpostere pasci vertit. [Ælian. N. A. 16, 33. Eust. Opusc. p. 317, 30.]

[Ὀπισθονύγης, ὁ, ἡ, A tergo pungens. Philipp. Anth. Pal. 6, 104, 5, κέντρα.]

[Ὀπισθοποδέω, Sequor. Constantin. Cærim. p. 135, B : Ὀπισθοποδεῖ αὐτὸν ὁ πραιπόσιτος· 139, D : Ὀπισθοποδεῖ κἀκεῖνος· 142, C : Ὀπισθοποδεῖ αὐτὸν ὁ τῆς καταστάσεως. L. Dind.]

[Ὀπισθοπόδως, Pone sequendo, Pone. Philotheus post Constantin. De cærim. p. 409, C : Μικρὸν αὐτὸν τὸν τυχόντα διαστήσας ὀπισθοπόδως. L. Dind.]

Ὀπισθόπορος, ὁ, ἡ, Retrogradus. Exp. etiam Sectator, Assecla : qua signif. ὀπαδὸς quoque usurpatur. [Nonnus Jo. c. 10, 15 : Ποίμνη ὀπισθοπόρῳ ποδὶ βαίνει, εἰς δροσεροὺς λειμῶνας ὀπηδεύουσα νομῆι· c. 13, 153 : Ταχύγουνος ὀπισθοπόρῳ ποδὶ βαίνων· c. 11, 102 : Πάντες ἐφωμάρτησαν ὀπισθοπόροισι πεδίλοις· Dion. 37, 255 :

D Δίφρον ὀπισθοπόρου πεφυλαγμένος ἡνιοχῆος, ubi, ut 292 : Δίφρον ὀπισθοπόρον τάχα φαίης εἰναλίου Τελχῖνος ἰδεῖν ἐπιβήτορα δίφρων, quomodo Græfius scripsit pro ὀπισθοφόρον, est Sequens. Eodem autem accentu scribitur ὁδοιπόρος.]

Ὀπισθόπους, οδος, ὁ, ἡ, Pone gradiens, sequens. [Æsch. Cho. 713 : Ὀπισθόπους δὲ τούσδε καὶ ξυνεμπόρους.] Eur. [Hipp. 1179], ὀπισθόπους ὁμήγυρις, Turba pedissequa. [Ibid. 54 : Πολὺς δ' ἅμ' αὐτῷ προσπόλων ὀπισθόπους κῶμος λέλακεν.] Ὀπ. δίκη, Quæ delicta sequitur, ἡ μεθ' ἡμέραν ἀκολουθοῦσα τοῖς ἀδικήμασι, Suid. Utitur Greg. Naz. in Patris Epitaph. p. 132. [Euagr. H. E. 3, p. 360, 8. Hemst.] || Retrocedens, ὑποστρέψας, Hesych. [Memorat Theognost. Can. p. 83, 26.]

[Ὀπισθοπρόσωπος, ὁ, ἡ, Qui faciem avertit. Schol. Tzetz. Posth. 168 : Κατ' Αἰλιανὸν καὶ Ἀρριανὸν ἐξελιγμοὶ τρεῖς, Μακεδὼν τὸ ἀλλάξαι ὀπισθοπρόσωπος (l. —προσώπως). V. Ἐξελιγμός.]

Ὀπισθορμέω, Retrocedo : unde ὀπισθορμήσας, εἰς τοὐπίσω χωρήσας, Hesych.

Ὀπισθόρμητος, ὁ, ἡ, Qui retrocedit, Retrogradus, Recessim cedens, atque imitans nepam, ut Plaut. [Hesych. in Παλίνορσος, Πάλιν πλάγκτοισι. Ita παλίσσυτον exponit schol. Nicandri Ther. 571. Ὀπισθόρμητα ἐχώρει anon. ap. Suid. in Φριμασσομένη, Παλιμπετής. Hemst. Scholl. Eur. Hec. 921 Matth., Lycophr. 628, Oppiani Hal. 1, 136; 3, 318. L. D. || Adv. Ὀπισθορμήτως, schol. Soph. El. 53. Wakef.]

Ὀπισθοσφενδόνη, ἡ, Ornamentum quoddam capitis muliebre: quidam Reticulum interpr. Pollux 5, c. 16 [§ 96; 7, 95], ex Aristoph. [Eust. in Dionys. P. p. 8. Wakef. Conf. Viscont. *Mus. Pio-Clem.* vol. 4, p. 7.]

[Ὀπισθότατος. V. Ὀπίστατος.]

[Ὀπισθοτελεῖαι, αἱ, Redhibitiones annorum præteritorum in Hist. Miscella, ubi Theophanes a. 9 Nicephori: Ἐκέλευσεν Νικητᾷ Πατρικίῳ καὶ Γενικῷ λογοθέτῃ τὰ δημόσια τέλη τῶν ἐκκλησιῶν καὶ μοναστηρίων ἀναβιβάσαι καὶ ὀκτὼ ἐτῶν ὀπισθοτελείας τοὺς τῶν ἀρχόντων ἀπαιτεῖσθαι οἴκους. Harmenop. 1, 3, 37: Περὶ παρελθόντων δημοσίων ἤτοι ὀπισθοτελειῶν οὐκ ἐνάγεταί τις μετὰ τεσσαράκοντα ἔτη. V. Gloss. med. Lat. v. Retro. Ducang.]

[Ὀπισθότερος, α, ον, Posterior. Aratus 148: Ποσσὶ δ' ὀπισθοτέροισι λέων ὕπο καλὰ φαείνει. Constantin. Cærim p. 197, C.]

Ὀπισθοτίλα, ἡ, dicitur Sepia, Hesych.: vox a Comicis ficta [immo ut Bœotica derisa]. Eust. p. 1818: Ὀπισθοτίλα δὲ, ἡ ὄπισθεν τιλῶσα τὸν παρ' αὐτῇ θόλον. Exemplum habes in Ἄχολος. [Strattis ap. Athen. 14, p. 622, A. In Ind.:] Ὀπιτθοτίλα, ap. Athen. perperam [immo recte et forma Bœotica] pro ὀπισθοτίλα. [Photius: Ὀπισθοτεῖλαν τὴν σηπίαν οἱ Βοιωτοί. ī]

[Ὀπισθοτονία. V. Ὀπισθότονος.]

[Ὀπισθοτονικὸς, ἡ, όν.] Ὀπισθοτονικὸς, Cui quodam rigore nervorum caput scapulis annexum est, Cui cervix reflexa est in posteriorem partem, Opisthotonicus, ut Plin. appellat multis in ll. Diosc. 3, 18: Ῥίζα ὀπισθοτονικοῖς βοηθεῖ πινομένη, Quibus cervix retrorsum inflexa est. [Galen. vol. 2, p. 316, bis. Conf. Ὀπισθότονος.] || Ὀπισθοτονικῶς, adv., More eorum quibus cervix reflexa est in posteriorem partem, Cervice retrorsum inflexa. Diosc. 1, 72, de metopio oleo: Πρὸς ὀπισθοτονικῶς σπωμένους χρησιμεύει, Utile convulsis, præsertim quibus cervix in scapulas dejecta et retrorsum contracta est, Ruell.

Ὀπισθότονος, ὁ, ἡ, In aversum tendens, tentus, [Retrorsus, Gl.]: cui opp. Ἐμπροσθότονος, In anteriora tendens. Morbi cujusdam ea nomina sunt, et species τοῦ σπασμοῦ: de quibus Cæl. Aurel. Acut. morb. 3, 6, Consequens est, inquit, de conductione atque distentione et earum speciebus dicere. Utraque igitur passio ab accidente nomen sumpsit. Conductio, a conducendo atque contrahendo: Extentio, ab extentione patientium partium. Sed ejus species sunt Ἐμπροσθοτονία, et Ὀπισθοτονία, quas nos Pronum raptum atque Supinum appellare poterimus. Alterum, ab eo quod in anteriora conductionem facit, alterum, quod ad posteriora. Aliquanto post, Raptus vero posterganeus, quem ὀπισθότονον Græci vocant, est involuntaria refractio ob nimiam stricturam s. tumorem. Pronus item raptus, quem Græci ἐμπροσθότονον vocarunt, inclinatio colli in anteriores partes involuntaria, ob vehementem tumorem s. stricturam. Qui vero iis vitiis laborant, dicuntur Ὀπισθοτονικοὶ et Ἐμπροσθοτονικοὶ, de quibus Idem ibid.: Opisthotonicis vero contractus ad posteriores partes fiet, cum nimia tensione atque dolore dorsi et clunium. His etiam crura conducuntur, et neque manus distenduntur: digitos conductos atque implicitos habent. Emprosthotonicis autem colla conducuntur in anteriorem partem atque mentum pectori configitur, tenduntur ilia et præcordia, cum frequenti delectatione urinæ egerendæ et difficili flexu digitorum. Gorræo ἐμπροσθότονος est Perpetua totius corporis convulsio in partem anteriorem: species τοῦ τετάνου, sic a symptomate appellata, quod qui ea laborant, inclinantur in anteriora, nec se erigere valent. Est autem, inquit, Totius corporis convulsio, non solum cervicis, ex quo constat non modo cervicis musculos, sed omnes etiam qui tota in spina habentur, affici, et proinde hunc

A affectum ad nervorum qui corpus in partem anteriorem inflectunt, principium pertinere. Quanquam fieri interdum possit, ut iis non affectis, sed oppositis potius resolutis, id mali genus excitetur. Ac si totius quidem corporis est, ἐμπροσθότονος simpliciter appellatur: si vero certarum quarundam partium, non simpliciter, sed addito ejus partis nomine quæ ita distenditur, ut cervicis, vel maxillæ, vel lumborum. Vide alia post Ὀπισθε. Aret. De morb. acutis 1, 6: Ἰδέαι δὲ τῆς ξυνολκῆς ἔασι τρεῖς· ἐς εὐθὺ, ἐς τὸ κατόπιν, ἐς τοὔμπροσθεν· ἐς εὐθὺ μὲν, ὁ τέτανος, εὖτε ἀστραβὴς ἄνθρωπος καὶ ἀκαμπὴς ἐντέταται· αἱ δὲ ἐς τοὐπίσω ἢ ἐς τοὔμπροσθεν ξυνολκαὶ, ξὺν τῇ τάσει καὶ τῷ χωρίῳ ἴσχουσι τὴν ἐπίκλησιν· τὴν μὲν γὰρ κατόπιν τοῦ νοσέοντος ἀνάκλισιν, ὀπισθότονον καλέομεν, τῶν τῇδε πεπονθότων νεύρων· ἐμπροσθότονον δὲ, ἣν ἐς τοὔμπροσθεν καμπύληται ἄνθρωπος ἐπὶ τοῖσι πρόσθεν νεύροισι· τόνος γὰρ νεύρων καὶ ἐντάσιος οὔνομα. Unde patet, quum sine adjectione quasi substantive dicitur ὀπισθότονος et ἐμπροσθότονος, subaudiendum esse συνολκὴ, aut etiam σπασμὸς, quum ibid.
B dicat σπασμοὶ οἱ τέτανοι: i. e. id σπασμῶν genus, quod τέτανον appellant. Alioqui personæ etiam tribuuntur, et ἐμπροσθότονος dicitur Qui in anteriorem partem corporis convellitur, s. Qui in pectus riget; et ὀπισθότονος, Qui in posteriora s. in scapulas: quo sensu ἐμπροσθοτονικὸς quoque dicitur et ὀπισθοτονικός. [HSt. loco paullo ante ab eo cit.:] Ὀπισθότονος dicitur Perpetua corporis convulsio in partem posteriorem, species τοῦ σπασμοῦ: is autem perpetuus est et non distinctus accessionibus, quæ per temporum redeunt intervalla: totumque corpus exercet, ita ut nulla ejus pars in posteriora non contorqueatur. Hæc inter alia Gorr., qui etiam addit, Galenum et Medicos, qui eum secuti sunt, censuisse fieri hunc morbum contractis iis nervis, qui corpus in posteriora inflectunt. Præterea eum, qui simpliciter ὀπισθότονος dicitur, totius esse corporis, et male affecto nervorum principio contingere: posse tamen quibusdam etiam partibus accidere, ut cervici, maxillis, lumbis, convulsis sc. eorum duntaxat musculis, qui eas partes in posteriora
C agunt: verum eum non simpliciter Opisthotonon dicendum esse, sed addito ejus partis nomine, quæ distenditur. Plin. 28, 12: Dolorem inflexibilem, Opisthotonon vocant, levat urina capræ auribus infusa. Cels. 4, 3, de triplici cervicis morbo: Qui quodam rigore nervorum modo caput scapulis, modo mentum pectori annectit, modo rectam et immobilem cervicem intendit: priorem Græci ὀπισθότονον: insequentem, ἐμπροσθότονον: ultimum, τέτανον appellant. Scrib. Larg. c. 104: Malagma ad ὀπισθότονον, i. e. quum cervix reflexa est in posteriorem partem, aut rigida cum intensione oculorum et maxillarum. Facit et ad κυνικὸν σπασμὸν, quum in utramlibet partem depravata est facies. Aret. 1 De morbis acutis s. celeribus [p. 3, 32, coll. p. 4, 24]: Τὴν μὲν γὰρ κατόπιν τοῦ νοσέοντος ἀνάκλισιν, ὀπισθότονον καλέομεν, τῶν τῇδε πεπονθότων νεύρων. Ibid. appellat ἐς τὸ κατόπιν ξυνολκὴν, et ἐς τοὐπίσω καμπὴν: opponens ei ἐμπροσθότονον, quam et ἐς τοὔμπροσθεν ξυνολκὴν appellat, h. e. quum ἐς τοὔμπροσθεν καμπύλεται ἄνθρωπος ἐπὶ τοῖσι πρόσθεν νεύροισι.
D [Supinus raptus dicitur Cælio Aureliano cap. 6 lib. 3 Acut., et Raptus posterganeus. Ὀπισθοτόνους Celsus Rigores qui caput scapulis annectunt vocat cap. 11 lib. 8. Opisthotoni tria sunt notabilia exempla ap. Hippocr. p. 1159, C, D, quæ etiam repetuntur p. 1220, F, G. Ὀπισθοτονώδεες, Qui in scapulas rigescunt, et posteriorum partium distentione tentantur, quam opisthotonum dicunt, p. 74, B, et p. 144, C, iidem ὀπισθοτονικοὶ vocantur. P. 1153, G, Ὀπισθοτονῶδες ῥίγος, Rigor cum posteriorum partium distentione, Rigor quum cervix in scapulas dejecta est et retrorsum contracta, aut in humeros incurvata. P. 120, G, ὀπισθοτονώδεα πυρετώδεα, Febres cum posteriorum partium distentione. Et p. 175, A. Foes. OEc. Hipp. Plato Tim. p. 84, E: Τέτανοί τε καὶ ὀπισθότονοι. Hesychio ἐναντίον κύρτωμα.] || At ὀπισθότονος δεσμὸς a Nonno [Jo. c. 18, 113] dicitur Vinculum quo manus alicui post terga ligantur: ut et ὀπισθόδετοι ἱμάντες dici queunt. [Nonnus Dion. 7, 195: Ὀπισθοτόνοιο δὲ τόξου ἑλκομένου. Hesychius: Παλίντονα, ὀπισθότονα.]

[Ὀπισθοτονώδης. V. Ὀπισθότονος.]

Ὀπισθουρητικὸς, ἡ, ὸν, Qui in aversum mingit, retrorsum urinam mittit. Athen. 3, [p. 105, C] ex Aristot. H. A. 5, [7]: Τῶν μαλακοστράκων ὀχεύονται κάραβοι, ἀστακοὶ, καρίδες καὶ τὰ τοιαῦτα, ὥσπερ καὶ τὰ ὀπ. τῶν τετραπόδων. [Ib. 5, et 2, 1 med.; 3, init., De partt. anim. 4, 10 med. Iterum HSt.:] Ὀπισθουρητικὸς, Qui retro s. retrorsum mingit, in aversum meiit, retro urinam mittit. Ap. Aristot. H. A., ὀπισθουρητικὰ Gaza vertit, Ex adverso mingentia.

Ὀπισθοφάλακρος, ὁ, A tergo calvus, Qui occipite calvo est, epith. καιροῦ apud poetas, quoniam αὐτοῦ οἰχομένου λαβέσθαι ἀδύνατον. Sic in illis qui falso Catoni ascribuntur versus, Fronte capillata est, post hæc occasio calva. [Tzetz. Hist. 8, 433. Wakef. Id. 10, 270. L. D. Schol. Eurip. Or. 255. Hemst.]

Ὀπισθοφανὴς, ὁ, ἡ, εἰς τοὐπίσω προσέχων, Hesych. [Ab anteriori parte apparens vel ostendens. V. Galen. in Ἐμπροσθοφανὴς cit. (ubi l. vol. 4). Κάτοπτρα ὀπισθοφανῆ, Olympiodor. ap. Schneiderum in Lex.] At Ὀπισθοφανῶς redditur Retrorsum, In aversum. [Genes. 9, 23: Καὶ λαβόντες Σὴμ καὶ Ἰάφεθ τὸ ἱμάτιον ἐπέθεντο ἐπὶ τὰ δύο νῶτα αὐτῶν καὶ ἐπορεύθησαν ὀπισθοφανῶς, καὶ συνεκάλυψαν τὴν γύμνωσιν τοῦ πατρὸς αὐτῶν, καὶ τὸ πρόσωπον αὐτῶν ὀπισθοφανῶς (al. —νὲς) καὶ τὴν γύμνωσιν τοῦ πατρὸς αὐτῶν οὐχ εἶδον. Act. SS. April. vol. 1, p. xv, B; xx, F. L. Dind.]

[Ὀπισθοφόρος, ὁ, ἡ, Retro ferens. Oppian. Hal. 3, 318: Ὡς δὲ δύω ... ἀνέρες ἅμματ' ἐπ' ἀλλήλοισι τιταινόμενοι βιόωνται ἑλκύσσαι, ῥιπῇσιν ὀπισθοφόροις ἐρύοντες, quo de ludo v. Rittershus., nisi forte leg. ὀπισθοπόροις, ea signif. quam primam illius voc. fecit HSt., quod v.]

Ὀπισθοφυλακέω, A tergo agmen custodio et tueor. Pollux 1, [127] de οὐραγοῖς loquens: Καλοῦνται δὲ καὶ ὀπισθοφύλακες· καὶ τὸ ἔργον οὐραγεῖν, καὶ ὀπισθοφυλακεῖν. Utitur Philo V. M. 1: Ὅπως ὀπισθοφυλακῇ, Ut postrema clauderet, Turn. Herodian. 8, [1, 4]: Αὐτὸς ἅμα τοῖς δορυφόροις ὀπισθοφυλακῶν εἵπετο. [Frequens est ap. Xen., ut Anab. 2, 3, 10: Καὶ αὐτὸς ὠπισθοφυλάκει, et alibi.]

Ὀπισθοφυλακία, ἡ, Posterior custodia, Custodia militum a tergo s. post principia: ἐν τῇ ὀπισθοφυλακίᾳ, Post principia, ut Varro et Terent. [Xen. Anab. 4, 6, 19: Τί δεῖ σε ἰέναι καὶ λείπειν τὴν ὀπισθοφυλακίαν;]

Ὀπισθοφύλαξ, ἄκος, ὁ, Qui a tergo agmen tutatur, s. ductat. Et ὀπισθοφύλακες, Qui in præliis terga tutantur. [Frequens est ap. Xenoph. in Cyrop. et Anab.] Philo V. M. 1: Τὴν μὲν νεότητα διανείμας εἰς πρωτοστάτας καὶ ὀπισθοφύλακας, Divisa juventute omni in principia et post principia. [Pollux 1, 127.]

[Ὀπισθοχείμων, ωνος, ὁ. « Ὀπισθοχειμῶνες sunt Frigora quæ ad extremam hiemem fiunt, quæque ceteris plerumque duriora sentiuntur. Hippocr. p. 942, 9, ὀπισθοχειμῶνες μεγάλοι, Extremæ hiemis frigora magna fuere. Et p. 50, 25: Ὅταν δὲ χειμέριον γένηται ἦρ καὶ ὀπισθοχειμών.» Foes. Theophr. C. Pl. 2, 1, 6: Διὸ καὶ ὄπισθεν χειμῶνες χαλεποὶ, Coraes ὀπισθοχειμῶνες, ut ὄπισθεν φύλακες pro ὀπισθοφύλακες sustuli Xenoph. H. Gr. 7, 2, 4.]

[Ὀπισθόχειρ, ρος, ὁ, ἡ, Religatis in tergum manibus. Dio Cass. Exc. p. 14, 33.]

Ὄπισμα, τὸ, Succus lacteus ex caule aut radice incisa exceptus. Alii interpr. Liquor concretus. Diosc. 3, 25, de aloe: Γεννᾶται δὲ ἐν τῇ Ἰνδίᾳ πλείστη λιπαρὰ, ἐξ ἧς καὶ τὸ ὄπισμα κομίζεται, Ex qua coactus succus affertur, Ruell. Paulo post pro ὄπισμα dicit χύλισμα, Διττὸν δέ ἐστι τὸ εἶδος τοῦ χυλίσματος· non tamen proprie idem sunt ὄπισμα et χύλισμα: nam ὄπισμα est Succus lacteus ex caule radiceve incisa exceptus: χύλισμα autem, Ex ipsa planta, surculis aut foliis contusis vel concisis, expressus succus.

Ὀπισμὸς, ὁ, Lactei succi collectio, qui ex inciso caule gignitur; vel, ut alii malunt, Detractio liquoris. Diosc. 3, 25, de aloe Arabica, Asiatica et insulari: Οὐκ εὔχρηστος εἰς ὀπισμὸν, Non valde succo extrahendo idonea, Ruell. Theophr. H. Pl. 9, 8: Ὁ μὲν ὀπισμὸς γίνεται τῶν ὀπιζομένων ὡς ἐπίπαν τοῦ θέρους. Et mox, quomodo ὀπισμὸς fiat, his verbis docet: Ἔστι δὲ ὀπ. ἢ ἀπὸ τῶν καρπῶν, ὥσπερ τοῦ τιθυμάλλου καὶ τῆς

A θριδακίνης, καὶ σχεδὸν τῶν πλείστων, ἢ ἀπὸ τῶν ῥιζῶν, ἢ τρίτον ἀπὸ τῆς κεφαλῆς, ὥσπερ τῆς μήκωνος. Mox etiam ὀπισμὸν et χυλισμὸν tanquam diversa ponit (sicut et Diosc. χύλισμα, et ὄπισμα, ut modo dixi): Ἐνίων δὲ, inquit, οὐδὲ ὀπισμὸς, ἀλλ' οἷον χυλισμός ἐστιν, ὥσπερ ὅσα καίοντες καὶ ὕδωρ ἐπιχέοντες, ἀπηθοῦσι, καὶ λαμβάνουσι τὴν ἀποστάλαξιν.

[Ὄπισον, λάχανον ἄγριον, ἢ τρῶκτον (τρωκτὸν Salmas.) ἢ ἄπιστον, Hesychius. Ubi dittographia videtur ἢ ἄπιστον. Πῖσον confert Albert.]

[Ὄπισσος, εἰς τοὐπίσω ἐπάνω φέρεσθαι, Hesychius. Ὀπίσσοος Albert.]

[Ὀπίσσω. V. Ὀπίσω.]

Ὀπίσσωτρον, τὸ, Hesych. ἁψὶς τοῦ τροχοῦ, quod et ἐπίσσωτρον. [Eodem vitio ap. eund. ὄπιβαλ, πτέρνα ἢ σφυρὸν, pro Ἐπίβαλος.]

Ὀπίστατος, η, ον, Postremus, Qui a tergo omnium est, pone omnes sequitur, i. e. Ultimus, ὕστατος. Hom. Il. Λ, [178] et Θ, [342]: Αἰὲν ἀποκτείνων τὸν ὀπίστατον, Ultimum quemque, et qui a tergo omnes sequeretur

B interficiens. Quod vero ad hoc ὀπίστατος attinet, annotat Eust. συγκεκόφθαι ex ὀπισθότατος: quod et de ὀπίστερος intelligi debet, esse sc. tanquam ex ὀπιστότερος. Sed quum diversa sit scriptura, addit, fortasse potius ab ὀπίσω hæc duo ὀπίστερος et ὀπίστατος derivari. [In Ind.:] Ὀπισθότατον, τελευταῖον, ἔσχατον, Hesych., Postremum.

Ὀπίστερος, α, ον, Posterior, A tergo sequens, Nonn. [Dion. 7, 189: Ποσσὶν ἀμοιβαίοισιν ὀπίστερον ὤθεεν ὕδωρ· 37, 245, 260, 330, Jo. c. 21, 121. Aratus 284: Ὁ δ' ὀπίστερος Αἰγοκερῆος τέλλεται. « Matth. Anecd. 1, p. 22.» Schæf.]

Ὀπίσω, sive Ὀπίσσω, poetice, Retrorsum, Retro, [Pone, Post, Pessum, add. Gl.] In aversum. Hom. Od. Π, [150]: Ἀλλὰ σύ γ' ἀγγείλας ὀπίσω κίε, Retrorsum redi: ut Plin. de cancris, Retrorsum pari velocitate redeunt; Lucr., Indeque retrorsum redit, et convertit eodem; Horat., Retrorsum vela dare, atque iterare cursus. Od. H, [326]: Ἀπήγαγεν οἰκάδ' ὀπίσσω, Domum reduxit. [Pind. Nem. 3, 59: Ὀπίσω πάλιν οἴ-

C καδε· 11, 32: Χειρὸς ἕλκων ὀπίσσω.] Præcedenti autem loco similis est hic Il. Π, [710] de Patroclo: Ἀνεχάζετο πολλὸν ὀπίσσω, Μῆνιν ἀλευάμενος ἑκατηβόλου Ἀπόλλωνος, Retrorsum redibat, Retro cedebat, discedebat, ut interdum Latini loquuntur: qui etiam Abducere retro dicunt, quod Hom. ἀπάγειν ὀπίσω. [E, 453: Ἀνεχάζετο τυτθὸν ὀπίσσω· 599: Ἀνὰ δ' ἔδραμ' ὀπίσσω· 605: Πρὸς Τρῶας τετραμμένοι αἰὲν ὀπίσσω εἴκετε. Theocrit. 25, 74: Φευγέμεν ἂψ ὀπίσω δειδίσσετο· 147: Πάλιν δέ μιν ὦσεν ὀπίσσω.] Et ὀπίσω νωμᾶν, Retrorsum s. In aversum versare. Il. Γ, [218]: Σκῆπτρον δ' οὔτ' ὀπίσω οὔτε πρόπρηνες ἐνώμα, Ἀλλ' ἀστεμφὲς ἔχεσκε, ubi ὀπίσω id significat quod Aristot. dicit εἰς τοὐπίσθεν, In aversum: ut Plinium interpretari mox docebo. Et Il. Φ, [30]: Δῆσε δ' ὀπίσσω χεῖρας, Retro ligavit manus, etiam A tergo. [M, 205: Ἰδνωθεὶς ὀπίσω· Od. M, 410: Ἱστὸς δ' ὀπίσω πέσεν. Eur. fr. Chrysippi ap. Heraclit. Alleg. Hom. p. 440 et al.: Χωρεῖ δ' ὀπίσω τὰ μὲν ἐκ γαίας φύντ' ἐς γαῖαν. De usu Herodoti Schweigh.: « Ἀπίκοντο ὀπίσω 1, 62; ὀπ. πορευόμενοι 1, 75; ἀναπλῶ-

D σαι 1, 78; ἤιε τὴν αὐτὴν ὀπ. ὁδὸν 111; τὴν ὀπ. φέρουσαν ὁδὸν 8, 7; ἐν τῇ ὀπ. κομιδῇ 8, 120. Sic τὸ ὀπίσω 1, 207: Οὐ τὸ ὀπ. φεύγοντες· et κομιδὴ τὸ ὀπίσω i. q. ἐς τὸ ὀπίσω, 8, 108.» Plato Phædr. p. 254, E: Ὀπίσω σπάσας τὸν χαλινόν.] Aristot De mundo [c. 6], πρόσω τε καὶ ὀπίσω διέξέρπειν, Et ante se et in aversum s. retro perrepere (nam Ante se et In aversum, a Plin. sibi opponuntur, ut in Ὄπισθεν videre poteris); sunt et qui interpretentur Ultro citroque perrepere. Et dux quidam cum suo exercitu pedem referens, ap. Plut. Apophth. [p. 183, D] dicit se non fugere, sed διώκειν τὸ συμφέρον ὀπίσω κείμενον, Retro, A tergo. Dicitur et εἰς τοὐπίσω, pro Retrorsum, In aversum: ut ἡ εἰς τοὐπίσω ξυνολκὴ s. καμπὴ, ap. Aret. [p. 3, 26], quam et ἐς κατόπιν ἀνάκλισιν vocat, et una voce ὀπισθότονον: cui opp. ἡ εἰς τοὔμπροσθεν ξυνολκὴ, quæ et ἐμπροσθότονος, quum cervix in posteriorem partem reflectitur et scapulis annectitur. [Plat. Phædr. p. 254, B: Εἰς τοὐπίσω ἑλκύσαι τὰς ἡνίας· Reip. 7, p. 528, A: Ἄναγε εἰς τοὐπίσω· Menex. p. 246: Εἰς τοὐπίσω ἀναχωρεῖν.]

|| Ponitur etiam pro Post, ac interdum cum gen. construitur, interdum sine casu legitur. 1 Ad Tim. 5, [15] : Ὀπίσω τοῦ Σατανᾶ ἐξετράπησαν, Satanam secuti sunt. Petrus Epist. 2, [10] οἱ ὀπίσω σαρκὸς, Qui carnem sequuntur. Eccles. 9, [3], Ὀπίσω αὐτῶν, Post hæc. [Choricius In Summum § 18 : Ὀπίσω τοῦ δικαίου. Boiss. Ephræm Syr. vol. 3, p. 392, D : Ἡ ψυχή μοι αἰχμάλωτος γέγονεν ὀπίσω τῆς ὡραιότητος αὐτοῦ. L. D.] Absolute etiam sine casu ponitur pro Post, ac interdum de tempore dicitur pro Postea, vel potius In posterum; nam et de præt. et de fut. tempore usurpatur. Hom. Od. Ξ, [232] : Πολλὰ δ' ὀπίσσω Λάγχανον, Multa mihi postea obtigere. Sæpius de futuro pro In posterum. Il. Γ, [109] : Οἷς δ' ὁ γέρων μετέῃσιν, ἅμα πρόσσω καὶ ὀπίσσω Λεύσσει, ὅπως ὄχ' ἄριστα μετ' ἀμφοτέροισι γένηται, Et antehac et in posterum providebit. [Γ, 160 : Μηδ' ἡμῖν τεκέεσσί τ' ὀπίσσω πῆμα λίποιτο· Α, 343 : Οὐδέ τι οἶδε νοῆσαι ἅμα πρόσσω καὶ ὀπίσσω.] Il. Σ, [250] et Od. Ω, [451] de vate : Ὁ γὰρ οἶος ὁρᾷ πρόσσω καὶ ὀπίσσω, Et anteacta et eventura videt. Β, [179] : Μή πού τι κακὸν πάσχωσιν ὀπίσσω, Ne quid forte eis mali postea accidat. Il. Ρ, [718] : Αὐτὰρ ὀπίσσω Νῶϊ μαχησόμεθα Τρωσίν· Ζ, [352] : Τούτῳ δ' οὔτ' ἂρ νῦν φρένες ἔμπεδοι, οὔτ' ἄρ ὀπίσσω Ἔσσονται, Nec sunt nunc, nec in posterum erunt. Od. Λ, [482] : Σεῖο δ' Ἀχιλλεῦ Οὔτις ἀνὴρ προπάροιθε μακάρτατος, οὔτ' ἂρ ὀπίσσω, Nec antehac fuit nec in posterum erit. [Soph. Œd. T. 488 : Πέτομαι δ' ἐλπίσιν οὔτ' ἐνθάδ' ὁρῶν οὔτ' ὀπίσω, ubi alia hujus signif. exx. citavit Elmslejus, qui in fr. Isidori ap. Stob. Fl. 22, 27 : Θνητὸς πεφυκὼς τὰ ὀπίσω πειρῶ βλέπειν, scripsit τὠπίσω, pro quo usitatius est τοὐπίσω. Eur. fr. Alexandr. ap. Stob. Fl. 60, 15 : Γαστὴρ ἅπαντα, τοὐπίσω δ' οὐδὲν σκοπεῖ. Herodot. 1, 75 : Ἐν τοῖσι ὀπίσω λόγοισι σημανέω. Cum præp., ut in Εἰσοπίσω dictum, sed divise, Hom. Od. Υ, 199 : Γένοιτό τοι εἴς περ ὀπίσσω ὄλβος. || Rursus. Eur. Iph. A. 38 : Σφραγίζεις λύεις τ' ὀπίσω. « Ἀνακτᾶσθαι ὀπίσω τὴν τυραννίδα Herodot. 1, 61 ; συνέχωσα (τὴν σορὸν) ὀπίσω 1, 68; 3, 75. Ἐπεάν σφι ὁ ποταμὸς ἐπελθὼν ἄρσῃ τὰς ἀρούρας, ἄρσας δὲ ἀπολείπῃ ὀπίσω, 2, 14. Ἀποδόντες ὀπίσω 5, 92, 3. Ταῦτα ὀπ. ἀπηγγέλθη 5, 92, 7. Συρράπτουσι ὀπίσω 2, 86. » Schweigh. Lex. || Ut ὄπισθεν, Supra, ap. grammaticos. Schol. Thuc. ῑ]

[Ὀπίσωθεν, Moschop. Π. σχεδ. ex cod. suppletus in Anecd. meis vol. 4, p. 210, not. 3. Boiss. Arcad. p. 129, 10, unde ducit ὄπισθεν.]

[Ὀπίσωρ, δυσάρεστος, Hesychii gl. obscura.]

[Ὀπίτης, ὁ, Opites, Græcus, Hom. Il. Λ, 301. Ponit etiam Suidas. ῑ]

[Ὀπιτθοτίλα. V. Ὀπισθοτίλα.]

[Ὀπιτίων. V. Πιτίων.]

Ὀπίων, ονος, ὁ, verbo ὀπιπεύω subjici fortasse queat, i. q. ὀπτὴρ s. ὀπιπευτὴρ, h. e. Visor, vel potius Qui per visores aliqua ministeria præstat : ut discimus ex Plut. in Galba [c. 24] : Ἐν δὲ τούτοις Ἰτούριος καὶ Βάρβιος· ὁ μὲν, ὀπίων, ὁ δὲ, τεσσενάριος· οὕτω γὰρ καλοῦνται οἱ δι' ἀγγέλων καὶ δι' ὀπτήρων ὑπηρεσίας τελοῦντες. Ubi Interpres, Inter hos erant Veturius et Barbius : opion alter, alter tesserarius : ita nominant eos qui per nuntios et speculatores ministeria obeunt. Dubitare tamen aliquis possit an hoc vocabulum mere Græcum sit. [« Hunc l. sic restitue, ut ap. Constantinum recte scribitur : Οὐετούριος ... ὀπτίων ... τεσσεράριος ... διαγγέλων (unica voce, et) διοπτήρων. Et vide Lips. ad Tac. Hist. 1, 25, qui ita locum in eo Lex. legisse videtur, quum in nullo impresso aliter, quam in hoc, editum esse, mihi compertum sit. » Bryan. et Dusoul. Angl.]

[Ὀπλάδαμος, ὁ, Hopladamus, gigas, ap. Pausan. 8, 32, 5; 36, 2.]

[Ὄπλακος, ὁ, Oplacus, n. viri Frentani ap. Plut. Pyrrh. c. 16.]

[Ὁπλάριον, τὸ, Scutulum, Gl.] Ὁπλάρια, diminut., Arma parva, quasi Armula dicas.

[Ὁπλενδυτέω, Arma induo. Nicet. Annal. 3, 5, p. 57, D : Πολλοὶ μὴ ὁπλενδυτοῦντες.]

[Ὁπλεύς, έως, ὁ, Hopleus, Lapitha, ap. Hesiod. Sc. 180. F. Neptuni ap. Apollod. 1, 7, 4, Lycaonis ib. 3, 8, 1.]

Ὁπλέω, Armo, Instruo. Hom. Od. Β, [72] : Ἅμαξαν εὔτροχον ἡμιονείην Ὅπλεον, ἡμιόνους θ' ὕπαγον, ζεῦξάν θ' ὑπ' ἀπήνῃ.

Ὁπλὴ, ἡ, Ungula, [Cippus, add. Gl.] Unguis quadrupedum. [Hom. Il. Λ, 536, Υ, 501 : Ἱππείων ὁπλέων. Pind. Pyth. 4, 226 : Χαλκέαις ὁπλαῖς.] Hesiod. [Op. 487] : Ὑπερβάλλων βοὸς ὁπλήν. [Theocr. 4, 36 : Τὸν ταῦρον ἀπ' ὤρεος ἆγε πιάξας τᾶς ὁπλᾶς.] Itidem de Ungula equi ap. [Aristoph. Eq. 605 : Ταῖς ὁπλαῖς ὤρυττον· Arat. 486; Lycophr. 167; Plat. Reip. 9, p. 586, B,] Xen. [Eq. 1, 3, 4, etc.], de Ungula porci ap. Aristoph. [Ach. 740], de Ungula agni ap. Greg. Naz. || Ὁπλαὶ, πυξίδες, Pyxides, Hesych. [Idem addit : Ἄλλοι ἐπὶ ποδῶν ἀνθρώπου. Priorem autem interpretationem, quam ponunt etiam Photius s. Suidas, Letronn. *Journ. des Sav.* 1833, p. 609, corneam animadvertit spectare pyxidem, conferens ὁπλὴν, in qua conditum fuit venenum Alexandro M. datum sec. Arrian. Exp. 7, 27, 2, s. χηλὴν ap. Plut. Alex. c. 77 etc. || « Vestigium pedum. Theophylact. Hierodiac. Homil. 8, p. 153. » Ducang.]

[Ὁπλήεις, εσσα, εν, Armatus. Poeta ap. Dion. Chr. Or. 32, vol. 1, p. 694 : Αἲ γάρ πως ὑμᾶς γε καὶ αὐτοὺς ἐνθάδε πάντας ὁπλήεντας ἔθηκε θεὰ λευκώλενος Ἥρη.]

[Ὅπλητες, οἱ, Hopletes, n. tribus Atticæ ap. Eur. Ion. 1580, Polluc. 8, 109, Steph. Byz. in Αἰγικορεῖς, dictæ a filio Ionis quem memorat Herodot. 5, 66 : Τῶν Ἴωνος παίδων ... Ἀργάδεω καὶ Ὅπλητος, et Apollod. 3, 15, 6. Quod nomen male Ὁπλὴς scriptum ap. Chœrobosc. p. 45, 20; recte p. 142, 31; 143, 33. Ὁπλής Ὅπλητος Cram. An. vol. 3, p. 241, 25.]

[Ὁπλία, ἡ.] Ὁπλίας Hesych. a Locrensibus dictos fuisse scribit τοὺς τόπους, ἐν οἷς συνελαύνοντες ἀριθμοῦσι τὰ πρόβατα καὶ τὰ βοσκήματα : forsan ab ungularum vestigiis.

[Ὁπλίας. V. Ὁπλίτης.]

Ὁπλίζω, ίσω, Armo [Gl.], Instruo, derivatum ex præced. ὁπλέω, sicut τειχίζω a τειχέω. [Herodot. 6, 12 : Ὅπως τοὺς ἐπιβάτας ὁπλίσειε.] Thuc. 8, p. 270 [c. 23] : Ὁπλίσας καὶ τοὺς ἀπὸ τῶν ἑαυτοῦ νεῶν ὁπλίτας· 3, [27] : Ὁπλίζει τὸν δῆμον, πρότερον ψιλὸν ὄντα. Herodian. 1, [13, 5] : Ἐπί σε τόν τε δῆμον καὶ τὸ στρατιωτικὸν ὥπλισεν, Contra te armavit. [Eur. Rhes. 84 : Ἁπλοῦς ἐπ' ἐχθροῖς μῦθος ὁπλίζειν χέρα· Alc. 35 : Χέρα τοξήρη φρουρεῖς ὁπλίσας· Ion. 980 : Ξιφηφόρους σοὺς ὁπλίσασ' ὀπάονας. Callim. Cer. 36 : Πάντας δ' ἀνδρογίγαντας (ἔχων), ἀμφότερον πελέκεσσι καὶ ἀξίναισιν ὁπλίσσας. Meleager Anth. Pal. 5, 195, 5 : Ἇς καὶ Κύπρις ὥπλισεν εὐνὰν καὶ Πειθὼ μύθους καὶ γλυκὺ κάλλος Ἔρως. Lycophr. 438 : Ἧμος ξυναίμους πατρὸς αἱ Νυκτὸς κόραι πρὸς αὐτοφόντην στρῆνον ὥπλισαν μόρου· 917 : Χεῖρας ὥπλισε Σκύθη δράκοντι. Xen. Cyrop. 6, 4, 1 : Ὥπλιζον δὲ καὶ ἵππους προμετωπιδίοις. Plato Reip. 3, p. 415, D : Τούτους τοὺς γηγενεῖς ὁπλίσαντες.] Pass. Ὁπλίζομαι, Armor. [Hom. Il. Θ, 55 : Τρῶες ἀνὰ πτόλιν ὡπλίζοντο· Od. Ω, 495 : Ὁπλιζώμεθα θᾶσσον, ubi sequitur ἐν τεύχεσσι δύοντο. Soph. Aj. 1126 : Κἂν ψιλὸς ἀρκέσαιμι σοί γ' ὡπλισμένῳ. Eur. Ion. 993 : Θώραχ' ἐχίδνης περιβόλοις ὡπλισμένον· Heracl. 672 : Ἤδη γὰρ ὡς ἐς ἔργον ὥπλισται στρατός· Andr. 1118 : Ὀξυθήκτοις φασγάνοις ὡπλισμένοι· Or. 926 : Μήθ' ὁπλίζεσθαι χέρα μήτε στρατεύειν· Med. 1242 : Ἀλλ' εἶ' ὁπλίζου, καρδία· Rhes. 986 : Συμμάχους ὁπλίζεσθαι. Et cum dat. et acc. Or. 1223 : Ἐπὶ τὸν ἔσχατον ἀγῶν' ὁπλιζώμεσθα φασγάνῳ χέρας· Phœn. 267 : Ὡπλισμένος δὲ χεῖρα τῷδε φασγάνῳ· Bacch. 733 : Θύρσοις διὰ χερῶν ὡπλισμέναι. Lycophr. 636 : Σφενδόναις ὡπλισμένοι.] Xen. [Cyrop. 6, 4, 4 : Ὡπλίσθη τοῖς ὅπλοις τούτοις·] Eq. [12, 1] : Δεῖ ὡπλίσθαι [ὡπλίσθαι] τὸν μέλλοντα ἐφ' ἵππου κινδυνεύειν, Armatum esse oportet. [Ib. 10 : Ὁπλισθείη δὲ καὶ ταῦτα, de cruribus equitantis.] Thuc. 3 : Ὁ δῆμος ὁπλισθεὶς ἐπὶ τῇ προφάσει ταύτῃ, Sumptis armis. Item metaph. ὁπλίζεσθαι θράσει [θράσος], ap. Soph. [El. 995 : Ποῖ γάρ ποτε βλέψασα τοιοῦτον θράσος αὐτή θ' ὁπλίζει κἄμ' ὑπηρετεῖν καλεῖς;] ut Cic., Armatus audacia, Armati animis. A præt. autem perf. ὥπλισμαι est part. ὡπλισμένος. [Frequens ap. Xenoph., ut Reip. Lac. 11, 9 : Οὐ κατὰ τὰ γυμνὰ, ἀλλὰ κατὰ τὰ ὡπλισμένα, Platonem et alios. Medio idem Cyrop. 6, 2, 16 : Ἔπειτα δὲ, ὥσπερ οὗτοι ὁπλισάμενοι τοὺς πεζοὺς τότε ἐνίκων, νῦν οὕτω καὶ οἱ ἱππεῖς αὐτῶν παρεσκευασμένοι προσέρχονται. Et si vera scriptura, Jo. Malal. p. 306, 17 : Τῶν δὲ Περσῶν κινησάντων ὁπλισάμενος ὁ Διοκλητιανὸς ἐπεστράτευσεν, pro ὡπλισμένος, Se armavit. Fut. schol.

Hom. Il. N, 20 : Ὀπλιεῖται ὡς οὐκ ἀνεξόμενος Διός. || Quod ὁπλίζομαι ab ὁπλιτεύω distinguitur ap. Themist. Or. 5, p. 69, C : Οὐδὲ ἡ σὴ στρατιὰ συντέτακται πᾶσα ἐκ μιᾶς ἰδέας καὶ τῆς αὐτῆς, ἀλλ' οἱ μὲν ὁπλιτεύουσιν, οἱ δὲ ἱππεύουσιν, οἱ δὲ ὁπλίζονται, οἱ δὲ σφενδονῶσι, verbum ὁπλίζονται ex alio ejusmodi ut ἀκροβολίζονται corruptum videtur.] || Ὁπλίζω ap. Homerum usurpatur pro Instruo, Paro : Il. Ω, [190] : Ἄμαξαν ἐΰτροχον ἡμιονείην Ὁπλίσσαι ἠνώγει· sicut paulo ante ex Od. B habuimus Ἄμαξαν ὅπλεον, Ad iter accingebant et quasi armabant. [Lycophr. 514 : Πτερωτὰς ὁπλίσαντες ὁλκάδας.] Il. Λ, [640] : Πινέμεναι δ' ἐκέλευσεν, ἐπεί ῥ' ὥπλισσε κυκειῶ, Quum paravisset. Id. [Od. B, 289] : Ὅπλισσόν τ' ἤϊα, καὶ ἄγγεσιν ἄρσον ἅπαντα, Viatica parato, ἑτοίμασον τὰ ἐφόδια, ut Eust. exp. : alibi dicens ὁπλίζεσθαι esse τὸ εἰς ἔργον ἑτοιμάζεσθαι, Ad opus accingi, ut miles ad prælium armatur. [Ξ, 526 : Ἀλλ' ὅγ' ἄρ' ἔξω ἰὼν ὡπλίζετο.] Idem Eust. in Il. H, [417] : Τοὶ δ' ὡπλίζοντο μάλ' ὦκα Ἀμφότερον νέκυάς τ' ἀγέμεν, ἕτεροι δὲ μεθ' ὕλην, exp. εὐτρεπίζοντο, Instruebantur, Se instruebant et parabant. At Od. Ψ, [143] : Ὥπλισθεν δὲ γυναῖκες, pro Ad choreas se instruebant et accingebant. [Od. P, 288 : Τῆς ἕνεκεν καὶ νῆες ἐΰζυγοι ὁπλίζονται.] Active etiam accipitur ὁπλίζομαι pro ὁπλίζω, Instruo, Paro. Od. Π, [453] : Οἱ δ' ἄρα δόρπον ἐπισταδὸν ὡπλίζοντο, Cœnam instruebant s. parabant. [Il. Λ, 86 : Ὡπλίσσατο δεῖπνον· Od. B, 20 : Πύματον δ' ὡπλίσσατο δόρπον, et alibi sæpe cum iisdem vocabulis. Il. Ψ, 301 : Ὡπλίσαθ' ἵππους. Et paullo aliter Oppian. Cyn. 1, 307 : Στικτοπόδεσσ' ἐλάφοις χυανώπεας (κύνας) ὁπλίζοιο.] Sic infra habebimus, Δεῖπνον ἄνωχθι ὅπλεσθαι, [et supra Ὁπλέω. Æsch. Sept. 433 : Φλέγει δὲ λαμπὰς διὰ χερῶν ὡπλισμένη· Cho. 544 : Οὖφις σπαργάνοις ὡπλίζετο. Eur. Ion. 1124 : Πρὸς δεῖπνα θυσίας θ' ἃς θεοῖς ὡπλίζετο· El. 627 : Βουσφαγεῖν ὡπλίζετο· et act. Ion. 852 : Ἐπεισελθὼν δόμοις, οὗ δαῖθ' ὁπλίζει. Sed Aristoph. Thesm. 107 : Ἄγε νῦν, ὅπλιζε, Μοῦσα, χρυσέων ῥύτορα τόξων Φοῖβον, Bentlejus correxit ὄλβιζε. Apud Callim. Dian. 86 : Ἄφαρ δ' ὡπλίσσαο δαῖμον, dicitur signif. reflexiva, Te instruxisti, accinxisti. Tryphiod. 85 : Ἄπτερον ὥσπερ ἔμελλον ἐπὶ δρόμον ὁπλίζεσθαι. Rursus active Nicand. Al. 197 : Κλυστῆρος ἐνεὶς ὁπλίζεο τεῦχος· Archias Anth. Pal. 5, 98, 1 : Ὁπλίζευ, Κύπρι, τόξα. Diocles ib. 9, 109, 1 : Οὐκ οἶδ' εἴτε σάκος λέξαιμί σε, τὴν ἐπὶ πολλοὺς ἀντιπάλους πιστὴν σύμμαχον ὡπλισάμην. Anon. 12, 115, 2 : Μεθύων μέγα μύθοις ὥπλισμαι πολλὴν εἰς ὁδὸν ἀφροσύνην. Rufinus 5, 93, 1 : Ὥπλισμαι πρὸς Ἔρωτα περὶ στέρνοισι λογισμόν. Petr. 1, 4, 1 : Χριστοῦ οὖν παθόντος ὑπὲρ ὑμῶν σαρκὶ καὶ ὑμεῖς τὴν αὐτὴν εὔνοιαν ὁπλίσασθε. Denique activum cum infinitivo conjunxit Achill. Tat. 2, 10, p. 33, 7 : Πολλὰ γὰρ ἦν τὰ τότε ὁπλίζοντά με θαρρεῖν. Constant. Manass. Amat. 5, 37 : Καθ' αὐτοῦ θυμαίνεσθαι τὸν ἐραστὴν ὁπλίζει.]

[Ὁπλικός. V. Ὁπλιτικός.]

Ὅπλισις, εως, ἡ, Armatura, seu, ut Liv. loquitur, Armatus : pro ipsis Armis. [Aristoph. Ran. 1036 : Τάξεις, ἀρετὰς, ὁπλίσεις ἀνδρῶν.] Thuc. 3, [22] : Ἦσαν δὲ εὐσταλεῖς τῇ ὁπλίσει, Erant autem expediti et leves armatura. Xen. Cyrop. [7, 1, 46] : Ἔτι καὶ νῦν διαμένει ἡ ὅπλισις, ἣν τότε Κῦρος τοῖς ἱππεῦσι κατεσκεύασεν, Armatura illa, s. Illud genus armorum, quibus tunc Cyrus equitatum instruxerat. Aliud exemplum ex Eod. habes in Ὁπλοφόρος. [Alia sunt alibi ap. eundem Plat. Tim. p. 24, B, Aristot. Polit. 4, 13.] Et Philo V. M. 1 : Τοὺς ἄλλους ὅσοι τῆς κούφης ὁπλίσεως, Et reliquos levis armaturæ milites.

Ὅπλισμα, τὸ, significaret potius Armatura qua quis munitur. [Eur. Suppl. 714 : Ὅπλισμα τοὐπιδαύριον λαβών. Plato Polit. p. 279, D : Τὰ πρὸς τὸν πόλεμον ὁπλίσματα.] Ab Hesych. exp. τὸ τοῦ πλοίου σχοινίον (sicut et ὅπλον accipi infra docebo), item βῆμα. Pro Apparatu bellico citatur ex [Ps.-] Eur. [Iph. A. 253. Memorat Pollux 6, 183; 7, 208.]

Ὁπλισμὸς, ὁ, Armatura, [Armamentum, Armentarium (Armamentarium), Gl.] potius ipsa Actio armandi. [Æsch. Ag. 404 : Ναυβάτας ὁπλισμούς. Schol. Lycophr. 794 : Σὺν ὅπλοις) ὁπλισμοῖς. Georg. Lecap. ni Matthæi Lectt. Mosq. p. 72 : Βάδισις καὶ ὅπλισις παρ' Ἀττικοῖς γράφεται, βαδισμὸς δὲ καὶ ὁπλισμὸς κοινῶς.]

A [Ὁπλιστέον, Armandum. Xen. Hipparch. 1, 6 : Ὁπλ. καὶ ἵππους καὶ ἱππέας.]

[Ὁπλιστεύω. V. Ὁπλιστής.]

Ὁπλιστὴς, ὁ, Armatus, VV. [Armator, Gl. Suidas : Ὁπλιστὴς, ὁ ἐκ τῶν ὅπλων. Ap. Erycium Anth. Pal. 7, 230, 2 : Ἀνίκ' ἀπὸ πτολέμου τρέσσαντά σε δέξατο μάτηρ, πάντα τὸν ὁπλιστὰν κόσμον ὀλωλεκότα, ubi HStephani conjectura fugit editores. V. Ὁπλιστικός.] Ὁπλιστεύω, Armo, Arma gero, ut ead. VV. LL. interpr. sine auctore tamen et exemplis : adeo ut suspecta ea duo vocabula sint, ac pro ὁπλιστὴς reponendum videatur ὁπλίτης, pro ὁπλιστεύω autem ὁπλιτεύω. [Ap. Philostr. Her. p. 732 : Ἦν δὲ αὐτοῖν ὁ μὲν ὁπλιστεύειν εὐδόκιμος, jam Olearius restituit ὁπλιτεύειν. Apud Æschinem Epist. 5, p. 672 : Οὐκ ἐμοὶ μόνον, ἀλλὰ καὶ Τεύθραντι καὶ Ὁπλιστίᾳ, est n. pr. fictum.]

[Ὁπλιστικὸς, scripturæ vitium pro ὁπλιτικός. « Ὁπλιστικὴ, Chrys. 1, p. 229 (?). » Bast.]

[Ὁπλῑτᾱγωγέω, Milites gravis armaturæ duco. Timario in Notit. Mss. vol. 9, p. 169. Kall.]

B Ὁπλιταγωγὸς, ὁ, ἡ, Militibus gravis armaturæ vehendis aptus, Milites armatos vehens : ut ὁπλ. ναῦς [Thuc. 6, 25. Pollux 1, 83].

[Ὁπλιτάρχης, ὁ, Dux τῶν ὁπλιτῶν, Scutatorum. Anon. Ms. De castrametat. : Ὁ ὁπλ. μὴ μόνον δι' ὅλου ποιείτω τὰ κέρκιτα. Ducang.]

[Ὁπλιτεία, ἡ, Armatura. Plato Leg. 4, p. 706, C, ναυτική.]

Ὁπλιτεύω, Miles sum gravis armaturæ. [Thuc. 6, 91 : Οἵτινες αὐτερέται κομισθέντες καὶ ὁπλιτεύσουσιν εὐθύς. Xen. Anab. 5, 8, 5 : Ἐπήρετο αὐτὸν εἰ ὁπλιτεύοι.] Aristot. Pol. 4, 4 : Καὶ γὰρ ὁπλιτεύειν καὶ γεωργεῖν συμβαίνει τοῖς αὐτοῖς πολλάκις. [Ib. 13 : Ἔστι δ' ἡ πολιτεία παρ' ἐνίοις οὐ μόνον ἐκ τῶν ὁπλιτευόντων, ἀλλὰ καὶ ἐκ τῶν ὡπλιτευκότων. Ap. Philostr. Her. p. 680 : Ἱπποτροφεῖν φασιν αὐτὸν καὶ ὁπλιτεύειν, eundemque l. in Ὁπλιστεύω citato, et Eust. Opusc. p. 118, 92 : Τῷ κατ' ἐμοῦ ὁπλιτεύσαντι, est Arma fero.] || Ὁπλιτεύειν accipitur etiam pro τοῦ ὁπλιτικοῦ ἄρχειν, schol. Thuc. 8, p. 285 [c. 73] : Θρασυβούλῳ καὶ Θρασύλλῳ, τῷ μὲν, τριηραρχοῦντι, τῷ δὲ, ὁπλιτεύοντι. || Suid. ὁπλιτεύειν exp. ὁπλίζεσθαι.

C Ὁπλίτης, ὁ, Armatus [Gl.], Qui arma gestat, ὁ ὁπλοφορῶν, Armiger. [Scutarius, Gl.] Thuc. 6, p. 216 [c. 58] : Ἐπὶ τοὺς πομπέας τοὺς ὁπλίτας· pro quo ὁπλίτας paulo ante dicit τοὺς ἐν ὅπλοις. [Æsch. Sept. 717 : Οὐκ ἄνδρ' ὁπλίτην τοῦτο χρὴ στέργειν ἔπος. Eur. Herc. F. 190 : Ἀνὴρ ὁπλίτης δοῦλός ἐστι τῶν ὅπλων. Lycophr. 938 : Ὁπλίτην λύκον, de Marte. Herodot. 8, 38 : Δύο ὁπλίτας μέζονας ἢ κατ' ἀνθρώπων φύσιν.] Item ὁπλίτης δίαυλος et ὁπλίτης δρόμος, Qui ab armatis decurritur, Quem in armis decurrunt. [Plato Leg. 8, p. 833, B : Βαρύτερον ὁπλίτην ἐπονομάζοντες. Pollux 3, 151.] Vide Ὁπλιτοδρόμος. Accipitur etiam pro Miles armatus, armiger. Plut. in Fab. βαρὺς ὁπλίτης, Gravis armaturæ miles. [Ὁπλῖται οἱ ἐν ἐσχάτῃ τάξει, Armites, Gl.] Plerumque tamen sine adjectione illa βαρὺς, de Gravis armaturæ milite dicitur, oppositum τῷ ψιλός : ac sæpe ponitur ad differentiam ἱππέως, τοξότου, πελταστοῦ. [Eur. Phœn. 1096 : Ἔταξ' ὁπλίτας ἀσπιδηφόροις ἔπι· 1191 : Ἱππῆς ὁπλῖταί τε. Aristoph. Vesp. 360 : Νῦν δὲ ξὺν ὅπλοις

D ἄνδρες ὁπλῖται κτλ. Herodot. 9, 29 : Οὗτοι ἔσαν ὁπλῖται· et ib. et 30 ut contrarii ψιλοῖς, et 63 γυμνῆσι. Frequens idem ap. Xenoph. et alios historicos.] Thuc. 1, p. 34 [c. 106] : Κατὰ πρόσωπόν τε εἶργον τοῖς ὁπλίταις, καὶ περιστήσαντες κύκλῳ τοὺς ψιλοὺς, κατέλευσαν πάντας τοὺς εἰσελθόντας· 4, [125] : Τοὺς ὁπλίτας καὶ τὸν ψιλὸν ὅμιλον ἐς μέσον λαβών. Dem. Pro cor. : Ὁπλίτην δὲ ἢ ἱππέα οὐδένα. Chrysost. De prec. : Ἐν τοξόταις καὶ ὁπλίταις καὶ ἱππεῦσι τὴν ἐλπίδα εἶχον. Vide quod discrimen inter ψιλοὺς et πελταστὰς ac ὁπλίτας statuatur in lib. Περὶ παλαιᾶς τάξεως : ubi et equitum s. τῆς ἱππικῆς δυνάμεως differentiæ traduntur. Dicitur autem ibi ὁπλίτης esse ὁ βαρυτάτῃ ὁπλίσει κεχρημένος κατὰ τὸν Μακεδονικὸν τρόπον, ἀσπίδι περιφερεῖ, καὶ δόρατι περιμηκεστέρῳ. [Plat. Reip. 7, p. 552, A : Μήτε ἱππέα μήτε ὁπλίτην· Critiæ p. 119, B : Ὁπλίτας καὶ τοξότας.] Sed et ii qui navibus imponuntur armati milites, a Thuc. ὁπλῖται dicuntur, s. Classiarii milites : qui et ἐπιβάται nominantur : diversi a remigibus, qui κωπηλάται appellantur. [V. schol. 7, 26. || Adj. Pind. Isthm. 1, 23 : Ἐν ὁπλίταις δρόμοις.

Et aliter Eur. Heracl. 699 : Ἔνεγχ' ὁπλίτην κόσμον ὡς τάχιστά μοι· 800 : Ὁπλίτην στρατόν. Lycophr. 1210.]

[Ὁπλίτης, ὁ, Hoplites, fl. prope Haliartum Bœotiæ, ap. Plut. Lysand. c. 29, qui post alia de eo dicit : Τινὲς δὲ τὸν Ὁπλ. οὐ πρὸς Ἁλιάρτῳ ῥεῖν λέγουσιν, ἀλλὰ πρὸς Κορώνειαν χειμάρρουν εἶναι, ὃν πάλαι μὲν Ὁπλίαν, νῦν δὲ Ἰσόμαντον προσαγορεύουσιν. Ὁπλίτην prope Eurotam Laconiæ memorat Polyb. 16, 16, 2, non dicens quid sit.]

Ὁπλιτικός, ή, όν, Ad militem gravis armaturæ pertinens : ὁπλ. θώραξ, ap. Plat. Epist. [13, p. 363, A] Thorax quem gravis armaturæ miles gestat. Et ὁπλ. μάχη, Pugna qua gravis armaturæ milites concurrunt. Plato De rep. 2, [p. 374, D] : Ὁπλιτικῆς ἤ τινος ἄλλης μάχης τῶν κατὰ τὸν πόλεμον ἱκανὸς ἔσται ἀγωνιστής. [Xen. H. Gr. 3, 4, 16 : Ἆθλα προὔθηκε ταῖς ὁπλιτικαῖς τάξεσιν· 4, 2, 7 : Ἆθλα καὶ ὁπλιτικὰ καὶ ἱππικά. Plato Reip. 1, p. 333, D : Ἀσπίδι ὅταν δέῃ χρῆσθαι, χρήσιμον εἶναι τὴν ὁπλιτικήν· Lachet. p. 182, D : Τὸ ὁπλιτικὸν τοῦτο, εἰ μέν ἐστι μάθημα, χρὴ αὐτὸ μανθάνειν· 183, C : Ἀνὴρ τῶν τὰ ὁπλιτικὰ ἐπιτηδευσάντων.] At τὸ ὁπλιτικὸν dicuntur ipsi Gravis armaturæ milites, sicut δορυφορικὸν dicuntur οἱ δορυφόροι, et ξενικὸν οἱ ξένοι, et στρατιωτικὸν οἱ στρατιῶται : in quibus nonnulli subaudiunt σύστημα. Thuc. [5, 6 : Τὸ ὁπλ. ξύμπαν ἠθροίσθη δισχίλιοι μάλιστα·] 6, p. 221 [c. 72] : Παρασκευάσωσι τὸ ὁπλ. Xen. Hell. 6, p. 341 [c. 1, 7] : Διέταξεν ἱππικόν τε ὅσον ἑκάστη πόλις δυνατὴ ἦν παρέχειν, καὶ ὁπλιτικόν. [Anab. 4, 8, 18 : Τὸ Ἀρκαδικὸν ὁπλιτικόν.] Aristot. Pol. 6, [7] : Τέτταρα δὲ τὰ χρήσιμα πρὸς πόλεμον, ἱππικὸν, ὁπλιτικὸν, ψιλὸν, ναυτικόν· at l. 7 [9] dividit τὸ πολιτικὸν in τὸ ὁπλιτικὸν et τὸ βουλευτικόν. Utitur et alibi sæpe. [Ὁπλιτικὴ δύναμις dicit 6, 7. Intellecto τέχνη Dio Chrys. Or. 13, vol. 1, p. 435 : Ἱππικὴν καὶ τοξικὴν καὶ ὁπλιτικήν. || Adv. Ὁπλιτικῶς, « Gregor. Naz. Orig. 14, p. 220 fin. » Boiss. Forma Ὁπλικὸς, quæ est ap. Jo. Malalam p. 119, 16 : Ἦλθε πρὸς αὐτὴν (Circen Ulixes) μετὰ ὁπλικῆς βοηθείας, ex ὁπλιτικῆς orta videatur, ut ὁπλικὰ pro ὁπλιτικὰ liber unus Pausaniæ 4, 8, 12. Sed Theodos. Acro. 2, 139 : Μέσον δὲ τούτων, εὐτελὴς ὡς ἱππότης, σταθεὶς ἀφῆκεν ὁπλικωτάτους λόγους. L. Dind.]

Ὁπλῖτις, ιδος, ἡ, Armata : ὁπλίτιδες dicuntur etiam esse Statuæ feminarum armatæ. [Pollux 3, 150 : Χεῖρες ὁπλίτιδες.]

Ὁπλιτοδρομέω, Stadium in armis decurro, Armatus cursu cum aliquo contendo. Pausan. [1, 23, 11] : Ὁπλιτοδρομεῖν ἀσκήσας.

Ὁπλιτοδρόμος, ὁ, Qui armatus cursu cum aliquo contendit, in armis stadium decurrit. Pollux 3, [151] : Ὁπλίτης δρόμος· καὶ ὁ τὸν ὁπλίτην δίαυλον θέων, καὶ ὁπλιτοδρόμος. [Schol. Pind. Pyth. 10, 22. Wakef. Et 9 inscr. Schol. Aristoph. Ach. 213.]

Ὁπλιτοπάλης, s. Ὁπλιτοπάλας, Dorice, ὁ, Qui armatus luctatur. Plut. [Mor. p. 640, A] quum dixisset Spartanos in Leuctrica pugna a Thebanis, qui παλαιστρικοὶ essent, καταβιβασθῆναι, subjungit, Διὸ καὶ παρ' Αἰσχύλῳ τις τῶν πολεμικῶν ὀνομάζεται βριθὺς ὁπλιτοπάλας. Id. [Mor. p. 334, D] : Ἤσκει μὲν ἀεὶ διὰ τῶν ὅπλων δεινὸς εἶναι καὶ, κατὰ τὸν Αἰσχύλον, βριθὺς ὁπλιτοπάλας, δάϊος ἀντιπάλοις. [Eust. Opusc. p. 42, 28 : Δάϊος ὁπλιτοπάλας. ἅᾶ]

[Ὁπλοδεξιά, ἡ, Armorum tractatio, Dounæo interpr., Ὥσπερ ἂν εἴ τις στρατηγὸς ἄριστον ἔχων στρατιώτην, ἀπὸ τῆς ὁπλ., ἀπὸ τῆς στάσεως, ἀπὸ τῆς ῥώμης καταπλήξειε τὸν ἀντίδικον, Jo. Chrys. In Ep. 2 ad Cor. serm. 3, vol. 3, p. 564, 27. Boisius conjecit ἀπὸ τῆς τῶν ὅπλων δεξιᾶς μεταχειρήσεως. Seager.]

[Ὁπλοδιδάκτης, ὁ, Campidoctor, Gl.]

[Ὁπλοδιδάσκαλος, ὁ, Armiductor (sic), Gl.]

[Ὁπλοδοτέω, Arma do, Armis instruo. Macc. 1, 14, 32.]

[Ὁπλόδουπος, ὁ, ἡ, Armis strepens, epith. Martis, sec. conj. Piersoni Orph. H. 64, 3, ubi libri δολόδουπε.]

Ὁπλοθήκη, ἡ, Repositorium armorum, Armamentarium [Gl.]. Pollux [7, 154;] 9, [45] : Ἀλλὰ μὴν καὶ ὁπλοθῆκαι ἦσαν, ἵνα τὰ ὅπλα ἔκειντο. Plutarch. [Mor. p. 159, E] : Ἵνα καὶ τείχη καὶ νεωσοίκους καὶ ὁπλοθήκην ἔχωμεν, Navalia et armamentaria. [Sulla c. 14. Armamentarium, Cic. De or. 1, 18. V. ad Vitruv. Præf.

A 7, 12. Schneider. Paralip. 2, 32, 27. Ælian. V. H. 6, 12. Schleusn. Inscr. Att. ap. Bœckh. vol. 1, p. 171, n. 125, 6 : Τῇ ἀναθέσει τῆς ὁπλοθήκης. Improprie Euthymii Zigab. cod. apud Lambec. Bibl. Cæs. vol. 5, p. 114, A : Θείων ὁπλοθήκη δογμάτων. L. Dind.]

[Ὁπλοκαθαρμὸς, ὁ, Armilustrum, Gl.]

[Ὁπλοκαθαρσία, ἡ, et Ὁπλοκαθάρσιον, τὸ, Armilustrium et Armilustrium, Gl. Pro quo in iisdem etiam : Ὅπλων κάθαρσις, Armilustrium.]

[Ὁπλολογέω, Arma lego, colligo. Macc. 2, 8, 27, 31.]

Ὅπλομαι, Armor : unde ὅπλεσθαι, quod Hesych. exp. ὁπλίζεσθαι. Eust. hoc ὅπλεσθαι annotat primitivum esse sequentis verbi ὁπλίζεσθαι [quomodo interpretatur Hesychius], sicut τειχέω ap. Herodot. primitivum est verbi τειχίζω. Homerus autem δεῖπνον ὅπλεσθαι dicit pro Instrui et parari cœnam : Il. T, [171, Ψ, 159] : Ἀλλ' ἄγε μὲν σκέδασον λαὸν, καὶ δεῖπνον ἄνωχθι Ὅπλεσθαι, ubi in meo Ms. Hom. exp. κατασκευάζεσθαι εἰς πόλεμον : ac posset etiam active capi, sicut ὁπλίζεσθαι.

Ὁπλομανέω, Insano armorum amore ducor. [Leonid.
B Tar. Anth. Pal. 9, 320, 2 : Ἁ πόλις ὁπλομανεῖ.] Synes. Ep. 107 [105, p. 249, A] : Ὅς καὶ παιδόθεν αἰτίαν ἔσχον ὁπλομανεῖν τε καὶ ἱππομανεῖν, Qui ab ineunte ætate male audieram quasi insano studio armorum equorumque flagrarem. Apud Athen. autem Pontianus quidam dicit, 6, [p. 234, C] : Περὶ τῶν βρωτῶν καὶ ποτῶν καὶ τῶν ἄλλων ἀναγκαίων ὁπλομανοῦντες διετέλουν, de Gallis, ubi Bud. ὁπλομανεῖν interpr. Armorum studio nimio teneri.

[Ὁπλομανής, ὁ, ἡ, Armis insaniens. Eutecnii Metaphr. Oppiani p. 8, νεότης.]

[Ὁπλομανία, ἡ, Insanum studium armorum. Eust. Opusc. p. 199, 93 : Τὸ τῇ ὁπλομανίᾳ ἐπίληπτον τεθεράπευτο.]

Ὁπλομαχέω, Armis pugno, ut Horat.; Armis certo, ut Virg.; Armis decerto, ut Cic. [Isocr. De antid. p. 482, 269 : Ὁπλομαχεῖν μαθόντες.] Plut. in Cat. [c. 20] : Οὐ μόνον ἀκοντίζειν, οὐδ' ὁπλομαχεῖν οὐδ' ἱππεύειν διδάσκων τὸν υἱὸν, ἀλλὰ καὶ πὺξ παίειν, Non armis tantum decertare, sed pugnos etiam ingerere adversario, s.
C pugnis cædere. [Apollod. 2, 4, 9, 1 : Ἐδιδάχθη δὲ Ἡρακλῆς ... ὁπλομαχεῖν ὑπὸ Κάστορος.]

[Ὁπλομάχης, ὁ, i. q. ὁπλομάχος. Plato Euthyd. p. 299, C : Ἐγὼ δὲ ᾤμην σε δεινότερον εἶναι, ἅτε ὁπλομάχην ὄντα.]

[Ὁπλομαχητικός, ή, όν, Ad ὁπλομαχίαν, q. v., pertinens. Sext. Emp. Adv. eth. 197, p. 726 : Πᾶσα τέχνη, ἐάν τε θεωρητικὴ, ἐάν τε πρακτικὴ, ὡς ὁπλομαχητική.]

Ὁπλομαχία, ἡ, Pugna s. Certamen quo armis decertatur. Est et genus Exercitii. [Xen. Anab. 2, 1, 7 : Φαλῖνος εἷς Ἕλλην, ὃς ἐτύγχανε παρὰ Τισσαφέρνει ὢν καὶ ἐντίμως ἔχων· καὶ γὰρ προσεποιεῖτο ἐπιστήμων εἶναι τῶν ἀμφὶ τάξεις τε καὶ ὁπλομαχίαν. Plato Leg. 7, p. 813, E : Γυμνάσια τίθεμεν τὰ περὶ τὸν πόλεμον ἅπαντα τοῖς σώμασι διαπονήματα τοξικῆς τε καὶ πάσης ῥίψεως καὶ πελταστικῆς καὶ πάσης ὁπλομαχίας· 8, p. 833, E : Τοὺς περὶ ὁπλομαχίαν ἄκρους. Ephorus ap. Athen. 4, p. 154, D : Ὁπλομαχίας μαθήσεις ἐν Μαντινείᾳ πρῶτον εὑρέθησαν, Δημέου τὸ τέχνημα καταδείξαντος. Schol. Hom. Il. Ψ, 818 : Τινὲς δὲ τὴν ὁπλ. Διομήδην εὑρεῖν φασιν, et ib. 810. V.
D Ὁπλομαχέω, et quæ disputavit Locell. ad Xenoph. Eph. p. 127-8, qui præter alios aliorum ll. annotavit Plat. Lach. p. 179, D; 181, D; 182, B, qui ἐν ὅπλοις μάχεσθαι dicit.]

[Ὁπλομαχικός, ή, όν, Ad pugnam armatam pertinens. Dio Cass. 59, 14; 60, 5, ἀγῶνες.]

Ὁπλομάχος, ὁ, ἡ, Qui armis decertat s. pugnat. Quo nomine inscribitur etiam fabula quædam Alexandridæ [Anaxandridis], citaturque ab Athen. 14, [p. 634, E]. Pro Bellator armatus, s. Qui armis militaribus et scuto depugnat, usurpatur a Polyb. 2, [65, 11] : Τῆς τῶν ἀγαθῶν ὁπλομάχων προβολῆς. Utitur eod. vocab. et Martialis [8, 74] : Hoplomachus nunc es, fueras ophthalmicus olim. [Xen. Reip. Lac. 11, 8 : Εὐπορώτατα δὲ καὶ ἐκεῖνα Λακεδαιμόνιοι ποιοῦσι τὰ τοῖς ὁπλομάχοις πάνυ δοκοῦντα χαλεπὰ εἶναι κτλ. Theophr. Char. 21, fin. : Τοῖς φιλοσόφοις, τοῖς σοφισταῖς, τοῖς ὁπλομάχοις. Teles Stob. Flor. vol. 3, p. 297 : Φοβεῖται τὸν παιδοτρίβην, τὸν ὁπλομάχον. Strabo 16, p. 752 : Πωλοδάμναι καὶ ὁπλομάχοι καὶ ὅσοι παιδευταὶ τῶν πολεμικῶν. V. Ὁπλομαχέω, Ὁπλομαχία. De accentu paroxytono diserte monitum ab Athen. 4, p. 154, F.]

Ὅπλον, τὸ, q. d. Armum. [Telum, Scutum, Gl. Quibus verbis apte significatur utrumque genus armorum, tam quibus tegitur corpus, quam quibus cum hoste confligitur. Cujus duplicis signif. exx. quum HSt. non distinxerit, nos quoque promiscue posuimus. Singulari Eur. Herc. F. 161 : Τόξ' ἔχων, κάκιστον ὅπλον· et de clava Herculis 570 : Τῷ καλλινίκῳ τῷδ' ὅπλῳ· 942 : Τίς μοι δίδωσι τόξα, τίς δ' ὅπλον χερός; Callim. Ep. 1, 7 : Σκίπωνα, γεροντικὸν ὅπλον. Theocr. 24, 5 : Χαλκείαν κατέθηκεν ἐς ἀσπίδα, τὰν Πτερελάου Ἀμφιτρύων καλὸν ὅπλον ἀπεσκύλευσε πεσόντος. Herodot. 4, 23 : Οὐδέ τι ἀρήιον ὅπλον ἐκτέαται· et ib. 174. De thorace Xen. Eq. 12, 1 : Ὁ λίαν στενὸς δεσμὸς, οὐχ ὅπλον ἐστίν. Et de manus tegumento 5 : Τὸ εὑρημένον ὅπλον τὴν χεῖρα καλουμένην. De funda Cyrop. 7, 4, 15 : Ὅπλον δουλικώτατον. In specie vero Ὅπλον dicitur Scutum s. clypeus. Cujus signif. Reisk. ad Constantin. vol. 2, p. 48 testes citavit quum alios tum Diodor. 15, 44 : Οἱ πρότερον ἀπὸ τῶν ἀσπίδων ὁπλῖται καλούμενοι τότε ἀπὸ τῆς πέλτης πελτασταὶ μετωνομάσθησαν· 17, 18 : Τὸ ἴδιον ὅπλον ἀνέθηκε τῇ θεῷ, Schneiderus ex inscr. ap. Caylus. *Recueil* vol. 2, tab. 56, εἰκὼν γραπτὴ ἐν ὅπλῳ, ut in Attica apud Bœckh. vol. 1, p. 169, n. 124, 27. Polyb. 1, 22, 10 : Ὑπὲρ τὸν δρύφακτον ὑπερτιθέμενοι τὰς ἴτυς τῶν ὅπλων.] Plur. Ὅπλα, Arma. [Ancilia, add. Gl.] Hom. Il. K, [272] : Τὼ δ' ἐπεὶ οὖν ὅπλοισιν ἐνὶ δεινοῖσιν ἐδύτην, Arma induerunt, ut et Latini loquuntur, h. e. Armis se accinxerunt, Se armarunt. [Hesiod. Th. 853 : Ζεὺς δ' ἐπεὶ οὖν κόρθυνεν ἑὸν μένος, εἵλετο δ' ὅπλα, βροντήν τε στεροπήν τε καὶ αἰθαλόεντα κεραυνόν· et figurate Antipater Sidon. Anth. Pal. 7, 65, 4 : Ὧ (Diogeni) μία τις πήρα, μία διπλοΐς, εἷς ἅμ' ἐφοίτα σκίπων, αὐτάρκους ὅπλα σαοφροσύνας, et similiter alii poetæ, ut Marc. Argentar. ib. 6, 248, 6 : Δείπνων ὅπλον ἑτοιμότατον (λάγυνος). Antiphil. ib. 95, 3 : Σταχυητόμον ὅπλον ἀρούρης. Pind. Nem. 1, 51 : Χαλκέοις σὺν ὅπλοις· 7, 25 : Ὅπλων χολωθείς· 8, 27 : Χρυσέων στερηθεὶς ὅπλων· Pyth. 10, 14 : Ἐν πολεμαδόκοις Ἄρεος ὅπλοις. Æsch. Sept. 121 : Φόβος ἀρηίων ὅπλων· Pers. 379 : Πᾶς ἀνὴρ κώπης ἄναξ ἐς ναῦν ἐχώρει, πᾶς δ' ὅπλων ἐπιστάτης. Soph. Aj. 41 : Τῶν Ἀχιλλείων ὅπλων· Phil. 1064 : Τοῖς ἐμοῖς ὅπλοισι κοσμηθείς· Ant. 115 : Πολλῶν μεθ' ὅπλων ξύν θ' ἱπποκόμοις κορύθεσσι. Eur. Or. 573 : Ἥτις μεθ' ὅπλων ἄνδρ' ἀπόντ' ἐκ δωμάτων ... προὔδωκε· Bacch. 759 : Ὀργῆς ὕπο ἐς ὅπλ' ἐχώρουν· Phœn. 1465 : Οἱ δ' εἰς ὅπλ' ᾖσσον· El. 377 : Εἰς ὅπλ' ἔλθω; Iph. A. 374 : Μηδέν' ἂν χρέους ἕκατι προστάτην θείμην χθονὸς μηδ' ὅπλων ἄρχοντα· Bacch. 309 : Στρατὸν γὰρ ἐν ὅπλοις ὄντα κἀπὶ τάξεσι διεπτοίησε· Heracl. 399 : Πόλις τ' ἐν ὅπλοις· Bacch. 789 : Οὔ φημι χρῆναί σ' ὅπλ' ἐπαίρεσθαι θεῷ, ἀλλ' ἡσυχάζειν· 804 : Ἐγὼ γυναῖκας δεῦρ' ὅπλων ἄξω δίχα· Ion. 1292 : Οὔτοι σὺν ὅπλοις ἦλθον ἐς τὴν σὴν χθόνα· Herc. F. 1382 : Γυμνωθεὶς ὅπλων. Aristoph. Av. 449 : Τοὺς ὁπλίτας ἀνελομένους θὤπλ' ἀπιέναι πάλιν οἴκαδε· Vesp. 27 : Ἀποβαλὼν ὅπλα· Lys. 277 : Ὤχετο θὤπλα παραδοὺς ἐμοί· 633 : Ἀγοράσω τ' ἐν τοῖς ὅπλοις ἑξῆς Ἀριστογείτονι. « Ἔδυντο τὰ ὅπλα Herodot. 7, 218. Ἀναλαμβάνειν τὰ ὅπλα 9, 53, 57. Ἡ ἐσθὴς ἐρῆμος ἐοῦσα ὅπλων 9, 63. Ὅπλα δὲ οὐδ' οὗτοι εἶχον, i. e. ψιλοὶ ἦσαν, 9, 30. Ἀντία τίθεσθαι 1, 62. Πελοποννησίοισι ἀντία ἔθεντο τὰ ὅπλα 5, 74, Contra Peloponnesios arma converterant. Sed ἔθεντο πρὸ τοῦ ἱροῦ τὰ ὅπλα 9, 52, id continuo ἐστρατοπεδεύοντο dicit. Τοῖσι πρὸ τοῦ τείχους τὰ ὅπλα ἔκειτο, Castra habebant, 7, 208. Similiter ap. Thuc. 2, 2, θέμενοι ἐς τὴν ἀγορὰν τὰ ὅπλα, non, ut schol. vult, valet περιθέμενοι ἑαυτοῖς τὰ ὅπλα, sed In foro stationem ceperant. Scil. armati milites iter facientes, a tergo suspensa scuta gestabant, subsistentes vero, humum ante se ita demittebant scuta, ut inniti eis quodammodo possent. » Ex Schweigh. Lex. Luciano Nav. c. 32 ἐναντία θησόμενος τὰ ὅπλα pro ἐναντιωθησόμενος, ut est ap. Demosth. p. 624, 15 : Ἐναντία θήσεσθαι τὰ ὅπλα, restitui in Ἐναντιόω p. 991, B. Alia de hac formula v. in Τίθημι. Xen. H. Gr. 7, 4, 38 : Προηγόρευον ἐν τοῖς ὅπλοις εἶναι, et alibi. Anab. 3, 2, 8 : Σὺν τοῖς ὅπλοις δίκην ἐπιθεῖναι αὐτοῖς· H. Gr. 6, 5, 10 : Σὺν ὅπλοις ἐληλυθότων αὐτῶν ἐπὶ τοὺς Τεγεάτας· 7, 4, 35 : Μὴ ἰέναι σὺν ὅπλοις εἰς τὴν Ἀρκαδίαν.] Æschin. [p. 73, 31] : Ἐν τοῖς ὅπλοις διεσκευασμένοι, Armati. Thuc. 6, p. 216 [c. 56, 61] : Ἐν ὅπλοις γενέσθαι, In armis s. Armatum esse. Herodian. 6, [6, 11] : Ἡσύχασαν, οὐδ' ἐν ὅπλοις ἐγένοντο, Nec arma ceperunt, sumpserunt. 4, [14, 19] : Ἐν τοῖς ὅπλοις ἦσαν, In armis erant. Philo V. M. 1 : Ἐν τοῖς ὅπλοις ἐκτεταγμένη πρὸς τὴν μάχην δύναμις, Copiæ in armis ad pugnam explicatæ. Rursum Thuc. 8 : Ἥκοντες ἐν τοῖς ἑαυτῶν ὅπλοις, Armis suis instructi. [Xen. quum alibi tum Cyrop. 2, 4, 1 : Ἐξέτασιν πάντων ἐν τοῖς ὅπλοις.] Æschin. [p. 71, 6] : Ἧκον πρὸς ἡμᾶς μεθ' ὅπλων πανδημεὶ, Armati. [Plato Reip. 8, p. 551, B.] Thuc. 2, [90] : Ἐπεσβαίνοντες ξὺν τοῖς ὅπλοις ἐς τὴν θάλασσαν. [Aristoph. Eq. 359 : Νῦν δὲ ξὺν ὅπλοις ἄνδρες ὁπλῖται διαταξάμενοι· Lys. 555.] Et in Epist. Philippi ap. Dem. [p. 163, 15] : Ὅπλοις διακρίνεσθαι, Armis de summa rerum decernere. Et συῤῥάττειν ὅπλα, Concutere arma, ut Ovid. : unde Plut. [Mor. p. 339, B] : Ἀλαλαγμοῖς καὶ ὅπλων συῤῥάξεσι. [Thuc. 1, 83 : Ἔστιν ὁ πόλεμος οὐχ ὅπλων τὸ πλέον, ἀλλὰ δαπάνης.] Dem. Philipp. [3, p. 112, 25] : Τὰ ὅπλα ἐν ταῖς χερσὶν ἔχων καὶ δύναμιν πολλὴν περὶ αὐτόν. Id. C. Mid. : Θέμενος τὰ ὅπλα, Arma ponens, h. e. deponens. Plato Apol. [p. 39, A] : Ὅπλα ἀφεὶς καὶ ἐφ' ἱκετείαν τραπείς. Xen. Cyrop. 4, [2, 32] : Ἐῤῥίπτουν τὰ ὅπλα. [Ib. 4, 11 : Ὁπόσοι ἂν τὰ πολεμικὰ μὴ ἀποφέρωσιν ὅπλα.] Sic Aristot. Eth. 5, 1 : Μὴ λείπειν τὴν τάξιν, μηδὲ φεύγειν, μηδὲ ῥίπτειν τὰ ὅπλα. Abjicere et Projicere arma Latini quoque dicunt. Thuc. 4, p. 134 [c. 37] : Τὰ ὅπλα παραδοῦναι καὶ σφᾶς αὐτοὺς Ἀθηναίοις. Xen. [Anab. 3, 1, 27,] Hell. 2, [3, 20] : Τὰ ὅπλα πάντων παρείλοντο. Herodian. 7, [9, 11] : Γυμνοὶ ὅπλων. [Thuc. 2, 89 : Ἄνευ ὅπλων κινηθῆναι. Xen. Cyrop. 3, 2, 13 : Μηκέτι ἥκετε δεῦρο ἄνευ ὅπλων. Plato Reip. 8, p. 557, A : Αὕτη ἡ κατάστασις δημοκρατίας, ἐὰν ... δι' ὅπλων γένηται.] Et ἀναλαμβάνειν ὅπλα, Plut. Coriol. [c. 26], cui opp. καταθέσθαι τὰ ὅπλα [ap. Xen. Anab. 5, 2, 15]. Sic Resumere, Deponere arma, contraria sunt. Item ap. Xen. Hell. 2, [4, 25] : Ὅπλα ἐποιοῦντο, οἱ μὲν ξύλινα, οἱ δὲ οἰσύϊνα. Et Herodian. 3, [4, 20] : Ἐργάζεσθαι ὅπλα· ubi etiam ὅπλοις χρῆσθαι ἐδιδάχθησαν, Armis uti. Xen. Reip. Lac. [13, 8] : Ὅπλα λαμπρύνεσθαι· ut Stat., Polire arma. Lucian. Timone [c. 51] : Ἔχειν ὅπλα. [Plato Conv. p. 221, A.] Aristot. Polit. 4, ὅπλα κεκτῆσθαι· 2 : Τὴν τῶν ὅπλων κτῆσιν. [Plat. Menex. p. 238, D : Ὅπλων κτῆσίν τε καὶ χρῆσιν. Eur. Hec. 14, et] Plut. Apophth., Ὅπλα φέρειν. Sic Herodian. 7, [4, 8] : Ἃ ἔφερον αὐτοσχεδίου πολέμου ὅπλα. Plato [Critiæ p. 120, C : Ὅπλα ἐπ' ἀλλήλους οἴσειν·] De rep. 5, [p. 474, A] : Λαβόντες ὅ, τι ἑκάστῳ παρέτυχεν ὅπλον, Rapientes obvium quodque telum. [Xen. H. Gr. 6, 5, 28 : Εἴ τις βούλοιτο ὅπλα λαμβάνειν καὶ εἰς τάξιν τίθεσθαι· Anab. 1, 3, 7 : Λαβόντες τὰ ὅπλα.] Sic Herodian. 7, [11, 15] : Πᾶν τὸ ἐμπῖπτον ὕλης ἀξιομάχου ἐργαλεῖον ὅπλον ἐποιεῖτο, Quicquid occurreret, furor in arma convertebat. Thuc. 8, [97] : Ὅπλα παρέχονται, Arma ministrant, Præbent, Suggerunt. Idem 4, [16], Ὅπλα ἐπιφέρειν τῷ στρατῷ· quo genere loquendi utitur etiam l. 5, [49. Xenoph. H. Gr. 6, 5, 36 : Ὅπλα ἐπήνεγκαν Τεγεάταις. Demosth. p. 216, 5 : Ὅπλα ἐπιφέρειν ἐπὶ πολέμῳ.] At l. 1, [82] dicit ὅπλα κινεῖν, sicut et Latini et Arma movere dicunt, pro Arma capere, capessere, sumere. Sic Herodian. 7, [4, 2] : Πρῶτοι ὅπλα ἐκίνησαν. [Xen. H. Gr. 7, 3, 9 : Εἰ μὲν ὅπλα ἠθροικὼς ἐφάνη ἐφ' ὑμᾶς. Ib. 5, 1, 22 : Οἴκαδε ἔθεον ἐπὶ τὰ ὅπλα· Cyrop. 3, 2, 5 : Ἴτε ἐπὶ τὰ ὅπλα· H. Gr. 2, 1, 2 : Μὴ ἐς τὰ ὅπλα ὁρμήσωσι· Anab. 1, 5, 13 : Παραγγέλλει εἰς τὰ ὅπλα· H. Gr. 2, 3, 20 : Κελεύσαντες ἐπὶ τὰ ὅπλα.] Rursum Thuc. [4, 74] : Ἐξέτασιν ὅπλων ἐποιοῦντο, quod Cic. dicit Inspicere arma. Idem l. 8 [immo 7, 75] dicit, Ὑπὸ τοῖς ὅπλοις περιμένειν. Et paulo ante [c. 28], Ἐφ' ὅπλοις ἦσαν· in quibus ll. significat Arma eos ad manum habuisse, non tamen eis indutos fuisse. [Xen. Reip. Lac. 12, 7 : Ἐπὶ τῶν ὅπλων ἀναπαύεσθαι· Cyrop. 7, 2, 3 : Μένειν ἐπὶ τοῖς ὅπλοις παρήγγειλε καὶ ἀριστοποιεῖσθαι. Polyb. 5, 64 4 : Ἐποιοῦντο δὲ καὶ συναγωγὰς ἐπὶ τῶν ὅπλων.] At Athen. 4, [p. 155, B] : Πρὸς ὅπλα ὠρχοῦντο, pro In armis saltabant : unde ἐνόπλιος ὄρχησις. Item, ὅπλα ἀγχέμαχα, Xen. Cyrop. 7, [4, 15], ex quo ante habuimus ὅπλα ξύλινα et οἰσύϊνα. Plut. Coriol. [c. 2] : Ὅπλον σύμφυτον καὶ συγγενὲς, Telum quo natura munivit. Plut. Alex. [c. 47] : Μακεδονικοῖς ὅπλοις ἐντρέφεσθαι, pro Armis Macedonicis assuescere. [De acie Eur. Phœn. 1191 : Ὁπλῖταί τ' εἰς μέσ' Ἀργείων ὅπλα ξυνῆψαν ἔγχη. Et similiter Xen. Cyrop. 8, 8, 24 : Τιμαῖς αὐξήσας τοὺς ἡνιόχους καὶ ἀγαθοὺς (vel potius ἀγαστοὺς) ποιήσας εἶχε τοὺς εἰς τὰ ὅπλα ἐμβαλοῦντας, ubi de armatis dicitur, ut Anab. 2, 2, 4 : Τὰ μὲν ὑποζύγια ἔχοντες πρὸς τοῦ ποταμοῦ, τὰ δὲ ὅπλα ἔξω· Cyrop. 5, 4, 45 : Ταῦτα δὲ πάντα δεῖ προκεκαλύφθαι τοῖς ὁπλοφόροις καὶ μηδαμῆ τοῖς πολεμίοις γυμνὰ ὅπλων τὰ σκευοφόρα φαίνεσθαι, aliisque locis similibus. De castris vel statione militum Anab. 3, 1, 33 : Ἐπεὶ δὲ πάντες συνῆλθον, εἰς τὸ πρόσθεν τῶν ὅπλων ἐκαθέζοντο· 2, 2, 20 : Τὸν ἀφέντα τὸν ὄνον εἰς τὰ ὅπλα· 4, 15 : Ἔτυχον ἐν περιπάτῳ ὄντες πρὸ τῶν ὅπλων· 3, 1, 3 : Ἐπὶ τὰ ὅπλα πολλοὶ οὐκ ἦλθον ταύτην τὴν νύκτα, ἀνεπαύοντο δὲ ὅπου ἐτύγχανεν ἕκαστος· 33 : Ἐπεὶ δὲ πάντες συνῆλθον, εἰς τὸ πρόσθεν τῶν ὅπλων ἐκαθέζοντο· 5, 7, 21 : Ξυγκαθήμενοι ἔξωθεν τῶν ὅπλων· Cyrop. 7, 2, 5 : Ὡς εἶδε τοὺς μὲν Πέρσας φυλάσσοντας τὴν ἄκραν, τὰ δὲ τῶν Χαλδαίων ὅπλα ἔρημα· H. Gr. 7, 2, 6 : Ἀναβάντες καὶ λαβόντες τῶν φρουρῶν τὰ ὅπλα ἔρημα. || Notandum etiam ὁ ἐπὶ τῶν ὅπλων στρατηγὸς, prætor militaris, qui distinguitur ab τῷ ἐπὶ τῆς διοικήσεως, ap. Demosth. p. 238, 13, et ubi omittitur στρατηγὸς p. 265, 8.] || Aliquando ὅπλον alio vocabulo reddendum est : ut ap. Synes. Ep. 104 : Σπεύδουσιν εἴσω τῶν ὅπλων γενέσθαι, In præsidia se recipere. Sic enim nonnulli interpr. Nisi malis, Armis se accingere, Arma induere. [Xen. Anab. 3, 3, 7 : Εἴσω τῶν ὅπλων κατεκέκλειντο· 4, 26 : Κατέκλεισαν αὐτοὺς εἴσω τῶν ὅπλων.] Alex. Aphr. Probl. 1 : Ὅπλον πρὸς δυσπάθειαν μέγα, Armat et munitissimum reddit contra morbum. [Orph. H. 27, 7 : Ὃς χείρεσσιν ἔχεις εἰρήνης ὅπλον ἀμεμφὲς, de caduceo Mercurii. Ib. 10 : Γλώσσης δεινὸν ὅπλον. De fulmine 18, 8 : Πτηνὸν ὅπλον δεινόν. || Singulari mire pro plurali utitur Jo. Malalas p. 43, 1 : Κεκοσμημένον ὅπλῳ καὶ στρατῷ, quum p. 42, 13 dixisset μετὰ πολλῆς ἀξίας καὶ ὅπλων. || Ὅπλον pro δρόμῳ ὁπλίτῃ poni ap. Artemid. 1, 63, conjecit Reiffius. || « Arma spiritualia sunt arma piorum, quibus illi pugnant adversus hostes spirituales. Ea autem vocantur ὅπλα φωτὸς Rom. 13, 12, et intelligi possunt virtutes, bona opera. Suidas (s. Photius) : Ὅ. φ. ὁ ἀπόστολος αἱ τῶν ἀρετῶν ἐργασίαι, Theodoret. p. 102, τῶν ἀγαθῶν τὴν ἐνέργειαν, Theophylact. p. 132, αἱ τῆς ἀρετῆς πράξεις· ἐν ἀσφαλείᾳ γὰρ καθιστῶσι τὸν ταύτας ἔχοντα. Ὅπλα δικαιοσύνης Rom. 6, 13 et Cor. 2, 6, 7. Ad posteriorem l. Theophyl. p. 371, ὅ. δ. ἀριστερὰ τὰ λυπηρὰ πάντα, ὅπλα μὲν ὡς τειχίζοντα καὶ ἐν ἀσφαλείᾳ καθιστῶντα, ἀριστερὰ δὲ διὰ τὴν τῶν πολλῶν ὑπόληψιν· δεξιὰ δὲ τὰ εὐθυμότερα. » Hæc et alia Suicer. Conf. etiam Schleusner. Lex.] || Ὅπλα ab Hom. vocantur etiam Instrumenta fabrilia et nautica, ut Virg. Cerealia arma vocavit Instrumenta quibus cereris sive cerealia semina comminuuntur et in farinam rediguntur : Od. Γ, [433] : Χαλκεὺς Ὅπλ' ἐν χερσὶν ἔχων χαλκήϊα, Æraria arma, qualia esse dicit ἄκμονα, σφύραν, πυράγραν. Et Il. Σ, [409] Vulcanus, Ὄφρ' ἂν ἐγὼ φύσας ἀποθείομαι, ὅπλα τε πάντα, Folles, ac omnia reliqua arma fabrilia. [Aret. p. 32, 14 : Τιθεὶς τὰ ὅπλα, de fabri instrumentis.] Idem Vulcanus mox ὅπλα πάντα Λάρνακ' ἐς ἀργυρέην ξυλλέγεται. De Nauticis quoque armis dicitur, ut sunt Remi, Conti, et hujusmodi : ut ap. Virg., Armis spoliata navis. [Ὅπλα πλοίου, Armamenta, Gl.] Od. Ζ, [268] : Νηῶν ὅπλα μελαινάων, [πείσματα καὶ σπεῖρα]· Λ, [9] : Ὅπλα πονησάμενοι κατὰ νῆα. Et Β, [423] Telemachus suos remiges jubet Ὅπλων ἅπτεσθαι. [Ib. 390 : Νῆα θοὴν ἄλαδ' εἴρυσε, πάντα δ' ἐν αὐτῇ ὅπλ' ἐτίθει, τάτε νῆες ἐΰσσελμοι φορέουσιν. Et 430 : Δησάμενοι δ' ἄρα ὅπλα θοὴν ἀνὰ νῆα κτλ. Μ, 151 : Ὅπλα ἕκαστα πονησάμενοι κατὰ νῆα· et ib. 410. Hesiod. Op. 625 : Ὅπλα δ' ἐπάρμενα πάντα τεῷ ἐνικάτθεο οἴκῳ. Theocrit. 13, 52 : Κουφότερ', ὦ παῖδες, ποιεῖσθ' ὅπλα· πλευστικὸς οὖρος.] Sed et funem nauticum idem Hom. νηὸς ἐΰστρεφὲς ὅπλον vocat, Od. Ξ, [346] : Ὅπλῳ ἐϋστρεφέϊ στερεῶς κατέδησαν, i. e. σχοινίῳ. [Φ, 390 : Κεῖτο δ' ὑπ' αἰθούσῃ ὅπλον νεὸς ... βύβλινον. Apoll. Rh. 1, 368 : Ἐϋστρεφεῖ ἔνδοθεν ὅπλῳ. Orph. Arg. 357 : Ἐκταδίοις ὅπλοις δῆσαι· 1151 : Ἐκ δ' ὅπλα χέοντες.] Ab Hippocr. quoque ὅπλα dicuntur Funes ex stuppa, lino, cannabe, κάλοι ἀπὸ στυπείου, ἢ λίνου, ἢ κανάβεως, ut Galen. Lex. Hippocr. docet : Erot. tamen itidem in Lex. Hippocr.

A dicit Bacchium non recte ὅπλα accipere τὰ στύππινα σχοινία : esse enim ὅπλα κοινῶς τὰ ἐν τῇ νηῒ διακρατοῦντα ὀρθὸν τὸν ἱστὸν σχοινία. [Hippocr. p. 808, G : Τὰ χαλώμενα ὅπλα· 837, G, ὅπλα Galen. vocari scribit τὰ κατὰ τὴν ναῦν σχοινία κτλ. Foes. Herodot. 7, 25 : Ὅπλα ἐς τὰς γεφύρας βύβλινά τε καὶ λευκολίνου· 36 : Ἵνα ἀνακωχεύῃ τὸν τόνον τῶν ὅπλων· 9, 115 : Τὰ ἐκ τῶν γεφυρέων ὅπλα.] Imo annotat Eust. generaliter ὅπλα nominari πάσης τέχνης καὶ ὁποιασοῦν ἐργασίας ὄργανα s. ἐργαλεῖα, Quælibet instrumenta : plerumque tamen Bellica arma significat, quæ et ἀρήϊα ὅπλα [locis initio citatis] dicuntur, h. e. Mavortia arma : s. τὰ πολεμικὰ σκεύη. || Per jocum vero Penis etiam ὅπλον appellatur, sicut et κέντρον, et Spiculum a quibusdam Latinorum : τὸ αἰδοῖον, inquit Hesych. [Ita sumendum puto in Nicandro apud Athen. 15, p. 683, E. Hemst. Erycius Anth. Plan. 242, 1 : Ὡς βαρὺ τοῦτο, Πρίηπε, καὶ εὖ τετυλωμένον ὅπλον πᾶν ἀπὸ βουβώνων ἀθρόον ἐκκέχυκας.]

[Ὁπλοπάροχος, ὁ, Insignarius, Armiger, Gl.]

[Ὁπλοπετής, ὁ, Ventilator, Gl.]

B Ὁπλοποιέω, Arma fabricor. Sap. 5, [18] : Ὁπλοποιήσει τὴν κτῆσιν εἰς ἄμυναν ἐχθρῶν, Arma ex facultatibus suis parabit. [Pass. ὡπλοποιήθη in Gretseri Opp. vol. 2, p. 103, C. L. Dind.]

[Ὁπλοποιητικός. V. Ὁπλοποιικός.]

Ὁπλοποιΐα, ἡ, Armorum confectio, ἡ τῶν ὅπλων ἐργασία. [Liber 18 Iliadis, Diod. 14, 43, Athen. 5, p. 180, D, Strabo 1, p. 4. « Eust. Il. p. 137, 33, 38. » Seager. Schol. Lycophr. 462 : Λήμνιοι γὰρ, ὥς φησιν Ἑλλάνικος, εὗρον ὁπλοποιΐαν. Pollux 7, 154.]

[Ὁπλοποιικὸς, ἡ, ὸν, Ad arma fabricanda pertinens. Plato Polit. p. 280, D : Τὴν ὁπλοποιικὴν, ubi olim —ποιητικὴν, de arte. Inter easdem formas variant libri Pollucis 7, 209, ubi Kuhnio recte ap. utrumque præferenti ὁπλοποιικὴ non recte adversatur Hemst. his verbis : « Ὁπλοποιητικὴ, ita hæc vox ap. Plat. extat, me quidem judice recte, nec quicquam mutabis : habet eam Ammon. in Aristot. aliique. » Sed recentiorum potius in his compositis sunt formæ in ητικος, quam Atticorum, quas supra aliquoties cum illis con- C fusas notavimus.]

Ὁπλοποιὸς, ὁ, Armorum faber [Gl.], Qui arma conficit; nam ποιεῖσθαι ὅπλα Xen. dicit : pro quo alibi κατασκευάζειν ὅπλα, de ærariis loquens : et Herodian. ἐργάζεσθαι ὅπλα. Apud Polluc. 1, [149] caput quoddam inscribitur Περὶ ὁπλοποιῶν : pro quo ὁπλοποιοὶ in textu habetur τεχνῖται τῶν ὅπλων, cui hæ species subjunguntur, ἀσπιδοποιὸς, θωρακοποιὸς, κρανοποιὸς, μαχαιροποιὸς, δορυξόος, πιλοποιός. [Inscriptiones illæ non sunt Pollucis. Sed ipse 7, 154 ponit ὁπλοποιός.]

[Ὁπλορχηστής, ὁ, Qui armatus saltat. Procul. In Ptolem. Tetrab. p. 152 : Ὁπλορχήστας (sic), οἱοίπερ εἰσὶν οἱ μεθ' ὅπλων ὀρχούμενοι. L. Dind.]

[Ὅπλος, quod inter vocc. in λος ponit Arcad. p. 53, 25, scribendum videtur ὅτλος. L. Dind.]

Ὁπλοσκοπία, ἡ, Armorum inspectio. Nam Inspicere arma Cic. dicit, quod Thuc. ἐξέτασιν ὅπλων ποιεῖσθαι. Philo V. M. 1 [vol. 2, p. 130, 3] : Τῶν ἐν ταῖς ὁπλοσκοπίαις ἐπιδείξεων· ubi Turn. vertit Armorum recensionem.

D [Ὁπλόσμιος, α, ον, cogn. Jovis, ap. Aristot. De partt. anim. 3, 10, p. 673, 19 : Περὶ Καρίαν τοῦ ἱερέως τοῦ Ὁπλοσμίου Διὸς ἀποθανόντος ὑφ' ὅτου δὲ (del.) δὴ ἀδήλως. Et Junonis ap. Lycophr. 614 : Τύμβος δ' αὐτὸν ἐκσώσει μόρου Ὁπλοσμίας, ubi schol. Vind. τῆς Ἥρας ἢ τῆς Ἀθηνᾶς, Tzetzes autem : Ὁπλ. ἡ Ἥρα ἐν τῇ Πελοποννήσῳ τιμωμένη· et ad 858 : Θεᾷ Ὁπλοσμίᾳ, idem ; Ἐπίθετον Ἥρας τιμωμένης ἐν Ἤλιδι, πόλει τῆς Πελοποννήσου. Vitiose Ὁπλοσμένα, ἡ Ἥρα, apud Zonaram Lex. p. 1459.]

Ὁπλότερος, α, ον, Junior : et Ὁπλότατος, η, ον, Minimus natu : quæ ab ὅπλον derivari videntur grammaticis, et dici de Iis qui jam arma ferre possint. Eust. p. 86 : Ὁπλότατον μὲν καὶ ὁπλότερον ὁ ποιητὴς λέγει τὸν νέον καὶ ὅπλα αἴρειν δυνάμενον. Sic p. 389, ait, Ὁπλότεροι δὲ ἁπλῶς μὲν οἱ νέοι καὶ ὅπλα αἴρειν δυνάμενοι· annotat vero hæc in Hom. Il. Γ, 108 : Αἰεὶ δ' ὁπλοτέρων ἀνδρῶν φρένες ἠερέθονται. Rursum idem gramm. p. 477, in hæc verba Il. Δ, [325] : Αἰχμὰς δ' αἰχμάσσουσι νεώτεροι, οἵπερ ἐμοῖο [ἐμεῖο] Ὁπλότεροι γεγάασι, πεποίθασί τε βίηφι, hæc annotat, Ὁπλότεροι δὲ, οὐ μόνον οἱ νεώτεροι, ἀλλὰ μάλιστα οἱ μάχιμοι καὶ ὅπλα αἴρειν δυνάμενοι· ἔτι δὲ οἱ ἁπλῶς ἐργατικοὶ καὶ εὐεργεῖς· ὅπλα γὰρ, πάσης τέχνης τὰ ἐργαλεῖα. Item Il. I, [58] : Ὁπλότερος [ὁπλότατος al.] γενεῆφι, Natu minor, μεταγενέστερος· quod hemistichium et Od. T, [184] legitur. Il. Ξ, [112] dicit, Γενεῆφι νεώτατος· et Γ, [215] : Γένει ὕστερος [Pind. Pyth. 6, 41 : Γενεᾷ ὁπλοτέροισιν]· cui opp. γενεῇ προγενέστερος. [Φ, 370 : Μή σε καὶ ὁπλότερός περ ἐὼν ἀγρόνδε δίωμαι. Hesiod. Th. 137 : Τοὺς δὲ μεθ' ὁπλότατος γένετο· 333 : Κητὼ δ' ὁπλότατον γείνατο δεινὸν ὄφιν· 478 etc. Aristoph. Pac. 1270, 1271, comparativo, et utroque gradu sæpius Apoll. Rh. aliique poetæ non Attici : Attici enim non solent uti hoc voc.] Improprie autem feminino etiam sexui tribuitur : feminæ enim armis natæ non sunt. Od. Γ, [465] : Νέστορος ὁπλοτάτη θυγάτηρ, i. e. νεωτάτη, Minima natu. [Sic H, 58, Λ, 283 etc. Hesiod. Th. 940. Pind. Isthm. 7, 18 : Θύγατρες ὁπλόταται· 5, 5 : Παίδων ὁπλοτάτου.] Il. Ξ, [267] : Ἐγὼ δέ κέ τοι Χαρίτων μίαν ὁπλοτεράων Δώσω ὀπυιέμεναι, Unam ex junioribus Gratiis. [Apoll. Rh. 1, 693 : Ὁπλοτέρῃσι δὲ πάγχυ τάδε φράζεσθαι ἄνωγα.]

[Ὁπλοτοξότης, ου, ὁ, Sagittarius armatus. Nicet. Eugen. 3, 140; 6, 362. Boiss. V. Villoison. ad Longum p. 9, 38. Angl.]

[Ὁπλουργία, ἡ, Armorum fabrica. Schol. Lycophr. 227 : Ἐν Λήμνῳ εὑρέθη τό τε πῦρ καὶ αἱ ὁπλουργίαι.]

[Ὁπλοφάγος, ὁ, ἡ, Arma rodendo corrumpens. Eust. Il. p. 34, 44, μῦς.]

Ὁπλοφορέω, Arma gero, gesto, quod et ὅπλα φέρω dicitur. [Leonid. Tar. Anth. Pal. 9, 320, 6 : Χἀ θεὸς (Venus) ὁπλοφορεῖ.] Xen. Cyrop. 4, p. 60 [c. 3, 18] : Ταῖς δὲ χερσὶν ὁπλοφορήσω, διώξομαι δὲ τῷ ἵππῳ. Synes. Ep. 107 : Ὡς οὐχ ἐξὸν ἰδιώτας ἀνθρώπους ὁπλοφορεῖν, Arma ferre idiotis non licere. Ὁπλοφορεῖν dicitur etiam Qui armatus alicujus latus stipat, latus alicujus cingit armis indutus : quomodo et δορυφορεῖν capitur. Pass. Ὁπλοφορέομαι, Ab armatis stipor, latus meum cingitur. Plut. [Æmil. c. 27] : Τοσαύταις μυριάσι πεζῶν καὶ χιλιάσιν ἱππέων ὁπλοφορούμενοι βασιλεῖς, A tot teliferis stipati, δορυφορούμενοι.

[Ὁπλοφορία, ἡ, Armorum gestatio. Const. Manass. Chron. 2934.]

Ὁπλοφόρος, ὁ, ἡ, [ὁ ὁπλοφόρος et ἡ ὁπλοφόρα ponit Priscian. De 12 vers. Æneid. 6, 96,] Qui arma gerit, gestat, Armiger, [Scutigerulus, add. Gl.] Telifer, ut Seneca. [Eur. Phœn. 789 : Σὺν ὁπλοφόροις στρατὸν Ἀργείων ἐπιπνεύσας· Iph. A. 190 : Ὁπλοφόρους Δαναῶν θέλουσ' ἰδέσθαι. Orph. H. 30, 4.] Xen. Cyrop. 8, [5, 6] : Καὶ οἱ ὁπλοφόροι αὐτῷ ἐν τῇ στρατοπεδεύσει χώραν τε εἶχον τὴν τῇ ὁπλίσει ἑκάστῃ ἐπιτηδείαν, i. e. οἱ ὁπλοφοροῦντες, Qui arma gestarent. [Sic ib. 5, 4, 27, 45, et alibi.] Athen. 14 : Ἐγεγόνει δ' αὐτοῦ πρότερον ἐπὶ τῶν ῥαβδοφόρων, εἶθ' ὕστερον ἐπὶ τῶν ὁπλοφόρων. Ubi accipi etiam queat pro Stipatoribus et satellitibus, qui armati principis sui latus cingunt. [Apollonides Anth. Pal. 7, 233, 2, αὐχένας. Θεὸς ὁπλοφόρος in numo cum capite Gordiani ap. Eckhel. D. N. vol. 1, p. CIII, A. Pollux 1, 130; 7, 154.]

[Ὁπλοφυλάκιον, τὸ, Locus ubi arma servantur s. custodiuntur. Strabo 15, p. 709 init.]

[Ὁπλοφύλαξ, ἄκος, ὁ, Armicustos, Gl. Athenæo 12, p. 538, B, pro ὀπισθοφυλάκων restituebat Schweigh. Est etiam in inscr. numi Smyrn. ap. Mionnet. *Descr.* vol. 3, p. 209, n. 1150, epitheton Herculis, nt in inscr. Smyrn. ap. Bœckh. vol. 2, p. 718, n. 3162, 5. L. Dindorf.]

[Ὁπλοχάρης, ὁ, ἡ, Armis gaudens. Orph. H. 31, 6, de Minerva; 64, 2, de Marte.]

[Ὁπλοχελώνη, ἡ, Testudo armata. Tzetz. Hist. 11, h. 381, v. 609 : Χελώνας ὀρυκτρίδας τε καὶ τὰς ὁπλοχελώνας.]

Ὀποβάλσαμον, τὸ, Opobalsamum, i. e., Succus qui ex balsamo manat. Cortex ejus vitro, lapide aut osseis cultellis vulnerabatur; ferro namque caudex ejus concisus protinus moritur, inde manabat gutta tenuis, deinde oleo similis, quæ postea rubescebat, simulque durescebat. Hæc Gorr. inter alia. Plin. 12, 25, de balsamo : Succus ex plaga manat, quem Opobalsamum vocant : suavitatis eximiæ, sed tenui gutta.
A Diosc. 1, 18 : Τὸ δὲ ὀποβάλσαμον λεγόμενον ὀπίζεται ἐν τοῖς ὑπὸ κύνα καύμασιν, ἐντεμνομένου σιδηροῖς ὄνυξι τοῦ δένδρου. Aliud ex Theophr. [H. Pl. 4, 4, 14] exemplum habes in Ὀποκινάμωμον. [Conf. C. Pl. 6, 18, 2.] Diosc. disjuncta voce appellat etiam ὀπὸν τοῦ βαλσάμου, Succum balsami. [Ὀποπάλσαμον, Asamoopopalsamum, Gl. De qua scriptura per π diximus in Βάλσαμον et Add.]

Ὁποδαπὸς, ἡ, ὸν, Cujas : indefinite; interrogativum enim est Ποδαπός. Annexo ἂν vel οὖν significat Cujascunque : qua signif. dicitur etiam ὁποδαπὸς [—ὸν] ἂν ἐθέλῃς. [Diphil. ap. Athen. 6, p. 225, B : Δέκ' ὀβολῶν, οὐχὶ προσθεὶς ὁποδαπῶν.] Plato Phædro [p. 275, C] : Ῥᾳδίως σὺ Αἰγυπτίους τε καὶ ὁποδαποὺς ἂν ἐθέλῃς λόγους ποιοίης. [Demosth. p. 1216, 18, pro νόμισμα ποδαπὸν, est var. ὁποδαπόν. || In interrogatione recta Theod. Prodr. in Notitt. Mss. vol. 8, part. 2, p. 151 : Πῶς ποτὲ ὑπονοίας ἔχεις περὶ ἐμὲ, ὁποδαπὸν δέ με φαντάζῃ; Citat Boiss. || Adv. « Ὁποδαπῶς, Anna Comn. p. 446. » Elberling. || Formam Ion. Ὁκοδαπὸς Herodoto 9, 16 : B Τὸν ὁμόκλινον εἴρεσθαι αὐτὸν ὁκοδαπός ἐστιν, pro ὁποδαπὸς vel ποδαπὸς restituit Bekker. Idem ὁποδαπὸς est in libris nonnullis 7, 218.]

[Ὀποειδὴς, ὁ, ἡ, Succum referens, Succosus, Serosus. Hippocr. p. 1216, F, ὀποειδέα οὖρα forte dicuntur Lacteæ et albicantes urinæ, quod pituitam multam crudam et vitream præ se ferant. Intelligi quoque etiam videntur urinæ succum et serum plurimum referentes, velut quæ multam crudam humorum copiam et frigidi pituitosique humoris multitudinem denotant. Ὀπὸς enim τῶν χυμῶν genere censetur, et a Platone in Timæo plantarum succis annumeratur, quod etiam testatur Galenus lib. 1 De simpl. med. fac. cap. 38. Quod igitur ejusmodi urinæ, quales sunt dilutæ, crudi succi et seri plurimam copiam continerent, ὀποειδέες, veluti succosæ et serosæ accipi possunt. Foes. OEc.] || Ὀπώδης, idem [quod ὀποειδὴς et quocum HSt. conjunxit Πολύοπος]. Theophr. H. Pl. 1, [12, 2] : Ἔχει δὲ καὶ ἡ τῶν δένδρων αὐτῶν ὑγρότης διάφορα εἴδη· ἡ μὲν γάρ ἐστιν ὀπώδης, ὥσπερ ἡ τῆς συκῆς C καὶ τῆς μήκωνος· ἡ δὲ, πιττώδης. [Id. 4, 4, 12; 9, 1, 1, 2.] Unde Plin. 15, 28 : Magna differentia et in colore succi : lacteus in capite ficis, non in corpore item. Loquitur autem Plin. de ficorum (i. e. fructus ficus arboris) lacteo succo, qui, si pediculum unde dependent, defringas, emanat, similis ei succo s. lacti quod incisis ramis effluit, atque ὀπὸς nominatur. [Aristot. De partt. anim. 3, 15.]

[Ὀπόεις, εσσα, ἐν, Succidus, Succosus. Nicander Al. 319 : Ὀπόεντας ἐρινούς.]

[Ὀπόεις, Ὀποείσιος. V. Ὀποῦς.]

Ὁπόθεν, Unde, ap. Xen. et alios. [Pind. Pyth. 9, 44 : Κούρας δ' ὁπόθεν γενεὰν ἐξερωτᾷς, ὦ ἄνα· 50 : Χὤτι μέλλει χὠπόθεν ἔσσεται, εὖ καθορᾷς. Soph. fr. Alead. ap. Plut. Mor. p. 21, B : Δεινὸς ... πλοῦτος ... χὠπόθεν πένης ἀνὴρ οὐδ' ἐντυχὼν δύναιτ' ἂν ὧν ἐρᾷ τυχεῖν. Eur. Iph. A. 696 : Γένους δὲ ποίου χὠπόθεν μαθεῖν θέλω. Aristoph. Pl. 534 : Ζητεῖν ὁπόθεν βίον ἕξει· Eq. 800 : Ἐξευρίσκων ὁπόθεν τὸ τριώβολον ἕξει· 1192 : Ἀλλ' οὐ λαγῷ' ἕξεις ὁπόθεν δῷς, et alibi similiter. Thuc. 4, 26 : Ἀπαίροντες D ἀπὸ τῆς Πελοποννήσου ὁπόθεν τύχοιεν. Xen. Anab. 5, 2, 2 : Ὁπόθεν τὰ ἐπιτήδεια ῥᾴδιον ἦν λαβεῖν οὐκ ἦγον· Cyrop. 6, 1, 27 : Ἄλλοθεν ὁπόθεν δύναιντο· Comm. 2, 6, 4 : Μηδὲ πρὸς ἓν ἄλλο σχολὴν ποιεῖται ἢ ὁπόθεν αὐτὸς κερδανεῖ. Plato Reip. 2, p. 362, B : Γαμεῖν ὁπόθεν ἂν βούληται.] Poetæ metri gratia dicunt Ὁππόθεν, ut Hom. Od. Ξ, [47 : Ὁππόθεν ἐσσὶ, et alibi. || Pro πόθεν, Synesius Scholast. epigr. Anth. Plan. 267, 1 : Ὁππόθεν ὁ στήσας; Βυζάντιος. Pro quo τίς πόθεν est in simillimo Posidippi ib. 275, 1. V. Ὁποῖος. De forma Ion. HSt. in Ind. :] « Ὁκόθεν, Unde, Ionice pro ὁπόθεν. » || At ὁπόθεν δήποθεν, Undecunque, Undelibet. [Dio Chr. Or. 31, vol. 1, p. 595 : Τῶν ὁπόθεν δήποθεν ἀνθρώπων. Ὁποθενοῦν, Undeunde, Gl. Plato Gorg. p. 512, A : Ἄν τε ἄλλοθεν ὁποθενοῦν σώζῃ. Aristot. De cœlo 1, 4. Ὁπόθεν ποτὲ Plato Conv. p. 173, A : Ὁπ. ποτὲ ταύτην τὴν ἐπωνυμίαν ἔλαβες. Ὁποθενδηποτοῦν Joseph. C. Apion. 1, 29.]

[Ὁπόθι, Ubi. Æsch. Suppl. 124 : Ὁπόθι θάνατος ἀπῇ. Forma Ὁππόθι Manetho 3, 402 : Ὁππόθι λήγει. Leontius Anth. Plan. 284, 3.]

Ὅποι, Ubi. [Nunquam ὅποι est Ubi, sed aut ὅπου corrigendum vel ὅπῃ, ut ap. Xen. H. Gr. 6, 2, 28, Πολλάκις ὅπου μέλλοι ἀριστοποιεῖσθαι τὸ στράτευμα, scripsi pro ὅποι· 7, 4, 18 : Περιελθόντες καὶ οὗτοι ὅπῃ ἐδύναντο, correxi quod est in libris ὅποι, ne plura memorem exx. formæ ὅποι locis non minus absurdis illatæ, quorum nonnullos indicat Lobeck. ad Phryn. p. 43, aut brachylogia quadam dicitur pro ἐκεῖσε ὅπου.] Annexo ἂν, vel ποτὲ, significat non solum Ubi, Ubinam, sed etiam Ubicunque. Illa signif. ap. Suid. : Ἀπαγγέλλειν ὅποι ποτὲ τῆς γῆς Χοσρόην ἀπολιπὼν εἴη. Hoc, in Axiocho [p. 365, C] : Ἀειδής τε καὶ ἄπυστος ὅποι ποτὲ κείσομαι. [Al. ex. v. infra.] || Significat etiam Quo. [Æsch. Pers. 459 : Ὥστ' ἀμηχανεῖν ὅποι τράποιντο· Ag. 1511 : Ὅποι δὲ καὶ προβαίνων· et al. Soph. OEd. C. 383 : Τοὺς δὲ σοὺς ὅποι πόνους θεοὶ κατοικιοῦσιν οὐκ ἔχω μαθεῖν. Plato Gorg. p. 487, C : Μέχρι ὅποι· Parm. p. 135, B : Ὅποι τρέψει τὴν διάνοιαν· Leg. 6, p. 770, B : Ὅποι βλέποντες δράσετε τὸ τοιοῦτον· Hipp. maj. p. 297, D : Οὐκέτι ἔχω ὅποι τράπωμαι.] Aristoph., Ὅποι κεχώρηκεν οὐκ εἰδώς, Quo ierit ignorans : Nub. [891] : Ἴθ' ὅποι χρῄζεις, Vade quo velis. Plut. : Ῥίψατε τὸν νεκρὸν ὅποι βούλεσθε. Et cum ἂν, Soph. [Aj. 810] : Εἶμι κἀγὼ κεῖσ', ὅποι περ ἂν σθένω, Quo possum. Significat alioqui Quocunque, annexo ἄν. Herodot. : Ὅποι ἂν ἐλαύνοι, Quocunque proficiscitur. Xen. Cyrop. 5, [5, 44] : Ὅποι γὰρ ἂν πορευώμεθα, κρατοῦμεν τῆς χώρας· 7, [3, 12] : Ἀποκομιεῖ σε ὅποι ἂν αὐτὴ ἐθέλῃς. [Plato Phædr. p. 230, E : Ὅποι ἂν ἄλλοσε βούλῃ.] Dicitur etiam ὅποι [ἂν] τύχῃ pro Quocunque, Quocunque sors tulerit. Ib. 8, [4, 3] : Οὐχ ὅποι ἔτυχεν ἕκαστον ἐκάθισεν. Quin et ὅποι simpliciter ponitur pro Quocunque, Siquo. Dem. Pro cor. : Καὶ παρ' ὑμῖν ἀεὶ, καὶ ὅποι πεμφθείην, Et apud vos semper et siquo mitterer, Quocunque mitterer. At ὅποι προσωτάτω, Quamlongissime, ap. [Xen. Cyrop. 7, 2, 1 : Τὰ δὲ ἄλλα φῦλα ὅποι ἐδύνατο προσωτάτω ἐν τῇ νυκτὶ τῆς ἐπ' οἶκον ὁδοῦ ἕκαστος ἀπεχώρει· Anab. 6, 6, 1 : Ἀπήγοντο ... ὅποι ἐδύναντο προσωτάτω·] Eur. [Andr. 922 : Πέμψον με χώρας τῆσδ' ὅποι προσωτάτω. Cum genit. etiam Soph. El. 922 : Οὐκ οἶσθ' ὅποι γῆς οὐδ' ὅποι γνώμης φέρει. || Ὅποιπερ, Soph. OEd. T. 1458 : Ἡ μὲν ἡμῶν μοῖρ' ὅποιπερ εἶσ' ἴτω, et l. supra cit. Xen. Cyrop. 7, 3, 1 : Ὅποιπερ ἂν αὐτοὶ πορεύωνται. Ὅποι ποτὲ Soph. Ph. 780 : Πλοῦς ὅποι ποτὲ θεὸς δικαιοῖ. Xen. Anab. 3, 5, 13 : Ὅποι ποτὲ τρέψονται.]

['Ὀποία, ἡ, Opœa, Scylis Scytharum regis mater ap. Herodot. 4, 78, ubi Ὀποίη.]

Ὁποῖος, α, ον, Ionice Ὁκοῖος [ut ap. Archilochum Eryxiæ p. 397, E : Καὶ φρονεῦσι τοῖ' ὁκοίοις ἐγκυρέωσιν ἔργμασι, et alibi, Herodotum 2, 175 : Ὅσων τε τὸ μέγαθος λίθων ἐστὶ καὶ ὁκοίων τέων], et poetice Ὁπποῖος, Qualis. [Ὁποῖος ἄν, Qualis qualis, add. Gl.] Interdum in interrogatione, interdum et citra interrogationem, idque frequentius. Dicam igitur prius de hoc illius usu. Hom. Il. Υ, [250] : Ὁπποῖόν κ' εἴπησθα ἔπος, τοῖόν κ' ἐπακούσαις· quo ex versu manasse Erasmus existimat proverb. illud, Quum dixeris quæ vis, audies quæ non vis; sed falso, quum hæc sint verborum Alcæi interpretatio, et quidem ad verbum. Od. Ρ, [421] : Καὶ πολλάκι δόσκον ἀλήτῃ Τοίῳ ὁποῖος ἔοι, καὶ ὅτευ κεχρημένος ἔλθοι· Τ, [218] : Εἰπέ μοι ὁπποῖ' ἄσσα περὶ χροῒ εἵματα ἕστο. Ut autem ὁποῖ' ἄσσα in illo habes Homeri loco, sic ὁποῖ' ἄττα in isto Platonis, præcedente etiam τοιαῦτα, Phædone [p. 81, E] : Εἰς τὰ τοιαῦτα ἤθη ὁποῖ' ἄττ' ἂν κτλ. [Gorg. p. 465, A.] Usurpatur alioqui et non præcedente illo nomine τοιοῦτος s. τοῖος. Dem. Phal. [De eloc. § 226] : Καὶ λύσεις συχναὶ ὁποῖαι οὐ πρέπουσιν ἐπιστολαῖς. [Pind. Pyth. 4, fin. : Καί κε μυθήσαιθ' ὁποίαν Ἀρκεσίλα εὗρε παγὰν ἀμβροσίων ἐπέων· Nem. 4, 41 : Ἐμοὶ δ' ὁποίαν ἀρετὰν ἔδωκε πότμος, εὖ οἶδ' ὅτι χρόνος τελέσει. Æsch. Prom. 475 : Σεαυτὸν οὐκ ἔχεις εὑρεῖν ὁποίοις φαρμάκοις ἰάσιμος· Eum. 903 : Ὁποῖα νίκης μὴ κακῆς ἐπίσκοπα. Soph. Ant. 5 : Οὐδὲν οὔτ' ἀλγεινὸν οὔτ' ἄτης ἄτερ ... ὁποῖον οὐ τῶν σῶν τε κἀμῶν οὐκ ὄπωπ' ἐγὼ κακῶν· 1156 : Οὐκ ἔσθ' ὁποῖον στάντ' ἂν ἀνθρώπου βίον οὔτ' αἰνέσαιμ' ἂν οὔτε μεμψαίμην ποτέ. OEd. C. 561 : Δεινὴν γὰρ τιν' ἂν πρᾶξιν τύχοις λέξας, ὁποίας ἐξαφισταίμην ἐγώ. Xen. Comm. 4, 4, 13 : Οὐ γὰρ αἰσθάνομαί σου ὁποῖον νόμιμον ἢ ποῖον δίκαιον λέγεις, ubi al. ὁποῖον. H. Gr. 3, 1, 20 : Ἐκέλευσε λαβεῖν τῶν ξυμμά-

A χων ὁπόσους τε καὶ ὁποίους βούλοιτο· Cyrop. 4, 1, 4 : Περὶ ὧν ἐγὼ σκεψάμενος ἐν ὁποίῳ χρόνῳ ἐτρώθησαν· Conv. 4, 40 : Οὐδὲν οὕτως ὁρῶ φαῦλον ἔργον, ὁποῖον οὐκ ἀρκοῦσαν ἂν τροφὴν ἐμοὶ παρέχοι. Utramque formam, ut Xen supra, conjungit Plato Reip. 3, p. 400, A : Ποῖα δ' ὁποίου βίου μιμήματα λέγειν οὐκ ἔχω· 414, D : Οὐκ οἶδα ὁποίᾳ τόλμῃ ἢ ποίοις λόγοις χρώμενος· Alc. 1 p. 111, E : Μὴ μόνον ποῖοι ἄνθρωποί εἰσιν, ἀλλ' ὁποῖοι ὑγιεινοὶ ἢ νοσώδεις· Gorg. p. 500, A : Ποῖα ἀγαθὰ τῶν ἡδέων ἐστὶ καὶ ποῖα κακά. Duplex, ut sæpe οἷος, ap. Plat. Soph. p. 253, A : Ὁποῖα ὁποίοις δυνατὰ κοινωνεῖν· Leg. 2, p. 668, E : Ὁποῖα παρ' ὁποῖα αὐτῶν κείμενα.] Cum superlativo, præcedente verbo δύνασθαι, ap. Thuc. 5, [23] : Τρόπῳ ὁποίῳ ἂν δύνωνται ἰσχυροτάτῳ· quæ verba sunt ex cujusdam Fœderis formula petita. [Xen. Anab. 7, 7, 15 : Ταῦτα ἐρεῖν καὶ ἄλλα ὁποῖα ἂν δύνωνται κράτιστα.] Interdum autem ponitur adverbialiter Ὁποῖα, pro Qualiter, Ut. Item Ὁπποῖα, poetice. [Soph. OEd. T. 915 : Οὐδ' ὁποῖ' ἀνὴρ ἔννους τὰ καινὰ τοῖς πάλαι τεκμαίρεται· 1076 : Ὁποῖα χρῄζει ῥηγνύτω. Eur. Hec. 398 : Ὁποῖα B κισσὸς δρυὸς ὅπως τῆσδ' ἕξομαι. Lycophr. 74, 182, 1429.] || At Ὁποῖος interrogative positi exempla sunt hæc : Hom. Od. Ξ, [188] : Ὁπποίης δ' ἐπὶ νηὸς ἀφίκεο; ubi etiam redditur Qua navi advectus es, potius quam Quali nave. [Immo pendet ex illo καί μοι τοῦτ' ἀγόρευσον, quod est v. 186.] Plato Minoe [initio] : Σωκρ. Ὁ νόμος ἡμῖν τί ἐστιν; Μι. Ὁποῖον καὶ ἐρωτᾷς τὸν νόμον [τῶν νόμων; Alcib. 1 p. 110, C : Ἐν ὁποίῳ χρόνῳ ἐξευρών; Conf. quæ dicentur in Ὁπότερος. Anth. Plan. 294, 1 : Ὁπποίας τὸν Ὅμηρον ἀναγραψώμεθα πάτρης; Const. Manass. 3569 : Ὧδε μὲν ταῦτα στήτω μοι, τὰ δ' ἐφεξῆς ὁποῖα; Stob. Flor. vol. 1, p. 189 : Ὁποίῳ ἱματίῳ ἠμφιεσμένος κακῶς αὐτὸ ἀποδύῃ; Athanasius in Chron. Pasch. p. 9, 17 : Ὁποία γὰρ αὐτοῖς καὶ πιθανὴ ἀπολογία γένοιτ' ἄν; Eumath. Ism. p. 30 med. : Ταῦτα τὰ τῆς τραπέζης· τὰ δὲ τῆς κλίνης ὁποῖα; Heliodor. Æth. 7, 14, p. 280 ult. : Ὁποίοις ποτὲ ἄρα συντευξόμεθα πράγμασι; Jo. Malalas p. 256, 20 : Εἰ ὁ αὐτοῦ μαθητὴς τοιαῦτα θαυμάσια ἐποίει, ὁποῖος ὑπῆρχεν ἐκεῖνος δυνατός; Theodor. Stud. p. 375, A : Τίς καὶ ὁποία;] || Ὁποῖός C τις, vacante τις, itidem pro Qualis, ut ποῖός τις pro ποῖος. Dem. : Τοὺς νόμους ὁποῖοί τινες εἰσὶ σκοπεῖν. Idem, Οὐ γὰρ ὅστις ὁ πάσχων, ᾤετο δεῖν σκοπεῖν, ἀλλὰ τὸ πρᾶγμα ὁποῖόν τι τὸ γινόμενον. Itidem ap. Xen. Cyrop. 3, [3, 35] : Ἐγὼ δὲ ὑμῖν παραινῶν ὁποίους τινὰς χρὴ εἶναι ἐν τῷ τοιῷδε, αἰσχυνοίμην ἄν. [Ib. 2, 3, 15 : Ὁποῖός τις ἂν ᾖ· Anab. 3, 1, 13 : Ὁποῖόν τί ἐστι τὸ τοιοῦτον ὄναρ ἰδεῖν· H. Gr. 4, 6, 2 : Εἰρήνην ποιησόμεθα ὁποίαν ἄν τινα δυνώμεθα· Anab. 2, 2, 2 : Πράττετε ὁποῖον ἄν τι ὑμῖν οἴησθε μάλιστα συμφέρειν. Thuc. 7, 38 : Οὐδὲν δηλοῦντες ὁποῖόν τι τὸ μέλλον ποιήσουσιν. Sæpe sic etiam Plato, et interposito γε Cratyli p. 440, A : Ὁποῖόν γέ τι ἔστιν ἢ πῶς ἔχον. Dionys. H. vol. 6, p. 751, 9 : Σώματος ὁποίου γέ τινος. || Ὁποῖος pro ὁποιοσοῦν ponit Xenoph. OEc. 8, 19 : Ὡς δὲ καλὸν φαίνεται, ἐπειδὰν ὑποδήματα ἐφεξῆς κέηται, κἂν ὁποῖα ᾖ, καλὸν δὲ ἱμάτια κεχωρισμένα ἰδεῖν, κἂν ὁποῖα ᾖ κτλ. « Οὐδ' ὁποῖος, pro οὐδ' ὁποῖος οὖν, Nullus quisquam, Polyb. 4, 65, 3; 5, 21, 7; 9, 27, 9; 10, 19, 4. Sic μηδ' ὁποῖος 4, 21, 6. » Schweigh. Lex. Et sic alii multi. Sine negatione pro Quidam Tzetz. Hist. 9, 296 : Καὶ μετὰ τὴν συμπλή- D ρωσιν σχῆς δωρεὰς ὁποίας. Fab. Æsop. 367, p. 150 Fur. : Σαίνων δ' ὁποῖα. || Ὁ ὁποῖος, quo hodie Græci pro relativo utuntur, est ap. Niceph. Blemm. Paraphr. Dionys. Per. p. 424, 5 : Τασχοὶ καὶ ἄλλοι, οἱ ὁποῖοι κατοικοῦσιν εἰς δύο μέρη· 7 : Ποταμοὶ, οἱ ὁποῖοι ποταμοὶ διέρχονται κτλ. L. Dind.]

|| Ὁποίως, adv. Qualiter [Gl.], Qualitercunque, Quocunque modo. Isocr. Panath. [p. 261, B] : Ὅμως δ' οὕτως ὁποίως ἂν οἷός τ' ὦ, πειράσομαι διαλεχθῆναι περὶ αὐτῶν. [Nunc ὅπως ex codd.]

Ὁποιοσδὴ, et Ὁποιοσδήποτε, et Ὁποιοσδήποτ' οὖν [Sext. Emp. p. 224, 30. Hemst.], vel Ὁποιοσδηποτοῦν, item Ὁποιόσπερ, necnon Ὁποιοσοῦν [quod frequens inprimis ap. Plat., ut Crat. p. 390, A : Ἐν ὁποιαισοῦν συλλαβαῖς· B : Ἐν ὁποιῳοῦν ξύλῳ· Theæt. p. 182, D : Περὶ αἰσθήσεως ὁποιασοῦν· Soph. p. 247, D : Τὸ καὶ ὁποιανοῦν τινα κεκτημένον δύναμιν· Theæt. p. 152, D : Οὐδ' ἄν τι προσείποις ὀρθῶς οὐδ' ὁποιονοῦν τι, item ap. Aristot. et alios], et Ὁποιοστισοῦν, Qualiscunque. Sed

Xenoph. [H. Gr. 5, 4, 58], Ὁποιαδὴ φλέψ, pro Quæpiam vena, Nescio quæ vena. Possumus autem alicubi etiam Quicunque interpretari : ut Quicunque in dicendo sumus, ut loquitur Cic. De orat., pro Qualescunque : i. e. ὁποιοιδήποτε et ὁποιοιτινεσοῦν, Bud. Sed Ὁποιδήποτε affertur etiam adverbialiter positum pro Qualitercunque, Quacunque ratione, ex Plat. Epist. [l. in Ὅπῃ citato] : Ἔπεισα ὁποιδήποτ' ἠδυνάμην Διονύσιον ἀφεῖναί με, Quacunque potui ratione Dionysio ut me dimitteret persuasi. Sed ὁπηδήποτε potius scrib. esse suspicor. Ap. Eund. [Xenoph.] habemus ὁποιοστισοῦν, Cyrop. 2, [4, 10] : Ἀγαθοὺς συνεργοὺς ποιεῖσθαι ὁποιουτινοσοῦν πράγματος, Cujuscunque s. Cujusvis rei. At accus. ὁποιαντινοῦν pro Qualemcunque, ap. Lys. [p. 130, 37] : Νομίζων ὁποιαντινοῦν ἐθελῆσαι ἂν εἰρήνην ποιήσασθαι. [Rectius hæc scribuntur divisim.] Ὁποιόσπερ autem pro Qaliscunque, præcedente τοιόσδε, ap. Pausan. [1, 2, 5] : Ἐπὶ λόγῳ τοιῷδε ἐφ' ὁποίῳπερ Ἀπόλλωνα Μουσηγέτην καλοῦσι. [Æsch. Cho. 669 : Πάρεστι γὰρ ὁποῖά περ δόμοισι τοῖσδ' ἐπεικότα.] Item Quicunque. Xen. [OEc. 4, 5] : Ἐξ ὁποίωνπερ ἐθνῶν λαμβάνειν τέταχε τῷ ἄρχοντι, Ex quibuscunque nationibus.

[Ὁποιότης, ητος, ἡ, Qualitas, i. q. ποιότης. Nicomach. Geras. 2, p. 62.]

[Ὅποιπερ, Ὁποίποτε. V. Ὅποι.]

[Ὁποίως. V. Ὁποῖος.]

[Ὀποκάλπασον. V. Ὀποκάρπασον.]

Ὀποκάρπασον, τὸ, Succus quidam venenatus, soporem et strangulationem inducens. Galen. libro De antidot. priore, tradit Opocarpasum circa optimam myrrham reperiri, longe tamen diversæ a myrrha naturæ. Quid autem sit carpasum, non constat : hoc unum certum est, non esse quod dicitur Carpesium, sed maxime diversum. Hæc inter alia Gorr. Verba Galeni sunt, Οὕτω κατὰ τὴν ἀρίστην σμύρναν ὀποκάρπασον εὑρίσκεται, διαφέρον σμύρνης. Et mox, Τὸ δὲ ὀποκάρπασον ἀναιρετικόν ἐστι, καὶ πολλοὺς κατά τινα τύχην ἐν τοῖς ἡμετέρας ζωῆς χρόνοις ἀποθανόντας οἶδα, διὰ τὴν ἄγνοιαν ὀποκάρπασον ἐχούσης σμύρνης. Plin. Opocarpathon appellat 28, 10; et 32, 9. At c. 5 ejusd. l. Succum carpathi, circa finem : Contra dorycnium echini maxime prosunt et iis qui succum carpathi biberint. Diosc. quoque καρπάσου ὀπὸν appellat, 6, 13 : Καὶ ὁ τῆς καρπάσου ὀπὸς ποθεὶς, κάρον ἐπιφέρει καὶ πνιγμὸν ὀξύν. [Ὀπὸς καρπησίας, Paul. Ægin. 5, 43.] Apud Galen. perperam scriptum Ὀποκάλπασον. [Sic κάλπασον pro κάρπασον in cod. Voss. Orph. Arg. 920. V. Schneider. Anal. crit. p. 64. Angl. Conf. Ὀπὸς in fine.]

Ὀποκινάμωμον, τὸ, Succus cinamomi, s. Succus ex arbore, quæ cinamomum fert, incisa manans. Theophrast. H. Pl. 4, [4, 14] : Ὅ, τε λιβανωτὸς, καὶ ἡ σμύρνα, καὶ ἡ κασία, καὶ τὸ ὀποβάλσαμον καὶ τὸ ὀποκινάμωμον [κινάμωμον Schneider.] καὶ ὅσα ἄλλα τοιαῦτα. Scribitur tamen et κιννάμωμον cum νν, ex quo fuerit ὀποκιννάμωμον.

[Ὀπολέας, ὁ, n. viri Mantinensis vitii suspectum ap. Pausan. 8, 27, 2, aliis in libris ὁ Πολέας et Ὀπολέας scriptum.]

[Ὀποπάλσαμον. V. Ὀποβάλσαμον.]

Ὀποπάναξ, ακος, ὁ, Succus panacis Heraclei : quæ lacryma excipitur caule vel radice incisa, quum recens eruperit caulis. Diosc. 3, 55 : Πάναχες ἡράκλειον· ἐξ οὗ ὁ ὀπ. συλλέγεται. [ᾰᾰ]

Ὁποπλεῖν, Renavigare : si non mentiuntur VV. LL. : id enim potius dicitur ὀπίσω πλεῖν. [Monstrum vocabuli ex ἀποπλεῖν, ut videtur, fictum.]

Ὀπὸς, ὁ, Succus, Humor, qui ab aliqua re incisa, vel etiam sponte, manat. [Soph. fr. Rhizot. ap. Macrob. Sat. 5, 19 : Ὀπὸν ἀργινεφῆ στάζοντα τομῆς χαλκέοισι κάδοις δέχεται. Plato Tim. p. 60, B : Τὸ τῆς σαρκὸς διαλυτικὸν ... ἀφρῶδες γένος ... ὀπὸς ἐπωνομάσθη· Leg. 7, p. 824 : Μὴ χρώμενον ὀπῶν ἀναθολώσει (in venatione). Aret. p. 117, 16 : Θαψίης ὁ ὀπός.] Alii, quod exprimitur, χυλόν : quod ab incisione vel sponte defluit, δάκρυον vocant, Gorr. Sunt qui inter χυμὸς, χυλὸς, et ὀπὸς, ita distinguant, ut χυμὸς quidem Sapor sit qui gustatu percipitur ; χυλὸς autem, Succus qui ex tota stirpe vel ejus parte consisa aut tusa, torculari vel manibus, aliove modo exprimitur : veluti papaveris succus, qui Meconium dicitur, ἐκτριβόμενον διὰ πιε-
A στῆρος, de quo Plin. 20, 18, et Diosc. 4, 65 ; ὀπὸς vero Lacteus succus, et qualiscunque liquor vel sponte, qui Lacryma potius dicitur, i. e. τὸ δάκρυον, emanans, vel castratione, scarificatione, terebratione, vel alio quovis vulnere effluens : ut opoponax, scammonia, sagapenum, galbanum, hammoniacum opobalsamum, euphorbium, opium, i. e. ὀπὸς μήκωνος : et laser [Laserpitium, et Ὀπὸς σιλφίου, Laser s. Lasar, add. Gl.], i. e. ὀπὸς Κυρηναϊκὸς, aut Μηδικὸς, qui etiam κατ' ἐξοχὴν, quod omnium succorum præstantissimus sit, ab Hippocr. ὀπὸς nominatur, quum ὀπὸς alias vocabulum sit generale. Testatur id Galen. 8 De simpl. medic. fac. his verbis : Εἰσὶ δὲ πάμπολλοι μὲν ὀποί· ῥίζης γὰρ ἡστινοσοῦν ἢ καυλοῦ τμηθέντος ῥέον ἐκ τῆς τομῆς παχὺ καὶ γλίσχρον, ὀπός ἐστιν· εἰδικώτερον δὲ οἷον καθ' ὑπεροχήν τινα, τὸν Κυρηναῖον οὕτως ὀνομάζουσι, καὶ τὸν Μηδικὸν καὶ τὸν Συριακόν. Itidem in Lex. Hippocr. Idem ait Ὀπὸς, ὁ τοῦ σιλφίου, κατ' ἐξοχήν· ὥσπερ καὶ καυλός. [Quæ Galeni explicatio ad Hippocr. p. 389, 33, refertur, ubi σίλφιον ὀπὸς, καυλὸς ponitur et de lasere
B intelligitur, ejus succo et scapo. Rursus p. 474, 15, Καὶ ὀποῦ τρεῖς κυάμους, Laseris succi trium fabarum quantitatem. Et 26, Ὀποῦ δύο κυάμους, Laseris succi fabas duas. Idem quoque ὀπὸς Μηδικὸς dicitur Galeno in fine lib. 2 Κατὰ τόπ., Succus Medicus, Cyrenæus, ut et Cyrenaicus. Sæpe vero ab Hippocrate ὀπὸς σιλφίου nominatur, ut p. 1228, G, et p. 545, 7, 26 ; 547, 43, et p. 474, 3 ; 476, 14, et p. 495, 14, 16. Est ubi ὀπὸς non solum laseris succum, sed et ipsum silphium et laserpitium indicat. Et Galenus ὀποῦ καρπὸν ap. Hippocr. σιλφίου σπέρμα, Silphii semen, exponit, quod folium singulariter et Magydaris quibusdam vocatur. Quod videtur referri ad p. 624, 37, ubi καρπὸν ὀποῦ legisse videtur Cornarius, quum tamen exemplaria omnia habeant πηγάνου καρπὸν ὀπόν. Ὀπὸς etiam veteribus de fici et caprifici lacteo succo effertur, quo coaguli loco ad lac spissandum utebantur. Sic p. 510, 9, ὀπὸν ad lac cogendum et inspissandum immittit Hippocr. Ubi certe ambiguum est an laseris succum et Cyrenaicum intelligat, an vero succum
C alium quendam lac stringentem et condensantem. Fors. OEc.] Sed notandum, non usquequaque differentiam annotatam observari ; nam Plin. 20, 18, de opio, i. e. ὀπῷ μήκωνος, loquens ait, Ex nigro papavere sapor gignitur scapo inciso, quum turgescit. Et mox, Succus et hic et herbæ cujuscunque, lana excipitur ; aut, si exiguus est, ungue pollicis, vel lactucis : nimirum saporem et succum appellans τὸν ὀπὸν, quem Dioscor. δάκρυον etiam nominavit, quum περὶ ὀπισμοῦ papaveris loquens, scribit oportere ἀποψᾷν τὸ δάκρυον ἐπερχόμενον δακτύλῳ εἰς μύακας. Proprie autem locutus est, quum meconium dixit [4, 65] esse ἀδρανέστερον τοῦ ὀποῦ. Porro idem Plin. ὀπὸς interpr. modo Succus, modo Liquor, modo Succus lacteus, s. Lac : ut ex ll. iis, quos subjungam, manifestum fiet. Theophr. H. Pl. 6, 3, de silphio, i. e. laserpitio : Ἡ δὲ καλουμένη μαγύδαρις ἕτερόν ἐστι τοῦ σιλφίου, μανώτερόν τε καὶ ἧττον δριμὺ, καὶ τὸν ὀπὸν οὐκ ἔχει. Pro quibus Plin. 19, 3 : Alterum genus est, quod Magydaris vocatur, tenerius et minus vehemens, sine succo. Ali-
D quanto ante, Ὀπὸν δὲ διττὸν ἔχει, τὸν μὲν ἀπὸ τοῦ καυλοῦ, τὸν δὲ ἀπὸ τῆς ῥίζης. Pro quibus Plin. : Succus duobus modis capiebatur, ex radice atque caule. Rursum Theophr. : Οὗ ὀπὸς ἀποτυφλοῖ τὰ ἄλλα ζῶα πάντα καὶ τοὺς ἀνθρώπους. Pro quibus iterum Plin. : Laurino folio et ibi spina tradita est, cujus liquor aspersus oculis, cæcitatem infert omnibus animalibus. Diosc. 4, 49, de tragio : Φέρει δὲ ὀπὸν κόμμει παραπλήσιον· de quo Plin. 27, 13 : Succus ejus lacteus in gummi spissatus. Idem Diosc. eod. l. c. 29, de erino : Ὀποῦ δὲ μεστός ἐστιν ὁ καυλὸς καὶ τὰ πέταλα· de qua planta Plin. 23, 7 : Utcunque autem decerpta manat lacte multo et dulci. Eodem modo ὀπὸς interpr. in iis ll. qui infra citabuntur in Πολύοπος et Ὀπώδης. Rursum Diosc. 3, 98, de hammoniaco : Ὀπός ἐστι νάρθηκος γεννωμένου ἐν τῇ κατὰ Κυρήνην Λιβύῃ· de quo Plin. 12, 23 : Æthiopiæ subjecta Africa hammoniaci lacrymam stillat. Quem ὀπὸν 24, 6, itidem Lacrymam interpr., de eodem hammoniaco loquens. Itidemque 20, 18 : Sacopenium, quod apud nos gignitur, in totum trans-

marino alienatur; illud enim hammoniaci lacrymæ simile, Sagapenon vocatur: quod σαγαπηνὸν Dioscoridi 3, 95: Ὀπός ἐστι πόας ναρθηκοειδοῦς γεννωμένης ἐν Μηδείᾳ. Quum vero ὀπὸν interpr. Lacrymam, imitatur Dioscor., qui et ipse ὀπὸν appellavit δάκρυον, ut ante dictum est. Alias tamen δάκρυον et ὀπὸς diversa videntur, quum Theophr. dicat ὀπὸς δακρυώδης, H. Pl. 9, 8: Τῶν μὲν οὖν καὶ αὐτόματος ὁ ὀπὸς συνίσταται δακρυώδης, ὥσπερ τῆς τραγακάνθης· ταύτης γὰρ οὐδὲν τέμνειν ἐστί· τῶν δὲ πλείστων δι' ἐντομῆς. Alias tamen parum inter se differre testatur Idem C. Pl. 6, [11, 10]: Καλοῦσι δὲ τὰ μὲν ὀπούς, τὰ δὲ δάκρυα· διαφέρει δὲ ἴσως οὐδέν. Sed quem Dioscor. 3, 96, εὐφορβίου ὀπὸν nominat, Plin. Succum euphorbii appellat 25, 13. Dicit autem Diosc. eam arborem esse μεστὴν ὀποῦ δριμυτάτου. Porro quum idem Plin. ὀπὸν interpr. modo Lac, modo Succum lacteum, ne id quidem sine exemplo facit: nam quidam ap. Theophr. H. Pl. 6, 3, tradunt σιλφίου τὴν ῥίζαν γενέσθαι πηχυαίαν, ἢ μικρῷ μείζονα, ἐξ ἧς δὴ φύεσθαι (sc. ὀπὸν illum laserpitii, i. e. laser), καλεῖσθαι δὲ γάλα· atque inde est, quod Plin. 19, 3, dicit: Alii tradunt laserpitii radicem fuisse majorem cubitali, tuberque in ea super terram: hoc inciso, proflere solitum succum ceu lactis. Sunt autem aliquæ hujus ὀποῦ, h. e. Laseris, differentiæ, a regionibus in quibus laserpitium eum succum gignens nascitur, ut tum ex Galeni ll. citatis apparet, tum ex Plin. 19, 3, ubi quum dixisset, Clarissimum laserpitium, quod Græci σίλφιον vocant, in Cyrenaica provincia repertum, cujus succum vocant Laser: mox addit, Diuque non jam aliud ad nos invehitur laser, quam quod in Perside aut Media et Armenia nascitur large, sed multo infra Cyrenaicum. Quibuscum consentiunt quæ Diosc. habet 3, 94, init. [De usu Theophr. Schneider. in Ind.: « Ὀπός, Humor plantarum, H. Pl. 1, 2, 3; 9, 1, 1. Peculiariter τὸ δάκρυον τοῦ σιλφίου τὸ δριμύ, 9, 1, 4. Etiam fici et ἐρινεοῦ, qui lac coagulat, paullo tamen minus ἐρινεοῦ, C. Pl. 1, 16, 7. Ὀπὸς ξηρὸς 9, 8, 3. Τῶν φύλλων ὑγρότητα καὶ ὀπὸν C. Pl. 5, 4, 2. Οἱ ὀποὶ πάντες χρήσιμοι σωματωθέντες· παρασκευάζουσιν αὐτοὺς τὰ μὲν ἐγχυλίζοντες καὶ ξηραίνοντες, τὰ δ' ἐντέμνοντες, ib. 6, 11, 14.» V. etiam varias ap. Hesych. interpretationes.] Notandum porro, non tantum Laser, h. e. Laserpitii succum, Cyrenaicum præsertim, κατ' ἐξοχὴν vocari ὀπὸν, verum ipsum etiam Silphium s. laserpitium ita nominari ab Hippocr.: quippe qui ὀποῦ καρπὸν, Silphii semen appellet, ut in Hippocr. Lex. Galenus testatur, Ὀποῦ καρπὸν, σιλφίου σπέρμα. Itidem ap. Athen. 3: Μήτρας τινὸς περιφερομένης ἐν ὄξει καὶ ὀπῷ, nonnulli interpr. Laserpitio, Silphio: quoniam Diosc. 3, 94, de ejus radice scribit, Εὔστομός τέ ἐστι μιγνυμένη καὶ εἰς βάμματα καὶ ἅλας. Sed posse et de Caprifici lacte ὀπὸν hic dici, paulo infra docebo. Iidem ap. Aristoph. Pl. [717], ubi quidam conficit cataplasma oculis sanandis quidem, simul tamen summo dolore excruciandis: Ἐμβαλὼν Σκορόδων τρεῖς κεφαλὰς Τηνίων· ἔπειτ' ἔφλα Ἐν τῇ θυείᾳ ξυμπαραμιγνύων ὀπὸν, accipiunt ὀπὸν pro Lasere, quod κατ' ἐξοχὴν nominari ὀπὸν dictum est; nam sicut schol. dicit Τήνια σκόροδα esse δριμύτατα, ita Diosc. l. c., τὸν σιλφίου ὀπὸν esse δριμὺν docet, ac inter alia ὀξυδερκίας ποιητικόν. Sic accipitur Eccl. [404]: Σκόροδ' ὁμοῦ τρίψαντ' ὀπῷ, Τιθύμαλλον ἐμβαλόντα τοῦ Λακωνικοῦ, Σαυτῷ παραλείφειν τὰ βλέφαρα τῆς ἑσπέρας, ubi annotat schol. τὸν ὀπὸν esse δριμύτατον, Cyrenaicum succum s. laser intelligens. [Nicand. Al. 202: Νέκταρ ὀπῷ ἐμπευκέϊ χράνας, ubi Cyrenaicum intelligi monet schol. Th. 907: Ὀποῖο δάκρυα, ubi schol.: Ὀπὸν τὸν Κυρηναϊκόν φησι. Al. 309: Ἠὲ ὀβελὸν κνηστῆρι κατατρίψαιο χαράκτρῳ σιλφίου, ἄλλοτε δ' ἶσον ἀποσμήξειας ὀποῖο· schol.: Αὕτη ἡ ῥίζα λέγεται σίλφιον, ὁ δὲ ταύτης ὀπὸς Κυρηναϊκὸς καλεῖται ὀπός. 329: Ἐν καὶ σιλφιόεσσαν ὀποιό τε μοιρίδα λίτρην, ubi similia schol. 369: Λιβύηθε ποτῷ ἐγκνήθεο ῥίζας σιλφίου ἄλλοτ' ὀποῖο. Aret. p. 86, 29: Ὀποῦ τοῦ σιλφίου τοῦ ἀπὸ τῆς Κυρήνης· 117, 24: Ὀποῦ τοῦ σιλφίου. Eubulus ap. Polluc. 6, 67: Σχαμμωνίας ὀπόν. Ὀπὸς Κυρηναϊκός, Alex. Trall. 12, p. 234.] Pro Lasere accipiunt Pac. [1184] ὀπὸν βλέπειν, sicut et κάρδαμα βλέπειν, et σίνηπι sive νάπυ βλέπειν, pro δριμὺ καὶ ὀργίλον, quod succus is sit δριμύτατος: Κάπρων,

A ἔθει τὸ κακὸν βλέπων ὀπὸν, i. e. δριμὺ καὶ πικρόν. [Incerta signif. Nicarchus Anth. Pal. 11, 74, 7: Ἣν ὀπὸν αἰτήσω, δοκὸν εἰσφέρει.] || Sed et Fici succus lacteus, quo coaguli loco utebantur, ὀπὸς nominabatur. Hom. Il. E, [902]: Ὡς δ' ὅτ' ὀπὸς γάλα λευκὸν ἐπειγόμενος συνέπηξεν Ὑγρὸν ἐόν. Et Empedocles ap. Plut. [Mor. p. 95, A]: Ὡς δ' ὅτ' ὀπὸς γάλα λευκὸν ἐγόμφωσεν καὶ ἔδησε. Sic Aristot. περὶ πήξεως γάλακτος loquens, Ὁ δὲ ὀπὸς ἢ πυτία, τὸ τὴν ἀρχὴν ἔχον τὴν συνιστῶσαν. [V. id. H. A. 3, 20 med., et l. in Ὀπίζω cit. Theophrasti exx. v. paullo ante memorata.] In Hom. autem locum, quem Empedocles imitatus est, annotat Eustath. ex vet. lexicographo, ὀπὸν esse non solum τὸ τῶν δένδρων δάκρυον, sed etiam τὸ γαλακτῶδες τῆς συκῆς, et τὴν πυτίαν. Sed nulla certior expositio istis locis inveniri potest, quam ex Dioscor. primum, quippe qui 1, 184, de ficis ait, Ὁ δὲ ὀπὸς τῆς ἀγρίας καὶ τῆς ἡμέρου συκῆς, πηκτικός ἐστι γάλακτος, ὥσπερ ἡ πυτία· ex quo Plin. 23, 7: Fici succus lacteus aceti naturam habet: itaque coaguli modo lac contrahit, B deinde ex Varrone R. R. 2, 11, ubi sic scribit: Alii pro coagulo addunt de fici ramo lac et acetum: aspergunt item aliis aliquot rebus: quod Græci alii ὀπὸν, alii δάκρυον. Idem et de sylvestri fico s. caprifico intelligendum esse, ex Plin., sicut et ex Dioscor., manifestum fit, qui 23, 7, aliquanto post verba citata, ait, Caprificus etiamnum multo efficacior fico: lactis minus habet: surculo quoque ejus lac coagulatur in caseum. Exceptum id coactumque in duritiam, suavitatem carnibus affert. Quæ postrema verba me movent ut ὀπῷ in l. cit. Athen. interpretandum opiner non Silphio, sed Caprifici lacte: præsertim quum ibidem in loco quodam σίλφιον simul et ὀπὸς ponantur. Sed et discrimen observandum, quod Dioscor. eod. l. cap. seq., h. e. 185, facit inter ὀπὸν τῆς συκῆς τῆς ἀγρίας, et inter χυλὸν, i. e. inter lac, et succum qui ex surculis tenerioribus exprimitur: Λαμβάνεται δὲ καὶ εἰς ἑλκωτικὰς δυνάμεις ὅ, τε ὀπὸς καὶ ὁ χυλός· quid autem per χυλὸν intelligat, ex præcedentibus verbis cognoscitur, Τὰ αὐτὰ καὶ ὁ χυλὸς ποιεῖ τῶν ἀπὸ τῆς C ἀγρίας συκῆς ἁπαλῶν κλάδων. De hoc autem ὀπὸς, quo significatur Lac ficulinum, quo pro coagulo utuntur, vide et alia in Ὀπίας ab eo derivato. [Nicand. Al. 252: Ὀπῷ νιφόεντι κράδης· Th. 923: Ἠὲ κράδης γλαγόεντα χέας ὀπόν· schol. τὸν τῆς συκῆς γαλακτώδη ὀπόν. Ib. 931: Ἀπὸ κρομμυόφι στάζων ὀπόν· 946: Μήκωνος φιαρῆς ὀπόν.] || Ὀπὸς ab Eustath. p. 619, exp. non solum ἡ τὸν τυρὸν συμπήττουσα πυτία, unde ὀπίας τυρὸς, ὁ πεπηγὼς ὑπὸ ὀποῦ, item τὸ γαλακτῶδες τῆς συκῆς: sed etiam τὸ ὑγρὸν ὃ τὰ φύλλα πρὸς τοῖς κλάδοις συνέχει. Significat tamen potius τὸ τῶν δένδρων δάκρυον καὶ τὸ ἀποστάλαγμα τοῦ γάλακτος, ut ex prædictis satis perspicuum est. [Improprie Paul. Sil. Anth. Pal. 5, 258, 1: Πρόκριτός ἐστι, Φίλιννα, τεὴ ῥυτὶς ἢ ὀπὸς ἥβης πάσης. « Eumath. Ism. p. 169: Ἐρώτων ἐρατὸν ὀπὸν ἀμέλγεσθαι, Dulces amorum succos exsugere, i. e. osculari. » Koenig. Ὀπὸς καλπάσου, χυλός ἐστι καλπάσου βοτάνης, in Glossis chym. Mss. Ὀπὸς πάντων δένδρων καὶ βοτανῶν ... iisdem Glossis, ἐστὶ ὕδωρ θεῖον καὶ ὑδράργυρος. Ducang.]

D Ὁποσάκις, Quoties. [Xenoph. Cyrop. 2, 2, 30; 2, 3, 23; Plato Theæt. p. 197, D.] Unde Ὁποσακισοῦν, Quotiescunque, Quoties libeat, Quam libet sæpe, Sæpissime. Bud. ex Theophr. H. Pl. 8, p. 99.

[Ὁποσάμηνος, ὁ, ἡ, Quot mensium. Hippocr. p. 1120, F: Ὁποσάμηνον (ἔμβρυον) οὐκ οἶδα.]

Ὁποσαπλάσιος, [α, ον, s. Ὁποσαπλασίων, ονος, ὁ, ἡ,] ex Ὁπόσοι significante Quot, derivatum, Quotuplex, Quam multiplex, citra interrogationem. Et Ὁποσαπλασιοσοῦν, Quantumvis multiplex. Aristot. Phys.

[Ὁποσαπλασίων. V. Ὁποσαπλάσιος.]

[Ὁποσάπους, οδος, ὁ, ἡ, Quot pedum. Lucian. Gallo c. 9: Ἐπισκοπῶν ὁποσάπουν τὸ στοιχεῖον εἴη.]

Ὁποσαχῆ, Quot in locis, Quot modis, citra interrogationem, sicut ποσαχῆ interrogative usurpatur. [Xenoph. Cyneg. 6, 20: Ὁπ. οἷόν τ' ἂν ᾖ τοὺς τόνους τῆς φωνῆς ποιούμενον.]

[Ὁπόσε, Quo. V. Ὁππόσε. In Gl. Ὁποσηδή, Quolibet, scribendum Ὁπόσε δή. L. Dind.]

Ὁπόσος, η, ον, Quantus: relativum τοῦ πόσος et

τόσος: in metro autem dicitur Ὁππόσος quoque. Hom. Od. Ξ, [47]: Εἴπῃς ὁππόθεν ἐσσὶ καὶ ὁππόσα κήδε' ἀνέτλης, ubi reddere etiam queas Quot quantaque. [Et Ὁπόσσος, Il. Ψ, 238: Ὁπόσσον ἐπέσχε πυρὸς μένος·] Od. X, 220: Κτήμαθ' ὁππόσσα τοί ἐστι. [Æsch. Sept. 732: Χθόνα ναίειν διαπήλας ὁπόσαν καὶ φθιμένοισιν κατέχειν. Xen. OEc. 4, 8: Ὁπόσην μὲν τῆς χώρας ἐφορᾷ, ὁπόσην δὲ μὴ ἐφορᾷ· et alibi sæpe tam de tempore quam de spatio, inprimis genere neutro. Anab. 4, 4, 17: Ἠρώτων τὸ στράτευμα ὁπόσον εἴη.] Philostr. Her.: Νῆσον ὁπόσην εἶπον ἀπετόρνευσε, Insulam quantam dixi. Item aliquis interrogat ὁπόσου veneat aut redimatur aliquid. Apud Athen. 6, Περιελθὼν ἤρετο Ὁπόσου, Quanti veniret. Ubi subaudiri potest ἐστὶ, ut in simili loco, quem in Πόσος citavi. Xen. Cyrop. 3, [1, 36]: Λέξον μοι ὁπόσου ἂν πρίαιο ὥστε τὴν γυναῖκα ἀπολαβεῖν. [Ὁπόσου ἄξιος Comm. 2, 5, 1. Plato Lach. p. 180, D.] Affertur præterea ὁπόση ἐστὶ, Quantum valet. [Plato Leg. 11, p. 917, D: Ὁπόσης ἂν τιμῆς ἀξιώσῃ τὸ πωλούμενον· Reip. 9, p. 578, E: Ἐν ποίῳ ἄν τινι καὶ ὁπόσῳ φόβῳ οἴει γενέσθαι αὐτόν; Dativo neutrius Leg. 1, p. 647, E: Ὁπόσῳ πλέον..., τοσούτῳ μᾶλλον· 649, B: Ὁπόσῳ ἂν πλέον αὐτοῦ γεύηται, τοσούτῳ πλειόνων ἐλπίδων ἀγαθῶν πληροῦσθαι.] At ὁπόση πλείστη, Quanta maxima, quo utitur Gaza ap. Cic., imitatus Xenophontem, qui in OEc. [20, 28] dicit, Λαβόντες ὁπόσον δύνανται πλεῖστον, ἄγουσιν αὐτὸν διὰ τῆς θαλάττης. Adduntur interdum particulæ οὖν, δήποτε, τισοῦν. Nam dicitur Ὁποσοσοῦν, et Ὁποσοσδήποτε, et Ὁποσοστισοῦν, pro Quantuscunque, Quantusvis, Quantuslibet: ut [Xen. Cyrop. 1, 1, 1], ὁποσονοῦν χρόνον, Quantumvis temporis: ὁποσονοῦν βάρους, Quantumlibet grave pondus, Aristot. [Thuc. 4, 37: Γνοὺς ὁ Κλέων καὶ ὁ Δημοσθένης, ὅτι εἰ καὶ ὁποσονοῦν μᾶλλον ἐνδώσουσι κτλ. Plato Soph. p. 245, D: Οὐδ' ὁποσονοῦν τι δεῖ τὸ μὴ ὅλον εἶναι.] Item Dem. [p. 526, 26]: Ὁποσῳδήποτε ἀργυρίῳ καθυφεὶς τὸν ἀγῶνα. Et Lys. [p. 722 Reisk.]: Ἀγαπῶμεν ἂν ὁποσουτινοσοῦν πριάμενοι παρ' αὐτῶν ἀπέλθωμεν, Quanticunque ementes, Quantolibet pretio. Ὁπόσος, pro Quantuscunque capitur præcedente etiam ἄλλος: Greg. Naz. [In Jul. p. 139, A]: Καὶ τὴν εἰς τοὺς δεομένους φιλανθρωπίαν, τήν τε ἄλλην ὁπόση, καὶ τὴν ἐν τοῖς ἐπιστολιμαίοις συνθήμασι, Tum aliam quantamcunque, tum etc. || Sicut vero πόσοι discretæ quoque quantitatis significativum est, ita etiam Ὁπόσοι, significans Quot. [Hom. Il. Ω, 7: Ἠδ' ὁπόσα τολύπευσε. Pind. Isthm. 4, 64: Ὁπόσαι δαπάναι· Pyth. 5, 35: Ὁπόσα δαίδαλα· 9, 47: Χὠπόσαι ἐν θαλάσσᾳ... ψάμαθοι κλονέονται, εὖ καθορᾷς. Æsch. Prom. 121: Πᾶσι θεοῖς ὁπόσοι κτλ. 411: Ὁπόσοι δ' ἔποικον ἁγνᾶς Ἀσίας ἕδος νέμονται, ceterique Tragici et alii quivis similiter. Plato Leg. 1, p. 648, C: Κατ' ὀλίγους καὶ καθ' ὁπόσους τις ἀεὶ βούλοιτο· 8, p. 846, C: Εἴτ' ἐπὶ δυεῖν εἴτ' ἐφ' ὁπόσων δεῖ καλεῖσθαι.] Xen. Cyrop. 4, p. 64 [c. 5, 29]: Ἤγαγον συμμάχους οὐχ ὅσους σὺ ἔπεισας, ἀλλ' ὁπόσους ἐγὼ πλείστους ἐδυνάμην, ubi ὅσοι et ὁπόσοι eadem signif. usurpavit. [Ib. 5, 5, 14: Ὁπόσα πλεῖστα ἠδυνάμην, ex libris in ὡς ἐγὼ πλεῖστα ἠδ. mutatum, cujusmodi confusione ap. Pausan. 7, 11, 3, Ὁπόσους ἐστὶν οἷός τε ὡς πλείστους scriptum, pro πλείστους sine ὡς, quod seclusi. Ap. Aristid. vol. 2, p. 202: Προέχοντες πλεῖστον ὅσον αὐτῶν, nonnulli πλεῖστον ὁπόσον vel ὁπόσον πλεῖστον.] Demosth. [p. 585, antep.]: Ἄν τε διακοσίους, ἄν τε χιλίους, ἄν θ' ὁπόσους ἂν ἡ πόλις καθίσῃ. Item ὁποσασδὴ, pro Aliquot, Nescio quot: ut, Ὁποσασδὴ ἡμέρας ἀποσιτεῖν, Nescio quot dies a cibo abstinere, Aliquot dies, Bud. Item Ὁπόσοι ἄν, Quotlibet, Quotcunque. [Thuc. 4, 118: Ὁπόσοις ἂν δοκῇ.] || Interdum vero non tam reddi potest Quotquot, quam Qui. Lucian.: Πλὴν ὀλίγων τούτων, ὁπόσοι μεμενήκασι. Id. [D. deor. 12, 1]: Οὐ τὰ ἐν τῇ γῇ λέγω, ὁπόσα τοὺς ἀνθρώπους ἀναπείθεις καθ' αὐτῶν ἢ κατ' ἀλλήλων ἐργάζεσθαι. Quo modo et Ὁπόσοιπερ usurpatur a Plat. [Polit. p. 285, B]: Πλὴν [πρὶν] ἂν ἐν αὐτῇ τὰς διαφορὰς εἴδῃ [ἴδῃ] πάσας ὁπόσαιπερ ἐν εἴδεσι κεῖνται, Quotquot quidem, Quæ quidem. [Leg. 6, p. 753, B: Ὁπόσοιπερ ἂν ὅπλα τιθῶνται.] Quibus addi potest et hic locus Luciani [Toxar. c. 45]: Δός μοι τὴν θυγατέρα σου γυναῖκα, ἔχειν πολὺ ἐπιτηδειοτέρῳ τούτων ὄντι ὁπόσα γε ἐπὶ τῷ πλούτῳ καὶ τοῖς κτήμασι. Nisi potius reddendum, Quantum quidem attinet, Quod quidem pertinet ad fortunas; vel, Si ea spectes quæ ad fortunas attinent. Similem usum habent ὅσα γε et ὅσον γε. [Notabili genere loquendi Xen. Anab. 5, 8, 10: Ἀνέκραγον ὅτι ζῇ ὁ ἀνήρ· σὺ δ' εἶπας, Ὁπόσα γε βούλεται. « Epist. Socr. p. 49, 20: Οὐ τοιαύτη (mihi est) σοφία, ἀλλ' ὁπόση μὴ ἀδικῆσαι. » Valck. In libris interdum infertur ὁπόσος pro πόσος, ut Xenoph. Anab. 6, 5, 20: Ἦν δὲ καὶ σωθῶμεν ἐπὶ θάλατταν, πόσον τι νάπος ὁ πόντος, ubi boni nonnulli ὁπόσον, quemadmodum alia hujusmodi relativa recentiores pro interrogativis usurpare supra diximus, et ὁπόσος posuit Themist. Or. 15, p. 189, B: Βαβαὶ, ὁπόση δύναμις τῆς εὐδικίας. Sed ap. Demosth. p. 1199, 16: Ἀλλὰ γὰρ ὑποθέσθαι φησὶν αὐτὸν χαλκόν· ὁπόσον τινὰ καὶ ποδαπὸν καὶ πόθεν γενόμενον; Schæfer. πόσον conjiciebat. L. D.] Ionice vero dicitur Ὁκόσος pro ὁπόσος, i. e. Quantus. Fem. ὁκόση, Quanta, Neutr. ὁκόσον, Quantum. || Plurali autem numero, Ὁκόσοι, ὁκόσαι, ὁκόσα, interdum significant Quanti, Quantæ, Quanta; interdum Quot, Quotquot, Qui, Quæ, Quicunque, Quæcunque, similiter ut ὁπόσοι, ὁπόσαι, ὁπόσα. [Apud Herodotum aliosque Iones. Id. 2, 126: Προστάξαι πρήσσεσθαι ἀργύριον ὁκόσον δή τι. Et forma poet. Ὁκόσσος, ap. Phœnicem Coloph. ab Athen. 12, p. 530, F, cit., sed ubi nunc restitutum ὁκόσος.]

[Ὁποσότης, ητος, ἡ, Quantitas. Nicom. Geras. 2, p. 62.]

[Ὁπόσσος. V. Ὁπόσος.]

[Ὁποσταῖος, α, ον, Quotus. Aratus 739: Ὁποσταίη μηνὸς περιτέλλεται ἠώς.]

Ὁπόστος, η, ον, Quotus. Aristot. Pol. 2, 2 [3]: Ὁπόστος τὸν ἀριθμὸν τυγχάνοι ὤν, Quotuscunque numero sit s. Quotquot numero sint. [Xen. Ages. 1, 2: Ὁποστὸς ἐγένετο ἀφ' Ἡρακλέους. Hoc enim illic scribitur accentu, quum ὁπόστος sit in edd. vett. Plato Reip. 10, p. 617, E: Δῆλον εἶναι ὁπόστος εἰλήχειν, ubi libri nonnulli ὁ παιστὸς vel πεττός. Qui accentus est ap. Ælian. V. H. 14, 43, in ed. Gronov. a. 1731, qua utebatur Schwebel. ad Onosand. c. 39, p. 114, quum ὁποστὴν potius quam ὁπόστην scribendum putaret pro ὅπως τὴν, comparans πολλοστός. Sed conferendum Πόστος.]

Ὁποστοσδήποτε et Ὁποστοσοῦν, Quotuslibet, Quotuscunque. Dem. [p. 328, 25]: Ἐν οἷς οὐδαμοῦ σὺ φανήσῃ γεγονὼς οὐ πρῶτος, οὐ δεύτερος, οὐ τρίτος, οὐ τέταρτος, οὐ πέμπτος, οὐχ ἕκτος, οὐχ ὁποστοσοῦν. Item, ὁποστοσοῦν εἴη, Quotuscunque sit, fuerit. [Aristid. Quint. De mus. p. 17, C.]

[Ὁποστοσοῦν. V. Ὁποστοσδήποτε.]

[Ὁπόταν. V. Ὁπότε.]

Ὁπότε, Quando, indefinite; interrogativum enim est πότε. [Aristoph. Vesp. 613: Ἐς σὲ βλέψαι καὶ τὸν ταμίαν, ὁπότ' ἄριστον παραθήσει καταρασάμενος, et ap. alios quosvis cum temporibus quibusvis, ut notasse sufficiat Xen. Anab. 4, 2, 27: Ἦν δὲ καὶ ὁπότε αὐτοῖς... πολλὰ πράγματα παρεῖχον.] Plato De rep. 1, [p. 354, C: Ὁπότε τὸ δίκαιον μὴ οἶδα] cum indic. construxit, et Xen. Hell. 6, p. 357 [c. 5, 39: Ὁπότε πόρρω τοὺς ἀντιπάλους εἶχετε]. Sic Hom. Il. A, [399]: Ὁππότε μιν ξυνδῆσαι Ὀλύμπιοι ἤθελον ἄλλοι. [Γ, 173: Ὡς ὄφελεν θάνατός μοι ἁδεῖν κακὸς, ὁππότε δεῦρο... ἑπόμην· Λ, 492: Ὡς δ' ὁπότε πλήθων ποταμὸς πεδίονδε κάτεισιν.] Cum [conjunctivo Hom. Il. A, 163: Οὐ μὲν σοί ποτε ἶσον ἔχω γέρας, ὁππότ' Ἀχαιοὶ Τρώων ἐκπέρσωσ' εὐναιόμενον πτολίεθρον· I, 647: Ἀλλά μοι οἰδάνεται κραδίη χόλῳ, ὁππότ' ἐκείνων μνήσομαι. Et addito κὲν Il. Δ, 40: Ὁππότε κεν καὶ ἐγὼ μεμαὼς πόλιν ἐξαλαπάξαι τὴν ἐθέλω· 229: Τῷ μάλα πόλλ' ἐπέτελλε παρισχέμεν, ὁππότε κέν μιν γυῖα λάβῃ κάματος. Sine part. rursus Pind. ap. Dionys. De comp. verb. p. 308: Ὁπότ' ἐπαΐωσιν· et ap. schol. Ol. 2, 40: Ὁπότε θεὸς ἀνδρὶ χάρμα πέμψῃ. Cum] optativo. [Hom. Il. B, 794: Δέγμενος ὁππότε ναῦφιν ἀφορμηθεῖεν Ἀχαιοί· Γ, 233: Πολλάκι μιν ξείνισσεν, ὁπότε Κρήτηθεν ἵκοιτο. Soph. Tr. 824: Ὁπότε τελεόμηνος ἐκφέροι δωδέκατος ἄροτος, ἀναδοχὰν τελεῖν πόνων. Aristoph. Eq. 1340: Ὁπότ' εἴποι τις ἐν τἠκκλησίᾳ· et ap. alios quosvis. Quibus autem legibus aut cum hoc aut cum indic. conjungatur v. ap. grammaticos.] Plato Apol. Socr. [p. 41, A]: Ὁπότε ἐντύχοιμι Παλαμήδῃ [–δει]· sequente δὴ, in Tim. [p. 42, A]: Ὁπότε δὴ σώμασιν ἐμφυτευθεῖεν, Quum autem corporibus insita essent, Cic. p. 32 mei Lex. Cic. Annectitur ei et ἄν. [Hom. Il. Π, 62 : Ἀλλ' ὁπότ' ἂν δὴ νῆας ἐμὰς ἀφίκηται· Υ, 316 : Μηδ' ὁπότ' ἂν Τροίη μαλερῷ πυρὶ πᾶσα δάηται. Hesiod. Op. 256, etc., et sæpe Pindarus ceterique omnes.] Lucian. Timon. [c. 39] : Τί γὰρ ἂν πάθῃ [καὶ πάθοι] τις ὁπότ' ἂν οἱ θεοὶ βιάζοιντο; Quum dii cogant. Divisim enim quidam codd. habent : alii conjunctim ὁπόταν, quod frequentius est. [Utrumque falsum pro ὁπότε, quod restituit G. Dind., ut alibi vel ex libris vel ex conjectura sublata constructio part. ὁπόταν cum optativo, infimæ ætati relinquenda. Idem ex libris factum Plat. Conv. p. 219, E, faciendum Plat. Alcib. 2 p. 146, A : Φαίης γε ἄν, ὁπόταν ὁρῴης. Plura vero ejus exx. sunt ap. Maneth., ut 6, 706 : Ὁππότ' ἂν ἐν κέντρῳ μήνη μὲν ἐπείη ... ἕποιτο. Idem ib. 714 : Ὁππότε δ' ἄν ... ἔχῃ.] Notandum vero, ὁπότε et ὁπόταν reddi non solum Quando, Quum [Gl.], sed etiam interdum Ubi, Quandoquidem [Gl.], Quoniam [Ὁπότε μὲν οὖν, Quando quidem, Gl.], quam signif. et Quando habet apud Latinos. [Theognis 747 : Τίς δή κεν βροτὸς ἄλλος ... ἅζοιτ' ἀθανάτους; Ὁππότ' ἀνὴρ ἄδικος ... ὑβρίζει πλούτῳ κεχορημένος, οἱ δὲ δίκαιοι τρύχονται; Soph. OEd. C. 1699 : Καὶ γὰρ ὃ μηδαμὰ δὴ τὸ φίλον φίλον, ὁπότε γε καὶ τὸν ἐν χεροῖν κατεῖχον. Xen. Cyrop. 8, 3, 7 : Μέγας δὴ σύγε, ὁπότε γε καὶ ἡμῖν τάττεις· Anab. 3, 2, 2 : Χαλεπὰ μὲν τὰ παρόντα, ὁπότε ἀνδρῶν στρατηγῶν τοιούτων στερόμεθα, et alibi. Plato Leg. 10, p. 895, B. Ὁπότε μάλιστα, Cum præsertim, Gl.] At ὁποτεοῦν, [et in Gl. ὁπότε δή,] Quandocunque. [Aristot. Metaphys. p. 183, 19. Pro quo ap. Diodor. Exc. p. 628, 66, ὁπότ' οὖν scriptum. || Sine verbo Hom. Il. Θ, 230 : Πῇ ἔβαν εὐχωλαί, ἅς ὁπότ' ἐν Λήμνῳ κενεαυχέες ἠγοράασθε, ubi schol., τὸ ὁπότε ἀντὶ τοῦ ὅτε· οἱ δὲ στίζουσιν εἰς τὸ Λήμνῳ, λείποντος τοῦ ἦμεν. Aristoph. Ach. 19 : Ὁπότ' οὔσης κυρίας ἐκκλησίας ἑωθινῆς ἔρημος ἡ πνὺξ αὑτηί.] Ὁππότε, poetice geminato π metri causa pro ὁπότε dicitur, i. e. Quando, Quum, Quandoquidem. [Exx. v. supra.] Apoll. vero Arg. [1, 1349], ὁππότε μή, Quando non, pro Si non. [Alia exx. v. inter superiora. || Forma Dor. Ὁππόκα, Theocr. 5, 98 : Ὁππόκα πέξω τὰν οἶν· 24, 128 : Ὁππόκα ναῖε.] Ὁχότε, Ionice pro ὁπότε, Quando.

Ὁπότερος, α, ον, pro quo metri causa poetæ usurpant Ὁππότερος, Uter [Gl.] : citra interrogationem, aut saltem in interrogatione velut obliqua. [Hom. Il. Γ, 71 : Ὁππότερος δέ κε νικήσῃ· 101 : Ἡμέων δ' ὁπποτέρῳ θάνατος καὶ μοῖρα τέτυκται.] Hesiod. Theog. [549] : Τῶν δ' ἕλευ ὁπποτέρην σε ἐνὶ φρεσὶ θυμὸς ἀνώγει. [Aristoph. Nub. 1096 : Τῶν θεατῶν ὁπότεροι πλείους σκόπει. Et alii quivis.] Plato Leg. : Ὁποτέρων ποτὲ ἄρα σχῇ, Utram in partem declinaret. [Dicere videtur Lex. Septemv., unde hæc repetita sunt, locum Plat. in Ὁποτέρως citatum, quod v.] || Item pro Uterque s. Alteruter [Gl.] accipiunt : nam ἀφέψημα ὁποτέρου ap. Dioscor. Ruellius vertit, Decoctum utriusque; Marcell. autem, Alterutrius. || Pro Utervis [Uterlibet add. Gl.] Bud. accipit, qui πότερ' ἔτυχε ap. Aristot. vertit, Utrumvis acciderit. Vide Comm. p. 769, in Ἀμφότεροι. At in VV. LL. Οὐδὲν ὁπότερον ἔτυχε, Nihil est quod æque fieri ac non fieri possit. Item Ὁπότερον et Ὁπότερα, sicut πότερον et πότερα, Utrum, An. Vel etiam pro ποτέρως, Utro modo. Aristoph. Nub. [157] : Ἀνήρετο Ὁπότερα τὴν γνώμην ἔχοι, τὰς ἐμπίδας Κατὰ τὸ στόμ' ᾄδειν, ἢ κατὰ τοὐρροπύγιον. [Plat. Eryxiæ p. 396, C : Περὶ τοῦ πλουτεῖν διαφέρεσθε οὐχ ὁπότερον μέλαν ἢ λευκὸν οὐδὲ ὁπότερον κοῦφον ἢ βαρύ, ἀλλ' ὁπότερον κακὸν ἢ ἀγαθόν· 399, D; 405, C.] Pro Utrum, An. Isocr. Panath. [p. 248, B] : Ὁπότερον δέ, εἴθ' ὑπὸ πάντων αἱρεθείς, εἴτ' αὐτὸς κτησάμενος, οὐκ ἔχω λέγειν. [Xen. H. Gr. 3, 5, 19 : Ὁπότερα μὲν οὖν, εἴτε λαθόντες τὸν Λύσανδρον ἐπέπεσον αὐτῷ, εἴτε καὶ αἰσθόμενος ... ὑπέμενεν, ἄδηλον. Et sine εἴτε Comm. 3, 14, 5 : Παρατηρεῖτ', ἔφη, τοῦτον οἱ πλησίον, ὁπότερα τῷ σίτῳ ὄψῳ ἢ τῷ ὄψῳ σίτῳ χρήσεται, pro πότερα. || Pro πότερος in interrogatione recta, ut infra Ὁποτέρως, Plat. Lys. p. 212, C : Ὁπότερος οὖν αὐτῶν πότερος φίλος ἐστίν; Euthyd. p. 271, A : Ὁπότερον καὶ ἐρωτᾷς, ὦ Κρίτων; Lucian. D. mer. 11, 2 : Ὁποτέραν λέγεις; Qualia Schæfer. ad Eur. Phœn. ed. Pors. tert. v. 892 aliena a Græcis scriptoribus omnibus, ad Demosth. p. 1199, 16 recentioribus tantum concedenda opinabatur.] Annectuntur ei interdum particulæ ἄν, δήποτε, et οὖν. Nam dicitur Ὁπότερος ἄν, et Ὁπότερος δήποτε, et Ὁπότερος οὖν, vel Ὁποτεροσοῦν, quam scripturam longe alteri præferendam censeo, pro Utercunque, Uterlibet. Primum autem ὁπότερος ἂν pro Utercunque, Bud. affert ex Thuc., subjungens hunc l. Xen. [OEc. 7, 13] : Ὁπότερος ἂν ἡμῶν βελτίων κοινωνὸς ᾖ, ubi tamen videtur simpliciter potius accipi pro Uter. [Æsch. Suppl. 434 : Ὁπότερ' ἂν κτίσῃς. Et alii omnes.] Posterioris ὁπότερος οὖν, itidem pro Utercunque, Uterlibet, Utervis, aut etiam Alteruter, addit hæc exempla. Ex Thuc. [5, 18] : Εἰ δὲ ἀμνημονοῦσιν ὁπότεροι οὖν, Si alterutris in mentem non venit. [Ib. 41.] Item e Xen. [Conv. 8, 18] de duobus amicis : Ἦν δὲ κάμῃ ὁπότερος οὖν, συνεχεστέραν τὴν συνουσίαν ἔχειν. Item, Ὁποτερονοῦν τῶν μερῶν, Utravis partium. Et, Ἐφ' ὁποτερονοῦν τρέχειν, In utramlibet partem cursum intendere. Sic ὁποτεροσοῦν ὑμῶν Gaza dixit pro eo, quod Cic. De senect., Vestrum utervis. [Sine illo οὖν (quod in libris deterioribus appensum Cyrop. 3, 2, 22 : Κἂν ἀδικῶσιν ὑμῶν ὁπότεροι, σὺν τοῖς ἀδικουμένοις ἡμεῖς ἐσόμεθα· 23 : Εἴ τις ἀδικοίη ὁποτέρους) ib. 7, 4, 5 : Εἴπερ οὖν ἀπολῶ ὁποτέρους ὑμῶν· Demosth. p. 209, 13 : Ἐὰν δὲ μὴ ἐθέλωσι ποιεῖν ὁπότεροι ταῦτα. Eodem modo Plato variat inter ὁπότερος οὖν et, quo frequentius utitur, simplex ὁπότερος, ut annotavit Astius. Ptolem. Mathem. comp. vol. 1, p. 384, B : Τῶν ἐν ὁποτέρῳ τῶν πρώτων δύο κανονίων· 396, E : Ἀπολαμβανόντων ἀφ' ὁποτέρου τῶν συνδέσμων.]

|| Ὁποτέρως, Utro modo, [Utro, Gl.] Plato Ep. [7, p. 339, E] : Δεῖ ἐξελέγξαι σαφῶς ὁπ. ποτὲ ἄρα σχῇ, Utro se modo habuerit. [Protag. p. 320, C : Ὁπ. βούλοιτο· Leg. 11, p. 933, B : Ὁπ. οὖν σοι ἀρέσκει.] Thuc. [1, 78] : Ὁπ. ἔσται, ἐν ἀδήλῳ κινδυνεύεται, Utro modo cessura res sit, bene an male. Aliquando et interrogative, pro ποτέρως. Plato De rep. 1, p. 12 [348, B] : Ὁπ. οὖν σοι, ἦν δ' ἐγώ, ἀρέσκει; respondet alter, Οὕτως. [V. Ὁπότερος. || Οὐδ' ὁποτέρως, Neutro modo. Zarides ap. Boivin. præf. ad Niceph. Greg. vol. 1, p. LXXXIII : Οὐδ' ὁπ. δυνάμενος ἔχειν τῆς περὶ ἡμῶν δόξης.] || Utrolibet modo, Utrocunque modo. Isocr. post verba in Ὁπότερον citata : Ὁπ. δὲ [δ' οὖν] συμβέβηκεν, Utrocunque autem modo evenerit, pro ὁποτέρως δήποτε, s. ὁποτέρως οὖν, aut ὁποτέρως ἄν. [Aristot. Eth. 5, 5. « Ὁποτερωσοῦν, Orig. Comm. in Matth. 15, 27. » ROUTH. Aristot. De partt. anim. 4, 2.]

Ὁποτέρωθεν, Utra ex parte, Utralibet ex parte, ἀπὸ ποίου μέρους, Suid. [Duplici π Hom. Il. Ξ, 59 : Ὁπποτέρωθεν Ἀχαιοὶ ὀρινόμενοι κλονέονται.]

[Ὁποτερωθενοῦν, Ex utracunque parte. Aristot. Anall. prior. 2, 11, 3.]

[Ὁποτέρωθι, Utrubi, Gl. Hippocr. p. 261, 42 : Μεταπίπτει ἐν τῇ μήτρῃ τὸ παιδίον ὁποτ. ἂν καὶ ἡ γυνή. Xen. Hipparch. 4, 15 : Καλὸν μὲν ἐντεῦθεν ἐπιχειρεῖν ὁποτέρωθι ἂν λεληθὼς παρών. Οὐδ' ὁποτέρω, Neutrubi; Οὐδ' ὁποτέρωθι, Neutrubi, Gl. « Aristid. Or. 45 init. » BOISS.]

[Ὁποτέρως. V. Ὁπότερος.]

Ὁποτέρωσε, Utram in partem, Utro. Thuc. 1, p. 20 [c. 63] : Ἠπόρησε μὲν ὁποτέρωσε διακινδυνεύσει χωρήσας, ἢ ἐπὶ τῆς Ὀλύνθου ἢ ἐς τὴν Ποτίδαιαν, Utram in partem profectus periclitaturus esset. Schol. exp. εἰς ὁπότερον μέρος ἐλεύσεται. [Id. 5, 65 : Ὁπ. ἂν ἐσπίπτῃ. Plato Conv. p. 190, A : Ὁπ. βουληθείη.]

Ὅπου, Ubi [Gl.], indefinite; respondet enim τῷ ποῦ interrogativo : ut ap. Aristoph. interroganti [Nub. 214], Ἀλλ' ἡ Λακεδαίμων ποῦ 'στιν; respondetur per interrogationem itidem, Ὅπου ἐστίν; αὑτηί, Ubi sit rogas? hic est. [Æsch. Sept. 1004 : Ποῦ σφε θήσομεν χθονός; Ἰὼ ὅπου τιμιώτατον. Soph. Aj. 103 : Ἦ τοὐπίτριπτον κίναδος ἐξήρου μ' ὅπου· 890 : Ἄνδρα μὴ λεύσσειν ὅπου· OEd. T. 926 : Μάλιστα δ' αὐτὸν εἴπατ' εἰ κάτισθ' ὅπου· Ant. 318 : Τί δὲ ῥυθμίζεις τὴν ἐμὴν λύπην ὅπου;] Xen. Cyrop. 2, [4, 30] : Ἢν δ' ἐρωτᾷ ὅπου εἰμί, λέγε τἀληθῆ ὅτι ἐπὶ τοῖς ὁρίοις, Si interroget ubi sim. Sic Hom. Od. Γ, [16] : Ὄφρα πύθηαι Πατρὸς ὅπου κύθε γαῖα. [Et sic ap. quosvis. Quando ap. Æsch. Cho. 582 : Σιγᾶν ὅπου δεῖ καὶ λέγειν τὰ καίρια· Eum. 277 : Λέγειν ὅπου δίκη σιγᾶν θ' ὁμοίως. Soph. Ph. 443 : Ὃς οὐκ ἂν εἶλετ' εἰσάπαξ εἰπεῖν, ὅπου μηδεὶς ἐῴη. Ἔσθ' ὅπου Æsch. Eum. 517 : Ἔσθ' ὅπου τὸ δεινὸν... δεῖ μένειν· fr. ap. Fabric. B. Gr. vol. 12, p. 626 : Ψευδῶν δὲ καιρὸν ἔσθ' ὅπου τιμᾷ θεός. Soph. Aj. 1069 : Οὐ γὰρ ἔσθ' ὅπου λόγων ἀκοῦσαι ζῶν ποτ' ἠθέλησ' ἐμῶν· 1103 : Οὐδ' ἔσθ' ὅπου σοι τόνδε κοσμῆσαι πλέον ἀρχῆς ἔκειτο θεσμός· OEd. T. 448 : Οὐ γὰρ ἔσθ' ὅπου μ' ὀλεῖς.] Annectuntur ei et particulæ, ut ἂν, et tunc significat Ubicunque, [Ubiubi, add. Gl.] Quocunque in loco, Quacunque in parte. Aristot. dicit etiam, Ὅπου ἂν τύχῃ τοῦ σώματος, Quacunque corporis in parte, Qualibet corporis parte : ut dicitur etiam ὅπου γῆς, Ubicunque terrarum, addito gen. [Plato Reip. 3, p. 403, E, Euthyd. p. 288, E.] Synes.: Ὅπου ποτὲ γῆς εἴης. [Cum genit. Xen. H. Gr. 2, 4, 27 : Ὅπου ἕκαστος βούλοιτο τοῦ δρόμου. Plato Reip. 3, p. 415, D; 4, p. 429, A. Ὅπου ἄρα, Quorsum, Gl.] Dicitur etiam Ὁπουδὴ, [Ubiubi, Ubicunque, Quocunque, Gl.] et Ὁπουδήποτε [pro quo ap. Georg. Pachym. Mich. Pal. 1, 1, p. 4, D, scriptum : Τὰ ὁπουδήπου πραχθέντα διεξιέναι], et Ὅπουπερ ἂν, necnon Ὅπου οὖν, s. Ὁπουοῦν, pro Ubicunque, Ubilibet, Ubivis. Xen. [Comm. 4, 1, 1] : Ὁπουοῦν καὶ ἐν ὁτῳοῦν πράγματι. [Plato Crat. p. 390, A; 403, C, Min. p. 317, B.] Sic, Εἶ ὅπου δὴ παντὸς ὄντα τυγχάνει, Sicubicunque sunt in toto orbe, Sicubi. [Aristid. vol. 2, p. 201 : Τοὺς ὅπου δὴ γῆς καὶ θαλάττης Ἕλληνας. Ὅπου ποτ' ἂν, Ubicunque, Gl. Soph. OEd. C. 12 : Ὡς πυθώμεθα ὅπου ποτ' ἐσμέν.] Dicitur etiam ὅπου μὲν, ὅπου δὲ, non solum pro Alicubi, Alibi, sed etiam pro Quandoque, Interdum. Plut. De def. orac. [p. 433, F] : Λιμνῶν τε γὰρ γεγόνασι καὶ ποταμῶν, ἔτι δὲ πλείονες ναμάτων θερμῶν, ὅπου μὲν ἐκλείψεις καὶ φθοραὶ παντάπασιν, ὅπου δ' οἷον ἀποδράσεις καὶ καταδύσεις· Camillo [c. 6] : Ἀνθρωπίνην ἀσθένειαν ἐκφερομένην ὅπου μὲν εἰς εὐδαιμονίαν, ὅπου δὲ εἰς ὀλιγωρίαν. [Democr. ap. Sext. Emp. p. 395, 28. Hesych. in Βάττου σίλφιον. Hemst. Sextus ipse p. 15 fin., 38 med., 113 med., et sæpius Strabo aliique. Similiter Diodor. 3, 34 : Ὅπου μὲν γὰρ διὰ τὴν ὑπερβολὴν τοῦ ψύχους πήγνυνται οἱ μέγιστοι ποταμοὶ, ... περὶ δὲ τὰς ἐσχατιὰς τῆς Αἰγύπτου, ubi ὅπου de Scythia dictum est i. q. ἐκεῖ.] Præterea sicut Lat. Ubi ponitur interdum pro Quandoquidem [Gl.], Quum, ita etiam ὅπου. Plutarch. Rom. [c. 25] : Ὅλως ἄπιστον τοῦτο, ὅπου καὶ Μεσσήνιοι κόμπῳ χρήσασθαι δοκοῦσι. Et annexo γε. [Xenoph. Cyrop. 2, 3, 12 : Πῶς ἡμῖν οὐχ ἡδέως ἀγωνιστέον, ὅπου γε τὰ μὲν ἆθλα ... πρόκειται, et alibi.] Lucian. [Prom. c. 18] : Ὅπουγε, εἰ καὶ τὸ πᾶν τοῦτο πῦρ ὑφελόμενος κατεκόμισα εἰς τὴν γῆν, οὐ μέγα ὑμᾶς ἠδίκουν. [Et seq. καὶ Dionys. De comp. vv. p. 68 : Καὶ τί δεῖ τούτους θαυμάζειν, ὅπου γε καὶ οἱ τὴν φιλοσοφίαν ἐπαγγελλόμενοι... οὕτως εἰσὶν ἄθλιοι, ubi alia rei vulgaris exx. attulit Schæfer.] In hac ead. signif. ponitur etiam in principio periodi sequente δὲ vel γὰρ, et in redditione ἦπου. Isocr. Π. ἀντιδ., Ὅπου γὰρ ἀκηκοὼς μηδὲν πώποτε φλαῦρον, εἰς ἀγῶνά με τηλικοῦτον κατέστησεν, ἦπου σφόδρ' ἂν οἱ κακῶς πεπονθότες ἐπειρῶντ' ἂν δίκην παρ' ἐμοῦ λαμβάνειν. [Et sequente interrogativa sententia, Thuc. 8, 96 : Ὅπου γὰρ ... τοσαύτη ἡ ξυμφορὰ ἐπεγεγένητο, πῶς οὐκ εἰκότως ἠθύμουν; Antiphanes ap. Stob. Fl. 29, 23 : Ὅπου γὰρ εὑρήκασιν ἄνθρωποί τινες μέρος τι τῶν θείων, ... τί τῶν κοινῶν κάτω ... δύναιτ' ἂν ἀνθρώπων φυγεῖν;] Et Dem. [immo Lycurg. C. Leocr. p. 156, 46] : Ὅπου δὲ καὶ τοῦ λόγου τιμωρίαν ἠξίουν λαμβάνειν, ἦπου τὸν ἔργῳ παραδόντα τὴν πόλιν ὑποχείριον τοῖς πολεμίοις, οὐ μεγάλαις ἂν ζημίαις ἐκόλασαν; [Pro Quum, Quando, cum conj. Theognis 922 : Πτωχεύει δὲ φίλους πάντας, ὅπου τιν' ἴδῃ· cum opt. 999 : Δείπνου δὴ λήγοιμεν ὅπου τινὰ θυμὸς ἀνώγοι. || « Ὅπου, pro ἐν οἷς, Aristoph. Av. 1301 : Ἦδον δ' ὑπὸ φιλορνιθίας πάντες μέλη, ὅπου χελιδὼν ἦν τις ἐμπεποιημένη, ἢ πηνέλοψ, ἢ χήν τις, ἢ περιστερά. » Seager. Menander ap. Stob. Fl. 108, 44 : Εὕροις δ' ἂν οὐδὲν τῶν ἁπάντων, Σιμύλε, ἀγαθὸν, ὅπου τι μὴ πρόσεστι καὶ κακόν.] || Ὅπου significat etiam Quo [Gl.], ut ὅποι. Aristot. De mundo [c. 6] : Πάντα κινεῖ ὅπου βούλεται, Omnia movet quo vult. Xen. Cyrop. 3, [1, 37] : Ἀπελαύνετε ὅπου ὑμῖν θυμός. Sequente ἂν pro Quocunque ponitur. Xen. [Comm. 1, 6, 6] : Βαδίζοντα ὅπου ἂν βούλωμαι, Euntem quocunque velim. [Priori l. ὅποι, ut alibi sæpe ap. Xenoph., pro ὅπου restitutum ex

A libris, idemque faciendum altero vel sine illis, si sententia sit Quo, non Ubi. Nam de ὅπου pro ὅποι posito, nec brachylogia quadam excusando, idem dicendum quod de ποῦ dicit Phryn. Ecl. p. 43 : Ποῖ ἄπει· συντάσσεται οὕτω διὰ τοῦ ι· ποῦ δὲ ἄπει διὰ τοῦ υ ἁμάρτημα. Εἶ δὲ ἐν τῷ ου, ποῦ διατρίβεις. Recte dicere potuit Soph. Tr. 40 : Κεῖνος δ' ὅπου βέβηκεν οὐδεὶς οἶδε, ubi Brunckius ὅποι, ut dixit Aj. 1237 : Ποῦ βάντος ἢ ποῦ στάντος οὗπερ οὐκ ἐγώ, ubi idem cum libris nonnullis ποῖ βάντος. || Ὅπου περ, de quo supra HSt., Xen. Cyrop. 4, 5, 48 : Οὐ παρῆμεν ὅπουπερ ὑμεῖς, et alibi. Plat. Leg. 11, p. 927, B.] Ὅκου, Ionice pro ὅπου, Ubi, Postquam. [Callim. ap. Polluc. 9, 72 : Ἐκ τῶν ὅκου βοῦν κολλύβου πιπρήσκουσιν.]

['Ὀπούντιος, ὁ, Opuntius, n. viri, ap. Aristoph. Av. 153, 1294, ubi v. schol.]

['Ὀποῦς, οῦντος, ἡ, Opus, Gl. Ὀπόεις, πόλις Λοκρῶν τῶν Ἐπικνημιδίων, Ὀπόεντος. Τὸ ἐθνικὸν Ὀποείσιος Ὀποεισία. Λέγεται καὶ Ὀποῦς Ὀποῦντος κατὰ κρᾶσιν. Ἔστι καὶ Ὀποῦς πόλις Ἀχαΐας, καὶ τῆς Ἠλείας ἄλλη. Οἱ πολῖται Ὀπούντιοι, Steph. Byz. Forma Ὀποῦς est ap.
B Thuc. 2, 32, Aristot. H. A. 6, 22, Polit. 3, 16. Forma soluta Ὀπόεις, εντος, quam ponit etiam Hesychius, ap. Pind. Ol. 9, 15 : Κλεινᾶς ἐξ Ὀπόεντος. Et de homine 62 : Θύγατρ' Ὀπόεντος. (Ubi schol. : Ἐναντίωμα δὲ κατὰ τὴν γενεαλογίαν ἐμπίπτει· τὴν γὰρ Πρωτογένειαν οἱ μὲν Δευκαλίωνός φασιν, οἱ δὲ Ὀποῦντος, καὶ δοκεῖ συμφωνεῖν μήτε ἡ γενεαλογία μήτε ἡ ἱστορία. Ἄλλο γάρ τι ποταμὸς Ὀποῦς καὶ ἄλλο ἀνὴρ ἐξ Ἰαπετοῦ. Ἵν' οὖν τὸ ἀσύμφωνον ἀπὸ τοῦ τοιούτου λυθῇ, φασί τινες τὸν Δευκαλίωνα διώνυμον εἶναι, καὶ τὸν αὐτὸν λέγεσθαι Ὀποῦντα· et ad v. 79 : Τοῦ Ὀποῦντος· Διὸς γὰρ ἦν, θέσει δὲ Λοκροῦ, quod pluribus exponit ad v. 72, 86, 96.) Item in epigr. ap. Strab. 9, p. 425, Apoll. Rh. 1, 69, Orph. Arg. 178, 190. Gent. Ὀπούντιος ap. Aristoph. Av. 152, Apoll. Rh. 4, 1780, Herodot. 7, 203, Thuc. 1, 108 etc., Xen. H. Gr. 3, 5, 3, aliosque historicos et geographos.]

['Ὀπόφυλλον, τὸ, Silphii semen. Dioscor. Parab. 1, 69 : Σίλφιον, ὀπόφυλλον μετὰ ὑσσώπου. Pro quo ὀποῦ φύλλον ib. 18.]

C ['Ὄππα. V. Ὄμμα.]

['Ὄππη. V. Ὅπη.]

Ὀππῆμος, [Quando] pro ἦμος. Aratus [568] : Νειόθεν ὀππῆμος κείνων φορέησιν ἑκάστην. Sed aspirandum fortasse potius hoc vocab. aliquis putarit : de quo nihil usquam ap. lexicographos reperio, ac certe rarum ap. ipsos etiam poetas esse existimo. Iis tamen, qui aspirandum censuerint, lubenter subscripserim; quippe qui ex ὅππη et ἦμος factum suspicer : ut sc. ὅππη, quod alioqui loci est adverbium, hic ἐκ παραλλήλου positum, temporis signif. accipiat, quam et ὅπου alicubi habere scimus. [Recte HSt., quum ὀππῆμος non appareat unde formari potuerit. Ὀπῆμος scriptum ap. Theognost. Can. p. 164, 6.]

['Ὀππῐᾶνὸς, ὁ, Oppianus, poeta Cilix, cujus carmina supersunt. De origine nominis mira est Eust. Il. p. 483, 44; 679, 40, opinio, κατὰ συγκοπὴν formatum putantis a verbo ὀπιπτεύειν vel ὀπιπεύειν, ut sit quasi Ὀπιπιανὸς, quum formetur ab latino Oppius. Ὀππῐᾶνὸς in epigr. in Vitis Oppiani, ut solet α natura
D longum in hujusmodi nn. Latinis versus gratia corripi. L. Dindorf.]

['Ὁππόθεν, Ὁππόθι, Ὁπποῖος. V. Ὁπ—.]

['Ὁππόκα. V. Ὁπότε.]

Ὀππόσε, poetice pro ὁπόσε, Quo, Quocunque. Hom. Od. Ξ, [139] : Οὐ γὰρ ἔτ' ἄλλον Ἤπιον ὧδε ἄνακτα κιχήσομαι, ὁππόσ' ἐπέλθω· nisi malis accipere pro ὁπόσα, Quæcunque loca. [Formatum est ab ὅπου, sicut a ποῦ fit πόσε. Angl.]

['Ὁππόσος, Ὁππότε, Ὁππότερος, Ὅππως. V. Ὁπ—.]

['Ὀπτάζω. V. Ὀπτάνω.]

['Ὀπταίνω, Torreo. V. Ὀπτάνομαι.]

['Ὀπταίνω, Video. V. Ὀπτάνω.]

Ὀπτᾰλέος, α, ον, Assus, Inassatus, Tostus. Hom. Il. Δ, [345] : Ὀπταλέα κρέα ἔδμεναι· Od. Π, [50] : Τοῖσι δὲ αὖ κρειῶν πίνακας παρέθηκε συβώτης Ὀπταλέων· Μ, [396] : Κρέα δ' ἀμφ' ὀβελοῖς ἐμεμύκει Ὀπταλέα τε καὶ ὠμά. Ubi opposita sibi sunt ὀπταλέα et ὠμὰ, Assa s. Tosta, et Cruda. Et coquus quidam ap. Athen. 9, [p. 380, C] de porcello farto loquens, Καὶ τὸ μὲν ὀπταλέον ἐστὶν αὐτοῦ, τὸ δὲ ἑφθόν. Ejusd. signif. est ὀπτός. Ὀπτάνεος, si mendosum non est, i. q. ὀπταλέος, Matron ap. Athen. 4, [p. 135, F] describens convivium a Xenocle factum, omnisque generis opsonia enumerans: Ὀπτάνεος δ' εἰσῆλθε πελώριος ἱππότα κεστρεύς, Assus, Tostus. [Recte nunc ὀπταλέος. Nicand. Al. 106: Ἐνθρύψειας ἐν ὀπταλέῃσιν ἀκοσταῖς. Nonnus Jo. c. 21, 76: Ὀπταλέην δαῖτα. Andromachus ap. Galen. vol. 13, p. 876, 877. Memorat etiam Hesychius. De accentu Herodian. Π. μ. λέξ. p. 416.]

[Ὀπτανάριος, Assator, Coctarius, Gl. V. Ὀπτηνάριον.]

Ὀπτάνεῖον s. Ὀπτάνιον, τὸ, Locus in quo torretur, Culina, μαγειρεῖον, Lex. meum vet., ubi annotatur προπερισπᾶσθαι, sicut βαλανεῖον: Attice autem Ὀπτάνιον dici paroxytonως, et exempto ε, teste Herodiano. [Eadem Etym. M.] Cujus ὀπτάνιον aliquot reperi exempla ap. Aristoph. [Eq. 1030: Ἐσφοιτῶν ἐς τοὐπτάνιον· Pac. 891.] Sed et alterum passim obvium est in Comicorum locis qui ab Athen. citantur. Nec Plut. tantum eo utitur, sed et ipse Athen. quum alibi, tum l. 5, [p. 208, A]: Ξυλοθῆκαι καὶ κρίβανοι καὶ ὀπτανεῖα καὶ μύλοι. [Pollux 1, 80; 6, 13.] At l. 3, in hoc l. [p. 102, F] quem affert ex Comico quodam, Ἐγὼ γὰρ εἰς τοὐπτανεῖον οὐκ εἰσέρχομαι, malim scribere τοὐπτάνιον, ut versus mensura juvetur. [Phrynich. Epit. p. 276: Μαγειρεῖον... οὐκέτι (δόκιμον)· ἀντὶ δὲ τούτου ὀπτάνιον λέγουσιν, τῆς μὲν δευτέρας συλλαβῆς ὀξυτονουμένης, τῆς δὲ τρίτης συστελλομένης. Ubi exx. ex prosa recentiorum post Hemst. ad Thomam p. 592 nonnulla attulit Lobeck., quibus præter alia addi potest Eust. Opusc. p. 265, 85: Ἐν ὀπτανείοις. In locis Comicorum vero ap. Athen. constanter esse reponendum ὀπτάνιον non opus est singulatim ostendi. Neque tamen aliena ab recentioribus forma Ὀπτάνιον, qua Cremiorum signif. usus est Manetho ap. Joseph. C. Apion. 1, 27, p. 461 fin.: Τοῖς αὐτοῖς ὀπτανίοις τῶν σεβαστευομένων ἱερῶν ζώων χρώμενοι διετέλουν.] Pro Ὀπτανεῖον autem Ionica facta resolutione dicitur Ὀπτανήϊον, ut in Lex. meo vet. [et Etym. M.] annotatur. At Τοὐπτανεῖον pro τὸ ὀπτανεῖον, Atticum est: eodemque modo τοὖψον dicitur pro τὸ ὄψον, et innumera alia.

[Ὀπτάνεος scripturæ vitium pro ὀπταλέος, quod v.]

[Ὀπτανεύς, έως, ὁ, Assator, Gl.]

[Ὀπτανήϊον. V. Ὀπτανεῖον.]

Ὀπτάνία, ἡ, quod exp. ἡ ἀπόβλεψις, apud Suid. habetur. Aliter autem accipi videtur ap. Athen. 4, [p. 134, F] in hoc l. Matronis: Τῷ δὲ μάγειροι μὲν φόρεον πλῆσάν τε τραπέζας, Οἷς ἐπιτετράφαται μέγας οὐρανὸς ὀπτανιάων· sc. pro ὀπτανεῖον, s. ὀπτάνιον.

[Ὀπτάνιον. V. Ὀπτανεῖον.]

[Ὀπτᾶνός.] Ὄπτανος pro ὀπταλέος dici videtur ap. Athen. 7, [p. 293, B] in l. quodam Sotadis, ἀποβέλισκον ὄπτανα [ἀπ' ὀβελίσκων ὀπτ.], ut sensus sit, Verubus exime tosta, Ex verubus detrahe assata. Bud. scribit Ὀπτανὸς ex Plinio interpretans Inassatus, simileque esse annotans τῷ Ἑψανός, quod ap. Aristot. legitur. Imo ipsum etiam Ὀπτανὸς ex ejus Probl. [20, 5, ubi contraria ἑψανὰ et ὀπτανὰ, qui verus est accentus,] citatur.

[Ὀπτάνω, Torreo. Nicetas Chon. in Andronico Comneno 1, p. 201, A: Κατὰ δελφάκιον ὀβελοῖς ἐμπειρόμενος καὶ ὀπτανόμενος. Bast.]

Ὀπτάνω, Video, Cerno. Pass. Ὀπτάνομαι, Videor, Conspicior, Appareo. 3 Reg. 8, [8]: Οὐκ ὠπτάνοντο ἔξω, Non cernebantur s. apparebant extrinsecus: paulo ante dicit ἐβλέποντο. Act. 1, [3]: Δι' ἡμερῶν τεσσαράκοντα ὀπτανόμενος αὐτοῖς, Per dies quadraginta conspectus ab eis. Hesych. ὀπτανόμενος, ὁρώμενος, ἐμφανιζόμενος. Quum vero dicit Ἐμφανιζόμενος, dubitare quis possit velitne activum quoque ὀπτάνω exponere ἐμφανίζω, Conspiciendum præbeo, φανεροποιῶ. [Aristoph. grammat. argum. Aristoph. Plut. 4: Πλοῦτος ὀπτάνεται τυφλός. Eust. Opusc. p. 167, 37: Ὀπτανόμενος ἐν σκιαῖς ὀνείρων· 217, 77: Ἐν τῷ ὀπτάνεσθαι τῷ προσώπῳ τοῦ μεγάλου θεοῦ καὶ σωτῆρος ἡμῶν, aliique multi recentiorum. Aor. ὀπτανθῆναι ap. Theodor. Stud. p. 509, C. Activam signif. ponit Zonaras Lex. p. 1460: Ὀπτανόμενος, βλέπων, et Herodian. Epimer. p. 101: Ὀπτάνομαι, τὸ βλέπω. Forma Ὀπτάζομαι est

A Num. 14, 14: Ὅστις ὀφθαλμοῖς κατ' ὀφθαλμοὺς ὀπτάζῃ, κύριε, ubi alii ὀπτάνῃ. Ὀπταζόμενοι Theod. Stud. p. 139, C. Formam Ὀπταίνω ponit Eust. Hom. Il. Ξ, 101. Est illa ap. Niceph. Blemm. Epit. phys. p. 167, B: Ἡ ἀτονοῦσα ὄψις μελάντερα ὀπταίνεται τὰ λευκά· cui restituendum quod p. 171, A, est ὀπτάνεσθαι. Citavit Bast. ᾰ]

Ὀπτάριον, τὸ, i. q. ὀπτάνιον, VV. LL.; pro quo scrib. fortassis ὀπτάνιον. [Vel ὀπτανάριον, quod v. in Ὀπτηνάριον.]

Ὀπτᾰσία, ἡ, Visio [Gl.]. Sed peculiariter de Visione κατ' ὄναρ, aut etiam ὕπαρ, quum spectrum aliquod visui nostro se offert: quo modo et ὄψις usurpari docebo. Latini Visionem et Visum appellant. Luc. 1, [22]: Ὀπτασίαν ἑώρακεν ἐν τῷ ναῷ· 24, [23]: Ὀπτασίαν ἀγγέλων ἑωρακέναι, Act. 26, [19]: Οὐκ ἐγενόμην ἀπειθὴς τῇ οὐρανίῳ ὀπτ. [Jo. Chrys. In Daniel. p. 187, 189 Coteler. Philostorg. Hist. Eccl. 3, 15. Jo. Malalas p. 452, 6: Ἐν ὀπτασίᾳ πλειστάκις ἑωρακότος τὸν τόπον. Eust. Opusc. p. 179, 81: Ὁποῖαι αἱ ὀπτασίαι τοῦ μάρτυρος.

B Philetas Anth. Pal. 6, 210, 6: Κύπριδος ὀπτασίην, Spectacula Veneris. Θεωρία, φαντασία interpr. Hesychius.]

[Ὀπτάτος, ου, ὁ, nomen viri ap. Plut. De solert. anim. § 8. Boiss.]

Ὀπτάω, Torreo, [Coquo, add. Gl.] Asso [Gl.]. Hom. Od. [Γ, 33: Κρέα ὤπτων·] Ξ, [76]: Ὀπτήσας δ' ἄρα πάντα, φέρων παρέθηκ' Ὀδυσῆϊ Θέρμ' αὐτοῖς ὀβελοῖσι· Virg., Pinguiaque in verubus torrebimus exta, Subjiciunt verubus prunas, et viscera torrent: Plin., Ligneis verubus inassatum. Od. O, [322]: Δαιτρεῦσαί τε καὶ ὀπτῆσαι καὶ οἰνοχοῆσαι. [Antiphanes] ap. Athen. 14, [p. 662, B]: Τὸ δὲ λαβράκιον Ὀπτᾶν ὅλον. [Aristoph. Pac. 1053, 1057, et alibi sæpe. Herodot. 2, 47: Σταιτίνας πλάσαντες ὗς καὶ ὀπτήσαντες ταύτας.] Xen. Cyrop. 8, [2, 6]: Ἱκανὸν ἔργον ἑνὶ ἕψειν κρέα· ἄλλῳ ὀπτᾶν· ubi [ut ap. Plat. Euthyd. p. 301, C, D] observa discrimen inter ἕψειν, Coquere, Elixare, et inter ὀπτᾶν, Assare s. Torrere. Itidem Athen. 14, [p. 656, A] ex Philochoro, de Atheniensibus: Ταῖς ὥραις θύοντες οὐκ ὀπτῶσιν,

C ἀλλ' ἕψουσι τὰ κρέα. Plut. Hellen. [p. 298, C] de Eretriensium mulieribus Θεσμοφόρια celebrantibus: Οὐ πρὸς πῦρ, ἀλλὰ πρὸς ἥλιον ὀπτῶσι τὰ κρέα. [De placentis Aristoph. Ran. 507: Πλακοῦντας ὄπτα, κολλάβους. ‖ Medio Aristoph. Av. 532: Ὀπτησάμενοι παρέθενθ' ὑμᾶς.] Pass. Ὀπτάομαι, Assor, Torreor. [Aristoph. Ach. 1012: Κίχλας ὀπτωμένας· Pl. 894: Κρεῶν ὠπτημένων.] Athen. 3: Οἱ μέχρι τοῦ χανεῖν ἐπ' ἀνθράκων ὀπτώμενοι. Et ὀπτωμένου ἥπατος ἰχώρ, Inassati jecinoris sanies, ut Plin. interpr. supra in Ἰχώρ. [Hom. Od. Υ, 27: Ὦκα λιλαίεται ὀπτηθῆναι. Herodot. 8, 137: Ὅκως ὀπτῷτο ὁ ἄρτος.] Et ὀπτηθέντα κυδώνια, In prunis cocta, Super pruna tosta, Diosc. [1, 160.] Minus autem esse ὀπτᾶσθαι quam καίεσθαι, ex eod. auctore manifestum est 2, 20. [Plat. Hipp. maj. p. 288, D: Καλῶς ὠπτημένη (χύτρα).] Sed et terra a sole ὀπτᾶσθαι dicitur quasi Torreri s. Percoqui; nam quod ap. Xen. Œc. [16, 13]: Ἡ δὲ γῆ ὀπτῷτο ὑπὸ τοῦ ἡλίου, Cic. ita Latine reddit, Terra a sole percoquatur. Id. [ib. 1, 5]: Τὴν γῆν στρέφειν ὡς ἡ ὠμὴ αὐτῆς ὀπτῷτο [ὀπτᾶται], Terram aratro vertere, ut quod crudum in ea est, percoquatur. [De sole item

D Bion 6, 12: Οὐκ ἐθέλω θέρος ἦμεν, ἐπεὶ τόκα μ' ἅλιος ὀπτῇ. Figurate Callim. Epigr. 45, 5: Ὤπτημαι μέγα δή τι. Meleager Anth. Pal. 12, 92, 7: Ὀπτᾶσθ' ἐν κάλλει. ‖Forma Ὀπτέω ap. Theocr. 7, 55: Αἴ κεν τὸν Λυκίδαν ὀπτεύμενον ἐξ Ἀφροδίτας ῥύσηται· 23, 34: Ἀνίκα τὰν κραδίαν ὀπτεύμενος ἁλμυρὰ κλαύσεις. Sed ap. Eumath. p. 74, C: Ὡς ἐπὶ πυρᾶς ὀπτούμενος, præstat ὀπτώμενος, etsi recentissimi has formas interdum permutarunt, nec quidquam tribuendum Hesychii gl.: Ὤψουν, ἐμαγείρευον, ὤπτουν. L. Dind.]

Ὀπτέον, Videndum. [Plotin. vol. 2, p. 1315, 12: Τὸ ἐκ τοῦ λόγου συμβαῖνον νῦν ὀπτ. L. D. Heliod. Æth. 7, 17, p. 285 ed. Cor.]

Ὀπτεύω, Video. [Aristoph. Av. 1061: Πᾶσαν μὲν γὰρ γᾶν ὀπτεύω.] Verbum fictum a gramm. qui παραγωγικῶς ipsum derivant ab Ὄπτω, ab eo autem, facta reduplicatione deducunt Ὀπιπτεύω. [Ut Moschop. ad Hesiodi Op. v. 29.]

[Ὀπτέω. V. Ὀπτάω.]

[Ὀπτηνάριον, τὸ, i. q. ὀπτανεῖον, Coquina. Anon. astronomus Ms. ex cod. Colbert.: Ἐστὶν εἰς οἶκον πυρὸς καὶ μαγειρίου ἢ κλιβάνου ἢ καμίνου ἢ καὶ ὀπτηναρίου κεκαυμένου κατὰ τὸν νωτὸν εἰς τὰ εὐώνυμα. Ducang. Scribendum ὀπτανάριον, ut supra Ὀπτανάριος. L. D.]

Ὀπτηκὸς, Vim habens torrendi, VV. LL. Pro quo tamen dicendum potius foret Ὀπτητικός. Aliud autem significat Ὀπτικός.

Ὀπτὴρ, ῆρος, ὁ, Visor (ut Tacitus, Missis visoribus, per quos nosceret an vera assererentur), Speculator, κατόπτης, κατάσκοπος. Hom. Od. Ξ, [261, Ρ, 430]: Ὀπτῆρας δὲ κατὰ σκοπιὰς ὤτρυνα νέεσθαι. [Manetho 4, 264.] Quod quamvis ποιητικώτερον esse tradat Thom. M. [p. 653], utitur tamen Xen., ex quo et Pollux [2, 59, coll. 57] citat. Xen. inquam Cyrop. 4, [5, 17]: Πεμψάντων δὲ καὶ ὀπτῆρας ὧν πράττομεν, καὶ φραστῆρας, ὧν ἐρωτῶμεν. Potest etiam reddi Spectator. [Æsch. Suppl. 186: Τάχ᾽ ἂν πρὸς ἡμᾶς τῆσδε γῆς ἀρχηγέται ὀπτῆρες εἶεν. Soph. Aj. 29. Nicetas Andron. 2, 1, p. 204, C.]

Ὀπτήρια, τὰ, Dona quæ sponsus sponsæ dabat, quum primum eam videret: sicut προφθεγκτήρια, Quæ donabat quum primum eam alloqueretur. Pollux 2, [59]: Εἴρηται δὲ καὶ ὀπτήρια, τὰ δῶρα τὰ παρὰ τοῦ πρῶτον ἰδόντος νυμφίου τὴν νύμφην διδόμενα. [Conf. 3, 36.] Itidem Hesychio ὀπτήρια sunt τὰ ἐν τοῖς ἀνακαλυπτηρίοις διδόμενα δῶρα τῇ νύμφῃ. Sed generalius etiam accipitur hæc vox, et ὀπτήρια dicuntur Quæcunque donantur ἕνεκα τῆς προσόψεως, Ob rem spectatam. [Eur. Ion. 1127: Παῖδα τὸν καινὸν λαβὼν Ξοῦθος μὲν ᾤχετ᾽ ἔνθα πῦρ πηδᾷ θεοῦ βακχεῖον, ὡς σφαγαῖσι Διονύσου πέτρας δεύσειε δισσὰς παιδὸς ἀντ᾽ ὀπτηρίων.] Callim. H. in Dian. [74] loquens de ipsa Diana tres annos nata: Εὖτ᾽ ἔμολεν Λητώ σε μετ᾽ ἀγκαλίδεσσι φέρουσα, Ἡφαίστου καλέοντος ὅπως ὀπτήρια δοίη, Ut munera daret tui videndi gratia: τὰ ὑπὲρ τοῦ ἰδεῖν δῶρα, schol. [Exstat idem vocab. ap. Herodicum Athen. 5, p. 219, D, ubi Casaub. quidem in longe diversam partem interpretatur, ὀπτήρια θυμοῦ Imaginem animi intelligens. Schw.]

Ὀπτήσιμος, ὁ, ἡ, Qui torreri et inassari potest, Ad torrendum et inassandum aptus. Eubulus ap. Athen. [9, p. 369, C] dicit, Ὀπτήσιμον γογγυλίδα ταυτηνὶ φέρω. Paulo ante habetur ὀπτωμένη γογγυλὶς, Gongylis tosta, s. Rapum inassatum.

Ὄπτησις, εως, ἡ, [Tostatio, Coctura, Gl.] ipsa Torrendi actio. [Aristot. Meteor. 4, 3: Ὄπτησίς ἐστι πέψις ὑπὸ θερμότητος ξηρᾶς καὶ ἀλλοτρίας. Lucian. Prometh. c. 2: Τὴν ἐν πυρὶ τῶν σκευῶν ὄπτησιν.] Plut. Probl. Rom. [p. 298, A]: Ἡ γὰρ ἕψησις καὶ ὄπτησις, ἀλλοίωσις οὖσα καὶ μετακόσμησις, ἐξίστησι τὴν μορφήν· de carne cruda loquens, quam nec ζῶον esse dicit nec ὄψον. Utitur et Athen. ἕψησιν itidem ei opponens. [De Coctione s. Coquendi ratione panis utitur Athen. 3, p. 109, C. Schweigh.]

[Ὀπτήτειρα, ἡ, Quæ torret. Callimach. ap. Chœrob. vol. 1, p. 384, 3: Ἔστιν ὕδος καὶ γαῖα καὶ ὀπτῆρα κάμινος. Ὀπτήτειρα Nækius. L. Dind.]

Ὀπτητέον, Torrendum.

[Ὀπτητήριον, τὸ, legitur ap. Hesychium: Ὠψὰ, τὰ ὀπτητήρια.]

[Ὀπτητικός. V. Ὀπτηκός.]

[Ὀπτητὸς, ὁ, Assatus. Eust. Il. p. 135, 17: Ὀπτητοῖς, ὅ ἐστι κατὰ συγκοπὴν ὀπτοῖς.]

[Ὀπτίζω, Video. Archytas ap. Iambl. Protr. 3, p. 48 ed. Kiessl.: Οὕτω καὶ τῶν νοαμάτων ἐν τοῖς ἐόντεσσι ὀπτιζομένοις θεαρός. Idem Photio pro Ὀπάζω restitui in illo. L. Dind.]

Ὀπτικὸς, ἡ, ὸν, Visorius, Cujus vi cernimus, Cujus beneficio videmus: ὀπτ. νεῦρα, Nervi visivum spiritum oculis subministrantes, ut nonnulli vertunt; ὀπτ. πνεῦμα, Alex. Aphr. [Probl. 1, 74], Usui visus accommodatus spiritus, Gaza interpr. [Schol. Soph. Tr. 102: Νικῶν πάντας τοὺς θεοὺς κατὰ τὸ ὀπτικόν. Maximus Conf. vol. 2, p. 162, A: Τὸ τοῦ ὁρῶντος ὀπτικόν. Eust. Opusc. p. 95, 6: Τὰς ὀπτικὰς ἀκτῖνας· Il. p. 182, 29: Τὸν ὀπτικὸν ἥλιον.] Item ὀπτικὴ γεωμετρία: de qua ita Gell. 16, 18: Pars quædam geometriæ ὀπτικὴ appellatur, quæ ad oculos pertinet; pars altera quæ ad aures, κανονικὴ vocatur: qua musici ut fundamento artis suæ utuntur. Et mox, Ὀπτικὴ facit multa demiranda, id
A genus, ut in speculo uno imagines unius rei plures appareant. Item, ut speculum in certo loco positum, nihil imaginet: aliorsum translatum, faciat imagines. Item, si rectius speculum spectes, imago fiat tua ejusmodi ut caput deorsum videatur, pedes sursum. Reddit etiam causas ea disciplina, cur istæ quoque visiones fallant, ut quæ in aqua conspiciuntur, majora ad oculos fiant: quæ procul ab oculis sunt, minora. [Aristot. Metaphys. p. 47, 3: Περὶ ὧν ἡ ὀπτικὴ πραγματεύεται· 264, 21: Περὶ ἁρμονικῆς καὶ ὀπτικῆς.] Et ὀπτικὰ s. ὀπτικαὶ πραγματεῖαι, Disciplina optica, h. e. Disciplina geometrica quæ ad oculos pertinet, visusque causas exquirit. [Aristot. Metaphys. p. 261, 19: Τὰ ὀπτικὰ καὶ τὰ ἁρμονικά. Heliodori supersunt κεφάλαια τῶν ὀπτικῶν. Tzetz. Hist. 8, 344: Ἄτεχνος ὢν καὶ ὀπτικῆς· 347: Φειδίας ὀπτικὸς τελῶν. Fig. Anon. Cram. An. vol. 3, p. 220, 29: Τὸ ὀπτικὸν τῆς ψυχῆς. L. D. Τὸ ὀπτικὸν τῆς διανοίας Niceph. Greg. Hist. Byz. 8, 13, p. 224, B. « Ὀπτικώτερος νοῦς, Perspicacior mens, Dionys. Areop. p. 153, 181.» Kall. || Adv.
B Ὀπτικῶς, Galen. vol. 12, p. 290. Hesychius et Photius aliique: Ὀψείοντες, ὀπτικῶς ἔχοντες.]

Ὀπτιλέτις Ἀθηνᾶ, Minerva, cui Lycurgus in memoriam excussi sibi oculi, fanum statuit. Plut. Lycurgo p. 83 meæ edit. [c. 11]: Τοῦ δὲ πάθους ὑπόμνημα Λυκοῦργος ἱδρύσατο, τῆς Ἀθηνᾶς ἱερὸν ἣν Ὀπτιλέτιν προσηγόρευσε· τοὺς γὰρ ὀφθαλμοὺς, ὀπτίλους οἱ τῇδε Δωριεῖς καλοῦσιν, sc. Lacedæmonii: Apophthegm. Lacon. p. 403 meæ edit. [p. 227, B] iisdem fere verbis refert. [Male Zonaras Lex. p. 1459: Ὀπτιλέτιν, ἱερὸν Ἀθηνᾶς.] A Pausania Lacon. [18, 1] hæc Minerva vocatur Ὀφθαλμῖτις, p. 77, ubi etiam nominis causam his verbis tradit: Ναὸς Ἀθηνᾶς Ὀφθαλμίτιδος· ἀναθεῖναι δὲ Λυκοῦργον λέγουσιν, ἐκκοπέντα τῶν ὀφθαλμῶν τὸν ἕτερον ὑπὸ Ἀλκάνδρου, διότι οὓς ἔθηκε νόμους, οὐκ ἀρεστοὺς συνέβαινεν εἶναι τῷ Ἀλκάνδρῳ· διαφυγὼν δὲ ἐς τοῦτο τὸ χωρίον, Λακεδαιμονίων ἀμυνάντων μὴ προσαπολεῖσθαι [—λέσθαι] οἱ καὶ τὸν λειπόμενον ὀφθαλμὸν, οὕτω ναὸν Ὀφθαλμίτιδος Ἀθηνᾶς ἐποίησε. [Olympiod. In Plat. Gorg. c. 40: Ἱστορεῖται γὰρ ὅτι Πτιλλίας Ἀθηνᾶς ἱερὸν ἐποίησε·
C πτίλλους δὲ ἐκάλουν τοὺς ὀφθαλμούς.]

[Ὀπτιλίασις. V. Ὀπτοιαλοὶ in Ὀπτίλος.]

Ὄπτιλος, ὁ, Oculus, vocab. Dor. [ap. Plut. in Ὀπτιλέτις cit. Phintys ap. Stob. Fl. vol. 3, p. 83: Ἃ μὲν τῶν ὀπτίλων (ἀρετὰ) τὼς ὀπτίλως, ubi male oxytono accentu, quum vol. 1, p. 25 recte scriptum sit ὀπτίλων ἀρετὰ ὀξυδορκία. Hesychius: Ὄπτιλοι, ὀφθαλμοί. Sic enim correctum ὀπτοιαλοὶ, etsi hoc ducit ad ὀπτίλλοι, ut est ap. Arcad. p. 54, 15: Τὸ δὲ ὄπτιλλος παροξύνεται, qui etiam alia nonnulla quæ simplici λ sunt scribenda duplici scribit: alienus enim ab illis accentus in secunda. Simplex autem λ confirmat Lat. Oculus, quod propius accedit ad formam Ὄκταλλος, de qua supra. V. etiam Ἐνοπτιλίζω, ubi scrib. Ἐνοπηλίζειν.] Apud Hesych. vero habetur Ὀπτοιαλοὶ, ὀφθαλμοί· unde Ὀπτοιαλίασις, ὀφθαλμίασις Morbus oculorum. [Leg. Ὀπτιλίασις.]

[Ὀπτίων. V. Ὀπίων.]

Ὀπτὸς, ἡ, ὸν, Assus, [Tostus, Gl.] Inassatus, Tostus, i. q. ὀπταλέος: ut [Hom. Od. Π, 443: Κρέας
D ὀπτόν· Δ, 66: Νῶτα βοὸς ὀπτά· Χ, 21: Σῖτός τε κρέα τ᾽ ὀπτά. Æsch. Ag. 1097: Ὀπτάς τε σάρκας. Soph. Ant. 475: Σίδηρον ὀπτὸν ἐκ πυρὸς περισκελῆ. Aristoph. Pac. 1058: Ἀλλὰ ταυταγὶ ἤδη ᾽στὶν ὀπτά· Eq. 1106: Τοὔψον ὀπτόν. Theocr. 24, 136: Κρέα τ᾽ ὀπτά. Pollux 6, 77, συκαλίδες], ὀπτοὶ δέλφακες, Epicrati ap. Athen. 14, [p. 655, F. Ibidem Alexis: Κρεῖσσον ... ὕειον ὀπτόν]. Et ὀπτὰ κρέα ap. Plut. et Athen., quæ et φλογίδες appellantur. Apud eund. Athen. 9, [p. 376, E] porcellus quidam fartus a coco esse dicitur ἐξ ἡμισείας μὲν ὀπτὸς, ἐφθὸς δὲ κατὰ θάτερα· cui similis est alius l. [ib. p. 380, C] in Ὀπταλέος citatus. Theophr. H. Pl. 6, 3, de silphio: Μετὰ δὲ ταῦτα καυλὸν ἐσθίεσθαι πάντα τρόπον, ἑφθὸν, ὀπτόν. Unde Plin. 19, 3: Post folia amissa, caule ipso et homines vescebantur decocto, asso elixoque. [Plato Reip. 3, p. 404, C.] Et ὀπτὸς πρὸς ἥλιον, Xen. [Œc. 16, 12], Sole tostus, Solis ardore tostus; nam et sic Latini. At ὀπτὴ πλίνθος ap. Herodot. [1, 179, et Aristoph. Av. 552, Xen. Anab. 2, 4, 12], et Aristid., Cocti lateres. Cratinus vero usus est etiam

superl. ὀπτότατος, Maxime omnium tostus: ap. Athen. 9, [p. 385, D] de Polyphemo: Φρύξας, ἑψήσας, κἀπανθρακίσας, ὀπτήσας, Εἰς ἅλμην τε καὶ ὀξάλμην, κᾆτα σκοροδάλμην, Χλιερὰν ἐμβάπτων, ὃς ἂν ὀπτότατός μοι ἁπάντων Ὑμῶν φαίνηται, κατατρώξομαι· verba Polyphemi ad socios Ulyssis. Ὀπτὸς autem dici pro ὀπτητὸς per syncopen, tradit Eust.

Ὀπτὸς, ἡ, ὸν, Qui videtur, in conspectu est. Lucian. Lexiph. [c. 9]: Πυθόμενος δὲ ὅτι ὁ στρατηγὸς ὀπτός ἐστι, λαβὼν ἄχρηστα ἱμάτια, ἐξέφρησα ἐμαυτὸν, Quum in conspectu jam esse audiissem. Sed deridet ibi vocab. hoc Lucian., ut parum usitatum. Unde et Lasi Hermionei dictum illud, Τὸν ὠμὸν ἰχθὺν ὀπτὸν εἶναι, nonnullis, qui id audiebant, absurdum visum est, admirantibus sc. quo pacto ὠμὸς ἰχθὺς esse posset ὀπτὸς, Quomodo crudus piscis esse posset tostus. Ambiguitatem autem illam sic discussit, ut Athen. refert 8, [p. 338, B]: Ὅ ἐστιν ἀκοῦσαι, τοῦτό ἐστιν ἀκουστόν· καὶ ὅ ἐστι νοῆσαι, τοῦτό ἐστι νοητόν· ὡσαύτως οὖν καὶ ὅ ἐστιν ἰδεῖν, τοῦτο εἶναι ὀπτόν· ὥστ' ἐπειδὴ τὸν ἰχθὺν ἦν ἰδεῖν, ὀπτὸν αὐτὸν εἶναι. Significat igitur ὀπτὸν, ὅ ἐστιν ἰδεῖν, Quod videre est, τὸ ὁρατόν. [Thomas p. 514: Κάτοπτα λέγε, καὶ μὴ ὀπτὰ, ἤτοι θεατά.] Alias Ὀπτὸς frequentius capitur pro Assus, Tostus, Coctus: ut ἀγάλματα ὀπτῆς γῆς, Simulacra ex terra cocta, h. e. ficta ex terra figulina quæ in camino percocta est. De hoc autem dixi suo etiam loco, sc. post Ὀπτάω. [Hesychius: Ὀπτὴ, ὀπτική. Ὀπτικὸν καὶ ὀπτὸν ταὐτὰ σημαίνει, ὁρατὰ, φανερὰ, προορατικά. Idem: Ὀπτὸς, φαινόμενος.]

Ὄπτω, ψω, Video: quod thema quum alioqui inusitatum sit [nisi quod fingitur ab schol. vet. Apoll. Rh. 1, 46, ὁ ὄπτων καὶ ἐπιτηρῶν, ubi Paris. ὀπῶ τὸ ἐπιτηρῶ], a se format Ὤφειν in præt. plusquamperf., quod Suid. exp. εἶδον, hoc citans exemplum, Ὄφιν ὤφειν ὀδωδότα. [Idem: Ὦψα, ἀντὶ τοῦ εἶδον. V. etiam Πρόωφος.] Usitatius est pass. Ὄπτομαι, signif. tamen activa, sc. pro Video. [Hom. Il. Δ, 353: Ὄψεαι ... πατέρα προμάχοισι μιγέντα, et alibi ead. forma. Ψ, 620: Οὐ γὰρ ἔτ' αὐτὸν ὄψει ἐν Ἀργείοισι· Od. M, 101: Τὸν δ' ἕτερον σκόπελον χθαμαλώτερον ὄψει· Λ, 450: Τόνγε πατὴρ φίλος ὄψεται· et alibi participio et infinitivo, ipse aliique Epici itemque sæpe Tragici, quorum ap. Eur. Androm. 1225 est etiam forma ὄψεαι, qua Herodotus aliique Iones utuntur etiam in prosa. Inf. ὀψεῖσθαι ap. Archytam ab Nicomacho Intr. ar. 1, 3, p. 70, B, et Iambl. In Nicom. p. 6, A, cit.] Xenoph. Cyrop. 7, [3, 13]: Οἵαν γυναῖκα καταλιπὼν οὐκέτ' ὄψοιτο, Visurus esset. [Et alibi sæpe, etiam indicativo et participio. Opt. tertiæ pl. forma ὀψοίατο est ap. Soph. OEd. T. 1274, alibi vulgari usum.] Præt. med. ὦπα, pro quo Attice dicitur Ὄπωπα, sicut ὄλωλα pro ὦλα. Hom. Il. Ω, [392]: Τὸν μὲν ἐγὼ μάλα πολλὰ μάχῃ ἔνι κυδιανείρῃ Ὀφθαλμοῖσιν ὄπωπα· Od. Γ, [93]: Εἴ που ὄπωπας Ὀφθαλμοῖσι τεοῖσι. Apoll. Arg. 2, [1055]: Αὐτὸς ὄπωπα, i. e. ἐθεασάμην, Vidi, Spectavi. Soph. Ant. p. 260 meæ edit. [1126]: Σὲ δ' ὑπὲρ διλόφου πέτρας στέροψ ὄπωπε λιγνύς· ubi tamen schol. pro præsenti accipit, sic exponens ea verba, σὲ ὁρᾷ ὁ λαμπρὸς καπνός. [Æsch. Eum. 57: Τὸ φῦλον οὐχ ὄπωπα τῆσδ' ὁμιλίας, et sæpe ceteri Tragici, item Aristoph. Lys. 1225: Οὔπω τοιοῦτον ξυμπόσιον ὄπωπ' ἐγώ· 1157: Οὔπω γυναῖκ' ὄπωπα χαϊωτέραν. Herodot. 3, 37; Aristot. De partt. anim. 3, 1 fin. Ut poeticum interpretatur Plato Crat. p. 399, C. Imperfecti significatione Orph. Arg. 1186: Λυγκεὺς εἰσενόησε, ὁ γὰρ τηλωπὸν ὄπωπε. Nonnus Dion. 7, 263: Σκοπίαζεν ἐλεύθερον αὐχένα, στέρνα δὲ μᾶλλον ὄπωπε· 18, 176: Εἶχε δὲ θυμῷ ... φόβον ... ὀνείρου· μιμηλῆς γὰρ ὄπωπε μάχης ἴνδαλμα Λυκούργου· 182: Καὶ φόβον ἄλλον ὄπωπε, λέων θρασὺς ὅττι γυναῖκας ... ἐδίωκε, et alibi sæpius. Plur. ὀπώπαμεν ap. Empedocl. ab Aristot. Metaphys. p. 84, 6 cit., Porphyrium schol. in Aristot. p. 6, 25 ed. Berolin.] Et partic. Ὀπωπότες, Qui viderunt ac cognoverunt. [Orph. Arg. 672: Ἀσκηθεῖς καὶ ὀπωπότας. Herodot. 2, 64. Plusquamperf. Hom. Od. Φ, 123: Πάρος δ' οὐ πώποτ' ὀπώπει· Ψ, 226: Εὐνῆς ἡμετέρης, ἣν οὐ βροτὸς ἄλλος ὀπώπει. Et forma Dor. ὀπώπη Theocr. 4, 7. Et tertia soluta Herodot. 5, 92, 6, et alibi ὀπώπεε.] At præt. perf. pass. Ὦμμαι pass. significationem habet: quod

A Pollux [2, 57] citat ex Isæo. Unde partic. [ap. Aristot. H. A. 1, 7, Meteor. 1, 6 med.] Ὠμμένος, Visus. Tertia autem pers., ὦπται, Visus est. [Hesychius: Ὦπται, ἐθεάθη. Æsch. Prom. 998: Ὦπται πάλαι δὴ καὶ βεβούλευται τάδε. Callim. Ep. 53, 3; Athen. 8, p. 353, A; Theodor. Stud. p. 73, C.] Cujus exemplum habes in Μώνυξ. [Secunda ap. Hesychium: Ὦψαι, ὤφθης. Ὦφθαι inf. Theolog. ar. p. 62, A ed. Ast.] Itidem aor. 1 Ὤφθην, Visus sum, Apparui. Matth. 17, [3]: Ὤφθησαν αὐτοῖς Μωσῆς καὶ Ἠλίας. Act. 16, [9]: Ὅραμα διὰ τῆς νυκτὸς ὤφθη. Luc. 9, [31]: Οἱ ὀφθέντες ἐν δόξῃ. Utuntur et alii scriptores non infrequenter, ac Plut. in primis. [Soph. Tr. 452: Ὀφθήσει κακός· OEd. T. 509: Σοφὸς ὤφθη· Ant. 709: Οὗτοι διαπτυχθέντες ὤφθησαν κενοί· et iisdem temporibus modisque sæpe Herodotus, Xenophon et alii quivis Atticorum. Suidas: Ὦφθον (l. ὦφθεν), ἀντὶ τοῦ ὤφθησαν. Aratus 957: Ἀθρόοι ὦφθεν ἴουλοι τείχη ἀνέρποντες. || De aor. medii Ἐπιωψάμην diximus in Ἐφοράω, p. 2588, C, D. Simplicis exx. præter Hesychii gl.: Ὤψατο, εὔξατο, ἐμαρ- B τύρατο, εἶδεν, Libanii vol. 4, p. 611, 15: Ἂν ἴδω, ἂν ὄψωμαι (ut Reiskius pro ὄψομαι), ἂν ἀναμνησθῶ. Annæ Comn. 11, p. 342, D: Ὀψαίμην ἄνδρας Ἄρεος μνήμονας, annotavit Lobeck. ad Phryn. p. 734. Sed Ephræm Syr. vol. 1, p. 270, B: Ἐγχύψωμεν ἐν μνημείῳ καὶ ὀψώμεθα τῆς φύσεως ἡμῶν μυστήρια, iterumque paullo post, scripserat ὀψόμεθα. Neque in Gl. quod est Ὄψασθαι, Adfectare, huc videtur pertinere. De Zenodoteo ὄψασθε v. Etym. M. p. 646, 31.]

[Ὀπυόλης, ὁ, sec. Hesychium: Ὀπυόλαι, γεγαμηκότες, Maritus, secundum analogiam autem ejusmodi vocc., de qua Pierson. ad Mœr. p. 279, est potius, Qui matrimonium vel coitum appetit, et secundum ea quæ in Ὀπύω dicemus, scribendum Ὀπυιόλης.]

[Ὀπύω s.] Ὀπυίω, Ineo; et quidem legitime: unde exp. etiam Uxorem s. Conjugem habeo, Habeo in matrimonio. Hom. Od. Z, [63]: Πέντε δέ τοι φίλοι υἷες ἐνὶ μεγάροις γεγάασιν· Οἱ δύ', ὀπυίοντες, τρεῖς δ' ἠΐθεοι θαλέθοντες, Duo jam uxorati. Il. N, [379]: Δοίμεν δ' Ἀτρείδαο θυγατρῶν εἶδος ἀρίστην ὀπυιέμεν. Sic Hesiod. C Theog. [819]: Δῶκεν ὀπυίειν θυγατέρα ἥν, Dedit filiam suam ineundam, habendam in matrimonio, Dedit uxorem. Idem [Sc. 356]: Τοῦ γὰρ ὀπυίεις παῖδα, Ejus enim filiam inis, Habes in matrimonio. Sic Il. N, [429]: Πρεσβυτάτην δ' ὤπυιε θυγατρῶν Ἱπποδάμειαν· Odyss. B, [207]: Ἃς ἐπιεικὲς ὀπυιέμεν ἐστὶν ἑκάστῳ. [Pind. Isthm. 3, 77: Ἥβαν ὀπυίει. De coitu orac. ap. Diod. Exc. Vat. p. 11: Ἔνθ' εἴσω βάλλοντι τὸν ἄρσενα θῆλυς ὀπυίει.] Pass. Ὀπυίομαι, Ineor, In matrimonio habeor. Il. Θ, [304]: Τόν ῥ' ἐξ Αἰσύμηθεν ὀπυιομένη τέκε μήτηρ. [De coitu Palladas Anth. Pal. 10, 56, 7: Πολλὰς δ' ἔστι γυναῖκας ἰδεῖν ... ὀπυιομένας ἀκορέστως· ep. ib. 14, 55: Ἀμφὶ δ' ὀπυιομένοισι καὶ ἂν Πλουτῆι μαχοίμην. Manetho 4, 311: Στομάτεσσιν ὀπυιομένους.] Legitur et in prosa. Aristot. Eth. 7, 5: Ὅσοις μὲν φύσις αἰτία, τούτους μὲν οὐδ' ἂν εἷς εἴποιεν [εἴπειεν] ἀκρατεῖς· ὥσπερ οὐδὲ τὰς γυναῖκας ὅτι οὐχ ὀπυίουσιν, ἀλλ' ὀπυίονται. Itidem ex Plut. Solone [c. 20] affertur, Ὀπυίεται ὑπὸ τοῦ ἀνδρὸς, pro A viro initur, Virum patitur, admittit. [Perf. Dionys. Epit. 17, 3, p. 502 ed. D Rom.: Ἄρρενα ὑπὸ τῆς θηλείας ὠπυισμένον. De scriptura Pierson. ad Mœrin p. 278: Ὀπύειν Ἀττικοὶ, συγγίνεσθαι Ἕλληνες) « Ὀπύειν sine iota etiam ap. Polluc. 5, 92, Suidam v. Ὤπυεν, Dion. Or. 13, p. 226: Ὀπύειν ἐν τῷ φανερῷ (cod. recte πτύειν)· Lucian. De merc. cond. c. 41, et alibi, ut Alex. c. 50, Eun. c. 12, Gall. c. 19, quibus in ll. ὀπυίειν cum iota reponendam censuit Reitzius. Sed frustra. Ὀπύσω enim fut. secunda producta legitur Aristoph. Ach. 255: Ὦ μακάριος, ὅστις σ' ὀπύσει κᾀκποιήσεται γαλᾶς· qui l. vel solus sufficit ad refutandum Etym. M. p. 72, 24, et Eust. Il. p. 714, 49 errorem, quo ὀπύειν futuro aliisque temporibus carere statuunt; nisi hoc de verbo ὀπυίω intelligendum sit. Certe præter bina ista ἀλυίω (pro quo tamen plerumque dixere ἀλύω) et ὀπυίω, quæ profert Etym., nulla verba in υίω mihi cognita sunt. Origo verbi, in qua valde fluctuant Etym. et schol. Apoll. Rh. 1, 46, incerta. » Ὀπύω probabat etiam Porson. ad Od. Δ, 798, etsi in illo sibi non constaret liber Harlej., ita scribi monens ap. Hesych. in Ὀπυῖλαι, ubi ι interposuit Musurus (ut est quinquies ante hanc gl.), et in Βεινεῖν, quibus addere licet var. script. Apoll. Rh. 1, 46, Theocr. 22, 161, Polluc. 5, 92. In εὖ ποιεῖν corruptum ap. Galen. Gloss. p. 406 correxit Dobræus. Nihil tamen illis testimoniis contra diserta grammaticorum et haud pauca librorum, quæ tuentur ὀπυίω, proficitur. Sed ὠπυισμένον ap. Dionysium scribendum ὠπυσμένον, ut ὀπύσω, et quod, ut Eust. l. c. dicit, ἡ σχεδικὴ τόλμα ἐθρασύνατο ἐν τῷ ὠπύθη, νεωτερισαμένη κατὰ τῶν παλαιῶν. L. Dindorf.]

[Ὄπφις. V. Ὄφις.]

[Ὀπώδης. V. Ὀποειδής.]

[Ὀπώνη, ἡ, Opone, emporium sinus Barbarici Africæ, ap. Ptolem. 4, 7, Arrian. Peripl. m. Erythr. p. 7, 8, 9.]

[Ὀπωπέω, verbum ex perf. ὄπωπα, de quo in Ὄπτομαι, fictum, Video. Orph. Arg. 184 : Μοῦνος ἀπ' ἀνθρώπων δεινοῖσιν ὀπώπεεν ὄσσοις· 1025 : Ὡς οἱ μὲν περὶ κῶας ὀπώπεον. Ubi ἐποίπνυον Heynius. Inf. aor. med. apud Euphorionem ab schol. Eur. Phœn. 682 cit. : Γαμέτην ὅ τε πρῶτον ὀπωπήσασθαι ἔμελλε. Cui simile ὠπήσασθαι in Oppiani Cyneg.]

Ὀπωπή, ἡ, derivatum est ex præt. med. Ὄπωπα, retento augmento, sicut in Ἀντιπεπόνθησις, Ἐγρήγορσις, Πεποίθησις, aliisque ejusmodi. Significat autem ὀπωπή, Conspectus. Sic Telemachus ap. Hom. Od. Γ, [93] Nestorem rogat, ut si forte patrem ὄπωπεν Ὀφθαλμοῖσιν ἑοῖσιν, edoceat : Ἀλλ' εὖ μοι κατάλεξον, inquit, ὅπως ἤντησας ὀπωπῆς, Quomodo eum videris. [Conf. P, 44. H. Cer. 157 : Κατὰ πρώτιστον ὀπωπήν· Od. I, 512 : Χειρῶν ἐξ Ὀδυσῆος ἁμαρτήσεσθαι ὀπωπῆς. Orph. Lith. 549 : Τῆς δ' ἄρα καὶ φθιμένης περ ὀλέθριος ἔσχεν ὀπωπή. Coluth. 121 : Θεῶν δ' ἀλέεινεν ὀπωπήν. || De Facie s. forma Coluth. 74 : Ἡ δὲ διακρινθεῖσα φέρειν περίπυστον ὀπωπῆς κάλλος ἀρειοτέρης, de Venere, ut 127 : Δεῦρο διακρίνων προφερέστερον εἶδος ὀπωπῆς· et de Vultu 264 : Τεὴν οὐκ εἶδον ὀπωπήν· de Aspectu 253 : Κόρον δ' οὐκ εἶχον ὀπωπῆς. Aliter Dionys. Per. 171 : Νῦν δέ τοι ἠπείρου μυθήσομαι εἶδος ἁπάσης, ὄφρα καὶ οὐκ ἐσιδὼν περ ἔχοις εὔφραστον ὀπωπήν.] || Visus, s. Oculus. Apoll. Arg. 2, [109] : Δρύψε δέ οἱ βλέφαρον, γυμνὴ δ' ὑπελείπετ' ὀπωπή, schol. ἡ τοῦ ὀφθαλμοῦ χώρα. [Leontius Anth. Pal. 7, 579, 1 : Πέτρου ὁρᾷς ῥητῆρος ἀεὶ γελόωσαν ὀπωπήν. Epigr. ib. 1, 36, 1 : Ἵλαθι μορφωθείς, ἀρχάγγελε· σὴ γὰρ ὀπωπὴ ἄσκοπος. Coluthus 296 : Ἡ δ' ἐρόεσσαν ἐπὶ χθονὶ πῆξεν ὀπωπήν.] Sed frequentius plur. num. ὀπωπαὶ dicuntur oculi, sicut ὄμματα et ὄψεις. [Apoll. Rh. 2, 445 : Κεινεαὶ γὰρ ὑποσμύχονται ὀπωπαί 3, 1023 : Ἐπὶ σφίσι βάλλον ὀπωπάς.] Epigr. [Christodor. Ecphr. 334] : Φαέων γὰρ ἐρημάδες ἦσαν ὀπωπαί, Luminibus orbi erant oculi. Sic Oppian. Cyn. 3, [75] : Μελαινομένῃσιν ὀπωπαῖς, Nigricantibus oculis. [|| Apollon. Rh. ὀπωπὰς ponit etiam pro Visus, id est, Videndi facultas, 4, 1670 : Θεμένη δὲ κακὸν νόον, ἐχθοδοποῖσιν ὄμμασι χαλκείοιο Τάλω ἐμέγηρεν ὀπωπάς, Oculis invidit visum, id est, inutiles illius oculos reddidit, seu visu privavit, sicque intelligitur quomodo μεγαίρω στερίσκω significet. Brunck.]

[Ὀπωπητήρ, ῆρος, ὁ, Observator. Hom. H. Merc. 15 : Νυκτὸς ὀπωπητῆρα, πυληδόκον, si vera est scriptura.]

Ὀπώρα, sive Ὀπώρη, ἡ, Ionice, Autumnus, [Pomum, Poma, add. Gl.] Eust. vero alicubi [Il. p. 514, 23; 1255, 2, Od. p. 1677, 6] exp. τὸ τελευταῖον μέρος τοῦ θέρους, s. ἡ μετὰ τὸ θέρος ὥρα : alicubi [Od. p. 1764, 62, coll. 1714, 7; Il. p. 1065, 60], τὸ μεταξὺ τοῦ θέρους καὶ τῆς φθινάδος ὥρας. Hom. Od. M, [76, Theocr. 11, 36] : Οὔτ' ἐν θέρει οὔτ' ἐν ὀπώρῃ, Nec æstate, nec autumno. Ξ, [384] : Καὶ φάτ' ἐλεύσεσθαι ἢ ἐς θέρος ἢ ἐς ὀπώρην· Il. [X, 27] : Ὅς ῥα τ' ὀπώρης εἶσιν, Autumno, sicut ἦρος dicitur Vere, et θέρους, Æstate. Dicitur et τεθαλυῖα ὀπώρη, quod interpretari queas Pomifer autumnus. Od. Λ, [191] : Ἐπὴν ἔλθῃσι θέρος τεθαλυῖά τ' ὀπώρη. Utuntur et prosæ scriptores pro Autumno. [Aristoph. Av. 709 : Πρῶτα μὲν ὥρας φαίνομεν ἡμεῖς ἦρος, χειμῶνος, ὀπώρας. Herodot. 4, 199 : Οὕτω ἐπ' ὀκτὼ μῆνας Κυρηναίους ὀπώρη ἐπέχει.] Xen. Hell. 3, [2, 9] : Ἀπετέλεσε δὲ τὸ τεῖχος ἀρξάμενος ἀπὸ τοῦ ἠρινοῦ χρόνου πρὸ ὀπώρας. Aristot. H. A. 9, [13] :

A Περὶ [ὑπὸ] τὴν ὀπώραν, Autumno, ut Plinium interpretari videbis in Φθινόπωρον. At, Ὑπὲρ τὴν ὀπώραν, ap. eund. Bud. interpr. Ante autumnum, Gaza Æstate. Ibid., ὀπώρης οὔσης, Tempore autumnali, fructuum. Et in l. De mundo [c. 6 fine] : Αἵ τε καρπὸν ὀπώρης ἡδύν, ἄλλως δὲ δυσθησαύριστον, φέρουσαι ὄχναι καὶ ῥοιαὶ καὶ μηλέαι ἀγλαόκαρποι, Quæ autumni tempore fructum suavem fundunt, sed conditu difficilem. Ubi ὀπώρης dicitur pro ἐν ὀπώρῃ, sicut θέρους pro ἐν θέρει, itidem ut in loco quodam Homeri paulo ante cit., et in hoc Theophr. H. Pl. l. 9, c. ult., ὀπώρας τέμνεται, Autumno secantur. Et ἐν ἀρχῇ ὀπώρας, Ineunte autumno. At νέα ὀπώρα dicitur Extrema s. Senescens æstas. Æschylus ap. Aristot. H. A. 9, 4 [49] de upupa, Ἀπὸ [ἄπο, quod ad præcedentia pertinet νηδύος μιᾶς, ad sequentia post alios retulit HSt., omisso, quod in libris plerisque post νέας est, δ'] Νέας ὀπώρας ἡνίκ' ἂν ξανθοὶ στάχυς· dixerat vero paulo ante ἦρι. [Ξανθῇ est ap. Aristot., quod alii, ut supra annotavimus, ad ξαίνειν retulerunt, alii, ut memorat Sylburgius, ipsum

B fortasse dicens HStephanum, ξανθοὶ scripserunt, quum verbum, unde ducatur ξανθῇ, hujus signif. nullum sit, quæ tamen multo aptior illa quam habet ξαίνειν, si νέα ὀπώρα contraria est μετοπώρῳ. Ἔαρ et ὀπώραν binis ante et post æstatem mensibus tribuit Eur. ap. Plut. Mor. p. 1028, F : Εἰ δὲ ὀρθῶς ὁ Εὐρ. διορίζεται θέρους τέσσαρας μῆνας καὶ χειμῶνος ἴσους, φίλης τ' ὀπώρας διπτύχους, ἦρός τ' ἴσους, ἐν τῷ διὰ πασῶν αἱ ὧραι μεταβάλλουσιν.] Bud. autem ὀπώρια interpr. etiam Æstas in l. quodam Aristot. Meteor., quem citavi in Μετόπωρον : itidemque Hesychio ὀπώρα est θέρος [et μετόπωρον]. Transfertur et ad ætates hoc vocabulum ; ὀπώρα enim Maturior ætas dicitur adolescentum, quæ pubertatem s. juventam præcedit : quam quæ sequitur, μετόπωρον appellatur. Sic accipiunt ap. Pind. nonnulli Isthm. 2, [8] : Ὅστις ἐὼν καλὸς εἶχεν Ἀφροδίτας εὐθρόνου μνάστειραν ἁδίσταν ὀπώραν [Id. Nem. 5, 6 : Οὔπω γένυσι φαίνων ματέρ' οἰνάνθας ὀπώραν, de lanugine adolescentis. Æsch. Suppl. 988 : Ὑμᾶς δ' ἐπαινῶ μὴ καταισχύνειν ἐμέ, ὥραν ἐχούσας τήνδ' ἐπίστρεπτον βροτοῖς· τέρειν' ὀπώρα

C δ' εὐφύλακτος οὐδαμῶς· 1014 : Ἐμῆς δ' ὀπώρας οὕνεκ' εὐθάρσει, πάτερ], itidemque ap. Horat. Carm. 2, 5 : Tolle cupidinem Immitis uvæ : jam tibi lividos Distinguet autumnus racemos Purpureo varius colore. Ut sensus sit, Contine animum a cupiditate impuberis adhuc puellæ, quam tibi sequens ætas maturabit. De adultiore autem ætate, et in virilitatis annos s. μετόπωρον inclinante, Ovid. Met. 15 : Excipit autumnus posito fervore juventæ Maturus. [Plato Leg. 8, p. 837, C : Ὁ μὲν γὰρ τοῦ σώματος ἐρῶν, καὶ τῆς ὥρας, καθάπερ ὀπώρας, πεινῶν. Eust. Od. p. 1516, 24 : Ἡ δὲ μανιόκηπος γυνὴ τουτέστιν ἡ περὶ μίξεις μεμηνυῖα κήπῳ τῷ κατ' αὐτὴν οὕτω σκώπτεται· περὶ ὃν δηλαδὴ μέμηνεν ἀποφραγνῦσα τοῖς ἐθέλουσι τὴν τῆς ὥρας ὀπώραν δρέπεσθαι. V. Μετόπωρον p. 934, C, D. Aristæn. Ep. 2, 1, p. 130 : Ἄλλως τε ὀπώραν πωλεῖς ἡ καλή· ἔστιν δὲ ἡ σὴ ὀπώρα ἡδίων τῆς ἀπὸ τῶν δένδρων, et mox, Οὐ δεῖ τηρεῖν ὀπώραν.] || Fructus autumnales, Poma : Poma autem quum dico, non Mala tantum intellige, sed et Pyra, Pruna, Uvas, Omnes denique mollioris corti-

D cis fructus : quum Plin. Mora etiam et Nuces, et Martialis Nuces pineas Pomorum nomine comprehendant. [Pind. ap. Plut. Mor. p. 745, A : Δενδρέων δὲ νομὸν Διόνυσος αὐξάνοι, ἁγνὸν φέγγος ὀπώρας. Soph. Tr. 703 : Γλαυκῆς ὀπώρας ὥστε πίονος ποτοῦ χυθέντος ἐς γῆν Βακχίας ἀπ' ἀμπέλου, et item de uva fr. Thyest. ap. schol. Eur. Phœn. 227 : Δείλη δὲ πᾶσα τέμνεται βλαστουμένη καλῶς ὀπώρα κἀνακίρναται ποτόν. Aristoph. fr. Hor. ap. Athen. 9, p. 372, B : Ὄψει δὲ χειμῶνος μέσου, σικύους, βότρυς, ὀπώραν. Theocr. 7, 143 : Πάντ' ὦσδεν θέρεος μάλα πίονος, ὦσδε δ' ὀπώρας. Aliique poetæ in Anthol., et improprie Christod. Ecphr. 391, ὀπώρην ἱστορίης. Xen. H. Gr. 2, 4, 25 : Λαμβάνοντες ξύλα καὶ ὀπώραν. Demosth. p. 1253, 14 : Ὁπότε οἱ ἄνθρωποι οὗτοι ἢ ὀπώραν πρίαιντο ἢ θέρος μισθοῖντο.] Geopon. 10, [74, 1] : Ὀπώρα λέγεται ἡ χλωῶδη τὸν καρπὸν ἔχουσα, οἷον ὡρακινά, μῆλα, ἀπίδια, δαμασκηνά, καὶ ὅσα μὴ ἔχει ἔξωθέν τι ξυλῶδες· quibus postremis verbis τὰ ἀκρόδρυα denotantur, τὰ ἔξωθεν κέλυφος ἔχοντα, Quæ lignoso putamine teguntur. Aristot. H. A. 8, 28 : Ὅτι οὔτ' ἀκρόδρυα, οὔτ' ὀπώρα χρόνιος. Itidem Galen.: Τοῖς δὲ ὀπῶραι, τοῖς δὲ ὄσπρια, τοῖς δὲ ἀκρόδρυα. Theophr. C. Pl. 6, 6: Ἐν τῇ τῆς ὀπώρας πεπάνσει, Quum autumnales fructus maturescunt. Similiter et ap. Plat. [Leg. 8, p. 844, D; conf. 837, C; 845, A] de fructibus autumnalibus dicitur, ut uvis et hujusmodi. Galen. De alim. fac. 1 : Σῦκα καὶ σταφυλαὶ τῆς ὀπώρας ὥσπερ κεφάλαιόν εἰσι καὶ τρέφουσι μᾶλλον ἁπάντων τῶν ὡραίων. Plutarch. Probl. Rom. : Ὀπώρας μὴ γεύεσθαι πρὸ ἰσημερίας μετοπωρινῆς· Symp. 2 : Ὀπώρας τι προσενεχθέν. [Ib. p. 671, D, παντοδαπῆ.] Athen. 1 : Οὐδ' ὀπώραν παρατίθησί τινι. Et ap. Medicos, σκευασία δι' ὀπωρῶν, Confectio ex fructibus, quæ et ὀπωρική : de qua Galen. 8 τῶν Κατὰ τόπους, c. 3. Et ὀπώρα στύφουσα, Fructus mollioris corticis astringentes. Aret. De celerum passionum curatione 2, 14 : Ὀπώρην στύφουσαν, οὖα, μέσπιλα, μῆλα Κυδώνια, σταφυλήν. [Contra γλυκεῖα ap. Aristot. H. A. 9, 42 init.] Alcman autem χηρίναν ὀπώραν vocat τὸ μέλι, Athen. [14, p. 648, B.] Locum Alcmanis citabo in Πυάνιος. [De uva Xen. OEcon. 19, 19 : Πεπαίνειν τὴν ὀπώραν. Cic. Ad Att. 2, 12, 3 : « Κατ' ὀπώρην τρύξ. Quæ si desederit » etc. Hesychius : Ὀπ. κυρίως ἡ σταφυλή. Καταχρηστικῶς δὲ καὶ ἐπὶ τῶν ἄλλων ἀκροδρύων. Plur. Orph. ap. Clement. Strom. 5, p. 724 : Σάς ποτε βακχευτὴς Βρόμιος διένειμεν ὀπώρας.] || [Ὀπώραν in scenam produxit, ut Trygæo nuberet, Aristoph. Pac. 523 seqq. Comes Bacchi est in vase apud Millingen. *Peint. ant. des vases gr.* p. 19, (1), Jahn. *Vasenbilder* p. 21.] Est et meretricis nomen et fabulæ Alexidis, Athen. 10, [p. 443, E]. || Quod vero ad hoc vocab. attinet, Eust. [Il. p. 619, 43] scribit παρωνομάσθαι ἐκ τοῦ ὀποῦ. Etym. autem derivat παρὰ τὸ ὄψ, et ὥρα. Itidemque Athen. 12, ὀπώραν esse dicit τὸ τῆς ὥρας ὄντως πρόσωπον, ἔν τε καρποῖσι καὶ ἄνθεσι θεωρούμενον.

[Ὀπωράριον, τό, Pomarium, Gl.]

[Ὀπωριαῖος. Theophr. fr. 3 De igni, 41 : Ὅταν περίξηρος ὁ ἀὴρ ᾖ, ἐκκαίει τὰ ὀπωριαῖα, quod Coraes ὀπωρεῖα scribi voluit, i. e. Pomaria, Pometa, si est corruptum, facilius credam ὀπωρινὰ esse scribendum nulla fere mutatione, et sententia sequentibus apta verbis ὅπου δὲ φύσει τοιοῦτος, quæ siccum ad tempus auctumni ventum, dum fructus maturescunt, spectare videntur. L. Dind.]

Ὀπωρίζω, Fructus autumnales s. Poma decerpo et colligo. Plut. Pericle [c. 9] : Τῶν χωρίων τοὺς φραγμοὺς ἀφαιρῶν, ὅπως ὀπωρίζωσιν οἱ βουλόμενοι, Agrorum tollens sepes, ut ad colligendos fructus volentibus pateret aditus. [Hesychius : Συφακίζειν, ὀπωρίζειν. Hemst. Pollux 1, 226.] Aristot. ὀπωρίζειν usurpavit pro Pomis vesci, ut Gaza interpr. H. A. 9, [6] : Ὁ δὲ δράκων ὅταν ὀπωρίζῃ, τὸν ὀπὸν τῆς πικρίδος ἐκροφεῖ. Interdum additur præp. ἀπό, vel accus. rei quæ decerpitur s. colligitur. Diog. L. in Diog. p. 288 [6, 61] : Ἀπὸ συκῆς ὠπώριζε. Athen. 14, [p. 653, C] ex Plat. Leg. 8, [p. 845, C, et ib. 844, E] : Ὃς δ' ἂν τὴν γενναίαν νῦν λεγομένην σταφυλὴν ἢ τὰ γενναῖα σῦκα ἐπονομαζόμενα ὀπωρίζειν βούληται. Fut. 2, est ὀπωριῶ. Unde ap. Philostr. Her. ὀπωριεῖ, Fructus colliget. Et ap. Herodot. [4, 172, 182] ὀπωριεῦντες [τοὺς φοίνικας], Fructus collecturi s. decerpturi : siquidem perperam in VV. LL. ab ὀπωριέω derivatur, exponiturque Decerpentes. [|| Fructus auctumnales fero. Eust. Opusc. p. 154, 52 : Καὶ τῇ πρὸ αὐτῆς ὀπώρᾳ ἐφιλονείκει πως ἐξισοῦσθαι ὀπωρίζουσα καὶ αὐτὴ καὶ ἡδονὴν πορίζουσα.] Ὀπωρίζομαι, i. q. ὀπωρίζω. Athen. 12, [p. 533, A] ex Theopompo : Κίμων ὁ Ἀθηναῖος ἐν τοῖς ἀγροῖς καὶ τοῖς κήποις οὐδένα τοῦ καρποῦ καθίστα φύλακα· ὅπως οἱ βουλόμενοι τῶν πολιτῶν εἰσιόντες ὀπωρίζωνται καὶ λαμβάνωσιν εἴ τινος δέοιντο τῶν ἐν τοῖς χωρίοις· quod iisd. propemodum verbis de eod. refert Plut. Pericle p. 285 meæ edit., quæ et paulo ante citavi. [Dius Stob. Fl. vol. 2, p. 498 : Τοῖς τὰν ὥραν αὐτῶν βολλομένοις ὀπωρίξασθαι. Nicetas Chon. p. 376, B : Ἐν χειμῶνι μὲν τὰ ἄνθη ζητεῖν, ἔαρος δὲ ποθεῖν ὀπωρίζεσθαι. Gramm. Bekk. An. p. 204, 2, item sine casu.]

Ὀπωρικός, ή, όν, Ex fructibus autumnalibus s. pomis confectus. Et ὀπωρική, quoddam pharmacum, quod Galen. σκευασίαν δι' ὀπωρῶν appellat. Plin. 24, 14 : Unum etiamnum arborum medicinis debetur nobile medicamentum, quod Oporicen vocant. Fit

A ad dysentericos stomachique vitia, in congio musti albi lento vapore decoctis malis cotoneis quinque cum suis seminibus, Punicis totidem, sorborum sextario, et pari mensura ejus quod Rhus Syriacon vocant, croci semuncia. At ἡ διὰ τῶν ὀπωρῶν ap. Galen. [l. 8 τῶν Κατὰ τόπους] recipit mala cotonea x, sorba l, mespila l, ῥοῦ ἐρυθροῦ sextarium unum, aquæ congios vii. Sed et aliam ejus conficiendi rationem docet. [|| Pro ὀπωρινός, Auctumnalis, Geopon. 4, 4, 14 : Ἄμπελον ... καὶ μάλιστα ὀπωρικήν. L. Dind.]

Ὀπώριμος, ὁ, ἡ, i. q. ὀπωροφόρος, Pomifer, ut κάρπιμος i. q. καρποφόρος : s. Autumnalibus fructibus ferendis idoneus. Apud Suid. : Τοὺς βασιλικοὺς παραδείσους ἐξέτεμεν, οἳ δὴ πλέοι ὀπωρίμων δένδρων ἦσαν.

Ὀπωρινός, ή, όν, Autumnalis : ὀπ. ὄμβρος, Hesiod. [Op. 672, 675]; ὀπ. βορέης, aliquoties ap. Hom. [Il. Φ, 346, Od. E, 328.] Ab Eod. [Il. E, 5] ὀπωρινὸς ἀστὴρ dicitur Canicula, quæ τῇ νέᾳ ὀπώρᾳ exoritur, i. e. Senescente æstate. In Epigrr. [Anth. Plan. 227, 7, et Pal. 10, 12, 7] ὀπωρινὸς κύων nominatur, ut ὀπωρινοῦ

B κυνὸς καύματα, Æstus canis autumnalis : Val. Flacc., Acer autumni canis. Sed frequentius vocatur Æstivus canis, ut a Tibullo : Unda sub æstivum non adeunda canem. A Virg. Georg. 2, Ubi hiulca siti findit canis æstifer arva. [Hom. Il. H, 385 : Ἦματ' ὀπωρινῷ, ὅτε λαβρότατον χέει ὕδωρ Ζεύς. Nicand. Al. 517 : Ἠελίοισιν ὀπωρινοῖσι. Aratus 417 : Ἀναστέλλοντος ὀπωρινοῦ ἀνέμοιο. Oppian. Cyn. 1, 124 : Ἢ πάλιν ἐσχατιῇσιν (l. ἐσχατίῃσιν) ὀπωρινῇσι τροπῇσι. Euripides ap. Athen. 11, p. 465, B : Πεπαίνοντ' ὀρχάτους ὀπωρινούς. Aristoph. fr. Tagenist. ap. Athen. 3, p. 96, C : Δέλφακος ὀπωρινῆς.] Et ὀπ. δέος ap. Hesych. τὰ ἐν ταῖς ὀπώραις φόβητρα. Ii etiam, qui ab autumno nomen sortiti sunt, ὀπωρινοὶ vocantur, ut Martial. docet 9, [13] : Si daret autumnus mihi nomen, ὀπωρινὸς essem : Horrida si brumæ sidera, χειμερινός. [ι produxerunt Epici, corripiunt Attici.]

Ὀπωρισμός, ὁ, Autumnalium fructuum collectio. In VV. LL. exp. Arborum fructus : pro quo potius ὀπώρα. [Aq. Deut. 7, 13, ὀπώρα κατ' ἐξοχὴν vocatur

C Uva, unde ὀπωρίζειν est aut Uvas colligere aut Exprimere succum ex uvis, et ὀπωρισμὸς aut Vindemia est, ut reddit Vulg., aut Expressio succi ex uvis, deinde ipse Succus recens expressus, h. e. Vinum. lxx τὸν οἶνον habent. Schleusn. Lex. Conf. Hieron. De opt. gener. interpretandi p. 370. Struv.]

Ὀπωρίων, ωνος, ὁ, i. q. ὀπωρώνης, ut nonnulli volunt, i. e. Qui autumnales fructus s. poma emit et revendit; Hesych. enim ὀπωρίωνας exp. τοὺς εἰς πρᾶσιν ὠνουμένους, ubi subaudiendum ὀπώραν, Qui ὀπώραν emunt ut revendant : sicut ap. Eund., quum nomen Ὀπωροφυλάκιον exp. ἡ σκηνὴ ἢ καλύβη τοῦ φυλάσσοντος, subaudiendum itidem τὴν ὀπώραν. [ῑ]

[Ὀπωροβάσῐλις, ιδος, ἡ, Autumnalis basilis, s. Regia carica. Athen. 3, p. 75, D.]

[Ὀπωροδοτέω, Fructum præbeo. Const. Manass. Chron. 295 : Πικρῶς γὰρ ὀπωροδοτεῖ καὶ θάνατον ἐκφύει, de malo paradisi.]

Ὀπωροθήκη, ἡ, Locus reponendis fructibus autumnalibus. Utitur Varro [R. R. 1, 2, 10, ubi item dicit

D pomaria, et alibi]. Plin. Pomarium nominat, ut in Ὀπωροφυλάκιον dicetur.

[Ὀπωροκάπηλος, ὁ, i. q. ὀπωροπώλης. Alciphr. Ep. 3, 60.]

[Ὀπωρολόγος, ὁ, ἡ, Fructus autumnales colligens. Oppian. Cyn. 1, 125 : Ὀπωρολόγοιο γεωργοῦ.]

[Ὀπωροπώλης, ὁ, Pomarius, Pometarius, Gl. Hesychius in Ὡραιοπώλης. Phrynich. Ecl. p. 206 : Ὀπ. τοῦθ' οἱ ἀγοραῖοι λέγουσιν, οἱ δὲ πεπαιδευμένοι ὀπωρώνης, ὡς καὶ Δημοσθένης. « Thomas p. 654 : Ὀπωρῶν ὠνήτωρ οἱ ἀγοραῖοι, σὺ δὲ ὀπωρώνης, qui quum cetera e Phrynicho hauserit, mirum mihi est, unde illud ὀπωροπώλης omiserit, vocabulumque nunquam lectum neque plebeii coloris ὠνήτωρ ὀπωρῶν sublegerit. Photius Ὀπωρώνας, ὠνητὰς ὀπώρας interpretatur. Non minor est de Phrynichi mente dubitatio, qui si tantum hoc dicit, quod perparum est, ὀπωρώνης ideo præferendum esse quia Demosthenis auctoritate nitatur, refutari quidem nequit; si autem plus contendit, plurimis exx., προβατοπώλης, σιτοπώλης (quem nemo σιτώνην dixerit), ἐλαιοπώλης, quæ omnia antiqua sunt, refellitur. Sic et Pollux 6, 128 ὀπωρώνης et ὀπωροπώλης eodem loco habet, neque θεατρώνης et θεατροπώλης, ἐλαιώνης et ἐλαιοπώλης differunt; quod valet de omnibus, qui coemunt aut conducunt per aversionem, quæ singulis divendant.» Lobeck. || Fem. Ὀπωρόπωλις, ιδος, Theod. Prodr. Ep. p. 93.]

[Ὀπωροτροφέω, Pomifero, Gl.]

[Ὀπωροφάγέω, Fructibus vescor. Const. Manass. Chron. 246 : Ἐκ πάντων ὀπωροφαγεῖν ἐκέλευσε τῶν δένδρων.]

[Ὀπωροφαγία, ἡ, Fructuum esus. Stephanus schol. in Hippocr. p. 54 et 62 ed. Dietz. Osann.]

[Ὀπωροφθῖσία, ἡ, Auctumni finis. Nicet. Eugen. 9, 27 : Πρὸς ὥρας τῆς ὀπωροφθισίας.]

[Ὀπωροφθόρος, ὁ, ἡ, Fructus perdens. Const. Manass. Amat. 3, 24 : Οὐ πάντοτε κατήφειαι χειμῶνος τυραννοῦσιν, οὐ φυλλοχόοι καὶ στυγνοὶ μῆνες ὀπωροφθόροι. Boiss.]

Ὀπωροφορέω, Poma fero : ut, Pomifer autumnus. [Antiphilus Anth. Pal. 6, 252, 6 : Τοίην χὠ νιφόεις κρυμὸς ὀπωροφορεῖ.]

[Ὀπωροφόρος, ὁ, ἡ, Pomifer, Gl. Fructus ferens. Const. Manass. Chron. 89, κλῶνες· Amat. 3, 25 : Φερανθὲς ὀπωροφόρον ἔαρ. Boiss. Epigr. Anth. Pal. 7, 321, 6, γῆν. Phocas Descr. T. S. p. 6; Ms. ap. Pasin. Codd. Taur. vol. 1, p. 350. Geopon. 3, 13, 4, δένδρα.]

[Ὀπωροφυής, ὁ, ἡ, Fructus gignens. Nicet. Eugen. 6, 597 : Ὀπωροφυοῦς θέρους. Boiss.]

Ὀπωροφυλάκιον, τὸ, Gurgustium et casula τοῦ ὀπωροφύλακος, Bud. ex Isaia [1, 8]. Hesych. exp. καλύβη τοῦ φυλάσσοντος τὴν ὀπώραν : alii, Tuguriolum ad pomorum custodiam. Plin. vero Pomaria dixit etiam Loca pomis servandis fabricata. [Justin. M. p. 148 ed. Ben. Theognost. Can. p. 136, 8.]

Ὀπωροφύλαξ, ἄκος, ὁ, ἡ, [Pomorum custos, Gl.] Autumnalium fructuum custos, Pomariorum custos, ut Gaza interpr. [Diodor. 4, 6 : Ὀπωροφύλακα τῶν ἀμπελώνων ἀποδεικνύντες καὶ τῶν κήπων.]

Ὀπωρώνης, ὁ, Qui poma emit et revendit. Dem. [p. 314, 13] : Σῦκα καὶ βότρυς καὶ ἐλαίας συλλέγων, ὥσπερ ὀπωρώνης ἐκ τῶν ἀλλοτρίων χωρίων, i. e. ὀπώρας πωλῶν καὶ ἀγοράζων, Suid. [In Ὀπωριώνας depravatum ap. Hesych. V. Ὀπωροπώλης. De ὀπώρᾳ ætatis s. formæ Aristæn. Ep. 2, 1 : Δίδου τοῖς σοῖς ὀπωρώναις τὴν ὥραν τρυγᾶν· μετ' ὀλίγον ἔσται γεράνδρυον.]

Ὅπως, Quomodo. [Qualiter, Quatenus, Utut, add. Gl. Hom. Il. B, 252 : Οὐδέ τί πω σάφα ἴσμεν ὅπως ἔσται τάδε ἔργα· Δ, 14 : Ἡμεῖς δὲ φραζώμεθ' ὅπως ἔσται τάδε ἔργα, et alibi sæpe eadem phrasi. I, 251 : Ἀλλὰ πολὺ πρὶν φράζευ, ὅπως Δαναοῖσιν ἀλεξήσεις (alii ἀλεξήσῃς) κακὸν ἦμαρ· K, 545 : Εἴπ' ἄγε μ', ὅππως τούσδ' ἵππους λάβετον· Π, 113 : Ἔσπετε νῦν μοι ὅππως δὴ πρῶτον πῦρ ἔμπεσε. Et sic ap. alios omnes, ut adjecisse sufficiat ex. usitati Tragicis etiam in aliis generis loquendi, Eur. Or. 79 : Ἔπλευσ' ὅπως ἔπλευσα.] Apud Aristoph. Nub. [677] voci πῶς subjungitur, ista ὅπως : quum enim Strepsiades Socratem interrogasset, Ἀτὰρ τολοιπὸν πῶς με χρὴ καλεῖν; respondit Socrates, Ὅπως; Itidemque paulo post, quum ipse Socrates Strepsiadem interrogasset, Πῶς ἂν καλέσειας ἐντυχὼν Ἀμυνίᾳ, respondit Strepsiades, Ὅπως ἄν; ὡδὶ, δεῦρο, δεῦρ' Ἀμυνία. Et Pl. [140] ad πῶς respondet Chremylus per Ὅπως; subjungens, Οὐκ ἔσθ' ὅπως Ὠνήσεται δήπουθεν. Quibus in ll. animadvertendum est, cum ὅπως subaudiri verbum : ut sit ἐρωτᾷς ὅπως; itidemque ἐρωτᾷς ὅπως ἂν καλέσεια [καλέσαιμι]; licet alioqui et directæ interrogationi adhibitum reperiatur, ut docebo infra. Interdum vero potius respondet subaudito οὕτως. Hom. Il. Δ, [37] : Ἔρξον ὅπως ἐθέλεις· pro οὕτως ὡς ἐθέλεις, Fac quomodo vis, Fac eo modo quo vis, Fac ita ut vis, Fac ut libet. Alicubi autem legitur ap. Eund. [Od. N, 145] : Ἔρξον ὅπως ἐθέλεις, καί τοι φίλον ἔπλετο θυμῷ. [Æsch. Prom. 374 : Σεαυτὸν σῶζ' ὅπως ἐπίστασαι· 939 : Κρατείτω τόνδε τὸν βραχὺν χρόνον ὅπως θέλει, eodemque modo ap. alios quosvis. Xen. Cyrop. 5, 1, 22 : Ὑμεῖς ὅπως γιγνώσκετε, οὕτω καὶ ποιεῖτε. Plato Phædr. p. 228, C : Οὕτως ὅπως δύναμαι. Theæt. p. 151, C : Ὅπως οἷός τ' εἶ, οὕτως ἀποκρίνασθαι.] Sæpe autem pro πῶς extra interrogationem, aut certe

A in interrogatione non directa, Quomodo, Quo pacto, Qua via, Qua ratione, Quemadmodum. Od. A, [76] : Ἀλλ' ἄγεθ', ἡμεῖς οἵδε περιφραζώμεθα πάντες Νόστον, ὅπως ἔλθησι· scio tamen reddi etiam Ut. [Od. N, 365 : Αὐτοὶ δὲ φραζώμεθ' ὅπως ὄχ' ἄριστα γένηται· Il. Γ, 110 : Λεύσσει, ὅπως ὄχ' ἄριστα μετ' ἀμφοτέροισι γένηται· K, 225 : Καί τε πρὸ ὃ τοῦ ἐνόησεν, ὅππως κέρδος ἔῃ. Cum part. κὲν s. ἂν, Hom. Il. I, 681 : Αὐτὸν σὲ φράζεσθαι ἐν Ἀργείοισιν ἄνωγεν, ὅππως κεν νῆάς τε σόῃς καὶ λαὸν Ἀχαιῶν· P, 144 : Φράζεο νῦν ὅππως κε πόλιν καὶ ἄστυ σαώσῃς, ubi schol. : Σαώσεις· οὕτως Ἀρίσταρχος· ἄλλοι δὲ σαώσῃς διὰ τοῦ η. Od. A, 270 : Σὲ δὲ φράζεσθαι ἄνωγα ὅππως κε μνηστῆρας ἀπώσεαι ἐκ μεγάροιο.] Atque ut hic περιφραζώμεθα sequente ὅπως, interjecto tamen accusativo, sic φράζου ὅπως κρύψεις ap. Soph. [Aj. 1040. Et φράζε ὅπως ἀμφιδύσεται, Tr. 605.] Itidem vero præcedente σκοπεῖ, ap. [eund. OEd. T. 406,] Plut. Camillo [c. 23] : Ὅπως ἀμυνεῖται τοὺς πολεμίους σκοπεῖ. [Æsch. Ag. 847 : Καὶ τὸ μὲν καλῶς ἔχον ὅπως χρονίζον εὖ μενεῖ βουλευτέον· Suppl. 410 : Φροντίδος B ὅπως... ταῦτα ἐκτελευτήσει καλῶς. Xen. Conv. 4, 9 : Ἡμεῖς δὲ ἴσως βουλευόμεθα ὅπως φιλήσομέν τινα μᾶλλον ἢ μαχούμεθα. Et similiter sæpe Plato et alii quivis.] Sed et cum aliis verbis : ut εὕρετο ὅπως ap. Xen. [Hell. 6, 2, 34], sed infinitivo sequente, si mendo caret locus. [Verba sunt : Ἐπεὶ ἀφικέσθαι ταχὺ ἔδει, εὕρετο ὅπως μήτε διὰ τὸν πλοῦν ἀνεπιστήμονας εἶναι... μήτε βραδύτερόν τι ἀφικέσθαι. Quibuscum comparati sunt loci OEc. 7, 29 : Δεῖ ἡμᾶς ἃ ἑκατέρῳ ἡμῶν προστέτακται ὑπὸ τοῦ θεοῦ πειρᾶσθαι ὅπως ὡς βέλτιστα τὰ προσήκοντα ἑκάτερον ἡμῶν διαπράττεσθαι· et Diodor. 14, 19 : Ἐξέπεμψαν πρεσβευτὰς πρὸς τὸν ἑαυτῶν ναύαρχον, ὅπως ὅ,τι ἂν κελεύῃ ὁ Κῦρος πράττῃ, ubi libri duo πράττειν· 20, 4 : Τοῖς ἱππεῦσι διακελευόμενος... ἔχειν μεθ' ἑαυτῶν... χαλινὸν, ὅπως, ὅταν ἵππων κυριεύσῃ, τοὺς ἀναβησομένους ἑτοίμους ἔχειν· et ib. 85 fin. : Ὅπως... αὐτοὺς εἴργεσθαι· Exc. Vat. p. 68 Mai. : Ἐντολὰς ἔχει ταύτας ὅπως... ἐλευθεροῦν. Lucian. Parasit. c. 32 : Ἧκέ ποτε εἰς Σικελίαν, κομίζων τοὺς διαλόγους, ὅπως εἰ δύναιτο δι' αὐτῶν γνωσθῆναι Διονυσίῳ. Ap. Xen. Cyrop. 4, 2, 37 : Ἐπιμελήθητε C ὅπως..... παρασκευασμένα ᾖ, alii παρασκευασθῆναι. Conf. quæ dicentur in formulis οὐκ ἔχω et οὐκ ἔσθ' ὅπως. Contra ap. Soph. Aj. 557 : Δεῖ σ' ὅπως δείξεις, pro infinitivo infertur ὅπως cum fut. V. Δέω vol. 2, p. 1033, A. Verbo οἶδα jungit Æsch. Prom. 641 : Οὐκ οἶδ' ὅπως ὑμῖν ἀπιστῆσαί με χρή. Et posito post verbum ὅπως Ag. 1371 : Τρανῶς Ἀτρείδην εἰδέναι κυροῦνθ' ὅπως. Et omisso verbo Suppl. 290 : Διδαχθεὶς ἂν τόδ' εἰδείην πλέον ὅπως γένεθλον σπέρμα τ' Ἀργεῖον τὸ σόν. Soph. Aj. 270 : Οὐ κάτοιδ' ὅπως λέγω· OEd. T. 1251 : Χὤπως μὲν ἐκ τῶνδ' οὐκέτ' οἶδ' ἀπόλλυται· 1367 : Οὐκ οἶδ' ὅπως σε φῶ βεβουλεῦσθαι καλῶς· et alii quivis.] Et σαφηνίζει ὅπως, rursum ap. Plut. Solone [c. 24] : Ὅπως ἕκαστον ἔχει, καὶ πρὸς ἣν κεῖται διάνοιαν, σαφηνίζει· Pericle : Τὴν ἀρχὴν ὅπως ἔσχεν οὐ ῥᾴδιον γνῶναι. Item, Λέξον ὅπως διανοῇ, Xen. [Comm. 3, 3, 3.] Huc pertinet οὐκ ἔχω ὅπως. [Soph. OEd. C. 1742 : Ὅπως μολούμεθ' ἐς δόμους οὐκ ἔχω· Ant. 271 : Οὐ γὰρ εἴχομεν οὔτ' ἀντιφωνεῖν οὔθ' ὅπως δρῶντες καλῶς πράξαιμεν· Aj. 428 : Οὔτοι σ' ἀπείργειν οὐδ' ὅπως ἐῶ λέγειν ἔχω.] Plato De rep. 2, D [p. 368, B] : Οὔτε γὰρ ὅπως βοηθῶ, ἔχω, Non habeo quomodo succurram, Nullo pacto possum succurrere, Nulla est mihi succurrendi facultas. Sic Greg. Naz. : Οἱ πένητες οὐκ ἔχουσιν ὅπως τοῖς πλουσίοις ἁμιλληθῶσιν. Idem, Οὐκ ἔχω δ' ὅπως ἐμαυτὸν ἐπίσχω τοῦ διηγήματος. [Cum inf. Eust. Opusc. p. 211, 83 : Οὐκ ἔχομεν ὅπως οὐ διὰ μακροῦ πενθεῖν. Omisso per aposiopesin οὐκ ἔχω Æsch. Cho. 192 : Ἐγὼ δ' ὅπως μὲν ἄντικρυς τάδ' αἰνέσω, εἶναι τόδ' ἀγλάϊσμά μοι τοῦ φιλτάτου βροτῶν Ὀρέστου, σαίνομαι δ' ὑπ' ἐλπίδος.] Fortasse autem huc referri potest etiam Οὐκ ἔσθ' ὅπως : de quo dicam paulo post, ubi agam de locis in quibus ὅπως redditur particula Ut. Sciendum est porro, et ubi voculæ ἂν jungitur ὅπως (sic tamen ut intelligenda sit ferri ad verbum), interdum quidem posse reddi Quomodo, sæpe vero reddendum esse Ut. Aristoph. Nub. [759] : Ὅπως ἂν αὐτὴν ἀφανίσειας εἰπέ μοι. Xen. OEc. [16, 9] : Ἐκεῖνο δέ μοι δοκῶ πρῶτον ἂν ἡδέως μανθάνειν, ὅπως ἂν λαμβάνοιμι. Greg. Naz. : Καὶ πρὸς ἓν τοῦτο μόνον ἰδὼν, ὅπως ἂν μόνον χαρίσαιτο τοῖς κτλ., Quonam pacto gratificaretur. Et quemadmodum habuisti supra, Σκοπεῖ ὅπως ἀμυνεῖται, sic cum optativo habente ἂν ap. Liban.: Ὅπως ἂν γένοιο σκοπεῖν· at de ll. in quibus vertitur Ut, dicam infra. [Conjunctivo post optativum ap. Xen. H. Gr. 3, 2, 1: Ἐβουλεύετο ὅπως ἂν μὴ βαρὺς εἴη, ... μηδ' αὖ Φαρνάβαζος κακουργῇ, ubi Schneiderus suspicabatur κακουργοίη. Sine particula Hom. Il. A, 344: Οὐδέ τι οἶδε νοῆσαι, ὅππως οἱ παρὰ νηυσὶ σόοι μαχέοιντο Ἀχαιοί· Od. Ξ, 160: Μερμήριξε δ' ἔπειτα ὅππως ἐξαπάφοιτο Διὸς νόον· Γ, 129: Ἕνα θυμὸν ἔχοντε, νόῳ καὶ ἐπίφρονι βουλῇ φραζόμεθ' Ἀργείοισιν ὅπως ὄχ' ἄριστα γένοιτο, et alibi. Soph. OEd. T. 979: Εἰκῇ κράτιστον ζῆν ὅπως δύναιτό τις. Xen. Cyrop. 1, 4, 14: Ἄφες τοὺς κατ' ἐμὲ πάντα διώκειν καὶ διαγωνίζεσθαι ὅπως ἕκαστος κράτιστα δύναιτο.] Nunc autem addens usus hujus particulæ ὅπως ad hanc signif. pertinentes, dico ὅπως ἂν ex Dem. afferri etiam pro Quomodocunque: Ὅπως ἂν δύνωνται, Quomodocunque possint. [Hom. Il. Υ, 243: Ζεὺς δ' ἀρετὴν ἄνδρεσσιν ὀφέλλει τε μινύθει τε, ὅππως κεν ἐθέλῃσιν. Et omissa part. Od. A, 349: Ὅς τε δίδωσιν, ὅπως ἐθέλῃσιν ἑκάστῳ· Ζ, 189: Ζεὺς δ' αὐτὸς νέμει ὄλβον ὅπως ἐθέλῃσιν ἑκάστῳ. Eur. Tro. 1052: Ὅπως ἂν ἐκβῇ τῶν ἐρωμένων ὁ νοῦς.] Sed animadvertendum est hanc ipsam signif. habere interdum ὅπως connexum aliis particulis; nam etiam Ὁπωσδή, et Ὁπωσδήποτε, et Ὁπωσδηποτοῦν, et Ὁπωσοῦν, et Ὁπωστιοῦν, passim ponuntur pro Quomodocunque, Quocunque modo, Quovis modo, Quoquo modo, Utcunque. [Plat. Hipparch. p. 232, B: Εἴτε πέπεισαι εἴτε ὅπως δὴ ἔχεις.] Herodian. 4, [6, 2]: Τὰ δὲ πτώματα φερόμενα μεθ' ὕβρεως πάσης, ἁμάξαις ἐπιτεθέντα, ἔξω τῆς πόλεως κομισθέντα, σωρηδὸν κατεπίμπρατο, [« ἢ ὅπως δὴ ἐρρίπτετο » addit HSt. Ms. Vind.] ubi tamen Polit. ὁπωσδὴ vertit Temere, locum hunc ita interpretans: Porro ipsa cadavera plaustris omnibus per contumeliam imposita, atque extra urbem exportata, acervatim aut temere injecta rogis comburebantur. (Ubi de hoc quoque admoneo obiter, illum ita vertere quasi legerit πάσαις ἁμάξαις.) Sed ibi ὅπως δὴ disjunctim habetur in vulg. edd. At vero ὅπως δήποτε, pro Quomodocunque, Quovis modo, extat in Dem. p. 130 [314, 4]: Ἐπειδὴ δ' εἰς τοὺς δημότας ἐνεγράφης ὁπωσδήποτε (ἐῶ γὰρ τοῦτο), ἐπειδή γ' ἐνεγράφης, εὐθὺς τὸ κάλλιστον ἐξελέξω τῶν ἔργων. [Anon. in Voll. Hercul. part. 1, p. 53, D: Τῶν ὅπως δήποτ' αὐτοῖς προσηκόντων.] Item ὁπώσποτε vel potius ὅπως ποτὲ apud Eundem, ut docebo infra. Ὁπωσοῦν autem legimus ap. Thucyd. tum alibi, tum 8: Ἄνευ τειχῶν καὶ νεῶν ξυμβῆναι, καὶ ὁπωσοῦν τὰ τῆς πόλεως ἔχειν. Sic Isocr. Ad Nic. [p. 15, E]: Πάλιν ὁπωσοῦν ζῆν ἡγοῦνται λυσιτελεῖν μᾶλλον, ἢ μετὰ τοιούτων συμφορῶν ἁπάσης τῆς Ἀσίας βασιλεύειν, Malunt vivere quomodocunque, Quovis modo, Qualecunque vitæ genus malunt, vel Quodlibet. [Xen. Cyr. 2, 1, 27: Κἂν ὁπωσοῦν καταβεβλημένα τύχῃ· 8, 3, 14: Μέγας μὲν, μείων δ' ἐκείνου, εἴτε καὶ τῷ ὄντι εἴτε καὶ ὁπωσοῦν. Et similiter sæpe Plato.] Sic ex Aristot. Probl. ὁπωσοῦν pro Quovis modo, Utcunque. [Gregor. Naz. Or. 1, p. 3, D. Gregor. in Anecd. meis vol. 5, p. 428 fin. Boiss.] Affertur item Οὐδ' ὁπωσοῦν, pro Nullo modo, Neutiquam, Ne tantulum quidem. [Isocr. p. 233, B: Οὐδ' ὁπωσοῦν τοὺς τοιούτους.] Qua signif. dicitur etiam Οὐδ' ὁπωστιοῦν. Thuc. 8, [71]: Καὶ οἱ Ἀθηναῖοι τὰ μὲν ἔνδοθεν οὐδ' ὁπωστιοῦν ἐκίνησαν. Plato De rep. 1, [p. 343, C]: Καὶ εὐδαίμονα ἐκεῖνον ποιοῦσιν, ὑπηρετοῦντες αὐτῷ, ἑαυτοὺς δὲ οὐδ' ὁπωστιοῦν· 2, [p. 377, C]: Οὐδ' ὁπωστιοῦν παρήσομεν. [Id. Apol. p. 26, E.] Xen. quoque ita usus est præfixa particula οὐδέ [Comm. 1, 6, 11]: Ἐγώ τοι σὲ μὲν δίκαιον νομίζων, σοφὸν δὲ οὐδ' ὁπωστιοῦν. [Id. Cyrop. 1, 4, 15: Οὐδ' ὁπωστιοῦν φθονερῶς. Et alibi sæpe.] Sic denique et Dem. [p. 924 extr.]: Οὐδ' ὁπωστιοῦν ἐγνώριζον τοὺς ἀνθρώπους τούτους. [Pro quo οὐδ' ὅπως Plato Theæt. p. 183, B: Ἀλλά τιν' ἄλλην φωνὴν θετέον τοῖς τὸν λόγον τοῦτον λέγουσιν, ὡς νῦν γε πρὸς τὴν αὐτῶν ὑπόθεσιν οὐκ ἔχουσι ῥήματα, εἰ μὴ ἄρα τὸ οὐδ' ὅπως. Hierocles ap. Stob. Fl. vol. 3, p. 192: Νεᾶνις οὖσα καὶ μηδ' ὅπως τετρυμένη χυοφορίαις, nec videtur μηδέπω scribendum. Similiter anon. in Cram. An. vol. 3, p. 215, 13: Σιμὸν, λαγαρὸν, ἢ ὅπως ἄλλως. L. D.] Nec tamen existimandum est non usurpari adverb. Ὁπωστιοῦν

A nisi præfixa negativa particula: quum ap. hunc ipsum scriptorem legamus, Εἴπερ καὶ ὁπωστιοῦν ἀληθὴς ἦν ἡ μαρτυρία, Si ullo modo verum esset testimonium. Sed separatim etiam scribitur ὅπως interdum, et non cum particula sequente colligatum: ut ὅπως ποτὲ ap. Dem.: Ἀλλ' ὅπως ποθ' ὑπείλημμαι περὶ τούτων, ἀρκεῖ μοι, ubi tamen et ὁπώσποθ' a Bud. scribitur. In VV. LL. itidem ὅπως δήποτε disjunctim ex Diosc. affertur pro Utcunque. At Ὅπως οὖν in iisd. pro Quonam modo: e Xen. [Comm. 1, 1, 11]: Σκοπεῖν ὅπως οὖν [hoc omittunt libri meliores] [ὁ] κόσμος ἔφυ. [Plato Conv. p. 219, D: Ὥστε οὔθ' ὅπως οὖν ὀργιζοίμην εἶχον κτλ., ubi unus ἄν.] Superest Ὅπως ἔτυχε, quod Bud. vertit Temere et sine judicio, p. 898. Sed dicendum de hoc erit et alibi. [De ὅπως cum ὅπῃ conjuncto v. in illo. Ὅπως ποτὲ autem, ut sit Quo tandem modo, est ap. Xen. Comm. 1, 1, 20: Θαυμάζω ὅπως ποτὲ ἐπείσθησαν Ἀθηναῖοι.] || Nunc autem veniendum est ad ὅπως positum pro πῶς in interrogatione: cujus exemplum est hoc ex Luciano [Dial. mort. 1, 2]: Ὅπως δὲ εἰδῶ μάλιστα
B ὁποῖός τίς ἐστιν τὴν ὄψιν; ubi tamen Bud. positum ait διαπορηματικῶς: qui et interpr. Quomodo autem scire potero potissimum qualinam sit ille facie? At quum ὅπως subjungitur, ut quum dicitur οὐκ ἔχω ὅπως, ait poni αὐθυποτάκτως. [In loco Luciani tollendum signum interrogandi, ὅπως ita conjuncto cum prima persona, ut infra dicetur, ubi cum tertia et secunda conjunctum tractat HSt. Ap. Plat. Charmid. p. 170, B: Ὅ,τι δὲ γιγνώσκει, ταύτῃ τῇ ἐπιστήμῃ ὅπως εἴσεται; ex cod. repositum πῶς. Thomas tamen p. 654: Ὅπως ἀντὶ τοῦ πῶς, οἷον, Ὅπως ἔχει σοι τὸ σῶμα; V. quæ de relativis hujusmodi in interrogatione recta positis diximus in Ὁπόσος et ceteris. || De constructione cum genitivo s. sub finem.]

|| Ὅπως, Ut; sed quum Ut non tantum accipiatur pro ἵνα, sed usum habeat etiam affinem ei quem habet ὅπως in præcedentium ll. nonnullis, ubi redditum fuit Quomodo: de hoc prius agam. Sciendum est igitur in illo Hom. l. quem protuli supra, Ἔρξον ὅπως ἐθέλεις, ὅπως commode reddi posse Ut: hoc modo,
C Fac ut vis, Fac ut libet: non minus quam, Fac quomodo s. quemadmodum libet. Et ut Latine dicitur Operam dabo ut hæc fiant, Curabo ut hæc fiant, Mihi curæ erit ut hæc fiant, sic ap. Plut. legimus in Lycurgo [c. 3]: Αὑτῷ μελήσειν ἔφη ὅπως εὐθὺς ἐκποδὼν ἔσται τὸ γενηθέν. Sic [ib. c. 15]: Νύμφης ἐπιτεχνωμένης ὅπως ἂν ἐν καιρῷ συμπορεύοιντο. [De constr. cum opt. diximus supra, ubi cum indicativo et conj. constructum tractavimus.] Affertur vero et, Δέδοικα ὅπως γενήσομαι, ex Aristoph. [Pl. 200] pro Vereor ut fiam. [Ὅπως μὴ sic positum infra tractat HSt., ubi de ὅπως pro ἵνα posito agit. || Cum imperativo Plato Leg. 6, p. 755, A: Δέκα μόνον ἀρχέτω ἔτη, καὶ κατὰ τοῦτον τὸν λόγον, ὅπως, ἄν τις πλέον ὑπερβὰς ἑβδομήκοντα ἔτη ζῇ, μηκέτι ἐν τούτοις τοῖς ἄρχουσι τὴν τηλικαύτην ἀρχὴν ὡς ἄρξων διανοηθήτω. Eodem modo positum ὅτι v. in illo. Neque aliter dicitur οἶσθ' ὃ δρᾶσον, quod vulgo explicatur per metathesin.] || Est certe apta hæc particula reddendo adverbio ὅπως in hoc etiam loquendi genere, οὐκ ἔσθ' ὅπως, si quidem ad verbum reddere
D velimus, et quidem sequendo Horat. Epist. 1, 12: Fructibus Agrippæ Siculis quos colligis, Icci, Si recte frueris, non est ut copia major Ab Jove donari possit tibi. Pro, Nullo pacto, Nulla ratione donari possit, Nulla ratione fieri potest ut donetur. Sic autem Lucr. ante eum locutus fuerat, l. 2: Quare non est ut credere possis Esse infinitis distantia semina formis; l. 3: Quod si linquuntur et insunt, Haud erit ut merito immortalis possit haberi. Sed hoc addendum est, apud eosd. poetas hanc particulam Ut habere istum usum absque negativa etiam particula. Canit enim idem Horat. Od. 3, 1: Est ut viro vir latius ordinet Arbusta sulcis; hic generosior Descendat in campum petitor: pro Fieri potest ut etc. Sic autem et Lucret. ante illum locutus erat, quum caneret l. 2: Quinetiam quanto in partes res quæque minutas Distrahitur magis, hoc magis est ut cernere possis Evanescere paulatim, stinguique colorem; l. 4: Hic odor ipse igitur nares quicunque lacessit, Est alio ut possit permitti longius alter. Verum et hoc animadverten-

dum, Lucr. huic loquendi generi adhibere verbum Posse in omnibus hisce locis; at Horatium in altero id omisisse: sicut et Nasonem. Possumus enim, ut opinor, his locis addere quendam illius in Epistola Didus ad Æneam, ubi, Quando erit ut condas? non aliud est quam Quando fieri poterit ut condas? vel Quando condere poteris? Ita enim ibi canit: Quando erit ut condas instar Carthaginis urbem, Et videas populos altus ab arce tuos? Sed male in plerisque exemplaribus post Quando erit, ponitur interrogationis nota. Ex his autem ll. satis patet ὅπως in illo genere loquendi respondere Latino Ut. Sed quemadmodum dicunt hi poetæ Non est ut, item Est ut, haud scio an itidem dixerint Græci non solum οὐκ ἔσθ' ὅπως, sed etiam ἔσθ' ὅπως: nam hujus exempla nulla mihi succurrunt. [Ἔσθ' ὅπως vel ἔστιν ὅπως est in enuntiationibus interrogativis ap. Aristoph. Vesp. 471, Plat. Phædr. p. 262, B, Reip. 6, p. 493, E; 495, A, Gorg. p. 468, D, Parm. p. 141, E.] At illius passim sunt obvia. Ac certe jam unum in præcedentibus habuimus: in quodam sc. Aristoph. l., quem protuli quum de hoc adverbio agere cœpi: Pl. [140]: Οὐκ ἔσθ' ὅπως Ὠνήσεται δήπουθεν, Non est ut emet, ad verbum, i. e. Fieri non poterit ut emat. Circa ejusdem comœdiæ principium [18] legitur, Ἐγὼ μὲν οὖν οὐκ ἔσθ' ὅπως σιγήσομαι, Fieri non poterit ut taceam, Nullo modo s. Nequaquam tacebo: ut sit pro οὐδαμῶς σιγήσομαι, quemadmodum ipse etiam schol. exp., cui non itidem assentior in iis quæ de ὅπως dicit, sc. ὅπως esse pro ὅτι per metalepsin: quod ὅπως sit pro ὡς, at ὡς pro ὅτι. [Pind. ap. Stob. Ecl. vol. 2, p. 8: Οὐ γὰρ ἔσθ' ὅπως τὰ θεῶν βουλεύματ' ἐρευνάσει βροτέᾳ φρενί. Soph. Ph. 522: Τοῦτ' οὐκ ἔσθ' ὅπως ... ἕξεις ... ὀνειδίσαι· OEd. T. 1058: Οὐκ ἂν γένοιτο τοῦθ' ὅπως... οὐ φανῶ· fr. Thyest. ap. Stob. Fl. 29, 1: Οὐ γὰρ ἔσθ' ὅπως σπουδῆς δικαίας μῶμος ἅπτεταί ποτε, Valck. ad Hippol. 604 et Brunck. ἅψεται.] Verum præsenti indicativi sciendum est [uti Soph. El. 1479: Οὐ γὰρ ἔσθ' ὅπως ὅδ' οὐκ Ὀρέστης ἐστί], ut in eadem comœdia [51]: Οὐκ ἔσθ' ὅπως ὁ χρησμὸς εἰς τοῦτο ῥέπει, Ἀλλ' εἰς ἕτερόν τι μεῖζον. (Ubi hoc etiam animadverte obiter, non esse cum ἀλλὰ repetendum ἔσθ' ὅπως: ut sit οὐκ ἔσθ' ὅπως ῥέπει εἰς τουτὶ, ἀλλ' ἔσθ' ὅπως ῥέπει εἰς ἕτερόν τι μεῖζον: sed simpliciter ἀλλὰ ῥέπει εἰς ἕτερον etc., perinde sc. ac si præcederet, οὐδαμῶς ὁ χρησμὸς ῥέπει etc.) Sic Plato Apol. [p. 40, E]: Καὶ οὐκ ἔσθ' ὅπως ὀρθῶς ἡμεῖς ὑπολαμβάνομεν. Sic [Aristoph. Nub. 1275]: Οὐκ ἔσθ' ὅπως σύ γ' αὐτὸς ὑγιαίνεις, Fieri non potest ut sanus sis, Nullo modo sanus es. Et cum aoristo, ap. [Soph. OEd. C. 97: Ἔγνωκα μέν νυν ὥς με τήνδε τὴν ὁδὸν οὐκ ἔσθ' ὅπως οὐ πιστὸν ἐξ ὑμῶν πτερὸν ἐξήγαγ' ἐς τόδ' ἄλσος·] Dem. p. 123 [297, 9]: Ἀλλ' οὐκ ἔστιν, οὐκ ἔστιν ὅπως ἡμάρτετε, ἄνδρες Ἀθηναῖοι, τὸν ὑπὲρ τῆς ἁπάντων ἐλευθερίας καὶ σωτηρίας κίνδυνον ἀράμενοι. [Cum opt. Æsch. Ag. 620: Οὐκ ἔσθ' ὅπως λέξαιμι.] Sed interdum additur altera negatio, juncta verbo quod sequitur post οὐκ ἔσθ' ὅπως: ut, [Xen. Anab. 2, 4, 3: Οὐκ ἔστιν ὅπως οὐκ ἐπιθήσεται ἡμῖν·] Οὐκ ἔσθ' ὅπως οὐχ ὁμονοήσομεν, Isocr., Fieri non potest quin concordes simus, Omnino fiet ut concordes simus, Omnino concordes erimus; nam et Bud. οὐκ ἔσθ' ὅπως hic vertit Omnino. [Id. p. 107, C.] Et cum præsenti [Aristoph. Pl. 871]: Οὐκ ἔσθ' ὅπως οὐκ ἔχετέ μου τὰ χρήματα. Item cum aoristo adjunctam habente particulam ἂν, ut ap. Plat. in Apol., statim post illa quæ modo protuli verba [p. 40, C]: Οὐ γὰρ ἔσθ' ὅπως οὐκ ἠναντιώθη ἄν μοι τὸ εἰωθὸς σημεῖον, εἰ μή τι ἔμελλον ἐγὼ ἀγαθὸν πράξειν. Et de hoc quidem loquendi genere οὐκ ἔσθ' ὅπως hactenus: at de οὐχ ὅπως, longe diversam signif. habente, dicam infra. Sciendum est autem Soph. aliquantulum diversa forma dixisse in Aj. [378]: Οὐ γὰρ γένοιτ' ἂν ταῦθ' ὅπως οὐχ ὧδ' ἔχειν, pro Fieri nequeat quin hæc ita se habeant. [De infinitivo v. supra. Omisso verbo ἐστι Plato Reip. 2, p. 376, B: Οὐδαμῶς, ἦ δ' ὅς, ὅπως οὔ.]

|| Ὅπως quoque cum elleipsi positum videmur posse in earum signiff. numerum referre, in quibus aliquam cum usu particulæ Ut, convenientiam habet. Quemadmodum enim quum dicitur αὐτῷ μελήσειν ὅπως etc., item ἐπιτεχνωμένης ὅπως etc., item ap. Plut., Ἐν μὲν φυλάττοντες μόνον, ὅπως ἑξήκοντα καὶ τριακοσίων ἡμερῶν ὁ ἐνιαυτὸς ἔσται, talem usum habere videtur Ut, qualem quum dicitur, Cura s. Da operam ut hoc fiat, Vide ut hoc fiat: sic quum dicitur ὅπως τοῦτο ποιῇς, vel ὅπως τοῦτο μὴ ποιῇς, videtur ὅπως exprimendum potius per Ut, quam per aliam ullam particulam. Sicut enim absque elleipsi diceretur ὅρα ὅπως, vel σκόπει vel μελέτω σοι, ita Latine dicitur Vide ut hoc facias, Da operam ut hoc facias. Sed particula Ut usum hunc cum subjunctivo duntaxat habet: at ὅπως plerumque et cum futuro indicativi: ut [prima pers., quæ rarior ceteris, ap. Antiphanem Athen. 3, p. 123, B: Ἐν χύτρᾳ δέ μοι ὅπως ὕδωρ ἕψοντα μηδέν' ὄψομαι· quocum conf. l. Luciani, de quo in ὅπως pro πῶς posito agit HSt.] ap. Aristoph. Nub. [882]: Ὅπως δ' ἐκείνω τὼ λόγω μαθήσεται. Sic Xen. Cyrop. 5, [2, 18]: Ἄγ', ἔφη, ὦ Γωβρύα, ὅπως πρωῒ παρέσῃ ἔχων τοὺς ἱππέας ἐξωπλισμένους. Sic vero et quum adjicitur negativa particula, utramlibet constr. habet. Legimus enim in eadem ejusdem poetæ comœdia [822]: Ὅπως δὲ τοῦτο μὴ διδάξῃς μηδένα. Et in eadem [257] alterius constr. hoc exemplum habemus: Ὥσπερ με τὸν Ἀθάμανθ' ὅπως μὴ θύσετε. Sic ap. Plat. De rep. 1, [p. 336, D]: Καὶ ὅπως μοι μὴ ἐρεῖς κτλ. Quibus in ll. non solum Vide ne, sed et Cave ne, reddere possumus. [Prot. p. 313, C: Καὶ ὅπως γε μὴ ὁ σοφιστὴς ἐξαπατήσει ἡμᾶς. Utroque modo præter Platonem et alios quosvis sæpe etiam Xen., ut Conv. 4, 8: Εἰ δὲ δὴ τοῦτο καὶ μετὰ δεῖπνον τρωξόμεθα, ὅπως μὴ φήσῃ τις ἡμᾶς πρὸς Καλλίαν ἐλθόντας ἡδυπαθεῖν.] Ceterum huc pertinet Æsch. Prom. p. 9 meæ ed. [68]: Σὺ δ' αὖ κατοκνεῖς, τῶν Διός τ' ἐχθρῶν ὕπερ Στένεις; ὅπως μὴ σαυτὸν οἰκτιεῖς ποτέ, ubi schol. deesse ait σκόπει vel ὅρα, Eust. autem δέδιθι, exponens δέδιθι μὴ πάθῃς οἴκτου ἄξια. Scribi autem potest et ὑπὲρ sine accentu, ut intelligatur jungi cum στένεις. In eadem tragœdia p. 35 [559]: Φέρ' ὅπως ἄχαρις χάρις, ὦ φίλος, schol. exp. φέρε σκόπησον ὅτι ἡ χάρις κτλ. Quæ autem Bud. hujus ἐλλείψεως exempla profert, cum sua interpr., videnda tibi relinquo Comm. p. 952. In ea autem quæ hanc proxime præcedit annotat, ὅπως esse præcipientis, aut denuntiantis, aut exhortantis, in isto Synesii loco: Ὅπως οὖν μὴ μόνον τὰς ὄψεις ἐπιβάλῃς, ἀλλὰ καὶ τὸν νοῦν πάνυ σφόδρα προσέξεις τοῖς γράμμασιν, ubi ideo indicativum conjunctivo subdidisse ait, nisi sit menda, quod utrique tempori modoque congruat ὅπως. [Additur huic ὅπως etiam οὕτως, ut Aristoph. Ran. 905: Οὕτω δ' ὅπως ἐρεῖτον ἀστεῖα καὶ μήτ' εἰκόνας κτλ. Soph. El. 1296: Οὕτω δ' ὅπως μήτηρ σε μὴ 'πιγνώσεται, ut recte libri nonnulli pro οὕτως· et ubi aliter dicitur, Tr. 330: Ἤδ' οὖν ἐάσθω καὶ πορευέσθω στέγας οὕτως ὅπως ἥδιστα. Similiter ὧδε additum, ubi omitti poterat, El. 1301: Ὧδ' ὅπως καὶ σοὶ φίλον καὶ τοὐμὸν ἔσται τῇδε.]

|| Ὅπως sequente ἂν interdum Prout, potius quam Ut. Aristides: Ὅπως ἂν συμπίπτοι τῷ λόγῳ. [In talibus apud antiquiores certe nusquam optativo locus, sed aut conjunctivo aut particula sine ἄν. Ambiguum est quod Thomas ponit p. 654: Ὅπως ἀντὶ τοῦ ὥσπερ, οἷον, Ὅπως ἂν ἐξείη, quod illa signif. ipsum quoque ἐξῇ dicendum antiquo scriptori.]

|| Ὅπως ap. poetas pro Ut, Velut, Sicut, Tanquam; et quidem postpositum plerumque. Æsch. [Cho. 504]: Φελλοὶ δ' ὅπως [sic Eust. Il. p. 713, 33, libri ut metrum postulat ὥς. Prom. 1000: Ὀχλεῖς μάτην με κῦμ' ὅπως παρηγορῶν. Soph. El. 98: Ὅπως δρῦν ὑλοτόμοι, et alibi sæpe]. Eur., Λέων ὅπως, Ut leo. Apoll. [Rh. 1, 285]: Δμωὶς ὅπως. Scribunt autem poetæ præsertim heroici etiam Ὅππως pro ὅπως. Affertur et [in Lex. Septemv. perperam] Ὅπως τε ex Eur. pro Tanquam; at Ὅπως περ ex Soph. [Aj. 1179, OEd. T. 1336] pro Quomodo. [V. sub finem in Ὅχως.]

|| Ὅπως pro Ut posito pro Quam, ut videri possit poni quum dicitur a Virg. Æn. 8: Ut te fortissime Teucrum Accipio, agnoscoque libens. Videtur enim commode exponi posse Quam libens. Sic certe utitur et alibi: necnon alii quidam, ex quibus Horat., Ut juvat pastas oves Videre properantes domum. Neque enim dubito quin hic Ut juvat, idem valeat quod Quam juvat, ap. Tibull., Quam juvat immites ventos audire cubantem. Lucian. [Jov. trag. c. 14]: Οἶσθα ὅπως ἦν θαῤῥαλέος, Scin' tu quam audax essem? Sed an Ut hujusmodi quoque locis adhiberi possit, pro

Quam, alii viderint. [Hom. Od. Δ, 109 : Ἐμοὶ δ' ἄχος αἰὲν ἄλαστον κείνου, ὅπως δὴ δηρὸν ἀποίχεται. Soph. Phil. 169 : Οἰκτείρω νιν ἔγωγ' ὅπως μή του κηδομένου βροτῶν... δύστανος μόνος ἀεὶ νοσεῖ μὲν νόσον ἀγρίαν κτλ.] || Præstat vero ὅπως et alium usum particulæ Quam, de quo dicam in ὅπως pro ὅτι. [I. q. ὅτι est etiam, ubi conjungitur cum verbis dicendi, ut Soph. Ant. 685 : Ἐγὼ δ' ὅπως σὺ μὴ λέγεις ὀρθῶς τάδε οὔτ' ἂν δυναίμην μήτ' ἐπισταίμην λέγειν· quibuscum comparandum οὐχ ὅπως sine verbo, de quo HSt. paullo post. Plat. Euthyd. p. 296, E : Τὰ ἄλλα οὐκ ἔχω ὑμῖν πῶς ἀμφισβητοίην ὅπως οὐ πάντα ἐγὼ ἐπίσταμαι· Hipparch. p. 229, D : Ἐγὼ ὅπως οὐ σύ με ἐξαπατᾷς... οὐ δύναμαι πεισθῆναι.]

|| Ὅπως, Ut, ἵνα. Et ὅπως μή, Ut ne, ἵνα μή. [Cum indic. Hom. Il. Α, 136 : Ἀλλ' εἰ μὲν δώσουσι γέρας, ἄρσαντες κατὰ θυμὸν, ὅπως ἀντάξιον ἔσται· Od. Α, 57 : Αἰεὶ δὲ μαλακοῖσι καὶ αἱμυλίοισι λόγοισι θέλγει, ὅπως Ἰθάκης ἐπιλήσεται. Æsch. Suppl. 449 : Ὅπως δ' ὅμαιμον αἷμα μὴ γενήσεται, δεῖ κάρτα θύειν καὶ πεσεῖν χρηστήρια· et sequente conjunctivo Cho. 263 : Σιγᾶθ' ὅπως μὴ πεύσεταί τις, ὦ τέκνα, γλώσσης χάριν δὲ πάντ' ἀπαγγείλῃ τάδε, ubi ἀπαγγελεῖ Porsonus, quod sane ab illo nihil distat vetere orthographia, sed non est necessarium putandum. Et cum indicat. imperf., ut ap. Aristoph. infra cit. ab HSt., Prom. 748 : Τί δῆτ' ἐμοὶ ζῆν κέρδος, ἀλλ' οὐκ ἐν τάχει ἔρριψ' ἐμαυτὴν, ὅπως... τῶν πάντων πόνων ἀπηλλάγην· Cho. 196 : Εἴθ' εἶχε φωνὴν, ὅπως μὴ 'κινυσσόμην. Conjunctivus ubi ponitur, ἂν modo additur modo omittitur, ita tamen ut in enuntiationibus quæ ex verbo sunt aptæ, rarius addatur particula, velut Plat. Protag. p. 326, A : Σωφροσύνης τε ἐπιμελοῦνται καὶ ὅπως ἂν οἱ νέοι μηδὲν κακουργῶσι· Phæd. p. 59, E : Λύουσιν οἱ ἕνδεκα Σωκράτη καὶ παραγγέλλουσιν ὅπως ἂν τῇδε τῇ ἡμέρα τελευτήσῃ· multo frequentius in liberis, ut ap. Æsch. Prom. 823 : Ὅπως δ' ἂν εἰδῇ μὴ μάτην κλύουσά μου... φράσω, et alios quosvis. Sine particula ap. Hom. Od. Γ, 19 : Λίσσεσθαι δέ μιν αὐτὸν ὅπως νημερτέα εἴπῃ· et in libera enuntiatione Æsch. Cho. 872 : Ἀποσταθῶμεν πράγματος τελουμένου, ὅπως δοκῶμεν τῶνδ' ἀναίτιαι κακῶν, et alibi ubivis.] Xen. [Cyrop. 3, 1, 8] : Ὅπως ἀκούσῃς ἥκεις, Venis ut audias. Id. Cyneg. [6, 7] : Ἵνα δ' αὐτῶν μηδὲν ἀντέχηται, πηγνύειν δεῖ τὰς σχαλίδας, ὑπτίας, ὅπως ἂν ἐπαιρόμεναι ἔχωσι τὸ σύντονον· et [8] : Στοιχιζέτω δὲ ὑψηλὰ, ὅπως ἂν μὴ ὑπερπηδᾷ. Apud Eund. cum optativo, Ὅπως μὴ δοκοίη. Sic [Pind. Nem. 3, 59 : Ὅπως μὴ... μόλοι. Æsch. Eum. 671 : Καὶ τόνδ' ἔπεμψα, ὅπως γένοιτο πιστός· et post præsens historicum Pers. 450 : Ἐνταῦθα πέμπει τούσδ' ὅπως... κτείνειαν. Xen. Cyr. 8, 1, 43 : Ἐπεμελεῖτο ὅπως μήτε ἄσιτοι μήτε ἄποτοι ἔσοιντο· et ap. alios quosvis. Addita part. ἂν Æsch. Ag. 364 : Δία ... αἰδοῦμαι, ὅπως ἂν βέλος ἠλίθιον σκήψειεν.] Aristoph. : Ὅπως ἀποδοίμην. Et Demosth. : Ὅπως ἐπεξέλθοιτε ὑμεῖς, Ut exiretis obviam. Affertur vero et ὅπως ἐφαίνου ex eod. Aristoph. [Pac. 138] pro Ut videreris; et ὅπως ἔκεισο ex Soph. [El. 1134] pro Ut jaceres. Et quemadmodum Ut vacat interdum ante Ne, sic ὅπως ante μή : ut ap. Xenoph. [Comm. 2, 9, 2] : Εἰ μὴ φοβοίμην ὅπως μὴ ἐπ' αὐτόν με τράποιτο. [Soph. OEd. T. 1074 : Δέδοιχ' ὅπως μὴκ τῆς σιωπῆς τῆσδ' ἀναρρήξει κακά. Aristoph. Eq. 112 : Δέδοιχ' ὅπως μὴ τεύξομαι. Plato Conv. p. 193, A : Φόβος ἔστιν ὅπως μὴ αὖθις διασχισθησόμεθα· Leg. 12, p. 967, B : Ὑπωπτεύετο, ὅπως μήποτ' ἂν ἄψυχα ὄντα οὕτως εἰς ἀκρίβειαν θαυμαστοῖς λογισμοῖς ἂν ἐχρῆτο· Reip. 1, p. 339, A : Καίτοι ἔμοιγε ἀπηγόρευες ὅπως μὴ τοῦτο ἀποκρινοίμην. Sine μὴ positum notavit HSt. paullo ante.] || Ὅπως Bud. exp. etiam ἐφ' ᾧ et ἐπὶ τῷ, afferens ex Dem. p. 185 [443, 2] : Ἐμισθώσατο μὲν τοῦτον εὐθέως, ὅπως συνερεῖ καὶ συναγωνιεῖται τῷ μιαρῷ Φιλοκράτει, καὶ τῶν τὰ δίκαια βουλομένων ἡμῶν πράττειν περιέσται. [|| Ut, quod sit i. q. Quum, ut ap. Latinos, Ut vidi, Hom. Il. Μ, 208 : Τρῶες δ' ἐρρίγησαν, ὅπως ἴδον αἰόλον ὄφιν· Od. Γ, 373 : Θαύμαζεν δ' ὁ γεραιὸς, ὅπως ἴδεν ὀφθαλμοῖσι· Χ, 22. Hesiod. Th. 156 : Καὶ τῶν μὲν ὅπως τις πρῶτα γένοιτο. Æsch. Pers. 198 : Τὸν δ' ὅπως ὁρᾷ Ξέρξης. Soph. El. 749 : Ὅπως ὁρᾷ νιν· et alibi sæpe cum imperf. et aor. Cum opt. Herodot. 8, 137 : Ὅκως ὀπτῷτο ὁ ἄρτος, Quoties. Thomas p. 654 : Ὅπως καὶ ἀντὶ τοῦ ἐπεί, οἷον, Ὅπως δ' εἰς ταὐτὸν ἥκομεν. De re non facta, sed futura

A Constantin. Cærim. p. 126, B : Ὅπως ὀφείλει γενέσθαι ἡ ἀκολουθία, ἵσταται τὸ μέρος κτλ. Cum superl. hac signif. conjunctum v. infra.] || Ὅπως autem pro ὅτι, ut etiam a schol. Æsch. videmus exponi in quodam quem modo protuli loco, usurpatur a primariis etiam scriptoribus, Thuc., Xen. Nam ex illo affertur ἴσμεν ὅπως, cum Enarratoris expositione, ἴσμεν ὅτι. Apud hunc autem legitur Cyrop. 3, [3, 20] : Ἀλλ' ὅπως μὲν, ὦ Κῦρε, καὶ οἱ ἄλλοι Πέρσαι, ἐγὼ ἄχθομαι τρέφων ὑμᾶς, μηδ' ὑπονοεῖτε. Quendam etiam Aristoph. locum protuli, in quo a schol. exponi ὅτι docui (nam ὅπως pro ὡς, hoc autem pro ὅτι poni ait), sed me, uti dixi, nequaquam ei assentiente. || Quinetiam quum dicitur ὅπως τάχιστα, possumus ei hic quoque tribuere illum usum, quem ὅτι cum hoc adverbio aliisque nonnullis habet, itidemque particula ὡς : eundem sc. quem habet particula Quam cum adverbiis itidem superlativi gradus : reddendo ὅπως τάχιστα Quam celerrime, Quam citissime : Eustathius autem ὅπως τάχιστα ex Soph. [OEd. T. 1410] affert pro λίαν ταχέως. [Theognis 427 : Φύντα δ' ὅπως

B ὤκιστα πύλας Ἀΐδαο περῆσαι. Æsch. Ag. 600 : Ὅπως ἄριστα· 605 : Ἥκειν ὅπως τάχιστα, et alibi. Soph. Ph. 627 : Σφῷν δ' ὅπως ἄριστα συμφέροι θεός.] Sed pro Quam celerrime s. Quam celerrime fieri potest, dicunt etiam ὅπως ἔνι τάχους : item ὅπως ἔχουσι τάχους, pro Quam celerrime possunt, Quam citissime possunt. Quorum utroque Basilius usus est. [Ita schol. explicat quod paullo aliter dicit Æsch. Suppl. 837 : Σοῦσθ' ἐπὶ βᾶριν ὅπως ποδῶν. Superlativo conjungitur etiam ubi est Quum, ut ap. Lat. Quum primum, Æsch. Prom. 228 : Ὅπως τάχιστα τὸν πατρῷον ἐς θρόνον καθέζετο.] || At vero in Οὐχ ὅπως longe a præcedentibus diversam signif. habet ὅπως : accipitur enim οὐχ ὅπως pro Non solum non : sequente ἀλλὰ, et quidem adjunctam sæpe habente particulam καί. [Xen. Anab. 7, 7, 8 : Οὐχ ὅπως δῶρα δοὺς ἀξιοῖς ἡμᾶς ἀποπέμψασθαι, ἀλλ' οὐδ' ἐναυλισθῆναι ἐπιτρέπεις· Ages. 5, 1 : Οὐχ ὅπως ἀμφοτέραις ἐχρῆτο (ταῖς μοίραις), ἀλλὰ διαπέμπων οὐδετέραν αὐτῷ κατέλειπε, restitui pro οὐχ οὕτως.] Isocr. Areop. [p. 146, A] : Οὐχ ὅπως ὑπερεώρων τοὺς καταδεέστερον πράτ-

C τοντας, ἀλλ' ὑπολαμβάνοντες αἰσχύνην αὐτοῖς εἶναι τὴν τῶν πολιτῶν ἀπορίαν, ἐπήμυνον ταῖς ἐνδείαις. Dem. Pro cor. : Οὐχ ὅπως χάριν αὐτοῖς ἔχεις, ἀλλὰ μισθώσας σαυτὸν κατὰ τουτωνὶ, πολιτεύῃ. Quibus in ll. ei respondet particula ἀλλὰ, non adjuncta particula καί : at sequentes loci adjectam illam habent. [Thuc. 1, 35 : Οὐχ ὅπως κωλυταὶ, ἀλλὰ καὶ κτλ.] Xen. Hell. 5, [4, 34] : Οὐχ ὅπως τιμωρήσαιντο, ἀλλὰ καὶ ἐπαινέσαιεν τὸν Σφοδρίαν. Et ap. Dem. (licet in ejus etiam loco, quem paulo ante protuli, habeas ἀλλὰ, sine καί,) Phil. 2, [p. 67 extr.] : Οὐχ ὅπως ἀντιπράξειν καὶ διακωλύσειν, ἀλλὰ καὶ συστρατεύσειν, ἂν αὐτοὺς κελεύῃ. Sic denique et Lucian. [De œco c. 15] : Φημὶ γὰρ καὶ γυναιξὶ καλαῖς οὐχ ὅπως συλλαμβάνειν ἐς τὸ εὐμορφότερον, ἀλλὰ καὶ ἐναντιοῦσθαι τὸν κόσμον τὸν πολύν. Dem. interjicit etiam particulam γὰρ inter οὐχ et ὅπως in hoc loco (ubi Bud. vertit, Non enim hoc modo, Neque enim tantummodo,) Orat. c. Mid. [p. 518, 12] : Οὐ γὰρ ὅπως μὴ τὸ σῶμα ὑβρίζεσθαί τινος ἐν ταύταις ἡμέραις ᾤεσθε χρῆναι, ἀλλὰ καὶ τὰ δίκη καὶ ψήφῳ τῶν ἑλόντων γιγνόμενα, τῶν ἑαλωκότων καὶ κεκτημένων ἐξ ἀρχῆς τῇ γοῦν

D ἑορτῇ ἀπεδώκατε εἶναι. [Particulam οὖν Xen. Cyrop. 8, 2, 12 : Οὔκουν ὅπως μνησθῆναι ἄν τις ἐτόλμησε πρός τινα περὶ Κύρου φλαῦρόν τινα, ἀλλ' ὡς ἐν ὀφθαλμοῖς πᾶσι καὶ ὠσὶ βασιλέως... οὕτως ἀεὶ διέκειτο.] Ceterum in hujusmodi ll. possumus οὐχ ὅπως interpretari etiam Tantum abest : quinetiam Nedum, sed mutata orationis structura. At nonnunquam οὐχ ὅπως in posteriore membro ponitur; et tunc apte redditur, Nedum, vel Tantum abest ut, minime mutata orationis structura. [Soph. El. 796 : Πεπαύμεθ' ἡμεῖς, οὐχ ὅπως σε παύσομεν.] Lucian. [Pseudol. c. 24] : Καίτοι ἐγὼ μὲν ἀποφράδα μὴ εἰδὼς, ᾐσχυνόμην ἂν μᾶλλον, οὐχ ὅπως εἰπὼν ἀρνηθείην ἄν· Prometh. [c. 8] : Οὐδὲ μνημονεύσειν εἰς τὴν ὑστεραίαν ἔτι ᾤμην τὸν Δία, οὐχ ὅπως καὶ τηλικαῦτα ἐπ' αὐτοῖς ἀγανακτήσειν, Neque Jovem postridie memorem futurum existimabam, nedum tam graviter hæc laturum. Vel, Tantum abest ut eum tam graviter hæc laturum putarem. Animadvertendum est autem in hoc etiam loquendi genere, ac præsertim quale est in superioribus exemplis, in quibus οὐχ ὅπως in priore membro ponitur, ὅπως præstare usum voculæ ὅτι (dico autem, in hoc quoque genere loquendi, quod paulo ante alium etiam usum particulæ ὅτι præstare particulam ὅπως docuerim), quum itidem dicatur οὐχ ὅτι pro Non solum non : ut in hoc Athen. loco, Οὐχ ὅτι ἡμῶν τινὰ προσβλέποντες, ἀλλ' οὐδὲ ἀλλήλους. Sed ne fallatur lector, admonitus esto, in οὐχ ὅπως aliquando etiam pro Ut usurpari ὅπως : ut, Οὐχ ὅπως εὐορκήσῃ πρόνοιαν ποιήσεται. Quem l. Budæus afferens ait, οὐχ ὅπως esse pro οὐχ ἵνα. Verum ego suspicor ὅπως hic esse pro Ut, non tam significante ἵνα, quam eum usum habente quem habere diximus cum Curare, Dare operam : quum dicitur, Curabo ut hoc fiat, Dabo operam ut hoc fiat. Cujus signif. exemplis ante a me productis addo et hoc e Xen. [OEc. 7, 5] : Τὸν δ' ἔμπροσθεν χρόνον ἔζη ὑπὸ πολλῆς ἐπιμελείας, ὅπως ὡς ἐλάχιστα μὲν ὄψοιτο, ἐλάχιστα δὲ ἀκούσοιτο, ἐλάχιστα δ' ἔροιτο. Quod si eundem usum ibi habeat, illa verba, Οὐχ ὅπως εὐορκήσῃ πρόνοιαν ποιήσεται, in ista poterunt resolvi, mutata orationis structura, οὐ τοῦ εὐορκῆσαι πρόνοιαν ποιήσεται. [Ceterum dicitur etiam μὴ ὅπως, intellecto conjunctivo verbi, aut imperativo, ut Xen. Cyrop. 1, 3, 10 : Ἐπεὶ ἀνασταίητε, μὴ ὅπως ὀρχεῖσθαι ἐν ῥυθμῷ, ἀλλ' οὐδ' ὀρθοῦσθαι ἐδύνασθε. Alio sed item compendioso genere loquendi Soph. Ph. 177 : Τὸν φθόνον δὲ πρόσκυσον, μή σοι γενέσθαι πολύπον' αὐτὰ, μηδ' ὅπως ἐμοί τε καὶ τῷ πρόσθ' ἐμοῦ κεχτημένῳ. || Cum genitivo conjuncti præter exx. paullo ante memorata alia sunt ap. Plat. Gorg. p. 470, E : Οὐ γὰρ οἶδα παιδείας ὅπως ἔχει καὶ δικαιοσύνης· Reip. 3, p. 389, C : Ὅπως ἢ αὐτὸς ἤ τις τῶν ξυνναυτῶν πράξεως ἔχει· 4, p. 421, C : Ὅπως ἑκάστοις τοῖς ἔθνεσιν ἡ φύσις ἀποδίδωσι τοῦ μεταλαμβάνειν εὐδαιμονίας· Charm. p. 166, A : Ἡ λογιστική ἐστί που τοῦ ἀρτίου καὶ τοῦ περιττοῦ, πλήθους ὅπως ἔχει πρὸς αὐτὰ καὶ πρὸς ἄλληλα. || De accentu ὁπῶς Apollon. De advv. p. 584, 22 : Ὅθεν δοκεῖ μοι καὶ κατὰ τὴν Δωρικὴν διάλεκτον τῷ μὲν προκατειλεγμένῳ λόγῳ ὅπως ἀναγινώσκειν, Οὐδ' ὅπως ἄριστα, τῷ μέντοι μᾶλλον αὐτοὺς συγκαταβιβάζειν τὰ ἐπιρρήματα ὁπῶς, ὥστε ἀμφοτέρας τὰς ἀναγνώσεις λόγου ἔχεσθαι.]

|| Ὅκως, Ionice pro ὅπως dicitur, Herodot. [sæpe, aliique, ut Simonid. Carm. de mul. 82. Et ὅκωσπερ Aret. p. 26, 11, Heraclit. ap. Plut. Mor. p. 1026, B, pro ὥσπερ. L. Dind.]

[Ὄραθα, πόλις τῆς ἐν (vel potius ἐπὶ) Τίγρητι Μεσήνης· Ἀρριανὸς Παρθικῶν ις'. Τὸ ἐθνικὸν Ὀραθηνὸς, Steph. Byz.]

[Ὄραια τεκτονική, Gauma, Gl. corrupte.]

Ὅρᾶμα, τὸ, Visus, accipiendo pro Re quæ videtur. [Visio, Visum, add. Gl.] Spectaculum. Xenoph. Eq. [9, 4] : Ὥσπερ ἄνθρωπον ταράττει τὰ ἐξαπίναια καὶ ὁράματα καὶ ἀκούσματα καὶ παθήματα. [Hier. 1, 4 : Διὰ τῶν ὀφθαλμῶν ὁράμασιν ἡδομένους τε καὶ ἀχθομένους. Demosth. p. 1460, 26 : Ὅραμα τοῦτο ἐποιεῖτο ὁ δῆμος αὑτοῦ καλὸν καὶ λυσιτελὲς τῇ πόλει. Aristot. Polit. 1, 11 : Τὸ ὅραμα Θάλεω.] Sic Aristot. ὁράματα et ἀκούσματα copulat, Eth. 10, [4] : Φαμὲν γὰρ ὁράματα καὶ ἀκούσματα εἶναι ἡδέα. [Et Polit. 7, 17. Et ἀκροάματα Eth. 10, 2.] Interpretor autem nomine Visus masc. gen. potius quam neutro Visum, quod hoc de eo sæpius dicatur, quod apparet dormienti; at Visus pro eo quod quis etiam vigilans videt, frequens sit, et quidem apud poetas præsertim : ex quibus quidam dixit Turbari subito visu, quod ex illo Xenoph. loco interpretari possis ταράττεσθαι ἐξαπιναίῳ ὁράματι. Alioqui tamen et neutrum nomen Visum hanc signif. alicubi habere non nego. [Xen. Cyrop. 3, 3, 66 : Διὰ τὰ δεινὰ ὁράματα. Aristot. De anima 3, 3 med. : Φαίνεται καὶ μύουσιν ὁράματα· 13 : Ὑπὸ ὁραμάτων καὶ ὀσμῆς.]

[Ὁραματίζομαι, Video. Ps. 10, 4 : Οἱ ὀφθαλμοὶ αὐτοῦ εἰς τὸν πένητα ἀποβλέπουσι, Aquila ὁραματίζονται. Ib. 57, 18 : Οὐχ εἶδον τὸν ἥλιον, idem οὐ μὴ ὁραματισθῶσιν. Esaiæ 33, 20 : Ἰδοὺ Σιὼν, idem ὁραματίσθητι. Cant. 7, 1 : Τί ὄψεσθε; idem ὁραματισθήσεσθε, ut ib. 6, 11, pro ὀψόμεθα, Inc. ὁραματισθησόμεθα.]

[Ὁραματισμὸς, ὁ, Visio. Aq. in Euseb. p. 386. Wakef. Constitt. Apost. 7, 33. Kall. Aq. Job. 4, 13; Prov. 29, 18; Habac. 2, 2.]

[Ὁραματιστὴς, ὁ, Visionarius. Symm. Esai. 56, 10.]

Ὄραμνος, ὁ, Frons, Ramulus, κλάδος, schol. Nicandri Ther. 92 : Ἐσθλοῦ ἀβροτόνοιο δύω κομόωντας ὀράμνους. [Conf. Al. 154, 420, 487.] Itidem ap. Suid. ex Epigr. [Agathiæ Anth. Pal. 5, 292, 1] : Ἐνθάδε μὲν χλοάουσα τεθηλότι βῶλος ὀράμνῳ Φυλλάδος εὐκάρπου πᾶσαν ἔδειξε χάριν. [Paul. Sil. Amb. 196 : Ἀργυρέων ὀράμνων. L. Dind.]

[Ὀράνιος, Ὀρανός. V. Οὐραν—.]

Ὀρὰς, Montana. Hesych. annotat ὀράδα quosdam interpretari τὴν ὄρειον : alios τὴν γαλακτώδη, derivantes παρὰ τὸν ὀρὸν s. ὀῤῥόν. Eidem ὀράδες sunt ὑλώδεις τόποι, Loca sylvosa. [Pro ὀργὰς, quod infra interpretatur similiter.]

Ὅρᾶσις, εως, ἡ, Visus [Gl.], pro ipso Videndi sensu s. cernendi sensu, ut Cic. loquitur, qui etiam vocat Sensum oculorum. Plut. [Mor. p. 440, F] : Ὡς εἴ τις ἐθέλοι τὴν ὅρασιν ἡμῶν λευκῶν μὲν ἀντιλαμβανομένην, λευκοθέαν καλεῖν· μελάνων δὲ, μελανθέαν. [Menander fr. Disexapat. ap. Fulgent. Myth. 3, 1 : Τὴν ἡμετέραν προκατέλαβες ὅρασιν. Aristot. De anima 3, 2 : Ὅρ. λέγεται ἡ τῆς ὄψεως ἐνέργεια· Eth. 10, 3, et alibi. B Iambl. Protr. p. 94 Kiessl. : Τοῦ δ' αὖ νοῦ αἱ νοήσεις ἐνέργειαι, ὁράσεις οὖσαι νοητῶν.] At in VV. LL. Visio, Aspectus, sine exemplo. [Ὁράσεις, Visiones, s. potius Oracula Leonis Philosophi Imp. de Cpolitanis Impp., ut testatur Zonaras in Leone Armen. : qui liber post Codinum De orig. Cp. editus, cui præfiguntur scriptorum loci, in quibus ejusmodi oraculorum fit mentio. Hunc librum per ὁράσεις videtur intellexisse Luitprand. in Legat. (p. 484, D) : «Habent Græci et Saraceni libros quos ὁράσεις sive visiones Danielis vocant, ego autem Sibyllinos, in quibus scriptum reperitur quot annis Imperator quisque vivat», etc. Ex Ducang. Gl. || Ὁράσεις, Oculi, (Lumina, Gl.) Iren. p. 98. Kall.]

[Ὁρατέον, Videndum. Theolog. ar. p. 38, D. L. D.

[Ὁρατὴρ, ῆρος, ὁ, Inspector. Hesych. in Ὀπτήρ Wakef.]

Ὁρατὴς, ὁ, Spectator. Qua signif. tamen dicitur potius θεατής. [Plut. Nicia c. 19. Job. 35, 13. Joannes Euchait. ap. Lambec. Bibl. Cæs. vol. 5, p. 67, C.]

C Ὁρᾶτικὸς, ἡ, ὸν, q. d. Visorius : ὁρ. δύναμις, Visoria facultas, s. vis, i. e., Videndi vis. Plut. De def. or. [p. 433, D] : Ὀφθαλμοῦ τε γὰρ ἔχοντος τὴν ὁρατικὴν δύναμιν, οὐδὲν ἄνευ φωτὸς ἔργον ἐστὶν, ubi ἔχων δύναμιν ὁρατικὴν est Habens visoriam vim, i. e. Præditus videndi vi, s. cernendi. Interdum vero ὁρατικὸς est i. q. ὁρατικὴν δύναμιν ἔχων, Qui videre s. cernere potest, Cernendi vi præditus : ut ap. eund. Plutarch. in eod. opusculo [p. 436, D] : Οὐχ ἀνῄρει τὸ κατὰ τὸν λόγον καὶ πρόνοιαν ὁρατικοὺς καὶ ἀκουστικοὺς γεγονέναι. [Philo vol. 1, p. 593, 26 : Πᾶς ὁ εὐθιξίᾳ καὶ εὐφυΐᾳ χρώμενος ὁρατικός. Prov. 22, 29 : Ὁρατικὸν ἄνδρα. Hesychio γνωστικός.] || Τὸ ὁρατικὸν in Hippiatria pro Pupillæ loco, sede visus : Περικαυστέον τὸν ὀφθαλμὸν σπόγγῳ τὸ ὁρατικὸν κατέχοντα, διὰ τὸ καυτήριον. Plin. Visibile vocat active. Bud. [Ὁρατικὰ, Lumina, Gl. De facultate Aristot. De sensu c. 2 : Τοῦ ὄμματος τὸ ὁρατικὸν ὕδατος ὑποληπτέον· Metaphys. p. 185, 16 : Ὁρατικὸν τὸ ὁρᾶν, et ib. 23. Iambl. Protr. p. 94 Kiessl. : Τοῦ ὁρατικοῦ ὁρᾶν τὰ ὁρατά. Cassius Probl. 19, p. 38 : Κατὰ τὴν αὐ-D τὴν ἐπιβολὴν ἐνεργεῖ τὸ ὁρατικὸν διὰ παντὸς τοῦ ὁρατοῦ. || Adv. Ὁρατικῶς, Sext. Emp. p. 440 : Τὸ γὰρ ὁρατικοῦ πάθους ἀναδεκτικὸν ὁρατικῶς κινεῖται· τὸ δὲ ὁρ. κινούμενον ὁρασίς ἐστιν.]

Ὁρατὸς, ὁ, Visibilis, [Aspicialis, Spectabilis, Gl.] Qui videri potest s. cerni. [Theocr. 7, 114 : Πέτρᾳ ὕπο Βλεμύων, ὅθεν οὐκέτι Νεῖλος ὁρατός.] Sed Cic. dicit potius Aspectabilis, et Sub aspectum cadens, et In cernendi sensum cadens, et Qui videri potest; itidemque Qui cerni potest. Alicubi vero reddit etiam Qui videtur, cernitur. Quarum Ciceronis ap. Plat. [Tim. p. 28, B, et aliis locis plurimis] interpretationum locos indicabit tibi meum Lex. Cic. Aristot. Polit. 8, [c. 5] τὰ ὁρατὰ inter τὰ αἰσθητὰ numerat, sicut τὰ ἁπτὰ et τὰ γευστά. [Conf. id. De anima 2, 7.] Xenoph. Cyrop. 1, [6, 2] : Ἀλλὰ αὐτὸς καὶ ὁρῶν τὰ ὁρατὰ καὶ ἀκούων τὰ ἀκουστὰ γινώσκῃς. [Comm. 1, 4, 5; 3, 10, 3.] Invenitur autem additus et dat. ὀφθαλμοῖς, s. ὄμμασιν : ut ap. Philon. De mundo, Οὗτος ὄμμασιν ὁρατὸς, ut si Latine dicas Oculis conspicuus. [|| Forma Ion.

Ορητὸς ap. Maneth. 2, 31, 130. || Adv. « Ὁρατῶς, Visibiliter, Pol. 3, 443 (?). » Wakef. Jo. Damasc. vol. 1, p. 99, D : Αἰσθητῶς καὶ ὁρατῶς. Nilus ap. Phot. Bibl. p. 513, 34 : Νεκρῶν τινων ὁρατῶς ἀναζώντων. L. Dind.]

[Ὁραυγέομαι, ap. Aresan Stob. Ecl. phys. vol. 1, p. 854 : Συμπείθει μὲν γὰρ ὁ νόος ὁραυγούμενος· et mox : Ὁ μὲν νόος ὁραυγούμενος καὶ στιβαζόμενος τὰ πράγματα, ἃ δὲ θύμωσις ὁρμὰν καὶ ἀλκὰν ποτιφερομένα τοῖς ὁραυγαθεῖσιν. « Rite derivatur ex ὁράω et αὐγή, ut oppositum μαραυγέω ex μαραίνω et αὐγή, atque ut hoc de iis dicitur, qui oculos hebetes habent, sic illud erit Acute discerno, quod bene de mente dicitur. » Heeren.]

Ὁράω, pr. imperf. ἑώρων, pr. perf. ἑώρακα. At fut. ὄψομαι mutuatur ab ὄπτομαι, de quo dictum fuit supra, posterius autem aor. Εἶδον, commodat illi Εἴδω, inus. thema, in soluta quidem oratione. Hinc fit ut agendo de significationibus verbi ὁρῶ, afferantur exempla, in quibus sit vel illud futurum, vel hoc posterius aoristum tempus. Sed et de Ὦπται idem sentiendum est, cujus comp. Κατῶπται habuisti supra in Καθορῶ. Vicissim autem Ὄπτομαι, inusitatum alioqui, regulare habet ὄψομαι fut., quod ὄπτομαι ideo positum fuit supra, una cum suis composs. aliisque derivatis : quare memineris, lector, ut hæc sibi mutuas tradant operas, in Ὁρῶ ad Ὄπτομαι recurrere, in Ἐφορῶ ad verbum Ἐπόπτομαι, itidemque in ceteris composs.; ac vicissim in Ὄπτομαι ad Ὁρῶ, in Ἐπόπτομαι ad Ἐφορῶ, etc. — Ὁρῶ, Video, Cerno, Aspicio. [Viso, Aspecto, his additur in Glossis.] Hom. Il. Υ, [480] : Ὁ δέ μιν μένε χεῖρα βαρυνθεὶς, Πρόσθ' ὁρόων θάνατον. [Ψ, 323 : Αἰεὶ τέρμ' ὁρόων στρέφει ἐγγύθεν· Σ, 61 : Ὄφρα δέ μοι ζώει καὶ ὁρᾷ φάος Ἠελίοιο.] Item ὁρᾶν εἴς τινα, Intueri in aliquem, Respicere ad aliquem : B, [271] et alibi : Ὧδε δέ τις εἴπεσκεν ἰδὼν ἐς πλησίον ἄλλον. [Ω, 633 : Αὐτὰρ ἐπεὶ τάρπησαν ἐς ἀλλήλους ὁρόωντες. Cum ἐπὶ Il. A, 350 : Ὁρόων ἐπὶ οἴνοπα πόντον.] Et ἐν ὀφθαλμοῖς ὁρᾶν, Od. Θ, [459] : Θαύμαζεν δ' Ὀδυσῆα ἐν ὀφθαλμοῖσιν ὁρῶσα. Alibi autem dativo sine præp. utitur, ut videbis in Ὁρῶμαι. [Soph. Ant. 764 : Σύ τ' οὐδαμὰ τοὐμὸν προσόψει κρᾶτ' ἐν ὀφθαλμοῖς ὁρῶν· Tr. 241 : Γυναικῶν ὧν ὁρᾷς ἐν ὄμμασιν· Aj. 84 : Εἴπερ ὀφθαλμοῖς γε τοῖς αὐτοῖς ὁρᾷ. Eur. Hel. 118 : Ὥσπερ σέ γ' οὐδὲν ἧσσον ὀφθαλμοῖς ὁρῶ. Æsch. Prom. 69 : Ὁρᾷς θέαμα δυσθέατον ὄμμασι. Sæpe autem ὁρᾷς extra constructionem ponitur, ut Aristoph. Eccl. 104 : Νυνὶ δ' ὁρᾷς, πράττει τὰ μέγιστα, et alibi. Soph. El. 628 : Ὁρᾷς; πρὸς ὀργὴν ἐκφέρει; Item ὅρα ib. 945 : Ὅρα, πόνου τοι χωρὶς οὐδὲν εὐτυχεῖ. Eodemque modo plurali et utroque numero sæpe ap. Platonem. Item infinitivus additur adjectivis, ut Soph. Aj. 818 : Ἐχθίστου θ' ὁρᾶν· OEd. C. 327 : Δύσμοιρ' ὁρᾶν. Xenoph. Anab. 2, 6, 9 : Ὁρᾶν στυγνὸς ἦν· et pass. Ven. 3, 3 : Αἰσχραὶ ὁρᾶσθαι. Tum sæpe conjungitur cum adjectivis, ut Plat. Reip. 6, p. 488, B : Ὑπόκωφον καὶ ὁρῶντα ὡσαύτως βραχύ τι· 10, p. 596, A : Ἀμβλύτερον ὁρῶντες· Theæt. p. 174, E : Ἀμβλὺ καὶ ἐπὶ σμικρὸν ὁρώντων.] Item cum adverbiis πρόσσω et ὀπίσσω, Il. Σ, [250] : Ὁ γὰρ οἶος ὅρα πρόσσω καὶ ὀπίσσω. [Od. Ψ, 91 : Ἧστο κάτω ὁρόων. Soph. OEd. T. 488 : Οὔτ' ἐνθάδ' ὁρῶν οὔτ' ὀπίσω.] Item cum ὅτι, ut Il. H, [448] : Οὐχ ὁράας ὅτι δ' αὖτε καρηκομόωντες Ἀχαιοὶ Τεῖχος ἐτειχίσσαντο νεῶν ὕπερ. [Et cum ὃ pro ὅτι posito Od. P, 545 : Οὐχ ὁράας ὅ μοι υἱὸς ἐπέπταρε πᾶσιν ἔπεσσιν; Æsch. Prom. 259 : Οὐχ ὁρᾷς ὅ τι ἥμαρτες; Et alii quivis. Theocr. 15, 12 : Ὅρη, γύναι, ὡς ποθορῇ τύ.] Alicubi cum οἷον significante Qualiter : sed et cum οἷος, ut Φ, [108] : Οὐχ ὁράας οἷος κἀγὼ καλός τε μέγας τε; [Cum adv. Hom. Il. Δ, 347 : Νῦν δὲ φίλως χ' ὁρόωτε.] In soluta etiam oratione magnus est hujus verbi usus. Xenoph. : Ἡδέως ἀλλήλας ἑώρων. [Id. Hier. 3, 2.] Lucian. De saltat. [c. 63 fin.] : Ἀκούω, ἄνθρωπε, ἃ ποιεῖς, οὐχ ὁρῶ μόνον. Sæpe cum partic., ubi Latini uterentur infin., sed interdum pro Video significante Cerno, interdum pro Video significante Animadverto. [Soph. El. 1170 : Τοὺς θανόντας οὐχ ὁρῶ λυπουμένους.] Thucyd. 2, [74] : Ἀλλ' ἀνέχεσθαι καὶ γῆν τεμνομένην, εἰ δεῖ, ὁρῶντας, καὶ ἄλλο πάσχοντας ὅ,τι ἂν ξυμβαίνῃ. Xenoph., Ἑώρων ἀλλήλους ὁμοίως τρεφομένους. Item [Comm. 2, 4, 1] : Ὁρᾶν ἔφη τοὺς πολλοὺς παντὸς μᾶλλον ἐπιμελουμένους ἢ φίλων κτήσεως. Sic
A ὁρῶ σε ποιοῦντα, Aristot. [Hom. Od. Σ, 143 : Οἷ' ὁρόω μνηστῆρας ἀτάσθαλα μηχανόωντας. Et cum adjectivo A, 301 : Μάλα γάρ σ' ὁρόω καλόν τε μέγαν τε.] Interdum cum partic. verbi impersonalis, ut ὁρῶ καί σοι τούτων δεῆσον, Xenoph. [Comm. 2, 6, 29.] Necnon cum participii nominativo, quum quis de seipso loquitur : ut ὁρῶ ἐξαμαρτάνων, Eurip. [Med. 350], Video me peccare. Sed et cum infin. ex Demosth., Ὁρῶ σε ἥδεσθαι. Invenitur et cum ὅτι habente indic., sicut et in illo Homeri l. paulo ante : resolvitur autem Latine particula ὅτι cum indic. in infin. Additur nonnunquam præp. εἰς : ut quum dixit Xenoph. ὁρᾷν εἰς γῆν, Aspicere s. Intueri in terram, Defixos in terram habere oculos. Apud Eundem cum πρός : ubi ὁρῶ πρὸς ἄλλους redditur Oculos ad alios converto. [Xen. Cyrop. 7, 1, 23 : Ὡς ἔστησαν ἀντία πρὸς τὸ τοῦ Κύρου στράτευμα ὁρῶντες· Eq. 6, 2 : Ἀντία τῷ ἵππῳ ὁρῶν.] At vero ὁρᾷ πρὸς Πελοπόννησον ap. Thuc., quod Latine dicitur Spectat, i. e. Vergit. Reddi etiam potest Versa est, sequendo expositionem Græcam τετραμμένη ἐστί. Tale est τὸ
B ἀκρωτήριον τὸ πρὸς Μέγαρα ὁρῶν, ap. Eund. 2, [93. Simonid. Anth. Pal. 7, 496, 1 : Ἠερίη Γεράνεια, ὤφελες Ἴστρον τῆλε καὶ ἐκ Σκυθέων μακρὸν ὁρᾶν Τάναϊν. Xen. Eq. 12, 13 : Ἐὰν κατὰ τὸν σκοπὸν ἀφιεμένη ἀεὶ ὁρᾷ ἡ λόγχη· Conv. 5, 6 : Οἱ σοὶ μυκτῆρες εἰς γῆν ὁρῶσιν. « Τὰ μὲν πρὸς τοὺς πόδας ὁρᾶν, τὰ δὲ ἄνω βλέποντα πρὸς τὴν κεφαλὴν, Geopon. 12, 13, 15. » Hemst.] Pass. Ὁρῶμαι, Videor. [Soph. Ant. 406 : Καὶ πῶς ὁρᾶται; et ap. ceteros Tragicos et alios quosvis.] A cujus præt. est participium Ἑωραμένος, Visus. Utitur autem Hom. alicubi voce passiva et in signif. activa : Il. A, [56] : Κήδετο γὰρ Δαναῶν, ὅτι ῥα θνήσκοντας ὁρᾶτο. Et cum dat. ὀφθαλμοῖς, N, [99] : Ὢ πόποι, ἦ μέγα θαῦμα τόδ' ὀφθαλμοῖσιν ὁρῶμαι. Et alibi, Ὁρώμενοι ὀφθαλμοῖσιν. [Et Od. Ξ, 343 : Τὰ καὶ αὐτὸς ἐν ὀφθαλμοῖσιν ὄρηαι. Hesiod. Op. 532 : Οὔτ' ἐπὶ νῶτα ἔαγε, κάρη δ' εἰς οὖδας ὁρᾶται. Soph. Tr. 306 : Οὕτως ἐγὼ δέδοικα τάσδ' ὁρωμένη· 594 : Ἀρχαῖα τὰ Λαβδακιδᾶν οἴκων ὁρῶμαι πήματα. Eur. Andr. 113 : Τί μ' ἐχρῆν ἔτι φέγγος ὁρᾶσθαι;] || Ὁρῶ, metaph., ut Latine Video et Perspicio, ad oculos mentis trans-
C lata, pro Animadverto, Intelligo, Attendo, Considero. Quinetiam verbo ἔγνωσαν redditur ἑώρων ap. Thuc. ab ejus schol. [Pind. Pyth. 2, 34 : Χρὴ δὲ κατ' αὐτὸν αἰεὶ παντὸς ὁρᾶν μέτρον. Improprie etiam Soph. OEd. C. 74 : Ὅσ' ἂν λέγωμεν πάνθ' ὁρῶντα λέξομεν, Non cæca. De diis Soph. ibid. 42 : Τὰς πάνθ' ὁρώσας Εὐμενίδας· Ant. 184 : Ἴστω Ζεὺς ὁ πάνθ' ὁρῶν. Eur. Phœn. 1726 : Οὐχ ὁρᾷ Δίκα κακούς· Bacch. 392 : Ὁρῶσιν τὰ βροτῶν οὐρανίδαι· El. 771 : Ὦ θεοὶ, Δίκη τε πάνθ' ὁρῶσ', ἦλθές ποτε.] Interdum autem ὁρῶ est Expendo, Examino : quum Dem. ὁρᾶν et ἐξετάζειν de una eademque re dixerit [p. 331, 7] : Πρὸς τοὺς νῦν ῥήτορας ὅρα με, quum paulo ante dixisset ἐξέταζε. Sunt autem qui ὅρα ibi vertant Considera, et Specta. At vero ap. Eur. hoc verbum cum ead. præp. alium usum habet [Iph. A. 1624], Πρὸς πλοῦν ὁρῶ, pro Animum ad navigationem attentum habeo, vel intentum, sicut et Intentos oculos habere dicimur ad rem quampiam; ideoque libenter utor illa voce. Possit fortassis reddi etiam Animum ad navigationem converto, et q. d. Mentis
D oculos converto, s. Animi. At in VV. LL. redditur, Specto ad navigandum, et Propero navigare. [Περὶ pro πρὸς ap. schol. Plat. p. 449 : Τῶν ἄλλων περὶ χρήματα καὶ ἡδονὰς ἐννόμους ἢ παρανόμους ὁρώντων.] In iisdem affertur e Xenoph. ὁρῶ cum solo accus., eundem alioqui usum habens, quem cum præpositione haberet : siquidem ὁρῶ τὸ παίειν [Cyrop. 1, 4, 21 : Μόνον ὁρῶν τὸ παίειν τὸν ἁλισκόμενον], ibi redditur Intendo ad feriendum : perinde sc. ac si scriptum esset ὁρῶ πρὸς τὸ παίειν. Sed malim Intentus sum. [Conferri cum his potest ib. 1, 4, 8 : Οὐδὲν ἄλλο ὁρῶν ἢ ὅποι ἔφευγε· 8, 1, 26 : Τὸ δίκαιον ἰσχυρῶς ὁρῶν· 2, 2, 8 : Τοῦτο μόνον ὁρᾶν πάντας, τῷ πρόσθεν ἕπεσθαι· et similia ap. Xen. et alios, item Pind. Ol. 9 fin. : Ἀνέρα, ὁρῶντ' ἀλκάν. Æsch. Sept. 554 : Ἀνὴρ ἄκομπος, χεὶρ δ' ὁρᾷ τὸ δράσιμον. Soph. Aj. 1313 : Πρὸς ταῦθ' ὅρα μὴ τοὐμὸν, ἀλλὰ καὶ τὸ σόν. Theocr. Ep. 12, 4 : Καὶ τὸ καλὸν καὶ τὸ προσῆκον ὁρῶν. Quo referendus etiam usus ap. Theocr. Idyll. 15, 2 : Ὅρη δίφρον, Εὐνόα, αὐτᾷ, de quo diximus in Εἴδω vol. 3, p. 210, D. Cum εἰς Hom. Il. K, 239 : Ἐς γενεὴν ὁρόων.

Solon ap. Diog. L. 1, 52 et alios : Εἰς γὰρ γλῶσσαν ὁρᾶτε καὶ εἰς ἔπος αἰόλον ἀνδρός. Soph. El. 925 : Ταχείνου δέ σοι σωτῆρι' ἔρρει· μηδὲν ἐς κεῖνόν γ' ὅρα. Eur. fr. Peliad. ap. Stob. Fl. 92, 4 : Ὁρῶσιν οἱ διδόντες εἰς τὰ χρήματα· Antig. ib. 63, 4 : Ἀνδρὸς δ' ὁρῶντος εἰς Κύπριν νεανίου· Tro. 1008 : Ἐς τὴν τύχην δ' ὁρῶσα τοῦτ' ἤσκεις ὅπως ἕποι' ἅμ' αὐτῇ. Menander ap. Stob. Fl. 69, 4, 6 : Ὅρα εἰς ταῦθ', ὅταν λυπῇ τι τῶν καθ' ἡμέραν. Xenoph. Cyrop. 4, 1, 20 : Ἵνα μὴ εἰς τὸν σὸν θησαυρὸν πάντες οἴδε ὁρῶμεν· 5, 3, 18 : Εἰς ἀλλήλους ὁρᾶν· 2, 4, 11 : Πρὸς σὲ πάντα ὁρᾶν. Plato Phædr. p. 266, B : Εἰς ἓν καὶ ἐπὶ πολλὰ ὁρᾶν· Reip. 7, p. 514, B : Εἰς τὸ πρόσθεν μόνον ὁρᾶν. Aliter cum præpos. πρὸς apud Theognid. 745 : Τίς δή κεν βροτὸς ἄλλος, ὁρῶν πρὸς τοῦτον (justum injusta patientem) ἔπειτα ἅζοιτ' ἀθανάτους; Æsch. Suppl. 725 : Ἀλλ' ἡσύχως χρὴ καὶ σεσωφρονισμένως πρὸς πρᾶγμ' ὁρώσας τῶνδε μὴ ἀμελεῖν θεῶν. Soph. El. 972 : Φιλεῖ γὰρ πρὸς τὰ χρηστὰ πᾶς ὁρᾶν. De qua constr. dixi ad Thucyd. 4, 15 : Ἐς τὴν Σπάρτην ὡς ἠγγέλθη τὰ γεγενημένα περὶ Πύλον, ἔδοξεν αὐτοῖς ὡς ἐπὶ ξυμφορᾷ μεγάλῃ τὰ τέλη καταβάντας ἐς τὸ στρατόπεδον βουλεύειν πρὸς τὸ χρῆμα, ὁρῶντας ὅ,τι ἂν δοκῇ, ubi non παραχρῆμα scribendum esse cum libris plerisque, sed interpunctionem corrigendam monui sic, ut πρὸς τὸ χρῆμα ὁρῶντας, et rursus βουλεύειν ὅ,τι ἂν δοκῇ, non ὁρῶντας ὅ,τι ἂν δοκῇ, quod perversi quid habet, conjungantur, contulique Aristoph. Av. 1330 : Σὺ δὲ τὰ πτερὰ πρῶτον διάθες τάδε κόσμῳ, τά τε μουσίχ' ὁμοῦ τά τε μαντικὰ καὶ τὰ θαλάττι', ἔπειτα δ' ὅπως φρονίμως πρὸς ἄνδρ' ὁρῶν πτερώσεις, et Dionys. De comp. verb. p. 190 Schæf., parum ab interpretibus intellectum : Καὶ αὐτοί τε δὴ κατασκευάζουσιν οἱ ποιηταὶ καὶ λογογράφοι πρὸς χρῆμα ὁρῶντες οἰκεῖα καὶ δηλωτικὰ τῶν ὑποκειμένων τὰ ὀνόματα· quibus add. Hippocr. p. 592, 47 : Τεκμαίρεσθαι χρὴ ἐς τὸ σῶμα τῆς γυναικὸς ὁρέοντα. || Aliter Lucian. De Syr. dea 31 : Τὸ τοῦ Διὸς ἄγαλμα ἐς Δία πάντα ὁρῇ καὶ κεφαλὴν καὶ εἵματα καὶ ἕδρην, Jovem refert.] || Ὁρῶ interdum pro Do operam, Provideo. Thucyd. 5, p. 174 [c. 27] : Ὁρᾶν τοὺς Ἀργείους ὅπως σωθήσεται ἡ Πελοπόννησος· 8, p. 282 c. 63] : Ὁρᾶν ὅτῳ τρόπῳ μὴ ἀνεθήσεται τὰ πράγματα. Alicubi et pro Video significante Caveo : sequente μὴ, vel ὅπως μὴ, ap. Thucyd. atque alios. [Simonid. Carm. de mul. 80 : Τοῦθ' ὁρᾷ ὅκως τι χὠς μέγιστον ἔρξειεν κακόν. Aristoph. Eccl. 300 : Ὅρα δ' ὅπως ὠθήσομεν τούσδε. Seq. εἰ Æsch. Prom. 996 : Ὅρα νυν εἴ σοι ταῦτ' ἀρωγὰ φαίνεται· Eum. 269 : Ὄψει δὲ κεἴ τις ἄλλος ἤλιτεν βροτῶν. Soph. Ph. 1391 : Ἀλλ' ἐκβαλόντες εἰ πάλιν σώσουσ' ὅρα. Plato Prot. p. 331, B, Conv. p. 192, E. Et cum πῶς Æsch. Eum. 652 : Πῶς γὰρ τὸ φεύγειν τοῦδ' ὑπερδικεῖς ὅρα. Seq. μὴ Solon ap. Diog. L. 1, 61 : Ὅρα μὴ κρυπτὸν ἔγχος ἔχων κραδίῃ φαιδρῷ προσεννέπῃ προσώπῳ. Soph. El. 1003 : Ὅρα κακῶς πράσσοντε μὴ μείζω κακὰ κτησώμεθα· Ph. 30 : Ὅρα καθ' ὕπνον μὴ καταυλισθεὶς κυρῇ· 519 : Ὅρα σὺ μὴ νῦν μέν τις εὐχερὴς παρῇς. Sæpissime vero cum accus., ut ap. Demosth. p. 627, 10 : Τοὺς λογισμοὺς ὁράτω τοὺς περὶ τούτων. || De formis notandum, imperfecti legitimam apud probatos scriptores esse ἑώρων ἑωρώμην, perf. pass. ἑώραμαι, augmentum interdum negligi apud recentissimos, ut Tzetzen Epist. post Histor. p. 523, 4 ed. Kiessl., ubi ὡρώμεθα, ut ὡρᾶτο ap. Niceph. Call. H. E. vol. 1, p. 16, D, Act. SS. Maji vol. 5, p. 370, D; perf. act. ἑώρακα ap. Atticos certe scribendum esse ἑόρακα, ut metrum postulat in locis Comicorum et in libris haud raro scriptum, falsamque esse opinionem eorum qui ἑώρακα trisyllabum putarent apud Comicos, ut Buttmanni Gr. vol. 1, p. 332, quam redarguunt plerique illorum locorum, qui ne trisyllabam quidem ferunt, ut Aristoph. Thesm. 32, 33 : Οὐχ ἑόρακας πώποτε. Ἑώρακα et ἑωράκειν vero diserte agnoscit Theognost. Can. p. 150, 24. Participii fem. forma est ἑωρακοῦσα ap. Jo. Malalam p. 111, 7. Passivi aoristus, ne apud recentiores quidem inde ab V. T. Intt., ubi Prov. 26, 19, ὁραθῶσιν rectius scribitur φωραθῶσιν, ὁραθήσομαι est ap. Aquilam Jes. 33, 7, frequens, veteribus autem, qui ὤφθην dicunt, ignotus, est ap. Maneth. 1, 308 : Μήνης δρόμος ἠνίκ' ἂν ὀφθῇ, Στίλβων δ' ... ὁραθῇ· et iisdem verbis 4, 481. Definitt. Plat. p. 411, A, ὁραθῆναι, ut ap. Strab. 5, p. 229, Diod.

A Exc. p. 639, 2, ubi παροραθεὶς, ut alios omittam his ætate inferiores et Byzantinos. HSt. in Ind. :] Ὁρόων, Ionice [et poetice] pro ὁρῶν. Ὡρέομεν, Videbamus, Ion. pro ἑωρῶμεν, apud Herodotum; itemque ὥρεων pro ἑώρων s. ὥρων. [Ὥρουν et ἑώρουν scriptum in Cram. An. vol. 4, p. 412, 15, ubi 21 etiam ἠρώτουν, formis Byzantinis.] Ὁρέω, Ionice pro ὁράω dicitur, unde ὁρέει [immo ὁρᾷ. De centens v. G. Dindorf. De dial. Her. p. 29 sq.] et ὁρέων ap. Herodot. Ὅρημαι, Hesychio ὁρῶ, Video. [Ὅρημι interpretes, quum ὅρηαι nihil conferat ad defendendum ὅρημαι.] Ὅρηαι, et Ὁρῇς, vide inter Anomala. [Forma Æol. Ὅρημι, unde part. Ὁρεὶς in epist. Pittaci ap. Diog. L. 1, 81. V. Ἐφοράω.]

[Ὄρβας, ὁ, Orbas, fl. ap. Dion. Chr. Or. 35, vol. 2, p. 68 : Τῶν ποταμῶν οἱ μέγιστοι καὶ πολυωφελέστατοι τὴν ἀρχὴν ἐνθένδε ἔχουσιν, ὅ τε Μαρσύας οὗτος διὰ μέσης τῆς πόλεως ὑμῶν (Celænarum Phrygiæ) ῥέων, ὅ τε Ὄρβας ὅ τε Μαίανδρος. Ubi est var. Νόρβας. Casauboni emendationem Ὄργας, quod v., confirmat var. *Orbas* apud
B Plin. L. Dind.]

[Ὀρβήλας. Artemid. 2, 33, ubi de pugilibus : Διμάχαιρος δὲ καὶ ὁ λεγόμενος ὀρβήλας ἤτοι φάρμακον ἢ ἄλλως κακότροπον ἢ ἄμορφον εἶναι τὴν γυναῖκα σημαίνει. V. conjecturam Rigaltii. Ducang.]

[Ὄρβηλος, ὁ, Orbelus, mons Thraciæ, ap. Herodot. 5, 16, Diodor. 20, 19, ubi correxi accentum Ὀρβηλὸς, qui ter est in Anth. Pal. 6, 114, 115, 116, alter Arrian. Exp. 1, 1, 6, Strab. 7, p. 329. Ἐπὶ τὸ Ὄρβηλον ὄρος, quod ex cod. correctum ἐπὶ τοῦ Ὀρβήλου ὄρους, dicit Ptolem. 3, 9 init., qui etiam Ὀρβηλίας regionis Macedoniæ mentionem facit ib. 13 med. L. Dindorf.]

[Ὀρβικλᾶτα, τὰ, Malorum genus. Athen. 3, p. 80, F; 81, A. Nomen Latinum Orbiculatus. « Jul. African. De apparatu bell. : Καὶ μῆλον τὸ Ῥωμαϊκὸν ὀρβικλάτον καλούμενον ἅμα μέλιτος κοτύλαις ἑκκαίδεκα. » Ducang. Ὀρβικουλάτος, Diosc. 1, 162.]

[Ὄρβις, ιος, fl. Galliæ Narbon. ap. Strab. 4, p. 182, et Melam 2, 5, 6, vulgo Ὄβρις scriptus. Sed Ὄρβις
C confirmari hodierno *Orb* et Ptolemæi 2, 10 : Ὀρόβιος ποταμοῦ, animadverterunt intt.]

[Ὀρβῖται, ἔθνος Ἰνδικὸν, ὡς Ἀπολλόδωρος β' περὶ Ἀλεξανδρείας, Steph. Byz. ante Ὄραθα.]

Ὀργάζω, transitivum est, non neutrum, ut ὀργάω : significat enim Instigo s. Incito, Accendo, et Promptum reddo, κατεπείγω, ἕτοιμον ποιῶ : imitando Hesych., qui ὤργατο exp. ἐν ἑτοίμῳ ἦν, et ὀργάσαι πηλὸν, ἕτοιμον παρέχειν, s. ἑτοιμάσαι. Sic ap. Aristot. Probl. sect. 2, ubi de sudatoriis s. laconicis agit [quæst. 32] : Τὸ δὲ ὀλίγον μᾶλλον τὴν σάρκα ἀνιὲν, αὐτήν τε ἀραιοῖ καὶ τὰ ἐντὸς καθάπερ ὀργάζει πρὸς τὴν διάκρισιν καὶ ἐξαγωγὴν, Incitat et velut ὀργᾷν ποιεῖ. Bud. tamen interpr. Præmollit et subigit : sequens frequentiorem hujus verbi significationem, qua ponitur pro Mollire, Subigere : unde ap. Hesych. : Ὀργάσας, μαλάξας : et Ὀργάσαι πηλὸν, φυράσαι, βρέξαι, ἀναδεῦσαι. Exp. tamen et ἑτοιμάσαι πηλὸν, innuens hanc posteriorem significationem pendere ex præcedenti : ut magis proprie ὀργάσαι πηλὸν sit Admixta aqua operi parare,
D aptare. [Verba Πηλὸν ὀργάζειν χεροῖν et Θέλοιμι πηλὸν ὀργάσαι ex Sophoclis Pandora afferunt schol. Hippocr. ap. Foes. Œcon. v. Ὀργασμὸς et Etym. M. v. Ὀργάσαι, ubi ὀργάσασθαι male Gud.] Aristoph. Av. [839] ap. Suid. : Χάλικας παραφόρει, πηλὸν ἀποδὺς ὄργασον· i. e. φύρασον, μάλαξον. Itidem Pollux 7, [165] : Κηρὸν τήκειν, λεαίνειν, λύειν, ἀνιέναι, ὀργάζειν, μαλάττειν· λέγεται δὲ καὶ πηλὸν ὀργάζειν. [Plat. Theæt. p. 194, C : Ὅταν ὁ κηρὸς μετρίως ὠργασμένος ᾖ, ubi libri εἰργ., quod ex grammaticis correctum ab Ruhnk. l. infra cit.] Pro Subigere et Imbuere Nicand. quoque utitur, Alex. [154] : Σὺν δέ τε πηγανόεντας ἐνιθρύψειας ὀράμνους Ὀργάζων λίπεϊ ῥοδέῳ· i. e. καταβρέχων ἐλαίῳ ῥοδίνῳ, vel μιγνύων, schol. Ejusd. signif. est pass. Ὀργάζομαι : unde Ὀργάσασθαι Galen. ap. Hippocr. exp. ἀναμῖξαι, συγκεράσαι : ex quo et ὀργίσασθαι paulo infra. [Nicand. Th. 652 : Καὶ τὰ μὲν ὀργάζοιο, καὶ εἰν ἑνὶ τεύχεϊ μίξας κτλ.] || Ὄργασον annotant Suidas et Aristoph. schol. proprie significare πίσσωσον, Picato, Pice oblinito : quia Ionice Ὀργὴ vocatur ἡ πίσσα,

Pix. Quibus addit, significare etiam σπαργᾷν et ὀργιάζεσθαι. Sicut vero dixi paulo ante, ap. Hesych. legi ὠργᾷ pro ὀργᾷ, sic apud Eundem legitur Ὠργάσαι πηλὸν, ἕτοιμον παρασχεῖν : pro quo habet et ὀργάσαι, sc. in litera O. [De usu verbi Ὀργάζω consulendus, instar omnium, Ruhnk. ad Timæi Lex. Plat. p. 179, v. Μετρίως ὠργασμένος, qui etiam monuit eadem significatione usurpatum reperiri etiam verb. Ὀργάω, unde ap. Herodot. 4, 64 : Ὀργήσας αὐτὸ, Maceravit, Mollivit, et ap. Hesych. voces Ὑποργηθεῖσα, et Ὠργημένον. Schweigh. Eust. Opusc. p. 93, 1 : Οἵ τοὺς χάλικας δηλαδὴ παραφοροῦντες καὶ τὸν πηλὸν ἢ τὴν τίτανον ὀργαζόμενοι. Quod non videtur scribendum ἐργαζόμενοι.]

Ὀργαίνω, Irrito, Ira accendo, i. q. ὀργίζω. Soph. OEd. T. p. 166 meæ ed. [335] : Καὶ γὰρ ἂν πέτρου Φύσιν σύ γ' ὀργάνειας, i. e. εἰς ὀργὴν ἐμβάλειας [ἐμβάλοις], ταράξειας. Ex eod. Soph. [Tr. 552] Eustath. citat, Οὐ γὰρ ὀργαίνειν καλόν. Derivat vero hoc ὀργαίνω idem gramm. ab ὀργάω, sicut λυσσαίνω a λυσσάω : licet ὀργάω non hanc, sed longe diversam habuerit postea signif. [|| Irascor. Eur. Alc. 1106 : Σοῦ γε μὴ μέλλοντος ὀργαίνειν ἐμοί.]

[Ὀργάμη, πόλις ἐπὶ τῷ Ἴστρῳ. Ἑκαταῖος Εὐρώπῃ. Εἰσὶ καὶ Ὀργομεναὶ πόλις Ἰλλυρίας. Τὸ ἐθνικὸν Ὀργαμαῖος, καὶ τῆς δευτέρας Ὀργομένιος, Steph. Byz. ex codice Vratisl. correctus. Ceteri Ὀργάλημα et Ὀργομεναῖος vel similiter.]

[Ὀργανάριος, ὁ, Organarius, Fistularius, Gl.]

Ὀργάνη, ἡ, dicitur ἡ Ἀθηνᾶ, quæ et Ἐργάνη, ἀπὸ τῶν ἔργων, Hesych. [V. Ἐργάνη et Ἐργάτις. Adjectivo Eur. Andr. 1015 : Ὦ Φοῖϐ' ὁ πυργώσας τὸν ἐν Ἰλίῳ εὐτειχῆ πάγον καὶ Πόντιε ... τίνος οὕνεκ' ἄτιμον ὀργάναν χέρα τεκτοσύνας Ἐνυαλίῳ δοριμήστορι προσθέντες ... μεθεῖτε Τροίαν; Eodem modo pro Ὄργανον dicitur Ἔργανον, quod v. || Nihil cum hoc voc. commune habere videtur gl. Hesychii, item ad Minervam referenda : Ὀργάδ' Ἀθηνᾶν· ὀργᾶν λέγουσι τὸ ἐπί τι παρασκευάζεσθαι καὶ ὁρμᾶν, et ex illa corrupta : Ὀράγδαιναν, ὁρμητικήν.]

[Ὀργανίζω, Pseudo-Hippocr. De sept. vol. 1, p. 165 Lind. Struv.]

Ὀργανικὸς, ἡ, ὸν, Instrumentalis, Organicus, ut Vitruv. Ὀργ. καὶ μηχανικαὶ κατασκευαὶ, Plut. Symp. [p. 718, E], et ἀρχαὶ, ibid. [p. 720, E.] Aristot. Pol. 1, [13] : Ἀρετή τις δούλου παρὰ τὰς ὀργ. καὶ διακονικὰς ἄλλη τιμιωτέρα τούτων. Et μέρη ὀργ. ap. Eund. [H. A. 1, 6 fin. : Λεκτέον τὰ μέρη πρῶτον μὲν τὰ ὀργανικά· 4, 6 med. : Οὐδὲν ἔχει μόριον οὔτε ὀργανικὸν οὔτε αἰσθητήριον· De anima 3, 9, De partt. an. 2, 1.] Eth. 3, [1] : Ὀργανικὸν σῶμα, in corpore, τὸ πρός τι ἐσκευασμένον, ut oculus, et cetera corporis organa, de quibus infra in substant. dicetur : de qua re et Diog. L. Aristotele [5, 33. Contrarium τῷ ὑλικῷ ap. Aristot. De anima 2, 1, Plotin. p. 624, 626. Creuzer. Ὀργανικὸν λόγον Plutarch. Cat. min. c. 4 : Ἤσκει δὲ καὶ τὸν ὀργανικὸν εἰς πλήθη λόγον, ἀξιῶν, ὥσπερ ἐν πόλει μεγάλῃ, τῇ πολιτικῇ φιλοσοφίᾳ καὶ μάχιμόν τι εἶναι παρατρεφόμενον, Reiskius docet notare eam eloquentiam, quæ tanquam aura quædam, plebem, velut organum pneumaticum quoddam, movet et concitat, opponique umbratili, scholasticæ et mere theoreticæ, s. speculativæ. Vellem demonstrasset Plutarchum in mente habere potuisse illam τοῦ ὀργάνου signif., qua instrumentum musicum s. pneumaticum notet. Certe magis de fidibus, quam de organo pneumatico cogitandum erat. Sic Dionys. De compos. c. 11, μέλος vel μοῦσαν ὀργανικὴν commemorat, h. e. modulationem, quæ in fidibus et instrumento musico tractando locum habet, diversam a μέλει διαλέκτου vel λέξεως, qui Numerus oratorius dicitur. Immo vero propter illud μάχιμον videtur mihi verosimilius esse, τὸ ὀργανικὸν hoc l. notare id, quod vim machinæ bellicæ, quam ὄργανον sæpe Græci dixerunt, habeat. Itaque ὀργ. λόγον existimem eam eloquentiam dici, quæ quasdam veluti machinas adhibet animis hominum, cum impetu, cum vi movet et excitat, quem alibi λόγον καταφορικὸν dixere rhetores. Hæc ratio etiam omni Catonis animo et characteri videtur esse convenientior, de quo paullo antea Plutarchus ita : Τὸ τοῦ κακοῦ περὶ τὴν δικαιοσύνην ἀτενὲς καὶ ἄκαμπτον εἰς ἐπιείκειαν ἢ χάριν ὑπερηγαπηκός. A tali autem homine maxime alienum est, ut auræ instar moveat : sed is potius vim et machinas adhibebit, quibus resisti non potest. Conf. voc. Ὄργανον. Ernest. Lex. rh.]

Ὀργανικῶς, Organice, Organorum s. Instrumentorum more. Aristot. Eth. 1, 9, dicit quædam (ἀγαθὰ) σύνεργα καὶ χρήσιμα πεφυκέναι ὀργ., Quasi per instrumenta. [Philo Belop. p. 51, D. Strabo 1, p. 57 : Ἀνεφύσησαν κατ' ὀλίγον ἐξαιρομένην (τὴν θάλατταν) ὡς ἂν ὀργανικῶς· 2, p. 71 : Τὴν γραμμὴν οὐ πᾶσαν ὀργανικῶς καὶ γεωμετρικῶς ἔλαϐεν. Archimedes p. 515, 99. ed. Wallis. Vitruv. 10, 1, 1, 3 : « Ex his sunt quæ μηχανικῶς, alia ὀργανικῶς moventur » etc., quæ v. in Ὄργανον. || Apud grammaticos de dativo instrumenti, ut in Bachm. Anecd. vol. 2, p. 294, 13 : Μετὰ τὴν αἰτιατικὴν τίθεται δοτικὴ ὀργανικῶς· et p. 296, 7; 299, 21, etc. L. Dind.]

[Ὀργάνιον, τὸ, diminut. seq. ὄργανον. Meleager Anth. Pal. 5, 191, 2 : Κώμων σύμπλανον ὀργάνιον. Marc. Anton. 10, p. 316.]

Ὄργᾰνον, τὸ, Organum, Instrumentum [Gl.], quo ad opus faciendum utimur, q. d. ἔργανον. Aristot. Eth. 8, 11 [coll. Polit. 1, 4 init.], dicit ὄργανον esse δοῦλον ἄψυχον, at δοῦλον esse ὄργανον ἔμψυχον : ut ὄργανον sit Quo quasi servo ad perficiendum id, quod volumus, utimur. [Soph. Tr. 905 : Κλαῖε δ' ὀργάνων ὅτου ψαύσειεν, οἷς ἐχρῆτο δειλαία πάρος· fr. Niptr. ap. Hesych. v. Ἀθηρόϐρωτον ὄργανον, quod interpr. τὴν τορύνην. Eur. Ion. 1030 : Χειρὸς ἐξ ἐμῆς λαϐὼν χρύσωμ' Ἀθάνας τόδε παλαιὸν ὄργανον· Bacch. 1208 : Λογχοποιῶν ὄργανα κτᾶσθαι μάτην. Palladas Anth. Pal. 9, 171, 1 : Ὄργανα Μουσάων τὰ πολύστονα βιϐλία πωλῶ· 10, 75, 3 : Ὄργανα δ' ἐσμὲν αὔραις ζωογόνοις πνεύματα δεχνύμενοι· 9, 401, 2 : Τῶν ἀποδημούντων ὄργανα συντυχίης· ib. 393, 4 : Τὸ γλυκὺ τοῦ κλέπτοντος, ὑπερφιάλου δὲ τὸ ἀγνόν· ὄργανα τῆς ἀρχῆς ταῦτα δύ' ἔστι πάθη. Epigr. ib. 7, 546, 2 : Κορωνοϐόλον πενίης λιμηρὸν ὄργανον, et similiter alibi. Xenoph. Eq. 5, 5 : Πᾶσι τοῖς τῆς καθάρσεως ὀργάνοις, et similiter locis plurimis Platonis.] Ὄργανα πολέμων, Duelli instrumenta, Cic. ap. Plat. [Leg. 12, p. 956, A. « Ἀπ' ὀργάνου τινὸς ἀφιέναι Longino c. 21 dicitur per metaphoram, si oratio veluti ex machina mittitur, h. e. celeriter procurrit, et impetum quendam habet ex certa dicendi forma, ut in ἀσυνδέτοις. Contrarium est τὸ ἐμποδίζεσθαι. V. Ὀργανικός. » Ernest. Lex. rh.] Ὄργανα ἰατροῦ, Xenoph. Cyrop. 5, 3, [46. Qui aliis locis multis aliorum artificum ὄργανα memorat. Ὄργανον βασανιστήριον, Fidicula, Gl.] Ὄργανα μούσης, Musica instrumenta, Herodian. 4, [8, 19]. Ὄργανον μουσικὸν [Sambuca, Gl.], Philo. Plerumque vero absolute positum reperitur pro Instrumento musico. [Strabo 10, p. 470 ex Æschyli Edonis : Ὄρεια δ' ὄργαν' ἔχοντας τοὺς περὶ τὸν Διόνυσον. Plato Reip. 3, p. 397, A : Πάντων ὀργάνων φωνάς· 399, C : Πάντων ὀργάνων, ὅσα πολύχορδα καὶ πολυαρμόνια· et alibi. Aristot. Polit. 8, 6 med.] Plut : Ὀργάνων χαίρουσι τοῖς ἐπιτερπὲς ἠχοῦσι. Athen. 13 : Παντοίοις ὀργάνοις καὶ εὐφωνίαις παρέπεμπε τὸ σῶμα. Et Τρίγωνον καλούμενον ὄργανον ap. Eund. [4, p. 183, E] : sic dicuntur ὄργανα ἐντατὰ, ἐμπνευστὰ, κρουόμενα, ἐπιψαλλόμενα, πρόσχορδα, ἔγχορδα. Latini etiam Organa dicunt. Galli autem certum instrumentum musici genus appellant *Orgues*. [Fistula, Organum, Gl. V. Ὀργανάριος. « Organum, de quo instrumento musico, a Græcis reperto, egi in Gloss. med. Lat. Illud forte intellexit Theophanes a. 4 Constantini et Irenes : Ἐξῆλθεν ἡ βασίλισσα Εἰρήνη ... ἐπιφερομένη ὄργανα καὶ μουσικά. Chron. Ms. Symeonis Logoth. habet ὄργανά τε καί. Idem a. 2 Philippici : Καϐαλλάρια μετὰ δοχῆς καὶ ὀργάνων εἰσελθεῖν. » Ducang. App. Gl. p. 146.] || Vocab. architectonicum et bellicum. Inter organa vero et machinas id discriminis ponit Vitruv. [10, 1], quod machinæ pluribus operibus in majores coguntur effectus, ut balistæ torculariumque prela : organa autem unius operæ prudenti tractu perficiunt, quod propositum est, uti scorpionis et anisocyclorum versationes. Athen. 5, [p. 204, D, ex Callixeno] : Μετεξήντλησε πάλιν τὴν θάλασσαν ὀργάνοις. || Sed et ὄργανον in ipso corpore animato dicitur Pars illa, quæ perfectam actionem edere potest : ut ὄργανον non amplius sit Res inanima motuque carens, sed Animatum quippiam et quod movetur; ut cerebrum, cor, jecur, testes; oculus, auris, pulmo, thorax, venter, manus, pedes; musculus, venæ, arteriæ, nervi, et pleræque aliæ similares partes. De his prolixius Gorr. [Aristot. H. A. 2, 1 med. : Τὰ ὄργανα τὰ χρήσιμα πρὸς τὴν ὀχείαν· 8, 2 med. : Τὸ ὑγρὰ δεχόμενον ὄργανον ἔχειν ᾧ ἐκπέμψει· De anima 2, 8 : Ἡ χεὶρ ὄργανόν ἐστιν ὀργάνων.] Metaph. vero ad alia transfertur tam inanima, quam animata; ὄργανα enim χρόνου Plato in Tim. [p. 42, D] vocavit Sidera : ap. Plut. : Ψυχὴ δὲ ὄργανον θεοῦ γέγονεν. Ap. Eund. Polit. præc. [p. 807, D] οἱ φίλοι dicuntur Ὄργανα ζῶντα καὶ φρονοῦντα τῶν πολιτικῶν ἀνδρῶν. Et in malam partem ap. Soph. Aj. [379] de Ulysse : Ἁπάντων ἀεὶ Κακῶν ὄργανον τέκνον Λαρτίου. [Xenoph. OEc. 2, 13 : Οὔτε γὰρ αὐτὸς ὄργανα χρήματα ἐκεκτήμην, ὥστε μανθάνειν (τὴν οἰκονομίαν)· Cyrop. 5, 3, 47 : Τῶν ὑφ' αὐτὸν ἡγεμόνων τὰ ὀνόματα, οἷς ἀνάγκη ἐστὶν αὐτῷ ὀργάνοις χρῆσθαι· 7, 5, 79 : Τούτοις τοῖς ἀσκήμασι πλεονεκτεῖν, γιγνώσκοντας ὅτι ἐλευθερίας ταῦτα ὄργανα καὶ εὐδαιμονίας. || « Ὄργανα λέξεως, Formæ dicendi, quibus aliquis scriptor præcipue delectatur, ap. Dionys. Ep. 2 ad Amm. c. 2, p. 793, ubi τέσσαρα commemorat ὄργανα τῆς Θουκυδίδου λέξεως, h. e. Quattuor genera vel formas dictionis, quibus Thucydides ab aliis distingui potest. Idem repetiit in Jud. Thucyd. c. 24, p. 869. In utroque loco ὄργανα et χρώματα distinguit, quorum illa *formam* externam, hæc *vim* et *significationem* verbis addunt. Ergo ὄργανα appellat τὸ ποιητικὸν τῶν ὀνομάτων, τὸ πολυειδὲς τῶν σχημάτων, τὸ τραχὺ τῆς ἁρμονίας, χρώματα autem τὸ στρυφνόν, τὸ πυκνόν, τὸ πικρόν, τὸ αὐστηρόν, ἐμβριθές, δεινόν, καὶ φοβερόν. Utrumque ad χαρακτῆρα pertinet. » Ernest. Lex. rh.] || Quamvis autem revera Illud sit, ᾧ χρώμεθα πρὸς τὸ ἔργον, ut ait Plut. : reperitur tamen a poetis usurpatum pro ipso etiam Opere, ἀντὶ τοῦ ἔργου. Soph. [fr. Polyidi ap. Porphyr. De abst. 2, 19] : Ξουθοῦ μελίσσης κηρόπλαστον ὄργανον, Cereum apis opus. Sic ap. Eur. Phœn. schol. accipi vult illud [114], Ἆρα πύλαι κλείθροις χαλκόδετά τ' ἔμβολα λαϊνέοισιν Ἀμφίονος ὀργάνοις τείχεος ἥρμοσται, ut λαϊνέοις τοῦ τείχους ὀργάνοις i. sit q. τείχεσιν ὑπ' Ἀμφίονος κατασκευασθεῖσι.

[Ὀργανοπήκτωρ, ορος, ὁ, Qui instrumenta compingit. Manetho 4, 439.]

[Ὀργανοποιητικός, ή, όν, unde Ὀργανοποιητική, ή, sc. τέχνη, Instrumentorum effectrix, Schneider. et alia Lexx. sine testim.]

Ὀργανοποιΐα, ἡ, Instrumentorum fabricatio, Machinatio veluti per instrumentum. Philo V. M. 3, [§ 13, p. 154, et ib. 1, § 14, p. 94. Boiss.] : Γλῶττα καὶ στόμα καὶ ἡ ἄλλη πᾶσα φωνῆς ὀργανοποιΐα, Reliqua vocis machinatio. [Plato Tim. p. 101, E. Oribas. p. 152, 157, 158, 168. L. D. Eustath. ad Dionys. p. 99, 20 ed. Bernh. Boiss.]

[Ὀργανοποιικός, ή, όν, adj. ab seq. ὀργανοποιός. Philo Belop. p. 49, A. L. Dind.]

Ὀργανοποιός, ὁ, Organarius faber, Qui organa s. instrumenta fabricatur. Lat. Organarius et Organicus dicuntur pro iis, qui organa, i. e. musica instrumenta, vel conficiunt, vel iis ludunt. [Diod. 17, 43.]

[Ὀργανόω, Instruo, Condo. Ὀργανῶσαι τὴν μέθοδον Diophant. Arithm. 1 initio. Hemst. MS. ap. Cocch. Chirurg. p. 40, 4 : Ἄλλοι τε πάντες ὀργανοῦντες τὴν τέχνην. Sext. Emp. Adv. logic. 1, 7, 126, p. 397 : Ἐπεὶ πάλιν ἐδόκει δυσὶν ὀργανῶσθαι ὁ ἄνθρωπος πρὸς τὴν τῆς ἀληθείας γνῶσιν. Cinnamus p. 13, D : Ἡ χεὶρ ὠργανοῦτο.]

[Ὀργάνωσις, εως, ἡ, Instructio. Porph. De abstin. Angl. Eust. Opusc. p. 210, 39 : Ἀσκήσεως συχνῆς καὶ τριβῆς διαρκοῦς καὶ ὀργανώσεως, ἣν φύσις ἐφιλοτέχνησεν ὑπὸ θεῷ ἀρχιτέκτονι. L. Dind.]

Ὀργὰς, άδος, ἡ, [Saltus, Gl.] Locus Deo sacer, et quem colere nefas est, ut sunt luci et saltus, et campi inculti, qualem esse vult ἄτομον λειμῶνα schol. Soph. Tr. [200. Harpocratio : Ὀργάδα Δημοσθένης (p. 175, 15). Ὀργὰς καλεῖται τὰ λοχμώδη καὶ ὀρεινὰ χωρία καὶ οὐκ ἐπεργαζόμενα, ὅθεν καὶ ἡ Μεγαρικὴ ὀργὰς προσωνομάσθη τοιαύτη τις οὖσα, περὶ ἧς ἐπολέμησαν Ἀθηναῖοι Μεγαρεῦσιν. V. infra. Id. in Ὀργεῶνας dicit ἐν ταῖς ὀργάσι καὶ τοῖς ἄλσεσι τὰ ἱερὰ δρᾶν.] Et Pollux 1, [10] scribit τὴν ἄνετον θεοῖς γῆν, vocari ἱερὰν et ὀργάδα. [Memorat idem 1, 228; 5, 14, 15.] Plut. Pericle [c. 30] : Ἀποτέμνεσθαι τὴν ἱερὰν

A ὀργάδα. [Et cum eodem verbo Demosth. p. 175, 15.] Xen. Cyneg. [10, 19] : Ἵστανται μὲν ... αἱ ἄρκυς ἐπὶ τὰς διαβάσεις τῶν ναπῶν, εἰς τοὺς δρυμούς, τὰ ἄγκη τὰ τραχέα· εἰσβολαὶ δὲ εἰς τὰς ὀργάδας καὶ τὰ ἕλη, καὶ τὰ ὕδατα. [Conf. ib. 9, 2, ubi multa Schneider. Eur. Rhes. 282 : Καὶ πῶς πρὸς Ἴδης ὀργάδας πορεύεται, πλαγχθεὶς πλατείας πεδιάδος θ' ἁμαξιτοῦ; Bacch. 340 : Ὃν (Actæonem) σκύλακες διεσπάσαντο κρείσσον' ἐν κυναγίαις Ἀρτέμιδος εἶναι κομπάσαντ' ἐν ὀργάσιν· 437 : Φροῦδαί γ' ἐκεῖναι λελυμέναι πρὸς ὀργάδας σκιρτῶσι· El. 1162 : Ὀρεία τις ὡς λέαιν' ὀργάδων δρύοχα νεμομένα. Satyr. Th. Anth. Plan. 153, 1 : Ποιμενίαν ἀν' ὀργάδα.] || Ponitur tamen et pro Agro arabili; pro Vinea s. Arbusto, Epigr. [Macedonii Anth. Pal. 9, 645, 7 : Ἡμετέρῃσιν ἐν ὀργάσιν οἰνὰς ὀπώρη], VV. LL. Videtur autem dici ὀργὰς quasi ἀργὰς, et in Etym., Παρὰ τὸ ἄγρη τις εἶναι καὶ ἀνέργαστος, leg. esse ἀργὴ pro ἄγρη. Cetera autem, quæ ab eo adduntur, ut futilia relinquo. [Non omittenda tamen postrema : Καλλίμαχος (Κομανὸς recte codd. Paris. et Havn.) δέ φησιν ὀργάδα λέγεσθαι τὴν μελάγγειον
B καὶ ἔνυδρον γῆν... Ἔστι δὲ γῆ ἐν Μεγάροις οὕτω καλουμένη ὀργάς· λέγεται δὲ καὶ ἡ εὔγειος καὶ σύμφυτος. Hellad. Phot. p. 534, 12 : Ὀργὰς κοινῶς πᾶσα ἡ γῆ (immo πᾶσα γῆ) ὅση ἐπιτηδεία πρὸς καρπῶν γονάς· ὀργάδα δὲ ἰδίως ἐκάλουν οἱ Ἀθηναῖοι τὴν τῆς Ἀττικῆς μεταξὺ καὶ τῆς Μεγαρίδος. Pausan. 3, 4, 2 : Τῆς καλουμένης ὀργάδος θεῶν τε τῶν ἐν Ἐλευσῖνι ἱερᾶς. V. Harpocr. initio cit., Tzetz. Hist. 10, 954 sq.]

[Ὀργὰς, άδος, ἡ, Subans. Nicetas Chon. p. 252 : Θυγάτηρ, ὀργὰς ἐπὶ λέχος, Filia nubilis. Koenig. V. Ὀργάνη.]

[Ὀργᾶς, ὁ, Orgas, fl. Phrygiæ, de quo in Ὄρβας. Strabo 12, p. 577; Plin. N. H. 5, 29. Ceterum præstare videtur accentus Ὄργας, qui est apud Dionem in Ὄρβας cit., quum vicissim scriptura per ϐ apud illum ex libris Strab. et plerisque Plinii emendanda videatur.]

[Ὀργασμός, ὁ, Subactio, μαλαγμὸς schol. Hippocr. ap. Foes. OEcon. Hippocr.]

[Ὀργαστήριον, τὸ, i. q. ὀργιαστήριον, ubi orgia fiunt,
C ap. Nicandr. Al. 8 : Ἧχί τε Ῥείης Λοβρίνης θαλάμαι τε καὶ ὀργαστήριον Ἄττεω.]

Ὀργάω, Appeto impatienter, ἐπιθυμῶ, ὀρεκτικῶς ἔχω Hesychio, ἐπιθυμητικῶς ἔχω Suidæ : ac proprie de animantibus dicitur, quæ turgent libidine, et quodam ejus impetu concitantur, s. quæ ardentissime appetunt et abstinere non possunt. [Ὀρεγιᾷ (sic), Subat, Gl.] Ac interdum quidem cum infin., interdum cum præp. πρὸς construitur. Aristot. [H. A. 2, 1 med.] : Ὀργᾷ ὀχεύεσθαι, Per libidinem turget ac prurit ad coitum, Gaza. Pro quo dicit ὀργᾷν πρὸς ὀχείαν, H. A. 6, [18] : Δῆλαι δέ εἰσι καὶ αἱ ἵπποι καὶ οἱ βόες, ὅταν ὀργῶσι πρὸς τὴν ὀχείαν, καὶ τῇ ἐπάρσει τῶν αἰδοίων καὶ τῷ πυκνῶς οὐρεῖν· 3 [5, 8 med.] : Ὀργᾷ πρὸς ὁμιλίαν, Turget et ad venerem stimulatur. Idem, Ὀργῶσα πρὸς σύλληψιν, Quæ ad conceptum stimulatur. [Aristot. H. A. 5, 5 fin.: Ἐὰν ὀργῶσαι τύχωσι.] A Plut. Symp. 8, [p. 735, C] copulantur ὀργᾷν et διακαίεσθαι. Idem absolute quoque posuit, Symp. 3, 4 [p. 651, B] : Αἱ δὲ παρθένοι τῶν παίδων ὀργῶσι πρότερον καὶ σαλεύονται πρὸς τὸ γεννᾷν,
D Prius cupiditate coitus incenduntur quam pueri. [De libidine item Clem. Al. Pæd. p. 178, 21, ab Hemst. cit. Philodem. Anth. Pal. 5, 13, 7 : Τὰς ὀργῶσας ὅσοι μὴ φεύγετ' ἐρασταί. Pollux 6, 188.] Sed et ad alia transfertur, ut ad plantas : ἀπὸ τῶν ὀργώντων ζώων, inquit Galen., ἃ ἡσυχάζειν οὐ δύνανται, γαργαλιζόμενά πως καὶ κινούμενα καὶ διανιστάμενα πρὸς τὸ πάθος. Legitur etiam ὀργᾷν ἔρωτι ap. Theophyl. Ep. 18 : Ὀργῶσι καὶ φοίνικες ἔρωτι φυσικῷ, καὶ τοῦ θήλεος τὸ ἄρρεν ἐφίεται, καὶ περικυρτοῦται ὁ ἄῤῥην τῷ ἔρωτι. Ipsa quoque terra ὀργᾷν dicitur, quum turget, et semina appetit : Virg. Georg. 2 : Vere tument terræ, et genitalia semina poscunt. Theophr. C. Pl. 3, [6, 3] : Ἀεὶ γὰρ δεῖ φυτεύειν καὶ σπείρειν εἰς ὀργῶσαν τὴν γῆν· οὕτω γὰρ καλλίστη ἡ βλάστησις, καθάπερ τοῖς ζώοις, ὅταν εἰς βουλομένην πέσῃ τὸ σπέρμα τὴν ὑστέραν· ὀργᾷ δ' ὅταν ἔνικμος ᾖ καὶ θερμή, καὶ τὰ τοῦ ἀέρος ἔχῃ σύμμετρα. Itidem ea, quæ germina et flores protrudere cupiunt et turgent, ὀργᾷν dicuntur : sicut et Aristot. ὀργᾷ τεκεῖν, H. A. 9 : Καὶ πολλάκις, διὰ τὸ ὀργᾷν τεκεῖν, ὅπου ἂν τύχῃ, ἐκβάλλει. Plut. Symp. 3, 1

[p. 647, F], de smilace : Ὅταν ὀργᾷ μάλιστα πρὸς τὴν ἄνθησιν. Itidem Theophr. C. Pl. 1, [6, 2] loquens de inoculatione : Εὔλογος γὰρ καὶ ἡ ἀντίληψις μάλιστα τῶν ὁμοφλοίων· ἅμα γὰρ συμβαίνει καὶ τοὺς ὀποὺς ὀργᾶν καὶ τὰ ὅλα δένδρα πρὸς τὴν βλάστησιν· ubi Bud. ὀργᾶν interpr. Incitari suapte sponte, Gliscere et cieri. Etiam βότρυς ὀργᾶν dicuntur, ut Virg. Georg. : Turgent in palmite gemmæ. [Herodot. 4, 199 : Πρῶτα τὰ παραθαλάσσια τῶν καρπῶν ὀργᾷ ἀμᾶσθαί τε καὶ τρυγᾶσθαι· et ib. : Ὁ ἐν τῇ κατυπερτάτῃ τῆς γῆς πεπαίνεταί τε καὶ ὀργᾷ. Xen. OEc. 19, 19 : Ἡ σταφυλὴ διδάσκει τρυγᾶν ἑαυτήν, ὥσπερ τὰ σῦκα συκάζουσι, τὸ ὀργῶν ἀεί. Sic ap. Polluc. 1, 61, ἄμπελος· 1, 143, βότρυς· 1, 230, δένδρον· 1, 237, συκῆ· 1, 240, λειμών.] Sed et χυμοὶ in corpore humano dicuntur ὀργᾶν, quum ἐν κινήσει σφοδροτέρᾳ καὶ μεταρρύσει μορίων εἰς μόρια, κατὰ τὴν ἀρχὴν τοῦ νοσήματος ἐνοχλοῦσι τὸν ἄνθρωπον, κινοῦντες καὶ γαργαλίζοντες, καὶ ἡσυχάζειν οὐκ ἐπιτρέποντες, ἀλλ' αὐτοί τε κινούμενοι καὶ μεταρρέοντες, ἐνοχλοῦντές τε τῇ τοσαύτῃ φορᾷ τὸν κάμνοντα· sumpta metaph. ab animalibus, quæ ὀργᾶν dicuntur, quum præ libidinis stimulis conquiescere nequeunt, Γαργαλιζόμενά πως καὶ κινούμενα καὶ διανιστάμενα πρὸς τοῦ πάθους. Sic exp. Galen. hæc verba Hippocr. Aphor. 22, 1 : Πέπονα φαρμακεύειν καὶ κινέειν, μὴ ὠμὰ μηδ' ἐν ἀρχῇσι, ἢν μὴ ὀργᾷ· ubi docet, medicandos ac movendos esse humores maturos jam et coctos, non crudos, nec in ipso statim initio, nisi turgeant. [Id. Galen. vol. 12, p. 240 : Ἐὰν οὖν καὶ ὀργᾶν φαίνηται, τουτέστιν ἐπειγόμενον πρὸς τὴν ἀπόκρισιν, τὸ πεπονθὸς μέρος, ἔχοις ἂν ἤδη βεβαίαν τὴν γνῶσιν. Cit. Hemst.] Ipsum etiam corpus humanum ὀργᾶν dicitur, quum quolibet appetitu quasi turget. Plut. Symp. 4, 1, circa finem [p. 663, F] : Προσφύεται γὰρ (sc. id quod ἡδὺ est) ὀργῶντι καὶ δεχομένῳ τῷ σώματι, τῆς ὄψεως προοδοποιούσης, Adhærescit enim cupienti et appetenti corpori. Aristot. Probl. sect. 6 [sect. 7, qu. 2] : Διὸ ἐὰν χασμώμενον ἴδωμεν, ἀντιχασμώμεθα, οὐχ ἀεί, ἀλλ' ἐὰν ὀργῶν τύχῃ τὸ σῶμα, καὶ οὕτω διακείμενον ὥστε τὸ ὑγρὸν ἀναθερμαίνεσθαι. Idem, sect. 4, [qu. 9] : Διὰ τί οὐ δεῖ μὴ ὀργῶντα οὔτε ἀφροδισιάζειν, οὔτε ἐμεῖν, οὔτε πτάρνυσθαι, οὔτε φῦσαν ἀφιέναι; Quamobrem non oportet eum qui cupiditate accensus non sit, neque veneri operam dare, neque vomere, neque sternutare, neque flatum emittere? Ubi observa ὀργᾶν de diversarum rerum vehementi cupiditate dici generalius. Et Theophyl. Ep. 65, de cane : Ἀνθρωπίνης ὀργῶσι πιμελῆς ἐφάψασθαι, Cupiens. [Eust. Opusc. p. 294, 67 : Οἱ καὶ γοᾶσθαι ἡμᾶς ὀργῶντες· 334, 20 : Προθεούσης μὲν καὶ ἀχαρῆ τὸ θέατρον ὀργώσης περιελθεῖν. Alia constr. id. p. 211, 92 : Τοῖς καθ' ἡμῶν ὀργῶσι θηρίοις. Anon. in Voll. Herc. part. 1, p. 77, B : Περὶ τοὺς ἀγαθοὺς ὀργᾷ.] Ad alia etiam ἐπιθυμίας genera extenditur. Herodot. ap. Suid. in Vita Thuc. : Μακαρίζω σε τῆς εὐτεχνίας, Ὄλορε· ὁ γὰρ σὸς υἱὸς ὀργῶσαν ἔχει τὴν ψυχὴν πρὸς τὰ μαθήματα· quod vidisset Thucydidi audienti se recitantem in Olympia Historiam quam conscripserat, lacrimas obortas ὑπό τινος ἐνθουσιασμοῦ κινηθέντι. [Dio Chrys. Or. 36, vol. 2, p. 85 : Πάντας ὀργῶντας πρὸς ἐκεῖνον τὸν λόγον.] Plutarch. Phoc. p. 243 [c. 6] : Νωθρὸς γὰρ ὢν ὁ Χαβρίας καὶ δυσκίνητος ἄλλως, ἐν αὐτοῖς τοῖς ἀγῶσιν ὤργα καὶ διεπυροῦτο· ubi Bud. interpr. Ardebat, citans et ex Herodoto p. 71, et Basil. Hexaem. p. 40. Thuc. quoque ὀργᾶν dixit eos qui veluti belli libidine pruriunt : 4, p. 156 [c. 108] : Ὅτι τοπρῶτον Λακεδαιμονίων ὀργώντων ἔμελλον πειράσεσθαι, Pugnandi libidine prurientes experiri, Pugnam ciere ardentes. Et 8, p. 265 [c. 2] : Ὀργῶντες κρίνειν τὰ πράγματα, exp. ἐπιθυμοῦντες, προθυμούμενοι. [Aristoph. Lys. 1113 : Εἰ λάβοι γέ τις ὀργῶντας ἀλλήλων τε μὴχπειρωμένους· Av. 462 : Καὶ μὴν ὀργῶ νὴ τὸν Δία καὶ προπεφύραται λόγος εἷς μοι. Pind. Pyth. 6, 50 : Ὀργᾷς ὃς ἱππίαν ἐς ὁδόν. Æsch. Cho. 454, sed incerta scriptura : Τὰ δ' αὐτὸς ὀργᾷ μαθεῖν. Item Ag. 216 : Παρθενίου δ' αἵματος ὀργᾷ περιόργως ἐπιθυμεῖ, ubi schol. intellexisse videtur τῷ τρόπῳ, alii deletis verbis περιόργως ἐπιθυμεῖ restituendum animadverterunt verbum pro dativo. Procop. H. arc. p. 2, B : Καίτοι με καὶ ἄλλο τι ἐς λόγον ὀργῶντα ... ἀνεχαίτισε.] OEcum. cum accus. etiam construxit, p. 42 Comment. in Acta Apost. : Τοῦτο γὰρ ὤργων μανιωδῶς, Furiose cupiebant, Bud. Suid. Ὀρ-

A γῶσα ait exponi posse non solum ἐπιθυμοῦσα, sed etiam μανιῶσα. Hesych. vero non modo ἐπιτεταμένως ἐπιθυμεῖν, sed etiam ἐπί τι παρασκευάζεσθαι καὶ ὁρμᾶν, exp. quum citasset hæc verba, Ὀργᾷ δ' [ὀργάδ', quod v. in Ὀργάνη positum sub finem] Ἀθηνᾶν. || Annotat idem Hesych. ὀργᾶν significare etiam ἀκμάζειν. Sic in VV. LL. ὀργῶν τὸ εἶδος exp. Vigens specie. Quod vero attinet ad hoc verbum, derivatum nonnullis videtur ab ὀργή, quo significetur ὁρμή : est enim ὀργᾶν, Impetu quodam libidinis concitari. [|| Med. Photius : Ὀργωμένοις, ἐπιθυμοῦσιν. Sic enim scripturam codicis ὀργιουμένοις vel ὀργιωμένοις correxit Schleusner., ignarus tamen Suidæ gl. hinc petitæ : Ὀργωμένοις, ἐκτεταμένοις, ἐπιθυμοῦσιν, ubi item al. ὠργυιωμένοις. V. Ὀργυιόω. Ap. Thuc. 2, 21 : Χρησμολόγοι τε ᾖδον χρησμοὺς παντοίους, ὧν ἀκροᾶσθαι ὡς ἕκαστος ὥρμητο, quod ex melioribus libris restitutum ὤργητο, haud dubie respexit Hesychius : Ὤργητο, ὥριστο, ἔχρηζεν, qui ponit etiam Ὠργιᾶται, χρῄζει, ὁρίζει, pro ὀργᾶται, ut videtur, et Ὠργημένον, παρεσκευασμένον, ἕτοιμον, quo- B modo sæpe dicitur ὡρμημένος. || I. q. ὀργάζω, q. v.]

[Ὀργεύς. V. Ὀργεών.]

[Ὀργεύς, έως, ὁ, Orgeus, Antipatri Thasii pater, ap. Herodot. 7, 118.]

Ὀργεών, ῶνος, ὁ, Qui orgia deorum peragit. Suid. Ὀργεῶνες exp. οἱ θύται : item, οἱ τοῖς ἰδίᾳ ἀφιδρυμένοις θεοῖς ὀργιάζοντες. Esse autem ὀργιάζειν dicit τὸ τὰ θεῶν ὄργια τελεῖν, h. e. μυστήρια καὶ νόμιμα. Quibus subjungit hunc l. Platonis Leg. 4 [10, p. 910, B] : Μὴ κεκτῆσθαι ἔσω ἐν ἰδίαις οἰκίαις ἱερά· τὸν δὲ φανέντα κεκτημένον ἕτερα καὶ ὀργιάζοντα πλὴν τὰ δημόσια, ὁ αἰσθόμενος εἰσαγγελλέτω τοῖς νομοφύλαξι. Seleucus autem, inquit idem lexicographus, ἐν τῷ Ὑπομνήματι τῶν Σόλωνος Ἀξόνων, vocari ὀργεῶνας dicit τοὺς συλλόγους ἔχοντας περί τινας ἥρωας ἢ θεούς : nunc autem ad ἱερέας quoque vocabulum hoc translatum esse, quippe qui et ipsi ὀργεῶνες nominentur. Antimachus in Λήδης Γενεᾷ [Λυδῇ codd., quod ex conjectura in Λύδη γ' · Ἔνθα mutatum est] : Καβάρνους θῆκεν ἀγακλέας ὀργεῶνας. Æschylus Mysis : Ποταμοῦ Καΐκου χαῖρε πρῶτος ὀρ- C γεών, Εὐχαῖς δὲ σώσεις δεσπότας Παιωνίας. Non multum a Seleuci verbis discrepat, quod Harpocr. scribit : Ὀργεῶνας esse τοὺς ἐπὶ τιμῇ θεῶν ἢ ἡρώων συνιόντας : ὀργιάζειν enim esse τὸ θύειν καὶ τὰ νομιζόμενα δρᾶν : ut hi ὀργεῶνες dicantur παρὰ τὰ ὄργια : vel, inquit, παρὰ τὸ ὀρέγειν τὼ χεῖρε : vel διὰ τὸ ἐν ταῖς ὀργάσι καὶ τοῖς ἄλσεσι τὰ ἱερὰ δρᾶν. Poetæ tamen, inquit Idem, simpliciter vocabulum hoc posuerunt ἐπὶ τῶν ἱερέων, ut Antimachus quodam in loco, et Æschylus Μύσταις [Μυσοῖς]. Quibus subjungit, Μήποτε δὲ ὕστερον νενόμισται τὸ ἐπὶ τιμῇ τινὰς τῶν ἀποθανόντων συνιέναι, καὶ ὀργεῶνας ὁμοίως ὠνομάσθαι, ὡς ἔστι συνιδεῖν ἐκ τῶν Θεοφράστου Διαθηκῶν. Hæc illi. [Addit autem Harpocr. : Ἰσαίου λόγος ἐστὶ πρὸς ὀργεῶνας. Qui memorat De hered. Menecl. § 14, 16, 17, etc.] Citat Suid. ex Æliano De provid. : Τῶν ἐξ Ἐλευσῖνος ὀργεώνων, de iis fortasse, quos Antimachus paulo ante καβάρνους ὀργεῶνας ἀγακλέας vocat. Polluci vero 8, [107] ὀργεῶνες sunt οἱ κατὰ δήμους ἐν τακταῖς ἡμέραις θύοντες θυσίας τινάς. Idem 3, c. 4 [§ 52] de iis loquens qui in qualibet phratria γεννῆται D nominantur, Ἐκαλοῦντο δ' οὗτοι καὶ ὁμογάλακτοι καὶ ὀργεῶνες. Ad quæ proxime accedunt hæc Philochori ap. Suid. verba : Τοὺς δὲ φράτορας ἐπάναγκες δέχεσθαι, καὶ τοὺς ὀργεῶνας, καὶ τοὺς ὁμογάλακτας, οὓς γεννήτας καλοῦμεν. At Ὀργέων pro ὀργεώνων dixit Lysias ἐν τῷ περὶ Θεοπόμπου κλήρου, teste Harpocr. Qui genit. a nomin. ὀργεὺς factus videtur, ut ἱερέων ab ἱερεύς. Apud Suid. autem scribitur Ὀργεῶν, quod itidem pro ὀργεώνων posuisse Lysiam annotat : veriorem tamen esse priorem scripturam existimo. [Uterque accentus est in libro uno Suidæ. Fieri autem potest ut ὀργέων vetus sit error pro ὀργεώνων. Ὀργιῶν, όνος, ὁ, Hom. H. Apoll. 389 : Οὕστινας ἀνθρώπους ὀργιόνας εἰσαγάγοιτο. Quod ὀργείονας potius scribendum. Sed Etym. M. v. Ἱεράτω restituendum ex Suida ὀργεῶνες pro ὀργιῶνες. Recte vero ap. Phot. in l. Antimachi supra citato pro ὀργίωνας, quod exhibet Photius, restitutum ὀργεῶνας, vel in loco corrupto Hermesianactis Athenæi 13, p. 597, D : Ῥάριον ὀργιῶν ἀνέμῳ διαποιπνύουσα Δήμητρα.] Fem. Ὀργεῶναι, ἱέρειαι, Hesych.

['Οργεώνη. V. 'Οργεών.]

['Οργεωνικὸς, ἡ, ὸν, Ad ὀργεῶνας pertinens. Athen. 5, p. 185, F, ὀργ. δεῖπνα. Photius : 'Οργεωνικά ἐστι θύματα, τὰ κοινὰ τῶν ὀργεώνων. Harpocrat. v. Δημοτελῆ s. Lex. rh. Bekk. An. p. 240, 30.]

'Οργὴ, ἡ, [De primitiva signif. v. infra,] Ira. Aristot. Rhet. 2, [2] : Ἔστω δὴ ἡ ὀργὴ, ὄρεξις μετὰ λύπης, τιμωρίας φαινομένης, διὰ φαινομένην ὀλιγωρίαν τῶν εἰς αὐτὸν ἢ εἰς αὐτοῦ τινὰ μὴ προσηκόντως. [Conf. De anima 1, 1 med.] In Stoicis autem Definitionibus [ap. Diog. L. 7, 113, schol. Aristoph. Ran. 868], brevius definitur, 'Οργὴ, τιμωρίας ἐπιθυμία τοῦ δοκοῦντος ἠδικηκέναι οὐ προσηκόντως· pro quibus Cic.: Ira est libido puniendi ejus, qui videatur læsisse injuria. [Anonymi scriptum Περὶ ὀργῆς editum in Voll. Hercul. part. 1, p. 27–82. Ab reliquis vocc. Iram significantibus ita distinguitur in Cram. An. vol. 1, p. 197, 15, ut dicatur ἡ ἐπ' ὀλίγον χρόνον ἀπὸ τοῦ ὀργᾶν. Theognis 1223 : Οὐδὲν, Κύρν', ὀργῆς ἀδικώτερον, ἣ τὸν ἔχοντα πημαίνει, θυμῷ δειλὰ χαριζομένη. De bestiis Xenoph. Eq. 9, 7. Æsch. Prom. 190 : Τὴν δ' ἀτέραμνον στορέσας ὀργήν· 315 : Ἃς ἔχεις ὀργὰς ἄφες· 679 : Ἄκρατος ὀργὴν Ἄργος. Soph. El. 628 : Πρὸς ὀργὴν ἐκφέρει· 1011 : Κατάσχες ὀργήν· 1282 : Ἔσχον ὀργάν· Trach. 727 : Ἀλλ' ἀμφὶ τοῖς σφαλεῖσι μὴξ ἑκουσίας ὀργὴ πέπειρα· Aj. 776 : Τοιοῖσδέ τοι λόγοισιν ἀστεργῆ θεᾶς ἐκτήσατ' ὀργήν· Ph. 368 : Εὐθὺς ἐξανίσταμαι ὀργῇ βαρείᾳ· OEd. T. 337 : 'Οργὴν ἐμέμψω τὴν ἐμὴν, τὴν σὴν δ' ὁμοῦ ναίουσαν οὐ κατεῖδες· OEd. C. 855 : 'Οργῇ χάριν δοὺς, ἥ σ' ἀεὶ λυμαίνεται· Ant. 280 : Παῦσαι, πρὶν ὀργῆς κἀμὲ μεστῶσαι λέγων. Eur. Med. 448 : Τραχεῖαν ὀργήν· 526 : Δεινή τις ὀργὴ καὶ δυσίατος· Iph. T. 987 : Δεινή τις ὀργὴ δαιμόνων ἐπέζεσε· Bacch. 647 : 'Οργῇ δ' ὑπόθες ἥσυχον πόδα· Hel. 80 : 'Οργῇ δ' εἶξα μᾶλλον ἤ μ' ἐχρῆν· fr. Æoli ap. Stob. Fl. 20, 7 : 'Οργῇ γὰρ ὅστις εὐθέως χαρίζεται· Suppl. 1050 : 'Οργὴν λάβοις ἂν τῶν ἐμῶν βουλευμάτων κλύων· El. 1110 : Ὡς μᾶλλον ἢ χρῆν ἦλασ' εἰς ὀργὴν πόσιν. Herodot. 1, 73 : Ἦν γὰρ ὀργὴν ἄκρος, Præceps in iram, ut dicitur ἀκράχολος.] Dicitur autem δι' ὀργὴν ποιεῖν, vel ὑπ' ὀργῆς, aut ὀργῇ, qui aliquid facit ira commotus, percitus, i. e. Quem ira ad faciendum aliquid impulit. [Æsch. Eum. 981 : Δι' ὀργὰν ποινάς. Callim. Lav. Min. 97 : Μετὰ πάντα βαλεῦ πάλιν ὅσσα δι' ὀργὰν εἶπας. Plato Phædr. p. 257, A, Menex. p. 242, D.] Dem. In Mid. : Δι' ὀργήν γ' ἔνι φῆσαι πεποιηκέναι. Plut. Apophth. [p. 174, D] : Ὅπως μὴ δι' ὀργὴν πικρότερον κολάζω τοὺς συντρίβοντας. [Id. Mor. p. 1043, E ; 1044, E.] Scribitur et διὰ ὀργὴν ap. Aristot. Eth. [5, 11], si mendo caret locus : Ὁ δὲ διὰ ὀργὴν ἑαυτὸν σφάττων. [Κατ' ὀργὴν Soph. Tr. 933 : Ἔγνω γὰρ τάλας τοὔργον κατ' ὀργὴν ὡς ἐφάψειεν τόδε.] Plut. dixit et ὑπ' ὀργῆς in libello quem Περὶ ἀοργησίας inscripsit [p. 462, F] : Εἶτα καὶ τέκνα καὶ φίλους καὶ συνήθεις ἐκβάλλομεν ὑπ' ὀργῆς, ad verbum, Præ ira. Thuc. 5 : Καὶ ἐβούλευον εὐθὺς ὑπ' ὀργῆς παρὰ τὸν τρόπον τὸν ἑαυτῶν. Plut. in eod. illo Π. ἀοργησίας opusculo [p. 455, F] : Οὕτως ὁρῶν ὑπ' ὀργῆς ἐξισταμένους μάλιστα, καὶ μεταβάλλοντας ὄψιν, χρόαν, βάδισμα, φωνήν. [OEd. C. 411 : Τῆς σῆς ὑπ' ὀργῆς. Eur. Iph. A. 335, Bacch. 758 : 'Οργῆς ὕπο. Aristoph. Lys. 505 : Χαλεπὸν γὰρ ὑπὸ τῆς ὀργῆς αὐτὰς ἴσχειν· 1023 : Ἀλλ' ὑπ' ὀργῆς γὰρ πονηρᾶς καὶ τότ' ἀπέδυν ἐγώ.] Dat. autem ὀργῇ schol. Thuc. [2, 85] poni ait pro σὺν ὀργῇ : alibi vero [2, 85] casum hunc resolvit in partic., quum ὀργῇ ἀπέστελλον exp. ὀργιζόμενοι. [Soph. OEd. T. 405 : Καὶ τὰ τοῦδ' ἔπη ὀργῇ λελέχθαι καὶ τὰ σά· 524 : 'Οργῇ βιασθὲν μᾶλλον ἢ γνώμῃ φρενῶν. Eur. Bacch. 51 : 'Οργῇ σὺν ὅπλοις ἐξ ὄρους βάκχας ἄγειν. Aristoph. Ach. 530 : Ἐντεῦθεν ὀργῇ Περικλέης ἤστραπτεν· Lys. 550 : Χωρεῖτ' ὀργῇ καὶ μὴ τέγγεσθε. Herodot. 1, 61 : 'Οργῇ, ὡς εἶχε, καταλλάσσετο· 114 : 'Οργῇ, ὡς εἶχε, ἐλθὼν παρὰ τὸν Ἀστυάγεα· 3, 35 : 'Οργῇ λέγειν. Plato Phædr. p. 254, E : Ἐλοιδόρησεν ὀργῇ.] Legimus porro et ap. Xen. [Anab. 2, 6, 9] κολάζειν ὀργῇ, pro eo quod habetur ap. Plut., δι' ὀργὴν κολάζειν, in l. quem modo protuli. [Ib. 1, 5, 8 : Ὥσπερ ὀργῇ.] Invenitur præterea μετ' ὀργῆς, δι' ὀργῆς. Plato Apol. [p. 34, C] : 'Οργισθεὶς αὐτοῖς τούτοις, θεῖτο ἂν μετ' ὀργῆς τὴν ψῆφον. Latine diceretur potius Per iram, quam Cum ira, quod respondet ad verbum τῷ, μετ' ὀργῆς. [Leg. 11, p. 922, C. Epicharm. ap. Stob. Fl. 20, 10 : Οὐδὲ εἷς οὐδὲν μετ' ὀργῆς κατὰ τρόπον βουλεύεται. Xen. H. Gr. 5, 3, 7 : Μετ'
A ὀργῆς, ἀλλὰ μὴ γνώμῃ.] At δι' ὀργῆς in aliquot Thuc. legitur ll. : ut 8, [43] : Ἀπεχώρησεν ἀπ' αὐτῶν δι' ὀργῆς καὶ ἄπρακτος· ubi δι' ὀργῆς apte reddi potest participio Iratus : quum nihil sit aliud quam ὀργισθείς. Idem libro eod. : Δι' ὀργῆς ἀπελθόντες. Sed et 2, [11] : Ἄδηλα γὰρ τὰ τῶν πολέμων, καὶ ἐξ ἀδήλου τὰ πολλὰ, καὶ δι' ὀργῆς αἱ ἐπιχειρήσεις γίγνονται. [Soph. OEd. T. 344 : Θυμοῦ δι' ὀργῆς ἥτις ἀγριωτάτη· 807 : Παίω δι' ὀργῆς· OEd. C. 905 : Εἰ μὲν δι' ὀργῆς ἧκον, ἧς ὅδ' ἄξιος. Cum præp. ἐξ Soph. Ant. 766 : Ἀνὴρ βέβηκεν ἐξ ὀργῆς ταχύς. Cum præp. πρὸς Soph. El. 369 : Μηδὲν πρὸς ὀργὴν, πρὸς θεῶν. Demosth. p. 1251 fin. : Εἰ καταλαβὼν αὐτὸν ἐγὼ πρὸς ὀργὴν δήσαιμι ἢ πατάξαιμι. Cum præp. σὺν Æsch. Suppl. 187 : Ὠμῇ ξὺν ὀργῇ. Xen. Eq. 6, 13 ; 9, 7. Alia phrasi Eur. Andr. 688 : Ταῦτ' εὖ φρονῶν σ' ἐπῆλθον, οὐχ ὀργῆς χάριν.] || Sicut autem nomine ὀργὴ utuntur cum variis præpp. loco adverbii, sic idem cum præpp. pro verbo usurpant. Dicunt enim δι' ὀργῆς ἔχω σε et ἐν ὀργῇ ἔχω σε, necnon ἐν ὀργῇ ποιοῦμαί σε, pro Irascor s. Succenseo tibi. Sic tamen ut reddi etiam possit Iratus
B sum tibi, Infensus tibi sum. Thuc. 5, [46] : Ἀναχωρήσαντός τε αὐτοῦ, ὡς ἤκουσαν οἱ Ἀθηναῖοι οὐδὲν ἐκ τῆς Λακεδαίμονος πεπραγμένον, εὐθὺς δι' ὀργῆς εἶχον. Sic Plut. Themist. [c. 24] : Δι' ὀργῆς εἶχεν αὐτόν. Thuc. 2 : Καὶ τὸν Περικλέα ἐν ὀργῇ εἶχον. Ibid. [18] : Ἐν τοιαύτῃ μὲν ὀργῇ ὁ στρατὸς τὸν Ἀρχίδαμον ἐν τῇ καθέδρᾳ εἶχεν, Ita erat infensus Archidamo. [Conf. ib. 37, 65.] Possis etiam reddere, Ejusmodi odio Archidamum prosequebatur. Quinetiam sine præp. ap. Eund. [2, 8.] At ποιεῖσθαί τινα ἐν ὀργῇ ap. Dem. habetur [p. 14, 2] : Οὐ τοὺς αἰτίους, ἀλλὰ τοὺς ὑστάτους περὶ τῶν πραγμάτων εἰπόντας ἐν ὀργῇ ποιεῖσθε, ἄν τι μὴ κατὰ γνώμην ἐκβῇ· pro quo ποιεῖσθαι ὀργήν τινι ap. [Eur. Or. 1630 : Ἑλένην μὲν, ἣν σὺ διολέσαι πρόθυμος ἂν ἥμαρτες, ὀργὴν Μενέλεῳ ποιούμενος· Med. 909 : Εἰκὸς γὰρ ὀργὰς θῆλυ ποιεῖσθαι γένος, γάμους παρεμπολῶντος ἀλλοίους πόσει.] Thuc. 1, [92] : Οἱ δὲ Λακεδαιμόνιοι ἀκούσαντες, ὀργὴν μὲν φανερὰν οὐκ ἐποιοῦντο τοῖς Ἀθηναίοις. [4, 122 : 'Οργὴν ποιούμενοι εἰ καὶ οἱ ἐν ταῖς νήσοις ἤδη ὄντες ἀξιοῦσιν ἀφίστασθαι.] Ex Herodoto autem [3, 25] affertur 'Οργὴν ποιησάμενος,
C pro Ira percitus. [7, 105 : Οὐκ ἐποιήσατο ὀργὴν οὐδεμίαν. Plato Phædr. p. 233, C. Demosth. p. 370, 10 : Χάριν καὶ τοὐναντίον ὀργὴν ποιεῖσθε.] Dicunt præterea ὀργὴν ἔχω ἐπί σε, quo utitur Dem., pro δι' ὀργῆς ἔχω σε. [Soph. OEd. T. 345 : Καὶ μὴν παρήσω γ' οὐδὲν, ὡς ὀργῆς ἔχω.] Isocr. vero dixit ὀργὴν ἔχειν πρός τινα, Paneg. [p. 73, D] : Οὕτως ἀείμνηστον πρὸς αὐτοὺς τὴν ὀργὴν ἔχουσιν. [Polyb. 22, 14, 8 : Διαμαρτάνειν ἐν ᾧ τὴν ὀργὴν φέρει ἐπὶ τοὺς Αἰτωλούς. Cum genit. rei Soph. Phil. 1308 : Τὰ μὲν δὴ τόξ' ἔχεις κοὐκ ἔσθ' ὅτου ὀργὴν ἔχοις ἂν οὐδὲ μέμψιν εἰς ἐμέ. Eur. Herc. F. 276 : Τῶν φίλων γὰρ οὕνεκα ὀργὰς δικαίας τοὺς φίλους ἔχειν χρεών. Demosth. p. 1105, 23 : Ὅσοις πρόσεστιν ὀργὴ τῶν πραττομένων· 1300, 10 : Συναδικηθείημεν διὰ τὴν τοῦ πράγματος ὀργήν.] Sed et cum dat. dixit Dem. [p. 259, 5] : Κἂν ὁτιοῦν τις εἰς ὑμᾶς ἐξαμάρτῃ, τούτῳ τὴν ὀργὴν εἰς τἄλλα ἔχετε· ubi observa etiam ὀργὴν ἔχειν εἴς τι. [Demosth. p. 370, 8 : Δίκαιον εἰς τοῦτον ἐλθεῖν τὴν ὀργήν· 1001, 11 : Εἴ τι τῇ μητρὶ πρὸς ὀργὴν ἦλθε τῇ τούτων.] Est vero usus Isocr. verbo ἔχειν et cum dat.
D ὀργῇ adjuncto adverbio, Ad Dem. [p. 6, C] : Τῇ δὲ ὀργῇ παραπλησίως ἔχῃς πρὸς τοὺς ἁμαρτάνοντας ὥσπερ ἂν πρὸς σαυτὸν ἁμαρτάνοντα καὶ τοὺς ἄλλους ἔχειν ἀξιώσειας. At vero ap. Plut., Ἔχει τοὺς Ἀθηναίους ὀργὴ προδοσίας, pro Irati sunt ob proditionem. Thuc. autem dat. illum ὀργῇ junxit verbo φέρειν, dixitque ὀργῇ φέρειν rem aliquam, pro Ad iram commoveri propter illam, Irasci ejus nomine. Possumus etiam reddere Iniquo animo ferre. 1, [31] : Οἱ Κορίνθιοι ὀργῇ φέροντες τὸν πρὸς Κερκυραίους πόλεμον. Dem. autem dixit τίθεσθαί τι εἰς ὀργὴν, Pro cor. [p. 273, 18] : Ἀλλ' οὐ τίθεται ταῦτα παρ' ὑμῖν εἰς ἀκριβῆ μνήμην, οὐδ' ἣν προσῆκεν ὀργήν. Dixit præterea Thuc. ὀργῇ χρῆσθαι, 1 : Καὶ τῇ ὀργῇ οὕτω χαλεπῇ ἐχρῆτο ἐς πάντας ὁμοίως, ὥστε μηδένα δύνασθαι προσιέναι· ubi observa etiam χαλεπὴν ὀργὴν esse Asperam iram, s. Sævam. [Soph. OEd. T. 1241 : 'Οργῇ χρωμένη παρῆλθ' ἔσω θυρῶνος. Herodot. 6, 85, et plurali Plato Leg. 9, p. 867, A.] Pro eo autem quod Latini dicunt Ad iram provocare, accendere etc., dicunt ἐς ὀργὴν προκαλεῖσθαι, καθιστάναι, προάγειν. Lu-

cian. [De calumn. c. 15]: Ὅλως γὰρ τὰ τοιαῦτα ἐπινοοῦσι καὶ λέγουσιν, ἃ μάλιστα ἴσασιν ἐς ὀργὴν δυνάμενα προκαλέσασθαι τὸν ἀκροώμενον. Plut. II. ἀοργησ. [p. 454, D]: Ἀλλὰ καὶ σκῶμμα καὶ παιδιὰ καὶ τὸ γελάσαι τινὰ καὶ τὸ διανεῦσαι, καὶ πολλὰ τοιαῦτα πολλοὺς εἰς ὀργὴν καθίστησιν. Aristot. Rhet. 1, [c. 1, 1]: Οὐ γὰρ δεῖ τὸν δικαστὴν διαστρέφειν, εἰς ὀργὴν προάγοντας, ἢ φθόνον, ἢ ἔλεον. [Plato Leg. 7, p. 793, E: Ὀργὴν ἐμποιεῖν τοῖς κολασθεῖσι. Ps.-Demosth. p. 1471, 14: Τὸ ἀπελθεῖν οὐχ ἂν εἰκότως ὀργὴν πρός με ποιήσειεν.] At vero is, cui irascimur, dicitur ὀργῆς τυγχάνειν. Dem. [p. 571, 11]: Τί πεποιηκότες αὐτῶν ἔνιοι τίνος ὀργῆς τετυχήκασι παρ' ὑμῶν. Affertur ex eod. Dem., Ὀργὴ ἐμοὶ παρ' ὑμῶν, subaudiendo ἐστὶ, pro τυγχάνω ὀργῆς παρ' ὑμῶν. Aristot. autem dixit εἰς ὀργὴν πεσεῖν, Rhet. 2, [c. 2]: Εἴπερ γὰρ οὐδὲ τοῖς κακῶς πεπραχόσιν ἀκουσίως, δίκαιον εἰς ὀργὴν πεσεῖν. [Eur. Or. 696: Ὅταν γὰρ ἡβᾷ δῆμος, εἰς ὀργὴν πεσὼν, ὅμοιον ὥστε πῦρ κατασβέσαι λάβρον. Ps.-Demosth. p. 74, 3: Τῇ παρ' ὑμῶν ὀργῇ περιπεσεῖν· 1470, 25: Τῇ πρὸς ἅπαντας ὀργῇ περιπέπτωκα. Aristoph. Ran. 700: Τῆς ὀργῆς ἀνέντες· Vesp. 574: Τῆς ὀργῆς ὀλίγον τὸν κόλλοπ' ἀνεῖμεν· Av. 383: Οἵδε τῆς ὀργῆς χαλᾶν εἴξασιν. Notabili constr.
B Thuc. 2, 65: Ἐπειρᾶτο τοὺς Ἀθηναίους τῆς ἐπ' αὐτὸν ὀργῆς παραλύειν, ubi pauciores ἐς. Demosth. p. 743, 22: Ταύτην τὴν ὀργὴν καὶ νῦν ἐπὶ τουτονὶ λάβετε. Xen. Cyrop. 4, 5, 18: Τὴν πρὸς Κῦρον ὀργήν. Isocr. Antid. p. 454, 147. V. paullo ante in Ὀργὴν ἔχω. De homine Synes. p. 186, C: Πέτρου ὀργὴν Πενταπόλεως.] || Invenitur et plur. ὀργαὶ [Diræ, Gl.] ap. Thuc. [8, 83: Ἀστύοχον, ἐπιφέροντα ὀργὰς Τισσαφέρνει διὰ ἴδια κέρδη], necnon apud Plutarch.: Ἀδελφῶν οὐχ ὑπομένουσιν ὀργὰς ἢ ἀγνοίας. [Æsch. præter l. supra cit. Ag. 70: Ἀπύρων ἱερῶν ὀργὰς ἀτενεῖς παραθέλξει, Iras ob sacrificium (Iphigeniæ). Cho. 326: Φαίνει δ' ὕστερον ὀργάς· Eum. 847: Ὀργὰς ξυνοίσω σοι· 937: Καὶ μέγα φωνοῦντ' ὀργαῖς ἐχθραῖς ἀμαθύνει. Soph. Ant. 957: Κερτομίοις ὀργαῖς· 1200: Αἰτήσαντες ἐνοδίαν θεὸν Πλουτωνά τ' ὀργὰς εὐμενεῖς κατασχεθεῖν. Eur. Med. 121: Χαλεπῶς ὀργὰς μεταβάλλουσιν· 455: Κἀγὼ μὲν ἀεὶ βασιλέων θυμουμένων ὀργὰς ἀφῄρουν· 1150: Πόσις δὲ σὸς ὀργάς ἀφῄρει καὶ νεάνιδος χόλον· 636: Ἀμφιλόγους ὀργὰς ἀκόρεστά
C τε νείκη· 870: Τὰς δ' ἐμὰς ὀργὰς φέρειν εἰκός σε· 1172: Ἢ Πανὸς ὀργὰς ἤ τινος θεῶν μολεῖν· et alibi cum verbis ἀποσκήπτειν, κατασκήπτειν, ἐπισχεῖν, μαλάσσειν, μειλίσσειν, quæ v. Aristoph. Eq. 537: Οἵας δὲ Κράτης ὀργὰς ὑμῶν ἠνέσχετο. Xen. Hier. 1, 28: Δεινὰς ὀργὰς καὶ λύπας ἐμποιοῦσιν. Plato Reip. 9, p. 572, A: Μή τισιν εἰς ὀργὰς ἐλθών, et alibi sæpe.] || Ingenium quo quisque præditus est, Studium, Mores. [Hæc signif. primo loco ponenda erat. Hesiod. Op. 302: Κηφήνεσσι κοθούροις εἴκελος ὀργήν. Hom. H. Cer. 205: Ἣ δή οἱ καὶ ἔπειτα μεθύστερον εὔαδεν ὀργαῖς. Pind. Pyth. 1, 89: Εὐανθεῖ ἐν ὀργᾷ παρμένων· 9, 49: Μείλιχος ὀργά· Nem. 5, 32: Τοῦ μὲν ὀργὰν κνίζον αἰπεινοὶ λόγοι· Isthm. 1, 41: Ἀρετᾷ κατάκειται πᾶσαν ὀργάν· 2, 35: Ὀργὰν ὑπὲρ ἀνθρώπων γλυκεῖαν ἔσχεν· 4, 38: Μεγαλήτορες ὀργαὶ Αἰακοῦ· 5, 12: Τοίαισιν ὀργαῖς ἀντιάσαις· Pyth. 2, 77: Ὀργαῖς ἀλωπέκων ἴκελοι· 4, 141: Ἀλλ' ἐμὲ χρὴ καὶ σὲ θεμισσαμένους ὀργὰς ὑφαίνειν λοιπὸν ὄλβον· ubi schol. διακρίναντας τοὺς τρόπους, rectius altero qui ἀφεμένους τῶν ἀγανακτήσεων.]
D Soph. Aj. [1153]: Ἐμφερὴς ἐμοὶ, Ὀργήν θ' ὅμοιος· et [640]: Οὐκ ἔτι συντρόφοις Ὀργαῖς ἔμπεδος, exp. δρμαῖς, item τρόποις et ἤθεσι. [Ant. 356: Ἀστυνόμους ὀργὰς ἐδιδάξατο.] Theognis [215]: Πουλύπου ὀργὴν ἴσχε πολυπλόκου. At Plut. [Mor. p. 96, F] legit Πουλύποδος νόον ἴσχε, eodem sensu; significat enim nos debere eadem esse mente, qua ille, s. eodem ingenio, illa quidem in re. [Theognis 98: Ἀλλ' εἴη τοιοῦτος ἐμοὶ φίλος, ὃς τὸν ἑταῖρον γιγνώσκων ὀργὴν καὶ βαρὺν ὄντα φέρει ἀντὶ κασιγνήτου· 214: Κύρνε, φίλους κατὰ πάντας ἐπίστρεφε ποικίλον ἦθος, ὀργὴν συμμίσγων ἥντιν' ἕκαστος ἔχει· quæ paullo aliter scripta 1072. Et 312: Γιγνώσκων ὀργὴν ἥντιν' ἕκαστος ἔχει· 964: Ὀργὴν καὶ ῥυθμὸν καὶ τρόπον ὅστις ἂν ᾖ· 1059: Πολλῶν ὀργὴν ἀπάτερθεν ὁρῶντι γιγνώσκων χαλεπόν· 1073: Νῦν μὲν τῷδ' ἐφέπου, τότε δ' ἀλλοῖος πέλευ ὀργήν. Simonid. Carm. de mul. 11: Ὀργὴν δ' ἄλλοτ' ἀλλοίην ἔχει· 41: Ταύτῃ μάλιστ' ἔοικε τοιαύτη γυνὴ ὀργήν. Tyrtæus Stob. Fl. 50, 7, 8: Εὖ δ' ὀργὴν ἐδάητ' ἀργαλέου πολέμου. Æsch. Prom. 80: Τὴν τ' ἐμὴν αὐθαδίαν ὀργῆς τε τραχύτητα μὴ 'πίπλησσέ μοι Sept.

A 678: Μὴ γένῃ ὀργὴν ὅμοιος τῷ κάκιστ' αὐδωμένῳ· Suppl. 762: Κνωδάλων ὀργάς. Eodem referre licet Aristoph. Vesp. 1030: Ἀλλ' Ἡρακλέους ὀργήν τιν' ἔχων, τοῖσι μεγίστοις ἐπιχειρεῖν.] Ab Hesychio quoque ὀργὴ exp. et nomine τρόπος. Suid. postquam εὐοργήτως exposuit εὐτρόπως, addit, Ὀργὴ γὰρ ὁ τρόπος παρὰ Θουκυδίδῃ· quod ideo dicit, quia εὐοργήτως ap. Thuc. extat, ut in ea voce docui, ubi et de hac Suidæ expositione dixi. Invenitur et ὀργαὶ ap. eund. Thuc. pro Studiis et voluntatibus, et q. d. Animi inclinationibus, [« ἀπὸ τοῦ ὀργᾶν » addit HSt. Ms. Vindob.] 3, [82]: Ὁ δὲ πόλεμος ὑφελὼν τὴν εὐπορίαν τοῦ καθ' ἡμέραν, βίαιος διδάσκαλος, καὶ πρὸς τὰ παρόντα τὰς ὀργὰς τῶν πολλῶν ὁμοιοῖ. [Herodot. 6, 128: Διεπειρᾶτο αὐτέων τῆς τε ἀνδραγαθίης καὶ τῆς ὀργῆς καὶ παιδεύσιός τε καὶ τρόπου, unde intelligitur nonnihil differre a τρόπῳ. Plato Leg. 10, p. 908, E: Ἄνευ κακῆς ὀργῆς τε καὶ ἤθους. Confusum cum ὁρμὴ ap. Soph. Trach. 720.]

[Ὀργή, ἡ, Pix. V. Ὀργάζω.]

[Ὄργη, ἡ, Orge, n. canis, ap. Xen. Ven. 7, 5.]

B [Ὄργημα, τὸ, i. q. ὀργή, ap. schol. Soph. Aj. 913, pro ὄρυγμα τὸ οὐκ εὐδιάλλακτον exhibuit Stephanus, quum ὄρυγμα τὸ οὐκ εὐδιάλυτον sit etiam ap. Suidam in Δυστράπελος.]

[Ὀργησσός. V. Ὄργυσος.]

[Ὀργητής, ὁ, Iracundus. Adamant. Physiogn. 2, 28, p. 429: Ὅσοι ἀπὸ βαρέος ἀρξάμενοι φθόγγου εἰς ὀξὺ τελευτῶσιν, ὀργηταί, δύσθυμοι.]

[Ὀργητὺς in Hesychii gl.: Ὀργήγυς, ὀργή, κάπνη, διάδυσις, restituebat Salmasius. Postrema ad ὀπὴ spectant.]

Ὄργια, τὰ, proprie Sacra Liberi, abusive omnium deorum, ut ait Serv. Idem enarrans hæc verba Æn. 4, [302]: Qualis commotis excita sacris Thyas, ubi audito stimulant trieterica Baccho Orgia, nocturnusque vocat clamore Cithæron, Sane sciendum, inquit, ὄργια apud Græcos dici Omnia sacra, sicut apud Latinos Cæremoniæ dicuntur: sed jam abusive Sacra Liberi orgia vocantur: vel ἀπὸ τῆς ὀργῆς, i. e. A furore: vel ἀπὸ τῶν ὀρῶν, A montibus. Hæc ille. At schol.
C Apollonii [1, 920] παρὰ τὸ εἴργειν τοὺς ἀμυήτους αὐτῶν. Malim ego derivare a præt. med. ἔοργα. [Hom. H. Cer. 273: Ὄργια δ' αὐτὴ ἐγὼν ὑποθήσομαι ὡς ἂν ἔπειτα εὐαγέως ἔρδοντες ἐμὸν νόον ἱλάσκοισθε· 476: Ἡ δὲ ... ἐπέφραδεν ὄργια πᾶσιν, utrobique de Cerere. Æsch. Sept. 180: Φιλοθύτων δέ τοι πόλεος ὀργίων μνήστορές ἐστέ μοι. Soph. Tr. 765: Ὅπως δὲ σεμνῶν ὀργίων ἐδαίνυτο φλὸξ αἱματηρά· Ant. 1013: Τοιαῦτα παιδὸς τοῦδ' ἐμάνθανον πάρα φθίνοντ' ἀσήμων ὀργίων μαντεύματα. Eur. Herc. F. 613: Τὰ μυστῶν ὄργι' ηὐτύχησ' ἰδών· et sæpe in Bacchis de orgiis Bacchicis, ut 34: Σκευήν τ' ἔχειν ἠνάγκασ' ὀργίων ἐμῶν, etc. Aristoph. Ran. 384: Δήμητερ, ἁγνῶν ὀργίων ἄνασσα, συμπαραστάτει· Thesm. 948: Ὅταν ὄργια σεμνὰ θεαῖν ἱεραῖς ὥραις ἀνέχωμεν· 1151. Lys. 832: Ἄνδρα τοῖς τῆς Ἀφροδίτης ὀργίοις εἰλημμένον. Apoll. Rh. 1, 920: Ἀλλὰ καὶ αὐτὴ νῆσος ὁμῶς κεχάροιτο καὶ οἳ λάχον ὄργια κεῖνα δαίμονες ἐνναέται· 4, 1020: Νυκτιπόλου Περσηΐδος ὄργια κούρης. Theocr. 26, 13: Σὺν δ' ἐτάραξε ποσὶν μαινώδεος ὄργια Βάκχου. Epigr. Anth. Pal. App. 246, 3: Ὃς τελετὰς ἀνέφηνε καὶ ὄργια πάννυχα μύσταις Εὐ-
D μόλπου. Orph. Arg. 31: Ὄργια Πραξιδίκης. Herodot. 2, 51: Ὅστις τὰ Καβείρων ὄργια μεμύηται· 5, 61: Δήμητρος ἱρόν τε καὶ ὄργια.] Herodian. 5, [7, 2]: Θρησκείᾳ σχολάζειν τοῦ θεοῦ, βακχείαις καὶ ὀργίοις τοῖς τε θείοις ἔργοις ἀνακείμενον, Orgiis celebrandis sacrisque muniis obeundis dicatum. Rursum in Epigr. ὄργια πόθων, Amorum sacra. [Anthol. Pal. App. 185, 2: Ἐχρῆν μὲν στῆσαι σὺν Ἔρωτι φίλῳ σε, Μένανδρε, ᾧ συζῶν ἐτέλεις ὄργια σεμνὰ θεοῦ. Philodem. ib. 7, 22, 6: Ἡ μούνη στέρξασα τὰ Κύπριδος ἀμφὶ γυναικῶν ὄργια. Et similiter alibi in eadem. Ælius Gallus Anth. Plan. 89, 5: Καὶ ὄργια μάνθανε σιγῆς. Metrodorus ap.] Plut. Ad Colot. [p. 1117, B]: Τὰ Ἐπικούρου θεόφαντα ὄργια. Idem in lib. Utrum Athenienses virtute an sapientia præcelluerint p. 621 meæ edit. [p. 348, E]: Ὅστις γενναίων ὄργια μουσῶν μήτε ᾖσε [εἶδε Aristoph. Ran. 356, cujus illa sunt verba], μήτε ἐχόρευσε. Synes. Ep. 143: Φιλοσοφίας ὄργια. Aliquando Secretiora et magis arcana sacra vocantur ὄργια: unde ab Hesych. et Suida exp. non solum ἱερά, sed etiam μυστήρια. Lucian. De-

monact. [c. 11] : Ἔφη μὴ κοινωνῆσαι σφίσι τῆς τελετῆς, ὅτι ἄν τε φαῦλα ᾖ τὰ μυστήρια, οὐ σιωπήσεται πρὸς τοὺς μηδέπω μεμυημένους, ἀλλ' ἀποτρέψει αὐτοὺς τῶν ὀργίων· ἄν τε καλὰ, πᾶσιν ἐξαγορεύσει· De saltat. [c. 15] : Τὰ μὲν ὄργια σιωπᾷν ἄξιον τῶν ἀμυήτων ἕνεκα. [De Jove Semelen contemplante Nonnus Dion. 7, 266 : Ἀθηήτοιο δὲ μούνου ὄμμασιν αἰδομένοισι παρήλυθεν ὄργια κόλπου. || Singularis legitur Orph. H. 51, 5 : Ὄργιον ἄρρητον, τριφυὲς, κρύφιον Διὸς ἔρνος, de Baccho ipso. Quod nemini vitiosum visum est nisi Schneidero, qui in Suppl. Lex. ex 29, 3 : Ἄγριον, ἄρρητον, κρύφιον, δικέρωτα, δίμορφον, hic quoque ἄγριον, ἄρρητον, restituit. Lucian. De Syr. dea c. 16 : Ἐρέω δὲ καὶ ἄλλ' ὅ,τι ἐστὶ ἐν τῷ νηῷ Διονύσου ὄργιον. || Prosodiam ὄργια memorat Lex. De spirit. p. 234 : Τὸ ὄργιον τὸ μυστήριον δασυνόμενον εὗρον ἔν τε τοῖς Θεοδωρίτου καὶ ἐν ἑτέροις καίπερ ἐν τῇ συνηθείᾳ ψιλούμενον. Epim. Hom. Cram. An. vol. 1, p. 307, 23 : Σεσημείωται δύο, τὸ ὄργια καὶ τὸ ὄρκος· 25 : Τὸ ὄρκος καὶ ὄργια τὰ μυστήρια δασύνεται. Sic ὄρκια pro ὄργια libri Orph. Arg. 25. L. Dind.]

Ὀργιάζω, Orgia s. Sacra perago, ὄργια τελῶ, ut in Ὀργεὼν exp. : τελῶ, item τελῶ Διονύσῳ, Hesychio. [Eur. Bacch. 415 : Ἐκεῖ δὲ βάκχαισι θέμις ὀργιάζειν.] Apoll. Arg. 2, [907] de Baccho : Ἔνθ' ἐνέπουσι Διὸς Νυσήϊον υἷα Ὀργιάσαι στῆσαί τε χορούς. Plut. [Mor. p. 501, E] : Οὐδὲ Διονύσῳ βεβακχευμένον θύσθλον ἱεραῖς νυξὶ καὶ κοινοῖς ὀργιάζοντες κώμοις· ubi ὀργιάζοντες propter additum accus. θύσθλον, simpliciter reddi potest Peragentes, accipiendo sc. θύσθλα pro θυσίας : sicut ὀργιάζειν τὴν τελετὴν ap. Plat. Phædro [p. 250, C], Peragere cæremonias. [Ib. p. 252, D, Leg. 10, p. 910. Clemens Alex. Protr. p. 4 : Ἄνδρες οὐκ ἄνδρες ... ὕβρεις ὀργιάζοντες.] Et ap. Plutarch. Numa [c. 8] : Θυσίαις καὶ πομπαῖς καὶ χορείαις, ἃς αὐτὸς ὠργίασε καὶ κατέστησε, Instituit. Sine casu autem, ut et in l. Apollonii, Herodian. 1, [11, 7] : Ὠργίαζον ἐπὶ τῷ ποταμῷ Γάλλῳ, Orgia peragebant. Et 5, [5, 8] : Προήει τε ὑπὸ αὐλοῖς καὶ τυμπάνοις, τῷ θεῷ δῆθεν ὀργιάζων, Velut orgia numinis celebraret. Et Isocr. Areop. [p. 145, C] : Τὰ περὶ τοὺς θεοὺς θεραπεύειν καὶ ὀργιάζειν. At Ὀργιάζειν τὸν θεὸν, Sacrificiis placare deum : Bud. p. 369, ex Plat., ubi et ex Plutarch. [Cic. c. 19] : Ἱεροῖς ἀπορρήτοις ὀργιάζουσαι θεόν· quod interpretari etiam queas, Arcana sacra deæ peragentes. [Dionys. A. R. 2, 19 : Ὀργιάζων τὴν θεὸν τοῖς Φρυγίοις ὀργιασμοῖς.] Passive autem ὀργιάζεσθαι dicuntur ipsa sacra, quum peraguntur. Plut. [Mor. p. 415, A] : Ἀναμεμιγμένα πρὸς τὰ θνητὰ καὶ πένθιμα, τινὰ τῶν ὀργιαζομένων καὶ δρωμένων ἱερῶν ὁρῶντες· In quibus sacrorum cæremonias et ritus admixtum nescio quid mortale et luctuosum præ se ferre videmus, Turn. Idem in Cæs. [c. 9] : Τῶν ἱερῶν ὀργιαζομένων, i. e. ἐπιτελουμένων et ἑορταζομένων, ut alibi loquitur, Dum sacra peraguntur, Dum sacra illi magnæ matri operantur. Plato vero ὀργιάζεσθαι accepit non solum pro Institui et rite celebrari, sed etiam active pro Rem divinam facere; idque in uno eodemque l., nimirum De legibus 4, [p. 717, B] : Μετὰ θεοὺς δὲ τούσδε καὶ τοῖς δαίμοσιν ὅγ' ἔμφρων ὀργιάζοιτ' ἄν, ἥρωσι δὲ μετὰ τούτους· ἐπακολουθεῖ δ' αὐτοῖς ἱδρύματα ἴδια πατρῴων θεῶν κατὰ νόμον ὀργιαζόμενα. || Sacris initio. Philo V. M. 3 : Αὐτόν τε καὶ τοὺς ἀδελφιδοῦς ὠργίαζεν, Et ipsum fratrem et fratris filios sacris initiavit. Εἰσελθὼν δ' ἀνεδίδασκεν, οἷα ὑφηγητὴς ἀγαθὸς, εὐμαθῆ γνώριμον, ὃν χρὴ τρόπον τὸν ἀρχιερέα τὰς εἴσω ποιεῖσθαι λειτουργίας. Itidem ὀργιάσθης Hesych. exp. ἐμυήθης, ἐχόρευσας θείως.

[Ὀργιὰς, άδος, ἡ, Quæ ad orgia pertinet. Manetho 4, 63 : Ὀργιάδεσσιν ἑορταῖς, pro ὀργίοις.]

Ὀργιασμὸς, ὁ, Orgiorum s. Sacrorum peractio, ipsa Orgia. Plut. De def. orac. [p. 417, A] : Μήτε τελετὰς καὶ ὀργιασμοὺς ἀμελουμένους ὑπὸ θεῶν λεγόντων ἀκούωμεν, Qui initia aut orgia a diis negligi putant. Alex. [c. 2] : Ἔνοχοι τοῖς περὶ τὸν Διόνυσον ὀργιασμοῖς, Bacchicis orgiis, quæ etiam Βακχικοὺς ὀργιασμοὺς appellat Idem in Erot. [p. 758, F] : Τὰ γὰρ Μητρῷα καὶ Πανικὰ κοινωνεῖ τοῖς Βακχικοῖς ὀργιασμοῖς. [Iambl. V. P. p. 154 : Μετὰ τοὺς ἐκ τοσῶνδε μαθημάτων ὀργιασμοὺς καὶ μυήσεις. Aristid. vol. 1, p. 27 : Τῆς τελετῆς τῆς ἐπ' αὐτῷ (Palæmone) καὶ τοῦ ὀργιασμοῦ μετασχεῖν.]

Ὀργιαστὴς, ὁ, Qui orgia celebrat. Plut. Ad Colot. A [p. 1107, F] : Οὐ ναρθηκοφόρον, ἀλλὰ ἐμμανέστατον ὀργιαστήν. Idem Sympos. 8, [p. 717, D] de Carneade : Ἄνδρα τῆς Ἀκαδημίας εὐκλεέστατον ὀργιαστήν. Idem dixit etiam μυστηρίων ὀργιαστὰς, Initiorum auspices s. auctores, De defect. orac. [p. 417, B] : Δαίμονας νομίζωμεν ἐπισκόπους θείων ἱερῶν καὶ μυστηρίων ὀργιαστὰς, Arbitros divinorum sacrorum et initiorum auspices atque auctores. [Appian. Civ. 4, 47, τῆς Ἴσιδος. Wakef. Anon. Cram. An. vol. 3, p. 213, 7 : Οὐκ ἀγεννὴς ἐσόμενος φιλοσοφίας ὀργιαστής. Photius s. Timæus Lex. Plat. Pollux 1, 35.]

Ὀργιαστικὸς, ή, όν, Eos decens qui orgia celebrant. Aristot. Polit. 8, [c. 7 med.] : Ἄμφω γὰρ ὀργιαστικὰ καὶ παθητικά. Idem aliquanto ante [c. 6 med.] : Οὐκ ἔστιν ὁ αὐλὸς ἠθικὸν, ἀλλὰ μᾶλλον ὀργιαστικόν. Vocat autem in priori l. ὀργιαστικὰ μέλη et ὀργιαστικὴν ἁρμονίαν, quæ ἐνθουσιασμὸν ἐμβάλλει τῇ ψυχῇ, et affectus ciet in animo, Bud.

[Ὀργιαστὶς, ίδος, ἡ, Quæ orgia celebrat. Inscr. Eleusin. ap. Bœckh. vol. 1, p. 443, n. 388, 1 : Κτησίκλεια B Ἀπολλωνίου ὀργιαστίς. L. Dind.]

Ὀργιάω, dicitur pro ὀργιάζω, Orgia perago : unde ap. Hesych. Ὀργιῶντες, μύσται, ἱεροφάνται, ἱερεῖς : nisi quis ibi leg. suspicetur Ὀργεῶνες [s. Ὀργιῶνες, ut ap. Etym. M. v. Ἱεράτω : Κατὰ νόμον ὀργιαζέτω καὶ θυέτω· ὀργιῶνες γὰρ οἱ θύται. V. Ὀργεών. Exstat autem Ὀργιάω ap. Maneth. 1, 260 : Πολλάκι δ' οὗτοι ἀνέρες ὀργιόωντες ἀποκτείνουσι γυναῖκας, ubi pro ὀργῶντες dictum, quod desiderabat Dorvill., et 4, 229 : Ἀνέρας ... ἐν τελετῇσιν ἀρίστους, μυστιπόλους ῥεκτῆρας ἰδ' ὀργιόωντας ἔσεσθαι, ubi pro ὀργιάζοντας.]

Ὀργίζω, i. q. ὀργάζω, i. e. Incito. Unde Ὀργίσασθαι ap. Hippocr. quod Erotian. exp. ὁρμὴν ἔχειν πρός τι, sicut ἡ γῆ dicitur ὀργᾷν πρὸς τὴν ἐκβολὴν τοῦ καρποῦ. Quibus addit, Ὀργίσασθαι eum dixisse τὸ εἰς παράστασιν ἀγαγεῖν τὰ ὑγρὰ, καὶ πρὸς ἔκκρισιν ἑτοιμάζειν : sicut ὀργᾷν Idem supra dixit de humoribus turgescentibus in corpore humano. Ex eod. Hippocrate Galen. affert ὀργάσασθαι, de quo paulo ante. || Pro Ὀργίσας autem, quod in Lex. Herodoteo exp. μαλάξας, scrib. C potius ὀργάσας, ab ὀργάζειν, quod μαλάσσειν significat.

Ὀργίζω, Irrito, Ira accendo s. inflammo, Iram facio, Iram concito. Aristoph. Vesp. [223] : Τὸ γένος, ἥν τις ὀργίσῃ, Τὸ τῶν γερόντων, ἔσθ' ὅμοιον σφηκιᾷ, Si quis irritet. [Ib. 404 : Ἡνίκ' ἄν τις ἡμῶν ὀργίσῃ τὴν σφηκιάν· 425 : Ὡς ἂν εὖ εἰδῇ τὸ λοιπὸν σμῆνος οἷον ὤργισεν.] Aristot. Eth. 5, 8 : Οὐ γὰρ ἄρχει ὁ θυμῷ ποιῶν, ἀλλ' ὁ ὀργίσας· Rhet. 2, sibi opponit εὔνουν ποιῆσαι et ὀργίσαι. Xen. Eq. [9, 2] : Ἄνθρωπον ἥκιστ' ἂν ὀργίζοι τις ὁ μήτε λέγων χαλεπὸν μηδὲν, μήτε ποιῶν. Plato Phædro [p. 267, C] : Ὀργίσαι τε αὖ πολλοὺς ἅμα δεινὸς ἀνὴρ γέγονε, καὶ πάλιν ὠργισμένους ἐπᾴδων κηλεῖν, ubi ὀργίσαι et κηλεῖν opponit, ut Aristot. ὀργίσαι et πραΰνειν. Pass. Ὀργίζομαι, Ira accendor, Irascor. [Eryx. p. 392, C : Ὑπὸ τῶν σμικρῶν τούτων ἂν μᾶλλον ὀργίζοιντο. Med. Soph. OEd. T. 339 : Τίς γὰρ τοιαῦτ' ἂν οὐκ ἂν ὀργίζοιτ' ἔπη κλύων; 364 : Εἴπω τι δῆτα κἄλλ', ἵν' ὀργίζῃ πλέον; Eur. Hel. 1645. Οὐ γὰρ πεπρωμένοισιν ὀργίζει γάμοις. Thuc. 4, 128 : Ὀργιζόμενοι τῇ προαναχωρήσει. Eademque constr. quum sæpe ap. Platonem, tum ap. Xen. Cyrop. 2, 2, 1, τῇ D τύχῃ. Idem H. Gr. 3, 1, 21 : Πάλαι ὀργιζόμενοι Ἠλείοις ὅτι ἐποιήσαντο ξυμμαχίαν. Id. Anab. 1, 2, 26 : Διὰ τὸν ὄλεθρον τῶν συστρατιωτῶν ὀργιζόμενοι· H. Gr. 3, 5, 8 : Δι' ὑμᾶς οὐχ ἥκιστα ὀργιζομένων ἡμῖν· Cyrop. 4, 5, 12 : Πολὺ μᾶλλον ἔτι τῷ Κύρῳ ὠργίζετο τῷ μηδ' εἰπεῖν αὐτῷ ταῦτα· H. Gr. 3, 5, 5 : Πάλαι ὀργιζόμενοι αὐτοῖς τῆς τε ἀντιλήψεως καὶ τοῦ μὴ ἐθελῆσαι κτλ. Notandum etiam quod ap. eundem dicitur de equis Eq. 1, 10; 10, 15.] Lucian. [Hermot. c. 76] : Στωϊκῶν τῷ ἄκρῳ, οἵῳ μήτε λυπεῖσθαι, μήθ' ὑφ' ἡδονῆς κατασπᾶσθαι, μήτ' ὀργίζεσθαι. Aristot. Eth. 3, 1 : Ὁ γὰρ μεθύων ἢ ὀργιζόμενος οὐ δοκεῖ δι' ἄγνοιαν πράττειν, ἀλλὰ διά τι τῶν εἰρημένων. [Demosthen. p. 574, 3 : Ἐπὶ πάντων ὁμοίως ὀργιζόμενοι φαίνεσθε.] Lys. [p. 876 R.] : Τῶν αὐτῶν ἀδικημάτων μάλιστα ὀργίζεσθαι τοῖς μάλιστα δυναμένοις μὴ ἀδικεῖν, De iisdem maleficiis maxime succensere iis, quos minime peccandi necessitas impulit. Ubi nota præter dativ. personæ, gen. etiam rei cujus gratia alicui irascimur; et subaudiri posse vel ἕνεκα vel ὑπέρ. Isocr. Evag [p. 201, B] : Ὀργιζόμενος ὑπὲρ τῶν γεγενημένων, Iratus propter ea quæ facta erant. [Apollonius ap. Stob. Fl. 20, 51. Ap. Diog. L. 2, 39 : Τὸν Ἄνυτον περὶ τῶν δημιουργῶν καὶ τῶν πολιτικῶν ὀργιζόμενον, τὸν δὲ Λύκωνα ὑπὲρ τῶν ῥητόρων, Casaub. restituit ὑπὲρ pro περί. Alia constr. Isocr. p. 230, C : Ἐφ' αἷς (ἀπολογίαις) μάλιστ' ἂν ὀργισθείης. Eustath. Od. p. 1665, 62 : Ἐφ' ᾧ τὴν δαίμονα ὀργισθεῖσαν. Pausan. 9, 3, 1.] Item τὸ ὀργιζόμενον, pro ὀργή, Ira. Thuc. 2, [59] : Ἐβούλετο θαρσῦναί τε, καὶ ἀπαγαγὼν τὸ ὀργιζόμενον τῆς γνώμης, πρὸς τὸ ἠπιώτερον καὶ ἀδεέστερον καταστῆσαι, ubi exp. Expulsa ira ex animo ad humaniorem quandam lenitatem et minorem formidinem traducere. [Eur. Med. 129 : Μείζους δ' ἄτας, ὅταν ὀργισθῇ δαίμων, οἴκοις ἀπέδωκεν. Aristoph. Pac. 204 : Ἕλλησιν ὀργισθέντες· Eq. 993. Plato Prot. p. 346, B : Ἐάν τι ὀργισθῶσι τοῖς γονεῦσιν.] Item μὴ ὀργισθῇς, Ne irascaris, pro Pace tua dixerim. [Ps.-]Eur. [Iph. A. 631, 637] : Ὀργισθῇς δὲ μή. [Perf. Eur. Hipp. 1413 : Ἔκτανες τάν μ', ὡς τότ' ἦσθ' ὠργισμένος. Aristoph. Vesp. 431 : Εἰσπέτεσθ' ὠργισμένοι· Lys. 689 : Γυναικῶν αὐτόδαξ ὠργισμένων. Alia constr. Jo. Malalas p. 43, 16 : Ὁ Διόνυσος ὠργίζετο κατὰ τοῦ Πενθέως· eademque p. 102, 3; 165, 17 etc. Schol. Æsch. Prom. 34. Et Jo. Diac. Alleg. in Hesiod. Theog. p. 492 : Ἐρίζει μετὰ τοῦ Διὸς καὶ ὀργίζεται μετ' αὐτοῦ. || Futuri forma ὀργιοῦμαι est ap. Xen. Anab. 6, 1, 30, et alios, in ὀργισθήσομαι mutata in libris deterioribus Demosth. p. 189 ult. || Formam ὀργισάμενος pro ὠργισμένος finxit librarius vel eclogarius Diod. Exc. Vat. p. 5 ed. Mai. L. Dind.]

Ὀργίζω, in VV. LL. exp. Extimulor, afferunturque hæc ex Oro Apolline c. 10 [1, 11], ubi docet quid Ægyptii pictura vulturis significent, Ὅταν ὀργύσῃ πρὸς σύλληψιν ἡ γύψ. Sed reponendum potius ibi ὀργήσῃ vel ὀργάσῃ : dubium enim est utro modo futurum formet verbum ὀργάω, certe ὀργᾶν πρὸς σύλληψιν in Ὀργάω habuimus. Aliis reponendum videtur, Ὀργώσῃ. Sed ὀργύζω nullibi reperi. [Recte libri ap. Leemans. p. 14 ὀργάσῃ, nonnulli præter ὀργύσῃ aut ὀργάζῃ, etiam ὀργώσῃ, quod ex illis potius ortum videtur quam ex ὀργῶσα ᾖ conflatum, ut est 1, 47 : Ἐπειδὰν ἡ θήλεια ὀργῶσα πρὸς σύλληψιν ᾖ. L. Dind.]

Ὀργίλος, η, ον, Iracundus, [Infestus, Iratus, Stomachosus, add. Gl. Menander ap. Stob. Fl. 72, 2, 12 : Ἀγνώμον', ὀργίλην, χαλεπήν. Philipp. Anth. Plan. 240, 3 : Ὀργίλος ὡς ὁ Πρίηπος. Xen. Eq. 9, 7 ; Plato Reip. 3, p. 405, C.] Aristot. Rhet. 2, [c. 2, 4] : Διὸ κάμνοντες, πενόμενοι, ἐρῶντες, διψῶντες, ὅλως ἐπιθυμοῦντες, ὀργίλοι εἰσὶ καὶ εὐπαρόρμητοι. Plut. Π. ἀοργησίας [p. 457, B] : Γυναῖκες ἀνδρῶν ὀργιλώτεραι. Ibid. [C] : Ὀργιλώτατος γὰρ ὁ φιλάργυρος πρὸς τὸν οἰκονόμον, ὁ γαστρίμαργος πρὸς τὸν ὀψοποιόν. Herodian. 4, [9, 6] : Φύσει ὄντα ὀργίλον καὶ φονικώτατον, Hominem suapte natura iracundum. Peccant autem hi ὀργίλοι in ὑπερβολῇ τῆς ὀργῆς, ut Aristot. docet, opponunturque eis οἱ ἀόργητοι. Qui autem dicantur ὀργίλοι, Idem exp. Eth. 4, 5 : Οἱ μὲν οὖν ὀργίλοι ταχέως μὲν ὀργίζονται, καὶ οἷς οὐ δεῖ, καὶ ἐφ' οἷς οὐ δεῖ, καὶ μᾶλλον ἢ δεῖ· παύονται δὲ ταχέως. [Comparat. ὀργιλώτεροι anon. Περὶ ὀργῆς Voll. Hercul. part. 1, p. 69, D. Ibid. p. 61, B : Πάθεσιν ὀργίλοις συνεχόμενος. || Adv.] Ὀργίλως, Iracunde. Dem. [p. 583, 12] : Εἰ παρ' αὐτὰ τἀδικήματα οὕτως ὀργίλως καὶ πικρῶς καὶ χαλεπῶς ἅπαντες ἔχοντες ἐφαίνεσθε. [Id. p. 1121 init.; 1447, 2. Aristot. Rhet. 2, 2 fin. : Ὀργ. ἔχουσιν. Pausan. 8, 25, 6 : Τὴν Δήμητρα ἐπὶ τῷ συμβάντι ἔχειν ὀργίλως. Maccab. 4, 8, 8 : Ἐὰν ὀργίλως με διάθησθε. Anon. Περὶ ὀργῆς Voll. Hercul. part. 1, p. 51, D : Ὀργίλως διατίθενται.]

Ὀργιλότης, ητος, ἡ, Iracundia : inter quam et ὀργὴν hoc discriminis est, quod nomine ὀργιλότης denotatur ἡ δύναμις, ἀρχὴ καὶ ὕλη τοῦ πάθους : nomine autem ὀργή, ipsum πάθος s. κίνησίς τις ἤδη τῆς δυνάμεως, Plut. [Mor. p. 443, D], idem discrimen statuens inter αἰσχυντηλίαν, θαρραλεότητα, et inter αἰδῶ, θάρσος. Vide et alium l. ex Eod. in Δυσκολία citatum. [Aristot. Eth. 2, 7 : Τῶν δ' ἄκρων ὁ μὲν ὑπερβάλλων ὀργίλος ἔστω, ἡ δὲ κακία ὀργιλότης· et 4, 11 initio. Stob. Fl. vol. 1, p. 8.]

[Ὀργιλώ, οῦς, ἡ, Orgilo, n. mulieris, in inscr. in Pharo ins. reperta, ap. Bœckh. vol. 2, p. 986, n. 1837, c. L. Dind.]

[Ὀργιλώδης, ὁ, ἡ, i. q. ὀργίλος. Nicetas Chon. p. 404,

A C : Μετ' ὀργιλώδους καὶ φονίου βλέμματος. L. Dindorf.]

[Ὀργίλως. V. Ὀργίλος.]

[Ὄργιον. V. Ὄργια.]

[Ὀργιοφάντης, ὁ, ut ἱεροφάντης, Antistes mysteriorum. Orph. H. 5, 11 ; 30, 5. Lemma Anth. Pal. 7, 485, et epigr. ib. 9, 688, 4. « Pontifex maximus, Jo. Malal. 1, p. 291. » Elberling.]

[Ὄργις. V. Ἑόργη.]

Ὀργιστέον πᾶσι, Irascendum, Dem. [Aristot. Eth. 2, 9 fin. 4, 11 med. : Πόσον χρόνον ὀργιστέον. L. D. Marc. Anton. 5, 22. Kall.]

Ὀργιστικός, ή, όν, Irritabilis, Proclivis ad iram, VV. LL. Videndum tamen ne potius significet παροξυντικός, Vim habens irritandi s. concitandi iram. [Etym. M.]

[Ὀργιστός, ὁ, Qui irascitur. Plotin. p. 393, C. Creuz.]

[Ὀργιῶν s. Ὀργίων. V. Ὀργεών.]

Ὀργυιά, ἡ, secundum Herodot. [2, 149 : Ἑξαπέδου μὲν τῆς ὀργυιῆς μετρεομένης καὶ τετραπήχεος], Sex pedum mensura est : Gaza ap. Aristot. interdum Passum vertit : Valla ap. Herodot. nonnunquam Tres
B passus. [Herodot. iterum 2, 5 : Προσπλέων ἔτι καὶ ἡμέρης δρόμον ἀπέχων ἀπὸ γῆς, κατεὶς καταπειρητήριον πηλόν τε ἀνοίσεις καὶ ἐν ἕνδεκα ὀργυιῇσι ἔσεαι· 6 : Ὅσοι μὲν γεωπεῖναί εἰσιν ἀνθρώπων, ὀργυιῇσι μεμετρήκασι τὴν χώρην, ὅσοι δὲ ἧσσον γεωπεῖναι, σταδίοισι, κτλ. 4, 86 : Ἡμερέων ἐννέα πλόος καὶ νυκτῶν ὀκτώ· αὗται ἕνδεκα μυριάδες καὶ ἑκατὸν ὀργυιέων γίνονται, στάδιοι δὲ τριηκόσιοι καὶ τρισχίλιοι. Eadem mensura aliquoties utitur Xen. in Anab. Ib. 7, 1, 30 : Ἐγὼ εὔχομαι, πρὶν ταῦτα ἐπιδεῖν ὑφ' ὑμῶν γενόμενα, μυρίας ἐμέ γε κατὰ γῆς ὀργυιὰς γενέσθαι.] Suidæ vero ὀργυιά est τὸ μετὰ τῶν ἰδίων χειρῶν μέτρον, Mensura quæ inter expansas manus continetur : quod Brachium vulgo nominant : Plin. autem Ulnam appellat, l. 16 : Arboris crassitudo quatuor hominum ulnas complectentium implebat. Hæc ex Bud. Annotatt. in Pand. Secundum majorem lexicographorum partem ὀργυιά fuerit, quod Lat. Ulna [Gl.]; nam et Hesych. exp. ἡ τῶν ἀμφοτέρων χειρῶν ἔκτασις, et Eust. ἡ εἰς πλάτος ἔκτασις ἀμφοῖν ταῖν χεροῖν. [Pollux 2, 158 : Εἰ δ' ἄμφω τὰς χεῖρας ἐκτείνειας, ὡς καὶ τὸ στέρνον αὐταῖς
C συμμετρεῖν, ὀργυιὰ τὸ μέτρον. Et 4, 170.] Idem Hesych. exp. etiam τρεῖς πήχεις, sicut Eust. τρίπηχυ μέτρον : quæ mensura a præcedenti diversa non est, sequendo supputationem Herodoteam, quam habes in Στάδιον. Quas expositiones confirmat hic l. Xen. Apomnem. 2, [3, 19] : Χεῖρες μὲν γάρ, εἰ δέοι αὐτὰς τὰ πλέον ὀργυιᾶς διέχοντα, ἅμα ποιῆσαι, οὐχ ἂν δύναιντο· πόδες δὲ οὐδ' ἃ ἐπὶ τὰ ὀργυιὰν διέχοντα ἔλθοιεν ἅμα· unde manifestum est ὀργυιὰν esse Ulnam, et excedere mensuram passus; dicitur enim Passus, Interstitium inter utrumque pedem passum et exporrectum. Plin. ὀργυιὰν decem pedes longam facit, quum Herodotus tantum sex, ut Bud. ex eo tradit : quippe qui hæc verba Theophr. H. Pl. 5, 9 : Εἰς τὴν ἐνδεκήρη τὴν Δημητρίου ξύλου μῆκος τρισκαιδεκόργυιον, ita reddiderit Latine, 16, 40 : Illam arborem succisam ad undeciremem Demetrii, fuisse centum triginta pedum longitudinis. [In l. Theophr., ubi Heins. τρεῖς καὶ δέκα ὀργυιῶν, codd. Vind. et Med. τρὶς καὶ δεκώρυττον vel δεκωρττον (nisi δεκωρυττον voluit Schneider. vol. 5, p. 44, qui alterum ex Med. posue-
D rat vol. 3, p. 449), Urbinas τρισκαιδεκωρυτον, hoc est τρισκαιδεκώρυγον, quam formam in aliis compositis sex servarunt libri omnes Xenoph. Ven. 2, 5, et confirmavit πεντώρυγα in inscr. ap. Bœckh. *Urkunden* p. 412 etc., ignorantem locum Theophr. L. D.] Rursum quod Aristot. [H. A. 9, 45] dicit, Ὁ δὲ φεύγει προσαφοδεύων ὡς ἐπὶ τέτταρας ὀργυιὰς ἀφ' ἑαυτοῦ ῥίπτων, idem Plin. sic Latine, Reddit in fuga fimum interdum e trium jugerum longitudine. Diosc. 4 : Δέκα ὀργυιὰς ἔχων ὕψος. Derivari autem ὀργυιὰ ab ὀρέγω facta syncope, tradit Eust.; at Hesych. ἀπὸ τοῦ τὰ γυῖα μετρεῖν. [Primus usurpat Hom. Il. Ψ, 327 : Ἕστηκεν ξύλον αὖον ὅσον τ' ὄργυι' ὑπὲρ αἴης· Od. I, 325 : Τοῦ μὲν ὅσον τ' ὄργυιαν ἐγὼν ἀπέκοψα· K, 167 : Πεῖσμα δ' ὅσον τ' ὄργυιαν πλεξάμενος. Nicand. Th. 169 : Τῆς ἤτοι μῆκος μὲν ... ὀργυιῇ μετρητόν. Aristot. H. A. 6, 14 : Κατ' ὀργυιᾶς τὸ βάθος. De accentu Arcad. p. 98, 3 : Προπαροξύνεται ... ὄργυια, ὃ πληθυντικῶς ὀξύνεται. Eust. Il. p. 1304, 9 : Τὸ δὲ ὄργυια κἀνταῦθα προπαροξύνεται, εἰ καὶ ἡ κοινὴ χρῆσις παροξύνει (sic) αὐτό· Od. p. 1631, 29 : Ὄργυιαν προπαροξυτόνως

ἡ παλαιὰ λέγει Ἀτθὶς, ὥσπερ καὶ ἄγυιαν· οἱ δὲ ὕστερον τὸν τόνον κατάγουσι. Ap. Aratum 69 : Ὅσσον ἐπ' ὀργυιήν· μέσσῳ δ' ἐφύπερθε καρήνῳ, et 196 : Ἡ δ' αὔτως ὀλίγων ἀποτείνεται ὤμων ὀργυιὴν, ubi unus ὀργυιὰν, Vossius scripsit ὄργυιαν. Æolibus tribuit ὄργυια et ἄγυια Tzetzes ad Hesiodi Opp. 664. De forma Ὀρόγυια HSt. :] Ὀρόγυια, Etym. derivatum ait ex medio particip. ὠρεγὼς, facta τροπῇ καὶ συστολῇ : sed quid sit non exponit. Forsan ὀργυιὰν quasi ὀρόγυιαν dictum esse indicare vult. [Steph. Byz. : Ἀγυιὰ, ἔστι δὲ ὡς παρὰ τὸ ἅρπη ἅρπυια, ὀρέγω ὀρέγυια, si ita scripsit, neque adjecit ὀρόγυια aut ὄργυια. Photius : Ὀρογυίας λέγουσιν, οὐχ ὀργυίας. Ἀριστοφάνης, de quo v. in Ἑκατονταόργυιος. In fr. ap. Hephæst. p. 41, 15, pro ἑπταθόργυιοι restitutum ἑπτορόγυιοι, et Pind. Pyth. 4, 228 ὀρόγυιαν pro ὀργυιάν. || Formam Byzantinam vel græcobarbaram Οὐργία vel Οὐργυιὰ annotat Ducang. ex Harmenop. 2, 4, 17, 18, 22 ; 4, 11, 18 ; cod. 1595 bibl. Reg. : Τὸ στάδιον ἔνι οὐργίαι ἑκατὸν, et in seqq. (Add. Pasin. Codd. Taurin. vol. 1, p. 224.) Οὐργυιὰ ex Heronis Ms. Geodæsia, οὐργιὰ ex Niceph. Greg. Hist. 2, 16.]

Ὀργυιαῖος, α, ον, Ulnam unam longus, s. tres cubitos : Cujus longitudo tres cubitos patet. Vel, Cujus crassitudo ulnam hominis complectentis implet. Epigr. [Philippi Anth. Pal. 6, 114, 1], ὀργυιαῖα κέρα, Cornua tres cubitos s. ulnam longa : de cornibus bovis prægrandibus. Suid. ὀργυιαῖος exp. μέγας. [Theognost. Can. p. 52, 10.]

[Ὀργυιάω. V. Ὀργυιόω.]

[Ὀργυιόεις, εσσα, εν, Qui est unius ulnæ. Nicander Th. 216 : Ἀσὶς δ' ὀργυιόεντα καὶ ἐς πλέον ἑρπετὰ βόσκει.]

Ὀργυιόω, Ulnas extendo, VV. LL. Unde ὀργυιοῦσθαι, quod Eust. ex Lycophr. [26 : Φώσσωνας ὠργυιωμένους, schol. ἐκτεταμένους, ἡπλωμένους, eodemque modo 1077] citat quidem, sed non exponit. Suid. vero Ὠργυιωμένοις, exp. ἐκτεταμένοις, ἐπιθυμοῦσι [alterum hoc pertinet ad ὀργωμένοις, de quo diximus in Ὀργάω, aut una cum priori ad ὀριγνωμένοις, eodemque Photii gl. ibidem memorata] : pro quo alibi habet Ὠργυωμένοις, sc. in Ω. [In Ind. :] Ὠργιᾶται, Hesychio χρήζει : item ὀρίζει : pro quo posteriore diceretur potius ὀργυιᾶται. Paulo ante et ὤργητο attulerat pro ὥριστο, ἔχρηζεν. [V. Ὀργάω.]

[Ὄργυσον s. Ὄργυσσον Pissantinorum Illyrici oppidum memorat Polyb. 5, 107, 8. Quod quum per *e* scribatur apud Livium, Ὀργησσὸν scribendum conjecit Schweighæus. in Ind.]

[Ὀργὼν, νῆσος πλησίον Τυρρηνίας. Τὸ ἐθνικὸν Ὀργώνιος, ὡς Ἀντρώνιος, Steph. Byz.]

Ὀργώνη, Concupiscentia, VV. LL. sine auctore et exemplo.

[Ὀρδαία, πόλις Μακεδονίας. Τὸ ἐθνικὸν Ὄρδοι. Λέγονται καὶ Ὀρδαῖοι, ὡς Νίκανδρος, Steph. Byz. Non diversos esse ab Eordæis monuit jam Berkel. In quo quæ de accentu dicta sunt, hic postulant Ὀρδοί.]

[Ὀρδάνης, ὁ, Ordanes, Persa, ap. Arrian. Exp. 6, 26, 6.]

Ὄρδειλον, τὸ, schol. Nicandri esse dicit σπερμάτιον λαχανῶδες, sive herbam quandam ex olerum genere, in Ther. 841 : Κίχαμά τ' ὄρδειλόν τε περιβρυές. [Τόρδυλον Schneider., quod v.]

[Ὄρδημα, ἡ τολύπη τῶν ἐρίων. Ὄρδικον, τὸν χιτωνίσκον, Πάριοι, Hesychius.]

[Ὄρδης, ὁ, Ordes, bubulcus, ap. schol. Hom. Il. Α, 39. Ὄρδῃ dat. male ap. Tzetz. Exeg. p. 96, 20.]

[Ὀρδησσὸς, ὁ, Ordessus, fl. Scythiæ, ap. Herodot. 4, 48, Theognost. Can. p. 73, 1. Ὀρδησσὸς fluvius prope Olbiam memoratur a Ptolem. 3, 5 fin.]

[Ὀρδυλεύομαι, ap. Hesych. : Ὠρδυλευσάμην, ἐμόχθησα, Laboravi.]

[Ὄρδυνος, ὁ, sec. Theognost. Can. p. 68, 10, ὄνομα ποταμοῦ, quum Ὀρδύνῳ s. Ὀρδύννῳ de monte Lesbi ap. Theophr. H. Pl. 3, 18, 13, *Ordynum* s. *Ordymnum* sit ap. Plin. N. H. 5, 31 fin.]

[Ὀρέα, ἡ, Orea, f. Oxyli, sec. Pherenicum ap. Athen. 7, p. 278, B.]

[Ὄρεα. V. Ὀρύα.]

[Ὀρεακόμος. V. Ὀρεωκόμος.]

[Ὀρεὰν, ᾶνος, vel Ὀρεάνης, ὁ, ap. Plut. Mor. p. 406,

F : Ἀπέπαυσε δὲ τὴν Πυθίαν ὁ θεὸς πυρικάους μὲν ὀνομά-

A ζουσαν τοὺς αὐτῆς πολίτας, ὀρεάνας δὲ τοὺς ἄνδρας. V. Ὀρεμπότης. Hesychii gl. : Ὀρείονας τοὺς ἄνδρας, et Favorini Ὀρείηνες ἄνδρες confert cum oraculo Albertus, cujus de vocabulis conf. Lobeck. Aglaoph. p. 845-6. Probabilius autem ap. Plut. ὀρεᾶνας quam ὀρεάνας.]

Ὀρέγδην, Porrectis membris, ἐκτεταμένως : habes in Ὀρεκτός.

Ὄρεγμα, τὸ, Porrectio, Extensio, vel potius Porrectura, si ita dici posset; nec enim actionem significat. [Æsch. Cho. 426 : Πολυπλάνητά τ' ἦν ἰδεῖν ἐπασσυτεροτριβῆ τὰ χερὸς ὀρέγματα· Ag. 1111.] Eur. Phœn. [314] : Παρηΐδων τ' ὄρεγμα· quod Eustath. exp. προσώπου ἔκτασις καὶ πλατύτης. || Item βῆμα, ut Hesych. exp., i. e. Passus, Gradus, h. e. Interstitium quo pedes passi et porrecti inter eundum a se invicem distant. Qua signif. affertur ex Aristotele De mundo [immo H. A. 9, 48 fin.] : Διὰ [τοῦ] ὀρέγματος τὸ μέγεθος, Propter laxiorem gradus glomerationem : de camelo. [Æsch. Cho. 794 : Τοῦτ' ἰδεῖν δάπεδον ἀνομένων βημάτων ὄρεγμα. || In Tab. Heracl. genus mensuræ, ut p. 266,

B 32 : Καὶ ἐγένοντο σχοῖνοι ἑκατὸν τριάκοντα ὀκτὼ, ὀρέγματα ὀκτώ· 268, 34 : Ἀμπέλων δὲ τέτορες σχοῖνοι, ὀρέγματα δέκα ἓν, πόδες τρίς· 273, 48, et aliis multis locis. L. D.] || Idem Hesych. exp. etiam ἅλμα, ὅρμημα, Saltus, Impetus. [Eur. Hel. 546 : Σὲ τὴν ὄρεγμα δεινὸν ἡμιλλημένην τύμβου 'πὶ κρηπῖδα. Nicias Anth. Planud. 189, 4 : Ἀγροτέρου κοῦφον ὄρεγμα ποδός.]

[Ὀρεγμός. V. Ἐρεχθέω.]

[Ὀρέγνυμι s. Ὀρεγνύω. V. Ὀρέγω.]

[Ὀρέγυια. V. Ὀργυιά.]

Ὀρέγω et Ὀρέγνυμι, sicut οἴγω et οἴγνυμι, Porrigo [Gl.], Extendo, Tendo. Hom. Il. Ο, [371] : Εὔχετο χεῖρ' ὀρέγων εἰς οὐρανὸν ἀστερόεντα· Α, [351] : Πολλὰ δὲ μητρὶ φίλῃ ἠρήσατο χεῖρας ὀρεγνύς. [Χ, 37.] Itidem Ovid., Brachia porrexit cœlo : Virg., Tendoque supinas ad cœlum cum voce manus; Duplices tendens ad sidera palmas : pro quo Stat., Tollens ad sidera palmas : Sallust. et Cæs., Manus supplices ad cœlum tendere. Cic. vero, Manus supplices ad vos tendet. Plut. Camillo [c. 36] de Manlio Capitolino : Τὰς χεῖρας

C ὀρέγων ἐκεῖσε, Manus ad Capitolium tendens s. porrigens, Manus eo porrigens : ut Ovid., quamvis alio sensu, Nostra suas isto porriget ira manus. Idem Plutarch. in Coriol. : Ἔνιοι δὲ καὶ τὰς χεῖρας ὀρέγοντες ἐδέοντο πολλῶν, Supplices ad plebem manus tendentes. [Idem Flamin. c. 16, al.] Simpliciter autem Lucian. in Caucaso [c. 2] : Ὄρεγε τὴν δεξιὰν, Porrige s. Tende dexteram, i. e. Extende : ad Prometheum προσηλωθησόμενον. Ovid., Porrigit æquales media tellure lacertos. [Hom. Il. Ω, 743 : Οὐ γάρ μοι θνήσκων λεχέων ἐκ χεῖρας ὄρεξας. Pind. Pyth. 4, 240 : Πρὸς ἄνδρα φίλας ὤρεγον χεῖρας. Soph. OEd. C. 846 : Ὄρεξον χεῖρας· 1130 : Καί μοι χέρα δεξιὰν ὄρεξον. Eur. Phœn. 101 : Ὄρεγέ νυν ὄρεγε γεραιὰν νέᾳ χεῖρα· Med. 209 : Ἆρ', ὦ τέκν', οὕτω καὶ πολὺν ζῶντες χρόνον φίλην ὀρέξετ' ὠλένην; Aristoph. Av. 1759, Callim. Del. 108. Orph. Lith. 423 : Ὀρέγοντα πέλας περιμήκεα δειρήν· 447 : Ὀρέγοντα χέρας ποτὶ γούνατ' ἐμεῖο. Improprie epigr. Anth. Plan. 294, 2 : Ὅμηρον κεῖνον, ἐφ' ᾧ πᾶσαι χεῖρ' ὀρέγουσι πόλεις.] || Porrigo, Tendo, i. e. Præbeo, s.

D Porrecta et tensa manu præbeo. Od. [Ο, 310] : Κατὰ δὲ πτόλιν αὐτὸς ἀνάγκῃ Πλάγξομαι, αἴ κεν τις κοτύλην καὶ πυρνὸν ὀρέξῃ, Porrecta manu det, τὴν χεῖρα ἐκτείνων δῷ. [Aristoph. Pac. 1105 : Ἔγχει δὴ κἀμοὶ καὶ σπλάγχνων μοῖραν ὄρεξον.] Alibi vero ap. Eund. simpliciter etiam exponi potest Dare : Il. Ε, [33] : Ὁπποτέροισι πατὴρ Ζεὺς κῦδος ὀρέξῃ [Hesiod. Th. 433, Orac. apud Euseb. Præp. p. 238, B], pro quo alibi dicit, ὀπάσσῃ. Ψ, [406] : Οἷσιν Ἀθήνη Νῦν ὤρεξε τάχος· Od. [Ρ, 407] : Εἴ οἱ τόσσον ἅπαντες ὀρέξειαν μνηστῆρες. [Pind. Pyth. 3, 110 : Εἴ μοι πλοῦτον θεὸς ὀρέξαι· Nem. 7, 58 : Τίνι τοῦτο Μοῖρα τέλος ἔμπεδον ὤρεξε. Soph. Ph. 1203 : Ἕν γέ μοι εὖχος ὀρέξατε. Epigr. Anth. Pal. 7, 336, 1 : Οὐδ' ὀρέγοντος οὐδενὸς ἀνθρώπου δυστυχίης ἔρανον. Lycophr. 894 : Ὅταν δώρων Ἕλληνι ὀρέξῃ, et alibi.] In quibus ll. simpliciter accipi potest pro Dare, uti dixi : alias tamen significat potius Porrectis s. Tensis manibus dare. Sic dicitur aliquis ὀρέξαι ποτήριον, quum poculum ei porrigit, cui præbiberat. [Xen. Anab. 7, 3, 29 : Αὐτῷ τὸ κέρας ὀρέξαι τὸν οἰνοχόον Plato Phædr. p. 117, B.

Aristot. H. A. 2, 1 : Πίνει καὶ ἐσθίει (elephas) ὀρέγων τούτῳ (τῷ μυκτῆρι) εἰς τὸ στόμα.] Il. Ω, [102] : Θέτις δ' ὤρεξε πιοῦσα. [Anyte Anth. Plan. 291, 4 : Ὀρέξασαι χερσὶ μελιχρὸν ὕδωρ. Et de medicamentis Nicand. Al. 88, 203.] Sic aliquis dicitur etiam χεῖρας ὀρέγειν, Porrigere s. Tendere manus ei, qui opem ipsius implorat. Synes. Ep. 155 : Τοῖς δεομένοις χεῖρα βουλομένην ὀρέγειν, Egentibus manum porrigere, ut Cic., Afflicto et jacenti fidem dextramque porrigere. Idem Epist. 121 : Ἀνδρὶ πανούργῳ χεῖρα ὀρέξαι κατὰ τῆς δίκης. Herodian. 2, [8, 3] : Καὶ συνεχῶς βοῶντες ἐπείγουσιν ὀρέξαι χεῖρα σωτήριον, Ut manum porrigam salutarem. || Ὀρέξαι exp. etiam ἐκ χειρὸς πατάξαι, ut in Ὀρεκτὸς dicetur. || Ὀρέγομαι, Porrigor, Extendor. Hom. Il. Π, [834] de equis Hectoris : Ποσσὶν ὀρωρέχαται πολεμίζειν, Pedes suos ad pugnam porrexerunt : ut Cic., Membra sua flectit et porrigit quo vult. Eust. exp. ἐτανύσθησαν. [Λ, 26 : Κυάνεοι δὲ δράκοντες ὀρωρέχατο προτὶ δειρήν· Ν, 20 : Τρὶς μὲν ὠρέξατ' ἰών, τὸ δὲ τέτρατον ἵκετο τέκμωρ. Orph. Lith. 108 : Ὀρεξάμενον δὲ δοκεύσας.] Sic Δ, [307] : Ἔγχει ὀρεξάσθω, Hastam porrigat et extendat : τὸ ἔγχος τεινάτω, Eust., qui eodem modo dici annotat χειρὶ ὀρεξάσθω, pro ἐκτεινάτω τὴν χεῖρα, Manum porrigat et extendat : quibus addit, Ὥσπερ γὰρ ὁ πόδα τείνων ἢ χεῖρα, ποδὶ ὀρέγεται καὶ χειρὶ, οὕτω καὶ ὁ δόρυ ἐκτείνων, δόρατι ὀρέγεται. [Ε, 851 : Πρόσθεν Ἄρης ὠρέξαθ' ὑπὲρ ζυγὸν ἡνία θ' ἵππων ἔγχεϊ χαλκείῳ.] Simile est Il. Ψ, [99] : Ὣς ἄρα φωνήσας ὠρέξατο χερσὶ φίλῃσι, Οὐδ' ἔλαβε, Porrigebat manus et tendebat. Potest tamen aliter locus hic exponi, ut mox dicam. [Cum accus. Eur. Hel. 353 : Φόνιον αἰώρημα διὰ δέρης ὀρέξομαι.] Addendus et hic l. Apollonii, Arg. 2, [828] : Ὀρέξατο δ' αἶψ' ὀλοοῖο Πηλεὺς αἰγανέῃ, Jaculum tendebat contra pestiferum aprum. Ubi tamen αἰγανέην scribitur. [Eadem correctio iisdem verbis posita jam in Lex. Septemv.] Aliquanto post [878], Ὣς φάτο, τοῖσι δὲ θυμὸς ὀρέξατο γηθοσύνῃσιν, Porrigebat et explicabat se præ lætitia, schol. ὄρεξιν ἔλαβε καὶ πρόθυμος ἐγένετο. [Med. cum accus. sic etiam Leonidas Tar. Anth. Pal. 7, 506, 6 : Ἤδη καὶ ναύταις χεῖρας ὀρεγνύμενος. Hom. Il. Ω, 506 : Ἔτλην δ', οἷ' οὔπω τις ἐπιχθόνιος βροτὸς ἄλλος, ἀνδρὸς παιδοφόνοιο ποτὶ στόμα χεῖρ' ὀρέγεσθαι. Et cum acc. rei, quam quis contingit, Il. Π, 314 : Ἔφθη ὀρεξάμενος πρυμνὸν σκέλος· Ψ, 805 : Ὁππότερός κε φθῇσιν ὀρεξάμενος χρόα. Eur. Or. 303 : Σῖτόν τ' ὄρεξαι, Cape. Et addito genitivo Apoll. Rh. 4, 1605 : Ὀρεξάμενος λασίης εὐπειθέα (ἵππον) χαίτης.] || Ὀρέγομαι, Porrectis manibus prendo, Protensis manibus capio. Od. Λ, [391] : Πιτνὰς εἰς ἐμὲ χεῖρας, ὀρέξασθαι μενεαίνων, Manus ad me tendens et prehendere cupiens. Φ, [53] : Ἔνθεν ὀρεξαμένη, ἀπὸ πασσάλου αἴνυτο τόξον, Unde extensa manu accipiens a paxillo auferebat arcum. Eust. vero exp. ἁπλώσασα, ἀναταθεῖσα. [Hesiod. Sc. 456 : Ἀπὸ δὲ γλαυκῶπις Ἀθήνη ἔγχεος ὁρμὴν ἔτραπ', ὀρεξαμένη ἀπὸ δίφρου· Th. 178 : Ὁ δ' ἐκ λοχεοῖο παῖς ὠρέξατο χειρὶ σκαιῇ, δεξιτερῇ δὲ πελώριον ἔλλαβεν ἅρπην.] Itidem ap. Apoll. Arg. 2, [1111] : Δούρατος ὠρέξαντο πελωρίου, schol. exp. ἐλάβοντο : malim, Porrectis manibus captabant, sequendo proximam signif. || Interdum ὀρέγομαι significat Porrectis manibus capto (h. e. Porrectis manibus capere s. prehendere cupio, quod Hom. paulo ante dixit ὀρέξασθαι μενεαίνω), s. Manum tendo ut accipiam, Manu porrecta peto : sic ὀπάζομαι significat Peto, qui me comitetur. Hom. Il. Ζ, [466] : Ὣς εἰπὼν οὗ παιδὸς ὀρέξατο φαίδιμος Ἕκτωρ, Manum porrigens tendi sibi filium jubebat, Tendi sibi petebat : Virg., Parvumque patri tendebat Iulum, ὠρέγνυεν : ut sit pro ἐξέτεινε τὰς χεῖρας ἐπὶ τῷ λαβεῖν. Sic accipi potest locus ille supra ex Il. Ψ citatus, Ὣς ἄρα φωνήσας ὠρέξατο χερσὶ φίλῃσιν, Οὐδ' ἔλαβεν, Manibus, quas extenderat, captabat (h. e. prehendere cupiebat), non tamen prehendit. [Tyrtæus ap. Stob. Fl. 51, 1, 12 : Οὐ γὰρ ἀνὴρ ἀγαθὸς γίγνεται ἐν πολέμῳ, εἰ μὴ τετλαίη μὲν ὁρῶν φόνον αἱματόεντα καὶ δηίων ὀρέγοιτ' ἐγγύθεν ἱστάμενος. Theocr. 24, 125 : Δούρατι δὲ προβολαίῳ ὑπ' ἀσπίδι νῶτον ἔχοντα ἀνδρὸς ὀρέξασθαι. Apoll. Rh. 4, 852 : Ἡ δ' ἄσσον ὀρεξαμένη χερὸς ἄκρης Αἰακίδεω.] || Ab hac signif. defluxisse puto ὀρέγομαι pro Cupio (sicut et signif. Latini Appeto [Affecto add. Gl.]) : ut sit quasi Porrectis manibus appeto et prehendere cupio. [Empedocles ap. Porph. Pythag. 70 : Ὁππότε γὰρ πάσῃσιν ὀρέξαιτο πραπίδεσσι. Eur. fr. Archelai ap. Stob. Flor. 49, 7 : Τίς τῶν μεγίστων δειλὸς ὢν ὠρέξατο; Herc. F. 16 : Κυκλωπείαν πόλιν ὠρέξατ' οἰκεῖν. Thuc. 2, 65 : Ὀρεγόμενοι τοῦ πρῶτος ἕκαστος γίγνεσθαι. Xen. Comm. 1, 2, 15 : Ὀρέξασθαι τῆς ὁμιλίας αὐτοῦ· Conv. 8, 27 : Τῷ ὀρεγομένῳ ἐκ παιδικῶν φίλον ἀγαθὸν ποιήσασθαι, et alibi sæpe quum ipse tum Plato, et alii quivis.] Isocr. Ad Dem. : Ὧν χρὴ τοὺς νεωτέρους ὀρέγεσθαι. [Id. p. 1, B; 10, C; 12, A, al.] Plut. Ad Colot. [p. 1122, D] : Λαβὼν ἀγαθοῦ φαντασίαν ὀρέγεται. Synes. De insomn. : Ὅταν ὁδὸν ἀνοίξῃ τῇ ψυχῇ τῇ μὴ ὀρεχθείσῃ, Non appetenti s. cupienti. Aristot. Rhet. 1, ὀρέγεσθαι et φεύγειν sibi opponit, sicut Cic. Appetere et Declinare, Fugere. Quod vero idem Aristot. dixit, Πάντες ἄνθρωποι τοῦ εἰδέναι ὀρέγονται φύσει, ita Cicero, Insitus est omnibus cognitionis amor. [Aor. forma passiva Eur. Hel. 1238 : Τί χρῆμα θηρῶσ' ἱκέτις ὠρέχθης ἐμοῦ; Or. 328 : Οἵων ὀρεχθείς· Ion. 842 : Τῶν Αἰόλου νιν χρῆν ὀρεχθῆναι γάμων. Ps.-Eur. Epist. 5, p. 504, 13 : Εἰ δυνάμεώς τινος ὠρέχθημεν, et cum inf. p. 503, 32 : Ἡγεῖσθαι ὀρεχθῆναι. Xen. Ages. 1, 4 : Οὐδεπώποτε μειζόνων ὠρέχθησαν, et alibi sæpe.]

[Ὀρεία, ἡ, Oria, mons Ætoliæ, ap. Nicandr. Athen. 7, 297, A. Thespias ap. Apollodor. 2, 7, 8, 3. Utroque loco est forma Ion. Ὀρείη.]

[Ὀρειαῖος, α, ον, Montanus. Nicetas Chon. p. 254, B : Τὴν πορείαν ἐπιτείνειν, ἕως ἂν ἐφάψωνται τῶν ὀρειαίων. Per ι male p. 303, B : Τὰς ὀριαίας ταύτας ὁδούς· 390, A : Ἐν τοῖς μὴ ὀριαίοις. L. Dind.]

[Ὀρειάλωτος, ὁ, ἡ, Montivagus. Thom. p. 655 : Ὀρειάλωτον μὴ εἴπῃς, βάρβαρον γάρ, ἀλλ' ἐν ὄρει πλανώμενον· τὸ γὰρ ἁλωτὸν οὐ τὸ πλανώμενον δηλοῖ, ἀλλὰ τὸ κρατηθὲν, ὡς ἔχει καὶ τὸ δορυάλωτον. Et similibus verbis Herodianus, qui dicitur, in Cram. An. vol. 3, p. 274, 12. Joann. monach. in Boiss. An. vol. 4, p. 187, 10, ab ipso cit. : Τὸν ἀπολωλότα καὶ ὀρειάλωτον, τὸν παντὶ θηρίῳ ἕτοιμον εἰς βοράν.]

[Ὀρειάρχης, ου, ὁ, Montium dominus. Rhian. Anth. Pal. 6, 34, 4 : Θῆκεν ὀρειάρχᾳ δῶρα συαγρεσίης.]

Ὀρειάς, άδος, ἡ, Montana, Montosa, ἡ ὄρειος s. ἡ ὀρεία, vel ὀρεινή : ut ἡ ὀρειὰς χώρα, Montana s. Montosa regio : quæ Xen. ὀρεινή. Et ὀρειὰς πέτρη, Epigr. [Antipatri Anth. Pal. 6, 219, 5], Petra s. Rupes montana. In iisd. [Christod. Ecphr. 38], ὀρειάδες Μοῦσαι, Musæ montanæ, quæ in montibus degunt. Virgil. quoque Oreadas nominat Nymphas, Æn. 1, [500] de Diana, Quam mille secutæ Hinc atque hinc glomerantur Oreades : Nymphæ montanæ s. monticolæ, agrestes. Vide Ὄρειος. [Bion 1, 19 : Νύμφαι κλαίουσιν ὀρειάδες. Nonnus Dion. 19, 329 : Βάκχην λυσιέθειραν ὀρειάδα· Jo. c. 11, 220 : Χώρης ἐγγὺς ἵκανεν, ὀρειάδος ἐγγὺς ἐρήμου.]

Ὀρείαυλος, ὁ, ἡ, In montibus stabulans, Monticola, ὁ ἐν ὄρει διατρίβων, Eust., dicens [ut Philemo Lex. techn. s. 127, Theognost. Can. p. 96, 3, Chœrob. Cram. An. vol. 2, p. 243, 10, et Epim. ib. p. 398, 11, ubi cod. ὀρείαλος,] per ει diphthongum scribi, et sic ab ὄρος derivatum ut ἐγχείμαργος ab ἔγχος. Oppian. Cyn. 3, [18] : Θηρσὶν ὀρειαύλοις, Feris quæ in lustris montium stabulantur. [Ib. 2, 75; Hal. 4, 309, ξύλοχοι.]

[Ὀρειβᾰσία, ἡ, Cursus s. Vagatio per montes. Strabo 10, p. 474. Ælian. N. A. 3, 2 : Ὀρειβασίαις σύντροφος.]

[Ὀρειβάσια, τὰ, Festivitas qua per montes vagantur. Strabo 12, p. 564 : Ἑορτή τις ἄγεται ... καὶ ὀρειβάσια θιασευόντων.]

[Ὀρειβάσιος, ὁ, Oribasius, n. medici, cujus scripta quædam supersunt. Nominis scripturam per diphthongum testantur epigr. Anth. Pal. 5, 274, 2 : Δῖος Ὀρειβάσιος, Philemo Lex. techn. s. 127, Epim. Hom. Cram. An. vol. 1, p. 417, 12, et alii ib. p. 398, 14. In libris tamen sæpe scribitur per ι, ut in ed. Maji Class. auct. vol. 4, p. 1, ap. Eunap. vol. 1, p. 103, Galen. vol. 13, p. 977. Ap. Phot. Bibl. p. 176, 10; 181, 2, recte Ὀρειβάσιος, alibi male Ὀριβ., quod tamen agnoscit Etym. M. p. 461, 25.]

Ὀρειβᾰτέω, Montes scando. [Epigr. Anth. Pal. 10, 11, 2 : Εἴτε σύγ' ... ὀρειβατέεις.] Plut. Fabio [c. 7] : Τῶν ὀρειβατεῖν δεινῶν Ἰβήρων ἄνδρες ἐλαφροὶ καὶ ποδώκεις. [Camillo c. 26. Diod. 5, 38.]

Ὀρειβάτης, ὁ, Qui montes scandit s. pererrat, ὁ διὰ τῶν ὀρέων βαίνων, schol. Soph., dicens in OEd. C. p. 306 [1054] pro ἐγρεμάχαν Θησέα, scribi etiam ὀρειβάταν. Apud Suid. [Philoct. 955] : Θῆρ' ὀρειβάτην Τόξοις ἐναίρων, i. e. τὸν ἐν ὄρεσι βαίνοντα. [Eur. Tro. 436 : Ὠμόβρως ὀρειβ. Κύκλωψ. Alcæus Messen. Anth. Plan. 226, 1, Πάν. Eustath. ap. Tafel. De Thessalon. p. 416, A : Θῆρας τοὺς ὀρειβάτας. Ὀρειβάτης μοναχὸς Maximus Mazari ap. Ducang. v. Ὀροβιωτής. De formis Ὀριβάτης et Οὐριβάτας v. in Οὐριβ.]

[Ὀρειβατικὸς, ή, όν, Ad montes conscendendos pertinens. Clem. Alex. p. 240. Wakef.]

[Ὀρειβάτις, ιδος, ἡ, Quæ montes pererrat. Theodor. Prodr. Galeom. 207 : Ἄρτεμίν τ' ὀρειβάτιν.]

Ὀρειβρεμέτης, ὁ, Ex monte tonans : ὁ βροντῶν ἀπὸ ὄρους, Suid. [Formam Ὀριβρεμέτης positam aut additam voluisse HSt. ostendit Index, in quo utramque ex eodem loco annotavit. Hic autem « ὀριβρ... » posuit in Ms. Vind. Eust. Il. p. 460, 27 : Ὀρείαυλον καὶ τὰ τοιαῦτα διφθόγγῳ στοιχεῖν, δίχα γε τῶν ὅσοις ἐπάγονται δύο σύμφωνα, οἷον ... ὀρίδρομος, ὀριβρεμέτης. Conf. Cramer. An. vol. 2, p. 398, 16.]

[Ὀρείγανον. V. Ὀρίγανον.]

Ὀρειγενὴς, ὁ, ἡ, In monte natus, Montigena, ut dicitur Terrigena, ὁ ἐν τῷ ὄρει γενηθείς. [Nicander Th. 874 : Ὀρειγενέος χορίοιο. Moschio ap. Stob. Ecl. phys. p. 242 : Ὀρειγενῆ σπήλαια. Wakef. Theognost. Can. p. 96, 4, Chœrob. ib. p. 243, 10, Epim. ib. p. 398, 12.]

[Ὀρειγέννητος, ὁ, ἡ, i. q. præcedens. Longi fr. Ms. Bast. Ubi μόσχον ὀρ.]

[Ὀρειγύναιξ, affertur in Lexx. Gr., expositum In montibus cum mulieribus versans, sed perperam pro Ὀρσιγύναιξ, quod vide. Angl.]

[Ὀρειδρομία, ἡ, Cursus per montes. Antip. Thess. Anth. Pal. 7, 413, 8. De forma per ι v. infra.]

Ὀρειδρόμος, ὁ, ἡ, Qui montes percurrit, Montivagus, [Ps.-] Eur. [Iph. A. 1593.] Scribitur et Ὀριδρόμος. [V. Ὀρειβρεμέτης.]

Ὀρείη, nom. proprium montis, Athen. 7, [p. 297, A] ex Nicandri Ætolicis : Θηρῶντα περὶ τὴν Ὀρείην [Ὀρέην]· ὄρος δὲ τοῦθ' ὑπάρχειν ὑψηλὸν ἐν Αἰτωλίᾳ.

[Ὀρειθαλὴς, ὁ, ἡ, In montibus florens. Lycophr. 1423, δρῦς.]

[Ὀρείκοιτος, ὁ, ἡ, i. q. ὀρειλεχής. Hesychius : Ὀριαχὲς, ὀρίκοιτον, quod per diphthongum potius scribendum. Conf. Ὀρεσίκοιτος. L. Dind.]

[Ὀρεικὸν, τὸ, montis n., ut videtur ap. Polyb. 5, 52, 3 : Τὸ καλούμενον Ὀρεικὸν ὑπερέβαλον καὶ κατῆραν εἰς Ἀπολλωνίαν, ubi est var. Ὀρεινὸν, ut volebat Cellarius Geogr. ant. 3, 17.]

Ὀρεικὸς, ή, όν, Mularis, ἡμιόνειος, ut Hom. loquitur. Synes. Ep. 3 : Ἐπὶ τὸ ζεῦγος ἀναβιβασαμένη τὸ ὀρεικὸν, Conscenso vehiculo mulari. Hom. dicit ζυγὸν ἡμιόνειον. Sed ibi vulg. editt. habent Ὀρικὸν, sicut et ap. Suid. : Ὀρεὺς ὁ ἡμίονος· καὶ ὀρικῷ ζεύγει, ἀντὶ τοῦ ἡμιόνων· itidemque ap. Æschin. [p. 64, 30] : Ἐμισθώσατο αὐτοῖς τρία ζεύγη ὀρικά. Apud eund. tamen Suid. suo loco, h. e. literario, Ὀρεικὸν ζεῦγος, τὸ τῶν ἡμιόνων· nimirum post Ὀρείαις, ante Ὀρεινή : quæ scriptura magis rationi consentanea est. [Thomas p. 655 : Ὀρεικὸν ζεῦγος, οὐχ ἡμιονικόν. Mœris p. 273 : Ὀρικὸν ζεῦγος Ἀττικοὶ, ἡμιονικὸν Ἕλληνες. Plato Lys. p. 208, B : Ὀρικοῦ ζεύγους, ubi unus ὀρεικοῦ. Diod. 2, 11 : Ὀρικῶν ζευγῶν. Ps.-Lucian. Amor. c. 6 : Ὀρικῷ ζεύγει, sed ubi al. ὀρεικῷ, ut ap. Plut. Alex. c. 37, est var. ὀρεικοῖς pro ὀρικοῖς, in quo consentire perhibentur libri Sullæ c. 12.]

[Ὀρείκτιτος. V. Ὀρίκτιτος.]

[Ὀρειλεχὴς, ὁ, ἡ, In montibus cubans. Empedocles Æliani N. A. 12, 7 : Λέοντες ὀρειλεχέες χαμαιεῦναι. Quod in fr. ejusd. ap. Simplic. In Aristot. Phys. p. 258 : Θηρσί τ' ὀρειλεχέεσσιν, in ὀρειμελέεσσι corruptum erat, ap. Hesychium autem in Ὀριαχές.]

[Ὀρειμαλὶς, ίδος, ἡ.] Ὀρειμαλίδες, Mala montana, Poma montana. Scribitur et ὀριμαλίδες. [Quod v.]

[Ὀρειμανὴς, ὁ, ἡ. Tryphiod. 370 : Ὀρειμανέος Διονύσου. V. Ὀρειομανής.]

[Ὀρείμαχος, ὁ, Satyri nomen in vase, de quo Jahn. *Vasenbilder* p. 24.]

Ὀρεινομέω, In montibus pascor s. dego, τὸ ἐν ὄρεσι διαιτῶμαι Suidæ.

A Ὀρεινόμος, ὁ, ἡ, Qui in montibus pascitur, pro quo et ὀρεσσινόμος dicitur : ut ὀρεινόμος αἴξ. [Eur. Herc. F. 364 : Τὰν ὀρεινόμον ἀγρίων Κενταύρων γένναν. Anaxilas Athenæi 9, p. 374, F : Τοὺς μὲν ὀρεινόμους ὑμῶν ποιήσει δέλφακας, ubi ὀρειονόμους Meinek. Com. vol. 3, p. 343. Philippus Anth. Pal. 6, 107, 8, πλάνην.]

Ὀρεινὸς, ή, όν, Montanus [Gl.], Montosus. [Herodot. 1, 111.] Xen. Cyrop. [1, 3, 3 etc.] 4 : Ἡ χώρα αὐτοῖς ὀρεινὴ, Montosam regionem incolunt. Plut. [Mor. p. 172, F], de Persis : Βουλομένους ἀντὶ τῆς ἑαυτῶν, οὔσης ὀρεινῆς καὶ τραχείας, πεδιάδα καὶ μαλακὴν χώραν λαβεῖν. Alicubi vero absolute ἡ ὀρεινὴ ponitur pro ὀρεινὴ χώρα, Regio montana s. montosa : Philo V. M. 1. Sic Aristot. H. A. 5, [28] : Ἐν τῇ ὀρεινῇ, In locis montanis. Lucian. Timon. [c. 31] : Ὀρεινὸν καὶ ὑπόλιθον γήδιον. Aristot. [H. A. 8, 29 init.,] Polit. 7, Ὀρεινοὶ τόποι. Sic Plut. Symp. 3, [p. 648, D] : Οἱ ὀρεινοὶ καὶ πνευματώδεις καὶ νιφόμενοι τόποι. Rursum Xen. Cyrop. 1, [6, 43] : Ἡ ὀρεινὰς ἢ πεδινὰς ὁδούς. [Et omisso ὁδὸς 2, 4, 22, H. Gr. 6, 4, 3.] Et Plut. Artox. [c. 24] : Ὁδοὺς ὀρεινὰς καὶ
B προσάντεις. [De monticolis Thuc. 2, 96, nisi hic quoque, ut ap. Polluc. in Ὄρειος citandum, fallit scriptura : Τῶν ὀρεινῶν Θρακῶν· sed ap. Xen. Anab. 7, 4, 11 : Ἐν τοῖς ὀρεινοῖς καλουμένοις Θρᾳξὶ, ex libris melioribus restitui ὀρείοις, idemque reponendum conjeci 21, ubi pauci τοὺς κρατίστους τῶν ὀρεινῶν, meliores nonnulli ὀριτῶν, alii minus boni ὀρειτῶν. De quo v. in Ὀρείτης. Sed ap. Pausan. 4, 11, 3 libris consentientibus est οἱ ὀρεινοὶ τῶν Ἀρκάδων· et ap. Triclin. ad Soph. OEd. T. 1089 : Τοῦ ὀρεινοῦ Πανός· et ap. Herodian. Epim. p. 210 : Θὴρ ὁ ὀρεινός. Plato Crat. p. 394, E : Τὸ θηριῶδες τῆς φύσεως καὶ τὸ ἄγριον αὐτοῦ (Orestis) καὶ τὸ ὀρεινὸν ἐνδεικνύμενος τῷ ὀνόματι.] Herbæ quoque dicuntur ὀρειναὶ, Montanæ, h. e. In montibus crescentes : s. Sylvaticæ et Agrestes : quibus opp. αἱ ἥμεροι. [Aristot. H. A. 9, 40 med. : Ἀπὸ τῶν τὰ ἥμερα νεμομένων καὶ ἀπὸ τῶν τὰ ὀρεινά. Joseph. B. J. 3, 3, 4, ὀπώρα ὀρεινὴ, cui contraria ἥμερος.] Ὀρεινὸς est etiam αἰγιθαλοῦ avis species. Aristot. H. A. 8, 3 : Ὁ μὲν σπιζίτης, μέγιστος· ἔστι γὰρ ὅσον σπίζα· ἕτερος, ὀρεινὸς, διὰ τὸ
C διατρίβειν ἐν τοῖς ὄρεσιν· i. e. Monticola, Gaza. [Id. 9, 30 : Ὁ δὲ καλούμενος αἰγοθήλας ἐστὶ μὲν ὀρεινὸς κτλ. In libris sæpe scribitur ὀρινὸς, ut in Gl. Ὀρινὴ, Montana, Montuosa, et aliquoties in V. T.]

[Ὀρειοβάτης, ὁ, i. q. ὀρειβάτης. Orac. Sibyll. 5, 43 : Κελτὸς ὀρειοβάτης.]

Ὀρείοικος, ὁ, ἡ, In montibus habitans, Monticola. Vide in Ὀρικτίτης [Ὀρίκτιτος].

[Ὀρειοκόμος. V. Ὀρεωκόμος.]

[Ὀρειομανὴς, ὁ, ἡ, i. q. ὀρειμανής. Orph. H. 30, 5 : Μητρὸς ὀρειομανοῦς συνοπάονες.]

[Ὄρειον. V. Ὄρειος.]

Ὀρειονόμης s. Ὀρειονόμος, ὁ, Qui in montanis sive montosis locis pascitur, Suid. ex Epigr. [Antipatri Sid. Anth. Pal. 6, 14, 2], Θηρῶν ἄρκυν ὀρειονόμων, i. e. τῶν ἐν ὄρεσι διαιτωμένων. [Philipp. ib. 240, 6, κάπρον.] Ex Epigr. afferunt VV. LL. ὀρειονόμαν ταῦρον, pro Taurum montivagum in pascendo. Quod si mendosum non est, erit a nomin. Dorico ὀρειονόμας pro ὀρειονόμης. Sed fortasse scrib. potius ὀρειονόμον, sicut ὀρειο-
D νόμος dicitur, non ὀρειονόμης.

Ὄρειος, ὁ, ἡ [et α, ον], Montanus, Montosus [Gl.], i. q. ὀρεινός : ὀρ. χώρα, Aristid., Regio montana s. montosa, sicut supra ὀρεινὴ χώρα. Interdum etiam ἡ ὄρειος absolute ponitur pro ἡ ὄρειος χώρα, ut ἡ ὀρεινὴ pro ἡ ὀρεινὴ χώρα. Sæpius capitur pro Montanus. Lucian. [Demon. c. 2], τροφαὶ ὄρειοι. Et ὄρεια δῶρα, Phot. ap. Suid. : Ὄρειά σου τὰ δῶρα, κάστανα καὶ ἀμανῖται. [Aristid. vol. 1, p. 226 : Ὀρείου διαίτης.] Idem ex Epigr. ὄρεια ἐνδυτὰ [Antistii Anth. Pal. 6, 237, 1, ubi nunc ἐνδυτὰ ... θέτο Γάλλος ὀρείῃ μητρὶ θεῶν], et ὄρεια μῆλα. Plut. De orac. Pyth. [p. 398, E] : Ἐκρήξεις πυρὸς ὀρείου. Et ὄρειος ὀμίχλη ap. Suid. Et ὄρειος ἄγρα, Plut. De solert. anim. [p. 965, D.] Et ὄρειοι λαγωοὶ, Montani lepores, ap. Xen. Cyneg. [5, 17] : Ποδωκέστατοι μὲν οὖν εἰσὶν οἱ ὄρειοι, οἱ πεδινοὶ δὲ ἧττον· βραδύτατοι δὲ οἱ ἕλειοι. [V. Ὀρεινός. Plato Leg. 3, p. 677, B : Ὄρειοί τινες νομῆς· Critiæ p. 109, D : Ὄρειον (γένος). Eur. Alc. 495 : Θηρῶν ὀρείων χόρτον· Suppl. 49.] Soph. [Phil. 937] : Ξυνουσίαι θηρῶν ὀρείων. [Ποιμνίοις OEd. T. 1028 ; πρῶνες

Tr. 788; Σελλῶν 1166.] Et ὄρειοι Arabes ap. Plin. 6, 9. [Aristot. H. A. 1, 1 fin. : Τὰ μὲν ἄγροικα, ὥσπερ φάττα, τὰ δ' ὄρεια, ὥσπερ ἔποψ.] Apud Suid. ὄρειον πρέμνον. Item ὄρειον, Polygoni species. Plin. 27, 12 : Tertium genus Oreon vocatur, in montibus nascens. Ὄρειος dicitur etiam Liber pater, et Ὀρειάδες νύμφαι, quod in montibus frequenter apparent. Fest. [Pind. Nem. 2, 11 : Ὀρειᾶν Πελειάδων. Eur. Cycl. 4 : Νύμφας ὀρείας. Æsch. Ag. 497 : Φλόγα ὕλης ὀρείας. Eur. Hipp. 1127 : Δρυμός τ' ὄρειος· Bacch. 1068 : Κλῶν' ὄρειον· Hec. 1110 : Πέτρας ὀρείας παῖς Ἠχώ· et similiter alibi. Lycophr. 1383 : Φθειρῶν ὀρείαν νάσσεται μοναρχίαν. Nicand. Al. 183 : Βέμβικες ὄρειαι, etc.] Nec non βλέμμα ὄρειον, quale est hominis monticolæ, Lucian. [Zeux. c. 5] : Τὸ βλέμμα καί τοι γελῶντος, θηριῶδες ὅλον, καὶ ὄρειόν τι καὶ ἀνήμερον, Montanum s. Agreste. At ὀρεία κώμη, Athen. 1, [p. 31, D] ex Alciphr. Mæandrio : Περὶ τὴν Ἐφεσίαν εἶναι ὀρείαν κώμην τὴν πρότερον μὲν καλουμένην Λητοῦς, νῦν δὲ Λατωρείαν, Vicum s. Pagum montanum, ubi nota fem. ὀρεία, quo et Aristoph. usus est [Av. 740] : Νάπαισί τ' ... ὀρείαις ... ἱζόμενος, pro ὀρειναῖς, Suid., ap. quem et, Ἡ δὲ ὁδὸς ὀρεία τις ἦν καὶ στενή. Apud Eund. ὀρεία θεὰ, i. e. ἡ ἐν ὄρεσιν ἀναστρεφομένη. [Eur. Hel. 1301 : Ὀρεία ... μάτηρ θεῶν ἐσύθη. Aristoph. Av. 746 : Σεμνά τε μητρὶ χορεύματ' ὀρείᾳ. Antistii locum v. supra. Hinc ὀρεία numeri octonarii cognomen, ut Rhea, Cybele et Dindyme, ap. Nicomach. Phot. Bibl. p. 144, 35. Pollux ponit ὀρεία ὁδὸς 3, 96, ὀρεία πόλις 9, 20, ὄρειος πόλις 9, 20, 22, ὀρεία Ἄρτεμις 5, 13, ὄρεια θηρία 5, 14. V. Ὀρεινός.] Improprie vero ὀρείοις ποσὶν pro κώπαις dicit quidam apud Hesych., quoniam ἡ ἐλάτη est ὄρειος arbor. Idem Hesych. ὄρειον exp. ἱμάτιον ἄγναφον. [Pollux 7, 69 : Τὸ δὲ ἄκναπτον ἱμάτιον ὀρεινὸν ἱμάτιον οἱ μέσοι κωμικοὶ, ὥσπερ ἐν ὄρει εἰργασμένον ἤτοι ἐγναμμένον, ubi postrema paullo aliter scripta sunt in cod. Sed quum vera videatur scriptura ὄρειον, his confirmantur quæ in Ὀρεινὸς de eo pro ὄρειος illato diximus. De formis Ὄρηος et Οὔρειος v. in ipsis.]

[Ὄρειος, ὁ, Centaurus ap. Pausan. 3, 18, 16. Satyrus in vase ap. Jahn. *Vasenbilder* p. 24. V. etiam Ὀρείχαλκος et Ὄριος.]

[Ὅρειος. V. Ὅριος.]

Ὀρειοχαρής, ὁ, ἡ, Montanis s. Montosis locis gaudens, Epigr. [Anth. Plan. 256, 3.]

[Ὀρειπέλαργος.] Ὀρειπελαργὸς, ὁ, Ciconia montana, Aquilæ genus ap. Aristot. H. A. 9, 32 : Ἔστι δὲ ἕτερον γένος περκνόπτερος, λευκὴ κεφαλὴ, μεγέθει δὲ μέγιστος, πτερὰ δὲ βραχύτατα, καὶ ὀῤῥοπύγιον πρόμηκες· γυπὶ ὅμοιος· ὀρειπέλαργος καλεῖται καὶ γυπαιετός [γυπάετος]· Plin. 10, 3 : Quarti generis est Percnopterus : eadem Oripelargus : vulturina specie, alis minima, reliqua magnitudine antecellens.

[Ὀρείπλαγκτος, ὁ, ἡ, Montivagus. Aristoph. Thesm. 326, Νύμφαι.]

[Ὀρειπλάνής, ὁ, ἡ, i. q. præcedens. Tryphiod. 223 : Θηρσὶν ὀρειπλανέεσσιν. Nonn. Jo. c. 6, 176, Dion. 5, 408. Ὀρείπλανος, ib. 16, 184. Wakef. De forma per ι v. infra.]

[Ὀρείπλανος. V. Ὀρειπλανής.]

Ὀρειπολέω, In montibus versor, pro quo infra ὀρεοπολῶ, Suid.

Ὀρειπτελέα, ἡ, Ulmus montana, genus Ulmi apud Theophr. H. Pl. 3, 8 : Ἔστι δὲ καὶ τῆς πτελέας δύο γένη· καὶ τὸ μὲν, ὀρειπτελέα καλεῖται, τὸ δὲ πτελέα· διαφέρει δὲ τῷ θαμνωδεστέραν εἶναι τὴν πτελέαν, εὐαυξέστερον δὲ τὴν ὀρειπτελέαν· Plin. 16, 17, de ulmo : Græci duo ejus genera novere : montosam, quæ sit amplior; campestrem, quæ fruticosa.

Ὀρείτης, ὁ, Monticola. VV. LL. [Etym. M. p. 604, 46 : Ὀρείτης καὶ ὀρείτης. Gramm. Cram. An. vol. 2, p. 293, 1 : Ὀρείτης ἐκ τοῦ ὄρος ὄρεος. Signif. ab HSt. positæ ex. nullius fidei v. in Ὀρεινός. Non tutius est Polybii 3, 33, 9 : Ἦσαν δ' οἱ διαβάντες εἰς τὴν Λιβύην ... ὀρεῖται Ἴβηρες, ubi et res et librorum varietates aliud nomen Ibericum latere ostendunt. De lapide Orph. Lith. 356 : Σιδηρίτην, τόν ῥα βροτοῖσιν ἤνδανεν ἄλλοισιν καλέειν ἔμψυχον ὀρείτην, ubi epitome ὠνόμασται ... κατὰ τὸν τόπον τῆς εὑρέσεως· εὑρίσκεται μὲν ἐν τοῖς ὄρεσιν· et 451, unde citat Tzetz. Exeg. Il. p. 147, 21.]

[Ὀρεῖτις, ιδος, ἡ, in inscr. Thyatir. ap. Spon. Misc. p. 88, Ἀρτέμιδι Ὀρειτ(ιδι) restituebat Koen. ad Greg. p. 307.]

[Ὀρειτρεφής, ὁ, ἡ, In montibus nutritus. Orac. ap. Lucian. Alexand. c. 48 : Θῆρας ὀρειτρεφέας. Tryphiod. 193 : Ὀρειτρεφέος ποταμοῖο. De forma per ι v. infra.]

[Ὀρείτροφος, ὁ, ἡ, i. q. præcedens. Schol. Lycophr. 675. De forma per ι v. infra.]

[Ὀρειτῦπία, ἡ.] Ὀρειτυπίη, ex Hippocr. [p. 1175, D : Ἐξ ὀρειτυπίης] affertur pro Labor ille quem in montibus subeunt.

Ὀρειτύπος, ὁ, ἡ, Qui ligna in montibus cædit, Lignator. Pro quo et ὀρεοτύπος et ὀροιτύπος. [Quod v. « Qui sint, explicat Galen. vol. 11, p. 449, C. » Hemst.]

Ὀρείτωρ, ορος, ὁ, idem quod ὀρείτης : ὀρείτορες, οἱ ἄγριοι, Hesych.

[Ὀρειφοιτέω, Montes pererro, In montibus versor. Eustath. Od. p. 1665, 49 : Ἑπτὰ ἐτῶν γενομένην ὀρειφοιτεῖν.]

Ὀρειφοίτης ὁ, Qui montes pererrat, i. q. ὀρειβάτης, ὁ ἐν ὄρει φοιτῶν, Suid. [Phanocles ap. Plut. Mor. p. 671, C : Ὀρειφοίτης Διόνυσος. Etym. M. p. 461, 28. Pro n. pr. Ἀρειφόντης in var. script. ap. Phalar. Ep. 133.]

[Ὀρείφοιτος, ὁ, ἡ, i. q. præcedens. Cornut. De nat. deor. p. 218 : Ὀρείφοιτοι αἱ βάκχαι. Schol. Oppiani Hal. 3, 386. Wakef. Babrius Fab. 91, 2, ποιμένων· 95, 25, θηρίων.]

[Ὀρειχάλκινος, η, ον, Ex orichalco factus. Liban. Or. in Julian. Consul. vol. 1, p. 369, 9 : Οὔτε λιθίνην οὔτε χαλκῆν οὔτ' ὀρειχαλκίνην, ἀλλ' οὐδ' ἐξ ἀδάμαντος στήλην εὑρήσεις μονιμωτέραν τῆς μνήμης. Boiss. Qui duxit fortasse a Platone Critiæ p. 119, C : Ἐν στήλῃ ὀρειχαλκίνῃ. L. Dind.]

Ὀρείχαλκος, ὁ, Æs montanum, Aurichalcum [Gallice *Archal, Fil d'archal*] : utuntur enim Latini neutro genere, ut in Ὠρόχαλκος dicetur. Materia quædam, quam χυμεύσει ex ære fieri nonnulli scribunt : ex ære inquam, quod suapte natura est πυῤῥόν : ὀρείχαλκος vero est χαλκὸς λευκὸς, ut tum Tzetz. testatur, tum Suid., ὀρείχαλκος exponens ὁ διαυγὴς χαλκός. Hesiod. Sc. [122] : Ὣς εἰπὼν, κνημῖδας ὀρειχάλκοιο φαεινοῦ Ἡφαίστου κλυτὰ δῶρα περὶ κνήμῃσιν ἔθηκεν. Sic ap. Horat. A. P. [202] : Tibia non ut nunc orichalco vincta. In eum vero Hesiodi locum schol. quidam hæc annotat : Ὀρείχαλκος, τὸ λευκὸν χάλκωμα· ἐν ὄρεσι γὰρ εὑρίσκεται· ἄλλοι δέ φασιν ὀρείχαλκον εἶναι ὕλην τινὰ μεταλλικὴν χαλκοῦ τιμιωτέραν. [Callim. Lav. Min. 19 : Οὐδ' ἐς ὀρείχαλκον μεγάλα θεὸς ... ἔβλεψεν, de speculo ex orichalco. Apoll. Rh. 4, 973 : Ὀρειχάλκοιο φαεινοῦ ... καλαύροπα. Ubi schol. : Εἶδος χαλκοῦ ἀπὸ Ὀρείου τινὸς γενομένου εὑρετοῦ ὠνομασμένος. Ἀριστοτέλης δὲ ἐν Τελεταῖς φησὶ μηδὲ ὑπάρχειν τὸ ὄνομα μηδὲ τὸ τούτου εἶδος (φησὶ μὲν ὑπ., μὴ εἶναι δὲ τὸ τ. ε. Salmas. Homonym. hyl. iatr. p. 228, b, A, melius ad sententiam quam ad verba). Τὸ γὰρ ὀρείχαλκον ἔνιοι ὑπολαμβάνουσι λέγεσθαι μὲν, μὴ εἶναι δέ. Τῶν δὲ εἰκῇ διαδεδομένων καὶ τοῦτο· οἱ γὰρ πολυπραγμονέστεροί φασιν αὐτὸν ὑπάρχειν. Μνημονεύει καὶ Στησίχορος καὶ Βακχυλίδης· καὶ Ἀριστοφάνης δὲ ὁ γραμματικὸς σεσημείωται τοῦτο. Ἄλλοι δὲ ἀνδριαντοποιοῦ λέγουσιν ὄνομα, ὡς Σωκράτης καὶ Θεόπομπος ἐν κε'. Οὕτως ἦν ἐν τῇ κωμικῇ λέξει τῇ συμμίκτῳ. Pollux 7, 108 : Τὸ τοῦ ὀρειχάλκου μέταλλον οὐδέπω καὶ νῦν εἰς πίστιν ἥκει βεβαίαν. V. infra.] Apud Suid. in Epigr. quodam [Erycii Anth. Pal. 6, 234, 5] : Ὀρειχάλκου λάλα κύμβαλα. Plato Critia [p. 114, E], Τὸν ἐκ γῆς ὀρυττόμενον ὀρείχαλκον. Et paulo post, Ὀρειχάλκῳ μαρμαρυγὰς ἔχοντι πυρώδεις. Et mox [p. 116, B, D], Ὀροφὴν χρυσῷ καὶ ἀργύρῳ καὶ ὀρειχάλκῳ πεποικιλμένην. [Pausan. 2, 37, 3 : Τῇ καρδίᾳ τῇ πεποιημένῃ τοῦ ὀρειχάλκου.] || Ὀρείχαλκος adjective quoque accipitur pro Confectus ex orichalco : ut ὀρ. στήλη ap. Suid. Ap. Eund. habetur et hoc exemplum : Φιτρὸν ἐλάτης κοιλάναντες, ἐναρμόζουσιν εἰς αὐτὸ κώδωνας ὀρειχάλκους. [Aristot. Mir. c. 59 : Ἔστι δὲ αὐτόθι χαλκὸς κολυμβητὸς ἐν δυοῖν ὀργυιαῖς τῆς θαλάσσης, ὅθεν ὁ ἐν Σικυῶνί ἐστιν ἀνδριὰς ... καὶ ἐν Φενεῷ οἱ ὀρείχαλκοι καλούμενοι.] Notandum porro, quum Horat. secundam syllabam corripiat, scribi etiam Ὀρίχαλκος, sicut ὀρίδρομος. Apud Hesych. certe ὀρείχαλκος ante Ὀριχᾶται post Ὀριστής ponitur, ut suspicer scribere etiam voluisse ὀρίχαλκος. Habet tamen Idem et priorem scripturam per ει, suo loco. [Per ι inscr. Fourmont. ap. Bœckh. vol. 1, p. 286, n. 161, 1. Copiosa de hoc v. et metallo est disputatio Salmasii l. c., brevior Beckmanni ad Aristot. Mirab. p. 132 seqq., unde nonnulla repetimus: « Zinci ochra s. Cadmia fossilis, quæ multis in regionibus copiosa est, efficit cupro pro varia ratione s. quantitate colorem vel luteum vel album. Cuprum luteum est aurichalcum, nobis *Messing*, cuprum album est aurichalci ea species, quæ hodie plerumque metallum principis Ruperti s. *Prinzenmetall* dicitur. Hocce metallum principis veteribus æque ac aurichalcum luteum s. vulgare notum fuisse, non solum hocce Aristotelis loco, ubi λευκότατον vocatur, sed etiam auctoritate Virgilii probatur, qui Æn. 12, 87 aurichalcum album commemoravit. Erravit profecto Servius, qui comparatione auri sic vocatum a poeta contendit... Etiam Strabo 13, p. 610 auctor est, ejusdem generis terram ad eandem rem esse adhibitam ab aliis populis. Nimirum circa Andeira, urbem Lelegum, reperiebatur terra, quæ cupro addita efficiebat τὸ καλούμενον χρᾶμα, ὅ τινες ὀρείχαλκον καλοῦσι. Illud quidem n. χρᾶμα aurichalco inditum est, quoniam peculiari miscendi ratione vel temperatura, quæ κρᾶσις Gr. dicitur, fiebat.... Verum tamen prorsus non dubito quin aurichalcum primum quod innotuit et plurimum quod olim in usu fuit, aurichalcum fuerit non arte factum, sed naturale. Constat enim inter omnes in multis fodinis ærariis Zincum, quod cuprum tingit, vario modo immixtum junctumque reperiri, ita ut inde cuprum prima jam fusione luteum exsistat.... Plinius 34, 2, quidem venas hujus metalli exhaustas queritur, effeta, inquit, tellure, quod quidam non recte intellexerunt, opinantes Plinii ætate nullum aurichalcum amplius conflatum esse. Immo conflatum est, sed non e venis propriis, sed e cupro et cadmia fossili... Aristoteles l. c. negavit aurichalcum esse peculiare metallum simplex sui generis, negavit reperiri propriam venam naturalem, quæ daret aurichalcum, ut cetera metalla, recte quidem: nam factitium est metallum, compositum vel natura vel arte e cupro et Zinco. »]

['Ορειώδης, ὁ, ἡ, Montanus. Eust. Od. p. 1246, 28: Ἡ ὀρ. λεπάς.]

['Ορείων. V. 'Ορεάν.]

['Ορειώτης, ὁ, i. q. ὄρειος. Erycius Anth. Pal. 9, 824, 2: Πανὸς ὀρειώτα.]

['Ορεκτέον, Appetendum est. Clem. Alex. p. 341. Kall.]

['Ορεκτέω, Concupisco.] Apud [Hesych. et] Suid. pro 'Ορεχθεῖν habetur 'Ορεκτεῖν, quod itidem exp. ἐπιθυμεῖν. [Photius: 'Ορεκτεῖν, ἐπιθυμεῖν, ταὐτὸν καὶ ὀρεκτιᾶν.]

['Ορέκτης, ὁ, Cominus pugnans, affertur ex Eust.]

['Ορεκτιάω, i. q. ὀρεκτέω. Const. Manass. Chron. 1876: 'Ορεκτιῶντα γυναικῶν. Hesychius: 'Ορεκτιῶν, ἐπιθυμῶν. V. 'Ορεκτέω et de forma Lobeck. ad Phryn. p. 82.]

'Ορεκτικὸς, ἡ, ὸν, active Cui appetentiæ vis et facultas inest, Qui appetere solet, simpliciter Appetens. Et τὸ ὀρεκτικὸν ab Aristot. Ea animi pars dicitur, in qua appetitus s. ὄρεξις suum habet domicilium: Fons et origo τῶν ἐπιθυμιῶν, Eth. 1, 13: Φαίνεται δὴ καὶ τὸ ἄλογον διττόν· τὸ μὲν γὰρ φυσικὸν οὐδαμῶς κοινωνεῖ λόγου· τὸ δὲ ἐπιθυμητικὸν καὶ ὅλως ὀρεκτικὸν, μετέχει πως, ᾗ κατήκοόν ἐστιν αὐτοῦ καὶ πειθαρχικόν· nam et in Rhet. dicit τὸν νοῦν ἄρχειν τῆς ὀρέξεως: cui si paret, λογιστικὴ ὄρεξις dicitur: sin eo invito prorumpit cupiditas, ἄλογος. [Conf. De anima 2, 3 init. Eth. 6, 2: 'Ορ. νοῦς ἡ προαίρεσις.] In stomacho autem ὀρεκτικὸν dicitur Facultas illa quæ cibos appetit, i. fere q. ὄρεξις. Plut. Symp. 6, 2 [p. 688, B], ὀρεκτικὸν πάθος appellat, quod non modo ὄρεξιν, sed etiam δηγμὸν ἐμποιεῖ τοῖς δεκτικοῖς μέρεσι τῆς τροφῆς, οἷον κνησμοὶ κατάθιξιν ἐνίων ἀμυσσόντων. Diosc. vero 5, 13, ὀρεκτικὸν οἶνον vocat Vinum appetentiam cibi faciens. At ὀρεκτικὰ αἴτια Fortunatianus vocat Causas impulsivas, VV. LL. [Adv. 'Ορεκτικῶς, Hesychius in Θουρὰ et 'Οργάω. Maximus Conf. vol. 2, p. 3, A; 6, B. L. Dind.]

'Ορεκτὸς, ὁ, [ἡ, ὸν,] Porrectus, Qui in longum porrigitur et protenditur: ὀρ. μελίη, Hasta quæ in lon-

A gum porrigitur. Hom. Il. B, [543] de Abantibus: Αἰχμηταὶ μεμαῶτες ὀρεκτῇσι μελίῃσι, ubi Eust. ὀρεκταὶ exp. αἱ ἐκτεινόμεναι κατὰ τῶν πολεμίων, ut Abantes vocet αἰχμητὰς τοὺς μὴ ἀφιέντας τὰς αἰχμὰς, ὀρέγοντας δὲ ταῖς χερσὶ καὶ οὕτω πλήττοντας: ὀρέξαι enim, inquit, τὸ ἐκ χειρὸς πατάξαι: unde et ὀρεκτὴ μελία. Nescio tamen quorsum ibi Eust. et ante eum auctor brevium scholiorum ὀρέγω ita exp., quum ὀρεκτὴ μελία commodius secundum præcedentem τοῦ ὀρέγω signific. ponatur pro Porrecta hasta; duobus enim hastarum generibus veteres utebantur, quorum unum appellabant δόρατα ἀγχέμαχα καὶ ὀρεκτά: alterum, παλτὰ, quæ sc. manu in hostem vibrabantur, contorquebantur, quum illis in eum porrectis peteretur, erantque ejusmodi, h. e. et ὀρεκτὰ et παλτὰ, κόντος, σάρισσα, ὑσσός. Hæc autem ὀρεκτὰ δόρατα brevium scholiorum auctor vocat τὰ ἐκ χειρὸς οἷς ὀρέγδην ἐχρῶντο συνιστάμενοι καὶ ἐκτείνοντες αὐτά. [Strabo 10, p. 448: Οἱ μὲν τηλεβόλοις χρῶνται, οἱ δ' ἀγχεμάχοις, καθάπερ οἱ ξίφει καὶ δόρατι τῷ ὀρεκτῷ χρώμενοι. De accentu acuto Arcad. p. 83,

B 13.]

'Ορεκτὸς, ὁ, ἡ, Qui appetitur s. appeti solet, Quem omnes appetimus. [Aristot. Metaphys. p. 248, 4: Τὸ ὀρεκτὸν καὶ τὸ νοητόν. Theophrasti Metaphys. p. 309, 26: Ἡ τοῦ ὀρεκτοῦ φύσις.] Alex. Aphr. πρῶτον οἰκεῖον et πρῶτον ὀρεκτὸν appellat, quæ Cic. Prima invitamenta naturæ. Ex Greg. Naz. autem affertur, Ἔσχατον ὀρεκτὸν ἔχων, pro Postremi voti compos.

['Ορεμπότης, ὁ, ap. Plut. Mor. p. 406, F: Ἀπέπαυσε δὲ τὴν Πυθίαν ὁ θεὸς πυρικάους μὲν ὀνομάζουσαν τοὺς αὐτῆς πολίτας, ὀρεάνας δὲ τοὺς ἄνδρας, ὀρέμποτας (vel ὀρεμπότας) τοὺς ποταμούς.]

['Ορέντης. V. 'Ορόντης.]

Ὄρεξις, εως, ἡ, Appetentia, Appetitus, Desiderium. In Definitt. Stoic. [et Def. Plat. p. 413, C]: Βούλησις, εὔλογος ὄρεξις· ἐπιθυμία, ὄρεξις ἄλογος. Quæ sic Cic. interpr., Voluntas, quæ quid cum ratione desirat; Libido vel cupiditas effrænata, quæ adversa ratione incitata est vehementius. Ubi etiam nota discrimen inter ὄρεξιν et ἐπιθυμίαν. [Cum genit. ἐπιστή-

C μης Def. Plat. p. 414, B.] Aristot. Rhet. 1, [c. 10, 3]: Ἄλογοι δ' ὀρέξεις, ὀργὴ καὶ ἐπιθυμία: ἀλόγοις autem ὀρέξεσιν opponit τὰς λογιστικάς: quibus qui obediunt, ab Eod. dicuntur κατὰ λόγον τὰς ὀρέξεις ποιούμενοι, Eth. 1, 2. [Conf. id. De anima 2, 2 et 3, ut omittam ll. ex Metaphys. Epigr. Anth. Pal. 9, 687, 2: Ἀνεσείρασε δέ μου τὴν ὄρεξιν ἡ τέχνη.] Herodian. 1, [6, 6]: Ἤγειρον αὐτοῦ τὰς ὀρέξεις εἰς τὴν ἡδονῶν ἐπιθυμίαν· 3, [13, 14]: Ὑπὸ βασιλικῆς ἐξουσίας εἰς πάσας ἡδονῶν ὀρέξεις ἀπλήστως ὁρμωμένους· 6, [1, 12]: Προκαλεσαμένων αὐτοῦ τῶν κολάκων τὰς ὀρέξεις ἀκμαζούσας εἰς αἰσχρὰς ἐπιθυμίας, Provocantibus appetitum ejus jam vigentem assentatoribus in extremas libidines, Polit. Ὄρεξις frequenter pro Cibi appetentia ponitur, Plin.: qua signif. Juvenal. quoque [6, 426] dixit, Sextarius alter Ducitur ante cibum, rabidam facturus orexin. Plut. De frat. car. [p. 479, B]: Πολλῶν ἐμποιοῦσιν ἀτόπων καὶ βλαβερῶν ὀρέξεις· ut Plin. dicit Appetentiam cibi faciunt. Idem, quod Diosc. [2, 139] de siseris radice scribit, Εὐστόμαχος, ὀρέξεως προκλητικὴ, sic Latine reddidit, Sto-

D machum excitat, fastidium abstergit. Idem Symp. [p. 635, C]: Τοῖς ἀποσίτοις τῶν ἀῤῥώστων ὀπώρας τι προσενεχθὲν ἀναλαμβάνει τὴν ὄρεξιν, Fastidium a stomacho aufert, cibique appetentiam facit. Ibid.: Νεαρὰς ὀρέξεις ἀεὶ παρασκευάζουσα. Idem: Οἱ πεινῶντες ἑτέρων ἐσθιόντων ἐν ὄψει μᾶλλον ἐρεθίζονται καὶ παροξύνονται τὴν ὄρεξιν. Idem in Præc. sanit. [p. 133, B]: Τὸ κυνικὸν καὶ θηριῶδες τῶν ὀρέξεων κατέχειν παρακειμένης τραπέζης, Caninam ac belluinam cibi appetentiam inhibere: quam Juvenalis Rabidam orexin appellat. Quid autem ὄρεξις sit, Idem docet Symp. 7, 2 [p. 687, D], de salsamentis: Τὸν στόμαχον ἀνοίγουσαι καὶ χαλῶσαι, δεκτικήν τινα τροφῆς εὐαρμοστίαν περιειργάσαντο περὶ αὐτὸν, ἣν ὄρεξιν καλοῦμεν. [Τὸ σῶμα τὸ μὴ ἔχον ὄρεξιν εἰς τὸ κάτω, Hero Spirit. p. 151, 31. Hemst. Cum πρὸς schol. Hom. Il. Ξ, 216: Φιλότης νῦν ἡ πρὸς μίξιν ὄρεξις. V. Δυσόρεκτος.]

['Ορεοζεύκτης, ὁ, Qui mulos jungit. Ap. Polluc. 7, 183: 'Ορεοκόμος, ὀρεοκομεῖν, ἐρεῖς (ὀρεῖς Jungerm.) ὀρικολίζευτος, ὀρικὸν ζεῦγος, soli Mss. Salmasii: 'Ορεοζεύκτης, ὀρεοκόμος, ὀρινὸν (sic) ζεῦγος, quum Jungerm. delendum conjecisset illud ὀριχολίζευγος, quod ex ν in λι et γ in τ corrupto ortum apparet. Salmasius autem quod posuit correctoris videri potest.]

['Ορεοκόμος. V. 'Ορεωκόμος.]

'Ορεοπολέω, In montibus versor, erro. Lucian. in Judicio Dearum [D. deor. 20, 7]: Οὐ γὰρ ἐπιτήδειαι ὀρεοπολεῖν, οὕτω γε οὖσαι καλαί, i. e. ἐν τοῖς ὄρεσιν ἀναστρέφεσθαι. [Iterum HSt.:] 'Ορεοπολῶ, In montibus versor. Sic enim Suid.: 'Ορεοπολῶ, περὶ τὰ ὄρη ἀναστρέφομαι· 'Ορεωπολῶ δὲ, τὸ περὶ τοὺς ὄνους ἀναστρέφομαι. [Verbum ὀρεωπολῶ, quod ap. Lucianum est in cod. uno, fictum a grammaticis esse animadvertit Lobeck. ad Phryn. p. 696.]

['Ορεοπόλος, ὁ, Montivagus, Gl.]

'Ορεοσέλῖνον, τὸ, Apium montanum, Oreoselinon, ut Plin. etiam appellat 19, 8, apii quatuor genera recensens: sc. sativum, oreoselinon, eleoselinon, et hipposelinon. Itidem 20, 11. Nomen autem inde sortitum est, quod nascatur ἐν τόποις πετρώδεσι καὶ ὀρεινοῖς, Diosc. 3, 76. In VV. LL. habetur etiam 'Οροσέλινον pro ὀρεοσέλινον. [Alia exx. v. in Matth. Med. p. 396.]

'Ορεοτύπος, ὁ, Rusticus montanus, vel quod materiam in montibus cædat, vel montes pedibus suis pulset, quum sc. eos percurrit. Gaza simpliciter vertit Rusticus: Bud. vero Rusticus montanus; qui etiam dubitat an Mulionem significet, sed tunc scrib. potius foret ὀρεωτύπος, sicut ὀρεωκόμος et ὀρεωπώλης, ab ὀρεύς. Utitur autem illo voc. Theophr. H. Pl. 3, 6: Καὶ ἐν ἀμφοῖν οὕτως ἐνίοτε πυκνὴν εἶναι τὴν ἔκφυσιν, ὥστε τοὺς ὀρεοτύπους μὴ δύνασθαι διϊέναι, μὴ ὁδοποιησαμένους· 3, [12]: Ἔφη δὲ Σάτυρος καὶ κομίσαι τοὺς ὀρεοτύπους αὐτῷ ἀνανθεῖς ἄμφω, de junipero. Rursus 4, [14]: Τὰ μὲν οὖν ἄγρια οὐδεμίαν ἔχειν, ὡς ἂν εἴποιέν οἱ ὀρεοτύποι, διαφορὰν, ἀλλὰ πάντα εἶναι μακρόβια· in quibus ll. ὀρεοτύπους videtur dicere Rusticos qui herbarum notitiam aliquam habent, montesque pererrando eas quærunt et eruunt. Apud Eund. vero C. Pl. 5, 15, perperam scribitur 'Ορθότυποι pro 'Ορεοτύποι, Lignatores. Dicitur et 'Οροιτύπος.

['Ορεόφάντα, opp. Indiæ, Ptolem. 7, 1 med.]

['Ορεοφύλαξ, ἄκος, ὁ, ἡ, Saltarius (Saltuarius), Gl.]

['Ορέσανδρος, ὁ, n. Pythagorei Lucani ap. Iambl. V. Pyth. c. 36, p. 528 Kiessl., scribendum videtur 'Αρέσανδρος, quod v. Sic vicissim ib. p. 524 'Αρεστάδας scriptum erat pro 'Ορεστάδας. L. Dind.]

'Ορεσβάτης, ὁ, Qui per montes graditur, montes pererrat, Montivagus: pro quo et ὀρειβάτης, sicut ὀρείαυλος et ὀρέσσαυλος.

'Ορέσβῐος, ὁ, ἡ, Qui in montibus degit, Monticola. Oppian. Cyn. 3, [345]: 'Ορέσβιον οἷα λέαιναν, Tanquam leænam monticolam.

['Ορέσβιος, ὁ, Oresbius, n. viri Græci, Hom. Il. E, 707. Item ap. Tzetz. Hom. 100.]

['Ορεσθάσιον, τὸ, Oresthasium. Πόλις 'Αρκαδικὴ, ἀπὸ 'Ορεσθέως τοῦ Λυκάονος. Παυσανίας η' (capp. 27, 39, 41, 44). Ὁ πολίτης 'Ορεσθάσιος, Steph. Byz.]

['Ορεσθεύς. V. 'Ορεσθάσιον. F. Deucalionis ap. Hecat. ab Athen. 2, p. 35, B, et schol. Thuc. 1, 3, init. cit., et Pausan. 10, 38, 1.]

['Ορεσιβάτης. V. 'Ορεσσιβάτης.]

['Ορεσίβῐος, ὁ, ἡ, In montibus vivens. Eust. ad Dionys. 322: 'Αργανθώνης τῆς γενναίας τῆς ὀρεσιβίου, ubi est var. ὀρεσιτρόφου, Valcken. autem Diatr. Eur. p. 104, B, « hæc effingenda sincera » putabat, 'Αργ. 'Ρήσου γυναικὸς τῆς 'Ορεσιβίου, qui scilicet pater fuisset puellæ.]

['Ορεσιγενὴς, ὁ, ἡ, Montigena, Gl.]

['Ορεσιδρόμος, ὁ, ἡ, Per montes currens. Nonn. Dion. 2, 442, ὕδωρ· 32, 134: Μεθέπων ὀρεσιδρόμον ἄγρην. Et 'Ορεσσιδρόμος Orph. Arg. 21: 'Ορέσσιδρόμον τε λατρείαν μητρός. Wakef. In libris Nonni scriptum ὀρεσίδρομος.]

['Ορεσικοίτης, ὁ, i. q. sequens. Schol. Soph. OEd. T. 1091.]

'Ορεσίκοιτος, ὁ, ἡ, In montibus cubile suum habens. 'Ορεσκῴοισιν, inquit Hesych., ὀρεσιοίκοις ἢ ὀρεσικοίτοις. Κεῖαι γὰρ, τὸ κοιμηθῆναι.

['Ορεσινομία, ἡ, Montium habitatio. Schol. Ven. B ad Hom. Il. Θ, 93: Τῆς κυνηγεσίας καὶ τῆς ὀρεσινομίας. Bast.]

['Ορεσινόμος. V. 'Ορεσσίνομος.]

'Ορεσίοικος, ὁ, ἡ, In montibus habitans. Vide 'Ορεσίκοιτος.

'Ορεσίτροφος, ὁ, ἡ, In montibus nutritus, i. q. ὀρίτροφος et ὀριτρεφής. Hom. Il. M, [299, etc.]: Ὥστε λέων ὀρεσίτροφος. Est et nomen canis Actæonis ap. Ovid. Met. 3, [233. Plut. Mor. p. 472, C. Hemst. Manetho 5, 281. In hymno in Bacchum Anth. Pal. 9, 524, 24, pro ὠρεσσίτροφον vel ὠρείτροφον restituit HSteph. Maximus Maz. ap. Ducang. in 'Οροβιωταὶ cit.: Μοναχὸς ὀρεσίτρ.]

['Ορεσίφοιτος, ὁ, ἡ, Montes pererrans. De Diana Cornut. De n. deor. c. 34, p. 230.]

'Ορεσκεύω, In montibus dego, Versor in montibus, ἐν ὄρεσι διατρίβω καὶ διαιτῶμαι, ut in meo Lex. vet. exp. [Nicand. Th. 413: 'Ορεσκεύει περὶ βῆσσας.]

['Ορέσκοος, ὁ, ἡ.] 'Ορέσκιος βάκχος, Epigr. [Anth. Pal. 9, 524, 16, ubi non ὀρέσκιον βάκχον legitur, sed ὀρέσκιον inter epitheta Bacchi, quod ὀρέσκοον scribendum vidit Lobeck. ad Soph. Aj. 175], Umbris montium gaudens, vel quod colles obumbrent vites, VV. LL. Nisi forte ὀρέσκιος sit ex κίω, et idem significet cum ὀρειφοίτης: nam et ὄρειος idem Bacchus dicitur. || 'Ορεσκῷος, In montibus quietem capiens, dormiens, degens, ἐν ὄρεσσι διατρίβων καὶ διαιτώμενος, ut exp. in Lex. meo vet.; derivaturque a κῶ s. κείω, significante κοιμῶμαι, hoc modo: E κῶ fit κείω: inde ὀρεσίκοιος, ex quo ὀρεσκῷος, facta sync., mutatoque οι in ω. Utitur autem hac voce Hom. Il. A, [268]: 'Εμάχοντο Φηρσὶν ὀρεσκῴοισι· Od. I, [155]: Ὦρσαν δὲ νύμφαι, κοῦραι Διὸς αἰγιόχοιο, Αἶγας ὀρεσκῴους. [Hesiod. ap. schol. Pind. Nem. 4, 95: Κενταύροισιν ὀρεσκῴοισι. Orph. Lith. 29, θήρεσσιν· et 133, 139. Et de hominibus Dionys. Per. 963: 'Ορεσκῴων οὖδας 'Ερεμβῶν. || Forma 'Ορέσκοος Æsch. Sept. 532: Μητρὸς ἐξ ὀρεσκόου. Eur. Hipp. 1277: Φύσιν ὀρεσκόων σκυλάκων· Cycl. 247: Ὡς ἔκπλεώς γε δαιτὸς εἴμ' ὀρεσκόου.]

['Ορεσκώεις, εσσα, εν, i. q. ὀρέσκοος. Herodian. Epimer. p. 210: 'Ορεσκώεις θὴρ ὁ ὀρεινός. Boiss.]

['Ορεσκῷος. V. 'Ορέσκοος.]

'Ορέσσαυλος, ὁ, ἡ, In montibus stabulans, Monticola, pro quo et ὀρείαυλος. Nonn. vero [Jo. c. 1, 64]: 'Ορεσσαύλοιο μελάθρου dixit pro Domus in montibus sitæ. [In Ind.:] 'Ορεσαύλοιο μελάθρου, ex Nonno affertur pro Domus in montibus sitæ; sed metrum pro eo requirit vel ὀρεσσαύλοιο vel ὀρειαύλοιο. [Theætet. Anth. Plan. 233, 1: 'Ορεσσαύλου πόσις 'Αχοῦς. Coluth. 105, χιμαίρης.]

['Ορεσσιβάτης, ὁ, i. q. ὀρειβάτης. Soph. OEd. T. 1100: Πανὸς ὀρεσσιβάτα· Ant. 350: 'Αγραύλου θηρὸς ὀρεσσιβάτα. Agathias Anth. Pal. 7, 578, 4, ταρσόν. Formam 'Ορεσιβάτης ponit Triclin. ad l. Soph. OEd. T. ἃ]

['Ορεσσίγονος, ὁ, ἡ, In montibus natus. Eur. fr. ap. schol. Aristoph. Ran. 1385: Νύμφαι ὀρεσσίγονοι.]

['Ορεσσιδρόμος. V. 'Ορεσιδρόμος.]

['Ορεσσίκομος, ὁ, ἡ, Montanus s. Monticola, ap. Nonn. Dion. 36, 28: 'Ορεσσικόμου Διονύσου, scribendum videtur ὀρεσσινόμου. L. Dind.]

'Ορεσσίνομος, ὁ, ἡ, Qui in montibus pascitur, i. q. ὀρείνομος. Hesiod. Sc. [407]: Αἰγὸς ὀρεσσινόμου. Hom. vero αἶγας ὀρεσκῴους vocat. Et ap. Nonn. [Jo. c. 4, 59] ὀρεσσίνομα, Quæ in montibus pascuntur. [Dion. 28, 25: 'Ορεσσινόμων Σατύρων.] In VV. LL. scribitur etiam 'Ορεσίνομος, quod metrum heroicum non fert. ['Ορεσινόμος, Const. Manass. Chron. 173. Kall. Id. Amat. 6, 12.]

['Ορεσσιπάτος, ὁ, ἡ, Nonn. Dion. 14, 250: 'Ορεσσιπάτοις ἅμα Βάκχαις, ubi Græfius ὀρεσσιβάτοις.]

['Ορεσσιπόλος, ὁ, ἡ, In montibus versans. Nonn. Dion. 13, 137: 'Ορεσσιπόλῳ παρὰ 'Ρείῃ.]

['Ορεσσίχὕτος, ὁ, ἡ, De montibus fusus. Nonn. Dion. 20, 337, ποταμοῖο.]

['Ορεστάδας, ὁ, Orestadas, Pythagoreus, Metapontinus, ap. Iambl. V. Pyth. c. 36, p. 524, Diog. L. 9, 20. ἃἃ]

['Ορέσται, Μολοσσικὸν ἔθνος. 'Εκαταῖος Εὐρώπῃ. Θεαγένης ε' Μακεδονικῶν φησιν ὅτι ἐπεὶ ἀφείθη τῆς μανίας 'Ορέστης, φεύγων διὰ τὴν αἰδῶ μετὰ τῆς 'Ερμιόνης εἰς ταύτην ἦλθε τὴν γῆν καὶ παῖδα ἔσχεν Ὀρέστην, οὗ ἄρξαντος ἐκλήθησαν Ὀρέσται, αὐτὸς δὲ ὑπὸ ἐχίδνης δηχθεὶς θνήσκει εἰς χωρίον τῆς Ἀρκαδίας τὸ λεγόμενον Ὀρέστιον. Λέγεται καὶ θηλυκὸν Ὀρεστίς καὶ Ὀρεστιάς. Ὡσαύτως Θεαγένης καὶ Διονύσιος β' Γιγαντιάδος, Steph. Byz. V. Ὀρεστία. Ὀρέσται sunt ap. Thuc. 2, 80, ubi aliorum testimonia nonnulla indicat Wass., Strab. 7 p. 326; 9, p. 434. Ὀρέσται in inscr. in insula Delo reperta ap. Bœckh. vol. 2, p. 235, n. 2281, an huc pertineant incertum.]

[Ὀρεσταῖος. V. Ὀρεστία.]

[Ὀρεσταυτοκλείδης, ὁ, fabula Timoclis com. ap. Athen. 13, p. 567, C, Harpocr. v. Παράβυστον, nomine ex Ὀρέστης et Αὐτοκλείδης composito.]

[Ὀρέστεια, ἡ, Orestea, Stesichori carmen, cujus reliquias v. ap. Bergk. Poet. Lyr. p. 642 sq. Item Æschyli tragœdiarum trilogia, quibus res Orestis inde ab Agamemnonis nece persequutus erat, vel, si satyrica annumeratur, tetralogia. Aristoph. Ran. 1124 : Πρῶτον δέ μοι τὸν ἐξ Ὀρεστείας λέγε, quibus additur Choephororum versus primus. Schol. : Τετραλογίαν φέρουσι τὴν Ὀρέστειαν αἱ διδασκαλίαι, Ἀγαμέμνονα, Χοηφόρους, Εὐμενίδας, Πρωτέα σατυρικόν. Ἀρίσταρχος καὶ Ἀπολλώνιος τριλογίαν λέγουσι χωρὶς τῶν σατυρικῶν. Ap. Aristoph. male libri nonnulli per ι, quum per diphthongum talia esse scribenda et proparoxytono accentu recte tradant grammatici, ut diximus in Οἰδιπόδεια. Schol. Hom. Il. K, 1, Cram. An. Paris. vol. 3, p. 76, 30 : Προπαροξύνεται ὡς Ὀδύσσεια καὶ Ὀρέστεια. L. Dind.]

[Ὀρεστεινων inscriptus numus Philadelph. Lydiæ ap. Mionnet. *Suppl.* vol. 7, p. 403, n. 396.]

[Ὀρέστειον, τὸ, Oresteum. Eur. Or. 1647 : Σὲ δ' αὖ χρεών, Ὀρέστα, γαίας τῆσδ' ὑπερβαλόνθ' ὅρους Παρράσιον οἰκεῖν δάπεδον ἐνιαυτοῦ κύκλον. Κεκλήσεται δὲ σῆς φυγῆς ἐπώνυμον Ἀζᾶσιν Ἀρκάσιν τ' Ὀρέστειον καλεῖν. Herodot. 9, 11 : Ἐν Ὀρεστείῳ, ubi pauci Ὀρεσθείῳ, ut plures Thuc. 5, 64, ubi bis memoratur, ut Ὀρεσθίδος plerique 4, 134, ubi de regione loquitur, pauci Ὀρεστίδος, ut omnes Diodori 16, 93, Ptolem. 3, 13 bis. Ὀρέστιον ap. Steph. B. in Ὀρέσται citatum. L. Dind.]

[Ὀρέστειον, τὸ, Diosc. Notha p. 442 (c. 27). Boiss. V. Ὀρέστιον.]

[Ὀρέστειος. V. Ὀρέστης.]

Ὀρέστερος, α, ον [et ὁ, ἡ, Nicand. Th. 806 : Οἵάπερ ἐκ βέμβικος ὀρεστέρου ἠὲ μελίσσης], Monticola, Agrestis, ab ὄρος sicut ἀγρότερος ab ἀγρός. Hom. Od. K, [212] : Ἀμφὶ δέ μιν λύκοι ἦσαν ὀρέστεροι ἠδὲ λέοντες [eadem verba ap. Maneth. 4, 615]· Il. X, [93] : Δράκων ὀρέστερος, schol. ἐν ὄρει διατρίβων, ὄρειος atque ideo ἄγριος. Eust. quoque exp. ἄγριος : quoniam sc. ejusmodi sunt τὰ ἐν ὄρεσι διαιτώμενα. [Soph. Ph. 391 : Ὀρεστέρα παμβῶτι Γᾶ. Eur. Hec. 1058 : Θηρὸς ὀρεστέρου· Bacch. 1141, λέοντος· Or. 1460, κάπροι· Tro. 551 : Τὰν ὀρεστέραν παρθένον. Orph. H. 30, 2 : Κουρῆτες ... ὀρέστεροι.]

[Ὀρέστη, πόλις Εὐβοίας. Ἑκαταῖος Εὐρώπης περιηγήσει. Τὸ ἐθνικὸν Ὀρέσται, Steph. Byz. Hesychio χωρίον Εὐβοίας.]

Ὀρέστης, ὁ, Monticola, Qui in montibus versatur, ex schol. Hom. [Photius : Ὀρέστης, ἐν ὄρεσι διαιτώμενος.] Est etiam nom. propr. [Filii Agamemnonis, primum memorati ap. Hom. Il. I, 142, Od. A, 30, etc., tum apud Pindarum et Tragicos ceterosque omnes. Filii ejus ap. Steph. Byz. in Ὀρέσται citatum. Græci principis Il. E, 705. Trojani M, 139, 193. Acheloi filii apud Apollodorum 1, 7, 3, 5. Echecratidis Thessalorum regis f. ap. Thuc. 1, 111. Dioclis cujusdam apud Isæum p. 68, 43; 74, 7. Nocturni grassatoris ap. Aristoph. Av. 712, 1491, Ach. 1166, ubi v. schol. Alius in Ms. ap. Bandin. Bibl. Med. vol. 1, p. 131, A. Formam Æolicam Ὀρέσταις memorat Arcadius p. 92, 18. L. D.] Unde Ὀρέστειος, α, ον, Oresteus. [Soph. El. 1117 : Τῶν Ὀρεστείων κακῶν. Eur. Androm. 1242 : Τῆς Ὀρεστείας χερός.]

[Ὀρεστία, ἡ, Orestia. Πόλις ἐν Ὀρέσταις, ἐν ὄρει ὑπερκειμένῳ τῆς Μακεδονικῆς γῆς, ἐξ ἧς Πτολεμαῖος ὁ Λάγου πρῶτος βασιλεύσας Αἰγύπτου. Ὁ πολίτης Ὀρεσταῖος. Ἔστι καὶ ἄλλη ἐν Ἀρκαδίᾳ Ὀρεστία, ἣν Εὐδαίμων καὶ Ὧρος διὰ τῆς ει διφθόγγου γράφουσι τὴν Ὀρέστειαν, Steph. Byz. Idem in Μεγάλη πόλις de illa : Ἐκαλεῖτο
A δὲ κατὰ τὸ ἥμισυ μέρος Ὀρεστία, ἀπὸ τῆς Ὀρέστου παρουσίας. Οἱ δὲ πολῖται Ὀρέστιοι καὶ Μεγαλοπολῖται.]

[Ὀρεστιάδης, ὁ, Orestiades, patronym. ab Ὀρέστης. Schol. Callim. Lav. Min. 37. Boiss. Damasc. Vit. Isid. Phot. Bibl. p. 340, 18 : Τὸ δὲ ἀνέκαθεν (κατήγετο ἡ γυνὴ) ἀπὸ τῶν ἐν Καππαδοκίᾳ κατοικισθέντων ἐπὶ τὸν Κομανὸν τὸ ὄρος Ὀρεστιαδῶν, καὶ (mulierem illam) ἀνάγειν τὸ γένος εἰς Πέλοπα. L. Dind.]

Ὀρεστιάς, άδος, ἡ, Montana, Monticola : Νύμφαι ὀρεστιάδες, Montanæ s. Agrestes Nymphæ, quæ Virg. Oreades; Hesiodo [Th. 130], Νύμφαι αἳ ναίουσιν ἀν' οὔρεα βησσήεντα, i. e. αἱ ἐν ὄρεσι διατρίβουσαι. Eust. vero allegorice eo nomine intelligi scribit τὰς φυσικὰς δυνάμεις, τὰς διοικούσας τὰ φυόμενα ἐκ τῆς γῆς, καὶ εἰς αὔξην προκαλουμένας καὶ ἁδρυνούσας δι' ὑγρότητος καὶ θερμότητος τὰ ἐν ὄρεσι καὶ ἄγρια. Hom. Il. Z, [420] : Περὶ δὲ πτελέας ἐφύτευσαν Νύμφαι ὀρεστιάδες. [Nonn. Dion. 36, 29, Ἄρτεμις. Porphyr. De antro Nymph. c. 10 : Νυμφῶν Ὀρεστιάδων. L. D. Schol. Hom. Il. Υ, 8, Exc. Phryn. p. 17, 6. Inepta etymologia Hesychius : Ὀρεστιάδες αἱ
B ἐν τοῖς ὄρεσι τὴν ἑστίαν ἔχουσαι, ἤγουν οἰκίαν. V. etiam Ὀρέσται.]

[Ὀρεστιάς, άδος, ἡ, Orestias, regio Epiri, de qua Strabo 7, p. 326 : Λέγεται δὲ τὴν Ὀρεστιάδα κατασχεῖν ποτε Ὀρέστης, φεύγων τὸν τῆς μητρὸς φόνον, καὶ καταλιπεῖν ἐπώνυμον ἑαυτοῦ τὴν χώραν· κτίσαι δὲ καὶ πόλιν· καλεῖσθαι δ' αὐτὴν Ἄργος Ὀρεστικόν· quod Ἄργος Ὀρεστικὸν memorat etiam Steph. Byz. in Ἄργος. Ὀρεστίδος Arrian. Exp. 6, 28, 6, Steph. Byz. in Ὀρέσται cit. || Oppidum, postea Adrianopolis factum. Tzetz. Hist. 8, 954 : Περὶ Ἀδριανοῦ πόλιν ... τὸ πρὶν μικρὸν πολίχνιον κλῆσιν Ὀρεστιάδα, ὁ Ἀγαμέμνονος υἱὸς πρὶν ἤγειρεν Ὀρέστης· ἐκεῖ λουθεὶς γὰρ ποταμοῖς ἴαθη τῆς μανίας. Conf. Zonar. Annal. p. 251, A. Ὠρεστιάδη male in Ms. ap. Morell. Bibl. Ms. p. 264. L. Dind.]

[Ὀρεστίας, ου, ὁ, Ventus montanus s. a monte flans. Ach. Tat. Isag. in Arat. p. 158, A : Τοὺς ἀπὸ ὀρῶν ὀρίας ἢ ὀρεστίας (καλεῖσθαι λέγουσιν). ἴα]

[Ὀρεστικός. V. Ὀρεστιάς.]

Ὀρέστιον, ab aliquibus dicitur herba quæ et Necta-
C rion, Diosc. 5, 58.

[Ὀρέστιον. V. Ὀρέστειον.]

[Ὀρεστίς. V. Ὀρεστιάς.]

[Ὀρεστόριος. V. Ὀριστόριος.]

[Ὀρεσχάς, άδος, ἡ, Palmes vitis cum uvis. Harpocratio v. Ὀσχοφόροι : Ἡ δὲ ὄσχη κλῆμά ἐστι βότρυς ἐξηρτημένους ἔχον· ταύτην δὲ ὀρεσχάδα ἔνιοι καλοῦσιν. Hesychius : Ὀρέσχα, τὸ σὺν τοῖς βότρυσιν ἀφαιρεθὲν κλῆμα, quod ὀρεσχὰς scribebat Palmerius, ejusdem gl. Ἀρέσχαι, κλήματα, βότρυες defendebat Albertus. Vide Αὐρόσχη.]

[Ὀρεταί, ὁρμαί, λαβαί, ἐγέρσεις, Hesychii gl. suspecta.]

Ὀρεύς, έως, ὁ, Mulus [Gl.], Mula, quod animal hoc præ ceteris ad opera montana sit idoneum, παρὰ τὸ ἐν ὄρεσι μᾶλλον τῶν ἄλλων ζώων δύνασθαι ἐργάζεσθαι, ut in meo veteri Lexico traditur, nisi malis ex Homero ἡμίονος ἀγρότερος. [Aristoph. Ran. 290 : Ποτὲ μέν γε βοῦς, νυνὶ δ' ὀρεύς, ποτὲ δὲ γυνή. Nicand. fr. ap. schol. Th. 349 : Ζεύγεσσιν ὀρήων.] Aristot. Rhet. 3, [2] de
D Simonide : Ὅτε μὲν ἐδίδου μισθὸν ὀλίγον αὐτῷ ὁ νικήσας τοῖς ὀρεῦσιν, οὐκ ἤθελε ποιεῖν, ὡς δυσχεραίνων εἰς ἡμιόνους ποιεῖν· ubi vero victor ille mercedem satis amplam dedit, cecinit, Χαίρετ' ἀελλοπόδων θύγατρες ἵππων, de mulabus. Alibi vero discriminis causa addit ὁ θῆλυς et ὁ ἄῤῥην : ut H. A. 6, [24] : Καὶ ὁ θῆλυς δὲ ὀρεὺς ἤδη ἐπληρώθη. [Et alibi sæpe ibid.] Item, Γηράσκει δὲ βραδύτερον ὁ θῆλυς ὀρεὺς τοῦ ἄῤῥενος. [Hesychius : Ὀρεύς, ἡμίονος ἄρσην. Ὀρεῖς, ἡμίονοι ἄρσενες. De forma Οὐρεύς v. infra.]

[Ὀρεύς, έως, ὁ, i. q. ὄρειος, s. Monticola. Lycophr. 1111 : Ὅπως τις ὑλοκουρὸς ἐργάτης ὀρεύς. Schol. ὁ ἐν τῷ ὄρει διατρίβων s. διάγων.]

Ὀρεύω, Custodio : unde Ὀρεύειν ap. Hesych. φυλάσσειν. [V. Οὐρεύς.]

Ὀρεχθέω, Cupio, Desidero. Aristoph. Nub. [1368]. Κἀνταῦθα πῶς οἴεσθέ μου τὴν καρδίαν ὀρεχθεῖν; ubi quidam exp. Indignatum fuisse. Apoll. Arg. 2, [49] : Καί οἱ ὀρέχθει Θυμὸς ἐελδομένῳ στηθέων ἐξ αἷμα κεδάσσαι, i. e. ἐφώρμα, ἐπεθύμει, schol.; qui ὀρέχθει alias exp. non solum ἐν ὀρέξει ἦν, sed etiam ἔστενεν : cujus expositionis suæ hoc exemplum affert, Ὀρέχθεον ἀμφὶ σιδήρῳ. Rursum Apoll. Arg. 1, [275] : Οὐδ' ἔχει ἐκφλύξαι τόσσον γόον ὅσσον ὀρεχθεῖ, Tantos effundere fletus, quantos desiderat. [Nicand. Al. 340 : Οὖρα δὲ τυφλοῦται, νεάτη δ' ὑπὸ κύστις ὀρεχθεῖ. Oppian. Hal. 2, 583 : Σφακέλῳ δέ οἱ ἔνδον ὀρεχθεῖ ... κραδίη.] || Hom. autem alia signif. usus est Il. Ψ, [30] : Πολλοὶ μὲν βόες ἀργοὶ ὀρέχθεον ἀμφὶ σιδήρῳ Σφαζόμενοι, ubi annotat Eust. ὀρέχθεον esse μίμημα τραχέος ἤχου γινομένου ἐν τῷ σφάζεσθαι βοῦν. Apollonii schol. [et Hesychius ἐστέναζον, ἐμυκῶντο, ἐβρύχοντο] exp. ἔστενον, ut paulo ante annotavi : quasi Hom. significare velit Gemitum et suspirium, quod animam efflantes edunt. Theocr. vero [11, 43 : Τὰν γλαυκὰν δὲ θάλασσαν ἔα ποτὶ χέρσον ὀρεχθῆν], inquit idem Eust., de mari quoque id verbum usurpavit, ut Hom. ῥόχθει μέγα κῦμα. Sed et ἐπὶ πατάγου καρδίας ponitur, ut, Κραδίη δέ οἱ ἔνδον ὀρέχθει. Veteres autem gramm. ὀρέχθεον eo in l. exp. ἀναιρούμενοι ὠρέγοντο, h. e. ἐξετείνοντο, Extendebantur et porrigebant omnia sua membra : vel etiam, διεκόπτοντο : a qua origine nom. ὀρεγμὸς derivatur, significans ὁ διακεκομμένος κύαμος. Hæc ibi Eust. Sed annota scribi etiam Ἐρέχθω.

[Ὀρέω. V. Ὄρω.]

[Ὁρέω. V. Ὁράω.]

Ὀρεωκόμος, ὁ, Qui curat et adornat mulas, Mulio, ut Juven., Martial. [Aristoph. Thesm. 491 : Οὐδ' ὡς ὑπὸ τῶν δούλων τε κὠρεωκόμων σποδούμεθα· fr. ap. Eust. Il. p. 1387, 4 : Ἑστῶτας ὥσπερ τοὺς ὀρεωκόμους ἄθρους.] Xen. Hell. 5, [4, 42] : Ὀρεωκόμοι δὲ ἀποῤῥιπτοῦντες ὃν εἰλήφεσαν καρπόν. Plut. : Τῶν τὰ ἱερὰ προσαγαγόντων ὀρεωκόμων. [Id. Mor. p. 130, E.] Utitur Idem in l. Περὶ ἀοργησίας [460, F]. In VV. LL. autem scribitur etiam Ὀρεοκόμος, citaturque ex Diod. S. [16, 93, cui ὀρεωκόμοις restitui ex ed. Bas. Idem est ap. Dionem Chr. Or. 35, vol. 2, p. 69, sed libris nonnullis hic quoque dissentientibus, ut ap. Plat. Lys. p. 203, B, quum ὀρεσκόμων sit ap. Polyb. 32, 12, 7, cui, ut ceteris omnibus, reddendum ὀρεωκ., quod ponit etiam Photius in v. et in Ὀρεῖς.] Apud Hesych. vero Ὀρεικόμος, ὁ τὰς ἡμιόνους θεραπεύων· idque ordine literario : suo tamen loco apud Eundem habetur Ὀρεοκόμος, itidem ὁ τὰς ἡμιόνους τρέφων : nimirum post Ὄρεξον, ante Ὀρέοντο. Suid. tamen discrimen facit inter ὀρεοκόμος et ὀρεωκόμος, sicut inter ὀρεοπολῶ et ὀρεωπολῶ. Sic enim ait, Ὀρεοκόμος, ὁ τοῦ ὄρους ἐπιμελούμενος· ὀρεωκόμος δὲ, ὁ ἐπιμελητὴς τῶν ἡμιόνων. [Prius ab Suida fictum. V. Ὀρεωπολέω.]

Ὀρεωπολέω, Circa mulos versor, Mulos curo vel alo. At Ὀρεωπώλης, Mulorum venditor, ὁ τοὺς ἡμιόνους πωλῶν, Suid. [Hæc ex ὡραιοπώλης et ὡραιοπωλεῖν ficta videntur, ut de ὡραιοπώλης animadvertit jam Lobeck. ad Phryn. p. 697.]

[Ὀρήλη, n. mulieris in vase ap. Jahn. *Vasenbilder* p. 29.]

[Ὅρημαι, Ὅρημι. V. Ὁράω.]

[Ὄρηος, quod sec. Arcadium p. 39, 11, παροξύνεται κατὰ τροπὴν τῆς αι διφθόγγου γεγονὸς, ad ὄρειος referendum videtur, ut scribendum sit τῆς ει διφθ. Ponit ὄρηος Etym. M. p. 32, 8. L. Dind.]

[Ὁρητός. V. Ὁρατός.]

Ὀρήχου, Hesych. τῆς αἱμασιᾶς, Sepis. [Θριγκοῦ Kusterus, ῥηχοῦ Albert.]

[Ὀρθαγγελέω, Recte nuntio. Phrynich. Bekk. p. 53, 13 : Ὀρθαγγελεῖν, ὀρθὰ καὶ ἀληθῶς ἀγγέλλειν.]

Ὀρθάγης, ὁ, ex Lycophr. [538 : Τὸν πλανήτην ὀρθάγην ὅταν δόμοις σίνιν καταρρακτῆρα δέξωνται δόμοις, de Paride, ubi scholl. partim perhibent κύριον τοῦ Ἀλεξάνδρου, partim interpretantur ξένον, κατὰ γλῶσσαν, partim πόρνον, ἀπὸ τοῦ ὀρθιᾶν,] affertur pro Externus, Hospes, ξένος. [Addit autem Tzetzes : Ἔστι δὲ καὶ Ὀρθάγης δαίμων πριαπώδης περὶ τὴν Ἀφροδίτην. Sed ille Ὀρθάνης dicitur aliis, quod v.]

Ὀρθᾰγόρᾱς, ου, ὁ, Aristoph. schol. accipit pro τὸ αἰδοῖον, Eccl. [915] : Ἀλλ', ὦ μαῖ', ἱκετεύω, κάλει τὸν Ὀρθαγόραν, οὕτως [ὅπως] σαυτῆς κατόναι', ἀντιβολῶ σε. Alioqui est nomen proprium [Sicyoniorum tyranni, ap. Aristot. Reip. 5, 12. Thebani musici ap. Plat. Prot. p. 318, C. Vatis Corinthii ap. Plut. Timol. c. 4. Scriptoris de rebus Indicis ap. Ælian. N. A. 16, 35; 17, 6, Strab. 16, p. 766, Philostr. V. Apoll. p. 137, Phot. cod. 241, p. 327, 10.]

[Ὀρθαγόρεια, ἡ, Orthagoria, urbs Macedoniæ, unde Ορθαγορεων inscripti numi ap. Mionnet. *Descr.* vol. 1, p. 479, *Suppl.* vol. 3, p. 87, de qua Eckhel. D. N. vol. 2, p. 73 : « Fuit Orthagoria serius dicta Stagira, Aristotelis patria, cujus quod sciam mentio tantum fit in ἀποσπασματίοις Geogr. min. 4, p. 42 : Ὀρθαγορία καὶ Στάγειρα, ἡ νῦν Νακρη, quod et p. seq. repetitur. Maroneam Thraciæ etiam dictam Ortaguream tradit Plinius (4, 11, 18). » Scribendum igitur Ὀρθαγόρεια. L. Dindorf.]

[Ὀρθαγορίσκος, ὁ.] Ὀρθαγόρικος, Hesychio χοιρίδιον μικρὸν, Porcellus parvulus, Nefrens. [V. Βορθαγορίσκια.] Ὀρθραγορίσκοι γαλαθηνοὶ, Porculi subrumi, h. e. Qui adhuc sub mammis habentur, matutinis horis venales circumferuntur. Athen. 4, [p. 139, B] : Θύουσι δὲ καὶ τοὺς γαλαθηνοὺς ὀρθραγορίσκους, καὶ παρατιθέασιν ἐν τῇ θοίνῃ τοὺς ἰπνίτας ἄρτους. Et aliquanto post, Ἀλλὰ μὴν οὐδ' ὀρθραγορίσκοι· ἐπεὶ πρὸς τὸν ὄρθρον πιπράσκονται. Est autem Laconicum vocab., ut ex eo loco patet. Orthragoriscus a Plinio dicitur esse Piscis ex porcino genere, 32, 3 : Apion maximum piscium esse tradit porcum, quem Lacedæmonii Orthragoriscum vocant : grunnire eum, quum capiatur. In Aldina autem Athenæi edit. perperam legitur Ὀρθαγαρίσκοι. [In aliis libris recte Ὀρθαγορίσκοι.]

[Ὀρθάδιος, ὁ, i. q. ὄρθιος, ap. Paul. Sil. Descr. Ambonis 24=53 : Ἔστι τις ... πύργος ... ὀρθάδιος βάθροις, ubi tamen codex ὄρθιος. Ad quod per ordinem quidem literarum referre licet Hesychii gl. in Ὀρθέσιον positam.]

[Ὀρθαία, ἡ, Orthæa, f. Hyacinthi, ap. Apollod. 3, 15, 8, 5.]

[Ὀρθαῖος, ὁ, Orthæus, Trojanus, Hom. Il. N, 791. N. viri in inscrr. Delph. ap. Curtium Anecd. n. 26, 27, 29.]

[Ὀρθάκανθος, ὁ, ἡ.] Ὀρθόκανθον ap. Theophr. legitur H. Pl. 3 sub fin., de smilace : Ἔστι μὲν ἐπαυλόκαρπον, ὁ δὲ καρπὸς ἀκανθώδης· καὶ ὥσπερ ὀρθόκανθον, Gaza, Præhorridus. Sed quum ap. Plin. 16, 36, de hac smilace s. cilicia hedera legam, Densis geniculata caulibus, spinosis fruticosa ramis, suspicor reponendum πτορθάκανθον : est enim Πτορθάκανθος, Qui spinosis ramis est. Saltem ὀρθάκανθον tolerabilius [s. Ὀρθοάκανθος, quod reposuit Schneid., præferens tamen Ὀρθάκανθος].

[Ὀρθάνης.] Ὀρθανὴς, οῦ, ὁ, unus ex Priapeis dæmonibus, habens et ipse arrectum penem, Hesych. [Ὀρθάνης, τῶν ὑπὸ τὸν Πρίαπόν ἐστι θεῶν, καὶ αὐτὸς ἐντεταμένον ἔχων τὸ αἰδοῖον.] Ap. Athen. 10, [p. 441, F] ex Platone comico [ἐν Φάωνι] : Βολβῶν μὲν Ὀρθάννῃ τριημέκτια [τρί' ἡμιεκτέα], Κονισάλῳ δὲ καὶ παραστάταιν δυοῖν Μύρτων πινακίσκος, χειρὶ παρατετιλμένων· Λύχνων γὰρ ὀσμὰς οὐ φιλοῦσι δαίμονες. Ubi vocantur δαίμονες. Mentio ibidem et πλακοῦντος ἐνόρχου. [Photius : Ὀρθάνης, Πριαπώδης θεὸς, ἐντέτεκται Ἑρμοῦ καὶ Νύμφης, pro quo Alberto leg. videtur, ὃς ἐντέταται, Ἑ. κ. Ν. sc. υἱός. Strabo 13, p. 587, de Priapo : Ἀπεδείχθη δὲ θεὸς οὗτος ὑπὸ τῶν νεωτέρων· οὐδὲ γὰρ Ἡσίοδος οἶδε Πρίαπον, ἀλλ' ἔοικε τοῖς Ἀττικοῖς Ὀρθάνῃ καὶ Κονισσάλῳ καὶ Τύχωνι, καὶ τοῖς τοιούτοις. Fabulam ita inscripserat Eubulus. Accentum ab HSt. positum refellit etiam Chœrob. p. 53, 28.]

[Ὄρθαπτον, τὸ, i. q. Gausapum purpureum. Polluc. 7, 69 : Ὀρθάπτου δὲ μέμνηται Δείναρχος ἐν τῇ τῆς ἱερᾶς (ἱερείας Kuhn.) δοκιμασίᾳ. Ἔστι δ' ἐξ ἐρίων πίλημα φοινικοῦν, ᾧ φαιδρύνουσι τὰ ἕδη τῶν θεῶν.]

[Ὀρθέσιον, ὄρθιον, μακρὸν, ὀξὺ, μέγα, Hesychii gl. corrupta, ex ὄρθιον, ut videtur, per dittographiam.]

Ὀρθεύω, Erigo, Sublevo, i. e. ὀρθόω. Eur. Or. [405] : Παρῆν τις ἄλλος ὃς σὸν ὤρθευεν δέμας, i. e. ἀνώρθου σφαλλόμενον, ubi etiam reddi forte queat Erectum sustinebat et fulciebat.

[Ὄρθη, ἡ, Orthe, urbs Perrhæbiæ, Hom. Il. B, 739. Πόλις Θεσσαλίας Hesychio. Strabo 9, p. 440 : Ὄρθην δέ τινες τὴν ἀκρόπολιν τῶν Φαλανναίων εἰρήκασιν, qui locum Hom. attulerat p. 439.]

[Ὀρθία Ἄρτεμις. V. Ὄρθιος. Ὀρθία demus Elidis ap. Pausan. 5, 16, 6.]

Ὀρθιάζω, Erigo, Arrigo, Epigr. [Leonid. Tar. Anth. Plan. 261, 2 : Ἰθυτενὲς μήρων ὀρθιάσας ῥόπαλον. Paulus Ægin. p. 201, 43.] Item, Voce sublata et intenta loquor. [Æsch. Pers. 687 : Ψυχαγωγοῖς ὀρθιάζοντες γόοις οἰκτρῶς καλεῖσθέ με, Invocantes.] Et, Vaticinor; nam et ἐνθουσιώντων vox impetu quodam concitata plerumque erat : Hesych. ὀρθιάζειν, μαντεύεσθαι. [Quod ap. Photium, ut ap. Eust. Opusc. p. 250, 59, in Ὀρθριάζειν corruptum.]

[Ὀρθιακός, ή, όν, Rectus. Steph. B. v. Πανὸς πόλις. Wakef. Verba sunt : Ἔστι δὲ καὶ τοῦ θεοῦ ἄγαλμα μέγα ὀρθιακὸν ἔχον τὸ αἰδοῖον εἰς ἑπτὰ δακτύλους, quod μέγαν ὀρθιακὸν τὸ αἰδοῖον scriptum in cod. Vratisl., hoc est μέγα, ὀρθιάζον τὸ αἰδοῖον. De quo monuit jam Lobeck. Patholog. p. 315, 14. L. Dind.]

Ὀρθίαξ, ᾶκος, ὁ, Mali nautici inferior pars, ut carchesium suprema : ita dicta quod recta in altum tendat et ardua sit. Pollux 10, [134] : Ὀρθίαξ δὲ, τὸ κάτω τοῦ ἱστοῦ καλεῖται, ὡς τὸ ἄνω καρχήσιον. Utitur autem ea voce Epicharm. in Naufrago, ut Idem tradit. Hesych. [ap. quem scriptum ὀρθίας] exp. ἱστὸς νεώς : addens, accipi etiam ἐπὶ κακεμφάτου. [De α producto v. Draco p. 19, 6, sive Ps.-Herodian. Cram. An. vol. 3, p. 284, 16.]

[Ὀρθίασις, εως, ἡ, Arrectio. Schol. Eur. Phœn. 1284, τριχῶν. Ion. Ὀρθίησις, Aretæus p. 26, 11 : Οὐδὲ μόρια ἐς ὀρθίησιν ὅκωσπερ σάτυρος ἴσχει γυνή.]

Ὀρθίασμα, τὸ, Verbum intenta voce prolatum, ab ea signif. τοῦ ὄρθιος, qua ὄρθιος νόμος dicitur cujus ῥυθμοὶ sunt ἀνατεταμένοι καὶ εὔτονοι, ut Suid. tradit, et paulo post in Ὄρθιος dicetur. Utitur hoc verbali Aristoph. Ach. [1042] : Ἤκουσας ὀρθιασμάτων, schol., ἀνατάσεως ῥημάτων, τῶν μετὰ βοῆς κόμπων : vel τῶν μελῶν : παρ' ὅσον, inquit, ὄρθιος νόμος κιθαρῳδικός.

[Ὀρθιᾶτις, ιδος, ἡ, numeri quinarii nomen sec. Nicomachum Photii Bibl. p. 144, 40. L. Dind.]

[Ὀρθιάω, Arrigo. Gl. : Ὀρθιᾷ, Arrigit. Schol. Lycophr. 538 : Ὀρθάγην ... ἀπὸ τοῦ ὀρθιᾷν. L. Dind.]

[Ὀρθιόκωπος, ὁ, ἡ.] Ὀρθιοκῶποι, Qui se erigunt in ducendis remis, ut sc. fortius eos impellant : ὀρθιοκώπους Hesych. exp. ἐξορθουμένους ἐν τῷ ἐρέσσειν ἐπιπόνους, ubi scribere malim ἐπιπόνως [ut in Ὀρθιόκωποι dicit οἱ ἐπιπόνως ἐλαύνοντες καὶ ἀκλινῶς].

[Ὄρθιον. V. Ὀρθωσία.]

Ὄρθιος, α, ον [et ὁ, ἡ, ut ap. Nonn. loco infra cit.], Recta in altum tendens, Arduus : ὄρθιος οἶμος, Via ardua et acclivis. Hesiod. Ἔργ. [288] de virtute : Μακρὸς δὲ καὶ ὄρθιος οἶμος ἐπ' αὐτήν, Καὶ τρηχὺς τοπρῶτον· ἐπὴν δ' εἰς ἄκρον ἵκηται, Ῥηϊδίη δ' ἤπειτα πέλει, χαλεπή περ ἐοῦσα· ubi observa viæ arduæ descriptionem, et ὄρθιον οἶμον difficultatem aliquam simul innuere, sicut quum Arduus ascensus et Arduus aditus dicitur. [Imitatur Onest. Anth. Pal. 9, 230, 3 : Οὕτω καὶ σοφίης πόνος ὄρθιος κτλ.] Nonn. vero simpliciter pro Recta in altum tendens accepisse videtur, quum hæc verba Joannis c. 14, [6] : Ἐγώ εἰμι ἡ ὁδὸς, καὶ ἡ ἀλήθεια, καὶ ἡ ζωὴ, ita μετέφρασεν [v. 20] : Ζωὴ, ἀληθείη τε καὶ ὄρθιος εἰμὶ πορείη· Ζωὴ ἐγὼ βιότοιο καὶ ἀτραπός. [Ubi notandum femininum ὄρθιος. Soph. fr. Alead. ap. Ælian. N. A. 7, 39 : Νομὰς δέ τις κεροῦσσ' ἀπ' ὀρθίων πάγων καθεῖρπεν ἔλαφος. Eur. Phœn. 1098 : Περγάμων ἀπ' ὀρθίων· 1223 : Ἀπ' ὀρθίου πύργου· Andr. 10 : Πύργων ἀπ' ὀρθίων· El. 489 : Πρόσβασιν ὀρθίαν. Xen. Anab. 1, 2, 21 : Ὁδὸς ἁμαξιτὸς ὀρθία ἰσχυρῶς· 4, 2, 14 : Μαστὸς πολὺ ὀρθιώτατος, et similiter alibi.] Homero quoque ὄρθιος [ὀρθός ?] dicitur Qui recto corpore est : qua signif. et Ardua cedrus et Ardua cervix ap. Latinos. Theophyl. Ep. 15 : Νεανίας εὐσθενὴς, ὄρθιος, τὸ περιστέρνιον λάσιος. [Epigr. Anth. Pal. App. 365, 1 : Τοῦτον ὃν εἰσοράᾳς τύπον ὄρθιον Ἀντωνίνου Δωρόθεος Πτελέη θήκατο χρυπτόμενον. Aret. p. 120, 5 : Κεφαλὴν τρίβεσθαι ὄρθιον ἑωυτέου μέζονι ὑπέχοντα· 123, 7 : Κεφαλὴ ὀρθίη.] Et Oppian. Cyn. 3, [305] : Πολλῷ σὺν ῥοίζῳ δὲ μάλ' ὄρθιος [ὄρθριος Schneid.] εἶσιν ἐπ' ἄγρην, Ardua et elata cervice, etiam Elato et audaci pectore. Necnon ὄρθιοι μαστοὶ, Mamillæ rectæ s. arrectæ : quibus opp. Pensiles, ut loquitur Plin. Quales mammas habens puella, ὀρθοτίτθιος dicitur. [Ap. Suidam, unde Procopio H. Arc. p. 31, A, idem restitutum pro ὀρθότοον, sed præstabat fortasse ὀρθότιτθον, ut est ap. Nicetam Chon. 10, 1 init.]

A Galen. l. 6 Simpl., de epimedio : Δύναται δὲ καὶ καταπλαττομένη μαστοὺς ὀρθίους διαφυλάττειν· de cujus foliis Diosc. 4, 19 : Κατάπλασμα μαστῶν εἰς τὸ μὴ αὔξεσθαι. Unde Plin. 27, 9 : Folia in vino trita mammas cohibent. [Paul. Sil. Anth. Pal. 5, 258, 4 : Μαζὸν νεαρῆς ὄρθιον ἡλικίης.] Præterea ὄρθιον οὖς, Arrecta auris, ut Virg. Lucian. Timon. [c. 23] : Ὄρθιον ἐφιστὰς τὸ οὖς, Aurem arrigens. [Pind. Pyth. 10, 36 : Ὕβριν ὀρθίαν κνωδάλων, de asinis lascivientibus. Sic Simonides ap. Tryphonem Boisson. Anecd. vol. 3, p. 275 : Ἑρμῆν τόνδ' ἀνέθηκεν Δημήτριος, ὄρθια δ' οὐκ, ἐν προθύροις. Æsch. Sept. 564 : Τριχὸς δ' ὀρθίας πλόκαμος ἵσταται. Soph. OEd. C. 1624 : Ὀρθίας στῆσαι ... τρίχας. Eur. Hel. 632 : Ὀρθίους ἔθειρας. Herodot. 1, 102 : Ἕως τοῖσι Πέρσῃσι ὄρθια ἦν τὰ γέρρα.] || Ὄρθιος νόμος, Orthium carmen : inde dictum fuit, quod voce sublatissima cantaretur. Sic quod Herodot. 1, [24] de Arione refert : Στάντα ἐν τοῖσι ἑδωλίοισι διεξελθεῖν νόμον τὸν ὄρθιον, ita Gellius 16, 19 : Stansque in summæ puppis foro, carmen quod Orthium vocatur, voce sublatissima cantavit.
B Quæ interpret. confirmatur eo, quod Hom. dicit ὄρθια ἄϋειν, de quo mox. [Aristoph. Eq. 1279 : Ὅστις ἢ τὸ λευκὸν οἶδεν ἢ τὸν ὄρθιον νόμον· Ach. 16 : Ὅτε δὴ παρέκυψε Χαῖρις ἐπὶ τὸν ὄρθιον.] At ap. Athen. 14, ὄρθιοι ῥυθμοί. || Rectus, In rectum porrectus, sc. ἐν ἐπιπέδῳ, quo modo et ὀρθὸς infra ponitur, sc. pro εὐθύς. Theophr. C. Pl. 3, 7 [6, 3 Schn.] : Τάφρους ὀρύσσοντα, τὰς μὲν πλαγίους, ἵνα τὸ ὕδωρ δέχωνται· τὰς δὲ, ὀρθίας· per quas sc. recto tramite decurrit aqua. [Ib. 4 : Αἱ δ' ὄρθιαι ... δέχονται τὴν συρροήν.] Et ὄρθιον ἴχνος, Xen. Cyneg. p. 575 [c. 6, 14]. Ibid. [15] : Ἐξειλλοῦσαι τὰ ἴχνη, ὡς πέφυκεν, ἐπηλλαγμένα, περιφερῆ, ὄρθια, πυκνὰ, καμπύλα. [Bis nunc correctum ὀρθὸν et ὀρθά.] At ὀρθία φάλαγξ dicebatur, ut tradit Suid., Quæ procederet in cornu, profunditatem habens latitudine majorem : qui etiam addit, παράμηκες vocari πᾶν τάγμα, ὃ ἂν τὸ μῆκος ἔχῃ πλέον τοῦ βάθους : ὄρθιον autem, ὃ ἂν τὸ βάθος τοῦ μήκους. Gaza ap. Ælian. vertit Arduus, Bud. [Sic ὄρθιοι λόχοι ap. Xen. Cyrop. 3, 2, 6 : Ὀρθίους ποιησάμενος τοὺς λόχους ἡγεῖτο· Anab. 4, 2, 11 : Προσβάλλουσι
C πρὸς τὸν λόφον ὀρθίοις τοῖς λόχοις· et alibi sæpe in eadem. Improprie Plut. Sull. c. 1 : Ἐν ἤθεσιν ὀρθίοις καὶ καθαροῖς.]

|| Fem. Ὀρθία, Dianæ cognomentum, a loco Arcadiæ, Hesych. : de qua post Ὀρθιάδε. Infra vero habebimus Ὀρθωσία Ἄρτεμις. At in VV. LL. ita, Ὀρθία, Lex erat Palladis, argumentum bellicum continens. [Fictum ex ὄρθιος νόμος, quod v. infra.]

|| Neutr. Ὄρθιον, Arduum, Arrectum : εἰς ὄρθιον, In arduum. Xen. Eq. [8, 8] : Τάφρον δὲ διαλλομένου καὶ πρὸς ὄρθιον ἱεμένου [ἱεμ.] · cui mox opp. εἰς τὸ πρανές. [Sæpe sic etiam in H. Gr.] Latinis quoque Arduum s. Acclive et Declive opponuntur : ut ὄρθιον hic sit, quod alibi ἄναντες. [Anab. 4, 2, 3 : Πρὸς τὸ ὄρθιον ἐκβαίνειν.] Itidem Cyrop. 2, p. 30 [c. 2, 24], Idem dicit, Ἡ ἀρετὴ πρὸς ὄρθιον ἄγουσα· cui itidem opp. ἐπὶ τὸ πρανές. At Cyneg. [5, 29] de lepore dixit ὄρθιον [ὀρθὸν] φεύγειν adverbialiter pro Recto vel Arduo tramite fugere, ut vertit Bud. : Εἰ δ' ἔφυγεν ὄρθιον, ὀλιγάκις ἂν ἔπασχε τὸ τοιοῦτο· νῦν δὲ περιβάλλων τοὺς τόπους ἐν οἷς ἐτράφη,
D ἁλίσκεται. Adverbialiter rursum, ὄρθιον dicitur pro Sublata et intenta voce. [Pind. Ol. 9, 117 : Ὄρθιον ὤρυσαι· Nem. 10, 76 : Ὄρθιον φώνασε. Æsch. Pers. 389 : Ὄρθιον δ' ἅμα ἀντηλάλαξε ... ἠχώ· Cho. 751 : Ὀρθίων κελευσμάτων· Ag. 1153 : Ὀρθίοις ἐν νόμοις. Soph. El. 683 : Ὀρθίων κηρυγμάτων· Ant. 1206 : Φωνῆς ὀρθίων κωκυμάτων. Eur. Heracl. 830 : Ἐσήμην' ὄρθιον σάλπιγγι· Tro. 1266 : Ὀρθίαν σάλπιγγος ἠχώ.] Plut. De orac. Pyth. [p. 402, F] : Διὰ σοῦ δὲ αὖθις εἰς φιλοσοφίαν ποιητικὴ κάτεισιν, ὄρθιον καὶ γενναῖον ἐγκελευομένη τοῖς νέοις, Sublatissima intentissimaque voce exhortans adolescentes. Hom. autem pro hoc ὄρθιον utitur plurali num. Ὄρθια, itidem adverbialiter, sicut μακρὰ et ὀξέα : pro quo Idem etiam μακρὸν ἄϋειν dicit. Il. Λ, [11] : Ἔνθα στᾶσ' ἤϋσε θεὰ μέγα τε δεινόν τε, Ὄρθι' Ἀχαιοῖσιν, Intentissima et sublatissima voce, ἐντεταμένως, μεγάλως, schol. [H. Cer. 20 : Ἰάχησε δ' ἄρ' ὄρθια φωνῇ. Apoll. Rh. 4, 70 : Ὄρθια ... ἤπυε. Et alio cum verbo Xenocrat. Anth. Plan. 186, 3 : Πῶς δ' ὄρθια χειρονομήσω.] Eundem locum enarrans Eust. annotat ὄρθια dici Attice

pro ὄρθιον, at ἑρμηνεύεσθαι per præcedentia duo, μέγα τε δεινόν τε : quibus subjungit, Τοιοῦτος γὰρ ὁ παρὰ τοῖς μουσικοῖς ὄρθιος νόμος, ἤγουν τρόπος ἐκεῖνος ᾠδῆς εἰς πόλεμον ἐρεθιστικός. Τιμόθεος οὖν ὄρθιον ᾄσας, τοσούτου τὸν Ἀλέξανδρον ἄρεος ἔπλησεν, ὡς εἰς τὰ ὅπλα εὐθὺς ἐκεῖνον ἀναπηδῆσαι. Similiter Aristoph. schol., ex Hom. illo loco tradit ὄρθιον esse αὐλητικὸν νόμον, οὕτω καλούμενον διὰ τὸ εἶναι εὔτονον καὶ ἀνάτασιν ἔχειν. [Ἀπὸ τοῦ ῥυθμοῦ, καθάπερ καὶ τὸν τροχαῖον, Hesych. Plut. De mus. p. 1140, F : Τὸν τῆς ὀρθίου μελῳδίας τρόπον (dicitur invenisse Terpander) τὸν κατὰ τοὺς ὀρθίους πρὸς τὸν ὄρθιον σημαντὸν τροχαῖον.] Ad ὄρθιον autem νόμον et hæc ap. Polluc. pertinent, l. 4, [65] : Ἀπὸ δὲ ῥυθμῶν, ὄρθιος νόμος, καὶ τροχαῖος· ἀπὸ δὲ τρόπων, ὀξύς. Aliquanto post [73] : Αὔλημα δὲ ὄρθιον, ἀφ' οὗ καὶ νόμος ὄρθιος. [Max. Tyr. Diss. 23, 5, p. 450 : Καλὸν μὲν ἐν πολέμῳ τὸ ὄρθιον.]

|| At Ὀρθιάδε, ut οἰκόνδε, πόλεμόνδε, ἤπειρόνδε, ἀϊδόσδε, φύγαδε, pro πρὸς ὄρθιον, In arduum. Xen. Reip. Lac. p. 394 [c. 2, 3] : Νομίζων, εἰ τοῦτ' ἀσκήσειαν, πολὺ μὲν ῥᾷον ἂν ὀρθιάδε βαίνειν, ἀσφαλέστερον δὲ πρανῆ καταβαίνειν, Loca ardua scandere : vulgatæ autem edd. eo loco habent ὄρθιά γε, ut et Stobæus [cujus libri qui fidem merentur ὀρθία (ὄρθια) ἐκβαίνειν, ut liber unus Xen. ὄρθια δὴ εὐβαίνειν] : at ὀρθιάδε quidam vett. codd. In ead. porro p. [2, 10], παρ' ὀρθίας Philelphus vertit, Ex loco arduo et difficili ; ego potius, Ab ara Dianæ Orthiæ [de qua paullo ante] : Καὶ ὡς πλείστους δὴ ἁρπάσαι τυροὺς παρ' ὀρθίας καλὸν θείς, μαστιγοῦν τούτους ἄλλοις ἐπέταξεν. Atque ex hoc l. emendo quendam Plutarchi Lycurgo p. 93 meæ ed. [c. 18] pro ὀρνιθείας reponens ὀρθίας : verba ejus sunt, de ephebis ad furandum instructis : Ὧν πολλοὺς ἐπὶ τοῦ βωμοῦ τῆς Ὀρνιθείας ἑωράκαμεν ἐναποθνήσκοντας ταῖς πληγαῖς. Atqui et in Apophth., p. 111 meæ ed. [p. 239, D] : Οἱ παῖδες παρ' αὐτοῖς ξαινόμενοι μάστιξι δι' ὅλης τῆς ἡμέρας ἐπὶ τοῦ βωμοῦ τῆς Ὀρθίας Ἀρτέμιδος, μέχρι θανάτου πολλάκις διακαρτεροῦσιν ἱλαροὶ καὶ γαῦροι, ἁμιλλώμενοι περὶ νίκης πρὸς ἀλλήλους, ὅστις αὐτῶν ἐπὶ πλέον τε καὶ μᾶλλον καρτερήσειε τυπτόμενος· quam ἅμιλλαν vocari διαμαστίγωσιν, ibid. scribit. Meminit ejusd. et Pausan. Lacon. p. 76 [c. 16, 7] : Ὀρθίας ἱερὸν Ἀρτέμιδος. [Et ib. 11 : Τὴν ἐν Λακεδαίμονι Ὀρθίαν. Et 8, 23, 1 : Μαστιγοῦνται, καθὰ καὶ οἱ Σπαρτιατῶν ἔφηβοι παρὰ τῇ Ὀρθίᾳ. Et Arcadicæ 2, 24, 5 : Ὠκοδόμηται ἐπὶ κορυφῇ τοῦ ὄρους Ἀρτέμιδος Ὀρθίας ἱερόν. Xen. Reip. Lac. 2, 9, ubi l. Themist. Or. 21, p. 250, A : Τὸν Λυκοῦργον ἐπὶ τὸν βωμὸν τῆς Ὀρθίας ὁμοίως μὲν δούλους, ὁμοίως δὲ ἐλευθέρους ἀνάγειν, et alia annotavit Schneider. Conf. inscr. ap. Ross. *Reisen und Reiserouten durch Griechenland* vol. 1, p. 23, 6, et al. ap. Bœckh. vol. 1, p. 676, n. 1416, ubi male Ὀρθείᾳ. Dianæ epitheton est etiam Orph. H. 35, 8. V. Ὀρθωσία.]

[Ὀρθίς. V. Ὀρθωσία.]

Ὀρθοβᾰτέω, ήσω, Rectus s. Erectus incedo. [Philippus Anth. Pal. 9, 11, 4.]

[Ὀρθοβόας. V. Ὀρθροβόας.]

[Ὀρθόβολος, ὁ, ἡ, Recta jactus. V. Ἰθυπτίων.]

[Ὀρθοβουλία, ἡ, Rectum consilium. Polemo Physiogn. p. 219 : Ὑγροὶ ὀφθαλμοὶ ὀρθοβουλίαν τοῦ ἀνδρὸς κατηγοροῦσι. Wakef.]

[Ὀρθόβουλος, ὁ, ἡ, Qui est recti consilii. Pind. Pyth. 4, 262, μῆτιν· 8, 78, μαχαναῖς. Æsch. Prom. 18 : Τῆς ὀρθοβούλου Θέμιδος.]

[Ὀρθόβουλος, ὁ, Orthobulus, n. viri ap. Lysiam p. 146 sq.]

[Ὀρθογνωμονέω, Recte sentio. Philo vol. 1, p. 547, 47 : Διδάξων ὅτι οὐκ ὀρθογνωμονεῖ. Sic enim codd. pro ὀρθογνωμεῖ. De qua forma conf. Lobeck. ad Phryn. p. 382.]

[Ὀρθογνώμων, ονος, ὁ, ἡ, Recta sentiens. Hippocr. p. 1282, 55 : Ὀρθογνώμονα ψυχήν. « Hippodam. Stobæi Fl. vol. 3, p. 341, λόγως. » Valck. Philo vol. 1, p. 549, 38 : Τῆς ὀρθογνώμονος ἐπιμονῆς. L. Dind.]

[Ὀρθογόη. V. Ὀρθρογόη.]

[Ὀρθόγραμμος, ὁ, ἡ, Recte descriptus. Dionys. Areop. De div. nom. p. 441. Kall. Allat. Græc. orthod. vol. 2, p. 220, D. L. Dind.]

Ὀρθογρᾰφέω, fut. ήσω, Recte scribo.

Ὀρθογραφία, ἡ, Recta scriptura, s. Recte scribendi scientia, ut Quintil. interpr. [1, 7, 1. Ab Suetonio Octav. c. 88 vocatur Formula ratioque scribendi a grammaticis instituta. Reliquerat de ea librum Herodianus, ab Steph. B. v. Καρία, Prisciano 2, p. 36, aliisque citatum ; Orus, ab Steph. v. Ταίναρος, schol. min. Il. B, 461, Suida v. Ὦρος, Arcadius, Trypho et Hyperechius ab eodem in his nominibus, et Eudæmon ab Steph. B. in Αἴλια et Etym. M. in Θῦον p. 457, memoratos. Chœrobosci vero etiam nunc superest in Crameri Anecd. Ox. vol. 2, p. 167—281 edita.] Orthographia autem in Architectura, ut Vitruv. 1, 2, tradit, est Erecta frontis imago, modiceque picta rationibus operis futuri figura. De qua et Bud. in Pand. [p. 460. Breviter et perspicue epit. Vitruvii, Laterum et altitudinis exstructio.]

[Ὀρθογράφος, ὁ, ἡ, Qui recte scribit. Suid. v. Ἀνώγεων, ἀκριβὴς ὀρθογράφος. Kall.]

[Ὀρθόγυιον, τὸ, i. q. θρύον. Diosc. Notha p. 467 (4, 74). Boiss.]

[Ὀρθογωνία, ἡ, Rectus angulus. Archytas ap. Stob. Ecl. phys. p. 784 : Ὀρθότατος δὲ καὶ εὐθύτατος κανὼν καὶ στάθμα ὀρθαγωνία (sic). Quod ὀρθὰ γωνία potius scribendum. Iamblichus In Nicom. p. 61, B.]

Ὀρθογώνιος, ὁ, ἡ, Rectangulus. [Tim. Locr. p. 98, A : Ὀρθογώνιον, et ib. B, ὀρθογώνια. Aristot. De anima 2, 5. Athen. 10, p. 418, F, Diog. L. 8, 12, τρίγωνον. Pollux 4, 161, et sæpe mathematici.]

[Ὀρθόγωνος, ὁ, ἡ, Rectangulus, Gl.]

[Ὀρθοδᾰής, ὁ, ἡ, Qui recte callet, Peritus. Æsch. Ag. 1022 : Τὸν ὀρθοδαῆ, de Æsculapio.]

[Ὀρθοδίκαιος, ὁ, ἡ, Rectus et justus. Æsch. Eum. 994.]

[Ὀρθοδίκης, ὁ, Recte judicans. Pind. Pyth. 11, 9 : Ὀρθοδίκαν γᾶς ὀμφαλόν.]

[Ὀρθοδοξαστής, ὁ, Qui rectæ est fidei, ap. Clem. Al. Strom. p. 343 : Οἱ ὀρθοδοξασταὶ καλούμενοι. Schneid. Et adj. Ὀρθοδοξαστικὸς, ή, όν, Olympiod. Præf. in Plat. Gorg. Routh. Proculus In Alcib. 1 c. 23, βίος. Creuzer. Hermias In Plat. Phædr. p. 65. Adv.] Ὀρθοδοξαστικῶς, Opinione recta, non aberrante. Ammon. ap. Aristot. : Πρῶτον μὲν ὀρθ. εἰδέναι τοῦτο χρὴ, εἶτα ὕστερον ἀποδεικτικῶς. [Simplicius In Aristot. Categ. f. 2, A. Boiss.]

[Ὀρθοδοξέω.] Ὀρθοδοξῶ, Sum rectæ opinionis, Recte sentio ; ut ὀρθοδοξοῦντες λαοὶ, Basil. [Aristot. Eth. Nic. 7, 9 : Τοῦ ὀρθοδοξεῖν περὶ τὴν ἀρχήν. Phot. Bibl. p. 159, 17 : Τὰ πρόσωπα δὲ τοῦ διαλόγου Πύρρος καὶ Μάξιμος, ὧν ὁ μὲν τῆς ὀρθοδοξούσης προΐσταται γνώμης, Πύρρος δὲ τοῦ αἱρετίζοντος ἀντεχόμενος φρονήματος ... Et alii scriptores eccles.]

Ὀρθοδοξία, ἡ, Recta opinio, Basil., Synes. [Pollux 4, 7. L. D. In Lex. Ms. Cyrilli ἐστὶν ἀψευδὴς περὶ τοῦ θεοῦ καὶ κτίσεως ὑπόληψις ἢ ἔννοια περὶ πάντων ἀληθὴς ἢ δόξα τῶν ὄντων καθάπερ εἰσί. Ita quidem generatim ap. scriptt. Christianos, sed peculiariter ὀρθ. appellata prima Dominica jejuniorum s. Quadragesimæ, in qua celebratur apud Græcos festum Restitutionis cultus sacrarum Imaginum sub Michaele et Theodora Impp. legiturque Synodicum in hanc rem editum. Synaxar. in Triodio : Τῇ αὐτῇ ἡμέρᾳ κυριακῇ πρώτῃ τῶν νηστειῶν τὴν ὀρθοδοξίαν ἤτοι τὴν ἀναστήλωσιν τῶν ἁγίων καὶ σεπτῶν εἰκόνων ἡ ἐκκλησία τοῦ Χριστοῦ παρέλαβε, γενομένην παρὰ Μιχαὴλ καὶ Θεοδώρας ... καὶ τοῦ ἁγίου Πατριάρχου Κπολ. Synodicum Pappi : Ἐπὶ δὲ Θεοδώρας ... γέγονεν ἡ σύνοδος ἐν ΚΠ. τῆς ὀρθοδοξίας, ἥτις ᾄδεται ἕως τῆς σήμερον.... Libellus ap. Combefis. Hist. Monothel. p. 716 : Διήγησις ... ὅπως καὶ δι' ἣν αἰτίαν παρέλαβε τὴν ὀρθοδοξίαν ἐτησίως τελεῖν τῇ πρώτῃ κυριακῇ τῶν ἁγίων νηστειῶν ἡ ἁγία θεοῦ ἐκκλησία. Aliique scriptt. Byz. et ecclesiastici. Ducang.]

Ὀρθόδοξος, ὁ, ἡ, Cujus recta est opinio, opp. τῷ κακόδοξος. Sed restringitur ap. Eccless. scriptores ad Eum qui recte de Christiana religione sentit ; cui opp. κακόδοξος, qui male sentit, sc. Hæreticus. [Superl. ap. Suidam in Τραϊανός. « Et ap. Sym. Metaphr. V. S. Cyriani in Anal. Benedictinorum p. 127, 6. » Boiss. || Adv. Ὀρθοδόξως, Epiphan. vol. 1, p. 975. « Jo. Chrys. In Ps. 118, vol. 1, p. 997. » Seager. Theorianus in Maii Coll. Vat. vol. 6, p. 364. Osann. Achmes Onirocr. p. 40. L. Dindorf.]

[Ὀρθοδότειρα, ἡ, Recta dans. Orph. H. 75, 5: Θρέπτειραι ψυχῆς, διανοίας ὀρθοδότειραι, de Musis. Ὀρθώτειραι Lobeck. ad Soph. Aj. v. 397.]

Ὀρθοδρομέω, Recto cursu contendo s. eo, Xen. [Eq. 7, 14: Τό τε ὀρθ. καὶ τὸ ἀποκάμπτειν, unde citat Pollux 1, 204.]

Ὀρθόδρομος, ὁ, ἡ, Qui recto cursu pergit, i. q. εὐθύδρομος.

Ὀρθόδωρον, τὸ, Palma porrecta, h. e. Quæ non contracta est, sed in rectum explicata. Eod. nomine et Mensura dicitur, qua palma porrecta et extensa patet, h. e., Interstitium illud, quod in palma porrecta atque explicata est inter καρπὸν et extremitatem digiti medii: quod etiam δῶρον dicitur: Lat. Palmus. Pollux 2, [157]: Τὸ δὲ ἀπὸ καρποῦ ἕως ἄκρου δακτύλων, ἡ πᾶσα χεὶρ, ὀρθόδωρον. Ab aliis exp. Spithama, Hesych.

[Ὀρθοέθειρος, ὁ, ἡ, Qui crines arrectos habet. Orph. H. 18, 8.]

Ὀρθοέπεια, ἡ, Recta locutio, Emendata cum suavitate vocum explanatio. Est autem Fabii [Inst. 1, 5, 53] utraque expos. [Alio l. 11, 3, 13, Vocem liberalem eodem sensu appellare videtur. Quæ qualis sit, ex eo loco patet, ubi pronunciationem præcipit esse debere emendatam, dilucidam, ornatam, aptam, et emendatam quidem, i. e. vitio carentem, si fuerit os facile, explanatum, jucundum, urbanum, i. e. in quo nulla neque rusticitas neque peregrinitas resonet. Ernest. Lex. rh.] Sed quidam etiam accipiunt pro Eo genere loquendi, in quo propriis verbis utimur: ut opp. τῇ ἀκυρολογίᾳ. Platoni Phædro [p. 267, C] ὀρθοέπεια Virtus est elocutionis, Cam. [Dionys. H. De vi Demosth. c. 25: Ὦ (Dem.) κανόνα ὀρθοεπείας χρήσασθαι ἀξιοῦμεν. « Themist. Or. 23, p. 289, D, ubi ὀρθορρημοσύνην adjunxit. Περὶ Ἑλληνισμοῦ ἤτοι Ὀρθοεπίας titulus libri a Ptolemæo Ascalonita scripti, Suid. in Πτολεμ. ὁ Ἀσκαλ. » Hemst. Philodem. p. 20, 10; 22, 15 ed. Gros.]

Ὀρθοεπέω, itidem pro Recte et proprie loquor, cui contr. ἀκυρολογῶ. [Dionys. A. R. 1, 90: Τὸ μὴ πᾶσι φθόγγοις ὀρθοεπεῖν. « Ammon. in Μῦθος. » Hemst. Hermias In Plat. Phædr. p. 192. Philodem. p. 10, 23 ed Gros.]

Ὀρθόθριξ, τρῖχος, ὁ, ἡ, Qui erectos habet crines: Virg., Arrectæque horrore comæ. [In Ind.:] Ὀρθότριχες, Qui pilos surrectos habent, Quibus pili recti s. arrecti sunt. [Æsch. Cho. 32, φόβος. Pollux 2, 31. V. Ὀρθόκερως.]

Ὀρθοθύρη, ἡ, Janua erecta et in altum tendens. Crates ap. Etym. scribit, Hom. ὀρσοθύρη dixisse pro ὀρθοθύρη, exponens, θύρα πρόβασιν ἔχουσα καὶ εἰς τὰ ὑπερῷα φέρουσα: quam et alii ὑψηλὴν θύραν exp.

[Ὀρθοκάθεδρος. V. Ὀρθοκάθευδος.]

[Ὀρθοκάθευδος, ὁ, ἡ, ap. Paul. Ægin. 6, 99, rectius Ὀρθοκάθεδρος, Qui erectus sedet: conf. 6, 66, ubi Ὀρθοκαθήμενος. Schneider.]

[Ὀρθοκαθήμενος. V. Ὀρθοκάθευδος.]

[Ὀρθοκάλαμος, ὁ, Hemerocallis, Diosc. Notha p. 461 (non est 3, 127). Boiss.]

[Ὀρθόκανθος, vitium scripturæ pro Ὀρθάκανθος.]

[Ὀρθοκάρηνος, ὁ, ἡ, Qui recto capite est. Joann. Gaza Tab. M. 1, 185: (Hesperus) ἠρέμα δύνει δόχμιος ὀρθοκάρηνος. Boiss. Scripturæ var. pro ὀρθοέθειρος, Orph. H. 18, 8. ᾶ]

Ὀρθόκαυλος, ὁ, ἡ, Qui recto s. rigido caule est, i. q. εὐθύκαυλος, Qui καυλὸν ὀρθὸν ἀφίησι, Theophr. H. Pl. [7, 8, 2.]

[Ὀρθοκέρατος, s.] Ὀρθόκερως, ωτος, ὁ, ἡ, Erecta cornua gerens, Qui rigidis cornibus est. [Hesych. in Κόρωνος. Hemst. Ὀρθοκέρατος Hesych. et Eust. in Ὀρθόκραιρος cit.] || Cui crines erecti stant, Crines erigens, Capillos surrigens: ὀρθ. φρίκη, Soph. ἡ ὀρθόθριξ, ut Pollux [2, 31] exp.: horrore enim eriguntur crines. [Photius: Ὀρθ., ὀρθόθριξ.]

[Ὀρθοκέφαλος, ὁ, ἡ, Qui erecto est capite. Eust. in Ὀρθόκραιρος cit. sive Apollon. Lex. H. p. 509.]

[Ὀρθόκοιλον. V. Ὀρθόκωλον.]

[Ὀρθοκορυβάντιοι, οἱ, Orthocorybantii, gens Persica ap. Herodot. 3, 92: Ἀπὸ δὲ Ἀγβατάνων καὶ τῆς λοιπῆς Μηδικῆς καὶ Παρικανίων καὶ Ὀρθοκορυβαντίων ν' καὶ υ' τάλαντα· νομὸς δέκατος οὗτος. Paucissimi —βάντων et —βατίων.]

A [Ὀρθοκόρυζος, ὁ, ἡ, ap. Alciphr. Ep. 3, 48: Μὴ βιῴη ὁ θεοῖς ἐχθρὸς Λικύμνιος, ὃν ἐγὼ τῆς ἀχαρίστου φωνῆς ἕνεκα ὀρθοκόρυζον καλεῖσθαι πρὸς ἡμῶν καὶ τοῦ χοροῦ τῶν Διονυσοκολάκων ἔκρινα, quod suspectum interpretibus cum βουκόρυζος conferebat Toup. Emend. vol. 2, p. 579.]

[Ὀρθόκορυς, υθος, ὁ, ἡ, Qui rectam habet galeam, ὀρθὸν πῖλον ἔχων, Hesych.]

Ὀρθόκραιρος, [ὁ, ἡ et α, ον], Caput erectum habens, Cornua erecta habens. Hom. Il. Θ, [231, Σ, 573]: Ἔσθοντες κρέα πολλὰ βοῶν ὀρθοκραιράων, ubi Eust. γαύρων καὶ ὀρθοκεφάλων, vel ὀρθοκεράτων, eo quod Atticis κραῖρα significet τὰ περὶ τὴν κεφαλήν. Itidemque Od. M, [348]: Βοῶν ὀρθοκραιράων, exp. ὀρθόκραιραι, αἱ ὄρθιαι τὰς κεφαλὰς καὶ γαῦροι, διὰ τὸ ἀγελαῖον καὶ ἄνετον: a κραῖρα, i. e. κεφαλή. [De monte Probl. arithm. Anth. Pal. 14, 121, 5: Πυρήνην δέ τοι ἔνθεν ἐπ' ὀρθόκραιρον ἰόντι.] Unde τροπικῶς naves quoque appellari ὀρθοκραίρας dicit: ut Il. Σ init. [T, 344]: Τὸν δ' εὗρε προπάροιθε νεῶν ὀρθοκραιράων· nonnulli vero κραῖρα, quum navi-
B bus tribuitur ὀρθόκραιρος, accipiunt pro κεραία, Antenna: alii, διὰ τὸ τὰς πρώρας καὶ τὰς πρύμνας ἀνατετάσθαι, naves ὀρθοκραίρας vocari tradunt.

Ὀρθόκρᾱνος, ὁ, ἡ, Erectum caput habens: ὀρθ. τύμβον, Bustum eminens, Cam. ex Soph. Ant. [1203.]

[Ὀρθοκρῖσία, ἡ, Rectum judicium. Cyrill. Alex. In Jesaiæ c. 56, vol. 2, p. 786, ad v. 1: Φυλάσσεσθε κρίσιν, τουτέστι τὴν ὀρθοκρισίαν ἤτοι τὰ θεῖα κρίματα. Suic.]

[Ὀρθόκυλλον. V. Ὀρθόκωλον. || « Ὀρθόκυλλοι appellati Orthodoxi ab Aetio hæretico, quasi Recticlaudi, ut est ap. Nicetam l. 5 Thes. Orthod. fid. c. 31. » Ducang.]

Ὀρθόκωλον, τὸ, vitium articuli est, quando ob durum aliquem tumorem chorda musculos partem aliquam inflectentes non sequitur, sed perpetuo articulus tenditur, nec inflecti potest, Galen. Comm. 3 εἰς τὸ περὶ Ἰητρεῖον [p. 634, 636]. Gorr. At in VV. LL. ex eod. l. non ὀρθόκωλον affertur, sed Ὀρθόκυλλον, significari eo dicentibus Membrum ita depravatum, ut flecti nequeat. Rectius vero Gorr. ὀρθόκωλον scribit.
C [V. annot. Schneideri ad Veget. Mulomed. p. 65. Ὀρθοκοίλοις in Hippiatr. p. 262.]

[Ὀρθόκωμος Ἡρακλῆς, ἵδρυται Ἀθήνησιν, Photius.]

[Ὀρθολάλος. V. Ὀρθρολάλος.]

[Ὀρθολεκτέω, Recte et proprie loquor. Eust. Opusc. p. 228, 75: Οὕτω γὰρ εἴθισται λέγειν τοῖς ὀρθολεκτοῦσιν.]

[Ὀρθολεκτικὸς, ἡ, όν, Qui est rectæ orationis. Eust. Opusc. p. 240, 5: Μετὰ τῆς ὀρθολεκτικῆς φράσεως καὶ τὴν ὀρθὴν πολιτείαν... ἀποπροσποιησάμενος.]

[Ὀρθολεξία, ἡ, Recta oratio. Eust. Opusc. p. 62, 22: Ἐκκλησιαστικὰ νομίσματα μὲν φάναι, εἰ καὶ καλὸν εἰς ὀρθολεξίαν, ὅμως οὐ πάντη λαμπρόν. L. D. Theod. Prodr. in Notitt. Mss. vol. 6, p. 526. Elberling.]

Ὀρθολογέω, Recte loquor et proprie. Plut. [Mor. p. 570, E]: Ὥστε πάντα μὲν τὰ γινόμενα ἡ εἱμαρμένη περιλαμβάνει, πολλὰ δὲ τῶν ἐν αὐτῇ καὶ σχεδὸν ὅσα προηγεῖται, οὐκ ὀρθολογεῖ καθ' εἱμαρμένην, Bud.

[Ὀρθολογία, ἡ, i. q. ὀρθολεξία. Plato Soph. p. 239, B: Ὥστε μὴ σκοπῶμεν τὴν ὀρθ. περὶ τὸ μὴ ὄν.]

[Ὀρθόλοξος, ὁ, ἡ, Rectus et obliquus. Erot. v. Σκέ-
D παρνος. Μαρτυρεῖ δὲ Ἀσκληπιάδης ... λέγων. Ἔστι γὰρ ὁ σκέπαρνος, ὅταν ὁ ἐπίδεσμος ... κλάσιν τινὰ ποιῇ καὶ γωνίαν, οἷον ὅταν ὀρθόλοξον ἐπιδεθῇ, ubi al. ὀρθόλοξος. Wak.]

[Ὀρθομαντεία, ἡ, Vera vaticinatio. Æsch. Ag. 1195.]

[Ὀρθόμαντις, ιος, ὁ, ἡ, Verus s. rectus vates. Pind. Nem. 1, 61, Τειρεσίαν.]

[Ὀρθομαρμάρόω. Ὀρθομαρμαρῶσαι, Marmore parietes incrustare. Ὀρθομάρμαρα, ὀρθομαρμαρώσεις, Marmoreæ incrustationes, Hierocli De nuptiis ap. Stob. ὀρθοστρώσεις (immo ὀρθόστρωτοι). Cedrenus in Nicephoro Generali p. 475: Ὑπέδειξεν αὐτῷ τὸν ἐν τῷ ἡμικυκλίῳ, ὃ νῦν λέγεται Σίγμα, θησαυρὸν ἀνακτισθέντα δι' ὀρθομαρμαρώσεως. Historia Ms. Bertrandi Romani: Τὰ λαμπροκαλαμόστολα ὀρθομαρμάρωσίς τε. Codinus Orig. Cpol. n. 143: Ἔξωθεν δὲ τοῦ συνδέσμου τοῦ ὅλου κτίσματος ἡ ἄσβεστος μετὰ ἐλαίου χριστοῦ ἐστι πεπλασμένη ἀντὶ ὕδατος διὰ τὸ ἑδραῖον καὶ πάγιον· οὕτως ἔστησαν τὰς ὀρθομαρμαρώσεις· 144 de Hemisphærio Sophiano: Εἶθ' οὕτως ἐμουσίουσαν καὶ ὀρθομαρμάρωσαν (ὠρθομ.) αὐτόν. Descr. S. Sophiæ: Καὶ οὕτως ἐπάνω ἀνέστησαν τὰς ποικίλας ὀρθομαρμαρώσεις. Infra : Πληρώσαντες δὲ τὰς περικαλλεῖς καὶ λαμπρὰς ὀρθομαρμαρώσεις, κατεχρύσωσαν τάς τε ζεύξεις τῶν ὀρθομαρμάρων καὶ τὰς κεφαλὰς τῶν κιόνων. V. Salmas. ad Spartian. p. 149. Ducang. Cod. Gr. ex Bibl. Pelleteriana : Αὗται κίοσι (αὗται σχίοσι est apud Ducang.) μακροῖς καὶ λεπτοῖς ὑπερειδόμεναι προσήγγιζον τῷ τῆς ὀρθομαρμαρώσεως τοίχῳ. Id. App. p. 146.]

['Ορθομένης, ὁ, Orthomenes, Xenophanis philosophi pater. Diog. L. 9, 18. Boiss.]

['Ορθόμφἄλος, ὁ, ἡ, in inscr. Att. ap. Bœckh. vol. 1, p. 482, n. 523, 10, 19, 28 : Πόπανον ὀρθ., Cum umbone erecto, ut ib. δωδεκόμφαλον.]

['Ορθονόμος, ὁ, ἡ, Recte distribuens, Æsch. Eum. 963, δαίμονες.]

'Ορθόνοος [s. 'Ορθόνους], ὁ, ἡ, Qui est recta mente, Qui recta s. proba cogitat. [Clem. Alex. Pæd. 3, 11 : 'Ορθόνους πρὸς τὸν λόγον ὀξύτης.]

['Ορθοπᾰγής, ὁ, ἡ, Qui erectus fixus est, Erectus. Plut. Mor. p. 340, C, κίταρις.]

['Ορθόπᾰγον, τὸ, q. d. Collis arduus. Plut. Sulla c. 17 : Ἔστι δὲ (Θούριον) κορυφὴ τραχεῖα καὶ στροβιλῶδες ὄρος, ὃ καλοῦμεν 'Ορθόπαγον. Polyæno 4, 6, 9, pro 'Ορθιουμάγου restituebat Wessel. ad Hierocl. p. 705, B.]

['Ορθοπάλη, ἡ, Recta lucta. Lucian. Lexiph. c. 5, ὀρθὴ πάλη Platoni Leg. 7, p. 796. ᾰ]

['Ορθοπεριπᾰτητικὸς, ἡ, ὸν, Qui erectus incedit. Jo. Damasc. vol. 1, p. 19, A bis : Ἄνθρωπός ἐστι ζῶον ὀρθοπεριπατητικόν. L. D. Theophil. Protospath. 5, 10. « Ammon. In 5 voces; Porphyr. p. 39; Athanas. vol. 2, p. 246. » Bast. Niceph. Blemm. Logica p. 7. Boiss.]

['Ορθοπηγιάω scriptura vitiosa pro ὀρθοπυγιάω, q. v.]

['Ορθοπλήξ, ὁ, ἡ, Senax, Gl. Sternax Salmasius.]

'Ορθοπλὴξ ἵππος, Equus qui se erigit et calcibus ferit. Suidæ itidem ὁ ὀρθὸς ἐπαιρόμενος καὶ πλήσσων. Affert ex Aristoph. Anagyro. ['Ορθόπληξ bis scriptum apud Photium, quod falsum vel secundum canonem in Μεθυπλὴξ memoratum.]

['Ορθοπλοέω, Recto cursu navigo. Clinias Stob. Fl. vol. 1, p. 31 : Πᾶν ἔργον ἀνθρώπινον καὶ βίος ὁσιότατός τε καὶ εὐσεβείας μεθέξει καὶ ὀρθοπλοιεῖ. Sic enim codd. « Stob. Serm. 249, ὀρθοπλοουμένας ἀρετάς. » Schneid.]

C ['Ορθόπλοος s. 'Ορθόπλους, ὁ, ἡ, Recta navigans, metaphorice usurpavit Hippodamus Thurius Pythagoreus (ap. Stob. Flor. vol. 3, p. 341 : 'Ορθ. βίος, Vita prospera). Lex. Gr.-Lat. ap. P. Baldvin. 1611. Angl. Memorat ὀρθόπλους Chœrobosc. p. 63, 19.]

['Ορθόπνοια, ἡ, est Erectæ cervicis spiratio, quod qui ea spirandi difficultate laborant, erecti spirare cogantur. Sic enim Celsus c. 4 l. 4, ὀρθόπνοιαν dici scribit spirandi difficultatem, quum non nisi recta cervice spiritus trahitur. Est enim tam vehemens spirandi difficultas, ut qui ea affecti sint, decumbere suffocationis metu nequeant, ideoque erecta cervice et thorace spirare cogantur. Hujus causa est pulmonis ejusque vasorum angustia, aut ex aliqua inflammatione, aut aliquo humore in pulmonis cavis contento spiritum occludens. Galenus Comment. 2 in Prorrhet. p. 195, 6 : Ὀνομάζει δὲ καὶ αὐτὸς καὶ οἱ ἄλλοι πάντες ὀρθόπνοιαν ἐκεῖνο τὸ τῆς δυσπνοίας εἶδος, ἐν ᾧ πνίγονται κατακείμενοι, καὶ μόλις ἐξαρκοῦσιν ὄρθιον ἔχοντες τὸν θώρακα, κατὰ μηδενὸς ἐρηρεισμένου μεταφρένου· κατασχιζομένης γὰρ εἰς τὸν πνεύμονα τῆς τραχείας ἀρτηρίας τὴν ἀρχὴν ἀπὸ τοῦ λάρυγγος ἐχούσης, ὅταν μὲν ἀνατείνωμεν ὄρθιον τὸν θώρακα, σὺν τῷ τραχήλῳ τὴν τραχεῖαν ἀρτηρίαν ἐξευρύνεσθαι συμβαίνει, καὶ τὰς ἐξ αὐτῆς ἀποφύσεις ἁπάσας τὰς εἰς τὸν πνεύμονα κατασχιζομένας εὐρύνεσθαι κἂν τούτῳ τὴν ἔνδον αὐτῷ χώραν αὐξάνεσθαι. Διὰ τοῦτο μὲν οὖν κἀπὶ τῆς περιπνευμονίας ἡ ὀρθόπνοια γίνεται κἂν τοῖς καλουμένοις ἀσθματικοῖς πάθεσι. Δι' αὐτὸ δὲ τοῦτο κἀπὶ τῆς χαλεπωτάτης κυνάγχης, ἐν ᾗ φλεγμαίνοντες οἱ τοῦ λάρυγγος ἔνδον μῦες, ἀποφράττουσι τὴν ὁδὸν τῆς ἀναπνοῆς. Ἐπιτείνεται γὰρ καὶ τοῦτο τὸ πάθημα κατακειμένων αὐξανομένης τῆς στενοχωρίας. Rursus Comm. 4 in lib. De rat. vict. in morb. ac. p. 93, 28, Hipp. p. 396, 42, ὀρθόπνοιαν ξηρὰν Hippocratis exponens, idem scribit : Ξηρὰν δὲ ὀρθόπνοιαν εἴρηκεν τὴν χωρὶς πτυσμάτων, ἢ ἄνευ βήξεως, ἰσχυρὰν οὕτω δύσπνοιαν, ὡς μὴ φέρειν τὴν κατάκλισιν, ἀλλὰ πνίγεσθαι· περὶ ἧς ἔμαθες ὡς ὑπὸ στενοχωρίας γίγνοιτο τῶν κατὰ τὸν πνεύμονα κοιλιῶν τοῦ πνεύματος, αἵτινες τοῦτο πάσχουσι κατακειμένων μὲν μᾶλ-

A λον, ἑστώτων δ' ἧττον, ἀνακαθημένων γε δηλονότι πάντων ὀρθῶς τῶν κατὰ τὸν θώρακα· διὸ καὶ καλεῖται ὀρθόπνοια. Γιγνομένης δ' αὐτῆς ἐνίοτε μὲν διὰ φλεγμονὴν τοῦ σπλάγχνου, καθάπερ ἐν περιπνευμονίαις, ἐνίοτε δὲ τῶν βρόγχων πεπληρωμένων, φλεβοτομίας δεῖσθαι φησὶ τοὺς ὀρθόπνοιαν πάσχοντας, οἷς μὴ πύον ἤθροιστο. Ejusmodi autem erectæ cervicis spirationis typus eleganter describitur ab Hipp. p. 1211, C, his verbis : Ὀρθοπνοίη δὲ καὶ ἆσθμα τοιοῦτον, καὶ πνιγμοὶ ἔστιν ὅτε ὑπὸ τοῦ πνεύματος, ὥστε καθημένη διετέλει κατὰ κλίνην· κατακεῖσθαι δὲ οὐχ οἵη τε ἦν, ἀλλ' εἴ τις καὶ ὕπνου δόξα γένοιτο, καθημένη ἦν. V. etiam Ἆσθμα. Foes. Aret. p. 40, 4. In ὀρνιθόπνοια corruptum ap. African. Cest. p. 295, A, a.]

['Ορθοπνοϊκὸς, ἡ, ὸν, Qui ὀρθοπνοίᾳ laborat. Ruf. Eph. p. 106. Wakef. Hippocr. p. 185, H : Τὰ ὀρθοπνοϊκά· 206, H : Ἧσι κόρῃσι ὀρθοπνοϊκὰ συμβαίνει.]

['Ορθόπνοος, s. 'Ορθόπνους, ὁ, ἡ, Orthopnœa laborans. Hippocr. p. 645, 38 : Ὀρθόπνους γίνεται.]

'Ορθοποδέω, Pedes me recta ferunt, Recto pede s. cursu progredior, aut tendo, i. q. εὐθυπορέω, Cam. in-
B terpr. Recte ingredior, ap. Paul. ad Galat. 2, [14] : Οὐκ ὀρθοποδοῦσι πρὸς ἀλήθειαν. [Cyrill. Adv. Julian. 5, p. 165, D. Jacobs. Theodor. Stud. p. 308, B; 443, D; 473, D; 509, D; 575, E.]

['Ορθοποδηγέω, Recta duco. Cod. Phocylidis ap. Boisson. An. vol. 1, p. 445, annot. x : Ποίησις ὀρθοποδηγοῦσα πρὸς τὸ βέλτιον. L. Dind.]

['Ορθοπόδης, ὁ, i. q. ὀρθόπους. Nonn. Dion. 28, 72 : 'Ορθοπόδην ἐλέφαντα. Wakef.]

'Ορθόπολις, ὁ, ἡ, Erigens urbes, Erectas incolumesque conservans. [Pind. Ol. 2, 8, Θήρωνα.]

['Ορθόπολις, ιδος, ὁ, Orthopolis, fl. Plemnæi Sicyonii, ap. Pausan. 2, 5, 8.]

['Ορθόπορος, ὁ, Rectus cursus. Porphyr. Vit. Plotin. p. lxxv, 21 ed. Creuzer. : 'Ορθοπόρου ἀνὰ κύκλα καὶ ἄμβροτον οἶμον ἄειραν.]

'Ορθόπους, οδος, ὁ, ἡ, Rectos pedes habens, Quem pedes recta ferunt. [Celsus, Acclivis. Soph. Ant. 985 : 'Ορθόποδος ὑπὲρ πάγου. Nicand. Al. 419 : 'Ορθόποδες βαίνοντες ἄνις μογεροῖο τιθήνης. Gregor. Naz. vol. 2, p. 10, A.]

['Ορθοπρᾶγέω, Recte res meas ago. Aristot. Pol. 1, 13 med., Eth. Eudem. 3, 2. « Democrates Stobæi Append. vol. 4, p. 40, 4 Gaisf. » Boiss.]

['Ορθοπρᾶγία, ἡ, Recte agere. Strabo 231 (?). Wakef.]

['Ορθοπρίονι τῇ χοινικίδι exponit Galenus in Exeg. ap. Hipp. Modiolo aut terebello cavo. Est enim χοινικὶς Græcis, χοινίκιον Celso, Modiolus aut terebra cava, qua in secandis calvariæ ossibus utebantur antiqui, eademque ὀρθοπρίων nominatur. Ac nescio an Galen. ap. Hipp. p. 912, G, ὀρθοπρίονι legerit, ubi tamen passim scribitur : Ἔστι δὲ καὶ ἕτερος κίνδυνος ἣν αὐτίκα ἀφαιρέῃς πρὸς τὴν μήνιγγα ἐκπρίσας τὸ ὀστέον, τρῶσαι ἐν τῷ ἔργῳ τῷ πρίονι τὴν μήνιγγα. Foes.]

['Ορθοπρόσωπος, ὁ, ἡ, Qui est erecto vultu. Cæsarius Quæst. ult. p. 222 : Οὐρανόπτης ὁ ἄνθρωπος, ἡ εἰκὼν ἡ ὀρθοπρόσωπος. Suicer.]

['Ορθόπρυμνος, ὁ, ἡ, Qui recta est puppi. Hesych. in 'Ορθόκραιρος.]

'Ορθόπτερος, ὁ, ἡ, Cui rectæ pinnæ sunt, Surrectas
D pinnas habens. [Improprie Soph. ap. Photium : 'Ορθόπτερον, Σοφ. Αἰθίοψιν, ὀρθοὺς ἔχοντα κολωνούς· τὰ γὰρ εἰς ὕψος ἀνέχοντα πτερὰ ἔλεγον, καὶ τὰ περίστωα. Hesychius : 'Ορθόπτερος, μεγάλους ὤμους ἔχουσα· πτερὰ γὰρ τὰ εἰς ὕψος ἀνέχοντα· ἢ μεγάλας ἔχουσα περιστώους οἰκοδομάς.]

['Ορθόπτωτος, ὁ, ἡ, Qui est recto casu. Scholl. Æsch. Pers. 135, Eur. Phœn. 1288. Boiss.]

['Ορθοπῡγιάω.] 'Ορθοπυγιᾶν, Surrigere clunes. Hesychio autem 'Ορθοπηγιᾶν est, ὅταν γυνὴ ἑαυτὴν ἐπαίρῃ πρὸς τὸ μακροτέρα φαίνεσθαι : sed videtur scribendum ὀρθοπυγιᾶν. Solent autem ii, qui corpus surrigunt, circa ὄῤῥον id surrigere : contra qui incurvi incedunt, eis ὁ ὄῤῥος et ἡ πυγὴ aliquantum prominent. [HSt. iterum :] 'Ορθοπυγιᾶν, Esse clunibus surrectis, Erigere se, ut altior et procerior videatur. Hesychius enim ὀρθοπυγιᾶν esse dicit, ὅταν γυνὴ ἑαυτὴν ἐπαίρῃ, πρὸς τὸ μακροτέρα φαίνεσθαι : ap. quem tamen scriptum 'Ορθοπηγιᾶν.

['Ορθοπύγιον, τό. HSt. in 'Ορροπύγιον :] Sunt qui scribant etiam 'Ορθοπύγιον, quod tamen Ammonius [et

Phot. et Eust. Od. p. 1871, 44] improbat, alii Οὐροπύγιον. [Ὀρροπύγιον Atticum, alterum vulgare dicunt Mœris p. 282 et Moschop. p. 28.] Significat autem Ὀρθοπύγιον proprie Erecti clunes, [Clunis, Gl.] Pars illa supra clunes elata, i. e. ὄῤῥος. Ὀρροπύγιον porro et ὀρθοπύγιον idem esse ex Eodem discimus, quippe qui illud per hoc, veluti usitatius et magis notum, explicet. At Ὀρθοπύγιον in Lex. meo vet. exp. τὸ κωλέντερον, quod et ὀῤῥοπύγιον. [Ptolem. Mathem. Comp. vol. 2, p. 87, C : Ἀπὸ τοῦ λαμπροῦ τοῦ ἐν τῷ ὀρθοπυγίῳ τοῦ ὄρνιθος. L. D. Eratosth. Catast. c. 25 : Ἔχει ἀστέρας (ὁ κύκνος) ... ἐπὶ τοῦ ὀρθοπυγίου α΄· et 41 fin.]

Ὀρθόπῡγος, ὁ, ἡ, Cujus nates erectæ stant, Cujus clunes non sunt pendulæ.

[Ὀρθορρημονέω, Recta oratione utor. Const. Manass. Chron. 6694. Boiss.]

[Ὀρθορρημοσύνη, ἡ, Recta oratio. Themist. Or. 23, p. 289, D : Πρωταγόρας ὀρθοέπειάν τε καὶ ὀρθ. μισθοῦ ἐκδιδάσκων.]

Ὀρθὸς, ἡ, ὸν, Rectus. Pro Rectus autem duobus modis ponitur; nam et Erectus s. Arrectus significat, et Porrectus in rectum. Prioris signif. hæc sunt exx. [Hesiod. Op. 725 : Μηδ' ἄντ' ἠελίου τετραμμένος ὀρθὸς ὀμιχεῖν.] Hom. Od. [I, 442 : Οἴων νῶτα ὀρθῶν ἑσταότων·] M, [178] : Οἱ δ' ἐν νηΐ μ' ἔδησαν ὁμοῦ χεῖράς τε πόδας τε Ὀρθὸν ἐν ἱστοπέδῃ· Σ, [240] : Οὐδ' ὀρθὸς δύναται στῆναι ποσί· Il. [K, 153 : Ἔγχεα δέ σφιν ὄρθ' ἐπὶ σαυρωτῆρος ἐλήλατο· Σ, 246 : Ὀρθῶν ἑσταότων ἀγορή·] Ψ, [271] : Στῆ δ' ὀρθός· Ω, [11] : Ὀρθὸς ἀναστάς· et [359] : Ὀρθαὶ δὲ τρίχες ἔσταν. Hesiod. Sc. [391] : Ὀρθὰς δ' ἐν λοφιῇ φρίσσει τρίχας. [Op. 538 : Μηδ' ὀρθαὶ φρίσσωσι (τρίχες). Pind. Pyth. 4, 267 : Ὀρθαῖς κιόνεσσιν· Ol. 13, 69 : Ὀρθῷ ποδί· Isthm. 6, 12 : Ὀρθῷ ἔστασας ἐπὶ σφυρῷ· Nem. 1, 43 : Ὀρθὸν ἄντεινεν κάρα. Simonid. ap. Tzetz. Hist. 1, 311 : Ἰχθύες ὀρθοὶ κυανέου ἐξ ὕδατος ἅλλοντο. Archiloch. fragm. ap. Theophr. fr. De signis 6, 3, 8 : Ἐὰν ἐπὶ κορυφῆς ὄρους νέφος ὀρθὸν στῇ, χειμῶνα σημαίνει, ὅθεν καὶ Ἀρχίλοχος, Ἀμφὶ δ' ἄκρα Γυρέων ὀρθὸν ἵσταται νέφος. Æsch. Eum. 294 : Τίθησιν ὀρθὸν ... πόδα· Cho. 496 : Ἆρ' ὀρθὸν αἴρεις φίλτατον τὸ σὸν κάρα; Soph. El. 723 : Καὶ πρὶν μὲν ὀρθοὶ πάντες ἔστασαν δίφροι· 742 : Τοὺς μὲν ἄλλους... δρόμους ὤρθουθ' ὁ τλήμων ὀρθὸς ἐξ ὀρθῶν δίφρων· Aj. 239 : Τὸν δ' ὀρθὸν ἄνω κίονι δήσας· OEd. T. 50 : Στάντες τ' ἐς ὀρθὸν καὶ πεσόντες ὕστερον. Eur. Or. 231 : Αὖθίς μ' ἐς ὀρθὸν στῆσον· Suppl. 1230 : Μόνον σύ με ἐς ὀρθὸν ἵστη· Tro. 467 : Γραῖαν πεσοῦσαν αἴρετ' εἰς ὀρθὸν πάλιν· Hipp. 1203 : Ὀρθὸν δὲ κρᾶτ' ἔστησαν οὖς τ' ἐς οὐρανὸν ἵπποι· Hel. 1449 : Ὀφείλω δ' οὐκ ἀεὶ πράσσειν κακῶς, ὀρθῷ δὲ βῆναι ποδί. Herodot. 1, 194 : Δύο ἀνδρῶν ὀρθῶν ἑστεώτων. Plato Leg. 2, p. 665, E : Ἑστὼς ὀρθός· Conv. p. 190, A : Ἐπορεύετο ὀρθόν.] Plato Symp. [p. 190, D] : Βαδιοῦνται ὀρθοὶ ἐπὶ δυοῖν σκελοῖν. Xen. Cyrop. 8, [3, 13] : Ὀρθὴν ἔχων τὴν τιάραν. Sic Plut. Artox. [c. 26] : Κίθαριν [κίταριν] ὀρθὴν φέρειν. [Κυρβασιὰν Aristoph. Av. 487, Herodot. 7, 64.] Item ὀρθὸς Διόνυσος, Athen. 2, [p. 68, C] et 4, [p. 179, E], quo significatur moderatus vini usus : immoderatus autem nec temperatus, est σφαλερὸς et lubricus. Plut. Symp. 5, [p. 680, A] de talis : Ὀρθοὶ πίπτοντες ἢ πρηνεῖς. [Xen. Cyrop. 7, 1, 31 : Τοὺς μὲν ὀρθοὺς ἀνέτρεπον· 8, 4, 20 : Ἤν ποτε βούλῃ αὐτὴν ὀρθὴν φιλῆσαι, προσάλλεσθαί σε δεήσει· Comm. 2, 1, 22 : Γυναῖκα κεκαλλωπισμένην ... τὸ σχῆμα, ὥστε δοκεῖν ὀρθοτέραν τῆς φύσεως εἶναι. Plato Phædr. p. 253, D : Τὸ εἶδος ὀρθός. De urbe non diruta Thuc. 5, 42 : Τοῦ Πανάκτου τῇ καθαιρέσει, ἔδει ὀρθὸν παραδοῦναι· et ib. 46. Xen. Conv. 2, 25 : Τὰ ἐν τῇ γῇ φυόμενα ὀρθὰ αὔξεται· OEc. 19, 9 : Ὅλον τὸ κλῆμα ὀρθὸν τιθεὶς πρὸς τὸν οὐρανόν· Hipparch. 5, 7 : Τοὺς πρὸς τῶν πολεμίων ἱππέας ὀρθὰ τὰ δόρατα ἔχειν, τοὺς δ' ἄλλους ταπεινὰ καὶ μὴ ὑπερφανῆ· Conv. 2, 11 : Κύκλος περίμεστος ξιφῶν ὀρθῶν. Et improprie Plat. Lach. p. 181, B : Ὀρθὴ ἂν ἡμῶν ἡ πόλις ἦν καὶ οὐκ ἂν ἔπεσε τὸ τοιοῦτον πτῶμα.] His subjungere possumus ὀρθαὶ ἀκοαὶ et interpretari Arrectæ aures, ut Virg. vocat : Ὁ δὲ ἤκουσε τοῦ θεοῦ ὀρθαῖς ἀκοαῖς, Arrectis attentisque auribus dei verba excepit. [Τὰ ὦτα εἰς αὐτὸν τοῖς Αἰγυπτίοις ὀρθὰ ἦν, Philostr. V. Ap. 5, p. 206, 20. Hemst. Soph. El. 27 : Ὥσπερ ἵππος εὐγενὴς ὀρθὸν οὖς ἵστησιν. Apoll. Rh. 1, 514 : Πάντες ὁμῶς ὀρθοῖσιν ἐπ' οὔασιν ἠρεμέοντες· 3, 1261 : Ἵππος κυδιόων ὀρθοῖσιν ἐπ' οὔασιν

A αὐχέν' ἀείρει. Callim. Del. 231 : Οὔατα δ' αὐτῆς ὀρθὰ μάλ', αἰὲν ἑτοῖμα θεῆς ὑποδέχθαι ὀμοκλήν, de cane.] Nec non, Ἀναβλέπειν ὀρθοῖς ὄμμασιν, Xen. Hell. 7, [1, 30], quibus opp. Oculi dejecti. [Soph. OEd. T. 528 : Ἐξ ὀμμάτων ὀρθῶν δὲ κἀξ ὀρθῆς φρενὸς κατηγορεῖτο τοὐπίκλημα τοῦτό μου· 1385 : Ὀρθοῖς ἔμελλον ὄμμασιν τούτους ὁρᾶν. Et quod eodem referendum 419 : Βλέποντα νῦν μὲν ὄρθ', ἔπειτα δὲ σκότον. Eur. Iph. A. 851 : Οὐ γὰρ ὀρθοῖς ὄμμασίν σ' ἔτ' εἰσορῶ, ψευδὴς γενομένη καὶ παθοῦσ' ἀναξία· Hec. 972 : Προσβλέπειν σ' ὀρθαῖς κόραις. Theocr. 5, 36 : Εἴ τύ με τολμῇς ὄμμασι τοῖς ὀρθοῖσι ποτιβλέπεν. || Signif. obscœna Eur. Cycl. 169 : Ἵν' ἔστι τουτί τ' ὀρθὸν ἐξανιστάναι, ubi τοὔρθον libri et Hesychius, qui interpr. τὸ ἄρθρον. Aristoph. Lys. 995 : Ὀρσὰ Λακεδαίμων πᾶα καὶ τοὶ ξύμμαχοι ἅπαντες ἐστύκαντι. Strato Anth. Pal. 7, 216, 1, Marc. Argent. 5, 104, 6. Herodot. 2, 51 : Ὀρθὰ ἔχειν τὰ αἰδοῖα.] Præterea in acie ἐπ' ὀρθὸν ἀποκαταστῆσαι et εἰς ὀρθὸν ἀποδοῦναι dicitur τὸ ἐπὶ τὴν ἐξ ἀρχῆς θέσιν ἀποκαταστῆσαι ἄνδρα ἕκαστον ὥστε ἐπὶ δόρυ κλίνειν ἐκ τῶν πολεμίων κελεύοιντο, ut Περὶ τάξεως B παλαιᾶς traditur in Ἀναστροφή. At Polybio ὀρθὴ civitas esse dicitur, quum erecta expectatione est, ut Liv. loquitur, et suspensa, μετέωρος : 3, [112, 6] : Ὀρθὴ καὶ περίφοβος ἦν ἡ πόλις, Suspensa periculi metu. [Et 36, 4, 2; fr. 97.] Idem, Ὀρθοὶ ταῖς διανοίαις καὶ περίφοβοι πάντες ἦσαν. Pertinet huc et quod Isocr. Ad Phil. [p. 96, B] scribit, Αἰσθάνει δὲ τὴν Ἑλλάδα πᾶσαν ὀρθὴν οὖσαν, ἐφ' οἷς σὺ τυγχάνεις ἡγούμενος. [Id. p. 348, A : Ὀρθῆς τῆς πόλεως γενομένης διὰ τὸ μέγεθος τῶν αἰτιῶν. Eur. Phœn. 1460 : Ἀνῆξε δ' ὀρθὸς λαὸς εἰς ἔριν λόγων· Hel. 1600 : Ὀρθοὶ δ' ἀνῇξαν πάντες.] || Rectus, h. e. In rectum porrectus, tendens, i. sc. q. εὐθύς : oppositum habens σκολιός. [Pind. Pyth. 4, 227 : Ὀρθὰς αὔλακας· 11, 39 : Ὀρθὰν κέλευθον· Ol. 7, 46 : Πραγμάτων ὀρθὰν ὁδόν. Theognis 939 : Εἶμι παρὰ στάθμην ὀρθὴν ὁδόν. Eur. Alc. 835 : Ὀρθὴν παρ' οἶμον. Aristoph. Av. 1007 : Ὁδοὶ ὀρθαί, et alibi cum aliis quibusvis. Omisso ὁδὸν Av. 1, Thesm. 1223. Æsch. fr. ap. Plut. Mor. p. 757, E : Ἀπόλλων ὀρθὸν ἰθύνοι βέλος. Aristoph. Av. 1004 : Ὀρθῷ μετρήσω κανόνι. Philipp. Anth. Pal. 7, 405, 6 : Ὀρθὰ τοξεύσας ἔπη. Dionys. Per. 741 : Ἄλλοτε μὲν λοξὸν, C ἄλλοτε δ' αὖτε ἴχνεσιν ὀρθότερον. Xen. Ven. 5, 6 : Ἔστι δὲ τοῦ χειμῶνος τὰ ἴχνη ὀρθὰ ἐπὶ τὸ πολὺ, τοῦ δ' ἦρος συμπεπλεγμένα.] Soph. [Aj. 1253] : Ὑπὸ σμικρᾶς δ' ὅμως Μάστιγος ὀρθὸς εἰς ὁδὸν πορεύεται, i. e. κατ' εὐθεῖαν, οὐ παρακλίνων, Recta pergit, nec in hoc vel illud latus inclinat. [OEd. T. 88 : Λέγω γὰρ, καὶ τὰ δύσφορ' εἰ τύχοι κατ' ὀρθὸν ἐξελθόντα πάντ' ἂν εὐτυχεῖν· 696 : Γᾶν κατ' ὀρθὸν οὔρισας. Et improprie Plat. Tim. p. 44, B : Προσαγορεύουσαι κατ' ὀρθόν.] Sic κατ' ὀρθὸν πλεῖν, Rectum in navigando tenere cursum. [Soph. Ant. 190 : Ταύτης ἔπι πλέοντες ὀρθῆς, de civitate. Aristoph. Pac. 1083 : Οὔποτε ποιήσεις τὸν καρκίνον ὀρθὰ βαδίζειν.] Et ὀρθὸν σχῆμα, Figura recta. Nec non ἡ ὀρθὴ, sub. γραμμὴ vel γωνία [quod addit Pollux 4, 160], Linea vel Angulus rectus, quæ et εὐθεῖα. Aristot. Eth. 1, 7 : Τὴν ὀρθὴν ἐπιζητεῖ, Angulum rectum inquirit. [Leontius Anth. Pal. 7, 573, 4 : Δικάζων οὔποτε τῆς ὀρθῆς οὐδ' ὅσον ἐτράπετο.] Item πρὸς ὀρθὴν, inquit Bud. p. 966, Rectis lineis, Ad rectam lineam, et Ad rectum angulum; subintelligitur enim γραμμὴ, et interdum γωνία. Exemplum ibi habes ex Aristot. [Meteorol. 2, 6 med.] Item D et hoc ex Polyb. [6, 28, 2] : Πρὸς ὀρθὰς τῇ γραμμῇ τοὺς ἱππεῖς ἀντίους ἑαυτοῖς παρεμβάλλουσι, Rectis ad lineam angulis equites inter se oppositos collocant. Et πρὸς ὀρθὰς, Ad angulos rectos : item πρὸς ὀρθὴν, Recto tramite, Bud. ex Gazæ interpretatione. [Soph. Ant. 994 : Τοιγὰρ δι' ὀρθῆς τήνδε ναυκληρεῖς πόλιν. Epigr. Anth. Pal. App. 236, 7 : Δι' ὀρθῆς ὕπαγε, ὦ ὁδοιπόρε. Improprie Pind. Ol. 2, 83 : Βουλαῖς ὀρθαῖς· 6, 90 : Ἄγγελος ὀρθός· Pyth. 4, 279 : Ἀγγελίας ὀρθᾶς· Ol. 8, 24 : Ὀρθᾷ φρενί· 7, 91 : Ὀρθαὶ φρένες· Pyth. 10, 68 : Νόος ὀρθός· 6, 79 : Ὀρθὰν ἐφημοσύναν· 3, 96 : Ἔστασεν ὀρθὰν καρδίαν· Nem. 11, 5 : Ὀρθὰν φυλάσσοισιν Τένεδον· Ol. 11, 4 : Ὀρθᾷ χερί· et similiter alibi. Theognis 304 : Οὐ χρὴ κιγκλίζειν ἀγαθὸν βίον, ἀλλ' ἀτρεμίζειν, τὸν δὲ κακὸν κινεῖν, ἔστ' ἂν ἐς ὀρθὰ βάλῃς. Æsch. Eum. 318 : Μάρτυρες ὀρθαὶ τοῖσι θανοῦσιν παραγιγνόμεναι. Soph. El. 959 : Εἰς τίν' ἐλπίδων βλέψασ' ἔτ' ὀρθήν· Aj. 350 : Ἐμμένοντες ὀρθῷ νόμῳ· Ant. 1178 : Τοὔπος ὡς ἄρ' ὀρθὸν ἤνυσας· fr. Creus. ap. Stob. Fl. 7, 8 : Ὀρθὴ μὲν ἡ γλῶσσ' ἐστὶν, ἀσφαλὴς δ' ὁ νοῦς. Eur. Iph. A. 560 : Ὁ δ' ὀρθὸς (τρόπος) ἐσθλὸν σαφὲς ἀεί.] Referri huc potest Sophocleum illud Ant. p. 263 meæ ed. [1195] : Ὀρθὸν ἡ ἀλήθει' ἀεὶ, Veritas res est quæ recto semper tramite procedit. Item ὀρθὸς λόγος, Thuc. 2, Rectum consilium. [Plato Phæd. p. 73, A : Ἐπιστήμη καὶ ὀρθὸς λόγος.] Sed et homo aliquis ὀρθὸς dicitur, cui opp. perversus et σκολιός. Plutarch. Pericle [c. 15] : Χρώμενος αὐτῷ πρὸς τὸ βέλτιστον ὀρθῷ καὶ ἀνεγκλήτῳ, Sincero. Præterea aliquid ὀρθὸν esse dicitur pro Rectum et æquum. Plato [Leg. 4, p. 716, D] : Παρὰ δὲ μιαροῦ δῶρα οὔτ' ἄνδρα ἀγαθὸν οὔτε θεόν ἐστί ποτε τό γε ὀρθὸν δέχεσθαι, Ab improbo autem nec virum bonum nec deum unquam se donari velle æquum est, Cic. [Id. Soph. p. 231, C : Ὀρθὴ γὰρ ἡ παροιμία· Reip. 8, p. 544, A : Τὰς ἄλλας (πόλεις) ἡμαρτημένας ἔλεγες, εἰ αὕτη ὀρθή· Ep. 7, p. 330, E : Τοῖς ἔξω βαίνουσι τῆς ὀρθῆς πολιτείας.] Ab Aristot. dicuntur etiam ὀρθαὶ πολιτεῖαι, quæ revera tales sunt et recte eo nomine appellantur : quibus opp. αἱ παρεκβεβηκυῖαι, Polit. 3, c. 7, et 10. Et 4, 2 : Ἐν τῇ πρώτῃ μεθόδῳ περὶ τῶν πολιτειῶν διειλόμεθα τρεῖς μὲν τὰς ὀρθὰς πολιτείας, βασιλείαν, ἀριστοκρατίαν, πολιτείαν· τρεῖς δὲ τὰς τούτων παρεκβάσεις, τυραννίδα μὲν, βασιλείας· ὀλιγαρχίαν δὲ, ἀριστοκρατίας· δημοκρατίαν δὲ, πολιτείας. Itemque quod Plato dicit [Reip. 2, p. 362, A], λέγειν ἦν ὀρθότερον, Cic. interpr. Dictu verius et melius, p. 16 mei Lex. Cic. Sic accipitur et ap. Soph. [Aj. 354] : Ἔοικας ὀρθὰ μαρτυρεῖν ἄγαν, i. e. ἀληθῆ, Vera. [El. 1098 : Ἆρ' ὀρθά τ' εἰσηκούσαμεν, ὀρθῶς θ' ὁδοιποροῦμεν; Ejusdem huc pertinent loci Tr. 347 : Οὐδὲν φωνεῖ δίκης ἐς ὀρθόν; 374 : Τὸ δ' ὀρθὸν ἐξείρηχ' ὅμως; OEd. T. 506 : Ἀλλ' οὔποτ' ἔγωγ' ἂν, πρὶν ἴδοιμ' ὀρθὸν ἔπος, μεμφομένων ἂν καταφαίην· 852 : Οὔτοι ποτ', ὦναξ, τόν γε Λαΐου φόνον φανεῖ δικαίως ὀρθόν· 903 : Εἴπερ ὄρθ' ἀκούεις πάντ' ἀνάσσων· 1220 : Τὸ δ' ὀρθὸν εἰπεῖν· OEd. C. 519 : Τὸ πολὺ χρῄζω ὀρθὸν ἄκουσμ' ἀκοῦσαι· 1424 : Ὁρᾷς τὰ τοῦδ' οὖν ὡς ἐς ὀρθὸν ἐκφέρει μαντεύματα· fr. Triptolemi ap. Antiatt. p. 92, 1 : Εἰς ὀρθὸν φρονεῖν. Et Eur. Ion. 533 : Οὐκ ἄρ' ὀρθ' ἀκούομεν; Tro. 348 : Οὐ γὰρ ὀρθὰ πυρφορεῖς· Med. 1129 : Φρονεῖς μὲν ὀρθὰ κοὐ μαίνει;] Et [ὀρθὸς λόγος, ap. Plat. Critiæ p. 109, B : Οὐ γὰρ ἂν ὀρθὸν ἔχοι λόγον θεοὺς ἀγνοεῖν τὰ πρέποντα· Leg. 10, p. 890, D : Κατὰ λόγον ὀρθόν. Aristot. Eth. Nic. 6, 1,] ὀρθῷ λόγῳ, Revera. [Herodot. 6, 68 : Τίς μέν ἐστι πατὴρ ὀρθῷ λόγῳ; Id. 1, 96 : Ὡς Δηιόκης εἴη ἀνὴρ μοῦνος κατὰ τὸ ὀρθὸν δικάζων· 8, 3 : Ὀρθὰ νοεῦντες.] At Ὀρθῇ ap. Dem. pro ὀρθῶς, Recte, ubi subaudiri existimatur ὁδῷ. || At Ὀρθαὶ a Græcis dicuntur Meniana et Podia s. Pergulæ, cujusmodi projecta sunt quæ mutulis quiescunt et sustentantur : ut scribunt Theod. et Honor. Impp. l. 8 Cod. de Ædificiis privatis. VV. LL. [De usu ap. rhetores Ernest. Lex. rhet. : « Τὰ ὀρθὰ in verbis, h. e. tempora præsentia, et ὀρθὴ πτῶσις, Casus rectus, et ὀρθὰ ὀνόματα, quæ opponuntur τοῖς ὑπτίοις, Supinis, de quibus passim Dionys. De comp. c. 4, 5, 6, ad artem potius grammaticam pertinent. Unde etiam Hermogeni l. 1 Περὶ ἰδ. p. 30 ὀρθῶσαι notat Rectam orationem facere, quæ incipiat a nominativo aut indicativo, contrariumque habeat τὸ πλαγιάσαι, et ib. p. 32 ἡ ὀρθότης, Recta verborum consecutio, quod dicit esse σχῆμα καθαρότητος. Latini quoque Rectum dicunt in oratione ἀσχηματίστῳ, quicquid sine figura dictum est : v. Quint. 9, 2, 78, et 3, 3, in quibus omnibus locis Rectum loquendi genus, figuræ et figurato opponitur. Denique τὸ ὀρθῶς λέγειν v. in Ὀρθῶς. »]

Ὀρθῶς, Recte, [Rite, huic add. Gl.] s. Ut par est et decet. [Æsch. Prom. 999 : Πρὸς τὰς παρούσας πημονὰς ὀρθῶς φρονεῖν· Sept. 405 : Γένοιτ' ἂν ὀρθῶς ἐνδίκως τ' ἐπώνυμον. Eum. 584 : Γένοιτ' ἂν ὀρθῶς πράγματος διδάσκαλος· 657 : Μάθ' ὡς ὀρθῶς ἐρῶ· 748 : Πεμπάζετ' ὀρθῶς ἐκβολὰς ψήφων· Cho. 526 : Ὥστ' ὀρθῶς φράσαι. Soph. Ph. 341 : Ὀρθῶς ἔλεξας· OEd. T. 550 : Οὐκ ὀρθῶς φρονεῖς· El. 1099 : Ἆρ' ... ὀρθῶς ὁδοιποροῦμεν; Ant. 99 : Τοῖς φίλοις ὀρθῶς φίλη· fr. ap. script. Vitæ : Ὀρθῶς δ' Ὀδυσσεύς εἰμ' ἐπώνυμος κακοῖς. Et eodem similibusque modis sæpissime Eur., ut sufficiat addere Andr. 377 : Οἵτινες φίλοι ὀρθῶς πεφύκασι· Iph. T. 610 : Τοῖς φίλοις ὀρθῶς φίλος· Alc. 636 : Οὐκ ἦσθ' ἄρ' ὀρθῶς τοῦδε σώματος
A πατήρ.] Isocr. Areop. : Τὰ καθ' ἡμέραν ἑκάστην ὀρθῶς καὶ νομίμως πράττοντες. Xen. Cyrop. 4, [4, 6] : Ἀποκτείνατε, ὀρθῶς ποιοῦντες. Alexander Magnus in Ep. ad Aristot. : Οὐκ ὀρθῶς ἐποίησας ἐκδοὺς τοὺς ἀκροαματικοὺς τῶν λόγων· quæ Gell. interpretans, dicit eum non recte fecisse, quod disciplinas, quibus ab eo eruditus foret, libris foras editis invulgasset : sicut Plato Philebo [p. 19, D], Ἃ πολλάκις αὐτοὺς ἀναμιμνήσκομεν, ὀρθῶς δρῶντες, Recte, Ut par est. Thuc. [3, 56 : Πόλιν αὐτοὺς τὴν ἡμετέραν καταλαμβάνοντας ... ὀρθῶς ἐτιμωρησάμεθα·] 6, p. 200 [c. 8] : Νομίζων τὴν πόλιν οὐκ ὀρθῶς βεβουλεῦσθαι. Aristot. Rhet. 2 : Οὐκ ὀρθῶς τοῦτο δοξάζουσι. Dem. Phil. 1 [p. 41, 11] : Ὀρθῶς μὲν οἴεται· λογισάσθω μέντοι τοῦτο. Rursum Xen. Cyrop. 2, [4, 6] : Νομίσας αὐτὸν ὀρθῶς λέγειν· Hell. 6, [5, 37] : Ὡς ὀρθῶς τε καὶ δίκαια εἰρηκότος τοῦ Κλειτέλους. Item, ὀρθῶς ἔχειν aliquid dicitur. [Xen. Comm. 1, 2, 57 : Ἐκ τούτων ὀρθῶς ἂν ἔχοι (dictum Hesiodi).] Et ap. Thuc. [3, 55] : Τὰ μὴ ὀρθῶς ἔχοντα, quod schol. exp. ἄδικα. [Xen. H. Gr. 5, 2, 39 : Ὀρθ. ἔχειν τὰ δένδρα καταβάλλειν· et alibi.] Plato vero
B cum infin., Ὀρθῶς ἔχει τὰ τοιαῦτα μέμφεσθαι, pro Recte talia reprehenduntur, s. Merito. [Prot. p. 338, B : Οὐκ ὀρθῶς ἂν ἔχοι, seq. inf. Ib. p. 316, C : Ὀρθ. προμηθεῖ ὑπὲρ ἐμεῖ· Reip. 1, p. 331, D : Ὀρθῶς λέγεις· Tim. p. 88, C : Εἰ μέλλει δικαίως τις ἅμα μὲν καλὸς ἅμα δὲ ἀγαθὸς ὀρθῶς κεκλήσεσθαι. In responsione absolute Ὀρθῶς et Ὀρθῶς γε Prot. p. 359, E, Reip. 7, p. 539, D, etc. Ib. 1, p. 339, C : Τὸ δὲ ὀρθῶς (intell. τιθέναι) ἆρα τὸ τὰ ξυμφέροντά ἐστι τίθεσθαι ἑαυτοῖς; Leg. 3, p. 697, B : Ἔστι δὲ ὀρθῶς ἄρα (intell. τιμὰς διανέμειν) τιμιώτατα ... τὰ περὶ τὴν ψυχὴν ἀγαθὰ κεῖσθαι· Euthyphr. p. 2, C : Ὀρθῶς γάρ ἐστι (intell. ἄρχεσθαι). Similiter Reip. 5, p. 449, C : Τὸ ὀρθῶς τοῦτο. Cum adj. vel subst. Phæd. p. 67, B : Τοὺς ὀρθῶς φιλομαθεῖς· Reip. 1, p. 341, C : Ὁ ὀρθῶς κυβερνήτης. Comparat. ib. 7, p. 515, D : Ὅτι ὀρθότερα βλέπει. Superl. Phil. p. 49, C : Ὀρθότατα λέγεις· et alibi, etiam absolute in responsione, ut Phædr. p. 275, D. Ex Astii Lex. Plat. Herodot. 4, 59 : Ζεὺς ὀρθότατα καλεόμενος Παπαῖος. Xen. Eq. init. : Ὀρθότατα ἵπποις προσφέρεσθαι· et 9, 1, χρῷτο. « Τὸ ὀρθῶς λέγειν auctore Diog. L.
C 3, 59 Platoni significabat id q. dicitur bene et recte dicere, habebatque quattuor partes 1. ἃ δεῖ λέγειν h. e. ut ea dicantur quæ utilia sint dicenti et auditori. 2. ὅσα δεῖ λέγειν, h. e. ut neque nimis multa, neque pauciora quam satis est dicantur. 3. πρὸς οὓς δεῖ λέγειν, ut ea dicantur, quæ personis conveniant. 4. πηνίκα δεῖ λέγειν, h. e. ut neque prius, neque posterius, quam ratio exigit, dicatur. » Ernest. Lex. rh.]

[Ὀρθοστάδη. V. Ὀρθοστάτης.]

Ὀρθοστάδην, Stando erecto corpore, More eorum qui erecti stant. [« Ὀρθοστάδην adverbium est apud Hippocr., quod In erectum stando significat, aut Eorum more qui erecti stant, et de leviter ægrotantibus dicitur, qui erecti et obambulantes placide morbum circumferunt, necdum decumbere coguntur, velut gravibus morbis afflicti, ex quo decubitu morbi initium circumscribendum esse monet Galen. cap. 6 lib. 1 Περὶ κρίσεων. Est autem dictio Hippocratis et valde popularis, quam sic explicat Galen. Comm. in l. 1 Epid. p. 352, 35, Hipp. p. 938, E : Μετριώτατοι δ' ἦσαν
D εἰκότως, δι' ἃς εἶπον αἰτίας, ὥστε καὶ ὀρθοστάδην ὑπ' αὐτῶν ἐνοχλεῖσθαι τοὺς ἀνθρώπους, ὅπερ ἐστὶ φέρειν αὐτὰς ἀλύπως προερχομένους καὶ πράσσοντας τὰ συνήθη καὶ μὴ καταναγκαζομένους κλινήρεις γίνεσθαι, καθάπερ ἐν τοῖς σφοδροτέροις νοσήμασιν. Sic rursus ib. p. 353, 25. Ὀρθοστάδην ἄπυροι, Qui erecti et stantes a febribus vacant, p. 938, E; 943, F. Et οἱ ὀρθ. τοῖς κατακειμένοισιν opponuntur p. 944, G, velut p. 948, A, τοὺς ὀρθοστ. τοῖς ἐπὶ τῶν νοσημάτων opponere quibusdam videtur. Et p. 1089, C : Ἔθνησκον δὲ τουτέων ὀλίγοι ὑπὸ ὕδρωπος ὀρθοστάδην· ib. D : Πολλοὶ μὲν κατεκλίθησαν, οἱ δ' αὐτῶν ὀρθ. ὑπεφέροντο. Est et ὀρθοστάδην περιιέναι, Erectum et stantem obambulare et circumire, qua locutione utitur Hippocrates ægr. 9 lib. 1 Epidem., et Aretæus c. 9 l. 1 Acut. (p. 8, 23; 40, 53). Foes. Ὀρθ. ὑγιαζόμενοι id. Aret. p. 61, 44. Æsch. Prom. 32 et ex illo Eust. Opusc. p. 43, 27; 253, 1 : Ὀρθοστ. ἄϋπνος· 220, 77 : Οὐδὲ ὀρθ. διανυστέον τὸ πᾶν τῆς ζωῆς ἀκατάκαμπτον. Ælian. N. A. 4, 31 : Καθεύδει ὀρθ. Pollux 6, 175, μάχεσθαι. ἄ]

Ὀρθοσταδίας et Ὀρθοστάδιος, ὁ, Erectus stans. Ὀρθοσταδίας s. Ὀρθοστάδιος χιτὼν, Tunica recta, Plin. 8, 48, scribens, tales cum pura toga tyroni indui novæque nuptæ. Pollux [7, 84] χιτὼν ὀρθοστάδιος, ὁ οὐ ζωννύμενος, Tunica recincta, laxa et fluens, ut ex Ovid. VV. LL. exp. Ibid. [49] tradit Aristoph. ejusmodi χιτωνίσκους vocare ὀρθοσταδίας. Et ap. Eust. [Il. p. 1166, 55] ὀρθοστάδιοι μὲν (χιτῶνες) οἱ στατοὶ, οἱ συρτοὶ δὲ, οἱ συρόμενοι. Id. ap. Hesych. est : ap. quem tamen post Στατοὶ additur, ὑπόκομμα [οὐκ addit Scaliger ad Phryn. p. 238 ed. Lob.] ἔχοντες, [οἱ δὲ συρόμενοι συρτοί. V. *Mus. Pio-Cl.* vol. 1, p. 31]. Dicitur idem et στάδιος χιτὼν, ut infra videbis. [Neutro genere, Ὀρθοστάδιον, τὸ, genus vestimenti muliebris, ap. Aristoph. Lys. 45 : Κιμμέρικ' ὀρθοστάδια. V. Κιμβερικὸν, quod similiter Hesychius dicit esse χιτωνίσκου εἶδος πολυτελοῦς, ὃ λέγεται στατός. Dio Cass. 63, 17 : Οὐχ ὑπέμεινεν αὐτῷ τὸ ὀρθ. ἔχων φανῆναι· 22 : Ποτὲ μὲν κιθάραν ἔχοντα καὶ ὀρθοστάδιον, utroque l. de Nerone citharœdo.]

Ὀρθοσταδὸς, Erectus stans, Rectus : ὀρθοσταδὸν, Aphrodisiensibus i. q. ὀρθὸν, Hesych. [Adverbio Ὀρθοσταδὸν Apoll. Rh. 4, 1426 : Μετὰ δ' ἔρνεα τηλεθάοντα πολλὸν ὑπὲρ γαίης ὀρθοσταδὸν ἠέξοντο. Neque adjectivum esse potuit ὀρθοσταδὸς, quod aut ὀρθοστάδιος aut ὀρθόστατος dicendum.]

Ὀρθόστᾰσις, εως, ἡ, Status rectus, Corporis habitus, quo surrecti stamus nervis posterioribus contractis, VV. LL.

[Ὀρθοστᾰτέω, Rectus sto, Erigo me. Hippocr. p. 1017, D : Ὀρθοστατεῖν οὔτοι ἀδυνατώτεροι.]

Ὀρθοστάτης, ὁ, Qui erectus stat. [Stavarius, Staturium, Gl. pro Statarius.] Ὀρθοστάται, vocabulum est architect. [Hesychius : Ὀρθοστατῶν, παραστατῶν.] In VV. LL. interpr. Arrectaria, Arrectaria tigna. Quæ interpret. non videtur consentanea : nisi ὀρθοστάται et σκέλη idem significant; nam quæ Vitruv. appellat Arrectaria, ea Græci σκέλη, ut alibi dicendum erit. Satius igitur fuerit Græcum vocab. cum Vitruvio retinere. Utitur autem eo 2, 7, ubi de generibus structurarum ac earum qualitatibus tradit : Medio cavo servato, secundum orthostatas intrinsecus ex rubro saxo quadrato aut ex testa aut ex silicibus ordinariis struat bipedales parietes. Et 10, 19, in descriptione terebræ bellicæ : Ipsam machinam uti testudinem in medio habentem collocatum in orthostatis canalem faciebat. [Eur. Herc. F. 980 : Ὕπτιος δὲ λαΐνους ὀρθοστάτας ἔδευσεν ἐκπνέων βίον· Ion. 1134 : Ἀτοίχους περιβολὰς σκηνωμάτων ὀρθοστάταις ἱδρύετο. Inscr. Att. ap. Bœckh. n. 160, vol. 1, p. 262, 60 : Τοὺς ὀρθοστάτας ἀκαταξέστους. Philo Belop. p. 74, A : Ὀρθοστάτης ἐποιεῖτο ἔχων στυλίδα ἑξάγωνον· et ib. : Ἐπὶ τοῦ ὀρθοστάτου. L. D.] || Panis sacri species, Pollux [6, 73], Species placentæ, πέμματος, Hesych. : ap. quem scribitur Ὀρθοστάδη. [Hac signif. Eur. Hel. 547 : Τύμβου 'πὶ κρηπῖδ' ἐμπύρους τ' ὀρθοστάτας. Ubi v. Musgr., et qui Ἀνάστατος dictam placentam confert Valck. Adon. p. 398, B.]

[Ὀρθόστᾰτος, ὁ, ἡ, Qui erectus stat, Erectus. Eur. Suppl. 497 : Οὔ τἄρ' ἔτ' ὀρθῶς Καπανέως κεραύνιον δέμας καπνοῦται κλιμάκων ὀρθοστάτων.]

[Ὀρθοστομέω, Oratione recta, i. e. aperta et libera, utor. Procop. Gotth. 3, 32 : Μόνος ὀρθοστομήσας. L. D.]

[Ὀρθόστρωτος, ὁ, ἡ, ap. Hieroclem Stobæi Fl. vol. 3, p. 14, Πολυτελεῖς οἶκοι καὶ ὀρθόστρωτοι τοῖχοι, Parietes in altum lapidibus strati. V. Salmas. ad Scriptt. Hist. Aug. p. 149, et quæ in Ὀρθομαρμαρόω dicta sunt.]

[Ὀρθοσύνη, ἡ, i. q. ὀρθότης. Democratis Sentent. p. 626 Gal. : Ὀρθωσύνη (sic) καὶ δικαιοσύνη (εὐδαιμονοῦσιν ἄνθρωποι).]

[Ὀρθοτενὴς, ὁ, ἡ, In rectum protensus, Rectus. Oppian. Cyn. 1, 189 : Ὀρθοτενεῖς δολιχοί τε ποδῶν περιηγέες αὐλοί· 408 : Ὀρθοτενεῖς κώλων ταναοὶ δολιχήρεες ἰστοί.]

Ὀρθότης, ητος, ἡ, Rectitudo. [Proprie, de statu erecto, Xen. Comm. 1, 4, 11 : Ἡ ὀρθότης (hominis) καὶ προορᾶν πλεῖον ποιεῖ δύνασθαι. Aristot. De partt. an. 2, 7 : Τὴν ὀρθότητα τῆς κεφαλῆς. Improprie Aristoph. Ran. 1181 : Οὐ γάρ μοὐστὶν ἀλλ' ἀκουστέα τῆς ὀρθότητος τῶν ἐπῶν.] Plut. De frat. amicitia [p. 483, A] : Ἁπλότητα μὲν, τὴν ῥαθυμίαν τῶν ἀδελφῶν ὀνομάζουσιν· ὀρθό-
A τητα δὲ, τὴν σκαιότητα· ubi de recto quasi tramite dicitur, quem aliquis in vita sua insistit : cui opp. σκολιότης, Perversitas. Quum vero ei gen. additur, ut ap. Greg. Naz., Ὀρθότης λογισμῶν, reddendum potius est Recta consilia. [Plato Tim. p. 47, C : Λογισμῶν κατὰ φύσιν ὀρθότητος μετασχόντες.] Sic ὀρθότης βίου, Vita recte instituta. Et ap. Plat. Cratylo [p. 383, A; 384, A; 385, D; 394, E; 422, D; 428, E; 432, B], ὀρθότης ὀνομάτων, Nomina recte et vere rebus imposita : Τῶν ὀνομάτων ἡ ὀρθότης τοιαύτη τις ἐβούλετο εἶναι, οἵα δηλοῦν οἷον ἕκαστόν ἐστι τῶν ὄντων. [Reip. 10, p. 601, D : Κάλλος καὶ ὀρθότης ἑκάστου σκεύους καὶ ζῴου· Leg. 1, p. 627, D : Ὀρθότητός τε καὶ ἁμαρτίας πέρι νόμων· 642, A : Ἄνευ μουσικῆς ὀρθότητος· Polit. p. 293, D : Κατ' οὐδεμίαν ὀρθότητα· Leg. 2, p. 665, C : Μουσικῆς ὀρθότητα εἶναι τὴν ἡδονὴν ταῖς ψυχαῖς πορίζουσαν δύναμιν· et similiter alibi. Ib. 4, p. 721, A : Γαμικοὶ νόμοι πρῶτοι κινδυνεύουσι τιθέμενοι καλῶς ἂν τίθεσθαι πρὸς ὀρθότητα πάσῃ πόλει. Aristot. Eth. 6, 9. Plut. Mor. p. 24, D; 25, E; 962, C, λόγου· Mario c. 14. De signif. ap. grammati-
B cos v. in Ὀρθός.]

[Ὀρθότῑμος, ὁ, Orthotimus, n. viri in inscr. Phoc. ap. Bœckh. vol. 1, p. 848, n. 1724, b.]

[Ὀρθοτίτθος, s. Ὀρθότιτθος. V. Ὄρθιος.]

Ὀρθοτομέω, [Rectifacio, Recte tracto, Gl.] In rectum seco : ut ὀρθοτομεῖν ὁδὸν dicitur pro ὁδὸν ὀρθῶς τέμνειν, In rectum secare et aperire viam. Metaph. autem ap. Salom. Proverb. 11, [5] : Δικαιοσύνη ἀμώμου ὀρθοτομεῖ ὁδοὺς, ubi interpr. Justitia immaculati dirigit viam ejus. 2 Ad Tim. 2, [15] : Ὀρθοτομεῖν τὸν λόγον τῆς ἀληθείας, Sermonem veritatis recte secare : quod facit, qui nil prætermittit quod dicendum sit, nihil etiam adjicit de suo, nihil mutilat, discerpit, torquet; deinde diligenter spectat quid ferat auditorum captus, quicquid denique ad ædificationem conducit. Est autem sumpta translatio ab illa legali victimarum sectione ac distributione. Hæc ex novissimarum Annotationum auctore. [Eust. Opusc. p. 115, 41 : Εἰ τοῖς ἀκροωμένοις παιδευτικῶς οὐκ ἐπιχείσεται ἀνάγκη πρὸς τῷ διδασκάλῳ ἔχειν τὸν νοῦν, ὀρθοτομοῦντα τὸν ἀληθῆ
C λόγον.]

[Ὀρθοτομία, ἡ, i. q. ὀρθοδοξία. Euseb. Hist. Eccl. 4, 3. Schneid. Theod. Stud. p. 474, A : Ὑποδεικνύων ὀρθὴν τὴν πίστιν καὶ τὴν ἐφ' ἅπασιν ὀρθοτομίαν τοῦ λόγου τῆς ἀληθείας. L. Dind.]

Ὀρθότομος, ὁ, ἡ, In rectum sectus. At Ὀρθοτόμος, In rectum secans. [Vita Jo. Damasc. vol. 1, p. 111, A : Οὐδ' ἐξ ἑτέρας θρησκείας μεταθεμένῳ εἰς τὴν ὀρθοτομον. L. Dind.]

Ὀρθοτονέω, Rectum tonum s. accentum do. [Schol. Hom. Il. B, 252, aliique grammatici.] Bud. ex Gaza, Ἐὰν ὀρθοτονῶνται, ubi de encliticis loquitur. Et ὀρθοτονεῖσθαι dicit, quum scribimus, ἐμοῦ ἤκουσας : inclinari autem et tonum suum amittere, si dicas ἤκουσάς μου.

[Ὀρθοτόνησις, εως, ἡ, Rectus accentus. Apollon. De pronom. p. 44, B.]

[Ὀρθοτονητέον, Accentu recto notandum. Apollon. De pron. p. 62, B. L. Dind. Schol. Hom. Il. Υ, 2. Wak. Schol. Harl. Od. Δ, 610; N, 228.]

D Ὀρθότονος, ὁ, ἡ, Qui rectum tonum s. accentum habet.

[Ὀρθοτονουμένως, Cum accentu recto, ut σεῦ pro σευ, Herodian. qui dicitur ap. Bekker. Anecd. p. 1445, C, D. L. Dindorf.]

[Ὀρθοτριχέω, Horripilor, Gl. Symm. Ps. 118, 119.]

Ὀρθοτριχία, ἡ, dicitur affectio ejus qui erectos habet crines. [Diosc. Ther. 6, p. 428. Wakef.]

[Ὀρθοτριχιάω, Horripilo, Gl.]

[Ὀρθοτριχίζω, i. q. præcedens. Scriptt. rei accipitr. p. 206. Wakef.]

[Ὀρθοτροπία, ἡ, Recti mores. Const. Manass. Amat. 7, 40 : Ὁ χρηστὸς οὐ δύναται τὴν γνώμην μεταθεῖναι, οὐδ' ἐκλαθέσθαι τῆς ῥοπῆς τῆς εἰς ὀρθοτροπίαν. Boiss.]

[Ὀρθοφρονέω, Recte sentio. Theodor. Stud. p. 525, A : Τὸ ἀποσταλὲν ... ἡμῖν βιβλίον ἀνέγνωμεν. Καὶ οὐκ ἔστιν ὁ τοῦτο συγγραψάμενος ἐπὶ τῷ δόγματι τῶν σεπτῶν εἰκόνων ὀρθοφρονῶν. L. D. Ephræm. Cæs. 755, p. 20 ed. Mai. Osann.]

[Ὀρθοφρόνως. V. Ὀρθόφρων.]

Ὀρθόφρων, ονος, ὁ, Hesychio est ἀνατεταμένας φρένας ἔχων [ἢ ὀρθάς], μετέωρος, Qui erecto animo est. [Photio ἀνατεταμένος καὶ μετέωρος ταῖς φρεσίν· οὕτως Σοφοκλῆς. || « Adv. Ὀρθοφρόνως, Ephræm. Cæs. 872, p. 23 ed. Mai. Osann.]

[Ὀρθοφυέω.] Ὀρθοφυεῖσθαι, sonat In rectitudinem cresco, s. In rectum. Sed reddi etiam potest, In proceritatem cresco, s. In altitudinem, s. In altitudinem exeo: imitando Plinium, qui de palmis scribit, Religant comas, ut in altitudinem exeant; quum scripsisset Theophr. ὅπως ὀρθοφυῆται [H. Pl. 2, 6, 4, ubi Schneid. ὀρθὸς φύηται edidit].

Ὀρθοφυής, ὁ, ἡ, In rectitudinem crescens, s. In rectum. Exp. etiam Assurgens in rectum, nec non Crescens in altum, et Erectus, Procerus. Apud Theophr. [H. Pl. 3, 10, 1], Ὀρθοφυὲς δένδρον redditur Arbor erecta, ex Gaza. Ex quo Theophr. affertur et [ibid. 3, 8, 4], Ἡ μὲν γὰρ ἡμερὶς οὐκ ὀρθοφυής. Pro eod. alibi ἀστραβὴς usurpasse traditur. [C. Pl. 2, 9, 2. Basil. M. vol. 1, p. 46, C.]

Ὀρθοφυΐα, ἡ, substant. sonans q. d. In rectitudinem crescentia, i. e., ipsa Actio crescendi in rectitudinem, est ap. Theophr. Sed ponitur et simpliciter pro Rectitudine, aut etiam Proceritate. Plin. certe pro duobus his Theophrasti, ὀρθοφυΐᾳ et μήκει, usus est una Proceritatis appellatione. Hunc enim Theophr. l. [H. Pl. 3, 8, 5]: Ἡ δὲ πλατύφυλλος δεύτερον ὀρθοφυΐᾳ καὶ μήκει, πρὸς δὲ τὴν χρείαν τὴν οἰκοδομικὴν χείριστον, [μετὰ τὴν ἁλίφλοιον·] φαῦλον δὲ καὶ ἐς τὸ [καίειν καὶ] ἀνθρακεύειν, καὶ θριπηδέστατον μετὰ ἐκείνην, ita expressit, Ab hoc (ægilope) proxima latifoliæ proceritas, sed minus utilis ædificiis.

Ὀρθοχαίτης, ὁ, Cui juba aut coma stat erecta, Cui juba s. coma erecta est. Utitur Hesych. in exponendo ὀρθολόφος. [Immo Φριξολόφος, quod v.]

Ὀρθόω, Erigo. [Arrigo add. Gl.] Hom. Il. H, [272]: Ὁ δ' ὕπτιος ἐξετανύσθη Ἀσπίδι ἐγχριμφθείς· τὸν δ' αἶψ' ὤρθωσεν Ἀπόλλων. [Ψ, 695: Χερσὶ λαβὼν ὤρθωσε. Archil. ap. Stob. Fl. 105, 24: Τοῖς θεοῖς τίθει τὰ πάντα· πολλάκις μὲν ἐκ κακῶν ἄνδρας ὀρθοῦσιν μελαίνῃ κειμένους ἐπὶ χθονί. Æsch. Sept. 229: Πολλάκι δ' ἐν κακοῖσι τὸν ἀμάχανον... ὀρθοῖ· Eum. 751: Βαλοῦσά τ' οἶκον ψῆφος ὤρθωσεν μία. Eur. Hipp. 198: Ὀρθοῦτε κάρα· et alibi cum vocc. κεφαλή, πρόσωπον, et sim., ut Hec. 60: Ὀρθοῦσαι τὴν ὁμόδουλον· Tro. 505: Τί δῆτά μ' ὀρθοῦτε; 1161: Μὴ Τροίαν ποτὲ πεσοῦσαν ὀρθώσειεν· Phœn. 1250: Ἐν σοὶ Ζηνὸς ὀρθῶσαι βρέτας τρόπαιον. Epigr. Anth. Pal. App. 222, 4: Τὰν μεγάλαυχον ὤρθωσεν Τράλλιν, τὰν τότε κεκλιμέναν. Leonid. Tar. 7, 198, 8: Τοῦτο δ' ἐφ' ἡμῖν τοὐλίγον ὤρθωσεν σᾶμα. Xen. H. Gr. 4, 8, 10: Πολὺ τοῦ τείχους ὤρθωσε.] Plut. Ad præfect. indoctum [p. 780, B]: Οὔτε γὰρ πίπτοντός ἐστιν ὀρθοῦν, οὔτε διδάσκειν ἀγνοοῦντος, Lapsum erigere. Pro Erigo, Elevo, Attollo, accipitur et ap. Aristot. [H. A. 9, 40]: Καὶ τὰ πίπτοντα δὲ τῶν κηρίων ὀρθοῦσιν αἱ μέλιτται καὶ ὑφιστᾶσιν ἐρείσματα, ὅπως δύνωνται ὑπιέναι· quem l. sic reddit Plin., non tamen interpretans verbum ὀρθοῦσιν, Ruentes ceras fulciunt pilarum intergerinis, a solo fornicatis, ne desit aditus ad sarciendum. Pass. Ὀρθοῦμαι, Erigor, Erigo me. Hom. Il. B, [42] et Ψ, [235]: Ἕζετο δ' ὀρθωθείς, Quum sese erexisset. Et Il. K, [80] de Nestore εὐνῇ ἐνὶ μαλακῇ jacente: Ὀρθωθεὶς δ' ἄρ ἐπ' ἀγκῶνος κεφαλὴν ἐπαείρας, Quum ex strato corpus erexisset. [Soph. Ph. 820: Τὸ γὰρ κακὸν τόδ' οὐκέτ' ὀρθοῦσθαί μ' ἐᾷ. Eur. Rhes. 799: Ὀδύνη με τείρει κοὐκέτ' ὀρθοῦμαι τάλας. || Surgo. Æsch. Eum. 708: Ὀρθοῦσθαι δὲ χρή. Apoll. Rh. 2, 197: Ὀρθωθεὶς δ' εὐνῆθεν, ἀκήριον ἠΰτ' ὄνειρον βάκτρου σκηπτόμενος ῥικνοῖς ποσὶν ᾔε θύραζε· 3, 645: Ἦ ῥα καὶ ὀρθωθεῖσα θύρας ὤϊξε δόμοιο· Theocr. 22, 107: Ἔνθα μάχη δριμεῖα πάλιν γένετ' ὀρθωθέντος.] His addi potest locus Xen. Cyrop. 8, p. 142 [c. 8, 10], qui et ab Athen. citatur l. 11, [p. 496, C]: Τοσοῦτον δὲ πίνουσιν ὥστε ἀντὶ τοῦ εἰσφέρειν αὐτοὶ ἐκφέρονται, ἐπειδὰν μηκέτι δύνωνται ὀρθούμενοι ἐξιέναι· solebant enim olim κατακλίνεσθαι in compotationibus et cœnis: ut sensus sit, Quum erigere se amplius nequeunt et exire: vel Quum non amplius possunt erecto corpore exire. [Ib. 1, 3, 10: Μὴ ὅπως ὀρχεῖσθαι ἐν ῥυθμῷ, ἀλλ' οὐδ' ὀρθοῦσθαι ἐδύνασθε· Conv. 2, 15: Τὰ ἐν τῇ γῇ φυόμενα, ὅταν ὁ θεὸς αὐτὰ ἄγαν ἀθρόως ποτίζῃ, οὐ δύναται ὀρθοῦσθαι.]

A Metaphorice vero dicitur aliquis remp. ὀρθοῦν, labascentem sc., aut nutantem: ut Cic., Possumus etiam nunc remp. erigere, si communi consilio negotium administrabimus. Et Claudian. dicit, Patriam præcepta Platonis Erexere tuam. [Scolion ap. Athen. 15, p. 694, C. Valck.] Æschines: Ταῦτα γὰρ ὀρθοῖ τὴν δημοκρατίαν. Plut. Fabio [c. 27, ex poeta]: Τὴν ἡγεμονίαν ὡς ἀληθῶς πολλῷ σάλῳ σεισθεῖσαν ὤρθωσε καλῶς, Probe erexit. Synes. Ep. 103: Φιλοσοφίαν ἱκανὴν εἶναι τὰς πόλεις ὀρθοῦν, Respublicas erigere et ex calamitate ad felicem statum excitare. [Pind. Pyth. 4, 60: Σὲ δ' ἐν τούτῳ λόγῳ χρησμὸς ὤρθωσε· Ol. 3, 3: Ὕμνον ὀρθώσαις· Nem. 1, 15: Σικελίαν ὀρθώσειν· Isthm. 1, 46: Ξυνὸν ὀρθῶσαι καλόν· 3, 56: Αὐτοῦ πᾶσαν ὀρθώσαις ἀρετάν· 5, 61: Ὀρθώσαντες οἶκον· 4, 54: Πόλις ὀρθωθεῖσα ναύταις. Æsch. Suppl. 672: Ὅς πολιῷ νόμῳ αἶσαν ὀρθοῖ· Eum. 897: Τῷ γὰρ σέβοντι συμφορὰς ὀρθώσομεν· Ag. 1492: Νῦν δ' ὤρθωσας στόματος γνώμην· Suppl. 915: Πόλλ' ἁμαρτὼν οὐδὲν ὤρθωσας φρενί· Cho. 584: Τὰ δ' ἄλλα τούτῳ δεῦρ' ἐποπτεῦσαι λέγω, ξιφηφόρους ἀγῶ-
B νας ὀρθώσαντί μοι. Et similiter sæpe Soph., ut Ant. 163: Τὰ πόλεος ὤρθωσαν (θεοί)· 167: Ἡνίκ' Οἰδίπους ὤρθου πόλιν· OEd. C. 394: Νῦν γὰρ θεοί σ' ὀρθοῦσι, πρόσθε δ' ὤλλυσαν· 395: Γέροντα δ' ὀρθοῦν φλαῦρον, ὃς νέος πέσῃ· OEd. T. 39: Ὀρθῶσαι βίον· Ph. 894: Τό τοι ξύνηθες ὀρθώσει μ' ἔθος· Aj. 161: Καὶ μέγας ὀρθοῖθ' ὑπὸ μικροτέρων· itemque Eur. Iph. T. 993: Νοσοῦντά τ' οἶκον... πατρῷον ὀρθῶσαι θέλω· Hel. 1605: Σπουδῆς δ' ὕπο ἔπιπτον, οἱ δ' ὠρθοῦντο· Iph. A. 24: Τὰ θεῶν οὐκ ὀρθωθέντ' ἀνέτρεψε βίον. Herodot. 3, 222: Σύ νυν ὧδε ποιήσας ὀρθώσεις μὲν σεωυτόν, σώσεις δὲ καὶ ἐμέ. Et pass. 1, 208: Ἦν ἡ διάβασις ἡ ἐπὶ Μασσαγέτας μὴ ὀρθωθῇ· 7, 103: Οὕτω μὲν ὀρθοῖτ' ἂν ὁ λόγος ὁ παρὰ σεῦ εἰρημένος. Plato Lach. p. 181, B: Αὐτὸν ἐθεασάμην οὐ μόνον τὸν πατέρα, ἀλλὰ καὶ τὴν πατρίδα ὀρθοῦντα, et paullo ante: Εὖγε ὅτι ὀρθοῖς τὸν πατέρα. Et πόλιν Leg. 12, p. 957, D, Men. p. 99, C.] || Rectum facio. Epigr. [Anth. Pal. 11, 120, 1]: Ὀρθῶσαι τὸν κυρτὸν ὑποσχόμενος Διόδωρον Σωκλῆς, Pollicitus se rectum facturum Diodorum, qui gibbosus erat. Aristot. Eth. 2, 8: Οἱ τὰ διεστραμμένα τῶν
C ξύλων ὀρθοῦντες. [Xen. Comm. 3, 10, 15: Τοῦ σώματος μὴ μένοντος, ἀλλὰ τοτὲ μὲν κυρτουμένου, τοτὲ δὲ ὀρθουμένου.] || Dirigo, ut quum architectus suum κανόνα ὀρθοῦν dicitur. Athen. 13, [p. 564, C] ex Sophocle, Ὥστε τέκτονος παρὰ στάθμην ἰόντος ὀρθοῦται κανών. [Ph. 1299: Ἦν τόδ' ὀρθωθῇ βέλος.] Sed et ὁ ἄνεμος dicitur ὀρθοῦν τὴν ναῦν pro κατευθύνειν, quum ei secundus est, et facit ut recto tramite progrediatur. [Plato Tim. p. 90, A: Ἐκεῖθεν τὸ θεῖον ὀρθοῖ πᾶν τὸ σῶμα.] Quo pertinet ὀρθοῦσθαι, Prospero successu uti, et rem bene gerere, sicut εὐοδοῦσθαι. Atque ita Thuc. schol. 3, p. 97 [c. 42]: Καὶ πλεῖστ' ἂν ὀρθοῖτο, ἀδυνάτους λέγειν ἔχουσα τοὺς τοιούτους τῶν πολιτῶν, exp. εὐδρομοίη. At 6, p. 200 [c. 9]: Μάλιστα γὰρ ἂν ὁ τοιοῦτος καὶ τὰ τῆς πόλεως δι' ἑαυτὸν βούλοιτο ὀρθοῦσθαι, exp. ἵστασθαι: quod interpretari queas In bono statu esse. Et 3, [37]: Ὀρθοῦνται τὰ πλείω, Prosperos plerumque successus habent. [Ib. 30: Ὃ εἴ τις φυλάσσοιτο, πλεῖστ' ἂν ὀρθοῖτο· et 42. Antiphon p. 130, 7: Ὁρῶ τοὺς πάνυ ἐμπείρους μᾶλλον ὀρθουμένους. Soph. El. 742: Καὶ τοὺς μὲν ἄλλους
D πάντας ἀσφαλεῖς δρόμους ὠρθοῦθ' ὁ τλήμων. Æsch. Eum. 773: Ἐν ἀγγέλῳ γὰρ κρυπτὸς ὀρθοῦται λόγος. Eur. Hipp. 247: Τὸ γὰρ ὀρθοῦσθαι γνώμαν ὀδύνα, τὸ δὲ μαινόμενον κακόν· Med. 569: Ὀρθουμένης εὐνῆς. Activo sic Plato Phædr. p. 244, B: Σίβυλλάν τε καὶ ἄλλους ὅσοι... πολλὰ δὴ πολλοῖς προλέγοντες εἰς τὸ μέλλον ὤρθωσαν. || « Ὀρθοῦν ap. Hermog. 2 Περὶ ἰδ. p. 198, σχήματα ταῦτα τὸν ὑπτιάζοντα λόγον ὀρθοῖ, Hæ figuræ orationem abjectam et veluti ignavam, erigunt, eique celeritatem et vigorem quendam conciliant, γοργὸν ποιεῖ. In eadem re mox utitur verbo διεγείρειν τὸν λόγον eodem sensu, ut τῷ ἐγείρειν simpl. Eustathius sæpe in eadem re, ut ad Od. p. 1390. V. Ὕπτιος. Deinde ὀρθοῦν est, Recta oratione aliquid enuntiare, eique opponitur τὸ πλαγιάζειν, Oblique enuntiare, quod et τὸ κατὰ τὸ ἐγκεκλιμένον διηγεῖσθαι dixit schol. Aphthon. ed. Ald. V. Aristid. Περὶ ἀφελ. p. 672, et conf. v. Ὀρθός. Ernest. Lex. rh.] Et, Ἦν μὴ ὀρθωθῇ, Si non recte cederet. Et τὸ ὀρθούμενον, Felix successus, εὐπραγία, schol. Thuc. 4, p. 127 [c. 18]: Καὶ ἐλάχιστ' ἂν οἱ τοιοῦτοι

πταίοντες, διὰ τὸ μὴ τῷ ὀρθουμένῳ αὐτοῦ πιστεύοντες ἐπαίρεσθαι, In prospero successu. Ex Eodem affertur ὀρθουμένη πόλις, pro Civitas fortunata et recte constituta. [Gl.: Ὀρθοῦται, Emendat. Quod διορθοῦται dici solet. HSt. In Ind.:] Ὀρθεῦν, Hesychio ἀνορθοῦν. Doricum est pro ὀρθοῦν.

[Ὀρθραγορίσκος vitium scripturæ pro Ὀρθαγορίσκος, quod v.]

Ὀρθρεύω, Matutinus aliquid ago. [Eur. Tro. 182: Ὦ τέκνον, ὀρθρεύουσαν ψυχὰν ἐκπληχθεῖσ' ἦλθον φρίκᾳ.] Theocr. 10 [fin.]: Τὸν δὲ τεόν, βουκαῖε, πρέπει λιμηρὸν ἔρωτα Μυθίσδεν τᾷ ματρὶ κατ' εὐνὰν ὀρθρευοίσᾳ, In lectulo mane cubanti, matutinæ. [Diluculo, Gl.] Pass. Ὀρθρεύομαι pro eod. [Eur. Suppl. 978: Γόοισιν δ' ὀρθρευομένα δάκρυσι νοτερὸν ἀεὶ πέπλων πρὸς στέρνῳ πτύχα τέγξω.] Lucian. [Gallo c. 1, ubi nunc ἐπορθ.]: Ὤμην τὶ χαριεῖσθαί σοι, φθάνων τῆς νυκτὸς, ὁπόσον δυναίμην, ὡς ἔχοις ὀρθρευόμενος διανύειν τὰ πολλὰ τῶν ἔργων, Ut matutinus conficere posses negotia quæ multa tibi incumbunt; Mane surgens, Summo mane ex lecto exurgens. Verba galli ὀρθροβόου. [Ceterum hanc formam probant Atticistæ, Mœris p. 272: Ὀρθρεύει Ἀττικοί, ὀρθρίζει Ἕλληνες· Phrynichus in Ὄρθρος et Thomas in Ὀρθρίζω citandi.]

Ὀρθρία, ἡ, Suidæ est ἡ ὀρθρία κατάστασις.

[Ὀρθρίδιος, α, ον, Matutinus. Antip. Thess. Anth. Pal. 5, 3, 6: Τί γὰρ σὴν εὐνέτιν Ἠῶ οὕτως ὀρθριδίην ἤλασας ἐκ λεχέων; ὅ]

Ὀρθρίζω, i. q. ὀρθρεύω. Luc. 21, [38]: Πᾶς ὁ λαὸς ὤρθριζε πρὸς αὐτὸν, Mane venit ad eum, Matutinus venit ad eum. [Luce vigilo, Vigilo, Gl. Et, Ὄρθρισον, Matutino.] At ὀρθρίζουσι τῷ πρωΐ, Mane surgunt, 1 Reg. 1, [19. Gen. 19, 2, 27; Ps. 62, 1. « Euseb. in Grabii Spicil. Patr. 1, p. 9.» Boiss. Ephræm Syr. vol. 3, p. 100, A. || Ὀρθρίζομαι, Anteluco, Gl. Improbant verbi usum Mœris in Ὀρθρεύω cit. et Thomas p. 655: Ὀρθρεύω καὶ ὀρθρεύομαι (addito ex Luciani) ... οὐχ ὀρθρίζω. Ὀρθριοῦμαι δὲ, οὐκ ὀρθρεύσομαι, ἀλλ' οὐδ' ὀρθρισθήσομαι.]

Ὀρθρινὸς, ἡ, ὸν [Matutinus, Crespulus, Gl.] et Ὄρθρῖος, α, ον [et ὁ, ἡ], Matutinus, ex Epigr. [Meleagri Anth. Pal. 7, 195, 7], ὀρθρινὰ δῶρα, Matutina dona. Et ἀστὴρ ὁ λαμπρὸς καὶ ὀρθρινὸς, Apocal. 22, [16]. Item τὸ ὀρθρινὸν, Matutino tempore. Lucian. Gallo [c. 1]: Τῷ χρύει μηδέπω με τὸ ὀρθρινὸν, ὥσπερ εἴωθεν, ἀποκναίοντι. Sed frequentius est posterius ὄρθριος. [Hom. H. Merc. 143: Κυλλήνης ἀφίκετο δῖα κάρηνα ὄρθριος. Theognis 863: Ἑσπερίη τ' ἔξειμι καὶ ὀρθρίη αὖθις ἔσειμι. Aristoph. Lys. 60: Ἐπὶ τῶν κελήτων διαβεβήκασ' ὄρθριαι· Eccl. 283: Τοῖς μὴ παροῦσιν ὀρθρίοις. Menand. ap. Athen. 6, p. 243, A: Ὄρθριος πρὸς τὴν σελήνην ἔτρεχε. Orph. Arg. 756: Ἶκτο ... Ἀργὼ ὄρθριος· 1245: Ὄρθριοι ... ἐχαράσσομεν ἅλμην.] Thuc. [5, 58]: Ὄρθριοι, ἑτέραν ὁδὸν ἐπορεύοντο, Diverso itinere matutini perrexerunt: ut Virg., Nec minus Æneas se matutinus agebat: re nimirum temporis ad personam translata, sicut et Luc. 24, [22]: Ὄρθριαι γενόμεναι ἐπὶ τὸ μνημεῖον, Quæ ad sepulcrum venerunt matutinæ, pro Quæ diluculo ad sepulcrum venerunt. Initio autem capitis dicit, Ὄρθρου βαθέος ἦλθον ἐπὶ τὸ μνημεῖον, Profundo diluculo. [Plat. Leg. 12, p. 961, B: Ὄρθριον σύλλογον· Prot. p. 313, B: Ὄρθριος ἥκων.] Gregor.: Δάκρυσον ὀρθρία, Matutina plores. Ὄρθριον, adverbialiter etiam capitur, ut ap. [Aristoph. Eccl. 377: Ἤδη λέλυται γάρ (concio); — Νὴ Δί' ὄρθριον μὲν οὖν· 525: Ὄρθριον ᾤχου·] Theophr. [fr. 6, 1, 18]: Ἐρωδιὸς ὄρθριον φθεγγόμενος ὕδωρ ἢ πνεῦμα σημαίνει. At Plin. sub fin. l. 18: Et fulicæ matutino clangore aquarum et ventorum signa sunt. Aristoph. [Av. 489], ὄρθριον ᾄδειν, Mane canere: de gallo, qui quod lucem prænuntiat, ὀρθροβόας vocatur. [Phryn. Exc. p. 54, 12: Ὄρθριον ἐρεῖς ᾄδει καὶ ὄρθριος ὁ ἀλέκτωρ ᾖσεν.] Idem Aristoph. per jocum dicit etiam ὄρθριον νόμον, Matutinum carmen, alludens ad ὄρθιον νόμον, de quo supra, Eccl. [741]: Ἔξιθι Πολλάκις ἀναστήσασά μ' εἰς ἐκκλησίαν Ἀωρὶ νυκτῶν διὰ τὸν ὄρθριον νόμον· ad citharistriam. [Compar. et superl. ὀρθριαίτερος et ὀρθριαίτατος annotavit Herodian. Epim. p. 166. De utraque forma Phrynich. Exc. p. 54, 7: Ὄρθριος χρὴ λέγειν, οὐχ ὀρθρινὸς, et Ecl. p. 51, Thomas p. 656. Ὀρθρῖνος Aratus 948: Ἢ τρύζει ὀρθρινὸν ἐρημαίη ὀλολυγών· Antip.

A Sid. Anth. Pal. 6, 160, 1: Τὰν ὀρθρινὰ ... μελπομέναν· Phædimus ib. 7, 730, 5, Posidippus App. 64, 4. Correpto ι Meleager ib. 5, 177, 2: Ὀρθρινὸς ἐκ κοίτας ᾤχετ' ἀποπτάμενος· 12, 47, 1: Ὀρθρινὰ παίζων· et l. ab HSt. initio citato: Δῶρά σοι ... ὀρθρινὰ δώσω. Plura exx. attulit Ducang., in quibus dicitur de precibus matutinis, interdum cum ὕμνος vel ὑμνῳδία conjunctum.]

Ὀρθριοκόκκυξ, υγος, ὁ, Qui matutinus cucurrit, ὁ ὄρθριος κοκκύζων. Diphilus ap. Eustath. [Od. p. 1479, 45]: Καὶ νὴ Δί' ὄντως εὐθὺς ἐξέπεμψέ με Ὀρθριοκόκκυξ ἀρτίως ἀλεκτρυών· qui et Κοκκοβόας ὄρνις a Soph. dicitur, teste eod. Eust. quasi ἐν τῷ βοᾶν κοκκύζων, Inter vociferandum cucurriens. [Ὄρθριον ὁ κόκκυξ Meinek. Com. vol. 4, p. 421.]

[Ὄρθριος, V. Ὀρθρινός.]

[Ὄρθριος, ὁ, Orthrius, n. viri, in numis Tabenis Cariæ ap. Mionnet. *Suppl.* vol. 6, p. 546, n. 527; p. 547, n. 532, 533.]

Ὀρθριοφοίτης, ὁ, Qui matutinus advenit, ὁ παραγενόμενος ὄρθρου, Suid. [et Photius.]

B [Ὀρθρισμὸς, ὁ, Matutina investigatio s. sectatio. Aq. Prov. 11, 27.]

Ὀρθροβόας, ὁ, Qui matutino tempore vociferatur, Ante lucem vociferans, epith. gallinacei, qui ab Ovidio dicitur Lucis prænuntius ales. Heraclid. ap. Athen. 3, [p. 98, E] de Alexarcho Uranopolis conditore: Διαλέκτους ἰδίας εἰσήνεγκεν, ὀρθροβόαν μὲν τὸν ἀλεκτρυόνα καλέων, καὶ βροτοκέρτην τὸν κουρέα. Ubi tamen scribitur Ὀρθοβόας, Sublata et intenta voce vociferans. Rectius autem ap. Eust. ὀρθροβόας. Similia compp. sunt ἀκαιροβόας, καλαμοβόας. [Meleager Anth. Pal. 12, 137, 1: Ὀρθροβόας δυσέρωτι κακάγγελε· Tull. Laur. ib. 24, 3: Τὸν ὀρθροβόην παρὰ βωμοῖς ὄρνιν.]

Ὀρθρογόη, ἡ, Antelucano tempore lamentans et quiritans, Hirundinis epith. ap. Hesiod. Ἔργ. [566]: Τὸν δὲ μέτ' ὀρθρογόη Πανδιονὶς ὦρτο χελιδών. Eadem hirundo vocatur etiam Ὀρθρολάλος, Antelucano tempore s. Sub diluculum garriens. Epigr. [Philippi Anth. Pal. 6, 247, 1]: Κερκίδας ὀρθρολάλοισι χελιδόσιν εἰκελοφώνους. Sed notandum scribi etiam Ὀρθογόη et
C Ὀρθολάλος, ap. Hesych. et Suid., Sublata et intenta voce flens atque garriens. Utramque scripturam agnoscit [schol. Hesiodi et] Lex. meum vet.: in quo sic habetur, Ὀρθογόη, ἡ μεγάλως θρηνοῦσα, ὑπὸ τὸν ὄρθρον ἠχοῦσα. [HSt. iterum:] Ὀρθρογόη χελιδὼν, Mane lugens hirundo, Hesiod.

[Ὀρθρόθεν, A diluculo. Nicet. Eugen. 7, 12: Δακρύουσαν ὀρθρόθεν. Boiss.]

[Ὀρθρολάλος. V. Ὀρθρογόη.]

Ὄρθρος, ὁ, Tempus matutinum, antelucanum, Diluculum [Matutinus, Ante lucem, Diluculus, Dilucidum, huic add. Gl.]: quod quidam derivant παρὰ τὸ αἴρειν καὶ ὀρθοὺς ἡμᾶς ποιεῖν, λεχήρεις ὄντας: malim ego ab ὄρθαι, τὸ διεγηγέρθαι: nam eo tempore homines ad opera sua excitari solent. [Hesiod. Op. 575: Ὄρθρου ἀνιστάμενος. Orph. Arg. 364: Τῆμος δ' ἱερὸς ὄρθρος ἀπ' Ὠκεανοῖο ῥοάων ἀντολίας ἤνοιγεν. Eur. El. 909: Καὶ μὴν δι' ὄρθρων γ' οὔποτ' ἐξελίμπανον θρυλοῦσ' ἅγ' εἰπεῖν ἤθελον κατ' ὄμμα σόν. Aristoph. Ach. 256: Ἐπειδὰν ὄρθρος ᾖ· Vesp. 772: Ἣν ἐξέχῃ εἵλη κατ' ὄρ-
D θρον· Av. 496: Νομίσας ὄρθρον ἐχώρουν Ἁλιμοῦντάδε.] Apud Aristoph. Vesp. [216] τοῖς οἰκέταις dicentibus, Ἀλλὰ νῦν ὄρθρος βαθύς, Profundum diluculum, respondet Bdelycleon, Νὴ τὸν Δί', ὀψὲ γὰρ ἀνεστήκασι νῦν, Ὡς ἀπὸ μέσων νυκτῶν παρακαλοῦντές μ' [γε παρακαλοῦσ'] ἀεί. Plut. Symp. 3 [p. 654, F]: Τὴν γὰρ ἑσπέραν, τῶν πόνων ἀνάπαυσιν· τὸν δὲ ὄρθρον, ἀρχήν· 8, [p. 722, D] annotat Ibycum ὄρθρον non male appellasse κλυτὸν, quippe ἐν ᾧ κλύειν καὶ ἤδη φθέγγεσθαι συμβέβηκε: contra vero τῆς νυκτὸς ἀκύμων τὰ πολλὰ καὶ ἄκλυτος ὢν ὁ ἀὴρ, αναπαυομένων ἁπάντων, τὴν φωνὴν ἄθραυστον ἀναπέμπει. Aristoph. [Eccl. 462]: Τὸν ὄρθρον στένειν [et Lys. 966, τοὺς ὄρθρους], Matutino tempore ingemiscere: pro περὶ τὸν ὄρθρον, ut Thuc. [6, 101, ubi sine artic.] loquitur, et Philo l. infra citando: seu [πρὸς ὄρθρον, ut Aristoph. Lys. 1089, Eccl. 20, Xen. H. Gr. 2, 4, 24: Τὸ πρὸς ὄρθρον. Tim. Locr. p. 97, A,] πρὸς τὸν ὄρθρον, ut Athen. in Ὀρθραγορίσκοι. [Ὑπ' ὄρθρον, Batrachom. 102.] Et ἅμα ὄρθρῳ [Thuc. 5, 42], Simul ac illucescit, Sub exortum auroræ. [Herodot. 7, 188; Xen. Anab. 2, 2, 21.] Et Philo

V. M. 1 : Περὶ βαθὺν ὄρθρον, Summo mane, Antequam diluxisset. ['Ορθρον ὑπεῷον, Crepusculum; 'Ορθρου, Ante lucem, Gl. Plato Leg. 7, p. 808, C : Ἡμέρας δὲ ὄρθρου τε.] Et ὄρθρου βαθέος, Profundo diluculo [Plat. Prot. p. 310, A : Ἔτι βαθέος ὄρθρου] : pro quo Philo dicit περὶ βαθὺν ὄρθρον, Quum sc. nondum illuxit. Dividitur enim crepusculum matutinum in multas partes : et ὄρθρον proprie vocant Primum diluculi punctum; unde gallus dicitur ὀρθροβόας, quod lucem prænuntiet primo statim diluculo. Huic succedit τὸ λυκαυγὲς, Quum dubia jam lux est : quam excipit aurora. Totum autem crepusculum matutinum vocatur δείλη πρωΐα, et interdum etiam ὄρθρος : quamobrem ut prima diluculi pars apertius declaretur, additur βαθέος : pro quo dicitur et πρωῒ λίαν : nam πρωῒ declarat non modo Crepusculum totum matutinum, sed etiam Primam diei partem, unde Hom. Il. Σ, [303] quum extremam crepusculi partem describens usus esset voce πρωῒ, subjunxit ὑπ' ἠοῖοι, ut planius loqueretur. Pro eo autem quod Lucas dicit ὄρθρου βαθέος, 24, [1] et Marcus πρωῒ λίαν, 16, [2], Jo. [21, 1] dixit, Σκοτίας ἔτι οὔσης, Quum essent adhuc tenebræ. [Phrynich. Epit. p. 275 : Ὄρθρος νῦν ἀκούω τῶν πολλῶν τιθέντων ἐπὶ τοῦ πρὸ ἡλίου ἀνίσχοντος χρόνου· οἱ δὲ ἀρχαῖοι ὄρθρον καὶ ὀρθρεύεσθαι τὸ πρὸ ἀρχομένης ἡμέρας, ἐν ᾧ ἔτι λύχνῳ δύναταί τις χρῆσθαι. Ὃ τοίνυν οἱ πολλοὶ ἁμαρτάνοντες λέγουσιν ὄρθρον, τοῦθ' οἱ ἀρχαῖοι ἕω λέγουσιν· Exc. p. 54, 8 : Ὄρθρος ἐστὶν ἡ ὥρα τῆς νυκτὸς, καθ' ἣν ἀλεκτρυόνες ᾄδουσιν· ἄρχεται δὲ ἐνάτης ὥρας καὶ τελευτᾷ εἰς διαγελῶσαν ἡμέραν· τεκμήριον δέ· ὀρθρεύεσθαι γὰρ καλοῦσιν οἱ Ἀττικοὶ τὸ λύχνῳ προσκεῖσθαι, πρὶν ἡμέραν γενέσθαι... Ἕως δὲ τὸ ἀπὸ (δια)γελώσης ἡμέρας ἄχρις ἡλίου ἐξέχοντος διάστημα... Μέσαι δὲ νύκτες (a quinta usque ad octavam noctis horam) καὶ τοὐντεῦθεν ἀλεκτρυόνες ᾄδουσιν, ὃ λέγεται ὄρθρος. « Theocr. 24, 63 : Ὄρνιθες τρίτον ἄρτι τὸν ἔσχατον ὄρθρον ἄειδον. Liban. vol. 4, p. 1054, 15 : Ὄρθρου ὑποφαινομένου καὶ ἀλεκτρυόνος ᾄδοντος. Plato Leg. 12, p. 951, D : Συλλεγόμενοι ἀπ' ὄρθρου μέχριπερ ἂν ἥλιος ἀνίσχῃ, et plerique alii nocti adnumerant. (Xen. H. Gr. 2, 1, 22 : Τῇ ἐπιούσῃ νυκτὶ ἐπεὶ ὄρθρος ἦν, ἐσήμηνεν· Ven. 6, 6 : Εἰς ὄρθρον καὶ μὴ πρῴ.) Dio Cass. 76, 17 : Νυκτὸς ὑπὸ τὸν ὄρθρον. Joseph. Ant. 11, 6 : Πυνθανόμενος τίς εἴη τῆς νυκτὸς ὥρα, ἔμαθεν ὡς ὄρθρος ἐστὶν ἤδη. Pausan. 4, 29, 2 : Περὶ ὄρθρον· ὡς δὲ ἡμέρα ἐπέσχε. Schol. Arati Phæn. 303 : Ἐπὶ τῆς ἐσχάτης νυκτὸς, ἤγουν ἐπὶ ὄρθρου. Conf. Duker. ad Thuc. 3, 112, Abresch. Lectt. Aristæn. 1, p. 148, Kypk. Obss. S. 1, p. 335.» Lobeck. Thuc. 2, 3 : Φυλάξαντες ἔτι νύκτα καὶ αὐτὸ τὸ περίορθρον (al. περὶ ὄρθρον), ὅπως μὴ κατὰ φῶς θαρσαλεωτέροις οὖσι προσφέρωνται.]

['Ορθρος, ὁ, Orthrus, canis Geryonis, ap. Hesiod. Th. 293, 309, 327, ubi plerique Ὄρθον. Eodem modo variatur ap. schol. Apoll. Rh. 4, 1399, Tzetz. ad Lycophr. 652. Ὄρθος ponunt schol. Ven. Hom. Il. Ω, 316, Etym. M. p. 591, 28 : Ὄρθος τὸ μονογενές. Ὄρθρος Apollod. 2, 5, 10, 3.]

['Ορθροφοιτοσυκοφαντοδικοταλαίπωρος, ὁ, ἡ, voc. fictum ab Aristoph. Vesp. 505 : Τὸν πατέρ' ὅτι βούλομαι τούτων ἀπαλλαχθέντα τῶν ὀρθροφ. τρόπων, de Philocleone mane surgente ad frequentanda fora sycophantarum et litium miserarum plena.]

['Ορθων, ωνος, ὁ, Ortho, n. viri Syracusii, ap. Leonid. Tar. Anth. Pal. 7, 660. Patris Agathemeri in Hudsoni Geogr. vol. 2, p. 1, 'Ορθῶνος non recte scripti in cod. Taurin. ap. Pasin. vol. 1, p. 366, A. L. Dind.]

['Ορθωνία, ἡ, Orthonia, Lycaonis conjux, Nyctimi mater, sec. schol. Eur. Or. 1642. Scribendum videtur 'Ορθωσία, quod v. L. Dind.]

['Ορθῶνις, ιδος, ἡ, inter barytona in νις ponit Arcad. p. 32, 13.]

['Ορθώνυμος, ὁ, ἡ, Qui recto veroque utitur nomine. Æsch. Ag. 699 : Ἰλίῳ δὲ κῆδος ὀρθώνυμον τελεσσίφρων μῆνις ἤλασε.]

['Ορθῶς. V. 'Ορθός.]

'Ορθωσία, ἡ, Suidas exp. ὄρθωσις. Alias 'Ορθωσία Dianæ cognomentum est, παρὰ τὸ ὀρθοῦν τοὺς βίους τῶν ἀνθρώπων, ut in meo Lex. vet. docetur : vel, ut alii, quod parientes sublevet et opem eis ferat. Pind. Ol. [3, 52, epigr. in Museo Worslej. vol. 1, tab., ubi Ἄρτεμιν 'Ορθωσίην] et Lycophr. [1331 : Τὴν τοξόδαμνον
A νοσφίσας 'Ορθωσίαν. Ubi Hippolytæ Amazoni, Dianæ comiti, cognomen deæ tribuitur. Quod scholl. Lyc. et Pind. repetunt non solum a verbo ὀρθοῦν, sed etiam ab Arcadiæ monte 'Ορθώσιον dicto et Ὄρθιον, unde eadem 'Ορθὶς (l. 'Ορθία) dicatur. 'Ορθωσία est ap. Herodot 4, 87, Sext. Emp. p. 180, Ps.-Aristot. Mir. c. 175, schol. Plat. p. 450, Hesych. || 'Ορθωσία, ἡ, Orthosia, urbs Cariæ, ap. Strab. 14, p. 650. Unde gent. 'Ορθωσιέων in numis ap. Mionnet. *Descr.* vol. 3, p. 373 sq., *Suppl.* vol. 6, p. 529 sq. Idemque in numis oppidi cognominis Phœnices ap. eund. vol. 5, p. 364, *Suppl.* vol. 8, p. 262, quod infra 'Ορθωσὶς, ap. Strab. 14, p. 670; 16, p. 753 (ubi vitiose 'Ορθωσιὰς sequente συνεχής), 754, 756. Sed 'Ορθοσιάδος de Carica est etiam in Ms. ap. Pasin. Codd. Taurin. vol. 1, p. 209, A. L. Dind.]

['Ορθώσιον. V. 'Ορθωσία.]

'Ορθώσιος Ζεὺς, Jupiter Stator [ita Gl. sine n. Jovis] : quem Ἐπιστάσιον Δία Plut. Romulo appellat, p. 52 meæ ed. [c. 18.] Perperam vero alicubi scriptum reperitur 'Ορθόσιος. Magis tamen proprie 'Ορθώσιος dice-
B retur Jupiter, ab erigendis iis qui labascebant et inclinabant, vel etiam quod prosperos successus daret. [Dionys. A. R. 2, 50 : Ῥωμύλος (βωμὸν καθιέρωσεν) 'Ορθωσίῳ Διί. Memorant Epim. Hom. Cram. An. vol. 1, p. 58, 15, Arcad. p. 41, 13.]

'Ορθωσις, εως, ἡ, Erectio, Directio. [Plut. Mor. p. 166, D, λόγων καὶ ἔργων. Ms. ap. Cocch. Chirurg. p. 39, 26 : Φέρουσαν εἰς ὄρθωσιν εὐπρεπεστάτην (membrorum luxatorum).]

['Ορθωσὶς, ίδος, ἡ, Orthosis, urbs Phœnices, quæ supra 'Ορθωσία, Dionys. Per. 914.]

['Ορθωτὴρ, ῆρος, ὁ, Stator. Pind. Pyth. 1, 56 : Ἱέρωνι θεὸς ὀρθωτὴρ πέλοι. Forma 'Ορθωτὴς Epiphan. vol. 2, p. 82, A. L. Dind.]

['Οριαῖος λίθος, Terminalis lapis, Gl.]

['Ορίας, ὁ, Montanus. Achill. Tat. Isag. in Arat. p. 158, A : Τοὺς ἀπὸ τῶν ὀρῶν (ἀνέμους) ὀρίας ἢ ὀρεστίας (λέγουσιν)· καὶ γὰρ παρ' Ἀριστοτέλει ἐν τῷ περὶ ἀνέμων καὶ παρὰ Καλλιμάχῳ οὕτως ὀνομάζονται.]

'Οριαχὲς, Hesych. exp. ὀρίκοιτον, In montibus cu-
C bans, cubile suum habens, ut Nymphæ ὀροδεμνιάδες. [Pro ὀρειλεχές.]

['Ορίβακχος, ὁ, ἡ, Bacchus montanus. Oppian. Cyn. 1, 24 : Οὐκ ἐθέλω τριετῆ σε τανῦν ὀρίβακχον ἀείδειν.]

['Ορıβάτης. V. Οὐροβάτης.]

['Οριβρεμέτης. V. 'Ορειβρεμέτης.]

['Ορίβρομος ap. Philem. Lex. techn. s. 127 : Ἰστέον ὅτι τὰ παρὰ τὸ ὄρος συγκείμενα, εἰ μὲν ἔχουσι τὴν πρὸ τοῦ ρι συλλαβὴν διὰ δύο συμφώνων, διὰ τοῦ ι γράφεται, οἷον ὀρίβρομος, scribendum ὀρίδρομος, ut ap. Eust. in 'Ορίγανον cit. L. Dind.]

'Οριγανίζω, Origanum refero, resipio.

['Οριγάνιον, τὸ, ap. Oribas. p. 67 fin. : Λαμβανέτωσαν δὲ ἀψινθίον κεχραμμένον (sic), ἢ ὀριγανίου συμμέτρου κύλικος μὴ πλέον, scrib. ὀριγάνου. L. Dind.]

['Οριγανὶς, ίδος, ἡ, Marum. Dioscor. Noth. 3, 49 : Μάρον) οἱ δὲ ὀριγανίδα. Neophytus ap. Salmas. Homon. hyl. iatr. p. 12, E : Μάρον, οἱ δὲ ὀριγανίδα.]

'Οριγανίτης οἶνος, ὁ, Vinum ex origano confectum. Diosc. 5, 61 : 'Οριγανίτης δι' ὀριγάνου ἡρακλεωτικῆς
D σκευάζεται ὁμοίως τῷ θυμίτῃ· Plin. 14, 16 : Ex his quæ in hortis gignuntur, fit vinum ex radice, asparago, cunila, origano.

['Οριγανίων, ωνος, ὁ, Origanis, n. viri, ap. Marc. Antonin. 6, 47.]

['Οριγανοειδὴς, ὁ, ἡ, Origano similis. Zonaras Lex. p. 1469, ubi ὀρειγ., τὸ ὕσσωπον.]

['Οριγανόεις, εσσα, εν, Ex origano factus. Nicander Th. 65 : 'Οριγανόεσσά τε χαίτη.]

['Ορίγανον. HSt. in] 'Ορείγανον, τὸ, sive 'Ορίγανον, quorum illud poetis usitatum est, hoc prosæ scriptoribus [non ita, sed orthographia tantum differunt hæ formæ, quarum prior ὀρείγανον nihilo verior quam etymologiæ utriusque infra ab HSt. memoratæ]; atque adeo Eust. [Il. p. 460, 26] posterioris tantum scripturæ mentionem facit, similia ei composita adjungens, ὀριβρεμέτης, ὀρίδρομος, ὀρίτροφος, ὑψίκομος, et alia. Herbæ nomen, [Origanum, Gl.] ita denominatæ διὰ τὸ χαίρειν ὄρεσιν, Eust. p. 460. Sed notandum dici non solum neutro genere ὀρείγανον, s. ὀρίγανον, sed etiam

Ὀρείγανος sive Ὀρίγανος masc. pariter et feminino. Nicand. Ther. [626]: Πανάκτειόν τε κονίλην, Ἥν τε καὶ Ἡράκλειον ὀρείγανον ἀμφενέπουσι. Diocles quoque ap. schol. Nicandri tradit, τὴν κονίλην ὑφ' ὧν μὲν ἡράκλειον καλεῖσθαι καὶ ὀρείγανον, ὑφ' ὧν δὲ ἀγρίαν ὀρείγανον καὶ πανακίδα (sicut et Diosc. 3, 56: Καλοῦσι δέ τινες πάνακες καὶ τὴν ἀγρίαν ὀρίγανον, οἱ δὲ κονίλην). Ubi observa etiam scripturam per diphthongum, quæ ap. Eund. etiam paulo post retinetur, quum ait, Τὸ δ' αὐτὸ καὶ ἡράκλειον καὶ ὀρείγανον. Diosc. 3, 32, fem. genere et ipse utitur: Ὀρίγανος ἡρακλεωτική· οἱ δὲ κονίλην φασί. Ubi per ι scribitur: cujus tantum scripturæ mentionem fieri ab Eust. paulo ante dixi. Idem porro Eust. utriusque etiam generis, masc. sc. et feminini, hæc affert exempla, p. 1148: Ὀρίγανον, ὃς δὴ Σεμνύνει τὸ τάριχος ὁμοῦ μιχθεὶς κοριάννῳ. Et, Ἐξ Ἀρκαδίας οὕτω δριμυτάτην ὀρίγανον. Fem. genere utitur et Clearchus ap. Athen. 3, [p. 116, E]: Σαπρὸς τάριχος τὴν ὀρίγανον φιλεῖ. [Incerto genere Aristoph. Ach. 874: Ὀρίγανον, γλαχὼ, ψιάθως, θρυαλλίδας, qui fem. utitur Eccl. 1030: Ὑποστόρεσαί νυν πρῶτα τῆς ὀριγάνου, et neutro in fr. Γήρως ap. Polluc. 6, 69: Ἐγκέφαλος, ὀρίγανον.] Masculino autem Ion ap. Eund. 2, [p. 68, B]: Τὸν ὀρίγανον ἐν χερὶ κεύθει, ubi habentur etiam duo illi ll. quos ex Eust. citavi: prior, Anaxandridis, posterior Platonis. Neutro autem genere uti Epicharmum et Amipsiam, ibid. annotat. Quo et Latini: ut Plin. 20, 17: Origanon, quod in sapore cunilæ æmulatur. Ibid. dicit, Origanum Creticum, Smyrnæum, Heracleoticum: et tragoriganum. [Ὀρ. Τενέδιον ap. Athen. 1, p. 28, D; in condimenta cibi ib. 2, p. 68, A; 4, p. 170, A, B, C; 7, p. 278, C; 293, C. Dicitur triplici genere, ὁ, ἡ, τὸ, Athen. 2, p. 68, B, C, ubi multa. Valck. Ἡ ὀρίγανος bis Aristot. H. A. 9, 6. Locos Theophrasti ἡ ὀρίγ. dicentis et τὸ ὀρ. v. in Indice Schneideri.] Aristoph. autem dicit ὀρίγανον βλέπειν, Origanum tueri, pro δριμὺ βλέπειν, quod et σίνηπι, et νάπυ, et κάρδαμα, item et ὀπὸν, βλέπειν. Sunt enim hæc δριμέα, ut tum alii testantur, tum Plato in l. quodam paulo ante ex Eust. citato, ubi Arcadicam ὀρίγανον esse dicit δριμυτάτην. Verba Aristoph. hæc sunt [Ran. 603]: Ἀλλ' ὅμως ἐγὼ παρέξω 'μαυτὸν ἀνδρεῖον τὸ λῆμα, καὶ βλέποντ' ὀρίγανον· i. e., inquit schol., δριμύ· τοιοῦτον γὰρ τὸ φυτόν. In meo vet. Lex. ὀρίγανον derivatur non solum ab ὄρος et γάνος, significante χαρὰν, quoniam τῷ ὄρει χαίρει: secundum quam etymologiam per diphthongum potius scrib. esse dicit, verum etiam παρὰ τὸ ὁρᾶν καὶ γανοῦν, τὸ λαμπρύνειν, quia visus claritati conducit: vel per antiphrasin παρὰ τὸ ῥιγῶ, pleonasmo literæ ο, quum sit herba θερμαντική. Ὀρίγανον dictum etiam τὸ γεράνιον a quibusdam Diosc. auctor est.

[Ὀρίγανος. V. Ὀρίγανον.]

[Ὀριγνάομαι.] Ὀριγνᾶσθαι, Hesychio ἐπιθυμεῖσθαι, ὀρέγεσθαι, Desiderare, Appetere: pro quo infra ὀριγᾶσθαι. Idem ὀριγνώμενον affert pro τεταραγμένον, Turbatum. Exp. ὀριγνᾶσθαι, etiam Pugnare, Decertare: ap. Hesiod. Sc. [190]: Καί τε συναΐκτην [συναΐγδην] ὡσεὶ ζωοί περ ἐόντες, Ἔγχεσιν ἠδ' ἐλάτης αὐτοσχεδὸν ὠριγνῶντο. Possis etiam reddere, Se petebant s. impetebant, Alter alterum ferire cupiebat. [Eur. Bacch. 1255: Ὅτ' ἐν νεανίαισι Θηβαίοις θαμὰ θηρῶν ὀριγνῷτο. Theocr. 24, 44: Ὠριγνᾶτο νεοκλώστου τελαμῶνος. Axiochi p. 366, A: Τῆς ἐκεῖσε διαίτης καὶ χορείας ὀριγνωμένη, ubi olim ὀρεγομένη. Dius Stob. Fl. vol. 2, p. 408: Ὑμεῖς, οἱ ὀριγνᾶσθε σωματικᾶς ἀδονάς, ut Sopingius ad Hesych. v. Ἀρόχεται correxit librorum scripturam ἀρίγνεσθ' vel ἀορίγνεσθ'. « Plotin. p. 294, F: Κατὰ φύσιν ἑκάστης τῆς ψυχῆς ὀριγνωμένης. » Creuzer. Epist. Socrat. p. 56, 12 (Ep. 29, p. 34 Orell.): Μὴ τοῦ πλείονος ὀριγνᾶσθαι. Eunap. p. 165 fin. Valck. Genitivo item jungit Galenus vol. 10, p. 163. Accusativo jungitur ap. Dionys. A. R. 1, 61: Δήμητρος εὐνὴν ὀριγνώμενος, ut est in libris melioribus: vulgo enim appensum ἔχειν. Sed scribendum videtur εὐνῆς. Ceterum ex iisdem libris corrigenda forma Ὀριγνάμενος, quam ap. Clem. Al. Strom. 3, p. 526, ubi τῆς τροφῆς ὀρίγναται, Sylburgius correxit ὀριγνᾶται, ut alibi est ap. eundem. Ὀρίγνομαι male ap. Polluc. 5, 165. Aor. ὀριγνηθῆναι ponunt Photius s. Suidas. Quam

A gl. ex Antiphontis Ἀληθείᾳ petierat Harpocratio. Isocrat. Epist. p. 419, E, ὀριγνηθῆναι pro ὀρεχθῆναι restitutum ex cod. Urbin.]

[Ὀρίδαλλον. V. Ὄρδειλον.]

Ὀριδρομία, ἡ, Cursus per montes, Epigr. [Antipatri Thess. Anth. Pal. 7, 413, 8, ubi nunc ὀρειδρ.]

Ὀρίδρομος, ὁ, ἡ, Montes percurrens, Decurrens per montes, ὁ ἐν ὄρει τρέχων Suidæ. [Nonn. Dion. 5, 229, et alibi. Wakef. V. Eust. in Ὀρίγανον cit. Ὀριδρόμος autem scribendum, ut HSt. ipse in Ὀρειδρόμος. Ὀρίδρομος male in Cram. An. vol. 1, p. 417, 15, et ap. Suidam.]

Ὁρίζω, Termino, Finio, [Limito, his add. Gl.] Definio. [Tab. Heracl. p. 183, 7: Ἐπὶ τῶ ἀντόμω τῶ ὀρίζοντος τάν τε ἱαρὰν γᾶν καὶ τὰν ἰδίαν· et alibi sæpius, semper autem sine nota spiritus asperi, ut ὀριστής et ὄρος scribuntur in iisdem.] Cic. De div. 2, [44]: Illi orbes qui cœlum quasi medium dividunt, et aspectum nostrum definiunt, qui a Græcis ὁρίζοντες nominantur, a nobis Finientes recte nominari possunt. Extremum

B etiam et finis magnitudinem ὁρίζειν dicuntur, h. e. τὸ πέρας αὐτῆς ποιεῖν. Aristot. Probl. sect. 15 [16, qu. 5] de cylindro qui volvitur: Εἰς εὐθύ τε φέρεται καὶ γράφει εὐθείας τοῖς ὁρίζουσιν αὐτὸν κύκλοις· de cono autem dicit, Γράφει κύκλον τῷ ὁρίζοντι, Finitore et circumscriptore ductu. [Metaph. Cerno, Decerno, Taxo, Gl. Improprie Æsch. Cho. 927: Πατρὸς γὰρ αἶσα τόνδε σουρίζει μόρον, quod σ' ὁρίζει scriptum in libris. Soph. fr. Ægei ap. Strab. 9, p. 392: Φησὶ δ' ὁ Αἰγεὺς ὅτι ὁ πατὴρ ὥρισεν ἐμοὶ μὲν ἀπελθεῖν εἰς ἀκτὰς τῆσδε γῆς. Ps.-Soph. Ant. 452: Οἳ τούσδ' ἐν ἀνθρώποισιν ὥρισαν νόμους. Eur. fr. ap. Stob. Fl. 79, 27: Στέργω δὲ τὸν φύσαντα τῶν πάντων βροτῶν μάλισθ'· ὁρίζω τοῦτο, καὶ σὺ μὴ φθόνει· Hec. 259: Ἀτὰρ τί δὴ σόφισμα τοῦθ' ἡγούμενοι ἐς τήνδε παῖδα ψῆφον ὥρισαν φόνου; Iph. T. 979: Ἀλλ' ἥνπερ ἡμῖν ὥρισεν σωτηρίαν· Ion. 1222: Δελφῶν δ' ἄνακτες ὥρισαν πετρορριφῆ θανεῖν ἐμὴν δέσποιναν. Callim. ap. Lucian. Amor. c. 49: Ἔρχιος ὡς ὑμῖν ὥρισε παιδοφιλεῖν. Et cum duplici accus. Meleager Anth. Pal. 12, 158, 7: Σὲ γὰρ θεὸν ὥρισε δαίμων. De eadem signif. Ducang.: « Ὁρί-

C ζειν, Jubere, Imperare, ap. Codin. De off. pal. c. 7, n. 9: Εἰσελθόντων καὶ προσκυνησάντων ὁρίζει καὶ τούτοις διὰ ἑρμηνέως ὁ βασιλεὺς Εἰς πολλὰ ἔτη, καὶ ἀπέρχονται. » Ita Ὁρισμὸς, quod v.] Pass. Ὁρίζεσθαι dicuntur aliqua, ubi eorum terminus est. [Thuc. 2, 96: Διὰ Γρααίων καὶ Λαιαίων, οὗ ὡρίζετο ἡ ἀρχὴ τὰ πρὸς Παίονας αὐτονόμους ἤδη. Xen. Cyrop., ubi act. 8, 6, 21: Τὴν ἀρχὴν ὥριζεν αὐτῷ πρὸς ἕω μὲν ἡ Ἐρυθρὰ θάλαττα· pass. 8, 8, 1: Ὡρίσθη πρὸς ἕω μὲν τῇ Ἐρυθρᾷ θαλάττῃ. Qua signif. activo utitur Herodot. 4, 42: Λιβύη ... ἐοῦσα περίρρυτος, πλὴν ὅσον αὐτῆς πρὸς τὴν Ἀσίην οὐρίζει, i. e. ὁμουρέει. Quo respicit HSt.:] « Οὐρίζω Ion. pro ὁρίζω, Finio, Termino, Conterminus sum. [Herodot. 2, 16:] Οὐρίζει πρὸς τὴν Ἀσίην Εὐρώπη. » — Epicur.: Ὁ τῆς φύσεως πλοῦτος ὥρισται, Ipsa natura divitias terminatas habet: cui opp. εἰς ἄπειρον ἐκπίπτει, Nullus eis modus nec finis inveniri potest: ut reddit Cic. Thuc. 1, [71]: Μέχρι μὲν οὖν τοῦδε ὡρίσθω ὑμῶν ἡ βραδύτης, Hactenus modum sibi statuat, Hic veluti terminetur. [Xen. Anab. 7, 7, 36: Οὐ γὰρ ὁ ἀριθμός ἐστιν ὁ ὁρίζων τὸ πολὺ

D καὶ τὸ ὀλίγον· Comm. 1, 2, 35: Ὁρίσατέ μοι μέχρι πόσων ἐτῶν δεῖ νομίζειν νέους.] Item χώραν ὁρίζειν, Dem. [p. 198, 16], pro Suis terminis describere s. metari: a qua signif. dicuntur ὁρισταί. [Οὔρισαν τὴν χώρην ἐπὶ τοῖσίδε Herodot. 6, 108. Βωμὸν ἱδρύσατο καὶ τέμενος περὶ αὐτὸν οὔρισε, 3, 142. Schweigh. Lex.] At ὡρισμένον χωρίον, Polluci [9, 9] τὸ ὑπόχρεων: de qua hujus verbi signif. in Ὅρος. Itidem Dem. [p. 877, 11]: Δισχιλίων μὲν ὡρισμένος τὴν οἰκίαν, ταλάντου δὲ τὸ χωρίον, Oppignerata domo, Pignori opposita. [Medio proprie Æsch. Suppl. 256: Ὁρίζομαι δὲ τήνδε Περραιβῶν χθόνα Πίνδου τε τἀπέκεινα, Mihi vindico, Meis finibus includo. Ib. 394: Ὕπαστρον δέ τοι μῆχαρ ὁρίζομαι γάμου δύσφρονος φυγᾷ. Quem l. Heathius comparat cum fr. Euripidis ap. Dionys. De comp. vv. p. 219, 1 Reisk.: Ὦ γαῖα πατρὶς, ἣν Πέλοψ ὁρίζεται, χαῖρε, ubi interpr. Sibi vindicat, et l. Demosth. p. 198, 16 supra citato. Aliter Soph. Tr. 237: Ἔνθ' ὁρίζεται βωμοὺς τέλη τ' ἔγκαρπα Κηναίῳ Διί. Quod activo dicit 754: Ἔνθα πατρῴῳ Διὶ βωμοὺς ὁρίζει τεμενίαν τε φυλλάδα. Eur. Iph.

T. 969: Ὅσαι μὲν οὖν ἕζοντο πεισθεῖσαι δίκῃ, ψῆφον παρ' αὐτὴν ἱερὸν ὡρίσαντ' ἔχειν. Xen. Anab. 7, 5, 13: Στήλας ὁρισάμενοι τὰ καθ' αὐτοὺς ἐκπίπτοντα ἕκαστοι λῄζονται· et mox πρὶν ὁρίσασθαι.] || Metaph. autem pro Definio et suis veluti limitibus includo, Finio, Definitionem rei do. Est enim Definitio, rei circumscriptio, Cic. Top. In qua signif. frequens est pass. ὁρίζομαι, act. tamen signif.; cujus exemplum habes ap. Bud. p. 702, ex Themist. Sic Aristot. Eth. 3, 6: Τὸν φόβον ὁρίζονται προσδοκίαν κακοῦ. [Xen. Comm. 4, 6, 4: Ὁ ἄρα τὰ περὶ τοὺς θεοὺς νόμιμα εἰδὼς ὀρθῶς ἂν ἡμῖν εὐσεβὴς ὡρισμένος εἴη; 6: Ὀρθῶς ἄν ποτε ἄρα ὁριζοίμεθα ὁριζόμενοι δικαίους εἶναι τοὺς εἰδότας τὰ περὶ ἀνθρώπους νόμιμα; Plato Theæt. p. 187, C: Τὴν ἀληθῆ δόξαν ἐπιστήμην ὁρίζει; Soph. p. 246, A: Ταὐτὸν σῶμα καὶ οὐσίαν ὁριζόμενοι. Et similiter alibi sæpe.] || Definio (i. e. Æstimo, Censeo, Metior), ut ap. Cic., Hic tu modum vitæ tuæ non salute reip., sed æquitate animi definies? Item, Qui imperium populi Rom. orbis terrarum terminis definisset. Aristot. Eth. 2, [3]: Διὸ καὶ ὁρίζονται τὰς ἀρετὰς ἀπαθείας τινὰς καὶ ἠρεμίας, Censent et æstimant. Polit. 5, [c. 9]: Κακῶς ὁρίζονται τὸ ἐλεύθερον, Perperam libertatem statuunt et æstimant. Et [ib.]: Δύο γάρ ἐστιν οἷς δημοκρατία δοκεῖ ὡρίσθαι, Duo enim sunt quibus democratia censetur, circumscribitur et definitur. Sic Plato Gorg. [p. 475, A]: Ἡδονῇ τε καὶ ἀγαθῷ ὁριζόμενος τὸ καλόν. Hæc inter alia Bud. p. 704, ubi etiam pass. signif. hoc exemplum affert ex Aristot. Polit. 6: Ἐπειδὴ ὀλιγαρχία καὶ γένει καὶ πλούτῳ καὶ παιδείᾳ ὁρίζεται, Censetur et æstimatur a genere et censu. || Definio (h. e. Statuo, Constituo [Gl.]), ut Cæsar, Definire diem. Pass. [Ὁρισθεῖσα ἡμέρα, Statuta dies; Ὁρισθείσης, Constituta; Ὁρισθέντος, Præstituto, Gl.] ὡρισμένη ἡμέρα, Definita et præstituta s. Stata dies: sicut pro his Aristot. [H. A. 5, 8]: Ὧραι τῆς ὀχείας εἰσὶν ὡρισμέναι ἑκάστοις τῶν ζώων, Plin. habet, Animalibus stati per tempora concubitus. Et, Ὁρισάμενος ἑαυτῷ ζημίαν θάνατον, Statuens s. Præstituens, ut Bud. interpr. p. 704, ex Dinarcho [p. 98, 6], ubi et alium ex Eod. l. affert. [Xen. Ag. 1, 10: Ὁρισάμενος τῆς πράξεως τρεῖς μῆνας.] || Rursum pro Statuo, in ea signif. qua dicitur ὁρίζεσθαι δίκαιον, Jus statuere. Dem.: Οὐδ' οἷς αὐτὸς ὡρίσατο δικαίοις ἐμμένων, Ne eo quidem jure stans, quod in me ipse statuit [et p. 615, 20; 1291, 11, ubi act., et p. 972, 18: Τοῖς ἐφ' ἑτέρων δικαίοις ὡρισμένοις οὐκ ἐμμένουσιν]: unde ὁριστής, Constitutor juris et arbiter conditionum. Hæc Bud. p. 704, ubi etiam ex eod. Dem. addit, Κἂν ταύταις οὐχὶ ταυτὰ δίκαια ἀμφοτέροις ὥρισται, Non æquæ conditiones utrimque additæ sunt. || Distermino, Dirimo. [Æsch. Suppl. 544: Διχᾷ δ' ἀντίπορον γαῖαν διατέμνουσα πόρον κυματίαν ὁρίζει, de mari dividendo, i. e. trajiciendo, ut Eur. Med. 433: Διδύμους ὁρίσασα πόντου πέτρας. Lycophr. 1289: Λίμνην τε τέμνων Τάναϊς ἀκραιφνὴς μέσην ῥείθροις ὁρίζει. Cum genit. Soph. Ph. 636: Ὡς ἡμᾶς πολὺ πέλαγος ὁρίζει τῆς Ὀδυσσέως νεώς. Cum præp. Eur. Hec. 941: Ναῦς ἐκίνησεν πόδα καί μ' ἀπὸ γᾶς ὥρισεν Ἰλιάδος. Et similiter Hel. 128: Χειμὼν ἄλλοσ' ἄλλον ὥρισε· 1670: Οὗ δ' ὥρισέν σε πρῶτα Μαιάδος τόκος· et in fr. Antiopæ ap. Stob. Fl. 62, 41: Τὸ δοῦλον ὡς ἁπανταχῆ γένος πρὸς τὴν ἐλάσσω μοῖραν ὥρισεν θεός. Pass. Ion. 295: Εὔβοι' Ἀθήναις ἔστι τις γείτων πόλις. — Ὅροις ὑγροῖσιν, ὡς λέγουσ', ὡρισμένη· 1449: Γόοις δὲ ματρὸς ἐκ χερῶν ὁρίζει. Aristoph. Eccl. 202: Σωτηρία παρέκυψεν, ἀλλ' ὁρίζεται, ubi Exterminandi s. Arcendi a finibus significatione dicitur. Dionys. Per. 636: Μέσσον δ' ἀμφοτέρων χθονὸς ἄσπετος ἰσθμὸς ὁρίζει. Xen. Anab. 4, 3, 1: Ποταμόν, ὃς ὁρίζει τὴν Ἀρμενίαν καὶ τὴν τῶν Καρδούχων χώραν· et sic 4, 8, 2, ὁ ὁρίζων. Ejusd. OEc. 9, 5: Ἔδειξα δὲ καὶ τὴν γυναικωνῖτιν αὐτῇ θύραν βαλανείῳ ὡρισμένην ἀπὸ τῆς ἀνδρωνίτιδος, scribendum esse θύρᾳ βαλανωτῇ dixi in Βαλανωτός.] Aristot. De partt. anim. 3, [1]: Ὁρίζουσι δ' ἑκατέρους οἱ κυνόδοντες, de dentibus primoribus et molaribus. Herodot. [2, 16]: Ὁρίζων [οὐρίζων] τὴν Ἀσίαν τῇ Λιβύῃ [τῆς Λιβύης], Disterminans Asiam ab Africa. [Τύρης ποταμὸς οὐρίζει τήν τε Σκυθικὴν καὶ τὴν Νευρίδα γῆν, 4, 51. Similiter 4, 56 et 57; 7, 123, 127. SCHWEIGH. Lex.] Itidem Ὁρίζων Proclo in l. De sphæra [p. 48 ed. Bas. a. 1561] esse dicitur κύκλος ὁ διορίζων ἡμῖν τό, τε φανερὸν καὶ τὸ ἀφανὲς μέρος τοῦ κόσμου. [Tim. Locr. p. 97, A: Ὑπὲρ τὸν ὁρίζοντα· D: Κατ' ἀποτομὰς τῶν ὁριζόντων. Aristot. Meteor. 2, 6: Ὁ τοῦ ὁρίζοντος κύκλος· et alibi in iisdem ὁρίζων vel ὁρίζων κύκλος. « Ptolem. ap. Fabric. B. Gr. 4, p. 4, 23 (?). » KALL.] De quo circulo vide et quæ ex Cic. attuli initio præcedentis tmematis. || Statuo [Gl.], Existimo, Censeo [Gl.]. Xen. Hell. 7, [3, 8]: Οἱ πλεῖστοι ὁρίζονται τοὺς εὐεργέτας αὐτῶν ἄνδρας ἀγαθοὺς εἶναι. Dem. Philipp. 3 [p. 115, 21]: Ἀφ' ἧς ἡμέρας ἀνεῖλε Φωκέας, ἀπὸ ταύτης ἔγωγ' αὐτὸν πολεμεῖν ὑμῖν ὁρίζομαι. Item Finem statuo, Ut finem constituo, Finis loco duco. Plato De rep. 8, [p. 562, B]: Ὃ δημοκρατία ὁρίζεται ἀγαθόν, Quod democratia statuit finem et bonum. Hæc et alia Bud. p. 704. [Eur. Hec. 801: Νόμῳ γὰρ τοὺς θεοὺς ἡγούμεθα καὶ ζῶμεν ἄδικα καὶ δίκαι' ὡρισμένοι.] || Ὁρίζειν, i. q. συμφύειν et συγκρίνειν: et ὁριζόμενα, τὰ συμφυόμενα, i. e. Conglutinata, Concreta Consistentia, h. e. συνεστηκότα, τελειούμενα. Hæc Bud. p. 707, ubi exemplum ex Aristot. affert, et quædam alia addit.

[Ὀρίκαδμος, ὁ, Oricadmus, n. viri Siculi, ut videtur, ap. Ælian. V. H. 11, 1.]

Ὀρικάνην, Hesychio δεσμωτήριον, Carcerem: alii φραγμὸν, alii σαργάνην aut σκῆπτρον. Infra Ὀρκάνη. [Quod verum. Zonaras p. 1469, ὀρειγάνη.]

[Ὀρικός. V. Ὀρεικός.]

Ὁρικὸς, ή, όν, Finitivus, Definitivus. Ὁρικὴ στάσις, Status, in quo veluti confligitur cum adversario definitione atque descriptione aut informatione verbi. Sic enim Cic. Partitt. oratt.; Finitivum statum Quintil. appellat. Et τὰ ὁρικὰ, Definitioni attributa, Ad definitionem pertinentia, Finitiva. Alex.: Τὸ μὲν γὰρ τοιοῦτον πρόβλημα, πότερον ὁ χρόνος κίνησίς ἐστιν οὐρανοῦ, ἢ οὔ, ὁρικόν· ζητεῖται γὰρ εἰ ὅρος τοῦ χρόνου ὁ ἀποδιδόμενος λόγος. Utitur et Aristot. sæpe in Top. [Verbi gr. 1, c. 5. SCHWEIGH. || Ὁρικῶς, adv. Diogenes ap. Diog. L. 9, 71: Οὐδὲν ὁρικῶς δογματίζει περὶ τὴν ἀπόφασιν. BOISS.]

[Ὄρικος, ὁ, Oricus, Scytha, ap. Herodot. 4, 78.]

Ὀρικτίτης, ὁ, In montibus habitans, Monticola: unde ap. Pind. [ap. schol. Pyth. 2, 31]: Συὸς ὀρικτίτου, quod schol. Eur. [Phœn. 689 et Or. l. c.] exp. ὀρειοίκου: ab ea signif. verbi κτίζειν derivans, qua κτίται ab ipso Eur. Or. [1621] dicuntur οἰκήτορες, et ἐΰκτιτον ἄστυ ab Hom. τὸ εὐκατοίκητον, seu, ut ipse Hom. loquitur, τὸ εὖ ναιόμενον. [ῐ]

[Ὀρίκτῠπος, ὁ, ἡ, In montibus strepens. Nonn. Dion. 14, 29: Κῶμον ἀνακρούοντες ὀρίκτυπον, et alibi. WAKEF.]

[Ὀρικυπτέω.] Ὀρικυπτεῖν, Hesychio est τὸ ἀνατείνεσθαι καὶ ἐπ' ἄκρων ἵστασθαι, Arrectum consistere in digitos, ut Virg. loquitur. Infra ὀρκύπτειν ex Eodem. [Quod verum.]

[Ὁρικῶς. V. Ὁρικός.]

[Ὀρῐμᾱλίς, ίδος, ἡ.] Ὀριμαλίδες, Poma montana, Mala montana, sylvestria, ἄγρια μῆλα, s. ἀγριόμηλα. Theocr. 5, [94]: Οὐδὲ γὰρ οὐδ' ἀκύλοις ὀριμαλίδες [intell. σύμβλητοί εἰσι, ubi ὀρομαλίδες receptum ex codd. Greg. Cor. p. 263]· αἱ μὲν ἔχοντι Λεπτὸν ἀπὸ πρίνοιο λεπύριον· αἱ δὲ, μελιχραί· i. e. τὰ ἄγρια μῆλα, s. τὰ ἐν τῷ ὄρει μῆλα. Asclepiades vero per ω scribit Ὠριμαλίδες, ut sint τὰ συνακμάζοντα τοῖς σύκοις μῆλα, schol. Sed metrum eam scripturam non fert.

Ὀρινάδες, Hesychio τὰ ἀνώτερα, Superiora.

[Ὀρίνδα. V. Ὀρίνδης.]

[Ὀρίνδης, ὁ.] Ὀρίνδην, Hesych. apud Æthiopes esse dicit Panem, et Semen sesamo assimile, quo cocto vescantur. Addit alios esse velle ὄρυζαν, Oryzam. [Phrynichus Bekkeri p. 54, 1: Ὀρίνδα· ἣν οἱ πολλοὶ ὄρυζαν καλοῦσιν.] Pollux quoque [6, 73] scribit ὀρίνδην esse ἄρτον τινὰ apud Æthiopes, nimirum τὸν ἐξ ὀρινδίου γινόμενον, esse autem Ὀρίνδιον, σπέρμα ἐπιχώριον, ὅμοιον σησάμῃ. Perperam itaque ὀρνίδης scriptum est Athen. l. 3, [p. 110, E, ubi Casaub. ὀρίνδης]: ubi itidem esse dicit ἄρτον τὸν ἐξ ὀρύζης γινόμενον, vel τὸν ἀπὸ τοῦ ἐν Αἰθιοπίᾳ γιγνόμενον σπέρματος, ὅ ἐστιν ὅμοιον σησάμῳ, meminisse autem hujus ὀρίνδου ἄρτου Sophoclem in Triptolemo. [Barker. in *Classical Journal* 32, p. 375. ANGL.]

[Ὀρίνδιον. V. Ὀρίνδης.]

Ὀρινίαι, Hesychio ἀναδενδράδες, Vites arbustivæ.

[Ὀρινοβάτης, ὁ, genus machinæ. Bito in Mathem.

vett. p. 113, A, ubi vertitur Montanus, quod ὀρειβάτης aut ὀρειοβάτης vel certe ὀρεινοβάτης dicendum foret.]

['Ορίντης, ὁ, Concitator. Theognost. Can. p. 43, 26, inter τὰ εἰς της ἔχοντα πρὸ τοῦ τ ἀμετάβολον. L. DIND.]

'Ορίνω, Concito, Commoveo, i. q. ὄρω, unde derivatum est. Hom. Od. Θ, [178] : Ὤρινάς μοι θυμὸν ἐνὶ στήθεσσι, Animum mihi in pectore concitasti, Commovisti, Perturbasti. Eust. enim exp. ἐτάραξας, sicut et scholiorum brevium auctor. Et Od. Ξ, [361] : Ἦ μοι μάλα θυμὸν ὄρινας, Animum mihi commovisti, sc. ad misericordiam : verba sunt Eumæi subulci ad Ulyssem mendicum. Sic Il. Ω, [466] ad Priamum : Καί μιν ὑπὲρ πατρὸς καὶ μητέρος ἠϋκόμοιο Λίσσεο καὶ τέκεος, ἵνα οἱ σὺν θυμὸν ὀρίνῃς, Animum ei concites et commoveas, sc. ad misericordiam et reddendum cadaver Hectoris : quod tamen est a Συνορίνω per tmesin. [Λ, 792 : Τίς δ' οἶδ' εἴ κέν οἱ σὺν δαίμονι θυμὸν ὀρίναις παρειπών.] Cum primo autem exemplo magis convenit hoc Od. Ρ, [46] : Μῆτερ ἐμή, μή μοι γόον ὄρνυθι, μηδέ μοι ἦτορ Ἐν στήθεσσιν ὄρινε, Ne cor mihi commoveas et perturbes tuis lamentis. [Ib. 216 : Ὄρινε δὲ κῆρ 'Οδυσῆος.] Pro loco autem significat Ad iram commoveo, concito, sicut in præcedentibus; simpliciter, Concito et commoveo, vel pro Concito et commoveo ad misericordiam. Il. Ω, [760] : Τῷ νῦν μή μοι μᾶλλον ἐν ἄλγεσι θυμὸν ὄρινε, Ne animum commoveas, sc. ad iram. [Hesiod. fr. ap. Athenag. Legat. p. 134 : Φίλον σὺν θυμὸν ὀρίνων. Cyrus Anth. Pal. 15, 9, 4 : 'Αλλ' οὐ φρένας οἶνος ὀρίνει.] Dicitur etiam ὀρίνειν, qui ita commovet adhortando, ut persuadeat, Il. Ρ, [123] de Menelao : Ὣς ἔφατ', Αἴαντι δὲ δαΐφρονι θυμὸν ὄρινε, Commovit, Commovendo persuasit, ut secum properaret. Sic dicit Il. Ο, [493] Patroclus, Σπεύσομαι εἰς 'Αχιλῆα, ἵν' ὀτρύνω πολεμίζειν. Τίς δ' οἶδ' εἴ κέν οἱ σὺν δαίμονι θυμὸν ὀρίνω, Παρειπών, Quis scit an adhortatus commovero eum, ut ad certamen cum Trojanis ineundum descendat? [Il. Ω, 760 : Γόον δ' ἀλίαστον ὄρινεν· Od. Ω, 448 : Μνηστῆρας ὀρίνων.] Mare quoque ὀρίνειν dicitur, qui illud concitat, commovet, turbat, ut æstuet et fluctuet. [Il. Ι, 4 : Ἄνεμοι δύο πόντον ὀρίνετον· Λ, 298 : Πόντον ὀρίνει (ἄελλα)· Φ, 235 : Πάντα δ' ὄρινε ῥέεθρα.] Od. Η, [273] de Neptuno : Ὅς μοι ἐφορμήσας ἀνέμους κατέδησε κελεύθους, Ὤρινεν δὲ θάλασσαν ἀθέσφατον· paulo ante ei πολλὴν δϊζὺν ἐπῶρσε, ubi nota ἐπῶρσε, ἐφορμήσας, ὤρινεν, vicinæ signif. et originis ejusdem verba. [Hesiod. Op. 506 : Βορέαο, ὅς τε... ἐμπνεύσας ὤρινε· 674 : Νότοιο, ὅς τ' ὤρινε θάλασσαν. Il. Φ, 313 : Πολὺν δ' ὀρυμαγδὸν ὄρινε. Lycophr. 1329 : Νεῖκος ὤρινεν διπλοῦν. Phocylid. v. 1 : Μήτε γαμοκλοπέειν μήτ' ἄρσενα Κύπριν ὀρίνειν.] Pass. 'Ορίνομαι, Concitor, Commoveor. ['Ορίνεται, Rucluatur, Gl. corrupte.] Il. Σ, [223] : Πᾶσιν ὀρίνθη θυμὸς, Omnibus commotus et perturbatus est animus : sc. audita voce Achillis. [Il. Ι, 595 : Τοῦ δ' ὠρίνετο θυμός.] Od. Σ, [74] : Ὣς ἄρ ἔφαν, Ἴρῳ δὲ κακὸς ὠρίνετο θυμὸς, Commovebatur, sc. tristitia et metu, h. e. Perturbabatur, adeo ut famuli illum cogerentur ad certamen accingere jam δειδιότα et περιτρομέοντα : at diverso sensu paulo ante ad Ulyssem dicitur, Εἴ σ' ὀτρύνει κραδίη καὶ θυμὸς ἀγήνωρ Τοῦτον ἀλέξασθαι· quum alias ὀτρύνειν et ὀρίνειν vicinas habeant signiff. Dicitur ἦτορ ὀρίνεσθαι ei etiam, cui animus ad iram commovetur, Il. Ω, [585] : 'Αχιλῆϊ δ' ὀρινθείη φίλον ἦτορ, Καί ἑ κατακτείνειε. [De homine ipso Od. Χ, 360 : Ἠὲ σοὶ ἀντεβόλησεν ὀρινομένῳ κατὰ δῶμα. Pind. ap. Plut. Mor. p. 706, E et alibi : Μανίαις τ' ἀλαλαῖς τ' ὀρινόμενοι ῥιψαύχενι σὺν κλόνῳ.] 'Ορίνεσθαι accipitur etiam pro Concitari in fugam, Fuga concitari, ut dixit Val. Flacc. Fuga se in aliquem locum concitare, Il. Ξ, [14, et Ο, 7] : Τάχα δ' εἴσιδεν ἔργον ἀεικὲς, Τοὺς μὲν ὀρινομένους (Græcos sc.), τοὺς δὲ κλονέοντας ὄπισθεν, Τρῶας ὑπερθύμους. [Ib. 59 : Οὐδ' ἂν ἔτι γνοίης ὁπποτέρωθεν 'Αχαιοὶ ὀρινόμενοι κλονέονται.] Sic Λ, [525] : Οἱ δὲ δὴ ἄλλοι Τρῶες ὀρίνονται ἐπιμὶξ ἵπποι τε καὶ αὐτοὶ, Αἴας δὲ κλονέει Τελαμώνιος, [et 521 : Κεβριόνης δὲ Τρῶας ὀρινομένους ἐνόησεν· Π, 377 : Ἦ πλεῖστον ὀρινόμενον ἴδε λαόν,] ubi observa κλονέειν dici τὸν διώκοντα, ὀρίνεσθαι autem τὸν φεύγοντα. [Od. Χ, 23 : 'Εκ δὲ θρόνων ἀνόρουσαν ὀρινθέντες. De mari Β, 294 : 'Ορινομένη τε θάλασσα. Frequens est etiam ap. alios Epicos, ut Apoll. Rh., iisdem modis positum. Infinitivo activum jungit Orph. Lith. 59 : Τὰς ἐμὲ κηρύσσειν λαοσσόος 'Αργειφόντης ἀνθρώποισιν ὄρινε. || Formam Æolicam 'Ορίννω memorat Chœrob. in Bekk. An. p. 1406, A.]

[Ὁριοδείκτης, ὁ, i. q. ὁριστής. Etym. M. p. 632, 32 sive Bekk. Anecd. p. 287, 20 : Ὥσπερ τινὲς ὄντες γεωμέτραι καὶ ὁριοδεῖκται.]

[Ὁριοθετέω, Terminum pono. Aq. Deut. 19, 41; Zach. 9, 2.]

[Ὁριοκράτωρ, ορος, ὁ, Finium dominus. Procul. In Ptolem. Tetrab. p. 173 : Εἰσὶ δὲ καθολικοὶ χρονοκράτορες τρεῖς, ὁ ἀφέτης καὶ ὁ ὑπαντήτωρ καὶ ὁριοκράτωρ. Ὅρια autem « sunt fines, quos singuli planetæ in singulis signis possident. Nam partes cujusque signi, quasi fines propii singulis stellis dividuntur, quamvis ipsum signum totum sub dominio sit alicujus planetæ. Sic Arietis dominus Mars est, fines tamen Arietis singulis stellis dividuntur. » Salmas. De annis climacter. p. 288. L. DIND.]

Ὅριον, τὸ, Terminus, Limes, i. q. ὅρος. Hesych. vero exp. τείχισμα, φραγμόν : ut οὔριον. Frequens est plur. Ὅρια, Termini, Fines [Gl.], Limites. [Soph. fr. Phrixi ap. Steph. Byz. v. Ἄστυ : Ὅρια κελεύθου τῆσδε γῆς προαστίας, nisi scriptura fallit. Eur. Tro. 375 : Οὐ γῆς ὅρι' ἀποστερούμενοι· Herc. F. 82 : Οὔτε γαίας ὅρι' ἂν ἐκβαῖμεν λάθρᾳ. Orph. Arg. 149 : Τεγέης ὅρια προλιπόντα. « Hippocr. p. 1190, F : Τὰ ἐρεθιζόμενα, ἐξ οἵων τὰ κερχνώδεα, ὅριον (intell. ποιεῖ), Circumscribunt ac definiunt. Rursus p. 744, G : Ὅριον τοῦ μάλιστα τὸ συμψαύειν. Et p. 831, H : Τὰ δὲ ὀστέα βραδέως ἀφίστανται, ἢ ἂν τὰ ὅρια τοῦ μελασμοῦ γένηται· H : Ὅσα ἂν κατωτέρω τοῦ σώματος τῶν ὁρίων τοῦ μελασμοῦ ἔῃ. » Ex Foes. OEc.] Xen. [Cyrop. 1, 4, 18] : 'Εκβοηθεῖ καὶ αὐτὸς πρὸς τὰ ὅρια, Ad fines, s. confinia. [Ib. 2, 1, 1 : Μέχρ τῶν ὁρίων τῆς Περσίδος· et ib. : Διέβαινον τὰ ὅρια· 2, 4, 20 : Ὡς πρὸς τοῖς ὁρίοις ἐγένετο· et similiter alibi.] Thuc. 2, [12] : 'Επειδὴ ἐπὶ τοῖς ὁρίοις ἐγένετο, Postquam ad fines Atticæ venit. Plato Leg. 8, [p. 842, E] : Μὴ κινείτω γῆς ὅρια μηδεὶς, Agrorum terminos s. limites. Integrum locum habes in Ὅριος. [Ib. 10, p. 909, C : Ἔξω τῶν ὁρίων ἐκβάλλειν ἄταφον· 9, p. 873, D : 'Εν τοῖς τῶν δώδεκα ὁρίοισι μερῶν· B : Εἰς τὰ τῆς χώρας ὅρια.] Et ὅρια ἀνασπάσαι, Pollux 9, [8]. Apud Suid. ὅρια ἐθνῶν et ὅρια πατέρων. Apud Mathematicos ὅρια dicuntur Fines stellarum, ac proprie Partes signorum quæ stellis singulis dividuntur. [V. Salmas. in Ὁριοκράτωρ cit. Manetho 2, 145, etc.]

[Ὄριον, τὸ, Monticulus, Gl.]

Ὅριος, ὁ, Terminalis. Ὅριος θεὸς, [Terminus, Gl.] Plut. Numa p. 129 meæ ed. [c. 16], loquens de Termino, cui ἀναίμακτον sacrificium fieri dicit : Ὡς χρὴ τὸν Ὅριον θεὸν εἰρήνης φύλακα καὶ δικαιοσύνης μάρτυν ὄντα φόνου καθαρὸν εἶναι. [Dionys. A. R. 2, 74 : Ἑορτὴν τὴν τῶν ὁρίων θεῶν.] Et Ὅριος Ζεὺς, quem Latini quidam Terminalem ex Græco converterunt, alii Terminorum præsidem, alii Conterminum deum. Is religiose ab antiquis colebatur in terminis ipsis conservandis, adeo ut Plato Leg. 8, [p. 842, E] Διὸς Ὁρίου, Jovis Terminorum præsidis, legem tulerit. Dionys. H. item 2, [74], ubi de Termino agit, dicit Numam Jovi Terminali terminos sacrasse. Verba Platonis sunt : Διὸς Ὁρίου μὲν πρῶτος ὅδε νόμος εἰρήσθω, Μὴ κινείτω γῆς ὅρια μηδεὶς, μήτε οἰκείου πολίτου γείτονος, μήτε ὁμοτέρμονος. Ex Demosth. [p. 86, 16] affertur etiam Ὁρείου Διὸς, itidem pro Jovis Terminalis, Termini; sed pro eo reponendum Ὁρίου, ut nonnullos quoque codd. habere annotatur. In VV. LL. habetur etiam Ὄριος, Prosper, pro οὔριος : sed sine auctore et exemplo.

[Ὄριος, ὁ, n. viri ap. Alciphr. Ep. 3, 29, scribendum videtur Ὄρειος, quod v.]

['Οριπέδιον. V. 'Οροπέδιον.]

'Ορίπλαγκτος, ὁ, ἡ, i. q. ὀριπλανής. Oppian. Cyneg. 3, [224] : Οὐ σκύμνον πανάθεσμον ὀριπλάγκτοιο λεαίνης, Montivagæ leænæ. [Nonn. Dion. 21, 177. WAKEF.]

'Οριπλᾰνὴς, ὁ, ἡ, Montivagus, Montes pererrans, Nonn. [Jo. c. 6, 176 : 'Οριπλανέες μετανασταί. « Id. Dion. 9, 290. » WAKEF. || 'Ορίπλανος, lemma epigr. Anth. Pal. 7, 636. BOISS.]

[Ὅρῐσις, εως, ἡ, Definitio. Hesychius : Προθεσμία, καιρὸς, ὅρισις.]

Ὅρισμα, τὸ, Terminus: τὰ ὁροθέσια. Eur. Hec. [16]: Ἕως μὲν οὖν γῆς ὄρθ' ἔκειθ' ὁρίσματα, Πύργοι τ' ἄθραυστοι Τρωϊκῆς ἦσαν χθονὸς, Dum erecti adhuc manebant terræ Trojanæ limites; dejici enim solent a victoribus. Schol. tamen ὁρίσματα ibi poni scribit pro πύργοι, quod sequitur: quoniam οἱ πύργοι sint περιορισμὸς τῆς ἐν τῇ πόλει γῆς. [Rhes. 437: Ἠχὼ περάσας ναυσὶ πόντιον στόμα, τὰ δ' ἄλλα πεζὸς γῆς περῶν ὁρίσματα· Hipp. 1459: Ὦ κλείν' Ἀθηνῶν Παλλάδος θ' ὁρίσματα, οἵου στερήσεσθ' ἀνδρός· Andr. 968: Πρὶν τὰ Τροίας ἐσβαλεῖν ὁρίσματα· Iph. A. 952: Ἡ Σίπυλος ἔσται πόλις, ὅρισμα βαρβάρων. Plut. Mor. p. 122, C: Χωρὶς γὰρ τὰ φιλοσόφων καὶ ἰατρῶν, ὥσπερ τινῶν Μυσῶν καὶ Φρυγῶν, ὁρίσματα, quo de proverbio v. Wyttenb., Wessel. Obs. p. 34. V. etiam Γωνορίσματα, ex Γῶν ὁρίσματα, ut videtur, corruptum. De tempore Hesychius: Προθεμία, καιρὸς, ὅρισις, ὅρισμα.] Dicitur ὅρισμα etiam Id quod apud nos statuimus. Joseph.: Μετὰ τοιούτου ὁρίσματος, Tali deliberatione et proposito. [Ὁρίσματα, Instituta, Gl. De forma Ion. HSt.:] Οὔρισμα, Terminus, Limes, Ionice pro ὅρισμα. [Herodot. 2, 17: Οὔρισμα δὲ Ἀσίῃ καὶ Λιβύῃ οἴδαμεν οὐδὲν ἐόν· 4, 45: Οὐρίσματα (Europæ) Νεῖλός τε ἐτέθη καὶ Φᾶσις ὁ Κόλχος.]

Ὁρισμὸς, ὁ, Finitio, Definitio. [Sponsio, add. Gl. Proprie Dionys. A. R. 2, 74: Τοὺς ὁρισμοὺς τῶν κτήσεων. Manetho 1, 302: Ζῆνα δ' ὅταν φαέθοντα βάλῃ ... ἀκτὶς Ἑρμείου, μίγδην δὲ διαλλάξωσιν ὁρισμούς. Tzetz. Hist. 8, 737: Ἡ Αἴγυπτος Νείλῳ χωριζομένη Αἰθιοπίας ὁρισμῶν.] Plus quam ὑπογραφὴ, i. e. Descriptio: ut Gell. etiam docet 1, 25. Alex. Aphr. In 1 Top.: Ὅρος, λόγος ἐστὶν ὁ τί ἐστι τὸ εἶναι σημαίνων τοῦ ὁριστοῦ. Unde autem translatum sit τοῦ ὁρισμοῦ vocabulum, infra in Ὅρος huic synonymo ex Eod. docebo. Vide et Bud. p. 711; item p. 702, ubi triplicem definitionem facit: item Quintil. 7, 4, ubi Finitionem appellat. Vide Cic. quoque in l. Rhett. [Definitiones et artis præcepta, sententiis et aphorismis comprehensa, ad usum necessaria, ἐν παραγγελίαις p. 28, 23. Foes. Œc. Hipp. Apollon. De constr. p. 245, 10: Ὁριζόμενοί φαμεν γέγραφα, καὶ ἐπιδιαβεβαιούμενοι, ὅτι γέγραφα, εἰς ἐπίτασιν τοῦ ὁρισμοῦ· et ib. 17. Signif. grammatica etiam Etym. M. p. 432, 32: Αἱ ἀντωνυμίαι ἡνίκα μὲν ὁρισμὸν δηλοῦσι, μένουσιν ἐν τῷ αὐτῷ τόνῳ, ὅτε δὲ ἀπόλυτον ἔχει τὸ σημαινόμενον, de signif. Definita, cui contraria Indefinita. Terminus in universum ap. Hyperidem Stob. Fl. vol. 3, p. 499: Ἡ φύσις ἑκάστου καὶ φιλία πρὸς τὸν τελευτήσαντα ὁρισμὸν ἔχει τοῦ λυπεῖσθαι.] Est et vocab. Rhetorum. Rutilius Lupus [2, 25]: Ὁρισμὸς, hoc schema fit, quum definimus aliquam rem nostræ causæ ad utilitatem, neque tamen contra communem opinionem. Id est hujusmodi, Nam virtutis labor vera voluptatis exercitatio est. [Herodian. Περὶ σχημ. p. 57, 24: Ὁρ. ἐστὶν ὅταν προστιθέντες (προτιθ.) ὄνομά τι ἢ ῥῆμα οἷόν ἐστιν ὁριζώμεθα· Παραπέμπει δὲ ἡμᾶς ἡ ἐλπίς· αὕτη δὲ ἀτυχούντων ἐστὶν ἐφόδιον. Auct. ad Herenn. 4, 25, Definitio dicitur. Conf. Quint. 9, 3. Ernest. Lex. rh.] Significatur hac voce etiam ipsa Actio statuendi aliquid et veluti definiendi. Aristot. Eth. 8, [6]: Ἀκριβὴς μὲν οὖν ἐν τούτοις οὐκ ἔστιν ὁρισμὸς ἕως τίνος οἱ φίλοι, Exacte igitur statuere quousque amicitia tenorem suum servet, nemo potest. [De pignore ponendo Plut. Alex. c. 6: Γενομένου ... ὁρισμοῦ πρὸς ἀλλήλους εἰς τὸ ἀργύριον· Ti. Gracch. c. 14: Τίτος δ' Ἄννιος... εἰς ὁρισμόν τινα προὐκαλεῖτο τὸν Τιβέριον, ἦ μὴν ἱερὸν ὄντα καὶ ἄσυλον ἐκ τῶν νόμων ἠτιμωκέναι τὸν συνάρχοντα· Anton. c. 58: Τρίβειν αὐτῆς τοὺς πόδας ἔκ τινος ὁρισμοῦ καὶ συνθήκης γενομένης. || « Jussio. Codin. De off. pal. c. 7, n. 18. C. 10, 9. Ὁρισμὸς βασιλικὸς, Decretum Imperatoris, ap. Nicetam in Jo. n. 10, ubi cod. al. κέλευσμα. Occurrit non semel. » Ducang.]

[Ὁριστέον, Definiendum. Plato Leg. 1, p. 632, A: Ὁριστέον τό τε καλὸν καὶ μή. Aristot. Top. 6, 3, 4, 6. « Tzetz. Hist. 11, 143. » Elberling. Schol. Aristoph. Pl. 482.]

Ὁριστὴς, ὁ, Finitor: ut sunt Agrorum mensores, qui limites confiniaque determinant, quos Cic. Finitores appellat. Pollux 9, [9]: Ὁ δ' ὁρίζων, ὁριστής. Itidemque ὁριστὰς Hesych. exp. ὁρίζοντας. [Grammatici in Ὁριοδείκτης citati: Ὁρισταὶ ἀρχή τις ἐστιν, ἥτις
A ἀφώριζε τὰ ἴδια καὶ τὰ δημόσια οἰκοδομήματα πρὸς τὰ οἰκεῖα ἑκάστου μέτρα, ὥσπερ κτλ. Frequens est in Tab. Heracl., ubi semper scriptum sine nota spiritus asperi, ut ὀρίζω in iisdem. V. Maittair. p. 147. Plutarch. Ti. Gracch. c. 21: Ἕτερον ἀντὶ τοῦ Τιβερίου προὔθηκε τοῖς πολλοῖς ὁριστὴν ἑλέσθαι.] Ὁριστὴς, Constitutor juris et arbiter conditionum. Dem. [p. 199, 17]: Τῶν δ' Ἑλληνικῶν δικαίων οἱ κρατοῦντες ὁρισταὶ τοῖς ἥττοσι γίνονται. Bud. p. 704. Mentio hujus et in Ὁρίζω facta est. [Κριτὴς καὶ ὁρ., Inscr. ap. Walpol. p. 460.]

Ὁριστικὸς, ή, ὸν, Finitivus [Gl.], Definitivus, i. q. ὁρικός: ὁρ. λόγος, ap. Aristot. pro ipsa Definitione. Grammaticis autem Græcis ὁριστικὰ dicuntur, quæ Latinis Indicativa [Gl. Apollon. De constr. p. 244, 26: Ἡ καλουμένη ὁριστικὴ (ἔγκλισις) καλεῖται καὶ ἀποφαντική· 245, 4: Ἰδίας μέντοι ἐννοίας ἔχεται ἡ ὁριστική· διὰ γὰρ ταύτης ἀποφαινόμενοι ὁριζόμεθα· 25: Τὴν ὁριστικὴν ἔγκλισιν· 246, 19: Ἐν τῷ οὐ δεῖ γράφειν τὸ ὁριστικόν ἐστι ῥῆμα τὸ ἀποφασκόμενον, λέγω τὸ δεῖ ἢ χρή· 13: Τὸ χρὴ καὶ τὸ δεῖ ὁριστικὰ ῥήματά ἐστιν· et sæpius
B in seqq. Plut. Mor. p. 1026, D: Ἡ ὁριστικὴ δύναμις. Iambl. V. Pyth. 161, p. 340: Τὴν ὁριστικήν (ἐπιστήμην). L. Dind.]

[Ὁριστικῶς, Definite. Clem. Alex. Str. 1, p. 374: Ὁρ. καὶ καταληπτικῶς. Kall. Schol. Eur. Hec. 88. Boiss. Theodor. Stud. p. 490, D; 592, A. L. Dind. Alcin. Introd. p. 93.]

[Ὀριστόριος, ὁ, Oristorius, Gallus, ap. Pausan. 10, 22, 2, 3, ubi nonnulli bis, semel omnes Ὀρεστόριος.]

[Ὁριστὸς, ὁ, Definitus. Aristot. Metaphys. 2, p. 49, 4: Τῶν ὁριστῶν ἀρχὰς εἶναι τὰ γένη. Plut. Mor. p. 720, B: Ὁριστὸν καὶ ἀόριστον. V. Alex. Aphrodis. in Ὁρισμὸς cit.]

Ὀριτρεφὴς, ὁ, ἡ, et Ὀρίτροφος, ὁ, ἡ, In monte nutritus et educatus, ὁ ἐν ὄρει τεθραμμένος, pro quo et ὀρεσίτροφος. Apoll. Arg. 2, [34]: Ὀριτρεφέος κοτίνοιο, Montani s. Sylvatici. [Ὀρίτροφος, Babrius Fab. 106, 3. Schol. Æsch. Sept. 538. « Oppian. Hal. 1, 12; Nonn. Dion. 5, 224. » Wakef. Etym. M. p. 630, 26. In Ind.:] Ὀριτρόφος, Nutriens s. Alens in montibus.

C [Ὀριχάομαι.] Ὀριχᾶται, Hesych. γλίχεται, ἐπιθυμεῖ. [Qui eodem modo interpr. Ἀρίχεται et Ἀρόχεται. Quæ ad ὀριγνᾶται referebat Albertus.]

[Ὀρίχαλκος. V. Ὀρείχαλκος.]

[Ὄριψ, vox nihili.] Ὄριπες, αἱ, Teredines montanæ, quas ex nive generari scribit Strabo, VV. LL. Forsan scrib. Θρῖπες [Θρῖπες. Quod v.].

Ὄριψα, Hesychio Ἐριννὺς, Furia, Erinnys. Infra Ὅρπα.

[Ὀρκάδες, αἱ, Orcades, insulæ prope Britanniam. Ὁρκάδες male ap. Tzetz. Hist. 8, 720.]

Ὀρκάθους, Hesych. esse dicit ἐφ' ὧν τὰ σῦκα [σῦκα] ψύχουσι. [Fortasse pro ὁρμαθούς.]

[Ὀρκάνη, ἡ. HSt. in Ἑρκάνη:] Alibi vero ap. eund. Eust. [Il. p. 233, 41] scriptum reperitur et Ὁρκάνη, expositum [ut ab Etym. M. p. 632, 25] ἕρκος τι, ὡς ἀκανθῶδες περίφραγμα. [Conf. Ἑρκόπεζα. In Ind.:] Hesychio ὀρκάνη est εἱρκτὴ, δεσμωτήριον: aliis φραγμὸς, aliis σαργάνη, quibusdam κρεμάθρα, teste Eodem. Supra ὁρικάνη. Pro ἕρκος, φραγμὸς, Septum, accepit
D schol. Theocr. [4, 61], quum μάνδραν esse dicit τὴν τῶν προβάτων ὀρκάνην, Septum quo clauduntur oves. Pro Sagena et reti ap. Æsch. Sept. [338] accipiunt, ubi dicit Ποτὶ πτόλιν ὀρκάνη [ὀρκάνα] πυργῶτις· ibi enim et schol. exp. τὸ θηρευτικὸν δίκτυον, σαργάνη. [Improprie dicitur de turribus obsidentium.] Harpocr. quoque annotat, Lycurgum Or. 2 in Lycophr. videri ὀρκάνην dixisse τὸν φραγμὸν, h. e. τὸ περίφραγμα καὶ τὴν αἱμασιάν. [Eur. Bacch. 611: Πενθέως ὡς ἐς σκοτεινὰς ὀρκάνας πεσούμενος. V. autem Ἑρκάνη. De accentu Arcad. p. 111, 1. ᾰ]

[Ὁρκαπάτης, ὁ.] Ὁρκαπάτην, [Phot. et] Suid. χλευαστὴν δι' ὅρκων, Qui jusjurandum fallit, s. Qui jurejurando fallit, ut Lysander. [Paul. Sil. Anth. Pal. 5, 250, 8. ᾰᾰ]

[Ὄρκα, Orca, prom. Britanniæ, ap. Diod. 5, 21, ubi accus. Ὄρκαν.]

[Ὅρκη, ὄψις, Hesychius, de qua gl. v. conjecturas intt.]

Ὁρκίζω, i. q. ὁρκόω, i. e. Jurejurando obstringo.

[Adjuro, Gl. Xen. Conv. 4, 10 : Οὐδενὸς ὁρκίζοντος ἀεὶ ὀμνύοντες.] Dem. [p. 235 fin.] : Οὐκ ἂν ὡρκίζομεν αὐτὸν, ut ipse alibi, Οὐκ ἂν ὅρκους παρ' αὐτοῦ ἐλάβομεν. Jusjurandum exigere dicit Quintil.; Ad jusjurandum adigere, Cæs.; Adigere jurejurando et sacramento, Tac. et Liv., qui et Adigere jusjurandum. Construitur alicubi cum gemino accus., et personæ et rei, per quam adjuramus. Orpheus [ap. Justin. M. Coh. 15, p. 19, A, et alios], Οὐρανὸν ὁρκίζω σε, Cœlo teste et conscio te sacramento astringo. [Et ib. : Αὐδὴν ὁρκίζω σε πατρός. Pro quo recentiores dixerunt etiam ὁρκίζειν κατά τινος et εἴς τινα. V. Lobeck. Aglaoph. p. 738—740.] Marc. 5, [7] : Ὁρκίζω σε τὸν Θεὸν, Adjuro te per Deum; sic enim Adjurare accepisse Liv. quidam tradunt; alii, Adigo te in verba Dei. [Phryn. Epit. p. 360 : Ὥρκωσε ... μᾶλλον διὰ τοῦ ω λέγε ἢ διὰ τοῦ ι ὥρκισεν. Photius : Ὁρκίζειν καὶ ὁρκοῦν ἑκατέρως. Prioris formæ, quam ponit etiam Pollux 4, 30, exx. præter Xen. et Dem. supra citt. Lobeck. addidit unum Thuc. 4, 74, nullius fidei, ubi pauci ὁρκίσαντες, plerique, ut alibi est ap. Thuc., ὁρκώσαντες, Dem. p. 678, 5, et ubi ὁρκοῦν præcesserat p. 430, 21 (unde ὁρκοῦν et ὁρκίζειν ex Dem. citat G. Lecapen. Lectt. Mosq. vol. 1, p. 73), Æschinis p. 39, 24, 36, ubi ἐξορκίζειν, quod in Ἐξορκέω vol. 3, p. 1333, B, suspectum esse diximus in l. Dem., ubi legitur in libris. Recentiorum inde a Polybio exx., quorum nonnulla indicat Lobeckius, omittimus. Pass. Harpocr. v. Ἐπακτὸς, a Valck. cit. : Ἀντιφωνεῖν τὸν ὁρκιζόμενον. Polyb. 38, 5, 5 : Ἀνηγγελκέναι δὲ ὁρκιζόμενος μηδέν. || De forma Bœot. Ὁρκίδδω ap. Hesychium sec. Hemst. et Valck. conjecturam in Ὁρκίλλω depravata HSt.:] Ὁρκίλλει, Hesychio ὅρκον ποιεῖ, ὀμνύει, Jurat. [Photius tamen ponit : Ὁρκίλλεσθαι, τὸ διακενῆς ὀμνύναι, ubi ὁρκίδδεσθαι Albertus, etsi non apparet quomodo διακενῆς dici possit.]

[Ὁρκιητομέω, Fœdus facio interposito jurejurando, Paciscor. Timocreon ap. Plut. Themist. c. 21 : Τιμοκρέων ... Μήδοισιν ὁρκιατομεῖ. Libri ὅρκια τέμει vel τέμνοι. Forma Ὁρκιοτομέω schol. Ven. Hom. Il. Τ, 197 : Τῶν δὲ ὁρκίων ἐτέμνοντο τοὺς λαιμοὺς, ὅθεν καὶ ὁρκιοτομεῖν ἔλεγον. Conf. Ὁρκιοτόμος in seq. voc.]

[Ὁρκιητόμος, ὁ, Qui fœdus facit, paciscitur interposito jurejurando, vel Qui jurat. Pollux 1, 39 : Ὁρκιητόμους, εἰ μὴ σκληρόν. Sic Bastius ad Gregor. p. 717, quum Ὁρκητόμους posuisset Falckenburgius. Codices ὁρκοτόμους, ὁρκικτόμους posito χ supra κ, ὁρκιχτόμους, ὁρκιλτόμους. Quorum postrema duo ad ὁρκιατόμους potius ducunt, de quo monuit Lobeck. ad Phryn. p. 657. Apollonio De advv. p. 602, 24 : Ἴωνες δὲ καὶ τοὺς ὁρκιοτόμους Ὀρκιηφόρους φασὶ, restituendum esse ὁρκιητόμους conjecit Lobeck. l. c.]

[Ὁρκιηφόρος. V. Ὁρκιητόμος.]

[Ὁρκικὸς, ἡ, ὸν, Ad jusjurandum pertinens. Diog. L. 7, 66 : Ὁρκικὸν καὶ ἀρατικόν. Etym. M. p. 416, 49, schol. Ven. Hom. Il. Α, 77, ἐπίρρημα.]

[Ὁρκίλλω. V. Ὁρκίζω.]

Ὅρκιον, τὸ, quod non ὑποκοριστικὸν esse, sed παρωνομάσθαι annotat Eust. [Il. p. 233, 36, contra sentiente Buttmanno l. infra cit., qui præter alia confert ποίμνιον], Fœdus jurejurando sancitum. [Ὅρκια, Fœdera; Ὁρκίων σύγχυσις, Nuncupatio, Gl.] Hom. Il. [Δ, 158 : Οὐ μέν πως ἅλιον πέλει ὅρκιον. Qui l. fugit Buttmannum Lexil. vol. 2, p. 59, pluralem tantum ab Hom. usurpari perhibentem.] Β, [123] : Ὅρκια πιστὰ ταμόντες, Icto fœdere fido et firmo. [Γ, 73, 94 : Φιλότητα καὶ ὅρκια πιστὰ ταμόντες· Δ, 155 : Θάνατον νύ τοι ὅρκι' ἔταμνον· Γ, 107 : Μή τις ὑπερβασίῃ Διὸς ὅρκια δηλήσηαι.] Sic Thuc. 6, [52] : Λέγοντες σφίσι τὰ ὅρκια εἶναι, μιᾷ νηὶ καταπλεόντων Ἀθηναίων δέχεσθαι. Sic Herodot. : Ὅρκια ποιοῦνται πρὸς ἐκείνους. Sed in isto l. Il. Γ, [245] : Κήρυκες δ' ἀνὰ ἄστυ, θεῶν φέρον ὅρκια πιστὰ, Ἄρνε δύω, καὶ οἶνον εὔφρονα, καρπὸν ἀρούρης, annotat Eust. dici non solum τοὺς ἐνόρκους λόγους, verumetiam τὰ ἐν ὅρκοις χρειώδη. [Ib. 269 : Ἀτὰρ κήρυκες ἀγαυοὶ ὅρκια πιστὰ θεῶν σύναγον. Ubi eandem obtinere signif., quam in Ὅρκος notabimus, Rei per quam quis jurat, animadvertit Buttm. Lexil. vol. 2, p. 59, et confert Pind. Nem. 9, 16 : Ἐριφύλαν, ὅρκιον ὡς ὅτε πιστόν· Ol. 10, 6 : Εἰ δὲ σὺν πόνῳ τις εὖ πράσσοι, ... ὕμνοι ὑστέρων ἀρχαὶ λόγων τέλλεται καὶ πιστὸν ὅρκιον μεγάλαις ἀρεταῖς. Sic etiam Lycophr. 329 : Λύκοις τὸ πρωτόσφακτον ὅρκιον σχάσας· ubi schol., θῦμα χάριν τῶν ὅρκων. Hom. Il. Γ, 280 : Φυλάσσετε δ' ὅρκια πιστά· 299 : Ὁππότεροι πρότεροι ὑπὲρ ὅρκια πημήνειαν· Δ, 67 : Πρότεροι ὑπὲρ ὅρκια δηλήσασθαι· 157 : Κατὰ δ' ὅρκια πιστὰ πάτησαν· 269 : Ἐπεὶ σύν γ' ὅρκι' ἔχευαν· Η, 69 : Ὅρκια μὲν Κρονίδης ὑψίζυγος οὐκ ἐτέλεσσεν· 351 : Ὅρκια πιστὰ ψευσάμενοι· Χ, 262 : Οὐκ ἔστι λέουσι καὶ ἀνδράσιν ὅρκια πιστά· Od. Ω, 546 : Ὅρκια δ' αὖ κατόπισθε μετ' ἀμφοτέροισιν ἔθηκε Παλλάς. Apoll. Rh. 4, 1042 : Δείσατε συνθεσίας τε καὶ ὅρκια. Orph. Arg. 304 : Πίστιν καὶ ὅρκια συνθεσιάων. De Herodoto v. paullo post.] || Alicubi et pro ὅρκος, Jusjurandum; atque ita accipiendum videtur Il. Β, [339] : Ποῦ δὴ συνθεσίαι τε καὶ ὅρκια βήσεται ἡμῖν; licet alioqui possint et ἐκ τοῦ παραλλήλου duo illa posita videri. [Η, 411 : Ὅρκια δὲ Ζεὺς ἴστω· Od. Τ, 302 : Ἔμπης δέ τοι ὅρκια δώσω. Ἴστω νῦν Ζεὺς κτλ. Theognis 824 : Μήτε κτεῖνε θεῶν ὅρκια συνθέμενος. Æsch. Ag. 1432 : Καὶ τήνδ' ἀκούεις ὁρκίων ἐμῶν θέμιν. Soph. Tr. 1223 : Πατρῴων ὁρκίων μεμνημένος. Eur. Med. 735 : Ὁρκίοισι μὲν ζυγείς· Suppl. 1232 : Ὅρκια δῶμεν τῷδ' ἀνδρὶ πόλει τε. Improprie Aristoph. Nub. 533 : Ἐκ τούτου μοι πιστὰ παρ' ὑμῖν γνώμης ἔσθ' ὅρκια. Apoll. Rh. 1, 1352 : Ὅρκια ποιήσαντο· 2, 289 : Ὅρκια δ' αὐτὴ δώσω ἐγὼν, ὡς οὔ οἱ ἔτι χρίμψουσιν ἰοῦσαι· 433 : Ὅρκια δ' εὐμενέουσα θεὰ πόρεν. Cum genit. 4, 359 : Ποῦ τοι Διὸς Ἱκεσίοιο ὅρκια;] Sic Thuc. ponit pro ὅρκος, 6, [72] : Καὶ ὀμόσαι αὐτοῖς τὸ ὅρκιον. [Ib. 52 : Σφίσι τὰ ὅρκια εἶναι μιᾷ νηὶ καταπλεόντων Ἀθηναίων δέχεσθαι. De Herodoto Schweigh. : « Fœdus jurejurando sancitum, τὸ ὅρκιον (paullo ante dixerat εἰρήνην) ἔσπευσαν γενέσθαι, 1, 74. Κατὰ τὸ ὅρκιον, Ex fœdere, 1, 77 : Πρὸς τούτους ὅρκιον Κῦρος ἐποιήσατο, 1, 141, 143. Κύρῳ ὅρκιον ποιησάμενοι, 1, 169. Τὸ ὅρκιον ὧδε εἶχε, Fœderis formula hæc erat, 7, 132. Μένειν ἀεὶ τὸ ὅρκιον (κατὰ χώρην), 4, 201. Ὅρκια τέμνειν, Cæsis hostiis fœdus facere. Ἐπὶ τῆς κρυπτῆς τάφρου τάμνοντες ὅρκια, 4, 201. Et in sing., Ἐπὶ τούτοισι ἔταμνον ὅρκιον, 7, 132. || Jusjurandum. Ὁρκίοισι μεγάλοισι κατείχοντο χρήσεσθαι νόμοισι, 1, 29. Ἐποιήσαντο ὅρκια ξεινίης πέρι καὶ συμμαχίης, 1, 69; 9, 92. »] Sic et Lucian. [Vit. auct. c. 4. Et plur. De dea Syr. c. 12 : Οὔτε ὅρκια ἐφύλασσον. Singulari rursus Appian. Pun. c. 73. Polybii de plurali exempla v. ap. Schweighæus. Lex.]

Ὅρκιος, ὁ, [α, ον], Qui jurijurando adhibetur. Ὅρκιος θεὸς, Deus, per cujus nomen jusjurandum solenne concipitur. A Budæo vertitur apud Philostratum, Deus, per quem quis juravit. Ego malim, Deus jurisjurandi arbiter. [Eurip. Phœn. 481 : Αἰνέσας ταῦθ' ὁρκίους τε δοὺς θεούς· Iph. T. 747 : Τίν' οὖν ἐπόμνυς τοισίδ' ὅρκιον θεῶν;] Thucyd. [2, 71] : Θεοὺς τοὺς ὁρκίους μάρτυρας ποιούμενοι. Sic Æschin. [p. 16, 16] : Ἐπομόσας τοὺς ὁρκίους θεούς. [Pollux 1, 38.] Et Ὅρκιος Ζεὺς ex Pausan. p. 135 [5, 24, 9—11]. Volunt autem dici ὅρκιον, eo modo, quo ἱκέσιον et ἑταιρεῖον, ὃν οἱ συμφωνίας ἐνόρκους ποιοῦντες προτείνουσι. [Soph. Ph. 1324 : Ζῆνα δ' ὅρκιον καλῶ. Eur. Hipp. 1025. Apoll. Rh. 4, 95 : Ζεὺς αὐτὸς Ὀλύμπιος ὅρκιος ἔστω Ἥρη τε.] Ut vero dicitur Ζεὺς Ὅρκιος, sic ὕδωρ τοῦ Διὸς ὅρκιον [Philostr. V. Apoll. p. 7], sc. Stygis aqua, de qua ap. Hom. et ceteros poetas. [Eur. Med. 209 : Τὰν Ζανὸς ὁρκίαν Θέμιν. Dioscor. Anth. Pal. 7, 351, 1 : Οὐ μὰ τόδε φθιμένων σέβας ὅρκιον.] Affertur et ὁρκίων ὁμολογιῶν, ex Plut. Lycurgo [c. 2, ubi nunc ὁρκ. καὶ ὁμ.] : Γενομένων τῶν ὁρκίων ὁμολογιῶν, pro Firmatis jurejurando fœderibus. [|| Jurejurando obstrictus. Æsch. Eum. 483 : Φόνων δικαστὰς ὁρκίους αἱρουμένη. Soph. Ant. 305 : Ὅρκιος δέ σοι λέγω· OEd. C. 1637 : Κατήνεσεν τάδ' ὅρκιος δράσειν ξένῳ.]

[Ὁρκιοτομέω, Ὁρκιοτόμος. V. Ὁρκιητ—.]

[Ὁρκισκόπιον, τό. Schol. Basilic. ad l. 22, p. 185 : Τουτέστιν, ἵνα, ὡς ἐπηνέχθη ὁ ὅρκος, οὕτω καὶ παρασχεθῇ κατὰ τὸ γινόμενον ὁρκισκόπιον. Fabrotus emendat ὁρκισμόν. At quum articulus τὸ præponatur, videndum an aliud sonet. Ducang.]

Ὁρκισμὸς, ὁ, Juramenti exactio, Per jusjurandum obstrictio. [Polyb. 6, 33, 1.]

[Ὁρκιστὴς, ὁ, i. q. ὁρκωτής, quod v.]

Ὅρκμον, Hesychio φράγμα, Septum, quod et ὀρκάνη.

[Ὁρκοπεδέω, quod ex Pallad. Hist. Laus. 7 affertur, in ed. Meurs. p. 344, 1, scriptum est ὁρκωπεδήσας τὴν προαίρεσιν, pro ὅρκῳ πεδήσας, ut videtur.]

[Ὁρκοποιέομαι, Adjuro. Eust. Opusc. p. 352, 84 : Ἐγὼ δὲ ... ὁρκοποιοῦμαι τὴν σὴν ψυχήν.]

Ὅρκος, ὁ, Jusjurandum, Juramentum, [Sacramentum, Religio, Juratio, et Ὅρκῳ, Fœdere add. Gl.] Hom. [Il. A, 239 : Ὁ δέ τοι μέγας ἔσσεται ὅρκος·] Od. T, [395] : Ἀνθρώπους ἐκέκαστο Κλεπτοσύνῃ ὅρκῳ τε. Variæ autem loquendi formulæ huc pertinentes et in prosa et ap. poetas reperiuntur. [Il. A, 233 : Καὶ ἐπὶ μέγαν ὅρκον ὀμοῦμαι. Pind. Ol. 6, 20 : Καὶ μέγαν ὅρκον ὀμόσσαις τοῦτό γέ οἱ σαφέως μαρτυρήσω.] Od. Δ, [253] : Ὤμοσα καρτερὸν ὅρκον· [Il. T, 108 : Νῦν μοι ὄμοσσον, Ὀλύμπιε, καρτερὸν ὅρκον· Υ, 313 : Νῶι πολέας ὠμόσσαμεν ὅρκους· Od. B, 378 : Αὐτὰρ ἐπεί ῥ' ὄμοσέν τε τελεύτησέν τε τὸν ὅρκον· et alibi cum eod. verbo,] ut ap. Athen. 10 : Φρικτότατον ὅρκον ὀμνύουσα. [Æsch. Ag. 1290 : Ὀμώμοται γὰρ ὅρκος ἐκ θεῶν μέγας· 1572 : Ἐθέλω δαίμονι τῷ Πλεισθενιδῶν ὅρκους θεμένη τάδε μὲν στέργειν. Eur. Iph. A. 391 : Ὤμοσαν τὸν Τυνδάρειον ὅρκον οἱ κακόφρονες· 395 : Τοὺς κακῶς παγέντας ὅρκους· Iph. T. 790 : Τὸν ὅρκον, ὃν κατώμοσ', ἐμπεδώσομεν· Hel. 835 : Ἁγνὸν ὅρκον σὸν κάρα κατώμοσα. Democrit. ap. Stob. Fl. 28, 9 Ὅρκους, οὓς ποιέονται ἐν ἀνάγκαισιν ἐόντες, οὐ τηρέουσιν οἱ φλαῦροι. Xen. Reip. Lac. 15, 7 : Ὅρκους ἀλλήλοις κατὰ μῆνα ποιοῦνται, ἔφοροι μὲν ὑπὲρ τῆς πόλεως, βασιλεὺς δ' ὑπὲρ ἑαυτοῦ.] Thuc. : Ὅρκον ὀμόσαι τινὶ, Jurejurando fidem dare. [Et contra Hom. Od. K, 381 : Ἤδη γάρ τοι ἀπώμοσα καρτερὸν ὅρκον· B, 377 : Γρηῢς δὲ θεῶν μέγαν ὅρκον ἀπώμνυ, quem genit. sic addit Xen. infra ab HSt. cit., et Hom. Od. K, 299 : Μακάρων μέγαν ὅρκον ὀμόσσαι. Soph. OEd. T. 647 : Τόνδ' ὅρκον αἰδεσθεὶς θεῶν. Eur. Hipp. 657 : Ὅρκοις θεῶν ἄφρακτος· 1037.] Dicitur et λαβεῖν, δοῦναι ὅρκον, sicut λαβεῖν, δοῦναι πίστιν, Accipere, Dare jusjurandum, i. e. Exigere jusjurandum, et Affirmare jurejurando. Xen. Hell. 1, [3, 8] : Ὅρκους ἔλαβον καὶ ἔδοσαν παρὰ Φαρναβάζου, ὑποτελεῖν τὸν φόρον Χαλκηδονίους. [Ps.-Demosth. p. 235, 13.] Eur. [Iph. T. 735] : Ὅρκον δότω μοι [τάσδε πορθμεύσειν γραφὰς], Juret mihi. [V. l. Æsch. Eum. 429 infra cit. Aristoph. Lys. 1185 : Ὅρκους δ' ἐκεῖ καὶ πίστιν ἀλλήλοις δότε. Priori cum verbo Eur. Suppl. 1188 : Πρῶτον λάβ' ὅρκον· et ib. 1191 : Ὁ δ' ὅρκος ἔσται μήποτ' Ἀργείους ... ἐποίσειν κτλ. et 1194 : Ἣν δ' ὅρκον ἐκλιπόντες ἔλθωσιν, ut Iph. T. 750 : Ἐκλιπὼν τὸν ὅρκον· Hipp. 1055 : Οὐδ' ὅρκον ... ἐλέγξας ἐκβαλεῖς με γῆς; 1063 : Μάτην δ' ἂν ὅρκους συγχέαιμ' οὓς ὤμοσα· Iph. T. 758 : Τὸν ὅρκον εἶναι τόνδε μηκέτ' ἔμπεδον· Phœn. 1241 : Ὅρκους ξυνῆψαν ἐμμενεῖν στρατηλάται· et eodem cum verbo Iph. A. 58.] Dem. tamen ὅρκον διδόναι non semel dixit pro Jusjurandum deferre, h. e. προκαλεῖσθαι εἰς ὁρκισμόν. Bud. [V. p. 995, 22 ; 1002, 3 ; 1204, 22. Apollod. ap. Stob. Fl. 27, 7 : Μάστιγος οὔσης, ὅρκον οἰκέτῃ δίδως ; 8 : Ὁ διδοὺς τὸν ὅρκον τῷ πονηρῷ μαίνεται· et mox : Ὁ διδοὺς τὸν ὅρκον. Alia phrasi Demosth. p. 1203, 26 : Βούλομαι ὑμῖν καὶ περὶ τῆς προκλήσεως τοῦ ὅρκου εἰπεῖν, ἣν ἐγώ τε τοῦτον προεκαλεσάμην καὶ οὗτος ἐμέ. Ἐμβαλομένου γὰρ ἐμοῦ ὅρκον εἰς τὸν ἐχῖνον, ἠξίου καὶ αὐτὸς ὀμόσας ἀπηλλάχθαι.] Aristoph. Ran. [589] : Δέχομαι τὸν ὅρκον. [Æsch. Eum. 429 : Ἀλλ' ὅρκον οὐ δέξαιτ' ἂν, εἰ δοῦναι θέλοις. Xen. H. Gr. 5, 1, 32 : Οὐκ ἔφη δέξασθαι τοὺς ὅρκους.] Isocr. Ad Dem. [p. 6, C] : Ὅρκον ἐπακτὸν προσδέχου, διὰ δύω προφάσεις. Polyb. [6, 58, 4] : Νομίζων ... τετηρηκέναι τὴν πίστιν καὶ λελυκέναι τὸν ὅρκον, i. e., ut Cic. duobus in ll. interpr., Jurejurando se solutum putabat, Liberatum se esse jurejurando interpretabatur. [Xen. Anab. 3, 2, 10 : Τοὺς ὅρκους λελύκασιν.] Plut. Lyc. : Καὶ τῶν ὅρκων λελυμένων. Sic dicitur et παραβαίνειν τοὺς ὅρκους, Jusjurandum violare. [Eur. fr. Belleroph. ap. Justin. Mart. p. 41, B : Ὅρκους τε παραβαίνοντας ἐκπορθεῖν πόλεις. Aristoph. Av. 332, Thesm. 358.] Dem. [p. 443, 15 : Εἰ προσδέξαιτο Φωκέας συμμάχους καὶ μεθ' ὑμῶν τοὺς ὅρκους αὐτοῖς ἀποδοίη, τοὺς πρὸς Θετταλοὺς καὶ Θηβαίους ὅρκους παραβαίνειν εὐθὺς ἀναγκαῖον ἦν. Id. :] Δίκην λαβεῖν παρὰ τῶν ὑπερβεβηκότων ὅρκους. [Pind. Ol. 13, 80 : Παρ' ὅρκον καὶ παρ' ἐλπίδα. Xen. Anab. 2, 5, 41 : Παρὰ τοὺς ὅρκους ἔλυε τὰς σπονδάς. Cui contrarium κατὰ τοὺς ὅρκους H. Gr. 5, 5, 54.] Σὺν ὅρκῳ λέγειν, Jurejurando confirmare. Hom. Od. Ξ, [151] : Οὐκ αὔτως μυθήσομαι, ἀλλὰ σὺν ὅρκῳ, Ὡς νεῖται Ὀδυσεύς. Xen. Cyrop. 2, [3, 12] : Σὺν θεῶν ὅρκῳ λέγω, Per deos juro. Et Od. O, [435] : Ὅρκῳ πιστωθῆναι, Jurejurando firmatum esse. [Anon. ap. Stob. Fl. vol. 1, p. 443 : Ὅρκῳ κυρῶσαι. Theognis 200 : Ὅρκῳ (χρήματα) πὰρ τὸ δίκαιον ἑλών· 284 : Μήθ' ὅρκῳ πίσυνος μήτε φιλημοσύνῃ· 399 : Φεύγειν ὀλεσήνορας ὅρκους· 745 : Μή τιν' ὑπερβασίην κατέχων μηδ' ὅρκον ἀλιτρόν. Æsch. Eum. 432 : Ὅρκοις τὰ μὴ δίκαια μὴ νικᾶν λέγω· 680 : Ὅρκον αἰδεῖσθε· fr. ap. Stob. Fl. 27, 2 : Οὐκ ἀνδρὸς ὅρκοι πίστις, ἀλλ' ὅρκων ἀνήρ. Soph. El. 47 : Ἄγγελλε δ' ὅρκον προστιθείς· fr. OEnom. ap. Stob. Fl. 27, 6 : Ὅρκου δὲ προστεθέντος· OEd. C. 650 : Οὔτοι σ' ὑφ' ὅρκου γ' ὡς κακὸν πιστώσομαι· Tr. 255 : Οὕτως ἐδήχθη ... ὥσθ' ὅρκον αὑτῷ προσβαλὼν διώμοσεν ἦ μὴν ... δουλώσειν· Aj. 648 : Ἁλίσκεται χὠ δεινὸς ὅρκος χαἱ περισκελεῖς φρένες· 1113 : Οὕνεχ' ὅρκων, οἷσιν ἦν ἐπώμοτος· Ant. 394 : Δι' ὅρκων καίπερ ὢν ἀπώμοτος· OEd. T. 651 : Τὸν οὔτε πρὶν νήπιον νῦν τ' ἐν ὅρκῳ μέγαν· fr. ap. Stob. Fl. 28, 1 : Ὅρκοισι γάρ τοι καὶ γυνὴ φεύγει πικρὰν ᾠδῖνα παίδων. Hellad. Chrestom. Phot. cod. 279, p. 530, 15 : Ὁ στίχος ὁ καὶ παροιμιαζόμενος, Ὅρκους ἐγὼ γυναικὸς εἰς ὕδωρ γράφω, ἐστὶ μὲν Σοφοκλέους· τοῦτον δὲ παρῳδήσας ὁ Φιλωνίδης ἔφη, Ὅρκους δὲ μοιχῶν εἰς τέφραν ἐγὼ γράφω. Οἱ δὲ τὰς γυναῖκας σκώπτοντές φασιν, Ὅρκους ἐγὼ γυναικὸς εἰς οἶνον γράφω. Sic enim pro γυναικῶν εἰς οἶκτον Scaliger ex Athen. 10, p. 441, E, ubi Xenarchi versus citatur : Ὅρκον δ' ἐγὼ κτλ. Eur. Med. 754 : Τί δ' ὅρκῳ τῷδε μὴ μμένων πάθοις ; Aristoph. Lys. 183 : Πάρφαινε μὰν τὸν ὅρκον, ὡς ὀμιώμεθα· 187 : Τίν' ὅρκον ὁρκώσεις ποθ' ἡμᾶς ; Ach. 308 : Οἷσιν οὔτε βωμὸς οὔτε πίστις Οὔθ' ὅρκος μένει· fr. ap. Ammon. v. Ὑπάγω : Ἐγὼ δ' ὑπερῶ τὸν ὅρκον. Apoll. Rh. 2, 295 : Οἱ δ' ὅρκῳ εἴξαντες ὑπέστρεφον· 4, 388 : Μέγαν ἤλιτες ὅρκον· 1084 : Μεγάλοισιν ἐνίσχεται ἐξ ἕθεν ὅρκοις· 1205 : Ἀρρήκτοισι δ' ἐνιζεύξας ἔχεν ὅρκοις. Lycophr. 1243 : Ὅρκοις κρατήσας. Thuc. 5, 18 : Δικαίῳ χρήσθων καὶ ὅρκοις καθ' ὅ,τι ἂν ξύνθωνται. Xen. Anab. 3, 1, 20 : Ἄλλως πως πορίζεσθαι τὰ ἐπιτήδεια ... ὅρκους ἤδη κατέχοντας ἡμᾶς· H. Gr. 2, 4, 43 : Τοῖς ὅρκοις ἐμμένει ὁ δῆμος· Reip. Ath. 2, 17 : Τοὺς ὅρκους ἐμπεδοῦν.] Dem. p. 234, 10] : Τοὺς ὅρκους τὴν ταχίστην ἀπολαμβάνειν, Jusjurandum quamprimum exigere, Jurejurando obligare. Dicitur vero et Ὅρκοις καταλαμβάνειν τινὰ, pro eod. ap. Thuc. [4, 86.] Quo pertinet et illud [Il. X, 119 : Τρωσὶν δ' αὖ μετόπισθε γερούσιον ὅρκον ἕλωμαι·] Od. Δ, [746] : Ἐμεῦ δ' ἕλετο μέγαν ὅρκον Μὴ πρίν σοι ἐρέειν, Juramentum a me accepit, i. e. Jurejurando me obstrinxit. [Eur. Med. 162 : Μεγάλοις ὅρκοις ἐνδησαμένα τὸν κατάρατον πόσιν· Suppl. 1229 : Καὶ τόνδ' ἐν ὅρκοις ζεύξομαι· Iph. T. 788 : Ὦ ῥᾳδίοις ὅρκοισι περιβαλοῦσά με· Hel. 977 : Ὅρκοις κεκλήμεθα. Alias phrases v. supra.] Herodot. [6, 62] : Ὅρκους ἐπὶ τούτοισι ἐπήλασαν, In eam rem jusjurandum interposuerunt. [Id. 1, 146 : Διὰ τοῦτον τὸν φόνον αἱ γυναῖκες αὗται, νόμον θέμεναι σφίσι αὐτῇσι, ὅρκους ἐπήλασαν μήκοτε ὁμοσιτῆσαι τοῖσι ἀνδράσι, ubi male σφίσι αὐτῇσι cum ἐπήλασαν conjungi ab nonnullis monet Buttm. l. c. p. 58. Eadem signif. 6, 74 : Ἄλλους ὅρκους προσάγων σφι. Et contra Hom. Il. Ψ, 441 : Ἀλλ' οὐ μὰν οὐδ' ὧδ' ἄτερ ὅρκου οἴσῃ ἄεθλον.] Deducitur autem ὅρκος inde, unde ἕρκος, i. e. ab εἴργω : quoniam ὁ ὀμνύων καθείργνυταί πως οἷς ὁμολογεῖ, Eust. [Il. p. 233, 38], addens tamen, veteres quosdam ab ὅρος deducere, quoniam ὁρίζονταί τι οἱ ὁμολογητικῶς ὀμνύοντες. At Ὄρκος [Ὅρκος, ut semper apud Græcos, etsi Lat. Orcus nonnulli ab Ὅρκος duxerunt, aliis Orchus scribentibus : v. schol. Virg. Georg. 1, 276, ubi affertur Hesiodi l. proximus], filius Ἔριδος, Hesiod. [Op. 800 : Ἐν πέμπτῃ γὰρ Ἐρινύας ἀμφιπολεύειν ὅρκον γεινόμενον, τὸν Ἔρις τέκε πῆμ' ἐπιόρκοις. Eundem dicit 217 : Αὐτίκα γὰρ τρέχει ὅρκος ἅμα σκολιῇσι δίκῃσι· Th. 231 : Ὅρκον θ', ὃς δὴ πλεῖστον ἐπιχθονίους ἀνθρώπους πημαίνει, ὅτε κέν τις ἑκὼν ἐπίορκον ὀμόσσῃ. Quibuscum Buttm. Lexil. vol. 2, p. 56, 2, confert Pind. Nem. 11, 24 : Ναὶ μὰ γὰρ Ὅρκον ... κάλλιον ἂν δηριώντων ἐνόστησ' ἀντιπάλων· Pausan. 2, 2, 1 : Ὃς δ' ἂν ἐνταῦθα ἢ Κορινθίων ἢ ξένος ἐπίορκα ὀμόσῃ, οὐδεμία ἐστίν οἱ μηχανὴ διαφυγεῖν τοῦ ὅρκου, ubi ὅρκον jurisjurandi vindicem et perjurii esse ultorem monet. Debebat etiam Soph. OEd. C. 1767 : Ταῦτ' οὖν ἔκλυεν δαίμων ἡμῶν χὠ πάντ' ἀΐων

Διὸς ὅρκος. Hunc autem usum Buttman. repetit ex primitiva voc. Ὅρκος significat., quæ fuerit non Jusjurandum, sed Res per quam quis jurat, cujus exx. posuit p. 53 sq. Hom. Il. O, 38 : Ἴστω νῦν τόδε Γαῖα καὶ Οὐρανὸς εὐρὺς ὕπερθεν καὶ τὸ κατειβόμενον Στυγὸς ὕδωρ, ὅστε μέγιστος ὅρκος δεινότατός τε πέλει μακάρεσσι θεοῖσιν, de qua Hesiod. Th. 784 : Ἔνθα δὲ ναιετάει στυγερὴ θεὸς ἀθανάτοισι, δεινὴ Στύξ.... καί ῥ' ὅστις ψεύδηται Ὀλύμπια δώματ' ἐχόντων, Ζεὺς δέ τε Ἶριν ἔπεμψε θεῶν μέγαν ὅρκον ἐνεῖκαι τηλόθεν ἐν χρυσέῃ προχόῳ πολυώνυμον ὕδωρ, ψυχρὸν, ὅ τ' ἐκ πέτρης καταλείβεται ἠλιβάτοιο..... Τοῖον ἄρ' ὅρκον ἔθεντο θεοὶ Στυγὸς ἄφθιτον ὕδωρ· 400 : Τὴν δὲ Ζεὺς τίμησε, περισσὰ δὲ δῶρα ἔδωκεν· αὐτὴν μὲν γὰρ ἔθηκε θεῶν μέγαν ἔμμεναι ὅρκον· et Hom. Il. B, 755 : Ὅρκου γὰρ δεινοῦ Στυγὸς ὕδατός ἐστιν ἀπορρώξ (atque Pind. Ol. 7, 65 : Θεῶν δ' ὅρκον μέγαν μὴ παρφάμεν). Tum Archilochi ap. Orig. C. Cels. 2, p. 76 : Ὅρκον δ' ἐνοσφίσθης μέγαν, ἅλας τε καὶ τράπεζαν· Luciani Pro lapsu c. 5 : Ἡ τετρακτὺς ὁ μέγιστος ὅρκος αὐτῶν· De calumn. c. 17 : Μέγιστος ὅρκος ἦν ἅπασιν Ἡφαιστίων (Cratinus Chiron. ap. schol. Plat. p. 331 et Phot. v. Ῥαδαμάνθυος ὅρκος et al. : Οἷς ἦν μέγιστος ὅρκος ἅπαντι λόγῳ κύων, ἔπειτα χὴν, θεοὺς δ' ἐσίγων)· Vit. auct. c. 4 : Οὐ μὰ τὸν μέγιστον ὅρκον τὰ τέτταρα. Eodemque referri posse monuit Pind. Pyth. 4, 167 : Καρτερὸς ὅρκος ἄμμιν μάρτυς ἔστω Ζεὺς ὁ γενέθλιος· et l. Hom. supra citatos Il. A, 239, Υ, 313, adeoque Ψ, 42 : Ἐπὶ δ' ὅρκον ὄμοσσεν, οὐ μὰ Ζῆν' ὅστις κτλ., sed quorum hic quidem rectius refertur ad significat. Jurisjurandi. Sic denique Apoll. Rh. 3, 714 : Ἴστω, Κόλχων ὅρκος ὑπέρβιος, ὅντιν' ὀμόσσαι αὐτὴν ἐποτρύνεις, μέγας οὐρανὸς ἥ θ' ὑπένερθεν Γαῖα.] Est et Bithyniæ fluvius Arriano, qui perjurum verticibus involutum rapere credebatur, VV. LL. [Ex Eust. Il. p. 336, 12.] Hesychio ὅρκοι sunt etiam δεσμοὶ, σφραγῖδες [σφραγίδες. Hanc primitivam voc. signif. apparet originem præbuisse usitatæ Jurisjurandi].

[Ὀρκοσέλινον, τὸ, Apium. Glossæ Mss. botanicæ ex cod. Reg. 2690 : Ὀρκοσέλινον, τὸ πετροσέλινον. Ducang. Pro ὀρεοσέλινον.]

[Ὀρκοσφάλτης, ὁ, Qui jusjurandum fallit. Tzetz. Hom. 69, Πάνδαρον.]

[Ὁρκοῦρος. V. Ἑρκοῦρος. Ὅρκμον, quod v., confert Jacobs. ad Anthol. vol. 6, p. 146, variatque scriptura similiter inter ἐργάνη et ὀργάνη.]

Ὁρκόω, Caveo ab aliquo jurejurando, ut Bud. interpr. [Aristoph. Lys. 187 : Τίν' ὅρκον ὁρκώσεις ποθ' ἡμᾶς;] Thuc. [8, 75]: Ὥρκωσαν τοὺς στρατιώτας τοὺς μεγίστους ὅρκους, Ad maximum jusjurandum adegerunt. Id. [4, 74] : Ὁρκώσαντες πίστεσι μεγάλαις [μηδὲν μνησικακήσειν], schol. εἰς ὅρκους ἐμβαλόντες. [Babrius Fab. 2, 5 : Πάντας ὁρκώσων.] Plut. Popl. [c. 2] : Ἐβούλετο διὰ σφαγίων ὁρκῶσαι τὴν βουλὴν, Jurejurando senatum astringere. [Galbæ c. 10 : Ὥρκωσε πρῶτος εἰς Γάλβαν. Pass. Polemo ap. Macrob. Sat. 5, 19 : Τοῖς ὁρκουμένοις, et ibid. ὁ ὁρκούμενος. V. Ὁρκίζω et Ὁρκωτής.]

[Ὅρκυνος s. Ὄρκυνος. V. Ὅρκος.]

[Ὀρκύπτω, In pedes erectus emineo super alios. Suidas : Ὤρκυπτεν, ὑπερέκυπτεν ἐπαιρόμενος· Ὤρκυπτον, ἔβλεπον μετεωριζόμενοι. Hesychius : Ὀρκύπτειν (sic), τὸ ὑπερκύπτοντας ἰδεῖν τι, τὸ ἐκτείνειν ἑαυτὸν, καὶ ἐπ' ὀνύχων ἵστασθαι. V. Ὀρικυπτέω. Ὁρκύπτεσθαι, Photio ὑπερκύπτειν ἐπ' ὀνύχων ἱστάμενον.]

[Ὅρκυς, ῡνος, ὁ.] Ὅρκυνες, Aristoteli H. A. 5, 10, Pisces sunt qui in pelago pariunt. Hesych. habet Ὅρκυνος, non Ὁρκὺς, dicens et ipse Piscis genus esse: Ælianus Ὄρκυνος, 1, 42, cetaceum piscem esse scribens. Sic Plin. sub fin. l. 32 : Orcynus pelamidum generis maximus est, neque redit in Mæotin, similis tritoni, vetustate melior. Apud Athen., ut ap. Hesych., δασέως scriptum ὅρκυνος : ap. quem l. 7, [p. 303, B] Sostratus dicit τὴν πηλαμίδα γινομένην θύννον vocari θυννίδα, ἔτι δὲ μείζονα, ὅρκυνον· ὑπερβαλλόντως δὲ αὐξανομένην γίνεσθαι κῆτος. Sic ibid. [p. 301, F] Archestratus, Θύννον ἁλισκόμενον σπουδῇ μέγαν, ὃν καλέουσιν Ὅρκυνον, ἄλλοι δ' αὖ κῆτος. [Ὅρκυν vel ὅρκην libri meliores. Ὄρκυν' Meinek. Philol. Exerc. spec. 1, p. 26, ut in fr. Anaxandridis ap. Athen. 4, p. 131, E : Κτένες, ὅρκυνες, ubi liber unus ὅρκυνες. Sed spiritus lenis ab librariis, ut in aliis vocc. nonnullis ab ορ incipientibus, in asperum videtur mutatus.]

[Ὅρκωμα, τὸ, i. q. ὅρκος. Æsch. Eum. 486 : Ἀρωγὰ τῆς δίκης ὁρκώματα.]

Ὁρκωμοσία, ἡ, i. q. ὁρκωμόσιον, [Juratio, add. Gl.] Plut. Thes. [ap. quem non hoc est, sed Ὁρκωμόσιον, quod v. Pollux 1, 38, nisi scripserat ὁρκωμόσια. Ad Hebr. 7, 20.]

Ὁρκωμόσιον, τὸ, Jusjurandum, [Sacramentum, Gl. Hesychius : Ὅρκια, ἤτοι ὁρκωμόσια.] Bud. ex Plat. Phædro [p. 241, A : Ἐπὶ τὰ τῆς προτέρας ἀνοήτου ἀρχῆς ὁρκωμόσιά τε καὶ ὑποσχέσεις], Comm. p. 121. || Ὁρκωμόσια, τὰ, Sacrificia, in quibus fiebant fœdera, VV. LL. [Hesychio θύματα ἐφ' ὧν οἱ ὅρκοι γίνονται. Plato Critiæ p. 120, B : Ἐπὶ τὰ τῶν ὁρκωμοσιῶν καύματα. Inscr. Smyrn. ap. Bœckh. vol. 2, n. 3137, p. 693, 82 : Τὰ ἱερεῖα τὰ εἰς τὰ ὁρκωμόσια. L. D. || Locus Athenis sic dictus ap. Plut. Thes. c. 26 : Τοῦ τὸν πόλεμον εἰς σπονδὰς τελευτῆσαι μαρτύριόν ἐστιν ἥ τε τοῦ τόπου κλῆσις τοῦ παρὰ τὸ Θησεῖον, ὅνπερ Ὁρκωμόσιον καλοῦσιν, de Amazonum cum Athen. bello.]

Ὁρκωμοτέω, Juro in sanciendis fœderibus, Bud. ex Luciano [Tox. c. 50. Utitur eodem Æsch. Sept. 46 : Ἄρη τ' Ἐνυὼ καὶ φιλαίματον Φόβον ὡρκωμότησαν· Eum. 764 : Ἐγὼ δὲ χώρᾳ τῇδε καὶ τῷ σῷ στρατῷ τὸ λοιπὸν εἰς ἅπαντα πλειστήρη χρόνον ὁρκωμοτήσας. Soph. Ant. 265 : Θεοὺς ὁρκωμοτεῖν τὸ μήτε δρᾶσαι μήτε τῳ ξυνειδέναι. Eur. Suppl. 1190 : Πάσης ὑπὲρ γῆς Δαναϊδῶν ὁρκωμοτῶν. Lycophr. 937 : Ἀλοῖτιν ἔτλη ὁρκωμοτῆσαι. Ex Aristophanis Babyloniis citat Photius, et ponit Pollux 1, 38.]

[Ὁρκωμοτήριον, τὸ, Juramentum. Niceph. Greg. Hist. Byz. 8, 4, p. 185, F : Ὁρκωμοτήρια φρίκης μεστὰ ξυνετίθουν τε καὶ ἐδίδοσαν.]

Ὁρκωμότης, ὁ, Jurejurando astrictus, VV. LL. [Photius : Ὁρκῶντας (Ὁρκωτὰς), οὐχὶ ὁρκιστὰς οὐδὲ ὁρκωμότας λέγουσιν. Ponit tamen Pollux 1, 38. Sed omittit cod.]

Ὁρκωμοτικὸς, ή, όν, [Qui jurijurando adhibetur. Schol. Lycophr. 707, ubi ὁρκωμότοις dicit poeta, ponit ὁρκωμοτικούς. L. D.] ut ὁρκ. ἐπιρρήματα ap. gramm., Adverbia jurandi s. affirmandi adhibito juramento, ut νὴ μὰ, ναὶ μὰ, νὴ τὸν Δία. [Eust. Il. p. 92, 17. Adv. Ὁρκωμοτικῶς, ibid. p. 53, 17. || « Ὁρκωμοτικὸν, Sacramentum. Describitur in cod. Colberteo 4590 : Ὁρκωμοτικὸν τῶν καθολικῶν κριτῶν, γεγονὸς κατὰ ὃν χρόνον ἐσφραγίσθησαν. Cui subnectitur πρόσταγμα ὁρκωμοτικὸν Imperatoris. » Ducang.]

[Ὁρκώμοτος, ὁ, ἡ, Per quem juratur. Lycophr. 707 : Στυγὸς κελαινῆς νασμὸν, ἔνθα Τερμιεὺς ὁρκωμότους ἔτευξεν ἀφθίτους ἕδρας.]

[Ὁρκωτής, ὁ.] Ὁρκωταὶ, Legati qui ad exigendum jusjurandum mittuntur. Xen. Hell. 6, [5, 3] : Ἐξέπεμψαν τοὺς ὁρκωτὰς, καὶ ἐκέλευσαν τὰ μέγιστα τέλη ἐν ἑκάστῃ πόλει ὁρκῶσαι, Maximos quosque magistratus civitatum ad jusjurandum adigere, Bud. [Antiphon p. 143, 8 : Τοῦ ὁρκωτοῦ ἀκούουσιν. Maccab. p. 514, 18 : Οἱ ὁρκωταὶ, et οἱ ὡρκωμένοι. Valck. Polemo ap. Macrob. Sat. 5, 19. Hesychio ὁ ὁρκίζων. V. seq. voc.]

[Ὁρκωτὸς, Juratus, Gl. Ap. Polluc. 1, 38, pro ὁρκωτοὺς, cod. Voss. ὁρκώτας, i. e. ὁρκωτάς.]

[Ὁρμάζω, Despondeo, ab ὅρμος, Monile, quia arræ sponsaliorum in monilibus plerumque consistebant, inquit Salmasius. Hesychius : Κάθορμα, τὰ ἔνορμα περιθέματα ἀρραβωνιακὰ ἢ κόσμια περιτραχήλια. Idem : Ἔνορμος, ἡ ἄρρα παρὰ Θετταλοῖς. Perperam ὦρα ed. Alii pro ἁρμόζειν dictum volunt. Glossæ Græcolat. : Ἁρμοστὴς γάμου, Sponsus; Ἁρμοστὴ, Sponsa; Ἅρμοστρα, Sponsalia. Qua quidem notione vox ἁρμόζειν usurpatur a Basilio Sel. et aliis in illo citatis. Jam vero de voce ὁρμάζειν Lex. Ms. ex cod. Reg. 1843 : Ὁρμάσθησαν ἀντὶ τοῦ ἁρμόσθησαν. (Etiam Etym. M. p. 631, 49, ὅρμασται ponit sine augmento et pro ἥρμοσται dictum opinatur. L. D.) Theophan. a. 1 Heraclii : Ἦν δὲ Ἡράκλειος ὁρμασάμενος Εὐδοκίαν τὴν θυγατέρα Ῥωγάτου. Vita Ms. S. Euphrosynæ : Ὁ ὁρμασάμενος αὐτήν. Rursum : Ὁ πενθερὸς νύμφην, ὁ νεανίας τὴν ὁρμαστὴν, αἱ δοῦλαι τὴν δέσποιναν ... θρηνῶν ἔλεγε. Canon Pœnitent. Ms. : Εἴ τις ἱερεὺς κληθῇ εἰς τὸ ὁρμάσαι γάμον. Martyr. S. Pelagiæ n. 14 : Ταῦτα ἀκούσασα ἡ μήτηρ αὐτῆς, ἀπέστειλε παραυτὰ πρὸς τὸν υἱὸν Διοκλητιανοῦ, λέγουσα ὅτι ἡ ὁρμαστή σου τῷ θεῷ τῷ Χριστιανῶν ὁρμάσθη. Et n. 16 : Τότε δεύτερον ὅτι ἑαυτὴν ἐξέδωκα ὁρμασθεῖσα τῷ κυρίῳ. Ita ὁρμαστή, Sponsa, n. 4, ὁρμαστὸς, Sponsus, n. 11, 13. Jus Orientale : Εἴ τις ὁρμάσῃ γυναῖκα. Ducang. Qui ex script. græcobarb. affert etiam Ὁρμασία de Sponsalibus s. Desponsatione. Est autem v. Ὁρμάζω jam ap. Epiphan. Hær. 78, 13, et Ὁρμαστὸς 78, 16. Quorum prius indicavit etiam Ducang. in App. p. 147, addiditque « Ephræm. Ms. cod. Reg. fol. 159 : Νεανίσκος τις ἦν ἔν τινι χώρᾳ, καὶ ὁρμάσατο ἑαυτῷ τρεῖς παρθένους. Epiphan. seu alius De laudibus Deiparæ : Ὥρμα τὴν παρθένον εἰς τὸν μονογενῆ υἱόν. » Add. Act. SS. Mart. vol. 2, p. 730, E, F, ubi ὁρμασάμενος et ὁρμαστοῦ. Alia forma anon. in Cram. An. Paris. vol. 4, p. 341, 1 : Εἰς τὸ πρὸς τὴν ὁρμωτόν. Τῆς ὁρμωτοῦ τὸ κάλλος ἐξησκημένος χρυσοῦς τις ὅρμος ὥσπερ αὐγάζει χθόνα. Hic igitur, si Sponsam dicit, duxit ab ὅρμος. L. Dind.]

Ὁρμαθίζω, affertur pro In modum catenæ connecto. [Ex Hesychio v. Πινακοπώλης, ὀρνιθοπώλης· τίλλοντες γὰρ αὐτὰ καὶ τιθέντες ἐπώλουν τὰ λεπτὰ ὁρμαθίζοντες· et Photio s. Suida v. Μασχαλίσματα, nisi quod ap. Photium male ὁρμάσαντες pro ὁρμαθίσαντες.]

[Ὁρμάθιον, τὸ, diminut. sequentis ὁρμαθὸς, apud schol. Dionys. in Bekk. An. p. 794, 21. L. Dind.]

Ὁρμᾰθὸς, ὁ, Ordo, Series [Gl.], Catena, s. Series catenata : ut ὁρμ. μελῶν, Ordines carminum, Aristoph. [Ran. 914.] Et ὁρμ. κριβανιτῶν, Series panum clibano incoctorum, Pl. [765. Lys. 647 : Ἰσχάδων ὁρμαθόν.] Sic Xen. Cyrop. [6, 3, 2] : Πολλοὺς ὁρμαθοὺς ποιούμενος τῶν ἁμαξῶν, Multos ordines, Multas series. [Plat. Ion. p. 533, E : Ὁρμ. μακρὸς σιδηρίων καὶ δακτυλίων ἐξ ἀλλήλων ἤρτηται· et ib. ἐνθουσιαζόντων ὁρμ. et 536, A. Aristot. De anima 2, 8, ψάμμου· H. A. 6, 1, νεοττιῶν. « Theophr. Char. 7, 6, γραμματιδίων. Figurate Eust. Il. p. 500, 29; 690, 17; 934, 25 ed. Bas. » Valck.] Et in Proverb. ὁρμαθὸς κακῶν, Catenata malorum series, ut Ovid. Catenatos labores : ap. Suid. : Τοσοῦτον ὁρμαθὸν κακῶν συνειληφὼς, ἔκρυψε τὰ τοῦ Τιβερίου μειονεκτήματα. [Νυκτερίδων ὁρμαθῷ cœtus Christ. confert Celsus C. Orig. 4, p. 175, 8. Valck. V. l. Hom. continuo citandum, quem respiciens Celsus sequenti signif. dixisse videtur.] || Hesychio ὁρμαθὸς est non solum στίχος, et χορὸς, sed etiam φωλεὸς, Latibulum, Lustrum. [Hom. Od. Ω, 8 : Ἐπεί κέ τις ἀποπέσῃσιν ὁρμαθοῦ ἐκ πέτρης (νυκτερίς). De accentu acuto Arcad. p. 49, 19. De spiritu Lex. De spirit. p. 235 : Ὁρμαθὸς παρά τισι ψιλοῦται.]

Ὁρμάθω, Tendo, Eo, ex ὁρμάω, Eur. [Med. 189, ubi ὁρμαθῇ conjunct. aor. med. forma Dor.]

Ὁρμαίνω, ab ὁρμὴ derivatum, verbum poeticum significans interdum quidem i. q. ὁρμῶ, Impetu feror, Ruo, Prorumpo. Hom. Il. [A, 193 : Ἕως ὁ ταῦθ' ὥρμαινε κατὰ φρένα καὶ κατὰ θυμόν·] K, [28] : Ἤλυθον ἐς Τροίην, πόλεμον θρασὺν ὁρμαίνοντες· pro ὁρμῶντες εἰς πόλεμον, Eust. Idem in hoc Od. Γ, [169] versu : Ἐν Λέσβῳ δ' ἔκιχεν δολιχὸν πλόον ὁρμαίνοντας, ait ὁρμαίνοντας significare posse ὁρμῶντας : aut διαλογιζομένους : ut in hoc l. [Il. Φ, 137] : Ὥρμηνεν δ' ἀνὰ θυμόν. [Ω, 680 : Ὁρμαίνοντ' ἀνὰ θυμόν.] Ac certe multo frequentior est hæc signif., sc. pro In animo verso, Cogito. Sic in eod. illo Il. K, [4] : Πολλὰ φρεσὶν ὁρμαίνοντα. Et Od. [H, 83 : Πολλὰ δέ οἱ κῆρ ὥρμαιν' ἱσταμένῳ·] Σ, [344] : Ἀλλά δέ οἱ κῆρ Ὥρμαινε φρεσὶν ᾖσιν. [Apoll. Rh. 3, 18 : Τοῖα μετὰ φρεσὶν ὁρμαίνουσαν· 451 : Πολλὰ δὲ θυμῷ ὥρμαινε.] Et Il. Π, [435] : Διχθὰ δέ μοι κραδίη μέμονε φρεσὶν ὁρμαίνοντι. [Pind. Ol. 3, 26 : Πορεύειν νιν θυμὸς ὥρμαινε, ubi active dictum pro παρώρμησε, ut interpr. schol., ut ap. Æsch. Ag. 1388 : Τὸν αὑτοῦ θυμὸν ὁρμαίνει πεσών. Bacchylid. fr. ap. Athen. 2, p. 39, F : Ὡς πίνοντος ὁρμαίνει κέαρ.] Od. Δ, [789] : Ὁρμαίνουσ' εἴ οἱ θάνατον φύγοι υἱὸς ἀμύμων. [Pind. Ol. 8, 41 : Ἔννεπε δ' ἀντίον ὁρμαίνων τέρας εὐθὺς Ἀπόλλων· 13, 81 : Καὶ ὁ καρτερὸς ὁρμαίνων ἕλε Βελλεροφόντας. Simonid. Iamb. fr. 2, 6 : Ἐλπὶς δὲ πάντας κἀπιπειθίη τρέφει ἄπρηκτον ὁρμαίνοντας. Æsch. Sept. 394 : Βοὴν σάλπιγγος ὁρμαίνει κλύων. || Infinitivo jungit Apoll. Rh. 3, 620 : Οὔ τι μάλ' ὁρμαίνοντα δέρος κριοῖο κομίσσας.] In illo autem l. Il. K, [28] : Πόλεμον θρασὺν ὁρμαίνοντες, redditur ὁρμαίνοντες et verbo Molientes. [Od. Γ, 151 : Χαλεπὰ

A φρεσὶν ὁρμαίνοντες ἀλλήλοις· Δ, 732 : Εἰ γὰρ ἐγὼ πυθόμην ταύτην ὁδὸν ὁρμαίνοντα· 843 : Τηλεμάχῳ φόνον αἰπὺν ἐνὶ φρεσὶν ὁρμαίνοντας· 793 : Τόσσα μιν ὁρμαίνουσαν.] Exp ὁρμαίνω et verbo Concito, quæ signif. minus remota est, sed absque exemplo. [V. l. Pind. supra citatum.]

[Ὁρμανὸν, ἀνεστηκὸς, χαλεπὸν, Hesychio.]

[Ὁρμασιὰ, ἡ, Scala musices. Cod. inscr. Palat. Heidelberg. n. 281 fin., ubi scripta de musica. Creuz.]

[Ὁρμάστειρα, ἡ, ap. Orph. H. 31, 9 : Ὁρμάστειρα, φιλοίστρε κακοῖς, ἀγαθοῖς δὲ φρόνησις, Incitatrix.]

[Ὁρμαστός. V. Ὁρμάζω.]

[Ὅρμαστρα, τὰ, Sponsalia, Desponsatio. Comment. Ms. apocryphus S. Joannis Theologi de Jesu Christo s. Acta Pilati : Καὶ γὰρ εἰς τὰ ὅρμαστρα αὐτῶν Ἰωσὴφ καὶ Μαρίας παραγεγόναμεν. Perperam scriptum in cod. Colberteo δμαστρα. Ducang.]

[Ὁρμάται, οἱ ἀνδροκτόνοι. Σκύθαι, Hesych.]

Ὁρμάω, Impetu feror, [Impetum facio, Gl.] Ruo, [Peto, huic add. Gl.] Irruo, Prorumpo. [Pergo, Proficiscor, Gl.] Hesiod. Sc. [403] : Ὡς δὲ λέοντε δύω ἀμφὶ
B κταμένης ἐλάφοιο Ἀλλήλοις κοτέοντε ἐπὶ σφέας ὁρμήσωσι. Cui versui hunc subjungit, Δεινὴ δέ σφ' ἰαχὴ, ἀραβός θ' ἅμα γίνετ' ὀδόντων. [Cum genit. Hom. Il. Δ, 335 : Ὁππότε πύργος Ἀχαιῶν ἄλλος ἐπελθὼν Τρώων ὁρμήσειε. Æsch. Cho. 529 : Ἐν σπαργάνοισι παιδὸς ὁρμῆσαι δίκην. —Τίνος βορᾶς χρῄζοντα; Eur. Or. 1289 : Τάχα τις Ἀργείων ἔνοπλος ὁρμήσας· Suppl. 1015 : Ἔνθεν ὁρμάσω τᾶσδ' ἀπὸ πέτρας. Aristoph. Thesm. 953 : Ὅρμα, χώρει.] Thuc. : Ὥρμησαν ἐπ' αὐτούς. Plut. : Ἐπὶ τύραννον ὥρμησαν τοῖς ἵπποις· Popl. [c. 19] : Διὰ μέσων ὁρμήσασα τῶν μαχομένων ἔφυγε· ut Lat. Ruere in aciem. Dicunt vero et ὁρμᾶν ἐς φυγὴν, quo genere loquendi utitur Xen. Cyrop. 4, [2, 28] quod redditur In fugam se proripere. Sed malim, eod. illo verbo utens, interpretari In fugam ruere, ut loquitur Liv. [H. Gr. 6, 5, 7 : Εἰς μάχην ὥρμησαν. Æsch. Pers. 394 : Ἐς μάχην ὁρμῶντες εὐψύχῳ θράσει. Eur. Med. 1177 : Ἡ μὲν ἐς πατρὸς δόμους ὥρμησεν· Phœn. 259 : Ἐς ἀγῶνα τόνδ' ἔνοπλος ὁρμᾷ· Suppl. 1221 : Δαναϊδῶν ὁρμᾶν στρατὸν ἑπτάστομον πύρ-
C γωμα Καδμείων ἔπι· fr. ap. Clem. Al. Strom. 4, p. 536 : Μήτ' εἰς ἀδίκους πράξεις ὁρμῶν. Xen. Anab. 3, 4, 33 : Πολὺ διέφερον ἐκ χώρας ὁρμῶντες ἀλέξασθαι, ubi medium ponit Suidas, quod usitatius in tali loco, ut infra dicemus, non tamen necessarium est. Ib. 4, 3, 31 : Ὥρμησαν δρόμῳ ἐπ' αὐτούς· 5, 7, 25 : Ὡς εἶδον ὁρμῶντας καθ' αὑτούς· Cyrop. 7, 1, 17 : Ὅρμα εἰς τοὺς ἄνδρας· H. Gr. 3, 4, 12 : Νομίσας ἐπὶ τὸν αὑτοῦ οἶκον αὐτὸν ὁρμήσειν· 13 : Ἔπειτα μέντοι πρόσθεν ὥρμησαν οἱ βάρβαροι. De navigantibus Xen. H. Gr. 1, 3, 2 : Ἐκεῖθεν ἐπὶ Καλχηδόνα καὶ Βυζάντιον ὁρμήσαντες· 6, 20 : Ἡ μὲν ἐπὶ Ἑλλησπόντου ὥρμησεν.] Dicitur etiam ὁρμᾶν πρὸς πόλεμον a Dem., sed in VV. LL. exp. Bellum movere, suscipere : sc. Bellum movere, ap. Dem.; at Bellum suscipere, ap. Plut. Ibid. ex Æschine, Ὁρμᾶν ἐπὶ τὴν παράταξιν. Et ex Theophr. : Ὁρμᾷ πρὸς τὸ βέλτιστον ἡ φύσις, pro Natura spectat quod est optimum. Rursum ex Plut. : Ὥρμησε πρὸς τὴν ἐμπορίαν, pro Ad mercaturam se contulit. Et ὁρμᾶν εἰς ἀποστάσεις ex Galen. Ad Glauc., pro In abscessus exire et evadere. Quinetiam
D ὁρμᾶν ἐπὶ τοῦτον τὸν λόγον, ex Isocr. [Id. p. 312, B : Ἐπὶ τὰ μαθήματα καὶ τὴν παιδείαν ὁρμῶντες.] At ὁρμήσαντες sine adjectione positum Polit., aptissime meo quidem judicio, vertit, Impetu facto : quum hæc Plutarchi in Amat. Narr. [p. 774, E] verba, Καὶ ὁρμήσαντες ἀπέκτειναν τὸν Φῶκον, interpr. Phocumque ipsum facto impetu interemerunt. Bud. autem ὁρμῶ ait significare quum alia, tum vero Incitor, Cieor : et ὁρμᾶν dici equum a Xen. [Eq. 8, 7 : Ὁρμῶντος ἐξαίφνης ἵππου], quum ad cursum cietur et prosilit repente : equitem vero eum cientem calcaribus, ἐξορμᾶν dici. [Ib. 9, 8 : Τοῦ εἰς τὸ τάχιστον ὁρμᾶν (ἵππον θυμοειδῆ). De equitibus Hipparch. 4, 14 : Ἐκεῖσε ὁρμᾶν ὅπου ἂν ἀσθενῆ τὰ τῶν πολεμίων ᾖ· 8, 23 : Ὁρμᾶν μὲν ἐκ τῶν ἀναστροφῶν βραδέως. Cum accus. Eur. Hipp. 829 : Πήδημ' ἐς ᾅδου κραιπνὸν ὁρμήσασά μοι. Xen. Anab. 3, 1, 8 : Μέλλοντος ἤδη ὁρμᾶν τὴν ἄνω ὁδόν· Cyrop. 8, 6, 20 : Ὥρμα δὴ ταύτην τὴν στρατείαν.]

|| Ὁρμάω, cum infin., Impetum capio. Plut. : Ὥρμησεν ἑαυτὸν ἀνελεῖν, Impetum cepit interficiendi sui,

Bud. Sed addit esse etiam In animum induco, Converto animum, Facere gestio, Cupio, Cœpi. Et affert ex Xen. Apomnem. 3, [7, 9] : Οἱ γὰρ πολλοὶ ὡρμηκότες ἐπὶ τὸ σκοπεῖν τὰ τῶν ἄλλων πράγματα, οὐ τρέπονται ἐπὶ τὸ ἑαυτοὺς ἐξετάζειν, pro τετραμμένοι, inquit, Qui animum appulerunt. Sic Plato De rep. 9, [p. 582, C] : Ἀλλὰ τιμὴ, ἔφη, ἐάν περ ἐξεργάζωνται ἐπὶ ὃ ἕκαστος ὥρμηκε, πᾶσιν αὐτοῖς ἕπεται, Quod quisque instituit et capessit. Affert ex Eod. [immo e Xen. Comm. 2, 1, 28] : Εἴτε διὰ πολέμου ὁρμᾷς αὔξεσθαι. Addit vero et pass. ὁρμῶμαι dici pro eod., ut docebo infra. Hæc Bud. Sed ut ὁρμᾶν redditur alicubi Impetum facere, alicubi vero et Impetum capere, sic etiam interpr. quidam nonnullis in ll. Impetum converto. Apud Plut. autem redditur ὥρμησεν verbo Instituit : qua signif. alioqui dicitur potius passive ὡρμήθη. Reperitur porro ὁρμᾶν cum infin. ap. Hom. quoque. [Il. N, 64 : Ὥστ' ἴρηξ, ὅς ῥά τε ... ὁρμήσῃ πεδίοιο διώκειν ὄρνεον ἄλλο· X, 194 : Ὁσσάκι δ' ὁρμήσειε πυλάων ἀντίον ἀΐξασθαι· et alibi sæpe. Soph. Ant. 133 : Βαλβίδων ἐπ' ἄκρων ἤδη νίκην ὁρμῶντ' ἀλαλάξαι. Herodot. 1, 76 : Πρὶν δὲ ἐξελαύνειν ὁρμῆσαι τὸν στρατόν· 7, 150 : Πρότερον ἤπερ ὁρμῆσαι στρατεύεσθαι ἐπὶ τὴν Ἑλλάδα. Xen. Anab. 3, 4, 44 : Ὥρμησαν ἁμιλλᾶσθαι ἐπὶ τὸ ἄκρον· Comm. 1, 2, 39 : Ὡρμηκότε προεστάναι τῆς πόλεως.]

|| Ὁρμάω, transitivum, pro Cieo, Incito, Concito, Moveo : sicut ὁρμῶ neutrum pro Cieor et Incitor accipi dictum est supra. Hom. [Il. Z, 338 : Νῦν δέ με ... ἄλοχος ... ὥρμησ' ἐς πόλεμον·] Od. Σ, [375] : Εἰ δ' αὖ καὶ πόλεμόν ποθεν ὁρμήσειε Κρονίων Σήμερον, Eust. κινήσειεν : addens, καὶ κατὰ τοὺς ὕστερον εἰπεῖν, παρορμήσειε. Quibus subjungit, Διχῶς οὖν τὸ Ὁρμήσειν, ἰδιοπαθῶς τε κατὰ τοὺς μεθ' Ὅμηρον, ἀντὶ τοῦ κινηθήσεσθαι, καὶ ἑτεροίως, ἀντὶ τοῦ κινήσειν. [Pind. Ol. 11, 22 : Θήξαις δέ κε φύντ' ἀρετᾷ ποτὶ πελώριον ὥρμασε κλέος ἀνὴρ θεοῦ σὺν παλάμᾳ. Soph. Aj. 175 : Ἦ ῥά σε Ἄρτεμις ὥρμασε πανδάμους ἐπὶ βοῦς ; Eur. Phœn. 1063 : Καδμείαν μέριμναν ὁρμήσασ' ἐπ' ἔργον· Hec. 145 : Πῶλον ἀφέλξων σῶν ἀπὸ μαστῶν ἔκ τε γεραιᾶς χερὸς ὁρμήσων· Or. 352 : Ὦ χιλιόναυν στρατὸν ὁρμήσας εἰς γῆν Ἀσίαν.] Sic autem ex Herodoto [8, 106] affertur ὁρμᾶν τὸ στράτευμα transitive, pro Movere exercitum : et ὁρμᾶν πόδα ex Aristoph. [Ran. 478], Movere pedem. [Id. Eccl. 6 : Ὦ λαμπρὸν ὄμμα τοῦ τροχηλάτου λύχνου ... ὅρμα φλογὸς σημεῖα τὰ ξυγκείμενα· Lys. 1247 : Ὅρμαον τῶς κυρσανίως, ὦ Μναμοσύνα, τάν τ' ἐμὰν μῶαν. Xen. Eq. 7, 17 : Πρὸς τὸ θᾶττον αὐτὸν ὁρμάτω· 18 : Ὁρμῆσαι ἐξαίφνης εἰς τὸ τάχιστον.]

|| At Ὁρμῶμαι, pass. significat Ad aliquid agendum impetum cepi, et incitatus sum, et converti animum, inquit Bud., quum tamen in exemplis quæ profert, sit præt. ὥρμημαι, non autem præsens ὁρμῶμαι. [Hom. Il. Γ, 142 : Ὡρμᾶτ' ἐκ θαλάμοιο· E, 855 : Ὡρμᾶτο ἔγχεϊ Φ, 572 : Ἐν δέ οἱ ἦτορ ἄλκιμον ὡρμᾶτο πτολεμίζειν· et aor. forma media Θ, 511 : Μήπως φεύγειν ὁρμήσωνται, et cum genit., ut in activo diximus, Φ, 595 : Πηλείδης δ' ὡρμήσατ' Ἀγήνορος. (Oppian. Hal. 3, 119 : Τοῦ δὲ διαΐγδην ὀφίων νόμον ὁρμηθεῖσαι, cit. Wakef.) Sed multo frequentius passiva, ut N, 182 : Τεῦκρος δ' ὡρμήθη, μεμαὼς ἀπὸ τεύχεα δῦσαι· et cum genitivo Ξ, 488 : Ὡρμήθη δ' Ἀκάμαντος· et cum inf. K, 359 : Τοὶ δ' αἶψα διώκειν ὡρμήθησαν· et cum dat. N, 496 : Αὐτοσχεδὸν ὡρμήθησαν μακροῖσι ξυστοῖσι. Et alibi sæpe similiter. Hesiod. Sc. 73 : Τίς κεν ἐκείνῳ ἔτλη ... κατεναντίον ὁρμηθῆναι ; Pind. Nem. 1, 5 : Σέθεν ἁδυεπὴς ὕμνος ὁρμᾶται θέμεν αἶνον. Æsch. Prom. 337 : Ὁρμώμενον δὲ μηδαμῶς μ' ἀντισπάσῃς· Sept. 31 : Ἔς τ' ἐπάλξεις καὶ πύλας ... ὁρμᾶσθε· Pers. 147 : Ἀλλ' ἥδε ... ὁρμᾶται μήτηρ βασιλέως· 503 : Ὅστις μὲν ἡμῶν, πρὶν σκεδασθῆναι θεοῦ ἀκτῖνας, ὡρμήθη· Eum. 93 : Τόδε ... σέβας, ὁρμώμενον βροτοῖσιν εὐπόμπῳ τύχῃ· 1029 : Τὸ φέγγος ὁρμάσθω πυρός· Cho. 941 : Ὁ πυθοχρήστας (scribendum πυθόχρηστος) φυγὰς θεόθεν εὖ φραδαῖσιν ὡρμημένος. Soph. El. 70 : Πρὸς θεῶν ὡρμημένος· Aj. 47 : Νύκτωρ ἐφ' ὑμᾶς δόλιος ὁρμᾶται μόνος. Eur. Suppl. 584 : Ὁρμᾶσθαι χρεὼν πάντ' ἄνδρ' ὁπλίτην. Aristoph. Pl. 257 : Οὔκουν ὁρᾷς ὁρμωμένους ἡμᾶς πάλαι προθύμως· Eccl. 490 : Ὅθενπερ εἰς ἐκκλησίαν ὡρμώμεθα. Herodot. 1, 41 : Παιδὸς τοῦ ἐμοῦ ἐς ἄγρην ὁρμεωμένου. Xenoph. Cyrop. 4, 3, 16 : Ἐξ ἴσου τῳ θεῖν ὁρμηθεὶς ἀνθρώπων· H. Gr.
A 6, 4, 9 : Ἀπιέναι ὡρμημένων. Cum partic. Comm. 3, 7, 5 : Καὶ σὲ διδάξων ὥρμημαι.] Profert enim ex Plat. De rep. 9, [p. 581, A] : Τί δὲ τὸ θυμοειδές ; οὐ πρὸς τὸ κρατεῖν μὲν καὶ νικᾶν καὶ εὐδοκιμεῖν δεῖ ὅλον ὡρμῆσθαι ; Et e Xen. Apomnem. 2, [6, 28] : Ὅλως δὲ ὥρμημαι ἐπὶ τὸ φιλῶν τε αὐτοὺς ἀντιφιλεῖσθαι ὑπ' αὐτῶν καὶ ποθῶν ἀντιποθεῖσθαι. Interpretatur præterea Institui, item Constitui ; nam ap. Gregor., Ὅπερ ὡρμήθη λέγειν ὁ λόγος, vertit Quod dicere instituimus in hac oratione. Apud Isocr. autem [p. 226, E] : Ἔχοι δ' ἄν τις μὴ σπεύδειν, ὡρμημένος πολλὰ καὶ μεγάλα περὶ τῆς ὁσιότητος αὐτῶν διελθεῖν, reddit, Qui dicere constituisset. Verum ὥρμημαι cum infin. redditur et aliter. Thuc. [3, 92] : Ὥρμηντο τὸ χωρίον κτίζειν, Incesserat cupiditas. Apud Eund. ὥρμημαι sequente itidem infin. redditur et Paratus sum, vel Paro, ut dicitur Latine, Paro hoc facere. [Herodot. 4, 16 : Τῆς γῆς, τῆς πέρι ὅδε ὁ λόγος ὥρμηται λέγεσθαι· et 6, 86. Et de dicente 5, 50 : Τὸν ἐπίλοιπον λόγον, τὸν ὥρμητο λέγειν· et 9, 91. Denique 7, 22 : Τὰς νησιώτιδας ἀντὶ ἠπειρωτίδων ὥρμητο ποιέειν· 1, 158 :
B Ὡρμέατο ἐκδιδόναι· ὁρμεωμένου δὲ ταύτῃ τοῦ πλήθεος· 7, 1 : Μᾶλλον ὥρμητο στρατεύεσθαι, et ib. 4 et 19 ; 9, 61.] Sed jungitur et præpositioni πρὸς habenti suum accus., ubi etiam possumus uti verbo Paro cum infin. : aut certe reddere Prompto sum animo, ut ap. Thuc. [8, 60] : Πρὸς τὴν βοήθειαν μᾶλλον ὥρμηντο. Ubi vertere etiam queas, Prompto et alacri animo erant ad ferendas suppetias. [Thuc. 4, 74 : Τὴν ἐπὶ Θρᾴκης στρατείαν παρεσκεύαζεν, ἵναπερ καὶ τὸ πρῶτον ὥρμητο.] Affertur vero et ὁρμῶμαι χαρίζεσθαι, pro Sum propensus ad gratiam, Propero gratificari. Sed et ex Plut. Themist., Ὡρμημένων συνάγειν δύναμιν, pro Properantibus congregare copias. At vero ap. Thuc. majorem vehementiam habet hoc verbum [3, 45] : Τῆς ἀνθρωπείας φύσεως ὁρμωμένης προθύμως τι πρᾶξαι, q. d. Quum humanum ingenium ruit præceps ad aliquid agendum. Apud Xen. autem [Cyrop. 1, 5, 14] ἀπὸ θεῶν ὁρμᾶσθαι idem Bud. interpr. Auspicati a diis. Quibus subjungit, ὁρμῶμαι pro Prodeo, Proficiscor, afferens ex Plat. De rep. 1, [p. 327, C] : Δοκεῖτέ μοι
C πρὸς ἄστυ ὡρμῆσθαι ὡς ἀπιόντες. Est etiam, inquit, Initium motus ortumque alicunde capio, reique perficiendæ fiduciam. Plut. [Pomp c. 20] de Perpenna, qui Sertorio successit : Ὁ δὲ ἐπεχείρησε ταυτὰ ποιεῖν ἐκείνῳ, ἀπὸ τῶν αὐτῶν μὲν ὁρμώμενος δυνάμεων καὶ παρασκευῶν, τὸν δὲ χρώμενον αὐταῖς ὁμοίως οὐκ ἔχων λογισμὸν, Eodem quidem apparatu atque iisdem copiis, eadem cum illo facere aggressus et exorsus : iisdemque fundamentis nixus fretusque. Ita ille. Affertur vero et ex Plut. Numa [c. 1] : Ἀπ' οὐδενὸς ὁρμώμενος ἀναγκαίου πρὸς πίστιν, pro Nullo subnixus necessario ad fidem argumento. Et ex Thuc. [1, 44] : Οὐκ ἀπὸ τοσῶνδε ὁρμώμενοι, pro Non cum tanto apparatu progredientes. [Xen. Cyrop. 1, 6, 17 : Πλεῖστα τὰ ἐσθίοντα ἐν στρατιᾷ καὶ ἀπ' ἐλαχίστων ὁρμώμενα. « Ἐκ τούτων τις ὁρμώμενος μέμψαιτ' ἂν, Clearch. ap. Athen. 13, p. 555, D. » Hemst. Proprie Herodot. 1, 36 : Ὁρμεώμενος οὗτος (ὁ σῦς) ἐκ τοῦ οὔρεος τούτου· 17 : Τὰς δὲ οἰκίας οὐ κατέβαλλε τῶνδε εἵνεκα, ὅκως ἔχοιεν ἐνθεῦτεν ὁρμεώμενοι τὴν γῆν σπείρειν· 3, 98 : Τοὺς ἰχθύας ... αἱρέουσι ἐκ πλοίων καλαμίνων ὁρ-
D μεώμενοι· 8, 112 : Ἐξ Ἄνδρου ὁρμεώμενος· 133 : Ἐνθεῦτεν ὁρμεώμενος ἔπεμπε κτλ. 6, 90 : Ἐνθεῦτεν ὁρμεώμενοι ἔφερόν τε καὶ ἦγον. Thuc. 4, 1 : Ἐξ αὐτοῦ ὁρμώμενοι (τοῦ χωρίου). Et similiter sæpe Xenophon. || Improprie Herodot. 3, 56 : Ὡς δὲ ὁ ματαιότερος λόγος ὥρμηται, λέγεται κτλ. 7, 189 : Ὡς φάτις ὥρμηται. Xen. Cyrop. 1, 2 fin. : Οὗ δὲ ἕνεκα ὁ λόγος ὡρμήθη, νῦν λέξομεν τὰς Κύρου πράξεις.] Tandem addit significare etiam Progredior et ineo : citans hæc e Xen. de Hercule Prodici [Comm. 2, 1, 21] : Φησὶ γὰρ Ἡρακλέα, ἐπειδὴ εἰς ἥβην ὡρμᾶτο, Quum ad pubertatem venisset, Quum pubertatis cursum iniret. Sic Cyrop. 6, [3, 1] : Ἐπεὶ δὲ καλὰ τὰ ἱερὰ ἦν, ὡρμᾶτο σὺν τῷ στρατεύματι. Hæc ille. [Soph. Tr. 156 : Ὁδὸν ἦμος τὴν τελευταίαν ὡρμᾶτ' ἀπ' οἴκων· Aj. 1224 : Ἀγαμέμνον' ἡμῖν δεῦρο τόνδ' ὁρμώμενον· Ph. 465 : Ὁπηνίκ' ἂν θεὸς πλοῦν ἡμὶν εἴκῃ, τηνικαῦθ' ὁρμώμεθα· 526 : Ἀλλ', εἰ δοκεῖ, πλέωμεν, ὁρμάσθω ταχύς· OEd. C. 1669 : Δεῦρ' ὁρμωμένας· Ant. 1110 : Ὁρμᾶσθ' εἰς ἐπόψιον τόπον· OEd. C. 1449 : Ὁρμώμενον ἐς προὖπτον Ἅδην· 1328 : Ὁρμωμένῳ τοὐμοῦ πρὸς κασιγνή-

του τίσιν. Eur. Suppl. 328 : Οὔτε ταρβῶ σὺν δίκῃ σ' ὁρμώμενον· 1199 : Σπουδὴν ἐπ' ἄλλην Ἡρακλῆς ὁρμώμενος.] Huc autem pertinet, quod ex Hom. affertur, ὁρμηθεὶς pro ἐξελθών. [Od. Δ, 728 : Νῦν αὖ παῖδ' ἀγαπητὸν ἀνηρείψαντο θύελλαι ἀκλέα ἐκ μεγάρων, οὐδ' ὁρμηθέντος ἄκουσα. Hesiod. Op. 524 : Οὐδέ οἱ ἠέλιος δείκνυ νομὸν ὁρμηθῆναι. Eur. Med. 189 : Ὅταν τις ... πέλας ὁρμαθῇ· Andr. 859 : Τίνος ἀγαλμάτων ἱκέτις ὁρμαθῶ; Alc. 1050 : Εἴ του πρὸς ἄλλου δώμαθ' ὡρμήθης ξένου· Tro. 532 : Πᾶσα δὲ γέννα Φρυγῶν πρὸς πύλας ὡρμάθη· Iph. T. 1407 : Χὠ μέν τις ἐς θάλασσαν ὡρμήθη ποσί· Ion. 595 : Ἐς τὸ πρῶτον πόλεος ὁρμηθεὶς ζυγόν· Med. 906 : Κἀμοὶ κατ' ὄσσων χλωρὸν ὡρμήθη δάκρυ. Xen. H. Gr. 7, 1, 15 : Συντεκμηράμενοι δὲ ἡνίκ' ἂν ᾤοντο ὁρμηθέντες κατανύσαι.] Et ex Herodoto, ὁρμηθέντες, pro Qui solverunt. Item, Ὁρμηθεὶς ἔπλεε, pro Ex statione solvit. [Id. 7, 188 : Πρόκροσσαι ὡρμέοντο ἐς πόντον.] Quidam vero illud ὁρμηθέντες interpr. Qui moverunt; necnon ap. Thuc. : Εἰ μὴ καὶ νῦν ὥρμηνται, Etiamsi nunc sese non movent. Apud Hom. quoque ὁρμηθεὶς exp. κινηθείς. [Od. Θ, 499] : Ὁρμηθεὶς θεοῦ ἤρχετο· ut sit κινηθεὶς ὑπὸ θεοῦ. Hinc autem sumptum videri possit illud ἀπὸ θεῶν ὁρμᾶσθαι, pro Auspicari a diis, ut sc. significet ἀπὸ θεῶν ὁρμηθέντα ἄρχεσθαι. [Soph. El. 190 : Ὅτε σοι παγχάλκων ἀνταία γενύων ὡρμάθη πλαγά. Et similiter de re Tr. 864 : Κλύω τινὸς οἴκτου δι' οἴκων ἀρτίως ὁρμωμένου· Aj. 198 : Ἐχθρῶν ὕβρις ὧδ' ἀταρβήτως ὁρμᾶται. Eur. Med. 183 : Πένθος γὰρ μεγάλως τόδ' ὁρμᾶται· Hec. 1041 : Βαρείας χειρὸς ὁρμᾶται βέλος.] Ad illam vero signif. hujus verbi, qua accipitur pro Incitatus sum s. concitatus, pertinet hic Xen. locus [Eq. 9, 5] : Ἢν δὲ εἰς τὸ θᾶττον ὁρμώμενον ὑπολαμβάνειν βούλει· quæ Bud. vertit, Si impetum equi retinere ductu habenæ velis. Item ὡρμημένος ποταμὸς ex Plat. [Leg. 3, p. 682, B], pro Concitatus fluvius. [In Ind. :] Ὥρμενος, per sync. dici traditur pro ὡρμημένος, ab ὁρμάω. At scribendo ὥρμενος tenui spiritu, erit ab ὄρω. [Forma epica Oppian. Hal. 1, 598 : Ξυνὴν ὁδὸν ὁρμώωνται.]

[Ὁρμειά, ἡ.] Ὁρμειαὶ, Hesychio ὁρμαὶ, Impetus. Aliud est ὁρμιαί. [V. Ὁρμιά.]

[Ὀρμενίδης. V. Ὄρμενος.]

Ὀρμένιον, τὸ, urbs Thessaliæ, quæ ab Ormeno condita creditur, Eust. p. 762. [Hom. Il. B, 734.]

[Ὀρμένιος, ὁ, quidam memoratur in schol. Hom. Il. M, 257, ap. Cram. An. Paris. vol. 3, p. 480, 14, nisi hic quoque leg. Ὄρμενος.]

Ὀρμενόεις, εσσα, εν, Qui caulem jam emittit post florem amissum. Nicand. Ther. [840] : Καὶ ὀρμενόεντα λύκαψον, schol. οἱονεὶ βεβηκότα καὶ κατὰ γῆς ἐῤῥιμμένον, vel τὸν ὁρμητικὸν πρὸς ὕψος : est enim εὐαυξής. Notandum vero scribi hoc ὄρμενος, et quæ ab eo derivantur, in aliquibus libris cum spiritu aspero, ut ap. Hesych., Suid. et Nicandrum : alicubi cum tenui, ut ap. Athen., Eust. et Polluc. [locis in Ὄρμενος citt.] Quam scripturam magis probo ; nec enim dubium est, quin ab ὄρω sit derivatum.

[Ὄρμενον, τό.] Ex Phrynicho [Ecl. p. 111] affertur etiam Ὄρμενα, τῶν λαχάνων αἱ ἄνθαι, Plantarum germina nondum in folia explicata. [Ὄρμενον, Cyma, Gl. Phrynichus quum dicat : Λέγε οὖν ὄρμενα, ἀλλὰ μὴ ἀσπαράγους, et in Exc. p. 38, 18 : Ὄρμενα καλεῖται ὑπὸ τῶν Ἀττικῶν τὰ τῶν λαχάνων ἐξανθήματα, οἱ δὲ πολλοὶ καὶ ἀμαθεῖς ταῦτα ἀσπαράγους καλοῦσιν, Photius tamen : Ὅρμενα (sic), τὰ τῆς κράμβης· Ποσείδιππος Συντρόφοις· Ἔνδοθι προνομεύειν ὄρμενα· παρὰ τοῖς παλαιοῖς οὐχ εὕρομεν. Idem : Ὅρμενον, τὸ ἄγριόν τι (sic) λάχανον κυρίως οὕτως καλούμενον· καταχρηστικῶς δὲ καὶ πᾶν τὸ ἐκκεκαυληκὸς παντὸς λαχάνου καὶ ἄνθους· quibuscum conf. Hesych. et Suidas in Ὄρμενος cit. Etym. M. p. 161, 3 : Τὰ τῶν λαχάνων ὄρμενα· et incerto genere Julian. Or. 5, p. 176, A : Τῶν λαχάνων ὀρμένοις μὲν συγχωρεῖ χρῆσθαι, ῥίζαις δὲ ἀπαγορεύει.]

Ὄρμενος, ὁ, Caulis brassicæ. Eust. p. 899 : Ἐλέγετο δὲ, φασὶν, Ὄρμενος καὶ ὁ τῆς κράμβης ἀσφάραγος παρὰ Ἀττικοῖς, διὰ τὸ ἐξορούειν καὶ βλαστάνειν, ἤγουν ὁ ἀπὸ τῆς κράμβης ἐξηνθηκώς. Itidem Athen. 2, [p. 62, F] : Ἀττικοὶ δ' εἰσὶν οἱ λέγοντες ὄρμενον τὸν ἀπὸ τῆς κράμβης ἐξηνθηκότα. Alii autem Lexicographi latius extendunt. Sic enim Hesych. : Ὄρμενος, οἱ μὲν τῆς κράμβης τὸ ἐντὸς κύημα, οἱ δὲ τὸ ἄγριον ἀσπάραγον (Latini Corrudam appellant), ἄλλοι πᾶν τὸ ἐκκεκαυλημένον. [In Ind. :] « Plin. 20, 10 : Sylvestrem asparagum aliqui Corrudam, aliqui Libycum vocant, Attici Ormenum. Ita enim reponendum pro Orminium. » — Itidem Suid. : Ὄρμενον, τὰ τῶν λαχάνων πάντων ἐκκεκαυληκότα· οἱ δὲ, τῆς κράμβης τὸ ἐντὸς κύημα· οἱ δὲ, τὸ ἄγριον ἀσπάραγον. Pollux 1, [247] : Ὄρμενος δὲ ὁ ἥμερος, ὁ ἀπὸ τῆς κράμβης καλούμενος. [Id. 6, 54 : Ἀσφάραγος ὁ ἀκανθίας ὄρμενος. Et ib. : Καὶ πᾶν δὲ τὸ ὑπερεξηνθηκὸς... ὄρμενον ὠνόμαζον· 61 : Ὄρμενοι, σήσαμα.]

Ὄρμενος, ὁ, est etiam nomen proprium [Trojanorum quorundam, Hom. Il. Θ, 274, M, 187.] Unde Ὀρμενίδης, Ormenides, filius Ormeni, ap. Hom. [Patronym. Græci, patris Amyntoris, Il. I, 448, K, 266, et patris Ctesii Od. O, 413. Plur. Callim. Cer. 76 : Ἦνθον Ἰτωνιάδος μιν (Erysichthonem) Ἀθαναίας ἐπ' ἄεθλα Ὀρμενίδαι καλέοντες.]

Ὁρμευτὴς, Hesychio ἁλιεὺς, Piscator. [Male pro ὁρμιευτὴς, quod v.]

Ὁρμέω, Stationem habeo [addito ἐπὶ λιμένος Gl.], Bud. ex Thuc. [2, 4] : Ὥρμουν ἐν τῇ Μαλέᾳ· 1 : Λιμένα, ἐν ᾧ οἱ Κορίνθιοι ὥρμουν. [De navibus 7, 2 : Οὗ αὐτοῖς τὰ πλοῖα, ἃ ἤγαγεν, ὥρμει. Herodot. 7, 22 : Ἐν Ἐλαιοῦντι ὥρμεον τριήρεες. Frequens est etiam ap. Xen. in H. Gr. et Anab.] Et ὁρμεῖν ἐπὶ δυεῖν [ap. Aristid. vol. 1, p. 110], Duabus in statione niti anchoris. [Eur. Or. 55 : Ἀκταῖσιν ὁρμεῖ. Ps.-Eur. Iph. A. 291 : Τῶν ἄσσον ὥρμει.] Aristot. De poet. [c. 21] : Νηῦς δέ μοι ἥδ' ἕστηκε· τὸ γὰρ ὁρμεῖν ἐστὶν ἑστάναι τι, ubi etymologiam respicere videtur. Dem. metaph. usus est p. 132 [319, 17] : Ὁ δὲ ἀφ' ὧν ἡ πόλις προορᾶταί τινα κίνδυνον ἑαυτῇ, τούτους θεραπεύων, οὐκ ἐπὶ τῆς αὐτῆς ὁρμεῖ τοῖς πολλοῖς, ubi intelligitur νεώς [ἀγκύρας] : sequitur enim, Οὔκουν οὐδὲ τῆς ἀσφαλείας τὴν αὐτὴν ἔχει προσδοκίαν. Hæc Bud., addens sic accipi videri ab Aristide p. 215 [vol. 1, p. 134 : Καταφευγόντων πρὸς τὴν ἐκείνων δύναμιν καὶ ἐπὶ τῆς ἐκείνων ἀρετῆς τε καὶ τύχης ὁρμούντων. Soph. OEd. C. 148 : Κἀπὶ σμικροῖς μέγας ὥρμουν.] ‖ Appello. Herodot. [7, 188] : Ὅρμεον πρὸς γῆν [γῇ]. Navis etiam ὁρμεῖν dicitur, Stationem subire, In stationem se recipere. [Eur. Iph. T. 1043 : Οὗ ναῦς ... ὁρμεῖ.] Dem. [p. 932, 20] : Καὶ τὸ πλοῖον ὥρμει ἐνταῦθα. ‖ Dicitur etiam ὁρμῶ τὴν ναῦν, pro ὁρμίζω, Pausan., Bud. Comm.

Ὁρμὴ quoque et Ὁρμάω ab ὄρω originem traxere, derivata a præt. perf. pass. ὦρμαι : quod autem ad spiritus diversitatem attinet, sciendum est scribi itidem ὅρμενος in Mss. etiam libris, quod tamen pro ὀρόμενος usurpatur. Ejusd. certe signif. sunt ἀνόρω, ἀνόρνυμι, ἀνορμάω (active sc. sumptum, alias neutraliter usurpatum synonymum habet ἀνορούω), itidem ἐπόρω et ἐφορμάω, quod si neutram signif. habeat, idem valet cum ἐπορούω, sicut in Ὀρίνω annotavi. Supra tamen seorsim hæc duo cum suis derivatis habes.— Ὁρμὴ, ἡ, Impetus [Gl.], Impetuosus quidam motus. Hom. Il. [Δ, 466 : Μίνυνθα δέ οἱ γένεθ' ὁρμή·] E, 118 : Δὸς δέ τέ μ' ἄνδρα ἑλεῖν καὶ ἐς ὁρμὴν ἔγχεος ἐλθεῖν. Itidem vero et Hesiod. dixit ὁρμὴν ἔγχεος, Sc. 365 : Πρηνὴς δ' ἐν κονίῃσι χαμαὶ πέσεν ἔγχεος ὁρμῇ. [Et ib. 455 : Ἀπὸ δ' ἔγχεος ὁρμὴν ἔτραπε.] Quibus in ll. non puto aptiore verbo reddi posse quam Impetus. Quidam tamen ἔγχεος ὁρμὴν interpr. Hastæ jactum : quæ interpr. mihi plane displicet. [I, 355 : Μόγις δέ μευ ἔκφυγεν ὁρμήν.] Et, Ἐμὴν ποτιδέγμενος ὁρμὴν [Il. K, 123], Expectans ut ego movear. [Od. B, 403 : Τὴν σὴν ποτιδέγμενοι ὁρμήν· E, 416 : Μήπως μ' ἐκβαίνοντα βάλῃ λίθακι ποτὶ πέτρῃ κῦμα μέγ' ἁρπάξαν, μελέη δέ μοι ἔσσεται ὁρμή· Λ, 119 : Ἱδρώουσα κραταιοῦ θηρὸς ὑφ' ὁρμῆς. Pind. Nem. 5, 20 : Ἔχω γονάτων ἐλαφρὸν ὁρμάν. Theognis 986 : Οὐδ' ἵππων ὁρμὴ γίγνεται ὠκυτέρη. Eur. El. 112 : Σύντειν', ὥρα, ποδὸς ὁρμάν. Aristoph. Av. 345 : Ἐπίφερε πολέμιον ὁρμάν· Nub. 335 : Ὑγρᾶν νεφελᾶν ... δάϊον ὁρμάν. Apoll. Rh. 2, 1117 : Κύματος ὁρμή. Pollux 1, 116, ὕδατος.] Verum, uti dixi, ὁρμὴ proprie est Impetuosus motus, aut, si quis malit, Violentus ; non simpliciter Motus, i. e. κίνησις. [De rebus Hom. Il. Λ, 157 : Θάμνοι πρόρριζοι πίπτουσιν ἐπειγόμενοι πυρὸς ὁρμῇ· Od. E, 320 : Μεγάλου ὑπὸ κύματος ὁρμῆς. Eur. Tro. 1080 : Πυρὸς ὁρμά. Soph. El. 510 : Ὦ σπέρμ' Ἀτρέως ὡς πολλὰ παθὸν δι' ἐλευθερίας μόλις ἐξῆλθες τῇ νῦν ὁρμῇ τελεωθέν· Ant. 135: Μαινομένᾳ ξὺν ὁρμᾷ· Phil. 237: Τίς προσήγαγε χρεία; τίς ὁρμή; 566: Ἦ ταῦτα δὴ Φοῖνιξ τε χοἰ ξυνναυβάται οὕτω καθ' ὁρμὴν δρῶσιν Ἀτρειδῶν χάριν; Apoll. Rh. 2, 1280: Ὥρη δ' ἡμὶν ἐνὶ σφίσι μητιάασθαι, εἴτ' οὖν μειλιχίῃ πειρησόμεθ' Αἰήταο εἴτε καὶ ἀλλοίη τις ἐπήβολος ἔσσεται ὁρμή· 3, 1310: Μιῇ βεβολημένον ὁρμῇ. Nicand. Th. 38: Πυρὸς ὁρμή· 417: Ἀσπίδος ὁρμήν· Al. 473: Ἀγρώστορος ὁρμήν. Et similiter alii poetæ.] Sic autem et in soluta oratione ὁρμὴ pro Impetus. [Herodot. 1, 11: Ἐκ τοῦ αὐτοῦ χωρίου ἡ ὁρμὴ ἔσται. Plato Reip. 10, p. 611, E: Ὑπὸ ταύτης τῆς ὁρμῆς ἐκκομισθεῖσα ἐκ τοῦ πόντου· Polit. p. 273, A: Ὁ δὲ κόσμος... ἀρχῆς τε καὶ τελευτῆς ἐναντίαν ὁρμὴν ὁρμηθείς· Crat. p. 412, B: Τὴν γὰρ ταχεῖαν ὁρμὴν οἱ Λακεδαιμόνιοι τοῦτο καλοῦσι. Pollux 5, 79: Βίαιος τὴν ὁρμὴν σῦς.] Aristot.: Τοῦτον δὲ τὸν τρόπον καὶ τὸ συνέχον λέγεται ἃ συνέχει ἔχειν, ὡς διαχωρισθέντ' ἂν κατὰ τὴν αὐτοῦ ὁρμὴν ἕκαστον· Bud. interpr. Tanquam, nisi hoc foret, unumquodque suopte impetu ad dissolutionem tenderet. Plut. De def. orac. [p. 424, D]: Οὔτε τὰ σώματα προαίρεσιν ἔχει καὶ ὁρμήν. Sic redditur et ap. Thuc. 7, p. 258 [c. 71]: Ὁ δὲ πεζὸς οὐκέτι διαφόρως, ἀλλ' ἀπὸ μιᾶς ὁρμῆς, οἰμωγῇ τε καὶ στόνῳ πάντες δυσανασχετοῦντες τὰ γιγνόμενα, οἱ μὲν ἐπὶ τὰς ναῦς παρεβοήθουν, οἱ δὲ πρὸς τὸ λοιπὸν τοῦ τείχους, ἐς φυλακήν· ubi ἀπὸ μιᾶς ὁρμῆς jungi debet cum verbo παρεβοήθουν. [Xen. Anab. 3, 2, 9: Πάντες μιᾷ ὁρμῇ προσεκύνησαν τὸν θεόν. Plato Tim. p. 25, B: Μιᾷ ποτ' ἐπεχείρησεν ὁρμῇ δουλοῦσθαι.] Herodian. dixit ζώου ὁρμὴν, 1, [15, 7]: Ἅμα γὰρ τῇ τοῦ ζώου ὁρμῇ κατά τε (malo κατὰ τοῦ) μετώπου ἢ κατὰ καρδίας ἔφερε τὴν πληγήν· Nam ut primum se fera concitarat, statim illam vel in fronte vel in corde sauciabat, Polit. Apud Eundem τὰς πρώτας ὁρμὰς vertit Primos congressus; nam hæc illius verba [4, 15, 15]: Εἰωθότων ἀεὶ τῶν βαρβάρων ῥᾷστα ἀποκάμνειν, ἐθελοκακεῖν τε, εἰ μή τι ἐν ταῖς πρώταις ὁρμαῖς κατορθώσουσι, sic interpr., Solent enim barbari paulo negotio quasi fatiscere, velutique oneri cedere, si modo primis congressibus parum ex sententia res gesserint. Apud Eundem habemus aliquoties ἄλογον ὁρμήν: quod Polit. vertit Vesanum motum, quum hæc verba 8, [8, 6]: Καὶ τοῦ θυμοῦ μὴ κρατήσαντες, ὁρμῇ τε ἀλόγῳ χρησάμενοι, ἀνῆλθον ὁμοθυμαδὸν εἰς τὰ βασίλεια, reddit, Namque ira instincti, ac vesano quodam motu, unanimiter ad regiam concurrunt: ubi non male redditur nomine Motus propter adjunctionem illam adjectivi Vesanus. [Xenoph. Comm. 4, 4, 2: Ἠναντιώθη τοιαύτῃ ὁρμῇ τοῦ δήμου.] Apud Thucyd. quoque non male reddi videtur voce Motus, sine hujusmodi quidem adjectione, sed intelligendo de Motu bellico: 2, [11]: Ἡ γὰρ Ἑλλὰς πᾶσα τῇδε τῇ ὁρμῇ ἐπῆρται καὶ προσέχει τὴν γνώμην. Est autem frequens apud Latinos Motus sine adjectione etiam, de motu bellico: itidemque in plur. Motus, de motibus bellicis. Sunt alioqui etiam qui interpr. Tumultum, in illo Thuc. l. [Xen. Ag. 2, 29: Ἐνόμιζε τῇ αὐτῇ ὁρμῇ τῷ μὲν Αἰγυπτίῳ χάριν ἀποδώσειν κτλ. Anab. 3, 1, 10: Οὐ γὰρ ᾔδει τὴν ἐπὶ βασιλέα ὁρμήν.] Id. Herodian. 2, [5, 3]: Καὶ θυμῷ καὶ ἀλόγῳ ὁρμῇ τοῦ στρατοπέδου δρόμῳ φερόμενοι· quæ ille ita, Turbidi ac furentes, militari cursu feruntur. Paulo post, Ἐλπίσας πείσειν τε αὐτοὺς καὶ παύσειν τῆς ἀλόγου εἰς τὸ παρὸν ὁρμῆς, ubi Idem vertit Furentes in præsens animos. Sed hi ll. ac similes pertinent potius ad sequens tmema, in quo agam de hoc nomine ὁρμὴ ad animum relato. [Xenoph. Cyrop. 3, 2, 6: Ὡς ἔγνωσαν τὴν ὁρμὴν ἄνω οὖσαν.] || Ὁρμὴν interdum sonare Conatum testatur Bud., itidemque interpr. Polit. in isto Herodiani l., 6, [2, 8]: Πρεσβείαν πέμψαι, καὶ διὰ γραμμάτων κωλῦσαι τὴν ὁρμὴν καὶ ἐλπίδα τοῦ βαρβάρου. || Eidem ὁρμὴ est Profectio, in Xenoph. Cyrop. 6, [2, 40]: Ἐγὼ δὲ θύσομαι ἐπὶ τῇ ὁρμῇ· ὅταν δὲ τὰ τῶν θεῶν καλῶς ἔχῃ, σημανοῦμεν. Scribit præterea ὁρμὴν vocari, Quum viam inimus et loco digredimur (unde dictum esse προεξορμᾶν ἡμέρᾳ μιᾷ), a Xenoph. [Comm. 3, 13, 5]: Κρεῖττον οὖν ἐν τῇ ὁρμῇ σπεύδειν, ἢ ἐν τῇ ὁδῷ, Citius exire, et placide ire. [Anab. 2, 1, 3: Ἤδη ἐν ὁρμῇ ὄντων.] || Ὁρμὴ est etiam Principium et prima operis aggressio, inquit Idem, in Plat. Timæo [p. 27, C]: Τοῦτό γε δὴ, πάντες ὅσοι καὶ κατὰ βραχὺ σωφροσύνης μετέχουσιν, ἐν πάσῃ [ἐπὶ παντὸς] ὁρμῇ καὶ μικροῦ καὶ μεγάλου πράγματος, θεὸν ἀεί που καλοῦσι· ubi animadverte addi gen. [Plato Polit. p. 305, D: Γινώσκουσαν τὴν ἀρχήν τε καὶ ὁρμὴν τῶν μεγίστων ἐν ταῖς πόλεσιν ἐγκαιρίας τε πέρι καὶ ἀκαιρίας· Reip. 6, p. 511, B: Οὐκ ἀρχὰς, ἀλλὰ τῷ ὄντι ὑποθέσεις, οἷον ἐπιβάσεις τε καὶ ὁρμάς.] Ut porro hic ὁρμὴν Bud. vertit Aggressionem, sic ὁρμὴν ἔσχον quidam interpr. Aggressi sunt, in isto Plut. loco, in Popl. [c. 19]: Ὁρμὴν ἔσχον ἀπονήξασθαι πρὸς ῥεῦμα πολύ. Supra autem ὁρμὰς in quodam Herodiani l. vidisti a Polit. reddi Congressus. Quinetiam ut ὁρμὴν ibi interpr. Principium, sic et illa Hom. verba quæ ante protuli, ἐμὴν ποτιδέγμενος ὁρμὴν, sunt qui interpr., Expectans ut ego incipiam. || Ὁρμὴ de animo peculiariter dictum (nam ex præcedentibus ll. plures sunt ubi de corpore dicatur), a Cic. redditur Appetitus, et Appetitio: sæpe vero addit gen. Animi, dicens Appetitum animi, et Appetitionem animi. Alicubi vero reddit Naturalem appetitionem. Scribit enim De fin. 4, [c. 14, § 39]: Naturalem enim appetitionem, quam vocant ὁρμὴν, itemque officium, etc. Idem l. 3 ejusdem operis [c. 7, § 23]: Atque ut membra nobis ita data sunt, ut ad quandam rationem vivendi data esse appareat: sic appetitio animi, quæ ὁρμὴ Græce vocatur, non ad quodvis genus vitæ, sed ad quandam formam vivendi videtur data: itemque et ratio et perfecta ratio. Idem De offic. 2, [c. 5, § 18]: Alterum eorum, in quibus virtus vertitur, est cohibere motus animi turbatos, quos Græci πάθη nominant, appetitiones, quas illi ὁρμὰς, obedientes efficere rationi. At vero voce Appetitus, quæ apud eum rarior est in interpretatione hujus Græci vocabuli, utitur Tusc. Quæst. 4, [6, § 11] hæc Stoicorum verba, πάθος esse ὁρμὴν πλεονάζουσαν, vertens Perturbationem esse appetitum vehementiorem: ubi observa obiter ὁρμὴν sub appellatione πάθους comprehendi, tanquam speciem sub genere, quum in proxime præcedente l. magis distinguantur. Alicubi vero, sc. in Lucullo, non simpliciter ab eo vocatur Appetitio, Appetitio animi, sed Appetitio qua ad agendum impellimur, et id appetimus quod est visum; ita enim ibi scribit [Acad. 2, 8, § 24]: Nam aliter appetitio, eam enim esse volumus ὁρμὴν, qua ad agendum impellimur, et id appetimus quod est visum, moveri non potest. Quum autem hic ὁρμὴν moveri dicat, alibi eam vult esse motum: quum ὁρμὴν θειοτέραν vertit Divinum animi motum. Hæc enim Platonici Phædri verba [p. 279, A], Ἔτι τε εἰ αὐτῷ μὴ ἀποχρήσαι ταῦτα, ἐπὶ μείζω δέ τις αὐτὸν ἄγοι ὁρμὴ θειοτέρα, sic interpretatur: Aut si contentus his non fuerit, divino aliquo animi motu majora concupiscat. Unde etiam suspicari quis possit, eum alibi conjungentem, Motus, Conatus, Appetitiones, et addentem, Quas ὁρμὰς Græci vocant, voluisse tribus hisce vim hujus Græci vocabuli exprimere. Locus est De N. D. 2, [22, § 58]: Atque ut ceteræ naturæ suis seminibus quæque gignuntur, augescunt, continentur; sic natura mundi omnes motus habet voluntarios, conatusque et appetitiones, quas ὁρμὰς Græci vocant, et his consentaneas actiones sic adhibet, ut nosmetipsi, qui animis movemur et sensibus. Idem porro ὁρμὴν vertit Appetitionem ibi quoque, ubi cum adjectione ponitur: ut quum hæc Stoicorum verba, Τὴν πρώτην ὁρμὴν τὸ ζῶον ἴσχειν ἐπὶ τὸ τηρεῖν ἑαυτὸ οἰκειούσης αὐτῷ (ubi reponendum suspicor αὐτὸ αὐτῷ) τῆς φύσεως ἀπ' ἀρχῆς, ita vertit, Nosmetipsos commendatos esse nobis, primamque ex natura hanc habere appetitionem, ut conservemus nosmetipsos. Et hactenus quidem de Cic. hujus vocabuli interpretationibus. Nam quod habent VV. LL. Ciceronem ὁρμὴ vertere non solum Appetitionem et Appetitum, sed etiam Affectum et Affectionem, nullo id confirmatur exemplo. Ibid. dicitur esse Vis quædam, qua ad agendum impellimur. Plut. certe in l. Adv. Col. [p. 1122, D] ὁρμὴν esse dicit κίνησιν et φορὰν τῆς ψυχῆς: Ὅθεν οὖν φανῇ τὸ ἡδὺ οἰκεῖον, οὐθὲν δεῖ πρὸς τὴν ἐπ' αὐτὸ κίνησιν καὶ φορὰν δόξης, ἀλλὰ ἦλθεν εὐθὺς ἡ ὁρμὴ, κίνησις οὖσα καὶ φορὰ τῆς ψυχῆς· quem l. te obiter monebo, ut conferas cum illo Stoicorum, quem modo protuli, quum in illo dicatur ὁρμὴ οἰκειοῦν, ut in hoc dicitur esse ὁρμὴ πρὸς τὸ φανὲν οἰκεῖον: præcedit enim ap. Plut.: Ἡ γὰρ πρᾶξις δυοῖν δεῖται, φαντασίας τοῦ οἰκείου, καὶ πρὸς τὸ φανὲν οἰκεῖον ὁρμῆς· paulo ante [C]: Ἀλλὰ χρῶνται τῇ ὁρμῇ φυσικῶς ἀγούσῃ πρὸς τὸ φαινόμενον οἰκεῖον. At Philo ὁρμὴν non simpliciter dicit esse κίνησιν ψυχῆς, sed πρώτην κίνησιν : et quidem hanc definitionem ex aliis afferens. Postquam enim dixit, Τὸ δὲ φανὲν καὶ τυπῶσαν, τοτὲ μὲν οἰκείως, τοτὲ δὲ ὡς ἑτέρως διέθηκε τὴν ψυχήν· τοῦτο δὲ αὐτῆς πάθος, ὁρμὴ καλεῖται, Ipsum etiam visum, quod imaginem insculpsit, interdum animum proprie, interdum alio quodam modo afficit, quæ animi affectio Impetus appellatur, vel Animi appetitio, ὁρμὴ Græce dicitur, ut interpretatur Bud.: subjungit, Ἣν ὁριζόμενοι, πρώτην ἔφησαν ψυχῆς κίνησιν. Ex illis autem prioribus Philonis verbis, aliisque aliorum philosophorum his similibus, quidam ὁρμὴν esse dixerunt Affectionem qua animus a viso afficitur. Cum his certe convenit Cic. locus circa principium hujus tmematis a me allatus, in quo dicit ὁρμὴν esse, qua appetimus id quod est visum. Verum ut ad Plut. redeam, is in eod. illo Ad Coloten opusculo, vel potius Adversus Coloten, aliquoties ὁρμὴν et συγκατάθεσιν copulat: ut [ibid. B]: Κολώτῃ δὲ οἶμαι τὰ περὶ ὁρμῆς καὶ συγκαταθέσεως, ὄνῳ λύρας ἀκρόασιν εἶναι. Alibi autem addit et tertium, φαντασίαν, sicut et illis proxime præcedentibus verbis subjungit, Ὅτι τριῶν περὶ ψυχὴν (ita enim malo quam περὶ ψυχῆς) κινημάτων ὄντων, φανταστικοῦ καὶ ὁρμητικοῦ καὶ συγκαταθετικοῦ κτλ. Jam vero et quartum addit alicubi [De contrar. Stoic. p. 1084, B], sc. πάθος, de Stoicis loquens: Ὅτι δὲ φαντασίας, καὶ πάθη, καὶ ὁρμάς, καὶ συγκαταθέσεις σώματα ποιουμένους, ἐν μηδενὶ φάναι κεῖσθαι. Philo autem cum ὁρμὴ jungit φαντασίαν et αἴσθησιν, et quidem primum αἰσθήσει dans locum, tertium ὁρμῇ: Ψυχὴν δὲ φύσεως τρισὶ διαλλάττουσαν ὁ ποιῶν ἐποίει, αἰσθήσει, φαντασίᾳ, ὁρμῇ, Animam etiam fictor ipse tribus rebus finxit a natura differentem, sensu, viso (sic φαντασίαν vocant), impetu, Bud. Verterim autem et ipse libenter ὁρμήν, Impetum, in hoc aliisque ei similibus ll. Ac miror profecto nullam a Cic. hujus interpretationis factam esse mentionem, quum alioqui et ipse Animi impetum non uno in loco dixerit. In VV. LL. dicitur esse Impetus, i. e. Subitus acrisque affectus. Ceterum huic nomini ὁρμὴ oppositum est ἀφορμὴ ap. eosdem scriptores, sc. ap. philosophos, aut eos qui res philosophicas tractant: ut doceo in Ἀφορμή. [Empedocles 177: Ἠπιόφρων φιλότητος ἀμεμφέος ἄμβροτος ὁρμή. Definitt. Plat. p. 415, E: Θυμὸς ὁρμὴ βίαιος ἄνευ λογισμοῦ. Plat. Leg. 9, p. 866, E: Θυμῷ πέπρακται καὶ τοῖς ὅσοι ἂν ... διαφθείρωσί τινα παραχρῆμα τῆς ὁρμῆς γενομένης· Phil. p. 35, C: Ἡ ὁρμὴ ἐπὶ τοὐναντίον ἄγουσα ἢ τὰ παθήματα· Parm. p. 130, B: Τῆς ὁρμῆς τῆς ἐπὶ τοὺς λόγους· Ep. 7, p. 325, D: Πολλῆς μεστὸν ὄντα ὁρμῆς ἐπὶ τὸ πράττειν τὰ κοινά· Phil. p. 35, D: Ψυχῆς ξύμπασαν τήν τε ὁρμὴν, καὶ ἐπιθυμίαν· 57, D: Περὶ τὴν τῶν ὄντως φιλοσοφούντων ὁρμήν.] || Redditur ap. ceteros scriptores ὁρμὴ et aliis vocibus: [Petitio, Gl.] interdum enim Cupiditas. A Bud. autem Cupiditas et subita voluntas in Polyb. [2, 48, 5]: Ῥᾳδίως διὰ τούτων ὁρμὴν παρέστησε τοῖς Μεγαλοπολίταις εἰς τὸ πρεσβεύειν πρὸς τοὺς Ἀχαιούς, Cupiditatem excitavit et subitam voluntatem. Junxit porro hunc ipsum accus. Plut. cum eod. verbo, sed infin. sequente, Coriol. [c. 33]: Ὁ θεὸς ἡμῶν, ὡς ἔοικεν, οἰκτείρας τὴν ἱκετείαν, ὁρμὴν παρέστησε δευρὶ τραπέσθαι, πρὸς ὑμᾶς, καὶ δεηθῆναι. Ut autem in illo Polybii l. jungitur ὁρμὴ præpositioni εἰς, sic et præpositioni πρὸς junctum invenitur: ut ap. Lucian. in Demonacte [c. 3]: Οὐχ ὑπὸ τούτων τινός, ὡς ἔφην, παρακληθείς, ἀλλ' οἰκείας πρὸς τὰ καλὰ ὁρμῆς κτλ. Sed et sequente præp. ἐπὶ habes supra in loco quem ex Stoicis protuli. Dicitur vero et ὁρμὴ τοῦ ποιεῖν τι: ut ap. Demosth. [p. 309, 4]: Τοὐναντίον εἰς ὁμόνοιαν καὶ φιλίαν, καὶ τοῦ τὰ δέοντα ποιεῖν ὁρμὴν προτρέψαι. Sic Aristot. Rhet. 2, [c. 20, 4]: Καὶ εἰ ἐν ὁρμῇ τοῦ ποιεῖν ἢ μελλήσει· ubi etiam observa obiter ὁρμῇ opponi μέλλησιν. Quinetiam genitivis nominum junctum habetur in VV. LL., sc. ὁρμὴ τῶν ἀφροδισίων, ex Aristot. De anim. 2. [Ep. Anth. Pal. 9, 362, 16: Εὐναίων ὀάρων βεβιημένος ὁρμῇ.] Item ὁρμὴ τοῦ βαπτίσματος in iisdem ex Gregor. Naz. pro Desiderium baptismi. Redditur ὁρμὴ et nomine Studium: ut in Herodiano [4, 12, 12]: Ὁ

A δὲ Ἀντωνῖνος τὴν ὁρμὴν ἤδη καὶ τὴν γνώμην περὶ τὴν ἱπποδρομίαν ἔχων, At vero Antoninus studio jam omni atque animo ad aurigandum intentus, Polit. Copulantur autem et alibi ab eod. scriptore ὁρμὴ et γνώμη. Sic ex Plut. affertur in Themist. [c. 2]: Πρῶται τῆς νεότητος ὁρμαί, pro Prima juventutis studia. Ὁρμὴ redditur et nomine Instinctus: ut in isto Plut. l. [Mor. p. 161, C]: Ἔλεγεν ὡς ὁρμῇ τινι χρήσαιτο δαιμονίῳ. At Bud. hæc ejusd. Plut. verba, Ὁρμὴ καὶ τόλμα δαιμόνιος παρέστη ταῖς ἀκμαζούσαις τῶν γυναικῶν, vertit, Animo incessit divinitus audacia et fiducia. Ubi observa etiam παρέστη cum ὁρμή, sicut παρέστησε supra cum accus. ὁρμήν. Quod autem dicit Herodian. [6, 5, 19]: Τὰς πρὸς ἀνδρείαν ὁρμάς, Polit. vertit Generosos spiritus. Vide et in proxime præced. tmemate alias ejus interpretationes. [Apoll. Rh. 2, 895: Δὴ γὰρ θεοῦ ἐτράπεθ' ὁρμή. Herodot. 7, 18: Ἐπεὶ δαιμονίη τις γίνεται ὁρμή. Plat. Parm. p. 135, D: Καλὴ καὶ θεία ἡ ὁρμή, ἣν ὁρμᾷς ἐπὶ τοὺς λόγους. Thuc. 4, 4: Τοῖς στρατιώταις ὁρμὴ ἐσέπεσε ... ἐκτειχίσαι τὸ χωρίον.]

B [Ὅρμη, ἡ, Horme, n. canis ap. Xen. Ven. 7, 5. Sic enim scrib. videtur pro Ὁρμή, et ibid. Ὄργη pro Ὀργή. V. Λογχή.]

[Ὁρμηδόν, Impete, Gl. Hermes Stobæi Ecl. phys. p. 1070: Ἀκρίτως καὶ ὁρμηδόν.]

Ὅρμημα, τό, Id ad quod animus fertur quodam quasi impetu. Aut etiam Impetus animi: ut i. sit q. ὁρμή: sicut etiam τὸ ὁρμητικὸν in hac signif. accipi, docebo paulo post. Exp. præterea Conatus. At in Hom. Il. B, [356]: Τίσασθαι δ' Ἑλένης ὁρμήματά τε στοναχάς τε, exp. ὁρμήματα ab auctore brevium scholl., ἐνθυμήματα: sed aptiora esse puto, licet alioqui vicinam illi signif. habentia, μέριμναι et φροντίδες: quorum illud ap. Hesych. extat, pro generali expositione hujus vocabuli ὁρμήματα: at illud habet cum aliis scholiis vetus exemplar Homeri, quod apud me est; ibi enim scriptum est pro expositione hujus versus: Πρὶν τιμωρῆσαι καὶ βοηθῆσαι τῇ Ἑλένῃ, καὶ ἀμύνασθαι ὑπὲρ αὐτῆς ἀνθ' ὧν ὑπέμεινε φροντίδων καὶ στεναγμῶν ἁρπαγεῖσα· quibus subjungitur, κατὰ γὰρ τὸν ποιητὴν

C ἐνταῦθα ἄκουσα ἡρπάγη. Atque ita ὁρμήματα fuerint Curæ et solicitudines. Sed Eust. scribit ὁρμήματα vocari a poeta τὴν ἐξ ἀρχῆς ἑκουσίαν ἐξ ἁρπαγῆς ἔλευσιν αὐτῆς εἰς Τροίαν, at στοναχὰς dici τὸν ἐπὶ τούτοις μετάμελον. [Orac. Æliani N. A. 13, 21: Γλαφυροῖς ὁρμήμασι νηός. Act. SS. April. vol. 3, p. XVI, a, A. Nicephorus Callist. ap. Lambec. Bibl. Cæs. vol. 8, p. 128, C: Τὰ ἐντεῦθεν ἀφθόνως πηγάζοντα οἷά τινα ὁρμήματα ποταμοῦ. L. Dindorf.]

[Ὅρμηνον, τό, Urtica. Aetius Ms. lib. 1: Περὶ ἀκαλήφης ἢ κνίδης· ἕτεροι δὲ ταύτην ὅρμηνον καλοῦσιν. Ducang.]

[Ὁρμησία, ἡ, Ædificium ad portum. Eust. Il. p. 130, 7: Ἡ καθωμιλημένη γλῶσσα ὁρμησίας τὰς τοῦ λιμένος προσγείους λέγει κατατομὰς καὶ καταγωγάς. Alii καταμονὰς legunt. Ducang. De forma v. Lobeck. ad Phryn. p. 532.]

[Ὅρμησις, εως, ἡ, i. q. ὁρμή. Scholl. Apoll. Rh. 4, 847: Ἔστι δὲ ἀμάρυγμα καὶ ἀμαρυγὴ λαμπηδόνος συνεχοῦς ὅρμησις.]

D Ὁρμητήριον, τό, Incitamentum, Suscitabulum, ut Xen. [Eq. 10, 15], τοὺς κλωγμοὺς et ῥοίζους, et similia, quibus equi ἐξορμῶνται, vocat ὁρμητήρια, Bud. p. 717. || Locus ex quo prorumpimus impetum facturi in hostes, prodimus ad bellum inferendum, et quem pro perfugio habemus. Ὁρμητήριον, ut inquit Bud. p. 717, est Sedes belli, Arx et velut Propugnaculum belli suscepti; sed exempla nulla profert, quum tamen passim extent. Dem. [p. 409, 6]: Καὶ ἐν Εὐβοίᾳ κατασκευασθησόμενα ὁρμητήρια ἐφ' ὑμᾶς. [Conf. p. 681, 5 et 11. Isocr. p. 74, D.] Et Polyb. ap. Suidam: Τὸ δὲ φρούριον οἱ Παννόνιοι τὸ κατ' ἀρχὰς τοῦ πολέμου λαβόντες, ὁρμητήριον ἐπεποίηντο, καὶ εἰς ὑποδοχὴν τῶν λαφύρων ἐξηρήκεσαν· cui loco subjungit ipse Suidas, ὁρμητήριον esse, ὅθεν τὰ πρὸς πόλεμον ἐξαρτύοντες ἐξίασι μαχεσόμενοι. Sed invenitur dictum et cum adjectione ὁρμητήριον εἰς τὴν μάχην. Plut. [Cæsar. c. 53]: Ὡς εἴη πᾶσιν εἰς τὴν μάχην ὁρμητήριον καὶ καταφυγή. [Sæpius sic etiam Diod. Strabo 16, p. 741: Στόλους καὶ ὁρμητήρια ἤδη κατεσκευάσθαι.] Metaphorice autem usus est Gregor.

pro Sede et receptaculo : Οὐ γὰρ τοῦτο μόνον δεινὸν, τὸ, πεποιημένους ἐπ' ἀγαθοῖς ἔργοις, ὁρμητήριον γενέσθαι παντοίων παθῶν, βοσκομένων κακῶς καὶ δαπανώντων τὸν ἐντὸς ἄνθρωπον, ἀλλὰ καὶ θεοὺς στήσασθαι συνηγόρους πάθεσι. Sed et pro Gradu ac munita via ad peragendum aliquid, qua signif. dicitur ἐφόδιον, usus est Themist. De anima 1, p. 64, ut docet Bud., qui et Comm. p. 719, eum Themistii l. profert. [Πόλις ἀκολασίας ὁρμητήριον, Libanius vol. 4, p. 435, 26. Jacobs. V. Wyttenb. ad Plut. Mor. p. 48, F.]

[Ὁρμητιαῖος. V. Ὁρμητίας.]

[Ὁρμητίας, ου, ὁ, Vehemens, Impetuosus. Jo. Chrys. In Paul. vol. 8, p. 58, 43 : Οὕτω τολμητὴς ὢν καὶ ὁρμ. καὶ πῦρ πνέων. Seager. Eust. Od. p. 1819, 24. Id. Opusc. p. 313, 87 : Ὁρμητίας ἢ καὶ καταρράκτης. « Const. Manass. Chron. 1859, 3596. » Boiss. Alia exx. indicat Hasius ad Leon. Diac. p. 216, C, D. Idemque Ὁρμητιαῖος, ex Macario De progressu viri Christiani p. 478, B : Ποταμὸν ὁρμητιαῖον διέρχεσθαι, Fluvium rapidum, Int. Nisi scribendum ὁρμητίαν.]

Ὁρμητικὸς, ἡ, ὸν, Qui talis est ut facile impetu feratur ad rem aliquam, s. impetum capiat rem aliquam faciendi ; etiam Qui talis est ut facile incitetur. Unde exp. Propensus, ut ὁρμητικὸς πρὸς συνδυασμὸν, Propensus ad coitum ; πρὸς ἔργον, Excitus et propensus, quam interpret. Bud. ex Gaza affert. [Tim. Locr. p. 102, E : Ὁρμητικᾶς (recte liber unus ap. Gelderum ὁρματικᾶς) δυνάμιος. Etym. v. Ὄρνις. Jo. Diac. Alleg. v. 788 : Τῶν δὲ ζώων τὰ ὁρμητικώτερά εἰσιν ὅ τε βοῦς καὶ ὁ κάπρος. Aristot. H. A. 6, 18 : Ὁρμητικώτατα πρὸς τὴν ὀχείαν. Athen. 7, p. 302, B : Ὁρμ. ὁ ἰχθύς (θύννος).] || Sed dicitur et τὸ ὁρμητικὸν substantive, pro ἡ ὁρμὴ, sicut τὸ φανταστικὸν pro ἡ φαντασία, a Plut., ut dictum fuit in Ὁρμή [Mor. p. 1122, B] : Ὅτι τριῶν περὶ ψυχὴν κινημάτων ὄντων, φανταστικοῦ καὶ ὁρμητικοῦ καὶ συγκαταθετικοῦ. Et statim post, Τὸ δὲ ὁρμητικὸν ἐγειρόμενον ὑπὸ τοῦ φανταστικοῦ πρὸς τὰ οἰκεῖα. || Ὁρμητικὸς activa signif., q. d. Incitativus, Qui talis est ut facile incitet, Incitandi vim habens. Diosc. : Ὁρμητικὸς πρὸς τὰ ἀφροδίσια. [Theophr. H. Pl. 9, 18, 10; Athen. 3, p. 74, B.]

Ὁρμητικῶς, Cum impetu, Cum quodam animi impetu. [Athen. 9, p. 401, C : Παρὰ τὸ σεύεσθαι καὶ ὁρμ. ἔχειν. Gloss. ap. Rutgers. V. L. 6, 5. Schol. Nicand. Al. 215. « Macar. Hom. 43, 7. » Anon.] Ὁρμ. ἔχειν πρός τι, Quodam animi impetu ferri ad rem aliquam, Accendi cupiditate rei alicujus. [Πρὸς τὸν συνδυασμὸν Aristot. H. A. 6, 18 med. bis. Et comp. ὁρμητικώτερον 8, 12 med.]

[Ὁρμητὸς, ὁ, ap. Marc Anton. 9, 28 : Ταὐτά ἐστι τὰ τοῦ κόσμου ἐγκύκλια, ἄνω κάτω, ἐξ αἰῶνος εἰς αἰῶνα· καὶ ἤτοι ἐφ' ἕκαστον ὁρμᾷ ἡ τοῦ ὅλου διάνοια· ὅπερ εἰ ἔστιν, ἀποδέχου τὸ ἐκείνης ὁρμητόν, Int. vertit, Excipe id quod ex ejus consilio proficiscitur.]

Ὁρμιὰ, ἡ, [Linea, Gl. Eadem : Ὁρμιὰ, ἡ τοῦ ἀγκίστρου, Linum, Hamus, et Seta,] Hesychio σχοινίον λεπτὸν, Tenuis funiculus : proprie is quo piscatores ex seta equina contexto pisces venantur, Linea piscatoria. [Eur. Hel. 1615 : Ἤδη δὲ κάμνονθ' ὁρμιὰν τείνων μέ τις ἀνείλετο. Aristot. H. A. 9, 37 med., De partt. an. 4, 12. Photius : Ὁρμιὰν, Ἀντιφάνης Ἁλιευομένῃ. Lucian. D. mort. 27, 9 : Βίον ἄπορον ἀπὸ καλάμου καὶ ὁρμιᾶς εἶχον. « Babrius Fab. 6, 3 : Ὁρμιῆς ἀφ' ἱππείης. Oppian. Hal. 3, 75, 78. » Boiss. Eutecnius in Cram. An. Paris. vol. 1, p. 39, 28 : Τὴν γλῶσσαν μηκίστην οὖσαν ὥσπερ ὁρμιάν. Mœris v. Ἀσπαλιευτής p. 42. De accentu acuto Theognost. Can. p. 105, 27. || Forma Ὁρμειὰ Theocrit. 21, 11 : Ὁρμειαὶ, κύρτοι τε. Quam Oppiani ll. citatis, ubi media producitur, ut 2, 123, restituendam conjecit Boisson. ad l. Babrii.]

[Ὁρμίαι, αἱ, olim dictæ Formiæ opp. Italiæ, sec. Strab. 5, p. 233 : Ἑξῆς δὲ Φορμίαι Λακωνικὸν κτίσμα ἐστὶν, Ὁρμίαι λεγόμενον πρότερον διὰ τὸ εὔορμον.]

[Ὁρμιευτὴς, ὁ, Piscator. Mœris p. 42 : Ἀσπαλιευτής... Ἀττικοὶ, ὁρμιευτὴς Ἕλληνες. Hesych. et alii lexicogr. in v. Ἁλιεύς.]

Ὁρμίζω, Navem in stationem subduco et appello, stabilio et fulcio. Hom. Od. Γ, [10] : Οἱ δ' ἰθὺς κατάγοντο, ἰδ' ἱστία νηὸς ἐΐσης Στεῖλαν ἀείραντες· τὴν δ' ὥρμισαν· ἐκ δ' ἔβαν αὐτοί, In stationem subducebant. Il. Ξ,

A [76] : Πάσας δὲ ἐρύσσομεν εἰς ἅλα δῖαν, Ὕψι δ' ἐπ' εὐνάων ὁρμίσσομεν, εἰσόκεν ἔλθῃ νὺξ, Stabiliemus super anchoris tanquam in statione. [Sic Od. Δ, 785, Θ, 55. Eur. Troad. 1155 : Ὡς ... οἰχαδ' ὁρμίσῃ πλάτην. Epigr. Anth. Pal. 9, 115, 4 : Ἀσπίδ' Ἀχιλλῆος... θάλασσα παρὰ τύμβον Αἴαντος νηκτὴν ὥρμισεν· Julius Polyæn. ib. 9, 9, 4 : Καμάτων ὅρμισόν (με) εἰς λιμένα.] Thuc. [7, 59] : Ὁρμίζοντες ἐπ' ἀγκυρῶν, Anchoris stabilientes. Id. [7, 30] : Ὁρμίζω πλοῖον ἔξω τοξεύματος [al. τοῦ ζεύγματος], Navem retraho extra teli jactum. [Herodot. 6, 107 : Τὰς νέας ὥρμιζε. Et sic Polyb. 5, 17, 9 etc.] Unde l. 1 : Ἐνταῦθα ὁρμίζονταί τε καὶ στρατόπεδον ἐποιήσαντο, Appelluntur. 3 : Ὁρμισάμενοι ἐς λιμένα. [Id. 1, 51; 6, 49.] Bud. ὁρμίσασθαι exp. Applicare, κατασχεῖν, καταπλεῖν, citans ex Xen. Hell. 5, [1, 25] : Ὁρμισάμενος δὲ ἐν Περκώτῃ, ἡσυχίαν εἶχε. [Et similiter alibi sæpe. Herodot. 9, 96 : Οἱ μὲν αὐτοῦ ὁρμισάμενοι. Cum præp. εἰς Demosth. p. 80, 10, etc. Addito accus. Alpheus Anth. Pal. 9, 100, 2 : Τὴν (Delum) ἀσάλευτον Αἰγαίῳ Κρονίδης ὥρμισατ' ἐν πελάγει. Pass. Xenoph. Œc. 8,

B 12 : Ὁρμίζεται ναῦς. || Aoristi forma passiva Empedocles 217 : Κύπριδος ὁρμισθεῖσα τελείοις ἐν λιμένεσσιν· Soph. Ph. 546 : Τύχῃ ... πρὸς ταὐτὸν ὁρμισθεὶς πέδον. Aristoph. Thesm. 1106 : Παρθένον θεαῖς ὁμοίαν ναῦν ὅπως ὡρμισμένην. Eur. Herc. F. 1094 : Δεσμοῖς ναῦς ὅπως ὡρμισμένος· Orest. 242 : Ἐν Ναυπλίᾳ δὲ σέλμαθ' ὥρμισται νεῶν· Iph. T. 1328 : Οὐ ναῦς Ὀρέστου κρύφιος ἦν ὡρμισμένη. Et improprie Herc. F. 202 : Σώζειν τὸ σῶμα μὴκ τύχης ὡρμισμένους. Philemo ap. Stob. Fl. 30, 4, 9 : Κἂν μὲν ὁρμισθῇ τις ἡμῶν εἰς λιμένα τὸν τῆς τέχνης. Xen. H. Gr. 1, 4, 18 : Πρὸς τὴν γῆν ὁρμισθείς. || Verb. Ὁρμιστέον ap. Socratem Stob. Fl. 1, 86 : Οὔτε ναῦν ἐξ ἑνὸς ἀγκυρίου οὐδὲ βίον ἐκ μιᾶς ἐλπίδος ὁρμιστέον, pro quo male ἁρμοστέον, ubi hæc Epicteto tribuuntur, 111, 22.]

Ὁρμιηβόλος, ὁ, dicitur Piscator in Epigr. [Apollonidæ Anth. Pal. 7, 693, 6, Stat. Flacci 6, 196, 4], quoniam τὴν ὁρμιὰν in aquam jacit ad capiendos pisces.

[Ὁρμίνα, ἡ, Hormina, prom. Elidis. Strabo 8,

C p. 341 : Ὑρμίνη πολίχνιον ἦν· νῦν δ' οὐκ ἔστιν, ἀλλ' ἀκρωτήριον πλησίον Κυλλήνης ὀρεινὸν, καλούμενον Ὅρμινα ἢ Ὕρμινα. Scrib. Ὁρμίνα ἢ Ὑρμίνα, quod v.]

[Ὁρμίνιον. V. Ὀρμένιον.]

Ὅρμῖνον, τὸ, Horminum, herba porro similis, Diosc. 3, 145. Hesych. esse dicit genus Leguminis : Theophr. vero Frugum generi annumerat. Utriusque meminit Plin. : illius, 23, c. ult. : Horminum semine cumino simile est, cetero porro, dodrantali altitudine, duorum generum, alteri semen nigrius et oblongum, alteri candidius et rotundum. Illius, 18, 7 : Æstiva frugum genera sunt quæ æstate ante Vergiliarum exortum seruntur, ut milium, panicum, sesama, horminum : ex Theophr. H. Pl. 8, 1, [4]. Et c. 10 [7, 3] : Ejusdem (cum erysimo) naturæ et horminum a Græcis dictum, sed cymino simile : seritur cum sesama : hoc et irione nullum animal vescitur virentibus. [Nicand. Th. 893 : Κάρφεά θ' ὁρμίνοιο· Al. 615 : Ὁρμίνοιο νέην χύσιν. Orph. Arg. 915. Polemo ap. Athen. 11, p. 478, D : Ἔνι δ' ἐν αὐτοῖς ὅρμινοι, μήκωνες

D λευκοί. Quod non scribendum esse ὅρμινα ostendunt Pollux 6, 61 : Ὅρμινοι, σήσαμα, Hesychius : Ὁρμῖνοι, ὄσπριόν τι. V. autem Ὅρμιον.]

Ὁρμινώδης, ὁ, ἡ, λίθος, Hormino similis gemma. Plin. 37, 10 : Horminodes, ex argumento viriditatis in candida gemma vel nigra, et aliquando pallida, ambiente circulo aurei coloris appellatur.

[Ὅρμιξ, ικος.] Ὅρμικας, Hesychio μύρμηκας, Formicas. [Μύρμηξ est ap. Hesych., quasi ὅρμικα scribendum esset, ut Formica. Vide tamen de ξ compendio in Ξ.]

[Ὅρμιον, Species marrubii. Glossæ botanicæ Mss. ex cod. Reg. 2690 : Ὅρμιον, εἶδος πρασίου. Ducang. Legendum ὅρμινον, quod v. L. Dind.]

Ὅρμισις, εως, ἡ, ipsa Actio τοῦ ὁρμίζειν, s. ὁρμίζεσθαι, Quies in statione navium. Ælian. : Ἀναπαυομένων καὶ ὁρμιζομένων τὴν τελευταίαν ὅρμισιν. [Ap. Suidam in Ὅρμον.]

Ὁρμίσκος, ὁ, Monile. Bud. ex Canticis. Hesychio ὁρμίσκοι præter περιτραχήλιοι κόσμοι γυναικεῖοι ἢ περιδέραια, sunt etiam μανιάκης, ἢ κλοιοὶ, ἢ δακτύλιοι. [« Chares ap. Athen. 3, p. 93, D : Κατασκευάζουσι δ' ἐξ αὐτῶν (ex margaritis) ὁρμίσκους τε καὶ ψέλλια. » SCHWEIGH. Eumath. Ism. p. 37; Gregor. Nyss. vol. 1, p. 508, B, C; 509, C.]

[Ὅρμισμα, τὸ, Portus. Senectus ἀσφαλὲς ἀνθρώποις ὅρμισμα, Heraclit. A. H. p. 485. VALCK.]

[Ὁρμιστέον. V. Ὁρμίζω.]

[Ὁρμιστηρία, ἡ, ap. Philon. Belop. p. 91, B : Αἱ ὁρμιστηρίαι δέδενται τῶν σανίδων, vertitur Retinacula. Diodoro 17, 44, Τὰς τῶν κριῶν ὁρμιστηρίας ὑποτέμνοντες ἄχρηστον τὴν τῶν ὀργάνων βίαν ἐποίουν, pro ὁρμητηρίας restitui ex libro For.]

[Ὁρμοδοτὴρ, ῆρος, ὁ, Qui portum dat. Theætet. Anth. Pal. 10, 16, 11, Πριήπῳ.]

Ὅρμος, ὁ, Monile, [τὸ περιδέραιον, add. Gl. Eadem eodem voc. interpr. Ὅρμος γυναικεῖος], περιτραχήλιος κόσμος. Hom. Il. Σ, [401]: Πόρπας τε, γναμπτάς θ' ἕλικας, κάλυκάς τε, καὶ ὅρμους· Od. O, [459]: Χρύσεον ὅρμον ἔχων· μετὰ δ' ἠλέκτροισιν ἔερτο. [Conf. Σ, 295. Hesiod. Op. 74 : Ὅρμους χρυσείους ἔθεσαν χροΐ. Æsch. Cho. 617: Χρυσεοδμήτοισιν ὅρμοις. Eur. fr. Alcmæon. ap. schol. Pind. Nem. 4, 32 : Χρυσοῦν ἐνεγκὼν ὅρμον· El. 177 : Ἐπὶ χρυσέοις ὅρμοις. Aristoph. Lys. 409, Vesp. 677. De Eriphyles ὅρμῳ, memorato Plat. Reip. 9, p. 390, A, Parthen. Erot. 25 citat Valck.] Athen. 6, [p. 232, E] : (Αἱ γυναῖκες αὐτῶν ἔλαβον) καὶ τὸν τῆς Ἑλένης ὅρμον Μενελάου ἀναθέντος, Helenæ monile a Menelao Apollini dedicatum, Apollini inquam, qui Menelao ultionem in Paridem petenti, oraculo respondit, Πάγχρυσον φέρε κόσμον ἑλὼν ἀπὸ σῆς ἀλόχοιο Δειρῆς. [De sertis Pind. Nem. 4, 17 : Ὅρμον στεφάνων πέμψαντα· Ol. 2, 81 : Ὅρμοισι τῶν χέρας ἀναπλέκοντι καὶ κεφαλάς. Xen. OEc. 10, 3 : Ὅρμους ὑποξύλους. Theophr. fr. 2 De lapid. 2, 36 : Πολυτελεῖς ὅρμους. Nicand. ap. Athen. 9, p. 372, F : Τῇ ἔνι μὲν σικύης ὅρμους βάλον ἐκπλύναντες.] Derivat Eust. [Od. p. 1847, 40] hoc ὅρμος, sicut et ἕρμα, ab εἴρω, eo quod innectatur et inseratur collo : sicut a κείρω κέρμα et κορμός : atque adeo ad differentiam alterius ὁρμος acui ult. syll. a quibusdam annotat [Od. p. 1788, 46; 1967, 29. V. schol. Luciani ap. Bachm. An. vol. 2, p. 344, 22]. || Saltationis species. Lucian. De salt. [c. 12] : Κοινὴ ἐφήβων τε καὶ παρθένων παρ' ἕνα χορευόντων, καὶ ὡς ἀληθῶς ὅρμῳ ἐοικότων, Alternis succedentium, Alternantium, et ὅρμον repræsentantium : inde dicta quod sit ὅρμος ἐκ σωφροσύνης καὶ ἀνδρείας πλεκόμενος, quæ quomodo perageretur, ibid. docet. || At ὁρμοὶ, ut ap. Hesych. scribitur, sunt Calceamentorum ligulæ s. corrigiæ, οἱ τῶν ὑποδημάτων ἱμάντες. [De quo accentu v. paullo ante.]

Ὅρμος, ὁ, [λιμὴν, Navalia, Gl.] Statio [Gl.] navium, Bud. ex Plut. Arrian. [Exp. 7, 19, 9] : Λιμένα τε πρὸς Βαβυλῶνα ἐποίει ὀρυκτὸν, ὅσον χιλίαις ναυσὶν ὅρμον εἶναι· et [20, 5] : Λιμένες μὲν πανταχοῦ τῆς χώρας ἐνεῖναι, οἷοι παρασχεῖν μὲν ὅρμους τῷ ναυτικῷ. Thuc. 4 : Τῶν νεῶν οὐκ ἐχουσῶν ὅρμον. [Id. 7, 41. Hom. Il. A, 435 : Τὴν δ' εἰς ὅρμον προέρυσαν ἐρετμοῖς. Æsch. Suppl. 765 : Οὐδ' ὅρμος οὐδὲ πεισμάτων σωτηρία· 772 : Πρὶν ὅρμῳ ναῦν θρασυνθῆναι· Ag. 665 : Μήτ' ἐν ὅρμῳ κύματος ζάλην. Soph. OEd. T. 196 : Ἐς τὸν ἀπόξενον ὅρμον Θρήκιον κλύδωνα, de Ponto Euxino. Ph. 217 : Ναὸς ἄξενον αὐγάζων ὅρμον, et alibi. Eur. Hec. 450 : Δωρίδος ὅρμον αἴας· et plur. Iph. A. 1321 : Τούσδ' εἰς ὅρμους· 1497 : Τᾶσδ' Αὐλίδος στενοπόροισιν ὅρμοις. Callim. Del. 290 : Ἐπεὶ σέο γείτονες ὅρμοι. Theocr. 13, 30 : Εἴσω δ' ὅρμον ἔθεντο Προποντίδος, quocum Valck. in Mss. confert versus ex Minyade ap. Pausan. 10, 28, 2 : Νέα ... οὐκ ἔλλαβον ἔνδοθεν ὅρμου. Herodot. 7, 193 : Ἐν τούτῳ τῷ χώρῳ ὅρμον οἱ Ξέρξεω ἐποιεῦντο. Polyb. 16, 8, 2 : Ἐδόκει πεποιῆσθαι τὸν ὅρμον ἐπὶ τῶν ναυαγίων.] Eust. in Hom. Od. N, [96] : Φόρκυνος δέ τις ἐστὶ λιμὴν, ἁλίοιο γέροντος, Ἐν δήμῳ Ἰθάκης, quum mox subjungat, Ἔντοσθεν δὲ ἄνευ δέσμοιο μένουσι Νῆες ἐΰσσελμοι, ὅταν ὅρμου μέτρον ἵκωνται, aperte a λιμὴν, Portus, distingui annotat, sicut et in superioribus duobus a Bud. citatis ll. clare differentiam hanc videre licet : esseque τὸ τέλος τῆς ἐν θαλάσσῃ καταγωγῆς, et partem τοῦ λιμένος, ἔνθα ἡ ναῦς ὁρμεῖ : alicubi vero et pro λιμὴν poni synecdoch., ut ἑστία pro οἶκος, δίφρος pro ἅρμα. Unde et Cic. ap.

A Arat. [346], Ὅρμον ἐσερχόμενοι vertit, Quum cœptant constringere portus, mei Lex. Cic. p. 84. Proprie igitur Statio navium est : unde et ab ἕρμα, i. e. ἀσφάλισμα, ἔρεισμα, derivatur : quod navis ibi tanquam in fulcro et stabilimento consistat : quam etym. et Aristot. in Ὁρμέω respicere videtur. [Palladas Anth. Pal. 11, 317, 2 : Ὄνον τῶν βασταζομένων ὅρμον ὁδοιπορίης. Meleager ib. 12, 167, 3 : Ἀλλά μ' ἐς ὅρμον δέξαι τὸν ναύτην Κύπριδος ἐν πελάγει. « Bion ap. Diog. L. 4, 48 : Τὸ γῆρας ἔλεγεν ὅρμον εἶναι τῶν κακῶν. » VALCK. || Ap. Xen. Ven. 10, 7 : Εἰς τοὺς ὅρμους ἐμβάλλεσθαι τὰς ἄρκυς, Schneid. interpretabatur, Loca patentia, cui contraria τὰ δύσορμα in seqq.]

[Ὁρμωτός. V. Ὁρμάζω.]

Ὀρναπέτιον, τὸ, Avis, Avicula, vocab. Doricum, aut Bœoticum, ut patet ex Aristoph. Ach. [913], ubi Bœotus ait, Τί δαὶ κακὸν παθὼν, Ὀρναπετίοισι πόλεμον ἦρα καὶ μάχαν; i. e. ὀρνέοις, schol. Ex eod. Comico [perperam] in VV. LL. citatur etiam Ὀρνεοπέτια, itidem pro Avicula.

B [Ὀρνέα, ἡ, Ornea, nympha. V. Ὀρνεαί.]

[Ὀρνεάζομαι, Hesych. Vide Schneider. Lex.]

Ὀρνεαὶ sive Ὀρνειαὶ, αἱ, [Orneæ], quorum illud usitatius est, hoc vero dicitur ut Αὐγειαὶ, vicus est Argivi soli. Sed et inter Corinthum et Sicyonem ejus nominis urbs sita est, ut ex Steph. B. [integriori, sed nunc illa parte defecto] tradit Eust. [ad Il. B, 571 : Ὀρνειάς τ' ἐνέμοντο.] Nominari autem Ὀρνεὰς scribit idem gramm. ἀπὸ Ὀρνέως, filio Erechthei [memorato etiam Pausan. 2, 25, 5; 10, 35, 8], vel ab Ornea nympha [de qua conf. quæ in Οἴνια diximus] : vel ab Ornea fluvio præterlabente. Utriusque l. meminit Strabo 8, p. 164, 166 [376, 382; 13, p. 587. Aristoph. Av. 399 : Ἀποθανεῖν ἐν Ὀρνεαῖς. Thuc. 6, 7; Pausan. 2, 25, 5 et 6, qui et ipse ab Orneo f. Erechthei dictas tradit.] Unde Ὀρνεάτης, Qui ex ea urbe est. Strabo 6, p. 166 [8, p. 382], de Orneis : Ἱερὸν ἔχουσαι Πριάπου, τιμώμενον ἀφ' οὗ καὶ ὁ τὰ πριάπεια ποιήσας Εὐφρόνιος, Ὀρνεάτην καλεῖ τὸν θεόν. [Herodot. 8, 73, ubi Ὀρνεήτης, Thuc. et Pausan. locis citt., et ap. eund.
C 8, 27, 1; 10, 18, 5.]

[Ὀρνεακὸς, ή, ὸν, Avibus proprius. Tzetz. ad Lycophr. 598. KALL.]

[Ὀρνέα. Ὀρνέας. Ὀρνεάτης. Ὀρνειαί. V. Ὀρνεαί.]

[Ὀρνειὸς, ὁ, Ornêus, inter n. pr. oxytona in ειος refert Arcad. p. 44, 17.]

[Ὀρνεοβατία, ἡ, Coitus cum volatilibus. Jo. Jejunator Pœnit. p. 93, B. HASE.]

[Ὀρνεόβρωτος, ὁ, ἡ, Ab avibus comestus. Pseudo-Chrys. Serm. 13, vol. 7, p. 275 : Ὁ εἷς μὲν αὐτῶν ὀρνεόβρωτος ἐγένετο. SEAGER. Suidas v. Οἰωνόβρωτος. WAKEF.]

Ὀρνεοθηρευτικὴ, ἡ, Ars capiendi aves, Aucupium, i. q. ὀρνιθοθηρευτική. Athen. 1, [p. 25, D] : Ἐγυμνάζοντο δὲ πρὸς ὀρνεοθηρευτικήν.

[Ὀρνεοθυσία, ἡ, Avium immolatio. Jo. Malal. 1, p. 258. ELBERLING.]

[Ὀρνεοκράτης, ὁ, Avium princeps. Const. Manass. Chron. 2798 : Ὀρνεοκράτην ὄρνιν· sic leg. pro Ὀρνεοκράτις. || Ὀρνεοκράτωρ, ib. 160, ἀετός. BOISS.]

D [Ὀρνεοκράτις, Ὀρνεοκράτωρ. V. Ὀρνεοκράτης.]

[Ὀρνεόμαντις, ὁ, Augur. Schol. Aristoph. Av. 718.]

[Ὀρνεομιγὴς, ὁ, ἡ, Cum avi mistus. Schol. Lycophr. 721, de Sirenibus. || Ὀρνεόμικτος, ib. 692.]

[Ὀρνεόμικτος. V. Ὀρνεομιγής.]

[Ὀρνεόμορφος, ὁ, ἡ, Avis formam referens. Procl. Paraphr. Ptolem. 4, 9, p. 281.]

Ὄρνεον, τὸ, Avis, [Volucris, Gl.] Ales, i. q. ὄρνις. Hom. Il. N, [64] de accipitre : Ὁρμήσῃ πεδίοιο διώκειν ὄρνεον ἄλλο. [Thuc. 2, 50 : Τὰ ὄρνεα. Xen. Anab. 6, 1, 23 : Τὰ ὄρνεα ἐπιτίθεσθαι τῷ ἀετῷ. Et sæpe Plato utro que numero.] Plut. [Mor. p. 680, E] : Τὰ τῶν ἄλλων ὀρνέων πτερὰ, de aquila loquens. Idem, Χαίρουσι τῶν ὀρνέων τοῖς ᾄδουσι. Athen. 9, [p. 392, F : Σχεδὸν] τὰ πλεῖστα τῶν ὀρνέων ἀπὸ τῆς φωνῆς ἔχει τὴν ὀνομασίαν. Synes. Ep. 4 : Ὄρνεον ἐκτόπως ἡδὺ, de otide. [Cratinus ap. Athen. 9, p. 373, E. Frequens est ap. Aristoph. in Av., qui etiam Forum s. Locum ubi aves veneunt, sic dicit 13 : Ἦ δεινὰ νὼ δέδρακεν οὑκ τῶν ὀρνέων, ut Demosth. in Ὄρνις citandus. Hesych. : Ὄρνεα, ὀρνεοπώλια καὶ πετεινὰ καὶ τόπος. Gl.: Ὄρνεον βασιλικὸν, Inemistultus; Ὄρνεον μαντευτικὸν, Inebra.]

['Ορνεοπάτακτος, ὁ, ἡ, Ab avibus laceratus. Jo. Chrys. 8, p. 83 (=7, p. 219). Bast. 'Ορνεοπάτακτον, Quod percussum fuit ab avibus, cujus esus interdictus apud Græcos. Joannes Jejunator in Ordine confessionis: Ἦ αἷμα ἔφαγεν ἢ πνικτὸν ἢ θηριάλωτον ἢ θνησιμαῖον ἢ ὀρνεοπάτακτον. Ducang.]

['Ορνεοπέτιον, vitium scripturæ pro 'Ορναπέτιον, quod v.]

['Ορνεοπώλιον.] 'Ορνεοπωλεῖον, τὸ, Locus ubi aves venduntur. [Per ι recte ap. Hesych. in Ὄρνεα et schol. Aristoph. Av. 13.]

'Ορνεοπώλης, ὁ, [Aviarius, Gl.] Qui aves vendit, ὀρνιθοπώλης. [Schol. Aristoph. Av. 14.]

['Ορνεοπώλιον. V. 'Ορνεοπωλεῖον.]

'Ορνεοσκοπέω, Augurium ago, Avium volatus et garritus observo, futura ex iis augurans. [Auspicor, Auguror, Gl. Herodian. p. 465 Piers.; Thomas p. 361. L. D. Clem. Rom. Const. apost. 7, 6: Οὐδὲ ὀρνεοσκοπήσῃς. Hase.]

['Ορνεοσκοπητικὸς, ἡ, ὸν, Ad augurium pertinens. Nonn. Hist. Synag. 1, 72. Boiss. Eudocia p. 41.]

['Ορνεοσκοπία, ἡ, Augurium, Gl. Cyrill. Catech. 4, p. 38. Boiss. Ephræm Syr. vol. 3, p. 215, D. L. Dind.]

['Ορνεοσκοπικὸς, ἡ, ὸν, i. q. ὀρνεοσκοπητικός. Anon. ap. Boiss. ad Eunap. p. 446, Cram. Anecd. vol. 4, p. 240, 26, 29. L. D. Galen. vol. 19, p. 320, 7: Τὸ ἀστρονομικὸν καὶ τὸ ὀρν. Hase.]

'Ορνεοσκόπος, ὁ, ἡ, Auspex, i. q. ὀρνιθοσκόπος. [Auguralis, Auspicalis, Aruspex, Augur, Gl. Schol. Hom. Il. A, 69; Etym. M.; Hesych. v. Οἰωνοσκόπος. Wakef. V. 'Ορνοσκόπος.]

['Ορνεοσοφικὸν, τό: ita inscribuntur libri de falconum curatione et nutritione in cod. Reg. 3137, quorum alter est Demetrii Cpolitani, quosque ex eo cod. edidit Rigaltius Parisiis a. 1612. Ducang. Inter formas 'Ορνεοσοφικὸν et 'Ορνεοσόφιον variari in cod. Vindob. annotat Lambec. Bibl. Cæs. vol. 6, p. 362. 'Ορνεοσόφιον in codice ap. Harles. ad Fabric. B. Gr. vol. 8, p. 9, annot. 'Ορνεοσοφιστικὸν scriptum ap. Pasin. Codd. Taurin. vol. 1, p. 270, B. L. Dind.]

['Ορνεοσόφιον, τό. V. 'Ορνεοσοφικόν.]

['Ορνεοτρόφος, ὁ, Altiliarius, Gl. Ms. ap. Iriart. Bibl. Matrit. p. 336, 80: 'Ιξευταὶ, ὀρνεοτρόφοι. L. D. Pseudochrys. t. 10, p. 998, B: Κέγχρον ὀρνεοτρόφον. Hase.]

['Ορνεοφθορία, ἡ, i. q. ὀρνεοβατία. Jo. Mon. Pœnit. p. 106, D. Hase.]

['Ορνεόφοιτος, ὁ, ἡ, Ab avibus frequentatus. Satyrus Anth. Pal. 10, 11, 1, καλαμῖδα.]

'Ορνεόω, In avem muto, In alitem transformo, i. q. ὀρνιθόω.

['Ορνεύς. V. 'Ορνεαί.]

['Ορνεώδης, ὁ, ἡ, Volucrium naturam et indolem habens. Plut. Mor. p. 44, B.]

'Ορνεώτης, ὁ, Auceps, Qui aves vendit: habes in 'Ορνιθοπώλης.

Ὀρνη, barytonως, ἡ νὺξ, Nox; at ὀρνὴ νὺξ oxytonως, adjective dicitur pro σκοτεινὴ, Tenebrosa. Varin. Sed videndum ne scrib. sit ὄρφνη. [Quod v.]

'Ορνιθαγρευτὴς, οῦ, ὁ, Auceps, qui et ὀρνιθοθήρας, Bud. [In Ind.:] 'Ορνῖθαγρευτὴς, ὁ, Auceps, qui et ὀρνιθοθήρας. [Schol. Aristoph. Nub. 733.]

['Ορνιθάριον. V. 'Ορνίθιον.]

['Ορνίθαρχος, ὁ, ἡ, Curator avium. Aristoph. Av. 1214.]

'Ορνῖθεία, ἡ, Augurium, Auspicium, ἡ οἰωνομαντεία Suidæ, Futurorum prædictio ex avium volatu aut garritu. [Polyb. 6, 26, 4.] In VV. LL. exp. etiam genus Ludi, in quo pueri verberabantur: cujus expositionis occasionem dedit eis hic l. Plutarchi Lycurgo [c. 18]: Πολλοὺς ἐφήβους ἐπὶ τοῦ βωμοῦ τῆς ὀρνιθείας ἑωράκαμεν ἀποθνήσκοντας ταῖς πληγαῖς, In ara augurum, Lapus. Sed pro ὀρνιθείας reponendum esse 'Ορθίας, supra docui tum ex Plut., tum e Xen. [Pollux 7, 139.]

['Ορνιθεῖον, τὸ, Aviarium. Phrynichus Bekkeri p. 54, 26: 'Ορνιθεῖα, οἱ τόποι, ἔνθα οἱ ὄρνιθές εἰσιν, ἢ θῆραι. Τῷ τόνῳ δὲ ὡς ἱερεῖα, διδασκαλεῖα.]

'Ορνίθειος, α, ον [et ὁ, ἡ, ut Aristoph. Av. 865:

A Τῇ Ἑστίᾳ τῇ ὀρνιθείῳ. Gallinaceus, Gl.], ut ὀρν. κρέας, Avium caro. [Aristoph. Nub. 339. Ran. 510: Κρέα τ' ὀρνίθεια, et omisso κρέα, Av. 1590.] Athen. [6, p. 262, D. Valck.] Et Aristot. Eth. 6, 7. [Xenoph. Anab. 4, 5, 31.] Et ὀρνίθειον στέαρ, Adeps gallinaceus, Diosc. 2, 89. Et ὀρνίθεια ὠὰ, Ova gallinacea, Colum.: Athen. 2, [p. 58, B] ex Heraclide Syracus.: Τῶν ὠῶν πρωτεύειν τὰ τῶν ταῶν, μεθ' ἃ εἶναι τὰ χηναλωπέκεια· τρίτα καταλέγει τὰ ὀρνίθεια. [Maria, Tract. ms. de lapide philosophico Cod. Reg. 2329, fol. 82, b: Κόπρον ἱππείαν ἢ ὀρνιθείαν. Geopon. 14, 8, 1: 'Ορνιθείαν κόπρον. Galen. vol. 4, p. 390, 9: Τῶν ὀρνιθείων σκελῶν. Arat. Phænom. 487: Ὑπαύχενον 'Ορνίθειον, Collum Cygni sideris. Hase. In ὀρνιθόθειος corruptum in schol. Aristoph. Av. 874 correxit Portus.] Reperitur etiam 'Ορνίθιος in ead. signif. Aristoph. Nub. [339]: Κρέα τ' ὀρνίθια κιχλᾶν [ὀρνίθεια κιχηλᾶν], Alitum turdorum carnes. Idem [Av. 222], Τοῦ ὀρνιθίου φθέγματος, Avium modulaminis. [Τοὐρνιθίου hic est diminut., quod v. infra. Pollux 10, 159, οἰκίσκος.] Pro Gallinaceus
B etiam usurpatur sicut ὀρνίθειος, ut ὀρνίθιος ζωμὸς, ap. Athen. 8, [p. 341, A, ubi recte ὀρνίθειος].

'Ορνίθεος, i. q. ὀρνίθειος, ut ὀρν. κεφαλὴ, quod Cic. ap. Arat. [274] vertit Alitis caput. [De qua 487: Ὑπαύχενον ὀρνίθειον ἄκρῃ σὺν κεφαλῇ. Et in Mss. nonnullis ὀρνίθειον ῥάμφος.]

'Ορνιθευτὴς, ὁ, Auceps, i. q. ὀρνιθοθήρας, Pollux [7, 135], Hesych., Suid. [et al.] Athen. 6: Χιλίους συνεπήγετο οἰκέτας, ἁλιεῖς καὶ ὀρνιθευτὰς καὶ μαγείρους. Utitur et l. 12. [Aristoph. Av. 526; Plato Leg. 7, p. 824. Hesych. in Κυμβατευταὶ, ab Hemst. cit., Ammon. p. 104, et qui Dinarchi, Platonis et Nicostrati comicorum addit exx., Harpocratio.]

['Ορνιθευτικὸς, ἡ, ὸν, Ad aucupium pertinens. Fem. de Aucupio Porphyr. De abst. 1, 53, p. 89: Πάντων φρονησάντων τὰ ἄριστα οὐδεμία χρεία ὀρνιθευτικῆς, ἰξευτῶν, ἁλιέων. Pollux 7, 139. V. 'Ορνιθοθηρευτική. L. D.]

'Ορνιθεύω, Aucupor, Aves capio, i. q. ὀρνιθοθηράω. Xen. Hell. 4, [1, 15]: Ἦν δὲ καὶ τὰ πτηνὰ ἄφθονα τοῖς ὀρνιθεῦσαι δυναμένοις. At 'Ορνιθεύομαι, Auguror; nam
C Suid. ὀρνιθευομένου exp. μαντευομένου δι' ὄρνιθος. [Ubi Joseph. C. Apion. 1, p. 457: Μάντεώς τινος ὀρνιθευομένου, cit. Toup. Dionys. A. R. 4, 13: 'Ορνιθευσάμενός τε, ὡς νόμος ἦν, καὶ τἄλλα τὰ πρὸς θεοὺς ὅσια διαπραξάμενος.]

['Ορνιθιάζω, ap. schol. Rav. et Ven. Aristoph. Av. 1680: Εἰ μὴ βατίζει γ', ὥσπερ αἱ χελιδόνες) Δίδυμος οὕτως, εἰ μὴ ὀρνιθιάζει, collatis iis quæ in vulgatis ponuntur ex eodem: Θέλει δὲ λέγειν, εἰ μὴ βαδίζει πρὸς τὰς χελιδόνας, i. esse videtur quod Aves sector s. imitor.]

'Ορνῑθῐᾰκὸς, ἀ, ὸν, unde plur. 'Ορνιθιακὰ, Avium historia, Libri de avibus. In Vita Dionysii Afri, cujus De situ orbis liber extat: Συγγράψαι δὲ καὶ ἄλλα βιβλία λέγεται, Λιθιακά τε καὶ 'Ορνιθιακὰ καὶ Βασσαρικά.

'Ορνιθίας, ὁ, ut ὀρν. χειμὼν, Tempestas quæ aves perimit, Hyems quæ præ frigore aves necat. Aristoph. Ach. [877] ad quendam qui multas aves coemerat: Ὡσπερεὶ χειμὼν ἄρα 'Ορνιθίας εἰς τὴν ἀγορὰν ἐλήλυθας, schol. οὕτως ὁ σφοδρὸς χειμὼν, ἐν ᾧ τὰ ὄρνεα διαφθείρεται.
D Sed addit Symmachum velle ideo vocari ὀρνιθίαν χειμῶνα, διὰ τὸ χειμῶνος ταῦτα τὰ ὄρνεα (quorum sc. ibi mentio fit) ἐπιφαίνεσθαι, ut ap. Aratum. Prior expositio verior est, secundum quam dicitur etiam ὀρνιθίας ἄνεμος, ὃς ὑπὲρ τὴν γῆν τὰ ὄρνεα στορέννυσιν ὑπὸ τῆς τοῦ ψύχους πνοῆς, ut idem schol. tradit. Meminit ὀρνιθιῶν ventorum Aristot. De mundo [c. 4]: Οἱ δὲ ὀρνιθίαι καλούμενοι, ἐαρινοί τινες ὄντες ἄνεμοι, βορέαι εἰσὶ τῷ γένει. Plin. vero Favonium aliquando ornithiam dici scribit: item Etesias quodam tempore ornithias nominari. Sic enim ille 2, 47: Favonium quidam ad VII calend. Martii χελιδονίαν vocant, ab hirundinis viso: nonnulli vero, ὀρνιθίαν, uno et LXX die post brumam, ab adventu avium: flantem per dies novem. [Μετὰ ο' ἡμέρας ἀπὸ τῆς χειμερινῆς τροπῆς ἄρχεσθαι πνεῖν tradit etiam Olympiodor. ad Aristot. Meteor. (2, 5) p. 39, A, cit. ab Schneid. Ind. ad Scriptt. rei rust. p. 272. Columella 11, 2, 21: «Venti septentrionales, qui vocantur Ornithiæ, per dies triginta esse solent.»] Aliquanto post de etesiis loquens: Spirant autem et a

bruma, quum vocantur ὀρνιθίαι, sed leniores, et paucis diebus. [Hippocr. p. 1236, B : Οἱ ὀρνιθίαι ἔπνευσαν πολλοὶ καὶ ψυχροί. Interpretes tamen ὀρθίαι legerunt. Foes. Ptolem. De apparent. p. 81, E; 82, A; 83, A (in Petavii Uranol.). Gemin. Elem. astron. ib. p. 68, C, 33 : Δημοκρίτῳ ἄνεμοι πνέουσι ψυχροὶ, οἱ Ὀρνιθίαι καλούμενοι. Id. ib. 44 : Ὀρν. πνέουσι μέχρις ἰσημερίας. Hase. || Liban. argum. Demosth. p. 334, 6 : Πιττάλακον τὸν ὀρνιθίαν· Tzetz. Hist. 6, 56 : Πιτταλάκου τοῦ ὀρνιθία, de homine aves pugnaces alente, Aviarius. ῐᾱ]

[Ὀρνιθικὸς, ή, ὸν, Avibus conveniens. Lucian. Somn. c. 5 : Ὀρνιθικὴ ἡμῖν ἡ τροφή.]

Ὀρνίθιον, et Ὀρνιθάριον, τὸ, Avicula [alterum in Gl.]. Strattis ap. Athen. 9, [p. 373, F] : Αἱ δ' ἀλεκτρυόνες ἅπασαι Καὶ τὰ χοιρίδια τέθνηκε, Καὶ τὰ μικρὰ ὀρνίθια· accipere etiam queas pro Gallinis juvencis aut Pullis [hoc in Gl.]. Sic enim Myrtilus l. in Ὄρνις citato : Ἀλλὰ μὴν καὶ ὄρνιθας καὶ ὀρνίθια νῦν μόνως ἡ συνήθεια καλεῖ τοὺς [τὰς] θηλείας, ... ἀλεκτρυόνας δὲ καὶ ἀλεκτορίδας, τὰς ἄῤῥενας. [Id. ib. C : Ὀρνίθια δ' εἴρηκε Κρατῖνος ἐν Νεμέσει οὕτως, Τἄλλα πάντ' ὀρνίθια.] Pro Avicula autem accipit Plut. Artox. [c. 19], quum de rhyndace ait : Γίνεται δὲ μικρὸν ἐν Πέρσαις ὀρνίθιον. [Herodot. 2, 77 : Τὰ σμικρὰ τῶν ὀρνιθίων. Aristot. H. A. 4, 9 fin. : Τῶν μικρῶν ὀρνιθίων ἔνια· 8, 3, etc. L. D. Philo vol. 1, p. 146, 37. Marc. Eugen. Imag. p. 161, 1 Kays. : Τὰ ὀρνίθια τάδε, ὡς πρόθυμον ᾄδουσι καὶ τορόν. Hase.] Posteriore autem dimin., nempe ὀρνιθάριον, utitur Nicostratus ap. Athen. 14, [p. 654, B] ubi pro Parva gallina aut Pullo gallinaceo accipit, sicut et ὀρνίθιον paulo ante. [De aviculis Anaxandrid. ap. Athen. 4, p. 131, E : Ὀρνιθαρίων ἀφάτων πλῆθος· Diod. 13, 82, Hesych. v. Ὀρχίλον et alibi, schol. Theocr. 2, 17. L. D. Hero Spirit. p. 170, 25; 197, 1; et Antigon. Caryst. Hist. mir. c. 28 : Θηρεύειν τὰ ὀρνιθάρια. Hase.]

[Ὀρνιθοβοσκεῖον, τὸ, Gallinarum stabulum, Gallinarium. Varro R. R. 3, 9, 2 : « De his qui ὀρνιθοβοσκεῖον instituere volunt, » et ib. 4, et 15.]

Ὀρνιθόγαλον, τὸ, herbæ nomen ap. Diosc. 2, 174, cui flores esse dicit γαλακτίζοντας. Ornithogale dicitur Plinio, 21, 17. [Nicand. ap. Athen. 9, p. 371, C : Ἠδ' ὅπερ ὄρνιθος κλέεται γάλα.]

[Ὀρνιθογενὴς, ὁ, ἡ, i. q. ὀρνιθόγονος. Artemid. 1, 37 : Τὰ ὀρνιθογενῆ οὐ μένει ἐν τοῖς οἰκείοις χωρίοις, ubi Corn. interpr. quasi legeretur ὀρνίθων γένη.]

[Ὀρνιθογνώμων, ονος, ὁ, ἡ, Avium peritus. Ælian. N. A. 16, 2 : Οὐκ ἔχων ἐπιστήμην ὀρνιθογνώμονα.]

Ὀρνιθογονία, ἡ, Avium generatio s. origo, ita vocatur liber quidam De generatione s. origine avium : vide Ὀρνιθόω. [Ubi Βοῖος citatur ἐν Ὀρν., quam citat etiam Antonin. Lib. c. 3 et alibi.]

Ὀρνιθόγονος, ὁ, ἡ, Ex ave natus : ut ὀρνιθόγονος Ἑλένη, Eur. [Or. 1387.] Nam Jupiter in cycnum transformatus ex Leda eam genuit. [Schol. Lycophr. 653.]

[Ὀρνιθοειδὴς, ὁ, ἡ, Avi similis. Adamant. Phys. 1, 1, p. 323.]

Ὀρνιθοθήρα, ἡ, Aucupium, Gaza. [Quod —θηρία dicendum, ut est infra.]

Ὀρνιθοθήρας, ὁ, Auceps [Gl.]. Plut. Polit. præc. [p. 800, A] : Ὥσπερ ὀρνιθοθῆραι μιμούμενοι τῇ φωνῇ καὶ συνεξομοιοῦντες ἑαυτούς. Sic in Distichis Gnomicis quæ Catoni ascribuntur, Fistula dulce canit volucrem dum decipit auceps. [Aristoph. Av. 62 : Ὀρνιθοθήρα τουτωί. Aristot. H. A. 9, 1 med. : Οἱ ὀρνιθοθῆραι. Schol. Aristoph. Nub. 733 : Ὀρνιθοθήρου. Pollux 7, 135; 10, 171. « Biogr. Plat. *in Bibl. der alten Liter.* vol. 5, p. 7. » Boiss. V. Ὀρνιθοθηρατής.]

[Ὀρνιθοθηρατής, ὁ. Liban. vol. 4, p. 171 : Δείλης ὀψίας ὀρνιθοθῆραι καὶ κυνηγέται· ubi Reisk. : « Ὀρνιθοθῆραι, sic recte Bav., a nominat. ὀρνιθοθήρης (leg. ὀρνιθοθήρας). Nam ὀρνιθοθηρατὴς dici haud arbitror. » Ὀρνιθοθηραταὶ Morell. et cod. Par. 3017. Bast.]

Ὀρνιθοθηράω, Aves capio, Aucupor : cujus infin. ὀρνιθοθηρᾷν ap. Polluc. [7, 135, ex Teleclide. Scribendum esse ὀρνιθοθηρεῖν dixi in Λαγοθηρέω. L. Dind.]

Ὀρνιθοθηρευτικὴ, ἡ, Ars aucupii, Scientia capiendarum avium, Plato [Soph. p. 220, B, ubi meliores ὀρνιθευτική. Sed ὀρνιθοθηρευτὴς est in schol. Rav. Ari-

A stoph. Av. 526, ubi apud poetam ὀρνιθευτής. L. Dind.]

[Ὀρνιθοθηρέω. V. Ὀρνιθοθηράω.]

[Ὀρνιθοθηρία, ἡ, Avium venatio. Eutecnii Paraphr. Oppiani p. 2.]

Ὀρνιθοκάπηλος, ὁ, Qui aves cauponatur, h. e. Qui aviculas venditat. Pollux [7, 197] : Ἐκάλουν δ' οὕτως (sc. πινακοπώλας) οἱ ποιηταὶ τῆς κωμῳδίας οὐ μόνον τοὺς τοὺς πίνακας πιπράσκοντας, ἀλλὰ καὶ τοὺς ὄρνεις, οὓς προυτίθεσαν ἐπὶ πινάκων κεραμέων· τούτους δ' ὀρνιθοκαπήλους Κριτίας καλεῖ. [Ὀρνιθοπῶλαι interpr. Hesych.]

[Ὀρνιθοκλόος, ὁ.] In meo vet. Lex. [et Etym. M.] habetur etiam Ὀρνιθοκλόος, quod deducit a κοεῖν, συνιέναι, pleonasmo literæ λ. [Photius : Ὀρνιθοκλόνοι, ὀρνιθοσκόποι. V. Ὀρνιθοκόος, unde hæc paullatim nata et depravata.]

[Ὀρνιθοκομεῖον. V. Ὀρνιθονομεῖον.]

[Ὀρνιθοκόμος, ὁ, Gallinarius, Aviarius, Gl. Fabulam Anaxilæ Ὀρνιθοκόμους citat Athen. 14, p. 655, A. L. Dind. Procop. Hist. t. 1, p. 316, 13. Boiss.]

Ὀρνιθοκόος, ὁ, Augur, Augurii peritus, ὁ δι' ὀρνίθων B τὰ σημαινόμενα νοῶν, sicut Hesych. θυοσκόος s. θυηκόος exp. ὁ δι' ἐμπύρων ἱερῶν τὰ σημαινόμενα νοῶν, derivans a κοέω, Ionice pro νοέω. [V. Ὀρνιθοκλόος.]

[Ὀρνιθοκρίτης, ὁ, Collector, Gl. Potius Conjector, i. e. Augur, qui conjicit futura ex avibus. Angl.]

Ὀρνιθολόγος, ὁ, pro Aucupe videtur accipi in Plut. De orac. Pyth. [p. 406, C] : Καὶ ἔχαιρον ᾀδομένοις ἀρόται τε ὀρνιθολόγοι τε, κατὰ Πίνδαρον.

[Ὀρνιθολόχος, ὁ, Auceps. Plut. Mor. p. 473, A. Forma Dor. Ὀρνιχολόχος, Pind. Isthm. 1, 48.]

Ὀρνιθομανέω, Insano avium alendarum amore captus sum, Aristoph. [Av. 1284, 1290, 1344.]

Ὀρνιθομανὴς, ὁ, ἡ, Qui aves insano amore deperit, avium alendarum insano studio tenetur. [Athen. 11, p. 464, E : Τοὺς φιλόρνιθας (καλοῦσιν) ὀρνιθομανεῖς. Galen. vol. 5, p. 145.]

Ὀρνιθομανία, ἡ, Insanum studium alendarum avium : ut δοξομανία, γυναικομανία. Dici autem hodie possunt ὀρνιθομανεῖς, Qui accipitrario aucupio addicti sunt. Bud.

C [Ὀρνιθομαντεία, ἡ, Augurium. Procul. ad Hesiodi Op. 824 : Τούτοις ἐπάγουσί τινες τὴν ὀρνιθομαντείαν, ἅτινα Ἀπολλώνιος ὁ Ῥόδιος ἀθετεῖ.]

[Ὀρνιθομαντεῖον, τὸ, Auguratorium. Euseb. Præp. ev. t. 1, p. 465, 12 Gaisf. Hase.]

[Ὀρνιθόμαντις, εως, ὁ, Augur. Hesych. v. Οἰωνόμαντις. Wakef.]

[Ὀρνιθόμορφος, ὁ, ἡ, i. q. ὀρνεόμορφος. Demetr. Phal. 1, 336 (?). Boiss.]

Ὀρνιθονομεῖον, τὸ, Locus alendis avibus, i. e. Aviarium, τὸ τὰς ὄρνιθας ἔχον οἴκημα Suidæ. Synonyma sunt ὀρνιθοτροφεῖον et ὀρνιθών. [Ὀρνιθοκομεῖον libri meliores. Utrumque vocab. in Indice posuit HSt.]

Ὀρνιθόπαις, αιδος, ὁ, ἡ, Avis pullus, Pipio. [Lycophr. 731.]

Ὀρνιθοπέδη, ἡ, Laqueus qui avibus capiendis tenditur. Cic. Tendiculas appellat. Extat in Epigr. [Paulli Sil. Anth. Pal. 9, 396, 4.]

[Ὀρνιθοπρόσωπος, ὁ, ἡ, Qui avis vultum habet. Porph. De abst. 3, 16, p. 250 : Τὰ τῶν θεῶν εἴδη ὀρν. D Wakef.]

Ὀρνιθοπώλης, ὁ, ἡ, Qui aves vendit. At Pollux [7, 198] : Οὗ δὲ πιπράσκονται οἱ ὄρνεις, ὀρνεῶται, ὀρνιθοπῶλαι. Synonymum est ὀρνιθοκάπηλοι. [Quod v.]

[Ὀρνιθοσκοπέομαι, Auguror. Levit. 19, 26 : Οὐκ οἰωνιεῖσθε, οὐκ ὀρνιθοσκοπήσεσθε.]

[Ὀρνιθοσκοπία, ἡ, Augurium. Theod. Prodr. in Notitt. Mss. vol. 6, p. 553 : Φρύγες τὴν ὀρν. (ἐξευρόντες). Elberling. Clem. Rom. Const. Ap. 2, 62; Basil. t. 1, p. 876, D. Phlegon Trall. Macr. p. 202, 24 Westerm. : Τὴν διὰ τῆς ὀρν. μαντείαν. Hase. Jo. Damasc. vol. 1, p. 108, D. L. Dind.]

Ὀρνιθοσκόπος, ὁ, ἡ, Auspex, Qui avium volatus pastusque spectans, futura inde auguratur, i. q. οἰωνοσκόπος, Ammon. [p. 104. Thomas p. 362. Soph. Ant. 999 : Θᾶκον ὀρν. Pollux 7, 188. Arcad. p. 88, 26.]

Ὀρνιθοτροφεῖον, τὸ, Locus ad nutriendas s. alendas aves, Aviarium, ut Colum. appellat 8, 3, ubi quem Aviarium appellat, ὀρνιθοτρόφον Græce reddemus [Harpocr. v. Οἰκίσκῳ. Boiss. Ubi ap. Photium a Por-

sono correctum et Suidam divise ὀρνίθων τροφεῖον. A
Hesych. v. Χοιροκομεῖον. Varro R. R. 3, 5, 8 : « Inven-
toris nostri ὀρνιθοτροφείων. »]

[Ὀρνιθοτροφέω, Aves nutrio. Geopon. 14, 7, 8.]

Ὀρνιθοτροφία, ἡ, Avium nutritio. Plut. Pericle [c.
13] : Τὰς Πυριλάμπους ὀρνιθοτροφίας. [Columella 8, 2,
6 : « Ratio cohortalis, quam Græci vocant ὀρνιθοτρο-
φίαν. »]

[Ὀρνιθοτρόφος, ὁ, ἡ, Aves nutriens. Diodor. 1, 74.
Schol. Aristoph. Pac. 1003. V. Ὀρνιθοτροφεῖον.]

[Ὀρνιθοτυφλότης, ητος, ἡ, Luscitio, Nocturna cæ-
citudo, νυκταλωπία. Theodosius grammat. in Grammat. Ms. : Ὁ δὲ νυκτάλωψ εἶδός ἐστι νοσήματος, τὸ παρὰ
τοῖς ἀγοραίοις ὀρνιθοτυφλότης ὀνομαζόμενον. Ὀρνιθοτύ-
φλωμα, τὸ, eadem notione Agapius Cret. in Geoponico c. 97 de fœniculo. Ducang.]

Ὀρνιθοφάγος, ὁ, ἡ, Qui aves devorat. [Aristot.
H. A. 9, 6 fin. : Ἔστι δὲ καὶ ὀρνιθοφάγον. L. D. Schol.
Hom. Il. X, 335. Wakef.]

Ὀρνιθοφυής, ὁ, ἡ, Ab ave ortus : ὀρν. παῖς, Pullus
avis, qui et ὀρνιθόπαις. Sic et ὀρνιθοφυεῖς κόραι dicun- B
tur Columbæ. Athen. 11, [p. 491, D] : Ἀποδεδειγμένου
οὖν τοῦ, ὅτι Πλειάδες ἦσαν ἐντετορνευμέναι τῷ ποτηρίῳ,
καθ' ἕκαστον τῶν ὤτων δύο ὑποθετέον, εἴτε βούλεταί τις
ὀρνιθοφυεῖς κόρας, εἴτ' αὖ καὶ ἀνθρωποειδεῖς. [Schol. Lycophr. 731.]

[Ὀρνιθοφύλαξ, ἄκος, ὁ, ap. Charit. 7, 2, p. 154 :
Κατέλαβον τὴν στρατιὰν ἐπὶ τῷ ποταμῷ, καὶ προσμίξαντες
τοῖς ὀρνιθοφύλαξιν, corrigendum esse ὀπισθοφ. mirum
est dubitasse Dorvillium.]

Ὀρνιθόω, In avem muto, In alitem converto. Athen.
9, [p. 393, E] : Βοῖος δ' ἐν Ὀρνιθογονίᾳ φησὶν ὑπὸ Ἄρεως
τὸν Κύκνον ὀρνιθωθῆναι, i. e. εἰς ὄρνιν μεταμορφωθῆναι.
[Schol. Av. 1310 : Τοῖς βουλομένοις ὀρνιθωθῆναι, et 35,
ὀρνιθωθησόμενοι.]

Ὀρνιθώδης, ὁ, ἡ, Ad avium naturam accedens,
Avium speciem gerens : ὀρν. κοιλίαι, Ventriculi, quales
sunt avium. Aristot. [H. A. 6, init.] : Ὀρνιθωδεστέρας
ὑστέρας ἔχει τὰ σελάχη, Habet genus cartilagineum ea
specie vulvas qua aves. [Id. ib. 4, 1 med. : Πρόλοβον
μέγαν καὶ περιφερῆ ὀρνιθώδη· De partt. anim. 2, 16 : C
Ῥύγχος ὀρνιθῶδες· 3, 14 med., κοιλίας. L. D. Id. Physiogn. p. 811, 34 : Οἱ δὲ τὴν ῥῖνα ἄκραν λεπτὴν ἔχοντες,
ὀρνιθώδεις. Hase. Schol. Aristoph. Av. 1295 : Ὀρνιθώδης τὴν κεφαλήν.]

Ὀρνιθών, ῶνος, ὁ, Aviarium, Gallinarium [Gl.], i.
q. ὀρνιθονομεῖον et ὀρνιθοτροφεῖον. Utitur hoc vocab. ap.
Lat. Varro R. R. 3, [3, 1] : Villaticæ pastionis genera
sunt tria : ornithones, leporaria, piscinæ. Ornithones dico omnium alitum quæ intra parietes villæ
pasci solent. [Alios ejus ll. indicat Schneider. in Ind.]
Utitur et Colum. 8, 3 : Totius autem officinæ, i. e.
ornithonis, tres continuæ extruuntur cellæ. Ibid.
Gallinaria appellat.

[Ὀρνίθων πόλις, ἡ, urbs Phœnices, ap. Strab. 16,
p. 758.]

[Ὄρνιξ. V. Ὄρνις.]

[Ὄρνιος, ὁ, i. q. ὀρνίθειος. Palladas Anth. Pal. 9,
377, 9 : Ὄρνια καὶ μόσχεια.]

[Ὀρνῖος κεράνιος, Anemone, ap. Interpol. Diosc.
c. 395 (2, 207). Ducang.] D

Ὄρνις, ιθος, ὁ, ἡ, Avis, Ales, [Pallas, add. Gl.
Eadem ponant : Ὄρνις ἀγρία, Rusticula; Ὄρνις ἡ κατὰ
οἶκον, Gallina; Ὄρνις βασιλικὸς, Inemistultus; Ὄρνις
πονηρὰ, Eniber (ut Ὄρνεον μαντευτικὸν interpr. Inebra); Ὄρνιθες, Anxilites (sic)] : utroque enim modo
interpr. Cic., ut docebit te Lex. meum Cic. : i. q.
οἰωνός. Et tam de minoribus quam de majoribus avibus dicitur. Hom. Od. E, [65] : Ὄρνιθες τανυσίπτεροι,
ut σκῶπες, ἱέρακες, κορῶναι εἰνάλιαι. Il. Ξ, [290] : Ὄρνιθι λιγυρῇ ἐναλίγκιος. Epigr., ὄρνις Διὸς, Jovis ales
Virgilio, i. e. Aquila. Athen. 7, [p. 285, D] : Ἀδρια-
τικοὶ ὄρνιθες. Et 1 [5, p. 201, B; 9, p. 387, D] ὄρνιθες
Αἰθιοπικοί· at 14, νομάδες ὄρνιθες, ut quæ in aviariis
pascuntur : quales et ἥμεροι ὄρνιθες, Cicures et cortales
aves. Et 9, ὄρνιθες κονιστικοὶ, Aves quæ pulverantur.
Eod. l. νεοσσοὶ ὄρνιθες, Juvencæ aves, Plinio. Item
πλωΐδες ὄρνιθες et στυμφαλίδες. Et ap. Apollon. [Rh.
1, 1087] de Alcyone, ὄρνις ἀκταίη· Lucian., ὄρνις θά-
λασσία. Et ὀρνίθων θήρα, Xen. et Plut. : ὄρνιθος φθόγγος,
A Plutarch. Et ὀρνίθων ᾠδὴ, Avium cantus. [Xen. Cyrop.
1, 6, 39 : Ἐπὶ τὰς ὄρνιθας ἐν τῷ ἰσχυροτάτῳ χειμῶνι
ἐπορεύου, ubi libri aliquot et Athen. τούς. Plato
Theæt. p. 197, C : Ὄρνιθας ἀγρίας.] Platoni [Leg. 7,
p. 789, B] ὀρνίθων θρέμματα, Avium pulli. Dem. [p.
417, 21] : Εἰς τοὺς ὄρνις εἰσιὼν, Ad avium pugnas spe-
ctandas, ut gallinaceorum et coturnicum. [Rectius
Reiskius vertit Forum pullarium, aviarium. V. Ὄρνεον.] Ubi observa accus. plur. ὄρνις, quo et Philostr.
utitur Ep. 49 : Τοὺς ὄρνις αἱ καλιαὶ δέχονται, Avium
receptacula nidi sunt. [Soph. OEd. T. 966 : Τοὺς ἄνω
κλάζοντας ὄρνις. Eur. Hipp. 1059 : Τοὺς δ' ὑπὲρ κάρα
φοιτῶντας ὄρνις πόλλ' ἐγὼ χαίρειν λέγω. Grammaticorum nullius fidei in librorum dissensu exx. nonnulla
v. ap. intt. Gregor. Cor. p. 476, 901. Pro quo ὄρνεις
olim erat ap. Aristoph. Av. 717, 1250, quam formam
optimi quique præbent etiam 1610, ut in l. Demosth.,
ubi recte nunc ὄρνεις, quod Schæferus ad Greg. et
Dem. l. c. a Brunckio deceptus alteri posthabuit, de-
cepitque Buttmannum in Gramm. v. Ὄρνις vol. 1,
B p. 236. Qui quum nominativi pl. formam ὄρνεις agnoscat, accusativo vero ὄρνις tribuat, erroris convincitur ab Athenæo, qui postquam 9, p. 373, C, ex Menandro attulit : Αὕτη ποτ' ἐξεσόβησε τὰς ὄρνεις (ὄρνις
cod. Laur.) μόλις· et ex eodem ib. D : Ὄρνεις φέρων
ἐλήλυθα, addit : Ὅτι δὲ καὶ ἐπὶ τοῦ πληθυντικοῦ ὄρνεις
(ὄρνις Laur.) λέγουσι, πρόκειται τὸ Μενάνδρειον μαρτύ-
ριον· ἀλλὰ καὶ Ἀλκμάν πού φησιν, Αὖσαν δ' ἄπρακτα
νεάνιδες ὥστ' ὄρνεις (ὄρνις Laur.) ἱέρακος ὑπερπταμένω·
καὶ Εὔπολις ἐν Δήμοις, Οὐ δεινὸν οὖν κριοὺς ἔμ' ἐκγεννᾶν
τέκνα, ὄρνεις θ' ὁμοίους τοὺς νεοττοὺς τῷ πατρί· et eandem utrique casui formam tribuit. Rectissime igitur
Ionicum dixerat acc. plur. ὄρνις Bastius ad Greg. p.
476, qui ne grammaticis quidem, ut ab Schæfero deceptus putavit p. 901, nedum Atticis concedendus,
sed ubique in ὄρνεις est mutandus. Quod autem ad
ὄρνις Buttmannus l. c. refert ὄρνεων ap. Aristoph. Av.
291, (295,) 305, ipsius est error, quum ὀρνέων sit illis
ceterisque locis ab nom. ὄρνεον. Eodem modo peccatum in fragmentis Callimachi ex libro Περὶ ὀρνέων p.
C 468—9 ed. Ern., ubi constanter scriptum ὄρνεων,
quum ὀρνέων sit in locis scriptorum omnibus illic citatis. L. D.] Alias ὄρνιθας tam in prosa quam in poesi
usitatum itidem est, sicut accus. sing. ὄρνιν et ὄρνιθα,
teste etiam Athen. [9, p. 373, C, D;] 14, ubi utriusque exempla profert. [Nom. plur. ὄρνις ap. Eustath.
Opusc. p. 255, 58 : Οἱ θηρατικοὶ ὄρνις, quod scribendum ὄρνεις, ut est in libris omnibus ap. Athen. 9, p.
373, A : Ὄρνεις. Ἐπεὶ δὲ καὶ ὄρνεις ἐπῆσαν κτλ. Item
Phrynicho Bekk. An. p. 54, 4 : Ὄρνις καὶ ὄρνιθες διττῶς,
restituendum ὄρνεις.] Herodian. 8, [5, 24] : Εἴασαν κυσί
τε καὶ ὄρνισι βοράν· sicut Hom. [Od. Γ, 291] : Κάλλιπεν
οἰωνοῖσιν ἕλωρ καὶ κύρμα γενέσθαι· et Virg., Canibus
data præda Latinis Alitibusque jaces. [De ave sidere
Aratus 272 seqq. et aliis ll. plurimis, Manetho 2, 78,
120.] || Aliquando ὄρνις, sicut et οἰωνὸς, de ave di-
citur ex cujus volatu aut garritu augurari solebant :
quam θεοῦ κήρυκα Eurip. appellat. Hom. [Il. Θ, 251 :
Ὅτ' ἄρ' ἐκ Διὸς ἤλυθεν ὄρνις·] Od. O, [530] : Οὔ τοι
ἄνευ θεοῦ ἤλυθε [ἔπτατο] δεξιὸς ὄρνις· Ἔγνων γάρ μιν ἐς
D ἄντα ἰδὼν οἰωνὸν ἐόντα. Alium huic similem l. habes
in Οἰωνὸς, in quo itidem ὄρνις et οἰωνὸς copulantur :
illud Avem significans, hoc vero Omen. Od. Υ, [242] :
Αὐτὰρ ὁ τοῖσιν ἀριστερὸς ἤλυθεν ὄρνις Αἰετὸς ὑψιπετής.
[Conf. Il. M, 200, N, 821, etc. Od. B, 159 : Ὁ γὰρ
οἶος ὁμηλικίην ἐκέκαστο ὄρνιθας γνῶναι καὶ ἐναίσιμα μυθήσασθαι.] Hesiod. [Op. 826] : Ὄρνιθας κρίνων, Avium
volatus augurum more observans, et omina inde accipiens. Æschylus [Sept. 26 : Χρηστηρίους ὄρνιθας· Ag.
112 : Πέμπει ξὺν δορὶ καὶ χερὶ πράκτορι θούριος ὄρνις
Τευκρίδ' ἐπ' αἶαν, οἰωνῶν βασιλεύς· 157 : Τοιάδε Κάλχας ... ἀπέκλαγξε μόρσιμ' ἀπ' ὀρνίθων ὁδίων·] ap. Athen.
9, [p. 373, D] : Ὄρνιθα δ' οὐ ποιῶ σε τῆς ἐμῆς ὁδοῦ.
Aristoph. [Pl. 63] : Δέχου τὸν ἄνδρα καὶ τὸν ὄρνιν τοῦ
θεοῦ, Omen, Augurium. Et κακοὶ ὄρνιθες ac contra
αἴσιοι ὄρνιθες, Malæ aves, et Bonæ aves : i. e. Mala
omina et bona. Hom. Il. Ω, [219] : Μηδέ μοι αὐτὴ
Ὄρνις ἐνὶ μεγάροισι κακὸς πέλευ. Plut. Fabio [c. 19] :
Χρησάμενος ὄρνισιν οὐκ αἰσίοις, ἀπετράπη. Cic. dicit Adversa avi solvere. Soph. [OEd. T. 52], Ὄρνιθι αἰσίῳ,

Bonis avibus. Eur. [Iph. A. 607] : Ὄρνιθα μὲν τόνδ' αἴσιον ποιούμεθα, Boni ominis loco accipimus. [Theocr. 17, 72 : Μέγας αἰετὸς αἴσιος ὄρνις. Æsch. Sept. 597 : Φεῦ τοῦ ξυναλλάσσοντος ὄρνιθος βροτοῖς δίκαιον ἄνδρα τοῖσι δυσσεβεστέροις. Eur. Heracl. 730 : Ὄρνιθος οὕνεκ' ἀσφαλῶς πορευτέον· Hel. 1051 : Κακὸς μὲν ὄρνις. Plato Phil. p. 67, C : Οἷς πιστεύοντες ὥσπερ μάντεις ὄρνισιν.] Rursum Plut. Camillo [c. 32] : Ἐπ' ὄρνισι διαμαντευόμενοι καθέζονται, pro Ex avium volatu et garritu futura augurantes, auguria accipientes. [Cujus formulæ alia exx. v. ap. Pierson. ad Mœr. p. 465.] In Probl. Rom. dicit ἐπ' οἰωνῶν καθίζεσθαι, Considere augurii agendi causa, ut in Οἰωνὸς annotatum fuit. [Aristoph. Av. 719 : Ὄρνιν τε νομίζετε πάνθ' ὅσαπερ περὶ μαντείας διακρίνει· φήμη γ' ὑμῖν ὄρνις ἐστὶ πταρμόν τ' ὄρνιθα καλεῖτε, ξύμβολον ὄρνιν, φωνὴν ὄρνιν, θεράποντ' ὄρνιν, ὄνον ὄρνιν, ubi v. schol.] || Peculiariter ὄρνις de gallinaceo genere dicitur. [Æsch. Eum. 866 : Ἐνοικίου δ' ὄρνιθος οὐ λέγω μάχην. Xenoph. Anab. 4, 5, 25 : Αἶγες, οἶες, βόες, ὄρνιθες.] Athen. 10 : Πολλάκις συνόντας αὐτοὺς ἐπὶ πλεῖον ὁ ὄρνις κατελάμβανε, τὴν ἕω καλῶν, de gallo, quem Latinus poeta Lucis prænuntium alitem vocat : Alexarchus ὀρθροβόαν, Soph. ὀρθριοκόκκυγα. Itidem Synes. Ep. 4 : Ἧς (νυκτὸς) ἤδη περὶ δευτέραν οὔσης ὀρνίθων ᾠδὴν, Circa secundum gallicinium, ut Apul. [Theocr. 24, 63 : Ὄρνιθες τρίτον ἄρτι τὸν ἔσχατον ὄρθρον ἄειδον.] Pro Gallina non minus frequenter usurpatur tum ab aliis, tum ab Aristot. Sic ap. Alex. Aphr. : Ὄρνις κατοικίδιος ᾠὸν τεκοῦσα, Gallina domestica, cortalis. [De genere Athen. 9, p. 373, A : Ἀλλὰ μὴν καὶ ὄρνιθας καὶ ὀρνίθια νῦν μόνως ἡ συνήθεια καλεῖ τὰς θηλείας ... καὶ Χρύσιππος ... γράφει οὕτως, καθάπερ τινὲς τὰς λευκὰς ὄρνιθας τῶν μελαινῶν ἡδίους εἶναι μᾶλλον ... ἀλεκτρυόνας δὲ καὶ ἀλέκτορας τοὺς ἄρρενας, τῶν ἀρχαίων δὲ τὸ ὄρνις καὶ ἀρσενικῶς καὶ θηλυκῶς λεγόντων ἐπ' ἄλλων ὀρνέων, οὐ περὶ τούτου τοῦ ἰδικοῦ, περὶ οὗ φησιν ἡ συνήθεια, ὄρνιθας ὠνήσασθαι (quibus addit exx. Hom.). Μένανδρος δὲ ... σαφῶς τὸ ἐπὶ τῆς συνηθείας φησὶν ἐμφανίζων οὕτως, Ἀλεκτρυών τις ἐκεκράγει μέγα. Οὐ σοβήσετ' ἔξω, φησὶ, τὰς ὄρνιθας ἀφ' ἡμῶν. Καὶ πάλιν, Αὕτη ποτ' ἐξεσόβησε τὰς ὄρνεις μόλις ... Ἐπὶ δὲ τοῦ ἀρσενικοῦ οὐ μόνον ὄρνιν, ἀλλὰ καὶ ὄρνιθα.] In Geopon. ὀρνίθων ᾠὰ, pro eo quod Colum. dicit Gallinacea ova. Et in Proverbiis, Ὀρνίθων γάλα, Lac gallinaceum : ut Plin. dicit, Alii inscripsere Κέρας Ἀμαλθείας, quod Copiæ cornu : ut vel lactis gallinacei sperare possis in volumine haustum. [Lucian. De merc. cond. c. 13 : Ἕξεις τὸ τῆς Ἀμαλθείας κέρας καὶ ἀμέλξεις ὀρνίθων γάλα. Koenig. V. Γάλα.] Quo nomine et edule quoddam dicitur ob raritatem. Athen. 9, [p. 387, B] : Καὶ τὸ λεγόμενον σπανιώτερον πάρεστιν ὀρνίθων γάλα. Anaxagoras autem, ut Idem scribit 2, [p. 57, D] : Τὸ καλούμενον ὄρνιθος γάλα φησὶν τὸ ἐν τοῖς ᾠοῖς εἶναι λευκόν. || Hom. dixit etiam ὄρνις αἰγυπιός : quod reddere possumus Ales vultur, ut Cic. ap. Arat., Namque est ales avis, lato sub tegmine cœli Quæ volat. Il. H, [59] : Ἑζέσθην ὄρνισιν ἐοικότες αἰγυπιοῖσι. [Od. A, 320 : Ὄρνις δ' ὣς ἀνόπαια διέπτατο· E, 51 : Λάρῳ ὄρνιθι ἐοικώς. Soph. Aj. 628 : Οἰκτρᾶς γόον ὄρνιθος ἀηδοῦς. Eur. Iph. T. 1090 : Ὄρνις ... ἀλκυών· Hel. 19 : Κύκνου μορφώματ' ὄρνιθος λαβών· et in l. Bacch. infra cit. || N. sideris, etiam κύκνος dicti ab recentioribus, ap. Arat. 274, ubi v. Vossius, et alibi sæpe, Procul. Sphæræ p. 76 fin. ed. Bas. 1561.] Notandum porro Dorica dialecto dici etiam Ὄρνιξ, cujus gen. est ὄρνιχος. Athen. [9, p. 374, D] : Οἱ δὲ Δωριεῖς λέγοντες ὄρνιξ, τὴν γενικὴν διὰ τοῦ χ λέγουσιν Ὄρνιχος. [Ἀλκμὰν δὲ διὰ τοῦ σ τὴν εὐθεῖαν ἐκφέρει, Ἀλιπ. εἴαρος ὄρνις. Καὶ τὴν γενικὴν οἶδα, Δι' ὀρνίχων ὅμως (ὁμῶς?) πάντων.] Utitur Pindarus et Alcman. [Photius : Ὄρνις, Ἀττικοί· Ἴωνες δὲ ὄρνιξ, καὶ αἱ πλάγιαι ἀκολούθως· καὶ Δωριεῖς ὄρνιξ· παρ' Ἀλκμᾶνι δὲ ἅπαξ ὄρνις, Ἀδεὲς ἦτορ ἔχων ἁλιπόρφυρος εἴαρος ὄρνις. Forma Ὄρνιχος est ap. Pind. Pyth. 8, 52, Isthm. 5, 51; ὄρνιχα Ol. 2, 97; ὀρνίχων Nem. 9, 19; ὄρνιξιν Pyth. 5, 112; ὀρνίχεσσι Pyth. 4, 190, unde repetit Eustath. Opusc. p. 57, 3. Nominativus, quum ὄρνις dixerit Alcman, non videtur usitatus fuisse. Ex eodem Alcmane pluralem nom. affert Athen. 9, p. 373, E : Αὖσαν δ' ἄπρακτα νεάνιδες ὥστ' ὄρνεις ἱέρακος ὑπερπταμένω. Inter formas ὄρνιχος etc. et vulgares variat etiam Theocritus. || De mensura notandum nom. ὄρνις et acc. ὄρνιν correpto ι dixisse Hom. Il. M, 218 : Τρωσὶν ὅδ' ὄρνις ἐπῆλθε· 24, 219 : Ὄρνις ἐνὶ μεγάροισι κακὸς πέλεν· producto I, 323 : Ὡς δ' ὄρνις ἀπτῆσι νεοσσοῖσι προφέρῃσι· H. Pan. 17 : Ὄρνις, ἥτ' ἔαρος πολυανθέος ἐν πετάλοισι· Sophoclem correpto Ant. 1021 : Οὐδ' ὄρνις εὐσήμους ἀπορροιβδεῖ βοάς· fr. Tyrus ap. schol. Aristoph. Av. 276 : Τίς ὄρνις οὗτος; El. 149 : Ὄρνις ἀτυζομένα, pariterque Eur. Herc. F. 72 : Σώζω νεοσσοὺς ὄρνις ὣς ὑφειμένη, Moschum 1, 16 : Ὡς ὄρνις ἐφίπταται· 2, 59 : Ὄρνις ἀγαλλόμενος· Apoll. Rhod. aliquoties ; nusquam Aristophanem (nam Av. 168 : Τίς ὄρνις οὗτος, imitatur l. Soph. modo cit.), ut monuit Porson. ad Hec. 208, sed semper producto, ut Eur. Bacch. 1364 : Ὄρνις ὅπως κηφῆνα πολιόχρως κύκνος. Philemoni ap. Athen. 7, p. 288, E : Ὅμοιον ἐγένετ' ὄρνις ὁπόταν ἁρπάσῃ τοῦ καταπιεῖν μεῖζόν τι, scribere licuit ἐγένεθ' ὁπόταν ὄρνις. Arcad. p. 196, 6 : Τὸ ὄρνις ... ἐκτείνουσιν Ἀττικοί· et qui utramque prosodiam memorant, Herodian. in Cram. An. vol. 3, p. 298, 25, et explicatius Etym. M. in v. || Formam Æolicam Ὕρνις memorat Tzetzes ad Hesiod. Op. 664. V. Koen. ad Greg. p. 585. Ὕρνις autem, non ὕρνις, ut illic scriptum, scribendum esse animadvertit Bast. ibid. L. Dind.]

[Ὀρνιχολόχος. V. Ὀρνιθολόχος.]

[Ὀρνοσκόπος (sic), ὁ, i. q. ὀρνιθοσκόπος, Jo. Malal. 1, p. 254—5. Elberling. Scribendum Ὀρνεοσκόπος, quod v. L. Dind.]

[Ὀρνῦμενὸς, ὁ, Ornymenus, n. viri in numo Milesio ap. Mionnet *Descr.* vol. 3, p. 164, n. 743.]

Ὄρνῦμι, Excito, ut ὄρω, unde derivatum est. Hom. Il. T, [139] : Ἀλλ' ὄρσευ πόλεμόνδε, καὶ ἄλλους ὄρνυθι λαοὺς, Et tu ipse surge, et alios excita. Item, γόον ὄρνυθι, Lacrymas concitato et excitato, Od. P, [46] : Μῆτερ ἐμὴ, μή μοι γόον ὄρνυθι, μηδέ μοι ἦτορ Ἐν στήθεσσιν ὄρινε· K, [457] : Μηκέτι νῦν θαλερὸν γόον ὄρνυτε. [Apoll. Rh. 2, 1063 : Περιώσιον ὄρνυτ' ἀϋτήν. Pind. Ol. 13, 12 : Γλῶσσαν ὀρνύει λέγειν· Pyth. 4, 170 : Ὤρνυεν κάρυκας ἐόντα πλόον φαινέμεν.] Pass. Ὄρνυσθαι, Excitari. Il. Ψ, [131] : Οἱ δ' ὤρνυντο καὶ ἐν τεύχεσσιν ἔδυνον, Excitabantur, Surgebant. Sic Eustath. ὄρνυσθαι et ὀρθοῦσθαι idem significare scribit : ponitur autem ὀρθοῦσθαι pro Surgere, Erigere se; atque adeo Hom. Θ, [111] quum dixisset, Ἂν δ' ἵσταντο νέοι πολλοί τε καὶ ἐσθλοὶ, subjicit, Ὦρτο μὲν Ἀκρόνεώς τε καὶ Ὠκύαλος· pro eodem sc. accipiens ἀνίστασθαι et ὄρεσθαι s. ὄρνυσθαι. Et Il. Γ, [267] : Ὄρνυτο δ' αὐτίκ' ἄναξ. [Γ, 349 : Ὁ δὲ δεύτερος ὤρνυτο χαλκῷ· Od. B, 399 : Οἱ δ' εὕδειν ὤρνυντο· Il. Γ, 13 : Κονίσαλος ὤρνυτο· Δ, 423 : Ὅτε κῦμα θαλάσσης ὄρνυται· E, 532 : Φευγόντων δ' οὔτ' ἂρ κλέος ὄρνυται οὔτε τις ἀλκή· Λ, 827 : Τῶν δὲ σθένος ὄρνυται αἰέν.] || Aliquando ὄρνυμι commodius redditur Concito, etiam Incito. Il. Z, [363] : Ἀλλὰ σύγ' ὄρνυθι τοῦτον, ἐπειγέσθω δὲ καὶ αὐτὸς, Concita, Incita, Instiga, etiam ἔπειγε, ut idem sint ἐπείγειν et ὀρνύναι, sicut ὄρνυσθαι pro ἐπείγεσθαι ponitur, ut in seqq. dicetur. Eust. exp. διέγειρε. [M, 142 : Ἀχαιοὺς ὤρνυον.] Et ὀρνύναι ἀνέμους, Concitare ventos, etiam Excitare. Od. K, [22] de Æolo : Κεῖνον γὰρ ταμίην ἀνέμων ποίησε Κρονίων, Ἠμὲν παυέμεναι ἠδ' ὀρνύμεν ὅν κε θέλῃσι, Ut concitet et sedet quos vult. At μάχην ὀρνύμεν reddideris potius Ciere pugnam, vel Excitare. Il. I, [353] : Οὐκ ἐθέλεσκε μάχην ἀπὸ τείχεος ὀρνύμεν Ἕκτωρ. [Pind. Pyth. 10, 10 : Δαίμονος ὀρνύντος. Hesychius : Οἴκων μέσσ' ὀρνύναι, τῶν οἴκων μέσον τινὰ ὁρμᾶν.] Pass. Ὄρνυσθαι, Concitari, Concitum ferri, ut Lucr. Od. A, [347] : Τί τ' ἂρ αὖ φθονέεις ἐρίηρον ἀοιδὸν Τέρπειν ὅππῃ οἱ νόος ὄρνυται, Quo animus ipsum concitus fert. Ὄρνυσθαι, ut et ὀρίνεσθαι, Concitato gressu ferri, ut qui ἐπείγονται, h. e. Properant, vel etiam Fugiunt. Il. Υ, [158] : Κέρκαιρε δὲ γαῖα πόδεσσιν Ὀρνυμένων ἄμυδις. Eustath. exp. τρεχόντων σπουδαίως. [Hesiod. Th. 843 : Μέγας πελεμίζετ' Ὄλυμπος ὀρνυμένοιο ἄνακτος.] Hesych. quoque ὀρνυμένου exp. non solum διεγειρομένου, sed etiam ὁρμῶντος. [Od. M, 183 : Νηῦς ἔγγυθεν ὀρνυμένη. Pind. Pyth. 1, 66 : Πινδόθεν ὀρνύμενοι· 4, 91 : Βέλος ὀρνύμενον· Ol. 8, 34 : Ὀρνυμένων πολέμων. Æsch. Sept. 88 : Λευκοπροεπὴς λεὼς ὄρνυται ἐπὶ πόλιν· 419 : Πόλεως πρόμαχος ὄρνυται. Soph. OEd. C. 1320 : Ἕκτος δὲ Παρθενοπαῖος Ἀρκὰς ὄρνυται. Eur. Iph. T. 1150 : Ἐς ἔριν ὀρνυμένα. Aristoph. Ran. 1529 : Ἐς φάος ὀρνυμένῳ. In Ind. :] Ὀρνύω pro ὄρνυμι dicitur. [Orph. Lith. 220 : Ορνυε πινέμεναι νύμφην. Et Hom. l. supra citato. Cetera hujus verbi tempora v. in Ὄρω.]

[Ὀρνυτίδης, ὁ, patron. ab Ὄρνυτος, ap. Apollon. Rh. 1, 208, de Naubolo, cujus Ornytus pater fuit.]

[Ὀρνυτίων, ωνος, ὁ, Ornytio, f. Sisyphi, pater Phoci, ap. Pausan. 2, 4, 3; 9, 17, 6. Schol. Il. B, 517 vero Ὄρνυτον dicit filium Sisyphi ejusque ex Phoco f. nepotem Ornytionem. L. D. Sic quoque Scymn. Orb. descr. 486 : Γενεαλογεῖται δ' Ὀρνύτου τοῦ Σισύφου. Hase. ὕἵ]

[Ὄρνῦτος, ὁ, Ornytus, pater Nauboli, de quo v. in Ὀρνυτίδης. Bebrycius quidam ap. Apollon. Rh. 2, 65. Arcas ap. Pausan. 8, 28, 4. Alius ap. schol. Hom. Od. M, 257, Cram. An. Paris. vol. 3, p. 480, 15. V. Ὀρνυτίων.]

[Ὀρνύφιον, τὸ, i. q. ὀρνίθιον. Ælian. N. A. 9, 37. Male ὀρνίφιον id. 4, 41; 7, 47. Eust. Opusc. p. 120, 76; Thomas p. 33; Theognost. Can. p. 126, 31. Ὀρνύφιον, Noctua, Gl.]

[Ὀρνύω. V. Ὄρνυμι.]

[Ὀρξίνης, ου, ὁ, Orxines, Persa, ap. Arrian. Exp. 6, 29, 3; 30, 2.]

[Ὀροανδεῖς, οἱ, Oroandenses, cives urbis Pisidiæ, Polyb. 22, 25, 7. Quod in Suidæ libris nonnullis ponitur Ὀροάνδης, ὄνομα κύριον, Ὀροάνδου, referre licet ad Ὀροάνδην Ptolemæi ab schol. Hom. Il. A, 120, memoratum patrem. Ὀροάνδην Cretensem memorat Plut. Æm. Paulo c. 26. L. Dind.]

[Ὀρόατις, ιδος, ὁ, fl. Persidis ap. Strab. 15, p. 727, 729.]

Ὀροβάγχη, ἡ, dicitur Cauliculus quidam, quoniam ervo adnascens ipsum πνίγει, περιπλεκόμενος καὶ περιλαμβάνων, Diosc. 3, 172, et Theophr. C. Pl. 5, 22 [15, 5; H. Pl. 8, 8, 4.] Inde Plin. 18, 17. Est herba quæ cicer enecat et ervum, circumligando se, vocatur Orobanche. [Galen. vol. 6, p. 552, 16 : Πνίγουσαν αὐτὰ ... ὥσπερ ἡ ὀροβάγχη τοὺς ὀρόβους. Hase.] Nicandro ὀρόβαγχος [ὀρόβακχος] dicitur, Ther. 869 : Σὺν καὶ ἀκανθοβόλος χαίτη νεαλεῖς τ' ὀρόβαγχοι, ubi schol. annotat ὀροβάγχους significare etiam τοὺς σκυτίνους ἀσκοὺς, Utres coriaceos. [Ὀροβάκχη etiam apud Hesychium, qui interpr. βοτάνη τις· οἱ δὲ τῆς ῥοιᾶς τοὺς καρποὺς, ἃς ἔνιοι κυτίνους. Quod præstat. Inter utrumque scriptura variat ap. Theophr. et Geopon. 2, 42, 1 et 43.]

[Ὀρόβαζος, ὁ, Orobazus, Parthus ap. Plut. Sull. c. 5.]

[Ὀροβὰξ, Pæonia, Diosc. Notha p. 460 (3, 147). Boiss.]

[Ὀροβὰς, άδος, ἡ.] Ὀροβάδες, Quæ montes pererrant, ferarum epith. Hesych. tamen specialius ὀροβάδων exp. νεβρῶν, Hinnulorum. Apud Eundem [post Ὀροθύνειν] legitur etiam Ὀρυβάδες, quod exp. αἱ αἶγες, pro quo debet reponi Ὀροιβάδες, ut ex ordine literario manifestum est. Huic autem ὀροιβάδες simile est Ὀροιτύπος. || Ὀροβάδες in VV. LL. dicuntur esse etiam Nymphæ montanæ, quæ et ὀρειάδες ac ὀρεστιάδες. [De forma conf. Lobeck. ad Phryn. p. 686.]

[Ὀροβάτις, ιδος, ἡ, oppidum Indiæ, ap. Arrian. Exp. 4, 28, 9.]

[Ὀροβέλιον, Pæonia. Dioscor. Noth. p. 460 (3, 147). Boiss.]

[Ὀροβίαι, αἱ, Orobiæ, opp. Eubœæ, ap. Thuc. 3, 89, Strab. 9, p. 405; 10, p. 445.]

Ὀροβιαῖος, α, ον, Qui ervi magnitudine est, Ervi magnitudinem æquans : ut ὀροβιαῖα καταπότια, ap. Diosc. 4, 155, de elaterio. [Theophr. H. Pl. 8, 5, 1, ἐρέβινθος. Geopon. 5, 34, 1; 43, 3. L. D. Item Diosc. 4, 162 : Ὀροβιαῖα μεγέθη. Substantive Galen. vol. 14, p. 511, 2 : Ποίει ὀροβιαῖα, Pilulas ad ervi formam. Hase.]

Ὀροβίας ac Ὀροβίτης, ὁ, Ervo similis, Ervi speciem imitans : ut ἐρέβινθος ap. Galen. Simpl. med. 6. Et ὀροβίας λιβανωτὸς, de quo in Ἄτομος. Et Ὀροβῖτις χρυσοκόλλα, Lutea et in globulos formari solita, de qua Plin. 33, 5. [Diodor. 3, 13 : Τὸν ὀροβίτην λίθον.]

[Ὀροβίζω, Ervis nutrio. Hesychius : Ὠροβισμένοι, κεχορτασμένοι ἀπὸ τῶν βοῶν (ὀρόβων Soping.).]

Ὀρόβῖνος, η, ον, ab ὄροβος derivatum, Confectus ex ervo : ut ὀρ. ἄλευρον, ap. Diosc. 2, 131. [Id. 2, 135 et 203; 4, 159, 162 et 168. Galen. vol. 14, p. 162, 4. Id. ib. 186, 6 : Ἀλεύρου ὀρ. λεπτοτάτου. Hase. Alex. Trall. 7, p. 104; Theoph. Nonn. vol. 1, p. 314.]

Ὀρόβιον, τὸ, Parvum ervum, Ervi granulum. [Hippocr. p. 58, 19 : Ἐν τῷ οὔρῳ ὑφίσταται οἷον ὀρόβιον πυρρόν. « Pro Ervi farina sumi videtur p. 576, 4; 632, 49, ut sit ὀρόβιον ἄλυτον. Cornar. Ervum decoctum vertit. » Foes. Hesychio χρυσοκόλλης εἶδος. Lex. rhet. Bekk. An. p. 286, 24 : Ὄροβοι, ὀσπρίου εἶδος, ἀφ' οὗ ἴσως ὀρόβια τὸ πρῶτον ἐγίνετο.]

[Ὀρόβιος, ὁ, Orobius, Romanus ap. Athen. 5, p. 215, A.]

[Ὀροβίτης, Ὀροβῖτις. V. Ὀροβίας.]

[Ὀροβοειδὴς, ὁ, ἡ, Ervo similis. Hippocr. p. 514, 16. Jo. Actuar. in Ideleri Phys. vol. 2, p. 23, 24, ὑποστάσεις. L. D. It. Galen. vol. 19, p. 589, 10 et 623, 7 seqq. : Ervosa sedimenta. Hase. Contracte Ὀροβώδης, Theophr. H. Pl. 3, 9, 5; 8, 2, 3, 5.]

Ὄροβος, ὁ, Ervum [Gl.], Legumen, de quo Diosc. 2, 131, et Theophr. H. Pl. 2, 5. [Alios ejus ll. indicat Schneider. in Ind. Nicand. Al. 564.] At cur Tralliani τὸν ὄροβον vocent καθαρτῆρα, eoque utantur maxime πρὸς τὰς καθοσιώσεις καὶ τοὺς καθαρμοὺς, docet Plutarch. Græc. Quæst. [p. 302, A. Dem. p. 598, 4 : Ἴστε πῶς διέκειθ' ἡ πόλις· ἴστε ὀρόβους ὄντας ὠνίους. L. D. Ὄροβος cibus ἀροτήρων βοῶν ap. Athen. 9, p. 406, E; vid. ad 11, p. 478, D, em. Valck. Diodor. 2, 57 : Καρπὸν παρεμφερῆ τοῖς λευκοῖς ὀρόβοις. Ubi deteriores ὀροβίοις. Memorat etiam Aristot. H. A. 3, 21 med.; 6, 14 med., et 8, 7 init., ut omittam ll. plurimos qui sunt in Geoponicis. || « Margaritum. Eust. Il. p. 853, 55 : Γίνονται δὲ, φασὶν, ἐν σαρκὶ ὀστρέου καθὰ ἐν ὑείοις κρέασιν αἱ χάλαζαι, ἀφ' ὧν ῥῆμα τὸ χαλαζᾶν, ἃς δὴ χαλάζας ὀρόβους οἱ ἰδιῶταί φασι. » Ducang. Quod Græci hodie Ὀροβόγλυκον vocitant, videtur esse Astragalus glycyphyllos Lin. Hase.]

[Ὀροβοφαγέω, Ervo vescor. Hippocr. p. 1037, F.]

[Ὀροβώδης. V. Ὀροβοειδής.]

[Ὀρογενὴς, ὁ, ἡ, Ex termino natus. Iambl. Arithm. p. 81, D, de monade. Kall.]

[Ὀρόγκη. V. Ὄρογκος.]

[Ὄρογκος, ὁ.] Ὄρογκοι, Montium tumuli, s. Cacumina et vertices, Juga s. Capita, Editiores montium partes. Dionys. P. [286] de Germanis, quos λευκὰ φῦλα appellat : Ἑρκυνίου δρυμοῖο παραθρώσκοντες ὀρόγκους, ubi annotat Eustath. esse λέξιν ἰδιάζουσαν, sicut multæ aliæ a poetis ἐπιτηδεύονται, διὰ τὸ καινότροπον : significare vero τὴν τοῦ ὄρους ἐξόγκωσιν καὶ ἀνάτασιν. Usus est eadem voce Nicand. quoque Al. [41] : Ἐν δ' ἀκοναίοις Θηλείην ἀκόνιτον ἀνεβλάστησεν ὀρόγκοις, schol. μετεώροις τόποις, eo quod loca montana ὄγκους habeant : vel τοῖς τόποις τοῖς ἐξοχὰς ἔχουσιν. [Photius : Ὀρόγκους, τοὺς τῶν ὀρῶν ὄγκους.] Apud Hesych. vero habetur Ὀρώγκη, itidem τῶν ὀρῶν τὰ ὀγκώδη, quæ et ὀρόχθους vocant, vel ὀρῶν λόφους. Quidam autem τὰ ἐργάσιμα ξύλα exp., ut Idem addit. Pro quo tamen scrib. Ὀρόγκη, ut alphabeticus ordo ostendit. [Immo ὄρογκοι.]

[Ὀρογλῠφέω, Terminum aboleo. Constitt. Apost. 1, 1, p. 200 : Οὐ πονηρεύεται, ὅπως ὀρογλυφήσας ἀναγκάσῃ τὸν ἔχοντα (τὸν ἀγρὸν) τοῦ μηδενὸς ἀποδόσθαι αὐτῷ. Eust. Il. p. 767, 57 : Ἐκ τῶν ἀδικούντων ἐν τῷ ὑπερβαίνειν τὰ τεταγμένα ὀροθέσια, οὐ μόνον ὑπούλως διὰ τοῦ ἠρέμα ὀρογλυφεῖν. Wakef. Eustath. Opusc. p. 195, 50 : Τῶν θελόντων ὑποσπᾶσθαι τὰ τῶν πέλας καὶ ὀρογλυφεῖν· 261, 30 : Ὀρογλυφεῖ ἐν τοῖς ἔξω ὁ τὴν ἐξουσίαν πλατύς· 306, 75 : Ὀρογλυφοῦντας τὰ τῶν ἁγίων· et pass. p. 83, 20 : Ὀρογλυφοῦμαι προφανῶς ὑπὸ πολλῶν· 133, 54 : Βοᾷ ἐπὶ οἰκίας ἀφαιρέσει, ἄλλος ὅτι ὀρογλυφεῖται τὸ κατ' αὐτὸν γήδιον.]

[Ὀρόγυια. V. Ὄργυια.]

[Ὀροδαμνίς. V. Ὀρόδαμνος.]

Ὀρόδαμνος, Surculus, Ramusculus, παραφυὰς, κλάδος, ὄρπηξ, Hesych. Dicitur etiam Ὀροδαμνὶς pro eod. Theocr. 7, [138] : Τοὶ δὲ ποτὶ σκιεραῖς ὀροδαμνίσιν αἰθαλίωνες Τέττιγες λαλαγεῦντες ἔχον πόνον· qui ap. Hom. Δενδρέῳ ἐφεζόμενοι ὄπα λειριόεσσαν ἱεῖσι. Ὀρόδαμνος, Hesychio [confundenti cum ὁ Ῥοδανὸς, ut conjicit Albertus] est etiam ποταμός. [Nicander Al. 602 : Ὑσσώποιο ὀροδάμνους· Th. 863. Callim. ap. schol. Al. 101 : Περσῆος ἐπώνυμος, ἧς ὀρόδαμνον Αἰγύπτῳ κατέπηξε. Cod. Urbin. Theophr. H. Pl. 9, 16, 3, ubi vulgo θάμνων. L. D. Lucian. Amor. c. 31 : Ἡ ἐν Δωδώνῃ φηγὸς, ἐκ τῶν ὀροδάμνων ἱερὰν ἀπορρήξασα φωνήν. Hase.]

['Οροδεμνιὰς, άδος, ἡ.] 'Οροδεμνιάδες, Quæ strata s. cubilia sua in montibus habent. Sic dicuntur νύμφαι et αἱ μέλιτται, Hesych. [ἀπὸ τοῦ ὄρος καὶ τῶν δεμνίων, ἐπεὶ ἐκεῖ κοιτάζονται, οἱ δὲ ἀπὸ τῶν ὀροδάμνων, οἵ εἰσι κλάδοι.]

'Οροδίος, φόβος, Hesych. : qui et ὀῤῥωδία. [Quod verum.]

['Οροδοικίδης, ὁ, Orodœcides. Lucian. Pseudolog. c. 2 : Οὕτω σύγε παῖδας ἀπέφηνας ἐν πάσῃ βδελυρίᾳ τὸν 'Οροδοικίδην καὶ τὸν Λυκάμβην καὶ τὸν Βούπαλον τοὺς ἐκείνων (Archilochi, Hipponactis et Simonidis) ἰάμβους· ubi sunt varietates 'Οροδοκίδην, 'Οροδίχην, 'Οροκίδην. Quorum omnium nihil Græcum videtur.]

['Ορόζινθος. Glossæ iatricæ Mss. ex cod. Reg. 190 : 'Ερεγμὸς τὰ ἄλευρα τῶν κυάμου (—μων?) καὶ τῶν ὀροζίνθων. Ducang.]

'Οροθεσία, ἡ, Designatio terminorum, ἡ τῶν ὅρων θέσις. [Terminalia, Pagus, Limites, Gl. Hanc formam in Gloss. Herodot. p. 344 ed. Schweigh. ex cod. Paris. in ὀροθέσια mutandam monuit Bast. ed. Gregor. p. 390. Atque sic scrib. videtur etiam in Gl. L. D. Act. Apost. 17, 26 : Τὰς ὀροθεσίας τῆς κατοικίας αὐτῶν. Figurate Basil. p. 1072, A : Ὑπερβαίνειν τὰς ὀρ. Hase.] At 'Οροθέσια, τὰ, dicuntur ipsi Termini et limites alicubi constituti, τὰ χωρίζοντα τὴν γῆν, Hesych. [Etym. M. p. 632, 39. Schol. Lycophr. 1069. Singulari 'Οροθέσιον, Terminus, Limes, Terminatio, Gl. Petrus patr. ed. Nieb. p. 135, 11 : Τὸν Τίγριν ἑκατέρας πολιτείας ὀροθέσιον εἶναι. Jo. Damasc. vol. 1 p. 19, A. Schol. Hom. Il. Φ, 405, Herodian. Epim. p. 102, a Boiss. cit., Lexic. De spir. p. 234. « Glossæ interlin. mss. ad Phocylidis versus argenteos (v. 32) : Μηδ' ἄρ' ὑπερβῇς, τὰ ὀροθέσια. » Ducang. App. Gl. p. 147. Galen. vol. 19, p. 349, 8 : Τῶν ἐν τοῖς χωρίοις ὀροθεσίων. Menand. Hist. p. 320, 7 et 361, 18 ed. Bonn. Basil. Prochir. p. 229, 8 Zachar. : Περὶ ὅρων καὶ ὀρ. Hase.]

['Οροθετέω, Terminos pono. Inc. Exod. 19, 12. Athan. vol. 2, p. 388; Epiphan. vol. 1, p. 223; Dionys. Areop. Epist. 9, 2. Kall. German. CPol. De cruce t. 2, p. 256, C Grets. Figurate OEcum. In Apoc. ed. Cramer. p. 248, 2 : Τοῦ συμφέροντος ἑκάστῳ ὡροθετηκότος. Hase. Definio, ap. Balsamon. in Nomocan. tit. 13. Ducang. in Ὅρος de canone eccles. dicto. Sic Theodor. Stud. p. 470, A.]

'Οροθέτης, ὁ, Finitor, Qui terminos et limites regionis alicujus vel agri statuit. [Terminator, Gl. Figurate Phot. Epist. p. 351, 19. It. Pseudochrys. t. 10, p. 979, E : Φύσεως ὀρ. || Nomen Christo inditum a Valentinianis. Epiphan. t. 1, p. 167, A; 171, D. Hase.] Idem et 'Οριστὴς dicitur. [V. Epiphan. in Μεταγωγεὺς cit.]

'Οροθύνω ejusdem cum superioribus [ὀρίνω et ὄρω] esse originis testatur Eustath., alicubi ex ὀρίνω et θύω, alicubi ex ὄρω et θύνω compositum esse dicens. Sicut vero ὄρνυμι inter alia significat Concito, Incito, sic et ὀροθύνω. Hom. Il. [K, 332,] O, [572] : Ὃς εἰπὼν, ὁ μὲν αὖθις ἀπέσσυτο, τὸν δ' ὀρόθυνεν, Instigabat, ut sc. ἐξάλμενος aliquem ex Trojanis βάλοι. Itidem aliquanto post [595] de Jove, Ὃς σφίσιν αἰὲν ἔγειρε μένος μέγα· θέλγε δὲ θυμὸν Ἀργείων, καὶ κῦδος ἀπαίνυτο, τοὺς δ' ὀρόθυνε, Illos autem incitabat et instigabat, Trojanos sc. Nisi malis, Animum addebat, Animos suscitabat. Hesych. enim ὀροθύνειν exp. non solum ἐρεθίζειν, sed etiam θαῤῥύνειν. Od. Σ, [406] : Θεῶν νύ τις ὔμμ' ὀροθύνει, Vos concitat s. agit, Malus aliquis genius vos agit. Et Il. Φ, [312] ad Scamandrum : Ἐμπίπληθι ῥέεθρα Ὕδατος ἐκ πηγέων, πάντας δ' ὀρόθυνον ἐναύλους, Torrentes omnes concita. Item Concito, h. e. Turbo, Perturbo, ut ὀρίνω : ὀροθύνειν, Hesych. ταράσσειν. [Apollon. Rh. 1, 522 : Ἄφαρ δ' ὀρόθυνεν ἑταίρους βαινέμεναί τ' ἐπὶ νῆα καὶ ἀρτύνασθαι ἐρετμά· 1153 : Ἔνθ' ἔρις ἄνδρα ἕκαστον ἀριστήων ὀρόθυνεν· 1275 : Ἐσβαίνειν ὀρόθυνεν, eademque constr. 2, 877. Lycophr. 693 : Οἳ μῶλον ὠρόθυναν ἐκγόνοις Κρόνου. Mosch. 4, 63 : Πῶς ἄμμ' ἐθέλεις ὀροθύ-

A νέμεν ἄμφω κήδε' ἄλαστα λέγουσα. Pass. Æsch. Prom. 200 : Στάσις τ' ἐν ἀλλήλοισιν ὠροθύνετο. In prosa Nicetas Man. Comn. 2, p. 65, D : Ὡς ἀχανεῖς ἀμπώτιδες καὶ σύρτεις ... ὠροθύνοντο. Act. e l. Hom. Dio Chr. vol. 2, p. 331 : Πάσας ὀροθυνεῖ τὰς ἀέλλας. Ceterum v. Γρόσυνον. L. Dind.]

['Οροιβάντιος, ὁ, nisi fallit scriptura, ap. Ælian. V. H. 11, 2, ubi poetam dicit Homero antiquiorem.]

['Οροιβάς. V. 'Οροβάς.]

['Οροιδος, ὁ, Orœdus, regulus Parauæorum, ap. Thuc. 2, 80, quem in fluvium convertit anon. Epim. Hom. Cram. An. vol. 1, p. 56, 28. L. Dind.]

['Οροισος. V. Ὄρυσσος.]

['Οροίτης, ὁ, Orœtes, Persa, ap. Herodot. 3, 120 sq., Diod. Exc. p. 557, Lucian. Charon. c. 14, Dion. Chr. vol. 1, p. 468.]

'Οροιτύπος, ὁ, Qui ligna in montibus cædit, pro quo Theophr. dicit ὀρεοτύπος. Ab Hesych. et Suida exp. ὑλοτόμος, Qui materiam cædit, ligna in sylvis cædit. Utitur autem Nicand. Ther. init. : Σὲ ἂν πολυεργὸς ἀροτρεὺς Βουκαῖός τ' ἀλέγοι καὶ ὀροιτύπος, εὖτε

B καθ' ὕλην Ἢ καὶ ἀροτρεύοντι βάλῃ ἐπὶ λοιγὸν ὀδόντα, ubi schol. itidem exp. ὑλοτόμος, Lignator. Idem Nicander pro 'Οροιτύπος dicit etiam 'Οροίτυπτος, quod a præs. formatur, sicut præcedens ab aor. 2, Ther. [377] : 'Οροιτύπτοιο βατῆρα, ubi quum schol. βατῆρα exponat ποιμενικὴν ῥάβδον, videtur ὀροίτυπτον accipere pro Pastore : ut ὀροίτυπτος inde dicatur Pastor, quod montes, quos pererrat cum grege suo, pedibus verberet et pulset. [Schneider. ὀροιτύποι, οἷα βατῆρα.] Ceterum hoc comp. diversum est a præcedentibus quod ad scripturam attinet, videturque metri causa factum ex ὀροτύπος : nonnulli tamen scrib. putant ὀρειτύπος : sed quum non solum ap. Hesych. et Suid. ordine alphabetico ὀροιτύπος legatur, verum etiam apud Nicandrum simul et ejus schol., temere ea scriptura rejicienda non erit. In Lex. meo vet. proparoxytonωs scribitur ὀροίτυπος, annotaturque ι adjici, sicut in χοροίτυπος, et ὁδοιδόκος, ac ὁδοιπόρος. [Perses Anth Pal. 7, 445, 3 : Ἄγραυλοι γενεῆθεν ὀρειτύποι, ubi revo-

C candum ex cod. Pal. ὀροιτύποι, etsi 'Ορειτυπία retulimus supra.]

['Οροκάρυον, τὸ, Nux montana. Strabo 12, p. 546 : Ἡ δὲ Σινωπῖτις καὶ σφένδαμνον φύει καὶ ὀροκάρυον, unde repetit Eustath. in Dionys. P. 773.]

['Οροκασιὰς s. 'Οροκασσιὰς, άδος, ἡ, mons prope Antiochiam ad Orontem, ap. Procop. Pers. 2, 6, et ubi duplici σ, Ædif. 2, 10.]

['Οροκρατὴς, ὁ, ἡ, q. d. Montipotens, epith. Sileni in fictili, ex conj. Ed. Gerhardi *Neuerw. Denkmäler des Mus. zu Berlin*, p. 25, n. 1601. Hase.]

['Οροκωνίτιδος pro ὀλοκωνίτιδος scriptum esse ap. Hippocr. testatur Galen. in Exeg. (p. 536) et a Dioscoride ὀροκωνίτιδα appellari τὴν ἐν ὄρει γενομένην. Sumta est lectio ex p. 626, 4, ubi ὀλοχ., quod v. Ex Foes. OEcon.]

['Ορολος. V. Ὄλορος.]

['Ορομαι, Inspicio, Custodio. V. Οὖρος.]

['Ορομαλίς. V. 'Οριμαλίς.]

['Ορον s. 'Ορόν. V. Ὅρος.]

D ['Ορονδάτης, ἡ, Orondates, Persa, ap. Suidam.]

['Οροντ, quod est in numo Chersonesi Taur. ap. Mionnet. *Suppl.* vol. 2, p. 2, n. 2, fortasse scribendum 'Ορόντης vel —τας.]

['Ορόντης, ὁ, Orontes, Persa, ap. Xen. Anab. 1, 6. Alius, qui tamen plerisque in libris 'Ορόντας, 2, 4 etc., et rursus alii ap. Demosth. p. 186, 25, Strabon. 11, p. 531.]

['Ορόντης, ὁ, Orontes, fl. Syriæ, ap. Dionys. Per. 919, Polyb. 5, 59, 10, Pausan. 6, 2, 7, etc., Strabon. 16, p. 750, et al. Syrus ap. Pausan. 8, 29, 4. Mons Mediæ ap. Polyb. 10, 27, 6, Diodor. 2, 13, Ptolem. 6, 2. || Formam 'Ορέντης ab recentioribus usurpatam ostendi ad Jo. Malal. p. 266, 3, et in Add. p. 798, ex locis quum illius sive Chronici Pasch. tum schol. Strabon. vol. 1, p. 390 ed. Falcon. sive Diodori vol. 2, p. 466 ed. Paris. Itaque non erat quod mutaretur in 'Ορόντης in Lex. τῆς γραμματ. cod. 1630 ap. Boiss. ad Herodiani Epim. p. 102, aut in Stadiasmo, de quo Miller. *Journ. d. Sav.* 1844, *Mai* p. 303. L. Dind.]

Ὀρόντιον, τὸ, Orontium, herbæ nomen ap. Galen. τῶν Κατὰ τόπους 9, [1] quæ ictericis in balneo luridum colorem detrahit, ut origanum Dioscoridis. [Ὀρίγανον Cornarius.]

[Ὀροντὶς, ίδος, ἡ, ap. Paul. Sil. Descr. Soph. 524 : Ὀροντίδος ἄλσεα Δάφνης, Ad Orontem sitæ. L. Dind.]

[Ὀροντοβάτης, ὁ, Orontobates, Persa, ap. Arrian. Exp. 1, 23, 1, 10; 2, 5, 8, Diod. 19, 47.]

[Ὀροντοπάγας, ὁ, Orontopagas, Persa, ap. Clem. Al. Strom. 5, p. 672.]

[Ὀρονύχιον, τὸ, Photio ὅρος νυκτερινὸς, τουτέστι φυλακή.]

Ὀροπεδίον [Ὀροπέδιον], τὸ, Colliculus, Tumulus, Strabo [7. p. 292, 317; 11, p. 522, 528; 12, p. 568; 15, p. 706. Ὀριπέδιον 6, p. 272. Conf. Lobeck. ad Phryn. p. 686.]

[Ὀρόπεια, πόλις Βοιωτίας, et Ὀρόπειος cogn. Apollinis memorat schol. Nicand. Ther. 614, ubi v. Schneider.]

[Ὀροπύγιον. V. Ὀρροπύγιον.]

Ὅρος, ὁ, Terminus, [Terminatum add. Gl.], Limes, [Limitum add. Gl.], Fines [Finis, Gl.] : ut dicuntur regionis vel agri alicujus. A Polluce [9, 9] dicitur esse στήλη ἐνεστηκυῖα, Stele et cippus alicubi erectus ad fines indicandos. Et ab Hesych. στήλη ἡ καταπεπηγυῖα ἐπὶ χωρίῳ ἢ οἰκίᾳ. Dem. [p. 1040, 16] : Οὐδεὶς ὅρος ἐπέστη [ἔπεστι] τῇ ἐσχατιᾷ, Nullus finitor erat in eo fundo erectus. [Inscrr. Att. ap. Bœckh. vol. 1, p. 484, n. 526 et seqq. Naxiæ vol. 2, p. 355, n. 2418–20. Pausan. 8, 25, 1 : Τρίτα δέ ἐστιν ἀρχαῖα ἐν στήλῃ γράμματα, ὅροι Ψωφιδίοις πρὸς τὴν Θελπουσίαν χώραν.] De regione in seqq. ll. dicitur. [Pind. Ol. 6, 77 : Ὑπὸ Κυλλάνας ὅροις. Æsch. Prom. 667 : Γῆς ἐπ' ἐσχάτοις ὅροις. Soph. OEd. C. 400 : Γῆς δὲ μὴμβαίνῃς ὅρων. Et sæpe eodem similique modo Eur. aliique poetæ.] Thuc. 6, p. 202 [c. 13] : Σικελιώτας οἷσπερ νῦν χρωμένους ὅροις πρὸς ὑμᾶς οὐ μεμπτοῖς. Plut. in Probl. Rom. : Ὅρους ἔθηκε τῆς χώρας. [Ὅρον τίθημι, Gl. Eadem : Ὅρων διάκρισις, Terminalia; Ὅρων λίθοι, Grumi. Solon ap. Aristid. vol. 2, p. 397 : Ὅρους ἀνεῖλον πολλαχῇ πεπηγότας. Lycurg. p. 157, 7 : Ὅρους τοῖς βαρβάροις πήξαντες τοὺς εἰς τὴν ἐλευθερίαν τῆς Ἑλλάδος.] Lucian. [Macrob. c. 14] : Οἱ Περσῶν καὶ Ἀσσυρίων ὅροι. Herodian. [2, 2, 19] : Τοὺς ἐπὶ τοῖς ὅροις τῆς Ῥωμαίων ἀρχῆς ἱδρυμένους, Ad Romani imperii terminos defensandos. Rursum Plut. Apophth. [p. 186, B] : Ἐπὶ τῶν ὅρων τὴν ἔχθραν ἀπολίπωμεν, In finibus. Id. Amat. Narr. [fine] : Ἐκτὸς ὅρων ἔρριψαν, Extra fines projecere. Dem. [p. 634, 14] : Πέρα ὅρων [ὅρου] ἐλαύνειν, Ultra fines Atticos persequi. [Sing. Æsch. Prom. 789 : Ὅταν περάσῃς ῥεῖθρον ἠπείρων ὅρον· Eum. 941 : Τὸ μὴ περᾶν ὅρον τόπων. Aristoph. Ach. 719 : Ὅροι μὲν ἀγορᾶς εἰσιν οἵδε τῆς ἐμῆς.] Metaph. etiam capitur, sicut Fines, Terminus, Limes. [Æsch. Ag. 486 : Πιθανὸς ἄγαν ὁ θῆλυς ὅρος ἐπινέμεται· 1153 : Πόθεν ὅρους ἔχεις θεσπεσίας ὁδοῦ κακορρήμονας; Eur. Herc. F. 669 : Νῦν δ' οὐδεὶς ὅρος ἐκ θεῶν χρηστοῖς οὐδὲ κακοῖς σαφής, Limes quo boni malique discernantur. Demosth. p. 658, 6 : Οὐδ' ἔχει τῶν εὖ πραττόντων οὐδεὶς ὅρον οὐδὲ τελευτὴν τῆς τοῦ πλεονεκτεῖν ἐπιθυμίας. L. D. Οὐδένα ὅρον τῆς πλεονεξίας ποιεῖσθαι, Dion. Cass. 44, 29. Hemst. Μήτ' εἰρήνης ὅρος μήτε πολέμου πρὸς Αἰτωλοὺς ὑπάρχει, Ætoli nec pacis nec belli jura agnoscunt, Polyb. 4, 67, 4. Μήτε φιλίας ὅροι μήτ' ἔχθρας, 17, 5, 3. Πάντας τοὺς τῆς πίστεως ὅρους ὑπερβαίνειν, 25, 4, 3. Οἷς ὅρος ἐστὶ τῆς ἀρχῆς ἰσχὺς, 6, 5, 9. Schweigh. Lex.] Dem. [p. 324, 27] : Ἃ τοῖς προτέροις Ἕλλησιν ὅροι τῶν ἀγαθῶν ἦσαν καὶ κανόνες, Fines bonorum, Quibus rebus bona et felicitatem circumscribebant. [Similiter p. 983, 17; 1478, 7.] Epicurus, Ὅρος τοῦ μεγέθους τῶν ἡδονῶν, Voluptatis terminus. Vide in Ὑπεξαίρεσις. Plato Leg. [8, p. 849, E] : Ὅρους τῶν ὠνίων τίθεσθαι, Suis veluti limitibus describere res venales, quos excedere nefas sit : pro Pretia certa rebus venalibus imponere. [Eur. Alc. 591 : Ἀρότοις δὲ γυᾶν καὶ πεδίων δαπέδοις ὅρον ἀμφὶ μὲν ἀελίου κνεφαίαν ἱππόστασιν αἰθέρα τὰν Μολοσσῶν τίθεται. Xen. Ven. 6, 22 : Ὅρους τιθέμεναι ἑαυταῖς. Act. Demosth. p. 598, 7 : Τοῦτον ὅρον τεθείκατε τῇ βουλῇ.] At ὅρος τῶν γάμων ex Eod. [Leg. 6, p. 785, B] pro Tempus nuptiarum. [Ὅρος (τῶν διαφορῶν κατὰ τὰς τῆς σελήνης ἀνατολὰς) εἰς μὴν, Polyb. 9,

A 15, 15. Schweigh. Lex.] Longin. [35, 3] : Τοὺς τοῦ περιέχοντος πολλάκις ὅρους ἐκβαίνουσιν αἱ ἐπίνοιαι, Limites transiliunt. Sic Plut. Symp. 8, [p. 730, A] de marino animalium genere in propria signif. : Ὥσπερ ἑτέρῳ κόσμῳ περιεχόμενον, καὶ χρώμενον ὅροις ἰδίοις, οὓς ὑπερβαίνουσιν αὐτοῖς ἐπίκειται δίκη ὁ θάνατος. Idem in Præc. san. [p. 122, E] dicit, Παράβασιν ὅρων ἐπικαλεῖν τινί. Lucian. De salt. [84] : Μείνας ἐντὸς τῶν τῆς ὀρχήσεως ὅρων, Manens intra terminos saltationis. Cum eod. verbo Herodian. 6, [2, 9] in propria signif. : Μένειν ἐν τοῖς τῶν ἰδίων ὅροις, καὶ μὴ καινοτομεῖν, Suis finibus contentum nihil rerum novarum moliri. [De ὅροις in metallifodinis Lex. rhet. Bekk. An. p. 287, 1 : Ὅροι, ὅτι κατὰ μέρη τινὰ ἐμισθοῦντο τὰ ἀργύρεια ὅροις διακεκριμένα.] || Aliquando pro Meta, Scopus in aliqua re propositus. [Bacchylid. ap. Stob. Fl. 108, 26, 1 : Εἷς ὅρος, μία βροτοῖσίν ἐστιν εὐτυχίας ὁδός. Eur. Iph. T. 1219 : Ἦν δ' ἄγαν δοκῶ χρονίζειν ;—Τοῦδ' ὅρος τίς ἐστί μοι; et similiter al.] Dem. [p. 548, 25] : Ἕνα ὅρον θέμενος, παντὶ τρόπῳ μ' ἀνελεῖν. [Plato Phædr. p.
B 237, C : Ὁμολογίᾳ θέμενος ὅρον· Soph. p. 247, E.] Aristot. Polit. 4, [8] : Ἀριστοκρατίας μὲν γὰρ ὅρος, ἀρετή· ὀλιγαρχίας δὲ, πλοῦτος· 7 : Πρὸς τὸν ὑποκείμενον αὐτοῖς ὅρον. Sic Cic., Ad aliquem finem referre. Item, Officium et finis oratoris : i. e. σκοπὸς καὶ τέλος τῶν πράξεων : quæ alio nomine ὑπόθεσις dicitur. Vide et Bud. p. 711. Sed et in genere ὅρος dicitur omne Extremum ambiens, ut cœlum quoque; est enim ἔσχατον, nec ultra id progressus est motui. Aristot. De gen. anim. 2 : Πῦρ μὲν καὶ ἀὴρ τοῦ πρὸς τὸν ὅρον φερομένου τόπου. [Εἰς ἔσχατον ὅρον τὰς ἑαυτῷ δοκούσας ἀρετὰς ἐπετήδευεν, Eunap. apud Suid. in Ἀρβαζάκιος. Hemst. Aliter Stat. athl. Anth. Plan. 368, 2 : Οἱ Βένετοι Πρασίνοισιν ἐναντίοι αἰὲν ἐόντες εἰς ἕν' ὁμοφροσύνης ἐξεδόησαν ὅρον.] Sed et Plato in Tim. ὅρον et ἄκρον pro eodem ponit, quod Cic. Extremum vertit. Bud. || Ὅρος accipitur etiam pro Modo [Gl.] et regula, et quasi præscripto quo actiones temperantur. Galen. Method. 12 et 14. Aristid. : Ὅρον εἶναι σωφροσύνης πᾶσιν ἀνθρώποις, Regulam. Hæc VV. LL. [Ὅρος, Hoc institutum, Constitutum, Gl.] || Finis, ea signif. qua Quintil. dicit 2,
C 16 : Hic igitur frequentissimus finis, rhetoricen esse vim persuadendi : i. e. Finitio s. Definitio [Gl.], ὁρισμός. Aristot. Top. 1, [4] : Ὅρος δέ ἐστι λόγος ὁ τὸ τί ἦν εἶναι σημαίνων· quem l. Alex. Aphr. sic exp., ὅρος, λόγος ἐστὶν ὁ τὸ τί ἐστι τὸ εἶναι σημαίνων τοῦ ὁριστοῦ· dicit autem metaphor. esse ἀπὸ τῶν ὅρων τῶν ἐπὶ τῶν χωρίων, οἷς περιγράφουσιν αὐτὰ καὶ τῶν ἄλλων χωρίζουσι. Vide plura ap. Bud. p. 711. [Definitt. Plat. (quarum de auctore v. Valck. ad Ammon. v. Παίδευσις p. 110) p. 414, D : Ὅρος λόγος ἐκ διαφορᾶς καὶ γένους συγκείμενος. Anon. Περὶ ὅρων ἀνακεφαλαίωσις ap. Lambec. Bibl. Cæs. vol. 7, p. 388, A : Ὅρ. ἐστὶ λόγος σύντομος δηλωτικὸς τῆς φύσεως τοῦ ὑποκειμένου πράγματος.] V. et Suid., qui etiam discrimen annotat inter ὅρον et ὑπογραφὴν et ἀπόδειξιν. It. ap. Hermog. ὅρος βίαιος, Definitio violenta. Ap. Eund. ὅρος et ἀνθορισμὸς, Definitio et Contraria definitio. Rursum Aristot. Rhet. 1 : Δεῖ δὲ νομίζειν ἱκανοὺς εἶναι τοὺς ὅρους, ἐὰν ὦσι περὶ ἑκάστου μήτε ἀσαφεῖς μήτε ἀκριβεῖς. Synes. Ep. 31 : Τοὺς γεωμετρικοὺς ὅρους ἀλη-
D θεστάτους ἡγοῦ, Geometrarum definitiones et regulas verissimas existimato. [Euclid. vol. 1, p. 2, ιγ' : Ὅρος ἐστὶν ὅ τινός ἐστι πέρας. L. D. || Ὅρος, Definitio, s. Finitio, genus στάσεως s. status, qui Status controversiæ definitivus, et Constitutio definitiva Latinis dicitur, locumque habet tum, quum nomen facti negatur, ut si quis cædis accusatus dicit : *occidi quidem, sed parricidium non commisi.* Itaque Hermog. Περὶ στάσ. p. 18, τὸν ὅρον sic definit : ὀνόματος ζήτησις περὶ πράγματος, οὗ τὸ μὲν πέπρακται, τὸ δὲ λείπει πρὸς αὐτοτέλειαν τοῦ ὀνόματος· vid. Cic. Invent. 2, 17, Quintil. 7, 3, et conf. Hermog. l. c. p. 60, ubi ex instituto περὶ ὅρου exponit. Primum τοῦ ὅρου hæc fere capita, quæ in eo genere tractari solent, commemorantur : προβολὴ, ὅρος, ἀνθορισμὸς, συλλογισμὸς, γνώμη νομοθέτου, πηλικότης, πρός τι, ποιότης, et γνώμη. Hæc inde dicuntur κεφάλαια ὁρικά. Vid. Sopatr. Διαιρ. p. 344, et schol. ad Hermog. p. 197 ed. Ald. Deinde ὅρος, Status finitivus, est vel ἁπλοῦς, vel διπλοῦς, simplex, unius tantum partis et ab adversario negatus, vel compositus

et duplex; conf. schol. ad Hermog. p. 228. Compositarum definitionum Hermogenes quinque genera facit: 1) ὅρος ἀντονομάζων, 2) κατὰ σύλληψιν, 3) κατὰ πρόσωπα διπλοῦς, 4) ἐμπίπτων, 5) οἱ δύο καλούμενοι ὅροι. Prima dicitur ἀντονομάζων, quia habet ἀντωνυμίαν, contentionem et conflictionem duorum nominum, vel divisionem generis et speciei, ut si docetur, quomodo fur et sacrilegus differant. Exemplum vid. in Sopatr. Διαιρ. p. 329, quo et utuntur ceteri scholiastæ ad Hermog. l. c. p. 229 sqq.: Ὀνομάζοντος τοῦ κατηγόρου ἱεροσυλίαν τὸ γεγονὸς, ὁ φεύγων ἀντονομάζει οὐχ ἱεροσυλίαν εἶναι φάσκων, ἀλλὰ κλοπήν. — Ὅρος κατὰ σύλληψιν vel συμπλοκὴν dicitur, quum pugna est generis et speciei, quod affirmata specie, etiam genus affirmatur, ut: Qui sacrilegus est, etiam est fur, sed non omnis fur, idem et est sacrilegus. Has duas finitiones commemorat et Fabius l. c., reliquas tres omisit. Ceterum de hoc secundo genere Syrianus ad Hermog. l. c. p. 232, hæc habet: Ὠνόμασται μὲν ἀπὸ τοῦ τὸν κατήγορον ἐν αὐτῷ ἄμφω τὰ ἐγκλήματα συλλαμβάνειν, τό τε ὑπ' αὐτοῦ ἐπαγόμενον τῷ φεύγοντι καὶ ὅπερ ὁ φεύγων ἀντιπροβάλλεται. — Tertia forma est κατὰ πρόσωπα διπλοῦς, si una res ad duas personas pertinet, cujus formæ exemplum est in Ciceronis Divinatione, in qua quæritur, uter idoneus sit Verris accusator, Cicero, an Cæcilius Verris quæstor. Ad utrumque enim accusatio pertinere videbatur. Similis controversia, quæ habet ὅρον διπλοῦν κατ' ἀμφισβήτησιν tractatur apud Sopatr. Διαιρ. p. 328. — Quartum definitionis genus est ὅρος ἐμπίπτων, Status interveniens, s. intermedius, ὅταν τὸ δεύτερον ζήτημα ἐμπίπτει ἐξ ἀντιθέσεως. Conf. schol. Hermog. p. 238. — Quintum genus dicitur δύο ὅροι, quum duæ definitiones pertinent ad personam unam. V. Hermog. l. c. p. 68, v. c. Lex est: qui purus et ex puro natus est, sacrum faciat. Quidam quum patrem adulterum occidisset, arcetur a sacrificiis. Quæritur jam, quis sit purus, et quis ex puro natus; conf. Sopatr. l. c. p. 339, ubi ait: Οἱ δύο καλούμενοι ὅροι διὰ τοῦτο ταύτην ἔσχον τὴν προσηγορίαν, ὅτι ἁπλοῖ δύο συνεζευγμένοι εἰσὶ, καὶ δυνατὸν ἐφ' ἑνὶ ἑκάστῳ κρίνεσθαι ... καὶ δυνατὸν τὸ πλάσμα διελόντα δύο ποιῆσαι προβλήματα. — Porro ὅρος etiam specialius dicitur peculiaris locus in statu definitivo, s. definitio ipsa, quam supra in variis τοῦ ὅρου κεφαλαίοις commemoravimus. Exempli causa propositio hæc esto: *Tyrannidem sustuli, ergo præmium peto.* Sequitur ὅρος ejusmodi: *Tyrannicida est, qui tyrannum occidit, non qui in vita relinquit.* Contra hanc definitionem affert petitor ἀνθορισμόν: *Immo non is solum est tyrannicida, qui tyrannum gladio occidit, sed et qui tyrannidem tollit.* Conf. Ulpian. ad Demosth. Mid. p. 348, et omnino scholiast. Hermog. p. 206. Confirmatio illius sententiæ dicitur συλλογισμὸς, qua docetur, perinde esse, tyrannum occidere et tyrannidem tollere. Formula est: ἴσον ἐστὶ τόδε τῷδε, vid. Syrian. ad Hermog. p. 209. Deinde petitor definitionem suam auctoritate et sententia legislatoris probare debet, quæ est γνώμη νομοθέτου. Confirmatur etiam ille συλλογισμὸς rei magnitudine demonstranda, qui locus dicitur πηλικότης. Hæc eadem habet Sopater Διαιρ. στάσ. p. 320 sq., et illud ipsum argumentum de tyrannicida præmium petente explicavit p. 326, hac inscriptione usus: Κατὰ αἴτησιν δωρεᾶς. De ceteris capitibus v. schol. Hermog. p. 219, ubi inter alia Syrianus ita: Τὰ πρός τι ἔνιοι καὶ συγκριτικὰ καλοῦσιν· ὡς γὰρ καὶ ὄνομα δηλοῖ, τὴν πρὸς ἕτερα σχέσιν ἐξετάζομεν ἐν αὐτῷ· καὶ ὁ μὲν κατήγορος μείζω τὰ πεπραγμένα τῶν λειπόντων δείκνυσιν, ὁ δὲ φεύγων τὰ λείποντα τῶν πεπραγμένων. Hic autem omnis status dictus est etiam Græcis ὁ περὶ τῆς ἰδιότητος et περὶ τοῦ αὐτοῦ καὶ ἑτέρου. V. Aur. August. Princip. rhetor. p. 294. Ernest. Lex. rh.] || Ὅρος σύντομος, Compendium. Justin. Mart. de libris Aristot. ad Alex.: Σύντομόν τινα τῆς ἑαυτοῦ φιλοσοφίας ἐκτιθέμενον ὅρον, τὴν τοῦ Πλάτωνος ἀναιρεῖ δόξαν, Suæ philosophiæ compendium faciens, Ad compendium conferens et brevi tractatu complectens. || Ὅρος dicitur etiam Index rei obnoxiæ: unde ὁρίζεσθαι et προορίζεσθαι et ἀφορίζεσθαι, item ὅρους τιθέναι et κατατιθέναι: et ἀφωρισμένη οὐσία, Pignori opposita. Hæc Bud. initio p. 711. Quo pertinent quæ p. 90 annotat: Diximus superius super hujusmodi rebus prædibus τοὺς λεγομένους ὅρους apponi solitos esse, ut in l. a nobis citato [Demosth. p. 1029, 27]: Καὶ τελευτῶν διέθετο ὅρους ἐπιστῆσαι χιλίων δραχμῶν ἐμοὶ τῆς προικὸς ἐπὶ τὴν οἰκίαν. Quem l. quum in Lex. suo citasset, subjungit, Expressius p. 105, pro Signo rei oppigneratæ, ut prædii: et 165 [p. 1188, 3] τοὺς ὅρους ἀνέσπακε, ut nimirum fraudarentur creditores. [P. 791, 6: Εἰ μὲν ἐφαίνοντο αἵ τε συνθῆκαι καθ' ἃς ἐδανείσατο κείμεναι καὶ οἱ τεθέντες ὅροι ἑστηκότες· 876, 9: Τίθησιν ὅρους ἐπὶ μὲν τὴν οἰκίαν δισχιλίων, ἐπὶ δὲ τὸ χωρίον ταλάντου· 18: Τοὺς ὅρους ἀπὸ τῆς οἰκίας ἀφαιρεῖ· 879, 11: Πρότερον τοὺς ὅρους ἔστησεν, et alibi cum eodem verbo. Isæus p. 59 fin.: Ὅπως ὅροι τεθεῖεν.] Et Contra Onet. p. 43: Ὅρον ἐπιτιθέναι ἐπὶ τὸ χωρίον, ταλάντου· vocarunt autem ita Attici τὰ ἐπόντα ταῖς ὑποκειμέναις οἰκίαις καὶ χωρὶς γράμματος [χωρίοις γράμματα] δηλοῦντα ὅτι ὑπόκεινται δανειστῇ, Harpocr. [Conf. Lex. rhet. Bekk. Anecd. p. 285, 12, et gramm. ib. p. 192, 5. Exx. sunt in inscrr. Atticis ap. Bœckk. vol. 1, p. 484, n. 530 sqq. Ὅρος ἐν δίκῃ πράγματος, Definitio, Sponsio, Terminatio, Lex, Constitutio, Gl. Similiter Jo. Malalas p. 384, 10: Εἰ μὴ διὰ τῆς αὔριον ... δώσετε αὐτοῖς τὸν ὅρον καὶ ἀπαλλάξετε αὐτούς· et ibid. 12, δεδωκότες αὐτοῖς ὅρον, item de judicibus.] || Ὅρος, Hesychio θεσμὸς, νόμος. || Rusticum instrumentum, quod Funiculum appellant, VV. LL. [V. mox.] || Ὅρος Polluci 10, c. 29 [§ 130] est etiam τὸ τρίβον τοὔλαιον ξύλον: itemque Harpocr. [ex eoque Phot.] ὅρον esse dicit σκεῦός τι γεωργικὸν ap. Isæum, significareque [ap. Æschylum et Menandrum conjicit] ξύλον τι, ᾧ τὴν πεπατημένην σταφυλὴν πιέζουσι. [Lex. rhet. Bekkeri An. p. 287, 27: Ὅρον· γεωργ. σκ., ὅ φασί τινες σχοινίον. Ἄλλοι δέ φασι τὴν θύραν τὴν ἐπιβαλλομένην τῇ πατουμένῃ σταφυλῇ, ὥστε ἐκθλιβομένης αὐτῆς ἀφεῖναι τὸν οἶνον· de qua conf. p. 308, 23.] Alibi autem ap. Poll. [7, 150] scribitur ὅρος tenui spiritu: ap. Suid. etiam tenui spiritu, sed neutro genere Ὄρον. [In Ind.:] At Ὀρὸν, τὸ, Prelum, vas agricolarum, VV. LL. [|| Ὅροι, Definitiones, Canones ecclesiastici. Differunt autem, inquit R. Balforeus, in not. ad Gelasium Cyzicenum p. 274, ὅροι et διατυπώσεις: nam ὅροι ad disciplinam eccles. constituendam et Clericorum mores conformandos ac emendandos referuntur, διατυπώσεις vero ad doctrinum de fide stabiliendam. Id plane innuit idem Gelasius, quum ait διατυπώσεις esse περὶ τῆς καθολικῆς καὶ ὀρθοδόξου πίστεως, ὅρους vero περὶ τῆς εὐταξίας ... Terminus hæc vox redditur non semel in Synodico adv. tragœdiam Irenæi c. 38, 209. || Ὅροι, Ædium sacrarum περίβολα, intra quos est ecclesiastica immunitas, seu jus asyli, ὅροι σεπτότατοι ap. Nilum mon. Epist. 2, 178. Ὅροι παρρησίας ap. Theodorum Lect. Ecl. 2; ἀσυλία τῶν ὅρων ap. Cyrill. Scythop. in S. Joanne Solit. n. 4. Ducang. De forma Ion. Οὖρος v. in ipsa.]

Ὄρος, ους, τὸ, Mons, [Collis, Gl.] Hom. Od. T, [431]: Αἰπὺ ὄρος προσέβαν καταείμενον ὕλῃ· ut Hesiod. Theog. [484]: Ἐν ὄρει πεπυκασμένῳ, ὑλήεντι. Od. N, [152]: Μέγα ὄρος, sicut et ap. Xen. Cyneg. τὰ μεγάλα ὄρη. Rursum Od. N, [183]: Περίμηκες ὄρος. Et ὑψηλὸν ὄρος, K, [104]: Ἄστυδ' ἀφ' ὑψηλῶν ὀρέων καταγίνεον ὕλην· Il. N, [754]: Ὄρεϊ νιφόεντι ἐοικώς. [Et sic sæpe ap. ipsum ceterosque poetas et alios quosvis, utroque numero.] Xen. Hell. 7, [1, 26]: Ὄρη δύσβατα· contra Idem dicit, 4, [6, 9]: Εὐβατώτερον γὰρ ἦν τοῦτο τὸ ὄρος καὶ ὁπλίταις καὶ ἵπποις. Pausan. Attic. [33, 5] de Atlante: Ὄρος ἄβατον ὑπὸ ὕδατος καὶ δένδρων. Et ap. Hom. ὄρεος βῆσσαι, Valles montis. Et κράσπεδα τῶν ὀρῶν, Profunda montium, Tac.: nisi malis id esse, quod Hom. appeliat κνημοὺς, i. e. Eas montium partes quæ pedi incumbunt, s. λαγόνες ὄρους, Latera montis. Xen. Hell. 4, [6, 8]: Ὑποκαταβαίνοντες ἐς τὰ κράσπεδα τῶν ὀρῶν. Contra κορυφαὶ montium dicuntur Juga, Vertices, Capita montium, nam et ita Latini loquuntur. Od. B, [147]: Ὑψόθεν ἐκ κορυφῆς ὄρεος. Eadem montis pars ἀκρώρεια quoque dicitur, i. e. Cacumen: contra παρώρεια, Descendentia montium latera, quæ Xen. vocat κράσπεδα. Ima autem pars et radix s. pes, τέρμα appellatur. [V. Suid. v. Τέρμα. « Eumath. in Ism. p. 417: Κυκᾷ τὴν θάλασσαν ὁ Ποσειδῶν, ἴσα καὶ ὄρεσιν ἐγείρει τὰ κύματα, τὴν ναῦν καταδῦσαι φιλονεικεῖ. Koenig.|

Ab hoc ὄρος est [ap. Epicos] dat. poet. Ὄρεσφι pro ὄρεσι, Montibus : ut κεφαλῆφι pro κεφαλῆς. || In domo autem ὄρος dici potest Pars quæ capiti imminet, Tectum. Sic enim Pollux 1, c. 8 [§ 80] : Καλοῖτο δ' ἂν τὸ μὲν ὑπὸ τοὺς πόδας, ἔδαφος· τὸ δ' ὑπὲρ τὴν κεφαλὴν, ὄρος [ὄροφος], στέγη, καὶ ὀροφή. || In pede etiam humano ὄρος est Pars pedis superior, quæ et πεδίον. Sic enim Pollux 2, [197] : Μέρη δὲ ποδὸς τὰ μὲν ἄνω πρὸ τῶν δακτύλων, πεδίον ἢ ὄρος, ἢ πολυόστεον. || Ὄρος vocatur etiam τὸ ξύλον, ἐν ᾧ τοὔλαιον πιέζεται, ut idem Pollux tradit l. 7, [150; 10, 84] quod nonnulli interpr. Lignum in prelo, quo oleum exprimitur. Alibi vero ὄρος scribitur, ut supra docui. [Genit. plur. formam ὀρῶν præfert Thomas p. 658 : Ὀρῶν, οὐχ ὀρέων. Ap. Xenoph. libri modo consentiunt in alterutra modo utramque præstant. Pierson. ad Herodian. p. 456 : « Suidas (s. gramm. Bekk. p. 404, 28) : Ἀνθέων, τὴν γενικὴν ὁμοίως τοῖς Ἴωσιν οἱ Ἀττικοί... οὕτως δὲ καὶ βελέων καὶ ὀρέων καὶ ἕτερα πλείονα Ξενοφῶν διαιρεῖ. In Xenoph. has formas fere obliterarunt librarii. Ὀρέων in Eur. Bacch. 718 : Ναίοντες ὀρέων θέλετε θηρασώμεθα. Ridet grammaticos Dorvill. ad Char. p. 329. Sed immerito. Non populus Atheniensis, non vulgus hæc curabat, sed docti qui accurate scribebant. » Qui rationem non habuit Platonis, cujus libri nusquam ὀρέων, sed in ὀρῶν consentiunt Critiæ p. 111, C, Leg. 4, p. 704, C; 8, p. 833, B. L. Dind. || Spiritus impurus. Orig. Caten. in Jerem. t. 2, p. 911, B : Ἀναγωγῆς δὲ λόγῳ καὶ ὁ διάβολος Ὄρος ὠνόμασται. Hase.]

|| Οὖρος Ionice dicitur pro ὄρος. Hom. Il. Γ, [34] : Οὔρεος ἐν βήσσαις· Α, [157] : Οὐρεά τε σκιόεντα. Hesiod. Theog. [129] : Οὔρεα μακρά. Frequens etiam ap. Herodot. [Item ap. Pind. aliosque poetas.]

Ὀρὸς, ὁ, Serum lactis. Eust. p. 906, recensens quædam quæ pro accentu significationem mutant : Καὶ ὀρός μὲν ὀξυτόνως, δι' ἑνὸς ρ, ἡ τοῦ γάλακτος ὑποστάθμη καθ' Ὅμηρον· οὕτω γὰρ ἐκεῖνος γράφει· ὄρος δὲ, γῆς ὑψηλὸν ἀνάστημα. Utitur autem Hom. Od. I, [222]: Ναῖον δ' ὀρῷ ἄγγεα πάντα, Γαυλοί τε σκαφίδες τε· Ρ, [225] : Καί κεν ὀρὸν πίνων, μεγάλην ἐπιγουνίδα θεῖτο, Serum potans. In præcedenti autem l. Eust. ὀρὸς exp. ex quibusdam, ἡ ὑδατώδης τοῦ γάλακτος ὑπόστασις : ex aliis, τὸ διεφθορὸς γάλα : rursum ex aliis ἡ γάλακτος ὑποστάθμη : quæ expos. eadem est cum prima, et melior. Derivat autem a ῥέω, facto inde ῥόος, et transpositis literis accentuque mutato ὀρὸς, ut ὀρὸς sit τὸ τοῦ γάλακτος ῥοῶδες, τὸ μὴ πηγνύμενον εἰς τυρὸν, ἀλλ' ἀποῤῥυϊσκόμενον. Ead. scriptura ap. Theophr. habetur H. Pl. 9, 2, [5] de pice quæ ex Idæa picea manat : Ἑψηθεῖσαν δὲ, ἔλαττω ἐκβαίνειν· πλείω γὰρ ἔχει τὸν ὀρόν. [Nunc ὀῤῥὸς hic et 3, 9, 2.] Unde Plin. 16, 12 : Decoctam autem minus picis reddere, quoniam in serum abeat. Ubi etiam nota, non lacti solum ὀρὸν tribui, sed aliis quoque rebus ex quibus assatis coctisve sereus humor profluit, qualis et ἰχώρ. [Plut. Mor. p. 981, F : Οἱ δὲ ἑπόμενοι ταῖς θηλείαις, καταρρέουσι μικρὸν τὸν ὀρὸν, Exiguum seminis. Angl. Ubi alii libri θορόν. Schol. Aristoph. Pac. 81 : Κάνθαρος λέγεται παρὰ τὸν κάνθωνα ... καὶ παρὰ τὸν ὀρὸν τουτέστι τὸ σπέρμα, unde Suidas in Κάνθαρος et Ὀρόν.] Ὀῤῥὸς etiam scribitur gemino ρ, ut in Lex. meo vet. ὀῤῥὸς, ἡ ὑποστάθμη τοῦ γάλακτος. Sic ap. Hesych. : Ὀῤῥὸς, τὸ ὑδατῶδες καὶ ὑφιστάμενον τοῦ γάλακτος· ἀπὸ τοῦ ὀρούειν ἀπ' αὐτοῦ. Et ὀῤῥὸς γάλακτος, γάλακτος τὸ ἀφύλισμα. Sciendum tamen, ap. Hesych. hæc non haberi suo loco, h. e. non posita esse ordine literario, verum post Ὅρος : ut et in Lex. meo vet. post Ὄρος. [Ὄρος γάλακτος, Serum, indeclinabile est, Gl. Et cum ead. interpr. ὀῤῥὸς τοῦ γάλακτος. Athen. 14, p. 647, F : Εἰς γάλα βαλὼν ... ἔα ἐκρεῖν τὸν ὀρὸν, ubi deteriores ὄῤῥον. Ὄρον ap. Athenag. p. 289, C. Eodem modo variatur in libris Geopon. V. Ind. || « Ὄῤῥος πίσσης, τὸ ὑγρότατον τῆς πίσσης in Glossis iatricis Mss. Neophyti, Quod est magis humidum in pice. » Ducang. V. Ὀῤῥόπισσα.] Sed Eust. hujus scripturæ mentionem facit in Ὅρος supra [Od. p. 1626, 9; 1774, 47], eademque passim occurrit, ut ap. Aristot. H. A. 3, 20 : Πᾶν δὲ γάλα ἔχει ἰχῶρα ὑδατώδη, ὃ καλεῖται ὀῤῥὸς· καὶ σωματῶδες, ὃ καλεῖται τυρὸς, ubi nota ὀῤῥὸν vocari ἰχῶρα ὑδατώδη : sicut Plato vicissim in Tim. [p. 83, C] : Ἰχὼρ, ὁ αἵματος

A ὀῤῥός. [Al. ὀρὸς, ut ib. D, ubi φλέγματος ὀρός. Arcad. p. 68, 22 : Ὅρος, εἴρω γὰρ, ὄῤῥος (sic) τὸ ἀφυλιζόμενον τοῦ γάλακτος, ὀξυτόνως. Al. ὀρὸς δὲ ὀξυνόμενον vel ὀξυτόνως τὸ ἀφ. τοῦ γ.] Galen. autem Ad Glauc. 2 dicit ὀῤῥὸς γάλακτος : unde colligimus ad alia quoque extendi, ut ad sanguinem, in præcedenti l. Platonis : ad picem, ut ap. Theophr. in Ὀρὸς, et ad alia similia : quum differentiæ causa dicat γάλακτος. [Guidot. ad Theophil. p. 156. Hemst.]

[Ὅρος, ὁ, Horus, f. Lycaonis, ap. Apollod. 3, 8, 1. Quod varie tentatum.]

[Ὀροσάγγης, ὁ, vox Persica, ap. Hesych. : Ὀρσάγγης (Ὀροσάγγης Palmerius, etsi non convenit ordini literarum) σωματοφύλαξ ἢ ὁ τὸν βασιλέως οἶκόν ποτε εὐεργετήσας. Grammaticus post Photium : Ὀροσάγγης καὶ σαγγάδης καὶ παρασάγγης καὶ ἄγγαρος διαφέρει, ὀροσάγγαι μὲν οἱ σωματοφύλακες, ὡς (ap. Sophoclem) Ἑλένης γάμῳ καὶ Τρωΐλῳ· Ἡρόδοτος δὲ (8, 85), Οἱ εὐεργέται βασιλέως ὀροσάγγαι καλέονται περσιστί· Νύμφις δὲ ὁ Ἡρακλεώτης ἐν β' περὶ Ἡρακλείας λέγει παρὰ Πέρ-

B σαις τὴν μεγίστην ἔχειν προεδρίαν, καλεῖσθαι δὲ κατὰ γλῶτταν ξένους βασιλείους, quibus adduntur nonnulla de ceteris vocc. tribus. Photius : Ὁροσάγγαι (sic), σωματοφύλακες βασιλέως. Cum Herodoto consentit Tzetzes Hist. 10, 745.]

[Ὀροσέλινον. V. Ὀρεοσέλινον.]

[Ὀρόσπεδα, ας, ἡ, Orospeda, mons Iberiæ, ap. Strab. 3, p. 161, 162, 163.]

[Ὀρόσπιζος, ὁ, Fringillago s. Fringilla montana. V. Σπιζίτης.]

[Ὀροτάλ, Bacchi nomen ap. Arabes. Herodot. 3, 8. Conferunt Hebr. אור *Or*, Lux, et צל *Zel*, Umbra. V. Wessel. ad Herod. l. c.]

[Ὀροτύπος, ὁ, Montem percutiens. Æsch. Sept. 87 : Ἀμαχέτου δίκαν ὕδατος ὀροτύπου. Photio ὑλοτόμος, quod mire in ὀροτόμος mutabat Porsonus. Idem Phot. : Ὀροτύπους, τοὺς γίγαντας, ὅτι ταῖς τῶν ὀρῶν κορυφαῖς ἔβαλλον. Ap. Hesychium : Ὀροτύπου δίκαν. Ὅτι οἱ γίγαντες ἀποσπῶντες ἀπὸ τῶν ὀρῶν κορυφὰς καὶ πέτρας ἔβαλλον, hæc gl. cum Æschylea confusa est. V. Ὀροι-

C τύπος.]

[Ὅρου, Supra. Achilles Tatius in Arati Phænom. p. 129, E : Τὸ δὲ ὅρου τὸ ἄνω δηλοῦν Φρυγῶν ἴδιον, ὡς Νεοπτόλεμος ἐν ταῖς Φρυγίαις φωναῖς. Glossarum Neoptolemi etiam Athenæus meminit 11, p. 476, F.]

[Ὀροῦα. V. Ὀρύα.]

Ὀρούβω sive Ὀρουβῶ, Pamphyliorum lingua usurpat pro ὀρούω. Eust. p. 1654 : Ἐν ἑτέρῳ δὲ τόπῳ λέγει ὁ αὐτὸς Ἡρακλείδης τοὺς Παμφυλίους ἄλλως χρῆσθαι τῷ β, προτιθέντας αὐτὸ παντὸς φωνήεντος· τὸ γοῦν φάος φάβος φασὶ, καὶ τὸ ἀέλιος, βαβέλιος· οὕτω δὲ καὶ τὸ ὀρούω, ὀρούβω λέγουσι, καὶ περισπωμένως δὲ Ὀρουβῶ. In VV. LL. [vitiose] habetur etiam Ὀρουείνω, itidem pro Irruo. [Etym. M. p. 632, 56 : Ὀρούεινε, παρώρμησεν. Εἰς τὸ Ἀγλαϊεῖσθαι. Ubi nihil nunc de illo.] At pro Οὐρούω, quod in iisdem VV. LL. ex Plut. affertur, reponendum Ὀρούω.

[Ὀρουείνω. V. Ὀρούβω.]

Ὄρουμα, τὸ, Impetus, Saltus : Hesych. ὀρούματα, ὁρμήματα, πηδήματα.

D [Ὄρουσις, εως, ἡ, i. q. ὄρουμα. Dio Chr. Or. 36, vol. 2, p. 80 : Τῶν τοῦ Ἀχιλλέως πηδήσεών τε καὶ ὀρούσεων. Philo vol. 1, p. 602, 43 : Τὸ δὲ γινόμενον ἔρυσιν ἐκάλεσαν, οἷς ὀνοματοποιεῖν ἔθος. Ubi Mangei. ὄρουσιν, conferens Stob. Ecl. eth. p. 162 : Ἰδίως δὲ τὴν ὄρουσιν ὁρμὴν λέγουσι. « Clem. Alex. p. 226, 32 : Ὄρουσις καὶ ἰσχύς. » Hemst.]

[Ὀρουστικὸς, ἡ, ὸν, Irruens. Schol. Pind. Nem. 2, 16, p. 679. Boiss.]

Ὀρούω quoque ejusd. cum superioribus est originis, eo tamen differens, quod illa activa sunt, hoc autem neutrum; significat enim Impetum do, Irruo, ὁρμῶ, ut Hesych. exp. : quod et ipsum una cum ὁρμὴ ab ὄρω derivatum est. Hesiod. [Sc. 436] : Ἐπ' ἀλλήλοισιν ὄρουσαν, In se mutuo irruerunt : ubi etiam tmesis esse queat pro ἀλλήλοις ἐπόρουσαν. [Theocr. 22, 142 : Ἐκ δίφρων ἄρα πάντες ἐπ' ἀλλάλοισιν ὄρουσαν.] Utitur et Hom. quum alibi passim [ut Il. Α, 359 : Ἐς δίφρον ὀρούσας· Ν, 505 : (Αἰχμὴ) ἀπὸ χειρὸς ὄρουσεν· Υ, 327 : Θεοῦ ἀπὸ χειρὸς ὀρούσας· Ω, 80 : Ἐς βύσσον ὄρουσεν], tum Il. B, [310] cum præp. πρὸς pro Gradu concito feror ad, Impetu curro ad : de dracone, Βωμοῦ ὑπαΐξας πρός ῥα πλατάνιστον ὄρουσεν. [Hesiod. Sc. 412 : Ὣς οἱ κεκλήγοντες ἐπ' ἀλλήλοισιν ὄρουσαν· et ib. 436. Pind. Nem. 1, 50 : Ὀρούσας ἀπὸ στρωμνᾶς. Cum inf. Ol. 9, 110 : Κλέος ὤρουσαν ἑλέσθαι· et cum genit., ut supra ὁρμᾶν, Pyth. 10, 61 : Τῶν ἕκαστος ὀρούει. Æsch. Ag. 826 : Πήδημ' ὀρούσας· Eum. 113 : Κούφως ἐκ μέσων ἀρκυστάτων ὤρουσεν. Soph. OEd. T. 877 : Ὕβρις ὤρουσεν εἰς ἀνάγκαν· El. 1440 : Λαθραῖον ὡς ὀρούσῃ πρὸς δίκας ἀγῶνα. Eur. Herc. F. 972 : Οἱ δὲ ταρβοῦντες φόβῳ ὤρουον ἄλλος ἄλλοσε· Phœn. 1236 : Ἐκ τάξεων ὤρουσε· Iph. T. 297 : Μόσχους ὀρούσας ἐς μέσας. Theocr. 6, 13 : Μὴ τᾶς παιδὸς ἐπὶ κνάμῃσιν ὀρούσῃ. Oppian. Cyn. 3, 474 : Ἐκ δὲ μέσης κεφαλῆς κέρας ἰθὺς ὀρούει, et alii poetæ.] Sed et Plut. id usurpat, licet poeticum magis quam prosæ scriptoribus familiare, in Coriol., p. 395 meæ ed. [c. 8] : Λέγεται κρατῶν ἁπάντων, πρὸς οὓς ὀρούσειε, τοὺς μὲν ἐξῶσαι πρὸς τὰ ἔσχατα μέρη. [Cat. maj. c. 13 : Αὐτόθεν ὀρούσαντες, ὥσπερ εἶχον· et al. L. D. Hippocr. p. 607, 21 : Τὰ ἐπιφαινόμενα πρῶτα ὤρουσεν ἄνω, de virgine cui menses primum comparentes sursum impetum fecerunt aut per superiora proruperunt. Foes.] Apud Hesych. ὀροῦσαι etiam pro ὁρμῶσαι : nisi forte scrib. ὁρμῆσαι : alioquin ὀροῦσαι positum esset pro ὀρούουσαι. Eust. verbo ὀρούω activam quoque tribuit signif. in Οὖρος infra. [Ita acceperunt nonnulli in l. Soph. OEd. T. supra cit. Democr. Stob. Flor. 16, 17 : Οἱ ὀρχησταὶ οἱ ἐς τὰς μαχαίρας ὀρούοντες, i. q. κυβιστῶντες.]

[Ὀροφέρνης, ους, ὁ, Orophernes, Ariarathis regis Cappadociæ f. spurius, et ipse ejus rex, ap. Athen. 10, p. 440, B (ubi est var. Ὀλοφέρνης, quomodo vocatur Appiano Syr. c. 47, et ap. Polyb. 32, 20; 33, 12, « quæ scriptura librariis ex libro Judith (ubi Nabuchodonosoris dux Ὀλοφ. memoratur) familiaris alio temere translata videtur », ut monet Schweigh. ad Polyb. 3, 5, 2), Ælian. V. H. 2, 41, ubi libri Ὀρροφέρνην s. —φέρρην. Ap. Diodor. quum Exc. p. 588, 84 sit Ὀποφέρνης, Photius tamen p. 518, 38 Wess. posuit Ὀλοφέρνης, et cognominem f. Ariamnis memoravit p. 517, 95.]

Ὀροφή, ἡ, Contignatio qualis est tectorum. [Hom. Od. X, 298 : Ὑψόθεν ἐξ ὀροφῆς. Aristoph. Vesp. 1215 : Ὀροφὴν θέασαι· Nub. 173 : Ἀπὸ τῆς ὀροφῆς νύκτωρ γαλεώτης κατέχεσεν. Manetho 6, 612.] Thuc. 4, [48] : Ἀναβάντες ἐπὶ τὸ τέγος τοῦ οἰκήματος, καὶ διελόντες τὴν ὀροφὴν ἔβαλλον τῷ κεράμῳ. [Xen. H. Gr. 6, 5, 9 : Τὸν νεὼν καὶ τὴν ὀρ.] Theophr. [H. Pl. 5, 3, 7] : Διαμνημονεύουσιν ὀροφὰς τινὰς τῶν ἀρχαίων οὔσας. Quod describens Plin. ait, Theophrastus huic arbori honorem tribuit, memoratas ex ea referens templorum veterum contignationes. Aristot. [H. A. 9, 40] de apibus : Ἄρχονται δὲ τῶν ἱστῶν ἄνωθεν ἀπὸ τῆς ὀροφῆς τοῦ σμήνους καὶ κάτω σύνυφες, i. e., eod. Plin. interpr., Struunt orsæ a concameratione alvei, textumque velut a summa tela deducunt. Pro eo autem, quod Varro habet, Singulis parietibus columbaria fiunt rotunda, in ordinem crebra; ordines quamplurimi esse possunt a terra usque ad cameram : in Geopon. [14, 6, 2] est, Κατασκευάζειν δὲ χρὴ ἐν τοῖς τοίχοις καὶ νεοσσιὰς πυκνὰς, ἀπὸ ἐδάφους μέχρι τῆς ὀροφῆς. [Plato Critiæ p. 116, E : Τῇ κορυφῇ τῆς ὀροφῆς· D : Τὴν ὀροφὴν ἐλεφαντίνην ..., πᾶσαν ... πεποικιλμένην· Reip. 7, p. 529, B : Ἐν ὀροφῇ ποικίλματα θεώμενος. Polyb. 5, 9, 3 : Τῷ πυρὶ κατελυμήναντο τὰς ὀροφάς.] Ap. Athen. 5 : Ταῖς τε κατασκευαῖς καὶ ταῖς ὀροφαῖς καὶ θυρώμασι δὲ πάντα ἦν ταῦτα πεποιημένα, Tectis laqueatis et postibus spectabili opere exornata, Bud. [Lacunar, Laquearium, Fastigium, Culmen, Pergula, Camera, Gl.]

[Ὀροφηφάγος, ὁ, ἡ, Tecta devorans. Agathias Anth. Pal. 9, 152, 5 : Ἀτρειδᾶν ὀροφηφάγον ἀψαμένων πῦρ.]

Ὀροφηφόρος, ὁ, ἡ, Tectum s. Contignationem ferens : ὀροφηφόρον animal dicitur, quod alio nomine ὀστρακόδερμον, Testaceum animal. [Agathias Anth. Pal. 6, 631, 5. Ζῷον πᾶν ὀστρακόδ. Hesychio.]

[Ὀροφιαῖος, α, ον, Tectorius. Inscr. ap. Bœckh. vol. 1, n. 160, p. 263, 85 : Τοὺς λίθους τοὺς ὀροφιαίους. L. D. Timarion in Notitt. Mss. vol. 9, p. 241 : Διὰ τῆς ὀροφιαίας θυρίδος. Ubi Hasius indicat Ὀροφικὸς in schol. (Anth. Pal. 6, 286, p. 195 vol. 3) ap. Salmas. ad Hist. August. p. 292, E : Μαίανδρος, κόσμος τις ὀροφικός. Cit. Boiss. « Hesych. s. v. Κουρᾶς, col. 331 : Ὀρ. πίναξ. » Hase.]

Ὀροφίας, ου, ὁ : ut ὀροφίαι μύες καὶ ὄφεις, Qui in camera s. tecto latibula habent, οἱ περὶ τὰς ὀροφὰς διάγοντες. Aristoph. Vesp. [205] : Μῦς, οὐ μὰ Δί', ἀλλ' ὑποδυόμενός τις ούτοσὶ Ὑπὸ τῶν κεραμίδων Ἡλιαστὴς ὀροφίας. Est autem Eustathio [Od. p. 1448, 62] ὁ ἐν ταῖς οἰκίαις μυοθήρας ὄφις, Serpens, qui mures venatur in concameratione s. tecto. [Ὄφις Pollux 7, 120, Hesych. ἴα]

[Ὀροφικός. V. Ὀροφιαῖος.]

[Ὀρόφινος, η, ον, Arundineus. Æneas Tact. c. 32, p. 105 : Εἰς τὰς ὀροφίνας οἰκίας. Ap. Hesych., cujus de gl. diximus in Ἐλύμνιαι, ubi δοκοὶ ὀροφῆναι, dubium videtur ὀροφίναι, quod Musurus posuit, an ὀροφιαῖαι præstet, quum de trabibus tectoriis, non arundineis, agi appareat. V. etiam Ὀρφίνη.]

[Ὀρόφιον, τὸ, Ciborium. Vita Ms. S. Theoctistæ : Καὶ θείας τραπέζης τὸ ὑπερκείμενον ὀρόφιον, ὃ κιβώριον καλεῖν σύνηθες, εἴσω τῆς πύλης ἑωράκαμεν. Infra : Εἶτα τὸ ἱερὸν τοῦτο καὶ θεῖον ὀρόφιον ἔδοξε καλῶς ἔχειν. V. Gloss. med. in Tegorium. Ducang.]

[Ὀροφοιτάω.] Ὀροφοιτῶν, Montes obiens s. pererrans, Hesych. [Qui ponit : Ὀροφοιτῶντα, εἰς ὄρη περιερχομένον (περιερχόμενα Photius). Οὐρανοφοιτᾶν, quod v., confert Lobeck. ad Phryn. p. 629. Ap. Joseph. Maccab. 14, 14, p. 515, C : Τῶν πετεινῶν τὰ μὲν ἥμερα κατὰ τὰς οἰκίας ὀροφοιτοῦντα προασπίζει τῶν νεοττῶν, Haverc. ὀροφοιτῶντα posuit, Valck. in Mss. ὀροφοκοιτοῦντα, In tectis nidulantia.]

[Ὀροφοίτης, ὁ, a quo ducatur ὀρειφοίτης, ponit Etym. M.]

Ὄροφος, ὁ, Tectum, Camera. [Impluvium, Gl. Hom. Il. Ω, 451 : Καθύπερθεν ἔρεψαν λαχνήεντ' ὄροφον λειμωνόθεν ἀμήσαντες. Eur. Ion. 1143 : Πρῶτον μὲν ὀρόφῳ πτέρυγα περιβάλλει πέπλων· 89 : Σμύρνης δ' ἀνύδρου κάπνος εἰς ὀρόφους Φοίβου πέτεται. Macedon. Anth. Pal. 9, 649, 2 : Τὸ μέλαθρον ἄχρι καὶ ὑψηλοὺς ἤγαγεν εἰς ὀρόφους. Aristoph. Lys. 229 : Οὐ πρὸς τὸν ὄροφον ἀνατενῶ τὰ Περσικά.] Thuc. 1, [134] : Τοῦ οἰκήματος τὸν ὄροφον ἀφεῖλον, Domus tectum demoliti sunt. Philo V. M. 3 : Τὸν ὄροφον καὶ τοὺς τοίχους καλύπτειν, Tectum et parietes integere. [Xen. Anab. 7, 4, 16 : Διὰ τοῦ ὀρόφου ἐφαίνετο πῦρ· Conv. 4, 38 : Ἐφεστρίδες οἱ ὄρ. Joseph. A. J. 8, 3, 2 : Ὄροφος δ' αὐτοῖς ἐπεβέβλητο κέδρου. qui ὀροφαὶ dicit 8, 3, 9. Plato Reip. 3, p. 417, A : Ὑπὸ τὸν αὐτὸν ὄροφον ἰέναι. Alia exx. sunt ap. Plut. et Pollucem. « Arbores dant comis suis templo ὄροφον, Philostr. p. 57, A. » Valck. Qui memorat etiam l. Pausaniæ 1, 19, 1 : Τῆς ἁμάξης ἥ σφισι παρῆν τὸν ὄροφον ἀνέρριψεν ἐς ὑψηλότερον ἢ τῷ ναῷ τὴν στέγην ἐποιοῦντο, ubi παρῆγε scribendum monui in præf. p. xxxiii. L. D.] || Aquatilis calami genus, quo domus tegi solebant. Hom. Il. Ω, [450] de tentorio Achillis : Ἀτὰρ καθύπερθεν ἔρεψαν Λαχνήεντ' ὄροφον, λειμωνόθεν ἀμήσαντες. [V. Eust. Il. p. 36, 4; 333, 13; 1358, 50.] Citat Pollux [10, 170] etiam ex Theophr. et Aristot. Eur. [Or. 146] schol. tradit esse genus Calami fragilis et papyracei, ἀσθενὴς, inquit, καὶ παπυρώδης, ex quo pueri conficiant fistulas exilem sonum edentes, adeo ut vix audiri queant : hinc enim compositum vult illud, quod infra habes, ὑπόροφον βοάν.

Ὀροφόω, Concamero, Contigno. [Fastigio, Gl. Philo De sept. mir. c. 1, p. 4 : Τοῖς ῥιζώμασι τῶν δένδρων ὑπεράνωθεν ὠροφωκὼς τὴν ἄρουραν.] Plut. [Mor. p. 210, D] : Οἰκίαν τετραγώνοις ὠροφωμένην δοκοῖς. Joseph. [B. J. 5, 5, 2] : Κεδρίνοις φατνώμασιν ὠρόφωντο. [Id. ib. 6, 1, 3 : Τοὺς θυρεοὺς ὀροφώσαντες ὑπὲρ τῶν σωμάτων. Heliod. Æth. 7, 6 : Ὀροφοῦντος. Greg. Nyss. t. 1, p. 525, A : Ταῖς κέδροις ὀροφώσας. Hase. Hesych. in Σκιὰς ... σκηνὴ ὠροφωμένη. Hemst. Eust. Opusc. p. 136, 26 : Ἔσται γοῦν σοι ὁμοίως καὶ τὰ ἐφεξῆς, εἰ μόνον ἐκεῖνα ποιεῖς, ὧν γινομένων καὶ τὰ ἄλλα προτίθενται καὶ ὀροφοῦνται ὡς ἐπὶ θεμελίῳ στερρῷ.]

Ὀρόφωμα, τὸ, Tectum, Concameratio, Contignatio. [Lacunar, Gl.] Athen. 5, [p. 205, D] : Ὀρ. βομβωτόν. [Ἐν τοῖς ὀροφήμασι Hesych. in Κουρᾶς· vitiose pro ὀροφώμασι. Hemst. lxx Ezech. 41, 26 2 Paral. 3, 7.

Alex. Polyhist. ap. Euseb. Pr. ev. t. 2, p. 429, 13 Gaisf. : Τό τε ὀρ. ποιῆσαι ἐκ φατνωμάτων χρυσῶν. Salmas. Hist. Aug. p. 392, E. Hase. Philo De sept. mir. c. 1, p. 6 : Ἡ πρὸς τοῖς ὀροφώμασι γῆ. L. Dindorf.]

Ὀρόφωσις, εως, ἡ, Concameratio, Contignatio. [Epiphan. t. 1, p. 1082, B : Τὴν ἄνωθεν τῆς ὀρ. σκέπην. Hase. Lacunarium, Laquearium, Gl. Eustath. Opusc. p. 184, 5 : Ὀρόφωσις ἡ ἐκ τῶν τῆς γῆς. In ὀρόϐωσις corruptum in Lex. ap. HSt. in Στρωτήρ. L. D.]

[Ὀροφωτής, ὁ, Tecti constructor. Const. Manass. Chron. 175 : Ὁ πάνσοφος ὀρ. τῆς παγκοσμίου στέγης.]

[Ὀροφωτὸς, ἡ, ὸν, Cameratus. Eust. Il. p. 892, 33 : Ὀφρύες τινὲς... ἠρέμα σπηλαιοειδεῖς ἢ ὀροφωταί.]

Ὄροχθος, ὁ, Jugum s. Tumulus montis, i. q. ὄρογκος : Hesych. ὄροχθον, ὄρειον ὄχθον.

[Ὀρόω. V. Ὀρρόω.]

Ὄρπα, Hesychio Ἐριννύς : pro quo supra Ὄριψα.

[Ὅρπας τῆς ἀκρίδος ὁ γόνος ἔνθεν γὰρ ὀποιοῦσιν (ὀπυίουσιν Musurus), Hesychii gl. obscura, de qua v. intt.]

[Ὄρπετον, τὸ, forma Æol. pro ἑρπετὸν, Reptile. Sappho Hephæstionis p. 24 : Ἔρος... γλυκύπικρον ἀμάχανον ὄρπετον. Theocr. 29, 13 : Ὅπα μήδεν ἀπίξεται ἄγριον ὄρπετον.]

[Ὅρπη, ἡ, i. q. ἅρπη, Falx. Hesychius : Ὅρπη, σίδηρος, ἐν ῳ τὸν ἐλέφαντα τύπτουσιν. Sic enim Palmerius pro ὀρπησίδηρος. V. Ὄρπαξ in Ὅρπηξ.]

Ὅρπηξ, ηκος, ὁ, Hesychio est Ramus s. Surculus ex radice arboris enatus, qualis Lat. Stolo. Hom. Il. Φ, [38] : Ὁ δ' ἐρινεὸν ὀξέϊ χαλκῷ Τάμνε νέους ὅρπηκας, ἵν' ἅρματος ἄντυγες ὦσι, ubi intelligit Virgas ex caprifico excisas ad conficiendam currus fornicem. Ὅρπηκες nominantur etiam Quæ fiunt ex ramis s. virgis arborum teretibus et rectis. Hesiod. enim ὅρπηκα appellat Virgam aculeatam qua boves incitant, Op. [466] : Χειρὶ λαβὼν ὅρπηκα βοῶν ἐπὶ νῶτον ἵκηαι. Eur. vero ὅρπηκα, s. ὅρπακα Dorice, Jaculum ex ejusmodi ramo tereti et recto : Hipp. [221] : Πρὸς θεῶν, ἔραμαι κυσὶ θωΰξαι, καὶ παρὰ χαίταν ξανθὰν ῥίψαι Θεσσαλὸν ὅρπακ' ἐπίλογχον ἔχουσ' ἐν χειρὶ βέλος· addito Θεσσαλὸν, forsan quod in Thessalia conficerentur præstantia jacula missilia. Verum et alii rami ὅρπηκες nominantur, etiam in summa arbore aut media. Theocr. [7, 146] : Ὅρπακες βραϐύλοισι καταϐρίθοντες ἔρασδε. [25, 248 : Ὅρπηκας ἐρινεοῦ. Sappho ap. Hephæst. p. 41, 13 : Ὄρπακι βραδίνῳ. Callim. Apoll. 1 : Ὁ τὠπόλλωνος ἐσείσατο δάφνινος ὅρπης. Apollon. Rh. 4, 1425 : Ποίης γε μὲν ὑψόθι μακροὶ βλάστεον ὅρπηκες.] Nicand. dicit etiam μαράθου ὅρπηξ, Ther. [33. Meleager Anth. Pal. 4, 1, 39 : Ὅρπηκας ἐλαίης. Eust. Opusc. p. 223, 65 : Κλάδους καὶ ὅρπηκας. « Julian. Epist. p. 393, D. » Jacobs. Greg. Nyss. t. 1, p. 611, B : Ἀκανθώδεις τοὺς ὅρπ. Id. t. 2, p. 970, C, εὐθυγενεῖς. Hase. || Improprie Orph. Arg. 213 : Ναὶ μὴν καὶ δισσοὶ ὅρπηκες ἀμύμονες ἦκον, Ἀμφίων ... ἰδ' Ἀστέριος. Sic dicitur ὄζος. Et aliter Theodor. Stud. p. 210, A : Ὁ ὅρπηξ τῆς λογικῆς βλαστοφορίας. Memorat etiam Pollux 1, 236. In Ind. :] Ὅρπαξ, θρασὺς ἄνεμος, Hesych., Ventus audax; Dorice pro ὅρπηξ. [Ἅρπαξ Albertus. Ceterum ὅρπαξ scriptum ap. Hesych. Quo de spiritu Lex. De spirit. p. 234 : Τὸ ὅρπηξ ἐν πολλοῖς ψιλούμενον (εὗρον) · ἀπὸ γὰρ τοῦ ὀρούειν εἰς ὕψος ψιλοῦσιν, ἀπὸ τοῦ ἕρπειν δασύνουσί τινες.]

[Ὅρρα. V. Ὅς.]

[Ὀρρεῖον, τὸ, Horreum. « Ita scriptum ap. paulo antiquiores auctores Græcos, recentiores ὅρια. » Salmas. ad Hesych. v. Ὅρια. Male scribitur etiam ὡρεῖα.]

[Ορρησκιων inscriptos numos, pariterque eos qui scriptura retrograda inscribuntur Ωρησκιων, ad Orestas Macedoniæ referebat Mionnet. *Suppl.* vol. 3, p. 85 sq. L. D. Conf. R. Rochett. *Journ. des Sav.* 1831, p. 557, et Car. O. Müller. *Handb. der Arch.* § 98 not. 3. Hase.]

Ὀρριδιᾶν, τὸ ἐπὶ τὰ ἰσχία καὶ τοὺς γλουτοὺς πεσεῖν, Hesych. : pro quo nonnulli ὀρροδιᾶν scribunt, ab ὄρρος. [Quod tamen per ω scribendum foret.]

Ὄρριον, Hesychio ὀρίγανον, Origanum, herba.

[Ὄρριππος. V. Ὄρσιππος.]

[Ὀρρόϐηλος, ὁδός. Ἰταλιῶται, Hesych. Supra idem : Βηλὸς, ὁδός.]

[Ὀρροδιάω. V. Ὀρριδιᾶν.]

A [Ὀρροηνή. V. Ὀσροηνή.]

[Ὀρρόμελι pro οἰνόμελι var. script. Geopon. 12, 22, 1.]

Ὀῤῥόπισσα, ἡ, Serum picis, Sereus humor qui ex pice profluit dum coquitur, ὁ ὀρὸς τῆς πίσσης, ut Theophr. paulo ante in Ὀρὸς appellat. Ὀῤῥόπισσα, inquit Gorr., est Picis liquidæ serosum recrementum : quod aliqui cum πισσελαίῳ idem esse putant. Erot. autem annotat ὀῤῥὸν πίσσης ab Hippocr. dici τὸ ὑγρότατον τῆς πίσσης. Aet. 6, 69 : Θεῖον ἄπυρον καὶ σταφίδα ἀγρίαν λεάνας, καὶ πίσσης ὀῤῥῷ μίξας, ἐπίχριε. [Paulus Æg. 3, 74.] Affertur et ex Galen. [Κατὰ τόπους p. 165, 46 ; 195, 22] πίσσης ὑγρᾶς ὀῤῥός. [Hippocr. p. 877, A : Ὀῤῥὸν πίσσης ὠμόν. Id πισσέλαιαν Diosc. 1, 79, Galeno vero πίσσανθος. Foes.]

[Ὀρροποτέω, Serum bibo. Hippocr. p. 486, 1 ; 540, 38. Ὀρροποτίη, ἡ, Potus seri, p. 486, 2.]

Ὀῤῥοπύγιον, τὸ, i. q. ὄῤῥος, ut testatur Galen. paulo post in Ὄῤῥος : s. Ultima pars spinæ, qua vertebræ desinunt. Proprie autem avibus tribuitur, in quibus

B et manifestior est quam in homine, significans partem illam quæ est inter ὄῤῥον et πυγήν. Est autem ὄῤῥος τὸ τοῦ ἱεροῦ ὀστέου πέρας, s. τὸ ὑπὸ τὴν ῥάχιν ὀστοῦν, lumbis vicinum : ex quo orrhopygio cauda enascitur. Aristot. H. A. 2, [12] de avibus loquens : Οὐρὰν μὲν οὐχ ἔχουσιν, ὀῤῥοπύγιον δέ. Et [4, 1 med. : Τὸ ὀῤῥ. ὀξύτερον · 6, 2 med. : Αἱ περιστεραὶ ἐφέλκουσι τὸ ὀῤῥ.] 9, [35] : Κατὰ τὸ ὀῤῥοπύγιον ἐκτέμνονται οἱ ὄρνιθες. Plin. 10, 21 : Desinunt canere castrati : quod duobus fit modis, lumbis adustis candente ferro, aut imis cruribus. Aristoph. Nub. [158] : Τὰς ἐμπίδας Κατὰ τὸ στόμ' ᾄδειν ἢ κατὰ τοὐῤῥοπύγιον. Ubi Τοὐῤῥοπύγιον Attice dicitur pro τὸ ὀῤῥοπύγιον, ut θοιμάτιον pro τὸ ἱμάτιον. [Lucian. Muscæ enc. c. 3 : Ἀμύνεται μέντοι οὐ κατὰ τοὐρροπύγιον ὡς σφὴξ καὶ μέλιττα. Hase.] Utitur hac voce Martialis quoque [3, 93], quia Latini non habent qua Græcam reddant : Anatis habens orrhopygium macræ. Tribuitur et piscibus. [Mœris p. 282 : Ὀρροπύγιον Ἀττικοὶ, ὀρθοπύγιον Ἕλληνες, ubi Ammon. p. 25, Moschop. et Eustath. ab HSt. cit. eadem tradentes

C annotavit Piers. Photius : Ὀρροπύγιον · οὕτως καὶ οἱ Ἴωνες· ὀρθοπύγιον δὲ παρ' οὐδενὶ τῶν Ἑλλήνων. Pollux 2, 182.] Ad Οὐροπύγιον vero quod attinet, reperitur illud ap. Aristot. quoque [H. A. 9, 32 init., 49, 50]. Sed agnoscit et Eust. p. 1871, de ὄρος loquens, quod Ionice υ assumere negat, sicut ὄρος, Mons : Ὀῤῥῶδεῖν μὲν γὰρ καὶ ὀροπύγιον, ὀρνέων, οὐ μὴν κατά τινας ὀρθοπύγιον, ἀνάλογον καὶ κοινότερον. Ἰωνικὸν δέ που τὸ οὐροπύγιον, ὄρος ὄν, φασὶ, πυγῆς. Item p. 906, ex Erennio Philone, de Ὄρος itidem loquens : Ὅθεν καὶ τῶν ὀρνέων ὁ τόπος, φησὶν οὗτος, οὐροπύγιον καλεῖται, ὡς ὅρος ὢν τῆς πυγῆς καὶ οἷον ὀροπύγιον· ὅπερ ὑποστέλλουσι τὰ ἄλογα ζῶα ἐν τῷ εὐλαϐεῖσθαι· ὅθεν ἐκ τοῦ παρακολουθοῦντος ὀρῤωδεῖν τὸ φοϐεῖσθαι καὶ ἐπὶ ἀνθρώπων, ἐπεὶ καὶ αὐτῶν οἱ εὐλαϐούμενοι περί τι, ἀνασπᾶν εἰώθασι τὸ αἰδοῖον. Scribitur ergo et Ὀῤῥοπύγιον et Ὀροπύγιον et Οὐροπύγιον : quod Aristot. sepiis etiam tribuit, sicut Athen. sargo et melanuro piscibus. [ὑί]

Ὀῤῥοπυγόστικος, ὁ, ἡ, Puncta s. Notas in orrhopygio habens. Athen. 7, [p. 313, D] : Ὀῤῥοπυγόστικος δὲ

D τῶν ἰχθύων μελάνουρος καὶ σάργος.

[Ὄρρος, ὁ. HSt. in Ὀρός :] Ὄῤῥος vero παροξύτονον longe diversæ est signif. : est enim pars corporis. Pollux 2, [173] : Τὸ δὲ ῥαφῇ μὲν ἐοικὸς, ὑπὸ δὲ τὸν καυλὸν διὰ τοῦ ὀσχέου μέσου, ὑπὸ τὸν ὀνομαζόμενον ταῦρον, εἰς τὸν δακτύλιον καταλῆγον, περίναιον ὀνομάζεται, καὶ τράμις, καὶ ὄῤῥος : quasi discrimen quoddam, quod ad ταῦρον transit per medium scrotum subter colem. Itidem et Ruf. Eph. [p. 31] : Τῶν δὲ αἰδοίων τοῦ μὲν ἄῤῥενος, ἡ μὲν ἐκκρεμὴς φύσις, καυλὸς καὶ στῆμα· τὸ δὲ μὴ ἐκκρεμὲς, ὑπόστημα καὶ κύστεως τράχηλος· καὶ ἡ διὰ μέσου γραμμὴ, τράμις· οἱ δὲ ὄῤῥον ὀνομάζουσι. Dicitur igitur ὄῤῥος s. τράμις illa veluti Linea quæ scrotum medium intersecans per ταῦρον usque ad anum tendit : quod innuit et Lexiphanes ap. Lucian. [c. 2] : Ἀνατεθεὶς ἐπὶ τὴν ἀστράϐην ἐδάρην τὸν ὄῤῥον. Solet enim ea pars interteri et excoriari inter equitandum : præsertim iis qui macilentis equis sine sella invehuntur. [Athenæus 15, p. 565, F : Ξυρουμένους τὴν ὑπήνην καὶ τὸν ὄρρον.] Aristoph. Ran. [221] : Ἐγὼ δέ γ' ἀλγεῖν ἄρχομαι Τὸν ὄῤῥον, ubi schol. exp. τὸν καλούμενον ταῦρον [ut Ammon. p. 25 : Ὄῤῥ. λέγεται ὁ περὶ τοὺς γλουτοὺς τόπος, ὅν τινες ταῦρον λέγουσιν], licet Pollux [l. c.] diversa hæc duo faciat, dicens partem quandam esse τῆς πυγῆς, s. τὸ μεταξὺ τῶν διδύμων : Callistratum vero exponere τὴν ὀσφὺν καὶ τὸ ἱερὸν ὀστοῦν : Didymum τράμιν, non, secundum quosdam, τὸ ἰσχύον [Sic Aldina vitiose. Ἰσχίον liber unus, ut est ap. Hesych.]. Non multum dissentit a Callistrato Galenus Lex. Hippocr., qui ὄῤῥον esse dicit τοῦ ἱεροῦ ὀστέου τὸ πέρας, idque et ὀῤῥοπύγιον nominari. Hesych. τὸ ὀστοῦν τὸ ὑπὸ τὴν ῥάχιν : rursum schol. Aristoph. Pl. [122], τὸ ἐπάνω τῆς πυγῆς ὀστοῦν, ἐξ οὗ ἡ οὐρὰ τῶν ζώων φύεται. [Mœris p. 284 : Ὄρρος τὸ ἐπάνω τοῦ πρωκτοῦ, Ἀττικοί. Aristoph. Pac. 1239 : Θλίβει τὸν ὄρρον· ubi schol. : Ὄρρος δέ ἐστιν ὁ ὑποκείμενος τοῖς σφαιρώμασι τόπος. Lys. 964 : Ποῖος ἂν ὄρρος κατατεινόμενος καὶ μὴ βινῶν τοὺς ὄρθρους (ἀντίσχοι); Qui loci refellunt scripturam continuo ab HSt. memorandam.] Ceterum non solum ὄῤῥος scribitur, sed etiam Ὄρος, sicut ὀῤῥὸς et ὀρός. Testatur id Eust. p. 906, ubi recenset quædam quæ pro diverso accentu diversam habent signif. Ὄρος δὲ, inquit, quum paulo ante de Ὀρὸς locutus esset, οὐ μόνον γῆς ὑψηλὸν συνήθως ἐπανάστημα (Tumulus, Collis), ἀλλὰ καὶ ὁ περὶ τοὺς γλουτοὺς τόπος, ὅν τινες ταῦρόν φασιν, ὡς Ἐρέννιος Φίλων ἐν τῷ Περὶ διαφόρων σημαινομένων. Et paulo post, nimirum post ea verba quæ in Ὀῤῥοπύγιον s. Οὐροπύγιον citavi, Ὅτι δὲ τὸ τοιοῦτον ὀρωδεῖν οἱ ὕστερον διὰ δύο ρ γράφουσι, καθὰ καὶ τὸν πρωτότυπον αὐτοῦ ὄρον, δῆλόν ἐστι, καθὰ καὶ ὅτι τοῦ Ὁμηρικοῦ ὀροῦ οἱ μεθ' Ὅμηρον ἐδίπλωσαν τὸ ἀμετάβολον ποιοῦντες τὰ σφίσιν ἀρεστά. Sed Idem et alteram scripturam agnoscit, p. 1871 : Οὕτω δὲ οὐδὲ ὁ παρὰ Ἀττικοῖς ζωϊκὸς ὄρος (Ionice assumit υ, sicut οὖρος,) ὁ καὶ αὐτὸς ψιλούμενος· αὐτὸν δὲ διέστειλε τοῦ ὄρους ἡ διπλόη τοῦ ρ· εὕρηται γὰρ ὄῤῥος ἐν ἁπλότητι παρὰ τῷ Κωμικῷ, τόπος ὢν περὶ τοὺς γλουτοὺς, ὁ καὶ ταῦρος· ἐν μέντοι συνθέσει προσλαμβάνει παρά τισι τὸ υ, nimirum in οὐροπύγιον. Rursum p. 1626 : Ὁ τοῦ γάλακτος ὀρὸς τῇ ὀξυτονήσει ἑτεροφωνεῖται πρὸς τὸ ὑλαῖον ὄρος· ὁ μέντοι ἐπὶ ζώων ὄῤῥος, ἐξ οὗ τὸ ὀῤῥωδεῖν, διπλασιάσας τὸ ρ, ἐκπέφευγε τὴν κατὰ τὸ ὄρος φωνήν.

[Ὀῤῥὸς, ὁ, Serum lactis, v. in Ὀρός.]

Ὀῤῥόω, seu Ὀρόω, In serum converto, In serosam qualitatem muto. Unde pass. ὀροῦσθαι ap. Aristot. Serescere, In serum abire, Plin. [Ὀῤῥοῦμαι, Clem. Alex. p. 128. Wakef.]

Ὀῤῥωδέω, [Ὀρρωιδεῖ et Ὀρρωιδία scriptum ap. Photium], Circa ὄῤῥον sudo : quod quia iis accidere solet, qui metu percelluntur, inde factum est ut accipiatur pro Metuo : Ὀῤῥωδῶ, τὸ φοβοῦμαι· [Horresco, his verbis add. Gl.] παρὰ τὸ τὸν ὄῤῥον ἱδροῦν· ὄῤῥος δέ ἐστι τὸ ἱερὸν ὀστοῦν· συμβαίνει δέ πως τοῖς φοβουμένοις ἱδρῶτα γίνεσθαι κατὰ τὸ ἱερὸν ὀστοῦν. Sic in Lex. meo vet. [et Etym. M., ubi ἰδεῖν in ἱδροῦν mutabat Peyronus, quod quamvis ex cod. protulerit HSt., cujus testimonio uti licebat Peyrono, tamen ἰδίειν scribendum, ut dicit Aristoph. Ran. 222 : Χὼ πρωκτὸς ἰδίει πάλαι, et est ap. schol. Eq. et Eust. ab HSt. mox citandos, in Lex. rh. Bekk. An. p. 284, 31.] Itidem Hesych. ὀῤῥωδεῖν exp. φοβεῖσθαι, ἀπορεῖν : quoniam οἱ δεδοικότες ἰδοῦσι [ἰδίουσι] τὸν ὄῤῥον, ὅ ἐστιν ἱδροῦσι. Idem etiam inter alia tradit schol. Aristoph. Pl. [122] : Ἐγὼ δ' ἐκεῖνον ὀῤῥωδῶ πάνυ, i. e. φοβοῦμαι. Eq. [126] : Τὸν περὶ σεαυτοῦ χρησμὸν ὀῤῥωδῶν, exp. φοβούμενος, εὐλαβούμενος· ἀπὸ τοῦ τὸν ὄῤῥον τὸν δειλὸν ἰδίειν. Eust. quoque hoc etymon sequitur, p. 1871, de Ὄῤῥος loquens : Ἀφ' οὗ καὶ ὀῤῥωδεῖν, τὸ εὐλαβεῖσθαι· οἱ γὰρ εὐλαβούμενοι, φασὶ, κατά τι, ἀνασπῶσι τὰ κατ' αὐτόν· καὶ τὰ ἄλογα δὲ ὑποστέλλει τὴν οὐρὰν ὅτε εὐλαβεῖται· ἐκ τοῦ παρακολουθοῦντος οὖν, Ὀῤῥωδεῖν, τὸ τὸν τοιοῦτον ὄῤῥον ἰδίειν, ὃν οὐρὰν οἱ ἰδιῶται φασίν. Vide et quæ in Οὐροπύγιον ex Eodem citavi, ubi dicit sumptam metaphor. ab animantibus, quæ in metu caudam subter femora contrahunt. [Add. de etymologia triplici vel quadruplici Tzetzes. Hist. 12, hist. 433. Eurip. El. 831 : Ὀρρωδῶ τινα δόλον θυραῖον. Aristoph. Ran. 1112 : Μηδὲν ὀρρωδεῖτε τοῦτο· Eq. 538 : Ταῦτ' ὀρρωδῶν.] Utitur vero et Thucyd. partim cum accusat., ut apud Aristoph., partim cum περὶ, 6, p. 202 [c. 14] : Εἰ ὀῤῥωδεῖς τὸ ἀναψηφίσαι· et [9] : Περὶ τῷ ἐμαυτοῦ σώματι ὀῤῥωδῶ, Meo ipsius corpori metuo. Cum accus. utitur et Dem. [p. 127, 25] : Τοὺς εἰς τοῦθ' ὑπάγοντας ὑμᾶς ὁρῶν οὐκ ὀῤῥωδῶ, ἀλλὰ δυσωποῦμαι· et [p. 152, 9] : Χρὴ μήτε ὀῤῥωδεῖν ὑμᾶς τὴν ἐκείνου δύναμιν, μήτε ἀγεννῶς ἀντιταχθῆναι πρὸς αὐτόν. [Et Plato Conv. p. 213, D : Τὴν τούτου μανίαν πάνυ ὀρρωδῶ. Xen. H. Gr. 6, 5, 29 : Τοὺς ἀπογεγραμμένους ἧττον ὠρρώδουν. Ejusd. Cyrop. 2, 4, 10 : Μήτε ἐν τοῖς κακοῖς ὀρρωδήσοντας, al. rectius προδώσοντας. Sequente ὑπὲρ Lysias p. 821 med. : Ὑπὲρ ὑμῶν αὐτῶν καὶ τῆς πόλεως ὀρρωδοῦντας. Aret. p. 15, 21, ἀμφὶ θανάτου, quod 29 dicit θάνατον.] Eur. [fr. Androm. ap. Stob. Fl. 112, 4] cum infin. etiam construxit, Perseum sic loquentem introducens : Τὰς συμφορὰς γὰρ τῶν κακῶς πεπραχότων Οὐ πώποθ' ὕβρισ', αὐτὸς ὀρρωδῶν παθεῖν, Metuens ne idem mihi accideret. [Hec. 768 : Πατήρ νιν ἐξέπεμψεν, ὀρρωδῶν θανεῖν. Sequente μὴ Plato Euthyphr. p. 3, A : Ὀρρωδῶ μὴ τοὐναντίον γένηται· Alcib. 1 p. 135 fin., et alibi.] Erot. ap. Hippocr. ὀῤῥωδέειν exp. ἀγωνιᾷν, φοβεῖσθαι. [Hippocr. p. 769, C : Οὐ χρὴ ὀρρωδέειν τὸν τρόπον τῆς ἰητρείης, Non formidare. P. 600, 40 : Ὀρρωδέειν χρὴ τὸ ἔμβρυον ἀμβλῶσαι ῥαγέντων τῶν ὑμένων, Metuendum ne. Rursus p. 97, B : Μήτε ὀρρωδέειν· 618, 42 : Ὀρρωδέοντα ὅπως μὴ ψαύσῃς τῆς ὑστέρης, Ita ut caveas. P. 764, C : Ἤ τινα ἕλκωσιν ὀρρωδέῃς, Metuas. Foes.] Sed et Ὀρωδέω scribi, unico ρ, sicut ὄρος, supra in Ὄρος ex Eust. docui : quam scripturam Hesych. quoque agnovisse videtur, qui hoc verbum non solum post Ὀρούω ponit, sed etiam post Ὄρχος : ibi tamen ejus exempll. duplici ρ scriptum habent. Idem Hesych. ὀῤῥωδοῦν exp. ἐκφοβοῦν : active et transitive.

|| [De forma per α HSt. :] Ἀῤῥωδεῖν vero Non metuere, Non expavescere; nam ei στέρησιν inesse volunt τοῦ ὀῤῥωδεῖσθαι : ac Ammon. quidem ὀῤῥωδεῖν exp. εὐλαβεῖσθαι· ἀῤῥωδεῖν autem, μὴ εὐλαβεῖσθαι· ἀλλὰ καταφρονεῖν καὶ τεθαῤῥηκέναι. Sic et Eust. p. 907 : Ὁμοίως δῆλον καὶ ὅτι τὸ Ὀῤῥωδεῖν καὶ Ἀῤῥωδεῖν ἔγραψαν πρὸς ὁμοιότητα τοῦ Ἀσταφὶς, Ὀσταφίς· ὁ δὲ ῥηθεὶς Ἐρέννιος ἄλλο τι λέγων φησὶν ὅτι ἀῤῥωδεῖν κατὰ στέρησιν λέγεται, τὸ μὴ ὀῤῥωδεῖν ἤτοι εὐλαβεῖσθαι, ἀλλὰ καταφρονεῖν καὶ τεθαῤῥηκέναι. Quæ ex eodem Erennio Philone repetit etiam p. 1871. In Lex. autem meo vet. [s. Etym. M.] dicitur item στέρησις inesse huic verbo; sed derivatur non ab ὀῤῥωδέω, verum a ῥῶ τὸ ὑγιαίνω : in quo et hic l. Herodoti [1, 9] : Καὶ ἀπεμάχετο τὴν ψυχὴν ἀῤῥωδέων [Verba καὶ et τὴν ψ. non sunt ap. Her.]· quod interpretari queas Anxius animi, ἀπορῶν, Hesych. : ὀῤῥωδῶν s. ἀγωνιῶν, ut Erot. itidem ἀῤῥωδῶν exp. Atque ita non fuerit verum discrimen illud, quod Ammon. et Erennius inter ὀῤῥωδέω et ἀῤῥωδέω statuunt; nam et Eustathio idem prorsus significare, sicut ἀσταφὶς et ὀσταφὶς, videntur; atque adeo ex Herodoto [1, 111] affertur : Ἀῤῥωδέων τοῦ τόκου (nisi deest περὶ), Partui metuens, Solicitus de partu. [Absolute ἀρρωδήσας 3, 1; 5, 98; 7, 49. Ἀρρωδέων, τοῦ στρατοῦ πρήξαντος κακῶς, 5, 35. Ἀρρώδεον δὲ ὅτι ... 8, 70. Ἀρρωδέων μή τί οἱ γένηται κακὸν, 1, 9, 156; 3, 119, 130; 9, 46. Ἀρρωδέων ἕκαστα τουτέων, 5, 35. Ἀρρωδέειν οὐδὲν πρῆγμα, 7, 51. Schweigh. Lex. Ceterum nonnisi dialecto differunt formæ per ο et Ionica per α.]

Ὀῤῥωδέως, Non sine metu, Meticulose, ἐμφόβως, Hesych.

Ὀῤῥώδης, ὁ, ἡ, Serosus, Sereus; ὀῤῥ. γάλα, Theophr. Idem C. Pl. 5, [9, 7] τὸ ὀῤῥῶδες appellat Succum serosum. [Galen. vol. 4, p. 201, 15 : Ὀρρῶδες τὸ αἷμα· vol. 6, p. 705, 1 et 765, 16, τοῦ ὀρρώδους γάλακτος· 2, p. 190, 15, ἰχῶρες· 4, p. 182, 9 et 342, 5, περιττωμάτων· ib. 547, 17, σπέρματος· 6, p. 337, 4, ὑγρόν· 4, p. 181, 1, ὑγρότητος· ibid. p. 321, 14, ὕλης. Hase. Jo. Actuar. in Ideleri Phys. vol. 2, p. 7, 9, 14, χυμός. Et ibidem 19, ὀρρῶδες.] || Ὀῤῥωδέων Galen. Lex. Hippocr. exp. τῶν ἄχρι τοῦ ὄῤῥου ἐκτεινομένων : quod ab ὄῤῥος derivatur. [Quibus verbis subindicare mihi videtur l. p. 403, 2, ubi tamen scribitur, Δαχνομένων καὶ ξηραινομένων τῶν τενόντων τῶν ὀυοωδέων, Vellicatis et resiccatis iis qui ad ossis sacri extremum pertinent tendonibus, quasi caudalibus tendonibus Sic enim ibi exponit Galen., τοὺς ἄχρι τοῦ οὐραίου καλέσας οὕτως, ὀνομάζουσι δὲ οὐραῖον τὸ πέρας τοῦ ὀστέου, ubi extremum spinæ et ossis sacri intelligas, quod ὄρρος et οὐροπύγιον aut ὀρροπύγιον et οὐρὰ in animalibus dicitur. Sic enim ὄρρον exponit Aristoph. schol. in Pluto (122). Foes. || 'Ορώδης, Eustath. Od. p. 1650, 40. Ap. quem Opusc. p. 196, 81 : Εἰ δέ τί που ὀρρῶδες καὶ μὴ τρόφιμον.]

'Ὀῤῥώδης, Ad caudam usque protensus. Vide supra [proximum 'Ορρώδης].

'Ὀῤῥωδία sive 'Ορωδία, ἡ, Metus, Timor, φόβος, ἀπορία Hesychio. Apud Suidam : Ἅμα μὲν ὀῤῥωδία ἦν μὴ ἄρα φθάσαιεν ὀπίσω ἀναφυγόντες, i. e. φόβος, Metuebatur. [Joseph. A. J. 16, 4, 3 : Παρούσης δέ τινος ὀρρωδίας. Hase.] Et ex Thuc. [2, 89], ἐν ὀῤῥωδίᾳ ἔχω, Horreo, Expavesco. [Ib. 88 : Δεδιὼς τὴν τῶν στρατιωτῶν ὀρρωδίαν.] Utitur et Eur. Phœn. [1403] : Πλέων δὲ τοῖς δρῶσιν ἐστάλασσ' ἱδρὼς Ἢ τοῖσι δρῶσι, διὰ φίλων ὀῤῥωδίαν, Eo quod amicis metuerent. [Med. 318 : Ἔσω φρενῶν ὀρρωδία μοι μή τι βουλεύῃς κακόν· Ion. 403 : Μῶν χρόνιος ἐλθών σ' ἐξέπληξ' ὀρρωδίᾳ; Et alibi. Ex Demosthenis procemiis citat Harpocratio. Pollux 5, 122. Georg. Pachym. Andron. Pal. 1, p. 4, B : Ηὖξε τὴν ὀρρωδίαν. || De forma per α HSt. :] Ἀῤῥωδία [—δίη], Metus, Pavor, i. q. ὀῤῥωδία. Herodot. [4, 140; 8, 36] : Ἐς ἀῤῥωδίαν [—δίην] ἀπίκοντο [—κατο], Expavescebant, et animis anxii erant, seu, ut alii, Animo concidebant veriti. Ex Eod. [7, 173] Suidas etiam affert, Ἀῤῥωδία [—δίη] ἦν τὸ πεῖθον, exponens itidem φόβος. [Τοὺς Ἕλληνας εἶχε δέος τε καὶ ἀρρωδίη, 8, 70. Ἦν ἀρρ. σφι οὐ περὶ σφέων αὐτῶν, 9, 101. Seq. μὴ 9, 7 : Ἐς ἀρρωδίην ἀπικόμενοι μὴ ὁμολογήσωμεν. Schweigh. Lex.]

['Ορσάβαρις. V. 'Ορσόβαρις.]

['Ορσανοῦφις, ιος, ὁ, Orsanuphis, n. viri, in Charta Borg. 11 fin.]

['Ορσέας, ὁ, Orseas, n. viri, ap. Pind. Isthm. 3, 90.]

'Ορσιγύναικα, tanquam ab 'Ορσιγύναιξ, Bacchum poeta quidam dixit, pro Concitatorem mulierum, ap. Plut. [Mor. p. 607, C; 671, C] : Εὔιον ὀρσιγύναικα μαινομέναις ἀνθέοντα τιμαῖσι. [V. 'Ορειγύναιξ.]

['Ορσιδίκη, ἡ, Orsidice, f. Cinyræ. Apollod. 3, 14, 4. Ubi 'Ορσεδίκην scriptum, quod etiam 'Ορσοδίκη esse potuit. Alterum posuit jam Schneiderus. ῐ]

['Ορσικράτης, ους, ὁ, Orsicrates, n. viri in numo Acarn. ap. Mionnet. *Suppl.* vol. 3, p. 453, n. 3. ᾰ]

'Ορσικτύπος, ὁ, ἡ, Strepitum excitans, Pind. [Ol. 11, 85] pro Ciens tonitrua. [Quod in ὀρεσίκτυπος corruptum ap. Eustath. Opusc. p. 56, 12.]

['Ορσιλοχία, ἡ, Iphigeniæ nomen ab Diana impositum, ap. Antonin. Lib. c. 27, p. 182 : Ἀπῴκισε τὴν Ἰφιγένειαν (Diana) εἰς τὴν Λευκὴν λεγομένην παρὰ τὸν Ἀχιλλέα ... καὶ ὠνόμασεν ἀντὶ τῆς Ἰφιγενείας 'Ορειλοχίαν. Codex Paris. ap. Bast. *Lettre* p. 130 (Ep. cr. p. 169) 'Ορειλοχίαν, σι posito super ει, et in conspectu capitum perspicue 'Ορσιλόχην. Quod Bastius servandum fuisse monet apud Ammian. 22, 8, 34 : « Immolantes advenas Dianæ, quæ apud eos dicitur Orsiloche, » ubi Valesius ex conj. Oreiloche.]

'Ορσίλοχος, ὁ, Qui τοὺς λόχους in bello concitat : itidem nomen proprium [Græci ap. Hom. Il. E, 542 seqq., ejusque avi Od. Γ, 488, O, 186, quem 'Ορτίλοχον cum libris nonnullis Homeri et Strabonis 8, p. 367, dicit Pausan. 4, 1, 4 et 30, 2, ubi Homerica repetit. Schol. Il. E, 542 : 'Ορσίλοχον· ὁ πρόγονος διὰ τοῦ τ, ὁ παῖς διὰ τοῦ σ. Καὶ ἐν 'Οδυσσείᾳ οὖν διὰ τοῦ τ. Filii Idomenei Cretensis Od. N, 260. Messenii Φ, 16. Trojani Il. Θ, 274. Alius ap. Aristoph. Lys. 725. « Medusæ pater uxoris Polybi, schol. Soph. OEd. T. 766. » Boiss. Alius ap. Phalar. Ep. 80, p. 254, 1 Schæf. Hase.]

['Ορσίμᾰχος, ὁ, Orsimachus, n. viri in inscr. Tanagr. ap. Bœckh. vol. 1, p. 1563, b, 3, si recte ita suppletur Ορσιμ... L. Dind.]

['Ορσιμένης, ὁ, Orsimenes, n. scriptum in fictili. De Witte *Coll. de vases peints* p. 93, n. 146. Hase.]

['Ορσινεφής, ὁ, ἡ, Nubes concitans. Pind. Nem. 5, 34. Eust. Opusc. p. 56, 13.]

['Ορσινόη, ἡ, Orsinoe, nympha. Schol. Vat. Eur. Rhes. 36 : Ἔνιοι δὲ 'Ορσινόης νύμφης καὶ Ἑρμοῦ (γενεαλογοῦσι τὸν Πᾶνα). L. Dind.]

'Ορσιπέτης, ὁ, ἡ, Concitatis alis volans, Citato impetu volans. Exp. etiam Altivolus : ut i. sit q. ὑψιπέτης, s. ὑψοῦ πετόμενος [ap. Hesych.].

['Ορσίπους, οδος, ὁ, ἡ.] Hesych. 'Ορσίπους, Pedes concitans : ὀρσ. βοή, Clamor accelerare gradum jubens, quo aliqui ad cursum concitantur. [Besant. Rhod. Ovo Anth. Pal. 15, 27, 8 : 'Ορσιπόδων ἐλάφων.]

Ὄρσιππος, ὁ, Qui equos concitat, nomen proprium [olympionicæ Megarensis ap. schol. Thuc. 1, 6, Pausan. 1, 44, 1, Ὄρριππος scripti in marm. ap. Bœckh. vol. 1, p. 553, n. 1050, Ὄριππος et Ἔρσιππος in schol. Hom. Il. Ψ, 683. Laconis ap. Xen. H. Gr. 4, 2, 8.]

[Ὄρσις, ιτος, ὁ, Orsis, n. viri, in Charta Borg. 4, 9.]

'Ορσίτης, ὁ, ap. Cretenses Saltationis quidam modus, Athen. 14, [p. 629, C] forsan sic dictus παρὰ τὸ ὄρσαι.

['Ορσίφαντος, ὁ, Orsiphantus, n. Lacedæmonii ap. Herodot. 7, 227.]

['Ορσόβαρις, ιος, Orsobaris, in numo Musæ reginæ Bithyniæ, ap. Eckhel. D. N. vol. 2, p. 445 : Βασιλίσσης Μούσης 'Ορσοβάριος. « Nemo non videt esse Orsobarin Musæ patrem, suppresso θυγατρὸς, quod in sequente numo aperte ponitur ('Οραδάλτιδος βασιλέως θυγατρὸς Λυκομήδου). Memoratur Appiano *Orsabaris* Mithridatis VI filia (Mithrid. c. 17), quæ forte per matrem ad eundem Orsobarin genus retulit. » Eckhel. p. 446.]

['Ορσοβία, ἡ, Orsobia, f. Deiphontis, conjux Pamphyli, ap. Pausan. 2, 28, 6.]

'Ορσοδάκνη, ἡ, Bestiola quædam, quam Gaza Mordellam nominari posse scribit, quasi ad mordendum concitata. Aristot. H. A. 5, 19 : Αἱ δὲ ὀρσοδάκναι ἐκ τῶν σκωλήκων μεταβαλλόντων (sc. generantur), τὰ δὲ σκωλήκια ταῦτα γίνεται ἐν τοῖς καυλοῖς τῆς κράμβης. Habent tamen ibi vulgatæ editt. ὀρσαδάκναι a nom. 'Ορσαδάκνη : sed mendosam esse eam scripturam, ex Hesych. discimus, 'Ορσοδάκνη, ζωΰφιόν τι ἐν τῇ κράμβῃ γινόμενον.

['Ορσοδάτης, ὁ, Orsodates, barbarus, ap. Plut. Alex. c. 57.]

['Ορσόθριξ, τρῐχος, ὁ, ἡ, Qui pilos erigit. Theognost. Can. p. 97, 9 : Ὄρσω ὀρσόθριξ, ὀρσοθώραξ. Suspiceris ita scripsisse Æschylum in 'Ορθόθριξ citatum. Minus aperta est sequentis vocabuli signif., nisi quis scribendum putet ὀρσοθύρα, quod in simili disputatione memorat gramm. Cram. An. vol. 1, p. 431, 24. L. D.]

'Ορσοθύρα, ἡ, Janua magna et alta, δι' ἧς ἐστὶν ὀροῦσαι καταβαίνοντα, Hesych. : alii, ut Idem annotat, sic, πᾶσα θύρα μὴ ἔχουσα τὸν βαθμὸν πρὸς τῇ γῇ, ἀλλ' ἀπέχουσα τοῦ ἐδάφους, ut sunt fenestræ, θυρίδες : vel θύρα εἰς ὑπερῷον ἀνάγουσα, Janua quæ ad superiorem domus partem ducit. Hactenus Hesych. : Pollux vero [1, 76] scribit Homerum ὀρσοθύρην nominasse τὴν ἀμφίθυρον, quæ vulgo πλαγία θύρα. Utitur autem ea voce Hom. Od. X, [126] : 'Ορσοθύρη δέ τις ἔσκεν ἐϋδμήτῳ ἐνὶ τοίχῳ, ubi Eust. exp. θύρα τις ἐπίσημος ὑψηλοτέραν πρόσβασιν ἔχουσα, ad quam ascendere non possumus nisi gradibus aut alio aliquo modo ἀνορούσαντες καὶ ἀναθορόντες εἰς αὐτήν : vel, Janua in quam aliquis ὄρνυται, prospicere inde cupiens. [Ib. 132 : Οὐκ ἂν δή τις ἀν' ὀρσοθύρην ἀναβαίη, καὶ εἴποι λαοῖσι; 333 : Ἔστη δ' ἄγχι παρ' ὀρσοθύρην. Schol. Eur. Med. 135 : Ἀμφίπυλον τὸ ἔχον δύο πύλας καὶ εἰσόδους, μίαν μὲν τὴν αὐθεντικὴν, ἑτέραν δὲ, ἣν Ὅμηρος λέγει ὀρσοθύρην.] Alii exp. ἐκτομάδα θύραν, δι' ἧς εἰς ὑπερῷον ἀναβαίνουσιν ὀρούοντες ἐπ' αὐτῆς : qualis fortasse est ἡ καταῤῥάσσουσα κλιμάκων ἄνω, eamque ob rem καταράκτης appellata. Hactenus Eust. [et Etym. M., qui addit : Λέγει δὲ Σιμωνίδης κακοσχόλως, Καὶ τῆς ὄπισθεν ὀρσοθύρης ἡλσάμην, quod verbum corruptum est.] Est igitur ὀρσοθύρα Fenestra in pariete alta et patula, ad quam gradus nulli ducunt, sed in eam ex terra assultandum est ut inde prospicias. Sunt qui scribant 'Ορθοθύρα, ut supra docui. [Ita Crates ap. Etym.] Itidem 'Ορσορόκα, a quibusdam dicitur, teste Apollodoro in Lex. meo vet. [sive Etym. M.], δι' ἧς τὸ ὕδωρ ὄρνυται, Fistula s. Foramen unde aqua salit. Nisi forte pro eo scrib. 'Ορσορόα. ['Ορσύδραν Sturzius post Heyn. ad Apollodor. p. 448. ῠ]

['Ορσοθώραξ. V. 'Ορσόθριξ.]

[Ὀρσολοπεύω s. Ὀρσολοπέω. Photius : Ὀρσολοπεῖν, λοιδορεῖν, πολεμεῖν.] Ὀρσολοπεῖται Hesych. [et Photius] ex Æschylo [Pers. 10] affert pro διαπολεμεῖται, ταράσσεται, Bellis infestatur, Turbatur. [Forma ὀρσολοπεύω Hom. H. Merc. 308 : Ἦ με βοῶν ἕνεχ' ὧδε χολούμενος ὀρσολοπεύεις; Maxim. Καταρχ. 107 : Αἰεί κε πανήμερον ὀρσολοπεύοι μύθῳ ὀνειδείῳ, ἢ καὶ πληγῇσιν ἰάπτοι.]

Ὀρσόλοπος, ὁ, in Lex. meo vet. et ap. Etym. sine expos. [Mars vocatur ὀρσόλοπος Anacreonti ap. Hephæst. p. 90, 13, i. e. Bellicosus. V. præced. voc.]

[Ὀρσορόα. V. Ὀρσοθύρα.]

Ὀρσὸς, Agnus serotinus. Hesychio enim ὀρσοὶ sunt τῶν ἀρνῶν οἱ ἔσχατοι γενόμενοι.

[Ὀρσός. V. Ὀρθός.]

[Ὀρσότης, ητος, ἡ, Impetus. Herodian. Π. μον. λέξ. p. 40, 14 : Τὸ δὲ παρὰ Κρατίᾳ ἐν ταῖς Ὁμιλίαις ὀρσότης ἀντὶ τοῦ ὁρμὴ περάσιμον. Παράσημον Blochius. Κρίτιᾳ Bachius ad fr. Philetæ p. 268.]

[Ὀρσοτριαίνης, et forma Æol. Ὀρσοτρίαινα, ὁ, Quatiens tridentem, epith. Neptuni, ap. Pind. Ol. 8, 48, Pyth. 2, 12, Nem. 4, 86.]

Ὀρσύδρα, ἡ, Foramen unde aqua concitato cursu desilit, ut in salientibus qui χρουνοὶ nominantur, Eust. [Od. p. 1921, 13 sq.], ὀπὴ δι' ἧς ὄρνυται ὕδωρ ὑψοῦ. [V. Οἰσύδρα, Ὀρσοθύρα.]

[Ὀρτάζω. V. Ἑορτάζω.]

[Ὀρταλίζω.] Ab Ὀρταλὶς, quatenus pro Pullo s. Pullastra accipitur, est verb. Ὀρταλίζω, dici solitum ἐπὶ τῶν ἀρχομένων ἀναπτερύσσεσθαι ὀρνίθων, de pullis qui incipiunt alas quatere et volatum tentare, schol. Aristoph., qui paulo post subjungit, ὀρταλίζειν significare τὸ ἀναῤῥιπτεῖν τὰ νήπια τῶν παιδίων, quasi ὀρούειν ποιεῖν εἰς τὸ ὕψος : sc. a them. ὄρω derivans ὄρτος, et verbum ὀρτῶ, inde ὀρτίζω et pleonasmo τοῦ αλ ὀρταλίζω. Sed hoc parum est consentaneum, prior expos. vero propior : sc. ὀρταλίζειν et ἀνορταλίζειν esse Incipere explicare ad volatum alas more implumium avium, et metaph. Incipere μετεωρίζεσθαι καὶ μέγα φρονεῖν : Aristoph. Eq. [1344] : Τούτοις ὁπότε χρήσαιτό τις προοιμίοις, Ἀνωρτάλιζες κἀκερουτίας.

Ὀρταλὶς, ίδος, ἡ, Pullastra, Gallina, ὄρνις. Nicand. Al. 295 : Ὠοῖσιν ἀλίγκια τοῖά τε βοσκὰς Ὀρταλὶς αἰχμητῇσιν ὑπευνηθεῖσα νεοσσοῖς Ἔκβαλεν· loquens de gallina juvenca, quæ jam iniri a pullastris solet et ova parere.

[Ὀρταλιχεύς. V. Ὀρτάλιχος.]

Ὀρτάλιχος, s. Ὀρταλιχεὺς, έως, ὁ, dicitur et de Pullo adhuc implumi, et de Pullastro grandiore, et de Gallinaceo maturæ ætatis. Primo modo, [Æsch. Ag. 54 : Τρόπον αἰγυπιῶν, οἵτ' ἐκπατίοις ἄλγεσι παίδων ὕπατοι λεχέων στροφοδινοῦνται..., δεμνιοτήρη πόνον ὀρταλίχων ὀλέσαντες. Ubi γόνον Musgr., conferens Soph. ap. Eust. Od. p. 1625, 49 : Ψακαλοῦχοι μητέρες αἶγές τ' ἐπιμαστίδιον γόνον ὀρταλίχων ἀναφαίνοιεν.] Theocr. 13, [12] : Οὐδ' ὁπόχ' ὀρτάλιχοι μινυροὶ ποτὶ κοῖτον ὁρῷεν Σεισαμένας πτερὰ ματρὸς ἐπ' αἰθαλόεντι πετεύρῳ. Secundo, Nicand. [Al. 228] : Βοσκαδίης χηνὸς νέον ὀρταλιχῆα, Pullum juvencum. Tertio, Aristoph. Ach. [870] : Πρίασο ... τῶν ὀρταλίχων. Ibi enim schol. annotat Bœotica dialecto τοὺς ἀλεκτρυόνας vocari ὀρταλίχους : quemadmodum ap. Athen. quoque 14, [p. 622, A] Strattis Thebanos dicit χαινουργεῖν κατὰ τὰς φωνὰς, τὸν ἀλεκτρυόνα nominantes ὀρτάλιχον, σαχτὰν, τὸν ἰατρὸν, βλέφυραν, τὴν γέφυραν, et similia alia. Nicand. Pullastram etiam s. Gallinam appellavit ὀρτάλιχον, Al. [165] : Ὀρταλίχων ἁπαλὴν ὠδῖνα κενώσας· appellans ὀρταλίχων ὠδῖνα, Gallinarum partum, τὸ ᾠὸν, Ovum. Hesychio vero ὀρτάλιχοι sunt non solum οἱ μήπω πετόμενοι νεοσσοὶ, et οἱ ἀλεκτρυόνες, sed etiam κρεμάστραι. [Utuntur hoc voc. etiam Archias Anth. Pal. 9, 346, 3, de hirundinis pullis; et Agathias 5, 292, 4 : Δροσερῶν μητέρες ὀρταλίχων· id. 9, 766, 2 : Πλέγμασι μὲν σκοπός ἐστι περισφίγξαι πετεηνῶν ἔθνεα καὶ ταχινοὺς ἔνδοθεν ὀρταλίχους. ᾰῖ]

[Ὀρτάριον, τὸ, i. q. ἀρτάριον, quod v. « Sunt autem ὀρτάρια οἱ τῶν ποδῶν πῖλοι, Suidæ. Isaac. Tzetz. in Lycophr. : Ἀσκέραι δὲ κυρίως τὰ ἐν τοῖς ποσὶ πιλία ἤτοι τὰ ὀρτάρια λέγεται. Infra : Ἔγνως ὅτι διὰ τοῦ εἰπεῖν δασείας τὰς ἀσκέρας τὰ ὀρτάριά φησιν. Est autem ἀσκέρα

A Calceamentum hirsutum Polluci. V. Etym. M. v. Πῖλος. Theod. Stud. in Catech. Ms. : Σφίγγει με τὸ χαλίκιον καὶ οὐ πάρεστί μοι ἀλλαγὴ ὀρταρίων ἑτέρων. Gregor. Vit. Basil. jun. n. 34 : Φιλόχριστός τις ἐλθὼν παρέσχεν αὐτῷ ὀρτάρια αἴγεια, et ibid. infra. V. Casaub. ad Lamprid. p. 224. Ducang.]

[Ὀρτέω. V. Ὀρταλίζω.]

[Ὀρτή. V. Ἑορτή.]

[Ὁρτήσιος, ὁ, Hortensius, n. Rom. viri, ap. Polyb. 33, 1, 2, Plut. in Sulla, al.]

[Ὀρτιάγων, οντος, ὁ, Ortiagon, rex Galatarum, ap. Polyb. 22, 21, 1.]

[Ὀρτίζω. V. Ὀρταλίζω.]

[Ὀρτίλοχος. V. Ὀρσίλοχος.]

Ὀρτὸς, ὁ, Cypriis βωμὸς, Ara, teste Hesych. Infra Ὄρυμβος. [In Ind. :] Ὠρτὸς, Hesychio βωμὸς, forsan ab ὄρω.

[Ὀρτυγία, ἡ. Anna Comn. p. 144, B : Τὰ πρὸ τούτου χλιδώντων τῶν πλειόνων καὶ παιζόντων ἀνθρώπων καὶ ὀρθυγίαις (sic) καὶ ἄλλοις αἰσχίοσι παιγνίοις ἐνασχολουμένων

B διὰ τὴν χλιδὴν, ubi vertitur Aucupium coturnicum. Elberling.]

[Ὀρτυγία Ἄρτεμις, ap. Soph. Tr. 213, Diana Ortygia, ita dicta secundum schol., ut culta in ins. Delo s. Ὀρτυγίᾳ, quam memorant Hom. Od. E, 123, Pind. Ol. 6, 92, Callim. Apoll. 79, Epigr. 73, 2, Apollon. Rh. 1, 419 etc., ubi schol. : Περὶ τῆς Ὀρτυγίας Φανόδικος ἐν Δηλιακοῖς ἱστόρηκεν, καὶ Νίκανδρος ἐν γ' Αἰτωλικῶν ἐκ τῆς ἐν Αἰτωλίᾳ Ὀρτυγίας φησὶ τὴν Δῆλον ὀνομασθῆναι, γράφων τάδε, Οἱ δ' ἐξ Ὀρτυγίης Τιτηνίδος ὁρμηθέντες. Οἱ μὲν τὴν Ἔφεσον, οἱ δὲ τὴν πρότερον (vel potius ὕστερον) Δῆλον καλουμένην, ἄλλοι δὲ τὴν ὁμοτέρμονα Σικελίας νῆσον, ὅθεν Ὀρτυγίαι πᾶσαι βοῶνται (βοόωνται Schneider. ad fr. Nicandri p. 287, cui hæc quoque tribuit, βοάωνται Paris.). Καὶ ἡ Δῆλος οὖν οὐχ, ὡς μεμύθευται, ἀπὸ τῆς Ἀστερίας μεταμορφώσεως τῆς Λητοῦς ἀδελφῆς Ὀρτυγία ὠνομάσθη, ἀλλ' ἀπὸ τῆς ἐν Αἰτωλίᾳ Ὀρτυγίας, ἀφ' ἧς καὶ αἱ λοιπαὶ πᾶσαι ὠνομάσθησαν. Apollod. 1, 4, 1 : Τῶν Κοίου θυγατέρων Ἀστερία μὲν ὁμοιωθεῖσα ὄρτυγι ἑαυτὴν εἰς θάλασσαν ἔῤῥιψε,

C φεύγουσα τὴν πρὸς Δία συνουσίαν, καὶ πόλις ἀπ' ἐκείνης Ἀστερία πρῶτον κληθεῖσα, ὕστερον δὲ Δῆλος, ubi aliorum testimonia v. ap. Heyn. vol. 2, p. 18, Strabo 10, p. 486, qui de Delo dicit : Ὠνομάζετο δὲ καὶ Ὀρτυγία πρότερον, Hesychius in v. A qua distinguit Hom. H. Apoll. 16 vel Orph. Hymn. 34, 5, ubi de Latona : Τὴν μὲν ἐν Ὀρτυγίῃ, τὴν δὲ κραναῇ ἐνὶ Δήλῳ (ἔτεκεν). De Ephesia Strabo 14, p. 639, 640, ubi etiam nutricem Ὀρτυγίαν memorat, quæ Latonæ illic partum enixæ opitulata sit. Siculam vel potius Syracusanam memorant Pind. Pyth. 2, 6, Nem. 1, 1, Pausan. 5, 7, 2 ex oraculo Archiæ dato; 8, 54, 3, Strabo 6, p. 270. Nason vel Insulam vocant Livius et Cicero. Ὀρτυγίαν τὴν ἐν Χαλκίδι memorat schol. Hom. Il. I, 557.]

[Ὀρτυγίδης, ὁ, n. patron. Anticli, ap. Tryphiod. 178. ῡῐ]

[Ὀρτύγιον, τὸ, dimin. ab ὄρτυξ, ap. Eupolin et Antiphanem ab Athen. 9, p. 392, E, citatos.]

[Ὀρτύγιος, ὁ, Ortygius, f. Clinidis, ap. Antonin. Lib. c. 20. L. Dind.]

D [Ὀρτυγοθήρα inscriptum numo Tarsi Ciliciæ ap. Mionnet. *Descr.* vol. 3, p. 622, n. 412.]

[Ὀρτυγοθήρας, ὁ, Coturnicum venator. Plato Eutnyd. p. 290, D.]

[Ὀρτυγοκόμος, ὁ, nisi leg. Ὀρτυγοκόπος, Coturnicum custos. Photius : Ὄρτυγας, συστέλλοντες οἱ Ἀττικοὶ λέγουσιν τὸ υ καὶ τὸν ὀρτυγοκόμον βραχέως· δηλοῖ Ἀριστοφάνης Δαιταλεῦσιν.]

[Ὀρτυγοκοπέω.] Ὀρτυγοκοπεῖν et Ὀρτυγοκοπία, ἡ, dicitur Ludus quidam, in quo τὸν ὄρτυγα ἔκοπτον τῷ δακτύλῳ, ut fusius docet Pollux 9, [107, sive Photius]. Ad eum ludum allusit Eupolis, quum in Ταξιάρχοις dixit, Κόψομαι τὴν μάζαν ὥσπερ ὄρτυγα. [Plut. Mor. p. 34, D.] Qui ludebant istum ludum, dicebantur Ὀρτυγοκόποι et στυμφοκόποι, teste eod. Poll. ibid., ubi et Ὀρτυγοκοπικὰ ὀνόματα, Vocabula propria τῆς ὀρτυγοκοπίας, ut sunt ἀνακλαδάλλειν, ἐρεθίζειν, παροξύνειν, sc. τὸν ὄρτυγα. [Ὀρτυγοκόπος, Athen. 11, p. 506, D, de Midia, schol. Aristoph. Av. 1297. L. D. Conf. Creuzer. ad Olympiod. in Alcib. pr. Platonis, p. 148, et

Kœhler. *L'Alectryonophore*, Petropoli 1835, p. 16 et 23. Hase.]

['Ορτυγοκοπία, ἡ, 'Ορτυγοκοπικὸς, ἡ, ὀν, 'Ορτυγοκόπος. V. 'Ορτυγοκοπέω.]

'Ορτυγομᾶνία, ἡ, Insanus coturnicum amor, Athen. 11, [p. 464, D].

'Ορτυγομήτρα, ἡ, Coturnicum matrix, ὄρτυξ ὑπερμεγέθης, Hesych. [μέγας Photius]. Plin. 10, 23, de coturnicibus migrantibus : Aura vehi volunt propter pondus corporum viresque parvas; aquilone ergo maxime volant ortygometra duce. Vide et Aristot. H. A. 8, 12. [Aristoph. Av. 871 : Λητοῖ 'Ορτυγομήτρᾳ. Athen. 9, p. 392, F. « Ap. LXX pro quavis Coturnice, Exod. 16, 13; Num. 11, 31, 32, etc. » Schleusner. L. D. Jo. Chrys. t. 3, p. 548, E ed. Par. alt. Evang. Nicodemi p. 570, 1 Thil. : 'Ορθυγομήτραν ἔδωκεν ὑμῖν. Hase.]

'Ορτυγοπώλης, ὁ, Coturnicum venditor, Pollux [7, 136].

'Ορτυγοτροφεῖον, τὸ, Ubi coturnices aluntur, s. cohors sit s. cavea, Aristot. Probl. [10, 5, ubi ὀρτυγοτροφίοις.]

['Ορτυγοτροφέω, Coturnices nutrio. Marc. Anton. 1, 6. Ubi ὀρτυγοκοπεῖν Suidas v. 'Ορτυγοκόπος.]

['Ορτυγοτρόφος, ὁ, ἡ, Qui coturnices nutrit. Plato Euthyd. p. 290, D. Pollux 7, 136.]

'Ορτυγοφόρος ap. Polluc. Qui coturnicem s. coturnices gestat. [Pro ὀρτυγοτρόφος, quod v.]

['Ορτύγων, ωνος, ὁ, cujus n. genit. 'Ορτύγωνος sine interpretatione ponit Suidas.]

Ὄρτυξ, ὕγος [vel ὕκος, sec. Chœroboscum vol. 1, p. 82, 25 : Τὸ ὄρτυξ, τινὲς δὲ (μὲν recte Bekk. An. p. 1406, B) ὄρτυγός φασι διὰ τοῦ γ, Φιλήμων δὲ διὰ τοῦ κ φησιν ὄρτυκος. Simile quid idem p. 310, 9, de τέττιξ tradit, Herodianum quidem ab Atticis Doribusque adeoque ap. Theocritum et Aristophanem τέττικος scriptum testari, sed libros illorum τέττιγος ferre. Sed haud dubie, ut Chœrobosci testimonio Philemoni ὄρτυκος, ita illis antiquioris auctoritate Herodiani τέττικος est concedendum], ὁ, Coturnix. [Querquedula, Gl. Aristoph. Av. 707, et alibi. Herodot. 2, 77; Plato Lys. p. 211, E. Et sæpe Aristot. in H. A.] Xen. [Comm. 2, 1, 4] : Οἵ τε ὄρτυγες καὶ οἱ πέρδικες πρὸς τὴν τῆς θηλείας φωνὴν φερόμενοι. [Eutecnius in Cram. An. Paris. vol. 1, p. 31. L. D. Zenob. 5, 26 : Ὄρτυξ ἔσωσεν Ἡρακλῆν τὸν καρτερόν. Μειδίας dictus ὄρτυξ Aristoph. Av. 1297, quia erat ὀρτυγοτρόφος et ὀρτυγοκόπος. Alcibiadis ὄρτυξ Plut. Alc. c. 10. Plura Athen. 9, p. 392 sq. Valck.] Præterea ὄρτυξ a quibusdam nominatur ὁ στελεφοῦρος, herba σταχυώδης, Theophr. H. Pl. 7, 10 [11, 2], Plin. 21, 17. [|| Gen. fem. ap. Lycophr. 401 : Τύμβος δὲ γείτων ὄρτυγος πτερουμένης, ubi schol. interpr. τῆς Δήλου νήσου vel τῆς Ἀστερίας, γενομένης ὄρτυγος. || De mensura secundæ recte Draco p. 93, 15 : Συνεσταλμένον τὸ υ ἔχει ὄρτυξ, ὄρτυγος· Photius : Ὄρτυγας, συστέλλοντες οἱ Ἀττικοὶ λέγουσιν τὸ υ etc., quæ v. in 'Ορτυγοκόμος. Eust. vero Il. p. 1108, 49, produci tradit post Athen. 9, p. 393, B : Τὴν μέσην δὲ τοῦ ὀνόματος συλλαβὴν ἐκτείνουσιν Ἀττικοί, ὡς δοίδυκα καὶ κήρυκα, ὡς ὁ Ἰξίων φησὶ Δημήτριος ἐν τῷ περὶ τῆς Ἀλεξανδρέων διαλέκτου. Ἀριστοφάνης δ' ἐν Εἰρήνῃ (788) συνεσταλμένως ἔφη διὰ τὸ μέτρον Ὄρτυγες οἰκογενεῖς. Neque ullus exstat alterius mensuræ testis, nisi quod Ps.-Herodian. in Cram. An. vol. 3, p. 253, 16 : Παραπλησίως ἁμαρτάνουσιν οἱ λέγοντες τὰς ὄρτυγας, δέον συστέλλειν, ubi al. liber ἐκτεταμένως τοὺς ὄρτυγας, non quidem Atticis, sed minus doctis illam tribuit productionem. L. Dind.]

[Ὄρτων, ωνος, ὁ, Orto, oppidum Frentanorum, ap. Strab. 5, p. 242. Ibid. sequitur : 'Ορτώνιόν ἐστιν ἐν τοῖς Φρεντανοῖς, πέτραι ληστρικῶν ἀνθρώπων, quod suspectum. Ald. Ὄρτιον.]

['Ορύα, ἡ.] 'Ορύαν Epicharmus vocat τὴν χορδὴν, et quidem crebrius, ut Ulpian. docet ap. Athen. 9, init. Quare in ejusdem Epicharmi l., qui ibidem paulo ante citatur, Ὄρεα, τυρίδιον, κωλεοί, σφόνδυλοι, non dubitarim reponere ὀρύαι vel ὀρύα pro isto ὄρεα. Hesychio ὀρύα est χορδὴ ἑφθὴ, Intestinum coctum. [Idem : Ὀροῦα, χορδὴ καὶ σύντριμμα πολιτικὸν, εἰς ὃ Ἐπίχαρμου δρᾶμα. « Eust. Od. p. 1915, 21 : Ὅτι δὲ τὰς κοινῶς λεγομένας χορδὰς ὀρύας Ἐπίχαρμος ὀνομάζει, κατά τινα

A δηλαδὴ γλῶσσαν, ζητητέον εἰς τὸν καλὸν Ἀθήναιον. » Wakef. Theognost. Can. p. 106, 21 : 'Ορύα· Ἀρίσταρχος συστέλλει τὸ α καὶ ἐκτείνει τὸ υ καὶ προπαροξύνει, ἐναλλαγὴν τόνου πεποιηκὼς, ὥς φησιν Ἡρωδιανός. 'Ορύη barytonon ponit Arcad. p. 103, 28. V. Νορύα. L. Dind.]

['Ορύγγιον. V. Γοργόνιον.]

['Ορυγή. V. 'Ορυχή.]

['Ορυγιὰ, ἡ. Ducangius : « 'Ορυαὶ, Fossoria, i. q. ὄρυγες ap. Vitruv. 10, 21, Testudines ad fodiendum comparatæ : ὀρύγια ap. Jo. Moschum in Limon. c. 90 et Leonem Tact. c. 5 et 6, ὀρυγιαὶ in Basil. 44, 10, 4. Sarculi Ulpiano, ὀρυκτῆρες in Narrat. de inv. S. Crucis. Theophanes p. 434 : Τριβόλους τε καὶ τετραβόλους καὶ χελώνας καὶ ὑψηλοὺς κλίμακας σφαίρας τε καὶ μοχλοὺς καὶ ὀρυὰς, κριούς τε καὶ βελοστάσεις. Nescio cur Funes hic vertat Int. Symeon Logoth. in Leone Arm. n. 11 habet ὄρυγας. » Quod etiam Theophanes scripserat.]

['Ορύγιον, τὸ, i. q. ὄρυξ. Hesych. v. Σκαπάνη. Wakef. Gloss. ad Aristæn. 1, 10, p. 371. Boiss. Moschus Prat. Spir. in Cotel. Mon. vol. 2, p. 387, A : Λάβε ὀρύγιον καὶ ἄμην. L. D. Anon. ad calc. Ducang. *Traité*
B *du chef de saint Jean-Baptiste*, Paris. 1665, p. 222, 16 : Κρατήσας ὀρύγιον ἠρξάμην σκάπτειν, Prehenso rastro cœpi fodere. Hase.]

Ὄρυγμα, τὸ, Fossa, Fossatum : quorum utroque utitur Plin. : posterius tamen vineis et hortis magis peculiare. Xen. Cyrop. 1, [6, 28] : Δουλοῦν ὃς ἀγρίας πλέγμασι καὶ ὀρύγμασι· Cyneg. [11, 4] : Οἷς καὶ ὀρύγματα ποιοῦσι, περιφερῆ μεγάλα. Thuc. 1, [106] : Ἐσέπεσεν ἐς χωρίον ᾧ ἔτυχεν ὄρυγμα μέγα περιεῖργον, καὶ οὐχ ἦν ἔξοδος. [Id. 4, 67 : Ἐν ὀρύγματι ἐκαθέζοντο, ὅθεν ἐπλίνθευον τὰ τείχη. Plato Leg. 6, p. 779, C.] Herodian. 4, [9, 14] : Ὤρυττον ὀρύγματα μεγάλα, Ingentes fossas s. foveas : obruendis sc. mortuis. Ib. [7, 6] de Antonino Caracalla : Εἴ τε ὄρυγμά τι ὀρύττειν ἔδει, σκάπτων πρῶτος, Si quid fodiendum foret, primus fodiens. [Herodot. 1, 185; 3, 60; 7, 23.] Et [ex Herodoto 4, 200] ὀρύγματα ὑπόγαια, Cuniculi, ὑπόνομοι. [Xen. H. Gr. 3, 1, 7 : Φρεατίαν τεμόμενος ὑπόνομον ὤρυττεν· ... ὡς δ' ἐκ τοῦ τείχους ἐκθέοντες πολλάκις ἐνέβαλον εἰς τὸ ὄρυγμα καὶ ξύλα
C καὶ λίθους. « Polyb. 5, 100, 2; 9, 41, 7 et 12, etc. Τοῖς ὀρύγμασι χρῆσθαι ἐνεργῶς, 2, 54, 7. Τοῖς ὀρ. ἐνεχείρει, 5, 4, 6. Τὸ ὀρ., Cuniculus extrahendis metallis, 34, 10, 11. » Schweigh. Lex.] Peculiariter autem ὄρυγμα dicebatur Athenis, ἐφ' οὗ οἱ κακοῦργοι ἐκολάζοντο, Harpocr., citans ex Lycurgo C. Aristogit., Fovea in quam sontes conjiciebantur : ut apud Siculos et in latumias. Unde ap. [Dinarch. p. 98, 13, ὁ ἐπὶ τῷ ὀρύγματι·] Polluc. [8, 71], Ὁ πρὸς τῷ ὀρύγματι, i. e. δήμιος.

'Ορυγμαδὸς, transpositis literis pro ὀρυμαγδὸς, Hesychio ψόφος, κτύπος, Strepitus, Fragor : item ταραχὴ, θόρυβος, Tumultus. [Conglovacio, Gl. Ita etiam alibi interdum pro illo.] Apud Eund. et 'Ορυγμάδες, θόρυβοι.

['Ορυγμαδώδεις, Tumultuosos, legitur in l. lacero Pseudochrys. t. 9, p. 963, B ed. Par. alt., pro quo Savil. tentabat, ὀρυγμούς. Hase.]

['Ορυγμάτιον, τὸ, Fossula, Gl.]

'Ορυγμὸς, ὁ, affertur pro Fremitus, Tumultus; sed ἁμαρτύρως. [Hesychio βρυχόμενος, quod βρυχμὸς scri-
D bebat Guietus. V. 'Ορύομαι. L. D. Vita Sebastianæ Actt. SS. Junii t. 6, p. 63, 58 : Ὁ ὀρ. τῆς χαλάζης. Hase.]

Ὄρυζα, Oryza [Gl.], ex genere τῶν σιτηρῶν, frumentaceorum, s. frugum, ut olyra. Diosc. 2, 117 ['Ορ., φυομένη ἐν ἑλώδεσι τόποις καὶ ὑγροῖς. Aret. p. 90, 50.] Dicitur etiam Ὄρυζον. Theophr. H. Pl. 4, 5 : Μᾶλλον δὲ σπείρουσι τὸ καλούμενον ὄρυζον, ἐξ οὗ τὸ ἕψημα· τοῦτο δὲ ὅμοιον τῇ ζειᾷ, καὶ περιπτισθὲν οἷον χόνδρος, εὔπεπτον δὲ, τὴν ὄψιν πεφυκὸς ὅμοιον ταῖς αἴραις. Plin. 18, 7. [Galen. Aliment. fac. 1, 16 et 17, non inter σιτηρὰ, sed inter ὄσπρια legumina recenset (quum contra inter frumentacea a Dioscoride referatur) : Ὄσπρια καλοῦσιν ἐκεῖνα τῶν δημητρίων σπερμάτων, ἐξ ὧν ἄρτος οὐ γίνεται, κυάμους, πισσούς, ἐρεβινθοὺς, φακοὺς, θέρμους, ὄρυζαν, ὀρόβους. Nobis probatur Dioscoridis sententia, non tantum, quod certum sit, ex oryza fieri panem, sed quod tota facie et habitu planta hæc frumento quam legumini sit similior. Imo cum leguminibus nullam, cum frumento summam habet similitudinem. Aspice

A caulem, folium, semen, reliquamque faciem ac ideam plantæ. Mendi suspicio nulla; statim enim cap. seq. 17, de oryza, ac si leguminum præcipuum esset, agit. Bod. ad Theophr. p. 362. Conf. Saraceni Scholia ad Dioscor. 2, 117. Strabo 15, p. 690: Ἐκ δὲ τῆς ἀναθυμιάσεως τῶν τοσούτων ποταμῶν καὶ ἐκ τῶν ἐτησίων, ὡς Ἐρατοσθένης φησὶ, βρέχεται τοῖς θερινοῖς ὄμβροις ἡ Ἰνδικὴ, καὶ λιμνάζει τὰ πεδία· ἐν μὲν οὖν τούτοις τοῖς ὄμβροις λίνον σπείρεται καὶ κέγχρον, πρὸς τούτοις σήσαμον, ὄρυζα, βόσμορον· 692: Τὴν δ' ὄρυζάν φησιν ὁ Ἀριστόβουλος ἑστάναι ἐν ὕδατι κλειστῷ, πρασιὰς δ' εἶναι τὰς ἐχούσας αὐτήν· ὕψος δὲ τοῦ φυτοῦ, τετράπηχυ, πολύσταχύ τε καὶ πολύκαρπον, θερίζεσθαι δὲ περὶ δύσιν Πληιάδος καὶ πτίσσεσθαι ὡς τὰς ζειάς· φύεσθαι δὲ καὶ ἐν τῇ Βακτριανῇ καὶ Βαβυλωνίᾳ καὶ Σουσίδι, καὶ ἡ κάτω δὲ Συρία φύει. Μέγιλλος δὲ τὴν ὄρυζαν σπείρεσθαι μὲν πρὸ τῶν ὄμβρων φησὶν, ἀρδείας δὲ καὶ φυτείας δεῖσθαι, ἀπὸ τῶν κλειστῶν ποτιζομένην ὑδάτων· 709, e Megasthene: Πίνειν δ' ἀπ' ὀρύζης ἀντὶ κριθίνων συντιθέντας, καὶ σιτία δὲ τὸ πλέον ὄρυζαν εἶναι ῥοφητήν (libri τροφήν). Ælian. N. A. 13, 8: Ἐλέφαντι δὲ ἀγελαίῳ μὲν, εἰθισμένῳ γε μὴν, ὕδωρ πόμα ἐστί· B τῷ δὲ εἰς πόλεμον ἀθλοῦντι οἶνος μὲν, οὐ μὴν ὁ τῶν ἀμπέλων, ἐπεὶ τὸν μὲν ἐξ ὀρύζης χειρουργοῦσι, τὸν δὲ ἐκ καλάμου. Exod. 16, 31. Angl. Athen. 4, p. 153, E: Τὴν ὄρυζαν ἑφθὴν edunt Indi. Valck. Porphyr. De abst. p. 359, 15 Rhoer. Id. ib. p. 357, 10, Indiam gignere ὄρυζαν πολλήν τε καὶ αὐτόματον. Arrian. Peripl. maris Er. p. 9, 3 Hudson. Anon. De cibis p. 231, 8 Ermerins.: Ἡ ὄρ. ... κωλυτικὴ τῆς φύσεως. Galen. vol. 14, p. 573, 6 et 381, 7: Ὀρύζης χυλόν. Hase.]

[Ὀρύζιον, τὸ, dimin. præced. ὄρυζα. Schol. Dionys. Bekk. An. p. 794, 19. L. D. Barker. in *Classical Journal* 32, p. 375. Angl. Achmes Onirocr. p. 186, 10: Τοῦ ὀρυζίου· at l. sq.: Ἔφαγεν ὄρυζον. Græcis hodie sonat Ῥύζι s. Ὀρύζιον. Hase.]

[Ὀρυζίτης, ὁ, πλακοῦς, Ex oryza factus, Chrysippus ap. Athen. 14, p. 647, D. ῑ]

[Ὄρυζον. V. Ὄρυζα.]

[Ὀρυζοτροφέω, Oryzam fero. Strabo 17, p. 838: Ὀρυζοτροφεῖ ἡ γῆ.]

C Ὀρυκτέον, Fodiendum. [Philo Belop. p. 86, D; 91, B; Tzetz. Cram. An. vol. 4, p. 70, 25. L. Dind.]

Ὀρυκτὴρ, ῆρος, ὁ, Fossor [Gl.]. Philo De mundo [vol. 2, p. 619, 29]: Ὑπεργάζεσθαι τὴν σκληρόγεων καὶ λιθωδεστάτην, ὀρυκτήρων οὐχ ἔλαττον, Præduram ac glareosam more fossorum subigere. [Id. Philo vol. 2, p. 510, 34. At Vis. Constant. p. 428, D Grets., Διαλαβόμενος ὀρυκτῆρα, et Epiphan. t. 2, p. 333, C, Λαβὼν ὀρ., vertend. Rastrum s. Ligo. Hase. V. Ὀρυγιά. Nicetas Chon. p. 88, B: Ὀρυκτῆρσιν ὑπομοχλευόμενον· 182, A: Βελοστάσιά τε καὶ ὀρυκτῆρας ἐπιτεχνώμενος. Vita Sabæ in Cotel. Mon. vol. 3, p. 363, B.]

[Ὀρυκτήριος, α, ον, Ad fodiendum aptus. Acta SS. April. vol. 1, p. xx, F: Ἐγὼ δὲ γέρων εἰμὶ καὶ οὐκ ἰσχύω πονῆσαι τὸ ὄρυγμα· οὐδὲ γὰρ ἔχω ὀρυκτήριον τῇ χρείᾳ κατάλληλον, καὶ τοσοῦτον πάλιν οὐ δύναμαι ὑποστρέψαι τὸ διάστημα, ὥστε ἀγαγεῖν ὄργανον ἐπιτήδειον. L. Dind.]

[Ὀρύκτης, ὁ, Fossor, Gl. Strabo 15, p. 692: Σπείρεσθαι τὴν γῆν, ἀπὸ τοῦ τυχόντος ὀρύκτου χαραχθεῖσαν.]

[Ὀρυκτικός, ή, όν, Fodiendo aptus. Suidas v. Ἄμη.]

D [Ὀρυκτὶς, ίδος, ἡ, ap. Annam Comn. p. 380, C: Καί τινας ὀρυκτίδας καὶ ἄλλας χωστρίδας (χελώνας) ἐργαζόμενος, Testudines ad fodiendum. Cit. Elberling. Pro quo ap. Tzetz. Hist. 11, 609: Χελώνας ὀρυκτρίδας. V. Διορυκτίς.]

Ὀρυκτὸς, ή, όν, Fossus: ut τάφρος ὀρυκτὴ, Hom. Il. I, [67], K, [198], et [Υ, 49, Xen. Anab. 1, 7, 14], i. e. σκαπτὴ, Fossa fodiendo facta. [Eur. Tro. 1153: Ὀρυκτὸν τῷδ' ἀναρρήξων τάφον. Antip. Thess. Anth. Pal. 7, 402, 3: Ὀρυκτῆς γαίης. Xen. Anab. 4, 5, 25: Εἴσοδοι ὀρυκταί.] Sic Plut. [Mor. p. 770, E]: Ἔχων κατ' ἀγρὸν ἀποθήκας χρημάτων ὀρυκτὰς ὑπογείους. Item, Qui fodi s. effodi solet, Fossitius, Fossilis [Gl.]: ut Fossitia arena Plinio et Palladio, quam Idem et Fossilem appellat: Sal fossilis, Varroni et Plinio: Ebur fossile Plinio. Sic Diosc. 5, 126: Τῶν δὲ ἁλῶν ἐνεργέστερον μέν ἐστι τὸ ὀρυκτὸν, Sal fossile. [Χρυσὸς Polyb. 34, 10, 10. Aristot. Mir. c. 139: Ἄσφαλτον ὀρυκτήν· Meteor. 3, 5: Τὰ μὲν ὀρυκτὰ, τὰ δὲ μεταλλευτά. L. D. Ἁλὸς ὀρυκτοῦ Hippiatr. p. 43, 25; 207, 4; 217, 18; 227, 33. Hase.] Et ὀρυκτοὶ ἰχθῦς ap. [Polyb. ib. 2,] Athen. 8, [p. 331, C]. Id. 7, [p. 326, F] ex Archestrato: Ἐν δ' Αἴνῳ καὶ τῷ Πόντῳ τὴν ὗν ἀγόραζε, Ἣν καλέουσι τινὲς θνητῶν ψαμμῖτιν ὀρυκτήν· quam Numenius videtur ψαμαθίδα nominasse, ut Athen. annotat. Est autem Piscis nomen. [Substantive Philo vol. 1, p. 626, 43: Χαρρὰν ἑρμηνεύεται ὀρυκτὴ, Fossa; conf. ib. p. 629, 4. Hase.]

[Ὀρυκτρίς. V. Ὀρυκτίς.]

[Ὀρύκτωρ, ορος, ὁ, Fossor. Greg. Naz. vol. 2, p. 203.]

Ὀρυμαγδὸς, ὁ, Strepitus, Fragor. Hom. Il. Φ, [256] de Scamandro: Ὁ δ' ὄπισθε ῥέων ἕπετο μεγάλῳ ὀρυμαγδῷ· Ρ, [741]: Ὣς μὲν τοῖς ἵππων τε καὶ ἀνδρῶν αἰχμητάων Ἀζηχὴς ὀρυμαγδὸς ἐπήϊεν ἐρχομένοισι· Π, [633]: Τῶν δ' ὥστε δρυτόμων ἀνδρῶν ὀρυμαγδὸς ὄρωρεν Οὔρεος ἐν βήσσῃς· ἕκαθεν δέ τε γίνετ' ἀκουή. Ubi quem ὀρυμαγδὸν dicit, mox δοῦπον appellat. [K, 185: Πολὺς δ' ὀρυμαγδὸς ἐπ' αὐτῷ ἀνδρῶν ἠδὲ κυνῶν.] Itidem alibi sæpe tum idem Hom. tum Hesiod. [Sc. 401]: Πολὺς δ' ὀρυμαγδὸς ὀρώρει. [Ib. 232: Βαινουσέων ἰάχεσκε σάκος μεγάλῳ ὀρυμαγδῷ ὀξέα καὶ λιγέως.] Rursum Hom. Od. I, [235] de Cyclope fascem lignorum ante antrum dejiciente: Ἔκτοσθεν δ' ἄντροιο βαλὼν ὀρυμαγδὸν ἔθηκεν. [Il. P, 424: Σιδήρειος δ' ὀρυμαγδὸς χάλκεον οὐρανὸν ἷκε· Φ, 256: Ῥέων ἕπετο μεγάλῳ ὀρυμαγδῷ, de fluvio. Et de eodem 313: Πολὺν δ' ὀρυγμαγδὸν ὄρινε φιτρῶν καὶ λαῶν. De mari Simonides ap. Plut. Mor. p. 602, C: Ἁλὸς ἀμφιταρασσομένας ὀρυμαγδός. Æschrio ap. Tzetz. Hist. 8, 404: Σύρρ' ἐχύθη ψυχὴν, πουλὺς δέ μιν ἔσχ' ὀρυμαγδός. Apoll. Rh. 4, 105: Πολὺς δ' ὀρ. ἐπειγομένων ἐλάτησιν ἦεν. Voc. esse ὠνοματοπεποιημένον monet schol. Dionysii Bekk. An. p. 877, 11: Τὸ ὀρ. ἦχός ἐστι πολλοῦ πλήθους ἀνθρώπων ἢ ὄρους, ubi ὄρους alludit ad l. Hom. Il. Π, 633 supra cit. et etymologiam quandam continet. Pro Turba Ignat. Epist. ad Trallianos p. 69 fin. ed. Cotel.: Φεύγετε δὲ αὐτοῦ καὶ τὰς κακὰς παραφυάδας, Σίμωνα ... καὶ Μένανδρον καὶ Βασιλείδην καὶ ὅλον αὐτοῦ τὸν ὀρυγμαδὸν (quam formam v. supra) τῆς κακίας. De accentu Arcad. p. 48, 15.]

Ὄρυμος s. Ὄρυμβος, ὁ, Hesychio βωμός. Supra Ὀρτός.

[Ὀρυνθέω.] Ὀρυνθεῖ, Hesych. γρυλλίζει, Grunnit.

Ὄρυξ, υγος, ὁ, q. d. Fossor. Vitruv. 10, 21: Quæ autem testudines ad fodiendum comparantur, ὄρυγες Græce dicuntur. [Ὄρυγες, Sublones, Gl. V. Ὀρυγιά.] || Hesychio autem est λαοξοϊκὸν σκεῦος, fortasse quo utebantur ad effodiendos aut perfodiendos lapides, vel σκαφίου εἶδος [Sarculum, Ligo, Dolabra, Obpopa, Otpopa (Upupa Vulc.), Fossorium, Gl. Phanias Anth. Pal. 6, 297, 4: Δαπέδων μουνορύχαν ὄρυγα. Theognost. Can. p. 24, 32, schol. in libris nonnullis Herodoti 7, 89. V. quæ dixi in Γύα vol. 2, p. 798, B. Pallad. H. L. p. 112: Λαβὼν τὸν ὄρυγα καὶ κατενεγκὼν τρίτην πληγήν.] Item Piscis quidam, et animal quadrupes quod dorcadem colore refert. Cujus animalis meminit Aristot. [H. A. 2, 1 med. p. 499, 20, De part. an. 3, 2,] et Ælian.: item Oppian. Cyn. 3, [3]: Καὶ δόρκους ὄρυγάς τε καὶ αἰγλήεντας ἴορκους. Meminit Herodot. quoque [4, 192, ubi est: Ὄρυες, τῶν τὰ κέρεα τοῖσι Φοίνιξι οἱ πήχεες ποιεῦνται, (de quo HSt. :] « Ὄρυες, Oryes, animalia Africæ ap. Herodot. 4. Forsan scrib. ὄρυγες, ab ὄρυξ, quod vide. Et Plut.» [Mor. p. 974, F: Αἰγυπτίων μυθολογούντων περὶ τοῦ ὄρυγος. Strabo 3, p. 145: Ὀρύγων τε καὶ φαλαινῶν. Diod. 3, 28, ubi v. Wessel. Horap. Hierogl. 1, 49; Damasc. ap. Phot. p. 558; schol. Arati p. 22 ed. Oxon.; Ælian. N. A. 7, 8.] Latinis etiam Oryx notus est. Juven. Et Gætulus oryx. Item Plinius aliquot in locis. [Deuteron. 14, 5, Aq. Jes. 2, 20; 51, 20. Orcam confert Schneider. Ecl. phys. vol. 2, p. 38. L. D. Heliod. Æth. 10 4: Ἀγέλας ὀρύγων. Videtur esse species *Antilopæ*; conf. Creuzer. *Symbolik* ed. 3 part. 2, p. 99 et 105, et Bœttiger. Amalthea vol. 3, p. 194. Hase.]

[Ὄρυξ, υγος, Oryx, locus Arcadiæ, ap. Pausan. 8, 25, 2.]

[Ὄρυξις, εως, ἡ, Fossus, Gl. Aristot. De partt. an. 4, 12 med.: Πρὸς τὴν ὄρυξιν χρήσιμον. Suid. v. Διορυγή.]

[Ὄρυξις, εως, ἡ, Oryxis. Pausan. 8, 14, 1: Καφυῶν

δὲ στάδια πέντε ἀφέστηκεν ἥ τε Ὄρυξις καλουμένη καὶ ἕτερον ὄρος Σκίαθις.]

Ὀρύομαι, Fremo, βρυχῶμαι: Hesych. ὀρύεται, ὑλακτεῖ. [Ὀρυῶμαι, Rugio, Fremo, Gannio, Gl. V. Ὀρυγμός.]

[Ὄρυς. V. Ὄρυξ.]

[Ὄρυσσος, ὁ, Cretensis, ap. Plut. Pyrrh. c. 30, ubi al. Ὄροισος vel Ὄροισσος.]

Ὀρύσσω, sive Ὀρύττω, Fodio. [Itero, add. Gl.] Hom. Il. H, [341]: Ἔκτοσθεν δὲ βαθεῖαν ὀρύξομεν ἐγγύθι τάφρον. [Et ib. 440. Et βόθρον Od. K, 517.] Aristot. [H. A. 6, 29] de cervo rabie libidinis sæviente, βόθρους ὀρύττει· quod Plinius, Fodiunt scrobes. [Apoll. Rh. 3, 1207: Πέδῳ ἔνι βόθρον ὀρύξας. Et c. eod. voc. Xen. OEc. 19, 7, pro quo minus probum βόθυνος est ib. 3, ut ap. Aristot. H. A. 5, 33: Ὀρύξασα βόθυνον. Aristoph. Eq. 605: Ταῖς ὁπλαῖς ὤρυττον εὐνάς. Herodot. 1, 186: Ἐπεὶ ὤρυσσε τὸ ἔλυτρον τῇ λίμνῃ.] Et ὀρύγματα ὀρύττειν supra in Ὄρυγμα. Xen. Cyrop. 7, [3, 5]: Ὀρύττειν ἐπὶ λόφου τινὸς θήκην τῷ τελευτήσαντι. [Τάφρον 7, 5, 6.] Thuc. 2, [76]: Ὑπόνομον ἐκ τῆς πόλεως ὀρύξαντες, Cuniculo acto ab urbe. Fodere puteum dicit Plaut. et Cæsar; Fodere arva, Ovid. At Liv. Fodere argentum, pro Effodere. [Hom. Od. K, 305: Χαλεπὸν δέ τ' ὀρύσσειν ἀνδράσι, de moly. Pass. Herodot. 1, 185: Τὸν ὀρυσσόμενον χοῦν.] Ὀρύττειν ὕδωρ, Aquam fodere, ut Liv. Argentum fodere: unde pass. ὀρυττόμενον ὕδωρ. Herodian. 2, [10, 10]: Καὶ πίνειν ὀρυττόμενον ἀλλ' οὐχ ἀνιμώμενον ὕδωρ εἰθισμένοι, Potare effosos latices, non haustos. 1, [6, 4]: Πηγνύμενόν τε καὶ ὀρυττόμενον πίνων ὕδωρ, Concretam gelu atque effossam aquam potans. [« Fodere aut eruere sulphur ex sulphuraria, ὀρύττειν θεῖον apud Harmenop. t. de x. bs. 8 f. » HSt. Ms. Vind. || Arat. 1083: Εἰ δὲ βόες καὶ μῆλα μετὰ βρίθουσαν ὀπώρην γαῖαν ὀρύσσωσιν. Plato Euthyd. p. 288, E: Ἄνευ τοῦ ὀρύττειν τὴν γῆν.] Item Defodio, Facta fossa demitto: Xen. OEc. [19, 2], ὀρύττειν τὰ φυτά. [Verba sunt: Μήτε ὁπόσον βάθος ὀρύττειν τὸ φυτόν, ubi τὸ φυτὸν ex versu seq. repetitum putabat Schneider.] Et cum gen. γαίας, sub. κατὰ, ap. Soph. Aj. [659], γαίας ὀρύξας, In terram defodiens, Terra obruens: Κρύψω τόδ' ἔγχος τοὐμὸν ἔχθιστον βελῶν Γαίας ὀρύξας ἔνθα μήτις ὄψεται. Videtur tamen hic gen. et cum ἔνθα posse jungi. Item Perfodio, Pertundo. [Alexis] apud Athen. 2, [p. 60, B]: Τὴν λοπάδ' ὀρύττων ἀποδέδειχα κόσκινον. [Herodot. 1, 176: Ὁ ἰσθμὸς τὸν ὤρυσσον, et ib. in seqq. et præcedd.] Item Circumfodio. Theophr. [H. Pl. 6, 3, 5] de laserpitio: Φασὶ δὲ καὶ δεῖν ὀρύττειν ἐπέτειον· unde Plin.: Hoc et circumfodi solitum prodidere. Latini dicunt etiam Guttur cultro fodere, Fodere ora hastis, Latus alicujus fodere, Fodere stimulis. Quo referri potest ὀρύχατο, quod exp. Cædebantur: est autem Ionicum. Præt. Atticum Ὀρώρυχα, ut ὄλωλα: unde pass. [Herodot. 1, 186: Ὡς τὸ χωρίον ὀρώρυκτο· 185. Plato Critiæ p. 118, C] part. Ὀρωρυγμένος, Fossus. [Xen. Cyrop. 7, 5, 15, OEc. 19, 13. Omissa redupl. ap. Basil. M. vol. 2, p. 54, A, 10, κατωρυγμένου. Plusquamp. ὠρωρύχειν, Xen. Anab. 6, 8, 4. Verbum palæstricum est ap. Aristoph. Pac. 898: Παίειν, ὀρύττειν πὺξ ὁμοῦ καὶ τῷ πέει· Av. 442: Μήτ' ὀρχίπεδ' ἕλκειν μήτ' ὀρύττειν — οὔτι που τόν; οὐδαμῶς. — Οὔκ, ἀλλὰ τὠφθαλμὼ λέγω. Similiter Eumath. Ism. p. 74 m.: Ἐδόκουν ὅλας ὀρύττεσθαι τὰς πλευράς. Conf. Διορύττω. || Medio Apollon. Rh. 2, 1032: Βόθρον ὀρύξασθαι περιηγέα. Numenius ap. Athen. 7, p. 305, A: Ἔνθεν ὀρύξασθαι θέμεναί τ' εἰς ἄγγος ἀολλεῖς. Herodot. 1, 186: Τοῖσι λίθοισι τοὺς ὠρύξατο. Pass. Xen. Vect. 1, 65, γῆ ὀρυττομένη· 4, 2, ἀργυρῖτις. Herodot. 1, 186: Τὸ ὀρυχθὲν ἕλος γενόμενον. Plato Critiæ p. 118, C, et præsenti p. 114, E. || Forma Ὀρύχω Arat. 1086: Μηδὲ λίην ὀρύχοιεν. Cujusmodi de formis agit Lobeck. ad Phryn. p. 318.]

Ὀρυχὴ, ἡ, Fossio, Fossura. Plut. Symp. 4, 5 [p. 670, B] de suibus: Αἱ δὲ χρησάμεναι πάτῳ καὶ ὀρυχῇ, ταχὺ τὴν γῆν ἔστρεψαν ἐκ βάθους. Paulo ante [A], itidem de sue: Πρώτη γὰρ σχίσα.α τῷ προὔχοντι τῆς ὀρυχῆς (ὥς φασι) τὴν γῆν, ἴχνος ἀρόσεως ἔθηκε, καὶ τὸ τῆς ὕνεως ὑφηγήσατο ἔργον. In quo posteriori l. ὀρυχὴν dixit Rostrum suis quo fodit et vertit terram. In altero autem l., quem prius citavi, vetus liber habet ὀρυγῇ, a

A nom. Ὀρυγή: quod [male] exp. etiam Ululatus: qua signif. ὠρυγὴ [et ὀλολυγὴ] quoque dicitur. [Appian. Syr. 58. Wakef. Lucian. Ner. c. 1 et 3: Ἡ ὀρυχὴ τοῦ Ἰσθμοῦ. Per γ Combefis. Actt. Petri Al. p. 207, 4: Τῆς ὀρυγῆς ἤψαντο. Hase. Philostr. V. Apoll. 4, 24, p. 163; 5, 7, p. 194, addit Lobeck. ad Phryn. p. 231, et formæ Ὀρυγὴ exx. Dionys. A. R. 4, 59, Dioscor. 4, 151, Tzetz. Hist. 1, 915, Nicet. Chon. p. 396, A. Quibus accedunt Man. Philes Carm. 4, p. 114, 202, Constant. Man. Chron. 2668, a Kall. cit., Georg. Sync. p. 248, 7.]

[Ὄρυχος, ὁ, Apollon. Lex. Hom. p. 511 et Etym. M. fingunt ad explicandum ὄρχος.]

[Ὀρύχω. V. Ὀρύσσω.]

[Ὀρφαϊκὸς, ἡ, ὸν, Orphicus. Jo. Diac. Alleg. in Hesiodi Theog. p. 471 Gaisf.; Nicetas Chon. Andron. Comn. 1, p. 194, A. Macrob. Somn. Scip. 1, 12.]

[Ὀρφακίνης. V. Ὄρφος.]

[Ὀρφαναία. V. Ὀρφανός.]

[Ὀρφάνευμα, τὸ, Orbitas. Eur. Hec. 546: Τί ταρβῶν
B ὀρφάνευμ' ἐμῶν τέκνων.]

Ὀρφανεύω, i. q. ὀρφανίζω, in ea signif. cui posteriorem locum dedi. Eur. Alc. [163]: Πανύστατόν σε προσπιτνοῦσ' αἰτήσομαι, Τέκν' ὀρφανεῦσαι τἀμά. Ubi schol. exp. ὀρφανοτροφῆσαι et ἐπιτροπεῦσαι: addens etiam, ὀρφανιστὰς appellari τοὺς ἐπιτρόπους. [Ib. 297: Παῖδας ὠρφάνευες· et pass. 535: Πατρὸς θανόντος ἐνθάδ' ὠρφανεύετο· Hipp. 847: Ἐρῆμος οἶκος καὶ τέκν' ὀρφανεύεται· Suppl. 1132: Ἐγὼ ὀρφανεύσομαι.]

Ὀρφανία, ἡ, Orbitas [Gl. Damagetus Anth. Pal. 7, 540, 6: Γῆρας ἐν ἀργαλέῃ κείμενον ὀρφανίῃ.] Æschin. [p. 75]: Παραστησάμενος τὸν τῆς ὀρφανίας τοῖς παισὶν αἴτιον. [Lysias p. 176, 23. Polyb. 28, 1, 5: Συνεπιθέμενον τῇ τοῦ πατρὸς ὀρφανίᾳ.] Herodian. 1, [3, 3]: Μὴ νεότης ἀκμάζουσα, καὶ ἐν ὀρφανίᾳ ἐξουσίαν αὐτοκράτορα καὶ ἀκώλυτον προσλαβοῦσα, Ne filius, sive ætatis fervore nimio, sive licentia quadam summa, quam in orbitate esset habiturus, Polit. At in VV. LL. traditur significare Platoni in Leg., Defunctorum desiderium et jacturam. [5, p. 741, A: Ἐὰν ἐλάττους πολὺ δι' ὀρφανίας γένωνται· 11, p. 926, E: Ἡ τῆς ὀρφανίας τύχη·
C 927, E: Ἡ παρ' ἡμῖν ὀρφ. Improprie Pind. Isthm. 7, 6: Μὴ ἐν ὀρφανίᾳ πέσωμεν στεφάνων, Ne coronis orbemur. Scripturam per ι testatur etiam Theognost. Can. p. 104, 9.]

Ὀρφανίζω, Orphanum reddo, i. e. Pupillum, s. Orbum parente vel parentibus. Reddi etiam potest, Parente s. Parentibus privo. [Eur. Alc. 397: Προλιποῦσα δ' ἁμὸν βίον ὠρφάνισε.] Quum autem dicitur, γονέων ὀρφανίζω, supervacaneus est hic gen.: itidemque quum dicitur γονέων ὠρφανισμένος. [Pind. Pyth. 6, 22: Ὀρφανιζομένῳ Πηλεΐδα. Rectius autem vertitur Orbo, quum dicatur etiam de parentibus liberorum orbis. Lycophr. 103: Πόρτιν ὠρφανισμένην γονῆς.] Sed latius etiam usurpatur, et quidem ap. poetas præsertim, pro Privo (sicut sc. ap. Latinos Orbus et Orbare significationem suam latius extendunt), veluti quum dicitur ὀρφανίζειν ζωῆς, Privare vita. Cui simile est in Epigr. [Germanici Cæs. Anth. Pal. 9, 17, 4]: Πνεύματος ὠρφάνισε, Spiritu privavit. [Soph. Tr. 942:
D Ὁθούνεκ' ἐκ δυοῖν ἔσοιθ' ἅμα πατρός τ' ἐκείνης τ' ὠρφανισμένος βίου. Ep. Anth. Pal. 7, 483, 2: Ζωᾶς νήπιον ὠρφάνισας. Pind. Pyth. 4, 283: Ὀρφανίζει γλῶσσαν ὀπός. Theocr. Ep. 5, 6: Πᾶνα ... ὀρφανίσωμες ὕπνου. L. D. Inscr. Chia ap. Bœckh. vol. 2, p. 210, n. 2240, 10: Τὰς γὰρ ἀφ' ὑμῶν Ἅδης γηροτρόφους ἐλπίδας ὠρφάνισεν. Hase.] || Pupillorum curam gero, Pupillos curo. At in VV. LL. redditur simpliciter Curo: eademque interpr. in primis omnium Lexicis invenitur. Sed non dubito quin error hic ex omisso per incuriam accusativo, in prima illa irrepserit: ex iis autem in cetera, utpote cuncta ἀβασανίστως recipientia, manasse constat.

Ὀρφανικὸς, ἡ, ὸν, Pupillaris, Ad pupillum pertinens: ut ὀρφανικὰ χρήματα, Pupillaris pecunia. [Schol. Eur. Hec. 146, τὰ εἰς παρακαταθήκην τιθέμενα. L. D. Basil. Prochir. p. 91, 5 Zachar.: Ὁ ἐπίτροπος οὐ δύναται ὀρφανικὸν πρᾶγμα ἀγοράσαι, Rem pupillarem. Achmes Onirocr. p. 133, 15: Χρυσίον ὀρφ. Hase.] Sic ὀρφανικὰ συμβόλαια, Pupillaria pacta, Pacta quæ ad pupillos pertinent, Plato Leg. [11, p. 922, A. Τύχης ib. 928, A.] || Interdum i. q. ὀρφανὸς, Orphanus, Pupillus. Hom. Il. Z, [432]: Μὴ παῖδ' ὀρφανικὸν θείης, χήρην τε γυναῖκα. [Λ, 394: Παῖδες ὀρφανικοί· X, 490: Ἦμαρ δ' ὀρφανικὸν παναφήλικα παῖδα τίθησιν. Nonnus Jo. c. 14, 71: Οὐ μὲν ἐάσω ὑμέας... ὀρφανικούς. Lollius Bassus Anth. Pal. 7, 372, 5: Ὀρφανικῷ δ' ἐπὶ παιδὶ λιπὼν βίον. Gregor. Naz. ib. 8, 26, 7: Χῆραί τ' ὀρφανικοί τε τί ῥέξετε; Oppian. Hal. 3, 358: Ὀρφανικοῖο μετ' ἠιθέοιο.] In VV. LL. affertur ex Aristot. Polit. 2, [8 post init.]: Ὀρφανικῶν ἐπιμελεῖσθαι, quasi itidem positum sit pro ὀρφανῶν: sed nihilo magis ὀρφανικῶν pro ὀρφανῶν quam ξενικῶν pro ξένων positum censeri potest. In iisdem tamen ex Ejusd. OEcon. 2, [20 med.]: Ὀρφανικὸς οἶκος, Domus in qua filii sunt orphani. [Rectius, Quæ est pupillorum.] Sic autem ὀρφανὸς οἶκος habebis infra ex Eur.

[Ὀρφανικῶς, Pupilli more. Marcus Erem. De pœn. p. 913, E: Ὀρφ. αὐτῷ συνεῖναι. Hase.]

[Ὀρφάνιος, ὁ, Orbus. Leonid. Tar. Anth. Pal. 7, 466, 4: Ὀρφάνιον κλαίω γῆρας.]

Ὀρφανιστὴς, ὁ, Curator pupillorum, Tutor. Ὀρφανισταὶ vocabantur, utpote ὀρφανῶν ὑπεριστάμενοι, qui et χηρωσταὶ ob aliam rationem dicebantur, inquit Eust. [Il. p. 533, 32], qui de voce ὀρφανισταὶ Sophoclem testari tradit. Hujus autem locus extat Aj. p. 31 meæ ed. [512], ubi vide et schol.: a quo, inter alia, dicitur ὀρφανὸς esse ὁ ὅρον ἔχων τὸ οὐ φαίνεσθαι. Vide et Ὀρφανεύω. [Addit autem schol. s. Suidas ὀρφανιστὰς fuisse ἀρχὴν Ἀθήνησι τὰ τῶν ὀρφανῶν κρίνουσαν. Ἀρχὴν ἐπὶ τῶν ὀρφανικῶν, ἵνα μηδὲν ἀδικῶνται, dicit Photius.]

Ὀρφανὸς ubinam ponendum esset, non minus nunc quam antea dubitarem, si nunc quoque sua illi quærenda sedes esset. Quæ enim ab Etym. de nominis hujus derivatione scribuntur, talia sunt quæ nullo cum fructu, sed multo duntaxat cum risu legi possint: quem ne ego aliis invidere dicar, ea proferam. Uno igitur in loco ὀρφανὸς deducit ab ὅροφος, ut sit ὀρφανὸς quasi ὀροφανὸς, et significetur ὁ μὴ ἔχων τινὰ βοηθόν. Deducit et ab ὀρφνόν: quo declaratur τὸ σκοτεινόν. (Itidemque Hesych. postquam vocem Ὀρφαναία exposuit νυκτερινὴ et σκοτεινὴ, subjungit, Atque hinc ὀρφανὸν dictum esse, τὸν ἐν σκότει ὄντα.) In altero autem loco, nimirum post Ὀρχομενὸς, scribit, ὀρφανὸς esse ab οἶος, quod est μόνος: perinde ac si diceretur οἰοφανὸς, i. e. μόνος φαινόμενος: utpote γονεῖς μὴ ἔχων, Parentes non habens. Addit et quartam derivationem a verbo ἁρπάζω: ut dictus sit ὀρφανὸς quasi ἁρπανὸς, Is cujus parentes ἡρπάγησαν. Ego, tanquam ex malis eligens quod minus malum est, secundam etymologiam ceteris prætulerim. Atque adeo si et mihi meam de hujus vocabuli origine sententiam s. potius divinationem proferre liceat, dixerim ἀπὸ τῶν ὀρφινῶν ἱματίων (i. e. μελάνων, teste Polluce,) ortam esse vocem ὀρφανός: quod sc. ὀρφινὰ ἱμάτια gestarent. Interim tamen dissimulare nolo, posse suspectam esse ap. Polluc. scripturam istam ὀρφινά: quod arbitrer ab ὄρφνη s. ὀρφνὸς esse derivatum illud adjectivum: quam deductionem sequendo, ὀρφνινὸς s. ὄρφνινος scr. potius foret. Minime tamen nova videri deberet prioris ν omissio (quum vel ea de causa omissam suspicari possimus, ut ab ὄρφνινος differret, significante i. q. ὀρφναῖος,) nisi et ὄρφνινον χρῶμα, quod ap. Plat. Timæo extat, nec non ap. Aristot., suspicionem illam adjuvare possit. Sive autem adjici debere dicamus ap. Polluc., sive lectionem illam retineri, transferendus in primam accentus videri queat. — Ὀρφανὸς, ὁ [et ἡ, Eur. Hec. 150: Ἢ γάρ σε λιταὶ διακωλύσουσ' ὀρφανὸν εἶναι παιδὸς μελέας. Plerumque vero ἡ, ὸν, ut infra et Plat. Leg. 11, p. 926, C: Ὀρφανοῖς καὶ ὀρφαναῖς], Orbus parentibus, Pupillus, [Orbus, huic add. Gl.]: ὀρφανὰ τέκνα, Hesiod. Ἔργ. [328, Apoll. Rh. 4, 1063.] Dicuntur et ὀρφανοὶ παῖδες, sed potius absque hac adjectione. Hom. [Od. Υ, 66]: Ὡς δ' ὅτε Πανδαρέου κούρας ἀνέλοντο θύελλαι, Τῇσι τοκῆας μὲν φθῖσαν θεοί, αἱ δὲ λίποντο Ὀρφαναὶ ἐν μεγάροισι. Soph. [Aj. 653]: Οἰκτείρω δέ νιν Χήραν παρ' ἐχθροῖς παῖδά τ' ὀρφανὸν λιπεῖν, ubi videri possit allusisse ad Homeri locum quem in Ὀρφανικὸς protuli. [Eur. Alc. 288: Ξὺν παισὶν ὀρφανοῖσιν· Phœn. 988: Μητρὸς στερηθεὶς ὀρφανός τ' ἀποζυγείς. Xenoph. Anab. 7, 2, 32: Ἐξετράφην ὀρφανὸς παρὰ Μηδόκῳ, et alibi; sæpe item Plato in Rep. et Leg., etiam neutro, ut 11, p. 927, C: Εἰς ὀρφανὰ καὶ ἔρημα ὑβρίζουσι.] Æschin. [p. 75, 28]: Προσελθὼν ὁ κήρυξ, καὶ παραστησάμενος τοὺς ὀρφανοὺς, ὧν οἱ πατέρες ἦσαν ἐν τῷ πολέμῳ τετελευτηκότες. Interdum vero cum adjectione genitivi πατρὸς usurpatur, ut Plut., Ὀρφανὸς πατρός. [Γονέων Mor. p. 293, D.] Sic in Epitaphio Demosthenis [p. 1400, 20]: Λυπηρὸν παισὶν, ὀρφανοῖς γεγενῆσθαι πατρός· καλὸν δέ γε κληρονομεῖν πατρῴας εὐδοξίας. [Ion. 791, δόμους· Orest. 664: Θανὼν γὰρ οἶκον ὀρφανὸν λείψω πατρός· Med. 1209: Τίς τὸν γέροντα τύμβον ὀρφανὸν σέθεν τίθησιν; Soph. Ant. 425: Ὅταν κενῆς εὐνῆς νεοσσῶν ὀρφανὸν βλέψῃ λέχος.] Dicitur etiam ὀρφανὸς δόμος, ab Eur. [Alc. 660; οἶκος ab Soph. ap. Stob. Fl. 73, 54]: et ὀρφανὸς βίος, a Plat. [De bestiis Aristoph. Av. 1361: Πτερώσω σ' ὥσπερ ὄρνιν ὀρφανόν. || Ὀρφανοὶ, Pueri, qui in ecclesia cum ceteris cantoribus cantare solent, quos nostri pueros chorarios, *Enfans de chœur* vocant: sic forte dicti, quod ex orphanotrophio assumerentur. Euchólog. p. 369: Καὶ μετὰ τοῦτο συμψάλλων τοῖς ὀρφανοῖς. Infra: Οἱ ὀρφανοὶ καὶ ὁ ψάλτης. V. Gloss. med. Lat. in *Pueri*. Ducang.] Genus fem. Ὀρφανή: cujus plur. ὀρφαναὶ protuli modo ex versu Homerico: ὀρφανὴ πόλις, Plut. Rom. [c. 28. Eur. El. 914: Ὀρφανὴν φίλου πατρὸς ἔθηκας· 1010: Πατρὸς ὀρφαναί· Or. 1136: Νύμφας ἔθηκεν ὀρφανὰς ξυναίρων.] || Ὀρφανὸς nove usurpatur a Synesio, ubi dicit, Ἀλλ' ἱκετεύουσι μὴ γενέσθαι, ζῶντος αὐτοῖς ἔτι τοῦ πατρὸς, ὀρφανοί· ad verbum, Ne vivente adhuc patre fiant orphani: i. e. Ne ante mortem Pauli, quem parentis loco habent, sint tanquam orbi, s. pupilli. || Ὀρφανὸς generalius etiam pro Orbus: unde ὀρφανὸς παίδων s. τέκνων aliquis esse dicitur. Utiturque cum hoc posteriore genitivo Plut. [Eur. Andron. 308: Τεκέων ὀρφανοὶ γέροντες. Pind. Ol. 9, 65: Πότμον ὀρφανὸν γενεᾶς· Isthm. 6, 10: Ὀρφανὸν ἑτάρων. « Ὀδόντες πίπτουσιν γενύων ὀρφανὰ θέντες ἕδη, Epigr. ap. Sotion. p. 126, 16. » Hemst. Dioscor. Anth. Pal. 12, 42, 4: Ὀρφανὸν ἀγκίστρου κύματι δοὺς χάλαμον· anon. 7, 546, 5: Τὸ δέ οἱ βέλος ὀρφανὸν ἦχου. Sosith. Daphnid. v. 20: Κρατὸς ὀρφανόν. Epigr. ap. Pausan. 1, 13, 3: Νῦν δὲ Διὸς ναῷ ποτὶ κίονας ὀρφανὰ κεῖται τᾶς μεγαλαυχήτω σκῦλα Μακηδονίας. Platon. Alcib. 2 p. 147, A: Ὀρφανὸς ὢν ταύτης τῆς ἐπιστήμης.] A Plat. dicitur aliquis [βίος] ὀρφανὸς παίδων καὶ ἑταίρων, Leg. 5, p. 244 [p. 730, D], Orbus filiis et sodalibus, s. amicis. [Τῶν φιλτάτων Phædr. p. 239, E. Ὀρφανὴν ξυγγενῶν Reip. 6, p. 495, C.] Ὀρφανὸς, inquit Hesych., ὁ γονέων ἐστερημένος καὶ τέκνων, ubi pro καὶ aptius dixisset ἤ. || Ὀρφανὸς, metaph. latius etiam extenditur: Ὀρφανὰς τῶν πραγμάτων σχέσεις, quod ex Greg. Naz. affertur. [Pind. Isthm. 3, 26: Ὀρφανοὶ ὕβριος. || « Ὀρφανὸς, Lapis pretiosus, exquisitæ adeo raritatis, ut unicus sua specie existimatus sit, quique in Imperatoris corona effulgebat. Niceph. Bryenn. 1, 17 meminit istius πολυθρυλλήτου μαργάρου, ὃν Ὄρφανον κατωνόμαζον, aitque in clade Romani Diogenis in Turcorum potestatem venisse: qui non alius videtur ab eo quem ἐν μαργαριτάριον vocat Theophanes a. 22 Justiniani, quod ejus pariter stemmati adaptabatur. V. Gloss. med. Lat. in *Orphanus*. » Ducang.]

Ὀρφανοτροφεῖον, τὸ, Locus in quo orphani aluntur, Locus alendis orphanis s. pupillis destinatus. Affertur ex Just. L. Illud 16, et L. Sancimus 18 Cod. de Sacros. Eccles. [Basil. Prochir. p. 92, 8 Zachar. Hase. Harmenop. 3, 3, 5. Ducang.]

Ὀρφανοτροφέω, Orphanos alo s. educo, Educationis orphanorum s. pupillorum curam gero. Vide Ὀρφανεύω. [Schol. Eur. Alc. 163.]

Ὀρφανοτρόφος, ὁ, ἡ, Qui orphanum s. orphanos alit, Pupillorum nutritor. In VV. LL. autem ante hoc Ὀρφανοτρόφος habetur Ὀρφανότροφος, proparoxytone. cui hæc subjunguntur, Cui orphanos parentibusque orbatos alendi cura et procuratio commissa est. Hinc Orphanotrophi appellantur Pupillorum quasi tutores, Adolescentium vero quasi curatores, ap. Impp. L. 30 Cod. de Episcop. et Cler. Ita in VV. LL.; sed nullo modo scriptura illa retineri potest, quum sicut ὀρφανοτρόφος est Is qui orphanos s. orphanum alit, ita ὀρφανότροφος, sicubi reperiatur, sonet Qui ab orphano

s. orphanis alitur. [Pseudochrys. t. 9, p. 847, A. Basil. Prochir. p. 94, 1 : Τοῖς οἰκονόμοις καὶ ὀρφ. In numothecam Reg. Paris. illatæ sunt nuper CPli sigilla s. bullæ plumbeæ complures, inter quas una cum senariolo : Πρώτη μαθητῶν σφραγὶς Ὀρφανοτρόφου. Hase. Suid. v. Ἀκάκιος. Plura de officio ὀρφανοτρόφου non palatino, nisi forte extremis seculis, sed ecclesiastico, ut putat, disputat Ducang. in Gl.]

[Ὀρφανοφύλαξ, ἄκος, ὁ, Pupillorum tutor. Xen. Vectig. 2, 7.]

[Ὀρφανόω, Orbefacio, Gl. Pass. Philipp. Anth. Pal. 6, 101, 8 : Ἀκμῆς γυῖον ὠρφανωμένος.]

[Ὄρφαξ, ακος, ὁ, ad explicandum ὀρφακίνης fingit Eust. Od. p. 1720, 50, 60.]

[Ὀρφέες, οἱ, i. q. ὀρφοὶ, Marc. Sid. 33.]

[Ὀρφεῖος. V. Ὀρφεύς.]

[Ὀρφειὸς, ὁ, Orpheus. Gramm. Cram. An. vol. 2, p. 293, 32 : Τὰ διὰ τοῦ φιος κύρια διὰ τοῦ ι γράφονται ... χωρὶς τοῦ Ἀλφειὸς καὶ Ὀρφειός· ἔστιν δὲ ὄνομα ποιητοῦ ὅς διὰ στίχων ἐγράφη (ἔγραψε) τὰ κατὰ Ἡρακλέα.]

[Ὀρφεοτελεστὴς, οῦ, ὁ. HSt. in Τελεστής :] Ceterum illud τελεστὴς interdum per compositionem alii voci adjunctum reperitur, ut in nom. Ὀρφεωτελεστὴς, quod signif. Eum qui Orphicis mysteriis initiat. Scribitur autem a Bud. illo modo Ὀρφεωτελεστής [ut ap. Plut. Mor. p. 224, E] : quum alioqui VV. LL. habeant diversam in duabus syllabis scripturam; legitur enim ibi Ὀρφεοτελέσται : exponiturque, Initiandi auctores, qui felicitatem certissimam pollicebantur post obitum. [Ὀρφεοτελεστὴς Theophr. Char. 18, 4 Schn.]

[Ὀρφεὺς, έως, ὁ, Orpheus, f. Apollinis vel OEagri et Musæ, poeta Thracius, primum memoratus a Pind. Pyth. 4, 177 : Ἀοιδᾶν πατὴρ, εὐαίνητος Ὀρφεὺς, ubi v. schol. (313), tum a Tragicis, ut ab Æsch. Ag. 1629, et sæpius ab Eurip. aliisque plurimis, quorum fabulas persequitur Bodius in libro De antiq. carm. Orph. ætate atque patria, Gotting. 1838. Duos finxisse nonnullos tradit schol. Apoll. Rh. 1, 23. Orpheus Crotoniates, qui Homeri carmina jussu Pisistrati in ordinem redegerit, memoratur a grammat. in Cramer. Anecd. Paris. vol. 1, p. 6 fin., 13 init., et cum aliis nonnullis, ut Arcade s. Camarinæo, ab Suida. || De forma Dor. Ὄρφης Priscian. 6, 18, 92 : « Dores, qui pro Ὀρφεὺς Ὄρφης et Ὄρφην dicunt ... Similiter Ibycus ὀνομάκλυτον Ὄρφην dixit ... Græci ab hujusmodi nominativis ... vocativum in *e* longum terminant, ὦ Ὄρφη. » || Adj. Ὀρφεῖος, α, ον, ut ap. Eur. Alc. 969 : Ὀρφεία γῆρυς, idemque, ut videtur, ap. Diodor. Exc. Vat. p. 123 (vol. 2, p. 571 ed. Paris.) : Ἐπὶ γὰρ Ὀρφείαις μὲν ᾠδαῖς, ut ego nuper correxi vitium ed. Rom. μελῳδαῖς. Apoll. Rh. 2, 161 : Ὀρφείῃ φόρμιγγι. Plato Leg. 8, p. 829, E : Τῶν Θαμύρου τε καὶ Ὀρφείων ὕμνων. || Ὀρφικὸς, ή, όν, ap. Herodot. 2, 81 : Τοῖσι Ὀρφικοῖσι· Aristot. De anima 1, 5, fin. versus, ἔπεσι, et absolute Plut. Cæs. c. 9. Diog. L. 6, 4 : Μυούμενος τὰ Ὀρφικά. Plato Leg. 6, p. 782, C : Ὀρφικοί τινες λεγόμενοι βίοι. L. D. Plut. Plac. phil. 2, 13, 8 : Ἐν τοῖς Ὀρφικοῖς. Conf. Ritschl. *Die Alexandrin. Bibliotheken* p. 42. Hase. || Adv. Ὀρφικῶς ap. Olympiodor. In Plat. Phileb. p. 286, 7 a fine. Boiss.]

[Ὀρφὴ, quod inter nomina in φὴ ponit Arcad. p. 115, 10, scrib. ὀροφή.]

[Ὀρφὴν, ῆνος. Arcad. p. 8, 15 : Τὰ εἰς ην λήγοντα μὴ συντεθειμένα ἀπὸ τῶν εἰς ην ῥημάτων, εἰ ἔχει πρὸ τοῦ ην δασὺ σύμφωνον ἢ ψιλὸν, ὀξύνεσθαι θέλει, οἷον ... κηφήν, ὀρφήν.]

[Ὄρφης. V. Ὀρφεύς.]

[Ὀρφικός. V. Ὀρφεύς.]

Ὀρφίνη, Hesychio est καλάμη μελίνης, Culmus panici [pro ὀροφίνη].

[Ὀρφινός. V. Ὀρφανός.]

[Ὀρφίον, τὸ, dimin. ab ὄρφος. Alex. Trall. 7, p. 362.]

[Ὀρφίσκος, ὁ, piscis, i. q. κίχλη. Pancrates ap. Athen. 7, p. 305, D : Κίχλην, τὴν καλαμῆες σαῦρον κικλήσκουσι καὶ αἰολίην, ὀρφίσκον.]

[Ὀρφιτεβεώκη, Pentaphyllon. App. Diosc. 4, c. 42, p. 465. Apul. De herbis c. 2 ed. Torini habet Orphitebioce.]

Ὀρφναῖος, et Ὀρφνήεις, et Ὄρφνιος, et Ὀρφνώδης, Tenebrosus, Obscurus, Niger, Ater. Hom. Il. K, [83],

A Od. I, [143] : Νύκτα δι' ὀρφναίην. [Æsch. Ag. 21 : Εὐαγγέλου φανέντος ὀρφναίου πυρός. Eur. Or. 1225 : Ὦ δῶμα ναίων νυκτὸς ὀρφναίας πάτερ· et ap. Clem. Strom. 5, p. 717. (Eurip. Pirith. fr. 2 : Ὀρφναία νὺξ αἰολόχρως, ap. Euseb. Pr. ev. t. 3, p. 344, 13 Gaisf. Hase.) Apoll. Rh. 3, 863 : Βριμὼ ἀγκαλέσασα λυγαίῃ ἐνὶ νυκτὶ σὺν ὀρφναίοις φαρέεσσιν· 4, 1095 : Ὀρφναίῃ ἐνὶ ... καλιῇ. Manetho 3, 95, νύκτα.] Fem. Ὀρφναία, s. Ὀρφναίη, accipitur etiam substantive pro ὄρφνη, ut σεληναία pro σελήνη. Eur. Suppl. [994] : Ἱππεύουσι δι' ὀρφναίας [ὄρφνας], Per tenebras, Per tenebras nocturnas, Per noctem. Sic Apoll. Arg. 2, [690] : Ὀρφναίη πέλεται. Secundum Ὀρφνήεις ap. Hesych. legitur, afferentem ὀρφνῆεν pro μέλαν, σκοτεινὸν, necnon ὀρφανόν. [Sed leg. ὀρφνόν. Sic l. Xenoph. paullo post citando libri nonnulli ὀρφανίνων pro ὀρφνίνων. L. D. Manetho 4, 57 : Ὀρφνήεις, δολοεργός. Quint. Sm. 3, 655 (?). Wakef.] Sed tertium Ὄρφνιος, ut et Ὄρφνινος, de colore plerumque dicitur, pro Ater, Pullus. Plato Tim. [p. 68, D] ὄρφνινον χρῶμα fieri dicit, ὅταν λευκῷ καὶ

B ἐρυθρῷ καὶ μέλανι (ex quibus fit χρῶμα ἁλουργὲς) μεμιγμένοις καυθεῖσί τε, μᾶλλον συγκραθῇ μέλαν. Et Pollux [7, 69] τὰ μέλανα ἱμάτια dicta fuisse ὄρφνινα tradit. [10, 42, στρωμνή. Xenoph. Cyrop. 8, 3, 3 : Πορφυρίδων, ὀρφνίνων, φοινικίδων. Orph. Arg. 968 : Ὀρφνινά θ' ἑσσάμενος φάρη. Duris ap. Athen. 12, p. 535, F : Ὄρφνινον ἔχουσαι (χλαμύδες) τὸ φέγγος τῆς χρόας. Plut. Mor. p. 565, C : Τὰ ποικίλα ταῦτα καὶ παντοδαπὰ χρώματα τῶν ψυχῶν· τὸ μὲν ὄρφνιον καὶ ῥυπαρόν. Hic quoque restituendum quod pro ὄρφιον ap. Athen. præbuerunt libri meliores ὄρφνινον. Similiter ap. Plat. l. c. nonnulli ὄρφνειον vel ὀρφνειόν. Ap. Aristot. autem vel potius Theophrastum De color. libri Th. quidem, ut videtur, 22 ὄρφνιον· 9, 30 ὄρφνινον· 40 ὄρφνιαι· Aristotelis 2, p. 792, 27; 4, p. 794, 5, omnes ὄρφνιον· 5, p. 795, 19, tres ὄρφνινον, ceteri ὄρφνιον· p. 797, 6, quinque ὄρφνιναι, ceteri ὄρφνιαι vel ὄρφνια. Itaque huic quoque, ut Hesychio infra cit., eximenda forma ὄρφνιος. L. D.]] At paroxytonon Ὀρφνίον et Ὀρφνὶς, Hesych. est μέλαν ἱμάτιον, Pulla s. Atra vestis : quæ

C et ὄρφνινον s. ὄρφνιον ἱμάτιον. [Ὄρφνινον recte Sopingius. Ὀρφνὶς autem HSt. petiit ex eo quod ap. Hesych. in Ὀρφνίον appenditur καὶ ὀρφνιδές (sic).]

Ὄρφνη, ἡ, et Ὄρφνα Dorice, Tenebræ, Obscuritas, σκοτία. [Theognis 1075 : Ὄρφνη γὰρ τέταται. Pind. Ol. 1, 71 : Ἐν ὄρφνᾳ· Pyth. 1, 23 : Ἐν ὄρφναισιν. Eur. Ion. 955 : Ἐν ὄρφνῃ· et alibi. Rhes. 697 : Ὅστις δι' ὄρφνης ἦλθ' ἀδειμάντῳ ποδί· 774 : Πυκνῆς δι' ὄρφνης· 570 : Κατ' ὄρφνην· Heracl. 857 : Ὄρφνης ἐκ δυσαιθρίου νέων βραχιόνων ἔδειξεν ἡβητὴν τύπον· Herc. F. 46 : Ἡνίκα χθονὸς μέλαιναν ὄρφνην εἰσέβαινε παῖς ἐμός. Et forma Dor. Iph. T. 151 : Νυκτὸς, τᾶς ἐξῆλθ' ὄρφνα· Rhes. 42 : Πᾶσαν ἀν' ὄρφναν· Tro. 1072 : Κατ' ὄρφναν· Herc. F. 352 : Τὸν γᾶς ἐνέρων τ' ἐς ὄρφναν μολόντα παῖδα... Διός. « Μήτε ὄρφνᾶς ἐνισταμένας μήτε ἑσπέρας Phintys apud Stob. Flor. 74, 61 finem versus. » Hemst. Tim. Locr. p. 97, C : Ὄρφνας καὶ ἁμέρας· et ib. D. Aristophan. Ran. [1331] : Ὦ νυκτὸς κελαινοφανὴς ὄρφνα. [Xen. Reip. Lac. 5, 7 : Τῇ ὄρφνῃ ὅσα ἡμέρᾳ χρηστέον. Polyb. 18, 2, 7 : Ὑπὸ τὴν ὄρφνην. Accentum ὀρφνὴ, qui est

D ap. Stob. l. c. (sed ubi optimus liber ὄρφνας), et Diog. L. 9, 16 (ubi ὄρφνη Anth. Pal. 9, 540, 3) memorat Suidas : Ὀρφνὴ, ὀξυτόνως, σκοτία, νὺξ μέλαινα. V. Ὄρνη.]

[Ὀρφνήεις, εσσα, εν. V. Ὀρφναῖος.]

[Ὄρφνινος, Ὀρφνίον, Ὄρφνιος, Ὀρφνὶς, ίδος, ἡ. V. Ὀρφναῖος.]

[Ὀρφνίτης, ὁ. Leonidas Anth. Pal. 6, 289, 4 : Ὀρφνίταν εἰροκόμον τάλαρον. Jacobs. exp. Orbum, Vacuum, Salmasius νυκτουργόν, ab ὄρφνη ducens.]

[Ὀρφνοειδής. V. Ὀρφνώδης.]

Ὀρφνὸς, ὁ, affertur pro Tenebrosus, Obscurus, Niger, Ater. [Nicander Th. 656 : Φράζεο δ' αἰγλήεντα χαμαίλεον ἠδὲ καὶ ὀρφνόν· fr. ap. Athen. 15, p. 684, E : Ἰωνιάδας τε χαμηλὰς ὀρφνοτέρας. Etym. M. v. Ὀρφανὸς p. 634, 26 : Τὸ ὀρφνὸν, ὃ σημαίνει τὸ σκοτεινόν.]

Ὀρφνώδης, ὁ, ἡ, ap. Hippocr. Progn. [p. 161, 41; 162, 45] : Ὀρφνῶδές τι πρὸ τῶν ὀφθαλμῶν φαίνεσθαι· quod Galen. exp. μέλαν, Nigrum, Erot. σκοτεινὸν, Tenebricosum. [Id. p. 492, 48 : Ἰώδης χολὴ καὶ ὀρφνώδης, Æruginosa et atra. Oribas. p. 13 ed. Mai.]

['Ορφοβότης, ὁ.] 'Ορφοβόται, Nutricii et altores orphanorum, Hesychio ἐπίτροποι ὀρφανῶν : afferenti itidem 'Ορφοβοτία, ἡ, pro ἐπιτροπὴ, sc. ὀρφανῶν. [V. 'Ορφόω.]

['Ορφοβοτία. V. 'Ορφοβότης.]

[Ὄρφος s.] 'Ορφὸς, s. 'Ορφῶς, ὁ, Attice, Orphus, piscis est ap. Aristot. H. A. 5, 10 [ubi ὀρφῶς], et 8, [2 med., ubi ὀρφοὶ,] 12 [13 et 15, ubi ὀρφὸς], et Athen. 7, [p. 315, B] ubi ex Dorione tradit τὸν νέον ὀρφῶν a nonnullis vocari ὀρφακίνην. Ibid. Archestr. dicit, Γλαύκους ἢ ὀρφῶν ἔναλον γένος [immo Numenius illic et p. 305, et p. 328, A, ubi ὀρφόν. In versu Nicandri p. 329, A, liber optimus ὀρφὸς, ceteri ὀρφῶς]. Et Aristoph. Vesp. [493] : Ἢν μὲν ὠνῆταί τις ὀρφὼς, μεμβράδας δὲ μὴ θέλῃ. Plin. Orphum rubentem ex Ovidii Halieut. memorat. [Plato ap. Athen. 1, p. 5, D : 'Ορφῶν, αἰολίαν κτλ. (Galen. vol. 6, p. 727, 18 : 'Ορφούς τε καὶ γλαύκους ὁ Φιλότιμος ἐν τοῖς σκληροσάρκοις ὀρθῶς καταλέγει. Hase.) De utraque forma Athen. p. 315, A : Καλεῖται δὲ καὶ ὀρφὸς, ὡς Πάμφιλος, cujus formæ ib. C ponit ex. Plat. com., ubi ὀρφοῖσι, additque : Τὴν μέντοι ἑνικὴν εὐθεῖαν ὀξυτόνως προφέρονται Ἀττικοὶ, et exx. ejus et genitivi ponit oxytona. Et ὀρφὼς, ὀρφῶ scriptum ap. Theognost. Can. p. 97, 25. Sed Jo. Alex. Τον. παραγγ. p. 8, 36 : 'Εν τοῖς εἰς ως περισπᾶται ... ὀρφῶς· et Chœrob. vol. 1, p. 66, 19 : Σεσημείωται τὸ ὀρφῶς καὶ λαγῶς περισπώμενα· ταῦτα γὰρ οὐχ ἐφύλαξαν τὸν τόνον τῶν κοινῶν. Τοῦ μὲν γὰρ ὀρφῶς τὸ κοινὸν ὄρφος βαρύτονον, τοῦ δὲ λαγῶς λαγωὸς ὀξυτόνως· 260, 11 : Ὁ ὄρφος ὁ ὀρφῶς· τοῦτο δὲ περισπᾶται παρὰ τοῖς Ἀθηναίοις, τοῦ παρ' ἡμῖν, ἤγουν τοῦ κοινοῦ, βαρυνομένου. Eadem fere ex Chœrobosco Etym. M. in v., additque : Ἡρωδιανός φησιν ὅτι ... οὐδὲν περισπᾶται πλὴν τοῦ ὀρφῶς κτλ. Ὄρφος inter barytona ponit schol. Hom. Il. Λ, 68, et Arcad. p. 84, 16 : Ὄρφος κοινῶς, ὀρφῶς δὲ ἀττικῶς, qui ὀρφῶς ponit etiam p. 94, 5. Itaque ὄρφος potius ponere debebat HSt.]

['Ορφόω, i. q. ὀρφανόω.] Ὤρφωσεν ab Hesychio exp. ὠρφάνισεν. Traditur autem illo ὤρφωσεν usus esse Sophocles. [V. 'Ορφοβότης.]

['Ορφώνδας, ὁ, Orphondas, Thebanus, ap. Pausan. 10, 7, 7.]

['Ορφῶς. V. 'Ορφός.]

['Ορχάδες, αἱ, ins. ap. Suidam quæ supra 'Ορκάδες.]

['Ορχαλίδης, ὁ, λόφος, Bœotiæ, postea Ἀλώπεκος dictus, ap. Plut. Lysand. c. 29, qui Ἀρχελίδης Mor. p. 408, A. Alterum ab ὄρχος repeti posse putabat Lobeck. Patholog. p. 98, 39, ut est ap. Theocr. 1, 48 : Ἁ μὲν (ἀλώπηξ) ἀν' ὄρχως φοιτῇ. Nam etiam ap. Plut. est ὃν ἀλώπηξ οὔποτε λείπει.]

'Ορχάμη, ἡ, Polluci [7, 147] δασεῖα δένδροις οὐχ ἡμέροις γῆ, Terra arboribus sylvaticis densa, Arboretum, Arbusta.

Ὄρχᾰμος, ὁ, pro ἀρχὸς, Princeps, et ex eo ortum; nam ex ἄρχω fit ἀρχὸς, deinde ἄρχαμος (ea forma qua πλόκαμος ex πλόκος), et mutato α in ο, ὄρχαμος. Scio tamen et aliam deductionem afferri. Ceterum ὄρχαμος ab Hom. jungitur genitivo, Od. Ξ, [22, 121] : Συβώτης ὄρχαμος ἀνδρῶν, ubi Eust. ait ita vocari Subulcum, vel tanquam ἀρχικὸν ἄνδρα, vel tanquam ἄρχοντα δούλων ἑτέρων. Ego vero existimo ita dici ut Gall. *C'est le roy des hommes*. Quo etiam modo jocatus est auctor opusculi, quod Moretum inscribitur, de illo suo fortissimo heroe. [Et sic alibi sæpe ap. Hom. aliosque Epicos cum genit. ἀνδρῶν s. λαῶν. Æsch. Pers. 129 : Σὺν ὀρχάμῳ στρατοῦ. Jo. Gaz. Tab. mundi v. 18 : Ὄρχαμε κόσμου. Palladas Anth. Pal. 11, 284, sine genitivo.]

'Ορχὰς, άδος, ἡ, Hesychio περίβολος, αἱμασιὰ, Septum, Sepes : item εἶδος ἐλαίας, Species oleæ, forsan testicularis, ὀρχῖτις. [Hac signif. Nicand. Al. 87 : 'Ορχάδος εἶαρ ἐλαίης, ubi male ὀρχὸς scriptum ap. schol. Virg. Georg. 2, 86 : « Olivæ Orchades, » unde *Orchites* citat HSt. in Ὄρχις, confert Schneider. Altera Photius : Ῥάχοισιν ὀρχάδος στέγης· Σοφοκλῆς δὲ τοὺς φραγμοὺς τῆς ποίμνης. 'Ορχάδος in codice Babrii 12, 20, vitiose pro ὀργάδος.]

[Ὄρχας, α, ὁ, Orchas, n. viri, ponit Chœrob. vol. 1, p. 40, 1.]

Ὄρχᾰτος, ὁ, dicitur ἡ ἐπίστοιχος φυτεία, ut ὄγμος, Plantæ ordine positæ, Plantarum ordines : ut in vinetis et hortis. ['Επίστιχος est ap. Etym. M. in v. et schol. Theocr. 1, 48. Conf. schol. Aristoph. Ach. 995.] Hom. [Il. Ξ, 123 : Πολλοὶ δὲ φυτῶν ἔσαν ὄρχατοι ἀμφίς·] Od. Η, [112] : Ἔκτοσθεν δ' αὐλῆς μέγας ὄρχατος ἄγχι θυράων τετράγυος. [Ib. Ω, 222 : Μέγαν ὄρχατον ἐσκαταβαίνων· 245 : Ἀμφιπολεύειν ὄρχατον· 358 : Οἶκον, ὃς ὀρχάτου ἐγγύθι κεῖται. Eur. ap. Athen. 11, p. 465, B : Πεπαίνοντ' ὀρχάτους ὀπωρινούς. Lycophr. 857 : Ὄρχατον φυτοῖσιν ἐξησκημένον. Anyte Anth. Pal. 9, 314, 1 : Ἑρμᾶς τᾷδ' ἔστακα παρ' ὄρχατον ἠνεμόεντα· Macedon. 11, 374, 4 : 'Οδόντων ὄρχατον.] Sunt qui ab ἔρχομαι derivent, quoniam δι' αὐτοῦ ἐστὶν ἔρχεσθαι : alii ἀπὸ τῆς ὀρχήσεως. Infra ὄρχος pro eodem. [Ach. Tat. Leuc. p. 118, 15 : 'Ορχάτους τῶν φυτῶν. Id. ib. p. 103, 14 : Κιόνων ὄρχ., ad quem l. conf. Jacobs. Animadv. p. 756. Hase. Ὄρχατοι, στίχοι ἀμπέλων, Antes; 'Ορχάτων, Antium, Gl. Eust. Opusc. p. 336, 51 : Οἱ στιχηροὶ, ὧν γράμματα, εἴτε ὄρχατοι εἴτε ὄγμοι.]

Ὄρχεα, i. q. ὄσχεος, Galen. Lex. Hippocr., ubi γράφεται et Ὄρχεος. Aristot. ὀσχέαν vocat infra in Ὄρχις, Lat. Scrotum : i. e. ἡ τῶν ὄρχεων σκέπη δερματίνη, ut idem Aristot. appellat. V. Ὄσχ—.]

'Ορχείδιον, sive 'Ορχίδιον, τὸ, Testiculus, dimin. ab ὄρχις. Legitur autem ὀρχείδιον ap. Suid. in Ὄρχις : at ὀρχίδιον in l. quodam Diosc. habes infra in Ὄρχις Herbam significante, ubi Plin. interpr. Testiculi. [Liutprandi Hist. 4, 4, p. 453, D ed. Murat. : « Viris ὀρχίδια id est testiculos amputare. » L. D. Galen. vol. p. 488, 14 : 'Ορχιδίου ξηροῦ ἀλώπεκος. De Mercuriali planta Diosc. 4, 188 : Ὥσπερ ὀρχίδια κατὰ δύο προσκείμενα. Hase.]

'Ορχέομαι, Salto, Tripudio. Hom. [Il. Σ, 594 : Ὠρχεῦντ' ἀλλήλων ἐπὶ καρπῷ χεῖρας ἔχοντες·] Od. Ξ, [465] : Καί θ' ἁπαλὸν γελάσαι καί τ' ὀρχήσασθαι ἀνῆκεν. [Hesiod. Th. 4 : Καί τε περὶ κρήνην ... πόσσ' ἁπαλοῖσιν ὀρχεῦνται.] Aristoph. Pl. [761] : 'Ορχεῖσθε καὶ σκιρτᾶτε καὶ χορεύετε. Sic Herodian. 5, [7, 8] : 'Ορχεῖσθαί τε καὶ χορεύειν, Saltare et choreas agitare. [Aristoph. Thesm. 1178, de saltatrice : 'Ορχησομένη γὰρ ἔρχεθ' ὡς ἄνδρας τινάς.] Athen. 6 : 'Ορχούμενος καὶ κωμάζων. Lucian. De salt. [c. 30] : Πάλαι μὲν οἱ αὐτοὶ καὶ ᾖδον καὶ ὠρχοῦντο· εἶτ' ἐπειδὴ κινουμένων τὸ ἆσθμα τὴν ᾠδὴν ἐπετάραττεν, ἄμεινον ἔδοξεν ἄλλους αὐτοῖς ὑπᾴδειν. Xen. [Cyrop. 1, 3, 10], ὀρχεῖσθαι ἐν ῥυθμῷ, Ad numeros saltare. Id. Symp. [7, 5] : Εἰ ὀρχοῖντο πρὸς τὸν αὐλόν. [Anab. 6, 1, 5.] Sic [Demetrius Sceps. ap.] Athen. 4, [p. 155, B] : 'Εν τῷ δείπνῳ πρὸς ὅπλα ὠρχοῦντο, In armis saltabant : unde ἐνόπλιοι ὀρχήσεις. Attici quoque ἐν τοῖς συμποσίοις solebant ὀρχεῖσθαι ὑποπιόντες, inquit Athen. 4, [p. 134, A] citans hunc Alexidis l. : Ἅπαντες ὀρχοῦντ' εὐθέως, ἂν οἴνου μόνον 'Οσμὴν ἴδωσι. Ii etiam, qui præ lætitia saltitant s. exultant, ὀρχεῖσθαι dicuntur. Aristoph. Vesp. [1477] : Περιχαρὴς τῷ πράγματι 'Ορχούμενος τῆς νυκτὸς οὐδὲν παύσεται, Non desinet saltare tota nocte. Item εὖ ὀρχεῖσθαι, Athen. 14, ut Epigr. : Καλὸν Ἀρισταγόρης ὠρχήσατο. Contra Athen. 4 : Κακῶς ὀρχούμενος· et 14, [p. 628, C] : Φορτικῶς ὀρχησάμενος, de Hippoclide proco, qui eam ob rem dicebatur ἀπορχήσασθαι τὸν γάμον. [Herodot. 6, 129 : Ἑωυτῷ μὲν ἀρεστῶς ὠρχέετο.] Interdum cum accus. construitur. [Apollon. Rh. 1, 1135 : Βηταρμὸν ἐνόπλιον ὠρχήσαντο. Herodot. 6, 129 : Ὠρχήσατο Λακωνικὰ σχημάτια.] Xen. Symp. [7, 5], ὀρχεῖσθαι σχήματα· Cyrop. 8, [4, 11], ὀρχεῖσθαι τὸ Περσικόν. [Anab. 6, 1, 7 : Ὠρχοῦντο τὴν καρπαίαν καλουμένην ἐν τοῖς ὅπλοις.] Sic Athen. 10, [p. 434, E] : 'Εν μόνῃ τῶν ἑορτῶν τῶν ἀγομένων ὑπὸ Περσῶν τῷ Μίθρῃ, βασιλεὺς μεθύσκεται, καὶ τὸ Περσικὸν ὀρχεῖται. Plut. Symp. 9 : Ὠρχήσατο πιθανῶς τὴν πυῤῥίχην. Lucian. De saltat. [c. 11] : Τὸν ὅρμον ὀρχούμενοι· et [c. 34] : Γέρανον ὀρχεῖσθαι· quæ saltationum nomina sunt, sicut et πυῤῥίχη. At Theophyl. Ep. 32, de fluvio qui agrum inundarat : Κακὸν ἡμῖν ὠρχήσατο σκίρτημα. Porro et histriones fabulam aliquam ὀρχεῖσθαι dicebantur : Ovid. dicit, Carmina saltantur theatro : et, Poemata saltata populo : quum et saltabant et gestibus corporis fabulam exprimebant, pro δράματος partibus mutantes suas personas, ut indicat hic Luciani l. De salt. [c. 66], ubi de barbaro quodam sermo est : 'Ιδὼν πέντε πρόσωπα τῷ ὀρχηστῇ παρεσκευασμένα, τοσούτων γὰρ μερῶν τὸ δρᾶμα ἦν, ἐζήτει, ἕνα ὁρῶν τὸν ὀρχηστὴν, τίνες οἱ ὀρχησόμενοι, καὶ ὑποκρινούμενοι τὰ λοιπὰ προσωπεῖα. Cui respondetur ὅτι αὐτὸς ὑποκρινεῖται καὶ ὑπορχήσεται τὰ πάντα. Epigr. εἰς Ὀρχηστὰς, Lucill. [Anth. Pal. 11, 254, 3]: Τὴν μὲν γὰρ Νιόβην ὀρχούμενος ὡς λίθος ἔστης· Καὶ πάλιν ὢν Καπανεὺς ἐξαπίνης ἔπεσες, Saltans et repræsentans Nioben. [Boethus ib. 9, 248, 3: Εἰ τοῖος Διόνυσος ἐς ἱερὸν ἦλθεν Ὄλυμπον, οἷον ὁ τεχνήεις Πυλάδης ὠρχήσατο κεῖνον.] Lucian. De saltat. [c. 76], ὀρχεῖσθαι τὸν Καπανέα. Ibid. [c. 83]: Ὀρχούμενος τὸν Αἴαντα· et [c. 63]: Ὠρχήσατο τὴν Ἀφροδίτης καὶ Ἄρεος μοιχείαν· et [c. 80]: Τὰς Διὸς γονὰς ὀρχούμενός τις καὶ τὴν τοῦ Κρόνου τεκνοφαγίαν· et [c. 14]: Εὖ ὀρχησαμένῳ τὰν μάχαν, Qui non repræsentavit histrionum more, sed depugnavit; erat enim in pretio apud ipsos saltatio: unde ὀρχεῖσθαι μάχαν dicebant pro Strenue et cum laude depugnare. [Cum dat. Eust. Od. p. 1684, 55: Ἰάμβη παρεμυθεῖτο αὐτὴν ὀρχουμένη τοιούτῳ μέτρῳ.] Antiphanes dixit etiam ὀρχεῖσθαι ταῖς χερσὶ ap. Athen. 4, [p. 134, B]: Οὐχ ὁρᾷς ὀρχούμενον Ταῖς χερσὶ τὸν βάκηλον· improprie, sicut vicissim Herodot. [6, 129] de Hippoclide illo, Ἐχειρονόμησε τοῖς σκέλεσι. Itidem dicitur, Εἶχεν ἐπὶ χειρὸς πέδην· unde χειροπέδη. [|| Passiva signif. Athen. 14, p. 631, C: Βέλτιστοι δ' εἰσὶ τῶν τρόπων οἵτινες καὶ ὀρχοῦνται. Improprie Æsch. Cho. 167: Ὀρχεῖται δὲ καρδία φόβῳ. Antiphanes Athen. 15, p. 688, B: Ὀρχεῖ γὰρ εὐθὺς, ἣν ἴδῃς δεδοικότα, item de corde.] ||Ὀρχεῖσθαι ponebatur etiam ἐπὶ τοῦ κινεῖσθαι καὶ ἐρεθίζεσθαι, Athen., qui l. 1, [p. 21, A] hujus signif. duo affert exempla, alterum ex Anacreonte, Καλλίκομοι κοῦραι Διὸς ὠρχήσαντ' ἐλαφρῶς· alterum ex Ione, Ἐκ τῶν ἀέλπτων μᾶλλον ὤρχησε φρένας· quæ et Eust. citans p. 1942, annotansque et ipse ὀρχεῖσθαι a vett. pro κινεῖσθαι usurpatum fuisse, dicit videri ὀρχέομαι derivari ab ὀρέγω, facta syncope: quoniam id verbum infinitis in ll. significet κίνησιν quandam manuum et pedum: alii ἀπὸ τῶν ὄρχων, i. e. a vinearum ordinibus, in quibus inter vindemiam primitias Baccho offerentes choreas agebant. Igitur Ὀρχέω accipitur pro κινέω, Moveo, Athen., Eust. [Act. ὀρχῶ ponit etiam Arcad. p. 153, 27.] At Plato pro Saltare facio, Elevo, In altum tollo a terra, accepisse videtur. Nam Palladis etymon investigans, et existimans fortasse ita dictam ἀπὸ τῆς ἐν τοῖς ὅπλοις ὀρχήσεως, subjungit [Cratyl. p. 407, A], Τὸ γάρ που ἢ αὐτὸν ἤ τι ἄλλο μετεωρίζειν ἢ ἀπὸ τῆς γῆς, ἢ ἐν ταῖς χερσὶ, πάλλειν τε καὶ πάλλεσθαι, καὶ ὀρχεῖν καὶ ὀρχεῖσθαι καλοῦμεν. Hesych. ὀρχεῖται exp. διασείεται. [In Ind.:] Ὠρχεῦντο, Ionice pro ὠρχοῦντο.

[Ὄρχεος. V. Ὄργεα.]

[Ὀρχέω. V. Ὀρχέομαι.]

Ὄρχη, ἡ, Vas olearium s. vinarium, Capsa pigmentorum muliebrium, Arca, VV. LL. At ὄρκη, Hesychio ὄψις.

Ὀρχηδὸν, Hesychio ἡβηδόν: itidemque Lex. Hippocr. Apud Suid. Ὀρχηδόνως, sed perperam, scriptum est. [«Ὀρχηδὸν, adv. Herodoteum. Vulgaria Lexica per ει diphth., ὀρχειδὸν, et ὀρχειδόνως scribunt, et ἡβηδὸν, i. e. Viritim, interpretantur, ac Herodoto vocab. hoc tribuunt: sed nec liber nec locus nec exemplum ullum notatur. Suidas: Ὀρχηδόνως, ἡβηδόν. Ἡρόδοτος. Hinc nihil certi potest colligi. Sed ap. Suid. leg. ὀρχηδὸν, ὡς ἡβηδὸν, i. e., Dicitur ὀρχηδὸν ad similitudinem τοῦ ἡβηδόν. Ceteri θησαυρογράφοι tacent. Ἔμελλον λάξεσθαι ὀρχηδὸν ἕκαστος δέκα δραχμὰς, 7, 144. Valla: Eaque (pecunia) esset æque dividenda viritim denis in singulos puberes drachmis. Port. Singuli viritim decem drachmas erant accepturi. Quod autem alias κατ' ἄνδρα, et κατὰ κεφαλὴν dicitur, i. e. Viritim, et In singula capita, nunc συνωνύμως ὀρχηδὸν ab Herod. dicitur, quasi dicas κατ' ὄρχεις, qui mares virosque suo testimonio demonstrant. Idcirco vulgatam Lexicorum lectionem per ει non damno. Sed ap. Herod. ἡ δίφθογγος ει in η vertetur, ut et Æolice et Dorice non raro factum videmus. Locutionem κατὰ κεφαλὴν usurpat Dionys. Hal. A. R. 4, p. 220, 33; 245, 46, et 5, p. 296, 33 ed. Wechel.» Schweigh. Lex. Herod. Schol. Aristidis vol. 3, p. 597, 16; 599, 8, τοὺς ἄνδρας καὶ τοὺς παῖδας. Boiss.]

Ὀρχηθμὸς, ὁ, Saltatio [Gl.], i. q. ὄρχησις. Hom. Od. Θ, [263]: Δαήμονες ὀρχηθμοῖο· Ψ, [134] de citharœ- A do: Ἡγείσθω ἡμῖν φιλοπαίγμονος ὀρχηθμοῖο· Il. N, [637]: Κόρος ἐστὶ Μολπῆς τε γλυκερῆς καὶ ἀμύμονος ὀρχηθμοῖο· Od. Ψ, [298]: Παῦσαν ἄρ ὀρχηθμοῖο πόδας. Utitur et Hesiod. [Sc. 282] hoc vocabulo, Παίζοντες ὑπ' ὀρχηθμῷ καὶ ἀοιδῇ. [Aliique Epici.]

Ὄρχημα, τὸ, et Ὀρχησμὸς, ὁ, Saltatio, VV. LL. Quod posterius ap. Lucian. legitur De saltat. [c. 23]: Ὠδὴ γλυκερὰ καὶ ὀρχησμὸς ἀμύμων. Sed pro eo reponendum esse ὀρχηθμὸς, ex proxime præcedentibus patet. [Ὄρχημα, Soph. Aj. 699: Νύσια Κνώσι' ὀρχήματα. Xen. Conv. 2, 23. (Lucian. Apol. c. 5: Αὐλοῖς καὶ ῥυθμοῖς καὶ ὀρχήμασιν. Hase.) Pollux 4, 100 seqq.; 6, 95; 7, 180. Ὀρχησμὸς, Æsch. Eum. 375: Ὀρχησμοῖς ἐπιφθόνοις ποδός. Panyasis ap. Athen. 2, p. 37, B: Πάντες ὀρχησμοί. Quint. Mæcius Anth. Pal. 6, 33, 7, et Alcæus Mess. ib. 6, 218, 10.]

[Ὀρχηματικὸς, ἡ, ὸν, Saltatorius. Eust. Il. p. 137, 38. Seager.]

[Ὀρχηνοὶ, οἱ, Orcheni. Strabo 16, p. 739: Ἔστι δὲ τῶν Χαλδαίων τῶν ἀστρονομικῶν γένη πλείω. Καὶ γὰρ Ὀρ- B χηνοί τινες προσαγορεύονται κτλ.]

Ὄρχησις, εως, ἡ, Saltatio, [Saltus, add. Gl.] i. q. poeticum ὀρχηθμός. [Plato Leg. 2, p. 654, B: Χορεία... ὄρχησίς τε καὶ ᾠδὴ τὸ ξύνολόν ἐστιν.] Herodian. 4, [6, 4]: Ὑποκριταί τε πάσης μούσης καὶ ὀρχήσεως, ubi μούσης et ὀρχήσεως copulat, sicut Hom. μολπῆς et ὀρχηθμοῖο, Hesiod. ὀρχηθμῷ et ἀοιδῇ. Ib. [11, 5]: Χαίρουσι γὰρ τοιαύτην τινὰ ὄρχησιν κινούμενοι, Hujusmodi tripudiis delectantur. Plut. Præc. san.: Τῷ κινοῦντι δι' ὀρχήσεως ἑαυτόν· Symp. 7, [p. 705, A]: Μέλος δὲ, καὶ ῥυθμὸς, καὶ ὄρχησις, καὶ ᾠδὴ, παραμειψάμεναι τὴν αἴσθησιν ἐν τῷ χαίροντι τῆς ψυχῆς, ἀπερείδονται τὸ εὔτερπὲς καὶ γαργαλίζον· Symp. 9, probl. ult. [p. 747, C] tres partes ὀρχήσεως recenset, φορὰν, σχῆμα, δεῖξιν: nam ἡ ὄρχησις ἔκ τε κινήσεων καὶ σχέσεων συνέστηκεν. Appellant autem φορὰς, τὰς κινήσεις: σχήματα vero, τὰς σχέσεις καὶ διαθέσεις, εἰς ἃς φερόμεναι τελευτῶσιν αἱ κινήσεις: tertium, sc. ἡ δεῖξις, est δηλωτικὸν τῶν ὑποκειμένων, ut pluribus ibi docet et exemplis confirmat. Varias autem ὀρχήσεων species enumerat Athen. 1, et 14, [p. 630] et Pollux C 4, c. 14 [§ 95, 99, 102-105]. At Homero duo solummodo genera fuisse cognita, sc. τὴν κυβιστητήρων et τὴν διὰ τῆς σφαίρας, prodidere Athen. 1, [p. 14, D] et Suid. Idem Athen. 14, [p. 630, F] quædam etiam σχήματα ὀρχήσεως recenset. Ibid. σκηνικῇ ποιήσει tres ascribit ὀρχήσεις, τραγικὴν, κωμικὴν, σατυρικήν. [Conf. 1, p. 20, E.] Ibid., μανιώδεις ὀρχήσεις: item [1, p. 22, B] ἐθνικαὶ, quæ a gente aliqua nomen acceperunt, ut Ἰταλικαὶ, Λακεδαιμονικαὶ, Τροιζηνικαὶ, Ἐπιζεφύρειοι [—ριοι], Κρητικαὶ, Ἰωνικαί: necnon Μαντινειακαὶ [ita Eust. Od. p. 1602, 29, quum Μαντινιακαὶ vel —τικαὶ sit in libris, quod Μαντινικαὶ scribendum foret, de quo in Μαντίνεια diximus], quas Aristoxenus ceteris præfert διὰ τὴν τῶν χειρῶν κίνησιν. Sunt et ἐνόπλιοι et ἐναγώνιοι ὀρχήσεις ap. Polluc. [4, 99] et Lucian. [De salt. c. 32. Xen. Anab. 6, 1, 11: Δεινὰ ἐποιοῦντο πάσας τὰς ὀρχήσεις ἐν ὅπλοις εἶναι. Plat. Crat. p. 406, D: Τῆς ἐν τοῖς ὅπλοις ὀρχήσεως· Leg. 7, p. 813, E, cui contraria εἰρηνικὴ p. 815, B.] Et πάντιμος ὄρχησις, Cæsaris Augusti inventum, Suid. Περὶ ὀρχήσεως scripserunt D Aristoxenus et Lucian. [Polyb. 4, 20, 12: Ὀρχήσεις ἐκπονοῦντες.]

[Ὄρχησμα, τὸ, Saltatio. Nicet. Eugen. 7, 315. Boiss. Quod ὄρχημα scrib. videtur.]

[Ὀρχησμός. V. Ὄρχημα.]

Ὀρχηστὴρ, ῆρος, ὁ, Saltator, i. q. ὀρχηστής. Hom. Il. Σ, [494]: Κοῦροι δ' ὀρχηστῆρες ἐδίνεον· ἐν δ' ἄρα τοῖσιν Αὐλοὶ φόρμιγγές τε βοὴν ἔχον. [Hesiod. ap. Strab. 10, p. 687, de Curetibus. Oppian. Cyn. 1, 61; Lucian. Salt. c. 13.]

Ὀρχηστὴς, ὁ, Saltator. [Pantomimus, Gl.] Hom. Il. Ω, [261]: Ὀρχησταί τε χοροιτυπίῃσιν ἄριστοι. Athen. 1, [p. 14, A]: Ἐχρῶντο ἐν τοῖς συμποσίοις καὶ κιθαρῳδοῖς καὶ ὀρχησταῖς. Lucian. De salt. [c. 67] dicit ὀρχηστὰς ab Italis vocari παντομίμους: nam ἡ ὄρχησις in imitatione posita est. Et Aristot. De poet. [c. 1]: Τοὺς τῶν ὀρχηστῶν διὰ τῶν σχηματιζομένων ῥυθμῶν μιμεῖσθαι καὶ ἤθη καὶ πάθη καὶ πράξεις· imitari autem ipso tantummodo rhythmo s. harmonia. Rursum Lucian. De salt. [c. 69] dicit ὀρχηστὰς a Lesbonacte vocari χειρισόφους: solebant enim quædam ὀρχήσεις cum manuum motu et gesticulatione fieri, ut patet ex iis quæ in Ὄρχησις et Ὀρχέομαι dicta sunt. Item εὐκίνητος, ut exp. in Lex. meo vet. hic versus Homeri Il. Π, [617] ad Merionem: Καὶ ὀρχηστήν περ ἐόντα, i. e. εὐκίνητον κατὰ πόλεμον. Solebant enim ditiores in Creta πυῤῥιχίζειν, πρὸς ἄσκησιν τῶν πολεμικῶν: πυῤῥίχη autem, ἐνόπλιος ὄρχησις est. [Pind. ap. Athen. 1, p. 22, B: Ὀρχήστ'... Ἄπολλον. Aristoph. Pac. 789. Lycophr. 249: Καταίθει γαῖαν ὀρχηστὴς Ἄρης. Dioscorid. Anth. Pal. 7, 37, 6: Ὀρχηστὴν τῇδ' ἀνέπαυσα πόδα. Xen. Eq. 11, 6: Ἃ ὁ ἵππος ἀναγκαζόμενος ποιεῖ, οὔτε ἐπίσταται οὔτε καλά ἐστιν, οὐδὲν μᾶλλον ἢ εἴ τις ὀρχηστὴν μαστιγῴη καὶ κεντρίζοι. A choreutis, qui in choris saltabant, distinguit Comm. 3, 5, 21: Χορευτῶν καὶ ὀρχηστῶν ἄρχειν. Plato Leg. 7, p. 813, B, Euthyd. p. 276, D. L. Dind. Aristot. p. 808, 32: Φιλόκυβοι γαλεαγκῶνες καὶ ὀρχησταί. Galen. vol. 6, p. 155, 3. Philo vol. 1, p. 305, 30, et vol. 2, p. 480, 17. Id. ib. p. 529, 35: Ὀρχ., καὶ μῖμοι, καὶ αὐληταί. Hase.]

Ὀρχηστικὸς, ἡ, ὸν, Saltatorius. [Aristot. Poet. c. 24: Τὸ δὲ ἰαμβικὸν καὶ τετράμετρον κινητικὰ, τὸ μὲν ὀρχηστικὸν, τὸ δὲ πρακτικόν· 4: Τὸ μὲν πρῶτον τετραμέτρῳ ἐχρῶντο διὰ τὸ σατυρικὴν καὶ ὀρχηστικωτέραν εἶναι τὴν ποίησιν.] Lucian. De salt. [c. 70], Ὀρχηστικὰ πρόσωπα. Plut. [Mor. p. 67, F], ὀρχηστικὴ ὑγρότης, Manuum agilitas talis qualis in saltatoribus conspicitur, Saltatoria manuum flexibilitas. [Anon. De musica p. 37, 2 Bellerm.: Οἱ τοῖς ὀρχηστικοῖς προσήκοντες μουσικοί. Jo. Chrys. t. 1, p. 880, E: Ὀρχ. βίον. Hase.] Athen. 1, [p. 21, E]: Ὀρχηστικὰ σχήματα· 12, [p. 520, D]: Ἐνέδοσαν τοῖς ἵπποις τὸ ὀρχηστικὸν μέλος· quod ἱππόθορον vocant: de quo et Plut. [Τέλεον εἰς ὀρχηστικὸν συνεκπίπτοντες ῥυθμοί, Longin. c. 41, 1. Valck.] Et ἡ ὀρχηστικὴ, sub. τέχνη vel ἐπιστήμη, Ars saltatoria. [Polyb. 9, 20, 7.] Lucian. De saltat., Τῆς ὀρχηστικῆς ἡ ἄσκησις. Eod. l. [c. 71]: Τὴν σύντονον κίνησιν τῆς ὀρχηστικῆς, καὶ στροφὰς αὐτῆς καὶ περιαγωγὰς, καὶ πηδήματα καὶ ὑπτιασμούς· et [c. 65]: Ὁ σκοπὸς τῆς ὀρχηστικῆς, ἡ ὑπόκρισίς ἐστι. [Sext. Emp. p. 281, 11. Marc. Anton. 5, 1. Id. 7, 61: Ἡ βιωτικὴ τῇ παλαιστικῇ ὁμοιοτέρα ἤπερ τῇ ὀρχηστικῇ. De ὀρχ. propter Hieronis tyrannidem in Sicilia orta Proleg. ad Rhet. Hermog. Walz. vol. 4, p. 11, 22. Hase. Athen. 1, p. 20, F: Ὀρχηστικὴν δεδιδαγμένος καὶ μουσικήν. Addito τέχνη Plat. Leg. 7, p. 816, A.] Homo etiam aliquis ὀρχηστικὸς dicitur, pro Saltator, Plut. [Mor. p. 27, B; 67, B.] Item ap. Athen. l. 1, [p. 22, A] ὀρχηστικοὶ ποιηταὶ vocantur, Thespis, Pratinas, Cratinus, Phrynichus, non solum διὰ τὸ τὰ ἑαυτῶν δράματα ἀναφέρειν εἰς ὄρχησιν τοῦ χοροῦ, sed etiam quod extra poesin profiterentur et docerent τὴν ὀρχηστικήν. [Galen. vol. 4, p. 451, 13: Τοῖς ὀρχηστικοῖς ἢ παλαιστικοῖς. Id. vol. 6, p. 158, 3: Εἴτ' ὀρχ. ἦν ὁ ἄνθρωπος εἴθ' ὁπλομαχικός. Hase.] Idem [Ath.] l. 12: Παιδίσκαι ὀρχηστικαί. [Ita HSt. tacito pro ὀρχηστρικαὶ, et recte, ut in Ὀρχηστρικὸς dicemus. || Adv. Ὀρχηστικῶς, Strabo 10, p. 473; Ælian. N. A. 2, 11. Pollux 4, 95.]

Ὀρχηστοδιδάσκαλος, ὁ, Saltator qui saltatoriam artem docet, ὀρχηστὴς ὁ τὴν ὀρχηστικὴν διδάσκων, Xen. Symp. aliquoties [2, 15 et 9, 3]. Athen. 1, [p. 21, F]: Τελέστης ὁ ὀρχηστοδιδάσκαλος πολλὰ ἐξεύρηκε σχήματα, ἄκρως ταῖς χερσὶ τὰ λεγόμενα δεικνυούσαις· quem Telesten Aristocles ibid. dicit fuisse Æschyli ὀρχηστὴν τεχνίτην. Igitur ὀρχηστοδιδάσκαλος is dicitur, qui ἐν ὀρχηστικῇ absolutus est, et alios eam docere potest. Ib. Chamæleon dicit Æschylum σχηματίσαι τοὺς χορούς, ὀρχηστοδιδασκάλοις μὴ χρησάμενον. [Dio Chrys. p. 306, 6 Emper. (vol. 1, p. 492 Reisk). Lucian. De merc. cond. c. 27: Κίναιδός τις ἢ ὀρχ. Femin. Jo. Chrys. t. 6, p. 809, 43 Savil.: Ἡ ὀρχηστροδιδάσκαλος τῆς κακῆς διδασκαλίας. Hase. Ælian. N. A. 2, 11. Pollux 4, 95; 7, 180.]

[Ὀρχηστομανέω, Saltatoribus insanio. Lucian. De salt. c. 85: Εἰ δὲ βουληθείης κοινωνῆσαί μοι τῆς θέας, εὖ οἶδα ἐγὼ πάνυ ἁλωσόμενόν σε καὶ ὀρχηστομανήσοντά γε προσέτι.]

[Ὀρχηστοφιλοπαίγμων, ονος, ὁ, ἡ, Saltandi jocandique amans. Const. Manass. Chron. 627.]

Ὀρχήστρα, ἡ, Pars theatri in qua chorus saltabat; scribit enim Pollux [qui v. 4, 95, 123] τὴν σκηνὴν propriam esse τῶν ὑποκριτῶν, Histrionum: ὀρχήστραν vero chori, in qua erat ἡ θυμέλη. Suid. autem in Σκηνὴ, dicit ὀρχήστραν esse τόπον ἐκ σανίδων ἔχοντα τὸ ἔδαφος, ἀφ' οὗ θεατρίζουσιν οἱ μῖμοι. [Timæus Lex. p. 196: Ὀρχήστρα τὸ τοῦ θεάτρου μέσον χωρίον, καὶ τόπος ἐπιφανὴς εἰς πανήγυριν, ἔνθα Ἁρμοδίου καὶ Ἀριστογείτονος εἰκόνες. Photius: Ὀρχ. πρῶτον ἐκλήθη ἐν τῇ ἀγορᾷ, εἶτα καὶ τοῦ θεάτρου τὸ κάτω ἡμικύκλιον, οὗ καὶ οἱ χοροὶ ᾖδον καὶ ὠρχοῦντο. Lex. rh. Bekk. An. p. 286, 16: Ὀρχήστρα, τοῦ θεάτρου τὸ νῦν λεγόμενον σίγμα· ὠνομάσθη δὲ οὕτως, ἐπεὶ (ἐκεῖ addit Photius) ὠρχοῦντο οἱ χοροί.] Isocr. Symm. [p. 175, C]: Ἐψηφίσαντο τὸ περιγιγνόμενον ἐκ τῶν φόρων ἀργύριον, διελόντες κατὰ τάλαντον, εἰς τὴν ὀρχήστραν τοῖς Διονυσίοις εἰσφέρειν. Utitur et Æschin. [p. 61, 5; 75, 40; 86, 34], Plato [Apol. p. 26, E], Athen., [Polyb. 30, 13, 11,] et alii passim. Epaminondas autem ap. Plut. Apophth. [p. 193, E] πολέμου ὀρχήστραν vocat Bœotorum χώραν ὑπτίαν οὖσαν καὶ ἀναπεπταμένην. Utuntur Latini quoque hoc vocab., ipseque Cicero. Vitruv. 5, 6: In orchestra autem senatorum sunt sedibus loca designata: ut ejus pulpiti altitudo ne sit plus pedum quinque, uti qui in orchestra sederint, spectare possint omnium agentium gestus. Sueton. [Neron. c. 12]: Deinde in orchestram senatumque descendit. Juven. autem pro Senatorum et primatum consessu usurpare existimatur, quum ait [3, 177], Similemque videbis Orchestram et populum. || Ὀρχήστρα, Suidæ est ἡ παλαίστρα: ap. quem legitur etiam Ὀρχήστριον, sed sine expos.: dubiumque est an pro Parva orchestra, an vero pro Saltatricula accipiat: præsertim quum copulet ὀρχήστριον καὶ ὀρχηστρίς.

[Ὀρχήστρια, ἡ, Saltatrix, Antiosa, Gl. HSt.:] In VV. LL. habetur etiam Ὀρχήστρια, ut ποιήτρια, et alia similia; sed hoc ὀρχήστρια Thom. Mag. [p. 658] rejicit. [Jo. Chrys. t. 3, p. 207, A: Μίμους καὶ ὀρχηστρίας. Hase. Pollux 4, 95.]

[Ὀρχηστρικὸς, ἡ, ὸν, ap. Theopompum Athen. 12, p. 531, C: Παιδίσκας, τὰς μὲν ᾠδικὰς, τὰς δὲ ὀρχηστρικὰς, scribendum ὀρχηστικὰς, quod v. Ὀρχηστρικὸς enim, quod ab ὀρχήστρα ducendum esset, hic non aptum. L. Dind.]

[Ὀρχήστριον. V. Ὀρχήστρα.]

Ὀρχηστρὶς, ίδος, ἡ, Saltatrix, ut Cic. appellat, i. e., Femina ὀρχηστική. [Aristoph. Ran. 514, et alibi.] Plut. [Mor. p. 753, D]: Αὐλητρίδες Σάμιαι καὶ ὀρχηστρίδες. Xen. Symp. [2, 1]: Αὐλητρίδα ἀγαθὴν καὶ ὀρχηστρίδα τῶν τὰ θαύματα δυναμένων ποιεῖν. Utitur in eod. l. [et Anab. 6, 1, 12] identidem, itemque [Plato Leg. 7, p. 813, B, Prot. p. 367, D,] Athen. 4, [p. 130, A]. Et Dem. Phal., ἔνοπλος ὀρχηστρίς: erant enim quædam ἐνόπλιοι ὀρχήσεις. [Dem. Phal. vol. 9, p. 60, 3 Walz. Saltatrices ἔνοπλοι sæpe occurrunt in picturis fictilium, velut Hamilton. *Vases* ed. Florent. t. 44, tab. 55 et t. 1, t. 60, quas ibi p. 83 adolescentulos esse crediderunt. Hase.]

[Ὀρχηστρομανία, ἡ, Insanum saltationis studium. Orig. C. Cels. 3, p. 485=145.]

Ὀρχηστὺς, ἡ, Saltandi ars, ἡ ὀρχηστικὴ (ut κιθαριστὺς dicitur ἡ κιθαριστική), ipsa etiam Saltatio, ὄρχησις s. ὀρχηθμός. Hom. Od. Α, [421], Σ, [303]: Οἱ δ' εἰς ὀρχηστύν τε καὶ ἱμερόεσσαν ἀοιδὴν Τρεψάμενοι τέρποντο· Α, [152]: Τοῖσιν μὲν ἐνὶ φρεσὶν ἄλλα μεμήλει, Μολπή τ' ὀρχηστύς τε· supra quoque μολπὴν et ὀρχηθμὸν copulat, sicut Hesiod. ὀρχηθμὸν et ἀοιδὴν, ut et in Ὄρχησις annotavi. [Θ, 253, Ρ, 605. Eur. Cycl. 171.] Utitur hoc vocab. Lucian. quoque [Timon. c. 55]: Μέθυσος καὶ πάροινος, οὐκ ἄχρις ᾠδῆς καὶ ὀρχηστύος μόνον, ἀλλὰ καὶ λοιδορίας καὶ ὀργῆς.

[Ὀρχίδιον. V. Ὀρχείδιον.]

[Ὀρχιεὺς, έως, ὁ, dicitur Apollo, Lycophr. 562. Kall.]

Ὀρχίλος, ὁ, Orchilus, avis, quæ et σαλπιγκτὴς dicitur, Hesych. [Et qui βασιλικὸς, σ., ὄρνεον ὁμοίως σάλπιγγι φθεγγόμενον, Photius.] Noctuæ inimicam esse tradit Aristot. H. A. 9, 1 [med.]. Schol. Aristoph. [Av. 569] dicit esse Parvam avem et libidinosam, dictam παρὰ τοὺς ὄρχεις: id quod et Comicus ipse innuit. [Conf. Salmas. ad Solin. p. 444, A. Eandem esse quam Τρόχιλον et Ἴυγγα suspicatur De Witte *Ant. de M. le vic. Beugnot* p. 27. Hase. Aristoph. Vesp. 1513; Arat. 1025; Antonin. Lib. c. 14, p. 100. Ὄρχιλος scriptum ap. Theophr. fr. 6 De signis 3, 2; 4, 4.]

[Ὀρχιπαιδίζω.] Ὀρχιπαιδίζειν, Hesychio est τὸ κακοσχολεύεσθαι παρὰ τοῖς παιδίοις, ut prædicones. At Ὀρχίπεδα exp. etiam Testes s. Testiculi, οἱ ὄρχεις. Aristoph. Pl. [955]: Ἕλξει θύραζ' αὐτὸν, λαβὼν Τῶν ὀρχιπέδων, Testiculis arripiens. Av. [442]: Μήτ' ὀρχίπεδ' ἕλκειν, μήτ' ὀρύττειν. Similem l. ex Eod. in Ὄρχις afferam. [Av. 142: Οὐκ ὠρχιπέδησας, ut ap. Phot. est Ὀρχιπεδεῖν, τὸ περὶ τὰ παιδία κακοσχολεῖσθαι. Sed recte ap. Hesychium Ὠρχιπέδισας, et, excepta diphthongo, supra Ὀρχιπαιδίζων. L. Dind.]

Ὀρχιπέδη, ἡ, Vinculum testium. Epigr. [Antiphanis Anth. Pal. 10, 100, 6]: Τοιαύτη σ' ἐκδέχετ' ὀρχιπέδη, Tale testium vinculum, Talis hernia: de senili ætate.

[Ὀρχιπεδίζω. V. Ὀρχιπαιδίζω.]

[Ὀρχίπεδον. V. Ὀρχιπαιδίζω.]

Ὄρχις, εως, ὁ, Testiculus, Testis, [Coleus, Culeus, add. Gl.]: quo utitur Cels. infra in Ὄσχεον. [Soph. fr. Troili ap. Polluc. 10, 165: Σχαλμῇ γὰρ ὄρχεις βασιλὶς ἐκτέμνουσ' ἐμούς. Nicand. Th. 565, Alex. 307: Κάστορος ὄρχιν. Herodot. 4, 109: Τούτων (bestiarum) οἱ ὄρχιες.] Aristot. H. A. 1, c. ult.: Τούτου δ' ἐξήρτηνται οἱ ὄρχεις τοῖς ἄῤῥεσι, Ex eo suspensi sunt testes. Id. De gen. an. 1, 12: Οἱ δὲ ὄρχεις τοῖς μὲν ἐκτὸς, οἱ δὲ ἐντός. Et mox, Ὅσοις ἐν φανερῷ εἰσὶν οἱ ὄρχεις, ἔχουσιν σκέπην δερματικὴν, καλουμένην ὀσχέαν, Quorum testes extant et foris conspiciuntur, cute integuntur, quæ Scrotum vocatur. Aliquanto post, Δελφῖνες καὶ ὅσα τῶν κητωδῶν ὄρχεις ἔχουσιν, ἐντὸς ἔχουσι, καὶ τὰ ᾠοτόκα καὶ τετράποδα τῶν φολιδωτῶν. Ibid., ὀρνίθων ὄρχεις· alibi, τῶν ᾠοτόκων καὶ τῶν ζωοτόκων οἱ ὄρχεις. Xen. Eq. [1, 15]: Ὄρχεις δὲ μὴ μεγάλους τὸν ἵππον ἔχειν. Athen. 7: Ἧπάρ τε κάπρου, κριοῦ τ' ὄρχεις, in cibo, sicut et l. 9, [p. 384, E] ex Aristomene: Ὄρχεις ἤσθιον, οὓς καὶ νεφροὺς ἐκάλουν. Et Galen. febricitanti dandos esse ait ἀλεκτρυόνων ὄρχεις, Testiculos gallinaceorum. Aristoph. Nub. [713]: Τοὺς ὄρχεις ἐξέλκουσιν, Καὶ τὸν πρωκτὸν διορύττουσιν, Testiculos extrahunt, et anum perfodiunt. Pl. [312]: Τῶν ὄρχεων κρεμῶ, Ex testiculis suspendam. [Lys. 363: Κοὔ μήποτ' ἄλλη σου κύων τῶν ὄρχεων λάβηται.] Item, ὄρχεων κεφαλὴ, Caput testium, h. e. Summa pars, Pollux 2, [172]: Ὄρχεων δὲ τὸ μὲν ἄνω, κεφαλή· τὸ δὲ κάτω, πυθμήν. [Frequens est etiam ap. Hippocr. aliosque medicos utroque numero.] || Ὄρχις sive Κυνὸς ὄρχις, Herbæ nomen. Diosc. 3, 141: Ὄρχις, οἱ δὲ κυνὸς ὄρχιν καλοῦσι. Et c. seq.: Ὄρχις ἕτερος, ὃν σεραπιάδα ἕτεροι καλοῦσι. Et mox, Ῥίζα δὲ ὕπεστιν ὀρχιδίοις ὁμοία· priorem vero ὄρχιν dicit habere ῥίζαν βολβοειδῆ, ἐπιμήκη, διπλῆν, στενὴν ὡς ἐλαίας, τὴν μὲν ἄνω, τὴν δὲ κατωτέρω. Plin. 26, 9: Sed inter pauca mirabilis est Orchis herba, s. Serapias, foliis porri, caule palmeo, flore purpureo, gemina radice, testiculis simili: ita ut major, sive, ut aliqui dicunt, durior, ex aqua pota excitet libidinem: minor, sive mollior, ex lacte caprino inhibeat. Ibid. quum satyrii quoque speciem unam dixisset esse radice gemina ad formam hominis testium, alternis annis intumescente ac residente, subjungit, Alterum satyrion, Orchis cognominatur, et femina esse creditur. Ὄρχεως hujus meminit et Theophr. H. Pl. 9, [18, 3. V. Schneider. Ind. Theophr., qui Galeni in Gloss. v. Διδύμη et Hesychii in Διδυμίου exx. addit.] || Ὄρχις, genus quoddam Olivæ, magnitudine instar testiculorum. Colum. 5, 8: Orchis quoque et radius melius ad escam quam in liquorem stringitur. Cujus plur. Orchites frequentissimum apud rei rusticæ scriptores. Cato c. 7: Item alia genera quamplurima serito aut inserito: oleas orchites, pausias: eæ optime conduntur vel virides vel in muria, vel in lentisco contusæ. Unde Varro 1, 60: Oleas esui optime condi scribit Cato, orchites, et pausias, aridas vel virides in muria, vel in lentisco contusas. Ibid., sicut et Cato l. c., dicit Orchites nigræ. Colum. 12, 47: Albam pausiam vel orchitem, vel radiolum vel regiam dum contundes, primum quamque, ne decoloretur, in frigidam muriam demergere. Virg. Georg. 2, [86]: Nec pingues unam in faciem

A nascuntur olivæ, Orchites, et radii, et amara pausia bacca. Ubi Serv.: Orchites a Græca etymologia, sed obscœna, a testiculis, qui ὄρχεις dicuntur. Plin. 15, 1, de oleis: Genera earum tria dixit Virg. orchites et radios et pausias. Et c. 3: Prima ergo ab autumno colligitur pausia, cui plurimum carnis: mox orchites, cui olei: post radius. Ubi quum dicat Orchites sequente Cui, fortasse Orchitis aliquis malit, in qua declinatione extat ap. Nonium [Festum?] ubi et illud etymon habes. Apud Colum. vero legitur etiam Orchita, 12, 47: Oliva pausia, vel orchita, quum primum ex albo decoloratur, fitque luteola, sereno cœlo manu distringitur, et in vannis uno die sub umbra expanditur. Variant ergo Latini in declinatione hujus ὄρχις. Inclinant enim Græci ὄρχις, ὄρχεως, et plur. ὄρχιες s ὄρχεις: at Latini Orchis orchitis, sicut χάρις, χάριτος: unde accus. sing. Orchitem, in loco quodam Columellæ paulo ante citato, itidemque ap. Varr. 11, 24: et plur. Orchites ap. Catonem, Varr., Colum., Virg., Plin. Quod vero attinet ad Ὀρχῖτις, si mendosum B non est, ita ab ὄρχις derivatum erit ut μελιτῖτις a μέλι, juxta formam derivatorum quæ in ίτης terminantur, et fem. faciunt ῖτις, ut πλακῖτις, βοτρυῖτις, a πλὰξ et βότρυς: μηλῖτις a μῆλον, ὀνῖτις ab ὄνος, et ejusmodi alia. Orchita autem prorsus Latinam inclinationem habet. || Ὄρχις dicitur etiam Piscis esse, ex Plin. 32, 11: Durissimum esse piscium constat, qui Orchis vocetur; rotundus est et sine squamis, totusque capite constat. Sed ibi quidam habent Orbis, non Orchis.

[Ὀρχιστηνὴ, ἡ, Orchistene, regio Armeniæ, ap. Strab. 11, p. 528.]

[Ὀρχῖτις. V. Ὄρχις.]

[Ὀρχμὴ, ἡ.] Ὀρχμαὶ, Hesychio φραγμοὶ, καλαμῶνες, Septa, Arundineta. Item φάραγγες, σπήλυγγες, Specus.

[Ὀρχομενίζω, Cum Orchomeno vel Orchomeniis facio. Hellanic. ap. Steph. Byz. v. Χαιρώνεια: Τοὺς ὀρχομενίζοντας τῶν Βοιωτῶν.]

[Ὀρχομένιον usurpatur Hippocrati p. 879, F. In- C certum vero est an adarce aut adarcion intelligatur, quod plurimum inter arundineta lacus Orchomenii innascitur, an vero calami cortex ustus accipiatur, qui etiam tenuium est admodum partium, valdeque deterget, exsiccat et digerit, ideoque ad alopecias est efficax. Orchomenii lini meminit Plin. 19, 1. Foes.]

[Ὀρχομενὸς, ὁ, (ἡ ap. Thuc. 1, 113, Apoll. Rh. 4, 215), Orchomenus, opp. Bœotiæ, ap. Hom. Il. B, 511; I, 381; Od. Λ, 283, 458, Hesiod. ap. Pausan. 9, 36, 6, et eund. ap. Strabon. 9, p. 424, Pind. Ol. 14, 4, Isthm. 1, 35, Xen. H. Gr. 3, 5, 17, etc., Polyb. 4, 11, et alios. Opp. Arcadiæ, ap. Hom. Il. B, 605, Xen. Gr. 6, 5, 15, etc. Strab. 8, p. 338: Ἀπολλόδωρος διδάσκων ὃν τρόπον ὁ ποιητὴς εἴωθε διαστέλλεσθαι τὰς ὁμωνυμίας, οἷον ἐπὶ τοῦ Ὀρχομενοῦ, τὸν μὲν Ἀρκαδικὸν πολύμηλον καλῶν, τὸν δὲ Βοιωτικὸν Μινύειον· et ubi inter deletas aut ruinosas refert p. 388. Prope Carystum Eubœæ, ap. eund. 9, p. 416. Schol. Apoll. Rh. 2, 1186: Δύναται δὲ καὶ Ὀρχομενοῦ μνημονεύειν τοῦ μεθορίου Μακεδονίας καὶ Θεσσαλίας. Ἔστι γὰρ Ὀρχομενὸς D καὶ ὄρος καὶ πόλις Θεσσαλίας καὶ Βοιωτίας καὶ Ἀρκαδίας καὶ Πόντου. || Orchomenus, f. Lycaonis, est ap. Apollod. 3, 8, 1, Tzetz. ad Lyc. 481, p. 636, Pausan. 8, 3, 3; 36, 1. F. Minyæ 9, 36, 6, schol. Pind. Isthm. 1, 79. || Gentilis Ὀρχομένιος exx. et apud geographos aliosque sunt scriptores et in numis utriusque urbis, in Bœoticæ etiam Ερχο vel Ερχ ap. Mionnet. *Suppl.* vol. 3, p. 516, eodemque modo in inscrr. Bœoticis, etiam post Alex. M., de quibus v. Bœckh. vol. 1, p. 722, A, et in libro Vat. Pind. Ol. 14, 2, omnibusque, ut videtur, Theophr. fr. 2, De lap. 33, sed apud hunc quidem errore librariorum, ut in versu Hesiodeo ap. Theon. ad Arati Phæn. 45. L. D. De regione Pausan. 8, 23, 2: Τὸ ὕδωρ τὸ ἐκ τῆς Ὀρχομενίας. Hase.]

Ὄρχος, ὁ, i. q. ὄρχατος, h. e. φυτῶν στίχος, s. ἐπίστιχος φυτεία. [Schol. Aristoph. Ach. 995, στ. ἀμπέλων ἢ ἑτέρων φυτῶν.] Plantæ ordine positæ, Plantarum ordo: item κῆπος, Hortus, teste Hesych. Itidem ὄρχον pro στίχον ἀμπέλων [Antes his add. Gl.] accipiunt ap. Hom. Od. H, [127]: Ἔνθα δὲ κοσμηταὶ πρασιαὶ παρὰ νείατον ὄρχον Παντοῖαι πεφύασιν, ἐπηετανὸν γανόωσαι. Et ap. Hesiod. Sc. [294] : Ἐφόρευν βότρυας μεγάλων ἀπὸ ὄρχων Βριθομένων φύλλοισι καὶ ἀργυρέῃς ἑλίκεσσι. [Quibus addita repetitio horum : Παρὰ δέ σφισιν ὄρχος χρύσεος ἦν,... σειόμενος φύλλοισι καὶ ἀργυρέῃσι κάμαξι. Xen. Œc. 20, 3 : Οὐχ ὀρθῶς τοὺς ὄρχους ἐφύτευσεν.] Sic Theophr. H. Pl. 4, 5 [4, 8] : Φυτεύουσι δὲ ἐν τοῖς πεδίοις αὐτὰ κατ' ὄρχους· διὸ καὶ πόρρωθεν ἀφορῶσιν ἄμπελοι φαίνονται, Per ordines, Ordinatim. Et quod Cic. De senect. dicit, Mei sunt ordines, Gaza vertit, ἐμοί εἰσιν οἱ ὄρχοι. [Pro ὀρχήσει usurpare videtur Nil. Epist., si recte legitur p. 123, 31 : Μετ' ὄρχου καὶ γέλωτος. Hase.] Schol. Theocr. [1, 48] παρὰ τὸ ὀρύσσεσθαι derivatum vult quasi ὄρυχος, ideoque esse dicit βόθρον εἰς ὃν ἐντίθεται τὸ φυτὸν πρὸς μοσχείαν, Foveam in quam imponitur planta ut pullulet. [Pollux 7, 145. Ὀρχὸς male scriptum ap. Arcad. p. 197, 7, Polluc. 1, 228; 2, 69, et in Etym. M. v. Ὄρχατος, quod eandem quam schol. Theocr. ponit etymologiam.]

Ὀρχοτομέω, Testes excido, Castro, seu, ut Varro loquitur, Eviro. Apsyrtus in Hippiatria : Ὀρχοτομοῦμαι. Alex. Aphr. Probl. [1, 9] : Ὠρχοτομήθησαν ἢ ἐθλάσθησαν, Sunt castrati aut collisi. [Τοῖς ὀρχοτομουμένοις it. Hippiatr. p. 67, 10; 158, 26; 159, 32; τὸν ὀρχοτομηθέντα ib. p. 239, 15; ὠρχοτετομημένοι p. 11, 28 et 68, 28. Alia forma ὠρχοτετμημένοι ibid. p. 41, 2. Hase. De forma conf. Lobeck. ad Phryn. p. 679.]

Ὀρχοτομία, ἡ, Testium amputatio, Castratio, ut Colum.; Castratura, ut Plin.; Apuleius dicit etiam Detestatio. [Hippiatr. p. 238, 20 : Ἀρίστη δὲ ὥρα τῆς ὀρχ. ἐαρινή. Hase.]

Ὄρω, ρῶ, vel ρσω (ex quo ὄρω manasse suspicor verbum Lat. Orior), Excito, Concito. Hom. Il. A, [10] : Νοῦσον ἀνὰ στρατὸν ὦρσε κακήν, Excitavit. Ψ, [14] : Μετὰ δέ σφι Θέτις γόου ἵμερον ὦρσε, Excitavit s. Movit cupidinem fletus. Et Od. Δ, [113] : Ὣς φάτο, τῷ δ' ἄρα πατρὸς ὑφ' ἵμερον ὦρσε γόοιο. [Pind. Ol. 11, 25 : Ἀεῖσαι Θέμιτες ὦρσαν· Pyth. 2, 29 : Ὕβρις νιν εἰς αὐάταν ὦρσεν· 3, 102 : Ὦρσεν ἐκ Δαναῶν γόον· 8, 90 : Ἀμφὶ γέλως ὦρσεν χάριν. Æsch. Pers. 496 : Νυκτὶ δ' ἐν ταύτῃ θεὸς χειμῶν' ἄωρον ὦρσε. Eur. Hec. 200 : Οἵαν σοι λώβαν ὦρσέν τις δαίμων· Androm. 1148 : Ὦρσε σὲ στρατὸν στρέψας πρὸς ἀλκήν.] Il. Δ, [16] : Φύλοπιν αἰνὴν Ὄρσομεν. [Φ, 335 : Χαλεπὴν ὄρσουσα θύελλαν. Pind. Nem. 9, 8 : Ἀνὰ δ' αὐλὸν ἐπ' αὐτὰν ὄρσομεν. Soph. Ant. 1060 : Ὄρσεις με τἀκίνητα... φράσαι.] Phocyl. [95] : Χόλον ὄρσῃς, Iram et indignationem concites. Apoll. Arg. 2, [1068] : Πελώριον ὄρσατε [ὄρσετε] δοῦπον, Excitate. [Pind. Ol. 4, 12 : Κῦδος ὄρσαι Καμαρίνᾳ· Pyth. 11, 23 : Ὄρσαι χόλον· Nem. 7, 71 : Ἄκονθ' ὧτε γλῶσσαν ὄρσαι· fr. ap. Clem. Al. Strom. 5, p. 708 : Ὄρσαι φάος. Apoll. Rh. 4, 1352 : Ἀνά θ' ὑμέας ὄρσαι ἰόντα· 3, 1039 : Μηδέ σε δοῦπος... ὄρσῃσι μεταστρεφθῆναι ὀπίσσω.] Et ap. Hesych. ὄρσαι, i. e. ὁρμῆσαι, ἐγεῖραι, ἐρεθίσαι. [Partic. Il. X, 190 : Ὄρσας ἐξ εὐνῆς· Ξ, 254 : Ὄρσας' ἀργαλέων ἀνέμων ἀήτας. Et alibi. Aor. sec. Hesiod. Sc. 437 : Ἀπὸ μεγάλου πέτρη πρηῶνος ὀροῦσα, passiva signif., Concitata.] Præt. med. Ὄρωρα, sicut ὄλωλα, ὄπωπα, ὀρώρυχα, sive Ὤρωρα, facta transpositione, [Il. N, 77 : Μένος ὤρορε· Od. Θ, 539 : Ὤρορε θεῖος ἀοιδός·] quod ὄρωρα et in activa et passiva signif. usurpatur. Activa, ut Il. B, [146] : Τὰ μέν τ' εὖρός τε νότος τε Ὤρορ', ἐπαΐξας πατρὸς Διὸς ἐκ νεφελάων, Quos fluctus concitavit s. commovit eurus notusque ex nubibus Jovialibus erumpens. [Od. Δ, 712 : Εἴ τίς μιν θεὸς ὤρορεν· et sine casu T, 201, et cum infinit. Ψ, 222.] Frequentius in pass. signif. occurrit : Il. Γ, [87] : Τοῦ εἵνεκα νεῖκος ὄρωρεν, Cujus causa bellum excitatum est. Itidem Ω, [107] : Ἐννῆμαρ δὴ νεῖκος ἐν ἀθανάτοισιν ὄρωρεν, Dissidium inter deos excitatum fuit per novem dies. Rursum B, [797] : Πόλεμος ἀλίαστος ὄρωρε, i. e. διήγερται. Ib. [810] : Πολὺς δ' ὀρυμαγδὸς ὀρώρει, Excitabatur, διηγείρετο, διήγερτο. Ω, [512] : Τῶν δὲ στοναχὴ κατὰ δώματ' ὀρώρει. [Æsch. Ag. 653 : Ἐν νυκτὶ δυσκύμαντα δ' ὠρώρει κακά. Soph. Œd. C. 1622 : Οὐδ' ἔτ' ὠρώρει βοή.] Ex Apollon. autem Arg. 2, [473] : Ἐπ' ἤματι δ' ἦμαρ ὀρώρει Κύντερον, pro Dies diei succedebat gravior. Pass. quoque vox in usu frequenti est. [Hom. Od. Π, 98 : Καὶ εἰ μέγα νεῖκος ὄρηται· Υ, 267 : Ἵνα μή τις ἔρις καὶ νεῖκος ὄρηται· Ξ, 522 : Ὅτε τις χειμὼν ἔκπαγλος ὄροιτο· Il. Υ, 140 : Καὶ ἄμμι παρ' αὐτόφι νεῖκος ὀρεῖται.] Il. X, [102] : Τρωσὶ ποτὶ πτόλιν ἡγήσασθαι Νύχθ' ὕπο τήνδ' ὀλοήν, ὅτε τ' ὤρετο δῖος Ἀχιλλεύς, Quum excitabatur ad certamen, Surgebat. Θ, [474] : Πρὶν ὦρθαι παρὰ ναῦφι ποδώκεα Πηλείωνα. [Nunc ὄρθαι inf. aoristi syncope eadem ut ὦρτο et ὄρμενος.] Hesiod. Ἔργ. [566] de grue : Τὸν δὲ μέτ' ὀρθρογόη Πανδιονὶς ὦρτο χελιδὼν Ἐς φάος, In lucem prosiliit, prodiit : de avibus prænuntiis æstivi temporis. [Pind. Pyth. 4, 134 : Ἀπὸ κλισιᾶν ὦρτο σὺν κείνοισι. Æsch. Ag. 987 : Εὖθ' ὑπ' Ἴλιον ὦρτο ναυβάτας στρατός.] Et cum infin. idem Hesiod. [Sc. 40] : Ὦρτ' ἰέναι, Surrexit itum, Ire cœpit. Apoll. Arg. 1, [708] : Εἰς ἑὸν ὦρτο νέεσθαι, Domum se contulit. Non minus usitatus est imper. Ὄρσεο et Ὄρσο. Il. Γ, [250] : Ὄρσεο, Λαομεδοντιάδη, i. e. διεγείρου, ἀνίστασο, Surge. Od. Z, [255] : Ὄρσεο νῦν δὴ ξεῖνε πόλινδ' ἴμεν, Surge et in urbem te confer. Il. T, [139] : Ἀλλ' ὄρσευ πόλεμόνδε, καὶ ἄλλους ὄρνυθι λαούς, Et tute ipse ad certamen ineundum surge et alios itidem excita. Ω, [88] : Ὄρσο, Θέτι, καλέει Ζεύς· Δ, [204] : Ὄρσ' Ἀσκληπιάδη, καλέει κρείων Ἀγαμέμνων. [Pind. Ol. 6, 62 : Ὄρσο ἴμεν. Apoll. Rh. 1, 703 : Ὄρσο μοι, Ἰφινόη, τοῦδ' ἀνέρος ἀντιόωσα, ἡμέτερόνδε μολεῖν.] Pro ὤροντο sive ὄροντο, præt. imperfecto, dicitur etiam Ὀρέοντο, Concitabantur, s. Gressu citato ibant, Properabant, et ire maturabant : Il. B, [398] : Ἀνστάντες δ' ὀρέοντο κεδασθέντες κατὰ νῆας· quod tamen quidam ab Ὀρέω derivare malunt, idem significante cum ὄρω. [Ψ, 212 : Τοὶ δ' ὀρέοντο ἠχῇ. In Ind. :] Ὄρσω, Æolice pro ὀρῶ dicitur, a themate ὄρω. Hesych. vero et præsentis temporis thema facit, afferens ὀρσομένη pro διεγειρομένη, præterea ὄρσω pro τολμῶ, Audeo. Ὠρώρει, Excitabatur, pro ὀρώρει.

|| Ὄρμενος, partic. pass. factum ex Ὀρόμενος, quod ab Hesych. exp. ὁρμώμενος, per sync., ut Eust. testatur : Concitatus, Qui citato impetu fertur. [Secundum Chœrob. vol. 2, p. 837, 12, ex ὤρμενος part. perf. pass. Conf. Arcad. p. 177, 14. Idem error notatus paullo ante in Ὦρθαι.] Hom. Il. Λ, [326] de Diomede et Ulysse : Ὣς ὄλεκον Τρῶας πάλιν ὀρμένω· i. e. ὁρμήσαντες ὀπίσω καὶ ἀντὶ νώτων τὰ στέρνα δείξαντες : ubi et ὑφ' ἓν scribi παλινορμένω, infra docebo. Et [571] de jaculis : Ἄλλα μὲν ἐν σάκεϊ μεγάλῳ πάγεν ὄρμενα πρόσσω, Ante se concitata. Φ, [14] : Φλέγει ἀκάματον πῦρ Ὄρμενον ἐξαίφνης. Apud Soph. quoque [Œd. T. 177] ὄρμενος exp. κινούμενος. [Forma Ὀρόμενος Æsch. Sept. 87 : Ὀρόμενον κακὸν ἀλεύσατε· 117 : Κῦμα... πνοαῖς Ἄρεος ὀρόμενον. Sed Suppl. 422 : Τὰν φυγάδα... τὰν ἔκαθεν ἐκβολαῖς δυσθέοις ὀρμέναν pro ὀρωμέναν vel ὀρομέναν vel ὁρμωμέναν restituit Pauwius. Eur. Iph. A. 186 : Δι' ἄλσος Ἀρτέμιδος ἤλυθον ὀρομένα.]

|| Ὀρώρω, i. q. ὄρω, factum ex præt. med. Ὄρωρα, sicut multa alia ex præt. imperf. Hom. Od. T, [377] : Ἐπεί μοι ὀρώρεται ἔνδοθι θυμὸς κήδεσιν, Concitatur, ὀρίνεται. Et [524] : Ὣς καὶ ἐμοὶ δίχα θυμὸς ὀρώρεται, ἔνθα καὶ ἔνθα, In duas partes concitus fertur, Dubitatione æstuat. Inde θυμὸς aliquo dicitur ὄρνυσθαι, quum capitur desiderio eundi aliquo. [Conj. Il. N, 271 : Ὁππότε νεῖκος ὀρώρηται πολέμοιο.] Ex aoristo autem ὦρσα, factum est Ὀρσάσκω, itidem significationis ejusd. cum ὄρω. Il. P, [423] : Ὣς ἄρα τις εἴπεσκε, μένος δ' ὤρσασκεν ἑκάστου, ubi ὤρσασκε dicit quod alibi ὤτρυνε. [Rectius nunc ὄρσασκεν.]

[Ὀρώδης, ὁ, ἡ, Montanus. Etym. M. p. 208, 4.]

[Ὀρώδης, ὁ, ἡ, Serosus. V. Ὀρρώδης.]

[Ὀρώδης, ὁ, Orodes. Strabo 15, p. 702 : Ἀρσάκαι καλοῦνται πάντες (reges Parthorum), ἰδίᾳ δὲ ὁ μὲν Ὀρώδης, ὁ δὲ Φραάτης, ὁ δ' ἄλλο τι. Ubi al. Ὁρώδης, ap. Plut. autem Ἡρώδης vel Ὑρώδης.]

[Ὁρωμένως, In conspicuo, Visibiliter. Nicet. Dav. In Greg. Naz. p. 33, 20 Dronk. : Νοητῶς ἢ καὶ ὁρ: Hase.]

[Ὀρώπιος, ὁ, Oropius, Sogdianorum rex, apud Dexippum Photii Bibl. p. 64, 23.]

[Ὀρώρεια, ἡ, Vallis depressa, Barathrum. Martyrium S. Eustratii et socior. Ms. : Καὶ εὐθὺς ἤγαγον αὐτὸν εἰς τὴν φάραγγα, ἣν ἡμεῖς καλοῦμεν ὀρώρειαν. Ducang.]

[Ὧς, Ægyptiace dicitur Multus. Et ex hac voce compositum esse nom. Osiridis testatur Plut. De Is. et Os. p. 355, A. *Os* utique sermone Copt. dicitur Multus. De etymologia vero hujus nominis consuli potest nostrum Panth. l. 2, c. 1, § 11. Jablonsk.]

Ὅς, est ἄρθρον ὑποτακτικὸν, Articulus postpositivus, Qui. Hom. Od. A, [441]: Μηδ' οἱ μῦθον ἅπαντα πιφαυσκέμεν ὅν κ' εὖ εἰδῇς· et [448]: Νήπιος ὅς που νῦν γε μετ' ἀνδρῶν ἴζει ἀριθμῷ. Sic in plur., Οἵ, vel οἵ που, aut οἳ δὴ, aut οἵ ῥα: ib. [381]: Κήδε' ἐμῶν ἑτάρων, οἳ δὴ μετόπισθεν ὄλοντο· et [413]: Οἵ ῥά τ' ἐν ἀφνειοῦ ἀνδρὸς μέγα δυναμένοιο. Et fem. Ἥ, Quæ: Φ, [29]: Οὐδὲ τράπεζαν Τὴν ἥν οἱ παρέθηκεν. [Neutrum Ὅ, pro conj. Quod, Hom. Il. A, 120: Λεύσσετε γὰρ τόγε πάντες ὅ μοι γέρας ἔρχεται ἄλλη· E, 433: Γιγνώσκων ὅ οἱ αὐτὸς ὑπείρεχε χεῖρας Ἀπόλλων· Θ, 32: Ἴδμεν ὅ τοι σθένος οὐκ ἀλαπαδνόν· 362: Οὐδέ τι τῶν μέμνηται ὅ οἱ ... υἱὸν σώεσκον· I, 493: Τὰ φρονέων ὅ μοι οὔτι θεοὶ γόνον ἐξετέλειον; et alibi. Od. M, 295: Γίγνωσκον, ὃ δὴ κακὰ μήδετο δαίμων. Et pro eodem vel Quia Aratus 32: Διὸς μεγάλου ἰότητι οὐρανὸν εἰσανέβησαν, ὅ μιν τότε κουρίζοντα... ἄντρῳ ἐγκατέθεντο. Pro Quamobrem Eur. Hec. 13: Νεώτατος δ' ἦν Πριαμιδῶν· ὃ καί με γῆς ὑπεξέπεμψεν· Phœn. 156: Ὃ καὶ δέδοικα μὴ σκοπῶσ' ὀρθῶς θεοί· 270: Ὃ καὶ δέδοικα μή με δικτύων ἔσω λαβόντες οὐ μεθῶσι. Apoll. Rh. 1, 205: Ἀτὰρ δέμας οὔ κέ τις ἔτλη ἠνορέην τ' ὀνόσασθαι, ὃ καὶ μεταρίθμιος ἦε πᾶσιν ἀριστήεσσιν. Arat. 27: Τὸ δὴ καλέονται ἅμαξαι. Et plurali Soph. Tr. 136: Ἃ καὶ σὲ τὰν ἄνασσαν ἐλπίσιν λέγω τάδ' αἰὲν ἴσχειν· et quod paullo diversum, OEd.C. 1291: Ἃ δ' ἦλθον ἤδη σοι θέλω λέξαι. Ἃ δὴ pro ἅτε v. in Δὴ vol. 2, p. 1045, B.] Utuntur et prosæ scriptores, et quidem interdum in casu antecedentis verbi, nullam sequentis rationem habentes: ut χρῶμαι οἷς ἔχω, pro ἐκείνοις ἃ ἔχω. Sic Isocr. Ad Nic. [p. 19, E]: Φιλονείκει μὴ περὶ ἁπάντων, ἀλλὰ περὶ ὧν ἂν κρατήσαντί σοι μέλλῃ συνοίσειν, pro περὶ ἐκείνων, ἃ ἂν μέλλῃ. [De quibus, ut de ceteris quæ ad syntaxin pertinent, a grammaticis agitur in doctrina de pron. ὅς.] Item ὧν pro ὑπὲρ ὧν. Lysias: Νῦν δ' οὕτως ἡ πόλις διάκειται, ὥστε οὐκέτι ὧν οὗτοι κλέπτουσιν ὀργίζεσθε. Bud. p. 989. Item ὧν pro ἀνθ' ὧν p. 959, ubi habes et de hoc ipso Ἀνθ' ὧν, item de Ὑπὲρ ὧν, et Δι' ὧν. [De ἀνθ' ὧν v. in Ἀντί.] In præcedentibus autem paginis de Ἀφ' ὧν, necnon Ἐν οἷς et Ἐφ' οἷς [Eur. Or. 564: Ἐφ' οἷς δ' ἀπειλεῖς ὡς πετρωθῆναί με δεῖ, ἄκουσον], item Ἐφ' ᾧ. [V. Ἐπί.] Ἀφ' οὗ, Ex quo, Postquam, subaud. genit. χρόνου. Soph. [Aj. 600]: Παλαιὸς ἀφ' οὗ χρόνος, Antiquum tempus est ex quo, i. e. Diu est ex quo. Dem.: Ἀφ' οὗ γεγόνασιν ἄνθρωποι, Ex quo tempore extiterunt homines, h. e. Post hominum memoriam, Post homines natos: ut Cic., Homini post homines natos turpissimo, Res post homines natos pulcerrima. Item Quandoquidem s. Quando. Philo De mundo: Ἀρκτέον γε τῆς ἀντιῤῥήσεως, ἀφ' οὗ καὶ τῆς ἀπάτης οἱ σοφισταὶ, Ordiendum a refutatione, quando captionis artifices ab impostura auspicantur. Itidem ἐπεὶ et ἐπειδὴ, Postquam accipitur interdum pro Quoniam. [Et Ἐξ οὗ, quæ v. in illis præposs. Demosth. p. 40 fin.: Ἡλίκην ποτ' ἐχόντων δύναμιν Λακεδαιμονίων, ἐξ οὗ χρόνος οὐ πολὺς, ὡς ... οὐδὲν ἀνάξιον ὑμεῖς ἐπράξατε τῆς πόλεως. De dativo HSt. initio literæ Ω:] « At vero ᾧ habens etiam ι subscriptum, dativus est articuli ὅς, de quo dictum fuit supra [in Ὅς]. Sed annotantur præterea quidam dativo peculiares usus cum particula ἐν. Junctæ enim hæ partic. Ἐν ᾧ, non unam signif. habent; nam ἐν ᾧ interdum quidem per pronomen reddi potest, sequente particula Quod: Ad Rom. 2, 1: Ἐν ᾧ γὰρ κρίνεις τὸν ἕτερον, σεαυτὸν κατακρίνεις, Nam in eo ipso quod damnas alterum, te ipsum condemnas. Vel præp. In omissa, Nam eo ipso quod damnas; s. Hoc ipso. Vide et quæ dicam infra de hujus loci interpretatione. Nonnunquam vero per adverbium potius redditur; afferturque pro Quatenus, Inquantum: item Quandoquidem, necnon Quapropter. Ex quibus interprett. hæ duæ posteriores minus mihi probantur. Interdum cum ἐν ᾧ subauditur dativus χρόνῳ, et tunc adverbio temporis apte redditur Dum, vel Interim dum: ut Joann. 5, [7]: Ἐν ᾧ δὲ ἔρχομαι, ἄλλος πρὸ ἐμοῦ καταβαίνει, Dum ego accedo, alius ante me descendit. Forsitan autem ἐν ᾧ verti possit hoc ipso adverbio Dum, in illo quoque Pauli loco, quem modo protuli; sed dando huic particulæ eum usum quem habet quum ita loquimur, Dum fratri nocere vis, tibi ipsi noces: vel Dum fratris famam lædis, tuam ipsius lædis. Ut se. itidem reddamus ap. Paulum, Dum enim alterum

A damnas, teipsum condemnas. Aut, Dum enim de altero sententiam fers, adversus teipsum fers sententiam. » — Ὧν, Quorum. Ponitur interdum pro ἀνθ' ὧν, s. ἕνεκα τούτων ἃ, necnon pro ὑπὲρ ὧν. Aphthonius [vol. 1, p. 110, 21]: Ὥστε θαυμάσαι μᾶλλον ἔστι τὸν γάμον, ὧν ἔχει καλῶν ἢ κατηγορῆσαι δεινῶν, ὧν παρέσχεν ἡ τύχη. Lysias: Ὧν οὗτοι κλέπτουσιν ὀργίζεσθαι. Idem: Ὧν ἔπαθεν ὀργὴν ἔχει. Sic Thuc. [1, 96]: Πρόσχημα γὰρ ἦν ἀμύνεσθαι ὧν ἔπαθον. Οἷς, Quibus. Accipitur etiam pro ἐφ' οἷς, Ob quæ, Propter quæ. Aphthon. [l. c. p. 111, 9]: Ἀτυχοῦσιν ἄνθρωποι πλέοντες, καὶ τὰς ναῦς διαφθείρουσιν ἐπιόντος χειμῶνος· οὐ μὴν ἐνθένδε τὸ πλεῖν καταλύουσιν οἷς ἐν μέρει πέπονθασι. Item pro Quatenus, ut ᾗ, s. Eo quod, δι' ὧν. Idem in Lege de Mœchis [l. c. p. 115, 10]: Οὔτε ἐπὶ παντὶ τὸ γραφὲν αἰτιάσομαι· οἷς μὲν γὰρ ἀναιρεῖ μοιχὸν, ἐπαινῶ τὸ τιθέμενον· δι' ὧν δὲ δικαστῶν οὐκ ἀνέμεινε ψῆφον, αἰτιῶμαι τὴν αἵρεσιν. [Atque sic ib. p. 110, 4 etc. Himerius Ecl. 3, 8, p. 72, 3; 4, 1, p. 90, 3.] || Ὅου Ionice pro οὗ dicitur, Cujus. Hom. Il. B, [325]: Ὅου κλέος οὔποτ' ὀλεῖται.
B [Od. A, 70: Ὅου κράτος ἐστὶ μέγιστον. Poetam dixisse ὅο animadvertit Buttmann. Gramm. vol. 1, p. 305. Quam rationem aliis nonnullis quæ vulgo contracta putantur, ut μάντιος ἀλαοῦ, adhibuit Ahrensius in Mus. Rhen. noviss. vol. 2, p. 161. Singularis etiam forma Οἷο ap. Apoll. Rh. 1, 1325: Ὃν πόσιν, οἷό περ οὕνεκ' ἀποπλαγχθέντες ἔλειφθεν.] Ceterum quidam Ὅς ex articulo Ὁ factum esse putant, alii ex inusitato Τὸς, de quo antea dictum fuit [in Ὁ, ubi etiam obliquorum relativi ὅς casuum τοῦ, τῷ, τοί, τά, τῶν etc., attulit exx., quæ separare ab Ὁ et huc transferre non licuit. Inter utramque autem formam, ubi utraque locum habet, interdum variant libri Homeri, ut Od. Θ, 23: Ἀέθλους πολλοὺς, οὓς Φαίηκες ἐπειρήσαντ' Ὀδυσῆος, ubi al. τούς. K, 110: Ὅστις τῶν εἴη βασιλεὺς καὶ οἷσιν ἀνάσσει, ubi nunc receptum τοῖσιν, quum casus obliquos formæ ὅς pro demonstrativo positos non ferat usus loquendi. Ib. P, 22: Ἐμὲ δ' ἄξει ἀνὴρ ὅδε, ὃν σὺ κελεύεις, jam Ernestus ex cod. Vrat. (et Harl. et al. ap. Clark.) τὸν scrib. mo-
C nuerat, et Il. H, 452: Τοῦ δ' ἐπιλήσονται, τό,τ' ἐγὼ καὶ Φοῖβος Ἀπόλλων, ubi plerique ὅ. Sed etiam ubi omnes consentiunt in alterutra forma, modo additum apparet τ, ubi neque metrum neque hiatus poscit, modo omissum ubi additum postulare videatur, velut Il. B, 309: Σμερδαλέος τόν ῥ' αὐτὸς Ὀλύμπιος ἧκε φόωσδε· et contra Ω, 736: Χωόμενος, ᾧ δήπου ἀδελφεὸν ἔκτανεν Ἕκτωρ· 758: Τῷ ἴκελος, ὅντ' ἀργυρότοξος Ἀπόλλων ... κατέπεφνεν. Videtur tamen omittendo potius τ quam addendo erratum esse in libris Homeri. Recentiores autem, ut Apollonius, nonnisi metri aut hiatus caussa usi sunt forma per τ. Eadem utuntur quum Dores, tum Iones certis quibusdam legibus, quas post Struvium explicavit G. Dind. De dial. Herodoti p. 18 sq.: « Pronominis ὅς et compositi ὅσπερ una tantum in casibus rectis Herodotus usus est forma ὅς ἥ τό, ὅσπερ ἥπερ τόπερ, et in numero plurali οἵ αἵ τά, οἵπερ αἵπερ τάπερ. Casuum vero obliquorum formas non admisit nisi eas quæ literam τ præfixam habent, nisi ubi præpositionem sequantur, quo μέχρι et ἄχρι quoque
D pertinent: quorum locorum magna ex parte ratio alia est. Nam ubicunque pronomen relativum præpositionem sequitur quæ apostrophum pati potest, præpositio ultimam vocalem amittit et relativum τ præfixum aspernatur. Apostrophum vero patiuntur præpositiones ἀντί ἀπό διά ἐπί κατά μετά παρά ὑπό, quibus ἀμφί et ἀνά addendæ forent, nisi casu factum esset ut harum præpositionum ante pronomen relativum positarum nulla apud Herodotum exempla reperiantur. Contra ubi in anastrophe pronomen præpositionem antecedit, rursus formæ a consonante incipientes requiruntur. Sic Herodotus 5, 106, τῷ πάρα dixit, licet nusquam παρὰ τῷ, sed ubique παρ' ᾧ dixerit. — Præpositiones quæ apostrophum non recipiunt octo sunt hæ, ἐν ἐξ ἐς περί πρό πρός σύν ὑπέρ, ex quibus πρό et ὑπέρ cum relativo simplici conjunctæ apud Herodotum non reperiuntur, περί autem ubi cum pronomine relativo conjunctum est, non aliter ponitur quam cum anastrophe, ut 2, 135, αὕτη, τῆς πέρι λέγεται ὅδε ὁ λόγος, et interdum alio vocabulo in-

terjecto, ut 4, 16, τῶν ἡμεῖς πέρι λόγους ἀποφερομένους ἀκούομεν, pariterque πέριξ, ut 2, 29, τὴν πέριξ νομάδες Αἰθίοπες νέμονται. Reliquarum præpositionum (ne πάρεξ quidem excepto, quod sic, non παρέκ, etiam ante consonantes scribitur, ut 8, 73, πάρεξ τῶν κατέλεξα) primaria est lex ut sequens relativum a consonante incipiat, velut 1, 106, τεσσεράκοντα ἔτεα, σὺν τοῖσι Σκύθαι ἦρξαν, et 4, 134, εἶπε ἄρα πρὸς τούσπερ ἐώθεε καὶ τὰ ἄλλα λέγειν, unde 4, 200, τὰ μὲν δὴ ἄλλα ἔσχε κωφὸς πρὸς ἃ προσῖσχε, πρὸς τὰ scribendum esse recte monuit Struvius. Ad præpositiones vero ἐν ἐς et ἐξ quod attinet, singularis apud Herodotum usus obtinet, quo relativum, quod eas sequitur, spiritum retinet in formulis ἐν ᾧ, *hoc tempore*, ἐς ὅ sive ἐς οὗ, *usque ad id tempus*, *donec*, et ἐξ οὗ, *ex quo tempore*, ita ut plerumque relativum ad nullum certum nomen, quod vel præcedat vel sequatur, referri possit. Eodem modo μέχρι et ἄχρι οὗ dicitur, nusquam μέχρι et ἄχρι τοῦ. Ubi vero temporis notio abest, præpositiones ἐν ἐς et ἐκ formas pronominis flagitant eas quæ a τ incipiunt. Cui regulæ quæ repugnant exempla recte judicavit Struvius librariorum deberi erroribus exceptis fortasse tribus de ἐς ὅ exemplis, 4, 156 : Κατὰ τοῦτο τῆς χώρης, ἐς ὃ γινώσκεται ὁ Βορυσθένης· 4, 71 : Ταφαὶ δὲ τῶν βασιλέων ἐν Γέρροισί εἰσι, ἐς ὃ ὁ Βορυσθένης ἐστὶ προσπλωτός· 7, 50 : Ὁρᾷς τὰ Περσέων πρήγματα, ἐς ὃ δυνάμιος προκεχώρηκε, in quibus fieri posse ut ἐς ὅ, nisi forte ἐς ὅσον scribendum sit, non ad certum aliquod nomen relatum, sed sic adverbialiter positum, vulgari temporis notione ad spatium translata dixerit Herodotus. Cujusmodi excusatio quum non parata sit novem aliis locis, in quibus ἐξ οὗ ἐξ ἧς ἐξ ὧν libris consentientibus legitur (5, 17; 6, 118; 3, 52; 4, 78; 1, 125; 2, 44, 92, 154; 3, 82), non dubitandum quin ἐκ τοῦ ἐκ τῆς ἐκ τῶν cum Struvio sit corrigendum. Nulla enim excogitari caussa potest cur Herodoto, qui quater (6, 41, 71; 8, 136; 9, 111) γυνὴ ἐκ τῆς τέκνα ἐγίνετο vel ἐστι dixit, semel (4, 78) ἐξ ἧς dicere placuerit, aut (5, 17) μέταλλον ἐξ οὗ τάλαντον ἀργυρίου Ἀλεξάνδρῳ ἡμέρης ἑκάστης ἐφοίτα scribere, quum 3, 115, scripserit νήσους ἐκ τῶν ὁ κασσίτερος ἡμῖν φοιτᾷ. — De pronomine relativo ὅστις duo esse observanda docuit Struvius, primo nunquam hoc pronomen a consonante τ incipere (male enim τήν τινα 1, 90 in omnibus codicibus et τόν τινα in uno 1, 98 scribi); deinde in genitivis et dativis unice regnare breviorem illam formam quam epicam dicere solemus (ὅτευ ὅτεῳ ὅτεων ὁτέοισι, pro Atticis ὅτου ὅτῳ ὅτων ὅτοισι), nunquam vero reperiri οὗτινος ᾧτινι ὧντινων οἷστισι. (Vitiosum igitur est μέχρι ὅτου πληθώρης ἀγορῆς 2, 173; quod etsi facile in ὅτευ mutari potest, tamen etiam ex ὅσου corruptum habere licet, quod legitur 8, 3 : Μέχρι ὅσου κάρτα ἐδέοντο αὐτῶν, quamquam quum hic alii iique optimi libri μέχρις vel μέχρι οὗ præbeant, probabilius esse puto Herodotum utrobique μέχρι οὗ scripsisse, ut aliis in locis pluribus). Neque nominativus pluralis generis neutrius ἅτινα est, sed ἅσσα (1, 47, 138, 197) pro Attico ἅττα : quod 1, 138, in libris pluribus in ὁκόσα est mutatum. Similiter ὅσσα vel ὅσα scriptum in fragmentis Democriti apud Stobæum Flor. 43, 46; 103, 25, cui ἅσσα ex optimo cod. Paris. restituere debebat Gaisfordus.» Et Tragici, ut Æsch. Ag. 526 : Διὸς μακέλλῃ, τῇ κατείργασται πέδον· 542 : Διπλῇ μάστιγι, τὴν Ἄρης φιλεῖ· Cho. 605 : Τὰν ἃ ... τάλαινα Θεστιὰς μήσατο· Eum. 337 : Θνατῶν τοῖσιν αὐτουργίαι ξυμπέσωσιν μάταιοι (utroque horum ll. metrum ferebat alteram formam)· Suppl. 305 : Ἄργον τὸν Ἑρμῆς παῖδα Γῆς κατέκτανε· 599 : Σπεῦσαί τι τῶν δούλιος φέρει φρήν· 699 : Τὸ δήμιον, τὸ πτόλιν κρατύνει· fr. Heliad. ap. Athen. 11, p. 469, F : Δέπας, ἐν τῷ διαβάλλει, et alibi sæpe. || Pronomini ὅς interdum additur nomen cum articulo conjunctum, ut ap. Æsch. Sept. 553 : Ἔστιν δὲ καὶ τῷδ', ὃν λέγεις τὸν Ἀρκάδα, ἀνὴρ ἄκομπος· Eur. Rhes. 438 : Οὐχ ἃς σὺ κομπεῖς τὰς ἐμὰς ἀμύστιδας, ubi ὡς est in libris. Soph. Ant. 404 : Ταύτην γ' ἰδὼν θάπτουσαν ὃν σὺ τὸν νεκρὸν ἀπεῖπας· ubi schol. : Οὕτω χρῶνται οἱ παλαιοί, ὥστε δύο ἄρθρα προτακτικόν τε καὶ ὑποτακτικὸν κατὰ τοῦ αὐτοῦ ὀνόματος παραλαμβάνειν· Κρατῖνος Ὅνπερ Φιλοκλέης τὸν λόγον διέφθορεν. OEd. C. 1698 : Καὶ γὰρ ὃ μηδαμὰ δὴ τὸ

A φίλον φίλον. Tzetzes præmittere solet demonstr., ut Hist. 8, 357 : Τῶν ὧν ὁ Ἀλκαμένης μὲν ... λεπτὸν ὁμοῦ εἰργάζετο· 9, 129 : Τῆς ἧς σκυτάλης ἔφημεν τῆς τιμωροῦ τῶν παίδων· 171 : Τῶν ὧν Ἠσαῦ ὑπῆρχε μὲν δασύς τε καὶ πυρράκης· 276 : Τοὺς οὓς ἐχειροτόνησαν· 10, 280 : Τὴν ἣν στήλην ὁ Λύσιππος εἰργάσατο· schol. in Cram. An. vol. 3, p. 373, 11 : Τοὺς οὓς γράφουσι μέτρων χρόνους. || Notandum etiam ὅς interdum postponi, non tantum a poetis, ut Æsch. Prom. 354 : Τυφῶνα θοῦρον πᾶσιν ὃς ἀνέστη θεοῖς, sed etiam in prosa, ut a Platone Reip. 2, p. 363, A : Ἄφθονα ἔχουσι λέγειν ἀγαθὰ τοῖς ὁσίοις ἅ φασι θεοὺς διδόναι· Phædr. p. 238, A : Τούτων τῶν ἰδεῶν ἐκπρεπὴς ἣ ἂν τύχῃ γενομένη· et Pausania 2, 11, 8 : Νίκας ὃς ἀνείλετο· 7, 21, 5 : Ἐς τὴν πηγήν, τοῦ λιμένος ἣ ἐν Καλυδῶνί ἐστιν οὐ πόρρω· v. præfat. p. VII. || Sæpe etiam omittitur in altero membro, ubi pleniori in oratione diverso casu ponendum aut αὐτὸς addendum erat, ut ap. Hom. Od. B, 54 : Δοίη δ' ᾧ κ' ἐθέλοι καί οἱ κεχαρισμένος ἔλθοι, et alibi, Rhian. ap. Stob. Fl. 4, 34, 9 : Ὅς δέ κεν εὐοχθῆσι, θεὸς δ' ἐπὶ ὄλβον B ὀπάζῃ· Xen. H. Gr. 6, 1, 13 : Ἐν τῇ πατρίδι, ἥ σε τιμᾷ καὶ σὺ πράττεις τὰ κράτιστα, ubi καὶ ἐν ᾗ σὺ malebat HSt. Plat. Conv. p. 201, A : Οὗ ἐνδεής ἐστι καὶ μὴ ἔχει, τούτου ἐρᾶν· Prot. p. 313, B : Ὃν οὔτε γιγνώσκεις οὔτε διείλεξαι οὐδεπώποτε, ubi αὐτῷ intelligitur ad διείλεξαι, quod in simili loco addit Hom. Il. A, 78 : Ὅς μέγα πάντων Ἀργείων κρατέει καί οἱ πείθονται Ἀχαιοί· et alibi cum aliis plurimis, de quibus præter alios dixit Schæfer. ad Longum p. 397 sq. Simili genere loquendi idem Od. X, 445 : Εἰσόκε πασέων ψυχὰς ἐξαφέλησθε καὶ ἐκλελάθοιντ' Ἀφροδίτης, τὴν ἄρ' ὑπὸ μνηστῆρσιν ἔχον, μίσγοντό τε λάθρῃ· cui comparanda Eur. Hel. 1164 : Διόσκοροι, οὓς Λήδα ποτὲ ἔτικτεν Ἑλένην θ', ἣ πέφευγε σοὺς δόμους· El. 85 : Αἰγίσθου, ὅς μου κατέκτα πατέρα χἠ πανώλεθρος μήτηρ. Pro usitatiori in appositione ὁ καί, intellecto participio, ὃς καὶ intellecto indicativo, est quum alibi tum in pap. Æg. ap. Peyron. fasc. 2, p. 3, 3 et 25, 3 : Ἀπολλώνιος, ὃς καὶ Ψεμμώνθης. || Forma fem. Ἕη Hom. Il. Π, 208 : Νῦν δὲ πέφανται φυλόπιδος μέγα ἔργον, ἕης τὸ πρίν γ' ἐράασθε. Quod hiatus C vitandi caussa Nicand. Al. 539 dixit : Πρὸς δ' ἔτι τοι (legendum τοῖς) Δίκτυννα τέῃς ἐχθήρατο χλῶνας, ut librorum scripturam τεῆς vel τεὰς correxit Nækius De Callim. p. 574, Mus. Rhen. vol. 2. Quam formam finxit vel ad exemplum Homericæ ἕης vel ad pluralis τέων, de quo ab eo pro τάων posito HSt. egit in Ὁ, p. 1705, B, immemor Callim. Del. 185 : Ἀσπίδας, αἳ Γαλάτῃσι κακὴν ὁδὸν ἄφρονι φύλῳ στήσονται, τέων αἱ μὲν ἐμοὶ γέρας, αἱ δ' ἐπὶ Νείλῳ ... κείσονται. L. Dind.]

|| De Ὅς copulato cum aliqua conjunctione, s. conjunctiva particula, aut loquendo generalius, cum aliqua particula indeclinabili.

Ὅς jungitur interdum s. copulatur cum δή, vel γε, vel που, aut περ, aut τε, aut κε, s. κεν. Ac primum illud Ὅς δή utplurimum accipitur simpliciter pro ὅς, i. e. Qui : sic tamen ut nonnunquam commode reddi possit Qui quidem. [V. Δή vol. 2, p. 1045, B, C.] Sic neutr. Ὃ δή, Quod, vel Quod quidem. Gregor. : Μηδὲ D πυρφόρον, ὃ δή φασιν, ὑπολειφθῆναι, Quod ajunt, Quod dici solet, Quod quidem dici solet. Hunc autem usum habet interdum ὃ δὴ λέγεται. Sed et Ὃ δή φησιν ὁ ψαλμός, ap. eund. Gregor. [Οὓς δήποτε, Quosque; Οὓς δήποτε ἄν, Quoscunque, Quosque, Gl. Ptolem. Math. comp. ed. Halm. vol. 1, p. 12, 29 : Ἀφ' ἧς δήποτε γωνίας καὶ πρὸς ἣν δήποτε· p. 16, 12 : Ἐν ᾧ δήποτε μέρει· inscr. Smyrn. ap. Bœckh. vol. 2, p. 759, n. 3281, 10 : Ὧ δήποτε τρόπῳ.] Itidem Ὅς γε et Ὅς που, pro simplici ὅς, Qui. [Non pro simplici Qui, sed ut significent Qui quidem, Qui forte, quod non opus est ostendi exemplis.] Invenitur autem ὅς et cum duplici particula, ut ὅς δή γε. [Fortasse petitum ex Eur. Suppl. loco in Δή p. 1049, B, citato, qui delendus est illic, pariter atque loci Aristoph. et Aretæi, quippe versu non Euripideo auctus. Ὅς οὖν inscr. Teja ap. ap. Bœckh. vol. 2, p. 644, n. 3059, 7 : Τρόπῳ τινὶ ἢ παρευρέσει ᾗ οὖν.] Quibus est usitatius Ὅσπερ, et quidem ita scriptum conjunctim, simpliciter pro Qui. Genit. Οὗπερ, Cujus, et sic deinceps. Fem. Ἥπερ,

Quæ. Genit. Ἧσπερ, Cujus, et sic deinceps. Neutr. Ὅπερ, Quod : unde Ἅπερ, Quæ. Frequentia exempla passim occurrunt tam in prosa, quam in poetarum scriptis. [Divise Hom. Il. I, 110 : Ὃν ἀθάνατοί περ ἔτισαν· N, 101 : Οἵ τὸ πάρος περ· O, 256 : Ὅς σε πάρος περ ῥύομαι· Od. Ψ, 14 : Οἵ σέ περ ἔβλαψαν. Herodoti 3, 16 : Τάπερ ἂν λάβῃ, in nonnullis in τὰ ἄν περ λάβῃ depravatum. Et ap. Xenoph. Cyrop. 2, 3, 11 : Ἔντιμον βίον, ὅς μόνος περ ἥδιστος βίων, plures pro ὅσπερ. Frequentius sic dicuntur εἰ et ὡς, vocabulo inter has particulas et sequens περ interposito, ut in ipsis dictum. Conf. etiam Ὅσος ... περ, de quo infra. Forma autem Ion. per τ est etiam ap. Hom. Il. Ω, 603 : Καὶ γάρ τ' ἠΰκομος Νιόβη ἐμνήσατο σίτου, τῇπερ δώδεκα παῖδες ... ὄλοντο· Od. N, 130 : Φαίηκες, τοίπερ κτλ., et infra in Ἧπερ. Æsch. Pers. 779 : Ἔκυρσα τοῦπερ ἤθελον· 1003 : Βεβᾶσι γὰρ τοίπερ ἀγρόται στρατοῦ· Ag. 974 : Μέλοι δέ τοί σοι τῶνπερ ἂν μέλλῃς τελεῖν· Cho. 418, 953. Apoll. Rh. 3, 292, 1098; 2, 11, et τοίπερ τε 521. Et 2, 359 : Πέλοπος, τοῦ καί περ ἀφ' αἵματος εὐχετόωνται. De forma Οἷόπερ pro οὗπερ ap. eundem v. in Ὅς.] Sicut vero ὅστις annexam aliquando habet particulam οὖν, ita et ὅσπερ : ac dicitur Ὁσπεροῦν, sicut Ὁστισοῦν ead. signif., de qua dicetur infra, ubi de illo agetur. [HSt. in Ind. : « Ἡνπεροῦν διάθεσιν, Quamcunque. »] Sed invenitur ὅπερ οὖν, disjunctim sc. scriptum, simpliciter etiam positum pro ὅπερ, ut ap. Plat. : Ὅπερ οὖν καὶ ἔπαθεν. [Et apud alios quosvis. Adverbialiter dixerunt recentiores nonnulli, ut sit i. q. διόπερ, velut Photius in Exc. ex Diodoro p. 543, 6 ed. Wess. : Ὅπερ ... ὑπέλαβον ... κρίσιν οὐκ ἔσεσθαι, aliique de quibus dixi ad l. 13, 18, p. 555, 73 ed. Wess. Et Apollon. Dysc. pro καίτοι vel ὅπου γε, ut De pron. p. 130 : Ὅπερ πάλιν οὐδὲ τοῦτο κατὰ τὸ παντελὲς ὥρισται, ubi alios ejus ll. annotavit Bekker. p. 204. Recentioribus peculiaria sunt etiam talia, quale hoc Justiniani Nov. 29, 1 fin. : Τοῦτο ὅπερ καὶ ἐν ἑτέραις ἡμῶν ἐπαρχίαις ἐστίν· et conjunctum cum subst., ut infra Ὅστις, ap. Jo. Malalam p. 295, 1 : Ὅπερ δημόσιον πληρώσαντες· 309, 23 : Ὅπερ δόγμα Μαχχαϊκόν. Veteres interdum post ὅσπερ ponunt subst. cum articulo, ut Aristoph. Lys. 834 : Ἴθ' ὀρθὴν ἥνπερ ἔρχει τὴν ὁδόν· Cratinus ap. schol. Soph. in Ὅς sic posito citatum.] At vero poetice Ὅπερ masculino etiam genere usurpatur pro ὅσπερ, ab Hesiodo [Theog. 864] : Ἠὲ σίδηρος, ὅπερ κρατερώτατός ἐστι. [Hom. Il. H, 114 : Τούτῳ, ὅπερ σέο πολλὸν ἀμείνων· Φ, 107.] At de ᾧπερ adverbio dicetur infra. [Item de ἧπερ in Ἧ. HSt. in Καθάπερ :] « Jam vero et simplex Ἅπερ Attice pro καθάπερ ab Aristoph. dici existimatur per ἔλλειψιν præpositionis κατὰ, Ran. [834] : Ἀποσεμνυνεῖται πρῶτον ἅπερ ἑκάστοτε Ἐν ταῖς τραγῳδίαισιν ἐτερατεύετο. » [Soph. OEd. T. 176 : Ἅπερ εὔπτερον ὄρνιν ὅρμενον. Addito τε Æsch. Cho. 380 : Τοῦτο διαμπερὲς οὖς ἵκεθ', ἅπερ τε βέλος, nisi fuit τι. Sine illo Eum. 130 : Κλαγγαίνεις δ' ἅπερ κύων· 660 : Ἠδ' ἅπερ ξένῳ ξένη ἔσωσεν ἔρνος. Confusum cum ὥσπερ ap. Stob. Fl. vol. 3, p. 315, 508, notavi ad Xen. H. Gr. 5, 1, 18, cui 6, 1, 15 pro eodem restitui ὅσαπερ, quod v. L. D. || Item Ἁπερεὶ pro καθαπερεὶ Soph. El. 189 : Ἁπερεί τις ἔποικος. Schweigh.] — Sed Ὅστε, annexa sc. particula τε huic voculæ ὅς, pro Qui, poeticum est. Hom. [Il. E, 88 : Ποταμῷ πλήθοντι ἐοικὼς χειμάρρῳ ὅστ' ὦκα ῥέων ἐκέδασσε γεφύρας· H, 209 : Οἷός τε πελώριος ἔρχεται Ἄρης, ὅστ' εἶσιν πόλεμόνδε μετ' ἀνέρας, οὕστε Κρονίων ... ξυνέηκε μάχεσθαι· O, 680 : Ὡς δ' ὅτ' ἀνὴρ ἵπποισι κελητίζειν εὖ εἰδὼς ὅστ' ἐπεὶ ἐκ πολέων πίσυρας συναείρεται ἵππους, nullo sequente verbo, sed oratione per anacoluthon mutata.] Od. Θ, [523] : Ὡς δὲ γυνὴ κλαίῃσι φίλον πόσιν ἀμφιπεσοῦσα, Ὅστε ἑῆς πρόσθεν πόλιος λαῶν τε πέσῃσιν. [Et sic alibi sæpe ap. Epicos, ubi indefinito pronomini relativo locus est. Raro vero pro ὅς, ubi ὅς resolvendum est in οὗτος ὅς, ut Il. O, 130 : Οὐκ ἀΐεις, ἅτε φησὶ θεὰ λευκώλενος Ἥρη, aut demonstrativum præcessit, ut in l. Il. H, 452, de quo paullo ante in Ὅς : Τοῦ δ' ἐπιλήσονται, τό,τ' ἐγὼ κτλ. Quod τὸ ἐγὼ sine τε scripsisse Aristarchum tradit schol. Neque defenditur loco E, 332 : Ὅτ' ἄναλκις ἔην θεὸς οὐδὲ θεάων τάων, αἵτ' ἀνδρῶν πόλεμον κάτα κοιρανέουσιν. || Ὅ τε pro ὅστε Hom. Il. Π, 54 : Ὅ τε κρατεῖ προβεβήκῃ· P, 757 : Ὅτε

A προΐδωσιν ἰόντα κίρκον, ὅ τε σμικρῇσι φόνον φέρει ὀρνίθεσσι· Od. Ξ, 221 : Ἀνδρῶν δυσμενέων ὅ τε μοι εἴξειε πόδεσσιν.] At in prosa Ὅστε, vel potius Ὅς τε, significat Et qui. Sic genit. Οὗτε pro οὗ, Cujus; itidemque in ceteris casibus. Sed dativus Ὧτε non solum significat Cui, sed accipitur etiam adverbialiter pro Quomodo, Quemadmodum, καθάπερ s. καθὰ, sicut et ᾧπερ, ut in hoc l. ap. Eust. p. 117 : Ὧτε χερνᾶτις γυνά. [Quo cum conf. Etym. M. p. 825, 23, Jo. Alex. Τον. παραγγ. p. 32, 6. Plenius illud fr. ponit Apollon. De pron. p. 61, B : Ὧτε χ. γ. οὐδὲν προμαθιουμένα (de quo Ahrens. Mus. Rhen. novi vol. 6, p. 234 : tetrameter si esset, μηδὲν exspectares). Qui ib. De constr. p. 156, 23, testatur accentum ᾧτε. Idem ap. Pind. Ol. 11, 90, Nem. 6, 29; 7, 62, 71, 93, Pyth. 10, 54, Isthm. 3, 36, in ὥστε corruptum. Iota subscr. autem plerique diserte memorant, ut non recte vulgo scribatur ὧτε s. ὥτε. Dat. ᾧτε in formula ἐφ' ᾧτε etiam in prosa apud quosvis Atticorum usurpatur, et apud Iones in ἐπ' ᾧτε, de quibus v. in Ἐπὶ vol. 3, p. 1515, 1516.] Et fem. Ἥτε, Quæ, ἥτις. Hom. Od. Ξ, [223] :
B Οὐδ' οἰκωφελίη, ἥτε τρέφει ἀγλαὰ τέκνα, Quæ alit. [Dat. ᾗτε, Ubi, Pseudeurip. Iph. A. 574 : Ἔμολες, ὦ Πάρις, ᾗτε σύγε βουκόλος ... ἐτράφης. Ut, forma Dor., Aristoph. Lys. 1308 : Ἆτε πῶλοι δ' αἱ κόραι πὰρ τὸν Εὐρώταν ἀμπάλλοντι. || Utitur hoc Ὅστε etiam Pind. Nem. 10, 47, ubi ὅντε, Ol. 2, 35, ubi ἅτε, et alibi. Æsch. Pers. 16 : Οἵτε τὸ Σούσων ἠδ' Ἀγβατάνων ... ἕρκος προλιπόντες ἔβαν· 297 : Τίνα δὲ καὶ πειθήσομεν τῶν ἀρχελάων, ὅστ' ἐπὶ σκηπτουχίᾳ ταχθεὶς ἄναρχον τάξιν ἠρήμου θανών· Ag. 49 : Τρόπον αἰγυπιῶν, οἵτ' ... ἄλγεσι παίδων ... στροφοδινοῦνται· Sept. 136 : Καὶ Κύπρις, ἅτ' εἶ γένους προμάτωρ, ἄλευσον· 1056 : Ἐρινύες, αἵτ' ὠλέσατε. Eur. Hec. 445 : Αὔρα, ἅτε ποντοπόρους κομίζεις θοὰς ἀκάτους. Soph. El. 151 : Νιόβα, ἅτ' ἐν τάφῳ πετραίῳ αἰαῖ δακρύεις· et neutro Tr. 824 : Τοὔπος ..., ὅ τ' ἔλακεν.] Ex neutro autem ὅτε et præp. εἰς, compositum est Εἰσότε, sicut Εἰσόκε, pro Εἰς ὅ, τε et Εἰς ὅ κε. [V. Εἰς p. 293, D.] Interdum vero pro Ὅτε dicitur Τό, τε, Quod (interjecta etiam notula tanquam hypodiastoles,
C ut distinguatur a τότε adverbio) [Hesiod. Th. 806 : Στυγὸς ἄφθιτον ὕδωρ ὠγύγιον, τό, θ' ἵησι καταστυφέλου διὰ χώρου. V. supra in Ὅς de l. Hom. Il. H, 452], et Τάτε, pro Ἅτε s. Ἅπερ, Quæ. Od. Ξ, [80] : Ἔσθιε νῦν, ὦ ξεῖνε, τάτε δμώεσσι πάρεστι. Nisi quis utrobique præpositivi articuli usum vel potius abusum esse malit. Ceterum particula τε non solum τῷ Ὅς jungitur, sed et τῷ Ὅσπερ, ac dicitur Ὅσπερ τε. Sic Ὅπερ τε, ut Od. Ξ, [466] : Καί τι ἔπος προέηκεν ὅπερ τ' ἄρρητον ἄμεινον. [Apoll. Rh. 2, 521 : Τοίπερ τε Λυκάονός εἰσι γενέθλης. Et interposito τε Hom. Od. H, 312 : Τοῖος ἐὼν οἷος ἐσσὶ τάτε φρονέων ἅτ' ἐγώ περ· Il. Υ, 65 : Οἰκία σμερδαλέ' εὐρώεντα, τάτε στυγέουσι θεοί περ.] Sic autem et cum ὅστις jungitur. Itidem Ὅς κε seu Ὅς κεν, poeticum est, pro Qui, Quisquis; sed propter particulam κε jungi solet conjunctivo modo : Il. T, [228] : Ἀλλὰ χρὴ τὸν μὲν καταθάπτειν ὅς κε θάνῃσι· Od. K, [22] : Ἠμὲν παυέμεναι ἠδ' ὀρνύμεν ὅν κε θέλῃσι vel κ' ἐθέλῃσι. [Cum indicat. Il. X, 70 : Κύνες, οἵ κ' ἐμὸν αἷμα πιόντες ... κείσοντ' ἐν προθύροισι. Et sine verbo Il. E, 481 :
D Κτήματα πολλὰ τάτ' ἔλδεται, ὅς κ' ἐπιδευής. Pro ὅς in hoc quoque ὁ est Il. Γ, 354 : Ξεινοδόκον κακὰ ῥέξαι, ὅ κεν φιλότητα παράσχῃ.] Et neutr. Ὅ κεν, Quod, Quicquid. Unde Εἰσόκε sive Εἰσόκεν, pro Εἰς ὅκε s. Εἰς ὅκεν. [V. in Εἰς p. 294, A.] Ὄφρα, geminatione poetica metri causa dicitur pro ὅ ρα, Quod. Apoll. Arg. 2, [718] : Ἱερὸν, ὄφρ' ἐκάμοντο. [Nicand. Al. 424 : Βουκέραος χιληγόνου, ὄφρα κεραίας εὐκαμπεῖς ... ἀέξει· Th. 685 : Πάνακες Φλεγυήιον, ὄφρα τε πρῶτος Παιήων ... ἀμερσεν. Masc. Hom. Il. Γ, 61 : Ὑπ' ἀνέρος, ὅς ῥά τέχνῃ νήιον ἐκτάμνῃσιν· et fem. Δ, 483 : Αἴγειρος ὥς, ἥ ῥά τ' ἐν εἱαμενῇ κτλ., et alibi sæpissime. Sequente πὲρ Il. Δ, 524 : Ὁ δ' ἐπέδραμεν, ὅς ῥ' ἔβαλέν περ.]

|| Adverbia ab ὅς derivata et per compositionem facta. In horum adverbiorum numero poni debent Εἰσότε et Εἰσόκε, de quibus dictum supra fuit. Item Διὸ, Διόπερ, Διότι, et Καθὸ, Καθότι, pro δι' ὅ, δι' ὅ,τι, et καθ' ὅ, ac καθ' ὅ,τι. Necnon ex plurali facta, Καθὰ et Καθάπερ. Jam vero et ex dativo singulari facta, aut, si mavis, dativi singulares in adverbia transeuntes,

ὧτε et ᾧπερ. [HSt. iterum :] Quod vero ad adverbia ὧτε et ᾧπερ attinet, significantia Quemadmodum, Sicut, de ὧτε quidem, dixi supra in Ὥστε ex Eust. p. 117; de ᾧπερ vero ex Eod., et quidem in illo ipso l., trado, poeticum itidem esse adverbium, κατὰ τοὺς τεχνικούς. — [Et post alia :] Ὧ, Quatenus, Quomodo, Quemadmodum : ἀορίστως. || Quamobrem, Quare, Quapropter, Quocirca. Quum vero ei præpositio aut nomen aliquod adjungitur dativi casus, pronomen est ab ὅς. Itidem Ὥσπερ et Ὧτε accipi pro καθὰ, s. ὡς, καθὼς, supra docui.

[Huic autem Ὧ HSt. nonnulla addidit de demonstrativo, quod jam in illo tractaverat (supra p. 1704, B; 1707, B), confundens insuper cum τῷ dat. pron. Τίς :] Tertium, respondens superioribus duobus ᾧ et πῶ est Τῷ. Significat autem τῷ, Eo quod, Propterea quod, de qua signif. et in articulo Τῷ [p. 1704, B). || Quamobrem, Quare, Quapropter, διότι, vel potius Eamobrem, Eapropter. Hom. Od. Ξ, [369] : Τῷ κέν οἱ τύμβον μὲν ἐποίησαν Παναχαιοί. Alii minus recte exp. Sic. Verum interrogative quoque ponitur pro Quare? Qua ratione? Unde? ut Aristoph., Τῷ τοῦτο τεκμαίρῃ; Unde hoc conjectas? ubi et articuli vicem gerere potest. Φέρε τουτὶ τῷ χρὴ πιστεύειν; Unde istud credendum est? Lucian. : Τῷ ποτε χρὴ πεισθῆναι τοῖς ἐξ ἀρχῆς; Unde fides adhibenda superioribus est? [Hæc pertinent ad Τίς, quod v.] || Τῷ μὲν, τῷ δὲ, Uno quidem in loco, in altero autem, [Hic quidem, illic vero : de quo supra in articulo præpos. Τῷ (p. 1707, B) ex Hesiodo. Porro huic Τῷ annectuntur δε et κε et τι. Nam dicitur Τῷδε, Sic, ut et ipsum τῷ pro Sic accipere quosdam, paulo ante annotavi. Τῷκε, Hoc modo, ap. Hom., pro quo rectius τῷ κεν, divisim : exponiturque οὕτως ἄν. At Τῷτι, Eamobrem, Eapropter, Itaque, Proinde, ut et ᾧ. Philo De mundo : Τῷτι καὶ τὸ πῶμα ἀνεγερθὲν πρὸς οὐρανὸν τὰς ὄψεις ἀνέτεινε. Sed rectius scribitur τῷποι, s. τῷ τοι.]

[|| De dativo fem. in Ind. :] Ἧ interdum est etiam dat. præcedentis ἥ. || Ἧ, Qua ratione, Quo pacto, Bud. p. 863, ex Plat.; Quomodo, Quatenus. [Xen. Comm. 2, 1, 18 : Οὐ δοκεῖ σοι τῶν τοιούτων διαφέρειν τὰ ἑκούσια τῶν ἀκουσίων, ᾗ ὁ μὲν ἑκὼν πεινῶν φάγοι ἂν ὁπότε βούλοιτο. V. HSt. paullo post.] Plato : Σκέψασθε δὲ ᾗ μοι φαίνεται ταῦτα λέγειν, Quomodo videatur hæc dicere. Idem De rep. 2 : Ἧ σοι δοκεῖ διεξιὼν, Disserens sicut tibi visum fuerit. Sic Thuc. [8, 71] : Ἧ βούλονται, Ut volunt, Pro suo arbitratu. [Æsch. Prom. 211 : Τὸ μέλλον ᾗ κραίνοιτο προὐτεθεσπίκει· Cho. 551 : Ἐν ταὐτῷ βρόχῳ θανόντες, ᾗ καὶ Λοξίας ἐφήμισεν. Soph. Tr. 554 : Ἧδ' ἔχω, φίλαι, λυτήριον λύπημα, τῇδ' ὑμῖν φράσω· 679 : Ὡς δ' εἰδῇς ἅπαν ᾗ τοῦτ' ἐπράχθη· 1135 : Εἰπὲ δ' ᾗ νοεῖς· El. 338 : Καίτοι τὸ μὲν δίκαιον οὐχ ᾗ 'γὼ λέγω, ἀλλ' ᾗ σὺ κρίνεις· 947 : Ἄκουε δή νυν ᾗ βεβούλευμαι τελεῖν· et ib. 1437. OEd. C. 1603 : Ἧ νομίζεται.] At ἔστιν ᾗ, Est quomodo, i. e. Quodammodo. [De loco dictum v. in Εἰμὶ, vol. 3, p. 259, C. Plato Phædr. p. 265, E : Κατ' ἄρθρα ᾗ πέφυκε (τέμνειν)· Theæt. p. 165, A : Ἧ τὸ πολὺ εἰθίσμεθα φάναι τε καὶ ἀπαρνεῖσθαι· et alibi sæpe similiter.] || Qua, aut etiam Qua via, Qua parte. Hesiod. Ἔργ. [206] : Τῇ δ' εἶς ᾗ σ' ἂν ἐγώ περ ἄγω, Hac is qua te duco. [Post τῇ etiam Hom. Il. Ν, 52 : Τῇ δὲ δὴ αἰνότατον περιδείδια, μή τι πάθωμεν, ᾗ ῥ' ὅγ' ὁ λυσσώδης... ἡγεμονεύει· Ο, 46 : Τῇ ἴμεν ᾗ κεν δὴ σὺ... ἡγεμονεύῃς· 448 : Τῇ γὰρ ἔχ', ᾗ ῥα πολὺ πλεῖσται κλονέοντο φάλαγγες. Soph. Ant. 444 : Σὺ μὲν κομίζοις ἂν σεαυτὸν ᾗ θέλεις ἔξω βαρείας αἰτίας ἐλεύθερον. Aristoph. Av. 48 : Εἴ που τοιαύτην εἶδε πόλιν ᾗπέπτατο, et alibi. Thuc. 4, 130 : Κατὰ τὰς ἄνω πύλας ᾗ ἐπὶ Ποτιδαίας ἔρχονται. Xen. Cyrop. 2, 2, 23 : Ἕπεσθαι ᾗ ἄν τις ἡγῆται. Plato Phæd. p. 82, D : Ἐκείνῃ ἑπόμενοι ᾗ ἐκείνη ὑφηγεῖται· Leg. 8, p. 844, A : Ἧ ἂν βούληται ἄγειν, et alii quivis.] Alii tamen ibi maluerunt interpretari Quo, sicut et ex Thuc. affertur ᾗ πεσεῖται, Quo cadet. [Quocum comparanda talia ut Æsch. Cho. 307 : Ἀλλ' ὦ μεγάλαι Μοῖραι, Διόθεν τῇδε τελευτᾶν, ᾗ τὸ δίκαιον μεταβαίνει.] Et ταύτῃ ᾗ, Ea qua, Eatenus quatenus, Bud. p. 963. [|| Xen. Cyrop. 7, 1, 32 : Ἧ ὁ Ἀβραδάτας ἐνέβαλε, ταύτῃ συνεισπεσόντες· Anab. 4, 8, 12 : Ἧ ἂν εὔοδον ᾖ, ταύτῃ ἕκαστος ἄξει. Forma Dor. Soph. OEd. C. 183 : Ἕπεο... ᾇ σ' ἄγω.] || Alias pro Quo accipi-

A tur et in alio sensu, ut quum comparativis jungitur : ᾗ ἔλαττον, Quo minus, Quanto minus : ᾗ καὶ μᾶλλον, Quo et magis, Quo et libentius, et ᾗ δὴ μᾶλλον, Quo etiam magis. Bud. Et, Ἧ καὶ ἧττον τοῦτο ἀγασαίμεθα ἄν, Quo minus fiet ut id miremur. Et Plut. Themist. [c. 4] : Ἧ ῥᾷον συνέπεισε, Quo factum est ut facilius persuaserit. Item ταύτῃ ᾗ, Eo quo. Sic pro his Ciceronis De senect., Quo vitæ restat minus, eo plus viatici quærere, Gaza Græce : Ταύτῃ πλείω ζητεῖν ἐφόδια, ᾗ ἐλάσσων ὁδὸς καταλείπεται. || Quum vero superlativis jungitur, redditur Quam : ut ᾗ μάλιστα δυνατὸν, Quammaxime possumus. Sic Herodot. : Ἧ δύναιτο ἄριστα, Quam optime possit. [Xen. Anab. 6, 5, 13 : Ἐλαύνει ᾗ ἐδύνατο τάχιστα, et alibi sæpe.] At Thuc. [1, 126] : Ἧ ἂν ἄριστα διαγιγνώσκωσι, Quod optimum esse censerent, pro ὡς ἄν. Sic Plut. Solone [c. 15] : Ἧ μὲν ἄριστον [ἀρεστὸν Wyttenbach.] ἦν, Ut factu optimum erat. [Xen. OEc. 3, 10 : Γυναιξὶ τοὺς μὲν οὕτω χρωμένους ὥστε συνεργοὺς ἔχειν, τοὺς δὲ ᾗ πλεῖστα λυμαίνονται, si ita illa sunt scribenda. Cum substan-
B tivo, ut ὅπως, Pind. Ol. 6, 22 : Ὦ Φίντις, ἀλλὰ ζεῦξον ἤδη μοι σθένος ἡμιόνων, ᾇ τάχος.] || Rursum ᾗ significat In quo, Quo respectu, Quatenus, Bud. p. 963, ex Aristot. [Eth. Nic. 8, 3 : Οἱ διὰ τὸ χρήσιμον φιλοῦντες διὰ τὸ αὑτοῖς ἀγαθὸν στέργουσι, καὶ οἱ δι' ἡδονὴν διὰ τὸ αὑτοῖς ἡδὺ, καὶ οὐχ ᾗ ὁ φιλούμενός ἐστιν, ἀλλ' ᾗ ὁ χρήσιμος. Et ex eod. : Ἡ ἰατρικὴ δύναμις οὖσα ὑπάρχοι ἂν ἐν τῷ ἰατρευομένῳ, ἀλλ' οὐχ ᾗ ἰατρευόμενος. V. etiam HSt. initio. « Ταῦτα μὲν ᾗ δριμεῖά τέ ἐστι ... ἐργάζεσθαι πέφυκεν, ᾗ δ' ἔχει... ἵστησι, Galen. vol. 13, p. 167, D. » Hemst.] || Quo in loco, Ubi. Hom. Il. [Μ, 389 : Βάλεν ᾗ ῥ' ἴδε γυμνωθέντα βραχίονα· Ν, 679 : Ἀλλ' ἔχεν, ᾗ τὰ πρῶτα πύλας καὶ τεῖχος ἐσᾶλτο·] Υ, [275] : Ἄντυγ' ὑπὸ πρώτην, ᾗ λεπτότατος θέε χαλκός. [Od. Ξ, 2 : Χῶρον ἀν' ὑλήεντα δι' ἄκριας, ᾗ οἱ Ἀθήνη πέφραδε δῖον ὑφορβόν. Hesiod. Op. 649 : Ἐξ Αὐλίδος, ᾗ ποτ' Ἀχαιοὶ μείναντες χειμῶνα κτλ.] Sic [Soph. Tr. 573 : Ἐὰν γὰρ ἀμφίθρεπτον αἷμα τῶν ἐμῶν σφαγῶν ἐνέγκῃ χερσὶν, ᾗ μελαγχόλους ἔβαψεν ἰούς· 779 : Μάρψας ποδός νιν ἄρθρον ᾗ λυγίζεται. Aristoph. Av. 1 : Ὀρθὴν κελεύεις ᾗ τὸ δένδρον φαίνεται;
C Xen. Anab. 6, 5, 22 : Διαβαίνειν ᾗ ἕκαστος ἐτύγχανε τοῦ νάπους ὤν· et alibi sæpe.] Plato De rep. 2, [p. 359, D] : Γενέσθαι χάσμα κατὰ τὸν τόπον, ᾗ ἔνεμε, Ubi pascebat. [Soph. p. 220, E : Οὐχ ᾗ τις ἂν τύχῃ τοῦ σώματος· Phædr. p. 229, C : Ἧ πρὸς τὸ τῆς Ἄγρας διαβαίνομεν.] || Ex quo, Unde, Quapropter. Aristot. [Pol. 1] : Ἧ καὶ δῆλον, Unde et manifestum est, Quapropter planum fit, Bud. p. 963. [Et ib. l. 3 : Ἧ καὶ φανερὸν ὅτι δεῖ κτλ. Bud.] || Exp. etiam Si quidem : ut ᾗ θέμις ἐστὶ, Si quidem fas est. [Non ita vertendum foret, sed Ut fas est. Hom. Il. Β, 73 : Πρῶτα δ' ἐγὼν ἔπεσιν πειρήσομαι, ᾗ θέμις ἐστί· ubi schol. Ven. ᾗ esse dicit σύνδεσμον ἰσοδυναμοῦντα τῷ ὡς ἐπίρρημα (ἐπιρρήματι). Ι, 33 : Ἀτρείδη, σοὶ πρῶτα μαχήσομαι ἀφραδέοντι, ᾗ θέμις ἐστὶν, ἄναξ, ἀγορῇ· 133 : Μήποτε τῆς εὐνῆς ἐπιβήμεναι ἠδὲ μιγῆναι, ᾗ θέμις ἀνθρώπων πέλει ἀνδρῶν ἠδὲ γυναικῶν, aliisque locis ab Heynio et Spitznero ad primum collatis, nisi huic interpretationi obstaret usus antiquissimorum Epicorum, quibus ᾗ nonnisi Ubi significare aut Quo monuit Buttm. Lexil. vol. 1, p. 240,
D et tam ᾗτε Od. Ι, 268 : Δοίης δωτίνην, ᾗτε ξείνων θέμις ἐστὶ, quam in illis præstare animadvertit ᾗ θέμις ἐστὶ, ut est Ω, 286 : Ἡ γὰρ θέμις, ὅστις ὑπάρξῃ, et Il. Λ, 779 : Ξεινιά τ' αὖ παρέθηκεν, ἅτε ξείνοις θέμις ἐστὶ (παραθεῖναι). Quanquam hic etiam ᾗτε locum habet, si scribitur παρέθηχ', ut præstet certius ex. Hesiod. Sc. 22 : Ἐκτελέσαι μέγα ἔργον ὅ οἱ Διόθεν θέμις ἦεν. Veteres grammatici in illo ᾗ et ᾗτε quamvis acuto cum accentu scripto aliam adverbii ὡς formam quærebant, ut Apollon. Bekk. An. p. 559, 2 : Οὐ μὴν ἀλλὰ καὶ παρὰ τοῦτο τὸ ἅ (adverbialiter positum ut in ἅτε παρθένος) ἀποτελεῖταί τι ἕτερον τὸ ᾗ κατὰ μετάληψιν τοῦ α εἰς τὸ η· πάλιν γὰρ τῆς αὐτῆς συντάξεως ἐχόμενόν ἐστι τὸ, Ἥτε ξείνων θέμις ἐστί, καὶ δίχα τοῦ τε συνδέσμου, Ἧ θέμις ἐστίν, ἐν ἴσῳ τῷ ὡς θέμις ἐστί. Καὶ οὕτως φαμὲν τοῖς εἰς ως λήγουσιν ἐπιρρήμασι συνυπάρχειν τινὰ εἰς η λήγοντα συντονούμενα τούτοις, οὐδαμῶς οὐδαμῇ, πάντως πάντῃ, ἄλλως ἄλλῃ, διχῶς διχῇ· ὀξυνομένῳ ἄρα τῷ ὡς συνοξυνθήσεται τὸ ᾗ, ὅπερ, ὡς ἔφαμεν, ἐν τῷ Ἧ θέμις ἐστί. Ex quo deinde ducit ᾗτε. Similia ubi tradit Etym. in Ἦτε, diserte tamen ᾗ et

ῆτε circumflectit : Ὀξυνομένου ἄρα τοῦ ὥς ἀντίκειται τὸ ᾗ, ὡς ἐν τῷ Ἧτε ξείνων θέμις ἐστὶ, ut Eust. Il. p. 174, 1 : Τὸ μὲν ᾗ ἀντὶ τοῦ ὅπου σὺν τῷ ι γράφουσιν οἱ τεχνικοὶ, καθὰ καὶ τὸ πῇ καὶ ὅπῃ καὶ ἄλλῃ ... τὸ δὲ Ἣ θέμις ἐστὶ δίχα προσγραφῆς τοῦ ι τιθέασι, καθὰ καὶ τὸ Ἣ νέος οὐκ ἀπάλαμνος, ἤγουν ὡς νέος. In libris Apoll. Rh. tamen constanter scribitur ᾗ, ut 1, 517 : Κερασσάμενοι λοιβὰς, ᾗ θέμις ἐστί · 692 : Κτερέων ἀπὸ μοῖραν ἑλοῦσαι αὔτως ᾗ θέμις ἐστί· 960 : Ἱδρύσαντο ἱερὸν, ᾗ θέμις ἦεν · 1061 : Τύμβῳ ἐνεκτερέϊξαν ἐπειρήσαντό τ' ἀέθλων ᾗ θέμις ἂμ πεδίον λειμώνιον· 2, 840 : Ἧ θέμις οἰχομένοισι 3, 991 : Σοὶ δ' ἂν ἔγωγε τίσαιμι χάριν μετόπισθεν ἀρωγῆς ᾗ θέμις, ὡς ἐπέοικε διάνδιχα ναιετάοντας· 4, 1129 : Κερασσάμενοι κρητῆρας ᾗ θέμις. Quæ etiamsi ille sic scripsit, non est tamen cur 4, 694 : Ἵζανον, ᾗτε δίκη λυγροῖς ἱκέτῃσι τέτυκται, inferatur ᾗτε. Quanquam enim Apoll. Rh. cum grammaticis ᾗ sive ᾗ in hac formula manifesto pro particula et habuit apud Homerum et ipse ita usurpavit, nihilominus ἥτε δίκη scripserat, ut est Hom. Od. Δ, 691 : Οὔτε τινὰ ῥέξας ἐξαίσιον οὔτε τι εἰπὼν ἐν δήμῳ, ἥτ' ἐστὶ δίκη θείων βασιλήων · (et similiter Λ, 218 : Οὔτι σε Περσεφόνεια, Διὸς θυγάτηρ, ἀπαφίσκει, ἀλλ' αὕτη δίκη ἐστὶ βροτῶν, ὅτε κεν τε θάνωσιν ·) Ξ, 59 : Ἡ γὰρ δμώων δίκη ἐστὶν, αἰεὶ δειδιότων, ὅτ' ἐπικρατέωσιν ἄνακτες οἱ νέοι · Σ, 275 : Μνηστήρων οὐχ ἥδε δίκη τὸ πάροιθε τέτυκτο · Τ, 168 : Ἡ γὰρ δίκη, ὁππότε πάτρης ἧς ἀπέῃσιν ἀνήρ· (et 43 : Αὕτη τοι δίκη ἐστὶ θεῶν·) Ω, 255 : Ἡ γὰρ δίκη ἐστὶ γερόντων · (et H. Apoll. 458 : Αὕτη μέν γε δίκη πέλει ἀνδρῶν ἀλφηστάων). Unde Hesiodo Sc. 85 : Οἵ ῥά μιν ἠσπάζοντο καὶ ἄρμενα πάντα παρεῖχον, ᾗ δίκη ἔσθ' ἱκέτῃσι, restituendum ἥ, aut ἥ, prout hæc ad ὁ aut ὃς referuntur, ut infra dicemus. L. D.] Ἧ annexum habet interdum περ, interdum χι. Nam dicitur Ἧπερ, Quomodo, Prout : eadem signif. cum ᾗ. [Hom. Il. Η, 286 : Αὐτὰρ ἐγὼ μάλα πείσομαι ᾗπερ ἂν οὗτος · Ι, 310 : Χρὴ μὲν δὴ τὸν μῦθον ἀπηλεγέως ἀποειπεῖν, ᾗπερ δὴ φρονέω τε καὶ ὡς τετελεσμένον ἔσται. Apoll. Rh. 3, 189 : Μῦθος ... ᾗπερ ἐῴκει πρηΰνας.] Aristoph. Ach. [364] : Ἀλλ' ᾗπερ αὐτὸς τὴν δίκην διωρίσω, Θεὶς δεῦρο τοὐπίξηνον. [Xen. Comm. 3, 8, 2 : Ἀπεκρίνατο ᾗπερ καὶ ποιεῖν κράτιστον, Ita respondit, ut etiam factu optimum est, molestiam absurde interrogantis una cum ipso ab se abigendo.] || Qua parte, Qua re, Quo. Plato De rep. : Ἧπερ ἰσχύομεν, Quo genere antecellimus. [Ib. 1, p. 330, C : Ταύτῃ καὶ κατὰ τὴν χρείαν ᾗπερ οἱ ἄλλοι· Phæd. p. 78, C : Διαιρεθῆναι ταύτῃ ᾗπερ ξυνετέθη. || Qua via, Hom. Il. Ζ, 41 : Αὐτὼ μὲν ἐβήτην πρὸς πόλιν, ᾗπερ οἱ ἄλλοι ἀτυζόμενοι φοβέοντο · Φ, 4. Μ, 33 : Ποταμοὺς δ' ἔτρεψε νέεσθαι καρρόον, ᾗπερ πρόσθεν ἵεν καλλίρροον ὕδωρ· Od. Μ, 81 : Ἧπερ ἂν ὑμεῖς νῆα παρὰ γλαφυρὴν ἰθύνετε.] || Ubi. [Xen. Anab. 6, 5, 10 : Τοὺς τελευταίους λόχους καταχωρίσας ᾗπερ ὑμῖν δοκεῖ, ubi tamen prior quoque apta est signif. Forma Τῇπερ, pro Ubi, Δ, 565 : Ἐς Ἠλύσιον πεδίον, τῇπερ ῥηΐστη βιοτὴ πέλει ἀνθρώποισιν.] Porro pro ᾗπερ, Dorice ᾇπερ usurpatur. [Æsch. Cho. 440 : Ἔπρασσε δ' ᾇπερ νιν ὧδε θάπτει.] Aristoph. Ach. [759] : Παρ' ἁμὲ πολυτίματος ᾇπερ τοὶ θεοὶ, i. e. ὥσπερ, Quemadmodum, Sicut. [Ib. 730, Lys. 1003.] Item Ἧχι, Qua parte, Quo loco, Ubi, sicut ipsum ᾗ usurpari supra docui. Extat ap. Hom. tum alibi [ut Il. Α, 607 : Ἧχι ἑκάστῳ δῶμα ... Ἥφαιστος ποίησεν·] tum Il. Γ, [326] : Ἧχι ἑκάστῳ ἵπποι. [Ε, 774 : Ἧχι ῥοὰς Σιμόεις συμβάλλετον ἠδὲ Σκάμανδρος · Θ, 14; Λ, 76 etc., Callim. Jov. 10 et alibi, Apoll. Rh. aliique poetæ non Attici, quod in libris interdum scribitur sine ι, nec diserte dicit Apollon. Bekk. An. p. 624, 24, hoc quoque, ut τῇ, πῇ, ὅπῃ, cum ι scribi. Diserte vero schol. ad l. primum Hom. : Ἀρίσταρχος τὸ ἦχι χωρὶς τοῦ ι γράφει καὶ Διονύσιος. Παρατίθεται δὲ ὁ Διονύσιος τοὺς Δωριεῖς λέγοντας ἆχι. De accentu properisp. Jo. Alex. p. 5, 23.] Dionys. vero De situ Orbis [176, etc.] dixit etiam Ἧχί περ, itidem pro Ubi, Quo in loco. [Idemque ᾗχί τε 258 : Ἧχί τε μακραὶ φαίνονται σκοπιαὶ, ubi olim ᾗχί περ ἄκραι · et ante eum Nicander Al. 7, 302. || Addidit autem HSt. etiam feminino, ut supra neutro, nonnulla de demonstrativo, quod jam in illo tractaverat p. 1707, C :] Tertium respondens præcedentibus duobus, ᾗ et πῇ, est Τῇ, Eo modo, Ea ratione, Eatenus, Hoc modo, Hac ratione. Item Ea parte, Eo loco, Ibi. Hom. Il. Ξ, [404] : Τῇ

A ῥα δύω Τελαμῶνε περὶ στήθεσσι τετάσθην, Ibi, etiam Ubi ; nam Eust. τῇ ῥα eo loco exp. ἔνθα δή. Item Hac : ut τῇ καὶ τῇ, Hac et illac, Ab utraque parte : pro quibus et ἔνθεν καὶ ἔνθεν. Hesiodus in Scuto [210] de porta loquens, Πολλοὶ δέ γε ἀμμέσον αὐτοῦ Τῇ καὶ τῇ δελφῖνες ἐθύνεον ἰχθυάοντες, Hac illac, nisi malis Huc illuc, ut nonnulli interpretantur. Idem in Op. [206] : Τῇ δ' εἶς ᾗ σ' ἂν ἄγω, Eo vadis quo te duco : alii autem sic, Ea vadis qua te duco : quarum expositionum utraque ferri potest. Supra quoque in articulo præpositivo fem. gen. hujus adverbii facta mentio fuit [l. c.].

|| Ἅτε, Quippe, Utpote, Nimirum, Quando, Quia, ut Cic. ap. Plat. Tim. [Phædr. p. 245, C] : Ἅτε οὐκ ἀπολεῖπον ἑαυτὸ, Quia nunquam deseritur a se. Possis etiam reddere, Utpote quod, Quippe quod, Nimirum quod. Item Plato De rep. 1, [p. 350, D] : Ὡμολόγησε ταῦτα μετὰ ἱδρῶτος θαυμαστοῦ ὅσου, ἅτε καὶ θέρους ὄντος, Quippe quum æstas esset, Utpote æstate. [Herodot. 1, 154 : Ἅτε τὸν χρυσὸν ἔχων πάντα · 123 : Ἅτε τῶν ὁδῶν B φυλασσομένων. Thuc. 4, 130 : Ἐσπεσόντες ἐς τὴν Μένδην πόλιν, ἅτε οὐκ ἀπὸ ξυμβάσεως ἀνοιχθεῖσαν· 8, 52. Atque sic sæpissime Xen., Plato et alii quivis cum partic. vel adjectivo atque etiam substantivo, ut Reip. 8, p. 568, B : Εἰς τὴν πολιτείαν οὐ παραδεξόμεθα ἅτε τυραννίδος ὑμνητάς.] Item ἅτε ἔχουσαι, Quippe quæ habeant. Quum habeant. Item ἀλλ' ἅτε, Quippe. Et ἅτε γὰρ. Quippe, Siquidem. [Plato Crat. p. 404, D : Ἅτε γὰρ φερομένων τῶν πραγμάτων, et alibi.] Sic ἅτε δὴ, Quippe, Utpote [Gl.]. Plut. Lyc. [c. 9] : Οὐδὲ ἐπέβαινε τῆς Λακωνικῆς οὐ σοφιστὴς λόγων, οὐ μάντις ἀγυρτικός · ἅτε δὴ νομίσματος οὐκ ὄντος, Quippe quod nullum ibi esset numisma, quod sc. in exteras regiones perferri posset. Sic, Ἅτε δὴ τὴν δόξαν ἀντὶ τοῦ ζῆν καὶ τῆς βασιλείας ἠγαπηκὼς, Quippe qui gloriam vitæ ac imperio præferret, Utpote qui, Nimirum quia præferebat gloriam vitæ aut imperio. [Xen. H. Gr. 4, 2, 21 : Ἅτε δὴ ἀπαθεῖς ὄντες · et alibi sæpe. Plato Theæt. p. 182, D, Prot. p. 321, B. (Ἅτε δὴ καὶ loco Platonii, de quo dixi in Ἐπιβολή, vol. 3, p. 1542, A, illatum ab Hemst., ille C quidem non videtur scripsisse, sed quod conjeci ἅτε δὴ καταστὰς, usitato hujusmodi scriptoribus verbo.) Cum οὖν idem Tim. p. 24, D, et alibi, Xenoph. Cyr. 3, 3, 44.] Aliquando commodius exp. Veluti, Tanquam : ut ἅτε μανικὸς, Insanienti similis. Et ἅτε ἔνορκος ὢν, Non aliter quam si jurejurando foret adactus. Hesychius quoque exp. καθάπερ, et Suid. ὡς ἄν. [Pind. Ol. 1, 2 : Ὁ δὲ χρυσὸς αἰθόμενον πῦρ ἅτε διαπρέπει · et alibi. Soph. Aj. 168 : Παταγοῦσιν ἅτε πτηνῶν ἀγέλαι. Herodot. 1, 123 : Δίκτυα δοὺς ἅτε θηρευτῇ τῶν οἰκετέων τῷ πιστοτάτῳ· 200 : Ὃς μὲν ἂν βούληται αὐτῶν ἅτε μᾶζαν μαξάμενος ἔχει. || Cum indicativo, cujus constructionis exx. omisit HSt., Hom. Il. Χ, 127 : Ὀαριζέμεναι, ἅτε παρθένος ἠΐθεός τ' ὀαρίζετον ἀλλήλοιιν. Pind. Pyth. 4, 30 : Ξείνοις ἅτ' ἐλθόντεσσιν εὐεργέται δεῖπν' ἐπαγγέλλοντι πρῶτον.] || Ἅτε, Quanquam, ut VV. LL. interpr. ap. Nonn. : Οὐδέ μιν εἴρετο Πέτρος, ἅτε θρασὺς, οὐδέ τις αὐτὸν Τολμήσας ἐρέεινε, Etsi audax. Hactenus de particulis ab ὃς, pro Qui, derivatis : quod tamen de omnibus non affirmo. Sed et de earum signiff. D multa ex VV. LL. sumpta, mihi suspecta sunt.

|| Ὃς, nonnunquam pro τίς, Quis. [Ὃς ἦν ὁ ἀναδέξας οὐκ ἔχω εἰπεῖν, Herodot. 6, 124 ; γενομένης λέσχης ὃς γένοιτο αὐτέων ἄριστος, 9, 71 ; γνῶναι τὸ ἐθέλει τὰ δῶρα λέγειν, 4, 131 ; πλανωμένων αὐτῶν τὸ θέλει τὸ ἔπος εἶναι, 6, 37 ; εἴρετο τοὺς μάγους τὸ θέλοι προφαίνειν τὸ φάσμα, 7, 37 ; ἱστόρεε αὐτὸν τά σφι ὁ μητροπάτωρ διελέχθη, 3, 51 ; ἵνα βουλεύσωνται τὸ ποιητέον ἔσται, 8, 40. Schw. Lex.] Thucyd. [1, 136] : Ὅς ἐστι δηλοῖ, Quis sit indicat. Plato De rep. 2, [p. 358, D] : Ἐνδείξομαί σοι ὃν τρόπον βούλομαί σου ἀκούειν · Epist. 7, [p. 336, C] : Τὰς ἐκείνου βουλήσεις πειρᾶσθαι ἀποτελεῖν · αἳ δὲ ἦσαν, ἀκηκόατε παρ' ἐμοῦ σαφῶς, pro τίνες δὲ ἦσαν. At Justin. Martyr magis nove usus est, in interrogatione directa, ut ita loquar, dicens, δι' ἣν αἰτίαν pro διὰ τίνα αἰτίαν, Apol. ad Gent. [p. 11, C] : Δι' ἣν αἰτίαν, ὦ Ἀριστότελες, τὰς μὲν Πλάτωνος ἀναιρεῖν ἐθέλων δόξας, ὡς ἀληθεύοντι προσέχεις Ὁμήρῳ, ἡμῶν δὲ τὴν ἐναντίαν ἀποφηνάμενος δόξαν, οὐκ ἀληθεύειν Ὅμηρον οἴει ; || Item pro τις enclitico, i. e. Aliquis ; sed in plu-

rali potius, ut ap. Dem. ἃς μὲν, τινὰς δὲ, pro τινὰς μὲν, τινὰς δὲ, Pro cor.: Ἃς μὲν κατείληφε πόλεις τῶν ἀστυγειτόνων, τινὰς δὲ πορθεῖ. [V. de hoc l. infra.] Sed et in distributione ὃ pro Aliquod, Aliud. Matth. 13, 8: Ἄλλα δὲ ἔπεσεν ἐπὶ τὴν γῆν τὴν καλήν· καὶ ἐδίδου καρπὸν, ὃ μὲν ἑκατὸν, ὃ δὲ ἑξήκοντα, ὃ δὲ τριάκοντα. At Marc. [4, 8]: Καὶ ἔφερεν ἓν τριάκοντα, καὶ ἓν ἑξήκοντα, καὶ ἓν ἑκατόν. Est autem observandus ille articuli postpositivi usus, quum alioqui frequens sit præpositivus in hac signif.; atque ut dicitur in masc. genere, ὁ μὲν, ὁ δὲ, ita in neutro dici soleat potius τὸ μὲν, τὸ δέ. [De Ὃς μὲν, ὃς δὲ HSt. initio literæ Ω:] « Quum autem dicunt ᾧ μὲν, ᾧ δὲ, tunc postpositivo articulo utuntur pro præpositivo; perinde enim est ac si dicerent τῷ μὲν, τῷ δὲ, i. e. Uni quidem, alteri vero: veluti quum ita loquimur, Uni quidem hoc dedit, alteri vero illud. Sed interdum repetitur ᾧ δὲ, ut in hoc Luciani loco [Halcyon. c. 57]: Διαδοὺς ἅπασιν· ᾧ μὲν, πέντε δραχμάς· ᾧ δὲ, τάλαντον· ᾧ δὲ, μνᾶν. Sic quoque ἐφ' ὧν μὲν, ἐφ· ὧν δὲ, ap. Diosc. Invenitur etiam ὃς μὲν, pro ὁ μὲν, ὃς δὲ pro ὁ δὲ: eodemque modo in neutro genere, ὃ μὲν, ὃ δέ: ut Matth. 13, [8]: Καὶ ἐδίδου καρπὸν ὃ μὲν ἑκατὸν, ὃ δὲ ἑξήκοντα, ὃ δὲ τριάκοντα. Apud Marcum autem hunc usum præstat particula ἓν, 4, [8]: Καὶ ἔφερεν ἓν τριάκοντα, καὶ ἓν ἑξήκοντα, καὶ ἓν ἑκατόν· quum antea dixisset ὃ μὲν, et paullo post, ἄλλο δὲ, rursum καὶ ἄλλο. [Antiquissimum hujus usus testem Reizius De acc. incl. p. 30 citavit versum Phocylideum ap. Strab. 10, p. 487: Καὶ τόδε Φωκυλίδεω· Λέριοι κακοὶ, οὐχ ὁ μὲν, ὃς δ' οὔ· tum Mosch. 3, 77: Ἀμφότεροι παγαῖς πεφιλαμένοι ὃς μὲν ἔπινε Παγασίδος κράνας, ὁ δ' ἔχεν πόμα τᾶς Ἀρεθοίσας· et Philemonem Stob. Flor. 16, 10: Ἂν οἷς ἔχομεν τούτοισι μηδὲ (l. μηδὲν) χρώμεθα, ἃ δ' οὐκ ἔχομεν, ζητῶμεν, ὧν μὲν διὰ τύχην, ὧν δὲ δι' ἑαυτοὺς ἐσόμεθ' ἐστερημένοι (add. eund. 62, 8: Πάντα δ', ἂν σκοπῇς ὅλως, ἑτέρων πέφυκεν ἧττον', ὧν δὲ μείζονα, ut pro ἡττόνων correxi ad Eurip. Heracl. 1029)· Rhinthon. ap. Cic. Ad Att. 1, 20: Οἳ μὲν παρ' οὐδέν εἰσιν, οἷς δ' οὐδὲν μέλει, ubi εἰσι, τοῖς receptum ex conj.; poterat etiam Epicharm. ap. Stob. Fl. 37, 16: Ὁ τρόπος ἀνθρώποισι δαίμων ἀγαθὸς, οἷς δὲ καὶ κακός. Quem tamen versum non Epicharmi, sed Menandri esse suspicabatur Ahrens. De dial. vol. 2, p. 276, qui etiam apud Rhinthonem ἐντι, τοῖς conjiciebat, quum εἰσι alienum sit ab Rhinthone, ἐντιν autem non dicant Dores. De prosæ autem scriptoribus Demosthenem p. 248, 18: Πόλεις Ἑλληνίδας ἃς μὲν ἀναιρῶν, εἰς ἃς δὲ τοὺς φυγάδας κατάγων, ubi aliquot codd. τὰς semel vel bis, partim correcti, quum in iisdem verbis p. 282, 11, ἃς μὲν, τινὰς δὲ sit in plerisque, uno alterove ἃς in τινὰς et vicissim mutante, quod etiam l. priori in nonnullis apparet, quum in ἃς μὲν, τινὰς δὲ omnes conveniant p. 289, 10. Tum Aristotelem H. A. 6, 8: Ἐφ' ᾧ μὲν ἡ θήλεια, ἐπὶ δὲ θατέρῳ ὁ ἄρρην ἐπῳάζει· Eth. Nic. 2, 8: Ἐφ' ὧν μὲν ἡ ἔλλειψις, ἐφ' ὧν δὲ ἡ ὑπερβολή· et Pythagoreorum fragmenta, velut Archytæ, qui dicitur, ap. Stob. Fl. vol. 1, p. 41: Ἃ μὲν ἐντὶ διὰ αὔταυτα αἱρετὰ, ἃ δὲ δι' ἅτερον· 43: Ἃ μὲν ἐντὶ ἀνθρώπω, ἃ δὲ τῶν μερέων, apud quos hunc usum ex Homerico ὃς pro οὗτος repetebat Hemst., qui veterum hæc Dorum putaret, ad Thomam p. 1, qui dicit: Ἃ μὲν, ἃ δὲ μὴ εἴπῃς, ἀλλὰ τινὰ μὲν, τινὰ δὲ, εἰ καὶ Λουκιανὸς λέγει οὐκ οἶδα εἴτε παίζων εἴτε σπουδάζων. (Quibus addit Rhet. præc. c. 15 et l. ab HSt. cit.) Ὁ δὲ αὐτὸς οὗτος ἐξελέγχει (i. e. alienum judicat ab veterum Atticorum elegantia, ut monet Reiz. l. c. p. 35, 36) τοῦτο ἐν τῷ Ψευδοσοφιστῇ αὐτοῦ (c. 1). Ubi præter recentiorum ex prosa exx. nonnulla partim semel, partim bis positi ὃς Hemst. memorat etiam quæ sunt in Anthol., de quibus Sturz. De dial. Alex.: « Ὃς pro ὁ male posuere Bion 1, 81 sqq.: Χὼ μὲν ... ὃς δὲ ... ὃς δὲ ... χὼ μὲν ... ὃς δὲ ... ὁ δὲ ... ὃς δέ· Alexander Ætolus Anth. Pal. 6, 182, 5: Τῷ μὲν ... τῷ δὲ ... ᾧ δέ· Meleager ib. 12, 107, 6: Ἃς μὲν ... ἃς δέ· Alpheus Mytil. 6, 187, 5: Τῷ μὲν ... ᾧ δὲ ... ᾧ δέ· Antiphilus Byz. 9, 178, 5: Ὃς μὲν ... ὃς δέ· Leonidas Alex. 6, 325, 1: Ἄλλος ... ὁ δὲ ... ὃς δέ· Philippus Thess. 11, 173, 1: Τὸ μὲν ... ὃ δὲ ... ὃ δέ· Marcus Argent. 9, 221, 3: Τᾷ μὲν ... ᾇ δέ· Onest. 9, 292, 1: Ὃν μὲν ... ὃν δέ· Palladas 11, 280, 3: Ὃς μὲν ... ὃς δέ· Macedonius 11, 27, 5: Οἷς μὲν ... τοῖς δὲ, aliique poetæ. Jam possit quidem aliquis opinari, solos poetas ita loqui vel voluisse, vel propter metri leges debuisse. Atque hoc quidem de iis maxime suspicari licet, qui in eadem periodo nunc ὁ scripserunt, nunc ὅς: quæ tamen ratio nunquam conspicitur in antiquis, sæpe in recentioribus poetis. Sic Zosimus Thas. Anth. Pal. 6, 184, 5: Τὸν μέν τε δι' αἰθέρος, ὃν δ' ἀπὸ λόχμης. Damagetus Anth. Plan. 95, 2: Μείζων δὲ θηρῶν ὃς μὲν, ὁ δ' ἡμιθέων. Et epigr. adesp. Anth. Pal. 12, 88, 3; 9, 481, 2; 7, 334, 7, Append. 164, 3, Anth. Plan. 185, 2; 265, 5; 135, 3, etc. Sed etiam qui pedestri oratione usi sunt, laudari hanc in rem multi possunt, ut Athen. 6, p. 271, F: Οὓς μὲν ... οὓς δὲ ... οὓς δέ· 10, p. 439, C: Οὓς μὲν ... οὓς δέ. Diodor. 20, 52: Οὓς μὲν ... οὓς δέ· it. ἃ μὲν ... ἃ δέ· it. ἃς μὲν ... ἃς δέ. Apollonius Dysc. ed. Sylb. p. 14, 26; p. 36, 9; p. 59, 5; p. 121, 22; p. 227, 28: Ἃ μὲν ... ἃ δέ· p. 177, 19: Ἃ μὲν ... ἃ δὲ ... τινὰ δέ· p. 298, 15: Οἷς μὲν ... οἷς δέ· p. 40, 27, et p. 98, 15: Ὃς μὲν ... ὃς δέ. Conf. p. 194, 24, et p. 201 sq. Photius in electis e Procli Chrestom. ad calcem Apoll. Dysc. p. 342, 5. Ælian. V. H. 6, 1: Τοὺς δὲ ... οὓς δὲ ... οὓς δέ· 13, 46: Τοὺς μὲν ... οὓς δέ. Hermes ap. Stob. Ecl. phys. c. 52, p. 1082: Ὑφ' ὧν μὲν ... ὑφ' ὧν δὲ ... ὑπὸ δὲ ἑτέρων. Plut. Mor. p. 394, A: Ὁ μὲν ... ὁ δὲ ... καὶ ὁ μὲν ... ὁ δὲ ... καὶ ὁ μὲν ... ὁ δὲ ... καὶ παρ' ᾧ μὲν ... παρ' ᾧ δὲ ... καὶ ὁ μὲν ... ὁ δὲ ... καὶ ὁ μὲν ... πρὸς ὃν δέ. Monum. Adulit. haud procul a fine: Ἃ μὲν ... ἃ δέ. Matth. 13, 4 sqq.: Ἃ μὲν ... ἄλλα δὲ ... ἄλλα δέ· 8: Ὃ μὲν ... ὃ δὲ ... ὃ δέ. Alia exempla e Polybio, Herodiano, Sexto Empirico aliisque collegit Fischerus ad Weller. Gramm. 1, p. 332. » Frequens est etiam ap. Maneth., qui etiam ὃς δέ τε 6, 635: Κλήρων ἐξελάουσι βροτοὺς Φαίνων Πυρόεις τε, ὃς μὲν πρόσθεν ἰὼν Ὑπερίονος, ὃς δέ τ' ὄπισθεν. Et ὃς μὲν, ἄλλος δὲ 2, 23. ‖ Adv. ᾇ μὲν ... ᾇ δὲ Tab. Heracl. 1, 33, p. 193: Ἀπέχοντας ἀπ' ἀλλάλων ᾇ μὲν τριάκοντα πόδας, ᾇ δὲ ἴκατι. Epigr. ap. Bœckh. C. I. vol. 2, p. 36, n. 1907, 6: Ἃ μὲν τὰ κόσμου σεμνὰ, post quod quæ sequebantur, desunt, sed habuisse videntur ᾇ δέ.]

‖ Ὃς pro οὗτος, vel ἐκεῖνος, Hic, Ille. [Hom. Il. Z, 59: Μηδ' ὃς φύγοι· Φ, 198: Ἀλλὰ καὶ ὃς δείδοικε· X, 201: Οὐδ' ὃς ἀλύξαι (δύνατο)· Od. A, 286: Ὃς γὰρ δεύτατος ἦλθεν· P, 172: Ὃς γάρ ῥα μάλιστα ἥνδανε.] Qui particulæ [ita HSt. cum grammaticis inter μόρια referens, ut supra ἓν, vocat pronomen] usus frequentissimus est in dialogicis scriptis, qualia sunt Platonis, et quædam Xenophontis: quæ tamen sic dialogica sunt, ut aliquando interjiciant quæ cujus sint verba: quod alioqui prima cujusque nominis litera significari alibi videmus, aut certe primis duabus literis. Xen.: Καὶ ὃς, λέξον ἡμῖν, ἔφη. [Sæpissime ita Xen., etiam plurali Anab. 7, 6, 4: Καὶ οἳ εἶπον, et alibi. Plat. Prot. p. 310, D: Καὶ ὃς γελάσας ... ἔφη· 312, A: Καὶ ὃς εἶπεν ἐρυθριάσας· Phæd. p. 118: Καὶ ὃς τὰ ὄμματα ἔστησεν. Fem. Conv. p. 201, E: Καὶ ἣ οὐκ εὐφημήσεις, ἔφη· 202, B: Καὶ ἣ γελάσασα ... ἔφη· et mox: Καὶ ἥ, Ῥᾳδίως, ἔφη.] Plato De rep. 3 init.: Μὰ Δία, ἦδ' ὃς, οὐκ ἔγωγε. At Idem initio libri 1 ejusd. operis, Ἀλλὰ περιμενοῦμεν, ἦ δ' ὃς ὁ Γλαύκων. [V. Φημί.] Sed ex Gaza annotatur, ὃς esse hic pronomen primitivum tertiæ personæ. In VV. LL. ex Herodoto ὃς καὶ ὃς, pro Hic vel ille. [Sic Herodot. 4, 68, eadem notione, qua alias ὁ δεῖνα dicitur. Schweigh.] Sic Ἣ pro Hæc s. Ista. Hom. Il. P, [228]: Ἣ γὰρ πολέμου ὀαριστὺς, Hæc enim cum bello consuetudo est, Tale est commercium belli. [Ib. 551: Ὣς ἣ πορφυρέῃ νεφέλῃ πυκάσασα ἓ αὐτήν. Alia de eodem sunt ap. HSt. in Ind., ubi respicit quæ in Ἑὸς posita sunt vol. 3, p. 1360, B, 14, iisque addit:] Sic Hesych. Ἧ δὲ βίηφι affert pro τῇ δὲ αὐτοῦ ἰσχύϊ. Ἣ est et relativum pron. pro αὐτὴ, ut ὃς pro αὐτὸς [vel potius pro οὗτος et αὕτη, ut ipse dixit supra in masc.]: interdum [immo semper] demonstrativum pro αὕτη, Hæc. Hom. Od. Ξ, 59: Ἣ γὰρ δμώων δίκη ἐστὶ, pro αὕτη γὰρ, Eust. [Sed Æsch. Eum. 7: Δίδωσι δ' ἣ γενέθλιον δόσιν Φοίβῳ, aptius est ἡ, ut sit ἡ δὲ δίδωσι. Femininum enim quum accentu tantum addito vel omisso distet a fem. articuli ὁ, in hoc quidem discrimen ad scripturam redit, pariter atque in masc. plur. οἱ et οἳ, et singulari ὁ et quod etiam relativa signif. poni pro ὃς paullo post dicemus ὅ. Præferri autem solet scriptura ὃ et ἣ alteri ὁ et ἡ non tantum ubi repetitur aut utraque forma conjungitur, ut Il. X, 200 : Οὔτ᾽ ἄρ᾽ ὃ τὸν δύναται ὑποφεύγειν, οὔθ᾽ ὃ διώκειν· ὡς ὃ τὸν οὐ δύνατο μάρψαι ποσὶν, οὐδ᾽ ὃς ἀλύξαι, sed etiam ubi semel ponitur et major est vis in pronomine, velut Il. Γ, 190 : Οὐδ᾽ οἳ τόσοι ἦσαν· Η, 160 : Οὐδ᾽ οἳ προφρονέως μέμαθ᾽ Ἕκτορος ἀντίον ἐλθεῖν· et ab Apollonio De constr. 1, 47 quidem etiam in talibus, ut οἱ μὲν δυσομένου Ὑπερίονος, οἱ δ᾽ ἀνιόντος, ubi dicit μετὰ τὸ Αἰθίοπας ἐπιφέρεσθαι ὑποτακτικὸν ἄρθρον τὸ οἵ, ὅπερ συνηθέστερον διὰ τοῦ τ Ὅμηρός φησι, Τοὶ διχθὰ δεδαίαται, ἔσχατοι ἀνδρῶν. Cujus sententiæ Reiz. De acc. incl. p. 32 adversari monet consuetudinem Homeri non ὃς aut ὃ in talibus dicentis, sed ὁ, ut Il. O, 7 : Ἴδε δὲ Τρῶας καὶ Ἀχαιοὺς, τοὺς μὲν ὀρινομένους, τοὺς δὲ κλονέοντας ὄπισθεν Ἀργείους, Apollonium vero suæ ætatis consuetudine etiam ὃς μὲν, ὃς δὲ dicendi deceptum novitium genus loquendi perperam intulisse Homero. Quod autem ὃ et ἣ scripserunt nonnulli, quantumvis illa pro articulis haberent et non a forma ὃ pro ὃς ducerent, jam in Ὁ, p. 1703, D, diximus, recentiorum esse opinionem, rejectam etiam a Buttmanno Gramm. vol. 1, p. 306, ad pronunciationem autem nihil interesse ὁ scribatur an ὃ, nullumque esse discrimen inter vocales gravatas et omni carentes accentu, in quo investigando laboravit Buttmann. ibid. p. 58—60, in Ἐγκλίνω vol. 3, p. 89, B, C. || Neutro Il. M, 344 : Ἔρχεο, δῖε Θοῶτα, θέων Αἴαντα κάλεσσον, ἀμφοτέρω μὲν μᾶλλον· ὃ γάρ κ᾽ ὄχ᾽ ἄριστον ἁπάντων εἴη· Od. Ω, 190 : Ὃ γὰρ γέρας ἐστὶ θανόντων. Hic autem relativi pro demonstrativo usus nominativo continetur et alienus est a ceteris casibus. || Forma ὃ pro ὃς, de qua HSt. in Ὁ sub finem promisit se post Ὅς dicturum, non infrequens est ap. Epicos, ut Hom. Il. A, 649 : Αἰδοῖος, νεμεσητὸς, ὅ με προέηκε πυθέσθαι· M, 380, N, 211 etc., et Pindarum, velut Pyth. 2, 50 : Θεὸς, ὃ καὶ πτερόεντ᾽ αἰετὸν κίχε, et alibi, ap. Tragicos uno legitur loco Eur. Hipp. 525 : Ἔρως Ἔρως, ὃ κατ᾽ ὀμμάτων στάζεις πόθον. L. Dind.]

[Ὀσὰκ, τὸ ἀμμωνιακὸν, in Glossis iatricis mss. ex cod. Reg. 1237. Ducang.]

Ὁσάκις, et Ὁσάκι, magis poetice, Quoties. [Aliquoties, Quotiescunque, add. Gl. Xen. Comm. 3, 4, 3, Cyn. 3, 6; Plato Theæt. p. 143, A, Charm. p. 158, A. Ὁσάκις οὖν, Quotiescunque, Nicom. Introd. ar. 1, 23 init. : Δὶς ἢ τρὶς ἢ ὁσάκις οὖν· 2, 17 med.] Ὁσσάκι, metri causa, pro ὁσάκις, Quoties. [Hom. Il. Φ, 265 : Ὁσσάκι δ᾽ ὁρμήσειε στῆναι, et alibi.] Epigr. [Callim. Del. 254. Ὁσσάκις id. Epigr. 2, 2 : Ἐμνήσθην ὁσσ. κατεδύσαμεν. Tab. Heracl. 1, 84 : Ὁσσάκις κα δέωνται.]

Ὁσαπλάσιος, α, ον, [s. Ὁσαπλασίων, ον,] exp. Quantuplus. Significat tamen fortasse potius Quotuplex [Gl.], indefinite, ut ποσαπλάσιος interrogative. [Archimedes De sphær. et cyl. l. 1, 2, p. 106 Basil.; Euclid. Elem. 12, 12; Iambl. In Nicom. p. 137, D.]

[Ὀσαρσήφ, vel Ὀσαρσίφ, nomen Mosis quo in Ægypto insignitus fuit, teste Manethone in Ægyptiacis. Verba ejus hæc attulit Joseph. l. 1 Contra Apion. § 26, p. 460, loquens de Israelitis in Ægypto : Ἡγεμόνα αὐτῶν λεγόμενόν τινα τῶν Ἡλιοπολιτῶν ἱερέων Ὀσάρσιφον ἐστήσαντο. Res ipsa clamat, sermonem hic esse de Mose. Et luculenter id ipse Manetho declarat, ibid. p. 461 : Λέγεται δ᾽ ὅτι τὴν πολιτείαν καὶ τοὺς νόμους αὐτοῖς καταβαλόμενος, ἱερεὺς, τὸ γένος Ἡλιουπολίτης, ὄνομα Ὀσαρσίφ, ἀπὸ τοῦ ἐν Ἡλίου πόλει θεοῦ Ὀσίρεως, ὡς μετέβη εἰς τοῦτο τὸ γένος, μετετέθη τοὔνομα καὶ προσηγορεύθη Μωυσῆς. Verbis his etiam viam nobis aperit Manetho ad veram nominis hujus originem facile inveniendam. Ait enim, nomen hoc esse compositum ex Ὀσίρεως, sive Osiride. Copt. est Ὀσιρσάφ, Desolator vel destructor Osiridis. Patet etiam hinc, verum nomen Ægyptiacum, uti illud Manetho nos interpretari docuit, scribendum esse Ὀσιρσάφ, non Ὀσαρσίφ. Ceterum, etiam me non monente, quivis rerum Ægyptiacarum vel mediocriter tantum peritus, per se facile intelligit, per Ὄσιριν, quem Manetho ait Heliopoli cultu religioso honoratum fuisse, intelligi debere Solem, a quo urbs nomen Heliopoleos accepit. Verum tamen est, Solem Heliopoli symbolico Osireos nomine non adoratum fuisse. Colebatur etiam sub nomine Ægyptiis sacro-sancto Φρῆ. Et Osiris nomen,

A me quidem judice, temporibus Mosis multo est posterius. Dixi ea de re in Panth. Ægypt. l. 2, c. 1, § 8 et 16, et in Proleg. c. 1, § 9. Jablonsk.]

[Ὁσάτιος. V. Ὁσσάτιος.]

[Ὁσάχῆ.] Ὁσαχῆ περ ἂν ἦν δυνατὸν, Qua maxime ratione fieri poterat, Pro viribus, Plato [Tim. p. 43, E]. Quo sensu et ὅση δύναμίς γε παρῆν ap. Hom., et ὅσον σθένος ap. Theocritum. [Est potius Quacunque.]

Ὁσαχοῦ, Quibuscunque in locis, Ubicunque. Item pro Quotiescunque, ex Aristide. [Cui vol. 1, p. 45, 19, ex cod. restitutum : Ὁσαχοῖ δὲ Ἀσκληπιῷ εἴσοδος, καὶ τούτοις κλισιάδες ἀνεῖνται. Demosth. p. 682, 12 : Ὁσαχοῦ κύριος γέγονε τοῦ πράττειν ὅ,τι βούλεται, πανταχοῦ κακῶς ἐπιχειρῶν ὑμᾶς ποιεῖν φαίνεται.]

Ὁσαχῶς, Quot modis, Quotcunque modis, Quoties. [Aristot. Metaphys. 1, p. 98, 25 : Ὁσαχῶς λέγεται. Aristox. Harm. 1, p. 4, A : Διαιρετέον ὁσαχῶς δύναται διαιρεῖσθαι. Ms. ap. Lambec. Bibl. Cæs. vol. 5, p. 3, C : Ὁσαχῶς νοεῖται θεός. Bandin. Bibl. Med. vol. 1, p. 274, A. L. Dind.]

B [Ὄσδος. V. Ὄζος.]

[Ὄσδω. V. Ὄζω.]

[Ὁσέτειος. V. Ὅσος.]

Ὁσημέραι, Quotidie [Gl.], vide Ἡμέρα. [Et Ὅσος.]

[Ὀσθάλη, Phœnix, herba, ap. Interpol. Diosc. c. 625 (4, 43). Ducang.]

[Ὀσθάνης, ὁ, Osthanes. ap. Plin. N. H. 30, 1, 8 : «Primus, quod exstet, ut equidem invenio, commentatus de ea (magice) Osthanes, Xerxem regem Persarum bello, quod is Græciæ intulit, comitatus... Quod certum est, hic maxime Osthanes ad rabiem, non aviditatem modo scientiæ ejus Græcorum populos egit.» Et ib. 11 : «Non levem et Alexandri M. temporibus auctoritatem addidit professioni secundus Osthanes, comitatu ejus exornatus.» Memoratur Ὀσθάνης quidam ap. Dioscor. Noth. p. 457, D. Magum Euseb. Præp. 1, fin.; 5, 14 init., ubi Ὀστάνης scriptum, ut in Plinii libris nonnullis. V. Fabric. B. Gr. vol. 1, p. 106 sq. Suidas : Ὀστᾶναι (sic), οὗτοι πρώην παρὰ Πέρσαις μάγοι ἐλέγοντο, κατὰ διαδοχὴν Ὀστᾶναι. L. Dind.]

C Ὁσία, ἡ, pro quo Ionice Ὁσίη, Fas. Dem. [p. 556, 9] : Ὁ θεὸς καὶ τὸ τῆς ὁσίας, ὅ,τι δήποτ᾽ ἐστὶ, τὸ σεμνὸν καὶ τὸ δαιμόνιον, συνηδίκηται, Deus simulque fas ipsum, ejusque majestas et numen, quodcunque est illud tandem, injuria affecta sunt. Idem alibi [p. 548, 21] : Οὔτε θεοὺς οὔθ᾽ ὁσίας [ὁσίαν], pro Nec deos, nec fas. Et Ὁσία ἐστὶ, vel simpliciter et absolute Ὁσία, subaudiendo ἐστὶ, Fas est. Herodot. 2, [45] : Τοῖσι ὁσίη θύειν ἐστὶ, Quibus fas est immolare. Idem [ib. 171], Πλὴν ὅσον αὐτῆς ὁσίη ἐστὶ λέγειν, Nisi quatenus fas est de illa dicere : alii, Quatenus sanctum est. Hom. sine ἐστὶ, Od. Π, [423] : Οὐδ᾽ ὁσίη κακὰ ῥάπτειν ἀλλήλοισιν, Nec fas est inter se dolos struere. [X, 412 : Οὐχ ὁσίη κταμένοισιν ἐπ᾽ ἀνδράσιν εὐχετάασθαι· H. Apoll. 237 : Ὣς γὰρ τὰ πρώτισθ᾽ ὁσίη γένετο· et cum genit., ut sit Justa portio, H. Merc. 130 : Εἴθ᾽ ὁσίης κρεάων ἠράσσατο κύδιμος Ἑρμῆς· et similiter 173 : Ἀμφὶ δὲ τιμῆς κἀγὼ τῆς ὁσίης ἐπιβήσομαι, ἧσπερ Ἀπόλλων. Ib. 470 : Φιλεῖ δέ σε μητίετα Ζεὺς ἐκ πάσης ὁσίης· H. Cer. 211 : Δεξαμένη δ᾽ ὁσίης ἕνεκεν, ubi ἐπέβη conjecit Vossius. Pind. Pyth.

D 9, 37 : Ὁσία κλυτὰν χέρα οἱ προσενεγκεῖν; Unde dæmonem fingit Eur. Bacch. 370 : Ὁσία, πότνα θεῶν, Ὁσία δ᾽, ἃ κατὰ γᾶν χρυσέαν πτέρυγα φέρεις, ἀΐεις οὐχ ὁσίαν ὕβριν; Id. Hel. 1354 : Ὃν οὐ θέμις σ᾽ οὐδ᾽ ὁσία ἐπώρσας. Empedocles v. 47 Karst. : Ὁσίης πλέον εἰπεῖν.] Itidem ap. Plat. De rep. 3, [p. 416, E] legi potest, Οὐδὲ ὁσία τὴν ἐκείνου κτῆσιν τῇ τοῦ θνητοῦ κτήσει συμμιγνύντας, μιαίνειν, Nec fas est : ubi tamen vulg. edd. habent Ὅσια, quod Bud. scribit Attice usurpatum esse plur. numero pro ὅσιον, sicut a Thuc. παριτητέα et πολεμητέα εἶναι, pro παριτητέον et πολεμητέον εἶναι. Aristoph. Pl. [682] : Κἀγὼ νομίσας πολλὴν ὁσίαν τοῦ πράγματος Ἐπὶ τὴν χύτραν τῆς ἀθάρης ἀνίσταμαι, Ibi ego assurgo, quum omnino licere et fas esse censerem ; ubi et schol. annotat, ὅσια τὰ πρὸς τοὺς ἀνθρώπους dici ὧν ἔξεστι θίγειν [θιγεῖν] : et sic exponit locum, δόξας ὅσιον εἶναι τὸ λαμβάνειν τι ἀπὸ τῶν ἐν ἱερῷ, ἐπεὶ καὶ ὁ ἱερεὺς ἐλάμβανεν. [De munusculo quod deo oblatum esset, Archias Anth. Pal. 9, 91, 2 : Ὦ ἄνα, χαίροις, Ἑρμῆ, καὶ λιτῇ προσγελάσαις ὁσίῃ. Ubi dicitur ut de pietate ap. Iambl. Vit. Pyth. 176, p. 370 : Πολλὰ καὶ ἄλλα τῆς πρὸς τοὺς θεοὺς ὁσίας ἐχόμενα ἔργα διεπράξατο.] || Justa funebria : quæ Plut. Numa [c. 12] vocat τὰ περὶ τοὺς θνήσκοντας ὅσια, Justa quæ mortuis solvuntur. Chrysost. In Ep. ad Ephes. 4, [24, hom. 14] : Ὅσιον λέγεται τὸ καθαρὸν, τὸ ὀφειλόμενον, διὰ τοῦτο καὶ τὴν ὁσίαν τῶν ἀπελθόντων φαμέν. Ubi, inquit Bud. p. 283, deesse puto hæc verba, τῷ θεῷ, ut sit τὸ ὀφειλόμενον τῷ θεῷ. Dicitur igitur ὁσία τῶν ἀπελθόντων, quia mortuis justa exequiarum et parentalia debentur : quæ ob id fortasse Justa dicta sunt. Cicero, Plato justa funerum rejicit. Livius, Ut justa funebria, placandosque manes doceret. Est autem ὁσία, ἡ τῶν τεθνηκότων κηδεία καὶ τιμή. [Photius Epist. 105, p. 150 : Τὴν ὁσίαν ἐκείνῳ ἀνθ' ἡμῶν ἐπιτέλει. Suicer.] Gregor. in Epitaph. sororis : Φέρε δὴ προσδῶμεν ἤδη τοῖς ἐγκωμίοις, τὴν ὀφειλομένην ὁσίαν, ὡς ἄλλο τι χρέος τῶν ἀναγκαιοτάτων, ἀποπληροῦντες· sic appellans Parentalem orationem mortuæque laudationem. [Iambl. Vit. Pyth. 184, p. 384 : Κηδεύων αὐτὸν παρέμεινέ τε ἄχρις τῆς τελευτῆς αὐτῷ καὶ τὴν ὁσίαν ἀπεπλήρωσε περὶ τὸν αὐτοῦ καθηγεμόνα. Liban. vol. 4, p. 778, 25 : Παντοδαποῖς ἐθεράπευσα τρόποις τῆς θυγατρὸς τὴν ὁσίαν δάκρυσι καὶ χοαῖς καὶ τοῖς ἄλλοις πᾶσιν οἷς νομίζεται τοὺς ἀπελθόντας τιμᾶσθαι. Eust. Il. p. 1376, 26 : Τὸ τῆς ὁσίας, ταὐτὸν δ' εἰπεῖν ταφῆς, τιμῆς.] || Expiatio s. Piatio, καθαρμὸς καὶ ἀφοσίωσις, Expiatio quæ fit ad animum religione absolvendum. Unde ὁσίας ἕνεκα s. ὁσίας χάριν, i. e. ἀφοσιώσεως ἕνεκα : quod Latini, Dicis causa, Dicis ergo. [Eur. Iph. T. 1461 : Ὁσίας ἕκατι θεά θ' ὅπως τιμὰς ἔχῃ · 1161 : Ἀπέπτυσ'· ὁσίᾳ γὰρ δίδωμ' ἔπος τόδε.] Modestinus Juris. l. 2 Dig. Qui pet. tut. : Καὶ οὐ μόνον ἐὰν μὴ αἰτήσῃ, ἀλλὰ καὶ ὃν ἂν αἰτήσῃ, ὁσίας χάριν αἰτήσῃ, Et non solum si non petierit, sed et si quem petierit, dicis causa petierit. Varro L. L. 6 : Nihil intererat cui imperaret : et dicis causa fiebant quædam. Plin. 28, 2 : Si pontifici accidat dicis causa epulanti, in mensa utique id reponi adolerique ad larem, piatio est. Arnob. Disputationum adversus Gentes l. 4 : An ita ut assolet, dicis causa ex eo quod optamus et volumus bona ista nobis contingere, superorum retuleritis in censum. Dion 37, [28] : Καὶ ἔτι καὶ νῦν ὁσίας ἕνεκα ποιοῦνται, Hoc etiamnum faciunt dicis ergo, h. e. Animum religione exolvendi gratia : ubi exponit morem illum habendi exercitus in Janiculo dum comitia haberentur, de quo et Gellius 15, 27. Ὁσίας ἕνεκα ποιεῖν τι Bud. significare putat ἕνεκα τοῦ ἀμέμπτου καὶ ἀνεπιλήπτου ποιεῖν, Hactenus ut qui fecerit reprehensione careat : quod qui faciunt, perfunctorie et defunctorie agere dicuntur : ut idem sit cum ἀφοσιοῦσθαι. [Dionys. A. R. 2, 6 : Οἷον εἰκών τις αὐτοῦ λείπεται τῆς ὁσίας αὐτῆς ἕνεκα γινομένη· et eadem formula 2, 74 ; 4, 74. Harpocratio v. Ἀφοσιῶ : Τὸ δὲ μὴ ἐντελῶς τι ποιῆσαι, ἀλλ' ὥσπερ ὁσίας ἕνεκεν, ἀφοσιώσασθαι εἶπεν Ἰσαῖος.]

[Ὁσιακὸν εὐαγγέλιον, quod cantatur in Festis SS. Vid. Anthologium 1 Sept. et Typicum S. Sabæ c. 12. Ducang.]

[Ὁσιεύω. V. Ὁσιόω.]

[Ὁσιόμαρτυς, υρος, ὁ, ἡ, Sanctus s. sancta martyr. « Describuntur in Euchologio p. 904 et 919 ἀποστολοευάγγελα εἰς μάρτυρας γυναῖκας, ὁσίας γυναῖκας καὶ εἰς ὁσιομάρτυρας γυναῖκας. S. Febronio in Menologio dicitur ὁσιομάρτυρ. V. Antholog. Arcudii part. 2, p. 31 et 40, ut S. Stephanus jun. ap. Allat. De Psellis p. 83. » Ducang. Fem. ἡ ὁσιόμαρτυς est in Menologio Gr. vol. 1, p. 54 ; vol. 3, p. 1 bis. Τὸν ὁσιομόρτυρα. Nic. Cabasilas ap. Lambec. Bibl. Cæs. vol. 5, p. 432, B. L. Dind. Phot. Erotem. p. 75 ; Steph. Diac. in Anal. PP. Benedictin. p. 521 med. Boiss.]

[Ὁσιοπρεπῶς, Sancte. Phot. Bibl. p. 474, 11 : Ὁσ. τε καὶ ἁγίως ... τὰς οὐρανίους σκηνὰς ἐκληρώσατο. Jacobs.]

Ὅσιος, α, ον [et ὁ, ἡ, ap. Plat. Leg. 8, p. 831, D : Πρᾶξιν πράττειν ὅσιόν τε καὶ ἀνόσιον καὶ πάντως αἰσχράν· et in libris nonnullis Axiochi l. sub finem ab HSt. cit. Dionys. A. R. 5, 71 : Τὴν ὅσιον ἀρχήν. Athenag. Legat. p. 290, A : Ὁσίους χεῖρας], Sanctus, Justus, [Pius add. Gl.] Nullo scelere contaminatus. Ὅσιος, inquit Bud. p. 281, etiam dicitur καθαρὸς, Innocens et nullo scelere contaminatus. Et ὅσιος τὰ πρὸς τοὺς θεοὺς, Qui nulla religione violata se obstrinxit, Nullo piaculo mentem consceleravit. Virg., Sancta ad vos anima atque istius nescia culpæ Descendam. [Hom. H. Nept. 6 : Δὸς δ' ἐς ὑπωρείην Μίμαντος αἰδοίων μ' ἐλθόντα βροτῶν ὁσίων τε κυρῆσαι. Æsch. Sept. 1010 : Ἱερῶν πατρῴων δ' ὅσιος ὢν μομφῆς ἄτερ τέθνηκεν· Suppl. 27 : Οἰκοφύλαξ ὁσίων ἀνδρῶν. Eur. Heracl. 719 : Εἰ δ' ἐστὶν ὅσιος αὐτὸς οἶδεν εἰς ἐμέ· Ion. 150 : Ὅσιος ἀπ' εὐνᾶς ὤν· Cycl. 125 : Φιλόξενοι δὲ χὤσιοι περὶ ξένους· Med. 850 : Τὰν οὐχ ὁσίαν μετ' ἄλλων· Or. 547 : Ἐγὼ δ' ἀνόσιός εἰμι μητέρα κτανὼν, ὅσιος δέ γ' ἕτερον ὄνομα, τιμωρῶν πατρί. Aristoph. Ran. 336 : Ὁσίοις μύσταις χορείαν, et ib. 327, ὁσίους ἐς θιασώτας.] Iidem porro ὅσιοι dicuntur et ἁγνοὶ et εὐαγεῖς : contra ἀνόσιον quum dicebant, et οὐχ ὅσιον, significabant Impium et nefarium, Scelestum. Antiphon [p. 139, 9] : Ἱεροῖς τε παραστάντες πολλοὶ ἤδη καταφανεῖς ἐγένοντο οὐχ ὅσιοι ὄντες, καὶ διακωλύοντες τὰ ἱερὰ μὴ γίνεσθαι τὰ νομιζόμενα. Præterea ὅσιοι et καθαροὶ s. εὐαγεῖς dicebantur etiam Ii, qui ob cædem perpetratam contaminatas manus habere non censebantur, ut verba Legis a Solone latæ declarant ap. Antiph. [Andocidem p. 13, 8] : Ὁ δὲ ἀποκτείνας τὸν ταῦτα ποιήσαντα, ὅσιος ἔστω καὶ εὐαγής· quæ verba orator interpretans, ait, Καθαρὸς ἔστω τὰς χεῖρας, ut infra in Ὁσίως. [De manibus ipsis Æsch. Cho. 378 : Τῶν δὲ κρατούντων χέρες οὐχ ὅσιαι. Soph. OEd. C. 470 : Δι' ὁσίων χειρῶν θιγών.] Hæc ex Bud., partim p. 281, partim p. 207. Priori loco magis convenit hic Thuc., ubi sibi opp. ὅσιοι et οἱ οὐ δίκαιοι, 5, p. 195 [c. 104] : Ὅτι ὅσιοι πρὸς οὐ δικαίους ἱστάμεθα. Xen. Hell. 2, [4, 40] : Εὔορκοι καὶ ὅσιοί ἐστε. [Anab. 2, 6, 25 : Τοῖς ὁσίοις καὶ ἀλήθειαν ἀσκοῦσιν, quibus contrarii ἐπίορκοι καὶ ἄδικοι· Ag. 3, 5 : Καλὸν ἀνδρὶ στρατηγῷ τὸ ὅσιόν τε καὶ πιστὸν εἶναι.] Plato De rep. 2, [p. 363, A] : Ἄφθονα ἔχουσι λέγειν ἀγαθὰ τοῖς ὁσίοις, ἅ φασι θεοὺς διδόναι, Viris sanctis. [Ib. D : Τοῦ ὁσίου καὶ εὐόρκου· 3, p. 395, C : Σώφρονας, ὁσίους· 10, p. 615, B : Δίκαιοι καὶ ὅσιοι. Isocr. p. 297, B : Ὑμᾶς ὁσιωτάτους καὶ δικαιοτάτους εἶναι τῶν Ἑλλήνων. « Philemo Lex. techn. : Ὅσιος, ὁ δίκαια ποιῶν. Observat Goarus ad Euchólog. p. 402, qui nunc Confessor in Latinorum Officiis habetur, si monachus sit, ὅσιον, si communem in civitate vitam duxerit, δίκαιον nuncupari. » Ducang. De sanctis Ephræm Syr. vol. 3, p. 523, C, et utroque genere ap. Bandin. Bibl. Med. vol. 1, p. 130 sq. De imperatoribus Rom. inscr. ap. Bœckh. vol. 2, p. 896, n. 3607, 4 : Τῶν ὁσιωτάτων ἡμῶν αὐτοκρατόρων Διοκλητιανοῦ καὶ Μαξιμιανοῦ.] Sed et res aliquæ dicuntur esse ὅσιαι, Sanctæ, Ab omni scelere alienæ. [Theognis 132 : Οὐδὲν ἐν ἀνθρώποισι πατρὸς καὶ μητρὸς ἄμεινον ἔπλετο, τοῖς ὁσίη, Κύρνε, μέμηλε δίκη. Æsch. Prom. 530 : Θεοὺς ὁσίαις θοίναις ποτινισσομένα. Soph. Ph. 662 : Ὅσιά τε φωνεῖς ἔστι τ' ὦ τέκνον θέμις· Aj. 1405 : Λουτρῶν ὁσίων· et idem vel alius ap. Stob. Ecl. phys. vol. 1, p. 130 : Δίκας δ' ἐξέλαμψεν ὅσιον φάος. Eur. Or. 500 : Ἐπιθεῖναι μὲν αἵματος δίκην ὁσίαν· El. 1320 : Παλλάδος ὁσίαν ἥξεις πόλιν.] Plato Epist. 8, ὅσιος τρόπος, Sancti et honesti mores. Dem. [p. 587, 2], ὁσία ψῆφος, Sancta sententia. [Eur. Iph. T. 945 : Ἐστὶν γὰρ ὁσία ψῆφος· Herc. F. 927 : Φθέγμα θ' ὅσιον εἴχομεν, de tacentibus.] Epigr., κέρδη ὅσια, Quæstus liciti et minime nefarii, Quæstus cum nullo scelere conjuncti ; sunt enim ἀνόσια κέρδη, rapinis ditescere aut latrociniis ; plus significantia quam αἰσχρὰ κέρδη. [Plato Leg. 2, p. 663, D : Τοῦ δικαίου καὶ ὁσίου βίου, et ib. B. Diotog. Stob. Fl. 5, 69 : Βίος ὁσιώτατός τε καὶ νομιμώτατος.] At τελετὴ ὁσία, pro Die festo ex Nonno [Jo. c. 7, 33. Contra Eur. Hipp. 764 : Οὐχ ὁσίων ἐρώτων· Bacch. 374 : Οὐχ ὁσίαν ὕβριν· Iph. T. 465 : Θυσίας οὐχ ὁσίας· Ion. 1501 : Ἐξ ἐμοῦ τ' οὐχ ὅσι' ἔθνησκες, adverbialiter.] Ὅσιον, neutro genere, τὸ καθαρὸν καὶ ὀφειλόμενον, ut Chrysost. exp. supra in Ὁσία. Isocr. Panath. [p. 272, C] : Οὐδὲν οὔθ' ὅσιον οὔτε καλόν ἐστι τὸ μὴ μετὰ δικαιοσύνης καὶ λεγόμενον καὶ πραττόμενον. [Et ib. p. 271, C, πρᾶξις.] Et ὅσιόν ἐστι, Sanctum est, Fas est, Justum est : sequente infin., aut subaudito. [Eur. Iph. T. 1045 : Θιγεῖν γὰρ ὅσιόν ἐστ' ἐμοὶ μόνῃ.] Plato De rep. 2, [p. 368, B] : Δέδοικα γὰρ μὴ οὐδ' ὅσιον ᾖ παραγενόμενον δικαιοσύνῃ κακηγορουμένῃ ἀπαγορεύειν, Vereor ne impium aut nefas sit. Ibid. : Οὐδ' ἐστὶ τοῦτο ὅσιον. [Phæd. p. 62, A :

Εἰ τούτοις τοῖς ἀνθρώποις μὴ ὅσιόν ἐστιν αὐτοὺς ἑαυτοὺς εὖ ποιεῖν. Demosth. p. 662, 17 : Τοῖς ἐπὶ τῇ τοῦ πλεονεκτεῖν προαιρέσει ζῶσιν οὐδὲν οὔτε βέβαιον οὔθ' ὅσιον, ubi aliter dicitur et vertendum Nihil sanctum.] Sæpenumero ὅσιον absolute dicitur pro ὅσιόν ἐστι. Soph. [El. 432] : Οὐ θέμις οὐδ' ὅσιον. [Demosth. p. 794, 12 : Τούτων οὔθ' ὅσιον οὔτε θέμις τῷ μιαρῷ τούτῳ μεταδοῦναι.] Phocyl. [124]: Οὐχ ὅσιον κρύπτειν τὸν ἀτάσθαλον ἄνδρα ἄτιτον, Nefas s. Nefandum s. Scelus est. Antipho: Τὸν γὰρ φεύγοντα ἀνόσιον ἁλῶναι, μὴ φανερῶς ἐλεγχθέντα, ἃ ἐπικαλεῖται, Reum enim scelus est damnari, nisi manifesto convictum eorum criminum quibus postulatus est. [Eur. El. 1351 : Οἷσιν δ' ὅσιον καὶ τὸ δίκαιον φίλον ἐν βιότῳ. Eadem conjungit Xen. H. Gr. 4, 1, 33 : Εἰ οὖν ἐγὼ μὴ γιγνώσκω μήτε τὰ ὅσια μήτε τὰ δίκαια. Charito 1, 10: Ἅμα πρὸς ἀνθρώπους δίκαια καὶ πρὸς θεοὺς ὅσια ταῦτα ποιήσομεν. Plato Gorg. p. 507, B : Περὶ μὲν ἀνθρώπους τὰ προσήκοντα πράττων δίκαι' ἂν πράττοι, περὶ δὲ θεοὺς ὅσια· Polit. p. 301, D : Τὰ δίκαια καὶ ὅσια διανέμειν πᾶσι.] Plut. Demetrio [c. 24]: Τοῦτο δὲ καὶ πρὸς τοὺς θεοὺς ὅσιον καὶ πρὸς ἀνθρώπους δίκαιον. [Polyb. 23, 10, 8 : Παραβῆναι καὶ τὰ πρὸς τοὺς ἀνθρώπους δίκαια καὶ τὰ πρὸς τοὺς θεοὺς ὅσια.] Thuc. 3, [56]: Τὸν ἐπιόντα πόλεμον ὅσιον εἶναι ἀμύνεσθαι, Fas esse, δίκαιον εἶναι, inquit schol. Item ὅσιον ἡγοῦμαι, Fas esse duco : et οὐχ ὅσιον, Nefas. Dem. [p. 1490, 17] : Ἧς μὰ τοὺς θεοὺς τῷ μετασχόντι μὴ οὐχὶ ἀψευδεῖν καὶ πρὸς ἅπαντας ἀγαθῷ εἶναι, οὐχ ὅσιον ἡγοῦμαι, Cujusmodi doctrinæ cui participem esse contigit, illi utique non et veritatem colere ac neminem fallere nefas esse censeo. Plato Ep. 7, [p. 331, B] : Πατέρα δὲ ἢ μητέρα οὐχ ὅσιον ἡγοῦμαι προσβιάζεσθαι, Nefas puto parentibus vim afferre. [Herodot. 2, 170 : Ταφαὶ τοῦ οὐκ ὅσιον ποιεῦμαι ... ἐξαγορεύειν τοὔνομα.] Et plur. num. ὅσια, Quæ sancta sunt et minime nefaria. Dem. Pro cor. : Πῶς οὐ δεινὰ ποιεῖ, μᾶλλον δ' οὐδ' ὅσια; Qui fieri potest, ut non ipse indigno facto se alliget, atque adeo nefario? Plut. [Mor. p. 101, F] : Καὶ διαφερόντως τά τε πρὸς τοὺς θεοὺς καὶ γονεῖς καὶ φίλους ὅσια καὶ δίκαια διαφυλάξαντος, Jura et officia, Jus fasque. Idem in Numa [c. 12] : Τὰ περὶ τοὺς θνήσκοντας ὅσια, Justa quæ mortuis solvuntur. Ὅσιον accipitur aliquando pro Concessum atque permissum, ut ap. Damasc. exp. : Οὐχ ὅσιόν ἐστι τὰ μεγάλα σοφὸν γίνεσθαι τὸν τὰ μικρὰ μὴ δυνάμενον. Et ap. Plat. sæpe [ut Prot. p. 325, D, etc.] ὅσιον ac ἀνόσιον, pro Licitum, Illicitum; Fas, Nefas. Sic ὅσιόν ἐστι, Licet, Fas est, interpr. Bud. ap. Isocr. [p. 271, B] : Τοῖς Ἕλλησιν οὐχ ὅσιόν ἐστιν οὐδὲ τοὺς πονηροτάτους τῶν οἰκετῶν ἀκρίτως μιαιφονεῖν. [Et τὸ ὅσιον, ut sit i. q. ὁσιότης, Euthyphr. p. 14, E.] || Ὅσιος pro Justus, habuisti in præcedentibus etiam; sed magis proprie Eur. Hec. [788] : Εἰ μὲν ὅσιά σοι παθεῖν δοκῶ, i. e., δίκαια : de quo l. vide et quæ ex schol. [qui dicit : Ὅσιον λέγεται τὸ δίκαιον· διαφέρει δὲ τοῦτο, ὅτι τὸ δίκαιον, ὥσπερ γένος ὄν, διαιρεῖται εἰς ὅσιον καὶ δίκαιον· καὶ τὸ μὲν πρὸς θεοὺς ἐξ ἀνθρώπων γινόμενον ὅσιον καλοῦμεν, τὸ δὲ πρὸς ἀνθρώπους δίκαιον. Ἐνταῦθα δὲ καταχρηστικῶς ἡ Ἑκάβη τὸ ὅσιον λέγει], affert Bud. p. 281. [Aliud mirabile discrimen fingit gramm. Cram. An. vol. 2, p. 358, 33. Æsch. Suppl. 404 : Ἄδικα μὲν κακοῖς, ὅσια δ' ἐννόμοις· Ag. 780. Soph. Ant. 74 : Ὅσια πανουργήσασα. Eur. Hec. 715 : Οὐχ ὅσι' οὐδ' ἀνεκτά· Hel. 1638 : Ὅσια δρᾶν, τὰ δ' ἔκδικ' οὔ· Suppl. 123 : Τί γὰρ λέγουσιν, ὅσια χρῄζοντος σέθεν; fr. Cresphont. ap. Plutarch. Mor. p. 998, E : Ὁσιωτέραν δὴ τήνδ' ἐγὼ δίδωμί σοι πληγήν. Ubi Wyttenb. reliquit quod invenerat ὠνητέραν, Valck. Diatr. p. 181, C, ex Mss. (Turn. et Vulc. dicens, ut videtur) ὁσιωτέραν, ὁσιαιτέραν ed. Paris. ex codd. Aristoph. Th. 676 : Ὅσια καὶ νόμιμα μηδομένους ποιεῖν. Menand. ap. Stob. Fl. 7, 4 : Ὅταν τι πράττῃς ὅσιον, ἀγαθὴν ἐλπίδα πρόβαλλε σαυτῷ. Herodot. 9, 79 : Ἀποχρᾷ δέ μοι ... ὅσια μὲν ποιέειν, ὅσια δὲ καὶ λέγειν. Thuc. 2, 71 : Οὔτε γὰρ ὅσια ἂν ποιοῖμεν. Xen. Ag. 11, 2 : Τοὺς θεοὺς οὐδὲν ἧττον ὁσίοις ἔργοις ἢ ἁγνοῖς ἱεροῖς ἥδεσθαι. Isocr. Antid. p. 438, 82 : Λόγος ὁσιώτερος.] At ὅσια Justa, i. e. Parentalia, Exequiæ, quæ Plut. supra τὰ περὶ τοὺς θνήσκοντας ὅσια. Qua signif. et fem. ὁσία ap. Theologos usurpatur. [Plato Phæd. p. 108, A : Ἀπὸ τῶν ὁσίων τε καὶ νομίμων τῶν ἐνθάδε τεκμαιρόμενος.] || Ὅσιον aliquando opponitur τῷ ἱερόν, ut Macrob.

A etiam ait, Sanctum est interdum quod nec sacrum nec religiosum est, ut Trebat. libro Religionum refert. Sic ὅσιον χωρίον dicitur τὸ βέβηλον καὶ μὴ ἱερὸν, εἰς ὃ ἔξεστιν εἰσιέναι, inquit Suid., subjungens hunc l. Aristoph. Lys. [743] : Ὦ πότνι' Εἰλείθυι', ἐπίσχες τοῦ τόκου Ἕως ἂν εἰς ὅσιον ἀπέλθω [μόλω 'γὼ] χωρίον, Dum perveniat in locum aliquem profanum et publicum. [Xen. Vectig. 5, 4 : Ἀξιοθεάτων ἢ ἀξιακούστων ἱερῶν ἢ ὁσίων ἐπιθυμοῦντες. Plato Reip. 1, p. 344, A : Καὶ ἱερὰ καὶ ὅσια καὶ ἴδια καὶ δημόσια.] Hyperides in Orat. quam πρὸς Ἀριστογείτονα habuit : Καὶ τὰ χρήματα τά τε ἱερὰ καὶ τὰ ὅσια. Isocr. Areop. [p. 153, B] : Καὶ τοῖς ἱεροῖς καὶ τοῖς ὁσίοις. Quibus in ll. ὅσια pro δημόσια capitur : ὅσια autem vocari τὰ δημόσια, constat ex Dem. C. Timocr. [p. 738, 7] ubi quum dixisset, Καὶ τὰ μὲν ἱερὰ, τὰς δεκάτας τῆς θεοῦ, καὶ τὰς πεντηκοστὰς τῶν ἄλλων θεῶν σεσυληκότας, mox addit, Τὰ δὲ ὅσια, ἃ ἐγένετο ὑμέτερα, κεκλοφότες. Hactenus ex Suida et Harpocr. Sic ibid. [p. 703, 1] : Ὥστε τίθησι τοῦτον τὸν νόμον δι' οὗ τῶν μὲν ἱερῶν χρημάτων τοὺς θεοὺς, τῶν

B ὁσίων δὲ τὴν πόλιν ἀποστερεῖ· quem l. citans Ammon. ita distinguit inter ἱερὰ et ὅσια, ut ὅσια sint τὰ ἰδιωτικὰ, ὧν ἐφίεται καὶ ἔξεστι προσάψασθαι : at ἱερὰ, τὰ τῶν θεῶν, ὧν οὐκ ἔξεστι προσάψασθαι. Idem In Neær. [p. 1380, 26] : Μετεῖναι αὐτοῖς πάντων καὶ ἱερῶν καὶ ὁσίων, Omnia jura civitatis habere, et sacra et profana, s. publica. Rursus Idem C. Timocr., in Psephismate Aristophontis [p. 703, 11] : Εἰ δέ τις εἶδέ τινα ἢ τῶν ἱερῶν ἢ τῶν ὁσίων χρημάτων ἔχοντά τι τῆς πόλεως, μηνύειν πρὸς τούτους, Ut quisque quempiam noverit quippiam residuæ habere pecuniæ, aut sacræ aut publicæ, ita deferre primo quoque tempore debeat. [Id. p. 633, 2 : Τῆς πατρίδος καὶ τῶν ἐν ταύτῃ πάντων καὶ ὁσίων καὶ ἱερῶν· 726, 23 : Τῶν μὲν ἱερῶν χρημάτων τὴν δεκαπλασίαν, τῶν δ' ὁσίων τὸ ἥμισυ.] Alibi [p. 730, 24] : Τὴν διοίκησιν ἀναιρεῖ τήν θ' ἱερὰν καὶ τὴν ὁσίαν, Administrationem sacrarum publicarumque rerum. In seqq. ll. ὅσιος accipitur potius pro Profanus, ut paulo ante etiam admonui. Thuc. 2, [52] : Ἐς ὀλιγωρίαν ἐτράποντο καὶ ἱερῶν καὶ ὁσίων ὁμοίως, νόμοι τε πάντες συνεταράχθησαν, Negligere cœperunt sacra pariter et profana : alii tamen sic, Ne-

C gligebant jus fasque. Antiphon boni viri officium esse ait, Ἀμῦναι ὑπὲρ τῶν ἱερῶν καὶ ὁσίων, Suppetias ferre sacris et profanis. Latini dicunt Pro aris et focis dimicare, quod perinde esse videtur ac si dicas Pro templis deorum et laribus familiarum. Plato Leg. 10 [9, p. 878, A] : Θεραπευτὴν ὁσίων τε καὶ ἱερῶν, Curatorem sacrorum juxta profanorumque familiæ. [Ib. p. 857, B.] Cic. Ad Att. : Non est in parietibus resp., at est in aris et focis : h. e. in sacris et profanis. Idem in Philipp. 2 : Repetebant præterea deos penates, patrios, aras, focos, larem familiarem. Hæc ex Bud. Comm. p. 280, 281. Didymus ap. Harpocr. dicit veteres διχῶς accepisse τὸ ὅσιον, sc. τό, τε ἱερὸν καὶ τὸ ἰδιωτικόν. [De rebus, non sequente ἱερὸς, Xen. Cyrop. 7, 5, 56 : Ἑστίας, οὗ οὔτε ὁσιώτερον χωρίον ἐν ἀνθρώποις οὔτε ἥδιον. Inscr. Smyrn. ap. Bœckh. vol. 2, n. 3137, p. 693, 58 : Ὁ ταμίας τῶν ὁσίωμ προσόδων.] || Alias pro ἱερὸν quoque usurpatur ὅσιον, ut in Axiocho [p. 371, D] : Ἐνταῦθα τοῖς μεμυημένοις ἐστί τις

D προεδρία, καὶ τὰς ὁσίας [libri plures ὁσίους] ἁγιστείας κἀκεῖσε συντελοῦσι, Et illic etiam rem divinam obeunt, Sacra faciunt. [Eur. Suppl. 40 : Θεοὺς ὅσιόν τι δράσας· 367 : Ὅσια περὶ θεοὺς καὶ μεγάλα Πελασγίᾳ καὶ κατ' Ἄργος· Bacch. 77 : Ὁσίοις καθαρμοῖσιν. Aristoph. Av. 898 : Δεῖ με δεύτερον μέλος χέρνιβι θεοσεβὲς ὅσιον ἐπιβοᾶν. Xen. Apolog. 13 : Οἶμαι οὕτως ὀνομάζων καὶ ἀληθέστερα καὶ ὁσιώτερα λέγειν.] Inde et ἀφοσιοῦν pro Consecrare et dedicare : qua signif. et καθοσιοῦν usurpatur, ut suo loco diximus. [De diis ipsis Orph. Arg. 27 : Θεσμοφόρον θ' ὁσίην· H. 76, 2 : Μούσας ἱερὰς, ὁσίας. || De Ὁσίοις ap. Delphos v. in Ὁσιωτήρ.]

|| Ὁσίως, Sancte. Et ὁσίως διακεῖσθαι, pro Sceleris purum esse, Nullo scelere contaminatum esse, sed sanctum. Antiphon [p. 139, 9] : Πολλοὶ ἤδη ἄνθρωποι μὴ καθαροὶ χεῖρας, ἢ ἄλλο τι μίασμα ἔχοντες, συνεισβάντες εἰς τὸ πλοῖον, συναπώλεσαν μετὰ τῆς αὐτῶν ψυχῆς τοὺς ὁσίως διακειμένους τὰ πρὸς τοὺς θεούς. Sic supra in Ὅσιος. [Xen. Apol. 5 : Ὁσ. μοι καὶ δικαίως ἅπαντα τὸν βίον βεβιωμένον. Isocr. p. 29, B, et alibi sæpe cum δικαίως.

A Ὁσ. καὶ καλῶς id. p. 33, B, et alibi.] Plato De rep. 1, [p. 331, A]: Ὃς ἂν δικαίως καὶ ὁσίως τὸν βίον διαγάγῃ. [Leg. 7, p. 799, B: Ὁσίως ἐξείργειν καὶ κατὰ νόμον.] Xen. Cyrop. 8, [5, 26]: Ὁσίως ἂν ὑμῖν ἔχοι, τοῦτον θύειν τὰ ἱερὰ ὑπὲρ ὑμῶν, Fas esse judicaretis. [H. Gr. 4, 7, 2: Εἰ ὁσίως ἂν ἔχοι αὐτῷ μὴ δεχομένῳ τὰς σπονδάς.] At ὁσίως θῦσαι [θῦσαι] pro Rite sacra facere, Bud. affert ex Æschine [p. 69, 18; 70, 36], annotans alibi itidem ab eo usurpari. [Eur. Hipp. 1287: Παῖδ' οὐχ ὁσίως σὸν ἀποκτείνας· Suppl. 63: Ὁσίως οὐχ, ὑπ' ἀνάγκας δὲ προπίπτουσα κτλ. Philipp. Anth. Pal. 7, 187, 2: Ἀΐδη, τοῦθ' ὁσίως κέκρικας;] || Juste; unde Ὁσιώτερον, Justius. [Eur. Iph. T. 1194: Ὁσιώτερον γοῦν τῇ θεῷ πέσοιεν ἄν.] Thuc. 3, [67]: Ἵνα ὑμεῖς μὲν εἰδῆτε δικαίως αὐτῶν καταγνωσόμενοι, ἡμεῖς δὲ ἔτι ὁσιώτερον τετιμωρημένοι. [Plat. Crit. p. 54, B: Οὔτε ... ἄμεινον εἶναι οὐδὲ δικαιότερον οὐδὲ ὁσιώτερον. Isocr. p. 304, A: Ὁσιώτερον καὶ πρᾳότερον τὴν Ἑλλάδα διοικοῦντες. Superl. Ὁσιώτατα Plat. Leg. 6, p. 767, D: Ὁσ. τὰς δίκας διακρίνειν· Men. p. 81, B: Ὡς ὁσ. διαβιῶναι τὸν βίον.]

B [Ὅσιος, ὁ, Hosius, Pergamenus in inscr. Theb. ap. Bœckh. vol. 1, p. 767, n. 1585, 17. Episcopus Cordubensis, de quo v. Socr. H. E. 1, 7 cum annot. in ed. Reading. p. 15, Lambec. Bibl. Cæs. vol. 8, p. 460. Conf. Morell. Bibl. Ms. p. 225, Athanas. vol. 1, p. 193, A. L. Dind.]

Ὁσιότης, ητος, ἡ, Sanctitas, [Justitia, Gl.] Sanctimonia, τὸ πρὸς θεὸν ἐξ ἀνθρώπων γινόμενον δίκαιον, schol. Eur., ut sit Pietas et religio erga Deum, Quum sceleris pura mens est manusque. [Xen. Cyrop. 6, 1, 24: Λέγει ἡ Πάνθεια τοῦ Κύρου τὴν ὁσιότητα καὶ τὴν σωφροσύνην· Cyn. 1, 11: Ἱππόλυτος σωφροσύνῃ καὶ ὁσιότητι μακαρισθεὶς ἐτελεύτησε. Plato Euthyphr. p. 14, E: Τί λέγεις τὸ ὅσιον εἶναι καὶ τὴν ὁσιότητα; οὐχὶ ἐπιστήμην τινὰ τοῦ θύειν τε καὶ εὔχεσθαι; Et mox: Ἐπιστήμη ἄρα αἰτήσεως καὶ δόσεως θεοῖς ἡ ὁσιότης ἂν εἴη; Protag. p. 329, C: Μόρια (τῆς ἀρετῆς) ἐστὶν ἡ δικαιοσύνη καὶ σωφροσύνη καὶ ὁσ., et alibi. Isocr. p. 226, E: Ἔχοι δ' ἄν τις πολλὰ καὶ θαυμαστὰ περὶ τῆς ὁσιότητος αὐτῶν διελθεῖν. Diod. Exc. p. 546, 52: Τῆς τε πρὸς γονεῖς ὁσιότητος καὶ τῆς πρὸς θεοὺς εὐσεβείας· 587, 97: Περιβόητος τοῦ νεα- C νίσκου πρὸς τὴν τεκοῦσαν ὁσιότης.] Ad Ephes. 4, [24]: Ἐνδύσασθαι τὸν καινὸν ἄνθρωπον, τὸν κατὰ θεὸν κτισθέντα ἐν δικαιοσύνῃ καὶ ὁσιότητι τῆς ἀληθείας, Qui secundum Deum conditus est ad justitiam et sanctimoniam veram. Philo V. M. 1: Ὑπὲρ εὐσεβείας καὶ ὁσιότητος, De pietate et sanctimonia. Id. De mundo: Δεῖ καὶ θεραπευτὰς ὁσιότητος γενέσθαι, Religionis cultores esse. [Cum genit. Plut. Alcib. c. 34: Καλὸν ἐφαίνετο τῷ Ἀλκιβιάδῃ καὶ πρὸς θεῶν ὁσιότητα καὶ πρὸς ἀνθρώπων δόξαν, ἀποδοῦναι τὸ πάτριον σχῆμα τοῖς ἱεροῖς. || Titulus hominum ecclesiasticorum, ut ap. Basilium Epist. vol. 3, p. 155, D: Τοῖς γράμμασι τῆς σῆς ὁσιότητος· Maximum in Lambec. Bibl. Cæs. vol. 5, p. 196, C: Πέπομφα λόγον τῇ σῇ ὁσιότητι, πάτερ Ἐλπίδιε· 449, C: Τῆς ὑμῶν ὁσιότητος· vol. 8, p. 647, C: Τὴν ὁσιότητα τὴν σήν, ὦ πατέρων ἄριστε. L. Dind.]

[Ὁσιουργέω, Pia s. Sancta facio. De sacris, ut videtur, peragendis Hesychius: Ὁσιουργῆσαι, ἀποκαρδιουργῆσαι καὶ τὸ ἐπιλέγειν ταῖς θυσίαις, ὅταν ἀπάρχωνται τῶν θεῶν αὐτῶν. « Cyrill. Al. C. Julian. 5, p. 167, C: D Ἀνθ' ὅτου δὴ οὖν οὐχ ὁσιουργεῖ καὶ τοῖς θείοις κρίμασιν ἀνέδην ἐπιπηδᾷ.» Jacobs.]

[Ὁσιουργὸς, ὁ, Qui sanctificat. Cyrill. In Jesai. 55, 3, p. 776: Ὅσια οὖν τὰ ὁσιουργὰ καὶ δικαίους καὶ ἀμώμους ἀποφαίνοντα τοὺς δεχομένους αὐτά. Suicer.]

Ὁσιόω, Sanctum et purum sceleris reddo, Pio, Expio. Eur. Or. [514] de homicidis loquens: Εἰς ὀμμάτων μὲν ὄψιν οὐκ εἴων περᾶν, Οὐδ' εἰς ἀπάντημ', ὅστις αἷμ' ἔχων κυρεῖ· Φυγαῖσι δ' ὡσίουν [ὁσιοῦν], Sed exiliis olim homicidia expiabant. [Demosth. p. 644, 9: Τὸν κατιόνθ' ὁσιοῦν καὶ καθαίρεσθαι νομίμοις τισί. Ps.-Linus ap. Stob. Flor. 5, 22: Οὗτος γάρ σε καθαρμὸς ὁσιώσει, ut Valck. Diatr. Eur. p. 282, A, scripsit pro ὁσιεύσει. Eust. ad Od. Γ, 332: Ἀπένεμον αὐτὰς (τὰς γλώσσας) ὁσιοῦντες θεοῖς ἢ τῶν δυσφημιῶν καθαίροντες ἑαυτούς· ad Il. Π, 665: Ἅπερ οἱ τοῦ Σαρπηδόνος ἑταῖροι παρακινδυνεύσαντος ὡσίωσαν, ὡς εἰκὸς, περὶ αὐτόν. Plut. Rom. c. 28: Τὰς ψυχὰς, ἂν τέλεον ὥσπερ ἐν τελετῇ καθαρθῶσι καὶ ὁσιωθῶσιν ἅπαν ἀποφυγοῦσαι τὸ θνητόν. || Medio Eur. Bacch. 70: Στόμα τ' εὔφημον ἅπας ὁσιούσθω, i. q. loco in Ὅσιος cit. dixit, φθέγμα θ' ὅσιον εἴχομεν. Ib. 114: Ἀμφὶ δὲ νάρθηκας ὑβριστὰς ὁσιοῦσθε. Eust. ap. Tafel. De Thessalon. p. 422, A: Ὡς τὸ καλὸν ὁσιούμενος ἀνακινήσω σου τὸ ὄντως πιστικὸν μύρον.] || Ὁσιῶ σε τῇ γῇ, Philostr. Her. [p. 714], Justa tibi persolvo aggesta terra, Terra te pie tego. [Eust. Od. p. 1436, 16: Τὸ ἁπλῶς ὅσιον, τὸ χρῆναι δηλαδὴ τῷ τεθνεῶτι ὁσιοῦσθαι ἐντάφιον.] || Exp. etiam Consecro. [Eudocia p. 25, 7: Γυναῖκες δὲ τοὺς τοιούτους τημελοῦσαι κήπους ὡσίουν ἐπιταφίους Ἀδώνιδι. Pass. Eur. fr. Cret. ap. Porphyr. Abst. 4, 19: Ἁγνὸν δὲ βίον τείνομεν ἐξ οὗ Διὸς Ἰδαίου μύστης γενόμην... καὶ Κουρήτων Βάκχος ἐκλήθην ὁσιωθείς. Lucian. Lexiph. c. 10: Ἔγκλημα ἐπάγοντας ὅτι ὠνόμαζεν αὐτοὺς, καὶ ταῦτα εἰδὼς ὅτι ἐξ οὗπερ ὡσιώθησαν, ἀνώνυμοί τέ εἰσι καὶ οὐκέτι ὀνομαστοὶ, ὡς ἂν ἱερώνυμοι ἤδη γεγενημένοι. Philo vol. 2, p. 137, 15: Ἐκεῖνο θαυμασιώτερον τὸ μὴ μόνον Ἰουδαίους ἀλλὰ καὶ τοὺς ἄλλους σχεδὸν ἅπαντας... πρὸς τὴν ἀποδοχὴν αὐτῶν καὶ τιμὴν ὡσιῶσθαι. Jo. Laurent. De magistr. Rom. 2, 3, p. 96: Ναοὺς ὡσιωμένους... ἀπεδέξατο. Eust. Od. p. 1717, 43: Πτηνὰ ὡσιοῦντο ἱεροῖς ἀνειμένα, οἷον ταῶνες καὶ χῆνες. Idem Opusc. p. 38, 24: Ὅσοι ... ἱεροὶ ὄντες καὶ ὡσιωμένοι θεῷ· 108, 36: Ὃ δὲ ἡμεῖς περιεργασόμεθα, μνησίκακον ἐκεῖνο, καὶ ζωικῆς μὲν ἄλλως ἀκολουθίας, οὐ μὴν τῆς κατ' ἄνθρωπον ἀρετῶντα καὶ τῷ κρείττονι ὁσιούμενον· 179, 25: Βακτηρίαι ἀνδρῶν ὡσιωμένων θεῷ, ut ap. Nicetam Chon. p. 855, 9 ed. Bekk.: Τὸ περὶ αὐτὸν ὡσιωμένον θεῷ σύστημα. || Medio Eust. aliter quam supra Opusc. p. 158, 13: Λαλητὸν ζῷον ὄντες οἱ ἄνθρωποι ... συνόντες μὲν ὁμιλοῦσι τὰ σφίσι φίλα, ὅτε δὲ καὶ διασταῖεν κατὰ τόπον, ὁσιοῦνται τὰ τῆς λαλιᾶς ἀποστόλοις πῇ μὲν ζῶσιν ... πῇ δὲ ἀψύχοις... γραμμαῖς... ταῖς διὰ μέλανος γραφικοῦ. Ubi est quasi Expiantes, i. e. Supplentes. Proprie sic p. 184, 33: Καὶ οἱ λίθοι τεθεῖσθαι λέγονται κατὰ τοῦ φονεύσαντος, ὡς εἰ καὶ ἐβλήθησαν κατ' αὐτοῦ· καὶ συνάγονται μὲν οὐ κατὰ ὀργὴν, ἀλλ' ἠρέμα ... Ὁσιοῦνται δὲ ὅμως φόνου ποινὴν, καὶ δίκην οἷόν τινα δι' αὐτῶν ὁ κακοποιήσας δίδωσιν. Justa persolvo, ut supra act., id. Il. p. 1376, 29: Ἐκωλύθησαν ὁσιώσασθαι ταφαῖς τοὺς ἐν ναυμαχίᾳ πεσόντας.] || Profano. Sic ap. [Photium et] Suidam: Ὁσιωθῆναι ἡμέρας λέγουσιν ἐπὶ θανάτου τινὸς, οἷον μὴ ἱερὰς, ἀλλὰ ὁσίας νομισθῆναι. [Quæ gl. petita videtur e Xen. H. Gr. 3, 3, 1: Ἐπεὶ δὲ ὡς εἰώθεσαν αἱ ἡμέραι παρῆλθον (post mortem Agidis) καὶ ἔδει βασιλέα καθίστασθαι, ubi deleto quod libri optimi omittunt παρῆλθον restitui quod sententia postulat ὡσιώθησαν. Non autem Profanandi significatione hic dici ὁσιοῦν, sed Justitii per aliquot dies servandi, ostendunt quæ de illis diebus tradidit Herodotus et confirmat usus voc. ἡμέρα, de quo in illo dixi p. 148, C. Sanctificandi signif. Reg. 2, 22, 26: Μετὰ ὁσίου ὁσιωθήσῃ· et iisdem verbis Ps. 17, 28. Sap. 6, 11: Οἱ φυλάξαντες ὁσίως τὰ ὅσια ὁσιωθήσονται. Hippolytus vol. 1, p. 247 fin.: Οὐδὲ οἱ δαίμονας ἐλαύνοντες ἐκ τῆς τούτων ὑποχωρήσεως ὁσιωθήσονται. Theodor. Stud. p. 438, B: Ἐκ παιδὸς ὁσιωθείς. Ponit autem verbum ὁσιοῦν et ὡσιωμένος etiam Pollux 1, 22, 25. L. Dind.]

[Ὀσίραπις, ὁ, ap. Clem. Al. Protr. p. 43: Τῷ ἐκ τῆς Ὀσίριδος καὶ τοῦ Ἄπιος κηδείας ὑπολελειμμένῳ φαρμάκῳ φυράσας (Βρύαξις) τὰ πάντα διέπλασε τὸν Σάραπιν· οὗ καὶ τοὔνομα αἰνίττεται τὴν κοινωνίαν τῆς κηδείας καὶ τὴν ἐκ τῆς ταφῆς δημιουργίαν, σύνθετον ἀπό τε Ὀσίριδος καὶ Ἄπιος γενόμενον Ὀσίραπις.]

[Ὀσιρεῖον, Ὀσίρειος. V. Ὄσιρις.]

[Ὀσιρεοταφή. V. Ὀσιρίτης.]

[Ὀσιριάζω, Ὀσιριακός, Ὀσιριάς. V. Ὄσιρις.]

[Ὄσιρις, ιδος, ἡ, Osiris, urbs Ægypti. Etym. M. p. 209, 32: Ὄσιρις ... ἔστι καὶ ὄνομα πόλεως οὕτω λεγομένης. Ps.-Herodian. Cram. An. vol. 3, p. 235, 23: Ὀνόματα πόλεων Αἰγυπτίων ... Ὄσιρις Ὀσίριδος. L. D.]

[Ὄσιρις in Lex. chymico ms. dicitur esse μόλιβδος καὶ θεῖον. Prophetis s. chymicis Spondilium, ap. Interpol. Diosc. c. 495 (3, 80). Ὀσίριδος διάδημα, Alimus, ap. eund. c. 121 (1, 120). V. Dioscor. 4, 125. Ducang.]

[Ὄσιρις, ιος, ιδος, ὁ, Osiris, nomen ap. Ægyptios symbolicum Solis. De Osiride variæ exstant et veterum et recentiorum sententiæ. Sed erat haud dubie Sol, qui nomine hoc designatus est, postquam theologia apud Ægyptios symbolica et allegorica invaluisset, et in sacerdotum scholis omnibus tradi consuevisset. Ab eo tempore Osiris, numinum omnium, quæ coluit Ægyptus, summum evasit atque princeps. Neque officit, quod veteres Osiridem dicant eund. cum Baccho. (V. Wessel. ad Diodor. 1, 11, Valck. ad Eur. Phœn. 654, et Koen. ad Gregor. p. 247, 8. Tewater.) Plura de eo attuli in Panth. Æg. l. 2, c. 1. Veteres nom. hoc Osiridis non uno modo interpretantur. Eorum expositiones non indiligenter excussi ibid. § 10 et sqq. Jablonsk. Scripturam nominis per ι, non per ει, præcipit Etym. M. p. 209, 32, Havn. p. 981, A. De flexione grammatici, ut Ps.-Herodian. Cram. An. vol. 3, p. 235, 23, Chœrob. vol. 1, p. 57, 5, animadvertunt legitimam esse Ὀσίριδος, quæ sæpissime est quum alibi tum ap. Diodorum, Strabonem et al.; Ὀσίρεως ap. Josephum in Ὀσαρσήφ cit., Ὀσίριος vero non tantum ap. Herodotum, sed etiam in inscr. Rosett. l. 10, p. 245 ed. Letr. *Recueil* vol. 1. Ibidem et p. 2 est dat. Ὀσίρει. Ὀσίριδι p. 18, in inscr. Att. ap. Bœckh. vol. 1, p. 482, n. 523, 4, et alibi sæpe, quum alibi rursus sit Ὀσίρι. V. Letr. p. 126. Primus memorat Herodot. 2, 42 : Ὀσίριος, τὸν δὴ Διόνυσον εἶναι λέγουσιν· 144 : Ὄσιρις δέ ἐστι Διόνυσος κατ' Ἑλλάδα γλῶσσαν. Plurima vero de eo sunt ap. Diod. l. 1 (qui μεθερμηνευόμενον significare dicit πολυόφθαλμον c. 11), et Plut. in libello De Iside et Osiride. De mensura ῑ constat ex Orph. Arg. 32 et al. De accentu Arcad. p. 34, 13. || Plut. Mor. p. 364, D : Καὶ τὸν Ὄσιριν Ἑλλάνικος Ὕσιριν ἔοικεν ἀκηκοέναι ὑπὸ τῶν ἱερέων λεγόμενον· οὕτω γὰρ ὀνομάζων διατελεῖ τὸν θεόν, εἰκότως ἀπὸ τῆς φύσεως καὶ τῆς εὑρέσεως (ὕσεως et ὑγρασίας Marklandus). || Hinc verbum Ὀσιριάζω, Osirin colo. Suidas v. Ἀσκληπιόδοτος, ex Damascio de V. Isidori : Ἐς τε Ἀλεξάνδρειαν τὴν ὀσιριάζουσαν, καὶ τῆς ἔω πολλαχῇ τὴν μαγεύουσαν. Item Ὀσιριακός, ή, όν, Osiriacus, ap. Plut. Mor. p. 364, E : Τοῖς Ὀσιριακοῖς καθωσιωμένην ἱεροῖς. Et Ὀσιριάς, άδος, ἡ, Osiriaca, ap. Damascium Phot. Bibl. p. 343, 29 : Τὰ νομιζόμενα τοῖς ἱερεῦσιν ὁ Ἀσκληπιάδης (Heraisco defuncto) ἀποδιδόναι παρεσκευάζετο, τά τε ἄλλα καὶ τὰς Ὀσιριάδας ἐπὶ τῷ σώματι περιβολάς. Ubi Ὀσίριδος Suidas in Ἡραΐσκος. Ὀσιρεῖον, τὸ, Osireum s. templum Osiridis, Theognost. Can. p. 129, 22, ubi Ὀσίρειον, quum Ὀσιρεῖον poscant verba grammatici, ut scripsit Bekker. Anecd. p. 1343, b. Zonaras p. 1473 : Ὄσιρις, καὶ ὁ Ὀσίρειος νεώς.]

[*Osirites*, Cynocephalia vel Cynocephalea herba. Plin. 30, 2, ex Apione scribit, cynocephaliam herbam, quæ in Ægypto vocaretur Osirites, divinam, et contra omnia veneficia. Potuit herba more Æg. sacerdotibus perquam familiari, et lingua ipsorum sacra, ab Osiride cognominari. Aut etiam, quia tanta ipsi tribuebatur vis, ex eo nomen potuit trahere. Nam *Osiri* Ægyptiace dicitur, Quod multum facit, Quod multum potest, vel multum præstat et efficit. Sed priorem interpret., quæ disciplinis Ægyptiis sacerdotalibus tam bene convenit, ut docui in Proleg. ad Panth. p. LVIII, CXXXIV seq., posteriori prætulerim. Jabl. Harduinus legit Osyrites. || Ὄσυρις, ἡ, Dioscor. 4, 143, herba surculacea, colore nigro, tenuibus virgis, fractuque contumacibus, in quibus folia terna, interdum et quaterna, quina, senave, ceu lini, nigra initio, deinde colore mutato rubescentia. Plin. 37, 12, Galenus Simplic. 8. Est, Schneidero judice, Chenopodium Scoparia Linnæi, vel Osyris Alba Linnæi, hodie Græcis ἄξυρις. Herba Osirites i. e. Cynocephalion Appul. De herb. c. 86 appellatur Osireostaphe, quasi tu Osiridis Sepulcrum dicas, notante Gesnero Thes. L. L., qui addit : Osiriaca s. Osyriaca herba, quæ alias Malva erratica, Appul. De herb. c. 86. Angl.]

[Ὀσιρσάφ. V. Ὀσαρσήφ.]

[Ὀσίσμιοι, οἱ, gens Galliæ Belgicæ ap. Strab. 4, p. 195, Ptolem. 2, 8, Cæsar. B. G. 2, 34; 3, 9.]

[Ὁσίωμα, τὸ, Sanctum opus. Theod. Stud. p. 337, B : Τὰ λοιπὰ ὁσιώματα. L. Dind.]

[Ὁσίως. V. Ὅσιος.]

[Ὁσίωσις, εως, ἡ, Expiatio. Dionys. A. R. 1, 88 : Τῆς ὁσιώσεως τῶν μιασμάτων ἕνεκα. Eust. Opusc. p. 197, 9 : Κατά τινα ὁσίωσιν πρέπουσαν.]

A Ὁσιωτήρ, ῆρος, ὁ, Qui hostiam immolabat ap. Delphos, VV. LL. Ap. Plut. vero in Hell. fere initio [p. 292, D] ita, Ὁσιωτῆρα μὲν καλοῦσι (sc. Delphi) τὸ θυόμενον ἱερεῖον, ὅταν ὅσιος ἀποδειχθῇ· mendose, ut videtur, pro τὸν θυόμενον, accipiendo sc. θυόμενον active pro θύοντα : quibus subjungit, Πέντε δέ εἰσιν ὅσιοι διὰ βίου, καὶ τὰ πολλὰ μετὰ τῶν προφητῶν δρῶσι [δρῶσιν οὗτοι, καὶ συνιερουργοῦσιν, ἅτε γεγονέναι δοκοῦντες ἀπὸ Δευκαλίωνος. Eosdem memorat p. 365, A. Recte autem habet τὸ, si quidem Ὁσιωτὴρ (ταῦρος) est Hostia quæ immolatur.]

Ὀσκάπτω, Hesychio ἀνασκάπτω, Refodio. Sed forsan scribendum ὀσκάλλω. [In mente habuisse videtur HSt. voc. Ὄσκαλσις, de quo dixit in Σκάλσις, quod v. Sed ὀσκάπτω Æolicum esse ut ὄστασαν pro ἀνέστησαν, ὀμνάσθην pro ἀνεμνήσθην, monitum jam a Koenio ad Gregor. p. 456.]

[Ὀσκάριος, ὁ, Rufus. Schol. Theocr. 4, (20) : Τὸ δὲ καθ' ἡμᾶς πύρριχος, ὀσκάριος. Ducang.]

[Ὄσκιος, ὁ, Oscius, fl. Thraciæ, Thuc. 2, 96, Zonar.
B p. 1474.]

[Ὄσκοι, οἱ, Osci, gens Italiæ ap. Strabon. 5, p. 232, etc.]

[Ὄσμαν s. Ὀσμανα, n. mensis Cappadoc., alibi Ὠσμωνία scriptum, respondentis Rom. 8 Oct. — 6 Nov., ap. Ideler. Chronol. vol. 1, p. 442, *Journ. des Sav.* 1837, p. 330. L. Dind.]

Ὀσμάς, άδος, ἡ, herba quædam dicitur, quæ et Ononis, s. Anonis. Diosc. 3, 147 : Ὄνοσμα· οἱ δὲ ὀσμάδα, οἱ δὲ φλονῖτιν, οἱ δὲ ὄνωνιν καλοῦσι. Dicta autem ab odoris suavitate : siquidem idem Diosc. 3, 21, anonidis folia esse dicit εὐώδη, οὐκ ἀηδὲς ὄζοντα, sicut Plin. 27, 4, Odore jucundo. Ὀσμὰς Pollux 2, [75] citat ex Antiphonte, sed non addit qua signif. [Legendum ὀδμάς. V. Εὐοδμία.]

Ὀσμάομαι, Odoror, Olfacio. Unde ὀσμησάμενοι in Epigr. [Lucillii Anth. Pal. 11, 240, 2], Qui odorati sunt s. senserunt. Utitur hoc verbo et Hesych. ὀσφραίνεται exponens ὀσμᾶται. Pollux 2, [75] : Ὀσφραίνεσθαι, ὀσφρᾶσθαι· ὀσφρώμενος, ὀσμώμενος. [Aristot. Probl. s. 13.
C Seager. Id. H. A. 5, 5 : Τῶν αἰδοίων ὀσμῶνται ἀλλήλων. Et absolute De anima 2, 7 fin. et 9 init. et med.; 3, 4 med., Theophr. fr. 1 De sensu 21. « Λάκωνος ὀσμᾶσθαι λόγου, Sophocl. ap. schol. Eurip. Phœn. 308. Οἶνον ὀσμᾶσθαι, Galen. vol. 11, p. 484, F; vol. 7, p. 527, D, E. » Hemst. Absolute vol. 4, p. 487 : Τὰ ὀσμῶντα ῥῖνας ὀνομάζειν.]

Ὀσμή, ἡ, Odor, vocabulum medium, ut et verbum ὄζω : alii enim odores beneolentes, alii graveolentes dicuntur : illos εὐώδεις Græci, hos δυσώδεις nominant : ac beneolentes quidem suaves sunt ac grati, graveolentes autem insuaves ingratique. [Ὀσμὴ βύρσης, Nauteo; Ὀσμὴ γάρου, Fœtor ; Ὀσμὴ καλή, Odor, Fragrantia ; Ὀσμή, Olor, Odor; Ὀσμὴ σαπρά, Putor, Fetor, Pedor, Gl. Æsch. Eum. 253 : Ὀσμὴ βροτείων αἱμάτων με προσγελᾷ. Soph. Ph. 891 : Μὴ βαρυνθῶσιν κακῇ ὀσμῇ· Ant. 412 : Ὀσμὴν ἀπ' αὐτοῦ μὴ βάλῃ πεφευγότες· fr. Achæor. ap. Athen. 1, p. 17, D : Ἐδειματούμην οὐ φίλης ὀσμῆς ὕπο. Eur. El. 498 : Παλεόν τε θησαύρισμα Διονύσου τόδε, ὀσμῇ κατῆρες· Cycl. 153 : Ὡς καλὴν ὀσμὴν
D ἔχει. Aristoph. Av. 1715 : Ὀσμὴ δ' ἀνωνόμαστος ἐς βάθος κύκλου χωρεῖ· Vesp. 1035 : Φώκης δ' ὀσμήν· Eccl. 1124 : Ὅ, τι ἂν μάλιστ' ὀσμὴν ἔχῃ· Pac. 753 : Διαβὰς βυρσῶν ὀσμὰς δεινάς.] Ceterum hoc vocabulo ὀσμὴ utuntur potius prosæ scriptt. : poetæ autem ὀδμὴ dicunt. [Quod v.] Thuc. 7, p. 263 [c. 87] : Ὀσμαὶ ἦσαν οὐκ ἀνεκτοί. [Plat. Crat. p. 394, A : Τὰ φάρμακα, χρώμασιν ἢ ὀσμαῖς πεποικιλμένα.] Xen. Symp. [5, 6] : Τὰς πάντοθεν ὀσμὰς προσδέχεσθαι. [Cum genit. ib. 2, 4 : Ἐλαίου ὀσμή· et ib. cum præp. αἱ ἀπὸ τῶν μόχθων ὀσμαί. Multa Aristot. De sensu 2 fin., 5 init. et med., De anima 2, 9. Septem odorum genera enumerat Theophr. C. Pl. 6, 4, 1.] Plut. Symp. 1 [p. 626, B] : Αἱ τῶν ἀνθῶν ὀσμαὶ πόρρωθεν εὐωδέστεραι προσπίπτουσιν· ἂν δὲ ἐγγύθεν ἄγαν προσάγῃς, οὐχ οὕτω καθαρὸν οὔτε ἄκρατον ὄζωδασι. Idem [Mor. p. 87, C] : Οἱ γύπες ἐπὶ τὰς ὀσμὰς τῶν διεφθορότων σωμάτων φέρονται. [In l. anonymi quem citavi in Νοσήμη p. 1569, C : Ἐντεῦθεν αὐτοῖς (vulturibus) ταχείας εἶναι τὰς κατὰ τὴν νοσημὴν ἀντιλήψεις, legendum τὴν ὀσμήν, quod postulat sententia. Plato Tim. p. 66, D :

Τὸ τῶν ὀσμῶν πᾶν ἡμιγενὲς, εἴδει δὲ οὐδενὶ ξυμβέβηκε ξυμμετρία πρὸς τό τινα σχεῖν ὀσμήν.] Athen. 2, [p. 62, A]: Τὴν ὀσμὴν ἔχειν χρεώδη. At ὀσμὴν ἔχει in malam partem pro Graviter olet, Fœtet. Est tamen et ap. poetas hujus vocabuli usus; nam Hermippus ap. Athen. 1 dicit, Ὀσμὴ θεσπεσία. Eubulus ap. Eund. 3, [p. 108, B]: Ὀσμὴ δὲ πρὸς μυκτῆρας ἠρεθισμένη Ἄσσει. [Nicostratus ib. p. 111, D: Ὀσμὴ ... ἐβάδιζ' ἄνω· Antiphanes 6, p. 225, F: Τὴν πεῖραν ἐν τῇ ῥινὶ τῆς ὀδμῆς λαβών· Hegesippus 7, p. 290, D, E: Ὑπὸ τῆς γὰρ ὀσμῆς οὐδὲ εἷς δυνήσεται διελθεῖν τὸν στενωπόν· Mnesimachus p. 9, p. 403, D: Ὀσμὴ σεμνὴ μυκτῆρα δονεῖ. Valck.] || Hesychio ὄσφρησις, Odoratus. [Quo referri potest Xen. Cyrop. 1, 6, 40: Κύνας ἔτρεφες, αἳ τῇ ὀσμῇ αὐτὸν (leporem) ἀνηύρισκον. Achill. Tat. 2, 38, p. 56, 31: Τὸ κάλλος τὸ παιδικὸν οὐχ ἀρδεύεται μύρων ὀσφραῖς οὐδὲ δολεραῖς καὶ ἀλλοτρίαις ὀσμαῖς. || Res odorata, ut apud Latinos Odor. Xen. Hier. 1, 24: Τῶν πολυτελῶν ὀσμῶν τούτων, αἷς χρίεσθε. De formæ ὀδμὴ usu ap. Xenoph. dixi in Ὀδμὴ, ap. Antiphontem, in Εὐοδμία. L. Dind.]

Ὀσμηρὸς, sive Ὀσμήρης, ὁ, Olidus, ut Martialis, Olidæ vestes murice; Fragrans, Odorus, Eust. p. 1504, ex Nicandro [ap. Athen. 15, p. 684, B]: Σισύμβριον ὀσμηρόν· ab ὀσμὴ derivans. [De forma Ὀδμηρὸς v. in Ὀδμηνός.] Idem Nicander utitur et altero derivato ὀσμήρης, Alex. 237: Ὀσμήρεα γληχὼ, i. e. ὀδμὴν ἔχουσαν εὐώδη, inquit schol. [Nisi ὀδμ— scribendum, ut ὀδμήεις est ap. eundem. V. Ὀδμή.]

[Ὄσμησις, εως, ἡ, Odor, ap. Aretæum p. 24, 11: Εὐώδεσι ὀσμήσεσι, quod ὀδμήσεσι certe dixisset Aretæus, scribendum ὀδμῆσι. L. Dind.]

[Ὀσμητὸς, ὁ, ἡ, Odorus. Theophr. fr. 1, 90: Ἀπορήσειε δ' ἄν τις καὶ περὶ τῶν ὀσμητῶν, εἰ ἔστιν εἴδη.]

[Ὀσμίλος, ὁ, Olens. Tzetz. Hist. 5, hist. 25: Ὀσμύλος τις ἰχθύς ἐστι, καθάπερ ὁ πολύπους, ἀμφίβιος, ἐλαίας τε καὶ σῦκα κατεσθίων. Νῦν τὸν ὀζώδη εἴρηκα ὀσμίλον δι' ἰῶτα, ὡς ὄνομα Ζωίλον τε τάχα καὶ τὸν Τρωίλον. Quibus add. schol. in Cram. An. vol. 3, p. 360, 25. L. D.]

[Ὀσμὸς, ὁ.] In VV. LL. habetur etiam Ὀσμὸς, Odor. [I. q. μήδιον, Diosc. Notha p. 453 (4, 18). Boiss.]

Ὀσμύλη, ἡ, sive Ὄσμυλος [Ὀσμύλος], ὁ, Ozæna, Polypi genus, a capitis odore gravi dictum. Athen. 7, [p. 318, E]: Εἴδη δ' ἐστὶ πολυπόδων, ἐλεδώνη, πολυποδίνη, βολβοτίνη, ὄσμυλος [ὀσμύλος], ὡς Ἀριστοτέλης ἱστορεῖ καὶ Σπεύσιππος· ἐν δὲ τῷ περὶ Ζωϊκῶν Ἀριστοτέλης μαλάκιά φησιν εἶναι πολύποδας, ὀσμύλην, ἐλεδώνην, σηπίαν, τευθίδα. Teste igitur Athen., utroque genere utitur Aristot., ὄσμυλος et ὀσμύλη. [Ὀσμύλος, Oppian. Hal. 1, 307, 310; Ælian. N. A. 5, 44; 9, 45. Schneid. Nemes. De nat. hom. c. 2, p. 74. Accentum ὀσμύλος confirmat etiam Tzetzes in Ὀσμίλος citatus. L. Dind.]

[Ὀσμυλίδιον. V. Ὀσμύλιον.]

Ὀσμύλιον, τὸ, forma dimin. Parva ozæna, quasi Ozænulam dicas. Hesych.: Ὀσμύλια, τῶν πολυπόδων αἱ ὄζαιναι λεγόμεναι, καὶ ἰχθύδια ποιὰ, ἀλλ' εὐτελῆ. [Callimachus ap. Athen. 7, p. 329, A: Ὄζαινα, ὀσμύλιον, Θούριοι.] Apud Eund. reperio etiam Ὀσμύναι, βολβιτίναι θαλάσσιαι. [Pro ὀσμύλαι.] Apud Polluc. vero Ὀσμυλία nominativi singularis esse videtur: 2, [76]: Ὀσμυλία [ὀσμύλια], ἰχθύων τι γένος, ἡ ὑπὸ πολλῶν ὄζαινα καλουμένη· πολύποδος δέ ἐστιν εἶδος, ἔχον μεταξὺ τῆς κεφαλῆς καὶ τῶν πλεκτανῶν αὐλὸν δυσῶδες πνεῦμα ἀφιέντα. Apud Eund. ibid. forma dimin. Ὀσμυλίδιον ex Aristoph., Τραπόμενον εἰς τὸ ὕψος λαβεῖν ὀσμυλίδια, καὶ μαινίδια καὶ σηπίδια. [Ὀσμύλια in l. Aristoph. ex Danaid. Athen. 7, p. 324, B, et Photius.]

[Ὀσμύλος. V. Ὀσμύλη.]

Ὀσμώδης, ὁ, ἡ, Odoratus [Gl.], Odorus, i. q. ὀσμηρός. [Aristot. De sensu 5 init.: Ἅλες μᾶλλον λίτρου ὀσμώδεις· et ibidem, ξύλα.] Theophr. [H. Pl. 4, 14, 2]: Ἥκιστα σκωληκοῦται τὰ δριμέα καὶ ὀσμώδη· quod Plin. de vermiculatione loquens, Minus hoc sentiunt arbores quæ amaræ sunt et odoratæ. [Ib. 5, 4, 5. Comparativo C. Pl. 2, 16, 1. Superl. fr. 1 De sens. 20. L. D.]

[Ὀσογὼ, ὁ, Jovis apud Mylasenses Cariæ cognomen, sec. Strabon. 14, p. 659: Ἔχουσι δ' οἱ Μυλασεῖς ἱερὰ δύο Διὸς τοῦ τε Ὀσογὼ καλουμένου καὶ Λαβρανδηνοῦ, ut libri plures pro Ὠσογώ. Inscr. Mylas. ap. Bœckh. vol. 2, p. 476c, n. 2693f, 8: Τὰς οὔσας ἱερὰς Διὸς Ὀσογὼ·

A p. 476h, n. 2700, 4: Ἱερεὺς Διὸς Ὀσογ., ultima litera ambigua. Ap. Pausan. 8, 10, 4: Ἐοικότα λέγουσι Καρῶν οἱ Μύλασα ἔχοντες ἐς τοῦ θεοῦ τὸ ἱερὸν, ὃν φωνῇ τῇ ἐπιχωρίᾳ καλοῦσιν Ὀγώα, ubi liber unus Ὀγῶνα, ceteris nonnisi in accentu dissentientibus, non dubium quin Ὀσογὼ sit scribendum, deleto quod sequens Ἀθηναίοις peperit α. L. Dind.]

Ὅσος, η, ον, Quantus: citra interrogationem ut ὁπόσος: pro quo, metri gratia, poetæ interdum, [in prosa Tab. Heracl. 1, 62, et sic semper, ut ὀσσάκις], geminato σ, dicunt Ὅσσος, ut Hom. Il. Ω, [629]: Θαύμαζ' Ἀχιλῆα, Ὅσσος ἔην οἷός τε· θεοῖσι γὰρ ἄντα ἐῴκει, Quantus qualisque. [Od. K, 45: Ἰδώμεθα ὅσσος τις χρυσός τε καὶ ἄργυρος ἀσκῷ ἔνεστιν· Il. Θ, 16: Τόσσον ἔνερθ' Ἀΐδεω, ὅσον οὐρανός ἐστ' ἀπὸ γαίης. Soph. El. 286, Κλαῦσαι τοσόνδ' ὅσον μοι θυμὸς ἡδονὴν φέρει, et alii quivis similiter. Addito μέγεθος Herodot. 2, 175: Ὅσων τὸ μέγαθος λίθων ἐστί. Plato Reip. 4, p. 423, B. Duplex ponit Plato Tim. p. 68, B: Τὸ δ' ὅσον μέτρον ὅσοις οὐδ' εἴ τις εἰδείη νοῦν ἔχει τὸ λέγειν. Leonidas Tar. Anth.
B Pal. 7, 740, 6: Γαίης ὅσσης ὅσσον ἔχει μόριον.] Dem. Phil. 1 [p. 50, 11]: Τοσαύτην παρασκευὴν, ὅσην οὐχ οἶδ' εἴ τις τῶν ἁπάντων ἔχει. Cum compar., ut ὅσῳ μᾶλλον, Quanto magis, Xen. [V. sub finem.] Cum superl. ὅσον πλεῖστον. Xen. [Cyrop. 3, 2, 26]: Ἐγὼ γὰρ δώσω ὅσον τις καὶ ἄλλος πλεῖστον δή ποτε ἔδωκεν, Dabo quantum plurimum quis unquam dedit. [De hoc et similibus v. iterum sub finem.] Et in admiratione, Aristoph. Ran. [1278]: Ὦ Ζεῦ βασιλεῦ, τὸ χρῆμα τῶν κόπων ὅσον. At initio Nubium additur et ἀπέρατον: Ὦ Ζεῦ βασιλεῦ, τὸ χρῆμα τῶν νυκτῶν ὅσον Ἀπέρατον [ἀπέραντον. Cum adjectivo etiam Hesiod. Op. 41: Οὐδὲ ἴσασιν ὅσῳ πλέον ἥμισυ παντὸς οὐδ' ὅσον ἐν μαλάχῃ τε καὶ ἀσφοδέλῳ μέγ' ὄνειαρ· 344: Πῆμα κακὸς γείτων ὅσσον τ' ἀγαθὸς μέγ' ὄνειαρ. Et aliter Plut. Mor. p. 790, A: Τὸ γράφειν ἐπιστολὰς τοσαύτας καὶ ἀναγινώσκειν ὅσον ἐργῶδές ἐστιν. Procop. Gotth. p. 430, A: Ἀνέπειθον ὅσον αἰσχρὸν εἴη τῷ βασιλεῖ κτλ.] Sic et ap. Chrysost. videtur poni admirative, non interrogative, ut annotant VV. LL., Ὅσης σοφίας ἀναπίμπλησιν αὐτούς. [Æsch. Pers. 866:
C Ὅσσας δ' εἷλε πόλεις. Soph. Aj. 1005: Ὅσας ἀνίας μοι κατασπείρας φθίνεις. Eur. Suppl. 899: Πολλοὺς ἐραστὰς κἀπὸ θηλειῶν ὅσας ἔχων ἐφρούρει μηδὲν ἐξαμαρτάνειν. Qui versus tamen non sunt Euripidis, sed hominis qui Παρθενοπαῖον εἶδος ἐξοχώτατον etiam ab hac parte laudandum ratus, quod dicere voluit πολλοὺς ἐραστὰς καὶ πολλὰς ἐραστρίας ἔχων ἐφυλάσσετο μηδὲν ἐξαμαρτάνειν, sic est eloquutus, ut Theodorus Prodr. infra cit. cum aliis Byzantinis. L. D.] Huc autem referendum puto illud θαυμαστὸς ὅσος, Mirus quantus, Mireris quantus. Lucian. [Halcyon. c. 5]: Θαυμαστὴν ὅσην ἔχει τὴν διαφορὰν δυνάμεως. Et in neutro genere, aut adverbialiter, θαυμαστὸν ὅσον, Mirum quantum. Plato Epist. 7, [p. 393, B]: Ὡς θαυμαστὸν ὅσον Διονύσιος ἐπιδεδωκὼς εἴη πρὸς φιλοσοφίαν. [Hipp. maj. p. 282, C: Χρήματα θαυμαστὰ ὅσα· et post ἀμήχανος Leg. 5, p. 782, A, et alibi. Herodot. 4, 194: Οἵ δέ σφι ἄφθονοι ὅσοι ἐν τοῖσι οὔρεσι γίγνονται. Pausan. 7, 23, 11: Θύειν πλεῖστα ὅσα. Lucian. Asin. c. 21: Σκεύη πλεῖστα ὅσα χρυσᾶ. Xenoph. Eph. 3, 12 fin.: Πολλὰ ὅσα ἐπεθρήνει.
D Chron. Pasch. p. 244, 19: Μετὰ δυνάμεως πολλῆς ὅσης. Theodor. Stud. p. 31, D: Μετὰ πολλοῦ ὅσου τοῦ φρυάγματος. Marinus V. Proc. c. 1 fin.: Ἔνια τῶν μυρίων ὅσων. Theodor. Prodr. p. 181 fin.: Μυρίοις ὅσοις πόνοις. Eademque sententia p. 73 med.: Ἀντεταξάμην ὅσοις. || Sæpe autem ponitur post subst., ut in ll. Aristoph. supra citatis. Hom. Il. Ξ, 75: Νῆες ὅσαι ... εἰρύαται· 371: Ἀσπίδες ὅσσαι ἄρισται· Σ, 512: Κτῆσιν ὅσην πτολίεθρον ... ἐέργεν. Pind. Nem. 10, 76: Νικαφορίαις ὅσαις ... ἄστυ ... θάλησεν. || Notandum etiam hoc Soph. Aj. 118: Ὁρᾷς τὴν θεῶν ἰσχὺν ὅση; Plat. Reip. 1, p. 327, C: Ὁρᾷς οὖν ἡμᾶς ... ὅσοι ἐσμέν; Item brevius dictum sic ut Callim. Epigr. 6, 2: Κλαίω δ' Εὔρυτον, ὅσσ' ἔπαθεν· Plat. Reip. 1, p. 329, B: Τὸ γῆρας ὑμνοῦσιν ὅσων κακῶν σφισιν αἴτιον. || Ὅσος τε Hom. Il. K, 351 aliisque locis infra citandis, Od. K, 113: Γυναῖκα ὅσην τ' ὄρεος κορυφήν· Hesiod. Op. 677: Ὅσον τ' ἐπιβᾶσα κορώνη ἴχνος ἐποίησεν· ceterique Epici. Et divise Il. Ψ, 845: Ὅσσον τίς τ' ἔρριψε καλαύροπα.] Interpretationi nominis Ὅσον pro variis loquendi generi-

bus, adhibemus, vel Quantum, [Aliquantum, Tam et Quam, Gl.] vel particulam Quam. [Plato Crat. p. 422, C: Ὅσον γε δυνάμεως παρ' ἐμοί ἐστι.] Dem.: Ὅσον ἦν ἐπ' ἐκείνῳ, Quantum in eo fuit. [Polyb. 3, 9, 8.] Hermog. et cum articulo, Ὅσον τὸ ἐπ' αὐτοῖς. At, Εἰς ὅσον ἥκω δυνάμεως, Bud. p. 773, ex Pausania, Quam maxime facere possum. Sic autem redditur voce Quam cum superl. adjunctam habens certa quædam substantiva: ut ὅσον τάχος [Soph. El. 1373, Aj. 985, Ph. 576. Et sæpe Eurip.], Quamcelerrime, Quamcitissime, Quamprimum. [Postposito ὅσον Niceph. Callist. H. E. vol. 1, p. 8, B: Μεθιέντι τάχος ὅσον.] Sic Ὅσον σθένος, Quamfortissime, ap. Apoll. Arg. 2, [589] et Theocr. 1, [42. Aliter Æsch. Pers. 167: Ὅσον σθένος πάρα. Soph. OEd. T. 1239: Ὅσον γε κἀν ἐμοὶ μνήμης ἔνι· 1509: Πάντων ἐρήμους πλὴν ὅσον τὸ σὸν μέρος. Eadem signif. Xen. Cyrop. 5, 5, 12: Ἀσκῶν ὅσον δύναμαι τοὺς φίλους ὡς πλεῖστα ἀγαθὰ ποιεῖν.] At Ὅση δύναμις redditur Pro viribus, Omni ope, Quoad ejus fieri potest. Synes.: Τοῦ δὲ ἐλεοῦντός ἐστι βοηθεῖν ὅση δύναμις. Sic Gregor. in 1 Περὶ θεολ. p. 44. Existimo autem hoc loquendi genus ex istis Homeri verbis manasse, Ὅση δύναμίς γε πάρεστι, ac cetera hujusmodi deinde hujus exemplo in usum venisse. [Ὅσον βούλῃ, Quamlibet, Gl.] Interdum vero ἐς ὅσον redditur Quatenus: ut, Ἐς ὅσον ἡ ἐπιστήμη ἀντέχοι, ap. Thuc. [6, 69. Soph. Ph. 1403: Εἰς ὅσον γ' ἐγὼ σθένω. Plato Reip. 10, p. 607, A: Ὡς ὄντας βελτίστους εἰς ὅσον δύνανται· Phædr. p. 277, A: Εὐδαιμονεῖν εἰς ὅσον ἀνθρώπῳ δυνατὸν μάλιστα.] Itidemque et cum aliis præposs.: ut, Παρ' ὅσον, Lucian.: Παρ' ὅσον τοῖς μὲν οὐκ εἰς μακρὰν μετεμέλησε, Nisi quatenus, Nisi pro eo quantum est. [Id. De m. Peregr. c. 1.] De quo lege plura supra p. 44 [in Παρά], et ap. Bud. Comm. p. 245. Ibid. et de Καθ' ὅσον pro Quatenus, ubi tamen Καθ' ὅσον δύναται ap. Plat. redditur etiam Quantum potest: item Quam potest maxime. [Xen. Hier. 2, 17: Μειοῖ καθ' ὅσον ἂν δύνηται τὸ γεγενημένον. Plat. Reip. 7, p. 534, B: Καθ' ὅσον δυνάμαι ἕπεσθαι· Tim. p. 51, B: Καθ' ὅσον δυνατὸν ἐφικνεῖσθαι· Polit. p. 274, A: Καθ' ὅσον οἷόν τε· et similiter alibi. Phæd. p. 64, D: Καθ' ὅσον μὴ πολλὴ ἀνάγκη μετέχειν αὐτῶν.] Necnon de Ἐφ' ὅσον: ex Theophr. H. Pl. 4, [1, 5]: Περὶ ὧν λεκτέον ἴσως ἐφ' ὅσον ἥκομεν [ἔχομεν Schneider.] ἱστορίας, pro Quatenus et in quantum historiam novimus. Ubi observa et gen. additum. Ibid. et ἐφ' ὅσον, præcedente ἐπὶ τοσοῦτον, pro Eatenus quatenus. Vel, Tamdiu quamdiu. [Xen. Cyrop. 5, 5, 8: Ἐφ' ὅσον ἀνθρώπων μνήμη ἐφικνεῖται. Thuc. 1, 4 fin.: Τὸ λῃστρικὸν καθῄρει ... ἐφ' ὅσον ἠδύνατο. Plato Polit. p. 268, B: Παιδιᾶς καὶ μουσικῆς ἐφ' ὅσον αὐτοῦ τὰ θρέμματα μετείληφε. Proprie de spatio et præpositione postposita Hom. Il. B, 616: Ὅσσον ἔφ' Ὑρμίνη καὶ Μύρσινος ἐσχατόωσα. Γ, 12: Τόσσον τίς τ' ἐπιλεύσσει, ὅσον τ' ἐπὶ λᾶαν ἵησιν· K, 351: Ὅσσον τ' ἐπὶ οὖρα πέλονται ἡμιόνων· ut Od. E, 251: Τόσσον ἐπ' εὐρεῖαν σχεδίην ποιήσατ' Ὀδυσσεύς· N, 114: Ἠπείρῳ ἐπέκελσεν, ὅσον τ' ἐπὶ ἥμισυ πάσης· O, 358: Ὅσον τ' ἐπὶ δουρὸς ἐρωὴ γίγνεται· Φ, 251: Ἀπόρουσεν ὅσον τ' ἐπὶ δουρὸς ἐρωή. Herodot. 2, 64: Ἐπ' ὅσον ἔποψις τοῦ ἱροῦ εἶχε. Xen. Cyrop. 5, 4, 48: Μὴ μεῖον ἀπέχοντες ἢ ἐφ' ὅσον καὶ νῦν ἐκτεταμένοι πορευόμεθα· Anab. 6, 3, 19: Διασπειρόμενοι ἐφ' ὅσον καλῶς εἶχεν.] Vicissim autem καθ' ὅσον, sequente κατὰ τοσοῦτον ap. Lysiam: Καθ' ὅσον ἕκαστος οἷός τ' ἦν, κατὰ τοσοῦτον ἐβοήθει, Eatenus quatenus poterat. Item Ἐφ' ὅσα ibid., vel Ἐφόσα, ex Luciano. Quinetiam nomen ipsum per se, i. e. cum præp. nulla junctum, resolvitur per Quatenus. Ὅσα τῆς τῶν Φωκέων σωτηρίας ἐπὶ τὴν πρεσβείαν ἧκε, Quatenus ea legatio ad Phocensium salutem pertinebat, Quatenus eam legationem recte obiri, Phocensium salutis referebat. Bud. [Aliter Xen. H. Gr. 1, 1, 28: Μεμνημένους ὅσα μετὰ τῶν ἄλλων ἀήττητοι γεγόνατε, Quoties. HSt. in Ind.:] Κατόσον, Ionice pro καθόσον, In quantum, Herodot. || Sicut porro ἐφ' ὅσον paulo ante dictum est exponi non solum Quatenus, sed et Quamdiu: sic Ἐν ὅσῳ quoque exp. Quamdiu, interdum. [Aristoph. Pac. 943: Ἐπείγετε νυν ἐν ὅσῳ ... κατέχει... αὔρα· Eccl. 1152: Ἐν ὅσῳ δὲ καὶ καταβαίνεις. Xen. H. Gr. 6, 5, 16: Φοβούμενος μὴ ἐν ὅσῳ πρὸς ἐκείνους πορεύοιτο, ἐπιπέσοιεν· 7, 5, 4: Ἐν ὅσῳ δὲ ταῦτ' ἐπράττετο.] Ἐν ὅσῳ ἦρξε, Quamdiu imperavit. Alicubi

A autem Dum, Donec: Ἐν ὅσῳ δ' ἂν πάλιν ἔλθωσι, Dum redirent. Et, Ἐν ὅσῳ ἀφίκοντο, Usquedum advenerunt. Sciendum est autem subaudiri χρόνῳ, et ἐν ὅσῳ χρόνῳ, esse ad verbum, In quanto tempore. Interdum additur et ipsum subst.: ut, Ὅσον χρόνον ἐστὶ, Quamdiu est. [Ὅσον pro Quamdiu ponit Herodot. 7, 161: Ὅσον μέν νυν παντὸς τοῦ Ἑλλήνων στρατοῦ ἐδέου ἡγέεσθαι, ἐξήρκει ἡμῖν ἡσυχίην ἄγειν.] || Sciendum est præterea inveniri etiam, Ὅσον φιλόσοφον, Quantum est philosophum, pro Quantum est philosophorum: si liceat ita dicere, ea quidem forma qua dixit Catull., Quantum est hominum venustiorum: et Plaut., Quantum est hominum optimorum optime. Greg. Naz.: Μεθέλκοντες πρὸς ἑαυτοὺς ὅσον ὀρθόδοξον. Idem, Ὅσον φιλόσοφον, καὶ φιλόθεον. Sic autem ὅσον ad numerum refertur, quum dicitur a Platone [Tim. p. 30, A]: Πᾶν ὅσον ἦν ὁρατὸν παραλαβών (vel potius ὅσον nihil est aliud quam ὅ: de quo usu hujus nominis dicam mox) quæ Cic. vertit, Quicquid erat, quod in cernendi sensum caderet. De quo loco dicam et mox.

B || Ὅσοι, vel Ὅσοιπερ, Quicunque, Quotquot. [Quot, Aliquot, huic add. Gl.] Hom. Il. B, [125]: Τρῶας μὲν λέξασθαι ἐφέστιοι ὅσσοι ἔασι· et [468]: Μυρίοι, ὅσσα τε φύλλα καὶ ἄνθεα γίγνεται ὥρῃ, ubi ὅσσα est scriptum gemino σ, sicut etiam Ὅσσος et Ὅσσοι, etc. a poetis scribitur non raro, poscente versu. [Eadem forma præter Epicos utitur Æsch. Pers. 866 in versu dactylico. Minus certum est exemplum Soph. Ph. 509 in versu trimetro chori.] Sic autem et in soluta oratione passim ὅσοι et ὅσα, Quicunque, Quæcunque. Et præcedente τοσοῦτοι, Dem.: Τοσούτων ἦν ἂν αἴτιος κακῶν ὅσωνπερ καὶ οὗτος. [Ὅσοσπερ, Quantus, et Ὅσοιπερ, Quot. Hesiod. Theog. 474: Ὅσαπερ πέπρωτο γενέσθαι. Æsch. Ag. 860: Τοσόνδ' ὅσονπερ οὗτος ἦν ὑπ' Ἰλίῳ· Pers. 423: Πᾶσα ναῦς ὅσαιπερ ἦσαν βαρβάρου στρατεύματος· 441: Περσῶν ὅσοιπερ ἦσαν ἀκμαῖοι φύσιν. Soph. El. 946: Ξυνοίσω πᾶν ὅσονπερ ἂν σθένω· Aj. 126: Ὅσοιπερ ζῶμεν· Tr. 313: Ἐπεί νιν τῶνδε πλεῖστον ᾤκτισα βλέπουσ', ὅσῳπερ καὶ φρονεῖν οἶδεν μόνη· OEd. C. 743: Ὅσῳπερ ἀλγῶ τοῖσι σοῖς κακοῖς· 792: Πολλῷ γ' ἄμεινον

C ὅσῳπερ καὶ σαφέστερον κλύω. Aristoph. Nub. 841: Ὅσαπερ ἔστ' ἐν ἀνθρώποις σοφά Vesp. 806: Ἅπαντ' ἐγὼ φέρω ὅσαπέρ γ' ἔφασκον. Et dat. Nub. 1419: Ὅσῳπερ ἐξαμαρτάνειν ἧττον δίκαιον αὐτούς. Herodot. 2, 170: Μέγαθος ὅσηπερ ἡ ἐν Δήλῳ· 4, 50: Τοῦ μὲν χειμῶνός ἐστι ὅσοσπέρ ἐστι· 9, 51: Διέχων ἀπ' ἀλλήλων τὰ ῥέεθρα ὅσονπερ τρία στάδια. Thuc. 6, 47: Ταῖς ἑξήκοντα ναυσὶν, ὅσασπερ ᾐτήσαντο, διδόναι αὐτοὺς τροφήν. Plato Tim. p. 49, E: Πᾶν ὅσονπερ ἂν ἔχῃ γένεσιν· et alibi sæpe plurali et dativo sing. cum comparativis. || Ὅσαπερ idem fere quod ὥσπερ, Xenoph. Cyrop. 1, 5, 13: Ὑμεῖς δὲ νυκτὶ ὅσαπερ οἱ ἄλλοι ἡμέρᾳ δύναισθ' ἂν χρῆσθαι, λιμῷ δὲ ὅσαπερ ὄψῳ διαχρῆσθε· Ag. 6, 6. V. Ὅσπερ. || Ὅσος τέ περ Hom. H. Cer. 218: Νῦν δ' ἐπεὶ ἵκεο δεῦρο, παρέσσεται, ὅσσα τ' ἐμοί περ. Apoll. Rh. 1, 84: Τόσσον ἑκὰς Κόλχων ὅσσον τε περ ἠελίοιο μεσσηγὺς δύσιες κτλ. Theocr. 7, 60: Ὅσαις τέ περ ἐξ ἁλὸς ἄγρα. Arat. 557: Ὅσον τέ περ ἥμισυ κύκλου. || Ὅσος τις Herodot. 1, 185: Χώματος ἄξιον θαύματος μέγαθος καὶ ὕψος ὅσον τι ἐστί· 193: Ὅσον τι δένδρον μέγαθος γίγνεται· 7, 102:

D Ἀριθμοῦ πέρι μὴ πύθῃ ὅσοι τινὲς ἐόντες κτλ.] Sed et πάντες ὅσοι, Omnes quotquot: et πάντα ὅσα, Omnia quæcunque. Demosth. [p. 499, 20]: Πάντα μὲν ὅσα ἐστὶ τὰ [hoc deletum cum libris] ὀνείδη φευκτέον, μάλιστα δὲ τοῦτο. Quinetiam in singulari numero interdum: ut, Πᾶν ὅσον ἦν ὁρατὸν, ap. Plat. Tim., quod nihil aliud est quam πάντα ὅσα ἦν ὁρατά. [Soph. El. 378: Πᾶν ὅσον κάτοιδ' ἐγώ· 892: Πᾶν ὅσον κατειδόμην· Tr. 349: Πᾶν ὅσον νοεῖς. Æsch. Prom. 975: Τοὺς πάντας ἐχθαίρω θεοὺς ὅσοι παθόντες εὖ κακοῦσί μ' ἐκδίκως. Et alii quivis. Rariori loquendi modo Xen. H. Gr. 6, 1, 10: Καὶ μὴν Βοιωτοί γε καὶ οἱ ἄλλοι πάντες ὅσοι Λακεδαιμονίοις πολεμοῦντες ὑπάρχουσί μοι σύμμαχοι, ut ex libris melioribus correxi vulgatum πολεμοῦσι. Eq. 11, 12: Ὥστε οὐ μόνον αὐτὸς, ἀλλὰ καὶ πάντες ὅσοι συμπαρεπόμενοι ἀξιοθέατοι ἂν φαίνοιντο. Sæpius sine participio, ut H. Gr. 6, 2, 27: Πάντα ὅσα εἰς ναυμαχίαν παρεσκευάζετο· et ib. 30.] Et ap. Greg. Naz.: Ἐφίσταται νέφος χαλάζης πλῆρες, πᾶσαν ἐκτρίψαν ἐκκλησίαν, καθ' ἧς ἐρράγη, καὶ ὅσην ἐπέλαβε, ubi tamen Bud. existimat ὅσην posse resolvi etiam in Quatenus : ut sit, Quatenus occupavit. [Æsch. Sept. 309: Εὐτρεφέστατον πωμάτων ὅσων ἵησιν Ποσειδῶν. || Absolute pro Nonnulli, Nescio quot, ut infra Ὅσος δὴ, Arrian. Exp. 1, 5, 15: Ἀναλαβόντα τῶν ἱππέων ὅσους ἐς προφυλακήν· 3, 1, 4: Καὶ ὅσα καθ' ὁδὸν χωρία ἐνδιδόντων τῶν ἐνοικούντων κατασχών.] Ceterum ab hac pluralis ὅσοι et ὅσαι et ὅσα signif., qua ponuntur quo Quicunque et Quæcunque, s. Quotquot [Dionys. Per. 1097: Σατραΐδας θ' ὅσσους τε παρὰ πτυχὶ Παρπανισοῖο ξυνῇ ὁμῶς μάλα πάντας ἐπωνυμίην Ἀριηνοὺς, ubi nominativos substituunt libri nonnulli], manarunt ista : Ὅσα ἔτη, pro Quotannis, Singulis annis [Aristoph. Thesm. 623; Xen. Reip. Athen. 3, 4 et 5; Pausan. 8, 24, 11]; et Ὅσαι ὧραι, Themist., Singulis horis [Eust. Opusc. p. 92, 33], et Ὅσαι νύκτες, Lucian. [Philops. c. 18] pro Singulis noctibus : et Ὅσοι μῆνες, Singulis mensibus, Dem. p. 310 [744, 25]. At in VV. LL. male est conjunctim scriptum Ὁσοιμῆνες. Item Ὅσαι ἡμέραι pro Quotidie, Singulis diebus : Ὅσαι ἡμέραι προσδεχόμενοι, Thuc. Ex quibus duobus vocabulis factum est adv. Ὁσημέραι. Aristoph. Pl. [1006]: Καὶ μὴν προτοῦ γ' ὁσημέραι, νὴ τὼ θεώ, Ἐπὶ τὴν θύραν ἐβάδιζε. Themist. Orat. 6, p. 119 fin.: Προὐφαίνων ὁσημέραι, καὶ ὅσαι ὧραι, ubi observa, quamvis dixerit ὅσαι ὧραι [pro quo ὁσῶραι Eust. Il. p. 339, 62. L. D. « Damnat Gregor. Dial. Att. § 21 et Thomas p. 658, et scribi jubent ὅσαι ὧραι divisim; sed Etym. Leid. ap. Koen. dici tradit. Theod. Hyrtac. in Notitt. Mss. t. 5, p. 741: Ἐξετάζεται νόσοις δριμυτάταις ὁσῶραι. » Boiss. ad Herodian. Epim. p. 103, qui et ipse ponit ὁσῶραι], non tamen itidem ὅσαι ἡμέραι dixisse, sed conjunctim ὁσημέραι. [V. Ἡμέρα, vol. 4, p. 147—8. Ubi præter alia addere licet Phryn. Bekk. p. 54, 2: Ὁσημέραι ἐπὶ τῆς παρεσχάτης εὗρον τὴν ὀξεῖαν κειμένην.] Non dubito autem quin Horatius hac quoque in re sermonis Græci consuetudinem imitari voluerit, quum dixit Quotquot eunt dies : quum ὅσαι ἡμέραι, et ex eo factum ὁσημέραι, non aliud sonet quam Quotquot dies. Locus est Carm. 2, 14 : Non si trecenis, quotquot eunt dies, Amice, places illacrymabilem Plutona tauris. Ab illo autem ὅσα ἔτη fit adject. nomen Ὁσέτειος, pro Annuus : quod tamen in VV. LL. redditur Quotannis. [Ὁσέτιος, Quotannis, Gl.] || Dixit porro Aristoph. ὅσας et pro Quot, non relativo, sed admirative posito : Pl. [1050]: Ὦ Ποντοπόσειδον, καὶ θεοὶ πρεσβυτικοὶ, Ἐν τῷ προσώπῳ τῶν ῥυτίδων ὅσας ἔχει. Ubi dignus observatione est et hic gen. usus : qui quum in Latina ad verbum interpretatione omnino peregrinus videri possit, contra familiarissimus nobis fuerit in Gallica interpr., *Oh, combien de rides !* Nihil enim id sonat aliud Quam ὅσας ῥυτίδων, et Latine Quam multas rugarum, ad verbum. Sic tamen ut fatear alioqui illud *Combien* esse nobis et i. q. Quantum : quo utens, dicere possis, Quantum rugarum. [Hom. Il. A, 658 : Οὐδέ τι οἶδε πένθεος ὅσσον ὄρωρε κατὰ στρατόν. Frequentior autem hæc cum genit. constructio, ubi divisio fit, ut ap. Pausan. 2, 8, 3 : Ὅσα τῶν κτημάτων ἄλλα ἐπέπρατο, et alios quoslibet.] || Hoc alioqui constat, ὅσοι sæpe non alium usum habere quam οἳ, Qui, atque ita potest reddi et post πάντες. Sic post ἄλλοι, Greg. Naz.: Τί δ' ἂν εἴποι τις περὶ τῶν ἄλλων, ὅσοι τῆς ἀγχινοίας μεταποιοῦνται ; || [Absolute Quicunque, ap. Jo. Diac. Alleg. in Hesiodi Theogon. p. 471 med.: Ἐντίμους καὶ ἀτίμους ποιοῦντες ἀνθρώπους καὶ ὅσα ἄλλα ἐνεργοῦντες.] At Ὅσοι δὴ, Quotlibet, Quotcunque, Nescio quot, Bud. ex Luciano [Harmonid. c. 3] et Pausania. [Velut 7, 3, 7 : Συλλέξας ἐξ ἁπασῶν τῶν ἐν Ἰωνίᾳ πόλεων ὅσους δὴ παρὰ ἑκάστων. « Usurpatur in singulari, ut ἐπὶ μισθῷ ὅσῳ δὴ, ap. Herodot. 1, 160, Mercede nescio quanta. » SCHWEIGH. Id. 3, 52 : Ζημίην ὅσην δὴ εἴπας· 159 : Γυναῖκας ὅσας δὴ ἑκάστοισι ἐπιτάσσων· 4, 151 : Σιτία καταλιπόντες ὅσων δὴ μηνῶν. Theophr. C. Pl. 2, 10, 14 : Ἡ τῶν αὐτομάτων γένεσις ἐκ σπέρματος, καὶ ὅσα δὴ διὰ σῆψίν τινα, μᾶλλον δ' ἀλλοίωσιν γίνεται τῆς γῆς. Dionys. A. R. 2, 45 med.: Μοῖραν ἐξ αὐτῶν ὅσην δὴ τινα· 4, 60. Id. 1, 38, p. 97, 1 : Τοῦτο δὲ καὶ μέχρι ἐμοῦ διετέλουν Ῥωμαῖοι δρῶντες ὅσον τι μικρὸν ὕστερον ἐαρινῆς ἰσημερίας. Liban. vol. 4, p. 532, 11 : Ἔστι καὶ σωμάτων ἀτάφων ἰδεῖν ὅσον τι πλῆθος.]

A || Ὅσον, adverb., pro quo et Ὅσα interdum : Quantum, ut ὅσον δύναμαι, Quantum possum, Pro viribus [Ὅσον ἰσχύεις Soph. Aj. 1409], ὅση δύναμις, ut supra. Et, Ὅσα ἐδύνατο μάλιστα προεφυλάξατο, Quam potuit maxime. Et, Ὅσον καθ' ἕνα ἄνδρα, Dem. p. 115 [278, 12], Quantum in uno homine fuit : nisi quis hic nomen esse malit. Et, Ὅσον διαφέρουσι, Isocr., Quantum differunt. [Æsch. Prom. 927 : Μαθήσεται ὅσον τό τ' ἄρχειν καὶ τὸ δουλεύειν δίχα. Hom. Il. I, 354 : Οὐκ ἐθέλεσκε μάχην ἀπὸ τείχεος ὀρνύμεν Ἕκτωρ, ἀλλ' ὅσον ἐς Σκαιάς τε πύλας καὶ φηγὸν ἵκανεν· A, 186 : Ὄφρ' εὖ εἰδῇς ὅσσον φέρτερός εἰμι σέθεν· 516 : Ὅσσον ἐγὼ μετὰ πᾶσιν ἀτιμοτάτη θεός εἰμι· Π, 722 : Αἴθ' ὅσον ἥσσων εἰμὶ, τόσον σέο φέρτερος εἴην. Paullo aliter 1, 160 : Καί μοι ὑποστήτω, ὅσσον βασιλεύτερός εἰμι ἠδ' ὅσσον γενεῇ προγενέστερος εὔχομαι εἶναι. Cum superl. Il. Θ, 17 : Γνώσετ' ἔπειθ' ὅσον εἰμὶ θεῶν κάρτιστος ἁπάντων· Ψ, 891 : Ἴδμεν ὅσον δυνάμει τε καὶ ἥμασιν ἔπλευ ἄριστος. Hesiod. Theog. 49 : Ὑμνεῦσι (Jovem), ὅσσον φέρτατός ἐστι θεῶν κράτεΐ τε μέγιστος. Soph. Ant. 59 : Νῶ σκόπει ὅσῳ κάκιστ' ὀλούμεθα· 1051 : Ὅσῳ κράτιστον κτημάτων εὐβουλία.—Ὅσωπερ, οἶμαι, μὴ φρονεῖν πλείστη βλάβη. Herodot. 3, 82

B med. : Διέδεξε ὅσῳ ἐστὶ τοῦτο ἄριστον. Plat. Reip. 1, p. 328, D : Ὅσον αἱ ἄλλαι ἡδοναὶ ἀπομαραίνονται, τοσοῦτον αὐξάνονται.] Synes.: Ὅσα γε τῶν πρεσβυτέρων ἠκούσαμεν, Quantum quidem a senioribus audivimus. Greg. Naz.: Εἶτ' ἐνέπαιζον ὅσα βουλομένοις ἦν, Quantum volebant, Pro arbitratu suo. [Xen. Comm. 2, 1, 21 : Ὧδέ πως λέγων ὅσα ἐγὼ μέμνημαι. Plato Reip. 5, p. 467, C : Οἱ πατέρες, ὅσα ἄνθρωποι οὐκ ἀμαθεῖς ἔσονται· Crit. p. 46, E : Σὺ γὰρ ὅσα γε τἀνθρώπεια, ἐκτὸς εἶ τοῦ μέλλειν ἀποθνήσκειν· Ep. 7, p. 350, E : Οὐκ ἄν ποτε ἐγένετο οὐδὲν, ὅσα γε δὴ τἀνθρώπινα. Aliter Pausan. 8, 44, 5 : Τῷ λόφῳ τῷ ὑπὲρ τῆς πόλεως ὅσα ἀκροπόλει τὸ ἀρχαῖον ἐχρῶντο. Quomodo dictum Ὅσοσπερ v. in illo. Hujusmodi in locis etiam ὥσπερ poni licebat, ut ὡς in verbis Photii Bibl. p. 1, 6 : Ὀψὲ μὲν ἴσως τοῦ σοῦ διαπύρου πόθου, θᾶττον δὲ ἢ ὅσα ἄν τις ἄλλος ἐλπίσειε.] Et cum infin. [Soph. OEd. C. 152 : Μακραίων γ', ὅσ' ἐπεικάσαι. Thuc. 8, 46 : Ὅσα γε ἀπὸ τῶν ποιουμένων ἦν εἰκάσαι.] Lucian.:

C Ὅσα γε κἀμὲ ὁρᾷν. Idem [In inerud. c. 19] : Ὅσα γε Σύρον με ὄντα εἰδέναι. Greg. Naz. : Ὅσα ἐμὲ γινώσκειν, Quantum intelligere possum. Apud Aristoph. autem Nub. [1252, Plato Theæt. p. 145, A] : Οὐχ, ὅσον γέ μ' εἰδέναι, Non equidem, quod sciam. [Hom. Il. N, 222 : Οὔτις ἀνὴρ νῦν αἴτιος, ὅσσον ἔγωγε γιγνώσκω· Υ, 360 : Ὅσσον μὲν ἐγὼ δύναμαι χερσίν τε ποσίν τε· Ψ, 276 : Ἴστε γὰρ ὅσσον ἐμοὶ ἀρετῇ περιβάλλετον ἵπποι. Et præmisso τόσον Φ, 371 : Οὐ μέντοι ἐγὼ τόσον αἴτιός εἰμι ὅσσον οἱ ἄλλοι. Æsch. Sept. 775 : Ὅσον τότ' Οἰδίπουν τίον. Soph. Aj. 1377 : Ὅσον τότ' ἐχθρὸς ἦν, τοσόνδ' εἶναι φίλος· OEd. T. 1191 : Τοσοῦτον ὅσον δοκεῖν. Xen. Ven. 9, 14 : Διελεῖν τῆς γῆς ὅσον ἵζεσθαι ἀμφοῖν· Anab. 4, 1, 4 : Ἐλείπετο τῆς νυκτὸς ὅσον σκοταίους διελθεῖν τὸ πεδίον· Reip. Lac. 12, 4 : Οὔτε ἀλλήλων οὔτε τῶν ὅπλων πλέον ἢ ὅσον μὴ λυπεῖν ἀλλήλους ἀπέρχονται. Plato Reip. 3, p. 416, E : Μισθὸν τοσοῦτον ὅσον μήτε περιεῖναι αὐτοῖς μήτε ἐνδεῖν· Theæt. p. 161, B : Οὐδὲν ἐπίσταμαι πλὴν βραχέος ὅσον λόγον λαβεῖν.] || Interdum infinitivo itidem junctum, redditur potius Quatenus : ut, Ὅσσον

D ἐπιψαῦσαι ex Epigr. (posito ὅσσον pro ὅσον, ob metrum), Quatenus attingant. [Paus. 7, 21, 12.] Et ex Thuc. [6, 105] : Ὅσον σχόντας μόνον ἐς τὴν Λακωνικὴν ἀπελθεῖν. Item ex Plut. [Lycurg. c. 22] : Ὅσον ἐμβεβαιώσασθαι τὸ νίκημα τῇ φυγῇ τῶν πολεμίων, ἐδίωκον αὐτοὺς, Eatenus, quatenus confirmarent, vel confirmare possent. Sed redditur etiam Quoad. Sic et in isto Thuc. l. [3, 49] : Ἔφθασε τοσοῦτον, ὅσον Πάχητα ἀνεγνωκέναι, redditur τοσοῦτον ὅσον, Tantisper dum. [Cum indicat. Hedylus Anth. Pal. 11, 123, 2 : Ἀλλ' ὅσον εἰσῆλθεν, κᾤχετ' Ἀρισταγόρης. Cum participio Apollon. Rh. 1, 183 : Ὅσον ἄκροις ἴχνεσι τεγγόμενος διερῇ πεφόρητο κελεύθῳ. || Infinitivo autem jungitur etiam plur., ut Xen. OEc. 11, 18 : Ἀριστῶ ὅσα μήτε κενὸς μήτε ἄγαν πλήρης διημερεύειν· Cyrop. 5, 2, 4 : Ἀπήγγελλον ὅτι τοσαῦτα εἴη ἔνδον ἀγαθὰ ὅσα ἐπ' ἀνθρώπων γενεὰν μὴ ἂν ἐπιλιπεῖν τοὺς ἔνδον ὄντας. Ubi plenius dicitur quod sæpe compendiosius, ut OEc. 2, 4 : Οὐδ' εἰ τρὶς ὅσα νῦν κέκτησαι προσγένοιτό σοι· Anab. 4, 7, 16 : Εἶχον μαχαίριον ὅσον ξυήλην Λακωνικήν. Plut. Timol. c. 3 : Πρᾶος διαφερόντως, ὅσα μὴ σφόδρα μισοτύραννος εἶναι. Cum partic. Thuc. 4, 16 : Φυλάσσειν τὴν νῆσον Ἀθηναίους μηδὲν ἧσσον, ὅσα μὴ ἀποβαίνοντας.] || Interdum pro Circiter. Thuc., Ὅσον εἴκοσι, Circiter viginti. Lucian., Ὅσον δισχίλιοι, Circiter bis mille, duo millia. Sic ὅσον πηχυαῖον, Circiter cubitale, Cubiti instar. Et, Ὅσον παρασάγγην ἀπεῖχον, Xen. [Cyrop. 3, 3, 28], Circiter parasangam. [Et alibi sæpissime. Cum adj. mensuræ Hipparch. 1, 16 : Λίθους ὅσον μναιαίους. Cum subst. Cyrop. 7, 5, 10 : Ἀπολιπὼν ὅσον τύρσεσι μεγάλαις ἀπὸ τοῦ ποταμοῦ.] Item Ὅσον τε, pro ὅσον, significante Circiter. Herodot. [2, 96] : Ὅσον τε διπήχεα ξύλα. [Id. 3, 5 : Ὅσον τε ἐπὶ τρεῖς ἡμέρας. Et aliis ll. pluribus. Cum verbo 2, 73 : Ὠὸν πλάσσειν ὅσον τε δυνατός ἐστι φέρειν. Præter simium Herodoti Pausaniam 1, 27, 4 : Πρὸς τῷ ναῷ ἐστι πρεσβῦτις ὅσον τε πήχεος μάλιστα· 2, 37, 6 : Ὅσον τε σταδίου τρίτον· 3, 4, 1 : Καταφεύγουσιν ὅσον τε πεντακισχίλιοι ἐς τὸ ἄλσος· et alibi, illud ὅσον τε dixit etiam Theophrastus, si quid tribuendum libris melioribus H. Pl. 2, 7, 7 : Περιορύξας τὸ στέλεχος καὶ τιτράνας ὅσον τε παλαστιαῖον, ubi ceteri omittunt particulam. Habet vero jam Hom. Il. Γ, 12 : Τόσσον τίς τ' ἐπιλεύσσει ὅσον τ' ἐπὶ λᾶαν ἵησιν· Κ, 351 : Ὅτε δή ῥ' ἀπέην ὅσον τ' ἐπίουρα πέλονται ἡμιόνων. Ὅσονπερ ita dictum v. in Ὅσοσπερ. || Ὁσονοῦν Herodot. 2, 22 : Εἰ ἐχιόνιζε καὶ ὅσον ὦν. Theophr. H. Pl. 6, 7, 5 : Ἐφ' ὅσον οὖν προϊέναι. Nicomach. Introd. ar. 2, 10, p. 120 fin.: Διαλείποντες ἐφ' ὁσονοῦν· et 11, p. 121 med. Et Ὅσον δήποτε, Quantumcunque, Quantulumcunque, Gl. Herodot. 1, 157 : Τοῦ Κύρου στρατοῦ μοῖραν ὅσην δήκοτε ἔχων.]

|| Ὅσον præterea prout huic vel illi voci jungitur, alium atque alium usum habet : intellige autem, alicui voci præter illas de quibus jam dictum est. Nam ὀλίγον ὅσον invenitur pro Paululum s. Parum : Ὀλίγον ὅσον τοῦ πηλοῦ ap. Lucian. [Prometh. c. 12], Paululum s. Pauxillum luti, Quamminimum. Sic autem et ὀλίγοι ὅσοι affertur pro Valde pauci, Admodum pauci. Atque ut ὀλίγον ὅσον, sic ὅσον βραχὺ dicitur : ut Epigr.: Εἰς σάλπιγγ' ἐνέπνευσεν ὅσον βραχὺ Μάρκος ὁ λεπτὸς, Pauxillum, Tantillum. Tale est ὅσον βαιὸν, Pauxillum, Pusillum. [Strato Anth. Pal. 12, 227, 2 : Ἤν τινα καὶ παριδεῖν ἐθέλω καλὸν ἀντισυναντῶν, βαιὸν ὅσον παραβὰς εὐθὺ μεταστρέφομαι.] At οὐδ' ὅσον βαιὸν, Ne pauxillum quidem, Ne pusillum quidem, in Epigr. [Meleagri Anth. Pal. 5, 139, 4. Callim. Epigr. 49, 9 : Οὐδ' ὅσον ἀττάραγόν σε δεδοίκαμες. Frequens etiam solum Οὐδ' ὅσον vel Μηδ' ὅσον, quum in Anthol., tum ap. alios poetas, ut Callim. Apoll. 37 : Οὔποτε Φοίβου θηλείαις οὐδ' ὅσσον ἐπὶ χνόος ἦλθε παρειαῖς· Apoll. Rh. 1, 290 : Τὸ μὲν οὐδ' ὅσον οὐδ' ἐν ὀνείρῳ ὠισάμην· 482 : Οἷς οὐδ' ὅσον ἰσοφαρίζεις· 2, 189 : Ἐλείπετο δ' ἄλλοτε φορβῆς οὐδ' ὅσον, ἄλλοτε τυτθόν· et divise 3, 519 : Οὐδέ περ ὅσσον ἐπανθιόωντας ἰούλους ἀντέλλων. Addito altero ὅσον, ut paullo post, Philetas ap. Stob. Flor. 104, 12 : Ἦ μὲν δὴ πολέεσσι πεφύρησαι χαλεποῖσι, θυμὲ, γαληναίη δ' ἐπιμίσγεαι οὐδ' ὅσον ὅσσον. Leonidas Tar. Anth. Pal. 7, 472, 3 : Ὅσον ὅσσον στιγμή. Paullus Sil. 5, 255, 5 : Ἀμφαδίην ὅσον ὅσσον ὑπεπρήϋνον ἀνάγκην. Μηδ' ὅσσον Manetho 2, 159 : Μηδ' ὅσσον ἐῶν κτεάνων ὀρέγοντας· 6, 66 : Μηδ' ὅσσον Μήνην ἐπιδερκομένου Φαέθοντος· 716 : Ὁππότε δ' ἂν... εὐεργῶν μηδ' ὅσσον ἔχῃ ἐπιμάρτυρον ἄστρων. Euenus Anth. Pal. 9, 251, 5.] His adde μικρὸν ὅσον, s. potius μικρὸν ὅσον ὅσον, ex [« Gregor.: Μικρὸν ὅσον τὸν τοῦ πολέμου καιρὸν διαφέρειν. Et » HSt. Ms. Vind.] Epist. ad Hebr. 10, in l. qui ex propheta Abacuc profertur, de tempore dictum, et quidem cum particulæ ὅσον geminatione : in Epist. ad Hebr. inquam, 10, [37] : Ἔτι γὰρ μικρὸν ὅσον ὅσον ὁ ἐρχόμενος ἥξει, καὶ οὐ χρονιεῖ, pro, Adhuc enim pauxillum temporis superest, quo elapso veniet qui venturus est. [V. Μικρὸς p. 1057, B.] Itidem vero geminatur ap. Aristoph. in hoc alioqui dissimili loco, Vesp. [213] : Τί οὐκ ἀπεκοιμήθημεν ὅσον ὅσον στίλην; ubi schol. exp. ἐλάχιστον : annotans ex Callistrato, στίλην esse νομισμάτιόν τι ἐλάχιστον. Dissimilem autem esse dico locum superioribus, quod in eo ὅσον propriam signif. apertius retineat quam in superioribus illis. Possumus enim ita resolvere, Cur non obdormivimus somnum tantæ saltem magnitudinis, quantæ στίλη est? Ut si Gallice dicas jocando, *Je n'ay dormi qu'un bien petit:* A *Je n'ay dormi qu'aussi gros qu'un pois.* [Hesychius : Ὅσον, ὀλίγον· Ὅσον ὅσον δὲ, ὀλίγον ὀλίγον.] Quemadmodum autem hic propriam signif. retinet ὅσον, ita retinere videtur in Apoll. Arg. 2, [112] : Ἀλλά μιν οὐ κατέπεφνεν, ὅσον δ' ἐπὶ δέρματι μοῦνον Νηδυίων ἄψαυστος ὑπὸ ζώνην θόρε χαλκός· unde miror a schol. ὅσον exponi etiam ὀλίγον : quum non dicatur ὅσον sine adjectione, sed μόνον ὅσον ἐπὶ δέρματι. Quinetiam quamvis non adderetur μόνον, ad illam expositionem venire minime necesse foret : quum perinde sit ac si dictum esset, τοσοῦτον ὅσον ψαύειν τοῦ δέρματος, ἀψαύστου μενούσης τῆς νηδύος. [Aristoph. Vesp. 1288 : Οὐκτὸς ἐγέλων ... οὐδὲν ἄρ' ἐμοῦ μέλον, ὅσον δὲ μόνον εἰδέναι σκωμμάτιον εἴ ποτέ τι θλιβόμενος ἐκβαλῶ. Xen. Anab. 7, 3, 22 : Ὅσον μόνον γεύσασθαι ἑαυτῷ καταλιπών. Plato Protag. p. 334, C : Ὅσον μόνον τὴν δυσχέρειαν κατασβέσαι· Reip. 10, p. 607, A : Ὅσον μόνον ὕμνους θεοῖς παραδεκτέον εἰς πόλιν· Phædr. p. 242, C : Ὅσον μὲν ἐμαυτῷ μόνον ἱκανός. Præposito μόνον Leg. 6, p. 778, C : Νῦν δὲ μόνον ὅσον τινὰ τόπον αὐτῶν ἐπεξέλθωμεν.] || Hoc alioqui B sciendum est, ut in isto Apollonii loco habes ὅσον cum μόνον, sic et ὅσον per se interdum poni pro μόνον, qui tamen usus rarus est, quantum quidem meminisse possum, Tantummodo, Solum, Solummodo. Epigr. [Hedyli Anth. Pal. 11, 123, 2] : Οὔτ' ἔκλυσεν, οὔτ' ἔθιγ' αὐτοῦ, Ἀλλ' ὅσον εἰσῆλθεν, χὤχετ' Ἀρισταγόρας. [Herodot. 4, 45 : Οὐκ ἀπικομένη ἐς τὴν γῆν ταύτην ἥτις νῦν Εὐρώπη καλέεται, ἀλλ' ὅσον ἐκ Φοινίκης ἐς Κρήτην· 2, 20 : Τὰς δύο τῶν ὁδῶν οὐδ' ἀξιῶ μνησθῆναι εἰ μὴ ὅσον σημῆναι βουλόμενος μοῦνον· 73 : Ἐγὼ μέν μιν οὐκ εἶδον εἰ μὴ ὅσον γραφῇ. Xen. Anab. 7, 3, 20 : Οὐ διαβεβήκει ἔχων εἰ μὴ παῖδα καὶ ὅσον ἐφόδιον· 8, 19 : Ἔχοντες πρόβατα ὅσον θύματα. Plato Reip. 3, p. 403, E : Εἰ ἡμεῖς ὅσον τοὺς τόπους ὑφηγησαίμεθα· Gorg. p. 485, E : Φιλοσοφίας μὲν ὅσον παιδείας χάριν καλὸν μετέχειν.] Jam vero ut ὅσον pro μόνον, sic etiam Ὅσον μὴ ponitur pro μόνον μὴ, Duntaxat non, Eo excepto quod non, Nisi quod non. Ex Soph. OEd. T. [347 : Καὶ ξυμφυτεῦσαι τοὔργον εἰργάσθαι θ' ὅσον μὴ χερσὶ καίνων· Trach. 1214 : Ἦ καὶ πυρᾶς πλήρωμα (ἐργάσει); — Ὅσον γ' ἂν αὐτὸς μὴ ποτιψαύων χεροῖν], et ex Thuc. [V. supra. Xen. OEc. C 21, 4 : Πείθεσθαι οὐκ ἀξιοῦντας οὐκ ἐθέλοντας ὅσον ἂν μὴ ἀνάγκη ᾖ. Plato Euthyd. p. 273, A : Ὅσον μὴ ὑβριστὴς διὰ τὸ νέος εἶναι.] Præterea Ὅσον οὐ vel conjunctim potius Ὁσονοὺ, pro μονονοὺ, Tantum non, Modo non, Ferme, Pene, Fere, σχεδὸν, Suid. ap. Thuc. 4, p. 144 [c. 69] : Τὸ τεῖχος ὁσονοὺκ ἀπετετέλεστο, ubi schol. eod. sensu, παρὰ μικρόν. Sic idem Thuc. frequenter usus est : 2, [94] : Παρὰ σφᾶς ὁσονοὺκ ἐσπλεῖν· 6, p. 212 [c. 45] : Ἐπὶ ταχεῖ πολέμῳ καὶ ὁσονοὺ παρόντι· 7, p. 237 [c. 6] : Ἤδη γὰρ καὶ ὁσονοὺ παρεληλύθει. Aliter Idem alibi, Οὐχ ὅσον οὐκ ἠμύναντο, i. e. οὐ μόνον οὐκ, Non solum non. Invenitur et in fine sententiæ οὐχ ὅσον, sicut et οὐχ οἷον, et οὐχ ὡς, significat [« significans » HSt. Ms. Vindob.] Nedum : cujus usus exemplum ex Aristide vide ap. Bud. p. 919. Item et Ὁσονοὺκ ἤδη, i. q. ὁσονούκ. [Eur. Hec. 143 : Ἥξει δ' Ὀδυσεὺς ὅσον οὐκ ἤδη.] Thuc. 8, p. 294 [c. 96] : Ὁσονοὺκ ἤδη ἐνόμιζον αὐτοὺς παρεῖναι. Cui similem locum ex Xen. [H. Gr. 6, 2, 16 : Ὅσον οὐκ ἤδη ἔχειν· 24 : Ὅτι ὅσον οὐκ ἤδη παρείη] affert D Bud. p. 1060. Item alium habes ap. Suid. [Polyæn. 5, 9. Hemst.] Verum idem Xen. interposito verbo inter ὁσονοὺκ et ἤδη dixit Hell. 5, [2, 13] : Καὶ ὁσονοὺκ ἐκπεπτωκότα ἤδη ἁπάσης Μακεδονίας. [Anab. 7, 2, 5 : Ὅτι ὅσον οὐ παρείη ἤδη. Sine negatione, nisi librorum vitium est, Polyb. 2, 4, 4 : Ἃ ὑπὸ τῶν ἐχθρῶν αὐτοὶ προσεδόκων ὅσον ἤδη πείσεσθαι· ubi ὅσον deest nonnullis, sic positum 8, 36, 8 : Φανερὸν εἶναι ... αὐτοὺς δι' αὐτῶν ὅσον ἤδη κρατῆσαι τῆς θαλάττης.] Sic et Ὅσον οὔπω [quod ταχὺ interpr. Hesych.] et Ὅσον οὐδέπω [Quam primum, Gl.], itidem pro ὁσονοὺ, s. ὁσονοὺκ ἤδη : quorum exempla ex Dionysio et Luciano affert Bud. p. 1060. Quibus addo, ex Thuc. 6, p. 210 [c. 34] : Ὅσον οὔπω πάρεισι. Et 4, p. 161 [c. 125] : Ὅσον δὲ οὐδέπω παρεῖναι. Sic Herodian. 1, [13, 3] : Ἡμεῖς δὲ τὸ σὸν γένος ὅσον οὐδέπω ἀπολούμεθα, Modo non jam, s. Mox, peribimus. Idem aliquanto post, Ὀλέθρου τοσούτου τοῖς μὲν αἴτιον ἤδη γεγονότα, ἡμῖν δὲ ἐσόμενον ὅσον οὐδέπω, Tantumnon jam, i. e. Mox. Plut. Artox. [c. 30] : Τὰ μὲν μέλλειν, τὰ δὲ ὅσον οὔπω πράσ-

σειν. [Polybii ll. plurimos v. in Schweigh. Lex.] Igitur hoc ὅσον οὔπω, s. ὅσον οὐδέπω, aut ὅσον οὐκ ἤδη, præsenti junctum aut præterito, significat Tantumnon, Propemodum, Fere, Ferme : at futuro, Jamjam, Quamprimum, Mox. Vide alia exempla ap. Suid., utriusque usus, et cum præsenti sc. et cum fut., ubi exp. ταχὺ, μετ' ὀλίγον. || Jungitur ὅσον et adverbio αὐτίκα : diciturque ὅσον αὐτίκα, itidem pro Quamprimum, Jamjam, Mox : ut, Ὅσον αὐτίκα παρέσται, Jamjam aderit. [Et in Indice :] Dicitur etiam ὅσον πλεῖστον, Quantum plurimum. Xen. [Cyrop. 3, 2, 26] : Ἐγὼ γὰρ δώσω ὅσον τις καὶ ἄλλος πλεῖστον δήποτε ἔδωκε. [Anab. 4, 5, 18 : Ἀνακραγόντες ὅσον ἠδύναντο μέγιστον. Herodot. 1, 14 : Ἀπέπεμψε ἀναθήματα ἐς Δελφοὺς οὐκ ὀλίγα, ἀλλ' ὅσα μὲν ἀργύρου ἀναθήματά ἐστι οἱ πλεῖστα ἐν Δελφοῖσι· 6, 44 : Ἐν νόῳ ἔχοντες ὅσας ἂν πλείστας δύναιντο (al. δύνωνται) καταστρέφεσθαι τῶν πολίων.] Sic Cels. : Cibus dandus et frequentior et quantus plenissimus potest concoqui. [Plenius Callim. Jov. 64 : Τὰ δὲ τόσσον ὅσον διὰ πλεῖστον ἔχουσιν.] Cic. Ep. : Si huic commendationi meæ tantum tribueris, quantum cui plurimum. [Æsch. Prom. 520 : Συγκαλυπτέος ὅσον μάλιστα· Cho. 772 : Ἄνωχθ' ὅσον τάχιστα· Suppl. 883 : Βαίνειν ὅσον τ. Soph. El. 1433. Ant. 1103 : Καὶ ταῦτ' ἐπαινεῖς καὶ δοκεῖς παρεικαθεῖν; — Ὅσον γ', ἄναξ, τάχιστα. Eurip. aliique.] Item ὅσον τάχιστα, Quamcelerrime : pro quo et ὅσον τάχους εἶχε, in Ὡς, ubi de Ὡς τάχος. Pro eodem dicitur ὅσον τάχος : ut et ὅσον σθένος, Quamvalidissime, Quamfortissime, ap. Apoll. Arg. 2, [589] et Theocr. 1, [42. De quo HSt. initio].

[|| Post τοσούτῳ cum comparat. sæpe sequitur ὅσῳ sine illo, ut ap. Herodot. 6, 137 : Ἑωυτοὺς δὲ γενέσθαι τοσούτῳ ἐκείνων ἄνδρας ἀμείνονας, ὅσῳ παρεὸν αὐτοῖσι ἀποκτεῖναι, ... οὐκ ἐθελῆσαι· 8, 13 : Ἡ αὐτὴ νὺξ πολλὸν ἦν ἔτι ἀγριωτέρη, τοσούτῳ ὅσῳ ἐν πελάγεϊ φερομένοισι ἐπέπιπτε. Quibus similia hæc ejusdem 5, 49 : Ὄνειδος μέγιστον ὑμῖν, ὅσῳ προέστατε τῆς Ἑλλάδος. Addito μᾶλλον Xenoph. Cyrop. 7, 5, 80 : Τοσούτῳ τἀγαθὰ μᾶλλον εὐφραίνει, ὅσῳ ἂν μᾶλλον προπονήσας τις ἐπ' αὐτὰ ἀπίῃ. Cum superlativo Theolog. arithm. p. 4, B ed. Ast. : Μάλιστα πάντων ἐπιτηδειοτάτη, ὅσῳ προσεχεστάτη. Ap. Dion. Chr. Or. 10 fin. vol. 1, p. 306 : Τὸν δὲ Οἰδίποδα, ὅσῳ σοφώτατον ἡγησάμενον αὑτὸν εἶναι ..., τοσούτῳ κάκιστα ἀπολέσθαι, in aliis codd. deest ὅσῳ. || Dat. ὅσῳ cum compar. Hesiod. Op. 40 : Νήπιοι οὐδὲ ἴσασιν ὅσῳ πλέον ἥμισυ παντός. Aristoph. fr. Tagenist. ap. Stob. Fl. 121, 18 : Ὅσῳ τὰ κάτω κρείττω 'στίν. Et ap. alios quosvis. Cum adv. Xen. Cyrop. 1, 3, 14 : Χάριν σοι εἴσομαι ὅσῳ ἂν πλεονάκις εἰσίῃς ὡς ἐμέ. Cum positivo et omisso μᾶλλον Xen. Hier. 10, 2 : Ἀνθρώποις τισὶν ἐγγίγνεται, ὅσῳ ἂν ἔκπλεω τὰ δέοντα ἔχωσι, τοσούτῳ ὑβριστοτέροις εἶναι, ubi πλέω conjici posse putabat Matthiæ Gramm. p. 852. Polyb. 1, 45, 9 : Ὅσῳ δὲ συνέβαινε τοὺς ἄνδρας ἐκτὸς τάξεως ποιεῖσθαι τὴν μάχην, τοσούτῳ λαμπρότερος ἦν ὁ κίνδυνος· 2, 30, 3 : Ὅσῳ γυμνὰ καὶ μείζω τὰ σώματα ἦν, τοσούτῳ συνέβαινε μᾶλλον τὰ βέλη πίπτειν ἔνδον. Athanas. in Montef. Coll. Nova Patr. vol. 2, p. 56, B : Ὅσῳ μεγάλη ἐστὶν ἡ ἐπαγγελία, τοσούτῳ χείρων ἡ πτῶσις. Et Greg. Nyss. vol. 3, p. 142, D : Ὅσῳ μέγα, τοσούτῳ μᾶλλον· 143, A, aliique multi recentiorum. Accusativo similiter Mauric. Strateg. p. 159 med. : Ὅσον γὰρ βραδυτὴς γένηται, τοσοῦτον οἱ ἡττηθέντες δειλότεροι γίνονται. L. Dind.]

[Ὁσοσοῦν, Ὅσοσπερ. V. Ὅσος.]

[Ὅσπερ, Ὁσπεροῦν. V. Ὅς.]

[Ὄσπρεον, pro ὄσπριον, ap. Cyrill. Scythopol. Vita Ms. S. Sabæ c. 44 et 45. Ducang. Etym. M. : Ὄσπριον δεῖ λέγειν καὶ οὐκ ὄσπρεον. Theognost. Can. p. 23, 5 : Πτύανοι, μῖγμα παντοδαπῶν ὀστρέων (ὀσπρέων). Sic ὀσπρεοφάγων in Ms. ap. Cramer. Anecd. vol. 4, p. 401, 29. L. Dind.]

['Οσπριοδόχος, ὁ, Schneider. sine testim.]

['Οσπριοθήκη, ἡ, Granarium, Gl.]

['Οσπριολέων, οντος, ὁ, herbæ species vicinæ cuivis plantæ noxia. Schol. Basilic. l. 20, p. 456 : Οἷον εἰ ὀξύεται ὁ οἶνος ἢ ἄγρωστις ἢ ὁ λεγόμενος ὀσπριολέων βλάψῃ· ὁ γὰρ ὀσπριολέων φυτόν τί ἐστιν ὃ συμφυόμενον τῇ φυτείᾳ... εἰ δὲ πρὸ αὐτῆς φυῇ, οὐκ ἐᾷ αὐτὴν τεχθῆναι. Ducang. V. 'Οσπρολέων.]

Ὄσπριον, τὸ, Legumen [Gl.]. Galen. De alim. facult. l. 1 [p. 314, 14 ed. Bas.], ὄσπρια vocari scribit ἐκεῖνα τῶν Δημητρίων σπερμάτων, ἐξ ὧν ἄρτος οὐ γίνεται, ut κυάμους, πισοὺς, ἐρεβίνθους, φακοὺς, θέρμους, ὄρυζαν, ὀρόβους, λαθύρους, ἀράκους, ὤχρους, φασήλους, φακῆν. ['Οσπρίων in numero fabas primo loco collocat Gal., quæ per excellentiam ὄσπρια dicuntur Clem. Al. Strom. l. 3, quod sic appellari veteribus in usu fuerit. Quin et Athen. versus l. 9 : Σῦκον μετ' ἰχθὺς, ὄσπριον δὲ μετὰ κρέας, de faba intelligi debet, quam viridem his quoque temporibus homines post carnes loco bellariorum esitant, quamque etiamnum hodie vulgo Græcorum ὄσπριον passim vocari scribit Mercurialis Var. Lectt. 4, 5. Ὄσπρια δὲ πάντα φυσώδεα Hippocr. p. 404, 29. Foes. Zonas Anth. Pal. 6, 98, 4 : Πάνσπερμα ὄσπρια.] Eadem et χεδροπὰ nominantur. Theophr. H. Pl. 8, 1 : Τὰ δὲ, χεδροπὰ, οἷον κύαμος, ἐρέβινθος, πισὸς, καὶ ὅλως τὰ ὄσπρια προσαγορευόμενα. [Alios Th. ll. v. ap. Schneid. in Ind. Aristot. H. A. 5, 19. Plato Critiæ p. 115, A : Τὸν ἥμερον καρπὸν, καλοῦμεν δὲ αὐτοῦ τὰ μέρη ξύμπαντα ὄσπρια. Hesychius : Ὄσπρια καὶ γενικῶς καὶ ἰδικῶς λέγεται. Sing. Act. SS. Maji vol. 5, p. 312, A : 'Οσπρίῳ καὶ ὕδατι. Male interdum scribitur ὅσπριον, ut ap. schol. Luciani Lexiph. c. 2. De accentu Arcad. p. 11, 9, 18, Theognost. Can. p. 122, 23.]

['Οσπριοπώλης, ὁ, Leguminarius, Gl.]

['Οσπριόπωλις, ιδος, ἡ, Quæ legumina vendit. Schol. Aristoph. Pl. 427.]

['Οσπριοφᾰγέω, Leguminibus vescor. Hippocr. p. 1037, F : 'Οσπριοφαγοῦντες (—φαγέοντες). 'Οσπρεοφάγος, ὁ, ἡ, v. in Ὄσπρεον.]

'Οσπριώδης, ὁ, ἡ, ut χεδροπώδης, Legumini assimilis, Qui ex leguminum est genere. Athen. 9. [Aq. Levit. 2, 14 : Λάχανα ὀσπριώδη. Eust. Opusc. p. 259, 84 : Παρενσπείρας ὀσπριώδη θεωρίαν τινά. Hesych. v. Χίδρα.]

'Οσπριώνης, ὁ, Leguminum emptor, Cui commissum est munus comparandorum leguminum : quod munus dicitur 'Οσπριωνία, ἡ, JCtis Latinis Ospratura. Arcad. leg. ult. de Mun. et Hon. [Digest. 50, 4, 19] : Elæemporia et ospratura apud Alexandrinos patrimonii munus existimatur. ['Οσπριωνία Budæus Annott. reliq. in Pandect. p. 223=377, B. *Hospitatura* Haloander. L. Dindorf.]

'Οσπρολέων, οντος, ὁ, dicitur Herba quæ legumina leonis in modum suffocat, Orobanche. Sotion ap. Geopon. 2, [42, 1] : 'Οσπρολέων, ὃν τινες ὀροβάγχην καλοῦσι. [Nisi leg. ὀσπριολέων, quod v. L. Dind.]

[Ὄσπρος ἰδίως τις λέγεται, ὡς πισὸς καὶ ἐρέβινθος. Ὄσπρα, ποικίλα, Hesychius. Quæ formæ suspectæ sunt nec defenduntur proximo 'Οσπρολέων.]

['Οσροηνή, ἡ, Osroene, regio Mesopotamiæ, de qua Cellar. Geogr. ant. 3, 15, 2 : « Chosroes s. Osdroes, qui regulus nomen dedit, non videtur ante tempora Antoninorum exstitisse ; aut, si exstitit, nomen Osdroenæ frequens ante ac in usu hominum fuisse. Ptolemæus certe nullam ejus mentionem habuit, neque aliquis antiquior. Dio Cassius quidem 40, 23, in Crassi historia Abgarum illum, qui in devia Romanos abduxit, Osroenum videtur dixisse : sed libri 'Ορροηνὸς habent (ut 75, 1; 77, 11, de qua forma Etym. M. p. 249, 19 : 'Οσροήνη, ὅπερ τινὲς 'Ορροΐνη λέγουσιν· ἔστι δὲ χώρα οὕτω καλουμένη ἐν Συρίᾳ, pro 'Οσροηνή, ut est ap. Zonaram in 'Οσροηνή, et 'Ορροηνή. Priscian. 1, 7, 40 : « Orrhoena, pro quo (al. qua) nunc Osrhoena dicentes aspirationem antiquæ servant scripturæ », ubi libri multum quidem variant, sed satis ostendunt has olim positas fuisse formas. Ceterum etiam in n. Parthi 'Οσρόου ap. Dion. 68, 17, similis est var. 'Ορρόντου. L. D.) ; et si vel maxime 'Οσροηνὸς legendum sit, dubium tamen superest, annon Dio pro more temporis sui scripserit : quippe Herodianus gentem illam sæpe 'Οσροηνοὺς appellavit, 3, 9; 4, 7; 7, 1. Originem nominis Procop. Pers. 1, 17, prodit : 'Οσροηνὴ 'Οσρόου ἐπώνυμός ἐστιν, ἀνδρὸς ἐνταῦθα βεβασιλευκότος ἐν τοῖς ἄνω χρόνοις. Græci scribunt 'Οσροηνή, Ammianus Osdroene. » Memoratur 'Οσρόης ap. Lucian. Quom. hist. conscr. c. 18, ubi imitatoris Herodoti verba apponuntur : Ἦν 'Οσρόης τὸν Ἕλληνες 'Οξυρόην ὀνυμέουσι· et c. 19, 21. 'Οσρόης Parthus ap. Pausan. 5, 12, 6, et Dion. Cass. supra cit., qui alibi Χοσρόης. 'Οσδρόου βασιλέως Ἀρμενίων est ap. Jo. Malal. p. 270, 2, 11; 274, 10; Ὀσδροηνῆς 274, 21; 323, 15; Ὀσροηνῆς p. 318, 2; Ὀσροηνὴν Chron. Pasch. p. 498, 8; Ὀσροήνη male Phot. Bibl. p. 12, 34; Ὀσροηνῶν recte p. 492, 31; Ὀσροήνης ap. Steph. Byz. in Ζηνοδότιον, Ὀρροήνης in Βάτναι. Postremam formam in Ὀσροήνη (—ηνὴ) cum Holstenio mutabat Buttmannus Mythol. vol. 1, p. 242, ubi de barbaris his nominibus disputat, neglectis Etym. M. et Prisciani testimoniis supra citatis. Idem commentitium videri monet p. 241—3 regem cognominem Procopii, et in primitivam nominis barbari regionis illius formam inquirit p. 237 sqq. L. Dind.]

[Ὀσρόης. V. Ὀσροηνή.]

Ὄσσα, quod nunc exponendum mihi est, Etym. ab ὄπτω sibi derivatum videri ait; sed nullam hujus derivationis rationem affert: nec ullam fortasse probabilem afferre potuit. Sed et hoc quærendum fuerit, antequam derivatio inquiratur, Vocemne an Famam prima signif. declaret hoc vocab. ὄσσα. Ego quidem certe quin de Voce dicatur significatione primaria, minime dubitandum existimo; sed quomodo vel ab ὄπτω, vel ab ὄψ, vel ab ὄσσε deduci queat, non video. Si tamen unum ex his tribus eligendum foret, ab illo nomine ὄψ deducere mallem, ut nimirum ab ὄψ dictum esset ὄσσα, quasi ὄψα.

Ὄσσα [et Attice Ὄττα], ἡ, Vox. Hesiod. Theog. [10]: Ἐννύχιαι στεῖχον, περικαλλέα ὄσσαν ἱεῖσαι. [Ib. 43: Ἄμβροτον ὄσσαν ἱεῖσαι· 65: Ἐρατὴν δὲ διὰ στόμα ὄσσαν ἱεῖσαι· 67: Ἐπήρατον ὄσσαν ἱεῖσαι· 701: Εἴσατο ... οὔασιν ὄσσαν ἀκοῦσαι αὔτως ὡς ὅτε γαῖα καὶ οὐρανὸς εὐρὺς ὕπερθεν πίλνατο· 832: Ταύρου ὄσσαν ἀγαύρου. Hom. H. Merc. 443: Θαυμασίην γὰρ τήνδε νεήφατον ὄσσαν ἀκούω, de citharæ cantu.] Testatur Etym., quamlibet φωνὴν, i. e. Vocem, vocari ὄσσαν ab hoc poeta. Verum, (si Eustathio credimus, ut certe credendum esse arbitror,) ap. Hom. minus generalem signif. habet, quum alioqui apud ejus posteros ἁπλῶς declararit φωνήν: qua de re dicam et paulo post. ‖ Fama, Rumor. Exp. enim φήμη: nullum tamen exemplum affertur ejus signif., qua simpliciter pro Fama s. Rumore ponatur. Ideoque malim cum Etym. exponere θεία φήμη, quam simpliciter φήμη. Sic in isto Hom. loco (ubi tamen redditur Rumor, Fama), Il. B, [93]: Μετὰ δέ σφισιν ὄσσα δεδήει Ὀτρύνουσ' ἰέναι, Διὸς ἄγγελος. Itidemque legimus Od. A, [281]: Ἔρχεο πευσόμενος πατρὸς δὴν οἰχομένοιο, Ἤν τίς τοι εἴπῃσι βροτῶν, ἢ ὄσσαν ἀκούσῃς Ἐκ Διός· ἥτε μάλιστα φέρει κλέος ἀνθρώποισιν. [Conf. B, 216. Ω, 216: Ὄσσα δ' ἄρ' ἄγγελος ὦκα κατὰ πτόλιν ᾤχετο πάντῃ, μνηστήρων στυγερὸν θάνατον καὶ κῆρ' ἐνέπουσα.] Ubi annotat Eust., ὄσσαν ap. Hom. non significare ἁπλῶς τὴν φωνὴν, sicut ap. ejus posteros; sed ὄσσαν et κληδόνα et ὀμφὴν, nec non φήμην, esse quiddam θεῖον καὶ σημαντικὸν τοῦ μέλλοντος. Ibid. hic schol. tradit Jovis ὄσσας esse vel τὴν τῆς προμάντιδος εἱμαρμένης, quod sit δηλωτικὴ τοῦ μέλλοντος: vel τὴν τοῦ ἀέρος, quoniam αἴτιός ἐστι φωνῶν, utpote διηχὴς τυγχάνων. Sed non video quomodo hæc illi alteri loco, quem ex Il. B protuli, convenire possint. Ideoque malo acquiescere iis quæ in eund. illum locum Od. A traduntur: sc. veteres ad Jovem retulisse omnem ὄσσαν et ὀμφήν: atque hanc esse causam cur Jupiter Πανομφαῖος appellatus sit. Sciendum est autem ὄσσα exponi etiam μαντεία. [Pind. Ol. 6, 62: Ἀρτιεπὴς πατρία ὄσσα. Apoll. Rh. 1, 1087: Συνέηκε δὲ Μόψος ἀκταίης ὄρνιθος ἐναίσιμον ὄσσαν ἀκούσας (et 1095)· ubi schol. εὐλόγως δὲ ὄσσαν εἶπε τὴν ἀλκυόνος φωνήν· ὑπὸ γὰρ Ἥρας ἦν ἀπεσταλμένη. 3, 1111: Ἔλθοι δ' ἡμῖν ἀπόπροθεν ἠέ τις ὄσσα ἠέ τις ἄγγελος ὄρνις. Recte autem animadvertit Buttmannus Lexil. vol. 1, p. 23—5, apud Homerum, Hesiodum, Pindarum, contra quam opinati sunt grammatici, ὄσσα nihil esse nisi Vocem, si dei, divinam, sin alius, aliam quamvis, Ominis autem significationem apud recentiores demum illis accessisse vocabulo obsoletiori. Sed Apollonium non simpliciter Vocis, sed Ominosæ aut Ominis significatione dixisse ὄσσα ostendit locus tertius, cujus mentionem non fecit Buttm., etsi recte monet ceteros duos nihil nisi Vocis poscere notionem.] ‖ Ὄσσα, est etiam Omen ap. Plat., ut tradit Bud. (locum tamen non afferens), itidemque ὀσσεύεσθαι esse di-

A cit Ominari. [Leg. 7, p. 800, C: Κακὴν ὄτταν. Quocum Ruhnken. ad Tim. v. Ὄττα contulit Ælian. N. A. 12, 1: Τὴν τούτων δαῖτα εἶναί σφισιν ὄτταν ἀγαθήν· 16, 16: Δεισάντων ὄτταν τινὰ ἢ φήμην· Porphyr. Abst. 2, 53: Δι' ὀνειράτων καὶ δι' ὄττης ἀγαθοὶ δαίμονες προτρέποντες.] ‖ Est Ὄσσα et mons ille Thessaliæ, quem portentosa gigantum audacia celebrem reddidit, sicut Pelion et Olympum. Vide Ὄλυμπος. [Hom. Od. Λ, 314: Ὄσσαν ἐπ' Οὐλύμπῳ μέμασαν θέμεν, αὐτὰρ ἐπ' Ὄσσῃ Πήλιον. Simonid. ap. Polluc. 5, 48: Πήλιον ἅ τ' ἀρίδαλος Ὄσσα. Eur. El. 446: Ἀνά τε Πήλιον ἀνά τε πρύμνας Ὄσσας. Callim. Del. 137: Ἔτρεμε δ' Ὄσσης οὔρεα, ubi schol. ὄρος Θεσσαλίης (sic)· quum ad Dian. 52, ubi adj. Ὄσσειος, de eadem: Πρηόσιν Ὀσσείοις ἐοικότα, dicat, ὄρος Μακεδονίας, ut ad Apoll. Rh. 1, 598: Φάραγγας Ὄσσης Οὐλύμποιό τε, schol.: Ὄσσα ὄρος πρὸς τῷ τέλει τῆς Θεσσαλίας, μεθ' ὃ διαδέχεται ἡ Μακεδονία. Conf. Herodot. 1, 56; 7, 128, 129. Locis plurimis memorat Strabo, Ptolem. 3, 13 med., idemque ib. paullo post cognominem Bisaltiæ urbem Ὄσσα. De monte Pisatidis
B Strabo 8, p. 356: Τὴν πόλιν (Pisam) ἱδρυμένην ἐφ' ὕψους μεταξὺ δυοῖν ὀροῖν, Ὄσσης καὶ Ὀλύμπου, ὁμωνύμων τοῖς ἐν Θετταλίᾳ. Quem autem scholiastæ Lycophr. 697: Ὄσσαν τε καὶ λέοντος ἀτραποὺς βοῶν χωστὰς, commiscuntur ex illo loco montem Italiæ, recte Müllerus p. 122 monet fluvium esse Ὄσσαν, de quo Ptolem. 3, 1 init.: Ὄσσα ποταμοῦ ἐκβολαὶ, ab nomin. Ὄσσας. Falsa autem videtur scriptura Ὄσα in utriusque libris nonnullis. L. Dind.]

[Ὀσσάδιοι, οἱ, Ossadii, gens Indiæ, ap. Arrian. Exp. 6, 15, 3.]

[Ὀσσάκι. V. Ὁσάκις.]

[Ὀσσάομαι. V. Ὀσσεύομαι in Ὄσσομαι.]

[Ὄσσας. V. Ὄσσα.]

Ὁσσάτιος, α, ον, Quantus. [Hom. Il. E, 758: Ὁσσάτιόν τε καὶ οἷον ἀπώλεσε λαόν.] Et Ὁσσάτιον ap. Apoll. [Rh. 1, 372, 468], Quantum, Quatenus. Hesych. quoque exp. ὅσον: ap. quem legitur et Ὁσάτιον, ὅσον. [Addito περ Nicand. Th. 570: Τόσσον ἐπιστείβων λείπει βάθος ὁσσάτιόν περ ἐκνέμεται κτλ. Memorat Theo-
C gnost. Can. p. 57, 3. ἅ]

[Ὄσσε. V. Ὄσσομαι.]

[Ὀσσεία. V. Ὀττεία in Ὄσσομαι.]

[Ὄσσειος. V. Ὄσσα.]

[Οσσεωμ vel Οσσεως inscriptos numos Mionnet. *Suppl.* vol. 3, p. 49-50 ascribendos putabat oppido Bisalt. Ὄσσα.]

[Ὀσσήν, ῆνος, ὁ, non addita signif. inter τὰ εἰς ην ἁπλᾶ ἔχοντα δεδιπλασιασμένον σύμφωνον oxytona cum ἐσσὴν ponit Arcad. p. 9, 5.]

[Ὀσσηνοί, οἱ, Osseni, hæretici, de quibus v. Jo. Damasc. vol. 1, p. 80, A, cum annot. Lequieni, et quæ in Ἐσσηνοί dixi vol. 3, p. 2098, B. L. Dind.]

[Ὀσσητήρ. V. Ἀοσσητήρ.]

Ὁσσίχος, ὁ, Quantulus, Quantus. Hesych. Ὁσσίχον exp. ὅσον, ἡλίκον. [Theocr. 4, 55: Ὁσσίχον ἐστὶ τὸ τύμμα, καὶ ἁλίκον ἄνδρα δαμάσδει.]

[Ὄσσοι. V. Ὄσσομαι.]

Ὄσσομαι, a nomine ὄσσα Eust. derivat quodam loco, quum alioqui ab ὄσσε ipsemet alibi derivet:
D quæ deductio magis recepta est. [Solam esse veram, alteram falsa niti grammaticorum opinione de voc. ὄσσα, in ipso nobis notata, disputavit Buttmannus Lexil. vol. 1, p. 21—3. Conf. Ἐπιόσσομαι, Προτιόσσομαι.] Sed hoc sciendum est, pro diversa deductione diversam quoque significationem ei tribuere. Nam ὄσσομαι ab ὄσσα, exp. προμαντεύομαι: quum in Hom. Il. Ξ princip. [17]: Ὡς δ' ὅτε πορφύρῃ πέλαγος μέγα κύματι κωφῷ, Ὀσσόμενον λιγέων ἀνέμων λαιψηρὰ κέλευθα Αὔτως, scribit, ὀσσόμενον esse vel τὸ προορῶν, vel τὸ προμαντευόμενον, siquidem τὸ τοιοῦτον esse vere signum ἀνέμου. Et paucis interjectis, subjungit, liquere, vocem hanc ὄσσεσθαι esse interdum μαντικήν: a voce ὄσσα, quam semper ἐπὶ μαντείας usurpet. Talemque esse vocem Ὄψ, ut Dionysius Ælius observat: dicens ὄπα esse τὴν κληδόνα: et verbum Ὀπεύεσθαι, κληδονίζεσθαι, Aristoph. Lys. [597]: Ὀπευόμενος [Ὀττευόμενος] κάθηται. Sic autem in Il. A, [105]: Κάλχαντα πρώτιστα κάκ' ὀσσόμενος προσέειπεν, annotat aliquam μαντείας signif. huic verbo inesse, secundum

quorundam expositionem : ut sc. κάκ' ὀσσόμενος vel κακοσσόμενος conjunctim, sit ἀποκαλέσας κακὸν κατὰ τὴν ὄσσαν, ἤτοι κατὰ τὴν μαντείαν. Sed altera expos. multo magis recepta est, quæ κάκ' ὀσσόμενος, s. κακοσσόμενος conjunctim, ut etiam Hesych. habet, vult esse ἀγρίως περιβλέπων s. περιβλεψάμενος, s. δεινῶς ἐμβλεψάμενος, ut idem Hesych. exp. : auctor brevium scholl., δεινὸν καὶ ὀργίλον ὑποβλεπόμενος. Latine diceremus, Torve s. Trucibus oculis intuens. Sed enim et tertiam expos. admittit hic l., si conferatur cum aliis ejusd. poetæ locis; præsertimque cum isto Il. Ω, [172] : Οὐ μὲν γάρ τοι ἐγὼ κακὸν ὀσσομένη τόδ' ἱκάνω, Ἀλλ' ἀγαθὰ φρονέουσα. Quum enim κακὸν ὀσσομένη et ἀγαθὰ φρονέουσα inter se opponantur, non dubium est quin κακὸν ὀσσομένη sonet, Male cogitans : eademque huic loco expositio convenire queat. Legimus certe et in aliis plerisque hujus poetæ ll. verbum idem cum κακὸν s. κακά : et quidem adjecto vel nominativo θυμὸς, vel dat. θυμῷ. Od. Σ, 154 : Νευστάζων κεφαλῇ, δὴ γὰρ κακὸν ὄσσετο θυμός· Κ, 472 [374] : Ἀλλ' ἥμην ἀλλοφρονέων· κακὰ δ' ὄσσετο θυμός· Il. Σ, 223 : Ἀτὰρ καλλίτριχες ἵπποι Ἂψ ὄχεα τρόπεον· ὄσσοντο γὰρ ἄλγεα θυμῷ. Itidemque legimus ap. Hesiod. Theog. 551, de Jove : Κακὰ δ' ὄσσετο θυμῷ Θνητοῖς ἀνθρώποισι, τὰ καὶ τελέεσθαι ἔμελλεν. Quin etiam variare interdum codd. in hujusmodi ll. sciendum est; nam, exempli gratia, in illo qui est allatus ex Od. Σ, pro κακὸν ὄσσετο θυμὸς, quædam exempll. habent κακὸν ὄσσετο θυμῷ. Ut autem ad interpretationem veniamus, sciendum est, in hoc l. quosdam ὄσσετο reddidisse Prospiciebat, vel simplicius Videbat (quæ interpret. datur in VV. LL. illi quoque Hesiodi loco); quosdam, Augurabatur; nonnullos, Agitabat. Atque hæc postrema interpret. omnium maxime mihi placet, sequendo illa quæ dixi. Eust. vero in illum Il. A locum, quandam ἀναπόλησιν φαντασιώδη isto verbo nonnunquam significari tradit, ut in isto loco, qui legitur Od. A, [115] : Ὀσσόμενος πατέρ' ἐσθλόν. Sed perperam omittit ἐνὶ φρεσὶν, quum ipsemet in hujus loci expositione differentiam ex illarum vocum adjectione annotet, scribens, Ἁπλῶς μὲν Ὀσσόμενος, ὁ βλέπων· Ὀσσόμενος δὲ φρεσὶν, ὁ φανταζόμενος τὸ μὴ παρὸν, καὶ κατὰ νοῦν αὐτὸ βλέπων καὶ ἀνειδωλοποιούμενος. Additque, Demosthenem paraphrasten exponere ὀνειροπολῶν. Vulgaris ad verbum interpretatio Latina habet, Repræsentans patrem probum in mente. Quæ autem Volaterrano tribuitur, habet, Cogitans si quo modo pater veniens stragem in ædibus ederet. Ego autem redderem potius, In animo sibi fingens reditum patris, in quo procos fugaret. Aut, Imaginans reditum patris. (Nam Imaginans patrem, ad verbum quidem, sed dure diceretur.) Nec minus commode fortasse verteretur, In animo sibi proponens patrem, vel reditum patris. Aut etiam, Cogitans de patre. Vel, Cogitationem in patre defixam habens, s. in patris reditu. Vel, Sibi proponens patrem, s. patris reditum, in quo procos etc. Quod si quis expositionem alteri verbi ὄσσεσθαι deductioni convenientem habere malit, non dubitarim et hoc modo exponere, Ob oculos sibi ponens patrem, aut ante occulos habens. Et hæc quidem sunt, quæ mihi de isto loco videntur. Fortasse autem hæc vocabuli ὀσσόμενος expos., quam ap. Hesych. legimus, κατὰ ψυχὴν προσδεχόμενος, ἢ προσδοκῶν, nulli Homeri loco magis quam isti quadrare possit. [Conf. Υ, 81 : Ὄφρ' Ὀδυσῆα ὀσσομένη καὶ γαῖαν ὑπὸ στυγερὴν ἀφικοίμην.] Sciendum est porro, in VV. LL. hoc verbum ὄσσομαι exponi non solum Circumspicio, sed etiam Auguror, Prædico : iis tamen qui ibi subjunguntur locis in exemplum, has posteriores signiff. non tribui. Affertur enim ille, quem protuli ex Il. A, locus, Κάλχαντα πρώτιστα κάκ' ὀσσόμενος προσέειπε, sine ulla interpretatione. Cui subjungitur ex Hesiodo [Th. 551] : Κακὰ δ' ὄσσετο θυμῷ, pro Videbat mala animo. Rursum ex Hom., Ὄσσοντο δ' ὄλεθρον, pro Mortem præ oculis habebant. Qui locus unde petitus sit, non annotatur : quod si sit ex Od. B, [152] ubi de aquilis ea ipsa verba proferuntur a poeta, convenire illa interpret. non potest; potius enim ὄσσοντο est Portendebant, Ominabantur; aut etiam Præsagiebant : atque ita fuerit ὄσσοντο pro ὀσσεύοντο, de quo non multo post dicam. Alicubi autem vel Vaticinari vel

A Augurari, reddi etiam queat. Ceterum Hesych. verba illa, ὄσσοντο δ' ὄλεθρον, (ex hoc ipso loco petita,) exponit quidem πρὸ ὀφθαλμῶν εἶχον, sed addit, τουτέστι προσεδόκων καὶ προεσήμαινον, καὶ ἔμφασιν ἐποιοῦντο. Ibid. proxime præcedit hoc Ὄσσοντο, (ex alio quopiam petitum loco,) expositum, διενοοῦντο, προεώρων. [Idem suo loco : Ὄσσευ, ὅρα, βλέπε.]

‖ Ὄσσομαι alteram deductionem (juxta quam significat Video, Aspicio, Prævideo, ut Greg. Naz. : Αἰὲν ἐπερχομένης μάστιγας ὀσσομένη,) habet ab ὄσσος, significante Oculum : qui tamen nominativus in nullo aut raro usu est : potiusque usurpatur num. dual. Ὄσσε ex ὄσσεε factus secundum quosdam. Sed sunt qui contra nomen hoc ex verbo illo factum censeant : quod ut verum aut certe verisimile esse possit, sua verbo Ὄσσομαι quærenda deductio fuerit. Aptior autem nulla videtur esse, quam ut vox act. Ὄσσω, ex Ὄπτω per Æolicam mutationem facta dicatur : (sicut nimirum πέσσω ex πέπτω ortum esse traditur :) pro qua voce activa usurpata fuerit pass. Ὄσσομαι. [Per tmesin
B Apoll. Rh. 2, 28 : Ἐπὶ δ' ὄσσεται (leo) οἰόθεν οἶος ἄνδρα τὸν, ὅς μιν ἔτυψε.] Fuisse tamen et activæ usum aliquem, apparet ex secunda pers. Ὄσσεις, quæ ap. Hesych. extat [nisi scribendum Ὄσσει], exponentem βλέπεις et ὁρᾷς. Item ex ὄσσοι [ὄσσει cod., ut postulat ordo], quod exp. βλέψοι (ita enim scrib. pro βλέψει), et ἴδοι. [Manifestum est, si ὄσσοι scribitur, scribendum esse βλέψαι.] Quod autem ad nomen illud attinet, quo significatur Oculus, nimirum Ὄσσος, (sive ab eo sit Ὄσσω, s. potius ipsum sit ab Ὄσσω,) sciendum est, secundum quosdam, neutrius, secundum alios masculini generis esse. [Ὄσσος ὁ ὀφθαλμὸς ponit schol. Eur. Hec. 1005, Phœn. 370. Contra Τὸ ὄσσε οὐκ ἔστιν ἀρσενικὸν δυϊκὸν, dicit schol. Hom. Il. A, 104, additis iisdem fere de neutrius formatione quæ HSt. repetit ex Eustath.] Siquidem Ὄσσος quidam volunt esse neutrum primæ declinationis contractorum, et flecti ὄσσος eodem modo quo τεῖχος : ut sc. illud ὄσσε factum sit ex ὄσσεε per sync. vel apoc. : quod ὄσσεε ita dicatur ut τείχεε. Hancque sen-
C tentiam adjuvat dat. ὄσσει, ut τείχει, ut βέλει, et hujusmodi alia : quem dativum ὄσσει in usu esse testatur Eustath. [Il. p. 58, 28. Hesychius suo loco : Ὀσσέων, ὀφθαλμῶν.] Alii autem existimant, ab Ὄσσος, nominativo masculini generis, qui declinetur ut πλόος, esse dualem ὄσσω, ut πλόω : deinde per metaplasmum, ὄσσε, i. e. κατὰ μεταποίησιν τοῦ ω τελικοῦ τῆς εὐθείας τῶν δυϊκῶν εἰς τὸ ε. Afferunturque ad hujus metaplasmi confirmationem alia hujus schematis exempla : ex quibus sunt ἄλκὶ et ὑσμῖνι, pro ἀλκῇ et ὑσμίνῃ, et κλαδὶ pro κλάδῳ : nec non ἐρυσάρματες pro ἐρυσάρματοι. Sed rectius, meo quidem judicio, de hac voce judicat Herodianus grammaticus : ita scribens, Quemadmodum dicitur τὸ σκότος et ὁ σκότος, eadem terminatione, itidemque ὁ ἔλεγχος et τὸ ἔλεγχος, ita etiam ὄσσος. [Conf. Etym. M. coll. cod. Paris. ap. Bast. ad Greg. p. 615.] Cujus dualis quum esse debuisset ὄσσεε, passus apocopen vel syncopen, (incertum est enim utram,) mutatus est in ὄσσε. Hæc ille : quem sciendum est ideo dubium relinquere utrum apocopen an syncopen sit
D passum ὄσσεε, quod incertum sit utrum ε ex duobus ablatum sit, priusne an posterius. Et hæc quidem hactenus; nam quæ de accentu hujus ipsius nominis, non perinde necessaria esse videntur. Debuit porro ad confirmationem τοῦ ὄσσος masculini afferri dat. plur. Ὄσσοις, quem minime raro in usu esse videmus. Legimus enim in quodam Sapphus [ap. Athen. 13, p. 564, D] l., Καὶ τὰν ἐπ' ὄσσοις ἀμπέτασον χάριν. Et ap. Orph. (i. e. in quodam fragmento quod veteris Orphei esse creditur) : Θνητοῖς γὰρ θνηταὶ κόραι εἰσὶν ἐν ὄσσοις. Itidemque ὄσσοισι ut μύθοισι pro μύθοις, ap. Hesiod. extat, Sc. [426] : Δεινὸν ὁρῶν ὄσσοισι, λέων ὣς σώματι κύρσας· [430 : Γλαυκιόων δ' ὄσσοις δεινόν· 145 :] Ἔμπαλιν ὄσσοισιν πυρὶ λαμπομένοισι δεδορκώς. [Et Æsch. Prom. 144 : Ἐμοῖσιν ὄσσοις· et alibi cum ceteris Tragicis.] At ille dualis ὄσσε frequenti ap. Hom. in usu est, ut Hom. K, [247] : Ἐν δέ οἱ ὄσσε Δακρυόφιν πίμπλαντο. Sic Δ, [705] : Τὼ δέ οἱ ὄσσε Δακρυόφιν πλῆσθεν. Itidem Υ, [204] : Δεδάκρυνται δέ μοι ὄσσε Μνησαμένῳ Ὀδυσῆος· Ε, [151] : Οὐδέ ποτ' ὄσσε Δακρυόφιν τέρσοντο·

Il. A, [200]: Δεινὼ δέ οἱ ὄσσε φάανθεν. [Hesiod. Sc. 390: Ὄσσε δέ οἱ πυρὶ λαμπετόωντι εἴκτην.] Et his quidem in ll. omnibus dualis est nominativus, sicut et in aliis plerisque: non minus autem frequens est usus vocabuli ejusd. in accus. [Hesiod. Th. 698: Ὄσσε δ' ἀμέρδε… αὐγή.] Sic Od. Δ, [186]: Οὐδ' ἄρα Νέστορος υἱὸς ἀδακρύτω ἔχεν ὄσσε· et [758]: Τῆς δ' εὔνησε γόον, σχέθε δ' ὄσσε γόοιο. Sic Il. Ξ, [236]: Κοίμησόν μοι Ζηνὸς ὑπ' ὀφρύσιν ὄσσε φαεινώ. [N, 3: Πάλιν τρέπεν ὄσσε φαεινώ· Γ, 427: Ὄσσε πάλιν κλίνασα· Λ, 453: Οὐ μὲν σοίγε πατὴρ καὶ πότνια μήτηρ Ὄσσε καθαιρήσουσι· et alibi. Eur. Tr. 1314: Μέλας γὰρ ὄσσε κατεκάλυψε θάνατος. Apoll. Rh. 1, 726: Ἐς ἠέλιον ἀνιόντα ὄσσε βάλοις. Et alibi similiter cum hoc aliisque verbis. Cum plurali adjectivi Hom. Il. N, 435: Θέλξας ὄσσε φαεινά, πέδησε δὲ φαίδιμα γυῖα· ubi schol. comparat 616: Τὼ δέ οἱ ὄσσε πὰρ ποσὶν αἱματόεντα χαμαὶ πέσον. Quem ad l. schol.: Οὕτως πέσον αἱ Ἀριστάρχου διὰ τοῦ ο, ὡς ἐκεῖ, Ὣς τῶν ἐκ χειρῶν βέλεα ῥέον (et Od. M, 232: Ἔκαμον δέ μοι ὄσσε), ut fuisse videantur qui πέσεν legerent, quemadmodum est Ψ, 477: Ὀξύτατον κεφαλῆς ἐκ δέρκεται ὄσσε· Od. Z, 131: Ἐν δέ οἱ ὄσσε δαίεται· et Nicander dixit Th. 758: Παρέστραπται δέ οἱ ὄσσε· Al. 188: Ἐδίνησεν δέ οἱ ὄσσε· quod ἐδίνηθεν dixisset Homerus, quem recte Aristarchus judicasse videtur nonnisi versus caussa singularem prætulisse plurali, ut Nicander debuit ib. 435: Τὰ δ' οὐκ ἀναπίτναται ὄσσε· Eratosth. ap. schol. Ther. 472 in cod. Reg. ap. Dübner. ad fragm. Antimachi p. 39, n. 37: Ὄσσε… φαίνεσκε Μοσυχλαίῃ φλογὶ ἶσον. Ceterum cum plur. etiam Nicand. Th. 431: Ὄσσε κακοσταθέοντα. Genitivo, quem Hesych. interpr. βλεφάρων, ὀφθαλμῶν, utitur Hesiod. Th. 826: Ἐκ δέ οἱ ὄσσων… πῦρ ἀμάρυσσε. Et sæpe Tragici. Quorum ad Eur. Phœn. 270 schol. Guelf. et Flor.: Ὄσσα (sic) κυρίως λέγονται τὰ περιέχοντα κοιλώματα τοὺς ὀφθαλμούς. Et: Ὄσσος λέγεται ἡ κόρη τοῦ ὀφθαλμοῦ, ὄμμα δὲ τὸ ἔξωθεν δέρμα τοῦ ὀφθαλμοῦ. L. D.]

|| At vero Ὀσσεύομαι, (sive ex ὄσσομαι factum, sive potius ex ὄσσα deductum,) solutæ orationi cum carmine commune est. Estque ὀσσεύομαι, Ominor, Vaticinor, Auguror, ut quidem in VV. LL. redditur. Pro illo quidem Ominor poni a Plat. Bud. testatur, sed locum non afferens. [Non est apud Platonem, sed ὄττα, quod v. supra.] Apud Hesych. legitur Ὀσσᾶσθαι, expositum κληδονίσασθαι: cujus usum esse rarum arbitror. At pro illo ὀσσεύομαι frequentius est verbum Ὀττεύομαι: cujus et Suidas meminit, nullam alterius mentionem faciens. Sed affert etiam nomen Ὄττα, tanquam i. significans q. ὄσσα. Scribit enim, Ὄττα καὶ Ὄσσα, φήμη, μαντεία, θεία κληδών· καὶ Ὀττεύεσθαι, τὸ μαντεύεσθαι. Quibus exposs. locum istum subjungit, ex Polyb. fortasse, Ὁ δὲ, τὸ μέλλον ἐμφρόνως ὀττευσάμενος, εἰς ἔννοιαν ἦλθε τὴν φρουρὰν ἀποτρίψασθαι τὴν παρὰ Πτολεμαίου. Eust. quoque, postquam scripsit, ὄσσεσθαι esse interdum vocem μαντικὴν, addit talem esse et ὀττεύεσθαι: quod Ὄσσα et Ὄττα sit οἰωνοσκοπία, vel κληδών. Sed dicit φασὶ, tanquam ex aliorum opinione id referens. In VV. LL. Ὀττεύομαι redditur In religionem verto, Aspernor, Auguror. Verum hoc Aspernor prorsus aspernari debemus. Nullo enim modo, quod sciam, Ὀττεύομαι signif. istam verbi Aspernor admittere potest. [Abominor, Respuo, est ap. Lucian. Lexiph. c. 19: Ὀττεύομαι γοῦν μηδὲ ὅλως ἐντυγχάνειν αὐτῷ. Dionys. A. R. 2, 19 fin.: Πάντα ὀττεύεται τῦφον, ᾧ μὴ πρόσεστι τὸ εὐπρεπές. Et similiter 9, 23: Τὴν ἡμέραν ἐκείνην ἀποφράδα τίθεται, καὶ οὐδενὸς ἂν ἔργου ἐν ταύτῃ χρηστοῦ ἄρξαιτο, τὴν τότε συμβᾶσαν αὐτῇ τύχην ὀττευομένη. Et ibid. 55: Τοῦτο τὸ ἔργον ὀττευσαμένου.] Quod vero ad ceteras attinet, non plane rejiciendæ sunt, præsertimque ultima. Sed nullo verbo commodius reddi videtur, quam illo Ominari: quo et ὀσσεύεσθαι Bud. reddit, ut paulo ante docui. Idem hæc Polybii affert ex 1, [11, 15]: Ὁ δὲ Ἱέρων ὀττευσάμενος περὶ τῶν ὅλων πραγμάτων, ἐπιγενομένης τῆς νυκτὸς ἀνεχώρησε κατὰ σπουδήν· et interpr., In summam belli totius ominatus ex uno prælio male pugnato. Eund. locum affert et Cam., postquam dixit, ὀττεύεσθαι esse Divinare. Additque hanc interpr., Præsagiente aliquid animo de totius belli eventu. Legit autem, Ὀττευσάμενός τι περὶ κτλ., at Bud. particulam τι omisit. In ipso quidem certe Polyb. (in ea saltem edit. qua ipse usus est, Haganoæ impressa anno 1530,) est Ὀττευσάμενός τε: quod τε, ut minime loco conveniens, rejecit: sed in locum rejectæ hujus particulæ recte illam substitui ipse quoque arbitror. [Ominandi signif. Porphyr. A. N. c. 33, p. 29: Ὅθεν καὶ ἐν ταῖς λιτανείαις καὶ ἱκετηρίαις τὰς τῆς ἐλαίας θαλείας προτείνουσιν, εἰς τὸ λευκὸν αὐτοῖς τὸ σκοτεινὸν τῶν κινδύνων μεταβάλλειν ὀττευόμενοι. Augurandi Plut. Mor. p. 356, E: Μάλιστα ταῖς τούτων (puerorum) ὀττεύεσθαι κληδόσι· Ælian. N. A. 1, 48: Καὶ ὀττεύονταί γε πρὸς τὴν ἐκείνου βοὴν οἱ συνιέντες ὀρνίθων καὶ ἕδρας καὶ κλαγγάς. Activum ubi est ap. eund. 3, 9, pro ὀττεύουσιν Pierson. ad Mœr. p. 279 restituit ὀπυίουσιν.]

|| Præter ὀσσεύομαι s. ὀττεύομαι, inveniuntur et alia duo ejusd. signif. verba, Ὄττομαι, et Ὀπεύομαι. Ambo ap. Hesych. extant, scribentem, Ὄττεσθαι, κληδονίζεσθαι· Ὀττεύεσθαι, ὁμοίως. [Exc. Phrynichi Bekk. p. 55, 12: Ὀττόμενος, ὄττα, ὠττευόμην, τὸ σημαινόμενόν ἐστιν (hoc del.) ἐπιψηφίζων καὶ οἰωνιζόμενος. Ubi ἐπιφημίζων Ruhnken. ad Timæum p. 198, qui etiam σημαῖνον exhibuit.] Hoc vero Ὀπεύεσθαι legimus ap. Eustath., sed afferentem ex Dionysio Ælio, ut antea docui; ab hoc enim scribi testatur, Ὄπα esse τὴν κληδόνα: et Ὀπεύεσθαι, τὸ κληδονίζεσθαι. Nisi tamen magnæ hic Dionysius Ælius esset auctoritatis, non magni faciendum hoc ejus testimonium videri posset: et eum, quod ὀπεύεσθαι legisset, ubi ὀττεύεσθαι scrib. erat, ex illo nomine Ὄψ, suam illi derivationem quæsivisse. Verum movere nos vicissim debet hoc quoque, quod Eust. illa ejus verba ita refert, ut nihil tale cogitasse videatur, quum alioqui et ipse verbum ὀττεύεσθαι agnosceret, ut in præcedentibus videre potes. [V. de l. Aristoph. Lys. 597, unde hæc petita, HSt. sub initium v. Ὄσσομαι.]

|| Ab ὀττεύομαι autem est verbale Ὀττεία, quod a Suida exp. μαντεία, Vaticinatio, Divinatio. Sequendo autem illa quæ dicta modo fuerunt, reddi etiam possit Ominatio. In VV. LL. habetur et verbale Ὀσσεία [quod Zonar. Lex. p. 1475 interpretatur μαντεία, et distinguit ab ὁσία], quod redditur Vaticinatio: at Ὀττεία ibid. Horror. Additurque Ὀττεῖαι, Somnia inania, Vaticinium. Pro Religione sumpsit Dionys. H. 9, [45: Οἰωνοῖς τε καὶ ὀττείαις. Et similiter 8, 37 prope fin.: Δι' οἰωνῶν ἢ χρησμῶν Σιβυλλείων ἢ τινος ὀττείας πατρίου. De horrore 1, 38 med.: Ἵνα τὸ τῆς ὀττείας ὅ, τι δήποτε ἦν ἐν ταῖς ἁπάντων ψυχαῖς παραμένον ἐξαιρεθῇ· 7, 68: Ὀνείρατα ὀττείας καὶ δειμάτων μεστά. V. ll. ejusd. in Ὀττεύομαι citatos.]

[Ὅσσος. V. Ὅσος.]

[Ὄσσος. V. Ὄσσομαι.]

Ὀσσυπηρὸν, Hesychio ῥυπαρὸν: quod potius οἰσυπηρόν.

[Ὄσσω. V. Ὄσσομαι.]

Ὀστάγρα, ἡ, Forceps, Volsella qua ossa eximuntur, λαβὶς qua ossa extrahuntur. Gorr. dicit esse Instrumentum chirurgicum quo ossa vel attolluntur vel deprimuntur, vel omnino loco moventur. Galen. Therap. 6: Ἀλλὰ καὶ διὰ τῆς ὀστάγρας ἀνατείναντες, ἢν ἀνακλάσαντες ἔνια τῶν ἰσχυρῶς συντετριμμένων ὀστῶν. Non male interpretabimur Volsella s. Forfex qua ossa eximuntur: Cels. 7, 12, de dentibus: Protinus autem ubi plus sanguinis profluit, scire licet aliquid ex osse fractum esse. Ergo specillo conquirenda est testa quæ recessit, et volsella protrahenda est. Et aliquanto post, Quotiescunque dente exempto radix relicta est, protinus ea quoque ad id facta forfice, quam ῥιζάγραν Græci vocant, eximenda est. [Theophr. fr. 7, 2: Τοὺς ὀστεοκόπους ὀστάγρας καλοῦσι. Oribas. p. 6 ed. Mai.]

Ὀσταθεὶς, ἐξαγκωνισθεὶς, Hesych. [Idem alio loco: Ὀπαθεὶς, ἐξαγκωνισθείς. Scribe ὀπισθεὶς ab ὀπίσω. Sic enim dicitur cui manus post tergum revinctæ sunt. Kuster.]

[Ὄσταια, ἡ, n. loci, ap. Theognost. Can. p. 103, 1. L. Dindorf.]

Ὀστᾰκὸς, ὁ, Attice pro ἀστακὸς dicitur, ut ὀσταφὶς pro ἀσταφὶς, teste Athen. l. 3. Est autem ἀστακὸς [quod vide], Cancrorum genus. [Eust. Il. p. 218, 22. Ducang. Hesychius: Ὀστακὸς, εἶδος καράβου· οἱ δὲ ἀστακὸν λέγουσιν.] Ἀσταφὶς autem, Uva passa. Idem et Hesych.

tradit, sed ap. eum proparoxytonως scriptum ὄσταφις, oxytonως ap. Athen. et Etym. [Photius : Ὀστακὸς, οἱ δὲ ἀστακὸς, καράβου εἶδος, καὶ τὴν πόλιν τὴν Ἄστακον Ὄστακον Ἴωνες· Καρ' ω (del.) Χάρων (in Κτίσεσι, ut monet Dobr. in Ind., qui etiam καὶ ὁ Χ. legi posse animadvertit)· Ὄσταχος ἐκτίσθη ὑπὸ Χαλκηδονίων.]

[Ὀσταλιόχος, τόξευμα, Hesychio.]

[Ὀστάνης, ου, ὁ, Ostanes, frater Artoxerxis, ap. Diod. 17, 5, Plut. Artox. c. 1. V. Ὀσθάνης.]

Ὀστάριον, τὸ, Ossiculum [Gl.]. Epigr. [Nicarchi Anth. Pal. 11, 96, 2] : Ὡς ἐμὲ κίχλαι Αἱ νέκυες ξηροῖς ἤκαχον ὀσταρίοις, Siccis ossiculis. [Tzetz. Hist. 10, 231 : Ἐνίοτε ὀστάριά τινα ἀστραγαλώδη καὶ ἕτερα τοιαῦτα δὲ δίκη βραχιονίων δεσμοῖς τισι συνδήσασαι βραχίοσι φοροῦσιν. ἄϊ L. Dind.]

[Ὀσταφὶς, ίδος, ἡ, pro ἀσταφὶς, Uva passa, ap. Eust. Il. p. 218, 22 (et Od. p. 1406, 57). Ducang. Id. Opusc. p. 39, 72. Hesychius : Ὀσταφὶς, οὕτω διὰ τοῦ ο ἔλεγον τὰς ἀσταφίδας. Photius : Ὀσταφίδα οὐχ ὅπως Κρατῖνος Νόμοις· Ὁ δὲ Ζεὺς ὀσταφίσιν ὕσει τάχα, ἀλλὰ καὶ Πλάτων η' Νόμοις, Τῆς δ' εἰς ἀπόθεσιν ὀσταφίδος. Libri Platonis p. 845, B, τῆς εἰς ἀπ. ἀσταφίδος. Quam vulgarem formam dicit Etym. M. p. 636, 6, ut tanto probabilius sit ὀσταφίδος scripsisse Platonem. V. HSt. in Ὀστακός.]

[Ὄστε. V. Ὅς.]

Ὀστέϊνος, η, ον, Osseus, h. e. Ex osse factus. [Herodot. 4, 2 : Φυσητῆρες ὀστέϊνοι, Fistulæ osseæ. Schw. Aristot. H. A. 1, 9, Pausan. 8, 18, 5. Galen. quum alibi tum vol. 8, p. 591, et grammatici infra cit.] Ὄστινος, pro eod. VV. LL. [Aristoph. Ach. 863 : Ὑμὲς δ' ὅσοι Θείβαθεν αὐληταὶ πάρα, τοῖς ὀστίνοις φυσῆτε τὸν πρωκτὸν κυνός. De utraque forma Pollux 2, 232 : Ὀστέϊνος καὶ τὸ ἀττικώτερον ὄστινος· Photius : Ὄστινον, οὐχ ὀστέϊνον· Ἀριστ. Ἀχαρν. Antiatt. Bekk. p. 110, 27 : Ὄστινα, οὐχ ὀστέϊνα, Ἀριστοφ. Phryn. ib. p. 54, 30 : Ὄστινον δεῖ λέγειν, οὐχ ὀστέϊνον. Quod convenit cum Atticistarum de forma ὀστέον observatione. Itaque Platoni Tim. p. 73, D, E; 74, A; 75, E, ὄστινος pro ὀστέϊνος restituendum videri monet Lobeck. ad Phryn. p. 262. ἵ]

[Ὀστεογενὴς, ὁ, ἡ, Ex ossibus natus. Aristot. Top. 26, c. 2, 5.]

[Ὀστεόκολλον, τὸ, Ossium gluten. Hippiatr. p. 181.]

[Ὀστεοκόπος. V. Ὀστοκόπος.]

Ὀστεολογία, ἡ, ap. Galen. Medico, pro Liber de ossibus, Sermo s. Tractatus de ossibus. [V. Ὀστολ.]

Ὀστέον, et Ὀστοῦν, τὸ, Os, ossis. Hom. Od. I, [293] : Ἔγκατά τε σάρκας τε καὶ ὀστέα μυελόεντα· Σ, [95] : Ὀστέα δ' εἴσω ἔθλασεν· Il. [Δ, 460 : Πέρησε δ' ἄρ' ὀστέον εἴσω αἰχμή· Ε, 67 : Ὑπ' ὀστέον ἤλυθ' ἀκωκή· Ν, 652 : Ὑπ' ὀστέον ἐξεπέρησεν· Λ, 97 : Δι' αὐτῆς ἦλθε καὶ ὀστέου· Μ, 185 : Αἰχμὴ χαλκείη ῥῆξ' ὀστέον· Π, 324 : Ἀπὸ δ' ὀστέον ἄχρις ἄραξεν· Ε, 662 : Αἰχμὴ ὀστέῳ ἐγχριμφθεῖσα·] Π, [310] : Ῥῆξεν δ' ὀστέον ἔγχος· Ψ, [673] : Ἀντικρυ χρόα τε ῥήξω, σύν τ' ὀστέ' ἀράξω· Π, [347] : Κέασσε δ' ἄρ ὀστέα λευκά· Od. Γ, [455] et alibi : Λίπε δ' ὀστέα θυμός· Il. Δ, [174] : Σέο δ' ὀστέα πύσει ἄρουρα· Od. Α, [161] : Οὗ δήπου λεύκ' [λεύκ'] ὀστέα πύθεται ὄμβρῳ. [Hesiod. Sc. 152. Id. Th. 540 : Ὀστέα λευκὰ βοός.] Il. Ψ, [239] : Ὀστέα Πατρόκλοιο Μενοιτιάδαο λέγωμεν, Colligamus ossa Patrocli. Sic Ω, [793] : Ὀστέα λευκὰ λέγοντο κασίγνητοι· Ψ, [91] : Ὡς δὲ καὶ ὀστέα νῶϊν ὁμὴ σορὸς ἀμφικαλύπτοι. [Pind. Pyth. 8, 55 : Θανόντος ὀστέα λέξαις. Simonid. ap. Polluc. 5, 47 : Σεῦ καὶ φθιμένας λεύκ' ὀστέα. Archilochus ap. Stob. Fl. 64, 12 : Δύστηνος, ἔγκειμαι πόθῳ ἄψυχος, χαλεπῇσι θεῶν ὀδύνῃσιν ἕκητι πεπαρμένος δι' ὀστέων. Æschyl. ap. Polluc. 10, 180 : Ὀστέων στέγαστρον. Soph. Trach. 769 : Ὀστέων ἀδαγμός. Frequens est etiam ap. Euripidem, ut Suppl. 949 : Ὅταν δὲ τούσδε προσθῶμεν πυρὶ, ὀστᾶ προσάξεσθε· 1107 : Παιδὸς ὀστέων θιγεῖν· Tro. 1177 : Ὀστέων ῥαγέντων. Aristoph. Ach. 1226 : Λόγχη τις ἐμπέπηγέ μοι δι' ὀστέων. Menander ap. Athen. 4, p. 146, F : Ὀστᾶ δ' ἄβρωτα τοῖς θεοῖς ἐπιθέντες.] Usurpant prosæ quoque scriptt. tam ὀστέον et ὀστέα, quam ὀστοῦν et ὀστᾶ. [Herodot. 4, 61 : Γυμνοῦσι τὰ ὀστέα τῶν κρεῶν. Locos Hippocr. v. ap. Foes. De forma trisyllaba Mœris p. 284 : Ὀστοῦν Ἀττικοί, ὀστέον Ἕλληνες· Photius : Ὀστοῦν δισυλλάβως,

A οὐχ ὀστέον λέγουσιν οἱ Ἀττικοί. Menandro, alibi ὀστᾶ dicenti, in fr. in Comp. Men. et Philem. p. 361 cit. : Ἐνταῦθ' ἔνεστιν ὀστέα καὶ κούφη κόνις, Porsonus restituebat ἔνεστ' ὀστᾶ τε καὶ κ. κ. Genitivi pl. ὀστέων exx. v. supra] Plut. Probl. Rom. : Καέντος ὀστέου. Athen. 10 : Τελευτήσαντος δ' αὐτοῦ καὶ κατακαυθέντος οὐκ ἐχώρησε μία ὑδρία τὰ ὀστέα· 9 : Σὰρξ ἐπιπολῆς ὀστέοις ὑπάρχουσα· 6 : Τὸ πρὸς ὀστοῦν κρέας. Pausan. Att. : Τὰ ἐπὶ τοῖς γόνασιν ὀστᾶ. Plut. Symp. 2 : Τὰ σκληρότατα τῶν ὀστῶν. Plato Phædro [Phædon. p. 96, D] : Ὅταν ὀστέοις [—τοῖς] ὀστᾶ προσγένωνται. [Alia plurima ap. eund. et Xen. sunt exx. formæ per omnes casus contractæ.] Et ap. Medicos ὀστοῦν ἱερὸν, Os sacrum : quod duobus modis a Galeno usurpatur : uno quidem, latius, ut coccygem etiam comprehendat (ut l. 12 De usu partium quum scribit os sacrum constare ossibus quatuor, tribus sc. propriis et coccyge); altero autem, specialius; eam tantum partem significans quæ revera sacra est, i. e. magna et lata, quantum nimirum hujus cum osse ilium per synarthrosin jungitur; hac enim sola parte revera
B ἱερὸν est, i. e. magnum atque latum : tuncque ejus reliquum gracilescens semper ac tenuatum, donec in tres cartilagines acutissimas desinat, Coccygem appellat. Plura vide in Ἱερός [vol. 4, p. 543, 544]. Genit. poet. est Ὀστεόφιν, ut κεφαλῆφιν. Hom. Od. Ξ, [134] : Ῥινὸν ἀπ' ὀστεόφιν ἐρύειν· Μ, [45] : Πολὺς δ' ἀμφ' ὀστεόφιν θὶς Ἀνδρῶν πυθομένων, pro ἀμφ' ὀστοῖς. [Ὀστοῦν ἀνθρώπου, Costas. Gl. Formam ὀστοῦν ex Cratino citat Herodian. Π. μον. λέξ. p. 38, 8, ubi de formæ ὀστέον agit accentu singulari. Quem præcipiunt etiam Theognost. Can. p. 121, 8, et Arcad. p. 119, 2, cui p. 137, 14, fortasse reddendum ὀστᾶ pro ὀστὰ, de quo infra. Schol. Hom. Il. Ω, 793 : Τινὲς ὄστεα προπαροξυτόνως, ὡς χάλκεα. Ἄμεινον δὲ παροξύνειν.] || Dithyrambica vero audacia quidam γῆς ὀστέα vocat τοὺς λίθους, Lapides, Saxa : Γῆς ὀστέοισιν ἐγχριμφθεὶς πόδα, h. e. λίθοις προσκόψας. [Hæc ex Eust. Il. p. 309, 43. Chœrileum esse versum docet Tzetz. ap. Ruhnk. ad Longin. 3, 2.] || Ὀστᾶ teste Suida dicuntur etiam οἱ λογισμοί : quoniam ipsa ὀστᾶ φύσιν ἔχουσι στεγανωτέραν καὶ φέρει τὸ
C ζῶον. [|| Nucleus. V. HSt. in Μῆλον, p. 983, C; 984, C. Achmes in Ὀστοφόρος cit., ubi Int. male Putamina. Schol. Diodor. 3, 45, in cod. uno : Τῷ τῆς ἐλαίας ὀστῷ. || « Taxilli. Lex. Ms. ex cod. Reg. 1843 : Κύβους τὰ ἐστιγμένα ὀστᾶ, οἷς χρῶνται οἱ ταυλίζοντες. Niceph. Chumnus in Epist. Ms. : Καὶ ὅλοι τῶν ὀστέων τῶν κατεστίκτων, τῶν κύβων δηλαδὴ τούτων, καὶ τῶν πεσσῶν γίνονται. » Ducang. || Forma Dor. Ὄστιον est in libris Theocr. 2, 21, 62, 90; 4, 16, Epigr. 6, 6. || Forma Ion. Ὀστεῦν Leonid. Tar. Anth. Pal. 7, 480, 1, Dioscor. 7, 31, 1, Antip. Sid. 7, 218, 9. Forma Ὀστὰ Oppian. Cyn. 1, 268 : Ὀστὰ συνηλοίησεν. Diog. L. 1, 63 in epigr., ubi male ὀστᾶ. Lucian. Tragœdop. 167. Alia forma singulari Orac. Sib. 1, 14 : Ἐν ὀστήεσσι φλέβες καὶ σάρκες ἐόντες. L. Dind.]

[Ὀστεουλκὸς, ὁ, Instrumentum ad ossa extrahenda. Hippocr. p. 618. Schneid.]

[Ὀστεώδης, ὁ, ἡ, Ossi similis. Plut. Mor. p. 916, A : Σκληρὸν καὶ ὀστεῶδες.]

[Ὀστεώδης, ἡ, Osteodes, insula prope Liparam, ap.
D Diod. 5, 11, qui nominis rationem reddit.]

[Ὀστέωσις, εως, ἡ, quasi Ossuositas, Firmitas ossium, Robur, Aquilæ reddendum videtur Jes. 41, 21, pro hebr. עצמות. Quanquam enim ibi ex Theodoreto, Procopio et Mss. Aquilæ tribuuntur verba ἐγγίσατε τὰς στερεώσεις ὑμῶν, tamen in Procopii textu Gr. p. 462 ed. Curterii loco τὰς στερεώσεις (quod in margine tantum notavit), reperitur τὰς ὀστεώσεις, quæ mihi ideo videtur vera Aquilæ lectio esse, quia solet partim illud עצם et vocc. inde derivata vertere vocabulis ὀστέον et inde derivatis partim a nominibus gr. nova deducere verba ad similitudinem Hebraicorum. Jam huic inusitato primum ab Aquila efficto voc. ὀστέωσις substitutum est a librariis usitatius στερέωσις. Ex Schleusner. Lex. V. T. Utitur eodem Eust. Opusc. p. 144, 52 : Ὀστοῦν δὲ ἱερὸν οὐδέν τι τοιοῦτον (ἱερὸν) ἔχει περιφανῶς, ἀλλ' οἱ μὲν δοτικῇ ἐννοίᾳ αἰτιολογοῦσιν αὐτὸ, ἕτεροι δὲ διὰ τὸ μεγαλεῖον τῆς ὀστεώσεως ὄνομα σχεῖν οὕτω σεμνὸν δοξάζουσι· et ubi item adest v. στερεοῦν, p. 201, 65 : Ἡ φύσις ἄλλως αὐτὸν ἢ κατὰ τοὺς λοιποὺς ἐστερέωσεν, εἰς ὀστέωσιν ἁδρὰν καὶ ὡς εἰπεῖν λεοντώδη ἀπενθύνασα ἑαυτήν.]

[Ὅστινος. V. Ὀστέϊνος.]

Ὅστις, Quis [Immo Qui, ut Gl.], i. q. ὅς. [Nisi quod hoc est definitum, alterum indefinitum.] Fem. Ἥτις, Quæ: pro quo Dorice Ἅτις. Neutr. Ὅ,τι, Quod. [Hom. Il. Ξ, 92: Μῦθον, ὃν οὔ κεν ἀνήρ γε διὰ στόμα πάμπαν ἄγοιτο, ὅστις ἐπίσταιτο ᾗσι φρεσὶν ἄρτια βάζειν· Od. B, 34: Εἴθε οἱ αὐτῷ Ζεὺς ἀγαθὸν τελέσειεν, ὅ,τι φρεσὶν ᾗσι μενοινᾷ· Θ, 148: Οὐ μὲν γὰρ μεῖζον κλέος ἀνέρος, ὄφρα κεν ᾖσιν, ἤ ὅ,τι ποσσίν τε ῥέζει καὶ χερσὶν ἑῇσιν. Æsch. Prom. 263: Ἐλαφρὸν ὅστις πημάτων ἔξω πόδα ἔχει, παραινεῖν. Cum conj. Eum. 211: Γυναικὸς ἥτις ἄνδρα νοσφίσῃ· fr. Toxotid. ap. Antig. Car. c. 127: Γυναικός, ἥτις ἀνδρὸς ᾖ γεγευμένη.] Aristoph. Vesp. [517]: Παῦε δουλείαν λέγων Ὅστις ἄρχω τῶν ἁπάντων· ubi et subaudiendus est dat. μοι: Ne mihi servitutem memores, qui impero omnibus; Præsertim quum imperem omnibus. [Æsch. Prom. 38: Τί τὸν θεοῖς ἔχθιστον οὐ στυγεῖς θεόν, ὅστις τὸ σὸν θνητοῖσι προὔδωκεν γέρας; 758: Πῶς δ' οὐκ ἄν, ἥτις ἐκ Διὸς πάσχω κακῶς; Ag. 1065: Ἦ μαίνεταί γε (l. τε) καὶ κακῶν κλύει φρενῶν, ἥτις λιποῦσα μὲν πόλιν... ἥκει; Cho. 916: Ποῦ δῆθ' ὁ τῖμος, ὅντιν' ἀντεδεξάμην; Ag. 683: Μή τις, ὅντιν' οὐχ ὁρῶμεν; Soph. OEd. C. 1673: Πατρός, ᾧτινι τὸν πολὺν ἄλλοτε μὲν πόνον ἔμπεδον εἴχομεν· OEd. T. 463: Τίς, ὅντιν' ἁ θεσπιέπεια Δελφὶς εἶπε πέτρα; 1048: Ἔστιν τις ὑμῶν ὅστις κάτοιδε; 1054: Νοεῖς ἐκεῖνον, ὅντιν' ἀρτίως μολεῖν ἐφιέμεσθα τόν θ' οὗτος λέγει· 1056: Τίς δ' ὅντιν' εἶπε; et alibi sæpe.] Thuc. [4, 22: Ξυνέδρους ἐκέλευον ἑλέσθαι, οἵτινες λέγοντες καὶ ἀκούοντες ξυμβήσονται.] 4, [18]: Σωφρόνων δὲ ἀνδρῶν, οἵτινες τἀγαθὰ ἐς ἀμφίβολον ἀσφαλῶς ἔθεντο. [Non dissimili modo Aristoph. Vesp. fin.: Τοῦτο γὰρ οὐδείς πω πάρος δέδρακεν, ὀρχούμενον ὅστις ἀπήλλαξεν χορὸν τρυγῳδῶν.] Synes. in Epistola 57: Φύσει μέν εἰσιν οἵτινες εἰσίν, Natura sunt qui sunt, Tales natura sunt, quales sunt: de ministris s. famulis. [|| Ἔστιν ὅστις, Soph. fr. Creusæ ap. Stob. Fl 91, 28, 5: Εἰσὶ δ' οἵτινες αἰνοῦσιν ἄνοσον ἄνδρα. Οὐκ ἔστιν ὅστις, Æsch. Cho. 172: Οὐκ ἔστιν ὅστις πλὴν ἐμοῦ κείραιτό νιν· et in ll. infra in Ὅτῳ cit. Prom. 1069: Κοὐκ ἔστι νόσος τῆσδ' ἥντιν' ἀπέπτυσα μᾶλλον. Eur. fr. Sthenebœæ ap. Aristoph. Ran. 1217: Οὐκ ἔστιν ὅστις πάντ' ἀνὴρ εὐδαιμονεῖ.] Apud Herodot. [2, 136] Ὅ,τι cum genit.: Ὅ, τι προσχοῖτο πηλοῦ τῷ κοντῷ, Lutum quod adhærescebat conto: interjicitur autem illa notula inter ὅ et τι, ut distinguatur ab ὅτι conjunctione. [Notabile etiam hoc ap. eund. 7, 184: Ποιήσας ὅ,τι πλέον ἦν αὐτέων ἢ ἔλασσον ἀν' ὀγδώκοντα ἄνδρας ἐνεῖναι.] Aliquando vero inseritur aliquid inter ὅς et τις. Thuc. 4, p. 126 [c. 14]: Καὶ ἐν τούτῳ κεκωλῦσθαι ἐδόκει ἕκαστος ᾧ μή τινι καὶ αὐτὸς ἔργῳ παρῆν, pro ᾧτινι μή. [Construendum potius ᾧ μὴ καὶ αὐτὸς ἔργῳ τινὶ παρῆν, quum ᾧ referatur ad τούτῳ, non ad ἔργῳ. Interposito τε inscr. Aphrodis. ap. Bœckh. vol. 2, p. 493, n. 2737, b, 3: Ἅ τέ τινα ἔπαθλα ... προσεμέρισαν, προσμεριοῦσιν. || Notabile etiam hoc Soph. Tr. fin.: Κοὐδὲν τούτων ὅ,τι μὴ Ζεύς, quomodo sæpius dicitur τάδε. || Ὅστις γε, Soph. Ph. 1282: Οὐ γάρ ποτ' εὔνουν τὴν ἐμὴν κτήσει φρένα, ὅστις γ' ἐμοῦ δόλοισι τὸν βίον λαβὼν ἀπεστέρηκας· OEd. T. 1335: Τί γὰρ ἔδει μ' ὁρᾶν, ὅτῳ γ' ὁρῶντι μηδὲν ἦν ἰδεῖν γλυκύ; OEd. C. 810: Οὐ δῆθ' ὅτῳ γε νοῦς ἴσος καὶ σοὶ πάρα. Aristoph. Ran. 1184: Ὅντινά γε ... ἀπόλλων ἔφη κτλ.]

|| Ὅστις, Quis, Quisnam. Hom. [Il. Γ, 167: Καὶ τόνδ' ἄνδρα ... ἐξονομήνῃς, ὅστις ὅδ' ἐστὶν Ἀχαιὸς ἀνήρ· 192: Εἴπ' ἄγε μοι καὶ τόνδε, ὅστις ὅδ' ἐστίν] Od. Θ, [28]: Ξεῖνος ὅδ', οὐκ οἶδ' ὅστις, ἀλώμενος ἵκετ' ἐμὸν δῶ, Nescio quis. [Æsch. Prom. 489: Πτῆσιν οἰωνῶν διώρισ', οἵτινές τε δεξιοὶ φύσιν εὐωνύμους τε· 765: Τί δ' ὅντιν'; οὐ γὰρ ῥητὸν αὐδᾶσθαι τόδε.] Plut. Lyc. [c. 18]: Ἐρώτημα προὔβαλεν, ὅστις ἄριστος ἐν τοῖς ἀνδράσι, Quis sit optimus, Quisnam. [Frequens est etiam in interrogatione interrogati, ut Aristoph. Ach. 595: Ἀλλὰ τίς γὰρ εἶ; — Ὅστις;] Genit. est Οὕτινος, Cujus, Cujusnam. Dat. Ὧτινι, Cui, Cuinam. Accus. Ὅντινα, Quem, Quemnam. Plato De rep. 1: Περὶ τοῦ, ὅντινα τρόπον ζῆν χρή, Quomodo vivere oporteat. [Leg. 1, p. 632, B: Ὅντινα ἂν γίγνηται τρόπον· et ordine inverso 6, p. 751, A: Ὅσας τε αὐτὰς εἶναι δεῖ καὶ τρόπον ὅντινα

A καθισταμένας· et sæpe ap. Pausaniam, cujus exx. 1, 43, 3: Ἡρῷα τρόπον ὅντινα εὐδαιμονήσουσι, ubi libri τίνα, et alia v. in præf. p. XXVII. Herodot. 1, 98: Προβαλλομένων ὅντινα στήσονται βασιλέα.] Plur. num. Οἵτινες, Qui, Quinam. Genit. Ὧντινων, Quorum, Quorumnam. Dat. Οἷστισι, Quibus, Quibusnam. Accus. Οὕστινας, Quos, Quosnam. Fem. gen. Ἥτις, Quæ, Quænam. [Æsch. Choeph. 21: Ὡς ἂν σαφῶς μάθω ἥτις γυναικῶν ἥδε προστροπή.] Genit. Ἧστινος, Cujus, Cujusnam. [Æsch. Ag. 1358: Οὐκ οἶδα βουλῆς ἧστινος τυχὼν λέγω.] Dat. Ἧτινι, Cui, Cuinam. Accus. Ἥντινα, Quam, Quamnam. Thuc. 8, [53]: Ἠρώτα ἕνα ἕκαστον, ἥντινα [εἴτινα] ἐλπίδα ἔχει σωτηρίας, Quamnam. [Æsch. Prom. 226: Ὃ δ' οὖν ἐρωτᾶτ', αἰτίαν καθ' ἥντινα αἰκίζεταί με, κτλ. 490: Δίαιταν ἥντινα ἔχουσ' ἕκαστοι.] Plur. Αἵτινες, Quæ, Quænam, et sic deinceps. Neutr. gen. Ὅ,τι, Quid, Quidnam, aut etiam Quodnam. Sequitur autem declinationem præcedentium. [Æsch. Prom. 295: Σήμαιν' ὅ,τι χρή σοι ξυμπράσσειν. Et alii quivis.] Plato Apol. Socr. [p. 23, D]: Ἐρωτᾷ τις ὅ,τι ποιῶν καὶ

B ὅ,τι διδάσκων ὁ Σωκράτης τοὺς νέους διαφθείρει, Quidnam faciens et quid docens corrumpat adolescentes. Isocr. Ad Mityl. [p. 246, B]: Περὶ ὧν οὐκ οἶδα ὅ,τι δεῖ πλείω λέγειν, ubi ὅ,τι accipitur pro διότι, Quanam de causa, Quamobrem. [Hom. Il. A, 64: Ὅς κ' εἴποι ὅ,τι τόσσον ἐχώσατο Φοῖβος· K, 503: Αὐτὰρ ὁ μερμήριζε, μένων, ὅ,τι κύντατον ἔρδοι· Od. M, 331: Ἰχθῦς ὄρνιθάς τε, φίλας ὅ,τι χεῖρας ἵκοιτο.] Quinetiam in directa interrogatione, Hom. Il. K, [142]: Ὅ,τι δὴ χρειὼ τόσον ἵκει; pro τί δὴ ποτε χρεία τοσοῦτον κατέλαβε; Eustathio. [Minime pro τί, sed conjungenda hæc cum præcedentibus, sive ὅ,τι scribitur sive ὅτι, sic positum, ut in Ὅτι dicemus sub initium.] Sed poetice dicitur Ὅ,ττι interdum. [Il. Σ, 64: Ὄφρα ἐπακούσω ὅ,ττι μιν ἵκετο πένθος.] Od. Δ, [392]: Ὅ,ττι τοι ἐν μεγάροισι κακόν τ' ἀγαθόν τε τέτυκται· Ξ, [54]: Ὅ,ττι μάλιστ' ἐθέλεις δοίη Ζεύς. [K, 44: Ἰδώμεθα ὅ,ττι τάδ' ἐστίν. Et eliso ι O, 317: Αἶψά κεν εὖ δρώοιμι μετὰ σφίσιν ὅ,ττ' ἐθέλοιεν. V. Ὅτι initio. Post pluralem Σ, 142: Ἀλλ' ὅγε σιγῇ δῶρα θεῶν ἔχοι, ὅ,ττι διδοῖεν. Soph. El. 1506: Χρῆν δ' εὐθὺς

C εἶναι τήνδε τοῖς πᾶσιν δίκην, ὅστις πέρα πράσσειν γε τῶν νόμων θέλει, κτείνειν.] Item ὅ,ττι pro διὰ τί, ut exp. Eust. Od. [T, 463]: Καὶ ἐξερέεινον ἕκαστα, Οὐλὴν ὅ,ττι πάθοι. [De usu Herodoti ita fere Schweigh. in Lex.: « Ubi ὅ,τι Cur, Qua de caussa, Quo consilio significat, rectius separatim scribetur, ut κατ' ὅ,τι 6, 3: Εἰρωτεώμενος κατ' ὅ,τι προθύμως οὕτω ἐπέστειλε. Nudum ὅ,τι quum alibi tum in hisce: Εἴρετο ὅ,τι μιν οὕτω προθύμως κτλ. 1, 111; Εἰρομένου δέ μιν ὅ,τι σφι μούνοισι... καὶ ὅ,τι κτλ. 2, 91; 3, 27; Ὅ,τι δὲ οὐκ αὐτίκα μάχομαί τοι, ἐγὼ καὶ τοῦτο σημανέω, 4, 127. Bis diversa signif. 6, 55: Ὅ,τι δέ, ἐόντες Αἰγύπτιοι, καὶ ὅ,τι ἀποδεξάμενοι... ἔλαβον τὰς βασιληίας, ἄλλοισι εἴρηται, Qua ratione et quibus rebus gestis. »]

|| Ὅστις, interdum significat Quisquis [Gl. Hom. Il. E, 175: Τῷδ' ἔφες ἀνδρὶ βέλος, ὅστις ὅδε κρατέει· I, 341: Ὅστις ἀνὴρ ἀγαθὸς καὶ ἐχέφρων, τὴν αὐτοῦ φιλέει· H. Ven. 92: Χαῖρε ἄνασσ', ἥτις μακάρων τάδε δώμαθ' ἱκάνεις, Ἄρτεμις ἢ Λητὼ ἠὲ χρυσέη Ἀφροδίτη. Soph. OEd. T. 236: Τὸν ἄνδρ' ἀπαυδῶ τοῦτον, ὅστις ἐστὶ κτλ.

D El. 1123: Δόθ' ἥτις ἐστί. Eur. Bacch. 220: Τὸν νεωστὶ δαίμονα Διόνυσον, ὅστις ἐστί, τιμῶσας· 247: Ὅστις ἐστὶν ὁ ξένος· 769.] Aristoph. Vesp. [1406]: Προσκαλοῦμαί σ' ὅστις εἶ, Πρὸς τοὺς ἀγορανόμους, Heus tu quisquis es, in jus te voco. [Post πᾶς Thuc. 8, 90: Παντὶ τρόπῳ, ὅστις καὶ ὁπωσοῦν ἀνεκτός. Id. 5, 23: Τρόπῳ ὅτῳ ἂν δύνωνται ἰσχυροτάτῳ κατὰ τὸ δυνατόν. Pausan. 10, 1, 5: Ὅντινα ἀφανέστατον δύναιντο τρόπον.] Qua tamen signif. dicitur frequentius ὅστις ποτέ, ut in seqq. docebitur. Id. Nub. [883]: Ὅστις ἐστί, Quisquis est. Sic Athen. 2: Ὅστις οὖν ὁ ποιήσας, λέγει οὕτως, Quisquis igitur auctor illius libri sit, Quicunque igitur est qui librum illum conscripsit. [Hom. Il. A, 85: Εἰπὲ θεοπρόπιον, ὅ,τι οἶσθα· Ξ, 195: Αὔδα ὅ,τι φρονέεις.] Et ὅ,τι ἔτυχεν, Quidvis, Quodcunque. [Ὅστις βούλει, Quilibet, Gl. Soph. OEd. T. 664: Ἄθεος, ἄφιλος, ὅ,τι πύματον ὀλοίμαν· schol., φθαρείην ὅπερ ἔσχατον, ἤγουν ἀπώλειαν ἥτις ἐσχάτη. Herodot. 2, 60: Συμφοιτέουσι ὅ,τι ἀνὴρ καὶ γυνή ἐστι πλὴν παιδίων.] || Interdum reddere possumus non solum Quisquis, sed etiam Siquis. Nicand. Ther.

[763] : Ἡ καὶ ἀπὸ σπληδοῖο φαείνεται, ὅστις ἐπαύρῃ, Si quis attrectet : ἥν τις αὐτῶν ἅψηται, schol. [Hom. Il. O, 731 : Ἔγχεϊ δ' αἰεὶ Τρῶας ἄμυνε νεῶν, ὅστις φέροι ἀκάματον πῦρ· K, 305 : Δώσω γὰρ δίφρον τε δύω τ' ἐριαύχενας ἵππους, ὅστις κε τλαίη ... ἐλθέμεν· et alibi. Hesiod. Sc. 481 : Κλειτὰς ἑκατόμβας ὅστις ἄγοι Πυθῶδε, βίῃ σύλασκε δοκεύων. Cum conj. Il. A, 230 : Ἦ πολὺ λώϊόν ἐστι ... δῶρ' ἀποαιρεῖσθαι, ὅστις σέθεν ἀντίον εἴπῃ· Y, 363 : Οὐδέ τιν' οἴω Τρώων χαιρήσειν, ὅστις σχεδὸν ἔγχεος ἔλθῃ, etc. ‖ Apud recentiores i. q. Qui quidem s. Is igitur. Inscr. Aphrodis. ap. Bœckh. vol. 2, p. 514, n. 2774, 19 : Αὐρηλία Ἀμμία ... ἥτις καὶ ἀνέθηκεν κτλ. Et sequente nomine p. 527, n. 2811, 29 : Ὅστις Μένανδρος ἐστέφθη· p. 529, n. 2817, 9 : Ἥτις Μύρτον ἐβίω σεμνῶς· p. 533, n. 2824, 2 : Ὅντινα πλάταν συνεχώρησεν αὐτῷ Πολυχρονία. Jo. Malalas p. 78, 14 : Ἐθεάσαντο ὀπτασίαν ἀνδρὸς, ὅστις ἐχρημάτισεν αὐτοῖς τὴν ... νίκην. Οἵτινες θαρρήσαντες συνέβαλον· 79, 12 : Οἱ δὲ Ἀργοναῦται ... ἐπὶ τὴν Ποντικὴν ἀνέπλευσαν διὰ τὸ χρύσεον δέρας. Οἵτινες ἔλαβον αὐτὸ κτλ. 107, 8 : Συγγραφεὺς αὐτοῦ ... ἐτύγχανεν ὁ Δίκτυς· ὅστις ἐξέθετο καὶ τοὺς προτραπέντας ὑπὸ Ἀγαμέμνονος ... Ὅστις πρὸ πάντων ἐξώρμησεν Ἀγαμέμνων· aliisque ll. partim in Ind. p. 790 a me citatis.]

‖ Ὅστις nonnunquam annectitur particulæ δὴ [Hom. Il. Ξ, 509 : Ἔσπετε νῦν μοι, Μοῦσαι, ὅστις δὴ πρῶτος ... ἀνδράγρι' Ἀχαιῶν ἤρατο], vel [καὶ, Æsch. Prom. 1063 : Ἄλλο τι φώνει καὶ παραμυθοῦ μ', ὅ,τι καὶ πείσεις· Soph. Aj. 917 : Ἐπεὶ οὐδεὶς ἂν, ὅστις καὶ φίλος, τλαίη βλέπειν· Tr. 1008 : Ἀνατέτροφας ὅ,τι καὶ μύσῃ· OEd. C. 185 : Ὅ,τι καὶ πόλις τέτροφεν ἄφιλον ἀποστυγεῖν, vel] κεν, vel οὖν, vel ποτὲ, vel περ, vel τε. Atque ut primo loco dicam de eo cui secundum tribui locum, reperitur Ὅ,ττι κεν simpliciter usurpatum pro ὅ,ττι : ut Hom. Od. T, [404] : Ὄνομ' εὕρεο ὅ,ττι κε θείης Παιδὸς παιδὶ φίλῳ, Quod imponas nepoti. Et mox, Τίθεσθ' ὄνομ' ὅ,ττι κεν εἴπω, Quod dixero. Interdum etiam pro Quodcunque, Quicquid, usurpatur : sicut in prosa ὅ,τι ἂν, habente hic eum usum particula ἂν, quam habet illic κεν : itidemque cum conjunctivo, ut ὅ,τι ἂν πράξῃς. Nec solum genere neutro Ὅ,τι ἂν, sed itidem masc. Ὅστις ἂν, Quicunque, Quisquis [Gl. et Οὕστινας ἄν, Quosque. Æsch. Prom. 35 : Ἅπας δὲ τραχὺς ὅστις ἂν νέον κρατῇ. Et alii quivis]. Fem. Ἥτις ἂν, Quæcunque. [Ὅ,τι ἂν, Quodquod, Quidquid; Ὅ,τι ἂν εἴη, Quid sit, Gl.] Itidem Ὅστις δὴ, pro Quicunque. Thuc. 8, p. 290 [c. 87] : Ἐς δ' οὖν τὴν Ἄσπενδον ἥντινι δὴ γνώμῃ ὁ Τισσαφέρνης ἀφικνεῖται, Quocunque tandem consilio, Quodcunque tandem secutus consilium : sic Ὅστις οὖν, vel potius Ὁστισοῦν conjunctim, Quisquis, Quicunque [Gl.]. Genit. Οὑτινοσοῦν, Cujuscunque. Dat. Ὡτινιοῦν, Cuicunque : et ῳτινιοῦν τρόπῳ, Quodcunque modo. Accus. Ὁντιναοῦν, vel Ὁντινοῦν, Quemcunque : et sic deinceps. [Ὁτουοῦν, Cujusquam, Gl.] Fem. Ἡτισοῦν, Quæcunque : ut ἧστινοσοῦν κηδείας, Qualiscunque sepulturæ, Cujusvis, Cujuscunque, Cujuslibet. Accus. Ἥντιναοῦν vel Ἡντινοῦν, Quamcunque. [Sæpe autem libri variant inter formas —τιναοῦν et —τινοῦν, quæ ambæ in prosa usurpantur, a poetis nonnisi alteræ.] Et neutro gen. plur. num. Ἁτινοῦν s. Ἁτιναοῦν, Quæcunque. [Neutr. sing. Thucyd. 4, 16 : Ὅ,τι δ' ἂν τούτων παραβαίνωσιν ἑκάτεροι καὶ ὁτιοῦν, τότε λελύσθαι τὰς σπονδάς, ubi alii libri ὅτε δ' ἄν.] ‖ Aliquando ὁστισοῦν redditur Quivis, Quilibet, Unusquisque : ut, Ἡστινοσοῦν ἐπῳδῆς μᾶλλον, Quavis incantatione magis. Et Xenoph. Cyrop. 8, [3, 40] : Οὐκ οἶσθα ὅτι ἐσθίω μὲν καὶ πίνω καὶ καθεύδω οὐδ' ὁτιοῦν νῦν ἥδιον ἢ τότε ὅτε πένης ἦν; Quidvis, etiam Quodcunque tandem illud sit. Et ὁτιοῦν ἄλλο, Quidvis aliud. Quum vero dicitur μηδ' ὁτιοῦν, reddes, Nihil quicquam, Ne tantillum quidem. Xenoph. [ib. 3, 1, 19] : Μηδ' ὁτιοῦν φρονοῦντας, Prorsus nullius sensus atque mentis. Aristoph. Pl. [385] διαφέρειν οὐδ' ὁτιοῦν, Ne tantillum quidem differre, Nihil prorsus. [In Ind. :] « Ὁτιοῦν, Quidvis, Quidlibet, Quodvis, Quodlibet, Quodcunque, ab ὁστισοῦν : μηδ' ὁτιοῦν, et οὐδ' ὁτιοῦν [Aristoph. Nub. 344], Nihil prorsus, Ne tantillum quidem. Οὐδοτιοῦν, Nihil quicquam. Diosc. : Ἐξαίρετον ἔχει οὐδοτιοῦν. Ex Dem. vero affertur, Πρὸς ἓν οὐδοτιοῦν, pro Ad nullum. Adverbialiter etiam οὐδοτιοῦν exp. Nequaquam, Nullo modo. » [Οὐδοστισανοῦν Aristid. C.

A Lept. 2, 6. Boiss. Οὐδ' ὅστις, Μηδ' ὅστις vel sine elisione ead. signif. Xen. H. Gr. 1, 5, 9 : Ὅπως τῶν Ἑλλήνων μηδὲ οἵτινες ἰσχυροὶ ὦσιν, ἀλλὰ πάντες ἀσθενεῖς. Plato Leg. 2 fin. : Οὐδ' ἀμπέλων ἂν πολλῶν δέοι οὐδ' ἥτινι πόλει· 11, p. 919, D : Μήτ' ἔμπορος μήτε διακονίαν μηδ' ἥντινα κεκτημένος. Demosth. p. 846 ult. : Οὐδ' ἥτινι ... ἐπεσκήψατο. Phalar. Epist. 4, p. 16, 87, ab Schæf. cit.] Πᾶς ὁστισοῦν, Quivis, Quilibet, Gaza Gramm. 4. Ἐὰν ὁστισοῦν, Si quis, Plato Leg. [Et sæpissime hoc ceterisque generibus, numeris et casibus. ‖ Ὁστισοῦνπερ Symeon Metaphr. Epist. 9. Boiss. ‖ Ut pro ὁπότερος οὐ solum sæpe ponitur ὁπότερος, sic ὅστις pro ὁστισοῦν ap. Aristoph. Ran. 39 : Τίς τὴν θύραν ἐπάταξεν; ὡς κενταυρικῶς ἐνήλαθ' ὅστις. Ap. Liban. vol. 4, p. 17, 1 : Τοῖς μὲν οὖν ἄλλοις ἅπασιν, ὅσοι παρ' οὕστινας ἦλθον πρεσβεύοντες κτλ., cod. Par. ap. Bast. Ep. crit. p. 115, οὑστινασοῦν. Antonin. Lib. c. 5, p. 32 : Τὴν αὐτοῦ μητέρα καθ' ἥντινα πρόφασιν ἐκ τῆς οἰκίας μετέστησεν· et in ead. formula c. 41, p. 274. Idem cum οὐδεὶς et μηδεὶς sic conjuncti exx. citat Luciani D. deor. 2, 1 : Ἐμοῦ δὲ
B ὅλως οὐδεμίαν ἥντινα ἐρασθῆναι πεποίηκας, ubi cod. unus τινα· Liban. vol. 4, p. 801, 34 : Τὰς δὲ οὐ μετρίως ἐφόβει τὸ μηδὲν ὅ,τι καὶ νοσοῦν τῶν ἐν τῇ πόλει ξυνορᾶν.] Itidem Ὅστις ποτὲ, Quicunque, Quicunque tandem, Quisquis. [Soph. OEd. T. 224 : Ὅστις ποθ' ὑμῶν Λάϊον ... κάτοιδεν ἀνδρὸς ἐκ τίνος διώλετο.] Lucian. Herm. : Καὶ τῇ μητρὶ, ἥτις ποτ' ἐκαλεῖτο, Quocunque tandem nomine vocata fuit. [Æsch. Ag. 160 : Ζεὺς, ὅστις ποτ' ἐστίν· et alii quivis.] Sic, Ὅστις ποτ' ἦν ὁ παράδεισος, Qualiscunque tandem fuerit, h. e. εἴτε νοητὸς, εἴτε αἰσθητός. [Ὅ,τι ποτὲ, Quidquid, Gl.] Ex Herodoto affertur etiam, Ὅστις ποτέ ἐστι, Undecunque is sit. ‖ Aliquando pro Quisnam. Isocr. : Θαυμάζειν ὑμᾶς οἶμαι ἥντινά ποτε γνώμην ἔχω. [Ὅστις δήποτε, Quisquis, Quicunque, Quilibet; Οὕστινας δήποτε, Quoscunque, Quosque, Gl. Quod restituendum Philodemo Voll. Hercul. part. 1, p. 22, C, ubi εἴτ' ἀφ' ὅτου δή τοτε. « Demosth. Orat. de Chersonn. init. » Boiss. Ὁστισδηποτοῦν, Lobeck. ad Phryn. p. 373.] Sic Ὅστις περ ex Aristoph. [Eccl. 53 : Ὅτιπέρ ἐστ' ὄφελος ἐν τῇ πόλει, et ap. alios in eadem
C formula, omninoque plerumque gen. neutro, ut ap. Plat. Reip. 6, p. 492, E : Ὅτιπερ ἂν σωθῇ· etc. Fem. ἥτισπερ ἔρρηξε, nisi leg. ἥτις περιέρρηξε ap. Hippocratem p. 908, D], Quicunque. At Ὅστις τε pro ὅστις, significat Qui : ut ὅστις περ pro ὅσπερ. [Hom. Il. Ψ, 43 : Οὐ μὰ Ζῆν', ὅστις τε θεῶν ὕπατος καὶ ἄριστος.]

‖ Sed et Ὅτις a poetis usurpatur pro ὅστις, Quis, Qui. Hom. Il. Γ, [279] : Ὅτις κ' ἐπίορκον ὀμόσσῃ, Qui pejerarit, Quisquis pejerarit. Od. O, [447] : Οἴσω γὰρ καὶ χρυσὸν ὅτις ὑποχείριος ἔλθῃ, Aurum quod in manus meas venerit, Quicquid auri cepero. Sic alibi non semel : ut et M, [40] de Sirenibus : Αἵ ῥά τε πάντας Ἀνθρώπους θέλγουσιν ὅτις σφέας εἰσαφίκηται, Omnes homines qui ad eas pervenerint. Ubi etiam observa πάντας ὅτις pro πάντας οἵτινες, vel πάντας ὅσοι, aut πᾶς ὅστις, de quo infra in Πᾶς. [Frequens est etiam ap. Apoll. Rh. Divise Hom. Od. Π, 257 : Εἰ δύνασαί τιν' ἀμύντορα μερμηρίξαι, ὅ κέν τις νῶιν ἀμύνοι πρόφρονι θυμῷ.] Accus. Ὅτινα pro ὅντινα : et plur. Ὅτινας pro οὕστινας. Od. Θ, [205, O, 395] : Τῶν δ' ἄλλων ὅτινα κραδίη
D θυμός τε κελεύει, Δεῦρ' ἄγε πειρηθήτω, Experiatur quem animus ipsum jusserit, Quemcunque. Accus. ὅτινα, quo utitur et Apollon. Arg. 2, [875] : Τῶν ὅτινα πρύμνης ἐπιβήσομεν, οὔ τις ἰάψει Ναυτιλίην, pro ὅντινα. [Ὅτινας Hom. Il. O, 492 : Ἠδ' ὅτινας μινύθῃ τε καὶ οὐκ ἐθέλῃσιν ἀμύνειν.] Neutro autem plur. ὅτινα pro ἅτινα, Il. X, [450] : Δεῦτε, δύω μοι ἕπεσθον, ἴδωμ' ὅτιν' ἔργα τέτυκται. [Ubi est var. ἅτιν', quo non magis utitur Hom., utrumque autem elisa vocali ante ἔργα recentioris poetæ esse versum prodit. Il. A, 289 enim recte nunc scriptum divisim ἅ τιν' οὐ πείσεσθαι ὀΐω.] Prorsus autem poetica hæc sunt. In hoc ὅτις pleonasmum esse τοῦ σ tradit Eust. [Inscr. Delph. ap. Bœckh. vol. 1, p. 805, n. 1688, 25 : Ζαμιούντων ὅτινι κα διχαίῳ σφὶν δοχῇ εἶμεν ἐπιζαμίῳ· 37 et 38 : Ὅτινός κα δέωνται. De femin. schol. Soph. Aj. 290 : Ὥσπερ παρὰ Αἰολεῦσι τὸ ὅτινα κοινόν ἐστι κατὰ γένος, οὕτω καὶ παρ' Ἀττικοῖς τὸ οὕτε του (pro τινος), ὅταν οὕτω συντάσσηται, κοινῶς λέγεται. ‖ Dualis ubi erat Hom. Od. Δ, 61 : Δείπνου πασσαμένω εἰρησόμεθ' ὥτινές ἐστον, nunc οἵτινες.]

|| Commode huic possumus subjungere Ὅτου : pro quo Ionice dicitur Ὅτεο, et Ὅττεο, metri causa. [V. infra.] Rursum Ὅτευ Ionice pro ὅτου : ut ὅτου χάριν, Cujus rei gratia, οὗ ἕνεκα. [Hom. Od. P, 421 : Καὶ ὅτευ κεχρημένος ἔλθοι· et duplici τ 121 : Ὅττευ χρήζων.] Herodot. [2, 63] Ionice : Ὅτευ δὲ ἕνεκα, Cujus rei gratia. Idem [1, 119] : Ὅτευ θηρίου, Cujus feræ. [Alia exx. v. ap. Schweigh.] Idem, παρ' ὅτευ, A quo. Sic dicitur et ἀφ' ὅτου, A quo. [Æsch. Prom. 170 : Τὸ νέον βούλευμ', ἀφ' ὅτου σκῆπτρον τιμάς τ' ἀποσυλᾶται.] Et ἐξ ὅτου [Soph. Tr. 671 : Δίδαξον ἐξ ὅτου φοβεῖ· Eur. Cycl. 639 : Τοὺς γὰρ πόδας ἑστῶτες ἐσπάσθημεν οὐκ οἶδ' ἐξ ὅτου], sive Ἐξότου, Ex quo, sub. tempore. Aristoph. Nub. [528 et alibi sæpe. Soph. OEd. C. 345 : Ἐξ ὅτου νέας τροφῆς ἔληξε· Tr. 326 et al.] Pro quo dicitur etiam ἐξότουπερ ab eod. Aristoph. [Pl. 85, Ach. 596, 597] et Xen. [Cyrop. 8, 2, 15.] Item ἕως ὅτου, item μέχρι ὅτου, Usquequo, Donec. Matth. 5, [25] : Ἕως ὅτου εἶ ἐν ὁδῷ, Dum es in via. Lucæ 13, [8] : Ἕως ὅτου σκάψω, Donec fodero. Herodot. : Μέχρι ὅτου πληθούσης τῆς ἀγορᾶς, Usque dum refertum est forum. Item ex Dem. ἐξ ὅτου τρόπου, pro ὅπως. Poetico autem genitivo ὅττεο utitur Hom. Od. [A, 124 : Ὅττεό σε χρή·] X, [377] : Ὄφρ' ἂν ἐγὼ κατὰ δῶμα πονήσομαι ὅττεό με χρή. [Formam Æolicam Ὄττω Sapphoni restitui in Ἐράω vol. 3, p. 1967, A, ubi add. Aresan ap. Stob. Ecl. vol. 1, p. 854 : Ἔραται δὲ ἃ ἐπιθυμία. Ὄττι eadem in fragm. ap. Dionys. De comp. verbb. p. 177, 178, ap. script. ab Letronn. post Aristoph. ed. Didot. editum p. 13, 14, 5, ὄττινας in fr. ap. Etym. M. p. 449, 36.] Dat. Ὅτῳ, Cui, ᾧτινι. Et Ὅτεῳ Ionice. [Hom. Il. M, 428 : Ὅτεῳ ... μετάφρενα γυμνωθείη· etc. Herodot. 1, 95 : Ὅτεῳ τρόπῳ ἡγήσαντο τῆς Ἀσίης· 1, 108 : Θάψον τρόπῳ ὅτεῳ αὐτὸς βούλεαι.] Ὅτῳ μὴ ἀχθομένῳ εἴη, Si quis non gravaretur : quod loquendi genus Atticum est, ut in Βούλομαι videre licet. Pausan. [5, 1, 6] : Καὶ ὅτῳ πιστὰ πατρὸς ὧν Ποσειδῶνος, Si quis credere sustinet. Utitur et Thuc. 6, [15] : Ὧν καθ' ἕκαστον, ἐν ὅτῳ γίγνοιτο, ἔπρασσεν, In quocunque versaretur, Cuicunque se applicaret. [Æsch. Prom. 160 : Τίς ὧδε τλησικάρδιος θεῶν, ὅτῳ τάδ' ἐπιχαρῆ; 291 : Οὐκ ἔστιν ὅτῳ μείζονα μοῖραν νείμαιμ' ἢ σοί· 470 : Οὐκ ἔχω σόφισμ' ὅτῳ ... ἀπαλλαγῶ· 988 : Οὐκ ἔστιν αἴκισμ' οὐδὲ μηχάνημ' ὅτῳ προτρέψεταί με Ζεύς. Et sæpe Soph.] Et Herodot. [supra] Ὁτέῳ τρόπῳ, Quacunque ratione. Num. plurali, casu gen. Ὅτων, Quorum, Quorumcunque. [Soph. OEd. T. 414 : Ὅτων οἰκεῖς μέτα. Xen. Anab. 7, 6, 24 : Σπάνια δ' ἔχοντες ὅτων ὠνήσεσθε. Schol. Soph. Aj. 33 : Λέγουσι γὰρ (poetæ) ὅτων ἀντὶ τοῦ ὧντινων, ὃ μόνον καὶ παρὰ ῥήτορσι καὶ ὁτέοις ἀντὶ τοῦ οἷστισιν. Qui et ὅτοις pro ὁτέοις et pro ὃ μόνον ejusmodi quid ut εὑρημένον scripsisse videtur, quum ὅτοισι sit ap. Andocid. p. 25, 27 : Εἰ δὲ μήτε δι' ὅ,τι μήτε ὅτοισι μήτε ἀφ' ὅτων πολεμήσωμεν ἔστι, nisi fallit scriptura etiam forma —σι notabilis.] Aristot. : Ὅτων εἴη. [Et Ὅτεων Ion. Hom. Od. K, 39 : Ἀνθρώπους, ὅτεών τε πόλιν καὶ δῆμον ἵκηται. Herodot. 8, 65 : Ὅτεών κοτε εἴη ἀνθρώπων.] Dat. Ὅτοις. [Soph. Ant. 1335 : Μέλει γὰρ τῶνδ' ὅτοισι χρὴ μέλειν· Tr. 1119 : Κἂν ὅτοις ἀλγεῖς μάτην. Aristoph. Eq. 758 : Ὅτοισι τόνδ' ὑπερβαλεῖ. V. in genitivo.] Et Ὁτέοισι Ionice, Quibus, Quibuscunque. Hom. Il. O, [491] : Ἠ μὲν ὁτέοισιν κῦδος ὑπέρτερον ἐγγυαλίξῃ. Et Herodot., παρ' ὁτέοισι, Apud quos. [Herodot. 2, 82 : Ὁτέοισι ἐγκυρήσει.] Sed et fem. gen. ἐν ὁτέῃσι, In quibus. Sicut vero supra docui ὅστις interdum annexum habere δή, οὖν, ποτέ, ita et huic eadem annecti sciendum est. Nam dicitur Ὁτουδή, Cujusvis, Cujuslibet. [Herodot. 3, 121 : Ὅτευ δὴ χρήματος δεησόμενον.] Sic Ὁτῳδή, Cuivis. [Et Ion. Ὅτεῳ δὴ Herodot. 1, 86 : Θεῶν ὅτεῳ δή.] Sic Ὁτουδήποτε ἕνεκα, Cujuscunque rei gratia. Et Æschin. : Ὁτῳδήποτε συνῴκισε τὴν ἑτέραν, Cuicunque elocarit alteram, Quisquis ille sit cui alteram elocavit. Sic Ὁτουοῦν, ut οὑτινοσοῦν, Cujuscunque. [Thuc. 8, 27 : Μετὰ ὁτουοῦν τρόπου.] Plato De rep. 1 : Καὶ ἵππου καὶ ὁτουοῦν ἔργον, Alius cujuscunque. Eod. l. [p. 351, E] : Εἴτε πόλει τινί, εἴτε, γένει, εἴτε στρατοπέδῳ, εἴτε ἄλλῳ ὁτῳοῦν Sive alii cuicunque. It. ὁτιοῦν, Quodcunque, VV. LL. et Ὅτῳ ποτέ, Cuicunque, interdum Quonam pacto. [Soph. OEd. T. 698 : Ὅτου ποτὲ μῆνιν τοσήνδε πράγματος στήσας ἔχεις.]

|| At vero Ἅττα existimatur quidem dictum pro ἅτινα, est tamen potius Atticum pro Ἅσσα : quod quidam ex ἃ, et σα Megarensium lingua significante τινά, compositum prodidere. Hom. Il. A, [554] : Φράζεαι ἅσσ' ἐθέλησθα. [K, 208 : Ἅσσα τε μητιόωσι· Υ, 127 : Τὰ πείσεται, ἅσσα οἱ Αἶσα... ἐπένησε· Od. E, 188 : Ἀλλὰ τὰ μὲν νοέω καὶ φράσσομαι, ἅσσ' ἂν ἐμοί περ αὐτῇ μηδοίμην· A, 74 : Σὺν τεύχεσιν ἅσσα μοί ἐστιν.] Quum vero tenui spiritu scribitur Ἄσσα vel Ἄττα, significat τινά, Aliqua, Quædam. Od. T, [218] : Εἰπέ μοι ὁπποῖ' ἄσσα περὶ χροῒ εἵματα ἕστο, ubi tamen supervacuum est : si quidem ὁποῖα ἄσσα nihil aliud significat quam Qualia. Ἄττα vero Dem. quoque et alii qui lingua Attica scripsere, usurpant. [Schol. Plat. Soph. p. 371 : Ἄττα) Τοῦτο ψιλούμενον μὲν τινὰ σημαίνει, δασυνόμενον δὲ ἅτινα, ὡς Δημοσθένης δηλοῖ ἐν τῷ τῆς Παραπρεσβείας (p. 438, 23), Ὁ δὲ πρεσβεύων Αἰσχίνης οὑτοσὶ ἐλθὼν πῶς μὲν καὶ ἅττα ποτὲ διελέχθη. Ἐνίοτε δὲ ἐκ τοῦ περιττοῦ προστίθεται, ὡς ἐν τῷ Χείρωνι Φερεκράτης, Τοῖς δέκα ταλάντοις ἄλλα προστιθεὶς ἔφη ἄττα πεντήκοντα. Οὐδὲν γὰρ σημαίνει ἐνταῦθα τὸ ἄττα. Ἀριστοφάνης Νεφέλαις (630), Ὅστις σκαλαθυρμάτ' ἄττα μικρὰ μανθάνων. Ἐρατοσθένης δὲ χρονικῶς αὐτό φησι παραλαμβάνεσθαι, Πυθοῦ χελιδὼν κἆποθ' (sic) ἄττα φαίνεται· καὶ πάλιν, Ὁπηνίκ' ἄτθ' ὑμεῖς κοπιᾶθ' ὀρχούμενοι. Similia Philemo Lex. s. 43 s. Harpocratio, sed hic illic pleniora, ut Ἀντὶ τοῦ ὅσα ἢ ἅτινα Ἀντιφῶν ἐν τῷ περὶ Λινδίων φόρου, ἀντὶ δὲ τοῦ τινὰ ἢ ποιά τινα Δημοσθένης Φιλιππικοῖς (p. 54, 23). Ἐνιαχοῦ δὲ παρέλκει τὸ ἄττα, ὡς τὸ Χιονίππου (Χίονί που, χίονί που, χιωνιοιπου libri Harpocr., pro quo ὁ κωμικὸς Etym. M., Ἀριστοφάνης Eustath. Il. p. 148, penult.) Π. χ. πηνίκ' ἄττα φαίνεται; et præter alios grammaticos Suidas, qui addit : Ἀντιφῶν τῷ ἄττα κέχρηται ἀντὶ τοῦ ἅτινα ἐν τῇ Ἀπολογίᾳ τοῦ Μύρρου, Οὐ γὰρ ἐγὼ ἐπεπόνθειν ταῦτα, ἅττα νῦν πέπονθα ὑπὸ τούτου, et alia ex recentioribus exx. Temporali particulæ jungit etiam Aristoph. Av. 1514 : Πηνίκ' ἄττ' ἀπώλετο; Cum πόσος Pac. 704 : Πόσ' ἄττα; Utraque forma conjuncta id. Ran. 936 : Ποῖ' ἄττ' ἐστὶν ἅττ' ἐποίεις; ubi alii libri ποιά τ' vel γ'. Aristid. vol. 2, p. 231 fin. : Ποῖ' ἄττ' ἀπέλαυσας τῶν τυράννων; Synes. p. 128, A : Ὁποῖα ἄττα δ' ἐστίν. Ceterum ut ἄσσα apud Dores et Iones, velut Herodot. 1, 47 etc., ita ἄττα et ἅττα frequens est apud quosvis Atticorum. Recentiorum exx. nonnulla v. ap. Koen. ad Gregor. p. 7. De spiritu male Tzetz. ad Lycophr. 8 : Ἅττα ἀντὶ τοῦ ἅτινα δασύνεται, ἄττα δὲ ἀντὶ τοῦ τινὰ λέγουσιν ὅτι ψιλοῦται. Ἐμοὶ δὲ καὶ τοῦτο δασύνειν δοκεῖ. Rarum est quod pro ἄττα in Act. SS. Mart. vol. 2, p. 698, A, legitur τοιαῦτα ἅτινα.] Alias Ἄττα est etiam vocab. quo juniores compellant senes quasi Pater : ut Achilles ap. Hom. Il. I, [603] : Φοῖνιξ ἄττα γεραιέ· de quo et infra in Ἄππα cum Πάππας.

Ὀστίτης μυελός, ὁ, Medulla quæ in ossibus est, Ossium medulla. Rufus Eph. [p. 43 Cl.] : Ὁ δὲ ἐν τοῖς ἄλλοις ὀστέοις μυελὸς, ὀστίτης, ἐάν τε ἐν μεγάλοις ἢ κοιλώμασιν, ὥσπερ ἐν μηρῷ καὶ βραχίονι· ἐάν τε ἐν σήραγξιν, ὥσπερ ἐν πλευραῖς καὶ κλεισίν. [ῑ]

['Οστλίγγιον. V. Ὀστρύγγιον.]

Ὄστλιγξ, ιγγος, ἡ, Scintilla, Flamma crispa, λαμπηδών. Apollon. Arg. 1, [1297] : Τὼ δέ οἱ ὄσσε Ὄστλιγγες μαλεροῖο πυρὸς ὣς ἰνδάλλοντο. Alias significat βόστρυχος, Cirrus, Cincinnus. Callim. : Ἀπ' ὀστλίγγων αἰὲν ἄλειφα ῥέει. Ita schol. Apollon., Etym. Loliginum etiam et sepiarum βόστρυχοι, botrorumque ἕλικες, nominantur ὄστλιγγες, Cirri. Nicander Al. [470] : Ὅς δή τοι ῥυπόεις μὲν ὑπ' ὀστλίγγεσσιν ἀραιαῖς Τευθίδος ἐμφέρεται. [Eutecnio πλεκτάναις. Ibi Ælius Promotus Ms. in Bibl. Vat. descriptus a Weigelio habet hæc ex Epæneto transcripta : Οἱ μὲν λαγωοὶ εὑρίσκονται εἰς τὰς τρίχας τῶν τευθίδων. Schneid. Ind. Theophr.] Theophr. H. Pl. 3, cap. ult., de rhu coriariorum : Ἄνθος λευκὸν βοτρυῶδες· τῷ σχήματι δ' ὁλοσχερὲς, ὄστλιγγας ἔχον ὥσπερ καὶ ὁ βότρυς. [Flos racematim enascens, Gaza.] Ita enim reponendum pro ὄστυγγας in vulg. editt. [V. Ὀστρύγγιον.] Ap. Hesych. [vitiose] habetur ὀστάλιγξ, expositum itidem πλόκαμος, βόστρυχος, ἕλιξ : et τὸ ἐν τοῖς βότρυσι γινόμενον. [De forma Ἄστλιγξ v. in ipsa.]

['Οστοδερμία, ἡ, Ossa et cutis. Tzetz. Hist. 10, 717 : Ἅπας καλεῖ γὰρ σκελετὸν νεκρῶν ὀστοδερμίας.]

['Οστόδερμος. V. 'Οστρακόδερμος.]

['Οστοδοχεῖον, τὸ, Ossuarium, Gl.]

['Οστοειδής, ὁ, ἡ, i. q. ὀστώδης. Hippocr. p. 410, 2 : Ξηρότερα καὶ ὀστοειδέστερα. Galen. vol. 2, p. 375 : Αἱ ὀστοειδεῖς ἀποφύσεις.]

'Οστοθήκη, ἡ, Ossium theca, Loculus ubi mortuorum ossa conduntur. [Lycophr. 367. Inscrr. ap. Bœckh. vol. 2, p. 491, n. 2728, 9; p. 492, n. 2731, 1; p. 757, n. 3278, 4.]

['Οστοκατεάκτης, ὁ, ὄρνεον, Ossifragus, Gl.]

['Οστοκλάστης, ὁ, Ossifragor, Ossifragus, Gl.]

'Οστοκόπος, ὁ, ἡ, Ossa tundens : ὀστ. ὀδύνη, Ossium dolor quo veluti tunduntur, species lassitudinis inflammatoriæ, quum non solum masculi, sed tendones etiam et nervi per exercitationem nimiam excalfacti, attraxere quippiam ex circumfusis sibi excrementis. Dicitur autem ὀστοκόπος, eo quod tendones ipsis ossibus adhærentes infestans hæc affectio, videatur in imo ac circa ipsa ossa consistere. [Galen. l. 3 Salub. p. 249, 2. Foes.] Latini dicunt Ossifragus. [Osfragor (Ossifragor, ut in 'Οστοκλάστης) add. Gl. V. 'Οστοκατεάκτης.] Pro eod. ex Hippocr. [p. 396, 9 : Πυρετὸς πολὺς ἴσχει τό τε σῶμα, ὥσπερ ὑπὸ ὀστεοκόπου ἐχόμενον κοπιᾷ καὶ ἀλγέει], affertur 'Οστεοκόπος. [Theophr. fr. 7, 2 : Λέγουσι δὲ καὶ τὰς σάρκας καὶ ὅλον τὸ σῶμα κοπιᾶν· ὅθεν καὶ τοὺς ὀστεοκόπους ὀστάγρας καλοῦσι.]

['Οστοκοπώδης, ὁ, ἡ, i. q. præcedens. Pallad. De febr. 76. Kall. Psellus in Boisson. Anecd. vol. 1, p. 238. Osann.]

['Οστοκόραξ, ἄκος, ὁ, Ossifragus, Gl.]

'Οστολογέω, Ossa lego, colligo. Suidæ ὀστολογεῖν est ἐξετάζειν, ἐξερευνᾷν, Perquirere, Indagare : sumpta metaphora ab iis qui in crematorum corporum cineribus ossa perquirebant et cum diligentia aliqua colligebant. [Isæus p. 48, 22 : Οὔτ' ἀποθανόντα ἀνείλετο, οὔτ' ἔκαυσεν, οὔτ' ὠστολόγησεν. Lex. rhet. Bekk. An. p. 286, 23 : 'Οστολογῆσαι, τὸ τὰ ὀστᾶ τῶν νεκρῶν ἀναλέξασθαι.]

['Οστολογία, ἡ, Ossilegium, Gl. Diodor. 4, 38 : 'Ελθόντες ἐπὶ τὴν ὀστ. || Petav. Uranolog. p. 270, D : ῎Εγραψεν (Aratus) 'Οστολογίαν. Galen. vol. 4, p. 27 : Τῶν ἀνθρωπίνων ὀστῶν ἐμπειρίαν ἀκριβῆ λαβεῖν, μὴ ἐκ βιβλίου μόνον ἀναλεξάμενον, ἃ τινὲς μὲν 'Οστολογίας ἐπιγράφουσιν, ἔνιοι δὲ σκελετούς. V. 'Οστεολογία. L. Dind.]

['Οστολόγιον, τὸ, Ossilegium, Gl.]

'Οστολόγος, ὁ, Qui ossa legit s. colligit, ὁ ὀστᾶ λέγων : ut qui crematorum cadaverum ossa inter cineres colligit. [Ossilegus, Gl.] 'Οστολόγοι, nomen tragœdiæ Æschyli ap. Athen. [15, p. 667, C. Arcad. p. 85, 25.]

'Οστομᾰχία, ἡ, vel 'Οστομάχιον, τὸ, Quum ossiculis certatur ludendo, Ossiculorum certamen, ludus. Auson. Ep. ad Paul. [p. 503 ed. Toll.] : Simile ut dicas ludicro, quod Græci ὀστομαχίαν vocavere : ossicula ea sane ad summam quatuor figuras geometricas habent; sunt enim æquilatera vel triquetra, extentis lineis, aut rectis angulis vel obliquis : ἰσοσκελῆ ipsi vel ἰσόπλευρα vocant, ὀρθογώνια quoque et σκαληνά. Harum verticularum variis coagmentis simulantur species mille formarum, elephantus bellua, aut aper bestia, anser volans, et mirmillo in armis subsidens, venator et latrans canis : quin et turris et cantharus, et alia hujusmodi innumerabilium figurarum, quæ alius alio scientius variegant. Sed peritorum concinnatio miraculum est, imperitorum junctura ridiculum. Suet. Ossiculis ludere dicit, in Augusto c. 83 : Modo talis aut ossiculis nucibusque ludebat cum pueris minutis, quos facie et garrulitate amabiles undique conquirebat. Sic enim Brod. ibi legit : Turnebus vero Ocellatis leg. putat. Beroaldus in quodam cod. vet. scribi ait Castellatis; de quo ludo Jul. Capitolinus in Galieno, Qui castella ex pomis strueret; in alius codicis sincerioris margine Oscillatis.

['Οστομάχιον. V. 'Οστομαχία.]

['Οστοποιητικὸς, ἡ, ὸν, q. d. Ossificus, Ossa faciens. Galen. vol. 5, p. 12 : Δυνάμει ὀστοποιητικῇ. L. Dind.]

['Οστοῦν. V. 'Οστέον.]

['Οστοφᾰγέω, Ossibus vescor. Alex. Trall. 4, p. 67; Strabo 16, p. 776 init.]

['Οστοφάγος, ὁ, Ossa vorans. Const. Manass. Chron. 6473. Boiss.]

A 'Οστοφᾰνέω, Ossa ostendo, conspicienda præbeo. Hippiatria, de hydriasi : Αἵ τε κιθάραι παρ' ἑκάτερα τοῦ νώτου ὀστοφανοῦσι, Ossa habent eminentia præ macie, Bud.; nam macilenti ossa sua veluti ostendunt.

['Οστοφόρος, ὁ, ἡ, Nucleum ferens. Achmes Onir. c. 151, p. 121 : ῎Εσπειρεν ἐξ ὀπωρῶν ὀστοφόρων ὀστέα. L. Dindorf.]

['Οστοφυής, ὁ, ἡ, Osseus. Batrach. 287. Gramm. Cram. An. vol. 2, p. 396, 8; 397, 23, in etym. voc. ὀσφύς. Quod v.]

['Οστρᾰκάριοι, οἱ, Qui testas ex figulina terra conficiunt, tegendis tectis idoneas : est enim ὄστρακον, Testa. Theophanes p. 371 : Διαλεξάμενος ἐκ διαφόρων τόπων τεχνίτας ἤγαγεν ἀπὸ μὲν 'Ασίας καὶ Πόντου οἰκοδόμους χιλίους... ἀπὸ δὲ τῆς 'Ελλάδος ὀστρακαρίους πεντακοσίους. Ducang.]

['Οστρακᾶς, ᾶ, ὁ, inter ὑποκοριστικὰ in ᾶς, ᾶ, recenset Chœrob. vol. 1, p. 42, 35.]

['Οστράκειος, ὁ, Testaceus. Schol. Luciani Lexiphan. c. 7.]

B ['Οστράκεος, α, ον, i. q. præcedens. Nicander fr. 6; Orph. Arg. 320.]

['Οστρακεοῦς, ᾶ, οῦν, i. q. ὀστράκειος. Schol. Luciani Lexiph. c. 1.]

'Οστρακεὺς, έως, ὁ, Qui testas conficit, Figulus, Epigr. [Nicæneti Anth. Plan. 191, 4.]

['Οστρακηρὸς, ὰ, ὸν, Testaceus. Aristot. H. A. 4, 4, De longæv. c. 4.]

['Οστρακίας. V. 'Οστρακίτης.]

'Οστρακίζω, Testulis in urnam conjectis damno. Relego : de qua consuetudine infra in ῎Οστρακον. Aristot. Polit. 3, [c. 12] : Οὔτε γὰρ κτείνειν ἢ φυγαδεύειν οὐδ' ὀστρακίζειν δήπου τὸν τοιοῦτον πρέπον ἐστίν. Ibid. [c. 9] : Τοὺς δοκοῦντας ὑπερέχειν δυνάμει διὰ πλοῦτον ἢ πολυφιλίαν, ἤ τινα ἄλλην πολιτικὴν ἰσχὺν, ὠστράκιζον καὶ μεθίστασαν ἐκ τῆς πόλεως χρόνους ὡρισμένους. Et pass. ap. Thuc. 1, [135] : ῎Ετυχε γὰρ ὠστρακισμένος 8, p. 285 [c. 73] : Τινὰ τῶν 'Αθηναίων μοχθηρὸν ἄνθρωπον ὠστρακισμένον. Utitur et Andocid. p. 27 [23, 42; 29, 28; 34, 2. Eust. Opusc. p. 187, 92 : Μήτε πολίτης

C ἀποβαίης ὁποίους ὀστρακίζει τὸ ἁγιώτατον εὐαγγέλιον.]

'Οστρακίνδᾰ, Ostracorum lusus. [Hesychius : 'Οστρ. παιδιὰ ἦν ἐπὶ τῷ ὀστράκῳ.] Erasm. in Prov. Testulæ transmutatio, de eo hæc ex Polluce tradens : Pueri, ducta in medio linea, duas in partes se distribuebant, quarum altera intra ostracum, altera extra dicebatur; deinde mittente quopiam ad lineam testam, utrius partis superior extitisset aliquis, hunc insequebantur, qui illi adhærebant, reliquis in fugam conversis. Ceterum ex fugientibus, qui comprehensus esset, is considebat, Asinus dictus, testaque projecta dicebat, Nox, dies; nam interior testæ pars pice sublita erat, quæ nocti respondebat. Sed Pollucis sensum Erasmus non satis clare expressit, ut tum ex ejus verbis intelligitur, l. 9, p. 494 [§ 110, 111], tum ex Eust. p. 1160, ubi quum mentionem fecisset proverbii 'Οστράκου περιστροφή, subjungit, 'Ελέχθη δὲ καὶ αὐτὴ ἐκ παιδιᾶς τοιαύτης· παῖδες δύο γραμμῇ τινι μεσολαβούσῃ διεστηκότες ἀλλήλων, ὄστρακον ἀνεῤῥίπτουν, οὗ θάτερον μὲν μέρος πεπισσωμένον ἦν, τὸ ἐντὸς δηλαδή· τὸ δὲ ἐκτὸς, ἀπίσσωτον

D διώριστο δὲ τοῖς συμπαίζουσι, τίνων μὲν ἦν τὸ τὴν πίσσαν ἔχον, τίνων δὲ τὸ λοιπόν· καὶ ὅτε, φασίν, ἀναβληθὲν τὸ ὄστρακον πέσοι, ὧν μὲν ἦν τὸ κάτω τοῦ ὀστράκου, ἔφευγον, οἱ δὲ λοιποὶ ἐδίωκον· καὶ ἐλέγετο τοῦτο περιστροφὴ ὀστράκου, καὶ ἡ παιδιά, ὀστρακίνδα ἐκαλεῖτο. Vide et Platonis comici locum infra in ῎Οστρακον super hac recitandum ex eod. Eust. Vide item 'Εποστρακισμός. [Aristoph. Eq. 851 : Εἰ σὺ βριμήσαιο καὶ βλέψειας ὀστρακίνδα. Eust. Opusc. p. 271, 82 : 'Οστρακίνδα κατὰ τοῦ ἀνδρὸς ὑποβλεψάμενος. Jo. Alex. Τον. παραγγ. p. 33, 1, Theognost. Can. p. 165, 2.]

['Οστρακίνα, ἡ, Ostracina, mons Arcadiæ, ap. Pausan. 8, 12, 2.]

['Οστρακίνη, ἡ, Ostracine, Antiochiæ ad Orontem memoratur ab Euagrio H. E. 2, 12; 6, 8. A figlinis dictum vicum putabat Vales. p. 305, a quo dissentit Müller. Comment. Antioch. 1, p. 59. De 'Οστρακίνη Ægypti v. intt. Antonini Itin. p. 152, Hieroclis p. 727, et qui ab iis citantur. Add. Chron. Pasch. p. 282, 10. L. Dindorf.]

Ὀστράκῖνος, η, ον, Testaceus, h. e. Ex figulina terra factus, ut testæ. Lucill. [Nicarchus] Epigr. [Anth. Pal. 11, 74, 6]: Ἡ δ' ἔφερεν τήγανον ὀστράκινον, Sartaginem testaceam, fictilem. [Nicænetus Anth. Plan. 191, 1: Ὀστράκινον... Ἑρμῆν.] Et ὀστράκινα σκεύη, 2 Ad Cor. 4, [7], Vasa testacea s. fictilia [Gl.], i. e. Testæ, ut Horat., Quo semel est imbuta recens servabit odorem Testa diu. Alex. Aphr. [Probl. 1, 119] ὀστράκινα ἀγγεῖα, itidem Testacea s. Figlina vasa. Lexiphanes vero Lucianicus [c. 6] dicit ὅσα ὀστράκινα τὸ δέρμα pro ὀστρακόδερμα. [Ψαφαρῇ κεῖσετ' ἐν ὀστρακίνῃ, Crinagor. Anth. Pal. 7, 645 extr. Testam exponunt. Hemst. Lucill. ibid. 11, 313, 4, πινάκων. Hippocr. p. 576, 45: Τοῖς φακοῖς τοῖς ὀστρακίνοις· 668, 21: Τοῖσιν ὀστρακίνοισιν ἀγγείοισιν, pro quo male ὀστρακίοισιν p. 585, 49.]

Ὀστράκιον, τὸ, Fictile, [Testatium (sic), Gl.] Gaza. [Aristot. H. A. 4, 4: Θηρεύουσί τινες τοὺς ἔχεις εἰς ὀστράκια διατιθέντες οἶνον.] Significat etiam Parva testa, Conchula, forma diminutiva, ut supra in Ἐποστρακισμός. [Schol. Dionys. Bekk. An. p. 794, 22: Ὄστρακες ὀστράκιον. Schol. Aristoph. Vesp. 962 in cod. Ven. pro τραχήλιον, quod est in vulg. L. D.] Nominari item ὀστράκια possunt τὰ ὀστράκινα τὸ δέρμα s. ὀστρακόδερμα, ut μαλάκια. Plin. certe scribit quosdam Ostracium vocare, quod aliqui Onychen appellant, ut in Ὄνυξ supra docui. [Strabo 17, p. 823: Ὀστρακίων δὲ λύχνος, φῦσα, βοῦς.]

Ὀστρακίς, ίδος, ἡ, dicitur Nux pinea, ipseque ejus Nucleus eodem nomine appellatur, a testacea duritie. Mnesitheus enim Atheniensis medicus in libro De edulibus, ὀστρακίδας vocat τῶν κώνων τοὺς πυρῆνας, ἔτι δὲ κώνους, Athen. 2, [p. 57, B]. || Hesychio ὀστρακὶς est ἀγαλμάτιόν τι Ἀφροδίτης.

Ὀστρακισμός, ὁ, Relegatio illa, quum populus testulis in urnam missis aliquem relegat. Aristot. Polit. 3, [13]: Στασιαστικῶς ἐχρῶντο τοῖς ὀστρακισμοῖς· quibus ibid. dicit κολούεσθαι τοὺς ὑπερέχοντας καὶ φυγαδεύεσθαι. [Anon. post Photium: Ὀστρακισμοῦ τρόπος· Φιλόχορος ἐκτίθεται τὸν ὀστρακισμὸν ἐν τῇ γ' γράφων οὕτω· Προχειροτονεῖ μὲν ὁ δῆμος πρὸ τῆς η' πρυτανείας εἰ δοκεῖ τὸ ὄστρακον εἰσφέρειν· ὅτε δ' ἐδόκει, ἐφράσσετο σανίσιν ἡ ἀγορὰ καὶ κατελείποντο εἴσοδοι δέκα, δι' ὧν εἰσιόντες κατὰ φυλὰς ἐτίθεσαν τὰ ὄστρακα, στρέφοντες τὴν ἐπιγραφήν. Ἐπεστάτουν δὲ οἵ τε ἐννέα ἄρχοντες καὶ ἡ βουλή· διαριθμηθέντων δὲ, ὅτε πλεῖστα γένοιτο καὶ μὴ ἔλαττω ἑξακισχιλίων, τοῦτον ἔδει τὰ δίκαια δόντα καὶ λαβόντα ὑπὲρ τῶν ἰδίων συναλλαγμάτων ἐν δέκα ἡμέραις μεταστῆναι τῆς πόλεως ἔτη δέκα· ὕστερον δ' ἐγένοντο πέντε· καρπούμενον τὰ ἑαυτοῦ, μὴ ἐπιβαίνοντα ἐντὸς πέρα τοῦ Εὐβοίας ἀκρωτηρίου· μόνος δὲ Ὑπέρβολος ἐκ τῶν ἀδόξων διὰ (δοκεῖ?) ἐξοστρακισθῆναι διὰ μοχθηρίαν τρόπων, οὐ δι' ὑποψίαν τυραννίδος. Μετὰ τοῦτον δὲ κατελύθη τὸ ἔθος, ἀρξάμενον νομοθετήσαντος Κλεισθένους, ὅτε τοὺς τυράννους κατέλυσεν, ὅπως συνεκβάλῃ καὶ τοὺς φίλους αὐτ... Brevius Hesychius. V. etiam schol. Aristoph. Eq. 855, qui addit: Οὐ μόνον δὲ Ἀθηναῖοι ὠστρακοφόρουν, ἀλλὰ καὶ Ἀργεῖοι καὶ Μιλήσιοι καὶ Μεγαρεῖς, et Ὄστρακον.]

Ὀστρακίτης, ὁ, Testaceus, Testam referens: ὀστρ. λίθος, Diosc. 5, 165: Λίθος ὀστρακίτης ὅμοιός ἐστιν ὀστράκῳ πλακώδης καὶ εὔσχιστος, ᾧ χρῶνται ἀντὶ κισσήρεως πρὸς τριχῶν ἄρσιν αἱ γυναῖκες. Quæ verba Plin. sic interpr. 36, 19: Ostracitæ similitudinem testæ habent: usus eorum pro pumice, ad levigandum cutem. Ab eod. Plin. Ostracites sive Ὀστρακίας inter gemmas etiam numeratur, 37, 10: Ostracias s. Ostracites est testacea: durior altera, Achatæ similis, nisi quod Achates politura pinguescit. Duriori tanta inest vis, ut aliæ gemmæ scalpantur fragmentis ejus. Ostraciti ostrea nomen et similitudinem dedere. Georg. Agricola in Germania inveniri scribit, ostreorum testis similem, coloris rubei. [Placentæ genus, Athen. 14, p. 647, F.] Fem. ab ὀστρακίτης est Ὀστρακῖτις. Diosc. 5, 84: Καλεῖται δέ τις καὶ ὀστρακῖτις, ἰσχνὴ καὶ ὡς ἐπιτοπολὺ μέλαινα· γεώδης δὲ καὶ ὀστρακώδει κεχρημένη ἐπιφανείᾳ· φαύλη δὲ ἡ λευκή. Plin. 34, 10: Ostracitis, tota nigra, et ceterarum sordidissima. 37, 10: Cadmitis eadem esset, quam Ostracitin vocant, nisi quod hanc cæruleæ interdum cingunt bullæ. [ᾶῖ]

[Ὀστρακοδέρματος, ὁ, ἡ, i. q. seq. Athan. vol. 3, p.
A 363. Kall. Pasin. Codd. Taur. vol. 1, p. 263, a, B. L. Dindorf.]

Ὀστρακόδερμος, ὁ, ἡ, Cui testa loco cutis est, Qui testa integitur ut cetera cute. Plur. ὀστρακόδερμα, Testis conclusa duris, ut Plin. in Μαλάκια interpr.: genus Piscium; de quo Aristot.: Τὰ ἄλλα γένη πάντων τῶν ζώων πλὴν τῶν ὀστρακοδέρμων καὶ εἴ τι ἄλλο ἀτελὲς, ἔχει ὀφθαλμούς. [Frequens est in H. A.] Quæ sic Plin. interpr.: Non omnibus animalium oculi, ostreis nulli. Athen. 8: Κήρυκες καὶ πάντα τὰ ὀστρακόδερμα, Buccina et cuncta testis conclusa duris. Et ὀστρακόδερμοι ἰχθύες Suidæ, ut ὄστρεα, πορφύραι, κήρυκες, στρόμβοι, ἐχῖνοι: in quibus sexus discrimen non esse scribit. Ὀστρακόδερμοι ἰχθύες vero et ὀστρακόδερμα in præcedentibus ll. idem significant. Plin. 11, 37, pro ὀστρακόδερμα dicit, Quibus testacea operimenta; 9, 11: Quæ integuntur silicum duritia, ut ostrea, conchæ: quo in loco varia aquatilium integumenta enumerat. Horat. Testas etiam vocat, i. e. ὄστρακα, Græci ὄστρεα potius appellarent, Sat. 2, 4: Sed non omne mare est generosæ fertile
B testæ: Murice Baiano melior Lucrina Peloris; Ostrea Circæis; Miseno oriuntur echini. Et ὀστρακόδερμον νῶτον, Dorsum testa intectum, Athen. 7, [p. 317, F] ex Aristot., de nautilo: Ἔχει δὲ τὸ νῶτον ὀστρακόδερμον· et 3, [p. 88, C, auctore Aristot. H. A. 5, 10] Ova quoque dicuntur ὀστρακόδερμα, quia putamine continentur testaceo: sic in Ὄστρακον infra pullus jam excusus dicitur γυμνὸς ὀστράκων. [Batrach. 286. Quint. Mæcius Anth. Pal. 6, 89, 3, κάραβον. Galen. vol. 3, p. 72. In ὀστόδερμον corruptum ap. Theognost. Can. p. 13, 1: Χέλιος, τὸ ὀστόδερμον, ἢ μετὰ ὀστράκων καὶ λίθων ἰλύς. L. Dind.]

[Ὀστρακόεις, εσσα, εν, Testaceus. Antiphil. Anth. Pal. 9, 86, 4, δόμος. Fabulæ scriptor ap. Suid. v. Στυφελισμὸς cit.: Ὀστρακόεντα νῶτα.]

[Ὀστρακοκονία, ἡ, Pavimentum testaceum. Geopon. 2, 27. Kall.]

[Ὀστρακολέπια, τὰ, Murices. Lex. botan. ex cod. Reg. 2147: Κήρυκες, τὰ ὀστρακολέπια. Ducang. App. Gl. p. 147.]

C Ὄστρακον, τὸ, Testa. [Cruor, add. Gl. In iisdem ponitur etiam Ὄστρακος, Testa.] Dicitur vel de Testa quæ ex figulina terra conficitur, vel de ea qua pisces quidam intecti sunt. De figulina hæc addam exempla. [Lycophr. 778: Πληγαῖς ὑπείκειν καὶ βολαῖσιν ὀστράκων.] Herodian. 7, [12, 11]: Ἀναπηδῶντες εἰς τὰ δώματα, τῷ τε κεράμῳ βάλλοντες αὐτοὺς καὶ λίθων βολαῖς τῶν τε ἄλλων ὀστράκων, ἐλυμήναντο αὐτοὺς, Tegularum testarumque jactibus. Plut. [Mor. p. 560, C]: Τοὺς Ἀδώνιδος κήπους ἐπ' ὀστράκοις τισὶ τιθηνούμεναι καὶ θεραπεύουσαι. Et Hippocr. Περὶ γυν. φύσ. [p. 576, 16, 43], in fomento sicco, s. ἐν τῇ ξηρᾷ πυρίᾳ, adhibet ὄστρακα θερμὰ καὶ διάπυρα, Testas calentes et ignitas. [Ὄστρακα ἵπνου id. p. 476, 25.] Alex. Aphr. Probl. 2: Ὀρέγονται ὀστράκων, Testas appetunt. Item ὄστρακα χαλάϊνα Galeno, Testæ ex calai lapide. Aliud exemplum cum Plinii interpret. habes in Ὀστρακίτης. [Xen. OEc. 19, 14: Τὸ ὄστρακον πῶς ἂν ἐπὶ τοῦ πηλοῦ ἄνω καταθείης. Theophr. H. Pl. 4, 4, 3: Σπείρεται δὲ καὶ εἰς ὄστρακα διατετρημένα, καθάπερ οἱ φοίνικες· C. Pl. 3, 5, 5: Περιαλείφουσι δὲ οἱ μὲν πηλὸν μόνον, οἱ δὲ σκίλλαν ὑποτιθέντες, εἶτ' ἄνωθεν
D τὸν πηλὸν, ἐπὶ τούτῳ δὲ τὸ ὄστρακον. De pavimento dictum, ut in Ὀστρακοκονία, v. in Ὀστρακόω.] Porro et de Piscium testa dicitur, ut supra monui. Aristot. [H. A. 8, 15] de platea ave conchas devorante: Εἶθ' οὕτως τὰ κρέα μὲν ἐσθίει, τῶν δ' ὀστράκων μὴ ἅπτεται· pro quibus Plin.: Atque ita ex iis esculenta legit, testas excernens. Rursum Aristot. de purpuris, Τὰς μὲν οὖν μικρὰς μετὰ τῶν ὀστράκων κόπτουσι, τῶν δὲ μειζόνων περιελόντες τὸ ὄστρακον, ἀφαιροῦσι τὸ ἄνθος· pro quibus iterum Plin.: Et majoribus quidem purpuris, detracta concha auferunt: minores trapetis frangunt, atque ita demum rorem eum excipientes Tyrii. Ubi nota eum ὄστρακον interpretari Concha. [Philo vol. 1, p. 666, 29: Κλιντῆρας ὀστράκοις ἐνδεδεμένους. Eratosth. Catast. c. 11: Ἔχει ὁ καρκίνος ἐπὶ τοῦ ὀστράκου ἀστέρας λαμπροὺς β'.] Plutarch. De exilio [p. 600, A]: Οἱ κοχλίαι τοῖς ὀστράκοις συμφυεῖς ὄντες. Aristoph. Ran. [1305]: Ἡ τοῖς ὀστράκοις κροτοῦσα μοῦσ' Εὐριπίδου· ex quo l. Didymus ap. Athen.

14, [p. 636, E] colligit, Εἰωθέναι τινὰς ἀντὶ τῆς λύρας κογχύλια καὶ ὄστρακα συγκρούοντας εὔρυθμον [ἔνρυθμον] ἦχόν τινα ἀποτελεῖν τοῖς ὀρχουμένοις. Ὀστράκου περιστροφὴ, genus Ludi qui alio nomine dicitur ὀστρακίνδα, ut Pollux scribit 9, p. 494 [§ 112], citans Plat. Phædro [p. 241, B], Φυγὰς δὴ γίγνεται ἐκ τούτων, καὶ ἀπεστερηκὼς ὑπ' ἀνάγκης, ὁ πρὶν ἐραστὴς, ὀστράκου μεταπεσόντος ἵεται [ἵεται] φυγῇ μεταβαλών· ὁ δὲ ἀναγκάζεται διώκειν ἀγανακτῶν καὶ ἐπιθειάζων. [Reip. 7, p. 521, C: Τοῦτο οὐκ ὀστράκου ἂν εἴη περιστροφὴ, ἀλλὰ ψυχῆς περιαγωγή.] Metaphorice vero de subita rerum mutatione dicitur et conversione repentina, qualis est eorum qui ludunt ὀστρακίνδα. Eunap. [ap. Suidam in v. et p. 80 ed. Boiss., qui v. p. 364, Fabric. ad Marini V. Proc. p. 100 ed. Boiss.]: Ὥσπερ ὀστράκου μεταπεσόντος, ἐπὶ τὸ βέλτιον ἐχώρησε Ῥωμαίοις, Veluti ostraco converso res Romanæ in melius cessere. Plura vide apud Erasm. in Prov. Testulæ transmutatio : item in Ὀστρακίνδα et Ἐποστρακισμός. Porro de ipso ludo hæc Platonis comici verba citat Eust. p. 1160 : Εἴξασι τοῖς παιδαρίοις τούτοις, οἳ ἑκάστοτε γραμμὴν ἐν ταῖσιν ὁδοῖς διαγράψαντες, διανειμάμενοι δίχ' ἑαυτοὺς, ἑστᾶσιν αὐτῶν, οἱ μὲν ἐκεῖθεν τῆς γραμμῆς, οἱ δ' αὖ ἐκεῖθεν· εἷς δ' ἀμφοτέρων ὄστρακον αὐτοῖς ἀνίησιν εἰς μέσον ἑστώς· κἂν μὲν πίπτησι τὰ λευκὰ ἐπάνω, φεύγειν ταχὺ τοὺς ἑτέρους δεῖ, τοὺς δὲ διώκειν· ὁ δὲ ἀναῤῥίπτων τὸ ὄστρακον, ἐπιλέγει, νὺξ ἢ ἡμέρα· ubi τὸ λευκὸν et ἡμέρα vocatur τὸ ἀπίσσωτον, Ea ostraci pars quæ pice oblita non est; νὺξ autem, τὸ πισσηρὸν s. πεπισσωμένον, et μέλαν, imitatione Homeri, qui dicit νέφος μέλαν ἠΰτε πίσσα. Erat etiam ὄστρακον quoddam, cui in comitiis nomina eorum inscribebat populus, quos ob potentiam et gloriam ferre non poterat. De quo sic Plut. Aristide, non ita procul ab initio [c. 7] : Ὄστρακον λαβὼν ἕκαστος, καὶ γράψας ὃν ἐβούλετο μεταστῆσαι τῶν πολιτῶν, ἔφερον εἰς ἕνα τόπον τῆς ἀγορᾶς περιπεφραγμένον ἐν κύκλῳ δρυφάκτοις· οἱ δ' ἄρχοντες πρῶτον μὲν διηρίθμουν τὸ σύμπαν ἐν ταυτῷ τῶν ὀστράκων πλῆθος· εἰ γὰρ ἑξακισχιλίων ἐλάττονες οἱ φέροντες εἶεν, ἀτελὴς ἦν ὁ ἐξοστρακισμός· ἔπειτα τῶν ὀνομάτων ἕκαστον ἰδίᾳ τιθέντες, τὸν ὑπὸ τῶν πλείστων γεγραμμένον ἐξεκήρυττον εἰς ἔτη δέκα, καρπούμενον τὰ αὐτοῦ. Idem docet Plin. 8, p. 425. Meminit et in Alcib. p. 358 meæ ed. [c. 13], ubi dicit τὸ ὄστρακον ἐπιφέρειν, Ostracum contra aliquem mittere, Concha s. Testa in urnam missa damnare et exterminandum judicare; utebantur enim iis testulis loco ψήφων, h. e. Calculorum : ut et Erasmus docet in Prov. Testulæ transmutatio. Idem Plut. Fabio pag. 347 meæ ed. [Comp. Periclis et Fab. c. 3], de Pericle loquens, Εἰς φυγὴν ὑπ' αὐτοῦ καὶ τοὔστρακον ἐκπεσόντας, ubi τοὔστρακον dicit pro ἐξοστρακισμόν. [Id. Pericle c. 14.] Moris autem fuisse ut nomina eorum inscriberentur, quos relegatos volebat populus, ostendit ille ap. Plutarch. rusticus illiteratus, qui [Aristide c. 7] ὄστρακον ἔχων προσῆλθε τῷ Ἀριστείδῃ, (ignorans tamen esse Aristidem, cui ὄστρακον dabat,) κελεύων ἐγγράψαι τὸ ὄνομα τοῦ Ἀριστείδου. Latini quoque testulis utebantur in sortibus et suffragiis, ut ex Liv. 5 Belli Punici manifestum est, Testulis datis tribuni populum summoverunt : sitellaque allata est, ut sortirentur, ubi Latini suffragium ferrent. Dubium est autem, cujusmodi hæc ὄστρακα fuerint, figulinane an ostreorum. [|| De testitudine, unde cithara, Hom. H. Merc. 33 : Αἰόλον ὄστρακον ... χέλυς ὄρεσι ζώουσα.] || Sed et ea testa, qua ova integuntur, ὄστρακον dicitur; unde ὀστρακόδερμα vocantur ipsa Ova, alio nomine κέλυφος, Putamen : ut, Ἄρτι γυμνὸν ὀστράκων, Recens excusum ex testa : qui l. ex Epigr. [in Lex. Septemv.] citatur; sed et ap. Hesych. habetur, mutilus [in Ὀστράκων, ita scriptus : ἀπτὴν ἄτυτθον ἀ. γ. ὀ. ἀντὶ τοῦ ὠῶν· τινὲς δὲ κελύφων, pro ἀπτῆνα τυτθὸν, ut Salmasius. Æschyli versum esse ex Photii gl. : Ὀστράκων, τῶν τοῦ ᾠοῦ, Αἰσχύλος, collegit Hemsterh. ad Lucian. D. D. 26, 1. Lycophr. 506 : Ὀστράκου στρόβιλος. Aristot. De gen. an. 3, 9 : Τὸ τῶν ᾠῶν ὄστρακον. || Vas. Hesychius : Ὄστρακον· ὁπότε τις ἀποθάνοι, γάστραν πρὸ τῶν θυρῶν ἐτίθεσαν, ἐξ ἄλλης οἰκίας λαμβάνοντες καὶ πληροῦντες ὕδατος. De olla Aristoph. Ran. 1190 : Πρῶτον μὲν αὐτὸν (OEdipum) γενόμενον χειμῶνος ὄντος ἐξέθεσαν ἐν ὀστράκῳ· schol., ἐν χύτραις ἐξετίθεσαν

A τὰ παιδία· διὸ καὶ χυτρίζειν ἔλεγον.] Ὄστρακον, ut et ὄστρεον, Eust. scribit derivari ab Ὀστέον, ac in eo plenasmum esse τοῦ ρ, sicut in σκῆπτρον.

Ὀστρακόνωτος, ὁ, ἡ, Tergum habens testaceum, Cujus tergum testa opertum et intectum est. Pro quo Aristot. paulo ante dicit ὀστρακόδερμον νῶτον ἔχων. Athen. 10, [p. 455, E] ex Teucri Ὁρισμοῖς, de cochlea : Ζῶον ἄπουν, ἀνάκανθον, ἀνόστεον, ὀστρακόνωτον. [Ælian. N. A. 9, 6.]

[Ὀστρακοποιὸς, ὁ, Fictiliarius, Gl. Schol. Diod. 4, 76 in cod. uno.]

[Ὀστρακόρῖνος, ὁ, ἡ, i. q. ὀστρακόδερμος. Oppian. Hal. 1, 313; 5, 589. In prosa scribendum foret ὀστρακορρ.]

[Ὀστρακοφορέω, Suffragia fero. Schol. Aristoph. Eq. 855 : Οὐ μόνον δὲ Ἀθηναῖοι ὠστρακοφόρουν.]

Ὀστρακοφορία, ἡ, Ostraci latio, Quum suffragia ostraceo in urnam immisso feruntur : quod Plut. supra vocat ὄστρακον ἐπιφέρειν. Plut. Alcib. [c. 13] : Τῷ Ὑπερβόλῳ κάτω τὴν ὀστρακοφορίαν ἔτρεψεν. Hyperbolus
B enim iste populum concitabat, ut Alcibiadem ἐξοστρακίζοι. [Pollux 8, 19. Anon. post Photium v. Κυρία ἡ ἐκκλησία.]

[Ὀστρακόχροος, ὁ, ἡ, Qui cutem habet testaceam. Statyll. Flacc. Anth. Pal. 6, 196, 3, ubi ὀστρακόχροα, de paguro.]

Ὀστρακόω, In testam s. testaceam duritiem verto, Testacea s. Silicea duritia obduco. Aristot. Probl. p. 12 [2, 32] : Τὸ δὲ πῦρ ἐκ πρώτης πολὺ ξηρὰν λαμβάνων τὴν ἐπιπολῆς σάρκα, καὶ δέρμα καίει καὶ ὀστρακοῖ. [Inscr. Att. ap. Müller. De munim. Athen. p. 38, 82 : Τοὺς πύργους καὶ τὴν πάροδον ῥαχώσας καὶ ὀστρακώσας. Müllerus p. 69 : « Intelligo ὀστρακοκονίαν, Pavimentum testaceum. ‹ Ὄστρακος est pavimentum testaceum eo quod fractis testis calce admixto feriatur. Testam enim Græci ὄστρακα dicunt, › Isidor. Orig. 15, 8, 11. Conf. Geopon. (in Ὀστρακοκονία cit.) Ex Vitruvii præcepto 7, 1, supra rudus ‹ ex testa nucleus inducitur, mixtionem habens ad tres partes unam calcis. › Hæc igitur calcis et testæ mixtio v. ὀστρακῶσαι significa-
C tur. » L. D.] Pass. Ὀστρακοῦμαι, In testam mutor, In testaceam naturam abeo, In testæ modum induresco. [Eust. Op. p. 312, 33 : Ἐστεγανοῦτο γὰρ τὸ περιέχον καὶ οἷον εἰς χύτραν ἦν ὀστρακούμενον.] Ex Lycophr. vero [88] ὠστρακωμένη, pro Putamine ovi contecta. Paulo aliter Æschyl. ap. Athen. 1, [p. 17, E] : Περὶ δ' ἐμῷ κάρᾳ Πληγεῖσ' ἐναυάγησεν ὀστρακουμένη, Naufragium passa est et in testas contrita, sc. matula in caput impacta. Pro quo Soph. locum illum in suam fabulam transferens dixit, Περὶ δ' ἐμῷ κάρᾳ Κατάγνυται τὸ τεῦχος· vide Οὐράνη.

Ὀστρακώδης, ὁ, ἡ, Testaceus, Qui testam imitatur; vide Ὀστρακῖτις. [Aristot. H. A. 4, 2 et 7; Theophr. H. Pl. 1, 11, 3. « Galen. vol. 6, p. 311, B. » Hemst. Psellus De lapid. p. 22 ex cod. ap. Boiss. *Notices* vol. 10, p. 241, B, emendatus : Λυχνίτης· ἔστι δὲ ὁ μὲν ὀστρακώδης, ὁ δὲ πορφύρεται, ὁ δὲ διαυγάζει. L. Dind.]

[Ὀστρειακὸς, ἡ, ὸν, Testaceus. Zonaras v. Πτύξαγρις, p. 1591 : Τὴν ὀστρειακὴν σάρκα, Concharum carnem.]

[Ὀστρείδιον. V. Ὀστρώδης.]

D [Ὀστρέϊνος, η, ον, Testaceus. Plato Phileb. p. 21, C : Ὅσα θαλάττια μετ' ὀστρεΐνων ἔμψυχά ἐστι σώματα. Ubi olim ὀστρείων. Proculus In Cratyl. c. 60, σῶμα.]

Ὀστρειογράφης, ὁ, ἡ, Ostro pictus. Mamercus ap. Plut. Timol. [c. 31] : Τάσδ' ὀστρειογραφεῖς καὶ χρυσελεφαντηλέκτρους Ἀσπίδας ἀσπιδίοις εἵλομεν εὐτελέσι. Virg. autem dicit, Superbo ostro laboratæ vestes, et Vestes perfusæ ostro; Propert., Tunica ostrina.

[Ὄστρειον. V. Ὄστρεον.]

Ὄστρειος, Purpureus, VV. LL. sine exemplo. [V. Ὀστρέϊνος.] In iisdem ἀμαρτύρως ponitur Ὄστρεος etiam pro Pisce simul et Colore. Sed et Ὄστρον, quod in iisdem Græce scribitur, ego potius Latinis solis usitatum existimo.

Ὄστρεον, τὸ, ejusdem cum ὄστρακον originis esse, h. e. ambo derivari ex ὀστέον, pleonasmo literæ ρ, docet Eust., ut supra quoque admonui. Dicuntur autem Ὄστρεα sive Ὄστρεια, ipsi Pisces qui ὀστράκοις integuntur, τὰ ὀστρακόδερμα : sicut et Plin. supra in quodam loco Aristotelis ὀστρακόδερμα vertit Ostrea.

[Ὄστρεον, Ostreum, Gl. Μυάκιον θαλάσσιον interpr. Hesychius.] Latius tamen aliquando patet ὀστρακόδερμα quam ὄστρεα, ut ex Galeno discimus: qui Simpl. 2 ait, Τὰ τῶν ἄλλων ὀστρακοδέρμων ὄστρακα καυθέντα, μάλιστα δὲ τῶν ὀστρέων, εἶτα τῶν κηρύκων τε καὶ πορφυρῶν. Matron ap. Athen. 4, [p. 135, A] describens cœnam Xenoclis, Βολβοὺς, ἀσπαραγόν τε καὶ ὄστρεα μυελόεντα. Idem Athen. 3: Τῇ σαρκὶ τοῦ ὀστρέου. Et ap. Plut. quum aliis in ll., tum in l. De solert. anim. [p. 967, C]: Ὀστρέου μεμυκότος ἀνάπτυξιν. Utitur et Lucian. [Vitt. auct. c. 26, ὀστρείων.] Galen. Simpl. 2: Ὀστρέων τὸ ὄστρακον καυθὲν ὁμοίας ἐστὶ δυνάμεως τῷ τῶν κηρύκων ὀστράκῳ. Alterius autem scripturæ per diphthongum ει [quam ut Atticam commendant Mœris p. 285 (ap. quem ὄστρια) et Photius, memorat etiam gramm. Cram. An. vol. 2, p. 356, 27, et habet Aristot. De respir. c. 2 init., sed ὄστρεον H. A. 1, 6 init. etc.], hæc sunt exempla. Athen. 1: Οὐ μόνον δὲ ἰχθύσιν, ἀλλὰ καὶ ὀστρείοις ἐχρῶντο. Sic et ap. Eustath. scribitur; itidemque ap. Athen. rursus l. 3: Ἂν ἑψηθῇ τι τῶν ὀστρείων· ubi tamen frequentius sine diphthongo, ut ὄστρεα θαλάσσια, et ὄστρεα ἐαρινά: item τὰ ὀπτὰ τῶν ὀστρέων, Ostrea quæ torrentur. Ibid.: Αἱ σάρκες τῶν ἑψημένων ὀστρέων ψόφους ποιοῦσι. Ibid. [p. 92, B] ex Mnesitheo, Ὄστρεα καὶ κόγχαι καὶ μύες. Sed et ipsi poetæ utuntur alii sine diphthongo, alii contra: ut [ap. Ath. ib. D] Nicander in Georgicis: Ἠὲ καὶ ὄστρεα τόσσα βυθοὺς ἅ,τε βόσκεται ἅλμης, Νηρῖται, στρόμβοι τε, πελωριάδες τε, μύες τε. Cum diphthongo vero [Æschyl. fr. Glauci ap. Athen. 3, p. 87, A: Κόγχοι, μύες χὠστρεια], Archestr. ap. Athen. [ibid.]: Τοὺς μῦς Αἶνος ἔχει μεγάλους, ὄστρεια δ' Ἄβυδος. Cratinus, Πίννῃσι καὶ ὀστρείοισιν ὁμοίη. [Anaxandrid. 4, p. 131, E: Πίνναι, λεπάδες, μύες, ὄστρεια.] Epicharmus, Ὄστρεια συμπεφυκότα. Annotat Athen. l. c. solos veteres usurpasse ὄστρειον, recentiores vero ὄστρεον sicut ὄρνεον: cujus exempla ex Plat. affert. [Phædr. p. 250, C (ubi corpus humanum cum eo comparat, ut Themist. Orat. 21, p. 261, B, et quos in Ὀστρεώδης citabimus), Tim. p. 92, C, Reip. 10, p. 611, D.] Galen. autem Simpl. 2 [vol. 13, p. 306], tradit ὄστρεια a quibusdam vocari omnia ea quæ Aristoteles ὀστρακόδερμα nominavit: ὄστρεον, ut vulgo sine ι in secunda syllaba vocitant, ab eis sub ὄστρειον veluti sub genere collocari: sub quo contineri etiam κήρυκας, πορφύρας, χήμας, πίννας, et quæ his similia sunt. Id tamen non usquequaque verum esse, ex præcedentibus patet [et Theophr. fr. 2 De lapid. 36: Γίνεται δὲ (ὁ μαργαρίτης καλούμενος λίθος) ἐν ὀστρείῳ τινὶ παραπλησίῳ ταῖς πίνναις]: quibus qui contentus non est, Athen. consulat l. 3. Latini dicunt non solum Ostreum, sed etiam Ostrea, singulari num., quo et Cic. utitur. || Porro ὄστρειον s. ὄστρεον appellant etiam Ostrum, i. e. Colorem qui ex concharum sanie conficitur, s. ostrinum colorem, ut Propertius vocat. Vitruv. 7, 13: Ea conchylia quum sunt lecta, ferramentis circa scinduntur: ex quibus plagis purpurea sanies, uti lacryma, profluens, excussa in mortariis, terendo comparatur: et, quod ex concharum marinarum testis eximitur, ideo Ostrum est vocitatum. Plato Cratylo [p. 424, D]: Ὥσπερ οἱ ζωγράφοι βουλόμενοι ἀφομοιοῦν, ἐνίοτε μὲν ὄστρεον μόνον ἐπήνεγκαν, ἐνίοτε δὲ ὁτιοῦν ἄλλο φαρμάκων. Et cum diphthongo [Reip. 4, p. 420, C: Οἱ ὀφθαλμοὶ οὐκ ὀστρείῳ ἐναληλιμμένοι], ap. Athen. 5, [p. 197, F]: Τὰ δὲ σώματα οἱ μὲν ἐκέχρυντο ὀστρείῳ, τινὲς δὲ μίλτῳ καὶ χρώμασιν ἑτέροις. Eodem modo accepisse videtur Hesych., qui quum ὄστρεα exposuisset κογχύλια, subjungit, Λάκωνες ἄνθος: innuens sc. ὄστρεον Lacones vocare Conchyliorum florem, ut Aristot., πορφυρῶν ἄνθος, Plinius Purpurarum florem, i. e. Purpuream saniem quæ ex purpuris excipitur: vide Ὄστρακον. [De accentu Herodian. Π. μον. λέξ. p. 38, 4, Arcad. p. 119, 1.]

[Ὄστρεος. V. Ὄστρειος.]

Ὀστρεώδης sive Ὀστρειώδης, ὁ, ἡ, Ostrea referens, Qui ostrea imitatur, vel Qui ostrum: τὰ ὀστρεώδη s. ὀστρειώδη, Quæ ex ostreorum genere sunt. [Aristid. Quint. 2, p. 105, B: Τὸ ὀστρεῶδες ὄργανον. Wakef. Aristot. H. A. 8, 30. Hermias In Plat. Phædr. p. 130 fin., Oribas. p. 196, A, ed. Mai. Improprie Marin. V. Proc. c. 3, p. 2 fin.: Ὧν (ἀρετῶν) τὰ ἴχνη καὶ ἐν τῷ τελευταίῳ καὶ ὀστρεώδει αὐτοῦ περιβλήματι ἐναργῶς διεφαίνετο, de externa corporis specie s. corpore, ut Plato in Ὄστρεον cit., et Synes. p. 137, A: Ἐπαΐει γὰρ τὸ πνεῦμα τοῦτο τῆς ψυχικῆς διαθέσεως καὶ οὐκ ἀσυμπαθές ἐστι πρὸς αὐτὸ, καθάπερ τὸ ὀστρεῶδες περίβλημα. L. D.]

[Ὀστρεώδης, ὁ, Ostreodes. Dionys. Byz. De Bosp. Thrac. p. 8: « Deinde est locus Ostreodes a rebus quæ ibi fiunt nominatus. Maris enim vadum, ostrearum multitudine et albescentium constratum, fit perspicuum aspicientibus, maxime in tranquillitate et quiete ventorum. Hic autem locus semper alit quod impendatur et in commune conferatur. Est enim luxuriosis locus generationis ostrearum ... Ostreoda (sic) locum excipit promontorium nuncupatum Metopon. » Non probabilis opinio Lambecii Bibl. Cæs. vol. 8, p. 1078, C, huc referentis Gregorii s. Georgii Cyprii verba, Τοῖς ἐν τῷ Ὀστρειδίῳ μοναχοῖς. Quod fortasse per υ scribendum. L. Dind.]

Ὄστριμον, τὸ, Hesychio τόπος ἐν ᾧ αἱ θεριναὶ μοναί, Æstivæ mansiones: aliis est ἔπαυλις, [ut Lycophroni 94: Ὀστρίμων μὲν ἀντὶ Γαμφηλᾶς ὄνου καὶ Λᾶν περήσεις, ubi ὄρη Τροίας interpretantur scholiastæ, rem fortasse potius spectantes, quam pro n. pr. habentes. Photius: Ὄστριμα, περίβολοι κτηνῶν καὶ οἷον ἐπαύλεις· Ἀντίμαχος Θηβαΐδι « Βοῦς ὀστρίμου ἐξήλασσεν. » Hesych. v. Ἐρικὰς habet Ὠστρίμας.]

[Ὄστριον. V. Ὄστρεον.]

Ὀστρίτης λίθος, ὁ, Lapis ostrites, ap. Orph. [Lith. 339], forsan idem qui Plinio et aliis ὀστρακίτης. [Constantin. Porph. in Basilio n. 84 ed. Combef.: Ἐκ τοῦ Σαγγαρίου λεγομένου λίθου, ὃς τῷ παρά τινων ὀστρίτῃ καλουμένῳ λίθῳ καθέστηκεν ἐμφερής. Ducang.]

[Ὄστρον. V. Ὄστρειος.]

[Ὀστρύα, Ostrea, Gl. V. Ὄστρυς.]

[Ὀστρύγγιον, ἡ ἐπιφυλλὶς, Racemus, Gl. Ὀστλίγγιον Ducang.]

[Ὀστρυΐς, ΐδος, ἡ, eadem quæ ὄστρυς, ἄρρην καὶ θήλεια, ap. Theophr. H. Pl. 1, 8, 2. Vide Belon. Obs. 1, 42, hodie Græcis ὀστρύα dici tradentem quæ Gallice *Hêtre*. Ostryam vulgarem Sprengel., Carpinum betulum Stackh. interpr. Carpinus Ostrys Linn. Schneid.]

Ὄστρυς, υος, ἡ, Ostrys, arbor, quæ et ὀστρύα dicitur a nonnullis, auctore Theophr. H. Pl. 3, 10, [3] ubi prolixe eam describit. [Conf. ib. 3, 3, 1, C. Pl. 5, 12, 9.] Inde Plin. 13, 21: Gignit arborem Ostryn, quam et Ostryan vocant, solitariam circa saxa aquosa, similem fraxino cortice et ramis, folio piri, paulo tamen longioribus crassioribusque, ac rugosis incisuris. quæ per tota discurrunt: semine hordeo simili et colore: materia dura atque firma: qua in domum illata difficiles partus fieri produnt, mortesque miseras.

Ὀστώδης, ὁ, ἡ, Osseus [Gl.], Osse abundans, Ossi similis. [Xen. Eq. 1, 8; 5, 6, κεφαλὴ ἵππου. Aristot. H. A. 2, 1 med. Comparativo 3, 7 fin.] Ὀστώδης γλῶττα, Lingua ossea, duritie ossea, Athen. 7, [p. 310, E] ex Aristot. [H. A. 9, 5], de labracibus: Μονήρεις εἰσὶ καὶ σαρκοφάγοι· γλῶσσαν δ' ἔχουσιν ὀστώδη καὶ προσπεφυκυῖαν. Et l. 6, [p. 243, F, in loco Machonis,] ὀστῶδες κρέας, Caro cui multa ossa insunt.

[Ὀσυμανδύας, ου, ὁ, Osymandyas. Ejus meminit Diodor. 1, 47, atque inscriptionis, in qua lectum fuerit: Βασιλεὺς βασιλέων Ὀσυμανδύας εἰμί. Εἰ δέ τις εἰδέναι βούλεται, πηλίκος εἰμὶ καὶ ποῦ κεῖμαι, νικάτω τι τῶν ἐμῶν ἔργον (ἔργων). Vidimus supra, Memnonem Æg. dictum fuisse Amenophin et Ismandem (p. 26-30, 97, 98); ab Ismande autem non diversum esse Osymandya, docui in Syntag. de Memnone Gr. et Æg. p. 38, 52-55, 102 et seqq. (Conf. Strab. 17, p. 811, 813.) Jablonsk. Tzetz. in Cram. An. vol. 3, p. 302, 22: Ἀσσύριοι σφετέρῳ δ' Ὀσυμανδύῃ βασιλῆι, χρυσέῳ ἐν στεφάνῳ σταδιαῖον τύμβον ἔρεψαν, confundens hic quoque Assyrios et Ægyptios, ut ib. p. 360, 28, ubi Osirin falso se Assyriorum regem dixisse confitetur. L. D.]

[Ὄσυρις, Ὀσυρίτης. V. Ὀσιρίτης.]

[Ὀσφρᾶ, ἡ, i. q. ὀσμή, Odor. Achill. Tat. 2, 38, p. 56, 31: Τὸ κάλλος τὸ παιδικὸν οὐκ ἀρδεύεται μύρων ὀσφραῖς, ubi cod. Vat. ὀσφραις, quod verum. Eust. Opusc. p. 78, 40: Ὄσφραν προπέμπειν δυσέντευκτον.]

Ὀσφράδιον, τὸ, ead. in signif. [qua Ὀσφραντήριον,

Olfactorium] ap. Eustath. invenitur, Comm. in Il. A [p. 46, 3], ubi scribit adulatorem quendam nomen Ἀρσινόη ita ἀναγραμματίσαι, Ἥρας ἴον: quasi reginam illam Arsinoen deceret esse Ἥρας ὀσφράδιον. [Nicetas in Isaacio 1, n. 9: Οὗ χάριν καὶ καλὴν ἐν γυναιξὶ κατωνόμαζεν ὁ πρὸς μητρὸς αὐτῆς θεῖος ὁ αὐτοκράτωρ Μανουὴλ, καὶ οἷόν τι εἶναι ἐκ τοῦ γένους ὀσφράδιον. Achmes Onir. c. 204: Ἐὰν ἴδῃ ὅτι ἔλαβεν ὀσφράδιον ἕν. Symeon Sethi De aliment. in præfat.: Τῶν ἀρωμάτων καὶ λοιπῶν γνωρίμων ὀσφραδίων. Vita S. Bartholom. jun.: Ἐῴκει δὲ μέγας Γρηγόριος οὗτος εἶναι ὁ Διάλογος, ὃς καὶ ὀσφράδιόν τι ἐν τῇ χειρὶ τῷ μακαρίῳ δέδωκε, ξένην τινὰ εὐωδίαν ἀποπέμπον. Ducang. Schol. Theocr. 15, 113: Τὰ ἐκ τῶν κήπων ὀσφράδια. De forma conf. Lobeck. ad Phryn. p. 74, Pathol. p. 353.]

Ὀσφραίνομαι, de quo nunc dicturus sum, unde sit derivatum, ap. nullum nec lexicographum nec grammaticum reperio. Legisse autem alicubi mihi videor, nomina ὀσμὴ et ῥὶν eo includi. Quod si et mihi aliquid excogitare s. potius divinare fas sit, dixerim potius, ὀσφραίνομαι dictum esse quasi ὀσμῇ εὐφραίνομαι: sed signif. tamen latius extensam fuisse: quemadmodum in multis verbis usuvenire videmus, ut significatio ipsius etymi fines, ut ita dicam, prætergrediatur. Ab Hesych. quidem certe ὀσφρέσθαι exp. εὐφρανθῆναι. [Ejusdem stirpis esse Ὀσμὴ et Ὀσφραίνομαι ostendit forma Ὄμφα, q. v.] Ὀσφραίνομαι, fut. ανοῦμαι, Odoror, Olfacio, [Odoro, Olfio, Gl. Eur. Cycl. 154: Εἶδες γὰρ αὐτήν; — Οὐ μὰ Δί', ἀλλ' ὀσφραίνομαι. Aristoph. Pl. 897: Ὀσφραίνει τι; et sine casu Ran. 489, Lys. 495; Herodot. 1, 80; Plato Phæd. p. 96, B, etc. Et de vitibus Theophrast. H. Pl. 4, 16, 6: Ὀσφραίνεσθαί φασι καὶ ἕλκειν,] cum gen. [Aristoph. Ran. 654: Κρομμύων ὀσφραίνομαι.] Xenoph. [Comm. 2, 1, 24]: Τίνων ὀσφραινόμενος. Ab Eod. [Cyn. 4, 6] canes dicuntur ὀσφραίνεσθαι τοῦ λαγὼ, Odorari leporem. Epigr. [Lucill. Anth. Pal. 11, 405, 1]: Ὁ γρυπὸς Νίκων ὀσφραίνεται οἴνου ἄριστα, Vinum olfacit sagacissime. Legimus etiam ὀσφραινόμενος τοῦ χρυσίου metaphorice, ap. Lucian. Timone [c. 45. Aristoph. Lys. 619: Ὀσφραίνομαι τῆς Ἱππίου τυραννίδος.] Apud Alex. Aphr. Probl. 2, legitur ὀσφραινόμενα pass. signif.: Ὀσφραινόμενα δύνανται ῥωννύειν, Dum olfiunt, Dum ea odoramur. Vel, Odore suo. [|| Ὀσφραίνεσθαι, Fragare, Gl.] Quidam tradiderunt, magis esse Atticum Ὀσφρᾶσθαι, i. e. usitatius ap. Atticos quam ὀσφραίνεσθαι. [Contrarium erat dicendum.] Annotat Bud. ὀσφρώμενον τὸ ἀγγεῖον dici τὸ ὀσμὴν δεχόμενον, Odoratum. Sed auctorem hujus expositionis non nominat. Eodem pertinent hæc, quæ ab illo annotantur, sine auctoris nomine itidem: Ὀσφραινόμενον, τὸ δεχόμενον τὴν ὀσμήν· Ὀσφρώμενον δὲ ἀγγεῖον, τὸ πέμπον τὴν ὀσμήν. In VV. LL. dicitur ὀσφρόμενος, cum o in secunda, esse pro ὀσφραινόμενος: exponiturque ὀσμὴν ἀναπέμπων. Reperitur ap. [Antiphanem Athen. 7, p. 299, E, cui tamen ὀσφρέσθαι pro ὀσφρᾶσθαι restituit Elmslejus, idemque pro ὀσφραίνεσθαι Eupolidi ap. Priscian. 18, 25, 252 ad l. Aristoph. Ach. infra cit.; Pausan. 9, 21, 3: Ὀσφρᾶται ἀνθρώπου· Philon. vol. 1, p. 617, 26: Ὀσφρῶνται·] Lucian. [Pisc. c. 48] ὀσφρᾶται, et quidem cum illo ipso gen., τοῦ χρυσίου. Ap. Aristoph. [Pac. 152] fut. ὀσφρήσεται. Sed ap. Eund. Ach. [179] legitur etiam Ὤσφροντο: quod exp. ᾔσθοντο. [Hesychius: Ὠσφρῶντο, συνῆκαν, ἔγνωσαν, quæ huc retulerunt Elmsl. ad l. Arist. et Porson. ad Thesm. 501.] Extatque ap. Eund. particip. Ὀσφρόμενος, Vesp. [788]: Κᾆτα βδελυχθεὶς ὀσφρόμενος ἐξέπτυσα, ubi schol. exp. τῆς δυσωδίας αἰσθόμενος. At in VV. LL. ὀσφρόμενος, uti dixi, dicitur esse pro ὀσφραινόμενος: additurque, ὀσμὴν ἀναπέμπων. Annotatur etiam dici in præsenti, et in aor. medio, pro ὀσφρησάμενος. Sed neque exemplum affertur, neque auctor nominatur. [Hesychius: Ὄσφρεσθαι, ὀσφρανθῆναι. Quod ὀσφρέσθαι scribendum, quamvis Thomas p. 600 præsens hujusmodi agnoscat: Ὄσφρομαι κάλλιον ἢ ὀσφραίνομαι· Λιβάνιος (vol. 4, p. 166, 18)· Ὄσφρονται (ὀσφρῶνται est ap. Liban.) τῆς εὐδαιμονίας οἱ κόλακες· Ὀσφρόμενος δὲ καὶ ἐπὶ ἐνεστῶτος ἀντὶ τοῦ ὀσφραινόμενος, καὶ ἐπὶ μέσου (ἀορίστου μέσου Abresch.) ἀντὶ τοῦ ὀσφρησάμενος. Ἔστι γὰρ οὐ μόνον ὄσφρω, ἀλλὰ καὶ ὀσφρέω ὀσφρῶ, οὗ ὁ δεύτερος ἀόριστος ὤσφρον, ὁ μέσος ὠσφρόμην καὶ ὀσφρόμενος· τὸ δὲ ὀσφρησάμενος ἀνάττικον. Quod postremum habent Aratus 955: Βόες ὕδατος ἐνδίοιο ... ὠσφρήσαντο· Ælian. N. A. 5, 49; 9, 54, Porphyr. Abst. 3, 7, p. 232, ab Lobeckio ad Phryn. p. 742 citati. Idem quod ex Aristide vol. 2, p. 308 attulit ὤσφραντο, est etiam ap. Herodotum 1, 80: Ὡς ὄσφραντο ... τῶν καμήλων οἱ ἵπποι, sed ut mirum sit quod Aristidi ex libris, non Herodoto quoque vel sine illis restitutum esse ὤσφροντο. Forma ὀσφρέω autem est in codd. in Ὄσφρησις citandis, ubi pro ὀσφρουμένου passivo Moschop. ὀσφρημένου, Favorinus ὀσφρησμένου. Forma aor. ὠσφράνθην autem apud Hesychium modo cit. restituenda videtur eidem in gl.: Ὠσφρήθη, συνῆκεν, ubi ὠσφράνθη Musurus. Antiquissimi ejus auctores videntur Philemo ap. Athen. 7, p. 289, A: Ὅταν ὀσφρανθῶσι· Macho 13, p. 577, F: Ὀσφράνθητι· Aristot. De anima 2, 12 fin.: Τῶν ἀδυνάτων ὀσφρανθῆναι. || Activum Ὀσφραίνω, Olfaciendum præbeo, Galen. vol. 10, p. 595: Τοὺς βουλιμιῶντας ἀνακτησόμεθα ὄξει ὀσφραίνοντες· 13, p. 454: Μήκωνος φύλλα ... ὡς μᾶζαν ποιήσας ὄσφραινε. Quomodo ipse et alii dixerunt etiam προσοσφραίνω. L. Dind.]

[Ὄσφρανσις, εως, ἡ, i. q. ὄσφρησις. Clearchus Athenæi 13, p. 611, B, ubi cod. Laur. ὄσφρασιν, deteriores ὄσφρησιν, ut ap. Theophr. H. Pl. 9, 13, 3, Urbinas et Medicei ὀσφράσει pro ὀσφρήσει. Pro ὀσφρασία Cyrill. Hos. 14, 7.]

[Ὀσφραντήριος, ὁ, Qui olfacit. Aristoph. Ran. 893: Ξύνεσι καὶ μυκτῆρες ὀσφραντήριοι. Hinc] Ὀσφραντήριον, τὸ, Olfactorium, ut Plin. hoc vocab. utitur. Illa autem vox ὀσφραντήριον ex Eust. affertur.

Ὀσφραντὴς, ὁ, q. d. Odorator, Olfactor.

Ὀσφραντικὸς, ἡ, ὸν, [Odorator, Gl.] i. q. ὀσφραντὸς, sed illo usitatius. Nam τὰ ὀσφραντὰ et τὰ ὀσφραντικὰ significant itidem Olfactoria, ut Plin. appellat: hoc ap. Galenum (qui et ὀσφρητικὰ nominat), illud ap. Paul. Ægin. Galeni locus est in iis quæ Ad Glauc. scribit: Ἀπόχρη δὲ τούτοις ἐν τῷ παραχρῆμα τοῖς ὀσφραντικοῖς ἀνακτήσασθαι. Ibid. ὀσφρητικὰ vocat. [Aristot. De gen. anim. 5, 2 med.: Ὅσων οἱ μυκτῆρες μακροὶ, οἷον τῶν Λακωνικῶν κυνιδίων, ὀσφραντικά. Schol. Stob. Ecl. vol. 2, p. 449: Εὐωδέστατον καὶ ὀσφραντικώτατον.] In VV. LL. τὰ ὀσφραντικὰ exp. etiam Odores, Odoramenta: additurque, Sive, ut dixit Macrob., Odoraminum spiramenta. || Odoratu valens s. Olfactu, Odorandi facultate valens s. Olfaciendi, Sagax, Qui acri odoratu s. olfactu præditus est, s. sagaci: ὀσφραντικὴ δύναμις, Vis olfactrix s. odoratrix. [Theophrast. C. Pl. 2, 18, 4: Ὀσφραντικὸν γὰρ ἡ ἄμπελος ὥσπερ καὶ ὁ οἶνος δεινὸς ἑλκύσαι τὰς ἐκ τῶν παρακειμένων ὀσμάς.] Et neutr. Ὀσφραντικὸν, τὸ, Odorandi facultas, Odoratus s. Olfactus instrumentum. Vide Suid., qui tradit esse ipsum αἰσθητήριον.

Ὀσφραντὸς, ὁ, Qui odoratu s. olfactu percipi potest. Quidam interpr. Odorabilis, Olfactorius, Olfactu excitans. Vide Ὀσφραντικός. [Aristot. De anima 2, 9 init., De sens. 2, 5 med. Stob. Ecl. vol. 1, p. 1112: Ἀκουστῶν καὶ ὀσφραντῶν. Melet. Cram. An. vol. 3, p. 73, 8: Αἱ τῶν ὀσφραντῶν ἀντιλήψεις.]

Ὀσφρασία, ἡ, Odor. Affertur ex LXX Interprr. ultimo cap. Oseæ [v. 7. Arrian. Epict. 1, 20, 8, ubi est var. ὀσφρήσει].

[Ὀσφράομαι, Ὀσφρέω. V. Ὀσφραίνομαι.]

Ὄσφρησις, εως, ἡ, et Ὀσφρητὸς, ὁ, ἡ, et Ὀσφρητικὸς, ἡ, ὸν, sunt a th. contracto Ὀσφράομαι. Primum Ὄσφρησις, εως, ἡ, Odoratus, Olfactus, [Odoratio, Olfactio, Odoramentum, add. Gl.] ipse Sensus odorandi s. olfaciendi. [Plat. Phæd. p. 111, B, et plur. Theæt. p. 156, B. Aristot. De sens. c. 2 fin.: Τὸ τῆς ὀσφρήσεως αἰσθητήριον, et ib. 4 init., H. A. 2, 11 fin., et alibi. Theophrastus quum alibi tum De sensu fr. 1, 6, 9 et sæpius in seqq. Plur. Melet. Cram. An. vol. 3, p. 3, 17: Περὶ ῥινὸς καὶ τῶν δι' αὐτῆς γινομένων ὀσφρήσεων, pro quo tamen p. 72, 22, τῆς γινομένης ὀσφρήσεως. Galen. vol. 5, p. 354 in libello Περὶ ὀσφρήσεως· Ὄσφρησιν ὀνομάζουσιν οἱ Ἕλληνες οὐ μόνον τὴν διάγνωσιν τῶν ὀσμῶν, ἀλλὰ καὶ τὴν δύναμιν, ἧς τοῦτο ἔργον ἐστὶν κτλ.] Sed annotant quidam, dici non solum ἐπὶ τοῦ ὀσφραινομένου, sed etiam ἐπὶ τοῦ ὀσφαντοῦ. [Ms. Leid. ap. Oudendorp. ad Thomam p. 632: Ὄσφρησις, ἡ ὀσφραντικὴ δύναμις καὶ ἐπὶ τοῦ ὀσφρουμένου, οἷον ἡ τοῦ ῥόδου ὄσφρησις εὐώδης. Quæ habent etiam Moschop. et Favorinus.] || Ὀσφρήσεις, interdum vocantur Nares, eod. modo quo ἀκοαὶ, Aures. [Quod referre licet Oppian. Cyn. 4, 66 : Ἐπεὶ μάλα θήρεσι πᾶσιν ὀξύταται ῥινῶν ὀσφρήσιες.] Herodian. 1, [12, 4] : Ἀλλὰ καὶ οἱ κατὰ τὴν πόλιν, κελευόντων τῶν ἰατρῶν, μύρου εὐωδεστάτου τάς τε ὀσφρήσεις καὶ τὰ ὦτα ἐνεπίμπλασαν. Secundum Ὀσφρητὸς, i. q. ὀσφραντὸς, s. ὀσφραντικός. Affertur enim ex Galeno ὀσφρητὰ pro Odoribus. [Galen. vol. 3, p. 24 : Γευσταῖς ἢ ὀσφρηταῖς ποιότησιν. L. D.] Vide Ὀσφρητικὸς, quod proxime sequitur. || Tertium Ὀσφρητικὸς, i. q. ὀσφραντικός : cui etiam respondet terminatione, ut ὀσφρητὸς respondere videmus τῷ ὀσφραντός. Ut ergo ὀσφραντικὴ δύναμις vocatur Vis olfactrix, sic et Ὀσφρητικὴ δύναμις, ab Alex. Aphr. [Probl. 2, 60 fine], ubi de canibus loquitur. [Hermes Stob. Ecl. vol. 1, p. 810 fin. : Πνεῦμα ἀκουστικὸν καὶ ὀσφρητικόν. Galen. vol. 5, p. 359, 360 : Τοὺς ὀσφρητικοὺς πόρους. Diog. L. 9, 80 : Κύνες ὀσφρητικώτατοι.]

[Ὀσφρητικὸς, Ὀσφρητὸς, ἡ, όν. V. Ὄσφρησις.]

[Ὀσφῠαλγέω, Coxæ dolore laboro. Hippocr. p. 143, C : Ὀσφυαλγήσασι.]

[Ὀσφυαλγὴς, ὁ, ἡ, Coxæ dolore laborans. Æschylus Plutarchi Mor. p. 1057, F, γέροντος. Boiss. Hippocr. p. 73 fin., p. 120 init., p. 169 med., p. 209 init.]

[Ὀσφυαλγία, ἡ, Dolor coxendicis. Hippocr. p. 219, D.]

[Ὀσφύδιον, τὸ, diminut. ab ὀσφῦς, ap. Theognost. Can. p. 125, 10. ῡ L. Dind.]

[Ὀσφυὴξ, ῆγος, ὁ, ἡ, ὁ κεκλασμένος καὶ ἀσθενὴς τὴν ὀσφὺν, Qui coxam fregit, Lex. De spirit. p. 234, quod etiam fragm. anonymi addit : Γέροντος ὀσφυῆγος. V. Ὀσφυαλγής.]

Ὀσφὺς, ύος, ἡ, Dorsi ea pars qua cingimur, totius spinæ partium crassissimis maximisque vertebris compacta : quæ quinque numero sunt, inter dorsum et os sacrum mediæ : iisque adjacent musculi qui ψόαι dicuntur s. ψύαι. Apollodorus, teste Suida, dictam vult quasi ὀστοφυῆ [quod v.], quod ea pars ossea sit et excarnis : Aristot. [H. A. 1, 13] vero inde nomen habere scribit, quod sit τῶν ὄπισθεν διάζωμα [Addit autem : Δοκεῖ γὰρ εἶναι ἰσοφυές]. Latini hujus nominis penuria laborare feruntur, et Lumborum appellationem usurpare in ea parte designanda. [Lumbus, Coxa, Gl.] Hesych. vero ὀσφὺν esse vult τὸν παρὰ πλευρὸν διάκενον τόπον, Partem illam prope latera inanem, quam Latini Ilia appellant, Græci κενεῶνα et λαγόνας. [Æsch. Prom. 498 : Καὶ μακρὰν ὀσφῦν· Aristoph. Pac. 1053 : Κἄπαγ' ἀπὸ τῆς ὀσφύος, utroque loco de victimis. Lys. 964 : Ποία δ' ὀσφῦς (ἀντίσχοι); Vesp. 740 : Πόρνην, ἥτις τὸ πέος τρίψει καὶ τὴν ὀσφῦν· 225 : Ἔχουσι γὰρ τὸ κέντρον ἐκ τῆς ὀσφύος ὀξύτατον. Menander ap. Athen. 4, p. 146, F : Οἱ δὲ τὴν ὀσφῦν ἄκραν ἐπιθέντες αὐτοὶ τἄλλα καταπίνουσι· et in simili l. 8, p. 364, E. De Hippocr. Foes. : « Sumi vero pro tota Spina videtur p. 425, 35, 37, ubi inter partes frigidas reponitur cum dorso, pectore et præcordiis. Coxas sæpe vertit Celsus, eoque nomine Ilia interdum comprehendit, ut 2, 7 quum hydropis originem ex coxis fieri scribit, quod Hippocr. in Progn. ἐξ ὀσφύος dixit. Rursusque ibidem ex coxarum doloribus manentibus suspectum hydropem facit. Hippocrat. aph. 11 lib. 4, et p. 167, G, ὀσφύος ἄλγημα apponit. Rursus quod ibidem scripsit Celsus, Si a coxis et ab inferioribus partibus dolor in pectus transit, ex p. 43, 33 sumtum est : Αἱ γενόμεναι ὀδύναι περὶ τὴν ὀσφύν. » Herodot. 2, 40 : Σκέλεα ἀποτάμνουσι καὶ τὴν ὀσφῦν ἄκρην (v. l. Menand. supra cit.). Xen. Eq. 1, 12, etc. et plur. Cyn. 4, 8. De bestiis, ut de equis et canibus, ponit etiam Pollux 1, 190, 191, 211; 10, 58. || « Improprie Christus Act. 2, 30 dicitur, Ὁ καρπὸς τῆς ὀσφύος Δαβὶδ, quippe ex posteris Davidis prognatus. Hebr. 7, 5 : Καίπερ ἐξεληλυθότας ἐκ τῆς ὀσφύος Ἀβραάμ· Genes. 35, 11 : Καὶ βασιλεῖς ἐκ τῆς ὀσφύος σου ἐξελεύσονται· et alibi in V. T. Eadem ratione de homine nondum nato Hebr. 7, 10 : Ἔτι γὰρ ἐν τῇ ὀσφύϊ τοῦ πατρὸς ἦν. || Περιζώννυσθαι s. ἀναζώννυσθαι τὴν ὀσφῦν, Accingere se, præparare. Ephes. 6, 14 : Στῆτε οὖν περιζωσάμενοι τὴν ὀσφῦν ὑμῶν ἐν τῇ ἀληθείᾳ. Petr. 2, 1, 13 : Ἀναζωσάμενοι τὰς ὀσφύας τῆς διανοίας ὑμῶν. Luc. 12, 35 : Ἔστωσαν ὑμῶν αἱ ὀσφύες περιεζωσμέναι.

A Conf. Reg. 1, 2. 4 : Καὶ ἀσθενοῦντες περιεζώσαντο δύναμιν. Job. 38, 3 : Ζῶσαι ὥσπερ ἀνὴρ τὴν ὀσφῦν σου. Prov. 31, 17 : Ἀναζωσαμένη ἰσχυρῶς τὴν ὀσφῦν αὐτῆς ἤρεισε τοὺς βραχίονας αὐτῆς εἰς ἔργον. Jerem. 1, 17 : Περίζωσαι τὴν ὀσφῦν σου καὶ ἀνάστηθι. » Schleusner. Lex. N. T. Accentum Herodian. Π. μον. λέξ. p. 31, 16, et Jo. Alex. p. 8, 33, Arcad. p. 92, 11, præcipiunt ὀσφῦς. Ita liber unus l. Æsch., qui ὀφρῦν, ceteri ὀσφύν. || Acc. ὀσφύα Strato Anth. Pal. 12, 213, 1. Genit. in —ης Theodor. Prodr. p. 157 m. ed. Gaulm. : Ἐγυμνίτευε μέχρις αὐτῆς ὀσφύης, quum καρπὸν ὀσφύος sit p. 265, B. Conf. Lobeck. ad Phryn. p. 302. L. Dind.]

Ὀσχέα, ἡ, etiam reperitur in ead. signif. [qua seq. ὄσχεον]. Aristot. [H. A. 3, 1 med. : Ἐν τῇ καλουμένῃ ὀσχέᾳ· 9, 50 med. : Τῆς ὀσχέας (τῶν δαμαλῶν)·] De gener. anim. 1, 12 : Ὅσοις ἐν φανερῷ εἰσὶν οἱ ὄρχεις, ἔχουσι σκέπην δερματικὴν, καλουμένην ὀσχέαν. Ead. ὀσχέα ab Eod. H. A. 1, 13, vocatur ὀχεύς [libri meliores ὄσχεος vel ὀσχέα] : unde et Eust. cum Etym. ὀσχεὸν pleonasmo literæ σ dictum scribunt quasi ὀχεὸν, sc. ab
B ὀχεύω ut φωλεὸς a φωλεύω.

Ὄσχεος, ὁ, et Ὄσχεον, τὸ, i. q. ὄσχος et ὄσχη, si quidem Hesychio credimus, qui quum ὄσχεα exposuisset βαλλάντια, μαρσύππια, ἢ τὸ τῶν διδύμων ἀγγεῖον, addit, καὶ κλήματα βοτρύων πλήρη. Ὄσχεος, τὰ αὐτά. Frequentius vero ὄσχεος s. ὄσχεον pro Scroto [Gl.] capitur, i. e. Extima et communi testiculorum tunica, multis rugis et media sutura distincta, ut Gorr. tradit, vulgo Bursam vocari annotans. Apud Polluc. [2, 172, 173] oxytonως ὀσχεὸς, a quo exp. τὸ τῶν ὄρχεων ἀγγεῖον : cujus pars ea quæ laxior est, i. e. τὸ χαλώμενον, ut ipse nominat, Λακόπεδον dicitur : cui vero semper laxus est ipse testiculorum sacculus, ὁ ἀεὶ χαλαρῷ τῷ λακοπέδῳ χρώμενος, ab Atheniensibus vocatur Λακοσχέας, ut Idem annotat. [Scribendum autem λακκόπεδον et λακκοσχέας.] Ead. scriptura habetur ap. Cels. 7, 18, ubi ait : Communis deinde utrique testi omnibusque interioribus sinus est qui jam conspicitur a nobis, ὀσχεὸν Græci, Scrotum nostri vocant : isque ab ima parte mediis tunicis leniter innexus, a superiori tan-
C tum circumdatus est. Apud Suidam autem et Hesych. scribitur ὄσχεος proparoxytonως, sicut et in Lex. meo vet. [Neutro gen. Pollux 4, 203 : Εἰς τὸ ὄσχεον, et περὶ τὸ ὄσχεον, et ib. ὀσχέῳ, et 196 : Μηροὺς, ὄσχεον, quæ eodem referenda videntur. « Hippocr. p. 564, 39 : Ἐκκρέμανται ὥσπερ ὄσχη· 655, 51 : Ἐκκρέμανται, οἷον ὄσχη· 671, 50 : Τὰ νεῦρα καὶ τὰ καλεόμενα ὄσχη χαλῶνται. Sic enim leg. videtur, quum passim οἶχοι et ὄχοι vitiose legatur. Existimoque pro ὄσχη ὄσχεα Galenum legisse, quod ὄσχεος exponit, etsi pro ὄσχεα ὄρχεα vitiose scriptum est. » Foes. Plurali ubi opus est, ὄσχεα poscit dialectus : ceteris locis ὄσχη est singularis feminini. Accentum libri in prima ponere solent, ut ap. Galen. vol. 2, p. 393, 396; 3, p. 224; 13, p. 624, ubi accusat. τὸν et nominat. τὸ ὄσχεον, vol. 2, p. 275, 370; Cocchii Chirurg. p. 11, ρνγ'. Theognostus tamen Can. p. 50, 21 : Τὰ εἰς ος καθαρὸν ὑπὲρ δύο συλλαβὰς ὀξύτονα ἀπὸ τῶν διὰ τοῦ ευω ῥημάτων γινόμενα διὰ τοῦ ε ψιλοῦ γράφονται, οἷον φωλεύω φωλεὸς, κηδεύω κηδεὸς, ὀχεύω ὀχεὸς, καὶ ἐν πλεονασμῷ διὰ τοῦ σ ὀσχεός· quæ sunt
D etiam ap. Eust. Il. p. 1293, 46, eademque prosodia et etymologia Etym. M. p. 636, 26. Quem accentum in ὀσχὴ apud Galenum notabimus in Ὄσχος. Sed ut de κηδεὸς dissensisse alios tradit Eust., ita ὄσχεος tueri videtur ὄσχεον, alioqui et ipsum scribendum ὀσχεὸν, ut στειλεόν.]

[Ὄσχη. V. Ὄσχος.]

[Ὀσχία. V. Ὄσχις.]

Ὄσχιον, τὸ, Hippocrati Flexuosa circa os vulvæ extuberantia. Ὀσχίῳ, inquit Galen. in Lex. Hippocr., τῇ περὶ τὸ στόμα τῆς μήτρας ἑλικοειδεῖ ἐπαναστάσει· ὄσχος γὰρ καὶ μόσχος, τὰ κλήματα καὶ αἱ ἕλικες. Quod ὄσχιον idem Hipp. appellat etiam ἀμφίδεον et λέγνα, ut idem Galen. annotat. [Ad l. Hippocr. p. 671, 49, ubi οἶχοι vel ὄχοι est in libris, refert Foes., et ὄσχεα vel ὀσχίαι, ut ad l. in Ὄσχις citandum referatur, scribendum conjicit p. 732.]

[Ὄσχις, ἡ, i. q. ὄσχεος. « Videtur etiam ἡ ὄσχις dici Hippocr. p. 1218, B, si modo vera est lectio : Ἕδρη ἔξω ἐς τὰς ὄσχιας, Sedes extra ad scrotum prolapsa est.

Sic enim habent omnia exemplaria. Verum ἐς τοὺς ὄργιας legere malim ex p. 1155, G. Et p. 205, H: Τὰ περὶ τὰς ὄσχιας οἰδήματα. Etsi ὀσχίας passim scribitur, quod suspectam lectionem facit et dubitationem movet, num ὀσχίαι dicantur idem quod τὸ ὄσχιον Galeno in Exeg. (p. 536.) Animadvertendum tamen est Exeg. exemplaria quædam ὀσχίᾳ pro ὀσχίῳ scribere.» Foes.]

[Ὀσχοβόρος, ὁ, ἡ, Ramos devorans. Orac. Sibyll. 8, 494: Οὐδ' ἀπὸ ὀσχοβόροιο πυρῆς. «R. L. οὐδ' ἀποσκοβόροιο πύρνης... Sed ut sæpe σκός pro σαρκὸς in Mss., ita manifeste σκοβόροιο pro σαρκοβόροιο scriptum est.» Alexander.]

Ὄσχος, ὁ, i. q. μόσχος, Ramus novellus; sed peculiariter Vitis ramulus tenellus, malleolus, Palmes [Gl.]: vide Μόσχος. Athen. 11, [p. 495, F] ex Aristodemi libro 3 De Pindaro: Τοῖς σκίρροις φησὶν Ἀθήναζε ἀγῶνα ἐπιτελεῖσθαι τῶν ἐφήβων δρόμου, τρέχειν δ' αὐτοὺς ἔχοντας ἀμπέλου κλάδον κατάκαρπον τὸν καλούμενον ὄσχον [ὦσχον libri meliores]. Significat ergo ὄσχος, Palmitem s. Ramum vitis fructu suo oneratum, ut et ὄσχη. Pro eod. scibitur et Ὦσχος: Hesych. ὦσχοι, τὰ νέα κλήματα σὺν αὐτοῖς τοῖς βότρυσι: eaque scriptura in antiquis etiam libris reperitur: sic et ap. Suid. in Ὠσχοφόρος legitur, Ὦσχοι, κλῆμα βότρυας ἐξηρτημένους ἔχον. Apud Etym. autem oxytonωs scribitur ὠσχοί. Ὄσχη sive Ὤσχη, ὄσχος s. ὦσχος. Apud Eust. per o scribitur, qui exp. βοτρυηφόρον κλῆμα: sic et ap. Hesych. ὄσχαι, κλήματα βοτρύων γέμοντα. Itidemque ap. Harpocr. et Suid. Ὄσχη, κλῆμα βότρυς ἐξηρτημένους ἔχον, Ex quo dependent racemi: quam et ὀρεσχάδα appellant. [Photius: Ὄσχη, τὸ σὺν τοῖς βότρυσι κλῆμα.] Ap. eund. Suid. scribitur etiam per ω: nam in Ὠσχοφόρος, ait, ὦσκαι δὲ καὶ ὦσχαι, τὰ μετὰ τῶν βοτρύων κλήματα. Scribitur autem ibi prius ὦσκαι per κ, posterius per χ: itidem ap. Etym. ὤσχη, κληματίς. Dicitur etiam de aliis ramis. Nicand. Alex. 108: Ἢ καρύης ἀπο δάκρυον, ἢ ἀταλύμνου, Ἢ πτελέης, ὅτε πολλὸν ἀεὶ καλλείβεται ὄσχαις Κόμμι, ubi schol. annotat, proprie ὄσχας vocari τοὺς κλάδους τῆς ἀμπέλου: ibi autem a Nicandro καταχρηστικῶς usurpari ἐπὶ τῶν πτελέας κλάδων, s. κλημάτων. In Ms. ὤσχαις ibi habetur per ω. || Ὄσχη ab Hippocr. accipi etiam pro Scroto, ut ὄσχεος et ὀσχέα, testantur VV. LL. [P. 483, 15: Οἰδίσκονται τὴν γαστέρα καὶ τὴν ὄσχην· 486, 13: Οἰδέουσι καὶ αἱ κνῆμαι καὶ ἡ ὄσχη· 20: Καὶ τὴν ὄσχην ἀποτύπτειν· 543, 54: Τὰς ἐν τῇ ὄσχῃ φλέβας· 544, 25: Ἢν τὸ οἴδημα καθεστήκῃ ἐν τῇ ὄσχῃ· 556, 21: Μάλιστα δὲ ὄσχῃ. Foes. V. Ὄσχεος sub finem. Ap. Galenum vol. 2, p. 374: Ἐπὶ δὲ τούτοις ἡ ὀσχή· ταῖς δὲ γυναιξὶν ἡ ὑστέρα ἔοικεν ὀσχῇ ἀνεστραμμένῃ. Quod si ex ὀσχέα contractum sit, jam Schneiderus monuit scribendum esse ὀσχῆ, ut κωλῆ.]

[Ὀσχοφορέω, verbum ab sequenti ὀσχοφόρια, habet Photius, ante sequentis nominis explicationem ponens Ὀσχοφορεῖν. Codex ὠσχοφορεῖν, supra scripto o, et ὠισχοφόρια, supra scripto o. Sic supra notavimus Οἰσχ— pro Ὀσχ.]

Ὀσχοφόρια, τὰ, sive Ὠσχοφόρια, Festum quo ramulos vitis racemis onustos gestabant: quum παῖδες εὐγενεῖς ἡβῶντες κατελέγοντο οἱ φέροντες τὰς ὤσχας εἰς τὸ τῆς Σκιράδος Ἀθηνᾶς ἱερὸν, ut habetur ap. Hesych., qui per ω scribit, sicut et Suid.: a quo exp. Σκιράδος Ἀθηνᾶς ἑορτή. Scribitur autem ὠσχοφόρια proparoxytonωs ut ἐμμήνια: sed in VV. LL. ὀσχοφορία, accentu in antep. posito et cum o. Neutro plur. ὠσχοφόρια utitur Plut. Thes. p. 3 a tergo [c. 22], ubi de eiresione loquitur: Καὶ νῦν ἐν τοῖς ὠσχοφορίοις στεφανοῦσθαι μὲν οὐ τὸν κήρυκα λέγουσιν, ἀλλὰ τὸ κηρύκειον· et paulo post, Ἄγουσι δὲ καὶ τὴν τῶν ὠσχοφορίων ἑορτήν. At ὠσχοφόριον, Hesychio est τόπος Ἀθήνησι Φαληροῖ, ἔνθα τὸ τῆς Ἀθηνᾶς ἱερόν. Etym. quoque ὠσχοφόριον esse dicit locum quendam Athenis, sed in eo esse fanum Dianæ. [Et Lex. rhet. Bekkeri Anecd. p. 318, 27, ubi Ὠσχοφορίον. (Ὀ)σχοφόριον Theognost. Can. p. 126, 4, Ὀσχοφόρια Cram. An. vol. 3, p. 277, 29. L. Dind.]

[Ὀσχοφορικὸς, ἡ, ὸν, vel potius ὠσχ., quod ex libris melioribus receptum ap. Athen. 14, p. 631, B: Τρόποι δ' αὐτῆς (τῆς γυμνοπαιδικῆς ὀρχήσεως) οἵ τε ὠσχοφορικοὶ καὶ οἱ βακχικοί. Item ap. Polluc. 4, 53, ὠσχοφορικά (carmina), Ad ὠσχοφόρια pertinens.]

Ὀσχοφόρος, sive Ὠσχοφόρος, ὁ, ἡ, Vitis palmitem

A racemis onustum gestans. Apud Harpocr. per o scribitur, citantem ex Hyperide, et ascribentem ex Philochoro, Ἕνεκα τῆς κοινῆς σωτηρίας νομίσαι τοὺς καλουμένους ὀσχοφόρους καταλέγειν δύο, τῶν γένει καὶ πλούτῳ προυχόντων. Eorundem mentio fit ap. Suid., ap. quem utraque habetur scriptura. [In cod. Photii ὠσχ. supra scripto o, in qua litera ponitur.] Schol. Nicandri l. c. [Al. 108]: Ὀσχοφόροι δὲ λέγονται Ἀθήνησι παῖδες ἀμφιθαλεῖς ἁμιλλώμενοι κατὰ φυλὰς, οἳ λαμβάνοντες κλήματα ἀμπέλου, ἐκ τοῦ ἱεροῦ τοῦ Διονύσου ἔτρεχον εἰς τὸ τῆς Σκιῤῥάδος Ἀθηνᾶς ἱερόν. Hos autem ὠσχοφόρους muliebribus στολαῖς indui solitos testatur Etym.

[Ὀσῶραι. V. Ὅσος.]

[Ὅτα. V. Ὅτε.]

[Ὅταν. V. Ὅτε.]

[Ὀτάνης, ου, ὁ, Otanes, Persæ duo vel tres ap. Herodot. 3, 67 etc., et 5, 25 etc., et 7, 40, 61, 62. Alexandri M. præfectus ap. Arrian. Exp. 3, 8, 8.]

[Ὀτάσπης, ὁ, Otaspes, Persa, ap. Herodot. 7, 63.]

Ὅτε, Quando, Quum. Hom. Il. B, [351]: Ἤματι τῷ, ὅτε νηυσὶν ἐπ' ὠκυπόροισιν ἔβαινον, Quum citas naves conscendebant. [Cum fut. Il. A, 519: Ἦ δὴ λοίγια ἔργ', ὅτε μ' ἐχθοδοπῆσαι ἐφήσεις Ἥρῃ, ὅταν μ' ἐρέθῃσιν. || Ὡς ὅτε cum anacolutho Il. B, 394: Ἀργεῖοι δὲ μέγ' ἴαχον, ὡς ὅτε κῦμα ἀκτῇ ἐφ' ὑψηλῇ, ὅτε κινήσῃ νότος ἐλθὼν, προβλῆτι σκοπέλῳ· τὸν δ' οὔποτε κύματα λείπει, παντοίων ἀνέμων, ὅτ' ἂν ἔνθ' ἢ ἔνθα γένωνται. Ἀνστάντες δ' ὀρέοντο. Ubi ὡς ὅτε ponitur sine verbo, ut sit i. q. ὥστε, ut Δ, 462: Ἤριπε δ' ὡς ὅτε πύργος· Od. A, 368: Μῦθον δ' ὡς ὅτ' ἀοιδὸς ἐπισταμένως κατέλεξας· et addito τε H. Apoll. 139: Ἤνθησ', ὡς ὅτε τε ῥίον· ap. Pind. Ol. 6, 2: Χρυσέας ὑποστάσαντες εὐτειχεῖ προθύρῳ θαλάμου κίονας, ὡς ὅτε θαητὸν μέγαρον, πάξομεν· Pyth. 11, 40: Ἦ μέ τις ἄνεμος ἔξω πλόου ἔβαλεν, ὡς ὅτ' ἄκατον εἰναλίαν· Nem. 9, 16: Ἐριφύλαν, ὅρκιον ὡς ὅτε πιστὸν, δόντες Οἰκλείδᾳ γυναῖκα· Isthm. 5, 1: Θάλλοντος ἀνδρῶν ὡς ὅτε συμποσίου.] Æschin.: Ὅτε ἦν, Quando ipse erat. Et cum conjunctivo, Od. Ξ, [60]: Αἰεὶ δειδιότων ὅτ' ἐπικρατέωσιν ἄνακτες Οἱ νέοι. [Il. B, 117: Ὡς δ' ὅτε κινήσῃ Ζέφυρος βαθὺ λήιον. Hesiod.

C Sc. 374: Ὡς δ' ὅτ' ἀφ' ὑψηλῆς κορυφῆς ὄρεος μεγάλοιο πέτραι ἀποθρώσκωσιν ... ὣς οἱ ἐπ' ἀλλήλοισι πέσον· Op. 337: Ἠμὲν ὅτ' εὐνάζῃ καὶ ὅταν φάος ἱερὸν ἔλθῃ. Et addito κεν Il. A, 567: Ὅτε κέν τοι ἀάπτους χεῖρας ἐφείω· et alibi. Et seq. opt. 1, 525: Ὅτε κέν τιν' ἐπιζάφελος χόλος ἵκοι. Cum optat. Il. A, 610: Ἔνθα πάρος κοιμᾶθ', ὅτε μιν γλυκὺς ὕπνος ἱκάνοι. Æsch. Eum. 726: Οὔκουν δίκαιον τὸν σέβοντ' εὐεργετεῖν, ἄλλως τε πάντως χὤτε δεόμενος τύχοι;] || Ἔσθ' ὅτε, Est quando, i. e. Quandoque, Aliquando. Plut. Pericle [c. 15]: Ἦν ὅτε καὶ ἐχειροῦτο, Quandoque etiam subigebat. Soph. Aj. p. 4 [56]: Κἀδόκει μὲν ἔσθ' ὅτε Δισσοὺς Ἀτρείδας αὐτόχειρ κτείνειν ἔχων, Ὅτ' ἄλλοτ' ἄλλον, Aliquando Atridas ambos. [Pind. Ol. 10, 1: Ἔστιν ἀνθρώποις ἀνέμων ὅτε πλεῖστα χρῆσις, ἔστιν δ' οὐρανίων ὑδάτων ὀμβρίων· fr. ap. Clem. Al. Str. 1, p. 345: Ἐσθ' ὅτε πιστοτάτα σιγᾶς ὁδός· ap. schol. Ol. 6, 152: Ἦν ὅτε σύας τὸ Βοιώτιον ἔθνος ἔνεπον. Xen. Reip. Lac. 14, 5: Ἦν μὲν ὅτε ἐπεμελοῦντο· νῦν δὲ κτλ. Eust. ap. Tafel. Thessalon. p. 418, B: Τοὺς ἦν ὅτε πολεμιωτάτους. Alia exx. v. in Εἰμί, vol. 3, p. 259, C.

D De Dor. Ἔσθ' ὅκα v. ibid. Cum negatione Herodot. 2, 120: Οὐκ ἔστι ὅτε οὐ δύο ἢ τρεῖς ... ἀπέθνησκον. Notandus etiam similis usus particulæ ap. Herodot. 3, 131: Καὶ ἀπὸ τούτου τοῦ ἀνδρὸς οὐκ ἥκιστα Κροτωνιῆται ἰητροὶ εὐδοκίμησαν· ἐγένετο γὰρ ὦν τοῦτο ὅτε πρῶτοι μὲν Κρ. ἰητροὶ ἐλέγοντο ἀνὰ τὴν Ἑλλάδα εἶναι, δεύτεροι δὲ Κυρηναῖοι. || Omisso verbo dicitur νῦν ὅτε, ut sit i. q. νῦν. V. Νῦν. Sic supra Ὡς ὅτε. || Postpositum est ap. Pind. Ol. 7, 55: Φαντὶ δ' ἀνθρώπων παλαιαὶ ῥήσιες, οὔπω ὅτε χθόνα δατέοντο Ζεύς τε καὶ ἀθάνατοι, φανερὰν ἐν πελάγει Ῥόδον ἔμμεν. Soph. Ant. 804. Callim. ap. schol. Eur. Hec. 915: Ἔσχεν ὅτ' ἄζωστος χἀτερόπορπος ἔτι. || Ὅτε γε Plato Phæd. p. 84, E: Ὅτε γε μηδ' ὑμᾶς δύναμαι πείθειν. Et alii. || Ὅτε δὴ Hom. Il. A, 432: Οἱ δ' ὅτε δὴ λιμένος πολυβενθέος ἐντὸς ἵκοντο· Δ, 210: Ἀλλ' ὅτε δή ῥ' ἵκανον· M, 437: Πρίν γ' ὅτε δὴ Ζεὺς ... δῶκεν. Hesiod. Op. 89: Αὐτὰρ ὁ δεξάμενος, ὅτε δὴ κακὸν εἶχ, ἐνόησε. Aristoph. Ach. 535: Ὅτε δὴ πείνων βάδην· Ran. 1189. Moschus 4, 71: Ἐπιγνώμων δέ τοί εἰμι ἀσχαλάαν, ὅτε δή γε καὶ εὐφροσύνης χορὸς ἐστί.] || Ὅτε μὴ,

Quando non, Si non, Nisi. Hom. Il. [N, 319 : Αἰπύ οἱ ἐσσεῖται ... νῆας ἐνιπρῆσαι, ὅτε μὴ αὐτός γε Κρονίων ἐμβάλοι ... δαλὸν νήεσσι· Ξ, 248, Od. Ψ, 185; Apoll. Rh. 4, 587. Et cum conj. 1, 245 : Αὐτῆμάρ κε δόμους ὀλοῷ πυρὶ δηώσειαν Αἰήτεω, ὅτε μή σφιν ἑκὼν δέρος ἐγγυαλίξῃ· 4, 409. Et sine verbo] Π, [227] : Οὔτε τέῳ σπένδεσκε θεῶν, ὅτε μὴ Διῒ πατρί· Od. Π, [196] : Οὐ γάρ πως ἂν θνητὸς ἀνὴρ τάδε μηχανόῳτο Ὧ αὐτοῦ τε νόῳ, ὅτε μὴ θεὸς αὐτὸς ἐπελθών· i. e. εἰ μή. Itidem Plut. in Lyc. p. 15 [c. 24 fine] : Ὅτε μὴ στρατευόμενοι τύχοιεν, χοροὶ πάντα χρόνον ἐπεχωρίαζον, Nisi quum militiæ vacarent, chori semper agebantur. [Etiam solum ὅτε sæpe ponitur sic, ut temporis notio minus urgeatur, velut Soph. Aj. 1095 : Οὐκ ἄν ποτ' ἄνδρα θαυμάσαιμ' ἔτι, ὃς μηδὲν ὢν γοναῖσιν εἶθ' ἁμαρτάνει, ὅθ' οἱ δοκοῦντες εὐγενεῖς πεφυκέναι τοιαῦθ' ἁμαρτάνουσιν· 1231 : Ἦπου τραφεὶς ἂν μητρὸς εὐγενοῦς ἄπο ὑψήλ' ἐκόμπεις, ὅτ' οὐδὲν ὢν τοῦ μηδὲν ἀντέστης ὕπερ. Aristoph. Ach. 647 : Οὕτω δ' αὐτοῦ περὶ τῆς τόλμης ἤδη πόρρω κλέος ἥκει, ὅτε καὶ βασιλεὺς Λακεδαιμονίων τὴν πρεσβείαν βασανίζων ἠρώτησεν κτλ. Vita Euripidis Ambrosiana : Καὶ μεγάλα ἔπραττε παρ' αὐτῷ, ὅτε καὶ ἐπὶ τῶν διοικήσεων ἐγένετο. Cujusmodi locis etiam ὥστε poni poterat. V. HSt. sub finem. || Cum καί ποτε conjungit Athen. 10, p. 438, E : Ὅτε καί ποτε συνιδών τις αὐτὸν ἰδιώτης ἔφη κτλ.] || Ὅτε οὖν, Quandoquidem. Sin Ὁτεοῦν scribatur, significabit Quandocunque. || Ὅτε περ et Ὅτε τε ap. Hom. simpliciter pro ὅτε, Quando, Quum : ut ὅσπερ et ὅστε pro ὅς. [Prius ap. Hesiod. Th. 291 : Ἤματι τῷ ὅτε περ βοῦς ἤλασεν· Herodot. 5, 99; 6, 106; Thuc. 1, 8; et addito τε ap. Hom. Il. Δ, 259 : Ὅτε πέρ τε ... οἶνον ... κέρωνται· alterum Il. Β, 471 : Ὅτε τε γλάγος ἄγγεα δεύει· Μ, 279 : Ἤματι χειμερίῳ, ὅτε τ' ὤρετο μητίετα Ζεύς· Ο, 18 : Ἦ οὐ μέμνῃ ὅτε τ' ἐκρέμω ὑψόθεν· Od. Β, 22. Hesiodi Sc. 397 : Ἴδει ἐν αἰνοτάτῳ, ὅτε τε χρόα σείριος ἄζει, restitui ex Etym. M. p. 465, 38. Æsch. Sept. 205 : Ἔδεισ' ἀκούσασα τὸν ἁρματόκτυπον ὄτοβον ὄτοβον, ὅτε τε σύριγγες ἔκλαγξαν ἑλίτροχοι. Divise Hom. Od. Λ, 218 : Ὅτε κέν τε θάνωσιν. Ὅτε που Hom. Od. Κ, 486 : Ὅτε που σύγε νόσφι γένηαι.] || Ὅτε accipitur etiam pro Aliquando, Interdum, Quandoque : qua significat. scribitur etiam Ὁτὲ oxytonως, ac certe magis recepta est vulgo hæc scriptura, et in plerisque etiam exemplis reperitur, præsertim ubi habetur ὁτὲ μὲν et ὁτὲ δέ : sed utriusque scripturæ meminit Eust., dicens in antiquis etiam exempll. ὅτε scriptum reperiri παροξυτόνως, quum ποτὲ significat. [Ὅτε μὲν, Alias et alias; Ὅτε δὲ, Alias et alias, Gl.] Hom. Il. Σ, [599] : Οἱ δ' ὅτε [ὁτὲ Wolfius] μὲν θρέξασκον ἐπισταμένοισι πόδεσσιν· et versu abinde tertio, Ἄλλοτε δ' αὖ θρέξασκον ἐπὶ στίχας ἀλλήλοισι, ubi ὅτε μὲν et ἄλλοτε δὲ pro Aliquando quidem, Aliquando vero : Nunc quidem, Nunc vero. Sic Λ, [64] : Ὡς Ἕκτωρ ὅτε μέν τε μετὰ πρώτοισι φάνεσκεν, Ἄλλοτε δ' ἐν πυμάτοισι κελεύων. [Et Υ, 49, 50.] Solum autem ponitur Ρ, [177] in redditione periodi, subaudito tamen in ἄρσει, de Jove : Ὅστε καὶ ἄλκιμον ἄνδρα φοβεῖ, καὶ ἀφείλετο νίκην Ῥηϊδίως, ὅτε δ' αὐτὸς ἐποτρύνει μαχέσασθαι, Interdum ad pugnam incitat. Utraque scriptura habetur in Ms. exemplari Iliadis quod apud me est, sc. τὲ in l. postremo : ὅτε vero in primo : at in eo, quem citavi ex Il. Λ, pro ὅτε habet τότε. Sed ambiguitatis vitandæ causa malim ὁτὲ accentu in ultima. Utitur et Aristot., ut, Ὁτὲ μὲν τοῦτο, ὁτὲ δ' ἐκεῖνο, Aliquando quidem hoc, aliquando vero illud, Nunc quidem hoc, nunc vero illud. [Ὁτὲ μὲν, ὁτὲ δὲ Apoll. Rh. 1, 1270; ὁτὲ μὲν, ὅτ' αὖ 3, 1300; ἄλλοτε μὲν, ὁτὲ δὲ 3, 1023; ὁτὲ μὲν, ἄλλοτε δὲ 4, 945. Semel positum habet Xen. Ven. 5, 8 : Ὁτὲ δὲ καὶ ἐν τῇ θαλάττῃ διαρριπτῶν· 20 : Ὁτὲ δὲ καὶ οὐκ ἀκούσαντες· 9, 8 : Ἐν μέσαις, ὁτὲ δὲ πρόσθεν· 20 : Ὁτὲ δὲ διὰ δύσπνοιαν πίπτουσιν. « Ὁτὲ μὲν, ὁτὲ δὲ καὶ ἄλλοτε, Diog. L. 2, 106. » HEMST.] Ὅτε sive Ὅ,τε, Quoniam. Hom. Il. Π, [53] : Ὁππότε δὴ τὸν ὁμοῖον ἀνὴρ ἐθέλῃσιν ἀμέρσαι, Καὶ γέρας ἂψ ἀφελέσθαι, ὅτε κράτεϊ προβεβήκει [—κῃ], i. e. ἐπειδὴ πολλῶν κράτει ὑπερέχει : ut ὅτε non sit ἐπίρρημα χρονικὸν, sed δύο μέρη λόγου : τὸ μὲν ὅ, ἀντὶ τοῦ διότι, τὸ δὲ ἐφεξῆς, παραπλήρωσις. Hæc Eustath. p. 1045, quæ ad verbum habentur etiam in margine mei Ms. Homeri : ubi et sic exp., ὁπόταν τῷ κρατεῖν προέχῃ : in propria sc. signif. [Rectius schol. Ven. : Τὸ δὲ ὅ τε ἀντὶ τοῦ ... ὅστε, ἵν' ᾖ ... ἀνὴρ ὅστε κρ. πρ. V. locum Od. Ξ continuo ab HSt. cit.] Alias Dem. quoque pro Quoniam, Quum, usus est, Ol. 1 [init.] : Ὅτε τοίνυν τοῦθ' οὕτως ἔχει, προσήκει προθύμως ἐθέλειν ἀκούειν τῶν βουλομένων συμβουλεύειν, Quæ quum ita sint. Itidem ap. Aristoph. initio Nubium non tam χρόνον quam αἰτίαν significat : Ἀπόλοιο δῆτ' ὦ πόλεμε πολλῶν οὕνεκα, Ὅτ' οὐδὲ κολάσ' ἔξεστί μοι τοὺς οἰκέτας, Quando vel Quandoquidem mihi non licet, Quum non liceat. [Pac. 196 : Ἰὴ ἰή, ὅτ' οὐδὲ μέλλεις ἐγγὺς εἶναι τῶν θεῶν. Similia v. paullo ante. Ὅτε δή, Quandoque ; Ὅτε δήποτε, Quandocunque, Gl.]

|| Ὅ, τε et pro ὅστις, Qui. Hom. Od. Ξ, [220] : Ἀλλὰ πολὺ πρώτιστος ἐπάλμενος ἔγχει, ἕλεσκον ἀνδρῶν δυσμενέων ὅ, τε μοι εἴξειε πόδεσσι, Quem præverterem. [V. ad l. Il. Π, 53, paullo ante cit.] Metri vero causa pro ὅτε poetæ dicunt Ὅττε, sicut et Ὅττι pro ὅτι, ib. [367] : Ὅττε [recte nunc ὅττι] μιν οὔτι μετὰ Τρώεσσι δάμασσαν. Sic enim quædam habent exempll. : Eustathii tamen contextus ὅττι, quæ scriptura melior; nam pro Quod s. Quia usurpatur. [Ap. Quintum 3, 654, quod est ὅττε θέλῃσι, correxit Rhodom. || De forma Dor. Ὅκᾰ s. Ὅκκα Apollon. De advv. p. 606, 30 : Τὸ μὲν Δωρικὸν τὸ τ εἰς κ μεταλαμβάνει, ὅτε τὸ πότε πόκα ἐστὶ, τὸ ὅτε ὅκα καὶ μετὰ περισσοῦ τοῦ κ Ὅκκα δὴ γυνή (γυνά). Theocr. 1, 66 : Πᾶ ποκ' ἄρ' ἦσθ' ὅκα Δάφνις ἐτάκετο· et alibi sæpe. Item ὁκὰ pro ὁτὲ· 1, 36 : Ἀλλ' ὁκὰ μὲν τῆνον ποτιδέρκεται ἄνδρα γελῶσα, ἄλλοκα δ' αὖ ποτὶ τὸν ῥιπτεῖ νόον. Sic enim Schæferus pro ὅκα, conferens πόκα et ποκά. Laconibus formam ὅκα tribuit gramm. Cram. An. vol. 1, p. 328, 21. De altera forma HSt. :] Ὅκκᾰ, Dor. pro ὅτε, ut πόκα pro πότε, Theocr. [1, 87; 4, 21 et alibi. Producto α ubi legitur 8, 68, Ὅκκα πάλιν ἅδε φύηται vitium scripturæ librorum varietates ὅκ' ἂν s. ὁκκ' ἂν produnt. In fragmentis Ps.-Pythagoreorum ap. Stob. Fl. 1, quum modo ὅκα scribatur modo ὅκκα, ib. 67, p. 31 sq. aliquoties cod. optimus præbet ὅκκαν sequente conjunctivo, pro ὅταν, etsi cum eodem modo ibidem est ὅκκα. Quod est idem illud ὅκκ' ἂν, quod Theocrito restituendum videtur. Ὅκαν (i. e. ὅκ' ἂν) παρῇ codd. Stob. Fl. vol. 3, p. 340, ubi ὅκα scribebatur. De forma Æol. Ὅτα, Apollon. De advv. p. 606, 28. Sappho ap. eund. De pron. p. 126, B : Ὅτα πάννυχος ἄσφι κατάγρει. Conf. Cram. An. vol. 1, p. 328, 21, ubi male ὅταν.]

|| Ὅταν, s. ὅτ' ἂν, Quando, Quum : construitur cum indicativo, optativo, et subjunctivo. [De indic. et opt. fefellerunt HStephanum loci Homeri, ubi conjunctivi sunt correpta vocali longa, aut vitia scripturæ, ut Il. Τ, 375 : Ὅτ' ἂν ... σέλας ναύτῃσι φανείη, ubi nunc φανήῃ. (Sic enim ap. Hom. aliosque antiquiores rectius scribitur quam ὅταν, etsi nemo facile dixit quod est in Gl. : Ὅτε ἂν, Quandocunque, et in libris Dionis Chr. vol. 2, p. 325 : Γῆν ὅτε ἂν καταλίπῃ τύχη, ut ibid. paullo post ὁπότε ἂν pro ὁπόταν. Divisim dictum ὅτε δ' ἂν pro ὅταν notavi in Δὲ vol. 2, p. 929, B. Ap. Thucyd. autem 4, 16 : Ὅτε δ' ἂν τούτων παραβαίνωσιν ἑκάτεροι καὶ ὁτιοῦν, τότε λελύσθαι τὰς σπονδὰς, recte alii libri ὅ,τι.) Ap. Hesiod. Op. 131 : Ἀλλ' ὅταν ἡβήσειε καὶ ἥβης μέτρον ἵκοιτο, παυρίδιον ζώεσκον ἐπὶ χρόνον, cod. optimus ὅτ' ἄρ', ut Theog. 282 plures ὅτ' ἂν pro ὅτ(ι)' ἄρ'. Æschyli Pers. 450 : Ἐνταῦθα πέμπει τούσδ', ὅπως ὅταν νεῶν φθαρέντες ἐχθροὶ νῆσον ἐκσωζοίατο, κτείνοιεν, etiam sententia postulat ὅτ' ἐκ, quod restituit Blomf. Cum utroque autem modo conjungunt recentiores, ut Rufinus Anth. Pal. 5, 41, 5 : Ὅταν ἐστὶν ἔσω, κεῖνος δ' ὅταν ἔξω, ubi ὅταν ᾖ τις conj. Jacobs., Paul. Sil. 9, 651, 3 : Εἰς ἐμὲ γὰρ κροκόπεπλος ὅταν περικίδναται Ἠώς. Dionysio A. R. 4, 6 : Ὅταν ὁ πατὴρ ἀπέθνησκεν, Schæfer. ad Gregor. p. 553, restituit ὅτε : idemque facere debebat De comp. vv. p. 402, ubi male recepit Ὅταν γράφοι pro γράφῃ, quum ὅτε γράφοι suppeditaret ipse Dionysius vol. 6, p. 1111, 15, ubi libri ὅτε γράφει, unus in marg. ὅτ' ἔγραφε, unde γράφοι Reiskius p. 1166. Sed ap. veteres legitima constructio est cum conjunctivo, ut Hom. Il. Α, 519 : Ἦ δὴ λοίγια ἔργ', ὅτε μ' ἐχθοδοπῆσαι ἐφήσεις Ἥρῃ, ὅτ' ἄν μ' ἐρέθῃσιν ὀνειδείοις ἐπέεσσιν· Δ, 53 : Τὰς διαπέρσαι ὅτ' ἄν τοι ἀπέχθωνται περὶ κῆρι·

164 : Ἔσσεται ἦμαρ ὅτ' ἄν ποτ' ὀλώλῃ Ἴλιος ἱρή· Hesiod. Op. 337 : Ἠμὲν ὅτ' εὐνάζῃ καὶ ὅτ' ἂν φάος ἱερὸν ἔλθῃ. Pind. Pyth. 2, 88 : Χὤπότ' ἂν ὁ λάβρος στρατὸς χὤτ' ἂν πόλιν οἱ σοφοὶ τηρέωντι. Et alii quivis.] Ponitur et pro Quandoquidem, Quoniam, ut etiam Quando et Quum ap. Latinos. Aristot. De mundo [c. 4] : Καὶ μάλιστα ὅταν τὸ τάχιστον τῶν ὄντων ᾖ τὸ πυρῶδες, Præsertim quum ignita natura omnium naturarum sit celerrima. Sic et Thuc. 1. [Postpositum, ut sæpe, Soph. Aj. 625 : Λευκῷ δὲ γήρᾳ μάτηρ νιν ὅταν νοσοῦντα ... ἀκούσῃ· 846 : Πατρῴαν τὴν ἐμὴν ὅταν χθόνα ἴδῃς· Ant. 588 etc. Ὅταν δὴ Soph. Ant. 91 : Οὐκοῦν, ὅταν δὴ μὴ σθένω, πεπαύσομαι. Ὅτανπερ Soph. El. 386 : Ὅτανπερ οἴκαδ' Αἴγισθος μόλῃ· Ph. 767 et alibi. Inscr. Att. ap. Bœckh. vol. 1, p. 894, A, 7 et 15, ubi ὅταμπερ. L. D.]

Ὅτι, Quod. [Quia, Quatenus, add. Gl.] Æschin. [p. 56, 5 et al.] : Ὅτι δὲ ἀληθῆ λέγω, τῶν νόμων ἀκούσατε, Quod autem vera dicam. Vel Latinius, Vera autem me dicere. Xen. Cyrop. 3, [3, 24] : Δῆλοι ὦμεν ὅτι οὐκ ἄκοντες μαχούμεθα, Manifestum fiat nos pugnam non detrectare; Hell. 7 : Εἶπεν ὅτι βούλεται, Dixit se velle. Et Hom. [Od. Ξ, 366] : Εὖ οἶδ' ... ὅτ' ἤχθετο πᾶσι θεοῖσι, Probe scio invisum fuisse diis omnibus. Ubi etiam nota apostrophum admitti et ab hac particula. [Ut, partim hac partim altera signif. Quia, Υ, 333 : Νῦν δ' ἤδη τόδε δῆλον ὅτ' οὐκέτι νόστιμός ἐστιν· Φ, 254 : Εἰ δὴ τοσσόνδε βίης ἐπιδευέες εἰμὲν ... ὅτ' οὐ δυνάμεσθα τανύσσαι τόξον· Il. Α, 244 : Σὺ δ' ἔνδοθι θυμὸν ἀμύξεις χωόμενος, ὅτ' ἄριστον Ἀχαιῶν οὐδὲν ἔτισας· et ib. 412. Δ, 32 : Τί νύ σε ... τόσσα κακὰ ῥέζουσιν, ὅτ' ἀσπερχὲς μενεαίνεις ... ἐξαλαπάξαι; Ε, 331 : Γιγνώσκων ὅτ' ἄναλκις ἔην θεὸς, οὐδὲ θεάων τάων, αἵτ' ἀνδρῶν πόλεμον κάτα κοιρανέουσιν· Θ, 251 : Ὡς εἴδονθ' ὅτ' ἄρ' ἐκ Διὸς ἤλυθεν ὄρνις· Π, 509 : Ὠρίνθη δέ οἱ ἦτορ, ὅτ' οὐ δύνατο προσαμῦναι· Ρ, 623 : Γιγνώσκεις δὲ καὶ αὐτὸς ὅτ' οὐκέτι κάρτος Ἀχαιῶν· H. Apoll. 100 : Ἥ μιν ἔρυκεν ζηλοσύνῃ, ὅτ' ἄρ' υἱὸν Λητὼ τέξεσθαι ... τότ' ἔμελλεν. Hesiod. Th. 282 : Τῷ μὲν ἐπώνυμον ἦν, ὅτ' ἄρ' Ὠκεανοῦ παρὰ πηγὰς κτλ.] Et cum optativo, ex Isocr. : Ὅτι δύναιτο, ῥᾴδιον καταμαθεῖν. Sic Thuc. 5, p. 185 [c. 61] : Ἔλεγον οἱ Ἀθηναῖοι ταῦτα, ὅτι οὐκ ὀρθῶς αἱ σπονδαὶ ἄνευ τῶν ἄλλων ξυμμάχων γένοιντο, καὶ νῦν ἅπτεσθαι χρῆναι τοῦ πολέμου· ubi etiam observa infinitivum, non itidem referri ad particulam ὅτι, sed eum per se idem valere, quod ὅτι alii cuipiam modo junctum. At ὅτι συμφέρει ἄδηλον, Incertum an conferat : nisi malis ὅ, τι, Quid conferat. Apud Logicos autem ζητεῖν τὸ ὅτι. Aristot. Analytt. 2, 1 : Ζητοῦμεν δὲ τέτταρα, τὸ ὅτι, τὸ διότι, εἰ ἔστι, τί ἐστι· ut quum quærimus, Πότερον ἐκλείπει ὁ ἥλιος ἢ οὔ, τὸ ὅτι ζητοῦμεν. [|| Ὅτι post alia vocabula positum Soph. OEd. T. 525 : Τοῦ πρὸς δ' ἐφάνθη ταῖς ἐμαῖς γνώμαις ὅτι πεισθεὶς ὁ μάντις τοὺς λόγους ψευδεῖς λέγοι; || Ut οἷος et ὅσος et alia relativa sæpe dicuntur ita ut resolvi possint in ὅτι τοιοῦτος etc., sic ipsum ὅτι, Hom. Il. Π, 35 : Οὐκ ἄρα σοίγε πατὴρ ἦν ἱππότα Πηλεὺς οὐδὲ Θέτις μήτηρ, γλαυκὴ δέ σ' ἔτικτε θάλασσα πέτραι τ' ἠλίβατοι, ὅτι τοι νόος ἐστὶν ἀπηνής· Φ, 410 : Νηπύτι' οὐδέ νυ πώ περ ἐπεφράσω, ὅσσον ἀρείων εὔχομ' ἐγὼν ἔμεναι, ὅτι μοι μένος ἰσοφαρίζεις· 488 : Εἰ δ' ἐθέλεις πολέμοιο δαήμεναι· ὄφρ' εὖ εἰδῇς ὅσσον φερτέρη εἴμ', ὅτι μοι μένος ἀντιφερίζεις· Ω, 240 : Οὔ νυ καὶ ὑμῖν οἴκοι ἔνεστι γόος, ὅτι μ' ἤλθετε κηδήσοντες· Od. Χ, 35 : Ὦ κύνες οὔ μ' ἔτ' ἐφάσκεθ' ὑπότροπον οἴκαδ' ἱκέσθαι δήμου ἄπο Τρώων, ὅτι μοι κατεκείρετε οἶκον· et in l. ab HSt. sub finem in Ὅττι citato, aliisque nonnullis. || Pro ὥστε, quocum in hujusmodi ll. permutare licet, schol. Theocr. 9, 25 : Μέγας δὲ ἦν ὁ στρόμβος τοσοῦτον ὅτι τὸ κρέας αὐτοῦ διέκοψα εἰς πέντε μερίδας· 10, 14 : Ἠμελημένα ἐς τοσοῦτον ὅτι καὶ ἀσκάλευτά εἰσιν. Et sæpe Theophilus in Inst., cujus exx. v. ap. Reitz. p. 1283. Idem ab eodem post ἐπερωτῶ positum, ut ἵνα vel ὡς, notavit 3, 15, 268 : Οἷον ἵνα (i. e. ἐὰν) ἐπερωτήσω (stipuler) ὅτι κατασκευάσεις μοι οἶκον ἢ οὔ (al. ὅτι οὐ) κατασκευάσεις τῷδε οἶκον.] Οὐχ ὅτι, Non quod : ut οὐχ ὅτι κἂν τούτοις ἔλαττόν τινος ἠνέγκατο, Non quod hac in parte alii cesserit cuipiam. Et οὐχ ὅτι μὴ, Non quin. Lucian. : Οὐχ ὅτι μὴ καλὸν εἶναι οἶμαι, Non quin honestum esse censeam. Aliter autem Gregor. : Τὸ δὲ πῶς, οὐδὲ ἀγγέλοις ἐννοεῖν, μὴ ὅτι γέ σοι συγχωρήσομεν, Nedum tibi. Præterea οὐχ ὅτι, ut et μὴ ὅτι, pro Non solum,

A et, Non solum non. Theophr. : Οὐχ ὅτι ἀνέφυ ἂν, ἀλλὰ καὶ ἐναυξεστέρας καὶ καλλίους ἐποίησε, i. e. Non solum. Athen. : Οὐχ ὅτι ἡμῶν τινα προσβλέποντες, ἀλλ' οὐδὲ ἀλλήλους, Non solum non, i. e. οὐχ ὅπως : quod etiam ipsum utrumque significat. Bud. p. 911, 912. Aliquanto post, alia exempla subjunxit hujus μὴ ὅτι, significantis Non solum. Aristid. : Μὴ ὅτι τῶν ἰδίᾳ μεταστάντων, ἀλλ' οὐδὲ τῶν κοινῇ· [id. vol. 1, p. 381 : Μὴ ὅτι συμβῆναι, ἀλλ' οὐδ' αὐτὸ τοῦτο δεῖσαι μὴ γένηται· 382; vol. 2, p. 136, al.] cui ap. Plat. respondet ἀλλὰ, pro Sed etiam [Apolog. p. 40, D] : Μὴ ὅτι ἰδιώτην τινὰ, ἀλλὰ τὸν μέγαν βασιλέα. Et μὴ γὰρ ὅτι ap. Galen. pro Non solum enim. Item τί ὅτι, Quid est quod? ut Terentius, Quid est quod lætus sis? Et Cic., Quid est quod tu alios accuses? Qua signif. frequens etiam est Quid est cur? Quid est quamobrem? utrumque ap. Cic. Act. 5, [9] : Τί ὅτι συνεφωνήθη ὑμῖν, Quid est quod conspiraritis? Quid est cur conspiraritis? Sic Marc. 9, [28] : Οἱ μαθηταὶ αὐτοῦ ἐπηρώτων αὐτὸν κατ' ἰδίαν, τί ὅτι ἡμεῖς οὐκ ἐδυνήθημεν ἐκβαλεῖν αὐτό; Quid causæ est
B cur non potuerimus ipsum ejicere? Sic enim quædam exempll. habent pro simplici ὅτι, quod in vulgatis editt. legitur : alia vero habent διὰ τί. Hom. et ipse ὅτι pro Cur s. Quamobrem usurpavit, sed sine interrogatione, Od. Τ, [463] : Ἐξερέεινον ἕκαστα, Οὐλὴν ὅττι πάθοι, i. e. διὰ τί, ut Eust. exponere, supra quoque admonui : quum alioqui explicetur, Unde cicatrix illa ei accidisset. Nec multum absimili modo Lucian. Asino [c. 32] : Τοῦτον, δέσποτα, τὸν ὄνον οὐκ οἶδ' ὅτι βόσκομεν, Nescio quid alimus, cur alamus : idem enim cum διότι significat. Itidem Aristoph. Pl. [966] : Ὅτι μάλισθ' ἐλήλυθας λέγειν σ' ἐχρῆν, Dicere quam præcipue ob rem huc veneris, Quid huc veneris. || Ὅτι ap. grammaticos quoque et scholiastas, initio tractatus alicujus aut annotationis ponitur, ut frequenter ap. Eust. : item ap. Phot. : necnon in Epit. Strabonis, [et Eclogis Constantini ex Historicis veteribus,] et Plut. De fluviis, quum sc. aliquid annotant, aut ejus, de quo agitur, singula capita recensent. Adeo ut alicubi σημείωσαι, quod est grammaticorum verbum, ali-
C cubi aliud subaud. existimem. [Exx. ubique obvia apponere omittimus. Hinc autem repetendum quod in epimythiis fabularum Æsopearum legitur 277 Fur. : Ὅτι τοὺς ἀπαιδεύτους ... ὁ παρὼν μῦθος ἐλέγχει· 283 : Ὅτι τοὺς ἀχαρίστους ... ὁ μῦθος ἐλέγχει· et alibi, pro eo quod primum dictum est et legitur fab. 154 : Ὁ μῦθος δηλοῖ ὅτι, vel 300 : Ὁ λόγος δηλοῖ ὅτι κτλ., aut omisso verbo 299 : Ὅτι καλὸν ἑαυτὸν μετρεῖν, et alibi sæpissime.] || Interdum vacat, ut quum verba alicujus citantur. Thuc. 5, p. 175 [c. 30] : Εἰρῆσθαι δ' ὅτι, Ἢν μὴ θεῶν ἢ ἡρώων κώλυμα ᾖ. Sic Plut. Apophth. Alex. [p. 179, D] : Τῶν δὲ παίδων λεγόντων ὅτι, Ταῦτά σοι κτᾶται. Itidem Xen. Cyrop. [7, 3, 1] : Τῶν οὖν ὑπηρετῶν τις ἀπεκρίνατο ὅτι, Ὦ δέσποτα, οὐ ζῇ, ἀλλ' ἐν τῇ μάχῃ ἀπέθανεν. Hujus ὅτι παρέλκοντος Bud. quoque Comm. p. 1049 exempla affert ex Demosth. Infinita exempla ejusd. Græci idiomatis passim occurrunt in N. T., quod ignorasse videtur vet. Interpres, quippe qui ὅτι verterit Quod, Quia, quum Latinus sermo in ejusmodi loquendi generibus ea non admittat : ut
D Apoc. 3, [17] pro his, Ὅτι λέγεις ὅτι, Πλούσιός εἰμι καὶ πεπλούτηκα, ille sic, Quia dicis quod dives sum et locupletatus : quasi de Deo peccator, non de seipso loquatur. Sic igitur reddendum, sine Quod, aut Quia : Quia dicis, Dives sum et locupletatus. Hæc Bud. p. 1050, ubi etiam particulæ ὡς similem usum ostendit. Itidem παρέλκει in εὖ οἶδ' ὅτι : Plato Apol. [p. 37, B] : Ἀντὶ τούτων ἕλωμαί τι ὧν εὖ οἶδ' ὅτι κακῶν ὄντων, Aliquid horum quæ certo scio mala esse. [Multis hunc usum exposuit HSt. De dial. Att. App. p. 75 sqq., unde nonnulla repetimus :] « Thuc. 5, [10] : Λέγει τοῖς μεθ' ἑαυτοῦ καὶ τοῖς ἄλλοις, ὅτι οἱ ἄνδρες ἡμᾶς οὐ μένουσι. Sic ap. Eund. [præter l. supra cit.] 4, [37] : Γνοὺς δὲ ὁ Κλέων καὶ ὁ Δημοσθένης ὅτι εἰ καὶ ὁποσονοῦν μᾶλλον ἐνδώσουσι, διαφθαρησομένους αὐτοὺς ὑπὸ τῆς σφετέρας στρατιᾶς. Sic et ap. Xen. [l. c.] ac Plat. necnon Demosth. invenitur πλεονάζουσα hæc part. ὅτι : sed in ea potius orationis forma qualem primus ille Thuc. locus habet. Plato Apol. [p. 28, B] : Ἐγὼ δὲ τούτῳ ἂν δίκαιον λόγον ἀντείποιμι, ὅτι οὐ καλῶς λέγεις, ὦ ἄνθρωπε, εἰ

οἴει, etc. Dem. F. L. [p. 347 extr.] : Ἀκούειν δὲ καὶ τῶν Εὐβοέων ἔφη τεταραγμένων, καὶ λεγόντων, ὅτι οὐ λελήθατε ἡμᾶς, ἄνδρες πρέσβεις, ἐφ' οἷς πεποίησθε τὴν εἰρήνην πρὸς Φίλιππον. Id. alibi : Οὐδὲ γὰρ εἶχε καλῶς εἰπεῖν ὅτι, ἀλλ' ἔχουσιν ὁ δεῖνα. Legimus ap. eund. orat. : Ἔλεγε τοίνυν τότε πρὸς τοὺς δικαστὰς ὅτι ἀπολογήσεται δὲ Δημοσθένης ὑπὲρ αὐτοῦ, καὶ κατηγορήσει τῶν ἐμοὶ πεπραγμένων .... Plut. in uno Apophth. Agathoclis [p. 176, E] : Πολιορκοῦντος δὲ πόλιν αὐτοῦ, τῶν ἀπὸ τοῦ τείχους τινὲς ἐλοιδοροῦντο, λέγοντες, ὅτι, ὦ κεραμεῦ, τὸν μισθὸν πόθεν ἀποδώσεις τοῖς στρατιώταις; Sed pleonasmus part. ὅτι talis est in his omnibus ll., qualis in illo Thucydideo, quem primum attuli : addam autem et ex. alterius pleonasmi : i. e. talis qualem in tertio Thuc. loco cernimus, si prius ex N. T. hujus Attici pleonasmi aliquot exx. protulero. Ideo enim tot veterum scriptt. accumulare exx. libuit, ut tanto plus auctoritatis in illis hoc loquendi genus haberet, i. e. ut tanto magis testatum redderem, non ineptum et prorsus a linguæ Græcæ consuetudine alienum (ut multi putarunt), esse ibi hunc pleonasmum, sed contra ex ipsius Atticæ linguæ velut penetralibus petitum ... Nunc ad illa exx. accedens, incipiam ab isto Marci loco, 1, [40] : Καὶ γονυπετῶν αὐτὸν, καὶ λέγων αὐτῷ, ὅτι, ἐὰν θέλῃς, δύνασαί με καθαρίσαι· 6, [18] : Ἔλεγε γὰρ ὁ Ἰωάννης τῷ Ἡρώδῃ, ὅτι οὐκ ἔξεστί σοι ἔχειν τὴν γυναῖκα τοῦ ἀδελφοῦ σου· cap. autem 10, [32] relinquitur subaudiendum participium λέγων ante hanc particulam, Ἤρξατο αὐτοῖς λέγειν τὰ μέλλοντα αὐτῷ συμβαίνειν, ὅτι ἰδοὺ ἀναβαίνομεν εἰς Ἱεροσόλυμα, pro λέγων, ὅτι ἰδοὺ κτλ. Matth. 9, [18] : Ταῦτα αὐτοῦ λαλοῦντος αὐτοῖς, ἰδοὺ, ἄρχων ἐλθὼν προσεκύνει αὐτῷ, λέγων ὅτι, ἡ θυγάτηρ μου ἄρτι ἐτελεύτησεν· 20, [12] : Λέγοντες ὅτι, οὗτοι οἱ ἔσχατοι μίαν ὥραν ἐποίησαν. Sic et ap. Lucam 19, [42] : Λέγων ὅτι, εἰ ἔγνως καὶ σὺ, etc. Act. autem 15, 1 subauditur λέγοντες ante particulam ὅτι. Ita enim ibi scriptum est, Ἐδίδασκον τοὺς ἀδελφοὺς, ὅτι ἐὰν μὴ περιτέμνησθε, etc. Possunt quidem multo plura his exx. pleonasmi istius afferri, sed ei qui his contentus non erit, plura sibi inde depromere facile fuerit (ut Marc. 6, 14 : Καὶ ἤκουσεν ὁ βασιλεὺς Ἡρώδης, καὶ ἔλεγεν ὅτι Ἰωάννης ὁ βαπτίζων ἐκ νεκρῶν ἠγέρθη, καὶ διὰ τοῦτο κτλ.). Hoc quoque sciendum est, nonnullos esse ll., qui superioribus similes videri possint, ubi tamen quidam part. hanc minime prætermittendam in interpretatione censuerint, verum affirmativa quapiam part. reddendam, ut Marc. 7, 6 : Ὁ δὲ ἀποκριθεὶς εἶπεν αὐτοῖς ὅτι καλῶς προεφήτευσεν Ἡσαΐας περὶ ὑμῶν τῶν ὑποκριτῶν. Audivi enim quendam virum doctum, qui hoc in l. ὅτι reddendum existimaret Sane, Equidem. At is, qui novissimæ et eruditissimæ Interpr. est auctor, vertit Enim vero. Illum autem l. Luc. l. cit. : Λέγων ὅτι εἰ ἔγνως καὶ σὺ, κτλ. vertit, Nempe si vel tu nosses. Bud. vero putat posse reddi per Quod : hoc modo, Quod si cognovisses et tu. At ego non secus isto in l. quam in aliis hujus generis, particulam istam πλεονάζειν arbitror : multosque alios esse dico, in quibus prætermittitur, ubi tamen nihilo magis omitti deberet, si in duobus istis prætermitti non debere constaret. Fateor alioqui part. istam varios in N. T. usus, et fortassis illi peculiares, vel potius cum iis, quos habemus, veterum scriptis non communes habere : ut Matth. 7, [13] : Ὅτι στενὴ ἡ πύλη καὶ τεθλιμμένη ἡ ὁδὸς ἡ ἀπάγουσα εἰς τὴν ζωὴν, ubi vet. Interpr. reddit, Quam angusta porta et arcta via est quæ ducit ad vitam ! (Non ignoro interim esse et aliam lectionem, τί στενὴ, sed non minus fortasse particulam τί admirative positam, quam ὅτι mirari debeamus.) Est et ubi reddi debeat per Ut, conveniens cum Gallico *Que*, ut Matth. 8, [27] : Οἱ δὲ ἄνθρωποι ἐθαύμασαν, λέγοντες, ποταπός ἐστιν οὗτος ὅτι καὶ οἱ ἄνεμοι καὶ ἡ θάλασσα ὑπακούουσιν αὐτῷ; Qualis est iste ut ipsi etiam venti ac mare ei morigerentur ? Itidem Luc. 8, [25] : Τίς ἄρα οὗτός ἐστιν, ὅτι καὶ τοῖς ἀνέμοις ἐπιτάσσει καὶ τῷ ὕδατι, καὶ ὑπακούουσιν αὐτῷ; Verum ne hi quidem ll. facere possunt ut in illis, de quibus modo disserebam, novam signif. huic particulæ tribuendam esse censeam : quin potius quum similes sint illi aliis plurimis et prope infinitis, in quibus vacat (eodem modo quo in Thucydideis, Xen., Plat., Dem., quos protuli), itidem prætermittendam in

A
Latina interpr. censuerim ... Sciendum porro aliquos esse ll., in quibus fortassis itidem supervacaneam esse particulam ὅτι quispiam judicaturus sit : quum ego contra ibi pleonasmum minime agnoscam, ac minime agnosci debere existimem. Talis est hic Xen. Hell. [7, 1, 25] : Ἐκ δὲ τούτου ἐρωτώμενος ὑπὸ βασιλέως ὁ Πελοπίδας τί βούλοιτο ἑαυτῷ γραφῆναι, εἶπεν ὅτι Μεσσήνην τε αὐτόνομον εἶναι ἀπὸ Λακεδαιμονίων, καὶ Ἀθηναίους ἀνέλκειν τὰς ναῦς. Hic enim non dubito quin plerique particulam ὅτι vacare itidem existimaturi sint; at ego nihil minus quam vacare dico, quod cum βούλοιτο jungi possit ac debeat, ex proxime præcedentibus repetito. Neque tamen hac de re valde pertinaciter contendere velim. Sed quum omnium exx., quæ e Xen. Dem., Plut., et N. T. attuli, nullum sit quod cum illo Thucydideo conveniat, cui tertia sedes a me data fuit; atque adeo aliam quam in ceteris omnibus pleonasmi formam ibi habeat particula ὅτι, ne quis eam Thucydidi peculiarem esse existimet, ejus quoque ex. e Xen. proferam. Legimus enim ap. eum Cyrop.
B
5, [4, 1] : Ἐνόμισεν ὅτι εἴ τι οὗτος πάθοι, αὐτὸς ἂν λαβεῖν παρὰ τοῦ Ἀσσυρίου πάντα τὰ Γαδάτα. Quemadmodum enim in illo Thuc. loco : Γνοὺς ... στρατιᾶς, vacat ὅτι ante διαφθαρησομένους, quum alioqui dicendum fuisset ὅτι διαφθαρήσονται αὐτοὶ etc., ita in hoc Xenophontis vacat ὅτι ante λαβεῖν· quum alioqui dicendum fuisset ὅτι λήψεται vel λήψοιτο. Fateor tamen in quibusdam exempll. illam part. ὅτι non extare; sed sublatam ab aliquo, qui istum ejus pleonasmum cognitum non haberet, non immerito fortasse suspicabimur. Quin etiam aliis plerisque locis idem contigisse credibile est. [Alia duo ὅτι post similia verba sic additi, ut ad constructionem abundet, exx. sunt Soph. OEd. T. 1401 : Ἆρά μου μέμνησθ' ὅτι, οἷ' ἔργα δράσας ὑμὶν, εἶτα δεῦρ' ἰὼν ὁποῖ' ἔπρασσον αὖθις· Ant. 1 : Ἆρ' οἶσθ' ὅτι Ζεὺς τῶν ἀπ' Οἰδίπου κακῶν ὁποῖον οὐχὶ νῷν ἔτι ζώσαιν τελεῖ; Et post ἐρωτᾶν Fab. Æsop. 185 Fur. : Ἀλώπεκος δὲ αὐτὸν ἐρωτησάσης τὴν αἰτίαν ὅτι μηδεμιᾶς ἀνάγκης οὔσης ... τοὺς ὀδόντας τί θήγεις;] Est vero et tertius quidam particulæ ὅτι pleonasmus post εὖ οἶδα, ut
C
in Demosth. Philipp. 3 init. : Καὶ πάντων εὖ οἶδ' ὅτι φησάντων γ' ἂν, εἰ καὶ μὴ ποιοῦσι τοῦτο, καὶ λέγειν δεῖν καὶ πράττειν ἅπασι προσήκειν. Hic enim satis fuisset εὖ οἶδα interjectum per parenthesin (ut etiam εὖ οἶδ' ὅτι interjici existimandum est), ideoque πλεονάζειν hic quoque part. ὅτι merito dixerimus ... Habemus autem εὖ οἶδα sine ὅτι parenthetice itidem positum, i. e. per parenthesin, ap. Xenoph. Cyrop. 2, [1, 2] : Ἐγὼ μὲν οἶμαι ἱππέας μὲν ἄξειν οὐ μεῖον δισμυρίων, ἅρματα δ' εὖ οἶδ' οὐ πλείω διακοσίων, πεζοὺς δὲ οἶμαι παμπόλλους .... Libet autem quendam Plat. Apol. locum (supra cit.) præcedentibus addere, in quo εὖ οἶδ' ὅτι non itidem per parenthesin positum est, sed aliter tamen quam in eo Dem. loco, qui postremo allatus fuit. In illo enim Platonico ita scriptum est, Ἀντὶ τούτου ἕλωμαί τι ὧν εὖ οἶδ' ὅτι κακῶν ὄντων; Sed ratio hujus structuræ orationis hæc esse videtur, quod ante ὧν subaudiatur ἐκείνων : atque adeo ponatur art. postposit. s. pron. relat. (loquendo more Latino), in genitivo, ut conveniat cum ἐκείνων subaudito : ut quum
D
dico χρῶμαι οἷς ἔχω βιβλίοις, ideo dativo οἷς utor, quod subaudiatur ἐκείνοις : perinde ac si diceretur χρῶμαι ἐκείνοις βιβλίοις οἷς ἔχω. » [Οἶδ' ὅτι postpositum est ap. Soph. Ant. 276 : Πάρειμι δ' ἄκων οὐχ ἑκοῦσιν, οἶδ' ὅτι· et sæpius εὖ οἶδ' ὅτι apud quosvis Atticorum.] ‖ Ὅτι, Quam cum superl. [cujus exx. Hom. HSt. posuit sub finem in forma Ὅττι. Soph. OEd. T. 1341 : Ἀπάγετ' ἐκ τόπων ὅτι τάχιστά με. Pollux 9, 152.] Thuc. [3, 46] : Ὅτι ἐν βραχυτάτῳ, Quam brevissimo tempore. Idem, Ὅτι ἐπ' ἐλάχιστον, pro Quamminimo. [6, 23 : Ὅτι ἐλάχιστα.] Idem [4, 32] : Ὅτι πλεῖστος, Quamplurimus. Et cum adverbio ὅτι ποῤῥωτάτω, Quamlongissime : ὅτι μάλιστα, Quammaxime. [Thucyd. 5, 36.] Plato Epist. 7 : Ὅτι μάλιστα πολλοὺς, Quamplurimos. Aristoph. [Nub. 811] : Ὅτι πλεῖστον δύνασαι, Quammaxime potes. Cui similem usum habet ᾗ, ut supra ostendi. Sic ὡς ὅτι πλεῖστον, Quamplurimum. His adde, ὅτι τάχος, pro ὅτι τάχιστα, Quamcelerrime. [Soph. Ant. 1323 : Ἄγετέ μ' ὅτι τάχος. Herodot. 9, 7 : Ὅτι τάχος στρατιὴν ἐκπέμπειν.] Thuc. 7, p. 247 [c. 42] : Ἐβούλετο ἀποχρή-

σασθαι τῇ παρούσῃ τοῦ στρατεύματος ἐκπλήξει. Itidem Plato Epist. 7, [p. 345, E]: Ἄγγελον ἐλθεῖν ὅτι τάχος, Nuntium venire quamcitissime. Sed notandum, quosdam scribere ὁτιμάλιστα, ὁτιπλεῖστον, ὁτιτάχιστα, ὁτιτάχος, sicut ap. Latinos Quammaxime, Quamplurimum, Quamcelerrime. [Cum positivo Oppian. Hal. 4, 302: Θαλλοὺς γὰρ ὁμοῦ δήσαντες ἐλαίης ὅττι μάλ' εὐφυέας· quod singulare visum Schneidero habet etiam Eust. Opusc. p. 210, 39: Ἀσκήσεως ὅτι μάλα συχνῆς. Geminus (sec. Iriart. Bibl. Matrit. p. 388) in Cram. An. vol. 3, p. 224, 26: Τί σιωπᾷς... μηδὲ τὴν ἀπορίαν ἀπολύεις ὅτι ταχὺ, quod non minus recte dicitur quam supra ὅτι τάχος. Combefis. Hist. Monothel. p. 1191, A: Μετὰ δαψιλείας ὅτι πολλῆς. Georgius Acropolit. p. 195, A: Μεθ' ἡδονῆς ὅτι πολλῆς. Eumath. Ism. p. 26, A: Κλίνας ὅτι λαμπρῶς ἐσταλμένας καὶ μαλακῶς. L. D.] || Ὅτι, diversas aliquando particulas annexas habens, diversis modis exp.: ut, Ὅτι ἀλλὰ, At vero. Ὅτι γὰρ μὴ, Nisi enim: sicut ὅτι μὴ, pro Nisi accipi, paulo post dicetur. Utitur autem Aristides [vol. 2, p. 132].

|| Ὅτι δή τί, Quamobrem? Plato De rep. 1, [p. 343, A]: Ὅτι δή τί μάλιστα; Cur istud tandem? [Charm. p. 161, C: Ὅτι δή τί γε; ἔφη.] Sic paulo infra ὅτι τί δή. Ὅτι ἐπειδὴ, Quin. Ὅτι μὴ, Nisi [Gl.], sicut et ὅτε μή. Philo De mundo: Ἐκτὸς τοῦ κόσμου οὐδέν ἐστιν, ὅτι μὴ τάχα που κενὸν, Extra mundum nihil est, nisi forte vacuum, Nihil extraquam, Nihil prӕterquam, etiam Nihil quod non sit; sed tunc autem ὅ,τι pronomen esset. [Exx. Herodoti, Οὐδαμοὶ ὅτι μὴ Χῖοι μοῦνοι, 1, 18; ὅτι γὰρ μὴ Ἀθῆναι ἦν οὐδὲν ἄλλο πόλισμα λόγιμον, 1, 143; οὐδεὶς ἀνθρώπων, ὅτι μὴ γυνὴ μούνη, 1, 181; οὐδεμία ἄλλη ἐπιστροφὴ, ὅτι μὴ ἐκ τοῦ Διὸς μοῦνον, 2, 13; ὅτι μὴ οἱ Συρακοσίων γενόμενοι τύραννοι, οὐδὲ εἷς τῶν ἄλλων ἄξιός ἐστι, 3, 125; οὐδεὶς ὅτι μὴ Κῦρος μοῦνος, 3, 160; ἀπάλλαξις οὐκ ἦν ὅτι μὴ κατὰ στεινὸν, 9, 13, annotavit Schweigh. in Lex., qui ὅ,τι in talibus esse scribendum colligi putabat ex 2, 60: Συμφοιτέουσι δὲ ὅ,τι ἀνὴρ καὶ γυνή ἐστι. Pausaniӕ sӕpe sic loquuti exx. quӕdam indicavi in prӕfat. p. XXI.] Sic Thuc. 4, p. 130 [c. 26]: Οὐ γὰρ ἦν κρήνη ὅτι μὴ μία ἐν αὐτῇ τῇ ἀκροπόλει, i. e. εἰ μὴ μία, Non nisi una. Et Greg. Or. 2 in Julian.: Τοὺς ἐλέγχους δὲ οὐ διέφυγεν, ὅτι μὴ καὶ μᾶλλον τούτοις ἑαυτὸν ὑποθεὶς ἠγνόησεν, Nisi quod non intellexerat hoc facto se diffidentiam suam prodere, Bud. p. 912: ubi et hӕc ex Aristide, Οὐδὲν ἦν ὅτι μὴ Ἀθῆναι· et ex Platone: Ὥστε μηδὲν ἰατρικῆς δεῖσθαι ὅτι μὴ ἀνάγκῃ, Nisi ad violenta vulnera et alia, quӕ extrinsecus illata necesse est a medico curari. [Id. Reip. 3, p. 396, E: Ὅτι μὴ παιδιᾶς χάριν· 9, p. 581, D: Ὅτι μὴ μάθημα τιμὴν φέρει· Tim. p. 69, D: Σεβόμενοι μιαίνειν τὸ θεῖον, ὅτι μὴ πᾶσα ἦν ἀνάγκη· Phӕd. p. 67, A: Ἐὰν μηδὲν ὁμιλῶμεν, ὅτι μὴ πᾶσα ἀνάγκη· Phӕdr. p. 274, A: Ὅτι μὴ πάρεργον. Cujusmodi de locis idem dicendum quod supra de Herodoteis.] Sic ὅτι γὰρ μὴ paulo ante ex Aristide, pro Nisi enim. Alias ὅτι μὴ in propria etiam signif. usurpavit Gregor., de mysteriis Grӕcorum loquens: Δέον, εἰ μὲν ἀληθῆ, μὴ μύθους ὀνομάζεσθαι, ἀλλ' ὅτι μὴ αἰσχρὰ δείκνυσθαι, Non appellare fabulas, sed turpia non esse ostendere. Idem, Ὅτι μὴ ὑπὲρ τῶν δικαίων μόνον, ἀλλ' ὑπὲρ τῶν ἁμαρτωλῶν σφαγιάζεται, Quod non pro justis solum, verum pro peccatoribus jugulatur. Ὅτι τί δὴ, Quamobrem, ut ὅτι δή τί paulo ante. Apud Aristoph. [Pl. 136], Chremylo dicenti, Παύσειεν, εἰ βούλοιτο, ταῦτ' ἄν, Plutus respondet, Ὅτι τί δή; Quare, Quamobrem? Ὅτι τοίνυν, Quod vero, Itaque quod. Aliquando simpliciter pro Vero. Plato Phӕdro [p. 236, D]: Μηδαμῶς ὅτι [abest ὅτι] τοίνυν εἴπῃς, Tu vero cave dicas, Tu vero ne dixeris, VV. LL. || Ὅτι, Quod, Eo quod, Propterea quod, Quoniam, Quia. Frequens tum apud poetas, tum apud prosӕ scriptores. [Sequente ῥὰ Hom. Il. A, 56: Κήδετο γὰρ Δαναῶν, ὅτι ῥα θνήσκοντας ὁρᾶτο. Hesiod. Sc. 479: Τὼς γάρ μιν Ἀπόλλων Λητοΐδης ἤνωξ', ὅτι ῥα κλειτὰς ἑκατόμβας ὅστις ἄγοι Πυθώδε, βίῃ σύλασκε δοκεύων.] Unicum hoc Demosth. proferam exemplum [p. 156, 24]: Τί ποτ' οὖν ἐκεῖνος ἐν τῷ προτέρῳ πολέμῳ πλείω κατώρθωσεν ἡμῶν; ὅτι ὁ μὲν αὐτὸς στρατεύεται καὶ ταλαιπωρεῖ. Et ὅτιτοι, Quoniam. Plato De rep. 1. [Xen. OEc. 1, 6: Ὅτι τοι ἡμῖν ἐδόκει οἶκος ἀνδρὸς εἶναι ὅπερ κτῆσις. Ubi notanda

A etiam oratio compendiaria, particula ὅτι ad membrum cogitando supplendum relata, ut Cyrop. 4, 5, 11: Ὅτι νὴ Δί', ἔφη, ἀκούω ἀφεστηκότας· 7, 1, 42.] Ejusd. signif. est Ὁτιή: ut ap. [Eur. Cycl. 643: Ὁτιὴ τὸ νῶτον τὴν ῥάχιν τ' οἰκτείρομεν, ... αὕτη γίγνεται πονηρία; Aristoph. Pl. 1113: Διὰ τί...; — Ὁτιὴ ... εἴργασθε.] Aristoph. [Nub. 755] Socrati interroganti, Τιητί δή; Quid ita? Quamobrem? Strepsiades respondet, Ὁτιὴ κατὰ μῆνα τἀργύριον δανείζεται. In hoc autem l. qui ex Eodem citatur [ibid. 331]: Οὐ γὰρ, μὰ Δί', οἶσθ' ὁτιὴ πλείστους αὗται βόσκουσι σοφιστὰς, accipitur sine interrogatione, pro Nescis quid, Nescis cur, sicut et apud Lucianum supra οὐκ οἶδ' ὅτι, Nescio quid, Nescio quamobrem. [Pl. 324: Ἀσπάζομαι δ', ὁτιὴ προθύμως ἥκετε.] Item Ὁτιητί; itidem ut ὁτιὴ, pro Quamobrem, Qua de causa? Idem Aristoph. [Nub. 784]: Ὁτιητί; ναὶ πρὸς τῶν θεῶν. [|| Ὅτιπερ pro ὅτι, Quod, Theophil. Inst. 1, 24, 338: Κἀκεῖνο δὲ περιέχεται ὅτιπερ οἱ ἐπίτροποι συνελαθήσονται, aliisque locis ap. Reitz. p. 1283. Et Basil. Epist. vol. 3, p. 81, E:

B Πρὸς τοὺς ἐπηρεάζοντας ἡμῖν τὸ τρίθεον, ἐκεῖνο λεγέσθω, ὅτιπερ ἡμεῖς ἕνα θεὸν, οὐ τῷ ἀριθμῷ, ἀλλὰ τῇ φύσει ὁμολογοῦμεν. Philo vol. 1, p. 8, 5: Τὸ γὰρ σῶμα φύσει στερεὸν, ὅτιπερ καὶ τριχῇ διαστατόν.] || Poetice autem dicitur Ὅττι pro ὅτι, metri causa, ut ὅττι μάλιστα ap. Hom. [Ὅττι τάχιστα Il. Δ, 193 et alibi. Hesiod. Op. 60.] Et Od. Ξ, [367]: Ἤχθετο πᾶσι θεοῖσι Πάγχυ μάλ', ὅττι μιν οὔτι μετὰ Τρώεσσι δάμασσαν, Quod eum non una cum Trojanis orco demisere. [Quo de loco v. sub initium, ubi dictum est vertendum hic esse Quamobrem, Quapropter. Quia vero ap. Hesiod. Op. 48: Χωλωσάμενος, ὅττι μιν ἐξαπάτησε, et alibi. Et sequente ῥὰ, ut supra, Hom. Il. P, 411: Ὅττι ῥα οἱ πολὺ φίλτατος ὤλεθ' ἑταῖρος, etc.]

[Ὀτιαφόρος, ὁ. Lex. rhet. Bekk. p. 287, 10: Ὀτιαφόροι, οἱ τὰς ὠτίδας φέροντες ἐργάται ὀτιαφόροι καλοῦνται· ὠτὶς δὲ εἶδος ὄρνιθος. Ἄλλη δὲ γραφὴ ὠτιοφόροι, οἱ τὰ ὦτα συντεθλασμένοι, οἷον ὠτοκατάξιδες· ἦσαν δὲ οὗτοι ἀπὸ παλαίστρας.]

C [Ὀτὶς, ίδος, ἡ, avis nomen, de qua v. in Ὠτὶς, ubi HSt.:] Scribitur etiam Ὀτὶς et Οὐτὶς, Galen. Lex. Hippocr., annotans ab Aristot. per ω vocari ὠτίδα, a Xen. vero Anab. [1, 5, 2 et 3, ubi nunc ὠ] per ο scribi ὀτίς. At οὐτὶς legitur ap. ipsum Galen. De alim. 3: Μεταξὺ δέ πως τῆς τῶν γεράνων τε καὶ τῶν χηνῶν ἡ σὰρξ τῶν καλουμένων οὐτίδων ἢ ὠτίδων ἐστίν· nisi potius pro οὐτίδων, scrib. ὀτίδων simpliciter per ο. Attamen et Hesychio οὐτὶς est εἶδος ὀρνέου. [Οὐτὶς cum ὠτὶς ponit Arcad. p. 35, 3.]

[Ὅτις. V. Ὅστις.]

Ὀτλεύω et Ὀτλέω, Ӕrumnas et labores patior ac sustineo, πονῶ, κακοπαθῶ, Hesych. [qui ambas ponit formas.] Ponuntur etiam pro Patior, Sustineo, Perfero, ut μογέω. [Orac. ap. Porphyr. Vit. Plotin. p. LXXVI, 19 ed. Creuz.: Ἆ μάκαρ, ὅσσους ὀτλήσας ἀριθμοὺς ἀέθλων κτλ. Callim. ap. schol. Soph. Tr. 7: Κενεὸν πόνον ὀτλήσαντες. Lycophr. 819: Πεῖραν ὀτλῆσαι κακῶν. Maximus Καταρχ. 336: Ὀτλήσας μάλα πολλά.] Apud Suid. ex Epigr. [Pauli Sil. Anth. Pal. 5, 226, 7]: Ἔκδικον ὀτλήσοντες ἀεὶ πόνον. Et rursum [ex

D Babrio 37, 3]: Τάλας, ἐφώνει, μόχθον οἷον ὀτλεύεις. Sic Apoll. Arg. 2, [1008]: Καπνῷ κάματον βαρὺν ὀτλεύουσι. Ubi schol. itidem exp. ὑπομένουσι, Sustinent, Perferunt, Tolerant. [Altera forma id. 3, 769; 4, 382, 1227, Aratus 428. « Manetho (2, 287;) 6, 412, (729). » Wakef. Tertiam formam Ὄτλημι ponere videtur schol. Vict. Hom. Il. N, 291: Ὀαριστύν· οἱ δὲ ἀριστὺν, καὶ ὡς ὀτρυγηφάγος, ὀδὰξ, ὀκλὰξ, ὀτλάς. L. Dind.]

Ὄτλημα, τὸ, verbale a verbo ὀτλέω, Ӕrumna, Miseria, i. q. ὄτλος. [Κακοπάθημα Hesychio, κακοπραγία Theognosto Can. p. 13, 23.]

Ὀτλήμων, ονος, ὁ, ἡ, Ӕrumnosus, Miser. Utriusque meminit Hesych., afferens sc. ὀτλημάτων pro κακοπαθημάτων: et ὀτλήμων pro ἄθλιος. [Ad Hom. Il. K, 498, ubi ὁ τλήμων Ὀδυσεὺς, quod tuetur etiam Archytas ap. Stob. Fl. vol. 1, p. 39, ascripserat Bentl., quum non tetigisset 231, ubi idem.]

Ὄτλος, ὁ, Ӕrumna, Labor, Miseria, μόχθος, κακοπάθεια Hesychio et Suidӕ. [Soph. Trach. 7: Νυμφείων ὄτλον ἄλγιστον ἔσχον, ut ex schol. correcta librorum scriptura ὄχνον. Interpretatur autem schol. τὴν ταλαιπωρίαν ἢ ὡς Ὅμηρος τὸ μεμορημένον καὶ πεπρωμένον, etsi non est ap. Hom. Æsch. Sept. 18: Ἅπαντα πανδοχοῦσα παιδείας ὄτλον. In ὄθλος corruptum ap. Arcad. p. 198, 13. L. Dind.]

Ὀτοβέω, Strepito, Tumultuor: θορυβῶ, Hesych. [De frequenti in libris vitio ὀττοβέω HSt.:] Sic Ὀττοβέω pro ὀτοβέω, Strepito, Persono. Æsch. Prom. p. 37 [576]: Ὑπὸ δὲ κηρόπλαστος ὀττοβεῖ [ὀτοβεῖ] δόναξ ἀχέτας ὑπνοδόταν νόμον. Idem [fr. Edon.] ap. Athen. 11, [p. 479, B]: Ὁ δὲ χαλκοδέτοις κοτύλαις ὀττόβει [ὀτοβεῖ]· appellans χαλκοδέτους κοτύλας, τὰ κύμβαλα.

Ὄτοβος, ὁ, Strepitus, Tumultus, θόρυβος, Hesych.: aliis πάταγος, ἦχος. Hesiod. [Th. 709]: Ὄτοβος δ' ἄπλητος ὀρώρει· ut ap. Hom., Πολὺς δ' ὀρυμαγδὸς ὀρώρει. [Ubi schol. memorat var. κόναβος, quocum conjungit Lucian. Hist. conscr. c. 22: Ὄτοβος ἦν καὶ κόναβος ἅπαντα ἐκεῖνα. Æsch. Sept. 204: Τὸν ἁρματόκτυπον ὄτοβον ὄτοβον. Soph. OEd. C. 1479: Διαπρύσιος ὄτοβος, de tonitru. Antimachus Anth. Pal. 9, 321, 4: Κροτάλων θηλυμανεῖς ὄτοβοι. De forma vitiosa ὄττοβος HSt.:] Aliquando geminato τ hæc efferuntur. Reperitur enim et Ὄττοβος, itidem pro Strepitus, Sonus. [Æsch. Sept. 151: Ὄττοβον ἁρμάτων.] Soph. Aj. p. 67 [1202]: Οὔτε βαθεῖαν κυλίκων ... τέρψιν, οὔτε γλυκὺν αὐλῶν ὄττοβον. Et ap. Lucian. [l. c.]: Ὄττοβος ἦν καὶ κόναβος. [Schol. Philostr. Her. p. 366 Boiss.: Ὄττοβος διὰ δύο ττ. Ubi Moschop. contulit Boiss.]

[Ὀτοταῖ. V. Ὀτοτοῖ.]

[Ὀτοτοῖ, s.] Ὀττοτοῖ, Hesychio θρηνῶδες ἐπίφθεγμα, ut Hei, Heu, Ah. Legitur ap. Æschyl. [Pers. 918, Eur. Or. 1390, Phœn. 1530, Andr. 1197, 1200, ubi duplex] et Lucian. [Contempl. c. 1: Πολὺ τὸ ὀτοτοῖ καὶ αἰαῖ· Fugit. c. 33. Et ὀτοτοτοῖ Æsch. Pers. 268, 274, et in libris nonnullis 1043, 1051, ubi alii breviorem alii longiorem formam ponunt; pariterque Cho. 158, quum in ὀτοτοτοῖ consentiant 869, Suppl. 889, alterius tamen loci in antistropha 898 inferentes ὀτοτοτοτοί. Eadem varietas Ag. 1072, 1076: Ὀτοτοτοτοῖ ποποῖ δᾶ, ubi al. ὀτοτοτοῖ vel —τοί. Ap. Soph. El. 1245, ubi libri ὀττοτοῖ vel ὀτοτοττοῖ, antistropha postulat Ὀτοτοτοτοῖ τοτοῖ. Eur. Herc. F. 875: Ὀτοτοτοῖ, στέναξον· eademque forma Ion. 789. Ὀτοτοτοτοτοτοῖ Tro. 1287, 1294. Frequens in libris vitium duplicis τ notat schol. Eur. Phœn. 1508=1538 Matth.: Κε' ἀναπαιστικὴ βάσις (ὀτοτοῖ ὀτοτοῖ)· δι' ἑνὸς γὰρ τ ὀφείλει γράφεσθαι. De accentu Apollon. Bekk. An. p. 588, 25: Τὰ πρωτότυπα θέλει ὁπωσδήποτε περισπᾶσθαι, ὡς ἔχει τὸ ... ὀτοτοῖ· Jo. Alex. Τον. παραγγ. p. 36, 14: Περισπᾶται τὸ ὀττοῖ (sic), ἔχον συμπαρακείμενον καὶ τὸ ἀτταταῖ· Arcad. p. 183, 18 sive Ps.-Herodian. Cram. An. vol. 3, p. 279, 20: Τὰ εἰς οι καὶ αι σχετλιαστικὰ παραλόγως περισπῶνται, ὀττοττοῖ (sic), εὐοῖ κτλ. De forma in αι Theognost. Can. p. 158, 3: Τὰ εἰς οι σχετλιαστικὰ δικατάληκτα διὰ τῆς οι διφθόγγου γράφεται· εἶπον δὲ δικατάληκτα, ἐπεὶ ταῦτα καὶ διὰ τῆς οι καὶ διὰ τῆς αι διφθόγγου γράφεται, ὀτοτοὶ καὶ ὀτοταί, οἰοί, οἰαί κτλ. Hujus formæ nullum in libris vidi exemplum, atque etiam Apollon. l. c. p. 537, 33, ponit nonnisi ὀτοτοί et ἀταταί, ὠοιοί et ὠαιαί. Confusa et corrupta sunt verba Theognosti ib. p. 160, 11: Τοῦτο (præcesserat τὸ τυΐ, quod τούτυΐ scribebat Ahrens. De dial. vol. 1, p. 154, 6) παρὰ τὸ ὀτοὶ παροξυνόμενον ἀπολογίαν ἔχει, ὡς οὐκ ἔστιν τοπικὸν οὔτε (οὐδὲ) Αἰολικόν, σχετλιαστικὸν δέ· τὰ δὲ σχετλιαστικὰ οὐ πεφρόντικε τῆς ἀκριβοῦς ἐξετάσεως, ὡς πολλάκις διείληπται. L. D.]

[Ὀτοτύζω, ομαι.] Ὀτοτύζειν, Hesychio λέγειν, θρηνεῖν, Dicere, Flere. [Aristoph. Thesm. 1081: Ὀτότυζε· Pac. 1011: Τὸν δ' ὀτοτύζειν· Lys. 520: Ὀτοτύζεσθαι μακρὰ τὴν κεφαλήν. Pass. Æsch. Cho. 327: Ὀτοτύζεται δ' ὁ θνήσκων. Unde fictum n. Ὀτοτύξιος, Aristoph. Av. 1043, ad ridendum n. Ὀλοφύξιος.]

Ὄτρα, Hesychio ἡ τοῦ ἀλέκτορος οὐρὰ, Gallinacei cauda.

[Ὀτρᾰλέος, α, ον, Impiger, Celer. Euseb. V. C. 5, ap. Maittair. Misc. p. 142. Kall. Oppian. Hal. 2, 273: Ὀτραλέη μύραινα. Quintus 11, 107: Ὀτραλέαι δὲ ποτὶ μόρον εἰσὶ κέλευθοι.]

Ὀτρᾰλέως, Celeriter, et more eorum qui, ab aliis instigati aut suapte sponte incitati, aliquid maturant, ὀξέως, δραστικῶς, ἐνεργῶς, Hesych. Utitur Hom. Il. Γ, [260]: Ἐκέλευσε δ' ἑταίρους Ἵππους ζευγνύμεναι· τοὶ δ' ὀτραλέως ἐπίθοντο· Od. Τ, [100] de Eurynome, quæ sellam afferre jussa fuerat: Ἡ δὲ μάλ' ὀτραλέως κατέθηκε φέρουσα· Il. Τ. [317]: Δεῖπνον ἔθηκας Αἶψα καὶ ὀτραλέως. [Hesiod. Sc. 410: Οἱ δ' ὀτρ. ἐνόησαν. Apoll. Rh. 1, 1210. Epigr. Anth. Pal. 9, 655, 1. Ps.-Herod. Vit. Hom. c. 21.]

[Ὀτράλλις, quod συνεσταλμένον ἔχειν τὸ α tradit Herodian. Π. μον. λέξ. p. 26, 20, scribendum videtur Τράλλις, quo nomine in alia disputatione utitur Etym. M. p. 632, 6. L. Dind.]

[Ὀτρεΐος, ὁ, Otreius, episcopus Melitensis ap. Cyrillum V. Euthymii p. 8 in Anall. Benedictt. Boiss.]

[Ὀτρεύς, έως, ὁ, Otreus, rex Phrygiæ, Hom. Il. Γ, 186, ubi Ὀτρῆος, H. Ven. 146. Theognost. Can. quod p. 13, 23, ὀτρεὺς interpretatur ὁ ἡμίονος, confundens, ut Hesychius, quem hic quoque describit: Ὄτρεα (l. ὀτρεύς), ἡμίονος, cum ὀρεὺς sive οὐρεύς, novo confirmat exemplo quæ de fide ejus diximus in Οἶτος et alibi. L. Dind.]

[Ὀτρήρα, ἡ. Theognost. Can. p. 107, 19: Τὰ διὰ τοῦ ηρα μονογενῆ μακροκατάληκτα ὑπὲρ δύο συλλαβὰς, πρὸ τέλους ἔχοντα τὸν τόνον, διὰ τοῦ η γράφονται, οἷον μερμήρα ὀτρήρα κτλ. Qui fortasse vulgari forma dixit Amazonem quæ ap. Apoll. Rh. 2, 387, Tzetz. Posth. 8, 57, 127, schol. Ven. Hom. Il. Γ, 189, Ὀτρηρή vel Ὀτρήρη, itemque in Lycophronis libris plerisque 997, nonnullis tantum edd. ad Ὀτρηροῦς ab n. Ὀτρηρώ aberrantibus, dicitur, nisi quis substantivum ὀτρήρα exstitisse putet. L. Dindorf.]

Ὀτρηρός, ά, όν, Celer, Citatus, ὀξύς. Hom. [Il. Α, 321: Ὀτρηρὼ θεράποντε·] Od. Δ, [23]: Ὀτρηρὸς θεράπων Μενελάου, i. e. ταχὺς, σπουδαῖος, δραστικός. Aristoph. Av. [912]: Πάντες ἐσμὲν οἱ διδάσκαλοι Μουσάων θεράποντες ὀτρηροί, κατὰ τὸν Ὅμηρον· quem ludens Pisthetærus dicit, Οὐκ ἐτὸς ὀτρηρὸν καὶ ληδάριον ἔχεις, Quoniam vestis erat τετρημένη. [Il. Ζ, 381: Ὀτρηρὴ ταμίη. Matro ap. Athen. 4, p. 136, D: Μάζη ὀτρηρῇ. Oppian. Hal. 2, 529: Ὀτρηρῇσιν ἐπισπέρχων ὀδύνῃσιν. ‖ Adv. Ὀτρηρῶς Hom. Od. Δ, 735: Ἀλλά τις ὀτρηρῶς Δολίον καλέσειε γέροντα, ubi olim ὀτρηρός. De spiritu Arcad. p. 198, 12.]

[Ὀτρηρώ. V. Ὀτρήρη.]

[Ὀτρηρῶς. V. Ὀτρηρός.]

[Ὀτροία, ἡ, Otrœa, oppidum Phrygiæ, ap. Strab. 12, p. 566. Gent. Ὀτροηνὸς in numis ap. Mionnet. *Descr.* vol. 4, p. 347, *Suppl.* vol. 7, p. 604.]

[Ὀτρύγη, ἡ, χόρτος, καλάμη Hesychio. Unde Ὀτρυγηφάγος. V. Τρυγηφάγος.]

[Ὀτρυνεύς. V. Ὀτρυνικός.]

[Ὀτρυνέω. V. Ὀτρύνω.]

[Ὀτρυνικός, ή, όν, ap. Antiphanem Athen. 7, p. 309, E, adj. gent. ab n. gentili Ὀτρυνεύς, έως, ap. Demosth. p. 1083, 5: Εὐθυμάχῳ τῷ Ὀτρυνεῖ, et in inscr. Att. ap. Bœckh. vol. 1, p. 157, n. 151, 37: Ὀτρυνεῖς, cujus pagi Attici de nomine non satis constat. L. Dind.]

Ὀτρυντεύς, [έως, ὁ, Otrynteus,] nomen proprium [Trojani] ex ὀτρύνω fictum. Hom. Il. Υ, [384]: Ὃν νύμφη τέκε νηῒς Ὀτρυντῆϊ πτολιπόρθῳ. [Unde Ὀτρυντείδης patron. ib. 383.]

Ὀτρυντήρ, ῆρος, ὁ, Incitator, Qui instigat et urget, ἐπείκτης: Hesych. exp. κελευστής, κήρυξ, σαλπιγκτήρ: omnes enim hi instigant, hortantur et urgent.

[Ὀτρυντικός, ή, όν, Incitans. Eust. Il. p. 831, 29: Ὀτρυντικὸν ἢ ἐπισπευστικόν.]

Ὀτρυντύς, ύος, ἡ, Hortatio, Instigatio, προτροπή, παρακέλευσις, Hesych.; ὁ ἐκ τοῦ παροτρύνειν γινόμενος ἐρεθισμός, Eust. Hom. Il. Τ, [234]: Μηδέ τις ἄλλην Λαῶν ὀτρυντὺν ποτιδέγμενος ἰσχαναάσθω. [Ubi λέξιν Ἀντιμάχειον dicit schol. Vict., pro quo male Ἀττικὴ aliis est in libris. V. Lobeck. Paralip. p. 440. ῡ]

Ὀτρύνω, Incito, Instigo, Adhortor, Adhortando impello, Urgeo. Hom. Il. [Ε, 482: Λυκίους ὀτρύνω· Ι, 165: Ἄγετε κλητοὺς ὀτρύνομεν· Κ, 38: Ἦ τιν' ἑταίρων ὀτρύνεις Τρώεσσιν ἐπίσκοπον; Eadem constr. Eur. Rhes. 557: Σκοπὸς, ὃν ναῶν Ἕκτωρ ὤτρυνε κατόπταν.] Μ, [468]: Τοὶ δ' ὀτρύνοντι πίθοντο· cui similem l. attuli in comp. Ἐποτρύνω. Π, [167]: Ὀτρύνων ἵππους τε καὶ ἀνέρας ἀσπιδιώτας. Id. [Θ, 293]: Τί με σπεύδοντα καὶ αὐτὸν Ὀτρύνεις; Quid mihi currenti calcaria subdis? equo enim sua sponte citato calcaria addenda non sunt. Od. Η, A [341] : Ὤτρυνον Ὀδυσῆα παριστάμεναι ἐπέεσσιν, Ὄρσο κέων, ὦ ξεῖνε. [Σ, 54 : Ἀλλά με γαστὴρ ὀτρύνει· 61 : Εἴ σ' ὀτρύνει κραδίη καὶ θυμός. Æsch. Sept. 726 : Ἔρις ἅδ' ὀτρύνει. Soph. El. 28 : Ἡμᾶς ὀτρύνεις· et alibi.] Aliquando cum infin. jungitur, Il. Ξ, [369] : Εἶχεν οἱ ἄλλοι Ἡμεῖς ὀτρυνώμεθ' ἀμυνέμεν ἀλλήλοισιν, ubi nota vocem passivam [mediam. Id. Ρ, 183 : Τοὶ δ' ἐξ ἀγροῖο πόλινδε ὠτρύνοντ' ἰέναι· Η, 222 : Ἡμεῖς δ' ὀτρύνεσθαι· Κ, 425 : Αὐτοὶ δ' ὀτρύνεσθ'.] Activa vero Δ, [294] : Οὓς ἑτάρους στέλλοντα καὶ ὀτρύνοντα μάχεσθαι· Κ, [220] : Νέστορ, ἔμ' ὀτρύνει κραδίη καὶ θυμὸς ἀγήνωρ Ἀνδρῶν δυσμενέων δῦναι στρατόν· et [319] : Ἕκτορ, ἔμ' ὀτρύνει κραδίη καὶ θυμὸς ἀγήνωρ Νηῶν ὠκυπόρων σχεδὸν ἐλθέμεν· Od. Ξ, [261] : Ὤτρυνα νέεσθαι. [Τ, 158 : Μάλα δ' ὀτρύνουσι τοκῆες γήμασθαι. Hesiod. Th. 883. Et sæpe Pindarus et Tragici, ut Æsch. Ag. 304.] Itidem ex Eur. [Alc. 758], ὀτρύνω φέρειν. [Rhes. 25 : Ὄτρυνον ἔγχος ἀείρειν.] At Il. Θ, [398] cum partic. loco infinitivi : Ἶριν δ' ὤτρυνε χρυσόπτερον ἀγγελέουσαν, pro ἀγγελέειν, Ut hæc nuntiatum iret. Nonnunquam cum præp. ali- B qua, et tunc subaudiri etiam potest infin. ἰέναι s. ἔρχεσθαι. [Il. Ω, 289 : Ἐπεὶ ἄρ σέγε θυμὸς ὀτρύνει ἐπὶ νῆας.] Od. Ρ, [75] : Τηλέμαχ' αἶψ' ὄτρυνον ἐμὸν ποτὶ δῶμα γυναῖκας, Instiga mulieres ut domum meam redeant. [Pind. Nem. 10, 23 : Δᾶμον ὀτρύνει ποτὶ βουθυσίαν.] Α, [85] : Ἑρμείαν Νῆσον ἐς ὠγυγίην ὀτρύνομεν· Il. Τ, [349] : Νήστιας ὤτρυνε προτὶ Ἴλιον υἷας Ἀχαιῶν Τρωσὶ μαχεσσαμένους· Od. Ο, [40] : Τὸν δ' ὀτρῦναι πόλιν εἴσω. At [ib. 37], Νῆα μὲν ἐς πόλιν ὀτρῦναι καὶ πάντας ἑταίρους, Urgere ut in urbem eant. [Il. Ο, 59 : Ἕκτορα δ' ὀτρύνῃσι μάχην ἐς Φοῖβος· Τ, 205 : Ὑμεῖς δ' ἐς βρωτὺν ὀτρύνετον· 69 : Ὄτρυνον πολεμόνδε Ἀχαιούς· Od. Ο, 306 : Ὀτρύνειε πόλινδε.] Sed et iter ac profectionem aliquam ὀτρύνειν dicitur, qui illam urget, festinans sc. et maturans. Od. Θ, [30] : Πομπὴν δ' ὀτρύνει, καὶ λίσσεται ἔμπεδον εἶναι. [Η, 151 : Αὐτὰρ ἐμοὶ πομπὴν ὀτρύνετε· Λ, 357 : Πομπήν τ' ὀτρύνοιτε· Π, 355 : Μῆτιν' ἔτ' ἀγγελίην ὀτρύνομεν· Il. Μ, 277 : Μάχην ὤτρυνον Ἀχαιῶν· et Ε, 470 : Ὤτρυνε μένος καὶ θυμὸν ἑκάστου. Pind. Nem. 1, 34 : Ἀρχαῖον ὀτρύνων λόγον.] Utitur et Aristot. hoc ver- C bo in l. De mundo, Ὑπὸ μιᾶς ῥοπῆς ὀτρυνομένων ἁπάντων γίνεται τὰ οἰκεῖα, Quum ab una vi impultrice cieantur omnia. Fut. est Ὀτρυνέω, ap. Hom. [Il. Κ, 55 : Ἐπὶ Νέστορα δῖον εἶμι, καὶ ὀτρυνέω ἀνστήμεναι·] Od. [Ο, 3] : Νόστου ὑπομνήσουσα καὶ ὀτρυνέουσα νέεσθαι, Instigatura et incitatura ut proficiscar. Alias Ὀτρυνέω in præsenti quoque usurpatur pro ὀτρύνω : Od. Β, [253] : Τούτῳ δ' ὀτρυνέει Μέντωρ ὁδὸν ἠδ' Ἀλιθέρσης, Eum incitat [immo Incitabit] ad iter suscipiendum. Ψ, [264] : Τί δ' ἄρ οὖν με μάλ' ὀτρυνέουσα κελεύεις Εἰπέμεν, Quid me urges et jubes ut dicam? [Quum metrum ferat ὀτρύνουσα, quod est ap. Eust., hoc testimonium est nullum. Imperf. Hom. Il. Ω, 24 : Κλέψαι δ' ὀτρύνεσκον. Apoll. Rh. 3, 653. Ὠτρύνεσκον male ap. Quint. 1, 171. L. D. In Ind. :] Ἀτρύνων, Hesychio ἐγείρων, Excitans : sed scribitur potius ὀτρ.

[Ὄττα. V. Ὄσσα.]

[Ὄττᾰβος, ὁ. Etym. M. p. 616, 57 : Παρὰ τὸν ὄτταβον, ὃ σημαίνει τὸν τάραχον· οὕτω δὲ λέγουσιν Ἴωνες. Greg. Cor. p. 446 : Παρὰ τὸν ὄτταβον· οὕτως γὰρ λέγουσιν οἱ D Ἴωνες ὄτταβος καὶ οὐ κότταβος. Conf. Ὄτοβος.]

[Ὀττάκος, apud Psellum Laude pulicis, p. 83 fin. : Οὐ γάρ τοι φαγεῖ (pulex) τὸν ἄνθρωπον, ἀλλ' οὐδὲ τοῖς ἐκείνου ἔργοις λυμαίνεται, ἅπερ ἀκρὶς καὶ ὀττάκος πονεῖ, idem puto animalculum esse quod alias est ἀττακὸς dictum. Boiss. Quod reponendum videtur. V. Ἀττάκης.]

[Ὅττε. V. Ὅτε.]

[Ὀττεία, v. post Ὄσσομαι.]

[Ὀττεύομαι. V. Ὄσσομαι.]

[Ὅττι. V. Ὅτι.]

[Ὄττις, ἡ, i. q. ὄψις et ὀφθαλμός. Hesychius : Ὅττις (sic), ὄψεις. Aretæus p. 70, 27 : Ὄττιες ἀχλυώδεες. Quod non defenditur forma Ὀσσέων, ab Alberto collata, de qua in Ὄσσε. Sed quicquid scripsit Hesychius, Aretæo certe ὄψιες restituendum.]

[Ὀττοβέω, Ὄττοβος, vitia scripturæ pro ὀτοβ—, quæ vide.]

[Ὄττομαι. V. Ὄσσομαι.]

[Ὄτυς, υος, ὁ, Otys, regis Paphlagoniæ n. ap. Xen. H. Gr. 4, 1, 3 sq., ubi v. annot.]

[Ὀτωρκονδεῖς, οἱ, tribus Mylasensium Cariæ, in inscrr. ap. Bœckh. vol. 2, p. 474, n. 2693, c, 2; p. 475, n. 2693, 1; p. 476[c], n. 2693, f, 4; p. 476[d], n. 2694, a, 3. L. Dind.]

Οὐ, et Οὐκ, sive Οὐχ, aut Οὐχὶ, Non. Hom. Od. Ψ, [40] : Οὐκ ἴδον, οὐ πυθόμην, ἀλλὰ στόνον οἶον ἄκουσα· Θ, [28] : Ξεῖνος ὅδ' οὐκ οἶδ' ὅστις ἀλώμενος ἵκετ' ἐμὸν δῶ. Et cum nominibus, Ε, [155] : Παρ' οὐκ ἐθέλων ἐθελούσῃ. Sic οὐκ ἄκοντε non semel ap. hunc poetam. [Cum superl. Il. Ο, 11 : Ἐπεὶ οὔ μιν ἀφαυρότατος βάλ' Ἀχαιῶν. V. Koen. ad Gregor. p. 98 sq., et Οὐ ῥᾳδίως, Οὐ ῥᾷστα, in his vocc. Interdum in talibus additur contrarium, ut ap. Herodot. 3, 69 : Μαθοῦσα δὲ οὐ χαλεπῶς, ἀλλ' εὐπετέως οὐκ ἔχοντα τὸν ἄνδρα ὦτα.] Thuc. 3, p. 94 [c. 37] : Οὐκ ἐπικινδύνως ἡγεῖσθε ἐς ὑμᾶς καὶ οὐκ ἐς τὴν τῶν ξυμμάχων χάριν μαλακίζεσθαι· οὐ σκοποῦντες ὅτι κτλ. Et statim post, Οἳ οὐκ ἐξ ὧν ἂν χαρίζησθε βλαπτόμενοι αὐτοὶ ἀκροῶνται ὑμῶν. Ib. p. 110 [c. 82] : Καὶ τὰς ἐς σφᾶς αὐτοὺς πίστεις οὐ τῷ θείῳ νόμῳ μᾶλλον ἐκρατύνοντο, ἢ τῷ κοινῇ τι παρανομῆσαι· paulo post, Ἔργων φυλακῇ, εἰ προὔχοιεν, καὶ οὐ γενναιότητι. Sed hujus vulgaris usus exempla quum alibi passim, tum in hoc Plut. habes loco, in suo Περὶ εὐθυμίας libello [p. 476, E] : Οὐκ ἔστιν εἰπεῖν ζῶντα, τοῦτ' οὐ πείσομαι· ἀλλ' ἔστιν εἰπεῖν ζῶντα, τοῦτο οὐ ποιήσω, οὐ ψεύσομαι, οὐ ῥᾳδιουργήσω. Invenitur interdum positum priore quidem loco cum verbo habente sequentem particulam μὲν, posteriore autem, cum verbo cui subjungitur particula δέ. Ut ap. Dem. p. 119 [288] : Οὐκ εἶπον μὲν ταῦτα, οὐκ ἔγραψα δέ· οὐδὲ ἔγραψα μὲν, οὐκ ἐπρέσβευσα δέ· οὐδὲ ἐπρέσβευσα μὲν, οὐκ ἔπεισα δὲ Θηβαίους· ἀλλ' ἀπὸ τῆς ἀρχῆς διὰ πάντων ἄχρι τῆς τελευτῆς διεξῆλθον, καὶ κτλ. Quem hujus particulæ usum imitans Synes. dixit, in prolixa illa adversus Andron. Epistola : Καὶ οὐκ εἶπε μὲν οὕτως, οὐκ ἐποίησε δὲ, ἀλλὰ Βαβυλώνιος βασιλεὺς κτλ. Ad verbum, Et non dixit quidem ita, non fecit autem. Pro, Atque ut dixit, ita et fecit. Jungitur in prosa quoque cum nominibus, ut οὐ θαυμαστὸν, et οὐ καλὸν, et οὐκ ὀρθόν. Item cum adverbiis, ut οὐκ ὀρθῶς, et οὐ καλῶς. Nonnullis vero et annectitur, ut Οὐκέτι et Οὐχήκιστα : quæ tamen et disjunctim scribuntur, præsertim vero hoc posterius, potius quam conjunctim. [Xen. H. Gr. 2, 3, 18 : Ἤδη φοβούμενοι καὶ οὐχ ἥκιστα τὸν Θηραμένην, μὴ συρρυείησαν πρὸς αὐτὸν οἱ πολῖται. Et al. || Οὐ cum nominibus. Soph. OEd. T. 1256 : Γυναῖκά τ' οὐ γυναῖκα. Eur. Hipp. 197 : Δι' ἀπειροσύναν ἄλλου βιότου κοὐκ ἀπόδειξιν τῶν ὑπὸ γαίας. Thuc. 1, 137 : Τὴν τῶν γεφυρῶν, ἣν ψευδῶς προσεποιήσατο, τότε δι' αὐτὸν οὐ διάλυσιν, ubi 3, 95 : Διὰ τῆς Λευκάδος τὴν οὐ περιτείχισιν· 5, 50 : Κατὰ τὴν οὐκ ἐξουσίαν τῆς ἀγωνίσεως, et alia contulit Duker. Dionys. A. R. 4, 28 init. : Κατὰ τὴν οὐχ ὁμοτροπίαν· et ut omittam exx. philosophorum, velut Sexti Emp., et Dionis Cass. etiam in hoc Thucydidem imitati, Ad Rom. 9, 25 : Καλέσω τὸν οὐ λαόν μου· 10, 19 : Ἐγὼ παραζηλώσω ὑμᾶς ἐπ' οὐκ ἔθνει· Deuteron. 32, 21 : Αὐτοὶ παρεζήλωσάν με ἐπ' οὐ θεῷ· Thren. 1, 6 : Ἐπορεύοντο ἐν οὐκ ἰσχύϊ· Eccles. 10, 11 : Ἐὰν δάκῃ ὄφις ἐν οὐ ψιθυρισμῷ· Ps. 106, 40 : Ἐπλάνησεν αὐτοὺς ἐν ἀβάτῳ καὶ οὐχ ὁδῷ· et quæ alia plura collegit Valck. ad schol. Eur. Phœn. 15, et ad l. Hipp. Paullo aliter Æsch. Pers. 749 : Θνητὸς ὢν θεῶν δὲ πάντων ᾤετ' οὐκ εὐβουλίᾳ καὶ Ποσειδῶνος κρατήσειν.]

|| Οὐ et μὴ interdum eundem habere locum possunt : sic tamen ut μὴ pro οὐ ponatur, at non contra, Bud. p. 910, scribens, Licet enim κυρίως τὸ Μὴ ἀπαγορευτικὸν sit, et τὸ Οὐ ἀρνητικὸν, tamen τὸ Μὴ πολλάκις ἀντὶ τοῦ Οὐ λαμβάνεται, non item contra. Quæ reprehendens nescio quis in VV. LL., et Budæum errare dicens, turpissime errat ipsemet, falsoque illum accusans, suam interim inscitiam prodit; quippe qui οὐκ esse ἀπαγορευτικὸν velit in Isocr. Ad Nic. [p. 20, B]. Καὶ νόμιζε τελέως εὐδαιμονήσειν, οὐκ ἐὰν ἁπάντων ἀνθρώμετὰ φόβων ἄρχῃς, ἀλλ' ἐὰν τοιοῦτος ὢν οἷον χρὴ, καὶ πράττων ὥσπερ ἐν τῷ παρόντι, μετρίων ἐπιθυμῇς καὶ μηδενὸς τούτων ἀπορῇς. Nisi forte ἀπαγορευτικὸν quidvis potius quam quod significat, ille significare existimavit. [Οὐ, Ne, Gl. Multo prius μὴ usurpari cœptum

in quibusdam formulis, de quibus in illo diximus, pro οὐ, quam contra. Sed hujus quoque apud recentiores, velut Byzantinos, exx. non desunt pro μὴ positi, velut ap. Ephræm. Syr. vol. 3, p. 99, F : Ἐὰν οὐκ ἐπίστασαι· Theodor. Stud. p. 274, A : Κἂν οὐ βούλοισθε· 380, E : Κἂν οὐ δοκῇ. Tzetz. Hist. 9, 655 : Ἂν βασιλέως οὐ πεισθῇ ... τοῖς λόγοις. Sine verbo Jo. Diac. Alleg. Hes. Theog. 736 : Κἂν οὐ πάνυ ἀκριβέστατα καὶ ὡς οἱ περὶ ταῦτα δεινοὶ διισχυρίζονται. Nam alius generis est εἰ οὐ, de quo in Εἰ, vol. 3, p. 191–2, ubi delendus l. Eur. Med., qui non est illius.]

|| Οὐ cum quibusdam verbis, suo, ut ita dicam, loco movetur, ita ut in interpret. Latina postponenda sit verbo Lat. particula Non, huic respondens, quæ contra præponitur. Pausan. Corinth.: Εἰσιέναι δὲ ἐς αὐτὸ οὐ νομίζουσι, pro νομίζουσιν οὐκ εἰσιέναι, Quo ingredi non licet instituto patrio. Sic Dem. : Οὐκ οἴει δεῖν οὐδὲ τοὺς τόκους τοὺς γιγνομένους ἀποδοῦναι· pro οἴει δεῖν οὐκ ἀποδοῦναι τόκους οὐδὲ τοὺς γιγνομένους, Ne usuras quidem civiles censes te reddere oportere. [Omnino sæpe post οὐ sequitur οὐδὲ, ut Hom. Il. P, 641, loco simili Demostheneo : Ἐπεὶ οὔ μιν ὀΐομαι οὐδὲ πεπύσθαι λυγρῆς ἀγγελίης· Υ, 101 : Οὔ με μάλα ῥέα νικήσει οὐδ' εἰ παγχάλκεος εὔχεται εἶναι. Et duplex οὐδὲ Od. Θ, 280 : Ἀράχνια λεπτὰ, τά γ' οὔ κέ τις οὐδὲ ἴδοιτο οὐδὲ θεῶν μακάρων. Æsch. Prom. 215 : Οὐκ ἠξίωσαν οὐδὲ προσβλέψαι τὸ πᾶν.] Huc pertinet usitatissimum illud Οὔ φημι, Non dico, pro Dico non, h. e. Nego. De quibus vide Bud. p. 954, 955, qui addit et οὐκ ἀξιῶ pro Indignum censeo, ex Thuc. [2, 89.] Sed et particulæ Μὴ hic usus ostenditur ibid., in μὴ φάσκω et μὴ λέγω pro Nego : ac μὴ προσποιοῦμαι pro Simulo non, h. e. Dissimulo. Necnon in μὴ ἀξιῶ posito, sicut et illud οὐκ ἀξιῶ, pro Indignum censeo. [Quod quibus legibus fiat in illo diximus.]

|| Οὐ geminatur interdum, elegantiæ et ornatus gratia. [Hom. Od. Γ, 27 : Οὐ γὰρ ὀΐω οὔ σε θεῶν ἀέκητι γενέσθαι· Ω, 251 : Οὐ μὲν ἀεργίης γε ἄναξ ἕνεκ' οὔ σε κομίζει. Hesiod. Op. 517 : Πώεα δ' οὔτι, οὕνεκ' ἐπηεταναὶ τρίχες αὐτῶν, οὐ διάησιν ἲς ἀνέμου. Soph. Tr. 1013 : Οὐ πῦρ, οὐκ ἔγχος τις ὀνήσιμον οὐκ ἀποτρέψει;] Dem. C. Mid.: Οὐ μὰ Δί' οὐχὶ δημοσίᾳ κρίνειν αὐτόν. Synes. : Καὶ τοῦτο πιστεύων, οὐ μὰ τὸν ὁμόγνιον τὸν ἐμόν τε καὶ σὸν, οὐ μετενόουν ἐφ' οἷς εὖ πεποιήκειν τὸν ἄνθρωπον. [V. infra in Οὐ in formulis jurandi, et in Οὐ γάρ. Propter verba interposita repetitur Æsch. Ag. 1635 : Ὃς οὐκ, ἐπειδὴ τῷδ' ἐβούλευσας μόρον, δρᾶσαι τόδ' ἔργον οὐκ ἔτλης αὐτοκτόνως. Xen. OEc. 15, 10 : Ἀλλὰ μὴν οὐχ ὥσπερ γε... κατατριβῆναι δεῖ, ... οὐχ οὕτω κτλ. Demosth. p. 119, 5. || Geminatur etiam ubi est pro οὔτε ... οὔτε. Pind. Pyth. 3, 30 : Οὐ θεὸς, οὐ βροτός· ap. Plut. Marcell. c. 29 : Τὸ πεπρωμένον οὐ πῦρ, οὐ σιδαροῦν σχήσει τεῖχος· Nem. 7, 3. Æsch. Eum. 617 : Οὐκ ἀνδρὸς, οὐ γυναικὸς, οὐ πόλεως πέρι. Soph. Ph. 860 : Οὐ χερὸς, οὐ ποδὸς οὔτινος ἄρχων. Et in l. Trach. modo citato. Et post οὐδὲ Apoll. Rh. 3, 749 : Οὐδὲ κυνῶν ὑλακὴ ἔτ' ἀνὰ πτόλιν, οὐ θρόος ἦεν.] Itidem sequente vocula οὐδὲν, Dem. : Προῖκα δὲ προσθεὶς ἐκδώσω, καὶ οὐ περιόψομαι παθούσας οὐδὲν ἀνάξιον οὔθ' ἡμῶν, οὔτε τοῦ πατρὸς, ubi οὐδὲν ἀνάξιον pro ἀνάξιόν τι posuit. Alioqui absque οὐ dicendum fuisset, Καὶ οὐδὲν ἀνάξιον παθούσας περιόψομαι. [Æsch. Prom. 232 : Λόγον οὐκ ἔσχεν οὐδένα, et alibi sæpe. Ag. 1212 : Ἔπειθον οὐδέν' οὐδὲν ὡς τάδ' ἤμπλακον· Prom. 454 : Ἦν δ' οὐδὲν αὐτοῖς οὔτε χείματος τέκμωρ οὔτ' ἀνθεμώδους ἦρος. Sequente post οὔτε ... οὔτε illo οὐδὲν Demosth. p. 111, 27 : Ὅτι οὔτε μικρὸν οὔτε μέγα οὐδὲν τῶν δεόντων ποιούντων ὑμῶν κακῶς τὰ πράγματα ἔχει. Eodem autem modo Soph. Ant. 1156 : Οὐκ ἔσθ' ὁποῖον στάντ' ἂν ἀνθρώπων βίον οὔτ' αἰνέσαιμ' ἂν οὔτε μεμψαίμην ποτέ. Æsch. Pers. 215 : Οὔ σε βουλόμεσθα, μῆτερ, οὔτ' ἄγαν φοβεῖν λόγοις οὔτε θαρσύνειν. Et alii quivis similiter. Atque sic post οὐκ etiam ἔτι mutatur in οὐκέτι, ut ap. Ælian. N. A. 9, 33 : Συναρμόσαι ... οὐκ ἐδύνατο οὐκέτι· Apoc. 21, 4 : Οὔτε πόνος οὐκ ἔσται ἔτι, et πω in οὔπω, ut Luc. 23, 53 : Οὗ οὐκ ἦν οὐδεὶς οὔπω κείμενος. Singularem vero particulæ repetitionem in formula οὐ μετ' οὐ πολὺ notavimus in Μετὰ p. 841, A. Quæ quamvis omni ratione carere videatur, toties tamen redit apud recentissimos, velut Byzantinos nonnullos (v. præter ll. in Μετὰ citatos Genes. p. 2,

A D; 65, A, Phot. Bibl. cod. 224, p. 238, 3, Theod. Stud. p. 565, E, schol. Æsch. Sept. 967 Sch.), ut librariis an ipsis illis, qui nihilo meliori ratione ὡς καθὼς dixerunt pro alterutro, hoc vitium tribuendum sit, dubites. Sed ab Dionysio l. c. perinde est alienum quam a Pausania, cujus 3, 3, 7 liber unus καὶ οὐ μετ' οὐ πολὺ pro καὶ μετ' οὐ π., et plures 8, 8, 7, ubi ex aliis restitutum οὐ μετὰ πολὺ, ut omnes 9, 5, 5; 6, 3, aut ab Luciano Tox. c. 55, ubi nonnulli οὐ μετ' οὐ π. pro οὐ μετὰ π. Ac facile accidere potuit librariis ut οὐ μετὰ et μετ' οὐ confundentes utrumque conjungerent.] His etiam verbis quæ sunt per se negantia, i. e. ἀποφατικὰ, et iis quæ ἀπαγορευτικὰ, Attici negationem addunt : ut τῷ Ἀπαγορεύω, et τῷ Ἀρνοῦμαι, et τῷ Κωλύω, et τῷ Ἐπέχω, ac similibus. Subjungit autem Bud. exempla nonnulla in quibus habetur particula Μὴ, nonnulla etiam in quibus legitur Μὴ οὐ, sequente ex illis verbis quopiam. Affert enim ex Dem. [p. 570, 22] : Τοιούτους θεὶς νόμους, οὓς πάλιν αὐτὸς ἔξαρνος ἦν μὴ τεθεικέναι· et
B [p. 1040 extr.] : Κωλῦσαι τοὺς ὀνηλάτας μὴ ἐξάγειν τὴν ὕλην ἐκ τῆς ἐσχατιᾶς, Vetare quominus exportent. Ex Æschine autem [p. 19, 13], Οὔτ' αὐτὸς ἐξαρνοῦμαι μὴ οὐ γεγονέναι ἐρωτικὸς, Neque eo infitias me in amorem proclivem fuisse. Alia et cum aliis etiam verbis exempla hujus usus istarum particularum, vide ap. eund. Bud. p. 936 : inter quæ habes istud e Xen., in quo articulus τὸ præfigitur hisce particulis, Sympos. [3, 3] : Ἀλλ' οὐδείς σοι, ἔφη, ἀντιλέγει τὸ μὴ οὐ λέξειν ὅ,τι ἕκαστος ἡγεῖται πλείστου ἄξιον ἐπίστασθαι, At nullus tibi contradicit, quominus unusquisque dicturus sit quod se nosse putet maxime prædicandum atque commendabile. Ibid. vero et de μὴ οὐχὶ pro Nisi, et pro Quin. Idem p. 934, Duæ negationes geminatæ, inquit, affirmant interdum, ut apud Latinos. [Xen. H. Gr. 5, 2, 33 : Οὐκ ἐπὶ τὸν ... δῆμον ... οὐκ ἠθέλησαν στρατεύειν; Ad Cor. 1, 12, 15 : Ἐὰν εἴπῃ ὁ ποὺς ὅτι οὐκ εἰμὶ χεὶρ, οὐκ εἰμὶ ἐκ τοῦ σώματος, οὐ παρὰ τοῦτο οὐκ ἔστιν ἐκ τοῦ σώματος; et ibid. 16.] Aristoph. [Pl. 870] : Οὔμενουν ἔσθ' ὑγιὲς ὑμῶν οὐδενός· Κοὐκ ἔσθ' ὅπως οὐκ ἔχετέ μου
C τὰ χρήματα· Nub. [801] : Ἢν δὲ μὴ θέλῃ, Οὐκ ἔσθ' ὅπως οὐκ ἐξελῶ 'κ τῆς οἰκίας, Quod si discere nolit, nullo pacto fiet ut eum non abdicem, Nullo modo non ejiciam domo. I. e. Omnino ejiciam et abdicabo. Gregor. : Οὐκ ἔστιν ὅτου μὴ μέρους τοῦ σώματος μιγνυμένης τῇ αἰκίᾳ τῆς ὕβρεως, Nulla non in parte corporis. His igitur in exemplis geminationis negationum plane diversum considerare usum oportet, quum in his posterioribus minime dici possit altera πλεονάζειν, Abundare, sicut in illis. Sed hoc addendum est, hunc πλεονασμὸν et alibi inveniri : sc., ubi tres negationes pro duabus ponuntur : ut Isocr. Paneg. [p. 43, D] : Οὐδὲν γὰρ ὅ,τι τῶν τοιούτων οὐκ ἄξιός εἰμι μὴ πάσχειν, εἴπερ μηδὲν τῶν ἄλλων διαφέρων, οὕτω μεγάλας τὰς ὑποσχέσεις ποιοῦμαι, Nulla est enim hujuscemodi nota qua non ego dignus sim mulctari atque affici, si, quum ego ceteris non præstem in dicendo, usqueadeo ingentia polliceri sustinuerim. Sed et alia proferuntur exempla, in quibus abundare videmus non ex tribus aut duabus unam, sed illam quæ alioqui sola posita est.
D Isocr. Areop. [p. 143, B] : Μικρὸν ἀπέλιπον τοῦ μὴ ταῖς ἐσχάταις συμφοραῖς περιπεσεῖν. Sic et in isto Herodoti [5 94] loco, ubi οὐ particulam ἢ sequitur : Ἀποδεικνύντες τε τῷ λόγῳ οὐδὲν μᾶλλον Αἰολεῦσι μετεὸν τῆς Ἰλιάδος χώρης ἢ οὐ καὶ σφίσι, καὶ τοῖς ἄλλοις ὅσοι Ἑλλήνων συνεπρήξαντο Μενελάῳ τὰς Ἑλένης ἁρπαγάς. Cui loco adjungam duos Thucydidis plane similes quod ad negativæ particulæ usum attinet, 3, p. 93 meæ ed. [c. 36] : Ὠμὸν τὸ βούλευμα καὶ μέγα ἐγνῶσθαι, πόλιν ὅλην διαφθεῖραι μᾶλλον ἢ οὐ τοὺς αἰτίους· 2, p. 67 [c. 62] : Οὐδ' εἰκὸς χαλεπῶς φέρειν αὐτῶν μᾶλλον, ἢ οὐ κήπιον καὶ ἐγκαλλώπισμα πλούτου πρὸς ταύτην νομίσαντας, ὀλιγωρῆσαι. Nec tamen ignoro schol. in illo quidem priore l. pro me facere, scribentem sc. esse ἀπόφασιν περιττήν : at in posteriore non item, quippe qui scribat ambas hasce particulas ἢ οὐ esse positas pro ἀλλά. [Alia exx. v. in Μᾶλλον p. 535, A, et ap. intt. Gregor. Cor. p. 102.] Verum neque hoc prætereundum est circa πλεονασμὸν hujus particulæ : eam interdum non solam πλεονάζειν, sed et aliam non ejusdem generis particulam secum

habere, πλεονάζουσαν itidem, ut Aristoph. Ran. [58]: Οὐ γὰρ ἀλλ' ἔχω κακῶς, pro ἔχω γὰρ κακῶς, vacante non solum οὐ, sed et ἀλλά. [V. infra.] Sic et ap. Plat. Euthydemo [p. 286, B]: Οὐ γάρ τοι ἀλλὰ τοῦτόν γε τὸν λόγον πολλῶν δὴ καὶ πολλάκις ἀκηκοὼς, ἀεὶ θαυμάζω. [Ib. p. 305 fin.: Οὐ γάρ τοι ἀλλ' ὅ γε λόγος ἔχει τινὰ εὐπρέπειαν.] At de pleonasmo hujus negationis ante μὰ dicam in Οὐ μὰ, non multo post. At Οὒ oxytonum quibus adhibeatur locis, docebo infra, ubi agam de Οὔμενουν. [Vel potius sub finem, ubi de Ἦ οὐ.]

|| [HSt. in Ind.:] At οὒx, s. οὐx, Attica synaliphe dicitur pro ὁ ἐx. Soph. Aj. [1289]: Οὒx τῆς βαρβάρου μητρὸς γεγώς. || Οὐx ἄμπω pro οὐx ἄν πω, Nequaquam. Οὐx ἂν δὴ οὐδαμῶς ἂν, Nequaquam. Οὐx ἄν τι, itidem pro Minime. Οὐx ἔστιν ἐφ' ὅτῳ, Non est in quo, pro In nullo. Dem.: Οὐx ἔστ' ἐφ' ὅτῳ τῶν πεπραγμένων μόνος ἐγὼ ἠδίκημαι. Οὐx ἔσθ' ὅπου, Non est ubi, pro Nullibi, Nuspiam. Οὐx ἔσθ' ὅπως, s. οὐx ἔστιν ὅπως, Non est quomodo, pro Nullo modo, Nequaquam. At οὐx ἔσθ' ὅπως οὐ, Non est quin, Fieri non potest quin. Οὐx ἔστιν ὅστις, Non est qui, Nullus, Nemo: itidemque οὐx ἔσθ' ὅ,τι, Non est quod, Nihil. Οὐx ἔσθ' ὅτε, Non est quando, Nunquam. Οὐx ἔφησε ποιήσειν, pro Dixit se non facturum, Negavit se facturum, Attice. Οὐx ἔχω ὅπως, Non habeo quomodo, Nescio quo modo. Plato, Οὐx ἔχω ὅπως βοηθῶ. Οὐx ἥκιστα, Ionice pro οὐχ ἥκιστα, Non in postremis, In primis, Præcipue. Herodot. [2, 10]: Καὶ ἄλλων καὶ οὐx ἥκιστα Ἀχελώου, Quum aliorum, tum vero maxime Acheloi. [V. de hac formula HSt. initio.] Xen.: Οὐx ἦν βουλομένῳ μοι ταῦτα, Attice pro οὐx ἐβουλόμην, Nolebam, Conditio non placebat. Id imitatus Tac. dixit in Vita Agricolæ, Ut bellum quibusque invitis aut volentibus erat. Sic idem Xen. Hell. 5, [3, 13]: Ἦν δὲ οὐ τῷ Ἀγησιλάῳ ἀχθομένῳ ταῦτα, Agesilaus hæc non gravabatur. Ib. 4, [5, 10]: Ὅτῳ ὑμῶν μὴ ἀχθομένῳ εἴη ἐξιέναι, Si quis vestrum ire non gravaretur. Οὐx οἶμαι præcedente negatione pro simplici οἶμαι ponitur, Thuc. 6: Καὶ εἰ μή τι αὐτῶν ἀληθές ἐστιν, ὥσπερ οὐx οἶμαι, Quod si nihil istorum verum sit, ut ego suspicor, Ut existimo verum non esse.

|| Οὐχ ἧσσον, Nihilominus. Thuc. [7, 11: Τὰ μὲν πρότερον πραχθέντα ἐν ἄλλαις πολλαῖς ἐπιστολαῖς ἴστε· νῦν δὲ καιρὸς οὐχ ἧσσον μαθόντας ὑμᾶς βουλεύσασθαι. Mire Ælian. N. A. 13, 11: Αἱροῦνται οἱ λαγῲ ὑπὸ ἀλωπέκων οὐχ ἧττον δρόμῳ, ἀλλὰ καὶ μᾶλλον τέχνῃ. Et Dio Chr. vol. 1, p. 527: Οἱ ἄνθρωποι γίγνονται καταφανεῖς ὁποίαν ἔχουσι διάνοιαν ἕκαστος, ἐν ταῖς πανηγύρεσιν οὐχ ἧττον ἢ ἐν τοῖς συμποσίοις... πλὴν ὅτι ποικιλώτερον τὸ τῶν πανηγύρεων καὶ χρόνου πλείονος. Ubi exspectes ἐν τοῖς συμποσίοις οὐχ ἧττον ἢ ἐν ταῖς πανηγύρεσιν. Sed conferendus Aristoph. Ach. 255: Κἀκποιήσεται γαλᾶς σοῦ μηδὲν ἧττον βδεῖν, ubi μὴ ἧσσω ap. Eur. Androm. 707 comparavit G. Dind., etiam in libris nonnullis in μείζω mutatum.] Οὐχ οἷον, Non modo non, Non solum non. Phalar.: Οὐχ οἷον ἀνθρώπῳ τινὶ πεισθείην τὴν τυραννίδος ἐξουσίαν καταθέσθαι, ἀλλ' οὐδὲ θεῶν τῷ δυναστεύοντι. Sic Polyb.: Οὐχ οἷον ὠφελεῖν δύναιτ' ἂν τοὺς φίλους, ἀλλ' οὐδὲ αὑτὴν σώζειν. [V. Οἷος, p. 1831, B, D.] Οὐχ ὅσον, Nedum, in fine sententiæ. Aristid. Panath.: Μέγα καὶ φανερὸν σύμβολόν ἐστι τοῦ προέχειν εὐθὺς ἐξ ἀρχῆς, οὐχ ὅσον λανθάνειν, Nedum eam obscuro nomine fuisse. [V. Ὅσος.] || Non solum, Non modo. Aristot. Polit. 8: Οὐχ ὅσον ἐπὶ πλέον, ἀλλὰ καὶ δι' ἡδονήν. Thuc. [4, 62]: Οὐχ ὅσον οὐx ἠμύναντο, Non solum non propulsarunt. [V. ibid.] || Οὐχ ὅτι, itidem Non solum, Non modo, sequente ἀλλὰ καί. Theophr.: Οὐχ ὅτι ἀνέφυ ἂν, ἀλλὰ καὶ ἐναυξεστέρας ἐποίησε. Xen. [Comm. 2, 9, 8]: Οὐχ ὅτι μόνος ὁ Κρίτων ἐν ἡσυχίᾳ ἦν, ἀλλὰ καὶ οἱ φίλοι αὐτοῦ, Non modo solus Crito, sed etiam amici ejus. Aristot. Polit. 7, 12: Οὐχ ὅτι τείχη μόνον περιβλητέον, ἀλλὰ καὶ τούτων ἐπιμελητέον. Quibus in ll. nota etiam addita esse μόνος et μόνον post οὐχ ὅτι. Interdum οὐχ ὅτι, ut οὐχ οἷον, ponitur pro Non modo non, Non tantum non. Aristot. Magn. Mor. 2: Οὐχ ὅτι χείρω ποιήσει εἰς μέγεθος ἡ ἀρετὴ ἰοῦσα, ἀλλὰ βελτίω, Non solum non deteriorem reddet, sed etiam meliorem. Athen.: Οὐχ ὅτι ἡμῶν τινα προσβλέποντες, ἀλλ' οὐδὲ ἀλλήλους. [Conf. dicta in Ὅτι] Alioqui οὐχ ὅτι in propria signif. sonat Non quod, Non quia. Οὐχ ὡς significat proprie Non ut. Dem.: Οὐχ ὡς ἔδει, Non ut oportebat. Alias et pro Nedum usurpatur, ut οὐχ ὅσον, in fine sententiæ, Athen. 11, [p. 505, F]: Παρμενίδῃ μὲν γὰρ καὶ ἐλθεῖν εἰς λόγους τὸν τοῦ Πλάτωνος Σωκράτην μόλις ἡ ἡλικία συγχωρεῖ, οὐχ ὡς καὶ τοιούτους εἰπεῖν ἢ ἀκοῦσαι λόγους. Κοὐχίον Hesych. pro καὶ οὐχὶ dici scribit, quod tamen potius κοὐχί.

|| De particula οὐ aliis particulis juncta: in quibus recensendis alphabeticus servatur ordo.

Οὐ γὰρ, Non enim. [In respondendo Plato Reip. 6, p. 492 fin.: Τίνα οὖν ἄλλον οἴει... κρατήσειν; — Οἶμαι μὲν οὐδένα, ἦ δ' ὅς. — Οὐ γὰρ, ἦν δ' ἐγώ. Et alibi. Quas partt. sæpe sequitur post intervallum part. γε, ut Soph. OEd. T. 105: Οὐ γὰρ εἰσεῖδόν γε πω· 357: Οὐ γὰρ ἔx γε τῆς τύχης.] Geminantur autem interdum hæ particulæ οὐ γὰρ, vel potius ἐπαλλήλως ponuntur. [Hom. Il. N, 713: Οὐδ' ἄρ' Ὀϊλιάδῃ μεγαλήτορι Λοκροὶ ἕποντο· οὐ γάρ σφι σταδίῃ ὑσμίνῃ μίμνε φίλον κῆρ· οὐ γὰρ ἔχον κόρυθας χαλκήρεας.] Herodot. 1, [199]: Οὐ γὰρ μὴ ἀπώσηται· οὐ γάρ οἱ θέμις ἐστί. Plato Apol. [p. 21, B]: Τί ποτε οὖν ὁ θεὸς λέγει, φάσκων ἐμὲ σοφώτατον εἶναι; οὐ γὰρ δή που ψεύδεταί· οὐ γὰρ θέμις αὐτῷ· Symp. [p. 199, A]: Χαιρέτω δή· οὐ γὰρ ἔτι ἐγκωμιάζω τοῦτον τὸν τρόπον· οὐ γὰρ ἂν δυναίμην. Alia præterea exempla Bud. affert p. 940, quæ ex Æschine deprompta sunt. Sed οὐ γὰρ dicunt etiam interrogative pro Nonne: de quo harum vocularum usu disseram infra, quum venero ad Οὐ habentem per se etiam hanc signif. [Sequente in eodem membro alia negatione Hom. Od. Θ, 159: Οὐ γάρ σ' οὐδὲ, ξεῖνε, δαήμονι φωτὶ ἐΐσκω ἄθλων· M, 107: Οὐ γάρ κεν ῥύσαιτό σ' ὑπ' ἐx κακοῦ οὐδ' Ἐνοσίχθων· vel repetita priori Od. Γ, 28: Οὐ γὰρ ὀΐω οὔ σε θεῶν ἀέκητι γενέσθαι τε τραφέμεν τε.]

|| Item Οὐ γὰρ ἀλλὰ, Enimvero, At vero. Interdum vero pro Enim simpliciter Aristoph. Nub. [232]: Οὐ γὰρ ἀλλ' ἡ γῆ βίᾳ Ἕλκει πρὸς αὑτὴν τὴν ἰκμάδα τῆς φροντίδος, ubi schol. annotat accipi Attice has particulas οὐ γὰρ ἀλλὰ pro καὶ γάρ. Et affert ex Callim. [ap. Hephæst. p. 16]: Ἀκούσαθ' Ἱππώνακτος· οὐ γὰρ ἀλλ' ἥκω, pro καὶ γὰρ ἥκω. [Aristoph. Eq. 1205: Ἄπιθ'· οὐ γὰρ ἀλλὰ τοῦ παραθέντος ἡ χάρις· Ran. 1180, Eupolis ap. Hephæst. p. 27.] Dicitur etiam Οὐ γάρ τοι ἀλλὰ a Plat. [Euthyd. p. 286, B], ut omnes dicunt οὐ μὴν ἀλλὰ, inquit Bud.: afferens hunc ejus locum, Οὐ γάρ τοι ἀλλὰ τοῦτόν γε τὸν λόγον πολλῶν δὴ καὶ πολλάκις ἀκηκοὼς, ἀεὶ θαυμάζω, ubi reddit Etenim. Ceterum οὐ γὰρ et οὐ γάρ τοι ἀλλὰ, sive reddas Enimvero, aut At vero, sive simpliciter Enim, vel Etenim, erit πλεονασμὸς negativæ particulæ, qui a me paulo ante ostensus fuit quum in aliis loquendi generibus, tum in hoc ipso, cujus aliud ex Aristoph. exemplum protuli [quarto ab hoc tmematio].

|| At Οὐ γὰρ ἂν, Alioqui non, Alioqui nequaquam. Aristoph. Pl. [426]: Οἴεσθε δ' εἶναι τίνα με; Χρ. Πανδοκεύτριαν, Ἢ λεκιθόπωλιν· οὐ γὰρ ἂν τοσουτονὶ Ἐνέκραγες ἡμῖν οὐδὲν ἠδικημένη, Alioqui nequaquam nos ita inclamasses. Dicitur etiam Οὐ γὰρ ἄν ποτε. Plato Polit. 5, [p. 470, D]: Καὶ οὐδέτεροι αὐτῶν φιλοπόλιδες· οὐ γὰρ ἄν ποτε ἐτόλμων τὴν τροφόν τε καὶ μητέρα τέμνειν. [Utrumque est etiam ap. Soph., et alios quosvis.] Cui simile est istud Herodoti [1, 124] usurpantis Ionice Κοτὲ pro ποτέ: Ὦ παῖ Καμβύσεω, σὲ γὰρ θεοὶ ἐπορῶσι· οὐ γὰρ ἄν κοτε ἐς τοσοῦτο τύχης ἀπίκευ, Nam ni ita esset, nunquam ad tantum fastigium evasisses. At vero Οὐ γὰρ ἄν που et Οὐ γὰρ δὴ pro Absit ut existimem, habes Bud. Comm. p. 914, hoc e Xen., illud ex Plat. At de Οὐ γάρ που et Οὐ γὰρ δήπου dicam paulo post. De Οὐ γὰρ δὴ autem interrogative sumpto, dicam infra in Οὐ significante Nonne. [Extra interrogationem Soph. OEd. T. 576: Οὐ γὰρ δὴ φονεὺς ἁλώσομαι· OEd. C. 110: Οὐ γὰρ δὴ τόδ' ἀρχαῖον δέμας· El. 1020: Οὐ γὰρ δὴ κενόν γ' ἀφήσομεν· Ph. 246: Οὐ γὰρ δὴ σύγ' ἦσθα ναυβάτης· et al. V. quæ diximus de οὐ γὰρ δὴ... γε et οὐ γὰρ δή γε in Δὴ vol. 2, p. 1046, B. Ubi de altero addere licet Apollon. De constr. p. 13, 23: Οὐ γὰρ δή γε ἑαυτοῖς τίθενται οἱ παῖδες τὰ ὀνόματα· 17, 3; 18, 2; 54, 3; 170, 27, aliosque recentiorum. Sed Plato Lysid. p. 217, B: Οὐ γὰρ δή γε κακὸν γεγονὸς ἔτι ἂν... ἐπιθυμοῖ, non scripserat δή γε κακὸν aut δὴ κακόν γε, sed οὐ γὰρ δὴ, ut

opinor, sine γε. Vocabulo interposito dicit Phæd. p. 76, C; 92, B. De οὐ γὰρ δὴ, sequente in altero membro οὐχὶ, v. infra in forma Οὐχὶ sub finem. Οὐ γὰρ ἥ (ita scr. pro ἤ), ἴσον τῷ οὐ γὰρ δὴ, οὐ γὰρ δὴ (ἢ?) ὑγιαίνει, annotavit Hesychius. De quo dixi in Ἐπειὴ, vol. 3, p. 1453, C.]

|| Οὐ γὰρ ὅπως, Non modo enim, Neque enim tantummodo. Et οὐ γὰρ ὅπως μὴ, Etenim non modo non. Dem. C. Mid. [p. 518, 12]: Οὐ γὰρ ὅπως μὴ τὸ σῶμα ὑβρίζεσθαί τινος ἐν ταύταις ἡμέραις ᾤεσθε χρῆναι· ἀλλὰ καὶ τὰ δίκη καὶ ψήφῳ τῶν ἑλόντων γιγνόμενα, τῶν ἑαλωκότων καὶ κεκτημένων ἐξ ἀρχῆς, τῇ γοῦν ἑορτῇ ἀπεδώκατε εἶναι, Etenim his diebus alicujus corpus affici contumelia oportere, non modo non putabatis, sed etiam etc. Sic Cic. Non modo non, sequente Sed etiam.

|| Οὐ γὰρ οὖν, Non equidem, Non certe. Οὐ γὰρ οὖν, inquit Bud., est respondentis abnegative, ut οὐκ οἶμαι. Xen. [Comm. 4, 6, 3]: Ἆρ' οὖν ὁ εἰδὼς τοὺς θεοὺς τιμᾷν, οὐκ ἄλλως οἴεται δεῖν τοῦτο ποιεῖν, ἢ ὡς οἶδεν; Οὐ γὰρ οὖν, ἔφη. Ἄλλως δέ τις θεοὺς τιμᾷ, ἢ ὡς οἴεται δεῖν; Οὐκ οἶμαι, ἔφη. [Conf. ibid. 4, 5, 23: Οὐκοῦν δεῖ; — Οὐ γὰρ οὖν.] Alibi, Οὐκ ἔγωγε, ἔφη, ubi præcedit οἴει οὖν, etc. [V. etiam Γὰρ οὖν in Οὖν. Menander fr. Ὀργῆς Athen. 4, p. 166, B: Κατέδομαι καὶ τοὺς λίθους ἁπαξάπαντας, οὐ γὰρ οὖν τὴν γῆν μόνον.]

|| Οὐ γάρ που, Nec enim sane. Aut simpliciter, Nec enim. Plato Phædro [p. 262, D]: Ἴσως δὲ καὶ οἱ τῶν μουσῶν προφῆται οἱ ὑπὲρ κεφαλῆς ᾠδοὶ ἐπιπεπνευκότες ἂν ἡμῖν εἶεν τοῦτο τὸ γέρας· οὐ γάρ που ἔγωγε τέχνης τινὸς τοῦ λέγειν μέτοχος. Sic Οὐ γὰρ δήπου ap. Xen. [Cyrop. 5, 5, 16], Nec enim sane. Sic et Plato Apol. [p. 21, B]: Τί ποτε οὖν ὁ θεὸς λέγει, φάσκων ἐμὲ σοφώτατον εἶναι; οὐ γὰρ δήπου ψεύδεται, οὐ γὰρ θέμις αὐτῷ. At de Οὐ γὰρ ἄν που dictum modo fuit. [|| Οὐ γάρ τε Hom. Od. Γ, 147: Οὐ γάρ τ' αἶψα θεῶν τρέπεται νόος· Κ, 190: Οὐ γάρ τ' ἴδμεν ὅπη ζόφος. De Οὐ γάρ τι v. in Οὔτις.]

[|| Οὔ γε ap. Philodem. Rhetor. p. 60, 26 ed. Gros. sive Voll. Herc. part. 2, col. 30, v. penult., ubi tamen οὐδὲ potius desiderari videtur. Post ἀλλὰ Sextus Emp. p. 349 Fabr.: Εἶτα ἔστω καὶ καταληπτὴν τυγχάνειν τὴν ἀπότεξιν, ἀλλ' οὔ γε πρὸς ἀκριβῆ χρόνον ταύτην παρασημειοῦσθαι δυνατόν ἐστι.]

|| Οὐ δῆτα, negantis est, sicut μὴ δῆτα, vetantis: ap. Aristoph. [Pl. 373] interroganti, Οὐδὲ μὴν ἀπεστέρηκάς γ' οὐδένα, respondetur, Οὐ δῆτ' ἔγωγε, Minime ego quidem. Alibi pro eod. μὰ Δί' ἐγὼ μὲν οὔ. Plato [Reip. 1, p. 351, C]: Δοκεῖς ἂν πόλιν ἢ στρατόπεδον ἢ λῃστὰς πρᾶξαι ἄν τι δύνασθαι εἰ ἀδικοῖεν ἀλλήλους; Ubi respondetur itidem οὐ δῆτα. Sic ap. Eund. in Apol. [p. 25, D] ad hæc verba, Ἔσθ' ὅστις βούλεται βλάπτεσθαι, respondetur Οὐ δῆτα. [Æsch. Prom. 347: Οὐ δῆτ', ἐπεί με κτλ., ubi alia exx. in media oratione positi οὐ δῆτα contulit G. Dindorfius. Ib. 769: Οὐ δῆτα, πρίν γ' ἔγωγ' ἂν ἐκ δεσμῶν λυθῶ. Sequente γε Soph. Œd. T. 1377: Οὐ δῆτα τοῖς γ' ἐμοῖσιν ὀφθαλμοῖς ποτε· Trach. 1127: Οὐ δῆτα τοῖς γε πρόσθεν ἡμαρτημένοις· 1208: Οὐ δῆτ' ἔγωγε. Xen. Comm. 2, 2, 9: Οὐ δῆτα, ἔφη, τοῦτό γε οὐκ οἴομαι.]

|| Οὐ θὴν, Non equidem, Haud sane, Non sane. Aut simpliciter Non: ut vocula hæc poetica Θὴν censeatur duntaxat expletiva. Hom. Il. B, [277]: Οὐ θήν μιν πάλιν αὖτις ἀνήσει θυμὸς ἀγήνωρ Νεικείειν βασιλῆας ὀνειδείοις ἐπέεσσιν. Ubi exp. οὐδαμῶς. Et Οὐ θήν τοι ap. Apollon. [Rh. 1, 1339] pro eod. Alioqui particula θὴν exp. etiam Quidem, ut Il. I, [394]: Πηλεὺς θήν μοι ἔπειτα γυναῖκα γαμέσσεται αὐτός. Apud Theocr. [5, 111] schol. vult. esse pro δὴ vel ἐπιπολύ. [Οὐ μέν θην v. infra in Οὐ μέν. || Οὐκ ἄρα Hom. Il. Π, 33: Οὐκ ἄρα σοί γε πατὴρ ἦν ἱππότα Πηλεύς. Et ubi signum interrogandi apponitur Od. Λ, 554: Αἶαν, οὐκ ἄρ' ἔμελλες οὐδὲ θανὼν λήσεσθαι ἐμοὶ χόλου; Et divise Soph. El. 935: Οὐκ εἰδυῖ' ἄρα ἵν' ἦμεν ἄτης· et ap. alios quosvis. Frequens ap. Epicos Οὐ κε, ut ap. alios quoslibet οὐκ ἄν, omittimus.]

|| Οὐ μὰ, in jurejurando: οὐ μὰ Δία, Non per Jovem: vacante adverbio οὐ, quum alioqui μὰ per se id significet. Hom. Il. A, [86]: Οὐ μὰ γὰρ Ἀπόλλωνα Διῒ φίλον, sequente et alia negatione, Οὔ τις ἐμεῦ ζῶντος καὶ ἐπὶ χθονὶ δερκομένοιο, Σοὶ κοίλης παρὰ νηυσὶ βαρείας χεῖρας ἐποίσει Συμπάντων Δαναῶν. [Ψ, 43: Οὐ μὰ Ζῆ-

A να... οὐ θέμις ἐστί· Od. Υ, 339: Οὐ μὰ Ζῆνα... οὔτι διατρίβω μητρὸς γάμον. Aristoph. Ran. 1043: Ἀλλ' οὐ μὰ Δί' οὐ Φαίδρας ἐποίουν πόρνας οὐδὲ Σθενεβοίας. Callim. Epigr. 31, 1: Οὐ μὰ τὸν ὀξὺν ἥλιον οὐκ ἔγνων· 46, 1: Οὐ μὰ τὸν Ἑρμᾶν οὐ καλὸν αὐτὸν ἔφαν.] Utuntur et solutæ orationis scriptores eodem modo. Dem. [p. 297, 12]: Ἀλλ' οὐκ ἔστιν ὅπως ἡμάρτετε, ἄνδρες Ἀθηναῖοι, ... οὐ μὰ τοὺς ἐν Μαραθῶνι παρακινδυνεύσαντας [προκ.]. Est enim, inquit Bud., negationis repetitio: nec similis loquendi ratio in Ναὶ μά. Nam μὰ per se negat. Aristoph. [Pl. 869]: Ἦ τῶν πονηρῶν ἦσθα καὶ τοιχωρύχων; Ad quæ respondetur, Μὰ Δία, Minime vero, Nequaquam. Ad verbum, Non per Jovem. Ceterum dicitur et οὐ μὰ Δία, οὐ μὰ τὸν Δία, quo utitur Xen. [Cyrop. 6, 1, 4.] Sed hoc præterea sciendum est, interdum particulam aliquam s. aliquas particulas inter οὐ et μὰ interjici. Plato Apol. [p. 26, E]: Ἀλλ' ὦ πρὸς Διὸς, οὑτωσί σοι δοκῶ οὐδένα νομίζειν θεὸν εἶναι; Οὐ μέντοι μὰ Δία, οὐδ' ὁπωστιοῦν. [Sine μὰ Soph. El. 1063: Ἀλλ' οὐ τὰν Διὸς ἀστραπὰν καὶ τὰν οὐρανίαν Θέμιν· 1238: Ἀλλ' οὐ τὰν Ἄρ-
B τεμιν· Ant. 758: Ἀλλ' οὐ τόνδ' Ὄλυμπον· Œd. T. 1088: Οὐ τὸν Ὄλυμπον· 660: Οὐ τὸν πάντων θεῶν θεὸν πρόμον Ἅλιον. Aristoph. Lys. 1171: Οὐ τὼ σιώ, quod Xenophonti Anab. 7, 6, 39 et Ages. 5, 5, restitui pro οὑτωσί. Theocr. 5, 14; 27, 34: Οὐ μὰν, οὐ τὸν Πᾶνα· 5, 17: Οὐ μὰν, οὐ ταύτας τὰς Νύμφας.]

[|| Οὐ μὲν Hom. Il. A, 163: Οὐ μὲν σοί ποτε ἶσον ἔχω γέρας· 602: Οὐδέ τι θυμὸς ἐδεύετο δαιτὸς ἐΐσης, οὐ μὲν φόρμιγγος περικαλλέος. Apoll. Rh. 1, 78: Οὐ μὲν ἔμελλε νοστήσειν· 90: Οὐ μὲν ἅμ' ἄμφω οὐδ' ὁμόθεν· 192: Λαοκόων Οἰνῆος ἀδελφεὸς, οὐ μὲν ἰῆς γε μητέρος· 296: Ἐπεὶ οὐ μὲν ἐρητύσεις κακότητος δάκρυσιν· 794: Ἐπεὶ οὐ μὲν ὑπ' ἀνδράσι ναίεται ἄστυ· 4, 1489: Ἐπεὶ οὐ μὲν ἀφαυρότερός γε τέτυκτο· et sequente δὲ 2, 311: Οὐ μὲν πάντα πέλει θέμις ὔμμι δαῆναι ἀτρεκές· ὅσσα δ' ὄρωρε θεοῖς φίλον οὐκ ἐπικεύσω· 4, 1161. Ap. Empedocl. Tzetz. Hist. 13, 80: Οὐ μὲν γὰρ βροτέῃ κεφαλῇ κατὰ γυῖα κέκασται, οὐ μὲν ἀπαὶ νώτων γε δύο κλάδοι ἀΐσσουσιν, οὐ πόδες, οὐ θοὰ γοῦνα, primo versu Ammonius οὔτε γὰρ ἀνδρομέη. Dionys. Per. 708: Οὐ μὲν ἰδὼν ἀπάνευθε πό-
C ρους, οὐ νηὶ περήσας· 239: Οὐ μὲν γὰρ ὀλίζονος ἔμμορε τιμῆς. || Οὐ μὲν γάρ τι v. in Οὔτις.]

|| Οὐ μὲν δὴ, in negatione itidem, s. responsione negativa. Et quemadmodum protuli modo ex Plat. μὰ Δία, præcedente οὐ μέντοι, ita vicissim μὲν δὴ ap Xen. habetur præcedente μὰ Δία, Cyrop. 6, [3, 10]: Οὐ μὰ Δία, εἶπον ἐκεῖνοι, οὐ μὲν δὴ ἔχαιρον, ἀλλὰ καὶ μάλα ἠνιῶντο. Sic 5, [5, 18]: Ἐν τούτῳ κατενόησάς με πόνου τινὸς ἀποστάντα, ἢ κινδύνου τινὸς φεισάμενον; Οὐ μὰ τὸν Δί', ἔφη· οὐ μὲν δή. Itidem Symp. [4, 3]: Ἦ καί σοι, ἔφη, ἀποδιδόασιν, ὅ,τι ἂν λάβωσι; Μὰ τὸν Δί', ἔφη, οὐ μὲν δή. [Οὐ μέν θην Hom. Il. Θ, 448: Οὐ μέν θην κάμετόν γε. Apollon. Rh. 2, 915: Οὐ μέν θην προτέρῳ ἔτ' ἐμέτρεον.]

|| At Οὔμενουν, proparoxytone prolatum, cum negatione implicitam aliam conjunctionem habet, inquit Bud., ornatus, non significationis causa, ut οὔκουν. Accipitur autem pro Atqui, Non certe, Non profecto, Non equidem, etiam Non quidem. Dem. Pro cor. [p. 274, 16], de Æschine loquens: Ἆρ' οὖν οὐδὲ
D ἔλεγεν, ὥσπερ οὐδὲ ἔγραφεν, ἡνίκα ἐργάσασθαί τι δέοι κακὸν ὑμᾶς; οὔμενον ἦν εἰπεῖν ἑτέρῳ, Atqui tum nulli alii dicendi locus vacuus erat, Nulli certe tum dicendi locum iste non præripiebat. Lucian. [Timon. c. 54]: Οὐ Θρασυκλῆς ὁ φιλόσοφος οὗτός ἐστιν; Οὔμενουν ἄλλος, Non equidem alius, Profecto ipse est, non alius. Rursum Dem. [p. 330, 12]: Διὰ τὰς τῶν προτέρων εὐεργεσίας οὔσας ὑπερμεγέθεις, οὔμενουν εἴποι τις ἂν ἡλίκας, τὰς ἐπὶ τὸν παρόντα βίον κτλ., Tales quidem illas, quales nemo dicendo assequi possit. [Id. p. 786, 26: Δεινῶν ὄντων, οὐ μὲν οὖν ἐχόντων ὑπερβολήν.] In hoc autem Basilii loco, Ὃς ἐφ' οὕτω μεγάλαις καὶ λαμπραῖς εὐεργεσίαις, οὔμενουν ἐχούσαις ὑπερβολὴν, πολλαπλασίονα ἡμῖν εἰς ὕστερον ἐπαγγέλλεται, interpretor οὔμενουν ἐχούσαις, Non habentibus quidem certe, dissentiens a Bud., qui hic non plus quam οὐ significare ait. At vero in hoc Ejusd., ubi adhibetur responsioni, Τί οὖν ἐπὶ τούτοις; ἆρα ἐδελεάσθη τῷ πλούτῳ; ἢ τὸν ἐκ τῶν δικαστῶν ἐπηρτημένον κίνδυνον ἐξεπλάγη; οὔμενουν· ἀλλ' ἐρρέτω, φησὶν, ὁ βίος, cum eo interpretor Minime vero, s. Ne-

quaquam; atque hic certe potius non plus quam οὐ significare dico. [Aristoph. Ran. 556: Οὐ μὲν οὖν με προσεδόκας, ὁτιὴ κοθόρνους εἶχες, ἂν γνῶναί σ' ἔτι; 1188: Μὰ τὸν Δί' οὐ δῆτ'· οὐ μὲν οὖν ἐπαύσατο· Pl. 870: Μὰ Δί' οὐ μὲν οὖν ἔσθ' ὑγιὲς ὑμῶν οὐδενός. Οὐδαμῶς interpr. Hesych.] || Affert autem οὔμενουν et pro Neque enim, ex Gregor. Εἰς Ἀθαν.: Πολλῶν γὰρ ὄντων ἡμῖν καὶ μεγάλων, οὔμενουν εἴποι τὶς ἂν ἡλίκων καὶ ὅσων, ὧν ἐκ θεοῦ ἔχομέν τε καὶ ἕξομεν, τοῦτο μέγιστον, ubi non dubium est quin Greg. priorem illum Dem. l. imitari voluerit: ideoque non video cur Bud. isti adverbio aliam hic quam illic interpretationem dare debuerit. Affert autem et Basilii ac Gregorii Nysseni locos, in quibus similem usum habet in parenthesi positum. [In media oratione Tzetz. in Cram. An. Paris. vol. 1, p. 64, 11: Ἅπερ δὲ μέτρα (l. μέτρῳ) γέγραπταί τινι οὐ τεταγμένῳ οὐκ ἀνακύκλησίν τινα οὔμενουν κεκτημένα. Ms. ap. Pasin. Codd. Taurin. vol. 1, p. 333, B: Καὶ οὐ μὲν οὖν οὐδαμῶς ἠνείχοντο. Theodor. Stud. p. 55, A: Μὴ βραδεῖαν καὶ οὐκ ἀποχρῶσαν τὴν ἴασιν ἐκομίσατο, οὔμενουν ἀλλὰ καὶ ταχυτέραν τῶν ἄλλων.] || Ex Pausania B autem Οὔμενουν et pro Veruntamen non: qua significatione dici solet potius οὐ μέντοι, vel οὐ μήν [1, 20, 1]: Ἐσδραμὼν οὖν οἰκέτης ἔφασκεν οἴχεσθαι Πραξιτέλει τὸ πολὺ τῶν ἔργων, πυρὸς εἰσπεσόντος εἰς τὸ οἴκημα· οὔμενουν πάντα γε ἀφανισθῆναι. Sed et particulam γε jungit Bud. cum οὔμενουν, tanquam trajectam sc.: nam Οὔμενούν γε dixisse ait Pausan. pro οὐ μέντοι γε. [Accentus autem οὐμένουν, qui omni caret ratione, ex antiquiorum scriptorum editionibus dudum est expulsus.]

|| Est poet. Οὐμένπως, quo utitur Hom. pro οὐδαμῶς, Nequaquam. [Il. B, 203: Οὐ μέν πως πάντες βασιλεύσομεν ἐνθάδ' Ἀχαιοί· aliisque locis in Οὔπως citandis. Orph. Lith. 344.]

|| Illud autem Οὐ μέντοι, de quo dixi modo [Xen. Anab. 2, 4, 14: Οὐ μέντοι καταφανεῖς ἦσαν], vel Οὐ μέντοι γε sonat Non tamen, Veruntamen non. Dem.: Οὐ μέντοι πάντας γε· οὐ γὰρ ἠδύνατο, Non tamen omnes, Sed non omnes. Idem: Οὐ μέντοι πάντα γε ἐδυνήθη. [Herodot. 2, 63: Οὐ μέντοι οἵ γε Αἰγύπτιοι ἔφασαν ἀποθνήσκειν οὐδένα. Frequens est etiam ap. Xenoph. et C Plat. aliosque.] || At Οὐ μέντοι, sequente ἀλλὰ, vel ἀλλά γε, pro οὐ μὴν ἀλλὰ, Veruntamen. Plato Phædone [p. 62, B]: Καὶ γὰρ ἂν δόξειεν, ἔφη ὁ Σωκράτης, οὕτω γ' εἶναι ἄλογον, οὐ μέντοι ἀλλ' ἴσως γ' ἔχειν [ἴσως ἔχει] τινὰ λόγον, Veruntamen habere aliquid rationis. De rep. 1 [Phæd. p. 72, B]: Οὐ μέντοι ἀλλὰ τόδε γέ μοι δοκεῖ, ὦ Κέβης, εὖ λέγεσθαι, τὸ θεοὺς εἶναι ἡμῶν τοὺς ἐπιμελουμένους· Symp. [p. 199, B]: Οὐ μέντοι ἀλλὰ τά γε ἀληθῆ, εἰ βούλεσθε, ἐθέλω εἰπεῖν κατ' ἐμαυτόν. Ubique autem γε addidit, inquit Bud., quæ particula cum omnibus fere jungitur conjunctionibus: sed τμητικῶς fere. Sic Dem.: Ἀλλὰ μὴν ὑπέρ γε τοῦ προῖκα ἢ μὴ κτλ., pro ἀλλὰ μήν γε ὑπὲρ τοῦ κτλ. Verum interdum ἀλλὰ præponitur. Plato De rep. 1, [p. 349, A]: Ἀλλ' οὐ μέντοι, ἦν δ' ἐγώ, ἀποκνητέον γε τῷ λόγῳ ἐπεξελθεῖν σκοπούμενον, ἕως ἂν κτλ. || Sed οὐ μέντοι habet et aliam signif. a Bud. prætermissam; adhibetur enim responsioni pro Minime vero: ut videre est in eo quem ex Plat. protuli loco in Οὐ μά. [Οὐ μέντοι δὲ Achmes Onir. 126, p. 87: Ἐὰν δὲ D μόνον ἴδῃ ὅτι ἐφίλησεν ἢ συνωμίλησεν, οὐ μέντοι δὲ συνουσίασεν. De οὐ μέντοι v. in Μέντοι, p. 777, B, ubi de forma οὐ μέντον addere licet Etym. M. et Gud. v. Ἀργεννὸς Siculis tribuentia οὐ μέντοι pro οὐ μέντον, ut iidem σπείδω dicant pro σπένδω.]

|| Οὐ μὴ, vacante altera negatione, ut antea dictum est, pro Non, Nequaquam. [Non vacante, sed, de quo inter alios monuit Elmsl. ad Soph. OEd. C. 177, tanquam ad omissum voc. ejusmodi quale δεινὸν vel δέος referenda, ut Herodoti 1, 84: Οὐ γὰρ ἦν δεινὸν μὴ ἁλῷ κοτε.] Sæpe quidem cum subjunctivo. Xen. Cyrop. 8, [1, 1]: Τοῦτο γὰρ εὖ εἰδέναι χρή, ὅ,τι οὐ μὴ δύνηται Κῦρος εὑρεῖν, Nequaquam invenire possit Cyrus, pro οὐ μὴ εὕρῃ: ut Gregor. οὔτε μὴ εὕρῃ dixit: Θεὸν, ὅ,τι ποτέ ἐστι τὴν φύσιν καὶ τὴν οὐσίαν, οὔτε τις εὗρεν ἀνθρώπων, οὔτε μὴ εὕρῃ, Nec posthac invenerit. [Hier. 11, 15: Οὐ μή σοι δύνωνται ἀντέχειν οἱ πολέμιοι· Anab. 2, 2, 12: Οὐκέτι μὴ δύνηται ἡμᾶς καταλαβεῖν.] Plato De rep. 1, [p. 341, C]: Ἀλλ' οὐ μὴ οἷός τ' ἦς, itidem pro Nequaquam possis. Id. 2, [p. 375, C]: Φύλαξ ἀγαθὸς οὐ μὴ γένηται, Nequaquam fuerit, esse possit, erit, Non erit. [Phileb. p. 48, D: Πῶς φῄς; οὐ γὰρ μὴ δυνατὸς ὦ. Sed ap. Soph. OEd. C. 1024: Οὓς οὐ μήποτε ... φυγόντες ... ἐπεύχωνται θεοῖς, alii libri, correcti tamen, aoristum præbuerunt ἐπεύξωνται.] Herodot. [3, 62]: Οὐ μή τι κακὸν [νεώτερον] ἀναβλάστῃ. [Alii libri ἀναβλαστήσει, quod non erat cur contra Florentini et aliorum bonorum auctoritatem reciperetur. Aoristo 1, 199: Οὐ γὰρ μὴ ἀπώσηται. Quanquam huic ex. ne consensus quidem librorum fidem conciliat, quum Herodotus quod scripsit ἀπώσεται, tam pro futuro quam pro aor. ἀπώσηται haberi liceat.] Sic οὐ μὴ μόλω, Eur., Non veniam. [Æsch. Suppl. 755: Οὐ μὴ τριαίνας τάσδε ... δείσαντες ἡμῶν χεῖρ' ἀπόσχωνται· fr. Toxot. ap. Plutarch. Mor. p. 767, B: Νέας γυναικός οὔ με μὴ λάθῃ φλέγων ὀφθαλμός. Soph. OEd. T. 771: Κοὐ μὴ στερηθῇς γε· et alibi. De optativo v. infra in Οὐ μήποτε. Eodem in oratione obliqua utitur Soph. Ph. 611: Ἐθέσπισεν ... τἀπὶ Τροίᾳ πέργαμ' ὡς οὐ μήποτε πέρσοιεν. Cum inf. in oratione obliqua Eur. Phœn. 1590: Σαφῶς γὰρ εἶπε Τειρεσίας οὐ μήποτε σοῦ τήνδε γῆν οἰκοῦντος εὖ πράξειν πόλιν. Male vero cum infinitivo junxit Eust. ap. Tafel. De Thessalon. p. 403, B: Ἀξιῶ ἐμαυτὸν οὐ μὴ βλέπειν τὴν σὴν βασιλείαν. Sed recentiores parum perspicientes hujus formulæ naturam οὐ μὴ sæpe dixerunt pro alterutro, ut Heliodor. Æth. 5, init.: Εἶτα οὐ μὴ μανῶ ἀκηκοώς; Ephræm Syr. vol. 3, p. 366, C: Τίς οὐ μὴ πενθήσῃ (l. —σῃ vel —σει) τὸν ἄνθρωπον ἐκεῖνον· 391, C: Δέδοικα μήποτε ὁ καιρὸς τῆς ἐμῆς ἐπιθυμίας παρέλθῃ καὶ τὸν ἴσον ἐκείνου οὐ μὴ εὑρήσω ποτέ. || Lesbonax Περὶ σχημ. p. 187, postquam de οὐ μὴ dixerat: Ἀνακύπτει δ' ἐκ τούτου τοῦ σχήματος καὶ ἕτερον Δώριον, ὃ γίνεται τῆς αὐτῆς συντάξεως χρεοκοπουμένης, οἷον, Οὐκ εἴπω σοί, ἀντὶ τοῦ, Οὐκ ἐρῶ σοι, καὶ, Σήμερον οὐκ ἴδῃς, ἀντὶ τοῦ, Μὴ ἴδῃς, καὶ τὸ (Il. A, 262), Οὐ γάρ πω τοίους ἴδον ἀνέρας οὐδὲ ἴδωμαι. Hom. Il. H, 197: Οὐ γάρ τίς με βίῃ γε ἑκὼν ἀέκοντα δίηται· O, 349: Αὐτοῦ οἱ θάνατον μητίσομαι, οὐδέ νυ τόν γε γνωτοί τε γνωταί τε πυρὸς λελάχωσι θανόντα.] Interdum vero ponitur et tertia negatio: ut quum præcedit οὐδὲν, sicut in hoc Luciani loco [Piscat. c. 18]: Θάρρει, οὐδὲν οὐ μὴ γένηται ἄδικον δικαιοσύνης ταύτης συμπαρούσης, Haudquaquam fieri possit, potest. [Lucas 10, 19: Οὐδὲν οὐ μὴ ἀδικήσῃ. Et οὐδὲ Matth. 26, 21: Οὐδ' οὐ μὴ γένηται. Hebr. 13, 5. Et post οὐ μὴ ap. Dion. Cass. 66, 2: Ἤχθετο εἰ καὶ ὁστισοῦν οὐχ ὅτι ὑβρίσειεν αὐτὸν, ἀλλ' οὐ μὴ μεγάλως ἀγήλειεν αὐτόν.] Imo vero et quarta adhibetur negatio nonnunquam, quam observationem Bud. prætermisit, ut in Dem. Philipp. 1, [p. 53, 4]: Οὐδέποτ' οὐδὲν ἡμῖν οὐ μὴ γένηται τῶν δεόντων. Jungitur tamen οὐ μὴ et indicativo [fut.]: ut οὐ μὴ περιόψομαι, Aristoph. [Ran. 508.] Sic Οὐ μὴ παύσομαι φιλοσοφῶν, Plato Apol. [p. 29, D. Soph. El. 1052: Οὔ σοι μὴ μεθέψομαί ποτε.] Dicitur itidem Οὐ μή ποτε pro Haud unquam, etiam Nequaquam. Plato De rep. 4, [p. 435, D]: Ἀλλ' εὖ ἴσθι, ὦ Γλαύκων, ἀκριβῶς μὲν τοῦτο ἐκ τοιούτων μεθόδων, οἵαις νῦν ἐν τοῖς λόγοις χρώμεθα, οὐ μή ποτε λάβωμεν· Phædro [Phæd. p. 66, C]: Ὅτι ἕως ἂν τὸ σῶμα ἔχωμεν, καὶ ξυμπεφυρμένη ᾖ ἡμῶν ἡ ψυχὴ μετὰ τοῦ τοιούτου κακοῦ, οὐ μή ποτε κτησώμεθα ἱκανῶς οὗ ἐπιθυμοῦμεν, Quoad animus corpore obrutus fuerit, nunquam id, quod quærimus, assequemur. [Alio ordine idem Leg. 12, p. 942, C: Οὔτ' ἔστιν οὔτε ποτὲ μὴ γένηται (pro quo Plut. Mor. p. 233, B: Οὔτε ἐστὶν οὔτε μήποτε γένηται)· Epin. p. 985, C: Οὔποτε μὴ τολμήσῃ.] Invenitur autem οὐ μή ποτε et cum indicativo ap. Æschin. [p. 79, 11]: Τοὺς μὲν γὰρ πονηροὺς οὐ μή ποτε βελτίους ποιήσετε, τοὺς δὲ χρηστοὺς εἰς τὴν ἐσχάτην ἀθυμίαν ἐμβαλεῖτε. Et cum optativo ap. Synes.: Οὐ γὰρ μή ποτε κατισχύσειε τοῦ πεφυκότος, οὐδ' οὐ μὴ σβέσειε τὸν σπινθῆρα τοῦ θείου φωτός. [Plotin. vol. 2, p. 708, 11: Νοῦς δὲ πᾶς ἀεὶ ἄνω καὶ οὐ μήποτε ἔξω τῶν αὐτοῦ γένοιτο· 724, 15: Οὐ γὰρ μήποτέ τις ἐκφύγοι· ut p. 1023, 19: Οὐδ' ἴσασιν ὅτι ὅσον ἐκεῖνο ἐλλάμπει, οὐ μήποτε τὰ ἄλλα ἐλλείπῃ, ubi olim ἐλλείπει, liber unus ἐλλίπῃ, nonnulli ἐλλάμπῃ (sic), plures ἐλλείποι, haud dubie recipiendus sit optativus, idemque præstet in l. in Μήποτε p. 1009, A, citato, ubi alia v. hujus constr. exx. Sic Eutecn. Metaphr. Nicand. Ther. 319: Οὐκ ἂν οὖν μὴ ἴδοις κτλ.

Liban. Epist. 1115, p. 530 : Οὐ γὰρ δὴ ἑκών γε μήποτε οὕτως ἀτυχήσαιμι.] || Sed οὐ μὴ affertur et pro Ne, positum sc. ἀπαγορευτικῶς : ut, Οὐ μὴ σκώψεις, ex Aristoph. Nub. [295], Ne irrideas, Noli irridere. Et [367], Οὐ μὴ ληρήσεις. [505 : Οὐ μὴ λαλήσεις, ἀλλ' ἀκολουθήσεις ἐμοί· Ran. 607 : Οὐκ ἐς κόρακας; οὐ μὴ πρόσιτον. Soph. Tr. 978 : Οὐ μὴ 'ξεγερεῖς τὸν ὕπνῳ κάτοχον. Eur. Hipp. 498 : Οὐχὶ συγκλήσεις στόμα, καὶ μὴ μεθήσεις αὖθις αἰσχίστους λόγους· El. 383 : Οὐ μὴ φρονήσετε ... κρινεῖτε. Tertia pers. Soph. OEd. C. 176 : Οὔτοι μή ποτέ σ' ἐκ τῶνδ' ἑδράνων... ἄκοντά τις ἄξει, ubi ἄρῃ suspicabatur Elmsl., qui οὐ μὴ cum futuro conjunctum interrogativum putaret, cui rationi adversantur non tantum exx. de prima persona paullo ante memorata, sed etiam quæ aor. cum fut. conjunctum habent, ut Soph. El. 42 : Οὐ γὰρ ... γνῶσ' οὐδ' ὑποπτεύσουσιν· OEd. C. 450 : Οὔτι μὴ λάχωσι .... οὔτε σφιν ... ὄνησις ἥξει, ut tollendum potius sit interrogandi signum post talia, quamvis commendari videatur locis qualis est Aristoph. Ran. 607 supra citatus. || Οὐδὲ μὴ v. in Οὐδέ. De Οὐδὲν μὴ v. in Μὴ p. 954, D. Incertum est Οὔτε μὴ, quod propter sequens οὔτε pro οὔτι restituebat Elmsl. Soph. OEd. C. 450, quum illic alterum οὔτε facilius mutetur in οὐδέ. Οὔτι μὴ Æsch. Eum. 225 : Τὸν ἄνδρ' ἐκεῖνον οὔτι μὴ λίπω ποτέ· Sept. 38 : Καὶ τῶνδ' ἀκούσας οὔτι μὴ ληφθῶ δόλῳ· 199 : Λευστῆρα δήμου δ' οὔτι μὴ φύγῃ μόρον· 281 : Οὐ γάρ τι μᾶλλον μὴ φύγῃς τὸ μόρσιμον· Cho. 895 : Θανόντα δ' οὔτι μὴ προδῷς ποτε. Soph. Tr. 621 : Οὔτι μὴ σφαλῶ γ' ἐν σοί ποτε.]

|| Οὐ μὴν, vel Οὐ μήν γε, sed particula γε per tmesin a μὴν disjungi potius solet, Non tamen, Veruntamen non, Nec tamen. [Æsch. Ag. 1068 : Οὐ μὴν πλέω ῥίψας' ἀτιμωθήσομαι· 1252 : Οὐ μὴν ἄτιμοί γ' ἐκ θεῶν τε θνήξομεν· Sept. 538 : Οὐ μὴν ἀκόμπαστός γ' ἐφίσταται πύλαις. Soph. Ph. 811 : Οὐ μήν σ' ἔνορκόν γ' ἀξιῶ θέσθαι, τέκνον· OEd. T. 810. Xen. Anab. 7, 6, 38 : Οὐ μὴν ὅτε γε ἐν τοῖς ἀπόροις ἦμεν.] Dem. [p. 547, 24] : Οὐ μὴν ἐνταῦθ' ἕστηκε τὸ πρᾶγμα, οὐδ' ἀπορήσειν μοι δοκῶ τῶν μετὰ ταῦτα· τοσαύτην ἀφθονίαν οὗτος πεποίηκε κατηγοριῶν, Nec tamen hic res insistit, sed porro progreditur, Bud., sed afferens tamen et aliam interpret., reddendo sc. οὐ μὴν, Nec vero. Idem, Οὐ μὴν κωλύει γε οὐδὲν κἀμὲ διὰ βραχέων ἐπιμνησθῆναι, Tametsi nihil me vetat. Plut. Lycurgo : Οὐ μὴν τοῦτό γε τῷ Λυκούργῳ κεφάλαιον ἦν· Numa : Οὐ μὴν ἐπήρθη. Interdum vero præcedente particula μὲν, subjungitur οὐ μήν : ut ap. Aristot. Eth. 4, [3 init.] : Ὁ δὲ χαῦνος πρὸς ἑαυτὸν μὲν ὑπερβάλλει, οὐ μὴν τόν γε μεγαλόψυχον. Sic in l. De mundo : Τῇ μὲν θείᾳ δυνάμει πρέποντα λόγον, οὐ μὴν τῇ γε οὐσίᾳ καταβάλλεσθαι. Ubi quidam interpr. At non item. [Nullo interposito voc. Maximus Conf. vol. 2, p. 67, C : Οὐ μήν γέ τοι καθ' οἷον δήποτε τρόπον· 125, A : Οὐ μήν τε (l. γε) τῆς κλήσεως κοινωνεῖν.] Sed pro οὐ μὴν dicitur poetice Οὐ μάν : usurpando sc. Doricam dialectum. Exp. autem, Non tamen, Nec tamen. Alicubi etiam Nec vero. Οὐ μὰν ap. Hom. pro οὐ μὴν, Bud. : Il. Ο, [16] : Οὐ μὰν οἶδ' εἰ αὖτε κακορραφίης ἀλεγεινῆς Πρώτη ἐπαύρηαι, καί σε πληγῇσιν ἱμάσσω, Verum haud scio : quod quasi affirmantis est, ut Latine Cic. uti solet et clari auctores alii. [Ψ, 441 : Ἀλλ' οὐ μὰν οὐδ' ὧς ἄτερ ὅρκου οἴσῃ ἄεθλον· Ρ, 448 : Ἀλλ' οὐ μὰν ὑμῖν γε...Ἕκτωρ ἐποχήσεται· Od. Ρ, 470 : Οὐ μὰν οὔτ' ἄχος ἐστὶ μετὰ φρεσὶν οὔτε τι πένθος. Lycophr. 1412 : Οὐ μὰν ὑπείξει γ' ἡ 'πιμηθέως τοκάς, ubi paucissimi μὴν, in quo omnes consentiunt 283. Dionys. Per. 839 : Οὐ μὰν οὐδὲ γυναῖκας ὀνόσσεαι. Theocr. 8, 74 : Οὐ μὰν οὐδὲ λόγων ἐκρίθην ἀπὸ τὸν πικρὸν αὐτᾷ· 5, 14; 27, 34 : Οὐ μὰν οὐ τὸν Πᾶνα· 5, 17 : Οὐ μὰν οὐ ταύτας τὰς ... Νύμφας. Quod οὐ μὴν οὐ legitur etiam ap. Ælian. N. A. 15, 1 : Οὐ μὴν οὐ δύνανται τοὺς ἐπινηχομένους λαθεῖν ἰχθύας, ubi alterum οὐ omittit liber unus, nec tuetur Theocriteum illud, ubi alterum est i. q. οὐ μὰ, aut οὐ μὴν οὐδὲ, de quo infra.] Et Οὐ μὴν ἀλλὰ, vel Οὐ μὴν ἀλλά γε, Enimvero, At vero. Nam quum negationis speciem præferat, tamen affirmationis vim habet, Bud., afferens ex Dem. Π. παραπρ. : Οὐ μὴν ἀλλ' ἔγωγε οἶμαί μοι προσήκειν ἀμφότερα ὑμῖν ἐπιδεῖξαι, Enimvero existimo, At vero existimo. Idem [p. 908, 9] : Οὐ μὴν ἀλλ' ἐλπίζω δείξειν εἰσαγώγιμον τὴν δίκην οὖσαν. [Xen. Cyrop. 1, 4, 8 : Οὐ μὴν ἀλλ' ἐπέμεινεν ὁ Κῦρος. Plato

A Gorg. p. 449, C.] Polyb. : Οὐ μὴν ἀλλ' ἔστω τόπους εὑρῆσθαι τοιούτους, Verum esto, Sed sit sane. [Verumtamen, Nihilominus, Ceterum, 1, 23, 5 : Ξενιζόμενοι ταῖς τῶν ὀργάνων κατασκευαῖς, οὐ μὴν ἀλλὰ τελέως κατεγνωκότες τῶν ἐναντίων· 3, 16, 7 : Οὐ μὴν ἀλλὰ τούτοις χρησάμενοι διαλογισμοῖς. Schweigh. Lex.] Interdum et per tmesin profertur οὐ μὴν ἀλλὰ, ut ap. Plat. Parmenide [p. 127, D] : Οὐ μὴν αὐτός γε ἀλλὰ καὶ πρότερον ἀκηκοέναι τοῦ Ζήνωνος, pro οὐ μὴν ἀλλὰ αὐτός γε. Ita Bud. [Qui omittere debebat hunc l., in quo distinguendum post γε, ut ap. Polyb. 3, 85, 9 : Οὐ μετρίως οὐδὲ κατὰ σχῆμα τὴν περιπέτειαν ἔφερον· οὐ μὴν ἥ γε σύγκλητος, ἀλλ' ἐπὶ τοῦ καθήκοντος ἔμενε λογισμοῦ· 118, 7 : Οὐ μὴν ἥ γε σύγκλητος οὐδὲν ἀπέλειπε τῶν ἐνδεχομένων, ἀλλὰ παρεκάλει κτλ. Cujusmodi ex loquendi modo contracta est hæc formula]; qui etiam docens οὐ μὴν ἀλλά γε [voc. inter ἀλλὰ et γε interposito] dici sicut οὐ μὴν ἀλλὰ, exemplum affert ex Dionys. H., qui de Isocrate ita scribit [vol. 5, p. 576, 10] : Ἐν δὲ τῇ συνθέσει τῶν ὀνομάτων τὸ λεῖον ἐκεῖνο καὶ εὐπρεπὲς ἔχων ἔλαττον μὲν ἢ ἐν ἄλλοις λό- B γοις, οὐ μὴν ἀλλ' ἔχων γε. [Voll. Hercul. part. 1, p. 86, A.] Sed hoc addo, quod Bud. silentio præteriit, subjungi in plerisque ll. οὐ μὴν ἀλλὰ particulæ μέν : sicut in Dionysii loco vides, οὐ μὴν ἀλλά γε, præcedente μέν. Dem. Philipp. 1 [p. 51, 7] : Ἀληθῆ μέν ἐστι τὰ πολλὰ, ὡς οὐκ ἔδει, οὐ μὴν ἀλλ' ἴσως οὐχ ἡδέα ἀκούειν· Philipp. 4 [p. 140, 27] : Περὶ οὗ πάνυ μὲν φοβοῦμαι λέγειν, οὐ μὴν ἀλλ' ἐρῶ. Et Οὐ μὴν ἀλλὰ καὶ, pro Tum vel maxime : ut quidem Gaza vertit, quum hunc Aristotelis locum H. A. lib. 2 : Καὶ συνάγει διαφερόντως τὰ περὶ τὰ πλευρὰ, οὐ μὴν ἀλλὰ καὶ τὰ λοιπὰ μέρη τοῦ σώματος, ita interpretatur : Et quum omnes corporis partes contrahit, tum vel maxime costas cogere atque adducere potest. [Joann. Malal. p. 249, 15 : Διαφόρων πολέμων κινηθέντων ἐν τῇ ἀνατολῇ, οὐ μὴν ἀλλὰ καὶ τῆς αὐτῆς πόλεως Ἀντιοχείας ληφθείσης. In media oratione p. 257, 14 : Καὶ ἦλθεν εἰς αὐτὸν οὐ μὴν ἀλλὰ ὅτι καὶ αὐθεντήσαντες τὸν ἡγεμόνα ἐσταύρωσαν τὸν Χριστόν.] In VV. LL. affertur et οὐ μὴν ἀλλὰ μᾶλλον, item οὐ μὴν ἀλλ' οὐ : sed animadverten- C dum est μᾶλλον minime cum οὐ μὴν cohærere. Quod et de οὐ dicendum est sequente particulam ἀλλά. [Οὐ μὴν δὲ, quod alienum est ab antiquioribus, frequentant recentiores, velut Epiphan. vol. 1, p. 29, D; 2, 19, C; Georg. Syncell. p. 56, 19; Eust. Od. p. 1843, 45. Addito ἀλλὰ Job. 2, 5 : Οὐ μὴν δὲ ἀλλὰ ἀποστείλας τὴν χεῖρά σου ἅψαι τῶν ὀστῶν αὐτοῦ· 5, 8; 13, 3; 17, 10, etc. Justinian. Corp. Jur. p. 4 med. ed. Spangenb. : Οὐ μὲν (l. μὴν) δ' ἀλλὰ καὶ Εὐτυχῇ. Epiphan. vol. 1, p. 25, D : Οὐ μὴν δὲ ἀλλά.]

|| Οὐ μὴν οὐδὲ, vel Οὐ μὴν οὔτε, Sed nec, Nec tamen. Xen. [Comm. 1, 2, 5] : Οὐ μὴν οὐδ' ἐρασιχρημάτους γε τοὺς συνόντας ἐποίει. Aristot. Polit. 3 : Οὐ μὴν οὐδὲ ἂν κατασχεῖν μοι δοκεῖ. Theophr. C. Pl. 4 : Οὐ μὴν οὐδὲ θάτερον ἀδύνατον. Thuc. [2, 97] : Οὐ μὴν οὐδὲ ἐς τὴν ἄλλην εὐβουλίαν, Plut. Numa [c. 16] : Οὐ μὴν οὐδὲ ἦν δαψιλὴς χώρα τῇ πόλει. Vult autem Bud. οὐ μὴν οὐδὲ i. valere q. οὐδὲ μὴν, i. e. οὐ μέν τοι, Neque vero, Nec vero, Nec tamen. Idem in Aristot. Metaph. 1, [4] : Ἐμπεδοκλῆς δὲ ἐπὶ πλέον μὲν τούτου χρῆται τοῖς αἰτίοις, οὐ μὴν οὔτε ἱκανῶς οὔτ' ἐν τούτοις εὑρίσκει τὸ ὁμολογούμενον, D vertit Veruntamen non. Sed quod ex Galeno Idem affert exemplum, hoc sc. ex libro Ad Glauc. 1 : Ἐσθίειν δὲ τοὺς μὲν ἐπὶ τοῖς κόποις πυρέξαντας ἐνδέχεται πολλάκις, οὐ μὴν οὔτε τοὺς στεγνωθέντας, οὔτε τοὺς ἐπὶ βουβῶσι πυρέξαντας, ἀλλὰ τούτοις ἀμφοτέροις ἡ λεπτὴ δίαιτα χρηστή, nihil commune habet, meo quidem judicio, cum superioribus : quum οὔτε non jungatur cum οὐ μὴν, sed potius utrobique cum sequente participio : quum dicat οὔτε τοὺς στεγνωθέντας, οὔτε τοὺς πυρέξαντας. Idem dico et de isto exemplo, quod in VV. LL. affertur ex Aristot. Polit. 3, 6 : Οὐ μὴν οὐδ' ὑπαρχόντων τούτων ἁπάντων, ἤδη πόλις· hic enim οὐδὲ potius cum partic. ὑπαρχόντων jungi existimo, perinde ac si dictum esset, οὐ μὴν πόλις ἐστὶν, οὐδ' ἐὰν ὑπάρχῃ ἅπαντα ταῦτα, Ne si quidem adsint hæc omnia, Ne tum quidem quum adfuerint hæc omnia. Affert autem Bud. et Οὐ μὴν ἀλλ' οὐδέ : quod videtur velle i. valere q. οὐ μὴν οὐδὲ, sed nullum exemplum afferens.

|| Et Οὐ μήν πω, Haud dum tamen, Nondum tamen.

Dem. : Οὐ μήν πω τοῦτο βούλεσθαι λέγειν. [‖ Οὐ μήν τι... γε Æsch. Prom. 268 : Οὐ μήν τι ποιναῖς γ' ᾠόμην τοίαισί με κατισχνανεῖσθαι. Quod οὔτι μὴν dictum v. in Οὔτις. Οὔ νυ v. in Νὺ et Οὔτις.]

‖ Οὐ, et Οὐκ, vel Οὐχ, seu Οὐχὶ, interrogative interdum, ut Lat. Non, pro Nunquid, Nonne. Xen. [« Plato l. 2 De rep. (p. 380, E) » HSt. Ms. Vind.] : Καὶ πᾶν φυτὸν ὑπὸ εἱλήσεών τε καὶ ἀνέμων, καὶ τῶν τοιούτων παθημάτων, οὐ τὸ ὑγιέστατον καὶ ἰσχυρότατον ἥκιστα ἀλλοιοῦται ; ubi οὐ dicit pro eo quod in altera periodi parte dixerat οὐκοῦν. Lucian. [Tim. c. 46] : Οὐκ ἐγὼ ἔλεγον ὡς οὐκ ἀμελήσουσι Τίμωνος ἀνδρὸς ἀγαθοῦ οἱ θεοί ; Dem. Pro Ctes. : Τί ἂν οἴεσθε λέγειν τοὺς ἀσεβεῖς τουτουσί ; οὐχ ὡς ἐξεδόθησαν ; οὐχ ὡς ἀπηλάθησαν ; Idem, Τί δὲ δίκαιον ἦν τοῖς ὑπ' ἐμοῦ πεπραγμένοις θέσθαι τὸν Κτησιφῶντα ὄνομα ; οὐχ ὃ τὸν δῆμον ἑώρα τιθέμενον ; οὐχ ὃ τοὺς ὀμωμοκότας δικαστάς ; Nonne quod etc. vel An non quod etc. vel Annon quod etc. Quare perinde valet ac si ἆρ' οὐκ dixisset. Frequenter autem οὐκ interrogativum jungitur futuro, idque in certo quodam genere loquendi, quod Gallica servavit lingua : veluti quum ei, cui imperavimus, ut aliquo iret, dicimus, *N'irez-vous point vistement, où je vous ay dict?* Ita enim ap. Plat. Symp. [p. 175, A] : Οὐ σκέψει, ἔφη, παῖ, φάναι τὸν Ἀγάθωνα, καὶ εἰσάξεις Σωκράτη ; [Eur. Cycl. 49 : Οὐ τάδε νεμεῖ ; Cum prima pers. id. Med. 878 : Οὐκ ἀπαλλαχθήσομαι θυμοῦ ; Hel. 543 : Οὐχ ὡς δρομαία πῶλος ἢ βάκχη θεοῦ τάφῳ ξυνάψω κῶλον ; Androm. 1209 : Οὐ σπαράξομαι κόμαν, οὐκ ἐπιθήσομαι δ' ἐμῷ κάρᾳ κτύπημα χειρὸς ὀλοόν ;]

‖ Etiam Οὐκ ἂν interrogativum est. Hom. [Il. Γ, 52 : Οὐκ ἂν δὴ μείνειας ... Μενέλαον ; Κ, 204 : Οὐκ ἂν δή τις ἀνὴρ πεπίθοιθ' ἑῷ αὐτοῦ θυμῷ ... μετὰ Τρῶας ... ἐλθεῖν ; Ε, 32 : Οὐκ ἂν δὴ Τρῶας μὲν ἐάσαιμεν ;] Od. Ζ, [57] : Πάππα φίλ', οὐκ ἂν δή μοι ἐφοπλίσσειας ἀπήνην Ὑψηλήν, εὔκυκλον, ἵνα κλυτὰ εἵματ' ἄγωμαι ; Lucian. [D. deor. 17, 2] : Οὐκοῦν καὶ δεδέσθαι ἂν ὑπέμεινας ἐπὶ τούτῳ ; Ad quæ respondetur, Σὺ δ' οὐκ ἄν, ὦ Ἄπολλον ; Thuc. 5, [94] : Οὐκ ἂν δέξοισθε [—αισθε] ;

[‖ Οὐκ ἆρα Soph. Pl. 106 : Οὐκ ἆρ' ἐκείνῳ γ' οὐδὲ προσ ίξαι θρασύ ;]

‖ Itidem Οὐ γὰρ interrogationi adhibetur, significatque Nonne? Annon? Plato De rep. 6, [p. 504, C] : Οὐ γὰρ ταῦτ', ἔφη, μέγιστα ; ἀλλ' ἔτι τὶ μεῖζον ; Annon hæc maxima sunt? an est potius aliud adhuc majus ? Xen. [Comm. 1, 4, 14] : Οὐ γὰρ πάνυ σοι κατάδηλον ὅτι παρὰ τὰ ἄλλα ζῶα, ὥσπερ θεοί, ἄνθρωποι βιοτεύουσι ; Bud. vult esse indignantis, quasi Quid malum ? in hoc Luciani loco [D. mort. 6, 1] : Οὐ γὰρ ἐχρῆν γέροντα ἄνδρα καὶ μηκέτι χρήσασθαι τῷ πλούτῳ δυνάμενον, ἀπελθεῖν τοῦ βίου, παραχωρήσαντα τοῖς νέοις ; Ex Eod. affert, Οὐ γὰρ Ἄρης φοβερώτερος ἦν ; [Aristoph. Pac. 970 : Τούτους ἀγαθοὺς ἐνόμισας ; — Οὐ γάρ, οἵτινες ... ἑστᾶσι ; Demosth. p. 616, 16 : Ὅμοιόν γε, οὐ γάρ ; τοῦτο τοῖς προτέροις ἐπιγράμμασιν ; 673, 19 : Καλά γε, οὐ γάρ ; ὦ ἄνδρες Ἀθηναῖοι, τὰ γεγραμμένα.] Sed et Οὐ γὰρ δὴ esse ait interrogativum cum increpatione. Hom. Od. Ε, [23] : Τέκνον ἐμόν, ποῖόν σε ἔπος φύγεν ἕρκος ὀδόντων ; Οὐ γὰρ δὴ τοῦτον μὲν ἐβούλευσας νόον αὐτή, Ὡς ἤτοι κτλ. [Non est interrogativum. V. exx. supra citata in Οὐ γὰρ extra interrogationem posito. ‖ Οὐ δή, Nonne. Hom. Od. Η, 239 : Οὐ δὴ φῂς ἐπὶ πόντον ἀλώμενος ἐνθάδ' ἱκέσθαι ; Soph. Tr. 668 : Οὐ δή τι τῶν σῶν Ἡρακλεῖ δωρημάτων ; Ph. 900 : Οὐ δή σε δυσχέρεια τοῦ νοσήματος ... ἔπεισεν ; Οὐ δήποτε Soph. El. 1108 : Οὐ δήποθ' ἧς ἠκούσαμεν φήμης φέροντες ἐμφανῆ τεκμήρια ; 1202 : Οὐ δήποθ' ἡμῖν ξυγγενὴς ἥκεις ποθέν ; Tr. 876 : Οὐ δήποθ' ὡς θανοῦσα ;] Necnon Οὐ δήπου interrogationi adhibetur : quod ille interpr. Nunquid, in Plut. Cicerone [c. 26] : Οὐ δήπου καὶ Βατίνιος δειπνῆσαι παρ' ἐμοὶ βούλεται ; Simul autem et ἀπορητικὸν esse tradit in isto ejusd. Plut. loco, de Phocione scribentis [c. 8] : Ἐπεὶ δὲ λέγων ποτὲ γνώμην πρὸς τὸν δῆμον εὐδοκίμει, καὶ πάντας ὁμαλῶς ἑώρα τὸν λόγον ἀποδεχομένους, ἐπιστραφεὶς πρὸς τοὺς φίλους, εἶπεν, Οὐ δήπου κακόν τι λέγων ἐμαυτὸν λέληθα ; [De eodem HSt. in Ποῦ, hæc habet, non integra a nobis recepta in Δὴ vol. 2, p. 1040, C :] « Et Οὐ δήπου, nisi malis scribere Οὐδήπου, Non utique, Neutiquam, Plato [et cetera quæ v. l. c.] Pro Annon, Aristoph. Ran. [526] : Οὐ δήπου μ' ἀφελέσθαι διανοεῖ Ἃ 'δωκας αὐ-
A τός ; ubi ἡ ἄρνησις denotat συγκατάθεσιν, i. e. ὄντως. » [V. de οὐ δήπου ... γε et οὐ δὴ ... που quæ dicta sunt l. c. ‖ Οὔ που Eur. Iph. T. 930 : Οὔ που νοσοῦντας θεῖος ὕβρισεν δόμους ; Iph. A. 670 : Οὔ που μ' ἐς ἄλλα δώματ' οἰκίζεις, πάτερ ; Herc. F. 1101, 1173, Hel. 575, 600, 791, et alibi. Quod in ἦπου corrumpere solent librarii. ‖ Οὐ ... μέντοι Plato Prot. p. 309, A : Οὐ σὺ μέντοι Ὁμήρου ἐπαινέτης εἶ ; Phædr. p. 261, C : Οὐκ ἀντιλέγουσα μέντοι ; Theæt. p. 163, E : Μνήμην οὐ λέγεις μέντοι τι ;] Quibus adde Ἀλλ' οὐκ. Demosth. : Ἀλλ' οὐκ ἂν τοῦτ' εὐθέως εἴποιεν ; Imo vero nonne statim dicerent? Item Ἦ οὐ. [Hom. Il. Ε, 349 : Ἦ οὐχ ἅλις ὅττι κτλ. ; (ubi in unam syllabam coalescunt ἢ οὐ, ut Ι, 537 : Ἦ λάθετ' ἢ οὐκ ἐνόησεν).] Plato De republica 2 : Ἦ οὐ δοκεῖ σοι ; Ἔμοιγε· Parmenide, Ἦ οὐχ ὁρᾷς ὅσον ἔργον προστάττεις ; Nonne? Annon? Et in Gorgia, Καὶ ἐν τοῖς πρώτοις λόγοις ἐλέγετο ὅτι ἡ ῥητορικὴ περὶ λόγου εἴη τοῦ δικαίου καὶ ἀδίκου· ἢ οὔ ; Ναί. Sed in hoc, quem Bud. addit, loco, Ἐῤῥήθη ταῦτα, ἢ οὔ ; dixerim ἢ οὒ, esse potius Necne. Quod autem videmus hic
B oxyt. Οὒ [pariterque in πῶς δ' οὔ, τί δ' οὒ, ap. quosvis], sciendum est ὀξυτονεῖσθαι extra etiam interrogationem in fine clausulæ positum. Aristoph. Pl. [444] : Στῆθ' ἀντιβολῶ σε στῆθι. Ad quæ respondetur, Μὰ Δί' ἐγὼ μὲν οὔ. [Atque sic sæpissime. Aliter positum in responsione v. infra.] Aristot. Rhetor. lib. 3 : Ἐὰν γὰρ οὕτως ἀποκρίνηται, ὅτι ἔστι μέν, ἔστι δ' οὔ· ἢ τὰ μέν, τὰ δ' οὔ· ἢ πῆ μέν, πῆ δ' οὔ· θορυβοῦσιν ὡς ἀποροῦντες. [Æsch. Pers. 802 : Συμβαίνει γὰρ οὐ τὰ μὲν τὰ δ' οὔ. Eur. Herc. F. 636 : Χρήμασιν δὲ διάφοροι· ἔχουσιν, οἱ δ' οὔ. Soph. OEd. C. 24 : Τὰς γοῦν Ἀθήνας οἶδα, τὸν δὲ χῶρον οὔ· 836 : Σοῦ δ' ἂν οὒ, τάδε γε μωμένου· 882 : Ζεὺς ταῦτ' ἂν εἰδείη, σὺ δ' οὔ. Eur. Hel. 829 : Κοινῇ γ' ἐκείνῃ ῥᾳδίως, λάθρᾳ δ' ἂν οὔ· Med. 1230 : Εὐτυχέστερος ἄλλου γένοιτ' ἂν ἄλλος, εὐδαίμων δ' ἂν οὔ. Xen. Cyrop. 2, 3, 8 : Οὐ τῷ μὲν προσῆκον, τῷ δ' οὔ.] Bud. annotat hanc particulam in clausulis acui, et in repetitione. [Herodian. qui dicitur Cram. An. vol. 3, p. 279, 26 : Οὒ τὸ ἀρνητικόν· τοῦτο καὶ ἐν τῇ συνηθείᾳ (l. συνεπείᾳ, ut p. 280, 7, et in Regg. prosod. p. 460, n. 175, etsi
C in vitio consentit Arcad. p. 183, 26) ὀξύνεται.] Dem. De male obita leg. : Ὁ δὴ τοὺς χρόνους τούτους ἀναιρῶν τῆς οἵα παρ' ἡμῖν ἐστὶ πολιτείας, οὐ χρόνους ἀνήρηκεν οὗτος, οὔ· ἀλλὰ τὰ πράγματα ἁπλῶς ἀφῄρηται. [Ps.-Demosth. p. 147, 27 : Οὐ γὰρ ὑφ' αὑτῷ ποιήσασθαι τὴν πόλιν βούλεται Φίλιππος ὑμῶν, οὒ, ἀλλ' ὅλως ἀνελεῖν. Soph. OEd. C. 587 : Οὐ σμικρός, οὒκ, ἀγὼν ὅδε, ubi est var. οὖν. Aj. 970 : Θεοῖς τέθνηκεν οὗτος, οὐ κείνοισιν, οὔ. Aristoph. Ach. 421 : Οὐ Φοίνικος, οὒ, ἀλλ' ἕτερος ἦν Φοίνικος ἀθλιώτερος. Menand. ap. Athen. 10, p. 434, C : Οὐκ ἔλαττον, οὒ, μὰ τὴν Ἀθηνᾶν. A quibus differt locus Platon. Hipp. maj. p. 292, B : Οὔ μοι δοκεῖ, ὦ Ἱππία, οὒκ, εἰ ταῦτά γε ἀποκριναίμην, ἀλλὰ δικαίως ἔμοιγε δοκεῖ, ubi ad οὒκ repetitur ex præcedentibus ἀδίκως με τύπτων, et οὒκ ponitur, ut in exx. infra citandis de οὒκ in respondendo posito, ubi vocalis sequitur, et nulla est negationis repetitio.] Sed observavi et alios usus hujus οὒ oxytoni præter hosce duos quorum Bud. meminit : ut quum legimus ap. Xen. [H. Gr. 1, 1, 2], Ἐδέξαντο μὲν οὒ, χρήματα δ' ἔδοσαν.
D [Anab. 6, 4, 20 : Ἐξῆγον μὲν οὒ, συνεκάλεσαν δέ. Soph. Ant. 255 : Τυμβήρης μὲν οὔ· El. 905 : Δυσφημῶ μὲν οὔ· Ph. 545 : Δοξάζων μὲν οὔ.] Denique et quum per ἀναστροφὴν postponitur, ut ap. Soph. Aj. [546] : Ταρβήσει γὰρ οὒ, Νεοσφαγῆ που τόνδε προσλεύσσων φόνον. [Pind. Ol. 7, 48 : Καὶ τοὶ γὰρ αἰθούσας ἔχοντες σπέρμ' ἀνέβαν φλογὸς οὔ.] Scribi autem Οὒκ itidem sciendum est, in responsione. Lucian. [Contempl. c. 4] : Ἦ ἀξιοῖς ἡμᾶς ἀγενεστέρους [ἀγενν.] εἶναι τοῖν βρεφυλλίοιν ἐκείνοιν, καὶ ταῦτα, θεοὺς ὑπάρχοντας ; Ad quæ respondetur, Οὔκ· ἀλλὰ τὸ πρᾶγμα κτλ. Sic Thuc. p. 194 [5, 101] : Οὒκ, ἤν γε σωφρόνως βουλεύησθε· ubi tamen responsio non est, sed cum οὒκ relinquuntur quædam subaudienda. [Ut ap. Demosth. p. 659, 24 : Καὶ μὴν καὶ χρυσοῖς στεφάνοις ἐστεφανοῦτε, οὐκ ἄν, εἴ γ' ἐχθρὸν ἡγεῖσθε.] Sed et in illo Xen. l. itidem scriptum fuisset ἐδέξαντο μὲν οὒκ, sequente vocali. [Non fuisset. Conv. 2, 19 : Ὠρχούμην μὲν οὒ, οὐ γὰρ πώποτε τοῦτ' ἔμαθον, ἐχειρονόμουν δέ· Anab. 6, 5, 4 : Οἱ μὲν ἄλλοι πάντες ἐξῄεσαν, Νέων δὲ οὔ· ἐδόκει γὰρ κτλ. Nunquam enim in talibus ponitur οὒκ,

aut quod Valck. ad Herodot. 7, 208, Xenophonti Eph. 3, 5, inferebat οὐχ, sed etiam ante vocalem οὐ.] Et hæc quidem obiter hic attigi, utpote de quibus agendi alia se non obtulisset occasio. [Æsch. Sept. 1048 : Οὒ, πρίν γε χώραν τήνδε κινδύνῳ βαλεῖν· Agam. 1249 : Οὒχ, εἴπερ ἔσται· 1667 : Οὒχ, ἐὰν δαίμων ... ἀπευθύνῃ. Soph. Tr. 415 : Ἄπειμι. — Οὒ πρίν γ' ἂν εἴπῃς ἱστορούμενος βραχύ· El. 1453 : Ἦ καὶ θανόντ' ἤγγειλαν ; — Οὒχ, ἀλλὰ κἀπέδειξαν, οὐ λόγῳ μόνον. Et post interrogationem negativam Ph. 107 : Οὐκ ἆρ' ἐκείνῳ γ' οὐδὲ προσμῖξαι θρασύ ; — Οὒ, μὴ δόλῳ λαβόντα γ', ὡς ἐγὼ λέγω. — Οὐκ αἰσχρὸν ἡγεῖ δῆτα τὰ ψευδῆ λέγειν ; — Οὒχ, εἰ τὸ σωθῆναί γε τὸ ψεῦδος φέρει. Eodemque modo sæpe ap. Aristoph. et alios, etiam in prosa, ut Xenoph. Comm. 2, 6, 12 : Οὒχ, ἀλλὰ ... ἐπῆδον· 13 : Οὒχ, ἀλλ' ἤκουσα· 4, 6, 2 : Οὒχ, ἀλλὰ νόμοι εἰσί· 5 et 11, Platonem (cujus adjecisse sufficit locos Parmen. p. 128, A : Οὕτω λέγεις, ἢ ἐγὼ οὐκ ὀρθῶς καταμανθάνω; Οὒχ, ἀλλὰ, φάναι τὸν Ζήνωνα, καλῶς συνῆκας· Reip. 6, p. 491 fin. : Οὒχ, ἀλλὰ, ἦ δ' ὅς, οὕτως) et alios. Pro quo quod est ap. Xenoph. Conv. 6, 2 : Οἶσθ' οὖν ὅτι καὶ σὺ νῦν ἡμᾶς λυπεῖς σιωπῶν ; — Ἦ καὶ ὅταν λέγητ'; ἔφη. — Οὒ, ἀλλ' ὅταν διαλίπωμεν, recte mutatum est in οὒχ. Contra Arrianus in Diss. Epict. nunquam οὒχ, ἀλλὰ, sed tot locis dixit οὒ, ut qui plus quam triginta enumeravit Schweigh. vol. 3, p. 406, Uptonum aliquoties οὒχ inferentem jure vituperaverit. Nicon. Pandect. Ms. 1, 45 ap. Ducang. v. Σακκομάχη cit. : Λέγει μοι, Οὒ, ἀλλὰ δός μοι. Eodem modo ut ap. Xen. peccatum in libris nonnullis Plat. Phædr. p. 236, D. In oratione obliqua Xen. Anab. 1, 6, 7 : Ἔστιν ὅ,τι σε ἠδίκησα ; Ἀπεκρίνατο ὅτι οὔ. || Duplex Matth. 5, 37 : Ἔστω δὲ ὁ λόγος ὑμῶν ναὶ ναὶ, οὒ οὔ. || Verbo postponit Æsch. Prom. 978 : Εἴης φορητὸς οὐκ ἂν, εἰ πράσσοις καλῶς· 982 : Σὲ γὰρ προσηύδων οὐκ ἂν, ὄνθ' ὑπηρέτην. Et hiatus vitandi caussa Eur. Phœn. 878 : Τί δρῶν οὔ, ποῖα δ' οὐ λέγων ἔπη ; Quod librarios plerosque fefellit.] Quibus addo, itidem Οὐχὶ in prosa postponi interdum. Synes. : Σὺ δὲ ἡμῶν ἐπιλήσμων ἐγένου χρόνου συχνοῦ, χρὴ δὲ οὐχί· Id quod minime decet. Et rursus [p. 175, D], Εἰ μὲν οὖν οὐ λανθάνουσιν, ἀδικεῖς· εἰ δὲ λανθάνουσιν, ἀμελεῖς· χρῆν δὲ οὐχὶ τὸν ἄνδρα τὸν ἡγεμονικώτατον. Adhibetur alioqui et iis ll. in quibus οὐ diximus acui. [Æsch. Ag. 273 : Ἔστιν· τί δ' οὐχί; Aristoph. Pac. 1027 : Πῶς δ' οὐχί; Eur. Iph. A. 859 : Ἐμὸς μὲν οὐχί. Xen. Ephes. 1, 14, p. 26, 4 : Εἰς αὐτὴν μὲν τὴν πόλιν οὐχὶ, εἰς πλησίον δέ τι χωρίον· 5, 10, p. 109, 15 : Γνωρίζουσι μὲν οὐχὶ, θαυμάζουσι δὲ, et alibi.] Ceterum ex hoc Οὐχὶ quidam volentes esse factum Οὐχ, ei notam apostrophi addidere, scribentes Οὐχ', ut Οὐχ' ἅλις, Οὐχ' οὕτως, itidemque in aliis ll. Quam scripturam olim etiam quosdam probasse, ex Eust. [Il. p. 211, 31 ; 809, 3, al.] discimus. A quibus tamen ipse prorsus dissentio, ex οὐχ ortum esse οὐκ existimans, mutata tenui in aspiratam, ut in aliis vocibus passim fieri videmus. [Οὐχὶ, Haut, Non; Οὐχὶ ἄρα, Nonne nempe, Gl.] Porro pro illo Οὐχὶ, Homerus Οὐκὶ dicere solet : Od. Λ, [492] : Ἢ ἔπετ' ἐς πόλεμον πρόμος ἔμμεναι ἠὲ καὶ οὐκί· Il. [Β, 300] : Ὄφρα δαῶμεν Εἰ ἐτεὸν Κάλχας μαντεύεται, ἠὲ καὶ οὐκί [ubi schol. Ven. : Ἡ διπλῆ, ὅτι διὰ τοῦ κ γραπτέον, οὐ διὰ τοῦ χ·] ib. [Ο, 137] : Μάρψεν δ' ἑξείης, ὅστ' αἴτιος, ὅστε καὶ οὐκί. [Υ, 255 : Πόλλ' ἐτεά τε καὶ οὐκί. Et similiter Theocr. 25, 81, 178. Atque ut legitimum est ap. Epicos οὐκὶ pro οὐ, neque ferendum οὐχὶ in versu oraculi ap. Pausan. 9, 14, 3 : Τουτάκι δ' ἔστι Κερησσὸς ἁλώσιμος, ἄλλοτε δ' οὐχὶ, sed scribendum οὐκὶ, ita οὐχὶ pro οὐ, quod ubi accentu caret, nunquam dicitur οὐκὶ, est Hom. Il. Ο, 716 ; Π, 762 : Ἕκτωρ ... ἐπεὶ λάβεν, οὐχὶ μεθίει, quanquam utroque loco est varietas οὔτι, quod pro οὐχὶ ex cod. receptum Od. Π, 279 : Οἱ δέ τοι οὔτι πείσονται, et illis quoque locis probandum esset sec. Suidam : Οὐκὶ, τὸ οὐχὶ, Ὅμηρος διὰ τοῦ κ γράφει, οὐ διὰ τοῦ χ. Alia ratio est Ionum, ut Herodoti, qui non magis οὐχὶ dixit quam οὐχ, sed οὐκὶ 1, 133 : Οὐ σπονδῇ χρέωνται, οὐκὶ αὐλῷ, οὐ στέμμασι, οὐκὶ οὐλῇσι· 173 : Καλέουσι ἀπὸ τῶν μητέρων ἑωυτοὺς καὶ οὐκὶ ἀπὸ τῶν πατέρων· 7, 49 : Οὐκὶ ἕνα, ἀλλὰ παρὰ πᾶσαν τὴν ἤπειρον· et ib. : Αἱ συμφοραὶ τῶν ἀνθρώπων ἄρχουσι, καὶ οὐκὶ ὥνθρωποι τῶν συμφορέων, ceterum multo sæpius οὐ et οὐκ dicens, prout aut con-
A sona sequitur aut vocalis sive tenuis sive aspirata. Forma οὐχὶ autem post Hom. utuntur alii omnes, ut Æsch. Prom. 951 : Ζεὺς τοῖς τοιούτοις οὐχὶ μαλθακίζεται· 931 : Πῶς δ' οὐχὶ ταρβεῖς; Suppl. 476 : Πῶς οὐχὶ τἀνάλωμα γίγνεται πικρόν; Aristoph. Pac. 762 : Οὐχὶ παλαίστρας περινοστῶν· 1037 : Ὥστ' οὐχὶ μὴ παύσει ποτ' ὢν ζηλωτὸς ἅπασιν. Et alibi sæpissime. Theocr. 23, 9 : Οὐ λόγος, οὐχὶ φίλαμα. In fine versus Callim. Ep. 30, 3 : Εἰ δέ τις οὐχὶ φησίν. Xen. Anab. 7, 7, 47 : Οὐχὶ ἀνέξεσθαι ὁρῶντα· Cyrop. 8, 3, 46 : Οὐχὶ σύγε αὐτίκα μάλα εὐδαίμων ἐγένου; Plato Phædr. p. 234, E : Παίζειν καὶ οὐχὶ ἐσπουδακέναι. Recentiorum autem nonnulli inprimis frequentarunt, velut Apollon. De constr. p. 118, 10; 177, 25, οὐχὶ οὖν, et alibi, idemque καὶ οὐχὶ cum aliis, velut Cor. 1, 5, 2; 6, 1. Sequente ἀλλὰ, Lucæ 1, 60, Rom. 3, 27, οὐχὶ, ἀλλὰ, et post οὐ γὰρ δὴ, sequente δὲ, Porphyr. De abst. 1, 56, p. 98 : Οὐ γὰρ δὴ νοσήματος στέρεσθαι δεῖ, ... οὐχὶ δὲ τοῦ ἔνδον χάριν νοσήματος ... πάνθ' ὑπομενοῦμεν εὐλόγως; 3, 8, p. 233 : Οὐ γὰρ δὴ ἀνθρώπου μὲν ἡ γεῦσις χυμῶν ..., οὐχὶ δὲ καὶ τῶν ζῴων
B ἁπάντων ὁμοίως· et ib. 14, p. 246. In respondendo Xen. Cyrop. 1, 3, 4 : Οὐ γὰρ πολύ σοι δοκεῖ εἶναι κάλλιον; Οὐχὶ, ὦ πάππε. L. Dind.]

Οὗ, Sui. [Apollon. De pron. p. 97, A : Τὴν μὲν οὖν χρῆσιν (formæ οὗ) παρ' Ὁμήρῳ οὐκ ἐνὸν εὑρέσθαι, παρὰ μέντοι Ἀττικοῖς· καὶ γὰρ Πλάτων συνεχῶς ἐχρήσατο, οἵ τε κωμικοὶ καὶ τραγικοί. Ὁ μέντοι Ζηνόδοτος καὶ τὸ (Il. Υ, 261) Ἀπὸ ἕο χειρὶ παχείῃ, διὰ τῆς ου ἔγραφεν· ὅπερ κτλ., quibus, ut De constr. 2, 21, p. 163 sq., hoc alienum esse ab Hom. disputat. Plato Reip. 3, p. 393, E : Μετὰ οὗ· 10, p. 617, E : Πλὴν οὗ· Conv. p. 174, D : Περιμένοντος οὗ. Inter Tragicos Soph. OEd. T. 1257 : Οὗ τε καὶ τέκνων. Anon. ap. Zonaram Lex. p. 1488 : Τὸν βίον οὗ κατέστρεψεν.] Et Ἕο, pro eod., resolutione poetica. Hom. [Il. Β, 239 : Ἕο μέγ' ἀμείνονα·] Od. Η, [217] de Ventre : Ἥτ' ἐκέλευσεν ἕο μνήσασθαι ἀνάγκῃ. Item pro αὐτοῦ vel αὐτῆς : quemadmodum Ξ, [461] : Ἐπεὶ ἕο κήδετο λίην· ubi tamen enclitice non scribitur, contra Hesych. [Qui dicit : Ἕο, ἑοῖο, ἕθεν· ταῦτα ἰσοδυναμεῖ καὶ ὀρθοτονούμενα δηλοῖ ἑαυτοῦ ἢ ἑαυτῆς, ἐγκλι-
C νόμενα δὲ αὐτοῦ αὐτῆς. Apollon. l. c. C : Ἡ ἕο κατ' ἔγκλισιν, Ἐπεί ἑο κήδετο λίην (conf. p. 78, C)· καὶ κατ' ὀρθὸν τόνον, Ἀπὸ ἕο χειρὶ παχείῃ. V. Εἷο paullo post.] Et Εὗ, synæresi s. synalœphe facta, et ipsum pro eod., ut pro ἐμοῦ, ἐμεῦ. Il. [Ξ, 427 : Οὔτις εὗ ἀκήδησ'·] Υ, [464] : Ὁ μὲν ἀντίος ἤλυθε γούνων, Εἴ πως εὗ πεφίδοιτο λαβὼν καὶ ζωὸν ἀφείη, Sibi parceret. Ubi Eust. annotat enclit. esse, ut ἐμεῦ, σεῦ et similia. [Ω, 293 : Καί εὑ κράτος ἐστὶ μέγιστον. Apollon. De pron. p. 97, B : Ἡ εὗ ἀπὸ τῆς σεῦ ἐν ἐγκλίσει, Εἴ πώς εὑ πεφίδοιτο. Κἀκεῖνο δέ τινες ὀρθοτονοῦσι προσπνέοντες, Φρίξας εὗ λοφιὴν, ἀντὶ τοῦ τὴν αὐτοῦ. Quo loco, qui est Od. Τ, 446, vulgo scribitur εὖ.] Sicut Εἷο quoque per epenth. τοῦ ι pro eod. dicitur, ut pro ἐμοῦ, ἐμεῖο. [Hom. Il. Δ, 400 : Τὸν υἱὸν γείνατο εἷο χέρηα. Hesiod. Th. 392 : Ὅς ἂν μετὰ εἷο θεῶν Τιτῆσι μάχοιτο. Apoll. Rh. 4, 460 : Εἷο κασιγνήτης. Apollon. post ea quæ in forma Ἕο posita sunt : Εἴρηται δὲ περὶ τῆς Εἷο ὡς μόνως ὀρθοτονεῖται. || Ignotæ dialecti formam Γίο (Fίο), αὐτοῦ (nisi leg. αὑτοῦ), annotavit Hesychius. Quam Tarentinam putat
D Ahrens. De dial. vol. 2, p. 250.] || Apud Apollon. Arg. 2, [635] : Εἷο μὲν οὐδ' ἠβαιὸν ἀτύζομαι, accipitur pro ἐμοῦ s. ἐμαυτοῦ, i. e. De me haudquaquam sollicitus sum : eod. prorsus modo, quo ἑαυτοῦ, ἑαυτῷ et ceteros casus cum 1 et 2 pers. copulant : licet proprie et per se 3 personæ conveniant. Sic vero et ἑοῖ pro ἐμοὶ ab eod. usurpari, paulo post ostendam. [De alia ap. eum forma singulari HSt. in Ἑός :] « Ἑοῖο ap. Apollon. ponitur pro primitivo οὗ, i. e. αὐτῆς, Arg. 3, [1065] : Παρηΐδα δάκρυσι δεῦε Μυρομένη, ὅτ' ἔμελλεν ἀπόπροθι πολλὸν ἑοῖο Πόντου ἐπιπλάγξασθαι, Quum longe a se, sc. Medea, Iason mari oberraturus discederet. » [Sic genere masc. et fem. 1, 1032, ubi libri pauci ἑεῖο· 2, 6; 3, 1335; 4, 782; et ἑοῦ 4, 803. Quod Zenodotum Homero intulisse pro ἕο notat schol. Hom. Il. Β, 239; Τ, 384. Memorat ἑοῖο etiam Hesychii gl. paullo ante citata, ubi inter enclitica refertur, si quis verba premat : quod falsum.] Et Ἕθεν facta paragoge, et ipsum pro eodem, ut ἐμέθεν pro ἐμοῦ [Il. Γ, 128] : Ἕθεν [ἕθεν schol.] εἵνεκα, Sui causa. Il. Ζ,

[62] : Ὁ δ' ἀπὸ ἕθεν ὤσατο χειρὶ, A se depulit. [Od. T, 481 : Ἕθεν ἆσσον· et alibi, cum aliis Epicis, ut Apollonio Rh. Inter Atticos Æsch. Suppl. 66 : Αὐτοφόνως ὤλετο πρὸς χειρὸς ἕθεν.] At A, [114] : Ἐπεὶ οὐ ἕθεν ἐστὶ χερείων, i. e. αὐτῆς, ut Eust. exp., annotans hic accuratiora exempll. legere οὐ ἕθεν [οὗ ἕθεν], ut enclit. sit. [Mire Exc. var. in Cram. An. vol. 4, p. 408, 11, sive Etym. M. p. 498, 21 (quod de eodem agit οὐ ἕθεν p. 638, 7, et ubi schol. Il. Γ, 128 infra cit. repetitur, p. 124, 11) de hoc l. : Ἰστέον δὲ ὅτι τὸ Οὐ ἕθεν οὐκ ἔστιν ἀπὸ τοῦ ἕθεν κατὰ Δημόνικον, ἀλλ' ἀπὸ τοῦ Οὗ τῆς γενικῆς τοῦ τρίτου προσώπου τῶν ἀντωνυμιῶν, ὃ σημαίνει τοῦ αὐτοῦ, γίνεται οὐεν, ἤγουν οὐδαμῶς, καὶ μετὰ τὴν ἔγκλισιν παρηκολούθησε πάθος καὶ ἐγένετο οὐεθεν.] Nam et Hesych. scribit, ἕθεν, quum accentu insignitur, significare ἑαυτοῦ, ἑαυτῆς : at quum enclit. est, pro αὐτοῦ et αὐτῆς usurpari. [V. scholl. ad l. Hom., quæ οὗ ἕθεν tribuunt Aristarcho. Ib. I, 686 : Μάλα γάρ ἑθεν εὐρύοπα Ζεὺς χεῖρα ἑὴν ὑπερέσχε. Apollon. De pron. p. 97, C : Ἡ ἕθεν ὀρθοτονεῖται μὲν, ὡς ἐπὶ τοῦ Ἀπὸ ἕθεν ἧκε χαμᾶζε, ἐγκλίνεται δὲ, ὡς ἐπὶ τοῦ, Ἐπεὶ οὔ ἑθεν ἐστὶ χερείων· οὐ γὰρ, ὥς ἔνιοι, χρὴ μόνως ὀρθοτονεῖν. Et post alia p. 98, A : Οὐχ ἐπειδὴ οὖν κατὰ τύχην παρ' Ὁμήρῳ τὰ πρῶτα ὠρθοτονήθη, εὐθέως καὶ τὰ τρίτα. Idem p. 55, A, in l. Il. E, 80 : Πρόσθεν ἕθεν φεύγοντα, monet accentum servari non propter signif. reflexivam (οὐ γὰρ πρὸ ἑαυτοῦ τις φεύγει), sed quod inclinari nequeat, ut judicasse videtur Aristarchus, reprehensus ab Dionysio Sidonio ad Il. Γ, 128. || Mirabili pleonasmo Apoll. Rh. 1, 362 : Ἀπόλλωνος, ὅ μοι χρείων ὑπέδεκτο σημανέειν δείξειν τε πόρους ἁλὸς, εἴ κε θυηλαῖς οὗ ἕθεν ἐξάρχωμαι ἀεθλεύων βασιλῆι· 4, 1471. Quod certe οὗ ἕθεν scribendum videtur.] || Ἕθεν [In Ind. : Ἔθεν], ab eod. Hesych. exp. etiam ἑκὰς [αὐτοῦ, αὐτῆς], item ἄνωθεν : at tunc adv. fuerit, non pronom. [V. quæ de Hesychii gl. dixi vol. 3, p. 179, C. || De forma Æol. Apollon. l. c. p. 98, B : Σαφὲς ὅτι καὶ τὸ Αἰολικὸν δίγαμμα ταῖς κατὰ τὸ τρίτον πρόσωπον προσνέμεται, καθὸ καὶ αἱ ἀπὸ φωνήεντος ἀρχόμεναι δασύνονται· Ἀλκαῖος ... Ἄτερ Ϝέθεν. || De formis Ἑοῦς et Ἑοῦ p. 98, B : Ἑοῦς. Αὕτη ἀκόλουθος Δωρικῇ τῇ Τεοῦς· ᾗ συνεχῶς καὶ Κόριννα ἐχρήσατο ἐν Κατάπλῳ ... χώραν τ' ἀπ' ἑοῦς πᾶσαν ὠνούμηνεν. ... Ἑοῦ. Αὕτη τῇ τεοῦ (pro σοῦ) ἀκόλουθος, ἀποβολῆς γενομένης τοῦ κατ' ἀρχὴν συμφώνου. Tertiam addit Priscian. 13, 2, 4 : « Apud Græcos ἐμοῦ et ἐμοῦς Dorice, σοῦ et σοῦς, οὗ et οὗς dici solet. » Et ib. infra : « Ἐμοῦς, σοῦς, οὗς. » L. D.]

|| Οἷ, Sibi. Hom. Il. Π, [47] : Ἦ γὰρ ἔμελλε Οἷ αὐτῷ θάνατόν τε κακὸν καὶ κῆρα λιτέσθαι. [Multo rarior ap. Hom. est hæc signif. quam sequens. Ex. Hesiodi item cum αὐτῷ conjungentis v. infra ap. HSt. Sine illo Il. E, 800 : Ἦ ὀλίγον οἷ παῖδα ἐοικότα γείνατο Τυδεύς· cujus loci de accentu οἷ, non οἱ, monet præter schol., et qui οἷ hic ἑαυτῷ interpretatur Hesychium, Apollon. De pron. p. 44, C, et De constr. p. 143 sq., quum reflexivum et pro ἑαυτῷ positum semper sit perispomenon, alterum nonnisi propter antithesin aut posituram in initio orationis aut propter sequentem encliticam vel apostrophum, ut ap. Hom. Od. Λ, 442 : Τῷ νῦν μήποτε καὶ σὺ γυναικί περ ἤπιος εἶναι, μηδ' οἷ μῦθον ἅπαντα πιφαυσκέμεν, scribitur, etsi nulla est vis in pronomine. Grammatici igitur, qui οἷ in ejusmodi loco necessarium ducerent, idem probasse videntur in tali, ut Soph. OEd. C. 1630 : Αὐδᾷ μολεῖν οἱ γῆς ἄνακτα Θησέα, ubi antiquissimus omnium Laur. prior οἷ, quum haud metuendum esset ne quis οἷ ἐοικότα aut οἷ μολεῖν secus intelligeret. Vel propter præpos. οἷ scribendum fuit Eur. El. 924 : Εἰ δοκεῖ τὸ σωφρονεῖν ἐκεῖ μὲν αὐτὴν οὐκ ἔχειν, παρ' οἷ δ' ἔχειν, etiamsi non idem postularet antithesis. Sed vulgo οἱ inclinari solet in libris etiam quum pro ἑαυτῷ ponitur, nisi vis est in pronomine, ut Herodoti 1, 3 : Ἀλέξανδρον ἐθελῆσαί οἱ ἐκ τῆς Ἑλλάδος δι' ἁρπαγῆς γενέσθαι γυναῖκα· 8 : Ἐνόμιζέ οἱ εἶναι γυναῖκα πολλὸν πασέων καλλίστην, etc. De usu in prosa Apollon. De pron. p. 105, C : Συνήθης Ἀττικοῖς καὶ Ἴωσι, πεζολόγοι ἐχρήσαντο Πλάτων καὶ Ξενοφῶν.] Xenoph. [Comm. 2, 9, 5 : Νομίσας ἀποστροφήν οἱ τὸν Κρίτωνος οἶκον· Anab. 1, 2, 8 : Νικήσας ἐρίζοντά οἱ περὶ σοφίας· 3, 4, 42 : Κελεύει οἱ συμπέμψαι ... ἄνδρας· H. Gr. 3, 3, 7 : Εἶπεν ὅτι ἐπιδημεῖν οἱ παρηγγελμένον εἴη·] Cyrop. 7 [immo 1, 4, 2] : Ὑπερεφοβεῖτο μή οἱ [ὁ] πάππος ἀποθάνοι, Ne sibi avus moreretur. [Thuc. 2, 13 : Προηγόρευε ... ὅτι Ἀρχίδαμος μέν οἱ ξένος εἴη· 4, 28.] Plato Epist. 7, [p. 345, E] : Οὐχ οἰόμενός οἱ καλῶς ἔχειν, Non sibi honestum esse. [Reip. 4, p. 437, C ; 10, p. 614, D, et alibi.] Nonnunquam pro αὐτῷ ponitur : ut Il. A, [72] : Ἣν [Τήν] οἱ πόρε Φοῖβος Ἀπόλλων. [Ib. 79, etc., et ap. alios poetas quosvis, ut notasse sufficiat transpositum ap. Pind. Pyth. 2, 42 : Ἄνευ οἱ χαρίτων τέκεν γόνον· et orthotonumenon propter antithesin Pyth. 9, 87 : Τέκε οἷ καὶ Ζηνὶ μιγεῖσα· Nem. 1, 61 : Ὁ δὲ οἷ φράζε καὶ παντὶ στρατῷ. Inter Atticos Æsch. Ag. 1147 : Περεβάλοντό οἱ πτεροφόρον δέμας θεοί· Soph. Tr. 650 : Ἁ δέ οἱ φίλα δάμαρ πάγκλαυτος αἰὲν ὤλλυτο· El. 196 : Ὅτε οἱ παγχάλκων ἀνταία γενύων ὡρμάθη πλαγά· Aj. 906 : Ἐν γάρ οἱ χθονὶ πηκτὸν τόδ' ἔγχος περιπετὲς κατηγορεῖ. Cratinus ap. Plut. Pericl. c. 24 : Ἥραν τέ οἱ Ἀσπασίαν τίκτει.] Pausan. : Ἐφαίνετο δέ οἱ, Videbatur ei. [In prosa hunc usum post Herodotum sic loquutum 1, 1 : Τὸ δέ οἱ οὔνομα εἶναι κατὰ τωὐτὸ τὸ καὶ Ἕλληνες λέγουσι· 12 : Οὐδέ οἱ ἦν ἀπαλλαγὴ οὐδεμία, aliisque locis plurimis, præter Plutarchum aliosque recentiores inprimis frequentarunt Pausanias, Arrianus, Ælianus. Apud Atticos quum nihil ejusmodi reperiatur, uni unius Xenophontis loco Cyrop. 3, 2, 26 : Συνέφασάν οἱ, quum ap. Xenoph. et Platonem frequens sit συμφάναι absolute positum, tanto minus quicquam tribuendum, quo facilius ab librario addi potuit οἱ, ut Anab. 7, 8, 10 : Ὁ μάντις εἶπεν ὅτι κάλλιστα εἴη τὰ ἱερὰ αὐτῷ καί οἱ ὁ ἀνὴρ ἁλώσιμος, inutile in libros deteriores illatum pronomen ejeci cum melioribus. Quod faciendum ib. 3, 1, 5 : Ὁ Σωκράτης ὑποπτεύσας μή τι πρὸς τῆς πόλεώς οἱ ἐπαίτιον εἴη Κύρῳ φίλον γενέσθαι, cum omnibus quicunque de melioribus accuratius collati sunt. HSt. in Ind. :] Οἷ, pron. dat. casus, ex genit. οὗ, Sibi. Hesiod. Op. [263] : Οἷ αὐτῷ κακὰ τεύχει ἀνὴρ ἄλλῳ κακὰ τεύχων, Sibi ipsi mala machinatur, qui alteri mala struit. Utuntur eo et prosæ scriptores, sed ἐγκεκλιμένῳ. [Perispomenon restitui Xenoph. Anab. 1, 1, 8 : Ἠξίου ἀδελφὸς ὢν αὐτοῦ δοθῆναι οἷ ταύτας τὰς πόλεις μᾶλλον ἢ Τισσαφέρνην ἄρχειν αὐτῶν, pro δοθῆναί οἱ. Reip. Athen. 2, 17 : Ὅτι οὐ παρῆν οὐδὲ ἀρέσκει οἷ γε τὰ συγκείμενα· H. Gr. 7, 1, 38 : Ἀλαζονείαν οἷ γε δοκεῖν ἔφη εἶναι, ubi deteriores αὐτοῦ. Plato Conv. p. 174, E : Οἷ μὲν γὰρ εὐθὺς παῖδά τινα ἔνδοθεν ἀπαντήσαντα ἄγειν.] Xen. Cyrop. [l. c.] : Ὑπερεφοβεῖτο μή οἱ ὁ πάππος ἀποθάνοι. Plato Epist. 7 [l. c.] : Οὐχ οἰόμενός οἱ καλῶς ἔχειν, Non putans sibi honestum esse. Andocid. : Εἶναι ἀνδράποδόν οἱ, Esse sibi mancipium. Gregor. : Τοιαῦτα γάρ οἱ συνεγνωκέναι κακά. Ponitur et pro αὐτῷ, Ipsi, Ei. Hom. Il. E, [64] : Αἳ πᾶσι κακὸν Τρώεσσι γένοντο, Οἷ τ' αὐτῷ, Eique ipsi. [O, 226 : Ἀλλὰ τόδ' ἠμὲν ἐμοὶ πολὺ κάλλιον ἠδὲ οἷ αὐτῷ ἔπλετο· Ω, 292 : Αἴτει δ' οἰωνὸν, ταχὺν ἄγγελον, ὅστε οἱ αὐτῷ φίλτατος οἰωνῶν· Od. Δ, 667 : Ἀλλά οἱ αὐτῷ Ζεὺς ὀλέσειε βίην, πρὶν ἡμῖν πῆμα φυτεῦσαι· X, 214 : Μνηστήρεσσι μάχεσθαι, ἀμυνέμεναι δέ οἱ αὐτῷ· cujusmodi locorum de accentu ambiguo et controverso inter grammaticos v. schol. ad l. secundum, Apollon. De pron. p. 53 sq., De constr. 2, 19, p. 137 sq., 143 sq., Lehrs. Quæst. epic. p. 116-8, et de οἱ et οἷ cum præposit. conjuncto p. 119. Lesches ap. Tzetz. ad Lycophr. 1263 : Ἀνδρομάχην ... παράκοιτιν Ἕκτορος· ἥντε οἱ αὐτῷ ἀριστῆες Παναχαιῶν δῶκαν ἔχειν. Apoll. Rh. 3, 594 : Νόσφι δέ οἱ αὐτῷ φάτ' ἐοικότα μείλια τίσειν υἷας Φρίξοιο, ubi tamen præstat οἷ. Moschus 4, 25 : Οὐδ' ἄρ' ἔχει τέκνοισιν ἐπαρκέσαι· ἦ γάρ οἱ αὐτῇ ἆσσον ἴμεν μέγα τάρβος. Quinti 3, 631 : Ὣς ἔφατ' αἰνὰ γοῶσ' ἁλίη Θέτις· ἡ δὲ οἷ αὐτῇ Καλλιόπη φάτο μῦθον, scribendum pro ἡ δέ οἱ αὐτή. Dicitur etiam αὐτῷ οἱ, ut ap. Herodotum 3, 72 : Ὃς ἂν μέν νυν τῶν πυλουρῶν ἑκὼν παρίῃ, αὐτῷ οἱ ἄμεινον ἐς χρόνον ἔσται. Post dativum abundat ap. eund. 2, 175 : Ἐν Σάϊ τῇ Ἀθηναίῃ προπύλαια θωυμάσιά οἱ ἐξεποίησε· 6, 68 : Ἀπικομένη τῇ μητρὶ ἐσθεὶς ἐς τὰς χεῖράς οἱ τῶν σπλάγχνων κατικέτευε. Quod more suo imitatur Pausanias, ut 8, 14, 6 : Τῷ δὲ Ὀδυσσεῖ λέγουσιν εὑρόντι τὰς Ἵππους γενέσθαι οἱ κατὰ γνώμην κτλ. 10, 26, 4 : Τοῦ δὲ Ἀχιλλέως τῷ παιδὶ Ὅμηρος μὲν Νεοπτόλεμον ὄνομα ἐν ἁπάσῃ οἱ τίθεται τῇ ποιήσει. Eodem modo addita σφίσιν, σφᾶς, αὐτὸς v. in illis. || Præterea de usu dat. notanda sunt primum

exx. Homeri, ubi οἱ pron. possessivi speciem habet et illius significatione positum videri potest, etsi dativus in talibus non magis ponitur pro genitivo quam in ὦ τέκνον μοι et aliis hujus generis: Il. B, 586: Τῶν οἱ ἀδελφεὸς ἦρχε ... Μενέλαος· M, 50: Οὐδέ οἱ ἵπποι τόλμων ὠκύποδες· 174: Ἕκτορι γάρ οἱ θυμὸς ἐβούλετο κῦδος ὀρέξαι· 334: Ὅστις οἱ ἀρὴν ἑτάροισιν ἀμύναι· O, 178: Εἰ δέ οἱ οὐκ ἐπέεσσ' ἐπιπείσεαι, ἀλλ' ἀλογήσεις· Σ, 205: Ἀμφὶ δέ οἱ κεφαλῇ νέφος ἔστεφε δῖα θεάων· X, 439: Ἠγγειλ' ὅττι ῥά οἱ πόσις ἔκτοθι μίμνε πυλάων· et E, 326: Ὃν περὶ πάσης τῖεν ὁμηλικίης, ὅτι οἱ φρεσὶν ἄρτια ᾔδη· Od. T, 248: Τίεν δέ μιν ἔξοχον ἄλλων ὧν ἑτάρων Ὀδυσεύς, ὅτι οἱ φρεσὶν ἄρτια ᾔδη, secundum interpret. eorum qui id i. esse putarent q. φρενήρης s. ἀρτίφρων ἦν. Qualia grammaticos quosdam ita accepisse ut, quod eodem redit ac si ἑός poneretur, οἱ locum genitivi οὗ teneret, ostendit schol. Il. Ψ, 387: Τοῖο δ' ἀπ' ὀφθαλμῶν χύτο δάκρυα χωομένοιο, οὕνεκα τὰς μὲν (equas) ὅρα ἔτι καὶ πολὺ μᾶλλον ἰούσας, οἱ δέ οἱ ἐβλάφθησαν, ἄνευ κέντροιο θέοντες) Ὁ Ἀσκαλωνίτης ἐκδέχεται τὸ πλῆρες εἶναι ἑοί καὶ μεταλαμβάνει εἰς τὸ ἴδιοι, καὶ μήποτε ὑγιῶς· ... τινὲς μέντοι εὐλαβηθέντες, ὧν ἐστι καὶ Ἀρίσταρχος, τῷ τὴν οἷ ὀρθοτονουμένην ἀντωνυμίαν πολλάκις εἰς σύνθετον μεταλαμβάνεσθαι, ἐγκλιτικῶς ἀνέγνωσαν, οὐκέτι ἐκδεχόμενοι πληθυντικὴν κτητικὴν εὐθεῖαν, ἀλλ' ἑνικὴν δοτικὴν μονοσύλλαβον, ὁμοίως τῷ, Οἱ δέ οἱ ἵπποι ὑψόσ' ἀειρέσθην (ib. 500), καὶ δηλονότι δοτικὴν ἀντὶ γενικῆς. Καὶ οὕτως τὰ τῆς ἀναγνώσεως. A. Ἐγκλιτέον τὴν οἱ· ἔστι δὲ ἀντὶ τοῦ αὐτοῦ. B. Et ad T, 384: Πειρήθη δ' ἕο αὐτοῦ ἐν ἔντεσι δῖος Ἀχιλλεύς) Τὴν οἷ ἀντωνυμίαν περισπᾷ ὁ Ἀσκαλωνίτης, καί φησι κεῖσθαι δοτικὴν ἀντὶ γενικῆς· οἱ δὲ βαρυτονοῦσιν. Ἔστι μὲν οὖν καὶ ἐγκλιτικὴν εὑρέσθαι τὴν οἱ ἀντὶ γενικῆς κειμένην, ὥσπερ ἐπὶ τοῦ, Οἱ δέ οἱ ἐβλάφθησαν· ἔστι δὲ καὶ ὀρθοτονουμένην ἀντὶ αἰτιατικῆς, ὥσπερ ἐπὶ τοῦ (Od. P, 330) Νεῦσ' ἐπὶ οἷ καλέσας· καὶ (Il. Y, 418) Προτὶ οἷ δὲ λαβὼν (δ' ἔλαβ') ἔντερα (ubi schol.: Περισπαστέον τὴν οἷ· ἔστι γὰρ πρὸς ἑαυτόν)· οὐ μέντοι ποτὲ ἐν τῇ καλουμένῃ ἐπιταγματικῇ συντάξει ... πειστέον οὖν Ἀριστάρχῳ γράφοντι, Πειρήθη δ' ἕο αὐτοῦ. Quibuscum comparanda quæ de usu recentiorum poetarum paullo post dicemus. Proximus Homero Pindarus οἱ cum substantivo sic junxisse videatur Ol. 1, 57: Ἄταν ὑπέροπλον, ἅν οἱ πατὴρ ὑπερκρέμασε καρτερὸν αὐτῷ λίθον· 13, 87: Διασωπάσομαί οἱ μόρον ἐγώ· Pyth. 4, 48: Τετράτων παίδων κ' ἐπιγεινομένων αἷμά οἱ κεῖναν λάβε σὺν Δαναοῖς εὐρεῖαν ἄπειρον· Nem. 7, 29: Ἐπεὶ ψεύδεσί οἱ ποτανᾷ τε μαχανᾷ σεμνὸν ἔπεστί τι. Et Herodotus, ut omittam locos qualis est 2, 152: Ὅς οἱ τὸν πατέρα Νεκῶν ἀπέκτεινε· 3, 55: Ἀρχίῃ, ὃς ξείνων πάντων μάλιστα ἐτίμα τε Σαμίους, καί οἱ τῷ πατρὶ ἔφη Σάμιον τοὔνομα τεθῆναι, ὅτι οἱ ὁ πατὴρ Ἀρχίης ἐν Σάμῳ ἀριστεύσας ἐτελεύτησε· τιμᾶν δὲ Σαμίους, διότι ταφῆναί οἱ τὸν πάππον δημοσίῃ ὑπὸ Σαμίων· 4, 162: Ἡ δὲ μήτηρ οἱ ἐς Σαλαμῖνα ἔφυγε. Manifesto autem Quintus 3, 736: Τοῦ δὲ καὶ ὀστέα πάντα ... πάγχυ δίηναν κοῦραι Νηρῆος ... ἐς δὲ βοῶν δημὸν θέσαν, ἀθρόα ταρχύσασαι σὺν μέλιτι λιαρῷ· μήτηρ δέ οἱ ἀμφιφορῆα ὤπασε ... ᾧ ἔνι θῆκαν ὀστέ' Ἀχιλλῆος· et (ut omittam locos quales sunt 5, 616: Αἷμ' ἀποφαιδρύναντες, ὅ οἱ βριαροῖς μελέεσσι τερσόμενον περίκειτο· 645: Μίγη δέ οἱ αἰθέρι θυμός· 647: Ἐπεί οἱ σῶμα πολύκμητον (al. ex conj. πολυκμήτου) χάδε γαῖα)· 5, 620: Πολλὰ δ' ἄρ' ἀμφ' αὐτῷ θῆκαν ξύλα, πολλὰ δὲ μῆλα, φαρεά τ' εὐποίητα, βοῶν ἐρικυδέα φῦλα, ἠδέ οἱ ὠκυτάτοισιν ἀγαλλομένους ποσὶν ἵππους· 9, 151: Ἄχος δέ οἱ ἔσχεν ἄνακτα· 11, 447: Καὶ τότε οἱ θεράπων ... θοοῖς ἐπεβήσατο ποσσὶ κλίμακος, ubi obversatum ei videatur Hom. Il. N, 600: Σφενδόνῃ, ἣν ἄρα οἱ θεράπων ἔχε ποιμένι λαῶν, ut Gregorio Naz. Carm. 26, 4, p. 233 ed. Dronk.: Αἵ δέ νύ οἱ δμωαὶ καὶ ὁμήλικες ... γοάουσιν. Quo referre licet apud recentiores genitivum cum οἱ conjunctum, quæ constructio est jam Hom. Il. Π, 531: Ὅττι οἱ ὦκ' ἤκουσε μέγας θεὸς εὐξαμένοιο· H. Cer. 37: Τόφρα οἱ ἐλπὶς ἔθελγε μέγαν νόον ἀχνυμένης περ· et in libris nonnullis H. Pan. 31: Ἔνθα τέ οἱ τέμενος Κυλληνίου ἐστίν· Oppian. Hal. 2, 66: Ἀλλά οἱ ἀλκὴ ἦκα μαραινομένοιο παρίεται ἄφρονι νάρκῃ· sæpius vero ap. Nonnum, ut Dion. 1, 74: Καί οἱ ἀειρομένης ἐλελίζετο μυδαλέη χείρ, νηχομένης μίμημα· 11, 375: Ἀπὸ βλεφάρων δέ οἱ αἰεὶ κάλλος διστεύοντος ἐκηβόλος ἔρρεεν αἴγλη· et Quintum, ut 1, 241: Μέλαν δέ οἱ αἷμα δι' ἕλκεος οὐταμένοιο ἔβλυσεν· 2, 245: Τοῦ δ' Ἀντίλοχος

A θεοειδὴς πρόσθ' ἐλθὼν ἴθυνε μακρὸν δόρυ, καί οἱ ἅμαρτε τυτθὸν ἀλευαμένοιο· 254: Σμερδαλέον δέ οἱ ἦτορ ἐνὶ στήθεσσιν ὀρίνθη βλημένου· aliisque multis locis, etiam ubi nullus dativo locus est, ut 7, 50: Ἀλλά οἱ εἶθαρ ἀποκταμένοιο πάσασθαι σῖτον ἔτλην· 208: Καί οἱ ἀποκταμένοιο νέκυν ποτὶ νῆας ἔνεικα, aliisque similibus. Idem solum οἱ instar genitivi posuit 3, 216: Ἀλλά οἱ οὐκ ἀμέλησε θεοῖς ἐναλίγκιος Αἴας· et cum eod. verbo 9, 154, et ubi Rhodom. inseruit 7, 12; item 12, 118: Οἱ δέ οἱ εἰσαΐοντες ἀπειρέσιον κεχάροντο· 13, 34: Οἵ ῥά οἱ ἔνδον ἐόντες ἐπέκλυον· 14, 242: Εἰ δέ οἱ οὐχ ἀλέγοντες ἐπιπλώοιτε θάλασσαν. Pro accusativo ubi ponit 3, 57: Ἀλλά οἱ οὔτι οὔτ' αὐτὸς Κρονίδης ἔτ' ἀνέξεται οὔτε τις ἄλλος οὕτω μαργαίνοντα, Pauwii, ut videtur, conjecturam recepit Tychsen. ἕ. Incertum etiam ib. 131: Οὐδέ οἱ ὀφθαλμοῖσι καταντίον εἰσοράασθαι, quum ferri possit dativus, et 7, 364: Τρομέουσι δέ οἱ θεοὶ αὐτοὶ (cujus ad exemplum Lehrsius 3, 184: Ἀλλὰ ἕ ὡς ζώοντα νέκυν περιπεφρίκασιν, scripsit ἀλλά οἱ), quum etiam aliam admittat interpretationem. Longius quam hi omnes progressus est Orphicorum Arg. scriptor, qui usum pro-

B nominis ita variavit, ut incertum sæpe sit ad quod quæque genus referenda sint exempla. Pro genitivo accipere licet 531: Ἄφθογγος δέ οἱ ἧκε χερῶν οἰήια νηὸς Ἀργῴης· 786: Δμωσὶν δέ οἱ ὦκ' ἐπέτελλεν ἵππους ἐντύνειν· 816: Καί οἱ ἀπὸ στηθέων βριαρὴν ἀνενείκατο φωνήν· 1026: Νὺξ δέ οἱ ἀστροχίτων μέσσην παράμειβε πορείαν. Pro accus. 654: Μολεῖν οἱ οὔτι πέπρωτο Φᾶσιν καλλίρροον μένος ὄβριμον Ἡρακλῆος· 1306: Δέος ... μή οἱ ἑλὼν ἀέκουσαν ἑὸν πέμψειε δόμονδε. Pro nominativo pluralis, et quidem primæ pers., 887: Δὴ τότε οἱ κατὰ θυμὸν ἐμηδόμεθ', ὄφρα ... ἔλωμεν· 1207: Καί ῥά οἱ αἰγιαλοῖσιν ἐκέλσαμεν ἀχνύμενοι κῆρ· 1262: Δὴ τότε οἱ πλώοντες ἐπέσχομεν οὐ μάλα τηλοῦ. Pro dativo pluralis ejusd. pers. 759: Αὐτὰρ ἐπεὶ ποταμοῖο διὰ στόμα πρηῦ ῥέοντος ἱκόμεθ', αὐτίκα οἱ στέφανος καὶ τεῖχος ἐρυμνὸν Αἰήτεω κατέφαινε καὶ ἄλσεα. Et pro accusat. ejusdem 1349: Χάλκειον τριγίγαντα δοκεύμενοι, ... ὅς ῥά οἱ οὐχ εἴα λιμένων ἔντοσθεν ἱκέσθαι. Sed quum οἱ sæpe nihil nisi versus ap. eum complementum videatur, ut ap.

C Byzantinos particulæ quædam, illorum quoque locorum anceps est interpretatio. In prosa præter Herodotum supra citatum οἱ sic posuit Pausanias 3, 11, 4: Δυνάμεως ἐς πλέον ἢ ὁ πατήρ οἱ προελθόντι· 8, 2, 1: Λυκάων δὲ ὁ Πελασγοῦ τοσάδε εὗρεν ἢ ὁ πατήρ οἱ σοφώτερα. Quod omittunt libri nonnulli 2, 4, 1: Τὸ δὲ ἄγαλμά οἱ τοῦτο ξόανόν ἐστι.]

[|| De formis Æol. et Dor. Apollon. De pron. p. 106, A: Αἰολεῖς σὺν τῷ F, Φαίνεταί Ϝοι κῆνος, Σαπφώ· et ib.: Δωριεῖς ὁμοίως ἡμῖν λέγουσιν, addito ex. Sophronis, in quo οἷ. De accentu circumflexo idem disputat p. 103 sq., notatque Dionysium Sidonium acutum pro circumflexo introductum voluisse, quem ne tum quidem poni quum encliticum οἱ sequens τε faciat orthotonumenon, sed οἷ τε scribi, monet p. 54, A, ut ap. Pausan. 6, 25, 4, pro οἵ ἐστι scribendum sit οἷ ἐστι. Digamma autem quanquam ne in Homericis quidem carminibus constanter servatum est, sed jam antiquitus locis haud paucis abolitum, plurima tamen etiam apud proximos Homero poetas ejus sunt testimonia,

D in libris interdum leviter corrupta. Exempla Tragicorum adeoque Cratini ex anapæstis et melicis supra attulimus, ubi de Οἷ pro αὐτῷ posito diximus. In prosa Agathias poeta Histor. p. 30, D: Πολεμητέα μὲν οὔ οἱ ἐς ἐκεῖνο τοῦ καιροῦ εἶναι ἐδόκει, ubi liber Rehdiger. a manu sec. οὐχ οἱ, ut apud Herodotum 4, 43 fin.: Ξέρξης δὲ οὔ οἱ συγγινώσκων λέγειν ἀληθέα, nonnulli δέ οἱ οὐ.] Et Ἑοῖ [quam formam, et ceteras τὰς πλεονασάσας τῷ ε, nunquam inclinari monet Apollon. De pron. p. 106, A,] pro eodem, ut Hom. [Od. Δ, 38]: Ὀτρηροὺς θεράποντας ἐπισπέσθαι ἑοῖ αὐτῷ. [Il. N, 495. Apollon. Rh. 1, 460.] || Ab Apollon. Arg. 3, [98] ponitur etiam cum verbo 1 et 2 pers. pro ἐμοί et σοί: sicut ἕο ab Eod. usurpari paulo ante declaravi: Εἰ μὴ τηλόθι χεῖρας, ἕως ἔτι θυμὸν ἐρύκει; Ἔξω ἐμάς, μετέπειτά γ' ἀτεμβοίην ἑοῖ αὐτῇ· i. e. ἐμαυτῇ. Et 1, [893]: Ῥηιδίως δ' ἂν ἑοῖ καὶ ἀπείρονα λαὸν ἀγείραις Ἄλλων ἐκ πολίων, i. e. Tibi. Sed schol. hunc hujus pronom. usum non probat. [Libri nonnulli τοι vel τι, ut 3, 5, ubi nonnulli οἱ, plurimi τοι vel σοί. || Formam Bœot. Ϝῦ testatur Apollon. l. c. p. 106, A : Βοιωτοὶ συνήθως εἰς τὸ ἕ μεταλαμβάνουσι (formam οἷ). Ubi ὗ Bekkerus, Fῦ Ahrens. De dial. vol. 1, p. 191, 6, qui p. 170 et 208, formam Fοῖ annotavit ex inscr. Thebana recentiori ap. Bœckh. vol. 1, p. 738, n. 1565, 7 : Εἶ μέν Fοι, ubi Nοι legerat Pocock. Eandem in inscr. colossi Memnonis ap. Jacobs. Anth. Pal. App. 394, 4 : Χαίρην εἶπέ Fοι ὡς δύνοτον, pro εἶπέ γ' οἱ, restituit Hecker. Comment. de Anthol. p. 399. || Porro Apoll. l. c.: Τῇ τίν σύζυγος ἡ Ἵν, τοῦ τ ἀρθέντος· Ἡσίοδος· Ἵν δ' αὐτῷ θανάτου ταμίης. Ἔστι καὶ ἡ Ἑίν ἀπὸ τῆς τεΐν παρὰ Ἀντιμάχῳ καὶ Κορίννῃ, ἐπὶ δοτικῆς ἔσθ' ὅτε παραλαμβανομένη. Ubi cod. ην, quod ἵν potius, ut est p. 126, A : Τὸ σφίν ἀπὸ ἑνικοῦ τοῦ ἵν, Δωρικῶς, quam ἶν scribendum docet constans quum in ceteris formis omnibus pron. tertiæ pers. spiritus asper, tum in Ἵ, quod vol. 4, p. 481, B, dictum est sæpe scribi Ἶ, etsi asperum diserte agnoscit Priscian. 13, 5, 24 : « Loco aspirationis in principio tertiæ pers. apud Græcos i. e. ἵ », et mox : « Nominativus ἵ. » Et sic ap. Hesychium : Ἶν' αὐτῷ (sic), αὐτὸς αὐτῷ. Quam gl. jam Ruhnk. vidit referri ad l. c. Hesiodi, quem ubi memorat schol. Apoll. Rh. 4, 57, pro vulg. αὐτὸν ταμίαν εἶναι θανάτου Paris. ἐν αὐτῷ τ. ε. θ., quod ἶν δ' αὐτῷ scribebat Bast. ad Greg. p. 85. Altera Hesychii gl. : Γὶν, σοὶ, ex ipso in Τὶν rectius corrigitur Τιν, quam Fίν. Ap. Pind. quod est Pyth. 4, 36 : Οὐδ' ἀπίθησέ νιν· Nem. 1, 66 : Φᾶσέ νιν δώσειν μόρον, scribendum esse potius —σέ ἷν quam —σεν ἷν, probare videtur digammi in forma οἷ usus ap. eundem. Ejusdem Hesychii tertia est gl., quæ huc pertinere videatur : Εἶν, ἀντωνυμία, ἐκεῖνος, etsi parum quadrat interpretatio, nisi scribas ἐκεῖνον, ut αὐτὸν est in gl. proxime memoranda Ἶν. Sed idem quod ponit Ἶν, αὐτὴ (hoc delevit Musurus), αὐτὴν, αὐτὸν, Κύπριοι, comparandum cum τὶν pro σὲ posito ap. Apoll. ib. p. 105, B, et cum Ἑΐν, si in iis quæ de Ἑΐν ex eodem attulimus pro ἐπὶ δοτικῆς scribendum sit ἐπ' αἰτιατικῆς, quod suspicabatur Bekkerus, et credidit Buttmannus Gr. vol. 1, p. 295. || Denique in Οὗ ponendus videtur genitivus plur. reflexivi tanquam ab οὗ fictus, quem Syracusanis tribuit Apollon. l. c. p. 122, C; Ἐν ἴσῳ τῷ αὐτῶν παρὰ Συρακουσίοις τίθεται τὸ Ὧν. Σώφρων, Ὁ δ' ἐκ σκότεος τοξεύων αἰὲν ἕνα τινὰ ὧν ζυγαστροφεῖ. Quod ex ἕων contractum rebatur Ahrens. De dial. vol. 2, p. 259. Nec suspicari licet Apollonium ὧν legisse pro ὧν, ut εἷς τις οὖν dici notavimus vol. 3, p. 289, C. L. Dind.]

[|| De accus. HSt. in lit. E :] Ἕ, Se, pronomen accus. casus : genit. est οὗ, Sui : dat. οἷ, Sibi : tamen obliquos in hunc locum rejecimus, quod possessivum Ἑὸς, et comp. Ἑαυτοῦ, aliaque nonnulla derivata illam accus. vocalem servent. Hom. [Il. Δ, 497 : Ἀμφὶ ἓ παπτήνας· ubi schol. Ven. : Δασυντέον τὸ ε καὶ ὀρθοτονητέον· μεταλαμβάνεται γὰρ εἰς σύνθετον. Ο, 241 : Ἀμφὶ ἓ γιγνώσκων ἑτάρους· ubi eadem : Κατ' ὀρθὸν τόνον ἀναγνωστέον· ἔστι γὰρ εἰς ἑκάτερον ἑαυτοῦ μέρος σκοπῶν· et : Ὀρθοτονητέον τὴν ἕ· μεταλαμβάνεται γὰρ εἰς σύνθετον τὴν ἑαυτόν. Vict. autem addit Chrysippum ψιλοῦν τὸ ε ὡς περισσεῦον, καί φησιν ἀμφιγνοῶν ἀντὶ τοῦ ἀμφιβάλλων. Quod commentum comparandum cum ῥίμφαε, quod Il. Z, 511 inferebat Posidonius. Apollon. De constr. 2, 18, p. 137, 21 : Ἐνεκλίθη τὸ (Od. Θ, 396, conf. De pron. p. 47, A) Εὐρύαλος δέ ἑ αὐτὸν ἀρεσσάσθω ἐπέεσσιν· ὠρθοτονήθη δὲ τὸ, Ἀμφὶ ἓ παπτήνας. Id. De pron. p. 102, C, memorat Εὖ ἐντύνασάν ἑ αὐτὴν, ex Il. Ξ, 162, et ib. et De constr. p. 140, 8, Πυκάσασάν ἑ αὐτὴν, ex Il. P, 551, in edd. non inclinata, ut sæpe in talibus fluctuari diximus in Οἷ.] Od. X, [436] : Αὐτὰρ ὁ Τηλέμαχον καὶ βουκόλον ἠδὲ συβώτην Εἰς ἓ καλεσσάμενος, ἔπεα πτερόεντα προσηύδα, Ad se vocans. [Apoll. Rh. 2, 465 : Εἰς ἓ κομίσσαι ἧκεν ἐποτρύνας· 3, 596 : Οἷ αὐτῷ φάτ' ἐοικότα μείλια τίσειν νοστήσαντας, ὄφρα ἓ τιμῆς καὶ σκήπτρων ἐλάσειαν.] Plato Polit. 1, [p. 327, B] : Ἐκέλευσε δραμόντα τὸν παῖδα περιμεῖναί ἑ κελεῦσαι, Se exspectare. [Conv. p. 175, A : Καὶ ἓ μὲν ἔφη ἀπονίζειν τὸν παῖδα· 223, B : Ἓ δὲ ὕπνον λαβεῖν, nisi hic quoque præstat ἷ, quod p. 175, C, ubi Clarkianus et al.: Ἓ δὲ οὐκ ἐᾶν, conjecit Bekker., et Reip. 10, p. 617, E : Ἓ δὲ οὐκ ἐᾶν, voluisse videntur qui ἤδε vel ἔδει.] Annotat tamen Hesych. ἑ notatum aspero spiritu et encliticum, significare αὐτὸν, Ipsum : rursum notatum spiritu
A aspero una cum accentu, significare ἑαυτὸν, Seipsum. At Eust. ἑ (sic enim ap. eum scribitur, nulla accentus mentione facta) pro ἑαυτὸν Homericum esse negat, ponique ab eo potius pro αὐτόν : quomodo exp. Il. Z, [510] : Ὁ δ' ἀγλαΐηφι πεποιθὼς, Ῥίμφα ἑ γοῦνα φέρει μετά τ' ἤθεα καὶ νομὸν ἵππων· addens, sententiam esse ἀναπόδοτον nec assentiens iis, qui exp. ἑαυτὸν κατὰ γούνατα, nec iis, qui legebant Ῥίμφ' ἑὰ γοῦνα, quum Hom. dicere soleat genua s. pedes ferre aliquem, non autem contra genua s. pedes ferri ab aliquo, ut Il. O, [405] : Τὸν μὲν ἂρ ὡς εἰπόντα πόδες φέρον. Sic A, [236] : Περὶ γάρ ῥά ἑ χαλκὸς ἔλεψε Φύλλα τε καὶ φλοιὸν, exp. αὐτὸ, addens, enclit. esse et trium generum. [Ib. 510 : Ὄφρ' ἂν Ἀχαιοὶ υἱὸν ἐμὸν τίσωσιν, ὀφέλλωσίν τέ ἑ τιμῇ· B, 11 : Θωρῆξαί ἑ κέλευε... Ἀχαιούς· Ω, 214 : Ἐπεὶ οὔ ἑ... κατέκτα, et al.] Supra tamen Od. l. c. pro ἑαυτὸν accipi fatetur. [Pro αὐτὸν Pind. Ol. 9, 14 : Αἰνήσαις ἓ καὶ υἱόν. Et sæpe ap. Apoll. Rh. Qui omnes servarunt digamma, nisi quod l. Hom. uno Il. Ξ, 162, ἐντύνασαν est brevi ultima, de quo v. annot. interpretum. Pro plurali ubi
B legitur Hom. H. Ven. 267 : Τῇσι δ' ἅμ' ἢ ἐλάται ἠὲ δρύες ὑψικάρηνοι γεινομένῃσιν ἔφυσαν ... καλαὶ, τηλεθάουσαι, ἐν οὔρεσιν ὑψηλοῖσιν· ἑστᾶσ' ἠλίβατοι· τεμένη δέ ἑ κικλήσκουσιν ἀθανάτων, scribendum δέ τε. || Formam Æol. annotat Apollon. De pron. p. 107, A : Ἡ Ἕ σύζυγος τῇ σέ, κοινὴ ἐν διαλέκτοις. Αἰολεῖς μετὰ τοῦ F. De Doribus ib. C : Οὐκ ἔστι παρὰ Δωριεῦσιν ἐν τρίτῳ ἡ διὰ τοῦ ι ἐπέκτασις ὁμοίως τῇ τεΐ καὶ ἐμεΐ. In Ind. :] Ἑὲ, Hesych. exp. αὐτὸν, ἑαυτὸν, Ipsum, Se : item αὐτό : subjungens etiam ἑὲ [ἑὲ, de qua prosodia v. infra] δὲ pro ἑαυτὸν δὲ, Se vero. Poeticum igitur habet pleon. τοῦ ε, pro ἕ. [Hom. bis, Il. Y, 171 : Ἑὲ δ' αὐτὸν ἐποτρύνει μαχέσασθαι· Ω, 134 : Ἑὲ δ' ἔξοχα πάντων ἀθανάτων κεχολῶσθαι (φησὶ), cujus formæ spiritum asp., quem Callistratum et Aristarchum probasse tradit schol. Ven. ad Ω, 134, aliis lenem, ut videtur, probantibus, testatur Lex. de spir. p. 215, de accentu dubitasse putantur grammatici. Ἑὲ, ut ἐμὲ et καλὲ, ponunt schol. ad Ω, 134, eaque constans fere est in libris Homeri et grammaticorum scriptura, nisi quod Ἕε
C scriptum l. priori perpaucis in libris Hom., Etym. M. p. 317, 49, et ap. Apollon. De pron. p. 103, A, qui quum dicit p. 107, A : Τὸ « ἕε δ' αὐτὸν ἐποτρύνει » εἰ κατὰ τὸ ἄρχον ὀξύνοιτο, δῆλον ὡς παράλογον ἕξει τὸν τόνον· εἴτε γὰρ τὸ δεύτερον ε ἐπλεόνασε, δῆλον ὡς καὶ ἐν αὐτῷ ὁ ὀξὺς τόνος γενήσεται, ὁμοίως τῷ ἤ καὶ ἠέ... εἴτε τὸ ἄρχον, ὅπερ ἐστι, πάλιν τῆς ἀντωνυμίας, εἴγε οἱ πλεονασμοὶ τοὺς τόνους τηροῦσιν, ἕοι, ἕου (ἑοῖ, ἑοῦ), his non, ut Spitznerus putabat ad l. pr. Hom., probat, sed vel maxime reprobat ἕε barytonon. Quod autem addit Apoll., ὑπόψυχρον δὲ τὸ λέγειν ὡς ἐδιπλασιάσθη ἡ ἀντωνυμία κτλ., spectat scripturam etiam ab Eust. ad l. alterum memoratam ἓ ἕ. L. Dind.]

Οὗ, Ubi. [Æsch. Pers. 486 : Καὶ Δωρίδ' αἶαν Μηλιᾶ τε κόλπον, οὗ Σπερχειὸς ἄρδει πεδίον· Prom. 813 : Οὗ δὴ τὴν μακρὰν ἀποικίαν πέπρωται σοί τε καὶ τέκνοις κτίσαι. Quæ particula sæpe conjungitur cum οὗ, ut Plat. Phædr. p. 248, B, Theæt. p. 177, A. Soph. OEd. C. 158 : Κάθυδρος οὗ κρατὴρ... συντρέχει.] Aristoph. Nub. [302] : Οὗ σέβας ἀρρήτων ἱερῶν, Ubi cultus arcanorum
D sacrorum. Thuc. : Οὗ γῆς εἴη, Ubi terrarum esset. [Improprie, non de loco qui proprie dicitur, Soph. Ph. 1049 : Οὗ γὰρ τοιούτων δεῖ, τοιοῦτός εἰμ' ἐγώ· ut ib. in seqq. ὅπου. Plato Conv. p. 194, A : Εἰ δὲ γένοιο οὗ νῦν ἐγώ εἰμι, μᾶλλον δὲ ἴσως οὗ ἔσομαι, ἐπειδὰν καὶ Ἀγάθων εἴπῃ, εὖ καὶ μάλ' ἂν φοβοῖο· Alc. 1 p. 122, D : Ἐάν πως αἴσθῃ οὗ εἶ· Menex. p. 243, D : Οὗ δὴ καὶ ἐκφανὴς ἐγένετο ἡ τῆς πόλεως ῥώμη. || Insolentius Jo. Malal. p. 309, 8 : Ἕως οὗ ἀνέλθῃ τὰ αἵματα τῶν σφαζομένων ἕως τὸ γόνυ τοῦ ἵππου οὗ ἐκάθητο, nisi ἐφ' οὗ scripserat, ut ἐν ᾧ paullo post. Cum genitivo Synes. p. 191, C : Διισχυρίζομαι δὲ ὡς ἔστιν οὗ τῶν βιβλίων ὁ θεὸς ταῦτα λέγων πεποίηται.] Quum vero et annectitur μὲν et δὲ, reddes Alicubi, Alibi, Est ubi. Aristot. OEc. 2, [c. 1] : Δευτέρα δὲ πρόσοδος ἀπὸ τῶν ἰδίων γινομένη, οὗ μὲν χρυσίον, οὗ δὲ ἀργύριον, οὗ δὲ χαλκὸς, οὗ δὲ ὁπόσα δύναται γίνεσθαι. || Significat interdum motum ad locum, ut οἷ. Eur. [Iph. A. 1582] : Οὗ γῆς εἰσέδυ, In quam terræ partem penetravit, In quas latebras se abdidit. Lucian. [Toxar. c. 17 : Συνιδὼν] οὗ κακῶν [ἦν], Quo ma-

lorum. [Immo Ubi vel Quibus in malis. Utrumque autem locum apparet non aptum esse ad probandam hanc signif. Sed quum grammatici, ut in οὗπερ videre licet, οἷ per οὗ explicare soleant, et librarii adverbia in οῖ, ut μηδαμοῖ et οὐδαμοῖ, in alteram fere formam depravent, sæpe οὗ legitur in libris pro οἷ, velut in plurimis et optimis Demosth. p. 538, 20 : Καὶ ταῦτ' ἐν ἱερῷ καὶ οὗ πολλή μοι ἦν ἀνάγκη βαδίζειν χορηγοῦντι, consentientibus tamen in οἷ ib. paullo ante : Καὶ ταῦτ' εἰς οἰκίαν ἐλθὼν ἐπὶ δεῖπνον, οἷ μὴ βαδίζειν ἐξῆν αὐτῷ. Et in omnibus Xen. H. Gr. 2, 3, 54 : Ἀπαγαγόντες οἱ ἕνδεκα οὗ δεῖ τὰ ἐκ τούτων πράττετε. Quod non defenditur ex. Cyrop. 5, 4, 15 : Ἐκ τῆς ἑαυτοῦ πόλεως οὗ κατέφυγε. Sed pro οἷ Lucas 10, 1 : Εἰς πᾶσαν πόλιν καὶ τόπον, οὗ ἔμελλεν αὐτὸς ἔρχεσθαι· 24, 28 : Ἤγγισαν εἰς τὴν κώμην, οὗ ἐπορεύοντο· Cor. 1, 16, 6 : Ἵνα ὑμεῖς με προπέμψητε οὗ ἐὰν πορεύωμαι. L. D. Philostr. Her. p. 663 fin. : Ἐπειδὰν ἱζήσωμεν οὗ ἄγεις. Schæf. Οὐδήποτε, Quolibet, Gl.]

|| Οὗπερ, itidem Ubi. [Æsch. Sept. 1011 : Τέθνηκεν οὗπερ τοῖς νέοις θνήσκειν καλόν. Soph. Aj. 1237 : Ποῖ βάντος ἢ ποῦ στάντος οὗπερ οὐκ ἐγώ; OEd. C. 77 : Αὐτοῦ μέν' οὗπερ κἀφάνης.] Aristoph. Pl. [1192] : Τὸν Πλοῦτον οὗπερ πρότερον ἦν ἱδρυμένος, Ἱδρυσόμεθα. [Ib. 1193 etc.] Aliud exemplum ex Soph. habes in Ποῦ, ubi et pro Quo accipitur, sicut ποῦ pro Quo interrogative. [Ajacis dicit locum modo citatum, ubi ne tum quidem οὗπερ est Quo, si Ποῖ βάντος scribitur pro ποῦ, de quo dictum in Ὅπου et Ποῦ. Relinquendum vero videtur hoc vitium non tantum Byzantinis, ut Agathiæ Hist. 4, 9, p. 226 : Τὴν ... πεῖραν, οὗπερ ἡμᾶς ἄγουσα φέρει, sed etiam Diog. L. 9, 105 : Οὗπερ ἂν ἔλθῃ. Schol. Soph. Antig. 228 : Οἷ, ἀντὶ τοῦ οὗπερ. V. quæ in Οὗ diximus. In libros οὗπερ pro οἷπερ illati ex. est Aristoph. Ran. 199 : Ἴζω 'πὶ κώπην, οἷπερ ἐκέλευσάς με σὺ, ubi Rav. et Ven. οὗπερ, quum οἷπερ testetur Joann. Alex. p. 32, 13. || Οὗ ποτε pro ὅπου ποτε libri nonnulli Diod. 14, 28 : Οὗ ποτε τύχοι μένειν ἠναγκάζετο. Conferendum Οὐδήποτε, quod supra. L. Dind.]

[Οὐὰ s. Οὐᾶ, Vah, respondet Hebr. האח *Heah.* Marc. 15, 29 : Οὐὰ ὁ καταλύων τὸν ναόν. Schleusn. Lex. Zonaræ Lex. p. 1487, οὐὰ est χλευῆς ἐπίρρημα προσεναντιωματικὸν, ἀντὶ τοῦ ὦ καὶ εὖ. Arrian. Epict. 3, 22, 34 : Οὐᾶ, βασιλεύς· 23, 24 : Εἰπέ μοι οὐᾶ· 32 : Ἵνα σοι οὐᾶ φῶσιν. Dio Cass. 63, 20 : Ὀλυμπιονῖκα, οὐᾶ, Πυθιονῖκα, οὐᾶ, ubi olim οὐα. Theodor. Stud. p. 387, C; 408, D; 433, C. V. locum Epiphanii vol. 1, p. 1092, B, in Εὐὰν vol. 3, p. 2186, B, cit., et conf. Ὀά.]

Οὐαί, Væ, [Væh, Gl.] interjectio dolentis vel dolorem denuntiantis ap. Bibliorum Interpretes et N. T. scriptores. [Comminantis est Matth. 11, 21 : Οὐαί σοι Χοραζὶν, οὐαί σοι Βηθσαϊδὰν, et ib. 18, 79; 23, 13-16, etc. Singulariter Cor. 1, 9, 16 : Οὐαὶ δέ μοί ἐστιν, h. e. certissimæ pœnæ mihi metuendæ sunt. Miserantis est Marc. 13, 17 : Οὐαὶ δὲ ταῖς ἐν γαστρὶ ἐχούσαις καὶ ταῖς θηλαζούσαις ἐν ἐκείναις ταῖς ἡμέραις. De tempore et statu afflictionis Apoc. 9, 12 : Ἡ οὐαὶ ἡ μία ἀπῆλθεν, ἰδοὺ ἔρχονται ἔτι δύο οὐαὶ μετὰ ταῦτα· et ib. 11, 14. Ex Schleusn. Lex. Frequens est etiam ap. LXX modo cum dat. modo cum nominat. aut vocativo conjunctum, ut Prov. 23, 29 : Τίνι οὐαὶ, τίνι θόρυβος; Jesa. 1, 24 : Οὐαὶ οἱ ἰσχύοντες Ἰσραὴλ, etc. Cum præp. Jerem. 10, 18 : Οὐαὶ ἐπὶ συντρίμματί σου· 48, 1 : Οὐαὶ ἐπὶ Ναβὰν, ὅτι ὤλετο. Ephræm Syr. vol. 3, p. 264, A : Οὐαὶ ἐπὶ οὐαί. Duplex est Ezech. 16, 23 : Οὐαὶ οὐαί σοι, λέγει Ἀδωναὶ κύριος. Triplex Apoc. 8, 13 : Οὐαὶ οὐαὶ οὐαὶ τοῖς κατοικοῦσιν. Et iisdem modis ap. ecclesiasticos aliosque scriptt. Christianos. Item ap. Arrian. Epict. 3, 19, 1 : Οὐαί μοι. Synes. p. 193, A : Οὐαὶ δὲ, δι' οὗ γίνεται. De accentu acuto v. Arcad. p. 183, 20, gramm. Cram. An. vol. 3, p. 279, 22.] At nomen Οὐαὶ Hesychio φυλαί. [Pro quo Dores ὠαὶ, Lacones ὠβαὶ dixisse monet Hemst., conferens Ὄα, quod v. p. 1712, A.]

[Οὐαιέ. Horap. Hierogl. 1, 29 : Φωνὴν δὲ μακρόθεν βουλόμενοι δηλῶσαι, ὃ καλεῖται παρ' Αἰγυπτίοις οὐαιὲ, ἀέρος φωνὴν γράφουσι, τουτέστι βροντήν. Optime me monuit La Crozius, οὐαιὲ Horapollinis esse *Uei* Copt., quod in eorum libris toties legitur, accipiturque pro μακρόθεν, ut loquitur scriptor ille. V. Ps. 22, 19; 10, 1; Eph. 2, 17, et alia loca plurima. Est igitur οὐαιὲ, vel Copt. *Uei*, proprie ἡ μακρόθεν, quod ad res plurimas transferri potest. Sed hic subintelligend. venit ἡ φωνή. Jablonsk. Hinc etiam *Uei*, Thebaice *Ue*, significat Recedere. V. Mingarell. ad Ægypt. codd. reliquias p. LXXVII, CXLVIII. Tewater.]

[Οὐακκαῖοι, οἱ, Vaccæi, gens Hispan. ap. Polyb. 3, 5, 1 etc. Alia hujus generis nomina per ου— omittimus.]

[Οὐακὸς, ὁ ἀράχνης, in Lex. Ms. cod. Reg. 1843. Ducang.]

[Οὐαλεντῑνῐᾶνοὶ, οἱ, Valentiniani, hæretici, Valentini sectatores, ap. Jo. Damasc. vol. 1, p. 83, B, ubi v. Lequien. Οὐαλεντῖνοι Epiphan. vol. 2, p. 18, C. Unde adj. Οὐαλεντινιακὸς ap. Theophan. Chron. p. 48, B. L. Dind.]

[Οὐαλεντινοφρόνως, Cum Valentino sentiendo. Pasin. Codd. Taurin. vol. 1, p. 306, A. L. Dind.]

[Οὐάλης, άλεντος, ὁ, Valens, n. Rom., quo fuerunt quum alii inferioribus seculis, tum Valentiniani fratris imp. Rom. consors, ap. Zosim. 4, 7 sq.]

[Οὐαλήσιοι, οἱ, Valesii, hæretici, de quibus Jo. Damasc. vol. 1, p. 89, B, ubi v. Lequien. L. Dind.]

[Οὐανοῦν, Vulpes. Steph. Byz. in v. Ἀζανοὶ vocabulum Phrygibus attribuit, testaturque, Euphorbum dæmonibus sacrificasse τὸν Οὐανοῦν, ὅ ἐστιν ἀλώπηξ, καὶ Ἔξιν, ὅ ἐστιν ἐχῖνος. Ἐξ αὐτοῦ δὲ κληθῆναι τὴν πόλιν Ἐξουανοῦν, ὃ μεθερμηνευόμενόν ἐστιν ἐχιναλώπηξ. Ἔοικε δὲ μετηλλοιῶσθαι ἐκ τοῦ Ἐξουανοῦν τὸ Ἀζάνιον.]

[Οὐὰρ, τὸν κηρὸν, Cera, in Lex. Ms. cod. Reg. 1843. Ducang.]

[Οὐάραι, ἡμεῖς· Κύπριοι. Οὐάρον δὲ ἔλαιον, Κύπριοι. Hesychius. Pergerus Οὖαρ, αἷμα, Κύπριοι, conferens gl. : Ἔαρ, αἷμα, Κύπριοι. Minus probabiliter Albertus cum altera gl. confert οὖθαρ, quum ἔαρ de Oleo dictum constet, ut diximus in illo p. 10, A.]

[Οὐαργουγοὺμ, Psyllium, apud Afros. Diosc. Noth. 4, 70. Scrib. Οὐαργουτοὺμ, quæ ipsissima est v. Phœnicia Bargut, a forma seminis dicta خضير برغوث, *Hasîr bargut*, Herba pulicis. Bochart Chan. l. 2, 15.]

[Οὐαρίζης, dignitatis nomen in aula Persica. Procop. De B. Pers. lib. 1. Burton p. 88. Angl.]

[Οὖας. V. Οὖς.]

Οὐάτιος, exp. Extremus, Imus, ex Orpheo [Arg. 219] : Τάρσοισιν ὑπ' οὐατίοις [ὑπουατίοις], Sub imis plantis.

Οὐᾰτόεις, εσσα, εν, Auritus, ὠτώεις. Epigr. [Polliani Anth. Pal. 11, 130, 5] : Θηρὶ οὐατόεντι. [Eust. Il. p. 870, 6 : Θὴρ οὐατόεις παρὰ Καλλιμάχῳ ὁ ὄνος· 1299, 36. Nonnus Dion. 21, 207 : Ὡς ὄνος οὐατόεις. Athen. 11, p. 498, E : Σιμωνίδης δ' οὐατόεντα σκύφον ἔφη. Improprie etiam Antimach. ap. schol. Hom. Il. Ψ, 845 : Πάντες δ' ἐν χείρεσσι καλαύροπας οὐατοέσσας εἶλον. Quibuscum conf. Hesych. : Οὐατόεν, ὦτα ἔχον, καὶ ὅπερ ἔχει κρεμαμένους ὄζους πολλοὺς, ὀζῶδες, τραχύ.]

[Οὐατοκοίτης, ὁ, Auribus incubans. Nonn. Dion. 26, 94 : Ἀνέρες οὐατοκοῖται· 99 : Στρατὸν οὐατοκοίτην· 30, 315 : Ὅλον στρατὸν Οὐατοκοιτῶν. Sic enim scribendum pro —κοίτων. Simile est Ἐνωτοκοῖται, quod pro —κοιτοι restitui Tzetzæ vol. 3, p. 1203, C, et confirmat Μονοτοκῆται ap. eund. Hist. 7, 767, quod Ἐνωτοκοῖται scribendum animadvertit etiam Lobeck. Pathol. p. 383, 7. L. Dind.]

[Οὐαφρῆ est cognomen regis Ægypt., etiam Pharaonis dicti, in vers. Gr. Jer. 44, 30, Hebr. scribitur הָפְרַע, pro quo Michaelis malit הַפְרַע. Diu ante eum idem placuit Scaligero ad Euseb. p. 82. Communi Pharaonis nomine solo appellatur Jer. 37, 5, 7, Ezech. 29, 3. Intelligitur rex idem, qui dicitur Ἀπρίης ab Herodoto 2, 161, 162, 169; 4, 159, et Diodoro 1, 68, ubi notavit Wesseling. Vide eund. ad Herodot. p. 186, sed inprimis Vignolium Chronol. t. 2, p. 148-150. Cognomen regis Ægyptiacum non una ratione pingitur, Οὐαφρῆ, Οὐαφρῆς, Οὐάφρις, Vaphres, Ephrée, Waphris. Longius recedit Φρὴν, quod habent Aquila et Theodotion, sed forte culpa librariorum, ut suspicatur Montfaucon. Tewater.]

[Οὐβέδαινα, ὄνομα θεᾶς, Zonoras. Tittmann. : « Cyrillus meus Οὐβέδενα, γεένα. Sed Cyrillus Cangii : τινὸς ὕπαρξις, ἢ πᾶν τὸ καθ' αὑτὸν ὑφεστὸς καὶ μὴ ἐν ἄλλῳ τὸ εἶναι ἔχει (ἔχον). » Quæ explicatio pertinet ad οὐσία.]

Οὐβρῶστις, Hesychio λιμὸς, vel potius μεγάλος [μέγας] λιμὸς, quæ et βούβρωστις et βουλιμία.

Οὐγκία, ἡ, affertur pro Uncia [Gl.]; sed frequentius Οὐγγία scriptum reperitur, voce a Latinis tralata. Continet autem ἡ οὐγγία, ut Diosc. tradit, De pond. et mens., drachmas octo, scripula viginti quatuor: quemadmodum Hesych. quoque scribit τὴν δραχμὴν esse τὸ ὄγδοον τῆς οὐγγίας, Octavam unciæ partem. Similiter et Galen. τῶν Κατὰ γένη 6 : Διὰ τὸ τὴν σταθμικὴν οὐγγίαν ὀκτὼ δραχμὰς ἕλκειν· 5 : Ἕλκουσι γὰρ αἱ θ' οὐγγίαι Ἰταλικαὶ αἱ ἐν τοῖς κατατετμημένοις κέρασιν, ἑπτὰ καὶ ἡμίσειαν οὐγγίας σταθμικὰς, αἵτινες ξ' δραχμαὶ γίνονται, τῆς μιᾶς οὐγγίας η' δραχμὰς δεχομένης. Hanc unciæ divisionem Romani in octo octavas appellarunt : quidam etiam in octo drachmas, ut Balbus ad Cels. De agrimensoria. Nonnulli septem drachmarum esse unciam dixere, alii septem et dimidiæ, ut testatur Galen. τῶν Κατὰ γένη 5 : Τὴν οὐγγίαν οἱ πλεῖστοι μὲν ἑπτὰ καὶ ἡμισείας δραχμῶν εἶναί φασιν, ἄλλοι δὲ ζ' μόνον, ἕτεροι δὲ η'. Qui septem drachmarum unciam constituere, procul dubio drachmæ vocabulo intellexere denarium : itemque qui septem cum dimidia, quod animadvertissent drachmam denario esse leviorem: eos secuti sunt veterinariæ artis medici, quamvis non plane quantum intersit, examinarint : scribente et Galeno τῶν Κατὰ τόπους 8, medicos suo tempore aperte δραχμὴν appellasse, quod Romani Denarium. Compendiaria τῆς οὐγγίας nota est ϛο. [Photius : Ὀγκίαν, τὸν σταθμὸν (Οὐγκίαν τ. σ. Antiatt. p. 110, 22), Σώφρων καὶ Ἐπίχαρμος. Pollux 4, 174 : Τὸν δὲ ἕνα (χαλκοῦν οἱ Σικελιῶται καλοῦσιν) οὐγγίαν· 9, 80 : Ἀλλὰ μέντοι παρ' αὐτῷ (Aristoteli) τις ἂν ἐν τῇ Ἱμεραίων πολιτείᾳ καὶ ἄλλα εὕροι Σικελικῶν νομισμάτων ὀνόματα, οἷον οὐγκίαν, ὅπερ δύναται χαλκοῦν ἕνα. Ὀγκία scriptum etiam in Etym. Gud. v. Δινάριον. « Vita Ms. S. Hilarionis : Καὶ ἄρτος αὐτῷ κρίθινος ἦν ἡ τροφὴ ἐξ οὐγκίας μεμετρημένος. Theosterictus in S. Niceta Conf. n. 40 : Διὰ στενοτάτης ὀπῆς οὐγκίαν ἄρτου καὶ τούτου ἠχρειωμένου ἐπέρριπτον αὐτοῖς. » Ducang.]

[Οὐγκιασμὸς, ὁ, in Nov. Justiniani 107, 1, Divisio hæreditatis per uncias, et ap. Mich. Psellum in Synopsi Legum v. 253 (248). Ducang. Theophil. Inst. 2, 15, 350, vol. 1, p. 391.]

Οὐδαῖος, α, ον, ab οὖδας derivatum, Humilis, Terrestris, ἐπίγειος [Hesychio], Qui super terram est. Πίδαξ οὐδαία, Nonn. [Jo. c. 4, 72], Terrestris fons, Ex terra scaturiens. [Id. c. 11, 141 : Χάσματος οὐδαίοιο δυσήνεμος ἔρχεται ὀδμή. Orph. Arg. 392 : Ἐπ' οὐδαίοιο χαμεύνης κεῖτο μέγας Κένταυρος.] At οὐδαῖος Κρονίδης ap. Dionys. [789] ὁ χθόνιος [quomodo interpr. Hesych.] s. καταχθόνιος, pro Plutone : ut οὐδαῖος ibi significet i. q. comp. Ὑπουδαῖος, Subterraneus. [Epigr. Anth. Pal. 14, 123, 14 : Οὐδαίῳ Ζανί. Ubi Jacobs. confert Cyrill. Gloss. : Οὐδαιέων (sic), τῶν καταχθονίων δαιμόνων. Lycophr. 49 : Οὐδαίαν θεὸν, et 698 : Οὐδαίας Κόρης, de Proserpina.] || Nom. proprium filii Cadmi ap. schol. Apollon. [3, 1178, Apollod. 3, 4, 1, 6; 3, 6, 7, 1, et schol. Eur. Phœn. 670, 942.] || Liminaris, VV. LL. : in qua signif. fuerit a nomine οὐδὸς, Limen. Sed nullum significationis illius affertur exemplum.

Οὔδαλα, Sordes et purgamenta, quæ ex pavimento everruntur. Exverræ, Festo : Τὰ κόπρια καὶ λύματα, παρὰ τὸν οὐδόν. Ita Callistratus ap. Hom. scripsit pro οὐδ' ἄλα, Od. P, [455] : Οὐ σύ γ' ἂν ἐξ οἴκου σῷ ἐπιστάτῃ οὐδ' ἅλα δοίης· sed altera scriptura melior, Ne micam quidem salis. [Conf. Exc. Phryn. Bekk. An. p. 55, 1. Quod imitatur Theocr. 27, 60 : Φῄς μοι πάντα δόμεν· τάχα δ' ὕστερον οὐδ' ἅλα δοίης. In orac. ap. Diod. Exc. Vat. p. 9, quod est : Μύσκελλε βραχύνωτε, παρὲκ θεὸν ἄλλα ματεύων κλαύματα μαστεύεις, Zenob. 3, 42, scribit οὐκ ἄλλα θηρεύσεις, quod οὔδαλα s. οὐδ' ἅλα scripsit Schottus. Hesychius : Οὐδ' ἅλα, οὐδὲ τὸ ψυχρὸν καὶ ἄφθονον εἰς χρῆσιν· Αἰγύπτιοι δὲ τῶν ἄρτων τὰ φλογίσματα. Ubi τυχὸν Meinek. Com. vol. 4, p. 405, A. Αἰγύπτιοι corruptum putabat Casaub.]

[Οὐδαμά. V. Οὐδαμῆ.]

Οὐδἄμῆ, interdum accipitur pro Nusquam, Nulla

A in parte : qua in significatione extat ap. Dionys. Areop. [Hesiod. Sc. 218 : Ἐπεὶ οὐδαμῆ ἐστήρικτο. Photius : Οὐδαμῆ, οὐδαμόθι, Τηλεκλείδης (Ἡσιόδῳ addit Antiatt. Bekkeri p. 110, 25). Herodot. 1, 34 : Οὐδαμῆ ἔτι ἐξέπεμπε· 56 : Τὸ μὲν οὐδαμῆ κω ἐξεχώρησε· 2, 43 : Οὐδαμῆ Αἰγύπτου· 116 : Οὐδαμῆ ἄλλῃ. Xenoph. Anab. 7, 3, 12 : Οὐδαμῆ πλεῖον, μεῖον δὲ πολλαχῆ.] Hinc οὐδαμῆ ἄλλῃ, pro Nusquam alibi. Sed frequentius accipietur pro Nullatenus, Nullo modo, Nullo pacto. [Æsch. Prom. 256 : Οὐδαμῆ χαλᾷ κακῶν· 340 : Οὐδαμῆ λήξω ποτέ· Pers. 386 : Κοὐ μάλ' Ἑλλήνων στρατὸς κρυφαῖον ἔκπλουν οὐδαμῆ καθίστατο, ubi tamen prior signif. locum habet. Soph. Ant. 874 : Κράτος παράβατον οὐδαμῆ πέλει. Eur. fr. Æoli ap. Stob. Fl. 98, 32 : Γλυκεῖα γάρ μοι φροντὶς οὐδαμῆ βίου. Herodot. 1, 24 : Ἐν φυλακῇ ἔχειν οὐδαμῆ μετιέντα, nisi prior hic obtinet signif. Xen. Anab. 5, 5, 3 : Ὅτι οὐδαμῆ προσίοιντο οἱ θεοὶ τὸν πόλεμον· 7, 6, 30 : Διὰ τοῦτο οὐδαμῆ οἴεσθε χρῆναι ζῶντα ἐμὲ ἐᾶν εἶναι; H. Gr. 3, 5, 1 : Οὐδ. διανοούμενον ἀπιέναι.] Plato De rep. 1, [p. 347, D] : Τοῦτο μὲν οὐδαμῆ συγχω-
B ρῶ. [Ad priorem signif. referre licet ib. 4, p. 436, E : Οὐδ. ἀποκλίνειν... οὐδ' ἑστάναι· Gorg. p. 481, B : Οὐδ. ἐφάνη οὖσα.] Et οὐδαμῆ οὐδαμῶς, quod vide in Οὐδαμῶς. Sed pro οὐδαμῆ et μηδαμῆ dicitur Dorice Οὐδαμᾶ et Μηδαμᾶ. Apud Lucian. tamen extat quidam locus sine auctoris nomine, ubi οὐδαμᾶ et οὐδαμῆ copulantur, sicut οὐδαμῆ οὐδαμῶς copulata sæpe legimus. [Scribendum Οὐδαμὰ et Μηδαμὰ, etsi in libris hæc plerumque scribuntur –μᾶ vel –μᾷ, ut ap. Photium : Οὐδαμᾷ, οὐδέποτε, Ἀριστοφάνης. Conf. disputatio Apollonii Bekker. Anecd. p. 565 sq. De signif. Schweigh. Lex. Herodot. : « I. q. οὔκοτε, Nunquam. Οὐδ. ἐν τὠυτῷ μένουσαν, 1, 5, et 56, ubi continuo adjicitur οὐδ. ἄν κοτε, 58, 67; 2, 168; 3, 10, 65, 69; 7, 83; 9, 74, etc. Passim quidem Neutiquam vel Nequaquam intelligi potest, ut 3, 53; 7, 136, sed in his etiam ll. significatio Nunquam nihilominus obtinet. » Anacreon ap. Hephæst. p. 69, 6 : Οὐ γὰρ ἂν ἄλλη λύσις ἐκ πόνων γένοιτ' οὐδαμὰ τῶνδε. Sappho ap. eund. p. 64, 6. Æsch. Suppl. 884 : Ὁλκὴ γὰρ οὔτοι πλόκαμον οὐδάμ' ἅζεται. Empe-
C docl. 93, 99, 148 : Οὐδαμὰ λήγει. Simonid. Anth. Pal. 7, 296, 3 : Οὐδαμά πω κάλλιον ἐπιχθονίων γένετ' ἀνδρῶν, ubi tamen alii scriptores aliter. Soph. Tr. 323 : Ἥτις οὐδαμὰ προὔφηνεν οὔτε μείζον' οὔτ' ἐλάσσονα· 381, Ant. 763, 830. Theocr. 10, 8, 9, 10. Ps.-Lucian. Astrol. c. 6 : Οὐδαμὰ κινεομένων· 19 : Μῦθον οὐδαμὰ πιστόν. Pro οὐδαμῆ est in libro uno Demosth. enc. c. 34 fin. || Μηδαμὰ, item duplici signif., ut οὐδαμὰ, Æsch. Prom. 526 : Μηδάμ' ὁ πάντα νέμων θεῖτ' ἐμᾷ γνώμᾳ κράτος ἀντίπαλον Ζεύς· Pers. 431 : Εὖ γὰρ τόδ' ἴσθι μηδάμ' ἡμέρᾳ μιᾷ πλῆθος τοσουτάριθμον ἀνθρώπων θανεῖν. Soph. OEd. C. 517 : Τό τοι πολὺ καὶ μηδαμὰ λῆγον· 1104 : Τὸ μηδαμὰ ἐλπισθὲν ἥξειν σῶμα· 1698. De Herodoto Schweigh. : « Nequaquam, Omnino non. Πρῆγμα τὸ ἄν τοι προσθέω, μηδαμὰ παραχρήσῃ, 1, 108, ubi al. –μῆ, –μοῦ, –μῶς. Ἄλλων μηδαμὰ μηδαμῶν ἀνθρώπων, 2, 91. Ut οὐδαμὰ, subinde potest reddi Nunquam : Μὴ γενέσθαι μηδαμὰ μέζονας ἀνθρώπους τῶν νῦν, 1, 68. Εἶδον ὄψιν τὴν μηδαμὰ ὄφελον ἰδεῖν, 3, 65. Μηδαμὰ μηδὲν παθεῖν 7, 50. » || Μηδαμῆ, item duplici signif., ut οὐδαμῆ,
D Æsch. Prom. 58 : Μηδαμῆ χάλα. Soph. Ph. 789 : Μὴ φύγητε μηδαμῆ. Aristoph. Lys. 733 : Μὴ διαπετάννυ μηδ' ἀπέλθῃς μηδαμῆ. Xen. Anab. 7, 6, 29 : Μηδαμῆ κατ' ὀλίγους ἀποσκεδαννυμένους· et sæpe ap. Plat. aliosque. Μηδαμῆ μηδαμῶς v. in Μηδαμῶς.]

Οὐδἄμῖνὸς, ἡ, ὸν, dicitur Qui nullius est pretii, Contemptus. [Nihilo, Nugatorius, Frivolus, Gerra, Gl.] Quod si vim verbi exprimere velimus, existimo reddi commode posse Qui nullo habetur loco. Is enim, qui nullo habetur loco, videri quodammodo potest οὐδαμοῦ εἶναι, Nusquam esse, atque adeo hanc vocis istius esse originem arbitror. [Οὐδενὸς λόγου ἄξιος, βραχὺς, εὐτελὴς, Hesych.] Dicitur tamen aliquid etiam esse οὐδαμινόν. Chrysost. : Ὁ θεὸς ἀντὶ μικρῶν καὶ οὐδαμινῶν βασιλείαν χαρίζεται, Pro exiguis nihilique rebus regnum largitur. Et compar. Οὐδαμινέστερον ap. Eund., Πολὺ οὐδαμινέστερον, Multo minus et contemptius. [Schol. Æsch. Prom. 7; Moschop. in Φαῦλον, inscr. Polluc. 5, 46. In Ind. :] Μηδαμινὸς, ἡ, ὸν, Qui nihili est, Nullius pretii, ἄτιμος, Hesych. [Theodor. Prodr.

Notices des Mss. vol. 6, p. 529 : Τοὺς μηδαμινοὺς ἡμᾶς ἐπαινῶν. Boiss. Add. Hesych. in Οὐθένεια.]

[Οὐδαμινότης, ητος, ἡ, i. q. οὐδένεια. Eust. Il. p. 201, 28 : Ὁ ἀριθμὸς καὶ ἐπὶ οὐδαμινότητος λαμβάνεται. Boiss.]

Οὐδαμόθεν [Enusquam, Gl.] et Μηδαμόθεν, Nullo ex loco, Nulla ex parte. Οὐκ ἄλλοθεν οὐδαμόθεν, Dem., Ex alio nullo loco. Xen. [Anab. 2, 4, 23 : Οὐδὲ ἐπέθετο οὐδεὶς οὐδαμόθεν· 4, 5, 30 : Οὐδ. ἀφίεσαν· Comm. 2, 7, 2] : Οὐδαμόθεν δανείζεσθαί ἐστιν ἀργύριον, ubi reddi potest, Nullo ex loco, etiam Ex nemine, A nemine. [Aristot. H. A. 9, 40 med. : Οὐδ. ἄλλοθεν.] Basil. : Πλὴν οὐδαμόθεν αὐτοῖς τὸ πρᾶγμα ἀνέγκλητον, Veruntamen excusari nullo modo eorum factum potest, Bud. [Pollux 5, 162 : Ἐπὶ τοῦ μηδενὸς ἀξίου φαίης ἂν ... οὐδεὶς, οὐδαμόθεν, οὐδενὸς ἄξιος. || Μηδαμόθεν Xen. Cyrop. 8, 7, 14 : Μηδ. πρότερον ἄρχου ἢ ἀπὸ τοῦ ὁμόθεν γενομένου. Plato Phæd. p. 70, E : Μηδ. ἄλλοθεν, et alibi. Demosth. p. 562, 23 ; Polyb. 5, 2, 8.]

Οὐδαμόθι, et Μηδαμόθι, Nusquam, i. e. Nullo in loco. Cum gen. ap. Lucian. : Οὐδαμόθι τῆς γῆς, ut Latine dicitur Nusquam terrarum, gentium. [Herodot. 3, 113 : Οὐδαμόθι ἑτέρωθι· 7, 126 : Οὐδαμόθι πάσης τῆς ἔμπροσθε Εὐρώπης. Dionys. A. R. 7, 3. Aristid. Quint. De mus. p. 74. Photius s. Antiatt. in Οὐδαμῇ citatus. Μηδαμόθι Plut. Mor. p. 360, A.]

[Οὐδαμοῖ, Nusquam, Nullum in locum. Inter advv. in οἷ memorant Epimer. Homer. Cram. An. vol. 1, p. 418, 30, et Joann. Alex. Τον. παραγγ. p. 36, 2. Aristoph. Vesp. 1188 : Ἐγὼ δὲ τεθεώρηκα πώποτ' οὐδαμοῖ πλὴν ἐς Πάρον, pro οὐδαμοῦ restituit Bekkerus, ut ego Xenoph. H. Gr. 5, 2, 8 : Ἕπεσθαι μὲν οὐδαμοῦ ἐθέλοιεν, ubi alii οὐδαμῶς, quum defendi quodammodo possit οὐδαμοῦ, ubi etiam οὐδαμοῖ locum habet et ab librariis in οὐδαμοῦ mutatum videri potest, Conv. 4, 30 : Ἀποδημῆσαι οὐδαμοῦ ἐξῆν, quod οὐδαμόσε dixit Plato; H. Gr. 5, 4, 42, οὐδαμοῦ ἀποσκεδάννυσθαι· Anab. 6, 3, 16, ἀποδραίημεν οὐδαμοῦ ἐνθένδε· Cyrop. 6, 3, 13 : Διώξεις δὲ οὐδαμῇ εἰς ἀφανὲς, est var. οὐδαμοῖ. In οὐδαμοῦ et οὐδαμῇ corruptum idem in deterioribus Demosth. p. 675, 25. Eidem p. 1286, 13 : Ὅπως ἡ ναῦς μηδαμοῦ καταπλευσεῖται ἀλλ' ἢ εἰς Ἀθήνας, restituendum μηδαμοῖ, quod est ap. Xenoph. Reip. Lac. 3, 4 : Περιβλέπειν δὲ μηδαμοῖ. V. Μηδαμῇ. L. Dind.]

Οὐδαμὸς, compos. ex οὐδὲ et ἀμὸς, de quo supra : ut Μηδαμὸς, ex μηδὲ et ἀμός : pro οὐδ' ἀμὸς, Ne unus quidem, i. e. Nullus. Ἀμὸς, inquit Eust., dicitur ὁ εἷς vel ὁ τὶς, Unus, Aliquis, Ionice, Dorice. Unde ἀμόθεν pro ποθέν : et ἀπό τινος ἑνός : at οὐδαμόθεν, pro οὐδέποθεν. Est autem ex eo et nomen Οὐδαμὸς i. significans q. οὐδέ τις [Memorat Apollon. De pron. p. 72, A] : a quo ap. Herodot. nominativus plur. οὐδαμοὶ, pro οὐδέ τινες. Et fem. [4, 114] οὐδαμάς. Item gen. οὐδαμῶν, ut οὐδαμῶν ἀνθρώπων. [Οὐδαμοὶ Ἰώνων 1, 18; οὐδαμοὶ, εἰ μὴ Λίβυες 2, 50; οὐ λέγεται πρὸς οὐδαμῶν 1, 47; ὑπὸ οὐδαμῶν ἀνδρῶν 7, 104; οὐδαμοῖσι μᾶλλον ἢ Κορινθίοισι 1, 24; οὐδαμοὺς μέζονας ὑμέων ἄξω 7, 150; οὐδένες ἐόντες ἐν οὐδαμοῖσι 9, 58; πρήγματα μεγάλα, οὐδαμῶν Ἑλληνικῶν, τῶν οὐ πολλὸν μέζω 7, 145. Schweigh.] Unde et μεσότητος adv. Οὐδαμῶς, pro κατ' οὐδένα τρόπον. A quo est Οὐδαμῇ. Idem porro valent Μηδαμῶς et Μηδαμῇ. Hæc ille. Affert autem Bud. istum Herodoti l. in quo et Οὐδαμοὶ et Μηδαμοὶ usurpat [1, 143] : Ἐβουλεύσαντο δὲ αὐτοῦ μεταδοῦναι μηδαμοῖσι ἄλλοισι Ἰώνων, οὐδ' ἐδεήθησαν δὲ οὐδαμοὶ μετασχεῖν. [Ib. 144 : Φυλάσσονται μηδαμοὺς ἐσδέξασθαι· 2, 91 : Μηδ' ἄλλων μηδαμὰ μηδαμῶν ἀνθρώπων· 4, 136.] Item ex Lesbonacte [p. 656, 19] : Οὔτε γὰρ ἐξηλάθητε ἀπὸ τῆς σφετέρας αὐτῶν ὑπὸ οὐδαμῶν ἀνθρώπων, οὔτε ἐξελάσαντες ἑτέρους αὐτοὶ οἰκεῖτε.

Οὐδαμόσε, et Μηδαμόσε, Nusquam, i. e. Nullum in locum, Nullam in partem : μηδαμόσε tamen [et in Gl. Οὐδαμόσε] in VV. LL. exp. Nullatenus. [Οὐδαμόσε, Thucyd. 5, 49 : Ὅπλα οὐδαμόσε ἔτι αὐτοῖς ἐπενεγκεῖν. Plato Reip. 9, p. 579, B : Ἀποδημῆσαι οὐδαμόσε· Phæd. p. 108, A, etc. Dem. p. 1076, 7 : Τὴν θυγατέρ' ἔδωκα οὐδαμόσε ἔξω. Dio Chr. vol. 1, p. 323. Apollon. De constr. p. 149, 8 : Δῆλον γὰρ ὡς τῷ ἑαυτοῦ κατὰ σύνθετον προφορὰν καὶ οὐδαμόσε ἐναλλαγὴ τοῦ τόνου διέστειλε τὸ σημαινόμενον διάφορον ὄν. || Μηδαμόσε, Plato Reip. 6, p. 499, A, μ. ἄλλοσε.]

A Οὐδαμοῦ, et Μηδαμοῦ, Nusquam, [Nequaquam, Nullibi, add. Gl.] Nullo in loco. [Æsch. Suppl. 328 : Πόνου δ' ἴδοις ἂν οὐδαμοῦ ταὐτὸν πτερόν· 442 : Ἄνευ δὲ λύπης οὐδαμοῦ καταστροφή· 471 : Κοὐδαμοῦ λιμὴν κακῶν. Et impropie, ut infra Μηδαμοῦ. Pers. 498 : Θεοὺς ... τὸ πρὶν νομίζων οὐδαμοῦ. Soph. Ant. 183 : Καὶ μείζον' ὅστις ἀντὶ τῆς αὐτοῦ πάτρας φίλον νομίζει, τοῦτον οὐδαμοῦ λέγω (conf. Exc. Phryn. Bekk. An. p. 54, 5)· OEd. T. 908 : Οὐδαμοῦ τιμαῖς Ἀπόλλων ἐμφανής· OEd. C. 1649 : Οὐδαμοῦ παρόντ' ἔτι, et alibi. Eur. Iph. T. 115 : Τοὺς πόνους γὰρ ἀγαθοὶ τολμῶσι, δειλοὶ δ' εἰσὶν οὐδαμοῦ. Aristoph. Eccl. 343 : Οὔκουν λαβεῖν γ' αὐτὰς ἐδυνάμην οὐδαμοῦ· 561 : Οὐδαμοῦ δὲ μαρτυρεῖν. Av. 22 : Οὐδὲ μὰ Δί' ἐνταῦθά γ' ἀτραπὸς οὐδαμοῦ· Nub. 1421 : Ἀλλ' οὐδαμοῦ νομίζεται τὸν πατέρα τοῦτο πάσχειν. Herodot. 2, 150, et cum genit. 7, 166. Thuc. 2, 47 : Οὐ τοσοῦτός γε λοιμὸς οὐδὲ φθορὰ οὕτως ἀνθρώπων οὐδαμοῦ ἐμνημονεύετο γενέσθαι. Plato Leg. 9, p. 875, D : Νῦν δὲ οὐ γάρ ἐστιν οὐδαμοῦ οὐδαμῶς· Prot. p. 350, E : Ἐγὼ δὲ οὐδαμοῦ οὐδ' ἐνταῦθα ὁμολογῶ τοὺς δυνατοὺς ἰσχυροὺς εἶναι· 324, B E : Ἐν τούτῳ λύεται ἡ ἀπορία, ἢ ἄλλοθι οὐδαμοῦ· et similiter Conv. p. 184, E. Gorg. p. 456, C : Οὐδαμοῦ ἂν φανῆναι τὸν ἰατρόν· Phæd. p. 72, C : Οὐδ. ἂν φαίνοιτο. Demosth. p. 376, 22 : Οὐδ. γὰρ ἂν φανῆναι καθ' ἑαυτὸν ἐκεῖνον· 328, 24 : Ἐν οἷς οὐδ. σὺ φανήσει γεγονὼς, οὐ πρῶτος, οὐ δεύτερος κτλ. 331, 13 : Ὑμῶν δ' οὐδεὶς ἦν οὐδαμοῦ, πλὴν εἰ τούτοις ἐπηρεάσαι τι δέοι· 1303, 22 : Οὐδ. γενήσονται οἱ μετὰ τούτου συνεστηκότες.] Apud Lucian. interroganti, Ποῦ δὲ ἑστᾶσιν; respondetur Οὐδαμοῦ. Synes. : Ἀλλ' ἦν οὐδὲν οὐδαμοῦ. Cum genit. Οὐδαμοῦ γῆς, Aristid. [Plato Reip. 9, p. 592, B]; sicut Οὐδαμόθι γῆς s. τῆς γῆς, Lucian. [Synes. p. 162, D : Οὐδαμοῦ τοῦ δράματος.] Sed et pro Nullum in locum, Nullam in partem, affertur e Xen., quæ alioqui signif. motus ad locum proprie convenit τῷ Μηδαμόσε. [V. Οὐδαμοῖ. || Μηδαμοῦ Æsch. Eum. 423 : Ὅπου τὸ χαίρειν μηδαμοῦ νομίζεται· 624 : Μητρὸς μηδαμοῦ τιμὰς νέμειν. Soph. fr. Alet. ap. Stob. Fl. 105, 42 : Τίς δήποτ' ὄλβον ἢ μέγαν θείη βροτῶν ἢ σμικρὸν ἢ τὸν μηδαμοῦ τιμώμενον; Aj. 1007 : Τοῖς σοῖς ἀρήξαντ' ἐν πόνοισι μηδαμοῦ. Aristoph. Nub. C 754 : Εἰ μηκέτ' ἀνατέλλοι σελήνη μηδαμοῦ. Xen. Comm. 1, 2, 52 : Οὕτω διατιθέναι τοὺς αὐτῷ ξυνόντας, ὥστε μηδαμοῦ παρ' αὐτοῖς τοὺς ἄλλους εἶναι πρὸς ἑαυτόν. Plato Parmen. p. 162, C : Μ. τῶν ὄντων, et alibi sæpe.]

Οὐδαμῶς, et Μηδαμῶς, Nullatenus, [Nequaquam, Nullime, Nihilo magis, add. Gl.] Nullo modo, κατ' οὐδένα τρόπον, ut ex Eust. modo exposui. [Æsch. Prom. 522 : Τόνδε δ' οὐδαμῶς καιρὸς γεγωνεῖν, et alibi sæpe. Soph. Ant. 678 : Κοὔτοι γυναικὸς οὐδαμῶς ἡσσητέα· OEd. C. 771 : Οὐδέ σοι τὸ συγγενὲς τοῦτ' οὐδαμῶς τότ' ἦν φίλον. Eur. Hipp. 609 : Ὁ μῦθος κοινὸς οὐδαμῶς ὅδε. Aristoph. Vesp. 1126 : Οὐ γὰρ οὐδαμῶς μοι ξύμφορον. Frequens est etiam ap. Herodot. 1, 123 : Ἄλλως μὲν οὐδαμῶς εἶχε· 2, 148 : Οὐδαμῶς ἤθελον· 173 : Ποιέεις οὐδαμῶς βασιλικά· etc.] Xen. [OEc. 16, 13] : Οὐδαμῶς ἂν μᾶλλον ἢ μὲν ὕλη ἐπιπολάζοι. [Cyrop. 7, 1, 36 : Οὐδ' ἂν θᾶττον ἢ εἰ κτλ.] Sæpe autem copulatur οὐδαμῶς cum οὐδαμῇ, sicut μηδαμῶς cum μηδαμῇ : et tunc vehementia significationi additur; ideoque Bud. vertit Nullo prorsus pacto, in Philone De mundo, Αἰσθήσει μὲν D οὐδαμῇ οὐδαμῶς καταλαμβανόμενα, Nullo prorsus pacto percepta. Sed addit, Ac si dicas, Nusquam nulloque modo sensu comprehensa. Cic. tamen οὐδαμῇ οὐδαμῶς vertit simpliciter, Nullo modo, quum hæc Plat. verba in Epist. ad Dionis propinquos [7, p. 326, C] : Ἐλθόντα δέ με ὁ ταύτῃ λεγόμενος αὖ βίος εὐδαίμων, Ἰταλιωτικῶν τε καὶ Συρακουσίων τραπεζῶν πλήρης, οὐδαμῇ οὐδαμῶς ἤρεσε, sic interpr., Quo quum venissem, vita illa beata, quæ ferebatur, plena Italicarum Syracusanarumque mensarum, nullo modo mihi placuit. [Theæt. p. 176, C : Θεὸς οὐδαμῇ οὐδ. ἄδικος· Phil. p. 29, B, Phæd. p. 78, D. Polyb. 4, 83, 4 (οὐδαμῶς οὐδαμῇ 4, 27, 8; 16, 29, 14). Lucian. Char. c. 21, Pseudol. c. 19.] Et μηδαμῇ μηδαμῶς pro eod.; ut ap. Philoponum, Aristotelis interpretem, ubi inter ὑποθέσεις hanc ponit, Ἐκ τοῦ μηδαμῇ μηδαμῶς ὄντος μηδὲν γίνεσθαι. [Plato Leg. 6, p. 777, E : Μὴ προσπαίζοντας μηδαμῇ μηδαμῶς.] Sed μηδαμῇ μηδαμῶς potest esse etiam ἀπαγορευτικὸν, quum οὐδαμῇ οὐδαμῶς sit tantummodo ἀρνητικόν. Quod οὐδαμῶς accipitur et pro Nequaquam, Minime; et quidem in responsione etiam. [Æsch. Pers. 236 : Πότερα γὰρ... πρέπει ; — Οὐδαμῶς· 716. Aristoph. Nub. 688 : Οὐκ ἄρρεν' ὑμῖν ἐστιν;— Οὐδαμῶς γ', ἐπεὶ πῶς ἂν καλέσειας κτλ. Eodemque modo Vesp. 79, 1393. Ran. 56 : Παιδός;—Οὐδαμῶς· Av. 443, Eccl. 755. Plato Reip. 6, p. 499, A : Ἦ οἴει ;—Οὐδ. γε.] || Οὐδαμῶς cum genit. quoque, pro Nusquam, ex Luciano affertur; ubi quis fortasse suspicetur reponendum οὐδαμοῦ. [||Μηδαμῶς. Æsch. Prom. 337 : Ὁρμώμενον δὲ μηδαμῶς ἀντισπάσῃς· Suppl. 731 : Ὅμως ἄμεινον... ἀλκῆς λαθέσθαι τῆσδε μηδαμῶς ποτε. Soph. Aj. 75 : Μηδαμῶς σφ' ἔξω κάλει· Ph. 1300 : Ἆ μηδαμῶς, μὴ πρὸς θεῶν, μεθῇς βέλος· OEd. C. 278 : Καὶ μὴ θεοὺς τιμῶντες εἶτα τοὺς θεοὺς μοίραις ποιεῖσθε μηδαμῶς. Eur. Tro. 910 : Κτενεῖ νιν οὕτως ὥστε μηδαμῶς φυγεῖν· et alibi. Aristoph. Eccl. 869 : Φέρε νυν ἐγώ σοι ξυμφέρω. — Μὴ, μηδαμῶς· Lys. 916 : Φέρε νυν ἐνέγκω κλινίδιον νῷν.—Μηδαμῶς· Thesm. 228 : Μηδαμῶς πρὸς τῶν θεῶν προδῷς με· 714 : Τοῦτο μέντοι μὴ γένοιτο μηδαμῶς, ἀπεύχομαι· Av. 133 : Καὶ μηδαμῶς ἄλλως ποιήσῃς· 145 : Μηδαμῶς ἡμῖν γε παρὰ θάλατταν· Nub. 84 : Μὴ 'μοιγε τοῦτον μηδαμῶς τὸν ἵππιον· 1478 : Μηδαμῶς θύμαινέ μοι μηδέ μ' ἐπιτρίψῃς· Vesp. 370: Μὴ βόᾶτε μηδαμῶς. Herodot. 4, 83 : Ἔχρηζε μηδαμῶς αὐτὸν στρατηίην ποιέεσθαι. Et frequenter his similibusque modis Xenoph., Plato et alii quivis. Cum μηδαμῇ Demosth. p. 1113, 8 : Τοὺς μηδαμῇ μηδαμῶς τοῦ πράγματος ἐγγύς. In respondendo Aristoph. Lys. 822 : Τὴν γνάθον βούλει θένω; — Μηδαμῶς. Xen. Conv. 2, 3 : Τί οὖν εἰ... ἐνέγκας; — Μηδαμῶς. || Forma Οὐθαμῶς ap. Aristot. De cœlo 2, 8, p. 289, 17. V. Οὐθείς. L. Dindorf.]

[Οὖδας. V. Ὀδός.]

[Οὐδάω. HSt. in Ὁδάω :] Ceterum pro ὁδῆσαι dicitur etiam Οὐδῆσαι, quod Hesych. exp. ἀποδόσθαι, πρίασθαι, similiter ut ὁδῆσαι: sed tenui spiritu ap. eum notatur, perinde ut οὐδὸς pro ὁδὸς, itidem tenuatur.

Οὐδὲ, et Οὔτε, Neque, Nec. Sed illud disjunctim etiam scriptum invenitur οὐ δὲ, at hoc non item. [V. in fine.] Dici autem itidem Μηδὲ, s. Μήτε, antea docui, sc. supra p. 960, C. [Hom. Il. B, 202 : Σὺ δ' ἀπτόλεμος καὶ ἄναλκις· οὔτε ποτ' ἐν πολέμῳ ἐναρίθμιος οὔτ' ἐνὶ βουλῇ.] Dem. μήτε et οὔτε et οὐδὲ in una eademque periodo usurpavit [p. 285] : Ὁ γὰρ μὴ ταῦτ' εἰδὼς, μήτ' [μηδ'] ἐξητακὼς πόρρωθεν ἐπιμελῶς, οὔτ' εἰ εὔνους ἦν, οὔτ' εἰ πλούσιος, οὐδὲν μᾶλλον ἔμελλεν ὅ,τι χρὴ ποιεῖν εἴσεσθαι, οὐδ' ὑμῖν ἕξειν συμβουλεύειν; ubi animadverte etiam repetitionem hujus particulæ οὔτε. Id. [p. 276] : Οὔτε γὰρ ἐξήγετο τῶν ἐκ τῆς χώρας γιγνομένων οὐδὲν, οὔτ' εἰσήγετο ὧν ἐδεῖτο αὐτῷ· qui subjungit οὔτε et μήτε, utrumque itidem repetitum; scribit enim, Ἦν δὲ οὔτε ἐν τῇ θαλάττῃ κρείττων τότε ὑμῶν, οὔτε εἰς τὴν Ἀττικὴν ἐλθεῖν δυνατὸς, μήτε Θετταλῶν ἀκολουθούντων, μήτε Θηβαίων διϊέντων. [Post οὐ Hom. Il. A, 115 : Οὐ δέμας οὐδὲ φυήν, οὔτ' ἂρ φρένας οὔτε τι ἔργα· Od. Δ, 566 : Οὐ νιφετὸς οὔτ' ἂρ χειμὼν πολὺς οὔτε ποτ' ὄμβρος. Hesiod. Op. 188 : Οὐδέ τις εὐόρκου χάρις ἔσσεται οὔτε δικαίου οὔτ' ἀγαθοῦ. Ubi tamen al. οὐδέ. H. Cer. 478 : Ὄργια σεμνὰ, τάτ' οὔπως ἔστι παρεξίμεν οὔτε πυθέσθαι οὔτε χανέειν. Et in epexegesi Il. Z, 450 : Ἀλλ' οὔ μοι Τρώων τόσσον μέλει ἄλγος ὀπίσσω, οὔτ' αὐτῆς Ἑκάβης οὔτε Πριάμοιο ἄνακτος οὔτε κασιγνήτων, ὅσσον σεῦ· X, 199 : Ὡς δ' ἐν ὀνείρῳ οὐ δύναται φεύγοντα διώκειν· οὔτ' ἄρ' ὁ τὸν δύναται ὑποφεύγειν οὔθ' ὁ διώκειν. Et aliter Apoc. 9, 21 : Οὐ μετενόησαν ἐκ τῶν φόνων αὐτῶν οὔτε ἐκ τῶν φαρμακειῶν αὐτῶν οὔτε ἐκ τῆς πορνείας αὐτῶν οὔτε ἐκ τῶν κλεμμάτων αὐτῶν· 21, 4 : Ὁ θάνατος οὐκ ἔσται ἔτι οὔτε πένθος οὔτε κραυγὴ οὔτε πόνος οὐκ ἔσται ἔτι. Chron. Pasch. p. 300, 11 : Καὶ οὔτε ἄρτον οὔτε κρέα ἔφαγεν οὔτε οἶνον ἔπιεν. Post οὐθεὶς inscr. ap. Bœckh. *Urkunden* p. 262, 24 : Αὕτη σκεῦος ἔχει οὐθὲν οὔθ' οἱ ὀφθαλμοὶ ἔνεισιν. || Duplex οὔτε pro simplici ap. Gregor. Naz. p. 14, 19 ed. Dronk. : Οὔτε μιν οὔτ' ἀνέηκεν ἐλεύθερον οὔτε τι πάμπαν δήσατο, scrib. οὔτι μιν. Μήτε post οὔτε ponit Demosth. p. 106, 23 : Ἀναιδὴς οὔτ' εἰμὶ μήτε γενοίμην. || Post οὔτε sæpe sequitur οὐ, interdum altero sequente οὔτε, ut Æsch. Prom. 451 : Κοὔτε πλινθυφεῖς δόμους προσείλους ἦσαν, οὐ ξυλουργίαν· 479 : Οὐκ ἦν ἀλέξημ' οὐδὲν οὔτε βρώσιμον, οὐ χριστὸν οὔτε πιστόν· Cho. 291 : Οὔτε κρατῆρος μέρος εἶναι μετασχεῖν, οὐ φιλοσπόνδου λιβός· Soph. OEd. C. 972, Ant. 249, Apoll. Rh. 3. 768. Theocr.

A 15, 139 sq., ubi οὔτε... οὔτε... οὐ... οὐ... οὔτε... οὐ. || Interdum omittitur prius οὔτε, ut Æsch. Ag. 532 : Πάρις γὰρ οὔτε συντελὴς πόλις ἐξεύχεται τὸ δρᾶμα τοῦ πάθους πλέον· Cho. 294. Et post οὐδὲ, Apoll. Rh. 3, 936 : Ἔρροις, ὦ κακόμαντι, κακοφραδές· οὐδέ σε Κύπρις οὔτ' ἀγανοὶ φιλέοντες ἐπιπνείουσιν Ἔρωτες, nisi οὔτε σε scripserat. Τε οὐ pro altero οὔτε Pind. Nem. 11, 39 : Ἐνσχερῶ δ' οὔτ' ὦν μέλαιναι καρπὸν ἔδωκαν ἄρουραι δένδρεά τ' οὐκ ἐθέλει... ἄνθος εὐῶδες φέρειν. Ponuntur etiam ut contraria οὔτε et τε, velut Æsch. Prom. 244 : Ἐγὼ γὰρ οὔτ' ἂν εἰσιδεῖν τάδε ἔχρῃζον εἰσιδοῦσά τ' ἠλγύνθην κέαρ. Xen. Comm. 3, 4, 1. Plato Prot. p. 309, B. Et οὔτε... δὲ, ap. Herodot. 1, 108 : Οὔτε ἄλλοτε κω παρεῖδες... φυλασσόμεθα δὲ ἐς σὲ καὶ ἐς τὸν μετέπειτα χρόνον μηδὲν ἐξαμαρτεῖν· Diod. 14, 77 : Οὔθ' ἡγεμόνας ἀξιοχρέους εἶχον, τὸ δὲ μέγιστον... De οὔτε et οὐδὲ positis sic ut inter se respondeant, velut ap. Pind. Pyth. 8, 88 : Τοῖς οὔτε νόστος ὁμῶς ἔπαλπνος... κρίθη οὐδὲ μολόντων... γέλως γλυκὺς ὦρσεν χάριν· Soph. OEd. C. 1139 : Οὔτ' εἴ τι μῆκος τῶν λόγων ἔθου πλέον... θαυμάσας ἔχω, οὐδ' εἰ πρὸ τοὐμοῦ

B προὔλαβες τὰ τῶνδ' ἔπη, ubi οὔτ' correxit Elmslejus, Apollon. Rh. 1, 1190 : Ἐλάτην οὔτε τι πολλοῖς ἀχθομένην ὄζοις, οὐδὲ μέγα τηλεθόωσαν, pro usitato οὔτε τι... οὔτε, de quo v. in Οὔτις, idem dicendum quod de μήτε... μηδὲ diximus p. 961, A, exx. hujus generis incertæ sæpe esse fidei. Sic οὔτε... οὐδὲ μὴν omnes Xen. Cyrop. 2, 2, 15; 4, 5, 27, quum Anab. 7, 6, 22, ubi οὔτε... οὔτε... οὔτε μὴν, nonnisi in aliquot libris sit οὐδὲ μὴν, et alibi. || Οὔτ' ἄρα Hom. Il. A, 93 : Οὔτ' ἄρ' ὅγ' εὐχωλῆς ἐπιμέμφεται οὔθ' ἑκατόμβης· 115 : Οὔτ' ἂρ φρένας οὔτε τι ἔργα. Et in altero membro Y, 8 : Οὔτε τις οὖν ποταμῶν ἀπέην... οὔτ' ἄρα νυμφάων. Sequente δὲ Il. H, 433 : Ἦμος δ' οὔτ' ἄρ πω ἠὼς, ἔτι δ' ἀμφιλύκη νὺξ, τῆμος ἄρ' ἀμφὶ πυρὴν κτλ. Qui locus pertinet ad illud τ' ἄρ, quod nonnulli scribebant τάρ, de quibus v. Spitzner. ad Il. A, 8. Apud Maximum Καταρχ. 197 : Ἀμβλώσει δ' οὔπερ τι φέρει κακὸν οὐδέ τι λοιγὸν, aut οὔτ' ἄρτι aut, mutato etiam οὐδὲ in οὔτε, ut in l. Hom. secundo, scribendum οὔτ' ἄρ τι φέρει κακὸν οὔτε τι λοιγόν. Sed etiam primo Homeri est var.

C οὐδ' ἑκατόμβης, quam diserte agnoscunt scholl. : Οὕτως ὀξεῖαν ἐπὶ τοῦ ου (οὔ ταρ)· ὁ γὰρ ταρ ἐστὶ σύνδεσμος ἐπιφερόμενος ἐγκλιτικῶς, ὡς καὶ ἐπὶ τοῦ, Εἴ ταρ ὅγ' εὐχωλῆς (65). Οὐ γάρ ἐστιν ὁ τέ συμπλεκτικός· εἰ γὰρ ἦν, ἐπεφέρετο ἂν πάλιν ὁ τέ μετὰ ἀποφάσεως, οὔθ' ἑκατόμβης κτλ. Quæ ostendunt hic quoque antiquam esse scripturam οὐδ', ut in l. H, 433, ἔτι δ' est in omnibus, etiamsi illud τάρ grammaticis reliquendum est. Post alterum οὔτε additur μὴν, ut Xen. Cyrop. 4, 3, 12 : Οὔτε γὰρ τοξεύειν ἡμῖν μαθητέον οὔτε μὴν ἀκοντίζειν, sequente postea ἀλλ' οὐδὲ μήν· et ib. 5, 4, 11.] Interdum posteriore loco dicitur οὔτ' οὖν : ut ap. Lucian. [Halcyon. c. 8] : Οὔτε τὰ μεγάλα δυνάμενοι καθορᾶν, οὔτ' οὖν τὰ σμικρά. [V. in Οὖν. Post οὐ, nullo sequente οὔτε, Hom. Od. I, 147 : Ἔνθ' οὔτις τὴν νῆσον ἐσέδρακεν ὀφθαλμοῖσιν, οὔτ' οὖν κύματα.. εἰσίδομεν. Antithesi liberiori Hom. Od. B, 200 : Ἐπεὶ οὔτινα δείδιμεν ἔμπης, οὔτ' οὖν Τηλέμαχον, μάλα περ πολύμυθον ἐόντα, οὔτε θεοπροπίης ἐμπαζόμεθα.] Ceterum quemadmodum in Μὴ docui, post μὴ subjungi μηδὲ, non οὐδὲ, quod et in priore

D illo Dem. l. fieri vides, ita vicissim οὐδὲ, non μηδὲ, quod sciam, particulæ οὐ subjungi dico [p. 269, 21] : Οὐκ ἂν αὐτὸν οἶμαι τοιαῦτ' εἰπεῖν, οὐδ' ἂν οὕτως ἐπαχθεῖς λόγους πορίσασθαι. Sic præcedente οὐδεμίαν habes hanc particulam ibid. : Οὐδεμίαν δίκην τῶν Λοκρῶν ἐπαγόντων ἡμῖν, οὐδ' ἃ νῦν οὗτος λέγων προφασίζεται οὐκ ἀληθῆ· nec tamen ignoro ap. Hom. Od. I, [406] legi, Ἦ μή τις σ' αὐτὸν κτείνῃ δόλῳ οὐδὲ βίηφι· sed emendatiora exempll. habent ibi ἠὲ, non οὐδέ. [Vicissim οὐδὲ post voc. negativum ponitur pro ἤ. Aristot. Metaphys. 11, p. 246, 3 : Ἀδύνατον κίνησιν ἢ γενέσθαι ἢ φθαρῆναι· ἀεὶ γὰρ ἦν· οὐδὲ χρόνον.] Ceterum pro οὔτ', scribitur Οὔθ', ubi sequitur vocalis aspirata. Dem. : Καὶ οὐ περιόψομαι παθούσας οὐδὲν ἀνάξιον οὔθ' ὑμῶν, οὔτε τοῦ πατρός. Verum exempla usus hujus particulæ, quæ passim occurrunt, omittens, ad ea, quæ non perinde sunt obvia, venio. [Monendum tantum de οὐδὲ, modo simpl. esse Nec s. Et non, ut Hom. Il. A, 95 : Ἕνεκ' ἀρητῆρος, ὃν ἠτίμησ' Ἀγαμέμνων, οὐδ' ἀπέλυσε θύγατρα καὶ οὐκ ἀπεδέξατ' ἄποινα· modo ut in locis ab HSt. mox afferendis de οὐδὲ γὰρ et al., ita poni pro Ne sequente Quidem, ut etiam οὐ locum habeat, velut Il. A, 119: Ἐπεὶ οὐδὲ ἔοικεν. Similiter in comparatione, ut duplex καὶ, ita ponitur duplex οὐδὲ, Xen. Cyrop. 1, 6, 18: Ὥσπερ οὐδὲ γεωργοῦ ἀργοῦ οὐδὲν ὄφελος, οὕτως οὐδὲ στρατηγοῦ ἀργοῦ οὐδὲν ὄφελος εἶναι. Membra per οὔτε... οὔτε vel οὔτε... τε juncta prioribus sæpe annectuntur sine copula, ut Hom. Il. A, 490: Αὐτὰρ ὁ μήνιε νηυσὶ παρήμενος... Ἀχιλλεύς· οὔτε ποτ' εἰς ἀγορὴν πωλέσκετο κυδιάνειραν, οὔτε ποτ' ἐς πόλεμον· P, 357: Αἴας γὰρ μάλα πάντας ἐπῴχετο πολλὰ κελεύων· οὔτε τιν' ἐξοπίσω νεκροῦ χάζεσθαι ἀνώγει οὔτε τινὰ προμάχεσθαι Ἀχαιῶν ἔξοχον ἄλλων. Hesiod. Op. 663. Et Hom. Il. B, 202: Σὺ δ' ἀπτόλεμος καὶ ἄναλκις· οὔτε ποτ' ἐν πολέμῳ ἐναρίθμιος οὔτ' ἐνὶ βουλῇ. Sic Eur. Hel. 769: Τί σοι λέγοιμ' ἂν... ἃς ἐπεστράφην πόλεις; οὔτ' ἂν ἐμπλήσαιμί σε μύθων λέγων τ' ἄν σοι κάκ' ἀλγοίην ἔτι, restitui pro οὐ γάρ· ut Androm. 303: Εἴτε δ'... ἔβαλεν· οὔτ' ἂν ἐπ' Ἰλιάσι ζυγὸν ἤλυθε δούλιον σύ τ', ὦ γύναι, τυράννων ἔσχες ἂν δόμων ἕδρας· et alibi.]

‖ Admonitus igitur esto lector, sicut negativa particula οὐ vacat interdum, itidemque μὴ, ita et οὐδὲ supervacaneam esse nonnunquam. Et affert quidem Bud. hujus pleonasmi exemplum p. 937, sed minime idoneum, meo quidem judicio: ut etiam docebo ibi aliquando fortasse. Pag. autem 935, tradens ab Atticis geminari negationem, elegantiæ et ornatus gratia, affert ex Synesio, Διδοὺς μὲν οὐδὲν, οὐδὲ γὰρ οὐδ' ὅμοιος ἦν ἔχοντι, δείξας δέ. Sed quum hic particula οὐδὲ posteriore loco posita, significationem habere videatur, de qua dicam infra, diversam ab ea quam in priore habet, aliud potius exemplum afferre debuit. Extant autem ap. ipsum quoque Hom. aliquot, [Il. N, 269: Οὐδὲ γὰρ οὐδ' ἐμέ φημι λελασμένον ἔμμεναι ἀλκῆς· Ξ, 33: Οὐδὲ γὰρ οὐδ', εὐρύς περ ἐών, ἐδυνήσατο πάσας αἰγιαλὸς νῆας χαδέειν·] Od. K, [328]: Οὐδὲ γὰρ οὐδέ τις ἄλλος ἀνὴρ τάδε φάρμακ' ἀνέτλη, Ὅς κε πίῃ καὶ πρῶτον ἀμείψεται ἕρκος ὀδόντων· Θ, [32]: Οὐδὲ γὰρ οὐδέ τις ἄλλος ὅτις κ' ἐμὰ δώμαθ' ἵκηται· Il. M, [213]: Ἐπεὶ οὐδὲ μὲν οὐδὲ ἔοικεν Δῆμον ἐόντα παρὲξ ἀγορευέμεν, οὔτ' ἐνὶ βουλῇ, Οὔτε ποτ' ἐν πολέμῳ, ubi annotat Eust. διπλῇ ἀποφάσει indicari ἀποτροπὴν τελείαν τοῦ χρῆναι τὸν δημότην ἀντιλέγειν τῷ κρατοῦντι. [P, 24: Οὐδὲ μὲν οὐδὲ βίη Ὑπερήνορος ἧς ἥβης ἀπόνητο.] Miror autem quomodo hic gramm. istam geminationem non distinguat ab ea quæ exstat ap. Eund. Il. E, [22]: Οὐδὲ γὰρ οὐδέ κεν αὐτὸς ὑπέκφυγε κῆρα μέλαιναν· et [Z, 130]: Οὐδὲ γὰρ οὐδὲ Δρύαντος υἱός· quum in utroque horum locorum particula οὐδὲ posterior non eund. usum habeat quem prior, sicut et de illo Synesii l. modo dicebam, et hoc agnoscens ipsemet, scripserit, Ἔστι δὲ τῶν δύο ἀρνήσεων ἡ μὲν μία, τοῦ ῥηματικοῦ πράγματος· ἡ ἑτέρα δὲ, τοῦ προσώπου· ut dicat, inquit, ὅτι οὐδὲ ὑπεξέφυγεν ἄν, οὐδὲ αὐτός. [Il. B, 703: Οὐδὲ μὲν οὐδ' οἱ ἄναρχοι ἔσαν·... ἀλλά σφεας κόσμησε Ποδάρκης· eodemque modo 726; K, 299: Οὐδὲ μὲν οὐδὲ Τρῶας... εἴασ' Ἕκτωρ εὕδειν· Od. K, 551: Οὐδὲ μὲν οὐδ' ἔνθενπερ ἀπήμονας ἦγον ἑταίρους· Θ, 176: Οὐδέ κεν ἄλλως οὐδὲ θεὸς τεύξειε. Apoll. Rh. 1, 122: Οὐδὲ μὲν οὐδὲ βίην... Ἡρακλῆος κτλ., et alibi. Quod in prosa οὐδὲ μὴν οὐδὲ dicit Galen. vol. 2, p. 11: Οὐδὲ μὴν οὐδὲ τῶν ἰατρῶν τις ἐπήνεσεν αὐτό. Herodot. 4, 16: Οὐδὲ γὰρ οὐδὲ Ἀριστέης ἔφησε κτλ. Xenoph. Cyrop. 7, 11, 20: Οὐδὲ γὰρ οὐδὲ τοῦτο ἐψεύσατο, ubi paucis deest alterum οὐδέ. Plato Phædr. p. 278, E: Οὐδὲ γὰρ οὐδὲ τὸν σὸν ἑταῖρον δεῖ παρελθεῖν. Demosth. p. 734, 25: Οὐδὲ γὰρ οὐδ' ἄκων οὐδὲν ἔθηκεν ὀρθῶς ἔχον. Theophr. C. Pl. 3, 7, 6: Οὐδὲ γὰρ οὐδ' ἐπὶ τούτων μικρόν ἐστι τὸ καταστήσασθαί πως τὰ δένδρα· H. Pl. 5, 3, 1: Οὐδὲ γὰρ οὐδὲ ἐπὶ τοῦ ὕδατος ταῦτ' ἐπινεῖ. Aret. p. 26, 13: Οὐδὲ γὰρ οὐδὲ πνίγα τὴν ἀπὸ ὑστέρης νοσέουσιν ἄνδρες. Lucian. Nigrin. c. 6: Οὐδὲ γὰρ οὐδὲ καταφρονεῖν αὐτῶν οἶμαι θέμις, ubi nonnulla Hemst. Alienus autem a prosa antiquiorum usus pleonasticus, quem ab legitimo recte discrevit HSt. ‖ Οὐδ' ἄρα Hom. Il. Π, 60: Ἀλλὰ τὰ μὲν προτετύχθαι ἐάσομεν, οὐδ' ἄρα πως ἦν ἀσπερχὲς κεχολῶσθαι· X, 136: Οὐδ' ἄρ' ἔτ' ἔτλη αὖθι μένειν· Ψ, 388: Οὐδ' ἄρ' Ἀθηναίην... λάθε.]

‖ Οὐδὲ γὰρ geminatum vel potius repetitum, eo modo quo οὐ γὰρ supra ex Plat. Phædone affert Bud. p. 941. [Simplicis exx. ubique obvia, ut Soph. El. 285:

A Οὐδὲ γὰρ κλαῦσαι πάρα τοσόνδε· 770: Οὐδὲ γὰρ κακῶς πάσχοντι μῖσος ὧν τέκῃ προσγίγνεται, omittimus.]

[‖ Οὐδέ γε vel Οὐδέ... γε. Soph. El. 1347: Οὐχὶ ξυνίης; — Οὐδέ γ' ἐς θυμὸν φέρω· OEd. T. 1378: Οὐδ' ἄστυ γ' οὐδὲ πύργος. Xen. H. Gr. 2, 3, 42: Οὐδέ γε τὸ φρουροὺς μισθοῦσθαι ξυνήρεσκέ μοι. Plato Reip. 6, p. 499, B: Οὔτε πόλις οὔτε πολιτεία οὐδέ γ' ἀνήρ. Ib. A: Οὐδέ γε αὖ λόγων κτλ. Theag. p. 124, A.]

‖ Οὐδὲ δὴ, Nec vero, ut tradit Idem p. 921, postquam locutus est περὶ τοῦ Δὲ δὴ μεταβατικοῦ. Similem enim huic οὐδὲ δὴ subesse signif. ait. [Aristot. H. A. 4, 8 med. p. 534, 9: Οὐδὲ δὴ τῆς ὀσφρήσεως αἰσθητήριον οὐδὲν ἔχει φανερὸν, ὀσφραίνεται δ' ὀξέως.]

[‖ Οὐδὲ μὲν epicum v. infra in Οὐδὲ μήν. Ἀλλ' οὐδὲ μὲν δὴ Soph. El. 913. Ἀλλ' οὐδὲ μέντοι OEd. C. 47.]

‖ Οὐδὲ μὴν, et [præcedente οὔτε] Οὔτε μὴν, i. q. οὐ μέντοι, Neque vero, Nec vero, Nec tamen, Bud. p. 923. [Æsch. Eum. 471: Οὐδὲ μὴν ἐμοὶ θέμις φόνου διαιρεῖν... δίκας· et post ἀλλὰ Cho. 189: Ἀλλ' οὐδὲ μήν νιν ἡ κτανοῦσ' ἐκείρατο. Aristoph. Pl. 373: Ἀλλ' οὐδὲ μὴν
B ἀπεστέρηκάς γ' οὐδένα; Soph. OEd. T. 870: Οὐδέ νιν θνατὰ φύσις ἀνέρων ἔτικτεν, οὐδὲ μήν ποτε λάθα κατακοιμάσει, ubi μὰν scribendum foret nisi præstaret μή... κατακοιμάσῃ, ut alii scripserunt ex libris vel conjectura, de quo v. paullo post. Aristoph. Ran. 263: Τούτῳ γὰρ οὐ νικήσετε. — Οὐδὲ μὴν ἡμᾶς σὺ πάντως. Post οὔτε positum v. in illo. Οὐδὲ μὰν Pind. Pyth. 4, 87: Οὔτι που οὗτος Ἀπόλλων οὐδὲ μὰν... ἐστὶ πόσις Ἀφροδίτας· 8, 17: Τυφὼς Κίλιξ ἑκατόγκρανος οὔ μιν ἄλυξεν, οὐδὲ μὰν βασιλεὺς Γιγάντων. Οὐδὲ... μὴν Æsch. Sept. 809: Οὐδ' ἀμφιλέκτως μὴν κατεσποδημέναι. Οὐδὲ μὴν οὐδὲ v. paullo ante in Οὐδὲ μὲν οὐδέ. ‖ Pro οὐδὲ μὴν autem Epici dicunt οὐδὲ μὲν, ut in ll. in Οὐδὲ μὲν οὐδὲ paullo ante citatis, et Il. I, 374: Οὐδέ τί οἱ βουλὰς συμφράσσομαι οὐδὲ μὲν ἔργον· Apoll. Rh. 3, 388: Οὔτι γὰρ αὔτως... ἱκάνομεν, οὐδὲ μὲν ἱέμενοι· 1, 45: Οὐδὲ μὲν Ἴφικλος... ἔλειπτο· 651: Οὐδὲ μὲν ἠοῖ πείσματα νηὸς ἔλυσαν· 2, 953, Dionys. Per. 258, etc. Οὐδέ νυ Hom. Il. Θ, 201: Οὐδέ νυ σοί περ... ὀλοφύρεται... θυμός; O, 349: Οὐδέ νυ τόν γε... λελάχωσι· etc. Hesiod. Sc. 170. ‖ Οὐδὲ οὐ,
C Necnon, Gl. ‖ Οὐδέ τε Hom. Il. A, 406: Τὸν καὶ ὑπέδδεισαν μάκαρες θεοὶ οὐδέ τ' ἔδησαν· Φ, 596; X, 300, etc. De Οὐδέ τι v. HSt. in Οὔτις.]

‖ Altera autem signif. particulæ Οὐδὲ, est ea quam et in vulgatissimo illo proverbio habet, Οὐδὲ Ἡρακλῆς πρὸς δύο, Ne Hercules quidem adversus duos. Item in illo proverbiali loquendi genere, Οὐδ' ὄναρ, Ne per somnium quidem: et illo, Οὐδὲ γρῦ, Ne gry quidem. Quibus addere possimus hunc Antiphanis versum, habentem itidem proverbiale genus loquendi, cum hac particula οὐδὲ, apud Athenæum l. 3, [p. 99, B]: Ταυτὶ δ' ὅ,τι ἐστὶν, οὐδ' ἂν Ὡπόλλων μάθοι, Ne Apollo quidem intelligat, intellexerit, intelligere queat, quid hæc sibi velint. Similis autem vel potius idem usus particulæ Μηδὲ in eadem re exprimenda, apud eund. Athen. 3, [p. 98, F]: Τί δὲ ἡ ἐπιστολὴ δηλοῖ, νομίζω ἐγὼ μηδὲ τὸν Πύθιον διαγνῶναι. Talem porro usum habere particulam istam in quibusdam Hom. ll. in quibus geminatur, admonui supra: necnon in l. Synesii. Sed et in aliis aliorum auctorum ll. frequens est
D hic voculæ istius usus. Quem certe habere existimo et in iis loquendi generibus, quibus dicitur Οὐδ' ἂν ὁτιοῦν γένηται, et Οὐδ' εἴ τι γένοιτο· ut sc. significet ad verbum, Ne si quidem fiat quidlibet, s. accidat. Exp. alioqui a Bud. Quicquid evenerit. Et, Οὐδ' ἂν ὁτιοῦν γένοιτο, Quicquid accidisset. Possit autem iis, quæ ibi affert, exemplis addi istud ex Dem. [p. 284, 17]: Καὶ τὴν Ἐλάτειαν κατέλαβεν, ὡς, οὐδ' ἂν εἴ τι γένοιτο, ἔτι συμπνευσόντων ἂν ὑμῶν καὶ τῶν Θηβαίων. Affert vero ex Eod. οὐδ' ἂν ὁτιοῦν ποιῇ πάλιν [p. 343, 4]: Ὃν καιρὸν ἐάν τις ἐκὼν καθυφῇ τοῖς ἐναντίοις καὶ προδῷ, οὐδ' ἂν ὁτιοῦν ποιῇ, πάλιν οἷός τ' ἔσται σῶσαι, i. e., inquit, Quicquid postea fecerit, servare denuo non poterit, Nullo pacto servare denuo poterit. [In Ind.:] Οὐδ' ἂν εἷς, pro οὐδεὶς ἂν, ut μηδ' ἂν εἷς pro μηδεὶς ἂν, Ne unus quidem, Nullus: ap. Aristoph. cum optativo. Οὐδ' ἀρχὴν, Nequaquam, Neutiquam: voce ἀρχὴν adverbialiter posita pro ὅλως, παντελῶς, Plane, Prorsus. Pausan. Bœot.: Οἱ μὲν οὐδ' ἀρχὴν ἀνῄρουν τὸ νεκρούς, Plane non tollebant mortuos: nisi malis, Ne incepere qui-

dem tollere mortuos. Et Herodot. 6 : Εἴ γε ἀρχὴν μὴ ἔλαβον, Siquidem omnino non accepi. [Magis huc pertinent loci qualis 7, 26 : Οὐδὲ γὰρ ἀρχὴν ἐς κρίσιν τούτου πέρι ἐλθόντας οἶδα, et alii ejusdem, quos v. in Ἀρχή.] Οὐδὲ εἷς, Ne unus quidem, Nullus, pro οὐδείς. [Quod v.]

[‖ Οὔτε γὰρ, Non enim, Gl. Justinian. Corp. Jur. p. 4 init. ed. Spangenb. : Οὔτε γὰρ τετάρτου προσώπου προσθήκην ἐπιδέχεται ἡ ἁγία τριάς. Jo. Malal. p. 110, 4 : Ἐγὼ αὐτὸ λαμβάνω εἰς τὴν ἐμὴν πόλιν · οὔτε γὰρ πλέον μου κέκμηκας · 472, 1. Quod etiam antiquioribus male interdum illatum, ipsique Æsch. Eum. 499 : Οὔτε γὰρ βροτοσκόπων μαινάδων τῶνδ' ἐφέρψει κότος τις ἐργμάτων· qui si Pers. 652 scripsit οὔτε γὰρ ἄνδρας ποτ' ἀπώλλυ, non οὐδὲ, proximo versu θεομήστωρ τ', non θεομήστωρ δ' esse scribendum animadvertit Brunck. Ap. Apoll. Rh. 2, 1220 : Οὔτε γὰρ ὧδ' ἀλκὴν (nisi ἀλκῆς scripsit) ἐπιδευόμεθα, facilis est correctio οὔτι. Ap. Diod. 19, 48 : Οὔτε γὰρ τοῦτον ἦν ἐκβαλεῖν δυνατὸν, vel quod præcesserat οὐ γὰρ ῥᾴδιον ἦν τούτους ... ἐκβαλεῖν, postulat οὐδὲ, quod ad HSt. ab se propositum injuria retractavit Schæfer. ad Plut. vol. 4, p. 324, nec minus fallitur ad Demosth. vol. 5, p. 554, de loco Herodoti 1, 3 : Οὔτε γὰρ ἐκείνους διδόναι, ubi ipse recte olim οὐδέ. Nam 7, 49 : Τὰ δὲ δύο ταῦτα ἔστι γῆ τε καὶ θάλασσα· οὔτε γὰρ τῆς θαλάσσης κτλ., structuræ propter longiorem parenthesin mutatio excusat. Quem autem ad Dionys. De comp. vv. p. 409 affert, Xenoph. Comment. 2, 6, 19 : Οὔτε γὰρ τοὺς πονηροὺς ὁρῶ φίλους ἀλλήλοις δυναμένους εἶναι, hic ne ferri quidem posset οὐδὲ, sed οὔτε refertur ad sequens ἀλλὰ μὴν οὐδ' ἂν τοῖς χρηστοῖς οἱ πονηροί ποτε συναρμόσειαν εἰς φιλίαν, quod aliter conformata oratione infertur pro altero οὔτε : loco Lucianeo vero Dial. mer. 2, 4, Πλὴν μάτην γε ἐταράχθητε · οὔτε γὰρ παρ' ἡμῖν οἱ γάμοι, addendi Parasit. c. 27, 53, 59, et ubi οὐ præbuit cod. Gorlic. Jov. Trag. c. 39. Consentiunt etiam libri Aristot. Phys. acr. 3, 8, p. 208, 8 : Οὔτε γὰρ ἵνα ἡ γένεσις μὴ ἐπιλείπῃ, ἀναγκαῖον · et Strabonis 1, p. 4 fin. : Οὔτε γὰρ ποταμίῳ ῥεύματι ἔοικεν ἡ ... ἐπίβασις. ‖ Οὔτε γε aliquoties ab librariis illatum pro οὔτι γε v. in Οὔτις. ‖ Οὔτε δὲ Palladas Anth. Pal. 11, 305, 5 : Οὔτε δὲ τέχνην οἶσθα γραμματικὴν οὔτε Πλατωνικὸς εἶ. Heraclid. Pont. ap. Athen. 14, p. 624, D : Σκυθρωπὸν καὶ σφοδρὸν, οὔτε δὲ ποικίλον οὔτε πολύτροπον. Eulog. Phot. Bibl. p. 544, 30 : Καὶ μαρτύριον ἐκεῖνο τὸ γράμμα τὴν ἐπιγραφὴν ἔχει, οὔτε δὲ μάστιγας οὔτε ποινὴν ... διενεγκεῖν γράφει. Schol. metr. Eur. Hec. 1032 Matth. init. Ulpian. Basilic. 2, 1, 25. Et in altero membro Jo. Malal. p. 200, 8 : Ἐν τῇ δὲ Ἀντιγονίᾳ οὐ δεῖ ἡμᾶς οἰκῆσαι οὔτε δὲ γενέσθαι αὐτὴν πόλιν. Tzetz. in Cram. An. vol. 4, p. 54, 27 : Ὅτι χωρὶς αἰτίας οὔτ' οὖν τις λύειν δύναιτο νόμους οὔτε δ' εἰσφέρειν. Ἀλλ' οὔτε δὲ Chœrob. vol. 1, p. 6, 27 : Ἀλλ' οὔτε δὲ πᾶσίν εἰσιν ἐγνωσμένα. Quod si ita scripsit ille, non ἀλλ' οὐδὲ, conferri licet Chron. Pasch. p. 434, 12 : Ἀλλ' οὔτε Ἡρώδης οὔπω ἦν ἀποθανὼν, quod οὐδὲ dicendum erat, ut sæpe apud Byzantinos aliosque recentiores οὔτε scribitur pro οὐδὲ, velut apud Agathiam Hist. 4, 5 fin. p. 216, 18 : Οὔτε τὴν ἐπιστολὴν ἐπιδείξαντες · schol. Hom. Il. Π, 235 : Οὔτε ἀπολούεσθαι, qualia apud veteres non sunt ferenda, et vel his eximenda videntur. Ap. Demetr. Phal. Περὶ ἑρμ. § 4 : Οὔτε δὴ τὸ μῆκος τῶν κώλων πρέπον τοῖς λόγοις διὰ τὴν ἀμετρίαν οὔτε ἡ μικρότης, plures δέ. Οὔτε μὰν ... οὔτε Sthenidas ap. Stob. Fl. vol. 2, p. 320 : Ἄνευ δὲ σοφίας καὶ ἐπιστάμας οὔτε μὰν βασιλέα οὔτε ἄρχοντα οἷόντε ἦμεν.] Οὐδὲ μὴ, pro simplici οὐδὲ s. οὐ μέντοι. Soph. Aj. [83] : Ἀλλ' οὐδὲ νῦν σε μὴ παρόντ' ἴδῃ [ἴδῃ] πέλας, Sed ne nunc quidem te præsentem videbit. [Æsch. Suppl. 228 : Οὐδὲ μὴ 'ν Ἅιδου θανὼν φύγῃ ... αἰτίας.] Οὐδὲ μή ποτε, Neque unquam. Plato Epist. 7, [p. 341, C] : Οὐκ οὖν ἐμόν γε περὶ αὐτῶν ἐστὶ σύγγραμμα, οὐδὲ μή ποτε γένηται, Neque unquam erit. [V. l. Soph., de quo in Οὐδὲ μήν.] Οὐδὲ πολλοῦ δεῖ, pro πολλοῦ δεῖ, Longe s. Multum abest. Dem. De male obita legat : Οὐ γὰρ ταῦτα ἀντ' ἐκείνων γέγονεν, οὐδὲ πολλοῦ δεῖ, Multum abest ut ita res habeat. Alia similia exempla vide ap. Bud. p. 939. [Ps.-Dem. p. 138, 26 : Τὸ ... πρὸς ταῦτα ὀκνηρῶς διακεῖσθαι, ἐστὶ μὲν οὐκ ὀρθῶς ἔχον, οὐδὲ πολλοῦ δεῖ, οὐ μὴν ἀλλὰ κτλ.] Nonnun-

A quam reperitur in medio periodi παρενθετικῶς positum. Dem. C. Lept. : Σκεψώμεθα δὴ τί τοῦτ' ἔσται τῇ πόλει ἐὰν ἅπαντες οὗτοι λειτουργῶσι · φανήσεται γὰρ οὐδὲ πολλοῦ δεῖ τῆς γενησομένης ἄξιον αἰσχύνης · pro φανήσεται γὰρ οὐκ ἄξιον τῆς μελλούσης αἰσχύνης, Longe enim abfuturum est ut dignum videatur, quamobrem tanta ignominia ingrati animi suscipiatur a vobis. Οὐδ' ὀλίγου δεῖ, pro πολλοῦ δεῖ, Multum s. Longe abest : ut sit Ne parvo quidem intervallo abest, pro Maximo. Dem. De male obita legat. [p. 399, 11] : Οὐδέ γε τοὺς χρόνους ἴσον ἐστ' ἀδίκημα ὀλιγαρχίας ἢ τυράννου παρελέσθαι καὶ ὑμῶν· οὐδ' ὀλίγου δεῖ. Pro eodem dicitur οὐδὲ πολλοῦ δεῖ. Bud. p. 940. Οὐδ' ὅσιον, pro οὐχ ὅσιον, s. ἀνόσιον, Impium, Nefarium. Dem. : Πῶς οὐ δεινὰ ποιεῖ μᾶλλον δ' οὐδ' ὅσια; Οὐδ' ὅσον, ὅσσον, Ne tantillum quidem, Apollon. et Epigr. [V. Ὅσος.] Οὐδ' ὁ,τιοῦν, Nihil quicquam, Dem. Οὐδ' οὐ μὴ, pro simplici οὐδὲ, Matth. 24, [21] : Οἷα οὐ γέγονεν ἀπ' ἀρχῆς κόσμου ἕως τοῦ νῦν, οὐδ' οὐ μὴ γένηται, Neque erit, Neque unquam erit; vehementior enim hic est triplicata negatio. Sic Sy-
B nes. : Οὐ γὰρ μήποτε κατισχύσειε τοῦ πεφυκότος · οὐδ' οὐ μὴ σβέσειε τὸν σπινθῆρα τοῦ θείου φωτός. Οὐδ' ὑφ' ἑνὸς, pro ὑπ' οὐδενὸς, A nullo. [Οὐδέ περ Æsch. Cho. 504 : Οὔτω γὰρ οὐ τέθνηκας οὐδέ περ θανών· Suppl. 399 : Οὐκ ἄνευ δήμου τάδε πράξαιμ' ἂν οὐδέ περ κρατῶν. Apoll. Rh. 3, 1092 : Ἵν' οὐδέ περ οὔνομ' ἀκοῦσαι. ‖ Οὐ δὲ scribitur Hom. Od. Ρ, 104 : Τηλέμαχ', ἤτοι ἐγὼν ὑπερώιον εἰσαναβᾶσα λέξομαι εἰς εὐνὴν, ἥ μοι στονόεσσα τέτυκται, ... ἐξ οὗ Ὀδυσσεὺς ᾤχεθ' ἅμ' Ἀτρείδῃσιν ἐς Ἴλιον · οὐ δέ μοι ἔτλης ... νόστον σοῦ πατρὸς σάφα εἰπέμεν. Quod fuerunt etiam qui præferrent Il. Ω, 25 : Ἔνθ' ἄλλοις μὲν πᾶσιν ἑήνδανεν, οὐδέ ποθ' Ἥρῃ, οὐδὲ Ποσειδάων', οὐδὲ γλαυκώπιδι κούρῃ, scribentes οὐ δέ ποθ'.]

Οὐδεὶς, pro οὐδὲ εἷς, uti dixi [in Μηδείς. Nemo, Nullus, Nihilo, Numo, Gl. De fem. οὐδεὶς diximus in Εἷς vol. 3, p. 291, B. Ubi quæ citavimus testimonia grammaticorum, iis jam accedit Chœrob. vol. 1, p. 59, 20. Ap. Phot. Bibl. p. 171, 20 : Εἰσὶν οἵ φασιν αὐτὸν καὶ ἑτέρας συγγεγραφέναι πραγματείας, ὧν ἡμεῖς οὐδένα οὐδέπω ἴσμεν, Bekker. οὐδὲν vel οὐδεμίαν. Οὐδεὶς gen. masc.
C et fem. non est ap. Homerum, Hesiodum et Pindarum, nisi in versu Il. Χ, 459, Od. Λ, 515 : Τὸ ὃν μένος οὐδενὶ εἴκων, sed frequens ap. proximos illis Elegiacos, ut Tyrtæum ap. Stob. Fl. 50, 7, 15 : Οὐδεὶς ἄν ποτε ταῦτα λέγων ἀνύσειεν · ap. Lycurg. p. 162, 11 : Οὐδεμί' ὥρῃ· Mimnermum ap. Athen. 11, p. 470, A : Οὐδέποτ' ἄμπαυσις γίγνεται οὐδεμία, Simonidem, Solonem, Theognidem, quum veteres poetæ Οὔτις præferre soleant, ubi utrumque locum habet. Nam ut pro οὐδέν εἰμι dici non potuit οὔτι εἰμὶ, nec pro βαρβάρους τοὺς οὐδένας ap. Eur. τοὺς οὔτινας, ita rursus οὐδεὶς non potuit in ejusmodi loco qualis est Callim. Lav. Min. 134 : Μάτηρ δ' οὔτις ἔτικτε θεὰν, ἀλλὰ Διὸς κορυφά · quum οὔτις sit negantis esse quenquam, οὐδεὶς affirmantis esse nullum, unde Cyclopi ap. Eur. Cycl. 672 : Οὖτίς μ' ἀπώλεσ'; a choro respondetur οὐκ ἄρ' οὐδείς σ' ἠδίκει, et Sextus Emp. in Οὔτις citandus contraria ponit τὶς et οὔτις, non οὐδείς. Tum ap. Tragicos, ut Æsch. Prom. 63 : Πλὴν τοῦδ' ἂν οὐδεὶς ἐνδίκως μέμψαιτό μοι · 912 : Οὐδεὶς θεῶν · 232 : Βροτῶν λόγον οὐκ
D ἔσχεν οὐδένα · et duplex Ag. 1212 : Ἔπειθον οὐδέν' οὐδέν. Eur. Iph. A. 1417 : Λέγω τάδ' οὐδέν' οὐδὲν εὐλαβουμένη, sive sic scripsit sive οὐδὲν οὐδέν'. Cycl. 120 : Ἀκούει δ' οὐδὲν οὐδεὶς οὐδενός. Fem. Tyrtæus ap. Lycurg. v. 11 : Οὐδεμί' ὥρῃ· Soph. El. 143 : Ἐν οἷς ἀνάλυσίς ἐστιν οὐδεμία κακῶν · Theocr. 18, 20 : Οὐδεμί' ἄλλα. Quod ap. Iones sæpe ab librariis scribitur οὐδεμίη, ut ap. Solonem Stob. Fl. 9, 25, 36, et Herodotum, de quo Schweigh. in Lex., aliosque. V. Εἷς, vol. 3, p. 291, A.] In fem. Οὐδεμία, Nulla; neutr. Οὐδὲν, Nullum. In plurali Οὐδένες, Nulli, sicut et μηδένες modo posui, ex Plat. Epist. 7, [p. 344, A] : Οὐδένες τούτων μή ποτε μάθωσι. [Xen. Cyrop. 7, 5, 64 : Οὐδένες πιστότερα ἔργα ἀπεδείκνυντο. Et alibi sæpe. Demosth. p. 23, 6 : Οὐδένων εἰσὶ βελτίους.] Ex Eur. [Iph. A. 371] : Βαρβάρους τοὺς οὐδένας, Barbaros nullius pretii. [Andr. 700 : Φρονοῦσι δήμου μεῖζον, ὄντες οὐδένες· Ion. 594 : Ὁ μηδὲν ὢν κἀξ οὐδένων κεκλήσομαι. Herodot. 9, 58 : Οὐδένες ἐόντες. Et singulari Eur. fr. Belleroph. ap. Stob. Fl. 97, 16 : Ὁ δ' οὐδὲν οὐδεὶς διὰ τέλους τε δυστυχῶν· et cum dat. fr. Antiop.

ib. 3o, 1, 5 : Ἀργὸς μὲν οἴκοις καὶ πόλει γενήσεται, φίλοισι δ' οὐδείς. Aristoph. Eq. 158 : Ὦ νῦν μὲν οὐδείς. Euagr. H. E. 1, 11, p. 264, 21 : Μυρίοις ἄλλοις ἀτοπήμασι καὶ παρὰ τοῖς οὐδέσι τῶν ἀνθρώπων ἀπηγορευμένοις.] Atque ut cum μηδεὶς docui addi interdum ὁστισοῦν, ita et cum οὐδεὶς addi sciendum est. Dem. [p. 295, 8] : Περὶ ὧν οὐδένα κίνδυνον ὁντινοῦν οὐχ [ὅντιν' οὐχ] ὑπέμειναν οἱ πρόγονοι. [Non ita post οὐδεὶς ponitur ὁστισοῦν.] Interdum vero ὅστις sine οὖν, ut Lucian. : Οὐδεὶς, ὅστις οὐ συνετίθετο. [Conf. Alexand. c. 3o. Herodot. 3, 72 : Ἡμέων ... οὐδεὶς ὅστις οὐ παρήσει· 5, 97. Xen. Cyrop. 1, 4, 25 : Οὐδένα ἔφασαν ὅντιν' οὐ δακρύοντ' ἀποστρέφεσθαι· 8, 2, 24 : Οὐδὲν τούτων ὅ,τι οὐχὶ παρασκευάσας ἐθησαύριζε. Et sæpe Plato aliique. Οὐδεὶς ὃς Soph. OEd. T. 373 : Ἃ σοι οὐδεὶς ὃς οὐχὶ τῶνδ' ὀνειδιεῖ τάχα. Ὅστις οὐδεὶς pro οὐδεὶς ὅστις positum est apud Agathiam Hist. 2, 15, p. 96, 20 : Ἔμενεν οἴκοι ὅστις οὐδείς· 3o, p. 131, 20 : Ἀφαιρεῖται ὅστις οὐδεὶς τῶν ἐντυγχανόντων· 5, 20, p. 322, 1 : Ἐτεθνήκεσαν δὲ αὐτῶν μὲν ἀμφὶ τοὺς υ', Ῥωμαίων δὲ ὅστις οὐδείς.] Neutro autem genere οὐδὲν eos usus Græcis præbet, quos Latinum Nihil : præbet vero et alios : οὐδὲν εἶναι, vide ex Soph. in Μηδέν : et ap. Erasm. Prov. [Pind. Nem. 6, 3 : Τὸ μὲν (genus humanum) οὐδέν. Soph. Ph. 951 : Οὐδέν εἰμι· 1217 : Ἔτ' οὐδέν εἰμι· El. 245 : Τά τε καὶ οὐδὲν ὤν· Aj. 1231 : Ὅτ' οὐδὲν ὢν τοῦ μηδὲν ἀντέστης ὕπερ· OEd. T. 56 : Οὐδέν ἐστιν οὔτε πύργος οὔτε ναῦς ἔρημος. Eur. Phœn. 403 : Τὰ φίλων δ' οὐδέν, ἤν τις δυστυχῇ· 598 : Σὺν πολλοῖσιν ἦλθες πρὸς τὸν οὐδὲν εἰς μάχην; Iph. T. 115 : Δειλοὶ δ' εἰσὶν οὐδὲν οὐδαμοῦ· Hel. 1421 : Τὰ τῶν θανόντων οὐδέν· Herc. F. 635 : Φιλοῦσι παῖδας οἵ τ' ἀμείνονες βροτῶν, οἱ δ' οὐδὲν ὄντες· Andr. 641 : Σὺ δ' οὐδὲν εἶ, et alibi. Xen. Anab. 6, 2, 10 : Τὸ δ' ἄλλο στράτευμα οὐδὲν εἶναι· H. Gr. 4, 8, 4, et alibi. Demosth. p. 574, 19. Theophr. H. Pl. 5, 8, 1 : Τὰ ἐν τῇ Λατίνῃ (δένδρα) οὐδὲν εἶναι πρὸς τὰ ἐν τῇ Κύρνῳ.] Atque ut μηδὲν ἧττον ibid. habes, sic et οὐδὲν ἧττον dicitur a Xen. [Comm. 1, 3, 15. Æsch. Ag. 1391 : Χαίρουσαν οὐδὲν ἧσσον ἢ διοσδότῳ γάνει σπορητός. Soph. Aj. 276], item οὐδὲν ἔλαττον ab aliis, pro Nihilo minus, Non minus. Cui opponitur οὐδὲν μᾶλλον, οὐδέν τι μᾶλλον, [Eur. Hec. 817,] Xen., pro Nihilo magis, Non magis. [V. HSt. paullo post.] De hoc autem loquendi genere vide et in Μᾶλλον. [Cum aliis comparativis, Æsch. Sept. 991 : Σὺ δ' οὐδὲν ὕστερον μαθών· Eum. 251 : Οὐδὲν ὑστέρα νεώς.] Ut autem in illo οὐδέν τι μᾶλλον vacat τι, sic et alibi sæpe οὐδέν τι pro οὐδὲν dicitur [Xen. Cyrop. 2, 4, 9 : Οὐδέν τι πολλὰ ἔχων ἴδια χρήματα] : eodemque modo ὅ,τι post οὐδὲν vacat, quum dicitur a Thuc., Οὐδὲν ὅ,τι οὐ συνέβη. [V. supra. Dicitur etiam οὐδεὶς οὐκ, ut sit Quivis, Unusquisque. Herodot. 5, 56 : Οὐδεὶς ἀνθρώπων ἀδικῶν τίσιν οὐκ ἀποτίσει. Xenoph. Conv. 1, 9 : Τῶν ὁρώντων οὐδεὶς οὐκ ἔπασχέ τι τὴν ψυχὴν ὑπ' ἐκείνου. Arrian. Diss. Epict. 3, 1, 29 : Οὐδεὶς οὐχὶ θαυμάσει τὴν προγραφήν. Dio Chr. vol. 1, p. 481 : Οὐδεὶς Ἑλληνικῆς φωνῆς ἐπαΐων οὐκ ἂν ἐπαρθείη· quod paullo ante dixerat interposito ὅς.] Item ut in illo genere loquendi οὐδὲν μᾶλλον, vertitur οὐδὲν Nihilo : sic et παρ' οὐδὲν τίθεμαι redditur Nihili facio [Eur. Iph. T. 732 : Μὴ θῆται παρ' οὐδὲν τὰς ἐμὰς ἐπιστολάς· Or. 569 : Παρ' οὐδὲν αὐταῖς ἦν ἂν ὀλλύναι πόσεις. Soph. OEd. T. 983 : Ταῦθ' ὅτῳ παρ' οὐδέν ἐστι· Ant. 35 : Τὸ πρᾶγμ' ἄγειν οὐχ ὡς παρ' οὐδέν. Et cum verbo ἡγεῖσθαι Diod. 13, 55; 14, 35] : et Acta 5, [36] : Ἐγένοντο εἰς οὐδὲν, Redacti sunt ad nihilum. [Soph. OEd. C. 584 : Τὰ δ' ἐν μέσῳ ἢ λῆστιν ἴσχεις ἢ δι' οὐδενὸς ποιεῖ. Id. Aj. 1018 : Πρὸς οὐδὲν εἰς ἔριν θυμούμενος.] At οὐδὲν οἷον, vide in Οἷον, sicut οὐδ' ὅσον in Ὅσον, οὐδὲν πλέον in Πλέον : idemque facito in ceteris. [Κατ' οὐδὲν Herodot. 2, 101 : Τῶν δὲ ἄλλων βασιλέων οὐ γὰρ ἔλεγον οὐδεμίαν ἔργων ἀπόδεξιν, κατ' οὐδὲν εἶναι λαμπρότητος. Alia phrasi Demosth. p. 23, 14 : Ἐν οὐδενὸς εἶναι μέρει τὸν τοιοῦτον.] || Οὐδὲν sæpe et pro Non : ut οὐδὲν φροντίζω σου, sicut Lat. Nihil curo, pro Non curo. [Hom. Il. A, 412 : Ὅτ' ἄριστον Ἀχαιῶν οὐδὲν ἔτισε· X, 332 : Ἐμὲ δ' οὐδὲν ὀπίζεο· Ω, 370 : Ἀλλ' ἐγὼ οὐδέν σε ῥέξω κακά· ubi notavit schol. Od. Δ, 195 : Νεμεσσῶμαί γε μὲν οὐδέν· 248 : Ὃς οὐδὲν τοῖος ἔην· Υ, 366 : Νόος οὐδὲν ἀεικής. Hesiod. Op. 143 : Οὐκ ἀργυρέῳ οὐδὲν ὁμοῖον· Th. 295 : Οὐδὲν ἐοικὸς θνητοῖς ἀνθρώποις. Æsch. Cho. 912 : Οὐδὲν σεβίζει γενεθλίους

A ἀράς; Eum. 730 : Τὸν ἰὸν οὐδὲν ἐχθροῖσιν βαρύν· 827 : Ἀλλ' οὐδὲν αὐτοῦ δεῖ· Prom. 832 : Λαμπρῶς κοὐδὲν αἰνικτηρίως. Soph. Tr. 649 : Ἴδριες οὐδέν· 773 : Τὸν οὐδὲν αἴτιον τοῦ σοῦ κακοῦ· Aj. 940 : Οὐδέν σ' ἀπιστῶ καὶ δὶς οἰμῶξαι, γύναι· OEd. T. 1016 : Ὁθούνεκ' ἦν σοι Πόλυβος οὐδὲν ἐν γένει. Eur. Cycl. 642 : Ἄνδρες πονηροὶ κοὐδὲν οἵδε σύμμαχοι. Herodot. 8, 112 : Καρυστίοισί γε οὐδὲν τούτου εἵνεκα τοῦ κακοῦ ὑπερβολὴ ἐγένετο· 5, 34 : Οὐδὲν πάντως προσεδέκοντο ἐπὶ σφέας τὸν στόλον τοῦτον ὁρμήσεσθαι· et οὐδέν τι πάντως 65. Xen. Anab. 7, 6, 9 : Στρατευόμενοι οὐδὲν πεπαύμεθα, ubi HSt. quod ex « quibusdam exemplaribus » nonnisi ab ipso usurpatis protulit πεπάμεθα ne ferri quidem potest. Cyrop. 1, 6, 16 : Λέγοντες οὐδὲν παύονται· Comm. 4, 4, 10 : Οὐδὲν παύομαι ἀποδεικνύμενος· Cyrop. 2, 1, 16 : Οὐδὲν φυλαττομένους μή τι ... ἐξαμάρτωμεν· Anab. 5, 2, 14 : Ὁ δὲ, ὡς ἔγνω τὴν ἀφροσύνην αὐτῶν, ἐπεψήφισε μὲν οὐδὲν, ubi Valck. præter alia οὐδὲν in οὐ mutabat, ut ib. 6, 1, 23 : Οὐ μέντοι χρηματιστικὸν εἶναι τὸν οἰωνὸν, deteriores οὐδὲν, syllaba male repetita. Cum adj. Ages. 10, 1 : Πλου-
B σιώτερος μὲν ἂν εἴη, οἰκονομικώτερος δὲ οὐδὲν ἂν, ... εὐτυχέστερος μὲν ἂν εἴη, στρατηγικώτερος δὲ οὐδὲν ἄν.] Aristot. Eth. 5 : Ὡς οὐδὲν πρὸ ἔργου ὄντος πεισθῆναι. Οὐδὲν ἂν ἔφασαν, ex Aristoph. affertur pro Negarunt. Οὐδὲν ἔργον, pro Nullius usus. [V. Ἔργον.] Οὐδὲν ἕτερον ἀλλ' ἢ, pro Tantumnon, Propemodum. Sceptici in suis ἐποχαῖς dicebant οὐδὲν μᾶλλον quum significare volebant se non magis in hanc quam in illam partem inclinare. Sext. Emp. Pyrrh. [p. 47 Fabr.] : Οὐδὲν μᾶλλον ἔλεγον οὐ διαβεβαιούμενοι περὶ τοῦ πάντως ὑπάρχειν αὐτὴν ἀληθῆ καὶ βεβαίαν, ἀλλὰ κατὰ τὸ φαινόμενον αὐτοῖς οὐδὲν μᾶλλον ἄνω ἢ κάτω· ut οὐ μᾶλλόν ἐστι πρόνοια ἢ οὐκ ἔστιν· et οὐδὲν μᾶλλόν ἐστιν ἢ οὐκ ἔστιν· pro quo dicebant etiam οὐδὲν ὁρίζω. [Οὐδὲν ἄλλο Demosth. p. 81, 6 : Οὐδὲν ἄλλο ἢ πεπεισμένος ὑπὸ τούτων οἷς χρῆται φίλοις· 1043, 13 : Οὐδὲν ἄλλ' ἢ βουλόμενος δοκεῖν κτλ.] Οὐδὲν οἷον, Nihil vetat, Nihil impedit. Dem. [p. 529, 11] : Οὐδὲν γὰρ οἷον ἀκούειν αὐτοῦ τοῦ νόμου. Sic Aristoph. [Av. 966] : Ἀλλ' οὐδὲν οἷον ἔστ' ἀκοῦσαι τῶν ἐπῶν. Et Gregor. : Οὐδὲν δὲ οἷον καὶ ἥδυσμά τι προσθεῖναι τῷ λόγῳ
C μικρὸν ἀφήγημα. [V. Οἷος p. 1829, B.] Οὐδὲν ὁτιοῦν, Nihil quidquam. Οὐδὲν πρᾶγμα, Nihil est incommodi. Οὐδέν τι μᾶλλον, Non magis, s. Nihilo magis : ut ap. Xen. [OEc. 3, 10] interroganti, Πωλοδαμνεῖν με κελεύεις; respondet Socrates, Οὐ μὰ Δί', οὐδέν τι μᾶλλον ἢ καὶ γεωργοὺς ὠνούμενον ἐκ παιδίων κατασκευάζειν. Et rursum [15, 7] : Τοῦτο εἰδὼς οὐδέν τι μᾶλλον ἐπισταίμην γράμματα. [De οὐδέν τι πάντως v. paullo ante. Ponitur autem ab recentioribus τις etiam ante οὐδεὶς, quod Byzantini cujusdam correctoris imperitia illatum erat Eur. Alc. 79 : Ἀλλ' οὐδὲ φίλων τις πέλας οὐδεὶς, ubi meliores φίλων πέλας. Procop. Pers. p. 141, D : Μηχανή τις οὐδεμία ἐστίν· 144, D : Αἰτία τις ἦν οὐδεμία· et quod minus simile Gotth. p. 460, B : Ἄλλο μέν τι οὐδὲν ... ἐροῦντας, contulit G. Dind. De Εἷς οὐδεὶς quæ diximus vol. 3, p. 290, A, 1048, A, augeri possunt loco gramm. Bekk. An. p. 138, 20, et Heliodori Æth. 1, 32, p. 50 med. : Εἷς οὐδεὶς ξίφος οὔτε ἔβαλεν οὔτε ἔφερεν, Neque unus.] Apud Eur. in Hecuba positum dicitur pro οὐδαμῶς, Nequaquam. [Ion. 404 : Μῶν
D χρόνιος ἐλθών σ' ἐξέπληξ' ὀρρωδία; — Οὐδέν γ'· ἀφίκου δ' ἐς μέριμναν. Aristoph. Av. 1360, et sine γε Nub. 694.] Οὐδέν τι pro οὐ seu οὐδαμῶς, Non, Neutiquam. Idem Xen. [Comm. 1, 2, 42] : Οὐδέν τι χαλεποῦ πράγματος ἐπιθυμεῖς, Rem haud quaquam difficilem flagitas. Οὐδεὲν, ap. Aristoph. Pl. [138, 1115, Ran. 927, Lys. 1044] pro οὐδὲ ἓν, s. οὐδέν. [Οὐδὲ εἷς, Nullus; Οὐδὲ ἓν, Nihil, Gl. Sic μηδὲ εἷς pro μηδεὶς, de quo in illo. Est autem utriusque usus rarior ap. antiquiores Atticos, ut Porson. ad Hec. præf. p. 34 alienum censeret a prioribus Comici fabulis, sed ipse postea addidit ex. Eupolidis ap. Stob. Fl. 4, 33 : Μηδὲ ἓν χεῖρον φρονῶν Elmslejus autem de οὐδεὶς *Edinb. Rev.* vol. 37, p. 76, Cratetis ap. Athen. 6, p. 267, E, Cratini ap. Etym. M. v. Βλιμάζειν, idemque Dionysii tyr. ap. Stob. Fl. 38, 2. Quibus accedunt Phrynich. ap. Polluc. 7, 195 : Σὺ δὲ τιμοπώλης ὡς Ἀχιλλεὺς οὐδὲ εἷς. (Conf. Basil. M. vol. 2, p. 69, B : Παρέδραμον τὴν ἐφ' Ἑλλησπόντῳ πόλιν, ὡς οὐδεὶς Ὀδυσσεὺς Σειρήνων μέλη· 75, D : Ἐφοβούμην προσβλέπων ὡς οὐδεὶς ἐν αἰτίαις ὢν Σπαρτιάτης

Λακωνικὴν σκυτάλην.) Plato ap. Orionem Anth. p. 42, et fortasse Pherecrates fr. Myrmec. ap. Athen. 7, p. 287, A. Ante hos μηδὲ εἷς dixerat Hipponax ap. Stob. Fl. 29, 42, οὐδὲ εἷς Epicharmus ap. eund. 20, 10; 38, 21, Plut. Mor. p. 110, B, ab iisdem indicati. Sæpe vero eadem forma utuntur recentiores, velut Menander ap. Athen. 9, p. 383, F, etc. Diphilus ap. Stob. Fl. 10, 9, Posidippus ap. eund. 14, 1. Theocr. 23, 3: Καὶ οὐδὲ ἓν ἅμερον εἶχε. Οὐδὲ ἓν et οὐδὲ ἧς scriptum in Tab. Heracl. 1, 88. In prosa Xen. H. Gr. 2, 3, 39: Ἀνδρὸς ... ἀδικοῦντος οὐδὲ ἕν. Nimium tamen est quod Exc. Phryn. p. 53, 7 dicunt: Οὐδὲ ἕν· οὕτω χρὴ λέγειν, οὐ δισυλλάβως, καὶ διὰ τοῦ δ· διὰ μέντοι τοῦ θ δισυλλάβως. Frequens vero ap. omnes est οὐδὲ ab εἷς interposita præpositione vel part. ἂν divisum, ut Plat. Phæd. p. 100, C: Οὐδὲ δι' ἓν ἄλλο· Phædr. p. 246, C: Οὐδ' ἐξ ἑνὸς λόγου· Prot. p. 328, A: Οὐδ' ἂν εἷς φανείη. Photius s. Suidas: Οὐδ' ὑφ' ἕνων (sic), Ἀττικοὶ ἀντὶ τοῦ ὑπ' οὐδένων λέγουσιν ὑπερβιβάζοντες. Ap. Liban. vol. 4, p. 644, 6: Δρασμὸν δὲ οὐχ ἐβουλόμην οὐδὲ παρεῖχον ὑποπτεύειν οὐδὲ καθ' ἕνα τὸν τρόπον, quod Reiskius proposuit οὐδὲ καθ' ἕνα τρόπον, præbet codex, qui tamen etiam οὐδὲ omittit. Sed verius videtur οὐδὲ καθ' ἕνα τῶν τρόπων, ut est ap. Diod. Exc. Vat. p. 130 ed. M.: Κατ' οὐδένα τῶν τρόπων, et in optimis 3, 33: Κατὰ μηδένα τῶν τρόπων, ubi alius τὸν τρόπον, quod non est græcum, ceteri τρόπον. || De accentu οὐδένων Arcadius p. 134, 6, Chœrob. vol. 1, p. 453, 7, Etym. M. p. 639, 30; 709, 56, Zonaras Lex. p. 1478. Eodem modo scriptum οὐδ' ὑφ' ἕνων v. supra.]

[|| De forma Οὐθεὶς HSt.:] Οὐθείς, ενός, Nemo, Nullus: ex οὔτε et εἷς, per crasin. Quod quamvis Atticum esse neget Phrynichus [Ecl. p. 181], et Æolicum a nonnullis esse dicatur, in usu tamen ap. quosdam vett. scriptores est. [Chrysippum καὶ τοὺς ἀμφ' αὐτὸν ita loquutos notat Phrynichus, et τοὺς ἀρχαίους dicere monet οὐδείς. V. quæ ex eodem retulimus in Οὐδεὶς fin. Photius: Οὐδείς, οἱ παλαιοὶ διὰ τοῦ δ, οἱ δὲ νεώτεροι καὶ διὰ τοῦ θ οὐθείς. In libris frequens est inprimis ap. Aristot. et Theophr., etsi οὐδεὶς quoque est in iisdem. Sed jam Menandro οὐθὲν ascribere videtur Etym. M. p. 640, 15: Ὁ τέ σύνδεσμος ἀπαιτεῖ καὶ ἕτερον σύνδεσμον, Οὔτε τοῦτο οὔτε τοῦτο. Ὅθεν σεσημείωται τὸ παρὰ Μενάνδρῳ Οὐθὲν μέλει σοι, ὅτι οὐχ ἔχει ἑτέρου συνδέσμου ἐπιφοράν. Est sæpe in papyris Ægypt., velut ap. Letronn. post Aristoph. ed. Didot. p. 10, 2, 21, 25; 3, 4; 12, 10 fin.; 11, 8, 12, ap. Peyron. fasc. 1, p. 26, 9; 2, 2 fin.; 40, 6; 44, 19; 173, 32; 2, 1, 23, 28, ap. Philodem. in Voll. Hercul. part. 1, p. 96, D; 97, C, ut μηθὲν p. 18, A, quum οὐδὲν (ουλεν) sit p. 21, A; in inscr. Eleuthern. ap. Bœckh. vol. 2, p. 634, n. 3047, 16, 17, et sæpius in al. Ol. 101, 4 apud eundem *Urkunden* p. 262 seqq. Sæpe vero hanc formam illatam esse scriptoribus a quibus alienissima est exemplis aliquot ostendit Lobeck., quibus addere licet Polybii, de quo non recte judicat Schweigh. in Lex., Diod. 2, 19, Dionis Chr. vol. 1, p. 514, 527, et ubi μηθὲν p. 368, quorum non ea est incuria in talibus, ut ambabus permutandis lusisse credi possint. Aristotelis autem et Theophrasti quum libris utamur nihilo melioribus quam horum aliorumque scriptorum, velut Xenophontis et Oratorum, quibus nemo tribuet quod librarii sæpe affinxerunt, nulla ratio est cur illos potissimum formis vitiosis aut semper aut, quod librariis placuit, promiscue usos putemus. Ac fuisse veteribus jam antiquitus hanc formam illatam ab iis qui ipsi illa uterentur, ostendit pap. Æg. primo loco citata, ubi vel in Euripidis versibus conspicitur. Itaque etsi concedendum est, non solum obtinuisse jam illorum ætate illud vitium, sed etiam plurima ejus exx. in libris utriusque reperiri, tamen in ipsos culpam esse conferendam non licet affirmare. Chœroboscus quomodo distinguat οὐδὲν ab οὐθέν, quod ἀκινδυνότερον dicit, v. in Epimer. vol. 3, p. 134, 10.] Gorgias Pro Palam. [p. 189]: Ταῦτα δὲ οὐθεὶς ἂν εἴπειν ἔχοι. [Et sæpius ibid. οὐθέν, sequente tamen forma οὐδέν. Οὐθέν, Nihil, Gl.] Aristot. Eth. 4: Φέρει δὲ οὐθέν, Nihil refert.

[Οὐδενάκις et οὐδενάκι ἐννέα ap. Iambl. In Nicom. p. 25, A, q. d. Per nihilum multiplicatus.]

A

Οὐδένεια, ἡ, q. d. Nihilitas. [Εὐτέλεια interpr. Hesychius.] Plato Phædro [p. 234, E]: Ἐπεὶ ἐμέ γε ἔλαθεν ὑπὸ τῆς οὐδ. τῆς ἐμῆς, Ut sum homo nihili et contemnendus, Bud. [Theæt. p. 176, C: Οὐδένειά τε καὶ ἀνανδρία. Utroque l. libri nonnulli οὐδενία, alii εια supra versum. Polyb. 34, 14, 3: Ἡ τῶν βασιλέων οὐδένεια. Iambl. Protr. c. 14: Ἡ οὐδένεια καὶ ἀνανδρία. Themist. Or. 2, p. 29, A: Διὰ τὴν φαυλότητα καὶ οὐδένειαν· 32, p. 356, D: Αἰσθάνονται τῆς οὐδενείας τοῦ τόκου. Ælian. N. A. 15, 13: Ὡς καταγνῶναι νωθείαν αὐτοῦ καὶ οὐδένειαν. Ἀπανθρωπία int. Suidas, ἀπάτη, ὕβρις, ἐξουδένωσις, Zonaras. Apud recentiores formula modestiæ, ut in Gretseri Opp. vol. 2, p. 1, A: Τῇ ἐμῇ οὐδενείᾳ. V. Οὐθένεια et Οὐθενότης.]

|| Οὐθένεια, ἡ, i. q. οὐδένεια. Plut. [Mor. p. 112, D]: Τῶν ἀνθρωπείων τὴν ἀδηλότητα καὶ οὐθ., ubi tamen quædam exempll. habent ἀσθένειαν. [Philo vol. 1, p. 477, 20; 586, 19. Fronto Epist. 2, p. 57, 4: Ὑπὸ τῆς πολλῆς ἀφυΐας καὶ οὐθενείας. Eust. Opusc. p. 283, 65: Εἰς ἔνδειξιν τῆς καθ' ἡμᾶς οὐθενείας· 339, 86: Τὴν ἡμῶν

B

οὐθένειαν. Μηδαμινή, εὐτελής, ἀσθένεια interpr. Hesychius, ap. quem —ίας cod. Adj. Οὐθενής, ὁ, ἡ, ap Theodor. Stud. p. 406, C: Ὁ οὐθενὴς καὶ ἀφανής. V. Εὐποιής. L. Dind.]

[Οὐδενίζω, Adnihilo, Adnullo, Nullifico. Dioscorid. Anth. Pal. 5, 138, 3: Οὐδενίσας Δαναῶν δεχέτη πόνον. Ita Jacobs. Cod. οὐδείσας. Cit. Boiss.]

Οὐδενόσωρος, Nulla cura dignus, Minime curandus, Cujus nulla habenda cura s. ratio, ideoque Despiciendus, Aspernabilis. Hom. Il. Θ, [178]: Νήπιοι, οἳ ἄρα δὴ τάδε τείχεα μηχανόωντο, Ἀβλήχρ', οὐδενόσωρα· τὰ δ' οὐ μένος ἁμὸν ἐρύξει· i. e. οὐδεμιᾶς φροντίδος ἄξια, inquit schol., derivans ab ὤρα significante φροντίς. Itidemque Hesych., qui Appionem exponere ait οὐδενὸς φυλακτικά: quoniam ὠρεῖν non solum φροντίζειν, sed etiam φυλάσσειν significat. Valla tamen interpretari maluit Quæ ne uno quidem momento durabunt. At οὐδενόσωρα, Quæ nihil curantur. [Oppian. Hal. 2, 478: Καδδὲ λέλειπται ὀστέον οὐδενόσωρον. Tzetz. Hom. 160: Ὡς τότ' Ἀτρείδης, οὐδενοσώρας τίων ἄλλους. Codd. οὐδὲ νόσῳ

C

ῥαστίων. Sed forma mira est.]

[Οὐδενότης vel Οὐθενότης, ητος, ἡ, i. q. οὐθένεια. Theodor. Stud. p. 240, E: Τῇ οὐθενότητι ἡμῶν· 406, A; 515, B. L. Dind.]

Οὐδενόω, Ad nihilum redigo, VV. LL. [Etym. M. p. 350, 25.]

[Οὐδέποτε. V. Οὔποτε.]

Οὐδέπω, dicitur pro Necdum. Nondum, [Nondum etiam, add. Gl.] Bud. vero οὐδέπω καὶ τήμερον, pro Ne hactenus quidem. Sic Οὔτεπω, Necdum, Xen. [Comm. 3, 4, 1]: Τὸν οὔτεπω ὁπλίτην [οὔτε ὁπλίτην πώποτε] στρατευσάμενον, [ἔν τε τοῖς ἱππεῦσιν οὐδὲν περίβλεπτον ποιήσαντα, ut οὔτε ad ἔν τε referatur, atque hoc ex. pariterque ipsum οὔτε πω omittendum fuerit. Οὐδέπω Æsch. Prom. 320: Σὺ δ' οὐδέπω ταπεινός· Pers. 816: Κοὐδέπω κακῶν κρηπὶς ὕπεστιν. Soph. Ph. 16: Οἱ μὲν οὐδέπω μακρὰν πτέσθαι σθένοντες. Aristoph. Pac. 327: Παύει δ' οὐδέπω· Vesp. 940: Ἀλλ' ἔτι σύγ' οὐρεῖς καὶ καθίζεις οὐδέπω; Xen. Cyrop. 2, 1, 20: Παρῆσαν δὲ οὐδέπω. Plato Phæd. p. 92, B: Ἐκ τῶν οὐδέπω ὄντων·

D

Conv. p. 172, E: Οὐδ. τρία ἔτη ἐστί· Hipp. maj. p. 293, C: Καὶ οὐδ. καὶ τήμερον οἷός τ' εἶ. Distinguendum autem ab hoc οὐδέ πω, quod est Soph. OEd. T. 731: Ηὐδᾶτο γὰρ ταῦτ', οὐδέ πω λήξαντ' ἔχει, et alibi. Et οὐδέ πω, ubi οὐδὲ est Ne ... quidem, ap. Aristoph. Thesm. 555: Οὐδέ πω τὴν μυριοστὴν μοῖραν ὧν ποιοῦμεν. Quod dicitur etiam οὐδέ ... πω, ut Xenoph. Comm. 3, 6, 9: Οὐδὲ γέγραπταί μοί πω.] Sed et Οὐδένυπω et Οὐδέτιπω afferuntur pro Necdum, Nondum, ut οὐδέπω: quorum illud pro Nondum, Apollon. At vero Οὐδέτιπω, vel potius οὐδέ τι πω, pro Necdum ullum. Hom. Il. A, [108]: Ἐσθλὸν δ' οὐδέ τι πω εἶπας ἔπος, Necdum ullum verbum bonum dixisti. [Al. hic οὔτε τί πω, de quo dicemus in Οὔτε τι sub Οὔτις.] Nonnulli accipiunt simpliciter pro οὐδέ, Neque, ib. [124]: Οὐδέ τι πω ἴδμεν ξυνήϊα κείμενα πολλά· sed rectius exp. Nondum, Necdum. [Διὰ τοῦ ο καὶ υ πού ἀντὶ τοῦ πω· οὕτως καὶ ἡ Σωσιγένους καὶ ἡ Ἀριστοφάνους, schol. A. Οὐδέ τι πω· ὁ δέ ἀντὶ τοῦ γάρ· αἱ πᾶσαι δὲ πού ἔχουσιν, B. L. Sed Eust. certe, qui ad l. priorem v. 108: Τὸ

A οὔτε τι πω, καθὰ καὶ μετ' ὀλίγα τὸ οὐδέ τί πω βαρύνοντα τὸν πω κτλ., habuit πω, nec qui που hic locum habere putarunt librorum vel antiquissimorum auctoritate uti potuerunt, quum πο utroque modo interpretari liceat. Et quum Οὐδέ τί που ἴδμεν hic ne ferendum quidem videatur, alterum confirmat B, 252 : Οὐδέ τί πω σάφα ἴδμεν ὅπως ἔσται τάδε ἔργα.] At Οὐδέ τί πως Hesych. exp. μηδαμῶς, Nequaquam, Nullo modo. [Immo Οὐδέ τί πω, οὐδαμῶς, de quo dicemus in Οὔτε τι sub Οὔτις.] Itidem Οὐδέν πω, Nihildum, [Nihilum, Gl.] pro quo potius Οὐδέπω. [Non possunt hæc componi aut permutari, quæ ita differunt ut οὐδὲν et οὐδέ. Est autem illud e. gr. ap. Soph. Ph. 446 : Ἐπεὶ οὐδέν πω κακόν γ' ἀπώλετο.]

Οὐδεπώποτε, Nunquam, Haudquaquam ullo tempore. [Necdum etiam, Nequaquam Gl. Soph. Ph. 250 : Πῶς γὰρ κάτοιδ' ὅν γ' εἶδον οὐδεπώποτε; Aristoph. Vesp. 1266 : Πολλάκις δὴ 'δοξ' ἐμαυτῷ δεξιὸς πεφυκέναι καὶ σκαιὸς οὐδεπώποτε· Pl. 420 : Οἷον οὐδεὶς ἄλλος οὐδεπώποτε. Plato Conv. p. 175, B : Οὐδ. ἐποίησα· Prot. p.
B 313, B : Οὔτε διείλεξαι οὐδεπ.]

[Οὐδετεροκτητικὸς, —μεταβατικὸς, —παθητικὸς, —περιποιητικὸς, ή, όν. Gramm. recentissimus in Bachm. Anecd. vol. 2, p. 302, 15 : Περὶ τῶν οὐδετερομεταβατικῶν. Τὰ δὲ (sic) καλοῦνται οὐδέτερα μεταβατικὰ, ὅσα πρὸ ἑαυτῶν αἰτιατικὴν ἀπαιτοῦσι, καὶ μεθ' αὐτὰ πάλιν αἰτιατικὴν μετὰ προθέσεως, οἷον, Ἀναβαίνω εἰς τὸ ὄρος, Καταβαίνω εἰς τὸ πεδίον. — Περὶ τῶν οὐδετεροπεριποιητικῶν. Τὰ δὲ καλοῦνται οὐδέτερα περιποιητικὰ, ὅσα πρὸ ἑαυτῶν ὀνομαστικὴν ἀπαιτοῦσι, καὶ μεθ' αὐτὰ δοτικὴν περιποίησιν σημαίνουσιν, οἷον, Δουλεύω σοι. — Περὶ τῶν οὐδετεροκτητικῶν. Τὰ δὲ καλοῦνται οὐδετεροκτητικὰ, ὅσα πρὸ ἑαυτῶν ὀνομαστικὴν ἀπαιτοῦσι καὶ μεθ' αὐτὰ γενικὴν, οἷον, Χρῄζω βιβλίων, ἀντὶ τοῦ χρείαν ἔχω. — Περὶ τῶν οὐδετεροπαθητικῶν. Τὰ δὲ καλοῦνται οὐδετεροπαθητικὰ, εἴτε ἰδιοπαθητικὰ καὶ αὐτοπαθῆ, ὅσα πρὸ ἑαυτῶν ὀνομαστικὴν ἀπαιτοῦσι, καὶ σημαίνουσιν αὐτοπάθειαν, καὶ μεθ' αὐτὰ διαφόρους πτώσεις.]

Οὐδέτερος, α, ον, seu Οὐθέτερος, Eust., pro quo divisa voce Οὐδὲ ἕτερον dixisse Thuc. in Ἕτερος ostendi, Neuter [Neutralis; Οὐθ' ἕτερον, Neutrum, add. Gl.] Plato
C De rep. 2, [p. 365, E] : Οἷς οἱ [ἢ] ἀμφότερα ἢ οὐδ. πιστευτέον, Quibus vel de utroque vel de neutro credendum. [Hesiod. Sc. 171 : Οὐδέ νυ τώγε οὐδέτεροι τρεέτην· Th. 638 : Οὐδὲ τελευτὴ οὐδετέροις. Aristoph. Ran. 1412 : Οὐ γὰρ δι' ἔχθρας οὐδετέρῳ γενήσομαι. Herodot. 3, 16 : Τὸ κατακαίειν τοὺς νεκροὺς οὐδαμῶς ἐν νόμῳ οὐδετέροισί ἐστι. Thuc. 5, 84 : Τὸ μὲν πρῶτον οὐδετέρων ὄντες ἡσύχαζον· 8, 43 : Τὰς σπονδὰς οὐδετέρας ... καλῶς ξυγκεῖσθαι. Et utroque numero Xenoph. Ages. 5, 1, H. Gr. 7, 5, 26. Plato Phil. p. 21, E : Οὐδέτερος ὁ βίος ἔμοιγε τούτων αἱρετός· et adverbialiter Reip. 1, p. 349, D : Ὁ δὲ δίκαιος οὐδέτερα· Prot. p. 334, A : Τὰ δὲ ἀνθρώποις μὲν οὐδέτερα (οὔτε ὠφέλιμα οὔτε ἀνωφελῆ)· Theæt. p. 184, A : Δεῖ δὲ οὐδέτερα.] Οὐδέτερα ὀνόματα et ῥήματα a grammaticis Græcis dicuntur sicut Lat. Nomina neutra s. neutralia, illa quæ nec masc. nec fem.; et verba, quæ nec activa nec pass. sunt. [Forma οὐθέτερος, quam retulit Hesychius, ap. Sext. Emp. p. 724 (582, 1, 3 Bekk.), Etym. M. p. 640, 11, 18. || Divise οὐδὲ ἕτερος Dio Cass. 39, 21; 41, 6. V. Ἕτερος p. 2137, D.]

D Οὐδετέρωθεν, Neutra ex parte, Galen. Ad Glaucon. l. 2. [Et vol. 8, p. 529.]

[Οὐδετέρωθι, Neutrubi. Simplicius in Mus. philol. Cantabr. vol. 2, p. 591 med. : Οὐδ. περὶ κόσμου φασὶν εἰρηκέναι. L. Dind.]

Οὐδετέρως, Neutro modo, Neutro genere, ap. grammaticos. [Neutre, Gl.] Athen. [15, p. 701, A] : Λύχνα δὲ οὐδ. εἴρηκεν Ἡρόδοτος. [Priori signif. Plato Leg. 10, p. 902, B : Οὐδ. τοῖς κεκτημένοις ἡμᾶς ἀμελεῖν ἂν εἴη προσῆκον. Altera Etym. M. p. 229, 32, etc.]

Οὐδετέρωσε, Neutro, Neutram in partem. Hom. Il. Ξ, [18] : Οὐδ' ἄρα τε προκυλίνδεται οὐδ., Nec in unam nec in alteram partem volvitur. Quædam tamen exempll. ibi divisim habent οὐδ' ἑτέρωσε. At Eust. priorem scripturam agnoscit. [Theognis 939 : Οὐδετέρωσε κλινόμενος. Dio Cass. 49, 8 : Οὐδ. ἀντεπεξῆεν. Strabo 2, p. 71.]

Οὐδὴ, ἡ, etiam habetur in VV. LL. pro Pavimentum, Solum, Terra; sed sine auctore et exemplo. [Planud. Ovid. Met. 8, 160. Boiss.]

A [Οὐδήδονιν, Afris, Sideritis, ap. Interpol. Dioscor. c. 615 (4, 33, ubi οὐδήδονι). Ducang.]

[Οὐδήεις, εσσα, εν, unde var. οὐδήεσσα pro αὐδήεσσα Hom. Od. E, 334.]

Οὐδίζω, Humi allido, Affligo ad terram, ut Plautus loquitur, in VV. LL. reperio; sed et hoc sine auctore ac exemplo. [Etym. M. p. 93, 17.]

Οὐδόλως, s. οὐδ' ὅλως, Nequaquam, Neutiquam, Nullo modo. [Οὐδόλως, Joann. monachus Hist. Barlaami in cod. Reg. 903, p. 19. Boiss. Omnino non, Tzetz. Hist. 3, 850; 4, 84; 5, 380, 643; 7, 487; 8, 196; 9, 176, sæpius. Elberling. Frequens est etiam ap. Eust. in Opusc., ut p. 88, 76 etc. Ponenda autem hæc, ex Indice HSt. repetita, supra in Ὅλος p. 1909, D.]

[Οὖδος. V. Ὁδὸς, p. 1743, B, C.]

[Οὐδὸς, Limen, Gl. V. Ὀδός.]

Οὐδραία, pro ὑδρία, est Mensura quædam, Attici metretæ dimidium capiens, Hesych. Sed suspecta est ea scriptura.

[Οὐδὼν, ῶνος, ὁ, Udo. Pollux 10, 50 : Ἐπὶ τῶν ὀνο-
B μαζομένων οὐδώνων πίλους τριμίτους ἔξεστιν εἰπεῖν.]

[Οὐενέτιος, ὁ, ἡ, Venetus, h. e. factionis Venetæ in circo. Dio Cass. 61, 6 : Τῶν τε Πρασίνων τῶν τε Οὐενετίων· 65, 5 : Τῇ Οὐενετίῳ ἐσθῆτι· et στολῇ, 77, 10.]

[Οὐένετος. V. Ἐνετίς.]

[Οὐερσουνουφῖται, hæretici, quorum meminit vi Synod. act. 11. Ducang.]

[Οὐέρτραγος, ὁ, Veltris, Veltrahus, Vertragus canis, ap. Xenoph. De venat. c. 3. V. Gloss. med. Lat. in Canis Veltris. Ducang.]

[Οὐεσούβιος, ὁ, Vesuvius, mons Campaniæ. Strab. 5, p. 247 : Τὸ ὄρος τὸ Οὐεσούιον, ubi est var. Οὐεσσούνιον, β supra ν posito. Quo confirmatur quod ap. Diod. 4, 21, scripturam librorum Οὐεσούσιος refingendam conjeci Οὐεσούβιος potius quam Οὐεσούιος, etsi comparari cum hoc potest Βέσβιος, quod vol. 2, p. 227, A, memoratum exhibent libri plures Strab. 1, p. 26, ubi edd. Βεσουβίῳ. Nihilominus ab Diodoro et Strabone perinde aliena videtur forma Οὐεσούιος quam Βέσβιος, de qua Galen. vol. 10, p. 123 : Λόφος οὐ μικρὸς, ὃν ἔν
C τε τοῖς συγγράμμασιν οἱ παλαιοὶ Ῥωμαῖοι καὶ τῶν νῦν οἱ ἀκριβέστεροι Βεσούβιον ὀνομάζουσι. Τὸ δ' ἔνδοξόν τε καὶ νέον ὄνομα τοῦ λόφου Βέσβιον ἅπασιν ἀνθρώποις γνώριμον διὰ τὸ κάτωθεν ἀναφερόμενον ἐκ τῆς γῆς ἐν αὐτῷ πῦρ. Quem ignem nomen fecisse monti collato nomine Vestæ opinatur Hayter. in Diar. Class. vol. 7, p. 43. L. Dind.]

[Οὖζος. Glossæ iatr. mss. ex cod. Reg. 190 : Οὖζος ἡ προυνέα. Ducang.]

[Οὐηράνιος, Latinum n. Veranius, ap. Onosandr. præf. init. Boiss.]

Οὖθαρ, ατος, τὸ, Uber, [Sumen add. Gl.] Mamma; sed in belluis proprie. Herodot. 4, [2] : Τὰς φλέβας τε πίμπλασθαι φυσεωμένας τῆς ἵππου, καὶ τὸ οὖθαρ κατίεσθαι, Et uber demitti. Sic Hom. [Od. I, 440] : Οὔθατα γὰρ σφαραγεῦντο, Ubera intumescebant lacte. [Theocr. 8, 42, 69; Nicand. Th. 552, Al. 358; Aristot. H. A. 2, 2 med.; 3, 20 med.] Apud Teleclidem vero comicum [ap. Athen. 9, p. 399, C], Ὡς οὖσα θῆλυς εἰκότως οὖθαρ φέρω. [Et Æsch. Cho. 532 : Ἄτρωτον οὖθαρ ἦν ὑπὸ στυγός.] In cibis autem τὸ οὖθαρ habebatur excellens et
D delicatum. Plut. [Mor. p. 124, F] : Πράγματος σπανίου καὶ πολυτελοῦς μὴ ἀπολαῦσαι παρόντος, οἷον οὔθατος ἢ μυκήτων Ἰταλικῶν, ἢ Σαμίου πλακοῦντος, ἢ χιόνος ἐν Αἰγύπτῳ. Latini id non Uber solum, sed Sumen etiam appellant. Metaph. vero οὖθαρ ἀρούρης dicitur pro Ubertas et feracitas soli, ap. Hom. Il. I, [141] : Εἰ δέ κεν Ἄργος ἱκοίμεθ' Ἀχαιϊκὸν, οὖθαρ ἀρούρης. [H. Cer. 450 : Φερέσβιον οὖθαρ ἀρούρης. Aristoph. fr. Γεωργ. ap. Hephæst. p. 73 : Ὦ πόλι φίλη Κέκροπος... οὖθαρ ἀγαθῆς χθονός. Et Cratinus ib. p. 44 : Λεβάδειαν Βοιώτιον οὖθαρ ἀρούρης.] Id imitatus Virg. dixit, Terra antiqua, potens armis atque ubere glebæ. Et Cæsar Vopiscus ap. Varron. R. R. 1, 7, campos roseæ Italiæ dicit esse Sumen, in quo relicta pertica postridie non appareat propter herbam. [Improprie de viti et uvis Macedon. Anth. Pal. 9, 645, 8 : Πρώταις δ' ἡμετέρῃσιν ἐν ὀργάσιν οἰνὰς ὀπώρη οὔθατος ἐκ βοτρύων ξανθὸν ἄμελξε γάνος. De accentu Arcad. p. 19, 15.]

[Οὐθάτιος, α, ον, Mamillans, Uber. Crinagor. Anth. Pal. 9, 430, 6 : Μαστοῦ οὐθατίου.]

[Οὐθατόεις, εσσα, εν, i. q. οὐθάτιος. Nicand. Al. 90, μαζόν. Oppian. Cyn. 1, 508 : Πόρτιας οὐθατοέσσας· 2, 148 : Γαῖα ... οὐθατόεσσα. Orph. Lith. 191 : Μηκάδος οὐθατοέσσης· 696 : Χθόνα πάντων τροφὸν οὐθατόεσσαν.]

[Οὐθείς, Οὐθένεια, Οὐθενής, Οὐθενότης, Οὐθέτερος. V. Οὐδ—.]

[Οὐθόλως, i. e. οὐδὲ ὅλως, Zachar. Mityl. p. 188 fin. Boiss.]

Οὔιγγον, τὸ, Vingum : planta quædam Ægyptiaca, teste Theophr. Hist. plant. 1, 2, et De caus. plant. 4, 6. Sed in hoc posteriore l. scriptum est Οὔιτον : OEtum, ap. Plin. 21, 15. Ap. Hesych. quoque οὔϊτον, τὸ ὑπ' ἐνίων οἰτόν. [Τὸ ἐν Αἰγύπτῳ καλούμενον οὔιγγον καὶ ὑπὸ γῆς φέρει καρπὸν 1, 1, 7; Καὶ τὸ ὕδνον δὲ καὶ ὃ καλοῦσί τινες ἀσχίον καὶ τὸ οὔιγγον καὶ εἴ τι ἄλλο ὑπόγειόν ἐστιν 1, 6, 9. Sed ibi cod. Aldi cum Med. et Vind. οὔιπον habent. Tertius l. est 1, 6, 11, ubi inter τὰ ποώδη nominantur τὸ ἐν Αἰγύπτῳ καλούμενον οὔιτον, cujus folia magna, ὁ βλαστὸς βραχὺς, radix magna vel potius longa (μακρά), καί ἐστιν ὥσπερ ὁ καρπὸς, διαφέρει δὲ καὶ ἐσθίεται, καὶ συλλέγουσι δὲ, ὅταν ὁ ποταμὸς ἀποβῇ. Ita codd., οὔιγγον cum Gaza Heinsius, qui idem putavit cum primo, quia notitia incipit : Ὁμοίως δὲ καὶ τὸ ἐν Αἰγύπτῳ. Refertur autem ὁμ. ad anteced. ποώδη asphodelum, crocum et perdicium, quæ radices μεγάλας καὶ σαρκώδεις habent : et de perdicio seorsum additur, τοῦτο παχείας τε καὶ πλείους ἔχει τὰς ῥίζας ἢ φύλλα. Igitur huic οὐΐτῳ ποώδει radix est longa carnosa, quæ usum et vicem fructus exhibet. Nihil igitur commune habet cum primo οὐΐγγῳ, quod fructum supernum et subterraneum fert. Diversum etiam secundum οὔιτον videtur esse, quod sociatum cum ὕδνῳ subterraneo radice carere dicitur. Viri docti unam eandemque plantam in his tribus ll. agnoverunt et ad arachin hypogæam Sprengel. et Stackhous. retulerunt, sed in ed. 2 Spr. cum Moldenh. ad arum colocasiam deflexit. » Schneid. Ind. Theophr.]

[Οὐιός. V. Υἱός.]

[Οὔιτον. V. Οὔιγγον.]

[Οὐκαλέγων, οντος, ὁ, Ucalegon, Trojanus. Hom. Il. Γ, 148, et Virg. Æn. 2, 312. « Alius ap. schol. Eur. Phœn. 26. » Boiss.]

[Οὐκέτι. V. Ἔτι vol. 3, p. 2154, A, et seq.]

Οὐκοῦν, interrogative, sicut et οὐκ in ea signif. de qua supra egi, pro Nonne. [De discrimine signif. inter οὐκοῦν et οὔκουν Apollon. De conjunct. p. 525, 27, Phryn. Bekk. p. 57, 10, et brevius Ammon. p. 105 : Οὔκουν παροξυτόνως μὲν ἀποφατικόν, ἴσον τῷ οὐχιοῦν, οἷον Οὔκουν ἀπιστεῖν (εἰκὸς Thuc. 1, 10)· περισπωμένως δὲ συλλογιστικός ἐστι σύνδεσμος καὶ σημαίνει κατάφασιν. Schol. Guelf. autem Eur. Hec. 308 : Οὔκουν τόδ' αἰσχρὸν, εἰ βλέποντι μὲν φίλῳ χρώμεσθ', ἐπεὶ δ' ἄπεστι, μὴ χρώμεσθ' ἔτι;) Τὸ οὔκουν ποτὲ μὲν ἀντὶ τοῦ οὐδαμῶς νοεῖται, ποτὲ δὲ ἀντὶ τοῦ τοίνυν, ὡς ἐνταῦθα, neglecto discrimine accentus : qui prouti talia, quale illud Euripidis, aut cum interrogandi signo scribuntur aut sine, aut in priori ponendus est aut in altera : utro autem modo scribantur, plerumque eodem redit, velut Soph. Ph. 639 : Οὐκοῦν ἐπειδὰν πνεῦμα τοὐκ πρῴρας ἀνῇ, τότε στελοῦμεν· Ant. 91 : Οὐκοῦν ὅταν δὴ μὴ σθένω, πεπαύσομαι· El. 799 : Οὐκοῦν ἀποστείχοιμ' ἂν, aliisque locis similibus, velut Aristoph. Pl. 426 : Ἀλλ' οὐκ ἔχει γὰρ δᾷδας. — Οὐκοῦν κλαύσεται.] Οὐκοῦν χρήσιμά γε ἄλφιτα; Lucian. [Contempl. c. 21] : Οὐκοῦν ἐκείνοις γοῦν ἐμβοήσαιμεν [—σωμεν]; Sæpe etiam, inquit Bud., interrogative accipitur οὐκοῦν, et significat Nempe, Scilicet. [Ergo, Gl. Xen. Conv. 4, 33 : Οὐκοῦν καὶ εὔχει μηδέποτε πλουτεῖν; Et similiter alibi.] Plato De rep. 2, [p. 379, B] : Οὐκοῦν ἀγαθὸς ὅγε θεὸς τῷ ὄντι τε καὶ λεκτέον οὕτω; Τί μήν; Ἀλλὰ μὴν οὐδέν γε τῶν ἀγαθῶν βλαβερόν. Ἦ γάρ; Οὔ μοι δοκεῖ· Nempe deus revera bonus est, sicque nobis fatendum est? Quidni? At nullum eorum, quæ bona sunt, noxium est? Nonne? Ut mihi videtur, nullum. Vide ap. Bud. p. 906, 907, plura de hac signif., quæ et alioqui scriptores Græcos evolventibus obvia est. Sed is p. 903, scribit, οὐκοῦν, sicut ἀλλὰ μὴν, percunctationi servire : et affert ex Plat. Gorgia [p. 449 fin.], ubi utroque utitur : Ἀλλὰ μὴν ἡ ῥητορικὴ λέγειν γε ποιεῖ δυνατούς; Ναί. Οὐκοῦν περὶ ὧνπερ λέγειν, καὶ φρονεῖν; Idem, postquam dixit οὐκοῦν significare Profecto

A et Enimvero, affert ex Dem. (non Xen., ut tamen vox Idem ibi indicat) : Οὐκοῦν δεινὸν, ὦ ἄνδρες Ἀθηναῖοι, τὸ κτλ. Sic autem et a Luciano in principio sententiæ poni testatur pro Enimvero. Accipitur alioqui οὐκοῦν pro Itaque, Igitur : ut ap. Lucian. : Οὐκοῦν οὕτω ποιῶμεν. Atque ita nonnulli interpr. in Soph. Aj. p. 6 meæ ed. [79] : Οὐκοῦν γέλως ἥδιστος εἰς ἐχθροὺς γελᾶν· sed malim et hic Profecto, Enimvero. [V. quæ initio diximus.] Porro invenitur etiam Οὐκοῦν ἀλλὰ, quod Bud. vertit itidem Enimvero et At vero, et Ceterum : citans hæc Luciani verba [D. deor. 7, 3], Οὐκοῦν ἀλλὰ προσπτύξομαί γε πάντως ἀνδρογύνῳ ὄντι. [D. mort. 10, 4 : Οὐκοῦν ἀλλὰ τὸ διάδημα ἔασόν με ἔχειν. Jungit autem cum imperativo sic ib. 23, 2 : Οὐκοῦν περίμεινον· 3 : Οὐκοῦν σὺ καὶ τοῦτον ἴασαι. Quod veteres non dixisse monet Elmsl. ad Eur. Bacch. 191.] || Οὐκοῦν, Atqui, Profecto, Enimvero. Dem. : Οὐκοῦν οὐδ' οὗτοι, Atqui ne hi quidem. Lucian. [D. deor. 6 extr.] : Οὐκοῦν ἤν τι τοιοῦτον εἴπῃ, ἐς τὸν ᾅδην ἐμπεσὼν τροχῷ ἄθλιος προσδεθεὶς συμπεριενεχθήσεται. Οὐκοῦν, inquit Bud., non
B negat, licet connexam negationem habeat, sed significat Atqui. Plato Timæo [p. 17, A] : Οὐκοῦν σὸν τῶνδέ τε ἔργον ὑπὲρ τοῦ ἀπόντος ἀναπληροῦν μέρος. Aristoph. [Pl. 549] : Οὐκοῦν δήπου τῆς πτωχείας πενίαν φαμὲν εἶναι ἀδελφὴν, Atqui dicimus; ut idem Ille exp., addens aliquanto post, δήπου hoc in l. esse παραπληρωματικὸν, at vero οὐκοῦν affirmativum cum quadam consecutione sermonis, non ratiocinativum. [Duplex est ap. Æsch. Suppl. 838 : Οὐκοῦν οὐκοῦν τιλμοὶ τιλμοὶ καὶ στιγμοί.]

|| At vero Οὔκουν, Non igitur, Non itaque [Æsch. Prom. 322 : Οὔκουν ἔμοιγε χρώμενος διδασκάλῳ πρὸς κέντρα κῶλον ἐκτενεῖς· 518 : Οὔκουν ἂν ἐκφύγοι γε τὴν πεπρωμένην. Soph. Phil. 907 : Αἰσχρὸς φανοῦμαι.— Οὔκουν ἐν οἷς γε δρᾷς. Aristoph. Ran. 1065 : Οὔκουν ἐθέλει γε τριηραρχεῖν πλουτῶν οὐδεὶς διὰ ταῦτα· Pl. 342 : Οὔκουν ἐπιχώριόν γε πρᾶγμ' ἐργάζεται], Proinde non, Bud. in Gregor. : Οὔκουν διάστασις ἵνα μὴ λύσις. Affert vero et ex Galeno Ad Glauc. : Καὶ γὰρ οὖν καὶ ἐπισκοπούμεθά τινας ἀῤῥώστους πολλάκις οἷς ἔμπροσθεν ὑγιαίνουσιν οὐκ ἐνετύχομεν· οὔκουν οὐδ' ὅπως εἶχον χροιᾶς ἢ σχέσεως ἢ τῆς
C κατὰ φύσιν θερμασίας γιγνώσκοντες· interpr. Proinde nosse non possumus. Et, Ita nequaquam novimus. [Ap. Dion. Chr. vol. 2, p. 372 : Ἀλλ' οὐδὲ τὸν κύκνον ἀσπάζεται διὰ τὴν μουσικὴν, οὐδὲ ὅταν ὑμνῇ τὴν ὑστάτην ᾠδὴν, ἅτε ... προπέμπων ἀλύπως αὐτὸν ... πρὸς ἄλυπον τὸν θάνατον, οὐκοῦν οὐδὲ τότε ἀθροίζεται κηλούμενα τοῖς μέλεσι πρὸς ὄχθην ποταμοῦ, ne ex codd. quidem receptum quod vel sine illis reponendum erat οὔκουν. Membri initio οὔκουν οὐδὲ Ælian. N. A. 7, 29 fin.; 16, 39 med.] Idem in Comm. p. 907, Οὔκουν autem, inquit, cum accentu in priore syllaba negationibus servit. Gregor. Εἰς Βασίλ. : Ἅπαντα δὲ οὐδεὶς ἐπῆλθε πρὸς τὸ ἀκρότατον, οὔκουν τῶν νῦν ἡμῖν γινωσκομένων· ἀλλ' οὗτος ἄριστος ἡμῖν, ὅς τὰ πλείω τυγχάνει κατωρθωκὼς, Nemo inquam eorum quos hodie novimus, Certe nullus eorum. At ego malim, Nemo quidem certe : sicut in quodam Platonis, quem subjungit, loco [Reip. 10, p. 599 fin.], Οὔκουν λέγεταί γε οὐδ' ὑπ' αὐτῶν Ὁμηριδῶν, vertit, Minime quidem certe id dicitur ab ipsis Homeridis. [Phædr. p. 258, C : Οὔκουν εἰκός γε ἐξ ὧν
D σὺ λέγεις. In media oratione Demosth. p. 142, 19 : Ἐμοὶ γὰρ οὐδεὶς οὕτως ἄθλιος οὐδ' ὠμὸς εἶναι δοκεῖ τὴν γνώμην, οὔκουν Ἀθηναίων γε, οἶμαι, ἀλλ' οὐδὲ τῶν ἄλλων. In interrogatione Æsch. Prom. 52 : Οὔκουν ἐπείξει δεσμὰ τῷδε περιβαλεῖν, ὡς μή σ' ἐλινύοντα προσδερχθῇ πατήρ; 377 : Οὔκουν, Προμηθεῦ, τοῦτο γινώσκεις ὅτι ὀργῆς νοσούσης εἰσὶν ἰατροὶ λόγοι; Soph. El. 630 : Οὔκουν ἐάσεις οὐδ' ὑπ' εὐφήμου βοῆς θῦσαί με; Tr. 419 : Οὔκουν σὺ ταύτην ... Ἰόλην ἔφασκες Εὐρύτου σπορὰν ἄγειν; Aristoph. Lys. 307 : Οὔκουν ἂν, εἰ τὼ μὲν ξύλω θείμεσθα πρῶτον αὐτοῦ, ... εἶτ' ... ἐμπέσοιμεν; Pl. 974 : Οὔκουν ἐρεῖς ἀνύσασα τὸν κνησμὸν, τίνα; Οὔκουν ... μὴ Soph. OEd. C. 848 : Οὔκουν ποτ' ἐκ τούτοιν γε μὴ σκήπτροιν ἔτι ὁδοιπορήσεις. In media oratione, ut infra apud Herodotum, Pausan. 4, 9, 4 : Τὴν δὲ γυναῖκα, ἣ Λυκίσκῳ συνῴκησεν, ὡς τεκεῖν οὔκουν οἵατε ἦν. || Apud Gorgiam, qui dicitur, Palam. p. 188, 33 : Πῶς ἂν οὖν εἰσήγαγον; ... ἀλλ' ὑπὲρ τειχέων (διὰ) κλίμακος; οὔκουν· ἅπαντα γὰρ πλήρη φυλάκων, Bekkerus suspicabatur οὐ μὲν οὖν, aliter Reiskius. Ap. eund. p. 190, 40 :

Φήσαιμι δ' ἂν, καὶ φήσας οὐκ ἂν ψευσαίμην οὐδ' ἂν ἐλεγχθείην οὐ μόνον ἀναμάρτητος, ἀλλὰ καὶ μέγας εὐεργέτης ὑμῶν καὶ τῶν Ἑλλήνων καὶ τῶν ἁπάντων ἀνθρώπων, οὔκουν τῶν νῦν ὄντων, ἀλλὰ τῶν μελλόντων εἶναι, Reiskius οὐ μόνον. || Ion. Οὔκων, vel οὐκ ὦν, ut Herodot. 1, 11 : Οὐκ ὦν δὴ ἔπειθε· 24 : Οὐκ ὦν δὴ πείθειν αὐτόν· 2, 139 : Οὐκ ὦν ποιήσειν ταῦτα· et in media oratione 3, 137 : Ταῦτα λέγοντες τοὺς Κροτωνιήτας οὐκ ὦν ἔπειθον· 138 : Πειθόμενοι δὲ Δαρείῳ Κνίδιοι Ταραντίνους οὐκ ὦν ἔπειθον. In interrogatione 4, 118 : Οὐκ ὦν ποιήσετε ταῦτα; ἡμεῖς μὲν πιεζόμενοι ἢ ἐκλείψομεν τὴν χώραν ἢ... χρησόμεθα.]

[Οὔκω. V. Οὔπω.]

[Οὔκων. V. Οὐκοῦν.]

[Οὔκως. V. Οὔπως.]

[Οὐλαὶ, αἱ. HSt. in Οὖλος, Manipulus :] Eidem οὖλος subjungi potest Οὐλαὶ, i. e. αἱ κριθαὶ, Hordeum : παρὰ τὸ ὅλαι ἤγουν ἀκέραιαι ἐσθίεσθαι πρὸ τοῦ εὑρεθῆναι τὸν ἀλετὸν, Eust. Alibi autem ex aliis grammat. οὐλὰς exp. τὸ ἐξ ἁλῶν καὶ κριθῶν μίγμα. Hesych. [et Erotian. Gl. p. 282] quoque οὐλὰς exp. κριθάς. Accipitur pro eo, quod Latini Molam s. Molam salsam vocant, qua hostiæ aspersæ sacrificabantur. Festus : Mola vocatur etiam far tostum et sale sparsum, quod eo molito hostiæ aspergantur. Sic scholiastæ Homeri οὐλαὶ sunt κριθαὶ μετὰ ἁλῶν μεμιγμέναι, ἃς ἐπέχεον τοῖς ἱερουργουμένοις ζώοις πρὸ τοῦ θύεσθαι. Od. Γ, [441] ubi sermo est de bove mactando et immolando : Ἑτέρῃ δ' ἔχεν οὐλὰς Ἐν κανέῳ. [Herodot. 1, 132 : Οὐχὶ οὐλῇσι χρέωνται· 160 : Οὐλὰς κριθέων.] Apud Athen. 7, [p. 297, D], Agatharchides dicit Bœotios anguillas ceteris corpore præstantes ἱερείων τρόπον στεφανοῦντας καὶ κατευχομένους, οὐλάς τε ἐπιβάλλοντας θύειν τοῖς θεοῖς, ubi οὐλὰς ἐπιβάλλειν [quod ponit etiam Pollux 1, 27] dicit, quod Virg. Spargere molam, Cic. Inspergere molam. Et Horat. de Agamemnone filiam ante aras statuente, et immolante, Spargisque mola caput improbe salsa. Pausan. Att. p. 31 [1, 41, 9] : Θύουσιν ἀνὰ πᾶν ἔτος, ψηφῖσιν ἐν τῇ θυσίᾳ ἀντὶ οὐλῶν χρώμενοι. Annotat autem Suid. in Οὐλοθυτέω quædam, quæ consentiunt cum iis quæ Eust. paulo ante dixit, οὐλὰς vocari Hordeum, eo quod olim integrum comederetur ante repertum molarum usum : in ejusque rei memoriam τοὺς ἐπιθύοντας ταῖς σπονδαῖς solitos fuisse κριθὰς ὅλας χέειν. Eædem οὐλαὶ dicuntur etiam Ὁλαὶ, ut patet ex l. Hesychii quem in Οὐλοχύται citabo. Itidem ap. Eust. p. 132, ubi ait οὐλὰς dictas esse τὰς κριθὰς, quoniam ante molarum usum integræ comedebantur, Διὸ καὶ οὐλαὶ λέγονται κατὰ πρόσληψιν τοῦ υ, ὁλαὶ ἄλλως ὀφείλουσαι λέγεσθαι. Apud Hesych. scribitur etiam Ὅλαι, κριθαὶ, ἀπαρχαί· retenta quidem aspiratione, sed accentu in penult. retracto. [Et ap. Soph. fr. Polyidi cit. a Porphyr. De abst. 2, p. 134 : Ἐνῆν δὲ παγκάρπεια συμμιγὴς ὅλαις, ubi συμμιγὴς ὅλαις παγκαρπία Clemens.] Apud Suid. vero Ὀλαὶ καὶ οὐλαὶ, αἱ μεθ' ἁλῶν μεμιγμέναι κριθαὶ καὶ τοῖς θύμασιν ἐπιβαλλόμεναι. Sic vero et in Ms. libro habetur, tenui spiritu sc., et accentu in ultima. [Aristoph. Eq. 1167 : Μαζίσκην ἐκ τῶν ὀλῶν τῶν ἐκ Πύλου μεμαγμένην· Pac. 948 : Τὸ κανοῦν πάρεστ' ὀλὰς ἔχον· 960 : Σὺ δὲ πρότεινε τῶν ὀλῶν. Inanem esse etymol. ab ὅλος disputavit Buttmann. Lexil. vol. 1, p. 191 seq., qui ejusdem esse stirpis monet cujus Lat. Mola, conferens ἄλευρον et μάλευρον et alia.]

Οὐλαμηφόρος, ὁ, ἡ, ex Lycophr. [32 : Πεύκῃσιν οὐλαμηφόροις], Qui οὐλαμὸν ducit, Perniciem inferens. Quæ mihi suspecta sunt, ac fortasse leg. Οὐλαφηφόρος. [Sanissimum est, diciturque de navibus belliferis, ut νηυσὶ φερεπτολέμοισι, quod restitui in orac. Sibyllæ ap. Pausan. 10, 9, 11, οὐλαμὸς posito eadem signif. quam v. in Οὐλαμώνυμος. Schol. πολεμικὸν θόρυβον καὶ πόλεμον ἢ πλῆθος, ἀπὸ τοῦ ποιοῦντος τὸ ποιηθὲν, vel στρατὸν aut similiter. L. Dind.]

Οὐλᾰμὸς, ὁ, ab οὖλος significante Tortum derivari existimatur. Eust. enim [Il. p. 469, 8; 665, 14] exp. σύστρεμμα καὶ πύκνωμα τοῦ λαοῦ, Confertum et condensum agmen, ἀπὸ τῆς οὐλότητος τῶν συνεστραμμένων τριχῶν : vel, secundum antiquos grammaticos, ἀπὸ τῆς σαρκικῆς οὐλώσεως. Hom. [Il. Δ, 251 : Κιὼν ἀνὰ οὐλαμὸν ἀνδρῶν·] Υ, [113] : Ἀντία Πηλείωνος ἰὼν ἀνὰ οὐλαμὸν ἀνδρῶν. [Ib. 379 : Ἕκτωρ δ' αὖτις ἐδύσετο οὐλαμὸν ἀνδρῶν. Τάξις στρατιωτικὴ, θόρυβος ἢ ἄθροισμα, Hesych. Idemque post Οὐλίμων interpr. μάχη. Ubi tamen cod. Οὔλιμα. Conf. schol. Lycophr. in Οὐλαμώνυμος et Οὐλαμηφόρος citati interpretatio πόλεμος.] Alibi vero [Il. p. 1199, 46] annotat οὐλαμὸν interdum simpliciter dici συστροφὴν τῶν στρατιωτῶν, interdum ἀφωρισμένως denotare σύστημα ἀνδρῶν τεσσαράκοντα. [Etym. M. : Ἰστέον ὅτι οὐλ. ἐστὶν τάξις συνεστηκυῖα ἐκ τεσσαράκοντα τεσσάρων ἀνδρῶν· φάλαγξ δέ ἐστιν ἐξ ἑκατὸν εἴκοσι(ν) ἀνδρῶν. Sed μ' ἀνδρῶν etiam Bibl. Coisl. p. 513. Atque idem reddendum esse Etym. ostendit schol. Hom. Il. Δ, 251, ab interprete cit. Magis etiam mendose Etym. Gud. p. 549, 4 : Φάλαγξ δὲ καὶ οὐλαμὸς διαφέρει· φ. μὲν γάρ ἐστι τ. σ. ἐξ ἑ. εἴκοσιν ἀ., ὁ δὲ οὐλ. ἐξ ἀνδρῶν τετρακισχιλίων καὶ ἕξ. [Plut. [Lycurg. c. 23] : Φασὶ τὸν οὐλαμὸν εἶναι ἱππέων πεντήκοντα πλῆθος ἐν τετραγώνῳ σχήματι τεταγμένον. Idem in Lyc. : Τὴν κατ' οὐλαμοὺς τῶν ἱππέων κόμην. [Id. Philop. c. 7 : Τὰς κατ' οὐλαμὸν ἐπιστροφάς. « Turma equitum, i. q. ἴλη, Polyb. 6, 28, 3; 29, 2 sq.; 33, 10; 18, 2, 9; 10, 21, 4; 49, 7. Κατ' οὐλαμὸν ἐπιστροφὴ, 10, 21, 3. » Schweigh. Lex.] Nicand. ad apum agmen transtulit, Ther. [611] : Ἥν τε μελισσαῖος περιβόσκεται οὐλαμὸς ἑρπων. [Ap. Polluc., ubi genus cantici dicitur, 4, 53, ἰαλεμοι conjecit Jungerm. De accentu Arcad. p. 60, 19, Etym. M. p. 804, 19.]

[Οὐλαμώνῠμος, ὁ, ἡ, Bello cognominis. Lycophr. 183 : Προγεννήτειραν οὐλαμωνύμου, de Neoptolemo. Ubi οὐλαμὸν, quod v., schol. interpretatur πόλεμον.]

[Οὐλαπισμὸς, ὁ, Gingiva. Zonaras Lex. p. 1478 : Οὐλαπισμὸς, ὁ οὐρανίσκος. Οὖλιξ, οὐρανίσκος. « A. D. οὐλαμπισμός. Georg. Sanginat. ap. Cangium : Οὖλιξ ὁ οὐρανίσκος, οὐλαπισμὸς τὰ οὖλη. F. τὰ οὖλα. » Tittmann. Ap. Zon. autem male bis οὐρανίσκος.]

Οὐλὰς, άδος, ἡ, derivari ab οὖλος posset, et exponi Crispa, in Nicandro Alex. [260] : Χαίτην δρυὸς οὐλάδα κόψας, alii [Lex. Septemv.] interpr. Densa et opaca, schol. ὑγιαστική. Nisi malis συνεστραμμένη. Plin. robori folia tribuit sinuosa. || Hesychio οὐλάδες, sunt πῆραι, θύλακοι, Marsupia, Sacci. [Ruhnk. ad fr. Callim. 360, p. 556 : « Zenob. 5, 66 : Πτωχοῦ πήρα οὐ πίμπλαται· τοῦτο παρὰ Καλλιμάχῳ ἐπὶ τῶν ἀπλήστων εἴρηται πτωχῶν, non ipsa Callimachi verba dedisse, sed eorum sensum tantum expressisse videtur. Call. enim, ni fallor, hanc sententiam iambo (immo pentametro) concluserat, qui depravatus legitur ap. Suidam et in App. Prov. 62 : Πτωχοῦ π. οὐ π. ... εἴρηται, καὶ Πτωχῶν οὐλαὶ ἀεὶ κεναί. Kusterus prava Hesychii gl. in fraudem inductus corrigere instituebat : Πτωχῶν οὐλάδες ἀεὶ κεναί. Sed nemo dubitet quin in Suida leg. sit Πτωχῶν θυλὰς ἀεὶ κενὴ (κενεὴ Porson. ad Toup. vol. 4, p. 470), in Hesychio θυλάδες. » Cum Hesychio consentit Photius : Οὐλάδες, πῆραι· Tzetzes ad Lycophr. 183 : Οὐλὰς γὰρ ἡ πήρα, tueturque hoc voc. Lobeck. Pathol. p. 440, 5, etiam in epigr. Antip. Thessal. Anth. Pal. 7, 413, 5 : Οὖδας δὲ σκίπωνι συνέμπορος, ubi θυλὰς Toup. ad gl. Suidæ et ad schol. Theocr. 1, 53 : Καλεῖται δὲ πήρα καὶ οὐλὰς, ipse autem scribit οὐλάς. Ceterum Hesychius quod in Οὐλὰς accusat. ab οὐλαὶ ponit, καὶ ἡ γαστὴρ, incertum ad οὐλὰς an ad οὐλὴ referri voluerit. Similem ejus gl. Ὦλον, quod v., conferunt intt.]

[Οὐλαφηφορέω.] Οὐλαφηφορεῖ, Hesych. νεκροφορεῖ, Defunctos effert.

Οὔλαφος, Hesychio νεκρὸς, Mortuus, Defunctus.

[Οὐλέω. V. Οὔλω.]

[Οὐλή. V. Οὔλω.]

[Οὔλημα, τὸ, unde Οὐλήματα, Affaniæ, Gl.]

[Οὐλιάδης, ὁ, Uliades, n. viri, Chrysaorensis in inscr. Bœot. ap. Bœckh. vol. 1, p. 771, n. 1590, 19, Mylas. vol. 2, p. 4769, n. 2698, 2; 477, n. 2701, 14, Stratonic. p. 491, n. 2730, Teja p. 648, n. 3064, 30, ubi per τ scriptum, Andria ap. Lebas. *Inscr.* 5, p. 54, n. 172, 3, Ross. Inscrr. 2, p. 1, n. 87. Samii ap. Plut. Aristid. c. 23. Alius ap. Meleag. Anth. Pal. 12, 256, 8, et ubi cod. Οὐδιάδης 94, 2; 95, 6. ῐᾰ]

[Οὐλίας, α, ὁ, Ulias, pater Theæi Argivi. Pind. Nem. 10, 24 : Οὐλία παῖς... Θεαῖος. ῐᾰ]

Οὔλιμος, idem q. οὔλιος; nam Hesych. exp., ὀλέθριος : et Οὐλίμων, ὀλεθρίων.

[Οὖλιξ, Palatum. Zonaras Lex. p. 1478 : Οὖλιξ, οὐρανίσκος. V. Οὐλαπισμός.]

[Οὐλίξης, ὁ, Ulixes. Plut. Marcell. c. 20 : Πόλις ἐστὶ τῆς Σικελίας Ἔγγυον, διὰ θεῶν ἐπιφάνειαν ἔνδοξος, ἃς καλοῦσι Ματέρας. Ἵδρυμα λέγεται Κρητῶν γενέσθαι τὸ ἱερόν· καὶ λόγχας τινὰς ἐδείκνυσαν καὶ κράνη χαλκᾶ, τὰ μὲν ἔχοντα Μηριόνου, τὰ δὲ Οὐλίξου, τουτέστιν Ὀδυσσέως, ἐπιγραφὰς ἀνατεθεικότων ταῖς θεαῖς. V. quæ de forma per λ dixi in Ὀδυσσεύς. A quo tamen diversum putavit Diomedes p. 307 : « Est Ulyssi agnomen polytlas. Nam prænomen est, ut ait Ibycus, Ulysses, nomen Arcisiades, cognomen Odysseus. Et ordinatur sic : Ulysses Arcisiades Odysseus polytlas. » Priscian. 6, 18, 92 : « Mutatione eus diphthongi in es longam, ut Ὀδυσσεὺς, Ulixes. » Ad ου– pro O– conferendum foret Οὐδυσσεὺς in Ὀδυσσεὺς citatum, si satis certa esset scriptura, de qua v. Spalding. ad l. c. Quinct.]

Οὔλιος, ὁ, ab οὖλος, Sanus, Gr. Gyr. Οὔλιον etiam Apollinem, ait Macrob. [Sat. 1, 17], deum præstantem salubribus causis appellabant, i. e. Sanitatis auctorem. Menander scribit Milesios Οὐλίῳ Apollini pro salute sua immolasse. Pherecydes Theseum ait, quum in Cretam ad Minotaurum duceretur, vovisse pro salute et reditu suo Apollini Οὐλίῳ, et Dianæ Οὐλίᾳ. Scribit vero Strabo 14, [p. 635] Οὔλιον Apollinem vocatum a Deliis et Milesiis salutiferum et Pæonium; nam οὔλω i. est q. Valeo. [Schol. Hom. Il. E, 515, Cram. An. Paris. vol. 3, p. 211, 20 : Ἀπόλλων Οὔλιος ὁ ποιῶν οὔλλειν ἤγουν ὑγιαίνειν, κατὰ τὸ Οὖλέ τε καὶ μέγα χαῖρε. Conf. Buttmann. Lexil. vol. 1, p. 190.] Hæc ille. [Ἰατρὸς γὰρ ἦν, Suidas.] Sunt etiam qui Οὔλιον Apollinem dictum velint, quod pestem et ὄλεθρον immittat. Sed Eust. in bonam partem Οὔλιος Ἀπόλλων exp. ὑγιαστικὸς, ὁ ὁλότητος, ὅ ἐστιν ὑγείας, ποιητικός, ὡς ἰατρός. [N. pr. Οὔλιος v. in Ἰούλιος.]

Οὔλιος, ὁ, Exitialis, Noxius : οὐλ. ἀστὴρ, ap. Hom. de canicula, i. e. ὀλέθριος, χαλεπὸς, Hesych. : noxium enim sidus est sirius. Il. Λ, [62] : Οἷος δ' ἐκ νεφέων ἀναφαίνεται οὔλιος ἀστὴρ Παμφαίνων, τοτὲ δ' αὖθις ἔδυ νέφεα σκιόεντα [quo respicit Eust. Opusc. p. 144, 23] : sed annotat Eust. quosdam ibi exponere φθειροποιὸς, διὰ τὰ ὑπὸ κύνα ὀλέθρια καύματα : alios autem κομήτην, quoniam is φθορὰν σημαίνει φανείς : alios vero scribere Αὔλιος, et exponere Hesperus : quoniam is ἄγει εἰς αὔλιν τὰ ζῶα, h. e. αὐλίζεσθαι ποιεῖ. Hesiod. Sc. [192] : Ἐν δὲ καὶ αὐτὸς ἐναρφόρος οὔλιος Ἄρης· et [441] : Βρισάρματος οὔλιος Ἄρης· qui ab Hom. οὖλος Ἄρης dicitur. [Pind. Ol. 9, 82 : Οὐλίῳ ἐν Ἄρει· 13, 22 : Οὐλίαις αἰχμαῖς· Pyth. 12, 8 : Οὔλιον θρῆνον.] Sic Soph. Aj. [933] : Οὐλίῳ σὺν πάθει, itidem pro ὀλεθρίῳ.

[Οὖλις, ιδος, ἡ, i. q. οὖλον. Alex. Trall. 8, p. 483.]

[Οὐλοβάται, οἱ κολοβοὶ, Mutili, Hesych.]

Οὐλοβόρος, ὁ, ἡ, Exitialia et pestifera vorans. Eust. p. 1057 : Εἰ ἔτυμον τὸ τὴν μύραιναν σὺν οὐλοβόροις ἐχέεσσι Θόρνυσθαι· ex poeta quodam, quem non nominat. [Ex Nicandri Th. 826 : Εἰ δ' ἔτυμον, κείνην γε σὺν ἰοβόλοις ἐχίεσσι θόρνυσθαι, ubi οὐλοβόροις Athenæus 7, p. 312, D.] Dicit vero compositum esse ex οὖλος, i. e. ὀλέθριος, et βορά.

Οὐλοδέτης, ὁ, Merges. Ab οὖλος, quo significatur Fasciculus manipulorum hordei collectorum. Eust. p. 1162 : Δεσμοὶ σταχύων, οἳ καὶ οὐλοδέται. At Οὐλόδετον, τὸ, dicitur Funiculus ex culmis contortus, quo οὖλοι colligantur. Eust. l. c. : Ἀμάλλιον, σχοινίον τὸ καὶ οὐλόδετον, ἐν ᾧ δεσμοῦσιν ἀμάλλας. Et mox, Ἀμάλλιον, ὃ νῦν τινες οὐλόδετον, οἱ δὲ ὡρόδεσμον, τὸν ἐκ τῆς καλάμης στρεφόμενον δεσμὸν, ᾧ δεσμοῦσι τὰ δράγματα. [Etym. M. in Ἀμάλλιον.]

[Οὐλοέθειρος, ὁ, ἡ, i. q. οὐλόθριξ. Tzetz. Posth. 662, Carm. Il. p. 183.]

Οὐλόθριξ, τρῖχος, ὁ, ἡ, Qui crispo est capillo : quasi hic velut involucra quædam habeat circa capillitium, et ideo non simplex capillitium, ut ille. [Iterum HSt. :] Οὐλόθριξ, Qui crispos habet pilos s. crines, i. q. ap. poetas οὐλοκάρηνος, οὐλοκέφαλος, οὐλόκομος [« οὐλόκομος » HSt. Ms. Vind.], στραμβολοκόμης. [Crispicapillus, Gl. Herodot. 2, 104.] Aristot. Probl. [33, 18] : Οὐλότριχες καὶ οἷς ἐπέστραπται τὸ τριχίον. Alex. Aphr. Probl. [1, 2] : Οἱ οὐλότριχες, ὡς ξηροκέφαλοι, θᾶττον φαλακροῦνται, Qui crispo capillo sunt, citius

A calvescunt. [Pollux 2, 23. L. D. Strabo 2, p. 96 ; 15, p. 695. Hemst. Οὐλόθριξιν, Jo. Damasc. Ep. ad Theoph. De imag. Edess. p. 114, οἱ ἱστορικοὶ διαγράφουσιν αὐτοῦ τὴν ἐκτύπωσιν εὐήλικα, σύνοφρυν, εὐόφθαλμον, ἐπίρρινον, οὐλόθριξιν ... γενειάδα μέλανα ἔχοντα, est accus. sing. ab Οὐλόθριξις ? Boiss.]

Οὐλόθυμος, ὁ, ἡ, Exitiali et noxio animo præditus, Habens ὁλοὸν κῆρ. Hom. Il. Ξ, [139] : Ἀχιλλῆος ὀλοὸν κῆρ Γήθει ἐνὶ στήθεσσι φόνον καὶ φύζαν Ἀχαιῶν Δερκομένου· ut Il. A [init.] eidem Achilli tribuitur μῆνις Οὐλομένη, ἣ μυρί' Ἀχαιοῖς ἄλγε' ἔθηκεν, s. ὀλοόφρων. Hesych. exp. σχέτλιος, δεινόθυμος.

Οὐλοθυσία, ἡ, ab οὖλος, Integer, Perfectus, Sacrificium perfectum : τελεία θυσία, Hesych. : ap. quem tamen οὐλοθεσία scribitur.

Οὐλοθυτέω, Immolo, Mola inspersa sacrifico : Suid. οὐλοθυτεῖν, κριθὰς ἐπιχέειν τοῖς θύμασι, Molas inspergere victimis : quod Athen. in Οὐλαὶ dicit οὐλὰς ἐπιβάλλειν. [Οὐλοχυτεῖν Hemst. et Schneider., quod v.]

Οὐλοκάρηνος, ὁ, ἡ, Qui crispo capite est, i. e. crispis

B capillis : qui et οὐλόθριξ dicitur et τρίχουλος. [Hom. Od. T, 246 : Γυρὸς ἔην ὤμοισι, μελανόχροος, οὐλοκάρηνος. L. D. Theod. Prodr. in Notitt. Mss. vol. 8, p. 119 : Ξανθὸν τὴν κόμην καὶ οὐλοκάρηνον. Boiss. Pollux 2, 23. ‖ Hom. H. Merc. 137 : Οὐλόποδ', οὐλοκάρηνα, Integros pedes integraque capita, pro ὅλους πόδας, ὅλα κάρηνα. ᾶ]

[Οὐλόκερως, ω, ωτος, ὁ, ἡ, Qui tortis est cornibus. Strabo 2, p. 96 : Οὐλότριχας καὶ οὐλόκερως.]

[Οὐλοκέφαλος, ὁ, ἡ, Qui capite est crispo. Pollux 2, 23.]

[Οὐλοκίκιννα, τὰ, Crispi cincinni. Telesilla Pollucis 2, 23, qui μοχθηρὸν dicit.]

[Οὐλοκομάω, Coma sum crispa. Hesych. v. Στραβαλοκομᾶν.]

[Οὐλοκόμης, ὁ, i. q. οὐλόκομος. Plut. Arat. c. 19, οὐλοκόμην.]

[Οὐλόκομος, ὁ, ἡ, Qui est crispa coma. Ex Alexide et Pherecrate citat Pollux 2, 23. Sext. Emp. p. 425

C (249, 8 Bekk.). Inc. Levit. 23, 40, de ramo foliis crispo. Οὐλοκόμος male ap. Photium ex Alexide citantem.]

[Οὐλόκρανος, ὁ, ἡ, i. q. οὐλοκάρηνος, Arrian. Ind. c. 6 fin.]

[Οὐλομέλεια. V. Οὐλομελής.]

Οὐλομελής, ὁ, ἡ, Omnibus suis membris absolutus, Qui mancus non est : unde οὐλομελὲς ap. Hesych. ὁλομελὲς, ὑγιὲς, ὁλόκληρον : sic enim [pro —μενὲς] est reponendum. [Hippocr. p. 269, 34 : Τὴν καρδίην ἴδοις ἂν ῥιπταζομένην οὐλομελῆ, Ex toto, nisi si οὐλομελῆ i. q. οὐλομελίη adverbialiter positum videatur. Foes. Plut. Mor. p. 1114, C.] A quo est Οὐλομελίη [immo Οὐλομέλεια] sive Οὐλομελίη Ionice, Omnium membrorum perfectio. Οὐλομελίη, inquit Gorr., Integra et absoluta natura cujusque rei. Usurpatur ab Hippocr. [vol. 12, p. 314, C, ubi vide Galen. Hemst.] de adenibus ἐν τῷ Περὶ ἄρθρων, de quarum οὐλομελίῃ scripturum se librum professus est. [Conf. p. 270, 30 ; 271, 39. P. 381, 41 : Κατὰ μὲν οὐλομελίην πάντα, ubi κατὰ μέρος

D opponitur. Ep. p. 1286, 24 : Οὐλομ. τοῦ σκήνεος. Οὐλομένη etiam scriptum reperitur p. 916, C : Κοιλίη δὲ ἥπατι παρακειμένη κατ' εὐώνυμον μέρος οὐλομένη ἐστὶ νευρώδης. Ventriculus autem ad sinistram jecori adjacens totus nervosus est, hoc est, tota sua substantia, tota sua natura, et integra aut absoluta natura, ut οὐλομένη id. quod οὐλομελὴς aut οὐλομελίη indicet. Foes., qui confert Hesychii gl. ab HSt. supra emendatam. Scrib. esse οὐλομελίη non est opus moneri.] Hesych. οὐλομελίη adverbialiter exp. καθόλου, συλλήβδην : quod alios accipere dicit ἐπὶ τῆς ἀθρόας τῶν ὅλων φύσεως : quibus addit, τὸ γὰρ ὅλον, οὖλον λέγει : non tamen nominans auctorem. Erot. ap. Hippocr. οὐλομελείης exp. ὅλης φύσεως. [Theolog. arithm. p. 36 fin. : Τὴν ἑξάδα ὁλομέλειαν προσηγόρευον οἱ Πυθαγορικοὶ κατακολουθοῦντες Ὀρφεῖ. Phot. ex Nicomacho p. 144, 25 : Ἡ ἑβδομὰς... οὐλομέλεια. V. Lobeck. Aglaoph. p. 717, qui comparavit etiam l. Aristot. Metaph. 13, p. 306, 12 : Ἐπὶ τὴν ὀξυτάτην νεάτην ἐν αὐλοῖς, ἧς ὁ ἀριθμὸς ἴσος τῇ οὐλομελείᾳ τοῦ οὐρανοῦ. L. Dind.]

Οὐλόμενος, η, ον, itidem Exitialis, Perniciosus : quod

factum esse puto ex aor. 2 ὀλόμενος, interposito υ metri causa, sicut οὐλοὸς pro ὀλοὸς ex Apollonio affertur: ita autem οὐλόμενος s. Ὀλόμενος dicetur, ut ὀλλύμεναι ἡδοναὶ ap. Dionys. Areop., Voluptates perditæ, etiam perniciosæ. Hesych. Οὐλόμενος exp. ὀλέθριος, et Οὐλομένην, ὀλεθρίαν, ἐξώλη: ubi exp. μῆνιν οὐλομένην, quod initio Iliadis legitur de ira Achillis, quæ μυρί' Ἀχαιοῖς ἄλγε' ἔθηκεν. Il. T, [92]: Ἄτη, ἣ πάντας ἀᾶται Οὐλομένη· Od. O, [343]: Ἕνεκ' οὐλομένης γαστρὸς κακὰ κήδε' ἔχουσιν Ἀνέρες, ubi οὐλομένης vel active exponere possumus, Exitialis, quia ad multa facinora compellit fames: vel etiam Perdita, ὀλέθρια πάσχουσα, κακοδαίμων. Et οὐλόμενον φάρμακον, Noxium ac pestiferum pharmacum, Od. K, [394]. Et οὐλομένη θεὰ, Noxia et exitium afferens dea, δεινὴ, ὀλέθρου ποιητικὴ, Apoll. Arg. 1, [802]: Οὐλομένης δὲ θεᾶς πορσύνετο μῆνις [μῆτις]· nisi malis exponere ὄλεθρον βουλευσάσης, ut supra ex Hom. habuimus. [Id. 2, 153: Οὐλομένην ἄτην· 1184, χείματος· et alibi sæpe similiter.] Hesiod. autem [Th. 225] Οὐλόμενον γῆρας dicit, quod Hom. ὀλοὸν, et Gregor. ὀλοίϊον. [Id. 593, Op. 715, πενίη. Pind. Pyth. 10, 41, γῆρας· 4, 293, νοῦσον· fr. ap. Dionys. vol. 6, p. 973, 7, στάσιν. Theognis 390, ἔριδας· 1176, ὕβριος, et alibi cum vocc. γῆρας, πενίη. Tyrtæus ap. Pausan. 4, 14, 5: Οὐλομένη μοῖρα θανάτου. Æsch. Prom. 390: Στένω σε τᾶς οὐλομένας τύχας. Eur. Phœn. 1529: Οὐλόμεν' αἰκίσματα. Theocr. 24, 29, ὀφίεσσι. Gregor. Naz. Carm. 34, 4, p. 236 ed. Dronk., βατράχους· 46, 15, p. 237, πτώματος. Frequentant etiam Nicander et alii.]

Οὖλον, τὸ, dictum putatur ob teneritatem ac mollitiem carnis; nam ita vocatur Gingiva. [Gingula add. Gl., quæ v. etiam in Ὀδόντος οὖλον.] In Lex. meo vet. Οὖλον, ἡ συνέχουσα τοὺς ὀδόντας σάρξ· ὠνόμασαν δὲ διὰ τὸ τρυφερόν· οὖλον γὰρ τὸ ἁπαλόν. [Falsa videtur hæc etym. Buttmanno Lexil. vol. 1, p. 188. Aristot. H. A. 1, 11 fin.: Τὸ μὲν συμφυὲς τοῦ στόματος παρίσθμιον, τὸ δὲ πολυφυὲς οὖλον. Diog. L. 7, 176: Τὸ οὖλον.] Ruf. Eph. [p. 27 Cl.]: Οὖλα δὲ, αἱ περὶ τὰς τῶν ὀδόντων ῥίζας σάρκες. Pollux vero [2, 94] οὖλα vocari scribit Carnes quæ extra dentes ambeunt: ἔνουλα autem quæ intra. [Æsch. Cho. 898: Οὔλοισιν ἐξήμελξας ... γάλα. Nicand. Al. 17, 78 etc. Aret. p. 7, 40. Plat. Phædr. p. 251, C: Κνῆσίς τε καὶ ἀγανάκτησις περὶ τὰ οὖλα.] Alex. Aphr. Probl. [1, 46]: Ἐν τοῖς οὔλοις ὀδόντες, Dentes in gingivis. Et οὔλων ὀδαξισμοὶ, ap. Hippocr. [Aph. 3, 25], Gingivarum exulcerationes, Cels. in Ὀδοντοφυέω. [Οὖλα pro Gingivarum tumore et vitio ponuntur Hippocrati p. 464, 28: Καὶ οὖλα καὶ γλῶσσα. Et οὖλα πονηρὰ, Gingivæ malæ ac vitiatæ in lienosis, p. 111, C, in quibus etiam gingivas exedi scribit Paulus c. 49 lib. 3. Οὐλαὶ etiam dicuntur Hippocrati p. 1238, H, Καὶ οὐλάων ὑπερσάρκωσις, In gingivis excrescens caro, etsi οὐράων vitiose leg. exemplaria, pro quo tamen οὔλων legitur lib. 5 Epid., ubi id repetitur. Foes. Οὔλων ἀπόστασις Pollux 4, 199.]

[Οὐλοξανθόκομος, ὁ, ἡ, Qui capillis est flavis et crispis. Chronic. Paschal. tom. 1, p. 577. Coraes.]

Οὐλοὸς, ὁ, ἡ, pro ὀλοὸς, Perniciosus, Exitialis, Noxius. Citatur ex Apoll. Arg. 2, [85, ἆσθμα· 3, 1402, ἄλγος· 4, 367, αἶσχος· 410, μῦθον· 1033, θέρος· 1204, τάρβος]. Itidemque ap. Nicandr. Ther. [759], Αἰγύπτοιο οὐλοὸς αἶα dicitur ob ὀλέθρια animalia, quæ ibi nascuntur. Sed [565]: Κάστορος οὐλοὸν ὄρχιν schol. exponi posse ait vel ὀλέθριον ἑαυτῷ, vel ὁλόκληρον. [Ib. 352, θῆρα. Orph. Lith. 676, ἆορ. Manetho 2, 194: Δεινοὺς δ' ἐν πραπίδεσσι καὶ οὐλοὰ μητιόωντας· 292: Οὐλοὰ μηδομένους· 6, 464: Οὐλοὸν ἅλμην.]

[Οὐλόπλασμα, τὸ, unde Orph. Arg. 955, in sacris memorantur οὐλοπλάσματα, de quibus v. conjecturas interpretum et Lobeck. Aglaoph. p. 1074.]

[Οὐλοποίησις, εως, ἡ, Crispatio. Galen. Comp. med. sec. loca 1, 3, τριχῶν.]

[Οὐλόπους, οδος, ὁ, Pes integer. Hom. H. Merc. 137: Οὐλόποδ', οὐλοκάρηνα.]

[Οὐλοπώγων, ωνος, ὁ, Qui barba est crispa. Pollux 4, 145.]

Οὖλος, η, ον, pro ὀλοὸς, Exitialis, Perniciosus: ut οὖλος ἄρης ap. Hom. [Il. E, 461, 717], quod Hesych. exp. ὀλετὴρ, δεινός [idemque Οὖλος, ταραχώδης]: sicut et Il. B, [8]: Βάσκ' ἴθι, οὖλε ὄνειρε, θοὰς ἐπὶ νῆας Ἀχαιῶν, exp. Perniciosum somnium; at Eust. diversis modis, nimirum vel ὀλέθριος, vel ὑγιὴς καὶ τέλειος, vel στρεβλὸς καὶ σκολιὸς, διὰ τὴν ἀσάφειαν: secundum quam expos. derivat ab εἰλέω, i. e. συστρέφω. [Ib. 6. Orph. H. 85, 1, Arg. 774.] Pro Exitialis, Perniciosus, Exitium afferens, accipitur etiam Il. Φ, [536]: Δείδια γὰρ μὴ οὖλος ἀνὴρ εἰς τεῖχος ἅληται. [Sic capiendum videtur οὐλῇ βατηρίῃ in Hemijambo apud schol. Nicand. ad Ther. v. 376. Hemst. Bion 6, 14: Οὖλον χεῖμα. Apoll. Rh. 3, 297, 1078: Οὖλος ἔρως. Nicand. Th. 233: Οὔλῳ στομίῳ· 671, κνυζηθμὸν κυνός. Epigr. Anth. Pal. 7, 543: Οὖλον ἀνηρίθμων ... νέφος γεράνων. Gregor. Naz. Carm. 27 a, 11, p. 233 ed. Dronk., ὄφις. Fem. οὔλη ponit Arcad. p. 108, 15, ut οὔλῃ scribendum esset in l. ab Hemst. citato. Nam quod οὐλὸς oxyt. ponit Arcad. p. 53, 3, ibi desideratur n. in ηλὸς, qualia memorat Theognost. Can. p. 61, 11. L. Dindorf.]

Οὖλος, pro ὅλος dici Ionice, tradunt VV. LL. ex Joanne Grammat. Testatur idem etiam Hesych. in Οὐλομελίη. Sic vero pro ὀδὸς dicitur οὐδός. || Integer, Sanus, ὑγιὴς καὶ ὁλόκληρος, Hesych.: Eust. ὑγιὴς καὶ τέλειος [Il. p. 164, 43]. Pro Integer accipitur ap. Hom., quum dicit οὖλος ἄρτος: nam Eust. ibi exp. ὅλος, i. e. ἀκέραιος, s. τέλειος, διὰ τὸ στρογγύλον καὶ κυκλοτερὲς τοῦ σχήματος. Od. P, [343]: Ἄρτον τ' οὖλον ἑλὼν περικαλλέος ἐκ κανέοιο. [Ω, 118: Μηνὶ δ' ἄρ' οὔλῳ πάντα περήσαμεν εὐρέα πόντον· H. Merc. 113: Πολλὰ δὲ κάγκανα κᾶλα οὖλα λαβὼν ἐπέθηκεν. Empedocl. v. 37 Karst.: Τὸ δὲ οὖλον ἐπεύχεται εὑρεῖν. Callim. Del. 302: Οὖλος ἐθείραις Ἕσπερος, ubi schol. ὁλόκληρος ταῖς θριξί. Qui l. tamen pertinet ad signif. Crispi. Arat. 717: Οὖλον ἄγουσιν, alibi usus forma ὅλος, quod v.]

Οὖλος, significat etiam Tener, Mollis, μαλακὸς καὶ ἁπαλὸς, Hesych. Sic Hom. Il. K, [134] de chlæna: Οὔλη δ' ἐπενήνοθε λάχνη, schol. exp. τρυφερὰ, vel ἁπαλὴ, Delicata et tenera lanugo. Sed et ipsæ χλαῖναι dicuntur οὖλαι: ubi itidem reddere possumus Molles. [Substant. Οὔλη, ἡ, Lanugo, hinc ductum est ap. Eust. Opusc. p. 335, 49: Καρπὸς οὗτος ὁρᾷς ὅπως ὅτε τοῖς ὁμογενέσιν ἡ τῶν φύλλων καταρρεῖ οὔλη, τῇ λάχνῃ αὐτὸς πυκαζόμενος, nisi distinguitur οὔλῃ τῇ λάχνῃ πυκαζόμενος. L. D.] Od. Δ, [50]: Ἀμφὶ δ' ἄρα χλαίνας οὔλας βάλον ἠδὲ χιτῶνας· [et ib. 299 et] Il. Ω, [646]: Χλαίνας τ' ἐνθέμεναι οὔλας καθύπερθεν ἕσασθαι· Π, [224]: Χλαινάων ἀνεμοσκεπέων οὔλων τε ταπήτων· ubi tamen schol. exp. δασέων καὶ ἐχόντων οὐλότητα, tunc autem pertineret ad οὖλος, Crispus: de quo mox. [Od. T, 225: Χλαῖναν πορφυρέην οὔλην ἔχε δῖος Ὀδυσσεύς. Theocr. 24, 25.] Apud Hippocr. quoque οὔλῳ ἐρίῳ, Erot. [p. 276] exp. μαλακῷ, Molli. Idem tamen [p. 280] ap. Eund. οὖλον ὀρόβιον esse dicit τὸ πυῤῥόν: secundum alios vero, τὴν ἰσομεγέθη ὀρόβῳ ἀκροχορδόνην. [Aristoph. Ran. 1067: Χιτῶνα ... οὔλων ἐρίων. Philo vol. 2, p. 479, 14: Ἑκάτερον μέρος οὐλοτέραις ταῖς σειραίαις ἐπιδιπλώσεσι κατὰ τὴν τῶν χιτωνίσκων συμβολὴν συστέλλοντες.] Οὖλος a Polluce inter personas tragicas numeratur l. 4, [136]: Ὁ δὲ οὖλος, ξανθὸς, ὑπέρογκος, αἱ τρίχες τῷ ὄγκῳ προσπεφύκασιν, ὀφρύες ἀναπέτανται, βλοσυρὸς τὸ εἶδος. [Conf. ib. 135, 146, 147, 148, 149, et ubi de muliere 151, 152.] Alias de quibusvis etiam Tortis dicitur; nam Hesych. in genere exp. συνεστραμμένος: et sic Eust. annotat posse etiam accipi οὖλος ὄνειρος ap. Hom., pro στρεβλὸς καὶ σκολιὸς, διὰ τὴν ἀσάφειαν: sicut οὔλη θρὶξ, ἡ συνεστραμμένη: qua signif. acceptum οὖλος derivat ab εἰλῶ. Et οὖλον adverbialiter Il. P, [756] de sturnis et graculis: Οὖλον κεκλήγοντες ὅτε προΐδωσιν ἰόντα Κίρκον, ubi Eust. exp. συνεστραμμένον καὶ ὀξύ. [Schol. ὀξὺ ἢ πυκνόν. Hic l. vero rectius refertur ad signif. primam.] Cui l. similis est hic Plut. [Mor. p. 510, F]: Οὖλα καὶ πυκνὰ καὶ συνεστραμμένα φθεγγομένους, de iis, qui in sermone sunt στρογγύλοι καὶ βραχυλόγοι, καὶ ὧν πολὺς νοῦς ἐν ὀλίγῃ λέξει συνέσταλται. Apud Callim. autem Hymno in Jov. [52]: Οὖλα δὲ Κούρητές σε περὶ πρύλιν ὠρχήσαντο, sunt qui interpr. Strenue: schol. vero exp. ὑγιεινῶς, κατὰ κλῆρον. [Dian. 247: Αἱ δὲ πόδεσσιν οὖλα κατεκροτάλιζον· Epigr. 5, 5: Οὖλος ἐρέσσων ποσσὶν, de nautilo, quæ omnia referenda ad signif. seq. Antip. Sid. Anth. Pal. 7, 27, 3: Ὑγρὰ δὲ δερκομένοισιν ἐν ὄμμασιν οὖλον ἀείδοις· quocum Pacuvii ap. Nonium p. 506, 18, Linguæ bisulcæ jactu crispo fulgere, et Gellii 1, 4, 4, Agmen crispum orationis, confert Schneider.]

Οὖλος, Crispus [Gl.], Contortas comas habens. Hom. Od. [Ζ, 231,] Ψ, [157] : Καδδὲ κάρητος Οὔλας ἧκε κόμας ὑακινθίνῳ ἄνθει ὁμοίας. [Simonid. Anth. Pal. 7, 24, 2 : Οὔλης ἕλικος. Marc. Argentar. ibid. 6, 201, 2 : Βόστρυχον οὖλον. Pollux 2, 23 : Ἀττικοὶ δὲ οὔλας λέγουσι τὰς τρίχας.] Herodot. 7, [70] : Οὐλότατον τρίχωμα, Capillitium crispissimum. [Aristot. H. A. 8, 10 : Δυσχείμεροι δὲ καὶ αἱ οὖλαι (οἶες). Diodor. 3, 8 : Τοῖς τριχώμασιν οὖλοι. Callim. Del. 302 : Οὖλος ἐθείραις Ἕσπερος.] Theophr. [H. Pl. 3, 11, 2] de Græco acere : Εἶναι δὲ τὴν μὲν ἐν τῷ ὄρει φυομένην, ξανθὴν καὶ εὔχρουν καὶ οὔλην καὶ στερεάν· quæ sic Plin. : Montanum crispius duriusque. [Οὐλότερον τὸ δένδρον ib. 3, 9, 6; αἰγίδα οὐλοτέραν 8; ῥίζας μανὰς καὶ οὔλας 11, 3; ξύλα οὖλα σφενδάμνου καὶ ζυγίας 5, 3, 3; ξύλα οὔλας ἔχοντα συστροφὰς 5, 5, 1; φύλλον 9, 4, 3; οὐλότερα τὰ ξύλα τὰ ἐν τοῖς στελέχεσι τῶν ἄνω C. Pl. 6, 11, 8. Schneid.] et poeta quidam ap. Aristot. Rhet. 3, [c. 11, 4 : Ὥσπερ] σέλινον οὖλα τὰ σκέλη φορεῖ· sicut Plin. quoque apium Crispum esse dicit. [Philodem. Anth. Pal. 5, 121, 2 : Μικκὴ καὶ μελανεῦσα Φιλίννιον, ἀλλὰ σελίνων οὐλοτέρη· id. 9, 412, 4 : Θριδάκων οὔλων. Nicand. ap. Athen. 9, p. 370, A. Quo referre licet etiam Stesichorum ap. Athen. 3, p. 81, D : Ἴων τε χορωνίδας οὔλας. Ceterum nonnulla huc referenda v. in præcedenti signif. Accentum barytonon ap. Hom. agnoscit Etym. M. p. 640, 50, sed memorat etiam τὴν κοινὴν συνήθειαν ferre οὐλὸς ἄνθρωπος et οὐλὴ κόμη, quod analogiæ repugnet. Exx. hujus vitii sunt in Etym. M. ipso p. 640, 29, ap. Jo. Malalam p. 104 seq. ed. Bonn. sive Isaac. Porphyrog. ap. Rutgers. V. L. 5, p. 513. L. Dind.]

Οὖλος, sive Ἴουλος, ὁ, Manipulorum collectorum fascis. Schol. Apoll. Arg. 1, [972] : Οὖλος καὶ ἴουλος, ἡ ἐκ τῶν δραγμάτων συναγομένη δέσμη· καὶ Οὐλὼ ἡ Δημήτηρ. [Δράγματα interpr. etiam Hesych. et in Ἴουλοι iisdem verbis quibus schol. Artemidor. 2, 24, p. 181 med. : Οὖλοι καὶ δράγματα καὶ θημῶνες ἀσταχύων· Aquila Deut. 24, 19.] Itidem Athen. 14, [p. 618, D] ex Semo Delio Περὶ Παιάνων : Τὰ δράγματα τῶν κριθῶν αὐτὰ καθ' αὐτὰ προσηγόρευον ἀμάλας· συναθροισθέντα δὲ, καὶ ἐκ πολλῶν μίαν γενόμενα δέσμην, οὔλους καὶ ἰούλους· καὶ τὴν Δήμητρα ὁτὲ μὲν χλόην, ὁτὲ δὲ ἰουλώ. Ibid. [E] : Ἀπὸ τῶν οὖν τῆς Δήμητρος εὑρημάτων τούς τε καρποὺς καὶ τοὺς ὕμνους τοὺς εἰς τὴν θεὸν, οὔλους καλοῦσι καὶ ἰούλους· Δημητρουλοι καὶ καλλίουλοι· καὶ, Πλεῖστον οὖλον οὖλον ἵει, ἴουλον ἵει. Quibus postremis verbis Cereri acclamabatur in hymnis in eam compositis. Eust. p. 1162 : Δήμητρος ἴουλοι, καὶ συνθέτως Δημητρίουλοι, ὕμνοι εἰς Δήμητραν, οἳ καὶ καλλίουλοι· καὶ ἐπιφώνημα ἐμμελὲς τὸ, Πλεῖστον οὖλον οὖλον ἵει, ἴουλον ἵει, Plurimos manipulorum collectorum fasces. Ibi tamen Eust. οὖλον exp. συνειλημένον, συνεστραμμένον. Significat igitur οὖλος s. ἴουλος non solum Fasciculorum hordei congestorum fasciculum, sed etiam Hymnum qui in Cererem concinebatur : teste etiam Polluce 1, [38], qui alio nomine composito dicebatur Δημήτρουλος sive Δημητρίουλος, et Καλλίουλος. [Id. 4, 53 : Ἴουλοι, οὐλαμοὶ, ubi ἰάλεμοι pro altero Jungerm., nec videtur præferendum οὖλοι. Eratosth. ap. Tzetz. ad Lycophr. 23 : Καλὰς ἤειδεν ἰούλους. Quæ repetuntur Hist. 13, 563, diserte notato genere fem., quod in masc. mutabat Brunck.] Ipsa autem Ceres vocabatur Οὐλὼ sive Ἰουλὼ, quod ejusmodi fasciculos rusticis largiretur; est enim dea frugum, et ζείδωρος. Sed annotat ibid. Athen. ἴουλον dici τὴν τῶν ταλασιουργῶν ᾠδὴν, Cantilenam earum quæ lanam tractabant : qua signif. citatur ex Hymno Eratosthenis in Mercurium. Rursum idem Athen. ibid., paulo post verba citata : Αἱ δὲ ἴουλοι καλούμεναι ᾠδαὶ Δήμητρι καὶ Φερσεφόνῃ πρέπουσι. || Alias Ἴουλος dicitur etiam Prima lanugo quæ ex puberum genis efflorescit. Hom. Od. Λ, [318] : Πρίν σφωϊν ὑπὸ κροτάφοισιν ἰούλους Ἀνθῆσαι, πυκάσαι τε γένυς εὐανθεῖ λάχνῃ. Alio nomine χνοῦς vocatur, teste Polluce [2, 10, 88], a quo exp. ἡ πρώτη τριχῶν περὶ τὰς παρειὰς ἄνθη. [Æsch. Sept. 534 : Στείχει δ' ἴουλος ἄρτι διὰ παρηΐδων. Callim. Jov. 56 : Ταχινοὶ δέ τοι ἦλθον ἴουλοι· Del. 298 : Θέρος τὸ πρῶτον ἰούλων· et ap. schol. Apoll. Rh. 1, 972.]

A Apoll. Arg. 2, [43] : Διὸς υἱὸς ἔτι χνοάοντας ἰούλους Ἀντέλλων. [1, 972 : Ἶσόν που κἀκείνῳ ἐπισταχύεσκον ἴουλοι· 2, 779 : Νέον χνοάοντα ἰούλους· 3, 519 : Οὐδέ περ ὅσσον ἐπανθιόωντας ἰούλους ἀντέλλων. Theocr. 15, 85 : Πρᾶτον ἴουλον ἀπὸ κροτάφων καταβάλλων. Orph. Arg. 226 : Ἐρύθηνε παρηΐδας ἁβρὸς ἴουλος.] Utitur et Xen. Symp. [4, 23] : Τούτῳ μὲν παρὰ τὰ ὦτα ἄρτι ἴουλος καθέρπει· ubi videtur alludere ad etymon, quo ab ἰέναι derivatur [ἀπὸ τοῦ ἰέναι αὐτὰς οὔλας Hesych.]. In Epigr. ap. Suid. [Antipatri Thess. Anth. Pal. 6, 198, 1] : Ὥριον ἀνθήσαντας ὑπὸ κροτάφοισιν ἰούλους Κειράμενος, γενύων, ἄρσενος ἀγγελίας. [Philo vol. 2, p. 479, 18 : Ἄλλοι δὲ, μειράκια πρωτογένεια, τοὺς ἰούλους ἄρτι ἀνθοῦντες.] Habet et avellana nux ἰούλους, Villos callo compactili, ut Gaza interpr., [Theophr.] H. Pl. 3, 7, imitatus Plin., qui 16, 27, ita scribit, Ferunt et avellanæ iulos compactili callo, ad nihil utiles. Suidæ ἴουλος est τὸ ἐπὶ ταῖς καρύαις ἄνθος. || Ἴουλοι dicuntur etiam Bestiolæ quædam multipedes, quas Marc. Emp. Cutiones vocat, et a Græcis πολύποδας nominari scribit. Ἴουλος, inquit
B Hesych., ζῶον πολύπουν, ὅπερ ἡμεῖς λέγομεν ὄνον· τινὲς δὲ καὶ τὸν ἐπὶ ταῖς ὑδρίαις γινόμενον ὄνον πολύποδα καὶ συστρεφόμενον, ἴουλον καλοῦσι· quæ et ap. Suid. leguntur, cui etiam ἴουλος est ὁ ἐν ταῖς ἀμπέλοις σκώληξ πολύπους. [Nicand. Th. 811 : Ἴουλος ἃ μήδεται ἠδ' ὀλοὸς σφήξ. Schol., εἶδος σφηκὸς ἢ σκώληκος τοῦ καλουμένου μυριόποδος. Tzetz. Hist. 13, 561 : Ἰουλός ἐστι μὲν ἰχθὺς καὶ σκώληξ μυριόπους. Aristot. H. A. 4, 4 init. : Ἔντομα ἄπτερα, οἷον ἴουλος.] Numenius autem ἰούλους vocat τὰ ἔντερα τῆς γῆς, Intestina terræ, Athen. 7, [p. 305, A] hunc ex eo locum proferens : Ἴουλοι Κέκληνται μέλανες γαιηφάγοι, ἔντερα γαίης. [Qui ib. ἰουλίδας dixerat, ut alii. Memorat autem pisciculos ἰούλους etiam Eratosth. ap. eund. 7, p. 284, D : Ἄγρης μοῖραν ἔλειπον, ἔτι ζώοντας ἰούλους. V. Tzetz. l. c. L. Dind.]

Οὐλότης, ητος, ἡ, Crispa coma, Crispitudo, ut Gaza vertit ap. Aristot. De gen. anim. 5, 3. [Improprie Ἡ ἐν ταῖς πεύκαις οὐλότης, Suid. in Αἰγίς. Hemst. Theophr. H. Pl. 5, 2, 3 : Ἡ οὐλ. ἡ ἐν αὐτῷ τῷ ξύλῳ· C. Pl. 6,
C 11, 8 : Τὴν οὐλ. τῶν ξύλων. Philostr. Imag. 6, p. 818, σελίνων. De stragulis schol. Il. Π, 224.] || Exp. etiam Salubritas, et μαλακότης : quæ ad præcedentia duo οὖλος pertinent.

[Οὐλοτριχέω, Crispis sum capillis. Strabo 15, p. 690, 696.]

Οὐλότριχος, ὁ, ἡ, i. q. οὐλόθριξ, Qui crispis pilis s. capillis est : unde compar. οὐλοτριχώτερος ap. Aristot. H. A. 5 [9, 44 med.], Qui crispiore pilo est. Pro eod. inversa compos. dicitur τρίχουλος. [Geopon. 10, 1, 9. Herodot. ap. Polluc. 2, 23 (ubi recte codd. οὐλότριχες, quod v.). Wakef. Improbat hanc formam Photius : Οὐλόθριξ, οὐχὶ οὐλότριχος, καὶ οὐλότριχα, οὐχὶ οὐλότριχον.]

[Οὐλοφάγος, ὁ, in Demetrii Hieracosophio p. 11 : Ἐὰν ἔστιν οὐλοφάγος, ἤγουν ἔχῃ ὡς κεγχρίου κόκκους μελαίνας, Conr. Gesner. De avibus p. 6 scrib. putabat ἐλαιοφόρους, a quo dissentit Schneider. ad Reliq. libr. Friderici vol. 2, p. 71. L. Dind.]

[Οὐλοφόνος, ὁ, ἡ, Perniciosus. Nicander Al. 280 : Ἰξιόεν ... παρὰ χείλεσι πῶμα οὐλοφόνον. Quæ Dioscori-
D dem non recte esse interpretatum monet Schneid., quum 6, 21, οὐλοφόνος haberet pro nomine : Ἰξίας, ὃς καὶ οὐλόφονον καλεῖται· (et Noth. 3, 9 : Οἱ δὲ οὐλόφονον, dicunt chamæleontem nigrum, οἱ δὲ ἰξίαν).]

[Οὐλοφόρος, ὁ, ἡ, Qui manipulum s. manipulos fert, i. q. ἀμαλλοφόρος, Serv. ad Virg. Æn. 11, 858, ubi pro « Οὐλοφόρους ex Hyperboreis in insulam Delum venisse » est var. *anulloforos*, i. e. ἀμαλλοφόρους, quomodo dixit Porphyr. De abst. 2, 19, p. 135 : Ὑπομνήματα ἐν Δήλῳ ἐξ Ὑπερβορέων ἀμαλλοφόρων.]

[Οὐλόφρων, ονος, ὁ, ἡ, i. q. ὀλοόφρων et οὐλόθυμος, restituendum Æsch. Suppl. 650 : Δουλόφρονες δὲ καὶ δολιομήτιδες, ut animadvertit Valck., minus apte tamen conferens βλαψίφρων. L. Dindorf.]

[Οὐλοφυής, ὁ, ἡ, Integer. Empedocles 251 : Οὐλοφυεῖς μὲν πρῶτα τύποι χθονὸς ἐξανέτελλον. Quod respicit Aristot. Phys. acr. 2, 8, p. 199, B : Τὸ οὐλοφυὲς μὲν πρῶτα σπέρμα ἦν.]

Οὐλόφυλλος, ὁ, ἡ, Qui crispo folio est, ut οὐλ. ῥάφανος, Brassica crispa. [Theophr. H. Pl. 7, 4, 4.]

Οὐλοχόϊον, τὸ, Vasculum in quod molas sacrificaturi conjiciebant, ἀγγεῖον εἰς ὃ αἱ οὐλαὶ ἐμβάλλονται πρὸς ἀπαρχὰς τῶν θεῶν [θυσιῶν recte est ap. Hesych., unde hæc petita, etsi *deorum* ponit etiam Lex. Septemv. Idem : Αηχοῖον κανοῦν οὐλοχόϊον]. Malim οὐλοχοεῖον.

Οὐλόχῦτα, τὰ, [Hordeacea, Gl.], sive Οὐλοχύται, [οἱ, unde οὐλοχύτης ponit Etym. M. p. 641, 37, et οἱ οὐλοχύται dicit Eust. Il. p. 132, 25; 133, 13, 18, Od. p. 1476, 44, sed gen. fem. Strato ap. Athen. 9, p. 383, A : Τὰς οὐλοχύτας φέρε δεῦρο. — Τοῦτο δ' ἐστὶ τί; — Κριθαί. — Τί οὖν, ἀπόπληκτε, περιπλοκὰς λέγεις;] Primitiæ ante sacrificium, ipsæ Molæ et οὐλαὶ quæ victimis mactandis ἐπεχέοντο. Hom. Il. A, [449] : Χερνίψαντο δ' ἔπειτα καὶ οὐλοχύτας ἀνέλοντο· et [458] : Αὐτὰρ ἐπεὶ [ἐπεί ῥ'] ηὔξαντο καὶ οὐλοχύτας προβάλοντο· [Od. Γ, 445 : Νέστωρ χέρνιβά τ' οὐλοχύτας τε κατήρχετο· (Apoll. Rh. 1, 409 : Χέρνιβά τ' οὐλοχύτας τε παρέσχεθον·) Δ, 761 : Ἐν δ' ἔθετ' οὐλοχύτας κανέῳ·] ubi Eust. οὐλοχύτας exp. προθύματα, et οὐλαὶ, i. e. κριθαὶ μετὰ ἁλῶν, ἃς ἐπέχεον τοῖς βωμοῖς πρὸ τῆς ἱερουργίας. Aliquanto post annotat quosdam per οὐλοχύτας intelligere non θύματα s. προθύματα vel προβολὴν θυμάτων, sed αὐτὰ τὰ κανᾶ, εἴτουν τὰ ἀγγεῖα δι' ὧν αἱ οὐλαὶ χέονται, ipsa Canistra ex quibus molæ effunduntur. Similiter Hesych. quoque tradit οὐλοχύτας interdum dici, ἐν οἷς τὰς ὀλὰς, αἵ εἰσι κριθαὶ τῶν ἱερείων, κατέχεον : item κριθὰς πεφριγμένας. Sed verior sententia eorum est, qui οὐλοχύτας accipiunt pro ipsis Molis in victimam inspergendis et ex canistro effundendis. Οὐλόχυτα autem quod cum οὐλοχύται copulavi, idem Hesych. exp. κατάργματα. [Nisi scr. οὐλοχύται, quocum comparandum προχύται. Poeticum autem esse οὐλοχύται monet Pollux 1, 33.]

[Οὐλοχυτέομαι, Molis utor. Porphyr. De abstin. 2, 6, p. 110 : Ταύταις (ταῖς κριθαῖς) ἀπ' ἀρχῆς μὲν οὐλοχυτεῖτο κατὰ τὰς πρώτας θυσίας τὸ τῶν ἀνθρώπων γένος. V. Οὐλοθυτέω.]

Οὐλόω, verbum ab οὐλὴ derivatum, Ad cicatricem perduco, Cicatrice obduco. Et Οὐλοῦσθαι, Cicatricem ducere, ex Aristot. Probl. [10, 15. Eust. Op. p. 173, 30 : Τὸ τραῦμα οὐλοῦται καὶ εἰς ὁλότητα τὸ σῶμα καθίσταται. V. autem Οὔλω.]

[Οὐλπιανὸς, ὁ, Ulpianus, n. Rom. viri, de quo notamus tantum adj. Οὐλπιάνειος, ap. Athen. 3, p. 98, C. L. Dind.]

[Οὔλυμπος. V. Ὄλυμπος.]

Οὔλω, Bene valeo, Sanus sum, Prospera valetudine utor, ab οὖλος putatur derivari. Hom. Od. Ω, [401, H. Apoll. 466] : Οὖλέ τε καὶ μέγα χαῖρε· θεοὶ δέ τοι ὄλβια δοῖεν· i. e. ὑγίαινε, Hesych., derivans inde Οὐλὴ, Vulnus quod ad sanitatem perductum est; s. potius Nota vulneris ad sanitatem perducti, Naturale carnis integumentum calli modo duratum, et cutis vice ulceribus superinductum, quæ Latinis uno nomine dicitur Cicatrix [Cicatricula, add. Gl.]. Οὖλε, inquit, ὑγίαινε· ἀφ' οὗ καὶ τὸ ὑγιὲς γενόμενον ἕλκος οὐλὴν λέγουσι· suo autem loco Οὐλὴ exp. ἐπιπόλαιον ἕλκος εἰς ὑγείαν ἧκον. Itidem is, qui de Dialectis scripsit [Gregor. Cor. p. 491], annotat Iones τὸ ὑγιαίνειν dicere Οὐλεῖν : unde et τὰ ὑγιῆ τῶν τραυμάτων vocari οὐλάς : sed scribitur ibi Οὐλεῖν circumflexe in libro etiam Ms. : a verbo Οὐλέω. [Contra ap. Strab. 14, p. 635 : Τὸ γὰρ οὔλειν ὑγιαίνειν, addito etiam loco Hom. in quo οὖλε. Sed formam Συνουλέω infra notabimus, neque ap. Hesych. Οὔλοιεν fert ordo literarum in gl. Οὐλείοιεν, ἐν ὑγιείᾳ φυλάσσοιεν, sed Οὐλέοιεν poscit. Atque Arcad. p. 158, 7 : Τὸ δὲ οὐλῶ περισπᾶται, ὅτι οὐλή, καὶ τὸ δουλῶ, ὅτι δοῦλος. Sed hunc quidem dicere formam Οὐλόω ostendit Etym. M. p. 208, 27; οὐλήσω autem quod fingit p. 641, 22, contrariæ est signif.] Ammonio quoque οὐλὴ est ἡ ὑγιασμένη σὰρξ ἐκ παλαιοῦ τραύματος· ὠτειλὴ vero τὸ πρόσφατον τραῦμα, παρὰ τὸ οὐτᾶσθαι : quam differentiam ipsum etiam Hom. observasse tradit, quippe qui de οὐλὴ dicat Od. T, [393] : Αὐτίκα δ' ἔγνω Οὐλὴν τήν ποτέ μιν σῦς ἤλασε λευκῷ ὀδόντι · de ὠτειλὴ autem, Αὐτίκα δ' ἔρρεεν αἷμα κατ' οὐταμένην ὠτειλήν. Ad priorem Homeri l. respexit Aristot. Poet. [c. 16] : Ὀδυσσεὺς διὰ τῆς οὐλῆς ἄλλως ἀνεγνωρίσθη ὑπὸ τῆς τροφοῦ καὶ ἄλλως ὑπὸ τῶν συβωτῶν. [Eur. El. 573 : Οὐλὴν παρ' ὀφρύν, ἥν ποτ' ἐν πατρὸς δόμοις νεβρὸν διώκων σοῦ μέθ' ἡμάχθη πεσών. Xen. Comm. 3, 4, 1 : Τὰς οὐλὰς τῶν τραυμάτων. Dem. p. 1248, 26 : Ἕλκη, ὧν ἔτι τὰς οὐλὰς ἔχει. Plato Gorg. p. 524, C. Aret. p. 62, 53 : Ἐπὶ τῇ οὐλῇ τῶν ἐντέρων, ubi οὔλῃ scribitur contra præceptum Arcadii p. 108, 14. Aristot. H. A. 7, 6 : Φύματα καὶ οὐλάς. Polyb. 33, 5, 3 : Τὰς ἐκ τῶν τραυμάτων οὐλάς.] Plut. S. N. V. [p. 565, B] : Οὐλαὶ δὲ καὶ μώλωπες ἐπὶ τῶν παθῶν ἑκάστου τοῖς μὲν μᾶλλον ἐμμένουσι, τοῖς δὲ ἧσσον. Et ὀφθαλμῶν οὐλαὶ, Oculorum cicatrices, Plin. Gregor. Naz. : Τὰς οὐλὰς ἐξαλείφομεν, Cicatrices delemus. [Plut. Mor. p. 65, E : Ἡ οὐλὴ μένει τῆς διαβολῆς. Valck.] At οὐλαὶ φυσικαὶ dicuntur Nævi [Gl. Ephræm Syr. vol. 3, p. 205, E : Ἴδες ἐν χαλκῷ οὐλὴν χλωρὰν πῶς εἰς βάθος διαδέχεται. Hesych. interpr. etiam σῆψις ὀστέου.]

[Οὐλὼ, ἡ, cogn. Cereris. V. Οὖλος s. Ἴουλος.]

[Οὐλώδης, ὁ, ἡ, Cicatricosus, Gl.]

[Οὔλωμα, τὸ, Callus cicatricis. Ms. ad Suidæ gl. Ἐνσκειρωθεὶς cit. : Ἀπὸ τραύματος ἀπολιθωθὲν περίττωμα καὶ οὔλωμα.]

[Οὔλωσις, εως, ἡ, Sanitas. Eust. Il. p. 1272, 34. Wakef.]

[Οὔμενουν. V. Οὐ.]

[Οὐμὸς, ἡ, ὸν, forma Æol. pro ὑμὸς, Tuus s. Vester. Hesychius : Οὐμαὶ, ὑμέτεραι. Bœot. οὐμίων pro ὑμῶν ap. Apollon. De pron. p. 122, B, confert Albert.]

[Οὖν, Ergo, Gl. Hujus signif. et similium infra positarum ab HSt., qui part. οὖν nonnisi in Ὡς οὖν et paucis in Ind. tractavit, exx. ubique obvia omittimus, nec nisi pauca particulæ in repetitione semel vel bis positæ addimus, ut Xen. Anab. 6, 6, 15 : Ἐγὼ μὲν οὖν, καὶ γὰρ ἀκούω Δέξιππον λέγειν ὡς ... ἐκέλευσα, ἐγὼ οὖν ἀπολύω· Plat. Conv. p. 201, A : Τὸν δὲ λόγον ... ὃν οὖν ἐκείνη ἔλεγε λόγον κτλ. Ælian. N. A. 17, 44 : Τὰ δὲ ἄλλα οὐκ ἂν ἀξιόμαχος διά τε τὸ ἐκείνου ὕψος καὶ τὴν ῥώμην τὴν τοῦ θηρὸς τὴν τοσαύτην, ὕπεισιν οὖν αὐτοῦ τὰ σκέλη.] Sed quoniam reperitur vocula Οὖν abundare et post multas alias particulas, in quarum unaquaque lector fortassis a me admonitus non fuerit, istam dicendi hac de re occasionem minime prætermittendam censeo. Ut igitur ad Hom. revertar, ap. eum legitur Ἐπεὶ οὖν pro ἐπεὶ, quum alibi, tum Il. N init. : Ζεὺς δ' ἐπεὶ οὖν Τρῶάς τε καὶ Ἕκτορα νηυσὶ πέλασσε, Τοὺς μὲν ἔα παρὰ τῇσι πόνον τ' ἐχέμεν καὶ ὀϊζύν· Π, [394] : Πάτροκλος δ' ἐπεὶ οὖν πρώτας ἐπέκερσε φάλαγγας. [Hesiod. Th. 853 : Ζεὺς δ' ἐπεὶ οὖν κόρθυνεν ἑὸν μένος. Apoll. Rh. 3, 472 : Οἱ δ' ἐπεὶ οὖν... ἐκτὸς ἔβησαν. Hom. Od. Ξ, 467 : Ἀλλ' ἐπεὶ οὖν τὸ πρῶτον ἀνέκραγον· P, 226 : Ἀλλ' ἐπεὶ οὖν δὴ ἔργα κάκ' ἔμμαθεν. Apoll. Rh. 3, 896 : Ἀλλ' ἐπεὶ οὖν ἱκόμεσθα.] Quod si quis evidentius etiam pleonasmi hujus exemplum sibi afferri postulet, non deerit ex ejusd. operis lib. Δ, [244] : Τίφθ' οὕτως ἔστητε τεθηπότες, ἠΰτε νεβροί; Αἵτ' ἐπεὶ οὖν ἔκαμον πολέος πεδίοιο θέουσαι, Ἑστᾶσ'· οὐδ' ἄρα κτλ. [O, 363 : Ὥς τις παῖς, ὅστ' ἐπεὶ οὖν ποιήσῃ κτλ. Poeta ap. Dion. Chr. vol. 1, p. 693.] Non sine causa autem hunc locum ceteris addo, quum videam Eust. in illo l. Il. Π, Πάτροκλος δ' ἐπεὶ οὖν, non aperte fateri ἀργὸν esse οὖν, (ut alibi fatetur,) sed dicere οὖν esse pro δή : ut i. sit ἐπεὶ οὖν q. ἐπειδή. Et subjungere, Δύναται δὲ καὶ αἰτιολογικῶς κεῖσθαι, ὡς ἂν ἐκ παραλλήλου ταυτίζηται τὸ ἐπεί καὶ τὸ οὖν. [Ὡς οὖν sic Il. Γ, 21 : Τὸν δ' ὡς οὖν ἐνόησε· 154 : Οἱ δ' ὡς οὖν εἴδοντο· Ξ, 440. V. HSt. in Ὡς.] Sic ap. eund. poetam invenitur Οὔτ' οὖν pro οὔτε, vacante hac particula οὖν, [Il. P, 20 : Οὔτ' οὖν παρδάλιος τόσσον μένος οὔτε λέοντος· Υ, 7 : Οὔτε τις οὖν ποταμῶν ἀπέην ... οὔτ' ἄρα Νυμφάων·] Od. A, [415] : Οὔτ' οὖν ἀγγελίης ἔτι πείθομαι, εἴποθεν ἔλθοι, Οὔτε θεοπροπίης ἐμπάζομαι, ubi Eust. : Τὸ δὲ οὔτ' οὖν, ταυτόν ἐστι τῷ οὔτε δή· οὐ γὰρ ἀεὶ αἰτιολογεῖ ὁ οὖν σύνδεσμος, ἀλλ' ἐν μυρίοις καὶ παραπληροῖ. (Sed obiter aliquid de hoc ipso loco dicam, in quo ab hoc schol. dissentio, et ab aliis qui eum exposuerunt. Putant enim ἀγγελίης hic scr. esse cum η habente ι subscriptum, ut sc. sit pro ἀγγελίαις : ideoque illud, εἴποθεν ἔλθοι, ipse Eust. ait ἐλλελεῖφθαι τῇ φράσει : quum τὸ πλῆρες sit οὔτ' ἀγγελίαις ἔτι πείθομαι, εἴποθεν ἔλθοι ἀγγελία δηλαδὴ ἀγαθὴ περὶ τοῦ Ὀδυσσέως. Quibus addit idem schol., posse etiam esse ἀγγελίης gen.; sed tunc dici ἀγγελίης πείθομαι pro ὑπὸ ἀγγελίης. At ego gen. manere posse crediderim, etiam absque hujus præpositionis subauditæ adminiculo : ut nimirum Hom. ita junxerit verb. πείθομαι genitivo, sicut Herodot. aliquot in locis junxisse reperio, qui alioqui dativo alibi et ipse junxit. Unum esse scio quod minus verisimilem sententiam meam reddere possit : quod nimirum πείθομαι ap. Herodot. sit Pareo ; at in hoc l. Hom. videatur omnino accipiendum pro Fidem adhibeo, Credo. Verum ego nullam talem necessitatem impositam nobis esse, sed posse et alteri signif. locum hic dari, existimo : ut nimirum dicatur Non parere nuntio, qui nuntium aliquod ita negligit, ut ne pedem quidem propter ipsum movere velit. Quæ tamen expos. sic afferri a me putetur tanquam eam aliis perpendendam proponente, potius quam pertinaciter tueri volente.) [B, 200 : Ἐπεὶ οὔτινα δείδιμεν ἔμπης, οὔτ' οὖν Τηλέμαχον, οὔτε κτλ. Apoll. Rh. 4, 320, ubi post οὔτε alterum sequitur membrum οὔτ' αὖ... οὔτε, et alii libri male οὖν pro αὖ. Hom. Od. P, 401 : Μήτ' οὖν μητέρ' ἐμὴν ἅζευ τόγε μήτε τιν' ἄλλον. Apoll. Rh. 4, 1086. Μήτ' οὖν γε in Byzantini alicujus versu Eur. Iph. A. 1438, cui comparandum εἴτ' οὖν γε, de quo infra, notavi in Γοῦν p. 742, B. || In membro secundo Hom. Od. Λ, 200 : Οὔτε μέ γ' ... Ἰοχέαιρα ... κατέπεφνεν, οὔτε τις οὖν μοι νοῦσος ἐπήλυθεν. Æsch. Eum. 411 : Οὔτ' ἐν θεαῖσι πρὸς θεῶν ὁρωμένας οὔτ' οὖν βροτείοις ἐμφερεῖς μορφώμασι. Soph. OEd. T. 90, Eur. Andr. 731. V. HSt. supra in Οὔτε sub Οὐδέ. Æsch. Ag. 359 : Ὦ; μήτε μέγαν μήτ' οὖν νεαρῶν τιν' ὑπερτελέσαι· 473 : Μήτ' εἴην πτολίπορθος μήτ' οὖν αὐτὸς ἁλοὺς ὑπ' ἄλλων βίον κατίδοιμι. Soph. OEd. T. 271.] Ut autem οὔτ' οὖν dixit Hom. pro οὔτε, sic prosæ scriptores dixerunt etiam Εἴτ' οὖν pro εἴτε, illius exemplum, ut opinor, sequentes. Vide exemplum ex Plat. Apol. in Εἴτε [vol. 3, p. 194, A, B, ibidemque de εἴτουν et εἴτ' οὖν γε. Εἴτε... εἴτ' ἄρ' οὖν Soph. Ph. 345 : Εἴτ' ἀληθὲς εἴτ' ἄρ' οὖν μάτην.] Sic vacat hæc particula quum dicitur Ἐάν τε οὖν : ut ap. eund. Plat. Leg. 11, [p. 934, D] : Μαινομένους δ' ἂν οἱ προσήκοντες φυλαττόντων ὅτῳ ἂν ἐπιστῶνται τρόπῳ, ἢ ζημίαν ἐκτινόντων, ἐάν τ' οὖν δοῦλον, ἐάν τ' οὖν ἐλεύθερον περιορῶσι. Ubi observa ἐάν τ' οὖν utraque in sede, i. e. tam in posteriore quam in priore, quum in illo Apologiæ loco prius quidem ponatur εἴτ' οὖν, posterius vero εἴτε. Videri possit alioqui rationi magis consentaneum, ut posterius quidem εἴτ' οὖν s. ἐάν τ' οὖν, prius autem ponatur εἴτε. [V. Ἐάν, vol. 3, p. 4 fin.] Vacat porro hæc particula et cum ὅπερ, nec non cum ὥσπερ : et sicut cum ὥσπερ, ita etiam cum καθάπερ. Dicitur enim ὅπερ οὖν pro ὅπερ, et ὥσπερ οὖν pro ὥσπερ : eodemque modo καθάπερ οὖν pro καθάπερ. Pausan. Lacon. [c. 1, 7] : Τοὺς ἀπογόνους οἱ τοὺς Μεμβριάρου παραχωρήσεσθαι τῆς βασιλείας ἐλπίζων ἑκόντας· ὅπερ οὖν καὶ ἐποίησαν. Adverbii ὥσπερ οὖν exemplum habebis infra. [Æsch. Ag. 1172 : Πόλιν μὲν ὥσπερ οὖν ἔχει παθεῖν· Cho. 96 : Ἀτίμως ὥσπερ οὖν ἀπώλετο πατήρ· 888 : Δόλοις ὀλούμεθ', ὥσπερ οὖν ἐκτείναμεν. Soph. Aj. 991 : Τοῦδέ σοι μέλειν, ὥσπερ οὖν μέλει. Plato Phædr. p. 242, E : Εἰ δ' ἔστιν, ὥσπερ οὖν ἔστι, θεός· Apol. p. 21, D : Ἐγὼ δὲ, ὥσπερ οὖν οὐκ οἶδα, οὐδὲ οἴομαι. Dio Chr. vol. 1, p. 391.] Alterum autem illud Καθάπερ οὖν affertur ex Themist. (licet et ap. antiquiores ejus exempla non desint) In 2 Phys. : Καθάπερ οὖν ἐλέχθη καὶ πρότερον. [Post ὥστε Chœrob. vol. 2, p. 563, 6 : Ὥστε οὖν οὐκ ἔστι κατὰ τὴν αὐτὴν διάλεκτον. Gramm. Cramer. Anecd. vol. 4, p. 360, 1 : Ὥστε οὖν κακῶς λέγουσιν. Theophil. Institt. vol. 1, p. 193 : Ὥστε οὖν ἔστιν εὑρεῖν καὶ πενίαν ἐπωφελῆ. Epiphan. vol. 1, p. 65, D. Et divise Athen. 12, p. 545, D : Ὥστε, ἐπεὶ μεγάλην ἔχει δύναμιν ἡ καινότης πρὸς τὸ μείζω φανῆναι τὴν ἡδονήν, οὐκ ὀλιγωρητέον οὖν, ἀλλὰ κτλ., ubi suspectum fuit οὖν, ut mihi in l. simili de quo dixi in Εἷς vol. 3, p. 298, C.] Eod. pleonasmo utuntur etiam in οἷος et ὁποῖος : nam dicunt Οἷος οὖν pro οἷος, et Ὁποῖος οὖν pro ὁποῖος. Themist. : Τούτων γὰρ τὰ μὲν φαίνεται ἔχειν τὴν ἀναλογίαν, τὰ δὲ οὐ δύναται· οἷον οὖν καὶ τὸ τελευταῖον τῶν εἰρημένων. [Οἷόν περ οὖν Æsch. Ag. 607 : Γυναῖκα πιστὴν δ' ἐν δόμοις εὕροι μολὼν οἵανπερ οὖν ἔλειπε.] Basil. vero dixit etiam Ὁποῖος οὖν δή pro ὁποῖος δή, vel potius ὁποῖος simpliciter : ita scribens, Καὶ γὰρ φύσει ἀρετὴ λόγου, μήτε ἀσαφείᾳ κρύπτειν τὰ σημαινόμενα, μήτε περιττὸν εἶναι καὶ μάταιον· ὁποῖος οὖν δή ἐστιν ὁ ἀρτίως ὑμῖν ἀνε-

A γνωσμένος. [Post relat. ὃς schol. Hom. Il. T, 350 : Ὧ νῦν οἰκείως οὖν εἴκασε τὴν Ἀθηνᾶν. Post τις Hom. Il. Θ, 7 : Κέκλυτέ μευ..., ὄφρ' εἴπω τά με θυμὸς ἐνὶ στήθεσσι κελεύει. Μήτε τις οὖν θήλεια θεὸς τόγε μήτε τις ἄρσην πειράτω διακέρσαι ἐμὸν ἔπος. Conf. quæ de Εἷς τις οὖν dixi in Εἷς vol. 3, p. 289, C. Πᾶς τις οὖν Theodor. Stud. p. 310, D : Ἐν παντὶ οὖν ἀγαθῷ. Ἀλλ' οὖν Æsch. Prom. 1070 : Ἀλλ' οὖν μέμνησθ' ἁγὼ προλέγω. Theocr. 5, 21 : Ἀλλ' ὦν αἴκα λῇς κτλ. Ἀλλ' οὖν... γε, de quo diximus jam in Γοῦν vol. 2, p. 742, D, Æsch. Prom. 1057 : Ἀλλ' οὖν ὑμεῖς γ' αἱ πημοσύναις συγκάμνουσαι ... μέτα ποι χωρεῖτε. Soph. Aj. 535 : Ἀλλ' οὖν ἐγὼ 'φύλαξα τοῦτό γ' ἀρκέσαι· Ant. 84, Ph. 1306. Xen. Comm. 4, 4, 21. Ἀλλ' οὖν γε recentiores, ut Diodor. 1, 90 fin. : Εἰ καὶ πεπλεονάκαμεν, ἀλλ' οὖν γε τὰ μάλιστα θαυμαζόμενα ... διευκρινήκαμεν, qui in simili l. 4, 83 fin. ἀλλ' οὖν dicit sine γε. Sextus Emp. p. 276 fin. Fabr. : Πρῶτον μὲν γὰρ, ἵνα συνδράμωμεν αὐτοῖς μηδὲν ποιητικῆς κατειπόντες, ἀλλ' οὖν γε ἐκεῖνο πρόδηλόν ἐστιν. Dio Chr. vol. 1, p. 390 : Ἀλλ' οὖν γε τῆς εὐωχίας οὐδεὶς ἐκείνοις φθόνος. Crates in

B didasc. Aristoph. Pacis : Ἀλλ' οὖν γε τοῖς Ἀχαρνεῦσιν ἢ Βαβυλωνίοις. Εἰ ἄρα οὖν et οὐκ ἄρα οὖν aliquoties est in schol. Dionysii Bekk. An. p. 778–9, pro quo εἰ οὖν ἄρα 777, 32. Eustath. in Maji Nova Coll. Vat. vol. 7, p. 291, B : Οὐκ ἄρα οὖν δύναταί τις χώραν ἔχειν· et 283, A : Οὐκ ἄρα οὖν ... ἐνόησεν. Γὰρ οὖν Hom. Il. B, 350 : Φημὶ γὰρ οὖν κατανεῦσαι ... Κρονίωνα· Λ, 754 : Τόφρα γὰρ οὖν ἑπόμεσθα διὰ σπιδέος πεδίοιο, ὄφρα κτλ., et Od. B, 123. Apoll. Rh. 2, 471 : Εὖτε γὰρ οὖν ὡς πλεῖστα κάμοι καὶ πλεῖστα μογήσαι· 353 : Δοιὰ γὰρ οὖν κείνων ἔτι σήματα φαίνεται ἀνδρῶν. Æsch. Ag. 674 : Μενέλεων γὰρ οὖν ... μάλιστα προσδόκα μολεῖν· Eum. 368 : Μάλα γὰρ οὖν ... βαρυπεσῆ καταφέρω ποδὸς ἀκμάν. Soph. Ant. 741 : Σοῦ γὰρ οὖν προκήδομαι· 771 : Εὖ γὰρ οὖν λέγεις· Ph. 298 : Οἰκουμένη γὰρ οὖν στέγη πυρὸς μέτα κτλ. 766 : Λαμβάνει γὰρ οὖν ὕπνος με· OEd. C. 980 : Οὐ γὰρ οὖν σιγήσομαι. De quo v. in Οὐ γάρ. Ἀλλὰ ... γὰρ οὖν Soph. OEd. C. 985 : Ἀλλ' ἓν γὰρ οὖν ἔξοιδα. Καὶ γὰρ οὖν Æsch. Ag. 524 : Ἀλλ' εὖ νιν ἀσπάσασθε· καὶ γὰρ οὖν πρέπει. Soph. Ant. 489 : Καὶ γὰρ οὖν κείνην ἴσον ἐπαιτιῶμαι. In respondendo Xen. OEc.

C 17, 1 : Ἀμφοτέροις ἡμῖν ταὐτὰ δοκεῖ. — Δοκεῖ γὰρ οὖν. || Δ' οὖν Æsch. Prom. 226 : Ὃ δ' οὖν ἐρωτᾶτε κτλ. Eum. 226 : Σὺ δ' οὖν δίωκε· 887 : Σὺ δ' οὖν μένοις ἄν· 934 : Ὁ δ' οὖν ποιείτω· Ag. 34 : Γένοιτο δ' οὖν ... τῇδε βαστάσαι χερί· 676 : Εἰ δ' οὖν τις,.. ἱστορεῖ, et alibi. Apoll. Rh. 4, 1441 : Ἤλυθε δ' οὖν κἀκεῖνος, ubi al. rectius, ut videtur, οὖν, quod accommodatius Epicorum consuetudini. Theocr. 14, 29 : Ἤδη δ' ὦν πόσιος τοὶ τέτταρες ἐν βάθει ἦμες. In oratione interrupta redordienda Diodor. 5, 9 init.] Jam vero invenitur et cum articulo juncta hæc particula ap. Theophr. quum alibi tum C. Pl. 3, [c. 9, 5] : Ταῖς δ' οὖν ἀμπέλοις ἢ διὰ τεττάρων ἢ πλειόνων ἐτῶν παραβάλλουσι κόπρον. Sed hic quum Bud. putet accipi posse ταῖς δ' οὖν pro ταῖς δὲ simpliciter, nequaquam ego itidem vacare particulam istam crediderim : sic tamen ut liberum lectori suum judicium relinquam. [Soph. Aj. 961 : Οἱ δ' οὖν γελώντων· OEd. T. 669 : Ὁ δ' οὖν ἴτω. Divise ib. 834 : Ἡμῖν μὲν, ὦναξ, ταῦτ' ὀκνήρ'· ἕως δ' ἂν οὖν πρὸς τοῦ παρόντος ἐκμάθῃς,

D ἔχ' ἐλπίδα. Δὴ οὖν v. in Δή, vol. 2, p. 1049, D.] Unum est, de quo eum, antequam hunc de particula οὖν sermonem finiam, admonendum esse puto : sc. eam aliquos jungere nomini ita ut cohæreat, aliis contra disjungentibus : ut ὡσπεροῦν et ὥσπερ οὖν : manente alioqui hac particula itidem supervacanea, utrolibet modo adjungatur. Interdum vero eam, quum cohæret, signif. aliam nomini dare : sicut οἱοσοῦν aliud est quam οἷος οὖν. [In Ind. :] Οὖν, alias significat Igitur, Ideo, Itaque. Item Tandem tamen, præcedente μέν. Plut. Galba [c. 10] : Χαλεπῶς μὲν καὶ μόλις, ἔπεισε δ' οὖν τοὺς στρατιώτας αὐτοκράτορα τὸν Γάλβαν εἰπεῖν. Exp. etiam Certe, Quidem, Utique, ut γοῦν. [Hom. Od. N, 122 : Καὶ τὰ μὲν οὖν ... θῆκαν. Apollon. Rh. 4, 1472 : Ἀλλ' ὁ μὲν οὖν ... ἔβη. Melanippides ap. Athen. 10, p. 429, C : Τάχα δὴ τάχα τοὶ μὲν οὖν ἀπόλοντο, ubi libri ἀπωλαύοντο vel similiter, h. e. ἀπωλλύοντο, nisi scripserat, ut alii conjecerunt, ἀπ' ὧν ὄλοντο. Ceterum v. de μὲν οὖν in Μὲν p. 772, B ; 774, A. Ubi tamen p. 773, B, 16, positus l. Æsch. ponendus paullo altius

v. 4, quum pertineat ad signif. Immo, cum aliis ap. eum A similibus, et præter alia quæ addi possint notandum dici etiam divisim μὲν ... οὖν, ut Soph. OEd. C. 1539: Τὰ μὲν τοιαῦτ' οὖν εἰδότ' ἐκδιδάσκομεν· fr. Niptr. ap. schol. Hom. Il. A, 135 (Cramer. An. Paris. vol. 3, p. 274): Εἰ μέν τις οὖν ἔξεισιν, pro quo εἰ μὲν οὖν τις ἔστιν dixit Aristoph. Thesm. 536, in eodem genere loquendi, omissa apodosi. || De μὴ οὖν et μῶν οὖν v. in Μὴ p. 960, A, et Μῶν p. 1335, A. Οὐδ' οὖν Soph. OEd. C. 1135: Πῶς σ' ἂν ἄθλιος γεγὼς θιγεῖν θελήσαιμ' ἀνδρός, ᾧ τίς οὐκ ἔνι κηλίς...; Οὐκ ἔγωγέ σε, οὐδ' οὖν ἐάσω. || Οὖν ἄρα præter schol. Dionys. in Ἄρα οὖν cit., Athen. 10, p. 444, D: Καλῶς οὖν ἄρα καὶ Ἀριστοφάνης· Theodor. Stud. p. 331, E, Cyrill. vol. 6, part. 2, p. 229, D, Eustath. in Maji Nova Coll. Vat. vol. 7, p. 279, A. Vocc. interpositis Xenoph. OEc. 6, 4: Τί οὖν, ἔφη ὁ Σωκράτης, ἄρα, εἰ πρῶτον μὲν ἐπανέλθοιμεν, ut ego scripsi pro ἆρα. || Οὖν γε præter ll. supra in Ἀλλ' οὖν γε, in Γοῦν p. 742, B, citatos, et infra in Μήτ' οὖν citandum, habet Plut. Mor. p. 830, C: Τί οὖν γε σεαυτοῦ κατέγνωκας, ubi ex seq. σεαυτοῦ B vel ἑαυτοῦ natum est. Οὖν δὴ Soph. Aj. 873: Τί οὖν δή; Plato Prot. p. 316, B: Τί οὖν δή ἐστιν; Tim. p. 24, C: Ταύτην οὖν δὴ ... θεὸς κατῴκισεν. Phæd. p. 112, E: Τὰ μὲν οὖν δὴ ἄλλα κτλ. Alia v. in Δή, p. 1049, A. || Sæpe etiam post plura ponitur vocc., ut Æsch. Pers. 243: Πῶς ἂν οὖν μένοιεν; Eum. 219: Εἰ τοῖσιν οὖν κτείνουσιν ἀλλήλους χαλᾷς. Soph. OEd. T. 141: Κείνῳ προσαρκῶν οὖν ἐμαυτὸν ὠφελῶ· 1520: Φὴς τάδ' οὖν; Aj. 1215: Τίς μοι, τίς ἔτ' οὖν τέρψις ἐπέσται; Aristoph. Av. 1405: Βούλει διδάσκειν καὶ παρ' ἡμῖν οὖν μένων Λεωτροφίδῃ χορόν; Xenoph. Ephes. 4, 5, p. 83, 4: Ἔγνω μένειν οὖν ἐν τῷ ἄντρῳ. V. etiam in forma Ὦν. Mire Jo. Malalas p. 29, 19: Οἱ οὖν Σύροι Ἀντιοχεῖς ἐξ ἐκείνου τοῦ χρόνου ἀφ' οὗ οἱ Ἀργεῖοι ἐλθόντες ἐζήτησαν τὴν Ἰὼ ποιοῦσιν οὖν τὴν μνήμην· neque enim delendum videtur alterutrum. Simplex sic est p. 59, 16: Τὰ δὲ μεταγενέστερα βασίλεια Αἰγυπτίων, λέγω δὲ ἀπὸ τοῦ Ναραχὼ καὶ κάτω, συνεγράψατο οὖν ταῦτα Θεόφιλος· 101, 13: Καὶ οὐ παρεχώρησεν, ἀλλ' εὐθέως ἀπὸ τοῦ κόπου ... συμβαλὼν οὖν μάχεται· 195, 4: Καὶ εἰσελθόντα πρὸς αὐτὴν ἅμα τοῖς... πρεσβευταῖς γνωρίσασα οὖν αὐτόν· 238, 4: Ἀκηκουῖα δὲ C τοῦ ... Χριστοῦ τὰ ἰάματα, ὃς... θεραπεύει, πρὸς αὐτὸν οὖν κἀγὼ ... ἔδραμον· et similiter 362, 12; 380, 1. Ceterum inprimis part. οὖν frequentari ab scholiastis notavit Dobr. ad Aristoph. Pl. 973, p. 120, qui exx. illic citatis facile plurima ex schol. Aristoph. et aliis adjicere potuisset.] Ὦν, Ionice et Dorice pro οὖν dicitur, q. e. Igitur. [Pind. Ol. 1, 86: Οὐδ' ἀκράντοις ἐφάψατ' ὦν ἔπεσι· 111: Ἐμοὶ μὲν ὦν Μοῖσα ... βέλος ... τρέφει· 3, 40: Ἐμὲ δ' ὦν πα θυμὸς ὀτρύνει φάμεν· 6, 19: Οὔτε δύσερις ἐὼν οὔτ' ὦν φιλόνεικος ἄγαν· 52: Τοὶ δ' οὔτ' ὦν ἀκοῦσαι οὔτ' ἰδεῖν εὔχοντο· 4, 72: Ξεῖνος αἴτ' ὦν ἀστός· 297: Ἔν τε σοφοῖς δαιδαλέαν φόρμιγγα βαστάζων μήτ' ὦν τινι πῆμα πορών· 9, 107: Ἐμὲ δ' ὦν τις πράσσει χρέος· Nem. 6, 10: Αἴτ' ἀμειβόμεναι τόκα μὲν ὦν ... ἔδοσαν, τόκα δ' αὖτ'... ἔμαρψαν· et alibi similibus modis.] Apud Herodotum sæpe παρέλκει, qui ipso etiam intercidit verba composita, interjecto sc. inter præp. et verbum, quæ alias conjuncta esse solent. Dicit enim [2, 39] ἀπ' ὦν ἔδοντο pro ἀπέδοντο, et [ib. 40] ἐξ ὦν εἷλον pro ἐξεῖλον: itemque [ib. 47] κατ' ὦν ἐκάλυψε pro κατεκάλυψε, et ἀπὸ ὦν D ἔβαψε pro ἀπέβαψε. [Et ἐν ὦν ἔπλησαν 2, 87, κατ' ὦν ἔδησαν 2, 122, ἀν' ὦν ἐφάνη 3, 82, etc. Epicharm. ap. Athen. 6, p. 236, A: Τήνῳ χυδάζομαί τε κἀπ' ὦν ἠχθόμαν· 7, p. 277, F: Καὶ γλυκύν γ' ἐπ' ὦν ἐπίομες οἶνον. Dorieus ap. Athen. 10, p. 413, A: Εἰς χρέα τόνδε κόψας πάντα κατ' οὖν μοῦνος ἐδαίσατό νιν. Strato Anth. Pal. 12, 226, 3: Ἠ με κατ' οὖν ἐδάμασσεν. Inter Atticos Aristoph. Ran. 1047: Ὥστε γε κἀὐτὸν σὲ κατ' οὖν ἔβαλεν. Μαλαῶν pro μάλ' οὖν v. in Μάλα p. 533, C. L. Dindorf.]

[Οὖνει, δεῦρο, δράμε ... Ἀρκάδες, Hesychius. Idem: Οὖνον, ὑγιὲς (hæc interpret. fort. pertinet ad οὖλον), Κύπριοι δρόμον, et Οὔνιος, δρομεύς.]

[Οὕνεκα, Οὕνεκεν. V. Ἕνεκα.]

[Οὔνης, κλέπτης, κλεπτῶν συνηφαρεία. Οὔνιος, εὔνις, δρομεύς, κλέπτης, Hesychius. « L. κλεπτῶν συμφρατρία. V. Ὀάνυες, ἐνέδραι. » Is. Voss. « L. κλεπτοσύνη, φωρεία. » Perger. Εὖνις ex dittographia natum videtur.]

[Οὔνομα, Οὐνομάζω etc. V. Ὄνομα etc.]

[Οὖνρε, Veratrum album. App. ad Dioscor. p. 473 (4, 150). Angl.]

[Οὐνώ. V. Χαρμιουνώ.]

[Οὔξιοι, οἱ, Uxii, gens Persica ap. Strab. 15, p. 728, Arrian. Exp. 3, 8, 8 et alibi. Οὐξία de terra Strabo ib. p. 729 etc.]

[Οὖον, τὸ, Sorbum, Gl. V. Ὄα. || Uva. Alex. Trall. 7, 13: Τούτοις καὶ τὰ κάστανά ἐστιν ἐπιτήδεια καὶ μέσπιλα καὶ οὖα πάνυ πέπειρα. Actuarius l. 2 Περὶ πνευμ. ψυχῆς c. 5: Οὖα δὲ πάνυ στύφοντα ἐν ὀπώραις καὶ κάρυα καὶ μέσπιλα ἐν φαρμάκου μὲν λόγῳ λαμβανόμενα πάνυ χρήσιμα. Ducang.]

[Οὕπερ. V. Οὗ.]

[Οὔπη, Nullo modo, Neutiquam s. Nusquam. Hom. Il. N, 191: Αἴας ... ὀρέξατο δουρὶ ... Ἕκτορος· ἀλλ' οὔπη χροὸς εἴσατο· P, 643: Ἀλλ' οὔπη δύναμαι ἰδέειν τοιοῦτον Ἀχαιῶν· Ψ, 463: Νῦν δ' οὔπη δύναμαι ἰδέειν· Od. E, 140: Πέμψω δέ μιν οὔπη ἔγωγε· 410: Ἔκβασις οὔπη φαίνεται. Οὔπᾳ, Dorice, Aristoph. Lys. 1157: Οὔπᾳ γυναῖκ' ὄπωπα χαϊωτέραν. || Οὐ κῃ Ionice, Herodot. 5, 13: Οὐ κῃ πρόσω σκοπιὴν ἔχοντες τουτέων, ubi nonnulli οὐκὶ, etsi sequitur οὐ πρόσω. Sic 7, 49, pro οὐκὶ ἕνα, unus οὐκὶ ἕνα κῃ, ubi κῃ supra scriptum fefellisse librarium videtur. || Et Οὐδέ πῃ Il. Z, 267: Οὐδέ πῃ ἔστι Κρονίωνι αἵματι ... πεπαλαγμένον εὐχετάασθαι· Π, 110: Ἱδρὼς ... ἔρρεεν, οὐδέ πῃ εἶχεν ἀμπνεῦσαι· Ω, 71: Οὐδέ πῃ ἔστι λάθρῃ Ἀχιλλῆος (κλέψαι)· Od. M, 232: Οὐδέ πῃ ἀθρῆσαι δυνάμην. Apoll. Rh. 3, 546. || Et Οὔτι πῃ Hesiod. Op. 105: Οὕτως οὔτι πῃ ἔστι Διὸς νόον ἐξαλέασθαι. Theocr. 1, 63: Τὰν γὰρ ἀοιδὰν οὔτι πᾳ εἰς Ἀΐδαν ... φυλαξεῖς. Et Οὐδέ τί πᾳ Theocr. 1, 59: Οὐδέ τί πᾳ ποτὶ χεῖλος ἐμὸν θίγεν· quod etiam 11, 28, est in nonnullis pro οὐδέ τί πω νῦν.]

[Οὔπιγγος, ὁ, Hymnus in Dianam. Athen. 14, p. 619, B: Οὔπιγγοι, αἱ εἰς Ἄρτεμιν (ᾠδαί). Pollux 1, 38: Ἰδίᾳ δὲ Ἀρτέμιδος ὕμνος οὔπιγγος· et 4, 53, οὔπιγγοι. In ὕποιπος corruptum ap. Theodor. Orat. 4, f. 68, memorat Seber. ad l. pr. Conf. Οὖπις.]

Οὖπις, ιδος, ἡ, Dianæ epitheton παρὰ τὸ ὀπίζεσθαι αὐτὴν τὰς τικτούσας, quod parturientium rationem et curam habeat. Etym. [Quod alteram addit etym., ἢ παρὰ τὴν θρέψασαν αὐτὴν Οὖπιν, et tertiam, ἢ διὰ τὰς Ὑπερβορέας (—ους schol. Callim.) κόρας Οὖπιν, Ἑκαέργην, Λοξώ, ἃς ἐτίμησεν Ἀπόλλων καὶ Ἄρτεμις, καὶ ἀπὸ μὲν τῆς Οὔπιδος ἡ Ἄρτεμις Οὖπις κτλ. Callim. Dian. 204: Οὖπι ἄνασσ' εὐῶπι· et ib. 240, idemque Del. 292: Οὖπίς τε Λοξώ τε καὶ εὐαίων Ἑκαέργη. Marcell. Anth. Pal. App. 50, 2: Ἢ τ' ἐπὶ ἔργα βροτῶν ὁράᾳς, Ῥαμνουσιὰς Οὖπι. Nonnus Dion. 48, 332. Tzetz. ad Lycophr. 936: Οὖπις παρὰ Θρᾳξὶν (ἐπίθετον Ἀρτέμιδος). V. Ὦπις.]

Οὔποθι, Nusquam, Nullibi. [Hom. Il. N, 309: Ἐπεὶ οὔ ποθι ἔλπομαι οὕτω δεύεσθαι πολέμοιο ... Ἀχαιούς. Apoll. Rh. 4, 1443: Τὸ μὲν οὔποθι μέλλεν ἰδέσθαι.]

[Οὔποκα. V. Οὔποτε.]

Οὔποτε, Haud unquam, Nunquam: pro quo frequentius usurpantur Οὐδέποτε et Μηδέποτε: quæ cum omnibus temporibus copulantur. Xen.: Ὡς οὐδέποτε, Ut nunquam antea. Hesiod. Ἔργ. [638]: Ἄσκρῃ, χεῖμα κακῇ, θέρει ἀργαλέῃ, οὐδέ ποτ' ἐσθλῇ, Nunquam bona. [Immo Neque unquam, si scribitur divisim, ut fit ap. Hes., ubi etiam dativi sunt, non nominativi. Nihil autem huc pertinet illud οὐδέ ποτε, quod sæpius sic est etiam ap. Hom. et alios poetas.] Diog. L. vero cum futuro junxit. [Οὔποτε Hom. Il. A, 261: Οὔποτέ μ' οἵγ' ἀθέριζον· 278: Ἐπεὶ οὔποθ' ὁμοίης ἔμμορε τιμῆς. Pind. Pyth. 10, 27: Ὁ χάλκεος οὐρανὸς οὔποτ' ἀμβατὸς αὐτῷ· Nem. 3, 39: Ἄλλοτ' ἄλλα πνέων οὔποτ' ἀτρεκεῖ κατέβα ποδί. Æsch. Prom. 174: Στερεάς τ' οὔποτ' ἀπειλὰς πτήξας· Eum. 175: Ὑπό τε γᾶν φυγὼν οὔποτ' ἐλευθεροῦται· 561: Τὸν οὔποτ' αὐχοῦντ' ἰδών. Soph. Phil. 1037: Οὔποτ' ἂν στόλον ἐπλεύσατ' ἂν τόνδε· 1463: Δόξης οὔποτε τῆσδ' ἐπιβάντες· OEd. T. 505: Οὔποτ' ἔγωγ' ἂν ... καταφαίην. Aristoph. Lys. 541: Οὔποτε κάμοιμ' ἂν ὀρχουμένη. Callim. Apoll. 36: Οὔποτε Φοίβου θηλείαις οὐδ' ὅσσον ἐπὶ χνόος ἦλθε παρειαῖς· et cum eodem verbo Dian. 180, et alii. Cum præsenti Apoll. Rh. 2, 740: Σιγῇ δ' οὔποτε τήν γε ... ἔχει· 4, 110. Plato Phædr. p. 245, C: Οὔποτε λήγει κινούμενον. Cum futuro Il. A, 234: Τὸ μὲν οὔποτε φύλλα καὶ ὄζους φύσει. Æsch. Sept.

651 : Ὡς οὔποτ' ἀνδρὶ τῷδε κηρυκευμάτων μέμψει· Prom. 552 : Οὔποτε τὰν Διὸς ἁρμονίαν θνατῶν παρεξίασι βουλαί. Soph. OEd. T. 511 : Οὔποτ' ὀφλήσει κακίαν. Aristoph. Pac. 1083 : Οὔποτε ποιήσεις, et 1084 : Οὔποτε δειπνήσεις. Callim. Ap. 11 : Καὶ ἐσσόμεθ' οὔποτε λιτοί. Xen. Cyrop. 5, 1, 21 : Οὔποτε ... ἁλώσομαι· Anab. 3, 1, 3 : Οὓς οὔποτ' ἐνόμιζον ἔτι ὄψεσθαι· H. Gr. 2, 4, 13 : Παραγεγένηνται οὗ οὗτοι μὲν οὔποτε ᾤοντο. Divise Hom. Il. Α, 163 : Οὐ μὲν σοί ποτε ἶσον ἔχω γέρας· Δ, 48 : Οὐ γάρ μοί ποτε βωμὸς ἐδεύετο δαιτὸς ἐΐσης. Sic supra οὐ γὰρ ἄν ποτε, ap. HSt. in Οὐ. Τ, 271 : Οὐκ ἂν δή ποτε θυμὸν ἐνὶ στήθεσσιν ἐμοῖσιν Ἀτρείδης ὤρινε διαμπερές. Et sic in talibus ap. alios quosvis. Schol. Hom. Il. Τ, 384 : Οὐ μέντοι ποτὲ ἐν τῇ καλουμένῃ ἐπιταγματικῇ συντάξει. || Οὐδέποτε Hom. Il. Ε, 789 : Ὄφρα μὲν ἐς πόλεμον πωλέσκετο δῖος Ἀχιλλεὺς, οὐδέποτε Τρῶες πρὸ πυλάων ... οἴχνεσκον· Od. Ε, 39, Ν, 137 : Πόλλ', ὅσ' ἂν οὐδέποτε Τροίης ἐξήρατ' Ὀδυσσεύς. Soph. Phil. 999 : Οὐδέποτέ γ', οὐδ' ἢν χρῇ με πᾶν παθεῖν κακόν· 1084 : Οὐκ ἔμελλον λείψειν οὐδέποτε· 1392 : Οὐδέποθ' ἑκόντα γε. Aristoph. Nub. 3 : Οὐδέποθ' ἡμέρα γενήσεται ; 1056 : Ὅμηρος οὐδέποτ' ἂν ἐποίει· 1215 : Εἶτ' ἄνδρα τῶν αὑτοῦ τι χρὴ προϊέναι ; Οὐδέποτέ γ', ἀλλὰ κτλ. Ran. 265 : Τούτῳ γὰρ οὐ νικήσετε.— Οὐδέποτε, κεκράξομαι γὰρ κτλ. Av. 956 : Τουτὶ μὰ Δί' ἐγὼ τὸ κακὸν οὐδέποτ' ἤλπισα. Philemo ap. schol. Vict. et Eust. Il. Ω, 617 : Οὐδέποτ' ἐπείσθην οὐδὲ νῦν πεισθήσομαι. Xen. Cyrop. 2, 2, 3 : Οὐδέποτε ἄρξεται· Anab. 2, 6, 13 : Εὐνοίᾳ ἑπομένους οὐδέποτε εἶχεν· Ages. 11, 7 : Οὐδέποτε ἐπαύετο· OEcon. 20, 22 : Οὐδ. εἴα, etc. Male igitur Herodian. p. 457 Lob. : Τὸ οὐδέποτε ἐπὶ μέλλοντος, quasi non jungatur cum præterito, cujus alia plura exx. annotavit Lobeck. Rectius Priscian. 18, p. 1196 : « Οὐδέποτε tam in præterito quam in futuro. » Et Exc. Phrynichi Bekk. An. p. 53, 1 : Οὐδέποτε· ἐπὶ μέλλοντος μόνου φασὶ τίθεσθαι τὴν φωνὴν, ἐπὶ δὲ παρῳχημένου τὸ οὐδεπώποτε· εὑρίσκομεν δὲ ἐν τῇ ἀρχαίᾳ κωμῳδίᾳ τὸ οὐδέποτε καὶ ἐπὶ παρῳχημένου χρόνου, Οὐδέποτε προδέδωκέ με. Sæpe etiam cum præs., ut Callim. Del. 233 : Κείνη δ' οὐδέποτε σφετέρης ἐπιλήθεται ἕδρης· sed ib. 237 scribendum οὐδέ ποτε ζώνην ἀναλύεται. Plat. Gorg. p. 473, B : Οὐδέποτε ἐλέγχεται. || Dor. Οὐδέποκα Theocr. 2, 157 : Οὐδέποχ' εἶδον· 13, 10 : Χωρὶς δ' οὐδέποχ' ἦς· 2, 4 : Οὐδέποχ' ἵκει, ubi libri οὐδέποθ'. Hippodamus Stob. Flor. 103, 26.] Et Οὔποκα, Nunquam, οὔποτε. [Epicharm. ap. Diog. L. 3, 11 : Κοὔποκ' ἐν ταὐτῷ μένει· et ib. : Κοὔποχ' αὑτοί.] Callim. initio Hymni εἰς λουτρὸν Παλλάδος conscripti, Οὔποκ' Ἀθαναία μεγάλως ἀπενίψατο πάχεις Πρὶν κτλ., Haud unquam Minerva ingentes lacertos abluit priusquam.

[Οὔπου. V. Οὐ.]

Οὔπω, ejusdem signif. cum οὐδέπω, Nondum [Gl.], Necdum. [Hom. Il. Α, 224 : Καὶ οὔπω λῆγε χόλοιο· Β, 122 : Τέλος δ' οὔπω τι πέφανται· 553 : Τῷ δ' οὔπω τις ὁμοῖος ἐπιχθόνιος γένετ' ἀνήρ. Et alibi sæpe. Hesiod. Op. 271 : Ἀλλὰ τάγ' οὔπω ἔολπα τελεῖν Δία τερπικέραυνον· 519 : Οὔπω ἔργ' εἰδυῖα πολυχρύσου Ἀφροδίτης· Sc. 10 : Ὡς οὔπω τις ἔτισε. Pind. Ol. 7, 55 : Οὔπω ὅτε χθόνα δατέοντο· 13, 30 : Ἀντεβόλησεν τῶν ἀνὴρ θνατὸς οὔπω τις πρότερον· Pyth. 12 fin. : Ἀλλ' ἔσται χρόνος οὗτος, ὃ καί τιν' ἀελπτίᾳ βαλὼν ἔμπαλιν γνώμας τὸ μὲν δώσει, τὸ δ' οὔπω. Æsch. Prom. 981 : Καὶ μὴν σύγ' οὔπω σωφρονεῖν ἐπίστασαι· Sept. 514 : Κοὔπω τις εἶδε Ζῆνά του νικώμενον· Cho. 777 : Ὀρέστης ἐλπὶς οἴχεται δόμων. — Οὔπω. Soph. Tr. 461 : Κοὔπω τις αὐτῶν ἔκ γ' ἐμοῦ λόγον κακὸν ἠνέγκατο. Callim. Del. 90 : Οὔπω μοι Πυθῶνι μέλει τριποδήιος ἕδρη, et cum eod. tempore Apollon. Rh. 3, 19. Duplex sine verbo ponit Lycophr. 766 : Οὔπω μάλ' οὔπω.] Eur. [Hipp. 908] : Οὔπω χρόνον παλαιὸν εἰσεδέρκετο, Nondum diu est ex quo videbat. [Aristoph. Thesm. 434 : Οὔπω ... ἤκουσα, et alibi. Non minus frequens est in prosa, ut adjecisse sufficiat Xen. Comm. 3, 14, 2 : Οὔπω ἐπί γε τούτῳ ὀψοφάγοι καλοῦνται, ubi meliores οὐκ οἶμαί πω.] || Accipitur etiam pro Nunquam. Il. Γ, [306] : Οὔπω τλήσομ' ἐν ὀφθαλμοῖσιν ὁρᾶσθαι. [Ubi est var. οὔπως. Sed Eust. : Τὸ δὲ οὔπω τλήσομαι ἀσύνηθες τοῖς ὕστερον· ἐνταῦθα μὲν γὰρ τὸ οὔπω ταὐτόν ἐστι τῇ οὐ ἀρνήσει· ἐκεῖνοι δὲ τὸ οὔπω χρονικὸν οἴδασιν, οἷον οὔπω ἦλθεν, ἀλλὰ δηλαδὴ ἐλεύσεται, καὶ οὔπω ἔγραψεν, ἀλλὰ γράψει· et p. 467, 13 : Τὸ δὲ μήπωτι (Δ, 234) ἀργὴν ἔχει τὴν παραπλήρωσιν· ἔστι γὰρ

A ἀντὶ τοῦ μή τι, περιττοῦ κειμένου τοῦ πώ· παρὰ δέ γε τοῖς ὕστερον χρονικὴν σημασίαν ἔχει τὸ μήπω, καθὰ καὶ τὸ οὔπω. Sic Oppian. Cyn. 3, 391 : Ὑστρίγγων δ' οὔπω τι πέλει ... ῥίγιον εἰσιδέειν οὔτ' (vel potius οὐδ') ἀργαλεώτερον ἄλλο· et Cratinus minor ap. Athen. 6, p. 241, C : Μηδ' ὄψον κοινῇ μετὰ τούτου πώποτε δαίσῃ· et Strato Anth. Pal. 12, 179, 1 : Ὤμοσά σοι, Κρονίδη, μηπώποτε μηδ' ἐμοὶ αὐτῷ ἐξειπεῖν κτλ., quæ comparavit Lobeck. ad Phryn. p. 458, et addenda sunt nostris in Μήπω. Nihil autem huc pertinent loci Thuc. et Aristoph. ab HSt. continuo citandi.] Sic ex Thuc. [3, 13] : Οὔπω πρότερον, Nunquam alias. || Ex Aristoph. Pl. [574] : Οὔπω δύνασαι, simpliciter pro Non potes. [Divise dictum οὐ ... πω HSt. tractavit in Πω. Ubi addere licet Æsch. Prom. 27 : Οὐ πέφυκέ πω. Plat. Reip. 2, p. 370, E : Οὐκ ἄν πω πάνυ γε μέγα τι εἴη. || Forma Ion. Herodot. 1, 32 : Ἐκεῖνο οὔκω λέγω, πρὶν ἂν κτλ. 3, 63.]

[Οὐπώποτε, Non unquam, Gl. Hom. Il. Α, 106 : Μάντι κακῶν, οὐ πώποτέ μοι τὸ κρήγυον εἶπες· ubi de accentu in πώ ponendo monuit Eust., ut 154 : Οὐ γὰρ B πώποτ' ἐμὰς βοῦς ἤλασαν, ubi schol. Ven. : Οὕτως ὑφ' ἓν πώποτε, Ἀρίσταρχος. Γ, 442 : Οὐ γάρ πώποτέ μ' ὧδέ γ' ἔρως φρένας ἀμφεκάλυψε· Ξ, 315 : Οὐ γάρ πώποτέ μ' ὧδε θεᾶς ἔρος οὐδὲ γυναικὸς ... ἐδάμασσεν· Od. Φ, 123 : Πάρος δ' οὐ πώποτ' ὀπώπει· Ψ, 328 : Σκύλλην, ἣν οὐ πώποτ' ἀκήριοι ὥνδρες ἄλυξαν. Æsch. Eum. 616 : Οὐπώποτ' εἶπον μαντικοῖσιν ἐν θρόνοις. Aristoph. Th. 497 : Ταῦθ', ὁρᾷς, οὐπώποτ' εἶπεν· et ib. 548. Xen. Cyrop. 1, 6, 4 : Οὐπώποτ' ἀμελήσας. Cum futuro Liban. Epist. 1113, p. 530, A : Οὓς οὐπώποτε πείσεις. Menander Prot. p. 122, A : Οὐπώποτε ποιήσεσθαι. Divise Cyrillus Contra Julian. p. 265, C : Υἱὸς οὐκ ἂν εἴη πώποτε. De qua constructione v. in Οὐδεπώποτε.] At vero Οὔτι πω quidam interpret. An, de qua interpr. dicam in Οὔτι που, ap. Plat. De republica 2 : Οὔτι πω οἴει ἱκανῶς εἰρῆσθαι περὶ τοῦ λόγου ; An putas satis dictum esse ? || Alias et ipsum pro Nondum usurpatur, a Soph. [Aj. 106] : Θανεῖν γὰρ αὐτὸν οὔτιπω θέλω. [El. 513 : Οὔτι πω ἔλιπεν ... αἰκία, ubi libri præter unum οὔ τις. OEd. C. 1370 : Εἰσορᾷ μὲν οὔτι πω. Æsch. Pers. 179 : Ἀλλ' C οὔτι πω τοιόνδ' ἐναργὲς εἰδόμην. || Forma Ion. Herodot. 6, 110 : Οὔτι κω συμβολὴν ἐποιέετο. Divise Hom. Il. Α, 719 : Οὐ γάρ πώ τί μ' ἔφη ἴδμεν πολεμήια ἔργα.]

Οὔπως, s. Οὔ πως, Nequaquam. [Hom. Il. Δ, 320 : Ἀλλ' οὔπως ἅμα πάντα θεοὶ δόσαν ἀνθρώποισιν· Η, 217. Et Μ, 65 : Ἔνθ' οὔπως ἔστιν καταβήμεναι· Τ, 209 : Πρὶν δ' οὔπως ἂν ... ἰείη· 225 : Γαστέρι δ' οὔπως ἔστι νέκυν πενθῆσαι Ἀχαιούς· et cum eodem verbo ἔστι Od. Ρ, 12, 286, Σ, 52. Divise Il. Β, 203 : Οὐ μέν πως πάντες βασιλεύσομεν ἐνθάδ' Ἀχαιοί· Δ, 158 : Οὐ μέν πως ἅλιον πέλει ὅρκιον· Χ, 126 : Οὐ μέν πως νῦν ἔστιν ... δαριζέμεναι· Ψ, 670 : Οὐδ' ἄρα πως ἦν ... γενέσθαι. || Forma Ion. Herodot. 1, 33 : Ταῦτα λέγων τῷ Κροίσῳ οὔκως οὔτε ἐχαρίζετο· 152 : Λακεδαιμόνιοι δὲ οὔκως ἤκουον.]

Οὐρά, ἡ, Cauda [Gl.]. Hom. Il. Υ, [170] de leone irritato : Οὐρῇ δὲ πλευράς τε καὶ ἰσχία ἀμφοτέρωθεν μαστίεται, Cauda verberat latera et coxas. Od. Κ, [215] de canibus : Οὐρῇσι μακρῇσι περισαίνοντες ἀνέσταν. Sic Ρ, [302] : Οὐρῇ μέν ῥ' ὅγ' ἔσηνε καὶ οὔατα κάββαλεν ἄμφω· unde σαίνουρος, Qui blanditur cauda, ut Ovi-D dianæ leænæ et lupæ, Blandas movere per aera caudas, Nostraque adulantes comitant vestigia. [Hesiod. Op. 510 : Οὐρὰς δ' ὑπὸ μέζε' ἔθεντο· Sc. 431 : Οὐρῇ μαστιόων· Th. 771 : Σαίνει ὁμῶς οὐρῇ τε καὶ οὔασιν ἀμφοτέροισιν, et cum eodem verbo Soph. fr. Phædræ ap. Hesych. v. Κυλλαίνων κάτω cit. Eur. fr. OEdipi ap. Ælian. N. A. 12, 7 : Οὐρὰν ὑπίλασ' ὑπὸ λεοντόπουν βάσιν· Rhes. 784 : Θείνοντε δ' οὐρᾷ πωλικῆς ῥινοῦ τρίχα ἤλαυνον (lupi). Frequens est etiam ap. Aratum de signis quibusdam, ut Cane, Ursa.] Xen. Cyneg. [6, 15] : Ταχὺ ταῖς οὐραῖς διασείουσαι καὶ ἐπικλίνουσαι τὰ ὦτα. Plut. De solert. anim. : Ἵστανται τὰς οὐρὰς κινοῦντες· Probl. Rom. : Οὐρὰν ἀποκόψας, Caudam amputans. Piscibus etiam tribuitur (unde μελάνουρος), non item avibus, quibus ὀρροπύγιον peculiare est. Lat. vero Cauda et quadrupedibus et reptilibus et piscibus et avibus convenit. || Homini quoque οὐρὰ tribuitur, ut et κέρκος, sed jocose pro Penis : sic Horat., Caudamque salacem Demeteret ferro : unde νώθουρος et μύζουρις. [Photius : Οὐρὰν, αἰδοῖον, Σοφοκλῆς. Et sine n. Soph.

Hesychius.] || In exercitu vero Extremum agmen : contra στόμα dicitur Acies et anterior pars. Qua metaphora lingua vernacula dicit *Queue*, quod est Cauda. Eust. p. 1185 : Οὐρὰ στρατοῦ, τὸ ὄπισθεν. Idem p. 469, quum dixisset Merionen, qui πυμάτας ὤτρυνε φάλαγγας, fuisse οὐραγὸν, addit, Οὐρὰ γὰρ καὶ κατὰ Ξενοφῶντα, τὸ ὀπίσω τῆς φάλαγγος, ὥσπερ στόμα καθ' Ὅμηρον ὁ τόπος τῶν προμάχων. Bud. interpr. Extremum agmen, e Xen. afferens [Hipparch. 8, 18] : Οὗτος δὲ ἕποιτο κατ' οὐρὰν τῆς μετὰ τοῦ φυλάρχου τάξεως. Alias κατ' οὐρὰν ἕπεσθαι exp. etiam A tergo sequi, κατόπιν. Athen. 7, [p. 281, F] ex Apollodoro, de piscibus quibusdam, qui ἀλφησταὶ nominantur : Ἁλίσκεσθαι σύνδυο, καὶ φαίνεσθαι τὸν ἕτερον ἐπὶ τοῦ ἑτέρου κατ' οὐρὰν ἑπόμενον. E Xen. quoque [Cyrop. 5, 3, 45] affertur ὁ κατ' οὐρὰν, Qui est a tergo. [Et Anab. 6, 5, 6, et alibi sæpe. « Ἀπ' οὐρᾶς Polyb. 1, 77, 7 ; 2, 28, 3. Κατ' οὐρὰν προσπίπτοντες 2, 67, 2 ; 11, 1, 10. » Schweigh. Lex.] Huc pertinet ἡ ἐπ' οὐρὰν μεταβολὴ, pro ἡ ἀπὸ τῶν πολεμίων : contra, ἡ ἀπ' οὐρᾶς pro ἡ ἐπὶ τοὺς πολεμίους, ut docetur in libello De vocab. militaribus. || Navi quoque οὐρὰ tribuitur pro πρύμνα, Puppis. Ionice pro οὐρὰ dicitur Οὐρή. [Herodot. 2, 47 ; 3, 113. Euodus Anth. Plan. 155 : Ἠχὼ μιμολόγον, φωνῆς τρύγα, ῥήματος οὐρήν. De accentu Arcad. p. 97, 1.]

[Οὐρὰ βοὸς Cypri memoratur Ptolem. 5, 13.]

Οὐρᾱγέω, Extremum agmen duco. Unde ap. Suid. Οὐραγεῖ, τὸ τέλος ἄγει τοῦ στρατοῦ. Hesych. vero οὐραγεῖ exp. ὑστερίζει, Postremus est vel venit. [Polyb. 4, 11, 6. Diodor. 14, 80 ; 19, 24 extr. Pollux 1, 127. Sir. 32, 11 : Ἐν ὥρᾳ ἐξεγείρου καὶ μὴ οὐράγει.]

[Οὐράγημα, τὸ, i. q. οὐραγία. Eust. Opusc. p. 176, 96 : Οὐ ταῖς προμάχοις ῥᾳδιουργίαις, ἀλλ', ὡς ἄν τις εἴποι, τῷ οὐραγήματι.]

Οὐραγία, ἡ, Extremum agmen, ἡ οὐρὰ τῆς φάλαγγος, s. ἡ ὄπισθεν ἀκολουθοῦσα στρατιὰ, ut Suid. et Hesych. exp. Polyb. 16 : Συνῆψαν τοῖς ἐπὶ τῆς οὐραγίας Μακεδόσι, Conflixere cum Macedonibus qui in extremo agmine erant. [Id. 1, 19, 14 ; 76, 5 ; 2, 34, 12 ; 3, 53, 1 etc.] Et Plut. Antonio [c. 42] : Πολλοῖς ἀκοντισταῖς καὶ σφενδονήταις οὐ μόνον τὴν οὐραγίαν, ἀλλὰ καὶ τὰς πλευρὰς στομώσας · de exercitu iter faciente. [Diodor. 14, 80 : Τοῖς ἐπὶ τῆς οὐραγίας ἐξήπτοντο · Exc. p. 497, 11 : Τὰς οὐραγίας ἀπέκοπτον. Pro οὐρὰ illatum libris deterioribus Xen. Anab. 3, 4, 42.] Apud Hesych. habetur etiam Οὐράγιον, quod exp. τελευταῖον, Ultimum : quod idem erit cum οὐραῖον s. ὀπίσθιον.

Οὐραγὸς, ὁ, in exercitu dicitur Is qui extremum agmen ductat, quod οὐρὰ nominatur quum ab aliis tum a Xen., ut supra docui ; s. Extremi agminis dux. Xen. [Cyrop. 2, 3, 22] : Ἐξάγει μὲν ὁ οὐραγὸς τοῦ τελευταίου λόχου τὸν λόχον. [Ib. 3, 3, 40, Anab. 4, 3, 29.] Polyb. [6, 35, 8] : Δεῖ γὰρ τὸν πρῶτον ἰλάρχην καθ' ἕκαστον στρατόπεδον ἑνὶ τῶν οὐραγῶν τῶν αὐτοῦ παραγγεῖλαι πρωΐ. [6, 24, 2. African. Cest. p. 316, B. Pollux 1, 127, 128.] In libro De vocab. militaribus οὐραγὸς esse dicitur ὁ τελευταῖος τοῦ λόχου : cui opp. λοχαγὸς, πρωτοστάτης et ἡγεμών. In eod. libello annotatur quosdam οὐραγὸν et ἐπιστάτην pro eod. accipere : qui erat unus τῶν ἐκτάκτων, ut ibid. in Ἔκτακτοι docetur. || Apud Diosc. vero 4, 179, de epithymo : Ἔχει δὲ κεφάλια λεπτὰ, κοῦφα, οὐραγοὺς ἔχοντα ὡς τρίχας, Marc. vertit Caudas capillorum modo. Aliter autem Ruell. eum locum interpr., sic sc., Capitula tenuia et levia, in quibus fibræ ut capillamenta : secutus diversam lectionem. Mihi certe id vocabulum suspectum est. [Οὐραχοὺς codd. Οὐριάχους Scaliger. Ælian. N. A. 6, 43 med. : Τοὺς καλουμένους οὐραχοὺς τῶν καρπίμων διατραγόντες. Aret. p. 6 fin. : Εἰ δὲ ἐς λεπτὸν καὶ εὐμήκη ὑμένα τελευτᾷ χιονὶς, οἷόν τι οὐραχὸν κατὰ πέρας ἴσχουσα, κράσπεδον τὴν ἐπωνυμίην ἴσχει. Ubi Petitus : « Suspicor οὐρίαχον, ferrum imæ hastilis parti impactum, quod quum sit tenue et oblongum, huic vitio colum ollæ in tenuem et oblongam extremitatem desinentis aptius profecto quadrat quam istud vas nondum editorum infantium. » Cujus conjectura non magis quam ap. Diosc. Scaligeri opus esse monet Lobeck. Pathol. p. 333, modo ne quis οὔραχον intelligat quem Petitus, sed οὐρίαχον, qui etiam οὔραχος dicitur.] Οὐραγὸς, sive Οὐραχὸς, Meatus urinarius in medio umbilici situs, a

A fundo vesicæ exoriens et in allantoidis cavitatem insertus : continetur medius inter duas venas duasque arterias umbilicum constituentes. Est autem allantoidis tunicæ initium, perforaturque satis lento et evidenti meatu ad fundum vesicæ ipsius fœtus, sic ut allontoides cum vesica τῷ οὐραχῷ, qui inter utrasque medius est, conjungatur. Per eum urina fœtus defertur in allantoidis cavitatem longam, angustam, rotundam, quæ in ipsius fines magis effunditur, ne amnion, chorion, uterum, ipsumque fœtum premat. Neque enim urinam retineri intra vesicam expediebat, neque per vesicæ cervicem reddi, ne fœtui circumfusa ejus cutem exulceraret. Hæc Gorr. [Rufus Eph. p. 45 Cl. : Ὁ καλούμενος οὐραχὸς, ἀγγεῖον βραχὺ καὶ ἀμφίστομον ἀπὸ τοῦ πυθμένος τῆς κύστεως εἰς τὸ χορίον ἐμβάλλον. Galeni locos vol. 1, p. 41 : Περὶ οὐρητικῶν πόρων καὶ οὐράχου · 5, p. 340 : Τὸ ἐν τῷ οὐραχῷ ὑγρὸν, contulit et de accentu ad præceptum Arcadii p. 85, 5, de nominibus in αχος proparoxytonis emendando monuit Lobeck. l. c.] Apud Hippocr. vero Περὶ καρδίης [p. 269,
B 5], ubi sic legitur, Οὐδὲ τῆς καρδίης νέμεται τὴν ἐσχατιὴν, ἀλλ' ἐγκαταλείπει τὸν οὐραχον καὶ στερεὸν ἐστι, videtur nonnullis reponendum οὐρίαχον, pro Mucrone cordis sumi dicentibus. [Non necessariam esse hanc correctionem, Foesii autem οὐραγὸν ne admitti quidem posse, animadvertit Lobeck. l. c.]

[Οὐράδιον, τὸ, dimin. ab οὐρὰ, Cauda. Lex. Ms. schedogr. ap. Ducang. : Κέρκος καὶ τὸ οὐράδιον. Etym. M. p. 105, 36 ; 172, 24 ; Draco p. 13, 10 : Οὔραιον (l. οὐραῖον), οὐράδιον. Geopon. 20, 27 : Χωρὶς τῶν οὐραδίων. Referre huc licet l. Achmetis in Οὐραῖον cit.]

[Οὐραία, Οὐραῖον. V. Οὐραῖος.]

[Οὐραῖος, ὁ, Basiliscus. Horapollo 1, 1 scribit, Ὄφιν καλοῦσιν Αἰγύπτιοι οὐραῖον, ὅ ἐστιν Ἑλληνιστὶ βασιλίσκον. Quidam vocab. hoc, neque adeo inepte, derivant ab *Ouro*, quo designatur Rex, quod aliquo modo exprimeret voc. Græc. βασιλίσκου. Ceterum cod. ille Ms., quo usus fuit Mercerus, hoc l. habet, non οὐραῖος, verum Οὐβαῖος, et illam lectionem dehinc viris eruditis placuisse, priorique fuisse prælatam ex citationi-
C bus eorum intellexi. In Nomenclatore Kircheri lego, *Obion* dici Serpentem, quæ vox tamen τύπον Ægyptiacum præ se non fert, nec etiam in libris Copt., quos videre mihi contigit, usquam occurrit. Sequuntur hunc Nomenclatorem, cujus fides mihi semper suspecta est, Bochart. et Wilkins., ille quidem in Hieroz. 1, l. 1, c. 3 fin., et 2, l. 3, c. 9 ; hic vero in Diss. de ling. Copt. p. 106. Copti in suis libris Serpentem, ac sigillatim Aspidem, semper vocant *ousoph*, in plurali *nispho*. An hinc detortum sit οὐβαῖος Horapollinis, dispiciant alii, qui istam lectionem tueantur. Ego, ut verum fatear, pristinam lectionem οὐραῖος retinendam esse putem. Non loquitur Horapollo de Basiliscis, qui proprie sic vocantur, quique Ægyptiis videntur fuisse ignoti. Certe nom. in eorum lingua non invenerunt. Ideoque interpret. Copt. Psalm. 91 voc. Græcam Βασιλίσκος retinuit, *Oubasiliskos*. Loquitur Horapollo de illa aspide, quæ capitibus deorum Ægypt., ac sigillatim Isidis, circumponi solebat. Id conceptis verbis ille observat. Observant et scriptores alii. Ovid., de-
D scribens pompam Isidis, hæc habet, Met. 9, 694 : Sistraque erant, nunquamque satis quæsitus Osiris Plenaque somniferi serpens peregrina veneni. Valerius Flaccus, Arg. 4, 416, ita canit : Hæc procul Io Spectat ab arce Phari, jam divis addita, jamque Aspide cincta comas. V. de illa etiam quæ disputamus in Panth. l. 1, c. 5, § 11. Hæc igitur serpentis species, teste Horapoll., Ægypt. dicebatur οὐραῖος. Hanc vero voc. Græcam exponi posse βασιλίσκον addit, quia, uti diximus, *Ouro* βασιλέα, Regem, designat. Græci voci *Ouro* addiderunt terminationem Græcam indeque effecerunt οὐραῖος. Jablonsk. Lectionem vulgarem in Horapoll. defendit, originem vocis ab *Ouro*, Rex, veram existimat, et Tehbam Nasser, de quo Alpinus 4 rer. Ægypt. 4, intelligi vult Zoega Num. Ægypt. p. 399, 400. Nec aliter de origine vocis Οὐραῖος judicat Scholtzius p. 19. Tewater. Item Champollion. ap. Leemans. ad Horap. p. 118 sq.]

Οὐραῖος, α, ον, Ad caudam pertinens. [Hom. Il. Ψ, 520 : Τρίχες ἄκραι οὐραῖαι.] Apoll. Arg. 2, [571] : Ἄκρα δ' ἔκοψαν Οὐραῖα πτερὰ ταί γε πελειάδος, Pennas caudæ, τὰ τῆς οὐρᾶς πτερά. Et οὐραῖα μέρη τῶν ἰχθύων, ap. Proclum, Eæ piscium partes quæ ad caudam pertinent: i. e. posteriores, ὀπίσθιαι. Intellige autem de piscibus qui inter duodecim signa numerantur, de quibus et Aratus in sua Sphæra [242]: Ἀμφοτέρων δὲ σφέων ἀποτείνεται ἠΰτε δεσμὰ [οὐραίων ἑκάτερθεν ἐπισχερὼ εἰς ἓν ἰόντων]· et alibi [362]: Δεσμοὶ δ' οὐραῖοι τοῖς ἰχθύες ἄκροι ἔχονται· quod Cic. interpr. Vincla caudarum. [144: Οὐραίοις ὑπὸ γούνασιν· 351: Ποσσὶν ὑπ' οὐραίοισι. Theocr. 25, 269: Πόδας ... οὐραίους, ut Pollux 1, 210.] Frequenter enim οὐραῖα dicuntur ipsæ οὐραὶ, ut [Soph. ap.] Athen. 7, [p. 277, B]: Σαίνουσιν οὐραίοισιν. [Eur. Ion. 1154: Ὕπερθε δὲ ἄρκτος στρέφουσ' οὐραῖα χρυσήρει πόλῳ. Aristot. H. A. 1, 5 med. et alibi sæpe in eadem.] Eod. libro [p. 301, D], Κυνὸς οὐραῖον, Cauda canis, piscis. Sic Archestr. eod. l. [p. 303, E]: Καὶ θύννης οὐραῖον ἔχειν, ἣν θυννίδα φωνῶ. [Eust. Opusc. p. 176, 87: Ἄκρῳ τῷ οὐραίῳ ἐγκαθήμενον φέρει τὸ θανάσιμον (scorpio). De cauda equi Achmes Onirocr. p. 124, A, ubi semel male οὐροδόν. Ceterum οὔραιον proparoxytonon, non addita significatione, ponunt Theognost. Can. p. 127, 7, gramm. Cramer. Anecd. vol. 2, p. 309, 30. L. Dind.] Sed et in multitudine aliqua hominum τὰ οὐραῖα, sicut τὰ ὀπίσθια, dicitur Pars posterior s. extrema: Terga, οὐρά. Philo V. M. 1: Ἀνακάμπτει πρὸς τὰ οὐραῖα τοῦ πλήθους, Retro in terga concessit. Neutro gen. Οὐραῖον ap. Hippocr. Περὶ διαίτης ὀξ. παθ. [p. 403, 2] dicitur τὸ πέρας τοῦ ὀστέου, Extrema pars ossis: quo loco etiam Οὐρώδεες τένοντες vocantur qui usque ad οὐραῖον, h. e. ossis extremum protenduntur, Galen. Comm. 4. Hæc Gorr. Supra ex ejusd. Galeni Lex. Hippocr. habuimus Ὀῤῥωδέων. At femin. Οὐραία dicitur κατὰ παραγωγὴν pro οὐρὰ, ut Ἀθηναία pro Ἀθήνη, et σεληναία pro σελήνη. Eust. [Od. p. 1758, 56. Aret. p. 135, 9: Τῆς κεφαλῆς καὶ τῆς οὐραίης (serpentum). « Babrius 111, 3 caudam dixit κέρκον οὐραίης, de cane: Κέρκον οὐραίης ἄρασα. » Boiss. Legendum οὐραίην.]

[Οὐρακὸς, ὁ, Media pars remi. Pollux 1, 90. Οὐραχὸς Falckenb. V. Οὐραγός. Ab οὐρὰ duci putabat Lobeck. Pathol. p. 311.]

[Οὐραλύφιος, ὁ, Uralyphius, n. viri, si vera scriptura, ap. Theodor. Stud. p. 405, B: Σύντυχε τῷ πατρί σου Οὐραλυφίῳ Καβαλλωνύμῳ. Alioqui Græco nomini similius sit Μυραλοιφίῳ. L. Dind.]

Οὐράνη, ἡ, Meatus urinarius, per quem ex renibus in vesicam urina defertur, sicut οὐρητήρ: at οὐρήθρα, Is per quem ex vesica exit. Pollux 1 [2, 223]: Οἱ δὲ παραπέμποντες ἐξ ἑκατέρων τῶν νευρῶν τὸ οὖρον τόποι, οὐράναι τε καὶ οὐρητῆρες καλοῦνται. || Tragici autem οὐράνην vocant Matulam, Vas urinarium, quod et οὐροδόχη et οὐρητρὶς et ἐνουρήθρα, ut Pollux quoque testatur: subjungens verbis jam citatis, Καὶ ἡ τραγῳδία τὴν ἀμίδα οὐράνην ἐκάλεσε. Utuntur vero hoc vocabulo tragicorum poetarum principes, Æsch. [ap. Polluc. 10, 44] et Soph. ap. Athen. 1, [p. 17] ubi ipse Athen. quum dixisset Æschylum inducere Græcos ἀπρεπῶς μεθύοντας, ὡς καὶ τὰς ἀμίδας ἀλλήλοις περικαταγνύναι, hos ex eo versus profert: Ὅδ' ἐστὶν ὅς ποτ' ἀμφ' ἐμοὶ βέλος Γελωτοποιὸν, τὴν κάκοσμον οὐράνην, Ἔῤῥιψεν, οὐδ' ἥμαρτε· περὶ δ' ἐμῷ κάρᾳ, Πληγεῖσ' ἐναυάγησεν ὀστρακουμένη, Χωρὶς μυρηρῶν τευχέων πνέουσ' ἐμοί. Quem l. Sophocles in suum Ἀχαιῶν Σύνδειπνον transferens sic contraxit: Ἀλλ' ἀμφὶ θυμῷ τὴν κάκοσμον οὐράνην Ἔῤῥιψεν, οὐδ' ἥμαρτε, περὶ δ' ἐμῷ κάρᾳ Κατάγνυται τὸ τεῦχος, οὐ μύρου πνέον. [Conf. Eust. Opusc. p. 296, 51. ᾰ]

[Οὐρανία, i. q. ἶρις, Interpolatori Diosc. c. 1 (1, 1). Ducang. || I. q. οὐρανὸς, Umbraculum, quod v. || Οὐρανίαν a nautis meteorum illud quod nos vulgo S. Elmum dicimus, sua ætate appellatum scribit Olympiodorus. Ducang. App. Gl. p. 211. || Musa. V. Οὐράνιος.]

[Οὐρανία πόλις. V. Οὐρανόπολις.]

[Οὐρανιάζω.] Οὐρανιάζειν, i. e. τὴν οὐρανίαν ludere, Ludere ludum illum qui οὐρανία vocatur, Hesych.

[Οὐρανιανὸς, ὁ, Uranianus, n. viri, cui inscripta Libanii Ep. 1013, p. 471, quod Οὐριανῷ scriptum in libro uno, αν supra versum posito, ut non videatur voluisse Οὐρανίῳ. L. Dind.]

[Οὐρανίαφι. V. Οὐράνιος.]

Οὐρανίδης, ὁ, Cœlestis, οὐράνιος: peculiariter de deo aliquo s. cœlicola. Hesiod. Theog. [502]: Λῦσε δὲ πατροκασιγνήτους ὀλοῶν ἀπὸ δεσμῶν Οὐρανίδας, οὓς δῆσε πατὴρ ἀεσιφροσύνῃσι, Cœligenas, Cœli filios. [Ib. 486: Οὐρανίδῃ μέγ' ἄνακτι, θεῶν προτέρῳ βασιλῆι. Pind. Pyth. 3, 4: Οὐρανίδα Κρόνου· 4, 194: Πάτερ Οὐρανιδᾶν. Frequens ap. Eur., ut fr. ap. Clem. Al. Strom. 5, p. 581: Σὺ γὰρ ἔν τε θεοῖς τοῖς οὐρανίδαις σκῆπτρον τὸ Διὸς μεταχειρίζων χθονίων θ' Ἅδῃ μετέχεις ἀρχῆς· Hec. 148: Θεοὺς τούς τ' οὐρανίδας τούς θ' ὑπὸ γαῖαν· absolute Phœn. 823: Ἁρμονίας εἰς ὑμεναίους ἤλυθον οὐρανίδαι· et alibi sæpe. Callim. Jov. 3, Theocr. 17, 22.] Utitur et Apoll. Arg. 2, [342, 1232]. Οὐρανίδην Hesych. exp. ἀπὸ τοῦ οὐρανοῦ, patronymicῶς, Cui cœlestis origo, Cœlesti semine natum. Vide et Οὐράνιος.

[Οὐρανίζω s.] Οὐρανίζομαι, Cœlum peto: unde οὐρανίζετο ap. Hesych., quod exp. πρὸς τὸν οὐρανὸν διϊκνεῖτο. [Photius: Οὐρανιζέτω, πρὸς τὸν οὐρανὸν διικνείσθω· Αἰσχύλος.]

[Οὐράνιον, τὸ κολλούριον, Alex. Trall. 2, p. 140, 148.]

Οὐράνιος, α, ον [et ὁ, ἡ], Cœlestis [Gl. Pind. Pyth. 3, 75: Ἀστέρος οὐρανίου. Æsch. Prom. 429: Οὐράνιόν τε πόλον· 1048: Τῶν οὐρανίων ἄστρων διόδους· Soph. OEd. T. 301: Οὐράνιά τε καὶ χθονοστιβῆ· Ant. 944, φῶς· fr. Naupl. ap. Achill. Tat. Isag. in Arat. p. 122, B. Eur. Hec. 1100: Αἰθέρ' οὐράνιον· fr. Chrysippi ap. Philon. vol. 2, p. 498, 24: Οὐράνιον πόλον· Tro. 1078: Οὐράνιον ἕδρανον· et cum eod. voc. Hel. 1317. Iph. T. 986: Οὐράνιον ... θεᾶς βρέτας, de signo Dianæ cœlo delapso, ut de olivæ fronde Tro. 800: Οὐράνιον στέφανον, quippe Minervæ munere. Cratinus ap. Hephæstion. p. 46, 8: Νέφος οὐράνιον.] Οὐράνιον ὕδωρ [Pind. Ol. 10, 2], Cœlestis aqua, ut Liv. et Horat. Theophr.: Γίνεται δὲ καὶ ἐν αὐτῇ τῇ νήσῳ ὕδωρ οὐράνιον. Pro quibus Plin.: Rigatur gelidis fontibus, et imbres accipit. Οὐράνιον φυτὸν, Stirps s. Planta cœlestis, ut Ovid., Cœlesti stirpe creatus. Plut. De orac. Pyth. [p. 400, B]: Πλάτων [Tim. p. 90, A] καὶ τὸν ἄνθρωπον οὐράνιον ὠνόμασε φυτὸν, ὥσπερ ἐκ ῥίζης ἄνω τῆς κεφαλῆς ὀρθούμενον. Et οὐράνιος κόσμος, Mundus cœlestis. Theophyl. Ep. 31, de penna pavonis: Κυκλικὸν ἀπεργάζεται σχῆμα, καὶ τὸν οὐράνιον εἰκονίζεται κόσμον· nam κατηστέρισται ut ipsum cœlum. Et οὐράνιος Ζεὺς [Callim. Jov. 55, Ep. 56, 3, Leonid. Alex. Anth. Pal. 9, 352, 4,] Aristot. De mundo [c. 6], Jupiter cœlestis: Hom. dicit ἐπουράνιος θεός. [H. Cer. 55: Τίς θεῶν οὐρανίων ἠὲ θνητῶν ἀνθρώπων; Æsch. Ag. 90, Eur. El. 1235, et μακάρων Herc. F. 758, Aristoph. Nub. 305.] Et οὐράνιος πανοπλία, Cœlestis armatura, Chrysost. Π. προσευχῆς. Ubi nota etiam fem. οὐράνιος [Eur. Phœn. 1729: Ὅδ' εἰμὶ μοῦσαν ὃς ἐπὶ καλλίνικον οὐράνιον ἔβαν· Ion. 715. Manetho 4, 24: Οὐρανίου κορυφῆς. Plato Phædr. p. 247, B: Οὐράνιον ἁψῖδα. Et plurimi recentiorum]: pro quo Soph. οὐρανία dicit, Aj. p. 13 meæ ed. [196]: Ἄταν οὐρανίαν φλέγων, pro ζωπυρῶν ἄταν τὴν ἐκ τοῦ οὐρανοῦ πεμφθεῖσαν, s. μετέωρον et μεγάλην. Idem [l. in fine in forma Ὀράνιος memorando] dicit etiam οὐρανία ἀστραπή. [Pind. Pyth. 1, 19: Κίων οὐρανία· 2, 38: Οὐρανιᾶν, de deabus. Simonides ap. Athen. 11, p. 490, F: Πελειάδες οὐράνιαι. Æsch. Prom. 104: Οὐρανίαν γένναν. Soph. El. 1064, Θέμιν (ut Pind. ap. Clem. Al. Strom. p. 731)· Phil. 1413, ἕδραις· OEd. T. 866, αἰθέρα. Eur. Hipp. 59: Τὰν Διὸς οὐρανίαν Ἄρτεμιν· et ib. 166. Tro. 1298: Πτέρυγι ... οὐρανίᾳ πεσοῦσα δορὶ καταφθίνει γᾶ· Alc. 244: Οὐράνιαί τε δῖναι νεφέλας. Aristoph. Nub. 316: Οὐράνιαι νεφέλαι. Et sæpe Apoll. Rh. et alii. Orph. H. in Hecat. 1: Εἰνοδίαν Ἑκάτην κλῄζω τριοδῖτιν ἐραννὴν (l. ἐπαινὴν) οὐρανίαν χθονίαν τε.] Lucret.: Multa videmus enim cœlestibus incita flammis Fulgere. Idem, Cœlestis fulminis ignis. At de οὐρανίη αἶξ vide Hesych. [Qui dicit: Οὐρανία αἶξ, ὡσεὶ λέγοι τις τὸ τῆς Ἀμαλθείας κέρας· ὅ,τι γάρ τις εὔξαιτο, ἐλάμβανεν ὁ ἔχων τοῦτο· ἐπήκοος δέ ἐστιν αὕτη ἴσως, ὅτι κατ' ἐνίους ἡ Σελήνη τῇ αἰγὶ ἐποχεῖται· ταύτῃ δὲ τὰ γύναια ηὔχετο διὰ τὸ καὶ αὐτὴν ἐπὶ τῷ Ἐνδυμίωνι τὰ αὐτὰ παθεῖν, ὅθεν καὶ εὐκταίαν φασὶν αὐτὴν ἔνιοι. Similia Photius, ex Cratini Chironibus citans, de quo v. Zenob. in Αἶξ οὐρανία, et al. in Αἶξ citatos] et Suid., ap. quem etiam οὐρανία ἄχνη pro δρόσος [ex Soph.

OEd. C. 681]. Alias feminino gen. Οὐρανία substantive dicitur una ex novem Musis : Latini quoque Uraniam appellant : de qua Plato Cratylo [p. 396, C] : Ἡ δ' αὖ ἐς τὸ ἄνω ὄψις, καλῶς ἔχει τοῦτο τὸ ὄνομα καλεῖσθαι οὐρανία, ὁρῶσα τὰ ἄνω. [Hesiod. Th. 78, et ap. Eust. Il. p. 1163, 61.] Est et Venus quædam οὐρανία [Pind. ap. Athen. 13, p. 574, A : Ματέρ' ἐρώτων οὐρανίαν Ἀφροδίταν. Variis locis cultam memorant Theocr. Ep. 13, 2, aliique poetæ in Anthol., Paus., 1, 14, 7; 19, 2; 2, 23, 8; et ubi de templo in Cytheris loquitur, τὸ δὲ ἱερὸν τῆς Οὐρανίας ἁγιώτατον καὶ ἱερῶν ὁπόσα Ἀφροδίτης παρ' Ἕλλησίν ἐστιν ἁγιώτατον, 3, 23, 1, et alibi. Οὐρανίαν τε θεὰν, σὺν δ' ἄμβροτον ἁγνὸν Ἄδωνιν Orph. procem. Hymn. 41. Eodemque modo sine nomine Veneris aliquoties Herodot. 3, 8, τὴν Οὐρανίην. Sed 4, 59, οὐρανίη Ἀφροδίτη. Agit de Venere Οὐρανίᾳ et πανδήμῳ Xen. Conv. 8, 9 sq., Plato Conv. p. 180 sq., idemque de Amore Οὐρανίῳ. Conf. etiam Sozom. H. E. 2, 5], sicut ἔρως οὐράνιος ap. Plut. [Mor. p. 764, B] : Ὡς Αἰγύπτιοι δύο μὲν Ἕλλησι παραπλησίους ἔρωτας, τόν τε πάνδημον καὶ τὸν οὐράνιον, ἴσασι. [Ἔρως Οὐράνιος et Ἀφροδίτη Οὐρανία memorantur in inscr. Smyrn. ap. Bœckh. vol. 2, p. 716, n. 3157, quam fictam putabat Maffeus. Oceani et Tethyos f. Οὐρανία ap. Hesiod. Th. 350, Hom. H. Cer. 423. Οὐρανία stella ap. Lutat. ad Stat. Theb. 7, 791 : « Nautæ, quum stellam Helenæ viderint, quæ Urania dicitur, cujus tanta est vis incendii, ut malum cavet et navis ima pertundat ... ergo si hæc stella navi insederit, sciunt se nautæ sine dubio perituros. » Olympiodor. ad Aristot. Meteor. 1, f. 4 b : Τούτους δὲ τοὺς τυφῶνας καὶ σίφωνας καλοῦσι διὰ τὸ καὶ ὕδωρ πολλάκις ἀνασπάσαι· καλοῦσι δὲ αὐτὴν καὶ οὐρανίαν ἰδιωτικῷ ὀνόματι. Nomen δεκάδος Theolog. arithm. p. 59, D.] Rursum οὐρανία Ludi genus, quo pilam in altum jactabant et exilientes, antequam in terram deferretur, manibus eam excipiebant. Hesych. [et qui οὐράνιον παιδιὰν Photius] et Pollux 9, p. 292 [§ 103, 106], necnon Eust. [Od. p. 1601, 25 sq.] Pulcre exprimit Hom. Od. Θ, [376] de sphæra s. pila loquens : Τὴν ἕτερος ῥίπτασκε ποτὶ νέφεα σκιόεντα, Ἰδνωθεὶς ὀπίσω· ὁ δ' ἀπὸ χθονὸς ὑψόσ' ἀερθεὶς Ῥηϊδίως μεθέλεσκε πάρος ποσὶν οὖδας ἱκέσθαι· ex quo l. colligo ap. Polluc. [§ 106] pro ἁλωμένοις reponi debere ἀλλομένοις. [Ab Jove Οὐρανίῳ dicta Οὐράνια, τὰ, ludi huic deo sacri ap. Spartanos, in inscr. Spart. ap. Bœckh. vol. 1, p. 618, n. 1241, 9 : Ἀγωνοθέτης τῶν μεγάλων Οὐρανίων· p. 635, n. 1276, 9 : Ἱερεὺς Οὐρανίων· p. 677, n. 1420, 1421, modo addito μεγάλα modo sine illo memorati. Ib. p. 678, n. 1424 : Τῶν μεγίστων Οὐρανίων Σεβαστείων Νερουανιείων. Et in inscr. Delph. ib. p. 844, n. 1719, 6. L. D.] || [Photius : Οὐράνιον ἄχος, τὸν κονιορτὸν, Σοφοκλῆς, Ant. 418 : Καὶ τότ' ἐξαίφνης χθονὸς τυφὼς ἀείρας σκηπτὸν, οὐράνιον ἄχος, πίμπλησι πεδίον. Pro nomine Sophoclis Hesychius δηλοῖ δὲ καὶ τὸ μέγα καὶ ὑψηλόν. Postrema signif. Eur. Alc. 230 : Πλέον ἢ βρόχῳ δέρην οὐρανίῳ πελάσσαι· Bacch. 1064 : Ἐλάτης οὐράνιον ἄκρον κλάδον· El. 860 : Οὐράνιον πήδημα· 1158 : Κυκλώπειά τ' οὐράνια τείχεα· et iisdem verbis Tro. 1088.] Aristoph. Vesp. [1530] : Ῥίπτε σκέλος οὐράνιον, pro εἰς οὐρανὸν, In cœlum jacta; et [1492] : Σκέλος οὐράνιόν γ' ἐκλακτίζων. || Interdum absolute ponitur, ut quum οὐράνιοι dicuntur Dii, pro οἱ οὐράνιοι θεοὶ, s. ἐπουράνιοι. Hesychio οὐράνιοι sunt οἱ τὸν οὐρανὸν κατοικοῦντες, Cœlicolæ. [Plato Leg. 8, p. 828, C : Ὅσους αὖ θεοὺς οὐρανίους ἐπονομαστέον. Eur. Hel. 1499 : Τυνδαρίδαι, οἳ ναίετ' οὐράνιοι.] Itidem Lat. Cœlestes pro Dii. Virg. : Invisus cœlestibus. Ovid., Mater cœlestum. Cic., Voluntas cœlestium : qui etiam dicit Colere cœlestes. [Cœlites, Gl.] A poetis vocantur οὐρανίωνες quoque, et οὐρανίδαι. Itidem Οὐράνια dicuntur Imbres, pro οὐράνια ὕδατα. Theophr. H. Pl. 4, 16 [14, 8] : Γίνονται δὲ νόσοι καὶ τῶν καρπῶν αὐτῶν, ἐὰν μὴ κατὰ καιρὸν τὰ πνεύματα καὶ τὰ οὐράνια γένηται. [Ὕδατα additur C. Pl. 4, 12, 5. H. Pl. 2, 4, 4 : Μεταβολῆς τινος γενομένης ἐκ τῶν οὐρανίων τοιαύτης, sunt quæcunque cœli temperiem constituunt aut mutant, veluti calor, frigus, pluviæ etc. Schneid. Οὐράνια, Cœlestia, aerem exponit Galen. Comment. 3 in lib. 1 Epid. p. 959, A : Τὴν ἰδίαν τοῦ περιέχοντος κρᾶσιν, Peculiarem aeris temperiem. Foes. Xen. Comm. 4, 7, 6 : Τῶν οὐρανίων, ᾗ ἕκαστα ὁ θεὸς μηχανᾶται, φροντιστὴν γίγνεσθαι ἀπέτρεπεν. Et ib. 1, 1, 11. Cyrop. 1, 6, 2 : Ἐν οὐρανίοις σημείοις, quod voc. nonnulli addunt 8, 7, 3 : Ἐν οὐρανίοις καὶ ἐν οἰωνοῖς. Theophr. Metaph. p. 320, 6 : Ἐν τῷ οὐρανῷ καὶ τοῖς οὐρανίοις τὴν φορὰν ζητητέον. Significatione ab οὐρανὸς, Palatum, ducta, de qua v. in illo, Lucian. Anth. Pal. 6, 17, 4 : Αἱ τρισσαί τοι ταῦτα τὰ παίγνια θῆκαν ἑταῖραι, Κύπρι μάκαιρ', ἄλλης ἄλλη ἀπ' ἐργασίης, ὧν ἀπὸ μὲν πυγῆς Εὐφρὼ τάδε ... ἡ τριτάτη δ' Ἀτθὶς ἀπ' οὐρανίων.] || Οὐράνιόν γ' ὅσον, pro θαυμάσιον ὅσον : ut ap. Aristoph. Ran. [781] interroganti Xanthiæ, Ὁ τῶν πανούργων [δῆμος ἀνεβόα]; respondet Æacus, Νὴ Δί' οὐράνιόν γ' ὅσον. Ib. [1135] : Εὐθὺς γὰρ ἡμάρτηκεν οὐράνιόν γ' ὅσον· quod interpretari etiam queas, Toto cœlo aberravit. In eadem fabula [l. priori], Οὐράνιόν γ' ὅσον ἀνεβόα, Vix credas quam altum exclamarit. Quintil. quoque Cœlestis usurpavit pro Admirandus, nisi malis Divinus, quum Ciceronem vocat Cœlestem in dicendo virum. [Æsch. Pers. 573 : Βαρὺ δ' ἀμβόασον οὐράνι' ἄχη. Photius : Οὐράνιον, μέγα. Plur. Eur. Tro. 519 : Ἵππον οὐράνια βρέμοντα, de equo Trojano.] At Οὐρανίαφι, paragoge poetica pro οὐρανία. [Schol. Hom. Il. B, 233 : Ἡ διὰ τῆς φι συλλαβῆς παραγωγὴ κατὰ πᾶσαν γίνεται πτῶσιν, ... ἀπὸ κλητικῆς, οἷον Οὐρανία Οὐρανίαφι, Οὐρανίαφι λίγ' ἀείσομαι· N, 588 : Ἐπὶ δὲ κλητικῆς Ἀλκμὰν ὁ μελοποιὸς οὕτως, Μῶσα Διὸς θύγατερ Ὠρανίαφι λίγ' ἀείσομαι· quibuscum conf. Epim. Hom. Cram. An. vol. 1, p. 293, 9, 22, et Etym. M. p. 800, 11, nonnihil corruptum, et Gud. p. 411, 16. Apollon. Bekk. An. p. 575, 29 : Ἔστι δὲ καὶ παρὰ Ἀλκμᾶνι καὶ κατὰ κτητικῆς τὸ Οὐρανίαφιν. De qua forma mira est Buttmanni Gramm. vol. 1, p. 205 opinio, pro dativo habentis adjectivi, ut δαιμονίᾳ. || Formam Ὀράνιος Æsch. Suppl. 808 : Ἴυζε δ' ὀμφὰν ὀρανίαν, pro οὐρανίαν restituit G. Dind., idemque Soph. OEd. C. 1466 : Ὀρανία γὰρ ἀστραπή. De forma Ὠρανία v. in Οὐρανίαφι. L. Dind.]

[Οὐρανίως, Divinitus. Dionys. Areop. p. 129. Kall.]

[Οὐράνιος, ὁ, Uranius, n. viri, Syri, ap. Agathiam Hist. 2, 29 sq. Uranium sæpe citat Steph. Byz., quem Syrum fuisse conjecit Pinedo. Memorat Uranium etiam Liban. Epist. 360, epistolam ei inscripsit Synes. p. 180, B. Epigrammata in Uranium pugilem sunt in Anth. Pal. 15, 49, Plan. 376, 377. Alii memorantur ap. Hist. eccl. scriptt., ut Socratem et Sozomenum. L. Dind.]

Οὐρανίσκος, ὁ, Tentorium orbiculari rotunditate, ut cœlum : sicut οὐρανοὶ infra. Plut. Phocione p. 247 [c. 33]. Idem Alexandro [c. 37] : Καθίσαντος αὐτοῦ τοπρῶτον ὑπὸ τὸν χρυσοῦν οὐρανίσκον ἐν τῷ βασιλικῷ θρόνῳ. Potest etiam accipi pro Lacunari tabernaculi, quod orbiculare sit in formam θόλου, s. pro Parte orbiculari in summo tentorio. Athen. 5, [p. 196, B] posuit pro Lacunari augustalis, quod Ptolemæus ad pompam et ὑποδοχὴν præpararat, inquit Bud. : Αὕτη δὲ (ἡ τοῦ συμποσίου στέγη) ἐνεπετάσθη κατὰ μέσον οὐρανίσκῳ κοκκινοβαφεῖ περιλεύκῳ. Idem 12, [p. 539, E] ex Phylarcho de tentorio s. tabernaculo, h. e. σκηνῇ, Alexandri : Οἱ δὲ ὑπερτείνοντες οὐρανίσκοι διάχρυσοι ποικίλμασιν ἐκπεπονημένοι πολυτελέσιν ἐσκέπαζον τὸν ἄνω τόπον. || Οὐρανίσκος, sicut et οὐρανὸς, Palatum [Gl.], quod Lucret. Templum vocavit, sicut Cœlum quoque vocari Templum Donatus auctor est, l. 4 : Suaviter attingunt, et suaviter omnia tractant Humida linguai circumsudantia templa. Paulo ante dixerat, Inde quod exprimimus, per caulas omne palati Diditur, et raræ perplexa foramina linguæ. Damasc. p. 46 : Ὄργανα τῆς γεύσεως ἡ γλῶσσα καὶ ὑπερῴα, ἣν καλοῦσί τινες οὐρανίσκον. [Sic ap. Athen. 7, p. 315, D : Αἱ γνάθοι καὶ οὐρανίσκοι. Schweigh. Hesych. in Κλωγμός. Hemst. Melet. in Cram. An. vol. 3, p. 83, 27; schol. Pind. Pyth. 12, 1. Varias nominis rationes comminiscitur Etym. M. in v.] || Οὐρανίσκος apud Proclum, Cœleste sidus, quod Corona australis vocatur. Schol. Arati [397] : Εἰσὶ δὲ καὶ ἄλλοι ὁμοίως ἀφανέστεροι ἐν κύκλου περιγραφῇ, οὓς τῶν νεωτέρων τινὲς οὐρανίσκον καλοῦσιν, οἱ δὲ νότιον στέφανον. [|| Parvum cœlum. V. Eust. in Οὐράνωσις cit.]

[Οὐράνισμα, τὸ, nota musicæ hodiernæ quæ per Φ (dextram versus inclinatum) exprimitur. V. Rutgers. Var. L. 2, 11 extr. (p. 132). Ducang.]

Οὐρανίων, ωνος, ὁ, idem q. οὐράνιος. [Cœlicola, Gl.] Hom. Il. A, [570] : Ὤχθησαν δ' ἀνὰ δῶμα Διὸς θεοὶ οὐρανίωνες. Et sine θεοὶ, E, [373 : Τίς νύ σε τοιάδ' ἔρεξε... Οὐρανιώνων· et alibi sæpe. Et 898] : Καί κεν δὴ πάλαι ἦσθα ἐνέρτερος οὐρανιώνων, ubi οὐρανιώνων accipitur pro τιτάνων, qui οὐρανοῦ filii erant, s. οὐρανίδαι. [Hesiod. Th. 461 : Ἀγαυῶν Οὐρανιώνων· 919, 929. Theocr. 12, 22, et alii poetæ.] Vide et Οὐράνιοι. [Feminino genere Οὐρανιῶναι, Marcellus Anth. Pal. App. 51, 5, θεαί. ἄϊ]

[Οὐρανιώνη. V. Οὐρανίων.]

[Οὐρανίως. V. Οὐράνιος.]

Οὐρανοβάμων, ονος, ὁ, ἡ, Qui cœlum scandit, Qui per cœlum graditur : Suid. οὐρανοβάμονος, οὐρανοφοίτου. [Const. Manass. Chron. 4944. Boiss. Frequens est ap. Eust. in Opusc., ut p. 6, 90 : Τῆς οὐρανοβάμονος κλίμακος· 76, 28; 95, 11, etc. Jo. Euchait. ap. Lambec. Bibl. Cæs. vol. 5, p. 73, B. ἅ L. Dind.]

[Οὐρανοβατέω, Cœlum scando. Isidorus Pelus. p. 197; Jo. Chrys. vol. 5, p. 528. V. Οὐρανοπατέω.]

[Οὐρανοβάτης, ὁ, Qui cœlum scandit. Philostorg. H. E. 9, 3, p. 526 : Οὐρανοβάστας ἐπ' ἐκκλησίας εἰρωνευόμενος τοὺς ἀμφὶ τὸν Ἀέτιον. Valesius : « Οὐνοβάστας) In Mss. codd. οὐρανοβάστας. Suspicor οὐρανοβάτας. Sic autem per ludibrium appellabat quod instar gigantum in cœlum conscendere tentarent et de divinitate garrire præsumerent. » Non probabilia sunt quæ Ducang. v. Βαστᾶν scripsit ad defendendum οὐρανοβάστας aut quod ipse conjicit ὀνοβάτας.]

[Οὐρανοβαφής, ὁ, ἡ, Cæruleus. Nicet. Paphl. p. 3 (in Martyrum Triadi 1666 ed. Combef.), χρῶμα. V. Gloss. med. Lat. in Cœlestinus. Ducang.]

Οὐρανογνώμων, ονος, ὁ, ἡ, Cœli, i. e. Cœlestium rerum, peritus. [Lucian. Icarom. c. 5. Eustath. Il. p. 1337, 18.]

[Οὐρανογραφία, ἡ, Descriptio cœli. Diog. L. 9, 48. Wakef.]

[Οὐρανόδεικτος, ὁ, ἡ, In cœlo apparens. Hom. H. in Lunam 32, 3, αἴγλη.]

[Οὐρανοδρομέω, Cœlum incurro. Chron. Pasch. p. 275, 1; Theodor. Stud. p. 617. Οὐρανοδραμεῖν male ap. Cosmam Indicopl. p. 229, C. L. Dind.]

[Οὐρανοδρόμος.] Οὐρανόδρομος, ὁ, ἡ, Cursu in cœlum tendens : Gregor. de cruce dixit οὐρανόδρομον ξύλον. [Joann. Hierosol. Vita Joannis Damasc. p. 232 fin. ed. Major. Boiss. Οὐρανοδρόμιος male scriptum ap. Joseph. Rhacend. Walz. Rhett. vol. 3, p. 475, 18, ἅρμα. De quo tamen servandus accentus οὐρανοδρόμος, qui est etiam ap. Jo. Hier. l. c. vol. 1, p. 111, A, ed. Lequien. L. D. Οὐρ. Παῦλος, Mich. Syncell. Laudat. Dionysii Ar. p. 351, 5. Boiss. Cœlo decurrens, Pisid. Hexaem. v. 3 : Οὐρανοδρόμων λόγων (quod Polos penetrantium rectius vertit Morell.) Wakef.]

[Οὐρανοειδής, ὁ, ἡ, Cæruleus. Hesych. v. Κυανόν. Casaub. ad Athen. 2, 9 extr.]

Οὐρανόεις, εσσα, εν, unde οὐρανόεσσα ὑπήνη a Nicandro dicitur vel τὸ ἐπάνω τοῦ χείλους τρίχωμα, vel ἡ ὑπερῴα, s. οὐρανὸς s. οὐρανίσκος, Palatum : ut schol. exp. Alex. [16] : Τοῖο δὲ πάντα χαλινὰ καὶ οὐρανόεσσαν ὑπήνην Οὖλά θ' ὑποστύφει χολόεν ποτόν. [Manetho 4, 273 : Οὐρανόεσσαν ἀταρπόν.]

Οὐρανόθεν, Cœlitus [Gl.], Ex cœlo. Hom. Od. E, [294] et I, [69] : Ὀρώρει δ' οὐρανόθεν νύξ· Z, [281] : Θεὸς ἦλθεν Οὐρανόθεν καταβάς. Hesiod. Theog. [761] : Οὐρανὸν εἰσανιὼν, οὐδ' οὐρανόθεν καταβαίνων. [Ἀπ' οὐρανόθεν Il. Φ, 199, Od. M, 381, Hesiod. infra cit. De quo v. Herodian. Cram. An. vol. 3, p. 272, 31. Eratosth. ap. Achill. Tat. Isag. in Ar. p. 153, v. 10. Ἐξ οὐρανόθεν Il. P, 548. Κατ' οὐρανόθεν Orph. Lith. 595. In prosa Iambl. V. Pyth. 32, 216, Niceph. Greg. Hist. Byz. 10, 1, p. 287, B, quos citavit Lobeck. ad Phryn. p. 94. || Formam Οὐρανόθε præcipit schol. Harl. Hom. Od. I, 145, χωρὶς τοῦ ν τὸ οὐρανόθεν, quum ceteris locis omnibus, ubi sequitur προ, sit —θεν, et ap. Hesiod. Op. 553 : Μήποτέ σ' οὐρανόθεν σκοτόεν νέφος ἀμφικαλύψῃ· Sc. 384 : Ἀπ' οὐρανόθεν ψιάδας.]

[Οὐρανοθεσία, ἡ, Cœli positio. Schol. Arati 33. Cramer.]

Οὐρανόθι πρὸ, Ante cœlum, i. e. In aere. Hom. Il. Γ init. : Ἠΰτε περ κλαγγὴ γεράνων πέλει οὐρανόθι πρό.

A Alioqui οὐρανόθι per se significaret In cœlo. [Orac. Sib. 1, 267. Apollon. Bekk. An. p. 608, 18; 621, 2.]

[Οὐρανοκάτοικος, ὁ, ἡ, Cœlicola, Gl.]

[Οὐρανοκλῖμαξ, ακος, ἡ, Scala cœli. Pseudo-Chrys. Serm. 21, vol. 7, p. 299. Seager.]

[Οὐρανόκτητος, ὁ, ἡ, Cœlitus comparatus. Theodor. Stud. p. 617, cxv, 5 : Βίον φαεινὸν οὐρανοκτήτου κλέους. L. Dindorf.]

Οὐρανολέσχης, ὁ, Qui de cœlo vel rebus cœlestibus nugatur s. fabulatur, ut οἱ ἀμβατὸν θέσθαι τὸν οὐρανὸν μυθευόμενοι, Eust.

[Οὐρανομέτρης, ὁ, Qui cœlum metitur. Epiphan. vol. 1, p. 829, B.]

Οὐρανομήκης, ὁ, ἡ, Cœlum sua proceritate tangens, οὗ μῆκος οὐρανὸν εὐρὺν ἱκάνει, ut infra de scopulo præcelso Hom. loquitur. Plut. [Mor. p. 455, D, ex poeta] : Ἄθω οὐρανομήκη, Qui caput inter nubila condere videtur. Sic Virg., Æquataque machina cœlo. [Ἐλάτη Hom. Od. E, 239. Æsch. Ag. 92 : Οὐρανομήκης λαμπὰς ἀνίσχει. Herodot. 2, 138 : Δένδρεα οὐρανομήκεα. Try-
B phiodor. 562 : Οὐρανόμηκες ἀναστήσασα κάρηνον. Meleager Anth. Pal. 4, 1, 49 : Οὐρανομάκευς φοίνικος. Eust. Opusc. p. 183, 40, πόλις· 234, 70, στῦλοι. L. D. Στήλη, Aristid. vol. 2, p. 385, 8. Valck. Etym. M. p. 623, 11 : Ὄρει ἀγχινεφεῖ καὶ οὐρανομήκει ὄντι. Hemst. Philostr. Imag. p. 769 fin. : Γέγραπται δὲ οὐρανομήκης ἐπινοῆσαι.] At Aristoph. Nub. [357] : Οὐρανομήκη ῥήξατε κἀμοὶ φωνὴν, Clamorem tollite, qui sidera feriat, ut Virg., Ferit aurea sidera clamor, It clamor cœlo. Simile loquendi genus vide in Οὐρανός. Item οὐρανόμηκες κλέος, voce composita ex Hom. illo hemistichio, Τῆς νῦν κλέος οὐρανὸν ἵκει. Aristoph. Nub. [459] : Κλέος οὐρανόμηκες ἐν βροτοῖσιν ἕξεις. Sic ap. Athen. 1, [p. 19, C] in quodam epigrammate : Καί οἱ κλέος οὐρανόμηκες. [Ep. ap. Diog. L. 1, 39. Hemst.] Sæpe autem qui ira perciti sunt, dicunt κακὸν οὐρανόμηκες aut πελώριον, Aristot. Rhet. 3, [c. 7, 4. Isocr. Antid. p. 452, 141 : Τὸ δὲ κατορθωθὲν οὐρανόμηκες ποιήσουσιν.]

[Οὐρανομίμητος, ὁ, ἡ, Cœlum imitatus. Acta SS. Martii vol. 2, p. 703, C : Τὸ οὐρανομίμητον μοναστή-
C ριον. Eust. Opusc. p. 219, 14 : Οὐρανομιμήτου πολιτείας. ῑ L. Dind.]

[Οὐρανόνῑκος, ὁ, ἡ, Qui cœlum s. cœlestes vincit. Æsch. Suppl. 165, 179 : Κοννῶ δ' ἄταν γαμετᾶς οὐρανόνικον.]

[Οὐρανόπαις, δος, ὁ, ἡ, Filius s. filia Cœli. Orph. H. 26, 13 : Οὐρανόπαι· 78, 1 : Οὐρανόπαιδ' ἁγνήν.]

[Οὐρανοπατέω, Cœlum scando s. perambulo. Cosmas Indicopl. p. 172, A. Legendum οὐρανοβατεῖν, ut est p. 229, E. L. Dind.]

Οὐρανοπετής, ὁ, ἡ, Cœlo delapsus, Qui ex cœlo cecidit, ἐξ οὐρανοῦ πεσών, ut Pausanias loquitur. Plut. ex Empedocle οὐρανοπετεῖς δαίμονες [Mor. p. 830, F] : Πλάζονται καθάπερ οἱ θεήλατοι καὶ οὐρανοπετεῖς ἐκεῖνοι τοῦ Ἐμπεδοκλέους δαίμονες· De malign. Herod. [p. 870, C] : Ὁ δὲ κέλης οὗτος ἦν, ὡς ἔοικεν, οὐρανοπετής.

Οὐρανόπλαγκτος, ὁ, ἡ, Cœlum pererrans, Qui sub cœlo vagatur, epitheton nubium ap. Orph. H. [20, 1] : Ἀέριοι νεφέλαι, καρποτρόφοι, οὐρανόπλαγκτοι. [Manetho 4, 623 : Οὕτω καὶ μερόπων γενεὴ καματηδὸν ἀλᾶται ἢ
D βίον ἢ θάνατον διζημένη οὐρανόπλαγκτον.]

[Οὐρανοποιΐα, ἡ, Cœli creatio. Diog. L. 3, 77.]

[Οὐρανοπολέω, Circa cœlum versor, De cœlo mentem occupatam habeo. Jo. Chrys. In Psalm. 120, vol. 1, p. 786, 28. Seager. Chron. Pasch. p. 275, 3 : Ὁ χαμαὶ βαδίζων καὶ ὡς πνεῦμα μετ' ἀγγέλων οὐρανοπολῶν. L. Dind.]

Οὐρανόπολις, εως, ἡ, Cœlestis civitas. Athen. [1, p. 20, C] : Ἐξαριθμούμενον τὰς ἐν τῇ Ῥωμαίων οὐρανοπόλει Ῥώμῃ ἀριθμουμένας πόλεις· quam Romam Philippides ibid. appellat ἐπιτομὴν τῆς οἰκουμένης et οἰκουμένης δῆμον. [Constant. Manass. Chron. 5493 : Τῆς Βυζαντίου πόλεως, ἣν οὐρανόπολιν εἰπὼν οὐκ ἄν τις διαμάρτοι. Boiss. Clemens Al. Pæd. p. 242 init. : Τὰς δώδεκα τῆς οὐρ. πύλας, de Hierosolymis. Eustath. Opusc. p. 187, 90; 207, 4.] Alias Οὐρανόπολις est etiam nomen proprium urbis conditæ ab Alexarcho quodam, in quam διαλέκτους ἰδίας εἰσήνεγκεν, Athen. 3, [p. 98, E. Pamphyliæ ap. Ptolem. 5, 5. De priori autem Eckhel. D. N. vol. 2, p. 81 : « In cacumine montis Athus teste Plin. 4, 10, qui cum Athen. solus, quod norim, hujus urbis meminit. Numum inscriptum Οὐρανίας πόλεως edidi Num. vet. p. 70. Similem protulit Pellerinius. Mulierem partis anticæ conjecto esse Venerem uraniam, a qua videtur urbi nomen inditum, de quo plura disserui l. c. ... Ceterum fieri poterat ut urbs per situm cœlo admota Uranopolis a conditore vocaretur.» Et Add. p. 23 : «Narrat Sestinius *Lettere* t. 5, p. XXXIX, eo loco quo hæc Uranopolis stetit, repertos fuisse numos similes complures, ex quibus illi omnes, qui illæsi fuere, inscripti sunt ΟΥΡΑΝΙΔΩΝ ΠΟΛΕΩΣ, i. e. *urbis cœlestium* s. *cœlicolarum*, eodem fere sensu cum Οὐρανίας πόλεως. Hac ergo urbis suæ appellatione mons Atho sese Olympi rivalem professus est, dignus nimirum propter cœli viciniam, in quem se cœlestes animæ demitterent.» Ουρανιδεων (sic) et Ουρανιδων πόλεως ponit Mionnet. *Suppl.* vol. 3, p. 174, additque : «*Et non* Ουρανιας πολεως, *qui est une ancienne leçon vicieuse.*» L. DIND.]

[Οὐρανοπολίτης, ὁ, Cœli civis. Ephræm in Cotel. Mon. vol. 3, p. 65, C : Τί πόλεως ἐλαύνεις τὸν οὐρανοπολίτην; Maximus Conf. vol. 1, p. 394, A. Eust. Opusc. p. 21, 11, et alibi. OEcumen. In Hebr. 9, p. 843; Ammonius in Catena ad Joann. p. 413. || Fem. «Οὐρανοπολῖτις, ιδος, ἡ, Civis cœli, de muliere, Jo. Chrysost. Hom. 123, t. 6, p. 978, 25.» SEAGER.]

[Οὐρανοπορία, ἡ, Cœli cursus. Dionys. Areop. p. 187. KALL.]

[Οὐρανοπόρος, ὁ, ἡ, Cœlum scandens. Cotel. Eccl. mon. vol. 2, p. 341, A : Τοῦ μακαρίου Ἰωάννου τοῦ Εὐκρατᾶ βίβλος ἡ ἐπιγεγραμμένη λειμὼν διὰ τὸ πολυανθῆ βίων διήγησιν τῆς οὐρανοπόρου ῥοδωνιᾶς φέρειν. L. D. Method. Conviv. p. 113, D. BOISS.]

[Οὐρανοπράτης, ὁ, Cœli venditor. Pisid. Opif. p. 402.]

[Οὐρανοπρόβλητος, ὁ, ἡ, A cœlo electus. Gretser. Opp. vol. 2, p. 143, B. L. DIND.]

[Οὐρανόπτης, ὁ, Cœli spectator. Cæsarius Quæst. 78, p. 222 : Οὐρανόπτης ὁ ἄνθρωπος.]

Οὐρανόροφος, ὁ, ἡ, Cujus tectum s. contignatio in modum cœli et θόλου orbicularis est, ut οὐρ. σκηνή, Athen. 2, [p. 48, F]. Nisi malis, Quæ habet οὐρανὸν s. οὐρανίσκον, Lacunar, Instar cœli orbiculare. [Ita libri deteriores. Meliores οὐρανοφόρον.]

Οὐρᾰνὸς, ὁ, Cœlum, τοῦ κόσμου τὸ ἄνω, θεοῦ οἰκητήριον, Aristot. De mundo [c. 6]. Hom. [Il. Ε, 769 : Μεσσηγὺς γαίης καὶ οὐρανοῦ ἀστερόεντος· Θ, 16 : Τόσσον ἔνερθ' Ἀΐδεω, ὅσον οὐρανός ἐστ' ἀπὸ γαίης· Ο, 36 : Ἴστω νυν τόδε γαῖα καὶ οὐρανὸς εὐρὺς ὕπερθεν (ut ap. Apoll. Rh. 3, 715)· Σ, 485 : Τείρεα πάντα, τάτ' οὐρανὸς ἐστεφάνωται· Χ, 318 : Ἕσπερος, ὃς κάλλιστος ἐν οὐρανῷ ἵσταται ἀστήρ· Od. Ε, 303 : Οἵοισιν νεφέεσσι περιστέφει οὐρανὸν εὐρύν· Υ, 357 : Ἠέλιος δὲ οὐρανοῦ ἐξαπόλωλε.] Od. Μ, [404], Ξ, [302] : Οὐδέ τις ἄλλη Φαίνετο γαιάων, ἀλλ' οὐρανὸς ἠδὲ θάλασσα. Id. [Il. Ο, 371, Od. Ι, 527 :] Εὔχετο χεῖρ' ὀρέγων εἰς οὐρανὸν ἀστερόεντα· Virg., Tendoque supinas Ad cœlum cum voce manus; pro quo alibi, Palmas ad cœlum tendit. Itidem Sallust., Cæsar et Livius dicunt Manus supplices ad cœlum tendere. Il. Τ, [257] : Εὐξάμενος δ' ἄρα εἶπεν ἰδὼν εἰς οὐρανὸν εὐρύν· ut Cassandra ap. Virg., Ad cœlum tendens ardentia lumina frustra. Itidem Ω, [306] : Λεῖβε δὲ οἶνον Οὐρανὸν εἰσανιδών· Θ, [509] : Καίωμεν πυρὰ πολλὰ, σέλας δ' εἰς οὐρανὸν ἵκῃ. Frequentius sine εἰς : Β, [458] : Αἴγλη παμφανόωσα δι' αἰθέρος οὐρανὸν ἷκε· Ρ, [425] : Σιδήρειος δ' ὀρυμαγδὸς Χάλκεον οὐρανὸν ἷκε δι' αἰθέρος ἀτρυγέτοιο, ut Virg., It clamor cœlo. Θ, [192] : Τῆς νῦν κλέος οὐρανὸν ἵκει, ut Virg., Fama super æthera notus. [Od. Τ, 108 : Ἦ γάρ σευ κλέος οὐρανὸν εὐρὺν ἱκάνει· Ο, 329 : Τῶν ὕβρις τε βίη τε σιδήρεον οὐρανὸν ἵκει.] Od. Μ, [74] de scopulo præalto : Οὐρανὸν εὐρὺν ἱκάνει Ὀξείῃ κορυφῇ· unde οὐρανομήκεις σκόπελοι· Il. [Δ, 44 : Ὑπ' ἠελίῳ τε καὶ οὐρανῷ ἀστερόεντι· Ο, 192 : Ζεὺς δ' ἔλαχ' οὐρανὸν εὐρὺν ἐν αἰθέρι καὶ νεφέλῃσι.] Τ, [351] : Οὐρανοῦ ἐκκατέπαλτο δι' αἰθέρος. [Cum Olympo jungitur Il. Α, 497 : Ἠερίη δ' ἀνέβη μέγαν οὐρανὸν Οὔλυμπόν τε· Ε, 749 et Θ, 393 : Αὐτόμαται δὲ πύλαι μύκον οὐρανοῦ, ἃς ἔχον Ὧραι, τῇς ἐπιτέτραπται μέγας οὐρανὸς Οὔλυμπός τε, ἠμὲν ἀνακλῖναι πυκινὸν νέφος ἠδ' ἐπιθεῖναι· Π, 364 : Ὡς δ' ὅτ' ἀπ' Οὐλύμπου νέφος ἔρχεται οὐρανὸν εἴσω αἰθέρος ἐκ δίης, ὅτε τε Ζεὺς λαίλαπι τείνῃ· Τ, 128 : Μήποτ ἐς Οὔλυμπόν τε καὶ οὐρανὸν ἀστερόεντα αὖτις ἐλεύσεσθαι Ἄτην. De fragore cœli Il. Φ, 388 : Ἀμφὶ δὲ σάλπιγξεν μέγας οὐρανός· quod Od. Υ, 113 dicit : Ζεῦ πάτερ, ἦ μεγάλ' ἐβρόντησας ἀπ' οὐρανοῦ ἀστερόεντος. Pind. Pyth. 10, 27 : Χάλκεος οὐρανὸς οὔποτ' ἀμβατὸς αὐτῷ· Nem. 3, 10 : Οὐρανοῦ πολυνεφέλα· 6, 4 : Χάλκεος ἀσφαλὴς αἰὲν ἕδος μένει οὐρανός· 10, 88 : Οὐρανοῦ ἐν χρυσέοις δόμοισιν· 58 : Οἰκεῖν οὐρανῷ· Isthm. 5, 38 : Οὐρανῷ χεῖρας ἀνατείναις. Æsch. Prom. 896 : Μήτε πλαθείην γαμέτᾳ τινὶ τῶν ἐξ οὐρανοῦ· fr. Salamin. ap. Herodian. Π. μονηρ. λέξ. p. 36, 21 : Εἴ μοι γένοιτο φᾶρος ἶσον οὐρανῷ· fr. Niobes ap. Plut. Mor. p. 603, A : Θυμὸς δὲ πότμος οὐρανῷ κυρῶν ἄνω. Soph. El. 174 : Ἔτι μέγας οὐρανῷ Ζεύς· OEd. C. 381 : Ὃς ... πρὸς οὐρανὸν βιβῶν· Aj. 845 : Ὦ τὸν αἰπὺν οὐρανὸν διφρηλατῶν ἥλιε· fr. Teucr. ap. schol. Aristoph. Nub. 583 : Οὐρανοῦ δ' ἄπο ἤστραψε· et Orithyiæ ap. Strab. 7, p. 295 : Οὐρανοῦ τ' ἀναπτυχάς. Eur. Phœn. 1 : Τὴν ἐν ἄστροις οὐρανοῦ τέμνων ὁδόν· Med. 57 : Ὥσθ' ἵμερός μ' ὑπῆλθε γῇ τε κοὐρανῷ λέξαι. Theocr. 16, 71 : Οὔπω μῆνας ἄγων ἔκαμ' οὐρανός. De Aristophane notare sufficit Pl. 267, 366 etc. : Νὴ τὸν οὐρανόν.] Passim in prosa quoque occurrit. [Xen. Cyrop. 1, 4, 11 : Ἔλαφοι ἥλλοντο πρὸς τὸν οὐρανόν (v. l. Theocr. in Ὠρανὸς cit.)· OEc. 19, 9 : Τὸ κλῆμα ὀρθὸν τιθεὶς πρὸς τὸν οὐρανὸν βλέπον. Demosth. p. 96, 16 : Στρατιώτας τρέφειν; ἐκ τοῦ οὐρανοῦ; Plato Tim. p. 23, C : Πασῶν ὁπόσων ὑπὸ τὸν οὐρανὸν ἡμεῖς ἀκοὴν παρεδεξάμεθα· Ep. 7, p. 326, C : Τῶν ὑπὸ τὸν οὐρ. ἀνθρώπων, quæ formula inprimis frequens in S. S.] Plut. Fabio [c. 2] : Οὐρανοῦ ῥαγῆναι δόξαντος. Idem in eodem aliquanto post, Εἰς τὸν οὐρανὸν ἄρας. Pausan. Att. : Πεσεῖν ἐκ τοῦ οὐρανοῦ. Athen. 10 : Ἐν οὐρανῷ καὶ ἐπὶ τῆς γῆς. Ab Hippocr. οὐρανὸς more vulgi dicitur Aer qui supra nos est, usque ad nubium regionem, Gorr. ex Galeni Comm. 2 in l. 1 τῶν Ἐπιδημιῶν. [Thuc. 2, 77 : Ὕδωρ ἐξ οὐρανοῦ. Xen. Anab. 4, 2, 1 : Ὕδωρ πολὺ ἦν ἐξ οὐρανοῦ· Cyrop. 4, 2, 15 : Φῶς ἐκ τοῦ οὐρανοῦ προφανὲς γενέσθαι. Ὁ πρῶτος οὐρανὸς memoratur Aristot. Metaphys. 11, p. 247, 30 : Ὥστε ἀΐδιος ἂν εἴη ὁ πρῶτος οὐρανός· et Theophrast. Metaph. p. 312, 2. Aristot. ib. p. 253, 27 : Ὅτι δὲ εἷς οὐρανὸς φανερόν· εἰ γὰρ πλείους οὐρανοὶ, ὥσπερ ἄνθρωποι, ἔσται εἴδει μία ἡ περὶ ἕκαστον ἀρχή. De pluribus cœlis v. id. De cœlo 1, 8, p. 276, 19; 9, p. 278, 21. Frequens autem plur. ap. recentiores, inde ab LXX Intt., de quibus hæc fere Schleusner. Lex. V. T. : «Reg. 1, 8, 27 : Εἰ οὐρανὸς καὶ ὁ οὐρανὸς τοῦ οὐρανοῦ οὐκ ἀρκέσουσί σοι, Cœlum altissimum. Eadem formula Nehem. 9, 6, Sirac. 16, 8, et Macc. 3, 2, 15. Ps. 78, 29 : Τὰς ἡμέρας τοῦ οὐρανοῦ· Sir. 45, 19. Ps. 96, 6 : Ἀνήγγειλαν οἱ οὐρανοὶ τὴν δικαιοσύνην αὐτοῦ. Ps. 106, 26 : Ἀναβαίνουσιν ἕως τῶν οὐρανῶν. Ib. 148, 4 : Αἰνεῖτε αὐτὸν οἱ οὐρανοὶ τῶν οὐρανῶν. Macc. 1, 3, 18 : Ἐναντίον τοῦ οὐρανοῦ (ubi tamen al. τοῦ θεοῦ τοῦ οὐρανοῦ). Ib. v. 60 : Ὡς ἂν ᾖ θέλημα ἐν οὐρανῷ.» V. de duplici triplicique ap. Christianos cœlo etiam Suicer. p. 520 sq., qui inter alia memorat gl. Suidæ : Οὐρανοὶ δύο, ὁ σὺν τῇ γῇ γεγενημένος, καὶ ὁ ὕστερον μέσον τῶν ὑδάτων προσταχθεὶς γενέσθαι, ὃν καὶ στερέωμα προσηγόρευσεν. Matth. 3, 16 : Ἀνῴχθησαν αὐτῷ οἱ οὐρανοί· et alibi in N. T. Eratosth. Catast. c. 2 : Διὰ τοῦτο ἐν οὐρανοῖς τιμῆς ἀξιωθῆναι. Interdum sing. ab librariis mutatur in pl., ut ap. Themist. Or. 2, p. 36, B, Εἰς τὸν οὐρανὸν in εἰς οὐρανούς. Præter hæc notandæ sunt locutiones ap. Sosiphanem Stob. Fl. 22, 3 : Ἂν δ' εὐτυχῆτε μηδὲν ὄντες, εὐθέως ἴσ' οὐρανῷ φρονεῖτε, ut Neoptolemus ap. Diod. 16 fin. dixit φρονεῖτε νυν αἰθέρος ὑψηλότερον· et Atticist. Maji Auct. class. vol. 4, p. 527, A : Οὐρανὸν τοξεύει, ἀέρα δέρει.] Derivant nonnulli ab ὁρᾶν, alii ab ὅρος. Aristot. De mundo [c. 6] : Οὐρανὸν ἐτύμως καλοῦμεν, ἀπὸ τοῦ ὅρον εἶναι τῶν ἄνω. Philo De mundo : Τῶν ἐντὸς ὅρον τε καὶ φυλακτήριον τιθεὶς τὸν αἰθέριον ἐν κύκλῳ τόπον, ἀφ' οὗ καὶ οὐρανὸς ὠνομάσθαι δοκεῖ. Basil. παρὰ τὸ ὁρᾶσθαι. Itidem Ambrosius in Hexaem. ab ὁράω, quasi ὁρανὸς, quod sit visui pervium et minime densum, ut aqua et terra. [Basil. M. vol. 1, p. 30, B.]

|| Οὐρανὸς ap. Hesiod. [Th. 45 etc.] pater Saturni : quod nonnulli malunt interpretari Cœlius : alii etiam Cœlus. Sed ap. veteres scriptt. nulla horum mentio, quod quidem ego sciam; ideoque nihil vetat retinere

commune vocabulum Cœlum, ut dicuntur Terræ filii ap. Latinos. [Pind. Ol. 7, 38; Æsch. Prom. 205; Eur. Herc. F. 844; Plato Conv. p. 180, D.] || Οὐρανὸς pro κόσμος affertur ex Plat. Tim. [p. 28, B. Ib. p. 31, B: Οὔτε δύο οὔτ' ἀπείρους ἐποίησεν ὁ ποιῶν κόσμους, ἀλλ' εἷς ὅδε μονογενὴς οὐρανὸς γεγονώς ἐστί τε καὶ ἔτ' ἔσται· Polit. p. 269, D: Ὃν οὐρανὸν καὶ κόσμον ἐπωνομάκαμεν· Epin. p. 977, B: Εἴτε κόσμον εἴτε οὐρανὸν ἐν ἡδονῇ τῳ λέγειν. || Nomen δεκάδος, ut Οὐρανία, Theolog. ar. p. 59, D.] || Οὐρανοὶ a Persis dicebantur Regia tabernacula, ab orbiculari rotunditate. Hesych.: Οὐρανὸς, ὁ κατηστερισμένος τόπος. Πέρσαι δὲ τὰς βασιλείους σκηνὰς καὶ αὐλὰς, ὧν τὰ καλύμματα κυκλοτερῆ, οὐρανούς. [Themist. Or. 13, p. 166, B: Χρυσῆν πλάτανον περιφέρεται καὶ χρυσοῦν οὐρανόν (rex Persarum).] Sic οὐρανίσκος pro Orbiculari umbella accipitur. Quo dicimus modo vernacula lingua, *Un ciel de lict.* [|| Umbraculum, Umbella, quæ capiti sedentis aut procedentis superponitur, quomodo Cœlum seu *Ciel* vocant interdum nostri. Sguropulus in Hist. Conc. Flor. 4, 18 (p. 90, B): Τῶν υἱῶν αὐτοῦ πεζῇ πορευομένων καὶ οὐρανὸν ὕπερθεν τοῦ βασιλέως αἰωρούμενον κατεχόντων. Et c. 25 (p. 101, B): Οὐρανὸν εἰς ὕψος αἰωρούμενον. Add. c. 26 extr. et 7, 15 extr. Οὐρανίαν vocat idem Concilium p. 11: Μετὰ οὐρανίας λευκοειδοῦς σκεπάζοντες αὐτόν. Ducang.] || Οὐρανὸς, sicut et οὐρανίσκος, vocatur Palatum [Gl.] quoque, quod Templum a Lucret. nominatur. Ruf. Ephes. [p. 27 Cl.]: Οὐρανὸς δὲ καὶ ὑπερῴα, τὸ περιφερὲς τῆς ἄνω γνάθου. Aristot. De partt. anim. 2, 17: Ὑπὸ δὲ τὸν οὐρανὸν ἐν τῷ στόματι ἡ γλῶσσα τοῖς ζώοις ἐστὶ, Lingua palato subjacet. [Cic. De N. D. 2, 18 fin. Wakef. Aret. p. 35, 38, etc. « In ambiguitate vocabuli οὐρανὸς lepide luditur ap. Athen. 8, p. 344, B (et a Marco Arg. Anth. Pal. 5, 105, 4, Nicarcho ib. 11, 328, 9). Ut autem Palatum a fornicata forma, quam cum cœlo communem habet, οὐρανὸς nominatum est (vide Casaub. ad Athen. p. 48), sic quilibet Fornix itidem οὐρανὸς dici potuit: unde Matro Parodus ap. Eund. 4, p. 134, F, Οὐρανὸς ὀπτανιάων, Fornicem culinæ intelligens, hac ambiguitate vocabuli non minus festive usus est, quum coquorum officium dignitatemque his verbis declaravit, Οἷς ἐπιτετράφαται μέγας οὐρανὸς ὀπτανιάων κτλ. » Schweigh. || Οὐρανὸς et ἄνθρωπος confusa ap. Liban. vol. 4, p. 127, 27, ubi leg. e cod. Mon. ἰδεῖν εἰς ἀνθρώπους οὐκ ἂν ἠνεσχόμην. Jacobs. V. Liebel. Archiloch. p. 73, Touttie ad Cyrill. p. 128, Jacobs. Specim. p. 12, Bernard. ad Anon. Introd. Strat. p. 134. Schæf.] Dorice autem dicitur Ὠρανὸς in Epigr. pro οὐρανὸς, ut μῶσαι pro μοῦσαι, et ὦρος pro οὖρος. [Theocr. 2, 147. Id. 5, 144: Ἐς ὠρανὸν ὔμμιν ἀλεῦμαι. || Æol. Ὄρανος ap. Alcæum Athen. 10, p. 430, A: Ἐκ δ' ὀράνω μέγας χείμων. Sappho ap. Polluc. 10, 124: Ἔλθοντ' ἐξ ὀράνω. Quos præter hanc etiam formam Ὤρανος usurpasse monet et exemplum Sapphonis addit Herodian. Π. μον. λ. p. 7, 25. L. D.]

[Οὔρανος, Uranus, n. viri, in inscr. Cea ap. Bœckh. vol. 1, p. 56, n. 41, ubi Ορανος scriptum. L. Dind.]

Οὐρανόσε, In cœlum.

Οὐρανοσκόπος, ὁ, ἡ, Qui cœlum contemplatur; Piscis nomen. Athen. 7, [p. 356, A]: Οὐρανοσκόπος δὲ καὶ ὁ ἁγνὸς καλούμενος, ἢ καὶ καλλιώνυμος, βαρεῖς, ubi potius reponendum δὲ, ὁ καὶ ἁγνὸς, ut dicat οὐρανοσκόπον et καλλιώνυμον eundem esse: sicut Plin. 32, 7, de callionymo: Idem piscis et Uranoscopus vocatur, ab oculo quem in capite habet. Ejusd. libri c. ult. scribit, Cantharus, callionymus s. uranoscopus, cinædi, soli piscium lutei. [Memorat etiam Hesych.]

[Οὐρανοστεγὴς, ὁ, ἡ, Cœlum sustinens. Æschylus ap. Athen. 11, p. 491, A: Πατρὸς μέγιστον ἆθλον οὐρανοστεγῆ κλαίεσκον, de Atlante.]

[Οὐρανοτίμητος, ὁ, ἡ, Cœlitus honoratus. Theodor. Stud. p. 453, D. ῑ L. Dind.]

[Οὐρανοῦ ῥάχις, ἡ, ap. Eustath. Od. p. 1390, 20: Καὶ Διόδωρος ἄκραν τινὰ τῶν Ἄλπεων, κορυφὴν τοῦ σύμπαντος ὄρους δοκοῦσαν, Οὐρανοῦ ῥάχιν ἱστορεῖ παρὰ τῶν ἐγχωρίων καλεῖσθαι. Ὄνου ῥάχιν Jacobs. ad Anthol. vol. 6, p. 165, etsi Eust. quidem propter voc. οὐρανὸς hæc attulit. L. Dind.]

[Οὐρανοῦχος, ὁ, ἡ, Cœlum tenens. Æsch. Cho. 960: Οὐρανοῦχον ἀρχάν.]

[Οὐρανοφάνης, ὁ, ἡ, Hermes Pœmand. p. 112. Boiss.]

Οὐρανοφάντωρ, ορος, ὁ, Ad cœlum usque resplendens, Cujus splendor ad cœlum usque pertingit, οὗ ἡ λαμπρότης εἰς ὕψος φαίνεται, Suid. [Vel Qui cœlum aperit et ostendit. V. Οὐρανοφράντωρ. Allat. Græc. Orthod. vol. 2, p. 324, B; 750, A. L. Dind.]

[Οὐρανοφεγγὴς, ὁ, ἡ, E cœlo resplendens. Andreas Cret. p. 113. Kall. Gretser. Opp. vol. 2, p. 82, D. L. Dindorf.]

Οὐρανοφοιτάω, Per cœlum gradior, In cœlo versor. Unde οὐρανοφοιτᾷν ap. Hesych., ἐν οὐρανῷ διατρίβειν. [De forma v. Lobeck. ad Phryn. p. 629.]

Οὐρανοφοίτης, ὁ, Qui per cœlum graditur, habes in Οὐρανοβάμων. [Greg. Naz. Carm. 6, 6, p. 220 ed. Dronk.: Οὐρανοφοίτην· vol. 2, p. (67, B: Πηοῖσι ... οὐρανοφοιτῶν. L. D.) 83, B. Valck. Epitheton, quo donatur S. Paulus a Niceta Paphlagone in S. Jacobo Zebed. Ducang. Eust. Opusc. p. 21, 12: Τοὺς οὐρανοφοίτας ἀποστόλους.]

[Οὐρανόφοιτος, ὁ, ἡ, i. q. οὐρανοφοίτης. Femininum in Orac. apud Euseb. Præp. ev. 4, 23, p. 175. « Τὸ τοῦ πυρὸς οὐρανόφοιτον, Philo Jud. p. 962, D. » Hemst.]

[Οὐρανοφόρος, ὁ, ἡ, Cœlifer, Gl. V. Οὐρανόροφος.]

[Οὐρανοφράντωρ, ορος, ὁ, Cœlestis orator, vel qui de cœlo disseruit, in Hexaemero scilicet: epith., quod vulgo Græci Basilio M. adscribunt. Index Biblioth. Vatic. Ms. et alter Index Bibl. ex cod. Colbert. 99: Ἐξήγησις τοῦ ἐν ἁγίοις πατρὸς Βασιλείου τοῦ μεγάλου καὶ οὐρανοφράντορος εἰς τοὺς Ψαλμοὺς πάντας. In cod. Cp. Zonaræ t. 1, p. 6 ap. Wolfium in Not. Gregorius Theologus οὐρανομήκης appellatur. Ducang. Legendum Οὐρανοφάντωρ, quod v. L. Dind.]

Οὐρανόφρων, ονος, ὁ, ἡ, Qui cœlestia sapit, Pius, Religiosus, Bud. ex Cyrillo. [Aster. Hom. Cotel. Mon. vol. 2, p. 22, A: Ἡ οὐρ. διαγωγή. L. Dind.]

Οὐρανοφύτευτος, ὁ, ἡ, Cœlo satus, Ex cœlo natus, Cui ex cœlo origo est: sic Plato ap. Plut. [in Οὐράνιος cit.] hominem vocat φυτὸν οὐράνιον.

[Οὐρανόχρους, ὁ, ἡ, i. q. sequens. Theophrast. in Ideleri Phys. vol. 2, p. 334, 17: Ὦ οὐρανόχρουν κάλλος ἐκλάμπον σέλας. L. Dind.]

Οὐρανοχρώματος, ὁ, ἡ, Cœli colorem habens, Cujus color idem est cum cœli colore, i. e. Cæruleus, κυανόχρως. [Eliminandum e Lexx. Græcis est istud vocab., quod nusquam reperitur nisi in ed. Ven. et Bas. Athenæi 3, p. 90, D, ubi perperam καὶ οὐρανοχρώματος legebatur, pro quo veram scripturam καὶ μονοχρώματοι ex mss. codd. restituit Casaub. Schweigh.]

[Οὐρανόω, Cœlum facio. Andr. Cret. p. 19, 129, 136. Οὐρανόομαι, Cœlestis fio, ib. p. 82. Kall. Cœlestem facio, reddo. Eust. ap. Tafel. De Thessalonic. p. 403, B: Τὴν σὴν βασιλείαν, ἣν ταῖς ἀνδραγαθίαις οὐράνωσας· C: Τὸ ἐν ἐμοὶ χθόνιον οἷον οὐράνωσας. Idem Il. p. 17, 34: Δι' ἀρετὴν ὥσπερ οὐρανώθησαν· Opusc. p. 29, 21: Παραχώρησον οὐρανωθῆναι τὰ ὑπὸ σέ.]

[Οὐράνωσις, εως, ἡ, q. d. Cœlificatio. Eust. Il. p. 82, 3: Τὸ δὲ οὐρανόθεν τοῦτο τὸ παρ' Ὁμήρῳ, τὸ νῦν ἀλληγορηθὲν, ἀφορμὴ γέγονε τοῖς Πλατωνικοῖς τῆς κεφαλικῆς οὐρανώσεως· οἵπερ μυθεύονται τὴν ψυχὴν ἐκπεσοῦσαν τῶν ἄνω καὶ σώματι ἐγκλεισθεῖσαν ἐνοικισθῆναι τῇ κεφαλῇ, πλασθείσῃ πρὸς τύπον οὐρανίου σφαιρώματος, ὡς ἂν μὴ πάντῃ ἀλλοφύλῳ τόπῳ ἐμπέσοι, ἀλλὰ τῷ μικρῷ τούτῳ οὐρανίσκῳ ἐγκατοικοῦσα ἔχοι μεμνῆσθαι ὅθεν ἦν.]

[Οὖραξ, αγος, avis. Aristot. H. A. 6, 1 fin.: Ἡ δὲ τέτριξ, ἣν καλοῦσιν Ἀθηναῖοι οὔραγα, οὔτ' ἐπὶ τῆς γῆς νεοττεύει οὔτ' ἐπὶ τοῖς δένδρεσιν, ἀλλ' ἐπὶ τοῖς χαμαιζήλοις φυτοῖς.]

[Οὐραχός. V. Οὐραγός.]

[Οὐργία. V. Ὀργυιά.]

[Οὔρειον, τὸ, quod Strabo 6, p. 234: Τὸ Γάργανον, κάμπτοντι δὲ τὴν ἄκραν πολισμάτιον Οὔρειον, in Apulia situm memorat, quum Ὕριον dicatur a Ptolem. 3, 1 med., Uria a Plinio 3, 11, 103, omninoque diphthongus aliena sit ab nominibus illis Italicis, etiam invitis libris scribendum Οὔριον, ut supra fuit Οὐρία pro Ὑρία. L. Dind.]

Οὔρειος, α, ον, Montanus, pro ὄρειος: ut οὐρείη δαίμων, Apollon. [Rh. 1, 1119], quales sunt ὀρειάδες s. ὀρεστιάδες Nymphæ. [Οὔρειαι νύμφαι Hesiod. ap. Strab. 10, p. 471, Aristoph. Av. 1098. Simonid. ap. schol.

Pind. Nem. 2, 17 : Μαιάδος οὔρειας. Damostr. Anth. Pal. 9, 328, 2, πρωνός.] Itidem οὐρείη χελώνη ap. Nicand. Alex. [572], ἡ ὀρεινὴ, s. χερσαία. Ibid. [617] : Οὐρείη ὑπέρειχος. Et Eur. Phœn. [819], οὔρειον τέρας, Monstrum montanum s. ἄγριον, de sphinge. [Iph. T. 127 : Δίκτυνν' οὐρεία· 1126 : Οὐρείου Πανός· Tro. 533 : Πεύκᾳ ἐν οὐρείᾳ· et alibi. Soph. Ant. 352 : Οὔρειον ἀδμῆτα ταῦρον.] At οὐρείῳ πνεύματι in VV. LL. perperam pro οὐρίῳ.

[Οὔρειος βῖκος. V. Οὐροδόχη.]

[Οὔρειος, ὁ, Centaurus, qui supra Ὄρειος, ap. Hesiod. Sc. 186.]

Οὐρεοφοιτὰς, άδος, ἡ, Montivaga, Quæ per montes graditur, Quæ montes pererrat. Lucill. Epigr. [Anth. Pal. 11, 194, 1] : Πανὶ φιλοσπήλυγγι καὶ οὐρεοφοιτάσι Νύμφαις· quæ et ὀρεστιάδες et ὀρειάδες.

[Οὐρεσιβώτης, ὁ, Montes pascens, colens. Soph. Phil. 1148 : Θηρῶν, οὓς ὅδ' ἔχει χῶρος οὐρεσιβώτας.]

Οὐρεσίοικος, ὁ, ἡ, In montibus habitans : pro quo supra ὀρεσίοικος. [Archias Anth. Pal. 6, 181, 1 : Οὐρεσίοικε ... Πάν.]

[Οὐρεσιτέκτων, ονος, ὁ, junctim scribebat Nicias ap. Hom. Il. N, 390, Π, 483.]

Οὐρεσιφοίτης, ὁ, Montivagus, Qui per montes graditur, montes pererrat, in montibus versatur, Monticola : supra Ὀρειφοίτης. [Orph. H. 51, 10 : Οὐρεσιφοῖτα. Gregor. Naz. p. 109 ed. Dronk. : Σώφρων ἀκτεάνων αἰπὺς βίος οὐρεσιφοιτῶν, ubi al. —φοίτων. L. D.]

[Οὐρεσιφοῖτις, ιδος, ἡ, fem. præcedentis. Orph. H. in Hecat. ante primum 7 : Οὐρεσιφοῖτιν.]

[Οὐρεσίφοιτος, ὁ, ἡ, i. q. οὐρεσιφοίτης. Christodor. Ecphr. 306 : Φοίβου οὐρεσίφοιτος ὁμόγνιος ἵστατο κούρη. Oppian. Hal. 5, 404 : Οὐρεσίφοιτον ... χέλυν. Meleager Anth. Pal. 5, 144, 2 : Οὐρεσίφοιτα κρίνα. Nonnus Jo. c. 5, 33. Hesychius.]

Οὐρεὺς, έως, ὁ, i. q. οὖρος, i. e. Custos. Unde ap. Hesych., Οὐρεῖς, φύλακες, et Οὐρήων, φυλάκων : cujus signif. mentio facta est supra quoque in Οὐρεὺς, Mulus. [V. seq. voc.]

Οὐρεὺς Ionice dicitur pro ὀρεὺς, sicut οὖρος pro ὄρος. Hesiod. [Op. 794] : Καὶ οὐρῆας ταλαεργούς· sicut Hom. supra ἡμιόνους ταλαεργοὺς s. ἐντεσιουργούς. Idem Hom. Il. A, [50] de peste : Οὐρῆας μὲν πρῶτον ἐπῴχετο, καὶ κύνας ἀργούς. Ubi οὐρῆας aliter etiam accipi potest, ut Aristot. quoque De poet. [c. 25 med.] tradit : Τὰ δὲ πρὸς τὴν λέξιν ὁρῶντα δεῖ διαλύειν· οἷον γλώττῃ, Οὐρῆας μὲν πρῶτον· ἴσως γὰρ οὐ τοὺς ἡμιόνους λέγει, ἀλλὰ τοὺς φύλακας. [Schol. Ven. ad h. l. : Ὅτι οὐκ ὀρθῶς τινες οὐρῆας τοὺς φύλακας· ἀντιδιαστέλλει γὰρ διὰ τοῦ αὐτοῖσι.] Hesych. quoque οὐρήων exp. τῶν φυλάκων : et Eust. οὐρεὺς ὁμωνύμως τῷ οὐρεῖ, ἤγουν τῷ ἡμιόνῳ, est ὁ φύλαξ. [Hes. gl. spectat Il. K, 84 : Ἠέ τιν' οὐρήων διζήμενος ἤ τιν' ἑταίρων. Ubi schol. Ven. A : Ἀθετεῖται, ὅτι οὐρήων βούλεται λέγειν τῶν φυλάκων, καὶ οὐκ ἐκράτησε τοῦ σχήματος· οὖρον γὰρ λέγει ὡς κοῦρον τὸν φύλακα, οὐρέα δὲ τὸν ἡμίονον· καὶ ὅτι ἄκαιρος ἡ ἐρώτησις. Vict. : Ὥσπερ τὸν ἀνδροφονῆα, πομπῆα, ἡνιοχῆα, οὕτως οὐρῆα· οὖρος οὐρεύς, ὡς πομπός πομπεύς. Ad eandem dubitationem respiciunt schol. Ψ, 111 : Οὐρῆάς τ' ὤτρυνε καὶ ἀνέρας ἀξέμεν ὕλην. Hesiod. Op. 789, 794 : Οὐρῆας ταλαεργούς. Callim. Cer. 108 : Οὐρῆας μεγαλᾶν ὑπέλυσαν ἁμαξᾶν. Apoll. Rh. 3, 841, 1154.]

[Οὐρέω, Custodio. Schol. Apoll. Rh. 4, 1618 : Οὐρὰ, παρὰ τὸ οὐρεῖν τὸ φυλάττειν, et in aliis etymologiis Etym. M. p. 54, 31; 460, 21, etc. Nihil huc pertinet ὀρεύειν, quod v.]

Οὐρέω ab οὖρος derivatum non reperi [V. Οὐρίζω] : habet tamen quædam sua composita : ipsum autem significaret Prospero vento utor, Secundo flatu agor. [Ab οὖρος, Secundus ventus, nec οὐρέω derivatur, nec προσουρέω, nec ullum aliud compositum. Brunck. ad Soph. OEd. T. 696.]

Οὐρέω, Urinam reddo, Meio. [Mingo; Οὐρεῖ, ἐπὶ βρέφους, Siat, Gl.] Hesiod. Ἔργ. [756] : Μηδ' ἐπὶ κρηνάων οὐρεῖν· et [727] : Μήτ' ἐν ὁδῷ μήτ' ἐκτὸς ὁδοῦ προβάδην οὐρήσῃς. [Aristoph. Nub. 373 : Τὸν Δί' ἀληθῶς ᾤμην διὰ κοσκίνου οὐρεῖν· Thesm. 611 : Ἔασον οὐρῆσαί με. Herodot. 1, 133 : Οὐρῆσαι ἀντίον ἄλλου. Xen. Cyrop. 1, 2, 16.] Athen. 2 : Οὐρῶν οὐ προσῆγε χεῖρα τῷ αἰδοίῳ. Interdum cum accus. construitur, ut ap. Hip-

A pocr. [l. 4 aph. 75] : Ἂν αἷμα ἢ πῦον οὐρέῃ, τῶν νεφρῶν ἢ τῆς κύστεως ἕλκωσιν σημαίνει. Quæ ita Celsus Latine : Si sanguis aut pus in urina est, vel vesica vel renes exulcerati sunt. [Οὐρέειν τὴν γονὴν, Genituram serosam reddere, saniosam facere. Lib. Περὶ ἀφόρων p. 686, 61 : Ἀνάγκη πάγχυ οὐρέειν τὴν γυναῖκα ταύτην (τὴν γονὴν), Necesse est mulierem hanc penitus serosam reddere, aut sero diluere, i. q. διουρέειν. Vide Διορρώσιος antea. Foes. Antonin. Lib. c. 41, p. 278 : Ὁ Μίνως ουρεσκεν ὄφεις καὶ σκορπίους. De quo l. v. Bast. Ep. cr. p. 203.] Pass. Οὐρέομαι, Cum urina excernor, Mingor. [Mnesitheus ap.] Athen. 1, [p. 32, F] de vino Lesbio, Στύψιν μικροτέραν ἔχει καὶ μᾶλλον οὐρεῖται· aliquanto post, Ὁ μὲν οὖν αὐστηρὸς εὔστομός ἐστι καὶ τρόφιμος καὶ μᾶλλον οὐρεῖται. [Aret. p. 123, 24 : Οὐρεομένου οἴνου. Hippocr. p. 1217, C : Τὸ οὐρούμενον· 216, C : Τὰ οὐρούμενα. Aret. p. 54, 20 : Πῦον οὐρηθέν.] Sed et οὐρησόμενος ex Aristoph. [Pac. 1266] affertur pro Urinam redditurus. [Οὐρήσω Vesp. 393 : Κοὐ μήποτέ σου παρὰ τὰς κάννας οὐρήσω μηδ' ἀποπάρδω, conjunctivum

B esse aor., quod per se intelligitur, neque activam futuri ab Atticis formam usurpari, monuit Elmsl. ad Soph. OEd. C. 177. Infinitivum Οὐρῆν cum πεινῆν et διψῆν ponunt Beza Gramm. 3, p. 67, Chrysoloras Erotem. p. 104, 4. Augm. syllabicum Luciano Conv. c. 35 : Ἐούρει ἐν τῷ μέσῳ οὐκ αἰδούμενος τὰς γυναῖκας, pro ἐνούρει restituit Buttm. Gramm. vol. 1, p. 331. Alia exx. v. in compositis. Οὔρησαν Aristot. H. A. 6, 20. Ἐνούρησαν Tzetz. ad Lycophr. 328.]

[Οὐρηβόρος, ὁ, ἡ, Caudam mordens. Jo. Laur. De mens. p. 84 : Αἰγύπτιοι καθ' ἱερὸν λόγον δράκοντα οὐρηβόλον ταῖς πυραμίσιν ἐγγλύφουσιν. Οὐρηβόρον Rœther. V. quæ diximus in Ἐσθίω vol. 3, p. 2088, D. L. Dind.]

[Οὐρηδόχος. V. Οὐροδόχος.]

Οὐρήθρα, ἡ, Meatus urinarius, quo a vesica per caulem urina defertur, Meatus urinarius a cervice vesicæ ad extremam usque glandem porrectus; vel, ut Bud. ab Aristot. usurpari dicit, Foramen qua semen et urina exeunt. [Pollux 2, 171 : Τοῦ καυλοῦ τὸ τρύπημα οὐρήθρα.] Quibuscum consentiunt hæc verba

C Rufi Ephesii [p. 31 Cl.] : Καὶ τὸ κοίλωμα, δι' οὗ τὸ σπέρμα καὶ τὸ οὖρον ἀποκρίνεται, οὐρήθρα καὶ πόρος οὐρητικός· οὐρητῆρα δὲ οὐ χρὴ καλεῖν· εἰσὶ γὰρ οὐρητῆρες ἄλλοι, δι' ὧν τὸ οὖρον ἀπὸ νεφρῶν εἰς κύστιν ῥεῖ. In Hippiatr. : Τὴν οὐρήθραν δὲ ἀνατεταμένην ἔχει, Fistulam urinariam. [Οὐρήθρας ὀπὴ, Fistula, Gl. Urinæ fistulam vocat Celsus cap. 8 lib. 2, ex Hippocr. aph. 82 lib. 4, et 57 lib. 7 : Ἐν τῇ οὐρήθρῃ φύματα φύεται· et p. 539, 39; et al. Foes. Aristot. H. A. 1, 14 : Οὐρήθρα ἔξω τῶν ὑστερῶν. Aret. p. 53, 39.]

Οὔρημα, τὸ, Id quod meiitur, h. e. Urina, οὖρον Hippocr. in fine l. De nat. hom. [p. 230, 52; 231, 2] : Ὁκόσοισι δὲ αἱματώδεα μὲν τὰ οὐρήματα, τουτέοισιν αἱ φλέβες πεπονήκασι. Utitur ibid. aliquoties tam hoc verbali οὔρημα quam primitivo οὖρον synonymως. Galenus tamen negat vocem hanc unquam ab Hippocrate aut Polybio usurpatam fuisse. Gorr.

Οὐρηρὸς, ἀ, ὸν, Urinarius : οὐρ. ἀγγεῖον, sicut μελιτηρὸν sive μυρηρὸν aut οἰνηρὸν ἀγγεῖον, et ἰχθυηροὶ πίνακες, Vas urinarium, h. e. οὐροδόχη, Vas ad excipiendam uri-

D nam. Schol. Aristoph. Vesp. [803] exponens ἀμὶς in loco illo quem in Οὐρητιάω afferam : Ἀμὶς οὐρητρὶς, οὐρηρὸν ἀγγεῖον· pro quo οὐρηρὸν perperam ap. Suidam habetur Οὐρηϊνὸν, ap. quem sic legitur; Οὐρητρίδα, οὐρηϊνὸν ἀγγεῖον.

[Οὐρησείω, Micturio, Gl.]

Οὔρησις, εως, ἡ, ipse Mingendi actus. Diosc. 1 : Οὔρησιν κινεῖ, Urinam ciet. Mnesitheus medicus ap. Athen. 3, [p. 121, D] : Οἱ ἁλυκοὶ καὶ γλυκεῖς χυμοὶ πάντες ὑπάγουσι τὰς κοιλίας, οἱ δ' ὀξεῖς καὶ δριμεῖς λύουσι τὴν οὔρησιν· οἱ δὲ πικροὶ, μᾶλλον μέν εἰσιν οὐρητικοὶ, λύουσι δ' αὐτῶν ἔνιοι καὶ τὰς κοιλίας. Apud eund. Athen. 11, [p. 484, A] : Ὁ διὰ τῆς οὐρήσεως πόρος. [Hoc mictum, Gl. Hippocr. p. 162, H : Οὔρησις αἱματώδης· 76, D : Οὔρησις δυσκολαίνουσα· 175, A, γονοειδέες· 76, H, ἀφρώδεες· et p. 214, G, ὑμενώδεες οὐρήσιες. Foes. Aret. p. 74, 8; 107, 28; 110, 25. Aristot. Meteor. 2, 8 med.]

Οὐρητὴρ, ῆρος, ὁ, sub. πόρος, Meatus urinarius. Οὐρητῆρες, inquit Gorr., sunt Meatus duo, per quos urina a renibus in vesicam stillat. [Sic interpr. etiam

Pollux 2, 223.] Vide plura ap. Eund. [Galen. l. 1 De locis male aff. p. 251, 28; Aret. p. 23, 21; 53, 41.] Celsus 4, 1: A renibus singulæ venæ colore albæ ad vesicam feruntur: οὐρητῆρας Græci vocant, quod per eas inde descendentem urinam in vesicam destillare concipiunt. In Hippiatr.: Τὸν γὰρ ἀπὸ τῆς φύσεως πόρον ἐπὶ τὸν οὐρητῆρα συμβαίνει φλεγμαίνειν. Gaza interpr. Cervix vesicæ, qui et χαυλὸς dicitur, Bud. Vide et Οὐρήθρα, necnon Οὐράνη. [Hippocr. p. 192, H: Οἱ λιθιῶντες σχηματισθέντες, ὥστε τὸν λίθον μὴ προσπίπτειν πρὸς τὸν οὐρητῆρα. Aristot. H. A. 3, 15: Διακοπεῖσα δὲ οὐδ' ἡ κύστις συμφύεται ἀλλ' ἢ παρ' αὐτὴν τὴν ἀρχὴν τοῦ οὐρητῆρος. V. Οὐρήθρα.]

Οὐρητιάω, Micturio [Gl.], Meiere cupio. Aristoph. Vesp. [807]: Ἀμὶς μὲν, ἣν οὐρητιάσῃς, αὑτηὶ Παρὰ σοὶ κρεμήσετ' ἐγγὺς ἐπὶ τοῦ παττάλου, i. e., οὐρῆσαι βουλήσῃ, vel στραγγουρίας περιπέσῃς νοσήματι, schol. Pro Micturio s. Mingere cupio, accipitur et in Hippiatr.: Καὶ ὡς οὐρητιῶν προχαλᾷ τὸ αἰδοῖον. Aristot. in Probl. [4, 20]: Διὰ τί οὐρητιῶντες οὐ δύνανται ἀφροδισιάζειν. [Photius: Οὐρητιάω ὁμοίως ἡμῖν λέγουσιν.]

Οὐρητικὸς, ἡ, ὸν, Urinam ciens, movens. Athen. 2, [p. 54, A] ex Diphilo Siphnio: Τὰ δὲ ἀμύγδαλά ἐστι λεπτυντικὰ καὶ οὐρητικὰ καὶ καθαρτικά· 9 [p. 371, B] ex Eodem: Τὸ δὲ μέλαν σεύτλιον οὐρητικώτερον. Ibid. ex Eodem, de staphylino: Οὐρητικὸς, ἱκανῶς διεγερτικὸς πρὸς ἀφροδίσια. Sic Galen. quoque utitur et alii. [Οὐρητικὰ vina ap. Athen. 1, p. 32, C, D. Valck.] Vide etiam in Οὔρησις. || At Οὐρητικὸς πόρος, idem qui οὐρήθρα, Meatus urinarius. Vide Οὐρήθρα. Et οὐρητικὸς λίαν ap. Aristot. De partt. anim. 3, [c. 7 med.] Qui supra modum meiit. [Οὐρητικώτατος, Qui maxime meiit et optime urinam reddit, Hippocr. p. 405, 19, in hydropis curatione, ubi calida et acria in victus ratione consulit, ut æger optime urinam rejiciat: Οὕτω γὰρ ἂν οὐρητικώτατος εἴη, καὶ ἰσχύοι μάλιστα. Foes.]

Οὐρητρὶς, ίδος, ἡ, Matula, Vas urinarium, [Matella, Gl.] vide Οὐρηρός. [Schol. Aristoph. Ran. 599. Valck. Suidas v. Ἀμίδα. Boiss.]

[Οὐρία, ἡ. HSt. post Οὔριος:] Nec vero πνοὴ tantum, sed et avis quædam dicitur Οὐρία, de qua Athen. 9, [p. 395, E], loquens de anatibus: Ἡ δὲ λεγομένη οὐρία οὐ πολὺ λείπεται νήττης, τῷ χρώματι δὲ ῥυπαροκέραμός ἐστι· τὸ δὲ ῥύγχος μακρόν τε καὶ στενὸν ἔχει· quæ et Eust. habet p. 1452, pro ῥυπαροκέραμος legens ὑποκέραμος.

[Οὐρία, ἡ, Uria. Strabo 6, p. 282: Ἐπὶ δὲ τῷ Ἰσθμῷ μέσῳ Οὐρία, ἐν ᾗ βασίλειον ἔτι δείκνυται τῶν δυναστῶν τινός. Εἰρηκότος δ' Ἡροδότου Ὑρίαν εἶναι ἐν τῇ Ἰαπυγίᾳ, κτίσμα Κρητῶν τῶν πλανηθέντων ἐκ τοῦ Μίνω στόλου τοῦ εἰς Σικελίαν, ἤτοι αὐτὴν (ταύτην) δεῖ δέχεσθαι ἢ τὸ Οὐερητόν· et 283: Πόλις Οὐρία τε καὶ Οὐενουσία, ἡ μὲν μεταξὺ Τάραντος καὶ Βρεντεσίου κτλ. Οὐρία λίμνη Acarnaniæ ap. eund. 10, p. 459.]

Οὐρίας, Hesych. exp. φωτισμὸς θεοῦ. [Est interpr. nominis Hebr. Οὐρίας Matth. 1, 6.]

Οὐρίαχος, ὁ, i. q. σαυρωτὴρ, Ferrum quo ima hastilis pars præfixa est, quasi οὐρὰ τοῦ δόρατος. Hom. Il. N, [443]: Οὐρίαχον πελεμίζων ἔγχεος. [Π, 612, Ρ, 528. Apoll. Rh. 3, 1253, 1287. Antip. Sid. Anth. Pal. 6, 111, 4. Lex. Ms. cod. Reg. 1843: Σαυρωτὴρ, ξυστὸν, δόρυ ἢ ὁ στύρατραξ, ὃ ἔνιοι καὶ οὐρίσχυον καλοῦσιν, ὅπου ἐμπήσσεται τὸ σιδήριον τοῦ δόρατος. Ducang. Leg. cum Etym. M. στύραξ et οὐρίαχον. ῐᾰ]

[Οὐριβάτας, ὁ, i. q. ὀρειβάτης, quod v. Eur. El. 170: Μυκηναῖος οὐριβάτας· fr. Phaeth. Clar. 1, 27: Σύριγγας δ' οὐριβάται κινοῦσιν ποίμνας ἐλάται. Ὀριβάτης Aristophani Av. 276 restituit Brunckius, ubi libri ὀρειβάτης. ῐᾰ]

[Οὐρίζω. V. Ὁρίζω.]

Οὐρίζω, Vento secundo proveho, Secundo. Eust. de derivatis a nomine οὖρος loquens, p. 1452, [46]: Ἐκεῖθεν καὶ οὐρίσαι, τὸ ἀποκαταστῆσαι εἰς οὔριον [ut interpretatur Photius], ὥς φασιν οἱ παλαιοὶ, καὶ κατουρίζειν ῥῆμα τραγικῶς. [Conf. p. 661, 44; 1282, 18.] Utitur hoc οὐρίσαι Soph. OEd. T. p. 181 meæ ed. [696] ad OEdipum, Ὅστ' ἐμὰν γᾶν φίλαν ἐν πόνοις ἀλύουσαν κατ' ὀρθὸν οὔρισας· τανῦν τε πομπὸς, εἰ δύναιο, γίγνου. Ubi omnes editiones [et Suidas] habent οὔρησας, a verbo Οὐρέω, sed leg. esse οὔρισας, ipsa strophe paginæ præcedentis ostendit. Adhæc Οὐρῆσαι neutrum

A est, hic autem activum verbum requiritur. [Æsch. Cho. 317: Τί σοι φάμενος ἢ τί ῥέξας τύχοιμ'... οὐρίσας;] || Οὐρίσαι Hesych. exp. ὁρίσαι, quod est ab Ionico οὐρίζω pro ὁρίζω, de quo et supra, item παρασκευάσαι. Fut. 2 est Οὐριῶ, unde οὐριεῖν ap. Æsch. [Pers. 604]: Τὸν αὐτὸν αἰεὶ δαίμον' οὐριεῖν τύχης. Exp. tamen Οὐριεῖν in VV. LL. neutraliter et per præsens, Prospero s. Secundo venti uti.

Οὐρίθρεπτος, η, ον, In monte nutritus: pro quo supra ὀριτρεφὴς et ὀρίτροφος: item ὀρεσίτροφος. [Eur. Hec. 204: Σκύμνον ... ὥστ' οὐριθρέπταν.]

Οὐριοδρομέω, Secundo vento curro: unde οὐριοδρομεῖν ναῦς dicitur, Cui ventus secundus spirat, pro ἐν οὐρίῳ πλεῖν, ἐξ οὐρίας πλεῖν s. διαδραμεῖν, ἐξ οὐρίων δραμεῖν, εἰς οὖρον καταστῆναι, κατ' οὖρον φέρεσθαι, οὐρίῳ ἐπείγεσθαι, συνεπουρίζοντος ἀνέμου πλεῦσαι: item εὐροεῖν, φοροῦ ἀνέμου τυγχάνειν: tot enim fere modis Græci id exprimunt. Bud. interpr. Vento ferente s. perferente uti, hunc locum subjungens, sine auctoris nomine: Ὁ δὲ κατὰ τὸν αἰγιαλὸν περιπατῶν, καὶ ἰδὼν ναῦν οὐριοδρομοῦσαν, εἶπεν ὡς μετ' οὐ πολὺ καταδύσεται. Quæ sic
B Diog. L. Pherecyde [1, 116]: Καὶ ναῦν οὐριοδρομοῦσαν ἰδὼν, εἶπεν ὡς οὐ μετὰ πολὺ καταδύσεται. [Diodor. 3, 33; Sext. Emp. p. 643 (487, 21 Bekk.). Schol. Aristoph. Av. 35. Heliodor. Æth. 5, 17, p. 196; Iambl. V. Pyth. p. 286. De navigantibus Eustath. Opusc. p. 198, 80: Οὐριοδρομοῦντες. Schol. Pind. Nem. 5, 94. Formam vitiosam Οὐριοδραμέω ap. Annam Comn. p. 82, D, ferendam putabat Lobeck. ad Phryn. p. 617. Sed recte illic scriptum per ο, nec ferri posset α.]

Οὐριοδρόμος, ὁ, ἡ, Vento secundo currens: οὐρ. ναῦς, Quæ secundo vento fertur, Cui aura secunda aspirat. [Timario *Notices* vol. 9, p. 195: Κατὰ τὰς οὐριοδρόμους ναῦς. L. Dind.]

Οὔριον, τὸ, Custodia. Apud Hesych. habetur Ὄριον, φυλακὴ, σημεῖον: sed pro eo reponendum esse οὔριον, literarius ordo ostendit; quippe quod post Οὖρος ponatur. Ac, quod ad primam expos. attinet, sc. φυλακὴ, pertinet ea ad οὖρος, i. e. φύλαξ [conf. annot. intt.]: quod vero ad alteram, sc. σημεῖον, referenda ad οὖρος
C Ionicum pro ὅρος, Terminus, Limes. Sunt enim οὔρια s. ὅρια, aut ὅροι, Certa signa quibus agrorum regionumque fines indicantur. [Iterum HSt.:] Οὔρια, Ion. pro ὅρια, Termini, Limites, Fines.

[Οὔριον, τὸ, Hyrium. V. Οὐρειον. Οὔριον Lusitaniæ memorat Ptolem. 2, 4.]

Οὔριος, α, ον [et ὁ, ἡ, ut ap. Soph. Ph. 355 infra cit.], Qui a vento secundo proficiscitur, Qui vento secundo fit: ut οὔριος πλόος, quod Plin. Paneg. et Seneca, Vento ferente placidus. [Soph. Ph. 780: Γένοιτο δὲ πλοῦς οὔριός τε κεὐσταλής. Ps.-Eur. Iph. A. 1596, Leonid. Tar. Anth. Pal. 7, 264, 1. Eur. Bacch. 986: Οὔριον δρόμον ἐς ὄρος ἔμολεν· Herc. F. 95: Γένοιτο τἂν ... οὔριος δρόμος ἐκ τῶν παρόντων ... κακῶν.] Lucian. [Scyth. c. 11]: Οὔριος πλοῦς, καὶ λειοκύμων θάλασσα, i. e. ὁ κατ' ἄνεμον, Vento secundo ferens. Soph. [Aj. 889], οὐρ. δρόμος, Cursus secundo vento: οὐρία πτῆσις, Volatus secundo vento, Bud. ap. Theophr. C. Pl. 2, 12 [9, 5], ubi tamen vulg. edd. habent πτῶσις, non πτῆσις: Διὸ καὶ παραφυτεύουσι ταῖς συκαῖς ἐρινοὺς ἐπὶ τῶν ἄκρων,
D ὅπως κατ' ἄνεμον ἡ πτῶσις οὐρία γίνηται· ταῖς μὲν πρωΐαις, πρωΐους· ταῖς δ' ὀψίαις, ὀψίους· ταῖς δὲ μέσαις, μέσους. Sed recte Bud. legit πτῆσις, ut ex Plin. patet 15, 19, ubi hæc Theophrasti verba sic interpr.: Ideoque ficetis caprificus permittitur ad rationem venti, ut flatus evolantes in ficus ferat. Et οὐρία ῥιπὶς, Flabellum flatus evolantes in prunas ferens, secundo flatu prunis aspirans. Aristoph. [Ach. 669]: Ἐξ ἀνθράκων πρινίνων φέψαλος ἀνήλατ' ἐρεθιζόμενος οὐρίᾳ ῥιπίδι, Excitatus flabello flatus in prunas ferente, schol. τῇ τοῦ ἀνέμου φορᾷ. Nec non οὐρία πνοὴ, Flatus qui secundus spirat, Aura aspirans: Virg., Ferte viam facilem vento, et spirate secundi; Aspirant auræ in noctem. Frequentius autem Οὐρία ponitur absolute pro οὐρία πνοή. Plato Protag. p. 398 [338, A]: Μήτ' αὖ τὸν Πρωταγόραν χρὴ πάντα κάλων ἐκτείναντα, οὐρίᾳ ἐφέντα, φεύγειν εἰς τὸ πέλαγος τῶν λόγων, ἀποκρύψαντα γῆν. [Οὐρία, ἐπὶ πλοῦ, Prosperitas venti, Gl.] Unde Ἐξ οὐρίας et Ἐξ οὐρίων pro ἐξ οὐρίας πνοῆς et ἐξ οὐρίων πνοῶν, nisi in ἐξ οὐρίων malis subaudire ἀνέμων, dicitur enim et

οὔριος ἄνεμος, ut paulo post dicetur. [Polyb. 1, 47, 2: Ἐξ οὐρίας πλέουσι. Pollux 1, 107. Agathias Hist. 1, 11 fin.: Ὡδέ πως αὐτῷ ἐξ οὐρίας ἅπαντα ἔθει.] Aristot. Mechan. 5: Διὰ τί, ὅταν ἐξ οὐρίας βούλωνται διαδραμεῖν, μὴ οὐρίου τοῦ πνεύματος ὄντος, τὸ μὲν πρὸς τὸν κυβερνήτην τοῦ ἱστίου μέρος στέλλονται, ubi etiam observa οὔριον πνεῦμα pro οὐρία, s. οὐρία πνοή, ut [Eur. Hel. 1605: Οὔριαι δ' ἦχον πνοαί· et alibi] Pausan. Bœot. [9, 19, 7]: Φανέντος ἐξαίφνης [ἀνέμου] σφίσιν οὐρίου, sc. πνεύματος: paulo ante, Πνεῦμα τοῖς Ἕλλησιν οὐκ ἐγίνετο ἐπίφορον. Lucian. [Hermot. c. 28]: Ἐπίφορόν ἐστι καὶ οὔριον τὸ πνεῦμα. [Eur. Iph. A. 352: Οὐρίας πομπῆς σπανίζων.] Gregor. Orat. in S. Baptisma: Ἕως ἐξ οὐρίας πλεῖς, φοβήθητι τὸ ναυάγιον· metaphorice, ut ap. Synes. Ep. 89: Σὺ δὲ ἐὰν ἐξ οὐρίας πλέῃς, καὶ ζῇς ἡδέως, οὐ πάντα ὁ δαίμων λυπεῖ, Si secundo vento naviges, ventus tibi spiret secundus, aura aspiret secunda naviganti, h. e. Si prospera utaris fortuna. Soph. Aj. [1083]: Ὅπου δ' ὑβρίζειν δρᾷν θ' ἃ βούλεται πάρα, Ταύτην νόμιζε τὴν πόλιν χρόνῳ ποτὲ Ἐξ οὐρίων δραμοῦσαν, εἰς βυθὸν πεσεῖν, quem l. citans Stob., pro πάρα habet παρῇ, et pro οὐρίων, οὐρίας: quæ lectionum diversitas nihil in sensu mutat; eodem enim tendunt utraque. Eust. p. 1452, de οὖρος loquens: Ἀφ' οὗ καὶ ὁ ἐξ οὐρίας πλοῦς, ἤγουν ὁ ἐκ πνοῆς εὐδιεινῆς· ὃ καὶ πληθυντικῶς λέγεται ἐξ οὐρίων, ἤγουν ἐξ εὐδιεινῶν πνευμάτων. Apud Chrysost. quoque ex οὐρίων πλεῖν et ἐξ οὐρίων φέρεσθαι. Dicitur et οὔριος ἄνεμος [Secundus, Sector, Gl. Polyb. 1, 44, 3; 46, 6], sicut οὔριον πνεῦμα, pro οὖρος. Thuc. [7 53]: Ἦν γὰρ ἐπὶ τοὺς Ἀθηναίους ὁ ἄνεμος οὔριος, Erat enim ventus in Athenienses secundus. Aliud exemplum habes in Κατουρόω. [Eur. Hel. 1663: Πνεῦμα δ' ἕξετ' οὔριον. Et cum eod. voc. Xen. H. Gr. 1, 6, 27. Meleager Anth. Pal. 12, 53, 7: Αὐτίκα καὶ Ζεὺς οὔριος ὑμετέρας πνεύσεται εἰς ὀθόνας. Gætulicus 6, 235, 5: Οὔριος ἀλλ' ἐπίλαμψον ἐμῷ καὶ ἔρωτι καὶ ἱστῷ... Κύπρι. Antip. Sid. 9, 143, 6: Ἐγὼ δέ σοι ἢ ἐν ἔρωτι οὔριος ἢ χαροπῷ πνεύσομαι ἐν πελάγει. Epigr. Append. 283, 1: Οὔριον ἐκ πρύμνης ὁδηγητῆρα Ζῆνα.] Quo pertinet ἐν οὐρίῳ πλεῖν, subaudiendo ἀνέμῳ vel πνεύματι. Lucian. Lexiph. [c. 15]: Ὥσπερ εἴ τις ὁλκάδα τριάρμενον ἐν οὐρίῳ πλέουσαν, ἐμπεπνευματωμένου τοῦ ἀκατίου, εὐφοροῦσάν τε καὶ ἀκροκυματοῦσαν· ἔκτοράς τινας ἀμφιστόμους καὶ ἰσχάδας σιδηρᾶς ἀφεὶς καὶ ναυσιπέδας, ἀναχαιτίζοι τοῦ δρόμου τὸ ῥόθιον, φθόνῳ τῆς εὐηνεμίας. [Aristoph. Eq. 433: Εἶτ' ἀφήσω κατὰ κῦμ' ἐμαυτὸν οὔριον. Aratus 279: Εὐδιόωντι ποτὴν ὄρνιθι ἐοικὼς οὔριος εἰς ἑτέρην φέρεται.] Dicitur et οὐρία πλάτη, quod reddere possumus Quæ secundo vento utitur: pro οὔριος πλοῦς, quod supra habuimus. Soph. Phil. [355]: Κἀγὼ πικρὸν Σίγειον οὐρίῳ πλάτῃ Κατηγόμην, i. e. εὐδίῳ πλῷ, schol. Ubi nota etiam οὐρίῳ cum fem. copulatum. [Fr. Achæor. conv. ap. Polluc. 10, 133: Οὐρίαν τρόπιν. Eur. Hel. 147: Ὅπῃ νεὼς στείλαιμ' ἂν οὔριον πτερόν· 406: Κοὔποτ' οὔριον εἰσῆλθε λαῖφος. Oppian. Hal. 3, 67: Ἀλλ' ἁλιεὺς στέλλοιτο λίνου πνοιῇσι πετάσσας εὔριον. Improprie epigr. Anthol. Pal. App. 327, 8: Ζῆθι κάλον τείνας οὐρίῳ εὐφροσύνᾳ· Antip. Sid. 7, 164, 9: Σὸν, ὁδῖτα, οὔριον ἰθύνοι πάντα τύχη βίοτον. Et Æsch. Suppl. 594: Τὸ πᾶν μῆχαρ, Οὔριος Ζεύς· Cho. 812: Πρᾶξιν οὐρίαν· Eur. Heracl. 822: Ἀφίεσαν λαιμῶν οὔριον φόνον· et similiter αἵματος ἀπορροαὶ Hel. 1588.] Οὔρια θεῖν, Cursu prospero ferri et habere ventos secundos, ex Aristoph. Lys. [550]: Ἔτι νῦν γὰρ [γὰρ νῦν] οὔρια θεῖτε. Apud Suid. autem habetur Οὐριαθεῖτε, quod exp. ὀρχεῖσθε. [Templum Jovis Urii ap. Cic. Verr. 4, 57, sæpius celebratur et κατ' ἐξοχὴν dicitur τὸ ἱερὸν a Demosthene, Polybio (4, 39, 43 sq.), etiam ab Herodoto 4, 85, ad quem l. Wessel. et Valcken. notarunt. Διὸς Οὐρίου memoriam servarunt Marcianus (p. 69) et Arrianus in Periplo (p. 25, et fr. Peripli Ponti Eux. p. 16—7, Menippus ap. Steph. B. v. Χαλκηδών), sed et marmor antiquissimum, editum a Chishullo in Antiqq. Asiat. p. 59, et aliis, sed accuratius a Tayloro in præf. ante Comment. ad L. Decemviralem de inope debitore in partes dissecando, p. v, ubi etiam de templo Jovis Urii, et p. 23–28. Tewater. ad Jablonsk. Opusc. Conf. Gyll. De Bosporo Thr. 3, 5, Buttmann. Lexil. vol. 1, p. 33, Tzschuck. ad Melam 1, 19, 5, vol. 3, part. 1, p. 573.]

|| Οὐρίη, Hesychio teste, significat et ἡ ὀπισθία. [Ab οὐρά, Cauda. V. infra Οὔριος, i. q. οὐραῖος.]

|| Οὔριον ᾠὸν quoque sive Οὔρινον huc pertinet, ut docet Eust. p. 42 [sive schol. Hom. Il. A, 50, Hesychius], in etymo nominis οὐρεὺς significantis Mulus: quod quum Ionice dictum esse tradidisset pro ὀρεὺς, subjungit, Ἢ παρὰ τὸν οὖρον, ὃ δηλοῖ τὸν ἄνεμον· τοῦτο δὲ διὰ τὸ ἄγονον τῶν τοιούτων ζώων, καὶ τὸ τοῦ σπερματικοῦ πνεύματος ἄκαρπον καὶ ὥσπερ ἀνεμιαῖον· διὸ καὶ τὰ ἐν τοῖς ᾠοῖς ἄκαρπα, διὰ τὴν τοιαύτην αἰτίαν οὔρια ἡ κοινὴ λέγει συνήθεια. Itidem Plin. 10, 58, de palumbibus: Et quamvis tria (ova) pepererint, nunquam plus duobus (fœtibus) educunt: tertium, quod irritum est, Urinum vocant. Et mox in fine capitis, Et ipsæ autem inter se (si mas non sit) feminæ æque saliunt, pariuntque ova irrita, ex quibus nihil gignitur: quæ ὑπηνέμια Græci vocant. Rursum c. 60: Irrita ova, quæ Hypenemia diximus, aut mutua feminæ inter se libidinis imaginatione concipiunt, aut pulvere: nec columbæ tantum, sed et gallinæ, perdices, pavones, anseres, chenalopeces. Sunt autem sterilia et minora ac minus jucundi saporis, et magis humida. Quidam et vento putant ea generari: qua de causa etiam Zephyria appellantur. Hæc autem vere tantum. Urina fiunt incubatione derelicta, quæ alii Cynosura dixere. Quæ posteriora verba ex Aristot. transtulit, cujus verba in Κυνόσουρα ᾠὰ citavi. Primus autem, quem ex Plinio attuli, locus, est ex H. A. 6, 4: Τὸ δὲ ὑπολειπόμενον τῶν ᾠῶν ἀεὶ οὐρινόν ἐστι. [Conf. ib. 2 med.] Tertium, inquit, quod irritum est, Urinum vocant. Alex. Aphr. ᾠὰ ἐξουρίσαντα vocat. Igitur οὔρινα s. κυνόσουρα ᾠὰ, et ᾠὰ ζεφύρια, s. ὑπηνέμια, sunt Ova irrita, ex quibus nihil gignitur. Hoc tamen discriminis constituit Aristot., quod οὔρινα s. κυνόσουρα, æstate potius pariuntur, ζεφύρια vero s. ὑπηνέμια tempore verno, δεχομένων τῶν ὀρνίθων τὰ πνεύματα, Gallinis ex vento spirante concipientibus: unde et οὔρια, ζεφύρια et ὑπηνέμια, nominantur. Prioris οὔριον ᾠὸν hæc exempla ap. Aristot. De gen. anim. 3, [2]: Διαφθείρεται δὲ τὰ ᾠὰ, καὶ γίνεται τὰ καλούμενα οὔρια μᾶλλον κατὰ τὴν θερμὴν ὥραν· in quibus dicit διαφθορὰν fieri μιγνυμένης τῆς λεκίθου, sicut in vinis ἀναθόλωσιν μιγνυμένης τῆς ἰλύος. Et mox, Τοῖς δὲ γαμψώνυξιν ὀλιγοτόκοις οὖσιν, οὐδὲν ἧττον συμβαίνει τοῦτο· πολλάκις μὲν γὰρ τοῖν δυοῖν θάτερον οὔριον γίνεται, τὸ δὲ τρίτον ὡς εἰπεῖν ἀεί. Aliquanto post, de luteo ovi loquens, Πυρούμενον δὲ καὶ ὀπτώμενον, οὐ γίνεται σκληρὸν, διὰ τὸ εἶναι τὴν φύσιν γεῶδες οὕτως ὥσπερ κηρός· καὶ διὰ τοῦτο θερμαινόμενον μᾶλλον, ἐὰν ᾖ μὴ ἐξ ὑγροῦ περιττώματος, διουρεῖται καὶ γίνεται οὔρια. [Schol. Hom. Il. A, 50: Οὐρῆες λέγονται διὰ τὸ ἄγονον, ὡς οὔρια ᾠὰ καλοῦμεν· B, 308: Ἑπτὰ γὰρ τίκτει (ᾠὰ), ὧν τὸ ἓν οὔριον ἐᾷ εἶναι. Theodoret. vol. 2, p. 375 fin. ed. Schulz.: Τὸ ᾠὸν συνέτριψε καὶ οὔριον ἔδειξε, τουτέστιν ἀσθενῆ τὴν ἐπιβουλήν. Coraes ad Heliodor. vol. 2, p. 124: « Ἡ συνήθεια ἔτι καὶ νῦν οὔρια ᾠὰ καλεῖ τὰ ἄγονα, καὶ οὔριον ἄνθρωπον μεταφορικῶς φαμὲν τὸν μωρὸν, ὃν οἱ ἀρχαῖοι ἀνεμιαῖον ἔλεγον. » || Adv. superl. Οὐριώτατα, Cursu prosperrimo, sæpius est in Stadiasmo de quo Miller. *Journ. des Sav.* 1844, p. 313. L. Dindorf.]

[Οὔριος, ὁ, ab οὖρον dictum v. in Οὐροδόχη.]

Οὔριος, i. q. οὐραῖος, unde Ὄριος, exempto υ: ὄριαι πελειάδες, Pind. [Nem. 2, 11, ubi nunc legitur ὀρειᾶν]: Ὀρίαν (ἢ ὀριᾶν) πελειάδων μὴ τηλόθι Ὠαρίωνα νεῖσθα (ἢ κεῖσθαι)· quo l. citato, et explicato etymo nominis proprii Ὠρίων, subjungit Eust. [Od. p. 1535, 54; 1713, 3]: Ἐπεὶ δὲ τὰς πελειάδας ἤγουν τὰς πλειάδας ὀρίας ἔφη ὁ Πίνδαρος, ἰστέον ὡς οὐκ ἄλλοθέν ποθεν αὐτὸ ἐποίησεν, ἀλλὰ παρωνύμως τῇ οὐρᾷ, κατὰ παράλειψιν τοῦ υ· σύνεγγυς γὰρ ὁ Ὠρίων τῆς ἀστροθεσίας τῶν Πλειάδων, ὥς φησιν Ἀθήναιος [11, p. 490, F]· Ἵνα ᾖ, φασὶ, τὸ ὀρίας ἐν ἴσῳ τῷ οὐρίας. [V. Hesychii gl. Οὐρίη ab HSt. in Οὔριον positam.]

[Οὐριοστάτης, ὁ, Prospere institutus. Æsch. Cho. 821: Θῆλυν ... οὐριοστάταν ... νόμον.]

[Οὐριότης, ητος, ἡ, Secundus cursus. Schol. Pind. Nem. 6, 48: Τὴν οὐριότητα τῶν ποιημάτων. Boiss.]

[Οὐριόω, Secundo vento permitto. Philippus Anth. Pal. 9, 777, 4: Διηνεμωμένας κορυφῆς ἔθειρας οὐρίωκεν ἐς δρόμον.]

[Οὐρὶς, ἴδος, ἡ, ἡ ἀμὶς, ἀπὸ τοῦ οὐρεῖν, Matula, Etym. M. in gl. ab Turrisano inserta, pro οὐρητρίς.]

[Οὔρισμα. V. Ὅρισμα.]

[Οὐροδόκη. V. Οὐροδόχη.]

[Οὐροδοχεῖον, τὸ, Urinal, Gl.]

Οὐροδόχη, ἡ, ab Οὐροδόχος, Urinæ receptaculum, Vas ad excipiendam urinam, i. e. Matula s. Matella, Vas urinarium : cui synonymum οὐράνη. Hesych. quoque οὐροδόχην exp. ἀμίδα. [Clem. Alex. p. 191. Wakef. Photius : Οὐροδόκην, τὴν ἀμίδα, Ξενοφῶν (nomen vitiosum), οὔρειον δὲ βῖκον Ἀντισθένης. Hesychius inter Οὐρίθρεπτα et Οὔριον ponit Οὐριομβικὸν, τὴν ἀμίδα ἢ οὐροδόχην.]

Οὐροδόχος, ὁ, ἡ, Qui urinam recipit : οὐρ. κύστις, Alex. Aphr., Vesica quæ urinam recipit, Urinarius folliculus. Reperio etiam Οὐρηδόχος pro eod. ap. Eund., ut Probl. 1, 108 : Διὰ τί τοῖς ὀρνέοις οὐρηδόχον κύστιν καὶ νεφροὺς ἡ φύσις οὐκ ἐδωρήσατο. Et Probl. seq. : Διὰ τί τὰ μὲν παιδία ἐν τῇ οὐρηδόχῳ κύστει τοὺς λίθους τίκτει, οἱ δὲ γέροντες ἐν τοῖς νεφροῖς; Ibid. : Ἀπὸ τῶν σωληνοειδῶν ἀγγείων ἐπὶ τὴν οὐρηδόχον κύστιν. Dicitur autem οὐρηδόχος pro οὐροδόχος, sicut γραμματηφόρος pro γραμματοφόρος, et alia multa. [Ejusdem formæ Lobeck. ad Phryn. p. 654, addit ex. Niceph. Greg. Hist. Byz. 9, 14, p. 285, A, τοῦ οὐρηδόχου οἰκίσκου, prioris Galeni vol. 2, p. 239, C, schol. Aristoph. Ach. 82. Etym. M. p. 83, 32, etc.]

[Οὐροειδὴς, ὁ, Caudæ similis. Agathem. p. 2 ed. Tennul. Boiss.]

[Οὖροι, οἱ, Uri, gens, quam post Abasgos memorat Orph. Arg. 751.]

Οὖρον, τὸ, Urina. [Οὖρον ἀνθρώπου, Lotium; Οὖρον κτήνους, Urina, Gl. Locos Hippocr. tam sing. quam plurali, et hoc quidem frequentius usurpantis copiose explicavit Foes. p. 283–6. Nec minus copiose de eodem disputavit Salmas. in Interpret. Hippocr. aphor. 4, 79, De calculo p. 22-39, τὰ οὖρα plur. ap. eum absolute sic positum « urinas semper denotare jam ejectas, nunquam ejiciendas; at τὸ οὖρον sing. tam redditam quam intra vesicam hærentem ». Herodot. 2, 111 : Γυναικὸς οὔρῳ· 4, 187 : Τράγου οὖρον.] Geopon. : Οὔρῳ βοὸς θερμῷ κλύζειν, pro his Columellæ, Calida bubula urina eluitur. Athen. 11, οὖρον δριμύ· 10 : Οὖρον δὲ προΐετο καθάπερ πάντες ἄνθρωποι, de quodam qui potu non indigebat. Et ex Aristot. De gen. anim. 1 : Ἐπὶ τὸ οὖρον συντήκονται, Tabescunt per urinæ profluvium. [Et utroque numero sæpe in H. A.] Item plur. num. ex Alex. Aphr. Probl. 2, 2, [Eust. Opusc. p. 296, 52,] τῶν οὔρων, Urinarum. [Nicander Th. 303, 433, Al. 340, 479.] Alias significat etiam Terminus pro οὖρος s. ὅρος, ut suo etiam loco docebo, vel ὅρμημα, ut ap. Hom. [Od. Θ, 124] : Ὅσσον τ' ἐν νειῷ οὖρον πέλει ἡμιόνοιϊν, Τόσσον ὑπεκπροθέων λαοὺς ἵκεθ'· οἱ δ' ἐλίποντο, Quanto intervallo mulæ arantes in novali prævertunt boves, tanto intervallo ille præcurrens perveniebat ad multitudinem : cui similem locum habes in Ἐπίουρα. Brevium scholiorum auctor οὖρον ibi exp. ὅρμημα, διάστημα. Sed quum ὅρμημα dicunt, ad ὄρω s. ὀρούω, referunt ejus originem : quum διάστημα, ad ὅρος : ex quo Ionice οὖρος, et metaplasmo generis οὖρον : unde οὖρα infra in Οὖρος. [|| Οὖρα μυὸς, Malva, prophetis s. chymicis, ap. Interpol. Diosc. c. 332 (2, 144). Οὖρα σκορπίου iisdem sideritis c. 615 (4, 33). Οὖρα ἰχνεύμονος, Arnoglossum, iisdem ap. Apulejum De virt. herb. c. 1. Ducang.]

[Οὐροπύγιον. V. Ὀρροπύγιον.]

Οὖρος, ὁ, Terminus : Ionice pro ὅρος, mutato aspero in tenuem, sicut et in οὐδὸς pro ὁδός [ὁδός]. Eust. p. 23, quum dixisset νοῦσος habere Ionicam ἐπένθεσιν τοῦ υ, subjungit et alia in quibus ab Ionibus μηκύνεται τὸ ο, προσλήψει τοῦ υ, inter quæ ὁδὸς, οὐδὸς, καὶ ὅρος, οὖρος, ὁ περιορισμός. Idem p. 488 : Οὕτω καὶ οὖρος μὲν λέγεται ὁ ὅρος, Ἰαστὶ, οὐ μήν ποτε καὶ τὸ ὅρος τὸ οὐδέτερον. Apud Hesych. οὖρον ἀρούρης, i. e. ὅρον τῆς χώρας : ex Hom. Il. Φ, [405] de lapide : Τόν ῥ' ἄνδρες πρότεροι θέσαν ἔμμεναι οὖρον ἀρούρης. [De Herodoto Schweigh. : « Ὁ οὖρος ἦν τῆς τε Μηδικῆς ἀρχῆς καὶ τῆς Λυδικῆς ὁ Ἅλυς, 1, 72. Ὀγδοήκοντα ἔτεα οὖρον τῆς ζόης ἀνθρώπῳ προτίθημι, 1, 32. Οὖρον προθέμενος ἐνιαυτὸν τοῦτον, 1, 74. Οὖροι πέντε ἦσαν ἐπὶ τοῦ σήματος, Termini, Cippi, 1, 93. Τοὺς Αἰγυπτίων οὔρους 4, 33; ἐν οὔροισι χώροις, 4, 52 : μὴ ἐπιβαίνειν τῶν σφετέρων οὔρων, 4, 125; ἐβοήθεον ἐπὶ τοὺς οὔρους ib. »] Itidem Suid. : Οὖρος, ὁ τῆς γῆς ὅρος· καὶ παρ' Ἡροδότῳ οὖροι, οἱ ὅροι, τὰ ὁροθέσια, Termini, Fines, Limites : quo nominativo utitur et Parrhasius ap. Athen. 12, [p. 543, E] in quodam epigrammate operibus suis inscripto : Φημὶ γὰρ ἤδη Τέχνης εὑρῆσθαι τέρματα τῆσδε σαφῆ Χειρὸς ὑφ' ἡμετέρης· ἀνυπέρβλητος δὲ πέπηγεν Οὖρος· ἀμώμητον δ' οὐδὲν ἔγεντο βροτοῖς· Statutus est et fixus manibus nostris terminus, quem nemo transiliet. [Theognis 826 : Γῆς δ' οὖρος φαίνεται ἐξ ἀγορῆς. Apoll. Rh. 4, 288 : Σκυθέων τ' ἐπιβήσεται οὔρους. Theocr. 25, 27 : Οὔρους μὴν ἴσασι φυτοσκάφοι. Dionys. Per. 10 : Λιβύη μὲν ἀπ' Εὐρώπης ἔχει οὖρον λοξόν· 135 : Οὖρον δ' ἐς Τένεδον τεκμαίρεται ἐσχατόωσαν· 178 : Οὖρον δ' Ἀραβίης τεκμαίρεται ἄγχι θαλάσσης εὐρύτερον.] Sed notandum, dici non solum οὖροι, plurali num., sed etiam Οὖρα, ut manifestum fit ex sequentibus. Eust. p. 1871, de ὅρος loquens, ex quo Iones οὖρος faciunt : Τὸ δ' αὐτὸ γίνεται καὶ ἐν τῷ Οὖρος, ὁ περιορισμός· ὡς δῆλον ἐκ τοῦ, Ἀμφ' οὔροισι· καὶ, Δίσκου οὖρα πέλονται. Loci sunt Homeri : alter Il. Ψ, [431], Ὅσσα δὲ δίσκου οὖρα κατ' ὠμαδίοιο πέλονται [Ib. 523 : Ἀτὰρ τὰ πρῶτα καὶ ἐς δίσκουρα λέλειπτο]· alter M, [421] : Ἀμφ' οὔροισι δύ' ἀνέρε δηριάασθον. Citatur ex Apollonio [Rh. 3, 1386, et in eadem phrasi Dionys. Per. 26] quoque. [Apoll. Rh. 2, 795 : Ὄφρ' ἐβάλοντο οὖρα βαθυρρείοντος ὑφ' εἰαμεναῖς Ὑπίοιο.] Necnon ex Herodoto affertur l. 3, ἐν οὔρεσι, In finibus, Valla. [« Sed eam expositionem sequendo scribendum foret οὔροισι, non οὔρεσι. » HSt. Ms. Vind.] || Οὖρα, Hesych. exp. ὁρμήματα : quod ad ὀρούω pertinet, unde ὀρούματα, ut et οὖρος significans Ventum secundum. Sed Idem agnoscit etiam Οὖρα, ὅρια. [Ad δίσκουρα an referenda sit ejusd. gl. : Οὔρδικος ἐπιφερομένου, in medio relinquo.]

Οὖρος, ὁ, Ventus secundus, [Prosper ventus, Gl.] ab Ὄρω vel Ὀρούω derivat Eust. p. 1500 : Τὸ δὲ νεῶν πομπῆες, ἔοικεν ἑρμηνεία εἶναι τοῦ οὖροι πνείοντες· οὖρος γὰρ παρὰ τὸ ὀρούειν, ὅ ἐστι παρορμᾷν καὶ προπέμπειν· unde et ἴκμενος οὖρος. [Cum αὔρα comparat Coraes ad Heliodor. vol. 1, p. 345.] P. 1452, οὖρον dictum scribit, quia δι' αὐτοῦ ὀρούει, i. e. ὁρμᾷ, ἡ ναῦς : qui et φορός. Sic p. 1873, οὔρῳ exp. φορῷ ἀνέμῳ καὶ ὁρμητίᾳ. Hom. [Il. A, 479 : Τοῖσιν δ' ἴκμενον οὖρον ἵει ἑκάεργος Ἀπόλλων·] Od. O, [293] : Τοῖσιν δ' ἴκμενον οὖρον ἵει γλαυκῶπις Ἀθήνη Λάβρον ἐπαιγίζοντα δι' αἰθέρος, ὄφρα τάχιστα Ναῦς ἀνύσειε θέουσα θαλάσσης ἁλμυρὸν ὕδωρ· qui versus habentur et Od. B, [420] et [Λ, 75,] M, [149]. Ejusdem Od. Δ, [360] : Οὐδέ ποτ' οὖροι Πνείοντες φαίνονθ' ἁλιαέες, οἵ ῥά τε νηῶν Πομπῆες γίνονται ἐπ' εὐρέα νῶτα θαλάσσης· et [357] : Τόσσον ἄνευθ' ὅσσον τε πανημερίη γλαφυρὴ νηῦς Ἤνυσεν, ᾗ λιγὺς οὖρος ἐπιπνείῃσιν ὄπισθεν· Γ, [176] : Ὦρτο δ' ἐπὶ λιγὺς οὖρος ἀήμεναι· αἱ δὲ μάλ' ὦκα Ἰχθυόεντα κέλευθα διέδραμον· O, [296] : Ἡ δὲ Φερὰς ἐπέβαλλεν ἐπειγομένη Διὸς οὔρῳ· E, [175] : Τὸ δ' οὐκ ἐπὶ νῆες ἐΐσαι Ὠκύποροι περόωσιν, ἀγαλλόμεναι Διὸς οὔρῳ. [Plur. Tzetz. Anteh. 97 : Ἐς Σπάρτην ἐπαγαλλόμενος Διὸς ἤλυθεν οὔροις.] Quibus in ll. Διὸς οὖρον vocat Ventum secundum, quem Jupiter immittit nautis; ut tum primus quem citavi locus ostendit, tum hi sequentes : Il. H, [5] : Ὡς δὲ θεὸς ναύτῃσιν ἐελδομένοισιν ἔδωκεν Οὖρον, ἐπὴν κεκάμωσιν ἐϋξέστῃσ' ἐλάτῃσι. Et Od. O, [474] : Ἐπὶ δὲ Ζεὺς οὖρον ἴαλλεν. Item Od. E, [268] : Οὖρον δὲ προέηκεν ἀπήμονά τε λιαρόν τε· M, [149] : Ἡμῖν δ' αὖ κατόπισθε νεὼς κυανοπρῴροιο Ἴκμενον οὖρον ἵει πλησίστιον, ἐσθλὸν ἑταῖρον· O, [34] : Πέμψει δέ τοι οὖρον ὄπισθεν. Idem igitur sunt, ἴκμενον οὖρον ἵει, et ἔδωκεν οὖρον, et οὖρον προέηκεν, item ἐπὶ οὖρον ἴαλλεν et ἔπεμψεν οὖρον, Immisit ventum secundum. Potest deus etiam dici ἐπείγων οὔρῳ, ut navis ἐπειγομένη Διὸς οὔρῳ. Hic οὖρος cessans σβέννυσθαι dicitur, ut Od. Γ, [183] : Πύλονδ' ἔχον, οὐδέ ποτ' ἔσβη Οὖρος, pro In Pylum usque secundo utebar vento : qui Od. Λ, [639] κάλλιμος οὖρος dicitur. [Pind. Isthm. 2, 40 : Οὖρος ἐμπνεύσαις· 3, 23 : Ἄλλοτε ἀλλοῖος οὖρος πάντας ἀνθρώπους ἐλαύνει· Pyth. 1, 34 : Πομπαῖον ἐλθεῖν οὖρον· 4, 292 : Λήξαντος οὔρου. Theocr. 13, 52 : Πλευστικὸς οὖρος.] Pro eo vero, quod ap. Apoll. Arg. 2, [900] legitur, Ζεφύρου μέγας οὖρος ἄητο, malim ζέφυρος, ut Ms. habet, accipiendo sc. παρενθετικῶς illa duo verba μέγας οὖρος. [Sed conf. 4, 768 : Ζεφύρου γε μὲν οὖρος ἀήτω. (Nicand. Th. 270 : Λιβὸς οὔρῳ. Orph. Arg. vero 482 : Οὖρος, ἀκραὴς Ζέφυρος.) Id. 1, 566 : Ἐν δὲ λιγὺς πέσεν οὖρος· 579 : Τὴν δ' αἰὲν ἐπασσύτερος φέρεν οὖρος· 605 : Ἆεν καὶ ἐπὶ κνέφας οὖρος· 4, 1223 : Ἦλυθε δ' οὖρος ἀκραὴς ἠῶθεν ὑπὲκ Διός· 1769 : Ἄσπετος οὖρος ἔπειγεν· 1, 926 : Ἱστία δ' οὔρῳ στησάμενοι· 572 : Λιαρῷ περιγηθέες οὔρῳ. Eur. Tro. 20 : Μένουσι δὲ πρύμνηθεν οὖρον.] Sed et in prosa locum invenit hæc vox : Xen. Hell. 2, [3, 31] : Ἕως ἂν ἐς οὖρον καταστῶσι, Quoad prosperum ventum nacti sint. Dicitur enim navis εἰς οὖρον καταστῆναι, quum ventum secundum nacta est; cui synonyma sunt κατ' οὖρον φέρεσθαι, ἐξ οὐρίας πλεῖν, οὐριοδρομεῖν, et εὐροεῖν, quo Phalaris in Epist. usus est. [Æsch. Pers. 481 : Κατ' οὖρον οὐκ εὔκοσμον αἴρονται φυγήν· Sept. 690 : Ἴτω κατ' οὖρον· 854 : Γόων, ὦ φίλαι, κατ' οὖρον ἐρέσσετ' ἀμφὶ κρατὶ πόμπιμον χεροῖν πίτυλον. Soph. Tr. 468 : Ἀλλὰ ταῦτα μὲν ῥείτω κατ' οὖρον. Eur. Andr. 554 : Κατ' οὖρον ὥσπερ ἱστίοις ἐμπνεύσομαι τῇδε. Herodot. 4, 163 : Ἀπόπεμπε κατ' οὖρον.] Homerus pro eo dicit οὔρῳ ἐπείγεσθαι. Synes. Ep. 148 : Εἵλκετο ναῦς καὶ ἀνήγετο πρὸς οὖρον αὐτή, κώπαις ἐκείνη, Provehebatur in altum ad ventum secundum. Pro οὖρος dicunt et ἐπίφορος ἄνεμος et φορὸς, de quo Virg., Prosequitur surgens a puppi ventus euntes. Metaph. ap. [Pind. Ol. 13, 27 : Εὔθυνε δαίμονος οὖρον· Pyth. 4, 3 : Οὖρον ὕμνων· Nem. 6, 29 : Ἐπέων οὖρον εὐκλέα·] Suid. : Ἀλλὰ ταῦτα μὲν Ῥείτω κατ' οὖρον. Itidem Soph. Tr. [817] : Ἐᾶτ' ἀφέρπειν· οὖρος ὀφθαλμῶν ἐμῶν Αὐτῇ γένοιτ' ἄπωθεν ἑρπούσῃ καλὸς, pro Aspiret ei discedenti aura secunda, ne unquam ipsam videam, ut schol. exp. : qui quod idem poeta Phil. [855] dicit, Οὖρός τοι, τέκνον, οὖρος, exp. ἐπιτήδειος καιρός· sumpta metaph. ἀπὸ τοῦ οὔρου, qui spirans navigandi tempus opportunum indicat. [Eur. Ion. 1509 : Νῦν δ' ἐγένετό τις οὖρος ἐκ κακῶν. In Ind. :] Οὐρέων ex Herodoti l. citato affertur pro Ventorum. Ionicum igitur erit pro οὔρων, ut τουτέων pro τούτων.

|| Οὐρὸς autem oxytonum significat Alveus, Fossa per quam deducitur navis in mare, Eust., ὁ τόπος ὅθεν ἡ ναῦς ὀρούει, i. e. ὁρμᾷ, καθελκομένη εἰς θάλασσαν. Hom. Il. A, [153] de Græcis discedere parantibus navesque in altum deducentibus : Οὐρούς τ' ἐξεκάθαιρον, ἀϋτὴ δ' οὐρανὸν ἷκεν Οἴκαδε ἱεμένων· ὑπὸ δ' ᾕρεον ἕρματα νηῶν. Hesych. οὐροὺς exp. τὰ νεώρια, τὰ περιτειχίσματα, ἢ τὰ περιορίσματα τῶν πλοίων, s. τὰ ὁρμητήρια δι' ὧν καθέλκονται. Similiter et Suid. [s. Photius ὀξυτόνως] οὐροὺς esse dicit τὰ νεώρια et τὰ περιορίσματα τῶν νεῶν, i. e. τὰ ταφροειδῆ ὀρύγματα δι' ὧν αἱ νῆες καθέλκονται εἰς τὴν θάλασσαν. [Cum ὁλκοὶ conjungit Pollux 10, 148, ap. quem οὖρος scriptum ib. 134, contra præceptum Arcadii p. 70, 2, et Photii s. Suidæ.]

|| Porro sicut οὖρος dicitur Ionice pro ὄρος et ὅρος, sic etiam Οὐρὸς pro οὖρος [ὀρός]. Et quemadmodum ὀρὸς non de Lacte solum dici annotatum est, sed etiam de Sanguine, ita etiam hoc οὐρός. Nicand. Ther. [708], de sanguine loquens : Βλοσυρὸν δ' ἐξ αἷμα χέασθαι, ... ἐκ δὲ πελιδνὸν Οὐρὸν ἀπηθῆσαι· ubi et schol. annotat, οὐρὸν proprie esse τὴν ὑποστάθμην, s. τὸ ὑδατῶδες τοῦ πεπηγότος γάλακτος : hoc vero loco dici ἐπὶ αἵματος. [Versum Homericum in Οὖρος citatum ad signif. obscœnam detorquens Leo Philos. Anth. Pal. 9, 361, ult. : Οὐρόν τε προέηκεν ἀπήμονά τε λιαρόν τε. Ubi nonnulli οὖρον, ut hodie scribitur ap. Nicandrum, quum οὐρὸν relictum sit in schol.]

|| Rursum Οὖρος significat Custos, Inspector : qua in signif. usus est Hom. Il. Θ, [80] : Νέστωρ δ' οἶος ἔμιμνε γερήνιος, οὖρος Ἀχαιῶν· Λ, [839] : Ὃν Νέστωρ ἐπέτελλε γερήνιος, οὖρος Ἀχαιῶν, i. e. φύλαξ, ἔφορος, vel, ut alibi vocat, ἐπίουρος. [Pind. Isthm. 7, 55 : Οὖρος Αἰακιδᾶν. Apoll. Rh. 4, 1643 : Νήσου πόρεν ἔμμεναι οὖρον.] Necnon Od. O, [88] : Βούλομαι ἤδη νεῖσθαι ἐφ' ἡμέτερ'· οὐ γὰρ ὄπισθεν Οὖρον ἰὼν κατέλειπον ἐπὶ κτεάτεσσιν ἐμοῖσι· Nec enim post me reliqui custodem et inspectorem meis fortunis, φύλακα : sicut paulo ante Eumæum subulcum vocat ὑῶν ἐπίουρον. Hesych. οὖρος exp. non solum φύλαξ, sed etiam σωτὴρ et βασιλεύς. Ceterum hoc οὖρος significans φύλαξ Eust. p. 700, scribit derivatum esse vel ab ὁρᾶν, i. e. βλέπειν : quia προορῶνται τὰ ἐπιόντα οἱ φύλακες : vel παρὰ τὸν ὅρον τὸν

A ἐν τοῖς γηδίοις : quia sc. ὁρίζειν πως καὶ ὁ φύλαξ τέτακται τὰ φυλασσόμενα καὶ ἀποδιϊστᾷν τῶν ἐπιόντων βλαβερῶν : sed prius etymon et verius et simplicius est : sc. derivatum esse ab Ὁράω : unde etiam Ὄρομαι et Ἐπιόρομαι, pro ὁρῶμαι, Inspicio, Custodio : Od. Ξ, [104] : Ἔνθα δέ τ' αἰπόλια πλατέ' αἰγῶν ἕνδεκα πάντα Ἐσχατιῇ βόσκοντ', ἐπὶ δ' ἀνέρες ἐσθλοὶ ὄρονται, pro ἐφορῶνται, Inspectores et custodes sunt, schol. ὁρῶσι, φυλάττουσι : Hesych. ἐφορῶσιν, ἐπακολουθοῦσι : cujus tamen exemplaria vulg. non ἐφορῶσιν habent, sed ἐφορμῶσιν, nec ὄρονται, sed Ὁρῶνται, ab ὁράομαι. [Oppian. Cyn. 1, 375 : Βουκολίων οὖροι.]

[Οὖρος, ὁ, Urus, bos, ap. Hadrian. Anth. Pal. 6, 332, 3 : Βοὸς οὔρου ἀσκητὸν χρυσῷ παμφανόωντι κέρας.]

Οὖρος, τὸ, in VV. LL. [ex Gl.] habetur itidem pro Urina, Lotium; sed sine exemplo. [Οὖρος, Mons, v. in Ὄρος.]

[Οὐροτὰλ, Bacchus apud Arabes. Herodot. 3. 8 : Διόνυσον δὲ θεὸν μοῦνον καὶ τὴν Οὐρανίην, ἡγέονται εἶναι,... ὀνομάζουσι δὲ τὸν Διόνυσον Οὐροτὰλ, τὴν δὲ Οὐρανίην
B Ἀλιλάτ.]

Οὐροτομέω, Caudam amputo, τὴν οὐρὰν ἀποκόπτω, ut Plut. loquitur. Apud Suidam : Οὐροτομήσαντες πεντήκοντα ἵππους.

[Οὐρούω. V. Ὀρούω.]

Οὐρόω, i. esse videtur q. οὐρίζω, cujus nulla reperi exempla, sed compositum inde est Ἀπουρόω [quod v.].

[Οὐρώδης. V. Οὐραῖος. || Urinæ similis. Etym. M. p. 630, 7 : Οὐρεὺς ... παρὰ τὸ οὐρώδη γονὴν ἔχειν· ὅθεν ἐν ταῖς συνουσίαις οὐ συλλαμβάνουσιν οὐδὲ τεκνογονοῦσιν.]

Οὖς, τὸ, Auris. [Indeclin. cur sit forma οὖς disceptat Chœrob. vol. 1, p. 385, 13 seq., s. Etym. M. in Οὖς.] Gen. Ὠτὸς, tanquam ab Ὦς, quod Doricum esset, sicut ὦν pro οὖν. [V. sub finem. De auris natura v. Aristot. H. A. 1, 11.] Plut. Symp. 2 [p. 631, D] : Καὶ μὴν τετρυπημένον ἔχεις τὸ οὖς· apophthegma Ciceronis ad Octavium quendam Afrum, qui dicebat se λέγοντος αὐτοῦ μὴ ἀκούειν : accipiens sc. ἀκούειν non jam pro Audire, sed pro Intelligere. Idem Plut. De solert. anim. [p. 969, A] : Ἡσυχῇ γὰρ ὑπάγουσα παραβάλλει τὸ
C οὖς, Advertit aurem : ut ἐπιβάλλειν τὰ ὦτα, Pollux [2, 83]. Soph. [El. 27] : Ὀρθὸν οὖς ἵστησι, de equo arrigente aures, ubi primum equam sensit. [Eur. Hipp. 1203 : Ὀρθὸν δὲ κρᾶτ' ἔστησαν οὖς τ' ἐς οὐρανὸν ἵπποι. Herodot. 4, 129 : Οἱ ἵπποι ὀρθὰ ἱστάντες τὰ ὦτα.] Sic Lucian. [Timon. c. 23] : Ὄρθιον ἐφιστὰς τὸ οὖς. Et, Εἰς οὖς λέγειν, In aurem dicere, Erasm. Adag. Item, Οὖτα δουρὶ κατ' οὖς, Hom. Il. Υ, [473], Juxta aurem. [Λ, 109 : Ἄντιφον αὖ παρὰ οὖς ἔλασε ξίφει. Theognis 887 : Μηδὲ λίην κήρυκος ἀν' οὖς ἔχε μακρὰ βοῶντος. Æsch. ap. schol. Soph. OEd. C. 674 : Ἀνέχουσα, ἄνω ἔχουσα, ὡς ἐν Λυκούργῳ Αἰσχύλος, Ἄχους δ' ἀν' οὖς ἔχων. Suidas : Ἀν' οὖς ἔχων, ἀντὶ τοῦ ἄνω τὸ οὖς ἔχων. Cho. 379 : Τοῦτο διαμπερὲς οὖς ἵκεθ' ἅπερ τε βέλος. Eur. Or. 616 : Ἡ τῇ τεκούσῃ σ' ἠγρίωσ', ἐς οὖς ἀεὶ πέμπουσα μύθους· Hipp. 932 : Ἀλλ' ἤ τις ἐς σὸν οὖς με διαβαλὼν ἔχει· Andr. 1091 : Ἐς οὖς ἑκάστῳ δυσμενεῖς ηὔδα λόγους· Ion. 696 : Τάδε τορῶς ἐς οὖς γεγωνήσομεν· 911 : Εἰς οὖς αὐδὰν καρύξω· 1521 : Ἐς οὖς γὰρ τοὺς λόγους εἰπεῖν θέλω· Herc. F. 1059 : Φέρε πρὸς οὖς βάλω.] Ceterorum casuum frequentia sunt passim
D exempla. [Od. M, 200 : Κηρὸν, ὅν σφιν ἐπ' ὤσιν ἄλειψα. Æsch. Cho. 56 : Σέβας δι' ὤτων φρενός τε ... περαῖνον· Sept. 25 : Ἐν ὠσὶ νωμῶν καὶ φρεσίν· Pers. 605 : Βοᾷ δ' ἐν ὠσὶ κέλαδος οὐ παιώνιος. Soph. El. 737 : Ὀξὺν δι' ὤτων κέλαδον ἐνσείσας θοαῖς πώλοις· 1437 : Δι' ὠτὸς ἂν παῦρά γ' ὡς ἠπίως ἐννέπειν πρὸς ἄνδρα τόνδε συμφέροι· OEd. T. 1387 : Εἰ τῆς ἀκουούσης ἔτ' ἦν πηγῆς δι' ὤτων φραγμός· fr. ap. Plutarch. Symp. 1, 8 : Βραδεῖα ... ἐν λόγοισι προσβολὴ μόλις δι' ὠτὸς ἔρχεται τρυπωμένου· OEd. T. 371 : Τυφλὸς τά τ' ὦτα τόν τε νοῦν τά τ' ὄμματ' εἶ. Ant. 317 : Ἐν τοῖσιν ὠσὶν ἢ 'πὶ τῇ ψυχῇ δάκνει· 319 : Ὁ δρῶν σ' ἀνιᾷ τὰς φρένας, τὰ δ' ὦτ' ἐγώ. Eur. Med. 1139 : Δι' ὤτων δ' εὐθὺς ἦν πολὺς λόγος σὲ καὶ πόσιν σὸν νεῖκος ἐσπεῖσθαι· Rhes. 294 : Δι' ὤτων γῆρυν ... ἐδεξάμεσθα· 566 : Ἦ κενὸς ψόφος στάζει δι' ὤτων· Bacch. 1086 : Αἱ δ' ὠσὶν ἠχὴν οὐ σαφῶς δεδεγμέναι· Hipp. 488 : Οὐ γάρ τι τοῖσιν ὠσὶ τερπνὰ δεῖ λέγειν. Herodot. 1, 8 : Ὦτα γὰρ τυγχάνει ἀνθρώποισι ἐόντα ἀπιστότερα ὀφθαλμῶν· 7, 39 : Ἐν τοῖσι ὠσὶ τῶν ἀνθρώπων οἰκέει ὁ θυμός.] Diosc. 3, 30 : Αἱ περὶ τὰ ὦτα ἐμπνευματώσεις, Inflationes aurium.

Et ὤτων κρατεῖν, Auribus tenere, ut in proverbio illo apud Plutarchum, Τὸν λύκον ὤτων κρατεῖν, Lupum auribus tenere. [V. Λύκος, p. 427, B.] Et ὤτων ἀνηρτῆσθαι, Lucian. [Icaromenipp. c. 3], Suspensum auribus teneri. Et ἀνατείνειν τοῦ ὠτὸς, Vellere aurem, Plut. Catone [c. 20] : Οὐκ ἠξίου τὸν υἱὸν ὑπὸ δούλου κακῶς ἀκούειν, ἢ ἀνατείνεσθαι τοῦ ὠτὸς, Nolebat filium a servo increpari, aut illius aurem velli. Plutarch. De exilio [p. 606, C : Περικεκομμένον τὴν ῥῖνα καὶ] τὰ ὦτα [,] καὶ τὴν γλῶτταν ἐκτετμημένον. [Aristoph. Pac. 156 : Πάταγον ψαλίων διακινήσας φαιδροῖς ὠσίν. Aret. p. 70, 39 : Ἕλκεα ἐπὶ τῇσι βάσεσι τῶν ὤτων.] Sequentia autem exempla pertinent ad Οὖς, quo ipsa ἀκοὴ denotatur : ut ἡδονὴ δι᾽ ὤτων κατακηλοῦσα, Voluptas suavitate auditus animum deliniens, Cic. Tusc. 4, ex Stoicis. Soph. Antig. [1187] : Φθόγγος οἰκείου κακοῦ Βάλλει δι᾽ ὤτων, Ferit. Theocr. 14, [27] : Χ᾽ ἁμῖν τοῦτο δι᾽ ὠτὸς ἔγεντο. Et rursum Soph. Aj. [148] : Εἰς ὦτα φέρει λόγους, Ad aures perfert, Auribus inculcat. Lucian. Lexiph. [c. 24] : Ἐτεθήπεσαν ὑπὸ τοῦ ξένου πληγέντες τὰ ὦτα, Perculsas habentes aures. Idem De calumn. [c. 21] : Οὕτως ἡδέως γαργαλιζομένους τὰ ὦτα ὑπὸ τῶν διαβολῶν, ὥσπερ τοὺς πτεροῖς κνωμένους. Item ὦτα ἐπανεστηκότα, Aures arrectæ, sc. ad audiendum : ut Latini quoque Aurem arrige pro Ausculta. Sic ὦτα τετρυπημένα, Quæ sonos admittunt, et audiunt. [Quod voc. v. pariterque διακινεῖν, ἐπέχειν, ἐπικλίνειν, ἐπικαταβάλλειν, καταβάλλειν, παραβάλλειν, παραδιδόναι, ἐπιπετεννύναι. Ephræm Syr. vol. 3, p. 524, F : Κλῖνον τὸ οὖς.] In eum sensum Lucian. Lexiph. [c. 1] : Εὔπορα ποιήσας τὰ ὦτα ἤδη ἄκουε· ἀπέστω δὲ ἐπιβύστρα ἡ κυψελίς· unde κυψελόβυστα ὦτα paulo post. Plut. : Οἱ τὰ ὦτα τοῖς κολακεύουσι παραδιδόντες. Lucian. [Baccho c. 5], παρέχειν τὰ ὦτα, quod Latini quoque Præbere aures dicunt; item Patefacere alicui aures. In eund. sensum Lucian. De hist. conscr. [c. 7] : Ἢν ἅπασιν αὐτοῖς ἀναπετάσῃς τὰ ὦτα, Patefacias omnibus. Et pass. Aristoph. Eq. [1347] : Ὦτά σου ἐξεπετάννυτο, Aures tuæ patebant quasi expansæ. Rursumque Lucian. De saltat. [in fine] : Ἀναπεπταμένα ἔχω καὶ τὰ ὦτα καὶ τὰ ὄμματα. Contra De calumn. [c. 8] : Ἀποφράττειν τὰ ὦτα (Lat. Obstruere, Præcludere), καὶ μὴ ἀνέδην αὐτὰ ἀναπεταννύειν· Hermotimo [c. 81] : Ἐπιβυσάμενος τὰ ὦτα, Quum aures obstruxisset, unde Lexiph. ap. Eund. [c. 2] : Κυψελόβυστα ἔοικας ἔχειν τὰ ὦτα, i. e. ἡ κυψελὶς videtur aures tuas ἐπιβύσασθαι : pro quo in Timone [c. 2] dicit τὰ ὦτα ἐκκεκώφωσαι καθάπερ οἱ παρηβηκότες. Apud Plutarch. De loquac. : Τὰ ὦτα μετάγειν καὶ ἀποστρέφειν [Mor. p. 46, E], Avertere aures, ut Latini loquuntur : cui opposita paulo ante, παραδοῦναι, παρέχειν, et ap. Plutarch. παραβάλλειν. Sed προκαταλαμβάνειν τὰ ὦτα dicitur is, qui prior alloquens, velut præoccupat aures alicujus, et aliis præcludit. Lucian. De calumn. [c. 8] : Προκαταλαμβάνων αὐτοῦ τὰ ὦτα καὶ ἀποφράττων, καὶ τῷ δευτέρῳ λόγῳ παντελῶς ἄβατα κατασκευάζων αὐτὰ, ὑπὸ τῆς διαβολῆς προεμπεπλησμένα. [Demosth. p. 169, 21 : Ἐνέπλησε τὰ ὦτα λόγων· 170, 1 : Ἀγαθὸν τα ὦτα πρῶτον ὑμῶν ἰάσασθαι· διέφθαρται γάρ. « Lucian. Demonact. c. 12 : Ἄνθρωπος, εὐαπάτητα ἔχων τὰ ὦτα, Homo, cui aures sunt deceptu faciles, i. e. decipi facilis. Id. De salt. c. 85 : Ἤδη ἐγὼ, ὦ Λυκῖνε, πείθομαί σοι, καὶ ἀναπεπταμένα ἔχω καὶ τὰ ὦτα καὶ ὄμματα, Rem satis clare intelligo et perspicio. Id. Scyth. c. 11 : Εἰ καὶ φθέγξαιτο μόνον, οἰχήσεταί σε ἀπὸ τῶν ὤτων ἀναδησάμενος, τοσαύτην Ἀφροδίτην ἐπὶ τῇ γλώσσῃ ὁ νεανίσκος ἔχει, Quod si loqui inceperit, ducet te revinctum ab auribus : tantam dicendi venerem juvenis in lingua sitam possidet, de Eloquente. (Conf. Jov. trag. c. 45.) » Koenig.] || Regum vero et principum ὦτα dicebantur Delatores s. Corycæi, qui subauscultabant quid quisque loqueretur, et ad reges s. principes deferebant : alio nomine ὠτακουσταί. Vide Ὀφθαλμὸς, ubi exempla e Xen. [Cyrop. 8, 2, 10, 11] et Aristot. attuli. Itidem schol. Aristoph. Ach. [92] : Ψευδαρτάβαν τὸν βασιλέως ὀφθαλμὸν, annotat βασιλέως ὀφθαλμοὺς vocari τοὺς σατράπας, δι᾽ ὧν πάντα ὁ βασιλεὺς ἐπισκοπεῖ· sicut βασιλέως ὦτα, τοὺς ὠτακουστὰς, δι᾽ ὧν ἀκούει τὰ πραττόμενα ἑκάστῳ πανταχοῦ. [Plut. Mor. p. 522, F.] || Cordis quoque ventriculus uterque suum οὖς habet, i. e. suam aurem, nervosam, cavam, ad ora vasorum ma-

A teriam in cor immittentium affixam : in quibus, veluti in penu quodam, sanguis et aer recondita sunt : ὠτοειδὴς etiam ὑμὴν nominatur. Ruf. Eph. [p. 37 Clinch.] : Τὰ δὲ ἑκατέρωθεν τῆς κεφαλῆς ὥσπερ πτερύγια, κοῖλα καὶ μαλακὰ καὶ κινητὰ, ἐν ᾧ πᾶσα σφύζει ἡ καρδία, ὦτα καρδίας. [Galen. vol. 4, p. 156 : Ἀπὸ τῶν ὤτων ἀρξάμενοι τῆς καρδίας, ἃ καθ᾽ ὁμοιότητά τινα τοῖς κυρίως ὀνομαζομένοις ὠσὶν ἐκάλεσαν οἱ πρόσθεν.] Itidem Pollux 2, [218] : Ἡ μὲν δὴ βάσις τῆς καρδίας, καλεῖται κεφαλή· τὸ δὲ προὗχον ὀξὺ, πυθμήν· τὰ δὲ ἑκατέρωθεν κοῖλα, ὦτα, Sinus et cavitates, quæ utrimque sunt. || Vasis quoque ὦτα tribuuntur, i. e. λαβαὶ, Ansæ. Plutarch. [Mor. p. 536, A] : Ἀπείκαζε τοὺς τοιούτους ἀμφορεῦσιν, ὑπὸ τῶν ὤτων ῥᾳδίως μεταφερομένοις, ubi ὦτα et de Hominis et de Vasis auribus intelliguntur. [Ib. p. 705, E. Hero in Mathem. vett. p. 223, D.] Athen. 11, [p. 474, E] : Ποτήριόν ἐστιν ἐπίμηκες, συνηγμένον εἰς μέσον ἐπιεικῶς, ὦτα ἔχον μέχρι πυθμένος καθήκοντα. Aliquanto post, Κύλικα οὐκ εἶναι· οὐ γὰρ ἔχειν ὦτα, ubi etiam nota calices fuisse ὠτώεντας, Auritos.

B Galli quoque suum *Aureille* aliquibus vasis tribuunt. [Iambl. Pyth. § 84.] || Οὖς Ἀφροδίτης, Auris Veneris, Ostrei genus. Athen. 3, [p. 88, A] : Ἀντίγονος δ᾽ ὁ Καρύστιος ἐν τῷ Περὶ λέξεως, τὸ ὄστρεον τοῦτο (sc. τὰ ὠτάρια) ὑπὸ Αἰολέων καλεῖσθαι οὖς Ἀφροδίτης. [Aristot. H. A. 4, 4 : Τῇ ἀγρίᾳ λεπάδι, ἥν τινες καλοῦσι θαλάττιον οὖς. Memorat etiam Hesychius.]

|| Poetice autem pro Οὖς dicitur Οὖας, ex quo Eust. συγκεκόφθαι scribit præcedens οὖς : alibi tamen id ab ἀΐω derivans. Hesiod. Theog. [701] : Ὀφθαλμοῖσιν ἰδεῖν, ἠδ᾽ οὔασιν ὄσσαν ἀκοῦσαι. [771 : Σαίνει ὁμῶς οὐρῇ τε καὶ οὔασιν ἀμφοτέροισιν.] Hom. [Il. K, 535 : Ἵππων μ᾽ ὠκυπόδων ἀμφὶ κτύπος οὔατα βάλλει· O, 129 : Ἦ νύ τοι αὔτως οὔατ᾽ ἀκουέμεν ἐστι, νόος δ᾽ ἀπόλωλε καὶ αἰδώς·] Od. [M, 177] : Ἑτάροισιν ἐπ᾽ οὔατα πᾶσιν ἄλειψα, i. e. ἐπεβυσάμην, ἀπέφραξα, Obstruxi et obturavi. Il. [N, 177 : Τὸν ὑπ᾽ οὔατος ἔγχεϊ μακρῷ νύξε· 671 : Τὸν βάλ᾽ ὑπὸ γναθμοῖο καὶ οὔατος· O, 433 : Ἔβαλεν κεφαλὴν ὑπὲρ οὔατος. Apoll. Rh. 2, 95 : Κόψε μεταΐγδην ὑπὲρ οὔατος.] Π, [339] : Ὑπ᾽ οὔατος αὐχένα θεῖνε. [Υ, 473 : Δι᾽ οὔατος ἦλθ᾽ ἑτέροιο

C αἰχμή.] Od. X, [476] : Τοῦ δ᾽ ἀπὸ μὲν ῥῖνάς τε καὶ οὔατα νηλέϊ χαλκῷ τάμνον · Il. Φ, [455] : Στεῦτο δ᾽ ὅγ᾽ ἀμφοτέρων ἀποκοψέμεν οὔατα χαλκῷ, Se amputaturum aures. [Od. P, 291 : Ἂν δὲ κύων κεφαλήν τε καὶ οὔατα... ἔσχεν· 302 : Οὐρῇ μέν ῥ᾽ ὅγ᾽ ἔσηνε καὶ οὔατα κάββαλεν ἄμφω.] Et Il. [Σ, 272 : Αἲ γὰρ δή μοι ἀπ᾽ οὔατος ὧδε γένοιτο.] X, [454] : Αἲ γὰρ ἀπ᾽ οὔατος εἴη ἐμεῦ ἔπος. [M, 442 : Οἱ δ᾽ οὔασι πάντες ἄκουον· Od. Υ, 365 : Εἰσί μοι ὀφθαλμοί τε καὶ οὔατα. Simonid. ap. Dionys. De comp. verb. p. 223, 9 : Καί κεν ἐμῶν ῥημάτων λεπτὸν ὑπεῖχες οὖας· ap. Stob. Fl. 98, 29, 3 : Παῦροί μιν θνητῶν οὔασι δεξάμενοι στέρνοις ἐγκατέθεντο. Callim. Jov. 53 : Ἵνα Κρόνος οὔασιν ἠχὴν εἰσαΐοι· Ap. 104 : Ὁ φθόνος Ἀπόλλωνος ἐς οὔατα λάθριος εἶπεν· Del. 230 : Οὔατα δ᾽ αὐτῆς ὀρθὰ μάλα· Dian. 63 : Κτύπον οὔασι δέχθαι· Ep. 26, 4 : Τοὺς ἐν ἔρωτι ὅρκους μὴ δύνειν οὔατ᾽ ἐς ἀθανάτων· et ubi l. Homeri postremum ap. HSt. imitatur, in fr. ap. Suidam : Ἀπ᾽ οὔατος ἄγγελος ἔλθοι, τουτέστι δύσφημος, μὴ ἄξιος τοῦ ἀκουσθῆναι. Apoll. Rh. 1, 514 : Ὀρθοῖσιν ἐπ᾽ οὔασιν ἠρεμέοντες· et de equo 4, 1261 : Κυδιόων ὀρθοῖσιν

D ἐπ᾽ οὔασιν αὐχέν᾽ ἀείρει· 2, 554 : Δοῦπος... οὔατ᾽ ἔβαλλε· 3, 457 : Ἐν οὔασι δ᾽ αἰὲν ὀρώρει αὐδή· 904 : Μὴ πατρὸς ἐς οὔατα μῦθος ἵκηται. Nicand. Th. 164 : Ἀλλ᾽ ὅταν ἢ δοῦπον νέον οὔασιν ἠέ τιν᾽ αὐδὴν ἀθρήσῃ. Id. ap. scriptorem Vitæ p. 3 : Μηδ᾽ ἀμνηστον ἀπ᾽ οὔατος ὕμνον ἐρύξῃς. Forma οὔατα est etiam ap. Hippocr. Epid. 6, 6, aph. 14.] || Tripodi quoque οὔατα tribuuntur, ut aliis vasis supra docui ὦτα tribui, ap. Hom. Il. [Λ, 633 : Οὔατα δ᾽ αὐτοῦ τέσσαρ᾽ ἔσαν·] Σ, [378] de Vulcano : Οὔατα δ᾽ οὔπω Δαιδάλεα προσέκειτο, τά ῥ᾽ ἤρτυε. [Fasciæ ὦτα dictæ memorantur ap. Oribas. p. 90, 91, 96, 97 ed. Mai., in Cocchii Chirurg. p. 8, ρθ᾽, ρκα᾽. Quarto et postremo horum ll. est ὤτοις, de quo Phryn. Ecl. p. 221, μὴ λέγε, ὥς τινες τῶν γραμματικῶν, ἀλλ᾽ ὠσί. L. D.] Ex οὖας Dorica dialecto factum est Ὦας : unde ap. Hesych. Ὤασιν, ὠσίν : et Ὤατα, ὠτία, ὦτα. [De aliis formis Herodian. Π. μον. λέξ. p. 14, 29 : Οὐκ ἀγνοῶ δὲ τὸ πάθος τῆς λέξεως, καθότι ποικίλως λέγεται· οὖας γὰρ καὶ ἡ γενικὴ οὔατος, καὶ ὄας, ἔνθεν ὄατος, καὶ ἠώας, ἔνθεν ἠώατος (ὤας-ὤατος) καὶ ὠτὸς καὶ ὄος, οὐκ εἰρημένον, συνεσχηματισμένον δὲ παρὰ Θεοκρίτῳ, Ἀμφῶες. Ubi καὶ ὦς ἔνθεν ὠτός, καὶ ὄος Ahrens. De dial. vol. 2, p. 246, post Meinek. ad l. Theocr. 1, 28, qui ὦς pro ὄος, et in Etym. M. p. 639, 1 : Οὖας... κατὰ ἀποβολὴν τοῦ υ ὄας καὶ κατὰ κρᾶσιν οὖς, καὶ κατὰ Δωριεῖς ὦς... Παρὰ τὸ ὄας ὄος... καὶ παρὰ τὸ ὄος ἀμφώης, voluerat ὦας et bis ὦος. Ὦς Theocr. 11, 32, Arcad. p. 124, 19, et ubi male ὥς, p. 127, 4, et aliquoties Etymm., Theognost. Can. p. 119, 25, qui ducit a v. αὔω, Audio. Plur. ὤατα et ὤασιν annotavit Hesych. Alcmani ap. schol. Ven. Hom. Il. Π, 236, ὤαθ' pro ὦτά θ' restitui in Ἐπαλείφω, p. 1390, D. Conf. etiam Ὠατοθήσω. Per ου tamen Epicharm. ap. Athen. 10, p. 411, B : Κινεῖ δ' οὔατα, etsi librorum nulla est auctoritas, quum Epicharmus scripserit οατα. Singularem formam Ἆτα pro ὦτα Tarentinis tribuit Hesychius. Idem : Αὖς, αὐτὸς, Κρῆτες... καὶ Λάκωνες. Quocum præter lat. *Auris* conferendum foret Græcorum hodiernorum αὐτίον, quod comparabat Coraes ad Heliodor. p. 345, etsi propter omissam interpretat. et additum genit. præter morem Hesychii suspecta gl. fuit Ahrensio l. c.]

Οὐσία, ἡ, Essentia [Gl.]; et secundum quosdam etiam Substantia. Quintil. 3, 6 : Ac primum Aristoteles elementa decem constituit, circa quæ versari videatur omnis quæstio : οὐσίαν, quam Flavius Essentiam vocat : nec sane aliud est ejus nomen Latinum : sed ea quæritur An sit. Hæc ille. ‖ Pro Ente et Uno ap. Plat. De rep. 7, p. 95, Bud. Alii Substantiam interpr. : quod tamen distinguendum nonnulli putarunt. Sic et Bud. ap. Philon. De mundo, οὐσίαν vertit Essentiam; at ὕπαρξιν, Substantiam. Idem Bud. Comm. p. 137, οὐσίαν esse scribit Rationem substantiæ, ubi ἀπὸ τῆς ὑπάρξεως discernitur. Cic. in Plat. Timæo οὐσίαν vertit Materiam, p. 21 Ciceroniani Lex. Sic autem ap. Philon. De mundo, οὐσία ἄτακτος redditur Mundi materia incondita, et rudis indigestaque moles. Cicero tamen alioqui pro οὐσία dixit potius Natura, Bud. Apud Aristot. vero De mundo [c. 4] : Πνεῦμα λέγεται ἥ τε ἐν φυτοῖς καὶ ζώοις καὶ διὰ πάντων διήκουσα ἔμψυχός τε καὶ γόνιμος οὐσία, exp. Vis vitalis. Ceterum quot modis dicatur οὐσία, docet Aristot. Metaph. 4, [p. 99, 22 Br.]; cujus interpretes de hujus voc interpretatione consule. Hoc certe constat, in interpretandis iis, quæ derivata sunt ab hoc vocabulo, receptas esse a nomine Substantia derivatas voces. [Ib. 6, p. 128, 26 : Τὸ πρώτως ὂν καὶ ὄντι ὂν, ἀλλ' ὂν ἁπλῶς, ἡ οὐσία ἂν εἴη. Alia plurima quæ de οὐσία sunt in iisdem Metaph., non repetimus. Id. De anima 2, 2 : Τριχῶς λεγομένης τῆς οὐσίας, ὧν τὸ μὲν εἶδος, τὸ δὲ ὕλη, τὸ δὲ ἐξ ἀμφοῖν.]

‖ Οὐσία, et interdum plur. οὐσίαι, Substantia, Facultates, [Patrimonium, Res familiaris, add. Gl.] Bona : quæ simili appellatione, τὰ ὄντα etiam, nec non τὰ ὑπάρχοντα dicuntur. Dem. Ad Phæn. [p. 1039, 2] : Ὤμοσε τὴν ἀπόφασιν δοῦναί μοι τῆς οὐσίας. Et plur. Id., Οἱ τὰς οὐσίας κεκτημένοι. Et ἔγγυος οὐσία, vide ap. Bud. Vertitur et Patrimonium : alicubi vero et Pecunia. [Eur. Hel. 1253 : Πῶς τοὺς θανόντας θάπτετ' ἐν πόντῳ νεκρούς; — Ὡς ἂν παρούσης οὐσίας ἕκαστος ᾖ· Herc. F. 337 : Πατρῷον ἐς μέλαθρον, οὗ τῆς οὐσίας ἄλλοι κρατοῦσι, τὸ δ' ὄνομ' ἔσθ' ἡμῶν ἔτι· fr. Erechth. ap. Stob. Fl. 93, 10 : Τὰς οὐσίας γὰρ μᾶλλον ἢ τὰς ἁρπαγὰς τιμᾶν δίκαιον. Aristoph. Eccl. 729 : Ἐξετάσω τὴν οὐσίαν· 855 : Καταθεὶς τὴν οὐσίαν. Herodot. 1, 92 : Τὴν οὐσίην αὐτοῦ κατιρώσας. Et sæpissime utroque numero Xen. et Plato, velut Reip. 8, p. 551, B : Ὧν ἂν μὴ ᾖ οὐσία εἰς τὸ ταχθὲν τίμημα· Tim. p. 20, A : Οὐσίᾳ καὶ γένει οὐδενὸς ὕστερος· Leg. 3, p. 697, B : Τὰ περὶ τὴν οὐσίαν καὶ χρήματα, etc. Item Oratores et alii quivis. Apud illos quod sæpius est οὐσία φανερὰ et ἀφανὴς v. in illis vocc. Pro ἐξουσία illatum ap. Diod. 2, 39, Τὰς δ' οὐσίας ἀνωμάλους κατασκευάζειν correxi ut sententia postulabat, nihil tribuens Hesychii gl. : Οὐσία, ἐξουσία. L. Dind.]

Οὐσία, ἡ, i. q. συνουσία, κοίτη, ut schol. Soph. Tr. [913] exp. : Καὶ (ἔκλαιεν) τὰς ἄπαιδας ἐς τὸ λοιπὸν οὐσίας. [Interpretatio non magis ferenda quam totus hic versus, quem ut indignum Sophocle notavi in Μέγας, p. 654, D. L. Dind. Syntipas Ms. : Καὶ πρὸς οὐσίαν ἠνάγκασε. Rursum : Νεανίας γάρ τις ἰδὼν με παρακύψασαν ἐκ τοῦ παραθυρίου, ἐκρατήθη τῷ ἐμῷ ἔρωτι, καὶ πρὸς τὴν οὐσίαν ἀναγκασθεῖσα οὐκ ἤκουσα. Ducang.]

A [Οὐσιάδης, ὁ, n. viri, quod esse putatur in inscr. Fourmont. ap. Bœckh. vol. 1, p. 400, n. 292, 16, ubi ΟΙΣΙΑΔΕΣ, scribendum videtur Οὐλιάδης.]

[Οὐσιακός, ἡ, όν, Patrimonialis. Οὐσιακὰ, Patrimonialia, in Basilic. l. 54, tit. 4. Ducang. Vid. Letronn. Memnon. p. 199, 200. Boiss.]

[Οὐσιάρχης, ὁ, Substantiæ auctor s. princeps. Apul. Metamorph. p. 87 ed. 1621. Coraes.]

Οὐσιαρχία, ἡ, Principium substantiæ, substantiarum, Dominium s. Imperium in substantias s. essentias. Areop. [De div. nom. 5, p. 431, B] : Τὴν εἰς τὰ [ὄντα] πάντα τῆς θεαρχικῆς οὐσιαρχίας πρόοδον. Sed et de Deo ab Eodem dici testatur Bud.

Οὐσίδιον, τὸ, diminutive pro οὐσία, Substantia, Bona, q. d. Substantiolam. Nicom. ap. Athen. 2, [p. 58, A] : Οὐσίδιον γὰρ καταλιπόντος μοι τοῦ [del.] πατρὸς, Οὕτω συνεστρογγύλισα κἀξεκόκκισα Ἐν μησὶν ὀλίγοις, ὥσπερ ᾠόν τις ῥοφῶν. [Substantiola, Facultaticula, Glossæ Basilic. Πεκούλιον, ὡσανεὶ μικρὸν οὐσίδιον. Ducang.]

B [Οὐσιομετρία, ἡ, voc. suspectum ap. Hermetem Stobæi Ecl. phys. p. 1098, ubi præcesserat ὀλιγομετρία.]

[Οὐσιοποιέω, q. d. Substantifico. Theod. Stud. p. 521, C. L. Dind.]

Οὐσιοποιός, ὁ, ἡ, Substantificus, Bud. ex [Dionys.] Areop. [De div. nom. c. 1, p. 239, ult. Boiss. Idem deum vocat αἰτίαν οὐσιοποιὸν Cœl. hier. c. 14. Gregorius Theophan. p. 23 : Τὴν οὐσιοποιὸν τοῦ θεοῦ πρόοδον. Iterumque ibidem. Niceph. Epit. Phys. p. 2. L. D. Hierocles De provid. p. 272; Phot. Bibl. p. 278, 26; Hermias in Plat. Phædr. p. 153.]

[Οὐσιότης, ητος, ἡ, i. q. οὐσία. Damascius ap. Bekker. Ind. Anecd.]

Οὐσιόω, Essentiam do, Esse facio. [Hesychius : Οὐσιώσαντος, τὸ ἡνωμένον ἄκρως. Pisidæ l. addit Suidas : Καὶ πάντας ἡμᾶς οὐσιῶσαί σοι θέλεις καὶ τεκνοποιεῖν τῷ θεῷ καθ' ἡμέραν. Ubi Creare vertit Suicer., additque Athanas. vol. 1, p. 45 : Ὁ θεὸς οὐσιώσας τὴν κτίσιν.] At pass. Οὐσιοῦσθαι, q. d. Substantiari. Sed οὐσιωθῆ-

C ναι τὸν λόγον ἐξ ἡμῶν Bud. interpr. Verbum Dei ex nobis substantiam sumpsisse. Idem οὐσίωται vertit Substantia est; ap. Philop. In Proclum : Ἐπειδὴ μὴ ἐν τούτῳ οὐσίωται ὁ οὐρανὸς, ἐν τῷ εἶναι τῆς πολιτικῆς εὐδαιμονίας παράδειγμα. Gregor. : Πῶς γὰρ καὶ ὑπέστη τόδε τὸ πᾶν ἢ συνέστη, μὴ Θεοῦ τὰ πάντα καὶ οὐσιώσαντος καὶ συνέχοντος; [Simpl. ad Epictet. p. 486 : Οὐ βούλεται ἐπ' αὐτῷ (τῷ ἐπιτετηδευμένην ἔχειν τὴν εὐφράδειαν) μέγα φρονεῖν τὸν φιλοσοφοῦντα, ὡς μὴ τοῦτο ἔχοντα τέλος μηδὲ κατὰ τοῦτο οὐσιωμένον. Synes. p. 137, B : Γένη ὅλα δαιμόνων οὐσίωται τῇ τοιαύτῃ ζωῇ. Porphyr. ap. Stob. Fl. vol. 1, p. 414 : Τὴν ψυχὴν καὶ τὸν νοῦν, ὡς ἐν τούτῳ ἡμῶν οὐσιωμένων. Eust. Opusc. p. 88, 80 : Τὸ καθ' ὑπόκρισιν σῶμα ψευδόμενος εἰς τὸ πᾶν ταῖς γοῦν διδασκαλίαις οὐσίωτο· 141, 41 : Φωνὴ οὐδεμία οὐσίωται, εὐτυχεῖν δὲ καὶ δυστυχεῖν οὐσίαις τισὶν ἐπιλέγεται· 144, 12.]

Οὐσιώδης, ὁ, ἡ, Substantialis, Essentialis. [Ὧν ἀεὶ ἐν αὐτῷ κατ' οὐσίαν interpr. Hesychius. Aret. p. 65, 46 : Εἰ μὲν οὐσιώδης ἡ δρῶσα αἰτίη ἔοι, οἷον ἡ μάχαιρα ἢ λίθος,

D τὸ οὐσιῶδες τοῦ πάσχοντος οὐκ ἀλγέει. Comparativo Plotin. vol. 2, p. 1242, 8 : Τὴν οὐσίαν δύναμιν εἶναι, ἧς οὔτε νοερώτερον οὔτε οὐσιωδέστερον. L. D.] In VV. LL. τὸ οὐσιῶδες, Pars essentialis, ex Gazæ interpretatione; at vero ex Polit. Essentiæ ratio. [Alex. Trall. 12, p. 219.]

Οὐσιωδῶς, Substantialiter, Essentialiter. [Eust. Opusc. p. 141, 28 : Εἴπερ οὐσ. εὐτυχία τις ἀποκεκλήρωται. Cyrill. Al. vol. 1, part. 2, p. 9, E, Mai. Coll. Vat. vol. 7, p. 11, B. Ms. ap. Lambec. Bibl. Cæs. vol. 1, p. 254, A : Περὶ τοῦ θεοῦ λόγου ὡς περὶ σοφίας οὐσ. ὑφεστώσης. L. D. Dionys. Areop. Epist. 4; Psellus Opusc. p. 162, 6. Boiss.]

[Οὐσιωνυμέω, Essentiam nomino. V. Οὐσιωνυμία.]

[Οὐσιωνυμία, ἡ, Essentiæ nominatio. Dionys. Areop. De div. nom. 5, p. 431, B : Μετιτέον δὲ νῦν ἐπὶ τὴν ὄντως οὖσαν τοῦ ὄντως ὄντος θεολογικὴν οὐσιωνυμίαν. Quæ afferens Gregorius Theophan. p. 23 dicit : Ὅτι δὲ καὶ αὐτὴ (ἡ θεία ὑπερουσιότης) οὐσιωνυμεῖται καὶ κυρίως αὐτὴ, τοῦ μεγάλου ἄκουσον Διονυσίου, Μετιτέον λέγοντος, κτλ.]

Οὐσίωσις, εως, ἡ, q. d. Essentiatio, Substantiatio, Substantificatio. Ad exprimenda enim hujusmodi verba, fines linguæ Latinæ egredi necesse est. [Cyrill. In Joann. c. 4, p. 36 : Τροπῆς ἁπάσης καὶ ἀλλοιώσεως τῆς κατὰ τὸν τῆς οὐσιώσεως λόγον. Theophyl. In Ep. ad Hebr. 11, 1. Suicer. Niceph. Chumnus in Anecd. meis vol. 5, p. 191. Boiss. Euseb. H. E. p. 5, 12; Theodoret. H. E. p. 12, 25; Maxim. Conf. vol. 2, p. 34, A; Phot. Bibl. p. 143, 10; 188, 31. L. Dind.]

Οὖσον, τὸ, Funis nauticus, ap. Lyc., teste Etym. Sic Hesych. οὖσα exp. σχοινία, νεὼς ὅπλα. [Lycophr. 20 : Οἱ δ' οὖσα ... ναῦται λίαζον. Alexand. Ætol. ap. Parthen. Erot. 14, 21 : Διὰ μὲν 'καλὸν ἤρικεν οὖσον (οὖσαν errore typ. expressum vol. 3, p. 1995, C).]

[Οὔσουμβις, Gallis chamædaphne, ap. Interpol. Dioscor. c. 731 (4, 147). Ducang.]

Οὐτάζω, i. q. οὐτάω. Hom. Il. [E, 336 : Οὔτασε χεῖρα· Υ, 459 : Τὸν οὐτάζων ἔγχεϊ·] N, [438] : Στῆθος μέσον οὔτασε δουρί· et [552] : Τρῶες δὲ περισταδὸν ἄλλοθεν ἄλλον Οὔταζον σάκος εὐρὺ, pro κατὰ σάκος οὔταζον. Φ, [576] : Εἴπερ γὰρ φθάμενός μιν ἢ οὐτάσῃ ἠὲ βάλῃσι. [E, 361 : Ἕλκος, ὅ με βροτὸς οὔτασεν ἀνήρ· 458 : Κύπριδα μὲν πρῶτα σχεδὸν οὔτασε χεῖρα. Hesiod. Sc. 461. Tyrtæus fr. 2, 30 : Ἢ ξίφει οὐτάζων. Eur. Herc. F. 199 : Τυφλοῖς ὁρῶντας οὐτάσας τοξεύμασιν· Rhes. 255 : Τίν' ἄνδρ' Ἀχαιῶν οὐτάσει; Hipp. 684 : Οὐτάσας πυρί· fr. ap. Stob. Fl. 125, 6 : Πετραῖον σκόπελον οὐτάζων δορί. Apoll. Rh. 3, 1324 : Οὐτάζων λαγόνας. Et alibi. Oppian. Cyn. 2, 61 : Ἑοῖσι δ' ἄφαρ κεράεσσι πᾶν δέμας ἀλλήλοισιν ἀμοιβαδὶς οὐτάζουσιν.] Inde et ap. Hesych., Οὐτάσαι, ἐκ χειρὸς νύξαι, τρῶσαι. Pass. Οὐτάζομαι : unde apud eundem Hesych., Οὐτάζοντο, ἐτιτρώσκοντο. [Il. H, 273 : Ξιφέεσσ' αὐτοσχεδὸν οὐτάζοντο· M, 427 : Πολλοὶ δ' οὐτάζοντο κατὰ χρόα νηλέϊ χαλκῷ.] Inde et Οὔτασται, quo Hom. utitur Il. Π, [26] : Βέβληται μὲν ὁ Τυδείδης κρατερὸς Διομήδης, Οὔτασται δ' Ὀδυσεὺς, Jaculo percussus est Tydides, ictus autem Ulysses. [Λ, 661.] Et partic. οὐτασμένος, pro quo infra οὐτηθεὶς, Vulneratus, Vulnere confossus, Ictus. Od. Λ, [535] : Οὔτ' ἄρ βεβλημένος ὀξέϊ χαλκῷ, Οὔτ' αὐτοσχεδίην οὐτασμένος. [Æsch. Ag. 1344 : Καιρίως οὐτασμένος. Lycophr. 242 : Στέρνον οὐτασθεὶς ξίφει.] Ceterum pro οὔτασε per apoc. [immo aor. 2 tanquam ab οὔτημι, ut ἔκτα] dici Οὖτα, tradit Eust., cujus οὖτα frequentissimus est usus. Il. Υ, [472] : Οὖτα παραστὰς Δουρὶ κατ' οὖς· Π, [311] : Οὖτα Θόαντα Στέρνον γυμνωθέντα παρ' ἀσπίδα· Z, [64] : Οὖτα κατὰ λαπάρην. Et E, [376] : Οὖτά με Τυδέος υἱὸς ὑπέρθυμος Διομήδης· verba Veneris a Diomede vulneratæ. [Apoll. Rh. 2, 111; 3, 1381.] Ab Eod. dici Οὐτάμεναι videmus Od. T, [449] : Ἔσσυτ' ἀνασχόμενος δολιχὸν δόρυ χειρὶ παχείῃ, Οὐτάμεναι μεμαὼς, Vulnerare s. Icere cupiens : quem infin. Etym. derivat ab Οὔτημι, ex quo Οὐτάναι. [Hesiod. Sc. 335 : Ἔνθ' οὐτάμεν ὀξέϊ χαλκῷ.] Alioqui partic. Οὐτάμενος videri posset dici facta syncope, pro οὐτασμένος, exempto σ, et translato accentu, sicut ἐληλάμενος pro ἐληλασμένος. [Conf. Apollon. Bekk. An. p. 500, 20, Chœrob. p. 837, 19, Etym. M. p. 46, 4; 330, 48, gramm. Cram. An. vol. 4, p. 208, 15. Οὐταμένοι scripsisse Pamphilum, Aristarchum οὐτάμενοι, annotat schol. Hom. Il. Λ, 659, ubi multis de hoc partic. disputat.] Il. Ξ, [128] : Δεῦτ' ἴομεν πόλεμόνδε, καὶ οὐτάμενοί περ, Etiamsi vulnerati s. icti simus. Et [379] : Τοὺς δ' αὐτοὶ βασιλῆες ἐκόσμεον οὐτάμενοί περ· Od. Λ, [40] : Οὐτάμενοι χαλκήρεσιν ἐγχείῃσι. Il. N, [764] : Οἱ δ' ἐν τείχει ἔσαν βεβλημένοι οὐτάμενοί τε· P, [86] : Ἔρρει δ' αἷμα κατ' οὐταμένην ὠτειλὴν, Per vulnus inflictum. [Apoll. Rh. 2, 156; 3, 1396.]

Οὐτάσκω, i. q. οὐτάω et οὐτάζω, factum ex οὐτάω, sicut τελέσκω ex τελέω, aliaque similia. Hom. Il. O, [745] : Τοὺς δ' Αἴας οὔτασκε δεδεγμένος ὀξέϊ χαλκῷ. Nisi malis Ionica dialecto usurpatum pro οὖτα, sicut τύπτεσκε pro ἔτυπτε. [Sic est.] At Οὐτισάσκω, quod in VV. LL. habetur et exp. οὐτάσκω, mendosum est.

Οὐτάω, Vulnero, Vulnus infligo, Ictum manu infero; nam Ammon. οὐτᾶσθαι esse dicit τὸ ἐκ χειρὸς τετρῶσθαι, at βεβλῆσθαι, τὸ ἐκ βολῆς, Ico. [De quo discrimine sæpius monitum etiam ab Eustathio et schol. Hom.] Hom. Il. O, [746] : Αὐτοσχεδὸν οὖτα, pro οὔταε. [Δ, 469 : Οὔτησε ξυστῷ.] P, [43] : Ὣς εἰπὼν, οὔτησε κατ' ἀσπίδα· Od. T, [452] : Τὸν δ' Ὀδυσεὺς οὔτησε τυχὼν
A κατὰ δεξιὸν ὦμον. [Nicand. Th. 743.] Pass. Οὐτάομαι. Unde partic. οὐτηθεὶς, quod Hesych. exp. τρωθεὶς, Il. Θ, [537] : Κείσεται οὐτηθεὶς, Jacebit vulneratus, Vulnere confossus, Vulneribus confectus. [Oppian. Hal. 2, 468 : Οὐ κείνου (xiphiæ) χρυόεσσαν ἐπιβρίσαντος ἀκωκὴν οὐδὲ μάλα στερεὴ τλαίη λίθος οὐτηθεῖσα.] Imper. activæ vocis est οὔταε : quo usus est Hom. Od. X, [356] : Ἴσχεο, μηδέ τι τοῦτον ἀναίτιον οὔταε χαλκῷ. [Æsch. Cho. 640 : Ξίφος διανταίαν ὀξυπευκὲς οὐτᾷ.]

[Οὔτε. V. Οὐδέ.]

[Οὔτερος. V. Ἕτερος.]

[Οὔτημι. V. Οὐτάζω.]

Οὔτησις, εως, ἡ, Vulneratio, Ictus. [Zonaras p. 1484 : Οὐτ. ἡ τρῶσις.]

Οὐτήτειρα, ἡ, Vulneratrix, Quæ vulnera et ictus infert, Quæ icit. Epigr. [Antip. Sid. Anth. Pal. 7, 172, 5] : Οὐτήτειρα διψὰς ἔχιδνα.

Οὐτιδανὸς, ἡ, ὸν, poet. ab οὔτις, per pleonasmum syllabæ δα, q. d. Qui nihil est, i. e. Homo nihili, et nullius pretii. Gallice ad verbum, *Homme de néant.*
B [Nebulo, Gl.] Hom. Il. A, [231 : Ἐπεὶ οὐτιδανοῖσιν ἀνάσσεις· 293 :] Δειλός τε καὶ οὐτιδανὸς καλεοίμην. [Et sic de hominibus A, 390; Od. Θ, 209; I, 460, 515, et ap. alios poetas. De Satyris Hesiod. ap. Strab. 10, p. 471. Æsch. Sept. 361 : Γᾶς δόσις οὐτιδανοῖς ἐν ῥοθίοις φορεῖται. Oppian. Cyn. 2, 586 : Λείπω καὶ λάσιον γένος οὐτιδανοῖο σκιούρου· 601 : Οἱ μὲν γὰρ (τῶν ἐχίνων) βαιοί τε καὶ οὐτιδανοὶ τελέθουσι, οἱ δ' ἄρα καὶ μεγέθει πολὺ μείζονες. Et 1, 439 : Ἦ γάρ τοι λάσιοί τε καὶ οὐτιδανοὶ βαρύθοιεν, de canibus, ut 472 : Τῶν ἤτοι μέγεθος μὲν ὁμοίιον οὐτιδανοῖσι λίχνοις οἰκιδίοισι τραπεζῆεσσι κύνεσσι, ubi item de forma exili capere licet, ut in locis libri 2. Cum accus. Hal. 2, 144 : Οὐτιδανὸς δὲ βίην καί οἱ δέμας ἄμμορον ἀλκῆς. De rebus Nicand. Th. 385, 483. Ep. Anth. Pal. App. 298, 4 : Χειρὸς ἀπ' οὐτιδανῆς. Eust. Opusc. p. 107, 3.]

[Οὔτιος, ὁ, Utius, n. viri, nisi fallit apographum, in inscr. Tegeat ap. Bœckh. vol. 1, p. 699, n. 1513, 8 : Δαμεσας Ουτιω.]

[Οὔτιοι, οἱ, Utii, gens Persis parens, ap. Herodot.
C 3, 93; 7, 68.]

Οὔτις, νος, ὁ, ἡ, poetice, Nullus, Nemo. Hom. Il. A [89] : Οὔτις χεῖρας ἐποίσει. [Et sic alibi sæpe ceteris generibus, numeris et casibus, rarius tamen pluralis ut Od. Z, 279 : Ἐπεὶ οὔτινες ἐγγύθεν εἰσίν. Sæpe etiam divisim, ut Il. Z, 487 : Οὐ γάρ τίς μ' ὑπὲρ αἶσαν ἀνὴρ Ἄϊδι προϊάψει· Od. Θ, 552 : Οὐ μὲν γάρ τις πάμπαν ἀνώνυμος· 280 : Τά γ' οὔ κέ τις οὐδὲ ἴδοιτο· 212 : Τῶν δ' ἄλλων οὔ πέρ τιν' ἀναίνομαι· H. Ven. 34 : Τῶν δ' ἄλλων οὔ πέρ τι πεφυγμένον ἐστί· Il. N, 224 : Οὔτε τινὰ δέος ἴσχει ... οὔτε τις ὄκνῳ εἴκων ἀνδύεται πόλεμον. Post Hom. ceterosque Epicos Pind. Pyth. 1, 49 : Οἷαν οὔτις Ἑλλάνων δρέπει· et alibi eodem genere, quum neutro dixerit non οὔτι sed οὐδὲν, quod v. de discrimine harum formarum, Æsch. Prom. 50 : Ἐλεύθερος γὰρ οὔτις ἐστὶ πλὴν Διός, 467 : Οὔτις ἄλλος ἀντ' ἐμοῦ εὗρε· Cho. 637 : Σέβει γὰρ οὔτις τὸ δυσφιλὲς θεοῖς· 1033 : Τόξῳ γὰρ οὔτις πημάτων προσίξεται· Sept. 51 : Οἶκτος δ' οὔτις ἦν διὰ στόμα· 398 : Κόσμον μὲν ἀνδρὸς οὔτιν' ἂν τρέσαιμ' ἐγώ· Suppl. 595 : Ὑπ' ἀρχᾶς δ' οὔτινος θοάζων· Prom. 445 : Μέμψιν οὔτιν' ἀνθρώποις ἔχων· Ag. 396 : Οὔτις θεῶν· 666 : Οἷον ἔρνος
D οὔτις ἂν τέκοι θεός· Eum. 736 : Μήτηρ γὰρ οὔτις ἐστὶν ἥ μ' ἐγείνατο. Soph. El. 188 : Ἅς φίλος οὔτις ἀνὴρ ὑπερίσταται· 290 : Ἄλλος δ' οὔτις ἐν πένθει βροτῶν; 276 : Ἐρινὺν οὔτιν' ἐκφοβουμένη· Aj. 424 : Ἄνδρα οἷον οὔτινα Τροία δέρχθη· 725 : Ὀνείδεσιν ἤρασσον ἔνθεν κἄνθεν οὔτις ἔσθ' ὃς οὔ. Eur. Med. 793 : Οὔτις ἐστιν ὅστις ἐξαιρήσεται, cujusmodi in locis usitatius est οὐδεὶς, quod metro excludebatur. In prosa alterum potius usurpatur, nisi ubi logica subtilitas οὔτις poscit, ut ap. Sext. Emp. p. 219 (602, 12 Bekk.) : Τοὺς ἐρωτῶντας τὸ οὔτι ἢ τὶ διδάσκεσθαι· εἰ γὰρ τὸ οὔτι διδάσκοιτο, ἔσται ἢ διδάσκεταί τι, καὶ διὰ τοῦτο αὐτὸ τἀναντία οὔτι καὶ τὶ ἔσται, ὅπερ ἦν τῶν ἀδυνάτων· τῷ τε οὔτινι οὐδὲν συμβέβηκεν, διὸ οὐδὲ τὸ διδάσκεσθαι· οὐ τοίνυν τὸ οὔτι διδάσκεται. Et ib. infra : Εἰ διδάσκεταί τι, ἤτοι διὰ τῶν οὐτινῶν διδαχθήσεται ἢ διὰ τῶν τινῶν· ἀλλὰ διὰ μὲν τῶν οὐτινῶν οὐχ οἷόν τε διδαχθῆναι· ἀνυπόστατα γάρ ἐστι τῇ διανοίᾳ ταῦτα κατὰ τοὺς ἀπὸ τῆς στοᾶς. Ceterum οὐτίνων potius scribendum, si junctim scribitur. Οὐτισοῦν Theolog.

ar. p. 4 fin. ed. Ast. : Ὡς δὲ οὐκ ἄνευ αὐτῆς (τῆς μονάδος) σύστασις ἁπλῶς τινος, οὕτως δὲ χωρὶς αὐτῆς γνώρισις οὐτινοσοῦν, nisi leg. οὕτως οὐδὲ ... οὐτινοσοῦν.] Apud eund. poetam [Od. I, 366] Ulysses ficto nomine se vocat Οὖτιν : ita enim προπερισπᾶται. [Conf. Eur. Cycl. 549, 672 seq., Aristoph. Vesp. 184 seq. Mire Ptolem. Hephæst. Photii Bibl. p. 147, 11 : Ὅτι Ὀδυσσεὺς διότι ὦτα μεγάλα εἶχεν, Οὖτις πρότερον ἐκαλεῖτο· ὑετοῦ δέ φησι γινομένου μὴ ἀντισχοῦσαν τὴν μητέρα ἔγκυον οὖσαν κατὰ τὴν ὁδὸν τεκεῖν, καὶ τὸν Ὀδυσσέα διὰ τοῦτο οὕτως ὀνομασθῆναι. Idem utrumque nomen putabat Buttmann. Mythol. vol. 2, p. 138.] Unde Οὔτιδες, Chrysippi παραλογισμοὶ, Captiosæ quædam argumentationes. [V. Diog. L. 7, 82 cum annot. Menagii. Eust. Od. p. 1634, 55. Themist. Or. 2, p. 30, B : Ἐάν τις οὔτιδας λόγους ἐξετάζειν οἷός τε ᾖ. Ammon. In Aristot. Categor. fol. 58 verso : Οἱ οὔτιδες παραλογισμοὶ κατὰ τὸν παρ' Ὁμήρῳ Ὀδυσσέα, ἐν καιρῷ Οὖτιν ἑαυτὸν καλέσαντα. Οὔτινος παραλογισμοῦ παράδειγμα· Εἴ τίς ἐστιν ἐν Ἀθήναις, οὗτος οὐκ ἔστιν ἐν Μεγάροις· ἄνθρωπος δέ ἐστιν ἐν Ἀθήναις· ἄνθρωπος ἄρα οὐκ ἔστιν ἐν Μεγάροις. || Neutro Hom. Il. A, 562 : Πρῆξαι δ' ἔμπης οὔτι δυνήσεαι, et iisdem verbis Od. B, 191, versu interpolato.] At vero Οὔτι pro οὐ, Non, poetice : ut Οὐδέτι pro οὐδὲ, Neque. [Quod scribendum divisim οὐδέ τι. Οὔτι Hom. Il. A, 153 : Ἐπεὶ οὔτι μοι αἴτιοί εἰσιν· et alibi in ead. formula. Ib. 160 : Τῶν οὔτι μετατρέπῃ· 241 : Τότε δ' οὔτι δυνήσεαι χραισμεῖν, et alibi cum eod. verbo. Ib. 416 : Ἐπεί νύ τοι αἶσα μίνυνθά περ, οὔτι μάλα δήν· 511 : Τὴν δ' οὔτι προσέφη Ζεύς· B, 338 : Οἷς οὔτι μέλει πολεμήια ἔργα· 528 : Μείων, οὔτι τόσος γε ὅσος Τελαμώνιος Αἴας· Γ, 11 : Ποιμέσιν οὔτι φίλην· E, 64 : Ἐπεὶ οὔτι θεῶν ἐκ θέσφατα ᾔδη· Od. Γ, 133 : Ἐπεὶ οὔτι νοήμονες· Il. H, 27 : Ἐπεὶ οὔτι Τρῶας ἀπολλυμένους ἐλεαίρεις· ubi olim οὔτοι, quod commendat X, 13 : Οὐ μέν με κτενέεις, ἐπεὶ οὔτοι μόρσιμός εἰμι· Od. B, 372 : Ἐπεὶ οὔτοι ἄνευ θεοῦ ἥδε γε βουλή· Z, 33 : Ἐπεὶ οὔτοι ἔτι δὴν παρθένος ἔσσεαι· Y, 264 : Ἐπεὶ οὔτοι δήμιός ἐστιν οἶκος ὅδε. Idem ap. Hesiod. Sc. 110 restituendum ex libris. Post ἀτὰρ Il. E, 483 : Ἀτὰρ οὔτι μοι ἐνθάδε τοῖον. Hesiod. Op. 443 : Τοῦ δ' οὔτι νεώτερος ἄλλος ἀμείνων· Th. 182 : Τὰ μὲν οὔτι ἐτώσια ἔκφυγε χειρός. Æsch. Ag. 1640 : Ζεύξω βαρείαις οὔτι μοι σειραφόρον κριθῶντα πῶλον· Sept. 536 : Ὠμὸν, οὔτι παρθένων ἐπώνυμον φρόνημα. Soph. Tr. 844 : Τὰ μὲν οὔτι προσέβαλε· Ph. 1299 : Οὔτι χαίρων. Aristoph. Vesp. 186 : Οὔτι χαιρήσων γε σύ. Postpositum ap. Callim. Epigr. 13, 2 : Ἀφανὴς οὔτι γὰρ ἡ γενεή. Et in fine sententiæ Il. E, 516 : Μετάλλησάν γε μὲν οὔτι, ubi olim male οὔτοι. Similiter Pind. Ol. 2, 30 : Ἦ τοι βροτῶν γε κέκριται πεῖρας οὔτι θανάτου. Οὐδέ τι Hom. Il. A, 468 : Οὐδέ τι θυμὸς ἐδεύετο δαιτὸς ἐΐσης· I, 613 : Οὐδέ τί σε χρὴ τὸν φιλέειν· et cum eod. verbo K, 479, etc. Et I, 374 : Οὐδέ τί οἱ βουλὰς συμφράσσομαι· Od. K, 497 : Οὐδέ τι θυμὸς ἤθελ' ἔτι ζώειν· 552 : Οὐδέ τι λίην ἄλκιμος. Hesiod. Op. 145, 175. De Οὔτι autem quod HSt. tradit, poeticum esse, et pro illo οὔτοι potius dici in prosa, eatenus verum est ut οὔτι quidem etiam in prosa ab nonnullis usurpatum sit, οὔτοι vero ab omnibus ponatur, ubi τοι particulam fert sententia. De Herodoto Schweigh. in Lex. : « Οὔτι μοῦναι αἱ Ἰώνων ὁρταὶ, 1, 148; οὔτι τοιοῦτον νομίζουσι, 2, 46; οὔτι ἐπιδραμὼν πάντα, 3, 135; οὔτι χαίρων, 3, 36, ubi perperam οὔτοι edd. vett. Similiter pro οὔτοι χαίροντα, 3, 69, corrigendum οὔτι videtur (ut voluit Werfer. Act. Mon. vol. 1, p. 262, qui confert præter ll. citatos 4, 65, οὔτι πάντων· 148, οὔτι πάντας· 7, 87, οὔτι ἀνεχομένων· 235, οὔτι ... προειδώς· 9, 15, οὔτι κατὰ ἔχθος· 101, οὔτι περὶ σφέων αὐτέων). » Xenophonti Anab. 7, 6, 11 : Οὐ μὰ τὸν Δία οὔτι πυνθανόμενος ὑμᾶς εὖ πράττειν, ex libris optimis restitui οὔτοι. Sæpe vero usurpavit Plato, ut Reip. 1, p. 331, A : Οὔτι παντὶ ἀνδρὶ, ἀλλὰ τῷ ἐπιεικεῖ· 351, A : Ἀλλ' οὔτι οὕτως ἁπλῶς· 5, p. 450, E : Οὔτι γέλωτα ὀφλεῖν· Theæt. p. 156, E : Καὶ ἐγένετο οὔτι ὄψις, ἀλλὰ ὀφθαλμὸς ὁρῶν· Prot. p. 317, A : Ἡγοῦμαι αὐτοὺς οὔτι διαπράξεσθαι ὃ ἐβουλήθησαν· Phæd. p. 81, D : Καὶ οὔτι γε τὰς τῶν ἀγαθῶν ταύτας εἶναι· Phædr. p. 242, D : Οὔτι ὑπό γε Λυσίου· 272, C : Ἀλλ' οὔτι νῦν γ' οὕτως ἔχω· Phil. p. 52, A : Οὔτι φύσει γε, et alibi. De οὔτι μὲν δὴ ap. eund. v. HSt. paullo post. Οὔτι γε initio membri Theophr. C. Pl 1, 13, 1 : Εἰ δὲ μὴ, οὔτι γε ταύταις ταῖς ὥραις· Lucian. Anach. c. 11 : Κἂν ἐπ' ὀλίγων τῶν μαρτύρων τοῦτο πάθῃ τις, οὔτι γε ἐν τηλικούτοις θεάτροις· Herodian. 2, 10, 12 : Οὐδ' ἂν τῆς βοῆς ὑμῶν ἀνάσχοιντο, οὔτι γε τῆς μάχης· et in medio 3, 13, 14 : Οἱ δ' οὔτι γε ἐπείθοντο· 7, 4, 1 : Αἰτίαι μὲν δὴ τοιαῦται, οὔτι γε ἄλογοι, ... παρώξυνον. Post ἀλλὰ Lucian. Conviv. c. 4 : Ἀλλ' οὔτι γε πρὸς ἐμὲ οὕτω ποιεῖν ἐχρῆν. Ubi cod. οὔτοι, ut solent in hoc et μήτι peccare librarii. Sed τι tuetur etiam Hesychius, μήτι γε, sic positum, ut in nonnullis horum ll. οὔτι γε, pro Nedum, interpretatus πόσῳ γε μᾶλλον; Quam gl. Straboni 1, p. 7 (11, 15 Falc.), adhibuit Casaub. Quod autem Schneiderus ad l. Theophr. vol. 2, p. 498 monet οὔτι ab sequenti γε ap. Atticos separare solere uno alteroque voc. interposito, non item fit ap. alios. Nam Herodoto 8, 142 : Οὔτε γὰρ δίκαιον οὐδαμῶς οὔτε κόσμον φέρον οὔτε γε ἄλλοισι Ἑλλήνων οὐδαμοῖσι, ὑμῖν δὲ δὴ καὶ διαπάντων ἥκιστα, recte Werferus restituit οὔτι γε. Notandum autem hic οὔτι, ut ap. eund. μήτι, de quo dixi in Γοῦν, vol. 2, p. 742, B, in priori membro positum. Idem restituendum Dioni Cass. 79, 14 : Τά τε γὰρ ἄλλα καὶ ὠρχεῖτο, οὔτε γε ἐν ὀρχήστρᾳ μόνον, ἀλλὰ καὶ ἐμβαδίζων, ut sæpe ille dixit οὔτι γε καὶ, velut 37, 36 : Αὖλον δὲ Φούλβιον αὐτὸς ὁ πατὴρ ἀπέσφαξεν, οὔτι γε καὶ μόνος τοῦτ' ἐν ἰδιωτείᾳ ποιήσας· 38, 45 : Εἰ δὲ δὴ καὶ συσταῖέν τινες, οὔτι γε καὶ κρείττους ἂν ἡμῶν γένοιντο· 43, 42 : Τὰ παρίλια ἱπποδρομίᾳ ἀθανάτῳ, οὔτι γε καὶ διὰ τὴν πόλιν ..., ἀλλὰ διὰ τὴν νίκην ... ἐτιμήθη. Post εἰ Menander Prot. p. 122, A : Εἰ οὔτι ἔσοιτο δυνατός.] Pro quo potius dicitur Οὔτοι in prosa. [Nequaquam, Num, Gl. Hom. Il. A, 298 : Χερσὶ μὲν οὔτοι ἔγωγε μαχήσομαι ... οὔτε σοὶ οὔτε τῳ ἄλλῳ, ubi olim οὔτι. B, 360 : Οὔτοι ἀπόβλητον ἔπος ἔσσεται ὅττι κεν εἴπω· Γ, 65 : Οὔτοι ἀπόβλητ' ἐστὶ θεῶν ἐρικύδεα δῶρα· Δ, 54 : Τάων οὔτοι ἐγὼ πρόσθ' ἵσταμαι· I, 39 : Ἀλκὴν δ' οὔτοι δῶκεν, nisi scrib. οὔ τοι. 70 : Δαίνυ δαῖτα γέρουσιν, ἔοικέ τοι, οὔτοι ἀεικὲς, ubi al. οὔτι, ut P, 75 : Οὔτοι ἔρριγα μάχην· Δ, 29 : Ἔρδ'· ἀτὰρ οὔτοι πάντες ἐπαινέομεν θεοὶ ἄλλοι· Od. I, 211 : Τότ' ἂν οὔτοι ἀποσχέσθαι φίλον ἦεν· Π, 211 : Ἀλλ' οὔτοι τόδε κέρδος ἐγὼν ἔσσεσθαι ὀΐω ἡμῖν· et sequente τι Il. N, 811 : Οὔτοι τι μάχης ἀδαήμονές εἰμεν. Hesiod. Op. 757 : Τὸ γὰρ οὔτοι λώϊόν ἐστιν ὧδ' ἔρδειν. Pind. Ol. 9, 13 : Οὔτοι χαμαιπετέων λόγων ἐφάψεαι· eodemque modo Isthm. 4, 63. Et sæpissime Tragici, plerumque quidem membri initio, ut Æsch. Suppl. 510 : Οὔτοι πτερωτῶν ἁρπαγαῖς σ' ἐκδώσομεν· 513 : Οὔτοι τι θαῦμα δυσφορεῖν φόβῳ φρένας. In medio 884 : Ὁλκὴ γὰρ οὔτοι πλόκαμον οὐδάμ' ἄζεται, nisi scribendum οὔτι, de quo supra. Post ἀλλὰ Soph. El. 137 : Ἀλλ' οὔτοι τόν γ' ἐξ Ἅδα ... λίμνας πατέρ' ἀνστάσεις. Plat. Gorg. p. 450, E. Item Aristoph., ut Vesp. 1366 : Οὔτοι καταπροίξει μὰ τὸν Ἀπόλλω· Av. 1335 : Οὔτοι μὰ τὰς κερχνῆδας ἔτι σοῦ σχήσομαι· Pac. 188 : Οὔτοι μὰ τὴν Γῆν ἔσθ' ὅπως οὐκ ἀποθανεῖ. Et post formulam jurandi Thesm. 34 : Μὰ τὸν Δί' οὔτοι γ', ὥστε κἀμέ γ' εἰδέναι· Vesp. 1122 : Οὔτοι ποτὲ ζῶν τοῦτον ἀποδυθήσομαι. Xen. Comm. 1, 4, 10 : Οὔτοι ἐγὼ ὑπερορῶ τὸ δαιμόνιον· 3, 12, 5 : Οὔτοι χρὴ κτλ. || Οὔτοι γε ap. Sext. Emp. p. 234 (617, 26 Bekk.) : Περὶ ἑστῶσαν δὲ ἀπειρίαν, οὔτοι γε καὶ μεταβάλλουσαν, ἀμήχανόν ἐστι γνῶσιν ἀνθρωπίνην εὑρεῖν· 301 (686, 3) : Νῦν δὲ ἐπεὶ ταύτης τῆς θεωρίας οὐ ψαύουσιν, ἢ εἰ ψαύοιεν, οὔτοι γε κατὰ ῥητορικὴν, ex iis quæ paullo ante diximus intelligitur vel sine libris corrigendum esse, ut est in nonnullis, οὔτι. Idem vitium est in libris quibusdam Dionis Cass. 55, 19. Οὔτοι δὴ Plat. Crit. p. 43, E. Et οὔτοι δὴ ... γε Crat. p. 438, C, Leg. 2, p. 656, C, etc. Οὔτοι μὲν οὖν Phædr. p. 271, B. || Sæpe coalescit cum ἄρα, ut Soph. Tr. 322 : Οὐτἄρα τῷ γε πρόσθεν οὐδὲν ἐξ ἴσου χρόνῳ διοίσει γλῶσσαν· Ph. 1253 : Οὐτἄρα Τρωσὶν, ἀλλὰ σοὶ μαχούμεθα. Et cum ἂν Soph. OEd. C. 1351 : Οὐτἂν ποτ' ὀμφῆς τῆς ἐμῆς ἐπήσθετο. Οὔτοι ... γε præter locos supra citatos habet Soph. El. 773 : Οὔτοι μάτην γε, et alibi. Aristoph. Eccl. 522 : Οὔτοι παρὰ τοῦ μοιχοῦ γε φήσεις.] Et Οὔτοι γε : de quibus lege Bud. p. 911. At Οὔτιπου cum ι, An forte, Num forte, ibid. ex Plat. Theæt. [p. 146, A.] Sic autem exp. et οὔτιπω in alio Plat. loco, quum potius existimem significare An nondum. [HSt. in Πού :] Itidem Οὔτιπου, Neutiquam, Nequaquam. Nisi quis alicubi malit Non quidem. Plato De rep. 5, [p. 450 fin.] : Ὃ δὴ ἐγὼ δρῶ, φοβερόν τε καὶ σφαλερὸν

A οὔτιπου [οὔτι libri omnes vel mendose οὔτοι, non οὔτι που, quod locum hic non habet, HSt. autem duxit e Lex. Septemv.] γέλωτα ὄφλειν, Hoc facienti mihi periculum est non quidem ne ridear. [Pind. Pyth. 4, 87 : Οὔτι που οὗτος Ἀπόλλων οὐδὲ μὰν χαλκάρματός ἐστι πόσις Ἀφροδίτας.] Item Num forte, An forte, Bud. ap. Plat. Theæt. [p. 146, A] : Οὔτιπου ἐγὼ ὑπὸ φιλολογίας ἀγροικίζομαι, προθυμούμενος ὑμᾶς ποιῆσαι διαλέγεσθαι; [Soph. Ph. 1233 : Οὔτι που δοῦναι νοεῖς; Aristoph. Pac. 1211 : Οὔτι που λοφᾷς; et alibi sæpe.] Οὔτι ... γε affertur pro Nedum. [V. supra. Non certe. Hom. Od. Γ, 367 : Εἶμ' ἔνθα χρεῖός μοι ὀφέλλεται οὔτι νέον γε οὐδ' ὀλίγον· Δ, 810: Τίπτε, κασιγνήτη, δεῦρ' ἤλυθες; οὔτι πάρος γε πωλέαι.] Οὔτι μὲν δὴ, Neutiquam tamen. Ita enim Cic. ap. Plat. Tim. [p. 41, B] : Οὔτι μὲν δὴ λυθήσεσθέ γε, οὐδὲ τεύξεσθε θανάτου μοίρας, vertit, Neutiquam tamen dissolvemini, neque vos ulla mortis fata periment. [Theæt. p. 186, E : Ἀλλ' οὔτι μὲν δὴ τούτου γε ἕνεκα. De οὔτι μὴ v. in Οὐ μή. Οὔτι μὴν Soph. El. 817 : Ἀλλ' οὔτι μὴν ἔγωγε τοῦ λοιποῦ χρόνου ξύνοικος· Ph. 1273 :
B Τοιοῦτος ἦσθα τοῖς λόγοισι χὤτε μου τὰ τόξ' ἔκλεπτες ... — Ἀλλ' οὔτι μὴν νῦν. Ubi nonnulli male μὴ, quod etiam Aristoph. Eccl. 756 : Τί δῆτ' ἐπὶ στοίχου 'στὶν οὕτως; οὔτι μὴν Ἱέρωνι τῷ κήρυκι πομπὴν πέμπετε, pro altero illatum in libros. De Οὔτι πη v. in Οὔπη. De Οὔτι που v. HSt. supra. De Οὔτι πω idem in Οὔπω. || Alibi dirimitur οὐ et τὶ, ut in οὐδέ τι, de quo supra. Et in Οὐ γάρ τι, Hom. Il. Υ, 467 : Οὐ γάρ τι γλυκύθυμος ἀνὴρ ἦν. Et οὐ γὰρ ... τι Hom. Od. Δ, 292 : Οὐ γάρ οἵ τι τάγ' ἤρκεσε λυγρὸν ὄλεθρον. Soph. Aj. 1111 : Οὐ γάρ τι τῆς σῆς οὕνεκ' ἐστρατεύσατο γυναικός· 1343 : Οὐ γάρ τι τοῦτον, ἀλλὰ τοὺς θεῶν νόμους φθείροις ἄν· OEd. T. 410 : Οὐ γάρ τι σοὶ ζῶ δοῦλος, ἀλλὰ Λοξίᾳ· Ant. 456 : Οὐ γάρ τι νῦν γε κἀχθές· et præter alios sæpe Pausanias, ubi τοι interdum intulerunt librarii : v. præf. p. XXIV. Οὐ μὲν γάρ τι Il. Τ, 321 : Οὐ μὲν γάρ τι κακώτερον ἄλλο πάθοιμι. Οὐ μὲν γάρ τι ... γε. Hom. Il. Ε, 402 : Οὐ μὲν γάρ τι καταθνητός γ' ἐτέτυκτο· Od. Ι, 131. Οὐ μὲν γάρ τί που ib. Ρ, 446 : Οὐ μὲν γάρ τί που ἔστιν ὀϊζυρώτερον ἀνδρός. Οὐ μήν τι v. in Οὐ μήν. Οὐ νύ τι, Hom. Il. Θ, 39 :
C Οὔ νύ τι θυμῷ πρόφρονι μυθέομαι· Ω, 683 : Οὔ νύ τι σοίγε μέλει κακόν· Od. Β, 60 : Ἡμεῖς δ' οὔ νύ τι τοῖοι ἀμυνέμεν. De οὔτε τι HSt. in Ind. :] Οὔτε τι, ex Hom. pro οὐδαμῶς. [Il. Ω, 129 : Μεμνημένος οὔτε τι σίτου οὔτ' εὐνῆς· Od. Α, 202 : Οὔτε τι μάντις ἐὼν οὔτ' οἰωνῶν σάφα εἰδώς· Π, 203 : Οὔ σε ἔοικε φίλον πατέρ' ἔνδον ἐόντα οὔτε τι θαυμάζειν περιώσιον οὔτ' ἀγάασθαι. Et ubi τι cum subst. conjungitur, Il. Α, 108 : Ἐσθλὸν δ' οὔτε τί πω εἶπες ἔπος οὔτ' ἐτέλεσσας· ubi tamen οὐδέ τί πω agnoscere videtur Hesychii gl., si huc refertur : Οὐδέ τί πω, οὐδέποτε, οὐδαμῶς, quod est etiam in sch. Ven., quæ : Οὐδέ τί πω εἶπας ἔπος οὐδ' ἐτέλεσσας· οὕτως αἱ Ἀριστάρχου καὶ ἡ Ἀριστοφάνους· καὶ ἔστιν ἐμφατικὸν τὸ οὔτε δὶς λεγόμενον (ubi τὸ οὐδὲ scribendum cum codd. BLV), nisi nomen Aristarchi referendum ad εἶπας, de quo B ad v. 106 : Τὸ δὲ εἶπες εἶπας Ἀρίσταρχος γράφει κακῶς. Quod tamen minus est probabile. Hesychii vero glossa spectat fortasse l. ib. 124, de quo v. in Οὐδέπω, ad quod referendum foret etiam illud οὐδέ τί πω εἶπες, quum aliena sit ab hoc l. part. οὐδέ. Sed quum
D etiam οὐδέπω vel οὐδέ ... πω pro οὔπω alienum videatur ab Homero, qui part. οὐδέ πω ad nectenda membra utitur, Il. Λ, 497 : Οὐδέ πω Ἕκτωρ πεύθετο· et alibi, atque interposito τι Α, 542 : Αἰεί τοι φίλον ἐστὶν ... δικαζέμεν ... οὐδέ τί πώ μοι πρόφρων τέτληκας εἰπεῖν ἔπος· et in l. in Οὐδέπω citato, probabilius videtur duplex οὐδέ ... οὐδ' loco illo Α, 108, librarii esse errorem pro οὔτε ... οὔτ', ut est in plerisque codd., edd., et ap. Eust. In secundo membro Marcell. Anth. Pal. App. 51, 36 : Οὔτε γένος βασιλεύτερος οὔτε τι φωνήν· 44 : Οὔτε νεὼν ἱερὸν λάχεν οὔτε τι τύμβον. Post οὐ Hom. Il. Χ, 265 : Ὣς οὐκ ἔστ' ἐμὲ καὶ σὲ φιλήμεναι, οὔτε τι νῶϊν ὅρκια ἔσσονται, ubi alii libri οὐδέ τι. Conf. quæ de οὔτε τι post οὐ posito diximus in Οὐδὲ, ubi de οὔταρ et οὔτ' ἄρ egimus. Quibus addendum est Οὔπερ in loco Maximi dictum videri exemplo Homeri Il. Ξ, 416 : Τὸν δ' οὔπερ ἔχει θράσος, ὅς κεν ἴδηται· Od. Θ, 212 : Τῶν δ' ἄλλων οὔπερ τιν' ἀναίνομαι οὐδ' ἀθερίζω· H. Ven. 34 : Τῶν δ' ἄλλων οὔπερ τι πεφυγμένον ἔστ' Ἀφροδίτην. De Οὔ τι πη et Οὔ τι πω v. in Οὔπη et Οὔπω. L. Dind.]

A [Οὐτίς. V. Ὀτίς.]

[Οὐτισάσκω. V. Οὐτάζω.]

[Οὔτοι. V. Οὔτι in Οὔτις.]

Οὗτος, Hic, [Iste, Is, add. Gl.] pronomen δεικτικὸν, demonstrativum. Genit. Τούτου, Hujus : dat. Τούτῳ, Huic, accus. Τοῦτον, Hunc, et sic deinceps. Hom. Il. [Β, 326 : Ὣς οὗτος κατὰ τέκν' ἔφαγε· Γ, 128 : Οὗτός γ' Ἀτρείδης. Sæpissime autem ap. Hom. conjungitur cum part. γὲ, item cum δή.] Κ, [477] : Οὗτός τοι Διόμηδες ἀνὴρ, οὗτοι δέ τοι ἵπποι, Οὓς νῶϊν πίφαυσκε Δόλων, Hic tibi vir, et hi equi sunt illi, quos Dolon dicebat. [Ω, 368 : Γέρων δέ τοι οὗτος ὀπηδεῖ. Similiter dictum ap. Xen. Anab. 3, 5, 9 : Πολλὰ δ' ὁρῶ ταῦτα πρόβατα, omittunt libri meliores. Sponte autem intelligitur, quum talia interdum etiam cum contemptu ejus dicantur quod aut quem quis monstrat, ut Plat. Gorg. p. 494, 8 : Ὁ τῶν κιναίδων βίος οὗτος, etc., non pronomini, sed rei significationem illam inesse, ut laudem, ubi de laudanda agitur.] Et, Οὗτός ἐστιν ὁ Δημοσθένης, Hic est ille Demosthenes. Sic Lucian. [Somnio c. 11] : Τῶν
B ὁρώντων ἕκαστος τὸν πλησίον κινήσας δείξει σε τῷ δακτύλῳ, οὗτος ἐκεῖνος, λέγων· Hic ille est. Sic Persius : At pulcrum est digito monstrari, et dicier, Hic est. Plato [Menex. p. 248, A] : Οὗτός ἐστιν ὁ σώφρων, Hic est ille moderatus, p. 7 mei Lex. Cic. Itidem Synes. : Οὗτος ἐκεῖνος ὁ πολὺς ἐν τοῖς λόγοις ἡμῶν Ἀθανάσιος. [Inverso ordine Theod. Prodr. *Notices* vol. 8, p. 83 fin. : Εἰ τὸ εἶδος αἰσχρὸς, ἀσβόλου πλήρης, ... δαιμόνιόν τι ... εἰδεχθὲς καὶ αἰσχρὸν, ἐκεῖνος οὗτος κυρίῳ ξύνεστι καλῷ καὶ ὡραίῳ. Quo tamen non defenditur ἐκεῖνος οὗτος ap. Eur., de quo in αὐτὸς mutando dixi in Ἐκεῖνος, vol. 3, p. 406, C.] Plut. Symp. 3 : Ἀφίημι τούτῳ· δείξας ἐμέ. Et οὗτος αὐτὸς, Hic ipse, ap. Xen. [Anab. 7, 3, 3, ubi nunc est οὗτος ὁ αὐτὸς ex libris] ἐμφατικῶς. Fem. Αὕτη, Hæc. Xen. OEc. [8, 2] : Αὕτη πενία. Plato in Legib. : Χρήσομαι τῇ τοῦ λόγου τάξει ταύτῃ. Et αὕτη αὐτὴ, Hæc ipsa. Xen. [Comm. 4, 2, 17] : Ταύτην αὐτὴν [αὖ τὴν] ἀπάτην, Hanc ipsam fraudem. [V. de οὗτος αὐτὸς s. αὐτὸς οὗτος in Αὐτός. Articulum, sive sequente substantivo sive præcedente, omittere solent Homerus ce-
C terique poetæ non Attici. Inter Atticos Tragici sæpe ponunt, sæpissime vero etiam omittunt, ut Æsch. Pers. 123 : Τοῦτ' ἔπος· 495 : Νυκτὶ δ' ἐν ταύτῃ, etc. Exx. Herodoti nullius esse fidei ostendit Schweigh. in Lex. p. 166. Post nomina propria vero sine articulo posita sequitur οὗτος ap. Xen. Conv. 4, 43 : Σωκράτης οὗτος, ut sæpe forma οὑτοσὶ ap. eund. et alios quosvis. Rarius, ubi oratio non est demonstrativa, ut loco cit. Xen. Apollod. 3, 14, 3, 4 : Κινύρας οὗτος, et sæpius Pausanias, velut 2, 13, 2 : Ἱππάσου τούτου· 20, 7 : Περιλάῳ τούτῳ· 29, 3 : Φώκου τούτου· 3, 12, 7 : Ταλθυβίου τούτου· 4, 11, 7 : Πρωτεσιλάου τούτου· 7, 7, 4 : Ἀντίγονος οὗτος· 8, 1, 6 : Πελασγοῦ τούτου, et alibi. Item sequente pronomen nomine pr., ut 2, 22, 3 : Τοῦτον μὲν Τάνταλον· 3, 7, 10 : Οὗτος Ἀρχίδαμος· 6, 21, 7 : Τοῦτον Μάρμακα· 7, 8, 7 : Αὐτὸς οὗτος Φίλιππος· 8, 14, 10 · Τοῦτον Ἑρμοῦ παῖδα εἶναι Μυρτίλον λέγουσιν Ἕλληνες· 9, 36, 4 : Τούτῳ δὲ υἱὸς γίνεται Χρύσῃ, ut 2, 21, 3, ubi alii τοῦτον Ἡγέλεων, alii τόνδε τὸν Ἡγ., aut hoc probandum sit aut illud, non τοῦτον τὸν Ἡγ., neque opus sit ut
D nulla aut exigua libri unius auctoritate 3, 15, 6. Θήρα τούτου in τοῦ Θ. τούτου, 6, 3, 9, Ὕσμων οὗτος in ὁ Ὕσμων οὗτος mutetur. Item cum substantivis, ut 2, 24, 1 : Ἡ δέ οἱ μαντικὴ καθέστηκε τρόπον τοῦτον, ubi liber unus τὸν τρόπον τοῦτον· 1, 13, 1 : Τὴν ἀναχώρησιν ποιίζεται τρόπον τοῦτον· Oribas. p. 165, 6 Mai. : Καταρτίζεται τρόπῳ τούτῳ, cujus ap. utrumque sequitur descriptio. Et ubi nihil sequitur, quod pronomine demonstrativo quasi monstretur, ap. Pausan. 2, 27, 5 : Πολύκλειτος γὰρ καὶ θέατρον τοῦτο καὶ οἴκημα τὸ περιφερὲς ὁ ποιήσας ἦν· nisi hic quoque excidit τὸ ante θέατρον, ut in omnibus præter unum 2, 3, 3, qui ὑπὸ τούτου τοῦ ὕδατος, ubi ceteri ὑπὸ ὕδατος τούτου, et 7, 6, 9, κατὰ τὴν αἰτίαν ταύτην scribendum conjeci præf. p. XVIII, ut alibi est apud eum, pro κατὰ αἰτίαν. Nihil enim huc pertinent loci ubi substantivum est loco prædicati, ut 2, 28, 2 : Εἰ δὲ καὶ ἔθηκεν ὅρον τοῦτον· 7, 20, 1 : Αὕτη ἡ νὺξ γέρας τοῦτο εἴληφε· 7, 2, 2 : Τρίτος οὗτος στόλος ... ἐστάλη· 8, 3, 5 : Οὗτος ... στόλος πρῶτος ἐστάλη, et alios quosvis : in quibus articulus in-

terdum male illatus. Ad quæ quum referre non liceat quod est 2, 21, 4 : Τοῦτο μὲν δὴ κατὰ τὴν πυρὰν οἰκοδόμημα ἐγένετο, hic quoque, ut dixi in præf. p. xviii, scribendum τὸ οἰκ., pariterque 8, 52 fin. : Τοῦτο μὲν δὴ ἐνταῦθά ἐστιν ἐπίγραμμα, corrigendum ἐστι τὸ ἐπίγραμμα. Nec Plotinus vol. 2, p. 623, 1, scripserat : Ἐπιστραφείσης οὖν ζωῆς ταύτης, sed τῆς ζωῆς, ut ib. continuo τῇ ζωῇ ταύτῃ et τὴν ζωὴν ταύτην, quamvis pron. ἐκεῖνος, ut in illo diximus p. 406, D, interdum ponatur post subst. quod caret articulo, ut ap. Pausan. ipsum et alios. Sed ut ibidem diximus, in prosa vix recentissimis concedi posse ἐκεῖνος sequente substantivo sine articulo, ita nullius fere fidei sunt exx. de οὗτος sic posito, ut ap. Nicetam Man. Comn. 5, p. 112, A, ταύτης νυκτὸς, quibus apparet quantum sit tribuendum, ubi aliis locis centenis non desideratur articulus.] Neutr. Τοῦτο, Hoc. Aristot. Rhet. : Δυσὶ τούτοις βιβλίοις, Duobus hisce libris. Hom. Od. Ξ, [362] : Ταῦτα ἕκαστα λέγων ὅσα δὴ πάθες, Singula hæc, quæ tibi acciderunt : ubi tamen potius reddemus Singula ea, illa : ut mox dicetur. In Epist. Philippi ap. Dem. [p. 165, 13] : Ἃ μὲν οὖν ἐγκαλῶ, ταῦτ' ἐστι, Hæc sunt. [Pluralem post singularem sic positum Eur. Iph. T. 690 : Ὁ γὰρ σὺ λυπρὸν κἀπονείδιστον λέγεις, ταῦτ' ἐστὶν ἡμῖν, correxi sic ut scriberem ταὐτ' ἐστὶν, quod ap. Xen. Cyr. 6, 1, 25 : Ἐκ Βαβυλῶνος οἱ αὐτόμολοι καὶ οἱ ἁλισκόμενοι ταὔτ' ἔλεγον, ὅτι, item in ταῦτ' mutatum. Et vicissim singularem ante pluralem Ion. 945 : Τοῦτ' ἦν ἃ νῦν σοι φανερὰ σημαίνω κακά, sic ut scriberem τότ' ἦν, quæ vocc. constat sæpe inter se permutari. Similem librariorum errorem in τόδε post τὰ illato notavi ap. Pausan. 8, 39, 2, præf. p. xxvii (ubi v. 3 scr. τάδε pro τόδε). Alius enim generis sunt talia quale hoc Soph. Ant. 709 : Ὅστις γὰρ αὐτὸς ἢ φρονεῖν μόνος δοκεῖ, ἢ γλῶσσαν ἣν οὐκ ἄλλος ἢ ψυχὴν ἔχειν, οὗτοι διαπτυχθέντες ὤφθησαν κενοί.] Plut. Apophth. : Πεπράχθαι μὲν ταῦτα, βεβουλεῦσθαι δ' ἐκεῖνα. Plato : Τοῦτο αὐτὸ τὸ τοῦ Ὁμήρου, Hoc ipsum est, quod Homerus dicit. Et διὰ ταῦτα, Ob has causas, p. 17 mei Lex. Cic., qui τούτων ἕνεκα itidem vertit, Has ob causas. Adde præterea ex Aristophane [Pl. 8] : Καὶ ταῦτα μὲν δὴ ταῦτα, pro καὶ ταῦτα μὲν δὴ τοῦτον ἔχει τὸν τρόπον, Atque hæc quidem ita se habent. || Οὗτός τις, ap. Dem. pro οὑτοσὶ, Hic [Immo Hic aliquis. Hom. Od. Υ, 380 : Ἄλλος δ' αὖτέ τις οὗτος ἀνέστη μαντεύεσθαι. Demosth. p. 11, 27 : Νυνὶ δὴ καιρὸς ἥκει τις οὗτος, ὁ τῶν Ὀλυνθίων, αὐτόματος τῇ πόλει· quod est etiam p. 30, 8, in nonnullis, ubi alii νῦν δ' ἑτέρου πολέμου καιρὸς ἥκει τις, pro τις οὗτος.] || Οὗτος interdum reddere potius debemus Is, Ille. [Hoc est : ponitur sæpe ita ut ad sequentia referatur. Sic Hom. Od. Ζ, 201 : Οὐκ ἔσθ' οὗτος ἀνὴρ διερὸς βροτὸς οὐδὲ γένηται, ὅς κεν Φαιήκων ἀνδρῶν ἐς γαῖαν ἵκηται· Π, 437 : Οὐκ ἔσθ' οὗτος ἀνὴρ οὐδ' ἔσσεται οὐδὲ γένηται, ὅς κεν ... ἐποίσει.] Sic accipitur in Hesiodeo illo [Op. 291] : Οὗτος μὲν πανάριστος, ὃς αὐτὸς πάντα νοήσει· Ἐσθλὸς δ' αὖ κἀκεῖνος ὃς εὖ εἰπόντι πίθηται. Unde Minutius ap. Liv. 22, [29] : Sæpe ego audivi eum primum esse virum, qui ipse consulat quid in rem sit; secundum, eum, qui bene monenti obediat. Sic reddi potest in Hom. l. c., necnon in Epitaphio Sardanapali ap. Plut. [Mor. p. 546, A] : Ταῦτ' ἔχω ὅσσ' ἔπαθον καὶ ἐφύβρισα, καὶ μετ' ἔρωτος Τέρπν' ἔπαθον· licet Cic. vertat Tusc. Quæst. l. 5 : Hæc habeo quæ edi, quæque exaturata libido Hausit. Apud Athen. 8, [p. 336, A] ubi idem epitaphium citatur, scribitur Κεῖν' pro Ταῦτ' : ut satis manifestum sit, ταῦτα ibi accipi pro ἐκεῖνα. Sic Xen. : Τούτων τῶν ἀνδρῶν ἐφ' οἷς, Ex eo numero hominum qui, p. 49 mei Lex. Cic. [Sæpe etiam structura mutata non relativum, sed oratio aliter conformata sequitur. Æsch. Ag. 602 : Τί γὰρ γυναικὶ τούτου φέγγος ἥδιον δρακεῖν, ἀπὸ στρατείας ἄνδρα σώσαντος θεοῦ πύλας ἀνοῖξαι; Neutrum sic positum sequitur part. relativa, ut Æsch. Prom. 377 : Οὔκουν τοῦτο γιγνώσκεις ὅτι κτλ., et ap. alios quosvis. In membro sequenti autem interdum additur γὰρ, ut ap. Eur. Iph. T. 351 : Καὶ τοῦτ' ἄρ' ἦν ἀληθὲς, ᾐσθόμην, φίλαι· οἱ δυστυχεῖς γὰρ ... οὐ φρονοῦσιν εὖ, ut illa emendavi, quum scriberetur ἠγθόμην. Xen. Conv. 4, 7 : Τοῦτό γε ὠφελημένοι ἔσεσθε· ἥδιον γὰρ πιεῖσθε.] Et Thuc. 4, [55] : Ξυνεστῶτες ναυτικῷ ἀγῶνι, καὶ τούτῳ πρὸς Ἀθηναίους, Eoque, vel, Et eo quidem. [Æsch. fr. ap. Clem. Al. Strom. 6, p. 739 : Καὶ τὸν κακῶς πράσσοντα, καὶ τοῦτον μένειν.] Itidem Bud. annotat οὗτος pro ἐκεῖνος accipi in his ll. Demosthenis [p. 928] : Ἐπειδὴ δὲ τάχιστα ἐγκρατεῖς ἐγένοντο τοῦ ἀργυρίου, τοῦτο μὲν διενείμαντο, καὶ ἐχρῶντο ὅ,τι ἐδόκει τούτοις· paulo post, Τοῖς χρήμασιν ἐχρῶντο ὅσον ἐδόκει τούτοις· Ut ipsis videbatur, Pro suo arbitrio et libito. Huc refer καὶ ταῦτα, Idque, Præsertim. Et διὰ ταῦτα, Propterea, Eamobrem. Et μετὰ ταῦτα, Postea, Post id tempus, sicut et μετὰ τοῦτο. Et κατὰ ταῦτα, Sic, p. 39 mei Lex. Cic. [De quo HSt. iterum infra, ubi v. De ceteris formulis aliisque similibus v. in præpositionibus illis. || Ap. recentiores, inprimis autem apud Byzantinos, οὗτος, ut ἐκεῖνος, quod v., ponitur pro pron. refl., ut ap. Tzetz. Exeg. Il. p. 27, 17 : Ἔκρινεν τὰ περὶ τὸν Τρωικὸν συγγράψασθαι πόλεμον, ὡς πᾶσιν ἐπίσης ἐντευκτὰ γένοιντο τὰ τούτου ποιήματα· Hist. 2, 790 : Ὁ Ἄδμητός τινα δοὺς, ἀντὶ τούτου θνήσκειν, aliisque locis, jam in indice citatis, eclogarius Diodor. Exc. Vat. p. 23 : Τόν τε πλοῦτον ἐπιδεικνύμενος καὶ τὸ μέγεθος τῆς τούτου δυναστείας· quod apud Thomam in Argum. Aristoph. Nub. fefellit Ernestum Obs. p. 3.] || Οὗτος cum verbo primæ personæ Attico more accipitur pro ἐγὼ, ut quidem VV. LL. annotant ex schol. Aristoph. Eadem afferunt ex Luciano, Νοῶ οὗτος, pro Ipse intelligo. [Pind. Ol. 4, 24 : Οὗτος ἐγὼ ταχυτᾶτι.] Sic cum secunda persona copulatum significat Tu : interdum conjunctam habens particulam ὦ, interdum sine illa positum. Aristoph. Vesp. [1364] : Ὦ οὗτος, οὗτος, στυφεδανὲ καὶ χοιρόθλιψ, Heus tu. Soph. Aj. [89] : Ὦ οὗτος Αἶαν, δεύτερόν σε προσκαλῶ, Heus tu, Ajax. Lucian. De luctu [c. 24] : Μέχρι μὲν τίνος, ὦ οὗτος, ὀδυρόμεθα; Quousque, heus tu, vel Quæso, flemus? [Mireris Apollonium De pron. p. 25, ubi de οὗτος sic posito agit, ὦ οὗτος nonnisi ex Sophrone afferre B, C.] Et in Fab. Æsopi, Ὦ αὕτη, Heus tu. Et ὦ αὗται, Heus vos. Sine ὦ etiam ponitur, uti dixi, [Æsch. Suppl. 915 : Οὗτος, τί ποιεῖς;] Soph. Aj. [71] : Οὗτος, σὲ τὸν τὰς αἰχμαλωτίδας χέρας Δεσμοῖς ἀπευθύνοντα, προσμολεῖν καλῶ, Heus tu. Et [1047] : Οὗτος, σὲ φωνῶ, Heus tu, te appello. Aristoph. Nub. [732] : Οὗτος, καθεύδεις; Heus tu, dormis? Et [723] : Οὗτος, τί ποιεῖς; Heus tu, quid facis? Sic Pl. [439] : Οὗτος, τί δρᾷς; Itidem Plato Symp. [init. : Ὁ Φαληρεὺς, ἔφη,] οὗτος Ἀπολλόδωρος, οὐ περιμενεῖς; Heus tu Apollodore, annon expectabis? [Prot. p. 310, B : Ἱπποκράτης, ἔφην, οὗτος, μή τι νεώτερον ἀγγέλλεις; rectius alii colo interpungunt post Ἱπποκράτης, ut intelligatur ἐστί.] Item cum imperativo, Aristoph. Vesp. [829] : Ἐπίσχες οὗτος, ὡς ὀλίγου μ' ἀπώλεσας, Heus tu, quiesce, nam pene me perdidisti. Id. [Nub. 220] : Ἴθ', οὗτος, ἀναβόησον αὐτόν μοι μέγα, Heus tu s. Age tu, inclama mihi cum magna voce. [Ap. Plat. Gorg. p. 467, B : Οὗτος ἀνήρ· 489, B : Οὑτοσὶ ἀνὴρ οὐ παύσεται φλυαρῶν· 505, C : Οὗτος ἀνὴρ οὐχ ὑπομένει ὠφελούμενος· Reip. 6, p. 506, B : Οὗτος, ἦν δ' ἐγὼ, ἀνὴρ καλῶς ἦσθα καὶ πάλαι καταφανὴς ὅτι σοι οὐκ ἀποχρήσοι κτλ., ubi alii libri ἁνὴρ καλὸς, pro exclamatione habetur. Idem ap. Hom. Il. Σ, 257 : Ὄφρα μὲν οὗτος ἀνὴρ Ἀγαμέμνονι μήνιε δίῳ, notarunt schol. et Eustath. HSt. in Ind. :] Τούτας pro ταύτας, Dorice, VV. LL. [Immo ταῦται pro αὗται. Apollon. De constr. p. 111, 22 : Οἱ Δωριεῖς οὐκ ἐπλεόνασαν ἐν τῷ ταῦται καὶ τοῦτοι, ἀλλ' ἀπέδωκαν τὸ προσοφειλόμενον. Conf. id. De adv. p. 592, 7, De pron. p. 72, B, et qui male ponit sing. τοῦτος (v. Ahrens. De dial. vol. 2, p. 266, qui monet etiam illud τούτας, quod ponunt Gregor. Cor. p. 365 et alii recentiores grammatici, scripturæ vitio tribuendum videri) gramm. Cram. An. vol. 1, p. 414, 10. Ταυτᾶν est in inscr. Dor. ap. Bœckh. vol. 2, n. 2448, III, p. 363, 32, cui compares quod typographi fortasse culpa in Sigillo Rugerii ap. Ughell. Ital. Sacr. vol. 1, p. 949, C, scriptum : Ταύτων δώσεων (sic), quanquam non alienum est ejusmodi vitium ab illo.]

|| Ταύτῃ, absolute et adverbialiter pro Hac, Ea, Eatenus, Ea ratione, Eo modo. [Æsch. Prom. 189 : Μαλακογνώμων ἔσται ποθ' ὅταν ταύτῃ ῥαισθῇ· 511 : Οὐ ταῦτα ταύτῃ μοῖρά πω τελεσφόρος κρᾶναι πέπρωται. Soph. Ant. 722 : Φιλεῖ γὰρ τοῦτο μὴ ταύτῃ ῥέπειν. Aristoph. Eq. 843 : Οὐ ταῦτ' ἔστι πω ταύτῃ. Xen. Anab. 3, 2, 32 :

A Εἰ δέ τι ἄλλο βέλτιον ᾗ ταύτῃ, τολμάτω καὶ ὁ ἰδιώτης διδάσκειν· 7, 4, 28 : Οἱ μὲν οὖν ταύτῃ πάντες δὴ προσωμολόγουν.] Aristot.: Ἧπερ ἡ τοῦ ὑγροῦ, ταύτῃ καὶ ἡ τῆς γονῆς γίνεται ἀπόκρισις, Quo modo, eo modo. Plato De rep. [1, p. 330, C]: Ὥσπερ οἱ ποιηταὶ τὰ αὑτῶν ποιήματα ἀγαπῶσι, ταύτῃ τε δὴ καὶ οἱ χρηματισάμενοι περὶ τὰ χρήματα σπουδάζουσιν, ὡς ἔργον ἑαυτῶν, Itidem qui pecunias sibi pararunt, earum studio ut proprii operis tenentur, Eodem modo. Idem in Tim.: Ταύτῃ καὶ ταῦτα ἐλέγετο, Hæc etiam sic dicta sunt, Bud. p. 964, ubi et alia habet exempla. Idem, Ἔστω ταύτῃ ὅπῃ τὶς ὑπολαμβάνει, Ita ut. In Legibus 2 : Ταῦτα μὲν οὖν δὴ ταύτῃ. [Tim. p. 66, C : Καὶ τὰ μὲν δὴ ταύτῃ ταῦτα. Cum οὕτω conjungit Leg. 4, p. 714, D : Ταῦτ' ἄρ' ἀεὶ καὶ οὕτω καὶ ταύτῃ τὸ δίκαιον ἂν ἔχοι· 3, p. 681, D : Οὕτω τε καὶ ταύτῃ γίγνοιτο· et 12, p. 947, D. Xenoph. Cyr. 8, 3, 2 : Ὅπῃ κάλλιστον, ταύτῃ καταστήσασθαι.] || Ταύτῃ, Ex ea parte. [Aristoph. Eq. 272 : Ἀλλ' ἐὰν ταύτῃ γε νικᾷ, ταυτῃὶ πεπλήξεται· 337 : Ἐὰν δὲ μὴ ταύτῃ γ' ὑπείκῃ· Vesp. 176 : Οὐκ ἔσπασεν ταύτῃ γε· 635 : Ἐγὼ ταύτῃ κράτιστός εἰμι.] Plato [Tim. p. 39, E] : B Ταύτῃ ἔτι εἶχεν ἀνομοίως, Ex ea parte deficiebat ad propositum exemplar imaginis similitudo, p. 28 mei Lex. Cic. [Xen. Comm. 3, 5, 2 : Οὐδὲ ταύτῃ μοι δοκοῦσι λείπεσθαι· Anab. 2, 6, 7 : Πολεμικὸς δὲ αὖ ταύτῃ ἐδόκει εἶναι, ὅτι φιλοκίνδυνός τε ἦν κτλ. Hier. 7, 12 : Ταύτῃ ἀθλιώτατόν ἐστιν ἡ τυραννίς.] || Ταύτῃ, Itaque, Ea de causa, Eam ob rem, Ideo, pro διὰ τοῦτο. [Aristoph. Pl. 572 : Μηδὲν ταύτῃ γε κομήσῃς· quanquam hæc etiam ad præced. signif. referre licet. Inscr. ap. Ross. *Reisen und Reiserouten durch Griechenland* vol. 1, p. 23, 5 : Ταύτῃ καὶ γένος ἔσχες ἐτήτυμον, Ἡράκλεια, Ἡρακλέους.] Herodian. 3, [5, 11] : Ταύτῃ ὁ Ἀλβῖνος καὶ φρουρᾷ μείζονι ἔφραττεν ἑαυτὸν, i. e. τοιγαροῦν, Bud. p. 964. Ubi etiam ταύτῃ τοι affert ex Gregor. pro ἕνεκα τούτου, διὰ τοῦτο, Itaque. || Ταύτῃ ᾗ, Ex quo, Bud. p. 963 : exemplum attuli supra in Ἧ. Et ταύτῃ βέλτιον, Eo melius : ταύτῃ πλείω, Tanto plura. [Bud. ex Gazæ interpretatione Cic. De senect.] || Ταύτῃ, Hic, Hoc loco; Ibi, Eo in loco. Plato Epist. 7 : Ὁ δὲ εἶναί πῃ ταύτῃ κινδυνεύει, Hic alicubi esse videtur. Thuc. 2, [80] : C Τῶν ταύτῃ πῃ χωρίων. [Soph. Ph. 1331 : Ἔστ' ἂν αὑτὸς ἥλιος ταύτῃ μὲν αἴρῃ, τῇδε δ' αὖ δύνῃ πάλιν. Aristoph. Av. 1195 : Μή σε λάθῃ θεῶν τις ταύτῃ περῶν. Xen. Cyrop. 7, 1, 21 : Τῶν ταύτῃ ἁρμάτων· Anab. 1, 10, 6 : Ὡς ταύτῃ προσιόντος καὶ δεξόμενοι· 4, 5, 36 : Οἱ ταύτῃ ἵπποι· H. Gr. 3, 2, 12 : Οἱ ταύτῃ Ἕλληνες καὶ βάρβαροι· et 5, 1, 13, ubi ἐπὶ τὰς ταύτῃ ναῦς restitui ex conjectura.] || Ταύτῃ μὲν, ταύτῃ δὲ, Partim quidem, partim vero. [Τουτᾷ ap. Diog. L. 1, 113, in epist. Epimenidis : Ἕρπε ἐς Κρήτην πόθ' ἄμμε· τουτᾷ γὰρ οὐκ ἐσεῖταί τοι δεινὸς ὁ μόναρχος. Quam Doricam formam cum illo τούτας, de quo supra, conferebat Kœn. ad Gregor. p. 365. (Suspecta est Ahrensio De dial. vol. 2, p. 363, qui ταυτᾷ Theocrito reddendum monuit p. 371, ubi ταῦτά γ' vel ταῦτ' ἔχει est in libris 15, 18.) Idem quod ex Theocr. 5, 103, (33, 45, addit Ahrens. l. c. p. 362, ubi libri nonnulli ad alia aberrarunt) memorat τουτεὶ, scribendum esse τουτεῖ docent Apollon. De constr. p. 238, 9, Jo. Alex. Τον. παραγγ. p. 36, 33, gramm. Cram. An. vol. 1, p. 71, 33, Theognost. D Can. p. 159, 9. Formam Æol. Τούτυϊ Ahrens. vol. 1, p. 154 restituebat Theognosto Can. p. 160, 10, ubi τὸ τυϊ. Ejusmodi formam spectare videatur Hesychii gl. Τύτη, τὸ αὐτόθι. De τουτόθε, τουτῶθεν, τουτῶ v. in ipsis.]

|| Τοῦτο quoque et ejus obliqui casus interdum per se [ut infra ταῦτα. Plat. Conv. p. 104, A : Αὐτὸ γὰρ τοῦτό ἐστι χαλεπὸν ἀμαθία], interdum cum adv. aut præp. diversos usus habent : ut τούτου ἕνεκα et τούτου χάριν : et plur. τούτων ἕνεκα, Has ob causas, Cic. Itidem διὰ τοῦτο, et plur. διὰ ταῦτα, Has ob causas, ut Idem interpr. Item, ἐκ τούτου, Ex eo tempore, Plut. Rom.; quod et ἐκ τότε dicitur. Itidem ἐν τούτῳ, Eo tempore, Tunc temporis. [Et ἐν τούτοις, Plat. Tim. p. 42, C : Μὴ παυόμενος δὲ ἐν τούτοις ἔτι κακίας· Conv. p. 220, B : Οὗτος δ' ἐν τούτοις ἐξῄει. Et de loco Phæd. p. 101, C : Καὶ ἐν τούτοις οὐκ ἔχεις ἄλλην τινὰ αἰτίαν τοῦ δύο γενέσθαι.] Et εἰς τοῦτο, Eousque, In id usque tempus. Thuc. [8, 73] : Ἐς τοῦτο συνέμενεν ἡ ἀρχὴ, Magistratus in id temporis permansit, Eousque, Hucusque, μέχρι δεῦρο. Itidem, Ἐς τοῦτο δὲ ἐγένετο, ἐς ὃ, Id eousque factum est dum. Et μετὰ τοῦτο ac μετὰ ταῦτα, Postea, Post id tempus : pro quo dicitur etiam τὸ μετὰ τοῦτο ac τὸ μετὰ ταῦτα, Deinde, Postea. Plato Ep. [3, p. 317, B] : Τὸ δὲ μετὰ ταῦτα ὕστερον ἐνιαυτῷ τριήρης ἀφίκετο· pro quo ibid., τὸ μετ' ἐκεῖνα. Et, Ἐν τούτῳ τύχης μεμένηκε, In eo statu permansit, vel In hoc statu. Et εἰς τοῦτο, Eo. Cui interdum genit. additur. Isocr. [p. 299, A ; 304, D], Εἰς τοῦτο ἀνοίας ἦλθον ὥστε, Eo devenerunt amentiæ, ut. Idem, Εἰς τοῦτο ἐπιθυμίας ἥκομεν. Dem. : Εἰς τοῦθ' ὕβρεως ἐλήλυθεν, Eo devenit insolentiæ. [Xen. H. Gr. 6, 2, 4 : Εἰς τοῦτο τρυφῆς ἐλθεῖν.] Item ἐπὶ τοῦτο, Huc, Aristoph., vel Eo, Eum in locum. Κατὰ τοῦτο, et κατὰ ταῦτα, Ita, Sic, p. 39 mei Lex. Cic., s. Ad hunc modum. At κατὰ τοῦτο δὴ καιροῦ, Plut. Camillo, Per id temporis. Sine adjectione autem positum τούτου affertur, ut ex Thuc. [8, 31] : Τούτου μὲν ἐπέσχε, pro τούτου χάριν, Hujus rei gratia subsedit. Verum hoc exemplum suspectum est. [Dio Cass. 49, 9.] Sed et Ταῦτα alicubi absolute positum legitur pro διὰ ταῦτα, Itaque, Has ob causas : qua signif. citatur tum ex Hermog., tum ex Plat. Leg. [locis infra cit.] Itid. Hom. [Il. Λ, 693] : Ταῦθ' ὑπερηφανέοντες Ἐπειοὶ χαλκοχίτωνες, Ἡμέας ὑβρίζοντες, ἀτάσθαλα μηχανόωντο· pro διὰ τοῦτο, διόπερ, Hac de causa. Sic ταῦτά τοι a Galeno usurpatur. Itidemque ταῦτ' ἄρα tum a Synes., tum ab Aristoph. Nub. [395] : Ταῦτ' ἄρα καὶ τὼ 'νόματ' ἀλλήλοιν βροντὴ καὶ πορδὴ ὁμοίω. Aliud exemplum ex Eod. habes ap. Bud. p. 964, ubi etiam ex Gaza affert, Ταῦτ' ἄρα καὶ συμβαίνει ὅπερ αὐτὸς πάλαι ἀπεφηνάμην, pro his Ciceronis, Ex quo illud efficitur. [Xen. Cyrop. 4, 1, 27 : Ταῦτ' ἄρα καὶ ἐνεώρας μοι· Anab. 4, 1, 21 : Ταῦτ' ἐγὼ ἔσπευδον. Plato Leg. 4, p. 714, D : Ταῦτ' ἄρ' ἀεὶ καὶ οὕτω καὶ ταύτῃ τὸ δίκαιον ἂν ἔχοι· 3, p. 700, C : Ταῦτ' οὖν ... ἤθελεν.] Itidem ταῦτά τοι, ut Hermog. : Ταῦτά τοι καὶ λεπτότερός ἐστι, Eapropter, Quapropter. Sic dicitur et ταῦτα δὲ, ut Aristot. Probl. s. 20 [2, 30] : Ταῦτα δὲ καὶ οἱ πολὺν χρόνον καθεύδοντες, ἀχρούστεροί [εὐχρ.] εἰσι τῶν μέτριον χρόνον καθευδόντων. Nec non ταῦτα δὴ ita usurpatur. Plato Sympos. [p. 174, A] : Ταῦτα δὴ ἐκαλλωπισάμην, ἵνα καλὸς παρὰ καλὸν ἴω, Bud. p. 964. [Æsch. Pers. 159 : Ταῦτα δὴ λιποῦσ' ἱκάνω χρυσεοστόλμους δόμους. Plat. Protag. p. 310, E : Ἀλλ' αὐτὰ ταῦτα καὶ νῦν ἥκω.] At καὶ ταῦτα, Idque, Atque id, Præsertim, cujus ante quoque mentio facta est. [Æsch. Eum. 627 : Ἄνδρα γενναῖον θανεῖν καὶ ταῦτα πρὸς γυναικός. Soph. OEd. T. 37 : Καὶ ταῦθ' ὑφ' ἡμῶν οὐδὲν ἐξειδὼς πλέον· et sæpissime Xenoph., et alii quivis. Quod sæpe postponitur, ut ap. Aristoph. Ach. 168 : Ταυτὶ περιείδεθ' οἱ πρυτάνεις πάσχοντά με, ἐν τῇ πατρίδι καὶ ταῦθ' ὑπ' ἀνδρῶν βαρβάρων· Ran. 704 : Τὴν πόλιν καὶ ταῦτ' ἔχοντες κυμάτων ἐν ἀγκάλαις· quibuscum collata sunt exx. Pl. 259 : Σὺ δ' ἀξιοῖς ἴσως με θεῖν, πρὶν ταῦτα καὶ φράσαι μοι, ὅτου χάριν μ' ὁ δεσπότης ὁ σὸς κέκληκε δεῦρο, pro καὶ ταῦτα πρὶν φράσαι· 546 : Πιθάκνης πλευρὰν ἐρρωγυῖαν καὶ ταύτην· Diodori ap. Stob. Fl. 72, 1 : Τὴν ἐσομένην καὶ ταῦτα μέτοχον τοῦ βίου· Plat. Reip. 1, p. 341, C : Ἐπεχείρησας, οὐδὲν ὢν καὶ ταῦτα· et multa Strabonis, Aristidis, aliorumque recentiorum, quibus addere licet Dionis Chr. vol. 1, p. 88 : Ἐν Ἰθάκῃ καὶ ταῦτα ἑστιωμένους. Quibuscum conjungimus exx. ceterorum generum, quale est Aristoph. Pl. 546 modo cit., et Xen. Anab. 2, 5, 1 : Ἀπόρων ἐστὶ, καὶ τούτων πονηρῶν· Ages. 1, 2 : Τοῖς προγόνοις, καὶ τούτοις οὐχ ἰδιώταις· et similia his apud alios omnes.]

|| Τοῦτο μὲν, τοῦτο δὲ, Partim quidem, partim vero, Simul, simul, Tum, tum. Dem. : Τοῦτο μὲν Θασίους ἀδικήσετε, τοῦτο δὲ Ἀρχέβιον, Simul enim Thasios, simul Archebium injuria afficietis. Sic τὸ μὲν, τὸ δὲ, et τὸ μέν τι, τὸ δέ τι. [Herodot. 1, 161 ; 2, 135 ; 3, 132 etc. Nonnunquam ad præcedens τοῦτο μὲν in sequenti oratione sola part. δὲ aut δὲ καὶ refertur. Ad τοῦτο μὲν ὁ λαγὸς 3, 108 refertur ἡ δὲ δὴ λέαινα. Ad τοῦτο γὰρ Ἀνάχαρσις 4, 76 refertur πολλοῖσι δὲ ὕστερον ἔτεσι Σκύλης c. 78. Ad τοῦτο μὲν γὰρ Ἀλκμαίων 6, 125 refertur μετὰ δὲ c. 126. Ad τοῦτο μὲν 7, 176 refertur mox ἡ δὲ αὖ. SCHWEIGH. Sic Demosth. p. 597, 7 : Τοῦτο μὲν, non sequente τοῦτο δὲ, sed oratione aliter absoluta : pariterque p. 641, 22. Soph. Aj. 670. Id. OEd. T,

A 605 : Καὶ τῶνδ' ἔλεγχον τοῦτο μὲν Πυθώδ' ἰὼν πεύθου τὰ χρησθέντ', εἰ σαφῶς ἤγγειλά σοι, τοῦτ' ἄλλ', ἐάν με τῷ τερασκόπῳ λάβῃς κοινῇ τι βουλεύσαντα, μή μ' ἁπλῇ κτάνῃς ψήφῳ· et Ant. 165, τοῦτο μὲν ... τοῦτ' αὖθις· Ph. 1345, τοῦτο μὲν ... εἶτα. || His autem addenda sunt nonnulla ab HSt. omissa, velut quæ Schweigh. in Lex. Herodot. annotavit : « 4, 16 : Οὐδὲ γὰρ οὐδὲ Ἀριστέης, ... οὐδὲ οὗτος ... ἔφησε· 81 : Βουλόμενον γὰρ τὸν σφέτερον βασιλέα, ... τοῦτον βουλόμενον εἰδέναι τὸ πλῆθος· 172 : Ὀμνύουσι μὲν τοὺς παρὰ σφίσι ἄνδρας δικαιοτάτους ... λεγομένους γενέσθαι τούτους, τῶν τύμβων ἁπτόμενοι. » Idemque ex eod. 1, 43 : Ἔνθα δὴ ὁ ξεῖνος, οὗτος δὴ ὁ καθαρθεὶς τὸν φόνον· 45 : Ἄδρηστος, οὗτος δὴ ὁ φονεὺς ... γενόμενος. Simili quadam abundantia Pausan. 7, 15, 4 : Εἰ δὲ ἐτόλμησε τῆς πρὸς τῇ Οἴτῃ θαλάσσης ἐς ταύτης καταδῦναι τὸ τέλμα· qui etiam aliis utitur pronominibus post nomen repetitis. Tum conjunctum cum participio, ut de ἐκεῖνος diximus in illo vol. 3, p. 407, D, ubi etiam post nomen paullo aliter quam ap. Herod. supra cit. additum notavimus apud Dionem, Τοῖς κάλλιστα B πολεμεῖν παρεσκευασμένοις τούτοις μάλιστα ἔξεστιν εἰρήνην ἄγειν. Xen. Ages. 4, 4 : Οἱ προῖκα εὖ πεπονθότες, οὗτοι ἀεὶ ἡδέως ὑπηρετοῦσι τῷ εὐεργέτῃ· Conv. 8, 33 : Εἴ γε οἱ ψόγου τε ἀφροντιστεῖν καὶ ἀναισχυντεῖν ... ἐθιζόμενοι, οὗτοι μάλιστα αἰσχύνονται κτλ., et alibi. || In appositione Eustath. ap. Tafel. De Thessalon. p. 411, 8 init. : Τὰ τῶν Παιόνων, ἔθνους τούτου μεγίστου· Theodor. Prodr. *Notices* vol. 8, p. 82 : Ἱερὸν Αὐτοματίας, ἀλλοκότου ταύτης θεᾶς, ἱδρυσάμενος· schol. Plat. Leg. 1, p. 445 : Τὸ τοῦ Διὸς ἄντρον, ἱερὸν τοῦτο γενόμενον ἁγιώτατον· Niceph. Greg. Hist. Byz. 2, 1, p. 13, C : Τούτῳ προσερρύησαν οἱ τοῦ βασιλέως ... ἀδελφοί, Ἀλέξιος οὗτοι καὶ Ἰσαάκιος, eademque qua hic constructione Georg. Pachym. Andron. Palæol. 1, 2, p. 6, B : Οἵ δέ γε πρὸς τοῦτο παρακινοῦντες, ἡ Εὐλογία οὗτοι καὶ ὁ Μουζάλων Θεόδωρος, ἐῴκεσαν κτλ. Sed ubi sic positum videatur, ap. Pausan. 7, 10, 9 : Ἀναστὰς δὲ μετ' αὐτὸν Ξένων, οὗτος οὐκ ἐλαχίστου λόγου παρ' Ἀχαιοῖς, Οὕτως, ἔφη κτλ., ante οὗτος excidisse ἦν δὲ ὁ Ξένων, dixi in præf. p. XXVI. Alioqui aut ὢν οὗτος aut οὐκ ἐλαχίστου οὗτος λόγου dicendum fuisset. Sic fere 10, 25, 7 : Ὅτε C οἱ Ἐπίγονοι καλούμενοι Νέμεια δεύτεροι οὗτοι ἔθεσαν μετὰ Ἄδραστον. Sæpius sic apud ipsum et alios ponitur καὶ οὗτος, ut Xen. H. Gr. 3, 1, 10 : Μανία, ἡ τοῦ Ζήνιος γυνή, Δαρδανὶς καὶ αὐτή· Anab. 7, 8, 15 : Ὑρκάνιοι ἱππεῖς, καὶ οὗτοι βασιλέως μισθοφόροι. Quod alia signif. positum notavimus in Καὶ ταῦτα, de quo HSt. in neutro Ταῦτα. || In numerando Dionys. A. R. 4, 32 : Μὴ τέταρτον ἤδη τοῦτο καὶ τεσσαρακοστὸν ἔτος ἀποστερεῖν με τῶν ἐμῶν· 77 : Πέμπτον ἤδη τοῦτο καὶ εἰκοστὸν ἔτος φυλάξας. Alciphr. Ep. 1, 14 : Πρὸ τούτων τεττάρων ἐτῶν. Act. Apost. 21, 38 : Οὐκ ἄρα σὺ εἶ ὁ Αἰγύπτιος ὁ πρὸ τούτων τῶν ἡμερῶν ἀναστατώσας τοὺς τετρακισχιλίους. Cit. Schæf. Cosmas Topogr. Christ. p. 140, E : Πρὸ τούτων τῶν ἐνιαυτῶν πέντε. Chron. Pasch. p. 716, 20 : Πρὸ πλείστων τούτων ἡμερῶν.]

|| Οὑτοσί, Attico προσχηματισμῷ dicitur pro οὗτος : eo tamen ab οὗτος differens, quod οὗτος interdum est ἀναφορικόν, ut supra docui : οὑτοσὶ autem duntaxat est δεικτικόν, teste etiam Ammonio. Aristoph. Ran. [549] : D Ὁ πανοῦργος οὑτοσί· Nub. [141] : Ἐγὼ γὰρ οὑτοσί· Ἥκω μαθητὴς εἰς τὸ φροντιστήριον. Ubi etiam nota cum primæ personæ pronomine copulari. [Τουτοί memorat Apollon. De pron. p. 38, B. Ap. Aristoph. aliquoties illatum, ut Eq. 721, Thesm. 880, nunc in τουτογί est mutatum.] Gen. Τουτουί, ut τουτουὶ τοῦ ἀγῶνος. Dat. Τουτῳί, Huic. Aristoph. Pl. [44] : Καὶ τῷ ξυναντᾷς δῆτα πρώτῳ; respondet alter, Τουτῳί, Huic. Accus. Τουτονί, Hunc. [Plur. Ach. 40 : Ἀλλ' οἱ πρυτάνεις γὰρ οὑτοιὶ μεσημβρινοί· 115 : Ἄνδρες οὑτοιί· 342 : Οὑτοιί σοι χαμαί· Vesp. 262 : Ἔπεισι γοῦν τοῖσιν λύχνοις οὑτοιὶ μύκητες.] Et plur. gen. Τουτωνί, Horum. Plato : Ὑπὸ τουτωνί. Dat. Τουτοισί, His, Hisce. Accus. Τουτουσί, Hos, Hosce. Itidem fem. Αὑτηΐ, Hæc. Aristoph. [Nub. 201] : Ἀστρονομία μὲν αὑτηΐ. Gen. Ταυτησί, Hujus, Hujusce, et sic deinceps. Neutr. Τουτί, Hoc. Et plur. Ταυτί, Hæc. Aristoph. Nub. [201] : Τουτὶ δὲ τί; Hoc vero quid est? Idem [Ran. 913], Οὐδὲ τουτί, Ne hoc quidem, Ne tantillum quidem. [Hæc omnia frequentia sunt quum ap. Aristoph. et ceteros Comicos, Xenophontem, Platonem et Oratores, tum multos in prosa Atticorum sermonem imitatos, ut notasse sufficiat Ran. 965, τουτουμενί, et quæ frequentiora sunt αὑτηγί Ach. 784, τουτογί et ταυταγί Vesp. 781, Av. 171, etc., quod ταυταδὶ scriptum ap. Tzetz. Cram. Anecd. Paris. vol. 1, p. 63, 33, sive ipsius sive librarii culpa. Non enim locus illic particulæ δὲ, ut Aristoph. Pl. 227 : Τουτοδὶ κρεάδιον, sed part. γε, quæ est in forma ταυταγί. Solet autem diphthongus vel η ante hoc ῑ corripi, τουτοὺὶ etc. || De forma Οὑτοσίν, quam ante vocalem præbent libri nonnulli Aristoph. Nub. 60 (in fine versus), et alibi apud eundem, Demosth. p. 113, 23; 292, 11; 364, 10, 23; 385, 22; 624, 26; 646, 26 (ante consonam 647, 21), Isæi p. 47, 8, omnes Dinarchi p. 101, 32, et Wolfius quidem Anal. fasc. 2, p. 438, librariorum peccatum putabat, Schæferus autem ad l. primum Dem. nonnisi Pseudo-Draconis testimonio niti opinabatur, diserta Apollonii aliusque grammatici attulimus in Ἐκεινοσί p. 408, D, et Theognosti in Οὑτωσί. Quorum Apollonius quidem Atticis tribuens literæ ν in utraque usum significare videtur hiatui vitando ab iis adhibitas has formas, quamvis non nisi iis casibus videantur usurpatæ, qui in ς desinunt, quod animadvertit jam Passovius, neque in libris, ut οὑτοσὶν et τουτοισίν, ita τουτονίν, ταυτηνίν, τουτωνὶν reperiantur. L. DIND.]

|| Οὕτως sive Οὕτω : utrumque enim in usu est, hoc quum sequens vox a consonante incipit, illud, quum a vocali. [In libris tamen sæpe οὕτως scribitur etiam ante consonam. Vicissim in fine versuum ap. Hom. et Hesiodum ante interpunctionem et versum a vocali incipientem quod scribi solet οὕτω, ego aliquoties correxi ap. illum, ut Op. 422, 431, et οὕτως scripsi. Quod autem HSt. dicit οὕτω non scribi ante vocalem, verum est nonnisi de Atticis. Nam Hom. Il. Γ, 169 : Καλὸν δ' οὕτω ἐγὼν οὔπω ἴδον ὀφθαλμοῖσιν· Od. Γ, 315 : Οὕτω ὑπερφιάλους· Paul. Sil. Amb. 200 : Οὕτω ἀπειρεσίαο· Agathias Anth. Pal. 9, 152, 6 : Οὕτω ἐφ' ἀμετέροις. Quod ap. Aristoph. est οὕτω κεῖνος nihil huc pertinere dixi in Ἐκεῖνος vol. 3, p. 408, C. Apparet autem ex his falsum esse quod in Epim. Hom. Cram. An. vol. 1, p. 307, 5, post præceptum etiam ab Etym. M. positum : Ὅτε μὲν ἐπιφέρεται σύμφωνον, ἐξέρχεται τὸ σ, ὅτε δὲ φωνῆεν, φυλάττεται, additur : Οὐδέποτε δὲ ἐπιφερομένου φωνήεντος ἐκβάλλεται τὸ σ, nisi prosa dicitur, quanquam etiam in hac Iones semper οὕτω.] Sic, Ita, [Tam, Taliter, Perinde, Proinde, add. Gl.] Ad hunc modum. Hom. Od. Θ, [167] : Οὕτως οὐ πάντεσσι θεοὶ χαρίεντα διδοῦσι. [Ο, 272 : Οὕτω τοι καὶ ἐγὼν ἐκ πατρίδος. Et sequente ead. particula Pind. Ol. 3, 4 : Μοῖσα δ' οὕτω τοι παρέστα.] Il. [Α, 564 : Εἰ δ' οὕτω τοῦτ' ἐστίν· Β, 116 : Οὕτω που Διὶ μέλλει ... φίλον εἶναι· Od. Τ, 370 : Οὕτω που καὶ κείνῳ ἐφεψιόωντο.] Ω, [373] : Οὕτω πῃ τάδε γ' ἐστί, φίλον τέκος, ὡς ἀγορεύεις, Ita est ut dicis. [Οὕτω μέντοι, Ita tamen, Gl.] Od. Θ, [543] : Ἐπεὶ πολὺ κάλλιον οὕτω, sub. ἐστί. [Σ, 255 : Μεῖζόν κε κλέος εἴη ἐμὸν καὶ κάλλιον οὕτω· Φ, 257 : Εὐρύμαχ', οὐχ οὕτως ἔσται. Insolentius Eur. Heracl. 360 : Μήπω ταῖς μεγάλαισιν οὕτω καὶ καλλιχόροις Ἀθάναις εἴη.] Sic Thuc. 1 : Ἦν οὕτως, Ita erat, Ita res se habebat. Isocr. Panath. [p. 269, B] : Τότε μὲν ἐκείνως, νῦν δ' οὕτως [οὕτω] διαλεχθέντα περὶ αὐτῶν. [Alia v. in Ἐκείνως, vol. 3, p. 410, B, C. Exx. vulgaris usus, ut καὶ οὕτως, οὐδὲ οὕτως etc., omittimus. Duplex οὕτως ponit Theodor. Stud. p. 458, C : Οὕτως καὶ οὕτως οἵδε καὶ οἵδε ἔγραψαν. Et in anaphora Gregor. Naz. vol. 2, p. 16, B : Οὕτως γὰρ οὕτως ἐστὶν ἡ τιμὴ ψόγος, et οὕτως μὲν οὕτως in Maittair. Misc. p. 96, 46.] Plato [Tim. p. 39, C] : Νὺξ μὲν οὖν ἡμέρα τε γέγονεν οὕτω, Nox igitur et dies ad hunc modum generata, p. 27 Lex. Cic. Interdum οὕτως præcedenti respondet ὡς vel ὅπως. [Hom. Od. Ξ, 440 : Αἴθ' οὕτως, Εὔμαιε, φίλος Διὶ πατρὶ γένοιο, ὡς ἐμοί. Æsch. Suppl. 977 : Οὕτως ὡς ... διεκλήρωσεν.] Isocr. Paneg. [p. 43, A] : Τοὺς οὕτως ἐπισταμένους εἰπεῖν ὡς οὐδεὶς ἂν ἄλλος δύναιτο. Xenoph. Cyrop. 1 : Νῦν δ' αὖ οὕτως ἔχομεν, ὡς σὺν σοὶ μὲν θαῤῥοῦμεν· 1, [6, 11] : Οὕτως ἔχε τὴν γνώμην ὡς ἐμοῦ μηδέποτε ἀμελήσοντος· quo genere loquendi utitur et Thuc. 7, p. 237 [c. 15]. Lucian. [D. mort. 2, 1] : Οὕτως γινώσκετε ὡς οὐδὲ παυσομένου μου.

[Plato Leg. 8, p. 831, A : Καί τινος ἀποθανόντος οὕτως ὡς ἀκουσίου τοῦ φόνου γενομένου.] Itidem in Scytha [c. 7] : Οὕτω τοίνυν γίγνωσκε ὡς εὐδαιμονέστατος ὤν. [Cum ὥστε Xenoph. Anab. 7, 4, 3 : Ἦν χιὼν πολλὴ καὶ ψῦχος οὕτως ὥστε τὸ ὕδωρ ... ἐπήγνυτο, et alibi.] Cum ὅπως autem, Xen. Cyrop. 5 : Οὕτω ποίει ὅπως ἂν αὐτοὶ ὅ,τι ἂν λέγῃ, εἰδῆτε. [Sic ib. 2, 4, 31, etc. De οὕτως ὅπως v. in Ὅπως, p. 2132, C.] Versa vice οὕτως in similitudinis redditione ponitur, præcedente ὥσπερ vel καθάπερ : cujus exempla passim occurrunt. Alicubi vero omissum subaudiendum relinquunt. [Αἱ τῶν Αἰγυπτίων (κεφαλαί εἰσι) οὕτω δή τι ἰσχυραί, μόγις ἂν λίθῳ παίσας διαρρήξειας, Herodot. 3, 12. Ὁ λαγὸς οὕτω δή τι πολύγονόν ἐστι, ἐπικυΐσκεται μοῦνον πάντων θηρίων, ib. 108. Alibi ponitur pron. relat., ut κρήνη πικρή, οὕτω δή τι ἐοῦσα πικρή, ἣ μεγάθει σμικρὴ ἐοῦσα κιρνᾷ τὸν Ὕπανιν, 4, 52. Schweigh. Lex.] Aristot. : Καὶ ὥσπερ οὐδὲ γράμματα πᾶσι τὰ αὐτά, οὐδὲ φωναὶ αἱ αὐταί, pro οὕτως οὐδέ. [Οὕτως ἢ Dio Chr. vol. 1, p. 50, 2 : Τίνα δὲ εἰκὸς οὕτως εἶναι φιλάνθρωπον ἢ ὅστις πλείστων μὲν ἀνθρώπων ἐγκρατής ἐστι, μάλιστα δὲ ὑπὸ ἀνθρώπων θαυμάζεται; Quod injuria suspectum fuit Reiskio.] Οὕτω nonnunquam ponitur pro Ita demum. Æschin. [p. 81, 9] : Ἐφιέμενος τῆς ἀνδραγαθίας, οὕτω τὰς χάριτας τὸν δῆμον ἀπαιτεῖ. Thuc. 1 : Δεῖ μνησθέντας πρῶτον καὶ ἡμᾶς περὶ ἀμφοτέρων, οὕτω καὶ ἐπὶ τὸν ἄλλον λόγον ἰέναι, Ita demum ad reliquam orationem accedere. Itidem Bud. hunc Xen. l. [Eq. 2, 2] : Χρὴ μέντοι ὥσπερ τὸν παῖδα ὅταν ἐπὶ τέχνην ἐκδῷ, συγγραψάμενον ἃ δεήσει, ἐπιστάμενον ἀποδοῦναι, οὕτως ἐκδιδόναι, interpr. Ut autem qui puerum locat artem quandam edocendum, stipulari solet et a conductore magistro cavere, quid oporteat eum ediscere, ac tum demum locare. Sic ap. Thuc. libro 2, accipitur, ubi respondet τῷ, ἐπειδὴ μέντοι p. 55 [c. 19] : Οὕτω δὴ ὁρμήσαντες ἀπ' αὐτῆς, Ita demum. Quo loco nota etiam δή. [Οὕτω δὲ Pind. Ol. 2, 39 : Οὕτω δὲ Μοῖρ' ἐπί τι καὶ πῆμ' ἄγει. Æsch. Cho. 261 : Οὕτω δὲ κἀμὲ τήνδε τε. Soph. OEd. T. 970 : Οὕτω δ' ἂν θανὼν εἴη 'ξ ἐμοῦ.] Adde ex Plat. De rep. 2, [p. 368, D] : Ἕρμαιον ἐφάνη, οἶμαι, ἐκεῖνα πρῶτον ἐπιγνόντας, οὕτως ἐπισκοπεῖν τὰ ἐλάττω, ubi etiam possis accipere pro Deinde, Tum demum, sicut nonnulli in hoc l. Xen. Cyrop. 2, [1, 1] : Προσευξάμενοι θεοῖς καὶ ἥρωσιν, ἵλεως καὶ εὐμενεῖς πέμπειν σφᾶς, οὕτω διέβαινον τὰ ὅρια. [Sæpe autem Xen. sic post partic. ponit οὕτω, ut Ages. 2, 23 : Δῃώσας τὴν χώραν τῶν κατακανόντων τοὺς φίλους οὕτως αὖ οἴκαδε ἀπεχώρησεν· et Plato aliique. « Ἐγγυητὰς χρῆν καταστήσαντα ... οὕτω ἀπάγεσθαι, Herodot. 1, 196. Ejusd. generis sunt exx. hæc : Ἐπείτε δὲ οὐκ ἀνιέναι τὸ κακόν, οὕτω δὴ etc. 1, 94 ; 7, 50. Ἐν κλιβάνῳ πνίξαντες, οὕτω τρώγουσι 2, 94 ; ἀποκτείναντες δέ, οὕτω ἐκείνῃ ἀπέδοσαν τὴν βασιληίην 2, 100 ; 3, 109. Eodem pertinet quod 7, 170 legitur ἀπικόμενοι Ταραντίνοισι ἀπέθανον τρισχίλιοι οὕτω. » Schweigh. Lex. Qui in l. postremo rectius οὕτω interpretatus esset Fere, ut Hesychius οὑτωσὶ dicit significare etiam ἀριθμόν. Rarius οὕτω ponitur ante participium, ut ap. Plat. Gorg. p. 478, C : Ἆρ' οὖν οὕτως ἂν περὶ σῶμα εὐδαιμονέστατος ἄνθρωπος εἴη, ἰατρευόμενος ἢ μηδὲ κάμνων ἀρχήν· et ib. 485, A. || Initio membri Soph. fr. Phædræ ap. Stob. Fl. 69, 14 : Οὕτω γυναικὸς οὐδὲν ἂν μεῖζον κακὸν κακῆς ἀνὴρ κτήσαιτ' ἄν. Eur. Hipp. 264 : Οὕτω τὸ λίαν ἧσσον ἐπαινῶ τοῦ μηδὲν ἄγαν. Xen. Cyrop. 1, 6, 46 : Οὕτως ἡ ἀνθρωπίνη σοφία οὐδὲν μᾶλλον οἶδε τὸ ἄριστον αἱρεῖσθαι κτλ. || Cum verbo Hom. Il. Σ, 222 : Ὅς τὸν ξεῖνον ἔασας ἀεικισθήμεναι οὕτω· X, 498 : Ἔρρ' οὕτως. Et alii quivis.] Quum vero cum adjectivo nomini aut adverbio copulatur, reddes non solum, Ita, Adeo, verum etiam Usqueadeo, Tam. [Hom. Od. Π, 99 : Αἲ γὰρ ἐγὼν οὕτω νέος εἴην τῷδ' ἐπὶ θυμῷ· Σ, 174 : Μηδ' οὕτω δακρύοισι πεφυρμένη ἀμφὶ πρόσωπα ἔρχευ. Xen. Cyrop. 2, 2, 13 : Οὕτως ἐν πολλῇ ἀτιμίᾳ ἡμᾶς ἔχεις· 16 : Οὕτω πολέμιον ὄντα τῷ γέλωτι.] Isocr. Paneg. [p. 43, D] : Οὕτω μεγάλας τὰς ὑποσχέσεις ποιοῦμαι, Usque adeo ingentia polliceri sustinuerim. Itidem Hom. usus est ante Isocr., sc. Od. N, [239] : Οὐδέ τι λίην Οὕτω νώνυμός ἐστι, Nec adeo ignobilis est. [Apoll. Rh. 2, 1219 : Μὴ δ' οὕτως, ἠθεῖε, λίην δειδίσσεο θυμῷ. Arat. 882 : Μηδ' οὕτω σκοπιὴν ταύτην ἀμενηνὰ φυλάσσειν.] Rursum Isocr. Paneg. : Τίς οὕτω ῥᾴθυμός ἐστιν ὅστις οὐ βουλήσεται; Quis

A usqueadeo ignavus est ut nolit? pro ὥστε οὐ βούλεσθαι. [Id. p. 195, D.] Plato Apol. [init] : Οὕτω πιθανῶς ἔλεγον, Adeo probabilia erant, quæ dicebant : in fine periodi. [Plato Gorg. p. 506, D : Οὕτως εἶχη· Crat. p. 390, E : Οὕτως ἐξαίφνης. Sæpe etiam postponitur, ut ap. Hom. Il. B, 120 : Μὰψ οὕτω... ἄπρηκτον πόλεμον πολεμίζειν. Γ, 169 : Καλὸν δ' οὕτω ἐγὼν οὔπω ἴδον ὀφθαλμοῖσιν· Æsch. Sept. 1057 : Γένος ὠλέσατε πρεμνόθεν οὕτως. Soph. Trach. 745 : Ἄζηλον οὕτως ἔργον· Ph. 598 : Ἄγαν οὕτω· Plat. Reip. 6, p. 500, A : Χαλεπὴν οὕτω· et Pausaniam, cujus exx. indicavi in præf. p. xx. Idem dirimitur a voc. ad quod pertinet. Soph. Ph. 104 : Οὕτως ἔχει τι δεινὸν ἰσχύος θράσος· et præter Xen. paullo ante cit. Reip. 3, p. 391, C : Οὕτως ἐπὶ δεινὰς ἁρπαγάς. V. l. Aristoph. Av. 63 paullo post cit. Thuc. 2, 11 : Ἐπὶ ἀδύνατον ἀμύνεσθαι οὕτω πόλιν ἐρχόμεθα. Theodor. Stud. p. 45, A : Ἐν οὕτω σαρκίῳ ἐκτετηγμένῳ.] In Epigr. [Lucillii Anth. Pal. 11, 100, 1] cum superlativo etiam jungitur, quod a Latini sermonis consuetudine alienum est : Οὕτω κουφότατος πέλε Γάϊος, ὥστ' ἐκολύμβα
B Τοῦ ποδὸς ἐκκρεμάσας ἢ λίθον ἢ μόλιβον, Usque adeo levis erat. Simile exemplum habes in Ὀρίγανον. [Sæpe sic recentiores. Agathias Hist. p. 7, 11 : Οὕτω μέγιστα· Vita Sophoclis fin. versus : Οὕτω φιλαθηναιότατος· Theod. Hyrtac. *Notices* vol. 6, p. 7, A : Οὐδὲν ἥδιστον οὕτως· Eustath. ap. Tafel. Thessalon. p. 366 fin. : Οὕτω φιλοτιμότατος· schol. Eur. Hec. 821 : Οὕτω κάλλιστα. Alia exx. v. ap. Lobeck. ad Phryn. p. 424, qui etiam comparativi nonnulla attulit. Arrian. Ind. c. 6 init. : Οὕτω τοι ἀμενηνότερον πάντων εἶναι τὸ ὕδωρ ἐκεῖνο, nisi leg. οὕτω τι, quod sæpe in alterum est mutatum. In interrogatione, sequente δή, Hom. Il. B, 158 : Οὕτω δὴ ... Ἀργεῖοι φεύξονται;] Liban. dixit etiam, Οὕτω δὴ κάλλους ἔχων, Adeo pulcer. [Xen. Cyrop. 7, 5, 56 : Ἐπειδὴ οὐχ οὕτω τρόπου μόνον ἔχεις.] Plato ἐκ παραλλήλου in sua Apol. [p. 36, C] usurpavit, Οὕτω κατὰ τὸν αὐτὸν τρόπον. [Cum ταύτῃ conjunctum idem locis in Ταύτῃ sub Οὗτος cit. Ponitur etiam solum οὕτως, et interdum quidem in malam partem, ut ap. Latinos Sic, quod comparat Donat. ad Ter. Andr. 1, 2, 4, ut
C verti possit Sine (re de qua agitur), vel Temere, Negligenter, velut Soph. Ph. 1067 : Ὦ σπέρμ' Ἀχιλλέως, οὐδὲ σοῦ φωνῆς ἔτι γενήσομαι προσφθεγκτός, ἀλλ' οὕτως ἄπει; Ant. 315 : Εἰπεῖν τι δώσεις, ἢ στραφεὶς οὕτως ἴω; Aristoph. Ran. 625 : Κἄν τι πηρώσω γέ σοι τὸν παῖδα τύπτων, τἀργύριόν σοι κείσεται. — Μὴ δῆτ' ἔμοιγ', οὕτω δὲ βασάνιζ' ἀπαγαγών. Plato Leg. 4, p. 712, D : Οὐκ ἔχω σοι φράζειν οὕτως· E : Οὕτω νῦν ἐξαίφνης ἐρωτηθείς· Phædr. p. 237, C : Νῦν μὲν οὕτως οὐκ ἔχω εἰπεῖν· 272, C : Οὔτι νῦν γ' οὕτως ἔχω· Gorg. p. 464, B : Μίαν οὕτως ὀνομάσαι οὐκ ἔχω σοι· Theæt. p. 158, B : Εἴ τις ἔροιτο νῦν οὕτως ἐν τῷ παρόντι· Conv. p. 176, E : Οὕτω πίνοντας πρὸς ἡδονήν· Euthyphr. p. 3, B : Ἄτοπα, ὡς οὕτω γ' ἀκοῦσαι. Lucian. Ver. Hist. 2, 20 : Οὕτως ἐπελθεῖν αὐτῷ μηδὲν ἐπιτηδεύσαντι. Fronto Epist. 1, 8, p. 35, 6 : Οὐ γὰρ ἐρῶσιν οὔτε πηγαὶ οὔτε ποταμοὶ τῶν φυτῶν, ἀλλὰ παριόντες οὕτω δὴ καὶ παραρρέοντες ἀνθεῖν αὐτὰ καὶ θάλλειν παρεσκεύασαν. || Cum negatione Eur. Alc. 680 : Νεανίας λόγους ῥίπτων ἐς ἡμᾶς οὐ βαλὼν οὕτως ἄπει· Heracl. 632 : Σοὶ δ' ὦ κακόφρων ἄναξ, λέγω, εἰ πόλιν
D ἥξεις, οὐχ οὕτως ἃ δοκεῖς κυρήσεις. || Sed dicitur etiam in bonam partem, ut Xen. Cyrop. 1, 3, 8 : Διὰ τί τοῦτον οὕτω τιμᾷς; ut sit i. q. Tantopere, et ap. alios quosvis. || In fabulis narrandis positum notat schol. Aristoph. Vesp. 1182 : Ἐκεῖνον (τὸν μῦθον) ὡς οὕτω ποτ' ἦν μῦς καὶ γαλῆ· additis exx. : Ἦν οὕτω γέρων καὶ γραῦς· Platonis Phædr. p. 237, B : Ἦν οὕτω δὴ παῖς, μᾶλλον δὲ μειρακίσκος· quibus accedit Aristoph. Lys. 784 : Οὕτως ἦν νεανίσκος. Simile est hoc Diod. Exc. Vat. p. 13 : Ἔλαβε χρησμὸν οὕτως, qui sequitur.] || Οὕτως ὄναιο, Bene precantis est, ut ap. Lat. Macte puer virtute. [Imprecantis ap. Theocr. 2, 26 : Οὕτω τοι καὶ Δέλφις ἐνὶ φλογὶ σάρκ' ἀμαθύνοι.] || Est etiam Jurantis et fidem facientis, veluti quum dicitur, Ita me dii ament. Et Horat. : Sic te diva potens Cypri, Sic fratres Helenæ, lucida sidera, Ventorumque regat pater. Apud Aristoph. Optantis est, Nub. [520] : Οὕτω νικήσαιμί γ' ἐγώ, ... Ὡς ὑμᾶς ἡγούμενος ... δεξιούς, ... Πρώτους ἠξίωσ' ἀναγεῦσ' ὑμᾶς. || Est etiam Respondentis cum affirmatione, ut apud Latinos

Sic, Ita. Xenoph. OEc. [1, 9] : Σὺ ἄρα τὰ μὲν ὠφελοῦντα, χρήματα ἡγῇ, τὰ δὲ βλάπτοντα, οὐ χρήματα; respondet alter, Οὕτως, Ita. [Plat. Reip. 5, p. 472, C, et ubi οὕτω μὲν οὖν, 8, p. 551, B. || Οὕτω τι Aristoph. ap. grammat. Bekk. An. p. 434, 5 : Οὕτως (sic) τι τἀπόρρητα δρᾶν ἐστι (s. ἔτι) μέλει (ἐτημέλει). Ubi ad οὕτω τι ducunt libri Suidæ v. Ἀπόρρητα, quod etiam Av. 63 in plerisque in οὕτως τι depravatum. Quocum comparandum οὕτω δή τι, de quo supra, non longe ab initio. Philostr. Her. p. 737 fin. : Οὕτω δή τι ὁ Ἀχιλλεὺς ἐσωφρόνει. || Accentum Dor. οὑτῶς notavit Gregor. Cor. p. 312, ubi v. Koen.]

|| Οὑτωσὶ, Sic, Ita, Ad hunc modum, [Itane, Siccine, Gl.] Attice pro οὕτως. Plato Symp. : Ἐὰν εἴπω οὑτωσί. Frequens ap. Aristoph. quoque [velut Ran. 88 : Ἐπιτριβομένου τὸν ὦμον οὑτωσὶ σφόδρα· eodemque cum adv. Nub. 135; Pl. 591 : Ἀνελεύθερός ἐσθ' οὑτωσί. Xen. Cyrop. 3, 2, 22 : Οὑτωσὶ τοίνυν ... ἐγὼ ποιήσω· οὐδετέροις ὑμῶν τὰ ἄκρα παραδώσω.] Et Lucian. qui etiam p. 13 [Timone c. 8], τῷ Οὑτωσὶ μὲν εἰπεῖν, subjungit in redditione, Ὡς δὲ ἀληθεῖ λόγῳ. Item cum adj. et cum adv. sicut etiam οὕτως, Dem. [p. 140, 19]: Ὑπὲρ δὲ τοῦ ἐπὶ ταῖς θύραις ἐγγὺς οὑτωσὶ ἐν μέσῃ τῇ Ἑλλάδι αὐξανομένου λῃστοῦ τῶν Ἑλλήνων, Tam prope. Cui opp. οὕτω πόῤῥω ap. Isocr. [Ut ap. Lucianum ab HSt. cit. Plato Reip. 4, p. 432, B : Ὥς γε οὑτωσὶ δόξαι· Gorg. p. 509, A : Ὡς γοῦν ἂν δόξειεν οὑτωσί. Dionys. De comp. vv. p. 430 Schæf. : Φανήσεταί σοι λόγος οὑτωσὶ διειρόμενος. Ubi tamen Ald. λόγος εἰσειρόμενος, i. e. εἷς εἰρόμενος. Agathias p. 6, 12 : Χύδην οὑτωσί. || Formam Οὑτωσὶν ponit Theognost. Can. p. 162, 1, præbentque ante vocalem libri Plat. Gorg. p. 503, D; 509, A, Demosth. p. 63, 23; 642, 12, ubi alii οὑτωσὶ, in Vita Jo. Damasc. vol. 1, p. xvi, A, Grets. Opp. vol. 2, p. 94. V. Οὑτοσίν. Inferri ab librariis hanc formam ostendunt varietates librorum Xenoph. Anab. 7, 6, 39, ubi quum vera quam restitui scriptura : Χαρμῖνος ὁ Λακεδαιμόνιος ἀναστὰς εἶπεν, Ἀλλ' οὐ τὼ σιὼ, ἐμοὶ μέντοι οὐ δικαίως δοκεῖτε τῷ ἀνδρὶ τούτῳ χαλεπαίνειν, primum in libris nonnullis abiisset in ἀλλ' οὔτ' ὠσίως vel οὑτωσὶ ὦ vel οὑτωσὶν ὦ, ex eo in aliis factum εἶπεν ἀλλ' οὑτωσὶ vel οὑτωσὶν, in aliis denique εἶπεν οὑτωσὶ vel οὑτωσὶν, ἀλλ'. L. Dind.]

[Ὄφ, vocula suspirantis ex dolore aut pavore. Eust. Il. p. 900, 27 : Ὁ ἐτυμολογήσας τὸν ὄφιν οὐκ ἀπὸ τοῦ ὄπτω ὄψω ὦφα, συνήθως, ἀλλ' ἐκ τοῦ ὂφ ἐπιφωνήματος, ὃ κατὰ πνεύματος ἀθρόαν εἰσπνοὴν ἐγγίνεται τοῖς ἢ ἀλγοῦσιν ἢ φόβον παθοῦσι. Simile est ἰὸφ ὂμ Æsch. Suppl. 827, quod ἰὸφ schol. explicat ἐπὶ ἀποπτυσμοῦ μίσημα (pro μίμημα, ut videtur)· ἀπὸ δὲ τοῦ ἀποπτύειν ἀπόφθεγμα ἐποίησε· διὸ δεῖ τὴν ὑστέραν δασύνειν. Ὂμ autem in ὂφ mutabat Stanlejus. L. Dind.]

[Ὄφατα, δεσμοὶ ἀρότρων. Ἀκαρνᾶνες, Hesych. V. Ὀφνίς.]

[Ὀφαταὶ, ἱερὰ στολὴ, Zonar. « Hebr. originis esse videtur, corrupte pro אפוד *Ephod*, quam fuisse στολὴν ἱερὰν satis constat. » Tittmann.]

Ὀφείδιον, sive Ὀφίδιον, τὸ, Anguiculus, Parvus serpens : sicut ὀρχείδιον et ὀρχίδιον dicitur. Legitur autem ὀρχείδιον cum diphthongo ap. Suid. [Aristot. H. A. 8, 29. Γίνεται ἐν τῷ σιλφίῳ τι ὀφείδιον· et ibid. bis, Mirab. c. 149, Strabo 15, p. 706. L. D. Apollon. Περὶ Κ. Ι. c. 12. Hemst. Eust. Opusc. p. 143, 69 : Ὀφείδιον ἱερόν· 144, 2.] Ophidion, Piscis nomen ap. Plin. lib. 32, c. ult. Sicut Hesychio ὄφις.

Ὀφειλέσιον, τὸ, Debitum, Eust. [Od. p. 1751, 12. De forma conf. Lobeck. ad Phryn. p. 516. « Demetr. Cydon. Epist. 33. » Boiss.]

Ὀφειλέτης, ὁ, Debitor [Gl.], χρεώστης. [Plato Leg. 5, p. 736, D : Κεκτημένων καὶ ὀφειλέτας αὐτοῖς πολλούς.] In Or. Dominica : Καὶ ἄφες ἡμῖν τὰ ὀφειλήματα ἡμῶν, ὡς καὶ ἡμεῖς ἀφίεμεν τοῖς ὀφειλέταις ἡμῶν, Debitoribus nostris. Matth. 18, [24] : Προσηνέχθη αὐτῷ εἷς ὀφειλέτης μυρίων ταλάντων, Debitor talentorum decies mille : ut Horat., Debitor æris; Ovid., Debitor est vitæ qui tibi, Sexte, suæ. Item cum dat. pers. Ad Rom. 8, [12] : Ὀφειλέται ἐσμὲν οὐ τῇ σαρκί. Et cum infin. in Ep. ad Gal. 5, [3] : Ὀφειλέτης ἐστὶν ὅλον τὸν νόμον ποιῆσαι, Debet, Tenetur. Itidem Soph. [Aj. 590] : Οὐδὲν ἀρκεῖν εἴμ' ὀφειλέτης ἔτι, Nihil amplius præstare teneor,
A Nihil amplius debeo : pro quo dicitur uno verbo ἀφωσιωσάμην. [Eustrat. In Aristot. Eth. Nicom. p. 1, B, 4 : Ὀφ. ἐστὶ φροντίζειν. Pasin. Codd. Taurin. vol. 1, p. 185, A. L. Dind.] Hæ autem duæ posteriores constrr. conveniunt cum constructionibus verbi ὀφείλω. Fem. Ὀφειλέτις, ιδος, ἡ, Debitrix. Pro Obnoxia, Devincta beneficio, affertur ex Eur. [Rhes. 965 : Ὀφειλέτις δέ μοι (Ceres) τοὺς Ὀρφέως τιμῶσα φαίνεσθαι φίλους.]

[Ὀφειλετικὸς, ἡ, ὸν, Debitus. Eust. Opusc. p. 197, 8 : Κατά τινα καὶ αὐτοδεξίωσιν ὀφειλετικὴν καὶ ὁσίωσιν πρέπουσαν. || Adv. Ὀφειλετικῶς, Ex debito. Eust. Opusc. p. 86, 9 : Διδασκαλίαν πυκνὴν, ἧς ἕνεκεν ὀφειλετικῶς ἐνταῦθα συνηνέχθημεν. L. Dind.]

[Ὀφειλέτις. V. Ὀφειλέτης.]

Ὀφειλὴ, ἡ, Debitum [Gl.]. Matth. 18, [32] : Πᾶσαν τὴν ὀφειλὴν ἐκείνην ἀφῆκά σοι, Totum illud debitum. Ad Rom. 13, [7] : Ἀπόδοτε οὖν πᾶσι τὰς ὀφειλὰς, Reddite igitur cuique quod ei debetis, τὰ ὀφειλόμενα. Hesychio est non solum χρέος, δάνειον, sed etiam ἀνάγκη. [Σπανίως δὲ εὑρίσκεται ἐν χρήσει dicit Zonaras Lex. p. 1489, et
B Etym., quod εὕρηται, additque εὑρίσκεται δὲ παρὰ Ξενοφῶντι ἐν τῷ Περὶ πόρων, in quo libello qualis hodie habetur, non hoc, sed ὄφελος reperitur. Eust. Opusc. p. 266, 52 : Τὴν τῆς ὀφειλῆς ἔκτισιν· 273, 3 : Κατάρξαι τῆς ὀφειλῆς.]

Ὀφείλημα, τὸ, Debitum [Gl.], τὸ ὀφειλόμενον, s. χρέος, vide Ὀφείλω, Ἀντοφείλω. [Thuc. 2, 40 : Ὁ δ' ἀντοφείλων ἀμβλύτερος, εἰδὼς οὐκ ἐς χάριν, ἀλλ' ἐς ὀφείλημα τὴν ἀρετὴν ἀποδώσων. Plato Leg. 4, p. 717, B : Ἀποτίνειν τὰ πρῶτά τε καὶ μέγιστα ὀφειλήματα. Aristot. Eth. Nic. 9, 2 : Τὸ ὀφείλημα ἀποδοτέον.] Citat Bud. ex Dem. quoque et Libanio. [Herodian. p. 471 Piers. : Ὄφλημα καὶ ὀφείλημα διαφέρει· ὄφλημα γὰρ τὸ ἐκ καταδίκης λέγεται, ὀφείλημα δὲ ὃ ἐδανείσατό τις. Quibuscum conf. Ammon. p. 107. Memorat etiam Pollux 3, 84.]

[Ὀφειλομένως, Ex debito. Epiphan. vol. 1, p. 972. Athanas. vol. 1, p. 482. Kall. Hesychius in Προσηκόντως. Theodor. Stud. p. 377, C; 535, A; 549, D; 560, D; 565, B; 582, E. L. Dind.]

Ὀφειλόντως, quod Hesych. exp. δεόντως, πρεπόντως,
C Ita ut fieri debet, Ita ut decet. [V. idem in Προσηκόντως.]

Ὀφείλω, ήσω [et aor. ὠφείλησα Aristoph. Av. 115 : Κἀργύριον ὠφείλησας], ab inusitato Ὀφειλέω [de quo v. sub finem], Debeo. [Debito, add. Gl.] Construitur cum accus. rei et dat. personæ. [Hom. Il. Λ, 688 : Πολέσιν γὰρ Ἐπειοὶ χρεῖος ὄφειλον· ubi Aristarchum ὄφειλον, alios ὄφελλον legisse annotat schol. Ven. V. locus in pass. cit. et Ὀφέλλω. Sed recte Buttm. Gramm. vol. 2, p. 261, Homerum (adde Hesiodum) nonnisi ὀφέλλω dixisse judicat. V. Aristoteles in Ὄφελος cit. Pind. Ol. 11, 3 : Γλυκὺ γὰρ αὐτῷ μέλος ὀφείλων ἐπιλέλαθα. Soph. Ant. 331 : Ὀφείλω τοῖς θεοῖς πολλὴν χάριν. Eur. Herc. F. 287 : Ὀφείλομεν πολλὰ δώμασιν καλά. Theocr. 2, 130 : Χάριν τᾷ Κύπριδι ὀφείλεν.] Plato De rep. 1, [p. 331, B] : Ὀφείλοντα ἢ θεῷ θυσίας τινὰς, ἢ ἀνθρώπῳ χρήματα. Xen. Cyrop. 7, [2, 28] : Ὥστε τῷ Ἀπόλλωνι ἄλλα μοι δοκῶ χαριστήρια ὀφειλήσειν· 4, [5, 30] : Ἀμφοτέροις ὑμῖν χάριν ὀφείλειν, Utrique vestrum debere gratiam. Apol. [17] : Ἐμοὶ πολλοὺς ὁμολογεῖν χάριτας ὀφεί-
D λειν, Ut multi confiterentur se gratiam mihi debere; nam et Cic. dicit Debere alicui gratiam. [Ag. 4, 4 : Οὐδεὶς ἂν οὐδὲν αὐτῷ ὀφείλειν ἐνόμισε.] Plato [Reip. 1 init. : Πολλὴν χάριν ὀφείλω σοι τῆς Θεαιτήτου γνωρίσεως·] Leg. [7, p. 520, B : Μηδενὶ τροφὴν ὀφεῖλον· 10, p. 909, A : Ἐὰν ὀφείλῃ αὖθις τὴν τοιαύτην δίκην· 6, p. 774, D] : Ὀφειλέτω τῷ δημοσίῳ τοσοῦτον ἕτερον, Tantundem debeat; sed alii, Persolvat. Interdum cum alterutro tantum casu junctum reperitur, ita tamen ut alter subaudiatur. Cum accus. tantum, Aristoph. Nub. [21 : Φέρ' ἴδω, τί ὀφείλω· 117] : Ἃ νῦν ὀφείλω διά σε τούτων τῶν χρεῶν. Sic Plut. Camillo : Τῶν ὀφειλόντων χρέα, Ære alieno obstrictorum. [Plato Reip. 8, p. 555, D.] Dem. : Τὰ ἴσα ὀφείλει, Tantumdem debet, Æqua mulcta plectitur : sicut Isocr. [p. 396, A] : Ὃς κελεύει τοὺς λέγοντάς τι τῶν ἀποῤῥήτων, πενταχοσίας δραχμὰς ὀφείλειν, Quingentis drachmis mulctari, pro ὄφλειν. Rursum Dem. : Οὐ μέντοι γε ὀφειλούσας εἰσφορὰς, Sed quæ nullam collationem deberent. Synes. Ep. 28 : Ἀφιέναι φησὶ δεῖν ὁ θεὸς τὰ ὀφειλήματα· ὀφείλει δὲ ὁ μέν τις δάνει-

σμα χρυσίου, ὁ δὲ τὸ δοῦναι δίκην, Debet autem alius mutuum aurum, alius mulctam. [Aristoph. Eccl. 421 : Τρεῖς σισύρας ὀφειλέτω. Xen. Cyrop. 5, 2, 8 : Ὀφείλω τὴν ὑπόσχεσιν. Plato Leg. 6, p. 774, B : Δεκαπλάσιον ὀφειλέτω. Demosth. p. 1111, 12 : Ὀφείλει Πασίων ἐπὶ τὴν τράπεζαν ἕνδεκα τάλαντα εἰς τὰς παρακαταθήκας. Id. p. 818, ult. : Τὴν προῖκα ὀφείλειν ἐπ' ἐννέα ὀβολοῖς.] Item cum dat. solo, ut dixi ap. [Philemonem] Lucian. [Pro lapsu c. 6] ὀφείλειν μηδενὶ, Nemini debere : unum ex votis Philemonis. [Aristoph. Nub. 1135 : Πᾶς, οἷς ὀφείλων τυγχάνω· Lys. 581 : Κεἴ τις ὀφείλει τῷ δημοσίῳ.] Dem. : Ὀφείλοντα τῷ δημοσίῳ. Erant vero ignominiosi et ἄτιμοι ii, qui τῷ δημοσίῳ ὤφειλον, donec persolvissent, ut ærarii ap. Rom., quod ex Isocr. Panath. [p. 234, E] cognoscimus, ubi ait, Ὧν οἱ μὴ τυχόντες, ἀτιμότεροι γίνονται τῶν ὀφειλόντων τῷ δημοσίῳ, Iis, qui mulctam ærario debent ; subauditur enim accus. ζημίαν, ut ap. Plut. Cam., τὴν ζημίαν ὀφείλειν. [Ὀφείλειν δίκην ap. Polluc. 8, 37 : Ἐκκλητεύεσθαι τὸ δίκην ὀφείλειν ἐπὶ τῷ τὰς χιλίας καταβαλεῖν, scr. ὀφλεῖν, de quo 3, 84.] Nonnunquam etiam ὀφείλω solum ponitur sine ullo casu. [Æsch. Prom. 984 : Καὶ μὴν ὀφείλων γ' ἂν τίνοιμ' αὐτῷ χάριν. Eur. Rhes. 957 : Ὀφείλων δ' ἦλθε συμπονεῖν ἐμοί. Aristoph. Eccl. 660 : Ἢν τις ὀφείλων γ' ἐξαρνῆται· Nub. 485 : Ἐὰν δ' ὀφείλω. Ps.-Demosth. p. 1358, 11 : Ἐπ' ἐκείνης τῆς ἡμέρας ὀφείλειν ἀφ' ἧς ἂν ὄφλῃ.] Plut. [Mor. p. 829, C] : Τὸ ψεύδεσθαι δεύτερον ἡγοῦνται τῶν ἁμαρτημάτων, πρῶτον δὲ τὸ ὀφείλειν · de Persis. Unde οἱ ὀφείλοντες, Debitores. Idem [ib. p. 832, A] : Οἱ δὲ ὀφείλοντες ἀπαιτούμενοι , δασμολογούμενοι , δουλεύοντες, ἀνέχονται, καρτεροῦσι. Idem, Ὁ χρόνος, ὥσπερ ὀφείλων, ἀπέδωκεν. Itidem Aristot. Eth. 9, 7 : Οἱ μὲν ὀφείλοντες βούλονται μὴ εἶναι οἷς ὀφείλουσιν· οἱ δὲ δανείσαντες, καὶ ἐπιμέλονται τῆς τῶν ὀφειλόντων σωτηρίας. [Sequente infinitivo Plato Reip. 1, p. 332, A : Τοῖς φίλοις οἴεται ὀφείλειν τοὺς φίλους ἀγαθὸν μέν τι δρᾶν, κακὸν δὲ οὐδέν.] Pass. Ὀφείλομαι, Debeor. [Hom. Il. Λ, 686 : Οἷσι χρεῖος ὀφείλετ' ἐν Ἤλιδι. Pind. Pyth. 4, 3 : Λατοΐδαισιν ὀφειλόμενον οὖρον ὕμνων. Æsch. fr. ap. Stob. Ecl. phys. vol. 1, p. 118 : Δράσαντι γάρ τοι καὶ παθεῖν ὀφείλεται· ap. Clem. Al. Str. 4, p. 586 : Τῷ πονοῦντι δ' ἐκ θεῶν ὀφείλεται τέκνωμα τοῦ πόνου κλέος. Soph. Ph. 1421 : Καί σοι τοῦτ' ὀφείλεται παθεῖν· El. 1173 : Πᾶσιν γὰρ ἡμῖν τοῦτ' ὀφείλεται παθεῖν. Aristoph. Nub. 484 : Ἢν μέν γ' ὀφείληταί τι μοι, μνήμων πάνυ. Callim. Del. 165 : Ἀλλά οἱ ἐκ μοιρέων τις ὀφειλόμενος θεὸς ἄλλος ἐστί· L. P. 106 : Τέλθος ὀφειλόμενον· Ep. 17 : Ἀποβρίζει τὸν πάσαις ὕπνον ὀφειλόμενον. Tryphiod. 555 : Ξυνὸν λέχος ἔσχεν ὀφειλομένῳ παρακοίτῃ. Diogen. Anth. Pal. 7, 613, 4 : Πατρὸς ἀδελφειῷ πένθος ὀφειλόμενον. Crinagor. 9, 283, 6 : Τοιαύταις χερσὶν ὀφειλόμεθα.] Thuc. 1, [137] : Καί μοι εὐεργεσία ὀφείλεται, Beneficium mihi debetur. Cic., Debere alicui beneficium maximum. [Xen. Anab. 1, 2, 11 : Τοῖς στρατιώταις ὠφείλετο μισθός· Cyrop. 4, 5, 32 : Ἵνα μή σοι ἔχθραι ἀντὶ χαρίτων ὀφείλωνται.] Plut. Symp. [p. 631, D] : Οὐχ ὀφειλόμενόν μοι ἀποδίδως ἔρανον. Synes. Ep. 95 : Ὡς ἀπέχομέν γε τὴν χάριν, εἰ δή τις ὀφείλεται καὶ νεωτέρῳ παρ' ἀδελφοῦ πρεσβυτέρου, Si qua debetur juniori a fratre seniore. Ep. 44 : Ἀλλ' ἐκείνως μὲν ἄν σοι μῖσος ὀφείλετο [ὠφ.] δίκαιον, οὕτω δὲ καὶ ἔλεος, Verum illo modo odium merito tibi deberetur ; hoc vero, misericordia. [Theognis 1196 : Χρεῖος ὀφειλόμενον.] Et τὸ ὀφειλόμενον, Id quod debetur, Debitum. [Æsch. Cho. 310 : Τοὐφειλόμενον πράσσουσα Δίκη. Xen. Anab. 7, 7, 34 : Ἀργύριον δὲ ποτέρων ἂν πλεῖον ἀναλωθείη, εἰ τούτοις τὸ ὀφειλόμενον ἀποδοθείη ἢ εἰ ταῦτά τε ὀφείλοιτο κτλ. H. Gr. 1, 3, 9 : Τὰ ὀφειλόμενα χρήματα ἀποδοῦναι. Plato Reip. 1, p. 331, E : Τὰ ὀφειλόμενα ἀποδιδόναι· Crat. p. 400, C : Ἕως ἂν ἐκτίσῃ τὰ ὀφειλόμενα· Reip. 10, p. 614, A : Ἵνα ἑκάτερος αὐτῶν ἀπειλήφῃ τὰ ὑπὸ τοῦ λόγου ὀφειλόμενα ἀκοῦσαι.] Athen. 13 : Ἀπαιτήσοντες τὰ ὀφειλόμενα. Plato generaliter ὀφειλόμενον exp. τὸ προσῆκον ἑκάστῳ, De rep. 1, [p. 332, C] : Διενοεῖτο μὲν γὰρ ὅτι τοῦτ' εἴη δίκαιον, τὸ προσῆκον ἑκάστῳ ἀποδιδόναι· τοῦτο δὲ ὠνόμασεν ὀφειλόμενον. || Ὀφείλω aliquando exp. Mulctor, Mulcta mihi imponitur ; aliquando Persolvo : quarum signiff. in præcedentibus quoque obiter mentio facta est : illius, in loco quodam Dem. et Isocr. ; hujus, in quodam Platonis. Alicubi redditur etiam Mulctandus venio, Obnoxius sum.

A Eur. [Andr. 360], ὀφείλω σοι βλάβην, Sum tibi obnoxius injuriæ : ad verbum, Debeo tibi injuriam, illam sc. qua te affeci. Itidem, Ὀφείλεις μοι κακὸν, pro Oportet ut quo me affecisti malo, eo te vicissim afficiam ; nam secundum Plat. De rep. 1, [p. 332, B] : Ὀφείλεται παρὰ τοῦ ἐχθροῦ τῷ ἐχθρῷ κακόν τι. [Ib. p. 335, E : Τοῖς μὲν ἐχθροῖς βλάβην ὀφείλεσθαι παρὰ τοῦ δικαίου ἀνδρὸς, τοῖς δὲ φίλοις ὠφέλειαν.] Itidem, Μῖσος ὀφείλεταί τινι, in l. quodam Synesii supra citato. Mors quoque ὀφείλεται iis omnibus, qui nati sunt, h. e. Omnes ei obnoxii sunt, ea mulctantur, etiam Omnibus debetur : ut in μονοστίχοις γνώμαις Menandri [69] : Βροτοῖς ἅπασι κατθανεῖν ὀφείλεται, ubi κατθανεῖν usurpatur pro τὸ κατθανεῖν, h. e. ὁ θάνατος. Diversa autem constr. trimetrum hoc ap. Philon. De mundo ita legitur, Τό τοι γενόμενον κατθανεῖν ὀφείλεται· itidem κατθανεῖν accipiendo pro τὸ κατθανεῖν in accus., qua constr. ex Epigr., Ὀφειλόμενος τὰς εἰκόνας, Cui debentur imagines. Ex Eur. vero [Alc. 421, etc.], Ὀφείλεται κατθανεῖν, pro Oportet mori. [O dii date mihi τὰ ὀφειλόμενα, Philostr. p. 12,
B 3 ; Convenientia, Olear. si bonus, date bona ; si malus, mala. Valck.] || Ὀφείλομαι, exp. etiam Devinctus et obnoxius sum. [Simonid. Anth. Pal. 10, 105, 2 : Θανάτῳ πάντες ὀφειλόμεθα.] || Ὀφείλω cum infin. quoque construitur, significans et tunc Debeo, Oportet me etc., Necesse est ut ; nam et hoc modo interdum exp. [Pind. Nem. 2, 6 : Ὀφείλει δ' ἔτι… Ἰσθμιάδων δρέπεσθαι κάλλιστον ἄωτον Τιμονόου παῖδα· ubi schol., ὀφειλόμενον καὶ πρέπον ἐστὶ τὸν T. παῖδα· οὕτω τὸ ὑπερβατὸν δεῖ νοηθῆναι· Ἀρίσταρχος δὲ οὐκ ἐπὶ τοῦ ἀνδρὸς τὸ ὀφείλει, ἀλλ' ἐπὶ τοῦ πράγματός φησιν, ὡς ἄν τις εἴποι, ὀφειλόμενον δέ τί ἐστιν. Eur. Alc. 682 : Ὀφείλω δ' οὐχ ὑπερθνήσκειν σέθεν· 715 : Ψυχῇ μιᾷ ζῆν, οὐ δυοῖν, ὀφείλομεν· Suppl. 1178 : Γενναῖα ὑμᾶς ἀντιδρᾶν ὀφείλομεν· Hel. 1448 : Ὀφείλω δ' οὐκ ἀεὶ πράσσειν κακῶς. Herodot. 1, 41 : Ὀφείλεις χρηστοῖσί με ἀμείβεσθαι· et ib. 42. Et 7, 50 : Εἰ ἐρίζων πρὸς πᾶν τὸ λεγόμενον μὴ τὸ βέβαιον ἀποδέξεις, σφάλλεσθαι ὀφείλεις ἐν αὐτοῖσι· 152 : Ἐγὼ ὀφείλω λέγειν τὰ λεγόμενα.] Thuc. 4, p. 128 [c. 19] : Ὀφείλων γὰρ ἤδη ὁ ἐναντίος μὴ ἀνταμύνεσθαι ὡς βιασθεὶς, ἀλλ' ἀνταπο-
C δοῦναι ἀρετὴν, Quum enim deberet, Quum enim eum oporteret etc. Dem. [p. 20, 10] : Οὕτως ὀφείλει διὰ τῶν αὐτῶν τούτων καὶ καθαιρεθῆναι πάλιν. Idem, Ὀφείλω δίκην δοῦναι, Pœna mihi luenda venit : quod etiam sine δοῦναι dicitur ὀφείλω δίκην. Aristot. Eth. 2, 2 : Τύπῳ καὶ οὐκ ἀκριβῶς ὀφείλει λέγεσθαι. Plut. De Herod. : Ἐγὼ δὲ λέγειν ὀφείλω. [Polyb. 6, 37, 5 : Τὸ αὐτὸ πάσχειν ὀφείλει ὁ οὐραγός· 9, 36, 4 : Ὤφειλε ποιεῖν τὰ τοῦ πολέμου.] Sic [1] Ad Cor. [7, 36] : Ὀφείλει γενέσθαι. Oportet fieri. [Ap. Jo. Malalam frequens est ὀφείλω cum inf., significatione futuri, ut p. 97, 8 : Γράμματα ὀφείλοντα πεῖσαι, Persuasura. V. ind. ed. Bonn.] Et in aor. 2 ex Musæo, Ὤφελεν ἄγειν, Ducere debuit ; itidemque ex Herodoto [1, 111 ; 3, 65], Ὄφελον ἰδεῖν, Debui videre, Ionice sine augmento. [Utroque l. est εἶδον τὸ μὴ, et ὄψιν τὴν μηδαμὰ ὀφ. ἰδεῖν, Quod vidisse nolim.] Itidem ex Hom. affertur [Il. K, 117] : Νῦν ὄφελεν… πονέεσθαι, pro Debebat, ἔπρεπε. [Σ, 367 : Πῶς δὴ ἔγωγε οὐκ ὄφελον Τρώεσσι κοτεσσαμένη κακὰ ῥάψαι ; Ψ, 546 : Ἀλλ' ὤφελεν ἀθανάτοισιν εὔχεσθαι·
D || Forma ὤφελον pro ὤφειλον utitur Callim. Ep. 57, 2 : Τὸ χρέος ὡς ἀπέχεις, Ἀσκληπιὲ, τὸ πρὸ γυναικὸς Δημοδίκης Ἀκέσων ὤφελεν εὐξάμενος. Sed Appianus Civ. 5, 77 : Ὅσα ἔτι ὤφελον αὐτῷ Πελοποννήσιοι, neque hoc neque ὤφειλον, sed ὦφλον scripserat, quod pro ὀφείλειν ab eo positum notabimus in Ὄφλω sub Ὀφλισκάνω. Συνοφελείτω pro συνοφειλέτω scriptum in inscr. Teja ap. Bœckh. vol. 2, p. 639, n. 3059, 16. Quod non defenditur exx. Eusebii ap. Stob. Fl. 28, 13, vol. 1, p. 385 : Τῆς ὀφειλευμένης τιμωρίης· et 46, 34, vol. 2, p. 265 : Ἀσφαλεστάτῃ ὀφειλεύσῃ κρίσει εἶναι, quod ὀφειλεούσῃ scribebat. Buttmann. Gramm. vol. 2, p. 54 ed. Lobeck. L. D.] || Interdum huic verbo cum infin. juncto optativa particula εἴθε vel αἴθε aut ὡς præponitur : sc. in imperf. Ὤφειλον sive Ὄφειλον, et aor. 2 Ὤφελον, sive Ὄφελον, pro quo etiam Ὤφελλον, Ionice, ut tradit Eust. : nonnunquam etiam omittuntur illæ particulæ, ut ordine docebo. Hom. Od. [N, 204] : Αἴθ' ὄφελον μεῖναι παρὰ Φαιήκεσσι, q. d. Utinam debuissem manere, Utinam oportuisset me manere, pro Utinam mansissem : quæ

expos. et ad sequentia pertinet exempla. Il. Γ, [428] : Ἤλυθες ἐκ πολέμου· ὡς ὤφελες αὐτόθ' ὀλέσθαι. [Ib. 173 : Ὡς ὄφελεν θάνατός μοι ἁδεῖν κακός· 40 : Αἴθ' ὄφελες ἄγονός τ' ἔμεναι κτλ. Α, 415 : Αἴθ' ὄφελες παρὰ νηυσὶν ... ἧσθαι.] Ξ, [84] : Οὐλόμεν', αἴθ' ὤφελλες ἀεικελίου στρατοῦ ἄλλου Σημαίνειν. [Od. Σ, 401 : Αἴθ' ὤφελλ' ὁ ξεῖνος ἀλώμενος ἄλλοτ' ὀλέσθαι·] Ω, [254 : Αἴθ' ἅμα πάντες Ἕκτορος ὠφέλετ' ἄντι θοῆς ἐπὶ νηυσὶ πεφάσθαι. Hesiod. ap. Tzetz. Exeg. Il. p. 149, 4 : Εἴθε μοι ... ὤφελλες δοῦναι, ubi ὤφελες libri schol. Lycophr. 682, utrique autem εἴθ' pro αἴθ'. Hom. Il. Ω, 764] : Ὅς μ' ἄγαγε Τροίηνδ' ὡς πρὶν ὤφελλ' ἀπολέσθαι, Utinam prius perire debuissem, periissem; est enim primæ personæ pro Ὤφελλα, quem aor. Eust. quoque agnoscit. [Et schol. Ven., sed idem quod nunc receptum ex aliis libris ὤφελλον ὀλέσθαι. Alioqui conferri posset opt. ὀφέλλειεν, de quo in 'Οφέλλω.] At Il. Η, [390] : Ὡς πρὶν ὤφελλ' ἀπολέσθαι, est tertiæ personæ pro ὤφελλε, Utinam prius perire debuissent pecuniæ illæ et opes. [Et Χ, 481 : Ὡς μὴ ὤφελλε τεκέσθαι, etc. V. HSt. in 'Οφέλλω. Apoll. Rh. 3, 773 : Ὡς ὄφελόν γε Ἀρτέμιδος κραιπνοῖσι πάρος βελέεσσι δαμῆναι.] Itidem ap. ceteros poetas. [Soph. El. 1021 : Εἴθ' ὤφελες τοιάδε τὴν γνώμην εἶναι.] Eur. [Med. 1 : Εἴθ' ὤφελ' Ἀργοῦς μὴ διαπτάσθαι σκάφος· Ion. 286 : Ὡς μήποτ' ὤφελόν σφ' ἰδεῖν·] Ὥς γε μή ποτ' ὤφελεν λαβεῖν Μενέλαον. Aristoph. [Ran. 955] : Ὡς ὤφελες διαῤῥαγῆναι· et [Pac. 1069] : Εἴθ' ὤφελεν εἶναι, Utinam esset. [Vesp. 731 : Εἴθ' ὤφελέν μοι κηδεμὼν ἢ ξυγγενὴς εἶναί τις· Pac. 1069 : Εἴθε σου εἶναι ὤφελεν κτλ. Nub. 41] : Εἴθ' ὤφελ' ἡ προμνήστρι' ἀπολέσθαι κακῶς. [Moschus 4, 29 : Ὥς γ' ὄφελον ... κεῖσθαι. Cum εἰ Aristoph. Eccl. 380 : Τὸ τριώβολον δῆτ' ἔλαβες; — Εἰ γὰρ ὤφελον. Plato Reip. 4, p. 432, C, Crit. p. 44, D.] Est ejus usus in prosa quoque; sed frequenter sine infin. ponitur in fine sententiæ, ita tamen ut ex præcedentibus subaudiatur. Xen. Cyrop. 4, [6, 3] : Ὁ μὲν ἄρχων οὗτος ἀκοντίσας ἥμαρτεν· ὡς μήποτ' ὤφελεν, Utinam nunquam debuisset, sc. ἁμαρτεῖν. Dem. [p. 539, 25] : Καὶ τοῦτον οὐδ' εἰ γέγονεν εἰδὼς, μηδὲ γιγνώσκων· ὡς μηδὲ νῦν ὤφελον; Atque utinam ne nunc quidem cognovissem. Interdum εὐκτικαὶ illæ particulæ omittuntur : Od. Δ, [97] : Ὧν ὄφελον τριτάτην περ ἔχων ἐν δώμασι μοῖραν Ναίειν, [οἱ δ' ἄνδρες σόοι ἔμμεναι,] pro ὡς ὄφελον, αἴθ' ὄφελον. Itidem, Il. Τ, [59] : Τὴν ὄφελ' ἐν νήεσσι κατακτάμεν Ἄρτεμις ἰῷ, Quam utinam in navibus occidisset Diana suis sagittis. Sic Hesiod. Ἔργ. [172] : Μηκέτ' ἔπειτ' ὤφειλον ἐγὼ πέμπτοισι μετεῖναι Ἀνδράσι. [Eadem forma Eur. Hec. 395 : Ἅλις κόρης σῆς θάνατος· οὐ προσοιστέος ἄλλος πρὸς ἄλλῳ· μηδὲ τόνδ' ὠφείλομεν, ubi infinitivus est intelligendus, quum aliena sit signif. Debendi tanquam debitum. Versui Hesiodi quem Buttm. in Gramm. v. 'Οφείλω addit ejusdem ex schol. Lyc. 682 paullo ante cit., in eo scriptura per ει fide caret. Neque alteri plus tribuendum, quam exx. Homericis formæ ὀφείλω ab ipso tribui Buttmanno diximus sub initium, etiamsi Quinto 5, 194 concedendum : Ὡς μὴ ὤφειλες ἱκέσθαι.] Soph. [El. 1131] : Ὤφελον ἐκλιπεῖν βίον. [Sed hic est ὡς ὤφελον. OEd. T. 1157 : Ὀλέσθαι δ' ὤφελον τῇδ' ἡμέρᾳ· Aj. 1192 : Ὤφελε πρότερον αἰθέρα δῦναι ... κεῖνος· Tr. 999 : Ἣν μήποτ' ἐγὼ προσιδεῖν ὤφελον· Ph. 969 : Μή ποτ' ὤφελον λιπεῖν τὴν Σκῦρον. Aristoph. Thesm. 217 : Ἢ μὴ 'πιδιδόναι 'μαυτὸν ὤφελόν ποτε· 865 : Ψυχαὶ δὲ πολλαὶ ... ἔθανον. — Ὤφελες δὲ καὶ σύγε.] Eur. [Iph. A. 1291] : Μήποτ' ὤφειλε τὸν βουκόλον οἰκῆσαι, Utinam nunquam bubulcus habitasset. [Verba sunt : Μήποτ' ὤφειλεν τὸν ἀμφὶ βουσὶ βουκόλον τραφέντ' Ἀλέξανδρον οἰκίσαι ἀμφὶ τὸ λευκὸν ὕδωρ, ubi formam per ε restituit Elmsl. ad Med. p. 77, nec locum habere ejusmodi interpret. animadvertit, qualem præter HSt. adhibuit illis Musgravius, qui male etiam οἰκῆσαι. Alioqui hæc omnia tribui non possent Euripidi, a quo alienum est ὤφελε impersonaliter dictum. Ceterum Æsch. Prom. 48 : Ἔμπας τις αὐτὴν ἄλλος ὤφελεν λαχεῖν· et omisso augmento Pers. 915 : Εἴθ' ὄφελε, Ζεῦ, κἀμὲ μετ' ἀνδρῶν τῶν οἰχομένων θανάτου κατὰ μοῖρα καλύψαι, ut Eur. Med. 1413 : Οὓς μήποτ' ἐγὼ φύσας ὄφελον πρὸς σοῦ φθιμένους ἐπιδέσθαι.] Itidem in prosa [Xen. Anab. 2, 1, 4 : Ἀλλ' ὤφελε μὲν Κῦρος ζῆν], et quidem interdum veluti παρενθετικῶς. Dem. [p. 322, 3] : Οὗτος καὶ παθόντων ἃ μή ποτ' ὤφελον τῆς ὑπὲρ ἁπάντων λύπης πλεῖστον μετεῖχε. Aliquanto post, Ἐπειδὴ δὲ ἃ μή ποτ' ὤφελε συνέβη, Postquam vero ea contigere, quæ utinam nunquam contigissent. Ex Basil. quoque ὤφειλε [scr. ὤφελε] pro Utinam, Bud. ‖ Sed et Ὄφελον cum optativo junctum accipitur pro Utinam [Vellem, Velim, Gl.]; adverbialiter tamen et sine discrimine personæ : quale in præc. ὤφειλον, ὤφειλες, ὤφειλε. Cujus usus hæc exempla affert Bud. ex grammatico quodam [Ps. 118, 5] : Ὄφελον κατευθυνθείησαν αἱ ὁδοί μου. Et cum præterito, Ὄφελον ἐγένετο τόδε· quo modo Gaza, Ἦ ὄφελον ἦν ἀξία τῆς ὑμῶν ὑπολήψεως, pro his Ciceronis, Quæ utinam digna esset. Item in fine sententiæ ut supra ὤφελον et ὤφελε usurpari docui, Gregor. Stel. 1 : Κατῄει μὲν εἴς τι τῶν ἀδύτων τοῖς πολλοῖς ἀβάτων· ὡς ὄφελόν γε καὶ τὴν εἰς ᾅδου φέρουσαν, Utinam vero et in viam ad inferos ferentem. Ubi etiam nota partic. ὡς. [V. l. Apoll. Rh. supra cit.] Itidem Ὄφελος usurpari docet Suid. his verbis, Ὄφελος καὶ [Hæc duo recte omittit Photius, ap. quem male μακάριον·] Ὄφελον, Εἴθε, Μακάρι, εὐκτικῶς· τὸ δὲ Μακάρι, τῶν ἀπαιδεύτων εὐκτικὸν ἐπίῤῥημα ἀντὶ τοῦ εἴθε καὶ αἴθε. Ubi etiam observa Μακάρι. [Ὄφελον, quod ab Homero aliisque antiquis scriptoribus tanquam verbum ponitur, a recentioribus dicitur pro adverbio, ita ut idem sit quod εἴθε. Atque sic construitur semper cum optativo, vel cum præterito, auctoribus schol. Soph. ad Ajac. 1211 et Thom. M. p. 665. Cum optativo legitur Ps. 118, 5; cum indicativo autem præteriti in Aquilæ versione Job. 16, 4, it. Corinth. 1, 4, 8; Cor. 2, 11, 1. Eodem modo Callimachum Epigr. 18, 1 : Ὤφελε μηδ' ἐγένοντο θοαὶ νέες, ὤφελε pro adverbio dixisse, notarunt jam veteres grammatici, ut (schol. Hom. Il. Α, 415,) Etymol. M. p. 643, 45. Cum indicativo futuri est ὄφελον Galat. 5, 12. V. omnino Pierson. ad Mœr. p. 286 et Fischer. ad Weller. Gramm. 3, part. 1, p. 148. Sturz. Photius : Ὄφελον καὶ ὄφελες καὶ ὄφελε τοῖς προσώποις συσχηματίζουσιν ὡς ῥῆμα, καὶ διὰ τοῦ ω, ὤφελον ἐγὼ καὶ ὤφελες σὺ καὶ ὤφελεν οὗτος· τάττουσιν αὐτὰ ἐπὶ πραγμάτων ἤδη γεγονότων, ἃ ἐβουλόμεθ' ἂν ἄλλως γεγονέναι κτλ., et similiter ceteri grammatici modo citati. Impersonaliter, ut Callim., cum inf. Lucian. De Syr. dea c. 25 : Ὦ σχέτλιε, ὃς τοιάδε ἔτλης, οἷα μήτε σὲ παθέειν μήτε ἐμὲ ἰδέσθαι ὤφελεν. Ὄφελον καὶ νῦν ἀκολουθῆσαι δυνήσει ejusd. Solœc. c. 1. Ap. Athen. 4, p. 156, A : Ἄλλως ὤφελον, ἔφη, τὴν Θρᾴκιον ταύτην παίξας παιδιὰν διεφθάρης, Schweigh. ἀλλ' ὡς ὄφελον. Quintus 1, 729 : Ὥς σ' ὄφελον κατὰ δῆριν ὑποφθαμένη βάλε δουρί· 3, 572 : Ὡς ὄφελόν με γαῖα χυτὴ ἐκάλυψε, πάρος σέο πότμον ἰδέσθαι· 4, 30 : Ὡς ὄφελον μένος ἦεν ἔθ' Ἕκτορος· 5, 565 : Αἴθ' ὄφελον μηδ' ἄλγος Ἀχαΐδι θήκατο πάσῃ· 10, 378 : Τὰ μὴ ὄφελον ἐνόησα· et alibi sæpissime; aliter, sed librariorum errore, 2, 61 : Αἴθ' ὄφελεν καὶ πρόσθεν ἐμῆς ἐπάκουσεν ἐφετμῆς Ἕκτωρ· 3, 464 : Ὡς ὄφελέν με χυτὴ κατὰ γαῖα κεκεύθει. Sequente accus. cum inf. Orph. Arg. 1157 : Ὤμοι ἐγὼν, ὄφελόν με διαρραισθεῖσαν ὀλέσθαι. L. Dindorf.]

['Οφείρ. V. Σωφειρά.]

['Οφέλας, α, ὁ, Ophelas, n. viri, ap. Athen. 6, p. 243, D; 8, p. 365, A. Ubi metro tutum est simplex λ, quum duplex constanter tueantur libri Diod. 18, 21; 20, 40 sq. in nomine ducis Ptolemæi, ut Theophr. H. Pl. 4, 3, 2. Pro quo 'Οφέλτᾳ est in libris Plut. Demetr. c. 14, 'Οφέλα et 'Οφρύα in Strabonis 17, p. 826, 'Οφέλας in omnibus Aristotelis OEcon. 2, 35 a Boiss. cit. 'Οφελλᾶς, ᾶ male ap. Arrian. Ind. 18, 3, Phot. Bibl. p. 70, 22. D. Dind.]

['Οφελέστης, ὁ, Ophelestes, n. Trojani, Hom. Il. Θ, 214, Pæonis Φ, 210.]

[Ὄφελλα, ἡ, Scopæ. V. Ὄφελμα.]

['Οφελλία, ἡ, Ophellia, n. mulieris, ap. Bœckh. vol. 2, p. 603, n. 2958, 2.]

['Οφέλλιμος. V. 'Οφέλσιμος.]

['Οφέλλιον, τὸ, Ofella, Gl.]

['Οφέλλιος, ὁ, Ophellius, n. viri, in inscr. ap. Bœckh. in 'Οφελλία cit., et ib. p. 249, n. 2326; p. 391, n. 2520, 3; p. 616, n. 2994, Lebas. *Inscr.* fasc. 5, p. 174, n. 247, Romanum tamen potius. Pro quo infra 'Οφίλλιος. « Arrian. Diss. Epict. 3, 22, 27. » Boiss.]

['Οφελλοκλείδας, ὁ, Ophelloclidas, n. viri, in inscr. Fourmont. ap. Bœckh. vol. 1, p. 36, n. 18.]

Ὀφέλλω, alicubi usurpatur ead. signif. qua ὀφείλω, de quo paulo ante dictum a me fuit. Hom. Od. Φ, [17]: Ἦλθε μετὰ χρεῖος τό ῥά οἱ πᾶς δῆμος ὄφελλε, Debebat. Θ, [462]: Μνήσῃ ἐμεῖο ὅτι πρώτῃ ζωάγρι' ὀφέλλεις, Debes, ὀφείλεις, χρεωστεῖς. [Ib. 332: Τὸ καὶ μοιχάγρι' ὀφέλλει.] Itidem pass. Ὀφέλλομαι, Debeor. Γ, [367]: Μετὰ Καύκωνας μεγαθύμους Εἶμ', ἔνθα χρεῖός μοι ὀφέλλεται, i. e. ὀφείλεται, ut quidam ἁπλούστερον accipiunt [et scriptum ap. Strab. 8, p. 342], alii autem αὔξεται exp. de usura intelligentes; nam τὸ χρέος ὀφελλόμενον ἐγκυμονεῖ ὥσπερ τὸν ἐς ὕστερον τόκον: de qua signif. τοῦ ὀφέλλειν mox pluribus dicetur. [V. dicta in Ὀφείλω de simili l. Il. Λ, 686 sub initium. In fr. Callim. ap. schol. Apoll. Rh. 4, 1322: Δέσποιναι Λιβύης Ἡρωίδες, αἳ Νασαμώνων αὖλιν καὶ δολιχὰς θῖνας ἐπιβλέπετε, μητέρα μοι ζώουσαν ὀφέλλετε, Hemst. interpr.: Matrem mihi vivam debetis, ut ap. Horatium, « Navis quæ tibi creditum debes Virgilium », ὀφέλλειν vetustissimis Græcis et Homero i. esse monens q. usitatius postea frequentatum ὀφείλειν, Valck. autem ad Callim. fr. p. 14, turpe vitium judicabat ὀφέλλετε pro ὀφείλετε, Blomf. vero sequentem verbi ὀφέλλω signif. præferebat, nec dubium est omnium minime probabilem esse Valck. opinionem.] Item cum infin., ut supra ὀφείλω. Il. Τ, [200]: Ὀφέλλετε ταῦτα πένεσθαι, Debetis hæc facere, ὀφείλετε δρᾶν, ut ubi exp. Il. Α, [353]: Τιμήν πέρ μοι ὄφελλεν Ὀλύμπιος ἐγγυαλίξαι Ζεὺς, Debebat, ὤφειλεν, ut ibi exp. [Ζ, 350: Ἀνδρὸς ἔπειτ' ὤφελλον ἀμείνονος εἶναι ἄκοιτις· Od. Δ, 472: Ἀλλὰ μάλ' ὤφελλες. Apoll. Rh. 3, 466: Ἦ μὲν ὄφελλεν ἀκήριος ἐξαλέασθαι· 678: Ὄφελλέ με μὴ ... εἰσοράαν.] Atque ut ὤφειλον et ὤφελον dixi supra jungi interdum cum optativis particulis εἴθε, αἴθε, ὡς: sic etiam Ὤφελλον sive Ὄφελλον, Ionice sine augmento. Il. Ξ, [84]: Αἴθ' ὤφελλες ἀεικελίου στρατοῦ ἄλλου Σημαίνειν· Η, [390]: Ὡς πρὶν ὤφελλ' ἀπολέσθαι· quæ exempla supra quoque attuli in tertio tmemate verbi Ὀφείλω, quod Ionica esse Eust. diceret pro ὤφειλε s. ὤφελε. [Ibidem dictum de forma Ὤφελλα, unde ὀφέλλειεν opt., de quo infra.] Et sine illis particulis optativis, ut supra quoque in Ὀφείλω admonui, ap. Hesych., Ὄφελλον, ὤφειλον, εἴθε, Utinam, s. Utinam deberem. [Od. Θ, 312: Τὼ μὴ γείνασθαι ὄφελλον. Leontius Anth. Pal. 7575, 5: Ὄφελλε δὲ μυρία κύκλα ζώειν.] Quo referri etiam posset Ὄφελον, quod adverbialiter usurpari, ibid. docui. || Alias Ὀφέλλω significat etiam Augeo, Adaugeo, Amplifico. Il. Υ, [242]: Ζεὺς δ' ἀρετὴν ἄνδρεσσιν ὀφέλλει τε μινύθει τε, Ὅππως κεν ἐθέλῃσι, ubi observa ὀφέλλει τε μινύθει τε opposita sibi: ut in illo Hesiodeo [Op. 6]: Ῥεῖα δ' ἀρίζηλον μινύθει, καὶ ἄδηλον ἀέξει, opposita sunt μινύθει et ἀέξει. Hom. [Od. Π, 174]: Δέμας δ' ὤφελλε καὶ ἥβην, Minerva Ulyssi corpus amplius s. majus affingebat et juventutem: schol. ηὔξησε. Il. Α, [510]: Υἱὸν ἐμὸν τίσωσιν ὀφέλλωσίν τέ ἑ τιμῇ, Filium meum cumularint honore. Γ, [62] de securi acuta: Ὀφέλλει δ' ἀνδρὸς ἐρωήν, i. e. αὔξει τὴν ἀνδρὸς δύναμιν. [Ο, 383: Ἲς ἀνέμου μάλιστά γε κύματ' ὀφέλλει. Dionys. Per. 133: Οὐ γάρ τις κείνῳ ἐναλίγκια κύματ' ὀφέλλει ... πόρος.] Et μῦθον ὀφέλλειν, Multa verba facere, πολυλογεῖν, ληρεῖν: ut Π, [631]: Τῷ οὔτι χρὴ μῦθον ὀφέλλειν, ἀλλὰ μάχεσθαι, Non ingeminanda et multiplicanda verba sunt, Non pluribus verbis opus est. [Od. Ο, 21: Κείνου βούλεται οἶκον ὀφέλλειν, ὅς κεν ὀπυίοι. Hesiod. Op. 493: Ἔνθα κ' ἄοκνος ἀνὴρ μέγα οἶκον ὀφέλλοι.] Pass. Ὀφέλλομαι, Augeor, Adaugeor, Amplificor. Hom. [Od. Ξ, 233]: Οἶκος ὀφέλλετο, Amplificabatur, et adaugebatur. Il. Ψ, [524]: Ἀλλά μιν αἶψα κίχανεν· ὀφέλλετο γὰρ μένος ἵππου, Adaugebatur et invalescebat: quo modo acceperunt quidam Homericum illud, de quo supra, Ἔνθα χρεῖός μοι ὀφέλλεται, ut sit, Usura crescit: sed simplicius et rectius pro Debetur; ut in præcedente l., Ἦλθε μετὰ χρεῖος τό ῥά οἱ πᾶς δῆμος ὄφελλε, Debebat, ὠφείλει, ἐχρεώστει. [Æsch. Sept. 249: Ἀραγμὸς δ' ἐν πύλαις ὀφέλλεται. Arat. 1080: Ἀμβολίῃ χειμῶνος ὀφέλλεται ὕστερα ἔργα. Theocr. 17, 78: Λήιον ὀφελλόμενον Διὸς ὄμβρῳ.] Interdum vero ὀφέλλω redditur non solum Adaugeo, verum etiam Adjuvo, Foveo. Il. Δ, [445]: Ὀφέλλουσα στόνον ἀνδρῶν, Adaugens et adjuvans, sc. ἡ ἔρις: quæ et ap. Hesiod. Ἔργ. [14], Πόλεμόν τε κακὸν καὶ δῆριν ὀφέλλει· et [33: Τοῦ κεκορεσσάμενος νείκεα καὶ δῆριν ὀφέλλοις· 211:] Μηδ' ὕβριν ὄφελλε, pro Auge, Fove, ἐπίτεινε. [410: Μελέτη δέ τοι ἔργον ὀφέλλει.] At Il. Π, [651]: Ἢ ἔτι καὶ πλεόνεσσιν ὀφέλλειεν πόνον αἰπὺν, Auxerit, Majorem attulerit, αὐξήσειε. [Od. Β, 334: Οὕτω κεν καὶ μᾶλλον ὀφέλλειεν πόνον ἄμμιν· Il. Β, 420: Πόνον δ' ἀμέγαρτον ὄφελλεν.] Hesych. quoque Ὀφέλλει exp. non solum αὔξει, sed etiam ὠφελεῖ. Sic pro Prodesse, Juvare s. Bene mereri accipitur ap. Apoll. Arg. 2, [801]: Εὖτ' ἄρξωσιν ἀρείονες ἄνδρες ὀφέλλειν, schol. εὐεργετεῖν. [Pind. Pyth. 4, 260: Ὕμμι Λατοίδας ἔπορεν Λιβύας πεδίον ... ὀφέλλειν. Æsch. Sept. 193: Τὰ τῶν θύραθεν δ' ὡς ἄριστ' ὀφέλλετε. Apoll. Rh. 1, 467: Οὐδέ μ' ὀφέλλει Ζεὺς τόσον ὀσσάτιόν περ ἐμὸν δόρυ. Arat. 770. Theocr. 25, 120: Καί ῥά οἱ αὐτὸς ὄφελλε διαμπερέως βοτὰ πάντα.] || Hesych. Ὀφέλλουσα exp. etiam θρασύνουσα, σώζουσα, παρασκευάζουσα. [Ex l. Il. Δ, 445.]

Ὄφελμα, τὸ, Augmentum, αὔξημα, Hesych. [Σοφοκλῆς addit Photius.] || Sordes verrendo collectæ, ipsæque adeo Scopæ, κάλλυμμα, κάλλυντρον, Hesych.: qui ὀφέλμασιν itidem exp. σαρώμασι. Dici autem et de Scopis, tum ex Hesych. patet, qui esse dicit κάλλυντρον, tum ex Eust., qui, quum Od. Υ, [149] p. 1887, κορήσατε exposuisset σαρώσατε, καλλύνατε, indeque derivari dixisset Κόρημα, τὸ σάρον, δι' οὗ φιλοκαλεῖται ἡ γῆ, subjungit, Ἰστέον δὲ ὅτι τὸ ῥηθὲν σάρον, ἤτοι σάρωτρον, καὶ ὄφελμα ἐκαλεῖτο κατὰ τοὺς παλαιούς· ἐν ἀντιφράσει, οὐ γὰρ ὀφέλλονται ἤτοι αὐξάνονται τὰ σαρούμενα· διὸ καὶ τὸ σάρον παραιρεῖ καὶ μειοῖ. Sed malim ὄφελμα significans Purgamenta, quæ conversa sunt et Scopas, derivare ab ea signif. verbi ὀφέλλειν, qua interdum exp. Accumulo, ut proprie sit Purgamina quæ verrendo accumulantur s. coacervantur, et Scopæ quibus purgamenta pavimenti coacervantur. Itidem vero Κόρημα et Purgamenta et Scopas ipsas quibus purgamenta converruntur, significat. [Schol. Lycophr. 1165: Σάρον γὰρ καὶ ὄφελτρον καὶ ὄφελλα καὶ ὄφελμα ... λέγεται. Καὶ τοῦτο Ἱππῶναξ φησὶν, Ἄνθρωπον εὗρε τὴν στέγην ὀφέλλοντα (οὐ γὰρ παρῆν ὄφελμα) πυθμένι στοιβῆς.]

[Ὀφελὸς, ὁ, i. q. ὀβολός. Pollux 9, 77: Τὸ μέντοι τῶν ὀβολῶν ὄνομα οἱ μὲν ὅτι πάλαι βουπόροις ὀβελοῖς ἐχρῶντο πρὸς τὰς ἀμοιβὰς, ὧν τὸ ὑπὸ τῇ δρακὶ πλῆθος ἐδόκει καλεῖσθαι δραχμή· τὰ δὲ ὀνόματα καὶ τοῦ νομίσματος μεταπεσόντος εἰς τὴν νῦν χρείαν ἐνέμεινεν ἐκ τῆς μνήμης τῆς παλαιᾶς. Ἀριστοτέλης δὲ αὐτὰ ταῦτα λέγων ἐν Σικυωνίων πολιτείᾳ σμικρόν τι καινοτομεῖ, ὀφελοὺς αὐτοὺς τέως ὠνομάσθαι λέγων, τοῦ μὲν ὀφέλλειν δηλοῦντος τὸ αὔξειν, αὐτῶν δὲ διὰ τὸ εἰς μῆκος ηὐξῆσθαι ὧδε κληθέντων· ὅθεν καὶ τὸ ὀφείλειν ὠνομάσθαι φησὶν οὐκ οἶδ' ὅπως· ἐπὶ μέντοι τῶν ὀβελῶν ὑπηλλάχθαι τὸ φ εἰς τὸ β κατὰ συγγένειαν. Ubi al. libri ὀφέλλους pro ὀφελούς. Hemst. autem: « Memini olim in vet. quodam Ms. Lex. hæc eadem legisse ex Aristotele excerpta, pauculis mutatis. » Etym. M.: Ὀβελίσκος οἱονεὶ ὀφελίσκος τις ὢν ὁ εἰς μῆκος ὀφελλόμενος ... καὶ ὀβελὸς, confert Jungerm.]

[Ὀφελο., quod est in numo Attico ap. Mionnet. *Descr.* vol. 2, p. 124, n. 141, dubium videtur utrum ab initio mutilum sit, ut referatur ad nomen quale est Οἰνόφιλος ib. n. 137, an ab altera parte.]

Ὄφελος, τὸ, [indeclinabile. V. etiam Chœrob. vol. 1, p. 370, 1; 391, 10,] Utilitas, Emolumentum, Usus. Hom. Il. Ρ, [152]: Ὅς τοι πόλλ' ὄφελος γένετο πτόλεΐ τε καὶ αὐτῷ Ζωὸς ἐὼν, Qui magno usui fuit, Magnam utilitatem attulit: πολλὰ ὤφελλεν, s. ὠφέλησε. [Ν, 236: Αἴκ' ὄφελός τι γενώμεθα· Χ, 513: Οὐδὲν σοί γ' ὄφελος. Theognis 103: Τί δ' ἔστ' ὄφελος κεῖνος ἀνὴρ φίλος ὤν; 700: Τῶν δ' ἄλλων οὐδὲν ἄρ' ἦν ὄφελος. Æsch. Suppl. 737: Πολυδρόμου φυγᾶς ὄφελος εἴ τί μοι. Soph. Ph. 1384: Λέγεις δ' Ἀτρείδαις ὄφελος ἢ 'π' ἐμοὶ τάδε; Eur. fr. OEdipi ap. Stob. Fl. 66, 1: Τί τῆς εὐμορφίας ὄφελος; Aratus 462: Τῶν κε μάλιστα ποθή τ' ὄφελός τε γένοιτο.] Aristoph. [Eccl. 53: Ὁρῶ προσιούσας ... γυναῖκας ὅτι περ ὄφελός ἐστ' ἐν τῇ πόλει. Theocr. 13, 18: Πασᾶν ἐκ πολίων προλελεγμένοι ὧν ὄφελός τι· 17, 35: Ὄφελος μέγα γειναμέναισι.] Pl. [1152]: Τί δῆτ' ἂν εἴης ὄφελος ἡμῖν ἐνθάδ' ὤν. In prosa quoque usitatum. [Herodot. 8, 68: Τῶν ὄφελός ἐστι οὐδέν. Xen. H. Gr. 5, 3, 6: Παμπληθεῖς ἀπέκτειναν ἀνθρώπους καὶ ὅτι περ ὄφελος ἦν τοῦ στρατεύματος· quibuscum ll. Arriani et Aristidis comparavit Hemst. ad Luciani Tim. c. 55. Plato Reip. 6, p. 505, A: Ἀποτυγχάνει καὶ τῶν ἄλλων εἴ τι ὄφελος ἦν.] Demosth. In Philipp. 3 : Τί τούτων ὄφελος αὐτοῖς; Quam utilitatem et emolumentum inde capiunt? Quid eis prosunt? Quid eos juvant? [Id. p. 1255, 4 : Προσῆκεν αὐτὰ δημόσια εἶναι, εἴπερ τι τῶν νόμων ὄφελος.] Plato [Ep. 7, p. 341, D : Τοῖς ἀνθρώποις μέγα ὄφελος γράψαι· Epin. p. 989, B : Μέγιστον δὲ ὄφελος, ἂν γίγνωνται· Lach. p. 182, A : Μέγιστον μέντοι αὐτοῦ ὄφελος· Leg. 1, p. 641, B : Ἑνὸς μὲν βραχύ τι γίγνοιτ' ἂν ὄφελος. Polyb. 3, 36, 7 : Πάντες, ὧν καὶ μικρὸν ὄφελος, ἀνατολὰς ... γνωρίζομεν. Eademque formula 16, 29, 3.] Apol. [p. 28, B] : Ἀνὴρ ὅτου τι καὶ σμικρὸν ὄφελός ἐστι. Ibid. [p. 36, C] : Μήτε ὑμῖν μήτε ἐμαυτῷ ἔμελλον μηδὲν ὄφελος εἶναι. Et Lucian. [Ad inerud. c. 5] : Οὐδὲν ὄφελος [αὐτῷ] τοῦ κτήματος. [Et sic alibi sæpe Plato, Xenoph. et alii quivis cum οὐδὲν, μηδὲν, τί. Pausan. 10, 29, 9 : Ὡς ἀχρείοις καὶ ὄφελός σφισιν οὐ γεγενημένοις ἐς τὰ τολμήματα, ubi οὐδὲν volebat Schneiderus. Arrian. Epict. 4, 1, 167 : Ὄφελος ἔσομαι πολλοῖς ἀνθρώποις σωθεὶς, ἀποθανὼν δ' οὐδενί.] Hesychio ὄφελος est non solum ὄνησις, ἐπικούρημα, κέρδος, sed etiam αὔξησις. || VV. LL. exp. etiam Fastigium et Culmen, sine auctore tamen et exemplo. [|| Remedium. Nicander Th. 518 : Τὴν ἤτοι ἔχιος καὶ ... ἐχίδνης ἀγρεύσεις ὄφελος περιώσιον.]

Ὀφέλσιμος sive Ὀφέλλιμος, ὁ, ἡ, Utilis. Ὀφέλσιμος ap. Orph. [Arg. 467] legitur. Legitur hoc nomen et ap. Oppian. [Hal. 3, 429, ubi libris invitis Schneid. ὀφέλσιμος] teste Eust., qui ὀφέλσιμος scribi dicit Αἰολικώτερον [Od. p. 1472, 33, qui alteram formam non, quod putabat Schneid., ex Opp., sed ex Callim. Ap. 94 : Οὐδὲ πόλει τόσ' ἔνειμεν ὀφέλσιμα, fortasse petitam memorat. Forma ὀφέλλιμος, Maximus Καταρχ. 135 : Οὐ γάρ κεν γάμος εἴη ὀφέλλιμος ἤμασι τούτοις. || In inscr. Lebad. ap. Bœckh. vol. 1, p. 759, n. 1575, 11, 12, est viri n. pr., sed Οφελειμω scriptum perhibetur, quod correxit Bœckh. L. Dind.]

[Ὀφέλτας s. Ὀφέλτης, ὁ, Opheltas s. Opheltes, rex Thessalus in Bœotiam profectus ap. Plut. Cim. c. 1. F. Lycurgi ap. Apollod. 1, 9, 14, schol. Pind. Nem. init., Pausan. 2, 15, 2. Penelei 9, 5, 16. A priori dictum montem Eubœæ memorat Lycophr. 373. Ponit n. Ὀφέλτας Chœrob. vol. 1, p. 39, 17.]

[Ὀφέλτιον ὄρος, τὸ, ap. Plut. De fluv. 18, 4. Boiss.]

[Ὀφέλτιος, ὁ, Opheltius, n. Trojani, Hom. Il. Z, 20; Græci Λ, 302. Memorat Suidas.]

Ὀφελτρεύω, Orno, Mundo, Converro, pro κοσμῶ, affertur ex Lycophr. [1165] Ὀφελτρεύουσι, κοσμοῦσι, καλλύνουσι Suidæ. [Qui pariter atque Etym. respexit ad l. Lyc., ubi fut.]

Ὄφελτρον, τὸ, Scopæ, quibus sc. purgamenta converruntur et accumulantur, κάλλυντρον, Hesych. [Schol. Lycophr. loco modo cit.]

[Ὀφεόδηκτος, ὁ, ἡ, A vipera morsus. Olymp. In Phileb. p. 275, 3 a fin. Ὀφεώδηκτος Theod. Prodr. Tetrast. p. 54 fin. Boiss. Priori forma Eust. Il. p. 330, 12. Altera Tzetz. Hist. 8, 170 inscr. L. Dind.]

[Ὀφεομάχος. V. Ὀφιομάχος.]

[Ὀφεώδης, ὁ, ἡ, i. q. ὀφιώδης. Plato Reip. 9, p. 590, B : Ὅταν τὸ λεοντῶδές τε καὶ ὀφεῶδες αὔξηται, ubi unus ὀφιῶδες, quod alienum a Platone. Eust. ad Dionys. P. 71 fin., 391. Cod. Vratisl. Tzetz. ad Lyc. 1030, p. 913 Müller. || Adv. Ὀφεωδῶς Eust. ad Dionys. 16 : Τῶν ποταμῶν ὀφ. πως ἑλισσομένων· Opusc. p. 82, 51 : Οὕτω φρονίμως μεταχειρίσασθαι τὰ εἰς ἐμὴν διόρθωσιν, οὐ μὴν ὀφεωδῶς.]

[Ὀφεωπλόκαμος, ὁ, ἡ, Qui comas habet anguinas. Eust. Il. p. 716, 56 : Τὴν Γοργόνα οἶδε καὶ ὀφεωπλόκαμον. « Cornut. 16, var. lect. » Wakef. V. Ὀφιοπλόκαμος.]

[Ὄφεως κεφαλὴ, ἡ, Bœotiæ ap. Pausan. 9, 19, 3 : Κατὰ δὲ τὴν ἐς Γλισᾶντα εὐθεῖαν ἐκ Θηβῶν λίθοις χωρίον περιεχόμενον λογάσιν Ὄφεως καλοῦσιν οἱ Θηβαῖοι κεφαλὴν, τὸν ὄφιν τοῦτον, ὅστις δὴ ἦν, ἀνασχεῖν ἐνταῦθα ἐκ τοῦ φωλεοῦ λέγοντες τὴν κεφαλήν.]

Ὀφεωσταφύλη, ἡ, Uva anguina, quo nomine quidam appellant cappari. Plin. 13, 23, ubi de cappari loquens, ait, Quidam id Cynosbaton vocant, alii Opheostaphylen. [ᾰῦ]

[Ὀφθαλμηδὸν, Oculitus, Gl.]

Ὀφθαλμία, ἡ, Oculorum morbus, seu, ut Solinus
A loquitur, Ocularia ægritudo. [Lippitudo, Gl.] Ὀφθαλμία, inquit Gorr., est Inflammatio adnatæ oculorum membranæ. Sed quum dupliciter omnis inflammatio dicatur, ut scribit Galen. Ad Glaucon. l. 2, una, humida, altera, sicca, proprie dicta ὀφθαλμία, Inflammatio humida est; quæ enim sicca est, non simpliciter ὀφθαλμία, sed ξηροφθαλμία nuncupatur. Inflammationem quidem tumor, tensio, dolor, calor, ruborque ejus tunicæ testantur : humiditatem vero, tum venarum plenitudo, tum lacrymæ ex oculis manantes. Celsus Lippitudinem nominat. Paul. Ægin. 3, speciem esse τῆς ταράξεως prodidit : quo nomine calidæ et humidæ oculorum cum rubore affectiones significantur. Sed hoc interesse dicit, quod τάραξις ab externa quadam causa sit, ut fumo, sole, pulvere, oleo : ὀφθαλμία vero non a manifesta modo causa, verumetiam interna, h. e. sanguinis fluxione, excitetur. [Ὀφθαλμίαι ῥοώδεις Hippocr. p. 943, D, Lippitudines fluidæ, quæ multum habent humorum affluxum; ὑγρὰς exp. Galen., ὡς ἀπὸ καταστάσεως ὑγρᾶς γενηθείσας. Quibus opponuntur
B ὀφθαλμίαι ξηραὶ aph. 12 et 14 l. 3, Lippitudines aridas vocat Celsus l. 2 c. 1, in quibus lemæ sunt siccæ et aridæ, nullaque decurrit humiditas ad oculos. Τὰς ἄνευ ῥεύματος exp. Galen. eas quæ fiunt sine fluxu. Ὀφθαλμίαι φθινώδεες dicuntur aph. 16 l. 3, Lippitudines quæ oculorum tabem aut extenuationem afferunt, per immoderatas siccitates consumpto eorum humore. Sic enim per eas τὸ περὶ τῶν ὀφθαλμῶν φθινῶδες, Oculorum tabem accipiendam esse monet Galen., ut significetur eas ad oculorum φθίσιν terminari, unde atrophia, hoc est alimenti penuria, et siccitas major exsistit, quam naturæ conveniat, etiam cum pupillæ angustia. Etsi illic pro φθινώδεας multi morbos tabificos accipiant, et ὀφθαλμίας ξηρὰς intelligant, ut etiam scribit Galen. Foes. OEc.] Pollux [4, 184], ut in VV. LL. traditur, ὀφθαλμίαν negat proprie Aliquod esse oculorum vitium, sed eo verbo significari dicit Cavitatem oculorum ex corporis ægritudine. [Xen. Comm. 3, 8, 3 : Ὀφθαλμίας (ἀγαθόν). Plat. Phædr. p. 255, D, Gorg. p. 496, A, et alibi.] Plut. De S. N. V. [p.
C 559, F] : Οἱ τὴν φλέβα διαιροῦντες, ἵνα τὴν ὀφθαλμίαν κουφίσωσι· Symp. 5 [p. 681, D] : Τῶν δὲ ἄλλων νοσημάτων μάλιστα καὶ τάχιστα τὰς ὀφθαλμίας ἀναλαμβάνουσιν οἱ συνόντες· De invidia et odio [p. 537, A] : Καθάπερ ὀφθαλμία, πρὸς ἅπαν τὸ λαμπρὸν ἐκταρασσόμενος. [Alia ap. Wyttenb. ad Mor. p. 53, C.] Aristoph. autem [Pl. 115] ὀφθαλμίαν pro ipsa etiam Cæcitate usurpavit, ubi Chremylus dicit, Οἶμαι ταύτης ἀπαλλάξειν σε τῆς ὀφθαλμίας, Βλέψαι ποιήσας· ibi enim schol. exp. πήρωσιν παντελῆ et τύφλωσιν : proprie ita nominari dicens τὴν κατὰ τοὺς ὀφθαλμοὺς ἀπὸ νοσήματός τινος γινομένην βλάβην. [Pollux 2, 51, etc.]

Ὀφθαλμίας, ου, ὁ, Plauto [Captiv. 4, 1, 70] Piscis ille, quem Plin. Oculatam nominat. Sunt qui eund. cum μελανούρῳ esse velint. Plin. tamen lib. 32 sub fin., diversos facit hos duos, Oculatam et Melanurum. [|| Aquilæ genus. Lycophr. 148 : Πτηνοὺς τριόρχας αἰετοὺς ὀφθαλμίας. Jo. Diac. ad Hesiod. Sc. 134 : Ὁ ἀετὸς, λέγεται δὲ καὶ τριόρχης καὶ ὀφθαλμίας.]

[Ὀφθαλμίασις, εως, ἡ, Oculorum morbus. Hesych.
D v. Ὀπτιλίασις.]

Ὀφθαλμιάω, Doleo ex oculis, Ocularia ægritudine laboro. [Aristoph. Ran. 192 : Οὐ γὰρ ἀλλ' ἔτυχον ὀφθαλμιῶν· fr. Γήρως ap. Polluc. 4, 180 : Ὀφθαλμιάσας πέρυσιν. Herodot. 7, 229 : Ὀφθαλμιῶντες ἐς τὸ ἔσχατον.] Xen. Hell. 2, [1, 3] : Ἐντυχὼν ἀνθρώπῳ ὀφθαλμιῶντι, ἀπιόντι ἐξ ἰατρείου, κάλαμον ἔχοντι. [Plat. Alcib. 2 p. 139, E; 140, A.] Plut. [Mor. p. 543, F] : Οἱ τοὺς ὀφθαλμιῶντας ἐνοχλεῖν φυλαττόμενοι, τοῖς ἄγαν λαμπροῖς σκιάν τινα παραμιγνύουσι. Aristot. Eth. 10, 3 : Καθάπερ οὐδὲ τὰ τοῖς κάμνουσιν ὑγιεινὰ, ἢ γλυκέα ἢ πικρὰ, οὐδ' αὖ λευκὰ τὰ φαινόμενα τοῖς ὀφθαλμιῶσιν, (εἶναι τοιαῦτα οἰητέον). Ubi reddi etiam potest Lippientibus. Rursum Plut. Symp. 7, 5, quum ἀκρατεῖς esse dixisset τοὺς περὶ ἐδωδὰς καὶ ἀφροδίσια καὶ πότους ἀστοχοῦντας, eisque νόσους τε πολλὰς καὶ χρημάτων ὀλέθρους συνακολουθεῖν, subjungit [p. 705, D], Ὡς Θεοδέκτην ἐκεῖνον, εἰπόντα, Χαῖρε φίλον φῶς, ὀφθαλμιῶντα τῆς ἐρωμένης φανείσης· ubi quidam volunt, eum licet oculis captum, et qui lucem non intueretur, dixisse tamen φίλον φῶς, Lux mea : nisi forte Theodectes hic dicitur ὀφθαλμιάσαι conspecta sua amica, sicut ap. Herodot. l. 5 quidam de pulcris mulieribus dicunt, Ἀντίας ἵζεσθαι ἀλγηδόνας σφι ὀφθαλμῶν. Ὀφθαλμιᾷν, inquit Cam., non solum ex morbo, sed etiam aspectu alieni boni oculos dolere : ut ille dixit ap. Terent., Quo tuo viro oculi doleant. Item, Oculis captum esse, Cic. In Verr. 6. [Hesychius : Ὀφθαλμιάσαι, φθονέσαι, ἐπιβαλεῖν ὀφθαλμόν. Photius : Ὀφθαλμίσαι (sic), φθονῆσαι, ἐπιβαλεῖν ἐπιθυμητικῶς, ἢ τοὺς ὀφθαλμοὺς πάσχειν. Eadem fere Suidas, qui recte Ὀφθαλμιᾶσαι, addito ex. anon. : Οἱ δὲ πολλοὶ ὀφθαλμιῶντες ἐπὶ τοῖς χρήμασι παντοδαπὰς ἐπινοίας εἶχον περὶ αὐτοῦ.] Polyb. 2, [17, 3] : Περὶ τὸ κάλλος τῆς χώρας ὀφθαλμιάσαντες [et ὀφθαλμιῶντες in ead. formula 1, 7, 2; et ubi περὶ ante accusat. excidisse conjiciunt edd. 32, 2, 1], Oculis capti pulcritudine regionis. Hæc ille. Sunt tamen qui eum nequaquam sequantur in eo Polybii l. interpretando, sed ὀφθαλμιᾷν accipiant pro eo, quod Cic. dicit Oculos adjicere, i. e. ὀφθαλμοβολεῖν, Oculorum conjectu appetere, quo sensu dicitur Imponere oculos prædiis alicujus, in Pand. [Philostr. V. Soph. 1, 20, 1, p. 513 : Ἄρδυος ἐρομένου αὐτὸν, εἰ ἡ δεῖνα αὐτῷ καλὴ φαίνοιτο, Πέπαυμαι, εἶπεν, ὀφθαλμιῶν. ‖ Ὀφθαλμάω, Oculo, Lippeo, Oculos doleo, Gl., pro quo Gloss. L.-Gr. rectius Ὀφθαλμιῶ.]

Ὀφθαλμίδιον, τὸ, Ocellus, Aristoph. [Eq. 909 : Τὠφθαλμιδίω περιψῆν.]

Ὀφθαλμίζομαι, i. q. ὀφθαλμιάω, Ocularia ægritudine laboro. Plut. Symp. 2, 2 [p. 633, C] : Λέων ὁ Βυζάντιος, εἰπόντος Πασιάδου πρὸς αὐτὸν ὀφθαλμισθῆναι αὐτοῦ τοὺς ὀφθαλμοὺς, Ἀσθένειαν, ἔφη, σώματος ὀνειδίζεις, νέμεσιν οὐχ ὁρῶν ἐπὶ τῶν ὤμων βαστάζοντά σου τὸν υἱόν. Quem l. hic Ejusd. in lib. Πῶς ἄν τις ὑπ' ἐχθρ. ὠφ. [p. 88, E] clariorem reddit : Λέων ὁ Βυζάντιος ὑπὸ κυρτοῦ λοιδορηθεὶς εἰς τὴν τῶν ὀμμάτων ἀσθένειαν, Ἀνθρώπινον, ἔφη, πάθος ὀνειδίζεις, ἐπὶ τοῦ νώτου φέρων τὴν νέμεσιν. [De plantis inoculandis Theophr. C. Pl. 2, 14, 4 et 5 : Τὰ ὀφθαλμιζόμενα. Geopon. 10, 69, 1, pro ἐνοφθαλμισθεῖσα al. ὀφθ. ‖ Inoculo s. Distinguo gemmis. Suidas : Ὠφθαλμισμένους ἄνθραξι καὶ ἠλέκτροις εἶχον τοὺς πόδας αἱ κλῖναι τῶν ἀρχαίων, ὥσπερ νῦν ἀργύρῳ ἢ καττιτέρῳ, ex schol. Aristoph. Eq. 532, ubi ἠσφαλισμένους. ‖ « Ὀφθαλμίζειν, Fascinare, Oculis lædere, βασκαίνειν. » Ducang.]

Ὀφθαλμικὸς, ἡ, ὸν, Ad oculos pertinens, Ocularius. Diosc. 1, 11, de malabathro : Πρὸς τὰς ὀφθαλμικὰς φλεγμονὰς ἁρμόζει ἀναζεσθὲν ἐν οἴνῳ, καὶ λεῖον ἐπιχριόμενον· pro quibus Plin. 23, 4 : Oculorum epiphoris vino expressum utilissime imponitur. Et ὀφθ. περιχρίσεις, Oculorum circumlitiones, quas easdem fere cum calliblepharis esse existimat Marcell. ap. Diosc. Et ὀφθ. φάρμακα, Medicamenta oculorum; nam quod Diosc. 5, 84, de cadmia dicit : Χρησιμεύει δὲ πρὸς μὲν τὰ ὀφθαλμικὰ φάρμακα ἡ βοτρυῖτις καὶ ὀνυχῖτις καλουμένη, id ita Plin. 34, 10, de Botrytide cadmia : Oculorum medicamentis utilissima. Interdum ὀφθαλμικὰ absolute ponitur pro ὀφθ. φάρμακα, ut ap. eund. Diosc. 2, 7, de mitulis : Ἰδιαίτερον δὲ πλυθέντες ὡς μόλιβδος, χρησιμεύουσιν εἰς τὰ ὀφθαλμικὰ σὺν μέλιτι· ἐκτήκοντες παχύτητας βλεφάρων, καὶ σμήχοντες λευκώματα· quæ verba idem Plin. sic Latine reddidit : Lavantur quoque mituli plumbi modo, ad genarum crassitudines, et oculorum albugines. ‖ Ὀφθαλμικὸς vocatur etiam Ocularius medicus, ut Corn. Celsus appellat : ὁ ὀφθαλμῶν ἰατρὸς Herodoto et Luciano. Utitur autem eo vocab. Martial. 8, [74] : Hoplomachus nunc es, fueras ophthalmicus olim : Fecisti medicus quod facis hoplomachus. In hoc autem ὀφθαλμικὸς absolute posito subaudiri potest ἰατρός. Utitur et Galen. [De usu partt. 10. « Etym. M. p. 30, 2. » Wakef. ‖ Ὀφθαλμικὸν, Flos argenti. Glossæ iatricæ mss. Neophyti : Ἄνθος ἀργύρου, ὅπερ οἱ χρυσοχόοι καλοῦσιν ὀφθαλμικόν. Ducang.]

[Ὀφθαλμῖτις, ιδος, ἡ, epith. Minervæ, cujus templum ob oculum alterum servatum dedicasse ferebatur Lycurgus. Pausan. 3, 18, 2. V. Ὀπτιλέτις.]

Ὀφθαλμοβολέω, Oculos jacto, conjicio. Sic enim Lucr. et Cic. Ausi etiam Græci fuerunt, inquit Cam., facere Ὀφθαλμοβολῆσαι, Oculos in aliquam conjicere amantes. [Schol. Lycophr. 93 : Ἔνθα τὴν Ἑλένην ὀφθαλμοβολήσας βληθεῖσαν καὶ αὐτὴν ὑπὸ τοῦ ἔρωτος ἁρ-
A πάζει· et iisdem fere verbis schol. Ven. Hom. Il. Γ, 443. Nicet. Annal. 4, 2 : Ὀφθαλμοβολούμενος καὶ ὕποπτος.]

Ὀφθαλμοβόρος, ὁ, ἡ, affertur pro Oculos appetens. [Aristot. H. A. 9, 19 : Ἡ δὲ καλουμένη φῶϋξ ἴδιον ἔχει πρὸς τἄλλα· μάλιστα γάρ ἐστιν ὀφθ. τῶν ὀρνίθων.]

Ὀφθαλμοδουλεία, ἡ, Servitium gnavum et diligens, præsente hero : quasi Servitus ad oculum. Solet enim servos ὁ τοῦ δεσπότου ὀφθαλμὸς, ad labores acrius subeundos excitare, contra ejus absentia, ignaviores eos reddere. Paul. Ad Ephes. [6], jubens servos auscultare dominis suis, Μὴ κατ' ὀφθαλμοδουλείαν, ὡς ἀνθρωπάρεσκοι, pro quo Ad Col. 3, [22] dicit, Μὴ ἐν ὀφθαλμοδουλείαις, ὡς ἀνθρωπάρεσκοι, Non servientes ad oculum. Sic Gall. *Servir au doigt, et à l'œil.* [Scribendum Ὀφθαλμοδουλία, ut in Μισθοδουλία dixi. L. D.]

Ὀφθαλμόδουλος, ὁ, ἡ, Servus qui inspectante hero se gnavum et obsequentem præstat, oculisque adeo ejus quasi inservit. [Constitt. apostol. vol. 1, p. 299, A : Μὴ ὡς ὀφθ., ἀλλ' ὡς φιλοδέσποτος.]

B [Ὀφθαλμοειδὴς, ὁ, ἡ, apud Aristox. Harm. p. 40 ab Wakef. cit. : Χαριζόμενοι δὲ τοῖς ἰδιώταις καὶ πειρώμενοι ἀποδιδόναι ὀφθαλμοειδές τι ἔργον, ταύτην ἐκτεθείκασι τὴν ὑπόληψιν, quod vertitur, Opus aliquod quod oculis pateret, ut sit i. q. paullo post idem ὀφθαλμοφανὲς ἔργον dicit loco in illo citando, nisi hic quoque ita legendum. Diosc. 3, 156 : Βούφθαλμον ἀνίησι ... ἄνθη ὀφθαλμοειδῆ, ὅθεν καὶ ὠνόμασται, Oculis similia.]

[Ὀφθαλμοκλέπτης, ὁ, Oculorum fur. Tzetz. Lycophr. 843.]

[Ὀφθαλμοπλανία, ἡ, Oculorum deceptio, Præstigiæ. Nilus Epist. 81, p. 97, 20 : Ταῖς ἄλλαις μυρίαις ὀφθαλμοπλανίαις.]

[Ὀφθαλμοπλάνος, ὁ, ἡ, Qui oculos fallit, Præstigiator. Lex. Ms. Hafn. : Ψηφὰς, ὀφθαλμοπλάνος.]

[Ὀφθαλμορύκτης, ὁ, q. d. Oculorum effossor Const. Manass. Chron. 4461. Boiss.]

Ὀφθαλμὸς, ὁ, Oculus : pro quo Dorice Ὀπτίλος : ambo autem ejusdem originis, sc. ab ὄπτομαι, unde et ὄμμα, et ὄψις, et ὀπωπὴ, quæ itidem pro ὀφθαλμὸς
C usurpantur. Hom. Il. [Ξ, 493 : Ὀφθαλμοῖο θέμεθλα·] Ω, [392] : Ὀφθαλμοῖσιν ὄπωπα· Od. Κ, [197] : Ἔδρακον ὀφθαλμοῖσι. Ib. [Γ, 373] : Ὅπως ἴδεν ὀφθαλμοῖσι· Ο, [461] : Ὀφθαλμοῖσιν ὁρῶντο, Suis oculis videbant. Il. Ω, [206] : Εἰ γάρ σε ἐσόψεται ὀφθαλμοῖσιν· Od. Υ, [233] : Σοῖσιν δ' ὀφθαλμοῖσιν ἐπόψεαι, Tuis oculis aspicies. [Et similiter alibi Hom., Hesiodus et al. Solon ap. Plut. Sol. c. 16 : Λοξὸν ὀφθαλμοῖς ὁρῶσι. Pind. Pyth. 4, 120 : Τὸν μὲν ἐσελθόντ' ἔγνον ὀφθαλμοὶ πατρός.] Hesiod. Ἔργ. [265] : Πάντα ἰδὼν Διὸς ὀφθαλμὸς, Cuncta Jovis cernens oculus. [Æsch. Sept. 67 : Κἀγὼ τὰ λοιπὰ πιστὸν ἡμεροσκόπον ὀφθαλμὸν ἕξω. Eodemque numero Soph. Tr. 549 : Ὧν ἀφαρπάζειν φιλεῖ ὀφθαλμὸς ἄνθος· fr. OEnomai ap. Athen. 13, p. 564, C : Ἴσον μετρῶν ὀφθαλμὸν, ὥστε τέκτονος παρὰ στάθμην ἰόντος ὀρθοῦται κανών. Eur. Or. 529 : Δακρύοις γέροντ' ὀφθαλμὸν ἐκτήκω· Med. 1146 : Πρόθυμον εἶχ' ὀφθαλμὸν εἰς Ἰάσονα. Plat. Alcib. 1 p. 132, E : Τῷ ὀφθαλμῷ ᾧ ὁρῶμεν. Callim. Apoll. 50 : Ἧσιν Ἀπόλλων βοσκομένης ὀφθαλμὸν ἐπήγαγεν.] In præcedentibus autem Homeri ll. ὀφθαλμοῖς emphaticum
D est, sicut [Odyss. Τ, 211 : Ὀφθαλμοὶ δ' ὡσεὶ κέρα ἕστασαν ἠὲ σίδηρος· Υ, 365 : Εἰσί μοι ὀφθαλμοί·] et ap. Æschin. [p. 70, 23] : Ὁρᾶτε τοῖς ὀφθαλμοῖς τὸν ἐξάγιστον λιμένα. At Synes. Ep. 6 : Οἷς τισιν ὀφθαλμοῖς ἡμᾶς ἀντιβλέψεται. Rursum Il. Ν, [474] : Ὀφθαλμοὶ [—ὼ] δ' ἄρα οἱ πυρὶ λάμπετο [—τον]. Pro quo Od. Τ, [446] : Πῦρ δ' ὀφθαλμοῖσι δεδορκώς. Il. Π, [344] : Κατὰ δ' ὀφθαλμῶν κέχυτ' ἀχλύς. Sic Υ, [321] : Κατ' ὀφθαλμῶν χέεν ἀχλύν. [Ε, 659 : Τὸν δὲ κατ' ὀφθαλμῶν ἐρεβεννὴ νὺξ ἐκάλυψεν.] Contra [Ε, 327 : Ἀχλὺν δ' αὖ τοι ἀπ' ὀφθαλμῶν ἕλον ἣ πρὶν ἐπῆεν· Υ, 341 : Ἀχιλῆος ἀπ' ὀφθαλμῶν σκέδασ' ἀχλύν·] Ο, [668] : Τοῖσι δ' ἀπ' ὀφθαλμῶν νέφος ἀχλύος ὦσεν Ἀθήνη. Item Θ, [64] : Ὀφθαλμῶν ἄμερσε, Oculis privavit. Et Α, [69] : Ὃν ὀφθαλμοῦ ἀλάωσεν. [Id. Od. Λ, 426 : Χερσὶ κατ' ὀφθαλμοὺς ἑλέειν· Ω, 296 : Ὀφθαλμοὺς καθελοῦσα. Pind. Nem. 10, 90 : Ἀνέλυσεν ὀφθαλμὸν, schol. ἀναβλέψαι ἐποίησεν. Soph. Tr. 795 : Διάστροφον ὀφθαλμὸν ἄρας. Plato Reip. 4, p. 440, A : Διελκύσας τοὺς ὀφθαλμούς. Cui contrarium τοὺς ὀφθ. συγκλεῖσαι ap. Demosth. p. 1259, 13.] Aristoph. Nub.

[24] : Ἐξεκόπη τὸν ὀφθαλμὸν λίθῳ. Sic Dem. [p. 247, 11] : Ὀφθαλμὸν ἐκκεκομμένος ὁ Φίλιππος [et act. p. 744, 13, 20], cui Plut. Alex. [c. 70] dicit ἐμπεσεῖν καταπελτικὸν βέλος εἰς τὸν ὀφθαλμόν. [Herodot. 9, 22 : Παίει μιν ἐς τὸν ὀφθαλμόν· 2, 111 : Καμόντα τοὺς ὀφθαλμούς. Plato Gorg. p. 496, E : Νοσεῖ ἄνθρωπος ὀφθαλμούς.] Athen. 13 : Ἐξέκοψεν αὐτοῦ τοὺς ὀφθαλμούς. Plut. Lyc. [c. 11] de Alcandro : Τῇ βακτηρίᾳ πατάξας τὸν ὀφθαλμὸν ἐξέκοψεν· Artoxerxe [c. 14 fine]: Τοὺς ὀφθαλμοὺς ἐξορύξαντες. [Liban. vol. 4, p. 269, extr.; vol. 3, p. 26, 17. Hemst. Plato Reip. 2, p. 361, E : Ἐκκαυθήσεται τὠφθαλμώ· Gorg. p. 473, C.] Sic ap. Polluc. [2, 62] : Ὀφθαλμοὺς κοιλαίνειν, βαθύνειν, κενοῦν, σβεννύναι· item σπαράσσειν, ἐκ πυθμένων ἀνέλκειν, s. ἀνασπᾶν, pro Eruere. Idem [Mor. p. 633, C]: Πήρωσιν ὀφθαλμῶν. [Τῶν ὀφθαλμῶν ἐρυθήματα καὶ φλόγωσις Thuc. 2, 49.] Et ap. Medicos Ὀφθαλμῶν [ἴλλωσις, quod v., et στέρησις Hippocr. p. 166, D,] προπτώσεις, Procidentes oculi : ὀφθαλμῶν τάραξις, Oculorum perturbatio : et ὀφθαλμῶν ῥεύματα : et αἱ ἐν ὀφθαλμοῖς οὐλαὶ, Cicatrices in oculis : et ἀλγηδόνες ὀφθαλμῶν, Dolores oculorum, pro Offensionibus, Cam., ap. Herodot. 5, [18] de pulcris mulieribus : Ἀντίας ἵζεσθαι ἀλγηδόνας σφι ὀφθαλμῶν, Illas mulieres ibi coram assidere, facereque ut oculi ipsis doleant: sicut ait Phormio Terent., Vin' facere quo tuo viro oculi doleant? [Plat. Charm. p. 156, B : Τοὺς ὀφθ. ἀλγῶν.] At ὀφθαλμοῖο βολὴ ap. [Hom. Od. Δ, 150 : Ὀφθαλμῶν τε βολαί·] Musæum, quod Cic. dicit Oculi conjectus. Et dicitur βάλλειν ὀφθαλμοὺς, ut Lucr., Jactare oculos. [Photius : Ὀφθαλμὸν ἐπιβάλλειν, τὸ περιέργως θεάσασθαι· οὕτως Ἄλεξις (Τροφωνίῳ addit Antiatt. p. 110, 16).] In vitio autem Aristoph. Nub. [361] : Τὠ 'φθαλμὼ παραβάλλει [—εις, unde Plat. Conv. p. 221, B], ut ap. Plut. [Mor. p. 979, C]: Ὄμμα παραβαλὼν θύννου δίκην· unde παραβλῶπες [Hom. Od. I, 499], Qui distortis oculis intuentur, obliqua tuentur, ut Virg. [Hom. Il. N, 474 : Ὀφθαλμὼ δ' ἄρα οἱ πυρὶ λάμπετον· Od. T, 446 : Πῦρ δ' ὀφθαλμοῖσι δεδορκώς. Hesiod. Sc. 72 : Πῦρ δ' ὣς ὀφθαλμῶν ἀπελάμπετο.] Pingere oculos, Græci ὑπογράφειν ὀφθαλμοὺς dicunt. Herodian. 5, [6, 24] : Προῄει τε ὑπογραφόμενος τοὺς ὀφθαλμοὺς, Pictis prodibat oculis : unde ap. [Xen. Cyrop. 1, 3, 2,] Philostr. Ep. 39 : Ὀφθαλμῶν ὑπογραφαί. Item cum epithetis, Athen. 13 : Τοὺς ὀφθαλμοὺς μεγάλους εἶχον· 7 : Ὀφθαλμοὺς μείζονας ἢ καθ' αὑτὸν ἔχων. Xen. Symp. [5, 5], ὀφθαλμοὶ καλοί· et ὀφθαλμοὶ ἐπιπόλαιοι, ibid. [Ἀτενέως ἐκλάμποντες ὀφθ. Hippocr. p. 78, B; 173, C, ἀτενίζοντες p. 1217, A; μικροῦ δεῖν ἀτενέες, μόλις περιδινούμενοι ap. Aret. Acut. 1, 6; ἀτενέες ἐνδεδινημένοι ib.; ἐξίσχοντες ἢ ἔγκοιλοι Hippocr. p. 37, 20; πλέοντες p. 1215, E; πεπηγότες Epid. 1, 1, aph. 16; αὐχμηροὶ ib. 6, 1, 16. Κοῖλοι Pollux 1, 191; ἀναπεπταμένοι 5, 72; γλαυκὸς 2, 61; ἰλλαίνων 54; ταραχώδης 62.] Æschyl. ap. Plut. [Mor. p. 767, B]: Φλέγων ὀφθαλμός. Sic πυρώδεις, Igniti et flammei [ap. Polluc. 1, 189], μαρμαρυγὰς ἀφιέντες, Scintillantes et micantes : et αἴγλην s. αὐγὴν ἀφιέντες, Nitidi s. Renidentes : λάμποντες, Clari : φωσφόροι, Illustres : sicut et φωσφόρα ὄμματα : item στίλβοντες, Splendentes [ap. Polluc. 2, 63] : et θυμοειδεῖς, Iracundi ac minaces : contra ἡδεῖς, Blandi, et ap. Catull. Melliti : ἐπαγωγοὶ s. ἐπέραστοι, Amabiles : de quibus ἵμερος fluere dicitur. [Σκυθρωποὶ Pollux 4, 137.] Iidem oculi ἅλλεσθαι dicuntur, i. e. Salire, præsagientes se visuros quod desiderant : ut pastor ap. Theocr. 3, [37] : Ἄλλεται ὀφθαλμός μευ ὁ δεξιός· ἆρα γ' ἰδήσω Αὐτάν. [Theognis 85 : Οἷσιν ἐπὶ γλώσσῃ τε καὶ ὀφθαλμοῖσιν ἔπεστιν αἰδώς.] Item cum præposs. [Hom. Il. Ψ, 53 : Ὄφρ' ἤτοι τοῦτον μὲν ἐπιφλέγῃ ἀκάματον πῦρ θᾶσσον ἀπ' ὀφθαλμῶν.] Plato Symp. [p. 213, A] : Ἐπίπροσθεν τῶν ὀφθαλμῶν ἔχοντα οὐ κατιδεῖν Σωκράτην, Ante oculos, In oculis : contra quidam ap. Plut.: Ἀπόπροθεν γάρ ἐστιν ὀφθαλμῶν ἐμῶν, Procul ab oculis meis. [Apoll. Rh. 3, 372 : Οὐκ ἄφαρ ὀφθαλμῶν μοι ἀπόπροθι; 453 : Προπρὸ δ' ἄρ' ὀφθαλμῶν ἔτι οἱ ἰνδάλλετο πάντα· 1063 : Δὴ γάρ οἱ ἀπ' ὀφθαλμοὺς λίπεν αἰδώς. Polyb. 3, [108, 1] : Πρὸ ὀφθαλμῶν θέντες τὸ μέγεθος τῶν ἀποβησομένων, Ante vel Ob oculos posita magnitudine eorum quæ eventura erant: pro quo dicitur etiam πρὸ ὀμμάτων. [Λαμβάνειν id. 2, 35, 8; 3, 109, 9. Προὐφθαλμῶν schol. Lycophr. 251.] Sed et ἐν ὀφθαλμοῖς interdum capitur pro Ante oculos, Ob oculos. Hom. [Il.

A Σ, 135 : Πρίν γ' ἐμὲ δεῦρ' ἐλθοῦσαν ἐν ὀφθαλμοῖσιν ἴδηαι· Ω, 294, 312 : Ἐν ὀφθαλμοῖσι νοήσας·] Od. Θ, [459] : Θαύμαζεν δ' Ὀδυσῆα ἐν ὀφθαλμοῖσιν ὁρῶσα. Et Il. A, [587] : Μή σε ἐν ὀφθαλμοῖσιν ἴδωμαι Θεινομένην, Ante oculos meos : nisi quis forte malit ἐν hic superfluum esse. [Diog. L. 1, 116. Hemst. Simonid. Carm. de mul. 32 : Τὴν δ' οὐκ ἀνεκτὸς οὐδ' ἐν ὀφθαλμοῖς ἰδεῖν. Theocr. 4, 7 : Καὶ πόκα τῆνος ἔλαιον ἐν ὀφθαλμοῖσιν ὀπώπη; Æsch. Eum. 34 : Δεινὰ δ' ὀφθαλμοῖς δρακεῖν. Soph. Ant. 764 : Σύ τ' οὐδαμὰ τοὐμὸν προσόψει κρᾶτ' ἐν ὀφθαλμοῖς ὁρῶν. Eur. Hel. 117 : Ὥσπερ σε ὀφθαλμοῖς ὁρῶ. Aliter Demosth. p. 295, 10 : Τίσι δ' ὀφθαλμοῖς πρὸς Διὸς ἑωρῶμεν ἂν τοὺς εἰς τὴν πόλιν ἀνθρώπους ἀφικνουμένους;] Et ἐν ὀφθαλμοῖς εἶναι dicuntur non tantum ea, quæ videntur et ante oculos nostros sunt s. eis obversantur, verumetiam quæ magni a nobis fiunt, sicut et ap. Cic., Templum in oculis quotidianoque aspectu populi Romani positum. Idem, Etsi in oculis sis multitudinis. Idem, Ferebant in oculis hominem. Sic ab Aristotele Polit. 7, ἐν ὀφθαλμοῖς εἶναι et παρορᾶσθαι sibi opponuntur. [Callim. Ep. 15, 2 : Καὶ σὲ, Χάρμι, τὸν ὀφθαλμοῖς χθιζὸν ἐν ἡμετέροις, τῇ ἑτέρῃ κλαύσαντες ἐθάπτομεν.]

B Eur. Med. [219] : Δίκη γὰρ οὐκ ἔνεστ' ἐν ὀφθαλμοῖς βροτῶν, pro Oculi hominum non recte judicant, Cam. Alii sic, Justitiam non habent mortales in oculis. [Xen. Anab. 4, 5, 29 : Ἐν φυλακῇ ἔχοντες τὸν κωμάρχην καὶ τὰ τέκνα αὐτοῦ ὁμοῦ ἐν ὀφθαλμοῖς. Plato Theæt. p. 174, C : Περὶ τῶν παρὰ πόδας καὶ τῶν ἐν ὀφθαλμοῖς διαλέγεσθαι· Reip. 5, p. 452, D : Τὸ ἐν τοῖς ὀφθ. γελοῖον ἐξερρύη.] Et ἐξ ὀφθαλμῶν γενέσθαι dicuntur Quæ oculis nostris quasi subtrahuntur et ἀφανίζονται, vel ab eis absunt : ut Cic., Abfuit ab oculis vestris. Idem de libris, Nunquam ab oculis meis abfuerunt. Herodot. 5 : Καὶ σύ μοι ἐγένεο ἐξ ὀφθαλμῶν, Neque te videre licuit. [Ib. 106 : Ἐμεῦ ἐξ ὀφθαλμῶν σφίσι γενομένου· 1, 120 fin.: Τὸν παῖδα τοῦτον ἐξ ὀφθ. ἀπόπεμψαι.] Xen. Hier. [6, 13]: Ἥδιστ' ἂν ὡς τάχιστα ἐξ ὀφθαλμῶν σου γένοιτο, Hoc illi jucundissimum futurum sit si a te abesse liceat, Cam. At ἐπ' ὀφθαλμοῦ παραφυλάττειν, pro Oculis observare, Plut. De solertia anim. [p. 969, F] : Ἐγγὺς οὐ προσιὼν,

C ἀλλ' ἐπ' [ἀπ'] ὀφθαλμοῦ παραφυλάττων εἵπετο. Cui l. non absimilis est hic Synesii Ep. 55 : Τοῖς ὀφθαλμοῖς ὑμᾶς, ἐφ' ὅσον ἐξικνοῦντο, προὔπεμψα, Oculis vos meis prosecutus sum. Quum vero εἰς ὀφθαλμοὺς alicujus venire dicimur, reddideris potius In conspectum quam In oculos. Hom. Il. Ω, [203] : Πῶς ἐθέλεις ἐπὶ νῆας Ἀχαιῶν ἐλθέμεν οἶος Ἀνδρὸς ἐς ὀφθαλμούς; et [463] : Οὐδ' Ἀχιλῆος Ὀφθαλμοὺς εἴσειμι. [Soph. Ant. 307 : Εἰ μὴ τὸν αὐτόχειρα... ἐκφανεῖτ' ἐς ὀφθαλμοὺς ἐμούς. Æsch. Cho. 574 : Κατ' ὀφθαλμοὺς βαλεῖ, pro ὀφθαλμοὺς καταβαλεῖ dictum videtur, quomodo κατ' ὄμματα καλὰ βαλοῦσα dictum notavimus in verbo illo. Aristoph. Ran. 626 : Αὐτοῦ μὲν οὖν, ἵνα σοι κατ' ὀφθαλμοὺς λέγῃ. Xen. Hier. 1, 14 : Τυράννου κατ' ὀφθαλμοὺς κατηγορεῖν.] || Xen. autem [Œc. 12, 20] δεσπότου ὀφθαλμὸν vocat Domini præsentiam. [Dicitur ut supra Διὸς ὀφθαλμὸς, et ap. Polyb. 24, 8, 3 : Διότι κατὰ τὴν παροιμίαν ἔστι τις Δίκης ὀφθαλμός· Menand. Sent. sing. 179 : Ἔστιν Δίκης ὀφθαλμὸς, ὃς τὰ πάνθ' ὁρᾷ. Dionys. A. R. 7, 57 : Ὅσῳ γὰρ ἂν φοβερώτερον κατασκευάσητε τὸ παραβαίνειν τοὺς νό-

D μους ... τοῖς ὑβρισταῖς καὶ πλεονέκταις, πολλοὺς ὀφθαλμοὺς καὶ φύλακας αὐτῶν ἀποδείξαντες, τοσούτῳ κρεῖττον ὑμῖν ἕξει τὰ κοινά.]

|| At regum ὀφθαλμοὶ dicebantur Qui quæ viderent, ad eos referebant, ut sunt visores s. exploratores, et nuntii : quod hominum genus Plut. ὀπίονας nominare videtur, de quo supra. Hesychio ὀφθαλμὸς βασιλέως est ὁ πεμπόμενος κατάσκοπος. [V. Βασιλεὺς, p. 167, C.] Pollux 2, [84] : Ἐκαλοῦντο δέ τινες ὦτα καὶ ὀφθαλμοὶ βασιλέως, οἱ τὰ λεγόμενα διαγγέλλοντες καὶ τὰ δρώμενα. Qui vero ὦτα vocabantur, sunt potius Delatores et Corycæi, qui subausculabant quid quisque loqueretur, et ad regem deferebant. Xen. Cyrop. 8, p. 124 [c. 2, 10, 11] de Cyro loquens, qui τοὺς ἀπαγγείλαντας ὅσα καιρὸς αὐτῷ εἴη πεπύσθαι, magnis afficiebat muneribus, Πολλοὺς ἐποίησεν ἀνθρώπους καὶ ὠτακουστεῖν καὶ κατοπτεύειν τί ἂν ἀγγείλαντες ὠφελήσειαν βασιλέα· ἐκ τούτου δὲ καὶ πολλοὶ ἐνομίσθησαν βασιλέως ὀφθαλμοὶ καὶ πολλὰ ὦτα. [Εἰ δέ τις οἴεται ἕνα αἱρετὸν εἶναι ὀφθαλμὸν βασιλεῖ, οὐκ ὀρθῶς οἴεται· ὀλίγα γὰρ εἷς γ' ἂν ἴδοι καὶ εἷς ἀκούσειε·

καὶ τοῖς ἄλλοις ὥσπερ ἀμελεῖν ἂν παραγγελλόμενον εἴη, εἰ ἑνὶ τοῦτο προστεταγμένον εἴη· πρὸς δὲ καὶ ὅντινα γιγνώσκοιεν ὀφθαλμὸν ὄντα, τοῦτον ἂν εἰδεῖεν ὅτι φυλάττεσθαι δεῖ· ἀλλ' οὐχ οὕτως ἔχει· ἀλλὰ τοῦ φάσκοντος ἀκοῦσαί τι ἢ ἰδεῖν ἄξιον ἐπιμελείας παντὸς βασιλεὺς ἀκούει.] Dixerat vero paulo ante τοὺς βασιλέως καλουμένους ὀφθαλμούς. [Et 8, 6, 16: Οἱ πολλάκις λεγόμενοι ὅτι ... καταβαίνει βασιλέως ἀδελφὸς, βασιλέως ὀφθαλμὸς ... οὗτοι τῶν ἐφόδων εἰσί. Herodot. 1, 114: Οἱ παῖδες παίζοντες εἵλοντο ἑωυτῶν βασιλέα εἶναι τοῦτον ... τὸν παῖδα. Ὁ δὲ αὐτέων διέταξε τοὺς μὲν οἰκίας οἰκοδομέειν, ... τὸν δέ κού τινα αὐτέων ὀφθαλμὸν βασιλέος εἶναι.] Itidem Aristot. Polit. 3, [c. 12]: Ὀφθαλμοὺς πολλοὺς οἱ μόναρχοι ποιοῦσιν αὑτῶν, καὶ ὦτα καὶ χεῖρας καὶ πόδας. Ovid. quoque dixit, An nescis longas regibus esse manus? Plut. Artox. [c. 12]: Ἀρτασύρας ὁ βασιλέως ὀφθαλμός. Meminit idem Plutarch. Περὶ πολυπραγμ. et Lucian. Περὶ τῶν ἐπὶ μισθῷ συνόντων [c. 29]. Aristoph. autem ex ambiguo lusit Ach. [91], ubi πρέσβεσι dicentibus, Καὶ νῦν ἄγοντες ἥκομεν Ψευδαρτάβαν Τὸν βασιλέως ὀφθαλμὸν, respondet Δικαιόπολις, Ἐκκόψειέ γε Κόραξ πατάξας τόν γε σὸν τοῦ πρέβεως. [Æsch. Pers. 979: Τὸν Περσῶν αὐτοῦ τὸν σὸν πιστὸν πάντ' ὀφθαλμόν· ubi Stanlej. citat Aristid. vol. 1, p. 424: Ὁ τῶν Περσῶν βασιλεὺς ἐδόκει τὶ διάφορον κεκτῆσθαι τὸν καλούμενον βασιλέως ὀφθαλμόν· et Dion. Chr. vol. 1, p. 138: Ὥστε ὁ μὲν Πέρσης ἕνα τινὰ ἔσχεν ὀφθαλμὸν βασιλέως λεγόμενον, καὶ τοῦτον οὐ σπουδαῖον ἄνθρωπον, ἀλλὰ ἐκ τῶν ἐπιτυχόντων, ἀγνοῶν ὅτι τοῦ ἀγαθοῦ βασιλέως οἱ φίλοι πάντες εἰσὶν ὀφθαλμοί (postremis similia sunt p. 54 med.), monetque neque unum fuisse, ut constet ex ll. supra citatis (δύο τινὰς fuisse perhibet schol.), neque vulgaribus hominibus delatum fuisse hoc officium, quo satrapas functos testetur Aristoph. l. c., Philostr. V. Ap. 1, p. 26: Σατράπης τῇ φρουρᾷ ταύτῃ ἐτέτακτο, βασιλέως τις οἶμαι ὀφθαλμός· eosdemque ex eunuchis, quibus plurimum fidei rex haberet, lectos tradere Heliod. Æth. 8, 17: Περσῶν βασιλείαις αὐλαῖς ὀφθαλμοὶ καὶ ἀκοαὶ τὸ εὐνούχων γένος. Etym. M. v. Δίοπος, ὀφθαλμὸς βασιλικὸς, ὁ κατάσκοπος.] || Ὀφθαλμοὶ dicebantur etiam quidam Compotationum præfecti, quorum curatio erat, ut æquabiliter potaretur, quique cœnantibus lychnos subministrabant, alio nomine οἰνόπται appellati, Latinis Modiperatores, ut nonnulli existimant. Vide Οἰνόπται.

|| Ὀφθαλμὸς, genus Deligationis ap. Hippocr. ἐν τῷ Κατ' ἰητρεῖον [p. 742, F]: quod oculo adhiberi consuevit, vel quum procidentia periclitantur, vel ut quæ imposita ipsi sunt, contineantur. Sunt autem variæ hujus generis differentiæ in l. De fasciis explicatæ. Gorr. [Cocchii Chirurg. p. 8, Oribas. p. 98, 99 Mai.]

|| Transfertur et ad alia. Dicitur enim ψυχῆς ὀφθαλμὸς, ut Oculus mentis ap. Latinos. Lucian. [Vitt. auct. c. 18]: Τυφλὸς γὰρ εἶ τῆς ψυχῆς τὸν ὀφθαλμόν· ad eum qui dicebat, Οὐχ ὁρῶ ταῦθ' ἅπερ λέγεις τὰ παραδείγματα. [Philo vol. 1, p. 15, 12: Τὸν ἄνθρωπον, ᾧ νοῦν ἐξαίρετον ἐδωρεῖτο, ψυχῆς τινα ψυχὴν, καθάπερ κόρην ἐν ὀφθαλμῷ· καὶ γὰρ ταύτην οἱ τὰς φύσεις τῶν πραγμάτων ἀκριβέστερον ἐρευνῶντες ὀφθαλμοῦ λέγουσιν ὀφθαλμὸν εἶναι.] || Ad hæc a tragicis poetis sol dicitur αἰθέρος ὀφθαλμὸς, teste Suida, quem Aristoph. αἰθέρος ὄμμα itidem appellat. Latine dicere queas Lux, s. Lumen. Et Pind. [Ol. 2, 11]: Σικελίας τ' ἔσαν ὀφθαλμὸς, Oculus Siciliæ, s. Lux et Decus; oculis enim in corpore nihil excellentius. [6, 16: Ποθέω στρατιᾶς ὀφθαλμὸν ἐμᾶς· de luna 3, 21: Διχόμηνις ὅλον ... ἑσπέρας ὀφθαλμὸν ἀντέφλεξε Μήνα. Æsch. Pers. 168: Ἀμφὶ δ' ὀφθαλμοῖς φόβος· ὄμμα γὰρ δόμων νομίζω δεσπότου παρουσίαν, de Xerxe absente. Cho. 934: Ὀφθαλμὸν οἴκων μὴ πανώλεθρον πεσεῖν· Sept. 390: Λαμπρὰ δὲ πανσέληνος ἐν μέσῳ σάκει, νυκτὸς ὀφθαλμὸς πρέπει.] Cic. quoque dixit, Hi duos oculos oræ maritimæ effoderunt. Alibi villulas suas appellat Oculos Italiæ. Et Catullus, Insularum ocellus. Item Eur. Andr. [407], ὀφθαλμὸς βίου, Vitæ lux: Εἷς παῖς ὅδ' ἦν μοι λοιπὸς, ὀφθαλμὸς βίου, Unica vitæ meæ lux et præsidium. [Conferre licet Phœn. 835: Ἡγοῦ πάροιθε, θύγατερ· ὡς τυφλῷ ποδὶ ὀφθαλμὸς εἶ σὺ, ναυτίλοισιν ἄστρον ὥς.] Et Soph. OEd. T. [987]: Μέγας ὀφθαλμός· itidemque in Phœn. [815] Euripidem dixisse volunt ὄμμα Κιθαιρὼν, pro καλλιστεῦον ὄρος, Latini autem Oculus et Ocellus pro Deliciis interdum usurpant, ut

A Plaut. in Pseud., Ubi isti sunt, quibus vos oculi estis, quibus vita, quibus deliciæ estis, quibus suavia mellita? Et in Curc., Bene vale, ocule mi. Et in Asin., Da, meus ocellus. [Philostr. V. Soph. 1, p. 517, 21. Hemst.]

|| In triremibus ὀφθαλμοὶ dicuntur Foramina per quæ remi trajiciuntur, quia oculos orbiculari sua rotunditate referunt. Eust. p. 1931: Λέγονται γὰρ ὀφθαλμοὶ ῥητορικῶς ἐν ταῖς τριήρεσιν αἱ ὀπαὶ ὧν αἱ κῶπαι διείρονται. [Schol. Aristoph. Ach. 97. Sed Pollux 1, 86: Τὸ δὲ ὑπὲρ τὸ προῦχον ἀκροστόλιον ἢ (ὑπὲρ δὲ τὸ προῦχον ἀκρ. ἢ Jungerm. ex codd.) πτυχὶς ὀνομάζεται, καὶ ὀφθαλμὸς, ὅπου καὶ τοὔνομα τῆς νεὼς ἐπιγράφουσι, alium dicit, etiam in inscr. navali ap. Bœckh. *Urkunden* p. 102 memoratum, quum singulari tum plurali: Αὕτη σκεῦος ἔχει οὐθὲν οὔθ' οἱ ὀφθαλμοὶ ἔνεισιν. Quem etiam in monumentis, quæ pictas exhibent naves, conspicuum in prora, duplicem fuisse, nec pictum tantum, sed etiam affabre factum, unde in inscr. illa dicitur, ὀφθαλμὸς κατέαγεν, et οἱ ὀφθαλμοὶ ἔνεισιν, B animadvertit Bœckh. Hos oculos dicit Philostr. Imag. p. 792 fin.: Ἡ μὲν οὖν ληστρικὴ ναῦς τὸν μάχιμον πλεῖ τρόπον· ἐπωτίσι τε γὰρ κατεσκεύασται καὶ ἐμβόλῳ καὶ ... ὡς ἐκπλήττοι τοὺς ἐντυγχάνοντας καὶ θηρίον τι αὐτοῖς ἐκφαίνοιτο, γλαυκοῖς μὲν γέγραπται χρώμασι, βλοσυροῖς δὲ κατὰ πρῷραν ὀφθαλμοῖς οἷον βλέπει ... Ἡ δὲ τοῦ Διονύσου ναῦς τὰ μὲν ἄλλα πέτρᾳ μοι διείκασται (leg. πηλαμύδι εἴκασται, ut dixi in Διεικάζω), φολιδωτὴ δὲ ὁρᾶται τὰ ἐς πρῷραν. L. Dind.]

|| Ὀφθαλμοὶ vitibus etiam tribuuntur. Theophr. [H. Pl. 4, 14, 6]: Ἔνια δὲ καὶ ῥιγώσαντα νοσεῖ, καθάπερ ἡ ἄμπελος· ἀμβλοῦνται γὰρ οἱ ὀφθαλμοὶ τῆς πρωτοτόμου. Quæ sic Plin.: Ægrotant et quum alsere, læsis uredine attonsarum oculis. Aliud exemplum [1, 8, 5 Schn.] cum ejusd. Plinii interpretatione vide in Ὄζος. [Ὀφθαλμὸς ἀμπέλου, Gemma, Gl.] In arbore quoque cui inseritur surculus aliquis, foramen illud cui inseritur, ὀφθαλμὸς dicitur, ut in Ἐνοφθαλμισμὸς videre licebit. Theophr. C. Pl. 1, 6, de insitione: Ἥνπερ (γόνιμον ὑγρότητα) ὀφθαλμὸς ἔχων, ἁρμόττεται θατέρῳ· καὶ C τὴν τροφὴν ἔχων, ἀποδίδωσι τὴν οἰκείαν βλάστησιν. [De quercu H. Pl. 3, 8, 6. Schneid. Eust. Il. p. 308, 37: Ὀφθαλμοὶ φυτῶν ἐκ τῶν κατὰ τὰ ζῷα πάντως καὶ αὐτοὶ, ἀφ' ὧν καὶ τὸ ἐνοφθαλμίζειν. Ducang. Ὀφθαλμοὶ radicum ap. Xen. OEc. 19, 10: Πλείονες ἂν οἱ ὀφθαλμοὶ κατὰ γῆς εἶεν· ἐκ δὲ τῶν ὀφθαλμῶν καὶ ἄνω ὁρῶ βλαστάνοντα τὰ φυτά. Καὶ τοὺς κατὰ τῆς γῆς οὖν ὀφθαλμοὺς ἡγοῦμαι τὸ αὐτὸ τοῦτο ποιεῖν.]

|| Ὀφθαλμὸν a Greg. Naz. dici etiam Primam fontis scaturiginem, annotatur in VV. LL. At in fluvio ὀφθαλμὸς dici potest τὸ στόμα, Os, Ostium, ut apparet ex iis quæ Nili τυφλοστόματα appellantur, teste Eust. p. 160: Οὐ γὰρ ἂν λεχθείη τὸ στόμα τυφλόν· ἀλλ' ἐμφαίνει γοργῶς τὸ τυφλόστομα, ὡς δυνάμεθα καὶ ὀφθαλμὸν καὶ στόμα εἰπεῖν τὴν τοῦ ποταμοῦ ἐκβολήν. [Theophyl. Simoc. Ep. 24: Φρεωρύχοι ὀφθαλμοὺς ὑδάτων ἀναζητοῦντες θεάσασθαι. Boiss.]

|| Ὀφθαλμὸς, Piscis quidam, Cam., auctorem non proferens. [Oribas. p. 42 ed. Mai. in Exc. e Xenophonte: Προσομοιοτέρα (ἀκροχορδὼν) ἢ θύμῳ ἢ ἰχθύων D τοῖς ὀφθαλμοῖς καλουμένοις· ut paullo post ead. p. extr.: Τὸ δὲ (ὅμοιον) τῷ θύμῳ περὶ ἕδραν καὶ αἰδοῖα, τὸ δὲ τοῖς τῶν ἰχθύων ὀφθαλμοῖς ἐπὶ βλεφάρων, transposita esse verba appareat. L. D. || Ὀφθαλμὸς Πύθωνος, Prophetis Stœchas, ap. Interpol. Dioscor. c. 435 (3, 28). Apol. c. 42 habet Τύφωνος. Ducang. Permutatum cum ὀμφαλὸς v. in illo. Prosodia ὀφθαλμὸς est in inscr. Att. edita *Kunstblatt* 1836, n. 60, etiam alia singularis prosodiæ exx., ut οἰκεῖν, præbente. L. Dind.]

[Ὀφθαλμόσοφος, ὁ, ἡ, Oculis sapiens. Lucian. Lexiph. c. 4: Ἀσκληπιάδου τινὸς ὀφθαλμοσόφου.]

[Ὀφθαλμότεγκτος, ὁ, ἡ, Oculos madefaciens. Eur. Alc. 182: Ὀφθαλμοτέγκτῳ δεύεται πλημμυρίδι.]

[Ὀφθαλμοφάνεια, ἡ. « Ὀφθαλμοφανία, Oculorum deceptio, de præstigiatoribus, qui oculos circumstantium fallant. Vita S. Symeonis Sali Ms.: Καὶ ἔλεγεν ὅτι ὥσπερ ὁ Ψηφᾶς ποιεῖ ὀφθαλμοφανίαν, οὕτως καὶ οὗτος ποιεῖ.» Ducang. Scrib. per ει, ut ap. Eust. Opusc. p. 157, 79: Ὑπὸ φωτὶ αἰθριάζοντι καὶ ὀφθαλμοφανείᾳ, ubi est Apparentia. L. Dind.]

Ὀφθαλμοφανής, ὁ, ἡ, Qui oculis cernitur, apparet, Sub oculorum sensum cadens, Oculis patens : ad differentiam τοῦ νοητοῦ ap. Chrys. Accipitur ὀφθαλμοφανὲς pro Eo etiam quod ante oculos est et manifestum : ut Cic., Non uti demonstraretur, quod ante oculos est. Strabo [2, p. 75] : Ὀφθαλμοφανῆ πάντα ἰδιώτῃ οὐκ ἐνδεόμενά εἰσι τῆς μαθηματικῆς σημειώσεως, Quæ vel idiota suis oculis cernere potest, idiotis quoque manifesta et perspicua sunt. [Aristox. Harm. p. 41 : Παντὸς ὀφθαλμοφανοῦς ἔργου πέρας ἐστὶν ἡ ξύνεσις. Cyrill. Hier. p. 153. Wakef. Eugen. ap. Bandin. Bibl. Med. vol. 1, p. 24, xx : Ὀφθαλμοφανῆ τὴν κατάληψιν νέμειν.] || Adv. Ὀφθαλμοφανῶς, Manifeste, Perspicue, More eorum quæ oculis cernuntur. Chrysost. De sacerd. : Ὀφθ. ἰδεῖν, Manifeste cernere, Oculis suis videre, quod Hom. dicit ὀφθαλμοῖσιν ἰδεῖν. [Jo. Climac. p. 314; Acta Theophili ed. Sinner. p. 12, 7. Boiss. Sextus Emp. p. 558 : Τὰ ὀφθ. φθειρόμενα. Esth. 8, 13; Symm. Jes. 52, 8. Eustath. Opusc. p. 51, 47 : Ὀφθ. ἐκφαίνοιντο· 68, 19 : Ὀφθ. ἐνώπιον ὑμῶν. Gretser. Opp. vol. 2, p. 28, B.]

Ὀφθαλμώδης, ὁ, ἡ, Oculi speciem gerens. Oculeus autem paulo alio sensu usurpavit Plaut., ut in Πανόπτης videre licet.

[Ὀφθαλμωρύχος, ὁ, ἡ, Oculos effodiens. Æsch. Eum. 186 : Ὀφθαλμωρύχοι δίκαι, ubi —ώρυχοι scriptum contra grammaticorum de his compositis præcepta.]

Ὀφῐᾰκὸς, ἡ, ὸν, Ad anguem s. angues pertinens. Et Ὀφιακὰ, Libri de serpentibus conscripti. [Nicandri Ὀφιακὰ citat schol. Th. 377, Petrichi Ὀφιακὰ et Ὀφιακὸν 557, 626. Suidæ in Πάμφιλος pro Ὀπικὰ restituebat Kusterus. V. Ὀφιονικός. L. D.] Sic Ὀρνιθιακὰ, Ἁλιευτικὰ, Ἰξευτικὰ, Λιθιακά. [Etym. M. p. 644, 10.]

[Ὀφιανοὶ, οἱ, vel Ὀφῖται, Hæretici, οἳ τὸν ὄφιν δοξάζουσιν, καὶ τοῦτον Χριστὸν ἡγούμενοι, ἔχοντες φύσει ὄφιν τὸν ἕρποντα ἐν κιστέρνῃ τινί. Ita schol. Basilic. ad l. 1, p. 581. Adde Theodorit. Serm. 1 de Hæretic., Nicetam l. 4 Thes. Orthod. fid. p. 169, etc. Ducang. Epiphan. Hær. 87 (37, 3, vol. 2, p. 18, C, ubi Ὀφῖται, ut ap. Jo. Dam. vol. 1, p. 85, A). Id. App. p. 147. Clem. Alex. p. 765; Orig. C. Cels. p. 303.]

Ὀφίασις, εως, ἡ, Affectus capitis, quo capilli primum extenuati, postea decidunt certis spatiis in serpentis similitudinem. Species est Areæ Celso, sic dicta quod serpentis speciem præ se ferat. Incipit enim ab occipitio capillus defluere duorum digitorum spatio : vitiumque ad aures duobus capitibus serpit, quibusdam etiam ad frontem, donec se duo capita in priorem partem committant. Infantibus fere accidit, et per se sæpe sine curatione finitur. Idem revera cum alopecia malum est, solaque figura ab eo differt. Interdum et mento contingit. Hæc Gorr. Verba Celsi sunt 6, 3, de areis : Id vero, quod a serpentis similitudine ὀφίασις appellatur, incipit ab occipitio : duorum digitorum latitudinem non excedit, ad aures duobus capitibus serpit : quibusdam etiam ad frontem, donec se duo capita in priorem partem committant. [Galen. vol. 2, p. 267 : Ὀφ. ἐστὶ μεταβολὴ τοῦ χρώματος ὁμοία τῇ προειρημένῃ (ἐπὶ τὸ λευκότερον) ἐπὶ τὸ μᾶλλον πυκνότερον μετὰ τοῦ σκολιοῦσθαι τὴν ψίλωσιν· 386 : Ὀφίασιν λέγουσι τὴν ἐκδέρουσαν τοὺς ἁλόντας ὡς ὄφεις· 7, p. 36; 10, p. 338, 342, 559; 13, p. 320 sq.]

Ὀφιγενὴς, ὁ, ἡ, Serpentigena, VV. LL.

[Ὀφιγένιον, τὸ, Elaphoboscum, Diosc. Noth. p. 455 (3, 73). Boiss.]

Ὀφιγοὶ, Hesychio teste, dicebantur olim, qui nunc ὀπτικοί.

Ὀφιδεύειν, Hesychio σχολάζειν, διατρίβειν, οἰκεῖν [ὀκνεῖν. V. Ἐφιδύειν].

[Ὀφίδιον. V. Ὀφείδιον.]

[Ὀφιείκελος, ὁ, ἡ, Angui similis. Epiphan. vol. 1, p. 388, C.]

[Ὀφιεῖς. V. Ὀφιονεῖς.]

Ὀφιῆτις, ιδος, ἡ, nomen Lapidis, ex Orph. affertur [Lith. 335 : Ὀφιήτιδα πέτρην. Dionys. P. 1013 : Ὀφιήτιδος ἔνδοθι πέτρης. Ubi Eust. : Τόπος γάρ τις ἐκεῖ Ὀφίτης ἐκβάλλων μάρμαρον λίθον, ᾧ ἡ βήρυλλος ἐνθαλαμεύεται· τὸ δὲ ὀφιήτης πλεονασμὸν ἔχει τοῦ η, καὶ ἔστιν ὅμοιον τῷ πολιήτης. V. Ἐχιῆτις.]

[Ὀφίλλιος, ὁ, Ophillius, in inscr. Att. ap. Bœckh.
A vol. 1, p. 384, n. 276, 3, et in Lacon. p. 672, n. 1394, 3, videtur i. nomen q. supra Ὀφέλλιος.]

[Ὀφιοβόλος, ὁ, ἡ, Serpentis percussor. Schneider. sine testim.]

Ὀφιοβόρος, ὁ, ἡ, Anguivorus, Qui serpentes devorat. Ὀφιοβόρους a Pythia dictos fuisse Spartiatas testatur Plut. [Mor. p. 406, E. Pro quo Ὀφιοδείρους est ap. Aristot. Mir. c. 23. De quo alias conjecturas protulit Lobeck. Aglaoph. p. 845.]

Ὀφιογενὴς, ὁ, ἡ, Serpentigena, Anguigena, Qui genus et originem a serpentibus ducit. Ὀφιογενεῖς, sunt populi quidam, qui ob familiaritatem quandam cum serpentibus, eorum ictibus medebantur, ut tum Strabo [13, p. 588] docet, tum Plin. 7, 2 : Crates Pergamenus in Hellesponto circa Parium, genus hominum fuisse tradit, quos Ophiogenes vocat, serpentum ictus contactu levare solitos, et manu imposita venena extrahere corpori. Varro [apud Priscian. 10, p. 894 P. Hemst.] etiam nunc esse paucos ibi, quorum saliva contra ictus serpentum medeatur.
B Idem 28, 3 : Quorum ex genere sunt Psylli Marsique, et qui Ophiogenes vocantur in insula Cypro : ex qua familia legatus Exagon nomine, a consulibus Romæ in serpentium dolium conjectus experimenti causa, circum mulcentibus linguis miraculum præbuit. [Iterum HSt. :] Ὀφιογενὴς, Serpentigena. Ὀφιογενεῖς, Straboni gens Propontidis, quæ familiaritate quadam cum serpentibus, mortiferis eorum ictibus præsentem opem ferebat. VV. LL. [Ælian. N. A. 12, 39. Wakef.]

[Ὀφιογνώμων, ωνος, ὁ, ἡ, Anguium peritus. Joann. Hierosol. Vita Joann. Damasc. p. 249, 5 ed. Major. (vol. 1, p. xi, C.) Boiss. Theodor. Stud. p. 196, A. L. Dind.]

[Ὀφιόδειρος. V. Ὀφιοβόρος.]

Ὀφιόδηκτος, ὁ, ἡ, A serpente morsus, Ab angue ictus, ὁ ὑπὸ ὄφεως δηχθεὶς, eadem forma qua ἐχιόδηκτος, Diosc. [LXX Sirac. 12, 17. « Ὀφιόδηκτος quibus malum suum ictum velit indicare, Greg. Naz. vol. 2, p. 35,
C E. » Valck. Schol. Hom. Il. B, 722. Wakef. Schol. Nicand. Th. 653; Geopon. 13, 8, 7.]

[Ὀφιοδιώκτης, ὁ, Marsæ, Marsio (sic), Gl.]

Ὀφιοειδὴς, ὁ, ἡ, Angui s. Serpenti similis, Anguinus. [Eudocia p. 376. Cyrill. Hieros. p. 117.]

Ὀφιόεις, i. q. ὀφιώδης, fem. Ὀφιόεσσα [Antimach. ap. schol. Aristoph. Pl. 718 : Τήνου τ' ὀφιοέσσης, producto ο, ut in Ὄφις dicemus], ex quo est Ὀφιοῦσσα per contractionem, insulæ nomen ap. Strab. 6 [immo 3, p. 167], qui etiam l. 14, [p. 653] scribit Rhodum prius ὀφιοῦσσαν vocatum fuisse. [Steph. B. v. Ῥόδος. Schol. Apoll. Rh. 2, 1149; Eust. ad Dionys. 504.] Plin. quoque 4, 12, Ophiussæ insulæ meminit. Eod. cap., de Teno : Quam propter aquarum abundantiam Aristoteles Hydrussam appellatam ait, aliqui Ophiussam. Meminit et alibi. Idem 3, 5 : Ebusi terra serpentes fugat, Colubrariæ parit. Ideo infesta omnibus, nisi Ebusitanam terram inferentibus. Græci Ophiussam dixere. Ubi nota etiam, Ὀφιοῦσσα Latine reddi Colubraria : ut ὄφις interpretari possimus etiam Coluber. Item Herbæ nomen. Plin. 24, 17 : Ophius-
D sam in Elephantine ejusdem Æthiopiæ, lividam difficilemque aspectu : qua pota terrorem minasque serpentium obversari, ita ut mortem sibi eo metu consciscant : ob id cogi sacrilegos illam bibere.

[Ὀφιόθριξ, τρῐχος, ὁ, ἡ, Qui comas habet anguinas. Tzetz. ad Hesiod. Scut. 235. Boiss.]

[Ὀφιοκανοὶ, οἱ, Ophiocani? Photius Ep. 55, p. 111 : Τιμοκλέα ποτὲ, μᾶλλον δὲ Χλονθάγονθλον τὸν ὀφιοκανὸν, δεῖ γὰρ, ὡς ἔοικε, καὶ τὰ ὀνόματα τερατεύεσθαι, κουρίζων ἴσως ἢ μειρακίζων τοῖς μαθήμασιν ἤκουσας ὀφιοκανῶν ἐκείνων, οὓς αὐτὸς ὑπεστήσατο, γένος καὶ φύσιν καὶ πολιτείαν καὶ μάχας καὶ νίκας καὶ βίων αἰῶνας καὶ ἡλικίας καὶ εὐδαιμονίας οὐκ ἀνθρώπων μόνον, ἀλλὰ καὶ φυτῶν ... τερατευσάμενον.]

[Ὀφιοκέφᾰλος, ὁ, ἡ, Qui est anguino capite. Athanas. vol. 2, p. 9. || Accipitris genus. Demetrius Cpol. Hieracosoph. 1, 2 : Δεῖ τὸν ἐπιλεγόμενον ἱέρακα ἐν πρώτοις τὸν νεανίσκον ἐπιζητεῖν, ἔπειτα τὸν λεγόμενον ὀφιοκέφαλον· εἰσὶ γὰρ οἱ μακρὰς τὰς κεφαλὰς ἔχοντες καὶ ὁμοίας ὄφεων. Ducang.]

Ὀφιοκτένη, ἡ, Ophioctene, Scolopendræ genus, ab enecandis anguibus dictæ, inquit Marc. Virg. ap. Diosc. 7, 6, ubi ait, Τοῖς δὲ ὑπὸ τῆς καλουμένης σκολοπένδρας ἢ ὀφ. δεδηγμένοις, ὁ μὲν ἐν κύκλῳ τόπος τοῦ δήγματος πελιοῦται καὶ περισήπεται. [Leg. Ὀφιοκτόνη.]

[Ὀφιοκτόνη. V. Ὀφιοκτένη.]

[Ὀφιοκτόνον, Diosc. Notha p. 455. Boiss.]

[Ὀφιοκτόνος, ὁ, ἡ, Serpentis occisor. Eustath. Il. p. 183, 12.]

[Ὀφιομάχης. V. Ὀφιομάχος.]

Ὀφιομάχος, ὁ, ἡ, Qui serpentes oppugnat, cum anguibus dimicat, ἰχνεύμων, ἀκρίδων γένος μὴ ἔχον πτερὰ, Hesych. Pro quo ap. Suid. habetur Ὀφιομάχης, εἶδος ἀκρίδος μὴ ἔχον πτερά. Mentio hujus animantis, Levit. 11, [22]: Καὶ τὸν ἀττάκην καὶ τὰ ὅμοια αὐτῷ, καὶ τὸν ὀφιομάχην καὶ τὰ ὅμοια αὐτῷ, καὶ τὴν ἀκρίδα καὶ τὰ ὅμοια αὐτῇ. [Philo vol. 1, p. 39, 35. Altera forma Chron. Pasch. p. 293, 17: Τοὺς ὄφεις τοὺς ἀργολάους, ὅ ἐστιν ὀφιομάχους. Ὀφεομάχος Theophyl. Bulg. vol. 3, p. 639, B; 640, D. L. Dind.]

[Ὀφιόμορφος, ὁ, ἡ, Qui serpentis figuram habet. Epiphan. vol. 1, p. 271, C, ἰδέαν· 422.]

[Ὄφιον καὶ σηπίας ὄστρακόν ἐστιν ἄσβεστος ὠῶν, Glossæ chymicæ mss. Ducang.]

Ὀφῑόνεος, α, ον, Anguineus. Oppian. Cyn. 3, [436] loquens de ichneumone: Οὐρή οἱ δολιχὴ γὰρ ὀφιονέη τε τέτυκται, Cauda longa et anguinea. Seneca, Anguifera cauda cerberi. [Id. 2, 237.]

[Ὀφιονεὺς, έως, ὁ, Ophioneus, n. viri. Pherecyd. ap. Orig. C. Cels. p. 314. Vates ap. Pausan. 4, 10 seqq. ‖ Ὀφιονεῖς, οἱ, Ophionenses, gens Ætoliæ, ap. Thuc. 3, 94. Ὀφιεῖς ap. Strab. 10, p. 451, 465.]

[Ὀφιονικὸς, i. q. ὀφιακὸς, ut videtur, quod v. Galen. vol. 13, p. 145, ubi de Pamphili plantarum fictarum catalogo disserit: Τὰς λς′ τῶν ὡροσκόπων ἱερὰς βοτάνας, αἳ εὔδηλον ὅτι πᾶσαι λῆρός εἰσι καὶ πλάσματα τοῦ συνθέντος, ὁμοιότατα τοῖς Ὀφιονίκοις (sic) τοῖς Κόχλας· οὐδὲ γὰρ ὅλως ἐγένετό τις Κόχλας, ἀλλ' εἰς γέλωτα σύγκειται τοὔνομα, καθάπερ καὶ τἄλλα πάντα τὰ κατὰ τὸ βιβλίον αὐτοῦ γεγραμμένα. L. Dind.]

[Ὀφιοπλόκᾰμος, ὁ, ἡ, Qui comas habet anguinas. Orph. H. 68, 12; 69, 10. V. Ὀφεωπλόκαμος.]

Ὀφιόπους, οδος, ὁ, ἡ, Anguipes, serpentis modo incedens, i. e. Repens; nam serpentes sunt ἄποδες. Unde apud Suidam, Ὀφιόπους γυνὴ, ἕρπουσα. [Lucian. Philops. c. 22: Τὰ ἔνερθε ὀφ. ἦν.]

[Ὀφιοπρόσωπος, ὁ, ἡ, Qui vultu est anguino. Asper ad Virgil. p. 52 Maji. Schneider.]

[Ὀφιοσκόροδον, s.] Ὀφιόσκορδον, τὸ, Allium anguinum s. sylvestre. Diosc. 2, 182, quum de sativo atque hortensi allio locutus fuisset, Ἔστι δὲ καὶ ἄλλο ἄγριον, ὀφιόσκορδον καλούμενον. Plin. 19, 6, sylvestre allium scribit vocari Ursinum: ubi etiam Alum nominari tradit allium quoddam in arvis sponte nascens. Ibid., postquam vires allii sativi commemoravit, Τὰ αὐτὰ δὲ ποιεῖ καὶ τὸ ὀφ. βιβρωσκόμενον, ὃ καὶ ἐλαφόσκορδον λέγεται. Significat autem Ἐλαφόσκορδον, Allium cervinum. Idem Dioscor. scribit [2, 204] cappari a quibusdam vocari ὀφιόσκορδον, Plin. a quibusdam Opheostaphylen. [Ap. Dioscor. —σκόροδον constanter Sprengel., ut est ap. Cantacuz. Et sic Galen. vol. 13, p. 230: Τὸ ὀφιοσκόροδον ὀνομαζόμενον ἄγριόν ἐστι σκόροδον ἰσχυρότερον τοῦ ἡμέρου, ὥσπερ καὶ τὰ ἄλλα τὰ ἄγρια. Altera forma Geopon. 12, 30, 7. De qua v. in Σκόρδον. Dioscoridi talis forma non videtur tribui posse.]

[Ὀφιόσπαρτος, s. Ὀφιόσπρατος, ὁ, ἡ, transpositis literis, memorat Etym. M. p. 287, 13, de Spartis, ut videtur, dictum.]

Ὀφιοστάφυλον, τὸ, vocant nonnulli Vitem albam. Diosc. 4, 184: Ἄμπελος λευκή· οἱ δὲ βρυωνίαν, οἱ δὲ ὀφιοστάφυλον, οἱ δὲ χελιδόνιον, ἢ μήλωθρον ἢ ψίλωθρον, ἢ ἀρχέζωστιν ἢ ἄγρωστιν ἢ κέδρωστιν καλοῦσι. Itidem Plin. 23, 1: Vitis alba est, quam Græci Ampeloleucen, alii Ophiostaphylon, alii Melothron, alii Psilothron, alii Archezostin, alii Cedrostin, alii Madon appellant. [Conf. 13, 23.] Ratio forte nominis est, inquit Gorr., quod in sepibus nascatur, in quibus et angues plerumque latent, vel quod anguium modo serpat, claviculis suis vicinos frutices comprehendens: quam ob causam etiam vulgo Colubrina dicitur. [Ὀφ. ἤτοι καππάριν in Glossis botan. ex cod. Reg. 848. Ducang. ἄῢ]

[Ὀφιότης, ητος, ἡ, Natura serpentis. Athanas. vol. 2, p. 365. Kall.]

[Ὀφιότροπος, ὁ, ἡ, Qui est viperinis moribus. Const. Manass. Chron. 4210: Ὀφιότροποι θεομισεῖς Ἑβραῖοι.]

[Ὀφιοτρόφος, ὁ, ἡ, Viperas nutriens. Theodor. Stud. p. 499, B. L. Dind.]

Ὀφίουρος, ὁ, Serpentis caudam habens. Est hoc nomine Avis quædam in Æthiopia, Hesych.

Ὀφίους, Herodotus [insulam Rhodum] vocat διὰ τὸ πλῆθος τῶν ὄφεων, Hesych. [Pro Ὀφιοῦσα.]

[Ὀφιοῦσσα. V. Ὀφιόεις. Ὀφιοῦσα πόλις Græca in Scythia memoratur ab Scylace p. 29.]

[Ὀφιούχεος, ὁ, ἡ.] Ὀφιούχης, ὁ, ἡ, Anguitenens, Anguem tenens, a quo plur. ὀφιούχεα adjective apud Aratum [522]: Ἐν τῷ δ' ὀφιούχεα γοῦνα φορεῖται· pro quibus Cic., Simul anguitenentis Sunt genua. [75: Κεφαλὴν ὀφιούχεον· 488: Ὀφιούχεοι ὦμοι.]

Ὀφιοῦχος, ὁ, Anguitenens, Sideris nomen apud Aratum [83, 577, 665, 667] et ceteros Astronomos [ut Maneth. 2, 77, 90], quem Latinorum quoque nonnulli Ophiuchum appellant. De hoc Cic. in suis Phænomenis, Propter caput anguitenentis, Quem claro perhibent ὀφιοῦχον nomine Graii, Hic pressu duplici palmarum continet anguem [De N. D. 2, 42,]; Colum. 11, 2: xi calend. Julii anguifer, qui a Græcis dicitur ὀφιοῦχος, mane occidit. [Empedocles Sphæra 6, in Fabric. B. Gr. vol. 3, p. 478. Pollux 4, 159. ‖ Mercurii epith., cujus caduceus anguibus est circumplicatus, Orph. H. 27, 5.]

Ὀφιοφάγος, ὁ, Qui serpentibus vescitur. Ophiaphagi, populi sunt, de quibus Plin. 6, 29: Introrsus Candei, quos Ophiophagos vocant, serpentibus vesci assueti: neque alia regio fertilior earum.

[Ὀφιόφωνος, ὁ, ἡ, Qui vocem habet anguinam. Theodor. Stud. p. 279, A. L. Dind.]

[Ὀφιόω, Clem. Hom. 2, 33. Kall.]

Ὄφῐς, εως, ὁ, [ἡ, Gretser. Opp. vol. 2, p. 74, C: Τὴν ὄφιν. Nonni enim Dion. 25, 522: Θῆλυς ὄφις ξύουσα, anceps est,] Serpens, Anguis, [Coluber, Cholorius, add. Gl.] utroque enim modo reddi posse manifestum est ex Cic. et Festo Avieno: quorum ille ap. Arat. vertit Anguis, hic vero Serpens, quum ait, Reliquum serpentis et artus Anguitenentis, i. e. τοῦ ὄφεως καὶ τοῦ ὀφιούχου. [Hesiod. Sc. 161: Ἐν δ' ὀφίων κεφαλαὶ δεινῶν ἔσαν, οὔτι φατειῶν δώδεκα.] Hesiod. δράκοντα quoque et ὄφιν pro eodem ponit: nam Theog. [321] de tribus Chimæræ capitibus ait, Μία μὲν χαροποῖο λέοντος, Ἡ δὲ χιμαίρης, ἡ δ' ὄφιος, κρατεροῖο δράκοντος· mox subjungens, Πρόσθε λέων, ὄπιθεν δὲ δράκων, μέσση δὲ χίμαιρα. [Conf. 299. Ib. 825: Ἑκατὸν κεφαλαὶ ὄφιος, δεινοῖο δράκοντος.] Itidem draco aurea mala custodiens, Hesych. teste, ὄφις dicitur [ap. Hesiod. Th. 334. Conf. Pausan. 8, 8, 5. Et draco Pythius ap. Callim. Apoll. 100, Del. 91. Hom. Il. M, 208: Τρῶες δ' ἐρρίγησαν, ὅπως ἴδον αἰόλον ὄφιν, ubi de producto ο (ut ap. Antimachum in Ὀφιόεις citatum) monent scholl., pro quo dicere licuisse poetæ ὄφιν αἰόλον εἶδον. Conf. Βρόχος, Ὄχος ο producto dicta. Hipponactis eadem mensura usi ex. notavit Tzetz. ad Lycophr. 424 et alibi. Schol. autem quod ὄφῖν αἰόλον dicere potuisse poetam putat, non confirmant exempla Hesiodi Th. 334: Γείνατο δεινὸν ὄφῖν, ὃς ἐρεμνῆς κεύθεσι γαίης· Æsch. Cho. 928: Οἲ 'γὼ τεκοῦσα τόνδ' ὄφιν ἐθρεψάμην· cui 544 Porsonus restituit οὖφῖς ubi libri plerique ουφεισ· Moschi 4, 22: Οὕς τ' αἰνὸς ὄφις ἔτι νηπιάχοντας· Apollonii Rh. 2, 1269: Τοῖο θεοῦ, τόθι κῶας ὄφις εὔρυτο δοκεύων. Sed idem ὄφις correpto ι 4, 128: Ὀξὺς ἀΰπνοισι προϊδὼν ὄφις ὀφθαλμοῖσι· 1398: Χώρῳ ἐν Ἄτλαντος χθόνιος ὄφις· ἀμφὶ δὲ Νύμφαι· ut Arat. 578: Κατάγει δ' ὄφιν· Callim. ap. Orion. v. Χεὰ, Οἱ δ', ὥστ' ἐξ ὀχεῆς ὄφις αἰόλος αὐχέν' ἀνασχών· Orph. Lith. 704: Ἀναρπάζειν ὄφιν αἰόλον· Nonnus Dion. 12, 328: Εὔιον ἀθρήσας ὄφις αἰόλος· εἰσορόων δὲ κτλ. Ambigua est mensura Aristoph. Lys. 759: Ἐξ οὗ τὸν ὄφιν εἶδον τὸν οἰκουρόν ποτε, ut Eccl. 909: Κἀπὶ τῆς κλίνης ὄφιν εὕροις. Sed hic quoque τὸν ὄφῖν præstat. Nam diserte Photius: Ὄφις ἐκτείνουσι κατὰ τὸ ἑνικόν. Incerta mensura Pind. Pyth. 4, 249 : Γλαυκῶπα ποικιλόνωτον ὄφιν. Idem 12, 9 : Ὀφίων κεφαλαῖς· Nem. 1, 45 : Δοιοὺς ὄφιας. De homine perfido Theognis 602 : Ψυχρὸν δς ἐν κόλπῳ ποικίλον εἶχες ὄφιν. Ubi ψυχρὸν certe non esse tentandum ostendit Theocr. 15, 58 : Ἵππον καὶ τὸν ψυχρὸν ὄφιν τὰ μάλιστα δεδοίκω ἐκ παιδός. Soph. Ph. 1328 : Κρύφιος οἰκουρῶν ὄφις· fr. Herculis ap. Steph. Byz. v. Χώρα cit. : Κρήνης φύλακα χωρίτην ὄφιν. Herodot. 8, 41; 9, 81. Plato Reip. 2, p. 358, B : Ὥσπερ ὄφις κηληθῆναι.] Dem. [p. 313, 25] : Τοὺς ὄφεις τοὺς παρείας θλίβων καὶ ὑπὲρ τῆς κεφαλῆς αἰωρῶν. Aristoph. Pl. [690] : Ὀδὰξ ἐλαβόμην ὡς παρείας ὢν ὄφις· quo serpentum genere in bacchanalibus utebantur, ut ibi schol. testatur. Athen. 5 : Ἐστεφανωμέναι ὄφεσι· 11 : Ἡ τοῦ ὄφεως κατάδυσις, χειή, ἡ καταδεχομένη τὸ ζῶον, Serpentis s. Anguis latibulum, quo se recipit. Lucian. [Hermot. c. 79] : Τοῦ ὄφεως τὸ σύφαρ. [Ὄφ. ὀροφίας Photius, Pollux 7, 120.] Et ὄφις θαλάττιος, Serpens marinus. Sed de universo ὄφεων genere, v. Aristot. [H. A., Theophr.] Ælian. [de quibus v. indices.] || Sideris nomen. Cicero Anguem, Avienus Serpentem interpr. apud Aratum [82 etc. Pollux 4, 159], ut initio dixi. || Hesychio Piscis quidam; nescio an is, quem ab angue Latini Anguillam denominarunt, ἔγχελυν a Græcis dictam. [V. Ὀφείδιον. Ὄφεις θαλάττιοι sunt ap. Ælian. N. A. 14, 15; 16, 8.] || Morbus capitis, dictus a similitudine serpentis, VV. LL. pro ὀφίασις. [Quod pro ὄφις Polluci 4, 192, restituunt intt.] || Etiam τὸ χρυσοῦν περιβραχιόνιον : unde ἐπικάρπιοι ὄφεις [ap. Philostr. Ep. 40] supra in Ἐπικάρπιος. [Hesychius : Ὄφεις, τὰ δρακοντώδη γινόμενα ψέλια, Μένανδρος Παρακαταθήκῃ, Τοὺς ὄφεις, λέγει, καλῶς γέ μοι ἠγόρασας. Mœris p. 288 : Ὄφεις Ἀττικοί, τὰ παρὰ τοῖς Ἕλλησι ψέλια. Clemens Al. Pæd. 2, 12, p. 245 : Ὡς τὴν Εὔαν ὁ ὄφις ἠπάτησεν, οὕτω δὲ καὶ τὰς ἄλλας γυναῖκας ὁ κόσμος ὁ χρυσοῦς δελέατι προσχρώμενος τοῦ ὄφεως τῷ σχήματι ἐξέμηνεν εἰς ὕβρεις, σμυραίνας τινὰς καὶ ὄφεις ἀποπλαττομένας εἰς εὐπρέπειαν. Λέγει γοῦν ὁ κωμικὸς Νικόστρατος, Ἁλύσεις ... βουβάλι', ὄφεις. Pollux 5, 99. || Ὄφιος καρπὸς herba est ap. Hippocr. p. 640, 14. || Genit. ὄφεος Eur. Suppl. 703 : Λόχος δ' ὀδόντων ὄφεος ἐξηνδρωμένος· Bacch. 1027 : Δράκοντος ἔσπειρ' ὄφεος ἐν γαίᾳ θέρος· 1332 : Ὄφεος ἀλλάξει τύπον. Genit. plur. ὀφίων ap. schol. Pind. Pyth. 12, 15, ubi alius ὄφεων, quæ usitata melioribus in dial. communi forma est. Dualem ὄφη memorat Chœrob. vol. 1, p. 196, 25, sæpius disserens de declinatione hujus nominis. De mensura nomin. et accus. sing. v. supra. L. Dind.]

[Ὄφις, εως, ὁ, Ophis, fl. prope Mantineam, sec. Pausan. 8, 8, 5, dictus quod Antinoe ἀναστήσασα τοὺς ἀνθρώπους ἤγαγεν ἐς τοῦτο τὸ χωρίον, ὄφιν ἡγεμόνα ποιησαμένη τῆς ὁδοῦ. Et ib. 7. Alius in Colchide ap. Arrian. Peripl. P. Eux. p. 6, 7. Hoc nomen dicit fortasse Chœrob. vol. 1, p. 188, 30, ubi Ὄφις recte Bekk. An. p. 1193.]

[Ὀφιτεία, ἡ, Ophitea, opp. Phocidis a dracone quodam dictum sec. Pausan. 10, 33, 10, ubi ὀφιτίαν liber unus, accentus autem in penultima an in antepen. ponendus sit incertum est.]

Ὀφίτης λίθος, ὁ, Lapis ophites, maculosus in modum serpentis. [Orph. Lith. 457 : Βουκολίδης Εὔφορβος ἀγαυοῦ φάσκεν ὀφίτου φάρμακα μὴ μούνων ὄφεων κατένωπα δύνασθαι κτλ.] Diosc. 5, 162 : Λίθος ὀφίτης, ὁ μέν τίς ἐστι βαρὺς καὶ μέλας· ὁ δὲ, σποδοειδὴς τὴν χρόαν καὶ κατεστιγμένος· ὁ δέ τις, γραμμὰς ἔχων λευκάς. Ophites a Plinio in marmore censetur, 36, 7, de Augusto et Tiberio marmore, Differentiaque eorum est ab ophite, quum sit illud serpentium maculis simile : unde et nomen accepit. Et c. 22 : Ex alabastrite Ægyptio vel ex ophite albo. Est enim hoc genus ophitis, ex quo vasa et etiam cados faciunt. [Galen. vol. 13, p. 258. || Genus morbi i. q. ἕρπης. Theoph. Nonn. vol. 2, p. 248 : Περὶ ἕρπητος καὶ ὀφίτου, ubi al. π. ἕ. ἤτοι ὀφίτου vel περὶ ὀφίτου. || Ὀφῖται iidem qui Ὀφιανοί, quod v.]

Ὀφιώδης, ὁ, ἡ, Anguinus, Serpentem referens, Anguibus abundans, Anguifer. [Pind. Ol. 13, 61 : Ὀφιώδεος Γοργόνος. Nonnus Dion. 7, 102.] Strabo 16, p. 336 [770] : Ἡ ὀφιώδης καλουμένη νῆσος ἀπὸ τοῦ συμβεβηκότος, ἣν ἠλευθέρωσε τῶν ἑρπετῶν ὁ βασιλεύς. [De eadem Agatharch. De mari R. p. 54 ed. Huds.
A Aristot. De partt. an. 4, 13, De incessu an. c. 7; Theophr. fr. 12, 4; Hero in Math. vett. p. 252, D. Nonnus Συναγ. 1, 52. V. Ὀφεώδης.]

[Ὀφίων, ονος, ὁ, Ophion, Titan, ap. Apoll. Rh. 1, 503, Lycophr. 1192, ubi plerique male Ὀφίωνος. N. triadis ap. Phot. Bibl. p. 143, 36. ῑ]

[Ὄφλα, ὄνομα χωρίου, ὅπου ἦν τεῖχος Ἱερουσαλήμ, Hesych.]

Ὀφλάνω, i. q. ὄφλω et ὀφλισκάνω : ita ex ὄφλω derivatum ut ὀφλισκάνω ex ὀφλίσκω. Unde ap. Hesych. [et qui omittit ὀφείλειν Photium] Ὀφλάνειν, ὀφλισκάνειν, ὀφείλειν.

[Ὀφλάριον, Oflas, Gl.]

Ὄφλημα, τὸ, Mulcta juaicata, judicio imposita. Dem. : Ἐκτίσας τῷ δημοσίῳ τὸ ὄφλημα, Quum judicatum publico dissolvissem; et [p. 998, 25] : Ἐὰν δὲ χρόνος διέλθῃ, καὶ μὴ ἐκτισθῇ τὸ ὄφλημα, Si longum temporis intervallum intercesserit, necdum depensa mulctatitia illa pecunia fuerit. [Cum eod. verbo Diod. 16, 23.] Idem, Ὁμολογεῖται τοῦτ' εἶναι τὸ ὄφλημα, Mulctam
B quæ debebatur ex judicato. [Ps.-Dem. p. 1347, 15 : Διπλοῦν ἔμελλεν ἔσεσθαι τὸ ὄφλημα.] Idem, Καθ' οὓς (νόμους) τὰ μὲν δεκαπλᾶ, τὰ δὲ διπλᾶ γίγνεται τῶν ὀφλημάτων, Quibus legibus nomina publica decupla interdum, interdum dupla fiunt, Secundum quas leges damnatio interdum in decuplum, interdum in duplum fit. Hæc Bud. diversis in locis. [Dem. p. 1047, 27 : Ὀφλήματα πλέον ἢ τριῶν ταλάντων· 1347, 16 : Μὴ ἐκτισθέντος τοῦ ὀφλήματος.] || Debitum [Gl.], sicut Ὄφλω dicam reddi etiam Debitor sum, Debeo. Et Hesych. ὦφλε exp. non solum κατεδικάζετο et ἐπὶ τῇ δίκῃ ὤφλησε, sed etiam ὤφειλεν : itidemque Suid. ὤφλησα, ἐχρεώστησα. Herodian. 5, [1, 13] : Ὥσπερ ὄφλημα κληρονομίας εἰληφότες, ἀποχρῶνταί τε καὶ ἐνυβρίζουσιν ὡς ἄνωθεν ἰδίῳ κτήματι, Quasi ipsis debitam hæreditatem adepti. Theophyl. Ep. 16 : Δανειζόμενος γὰρ παρ' ἄλλων, ἄλλοις ἀποδίδως τὸ ὄφλημα. Itidem Lucian. [Hermot. c. 80] : Ἀπαιτῶν γὰρ παρά τινος τῶν μαθητῶν τὸν μισθὸν ἠγανάκτει, λέγων ὑπερήμερον εἶναι καὶ ἐκπρόθεσμον τὸ ὄφλημα. Et ὄφλημα βαρὺ, Æs alienum grande, χρέος :
C quod tamen per ω VV. LL. scriptum est Ὤφλημα. [V. Ὀφείλημα.]

Ὄφλησις, εως, ἡ, Debitio, χρεώστησις Hesychio. || Debitum, i. q. ὄφλημα et ὀφείλημα. A Suida exp. χρέος, ὀφειλή.

[Ὀφλητής, ὁ, Debitor, Gl.]

[Ὄφλιμος, ὁ, Ophlimus, αὐλὼν Ponti ap. Strab. 12, p. 556.]

Ὀφλίσκω et Ὀφλισκάνω, eadem cum ὄφλω : unde [« inde » HSt. Ms. Vind.] et derivata sunt. Unde ap. Suid. Ὀφλίσκουσι et Ὄφλουσι, χρεωστοῦσι. Eur. [Med. 581] : Ὀφλισκάνω τὴν ζημίαν, Damnor, Mulctor. [Ib. 1227 : Τούτους μεγίστην μωρίαν ὀφλισκάνειν· Alc. 1093 : Μωρίαν ὀφλισκάνω· Ion. 443 : Νόμους γράψαντας αὐτοὺς ἀνομίαν ὀφλισκάνειν· Phœn. 763 : Πατὴρ δ' ἐς αὐτὸν ἀμαθίαν ὀφλισκάνει, ὄψιν τυφλώσας.] Item ὀφλισκάνω γέλωτα, Ridendus omnibus judicor, κατὰ δίκης λόγον γέλωτα πάσχω. [Plato Theæt. p. 161, E : Ὅσον γέλωτα ὀφλισκάνομεν. Ps.-Eurip. Epist. 5 fin. : Γέλωτα ἐξ αὐτῶν καὶ μῖσος, οὐδὲν πλέον, ὠφλίσκανον. L. D. Ælian. N. A. 12,
D 5. Valck. Themist. Orat. p. 368, A. Hemst. Quod in Fab. Æsop. 274 Fur. p. 113 est : Οὕτως οἱ τοῖς κρείττοσιν ἁμιλλώμενοι πρὸς τῷ ἐκείνων μὴ ἐφικνεῖσθαι καὶ γέλωτος ὀφλισκάνουσι, si non est error vulgaris pro γέλωτα, conferendum cum constructionibus novitiis γράφειν τινά τινος, καταγιγνώσκειν, καταψηφίζεσθαι, κατηγορεῖν τινός τινος pro τι, de quibus dixi ad Chron. Pasch. vol. 1, p. 738, et in Γράφω vol. 2, p. 781, C.] Chrysost. : Τοσούτῳ πλείω τὸν γέλωτα ὀφλισκάνουσι παρ' ἡμῶν, Tanto majore risu a nobis digni existimantur. Itidem ὀφλισκάνειν ἄνοιαν, In amentiæ crimen incurrere, Dementem omnium judicio haberi, et velut dementiæ condemnari. [Soph. Ant. 476 : Σοὶ δ' εἰ δοκῶ νῦν μῶρα δρᾶσα τυγχάνειν, σχεδόν τι μώρῳ μωρίαν ὀφλισκάνω, Stulti judicio stulta sum. Brunck. Ib. 1028 : Αὐθαδία τοι σκαιότητ' ὀφλισκάνει.] Dem. [p. 16, 24] : Ἃ νῦν ἄνοιαν ὀφλισκάνων, ὅμως ἐκλαλεῖ. [Id. p. 849, 5 : Δίκην ὀφλισκάνειν βουλόμενος. Polemo ap. Macrob. Sat. 5, 19 : Κάθαρσιν ὀφλισκάνουσι. Hesych. : Ὀφλισκάνοντες, χρεωστοῦντες, ὑπομένοντες. Ex Eupolidis Μαρικᾷ citat

Antiatt. Bekk. p. 111, 5. De ceteris formis HSt. :] Ὄφλω, ήσω, tanquam ab Ὀφλέω, i. q. ὀφείλω, in ea signif. qua ponitur pro Mulctor, etiam Damnor : ὀφείλω ἐκ καταδίκης, Hesych. [Æsch. Ag. 534 : Ὀφλὼν γὰρ ἁρπαγῆς τε καὶ κλοπῆς δίκην. Soph. fr. Polyx. ap. Stob. Fl. 49, 13, 5 : Οὐδ' ὁ κρείσσων Ζεὺς ... βροτοῖς ἂν ἐλθὼν ἐς λόγον δίκην ὄφλοι.] Κατάδικος, inquit Bud. Comm. p. 126, dicitur Obnoxius ex re judicata, h. e. ἐκ τῆς καταδίκης, ὁ μὴ ἐκτετικὼς τὴν καταδίκην : qui et ὑπόδικος dicitur, et ὄφλων, et κατάκριτος et κατεγνωσμένος : ut Dem. : Ὠφληκὼς τὴν δίκην δικαίως, Merito damnatus. Idem, Τάλαντα δέκα ὠφληκέναι, Damnari decem talentis. Ibid. exempla affert τοῦ ὀφείλω et τοῦ ὑπόδικός εἰμι. Idem p. 89, Οἱ ὠφληκότες et οἱ ὄφλοντες dicuntur Damnati. Dem. : Καὶ δίκην ἐξούλης ὠφληκὼς ταύτην, οὐχ αὐτὸς ὠφληκέναι φησὶν, ἀλλ' ἐμὲ, Atque in hac controversia de vi damnatus, non se damnatum, sed me esse contendit. Et [p. 459, 24] : Καὶ ταῦτα οὐ μικρὰν ζημίαν ὀφλήσειν μέλλουσαν, Et præsertim mulctæ non contemnendæ damnandam, i. e., ignominia atque infamia notandam. Hæc Bud. ibi, qui hunc ejusdem Dem. locum [p. 862, 2] : Ἐπὶ τὸν κληρωτὸν δὲ διαιτητὴν ἐλθὼν, καὶ οὐδὲν ἔχων ἀπολύσασθαι τῶν ἐγκεκλημένων, ὦφλε τὴν δίαιταν, p. 151, itidem interpr. Damnatus est ab arbitro. Idem ὄφλω δίκην vertit, Debitor sum ob rem judicatam; hunc enim Dem. locum [p. 528, 11] : Τί γὰρ δήποτε ἄν τις ὄφλων δίκην, μὴ ἐκτίσῃ, οὐχ ἐποίησεν τὴν ἐξούλης (δίκην) ἰδίαν; ita vertit, Quanam enim de causa, si quis debitor est ob rem judicatam, et non solverit, lex judicium de vi non privatum esse voluit? Sic δίκην μέλλων ὀφλήσειν, Futurus rei judicatæ debitor. [Aristoph. Eccl. 655 : Πῶς ἦν τις ὄφλῃ παρὰ τοῖς ἄρχουσι δίκην τῳ, πόθεν ἐκτίσει ταύτην; Av. 1457 : Ὅπως ἂν ὠφλήκῃ δίκην· Nub. 34 : Ὅτε καὶ δίκας ὦφληκα. Plato Leg. 8, p. 843, B : Ἣν δέ τις ὄφλῃ τὴν τοιαύτην δίκην.] Dicitur etiam δίκην θανάτου ὄφλειν, pro Capitis damnari, sicut δίκην ἐξούλης ὄφλειν, pro Damnari in controversia de vi. Diog. L. in Phaler. [5, 77] : Δίκην θανάτου οὐ παρὼν ὦφλεν, Absens capitis damnatus est. Itidem Plato Apol. [p. 39, B] : Ἐγὼ μὲν ἄπειμι ὑφ' ὑμῶν θανάτου δίκην ὄφλων, οὗτοι δὲ ὑπὸ τῆς ἀληθείας ὠφληκότες μοχθηρίαν. [Plato Leg. 9, p. 856, D.] Et ὄφλειν τὴν δίκην ἐρήμην, Damnari absentem, ob vadimonium desertum. Plutarch. Camillo [c. 13] : Μεταστὰς ὦφλε τὴν δίκην ἐρήμην, τίμημα μυρίων καὶ πεντακισχιλίων ἀσσαρίων ἔχουσαν, Absens damnatus est quindecim millibus assium. Rursum Plutarch. dixit etiam δίκην ἀργίας ὠφληκὼς, pro Otii mulctæ obnoxius. Isocr. [p. 373, C] : Ὀφλήσει τὴν ἐπωβελίαν. Et εὐθύνας ὄφλειν, vel potius κλοπῆς ἕνεκα τὰς εὐθύνας ὄφλειν, Damnari repetundarum. Æschin. [p. 55, 17] : Ἔξεισιν ἐκ τοῦ δικαστηρίου, κλοπῆς ἕνεκα τὰς εὐθύνας ὠφληκώς. [Aristoph. Ach. 691 : Οὗ μ' ἐχρῆν σορὸν πρίασθαι, τοῦτ' ὀφλὼν ἀπέρχομαι. Pac. 172 : Πέντε τάλανθ' ἡ πόλις ... ὀφλήσει. Xenoph. Anab. 5, 8, 1 : Φιλήσιος ὦφλε καὶ Ξανθικλῆς τῆς φυλακῆς τῶν γαυλικῶν χρημάτων τὸ μείωμα εἴκοσι μνᾶς.] Aliquando accus. ex præcedentibus subauditur. [Aristoph. Nub. 777 : Ὅπως ἀποστρέψαις ἂν ἀντιδίκων δίκην, μέλλων ὀφλήσειν, μὴ παρόντων μαρτύρων.] Thuc. 3, p. 107 [c. 70] : Ὀφλόντων δὲ αὐτῶν, καὶ πρὸς τὰ ἱερὰ ἱκετῶν καθεζομένων διὰ τὸ πλῆθος τῆς ζημίας, ubi subauditur ζημίαν : dixerit enim ζημία δὲ καθ' ἑκάστην χάρακα ἐπέκειτο στατήρ. Et ap. Plat. Leg. 6, [p. 755, A] : Ἐὰν δ' ὁ φεύγων ὄφλῃ (sc. τὴν δίκην vel ζημίαν), τῶν κοινῶν χρημάτων μὴ μετεχέτω, γεγράφθω δ' ὠφληκὼς ἕως ἂν ζῇ· ubi etiam nota τοὺς ὄφλοντας fuisse ἀτίμους, sicut supra ex Isocr. quodam loco patet τοὺς ὀφείλοντας τῷ δημοσίῳ s. καταδίκους, Ignominiosos fuisse quoad judicatum fecissent, ut ærarii apud Romanos, qua de re pluribus Bud. disserit in Pandect. His adde ex Plutarcho in Cam. [c. 12] : Ἀδίκως ἐπ' αἰτίαις πονηραῖς ὄφλοντα, sc. δίκην, Inique damnatum. [Aristoph. Ach. 689 : Ὁ δ' ὑπὸ γήρως μασταρύζει, κᾆτ' ὀφλὼν ἀπέρχεται. Phrynich. Epit. p. 418 : Οὐ γὰρ περιόψεσθαί σε ἡγοῦμαι ἐρήμως ὀφλόντα σου τὰ παιδικὰ Μένανδρον.] Porro sicut ὀφείλειν τῷ δημοσίῳ dicitur, ita et ὄφλειν τῷ δημοσίῳ. Dem. [p. 998, 23] : Ἐὰν ὄφλῃ τῷ δημοσίῳ, τί μᾶλλον οὗτος ἐγγεγραμμένος ἔσται μου; ὅτι νὴ Δία εἴσονται πάντες πότερός

A ποτε ὦφλεν· καλῶς· quem l. Bud. p. 588, sic interpr., Quod si iste damnetur, et publice mulctetur, quid magis mulctæ judicatus erit quam ego? Scient omnes, credo, uter reip. debitor fuerit : Probe. Ex Dem. vero affertur, Ὄφλω σοι τὴν γνῶσιν, pro, Judicio sum tibi adstrictus. [Cum genit. Plato Leg. 9, p. 873, B : Ἐὰν δέ τις ὄφλῃ φόνου τοιούτου· 874, B : Τῷ ὠφληκότι φόνου· 877, E : Φόνου ὀφλόντα ἑκουσίου. Et ib. B, τραύματος ἐκ προνοίας. Ps.-Demosth. p. 790, 2 : Τὴν μητέρα αὐτοῦ ὀφλοῦσαν ἀποστασίου.] || Hactenus de ὄφλω, quatenus est verbum judiciale. Quum vero ad alia transfertur, exp. non solum Damnor, sed etiam In crimen incurro, Crimini obnoxius sum, aut alio modo. [Soph. OEd. T. 512 : Τῷ ἀπ' ἐμᾶς φρενὸς οὔποτ' ὀφλήσει κακίαν.] Dem. C. Timocr. : Ἡλίκην ἂν ὠφληκότες παράνοιαν ἦτε εἴ τι τοιοῦτο ἐτυγχάνετε ἐψηφισμένοι, Quantæ insaniæ ab hominibus damnaremini, Quam desipere vos judicarent homines. Phalar. Athen. [Ep. 5, p. 26] : Κινδυνεύετε πανδημεὶ πικροτάτην ὀφλῆσαι ὠμότητα, Crudelissimi existimari. [Eur. Heracl. 985 : B Μηδ' ἄλλο μηδὲν τῆς ἐμῆς ψυχῆς πέρι λέξονθ', ὅθεν χρὴ δειλίαν ὀφλεῖν τινα. (Herodot. 8, 26 : Δειλίην ὦφλε πρὸς βασιλέος)· Herc. F. 1348 : Μὴ δειλίαν ὄφλω τιν' ἐκλιπὼν φάος· Hec. 327 : Ἡμεῖς δ' εἰ κακῶς νομίζομεν, τιμᾶν τὸν ἐσθλὸν, ἀμαθίαν ὀφλήσομεν· Hel. 67 : Μή μοι τὸ σῶμά γ' ἐνθάδ' αἰσχύνην ὄφλῃ.] Athen. 12, [p. 511, B] de Marte : Ὦφλεν αἰσχύνην καὶ ζημίαν, ἐκδοὺς ἑαυτὸν ἔρωσιν ἀλογίστοις, Dedecore damnoque, hominum opinione atque judicio, affectus est. Hæc ex Bud. p. 90. Ex Dem. vero [p. 18 fin.] : Ὦφληκα αἰσχύνην, affertur pro Debet me pudere. Item ὄφλειν γέλωτα, Ridendum se propinare, Derideri, seu, ut Eustath. exp., κατὰ δίκης λόγον πάσχειν γέλωτα. [Eur. Med. 403 etc. Plato Conv. p. 199, B : Ἵνα μὴ γέλωτα ὄφλω· Reip. 6, p. 506, D : Γέλωτα ὀφλήσω· Leg. 6, p. 778, E : Γέλωτ' ἂν δικαίως πάμπολυν ὄφλοι· Phæd. p. 117, A : Γέλωτα ὀφλήσειν παρ' ἐμαυτῷ· Hipp. maj. p. 282, A : Γέλωτ' ἂν ὄφλοι πρὸς ὑμᾶς.] Aristoph. Nub. [1035] : Καὶ μὴ γέλωτ' ὀφλήσεις. [« Horat., Nisi debes Ventis ludibrium, Carm. 1, Od. 14. » HSt. Ms. Vind.] Ex C Eur. [Andr. 187], ὄφλω βλάβην, pro Sum obnoxius injuriæ : ex quo supra ὀφείλω σοι βλάβην, pro Sum tuæ injuriæ obnoxius. [De accentu formarum ὄφλειν et ὄφλων, quæ in libris plerumque barytonæ sunt, disertum exstat præceptum Photii : Ὄφλειν καὶ ῥόφειν (cod. ῥοφεῖν), τὰς πρώτας συλλαβὰς τῶν τοιούτων οἱ Ἀττικοὶ ὀξύνουσιν, et Arcadii p. 158, 26 : Τὸ μέντοι ὄφλω βαρύνεται ἐκ τοῦ ὀφείλω, ὥσπερ καὶ τὸ κέλω κέκλω καὶ μέλω μέλπω, et similibus verbis conceptum Etym. M. p. 644, 12, quod praes. ὄφλω ponit etiam p. 232, 9. Alterum accentum ὀφλεῖν ex libris nonnullis Platonis Alc. 1 p. 121, B, restituit Bekkerus, qui præf. ad Thuc. ed. a. 1824, p. IV, ὀφλεῖν nonnisi aoristo dici putaret, ut Buttmann. Gr. vol. 2, p. 262. Ad quem Lobeckius Dioni Chr. vol. 1, p. 647 : Ἆρα ἀγνοεῖτε τὴν προσοῦσαν αἰσχύνην τῷ πράγματι, καὶ πόσον γέλωτα ὄφλετε δημοσίᾳ ψευδόμενοι, καὶ ταῦτα φανερῶς οὕτως, ubi ὀφλεῖτε libri nonnulli, restituendum putabat ὤφλετε. Sed præsens, quod illic necessarium est, ipse Dio præstat p. 642 : Οὐδὲν γὰρ ἧττονα αἰσχύνην ὄφλουσιν οἱ φυD λάττοντες τὰ τοιαῦτα τῶν παραδεξαμένων, ubi item est var. ὀφλοῦσιν. Neque Appianus Civ. 2, 8 : Διεκρατεῖτο ἐν Ῥώμῃ, πολὺ πλέονα τῆς περιουσίας ὄφλων διὰ τὰς φιλοτιμίας, aoristi significatione dixit ὀφλὼν, sed præsentis ὄφλων, idemque alibi ὦφλον significatione imperfecti, ut dixi in Ὀφείλω, ubi de forma ὄφελον pro ὤφειλον. Eodem utitur Phot. Bibl. p. 22, 31 : Ὄφλων Ἐφθαλίταις χρήματα· Eust. Op. p. 259, 4 : Χάριτας ὄφλομεν· 323, 35 : Οὐκέτι σοι χάριτας ὄφλει, ut ap. Hesych. est : Ὀφλεῖ, ὀφείλει, ponitque etiam Photius s. Suidas : Ὀφλίσκουσι καὶ ὄφλουσι, χρεωστοῦσιν, ut omittam Thomam p. 667 et alios non graviores testes. Itaque recentiores, qui ὄφλω haberent pro præsenti, aor. finxerunt ὤφλησα, quo Lysiam usum esse p. 136, 1 : Ἐν τῷ δικαστηρίῳ αὐτοῦ κατέγνω τε καὶ ὤφλησεν ὑμῖν μυρίας δραχμὰς, et solum semel dixisse quod centies ὦφλεν dixerunt quum ceteri oratores tum ipse, non est probabile. Recentiorum exemplis, ut Alciphr. Ep. 3, 26, Aristidis vol. 2, p. 143, Photii Bibl. p. 213, 21, a Buttm. et Lobeckio citatis, add. Hesych. Epist.

A ad Eulog. p. 4, Sozom. H. E. 1, 6, et Theophili in Ἐποφείλω allata. Ὤφλεε, quod pro ὦφλε Herodoto intulerunt librarii 8, 26, notavi in Ἕψω vol. 3, p. 2635, C. Medium ap. anonym. in Cram. An. vol. 3, p. 189, 10, γέλων ὀφλησαίμην, pro activo scriptum videtur. L. Dindorf.]

Ὀφλοὶ [ὀφειλοὶ, quod nihili videtur et ex dittographia natum], ὀφειλέται, ὀφειλαὶ, Debitores, Debita, legitur ap. Hesych. [Ὄφλος, Joann. Geom. Parad. 2. Nic. Chumnus in Anecd. meis vol. 5, p. 277, 6 : Λάβε, πρὸς τὸν λῄσταρχον γράφεις, αἰχμαλώτου χρέα τοῖς βαρβάροις ὑπεσχημένα ... Στρεβλοῖς κἀνταῦθα τἀληθὲς καὶ κλέπτεις τὸν δόλον, λανθάνειν θέλων, ἀντ' ὀλίγων ὄφλων ἀποχρώντων τοῖς βαρβάροις ἐχθροῖς πλείω ζητῶν. Boiss.]

Ὄφνις, Hesychio ὕννις, ἄροτρον, Vomer, Aratrum. [V. Ὄφατα.]

Ὄφρᾰ, Hesychio ἵνα, ὅπως, Ut, Quo. Hom. Od. X, [392] : Κάλεσον τροφὸν Εὐρύκλειαν, Ὄφρα ἔπος εἴποιμι τό μοι καταθύμιόν ἐστι. [Ubi opt. ponitur, ut post opt. ap. Theognid. 886 : Εἰρήνη καὶ πλοῦτος ἔχοι πόλιν, ὄφρα μετ' ἄλλων κωμάζοιμι. Post verbum tem- B poris præteriti Hom. Il. Δ, 299 : Κακοὺς ἐς μέσσον ἔλασσεν, ὄφρα καὶ οὐκ ἐθέλων τις ἀναγκαίῃ πολεμίζοι· E, 690 : Παρήϊξεν λελιημένος ὄφρα τάχιστα ὤσαιτο· et addito ἂν s. κε Od. Ω, 333 : Σὺ δέ με προΐεις καὶ πότνια μήτηρ, ὄφρ' ἂν ἑλοίμην δῶρα· M, 25 : Ὗε δ' ἄρα Ζεὺς, ὄφρα κε θᾶσσον ἁλίπλοα τείχεα θείη. Sed neutri locus post futurum, ut Il. H, 339 : Ἐν δ' αὐτοῖσι πύλας ποιήσαμεν εὖ ἀραρυίας, ὄφρα δι' αὐτάων ἱππηλασίη ὁδὸς εἴη, ubi εἴη Thierschius, qua de forma diximus in Εἰμὶ vol. 3, p. 264, C. Rursus conj. post præteritum sæpe ponunt recentiores, ubi opt. utuntur veteres, velut Apoll. Rh. 1, 17 : Καί οἱ ἄεθλον ἔντυε ναυτιλίης, ὄφρ' ἐνὶ πόντῳ ... νόστον ὀλέσσῃ, ubi alios ejus ll. plurimos indicavit Wellauer., et vicissim optativum post præsens, ubi antiquiores conjunctivum, ut 4, 399 : Ἀψύρτῳ μεμάασιν ἀμυνέμεν, ὄφρα σε πατρὶ οἴκαδ' ἄγοιτο. Recentioribus peculiaris etiam usus post verba jubendi, ut Quint. 14, 240 : Ἠνώγει δ' ὑμέας τε καὶ Ἀτρείδην βασιλῆα· Nonnus Dion. 33, 57 : Ἀγλαΐην δ' ἐκέλευσε διάκτορον, ὄφρα καλέσσῃ υἱέα· et alibi, addito- C que ἂν Orph. Arg. 405 : Χερσὶν ἐπικροτέοντες ὁμόκλεον, ὄφρ' ἂν ἔγωγε δηρίσω Χείρωνι, etc.] Et mox Telemachus ad Eurycleam, Ἔρχεο, κικλήσκει σε πατὴρ ἐμὸς ὄφρα τι εἴπῃ. Ξ, [328] : Ὄφρ' ἐπακούσῃ Ὅππως νοστήσῃ, Ut audiat quomodo sit rediturus. Sic alibi, Ὄφρα ἴδῃς, Ut videas. [Et alibi sæpissime. Item seq. μὴ, ut Il. A, 119 : Αὐτὰρ ἐμοὶ γέρας αὐτίχ' ἑτοιμάσατ', ὄφρα μὴ οἶος Ἀργείων ἀγέραστος ἔω· et alibi. Insolentius post verbum metuendi Apoll. Rh. 4, 181 : Πέρι γὰρ δίεν ὄφρα ἑ μῆνις ... νοσφίσσεται. Conjunctivo sæpe additur ἂν s. κε, ut Hom. Od. P, 10 : Τὸν ξεῖνον ... ἄγ' ἐς πόλιν, ὄφρ' ἂν ἐκεῖθι δαῖτα πτωχεύῃ· Σ, 364 : Πτώσσειν κατὰ δῆμον βούλεαι, ὄφρ' ἂν ἔχῃς βόσκειν σὴν γαστέρ' ἄναλτον· Il. B, 440 : Ἡμεῖς ἴομεν, ὄφρα κε θᾶσσον ἐγείρομεν· Od. Γ, 359 : Οὗτός σοι ἅμ' ἕψεται, ὄφρα κεν εὕδῃ σοῖσιν ἐνὶ μεγάροισιν· K, 298 : Ἔνθα σὺ μηκέτ' ἔπειτ' ἀπανήνασθαι θεοῦ εὐνὴν, ὄφρα κέ τοι λύσῃ θ' ἑτάρους κτλ.] Item cum indicativo, ex Apoll. [Rh. 1, 281 : Αἴθ' ὄφελον κεῖν' ἦμαρ αὐτίχ' ἀπὸ ψυχὴν μεθέμεν] ὄφρα [αὐτός με τεῇσι φίλαις] ταρχύσαο [χερσί], Ut sepelires [sepelivis- D ses. Indicativo futuri jungit Hom. Il. Π, 243 : Θάρσυνον δέ οἱ ἦτορ ἐνὶ φρεσὶν, ὄφρα καὶ Ἕκτωρ εἴσεται· Od. Δ, 163 : Ἐέλδετο γάρ σε ἰδέσθαι, ὄφρα οἱ ἤ τι ἔπος ὑποθήσεαι ἠέ τι ἔργον. Apoll. Rh. 3, 736 : Ὄφρα τοκῆας λήσομαι ἐντύνουσα. Nihil autem huc pertinent loci in quibus vocalis conjunctivi correpta est, ut ἱερεύσομεν pro ἱερεύσωμεν. Quo referendi sunt etiam ll. Pindari Ol. 6, 24 : Ὄφρα ... βάσομεν ὄχχον ἵκωμαί τε· 7, 15 : Ὄφρα ... αἰνέσω· Pyth. 11, 10 : Ὄφρα ... κελαδήσετε, nisi quis putet fut. cum aor. conjunxisse Pindarum.] || Significat etiam Donec, Quoad, Quoadusque, Usque dum, ἕως, μέχρι. Od. Ξ, [290] : Ὅς μ' ἄγε παρπεπιθὼν ᾗσι φρεσὶν ὄφρ' ἱκόμεσθα Φοινίκην, Quoad Phœniciam [Phœnicen] venimus. H, [277] : Νηχόμενος τόδε λαῖτμα διέτμαγον, ὄφρα με γαίῃ Ἡμετέρῃ ἐπέλασσε φέρων ἄνεμός τε καὶ ὕδωρ. [Cum præs. Hom. Il. Ξ, 358 : Καί σφιν κῦδος ὄπαζε ... ὄφρ' ἔτι εὕδει Ζεύς· Σ, 61 : Ὄφρα δέ μοι ζώει καὶ ὁρᾷ φάος ἠελίοιο· quod mirum si o correpto præter omnem veterum poetarum consuetudi-

A nem dixerit Theognis 1143 : Ἀλλ' ὄφρα τις ζώει καὶ ὁρᾷ φάος ἠελίοιο ... ἐλπίδα προσμενέτω, quum posset ὄφρα δὲ vel ὄφρα ζώει. Cum conj., ubi res futura dicitur, Il. A, 82 : Ἔχει κότον, ὄφρα τελέσσῃ (quo referendi sunt etiam ejusmodi loci, ut Il. Δ, 346 : Πινέμεναι, ὄφρ' ἐθέλητον· Ψ, 47 : Οὔ μ' ἔτι δεύτερον ὧδε ἵξετ' ἄχος κραδίην, ὄφρα ζωοῖσι μετείω· Tyrtæi apud Lycurgum p. 163, 28 : Νέοισι δὲ πάντ' ἐπέοικεν, ὄφρ' ἐρατῆς ἥβης ἀγλαὸν ἄνθος ἔχῃ, et simillimus Theognidis 1007), et addito ἂν ib. 509 : Τόφρα δ' ἐπὶ Τρώεσσι τίθει κράτος, ὄφρ' ἂν Ἀχαιοὶ υἱὸν ἐμὸν τίσωσιν· Z, 113 : Ἀνέρες ἔστε ... ὄφρ' ἂν ἐγὼ βείω προτὶ Ἴλιον· Θ, 375 : Ὄφρ' ἂν ἐγὼ θωρήξομαι· et alibi. Vel κε, Z, 258 : Ἀλλὰ μέν', ὄφρα κέ τοι μελιηδέα οἶνον ἐνείκω. Cum optat. post tempus præteritum K, 571 : Νηὶ δ' ἐνὶ πρύμνῃ ἔναρα βροτόεντα Δόλωνος θῆκ' Ὀδυσεὺς, ὄφρ' ἱρὸν ἑτοιμασσαίατ' Ἀθήνῃ· et addito ἂν Od. P, 298 : Κεῖτο ... ἐν πολλῇ κόπρῳ, ἥ οἱ προπάροιθε θυράων ἅλις κέχυτ', ὄφρ' ἂν ἄγοιεν δμῶες, Ὀδυσσῆος τέμενος μέγα κοπρίσσοντες. Omisso verbo Theognis 202 : Πᾶσι καὶ ἐσσομένοισιν ἀοιδὴ ἔσσῃ ὁμῶς, B ὄφρ' ἂν γῆ τε καὶ ἠέλιος. Post Epicos, Elegiacos et Lyricos usi sunt de Tragicis Æsch. loco supra cit. et Eum. 338 : Τοῖς ὁμαρτεῖν, ὄφρ' ἂν γᾶν ὑπέλθῃ· Soph. El. 225 : Ὄφρα με βίος ἔχῃ· nusquam Eurip.] Necnon ὄφρα ποτὶ reperitur pro Usque ad. Apoll. Arg. 2, [805] : Ὄφρ' αὐτοῖο ποτὶ στόμα Θερμώδοντος. Item Interea dum. Hom. Il. B, [769] : Ἀνδρῶν δ' αὖ μέγ' ἄριστος ἔην Τελαμώνιος Αἴας Ὄφρ' Ἀχιλεὺς μήνιεν. Et I, [353] : Ὄφρα δ' ἐγὼ μετ' Ἀχαιοῖσι πολέμιζον, Οὐκ ἐθέλεσκε μάχην ἀπὸ τείχεος ὀρνύμεν' Ἕκτωρ. Ubi et in præced. signif. accipi potest. [Pariterque Æsch. Cho. 360 : Βασιλεὺς γὰρ ἦσθ', ὄφρ' ἔζης.] || Hesychio exp. præterea ἐὰν, Si. Respondet ei τόφρα : poeticum utrumque. [Tantisper, Eousque, ut τέως, Hom. Il. O, 547 : Ὁ δ' ὄφρα μὲν εἰλίποδας βοῦς βόσκ' ἐν Περκώτῃ δηίων ἀπὸ νόσφιν ἐόντων· αὐτὰρ ἐπεὶ Δαναῶν νέες ἤλυθον ..., ἂψ εἰς Ἴλιον ἦλθε. || Cum τε, ut dicitur ὅτε τε et, quod Schæferus comparabat, ἔς τε, conjungitur apud Theognidem 977 : Ταῦτ' ἐσορῶν κραδίην εὖ πείσομαι, ὄφρα τ' ἐλαφρὰ γούνατα καὶ κεφαλὴν ἀτρεμέως προ- C φέρω. Sed haud dubie corrigendum ὄφρ' ἔτ' ἐλαφρὰ γούνατα, καὶ κ. ἀτρ. προφέρω, ut οὐκέτι γούνατ' ἐλαφρὰ in contrariam partem dicit Tyrtæus ap. Lycurg. v. 19, et ap. Theognidem 984 sequitur : Ὄφρ' ἔτι τερπωλῆς ἔργ' ἐρατεινὰ φέρῃ. L. Dind.]

['Οφρήειν. V. Ὀφρυόεις. Non minus mirabile nomen ponit Theognost. Can. p. 522 (Add. ad p. 13, 24) : Ὀφροκόρινθος, ὄνομα τόπου· ὀφρυόεσσα, ὀρεινὴ, ἔνδοξος. Videtur ex ὀφρυόεσσα (vel, ut in Ὀφρυόεις est, ὀφρυόεις) Κόρινθος conflatum. L. Dind.]

Ὀφρυάζω, Superciliis nuto : unde Ὀφρυάζει ap. Hesych. ταῖς ὀφρύσι νεύει. Itidem Pollux 2, p. 92 [§ 50] : Παρὰ δὲ τοῖς Κωμικοῖς τὸ νεύειν, Ὀφρυάζειν εἴρηται· ὅπερ Ὅμηρος ὀφρύσι νευστάζειν λέγει. Item Grandi supercilio tumeo. Apud Suidam : Ὁ δὲ πέμπει τινὰ ἕτερον ὀφρυάζοντά τε καὶ ἀλαζονείᾳ τινὶ ἀμυθήτῳ ἐχόμενον, i. e. ὀφρυόεντα, ὀφρῦς ἐπηρκότα καὶ βρενθυόμενον. [Ex Procop. B. Goth. 4, 11, p. 591, B. Phrynichus Bekkeri p. 53, 29 : Ὀφρυάζειν τὸ τὰς ὀφρῦς ἐπαίρειν καὶ ἀποσεμνύνεσθαι. Photius, τὸ συνάγειν τὰς ὀφρῦς.]

D Ὀφρῠᾰνασπᾰσίδης, ὁ, Qui supercilia tollit s. allevat, ὁ ἀνασπῶν καὶ ἐπαίρων τὰς ὀφρῦς, Superbus, Superciliosus. Hegesander ap. Athen. 4, [p. 162, A] in philosophos, Ὀφρυανασπασίδαι, ῥινεγκαταπηξιγένειοι.

Ὀφρυάω, Sum ὀφρυόεις. Ὀφρυᾶν dicitur urbs aut regio clivosa, quæ supercilia crebra habet, Quæ in loco plano et campestri sita non est, sed multis superciliis et tumulis assurgit. Apud Strab. Κόρινθος ὀφρυᾷ τε καὶ κοιλαίνεται, quod regio esset minime campestris, sed salebrosa et inæquabilis. Sunt enim ὀφρῦς et editiora loca atque tumuli : unde eadem in Oraculo quodam infra citando vocatur ὀφρυόεσσα. Hæc ex Cam. [Deteriorem lectionem retinuit etiam Eustath. ad Il. B, p. 290, 45 ; 298, 15, ubi præmittit τὸ κοινῶς μὲν λεγόμενον ὀφρυοῦσθαι, ἄλλως δὲ ὀφρύεσθαι. Hemst.] In Strab. vero vulg. edd. non ὀφρυᾷ τε legitur, ut metrum requirit, sed Ὀφρύεται, 8, p. 166 [382] : Χώραν δ' ἔσχον οὐκ εὔγεων σφόδρα, ἀλλὰ σκολιάν τε καὶ τραχεῖαν, ἀφ' οὗ πάντες ὀφρυόεντα Κόρινθον εἰρήκασι· καὶ παροιμιάζονται, Κόρινθος ὀφρύεται καὶ κοιλαίνεται· pag. vero præcedente vide quæ de ἀκροκορίνθῳ scribat. [Hesychio pro Φρυᾶται (post Φριμάσσεται) restituebat Valck. Anim. ad Ammon. p. 226.]

['Οφρύδιον, τὸ, diminut. ὀφρὺς, Supercilium. Hesych. in 'Επισκύνιον. Theognost. Can. p. 125, 9. L. D. Nicetas in Isaac. et Alex. n. 3 : Τὰ ὀφρύδια ἔχειν δασέα καὶ ἡνωμένα, ἐπάνω τῶν ὀφθαλμῶν αὐτοῦ κρεμάμενα. Ducang. ῡῐ]

'Οφρύη ψάμμος, exp. Supercilium sabulosum, ap. Herodot. 4, [181] : Ὑπὲρ δὲ τῆς θηριώδεος (Λιβύης) ὀφρύη ψάμμος καθήκει, παρατείνουσα ἀπὸ Θηβέων τῶν Αἰγυπτιέων ἐπὶ Ἡρακληΐας στήλας. Ubi sunt qui pro ψάμμος reponant ψάμμου, ut 'Οφρύη sive 'Οφρύα idem cum ὀφρὺς significet, i. e. Supercilium et clivus : sicut ibid. sequitur, 'Εν δὲ τῇ ὀφρύῃ ταύτῃ μάλιστα διὰ δέκα ἡμερέων ὁδοῦ, ἁλός ἐστι τρύφεα κατὰ χόνδρους μεγάλους ἐν κολωνοῖσι, ubi etiam κορυφὰς κολωνῶν dicit pro ὀφρῦς. Ead. scriptura Cam. affert ex 4, [185] : Τῶν ἐν τῇ ὀφρύῃ κατοικημένων, de Clivo Atlantis montis. [Conf. ib. infr. et 182. Eur. Heracl. 394 : Λεπαίαν ὀφρύην καθήμενος. Unde citat Photius.] Apud Hesych. legitur etiam Ὄφρυα, exponiturque τὰ ὑψηλὰ καὶ ὑπερκείμενα χωρία, Loca in superciliis montium et editioribus tumulis sita, item αἱμασιαὶ secundum quosdam, i. e. Sepes. [Eodem referendæ ejusdem glossæ mendosæ : 'Οφρυγνᾶ, ὅλως Βοιωτοί· οἱ δὲ μέσον καὶ ὑψηλόν· et 'Οφρυγὴ, χρῶμα (χῶμα), λόφος, αἱμασιά.]

'Οφρύκνηστος, ὁ, ἡ, Cui supercilia pruriunt, Qui supercilia scabit, Qui erubescit; sic enim Hesych. : 'Οφρύκνηστον, ἐρυθριῶντα· οἱ γὰρ ἐρυθριῶντες κνῶνται τὰς ὀφρῦς.

['Οφρύνειον, τὸ, Ophrynium. Strabo 13, p. 595 : Πλησίον δ' ἐστὶ τὸ 'Οφρύνιον, ἐφ' ᾧ τὸ τοῦ Ἕκτορος ἄλσος ἐν περιφανεῖ τόπῳ. Quod 'Οφρύνειον scriptum ap. Herodot. 7, 43, non minore librorum in diphthongo consensu quam in ι ap. Strab. et Xen. Anab. 7, 8, 5, atque Demosth. p. 899, 1, in 'Οφρυνίῳ, (ex quo 'Οφρύνιον citant Photius et Harpocr., hujus tamen nonnisi uno libro præbente cum Suida 'Οφρύνιον, ceteris 'Οφρύνειον,) et ap. Steph. B. in Χρύση in 'Οφρυνίου. Ap. schol. Hom. Il. N, 1, pro 'Οφρυνίου est var. ἀφνείου. Adj. 'Οφρύνειος ap. Lycophr. 1208 : 'Εξ 'Οφρυνείων ἠρίων ἀνειρύσας, ubi schol. male : 'Οφρυνὸς τόπος τῆς Τροίας. Gent. Οφρυ, Οφρυνεων et Οφρυνιων in numis ap. Mionnet. *Suppl.* vol. 5, p. 577. L. Dind.]

'Οφρυόεις, εσσα, εν, Superciliosus. Epigr. [Antip. Thess. Anth. Pal. 7, 39, 1], ὀφρυόεσσα ἀοιδὴ, de Æschylo. Utitur enim ille verbis ὀφρῦς ἔχουσι καὶ λόφους. ['Αλαζὼν Hesychio.] || Clivosus, Multa habens supercilia et tumulos : ab eo ὀφρὺς, quod τὰ κρημνώδη τῶν ὀρῶν denotat, s. τὰς ἐξοχὰς τῶν ὀρῶν. Vel, In superciliis montium situs, Altus, Excelsus. Hom. Il. [X, 411] : Ἴλιος ὀφρυόεσσα, Ilium altum, pro quo dicit Ψ, [64] : Ἴλιον ἠνεμόεσσαν· nam urbes excelso s. edito loco sitæ, præ ceteris sunt ἠνεμόεσσαι. Et in Oraculo ap. Herodot. 5, [92, 2] : Οἳ περὶ καλὴν Πειρήνην οἰκεῖτε καὶ ὀφρυόεντα Κόρινθον, Clivosam Corinthum : in qua et 'Ακροκόρινθος dicebatur arx, quod in editiore loco et τῷ ἄκρῳ τῆς Κορίνθου condita esset, sicut ἀκρώρεια et ἀκρωνυχία de Supercilio quoque montis dicuntur. Vide et 'Οφρυάω. Utramque signif. hujus 'Οφρυόεις agnoscit Suidas, qui ὀφρυόεντες exp. ὑπερήφανοι, et 'Οφρυόεσσα, ὑψηλὴ καὶ ἀπόκρημνος. [Chœrob. vol. 2, p. 717, 27 : Τὸ ὑλήειν καὶ ὀφρήειν γεγόνασι κατὰ πλεονασμὸν τοῦ ι, fortasse scrib. ὀφρυόειν. V. autem 'Οφρήειν. L. D. Marcell. Sid. 62 : Συχνῇσι περίδρομον ὀφρυοέσσαις.]

'Οφρυόομαι, i. q. ὀφρυάζω, Grande supercilium ostento, Sum ὀφρυόεις, s. τὰς ὀφρῦς ἐπαίρω. Unde 'Ωφρυωμένος, Hesychio ἐπηρμένος, Elatus, Qui est supercilio sublato. [Timon Phlias. fr. 13. « 'Ωφρυωμένοι γραμματικοὶ, Sext. Emp. p. 283, 2. » Hemst. Lucian. Amor. c. 2 : Ἱππολύτειον ἀγροικίαν ὠφρυωμένος, Hippolyteum ingenium, durum et agreste, indutus, i. e. moribus castitatem præferens. Koenig. Sozom. H. E. 1, 11, p. 24, 6 : Ταύτῃ γε μετριάζειν παιδεύων τὸν τοῖς λόγοις ὠφρυωμένον. Phryn. Bekk. p. 25, 9 : Λέγουσι δὲ τοὺς τοιούτους καὶ τοξοποιεῖν τὰς ὀφρῦς καὶ ... ὠφρυῶσθαι. Ælian. Epilog. N. A. : 'Εξὸν καὶ ὀφρυοῦσθαι καὶ ἐν ταῖς αὐλαῖς ἐξετάζεσθαι καὶ ἐπὶ μέγα προήκειν πλούτου. Παιδαγωγῷ βαρεῖ καὶ ὠφρυωμένῳ, Alciphr. 3, 4.]

'Οφρυόσκιος, ὁ, ἡ, Quem supercilia obumbrant. Aristot. Top. 6, [2] : Εἰ μὴ κειμένοις ὀνόμασι χρῆται· οἷον Πλάτων ὀφρυόσκιον τὸν ὀφθαλμὸν, sc. εἶπε.

'Οφρὺς, ύος, ἡ, [ὁ, Achmes Onir. c. 54, p. 41 : Οἱ ὄφρυες et τοὺς ὄφρυας, utrumque bis,] Supercilium; Ea frontis pars quæ pilos habet. [Genæ add. Gl.] Est autem supercilium utrimque unum : inter ea, quod medium est, dicitur Μεσόφρυον et Μετώπιον : utrumque a situ denominatum. Martian. Capella lepide Glabellam vocavit, quod ea pars glabra sit et depilis. Pars autem ea, quæ naribus proxima est, ὀφρύων κεφαλή : quæ ad tempora accedit, ὀφρύων οὐρὰ dicitur : ipsi vero pili a plerisque appellantur τύλοι. [Pollux 2, 50.] At quod in superciliis prominet velut imbricamentum quoddam, vocatur Γεῖσσον et Γείσσωμα [ut Xen. Comm. 1, 4, 6 dicit ὀφρύσιν ἀπογεισῶσαι], Grunda, Gaza ap. Aristot. Hom. [Il. Ξ, 493 : Τὸν τόθ' ὑπ' ὀφρύος οὖτα κατ' ὀφθαλμοῖο θέμεθλα. Theocr. 22, 104 : Μέσσας ῥινὸς ὕπερθε κατ' ὀφρύος ἤλασε πυγμήν. Æsch. Cho. 285 : Ὁρῶντα λαμπρὸν ἐν σκότῳ νωμῶντ' ὀφρῦν. Eur. El. 573 : Οὐλὴν παρ' ὀφρῦν· Cycl. 658 : 'Εκκαίετε τὴν ὀφρῦν θηρός. Aristoph. Nub. 146 : Δακοῦσα τοῦ Χαιρεφῶντος τὴν ὀφρῦν. Callim. Dian. 52 : Πᾶσι δ' ὑπ' ὀφρὺν φάεα μουνόγληνα. Id. ap. Athen. 7, p. 284, C : Χρύσειον ἐν ὀφρύσιν ἱερὸν ἰχθῦν.] Il. Π, [740] : 'Αμφοτέρας δ' ὀφρῦς σύνελεν λίθος (lapis τῷ μετωπίῳ impactus), οὐδέ οἱ ἔσχεν 'Οστέον. [Aristoph. Ach. 18 : Οὕτως ἐδήχθην ὑπὸ κονίας τὰς ὀφρῦς· 1088 : Τὰς γνάθους καὶ τὰς ὀφρῦς κεντούμενοι.] O, [102] : 'Εγέλασσε Χείλεσιν, οὐδὲ μέτωπον ἐπ' ὀφρύσι κυανέῃσιν 'Ιάνθη. [Theocr. 20, 24 : Καὶ λευκὸν τὸ μέτωπον ἐπ' ὀφρύσι λάμπε μελαίναις. Apoll. Rh. 4, 44 : Λαιῇ μὲν χερὶ πέπλον ἐπ' ὀφρύσιν ἀμφὶ μέτωπα στειλαμένη.] N, [88] : Ὑπ' ὀφρύσι δάκρυα λεῖβον· quod hemistichium et alibi passim occurrit. [Ξ, 236 : Κοίμησόν μοι Ζηνὸς ὑπ' ὀφρύσιν ὄσσε. Soph. Ant. 831 : Τέγγει θ' ὑπ' ὀφρύσι παγκλαύτοις δειράδας. Eur. Alc. 260 : Ὑπ' ὀφρύσι κυαναυγέσι βλέπων πτερωτὸς Ἅδας. Epigr. Anth. Plan. 140, 1 : Θάμβησον ὑπ' ὀφρύσι κείμενον.] Itidemque passim ἐπ' ὀφρύσι νεῦσε : ut Plin. 11, 37, Superciliis negamus, annuimus. Sic [Il. A, 528 ; Ἦ καὶ κυανέῃσιν ἐπ' ὀφρύσι νεῦσε Κρονίων· I, 620 : Ἦ καὶ Πατρόκλῳ ὅγ' ἐπ' ὀφρύσι νεῦσε σιωπῇ·] Od. I, [468] : 'Ανὰ δ' ὀφρύσι νεῦον ἑκάστῳ Κλαίειν· M, [194] : Λῦσαί τ' ἐκέλευον ἑταίρους, 'Οφρύσι νευστάζων· Il. O, [608] : Τὼ δέ οἱ ὄσσε Λαμπέσθην βλοσυρῇσιν ὑπ' ὀφρύσι. [Apoll. Rh. 3, 371 : 'Εκ δέ οἱ ὄμματ' ἔλαμψεν ὑπ' ὀφρύσιν ἱεμένοιο.] Sicut Hesiod. Theog. [827] : Ὑπ' ὀφρύσι πῦρ ἀμάρυσσε. [Ib. 911 : Καλὸν δέ θ' ὑπ' ὀφρύσι δερκιόωνται. Bion 1, 10 : Ὑπ' ὀφρύσι δ' ὄμματα ναρκῇ. Hermesianax Athen. 13, p. 597, C, 9 : Κώκυτόν τ' ἀθέμιστον ἐπ' ὀφρύσι μειδήσαντα. Quod esset ὀφρύσιν ἐπιμειδήσαντα, ut Hom. H. Cer. 357 : Μείδησεν δὲ ἄναξ ἐνέρων 'Αϊδωνεὺς ὀφρύσιν, nisi præstat ὑπ' ὀφρύσι, ut ap. Apoll. Rh. 3, 1024 : Ὁτὲ δ' αὖτις ἐπὶ σφίσι βάλλον ὀπωπὰς, ἱμερόεν φαιδρῇσιν ὑπ' ὀφρύσι μειδιόωντες, ubi item nonnulli ἐπ', et Oppian. Cyn. 1, 44 : 'Αλλὰ σύγ' ἀντολίηθεν ἐπ' 'Ωκεανὸν βασιλεύων εὔδιον ἀμβροσίῃσιν ὑπ' ὀφρύσι σῇσι γεγηθὼς, δεξιτερὴν ὀπάσαιο πανίλαον.] Item τὰς ὀφρῦς συνάγειν, Contrahere s. Constringere supercilia, ut Quint. loquitur. Aristoph. Nub. [582] : Τὰς ὀφρῦς ξυνήγομεν Κἀποιοῦμεν δεινά. [Conf. Pl. 756. Συνάγοντα τὰς ὀφρῦς Sophoclem dixisse tradit Eustath. Od. p. 1538, 13, cujus errorem notavit Brunck. ad fr. incert. trag. 79, Aristophanem dici debuisse conjiciens, cujus Athen. 1, p. 30, B, citat dictum : Πραμνίοις σκληροῖσιν οἴνοις, συνάγουσι τὰς ὀφρῦς τε καὶ τὴν κοιλίαν.] Sic ap. Athen. 1, σκληροὶ οἶνοι dicuntur συνάγειν τὰς ὀφρῦς : quod et συννεφοῦν ὄμματα dicitur, sicut νεφέλη ὀφρύων in l. quodam Sophoclis supra in Νεφέλη cit. [Ant. 528]; in quam sententiam Horat., Deme supercilio nubem. [Pallad. Anth. Pal. 10, 56, 9 : Εἴ τις συνάγει τὰς ὀφρύας.] Item αἴρειν s. ἐπαίρειν τὰς ὀφρῦς, Allevare supercilia, Quintil. [Eur. ap. Stob. Fl. 22, 6 : 'Οφρῦν τε μείζω τῆς τύχης ἐπηρκότα.] Lucian. [D. mort. 10, 8] : Ὁ σεμνὸς οὗτος καὶ βρενθυόμενος, ὁ τὰς ὀφρῦς ἐπηρκώς. Itidem ap. Dem. Phal. : Τὰς γνάθους φυσῶν, τὰς ὀφρῦς ἐπηρκώς. Rursum Lucian. [Timon. c. 54] : Τὰς ὀφρῦς ἀνατείνας καὶ βρενθυόμενος, Supercilia attollens et superbiens. [Pollux 2, 49; 4, 136, 144-9.] Fastum enim indicant supercilia, ibique sedem habet

superbia, Plin. 11, 37. Itidem ἀνασπᾶν τὰς ὀφρῦς, Allevare supercilia, Tollere supercilia depressa ; a Cic. enim opponuntur Supercilia depressa et sublata. [Aristoph. Ach. 1069.] Plut. [Mor. p. 68, D] : Ὀφρὺν ἀνασπῶντα, καὶ συνιστάντα τὸ πρόσωπον. [Demosth. p. 442, 11 : Τὰς ὀφρῦς ἀνέσπακε.] Philo V. M. 3 : Οἱ μέγα πνέοντες ἐπὶ ταῖς εὐπραγίαις, οἱ τὸν αὐχένα πλέον τῆς φύσεως ἐπαίροντες, καὶ τὰς ὀφρῦς ἀνεσπακότες, Qui supercilia tollitis. Sic rursum Plut. : Ἄναγε τὰς ὀφρῦς, καὶ διέγειρε σεαυτόν. || Aliquando pro Fastu et superbia ipsa ponitur, quæ sedem ibi habet, ut ex Plin. docui, s. pro Gravitate cum fastu et superbia conjuncta : qua signif. usurpatur tum ab aliis [ut Antipatro Thess. Anth. Pal. 7, 409, 2 : Ἀρχαίων ὀφρύος ἡμιθέων· Lucill. 10, 122, 3 : Τὴν ὀφρῦν καὶ τὸν τῦφον· Stratone ib. 12, 2, 6 : Τούτοις ὀφρύες οὐκ ἔπρεπον], tum ab Epict., item a Philostr. Ep. 13, de Gorgia : Κριτίας δὲ καὶ Θουκυδίδης οὐκ ἀγνοοῦνται τὸ μεγαλόγνωμον καὶ τὴν ὀφρῦν παρ' αὐτοῦ κεκτημένοι. [David. In Aristot. Categ. p. 28, 29 : Δι' ὀφρῦν κτήσεως ξενοπρεπῶν βιβλίων.] Itidem ap. Aristoph. [Ran. 925] : Ῥήματα ... Ὀφρῦς ἔχοντα καὶ λόφους, i. e. ὑψηλὰ καὶ ὑπερήφανα. Sic Juv., Grande supercilium; Cic., Campano supercilio ac regio strepitu; Martial., Terrarum dominum pone supercilium. [Apoll. Rh. 4, 547 : Οὐδ' ἄρ' ὅγ' ἡβήσας αὐτῇ ἐν ἐέλδετο νήσῳ ναίειν, κοιρανέοντος ἐπ' ὀφρύσι Ναυσιθόοιο. Qui locus tamen rectius videtur componi cum νεύειν ἐπ' ὀφρύσι et similibus. Parmenio Anth. Pal. 9, 43, 3 : Μισῶ πλοῦτον ἄνουν κολάκων τροφὸν, οὐδὲ παρ' ὀφρῦν στήσομαι. Niceph. Greg. Hist. Byz. 12, 8, p. 373, A : Ἐτετύφωτό τε καὶ ὀφρύος ἁπάσης μεστὰ διεξῄει. HSt. in Συνοφρυόω fin. :] In mœrore enim tristitiaque aut curis et contemplationibus animi solent συνάγεσθαι αἱ ὀφρῦς. Sic Horat., Deme supercilio nubem, i. e., Aufer ex vultu tristitiam atque immoderatam severitatem, quæ contracto ac sublato supercilio significatur, quemadmodum et Eur. Iph. A. [648] : Μέθες νῦν ὀφρῦν, ὄμμα τ' ἔκτεινον φίλον [non esse hæc Euripidis dixi jam in Ἐκτείνω et Μεθίημι] : quod et καταβάλλειν ὀφρῦς dicitur ab Eod. in Cycl. [166] : Ἅπαξ μεθυσθεὶς, καταβαλών τε τὰς ὀφρῦς · solent enim in lætitia demitti s. remitti supercilia, ut et χαλᾶσθαι τὸ μέτωπον dicit Aristoph. ; contra in mœrore corrugari s. συνάγεσθαι. [Eur. Hipp. 290 : Σύ θ' ἡδίων γενοῦ στυγνὴν ὀφρῦν λύσασα καὶ γνώμης ὁδόν. Aristoph. Lys. 8 : Οὐ γὰρ πρέπει σοι τοξοποιεῖν τὰς ὀφρῦς. Dioscor. Anth. Pal. 12, 42, 3 : Στυγνὴν ὀφρύων λύσεις τάσιν. Leonid. Tar. 7, 440, 6 : Στρεβλὴν οὐκ ὀφρὺν ἐσθλὸς ἐφελκόμενος.] Adducere autem supercilia, s. tollere, ἀνασπᾶν τὰς ὀφρῦς et αἴρειν s. ἐπαίρειν et ἀνατείνειν dicitur, ut supra etiam docui. [Alexis ap. Athen. 6, p. 224, F : Τοὺς μὲν στρατηγοὺς τὰς ὀφρῦς ἐπὰν ἴδω ἀνεσπακότας ... οὐ πάνυ τι θαυμάζω · ... τοὺς δ' ἰχθυοπώλας ... ἐπὰν ἴδω ... τὰς ὀφρῦς ἔχοντας ἐπάνω τῆς κορυφῆς, ἀποπνίγομαι.] Atque hoc fastus et superbiæ proprium est : interdum etiam tristitiæ, ut in hoc l. Diphili ap. Athen. 1, [p. 35, D] : Τὸν τὰς ὀφρῦς αἴροντα συμπεῖθεις γελᾶν. [Menander ap. Donat. ad Ter. Andr. 2, 4, 4 : Εὑρετικὸν εἶναί φασι τὴν ἐρημίαν οἱ τὰς ὀφρῦς αἴροντες· et ap. Stob. Fl. 22, 9.] Dicit igitur πρόσωπον συνωφρυωμένον Eur. Alc. [780], Vultum superciliosum s. supercilio obductum : cui vultui νεφέλη ὀφρύων etiam tribuitur a Soph. [Ant. 528], cujus verba supra in Νεφέλη citavi, et [Eur. Hipp. 173] στυγνὸν ὀφρύων νέφος. Itidemque συννεφοῦν ὄμματα Eur. [El. 1078] dicit pro συνοφρυοῦσθαι : cui Pind. Pyth. 9, [39] opponit, ἀγανᾷ χλιαρὸν γελᾶν ὀφρύϊ. [Lucian. Amor. c. 54 : Μετεωρολέσχαι, καὶ ὅσοι τὴν φιλοσοφίας ὀφρῦν ὑπὲρ αὐτοὺς τοὺς κροτάφους ὑπερήρκασιν. Nicet. Chon. p. 258 : Τὴν ὀφρῦν ὑπερνέφελος. Koenig. Xen. Conv. 8, 3 : Οὐχ ὁρᾶτε ὡς σπουδαῖαι μὲν αὐτοῦ αἱ ὀφρύες. || « Bartholom. Edessenus in Confut. Agareni p. 319 : Τοσοῦτον πλησίον τοῦ θεοῦ ἐκάθισεν, ὡς ἀπὸ ὀφρύος εἰς ὀφρύν · p. 397 : Ἐκάθισεν ἐνώπιον αὐτοῦ, ὡς ἀπὸ ὀφρύος εἰς ὀφρύν. Ubi interpres, Tam proxime quam supercilium astat supercilio. Sed videtur expressisse formulam quæ habetur in Genesi 32, 30 : Εἶδον γὰρ θεὸν πρόσωπον πρὸς πρόσωπον. » Ducang. App. Gl. p. 148.] || Accipitur etiam pro Tumulo. Hom. Il. Υ, [151] : Ἐπ' ὀφρύσι Καλλικολώνης, i. e. ἐξοχαῖς s. ἐπανεστηκόσι λόφοις. [Pind. Ol. 13, 102 : Ἐπ' ὀφρύϊ Παρνασίᾳ.] Herodot. 4, [185] :
A Τῶν ἐν τῇ ὀφρύϊ [ὀφρύῃ] κατοικημένων. Plut. Numa [c. 10] : Ὀφρὺς γεώδης παρατείνουσα πόῤῥω. [Mor. p. 248, A.] Luc. 4, [29] : Ἤγαγον αὐτὸν ἕως τῆς ὀφρύος τοῦ ὄρους, Usque ad supercilium montis. Sic Liv., Supercilium arduum promontorii, Virg., Supercilio clivosi tramitis undam Elicit. [De Polybio Schweigh. Lex. : « Τὰ ἐπίπεδα ὑπὲρ τὰς ὀφρῦς τῶν λόφων 7, 6, 3. Ἐπίπεδος τόπος ὀφρῦν προβεβλημένος 10, 38, 8; 39, 1. Προπεπτωκυῖα ὀφρῦς 7, 17, 1. Προκειμένη 8, 5, 4; 18, 4, 5. Προβαλλόμενος ὀφρῦν ἀπότομον, 36, 6, 2. »] In litore quoque aut ripa ὀφρῦς dicitur τὸ ἔπαρμα, s. Labrum. Apoll. Arg. 1, [178] : Ἐπ' ὀφρύσιν αἰγιαλοῖο, In superciliis litoris. [4, 1300 : Καλὰ νάοντος ἐπ' ὀφρύσι Πακτωλοῖο. Orph. Arg. 469. Asclepiodot. Anth. Pal. App. 16, 3. Ib. 9, 252, 1 : Εἰς βαθὺν ἥλατο Νεῖλον ἀπ' ὀφρύος ὀξὺς ὁδίτης. L. D. Polyb. 2, 33, 7; 3, 71, 1, etc. Schweigh. Ἡ ἐντὸς ὀφρῦς τῆς τάφρου, Strab. 5, p. 234. Avernus περικλείεται ὀφρύσιν ὀρθίαις, ib. p. 244. Hemst. || Accus. ὀφρύα Strato Anth. Pal. 12, 186, 1 : Ταύτην τὴν ὀφρύα. Oppian. Cyn. 4, 405 : Ἐπ' ὀφρύα μηρίνθοιο. Quin-
B tus 4, 361 : Ἐς ὀφρύα τύψεν. Accentum ὀφρῦς præcipit non solum Arcad. p. 92, 11, sed ipse Herodianus Π. μον. λέξ. p. 31, 15; alterum ὀφρὺς, qui non infrequens in libris, neuter videtur cognitum habuisse. L. Dindorf.]

Ὀφρυώδης, ὁ, ἡ, Supercilia imitans : ὀφρ. ἐξοχαί, Galenus De ossibus, cap. Περὶ ἀστραγάλου. [Eust. Il. p. 1072, 3; Galen. et Erotian. Lex. Hippocr. v. Ἄμβην, et vol. 12, p. 38. Gregor. Naz. vol. 2, p. 12, A. Melet. Cram. Anecd. vol. 3, p. 130, 12 : Τὰς ὀφρυώδεις ἐξοχὰς τῆς κνήμης τε καὶ περόνης.]

[Ὀφρύωμα, τὸ, Tumor. Andr. Cret. p. 173; 245, τῶν ἐχθρῶν. Kall.]

[Ὀφρύωσις, εως, ἡ, Suggrunda, Suggrundium. Paul. Ægin. 6, p. 224, 31 : Ὑψηλοτέραις ὀφρυώσεσι κατωχύρωται.]

[Ὀφφιανὸς, ὁ, pro Oppianus, ut videtur, est in inscr. Attica recentiori ap. Bœckh. vol. 1, p. 397, n. 286, 8, prima tamen nominis litera extrita, ut etiam Ἀφφιανὸν scribere liceat, ut ib. p. 456, n. 427,
C 5. L. Dind.]

[Ὄχα. V. Ἔξοχος, vol. 3, p. 1343, B.]

[Ὀχὰ, τὸ κυδώνιον in Gloss. iatr. mss. ex cod. Reg. 190 et 1843. Matthæo Silvatico, Oca seu Ocalib, est herba palustris quæ est in fluminibus. Ducang.]

Ὀχάνη, ἡ, Plut. Cleom. [c. 11] : Τὴν ἀσπίδα φορεῖν δι' ὀχάνης, μὴ διὰ πόρπακος· ubi aperte distinguitur inter πόρπαξ et ὀχάνη s. ὄχανον contra Soph. schol. et Eust. [et schol. Aristoph. Eq. 849.] Intelligitur autem hic per ὀχάνη Ansa s. Armilla in tergo scuti, cui brachium sinistrum inserebatur, atque ita clypeus gestabatur et regebatur : per πόρπακα autem, Lorum, τελαμὼν, ut Hom., Herodot. et Lucian. paulo post vocant : quod fibulis clypeo annexum ab humero sinistro et collo dependebat, eoque clypeus regebatur antiquitus. Unde Virg., Clypeoque sinistram Insertabam aptans. [ᾰ]

Ὄχανον, τὸ, Ansa clypei, inde dicta, quod ea teneatur. Alii Amentum [Gl.], Habenam, Lorum clypei interpr.; τὸ τῆς ἀσπίδος κράτημα, Eust. : quod πόρπακα
D etiam a Græcis appellari, ap. Soph. Aj. [574] : Ἴσχε διὰ πολυῤῥάφου στρέφων Πόρπακος, de scuto, quod filio Ajax donabat, a schol. annotatur, exponente, ὁ λῶρος, δι' οὗ κατέχουσι τὴν ἀσπίδα. A Plut. tamen aperte distinguitur, ut post videbis. Eust. et ipse τοὺς χιαστοὺς πόρπακας, seu, ut alibi, τοὺς ἐξ ἱμάντων πόρπακας, h. e. τὰ ἐντὸς τῆς ἀσπίδος προσθήματα, δι' ὧν τὴν χεῖρα διεῖρον, ut ab Ælio Dionys. exp., ὄχανα vocari scribit, dicens, antequam ii inventi fuissent, antiquos usos loro lato ab uno extremo ad alterum pertingente, quod τελαμὼν ἀσπίδος ab Hom. appelletur, κανὼν, i. e. ῥάβδος τις ἀναφορεὺς, qua ipse clypeus gestabatur, et ab ἀναφέρεσθαι ipsa quoque ἀναφορεὺς dicebatur. Lucian. [Herodot. c. 5] de Cupidinibus, qui Alexandri armis ludebant : Ἕνα τινὰ ἐπὶ τῆς ἀσπίδος κατακείμενον ... σύρουσι, τῶν ὀχάνων τῆς ἀσπίδος ἐπειλημμένοι. Caricæ gentis inventum id fuit : unde ap. Anacr. est χαριοεργέος ὀχάνοιο. Herodot. 1, [171] de tribus Carum inventis : Καὶ ὄχανα ἀσπίσι οὗτοι εἰσι οἱ ποιησάμενοι πρῶτοι · τέως δὲ ἄνευ ὀχάνων ἐφόρεον τὰς ἀσπίδας πάντες, οἵπερ ἐώθε-

σαν ἀσπίσι χρέεσθαι, τελαμῶσι σκυτίνοισι οἰηκίζοντες, περὶ τοῖσι αὐχέσι τε καὶ τοῖσι ἀριστεροῖσι ὤμοισι περικείμενοι, Ansas quoque clypeorum excogitarunt : antea namque absque ansis gestabant clypeos, quicunque illis uti soliti erant, colloque et sinistro humero circumpositos vinculis coriaceis tenentes regebant. [Et 2, 141.] Lucian. [Anachars. c. 27], de pila ænea : Περιφερὲς, ἀσπίδι μικρᾷ ἐοικὸς ὄχανον οὐκ ἐχούσῃ οὐδὲ τελαμῶνας. Ὄχανον, δεσμὸς, Vinculum, [præter Photium] Hesych. [καὶ ὅπου ἐμβάλλουσι τὰς τρίχας. HSt. in Ind. :] Ὄχονα ἀσπίδων ex Herodoto affertur pro Amenta s. Habenæ clypeorum : sed scrib. ὄχανα. [Pollux 1, 133; 10, 146.]

[Ὀχάομαι.] Ὀχᾶσθαι, ut ὀχεῖσθαι, exp. Vehi. [Immo Salire.] Hesych. [Ὀχᾶσθαι, ἀλλ' ἄλλεσθαι (sic), ὁ λόγος ἐπὶ Ἀχιλλέως· οὐ βαρυσκελεῖς ποιεῖ ὁ τῶν νεβρῶν μυελός. Ad quæ expedienda interpretum conjecturis nihilo plus proficitur quam ipsius Hesychii gl. infra memoranda Ὀχθᾶσθαι. Illud tamen manifestum videtur, si Ὀχᾶσθαι, ἄλλεσθαι scribendum sit cum Toupio Em. vol. 3, p. 562, poetæ hæc fere verba fuisse : Ὀχᾶσθαι δ' οὐ βαρυσκελεῖς ποιεῖ | ὁ τῶν νεβρῶν μυελός· quæ locum habere potuerunt in Sophoclis Ἀχιλλέως ἐρασταῖς aut simili fabula.]

[Ὀχεὰ, ἡ, Caverna. Orion p. 164 : Χεὰ καὶ Χειὰ, ὁ φωλεός ... καὶ μετὰ περισσοῦ τοῦ ο. Καλλίμαχος· Οἱ δ' ὥστε ἐξ ὀχεῆς τοφίσαι ὅλως αὐχένα ἀναύχην, ubi Ruhnk., ὥστ' ... ὄφις αἰόλος αὐχέν' ἀνασχών. Nicand. Th. 139 : Ὁπότε σκαρθμοὺς ἐλάφων ὀχεῇσιν ἀλύξας ἀνδρὸς ἐνισκήψῃ χολόων θυμοφθόρον ἰὸν, item de serpente. Arat. 1026 : Δύνων ἐς κοίλας ὀχεάς· ubi nonnulli ὀχέας. Sed accentum ὀχεὰ testatur Theognost. Can. p. 102, 30. Formam per ι ponere videtur Chœrob. Cram. An. vol. 2, p. 274, 26 : Φορβειὰ ει δίφθογγος, ὡς παρειὰ, ὀχειά. || Forma Ὀχὴ in Hesychii gl. : Ὀχὴ, τρώγλη, et ap. Arat. 956 : Κοίλης μύρμηκες ὀχῆς ἐξ ὤεα πάντα θᾶσσον ἀνηνέγκαντο. V. etiam Ὀχεύς.]

Ὀχεία, ἡ, [Admissura, Admissio, Gl.] Coitus, [Xen. Eq. 5, 8 : Οὐχ ὁμοίως ὑπομένουσι τοὺς ὄνους ἐπὶ τῇ ὀχείᾳ.] Aristot. De gener. anim. 1, 14 : Τῆς ὀχείας πόρος, Meatus quo coitus perficitur. Ib. c. 5, περὶ τὴν ὀχείαν, vel περὶ τὰς ὀχείας, Circa coitus, ut Plin. infra in Ὀχεύω interpr., vel Coitus tempore, περὶ τὴν τοῦ συνδυασμοῦ ὥραν, Admissuræ s. Admissionis tempore. Idem H. A. 6, 20 : Κυΐσκεται δὲ κύων ἐκ μιᾶς ὀχείας. Quæ sic Plin. interpr., Canes implentur uno coitu. Geopon. : Τὰς βοῦς πρὸ ἡμερῶν τριάκοντα τῆς ὀχείας οὐκ ἐατέον πληροῦσθαι τροφῆς· pro his Columellæ, Pabulum circa tempus admissuræ subtrahitur feminis. In eod. l. : Ἡλικία πρὸς ὀχείαν χρησιμωτάτη ἐστὶν ἀπὸ τριῶν ἐτῶν, pro his itidem Columellæ de arietibus, Ejus quadrupedis ætas ad progenerandum optima est trima. Rursum in eod. l. : Ὥρα δὲ πρὸς ὀχείαν τετραπόδων, ἡ ἀπὸ δελφῖνος ἀνατολῆς ἕως ἡμερῶν μ', pro his Varronis de vaccis, Maxime idoneum tempus ad concipiendum a delphini exortu usque ad dies xl. Ubi notandum, πρὸς ὀχείαν, non idem prorsus esse cum Ad progenerandum, et Ad concipiendum; sed esse consequentia pro antecedentibus posita. [Athen. 8, p. 352, E : Ὅτι ἐπὶ πλεῖστον χρόνον ἐν ὀχείᾳ γίνεται ἡ ἔχιδνα· F : Ἐκ τῆς τῶν φθειρῶν ὀχείας αἱ κόνιδες γεννῶνται· 9, p. 389, E. Plut. Mor. p. 138, B, al. || Ὀχὴ ead. signif. Arat. 1069 : Θήλεια δὲ μῆλα καὶ αἶγες ὁππότ' ἀναστρωφῶσιν ὀχῆς.]

Ὀχεῖον, τὸ, in Lex. meo vet. exp. ὄχημα, i. e. Vehiculum, vel τόπος εἰς ὀχείαν ἐπιτήδειος. At Ὀχεῖα, τὰ, dicuntur Admissarii vel equi, vel boves, vel asini, vel arietes; interdum vero et alii animantes mares. Aristot. De gener. anim. 1, [21] : Ὀχεῖα τὰ πρῶτα μεταβάλλει, Primos admissarios mutat. H. A. 6, 18 : Τὰ ὀχεῖα ἐκ τῶν θηλειῶν οὐκ ἐξαίρουσι, Equos admissarios a feminis non summovent. [Ib. 9, 47 : Ἐπεὶ οὐχ ἦν ὀχεῖον. Hippiatr. p. 57 : Ἐὰν κακογενὲς ὀχεῖον ἐπιβῇ.] Itidem Plut. Lycurgo [c. 15] : Ὑπὸ τοῖς κρατίστοις τῶν ὀχείων κύνας ἢ ἵππους βιβάζουσι. Singulari numero ὀχεῖον pro τὸ εἰς ὀχεῖον ἀποδεδειγμένον, usus est Dinarchus in Ἀπολ. πρὸς Ἀντιφάνην περὶ τοῦ Ἵππου, quum dixit, Ὠνοῦνταί μου τὸν ἵππον ὀχεῖον, Emunt s. Conducunt equum meum ad admissuram. Itidem Lycurg. ἐν τῷ Περὶ διοικήσεως dicit γείτονας τοῦ ὀχείου. Quos duos locos quum citasset Harpocr., subjungit, Μήποτε δὲ ἐπὶ

A τόπου τινὸς, ἐν ᾧ αἱ ὀχεῖαι γίνονται τῶν κτηνῶν ἢ ὀχήματα μισθοῦται. [Eadem habet Phot.] Dixerat vero paulo ante Dinarchum in eadem Oratione ὀχεῖον posuisse pro ὄχημα, i. e. Vehiculum, sicut Suid. [et Phot.] itidem exp. ἅρμα, δίφρος, ἅμαξα. Sed et ab Hesych. [et Lex. rhet. Bekk. An. p. 287, 32] exp. ἅρμα: qui tamen et alterius signif. meminit, dicens ab Atticis usurpari pro τὸ εἰς ὀχείαν ἀνειμένον [ἵππον ἢ ὄνον addit Phryn. p. 57, 32. Æschylus ap. Plut. Mor. p. 98, C : Ἵππων ὄνων τ' ὀχεῖα καὶ ταύρων γονάς. Quod Hesychius ponit : Ὀχεία ποντία, ἢ (ἡ Albert.) ἄγκυρα παρὰ τὸ ὀχεῖν ἐν τῷ πόντῳ τὰς ναῦς, ad neutrum genus rectius retulit Theognost. Can. p. 129, 27 : Ὀχεῖον, ἡ ἄγκυρα, ut ὀχεῖα πόντια scribendum videatur. L. D.]

Ὀχεῖον, τὸ, Vehiculum, Currus, i. q. ὄχος et ὄχημα, qua in signif. usus est Dinarchus, ut supra in Ὀχεῖον post Ὀχεύω annotavi.

Ὀχεῖος, Admissarius, Qui ad admissuram educatur, habetur quidem in VV. LL., sed sine exemplo. [Fictum ex ὀχεῖον.]

B [Ὄχεμος, ὁ, Ochemus, n. viri Tanagræi, ap. Plut. Mor. p. 300, E, ubi est var. Ἔχεμος.]

[Ὀχεός. Schol. Hom. Il. Ψ, 160 : Ὀχεύω ὀχεός καὶ ἐν πλεονασμῷ τοῦ σ ὀσχεός. Boiss.]

[Ὀχετᾰγωγέω, Irrigo. Pollux 1, 224 : Ἐρεῖς δὲ, ἄμπελον τεμεῖν, γυρῶσαι, ταφρεῦσαι, ἀμῆσαι, κλάσαι, κλαδεῦσαι, ἄρδειν, ὀχεταγωγεῖν, ἀνακαθῆραι τὴν ὑδρορρόην.]

[Ὀχεταγωγία, ἡ, Aquæ ductus. Plato Leg. 8, p. 844, A : Πλὴν αὐτῆς τῆς ὀχεταγωγίας. V. Ὀχετηγία.]

[Ὀχετᾰγωγὸς, ὁ, ἡ, Aquam deducens. Pollux 1, 221 : Εἶτα φυτουργοὶ, νεοῦντες, ἢ νεάζοντες, ἢ νεοποιοῦντες, ὀχεταγωγοὶ, σκαλεῖς, ἀρόται, ἀγρόται, σπορεῖς, ἀμητῆρες, οἱ δὲ ἀμῶντες ποιητικώτερον. « Ὀχεταγωγοὶ, Elicum ductores, Aquilices, certo modo. » Kuhn.]

[Ὀχετάριος, ὁ. Glossæ : Aquilices, οἱ τὰ πύραγρα ἐργαζόμενοι, οἱ ὀχετάριοι, ποταμῖται, ὑδροσκόποι. Sic emendo pro ὀνοχετάριοι. Ducang.]

Ὀχετεία, ἡ, Rivi s. Aquæ deductio, Rivorum a fonte deductio, Ductus s. Derivatio aquarum, i. q. C ὀχετηγία. Theophr. C. Pl. 5, 6 : Φέρεται πρὸς τὸ ἐφελκόμενον καὶ εὐοδοῦν· οἷον γὰρ ὀχετεία τίς ἐστι, Est enim veluti quædam rivuli deductio, s. derivatio. Idem dicit etiam ὀχετεία τροφῆς, Derivatio cibi, Deductio alimenti veluti per canalem, 3, 9 : Ἔοικε γὰρ ὥσπερ ὀχετεία τις εἶναι τῆς τροφῆς τῶν δένδρων ὅπως ἂν ἄγῃ τις. [Chrysorrhoas fluvius εἰς τὰς ὀχετείας ἀναλίσκεται σχεδόν τι, Strabo 16, p. 755. Hemst. Maxim. Tyr. 27, 6. Wakef.]

Ὀχέτευμα, τὸ, Rivus qui ducitur; Aquæductus, Canalis. Gaza vertit Meatus, ap. Aristot. [H. A. 1, 11], qui nares nasi vocat ὀχετεύματα. [Pollux 2, 79.]

Ὀχετεύω, Rivos s. Aquas duco, Derivo. [Herodot. 2, 99 : Τὸ ποταμὸν ὀχετεῦσαι. Schweigh. Pass. 3, 60 : Τὸ ὕδωρ ὀχετευόμενον διὰ σωλήνων.] Metaph. vero [Empedocles 42 : Ἐκ δ' ὁσίων στομάτων καθαρὴν ὀχετεύσατε πηγήν·] Athen. 10, [p. 440, B, ex Plat. Leg. 2, p. 666, A] : Τοὺς παῖδας μέχρις ἐτῶν ὀκτωκαίδεκα τοπαράπαν οἴνου μὴ γεύσασθαι· οὐ γὰρ χρὴ πῦρ ἐπὶ πῦρ ὀχετεύειν. [Philo Carpas. In Cant. Cant. p. 166 med. : Μυκτὴρ δυσὶν D ἀναπνοαῖς τῷ ἀνθρώπῳ τὴν ζωὴν ὀχετεύει. Æsch. Ag. 867 : Ὡς πρὸς οἶκον ὠχετεύετο φάτις.] Hesych. ὀχετεύει exp. μεταφέρει, σαλεύει, ἐπιχέει : itidem et Suid. [et Photius. || Medio epigr. Anth. Pal. 9, 162, 4 : Στεινὸν ῥοῦν ὀχετευσάμενος.]

Ὀχετηγέω, Rivos s. Aquas duco, Irrigo per rivos. [Eust. Od. p. 1379, 49 : Ὠχετήγησε μισγαγκείας τινὸς δίκην.]

Ὀχετηγία, ἡ, Rivorum s. Aquarum ductus, Irrigatio. [Ponit Suidas. Procop. Gotth. 4, 12, p. 599, B : Διελεῖν τὴν ὀχετηγίαν, ubi al. libri ὀχεταγωγίαν.]

Ὀχετηγὸς, ὁ, Qui rivos ducit. [Ὁ τὸ ὕδωρ ἄγων, ὑδραγωγὸς, κηπουρὸς ἢ ὁ ἄρδων, Hesychius.] Hom. Il. Φ, [257] : Ὡς δ' ὅτ' ἀνὴρ ὀχετηγὸς ἀπὸ κρήνης μελανύδρου Ἀμφυτὰ καὶ κήπους ὕδατος ῥόον ἡγεμονεύει, Χερσὶ μάκελλαν ἔχων, ἀμάρης δ' ἐξ ἔχματα βάλλων. [Manetho 6, 422. Pollux 1, 222.] Nonnus generalius etiam usurpavit fem. gen. pro Ductrix, ut, Ἔρχεται ὥρη Εὐσεβίης ὀχετηγός. [Id. Jo. c. 11, 200 : Ἀρχιερεὺς λυκάβαντος ἔην ὀχετηγὸς ἑορτῆς· c. 16, 39. Synes. Hymn. 3, 168 :

Νοερητόκε νοῦ, ὀχετηγὲ θεῶν. Kall. Agathias Anth. Pal. 5, 285, 3 : Ἐγὼ δέ τις ὡς ὀχετηγὸς ... εἶλκον ἔρωτος ὕδωρ· Macedon. 5, 229, 5 : Ἔρως ὀχετηγὸς ἀνίης.]

Ὀχέτιον, τὸ, Rivulus, Bud. ex Diog. L. [Apud quem est Cloaca, 7, 17. Wakef. Constantin. Man. Amat. 9, 49 : Ἂν γὰρ χαρᾶς ὀχέτιον, ἂν ἡδονῆς ρανίδες ... ἄρδωσι τὴν καρδίαν. L. Dind.]

Ὄχετλον, τὸ, i. q. ὀχεῖον. Seu, ut in VV. LL. exp., Plaustrum, Obex. Apud Hesych. vero ita legitur, Ὄχετλα, τὰ ὀχλήματα· οἱ δὲ τὰ συντεθραυσμένα· ubi pro ὀχλήματα reponendum videtur ὀχήματα [ut habet Photius].

[Ὀχετογνώμων. V. Ἐχετογνώμων.]

Ὀχετόκρᾶνον, τὸ, Tubi s. Canalis caput, ubi aqua effunditur. Apud Suid. perperam Ὀχετάκρανον. [Photius : Ὀχετόκρανα, τὰς λεγομένας ἐκχύσεις τῶν μηχανημάτων· εἰσὶ δὲ αὗται ξύλιναι ἢ κεράτιναι· οἱ δέ φασι τοὺς ὑπονόμους καὶ τοὺς ὑπὸ γῆν ὀχετούς· Etym. M. et Lex. rh. Bekkeri An. p. 287, nisi quod ap. hos ὀχετοκράνια, τὰ κελώνεια, et κεράμεαι pro κεράτιναι. Pollux 10, 30 : Καὶ ὀχετόκρανα δ' ἂν εἴποις τὰς τῶν ὀχετῶν ἀρχὰς, ὡς Ὑπερίδης ἐν τῷ περὶ ὀχετοῦ.]

Ὀχετὸς, ὁ, Canalis, [Rivus canalium, Clabata, Stercidum, add. Gl.] Aquæductus, σωλὴν ἀγωγὸς, ὑδραγωγεῖον, Hesych. In Geopon. [14, 23, 2] : Τροφὴν δ' εἰς ὀχετὸν ὕδατος ἐμβλητέον, pro his Varronis, In canalem et cibus ponitur iis, et immittitur aqua. Alicubi exponi potest non solum Aquæductus, sed etiam Rivus; nam et ῥύαξ ab Hesychio et Suida exp. Plutarch. : Ἀποκόπτοντες ὀχετοὺς καὶ ἀποστρέφοντες. [Pind. Ol. 5, 12 : Σεμνοὺς ὀχετοὺς, Ἵππαρις οἷσιν ἄρδει στρατόν. Eur. Or. 806 : Παρὰ Σιμουντίοις ὀχετοῖς· Iph. A. 767.] At ὀχετοὺς τέμνειν dicitur ὀχετηγὸς quum in prato, agro, aut horto sulcos quosdam ligone facit ad rivulos ducendos, ut vidisti in Διοχετεύω. Athen. 2, [p. 42, C] de aquis : Τὰ δὲ ἐπίρρυτα καὶ ἐξ ὀχετοῦ, ὡς ἐπίπαν βελτίω τῶν στασίμων. Eod. l. : Εἶναι δὲ τὴν γῆν ὑδρηλὴν κρήνησι καὶ ὀχετοῖσι, Fontibus et rivis, s. Aquæductibus. [Thuc. 6, 100 : Τοὺς ὀχετοὺς, οἳ ἐς τὴν πόλιν ὑπονομηδὸν ποτοῦ ὕδατος ἠγμένοι ἦσαν. Xen. Anab. 2, 4, 13 : Μικροὶ ὀχετοὶ, ὥσπερ ἐν τῇ Ἑλλάδι ἐπὶ τὰς μελίνας. Plato Tim. p. 77, C : Οἷον ἐν κήποις ὀχετούς. Aristot. Polit. 5, 3 : Ἐν τοῖς πολέμοις αἱ διαβάσεις τῶν ὀχετῶν καὶ τῶν πάνυ σμικρῶν, διασπῶσι τὰς φάλαγγας.] Herodian. vero ὀχετοὺς Romæ vocat, quas Latini scriptt. Cloacas [Colluviaria, Gl.], 7, [7, 6] : Συρέντες ὑπὸ τοῦ ὄχλου εἰς τοὺς ὀχετοὺς ἐῤῥιπτοῦντο· 5, [8, 18] : Ἅπερ ἐπὶ πολὺ διὰ πάσης τῆς πόλεως συρέντα τε καὶ λωβηθέντα, εἰς τοὺς ὀχετοὺς ἀπεῤῥίφθη τοὺς εἰς τὸν Θύβριν ῥέοντας. [Phryn. Epit. p. 314 : Τοὺς ὀχετοὺς τῶν ὑδάτων.] Tale est ap. Æl. Lampr. in Heliog. : Tractus deinde per publicum; additaque injuria corpori est, ut id in cloaculam milites mitterent. Et mox, Solusque omnium principum tractus est, et in cloacam missus et in Tiberim præcipitatus. [Ὀχετοὶ, Ductus, Canales, Effluvia, Rivi dicuntur Hippocrati et viæ per quas urina et stercus per alvum effluit, p. 816, B : Οὐ γὰρ ἐντείνει τοὺς ὀχετοὺς τοὺς κατὰ τὴν κοιλίην, οὐδὲ κωλύει εὐρόους εἶναι ἢ εἰς τὸ ἔξω κύφωσις. Ubi Galen. : Τοὺς ὀχετοὺς τοὺς κατὰ τὴν κοιλίαν, τὰς ἐκροὰς, τήν τε κατὰ κύστιν, καὶ τὴν κατὰ τὴν ἕδραν. Rursus p. 817, A : Οἱ γὰρ ὀχετοὶ οἱ κατὰ τὸ λαπαρὸν τῆς πλευρῆς ἑκάστης παρατεταμένον. Ubi ὀχετοὺς τὰς ἀρτηρίας καὶ τὰς φλέβας exponit Galenus, Arterias et venas, quod per eas tanquam per ductus aliquos sanguis convehatur. Lib. quoque 6 Epid. sect. 3 aph. 4 : Ὁ ἱδρὼς ὁ ῥέων στάγδην, ὃς ἔξεισιν ὥσπερ ἐξ ὀχετῶν, dicitur, Sudor guttatim effluens, qui velut ex aquæ ductibus emanat, cœca cutis spiramina et meatus intelligens ex quibus sudor erumpit. Foes. Xen. Comm. 1, 4, 6 : Ἐπεὶ τὰ ἀποχωροῦντα δυσχερῆ, ἀποστρέψαι τοὺς τούτων ὀχετοὺς, item de corpore humano. Aristot. H. A. 3, 4 fin. : Τῶν μὲν οἱ πόροι συγκεχυμένοι καθάπερ ὀχετοί τινες ὑπὸ πολλῆς ἰλύος εἰσίν. Οἱ τοῦ αἵματος ὀχετοὶ Pollux 2, 217. || Improprie Pind. Ol. 11, 36 : Οὐ πολλὸν ἴδε πατρίδα πολυκτέανον ὑπὸ στερεῷ πυρὶ πλαγαῖς τε σιδάρου βαθὺν εἰς ὀχετὸν ἄτας ἵζοισαν ἑὰν πόλιν. Eur. Suppl. 1111 : Μισῶ δ' ὅσοι χρῄζουσιν ἐκτείνειν βίον, βρωτοῖσι καὶ ποτοῖσι καὶ μαγεύμασι παρεκτρέποντες ὀχετὸν, ὥστε μὴ θανεῖν. Plato Tim. p. 70, D : Τῆς ἀρτηρίας ὀχετούς. « Photius in Bibl. p. 488, 24 : Τῆς γενέσεως ὀχετοὶ

A εἰς αὐτὸν ἐξ Ἑρμοῦ ἤκουσιν. » Koenig. Hellad. ap. eund. p. 535, a, 9 : Τὸν δὲ βόρβορον ὀχετὸν (ἐκάλουν Ἀθηναῖοι).]

Ὄχευμα, τὸ, Semen s. Genitura qua ὁ ὀχεύων implevit τὴν ὀχευομένην. Aristot. H. A. 6, 23, de asina ab equo jam inita : Ὁ μὲν οὖν ὄνος ἐπαναβὰς διαφθείρει τὸ τοῦ ἵππου ὄχευμα. Unde Plin. 8, 44 : Conceptum ex equo secutus asini coitus abortu perimit. Quod vero ibi ὄχευμα vocat, paulo post πλῆσμα nominat, Μάλιστα δέχεται τὸ πλῆσμα ταύτῃ τῇ ἡμέρᾳ βιβασθεῖσα. Exp. etiam Coitus.

Ὀχεὺς, έως, ὁ, Retinaculum, itidem ab ἔχω dictum : Quo sc. tenetur aliquid, cohibetur. Hom. Il. Δ, [132, Υ, 414] Minerva telum, quod in Menelaum torquebatur, dicitur eo direxisse, ubi ζωστῆρος ὀχῆες χρύσειοι συνέχον, καὶ διπλόος ἤντετο θώρηξ. Ubi annuli aurei cohibebant et constringebant zonam ad thoracem : seu, ut Eust. habet, κρίκοι, οἷς δι' ὅλου συνείχετο ὁ στρατιωτικὸς ζωστὴρ πρὸς τὸν θώρακα. [Ὁ τῆς περικεφαλαίας ἱμὰς, Hesych.] Et ὀχεὺς τρυφαλείης, Lorum
B galeæ, i. e. Lorum, quo galea sub mento constringitur. Il. Γ, [371] : Ἄγχε δέ μιν πολύκεστος ἱμὰς ἁπαλὴν ὑπὸ δειρὴν, Ὅς οἱ ὑπ' ἀνθερεῶνος ὀχεὺς τέτατο τρυφαλείης. [Ὀχεὺς σκύτινος τοῦ θυρεοῦ, Polyb. 18, 1, 4. Schweigh.] At ὀχεὺς πυλῶν, Vectis, Pessulus, Repagulum, i. e. Lignum, quo fores cohibentur et clausæ continentur, ὁ μοχλὸς, ἤτοι ξύλον συνέχον κεκλεισμένας τὰς θύρας. [Ὁ ὀχεὺς τῆς θύρας, Pessulum, Gl.] Il. M, [121] : Οὐδὲ πύλησιν Εὗρ' ἐπικεκλιμένας σανίδας καὶ μακρὸν ὀχῆα· et [455] : Δοιοὶ δ' ἔντοσθεν ὀχῆες Εἶχον ἐπημοιβοί· et [460] : Οὐδ' ἄρ' ὀχῆες Ἐσχεθέτην, ubi etymol. attingit, quum priori in l. dicit εἶχον, in altero ἐσχεθέτην : sunt enim μοχλοὶ vel σειραὶ τὰς πύλας συνέχουσαι, Eust. Il. Ω, [446] : Ὦϊξε πύλας καὶ ἀπῶσεν ὀχῆας. [Φ, 537. Et Ω, 566 : Οὐδέ κ' ὀχῆας ῥεῖα μετοχλίσσειε θυράων ἡμετεράων· Od. Φ, 47 : Ἐν δὲ κληῖδ' ἧκε, θυρέων δ' ἀνέκοπτεν ὀχῆας. Ω, 166 : Ἐς θάλαμον κατέθηκε καὶ ἐκλήισσεν ὀχῆας. Theocr. 24, 49 : Στιβαροὺς δὲ θυρᾶν ἀνακόψατ' ὀχῆας. Apoll. Rh. 4, 41 : Αὐτόματοι θυρέων ὑπόειξαν ὀχῆες. Orph. Arg. 983. Philo Belop. p. 70, C, D; 72, C;
C 78, B.] Idem autem esse κληῖδα θυρῶν, κλεῖθρον, ἐπιβλῆτα, ὀχέα μοχλὸν, vult Eust. [Hesychius : Ὀχεῖς, κλῇθρα, Κερκυραῖοι. Ap. Orph. Arg. 78 : Ἐπεὶ Αἰμονίους ὀχέας πρώτιστον ἱκάνω, vertitur Saltus. Quod qui fieri non posse putarent, ὀχεὰς, ὄχθας, ὄχθους conjecerunt.] || Quibusdam Scrotum, quod magis usitato nomine ὄσχεον appellatur, Gorr.

[Ὄχευσις, εως, ἡ, Admissura. Joseph. p. 162, 18.]

Ὀχευτὴς, ὁ, Admissarius [Gl.], Qui feminam init, s. salit. Dicitur et de homine mare, sed in vitio, pro Libidinosus, Ad coitum proclivis, ἀφροδισιαστικός. Epigr. [Philodemi Anth. Pal. 11, 318, 5] : Καὶ γὰρ ὀχευτὴς Καὶ μωρὸς, μαλακός τ' ἐστὶ καὶ ὀψοφάγος, Salax. [Cornutus De N. D. c. 27 : Λάγνον δὲ καὶ ὀχευτὴν Pana. Valck. Hesych. in Κήλων. Hemst. Schol. Theocr. 8, 49.]

Ὀχευτικὸς, ή, όν, Qui coire solet, Ad coitum s. venerem propensus, Salax. Aristot. De gener. anim. 3, 1 : Τὰ δὲ τοιαῦτα τῶν ὀρνέων ὀχευτικὰ τὴν φυσιν ἐστίν. [De longæv. c. 5, H. A. 6, 9. Athen. 1, p. 18, D :
D Ὀχευτικὰς δυνάμεις· 9, p. 391, E, ὀχευτικωτέρους. Valck. || Adv. Ὀχευτικῶς, Hesychius et Photius s. Suidas in Ὀχῶν. Wakef.]

Ὀχευτὸς, ὁ, vel potius Ὀχευτὴ, ἡ, Quæ marem admisit, Venerem s. Coitum passa, Quam mas inivit. Diosc. 2, 97, de sanguine : Τὸ δὲ τῶν ὀχευτῶν ἵππων σηπτικοῖς μίγνυται. At Plin. 28, 9, de equis : Quin et sanguis eorum septicam vim habet, item equarum, præterquam virginum, erodit, emarginat ulcera. Ruellius vertit, Quæ admissuram expertæ sunt; Marc., Equarum matricum. Dicuntur autem a Colum. et Palladio Matrices equæ vel boves, quæ sobolis procreandæ causa aluntur.

[Ὀχεύτρια, ἡ, Hesych. Wakef.]

Ὀχεύω, Admissarium admitto, quum de femineo sexu dicitur, Aristot. H. A. 6, 20 : Ὀχεύει δὲ κύων ἡ Λακωνικὴ μὲν ὀκτάμηνος καὶ ὀχεύεται. Quum vero de mare dicitur, significat Coeo, Ineo, Inscendo, Salio, μίγνυμαι, ἀναβαίνω, ἐπιβαίνω. [Futuo, Subagito, Gl. Theocr. 5, 147 : Εἴ τιν' ὀχευσεῖς τᾶν αἰγῶν. Herodot. 3,

85 : Ἐπῆκε ὀχεῦσαι τὴν ἵππον. Plato Reip. 5, p. 454, D : Τὸ μὲν θῆλυ τίκτειν, τὸ δὲ ἄρρεν ὀχεύειν· Euthyd. p. 298, E : Εἶδον αὐτὸν ὀχεύοντα τὴν κύνα.] Aristot. H. A. 6, 21 : Ὀχεύει δὲ τὰ ἄρρενα, καὶ ὀχεύεται τὰ θήλεα ἐνιαύσια ὄντα πρῶτον· 23 : Ὄνος δὲ ὀχεύει μὲν καὶ ὀχεύεται τριακοντάμηνος· 24 : Ὁ δὲ ὀρεὺς ἀναβαίνει μὲν καὶ ὀχεύει μετὰ τὸν πρῶτον βόλον· 18, de elephantis : Ἐξαγριαίνονται περὶ τὴν ὀχείαν· διόπερ φασὶν οὐκ ἐᾶν αὐτοὺς ὀχεύειν τὰς θηλείας τοὺς θρέψαντας. Unde Plin. 8, 9 : Circa coitus maxime efferantur : quapropter arcent eos coitu, feminarumque pecuaria separant. Alibi ap. Eund. cum dativo legitur, si locus mendo caret, Οἱ κριοὶ ταῖς πρεσβυτάταις ὀχεύουσι. De piscibus etiam dicitur, Athen. 8, [p. 353, E] : Δελφῖνα δὲ καί τινας τῶν ἰχθύων παρακατακλινομένους ὀχεύειν· l. 7 : Ὀχεύει δὲ συμπλεκόμενος. Idem de insectis [8, p. 353, A] : Οὐκ ὦφθαι οὔτε μέλισσαν οὔτε κηφῆνα ὀχεύοντας. Sed et de homine ap. Suid. : Ἔσθιε, πῖν', ὄχευε· ὡς τά γε ἄλλα οὐδενός ἐστιν ἄξια. Sed ap. Athen. pro hoc ὄχευε legitur παῖζε, ut videre est supra in Ἐπικροτέω. [Id. Suid. in Χαμαιτυπεῖον. Hemst.] Pass. Ὀχεύομαι, Ineor, Inscendor, Salior; de femina marem admittente. [Herodot. 2, 64 : Ὀρνίθων γένεα ὀχευόμενα.] Aristot. de canibus, ἑξάμηνοι ὀχεύονται· unde Plin. de canibus Laconicis locutus, Ceteræ canes et semestres coitum patiuntur. Geopon. : Πρότερον δὲ οὐ χρὴ ὀχεύεσθαι, sc. quam ad bimatum perveniant : ut Varro, Neque oportet pati minores oves quam bimas saliri. Passim obvium est ap. Aristot. H. A. 6, 18, 19, et sequentibus. [Theophr. fr. 6, 3, 3; 4, 5.] Et ὀχεύεσθαι ὑπὸ, Iniri ab, ib. 23 : Ὁ δὲ ἵππος τὸ τοῦ ὄνου ὄχευμα οὐ διαφθείρει, ὅταν ᾖ ὀχευομένη ἡ ἵππος ὑπὸ τοῦ ὄνου. [Perf. 6, 22 fin. : Ὠχευμένην ἵππον.] Item de serpentibus, Aristot. De gener. anim. 1, [7] : Ὀχεύονται περιπλεκόμενοι ἀλλήλοις, ubi nota masculino genere dici ὀχεύονται περιπλεκόμενοι, sicut ap. Athen. l. 9 : Ὀχευομένους δὲ τοὺς κάπρους καὶ τὰς ἀλεκτρυόνας θεωροῦσιν ἄσμενοι. Et de anguillis, Athen. 7, [p. 298, C] : Ὀχεύονται συμπλεκόμεναι.

Ὀχέω, Veho, Porto : non de curru solum, sed etiam de equo ap. Plut.; item de homine [sed asino vecto] ap. Aristoph. [Ran. 23] : Αὐτὸς βαδίζω καὶ πονῶ, τοῦτον δ' ὀχῶ. [De homine vero hominem impositum portante Eur. Or. 802 : Ὡς ἐγὼ δι' ἄστεώς σε… οὐδὲν αἰσχυνθεὶς ὀχήσω. Lycophr. 97 : Τράμπις σ' ὀχήσει καὶ Φερέκλειοι πόδες, de navibus. Plato Tim. p. 87, D : Ψυχὴν ἰσχυρὰν ἔλαττον εἶδος ὅταν ὀχῇ· Crat. p. 400, A : Τὴν φύσιν τοῦ σώματος τί σοι δοκεῖ ἔχειν τε καὶ ὀχεῖν ἄλλο ἢ ψυχή; B : Τῇ δυνάμει ταύτῃ ἣ φύσιν ὀχεῖ καὶ ἔχει.] Item Hom. Od. Φ, [302] : Ἤϊεν ἣν ἄτην ὀχέων ἀεσίφρονι θυμῷ. [Hesiod. Sc. 93 : Σχέτλιος· ἦπου πολλὰ μετεστοναχίζετ' ὀπίσσω, ἣν ἄτην ἀχέων, Guietus restituit ὀχέων.] Sic H, [211] : Οὕστινας ὑμεῖς ἴστε μάλιστ' ὀχέοντας ὀϊζὺν, i. e. φέροντας, βαστάζοντας, perferre et sustinere calamitates : metaph. sumpta ἀπὸ τῶν ἀχθοφόρων. [Theognis 534 : Χαίρω δ' εὔφθογγον χερσὶ λύρην ὀχέων. L. D. Ἐπήν τις τἀγαθὰ μὴ ἐπιστῆται ποθηγετεῖν μηδ' ὀχεῖν εὐπόρως. Democr. apud Stob. Ecl. eth. p. 205, 47. Hemst.] At νηπιάας ὀχέειν, quod Od. A, [297] habetur, Οὐδέ τί σε χρὴ Νηπιάας ὀχέειν, ἐπεὶ οὐκέτι τηλίκος ἐσσί. Eust. exp. non solum φέρειν s. βαστάζειν νηπιάας, verumetiam ἐπὶ νηπιότητος ὀχεῖσθαι : sicut Od. X, [424] dicitur, Ἀναιδείης ἐπέβησαν, et Il. [B, 234], Κακῶν ἐπιβασκέμεν υἷας Ἀχαιῶν. Et Eur. [Hipp. 214], ἔποχος μανίας λόγος· ut ὀχέειν ibi non amplius activum sit, sed neutrum. Prioribus exemplis simile est hoc Od. Λ, [618] : Κακὸν μόρον ἡγηλάζεις, Ὅνπερ ἐγὼν ὀχέεσκον ὑπ' αὐγὰς ἠελίοιο, i. e. ἔφερον, ἐβάσταζον, ὑπέμενον, ut ibi exp. [Æsch. Prom. 143 : Οἵῳ δεσμῷ προσπορπατὸς… φρουρὰν ἄζηλον ὀχήσω.] Accipitur etiam pro Sustineo in alia signif., ut ap. Alex. Aphr. [Probl. 2, 24] : Διαστρέφει τὰ ὀχοῦντα μόρια, Partes quæ sustinent distorquet. [Eur. Hel. 277 : Ἄγκυρα δή μου τὰς τύχας ὀχεῖ μόνη, πόσιν ποθ' ἥξειν. Xen. Cyrop. 1, 3, 8 : Τοῖς τρισὶ δακτύλοις ὀχοῦντες τὴν φιάλην.] || Hesych. ὀχέοντες, ἐν αὐτοῖς ἔχοντες et ἀναδεχόμενοι : quæ et ipsa conveniunt iis qui aliquem vehunt; prius enim suscipiunt, deinde sustinent et vehunt. || Neutraliter etiam accipitur pro Vehenti insideo, Equito : Xen. [Hipparch. 4, 1] : Μέτριον μὲν ὀχοῦντα, μέτριον δὲ πεζοποροῦντα. Bud. [Immo active hic dictum, ut supra ap. Aristoph. Lycophr. 724 : Ἀκτὴν δὲ τὴν προὔχουσαν εἰς Ἐνιπέως Λευκωσία ῥιφεῖσα τὴν ἐπώνυμον πέτραν ὀχήσει δαρόν. Schol. ἐποχήσεται.] || Ὀχῶν ab Hesych., [Phot.] et Suida exp. etiam ὀχευτικῶς ἔχων, Qui inire s. inscendere aut salire cupit. Quam expositionem sequendo, ab hoc ὀχέω derivabimus Ὀχεύω, de quo seorsim paulo supra. || Pass. Ὀχέομαι, Vehor [in Gl. Ὀχοῦμαι, Veho, leg. videtur Vehor, et pro Ὀχέομαι, Inveho, item Invehor, nisi concedenda illis utriusque vocis permutatio], Portor; proprie Curru vehor; deinde etiam navi, aut equo. Xen. Cyrop. 7, [3, 1] : Εἰς τὴν ἁρμάμαξαν ἐν ᾗπερ αὐτὴ ὠχεῖτο, In currum quo vehebatur ipsa. Aristoph. Pl. [1013] : Ὀχουμένην ἐπὶ τῆς ἁμάξης. Hom. Il. Ω, [731] : Νηυσὶν ὀχήσονται γλαφυρῇσι. [Aor. Od. E, 54 : Πολέεσσιν ὀχήσατο κύμασιν Ἑρμῆς. Oppian. Hal. 5, 449 : Δελφῖνος ὀχησάμενος περὶ νώτῳ.] Rursum Xen. Cyr. 4, 5, [58] : Ὀχεῖσθαι ἐπὶ τῶν ἵππων, Equis vehi vel invehi. [Plato Lys. p. 208, A, ἐπί τινος τῶν τοῦ πατρὸς ἁρμάτων· Leg. 7, p. 789, D, ἐφ' ἵππων. De homine qui asino veheretur Aristoph. Ran. 25 : Πῶς φέρεις γὰρ, ὅς γ' ὀχεῖ;] At ὀχεῖσθαι διὰ τῆς ἀγορᾶς Athenis dicebatur, quod Romæ Transvehi, h. e. Equitare per forum probationis causa. Liv. : Ab eodem Fabio institutum dicitur, ut equites idibus Quintilibus transveherentur. Sic Val. Max. c. 2, de Institutis antiquis : Trabeatos vero equites idibus Julii Quintus Fabius tranvehi instituit. Suet. Augusto : Equitum turmas frequenter recognovit, post longam intercapedinem reducto more transvectionis. Dem. [p. 570, 5] : Ἐχειροτονήσατε τοῦτον ἵππαρχον, ὀχεῖσθαι διὰ τῆς ἀγορᾶς ταῖς πομπαῖς οὐ δυνάμενον, Hunc, equitum præfectum creavistis, qui ne in transvectione quidem, quæ per forum fieri solet, equo vehi potest, Bud. in Pand. Metaphorice autem Plato [Leg. 3, p. 699, B] dixit ὀχεῖσθαι ἐπ' ἐλπίδι, Spe evehi attollique, Bud. Sic Aristoph. ap. Athen. 12, [p. 551, B] : Ὡς σφόδρ' ἐπὶ λεπτῶν ἐλπίδων ὀχεῖσθ' ἄρα. [Eq. 1244 : Λεπτή τις ἐλπίς ἐστ', ἐφ' ἧς ὀχούμεθα. Eur. Or. 69 : Ὡς τά γ' ἄλλ' ἐπ' ἀσθενοῦς ῥώμης ὀχούμεθ', ἤν τι μὴ κείνου πάρα σωθῶμεν. Orph. H. 61, 6 : Πάντα γὰρ ὅσσα κακαῖς γνώμαις θνητοῖσιν ὀχεῖται· 72, 6 : Ἐν σοὶ γὰρ λύπης τε χαρᾶς τε κλῇδες ὀχοῦνται. Plato Phæd. p. 85, D : Ἐπὶ τούτου (τοῦ λόγου) ὀχούμενον ὥσπερ ἐπὶ σχεδίας. (Justin. M. p. 104, D : Ἐπὶ τῷ λόγῳ ὀχούμενον. Valck.)] Item Sustineor, sicut ὀχέω significat Sustineo. Gregor. : Ἐπὶ τίνος ὀχουμένη ἡ γῆ; q. d. Super quo sustinetur, Quis eam bajulat et suis humeris sustinet, Cui innititur? [Νᾶσος ὀχεῖται, Aquæ innatat, Orac. Dodon. apud Dionys. Halic. A. R. 1, 19. Hemst. || De coitu Arat. 1070 : Ὁππότε… τὰ… ἄρσενα πάντα δεξάμεναι πάλιν αὖτις ἀναβλήδην ὀχέωνται.] || Ὀχέομαι, Equitor, sicut ὀχέω pro Equito poni dictum est. Hom. Il. [K, 403], P, [76] de equis : Οἱ δ' ἀλεγεινοὶ Ἀνδράσι γε θνητοῖσι δαμήμεναι ἠδ' ὀχέεσθαι ἄλλῳ ἢ Ἀχιλῆϊ, i. e. ἱππηλατεῖσθαι, s. ἱππάζεσθαι, vel ἡνιοχεῖσθαι, Eust. [Cum accus. Apollinar. Anth. Pal. 11, 399, 7 : Λιβυκοὺς κάνθωνας ὀχούμενος, εἴτ' ἀποπίπτων.] Itidem ὀχέω significat βαστάζω, Sustineo, Sustento : et ὀχέομαι, Sustentor, Innitor. Hesych. quoque ὀκχὴ exp. ἔρεισμα, βακτηρία, σκῆπτρον, Scipio. [V. quæ de formis ὀκχέω et ὀκχὴ dicta sunt in ipsis.]

Ὀχὴ, ἡ, Cibus, quod corpus eo contineatur et conservetur. [Lycophr. 482 : Φηγίνων πύργων ὀχήν. Athen. 8, p. 363, B : Τὰς εὐωχίας ἐκάλουν οὐκ ἀπὸ τῆς ὀχῆς, ἥ ἐστι τροφή. Proc. Hesiod. Op. 475. Tzetz. Hist. 9, 119. || I. q. ὀχεὰ, quod v. || I. q. ὀχεία, quod v. Hesychius interpretatur etiam τροχός.] At Ὄχη, mons Eubœæ, vel ab ἐξέχειν dictus, vel ἀπὸ τῆς ἐκεῖ ὀχείας Διὸς καὶ Ἥρας, Quod ibi Junonem Jupiter inierit. [Strabo 10, p. 445, 446, Steph. Byz. v. Κάρυστος.]

[Ὄχη. V. Ὀχή.]

Ὄχημα, τὸ, Vehiculum, Currus, [Carpentum, Vehes, Reda, Gl.] i. q. ὄχος. [Pind. ap. Athen. 1, p. 28, B : Σικελίας ὄχημα δαιδάλεον. Æsch. Suppl. 183 : Ξὺν ἵπποις καμπύλοις τ' ὀχήμασι· Pers. 607 : Ἄνευ τ' ὀχημάτων· et de navibus Prom. 468 : Λινόπτερ' εὗρε ναυτίλων ὀχήματα. Eodemque modo Eur. Iph. T. 410 : Νάϊον ὄχημα. Plato Phæd. p. 113, D, Hipp. maj. p. 295, D. Pollux 1, 83.] Soph. [Tr. 656 : Πολύκωπον ὄχημα ναός·] El. p. 114 meæ ed. [740] : Κάρα προβάλλων ἱππικῶν ὀχημάτων, ubi et synonymis utitur, ὄχος, ἅρμα, δίφρος. [Eur. Hipp. 1355 : Ὦ στυγνὸν ὄχημ' ἵππειον· Rhes. 621 : Ὄχημα πωλικόν· Ion. 1151 : Νὺξ ἀσείρωτον ζυγοῖς ὄχημ' ἔπαλλεν· fr. Phaeth. ap. Longin. De subl. 15, 4 : Κρούσας δὲ πλευρὰ πτεροφόρων ὀχημάτων μεθῆκεν· αἳ δ' ἔπταντ' ἐπ' αἰθέρος πτυχάς, de equis, ad quos refertur αἵ. De qua signif. Ducang.: « Pro Equo, quomodo inferior Latinitas Vehiculum usurpat. Leo Grammat. in Theophilo p. 451 : Τοῖς δημοσίοις ὀχήμασιν ἐπιβάς. Nicetas in Joanne n. 8 : Ποδηνέμοις ὀχήμασιν, ubi cod. barbarogr. ἀλόγοις. Add. c. 9. »] Plato Tim. [p. 41, E] : Ἐμβιβάσας ὡς εἰς ὄχημα τὴν τοῦ παντὸς φύσιν, Atque ita quasi in currum universitatis imposuit, Cic. Xen. Cyrop. 4, [2, 28] : Τὰς γυναῖκας ἀνεβίβαζον ἐπὶ τὰ ὀχήματα. [Et similiter alibi. Anab. 3, 2, 19 : Τῶν ἱππέων πολὺ ἡμεῖς ἐπ' ἀσφαλεστέρου ὀχήματός ἐσμεν. Plato Phæd. p. 85, D : Ἐπὶ βεβαιοτέρου ὀχήματος ἢ λόγου θείου τινός. Ps.-Demosth. p. 1046, 12 : Ἀποδόμενος τὸν πολεμιστήριον ἵππον καταβέβηκεν ἀπὸ τῶν ἵππων καὶ ἀντ' ἐκείνου ὄχημα αὐτῷ τηλικοῦτος ὢν ἐώνηται, ἵνα μὴ πεζῇ πορεύηται· τοσαύτης οὗτος τρυφῆς ἐστι μεστός.] Plut. Galba [c. 8] : Ἐν ταῖς ὀχημάτων ἀμοιβαῖς, In vehiculorum vicissitudinibus. Quæst. Rom. [p. 278, B] : Ὀχήμασι ζευκτοῖς μὴ χρῆσθαι· Symp. 6 [p. 690, A], Erasistratus ὄχημα τῆς τροφῆς vocat τὸ ὑγρὸν, Vehiculum cibi. Sic Symp. 7, 1 [p. 698, D] : Συμπλεκομένων ἡμῶν ἅμα καὶ συμπαραπεμπόντων τὸ σιτίον οἷον ὀχήματι τῷ ὑγρῷ χρώμενον. [Eur. fr. ap. Macrob. Sat. 1, 17 : Πυριγενὴς δὲ δράκων ὁδὸν ἡγεῖται ... ὥραις, ζευγνὺς ... πολύκαρπον ὄχημα· Tro. 884 : Ὦ γῆς ὄχημα κἀπὶ γῆς ἔχων ἕδραν, ὅστις ποτ' εἶ σὺ, δυστόπαστος εἰδέναι Ζεύς· fr. ap. Tatian. Ad Gr. § 14, p. 35 ed. Worth. : Αὔρα θεῶν ὄχημα τιμιώτατον. (Hanno Peripl. p. 5 med. : Ὄρος ἐφαίνετο μέγιστον Θεῶν ὄχημα καλούμενον.) Pind. ap. Athen. 11, p. 480, C : Ἐρατᾶν ὄχημ' ἀοιδᾶν τοῦτο πέμπω μεταδόρπιον. Hermias In Plat. Phædr. p. 130 fin. : Τὸ ἀΐδιον ὄχημα τῆς ψυχῆς.] Ex Epigr. [et Eur. Suppl. 662] affertur etiam ἁρμάτων ὀχήματα, pro Vectabula curruum, sicut infra ex Eur., ὄχος ἁρμάτων. Item ex Aristoph. [Pac. 865] : Εἰς ὄχημα κανθάρου βὰς ['πιβὰς], pro Invectus s. Vectus scarabeo.

['Οχηματικὸς, ή, όν, Vectorius; Ὀχηματικὸν, Vehiculare, Gl.]

['Οχημάτιον, τὸ, Rheda, Gl.]

['Οχήσιος, ὁ, Ochesius, Ætolus, ap. Hom. Il. E, 844 et Suidam.]

Ὄχησις, εως, ἡ, Vectio, Vectura, φόρησις, ἱππασία, Hesych. Significat autem ἱππασία, Equitatio, Equitatus. [Plato Tim. p. 89, A : Ὅπῃπερ ἂν ὀχήσεις ἄσκοποι γίγνωνται· et cum genit. de equitatione Reip. 5, p. 452, C : Ἵππων ὀχήσεις. Plut. Mor. p. 161, D. Ὄχησιν ποιεῖται, i. q. ὀχεῖται, Strabo 1, p. 55.]

['Οχθάομαι.] Ὀχθᾶσθαι, Hesych. innuit esse τὸ ἑαυτὸν μετεωρίζειν, idque præ dolore : derivans ab ὄχθη.

Ὀχθέω, Offendor, Indignor, Gravor, i. e. Gravate fero, metaph. ducta ab ὄχθη [vel sec. Hesychium ab ὄχθος], quoniam animus ejus, qui re aliqua offenditur, indignatur, quasi exurgit et intumescit : ut ὀχθεῖν i. sit q. Soph. [OEd. T. 914] dicit, Ὑψοῦ γὰρ αἴρει θυμὸν Οἰδίπους ... λύπαισι. Quibusdam tamen ab ἄχθομαι derivare magis placet; et certe quod ad signif. attinet, diversa non est. Hom. Il. A, [517] : Τὴν δὲ μέγ' ὀχθήσας προσέφη νεφεληγερέτα Ζεὺς, i. e. δεινοπαθήσας, ὑπερλυπηθεὶς, ἀχθεσθείς· et [570] : Ὤχθησαν δ' ἀνὰ δῶμα Διὸς θεοὶ οὐρανίωνες. Ab Eust. exp. etiam πονέω. [Et alibi sæpissime ap. Hom., Hesiod. Th. 558. Quintus 3, 451 : Ὣς ἄρα πάγχυ γέρων ἐν δώμασι Πηλεὺς ὀχθήσει μέγα πένθος, ἀτερπέϊ γήραϊ κύρσας.]

Ὄχθη, ἡ, Ripa, [Limitum, Ora, Gl.] Extrema et eminentior terræ ora, quam fluvius utrimque alluit : seu, ut in VV. LL. est, Locus præruptus ripæ : at ποταμῶν, Planus. [De monte, ut ὄχθος, quæ primaria signif. est, Pind. Pyth. 1, 64 : Ὄχθαις ὑπὸ Ταϋγέτου ναίοντες· 12, 2 : Ὄχθαις ἐπὶ μηλοβότου Ἀκράγαντος. Soph. Ant. 1132 : Νυσαίων ὀρέων κισσήρεις ὄχθαι, χλωρά τ' ἀκτὰ πολυστάφυλος.] Derivatur autem ab ἔχειν pro ἐξέχειν. Hom. Il. Γ, [187] : Παρ' ὄχθας Σαγγαρίοιο, Ad Sangarii ripas. [Et sæpe de aliis, ut Φ, 10 : Ὄχθαι δ' ἀμφὶ περὶ μεγάλ' ἴαχον· 17 : Δόρυ μὲν λίπεν αὐτοῦ ἐπ' ὄχθῃ· 171 : Ὑψηλὴν βάλεν ὄχθην. Hesiod. ap. Strab. 8, p. 342 : Ποταμοῖο παρ' ὄχθας ... Πείροιο. Pind. Pyth. 4, 46 : Καφισοῦ παρ' ὄχθαις· et alibi. Æsch. Sept. 392 : Παρ' ὄχθαις ποταμίαις. Soph. Ph. 726 : Σπερχειοῦ παρ' ὄχθαις. Eur. Hel. 491 : Νείλου παρ' ὄχθαις, ubi al. ὄχθας. Callim. Dian. 100 : Αἳ μὲν ἐπ' ὄχθῃς βουκολέοντο ... Ἀναύρου. Theocr. 25, 9 : Ἐπ' ὄχθαις Εἰλίσσοντος· 7, 25 : Ἱμέρα ... παρ' ὄχθαισιν ποταμοῖο, aliique.] Plut. Popl. [c. 16] de Horatio Coclite, Τῇ πέραν ὄχθῃ προσέμιξε, Ad alteram fluminis oram pervenit, Ad ripam ulteriorem. [Xen. Anab. 4, 3, 3 : Πεζοὺς ἐπὶ ταῖς ὄχθαις παρατεταγμένους· 5 : Αἱ δὲ ὄχθαι αὗται ... τρία ἢ τέτταρα πλέθρα ἀπὸ τοῦ ποταμοῦ ἀπεῖχον.] Quemadmodum vero Lat. Ripa improprie pro Litore marino ponitur, ita et ὄχθη. Od. I, [132] : Ἁλὸς πολιοῖο παρ' ὄχθας. [Pind. Pyth. 1, 18 : Ἁλιερκέες ὄχθαι. Ubi tamen colles potius s. montes intelligendi videntur.] Ὄχθαι fossarum, dicuntur Tumuli eminentes ab utraque parte, Il. O, [356] : Ὄχθας καπέτοιο βαθείης ποσσὶν ἐρείπων, Ἐς μέσσον κατέβαλλε, i. e. χείλη καὶ ἀνασκαφὰς κοίλης τάφρου. [In Ind. :] Ὄχθα, i. q. ὄχθη, Hesychio. [« Ὄχθα pro ὄχθη in Apophth. Patr. in Anton. n. 29, in Ammona n. 5 et in Besarione n. 1. » DUCANG.]

Ὀχθηρὸς, ά, όν, Riposus, Clivosus : ὀχθ. χῶρος, Epigr. [Anth. Plan. 256, 1. Lycophr. 1030 : Ὀχθηρὰν ἄκραν· 1361 : Ὀχθηρῶν πάγων. Euphorio ap. Etym. M. v. Γεράνειά cit. : Ὀχθηρῆς Γερανείης. Dionys. A. R. 11, 26 med. : Εἰς χωρίον ὀχθηρὸν καὶ στενόπορον. L. D.]

Ὄχθησις, εως, ἡ, Offensio, Indignatio, θόρυβος, τάραχος, Hesych. [Ὄχλησις Pierson. ad Mœr. p. 290.]

Ὀχθίζω, i. q. ὀχθέω, Eust. [Il. p. 709, 8] ex Oppiano [Hal. 5, 540] : Ὀχθίζων σφακέλῳ. [Ibid. 179 : Ὀχθίζων ὀδύνῃσι, quod 170 dicit ἐποχθίζων.]

Ὄχθοιβος, ὁ, Limbus, Fimbria. Hesych. enim scribit solitos olim fuisse περιάπτειν τινὰ περὶ τοὺς χιτῶνας, quæ ὀχθοίβους vocarent. Esse autem τὰ λεγόμενα λώματα. Lex. meum vetus et Suid. [et cod. Hesychii] habent Ὄχθοβος, sine ι, dicentes ab Atticis ita vocari τὸ γυναικεῖον λῶμα, Fimbriam s. limbum vestis muliebris. Ap. Etym. [M. p. 645, 22 : Ὄχθωβος· τὸ λῶμα τὸ γυναικεῖον, ὑπὸ Ἀττικῶν ὄχθωβος λέγεται] scriptum est Ὄχθωβος, per ω, in secunda syllaba : quod et ipsum docet esse Atticum. [Etym. M. p. 311, 4 : Ἐγκόμβωμα· ὁ δεσμὸς τῶν χειρίδων, ὃ λέγεται παρ' Ἀθηναίοις ὄχθοιβος, ὑπὸ δὲ ἄλλων κοσύμβη. Pollux 7, 65 : Ὀχθαίβους (ὀχθοίβους) δὲ ὀνομάζεσθαί φασι τὰς ἐν τοῖς χιτῶσι τῶν ῥαφῶν συμβολάς, i. e. tunicarum partes, ubi oræ fibulis inter se junguntur et committuntur. Manicarum vero oræ fimbriis ornabantur : unde ὄχθοιβος, quod proprie Manicarum vinculum notat, a Photio exponitur de manicarum Fimbria : Ὀχθοίβους, τὰ λώματα· ἔστι δὲ περὶ τὸ στῆθος τοῦ χιτῶνος ἁλουργὲς πρόσραμμα. Ubi λώματα vulgari sensu, quo exponitur Fimbria in fine vestis muliebris, non sumi, patet ex verbis, Ἔστι δὲ περὶ τὸ στῆθος τοῦ χιτῶνος ἁλουργὲς πρόσραμμα. Sic Etym. M. p. 570, 53 : Λῶμα· τὸ γυναικεῖον, ὃ ὑπὸ Ἀττικῶν ὄχθοβος λέγεται· λῶμα λέγεται καὶ τὸ εἰς τὸ κατώτερον τοῦ ἱματίου ἐπίβλημα, ἐκ βύσσου καὶ πορφύρας καὶ κόκκου, distinguit fimbriam, cui nomen ὄχθοιβος, a fimbria in fine vestis. Photius : Ὄχθοιβος, λῶμα. Φερεκράτης Λήροις, Μίτραν ἁλουργῆ, στρόφιον, ὄχθοιβον, κτένα. Aristoph. Thesmoph. alteris ap. Polluc. 7, 95 : Ὀχθοίβους, μίτρας, ἀναδήματα. Idem 5, 101, de mundi muliebris nominibus : Καὶ ἄλλους δέ τινας κόσμους ὀνομάζουσιν οἱ κωμῳδοδιδάσκαλοι, λῆρον, ὀχθοίβους, ... ὧν οὐ ῥᾴδιον τὰς ἰδέας συννοῆσαι, διὰ τὸ μηδὲ πρόχειρον εἶναι τινὰ εἰσιδεῖν, εἴτε σπουδάζοντες, εἴτε παίζοντες χρῶνται τοῖς ὀνόμασιν. Chandleri Inscript. part. 2, n. 4, 2 : Ὄχθοιβος χρυσία ἔχων δώδεκα. ANGL. V. etiam Ἔχθιβος.]

Ὄχθος, ὁ, i. q. ὄχθη, Ripa, τῶν ποταμῶν ἄκρα, Hesych., Litus, ut ὄχθη paulo ante, τὸ ἀπόκρημνον στόμα τῆς θαλάσσης, Hesych. [Anxis, Gl.] Præterea i. q. ὄχθη in posteriori signif., Tumulus eminulus, τοπικὴ ἐπανάστασις, s. τὸ ὑψηλὸν τῆς γῆς, vel, ut Hesych. exp., δύσβατος καὶ τραχὺς τόπος, ἡ ἐξοχὴ τῶν πετρῶν, κρημνὸς, Grumus, Clivus. [De ripa Æsch. Ag. 1161 : Νῦν δ' ἀμφὶ Κωκυτόν τε κἀχερουσίους ὄχθους. Et fortasse Aristoph. Av. 774 : Κύκνοι ὄχθῳ ἐφεζόμενοι παρ' Ἕβρον ποταμόν. De clivo Pind. Ol. 9, 3 : Κρόνιον παρ' ὄχθον· Pyth. 9, 57 : Ὄχθον ἐς ἀμφίπεδον· Nem. 11, 25 : Παρ' εὐδένδρῳ ὄχθῳ Κρόνου. Æsch. Pers. 467 : Ὑψηλὸν ὄχθον ἄγχι πελαγίας ἁλός. Soph. Tr. 524 : Τηλαυγεῖ παρ' ὄχθῳ· Ph. 729 :

Οἴτας ὑπὲρ ὄχθων. Aristoph. Th. 1105 : Τίν' ὄχθον τόνδ' ὁρῶ;] Xen. De re eq. [3, 7] : Τάφρους διαπηδᾶν, τειχία ὑπερβαίνειν, ἐπ' ὄχθους ἀνορούειν, ἀπ' ὄχθων καθάλλεσθαι, καὶ πρὸς ἄναντες δὲ, καὶ κατὰ πρανοῦς, καὶ πλάγια ἐλαύνειν, ubi est aliquid minus quam ἄναντες. Id. [Hipparch. 6, 5]: Ἀπ' ὄχθων καταίρειν. Eur. Iph. T. 290, ὄχθος πέτρινος et [961] ἄρειος, Collis Martius. [Et sic alibi ap. eund. Αἰτναῖος, Ἰσμήνιος, Κύνθιος, et Ion. 12 : Παλλάδος ὑπ' ὄχθῳ· El. 1258 : Ἄρεώς τις ὄχθος. « Herodot. 4, 203 : Διὸς Λυκαίου ὄχθον· 8, 52 : Τὸν καταντίον τῆς ἀκροπόλεως ὄχθον· 9, 25 : Διὰ ὄχθων οὐχ ὑψηλῶν· 56 fin., 59 med. » Schweigh.] A Proclo [ad Hesiodi Op. 473] exp. ἡ σωρεία τοῦ χώματος, deducente inde εὐοχθῶ. [De sepulchro Æsch. Pers. 648 : Ἦ φίλος ἀνὴρ, ἦ φίλος ὄχθος· 658 : Ἔλθ' ἐπ' ἄκρον κόρυμβον ὄχθου· Cho. 4 : Τύμβου δ' ἐπ' ὄχθῳ.] Hinc metaph. Ὄχθοι ap. Medicos dicuntur Tumores verrucosi tuberosique, quales in elephanticis apparent : inde labra ulcerum prætumida, callosa et dura, ὀχθώδη, q. d. Verrucosa, appellantur. Gorr. [Manetho 1, 54 : Χροιὴν μὲν φορέουσιν ἀμετροβίων ἐλεφάντων, ὄχθους δ' ἀμφὶ δέμας κακοελκέας ἀμφιβαλοῦνται.] || Labor, κόπος, Procl. in Hesiod. [l. c.]

[Ὀχθοφόρος, ap. Maneth. 4, 251, in ἀχθοφόρος mutatum.]

[Ὀχθοφύλαξ, ἄκος, ὁ, Riparius, Gl.]

Ὀχθώδης, ὁ, ἡ, idem q. ὀχθηρός. [Dionys. A. R. 6, 33 fin. : Ὀχθώδη χωρία.] Item Verrucosus, Torosus, Bud. Diosc. 1, 157 : Ἐπίφυσίς ἐστιν ἀνώμαλος καὶ ὀχθώδης καὶ ὁμόχρους, Virgultum myrto annascens, nodosum, inæquale, verrucosum, concolor, Gorr., Prominens et tumens, Hermol. Et Galen. : Ὥστε εἶναι σκληρίαν ἐν τῇ μήτρᾳ ἀντίτυπον, ὀχθώδη, ἀνώμαλον· alibi ὄγκος ὀχθώδης καὶ ἀνώμαλος. [Id. vol. 2, p. 386 : Λεοντιᾶν δέ φασι τοὺς ὀχθώδεις ἐπαναστάσεις ἔχοντας. Oribas. p. 64, 70, 71 Mai. L. D.] Synes. [p. 180, C] : Ὀχθώδης τε ὢν τὸ κρανίον καὶ λειπόσαρκος τὴν ὀσφύν.

[Ὄχιμος, ὁ, Ochimus, Solis f. Diod. 5, 56, 57; Plut. Mor. p. 297, D. Pater Cydippes, ap. Steph. B. v. Λίνδος.]

[Ὄχιον, τὸ, Coriandrum, ap. Ægyptios. Ex App. Diosc. p. 455 (3, 64). Angl.]

[Ὀχλᾰγωγεύς, έως, ἡ, Circulator, Gl.]

Ὀχλαγωγέω, Populum s. Popularem turbam concito, ut plebis adulatores et circulatores faciunt; [Comitium facio, Circulor, Gl.] illi, verbis et pollicitationibus, hi miraculis et præstigiis. Strabo l. 4 [immo 14, p. 652], de tabula Protogenis, in qua perdix erat picta : Ἐξέπληττον δ' ἔτι μᾶλλον οἱ περδικοτρόφοι, κομίζοντες τοὺς τιθασσοὺς, τιθέντες καταντικρὺ, ἐφθέγγοντο γὰρ πρὸς τὴν γραφὴν οἱ πέρδικες καὶ ὠχλαγώγουν, Et plebem circulatoris more detinebant et oblectabant. Ita Bud., qui ὀχλαγωγῶ vertit etiam, Plebem ad res novas solicito, Factiosæ turbæ ducem me præbeo, ut δημαγωγῶ. Hesychio vero ὀχλαγωγῆσαι, συναγαγεῖν ὄχλον ἢ ταράξαι. [Polyb. 25, 8, 2.]

[Ὀχλαγωγία, ἡ, Convitium (v. Ὀχλαγώγιον), Conventus, Gl. Plut. Pyrrho c. 29.]

Ὀχλαγώγιον, τὸ, [Convitium, in Gl. (immo Ὀχλαγωγία, quod v., quum Ὀχλαγώγιον reddatur Comicium, (nisi leg. putavit Concilium, Comitium) et interpr. legis 15 D. de injur., ut notat Cujacius l. 6 Obs. c. 6. Item pro Rumore usurpat Damascen. Studita serm. 30 : Ἤκουσαν ὀχλαγωγήν (pro ὀχλαγώγιον). Ducang.] Quum turba popularis concitata in unum locum confluit. In Pand. dicitur esse, Πολλῶν τινων σύνοδος, ὅταν πολλῶν φωναὶ παρὰ τοὺς ἀγαθοὺς τῆς πόλεως τρόπους εἰς ταυτὸ συντρέχουσιν εἰς φθόνον καὶ ἀτιμίαν τινός. Sed et τῷ ἀπόντι γίνεται ὀχλαγώγιον, ὅτε τις ἐπέλθῃ τῷ οἴκῳ αὐτοῦ ἢ τῷ ἐργαστηρίῳ. Et, Ὀχλαγώγιον ποιεῖ οὐ μόνον ὁ κράζων, ἀλλὰ καὶ ὁ συγκαλεσάμενος ἄλλους ἢ ὑποβαλὼν ἐπὶ τῷ κράξαι. In iisd. Pandectis titulus est, Περὶ τῶν στασιωτῶν, ἤτοι στάσεις καὶ θορύβους ἢ ὀχλαγώγια ποιούντων.

Ὀχλᾰγωγὸς, ὁ, Qui popularem turbam concitat vel congregat, ut faciunt adulatores populi vel circulatores. [Circulator, Popularis, Gl. Galen. vol. 11, p. 451. Suidas v. Ἀγύρτης.] Joseph. C. Apion. l. 2, [1] : Ὑπ' ἀνθρώπου καὶ παρὰ τὸν βίον ὀχλαγωγοῦ γεγονότος. [Constitt. Apost. Cotel. Patr. vol. 1, p. 413, A. L. D.]

A [Ὀχλάζω, i. q. ὀχλέω. Aq. Ps. 58, 7, 15, ὀχλασάτωσαν· 82, 3, ὤχλασαν· Prov. 7, 11, ὀχλάζουσα· Jer. 4, 9. Schleusn. Lex.]

[Ὀχλαρχικὸς, ἡ, ὸν, Qui plebis imperium affectat Nicetas Chon. p. 361, C : Ὀχλαρχικοὺς καὶ δημοκόπους.]

Ὀχλεὺς, έως, ὁ, Vectis quo aliquid κινεῖται s. ὠθεῖται : Hesychio μοχλὸς, item στρόφιγξ, Cardo, δεσμὸς, Vinculum, Ligamen, nec non ἅρμα et πομπή. [Idem Ὀχλημῶν (ὀχλήων intt.), μοχλῶν.]

Ὀχλεύω, i. q. ὀχλέω, Moveo, κινέω : unde ὀχλεύονται, Hesych. exp. κινοῦνται, sicut ὀχλεῦνται s. ὀχλοῦνται.

Ὀχλέω, Turbo, Commoveo. [Inquieto, Molesto, Insto, Vexo, Pulso, Gl. Æsch. Prom. 1000 : Ὀχλεῖς μάτην με. Soph. OEd. T. 446 : Ὡς παρὼν σύ γ' ἐμποδὼν ὀχλεῖς. « Hippocr. p. 80, E : Τὰ πρὸς αὐγὰς ὀχλέοντα, Quæ oculorum aciem perturbant. (Πρὸς αὐγὰς ἐνοχλεῖν, p. 149, C.) De Ascaridibus p. 996, B : Καὶ ἐκεῖνα τηνικαῦτα ὀχλέουσι τῆς ἡμέρης τὰ πλεῖστα. Foes.] Et pass. Ὀχλοῦμαι s. Ὀχλεῦμαι Ionice, Turbor, Commo-
B veor. Hom. Il. Φ, [261] de rivo : Τοῦ μέν τε προρέοντος ὑπὸ ψηφῖδες ἅπασαι Ὀχλεῦνται, i. e. κινοῦνται, s. κυλινδοῦνται, Suid. et Hesych. [Vitiose Hesychius Ὀχεῦνται, ἠρέμα κινοῦνται.] Id. Hesych. ὀχλεῖ, κωλύει μετὰ ὄχλου. || Ὀχλουμένη ὁδὸς, Turbæ plena et multitudinis, Bud. ap. Cebetem [c. 15, p. 76], Ὁδὸς οὐ πολὺ ὀχλεῖται, Via non frequentatur a multa turba. || Molestia afficio, Molestiam affero s. exhibeo. [Τοὺς ὀχλοῦντας ἀποσείεσθαι, Herodian. 6, 3, ubi quidem τοὺς ἐνοχλοῦντας habet cod. Vindob., sed id ex scholio fortasse, quoniam frequentius usurpatur comp. verbum. Simplex verbum habet Herodotus 5, 41 : Ὤχλευν αὐτὴν, Molestabant illam. Schweigh.] Pass. Ὀχλοῦμαι, Molestia afficior, Molestia mihi exhibetur. Paulo post in Ὀχλώδης habes, Ἀσθενείᾳ σώματος ὀχλούμενον. [Aristot. Eth. Nic. 9, 5 med. : Συμπράξαιεν δ' ἂν οὐδὲν οὐδ' ὀχληθεῖεν ὑπὲρ αὐτῶν.] || At ὀχλεῖται ἐφ' ἵππου, quod in VV. LL. exp. Vehitur equo, mendosum est, et pro eo reponendum ὀχεῖται. Hesych. ὤχλησεν exp. non solum active, ἐκίνησεν, ἐμόχλευσεν, ὤθησεν, sed etiam
C neutraliter ἐμόχθησεν, ἐνόσησεν.

[Ὀχληδὸν συναχθεὶς ὁ λαὸς, Catervatim, Philo Carpas. In Cant. Cantic. p. 162. Boiss.]

[Ὄχλημα, τὸ, Molestia. Sext. Emp. Adv. math. 11, 158.]

[Ὀχληρία, ἡ, Molestia. Nicet. Paphl. Laud. S. Eust. p. 47. Boiss. Ecclesiastes 7, 26.]

Ὀχληρὸς, ὰ, ὸν, Turbulentus, i. q. ὀχλώδης, s. ταραχώδης, ut Suid. utrumque exp. || Molestus [Gl.], Molestiam afferens, ὁ δι' ὄχλου γινόμενος : cujus signif. exemplum habes in Ὄχλος ex Josepho. Sed et ap. alios frequens est. [Eur. Hel. 452 : Ὀχληρὸς ἴσθ' ὤν· idemque ap. Aristoph. Ach. 460, et Arist. ib. 472 : Καὶ γάρ εἰμ' ἄγαν ὀχληρός. Menander ap. Stob. Fl. 69, 4; 116, 8, Sent. sing. 56. Herodot. 1, 186 : Ἦν ὀχληρὸν τοῦτο. Hippocr. p. 806, C. Xen. Hipparch. 1, 18. Plat. Reip. 8, p. 569, A : Μετὰ ὀχληρῶν ξυμποτῶν.] Isocr. Panath. [p. 260, D] : Ἔσται δ' ὁ λόγος ἐμοῦ διεξιόντος οὔτ' ὀχληρὸς οὔτ' ἄκαιρος· Ad Phil. [p. 112, D] : Τὸν δὲ λόγον τὸν ἐμὸν ἥκιστα ἂν ὀχληρὸν γενέσθαι τοῖς
D ἀκούουσι. [Eust. Opusc. p. 111, 35 : Προπομπὴν ὀχληράν.] Itidem homo aliquis alteri ὀχληρὸς esse dicitur, quum ei molestus est et negotium facessit. [Eur. Alc. 540 : Λυπουμένοις ὀχληρὸς, εἰ μόλοι, ξένος. Plato Hipp. maj. p. 295, B : Οὐκ ὀχληρὸς ἔσομαί σοι.] Herodian. 3, [5, 3] : Ὀχληρὸς καὶ περιττὸς αὐτῷ ὁ Ἀλβῖνος ἐνομίζετο· et [15, 3] : Ἐπαχθὴς αὐτῷ καὶ ὀχληρὸς ἐφαίνετο. Et τὸ ὀχληρὸν, sicut τὸ ὀχλῶδες, Molestia, ὄχλος. [Comparat. Demosth. p. 427, 20 : Οὐδέν ἐστι πραγματωδέστερον οὐδ' ὀχληρότερον τὸ καλῶς φρονεῖν τοῦ κακῶς. Superl. Isocr. p. 79, D : Ὃ νῦν ὀχληρότατόν ἐστι. Aristot. Eth. Nic. 4, 11 med. Alex. Trall. 12, p. 240. || Ὀχληρῶς, Moleste, Gl. « Ὀχληροτέρως, Molestius. Hippocr. vol. 1, p. 667 Lind. » Struv.]

[Ὀχληροτέρως. V. Ὀχληρῶς.]

Ὀχληρώδης, ὁ, ἡ, Molestus. VV. LL. [Gell. 18, 8.]

[Ὀχληρῶς. V. Ὀχληρός.]

Ὄχλησις, εως, ἡ, Molestia, [Inquietudo, Interpellatio, add. Gl.] i. q. ὄχλος, Perturbatio, ταραχὴ Suidæ. [Σχολὴ Hesychio, qui contrarium potius volebat. Nisi caput glossæ ante Ὀχλημῶν contra ordinem positæ mendosum est aut utrumque vocabulum. Mœris p. 289: Ὄχλον ἐπὶ πλήθους Ἀττικοί, τὴν παρὰ τοῖς Ἕλλησι λεγομένην ὄχλησιν· ubi Piers. indicat exx. Luciani Parasit. c. 11, ubi ἐνοχλήσεσιν præbuit cod., Dionis Chr. Or. 40, vol. 2, p. 371: Μηδὲ ὄχλησίν τινα ὀκνῶν ἢ δαπάνην ἐμαυτοῦ· Sallierius Marc. Antonin. 4, 3 fin. et al. Delet autem Piers. ap. Mœrin illud ἐπὶ πλήθους, quod ad ὄχλησις certe nihil pertinet neque ad ὄχλος pro ὄχλησις positum. Etym. M. p. 645, 36: Ὄχλος δὲ σημαίνει τὴν ὄχλησιν καὶ τὸ πλῆθος. Ammon. p. 114: Πλῆθός ἐστι σύστημά τινων, ὄχλος δὲ κυρίως ἡ ὄχλησις. Et Dionys. Hal. ab HSt. in Ὄχλος cit. Philodem. Voll. Hercul. part. 1, p. 99 med.: Τάς ποτε γινομένας ὀχλήσεις καὶ φροντίδας.] Plut. Adv. Col. [p. 1127, D] de Epicuro: Διακελεύεται μὴ νόμοις καὶ δόξαις δουλεύοντα ζῆν, ἐφ' ὅσον ἂν μὴ τὴν διὰ τοῦ πέλας ἐκ πληγῆς ὄχλησιν παρασκευάζουσιν· quæ paulo post explanans, dicit, Τῶν νόμων παρακελευόμενοι περιφρονεῖν, ἐὰν μὴ προσῇ φόβος πληγῆς καὶ κολάσεως. [Id. De plac. phil. p. 910, E. Diog. L. 10, 23: Ἀκατάπληκτος πρὸς τὰς ὀχλήσεις. Eust. Opusc. p. 247, 42: Πραγματικαῖς ὀχλήσεσι. «Olympiodor. In Alcib. vers. 5.» Creuzer.]

[Ὀχλητικός, ή, όν, Molestans, Inquietans, Perturbans. Procl. Paraphr. 3, 18, p. 218: Πράγματα ὀχλητικὰ καὶ πολιτικά. Struvius vero interpretatur Negotia civilia s. popularia, quod ὀχλικὰ potius dicendum foret.]

Ὀχλίζω, Moveo, Vecte impello et protrudo. Unde ap. [Phot. et] Suidam: Ὀχλίζειν, μοχλεύειν, κινεῖν: quod et ap. Hesych. habetur, ap. quem etiam ὀχλίσειαν, κινήσειαν: qui aoristus ap. Hom. legitur Od. I, [242] de saxo quo Polyphemus speluncam suam obstruxerat: Οὐκ ἂν τόν γε δύω καὶ εἴκοσ' ἅμαξαι Ἐσθλαὶ, τετράκυκλοι, ἀπ' οὔδεος ὀχλίσειαν. [Il. M, 448: Τὸν δ' οὔ κε δύ' ἀνέρε ... ῥηϊδίως ἐπ' ἄμαξαν ἀπ' οὔδεος ὀχλίσσειαν. Callim. Del. 33: Νέρθε δὲ πάσας (insulas) ἐκ νεάτων ὤχλισσε. Apoll. Rh. 1, 402: Λάϊγγας ἁλὸς σχεδὸν ὀχλίζοντες· 4, 962: Ὀχλίζουσαι νῆα διὲκ πέτρας. Nicand. Al. 226: Διὰ δὲ στόμα βρῦχον ὀχλίζοις· et similiter 453, de aperiendo ore.] Et Orph. Argon. 236: Ἄργος ἐφημοσύνῃσι [ἐπιφροσύνῃσι correxi in Ἐφημοσύνη p. 2565, B. L. D.] νόου πόρσυνεν ὀχλίζειν, Δουρατέῃσι φάλαγξι καὶ εὐστρέπτοισι κάλωσι Πρυμνόθεν ἀρτήσας, Movere et in mare deducere. Pass. Ὀχλίζομαι, Moveor, μετακινοῦμαι, Eust. [Nicand. Al. 505: Τὰς μὲν (βδέλλας) ἵνα πρώτιστον ὀχλιζομένας ῥόος ὤσῃ. Nonn. Dion. 3, 20: Ἐκ χθονὸς ὠχλίζοντο χαλινωτήρια νηῶν.] Hesych. vero ὀχλιζομένων exp. συναγομένων, quod ad ὄχλος pertinet, quo Turba s. Multitudo hominum in eundem locum congregatorum denotatur. Apud quem legitur etiam Ὀχλοισίαν, ἐκκλησίαν, ἱκεσίαν. [Vitiose. Atque etiam gl. Ὀχλήσειαν (ita cod.), κενήσειαν, ponitur ante Ὀχλίζειν. Quod Guietus conjecit Ὀχλησίαν, ἱκεσίαν, ἐκκλησίαν (hoc enim ordine scriptum ap. Hes.), neque defenditur forma Ἀοχλησία neque ordine literarum commendatur; quod Ruhnk. in Auct., Ὄχλησιν, ἐκκλησίαν, deleto ἱκεσίαν, etiam propterea rejiciendum est, quod ὄχλησις, ut modo diximus, non est i. q. ὄχλος aut ἐκκλησία. Itaque Ὀχλοισίαν fortasse pro dittographia glossæ Ὀχλίσειαν habere, interpretationes autem ad sequentem v. Ὄχλον, ἐνόχλησιν, referre præstat. L. Dind.]

Ὀχλικός, ή, όν, Popularis, ab ὄχλος, Turba popularis. [Posidon. ap. Athen. 5, p. 210, D: Ὑποδοχὰς ποιούμενος ὀχλικάς. Valck. V. id. 12, p. 540, C.] Plut. Numa [Comp. cum Lyc. c. 2]: Ὀχλικὴ καὶ θεραπευτικὴ τοῦ πλήθους διάταξις, Popularis et grata multitudini ordinatio. Symp. 8 [p. 719, B]: Τὴν ἀριθμητικὴν ἀναλογίαν, ὡς δημοκρατικὴν καὶ ὀχλικὴν οὖσαν, ἐξέβαλεν ἐκ τῆς Λακεδαίμονος. [Τὸ περὶ τὴν λέξιν ὀχλικὸν καὶ ἀνελεύθερον, Plutarch. Mor. p. 142, A. Hemst. Eust. Opusc. p. 277, 75: Τοὺς ὀχλικοὺς καὶ ξύγκλυδας.] Exp. etiam Turbulentus, Molestus. [Philo J. p. 762: Ἄνθρωπος ὀχλικός, δημοκόπος. || Adv. Plut. Mor. p. 484, B: Λίαν ὀχλικῶς.]

[Ὀχλοαρέσκης, ὁ, Qui populo studet. Timo Phlias. ap. Diog. L. 4, 42.]

[Ὀχλοισία. V. Ὀχλίζω.]

Ὀχλοκοπέω, Turbam popularem concito, Plebis

A solicitator sum, i. q. δημοκοπῶ. Plut. [Mor. p. 796, E]: Ὡς ἀνοήτους, οὐδ' ὅταν στρατηγῶσιν, ἢ γραμματεύωσιν, ἢ δημηγορῶσιν, πολιτευομένους, ἀλλ' ὀχλοκοποῦντας, ἢ πανηγυρίζοντας ἢ στασιάζοντας. [Eust. Opusc. p. 74, 69: Μὴ καὶ εἰς οὐδὲν δέον ὀχλοκοπῶμεν· 279, 52: Ἀπαλλαγήσεται τοῦ ὀχλοκοπεῖσθαι. «Tzetzes Hist. 6, 121; 6, 25.» Boiss.]

Ὀχλοκοπία, ἡ, Turbæ popularis concitatio, Plebis solicitatio.

[Ὀχλοκοπικός, ή, όν, adj. ab seq. ὀχλοκόπος. Unde Ὀχλοκοπική, sc. τέχνη, Sext. Emp. (1, 18) p. 299.]

Ὀχλοκόπος, ὁ, ἡ, Qui populum s. turbam concitat, i. q. δημοκόπος, ut supra in Δῆμος docui. [Tumultuator, Gl.] Apud Suid.: Ἦν δὲ ὀχλοκόπος ὁ Φλαμίνιος καὶ δημαγωγὸς τέλειος. [Polyb. 3, 80, 3. «Tzetz. Hist. 6, 26, et alibi.» Wakef. Eust. Opusc. p. 111, 26: Τὰς τοιαύτας ὀχλοκόπους προόδους· et masc. gen. p. 277, 79. L. Dind.]

[Ὀχλοκρασία. V. Ὀχλοκρατία.]

Ὀχλοκρατέομαι, A turba populari s. plebe regor,

B Turbæ popularis arbitrio administror et gubernor.

[Ὀχλοκρατία, ἡ, Plebis dominatio. Polyb. 6, 4, 6; 57, 9; Plut. Mor. p. 826, F; Philo vol. 1, p. 307, 22; Synes. p. 10, B. Ὀχλοκρασία, ap. Philon. vol. 1, p. 41, 31, ubi ed. male ὀχλοκρατεῖαν· 547, 36; vol. 2, p. 526, 46, ubi alii per τ, Clem. Al. Strom. p. 852, Suid. et Etym. M. Conf. Αὐτοκρασία, Γυναικοκρασία, Χειροκρασία, et Lobeck. ad Phryn. p. 525. Philoni aut Clementi talem formam etsi credibile est cognitam fuisse, libris tamen, præsertim inter utramque variantibus, non tantum tribuere licet, ut vel utramque admisisse putetur Philo. L. Dind.]

[Ὀχλόλογος, ὁ, κατάλογος λαοῦ, Populi catalogus, Hesych. Wakef.]

[Ὀχλολοίδορος, ὁ, ἡ, Populi convitiator. Timon Diogenis L. 9, 6, de Heraclito. Boiss.]

Ὀχλομανέω, Insano turbarum amore teneor, Insano turbæ popularis amore ducor. [Plut. Mor. p. 603, D.]

Ὀχλοποιέω, exp. Turbam congrego. Nisi potius

C significet Turbas concio, excito, Turbas populares excito. [Act. Apost. 17, 5.]

[Ὀχλοποίησις, εως, ἡ, Plebis concitatio. Hesych. v. Δημαγωγίας. Wakef.]

[Ὀχλοπολιτεία, ἡ, Plebis in civitate dominatio. Olympiod. in indice Anecdot. Bekkeri. Boiss.]

Ὄχλος, ὁ, Turba [Gl.], Multitudo hominum; interdum etiam simpliciter, Multitudo. [Pind. Pyth. 4, 85: Ἐν ἀγορᾷ πλήθοντος ὄχλου. Æsch. Sept. 234: Δυσμενέων δ' ὄχλον πύργος ἀποστέγει· Pers. 42: Ἁβροδιαίτων δ' ἕπεται Λυδῶν ὄχλος· 53: Πάμμικτον ὄχλον· quos Il. etiam ad proximam signif. referre licet. Ib. 955: Ποῦ δὲ φίλων ἄλλος ὄχλος; Suppl. 182: Ὄχλον δ' ὑπασπιστῆρα καὶ δορυσσόον λεύσσω. Soph. Tr. 424: Ἐν μέσῃ Τραχινίων ἀγορᾷ πολύς σου ταῦτά γ' εἰσήκουσ' ὄχλος· fr. Alexandri ap. schol. Hom. Il. E, 158: Στείχων ἀγρώστην ὄχλον. Eur. Hipp. 213: Οὐ μὴ παρ' ὄχλῳ τάδε γηρύσει; 986: Ἐγὼ δ' ἄκομψος εἰς ὄχλον δοῦναι λόγον· 989: Οἱ γὰρ ἐν σοφοῖς φαῦλοι παρ' ὄχλῳ μουσικώτεροι λέγειν· Heracl. 44: Νέας γὰρ παρθένους αἰδούμεθα ὄχλῳ

D πελάζειν· Or. 108: Ἐς ὄχλον ἕρπειν παρθένοισιν οὐ καλόν· et sæpissime cum genitivis, velut ἀνδρῶν, γυναικῶν, στρατοῦ (ἵππων Ps.-Eurip. Iph. A. 191), aut nominum propr. Aristoph. Eccl. 394: Ἀτὰρ τί τὸ πρᾶγμ' ἦν, ὅτι τοσοῦτον χρῆμ' ὄχλου οὕτως ἐν ὥρᾳ ξυνελέγη· 383: Πλεῖστος ἀνθρώπων ὄχλος· Ran. 676: Τὸν πολὺν ὀφομένη λαῶν ὄχλον· Pl. 686: Ὄχλος πρεσβυτικός. Plato Gorg. p. 502, A: Ὅ,τι μέλλει χαριεῖσθαι τῷ ὄχλῳ τῶν θεατῶν.] Xen. Cyrop. 7, [5, 39]: Ὄχλος πλείων καὶ πλείων ἐπέῤῥει. Arsinoe ap. Athen. 7, [p. 276, C]: Συνοικία γε ταῦτα ῥυπαρά· ἀνάγκη γὰρ τὴν σύνοδον γίνεσθαι παμμιγοῦς ὄχλου, θοίνην ἕωλον. Aristot. Polit. 3, [c. 11]: Κρίνει ἄμεινον ὄχλος πολλὰ ἢ εἷς ὁστισοῦν, Hominum multitudo; etiam Multi simul. Gorgias: Ἐν ὄχλῳ οὔσης τῆς κρίσεως, Quum a multitudine causa cognoscitur, vel A vulgo, A populo. [Xen. Conv. 2, 18: Ἐν ὄχλῳ ἀποδύεσθαι· Comm. 1, 1, 14: Τοῖς μὲν οὐδ' ἐν ὄχλῳ δοκεῖν αἰσχρὸν εἶναι λέγειν ἢ ποιεῖν ὁτιοῦν· Anab. 3, 4, 26: Ἄχρηστοι ἦσαν ἐν τῷ ὄχλῳ ὄντες.] Xen. Hell. [1, 7, 11]: Ἐπεθορύβησε πάλιν ὁ ὄχλος, quum ante dixisset δῆμος, πλῆθος. [Atque sic sæpe ap. eundem, etiam de concione exercitus.] Et in Axiocho [p. 370, D]: Φιλοσοφῶν οὐ πρὸς ὄχλον καὶ θέατρον, Apud populum s. vulgus. [Plato Gorg. p. 458, E: Ὥστ' ἐν ὄχλῳ πιθανὸν εἶναι· 502, C: Πρὸς πολὺν ὄχλον καὶ δῆμον· Leg. 2, p. 670, B: Γελοῖος ὁ πολὺς ὄχλος· Reip. 3, p. 397, D: Τῷ πλείστῳ ὄχλῳ· Phæd. p. 277, E: Οὐδὲ ἂν ὁ πᾶς ὄχλος αὐτὸ ἐπαινέσῃ· Leg. 5, p. 734, B: Ὁ πᾶς ἀνθρώπινος ὄχλος.] Itidem Aristot. Rhet. 2, [c. 23]: Φασὶν οἱ ποιηταὶ τοὺς ἀπαιδεύτους παρ' ὄχλῳ μουσικωτέρως [—ρους] λέγειν. Itidem dicitur plurali numero, οἱ ὄχλοι pro ὁ ὄχλος, Multitudo, h. e. Populus, Vulgus. [Plebs add. Gl.] Aristot.: Τὰ μὲν αὐτῶν παριέντων, τὰ δὲ τῶν ὄχλων παραιρουμένων, Quum partim ipsi sua munera neglectim transmitterent, partim populus ipsis adimeret. Sic Herodian. 7, [3, 11]: Τὰ τῶν πλουσίων πταίσματα πρὸς τῶν ὄχλων ἀμελεῖται, A plebe negliguntur. Ib. [12, 11]: Οἱ ὄχλοι ταῖς συσταδὸν μάχαις ἡττώμενοι, Plebs statario certamine a militibus victa: de seditione intestina in urbe. [De militibus gregariis Polyb. 1, 15, 4: Τοὺς ἡγουμένους αὐτῶν ἀποδεδειλιακότας τοὺς ὄχλους, et 32, 8.] Itidem Athen. 14: Παρ' ὄχλοις εὐδοκιμεῖν. [Xenoph. Comm. 3, 7, 5: Αἰδῶ καὶ φόβον ... πολλῷ μᾶλλον ἐν τοῖς ὄχλοις ἢ ἐν ταῖς ἄλλαις ὁμιλίαις παριστάμενα, quibuscum Schneid. contulit Plat. Gorg. p. 454, B: Τῆς πειθοῦς τῆς ἐν τοῖς δικαστηρίοις καὶ ἐν τοῖς ἄλλοις ὄχλοις· et ib. 455, A: Δικαστηρίων τε καὶ τῶν ἄλλων ὄχλων.] || Est ubi per contemptum potius dicitur de Confusanea hominum multitudine, ut et Lat. vocabulum. [Eur. fr. Æoli ap. Stob. Fl. 116, 4: Γέροντές ἐσμὲν οὐδὲν ἄλλο πλὴν ὄχλος καὶ σχῆμα, ut latine dicitur Numerus. Id. fr. Pirithoi ap. Clem. Al. Str. 5, p. 717: Ἄκριτός τ' ἄστρων ὄχλος. Aristoph. Vesp. 540: Οὐκέτι πρεσβυτῶν ὄχλος χρήσιμός ἐστ' οὐδ' ἀκαρῆ. Multi etiam de locis supra citatis huc possunt referri.] Herodian. 6, [7, 2] de exercitu barbarico: Ὄχλος μᾶλλον ἢ στρατὸς, Turba potius quam exercitus. Id. 7, [9, 8]: Οἰόμενοι ἐν πλήθει ὄχλου, οὐκ ἐν εὐταξίᾳ στρατοῦ τὸ εὔελπι τῆς νίκης εἶναι, In turba potius quam in exercitus aliquo ordine collocata victoriæ spe. [Thuc. 7, 8: Τῷ ὄχλῳ πρὸς χάριν τι λέγοντες.] Et plur. num. Thuc. 4, p. 162, [c. 126] Οἱ τοιοῦτοι ὄχλοι, de Militum barbarorum multitudine. [Plat. Reip. 8, p. 568, C: Ξυλλέγοντες τοὺς ὄχλους.] Interdum gen. adjunctum habet, nec de hominibus tantum, sed quibusvis rebus dicitur, ut et Turba, Multitudo. Xen. Cyrop. 7, [5, 39]: Τῶν φίλων διωσάμενος τὸν ὄχλον, Circumfusam amicorum multitudinem. [Plat. Phædr. p. 229, D, Γοργόνων καὶ Πηγάσων· Reip. 10, p. 607, C, σοφῶν.] Thuc. 1, [49]: Ὑπό τε τοῦ πλήθους καὶ ὄχλου τῶν νεῶν, Præ multitudine et turba navium. Synes. Ep. 11: Ἐμαυτὸν ἐπιδοὺς ὄχλῳ πραγμάτων, Turbæ negotiorum. [Athenag. p. 19. Isocr. p. 273, B: Παραλιπὼν τὸν πλεῖστον ὄχλον τῶν ἐν ἐκείνῳ τῷ χρόνῳ πραχθέντων. Wakef. Aristoph. Eccl. 745: Τὰ χυτρίδι' ἤδη καὶ τὸν ὄχλον ἀφίετε. Plato Tim. p. 75, E: Τὴν κεφαλὴν ἀναίσθητον διὰ τὸν τῶν σαρκῶν ὄχλον.] || Ὄχλος, Molestia: quam signif. propriam esse tradit Ammonius. [Æsch. Prom. 826: Ὄχλον μὲν οὖν τὸν πλεῖστον ἐκλείψω λόγων.] Eur. [Med. 338]: Ὄχλον παρέξεις, Molestiam exhibebis. [Orest. 282: Ὄχλον τε παρέχων παρθένῳ νόσοις ἐμαῖς· Hel. 439: Πρὸς αὐλείοισιν ἑστηκὼς πύλαις ὄχλον παρέξεις δεσπόταις· Ion. 635: Ὄχλον τε μέτριον. Herodot. 1, 86 med.: Λιπαρεόντων αὐτῶν καὶ ὄχλον παρεχόντων. Hippocr. p. 809, B: Ὄχλον πολὺν παρασχεῖν· 1121, C: Ὄχλοι περὶ ἕκτην καὶ ἑβδόμην. Xen. Anab. 3, 2, 27: Αὗται ὄχλον μὲν παρέχουσιν ἄγειν. Et cum eod. verbo Plat. Phæd. p. 84, D, et Reip. 5, p. 450, B: Μὴ παράσχοι πολὺν ὄχλον.] Itidem Synes. Ep. 29: Τοῦ παρ' ἡμῶν ὄχλου καὶ τῶν πραγμάτων αὐτὸς σὺ σαυτὸν αἰτιῶ, Molestias et negotia a nobis exhibita tibi. Itidem Dionys. H. De idiom. Thuc. [c. 10] dicit eum uti masculino ὄχλος pro feminino ὄχλησις, sicut τάραχος pro ταραχή. Sic accipitur ap. eum δι' ὄχλου εἶναι, Molestum esse, 1, p. 24 [c. 73]: Τὰ δὲ Μηδικὰ καὶ ὅσα αὐτοῖς ξύνιστε, εἰ καὶ δι' ὄχλου μᾶλλον ἔσται ἀεὶ προβαλλομένοις, ἀνάγκη λέγειν, Etsi molesta vobis erunt, quod ea subinde allegemus. Alii minus recte, Etsi propter vulgus magis assidue sint prædicanda: quemadmodum et Petr. Victor. Comm. in l. 3 Rhetoricorum Aristotelis annotat, bonos auctores δι' ὄχλου aliquid esse dixisse, quum est pervagatum jam et in ore vulgi. [Dionys. H. vol. 5, p. 471, 3: Δι' ὄχλου γὰρ ἤδη τοῦτό γε.] Itidem et δι' ὄχλου γίνεσθαι. [Plat. Alc. 1 p. 103, A.] Joseph. A. J.: Ἃ παραλείπω ἐκδιηγεῖσθαι, μὴ δι' ὄχλου γένηται τοῖς ἐντυγχάνουσι, Ne lectoribus molestiam et tædium afferant. Pro quo alibi dicit, Ἃ λέγειν οὐκ ἀναγκαῖον ἡγησάμην, ἵνα μὴ τοῖς ἐντυγχάνουσιν ὀχληρὸς δοκῶ. [Id. B. J. 4, 9, 2: Ταῦτα διεξιέναι μὲν ἐπ' ἀκριβὲς παρῃτησάμην, ἐπειδὴ δι' ὄχλου πᾶσίν ἐστιν.] Itidem Dion [Cass. 44, 14]: Ἐγὼ δὲ τὰ μὲν τῶν ἄλλων ὀνόματα οὐδὲν δέομαι καταλέγειν, ἵνα μὴ δι' ὄχλου γένωμαι, Ne fastidium ingeram et molestiam exhibeam. Idem [46, 6] dixit etiam δι' ὄχλου ποιεῖσθαι pro Fastidire et aspernari, Τοὺς ἐν χερσὶν ἤδη ὄντας οὐδὲ εἰδέναι δοκῶν, ἀλλὰ καὶ δι' ὄχλου ποιούμενος. [Aristoph. Eccl. 888: Κεἰ γὰρ δι' ὄχλου τοῦτ' ἐστὶ τοῖς θεωμένοις. Demosth. p. 299, 22: Ὑμᾶς δέδοικα μὴ παρεληλυθότων τῶν καιρῶν, ὥσπερ ἂν εἰ κατακλυσμὸν γεγενῆσθαι τῶν πραγμάτων ἡγούμενοι, μάταιον ὄχλον τοὺς περὶ τούτων λόγους νομίσητε· 348, 23: Οἱ δ' ἀντιλέγοντες ὄχλος ἄλλως καὶ βασκανία κατεφαίνετο.] || Suid. ὄχλος exp. non solum ταραχή, sed etiam ἀγανάκτησις, in hoc l.: Καὶ τὰ μὲν ἄλλα ἐπείθετο τῷ πατρὶ, καὶ ἦν πρὸς τοὺς πυνθανομένους καὶ ὄχλον κινοῦντας εὖ μάλα ἐγκρατής. Quo in l. ὄχλον κινεῖν est quod Latini dicunt Concire s. Excitare turbas. Sed id potius ad ὄχλος illud pertinet, cui primum locum tribui. [|| Plebs episcopo subdita, quomodo hanc vocem usurpant ecclesiastici scriptt. Cod. canon. eccles. Afric. c. 53, de episcopis: Τοὺς δοκοῦντας τοῖς ἰδίοις ὄχλοις ἀρκεῖσθαι· can. 98: Οἱ ὄχλοι οἱ μηδέποτε ἰδίους ἐσχηκότες ἐπισκόπους. Ducang.]

[Ὄχλος, ὁ ὀφθαλμὸς, quod ponit Theognost. Can. p. 13, 19, si ita scripsit, ex ejusmodi forma, qualem in Ὄκκος notavimus, depravatum videtur. Sed mira ibidem etiam in aliis est confusio, ut ὀθνεῖος, τὸ δέδοικα, quod pertinet ad sequens ὀκλείω (ὀκνείω.) L. D.]

Ὀχλοτερπὴς, ὁ, ἡ, Turbam delectans. [Ὀρχηστὴς Pollux 4, 96; λόγοι 31.]

[Ὀχλοχαρὴς, ὁ, ἡ, Popularis. Marc. Anton. 1, 16; Manetho 4, 277.]

Ὀχλώδης, ὁ, ἡ, Turbulentus, ταραχώδης, Suid. [Πόλις Pollux 9, 23.] Qua signif. ex Polyb. citatur. [Plat. Reip. 9, p. 590, B: Κολακεία οὐχ ὅταν τις ... τὸ θυμοειδὲς ὑπὸ τῷ ὀχλώδει θηρίῳ ποιῇ.] Item Difficilis, Morosus, δύσκολος, Cui omnia sunt molesta. Et τὸ ὀχλῶδες, Difficultas et fastidium, δυσκολία. Apud Suid.: Οὔτε ἐξετάσαι τὸν ἄνθρωπον οἷόν τε ἦν ἀκριβῶς, ἀσθενείᾳ σώματος ὀχλούμενον, οὔτε ἐρωτᾶν εὐλαβείᾳ τοῦ ὀχλώδους. Nisi forte significet, Metu turbarum; etiam, Ne majore molestia afficeretur, qui a morbo jam satis vexabatur. [Hippocr. p. 759, G: Χρόνια καὶ ὀχλώδεα· 760, G. Ὀχλώδεα ἧσσον. Thuc. 6, 24: Τὸ μὲν ἐπιθυμοῦν τοῦ πλοῦ οὐκ ἐξῃρέθησαν ὑπὸ τοῦ ὀχλώδους τῆς παρασκευῆς. Plut. Mor. p. 693, A. Plotin. vol. 2, p. 875, 8: Πολλῆς καὶ ὀχλώδους προνοίας δεομένων. || Plebejus. Tzetz. Hist. 8, 312: Ὀχλώδη περιβόλαια. L. D. Suidas v. Σύρφαξ. Boiss.]

Ὄχμα, τὸ, i. q. ἔχμα, πόρπημα, Fibulamentum, Hesych. [V. Ὀχμή.]

Ὀχμάζω, Detineo, Inhibeo, i. q. ἐχμάζω. [Æsch. Prom. 5: Τόνδε πρὸς πέτραις ὀχμάσαι· 619: Σήμηνον ὅστις ἐν φάραγγί σ' ὤχμασε. Archias Anth. Pal. 9, 343, 3: Τὰς μὲν ... ὤχμασε θῶμιγξ. Satyr. Thyill. Anth. Plan. 195, 2: Τίς ἐν δεσμοῖσι θοὸν πῦρ ὤχμασε;] Apud Eur. Or. [264] postquam Electra dixit, Οὔτοι μεθήσω, χεῖρα δ' ἐμπλέξασ' ἐμὴν, Σχήσω σε πηδᾶν δυστυχῆ πηδήματα, subjicit Orestes, Μέθες· μί' οὖσα τῶν ἐμῶν Ἐρινύων Μέσον μ' ὀχμάζεις, ὡς βάλῃς ἐς Τάρταρον, Medium me constrictum tenes, Premis; nam ab Hesych. exp. præter κατέχω, etiam συνέχω, πιέζω. Ὀχμάζει eid. Hesych. est etiam μάχεται, βαστάζει, ἐρείδει, sicut supra ἔχμα inter alia expositum fuit ὑπέρεισμα, θάλπει. [Lycophr. 41: Πατρὸς παλαιστοῦ χερσὶν ὀχμάσας δέμας· 625: Στήλαις δ' ἀκινήτοισιν ὀχμάσει πέδον· quibus ll. multas variasque interpretationes ponunt schol.] Apud Apollon. certe Arg. 1, [743]: Ἄρεος ὀχμάζουσα θοὸν σάκος, schol. exp. κατέχουσα, βαστάζουσα, Tenens, Gestans. [Oppian. Hal. 3, 374: Φελλοὶ δ' ὀχμάζουσιν ἄνω δόλον.] Ap. Varin. est, ὀχμάζειν proprie esse τὸν ἵππου ὑπὸ χαλινὸν ἀγαγεῖν ἢ ὑπὸ ὄχημα· significat vero et ἐν μάχῃ κρατῆσαι, ab αἰχμή. [Eur. El. 817 : Ὅστις ταῦρον ἀρταμεῖ καλῶς ἵππους τ' ὀχμάζει· Cycl. 484 : Δαλοῦ κώπην ὀχμάσας. Photius : Ὀχμάζεται, συνέχεται, χειροῦται.]

Ὀχμὰς, άδος, ἡ, ap. Etym. legitur et in Lex. meo vet., sed sine expos. Sunt qui interpr. Fibula.

[Ὀχμὴ, ἡ. Schol. Æsch. Pr. 619 : Ὀχμὴ λέγεται τὸ μέσον ἐχόμενον, ἢ παρὰ τὸ ἔχειν ἔχημα, καὶ ἔχμα κατὰ συγκοπήν. Ὄχμα Pauw.]

Ὀχμὸς, ὁ, Eust. [Od. p. 1528, 23] dicit ἀνάλογον esse τῷ πλοχμῷ, et sicut πλοχμὸς a πλέκω fit, ita hoc ὀχμὸς fieri ab ἔχω : quid autem sit, non exp. Apud Hesych. ὀχμοὶ σταχύων sunt φυτεῖαι : cui, licet non suo loco, subjungitur, ὄγμον [ὀχμὸν cod.] ἐλαύνουσι, quod, sicut et ὄρχος et ὄρχατος, significat τὴν ἐπὶ στίχον φυτείαν : ita ut suspicio mendæ subesse videatur. [Ὄχμος, i. q. πύργος s. ὀχυρὸς τόπος. Lycophr. 443 : Αἰπὺς ἀλιβρὼς ὄχμος.]

[Ὀχνᾶ. V. Χνᾶ.]

[Ὄχνη, ἡ, Pyrus, Gl. V. HSt. in Μῆλον p. 981, D—982, D. Ubi præter locos Homeri nondum ab eo citatos Od. Ω, 233 : Στὰς ἄρ' ὑπὸ βλωθρὴν ὄγχνην κατὰ δάκρυον εἶβεν· 246 : Οὐκ ὄγχνη, οὐ πρασίη τοι ἄνευ κομιδῆς κατὰ κῆπον· 339 : Ὄγχνας μοι δῶκας τρεισκαίδεκα (quibus omnibus est var. ὄχνας, quæ forma Geopon. 11, 7, 8, ab Needhamo ex libris recepta, vicissim ap. Theophr. H. Pl. 2, 5, 6, ex cod. Urbinati corrigenda est), add. Callim. Cer. 28 : Ἐν μεγάλαι πτελέαι ἔσαν, ἐν δὲ καὶ ὄχναι, ἐν δὲ καλὰ γλυκύμαλα. Theocr. 1, 134 : Καὶ ἁ πίτυς ὄχνας ἐνείκαι. Nicand. Th. 513 : Μυρτάδος ἐξ ὄχνης. Hesychius : Ὄχνη, εἶδος κύστου ἢ κουστουμίνου. Ὄχνους scriptum in versu Praxillæ Bibl. Coisl. p. 609. L. Dind.]

[Ὄχνη, ἡ, Ochne, f. Coloni, ap. Plut. Mor. p. 300, E, F, et ubi Ὄχναν ib. D.]

Ὄχος, ὁ, τὸ, Currus, Vehiculum. [Æsch. Prom. 135 : Σύθην δ' ἀπέδιλος ὄχῳ πτερωτῷ· 709 : Οἳ πλεκτὰς στέγας πεδάρσιοι ναίουσ' ἐπ' εὐκύκλοις ὄχοις· Ag. 1070 : Τὸν δ' ἐρημώσασ' ὄχον· Eum. 405 : Πώλοις ἀκμαίοις τόνδ' ἐπιζεύξασ' ὄχον. Et de nave Suppl. 33 : Ξὺν ὄχῳ ταχυήρει πέμψατε πόντονδε.] Soph. El. p. 113 meæ ed. [708] : Βοιωτὸς ἄλλος δέκατον ἐκπληρῶν ὄχον, Decimum currum, s. ἅρμα, δίφρον, ut ibid. appellat. Ubi et [727] : Μέτωπα συμπαίουσι Βαρκαίοις ὄχοις. [Frequens est etiam ap. Eur., ut Rhes. 416 : Ἱππείοις ὄχοις· Andr. 1019 : Εὐίππους ὄχους· Bacch. 1333 : Ὄχον δὲ μόσχων· Tro. 856 : Ἀστέρων τέθριππος χρύσεος ὄχος· El. 1135 : Ἀλλὰ τούσδ' ὄχους φάτναις ἄγοντες πρόσθετε.] Neutro autem usus est Hom. Il. [E, 745 : Ἐς δ' ὄχεα φλόγεα ποσὶ βήσετο· Λ, 160 : Ἵπποι κείν' ὄχεα κροτάλιζον· Σ, 244 : Ἵπποι ἂψ ὄχεα τρόπεον· E, 221 : Ἐμῶν ὀχέων ἐπιβήσεο· Δ, 306 : Ὃς δέ κ' ἀνὴρ ἀπὸ ὧν ὀχέων ἕτερ' ἅρμαθ' ἵκηται·] O, [452] : Ἤριπεν ἐξ ὀχέων, ὑπερώησαν δέ οἱ ἵπποι, Κείν' ὄχεα κροτέοντες, Vacuos currus cum strepitu trahentes. [Λ, 621 : Ἵππους λύε ἐξ ὀχέων. Pind. Ol. 4, 12 : Ψαύμιος ὀχέων· Pyth. 9, 11 : Θεοδμάτων ὀχέων. Herodot. 8, 124 : Ἐδωρήσαντο ὄχῳ.] Et dat. poetico Ὀχέεσσι ap. Eund. [E, 722 : Ἀμφ' ὀχέεσσι βάλε κύκλα· Σ, 231 : Ἀμφὶ σφοῖς ὀχέεσσι·] pro quo et Ὄχεσφι, paragoge poetica, ut κεφαλῆφι pro κεφαλῇ. Ex Eur. [Hipp. 1166, Suppl. 1190, Iph. T. 370] affertur etiam ὄχος ἁρμάτων, ut supra ex Epigr. ἁρμάτων ὀχήματα, necnon [Suppl. 660], ὄχος [ὄχλος] ἱππότης pro Equitatus curulis. [In Ind. :] Ὄχεσφι, pro ὄχεσι, Curribus, Vehiculis, Il. Δ, [297], E, [28], Θ, [41, etc.]. Ὄχος Ἀκέσταιος, Hesych. in proverbium abiisse dicit, quoniam αἱ Σικελικαὶ ἡμίονοι σπουδαῖοι : ab Ἄκεστος, urbe Siciliæ. [Ἀκεσσαῖος et Ἄκεσσα Photius, qui cum Suida v. Ὄχανον ipsa Sophoclis verba servavit. Sed per τ recte Suidas, ut urbem scribit Steph. Byz.] || Suid. exp. etiam τοῦ ὕδατος ἡ ὁρμὴ, unde derivat Ὀχετός. || De ὄχος autem s. ὀχὸς, quod activum est et significat Capax, infra dicam.

Ὀχὸς, ὁ, ἡ, Capax, Qui continere potest; nam et ipsum ab ἔχω derivatur, ut δοχὸς a δέχομαι. Hom. Od. E, [404] : Οὐδ' ἄρ' ἔσαν λιμένες νηῶν ὀχοὶ, οὐδ' ἐπιωγαὶ, Nec enim erant portus, qui naves capere et continere possent, φυλακτικοὶ τῶν νεῶν ἢ συνέχοντες αὐτὰς, Eust., addens tamen, posse ab ὀχέομαι dici, ἐφ' ὧν αἱ νῆες ὀχοῦνται καὶ παύονται. Idem ὄχος quoque barytone dici annotat. [Orph. Arg. 1198 : Λιμὴν νηῶν ὄχος. || Adjective Philo Mirac. c. 1, p. 8, 4 : Ἄδιψος ἡ ῥίζα τηρουμένη ... καὶ ῥεμβομένη καταγείοις ταῖς δι' ἀλλήλων ἐμπλοκαῖς ὀχὸν καὶ βεβηκυῖαν ἀσφαλῶς τὴν φυὴν τῶν δένδρων συμφυλάσσει.] || Retinaculum, Rota, Funis, VV. LL.

Ὀχρὸς, ὀχούμενος, φερόμενος, Hesych., Vector. [Ὀχὸς Bruno.]

[Ὀχρύνω.] Ὀχρύνει Hesych. exp. βαίνει.

Ὀχυρόπατος, Loca natura munita, per quæ tuto viam facere licet, Bud. ex Plut. Demetrio [c. 47, pro ὀχυρώτατος.]

[Ὀχυροποιέομαι, Munio. Polyb. 1, 18, 4 : Ὀχυροποιησάμενοι τοὺς εὐκαίρους τῶν τόπων. Act. schol. Philostr. Im. 1, 4, p. 768 : Διαφράττει, ὀχυροποιεῖ.]

[Ὀχυρόπυργος, ὁ, ἡ, Turris munita. Const. Manass. Chron. 178, 367, 4930. Boiss.]

Ὀχῡρὸς, ὰ, ὸν, i. q. ἐχυρὸς, ap. Thuc. et Xen. [Anab. 1, 2, 22 : Ὄρος ὀχυρὸν καὶ ὑψηλόν· 24 : Χωρίον ὀχυρόν· OEc. 9, 3 : Ὁ θάλαμος ἐν ὀχυρῷ ὤν· Cyrop. 6, 3, 25 : Οἰκίας ἄνευ λιθολογήματος ὀχυροῦ οὐδὲν ὄφελος. Isocr. p. 194, D : Χωρίον ὀχυρόν. Τεῖχος Pollux 1, 170. Æsch. Pers. 78 : Ὀχυροῖσι πεποιθὼς στυφελοῖς ἐφέταις· 90 : Ὀχυροῖς ἕρκεσιν εἴργειν, quibus ll. est var. ἐχ. Ag. 44 : Ὀχυρὸν ζεῦγος Ἀτρειδᾶν. Eur. Iph. A. 738 : Ὀχυροῖσι παρθενῶσι φρουροῦνται. Leonid. Tar. Anth. Pal. 9, 563, 5 : Οὐκ ὀχυρὴν γὰρ ἔχω στάσιν.] Et ὀχυρὸν substantive etiam, sicut ἐχυρὸν, Locus munitus. Xen. Cyrop. 6, [1, 15] : Τῶν μὲν ἐκείνων ὀχυρῶν ἡμᾶς ὡς πλεῖστα παραιρεῖν, ἡμῖν δὲ αὐτοῖς ὡς πλεῖστα ἰσχυρὰ [ὀχυρὰ] ποιεῖσθαι. [Ib. 20, Anab. 4, 7, 17. Ὀχυρώτατος, Munitissimus, Gl. Hesiod. Op. 427 : Ὃς γὰρ βουσὶν ἀροῦν ὀχυρώτατός ἐστιν (γύης πρίνινος). V. Ὀχυρόπατος. « Ὀχυρώτατος τόπος Polyb. 7, 15, 3; 8, 22, 12; ὀχυρωτάτη πόλις 2, 6, 8; 7, 15, 2. Πρόνοιαν ποιεῖσθαι τὴν ὀχυρωτάτην 22, 6, 5. » Schweigh. Lex.]

|| Ὀχυρῶς, adverb. [Eur. Med. 124 : Ἐμοὶ γοῦν, εἰ μὴ μεγάλως, ὀχυρῶς γ' εἴη καταγηράσκειν.]

Ὀχυρότης, ητος, ἡ, [Munitio vel potius Firmitas. Τῶν τόπων Polyb. 5, 62, 6; 7, 15, 2; Diod. 2, 30. Jo. Cantacuz. Hist. 2, 8, p. 219, C : Τὰς δυσχωρίας παραιτουμένους καὶ τὰς ὀχυρότητας τὰς ἐκ τῶν τόπων.]

Ὀχυρόω, i. significat q. ἐχυρόω. [Munio, Fulcio, Emunio; Ὀχυρωμένος, Fultus, Stipatus, Munitus; Ὀχυρωμένος ἀξιώματι, Præditus dignitate, Gl. Act. Polyb. 14, 9, 9 : Τὴν πόλιν ὀχυροῦν. Act. et passivo Jo. Cantacuz. 2, 10, p. 227, B : Καὶ ὠχύρου τὴν πόλιν, ubi Ὠχύρου scribitur et vertitur Ochyri, etsi sequitur οὐ ῥᾳδίαν ὁρῶν τὴν παράληψιν διὰ τὸ ὠχυρῶσθαι. Philostr. V. Apoll. 3, 13, p. 103, 1 : Εὐφυᾶ ὁμοίως πέτραν ὀχυροῦν αὐτόν (τὸν ὄχθον). Plat. Axioch. p. 371, B : Τὰ πρόπυλα σιδηροῖς κλείθροις ὠχύρωται. Pollux 1, 170, ὠχυρωμένον τεῖχος.] Sed ὀχυροῦσθαι activa etiam signif. pro Munire ap. [Xen. Cyrop. 5, 4, 39 : Τὰ τείχη σὺν Κύρῳ ὠχυρώσατο·] Polyb. [1, 18, 3; 3, 100, 5; 14, 2, 3] et Appian. [Pro ἐχυρωσάμενος nonnulli ap. Pausan. 2, 28, 1.]

Ὀχύρωμα, τὸ, quod et Ἐχύρωμα, Munitio, Munimentum. [Præsidium, add. Gl.] Budæo etiam Castellum, Arx, Præsidium. [Xen. H. Gr. 3, 2, 3 : Διασπάσαντες τὸ αὐτῶν ὀχύρωμα.] 2 Ad Cor. 10, [4] : Πρὸς καθαίρεσιν ὀχυρωμάτων. Est etiam i. q. Romanis Clausura, Suid. Sed κλεισοῦρα ap. eum legitur. Exp. et Firmamentum. [Hesych. interpr. etiam ἀληθὲς, quod pertinet fortasse ad ὀχυρόν. || Strabo 14, p. 655 : Ἰαλυσὸς κώμη καὶ ὑπὲρ αὐτὴν ἀκρόπολίς ἐστιν Ὀχύρωμα καλουμένη.]

[Ὀχυρωμάτιον, τὸ, diminut. præcedentis. Maccab. 1, 16, 15.]

[Ὀχυρῶς. V. Ὀχυρός.]

[Ὀχύρωσις, εως, ἡ, Munitio, Gl. Joseph. B. J. 7, 6, 2.]

[Ὀχυρωτέον, Muniendum. Plut. Mario c. 18.]

[Ὀχυρωτικὸς, ή, όν, Muniens. Sext. Emp. Adv. math. 7, 23 : Ὀχυρωτικὸν εἶναι τῆς διανοίας τὸν διαλεκτικὸν τόπον.]

Ὄψ, ὀπὸς, ἡ, Vox, φωνή : cujus signif. supra [infra] quoque memini in Ὄψ quod exp. ὄψις. Cic. interpr., non solum Vox, sed etiam Cantus. Hæc enim Homeri, Od. M, [185] : Νῆα κατάστησον ἵνα νωϊτέρην ὄπ' ἀκούσῃς ... Πρίν γ' ἡμῶν μελίγηρυν ἀπὸ στομάτων ὄπ' ἀκοῦσαι, ipse sic vertit, Auribus ut nostros possis agnoscere cantus : et, Quin prius astiterit vocum dulcedine captus. Il. A, [604] : Μουσάων θ', αἳ ἄειδον ἀμειβόμεναι ὀπὶ καλῇ, Alternantes voce concinna. [Od. E, 61 : Ἡ δ' ἔνδον ἀοιδιάουσ' ὀπὶ καλῇ. Hesiod. Th. 41 : Θεᾶν ὀπὶ λειριοέσσῃ· 68 : Ἀγαλλόμεναι ὀπὶ καλῇ. Pind. Pyth. 4, 283 : Ὀρφανίζει γλῶσσαν φαεινᾶς ὀπός· 10, 6 : Ἐπικωμίαν ἀνδρῶν κλυτὰν ὄπα· 56 : Ὄπα γλυκεῖαν προχεόντων ἐμάν· Nem. 3, 5 : Σέθεν ὄπα μαιόμενοι· 63 : Ὕμνος ὀπὶ νέων ἐπιχώριον χάρμα κελαδέων· 7, 84 : Γαρυέμεν ὀπί. Theognis 532 : Αὐλῶν φθεγγομένων ἱμερόεσσαν ὄπα.] Γ, [152] de cicadis : Δένδρεῳ ἐφεζόμενοι ὄπα λειριόεσσαν ἱεῖσι. Sed et simpliciter de Voce qua utimur loquentes : B, [182] : Ξυνέηκε θεᾶς ὄπα φωνησάσης, Deæ locutæ vocem. [Il. Π, 76 : Ἀτρείδεω ὀπὸς ἔκλυον.] Od. Ξ, [492] : Φθεγξάμενος δ' ὀλίγῃ ὀπί με πρὸς μῦθον ἔειπεν· Il. Γ, [221] : Ὄπα τε μεγάλην ἐκ στήθεος ἵει. [Od. Λ, 421 : Οἰκτροτάτην δ' ἤκουσα ὄπα ... Κασσάνδρης· Υ, 92 : Τῆς δ' ἄρα κλαιούσης ὄπα σύνθετο. De bestiis Il. Δ, 435 : Ἀκούουσαι ὄπα ἀρνῶν. Æsch. Suppl. 60 : Ὄπα τᾶς Τηρείας μήτιδος οἰκτρᾶς ἀλόχου. Soph. El. 1068 : Βόασον οἰκτρὰν ὄπα. Et sæpius Eurip. et Apoll. Rh. aliique recentiorum.]

*Ὄψ, Eustath. [Il. p. 964, 64] ex Ælio Dionysio exp. etiam κληδών. [Accus. ὄπα ap. Hesiod. Theog. 830 : Παντοίην ὄπ' ἱεῖσαι· et Hom. H. Dian. 18 : Αἱ δ' ἀμβροσίην ὄπ' ἱεῖσαι, ita scribitur in libris, nisi quod Hesiodi unus ὄσσ', alius isque antiquus ὄφ', quod restitui. Ipsi enim poetæ quum sciri nequeat quid scriptum voluerint, ὄπ' librariis perinde ut ἱεῖσαι tribuendum putavi, quum utrumque ratione carere videretur. L. Dindorf.]

[*Ὄψ, ὀπὸς, ἡ, Visus, Obtutus, Aspectus. Hesychius: *Ὄψ, ὄψις, ὀφθαλμός. Empedocles ap. Strab. 8, p. 364 : Μία γίνεται ἀμφοτέρων ὄψ. Antimach. ib. : Δήμητρός τοι Ἐλευσίνης ἱερὴ ὄψ. Quod ex ὄψις decurtatum putabat Strabo. Conf. HSt. in Ἄοψ. Priora citat etiam Aristot. Poet. c. 21, ipse quoque inter ἀφῃρημένα ponens, etsi apertum est non magis ὂψ ex ὄψις quam hoc ex illo factum esse, sed utrumque ab eodem verbo formari.]

[*Ὄψ, vocula quam cum ὦ compositam memorat Eust. Il. p. 855, 23 : Τὸ ὦ ὄψ φθέγμα τῶν ἀφιέντων τινὰς ἅμα τρέχειν, quod ὦ ὂψ cum ὦ ὂπ componit.]

[Ὀψαλίδαι, οἱ ἀρχηγέται τῶν Αἰτωλῶν, Hesychius inter Ὄψανον et Ὀψαρτυτής.]

[Ὀψᾱμήτης, ου, ὁ, Qui sero, ad seram usque vesperam metit, Vespertinus messor. Theocr. 10, 7 : Μίλων ὀψαμᾶτα.]

Ὄψᾰνον, τὸ, i. e. ὄψις : item φωνὴ, ut Hesych. [et Photius] exp. Pro Facies, Vultus, citatur ex Æsch. [Cho. 534 : Οὔτοι μάταιον ... ὄψανον πέλει.]

Ὀψάομαι, Vescor cum pane, Opsonium comedo. [Eust. Il. p. 867, 57 : Ἐκεῖθεν καὶ ῥῆμα ὀψᾶσθαι, ὡς βᾶσθαι. Plut. Mor. p. 668, B : Λέκιθον ὀψᾶται καὶ κάππαριν. Hesychio perperam illatum correxi in Βύστρα.]

[Ὀψαρίδιον, τὸ, dimin. ab ὀψάριον. Geopon. 20, 46, 1 ; Etym. M. p. 241, 7 ; 605, 6 ; 646, 18. Cram. An. vol. 2, p. 185, 4 ; 189, 26.]

Ὀψάριον, τὸ, q. d. Opsoniolum ; forma dimin. pro ὄψον. Aristophanes Anagyro : Εἰ μὴ παραμυθεῖ μ' ὀψαρίοις ἑκάστοτε, i. e. προσοψήμασι, ut Athen. exp. l. 9, [p. 385, F.] Ibid. [386, A] ex Alexide, Θερμοτέροις χαίρεις ἀεὶ Τοῖς ὀψαρίοις. [Exc. Phryn. Bekk. An. p. 53, 5 : Ὀψάριον, τὸ ὄψον, οὐχὶ τοὺς ἰχθῦς· οἱ δὲ νῦν τοὺς ἰχθῦς λέγουσιν.] Peculiariter vero, ut et ὄψον, dicitur ἐπὶ τοῦ ἰχθύος, teste Athen. l. c., ubi præter alia hoc exemplum affert ex Menandri Ephesio, Ἐπ' ἀρίστῳ λαβὼν ὀψάριον· quibus subjungit τῶν ἰχθυοπωλῶν quidam, Τεττάρων δραχμῶν ἐπώλει κωβίους. Et Anaxilas : Σκεύαζε παῖ τοὐψάριον ἡμῖν, ubi etiam nota Τοὐψάριον Attica crasi usurpatum pro τὸ ὀψάριον, sicut τοὖψον pro τὸ ὄψον. Itidem Jo. 6, [9] : Πέντε ἄρτους κριθίνους καὶ δύο ὀψάρια, Et duos pisciculos. Lucas 9, [16] dicit, Πέντε ἄρτοι καὶ δύο ἰχθύες. Sed et a Terentio Adelph. pisces vocantur Opsonium. Dicitur autem ὀψάριον de Pisce κατ' ἐξοχὴν, sicut et τέμαχος, teste Eust. [Il. p. 867, 53 sq.], ἐπὶ μόνων τμημάτων ἰχθυηρῶν ἰδιάζεται. [Lex. Ms. Cyrilli : Ἰχθὺς, τὸ ὀψάριον. Etym. : Ὄψον καὶ ὀψάριον, παρὰ τὸ ὄψον αἱρεσθαι ἐκ τῆς θαλάσσης. Gl. : Ὀψάριον, ... ciculum. Lego Pisciculum. (Eadem : Ὀψάριον
A τεταριχευμένον, Allec, Allex.) Glossæ mss. : Ὕσκα, ὀψάριον, καὶ ξύλον ἐν ᾧ ἅπτεται τὸ πῦρ. Jo. Mosch. Limon. c. 185 : Λαβοῦσα τὸ ὀψάριον ἤρξατο αὐτὸ καθαίρειν. Typicum S. Sabæ c. 31 extr. et Triodium Sabbato hebdom. jejun. : Δεῖ εἰδέναι ὅτι δὶς παρελάβομεν ἐσθίειν ὀψάριον, τῇ ἑορτῇ τοῦ εὐαγγελισμοῦ καὶ τοῦ βαιοφόρου. Jo. Jejunat. in Pœnit. p. 88 : Τυροῦ ... καὶ ὀψαρίου ἀπέχεσθαι. Aliique plurimi. Ducang. Etym. Ms. ex Orione : Ὀψάριον, οἷον αἱρόμενον ἐκ τοῦ ὕδατος. Galen. l. 8 De compos. med. loc. p. 282 ed. Basil. : Ὀψαρίων δὲ καρίδες, ἄστακοι, κολύμβαιναι, κάραβοι. Id. App. p. 148. Eust. Opusc. p. 116, 69 ; Ephræm. Syr. vol. 3, p. 465, B ; Chron. Pasch. p. 715, 20. Μεγάλα ὀψάρια Geopon. 20, 7, 2 ; 12, 3 ; 20. ἄϊ]

[Ὀψαριοπωλεῖον, τὸ, Obsoniorum taberna. Inscr. Trall. ap. Bœckh. vol. 2, p. 588, n. 2930, 19 : Τᾶς ἐν τῷ ὀψαριοπωλεί[ῳ] μαρμαρίνας τραπέζας. L. Dind.]

Ὀψᾰρότης, ὁ, Qui sero arat, Serus arator, Qui tardius arat et post tempus, Hesiod. Ἔργ. [488] : Οὕτω κ' ὀψαρότης πρωτηρότῃ ἰσοφαρίζοι.

B [Ὀψάρτῡμα, τὸ, Obsonium conditum. Nicet. Annal. 5, 6.]

Ὀψαρτῡσία, ἡ, Conditio et instructio opsoniorum, vel etiam Ars condiendi et apparandi opsonia : sicut ὀψοποιΐα quoque synonymum pro utroque accipitur. [Hac signif. Eustath. ap. Tafel. De Thessalon. p. 428 fin. : Ἡλίου τράπεζαν, οὐχ οἵαν ἡ τῆς ἱστορίας ὀψαρτυσία παρατίθησιν. L. D. Longus 4, 16, p. 121 Schæf. : Ἥδετο γευόμενος ἀστυκῆς ὀψαρτυσίας, de cibis ipsis. Priori signif. de libro Plato com. ap. Athen. 1, p. 5, B : Φιλοξένου καινή τις ὀψ.]

Ὀψαρτῡτὴς, ὁ, Opsoniorum conditor vel instructor, ὁ τὰ ὄψα ἀρτύνων, Pollux 6, c. 7 [§ 37] ex Hyperide. [Id. 7, 26.] Itidem Athen. 14, [p. 662, E] : Ἀοιδίμων δ' ὀψαρτυτῶν ὀνόματα καταλέγει Βάτων ἐν Εὐεργέταις. Ab Hesych., [Photio] et Suida exp. μάγειρος, Coquus, sicut ὀψοποιὸς quoque a Quintil. redditur.

Ὀψαρτυτικὸς, ή, όν, Pertinens ad eum qui opsonia condit, vel instruit, Popinalis, Culinarius : idem cum ὀψοποιϊκός : ut ὀψαρτυτικαὶ [φιλοτεχνίαι Diod. Exc. p.
C 609, 9,] γλῶσσαι, Vocabula quibus ὀψαρτυταὶ peculiariter utuntur. Athen. 9, [p. 387, D] : Ἀρτεμίδωρος ὁ Ἀριστοφάνειος ἐν ταῖς ἐπιγραφομέναις Ὀψαρτυτικαῖς Γλώσσαις. Suid. quoque [ex Athen. 1, p. 5, B] hunc dicit συναγαγεῖν Ὀψαρτυτικὰς Λέξεις. Et ὀψ. βιβλίον [ap. Athen. 4, p. 164, B], Liber de condiendis instruendisve opsoniis, de re coquinaria s. popinali, de deliciis popinalibus. Sed frequentius sine βιβλίον, dicitur ὀψαρτυτικὸν, et ὀψαρτυτικὰ num. plur., itidem sine βιβλία. Athen. 3, [p. 105, C] : Ἡρακλείδης ἐν Ὀψαρτυτικῷ. Id. 12, [p. 516, C] de caryca loquens, Περὶ ἧς τῆς σκευασίας οἱ τὰ ὀψαρτυτικὰ συνθέντες εἰρήκασι· quorum nomina quum recitasset, subjungit, Τοσούτους γὰρ οἶδα γράψαντας ὀψαρτυτικά. Ipsa autem ars coquinaria s. coquorum artificium, ὀψαρτυτικὴ dicitur, necnon ὀψοποιητικὴ, s. ὀψοποιϊκὴ, ut infra docebo. A Suida [s. Photio] exp. μαγειρική. [Sext. Emp. p. 364 ; Athen. 1, p. 25, F.]

Ὀψαρτύω verbum unde derivata sunt superiora, legitur ap. [Polybium 12, 9, 4, citatum ap.] Suidam in
D Δαιτρὸς, ubi ait, Τίμαιός φησι τοὺς ποιητὰς καὶ συγγραφεῖς διὰ τῶν ὑπεράνω πλεονασμῶν ἐμφαίνειν τὰς ἑαυτῶν φύσεις· λέγων ἐκ τοῦ δαιτρεύειν τὸν ποιητὴν πολλαχοῦ τῆς ποιήσεως γαστρίμαργον παρεμφαίνειν· τὸν δὲ Ἀριστοτέλην ὀψαρτύοντα, ὀψοφάγον εἶναι καὶ λίχνον. [Athen. 1, p. 18, A : Ὀψαρτύοντας καὶ ἕψοντας. V. Ὀψοαρτύω. Divise Aristot. Eth. Nic. 3, 13 : Οἱ τοὺς οἴνους δοκιμάζοντες καὶ τὰ ὄψα ἀρτύοντες.]

Ὀψὲ, Sero, Longo tandem post tempore, Longum post tempus. Homerus Odyss. I, [534] : Ὀψὲ κακῶς ἔλθοι ὀλέσας ἄπο πάντας ἑταίρους. Pro quo Λ, [113] : Ὀψὲ κακῶς νεῖαι ὀλέσας κτλ., Sero et post longos errores. [Il. Δ, 161 : Ἔκ τε καὶ ὀψὲ τελεῖ· I, 247 : Εἰ μέμονάς γε καὶ ὀψέ περ υἷας Ἀχαιῶν τειρομένους ἐρύεσθαι· Od. Ψ, 7 : Οἶκον ἱκάνεται ὀψέ περ ἐλθών. Pind. Nem. 3, 77 : Ἐγὼ τόδε τοι πέμπω ὀψέ περ. Æsch. Ag. 1425 : Γνώσει διδαχθεὶς ὀψὲ γοῦν τὸ σωφρονεῖν.] E, [272] : Πληϊάδας τ' ἐσορῶντι, καὶ ὀψὲ δύοντα βοώτην· ut Cic., Tardus in occasum sequitur sua plaustra bootes : quod epitheton Ovid. quoque et Seneca ei tribuunt. At Juv., Circumagunt pigri sarraca bootæ. [Il. Φ, 232 : Εἰσόκεν ἔλθῃ δείελος ὀψὲ δύων, σκιάσῃ δ' ἐρίβωλον ἄρουραν. Quod nonnulli scribebant conjunctim. V. schol. et Herodian. Π. μον. λέξ. p. 26, 5-9. Hesiod. Op. 483 : Εἰ δέ κεν ὄψ' ἀρόσῃς. Soph. Tr. 934 : Ὄψ' ἐκδιδαχθείς· Antig. 1270 : Ἔοικας ὀψὲ τὴν δίκην ἰδεῖν· OEd. C. 1264 : Ἁγὼ πανώλης ὄψ' ἄγαν ἐκμανθάνω· 1536 : Θεοὶ γὰρ εὖ μὲν, ὀψὲ δ' εἰσορῶσι. Eur. Or. 99 : Ὀψέ γε φρονεῖς εὖ· Hipp. 480 : Ἦ τἄρ' ἂν ὀψέ γ' ἄνδρες ἐξεύροιεν ἄν. Xen. Anab. 4, 5, 5 : Οἱ ὀψὲ προσιόντες.] Plut. in Apophth. Themist. [p. 185, C] : Ὀψὲ μὲν ἀμφότεροι, ἀλλὰ νοῦν ἐσχήκαμεν. In Vita vero Themist. 220 meæ edit. [c. 18] ita, Ὀψὲ μὲν, ἀμφότεροι δ' ἅμα (vel ὁμοῦ, ut in vet. quodam cod.) νοῦν ἐσχήκαμεν. Sic Cic., Sero, verum aliquando tamen concedamus. Quum vero additur δὴ vel ποτὲ, redditur Sero tandem, Tandem aliquando, Longo tandem post tempore. Od. Δ, [706] : Ὀψὲ δὲ δή μιν ἔπεσσιν ἀμειβομένη προσέειπε· nam Δήν ... μιν ἀμφασίη ἐπέων λάβε· τὼ δέ οἱ ὄσσε Δακρυόφιν πλῆσθεν, θαλερὴ δέ οἱ ἔσχετο φωνή. Sic Il. Η, [94, 399] et Od. Υ, [321] utitur eodem ὀψὲ δὲ δή. [Apoll. Rh. 3, 1025.] At ὀψέ ποτε exp. [ab Hesychio] etiam μόλις ποτὲ, Vix tandem : quo modo et præcedentia reddi possunt. [Plato Reip. 4, p. 441, B.] Sed et ὀψὲ seorsim ita accipitur in Epigr. : Ὀψὲ δ' ἐπιγνοὺς Τὴν ῥῖν' Ἀντιμάχου, Vix tandem agnoscens. [Ὀψὲ δὴ sic dictum restitui Pausaniæ 7, 17, 2 : Ὅτε δὴ καὶ μόγις, ἅτε ἐκ δένδρου λελωβημένου... τὰ πλείονα ἀνεβλάστησεν ἐκ τῆς Ἑλλάδος τὸ Ἀχαϊκόν. Conjuncti autem cum μόγις præter locos in præf. p. XXIII citatos exx. sunt Diodor. Exc. Photii vol. 2, p. 538, 12 : Ὀψὲ καὶ μόλις Ῥωμαίοις ἐξενίκησε βεβαιωθῆναι τὸ κράτος· et sine copula Apoll. Rh. 3, 1025 : Ὀψὲ δὲ δὴ τοίοισι μόλις προσπτύξατο κούρη· epigr. Anth. Plan. 338, 1 : Γέρας, ὁ χρόνος ἄλλοις ὀψὲ μόλις πολιοῖς ὤπασε· Themist. Orat. 13, p. 165, A : Ὀψὲ ἀνεγρόμενος μόλις ὥσπερ ἐξ ὕπνου βαθέος.] Item Sero, Post tempus, Tardius. Proverb. ap. Suid. [et al.] : Ὄψ' ἦλθες, ἀλλ' ἐς κολωνὸν ἴεσο [ἐς τὸν Κολωνὸν ἴεσο], sc. ἐπὶ τοῖς καθυστερίζουσι τῶν καιρῶν, ut Lat. Post festum. Interdum gen. itidem pro Longo tempore post : ut ex Philostr., Ὀψὲ τῶν Τρωϊκῶν, Longe post Trojani belli initium. Plut. Numa [c. 1] : Ὀψὲ τῶν βασιλέως χρόνων, Longe post regis tempora. [Cum genitivo aliter Photius Bibl. p. 1, 6 : Ὀψὲ μὲν ἴσως τοῦ σοῦ διαπύρου πόθου καὶ τῆς θερμῆς αἰτήσεως, θᾶττον δὲ κτλ., Serius quam pro desiderio tuo.] At τῆς ὥρας ἐγίνετο ὀψὲ, Ad serum horæ statæ ventum erat. Bud. ap. Dem. p. 226 [541, fin.] : Τελευτῶν δ' ὡς οὔτ' ἐγὼ συνεχώρουν, οὔθ' οὗτος ἀπήντα, τῆς δ' ὥρας ἐγίγνετο ὀψὲ, κατεδιῄτησεν, Quum ego diutius rem prolatari non permitterem, nec iste ad judicium se sisteret, et jam ad serum horæ statæ ventum esset, arbitrium contra hunc pronuntiavit. Quibus verbis ap. Dem. hæc subjunguntur, Ἤδη δὲ ἑσπέρας οὔσης καὶ σκότους ἔρχεται Μειδίας. Igitur ὀψὲ τῆς ὥρας est Post horam statam, quum jam ἡ δικάσιμος ὥρα τῶν διαιτητῶν παρεληλύθει, ut Ulp. exp. [Sine genit. Aristoph. Vesp. 101 : Τὸν ἀλεκτρυόνα δ', ὃς ᾖδ' ἐφ' ἑσπέρας, ἔφη ὄψ' ἐξεγείρειν αὐτὸν ἀναπεπεισμένον· 217 : Ἀλλὰ νῦν ὄρθρος βαθύς. Νὴ τὸν Δί' ὀψέ τἄρ' ἀνεστήκασι νῦν· ὡς ἀπὸ μέσων νυκτῶν γε παρακαλοῦσ' ἀεί.] || Ὀψὲ τῆς ἡλικίας, Ætate vergente s. inclinante in senectam. Ovid., Seris venit usus ab annis : verba anus grandævæ. [Photius : Ὀψὲ ὁδοῦ, ὀψὲ πορείας.] Sic ὀψὲ τῆς ἡμέρας, quod et περὶ δείλην ὀψίαν, Inclinante die in noctem, Sero, Vesperi, Sero vespere : Virg., Denique quid serus vesper vehat; Cic., Eo die venit sero. [Thuc. 4, 93.] Xen. Hell. 2, p. 267 [1, 22] : Τῆς ἡμέρας ὀψὲ ἦν· Cyneg. p. 576, [6, 25] : Ἐπειδὰν δὲ μεταθέουσαι αἱ κύνες ἤδη ὑπόκοποι ὦσι, καὶ ᾖ ὀψὲ ἤδη τῆς ἡμέρας, Quum in noctem vergit dies, Quum vesper appropinquat. [Id. Anab. 2, 2, 16 : Ἤδη δὲ καὶ ὀψὲ ἦν· 3, 4, 36 : Ἐπειδὴ δὲ ὀψὲ ἐγίγνετο· Comm. 2, 1, 3 : Ὀψὲ κοιμηθῆναι καὶ πρῴ, et alibi sæpe. Plato Prot. p. 310, C : Ἑσπέρας μάλα γε ὀψὲ ἀφικόμενος ἐξ Οἰνόης· Phæd. p. 116, E : Οἶδα καὶ ἄλλους πάνυ ὀψὲ πίνοντας· Crat. p. 433, A : Οἱ ἐν Αἰγίνῃ νύκτωρ περιιόντες ὀψέ.] Thuc. vero sine gen. ἡμέρας in hac signif. usurpat, 4, p. 155 [c. 106] : Ταύτῃ τῇ ἡμέρᾳ ὀψὲ κατέπλεον ἐς τὴν ἠϊόνα, Eo die sero, s. μετὰ δυσμὰς ἡλίου, schol., Post occasum solis, Sub noctem. Et 3, p. 119

A [c. 108] : Ἡ μάχη ἐτελεύτα ἕως ὀψὲ, vel ἐς ὀψὲ, ut quidam codd. habent. [Estque 8, 23. Quod præstare diximus in Ἕως, vol. 3, p. 2642, D.] Quibus in ll. schol. subaudit gen. ἡμέρας, atque adeo observandum esse dicit ibi ὀψὲ absolute poni ἐπὶ ἑσπέρας. [Demosth. p. 1303, 13 : Εἰκὸς ἦν καὶ εἰς ὀψὲ ψηφίζεσθαι. || Simile Ἀποψὲ ex anon. Antiq. Cpol. ap. Bandur. Imp. or. vol. 1, p. 4, F, indicat Lobeck. ad Phryn. p. 47. Κατοψὲ Alex. Trall. 2, p. 147. Πρὸς ὀψὲ Suidas in Ὀψινόν.] Itidem Marc. 13, [35] : Ὀψὲ ἢ μεσονυκτίου, ἢ ἀλεκτοροφωνίας, ἢ πρωΐ· 11, [19] : Καὶ ὅτε ὀψὲ ἐγένετο, ἐξεπορεύετο ἔξω τῆς πόλεως, Quum advesperasceret. At Matth. 28, [1] : Ὀψὲ δὲ σαββάτων τῇ ἐπιφωσκούσῃ εἰς μίαν σαββάτων, pro Extremo autem sabbato, quum lucesceret in primum diem hebdomadis. Sed Ὀψὶ non nisi in compositione usurpatur. [|| De forma Æol. Ὄψι Herodian. Π. μον. λέξ. p. 26, 10 : Ἤδη μέντοι Αἰολεῖς καὶ ἐν ἁπλῇ προφορᾷ διὰ τοῦ ι αὐτὸ ἀποφαίνονται· Ὄψι (scr. ὄψι) γὰρ ἄρξατω· ἴσως ἀναλογώτερον, ὡς δείκνυται ἐν τῷ Περὶ ἐπιρρημάτων. De quibus Apollon. p.
B 573, 9 : Ἀνάλογος ἡ παρ' Αἰολεῦσι βαρεῖα τάσις, λέγω δὲ τοῦ, Ὄψι γὰρ ἄρξατο, ἀφ' οὗ τὸ ὀψιμαθής· Etym. M. p. 646, 8. Male autem Apollon. ab eo ducit comp. per ι, quod est ab ὀψέ.]

Ὀψεία, in VV. LL. Vesper, Tarditas, βραδεῖα : pro quo reponendum ὀψία, et expungendum Tarditas : nam etsi ὀψία significat Vesper, Serum, in quo subauditur ὥρα, non tamen itidem Tarditas, sed Tarda, Sera : unde et a Suida exp. βραδεῖα.

Ὀψείω, Videre cupio, desidero : sicut βρωσείω, Esurio, Edere cupio, et κλαυσείω, Flere cupio. Unde ὀψείοντες ap. Hesych. [et partim ap. Photium] ἰδεῖν θέλοντες, ὀπτικῶς ἔχοντες, παρακολουθοῦντες τοῖς γινομένοις, κατοπτεῦσαι βουλόμενοι. [Hom. Il. Ξ, 37 : Οἵ γ' ὀψείοντες ἀϋτῆς καὶ πολέμοιο κίον ἀθρόοι. Sophron ap. Apollon. De pron. p. 63, B : Ἐγὼν δέ τοι καὶ πάλαι ὠψεον, ubi Bekk. contra cod. ὤψειον. Chœrob. vol. 2, p. 528, 2 : Τὸ δὲ ὀψείω, ὅπερ σημαίνει τὸ ἐπιθυμίαν ἔχω τοῦ θεωρῆσαι, ὀφεῖλον εἶναι ἐν τῷ παρατατικῷ ὤψειον διὰ τῆς ει διφθόγγου ... ἐγένετο ὤψεον παρὰ Σ. κατὰ ἀπο-
C βολὴν τοῦ ι, οἷον Ἐγ. δέ τοι καὶ π. ὤψεον. Conf. Cram. An. vol. 4, p. 213, 10; 2, p. 246, 2. Ceterum sæpe hoc v. memorant etiam alii gramm.] Malim tamen hæc ab ὄψω fut. verbi Ὄπτω deducere, de qua derivatione dicam et infra, post composita ex ὤψ.

[Ὀψεπέδων. V. Ὀψιπέδων.]

Ὀψέω, Tardo, Tardus sum, VV. LL. [Pro Ὀψίζω, cujus ex aor. fictum videtur.]

Ὄψημα, τὸ, Id quo cum pane vescimur, i. q. ὄψον, προσφάγιον. Plut. Symp. 4, 1 [p. 664, A] de Platone · Τοῖς καλοῖς καὶ γενναίοις ἐκείνοις πολίταις παρατιθεὶς βολβοὺς, ἐλαίας, λάχανα, τυρὸν, ὀψήματα παντοδαπά. Apud Plat. vero De rep. 2, [p. 372, C] quo respicit Plut., post verba illa quæ in Ὄψον citabo, non ὀψήματα legitur, sed ἑψήματα. Sic enim ibi, Οἷα δὴ ἐν ἀγροῖς ἑψήματα ἑψήσονται· itidem ap. Athen. 4, [p. 138, A] ubi eadem verba citantur. Potest tamen ferri ὀψήματα, et præterea etiam legi ὀψήσονται : idque meo judicio non incommode; nam ἐλάαι et τυρὸς potius ὀψήματα sunt quam ἑψήματα : si tamen et alibi hujus
D usus verbi ὀψήσασθαι exempla extent. [Strabo 7, p. 311 : Ἱππείῳ καὶ τυρῷ καὶ γάλακτι καὶ ὀξυγάλακτι· τοῦτο δὲ καὶ ὄψημά ἐστιν αὐτοῖς κατασκευασθέν πως. Longus 3, 5 : Ἐμπλήσας τὴν πήραν ὀψημάτων μεμελιτωμένων.]

[Ὀψημέρα, Crepusculum, Gl.]

[Ὀψητήρ. V. Ἑψητήρ.]

[Ὄψι. V. Ὀψέ.]

[Ὀψία. V. Ὄψιος.]

[Ὀψιάδης, ὁ, Opsiades, n. viri in inscr. Att. ap. Bœckh. vol. 1, n. 169, p. 298, 34, ubi ΟΦΣΙΑΔΗΣ. ῐᾰ]

[Ὀψιανθέω, Sero floreo. Theophr. H. Pl. 6, 2, 6.]

Ὀψιανθὴς, ὁ, ἡ, Sero s. Tarde florens. Exemplum ex Theophr. habes in opposito Πρωϊανθής. [H. Pl. 6, 4, 4; 6, 6, 10.]

[Ὀψῐᾱνός, ὁ, ap. Orph. Lith. 282 : Λίθου μένος ὀψιανοῖο· Arrian. Peripl. m. Erythr. p. 145 Bl., 3 Huds. : Κόλπος, οὗ κατὰ τὴν εἰσβολὴν ἐν δεξιοῖς ἄμμος ἔστι πολλὴ κεχυμένη, καθ' ἧς ἐν βάθει κεχωσμένος εὑρίσκετο ὁ ὀψιανὸς λίθος, ἐν ἐκείνῃ μόνῃ τοπικῶς γεννώμενος. Obsiana, et lapidem quem in Æthiopia invenit Obsius, memorat

Plinius H. N. 36, 26, 67. Sic enim cod. Bamberg. cum aliis pro Obsidiana et Obsidius. Scriptor De lapidibus ap. Salmas. Plin. Exerc. p. 64, a, F : Ὀψιανὸς λίθος, μέλας οὐ λίαν, ἀλλ' ὑπόχλωρος εὑρισκόμενος ἐν τῇ Φρυγίᾳ, ὃς καὶ πίσσα καλεῖται κτλ.] A

Ὀψιβλαστέω, Sero s. Tarde germino, Novissime germino. Theophr. [H. Pl. 1, 9, 6], de moro : Ὀψιβλαστεῖ μὲν, οὐδὲν δὲ ὑστερεῖ τῶν ἄλλων, sc. ἐν τῷ φυλλοβολεῖν· unde Plin., Novissime germinat, et cum primis folia dimittit : cui opponit ibi, πρωϊβλαστάνει, Maturius germinant, Primæ germinant, ut interpr. idem Plin. [Theophr. H. Pl. 6; 6, 2, 6; 7, 10, 3.]

Ὀψιβλαστὴς, et Ὀψίβλαστος, ὁ, ἡ, Sero germinans. Theophr. : Διὰ τί δὲ τὰ μὲν πρωϊβλαστῆ, τὰ δὲ ὀψιβλαστῆ, ταύτας ἄν τις ἀποδοίη τὰς αἰτίας. Idem, Τὰ ἀείφυλλα τῶν δένδρων καὶ ὀψιβλαστότερα καὶ ὀψικαρπιώτερα. [H. Pl. 3, 6. Iterum HSt. :] Ὀψιβλαστὴς, sive Ὀψιβλαστὸς, ὁ, ἡ, Sero s. Tarde s. Novissime germinans; tot enim modis Plin. Græcam vocem exprimit, qui etiam quod Theophr. dicit de tribulo aculeato, Ὀψιβλαστὴς δὲ μᾶλλον ὁ φυλλάκανθος, vertit Serius floret. [Ὀψιβλαστὴς, Theophr. H. Pl. 1, 4, 3; 6, 6, 10, C. Pl. 1, 10, 5. Ὀψίβλαστος, H. Pl. 1, 14, 3. Ὀψιβλαστότερα, C. Pl. 1, 10, 7.] B

[Ὀψιγαμία, ἡ, Seræ nuptiæ. Suidas v. Ὑπεργαμία.]

Ὀψιγάμιον, τὸ, Seræ nuptiæ; ut illius, de quo dictum fuit, ἡνίκ' ἐχρῆν δύνειν, νῦν ἄρχεται ἡδύνεσθαι, quod ap. Athen. [7, p. 281, E] me legere memini. Fuisse autem et ὀψιγαμίου δίκας apud Lacedæmonios ex Polluce [3, 48; ὀψιγαμίου γραφὴ 8, 40] modo retuli [in Κακογάμιον. Ὀψιγάμιον, Plut. Lysandro c. 3, 43. « Aristo in Stob. Fl. 67, 16. » Wakef.]

Ὀψίγαμος, ὁ, ἡ, Qui sero uxorem ducit, Quæ sero nubit.

[Ὀψιγένεθλος, ὁ, ἡ, Sero natus, Junior. Theod. Prodr. in Notitt. Mss. vol. 8, part. 2, p. 207 : Ῥώμη ὀψιγένεθλε, Ῥώμη Κωνσταντινιάς. Boiss. Poeta ap. Fabric. Bibl. Gr. (vol. 2, p. 652;) vol. 3, p. 692. Kall.]

Ὀψιγενὴς, ὁ, ἡ, Sero genitus, Tarde natus. [Photius : Ὀψιγεννὴς (sic), βραδέως γεννηθείς. Hesychius : Ὀψιγενὲς καὶ ὀψιγένητα, βραδέως γεννηθέντα, ut ὀψιγέννητα scripsisse videatur.] C

[Ὀψιγονία, ἡ, Posteritas, Gl.]

Ὀψιγόνιον, et Ὀψίγονον, τὸ, Posteritas, vel, ut Ovid. loquitur, Sera posteritas. [V. Ὀψίγονος.]

Ὀψίγονος, ὁ, ἡ, Sero genitus. [Posthumus, Cordus, Gl. Æsch. Suppl. 361 : Σὺ δὲ παρ' ὀψιγόνου μάθε γεραφρονῶν, ab juniore. Callim. Del. 174 : Ὀψίγονοι Τιτῆνες. Theocr. 24, 31 : Παῖδα ὀψίγονον, γαλαθηνόν. De posthumo Herodot. 7, 3 : Ἦν βασιλεύοντι ὀψίγονος ἐπιγένηται. Aristot. H. A. 6, 17 med. : Ὀψίγονον δ' ἐστὶ καὶ ἡ καλουμένη βελόνη, καὶ αἱ πολλαὶ αὐτῶν πρὸ τοῦ τίκτειν διαρρήγνυνται ὑπὸ τῶν ᾠῶν. Pollux 2, 92, ὀδόντες· 3, 20, υἱός. Nonn. Dion. 12, 336 : Τεύχων ὀψιγόνοιο τύπον γαμψώνυχος ἅρπης.] Philo De mundo : Ἀλλὰ καὶ ὀψίγονον φανεῖται (τὸ τῶν ἀνθρώπων γένος) τοῖς βουλομένοις ἐρευνᾶν τὰς φύσεις, Sero genitos homines apparebit, Bud. || Ὀψίγονοι dicuntur etiam Posteri, Qui sero, i. e. longo post tempore, nascuntur, οἱ ὀψὲ εἰς τὸ μέλλον ἐσόμενοι, s. ἐπίγονοι, ut Eustath. [et similiter Phot.] exp. ap. Hom. [Il. Γ, 353 : Ὄφρα τις ἐρρίγῃσι καὶ ὀψιγόνων ἀνθρώπων· et H, 87. Et Π, 31 : Τί σευ ἄλλος ὀνήσεται ὀψίγονός περ;] Od. A, [302] : Ἄλκιμος ἔσσ' ἵνα τίς σε καὶ ὀψιγόνων εὖ εἴπῃ. [Apoll. Rh. 1, 1062, etc., aliique poetæ. Joseph. A. J. 3, 7, 17 : Εἰς μνήμην ὀψιγόνων παίδων. Eust. Opusc. p. 13, 65.] Unde et Ὀψίγονον, τὸ, pro Posteritate capitur. [HSt. in Ὀψιγενής] : Qua signif. etiam Ὀψίγονος, de quo supra. Empedocl. dicit etiam ὀψίγονοι σίδαι, quoniam, ut et Plin. testatur in Ὄψιμος, τοῦ φθινοπώρου λήγοντος maturantur, ut Plut. docet Symp. [p. 683, D], apud quem Περὶ πολυφιλίας [p. 94, A] legitur, Τηλύγετός τις καὶ ὀψίγονος ἔστω, magis propria signif. || Ὀψίγονοι, Posteri : unde ap. Suid. et Hesych. : Ὀψιγόνων, τῶν ὀψὲ καὶ μετὰ πολὺν χρόνον γεγενημένων, vel ἐσομένων. Rursum Hesych. ὀψίγονοι, οἱ ὕστερον γενόμενοι, μεταγενέστεροι. [Pachymeres Declamatione inedita : Προτρέψει τοὺς ὀψιγόνους εἰς ἀγαθόν. Boiss.] D

[Ὀψίγονος, ὁ, Opsigonus, nom. viri, in inscr. ap. Bœckh. *Urkunden* p. 536, 135.]

Ὀψίζω, Serus aliquid facio, h. e. Sero, Sub vesperam : [Vesperasco, Gl.] περὶ τὴν δείλην τὴν ὀψίαν, s. τῆς ὀψίας : cui opp. ὀρθρίζω, Matutinus aliquid facio vel ago. [Ab ὀψὲ duci monet Herodian. Περὶ μον. λ. p. 28, 11.] Xen. Hell. 6, [5, 21] : Ἦγε τὴν ταχίστην εἰς τὴν Εὔγαιαν, καίπερ μάλα ὀψίζων, Licet admodum serus, Licet sero vespere, seu, ut Bud. interpr., Licet sero et sub vesperam illud faceret. Ut 1 Reg. 17, [16] : Προσήει ὀρθρίζων καὶ ὀψίζων, Matutinus et vespertinus, Mane et vesperi. Rursum Xenoph. Anab. 4, [5, 6] : Καὶ πῦρ καίοντες οὐ προσίεσαν ἐπὶ τὸ πῦρ τοὺς ὀψίζοντας, Qui venirent serius. [Eustath. Il. p. 249, ult. : Ὀψίζοντος εἰς βοήθειαν. Suidas v. Ὠψίκασι.] Dicitur etiam Ὀψίζομαι eadem signif., sicut ὀρθρεύω, et ὀρθρεύομαι : quo Greg. [Naz. vol. 1, p. 651, B. Valck.] usus est etiam pro Sub vesperam venio, de vinitoribus domini loquens : Τί δ' ἂν καὶ αὐτοῖς ὀψισθεῖσιν ἐγένετο, καταμάθωμεν. [Antiatt. Bekk. p. 110, 29 : Λυσίας κατὰ Αὐτοκράτους μοιχείας· Τοῖς ὀψιζομένους ἐν ταῖς ὁδοῖς ἐπιτιθέμενοι τὰ ἱμάτια ἀποδύονται. Æliani sic dicentis ὠψίσθη fragm. citat Suidas. Photius : Ὀψισθῆναι τὸ ὀψὲ ἐλθεῖν λέγουσιν.] Apud Suid. : Ἀπέκτεινε δ' αὐτὸν ὁ πανδοχεὺς ὁ ὑποδεξάμενος ὀψισθέντα· ubi ipse exp. ὀψὲ τῆς ὥρας ἐλθόντα, Sero. [Xen. Reip. Lac. 6, 4 : Ὑπὸ θήρας ὀψισθέντες.] Item Sero aliquid facio, h. e. Post tempus, Non tempestive, Bud. ap. Xenoph. Cyneg. [6, 4] : Ἐξιέναι δὲ πρωὶ [πρῴ], ἵνα τῆς ἰχνεύσεως μὴ ἀποστερῶνται, ὡς οἱ ὀψιζόμενοι ἀφαιροῦνται τὰς μὲν κύνας τοῦ εὑρεῖν τὸν λαγὼ, αὐτοὺς δὲ τῆς ὠφελείας, Qui serius et post tempus venatum exeunt. [Cum inf. Theodor. Stud. p. 396, D : Ὠψίσθημεν ἐπιστεῖλαί σοι, quod ὠψίσαμεν ἀντεπιστεῖλαι dicit p. 550, D. Constitt. Apost. vol. 1, p. 298, A : Ὁ νόμος, θυσίαν ὀψισθεῖσαν ἄβρωτον ἀποχαλῶν, Hostiam nimio tempore servatam, Int. Cum genit. Heliod. Æth. 5, 22, p. 204 fin. : Ὠψίσθημεν τῆς ἀναγωγῆς. L. Dind.]

Ὀψικαρπέω, Serotinos fructus gigno, Fructus mei serotini sunt, Seros fructus fero, Theophr. [C. Pl. 1, 17, 9.]

Ὀψικαρπία, ἡ, Sera fructus editio. Theophr. H. Pl. 3, [2, 1] : Ἴδια δὲ πρὸς τὰ ἥμερα τῶν ἀγρίων ὀψικαρπία τε καὶ ἰσχὺς καὶ πολυκαρπία τῷ προφαίνειν· quoniam sc. πεπαίνει ὀψιαίτερον.

Ὀψίκαρπος, ὁ, ἡ, Cujus fructus serotini sunt, Serotinos fructus ferens. Theophr. [C. Pl. 1, 10, 7] : Τὰ ἀείφυλλα τῶν δένδρων καὶ ὀψιβλαστότερα καὶ ὀψ [Ib. 6, 4, 6, C. Pl. 6, 7, 8.]

Ὀψικέλευθος, ὁ, ἡ, Sero viam carpens : ὀψ. ὁδίτης, Nonn., Serus viator, Qui sero iter facit s. sero venit. [Idem Jo. c. 11, 60.]

[Ὀψίκλωψ, οπος, ὁ, ἡ, Polemon Physiogn. 1, 3, p. 182 ed. princ. Rom., ubi ἐπίκλοπος Adamant. Quod frustra tuetur Struvius, o in ω mutato.]

[Ὀψίκοιτος, ὁ, ἡ, Sero obdormiscens. Æsch. Agam. 889 : Ἐν ὀψικοίτοις δ' ὄμμασιν βλάβας ἔχω.]

Ὀψιμάθεια, vel [quod verum] Ὀψιμᾰθία, ἡ, Sera eruditio, ut exp. a Gellio; sonat autem q. d. Tardidiscentia, 11, 7 : Est adeo id vitium plerumque seræ eruditionis, quam Græci ὀψιμαθίαν appellant, ut quod nunquam didiceris, diu ignoraris, quum id scire aliquando cœperis, magnifacias quo in loco cunque et quacunque in re dicere. [De ea Theophr. Char. c. 28; multa Casaub. p. 432 seqq. Valck. Plutarch. Mor. p. 334, C; 634, C.]

Ὀψιμᾰθέω, Sero disco, Sera ætate. Lucian. [De merc. cond. c. 23] : Ὀψιμαθήσας δὲ καὶ πόρρω που τῆς ἡλικίας παιδευόμενος. Ut autem nomini ὀψιμαθὴς opponi dicam παιδομαθὴς, sic et huic verbo ὀψιμαθεῖν opponi potest παιδομαθεῖν, cujus tamen usus exemplum nullum affertur.

Ὀψιμᾰθὴς, ὁ, ἡ, Qui sero didicit, discere cœpit. [Cunctator, Gl.] Peculiariter autem ὀψιμαθεῖς dicebantur Qui sero, i. e. jam provecta ætate, atque adeo sera ætate, ut loquuntur interdum poetæ, literas didicerant, et ex consequenti interdum pro Parum doctis, literatis. [Plato Soph. p. 251, B : Τῶν γερόντων τοῖς ὀψιμαθέσι. Polyb. 12, 9, 4.] Isocr. Hel. Enc. [p. 208, C] : Νῦν δὲ τίς οὕτως ὀψιμαθής ἐστιν ὅστις οὐκ οἶδε κτλ. Huic opp. παιδομαθής. Interdum cum genit., ut ὀψιμαθὴς τούτων ap. Isocr. [κακῶν, p. 252, D. Valck.]

et Xen. [Cyrop. 1, 6, 35; 3, 3, 37. Plat. Reip. 3, p. 409, B: Ὀψιμαθῆ γεγονότα τῆς ἀδικίας. Ὀψιμαθὴς vir egregius evasit, Suidæ Σουπεριανός. || Adv. comparat. Eust. Opusc. p. 287, 49: Ἤδη κατέγνω καὶ ὁ βασιλεὺς ὀψιμαθέστερον.]

[Ὀψιμαθία. V. Ὀψιμαθεια.]

[Ὀψίμοθος, ὁ, ἡ, Serius pugnans. Nonn. Dion. 28, 92: Ὀψιμόθου Κλυτίοιο.]

Ὀψίμορος, ὁ, ἡ, Sero moriens, et Lente. Nonn. [Jo. c. 19, 165. Oppian. Hal. 1, 142.]

Ὄψἴμος, ὁ, ἡ, Serus, Serotinus. Hom. Il. B, [325]: Ὄψιμον, ὀψιτέλεστον, ὅου κλέος οὔποτ' ὀλεῖται, i. e., Cic. interpr., Sera et tarda nimis, sed fama et laude perenni. [Epigr. Anth. Plan. 336, 8: Ἀλλ' ἐπὶ νίκαις ὄψιμον, ἀλλὰ μόλις (ἦλθε γέρας). Manetho 5, 56: Πήγνυται ὄψιμος. Xen. OEc. 17, 4: Ὁ πρώιμος ἢ ὁ μέσος ἢ ὁ ὀψιμώτατος (σπόρος)· iterumque ib. et 5. L. D. Plut. Mor. p. 674, F: Ποιητικὴ οὐχ ὄψιμος οὐδὲ νεαρὰ, Poetica non sera aut nupera, i. e. antiqua, antiquitatem spirans. Koenig.] Theophr. [H. Pl. 1, 9, 7]: Ἔνια δὲ καὶ πρὸ τοῦ πεπάναι τὸν καρπὸν, ἀποβάλλει τὰ φύλλα, καθάπερ αἱ ὄψιμοι συκαῖ καὶ ἀχράδες· unde Plin., In serotina ficu et hyberna piro et malo granato est pomum tantum aspici in matre. [Sed Urbinas ὄψιαι, ut ὀψίων 7, 4, 11, pro ὀψίμων. Schneid. Itaque 7, 10, 1, ὄψιμα item mutandum videtur in ὄψια. Eodem modo peccatum in l. Aristot. in Ὄψιος cit. L. D.] In Ep. Jacobi 5, [7]: Ὑετὸν πρώϊμον καὶ ὄψιμον, Pluviam matutinam et serotinam, s. seram, vespertinam. [Diodor. 1, 10: Ἐν τοῖς ὀψίμοις τῶν ὑδάτων. Marc. Antonin. 4, 23: Οὐδέν μοι πρόωρον οὐδὲ ὄψιμον. In Ὄθημον corruptum notavi in illo. L. D. || Posthumus. Provv. græcobarb. mss.: Ὄψιμος υἱὸς οὐχ ὄψει τὸν πατέρα. || Ὄψιμον, Annona quæ Latinis Trimestris dicitur, seriturque ὀψὲ, Serius, mense Martio, unde nostri *Mars* appellant, eoque ipso opponitur hibernaticæ, in Nomocan. Cotel. n. 516. Ducang. || Adv. Ὀψίμως, Sero, Gl. Proculus ad Hesiodi Op. 483. L. Dind.]

[Ὄψιμος, ὁ, Opsimus, n. viri, ap. Athenag. Legat. p. 284, A: Λύσις δὲ καὶ ὄψει ὁ μὲν ἀριθμὸν ἄρρητον ὁρίζεται τὸν θεὸν, restitutum a Meursio in Denario Pythag. et Reinesio ad Iambl. Vit. Pyth. p. 530 Kiessl.]

[Ὀψίμως. V. Ὄψιμος.]

Ὀψίνοος, ὁ, ἡ, Sero sapiens, ὁ ὀψὲ φρονῶν εὖ, ut Eur. loquitur. Nonn. [Jo. c. 3, 121], ὀψίνοος μετάνοια. [Pind. Pyth. 5, 28: Ἐπιμαθέος ὀψινόου.]

[Ὀψινός. V. Ὄψιος.]

[Ὀψίον, τὸ, diminut. ab ὄψον. Themist. Orat. 13, p. 173, A: Οὐχ ὀψία ἀποτέμνοντες καὶ οἶνον ἐπιχέοντες.]

Ὄψιος, α, ον, idem q. ὄψιμος. [Aratus 1027: Ἐκ νομοῦ ἐρχόμενα τραφεροῦ ἐπὶ ὄψιον αὖλιν. Aristot. H. A. 5, 9 fin.: Διὰ τὸ τὰ μὲν πρώια τὰ δ' ὄψια προΐεσθαι δὶς δοκεῖ τίκτειν· 22 init.: Ὅταν ἔαρ ὄψιον γένηται· et iisdem verbis 9, 40 fin.] Theophr. [H. Pl. 6, 5, 3] de tribulis: Τὸ δὲ σπέρμα τοῦ μὲν πρωΐου, σησαμῶδες· τοῦ δὲ ὀψίου στρογγύλον, ἐπίμελαν ἐν λοβῷ. [Ὄψια σῦκα 2, 8, 1; 6, 5, 3; 6, 6, 9; πυροὶ ὄψιοι 8, 4, 3; ὕδωρ 8, 7, 7; τόποι opp. πρώιοι C. Pl. 3, 24, 2; 4, 11, 9. Schneid. Ind.] Unde Plin., Semen ei (sc. qui serius floret, ut paulo ante interpr. quod Theophr. dicit ὀψιβλαστής) rotundius, nigrum, in siliqua: alteri, (sc. cui folia aculeata, ut interpr. φυλλάκανθος) arenaceum. Compar. Ὀψιέστερος, et Ὀψιαίτερος, Serior: ut Ovid., Venisset letho serior hora meo. Theophr. [C. Pl. 4, 8, 2]: Πυροὶ δὲ κριθῶν ὀψιέστεροι. [Sed Urbinas ὀψιαίτεροι. « Atque ita 3, 4, 6, quoque pro ὀψιέστερα scribendum censeo, ut ὀψιαίτεραι est 5, 1, 3; 8, 1, 6, C. Pl. 1, 10, 4; 3, 13, 3; ὀψιαίτερον fr. 5, 26. » Ex Schneideri Indice. « Theodor. Prodrom. Amar. init. » Boiss.] Ab ὀψιαίτερος vero est adv. Ὀψιαίτερον, Tardius, Serius. [Eustath. Od. p. 1428, 9. Eubulus ap. Athen. 1, p. 8, C: Μικρὸν ὀψιαίτερον. Plato Crat. p. 433, A: Ὀψιαίτερον τοῦ δέοντος. Aristot. H. A. 4, 9 fin. Comp. et superl. ponit Herodian. Epim. p. 166. Photius: Ὀψιαίτερον, οὐχ ὀψίτερον. (Pro quo ap. Thomam p. 668: Ὀψιαίτερον λέγε, μὴ ὀψαίτερον.) Utramque formam memorat Pollux 1, 69: Τὸ γὰρ πρωιαίτατον καὶ ὀψιαίτατον οὐκ ἐπὶ ἡμέρας μέρους, ἀλλ' ἐπὶ χρόνου λέγεται, οἷον ταχέως καὶ βραδέως, ὡς ἐπὶ τῶν τι πραττόντων πρὸ καιροῦ ἢ μετὰ καιρὸν, πρωὶ τῆς ἡλικίας καὶ πρωιαίτερον καὶ πρωίτατον,

A καὶ ὀψὲ τῆς ἡλικίας, ὀψιαίτερον, ὀψίτερον, ὀψιαίτατον, ὀψίτατον. Plut. Mor. p. 119, C: Ὀψίτερον μετήλλαξας τὸν βίον.] Superl. [Xenoph. H. Gr. 5, 4, 3: Ἐξ ἀγροῦ ἀπιόντες ἡνίκαπερ οἱ ἀπὸ τῶν ἔργων ὀψιαίτατοι.] Ὀψιαίτατα, Tardissime, Admodum sero, Serissime, Plin. [Theophr. H. Pl. 5, 1, 2.] || Serus, i. e. Vespertinus: Ovid., Sera crepuscula; Virg., Illic sera rubens accendit lumina vesper. [Pind. Isthm. 3, 53: Ὀψία ἐν νυκτί.] In qua significat. Phrynich. quoque [p. 51] approbat hoc ὄψιος, non autem Ὀψινός: quod simile est τῷ ὀρθρινὸς, sicut ὄψιος τῷ ὄρθριος. Legitur tamen ap. Suid. Ὀψινὸν, quod exp. πρὸς τὸ [immo πρὸς] ὀψέ. [Ὀψινὸς, Serotinus; Ὀψινὴ ὥρα, ἡ μετὰ ἡλίου δυσμὰς, Crepusculum, Gl. Apollon. De constr. p. 188, 28: Παρὰ τὸ ὀψὲ ὀψινός· 189, 4: Διαφέρει τὸ ὀψὲ ἦλθε τοῦ ὀψινὸς ὁ Διονύσιος ἦλθε. Schol. Aristoph. Eccl. 652: Ὅτε γίνεται ὀψινόν. Ptolem. Mathem. Comp. vol. 2, p. 103, A: Ὀψινὸς ἀπηλιώτης· et ib. in seqq.] Hinc Ὀψία, ἡ, sub. ὥρα, Serum, Tempus vespertinum. Jo. 6, [16]: Ὡς δὲ ὀψία ἐγένετο, κατέβησαν· 20, [19]: Οὔσης

B οὖν ὀψίας τῇ ἡμέρᾳ ἐκείνῃ, Quum serum jam esset. Marc. 1, [32]: Ὀψίας δὲ γενομένης, ὅτε ἔδυ ὁ ἥλιος. At 11, [11] ἐντελῶς dicit, Ὀψίας ἤδη οὔσης τῆς ὥρας. [Hesychius in Cotel. Eccl. monum. vol. 3, p. 49, B: Φθάσαι μέχρις ὀψίας βαθείας· ὀψίαν γὰρ τὸ μέχρι πολλοῦ τῆς νυκτὸς παρατεινόμενον μέρος ἔθος ἡμῖν καλεῖν.] Dicitur etiam ὀψία δείλη pro ὥρα ὀψία, Tempus vespertinum, Serum, Vespera. Thuc. 8, p. 271 [c. 26]: Περὶ δείλην ἤδη ὀψίαν. Synes. Ep. 51: Ἄραντες ἐκ Φυκοῦντος ἀρχομένης ἕωας, δείλης ὀψίας τῷ κατ' ἐρυθρὰν κόλπῳ προσέχομεν· ubi nota δείλης ὀψίας gen. pro Vesperi, ut τῆς νυκτὸς Noctu; τοῦ θέρους, Æstate. [V. Δείλη p. 944, A.] In hac quoque signif. usurpatur compar. Ὀψιαίτερος, et superl. Ὀψιαίτατος, Serior, Serissimus; Magis in noctem inclinans, Maxime in noctem inclinans. Xen. Hell. 5, p. 331 [c. 4, 3]: Ἡμερεύσαντες ἔν τινι τόπῳ ἐρήμῳ, πρὸς τὰς πύλας ἦλθον, ὡς δὴ ἐξ ἀγροῦ ἀπιόντες, ἡνίκα περ οἱ ἀπὸ τῶν ἔργων ὀψιαίτατοι, Qui serissimo vespere ab opere redeunt. Et adv. ὀψιαίτατα, Serissime, h. e. Serissimo vespere, 4, p. 311 [c. 5, 18]:

C Ὡς μὲν ἐδύνατο, ὀψιαίτατα κατήγετο ἐς τὰς πόλεις, ὡς δ' ἐδύνατο πρωϊαίτατα [πρῳαίτατα] ἐξωρμᾶτο· Cyrop. 8, [8, 9]: Οἱ ὀψιαίτατα κοιμώμενοι, de iis qui in multam noctem compotant. [De vectig. 1, 3: Πρωιαίτατα (scr. πρῳαίτατα) μὲν ἄρχεται, ὀψιαίτατα δὲ λήγει. Plato Protag. p. 326, C, Demosth. p. 1301, 24.]

Ὀψιότης, ητος, ἡ, Tarditas, Longa prorogatio. [Sera maturitas. Theophr. C. Pl. 1, 16, 1; 4, 11, 9: Ἐν τῇ πρωιότητι καὶ ὀψιότητι.]

[Ὀψιπέδων, ωνος, ὁ, Qui serum in tempus compedes tulit. Hesychius: Ὀψιπαίδωνας, τοὺς ἕως ζῶσιν ἄξοντας παῖδας. Ubi πεδ. bis restituit Piers. ad Mœrin p. 331. Photius: Ὀψεπέδων (sic), οὐχὶ ὀψὲ πεπεδημένος, ἀλλὰ ὀψὲ λελυμένος. Et Ὀψιπέδων, ὁ μέχρι πολλοῦ ἐν πέδαις γεγονώς· σύνηθες Μενάνδρῳ τὸ ὄνομα. Conf. Τριπέδων.]

Ὀψίπλουτος, ὁ, ἡ, Qui sero dives factus est, Basil.

Ὄψις, εως, ἡ, Visus [Gl.], h. e. ipsa Videndi actio, [Hom. Il. Υ, 205: Ὄψει δ' οὔτ' ἄρ πω σὺ ἐμοὺς ἴδες οὔτ' ἄρ' ἐγὼ σούς· Od. Ψ, 94: Ὄψει δ' ἄλλοτε μέν μιν ἐνωπα-

D δίως ἐσίδεσκεν. Æsch. Cho. 215: Εἰς ὄψιν ἥκεις ὧνπερ ἐξηύχου πάλαι· Pers. 183: Ἐδοξάτην μοι δύο γυναῖκ' εὐείμονε ... εἰς ὄψιν μολεῖν. Soph. Aj. 876: Πόνου γε πλῆθος κοὐδὲν εἰς ὄψιν πλέον· OEd. T. 1238: Τῶν δὲ πραχθέντων τὰ μὲν ἄλγιστ' ἄπεστιν· ἡ γὰρ ὄψις οὐ πάρα. Eur. Hipp. 25: Σεμνῶν ἐς ὄψιν καὶ τέλη μυστηρίων· Or. 513: Ἐς ὀμμάτων μὲν ὄψιν οὐκ εἴων περᾶν οὐδ' εἰς ἀπάντημα· Med. 173: Πῶς ἂν ἐς ὄψιν τὰν ἁμετέραν ἔλθοι· Iph. T. 902: Φίλους ἐλθόντας εἰς ὄψιν φίλων· Ion. 1557: Ὃς ἐς μὲν ὄψιν σφῷν μολεῖν οὐκ ἠξίου, et alibi cum verbis βαίνειν, ἐξάγειν, πελάζειν, καλεῖν. Id. Heracl. 684: Οὐκ ἔστ' ἐν ὄψει τραῦμα, μὴ δρώσης χερός. Herodot. 4, 81: Τοσόνδε ἀπέφαινόν μοι ἐς ὄψιν· 2, 147: Προσέσται δέ τι αὐτοῖσι καὶ τῆς ἐμῆς ὄψιος.] Isocr. Panath. [p. 264, B]: Πλείους ἐπιστήμας ἔχοντας διὰ τῆς ἀκοῆς ἢ δι' ὄψεως. Xen. Cyneg. [5, 26]: Ἡ ὄψις οὖν διὰ ταῦτα ἀμαυρὰ, ἐσκεδασμένη, de lepore, cujus βλέφαρα ἐλλείπει καὶ οὐκ ἔχει προβολὴν ταῖς αὐγαῖς. Athen. 2: Ἀμβλυντικοὶ ὄψεως· ut Seneca, Hebetat visus. Ubi reddere etiam queas Hebetant oculos. Plut. Symp. 1, [p. 626, D]:

Ἡ ὄψις αὐτῶν ἀδρανὴς οὖσα, Oculi eorum imbecilli, Visus eorum. Dem. : Ὄψει λαβόντες, Conspicati. Plato Phædro [p. 250, D] : Ὄψις γὰρ ἡμῖν ὀξυτάτη τῶν διὰ τοῦ σώματος ἔρχεται αἰσθήσεων. Quæ verba sic interpretatus est Cic. : Oculorum est in nobis sensus acerrimus : qui, quod Plato eod. l. dicit εἰς ὄψιν ἰέναι, vertit Cerni. Idem quod Epicurus Græce, Αἱ διὰ μορφῆς κατ' ὄψιν ἡδεῖαι κινήσεις, sic Latine, Quæ ex formis percipiuntur oculis suaves motiones. At Plut. Theseo [c. 1], ὄψις ἱστορίας, Clara lux et lumen historiæ. Ἐν ὄψει, Ante oculos, In conspectu. Plut. Amat. Narr. : Ἐν ὄψει πάντων, In conspectu omnium, Palam omnibus. Herodian. 7, [9, 19] : Ὧν ἐν ὄψει οἱ φίλτατοι ἀπώλοντο, Quorum ante oculos. Id. 6, [9, 10] : Ὡς ἐν ὄψεσιν ἦν, Ut in conspectum venit. [Sic ἐπ' ὄψεσιν Theophan. Chron. p. 8, B, Cosmas Topogr. Christ. p. 168, A; 169, E; 170, C; 171, A. Xen. Cyrop. 4, 3, 16 : Ἄνδρα ἐξ ὄψεως μήκους καθαιρεῖν· Cyn. 6, 18 : Ὁ ὑποχωρῶν ταχὺ ἐκλείπων τὴν ὄψιν. Frequens etiam ap. Plat., ut Theæt. p. 156, B : Αἱ αἰσθήσεις τὰ τοιάδε ἡμῖν ἔχουσιν ὀνόματα, ὄψεις τε καὶ ἀκοαὶ καὶ ὀσφρήσεις· Charm. p. 167, C : Ὄψις, ἣ ὧν μὲν αἱ ἄλλαι ὄψεις εἰσὶν, οὐκ ἔστι τούτων ὄψις· Conv. p. 219, A : Ἡ τῆς διανοίας ὄψις· Reip. 7, p. 519, B : Τὴν τῆς ψυχῆς ὄψιν· 10, p. 603, B : Ἡ κατὰ τὴν ὄψιν μιμητική· Tim. p. 67, D : Ἐμπίπτοντα εἰς τὴν ὄψιν. De Polybio Schweigh. : « Ὑπὸ τὴν ὄψιν τιθέναι 3, 99, 7; θεωρῶν, θεώμενος (θέμενος Lobeck. Paral. p. 512, 11) ὑπὸ τὴν ὄψιν 4, 41, 9; 10, 18, 13; 1, 26, 9. Ὑπὸ τὴν ὄψιν λαμβάνειν ἐκ τῶν λεγομένων τὸ γεγονὸς 2, 28, 11. Ἀπὸ τῆς ὄψεως δοκεῖ 4, 41, 1. Εἰς ὄψιν ἐλθεῖν, 30, 17, 3. »] || [Visus, Oculus : quem usum improbat Photius : Ὄψιν, οὐ τὸ πρόσωπον οὐδὲ τοὺς ὀφθαλμοὺς, ἀλλὰ τὴν πρόσοψιν λεκτέον. Eur. Phœn. 764 : Ὄψιν τυφλώσας· Iph. T. 1167 : Ὄψιν τ' ὀμμάτων ξυνήρμοσεν· (Ps.-Eur. Iph. A. 233 : Τὰν γυναικεῖον ὄψιν ὀμμάτων ὡς πλήσαιμι·) Cycl. 627 : Ἔστ' ἂν ὄμματος ὄψις Κύκλωπος ἐξαμιλληθῇ πυρί· 459 : Ἐς μέσην βαλὼν Κύκλωπος ὄψιν ὄμματα· 463 : Ἐν φαεσφόρῳ Κύκλωπος ὄψει· 486 : Κύκλωπος ... λαμπρὰν ὄψιν· et ib. 595, 697. De usu Hippocr. Foes. : « Ὄψις Id quo cernimus et videndi acies effunditur significat, Pupillamque per quam præcipue spiritus visorius viam facit, p. 102, E : Διὰ τῆς ῥωγμῆς ὑπερέχουσα ἡ ὄψις, Per rimam prominens et exstans pupilla. Et ib. F : Ἔξω τὴν ὄψιν τῆς χώρης εἶναι. Et ib. : Μετακινήματα τῶν ὄψεων; et ib. Μάλιστα αἱ ὄψιες βλάπτονται ἑλκόμεναι. Rufus etiam Ephesius ἐν τῷ Περὶ ἀνθρώπ. μόρ. (p. 25 Cl.) ὄψιν καὶ κόρην dici scribit, τὸ μὲν ἐν μέσῳ βλεπόμενον, Quod in medio cernitur. Et alibi (p. 48), Κόραι αἱ ὄψεις, οἱ δὲ ὄψιν μὲν ᾧ βλέπομεν. Atque id videtur esse quod Rufo γλήνη dicitur et simulacra recipit, eaque tria, ὄψις, κόρη, γλήνη, pro Pupilla sæpe ponuntur. Ὄψιν Speciem ibi non absurde vertit Calvus. Ὄψις etiam Pupillam indicat p. 1136, F : Αἱ ὄψεις ἑλκοῦντο. Et p. 1133, C, Ἡ ὄψις ἐγλαυκώθη, ubi Pupillam, aut etiam Oculorum aciem, aut etiam totam oculi partem ex qua obtutus pendet, cæsiam redditam significat. Ὄψεις κυανίτιδες καὶ θαλασσοειδέες, Oculi cœrulei, p. 688, 1. Et p. 37, 20 : Λῆμαι περὶ τὰς ὄψιας· 21 : Ὄψεις αὐχμώσας καὶ ἀλαμπεῖς· 153, B : Τὸ τὰς ὄψιας πυκνὰ διαρρίπτειν, etc. » Xen. Comm. 1, 4, 6 : Ἐπεὶ ἀσθενής ἐστιν ἡ ὄψις· 4, 3, 14 : Ὁ ἥλιος τὴν ὄψιν ἀφαιρεῖται. Polyb. 3, 79, 12 : Ἐστερήθη τῆς μιᾶς ὄψεως.] Ὄψεις, plur. num. dicuntur Oculi, τὰ ὄμματα, ὀφθαλμοὶ, Hesych. [Soph. Ant. 52 : Διπλᾶς ὄψεις ἀράξας· OEd. T. 1328 : Τοιαῦτα σὰς ὄψεις μαρᾶναι.] Athen. 10, [p. 435, E] ex Aristotele, ἀμβλυωπότερον γενέσθαι τὰς ὄψεις, Hebetioribus fuisse oculis. Xen. Symp. [5, 6] : Ἐᾷ τὰς ὄψεις ὁρᾶν ἃ ἂν βούλωνται. [Ib. 1, 9 : Τοῦ Αὐτολύκου τὸ κάλλος πάντων εἷλκε τὰς ὄψεις πρὸς αὐτόν.] Synes. Ep. 67 : Ἐπιβαλεῖν τὰς ὄψεις τῷ τόπῳ. Plut. Symp. 1, [p. 615, D] : Καὶ κύκλῳ ταῖς ὄψεσιν ἐπελθὼν τοὺς κατακειμένους. Quum oculis perlustrasset. Othone [c. 3] : Πάντων πρὸς αὐτὸν ἀπηρτημένων ταῖς ὄψεσι, Quum omnes eum oculis designarent ex eo suspensi. Id. De fort. Alex. [p. 341, B] : Τὰς ὄψεις ἀμαυρωθείς· An seni capess. resp. : Ἀμφοτέρας ἀποβεβληκὼς τὰς ὄψεις. || Visus, h. e. Aspectus, [ἡ πρόσοψις, add. Gl. Æsch. Suppl. 174 : Νῦν ἔχων παλίντροπον ὄψιν ἐν λιταῖσι.] Plato [Epin. p. 986, D] : Θεωρὸς τῶν καλλίστων γενόμενος ὅσα κατ' ὄψιν, Rerum pulcerrimarum quæ sub aspectum cadere possunt. Aristot. Eth. 9, 11 : Παραμυθητικὸν γὰρ ὁ φίλος καὶ τῇ ὄψει τῷ λόγῳ, Ipso etiam aspectu consolari potest. Plut. De exilio [p. 599, F] : Χρώματα λυπηρὰ τῇ ὄψει, Ipso aspectu dolorem facientes. Herodian. 7, [1, 26] : Ἦν δὲ καὶ τὴν ὄψιν φοβερώτατος, Aspectu erat horrendus, Visu horribilis, ut Virg., Nec visu facilis, nec dictu affabilis ulli. [Hom. Il. Z, 468 : Ἂψ δ' ὁ πάϊς ἐκλίνθη ἰάχων, πατρὸς φίλου ὄψιν ἀτυχθείς· Ω, 632 : Εἰσορόων ὄψιν τ' ἀγαθὴν καὶ μῦθον ἀκούων. Pind. Nem. 10, 15 : Τῷ δ' ὄψιν ἐειδόμενος. Soph. Ph. 1412 : Φάσκειν δ' αὐδὴν τὴν Ἡρακλέους ἀκοῇ τε κλύειν λεύσσειν τ' ὄψιν· OEd. T. 1375 : Ἀλλ' ἡ τέκνων δῆτ' ὄψις ἦν ἐφίμερος, βλαστοῦσ' ὅπως ἔβλαστε, προσλεύσσειν ἐμοί· OEd. C. 577 : Δώσων ἱκάνω τοὐμὸν ἄθλιον δέμας ... οὐ σπουδαῖον εἰς ὄψιν. Eur. Bacch. 1232 : Λεύσσω γὰρ αὐτῆς ὄψιν οὐκ εὐδαίμονα· Hel. 557 : Τίν' ὄψιν σὴν, γύναι, προσδέρκομαι; Ion. 43 : Ὄψιν δὲ προσβαλοῦσα παιδὶ νηπίῳ. Aristoph. Thesm. 1151 : Ἵνα ... φαίνετον ἄμβροτον ὄψιν. Thuc. 6, 58 : Ἀδήλως τῇ ὄψει πλασάμενος· 7, 75 : Τῇ ὄψει ἀλγεινά. Xen. Comm. 3, 10, 6 : Ὃ δὲ μάλιστα ψυχαγωγεῖ διὰ τῆς ὄψεως τοὺς ἀνθρώπους, τὸ ζωτικοὺς φαίνεσθαι, πῶς τοῦτο ἐνεργάζει τοῖς ἀνδριᾶσιν; Hier. 1, 11 : Τὰ διὰ τῆς ὄψεως θεάματα· Conv. 4, 22 : Ἡ αὐτοῦ ὄψις εὐφραίνειν δύναται. Plato Phil. p. 28, E : Τῆς ὄψεως τοῦ κόσμου καὶ ἡλίου.] Sed aliquando Aspectus vel Species oris, Facies [ὄψις ἀνθρώπου, Facies, Gl.], aut Os reddi potest : aliquando autem Species duntaxat : Bud. p. 73. [Eur. Med. 905 : Ὄψιν τέρειναν τήνδ' ἔπλησα δακρύων. Xen. OEc. 6, 16 : Ἀφέμενον τῆς καλῆς ὄψεως· 10, 12 : Καὶ ὄψις δὲ ὁπόταν ἀνταγωνίζηται διακόνῳ, καθαρωτέρα οὖσα πρεπόντως τε μᾶλλον ἠμφιεσμένη κινητικὸν γίνεται. « Τὰς ὄψεις βάπτονται πυρρῷ χρώματι, Timæus ap. schol. Lycophr. ad v. 1137. » Hemst.] Dignitas autem oris, est σεμνοπρέπεια, καὶ τὸ ἀξιωματικὸν τῆς ὄψεως, καὶ τὸ ἀξιοπρεπές. [Καλλίστην ὥραν ὄψεως, Æschin. In Tim. p. 22, 38 Εἰς τὴν παλαιὰν ὄψιν καταστῆναι, Pherecyd. apud schol. Apoll. Rh. ad 4, 1396. Hemst.] Philo V. M. 1, de Moyse infante adhuc : Εὐθὺς ὄψιν ἐνέφηνεν ἀστειοτέραν ἢ κατ' ἰδιώτην, Speciem oris : Turn. [male] interpr. Indolem. At vero ap. [Eur. Alc. 862 : Στυγναὶ δ' ὄψεις χήρων μελάθρων· Suppl. 945 : Πικραὶ γὰρ ὄψεις χἄμα τῷ τέλει νεκρῶν·] Thuc. [1, 73] : Τὰς ὄψεις τῶν πόλεων, Civitatum speciem. [Ὄψις πόλεως, Conciliabulum, Gl. Thuc. 6, 46 : Ἃ ὄντα ἀργυρᾶ πολλῷ πλείω τὴν ὄψιν ἀπ' ὀλίγης δυνάμεως χρημάτων παρείχετο.] Sic ap. Philon. V. M. 1 : Συνεχεῖς κεραυνοὺς, οἳ τερατωδεστάτην ὄψιν παρείχοντο, Assidua fulmina longe prodigiosissima specie. Herodian. 7, [2, 14] : Ναυμαχίας ὄψιν παρέσχεν, Prælii navalis speciem præ se ferebat. Id. 8, [4, 28] Καὶ σκύλων ὄψιν ὅπλα παρεῖχεν ἐῤῥιμμένα, Spoliorum speciem præ se ferebant. Et rursum 7, [3, 14] : Ὄψις πολιορκίας. [Callias ap. schol. Apoll. Rh. 3, 41 : Οἱ ἐκ τοῦ ἀναφυσήματος ἀναρριπτούμενοι μύδροι ... ἰώδεις εἰσὶ καὶ διακεχαυμένοι τὴν ὄψιν. Τὴν ὄψιν τῆς ἀφύης μιμούμενος, Euphr. apud Athen. 1, p. 7, E. Hemst. Xen. Anab. 2, 3, 15 : Ἡ ὄψις ἠλέκτρου οὐδὲν διέφερε. De inani specie Menander ap. Stob. Flor. 93, 1 : Ψυχὴν ἔχειν δεῖ πλουσίαν· τὰ δὲ χρήματα ταῦτ' ἐστὶν ὄψις, παραπέτασμα τοῦ βίου.] Necnon ὄψεως ἕνεκα, In speciem, Bud. || Ὄψις accipitur etiam pro ὄμμα, i. e. Spectaculum. [Eur. Or. 727 : Ἀλλ' εἰσορῶ γὰρ Πυλάδην ..., ἡδεῖαν ὄψιν· Phœn. 671 : Ἐξανῆκε γᾶ πάνοπλον ὄψιν, de Spartis. Heracl. 930 : Εὐρυσθέα σοι τόνδ' ἄγοντες ἥκομεν, ἄελπτον ὄψιν· Herc. F. 1132 : Τίν' ὄψιν τήνδε δέρκομαι τάλας; Xen. An. 6, 1, 9 : Ὥστε ὄψιν καλὴν φαίνεσθαι· Eq. 11, 11 : Ἐκ δὲ ταύτης τῆς ὄψεως τί ἂν καὶ λαμπρὸν γένοιτ' ἄν;] Philo V. M. 1 : Τὸ ὕποπτον διήλεγξεν ἡ μεγαλουργηθεῖσα ὄψις, Spectaculi magnificentia suspicionem removebat. || Visum, ut sunt visa et spectra nocturna. [Æsch. Pers. 518 : Ὦ νυκτὸς ὄψις ἐμφανὴς ἐνυπνίων· Ag. 425 : Βέβακεν ὄψις οὐ μεθύστερον πτεροῖς ὀπαδοῖς ὕπνου κελεύθοις· Prom. 646 : Ἀεὶ γὰρ ὄψεις ἔννυχοι πολεύμεναι ἐς παρθενῶνας τοὺς ἐμοὺς παρηγόρουν λείοισι μύθοις· Sept. 711 : Ἄγαν δ' ἀληθεῖς ἐνυπνίων φαντασμάτων ὄψεις. Soph. El. 413 : Εἴ μοι λέγοις τὴν ὄψιν. Eur. Hec. 72 : Ἔννυχον ὄψιν· 77 : Φοβερὰν ὄψιν· 704 : Ἔμαθον ἐνύπνιον, ὀμμάτων ἐμῶν ὄψιν· Iph. T. 151 : Οἵαν ἰδόμαν ὄψιν ὀνείρων· (Pausan. 10, 38, 13 : Τοῦτο ἐφάνη τῇ γυναικὶ ὄψις ὀνείρατος, ὕπαρ μέντοι ἦν αὐτίκα.) Hel. 72 : Τίν' εἶδον ὄψιν; « Herodot. 3, 30 : Ὄψιν εἶδε ἐν τῷ ὕπνῳ· 8, 54 : Ὄψιν τινὰ ἰδὼν ἐνυπνίου· 7, 18 : Τὴν ὄψιν οἱ τοῦ ἐνυπνίου ἀπηγεόμενος· 47 : Εἴ τοι ἡ ὄψις τοῦ ἐνυπνίου μὴ ἐναργὴς οὕτω ἐφάνη· et ib. : Ἡ ὄψις ἡ ἐπιφανεῖσα τοῦ ὀνείρου. » Schweigh. Plato Reip. 9, p. 572, B : Αἱ ὄψεις τῶν ἐνυπνίων.] Plut. De def. orac. [p. 437, E]: Ποτὲ μὲν γὰρ ἐν πολλαῖς γινόμεθα καὶ παντοδαπαῖς ἐνυπνίων ὄψεσι, Interdum enim fit, ut in multis et variis somniorum visis versemur. Alex. [c. 41] : Ὄψιν εἶδεν Ἀλέξανδρος κατὰ τοὺς ὕπνους· non procul a fine, Εἰκόνος Ἀλεξάνδρου φανείσης, ἄφνω πληγέντα φρίξαι καὶ κραδανθῆναι τὸ σῶμα, καὶ μόλις ἀναλαβεῖν ἑαυτὸν, ἰλιγγιάσαντα πρὸς τὴν ὄψιν. Synes. De insomn. : Πρὸς ὃν ἠδολέσχει διὰ τῆς ὄψεως, Cum quo nugabatur per visum. Hesychio quoque ὄψεις sunt ὁράσεις, ὄνειροι. || Pro Facies, habuisti in tertia abhinc sectione : cui significationi non multum absimilis ea est, qua pro Persona capitur, i. e. προσωπεῖον, quo sc. ὁ σκευοποιὸς alicujus ὄψιν εἰκάζει καὶ σχηματίζει : solebant enim ὅμοια προσωπεῖα ποιεῖν τοῖς θεατριζομένοις, Simulare et effingere faciem ac habitum eorum qui in scenam et theatrum producebantur, ut ostentui omnibus essent. Sic accipiunt nonnulli in hoc l. Aristot. Poet. [c. 6], ubi de tragœdia loquitur : Ἔτι δὲ κυριωτέρα περὶ τὴν ἀπεργασίαν τῶν ὄψεων ἡ τοῦ σκευοποιοῦ τέχνη τῆς τῶν ποιητῶν ἐστί· quo tamen in l. significare forsitan posset Personarum repræsentatio per histriones facta. At Victorius interpr. Apparatus, sic vertens locum illum, Præterea majorem potestatem habet in fabrica constructioneve apparatuum ars opificis illius qui fabricat instrumenta scenæ, quam ars poetarum. Paulo ante [ib.] dicit, Ἡ δὲ ὄψις ψυχαγωγὸν [—γικὸν] μὲν, ἀτεχνότατον δὲ καὶ ἥκιστα οἰκεῖον τῆς ποιητικῆς. Quæ verba Idem sic reddidit, Apparatus autem quiddam est, quod allicit ad se animos, attamen maxime est expers artis, et minime suum propriumque poetices. Aliquanto ante [ibid.] idem Aristot. ὄψιν Partem esse dicit tragœdiæ, quarum sex constituit, μῦθον, ἤθη, λέξιν, διάνοιαν, ὄψιν, μελοποιΐαν. Dicit autem hanc ὄψιν; Apparatum, in imitandi modo positam esse; neque enim aliam ullam viam rationemque habent Tragici, qua imitentur, nisi ante spectatorum oculos omnia ponendo, referendoque facta illa : inductis in scenam personis simulatis, quæ tunc illa gerant. [|| Frons exercitus, Tacticis dicitur, quod est hosti adversum. Ita usurpare Mauricium observat Schefferus ad eund. p. 417. Ducang. Gl. interpretatur etiam Fornax.]

Ὀψισμὸς, ὁ, Quum sero aliquid facimus, Tarditas. [Dionys. A. R. 4, 46 : Τὸν ὀψισμὸν αὐτοῦ διαβαλών· vol. 4, p. 2323, 1 : Τοῦ ὀψισμοῦ τῆς ἐπὶ τὸν κατὰ Λατίνων πόλεμον συμμαχίας. Wakef.]

Ὀψισπορέω, Sero sementem facio, Tarde sero. Theophr. active s. transitive usurpat, cum accus. construens, ut H. Pl. 8, [1, 7] : Περὶ τοῦ πρωϊσπορεῖν ἕκαστα καὶ ὀψισπορεῖν αἱ χῶραι διαφέρουσι· et [ib. 6, 5] : Ἔνιοι δὲ καὶ περὶ τὴν Ἑλλάδα πάντα πρωϊσπορεῖν εἰώθασι.

Ὀψίσπορος, ὁ, ἡ, Qui sero s. tarde seritur, novissime seritur (ut Plin. dicit Novissime germinans pro ὀψιβλαστής), vel etiam Sero serendus : ut ex Theophr. H. Pl. 8, affertur ὀψίσπορος σῖτος s. ὀψίσποροι πυροὶ, pro Frumenta quæ sero serenda sunt : quibus opp. τὰ πρωΐσπορα. [Theophr. C. Pl. 2, 12, 4.]

[Ὀψίτεκνος, ὁ, ἡ, i. q. ὀψίγονος. Lycophr. 1272 : Ἐν ὀψιτέκνοις ὀλβίαν, de posteris.]

Ὀψιτέλεστος, ὁ, ἡ, Sero perfectus, factus. Hesych. tamen ap. Hom. Il. B, [325] : Ὄψιμον, ὀψιτέλεστον, ὅου κλέος οὔποτ' ὀλεῖται, hoc ὀψιτέλεστον exp. ὀψὲ τελεσθησόμενον : sicut et auctor brevium scholl. [Nonnus Dion. 5, 201; Tryphiod. 48. Herodian. Περὶ μον. λ. p. 26, 5, Photius, qui βραδέως τελειούμενον interpretatur. In ὀψιτέλευτον corruptum ap. Nonnum Dion. 5, 206 correxit Falkenb., ὀψιτέλευτον ex schol. Ven. Il. Φ, 232 defendit Græfius. Sed illi quoque alterum reddendum. L. Dindorf.]

[Ὀψίτερος. V. Ὄψιος.]

[Ὀψιτοκία, ἡ, Serus partus. Theod. Prodr. Ep. p. 28.]

Ὀψίτομος, ὁ, ἡ, Sero putatus, Qui sero putari solet : ὀψ. ἄμπελος, Vitis quæ sero putatur. Theophr. [C. Pl. 3, 2, 3] : Καὶ τὰ τῶν ἀμπέλων διαιρετέον, τάς τε
A πρωτοτόμους καὶ τὰς ὀψιτόμους, Et eas quæ primæ, et eas quæ ultimæ putantur.

[Ὀψίτυχος, ὁ, ἡ, Quod quis sero nanciscitur. Manetho 5, 71, πίστις. Memorat Herodian. Περὶ μον. λ. p. 26, 5.]

Ὀψιφάνης, ὁ, ἡ, Sero apparens. [Nonn. Jo. c. 7, 48. Wakef.]

[Ὀψιφόρος, ὁ, ἡ, Sero ferax. Theophr. C. Pl. 1, 17, 9 : Τὰ ὀψιφόρα, καθάπερ τὸ ἐν Αἰγύπτῳ λεγόμενον δένδρον, ὃ ἑκατοστῷ ἔτει μυθολογοῦσι φέρειν καρπόν.]

[Ὀψίφυγος, ὁ, ἡ, quod memorat Arcad. p. 90, 5, ex uno de præcedentibus compositis corruptum videri potest, velut ὀψίτυχος. L. Dind.]

Ὀψιχὰ, lingua Byzantiorum pro ὀψὲ, Hesych. [De forma v. Lobeck. ad Phryn. p. 51, Koen. ad Greg. Cor. p. 292.]

[Ὀψοαρτύω, Obsonia apparo. Tzetz. Hist. 10, 819 : Καὶ τὴν ὀψοαρτύουσαν ἐξηκριβώκει τέχνην. Elberling. V. Ὀψαρτύω.]

Ὀψόβαφον, τὸ, Vasculum in quo opsonia apponuntur :
B i. q. ὀξύβαφον : nam et ipsum recensetur a Polluce [6, 85] inter ἀγγεῖα ἡδυσμάτων ἢ βρωμάτων, sicut et τρύβλιον et ἐμβάφιον. Quemadmodum vero ὀξύβαφα dicuntur proprie Vascula in quibus acetum apponitur ad intingendum panem aut carnem, ita ὀψόβαφα, Vasa in quibus liquida opsonia apponuntur, itidem ad intingendum panem : quod genus erant ψωμοὶ, καρύκαι, ὑποτρίμματα, συγκομμάτια, περικόμματα, λάχανα κνιστὰ, et muria cum salsamentis. Apud Suid. in Ἁρμονία habentur hæc verba : Ἄλλως γὰρ χαλκὸς ἠχεῖ, καὶ ἄλλως σίδηρος, καὶ ἄλλως μόλυβδος καὶ ξύλον· διὸ καὶ τὰ ὀψόβαφα εἰώθασιν ἐκ διαφόρου κατασκευάζειν ὕλης, ἵνα τῇ διαφορᾷ τῶν ἀπηχήσεων τὴν ἁρμονίαν ἀποτελέσωσιν, ubi mireris, in his vasculis ἀπηχήσεων ἁρμονίαν requiri. [Ὀξύβαφον Hemst. ad Suidam et Schneider., recte, nisi quod ὀξόβαφον debuisse videntur. L. Dind.]

Ὀψοδαίδαλος, ὁ, Opsoniorum apparandorum peritus artifex, epith. Archestrati ap. Athen. 3, [p. 101, B] quod esse potest et cujuslibet periti coqui. [Ib. p. 105, E; 7, p. 278, A; 285, F, al.]

C Ὀψοδεία, [et Ὀψοδεία,] ἡ, Opsoniorum penuria, ut quum ἄνευ ὄψου cœnatur. Suidæ ἡ ἔνδεια τῶν ὄψων.

[Ὀψοδόκη, ἡ. Photius : Κέραμον· λέγεται ἐπὶ τῶν λεκανίδων· αὗται δέ εἰσιν αἱ λεκανίδες κεραμεαῖ, παραπλήσιαι τῇ κατασκευῇ κρατῆρι, ἃς νῦν ὀψοδόκας αἱ γυναῖκες καλοῦσιν. Ἀρώματα οὖν εἰς ταύτας ἐμβάλλουσι καὶ στήμονας· κομίζουσι δὲ αὐτὰς αἱ νύμφαι εἰς τὰς τῶν νυμφίων οἰκίας.]

[Ὀψόδουλος, ὁ, Servus opsoniorum. Eust. Opusc. p. 310, 38 : Εἴ τις ὀψόδουλος καὶ εἰς γαστέρα μαργαίνων.]

[Ὀψοδόχος, ὁ, ἡ, Obsonium recipiens. Cotel. Monum. vol. 3, p. 505, C : Τὰ τῆς αὐτῶν τραπέζης ὀψοδόχα τρύβλια. L. Dind.]

[Ὀψοθήκη, ἡ, Suidæ γυλιὸς, genus vasculi.]

Ὀψολογία, ἡ, Sermo de opsoniis, Scriptum de deliciis popinalibus. Et adjectivo Ὀψολόγος et hoc vocabulo usus est Athen., sed ὀψολόγον accipiens pro Eo qui de piscibus tractat, vel potius de piscibus delicatioribus, et qui in opsoniis magis laudantur; et ὀψολογίαν, Sermonem de ejusmodi piscibus : 7,
D [p. 337, B] : Πόθεν δ' ἡμῖν ἐπῆλθε καὶ ὁ ὀψολόγος Δωρίων, ὡς καὶ συγγραφεύς τις γενόμενος, ὃν ἐγὼ κρουματοποιὸν οἶδα ὀνομαζόμενον καὶ φίλιχθυν, συγγραφέα δὲ οὔ· qui Dorion ὀψοφάγος quoque ibid. vocatur : de quo vocab. paulo infra. Idem Athen. [p. 282, C, E] : Δωρίων ἐν τῷ περὶ ἰχθύων. Altero autem vocabulo, sc. Ὀψολογία, pro Sermone de piscibus, s. piscibus delicatis, et qui in opsoniis commendantur, utitur 7, [p. 284, E] ubi de ἱερὸς ἰχθὺς verba facit.

Ὀψολόγος, ὁ, ἡ, Qui de opsoniis tractat s. disserit, ut Apicius, et Archestratus qui Γαστρονομίαν edidit. [V. Ὀψολογία.]

[Ὀψομανία, ἡ, Insana obsoniorum cupiditas. Eust. ad Dionys. Per. 373.]

Ὀψομανής, ὁ, ἡ, Qui insano opsoniorum et in primis delicatorum piscium ducitur, Qui opsoniis et præcipue piscibus delicatis usque ad insaniam delectatur. Athen. 11, [p. 464, E] : Καὶ γὰρ ὁ φίλοψος καὶ ὀψοφάγος, οἷον ὀψομανής ἐστιν, καὶ ὁ φίλοινος, οἰνομανής.

Ὄψον, τὸ, Opsonium, [Pulpamentum, Gl.] Omne

id quo præter panem vescimur, s. quod una cum pane comedimus, [πᾶν προσόψημα ἢ προσφάγιον Photio,] πᾶν τὸ σύναμα σιτίοις ἐσθιόμενον, vel βρώσεως ἥδυσμα, Cibi condimentum, ut et ap. Hom. Il. Λ, [629] : Ἐπὶ δὲ κρόμυον ποτῷ ὄψον, schol. exp. ποτικὸν ὄψον, προσφάγιον δίψους παρασκευαστικόν : addens, πᾶν γὰρ τὸ μετὰ ἄρτου ἐσθιόμενον, ὄψον καλεῖται : quod et ex Plat. De rep. 2, [p. 372, C] manifestum fit : Ἐπελαθόμην ὅτι καὶ ὄψον ἕξουσιν, ἅλας τε δηλονότι καὶ ἐλάας καὶ τυρὸν καὶ βολβοὺς καὶ λάχανα· ibid. dicit ἄνευ ὄψου ἑστιωμένους. [Et ib. E : Ὄψα καὶ τραγήματα. De l. Hom. conf. Xen. Conv. 4, 7. Constructione eadem Aristoph. Pac. 123 : Κόλλυραν μεγάλην καὶ κόνδυλον ὄψον ἐπ' αὐτῇ. Non recte vero Foes. in OEc. Hippocratem p. 615, 46 : Ὄψῳ δὲ μηδενὶ, ἀλλ' ἢ οἴνῳ ἀκρήτῳ μέλανι, vinum ὄψον dicere putavit, quum ἀλλ' ἢ hic sit i. q. ἀλλά. Id. Hipp. ib. 49 : Σιτίων πολλῶν καὶ ὄψου ὁκοίου ἂν βούλωνται.] Plut. Περὶ τύχης [p. 99, D], loquens de iis quæ pueri docentur : Τῇ δεξιᾷ λαμβάνειν τοῦ ὄψου, τῇ δὲ ἀριστερᾷ κρατεῖν τὸν ἄρτον. Idem De fort. Alex. [p. 328, F] : Τρεῖς πόλεις ὑποφόρους ἔλαβε· τὴν μὲν, εἰς σῖτον, τὴν δ', εἰς οἶνον, τὴν δ', εἰς ὄψον. Lucian. [Timon. c. 56] : Μάζα μὲν ἐμοὶ δεῖπνον ἱκανὸν, ὄψον δὲ ἥδιστον, θύμον ἢ κάρδαμον, ἢ, εἴ ποτε τρυφῴην, ὀλίγον τῶν ἁλῶν· nam, ut testatur et Plut. Symp. 4, [p. 668, F], τῶν ἄλλων ὄψων οἱ ἅλες ἥδιον ὄψον εἰσί· quos Symp. 5, 10 [p. 684, A] scribit itidem videri, τῶν ἄλλων ὄψων ὄψον εἶναι καὶ ἥδυσμα. [Hom. Il. I, 489 : Ὅτε δή σ' ὄψου τ' ἄσαιμι προταμών· Od. Γ, 480 : Ἐνέθηκε... ὄψα τε οἷα ἔδουσι Διοτρεφέες βασιλῆες. E, 267 : Ἐν δέ οἱ ὄψα τίθει μενοεικέα πολλά· Z, 77 : Ἐν κίστῃ ἐτίθει μενοεικέ' ἐδωδὴν παντοίην, ἐν τ' ὄψα τίθει. Æsch. fr. ap. Athen. 9, p. 375, E : Τί γὰρ ὄψον γένοιτ' ἂν ἀνδρὶ τοῦδε βέλτερον; Aristoph. Nub. 1074 : Ἡδονῶν ὅσων μέλλεις ἀποστερεῖσθαι, παίδων, γυναικῶν, κοττάβων, ὄψων, ποτῶν, καχασμῶν· Eq. 1138 : Ὅταν μή σοι τύχῃ ὄψον ὄν· Av. 900 : Καλεῖν δὲ μάκαρας, ἕνα τινὰ μόνον, εἴπερ ἱκανὸν ἕξετ' ὄψον· τὰ γὰρ παρόντα θύμαθ' οὐδὲν ἄλλο πλὴν γένειόν ἐστι καὶ κέρατα· fr. Amphiar. ap. Athen. 4, p. 158, C : Ὅστις φακῆν ἥδιστον ὄψων λοιδορεῖς· et Insulis ap. Stob. Fl. 55, 7, 7 : Ὄψῳ δὲ χρῆσθαι σπινιδίοις τε καὶ κίχλαις.] Apud Athen. 14, [p. 649, A] ὄψων nomine censentur, Ἔτνος, φακῆ, τάριχος, ἰχθὺς, γογγυλὶς, Σκόροδον, κρέας θύννειον, ἅλμη, κρόμμυον, Σκόλυμος, ἐλαία, κάππαρις, βολβὸς, μύκης· iambi ex Clearcho Solensi, qui seorsim etiam ibi recenset τραγήματα, Mensas secundas s. Quæ mensis secundis apponi solent : sicut et Plut. S. N. V. : Ἀφελὼν ὄψα καὶ πέμματα. Quanquam Xen. opus pistorium quoque, quod pane sit delicatius, ὄψον appellare videtur; quippe qui Cyrop. 8, [2, 6] dicat, Τράπεζαν κοσμεῖ, μάττει ὄψα. [Ib. 1, 2, 8 : Ὄψον κάρδαμον· 11 : Ὄψον τοῦτο ἔχουσιν ὅ,τι ἂν θηράσωσιν. Et alibi sæpe.] Ceterum ὄψα vocari etiam Ea quæ cocta sunt, tum ex præcedentium ll. quibusdam colligimus, tum ex seqq. manifestius apparet. Alexis ap. Athen. 14, [p. 642, D] : Τοῖς δὲ κεχαρυκευμένοις Ὄψοισι καὶ ζωμοῖσιν ἥδομ', ὦ θεοί· ubi nota eum distinguere inter ὄψα et ζωμοὺς, licet Plut. ipsos quoque ζωμοὺς nomine ὄψων complectatur, in Lycurgo [c. 12] de Spartanis : Τῶν δὲ ὄψων εὐδοκίμει μάλιστα παρ' αὐτοῖς ὁ μέλας ζωμός. Eupolis ap. Athen. 2, [p. 68, A] : Ὄψῳ πονηρῷ πολυτελῶς ἠρτυμένῳ. Plut. Symp. 7, [p. 708, D] : Ὄψα οἱ μάγειροι σκευάζουσιν ἐκ χυμῶν διαφόρων, αὐστηρὰ καὶ λιπαρὰ, καὶ γλυκέα καὶ δριμέα συγκεραννύντες. At Symp. 2, [p. 644, B] : Πέμματα καὶ κανδύλους καὶ καρυκείας, ἄλλας τε παντοδαπὰς ὑποτριμμάτων καὶ ὄψων παραθέσεις. Porro licet ὄψον, secundum Myrtilum ap. Athen. l. 7 init. [p. 277, A] proprie vocetur πᾶν τὸ [πυρὶ] κατασκευαζόμενον εἰς ἐδωδὴν (unde et ab ἕψω vel ὀπτάω derivatum videtur), nihilominus πάντων τῶν προσοψημάτων ἐξενίκησεν ὁ ἰχθὺς διὰ τὴν ἐξαίρετον ἐδωδὴν μόνος οὕτως καλεῖσθαι· quod iisd. propemodum verbis Symmachus ap. Plut. Symp. 4, 4 [p. 667, F] : Πολλῶν ὄντων ὄψων ἐκνενίκηκεν ὁ ἰχθὺς μόνον ἢ μάλιστά γε ὄψον καλεῖσθαι, διὰ τὸ πολὺ πάντων ἀρετῇ κρατεῖν· unde et φίλοψοι ac ὀψοφάγοι dicti sunt Qui piscibus præ ceteris opsoniis delectantur : quos pisces Plut. eo loco vocat θαλάττης ὄψα, et τὰ ἐκ θαλάττης ὄψα, necnon θαλάττια ὄψα, πάντων τιμιώτατα. [Strabo 12, p. 549 : Ἁλίσκεται ἐνταῦθα τὸ ὄψον τοῦτο. Hemst. Eur. fr. Cress. ap. Athen. 14, p. 640, B : Πλή-
A ρης μὲν ὄψων ποντίων (τράπεζα). Quod Hippocr. p. 606, 10 dicit : Ὄψοισι θαλασσίοισι μᾶλλον ἢ κρέασι χρῆσθαι, ut Polyb. 34, 8, 6. «Num. 11, 22 : Πᾶν ὄψον τῆς θαλάσσης συναχθήσεται. Et quum Thuc. 1, 138, Themistocli Μυοῦντα ὄψον suppeditasse scribit, obsonii nomine Diod. 11, 57 Pisces intelligit.» Schleusn. Lex. V. T.] Sed et Amphis hujus ὄψου excellentiam ostendens ap. Athen. loco paulo ante cit. ait, Ὅστις ἀγοράζων ὄψον, ἐξὸν ἀπολαύειν ἰχθύων Ἀληθινῶν, ῥαφανίδας ἐπιθυμεῖ πρίασθαι, μαίνεται. Alioqui sæpe et ὀψάρια de piscibus dicitur, ut suo loco docui. Metaph. quoque usurpatur. [Pind. Nem. 8, 21 : Ὄψον δὲ λόγοι φθονεροῖσιν.] Xen. Cyrop. 7, [5, 80] : Οἱ γὰρ πόνοι, ὄψον τοῖς ἀγαθοῖς· quemadmodum et Plut. Apophth. dicit Alexandrum τὴν νυκτιπορίαν vocasse suam ὀψοποιόν. Rursum ap. eund. Xen. Cyrop. 4, [5, 4] Cyrus τὸν λιμὸν vocat ὄψον, ut et Socrates ap. Athen. 4, [p. 157, E] διαπεριπατῶν ἑσπέρας βαθείας πρὸ τῆς οἰκίας, dicebat se ὄψον συνάγειν πρὸς τὸ δεῖπνον, de fame intelligens : cui Xen. Comm. 1, [3, 5] dicit ὄψον fuisse τὴν ἐπιθυμίαν τοῦ σίτου, ποτὸν δὲ πᾶν
B ἡδὺ γεγονέναι αὐτῷ, διὰ τὸ μὴ πίνειν εἰ μὴ διψῴη. Unde Cic. De fin. 2, [28] Socratem audio dicentem, cibi condimentum esse famem, potionis, sitim. De etymo hujus vocabuli mentio facta est in præcedentibus, sc. παρὰ τὸ ὀπτᾶσθαι, vel παρὰ τὸ ἕψειν, quasi ἕψον, quod Eust. minime probat, propter spiritus diversitatem : veteres derivasse tradens παρὰ τὸ ὀψὲ, quoniam sc. οὐχ ἕωθεν, ἀλλ' ὀψὲ τοιαύτας τροφὰς προσεφέροντο : vel potius quoniam ὀψὲ καιροῦ εἰς χρῆσιν ἦλθεν ἀνθρώποις ἡδονῆς χάριν τὸ ὄψον, quum ante ea viverent ἁπλοϊκῶς. Attica porro crasi pro τὸ ὄψον dicitur Τοὔψον, ut τοὔλαιον pro τὸ ἔλαιον, et id genus alia. Plut. De ira cohib. [p. 460, A] : Προσέκαυσε τοὔψον, ἢ κατέβαλε τὴν τράπεζαν. ‖Ὄψον Athenis dicebatur etiam Locus ipse ubi opsonia coemebantur, sicut ἔλαιον et ἰχθύες, ubi oleum et pisces : quo sensu Pollux 6, c. 7 [§ 38] : Ὄψον καὶ τόπος Ἀθήνησιν, ἀφ' οὗ φασιν, ἀπῆλθον εἰς τοὔψον. [Aristoph. fr. Danaid. ap. Polluc. 2, 76 : Τραπόμενον εἰς τοὔψον λαβεῖν ὀσμύλια· et Triphal. 10, 151 : Ἔπειτ' ἐπὶ τοὔψον ἧκε τὴν σπυρίδα λαβών. Strabo 14, p. 658 : Ἀπελθεῖν ἐπὶ τὸ ὄψον.]

C [Ὀψονομέω.] Ὀψονομεῖν pro ὀψωνεῖν, Opsonari, usurpavit Critias, teste Polluce 6, c. 7 [§ 36].

Ὀψονόμος, ὁ, unde plur. Ὀψονόμοι, Magistratus Athenis, dicti ab administratione eorum quæ ad opsonia pertinebant, qui immodicum luxum opsonatorum coercebant, ut γυναικονόμοι, qui improbiores ac petulantiores mulieres mulctabant, et modestiæ matronalis curam gerebant. Eust. p. 867 : Καὶ τὸ ὀψοφαγεῖν, ὅπερ ἐστὶ παρὰ τὸ δέον ὄψοις χρῆσθαι· οὗ ἕνεκεν ἤρεσεν ὀψονόμους Ἀθήνησιν αἱρεῖσθαι ὑπὸ τῆς βουλῆς δύο ἢ τρεῖς. [Ex Athen. 6, p. 228, B. Nicephorus Gregoras Epist. ad Acindynum in Mustoxydis Anecd. Gr. p. 4 : Ἡμῖν ἔργα ταῦτ' ἐπιχώρια, καθάπερ ἁλιεῦσι σαγῆναι καὶ ὀψονόμοις τὰ δεῖπνα. L. Dind.]

[Ὀψοπλύνιον, τό. Hesych. : Σκάφαι, ὀψοπλύνια, quo obsonia lavantur. Dahler.]

[Ὀψοποιεῖον, τὸ, Furnus, quo obsonia parantur. Hesych. v. Πύρδαλον. Dahler.]

Ὀψοποιέω, Opsonia apparo, Popinales delicias ap-
D paro, Coquo. Plut. Quæst. Rom. [p. 284, F] : Διὰ τί τὰς γυναῖκας οὔτε ἀλεῖν εἴων οὔτε ὀψοποιεῖν τὸ παλαιόν; Idem in lib. De discern. amico et adul. [p. 55, A] dicit κόλακος officium esse παιδιὰν ἢ πρᾶξιν ἢ λόγον ἐφ' ἡδονῇ καὶ πρὸς ἡδονὴν ὀψοποιεῖν καὶ καρυκεύειν. [Pollux 7, 26.] Pass. Ὀψοποιοῦμαι ejusd. cum activo signif. Xen. Hell. 7, [2, 22] : Τοὺς δὲ ὀψοποιουμένους, τοὺς δὲ φύροντας, τοὺς δὲ, στιβάδας ποιουμένους. Idem dicit etiam ὀψοποιεῖσθαι ὀψοποιΐαν, Comm. 3, [14, 5] : Ἆρα γένοιτ' ἂν πολυτελεστέρα ὀψοποιΐα ἢ μᾶλλον τὰ ὄψα λυμαινομένη, ἢ ἣν ὀψοποιεῖται ὁ ἅμα πολλὰ ἐσθίων καὶ ἅμα παντοδαπὰ ἡδύσματα εἰς τὸ στόμα λαμβάνων; verba Socratis, quum vidisset quendam ex convivis ἐπὶ τῷ ἑνὶ ψωμῷ πλειόνων ὄψων γευόμενον. [Pollux 6, 37, ex Demosth. p. 1257, 21 : Ὀψοποιουμένους τοὺς παῖδας. Anonymi l. citat Suidas : Ποιμέσι τισὶν ὀψοποιουμένοις ἰχθῦς ἀπεδόμην.]

[Ὀψοποίημα, τὸ, Obsonium, Cibarium. Judith. 12, 1. In Geopon. 20, 18 inscr. : Πτολάτος τοὔνομα, ὀψοποίημα ἐν θαλάσσῃ, ὥστε ἐπὶ τὸ αὐτὸ ἐλθεῖν ἐν αὐτῇ τοὺς ἰχθύας, vertitur, Opsonii præparatio.]

Ὀψοποιητικός, ή, όν, i. q. ὀψοποιϊκός, quod paulo ante habuimus. Dicitur etiam Opsoniorum apparandorum peritus, Opsoniorum artifex. Aristot. Metaphys. 5, [p. 125, 13 Br.]: Καὶ ὀψοποιητικὸς [ὀψοποιὸς], ἡδονῆς στοχαζόμενος [ποιήσειεν ἄν τινι ὑγιεινὸν, ἀλλ' οὐ κατὰ τὴν ὀψοποιητικὴν, nisi hic quoque præstat ὀψοποιικὴν, quod v.], Opsoniorum artifex propositum habet, ut omnia sua artificia voluptati serviant. Et ἡ ὀψοποιητική, quæ et ὀψοποιϊκὴ paulo post, Ars τῶν ὀψοποιῶν s. ὀψοποιητικῶν, Coquorum artificium, ut Quintil. interpr. supra in Κομμωτικός. [Aristot. Eth. Nic. 7, 13, nisi fallunt libri. Pro ὀψοποιικὸς illatum erat ap. Plat. Gorg. p. 463, B, ut solent librarii in his formis peccare. Recte Thomas p. 668: Ὀψοποιικὸς καὶ ὀψοποιικὴ κάλλιον ἢ ὀψοποιητικὸς καὶ ὀψοποιητική. Pollux 6, 70: Ἐκ τῶν ὀψοποιητικῶν συγγραμμάτων· 71: Ὀψοποιητικῆς πραγματείας.]

Ὀψοποιΐα, ἡ, Opsoniorum apparatio, Popinalium deliciarum apparatio. Plato Gorgia [p. 518, B]: Ὀψοποιΐα Σικελική. [Plato ib. p. 462, D: Ὀψοποιΐα ἥτις μοι δοκεῖ τέχνη εἶναι.] Itidem Athen. 3, [p. 112, E]: Μίθαικος ὁ τὴν ὀψοποιΐαν συγκαταγεγραφὼς τὴν Σικελικήν. [Id. 1, p. 4, E: Ἀρχέστρατος ἐν τῇ ... Ὀψοποιΐᾳ.] Philostr. Ep. 16: Ὀψοποιΐα λαμπρά. Rursum Xenoph. [Comm. 3, 14, 5] ὀψοποιΐα πολυτελής, supra in Ὀψοποιοῦμαι. [Thomas p. 668. Fabula Epicharmo tributa ap. Antiatt. Bekk. p. 99, 1.]

Ὀψοποιϊκός, ή, όν, Pertinens ad eum qui opsonia apparat, Popinalis, Coquinarius, ut Plin. Coquinaria vasa. Xen. [OEc. 9, 7], ὀψοποιϊκὰ ὄργανα. Et ὀψοποιϊκή, sub. τέχνη vel ἐπιστήμη, Ars s. Scientia apparandi opsonia, Artificium coquorum: quæ et ὀψοποιητική, Aristoteli Polit. 1, 4, et Eth. 7, 11. Necnon Platoni [Conv. p. 187, E: Ταῖς περὶ τὴν ὀψοποιικὴν τέχνην ἐπιθυμίαις] Gorg. [p. 463, B]: Καὶ ἡ ὀψοποιϊκὴ δοκεῖ μὲν εἶναι τέχνη. [Et ib. p. 464, D; 465, B, etc. Neutro gen. 465, D: Ὁμοῦ ἂν πάντα χρήματα ἐφύρετο ἐν τῷ αὐτῷ ἀκρίτων ὄντων τῶν τε ἰατρικῶν καὶ ὑγιεινῶν καὶ ὀψοποιικῶν. V. Ὀψοποιητικός.]

Ὀψοποιός, ὁ, Qui opsonia apparat, Conditor, ut Cic. ὄψον interpr. Condimentum. Plato De rep. 2, [p. 373, C]: Δεήσει ὀψοποιῶν τε καὶ μαγείρων. Sic Cic. dicit, Conditores instructoresque convivii. [Gorg. p. 517, E: Σιτοποιὸν ἢ ὀψοποιόν.] Xen. [Comm. 2, 1, 30]: Καὶ ἵνα μὲν ἡδέως φάγῃς, ὀψοποιοὺς μηχανωμένη· Hell. 7, [1, 38] in regio ministerio numerat ἀρτοκόπους καὶ ὀψοποιοὺς καὶ οἰνοχόους, sicut et Cyrop. 8, [8, 20]. Lucian. [Vitt. auct. c. 12]: Πεμμάτων ἐπιστήμων, καὶ ὀψοποιὸς ἐμπειρότατος, καὶ ὅλως σοφιστὴς ἡδυπαθείας. Plut. Symp. 1 [p. 616, A]: Τοῖς μὲν ὀψοποιοῖς καὶ τραπεζοκόμοις σφόδρα μέλειν τί πρῶτον, ἢ τί δεύτερον ἢ μέσον ἢ τελευταῖον ἐπάξουσι. Alium ex Eod. locum vide in Ἥδυσμα. Vide et alium in Μάγειρος, ubi coquus quidam dicit τοὺς ὀψοποιοὺς esse viliores quam sint μάγειροι. Athen. vero dicit etiam ὀψοποιοὶ χρεοσκευασίας, ut in Κρεοσκευασία videbis. [Pollux 5, 37; 7, 26. Tzetz. Hist. 5, 534; Eust. Opusc. p. 150, 72. Ducang. v. Ὀψονοποιὸς (sic) posuit iambos ex cod. Thuaneo εἰς τὸν ὀψονοποιὸν, quorum in primo est Τὸν ὀψοποιὸν τίς σε τέχνον οὐ στέφει, ut in inscr. quoque ὀψοποιὸν potius quam ὀψωνιοποιὸν scribendum videatur.]

Ὀψοπόνος, ὁ, i. q. ὀψοποιός, Opsoniorum apparator, Coquus, ὁ τὰ ὄψα πενόμενος, Epigr. [In Ind.:] Ὠψοπόνος, ap. Suid. ὁ περὶ τὰ ὄψα ἀσχολούμενος, ὁ μάγειρος: ex Epigr. [Anth. Pal. 6, 306, 9]: Ὠψοπόνος Σπινθὴρ Ἑρμῇ τάδε σύμβολα τέχνης θήκατο. Sed perperam pro ὀψοπόνος [immo ὠψοπόνος. Cod. Pal. οὐψοπόνος, forma Attica, etsi cetera in illo epigr. pleraque Doricas formas referunt, nisi ubi librarii aberrarunt ad alteras]. Itidem pro Ὠψῶνες, quod in VV. LL. affertur pro Penuariæ cellæ, reponendum Ὀψῶνες.

[Ὀψοπωλεῖον, τὸ, Popina, Gl.] Ὀψοπώλιον, [Crates Epist. Ms. (*Notices* vol. 11, part. 2, p. 20.) Boiss. Jo. Laur. De mensibus p. 286 edit. Rœther.] Ὀψοπωλία, ἡ, Locus in quo veneunt opsonia, Popina, Forum coquinum Plauto, et Forum cupedinis teste Festo. Apud Suidam in Αὔγουστος, de regionum præfectis: Τοῦ Ὀκτωβρίου μηνὸς ἐχόρευον ἐν τῷ Αὐγουστείῳ οἷον ἐν ὀψοπωλίῳ εἰς τιμὴν Τιβερίου. At Ὀψοπωλία dicitur ut ἰχθυοπωλία, et ὀψοπώλιον ut ἰχθυοπώλιον.
A Athen. 1, [p. 6, A]: Εὑρὼν τὴν ὀψοπωλίαν κενὴν, quoniam πᾶν εἰς γάμον συνηγόραστο. [Ὀψόπωλιν Suid. v. Φιλόξενος, quod nihili. Strabo 14, p. 658: Ὡς δ' ὁ κώδων ὁ κατὰ τὴν ὀψοπωλίαν ἐψόφησε.]

Ὀψοπώλης, ὁ, Opsoniorum venditor, Qui popinales delicias vendit, Cupedinarius. [Macellarius, Gl. Plochirus fol. 23, 2 fine. Boiss.]

[Ὀψοπωλία. Ὀψοπώλιον. V. Ὀψοπωλεῖον.]

Ὀψόπωλις, ιδος, ἡ, ut λεκιθόπωλις, Opsoniorum venditrix. [Plut. Timol. c. 14, ubi vide Coraes. Boiss. Theod. Prodr. *Notices* vol. 8, p. 83 m.: Καπηλίδος υἱὸς ἢ τυχὸν ὀψοπώλιδος. L. Dind.]

Ὄψος, ὁ, Hesychio [et Photio s. Suidæ] μοχθηρὸς, Malus, Improbus.

Ὀψοφαγέω, Opsonia devoro, Opsoniis inhio, Popinalibus deliciis et præsertim piscibus devorandis supra modum delector. Athen. 8, [p. 345, E] ex Aristoph. Nubibus δευτέραις [superstitibus 983], Οὐδ' ὀψοφαγεῖν οὐδὲ κιχλίζειν· quæ verba et Plut. citat in lib. Ὅτι διδακτὸν ἡ ἀρετή [p. 439, E]. Ubi etiam legitur,
B Παιδὸς ὀψοφαγοῦντος ὁ Διογένης τῷ παιδαγωγῷ κόνδυλον ἔδωκεν, Puero avidius devorante opsonia, pugnum pædagogo impegit. Athen. 8: Πρὸς τῷ ὀψοφαγεῖν καὶ κυβεύειν αὐτόν φησι, Non cupediæ solum, sed aleæ etiam deditum fuisse ait, Non opsonatorem modo fuisse, verumetiam aleatorem. [Pollux 6, 37. Eust. Il. p. 867, 59. De apibus Aristot. H. A. 9, 40 med.: Πρὸς σάρκα δ' οὐδενὸς καθίζει, οὐδ' ὀψοφαγεῖ.]

Ὀψοφαγία, ἡ, Obsoniorum devoratio, Cupedia; in primis vero Piscium delicatorum avida devoratio. Athen. 7, [p. 338, B]: Ἐπὶ ὀψοφαγίᾳ διαβόητος, de Dorione quodam ὀψοφάγῳ et ὀψολόγῳ, ut ibid. vocatur. Ubi et [p. 343, C], Ὀνειδιζόμενος ἐπὶ τῇ ὀψοφαγίᾳ. Et mox [ib. E], Ἐπειδὴ ἐκ τοῦ προδοτικοῦ χρυσίου πόρνας καὶ ἰχθῦς ἠγόραζεν, εἰς ἀσέλγειαν καὶ ὀψοφαγίαν λοιδορεῖ, Demosthenes sc. Philocratem. [Plut. Mor. p. 668, A, C. Pollux 6, 37.]

Ὀψοφάγος, ὁ, ἡ, [Gulosus, Gl.] Qui opsoniis inhiat, Cupes, Popinalium deliciarum avidus devorator. Athen. 1, [p. 21, B] de Theophrasti docentis gestibus
C et motibus quibusdam corporis: Καί ποτε ὀψοφάγον μιμούμενον, ἐξείραντα τὴν γλῶσσαν περιλείχειν τὰ χείλη, ut facere sc. solent οἱ λίχνοι et catillones. [Aristoph. Pac. 810: Ἄμφω Γοργόνες ὀψοφάγοι, de Melanthio ejusque fratre. Epigr. Anth. Pal. 11, 203, 4. Aristot. Eth. Nic. 3, 13 med. Polyb. 12, 24, 2.] Apollinis Ὀψοφάγου, qui ab Eleis coleretur, meminit Athen. 7, [p. 346, B], quum paulo ante ὀψοφάγων κατάλογον protulisset partim ex Comicis, partim aliis scriptoribus. Sed peculiariter ille dicebatur, qui pisces avidius devorabat, eos præsertim qui delicatiores erant et inter ὄψα præ ceteris laudantur, sicut præ ceteris opsoniis τὰ θαλάττια nomen τῶν ὄψων meruere, ut supra docui. Testatur id Plut. Symp. 4, 4, post verba illa quæ in Ὄψον allegavi [p. 667, F], Καὶ γὰρ ὀψοφάγους καὶ φιλόψους λέγομεν οὐχὶ τοὺς βοείοις χαίροντας, ut Hercules, qui eam ob rem Βουθύτης et Βουθοίνης appellatus fuit, οὐδὲ τὸν φιλόσυκον, οὐδὲ τὸν φιλόβοτρυν, ἀλλὰ τοὺς περὶ τὰ ἰχθυοπώλια ἀναδιδόντας ἑκάστοτε, καὶ τοῦ κώδωνος ὀξέως ἀκούοντας· quæ iisdem propemodum verbis refert
D Myrtilus ap. Athen. 7, [p. 276, F. Aspas. ad Aristot. 4 Eth. Nic. f. 52, A. Hemst.] Superl. Ὀψοφαγίστατος, Avidissimus opsoniorum devorator. [Pollux 6, 37.] Xen. Comm. 3, [13, 4] de malo servo: Ὀψοφαγίστατός τε καὶ βλακίστατός ἐστιν· quæ verba citantur ap. Athen. 7, [p. 277, D]. Dicitur ea forma, qua λαλίστατος, λαγνίστατος, κλεπτίστατος. [Conf. Eust. Il. p. 867, 61. ‖ Piscis, Oppian. Hal. 1, 141: Κέρκουροί τε μένουσι καὶ ὀψοφάγοι.]

Ὀψοφιλία, ἡ, Opsoniorum amor, Cupedia. [Manifestus est error pro Φιλοψία, quod v. Angl.]

Ὀψοφόρος, ὁ, ἡ, Qui opsonia fert, ut minister aliquis. Quum vero de re aliqua dicitur, significat Opsoniis ferendis factus: ut κίστη ὀψοφόρος ap. Polluc. 10, c. 23 [§ 91, 180; 6, 13], ubi [§ 83, 105] et ὀψοφόρα σκεύη, et κανοῦν ἀρτοφόρον, ut sunt disci, canistra, et similia. Utitur hoc vocab. Matron quoque ap. Athen. 4, [p. 135, D]: Πολλὰ δ' ἄναντα κάταντα κατὰ στέγας ἦλθ' ὁ μάγειρος, Σείων ὀψοφόρους πίνακας κατὰ δεξιὸν ὦμον.

['Οψοφόρος, ὁ, Opsophorus, cogn. viri, ut videtur, in inscr. Mylas. ap. Bœckh. vol. 2, p. 478, n. 2707, 3. L. Dindorf.]

'Οψών, ῶνος, ὁ, Locus reponendis opsoniis, Penus s. Penum, etiam Sportula ferendis opsoniis, κανοῦν ὀψοφόρον. Hesych. ὀψῶνα exp. τὴν πρὸς τὸ ὀψωνεῖν σπυρίδα, Sportulam coemendis opsoniis, Sportulam opsonatoriam. [V. 'Οψοπόνος.]

['Οψωνάτωρ, ορος, ὁ, Stipendiarius, Gl. Athen. 4, p. 171, A : 'Εκάλουν δὲ καὶ 'Αγοραστὴν τὸν τὰ ὄψα ὠνούμενον, νῦν δ' ὀψωνάτορα. « Asterius Hom. in Psalm. 7 : 'Οψωνάτορες ἀνάργυροι κόρακες. Vet. inscr. ap. Reines. p. 566 : Diis Manibus Taurionis opsonatoris Poppææ Aug. » Ducang.]

'Οψωνέω, Opsonia coemo, Opsono, Opsonor : ut Plaut., Tene marsupium, abi atque opsona, et, Postquam opsonavit herus et conduxit coquos; Terent., Vix drachmis opsonatus est decem. [Xen. Comm. 3, 14, 1 : 'Επαύοντο πολλοῦ ὀψωνοῦντες.] Plut. [Mor. p. 525, B] : Οἰκοδομεῖν μὲν ὡς ἀθανάτους λέγων, ὀψωνεῖν δὲ ὡς ὀλιγοχρονίους· verba Stratonici Rhodiorum πολυτέλειαν taxantis. Eubulus ap. Athen. 3, [p. 108, E] : 'Οψοφάγος, ὀψωνῶν δὲ μέχρι τριωβόλου, de opsonatore avaro et tamen popinalibus deliciis dedito. Utitur et Aristoph. [Vesp. 495 : Ἢν μὲν ὠνῆταί τις ὀρφῶς, μεμβράδας δὲ μὴ θέλῃ, εὐθέως εἴρηχ' ὁ πωλῶν πλησίον τὰς μεμβράδας, οὗτος ὀψωνεῖν ἔοιχ' ἄνθρωπος ἐπὶ τυραννίδι· Pac. 1007 : 'Οψωνοῦντας τυρβάζεσθαι], sed cum accus.: quum enim Vesp. [1506] Philocleon dixisset, Νὴ Δί' ὀψώνηκ' [ὠψ.] ἄρα, subjicit Bdelycleon, Μὰ τὸν Δί' οὐδέν γ' ἄλλο πλήν γε καρκίνους. Itidem in proverbio ap. Plut. Symp. 7, 5 [p. 709, A] : Δελφοῖσι θύσας αὐτὸς ὀψωνεῖ κρέας. [Eust. Il. p. 867, 59 : Τὸ ἀσυμμέτρως ὀψωνεῖν κατὰ τὸν κωμῳδούμενον ὀψωνεῖν τὰς Νηρηίδας διὰ τὸ πολυτελὲς τῆς τῶν ἰχθύων ἐξωνήσεως. Pollux 3, 126.] Eadem constructione Plautus : Ibo, atque opsonabo opsonium.

'Οψώνης, ὁ, Qui opsonia coemit, vel potius Opsoniis coemendis deditus, ut ap. Horat., Omnia conductis coemens opsonia numis. Opsonator Latine dicitur, cujus vocabuli et Athen. meminit 4, [p. 171, A] : 'Εκάλουν δὲ καὶ ἀγοραστὴν τὸν τὰ ὄψα ὠνούμενον, νῦν δὲ ὀψωνάτορα· at structorem ibid. appellat τραπεζοκόμον s. τραπεζοποιόν. Citat vero hoc vocab. Athen. ibid. ex Aristoph. Ταγηνισταῖς : Ὡς οὐκ ὀψώνης [ὡς οὐψώνης] διατρίβειν ἡμῶν τὸ ἄριστον ἔοικε. [Alciphr. Ep. 1, 1.]

['Οψωνητής, ὁ, Opsonator. Tzetz. Hist. 5, 534; Eust. Opusc. p. 227, 86.]

'Οψωνητικός, ή, όν, Opsonator, i. q. ὀψώνης. Item Opsoniorum coemendorum peritus : unde ὀψωνητικὴ τέχνη, Ars opsonandi, coemendi opsonia. Athen. 6, [p. 228, C] : Λυγκεὺς δ' ὁ Σάμιος καὶ τέχνην ὀψωνητικὴν συνέγραψε· 7, [p. 313, F] : Λυγκεὺς ὁ Σάμιος ἐν τῇ 'Οψωνητικῇ Τέχνῃ.

'Οψωνία, ἡ, Opsonii coemptio, Opsonatus, ut Plaut. : Dedi equidem hodie quinque argenti deferri minas, præterea unam in opsonatum, i. e. ad coemenda opsonia. [Pollux 6, 38 : Κριτίας δὲ καὶ ὀψωνίας καὶ ὀψωνεῖν ἔφη.] Plut. Lycurgo [c. 12] de iis loquens quæ in φειδίτια, s. συσσίτια, conferebantur a Spartanis : Πρὸς δὲ τούτοις εἰς ὀψωνίαν μικρόν τι κομιδῇ νομίσματος, In opsonatum. De eadem re Athen. 4, p. 141, C] : Ἔτι δὲ εἰς ὀψωνίαν περὶ δέκα τινὰς Αἰγιναίους ὀβολούς. Coquus quidam Alexidis ap. Athen. 4 [3, p. 117, D] : Ὅμως λογίσασθαι πρὸς ἐμαυτὸν βούλομαι Καθεζόμενος ἐνταῦθα τὴν ὀψωνίαν, Opsonatum, Pecunias in opsonatum impensas computare. Diog. L. in Aristippo [2, 75] : Πρὸς τὸν ὀνειδίσαντα αὐτῷ πολυτελῆ ὀψωνίαν· erat enim ὀψοφάγος hic philosophus, ut dicit Athen. 8, [p. 343, D. V. Photius in 'Οψώνιον cit., qui Atticos pro eo ὀψώνιον dixisse perhibet.]

'Οψωνιάζω, Stipendia s. Annonam præbeo. [Diod. Exc. Vales. p. 598, 38 : 'Εκ τῆς ἰδίας οὐσίας ὀψωνιάσας τὴν δύναμιν.] Pass. 'Οψωνιάζομαι, Annonam capio. At ex Dionys. H. 9 [immo 4, 29 extr.] : 'Εκ τῶν ἀλλοτρίων ὀψωνιαζομένους χρημάτων, pro Qui ex alienis aluntur pecuniis. Itidemque ὀψωνιάζω interpr. Alo.
A [Pass. Polyb. 23, 8, 4; Diod. 16, 22, Exc. Leg. p. 622, 20.]

'Οψωνιασμός, ὁ, i. q. ὀψώνιον, i. e. Annona, Stipendium. [Menandro usum voc. exprobrant Phryn. Epit. p. 418 et Pollux in 'Οψωνισμὸς cit.] Polyb. 5, p. 96 [c. 64, 2] : Λύσαντες τὰ συστήματα καὶ τὰς ἐκ τῶν προτέρων ὀψωνιασμῶν καταγραφάς· 1, p. 16 [c. 66, 7] : Πρὸς τοὺς ὀψωνιασμοὺς ἀγωνιῶντες, Commeatus s. Annonam. [Et 69, 7. Dionys. A. R. 8, 68, 73; 9, 36 med., 59.]

['Οψωνίζω, Obsonio utor, vescor. Timarion Notitt. Mss. vol. 9, p. 205 : Ἔζων γὰρ ἡδέως ἐξ αὐτῶν (apuis) ὀψωνίζων. Elberling. Pass. Cibari. Anon. astronomus Ms. De horoscopo : 'Οψωνιζομένους παρὰ βασιλέων καὶ ἐκ τούτων εὐδαιμονοῦντας. Ducang. Quod in Gl. ponitur : 'Οψωμισμένον, Buccellatum, ad ἐψωμισμένον potius quam ad hoc verbum referendum.]

['Οψωνιοδόχος, ὁ, ἡ, Obsonia recipiens. Pollux 10, 92, σπυρίδα. Sic enim Jungermannus pro ὀψωναδόχων.]

'Οψώνιον, τὸ, Id ipsum quod ab opsonatore emitur, i. e. ipsum ὄψον, Opsonium Latine quoque. [Cibus,
B add. Gl.] Sed accipitur frequentius pro Annona quæ militibus in singulos menses dabatur, quemadmodum et a Suida exp. ἡ ἀφωρισμένη τροφή. Itidem Gregor. In Julian. : 'Οψώνιον, τὸ βασιλικὸν σιτηρέσιον καὶ αἱ ὑπάρχουσαι ἐκ νόμου τοῖς ἀξιώμασι δωρεαὶ, Stipendia, Salaria, Auctoramenta, [hæc omnia ponunt Gl.] Merita militiæ, ut Martian. JCtus appellat. [Diarium, Buccula, Gl.] Polyb. [3, 25, 4] : Τὰ δὲ πλοῖα παρεχέτωσαν Καρχηδόνιοι καὶ εἰς τὴν ὁδὸν καὶ εἰς τὴν ἔφοδον, ἐὰν χρείαν ἔχωσι· τὰ δὲ ὀψώνια, τοῖς αὐτῶν ἑκάτεροι, Annonam et commeatus. Idem [5, 30, 5] : Οἱ δὲ στρατιῶται, τῶν ὀψωνίων παρελκομένων καὶ καθυστερούντων, παραπλήσιον ἐποίουν ἐπὶ τὰς βοηθείας, Quum annonæ militares et frumentum ad diem non præberentur, sed differrentur. [Inscr. Smyrn. ap. Bœckh. vol. 2, p. 694, 106 : Προνοῆσαι τὸν δῆμον ὅπως αὐτοῖς διδῶται ἐκ βασιλικοῦ τά τε μετρήματα καὶ τὰ ὀψώνια.] Et 1 Ad Cor. 9, [7] : Τίς στρατεύεται ἰδίοις ὀψωνίοις ποτέ; Quis unquam militat suis stipendiis? Luc. 3, [14] : Ἀρκεῖσθε τοῖς ὀψωνίοις ὑμῶν, Contenti estote stipendiis vestris : verba
C Joannis Baptistæ ad milites. [Maccab. 1, 3, 28 : Ἔδωκεν ὀψώνια ταῖς δυνάμεσιν αὐτοῦ· 14, 32, Esdr. 3, 4, 56.] Metaph. autem Ad Rom. 6, [23] : 'Οψώνια τῆς ἁμαρτίας θάνατος, Auctoramenta stipendiaque peccati mors est : Cic. Auctoramenta servitutis. Porro quæ hic ὀψώνια appellantur, ab aliis nominantur σιτία, ut infra in 'Υπόλογος. Quanquam non annona solum et cibaria hoc nomine ὀψώνια denotantur, verumetiam ipsa pecunia, ut ostendunt hæc verba Polybii 6, [39, 12] : 'Οψώνιον δ' οἱ μὲν πεζοὶ λαμβάνουσι τῆς ἡμέρας δύο ὀβολοὺς, οἱ δὲ ταξίαρχοι διπλοῦν, οἱ δ' ἱππεῖς δραχμήν. Σιτομετροῦνται δ' οἱ μὲν πεζοὶ, πυρῶν 'Αττικοῦ μεδίμνου δύο μέρη μάλιστά πως· οἱ δ' ἱππεῖς, κριθῶν μὲν ἑπτὰ μεδίμνους εἰς τὸν μῆνα, πυρῶν δὲ δύο. [Et 1, 67, 1. Dionys. A. R. 9, 36 med. : Τό τ' ὀψώνιον τῇ στρατιᾷ καὶ τὸ ἀντὶ τοῦ σίτου συγχωρηθὲν ὑπὸ τοῦ Μαλλίου κατενέγκαντες ἀργύριον· 58 fin. : Λαβὼν ὀψώνιά τε καὶ τἄλλα, ὅσων ἔδει τῇ στρατιᾷ. Diodor. Exc. Val. p. 582, 60; 588, 91.] Citat et Pollux [6, 38] ex Thuc. [Thugenide] : Εἰς ὀψώνιον ᾔτησε τριώβολον. [Alia plura Ducang. Menan-
D dro vocabuli usum exprobrat Phrynich. Epit. p. 418. Photius : 'Οψώνιον τὴν ὀψωνίαν· τὸ δὲ παρ' ἡμῖν ὀψώνιον μισθὸν λέγουσι καὶ σιτηρέσιον. Idem : 'Οψώνια, κέρδη, χαρίσματα. Hesychio δαπάνη, κέρδος, ubi δαπάνη est Commeatus, quam signif. notavimus in ipso.]

['Οψωνιοπώλης, ὁ, Macellarius, Gl.]

'Οψωνισμός, ὁ, Pollux [6, 38] ex Menandro quidem citat, sed non exp., dicens tantummodo, esse vocab. παμπόνηρον. [Codd. ὀψωνιασμὸς, quod v. « Scylitzes : Τοῦ ὀψωνισμοῦ ἐνδεήσαντες καὶ τῶν συνήθως παρεχομένων αὐτοῖς σιτηρεσίων στερούμενοι. Nicetas Man. l. 1, n. 3 : 'Εκ τῶν βασιλικῶν θησαυρισμάτων τὸν ὀψωνιασμὸν τῷ ναυτικῷ παρέχεσθαι. » Ducang.]

['Οψωνοποιός. V. 'Οψοποιός.]

'Οώρων, Hesychio γυναικῶν, Uxorum : παρὰ τὸ δαρίζειν : pro quo supra δάρων. [Aut 'Οάρων scribendum aut, quod minus probabile, 'Ωρῶν. V. Ὄαρ.]

ADDENDA ET CORRIGENDA.

Λ, p. 3, B, 1. Τῆς Λάμβδας etiam Tzetz. Hist. 8, 204.

Λάαρχος pro Λακαρος in numo Apolloniæ Illyr. ap. Mionnet. *Suppl.* vol. 3, p. 317, n. 32, restituit Letronn. *Journ. des Sav.* 1845 *Nov.* p. 679.

Λᾶας, ἡ, p. 3, C, 2. Aliud feminini exemplum v. in Μυλακρίς. — P. 4, A : De declinatione nominis formisque genit. λᾶος, λάων addendus jam Chœrob. p. 15, 30; 28, 1; 91, 22 sq.; 408, 16; 452, 11; 454, 9, idemque de n. pr. Λᾶς p. 15, 27. — B, 6, 132] Leg. 132, 230.

Λάας, p. 5, B. V. Chœrob. p. 27, 29; 30, 27; 91, 16 seq.

Λάβας, α, n. memorat Chœrob. p. 33, 3—5. Quo referendus l. Theocriti in Λάβης positus, et Longi Past. p. 86, 5 : Παρὰ τὴν γυναῖκα Λάβα.

Λαβικὸν expressum pro Λαβῖκόν.

Λάβυνος. Λάμυνος Cram. An. vol. 3, p. 287, 12.

Λάβυξος, quod post Λαβυρινθῶδες positum, ponendum post Λάβυνος. Simile autem hujus eunuchi nomini nomen Λάβυος (al. Λώβιος) τινὸς εὐνούχου νεωκόρου ap. schol. Plat. Phileb. p. 383.

Λαγεννάδας, ὁ, Lagennadas, n. viri, in inscr. Delph. ap. Ross. Inscrr. fasc. 1, p. 26.

Λαγνίδιον, ult. Post λαγύνιον addendum « vel λαγυνίδιον. »

Λᾶγος p. 22, A, 5, leg. Ποντωρέως.

Λαγυνίδιον, τὸ, dimin. a Λάγυνος, ut Λαγύνιον. Lex. Ms. ap. Ducang. Gl. p. 886 : Μαστοῦρα τὰ λαγυνίδια.

Λαγών. Oppian. Hal. 3, 95 : Καὶ φύγον ἀγκίστρων τε βίας λαγόνας τε πανάγρων, de piscibus. Schol. κόλπους.

Λαθιπορφυρίς. Vera scriptura est θ' ἁλιπορφυρίς, ut expungendum sit hoc vocabulum.

Λάθουρος etiam Joseph. A. J. 13, 10, 2, B. J. 1, 4, 2. Quod verum. Conf. Letronn. *Journ. des Sav.* 1842, p. 706.

Λαθροκακούργως. Theodor. Stud. ap. Pasin. Codd. Taurin. vol. 1, p. 409, B : Περὶ τῶν λαθροκακούργως ποιούντων πρὸς ἀλλήλους φιλίας.

Λάθυχος. Λαοῦχος Letronnius *Journ. des Sav. Nov.* 1845, p. 680.

Λαιλαπιστής. Scribendum Λαπιστής, quod similiter in Λεπιστής corruptum v. infra.

Λαϊάδας, 1, inscr.] in inscr.

Λαιμόκυκλος, ὁ, n. fictum viri, ap. Alciphr. Ep. 3, 51, nisi fallit scriptura.

Λαΐνα, ἡ, n. mulieris in inscr. Laris. ap. Bœckh. vol. 1, p. 867, n. 1790 : Λαΐνα Μέμμιον Σύμφορον τὸν ἑαυτῆς ἄνδρα μνείας χάριν.

Λαΐστας, α, ὁ, Laïstas, n. viri in inscr. Delph. ap. Ross. Inscrr. fasc. 1, p. 23, 7, 20. Genit. Λαΐστου in Nicomed. ap. Bœckh. vol. 2, p. 970, n. 3782.

Λαιψηρός. Maximus Καταρχ. 213 : Οὐ γάρ τι φέρει λαιψηρὰν ὑγείην, quod 224 dicit λαιψηρὴν ὑγίην. Nec videtur scripsisse λαιψηρόν.

Λάκας, α, ὁ, quod inter nomina propria in ας ponit Chœrob. vol. 1, p. 40, 9, fortasse scribendum Λάβας.

Λακεδαίμων, p. 50, A. Λακεδαιμονία Ælian. N. A. 12, 31 : Ἐπανιέναι εἰς Λακεδαιμονίαν. Eunap. p. 73 med. : Τῶν ἐν Λακεδαιμονίᾳ μαστίγων ὑπέμνησε. — Forma Λακεδαιμονίτης est in Ms. recentissimo ap. Pasin. Codd. Taurin. vol. 1, p. 417, ubi Λακεδαιμονιτῶν. — p. 51, A, 7. V. Λίθος, p. 292, C. — C. Λακωνικός. Λακωνικὸν μέτρον ap. Hephæst. p. 46, 1 : Τὸ τὸν σπονδεῖον ἔχον, ἀλλὰ μὴ τὸν ἀνάπαιστον παραλήγοντα, εἰσὶν οἱ Λακωνικὸν καλοῦσι, προφερόμενοι παραδείγματα, Ἄγετ' ὦ Σπάρτας ἔνοπλοι κοῦροι ποτὲ τὰν Ἄρεως κίνασιν.

Λακήδας. V. Λεωκήδης.

Λακράτεια, ἡ, Lacratia, n. mulieris, in inscr. Daul. ap. Ross. Inscrr. fasc. 1, p. 37.

Λάκριτος, 4, Aliorum] L. Alii

Λακτίζω, p. 59, A. Formam Λακτίσσω Tarentinis tribuit Heraclides ap. Eust. Od. p. 1654, 23, et Eust. ipse Il. p. 824, 28, cum Epim. Hom. Cramer. An. vol. 1, p. 62, 20.

Λάκτιμα. Vitiosum est et expungendum.

Λακύδειον, τὸ, Schola Lacydis. Diog. L. 4, 60 : Ὁ Λακύδης ἐσχόλαζεν ἐν Ἀκαδημίᾳ ἐν τῷ κατασκευασθέντι κήπῳ ὑπὸ Ἀττάλου τοῦ βασιλέως, καὶ Λακύδειον ἀπ' αὐτοῦ προσηγορεύετο.

Λάλακος delendum. V. Λεκάνη.

Λάλλα, ἡ, Lalla, n. mulieris in inscr. Sidymensi ap. Ross. *Intell.-Bl. d. Hall. Lz.* 1845, N. 35, p. 288.

Λάλος, ὁ, Lalus, n. viri, Trojani ap. Quintum 11, 90. Cogn. in inscr. Cyzic. ap. Bœckh. vol. 2, p. 919, n. 3663, B, 6 : Ἰούλιος Κρίσπος Λάλος.

Λαμάχη, ἡ, Lamache, Leucophanis, a quo ortus Battus, mater, ap. Tzetz. ad Lycophr. 886, p. 859.

Λαμένης, ους, ὁ, Lamenes, n. viri, in inscr. Delph. ap. Curtium Anecd. p. 59, n. 9, 13; p. 63, n. 16, 24.

Λαμπάς, p. 82, A. Canis Daphnidis, ap. Ælian. N. A. 11, 13.

Λαμόδοχος delendum et scribendum Δαμόδοχος, ut dixi jam in Μολοσσὸς p. 1148, C.

Λάμπας, α, ὁ, Lampas, n. pr. Chœrob. p. 38, 11.

Λάμπη primæ diei horæ nomen ap. Ægyptios. V. Salmas. De ann. clim. p. 251.

Λάμπρας, α, ὁ, Lampras, n. pr. Chœrob. p. 39, 8.

Λαμπρόκλεια, ἡ, Lamproclea, n. mulieris, ap. Stob. Fl. 5, 79 : Ξενοφῶντος ἐκ τῆς πρὸς Λαμπρόκλειαν ἐπιστολῆς.

Λαμπρός, p. 87, B. Aristophani Pac. 774, Λαμπρὸν τὸ μέτωπον ἔχοντος restitutum ex schol. pro ἀνδρὸς, quod Eq. 550 eadem signif. φαιδρὸν λάμποντι μετώπῳ dixit. — P. 88, B. Λαμπροτάτως Tzetz. Hist. 2, 801 : Εἰστία λ.

Λάμπρων, ωνος, ὁ, Lampro, n. viri in inscr. Mus. Rhen. noviss. vol. 2, p. 101, 1.

Λαμυρός, A, 12. Add. Λαμυρὸν πολίταν, quod ex anonymo scriptore Dorico affert Etym. M. ex Ms. Leid. suppletum ab Hemst. ad Thomam p. 569.

Λανεῖον, τὸ, Lanium, locus situs ad meridiem Atyis montis. Aristid. vol. 1, p. 318, 17; 345, 20; 350, 14, 19.

Λανθάνω, p. 99, B. Cum inf. etiam Georg. Acrop. p. 59, D : Μὴ λάθῃ τὰ πάντα... ταῖς τῶν ἐχθρῶν χερσὶν ἁλωθῆναι, Ne clam caperentur.

Λαοβίη, ἡ, Laobie, n. mulieris ap. Nonn. Dion. 26, 264.

Λαοδάμη, ἡ, Laodame, Protesilai conjux, ap. Maximum Καταρχ. 93, quæ Laodamia Luciano Salt. c. 53.

Λαοδίκη, p. 103, A, 10. Λαοδικὶς, ίδος, gent. fem. in inscr. Smyrn. ap. Bœckh. vol. 2, p. 745, n. 3234. Λαοδίκη. Forma Λαυδίκη inscr. Smyrn. ap. Bœckh. vol. 2, p. 784, n. 3371, 2. Sic infra Λαυμέδων pro Λαομέδων.

Λαομένης, 3, scr. Λανομένης.

Λαόνυτος, ὁ, f. OEdipi et Iocastæ, ap. schol. Eur. Phœn. 53. Λαόρνυτος Valck.

Λαοξόος. Λαϊξὸς Catal. 12 Apost. post Chron. Pasch. vol. 2, p. 142, vitiose.

Λαοπαθής, ult. add. Ceterum aliud voc. postulant verba antistrophica.

Λαός, p. 106, D. Herodotum dixisse ληός, in compositis nominibus propriis aliam in aliis rationem sequutum esse animadvertit G. Dindorfius De dial. Her. p. 39.

Λαοσσόη, ἡ, Laossoe, n. mulieris, fortasse restituendum in schol. Ambros. Hom. Od. Λ, 235, ubi Tyronem Salmonei filiam nonnullos Λασσόην dictum perhibuisse traditur, Τυρὼ vero propter album colorem.

Λάπη, 11, scr. Ἀναλίῳ λάπᾳ. Idem vitium notavimus in Λαπίζω.

Λάπη, 3, scr. πεδίῳ.

Λαπίζω, p. 112, A. Formas Doricas in κτας peculiares fuisse Siculis et Laconibus, aliis σ servantibus in talibus, conjicit Ahrens. De dial. vol. 2, p. 93.

Λάπιθος, Λαπίθης, Λαπίθου ponit Chœrob. p. 43, 29; 51, 11, unde corrigendus idem p. 150, 19, ubi ter per υ.

Λάρας, αντος, ὁ, Laras, n. pr. Chœrob. p. 39, 3.

Λāρέτα, ἡ, Lareta, n. mulieris in inscr. ap. Welcker. Syll. epigrr. p. 103, n. 70: Μητρὶ φίλῃ Ἀγέλῃ καὶ Λαρέτᾳ ἐσθλῇ ἀδελφῇ Ἰούλιος Ἀντιγένης μνῆμ' ἐπόησε τόδε.

Λάρναξ, 4. L. Cærim. Ceterum ib. etiam Λαρνάκιον est et Λαρνακίδιον.

Λασιόομαι ponendum in Λασιόω.

Λᾶσος ὁ Μάγνης, οὐχὶ ὁ Ἑρμιονεὺς, ἀλλ' ὁμώνυμος ἄλλος Λάσῳ τῷ Ἑρμιονεῖ (ἔγραψε Φαινόμενα), Vita Arati p. 270, B ed. Petav., vol. 2, p. 433 ed. Buhl.

Λασὺν scribendum pro Λασόν.

Λάτιμος, ὁ, Latimus, n. viri, pro Λαγιμος vel —ατιμος, in numo Smyrn. ap. Mionnet. *Suppl.* vol. 6, p. 314, n. 1520, restituit Letronnius *Journ. des Sav. Nov.* 1845, p. 67.

Λάτιον. V. Niebuhr. Hist. Rom. vol. 2, p. 91, qui etiam Latine Latium de jure Latii dictum notat, unde duxerunt Græci.

Λαύρειον, 17, libri] L. variant libri

Λαυσαϊκὸν, 2. L. Helenop. et Lauso.

Λαχανοθαυμᾶσος, ὁ, n. fictum viri, ap. Alciphr. Ep. 3, 47.

Λαχανοπώλης. Schow. Charta Borg. p. 16, 18.

Λαχᾶς. Λάχας Λάχα ponit Chœrob. p. 40, 2. Idem p. 373, 15: Τὸ στίμμι, ὅπερ (nisi l. ᾧπερ) αἱ γυναῖκες κατὰ τοὺς ὀφθαλμοὺς χρίονται, ὅπερ ἐν τῇ συνηθείᾳ λαχᾶς καλεῖται. Ap. Herodianum autem τὸν λαχόντα τόπον potius conjicias. Ὃ ἔλαχον ἀποταμόντας Cramer. in Mus. philol. Cantabr. vol. 1, p. 637.

Λάχης. Formam Bœot. Λάχεις memorat Chœrob. p. 59, 29; 153, 1.

Λαχνῆς. Λαχνήεις] l. Λαχνήεις in Λαχναῖος.

Λάψ. V. Μάψ.

Λάων, ονος, ὁ, ponit Chœrob. p. 71, 28, nisi forte scribendum λώων.

Λέανδρος. Forma poet. Λείανδρος est aliquoties in carmine Musæi et apud alios poetas.

Λέϐης, ητος, ὁ, Lebes, pater Rhacii ap. schol. Apoll. Rh. 1, 308.

Λέγω, p. 152, B, 6. Nisi versus Δίρκης τε πηγαῖς οὐδ' ἀπ' Ἰσμηνοῦ λέγω totus est ab interpolatore insertus, cui relinquendum genus loquendi non Græcum. — P. 155, C, 13, λεξοῦντι] In fr. Pindari ap. Athen. 13, p. 574, B, sed vitiosum.

Λεγωνῆσαι. V. quæ in Μοττωνῆσαι diximus.

Λείαξ. Add. Cramer. Anecd. vol. 2, p. 218, 11.

Λειμματίζω. Delendum.

Λειόφυλλος.] Ex Suida, cujus libri meliores Λειόφυλον vel —φυτον, interpretatio ὁμαλόδερμον autem postulat Λειόφλοιον φυτὸν, ut animadverterunt interpretes.

Λείπω, p. 170, A, 13. Addendum ἔλειφθεν, ap. eund. 1, 1325, quod male ἔλιφθεν scriptum in libris nonnullis Callim. Cer. 94, ἔνιφθεν ap. Maneth. 6, 198. V. supra p. 168, C, 1. — D, 9, quod] L. qui

Λείριον, p. 171, C, 17, caput.] L. caput. Item Λείρινος, etc.

Λειριώνη. V. Λήριον.

Λειχήν. V. Λιχήν.

Λεκάνιον, p. 176, D, 15, in quibus] L. ex quibus— P. 177, A. Forma Λεκάριον iterum est ap. Athen. 6, p. 249, F, nonnisi deterioribus ad λεκάνιον aberrantibus.

Λεκάριον, 2, scr. τοις.

Λέκαρτος, ὁ, Lecartus, n. viri ap. Theodor. Prodr. p. 86.

Λεκιθώδης penult. L. λεκυθώδη.

Λέλεξ. Λελέγεια, ap. Hesych.: Σατνιόεις, ποταμος εν Λελεγείᾳ.

Λελιημένως. Ἐπιθυμητῶς active dictum est in l. Etym. in ipso citato, et ap. Ps.-Callisthenem *Notices* vol. 13, p. 226: Ἐπιθυμητῶς ἔσχε τοῦ κάλλους.

Λεμάνα. Vera ap. Strabonem scriptura est Λημέννα vel Λημένα, quam confirmant libri Ptolem. 2, 10, qui Λιμένην vel similiter.

Λεξίας. Adde Zonaram Lex. p. 1361.

Λέξις, p. 185, C, 4, τροπικὴ] L. τραγικὴ

Λεοντιὰς, άδος, ἡ, Leontias. Eudocia ap. Phot. Bibl. cod. 183 fin.: Εὐδοκίη βασίλεια Λεοντιὰς εὐπατέρεια.

Λεοντικὸς, ult. add. Porphyr. De antro Nymph. c. 15, p. 15: Ὅταν τοῖς τὰ Λεοντικὰ μυουμένοις εἰς τὰς χεῖρας ἀνθ' ὕδατος μέλι νίψασθαι ἐγχέωσι, καθαρὰς ἔχειν τὰς χεῖρας παραγγέλλουσιν ἀπὸ παντὸς λυπηροῦ κτλ.

Λέοντις n. viri Pausaniæ reddendum videtur 1, 37, 1, ubi τοῦ Λεοντίδος pro Λέοντος libri, ut videtur, omnes, quod Λεόντιδος scribendum.

Λεόντων κεφαλὴ, ἡ, ap. Appian. Mithr. c. 19, vol. 1, p. 668, 51: Ἐς Λεόντων κεφαλὴν, ὃ τῆς Φρυγίας ἐστὶν ὀχυρώτατον χωρίον. Conf. Λεοντοκέφαλος.

Λεόφρων. Rheginorum tyrannus ap. Dionys. A. R. vol. 4, p. 2359, 4, Justin. 21, 3, 2.

Λεπιστής. Legendum Λαπιστὴς, quod v.

[Λέπρεος] L. Λέπρεος. — B, 2, ap.] L. et agnoscunt libri ap.

Λεπρὸς, p. 196, D, 16. Λέπρη ἀκτὴ locus Ephesi ap. Strab. 14, p. 633, postea Πρηὼν dictus. Servat autem in oratione sua formam Ionicam Λέπρη, quæ est in versu Hipponactis, quem citat.

Λεπτάριον. Severus De clyst. p. 47, inter ὀνόματα τῶν ἰατρικῶν ἐργαλείων, οἷς ἐν ταῖς χειρουργίαις χρώμεθα, ponit Λεπτάριον et Λεπτομήλη, quorum eadem videtur esse signif. Parvi s. Tenuis specilli.

Λεπτέω. Addendum fuerat, vitiosam hanc esse scripturam pro λεπτήν. De quo in Λεπτὸς p. 202, D.

Λεπτόϊνος,] L. Λεπτόϊνος, ὁ, ἡ,

Λεπτολογιστὴς,] L. Λεπτολογιστὴς, ὁ,

Λεπτομήλη. V. Λεπτάριον supra.

Λεπτόνητος, 3. L. Κύπριδος.

Λεπτὸς, p. 202, A, 15, οἴου] L. οἷου

Λέρνα. V. de Lerna Buttmann. Mytholog. vol. 2, p. 93 sqq., Ross. *Reisen und Reiserouten durch Griechenl.* vol. 1, p. 151.

Λέσϐος, C, 9. Λεσϐικὸς male ap. schol. Apoll. Rh. 1, 615, ut ap. Steph. Byz. in Μαλλόεις, ubi Hellanici Λεσϐικὰ citantur, quæ Λεσϐιακὰ recte dicuntur in Νάπη et Γράγασαι.

Λέσϐος, ὁ, Lesbus, n. viri, ap. Diotimum Anth. Pal. 7, 420, 2: Λέσϐον ὁ λυσιμελὴς ἀμφεκάλυψ' Ἀΐδης. Sed cod. Pal. Λεσϐον', ab nominat. Λέσϐων, ωνος s. ονος.

Λετρῖνοι, 5, Λετρίους] Scr. Λετρίνους.

Λευκαθιὼν, ῶνος, ὁ, Leucathion, n. mensis in inscr. Lampsac. ap. Bœckh. vol. 2, p. 1132, n. 3641, b, 17: Ἔν τε τῷ μηνὶ τῷ Ληναιῶνι καὶ ἐν τῷ Λευκαθιῶνι.

Λευκαρία, 6, memorandum] L. memorandam

Λεύκαρος, ὁ, Leucarus. Schol. Pind. Nem. 3, 27: Ἀριστοτέλης Λεύκαρόν φησι τὸν Ἀκαρνᾶνα πρῶτον ἔντεχνον τὸ παγκράτιον ποιῆσαι.

Λευκηναί. Nihil ad defendendum accentum Λευκῆναι conferre videtur Λευκήνη, quod inter barytona in ηνη memorat Theognost. Can. p. 113, 14.

Λευκέα. V. Λεύκινος.

Λευκίζω, intransit. Albeo, anon. ap. Miller. *Journ. des Sav.* 1844, p. 304 fin.: Τὴν βαφὴν ... ἐν μέρει δὲ λευκίζουσαν ... καὶ λευκομελανίζουσαν ταῖς πολυχρόαις πόαις.

Λεύκινος. V. Λευκέα.

Λευκόγαιος, D, 5, ap.] L. Ap.

Λεύκολλα. V. Athen. 5, p. 209, E. Λευκόλλας, α, ponit Chœrob. p. 36, 25.

Λευκομελανίζω, Candidus sum et niger s. canus. V. supra Λευκίζω.

Λευκοπέτηλος, etc. Delenda.

Λευκόπους. De nudipedibus etiam Theognost. Can. p. 12, 24: Φαινόπους, ὁ λευκόπους. Conf. Λευκὸς p. 222, A.

Λευκοπρόσωπος, 2, L. 123 in var. script.

Λευκὸς, p. 223, A, 14 πρόχειρον,] L. πρόχειρον λευκὴν, — D, 14. Strato — 15 λέγειν.] Delenda.

Λεύκοφρυς. V. quæ dixi in Μανδρόλυτος. — P. 227, A, 10, Ap.] Delendum.

Λευκόχειρ, ὁ, ἡ, Qui candidis est manibus. Var. script. ap. Nicet. l. in seq. voc. citato, quod rectius fortasse scribitur Λευκοχειροσαρδόνυξ.

Λευντιάδας, ὁ, in inscr. Calymnia ap. Ross. Inscrr. fasc. 2, p. 65, n. 182, 1, videtur pro Λεοντιάδας poni.

Λεύσσω, p. 230, A, Trach.] L. Soph. Trach. — p. 231, A. Indicativo λεῦσσαν Gregor. Naz. Carm. vol. 2, p. 71, C, λεῦσα, quod duplici σ scribendum, Eudocia ap. Bandin. Bibl. Med. vol. 1, p. 233, 25.

Λευστός. Altera signif. Pamphilus mon. ap. Bandin. Bibl. Med. vol. 1, p. 284, B extr. : Λευστῶν νοουμένων τε τερμάτων.

Λεχάζω, i. q. λοχεύω. Photius: Σελάχια τὰ ἔσω λεχάζοντα καὶ λοχεύοντα. Idem cum Suida : Σελάχιον· εἴρηται δὲ ἀπὸ τοῦ ἔσω λεχώζειν, ubi λοχάζειν Toupius.

Λεχώζω. V. Add. in Λεχάζω.

Λεωγόρας 3, 2,] 2, et ubi dat. Λεωγόρῳ, 3.

Λεωμέδων, οντος, ὁ, Leomedon, n. viri, in inscr. ap. Bœckh. vol. 2, p. 702, n. 3140, 10.

Λέων, p. 235, C. N. mensis Macedonici ap. HSt. in Append. Thes. p. 225, F, ed. vet., ubi nomina mensium Maced. duodecim signis Zodiaci respondentia repetit ex VV. LL. Conf. Λεοντών.

Λέων. De prom. Cei ins. Λέων dicto v. Heraclid. Polit. c. 9, Bröndsted. *Reisen* vol. 1, p. 78, Ross. *Reisen auf den griech. Inseln* vol. 1, p. 130.

Λεωνᾶς. Add. Charito 1, 14; 2, 1.

Λεωνίδεια, ων, τὰ, Leonidea, ludi Leonidæ Spart. regi dicati, in inscr. Spart. ap. Bœckh. vol. 1, p. 677, n. 1421, 12. De quibus ib. p. 676, n. 1417, τὸν ἐπιτάφιον Λεωνίδου, et Pausan. 3, 14, 1.

Λεωνίκης, ὁ, n. pr. ponit Herodian. Epim. p. 206.

Λεωργός, p. 237, A, 13. L. ejusd.

Λεώς, p. 237, C, 5. Λεῷς male ap. Nicetam Chon. p. 377, B. — C, 10. Τοῦ Λεὼ τῶν θυγατέρων pravo accentu Aristid. vol. 2, p. 672, ubi v. Morell.

Λεουτυχίδης, 3. Λευτυχίδης.] L. Λευτυχίδης, quæ est etiam ap. Timocreontem Plut. Themist. c. 21.

Λεώφαντος, ὁ, Leophantus, n. viri, in inscr. ap. Bœckh. vol. 2, n. 3140, p. 702, 25.

Λεωφόντης] L. Α., ὁ,

Λήγων λήγωνος, non dicens quid sit ponit Chœrob. p. 74, 28.

Ληθαῖος, p. 241, A, 18, Gortynen] L. Gortynem.

Λήθαργος, B, 13, οὗ] L. οἷς

Ληΐζω, C, 1. Tzetz. Hist. 9, 325 : Ψυχὰς ληΐζων εὐσεβῶν. — P. 246, A, 13. Verba « Quo — 16 p. 41 » ponenda 11 post ἐλήσατο.

Λήιον, p. 246, D. Κορωνήας ἐπὶ λαΐω in fr. Alcæi ap. Strab. 9, p. 411, restituit Welckerus. — p. 247, A, 4, Λήιμος] L. [Λήιμος. — 5. Add. [Pro λήδιον, quod v.]

Ληΐς, B, 15 [Hesych. — 16 κτῆσιν.] Delenda.

Ληισμαδία. Scribendum videtur Λήισμα.

Ληΐστωρ. Fem. Nonnus Jo. c. 10, 8 : Ληϊστορι φωνῇ.

Ληκαλέος, α, ον, Libidinosus, Pruriens. Lucian. Lexiph. c. 12 : Βινητιῶν καὶ ληκαλέος. Libri λεκαλέος. Correxit Schneiderus.

Ληκύθειος. Tzetz. Cram. An. Paris. vol. 1, p. 79, 12 : Διόπερ καὶ Καλλίμαχος λέγει τὴν τραγῳδίαν διὰ τοὺς θρήνους καὶ κλαυθμοὺς καὶ Ληκυθίαν μοῦσαν.

Ληλαντιὰς, άδος, ἡ, Lelantia. Nonn. Dion. 48, 571 : Ληλαντιὰς ἔδραμε κούρη.

Λημένα. V. Add. ad Λεμάνα.

Λῆμνος, B, 11, τῆς] L. τῆς μεγάλης λεγομένης.

Λήν. 2 post « syncopen » add. [vitiose].

Ληναιών. Add. inscr. Lampsac. in Add. v. Λευκαθιῶν cit.

Ληνεὺς, έως, ὁ, Leneus, n. viri, ap. Nonn. Dion. 10, 400; 14, 392; 29, 229.

Ληνίς. V. Λινίς.

Ληνοβάτης. In Λινοβάτης corruptum v. infra.

Ληνοδώρα, 2. L. Λητοφίλας est in altera et tertia.

Λῆξις, p. 259, D, fin. Signif. grammatica Apollon. De constr. p. 92, 10 : Τῆς τοιαύτης λήξεως.

Λήπτης etiam Hesychius in Ἰμπόλης.

Λητήρ] L. Λητὴρ, et 5 ὄμπνας ... ἔλλαχον.

Λητώ, p. 268, A, 18, vulgari] L. vulgaris, et add. Jo. Alex. Τον. παραγγ. p. 12, 33—5, ubi bis Ληθῶ, etsi sequitur Λητόα, et tertium 13, 25. De scriptura per ω autem conf. Σαλαβακχώ.

[Λιβυαιγύπτιοι] L. Λιβυαιγύπτιοι.

Λιβυακῶς, Libyce. Tzetz. schol. Lycophr. 883, p. 860 : Τὸ Βάττος Λιβυακῶς βασιλεὺς λέγεται.

Λίβυς, A, fin. V. Νότιος, p. 1581, A.

Λίγδος. V. Μίλιγδος.

Λιγνυόεις, B, 3. L. Λιγνυώδη, et 4 ponenda quæ leguntur in Λιγνωτὸς, 7, « Λ. γλῶσσα — ult. Hipp. »

Λιγύη n. tubæ Tyrrhenicæ, de quo v. quæ dixi in Σάλπιγξ.

Λιγύπνοος. Epigr. ap. Welcker. Mus. Rhen. noviss. vol. 3, p. 259, 7 : Ἡ λιγύπνους ἀκρίς.

Λιγυρόκτυπος. Pro illo : Καὶ δήμοις πολέσιν λιγυρόκτυπον αἶνον ἀείσω, scribendum, ut est Ps. 56, 25, ubi iidem sunt versus : Καὶ δήμοις πολέεσσι λυρόκτυπον αἶνον ἀείσω.

Λίγυρος. V. Λίγυς, D, 2.

Λίγυσμα. Delendum.

Λιθιακὰ, 2, Tzetzes] L. Tzetzes cum aliis.

Λιθίον] Scr. Λίθιον, et Λίθια.

Λιθίσκος. Scr. Gl.]

Λιθοβόλος, B, 13, τοὺς] L. τοὺς λ.

Λιθοτόμος, B, 1. Diog. L. 3, 42 : Εὐκλείδης ὁ λιθοτόμος.

Λιθότροπος, ὁ, ἡ, Qui est saxei ingenii. Ms. ap. Kollar. Supplem. Lambec. p. 50, C : Καθημεροῦσα καὶ τὴν λιθότροπον φύσιν.

Λικμητηρὶς, ult. L. ipsum.

Λιμακώδης, λημακώδης] L. Λειμακώδης.

Λιμναγενής. Inscr. ap. Bœckh. vol. 2, p. 939, n. 3684, 6, ubi hominis epitheton est.

Λίμνη, p. 303, D, ult. Dele ἄ. Λίμνη et gent. Λιμνήτης memorat Steph. Byz. in Νιvόη.

Λινδιασταὶ, οἱ, in inscr. Rhodia ap. Ross. Inscrr. fasc. 3, p. 34, n. 282, 4 : [Παν]αθαναϊστᾶν Λινδιαστᾶν, Cultores Minervæ Lindiæ.

Λινοβάτης. V. Add. ad Ληνοβάτης.

Λίνον, p. 311, B, 3, i. e.] L. l. c.

Λινοπλήξ. V. quæ in Μεθυπλὴξ dicta sunt.

Λίνος. Proculus De sphæra p. 76 ed. Bas. 1561 : Οἱ δὲ ἀπὸ τῶν οὐραίων μερῶν τῶν ἰχθύων κατὰ τὸ ἑξῆς κείμενοι ἀστέρες λίνοι προσαγορεύονται· εἰσὶ δὲ ἐν μὲν τῷ νοτίῳ λίνῳ ἀστέρες θ', ἐν δὲ τῷ βορείῳ λίνῳ ε'· ὁ δὲ ἐν ἄκρῳ τῷ λίνῳ κείμενος λαμπρὸς ἀστὴρ σύνδεσμος προσαγορεύεται. Int., Latine Lineæ vel ut quibusdam placet Lineolæ nuncupantur.

Λινοῦφος. Photius in Σακυφάντης s. Lex. rhet. Bekk. An. p. 302, 24 : Τῶν λινούφων οἱ τοὺς σάκκους ὑφαίνοντες.

Λιπάδελφος, ὁ, ἡ, Fratre vel Fratribus carens. Inscr. Smyrn. ap. Bœckh. vol. 2, p. 774, n. 3333, 9 : Μητρὶς ἡ λιπάδελφος.

Λιπαλγὴς, ὁ, ἡ, Quem dolor reliquit, Dolore carens. Paul. Sil. 891 : Καί τις ἀνὴρ στεφάνοιο χοροστασίης τε δοκεύων δένδρεα φεγγήεντα λιπαλγέα θυμὸν ἰαίνει.

Λιπάσιος n. pr. in gemma Mus. Worslejani (tab. 13, n. 4), ex Ἀσπάσιος fictum ab impostore, ut censet Letronn. *Journ. des Sav.* 1845, *Déc.* p. 736.

Λιπήμερος, 4, generantur] L. nascuntur.

Λιποθύμημα, 2, 393] L. 391.

Λίργης Λίργητος, n. pr. memorat Chœrob. p. 142, 22, ubi Μίργης Herodianus in illo nomine citatus.

Λιτὸς, 3, fr.] L. pass. fr.

Λιτροβούλης, 1, Ducangio] Delendum.

Λίτυον, 2. L. Il.

Λογάνιον. V. Λωγάνιον.

Λογγώνη, D, 2. L. finxit.

Λόγιον, p. 352, C, ad sequens Λόγιον pertinere videtur.

Λόγιος, p. 354, A, 14. Neutro — articulo] L. Muneris nomen est in inscrr. Mytil. ap. Bœckh. vol. 2, p. p. 196, n. 2189, 7 : Αὖλον Κλώδιον Περεννιανὸν, τὸν εἱρέα καὶ ἀρχιερέα καὶ λόγιον, πρύτανιν, ἀγωνοθέταν ἐνὶ ἐνιαυτῷ· Paria p. 349, n. 2391, 1 : Ἄρχοντος Πυρράκου, τοῦ λογίου, Ἐπαφρόδιτος κτλ. Nihil huc pertinere videtur quod est

Λογιότης, 4, 33] L. 31. Conf. autem quæ in Νόμιμος dicta sunt, p. 1546, B.

Λογιστεία, 1, Zonar.] L. Gramm. Bekk. p. 330, 17, s. Zonar.

Λόγος, p. 366, C. De loco Pausaniæ, in quo est τῶν ἐν λόγοις, dixi in præf. p. VI.

Λόγχη, p. 376, A, 10, λόγχας.] L. λόγχας, ut Hesychius δόρατα interpretatur λόγχας, nisi particulam excidisse quis credat.

Λογχὴ, 5, in] Delendum.

Λοίδορος ult. scr. 2, p. 19.

Λοιμαντικὸς pro Λυμαντικὸς vitiose scriptum Act. SS. Maji vol. 5, p. 185, A : Λοιμαντικὴν ἀποδυρόμενον συνοχήν.

Λομούρδιος, etc. Delenda.

Λονδίνιον, 3, dixerunt] L. dixerunt etiam

Λοξίας, p. 386, 6. Conf. Hellad. ap. Phot. Bibl. p. 535, 33. Nomen triadis apud eundem p. 143, 39.

Λοξοτέρως, Obliquius. Paul. Æg. p. 189, 10.

Λούγδουνα. In cod. ap. Cramer. An. Paris. vol. 1, p. 367, 19 est Εἰρηναίου Λύγδονος de Lugduno.

Λουκιανὸς, 4, 49] L. App. 49.

Λούω, p. 397, D, 5, ῥύπου] L. ῥύπον. — P. 398, A, 6, referant] L. referunt

Λοφάδια, penult. Hom.] L. Hom. [de quo in Καταλοφάδια.]

Λογιὰ, ult. scr. ἐκαλεῖτο.]

Λυάω. Formam contractam, quæ etiam Theognosto restituenda, testatur Chœrob. vol. 2, p. 656, 12 : Λυῶ λυήσω· λυῶ δέ ἐστι τὸ στασιάζω.

Λύγιος. V. Ὀλολύγιος.

Λυθροχαρής. V. Add. ad Λυτροχαρής.

Λυκάβας, p. 419, B, 6, potius quam] potius, ut conjecit Jacobsius ad Anthol. Pal. 9, 515, quam in prosodiam

Λυκαβήττιος, α, ον, Lycabettius. Marcell. Sid. 61 : Μέλιτος Λυκαβηττίου.

Λύκαια, 4, 1.] L. 3.

Λυκάν. V. Λυκάων, p. 421, D, 7.

Λύκειος, B, 8. Conf. id. Alcman ap. Hephæst. p. 81, 18.

Λυκοθόας. V. Chœrob. p. 31, 28; 42, 6; 105, 28.

Λυκοσπάς. V. Add. ad Ὁλοσπάς.

Λύκων πόλεις δύο. Conf. de duplici Lycopoli Letronn. Dicuil. p. 47, Creuzer. ad Plotin. vol. 1, p. LXXXVI, et de forma Λυκὼ, cujus accus. Λυκὼ est ap. Eunap. p. 6, in Apophth. Patr. Cotel. Monum. vol. 1, p. 404, Wessel. ad Antonin. p. 158. Ἐκ τῆς Λύκων Suidas v. Παῦλος Αἰγύπτιος.

Λυκώρεια, p. 431, A, 10, 279] L. 4, 279.

Λύμανσις, εως, ἡ, Noxa. Sophronius Gretseri Opp. vol. 2, p. 69, C : Τῆς δαιμόνων κακίστης λυμάνσεως.

Λυμητὴς, ὁ, i. q. λυμαντὴς, nisi fallit scriptura, Orac. Sib. 3, 470 : Ἄλλος ἀπ' Ἰταλίης λυμητὴς ἵξεται ἀνήρ.

Λύπων Λύπωνος, ὄνομα κύριον, ponit Cœrob. p. 78, 24.

Λύρκος. F. Phoronei, ap. Parthen. Erot. c. 1.

Λυρνησσὸς, 5, Πέρσαις] L. Πέρσαις (324 : Θάρυβις, γένος Λυρναῖος).

Λυρογηθὴς, ὁ, ἡ, Lyra gaudens. Anon. ap. Cramer. An. Paris. vol. 4, p. 350, 3 : Λυρογηθέα δειρήν.

Λυρῳδὸς, 6, λυραοιδός.] Add. : Quod λυράοιδος scribendum ostendunt etiam quæ in Νεάοιδος diximus.

Λυσάνδρειος, ὁ, Lysandreus. Athen. 6, p. 234, A : Τοῦ Λυσανδρείου χρήματος.

Λυσίδρως. V. Chœrob. p. 65, 30; 259, 9.

Λυσιμάχεια, p. 444, A, 4, add. Scymn. Orb. descr. 702 : Προσεχὴς δὲ Λυσιμάχεια· ταύτην δ' ἔκτισεν ἐπώνυμον Λυσίμαχος ἀφ' ἑαυτοῦ πόλιν.

Λυσσάω, p. 450, D, 6. Addendum [Vitiose pro λυσσώων, quod v. in Λυσσόω.]

Λυσὼ, οῦς, ἡ, Lyso, n. mulieris in inscr. Lamiensi ap. Curtium Anecd. Delph. p. 96.

Λυτροχαρὴς, 2, 790] L. 493, ubi λυθροχαρεῖς Alexander, quod non ad victimas, sed immolantes referendum idemque sit quod 3, 36, γένος αἱμοχαρές.

Λυχνογλύφη, ἡ, n. fictum ap. Theodor. Prodr. Galeom. 35 : Τὴν ἐμὴν θυγατέρα, Λυχνογλύφην δέ φημι τὴν πεφιλμένην.

Λύχνος, p. 458, C, 8, scr. περιεώρων.

Λωγάνιον. V. Λογάνιον.

Λωτέω, 1, L. Tibiis.

Λωτὸς, p. 473, A, 17, Λωτοφ.] L. Λωτοφ. Ceterum Λωτοφαγίτιδι ap. Theophr. jam Bodæus p. 326, A Quam formam scholiastæ Platon. Reip. 8, p. 416 Bekk. pro Λωτοφαγίδα· νῆσον restituit Barker. Diar. Class. N. 32, p. 377. *Lotophagiam* male dicit etiam Gyll. De Bosp. Thr. p. 276.

Λωτὸς, 1. L. abscessum.

Μᾶ, p. 477, C, 6. V. Μάσταυρα.

Μὰ, p. 479, A, 7. Add. Thomas p. 590 sq., Bergler. ad Alciphr. Ep. 2, 4.

Μααρο] Μακρῷ Bœckh. C. I. vol. 2, p. 1044, B, n. 2322, b, 29.

Μαγδαλιὰ, ult. 549] L. 549; 13, 276.

Μαγειρεῖον, 5, fero] L. foro. Addere autem licet Teletem Stob. Fl. vol. 1, p. 160, Zenon. ib. p. 188.

Μαγνήτης. Μαγνήτου etiam ap. Galen. vol. 13, p. 970, A : Ἀντὶ λίθου μαγνήτου.

Μᾶγος dixit Æsch. Pers. 318 : Καὶ Μᾶγος Ἄραβος, ubi gentile esse monet schol. Sic μᾰγαδις pro μάγαδις dixisse Sophoclem notavimus p. 481, B.

Μαγοφόνια. Agathias Hist. 2, 26, p. 65, B : Τὴν στάσιν ἐκείνην μαγοφόνια ἑορτὴν ὀνομασθῆναι.

Μαζονόμον. V. Μόσσυν, p. 1210, D, et de forma Μαζονόμον Hesychii gl. in Ὀλβάχνιον citatam Ὄλεχθον.

Μαζὸς, 2, scr. : addunt Gl.] — P. 496, B, 11, recentiores] L. recentiores et negligentiores.

Μάθησις, ult. secunda] L. forma secunda

Μαθητὴς, p. 500, A, 10, p. 263] L. p. 263, Thomas p. 593, ubi v. annot.

Μάθος. Ex Alcæo Herodian. Π. μον. λ. p. 36, 15, citat : Ἀππατέρων μάθος.

Μαιναλὶς, ίδος, ἡ, Mænalis, n. Bassaridis, ap. Nonn. Dion. 14, 346.

Μαιόω, quam formam præbet Μαιωτικὸς, restituendum Jo. Gaz. Tab. Mundi 1, 58 : Ξανθοφαὴς μαίωσα φάος νέον, et scribendum μαιοῦσα.

Μάκαλλα, 1, ἡ] L. ων, τὰ, et 5 post κτλ. add. : Aristot. Mirab. c. 107 : Τὰ καλούμενα Μάκαλλα τῆς Κροτωνιάτιδος, ubi libri Μαλακὰ vel Μύκαλλα. Μαλακὰ frustra tuetur Wessel. ad Antonin. p. 490, etiamsi schol. Thuc. 1, 12 : Φιλοκτήτης ἀπελθὼν ἐκ τῆς πατρίδος ἔκτισε πόλιν, ἣν διὰ τὸ πάθος Μαλαχίαν ἐκάλεσε, scripserit Μαλακίαν. Grammatici enim quantumvis legerent Μάκαλλα, nihilominus ducere potuerunt a μαλακός.

Μακαρίζω, B, 18. Cum duplici accus. Aristoph. Vesp. 588 : Τουτὶ γάρ τοι σε μόνον τούτων ὧν εἴρηκας μακαρίζω.

Μάκαρς et μάκαρτος memorat etiam Chœrob. p. 84, 28; 265, 31; 267, 15; 316, 12.

Μᾰκεδόνες, p. 517, A, 14. Fem. Μακέται etiam Callixenus ap. Athen. 5, p. 198, E.

Μάκελλα, 4. L. A δίκελλα sic distinguit etiam Theo.

Μακιστὴρ, 6. Legendum μαστικτῆρα, quod v.

Μακκοᾶν ult. L., dictum v. in

Μακροβιόω, Longævus sum. Ephræm Syr. vol. 3, p. 476, E : Μακροβιούντων.

Μακροήμερος. Μακροημερώτερος pro μακροβιώτερος libri plures Philostr. V. Soph. p. 553.

Μακρόπορος. Apollinar. Ps. 103, 39 : Οὔρεα μακροπόροις ἐλάφοις σκιόεντα μέμηλε.

Μακτρισμός. V. Βακτριασμός.

Μαλάγας scr. [V.

Μαλακία. V. Add. ad Μάκαλλα.

Μαλέα. De forma Μαλειήτης v. in Ὁμολώιος, p. 1979, B.

Μάλη, p. 551, A. V. Μασχάλη.

Μάλθων memorat etiam Chœrob. p. 77, 27.

Μάλις] Scr. [Μάλις, et v. Μόγις, p. 1129, A.

Μάλκανδρος, ὁ, rex Bybli, ap. Plut. Mor. p. 357, B.

Μαλκέω. V. Μυλιάω.

Μαλλόω. Etym. Gud. : Μῆλα, τὰ πρόβατα ἀπὸ τοῦ μεμαλλῶσθαι.

Μαμμία, p. 558, D, 2, 135] L. 133. — 5, 258] L. Mœris p. 258. Ceterum probabilius est Phrynichum posuisse formam μαμμίαν, ut Mœris, de quo monuit jam Lobeckius p. 134, etiamsi μάμμιον scripserit Thomas, quod μαμμίον certe scribendum, ut HSt. infra. — P. 559, A, 2, ἐκ παιδίου, fortasse scribendum ἐπὶ παιδίου, ut ap. eundem in gl. in Μαμμάω cit. — 16. Redit vitium hic a me notatum ap. Eust. Il. p. 1118, 10, ubi ponit μάμμα, μάμμη, μαμμαία. Quarum formarum de prima v. infra ad Μάνη. — 22 supra] L. supra v. Μαμμάω.

Μαμμικός. Scribendum potius Μάμμικος, ut in Μικκὸς diximus p. 1049, D.

Μάμμος. Videndum an comparandum sit Μνάμμος.

Μανεθὼ, 3, scr. Menologio. De accentu Μανεθῶς autem v. Jo. Alex. p. 9, 1, et, ubi male Μανεῶς, Chœrob. p. 261, 32, memorantem etiam oxytonon ab nonnullis in his nominibus probatum.

Μάνη. Recte Dobræus Advers. vol. 1, p. 600, μάμμην, μαμμίαν, μάμμαν. Delendum igitur Μάνη.

Μανῆς, C, 6, quadam] L. quodam

Μανιάκης, 1. Μανιάκεις mutandum in Μανιάκης.

Μανναδόχος, ὁ, ἡ, Manna recipiens. Ephræm Syr. vol. 3, p. 539, D : Ἡ μανναδόχος στάμνος. Nec videtur scripsisse μαννοδόχος, ut infra est μαννοφόρος στάμνος.

Μάντις, p. 574, C. De accentu genit. Mœris p. 260 : Μάντεων τὴν πρώτην ὀξυτόνως Ἀττικοὶ, τὴν δευτέραν ὀξυτόνως Ἕλληνες· Jo. Alex. Τον. παραγγ. p. 19, 8 : Ἔδει οὖν καὶ τὸ πόλεων, μάντεων, πελέκεων καὶ τὰ τούτοις παραπλήσια πρὸ μιᾶς ἔχειν τὸν τόνον, ἀλλ᾽ Ἀττικούς φασι προπαροξύνειν ταῦτα, ἅπερ ἐστὶν ἀπὸ τῶν εἰς ις εὐθειῶν κτλ. et ib. 21. Est autem hæc prosodia frequens etiam in libris quorumvis scriptorum non Atticorum.

Μαραθὼν n. viri recte restitutum in epigr. Anth. Pal. 7, 340, 1, ubi est Νικόπολιν Μαράθωνις ἐθήκατο τῇδ᾽ ἐνὶ πέτρῃ, quod Scaliger correxit Μαραθὼν ἐσεθήκατο; ἐνεθήκατο Ruhnk. Νικόπολις genere feminino dici in illo nomine ostendimus.

Μαράφιοι. V. Μοράφιος.

Μάρη. V. Μάρνη.

Μαρία. Add. : Aliæ mulieres ibidem et in Anthologia Gr.

Μαρῖνοι. V. Μύρινος.

Μαρκιωνισταὶ, οἱ, Marcionistæ, sectatores Marcionis, hæretici, ap. Epiphan. vol. 2, p. 66, E, aliosque scriptt. eccles.

Μάρμαρος, p. 587, D, 3, C] L., quum C sit

Μαρμαρόω. Jo. Malalas p. 339, 8 : Μαρμαρώσας ἐπάνω τῶν εἰλημάτων πᾶν τὸ μέσαυλον.

Μαρμαρῶπις. Trypho Rhett. vol. 8, p. 738, 5 sive Moschop. p. 76 ed. Titz. : Αἴνιγμα κατὰ γλῶτταν, ὅταν τὴν Ἀθηνᾶν λέγῃ μαρμαρῶπιν.

Μάρση, ἡ, Marse, Thespias, ap. Apollod. 2, 7, 8, 7.

Μαρσύας, p. 591, A, 16, Latini] L. Nicand. Al. 302, et Latini.

Μάρτυρος, p. 597, B, 15. L. Μάρτυρσι (ut Buttmann. Gramm. vol. 1, p. 235 scripsit pro μάρτυσι).

Μαρυλλὶς, ίδος, ἡ, Maryllis, n. mulieris, ap. Nicet. Eugen. 7, 285.

Μαρωνὶς, ίδος, ἡ, Maronis, n. fictum mulieris bibulæ, ap. Leonid. Anth. Pal. 7, 455, 1.

Μασάομαι, p. 598, B, 14. Μασησάτω Ephræm Syr. vol. 3, p. 420, F.

Μάσης. Μάσσης, Μάσσητος, ὄνομα πόλεως ponit Chœrob. p. 45, 31. Sed Μάσης p. 143, 5; 144, 14. Eustath. Il. p. 288, 11, memorat etiam gent. Μασήτιος, et formam ἡ Μάσητος, quæ sit κώμη.

Μασσαγέται. Μασσαγετικὸς, ἡ, ὸν, ap. schol. Hom. Θ, 222.

Μασσαλία. Ματταλία, forma a Citiensibus Cypri usurpata sec. Eust. Il. p. 813, 49.

Μάστειρα. Μνάστειρα Pearsonus.

Μαστικτήρ. V. Add. ad Μαχεστήρ.

Μαστολαβὶς, ίδος, ἡ, instrumentum chirurgicum uberibus adhibendum. Severus ed. Dietz. p. 47 med., qui ita scripsit quod in codd. est μασχολαβίς.

Μάστρος. Inscr. Lindia ap. Ross. Mus. Rhen. noviss. vol. 4, p. 183, n. 15 : Γραμματεὺς μάστρων. Et in aliis ib. p. 197, 1, 9, et Ross. Inscrr. ined. fasc. 3, p. 17, n. 271.

Μασφαλατηνὸς, ὁ. Διὸς Μασφαλατηνοῦ mentio fit in inscrr. Mæoniis ap. Bœckh. vol. 2, p. 807, n. 3438; 808, n. 3439.

Μασχαλίττω ponendum post Μασχαλιστήρ.

Ματέω. V. etiam Πατέω.

Ματίνη, ἡ, Matine, inter nomina in ινη ponit Theognost. Can. p. 113, 33.

Μᾶτρις, 5. Add. Longin. 3, 2, ubi Μάτριδος.

Μαύης, 3, *Sav.*] L. *Sav.* 1836,

Μαύρων, ωνος, ὁ, Mauro, n. pr. ponit Chœrob. p. 79, 31.

Μαυσώλειον. Add. Pausan. 8, 16, 4.

Μαχαιρίων. Mantinensis, qui Epaminondam occidisse ferebatur, Pausan. 8, 11, 5.

Μαχίδας, ὁ, Machidas, n. viri, in inscr. Lamiensi ap. Curtium Anecd. Delph. p. 96.

Μάχομαι, p. 626, C, 7, ubi] L. ut

Μαψύλακτος, C, 3, scr. λάκω;

Μάω, p. 629, C, 5. V. ejusd. Sophoclis l. in Μνάομαι cit. p. 1109, A. Diotog. Stob. Fl. vol. 1, p. 163 : Ἐπὶ μὲν τᾶς ἀλλοτρίας ζαμίας τὸ ἀκριβὲς μῶτο (scr. μῶτο), ἐπὶ δὲ τᾶς ἰδίας τὸ μέτριον.

Μεγάβαροι, penult. scr. Μεγάβαροι.

Μεγαδινῶν, 5, scr. Βουδῖνοι.

Μεγαλάγυρος, ὁ, n. viri Lesbii, cui convitiatus sit Alcæus, ap. Strab. 13, p. 617. De forma conf. Ahrens. De dial. vol. 1, p. 83.

Μεγαλάμπρως, Splendide. Inscr. Iliaca ap. Bœckh. vol. 2, p. 887, n. 3599, 4 : Προσφέρεται πρὸς τὸν δῆμον φιλαγάθως καὶ μεγαλάμπρως.

Μεγαλευχερῶς. Scribendum videtur μάλ᾽ εὐχερῶς.

Μεγάλη πόλις, p. 636, A, 8. De Pausaniæ locis duobus v. præf. p. xi.

Μεγαλήτωρ, n. pr. Add. Antonin. Lib. c. 14, p. 100.

Μεγαλόπτωχος, scr. vol. 1, p. 298.

Μεγάρτας, α, ὁ, Megartas, n. viri, in inscr. Delph. ap. Curtium Anecd. p. 60, n. 11, 2.

Μεγατίμα, ἡ, Megatima, soror Callimachi poetæ, ap. Suidam v. Καλλίμαχος Κυρηναῖος. Item mater poetæ, si quidem ap. Suidam in Καλλίμαχος υἱὸς Βάττου, pro Βάττου καὶ Μεσάτμας legendum Μεγατίμας, ut conjiciebat Hemst.

Μεγιστόδαμος, 2, scr. Theræis.

Μεγύτης. Conferendum fortasse Μερύτης.

Μέδεα. V. Add. ad Μέζεα.

Μέδιμνος, A, 9. Add. Hesychii gl. Διμέδιμνον, μέτρον χωροῦν δύο μοδίους· et conf. Endlicher. ad Priscian. De pond. et mens. p. 119, qui dixit etiam de gl. Zonaræ Lex. p. 1347, septem modiorum perhibentis medimnum, de qua Bosius l. c. : Μέδιμνον, τὸ μόδιον, ἢ μέτρον Ἀττικὸν γινόμενον μόδιοι ἑπτὰ ἤτοι μη᾽ χοίνικες. Ubi notanda forma neutra, ad quam diserte retulit Zonaras quod etiam Suidas ponit Μέδιμνον.

Μέδων, 6, filius — 7, 19, 2] L. Apud Pausan. filius

Μέζεα. Formam Μέδεα ex Archilocho citant Etym. Mss. Paris. ap. Bekker. Anecd. vol. 3, p. 1438 fin. : Ἶνας δὲ μεδέων ἀπέθρισεν, quod μελέων scriptum in Gud. p. 390, 48.

Μεθαιρέομαι. Teles Stob. Fl. vol. 1, p. 159 : Κατὰ ναῦν ἄνεμος; ἐπῆραν τὰ ἄρμενα. Ἀντιπέπνευκεν; ἐστείλαντο, μεθείλαντο.

Μεθόδιον. Inscr. Smyrn. ap. Bœckh. vol. 2, p. 692, 31 : Τοῖς πρεσβευταῖς δότω μεθόδιον Καλλῖνος.

Μεθοριάζω, Distermino. Jo. Phocas Descr. T. S. p. 4 : Τὸ θαυμαστὸν ὄρος ... μεθοριάζον τήν τε πόλιν καὶ τὴν Ῥωσῶ.

Μεθυίω inter verba in υιω ponit Theognost. Can. p. 149, 5.

Μεθώνη, C, 18 videtur — Dorica] L. videri posset, nisi τοῖς Μεθάνοις esset ap. Pausan. ib. 2.

Μεθυσφαλὴς, penult. Scr. λάγονε.

Μειχιάδης. V. Μιχιάδης.

Μειλινόη. V. Μηλινόη.

Μειονεκτικὸς, ἡ, ὸν, adj. a μειονέκτης, ap. Hieracem Stob. Fl. vol. 1, p. 248 : Ἕξις, καθ᾽ ἣν πλεονεκτικοί τινες ἢ μειονεκτικοί ἐσμεν· et ib. : Ἕξις οὔτε πλεονεκτικὴ οὔτε μειονεκτική. Ibidem est subst. Μειονεξία, p. 247, 248.

Μειρακίζω, Adolescens sum. Photius Epist. 55, p 111 : Κουρίζων ἴσως ἢ μειρακίζων.

Μείρω, p. 700, C, 15, locus] L. locus citatur.

Μελάγκολπος. V. Μεγαλόκολπος.

Μελάγριον. Ita legendum pro μηλαγρίων in l. in Μηλάγριον cit.

Μελάγχρως. Dicit autem Euripides Furias φαιοχίτωνας. V. Μελανόχρως

Μελαῖνις, 8, et] L. aut

Μελανίων. Μειλανίων Musæus 154.

Μελάνοψ scr. pro Μελόνοψ, quod tamen Μελάνωψ potius dicendum.

Μέλας, p. 723, C, 5, scr. φώνημα, et 7, ἐχρῆτο.

Μελεδῶν, p. 727, B, 2. Add.: ubi μελέδωνα restitutum.

Μελεϊστὶ, 10, scr. Junctim.

Μελησαγόρας. Vitiosam esse scripturam Ἀμελησαγόρας dicemus in illo.

Μέλησις, 1, qua — 2 v.] L. qua μέλημα 2 vitiose — signif.] L. Signif. — Add. autem Herodian. Epim. p. 180: Μελησμὸς, ἡ φροντίς. Μελησμὸς et μεληλμὸς ponit Etym. M. p. 444, 54.

Μελήτειος, ὁ, ἡ, adj. ab n. Μέλης vel Μέλητος. Meleager Anth. Pal. 7, 418, 6: Μοῦσαι δ' εἰν ὀλίγοις με τὸν Εὐκράτεω Μελέαγρον παῖδα Μελητείοις ἠγλάϊσαν χάρισιν, ubi Μενιππείοις conjecerunt nonnulli, ut est 417, 4.

Μελητιάδης, ὁ, Meletiades, patron. ab n. Μέλης, in Proleg. ad Dionem Chr. ap. Kayser. ad Philostr. Vit. Soph. p. 170: Τὸν Μελητιάδην Ὅμηρον. ἴα

Μελίζω, p. 739, B, 3, scr. ἰχθῦς.

Μελίσκος, ὁ, Meliscus, n. viri, ap. Paul. Sil. Anth. Pal. 6, 82, 1, quod quum ad argumentum epigrammatis fictum videatur, non est cur in usitatius Μενίσκος mutetur.

Μελισσάριον, Melissarium, dimin. nominis Μέλισσα, ap. Aristæn. Ep. 1, 19; 2, 14.

Μελιτόβρυτος, 1, scr. manans.

Μελιτουργία. Inter μελιττουργία et μελιτουργία variant libri Heraclidis Polit. c. 9, ubi vulgo per ττ, in cod. Paris. ap. Bröndsted. *Reisen* vol. 1, p. 78, vero per τ.

Μελίχρως Μουσαίου et Μελίχρως Μελιχρόου nomina virorum in inscr. Peloponn. ap. Ross. *Intell.-Bl. der Hall. Lit.-Z.* 1844, n. 60, p. 492–3.

Μελλησμὸς, antepen. L., Mss. p. 173 (180. — pen. sed — videtur] Delenda.

Μέλλω, p. 756, B, 7, qui] L. qui non

Μελουργία, 1, scr. Mellificium.

Μελχισεδεκῖται, 3, scr. Melchisedeco.

Μελῳδικὸς, 5, scr. Porphyrii.

Μεμψίδωρος. Delendum.

Μὲν, p. 777, B, Οὐ μέντον. Conf. Οὐ μέντοι. — P. 779, A. Μὲς Doricum, quod ponit Gregor. Cor. p. 364, fictum videtur ex —μες terminatione personarum plur. verborum.

Μένδη, 5, Suidas] L. Suidas (qui ponit etiam formam Μένδα).

Μένδης. L. Μένδης, (ητος, ὁ. Flexione isosyllaba de urbe anon., quem Ælianum putabat Hemst., ap. Suidam v. Ἄσατο, ubi τὸν ἐν Μένδῃ τράγον, ut in libris nonnullis Diodori l. c., et ap. Xen. Eph. 4, 1, p. 76, 5: Ἐπὶ Μένδην. — ult. scr., seq. »

Μενείτας, 1, vol.] L. C. I. vol.

Μενεχίνη, 1, scr. Οἰνωτρῶν.

Μενίππειος. V. Μένιππος. Ubi add. Meleag. Anth. Pal. 7, 417, 4, qui Μενιππείοις χάρισιν.

Μεριμνάω, C, 11, scr. Epigr. [Palladæ

Μερμήρα. Μέρμηραι pro μερμῆραι male etiam Anth. Pal. App. 349, 7.

Μερόη, 1, scr. πόλις Αἰθιόπων.

Μέρος, p. 802, C, D. Matth. 2, 22: Εἰς τὰ μέρη τῆς Γαλιλαίας· 15, 21: Εἰς τὰ μέρη Τύρου καὶ Σιδῶνος.

Μερύτης. V. Μεγύτης.

Μές. V. Add. ad Μέν.

Μεσημβριάς. Meridies ap. Jo. Gazæum Tab. Mund. 35: Φωσφόρος, ἕσπερα νῶτα, μεσημβριὰς, ἄρκτος ἐτύχθη.

Μέσθλης. V. Μέσβλης.

Μεσόγαια. De Μεσογαίᾳ Atticæ v. Curtius Inscrr. Att. duodecim p. 3 seqq., quarum in una l. c. memorantur Μεσόγειοι et τὸ κοινὸν τῶν Μεσογείων. Conjicit autem p. 5 « Mesogæam ad utramque montis Hymetti partem sitam fuisse totumque interiorem tractum Atticæ, quousque neque mari adluitur neque majoribus montium jugis i. e. Parnethe et Brilesso obsita est, usque ad Ægalei colles comprehendisse. »

Μεσσόα ult. Add. schol. Aristoph. Lys. 453, ubi vitiose Μεσσοάγης, sed quod ipsum quoque confirmat duplex σ.

Μεσσοβαθὴς, ὁ, ἡ, pro ἀγχιβαθὴς in versu Alexandri ex Asia exhibet schol. Dionys. Per. 607: Μεσσοβαθὴς δ' ἄρα νῆσος ἁλὸς κατὰ βένθος ἐρυθρὰ, ubi Eust. ἀγχιβαθὴς et Ἐρυθρῆς.

Μεσσόρης. V. Νεσσώρης.

Μεσῳδικὸς, 3, scr. Hephæst. [p. 123, 8], et — post [p. 130, 6].

Μετὰ, p. 842, B, 2, scr. Πέδα.

Μεταβάλλω, p. 843, D, 15. Pass. Ps.-Lucian. Philopatr. c. 3: Ἐκ γυναικῶν ὄρνεα μεταβαλλόμενα.

Μεταβλαστάνω scr. pro Μετᾰβλαστάνω.

Μεταβολικός. Marius Victorin. p. 2500: « Poematum seu carminum species sunt tres: alia enim Græcis κατὰ στίχον, alia συστηματικὰ, alia μικτὰ dicuntur, quæ etiam ἀμετάβολα et μεταβολικά. ... Ἀμετάβολα dicta sunt quod sui generis qualitatem mensuramque semper obtineant, ut sunt Homeri carmina, et ea quæ κατὰ στίχον appellari diximus. Μεταβολικὰ autem, quæ ab aliis metris ad alia genera transitum faciunt, qualia esse Tragica et Comica paulo ante memoravi. »

Μεταγενέστερος. Adv. Apollon. De constr. p. 139, 25: Μεταγενέστερον ἐπινοηθείσης τῆς μεταλήψεως.

Μεταλαμβάνω, p. 867, D, 14. Ap. Eust. licet etiam vertere Transferens ad, Accipiens pro. Apollon. De constr. 2, 19, p. 139, 26: Τὰ τῆς τοιαύτης συντάξεως χρήσεως ἀρχαϊκώτερα ὄντα παρεφθάρη μεταγενέστερον ἐπινοηθείσης τῆς ἀντ' αὐτῶν συνθέτου μεταλήψεως, εἰς ἣν καὶ μεταλαμβάνομεν τὰς προκειμένας συντάξεις, h. e. Introductis postea formis compositis (pronominum ἐμαυτοῦ etc.), pro quibus accipimus simplices in locis citatis: 137, 13: Οὐδ' ἀληθὴς λόγος τὸ τὰς κατὰ τὸ τρίτον πρόσωπον ὀρθοτονηθείσας πάντως μεταλαμβάνεσθαι εἰς συνθέτους· 143, 27: Τὸ γὰρ, Ἦ ὀλίγον οἱ παῖδα ἐοικότα γείνατο Τυδεὺς, εἰς σύνθετον μεταλαμβάνεται, i. e. οἱ hic accipitur pro composito ἑαυτῷ. 145, 26: Εἰ γὰρ δὴ καὶ ἦν ἀληθὲς τὸ πάντως τὰς ὀρθοτονουμένας εἰς σύνθετον μεταλαμβάνεσθαι· 146, 1: Αἱ ὀφείλουσαι ἅπαξ ἐγκλίνεσθαι εἰς ἀρχὴν τοῦ λόγου γινόμεναι εἰς ὀρθὴν τάσιν μεταλαμβάνονται, Encliticæ initio positæ pro orthotonumenis accipiuntur. De pron. p. 55, A: Τό τε « οἱ τεύξειν θάνατον » πάντως εἰς ἁπλῆν ἀντωνυμίαν μεταληφθήσεται· et ib.: Ῥητέον ὑπέρ τε τῶν κατὰ τὸ τρίτον πρόσωπον εἰς ἁπλοῦν σχῆμα μεταλαμβανομένων καὶ τῶν εἰς σύνθετον. Et act. p. 56, B, C; 58, B; 60, C; 61, B, C; 85, B. Pass. p. 59, A, B, C; 60, C; 71, A, 78, B, C, schol. Hom. Il. Γ, 128; Ψ, 387. Atque sic μετάληψις dixit Apollonius quum loco p. 869, D, 11, citato, tum ib. 2, 19, p. 137, 16: Ὡς οὐ τόνου ἐναλλαγὴ αἰτία γίνεται συνθέτου μεταλήψεως, Significationis compositi, i. e. ejus quam habet pronomen compositum: et 139, 26 verbis paullo ante citatis, et p. 144, 4: Πρόδηλον γὰρ ὅτι ἡ ἁπλῆ μετάληψις ἕτερον πρόσωπον ὑπαγορεύει τοῦ Τυδέως, ubi ἡ ἁπλῆ μ. contraria est τῷ συνθέτῳ. 146, 16: Ὡς φυσικῆς τινος ἀκολουθίας νόμον θεμένης τοῦ αὐτὸς τὴν ὀρθὴν τάσιν ἐν τρίτοις προσώποις συνθέτου ἀντωνυμίας μετάληψιν ὁμολογεῖν· De pron. p. 53, A: Ἑξῆς ῥητέον καὶ περὶ τῶν κατὰ τὸ τρίτον πρόσωπον ὀρθοτονουμένων, εἰ παντότε ἡ μετάληψις αὐτῶν τὸ σύνθετον σχῆμα ἀπαιτεῖ· schol. Hom. Il. Γ, 128: Οὓς ἔθεν, ἐγκλιτικῶς ἀνεγνώσθη διὰ τὸ μεταλαμβανόμενον, ἐπεὶ εἰς ἁπλῆν ἡ μετάληψις, οὓς αὐτῆς.

Μεταλλάρχης. Inscr. ap. Letronn. *Recueil* vol. 1, p. 454.

Μεταλλεύω. Perf. μετηλλεύκασιν est ap. Philodem. in Vol. Hercul. part. 1, p. 92, D. Quod comparandum cum περιέσσευσα, de quo in illo dictum, ubi add. Job. ap. Phot. Bibl. p. 204, 24: Ὑπερπεριέσσευσεν ἡ χάρις, et similibus formis.

Μετάμελος, ult. Georg. Acropolit. p. 28, C: Ὁ δέ γε Ἀσὰν μετάμελος ἐπὶ ταῖς τοῦ βασιλέως Ἰωάννου συνθήκαις· 31, A; et cum genit. p. 34, A: Μετάμελος τῶν παραβάσεων τῶν πρὸς τὸν βασιλέα γενόμενος· et absolute p. 91, A: Γενήσῃ μετάμελος, ὅτε οὐδέν σοι τὸ ὄφελος.

Μεταμόρφωσις. Didymarchi μεταμορφώσεις citat Antonin. Lib. c. 23, Parthenii Eust. ad Dionys. 422, Theodori Stob. Fl. 64, 34, Ps.-Plut. Parall. p. 311, A, (Δωρόθεος F, vitiose, ut animadvertit ib. Dübner. *Revue de philol.* vol. 2, p. 48).

ADDENDA ET CORRIGENDA.

Μετάνοια, p. 881, B, scr. inclinatio.

Μετασσεύομαι, 3, scr. Eust.]

Μεταυτος. Μετ' αὐτὸς αὐτῶν Ahrens. De dial. vol. 2, p. 274, ut sit pro μετ' αὐτῶς αὐτῶν, i. e. αὐτῶς μετ' αὐτῶν.

Μεταφέρω, p. 903, C. De hominibus Georgius Lecap. in Matthæi Lectt. Mosq. p. 71 : Μεταφέρειν λέγεται τὸ μετακινεῖν καὶ μεθιστᾶν καὶ μετάγειν καὶ μετατρέπειν. Καὶ Ξενοφῶν ἐν τῷ (deest numerus libri) τῆς Κύρου Ἀναβάσεως, Καὶ ὁ Χειρίσοφος τὸ πλέον τοῦ στρατεύματος ὑπὸ (legendum videtur ἐπὶ) τὸν λόφον μεταφέρων ἐξαπίνης οὐ καιρίαν τιτρώσκεται. Quæ non sunt in libris Xenophontis, sed per fraudem illi afficta, de qua dixi in præf. ad Anab. p. XI.

Μετέχεινος scr. pro μετεχεῖνος.

Μετέχω, p. 920, D, 16, scr. Πεδέχω.

Μετεωρέω, 1, Pind.] L. Pind. Ol. — P. 921, A, 1, μετεωρίζουσιν.] L. μετεωροῦσιν.

Μέτοποι. Delendum.

Μετριασμὸς, 4, scr. καὶ σύ.

Μετριόω, 8, « Quod — 10 μετριάω » Delenda.

Μετρότιμος. Delendum.

Μὴ, p. 954, A, 11, scr. οἷον, et 11, ubi nunc καί μ' οἷον ἐάσατε. — Μεὶ forma Bœot. part. μὴ est in inscr. Orchom. ap. Bœckh. vol. 1, p. 741, n. 1569, 46 : Μεὶ ἀπογραφέσθω.

Μήδεια, 8, scr. Μηδεΐα.

Μήδων. Add. Filius Cisi ap. Pausan. 2, 19, 2.

Μήθυμνα. Adv. Μηθύμνηθεν Theodor. Prodr. *Notices* vol. 6, p. 525 init. : Ἀρίονος τοῦ Μηθύμνηθεν.

Μηκιστογραφέω, 1, apud] Del.

Μήκιστος, C, 13, H. Cer.— 14, ἀάσθης] Delenda.

Μηλάγριον. V. Add. ad Μελάγριον.

Μῆλον, p. 989, D, 12, Ἡσίοδος τῶν κτημάτων ὅλων] L. Ἡσίοδος, Μήλων ἕνεκ' Οἰδιπόδαο.

Μῆλος, C, 16, eandem] eadem

Μηλοφόρος, p. 993, A, Hesych.] Delendum.

Μὴν, p. 996, C. Μηνὶ Ἀζιοττηνῷ inscr. Lyd. ap. Bœckh. vol. 2, p. 809, n. 3442; 810, n. 3448, et in numis Saittenorum Lydiæ.

Μὴν, p. 997, D, 10, p. 142] p. 142, A.

Μηνιτιαμου, Jovis, ut videtur, mentio fit in inscrr. Mæoniis ap. Bœckh. vol. 2, p. 807, n. 3438; 808, n. 3439.

Μηνιτύραννος pro Μηνοτύραννος est in inscr. Mæonia ap. Bœckh. vol. 2, p. 808, n. 3439.

Μήονες s. Μαίονες cives oppidi Lydiæ Μαιονία in inscr. ap. Bœckh. vol. 2, p. 808, n. 3440, qui v. de hac civitate ad n. 3438, p. 807.

Μηριζός. Μηρισὸς, ὄρος Θράκης Cyrill. Cram. An. Paris. vol. 4, p. 186, 11. V. Νηρισός.

Μήρινθος, p. 1010, B, scr. μήρινθον.

Μηρινθώδης, 2, scr. βαθμίδας.

Μηρορραφής. V. var. script. ap. Eust. ad Dionys. in Μηροτραφὴς cit.

Μήτηρ, p. 1016, D, 12, et apud Atticos poetas] Delenda.

Μητρανοίκτης, ὁ, Instrumentum chirurgicum ad aperiendum uterum, apud Severum De clyst. p. 47 ed. Dietz., ubi per υ pro οι. Ib. est μητρεγχύτης, de quo suo loco dictum.

Μητροπολίτης. Priori signif. Pausan. 8, 27, 6.

Μηχανουργέω, Machinas fabricor. Anon. ap. Walz. Rhett. vol. 3, p. 657, 14.

Μίδας ult. scr. ἴᾰ

Μικίζομαι, 4, scr. μικκιζόμενος.

Μικρέμπορος, ὁ, Caupo. Babr. Fab. 111, 1, p. 216 : Μ. τις ὄνον ἔχων ἐβουλήθη... πρίασθαι. Ubi μικρὸς ἔμπορος codex, quod correctum ex Fab. 122, p. 53 Fur.

Μικρίου est a Μικρίας, cujus n. aliud ex. v. in forma Σμικρίας.

Μικρὸς, p. 1058, 8, scr. Multum

Μικύλος, 11, scr. comparanda.

Μῖλαξ, B, 5. Pausaniæ quum ex libris hæc forma restituta sit 8, 17, 2, ubi ἡ μῖλαξ, eadem 4, 26, 7, ubi πεφυκυῖαν σμίλακα, in alteram mutanda est secundum ea quæ dixi præf. p. XII. Ceterum v. Σμῖλαξ.

Μῖλος. Cyrill. Cram. Anecd. Paris. vol. 4, p. 186, 12 : Μίλαξ· λέγεται καὶ ὁ (sic) μῖλος.

Μιμαλὶς, B, 2, scr. quam

Μιμάς. Μειμὰς est in inscr. ap. Jacobs. Anth. Pal. vol. 3, p. 970, n. 402, 6.

Μιμίαμβοι, 7, pro 14 scr. 4.

Μιννυρίδης, ὁ, Minnyrides, n. viri ap. Antonin. Lib. c. 39, quod Μινυρίδης potius scribendum.

Μινυρίστρια, ἡ, i. q. μινυρίζουσα, quod v. Epigr. in Mus. Rhen. noviss. vol. 3, p. 259 : Μινυρίστρι' ἀηδών.

Μινώδης, 2, scr. Μινῴδης.

Μίνως, D, 1, pro 776 scr. 276.

Μίργης. V. Add. in Λίργης.

Μιργόω. Μίργωσαι, πηλοῦσαι, ut sit pro μίσγουσαι, Ahrens. De dial. vol. 2, p. 73.

Μισαρέτης, ὁ, i. q. μισάρετος. Anon. ap. Cram. An. Paris. vol. 4, p. 291, 25 : Μισαρέτας, μισοεργοὺς, μισοφθόνους, μισόανδρας.

Μισάρχης. Delendum. V. Μυσάρχης.

Μισητία, B, 7, ibi] L. ubi

Μισιεραρχία. V. Μυσεράρχης.

Μισοάνηρ. Tanquam ab hoc nominativo (v. in Γυναικάνηρ) formatum accus. plur. μισόανδρας v. in Μισαρέτης.

Μισοεργὸς, ὁ, ἡ, Osor laboris. V. Add. in Μισαρέτης.

Μισορώμαιος, 2, scr. πάντες.

Μισόφθονος, ὁ, ἡ, ap. anon. in Μισαρέτης citatum, ubi aliud desiderari videtur, velut μισοπόνους

Μνεία, D, 1, scr. βραχέος.

Μνημόνευμα, p. 1116, A, 3, p.] L. phys. p.

Μνήσαρχος, p. 1120, A. Μνησαρχίδης de patre Pythagoræ Philostr. V. A. 8, p. 333, C.

Μογερός. Gen. fem. Nicand. Al. 419 : Ἄνις μογεροῖο τιθήνης.

Μόδιος. Forma Μόδιον Zonaras in Add. ad Μέδιμνος citatus. Hesychius in Σάτων : Ἓν ἥμισυ μόδιον Ἰταλικόν.

Μοιρῆθεν, Fato, Priscian. in Μοιραίως citatus.

Μοκοχλιέων inscriptos numos inter Phrygios v. ap. Mionnet. *Descr.* vol. 4, p. 344 sq.

Μολεύω, ult. Schneider.] L. Schneider., qui v. ad Theophr. H. Pl. 2, 2, 2.

Μόλις, ἡ, ult. Μοσχῖς male Cram. An. Paris. vol. 3, p. 295, 33.

Μολυβδίτης, 2. Μολυβδῖτις Diosc. 5, 102.

Μολυβδόχρως. Μολυβδόχρους Diosc. 5, 100.

Μονάδην. V. Νομάδην.

Μονὴ, p. 1164, B, 14, Sic — 15 nonnullis] Delenda.

Μονιὸς, D, 9. Accentum formæ Μούνιος proparoxytonum fuisse, dictum in Μούνιος, ubi v. 4 scr. τρισύλλαβον ὄν.

Μονοβαίας 2, scr. solet. [De priori v. L.

Μονογάμμᾰτος, ὁ, ἡ, Uno γ scriptus, ap. Eust. Od. p. 1873, 41. Ἐκ τῆς μονογαμμάτου φάρυγος.

Μονογράφος, 1, scribit.] L. scribit, Scriba.

Μονόλεξος, ὁ, ἡ, Qui unius est vocabuli. Theodos. De grammat. p. 152, 14 : Μονόλεξον τὸ λέγω, Non compositum.

Μοναύτης, 2, scr. Attalia.

Μόνος, p. 1183, A, 7, μόνος ἢ μάλιστα] L. μάλιστα ἢ μόνος. — C, 12. V. præfat. ad Pausan. p. VI–VII.

Μονοστέλεχος. Photius v. Σηκός : Οὐ μονοστέλεχον.

Μονοσύλλαβος, B, 5, scr. γωνιοβόμβυκες.

Μονοτοκῖται. Delendum et scribendum Ἐνωτοκοῖται. V. Lobeck. Pathol. p. 383.

Μονοτονόω etc.] Delenda.

Μονύσιος etc.] Delenda.

Μονωτί. Zonaras Lex. interpretatur κρύφα, cui μόνως addit Favorinus.

Μοργαντίνη, C, 17, scr. transmigraverunt. — D, 11, scr. Μόργης.

Μόργος, ὁ, Morgus, Dactylus Idæus ap. Porphyr. Vit. Pyth. p. 32 Kiessl.

Μόργου ap. Steph. Byz. in Γαλάρινα tanquam conditoris illius oppidi memorati, nomen incertum videtur ad Μόργος an Μόργης sit referendum.

Μόριον, p. 1198, C, 12 « Id.— 13 ἀπεφράγη », ponenda 13 ante « Aretæus. »

Μορυχίδης, 6, scr. nonnullis Μουρυχ.

Μορφήεις ult. scr. μωμητής.

Μορφώτρια, 2, scr. Quæ

Μόσσυν, B, 3, scr. μόσσυνας. — D, ap.] L. est ap.

Μόσυλον, 1, scr. Μαρκιανός.
Μόσχειος. V. Add. ad Μόσχιος.
Μόσχιος. Delendum et scribendum μοσχείαν, quod v.
Μούνιτος, 5, Notit.] Delendum.
Μουνυχία, p. 1220, D, 16, scr. Scripturam. — P. 1221, A, 8, scr. servans.
Μοῦσα, p. 1222, A, 9, scr. ἀμελεῖ. — P. 1223, A, 12, Ῥηγῖνοι ... μοῦσα] Ἀργεῖοι ... μόνσα, et infra Ἀργεῖον μονσᾶν Ahrens. De dial. vol. 2, p. 106, 3.
Μουσικός. Forma Dor. Μωσικὸς, ά, ὸν, ap. Theagem Stob. Flor. vol. 1, p. 34 : Ἐν τᾷ μωσικᾷ. Laconicam memorat Etym. M. p. 391, 20 : Μουσικὰ, μωϊκά.
Μουσοπόλος. V. Μουσαπολετήρ.
Μῦ. In l. Hippocratis μηδὲ μοιμύλλειν A. Meinek. ad fr. Choliamb. p. 116, quod voc. v.
Μυγαλῇ ult. 169.] L. 169, et testatur Herodian. Π. μον. λ. p. 6, 23.
Μυελόεις ult. scr. Μυελός.]
Μυθιάζομαι, Fabulor. Babrii Fab. procem. secund. v. 13 : Ἐγὼ δὲ λευκῇ μυθιάζομαι ῥήσει.
Μυθίτης, B, 9, scr. Ind. :] — Add. Phœnix ap. Athen. 12, p. 530, E : Οὐ μυθιήτης.
Μυῖα, p. 1253, B, 9. Quod de ι omittendo tradit Photius, ipsi est peculiare, sed formam disyllabam ab nonnullis in trisyllabam corruptam testatur et vituperat etiam Herodianus qui dicitur Cram. An. vol. 3, p. 251, 17 : Ἔτι πλημμελοῦσιν οἱ διαιροῦντες τὸ μυΐα ὑΐὸς (ὡς addit al. liber) τρισύλλαβον· δεῖ γὰρ ἀμφότερα συναιρεῖν κτλ.
Μυῖα, 3, scr. Muscæ.
Μύινος, 1, Etym.] L. || Murinus, Etym. — 4] 4 sive, et 2, scr. Φαιόν.
Μυΐσκη, 1, ὁ. — 2 Μυΐσκη] L. ὁ,
Μυιὼ, οῦς, ἡ, Myio, mater Asii, conjux Cotyis, ap. schol. Hom. Il. B, 461, ubi in versu Christodori restituendam esse formam accus. Μυιοῦν, quam contra codicem in Μυιαν mutavit Villois., animadverterunt interpretes Gregorii Cor. p. 428
Μυιώδης scr. pro Μυϊώδης.
Μυκάλη, p. 1254, A. Orac. ap. Euseb. Præp. ev. p. 204, D : Ἐν Διδύμων γυάλοις Μυκαλήιον ἔνθεον ὕδωρ.
Μυκή, p. 1255, D, 1, [ita — 2 Boletus] Delenda.
Μύκημα, B, 8, scr. Et.
Μύκης, p. 1257, B, 12. In Gl. Μύκη, Boletus, Μύκης scribendum potius, quam Boatus.
Μυχληρὸς, ἀχανές. scr. pro ἀχανές.]
Μύχοι, 6, 591] scr. 59.
Μύλη, p. 1263, B, 3, Festus — 6, evenire] Delenda.
Μυλικὸς, 10, Med.] L. Med. vol. 1,
Μυλωθρός. Add. Dinarch. p. 93, 9 : Μένωνα τὸν μυλωθρόν. — Μυλωθρίς. V. Μυλώνισσα.
Μύλων, ult. Μύλωνα male etiam ap. Dinarch. l. c. et alibi.
Μύννιος. V. Μυννίων.
Μυννίων, 3, tamen] scr. nomen.
Μυριὰς, B, 14, Anon.] L. Chron.
Μυριετής.] Scr. Μυριετής, s.
Μύρινα, D, 17, Æolicæ] L. Æolicæ Μούρινα.
Μυριόκλονος, ὁ, ἡ, Qui innumeros s. infinitos motus excitat. Psellus in Ideleri Physicis vol. 1, p. 214, 407 : Σφυγμῶν δὲ κλῆσίς ἐστι ποικιλωτέρα, ἡ κυματώδης, ἡ κατὰ σκώληκά τε, μύρμηκος ἄλλην κλῆσιν ἠμφιεσμένη, παλμῶδες ἄλλο μυριόκλονον γένος.
Μυριολεξία. Legendum κυρίων λέξεων, et delendum voc. nihili.
Μυριόμματος. Anon. ap. Cramer. Anecd. Paris. vol. 4, p. 307, 24 : Ἐῶ Σεραφὶμ τάγματα μυριομμάτων.
Μυριόφορτος, B, 5, scr. cogitandas.
Μυριστικός. Constantin. Cærim. p. 335, C : Ἀπέστειλεν αὐτοῖς ὁ βασιλεὺς ... μυριστικά.
Μυροπωλεῖον. Teles ap. Stob. Fl. vol. 1, p. 160, Theodor. Prodr. *Notices* vol. 8, part. 2, p. 84.
Μύρρανος, ὁ, Myrrhanus, rex Indiæ, ap. Diod. 3, 65.
Μυρρίνη, C, 6, scr. Αἰσχυνάδου.
Μύρρος. V. Μύρος. Antiphontis Ἀπολογία τοῦ Μύρρου memoratur ab Suida v. Ἄττα.
Μυρσινῖτις, ιδος, ἡ, Myrsinitis, n. loci ap. Synes. Epist. 122, p. 258, D : Τρόπαιον ἔστησαν ἐν τῇ Μυρσινίτιδι· φάραγξ δὲ αὕτη προμήκης τε καὶ βαθεῖα καὶ ὕλῃ συνηρεφής.
Μυρτὶς, 3, scr. Formam.
Μύρων, 7, 26] scr. 126.
Μυρωνίδης, 1, Myronides, — Dux] L. Myronides, dux.
Μύσαγμα ult. ᾰ] scr. ῠ
Μυσημίεκτον, 2, add. [Pro ἡμισυημίεκτον.]
Μυσία, D, 17, scr. qua
Μυσός. Μυσὰ fortasse est dittographia sequentis μυσαρά.
Μυτιλήνη, p. 1318, D, 9, scr. Hellanici Λεσβιακῶν. — P. 1319, A, 2, scr. scriptura.
Μυτίστρατον, 7. Μύστρατον et τὴν Μήστραχον eclogarius Hœschel. Diod. Exc. vol. 2, p. 503, 92, 6.
Μωδεῖ. Μῴδδει vel μωίδδει Valck. Ep. ad Rœv. p. 78.
Μωικός. V. Add. ad Μουσικός.
Μωκία. Scribendum videtur μωκεία.
Μῶλυ. Demetrius in Vol. Herc. part. 1, p. 132, 10 : Ἀντὶ τοῦ μῶλυ, ὃ παρῆκται ἀπὸ τῶν μωλυομένων.
Μῶλος, B, 3, scr. ἀνοηθέστερον. Ceterum probabilius est ἀπαθέστερον grammatico restituendum esse ex Photio et vicissim Photio ex illo et Etym. M. ἄνθος pro ἦχον. Minus etiam probabile ἀσθενέστερον, quod Etym. M. ponit non minus apte quam Photius ἀπαθέστερον, in illud ἀνανθέστερον esse convertendum, ut voluit Ruhnkenius.
Μώλωψ, ult. scr. quam.
[Μωριεῖς scr. pro Μωριεῖς.
Μωσικός. V. Add. ad Μουσικός.
Μωυσῆς, 4, scr. inde a V. et N. T.

N, p. 1343, B, 5 et 6 Planudio — ponendi] scr. Planudii - ponendo.
Νάϊος, A, 2, Δήλῳ.] Legendum videtur Δωδώνῃ.
Νάκρασος. Numos Νακρασέων Νακρασειτων et Νακρασιτων inscriptos v. ap. Mionnet. *Descr.* vol. 4, p. 93 sq., *Suppl.* vol. 7, p. 395 sq.
Νακόλεια. Numos Νακολέων inscriptos v. ap. Mionnet. *Descr.* vol. 4, p. 345 sq. *Suppl.* vol. 7, p. 601 sq.
Νακώνη. Νακοναιων tamen numus apud Mionnet. *Descr.* vol. 1, p. 261, n. 437.
Ναματοφόρος, ὁ, ἡ, Liquorem ferens. Africanus Περὶ τῶν ἐν Περσίδι γενομένων διὰ τῆς ἐνανθρωπήσεως τοῦ κυρίου καὶ σωτῆρος ἡμῶν Ms. : Πηγὴ ναματοφόρε.
Νάναρος. Conf. Nicol. Dam. p. 229 sq. Cor., qui Babylonium dicit. Ἄνναρος ap. Ctesiam ab Athenæo citatum 12, p. 530, D.
Ναξιουργής, p. 1355, A, 17, scr. Φιλητᾶς.
Ναόκανθον. V. Νάκανθον.
Ναοποιέω, 2, scr. respiciens.
Νάπη. Numos Να inscriptos v. ap. Mionnet. *Descr.* vol. 3, p. 60, *Suppl.* vol. 6, p. 78, ibidemque n. 150, 153, Ναπ.
Ναποός. V. Ναοποιός.
Νᾶπυ, C, 3, et D, 11, scr. Νᾶπυ.
Ναρθηκοφορέω, 2, 1835, p.] scr. p. et add. Procul. ad Hesiod. Op. 52.
Ναρκόω, ult. 427. — Ναρκοῖ.] Delenda.
Ναρὸν, ult. add. : Videtur autem interpretatio ἤθη ad ejusmodi voc. spectare ut Ναρότης, ut νηρὸς in Ναρὸς pro πρόσφατος positum notavimus.
Ναρὸς, 7, scr. *Creta.* — D, 5, scr. Νηρεύς. Ceterum formam per η de Aqua habet inscr. Nubiensis edita quum alibi tum in Mus. Rhen. novo vol. 3, p. 336, 20 : Καὶ οὐκ ἔπωκαν νηρὸν ἔσω εἰς τὴν οἰκίαν αὐτῶν.
Νασμώδης, 3, scr. Hesychio.
Ναύκλαρος non nisi pro ναύκληρος usitata signif. posito Dorice recte dicitur, ut ναυκλαρία ap. Archytam Stob. Fl. vol. 1, p. 47, non pro Ναύκραρος, quod dicitur ut Κραρεώτης pro Κλαρεώτης, de quo suo loco.
Ναυκραρία, 2, scr. 108. — 6, τριττὴν] τριττὴν [τριττὺν]. — ult. add. [Forma nunc ex codd. sublata, quam vitiosam esse diximus in Ναύκλαροι.]
Ναυκράτης. Scribendum Ναυκρατής, et 4 Ναυκρατέες.
Ναυλοχέω, D, ναυλοχώντων] scr. ναυλοχώντων [vitiose pro ναυλοχούντων].
Ναυμαχέω. Cum accus. constructum memorat schol. Guelf. Eur. Hec. 401 : Μάχου κατὰ Ἀττικοὺς δοτικῇ, κατὰ δὲ κοινοὺς αἰτιατικῇ, ὥσπερ καὶ τὸ ναυμαχῶ.

Ναυμέδων. Scr. domini s. rectoris.

Ναῦς, p. 1380, C, 20, manca] L. manca, et pro νηίτην scribendum νῆα, τήν.

Ναυσικλειτός.] Scr. Ναυσίκλειτος s.

Ναυσιπορέω, Navigo. V. Πορέομαι.

Ναύστολος, 2, scr. Ναυστολοῦν.

Ναυτιάω, ult. In gl. Mœridis in Ναυσιάω citata codex Coisl. Ναυτιᾷν ἐν τοῖς β' ττ Ἀττικοί. Quod, nisi Photii gl. obstaret, scribendum diceres, ut est in Coll. Gronov., Ναυτιᾷν ἐν τῷ τ. Nihilominus grammaticorum errorem subesse necesse est, quum duplex τ post diphthongum neque Atticum sit neque Græcum : fierique potuit ut apud antiquiorem grammaticum scriptum esset Ναυτία, Ναυτιᾷν, τὰ δύο ἐν τῷ τ, vel etiam ἐν τοῖς δύο τ, i. e. In utroque voc. Attici τ ponunt pro σ. Cum altera autem Photii gl., quæ ad formarum ναυσιάω et ναυτιάω discrimen referri videtur, et huic verbo impertit etiam signif. πλέουσα, conf. Hesychii vitiosa, de qua p. 1387, A, 8.

Ναύφρακτος, B, 6, Aristophani] L. Aristophani et Tragicis.

Νάω, 3, Πήδαιον,] L. Πήδαιον, et Z, 34, ὃς νάε Σατνιόεντος. Sic enim pro ναῖε scribendum esse in schol. non animadvertit Heynius.

Νέαιρα, B, 2, scr. Νείαιράν τ', et 3 Νείαιραν.

Νεανίας trisyllabum Eur. Cycl. 28, Νέμουσι μῆλα, νεανίαι πεφυκότες, restituit Piersonus.

Νεᾶνις, D, 4. In Νῖνις corruptum ap. Arcad. p. 32, 13, notavimus in Νῆνις.

Νεάοιδος, 3, νεάοιδος.] L. νεάοιδος, ut est in cod. Pal. — 3, scr. τὸ ἕξ, et 4, πάνσοφος, νεάοιδος.

Νεάπολις, p. 1396, A, 7. Et sic in omnibus ap. Mionnet. *Descr.* vol. 1, p. 115 sq., *Suppl.* vol. 1, p. 240 sq.

[Νεαρμόσια scr. pro Νεαρμόσια.

Νεαρωδός, 2, scr. νεάοιδος.

Νεβρίς, n. pr. V. Νευρίς.

Νέητον. Νεητων in numo ap. Mionnet. *Descr.* vol. 1, p. 263, n. 449.

Νειλεύς, p. 1403, D, antepen. ap.] L. ap. Athen. 9, p. 397, F, et

Νεῖλος, 6. De forma Νέϊλος conf. Eust. ad Dionys. l. c. p. 128, 32. — 7, scr. *cur* pro *quum*.

Νείσσομαι, C, 14, scr. spernendam.

Νεκάς. Quod apud Suidam est τὰς τῶν ζώων τάξεις, quum nimis mire dictum videatur, alii aliter corrigentes præter Etym., quod ὁπλιτῶν ponit, memorare debebant etiam hoc (Urbicii, ut opinabatur Blomf. Gloss. ad Æsch. Prom. 226) in Montef. Bibl. Coisl. p. 513, D : Νέκας (scr. νεκὰς) ,ασ' (ἀνδρῶν).

Νεκρομαντεία, 1, ejusmodi] L. ejusmodi [de qua in sec. voc.]

Νεκρόσιλος, 3, [Em. etc. ad præcedens voc. pertinent et quod loco illo legitur ἱεροσυλία.

Νέκρωμα, p. 1412, A, 2, add. Boiss.

Νεκυία, 6, scr. Item undecimus. — Ulixe.] L. Ulixe Plat. Min. p. 319, D. Mazaris Νεκυίαν habet cod. Reg. 2991. V. *Notices* vol. 9, p. 195, (2).

Νεκυοπομπός. Νεκυόποντος Eclog. Hist. Cram. An. Paris. vol. 2, p. 212, 26.

Νεμέα, 1, et] scr. et Νεμέα.

Νέμω, p. 1424, C, 5, scr. et de simplici. — 8, Alex.] L. Alex. [ubi aor., unde fictum illud Νείμω.]

Νεοάλωτος 2, V. Νεάλωτος.] L. Ubi alii libri νεοάλωτοι cum Eust. Od. p. 1728, 35.

Νεογαμής ponendum post Νεόγαμβρος, et add. Νεογάμητος. V. Νεόγαμος.

Νεοδρόμος, ὁ, ἡ, Qui nuper cucurrit. Babrius 106, 15 : Ὅπερ εἷλεν ὁ λέων νεοδρόμῳ λαβὼν θήρῃ.

Νεοίη, ult. Νεανιείαν Spitzner. ad l. Hom. post Heynium, ap. quem νεανεεῖαν scriptum.

Νεόκλαυστος, ὁ, ἡ, Ab ineunte ætate flens s. lamentatus. Anon. ap. Cramer. Anecd. Paris. vol. 4, p. 338, 4 : Ἐκ γενετῆς νεόκλαυστος ἀεὶ βάλον ὄμματα πρός σέ.

Νεοπεινής, ὁ, ἡ, Qui nuper esurire cœpit. Cyrill. Cram. An. Paris. vol. 4, p. 186, 16 : Νεοπεινής, ἐν τῇ κωμῳδίᾳ ὁ νεωστὶ πεινῶν. Non videtur enim ex νεοπένης corruptum et ab ipso fictum.

Νεοσπάς, 12, scr. να, Photio — τὰ σπάργανα π.

Νεοτόκος, 3, scr. Νεοτόκος.

Νεοτῦπής, ὁ, ἡ, Nuper impressus. Schol. cod. Lips. Soph. Aj. 6 apud Reisk. Add. ad Animadv. in Sophoclem p. 58 : Νεοχάρακτα) νεοτυπῆ, τουτέστι νεωστὶ κεχαραγμένα ἤγουν σεσημασμένα. Dicendum potius erat νεοτύπωτα, quum verbum χαράσσω magis respondeat verbo τυπῶ quam τύπτω.

Νερώνεια, ων, τὰ, certamen ab Nerone institutum, ap. Dion. Cass. 61, 21; ap. quem 63, 7 est : Τιριδάτης τὰ Ἀρτάξατα ἀνοικοδομήσας Νερώνεια προσηγόρευσεν.

Νέστος, 4, scr. Νεστὶς αἶα.

Νέτωπον, 1, scr. τὸ, unguenti.

Νεύαντος, ὁ, n. viri in numis Cydoniæ Cretæ, ap. Eckhel. D. N. vol. 2, p. 309 sq., Mionnet. *Descr.* vol. 2, p. 271, pro Νεύανθος s. Νέανθος. Conf. Letronn. *Explication d'une inscr. grecque*, Paris. 1843, p. 29.

Νευμηνία forma Dor. pro νεομηνία, in inscr. Coa ap. Ross. Inscrr. fasc. 3, p. 47, n. 311, 19.

Νευροποιητικός, ἡ, ὸν, Nervos faciens. Galen. vol. 5, p. 12 : Δυνάμει νευροποιητικῇ.

Νευρότονον. Scribendum νεῦρα τόνον, ut citavit Turnebus Advers. 11, 4. V. Schneider. ad Vitruv. 1, 1, 8, p. 16.

Νεύφραστος, ὁ, forma Dor. pro Νεόφραστος, in inscr. Coa ap. Ross. Inscrr. fasc. 3, p. 45, n. 310.

Νεφελίς, ίδος, ἡ, Nephelis, Ciliciæ, ap. Ptolem. 5, 8 init. Liv. 33, 20, promontorium dicit. Numum in quo perhibetur esse Νεφελιδδα v. ap. Mionnet. *Descr.* vol. 3, p. 596, n. 271. Alium in quo ΦΕΝ eodem retulit idem *Suppl.* vol. 7, p. 237, n. 318.

Νεφελοφόρος. In Ms. ap. Lambec. Bibl. Cæs. vol. 6, p. 21 fin., ubi eadem, male νεφελόνεφον.

Νέχιδρα, 2, scr. χίδρα.

Νεώρυκτος, 2, 940; — 233] L. 940.

Νέως, p. 1477, B, 9, scr. καὶ τέκνα ἕξει.

Νεώσσω. Theognost. Can. p. 143, 26 : Αιμώσσω, νεώσσω, καρδιώσσω.

Νηδυοῦσα, penult. scr. perinde

Νηέω, B, 3, scr. contractam.

Νήιστος, p. 1486, A, 4, *Neiræ*] scr. *Neisæ*.

Νήκεστος. Hom. H. Cer. 258 : Καὶ σὺ γὰρ ἀφραδίῃσι τεῆς μήκιστον ἀάσθης, recte Vossius νήκεστον.

Νηλεόθῡμος, ὁ, ἡ, Qui crudelis est animi, Sævus. Epigr. ap. Welcker. Syllog. Epigr. p. 112, si recte ita legitur.

Νῆμα, D, 1, scr. [Vicissim

Νῆνις. Delendum Νῖνις.

Νηπία, ἡ, Stultitia. Anastasius in Maji Nov. Coll. vol. 7, p. 241, B : Ἀκάθαρτον δὲ ὑμεῖς οἱ Ἰουδαῖοι αὐτὸν (τὸν χοῖρον) ποιεῖτε, διὰ τὴν νηπίαν ὑμῶν μὴ θέλειν τοῦτον ὠνήσασθαι καὶ τρέφειν.

Νηρηίς, 4, scr. Attica, et mox Νήριθμος, ὁ, ἡ.

Νησιώτης, 1, citharœdi] Delendum, quum illa quoque inscr. rectius distincta et suppleta ad eundem pertineat Nesioten, de quo post.

Νῆσος, p. 1501, A. Νῆσον inter Rhodanum et Isaram memorat Polyb. 3, 49, 5.

Νηφάλιος, p. 1506, A, 10, scr. τῆσιν et ὄμπνας.

Νηχὶ, 1, scr. ναὶ μήν.

Νίδες. Cyrill. Cram. An. Paris. vol. 4, p. 186, 31 : Νίδας, νέος παιδὸς κόρονος (sic).

Νίζω, ult. νύσσω.] L. νύσσω vel Κνίζω. Formam Νίδω v. in Νίδομαι, quod non est cur ex νίζομαι depravatum putetur.

Νικαία. Nonn. Dion. 18, 169 : Ἐλπίδι νικαίῃ δεδονημένος, Spe victoriæ. Altero loco vertendum videtur Victrici.

Νίκη, p. 1515, D, 7. Ælian. V. H. 2, 28 : Μετὰ τὴν κατὰ τῶν Περσῶν νίκην.

Νικηφόρος, Jovis cogn., de quo in Νικηφόριον. V. Eckhel. D. N. vol. 3, p. 269. Inscr. Pergam. ap. Bœckh. vol. 2, p. 865, n. 3553, 3 : Ἱερείας Νικηφόρου καὶ Πολιάδος Ἀθηνᾶς, ubi Minervæ cogn. videtur.

Νικηφόρος, ὁ, p. 1518, D, 4, Et] L. Et ἡ,

Νιτρία s. Νιτρίαι et Νιτριώτης est ap. Pallad. Hist. Laus. c. 8–11, ubi Meursius vol. 8, p. 359 ed. Lam. citat Sozom. H. E. 6, 30 : Καλοῦσι δὲ τὸν χῶρον τοῦτον Νιτρίαν, καθότι κώμη τίς ἐστιν ὅμορος, ἐν ᾗ τὸ νίτρον συλλέγουσιν· Niceph. 11, 38. Ejusd. Pallad. c. 1, p. 348, A, est : Οὗ καὶ τὴν κέλλην ἐθεασάμην ἐγὼ ἐν τῷ ὄρει τῆς Νιτρίας.

Νοβώρα rectius scriptum ib. 33.

Νομάδην. Scribendum Μονάδην, quod v.

Νομαντία, ult. add. Νουμαντία p. 153.

Νόμος, p. 1557, C, 14, scr. λέγουσιν, et 16 aut pro et

Νόννος, p. 1559, D, 3, scr. Ægyptiacæ.

Νορύειν, penult. scr. diversum.

Νοσέω, p. 1566, C, 5, scr. πλεονάσαντος. — 14, scr. ἐνόησε. Sic

Νοσήμη, ult. Scribendum esse κατὰ τὴν ὀσμὴν diximus in Ὀσμή.

Νόσσος, ὁ, Nossus, n. viri, in inscr. Halicarn. ap. Welcker. Syllog. Epigrr. p. 170, n. 121.

Νουσολύτης, ὁ, Morbis liberans. Epigr. ap. Welcker. Syllog. Epigrr. p. 186. ῠ

Νυκτεγερσία, 4, Philo etc. ponenda 9, post 19.

Νυκτερία] Scr. Νυκτερεία.

Νυκτερεία, ἡ,] Scr. Νυκτερεῖον, τό, et, p. 130.

Νύκτιμος, 2, scr. Nonnum.

Νυκτιπαταιπλάγιος, 5, scr. dictum velit.

Νυκτίφοιτος. Ap. Æsch. al. rectius νυκτίφαντα.

Νυκτοκλέπτης, 2, scr. cod. Pal.

Νυμφεῖος, 3, scr. νυμφεῖα.

Νυμφοτόκος, 1, scr. Virgo pro Sponsum.

Νῦν, p. 1613, B, 5, scr. Καί νυν. — 8, post 73, add. 11, 44. — P. 1614, A, 20, sequente — B, 1, ἔταμνον] Delenda.

Νωθρεύομαι, 5, scr. Ἄλλον.

Νῶλα. Forma gent. Νωλαιων in numis ap. Mionnet. *Descr.* vol. 1, p. 122 sq., *Suppl.* vol. 1, p. 251 sq.

Νῶνος. Videtur ipsum Lat. Nonus.

Ξαίνω, p. 1633, A, 19. V. Ὀπώρα.—B, 10: At—C, 3. Boiss. Ponenda D, ult. post Valck., ubi del. V. — Ξαίνειν.

Ξάνθισις, εως, ἡ, i. fere q. ξάνθισμα, Matthæus Med. p. 394 restituebat Rufo p. 289 suæ ed.: Περί τε ξάνθησιν καὶ ψίλωσιν τριχῶν γενείου καὶ κεφαλῆς.

Ξανθόκομος, 1, scr. Ξανθοκόμης, ὁ, Qui — 4, 103.] L. 103, etsi altera quoque forma recte habet.

Ξάνθος, p. 1637, D. Ξάνθεω τοῦ Σαμίου ap. Herodot. 2, 135, ad Ξάνθος potius quam Ξάνθης referendum et Ξάνθου scribendum conjecit G. Dindorfius De dial. Herodoti p. xiii.

Ξανθοφαής, 2 scr. μαιοῦσα. V. Add. ad Μαιόω.

Ξενάκουστος, ult. videtur.] L. videatur. Sed exemplum ejus metro tutum præbet iambus Joannis Damasc. vol. 1, p. 680, B, 10: Ῥήσεις ξενηκούσθησαν, ὡς ἀποστόλων, Loquelæ peregrinæ auditæ sunt, Int. Conferendæ igitur formæ Σαρκοτίκτω, quod v., et similes.

Ξενεδάμας, ὁ, Xenedamas, n. viri Sidonii, apud Achill. Tat. 5, 10 init., ubi Ξενοδάμας Salmasius.

Ξένη, ἡ, Xene, n. mulieris. Ms. ap. Pasin. Codd. Taurin. vol. 1, p. 221, a, D: Τῆς θαυμασίας Ξένης βίος.

Ξενιασταὶ s. Ξεινιασταί, οἱ, in inscr. Rhodia ap. Ross. Inscrr. fasc. 3, p. 34, n. 282, 3: Διὸς Ξενιαστᾶν, et Διὸς Ξεινιαστᾶν, de cultoribus Jovis Ξενίου.

Ξενολόγησις, 1, scr. Ang.

Ξένος, η, ον,] L. ον [et ὁ, ἡ, ut Eur. Suppl. 94: Ξένους ὁμοῦ γυναῖκας, nisi fallit scriptura.]

Ξενοτροφία. Argum. Æneæ Tact. p. 10, ιγ'.

Ξενώνυμος, ὁ, ἡ, Qui peregrini s. novi est nominis. Tzetzes in Cram. An. vol. 3, p. 307, 32: Ὡς θορυβοῖεν τοὺς πολλοὺς ποσὶ τοῖς ξενωνύμοις.

Ξέω, p. 1661, D. De hominibus cædendis et laniandis, Menolog. Gr. vol. 1, p. 13: Ἐξέσθησαν μέχρις ὀστέων· 18, 36, 41, 51; vol. 3, p. 21, A.

Ξηροποιέω. Diosc. 5, 120.

Ξιφήρης. Superlativo Ephræm Syr. vol. 3, p. 523, A: Ξιφηρέστατοι ἄγγελοι.

Ξόανον, p. 1674, D, 9, scr. τρέπουσαν.

Ξοῦθος, D, 1. Add. Hom. H. in Diosc. 33, 13: Οἵ δ' ἐξαπίνης ἐφάνησαν ξουθῇσιν πτερύγεσσι δι' αἰθέρος ἀΐξαντες, de Dioscuris.

Ξουσαριασταί, οἱ, in inscr. in Chalce ins. reperta ap. Ross. Inscrr. fasc. 3, p. 37, n. 291: Ὦ ἐστεφανώθη (sic) ὑπὸ Ξουσαριαστᾶν, cultores herois, ut videtur, cujus nomini simile est n. Susarionis.

Ξυλώροφος, ὁ, ἡ, Qui ligneo est tecto. Inscr. Melia ap. Ross. Inscrr. fasc. 3, p. 8, n. 246.

Ξυνωνός. De accentu acuto v. Theognost. Can. p. 68, 18.

Ξυρίζω. Grammat. Cram. An. vol. 2, p. 380, 19: Ἐξύριζον αὐτοῦ τὸ γένειον.

Ξυσταρχία, ἡ, Præfectura xysti. Inscr. Smyrn. ap. Bœckh. vol. 2, p. 738, n. 3206, B: Τειμηθεὶς ξυσταρχίαις.

Ξυστὸς, p. 1697, D, 12, τὸ] L. τὰ, et p. 1698, B, 9, pro 9, Aristia 9.

Ξῦστρον, 7, in] L. 1, 2, 10, in

Ὁ, p. 170, B. Τῷ τοι restituendum Hesiodo Th. 466: Τῷ ὅγε οὐχ ἀλαοσκοπίην ἔχεν, et scribendum Τῷ τοι ὅγ' οὐχ ἀλ. Nam facile duplex τοι τοι fallere potuit describentes. Apollonius ap. Philostr. V. Ap. 1, 7, p. 8 med.: Τῷ τοι παύσασθε μεθύοντες τῷ ὕδατι. Hom. Od. N, 331: Τῷ σε καὶ οὐ δύναμαι προλιπεῖν. — P. 1705, B, 9. V. Ὅς. — P. 1708, C, 3, scr. usurpatam.

Ὁ ὁ ὁ, Scythæ ap. Aristoph. Thesm. 1191 exclamatio. V. Ὀά.

Ὄα, p. 1711, D, 7. Quum in cod. sit Οἰατὰν, κομήτων, κῶμαι, haud dubie scribendum Οἰατᾶν, κωμητῶν, ut ap. Photium.

Οά. Eodem referri videtur quod est Æsch. Suppl. 825: Ὀοὸ, ἀαά.

Ὄαξος, p. 1713, A, 7, scr. Οἴαρος pro Ὄαρος.

Ὀαρίων, 3, post dixit] add., dicitur ὁ Ὠρίων, Orion.

Ὀβολὸς, p. 1716, D, 19. V. quæ in Ὀφελὸς dicta sunt.

Ὄβριμος, p. 1718, A, 2, ὀμβρίμαν] L. ὀβρίμαν et ὁ, ἡ, Lycophr. 300: Ὄβριμοι χέρες· Quint. 14, 86, et sec. conj. Rhodomanni 6, 253: Ὄβριμον ἀλκήν.

Ὄγχη. Cum interpret. γωνία conf. Ὄγκωμα de Cubito. Μέγεθος autem ad ὄγκος refertur.

Ὀγκοτράφος. Scribendum ἐγκότραφος, de quo dixi in Ἐγκρόταφος et Κρόταφος sub finem.

Ὀγκόφωνος, ὁ, ἡ, ap. Eust. et schol. Vict. Hom. Il. Σ, 219: Πέμπτη Μηδικὴ (σάλπιγξ).. τὸν κώδωνα βαρύφωνον ἔχουσα, ὀγκόφωνος.

Ὀδακτίζω. Nisi scribendum ὀδακτάζω, etsi plura sunt verba, quorum duplex fuit forma in αζω et ιζω.

Ὀδαξέω, p. 1726, C, 12, scr. Ὀδαξᾶται.—P. 1727, A, 1, scr. Ὀδάζω.

Ὅδε, p. 1728, A, B. V. præfat. ad Pausan. p. xix. — P. 1729, A, 3, scr. obscurata.

Ὁδίτης ult. ῑ scr. pro ῐ.

Ὁδοιπορέω, C, 11, Xenoph. — 12 φιλήματα.] Delenda.

Ὀδοντικὸς, 2, ὀδ.] L. ὀδ. || Ad dentes pertinens.

Ὀνδοντοξύστης etiam Severus p. 47 ed. Dietz.

Ὀδοντότριμμα. Anon. ap. Cramer. An. Paris. vol. 1, p. 394, 27.

Ὁδὸς, p. 1740, C, 19, scr. λόγων.— P. 1743, C, 11, Orph.] L. Hom. Od. K, 440: Τῷ οἱ ἀποτμήξας κεφαλὴν οὖδάσδε πελάσσαι· Il. P, 457: Ἀπὸ χαιτάων κονίην οὖδάσδε βαλόντε. Orph.

Ὀδοὺς, B, 12, scr. De clavis dentibus

Ὀδυρτός. Ὀδυρτὰ Rav. adverbialiter.

Ὀδυσσείδης, 1, scr. Filius Ulixis.

Ὄζω. Theognost. Can. p. 142, 18: Ὁ μέλλων ὀζέσω, ἀλλὰ καὶ ὀζήσω διὰ τοῦ η, ὡς καὶ Ἀριστοφάνης, Λίθος τις ὄζησεν τεθυμιαμένος, quod aut ὤζησεν aut ὀζήσει scribendum.

Ὀθρηὶς, ίδος, ἡ, nympha montis Othryis. Nicander ap. Antonin. Lib. c. 22: Τέραμβος Εἰδοθέας νύμφης Ὀθρηίδος ᾤκει... παρὰ τὴν ὑπώρειαν τῆς Ὄθρυος. Ex eodem id. c. 13: Διὸς καὶ νύμφης Ὀθρηίδος ἐγένετο παῖς Μελιτεὺς, et paullo post: Φάγρος ὁ Ἀπόλλωνος καὶ Ὀθρηίδος νύμφης. Schol. Plat. Conv. p. 376: Ἕλληνος καὶ Ὀθρηίδος Ξοῦθος, Αἴολος, Δῶρος. Apollod. 1, 7, 3, 1: Ἕλληνος καὶ νύμφης Ὀρσηίδος Δῶρος, Ξοῦθος, Αἴολος. Cod. Pal. Ὀρσηίδος.

Ὄθλεις, 5, [Ὄθλος — 6, 13] delenda.

Οἷ, p. 1757, D, 20, tertio] L. et tertio. — P. 1758, A, 6, scr. Æolicam.

Οἷ, B, 5, [|| Οἷπερ Soph.] Scr., unde Οἷπερ, itidem Quo. Aristoph. [Ran. 199 etc.] At οἷπερ, Qui. [Soph.

Οἰάνθη, 1, Ἀσίᾳ.] Εὐρώπῃ Steph. B. in Χάλαιον.

Ὀϊάτειος vel potius Οἰάτειος adjectivi aliud ex. est ap. Neophytum Ms. ap. Boiss. *Notices* vol. 11, p. 250, qui refellit etiam quod HSt. volebat προβάτειον pro πρόβειον.

Οἰδιποδάγονος, 3, scr. ἐκγόνων.

Οἰδιπόδειος, 13, scr. Οἰδιπόδειαν. Addenda autem Meleti Tragici Οἰδιπόδεια recte sic scripta apud schol. Plat. Apolog. p. 330.

Οἰδιποδίδης, ὁ, patron. ab Οἰδίπους. Schol. Pind. Nem. 4, 32.

Οἰζῷ aut ab librario positum pro οἰζὺς aut ab scholiasta, confundente fortasse cum verbo οἴζω, quod ponit alius.

Οἰκέω, p. 1777, B, 10, 172] scr. 142. — C, 1, scr. ἀλόγως. Prov. Coisl. p. 151, n. 369: Συντρῖψαι τὰ οἰκητήρια σκεύη.

Οἰκία, p. 1781, A, 4, quum — 6 ap.] L. ut ap. — 8 et Foικία] L. Fοικία scriptum.

Οἰκίον, p. 1782, D, 10, εὖτε] scr. εὖ τε. Ceterum hæc etiam verba, de quibus dictum jam in Δέμω, Callimachi videntur, qui loco infra citato utitur rariori hoc singulari. Εὖτε autem an pro εὖ τε scribendum sit, incertum, quum levissima sit Suidæ altero loco εὖ ponentis auctoritas, cujus editores ad utramque glossam alterius loci ignari fuerunt.

Οἰκογενὴς, 3, scr. Domi natus.

Οἴκοθεν, C, 9. Pind. Ol. 7, 4: Φιάλαν ὡς εἴτις... δωρήσεται νεανίᾳ γαμβρῷ προπίνων οἴκοθεν οἴκαδε.

Οἶκος, p. 1797, C, 3, scr. Zanatæ.

Οἰκοτρίβων, 2, scr. Εἰ μὴ μέλλοιμεν καὶ κονδύλους ὑποσχεῖν κατὰ κόρρης παρὰ τοῖς οἰκ. τῷ β. δ. διὰ τὴν φιλόσοφον βλαύτην οἷον ἐμπαροινοῦντες. — 3, οἰκότριψι] L. οἰκότριψι aut οἰκοτριβοῦσι.

Οἰκουμενικὸς, p. 1799, B, 1, Οἰκουμενία] scr. Οἰκουμένια.

Οἰκτοπάτωρ, ορος, ὁ, Misericors pater. Anon. in Cram. An. vol. 4, p. 288, 18: Ἵλαθι οἰκτοπάτορ.

Οἰκτρίζομαι. Scribendum videtur οἰκτίζεσθαι.

Οἰλεὺς, p. 1805, D, ult. Etym.] L. etiam Etym. — P. 1806, A, 1, V.] scr. v., et *quos* pro *quod.*

Οἴναρον, 1, quod οἶνον] scr., s. οἶνον.

Οἰνὰς, 11, 12, scr. 443. V. Οἰάς.

Οἰνεύομαι ponendum ante Οἰνεύς.

Οἰνηρὸς, 1, idem] scr., ἀ, ὀν,

Οἰνολίβανον, τὸ, Vinum thure mistum. Chron. Pasch. p. 332, 14: Ἐλέφαντας πεντακοσίους οἰνολιβάνῳ ἐπὶ τρεῖς ἡμέρας ἐπότισαν.

Οἰνοποτέω, ult. scr. οἰνοποτεῖν.

Οἰνορόδινον, τὸ, Oleum rosaceum vino mistum. Theoph. Nonn. vol. 2, p. 151.

Οἰνοχόη, C, 3, scr. Fοινάρυσις.

Οἰνοχόος. Forma contracta Οἰνόχους in inscr. Amrac. ap. Bœckh. vol. 2, p. 5, n. 1798, 8, qui v. de hac forma p. 983, A.

Οἰνωπὸς, B, 4, scr. Philippum. — C, 21, scr. χρῶμα. — ult. add. Οἰνῶπες, οἱ, OEnopes, n. tribus Cyzicenæ ap. Bœckh. vol. 2, p. 917, n. 3661, 4; 926, n. 3665, 13. V. p. 933.

Οἰνωτριάς. V. Οἴνωτρος.

Οἰνωτρίς. Ap. schol. Plat. Sophist. p. 371 med. male αἱ Οἰνοτρίδες νῆσοι.

Οἴνωτρος, B, 11, scr. proparoxytonon, ceterum

Οἰόβιος. Gregor. Naz. Carm. 46, 11, p. 237 ed. Dronk.: Οὐδὲ γὰρ οἰοβίοισι μόνον φθόνος, de monachis. Apollinar. Ps. 77, 142: Οὐδέ τις οἰοβίων ὀλοφύρατο παρθενικάων. Anon. ap. Cramer. Anecd. Paris. vol. 4, p. 335, 5.

Οἰόκερως. Alia forma Apollinar. Ps. 29, 13: Μουνογενὴς ἅπερ υἱὸς ὀρέστερος οἰοκερῆος.

Οἰονόμος. Ἀπ' οἰονόμοιο Lobeck. Paralip. p. 313, ut adjectivum sit οἰονόμος, ut ἐρημονόμος.

Οἰορῶν, A, 10, scr. dicetur.

Οἶος, p. 1828, C, 11, aliis] scr. et aliis. — P. 1829, B, 6, scr. 11. — P. 1831, D, 3 et 5, scr. ποτοῦ.

Οἶος, p. 1832, B. Add. Steph. Byz. in Μετάχοιον cit. Οἶον τῆς Σκιρίτιδος memorat Xen. H. Gr. 6, 5, 24, 25, et Οἰάτας 26. Ubi libri conveniunt in accentu acuto, de quo in Οἶον dixi, deteriores autem male utrumque scribunt per ι pro οι. Nominativum an recte posuerit Steph. Οἶος incertum. Idem ab eo dici quod a Xen. conjecit Ross. *Reisen und Reiserouten durch Griechenland* vol. 1, p. 180, qui præter Οἶον confert Οἴαν Atticæ et ins. Theræ. Add. Οἶον Ὑακινθικὸν in Teno in inscr. ap. Ross. Inscrr. fasc. 2, n. 102, 103.

Οἰοτόκεια, ἡ, Quæ semel peperit. Anon. Cram. An. Paris. vol. 4, p. 336, 18: Μητέρα, παρθένον, οἰοτόκειαν.

Οἰστομάχη, ἡ, n. mulieris in inscr. Attica edita in *Bullettino* 1841, p. 89.

Οἰσύπειον. Lex. botan. ap. Boiss. Anecd. vol. 2, p. 403: Οἰσύπειον φάρμακον, τὸ ἀπὸ τῶν οἰσυπηρῶν ἐρίων συναγόμενον λίπος.

Οἶτος, C, 11, scr. ἐφοπλίσσει, et 11 δειράδας ἀλκυών. — D, 19, scr. ὁρμίσκος.

Οἰφάω, B. Οἰφεῖν et οἰφώμενον Etym. M. v. Κόρσοιφος. Ubi tamen ὑφόμενον cod. Dorv., ut οἴφειν et οἰφόμενον scribere liceat. Epim. Hom. Cram. An. vol. 1, p. 330, 20: Βαρύνεται, οἷον οἴχω, οὗ παθητικὸν τὸ οἴχομαι, οἴφω, ἀφ' οὗ τὸ, Ἄριστος χωλὸς οἴφει. Οἰφεῖ et Οἰφίλης (sic) Theognost. Can. p. 25, 10.

Οἰχαλία, penult. scr. ἅλωσιν.

Οἰωνὸς, p. 1852, 17, κόρωνος—Κορωνὸς] scr. Κόρωνος —κορωνός.

Ὄχλασμα. Non hoc voc., sed Περσικὸν ex Thesm. 1175, ubi ὄκλασμα ponit etiam schol., afferre voluisse Pollucem animadvertit Meursius.

Ὀκναλέος, 2, 119,] scr. 119, (in var. script.)

Ὀκραῖος, ὁ, Ocræus, n. viri, in inscr. Tenia ap. Bœckh. vol. 2, n. 2338, p. 263, 24, et sæpius ib.

Ὀκτάγωνος, 4, scr. Octagono.

Ὀκταδικὸς, ἡ, ὀν, Octonarius. Tzetz. in Cram. An. Paris. vol. 1, p. 61, 20: Ἀνάπαιστοι ὀκταδικοί.

Ὀκτάδραχμος, 2, dele Wess.

Ὀκτάζυγος] Scr. Ὀκτάζυξ, ὕγος,

Ὀκτακόσιοι, 2, scr. Ὀκτακατίοι, quo de accentu v. Ahrens. De dial. vol. 2, p. 281. — ult. Οκτακατα superest in inscr. Tegeat. ap. Bœckh. vol. 1, p. 697, n. 1511, 15.

Ὀκτάτομος, 4, scr. Synops. Octies sectus, q. d. Octifidus. Paul. Sil. Descr. Soph. 609: Τετρατόμοις λάεσσι καὶ ὀκτατόμοις.

Ὀκτωκαιδεκέτης, p. 1862, D, 3, scr. Pal. 12, 125, 2. — 4, Lucian.] L. Forma Ὀκτωκαιδεκαέτης Apollodor. 2, 4, 9, 5, Lucian. — P. 1863, 2. Add. Pro quo Lucian. Dial. mer. 8, 2, ὀκτωκαιδεκαέτις restitutum ex cod. Ceterum ὀκτωκαίδεκα γεγονὼς ἔτη potius dici vult Pollux 1, 55.

Ὀκτωκαιεικοσαετηρὶς, 1, scr. Duodetriginta.

Ὀχέω, 3, scr. ὀκχέω.

Ὀλβία, ult. scr. Lyciæ.

Ὀλίγος, p. 1880, 4, scr. Ὁ δ'

Ὀλιγωρία, p. 1884, D, 14, scr. προτρέψαντες.

Ὀλισθάζω, 4. Post Ὀλισθράζω add.: quæ vera est scriptura et ap. Athenæum contra libros mutata.

Ὁλκὸς, p. 1894, D, 4, Inter—5 πλοίων.] Delenda.

Ὄλλυμι, p. 1896, B, 8. Formæ ὀλεσθῆναι exx. Cosmæ Indicopl. p. 140, et Moschop. ad Hesiod. Op. 676, Zonaræ Lex. v. Ὄληαι, et alia nonnulla indicavit Lobeck. ad Phryn. p. 732.

Ὀλοίτροπα. Ὀλοοίτροπα est ap. Hes., quod ad sequens voc. referri videtur.

Ὁλομελέω, Integris sum membris. Galen. vol. 5, p. 340: Περὶ τὰ ὁλομελοῦντα.

Ὀλοὸς, C, 5, scr. [X, et 7, dele tem.

Ὅλος, p. 1909, D, 11, scr. μηθόλως. — P. 1910, A, 3, v. suo loco] L. et δι' ὅλων v. p. 1908, D.

Ὁλοσπὰς, 4, Sophoclis.] L. Sophoclis. Nam haud dubie præstat καταπινόμεναι. In lemmate autem utra scriptura præstet incertum. V. Νεοσπὰς, Νευροσπαδής. Quanquam quæ in Λυκοσπὰς, B, 6–8 dicta sunt, hic quoque commendare videntur scripturam Photii. Conf. Ὀδυνοσπάς.

Ὁλοστὸς, 1, scr. Totus Hesychio.

Ὀλσοὶ, 3, scr. primitivam.

Ὀλύκραι, 3, scr. Ὀθύκρη et Μολύκραι.

Ὀλύμνιος, ὁ, Olymnius, n. viri ap. Cramer. An. Paris. vol. 1, p. 394, 22.

Ὀλυμπιάζε, p. 1920, B, 4. Ὀλυμπίαθεν Jo. Alex. Τον. παραγγ. p. 35, 14, 29.

Ὀλυμπιὰς, p. 1922, A. Ὀλυμπιάδας ab Olympiis extra Elidem numeratas in numis et inscrr. nonnullis v. ap. Eckhel. D. N. vol. 4, p. 448, Bœckh. vol. 2, p. 739.

Ὀλύμπιος, ut Ὀλύμπια de ludis extra Elidem, dictum ap. Strab. 7, p. 325 : Ἀποδέδεικται ὁ ἀγὼν ὁ Ὀλύμπιος τὰ Ἄκτια ἱερὸς τοῦ Ἀκτίου Ἀπόλλωνος, notavit Eckhel. D. N. vol. 4, p. 448.

Ὄλυμπις Ὀλυμπίου inscr. Nicæensis ap. Bœckh. vol. 2, p. 962, n. 3757, I, 3.

Ὄλυμπος, p. 1926, A, 17, scr. Lyciæ.

Ὁμᾶ. V. Ὁμῆ, p. 1985, D, quæ ambo rectius scribuntur cum ι subscr.

Ὁμάδην. V. Ὁμμάδην.

Ὁμαδὶς oxytonon i. q. ὁμαδὸν ap. Etym. M. p. 806, 9, s. Cram. An. vol. 1, p. 439, 3.

Ὁμαδόν. V. Ὁμμάδην.

Ὅμαδος, ὁ, Homadus, centaurus, ap. Diod. 4, 12.

Ὀμάζω. Ὠμάζειν in cod. ap. Tittm. præf. ad Zonar. p. XIII fin.

Ὄμβρικος scr. vol. 2.

Ὁμηραπάτη, 5, scr. Ὁμηροπάτην.

Ὁμιχλαίνω, Nebulosus sum. Anon. ap. Boiss. Anecd. vol. 1, p. 417, 4 : Ἐοίκασι τῷ σχήματι τῆς σελήνης τὰ ἄκρα ὁμιχλαινούσης, λευκαινούσης δὲ τὰ μέσα.

Ὁμίχλη, C, 1. Musæus 280 : Ἐνυμφοκόμησε δ' ὁμίχλη. Orph. Arg. 519 : Κατὰ σκοτόεσσαν ὁμίχλην.

Ὄμνυμι. Fut. ὀμόσω Strato Anth. Pal. 12, 201, 2 : Οὐκ ὀμόσω, aliique de recentioribus.

Ὁμοάγαθος, 2, scr. ὁμάγαθος.

Ὁμοβλαστέω. V. Ὁμοιοβλαστάνειν.

Ὁμοία, ἡ, Homœa, n. mulieris in inscr. Smyrn. ap. Bœckh. vol. 2, p. 789, n. 3386, 4.

Ὁμοιοβλαστάνειν, 2, scr. C. pro H.

Ὅμοιος, p. 1966, C, 14, scr. Χαρίτεσσιν.

Ὁμοιόχροος, 2, scr. ὁμοιόχροα.

Ὁμονῷος Ζεὺς in inscr. Assi Mysiæ ap. Bœckh. vol. 2, p. 870, n. 3569, 6.

Ὄναρ et Ὄνειρος per α Cretenses dixisse Ἄναρ et Ἄναιρος (sic) refert Hesychius, etsi alteri tantum glossæ additur Κρῆτες.

Ὄνειαρ. Ὀνήατα formam Æol. memorat Chœrob. vol. 2, p. 245, 21.

Ὀνειδιστήριος, α, ον, Convitians. Const. Manass. Chron. 5126, ῥήμασιν.

Ὀνειροπολέω. Pass. Diod. 17, 30 : Ὀνειροπολούμενος ταῖς Μακεδόνων ἀρεταῖς· Exc. p. 576, 2 : Ὀνειροπολούμενος καὶ ταραττόμενος.

Ὄνημι, p. 2019, A, 5, scr. dici.

Ὀνήσανδρος. Vitiosum Ὀνόσανδρος posuit etiam Suidas.

Ὀνήσιλος restituendum videtur Plut. Mor. p. 408, A, ubi Νήσιχον, Amiotus Ὀνήσιχον, quæ nomina non sunt Græca.

Ὀνησίμη, ἡ, Onesime, n. mulieris in inscr. Smyrn. ap. Bœckh. vol. 2, p. 752, n. 3267; p. 783, n. 3365.

Ὄνησις, εως, ἡ, Onesis, n. mulieris in inscr. Troad. ap. Bœckh. vol. 2, p. 876, n. 3586, 1 : Αὐρηλία Ὄνησις.

Ὀνησὼ, οῦς, ἡ, Oneso, n. mulieris in inscr. Hypatæa ap. Curtium Inscrr. Att. duodecim p. 32, n. 19, 8.

Ὁμόριον, τὸ, Confinium. Herodian. Epim. p. 180 : Τὰ παρὰ τὸ ὅρος... συνόριον, ὁμόριον.

Ὁμοτονέω. Pass. Etym. Gud. p. 251, 50, ὁμοτονούμενα αὐτοῖς, ubi M. p. 440, 5 ὁμοτονοῦσιν αὐτοῖς, Apollon. Bekk. An. p. 559, 11, vero similiter συντονούμενα τούτοις.

Ὁμοφήτωρ, 2, Eust.] scr. Eust. et schol.

Ὁμοχώριος. Nisi legendum ὁμόχωρος.

Ὀμφάλιον, p. 2001, A, 14, p. 29] scr. p. 29, s. p. 794, 24.

Ὀμφατίτης, ὁ, Omphatites, λίθος memoratur Galeno vol. 13, p. 258.

Ὀνομάζω, p. 2029, C, 14, scr., ex conjectura.

Ὀνόμαστος, 5, scr. servarunt.

Ὀνοσκελός. Aliam quandam Ὀνόσκελιν memorat Ps.-Plut. Parall. p. 312, E.

Ὀξεῖα scribendum fortasse pro ὀξία, quod inter instrumenta chirurgica ponit Severus edit. Dietz. p. 47.

Ὀξεῖα, ἡ, ins. in acutum verticem fastigiata, undique præceps et prærupta, altitudine ad perpendiculum dimensa, superat omnes colles Byzantii, sec. Gyll. De Bosp. Thr. p. 373. V. Lambec. Bibl. Cæs. vol. 5, p. 479.

Ὀξεῖος, 2, scr. fecerit.

Ὀξυάκανθα, penult. ἐν Φρ.] scr. καὶ Φρ. τὰ ἐμὰ, quorum postrema duo delevit Musurus.

Ὀξυχέρατος. V. Add. ad Ὀξύπρωρος.]

Ὀξυλαβίδιον, τὸ, diminut. ab ὀξυλάβη, inter instrumenta chirurgica ponit Severus ed. Dietz. p. 47.

Ὀξύνων, οντος, ὁ, fl. Callichori in Paphlagonia nomen ap. schol. vet. Apoll. Rh. 2, 904.

Ὀξυπλὴξ, 1, scr. Acute sonans.

Ὀξύπρωρος, 3, Æsch.] L. Pro quo ap. Photium : Ὀξυπρώρῳ ταύρῳ, ὀξυχέρατι, cui gl. accommodatior est hæc interpret. quam ubi eandem ponit schol., ut in Ὀξυχέρατος diximus, Æsch.

Ὀξύρρους ἄκρα, ἡ, Promontorium Oxyrrhoum, in litore Calchedoniorum, memoratur Dionysio Byz. ap. Gyll. De Bosp. Thr. 3, 7 init. sive p. 21 Huds., ita nuncupatum a vehementi defluxu Bospori, ut ait Gyllius 1, 4, p. 54.

Ὄπῃ, p. 2077, B, 10, dici] L. dici negantis.

Ὀπῇ, p. 2078, B, 17, scr. Syntaxi.

Ὀπισθοκρῆπις, ιδος, scr. pro —πὶς, πίδος.

Ὄπισμα. Aglaias Byzant. *Revue de philologie*, vol. 2, p. 17, 23 : Καὶ Ζαχορίσου Μούσαις ἰσάριθμον ὄπισμα.

Ὄπλητες, ult. add. N. tribus Cyzicenæ in inscr. Cyzic. ap. Bœckh. vol. 2, p. 927, n. 3665, 32.

Ὁποῖος, p. 2106, 11, Manass.] L. Manass. Chron.

Ὅπως, p. 2130, B, 14, s.] scr. v. — P. 2132, C, 15, scr. particulæ. — P. 2134, B, 18. Eidem H. Gr. 7, 2, 3 : Οὐ γὰρ πώποτε ἀφέστασαν, ἀλλ' οὐδ' ἐπεὶ ὁ ξεναγὸς ... ᾤχετο, οὐδ' ὡς ἀπεστράφησαν, restitui οὐχ ὅπως.

Ὁράω, p. 2138, B, 5. Eidem H. Gr. 7, 2, 6 : Φυγῇ δ' ἐξαλλομένων κατὰ τοῦ τείχους τοῦ εἰς τὸ ἄστυ ὁρώντος τῶν ἡμεροφυλάκων, restitui pro ὁρώντων. — P. 2139, B, C, scr. [c. — P. 2140, A, 8, scr. ceteris, et 13, ὅρεις.

Ὀργεὼν, antepen. vel] L. ut

Ὀρειᾶται, οἱ, Oreatæ, olim dictum oppidum Eleutherolaconum Brasiæ, sec. Pausan. 3, 24, 4.

Ὀρειγέννητος delendum. In codice Longi Flor. certa se vestigia vocis ἀρτιγέννητος dispexisse testatur Sinnerus.

Ὀρεινόμος, 2, αἴξ. Ex Theophr. H. Pl. 9, 18, 3.

Ὀρεινός. Theophr. H. Pl. 6, 8, 3 : Ὁ κρόκος ὅ τε ὀρεινὸς καὶ ὁ ἥμερος· quum ib. 1 sit : Καὶ τῶν ὀρείων ἀνεμώνης γένος τὸ καλούμενον ὄρειον.

Ὄρειος. Comparativo Oppian. Cyn. 2, 22 : Ἔξοχα δ' ἐν σταδίοισιν ὀρειοτέροισι μόθοισιν Οἰνείδης ἤστραψεν ἐνυάλιος Μελέαγρος. Legendum ἀρειοτέροισι, quod est 4, 55 : Θῆρας ἀρειοτέρους· Hal. 1, 178 : Μερόπεσσιν ἀρειοτέροισι.

Ὀρεῖτις etc. Delenda.

Ὀρεοσέλινον. Add. Theophr. H. Pl. 7, 6, 3, 4.

Ὀρεωκόμος, B, 13, scr. ὀρεοκόμων.

Ὄργιος, 1, scr. προπαροξύνεται.

Ὀρθεὺς, έως, ὁ, Ortheus, n. viri, et Ὀρθιάδης, ου, ὁ, Orthiades, item n. virile, sunt in inscr. Tenia ap. Bœckh. vol. 2, p. 264, n. 2338, 48.

Ὀρθόπολις, 1, scr. f. pro fl.

Ὀριγανίων, 1, scr. Origanio.

Ὁριοκράτωρ, 6, scr. proprii.

Ὅρισμα, A, 11, scr. Ps.-Eur. Iph. — 17, scr. Προθεσμία.

Ὅρκος, p. 2203, B, 11, scr. αὐτή.

Ὀρκύνιος δρυμὸς pro Ἑρκύνιος Ptolem. 2, 11, quod rectius scribitur Ὁρκύνιος.

Ὅρκυνος, scr. V. Ὄρκυς.

Ὁρμάθιον. Galen. vol. 13, p. 258 : Ὁρμάθιόν τι ποιήσας ἐκ λιθιδίων τοιούτων.

Ὁρμάστειρα. Corrigendum videtur ὀργάστειρα.

Ὁρμιστηρία, ult. scr. Flor.

Ὀρνεάζομαι etc. Delenda.

Ὀρνιθίων, ωνος, ὁ, Ornithio, n. viri, in inscr. Att. ap. Bœckh. vol. 1, p. 920, n. 973, b.

Ὄρνις, ιθος, ἡ, Ornis, Stymphali conjux et Stymphalidum mater, sec. Mnaseam ap. schol. Apoll. Rh. 2, 1054.

ADDENDA ET CORRIGENDA.

Ὀροάνδης, 4, scr. 120 etc. — Ὀροάνδρου male apud Suidam in Πτολεμαῖος Ἀλεξανδρεύς.

Ὀρονδάτης. Ὀροονδάτης ap. Heliodor. Æth. 2, 24, et alibi, quod Coraes vol. 2, p. 88, ad alteram formam revocandum conjecit. Ὀρόνδης Persa est ap. Ctesiam Photii p. 43, b, 15, 17.

Ὀρόπεια, 2 scr., memoratur ab

Ὀροφέρνης, 10, scr. Ὀροφέρνης.

Ὄροφος, C, 12, scr. ὄροφον ὑπολύσας τοὺς βοῦς. — D, 4, scr. ὑπόροφον.

Ὀρροπυγόστικτος, 2, scr. ὀρροπυγόστικτος. Scribendum autem videtur ὀρροπυγιόστικτος.

Ὀρυήσιος, ὁ, Oryesius, n. tribulis de tribu sic dicta in inscr. Tenia, de qua v. Bœckh. vol. 2, p. 272.

Ὀρφναῖος. Etiam Suidæ v. Ὄψις ex Photio restituendum ὀρφνίνου pro ὀρφνίου.

Ὄσσα. Æschylus Anth. Pal. 7, 255, 4 : Ζωὸν δὲ φθιμένων πέλεται κλέος, οἵ ποτε γυίοις τλήμονες Ὀσσαίαν ἀμφιέσαντο κόνιν.

Ὀστεγχύτης, ὁ, instrumentum chirurgicum, quod cum ὀστάγρᾳ conjungit Severus ed. Dietz. p. 47. Ibidem memoratur Ὀσταναλαβίς, pro quo ὀστεολαβίς exspectes.

Οὔδωρ forma Bœot. pro ὕδωρ, ap. Eust. Il. p. 23, 32.

Οὔλη forma Bœotica pro ὕλη, ap. Eustath. Il. p. 23, 32.

Οὔλιος. Ἀπόλλωνος Ὀλίου in inscr. Lindia ap. Ross. Inscrr. fasc. 3, p. 19, n. 272.

Οὐράνιον, τὸ, Uranium, Carthaginiensium in Sicilia ditionis mons, ap. Aristot. Mirab. c. 113.

Οὐρανίς, ίδος, ἡ, Cœlestis. Anth. Pal. 15, 5, 4 : Τον τελετᾶς οὐρανίδος ζάκορον.

Οὔριος, p. 2411, D. Add. de Jovis Οὐρίου templo Marcian. Heracl. p. 121 seq. ed. Miller.

Ὀφέλανδρος, ὁ, Ophelander, n. viri in inscr. Bœot. ap. Ross. Inscrr. fasc. 1, p. 38, n. 86.

Ὀφθαλμοστάτης, ὁ, instrumentum chirurgicum ap Severum ed. Dietz. p. 47.

Ὀφιοῦσσα, ἡ, fons, ap. Antig. Car. c. 153 : Εὔδοξον δὲ (ἱστορεῖν) τὴν ἐν Ἅλῳ (κρήνην) Ὀφίουσσαν τὸν ἀλφὸν παύειν.

Ὄφις secundam corripere tradit Eust. Il. p. 26, 38, ut ἔχις et Θέτις, et quidem secundum Herodianum, etsi ita loquitur, ut illa etiam de suo adjecisse videri possit.

Alia plurima quæ his addere licebat alio loco sumus exhibituri.